English	Abbreviation	Français
noun	**n**	nom
nautical	**Naut**	nautisme
feminine noun	**nf**	nom féminin
masculine noun	**nm**	nom masculin
masculine and feminine noun	**nm,f**	nom masculin et féminin
masculine and feminine noun	**nmf**	nom masculin et féminin
proper noun	**npr**	nom propre
nuclear physics	**Nucl**	physique nucléaire
onomatopoeia	**onomat**	onomatopée
computing	**Ordinat**	informatique
pejorative	**pej, péj**	péjoratif
pharmacology	**Pharm**	pharmacie
philosophy	**Philos**	philosophie
phonetics, phonology	**Phon**	phonétique, phonologie
photography	**Phot**	photographie
physics	**Phys**	physique
physiology	**Physiol**	physiologie
plural	**pl**	pluriel
politics	**Pol**	politique
postal services	**Post**	postes
past participle	**pp**	participe passé
past participle adjective	**pp adj**	participe passé adjectif
present participle	**p prés**	participe présent
proper noun	**pr n**	nom propre
prepositional phrase	**prep phr**	locution prépositive
preposition	**prep, prép**	préposition
present participle adjective	**pres p adj**	participe présent adjectif
present	**pres, prés**	présent
preterit	**pret, prét**	prétérit
printing	**Print**	imprimerie
pronoun	**pron**	pronom
demonstrative pronoun	**pron dém**	pronom démonstratif
indefinite pronoun	**pron indéf**	pronom indéfini
interrogative pronoun	**pron inter**	pronom interrogatif
personal pronoun	**pron pers**	pronom personnel
pronominal phrase	**pron phr**	locution pronominale
possessive pronoun	**pron poss**	pronom possessif
relative pronoun	**pron rel**	pronom relatif
social security	**Prot Soc**	protection sociale
proverb	**Prov**	proverbe
psychology	**Psych**	psychologie
advertising	**Pub**	publicité
publishing	**Publg**	édition
something	**qch**	quelque chose
somebody	**qn**	quelqu'un
quantifier	**quantif**	quantificateur
religion	**Relig**	religion
somebody	**sb**	quelqu'un
school	**Sch**	école
sciences	**Sci**	sciences
school	**Scol**	école
Scottish	**Scot**	anglais d'Écosse
singular	**sg**	singulier
social security	**Soc Admin**	protection sociale
sociology	**Sociol**	sociologie
formal	**sout**	soutenu
specialist	**spec, spé**	
statistics	**Stat**	statistique
something	**sth**	quelque chose
technology	**Tech**	technologie
telecommunications	**Telecom, Télécom**	télécommunications
textiles	**Tex**	textile
theatre	**Theat, Théât**	théâtre
always	**tjrs**	toujours
transport	**Transp**	transport
horse racing	**Turf**	les courses
television	**TV**	télévision
European Union	**UE**	Union européenne
university	**Univ**	université
American	**US**	anglais américain
verb	**v**	verbe
impersonal verb	**v impers**	verbe impersonnel
reflexive verb	**v refl**	verbe pronominal
veterinary medicine	**Vet, Vét**	médecine vétérinaire
intransitive verb	**vi**	verbe intransitif
reflexive verb	**vpr**	verbe pronominal
transitive verb	**vtr**	verbe transitif
indirect transitive verb	**vtr ind**	verbe transitif indirect
zoology	**Zool**	zoologie
French headwords marked with an asterisk have an alternative spelling. Alternative spellings are given on pages xvi–xxi	*	Les entrées françaises suivies d'un astérisque ont une variante orthographique. La liste complète de ces variantes figure pp. xvi–xxi
More information will be found in the centre section	➡▣	Complément d'information dans les pages centrales
dated	†	vieilli
archaic	‡	archaïque
trademark*	®	marque déposée ou nom déposé*
informal	○	familier
very informal	◑	populaire
vulgar or taboo	●	vulgaire ou tabou
countable	**C**	dénombrable
uncountable	**₵**	non dénombrable
swung dash used as substitute for headword	~	tiret ondulé de substitution
British spelling only: US spelling varies	GB	graphie britannique: il existe une graphie nord-américaine
indicates an approximate translation equivalent	≈	pour signaler un équivalent approximatif
cross-reference	▸	renvoi

* **Proprietary terms** This dictionary includes some words which are, or are asserted to be, proprietary terms or trademarks. The presence or absence of such assertions should not be regarded as affecting the legal status of any proprietary name or trademark.

* **Les marques déposées** Les mots qui, à notre connaissance, sont considérés comme des marques ou des noms déposés sont signalés dans cet ouvrage par ®. La présence ou l'absence de cette mention ne peut pas être considérée comme ayant valeur juridique.

The Oxford-Hachette French Dictionary
Le Grand Dictionnaire Hachette-Oxford

The Oxford-Hachette French Dictionary

French–English • English–French

Edited by
Marie-Hélène Corréard • Valerie Grundy

Fourth edition edited by
Jean-Benoit Ormal-Grenon • Nicholas Rollin

Le Grand Dictionnaire Hachette-Oxford

français–anglais • anglais–français

Sous la direction éditoriale de
Marie-Hélène Corréard • Valerie Grundy

Nouvelle édition sous la direction éditoriale de
Jean-Benoit Ormal-Grenon • Nicholas Rollin

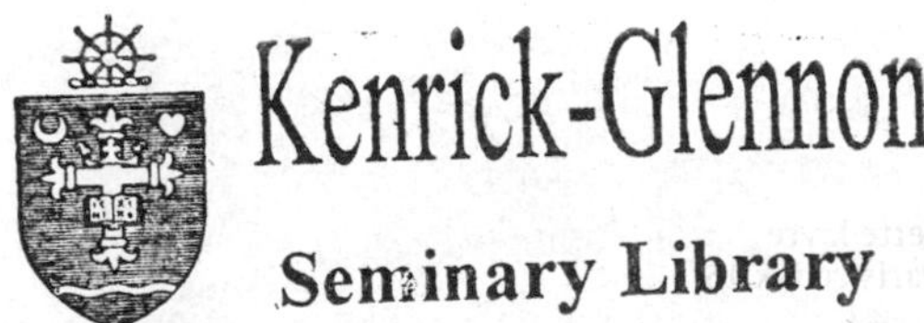

OXFORD
UNIVERSITY PRESS
Great Clarendon Street, Oxford OX2 6DP

Oxford University Press is a department of the University of Oxford.
It furthers the University's objective of excellence in research, scholarship,
and education by publishing worldwide in

Oxford New York

Aukland Cape Town Dar es Salaam Hong Kong Karachi
Kuala Lumpur Madrid Melbourne Mexico City Nairobi
New Delhi Shanghai Taipei Toronto

With offices in

Argentina Austria Brazil Chile Czech Republic France Greece
Guatemala Hungary Italy Japan Poland Portugal Singapore
South Korea Switzerland Thailand Turkey Ukraine Vietnam

Oxford is a registered trade mark of Oxford University Press
in the UK and in certain other countries

Published in the United States
by Oxford University Press, New York

First edition published 1994
Second edition published 1997
Third edition published 2001
Fourth edition published 2007

British Library Cataloguing in Publication Data
Data available

Library of Congress Cataloging in Publication Data
Data available

Designed by Information Design Unit, Newport Pagnell
Typeset in Swift, Arial and Meta by Interactive Science Ltd
Printed in China

ISBN 978-0-19-861422-7

10 9 8 7 6

ISBN: 978-2-0128-0595-8

7765733522392000

Contents / Table des matières

The Oxford–Hachette French Dictionary
Le Grand Dictionnaire Hachette–Oxford

Fourth Edition/ Quatrième Édition

Chief editors/ Direction éditoriale
Jean-Benoit Ormal-Grenon
Nicholas Rollin

Editors/Rédactrices
Joanna Rubery
Isabelle Stables-Lemoine
Mireille Snoeck
Valerie Grundy
Anne-Laure Jousse

The French spelling reform/Les rectifications de l'orthographe
Romain Muller

Proofreaders/ Correcteurs
Amanda Leigh
Alison Curr
Pat Bulhosen
Céline Cabrolier
Meic Haines
Beatriz Jarman

Third Edition/ Troisième Édition

Chief editors/ Direction éditoriale
Jean-Benoit Ormal-Grenon
Natalie Pomier

Editors/Rédactrices
Marianne Chalmers
Marie-Hélène Corréard

Cultural notes/ Notes culturelles
Martine Bouiller
Mary O'Neill
Annie Sussel

Guide to effective communication/ Communication mode d'emploi
Marianne Chalmers
Élodie Vialleton

Proofreaders/ Correctrices
Alison Curr
Sara Hawker
Isabelle Stables

Data-capture/ Saisie des données
Alison Curr

Design/Maquette
Information Design Unit, Newport Pagnell, UK
Maquette de couverture pour l'édition française
DDDP, Paris
Nous tenons également à remercier
Sabine Visbecq

Second Edition/ Deuxième Édition

Chief editor
Marie-Hélène Corréard

Editors
Marianne Chalmers
Françoise de Peretti

Associate Editor
Mary O'Neill

Translator/ Lexicographer
Susan Steinberg

An A–Z of Contemporary France
Richard Aplin

General advice on writing in French
Natalie Pomier

Proofreaders
Isabelle Lemoine
Genevieve Hawkins

Design
An A–Z of Contemporary France, General advice on writing in French:
Text Matters, Reading, UK

First Edition/ Première Édition

Chief editors/ Direction éditoriale
Marie-Hélène Corréard
Valerie Grundy

Editors/ Rédacteurs
Nicola Addyman
Jennifer Barnes
Marianne Chalmers
Glynnis Chantrell
Rosalind Combley
Gearóid Cronin
Laurence Delacroix
Françoise de Peretti
Janet Gough
Gérard G. Kahn
Pascal Lecler
Jacques Lesca
Mary O'Neill
Catherine Palmer
Martine Pierquin
Georges Pilard
Nicolas Rosec
Catherine Roux
Kathleen Shields
Susan Steinberg
Nicole Truchet

Lexicographical adviser/Conseiller en lexicographie
Beryl T. Atkins

Translator-lexicographers/ Traducteurs-lexicographes
Christopher Dawson
Robert Grundy
Hélène Haenen
Marie-Claude Harrison
Frances Illingworth
Thiên-Nga Lê
Natalie Pomier
Muriel Ranivoalison
Patrick Ros Gorasny
Tamsin Simmil
Thérèse Sepulchre
Jo Waite

Lexical usage notes and correspondence/ Notes d'usage lexicales et correspondance

Henri Béjoint
Richard Wakely

Assisted by/Assistés de
Ghislaine Ansieau
Lucy Atkins
Agnès Sauzet

Specialist terminology consultants/ Consultants en terminologie

Centre de Recherche en Traduction et Terminologie Université Lumière-Lyon II
Philippe Thoiron
Malcolm Harvey

University of Brighton
Tony Hartley

Malcolm Slater
Dimity Castellano

Consultants/Consultants

Martyn L. Bird
Rosalind Fergusson
Hélène M. A. Lewis
Janet Whitcut

North American English/Anglo-américain

Charles Lynn Clark
Georgie Boge
Amy Deanne Matthews

French outside France/Français d'ailleurs

Lilliam Hurst
Dominique Péladeau

Phonetics/Phonétique

Isabelle Vodoz
Jane Stuart-Smith

Administration/ Administration

Coordination/Coordination
Isabelle Lemoine

Marion Fox
Nadia Jamil

Data-capture/Saisie des données

Senior keyboarder/Responsable de la saisie
Philip Gerrish

Alison Curr
Annie Girardin
Alexander Ions
Fabienne Pearson
Muriel Ranivoalison
Tim Weekes

Proofreaders/ Correcteurs

Stephen Curtis
Genevieve Hawkins
Isabelle Lemoine

Design/Maquette

Text/texte: Fran Holdsworth
Diagrams/organigrammes: Information Design Unit
Letters/correspondance: Raynor Design

Acknowledgements / Remerciements

The editors would like to extend their warmest thanks to a certain number of people and organizations not mentioned in the list of contributors, particularly Beth Levin of Northwestern University, who allowed us to make use of her work on English verb classification.

We are also indebted to all those who made it possible for us to build the corpus of contemporary French which, with the Oxford Corpus of Modern English, has been the cornerstone of this dictionary. In particular, our thanks go to Manuel Lucbert, Secrétaire Général of Le Monde, Jean-François Sailly, Gilbert Compagnon and his team, also from Le Monde, Christian Poulin from Libération, Joseph Laveille and Aimé Munoz from Le Progrès de Lyon.

Our thanks also go to Dora Carpenter, Colin Hope, Anne Judge, Helen Lawrence, Katherine Manville, Alain Pierrot, and Robin Sawers for their contribution at various stages of the project.

Finally we would like to thank all those people, too numerous to mention here, who have given us their support and the benefit of their knowledge in writing this dictionary.

Les auteurs tiennent à remercier un certain nombre de personnes et d'organismes qui n'ont pas été mentionnés dans la liste des collaborateurs du projet, en particulier Beth Levin, de Northwestern University, qui nous a permis d'utiliser son travail sur la classification des verbes anglais. Nous sommes également redevables à tous ceux qui nous ont aidés à constituer le corpus de français contemporain qui, avec le corpus d'anglais moderne d'Oxford, a été la pierre angulaire de ce dictionnaire. Nous remercions tout spécialement Manuel Lucbert, Secrétaire Général du journal Le Monde, ses collaborateurs Jean-François Sailly, Gilbert Compagnon et son équipe, Christian Poulin de Libération, Joseph Laveille et Aimé Munoz du Progrès de Lyon.

Nous remercions également Dora Carpenter, Colin Hope, Anne Judge, Helen Lawrence, Katherine Manville, Alain Pierrot, et Robin Sawers qui ont participé à diverses étapes du projet.

Nous adressons nos remerciements à tous ceux qui, trop nombreux pour être nommés ici, nous ont apporté leur soutien et fait bénéficier de leur savoir tout au long de notre entreprise.

Preface / Préface

Preface to the fourth edition

This new edition has been driven by two priorities. Firstly, the opportunity has been taken to update the dictionary's coverage in specialist and general vocabulary. This process has included adding many new words, additional senses of existing words, and the revision of existing entries. The opportunity has also been taken to enhance the dictionary's coverage of EU terminology.

Secondly, comprehensive information has been given on the French spelling reform, which is gradually gaining acceptance in France and the other francophone countries. New sections dealing with language problems and the practicalities of living in France and other French-speaking countries have also been added. They provide an enormous amount of valuable background information for students of French, and also for anyone who is contemplating working or living in France, or who uses French professionally.

Publishing Manager Vivian Marr
Development Editor Nicholas Rollin

Preface to the first edition

This dictionary is the fruit of six years' sustained cooperation between two of the world's foremost reference publishers. Being a completely original work, it is not constrained by previous editions or prior publications, and so is able to provide a truly fresh and contemporary description of the relationship between French and English.

The work was carried out by a team comprising equal numbers of French and English native-speakers, working together on the same site. Editors worked in bilingual pairs, each working only in his or her native language. Editors were able to consult constantly to establish accurate translations of every item in every entry. This team in turn drew on the resources of many freelance lexicographers, translators, consultants, and terminology specialists in the French- and English-speaking worlds.

This is the first French and English dictionary to have been written using electronic corpora: two huge databases of electronic texts, one of current French and the other of current English. Each database contained over 10 million words of language in use. Access to these databases has provided accounts of words and their translations which are always authentic and often revealing. Users of the dictionary can feel confident that translations presented derive from study of real language as it has actually been used in a wide range of contexts. The resulting text provides modern idiomatic coverage of general French and English, with many new words, extensive treatment of colloquial expressions, and thousands of example sentences showing real language in action. A wide range of literary vocabulary has been included, together with vocabulary from the specialized fields of science, business, technology, and medicine.

The aim of the Publishers has been to provide translators, students at all levels, teachers, and business people with a reference work that is without rival in authority, currency, and accuracy.

The Publishers
Oxford University Press
Project Director Timothy Benbow
Commissioning Editor Robert Scriven

Préface de la nouvelle édition

Deux priorités ont guidé nos travaux de mise à jour et d'enrichissement pour cette nouvelle édition.

Outil indispensable à la maîtrise de la langue, le dictionnaire reflète son évolution constante. De nombreux mots et sens nouveaux de la langue courante ou spécialisée ont été ajoutés à la nomenclature, avec une attention particulière portée aux mots issus de la terminologie de l'Union européenne.

Nous présentons également les rectifications de l'orthographe française, qui s'installent peu à peu dans les réalités langagières francophones et dans l'enseignement.

De nouvelles rubriques pratiques sur la langue anglaise et la vie au Royaume-Uni et aux États-Unis sont proposées. Elles fourniront une multitude de renseignements utiles à tous ceux et celles qui sont en relation avec des interlocuteurs anglo-saxons dans le cadre de leurs études ou de leur profession, ou qui partent s'installer dans l'un de ces pays.

Direction Carola Strang
Responsable d'édition Jean-Benoit Ormal-Grenon

Préface de la première édition

Ce dictionnaire est le fruit de six années d'étroite collaboration entre deux grands éditeurs d'ouvrages de référence. C'est une œuvre totalement nouvelle et originale qui offre une description actuelle et moderne des langues anglaise et française, et de leurs relations.

Des rédacteurs anglophones et francophones ont uni leurs compétences et ont constitué des équipes bilingues qui ont travaillé ensemble, en un même lieu. Tout au long de l'élaboration du dictionnaire, chaque rédacteur a travaillé dans sa langue maternelle et a pu vérifier, grâce à un échange constant avec les autres membres de l'équipe, la justesse et la pertinence des traductions. Les rédacteurs ont par ailleurs fait appel à de nombreux collaborateurs extérieurs : lexicographes, traducteurs, consultants et terminologues, tous spécialistes des mondes anglophone et francophone.

Les rédacteurs ont, pour la première fois dans l'histoire de la lexicographie bilingue, utilisé un corpus électronique composé de deux bases de données textuelles de français et d'anglais. Les bases de données française et anglaise comportent chacune plus de 10 millions de mots de la langue usuelle. L'utilisation de ces bases de données a permis un repérage des mots et des traductions, toujours authentique et pertinent. Les utilisateurs peuvent en toute confiance se servir des traductions proposées : elles sont issues de la langue réelle et employées en contexte. Le dictionnaire recense et traite de nombreux mots nouveaux, des expressions familières, des expressions idiomatiques et des tournures actuelles du français et de l'anglais. Il accorde également une large place à la langue littéraire, aux américanismes et au vocabulaire de domaines spécialisés : scientifique, commercial, technologique, médical . . .

Les éditeurs se sont fixé un seul but : allier recherche linguistique et effort éditorial afin d'offrir aux traducteurs, étudiants de tous niveaux, enseignants et au monde des affaires, un ouvrage de référence inégalé à ce jour en matière d'autorité, d'actualité et de fiabilité.

Les éditeurs
Hachette Dictionnaires
Direction Mireille Maurin *Responsable d'édition* Héloïse Neefs

Introduction

Users of this dictionary will find it an effective tool for tackling practical linguistic tasks. In designing this dictionary we have ensured that every entry provides as much information as possible for each of the following users and tasks:

- the native English speaker trying to understand French,
- the native English speaker trying to write or speak French,
- the native French speaker trying to understand English,
- the native French speaker trying to write or speak English.

Users have different levels of skills and knowledge. For the advanced user, we provide thorough coverage of up-to-date language. We include a wide range of vocabulary in specialist but nonetheless highly topical areas such as business, politics, sport, information technology, marketing, social administration, and the environment. Advances in technology and the electronic information revolution are reflected in this new edition, as are new developments in popular culture and contemporary lifestyles.

For intermediate users, we have designed the dictionary to enable them to work with the foreign language, using it correctly and well. Particular care has been taken in the selection of the translations. Our electronic corpora give us a wealth of examples of words in use in real, everyday circumstances. When one good translation has been identified and checked in many contexts, it will often be given as the only general translation for one sense of the headword. It has been our policy throughout to give two or more translations only in those rare cases where they are consistently interchangeable, and to avoid adding less safe alternatives when one equivalent is adequate. Where appropriate, other equivalents, which have been found to work in more restricted contexts, will be shown in examples.

Where nuances of meaning within a sense of the headword are translated in different ways, these nuances are pinpointed by means of semantic indicators and/or typical collocates. For a step-by-step guide to using this type of information to arrive at the most suitable translation, see the section *Using this dictionary* on p. xxii.

Translations given in isolation are, however, not enough to enable someone to work in a foreign language: grammatical constructions are also needed if the translation is to be used correctly. For this reason, one of our principal concerns has been to include these constructions wherever they are required. This is a significant feature of our dictionary.

Headwords, compounds, and phrasal verbs stand out clearly on the page. English compounds are found in their proper place within the overall alphabetical order of headwords. Phrasal verbs are given a very full and explicit presentation which avoids ambiguous meta-language and, for the French user, shows clearly the positioning of the noun object.

The dictionary has a wide coverage of North American as well as British English, and exclusively British or North American usage is marked. Where appropriate, American variants are given in translations of French words and phrases. The existence of standard American spelling variants is indicated in translations in the French–English side of the dictionary.

The needs of users extend beyond the bounds of individual dictionary entries. To make this dictionary an effective aid for somebody working in a language not their own, we offer access to the language in several different ways. The user thumbing through this dictionary will find lexical usage notes, notes

Ce dictionnaire est conçu comme un outil pratique et efficace : il s'est donné comme objectif de répondre, par chacun de ses articles et le plus complètement possible, aux questions et besoins que peuvent rencontrer :

- le francophone qui veut comprendre l'anglais,
- le francophone qui veut s'exprimer en anglais,
- l'anglophone qui veut comprendre le français,
- l'anglophone qui veut s'exprimer en français.

Aux utilisateurs d'un niveau avancé, l'ouvrage présente un vaste panorama de la langue contemporaine, et notamment les domaines spécialisés que sont les affaires, la politique, les sports, l'informatique, l'environnement et la protection sociale. Les progrès technologiques et la révolution de l'information électronique ont leur place dans cette nouvelle édition, tout comme les nouvelles tendances culturelles et l'évolution des modes de vie.

Aux utilisateurs d'un niveau moins avancé, ce dictionnaire permet de travailler avec aisance et en toute confiance. Le choix des traductions a fait l'objet d'un soin particulier. En règle générale, à chaque acception d'un terme correspond une seule traduction. Cette traduction a été vérifiée dans les très nombreux exemples de langue réelle tirés de nos corpus électroniques. On ne trouvera deux ou plusieurs traductions équivalentes que dans les rares cas où elles sont vraiment interchangeables. Nous avons délibérément écarté les synonymes douteux et avons illustré par des exemples les traductions qui ne peuvent convenir que dans certains contextes.

Divers éléments (indicateurs de contexte et/ou indicateurs de collocations, décrits en détail dans *Comment se servir du dictionnaire ?*, p. xxvii) distinguent une acception et ses différentes nuances. On peut ainsi choisir la traduction la plus appropriée.

Mais une traduction n'est pleinement utilisable que si elle est accompagnée des structures grammaticales qu'elle requiert. L'un des atouts de ce dictionnaire est de fournir ces structures chaque fois qu'elles sont nécessaires.

Pour faciliter l'accès à l'information, les mots composés anglais et les mots composés français avec trait d'union figurent à leur place, dans l'ordre alphabétique.

La présentation des verbes à particule anglais met en évidence la position du complément.

La nomenclature anglaise accorde une large place à l'anglo-américain et les usages britanniques ou les américanismes sont spécifiés comme tels. La nomenclature française prend en compte le français des pays francophones autres que la France, qu'il s'agisse d'entrées à part entière ou d'acceptions. Dans la partie français-anglais, nous proposons des traductions en anglo-américain chaque fois qu'une variante graphique ou lexicale s'impose.

Les besoins de l'utilisateur vont souvent au-delà de ce qu'un article de dictionnaire peut offrir, aussi nous lui proposons, pour aborder la langue qu'il apprend, des notes d'usage sur le lexique et sur les mots grammaticaux, des notes culturelles, un guide complet pour communiquer efficacement, des tableaux de conjugaison, et des organigrammes.

on function words, cultural notes, a complete guide to communicating effectively, verb tables, and organizational diagrams.

The French spelling reform

A summary of the main changes is included in the introductory pages. This is followed by a list of the changes affecting individual headwords. All affected headwords in the dictionary have been marked with an asterisk immediately following the headword, or its variant, if it has one. A list of the new spellings is given on page xii of the introduction. As the old spellings remain valid, the reform has not been implemented wholesale throughout the dictionary. If they become the norm, the new spellings will in due course be presented as the preferred forms.

Lexical usage notes

These are boxed notes which appear within the dictionary text. They give the user facts about certain types of words that behave alike, for example, names of countries, languages, colour terms, and days of the week, and provide ways of discussing topics such as age, dates, time, and measurement. A full index to these notes is given on p. 1948.

The purpose of these notes is to make generalizations across lexical items, by summarizing syntactic facts that are common to most members of the set, thus supplementing the coverage of individual entries: in a one-volume dictionary it is not possible to give all the facts at each headword. Cross-references to the notes are given at all relevant entries, normally immediately after the pronunciation of the headword. The reference is to the page in the dictionary on which the usage note appears.

These notes are intended for specific users: people seeking to express themselves in a language not their own. Thus, the usage notes which appear in the English–French half of the dictionary are written in English and present facts about expression in French, and vice versa in the French–English half. Since they are designed to help translation into a foreign language, they do not represent a systematic analysis of linguistic facts, nor do they set out to give a comprehensive survey of all possible translations. Their purpose is to allow someone to say or write specific things accurately and naturally in the foreign language.

Many of the lexical usage notes represent a functional approach to language use, grouping the basic structures and expressions necessary in order to write or talk about a specific topic. Thus, as well as being readily usable reference aids for the individual user, they will also serve as valuable vocabulary-teaching material for teachers of French and English.

Notes on function words

The words of a language may be seen to be of two types: those with lexical meaning like *table* and *slowly* and *jump*, and those with function rather than meaning. The latter are the joints and sinews of the language, uniting the other elements into sentences which carry meaning. Examples of such function words are pronouns like *you* and *it*, verbs such as *be* and *have*, and determiners such as *this* and *that*.

The notes within or near function word entries are again intended for use by the person seeking to work in a foreign language. They provide basic information on grammatical words.

The function word notes are easily identifiable in the dictionary. In cases where the information can be presented fairly briefly, the note will be found at the top of the entry, immediately under the headword. In cases where the necessary information is more lengthy and complex, the notes are boxed and clearly visible, appearing as close as possible to the headword concerned.

Les rectifications de l'orthographe

Nous avons fait une place, au début de l'ouvrage, aux rectifications de l'orthographe approuvées par l'Académie française et parues au Journal officiel en 1990. Comme aucune des deux graphies, "l'ancienne" ou la "nouvelle", ne peut être tenue pour fautive, nous continuons de présenter dans la nomenclature les mots touchés par les rectifications dans leur "ancienne" graphie ; nous les avons cependant agrémentés d'un astérisque qui renvoie à la liste p. xiv des ajustements faits à ces mots.

Notes d'usage

On pourrait dire qu'il y a deux sortes de mots : les mots lexicaux qui ont un sens en eux-mêmes, comme *table*, *lentement*, *sauter*, et les mots grammaticaux dont la fonction l'emporte sur le sens, comme les prépositions *à*, *contre*, *pour* ou les conjonctions *quand*, *que*, *et*, *mais*. C'est pour ces deux sortes de mots que nous proposons, au fil du dictionnaire, des notes d'usage lexicales et grammaticales. L'utilisateur y trouvera les particularités d'expression de l'une et l'autre langue. Les notes d'usage sont rédigées en français dans la partie français-anglais et en anglais dans la partie anglais-français pour permettre à l'utilisateur de faire du thème.

• **Notes d'usage lexicales** Elles apparaissent en encadré dans le corps du dictionnaire. Elles renseignent le lecteur sur l'utilisation de certains termes. Leur objectif est de donner, sous une entrée générique (pays, langues, couleurs, jours de la semaine, âge, date, etc.), l'essentiel des exemples de construction qu'on ne peut, faute de place, faire figurer sous chacun des mots spécifiques qui constituent cet ensemble générique. Points de repère pratiques pour tout utilisateur, elles offrent aussi à l'enseignant un matériau pédagogique appréciable. La liste de ces notes lexicales se trouve p. 1948.

• **Notes d'usage grammaticales** Leur objectif est d'aider l'utilisateur qui apprend une langue étrangère. Elles mettent en évidence la façon dont les mots lexicaux s'articulent autour des mots grammaticaux pour donner un sens aux phrases. Elles rassemblent des éléments essentiels d'usage et de structure. Les notes courtes figurent au début de l'article, les plus longues apparaissent en encadré à proximité de celui-ci.

• **Notes culturelles** Le dictionnaire comprend un grand nombre de notes culturelles qui abordent des points spécifiques de la civilisation et des institutions de la France, du Royaume-Uni et des États-Unis. Elles apparaissent au fil du texte, dans l'ordre alphabétique, et apportent ainsi un complément d'information aux mots ou expressions qu'il est difficile de traduire ou dont la traduction seule ne suffit pas à véhiculer tout le sens du terme de départ. La liste complète de ces notes peut être consultée pp. 1946–1947.

Communication mode d'emploi

La partie centrale de l'ouvrage est destinée à l'acquisition des techniques et du vocabulaire nécessaires pour communiquer efficacement, tant à l'oral qu'à l'écrit.

• **L'anglais efficace** Les conventions utilisées dans les pays anglophones pour la rédaction de textes divers (compte rendus, dissertations, etc.) sont souvent différentes des nôtres. Ce guide vous donnera les notions essentielles et des conseils pour écrire et vous exprimer correctement en anglais.

• **Les difficultés de l'anglais** Parmi les difficultés qu'un francophone peut rencontrer quand il s'exprime en anglais, certaines sont dues au fait que les deux langues comportent un certain nombre de mots similaires dans leur forme mais qui peuvent avoir des sens différents. Nous nous attachons à présenter la diversité de ces "faux amis" et les mots du "franglais" avec leur sens réel en anglais.

Cultural notes

The dictionary incorporates a wide variety of cultural notes covering aspects of French, English and American society, institutions, and culture. These are conveniently located at the relevant alphabetical position in the wordlist to provide additional information on a term where a translation is impossible or cannot convey enough information on its own. A full list of these notes is also provided at the end of the book for reference.

Guide to communication

The central section of the dictionary is devoted to equipping the user with the techniques and vocabulary required for effective written and verbal communication in a variety of media.

• **Effective French** *Effective French* offers guidance on how to express yourself in French and highlights the cultural differences in approach to writing reports, essays, etc., which are often not obvious and not easily found.

• **Difficulties of French** *Difficulties of French* looks at some of the problems of using French faced by the English native-speaker. These are often the result of English and French using the same or similar words with different meanings. The phenomenon of *franglais* is discussed and examples of *franglais* terms and their real meanings in English are given.

• **Varieties of French** In this section the varieties of French in different French-speaking territories are discussed with examples.

• **Letters** A rich and comprehensive set of model letters and documents is to be found in a special section in the centre of the dictionary. Once again, these are designed for people seeking to write in a language not their own. Thus, the model letters for the English-speakers are written in French but introduced in English, and vice versa. French and English letters are grouped according to broad themes covering general correspondence, travel, business letters and employment. The letters in the two languages are shown on facing pages for ease of comparison but are not direct translations. Each pair of letters provides a typically idiomatic treatment of a similar theme in order to highlight the differences in letter-writing conventions between English and French. A selection of useful phrases provides a choice of possible openings and closures in different situations.

• **French Link words and expressions** This section offers a selection of helpful linking words and phrases to add structure to written work.

• **Living in France** *Living in France* summarizes important aspects of life in France. These cover such topics as immigration procedures for an extended stay, social security, health and tax matters, renting a house, operating a bank account, etc.

• **Email and the Internet** In order to reflect the prominence of electronic communications in contemporary society, the basic vocabulary of email and the Internet is presented and illustrated in sample email messages and web pages.

• **Using the telephone** This section offers practical advice on the language of calling procedures. The essentials of telephone manners are illustrated in a series of brief dialogues.

• **SMS (electronic text messaging)** Text messages have become an important element in modern communications. This section describes common conventions in texting in French.

• **Glossary of grammatical terms** In response to demand from some of our readers, a glossary of grammatical terms has been included in this edition. Each term is defined and an example is given to show its use in context.

• **Les variétés d'anglais** Cette rubrique offre un aperçu des différences dans le vocabulaire et l'orthographe de l'anglais selon les régions et les pays.

• **Correspondance** Dans la partie centrale du dictionnaire, l'utilisateur trouvera un vaste ensemble de lettres et de documents qui lui permettront, dans diverses situations, de s'exprimer correctement dans l'autre langue. Pour les anglophones, les modèles de correspondance française ont des titres anglais, et inversement. Les lettres en français et en anglais sont classées par grands thèmes qui couvrent la correspondance générale, la correspondance commerciale et l'emploi. Les lettres anglaises et les lettres françaises qui portent sur un même sujet sont placées sur des pages en vis-à-vis afin de pouvoir les comparer facilement, mais ce ne sont pas des traductions exactes.

Dans chaque couple de lettres, un même thème est abordé de façon idiomatique dans les deux langues afin de souligner les différences entre l'anglais et le français dans les formulations épistolaires.

Enfin, une sélection d'expressions utiles fournit des exemples de débuts de lettres et de formules de politesse à choisir en fonction du destinataire.

• **Les mots et expressions de liaison anglais** Cette section propose une sélection de mots et d'expressions de liaison qui permettent de structurer les productions écrites.

• **Vivre dans un pays anglophone** Cette rubrique propose des informations pratiques et utiles pour la vie quotidienne au Royaume-Uni et aux États-Unis : procédures d'immigration, systèmes de santé et de soins, impositions diverses, ouverture d'un compte, location ou achat d'un logement, etc.

• **Le courrier électronique et l'Internet** Pour faire écho à la prédominance des communications électroniques dans la société contemporaine, nous présentons le vocabulaire de base de l'e-mail et de l'Internet illustré d'exemples de messages électroniques et de pages web.

• **Le téléphone** Cette rubrique propose des conseils pratiques sur les formulations employées au cours des conversations téléphoniques. La plupart des expressions courantes sont mises en contexte dans une série de courts dialogues.

• **Les SMS (minimessages)** Les minimessages connaissent un essor grandissant parmi les outils de communication modernes. Cette section vous aidera à décoder ou à rédiger des SMS en anglais.

• **Glossaire de termes grammaticaux** Nous avons ajouté ce guide pour répondre au souhait de nombreux lecteurs. Les termes grammaticaux sont accompagnés d'une définition simple et d'un exemple pour une mise en contexte immédiate.

The French spelling reform

The following is a summary of the rules approved by the *Conseil supérieur de la langue française*, the *Académie française* and other French-language bodies. They have been published in the '*Journal Officiel* (*see* p. 472) and have been incorporated in school curriculums in Québec, Switzerland and Belgium. In France, the *Académie française* approved them and stated that "neither of the two written forms can be considered incorrect." Aspects of the reforms are now being widely used. However, full implementation of the reforms has been slower in France because of less public awareness of them than in the other countries mentioned above.

A summary of the changes is given below.

1.

Compound numbers are connected by hyphens.

Old spelling	New spelling
vingt et un	vingt-et-un
deux cents	deux-cents
trois millième	trois-millième

Notes

- Note the difference between *soixante et un tiers* (60 + ⅓) and *soixante-et-un tiers* (61⅓).

2.

In compound nouns (with a hyphen) such as *pèse-lettre* (verb + noun) or *sans-abri* (preposition + noun), the second element of the compound now takes a plural ending in the plural.

Old spelling	New spelling
un compte-gouttes, ➔ des compte-gouttes	un compte-goutte, ➔ des compte-gouttes
un après-midi, ➔ des après-midi	un après-midi, ➔ des après-midis

Notes

- Words such as *prie-Dieu* (because of the capital letter) or *trompe-la-mort* (because of the article) remain invariable.
- The form *des garde-pêches* should be used whether a person or an object.

3.

A grave accent (instead of an acute accent) is used in certain words (to standardize their spelling), in the future and conditional forms of verbs which conjugate like *céder*, and in forms such as *puissè-je*.

Old spelling	New spelling
événement	évènement
réglementaire	règlementaire
je céderai	je cèderai
ils régleraient	ils règleraient

Notes

- Before a silent syllable, è is to be used, except in the prefixes *dé-* or *pré-*, and initial *é* in *médecin* and *médecine*.
- The general rule is to follow the model of the source word: *évènement* is treated like *avènement*; *règlementaire* is written like *règlement*.

4.

The circumflex accent is no longer used with *i* and *u*. It is, however, used in verb endings in the simple past tense, in the subjunctive and to avoid possible ambiguity.

Old spelling	New spelling
coût	cout
entraîner, nous entraînons	entrainer, nous entrainons
paraître, il paraît	paraitre, il parait

Notes

- Words in which the circumflex is kept to maintain semantic differentiation are: the singular masculine adjectives *dû*, *mûr* and *sûr*, *jeûne(s)* and the forms of the verb *croitre* which, without an accent, could be confused with those of the verb *croire* (*je croîs*, *tu croîs*, etc.).

5.

Verbs ending in *-eler* or *-eter* are conjugated following the pattern of *peler* or *acheter*. Derivatives ending in *-ment* follow the verbs they are derived from. Exceptions to this rule are *appeler*, (and *rappeler*), *jeter* and its derivatives.

Old spelling	New spelling
j'amoncelle	j'amoncèle
amoncellement	amoncèlement
tu époussetteras	tu époussèteras

6.

Words borrowed from foreign languages form the plural in the same way as native French words and are accented according to the normal rules of French grammar.

Old spelling	New spelling
des matches	des matchs
des misses	des miss
revolver	révolver

7.

Elision affects spelling in a number of words, in particular:

- in compound words which begin with *contr(e)-* and *entr(e)-* :
- in onomatopoeic words and words of foreign origin.
- in compound words with specialist meanings.

Old spelling	New spelling
contre-appel, entre-temps	contrappel, entretemps
tic-tac, week-end	tictac, weekend
agro-alimentaire	agroalimentaire
porte-monnaie	portemonnaie

8.

Words formerly ending in *-olle* and verbs formerly ending in *-otter* are now to be written with only one consonant. Derivatives of *-otter* verbs are likewise written with one consonant. Exceptions to this rule are *colle*, *folle*, *molle* and words derived from nouns ending in *-otte* (such as *botter*, from *botte*).

Old spelling	New spelling
corolle	corole
frisotter, frisottis	frisoter, frisotis

Notes

- This rule ensures consistency of spelling in words like *corole* and *bestiole*; *mangeoter* and *neigeoter*.

9.

The dieresis is written over the letter u in the following cases *-güe-* and *-güi-* and is added in some words.

Old spelling	New spelling
aiguë, ambiguë	aigüe, ambigüe
ambiguïté	ambigüité
arguer	argüer

Notes

- The words in which a dieresis is added are: argüer (*j'argüe, nous argüons*, etc.), *gageüre, mangeüre, rongeüre, vergeüre.*

10.

The past participle of *laisser*, when followed by an infinitive, is invariable in the same way as the past participle of *faire* followed by an infinitive.

Old spelling	New spelling
elle s'est laissée maigrir	elle s'est laissé maigrir
je les ai laissés partir	je les ai laissé partir

11.

In order to avoid anomalies, the following written forms are to be used:

— absout, absoute (*past participle*) ;
— appâts (*plural masculine noun*) ;
— assoir, messoir, rassoir, sursoir ;
— bizut ;
— bonhommie ;
— boursoufflement, boursouffler, boursoufflure ;
— cahutte ;
— charriot, charriotage, charrioter ;
— chaussetrappe [*formerly* chausse-trape] ;
— combattif, combattive, combattivité ;
— cuisseau (*in all cases*) ;
— déciller [*formerly* dessiller] ;
— dentelier ;
— dissout, dissoute (*past participle*) ;
— douçâtre ;
— embattre ;
— exéma, exémateux, exémateuse ;
— guilde ;
— imbécilité ;
— innommé, innommée ;
— interpeler (j'interpelle, nous interpelons, *etc.*) ;
— levreau ;
— lunetier ;
— nénufar ;
— ognon, ognonade, ognonière ;
— pagaille ;
— persifflage, persiffler, persiffleur, persiffleuse ;
— ponch (*the drink*) ;
— prudhommal, prudhommale, prudhommie ;
— prunelier ;
— relai ;
— saccarine (and its many derivatives) ;
— sconse ;
— sorgo ;
— sottie ;
— tocade, tocante, tocard, tocarde ;
— ventail.

- Some words where accents were omitted or whose pronunciation has changed, have been given accents: *asséner, papèterie, québécois*, etc.
- Words formerly ending in *-illier* now end with *-iller*, where the i following the consonant is silent: *joailler, serpillère*, etc. Exceptions are names of trees: *groseillier*.

Les rectifications de l'orthographe

Le Conseil supérieur de la langue française (Paris), présidé par le Premier ministre, a proposé un certain nombre de rectifications modérées de l'orthographe française, publiées en France au *Journal officiel* le 6 décembre 1990.

L'Académie française, associée aux travaux (comme les instances francophones compétentes en la matière), les approuve, en précisant qu' « aucune des deux graphies ne peut être tenue pour fautive ».

Les rectifications de l'orthographe sont enseignées dans différents pays de la francophonie et ont fait l'objet d'avis officiels. En France, le ministère de l'Éducation nationale travaille sur ce dossier.

Les nouvelles règles vous sont présentées ci-après.

1.

Les numéraux composés sont systématiquement reliés par des traits d'union.

ancienne orthographe	nouvelle orthographe
vingt et un	vingt-et-un
deux cents	deux-cents
trois millième	trois-millième

Observations

- On distingue désormais *soixante et un tiers* (60 + ⅓) de *soixante-et-un tiers* (61⅓).
- Cette nouvelle règle supprime de nombreuses difficultés et évite des pratiques jusque-là largement aléatoires.

2.

Dans les noms composés (avec trait d'union) du type *pèse-lettre* (verbe + nom) ou *sans-abri* (préposition + nom), le second élément prend la marque du pluriel lorsque le mot est au pluriel.

ancienne orthographe	nouvelle orthographe
un compte-gouttes, ➔ des compte-gouttes	un compte-goutte, ➔ des compte-gouttes
un après-midi, ➔ des après-midi	un après-midi, ➔ des après-midis

Observations

- Restent invariables les mots comme *prie-Dieu* (à cause de la majuscule) ou *trompe-la-mort* (à cause de l'article).
- On écrit *des garde-pêches* qu'il s'agisse d'une personne ou d'une chose.
- Cette régularisation du pluriel aboutit à une règle simple et unique et supprime des incohérences (pourquoi, en ancienne orthographe, *un cure-dent* mais *un cure-ongles* ?).

3.

On emploie l'accent grave (plutôt que l'accent aigu) dans un certain nombre de mots (pour régulariser leur orthographe), au futur et au conditionnel des verbes qui se conjuguent sur le modèle de *céder*, et dans les formes du type *puissè-je*.

ancienne orthographe	nouvelle orthographe
événement	évènement
réglementaire	règlementaire
je céderai	je cèderai
ils régleraient	ils règleraient

Observations

- Devant une syllabe muette, on écrit donc toujours *è*, sauf dans les préfixes *dé-* et *pré-*, les *é-* initiaux ainsi que *médecin* et *médecine*.
- La règle de base est généralisée : *évènement* ressemble désormais à *avènement* ; *règlementaire* s'écrit comme *règlement*.

4.

L'accent circonflexe disparait sur *i* et *u*.
On le maintient néanmoins dans les terminaisons verbales du passé simple, du subjonctif et en cas d'ambigüité.

ancienne orthographe	nouvelle orthographe
coût	cout
entraîner, nous entraînons	entrainer, nous entrainons
paraître, il paraît	paraitre, il parait

Observations

- Les mots où le circonflexe est conservé parce qu'il apporte une distinction de sens utile sont : les adjectifs masculins singuliers *dû*, *mûr* et *sûr*, *jeûne(s)* et les formes de *croitre* qui, sans accent, se confondraient avec celles de *croire* (*je croîs*, *tu croîs*, etc.).
- Sur *i* et *u*, l'accent circonflexe ne joue aucun rôle phonétique ; il est l'une des principales causes d'erreurs et son emploi, aléatoire, ne peut être justifié par l'étymologie.

5.

Les verbes en *-eler* ou *-eter* se conjuguent sur le modèle de *peler* ou de *acheter*. Les dérivés en *-ment* suivent les verbes correspondants. Font exception à cette règle *appeler* (et *rappeler*), *jeter* et les verbes de sa famille.

ancienne orthographe	nouvelle orthographe
j'amoncelle	j'amoncèle
amoncellement	amoncèlement
tu époussetteras	tu époussèteras

Observation

- Avec cette nouvelle règle, il n'y a plus lieu de mémoriser de longues listes de verbes, dont la conjugaison variait parfois même d'un dictionnaire à l'autre.

6.

Les mots empruntés forment leur pluriel de la même manière que les mots français et sont accentués conformément aux règles qui s'appliquent aux mots français.

ancienne orthographe	nouvelle orthographe
des matches	des matchs
des misses	des miss
revolver	révolver

Observation

- Le pluriel régulier, déjà familier à la plupart des francophones, renforce l'intégration des mots empruntés ; l'ajout d'accent permet d'éviter des prononciations hésitantes.

7.

La soudure s'impose dans un certain nombre de mots, en particulier :

- dans les mots composés de *contr(e)-* et *entr(e)-* ;
- dans les onomatopées et dans les mots d'origine étrangère ;
- dans les mots composés avec des éléments « savants ».

ancienne orthographe	nouvelle orthographe
contre-appel, entre-temps	contrappel, entretemps
tic-tac, week-end	tictac, weekend
agro-alimentaire	agroalimentaire
porte-monnaie	portemonnaie

Observation

- La soudure est étendue ; au-delà des cas cités dans cette règle, les auteurs de dictionnaires sont invités à privilégier la graphie soudée.

8.

Les mots anciennement en *-olle* et les verbes anciennement en *-otter* s'écrivent avec une consonne simple. Les dérivés du verbe ont aussi une consonne simple. Font exception à cette règle *colle*, *folle*, *molle* et les mots de la même famille qu'un nom en *-otte* (comme *botter*, de *botte*).

ancienne orthographe	nouvelle orthographe
corolle	corole
frisotter, frisottis	frisoter, frisotis

Observation

- Là encore, il s'agit de supprimer des incohérences : *corole* s'écrit désormais comme *bestiole* ; *mangeoter* suit *neigeoter*.

9.

Le tréma est déplacé sur la lettre *u* prononcée dans les suites *-güe-* et *-güi-* et est ajouté dans quelques mots.

ancienne orthographe	nouvelle orthographe
aiguë, ambiguë	aigüe, ambigüe
ambiguïté	ambigüité
arguer	argüer

Observations

- Les mots dans lesquels est ajouté un tréma sont : *argüer* (*j'argüe*, *nous argüons*, etc.), *gageüre*, *mangeüre*, *rongeüre*, *vergeüre*.

  Le déplacement du tréma évite des difficultés de lecture ; son ajout empêche des prononciations jugées fautives.

10.

Comme celui de *faire*, le participe passé de *laisser* suivi d'un infinitif est invariable.

ancienne orthographe	nouvelle orthographe
elle s'est laissée maigrir	elle s'est laissé maigrir
je les ai laissés partir	je les ai laissé partir

11.

Quelques anomalies sont supprimées.

- On écrit :

  — absout, absoute (*participe passé*) ;
  — appâts (*nom masculin pluriel*) ;
  — assoir, messoir, rassoir, sursoir ;
  — bizut ;
  — bonhommie ;
  — boursoufflement, boursouffler, boursoufflure ;
  — cahutte ;
  — charriot, charriotage, charrioter ;
  — chaussetrappe [*anciennement* chausse-trape] ;
  — combattif, combattive, combattivité ;
  — cuisseau (dans tous les cas) ;
  — déciller [*anciennement* dessiller] ;
  — dentelier ;
  — dissout, dissoute (*participe passé*) ;
  — douçâtre ;
  — embattre ;
  — exéma, exémateux, exémateuse ;
  — guilde ;
  — imbécilité ;
  — innommé, innommée ;
  — interpeler (j'interpelle, nous interpelons, *etc.*) ;
  — levreau ;
  — lunetier ;
  — nénufar ;
  — ognon, ognonade, ognonière ;
  — pagaille ;
  — persifflage, persiffler, persiffleur, persiffleuse ;
  — ponch (dans le sens de " boisson ") ;
  — prudhommal, prudhommale, prudhommie ;
  — prunelier ;
  — relai ;
  — saccarine (et ses nombreux dérivés) ;
  — sconse ;
  — sorgo ;
  — sottie ;
  — tocade, tocante, tocard, tocarde ;
  — ventail.

- On munit d'accent quelques mots où il avait été omis, ou dont la prononciation a changé : *asséner*, *papèterie*, *québécois*, etc.
- On écrit en *-iller* les mots anciennement en *-illier* où le *i* qui suit la consonne ne s'entend pas, à l'exception des noms d'arbre (comme *groseillier*) : *joailler*, *serpillère*, etc.

12.

En cas de concurrence dans l'usage, on privilégie la forme la plus francisée (*leadeur* plutôt que *leader*), la graphie sans circonflexe (*allo* plutôt que *allô*), le pluriel régulier, etc.

Entrées concernées par les rectifications de l'orthographe / Entries affected by the French spelling reform

ancienne graphie existing spelling	nouvelle graphie new spelling
abaisse-langue *nm inv*	abaisse-langue *des abaisse-langues*
abat-jour *nm inv*	abat-jour *des abat-jours*
abat-son *nm inv*	abat-son *des abat-sons*
abat-vent *nm inv*	abat-vent *des abat-vents*
abîme	abime
abîmer	abimer
abrégement	abrègement
accroche-plat *nm inv*	accroche-plat *des accroche-plats*
accroître	accroitre
a contrario	à contrario
acupuncteur	acuponcteur
acupuncture	acuponcture
addenda *nm inv*	addenda *des addendas*
aéro-club	aéroclub
afféterie	affèterie
affût	affut
affûtage	affutage
affûter	affuter
affûteur	affuteur
agro-alimentaire	agroalimentaire
aide-mémoire *nm inv*	aide-mémoire *des aide-mémoires*
aigu, aiguë	aigu, aigüe
aîné	ainé
aînesse	ainesse
allégement	allègement
allégrement	allègrement
allegretto	allégretto
allegro	allégro
allô	allo
allume-cigare(s) *nm inv*	allume-cigare *des allume-cigares*
allume-feu *nm inv*	allume-feu *des allume-feux*
alpha *nm inv*	alpha *des alphas*
ambigu, ambiguë	ambigu, ambigüe
ambiguïté	ambigüité
amoncellement	amoncèlement
amuse-gueule *nm inv*	amuse-gueule *des amuse-gueules*
ana *nm inv*	ana *des anas*
anarcho-syndicalisme	anarchosyndicalisme
anarcho-syndicaliste	anarchosyndicaliste
angström	angstrœm
août	aout
aoûtat	aoutat
aoûtien	aoutien
à-pic *nm inv*	à-pic *des à-pics*
a posteriori	à postériori
apparaître	apparaitre
appas	appâts
appui-main *des appuis-main*	appuie-main *des appuie-mains*
appui-tête *des appuis-têtes*	appuie-tête *des appuie-têtes*
après-midi *nm inv*	après-midi *des après-midis*
après-ski *nm inv*	après-ski *des après-skis*
après-vente *adj inv*	après-vente *après-ventes*
a priori *loc adj inv, loc adv*	à priori
a priori *nm inv*	apriori *des aprioris*
arboretum	arborétum
arc-boutant	arcboutant
arc-bouter	arcbouter
arguer	argüer
arrache-pied (d')	arrachepied (d')
arrière-goût	arrière-gout
assener	asséner
assidûment	assidument
asseoir	assoir
attrape-mouches *nm inv*	attrape-mouche *des attrape-mouches*
auto-adhésif	autoadhésif
auto-allumage	autoallumage
auto-école	autoécole
auto-érotique	autoérotique
auto-érotisme	autoérotisme
auto-stop	autostop
auto-stoppeur	autostoppeur
avant-goût	avant-gout
avant-midi *nm inv*	avant-midi *des avant-midis*
baby-boom	babyboum
baby-foot *nm inv*	babyfoot *des babyfoots*
baby-sitter	babysitteur
baby-sitting	babysitting
bachi-bouzouk	bachibouzouk
ballottage	ballotage
ballottement	ballotement
ballotter	balloter
ball-trap	balltrap
barcarolle	barcarole
barman *des barmen*	barman *des barmans*
base-ball	baseball
basket-ball	basketball
basse-cour	bassecour
bat-flanc *nm inv*	bat-flanc *des bat-flancs*
benoît	benoit
benoîtement	benoitement
besicles	bésicles
best-seller	bestseller
bêta nm inv	bêta des bêtas
bien-aimé	bienaimé
bien-fondé	bienfondé
biodiesel	biodiésel
bizut(h)	bizut
black-out *nm inv*	blackout *des blackouts*
blue-jean	bluejean
body	body *des bodys*
bog(g)ie	bogie
boîte	boite
boîtier	boitier
bolchevik, bolchevique	bolchévik, bolchévique
bolchevisme	bolchévisme
bonhomie	bonhommie
bonneterie	bonnèterie
bookmaker	bookmakeur
boom	boum
bossa-nova	bossanova
bossellement	bossèlement
boui-boui	bouiboui
boulotter	bouloter
boursouflé	boursoufflé
boursouflage, boursouflement,	boursoufflage, boursoufflement
boursoufler	boursouffler
boursouflure	boursoufflure
boute-en-train *nm inv*	boutentrain *des boutentrains*
bouterolle	bouterole
boy-scout	boyscout
branle-bas	branlebas
brasero	braséro
briqueterie	briquèterie
brise-béton *nm inv*	brise-béton *des brise-bétons*
brise-bise *nm inv*	brise-bise *des brise-bises*
brise-fer *nm inv*	brise-fer *des brise-fers*
brise-glace *nm inv*	brise-glace *des brise-glaces*
brise-jet *nm inv*	brise-jet *des brise-jets*
brise-lames *nm inv*	brise-lame *des brise-lames*
brise-mottes *nm inv*	brise-motte *des brise-mottes*
brise-soleil *nm inv*	brise-soleil *des brise-soleils*
brise-tout *nm inv*	brisetout *des brisetouts*
brise-vent *nm inv*	brise-vent *des brise-vents*
broncho-pneumonie	bronchopneumonie
brûlage	brulage
brûlant	brulant
brûlé	brulé
brûle-gueule *nm inv*	brule-gueule *des brule-gueules*
brûle-parfum(s) *nm inv*	brule-parfum *des brule-parfums*
brûle-pourpoint (à)	brule-pourpoint (à)
brûler	bruler
brûlerie	brulerie
brûleur	bruleur
brûlis	brulis
brûlot	brulot
brûlure	brulure
bûche	buche
bûcher (*nom*)	bucher
bûcher (*verbe*)	bucher
bûcheron	bucheron
bûchette	buchette
bûcheur	bucheur
bulldozer	bulldozeur
businessman *des businessmen*	biznessman *des biznessmans*
cacahuète	cacahouète
cache-bagages *nm inv*	cache-bagage *des cache-bagages*
cache-cache *nm inv*	cachecache *des cachecaches*
cache-cœur *nm inv*	cache-cœur *des cache-cœurs*
cache-col *nm inv*	cache-col *des cache-cols*
cache-entrée *nm inv*	cache-entrée *des cache-entrées*
cache-misère *nm inv*	cache-misère *des cache-misères*

ancienne graphie existing spelling	nouvelle graphie new spelling
cache-plaque *nm inv*	cache-plaque *des cache-plaques*
cache-pot *nm inv*	cache-pot *des cache-pots*
cache-poussière *nm inv*	cache-poussière *des cache-poussières*
cache-prise *nm inv*	cache-prise *des cache-prises*
cache-radiateur *nm inv*	cache-radiateur *des cache-radiateurs*
cache-sexe *nm inv*	cache-sexe *des cache-sexes*
cache-tampon *nm inv*	cache-tampon *des cache-tampons*
cachotterie	cachoterie
cachottier	cachotier
cahin-caha	cahincaha
cahute	cahutte
call-girl	callgirl
cameraman *des cameramen*	caméraman *des caméramans*
canada *nm inv*	canada *des canadas*
candela	candéla
cannelloni *nmpl*	cannelloni *des cannellonis*
cañon	canyon
cardio-pulmonaire	cardiopulmonaire
cardio-vasculaire	cardiovasculaire
car-ferry *des car-ferries*	carferry *des carferrys*
casse-cou *adj inv,* *nm inv, nmf inv*	casse-cou *(des) casse-cous*
casse-couilles *nmf inv*	casse-couille *des casse-couilles*
casse-croûte *nm inv*	casse-croute *des casse-croutes*
casse-cul *adj inv, nmf inv*	casse-cul *(des) casse-culs*
casse-dalle *nm inv*	casse-dalle *des casse-dalles*
casse-graine *nm inv*	casse-graine *des casse-graines*
casse-gueule *adj inv,* *nm inv*	casse-gueule *(des) casse-gueules*
casse-noisettes *nm inv*	casse-noisette *des casse-noisettes*
casse-pied *nm inv*	casse-pied *(des) casse-pieds*
casse-pipe *nm inv*	casse-pipe *des casse-pipes*
casse-tête *nm inv*	casse-tête *des casse-têtes*
céleri	cèleri
céphalo-rachidien	céphalorachidien
cérébro-spinal	cérébrospinal
cha-cha-cha	chachacha
chaînage	chainage
chaîne	chaine
chaîner	chainer
chaînette	chainette
chaînon	chainon
chariot	charriot
chasse-mouches *nm inv*	chasse-mouche *des chasse-mouches*
chasse-neige *nm inv*	chasse-neige *des chasse-neiges*
chasse-pierres *nm inv*	chasse-pierre *des chasse-pierres*
chauffe-assiettes *nm inv*	chauffe-assiette *des chauffe-assiettes*
chauffe-biberon *nm inv*	chauffe-biberon *des chauffe-biberons*
chauffe-eau *nm inv*	chauffe-eau *des chauffe-eaux*
chauffe-pieds *nm inv*	chauffe-pied *des chauffe-pieds*
chauffe-plat *nm inv*	chauffe-plat *des chauffe-plats*
chausse-pied	chaussepied
chausse-trap(p)e	chaussetrappe
chauve-souris	chauvesouris

ancienne graphie existing spelling	nouvelle graphie new spelling
check-up *nm inv*	checkup *des checkups*
chow-chow	chowchow
ciao	tchao
ci-gît	ci-git
ciguë	cigüe
ciné-parc	cinéparc
claire-voie	clairevoie
cloche-pied (à)	clochepied (à)
cloître	cloitre
cloîtrer	cloitrer
clopin-clopant	clopinclopant
cocotter	cocoter
coin-coin	coincoin
combatif	combattif
combativité	combattivité
come-back	comeback
comparaître	comparaitre
complaîre	complaire
compte-fils *nm inv*	compte-fil *des compte-fils*
compte-gouttes *nm inv*	compte-goutte *des compte-gouttes*
compte-tours *nm inv*	compte-tour *des compte-tours*
connaître	connaitre
contigu, contiguë	contigu, contigüe
contiguïté	contigüité
continûment	continument
contre-alizé	contralizé
contre-allée	contrallée
contre-alliance	contralliance
contre-amiral	contramiral
contre-analyse	contranalyse
contre-argument	contrargument
contre-attaque	contrattaque
contre-attaquer	contrattaquer
contre-autopsie	contrautopsie
contre-braquer	contrebraquer
contre-chant	contrechant
contre-courant	contrecourant
contre-culture	contreculture
contre-écrou	contrécrou
contre-électromotrice	contrélectromotrice
contre-emploi	contremploi
contre-enquête	contrenquête
contre-épreuve	contrépreuve
contre-espionnage	contrespionnage
contre-essai	contressai
contre-étiquette	contrétiquette
contre-exemple	contrexemple
contre-expertise	contrexpertise
contre-fenêtre	contrefenêtre
contre-fer	contrefer
contre-feu	contrefeu
contre-fil	contrefil
contre-filet	contrefilet
contre-indication	contrindication
contre-indiqué	contrindiqué
contre-insurrection	contrinsurrection
contre-interrogatoire	contrinterrogatoire
contre-jour	contrejour
contremaître, contremaîtresse	contremaitre, contremaitresse
contre-manifestant	contremanifestant
contre-manifestation	contremanifestation
contre-mesure	contremesure
contre-offensive	controffensive
contre-offre	controffre
contre-pente	contrepente
contre-performance	contreperformance
contre-pied	contrepied
contre-plongée	contreplongée
contre-porte	contreporte
contre-pouvoir	contrepouvoir

ancienne graphie existing spelling	nouvelle graphie new spelling
contre-productif	contreproductif
contre-programmation	contreprogrammation
contre-projet	contreprojet
contre-propagande	contrepropagande
contre-proposition	contreproposition
contre-publicité	contrepublicité
contre-rail	contrerail
contre-réforme	contreréforme
contre-révolution	contrerévolution
contre-révolutionnaire	contrerévolutionnaire
contre-site	contresite
contre-sommet	contresommet
contre-terrorisme	contreterrorisme
contre-terroriste	contreterroriste
contre-torpilleur	contretorpilleur
contre-ut	contrut
contre-valeur	contrevaleur
contre-vérité	contrevérité
contre-visite	contrevisite
contre-voie	contrevoie
corollaire	corolaire
corolle	corole
copra(h)	copra
corollaire	corolaire
corolle	corole
couci-couça	coucicouça
couguar	cougouar
coupe-carrelage *nm inv*	coupe-carrelage *des coupe-carrelages*
coupe-choux *nm inv*	coupe-chou *des coupe-choux*
coupe-circuit *nm inv*	coupe-circuit *des coupe-circuits*
coupe-coupe *nm inv*	coupe-coupe *des coupe-coupes*
coupe-faim *nm inv*	coupe-faim *des coupe-faims*
coupe-feu *nm inv*	coupe-feu *des coupe-feux*
coupe-frites *nm inv*	coupe-frite *des coupe-frites*
coupe-gorge *nm inv*	coupe-gorge *des coupe-gorges*
coupe-jambon *nm inv*	coupe-jambon *des coupe-jambons*
coupe-jarret *nm inv*	coupe-jarret *des coupe-jarrets*
coupe-légumes *nm inv*	coupe-légume *des coupe-légumes*
coupe-œuf *nm inv*	coupe-œuf *des coupe-œufs*
coupe-ongles *nm inv*	coupe-ongle *des coupe-ongles*
coupe-papier *nm inv*	coupe-papier *des coupe-papiers*
coupe-tomates *nm inv*	coupe-tomate *des coupe-tomates*
coupe-vent *nm inv*	coupe-vent *des coupe-vents*
coût	cout
coûtant	coutant
coûter	couter
coûteusement	couteusement
coûteux	couteux
couvre-pieds *nm inv*	couvrepieds *des couvrepieds*
cover-girl	covergirl *des covergirls*
cow-boy	cowboy *des cowboys*
crécerelle	crècerelle
credo	crédo
crémerie	crèmerie
crénelage	crènelage
crénelé	crènelé
créneler	crèneler
crève-cœur *nm inv*	crève-cœur *des crève-cœurs*
croche-pied (à)	crochepied (à)

Entrées concernées par les rectifications de l'orthographe

ancienne graphie existing spelling	nouvelle graphie new spelling
croître	croitre
croque-madame *nm inv*	croquemadame *des croquemadames*
croque-mitaine	croquemitaine
croque-monsieur *nm inv*	croquemonsieur *des croquemonsieurs*
croque-mort	croquemort
cross(-country)	crosscountry
croûte	croute
croûter	crouter
croûton	crouton
crûment	crument
cui-cui	cuicui
cuissot	cuisseau
cure-dents *nm inv*	cure-dent *des cure-dents*
cure-ongles *nm inv*	cure-ongle *des cure-ongles*
cure-pipes *nm inv*	cure-pipe *des cure-pipes*
cuti-réaction	cutiréaction
cutter	cutteur
cyclo-cross	cyclocross
cyclo-pousse	cyclopousse
dare-dare	daredare
dealer (*nom*)	dealeur
déboîtement	déboitement
déboîter	déboiter
déchaîné	déchainé
déchaînement	déchainement
déchaîner	déchainer
déchetterie	déchèterie
decrescendo	décrescendo
décroître	décroitre
défraîchi	défraichi
défraîchir	défraichir
dégot(t)er	dégoter
dégoût	dégout
dégoûtant	dégoutant
dégoûtation	dégoutation
dégoûté	dégouté
dégoûter	dégouter
deleatur *nm inv*	déléatur *des déléaturs*
delirium tremens *nm inv*	délirium trémens *des déliriums trémens*
delta *nm inv*	delta *des deltas*
dentellier, dentellière	dentelier, dentelière
déplaîre	déplaire
déréglementation	dérèglementation
déréglementer	dérèglementer
désambiguïser	désambigüiser
desiderata *nmpl*	désidérata *des désidératas*
dessiller	déciller
desperado	despérado
dessaouler, dessoûler	dessouler
diesel	diésel
diktat	dictat
dîme	dime
dînatoire	dinatoire
dîner (*verbe et nom*)	diner
dînette	dinette
dîneur	dineur
disparaître	disparaitre
douceâtre	douçâtre
driver nm	driveur, driveuse
dûment	dument
duplicata *nm inv*	duplicata *des duplicatas*
dynamo-électrique	dynamoélectrique
eczéma	exéma
eczémateux	exémateux
edelweiss	édelweiss
électro-aimant	électroaimant
emboîtable	emboitable
emboîtage	emboitage
emboîtement	emboitement
emboîter	emboiter
embûche	embuche
emporte-pièce *nm inv*	emporte-pièce *des emporte-pièces*
en-cas	encas
enchaînement	enchainement
enchaîner	enchainer
en-cours	encours
encroûter	encrouter
en-tête	entête
entraînant	entrainant
entraînement	entrainement
entraîner	entrainer
entraîneur	entraineur
entre-rail	entrerail
entre-temps	entretemps
entre-tuer	entretuer
envoûtant	envoutant
envoûtement	envoutement
envoûter	envouter
envoûteur	envouteur
épître	épitre
epsilon *nm inv*	epsilon *des epsilons*
errata *nm inv*	errata *des erratas*
essuie-mains nm inv	essuie-main *des essuie-mains*
essuie-phares *nm inv*	essuie-phare *des essuie-phares*
essuie-pieds *nm inv*	essuie-pied *des essuie-pieds*
essuie-verres *nm inv*	essuie-verre *des essuie-verres*
essuie-vitres *nm inv*	essuie-vitre *des essuie-vitres*
et cætera, et cetera	etcétéra
étincellement	étincèlement
étouffe-chrétien *adj inv, nm inv*	étouffe-chrétien *(des) étouffe-chrétiens*
événement	évènement
événementiel	évènementiel
exigu, exiguë	exigu, exigüe
exiguïté	exigüité
ex-libris	exlibris
extra *adj inv, nm inv*	extra *(des) extras*
extra(-)fin	extrafin
extra-muros	extramuros
ex-voto *nm inv*	exvoto *des exvotos*
fac-similé	facsimilé
faire-part *nm inv*	fairepart *des faireparts*
fair-play	fairplay
faîtage	faitage
faîte	faite
faîtière	faitière
fast-food	fastfood
favela	favéla
fayot(t)age	fayotage
fayot(t)er	fayoter
feed-back *nm inv*	feedback *des feedbacks*
féerie	féérie
féerique	féérique
ferry *des ferries*	ferry *des ferrys*
ferry-boat	ferryboat
féverole	fèverole
fjord	fiord
flash *des flashes*	flash *des flashs*
flash-back	flashback
flipper (*nom*)	flippeur
flûte	flute
flûté	fluté
flûtiau	flutiau
flûtiste	flutiste
fortissimo *nm inv*	fortissimo *des fortissimos*
fourre-tout *nm inv*	fourretout *des fourretouts*
fraîche (*nom*)	fraiche
fraîchement	fraichement
fraîcheur	fraicheur
fraîchir	fraichir
frais, fraîche	frais, fraiche
free-lance	freelance
freezer	freezeur
freesia	frésia
fric-frac	fricfrac
frisotter	frisoter
fume-cigarette *nm inv*	fume-cigarette *des fume-cigarettes*
fumerolle	fumerole
fût (*nom*)	fut
gageure	gageüre
gagne-pain *nm inv*	gagne-pain *des gagne-pains*
gagne-petit *adj inv, nm inv*	gagne-petit *(des) gagne-petits*
gaiement	gaiment
gaieté	gaité
gamma *nm inv*	gamma *des gammas*
gangreneux	grangréneux
garde-boue *nm inv*	garde-boue *des garde-boues*
garde-chiourme *nm inv*	garde-chiourme *des garde-chiourmes*
garde-feu *nm inv*	garde-feu *des garde-feux*
garde-manger *nm inv*	garde-manger *des garde-mangers*
garde-meubles *nm inv*	garde-meuble *des garde-meubles*
garde-pêche *nm inv*	garde-pêche *des garde-pêches*
garotter	garoter
gastro-entérite	gastroentérite
gastro-entérologie	gastroentérologie
gastro-entérologue	gastroentérologue
gentleman *des gentlemen*	gentleman *des gentlemans*
gentleman-farmer *des gentlemen-farmers*	gentleman-farmer *des gentlemans-farmers*
girolle	girole
gîte	gite
gîter	giter
globe-trotter	globetrotteur
golden *nf inv*	golden *des goldens*
goulasch	goulach
goulûment	goulument
goût	gout
goûter	gouter
goûteux	gouteux
graffiti *nmpl*	graffiti *des graffitis*
gratte-ciel *nm inv*	gratte-ciel *des gratte-ciels*
gratte-papier *nm inv*	gratte-papier *des gratte-papiers*
grelottement	grelotement
grelotter	greloter
gri-gri	grigri
grille-pain *nm inv*	grille-pain *des grille-pains*
grolle	grole
grommellement	grommèlement
guibolle	guibole
guérillero	guérilléro
guili-guili	guiliguili
hache-légumes *nm inv*	hache-légume *des hache-légumes*
hache-paille *nm inv*	hache-paille *des hache-pailles*
hache-viande *nm inv*	hache-viande *des hache-viandes*
hara-kiri	harakiri

Entries affected by the French spelling reform

ancienne graphie existing spelling	nouvelle graphie new spelling
hasch	hach
haschi(s)ch	hachich
haute-contre	hautecontre
haut-parleur	hautparleur
hébétement	hébètement
hi-fi *adj inv, nm inv*	hifi (*des*) *hifis*
hi-han	hihan
hippy *des hippies*	hippy *des hippys*
hit-parade	hitparade
hors-bord *adj, nm inv*	hors-bord (*des*) *hors-bords*
hors-jeu *nm inv*	hors-jeu *des hors-jeux*
hors-média *nm inv*	hors-média *des hors-médias*
hors-piste *nm inv*	hors-piste *des hors-pistes*
hors-sol *nm inv*	hors-sol *des hors-sols*
hors-texte *nm inv*	hors-texte *des hors-textes*
huître	huitre
huîtrier	huitrier
huîtrière	huitrière
igloo	iglou
île	ile
îlien	ilien
îlot	ilot
îlotage	ilotage
îlotier	ilotier
imbécillité	imbécilité
imprimatur *nm inv*	imprimatur *des imprimaturs*
impedimenta *nmpl*	impédimenta *des impédimentas*
imprimatur *nm inv*	imprimatur *des imprimaturs*
indûment	indument
in extremis	in extrémis
in-folio *adj inv, nm inv*	infolio (*des*) *infolios*
in-octavo *adj inv, nm inv*	inoctavo (*des*) *inoctavos*
in-quarto *adj inv, nm inv*	inquarto (*des*) *inquartos*
interpeller	interpeler
iota *nm inv*	iota *des iotas*
jamboree	jamborée
jazzman *des jazzmen*	jazzman *des jazzmans*
jean-foutre	jeanfoutre
jeûner	jeuner
jeûneur	jeuneur
jiu-jitsu	jiujitsu
joaillier	joailler
juke-box *des juke-boxes*	jukebox *des jukebox*
khi *nm inv*	khi *des khis*
kibboutz *des kibboutzim*	kibboutz *des kibboutz*
kif-kif	kifkif
kleptomane	cleptomane
kleptomanie	cleptomanie
knock-out	knockout
lance-flammes *nm inv*	lance-flamme *des lance-flammes*
lance-fusées *nm inv des lance-fusées*	lance-fusée
lance-grenades *nm inv*	lance-grenade *des lance-grenades*
lance-harpon *adj inv*	lance-harpon *lance-harpons*
lance-missiles *nm inv*	lance-missile *des lance-missiles*
lance-pierres *nm inv*	lance-pierre *des lance-pierres*
lance-roquettes *nm inv*	lance-roquette *des lance-roquettes*
lance-satellites *nm inv*	lance-satellite *des lance-satellites*
lance-torpilles *nm inv*	lance-torpille *des lance-torpilles*
lasagnes *nfpl*	lasagne *des lasagnes*
lave-linge *nm inv*	lave-linge *des lave-linges*
lave-mains *nm inv*	lave-main *des lave-mains*
lave-vaisselle *nm inv*	lave-vaisselle *des lave-vaisselles*
lazzi *nmpl*	lazzi *des lazzis*
leader	leadeur
leadership	leadeurship
lèche-bottes *nmf inv*	lèche-botte *des lèche-bottes*
lèche-cul *nmf inv*	lèche-cul *des lèche-culs*
lèche-vitrines *nm inv*	lèche-vitrine *des lèche-vitrines*
lèse-majesté *nm inv*	lèse-majesté *des lèse-majestés*
levraut	levreau
lieu-dit	lieudit
lobby *des lobbies*	lobby *des lobbys*
lock-out *nm inv*	lockout *des lockouts*
lumbago	lombago
maelström	malstrom
maf(f)ia	mafia
maf(f)ioso	mafioso
mahara(d)jah	maharadja *des maharadjas*
mah-jong	majong
main-forte	mainforte
maître	maitre
maîtresse	maitresse
maître-à-danser	maitre-à-danser
maître-assistant	maitre-assistant
maître-autel	maitre-autel
maître-chanteur	maitre-chanteur
maître-chien	maitre-chien
maître-cylindre	maitre-cylindre
maître-nageur	maitre-nageur
maîtrisable	maitrisable
maîtrise	maitrise
maîtriser	maitriser
mange-tout *nm inv*	mangetout *des mangetouts*
maniaco-dépressif	maniacodépressif
maraîchage	maraichage
maraîcher	maraicher
marguillier	marguiller
mariol(le)	mariole
marketing	markéting
marqueterie	marquèterie
mass media *nmpl*	mass média *des mass médias*
méconnaître	méconnaitre
médico-légal	médicolégal
médico-social	médicosocial
médico-sportif	médicosportif
méli-mélo	mélimélo
messeoir	messoir
micro-ampère	microampère
mille-pattes *nm inv*	millepatte *des millepattes*
mini-boom	miniboum
minichaîne	minichaine
mini-jupe	minijupe
mire-œufs *nm inv*	mire-œuf *des mire-œufs*
miss *nf inv*	miss *des miss*
monte-charge *nm inv*	monte-charge *des monte-charges*
monte-meubles *nm inv*	monte-meuble *des monte-meubles*
monte-plats *nm inv*	monte-plat *des monte-plats*
morcellement	morcèlement
motocross *nm inv*	motocross *des motocross*
moudjahidin *nmpl*	moudjahidine *des moudjahidines*
moût	mout
mû (*participe passé*)	mu
muezzin	muézine
mûre (nom)	mure
mûrement	murement
mûrier	murier
mûrir	murir
mûrissage	murissage
mûrissement	murissement
mûrisserie	murisserie
musellement	musèlement
nævus *des nævi*	névus *des névus*
naître	naitre
negro(-)spiritual	négrospiritual
nénuphar	nénufar
new-look	newlook
nivellement	nivèlement
noroît	noroit (vent)
nova *des novæ*	nova *des novas*
nu nm inv	nu des nus
numerus clausus	numérus clausus
offshore *adj inv, nm inv*	offshore (*des*) *offshores*
oignon	ognon
oligo-élément	oligoélément
oméga *nm inv*	oméga *des omégas*
osso buco	ossobuco
oto-rhino	otorhino
oto-rhino-laryngologiste	otorhinolaryngologiste
oto-rhino-laryngologie	otorhinolaryngologie
ouvre-boîtes *nm inv*	ouvre-boite *des ouvre-boites*
ouvre-bouteilles *nm inv*	ouvre-bouteille *des ouvre-bouteilles*
pacemaker	pacemakeur
paella	paélia
paître	paitre
papeterie	papèterie
papy-boom	papyboum
paraître	paraitre
pare-balles *adj inv*	pare-balle pare-balles
pare-boue *nm inv*	pare-boue *des pare-boues*
pare-brise *nm inv*	pare-brise *des pare-brises*
pare-chocs *nm inv*	pare-choc *des pare-chocs*
pare-éclats *nm inv*	pare-éclat *des pare-éclats*
pare-étincelles *nm inv*	pare-étincelle *des pare-étincelles*
pare-feu *nm inv*	pare-feu *des pare-feux*
pare-soleil *nm inv*	pare-soleil *des pare-soleils*
pare-vent *nm inv*	pare-vent *des pare-vents*
passe-crassane *nf inv*	passe-crassane *des passe-crassanes*
passe-partout *adj inv, nm inv*	passepartout (*des*) *passepartouts*
passe-passe *nm inv*	passepasse *des passepasses*
passe-temps	passetemps
passe-thé *nm inv*	passe-thé *des passe-thés*
pécheresse	pècheresse
pedigree	pédigrée
pêle-mêle *nm inv*	pêlemêle *des pêlemêles*
penalty	pénalty
péquenaud	pèquenaud
péquenot	pèquenot
perce-neige *nm or f inv*	perce-neige *des perce-neiges*
perestroïka	pérestroïka
persiflage	persifflage
persifler	persiffler
persifleur	persiffleur
pèse-alcool *nm inv*	pèse-alcool *des pèse-alcools*
pèse-denrées *nm inv*	pèse-denrée *des pèse-denrées*

ancienne graphie existing spelling	nouvelle graphie new spelling
peseta	péséta
pète-sec	pètesec
photo-finish	photofinish
physico-chimique	physicochimique
physico-mathématique	physicomathématique
pi *nm inv*	pi *des pis*
piccolo	picolo
pick-up *nm inv*	pickup *des pickups*
pietà *nf inv*	piéta *des piétas*
pince-fesses *nm inv*	pince-fesse *des pince-fesses*
pince-monseigneur *des pinces-monseigneur*	pince-monseigneur *des pince-monseigneurs*
pince-oreilles *nm inv*	pince-oreille *des pince-oreilles*
ping-pong	pingpong
pin-up *nf inv*	pinup *des pinups*
pique-assiette *nmf inv*	pique-assiette *des pique-assiettes*
pique-feu *nm inv*	pique-feu *des pique-feux*
pique-fleurs *nm inv*	pique-fleur *des pique-fleurs*
pique-nique	piquenique
pique-niquer	piqueniquer
pique-niqueur	piqueniqueur
piqûre	piqure
pisse-copie *nmf inv*	pisse-copie *des pisse-copies*
pisse-froid *nm inv*	pisse-froid *des pisse-froids*
pisse-vinaigre *nm inv*	pisse-vinaigre *des pisse-vinaigres*
pizzeria	pizzéria
placebo	placébo
plate-bande	platebande
plate-forme *des plates-formes*	plateforme *des plateformes*
playback *nm inv*	playback *des playbacks*
play-boy	playboy
pogrom(e)	pogrome
pop-corn	popcorn
porte-aéronefs *nm inv*	porte-aéronef *des porte-aéronefs*
porte-aiguilles *nm inv*	porte-aiguille *des porte-aiguilles*
porte-autos *nm inv*	porte-auto *des porte-autos*
porte-avions *nm inv*	porte-avion *des porte-avions*
porte-bagages *nm inv*	porte-bagage *des porte-bagages*
porte-bébé *nm inv*	porte-bébé *des porte-bébés*
porte-billets *nm inv*	porte-billet *des porte-billets*
porte-bonheur *nm inv*	porte-bonheur *des porte-bonheurs*
porte-bouteilles *nm inv*	porte-bouteille *des porte-bouteilles*
porte-cartes *nm inv*	porte-carte *des porte-cartes*
porte-chéquier *nm inv*	porte-chéquier *des porte-chéquiers*
porte-cigares *nm inv*	porte-cigare *des porte-cigares*
porte-cigarettes *nm inv*	porte-cigarette *des porte-cigarettes*
porte-clés *nm inv*	porteclé *des porteclés*
porte-conteneur *nm inv*	porte-conteneur *des porte-conteneurs*
porte-crayons *nm inv*	porte-crayon *des porte-crayons*
porte-documents *nm inv*	porte-document *des porte-documents*
porte-drapeau *nm inv*	porte-drapeau *des porte-drapeaux*
porte-étendard *nm inv*	porte-étendard *des porte-étendards*
portefaix *nm inv*	portefaix *des portefaix*
porte-fusible *nm inv*	porte-fusible *des porte-fusibles*
porte-greffes *nm inv*	porte-greffe *des porte-greffes*
porte-hélicoptères *nm inv*	porte-hélicoptère *des porte-hélicoptères*
porte-jarretelles *nm inv*	porte-jarretelle *des porte-jarretelles*
porte-monnaie *nm inv*	portemonnaie *des portemonnaies*
porte-musique *nm inv*	porte-musique *des porte-musiques*
porte-outil *nm inv*	porte-outil *des porte-outils*
porte-parapluie *nm inv*	porte-parapluie *des porte-parapluies*
porte-parole *nm inv*	porte-parole *des porte-paroles*
porte-pipes *nm inv*	porte-pipe *des porte-pipes*
porte-plume *nm inv*	porteplume *des porteplumes*
porte-savon *nm inv*	porte-savon *des porte-savons*
porte-serviettes *nm inv*	porte-serviette *des porte-serviettes*
porte-skis *nm inv*	porte-ski *des porte-skis*
porte-vélo *nm inv*	porte-vélo *des porte-vélos*
porte-verres *nm inv*	porte-verre *des porte-verres*
porte-voix *nm inv*	porte-voix *des porte-voix*
post-partum *nm inv*	post-partum *des post-partums*
post-scriptum *nm inv*	post-scriptum *des post-scriptums*
pot-pourri	potpourri
pousse-café *nm inv*	pousse-café *des pousse-cafés*
pousse-pousse *nm inv*	poussepousse *des poussepousses*
prêchi-prêcha	prêchiprêcha
premier-maître *(in compounds of premier)*	premier-maitre
presqu'île	presqu'ile
presse-agrumes *nm inv*	presse-agrume *des presse-agrumes*
presse-bouton *nm inv*	presse-bouton *des presse-boutons*
presse-citron *nm inv*	presse-citron *des presse-citrons*
presse-étoupe *nm inv*	presse-étoupe *des presse-étoupes*
presse-papiers *nm inv*	presse-papier *des presse-papiers*
presse-purée *nm inv*	presse-purée *des presse-purées*
presse-raquette *nm inv*	presse-raquette *des presse-raquettes*
prima donna *nf inv*	primadonna *des primadonnas*
prorata *nm inv*	prorata *des proratas*
protège-dents *nm inv*	protège-dent *des protège-dents*
prud'homal	prudhommal
prud'homme	prudhomme
prunellier	prunelier
psi *nm inv*	psi *des psis*
pudding	pouding
puîné	puiné
punch *(boisson)*	ponch
pull-over	pullover
putsch *nm inv*	putsch *des putschs*
quanta *nmpl*	quanta *des quantas*
quantum *nm*	quantum *des quantums*
quartier-maître	quartier-maitre
quincaillier	quincailler
quote-part	quotepart
rabat-joie *adj inv, nm inv*	rabat-joie *des rabat-joies*
radio-taxi	radiotaxi
rafraîchir	rafraichir
rafraîchissant	rafraichissant
rafraîchissement	rafraichissement
ragoût	ragout
ragoûtant	ragoutant
ramasse-miettes *nm inv*	ramasse-miette *des ramasse-miettes*
ramasse-monnaie *nm inv*	ramasse-monnaie *des ramasse-monnaies*
ramasse-poussière *nm inv*	ramasse-poussière *des ramasse-poussières*
rase-mottes *nm inv*	rase-motte *des rase-mottes*
rasseoir	rassoir
réapparaître	réapparaitre
receler	recéler
receleur	recéleur
reconnaître	reconnaitre
recordman *des recordmen*	recordman *des recordmans*
recordwoman *des recordwomen*	recordwoman *des recordwomans*
reflex	réflex
refréner	réfréner
réglementaire	règlementaire
réglementairement	règlementairement
réglementation	règlementation
réglementer	règlementer
relais	relai
remboîter	remboiter
remonte-fesses *nm inv*	remonte-fesse *des remonte-fesses*
remue-ménage *nm inv*	remue-ménage *des remue-ménages*
remue-méninges *nm inv*	remue-méninge *des remue-méninges*
renaître	renaitre
renouvellement	renouvèlement
repaître	repaitre
reparaître	reparaitre
repartie	répartie
repose-tête *nm inv*	repose-tête *des repose-têtes*
réveille-matin *nm inv*	réveille-matin *des réveille-matins*
revolver	révolver
rhô *nm inv*	rho *des rhos*
ric-rac	ricrac
rince-bouteilles *nm inv*	rince-bouteille *des rince-bouteilles*
rince-doigts *nm inv*	rince-doigt *des rince-doigts*
risque-tout *nm inv*	risquetout *des risquetouts*
rond-point	rondpoint
roulotter	rouloter
rousserolle	rousserole
rugbyman *des rugbymen*	rugbyman *des rugbymans*
ruissellement	ruissèlement
rush *des rushes*	rush *des rushs*
saccharine	saccarine
saccharose	saccarose
sacro-saint	sacrosaint
sage-femme *des sages-femmes*	sagefemme *des sagefemmes*
sans-abri *nmf inv*	sans-abri *des sans-abris*
sans-cœur *nmf inv*	sans-cœur *des sans-cœurs*
sans-emploi *nmf inv*	sans-emploi *des sans-emplois*
sans-faute *nm inv*	sans-faute *des sans-fautes*

Entries affected by the French spelling reform

ancienne graphie existing spelling	nouvelle graphie new spelling
sans-fil *nm inv*	sans-fil *des sans-fils*
sans-gêne *adj inv, nmf inv*	sans-gêne *(des) sans-gênes*
sans-grade *nm inv*	sans-grade *des sans-grades*
sanskrit	sanscrit
sans-logis *nmf inv*	sans-logis *des sans-logis*
sans-papiers *nm inv*	sans-papier *des sans-papiers*
satisfecit *nm inv*	satisfécit *des satisfécits*
sauf-conduit	saufconduit *des saufconduits*
saute-mouton *nm inv*	saute-mouton *des saute-moutons*
saute-ruisseau *nm inv*	saute-ruisseau *des saute-ruisseaux*
scampi *nmpl*	scampi *des scampis*
scooter	scooteur
scotch *des scotches*	scotch *des scotchs*
sèche-cheveux *nm inv*	sèche-cheveu *des sèche-cheveux*
sèche-linge *nm inv*	sèche-linge *des sèche-linges*
sèche-mains *nm inv*	sèche-main *des sèche-mains*
sécheresse	sècheresse
séneçon	sèneçon
sénevé	sènevé
senior	sénior
serpillière	serpillère
serre-livres *nm inv*	serre-livre *des serre-livres*
shaker	shakeur
shampooing	shampoing
side-car	sidecar
sigma *nm inv*	sigma *des sigmas*
sirocco	siroco
sketch *des sketches*	sketch *des sketchs*
skiff	skif
skipper	skippeur
smash *des smashes*	smash *des smashs*
snack-bar	snackbar
sniff	snif
sniffer	snifer
socio-démocrate	sociodémocrate
socio-économique	soioéconomique
socio-éducatif	socioéducatif
sombrero	sombréro
sorgho	sorgo
souffre-douleur *nm inv*	souffre-douleur *des souffre-douleurs*
soûl	soul
soûlant	soulant
soûlard	soulard
soûler	souler
soûlerie	soulerie
soûlographe	soulographe
soûlographie	soulographie
sous-main *nm inv*	sous-main *des sous-mains*
sous-seing *nm inv*	sous-seing *des sous-seings*
sous-tasse	soutasse

ancienne graphie existing spelling	nouvelle graphie new spelling
sous-verre *nm inv*	sous-verre *des sous-verres*
spaghetti *nm inv*	spaghetti *des spaghettis*
spatio-temporel	spatiotemporel
sprinter	sprinteur
squatter *(nom)*	squatteur
statu quo *nm inv*	statuquo *des statuquos*
stimulus *des stimuli*	stimulus *des stimulus*
strato-cumulus	stratocumulus
strip-tease	striptease
strip-teaseur	stripteaseur
subaigu, subaiguë	subaigu, subaigüe
supernova *des supernovae*	supernova *des supernovas*
supporter *(nom)*	supporteur
suraigu, suraiguë	suraigu, suraigüe
surcoût	surcout
surcroît	surcroit
surdi-mutité	surdimutité
sûrement	surement
surentraînement	surentrainement
surentraîner	surentrainer
sûreté	sureté
suroît	suroit
surpiqûre	surpiqure
surseoir	sursoir
tagliatelles *nfpl*	taliatelle *des taliatelles*
taille-crayons *nm inv*	taille-crayon *des taille-crayons*
tam-tam	tamtam
tartignolle	tartignole
taste-vin *nm inv*	taste-vin *des taste-vins*
tchin(-tchin)	tchintchin
teck	tek
tee-shirt	teeshirt
télé-achat	téléachat
tennisman *des tennismen*	tennisman *des tennismans*
terre-plein	terreplein
tête-bêche	têtebêche
teuf-teuf	teufteuf
thêta *nm inv*	thêta *des thêtas*
thriller	thrilleur
tie-break	tiebreak
tire-bouchon	tirebouchon
tire-bouchonner	tirebouchonner
tire-fesse *nm inv*	tire-fesse *des tire-fesses*
tire-fond *nm inv*	tirefond *des tirefonds*
tire-laine *nm inv*	tire-laine *des tire-laines*
tire-lait *nm inv*	tire-lait *des tire-laits*
tohu-bohu	tohubohu
tomahawk	tomawak
tord-boyaux *nm inv*	tord-boyau *des tord-boyaux*
torero	toréro
trachéo-bronchite	trachéobronchite
tragi-comédie	tragicomédie
tragi-comique	tragicomique

ancienne graphie existing spelling	nouvelle graphie new spelling
traînailler	trainailler
traînant	trainant
traînard	trainard
traînasser	trainasser
traîne	traine
traîne-savates *nm inv*	traine-savate *des traine-savates*
traîneau	traineau
traînée	trainée
traîne-misère *nmf inv*	traine-misère *des traine-misères*
traîner	trainer
train(-)train	traintrain
traître, traîtresse	traitre, traitresse
traîtreusement	traitreusement
traîtrise	traitrise
transparaître	transparaitre
trouble-fête *nmf inv*	trouble-fête *des trouble-fêtes*
tsé-tsé *nf inv*	tsétsé *des tsétsés*
tsoin-tsoin	tsointsoin
vade-mecum *nm inv*	vadémécum *des vadémécums*
vantail	ventail
va-nu-pieds *nmf inv*	vanupied *des vanupieds*
va-tout *nm inv*	vatout *des vatouts*
vélo-cross	vélocross
vénerie	vènerie
veto	véto
vide-greniers *nm inv*	vide-grenier *des vide-greniers*
vide-ordures *nm inv*	vide-ordure *des vide-ordures*
vide-poches *nm inv*	vide-poche *des vide-poches*
vilenie	vilénie
volapük	volapuk
volley(-ball)	volleyball
volte-face *nf inv*	volte-face *des volte-faces*
voûte	voute
voûté	vouté
voûter	vouter
wallaby *des wallabies*	wallaby *des wallabys*
water-polo	waterpolo
waters *nmpl*	water *des waters*
week-end	weekend
whisky *des whiskies*	whisky *des whiskys*
yachtman *des yachtmen*	yachtman *des yachtmans*
ya(c)k	yak
yé-yé	yéyé
yiddish	yidiche
yoghourt	yogourt
yo-yo	yoyo
zakouski *nmpl*	zakouski *des zakouskis*
zêta *nm inv*	zêta *des zêtas*

Using this dictionary

Each entry in the dictionary is organized hierarchically, by grammatical category, then sense category. Grammatical categories are always in the same order. In the English-French part of the dictionary, the rule is that if the word has a use as an irregular inflected form, like the entry *left* for example, this will come first. Next will come the noun category, if there is one, then the adjective, then the adverb. Verbs, idioms, and phrasal verbs come last, in that order. The way the entry *kindly* is constructed is shown in the diagram below. To translate *he thought kindly of her*, you would go through the steps shown on the right. The section that follows gives other examples of how to get the best out of the dictionary for various kinds of translation task.

As a general rule, all meanings of a word are to be found in one single entry, provided they are pronounced in the same way, exclusive of stress shifts. English compounds have their own place in the alphabetical order of the dictionary, either as separate entries or, where several fall together in the alphabet, grouped together under the first element.

The French-English entries follow a similar sequence, but adjectives precede nouns and non-hyphenated compounds appear together in a separate category at the end of the entry. French hyphenated compounds are given separate-entry status. On both sides of the dictionary, the order of sense categories reflects frequency of use, the most commonly used coming first. Within sense categories, distinctions between alternative translations are shown by means of sense indicators in round brackets and/or collocates giving typical context, which appear in square brackets.

1 **kindly** /ˈkaɪndlɪ/
A *adj* [*person, nature*] gentil/-ille; [*smile, interest*] bienveillant; [*voice*] plein de gentillesse; [*face*] sympathique; **she's a ~ soul** elle est très gentille
2 B *adv* 1 (in a kind, nice way) [*speak, look, treat*] avec gentillesse; **to speak ~ of sb** avoir un mot gentil pour qn; **thank you ~†** tous mes remerciements; 2 (obligingly) gentiment; **she ~ agreed to do** elle a gentiment accepté de faire; **would you ~ do/refrain from doing** auriez-vous l'amabilité de faire/de ne pas faire; **'would visitors ~ do', 'visitors are ~ requested to do'** GB 'les visiteurs sont priés
3 de faire'; 3 (favourably) **to look ~ on** approu-
4 ver [*activity*]; **to think ~ of** avoir une bonne
5 opinion de [*person*]; **to take ~ to** apprécier [*idea, suggestion, person*]; **I don't think he'll take ~ to being kept waiting** je ne crois pas qu'il va apprécier qu'on le fasse attendre

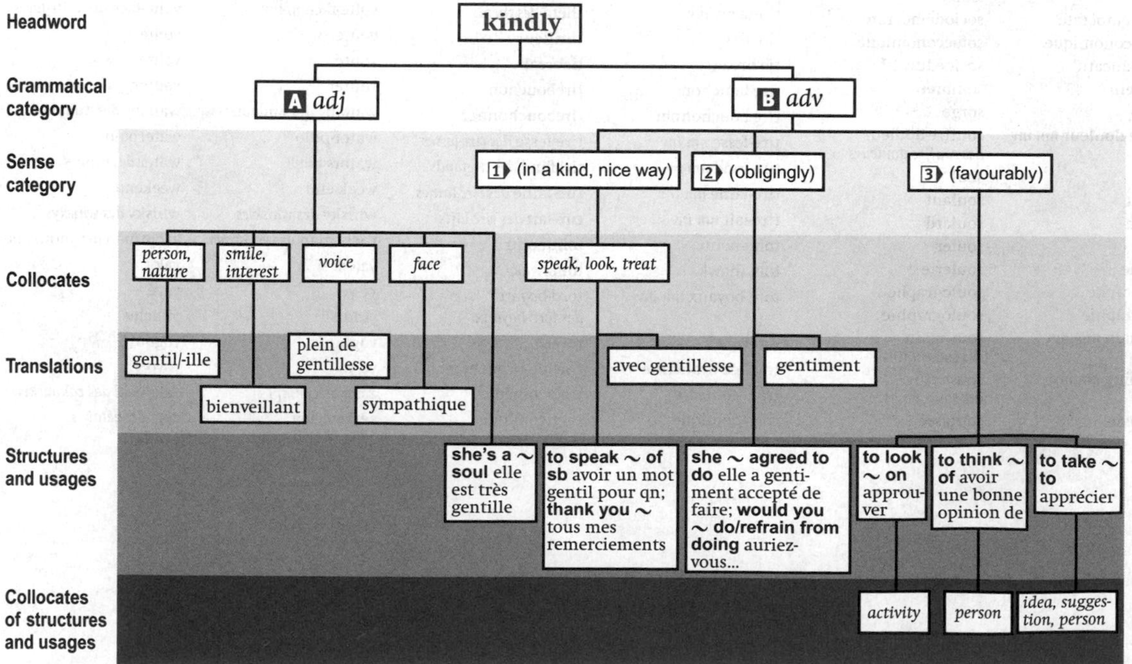

Goal 1

Translate | he treated her kindly

Process

1 Identify the problem word or phrase.

kindly

2 Look up *kindly* and choose the appropriate grammatical category.

B *adv*

kindly /ˈkaɪndlɪ/
A *adj* [*person, nature*] gentil/-ille; [*smile, interest*] bienveillant; [*voice*] plein de gentillesse; [*face*] sympathique; **she's a ~ soul** elle est très gentille
B *adv* **1** (in a kind, nice way) [*speak, look, treat*] avec gentillesse; **to speak ~ of sb** avoir un mot

3 Choose the appropriate sense category.

1 (in a kind, nice way)

B *adv* **1** (in a kind, nice way) [*speak, look, treat*] avec gentillesse; **to speak ~ of sb** avoir un mot gentil pour qn; **thank you ~†** tous mes remerciements; **2** (obligingly) gentiment; **she ~ agreed to do** elle a gentiment accepté de faire; **would you ~ do/refrain from doing** auriez-vous l'amabilité de faire/de ne pas faire; **'would visitors ~ do'**, **'visitors are ~ requested to do'** GB 'les visiteurs sont priés de faire'; **3** (favourably) **to look ~ on** approuver [*activity*]; **to think ~ of** avoir une bonne

4 Choose the most appropriate collocate or phrase included in the sense.

treat

B *adv* **1** (in a kind, nice way) [*speak, look, **treat***] avec gentillesse; **to speak ~ of sb** avoir un mot gentil pour qn; **thank you ~†** tous mes remerciements; **2** (obligingly) gentiment; **she ~ agreed to do** elle a gentiment accepté de

5 Note the translation.

avec gentillesse

B *adv* **1** (in a kind, nice way) [*speak, look, treat*] **avec gentillesse**; **to speak ~ of sb** avoir un mot gentil pour qn; **thank you ~†** tous mes

6 If necessary look up *treat* in the same way and *her* in the special grammatical note box, near the normal entry for *her*.

i her

When used as a direct object pronoun, *her* is translated by *la* (*l'* before a vowel). Note that the object pronoun normally comes before the verb in French and that, in compound tenses like perfect and past perfect, the past participle agrees with the pronoun:

I know her
= je la connais

I've already seen her
= je l'ai déjà vue

In imperatives, the direct object pronoun is translated by *la* and comes after the verb:

catch her!
= attrape-la!

(*note the hyphen*)

When used as an indirect object pronoun, *her* is translated by *lui*:

I've given her the book
= je lui ai donné le livre

I've given it to her
= je le lui ai donné

In imperatives ... direct obj... is

Result | The translation | il l'a traitée avec gentillesse

Goal 2

Translate *a sophisticated nightclub* in the phrase

they spent the rest of the evening in a sophisticated nightclub in Mayfair

Process

1 Look up *nightclub*. English compounds appear in alphabetical order in the wordlist.

~club

nightcap /ˈnaɪtkæp/ *n* 1 (hat) bonnet *m* de nuit; 2 (drink) **to have a ~** boire quelque chose (avant d'aller se coucher)
night: **~clothes** *npl* vêtements *mpl* pour la nuit; **~club** *n* boîte *f* de nuit
nightclubbing *n* **to go ~** aller en boîte○
night: **~dress** *n* chemise *f* de nuit; **~ editor** *n* Journ rédacteur/-trice *m/f* de nuit
nightfall /ˈnaɪtfɔːl/ *n* tombée *f* de la nuit; **at**

2 Note the translation.

boîte *f* de nuit

Note the usage information in italics. '*f*' indicates feminine gender.

night: **~clothes** *npl* vêtements *mpl* pour la nuit; **~club** *n* boîte *f* de nuit
nightclubbing *n* **to go ~** aller en boîte○

3 Look up *sophisticated* and select the most appropriate numbered sense category.

1 (smart)

sophisticated /səˈfɪstɪkeɪtɪd/ *adj* 1 **(smart)** [*person*] (worldly, cultured) raffiné, sophistiqué pej; (elegant) chic *inv*; [*clothes, fashion*] recherché; [*restaurant, resort*] chic *inv*; [*magazine*] sophistiqué; **she thinks it's ~ to smoke** elle pense que ça fait chic de fumer; **she was looking very ~ in black** elle était très chic en noir; 2 **(discriminating)** [*mind, taste*] raffiné; [*audience, public*] averti; **a book for the more ~ student** un livre pour les étudiants plus avancés; 3 **(advanced)** [*civilization*] évolué; 4 **(elaborate,** complex) [*equipment, machinery, technology*]

4 Look for the noun collocate, in square brackets, which is closest to your context.

restaurant

sophisticated /səˈfɪstɪkeɪtɪd/ *adj* 1 (smart) [*person*] (worldly, cultured) raffiné, sophistiqué pej; (elegant) chic *inv*; [*clothes, fashion*] recherché; [***restaurant***, *resort*] chic *inv*; [*magazine*] sophistiqué; **she thinks it's ~ to smoke** elle pense

5 Note the translation.

chic

[*person*] (worldly, cultured) raffiné, sophistiqué pej; (elegant) **chic** *inv*; [*clothes, fashion*] recherché; [*restaurant, resort*] chic *inv*; [*magazine*] sophistiqué; **she thinks it's ~ to smoke** elle pense

6 Note the usage information in italics.

inv

[*person*] (worldly, cultured) raffiné, sophistiqué pej; (elegant) chic *inv*; [*clothes, fashion*] recherché; [*restaurant, resort*] chic ***inv***; [*magazine*] sophistiqué; **she thinks it's ~ to smoke** elle pense

This means that the form of adjective *chic* does not change in the feminine or the plural.

Result

The translation of the whole sentence

ils ont fini la soirée dans une boîte de nuit chic de Mayfair

Goal 3 Translate — it's natural for her to want to stay

Process

1 Look up *natural* and choose the appropriate grammatical category.

B *adj*

> **natural** /'nætʃrəl/
> **A** *n* **1** ○(person) **as an actress, she's a ~** c'est une actrice née; **he's a ~ for the role of Hamlet** il est fait pour jouer Hamlet; **2** Mus (sign) bécarre *m*; (note) note *f* naturelle; **3** ‡(simpleton) imbécile *mf*
> **B** *adj* **1** (not artificial or man-made) [*phenomenon, force, disaster, harbour, light, resources, process, progression, beauty, material, food*] naturel/-elle; **the ~ world** le monde naturel; **in its ~ state**

2 Choose the most appropriate numbered sense category.

2 (usual, normal)

> **B** *adj* **1** (not artificial or man-made) [*phenomenon, force, disaster, harbour, light, resources, process, progression, beauty, material, food*] naturel/-elle; **the ~ world** le monde naturel; **in its ~ state** à l'état naturel; **2** (usual, normal) naturel/-elle, normal; **it's ~ to do/to be** c'est normal de faire/d'être; **it's ~ for sb to do** c'est normal que qn fasse; **the ~ thing to do would be to protest** la chose la plus normale serait de protester; **it's only ~** c'est tout à fait naturel; **it's not ~!** ce n'est pas normal!; **to die of ~ causes** mourir de mort naturelle *or* de sa belle mort; **death from ~ causes** Jur mort naturelle; **for the rest of one's ~ life** Jur à vie; **3** (innate) [*gift, talent, emotion, trait*] inné; [*artist, professional, storyteller*] né; [*affinity*] naturel/-elle; **a ~ advantage** (of person, party, country) un atout; **4** (unaffected) [*person, manner*] simple, naturel/-elle; **try and look more ~**

3 Look for the basic structure you need.

it's ~ for sb to do

> à l'état naturel; **2** (usual, normal) naturel/-elle, normal; **it's ~ to do/to be** c'est normal de faire/d'être; **it's ~ for sb to do** c'est normal que qn fasse; **the ~ thing to do would be to**

4 Note the translation.

c'est normal que qn fasse

> à l'état naturel; **2** (usual, normal) naturel/-elle, normal; **it's ~ to do/to be** c'est normal de faire/d'être; **it's ~ for sb to do c'est normal que qn fasse**; **the ~ thing to do would be to**

5 Use the translation of the basic structure to translate your sentence, noting that *fasse* is a subjunctive. If you are unsure about the conjugation of the irregular verb *vouloir*, look it up in the French verb tables at the back of the dictionary.

Result The translation — c'est normal qu'elle veuille rester

Goal 4

		Translate	the police have sealed off the area
Process	**1**	*Seal off* is a phrasal verb, so go to the end of the entry *seal* where you will find the phrasal verbs listed in alphabetical order, each verb clearly signalled by a square bullet. ■ seal off	**E sealed** *pp adj* [*envelope*] cacheté; [*package*] scellé; [*bid, instructions, orders*] sous pli cacheté; [*jar*] fermé hermétiquement; [*door, vault*] scellé Phrasal verbs ■ **seal in** conserver [*flavour*] ■ **seal off**: ▸ ~ **[sth] off**, ~ **off [sth]** 1 (isolate) isoler [*corridor, wing*]; 2 (cordon off) boucler [*area, building*]; barrer [*street*] ■ **seal up**: ▸ ~ **[sth] up**, ~ **up [sth]** fermer [qch] hermétiquement [*jar*]; boucher [*gap*]
	2	Look for the appropriate phrasal verb pattern. ▸ ~ [sth] off, ~ off [sth]	■ **seal off**: ▸ ~ **[sth] off**, ~ **off [sth]** 1 (isolate) isoler [*corridor, wing*]; 2 (cordon off) boucler [*area, building*]; barrer [*street*]
	3	Select the appropriate sense category of the phrasal verb pattern. 2 (cordon off)	■ **seal off**: ▸ ~ **[sth] off**, ~ **off [sth]** 1 (isolate) isoler [*corridor, wing*]; **2 (cordon off)** boucler [*area, building*]; barrer [*street*]
	4	Select the appropriate collocate showing context for the translation, in this case typical objects of the verb translations. *area*	■ **seal off**: ▸ ~ **[sth] off**, ~ **off [sth]** 1 (isolate) isoler [*corridor, wing*]; 2 (cordon off) boucler [***area***, *building*]; barrer [*street*]
	5	Identify the appropriate translation. boucler	■ **seal off**: ▸ ~ **[sth] off**, ~ **off [sth]** 1 (isolate) isoler [*corridor, wing*]; 2 (cordon off) **boucler** [*area, building*]; barrer [*street*]
	6	If necessary, look up *area* and select the appropriate translation. quartier *m*	**area** /ˈeərɪə/ **A** *n* 1 (region) (of land) région *f*; (of sky) zone *f*; (of city) zone *f*; (district) **quartier** *m*; **in the London/Paris** ~ dans la région de Londres/de Paris; **residential/rural/slum** ~ zone *f* résidentielle/
	7	Now construct the translation of the sentence, putting the verb in the correct tense and person.	
Result		The translation	la police a bouclé le quartier

Comment se servir du dictionnaire?

Les articles du dictionnaire ont une structure hiérarchisée; ils sont subdivisés en catégories grammaticales (introduites par des majuscules sur fond noir et présentées dans un ordre fixe) qui sont elles-mêmes subdivisées en catégories sémantiques (introduites par des chiffres arabes). Les catégories sémantiques et les nuances de sens sont différenciées par des indicateurs sémantiques et/ou des indicateurs de collocations et apparaissent selon un ordre qui donne la priorité aux sens les plus fréquents. Pour traduire *tiède* dans la phrase *boire tiède* la démarche à suivre est indiquée par les numéros dans la figure ci-contre. La structure hiérarchisée est illustrée ci-dessous avec l'arborescence de l'entrée *tiède*.

1
tiède /tjɛd/
A *adj* 1 lit (désagréablement) [*café, soupe*] lukewarm; [*bain*] tepid; (agréablement) [*eau, air, nuit*] warm; [*saison, température*] mild; ▸ **salade**; 2 fig (sans enthousiasme) [*sentiment, applaudissements, partisan*] lukewarm, half-hearted; [*accueil*] lukewarm
B *nmf* péj (membre d'un parti, groupe) lukewarm *ou* half-hearted supporter; (adepte) half-hearted believer
2
3
C *adv* **servez ~** serve **slightly warm**; **dépêche-toi ou tu vas manger ~** hurry up or your food will get cold; **il fait ~** (dehors) it's mild; (dedans) it's nice and warm

En règle générale, les homographes homophones ont été regroupés sous la même entrée sans tenir compte de l'étymologie; dans les autres cas, l'entrée est répétée et on lui a attribué un numéro d'homographe. Locutions idiomatiques et proverbes sont regroupés en fin d'article.

Certaines caractéristiques liées à la structure de la langue sont particulières à un côté du dictionnaire. Ainsi dans la partie français-anglais, les mots composés sans trait d'union sont regroupés alphabétiquement en fin d'article.

Dans la partie anglais-français, les verbes à particule apparaissent toujours en fin d'article, dans l'ordre alphabétique. Les mots composés sont à leur place dans la nomenclature. On trouvera dans les pages suivantes quelques exemples d'utilisation du dictionnaire tant pour la compréhension que pour la traduction en anglais.

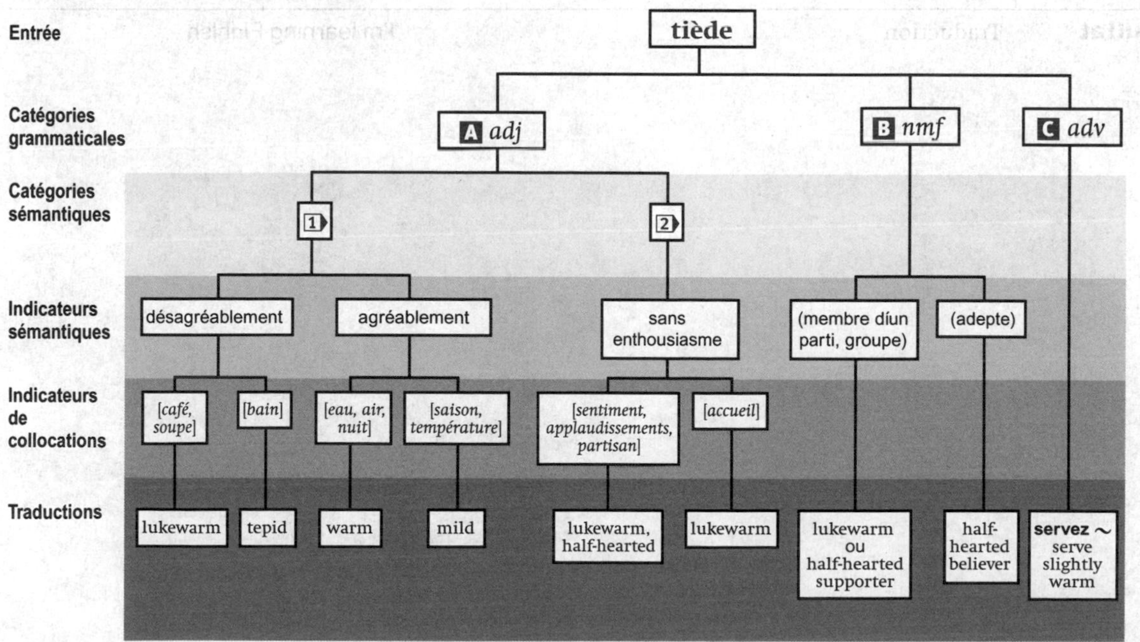

Objectif 1

Traduire — j'apprends le finnois

Méthode

1 Rechercher les mots inconnus en anglais. La traduction du substantif est

Finnish

finnois, ~e /finwa, az/ ▸ p. 483
A *adj* Finnish
B *nm* Ling Finnish

2 Noter le renvoi à une note d'usage lexicale, ici la note sur les langues.

▸ p. 483

finnois, ~e /finwa, az/ ▸ p. 483
A *adj* Finnish
B *nm* Ling Finnish

3 Toutes les informations nécessaires à la traduction sont fournies dans le premier exemple, il est inutile de faire d'autres recherches.

Penser à utiliser la forme progressive pour rendre l'idée de processus (être en train de).

ℹ Les langues

■ *Les adjectifs comme* anglais *peuvent aussi qualifier des personnes:* un touriste anglais (▸ **p. 561**) *et des choses:* la cuisine anglaise (▸ **p. 333**). *Dans les expressions suivantes,* English *est pris comme exemple; les autres noms de langues s'utilisent de la même façon.*

Les noms de langues

■ *L'anglais n'utilise pas l'article défini devant les noms de langues. Noter aussi l'emploi de la majuscule, obligatoire en anglais.*

apprendre l'anglais
= to learn English

En avec les noms de langues

■ *Avec un verbe,* en anglais *se traduit par* in English:

dis-le en anglais
= say it in English

■ *Après un nom,* en anglais *se traduit par* in English *ou par l'adjectif* English. *Noter l'emploi de la majuscule, obligatoire pour l'adjectif et le nom.*

un livre en anglais
= a book in English *ou* an English book*

une émission en anglais
= an English-language broadcast

* *Noter que* an English book *est ambigu, tout*

Résultat

Traduction — I'm learning Finnish

Objectif 2		Traduire en anglais d'Amérique du Nord *en son honneur* dans la phrase	ils ont donné un dîner en son honneur
Méthode	**1**	Rechercher l'entrée dans la nomenclature.	**honneur** /ɔnœʀ/ **A** *nm* **1** (fierté) honour[GB] ₵; **sens de l'~** sense of honour[GB]; **homme d'~** man of honour[GB];
	2	Choisir la catégorie grammaticale et la catégorie sémantique pertinentes. **A 4** (célébration)	**A** *nm* . . . **1** (fierté) . . . **2** (mérite) . . . **3** (privilège) . . . **4** (célébration) . . . **B honneurs** *nmpl* . . .
	3	Il n'y a pas de traduction générale pour cette catégorie mais on trouve un exemple très proche de celui à traduire. **en l'~ de qn**	**4** (célébration) **être (mis) à l'~** [*personne*] to be honoured[GB]; **mettre qn à l'~** to honour[GB] sb; **être à l'** *or* **en ~** [*chose*] to be in favour[GB]; **être remis à l'~** [*tradition, usage, discipline*] to regain favour[GB]; **remise à l'~** (de tradition, mot) renewed popularity; **faire** *or* **rendre ~ à qn** to honour[GB] sb; **faire ~ à un repas** to do justice to a meal; **~ à celui/ceux qui** all praise to him/those who; **en l'~ de qn** in sb's honour[GB]; **en l'~ de qch** in honour[GB] of sth; **en quel ~**○**?** iron any particular reason why?; **en quel ~ êtes-vous en retard?** any particu-
	4	Noter la traduction. Le mot est marqué comme britannique. **in sb's honour[GB]**	to a meal; **~ à celui/ceux qui** all praise to him/those who; **en l'~ de qn** in sb's honour[GB]; **en l'~ de qch** in honour[GB] of sth; **en quel ~**○**?** iron any particular reason why?;
	5	Pour connaître l'orthographe américaine consulter la partie anglais-français du dictionnaire. **honor US**	**honour** GB, **honor** US /ˈɒnə(r)/ **A** *n* **1** (privilege) honneur *m*; **to consider sth a great ~** considérer qch comme un grand
	6	Il ne reste plus qu'à découvrir si la personne en l'honneur de laquelle le dîner est donné est une femme ou un homme.	
Résultat		Traduction, en supposant qu'il s'agit d'une femme	in her honor

Objectif 3

Traduire | il neigeait à notre départ de Moscou

Méthode

1 Recherchler l'entrée *neiger* dans la nomenclature. L'exemple est au présent et la phrase à traduire à l'imparfait, il suffit de changer le temps.

it was snowing

neiger /neʒe/ [13] *v impers* to snow; **il neige** it's snowing

2 Rechercher l'entrée *départ* dans la nomenclature et choisir la catégorie sémantique adéquate. La première convient exactement. Une traduction générale est fournie.

departure

départ /depaʀ/ *nm* **1** (d'un lieu) departure; **retarder son ~** to postpone one's departure; **heures de ~** departure times; **~ des gran-**

3 Mais un des exemples donnés plus bas a des points communs avec la phrase à traduire.

je l'ai vue avant mon ~ pour Paris
I saw her before I left for Paris

Le groupe nominal *mon départ* est traduit par la tournure verbale *I left*.

heures de ~ departure times; **~ des grandes lignes/des lignes de banlieue** Rail (platforms for) main line/suburban departures; **je l'ai vue avant mon ~ pour Paris** I saw her before I left for Paris; **les ~s en vacances** holiday GB *ou* vacation US departures; **avant mon ~ en vacances** before I set off on holiday GB *ou* vacation US; **téléphone avant ton ~** phone before you leave; **c'est bientôt le ~, le ~ approche** it'll soon be time to leave; **se donner rendez-vous au ~ du car** (au lieu) to arrange to meet at the coach GB *ou* bus US; **vols quotidiens au ~ de Nice** daily flights from Nice; **le train a pris du retard au ~ de Lyon** the train was late leaving Lyons; **être**

4 En cas de doute vérifier *left* dans la partie anglais-français.

left /left/ ▸ p. 1139
A *prét, pp* ▸ **leave**
B *n* **1** (side or direction) gauche *f*; **on the ~** sur la gauche; **on your ~** sur votre gauche; **to the ~** vers la gauche; **keep (to the) ~** Aut tenez la gauche; **2** Pol **the ~** la gauche; **on the ~** à gauche; **to the ~ of sb** à gauche de qn; **3** Sport (poing *m*) gauche *m*
C *adj* [*eye, hand, shoe*] gauche
D *adv* [*go, look, turn*] à gauche

5 Pour trouver la construction qui nous intéresse il faut consulter l'entrée *leave* toujours en employant la même méthode : rechercher dans la nomenclature, choisir la catégorie grammaticale qui convient et la parcourir en détail.

Un exemple peut servir utilement de modèle. Il ne reste plus qu'à trouver la traduction de *Moscou*.

leave /liːv/
A *n* **1** (*also* **~ of absence**) (time off) gen congé *m*; Mil permission *f*; **to take ~** prendre des congés; **to take three days' ~** prendre trois jours de congé; **I've taken all my ~ for this year** j'ai pris tous mes congés pour cette année; **to be granted 24 hours' ~** Mil recevoir une permission de 24 heures; **to be on ~** gen être en congé; Mil être en permission; **to come home on ~** Mil rentrer en permission
B *vtr* (*prét, pp* **left**) **1** (depart from) gen partir de [*house, station etc*]; (more permanently) quitter [*country, city etc*]; (by going out) sortir de [*room, building*]; **he left home early** il est parti tôt de chez lui; **to ~ school** (permanently) quitter l'école; **the plane/train ~s Paris for Nice at 9.00** l'avion/le train pour Nice part de Paris à 9 heures; **to ~ the road/table** quitter la route/table; **to ~ France to live in Canada** quitter la France pour aller vivre au Canada;

Résultat

La traduction n'est pas strictement parallèle au texte français mais elle est exacte et naturelle en anglais.

it was snowing when we left Moscow

Objectif 4 Traduire *make out* dans la phrase

I couldn't make out what he was saying

Méthode

1 Rechercher l'entrée *make.* Rechercher les verbes à particule clairement signalés à la fin de l'article.

(Phrasal verbs) ■ **make after**: ► ~ **after [sb]** poursuivre
■ **make at**: ► ~ **at [sb]** attaquer (with avec)
■ **make away with** = **make off**
■ **make do**: ► ~ **do** faire avec; **to** ~ **do with** se contenter de qch; ► ~ **[sth] do** se contenter de
■ **make for**: ► ~ **for [sth]** 1 (head for) se diriger vers [*door, town, home*]; 2 (help create) permettre, assurer [*easy life, happy marriage*]; ► ~ **for [sb]** 1 (attack) se jeter sur; 2 (approach) se diriger vers
■ **make good**: ► ~ **good** réussir; **a poor**

2 Rechercher *make out* dans les verbes à particule présentés alphabétiquement.

3 Rechercher la structure qui se rapproche le plus de celle à traduire c'est-à-dire la forme transitive présentée de la façon suivante.

► ~ out [sth], ~ [sth] out

■ **make out**: ► ~ **out** 1 (manage) **s'en tirer**°; **how are you making out? comment ça marche**°**?**; 2 US (grope) **se peloter**°; 3 (claim) **affirmer (that** que); **he's not as stupid as he ~s out il n'est pas aussi bête qu'il (le) prétend;** ► ~ **out [sth],** ~ **[sth] out** 1 (see, distinguish) **distinguer** [*shape, writing*]; 2 (claim) **to** ~ **sth out to be prétendre que qch est;** 3 (understand, work out) **comprendre** [*puzzle, mystery, character*]; **to** ~ **out if** *or* **whether comprendre si; I can't** ~ **him out je n'arrive pas à le comprendre;** 4 (write out) **faire, rédiger** [*cheque, will, list*]; **to** ~ **out a cheque** GB *ou* **check** US **to sb faire un chèque à qn, signer un chèque à l'ordre de qn; it is made out to X il est à l'ordre de X; who shall I** ~ **the cheque out to? à quel ordre dois-je faire le chèque?;** 5 (expound) **to** ~ **out a case for sth argumenter en faveur de qch;** ► ~ **oneself out to be prétendre être** [*rich, brilliant*]; **faire semblant d'être** [*stupid, incompetent*]

4 Examiner les traductions fournies. Choisir celle qui convient au contexte.

comprendre

qu'il (le) prétend; ► ~ **out [sth],** ~ **[sth] out** 1 (see, distinguish) **distinguer** [*shape, writing*]; 2 (claim) **to** ~ **sth out to be prétendre que qch est;** 3 (understand, work out) **comprendre** [*puzzle, mystery, character*]; **to** ~ **out if** *or* **whether comprendre si; I can't** ~ **him out je n'arrive pas à le comprendre;** 4 (write out) **faire, rédiger** [*cheque, will, list*]; **to** ~ **out a cheque** GB *ou* **check** US **to sb faire un chèque à qn, signer un chèque à l'ordre de qn; it is made out to X il est à l'ordre de X; who shall I** ~ **the cheque out to? à quel ordre dois-je faire le chèque?;** 5 (expound) **to** ~ **out a case for sth argumenter en faveur de qch;** ► ~ **oneself out to be prétendre être** [*rich, brilliant*]; **faire semblant d'être** [*stupid, incompetent*]

Résultat Traduction

je n'arrivais pas à comprendre ce qu'il disait

The structure of French–English entries

bagage /bagaʒ/
A *nm* **1** (effets) luggage; (de soldat) kit; **elle avait un sac pour tout ~** her only luggage was one bag; **envoyer qch en ~ accompagné** to send sth as registered luggage; **2** (sac, valise) piece of luggage; **3** fig (connaissances) knowledge; (diplômes) qualifications (*pl*); (expérience) credentials (*pl*); **avoir un bon/mince ~** to have good/poor qualifications; **il a un excellent ~ de directeur** he has splendid credentials as a manager
B bagages *nmpl* (valises, effets) luggage ₵; **faire/défaire ses ~s** to pack/unpack (one's suitcases); **il a amené qn dans ses ~s** fig he's brought sb along with him; **il est toujours dans les ~s du Président** fig the President always takes him along
(Composé) **~ à main** hand luggage, carry-on baggage US
(Idiomes) **plier ~**○ to pack up and go; **partir avec armes et ~s** to up sticks and leave; **se**

balader○ /balade/ [1]
A *vtr* **1** (à pied) to take [sb] for a walk; (en voiture) to take [sb] for a drive; **je l'ai baladé dans tous les musées** I showed him around all the museums; **2** (emporter avec soi) to carry [sth] around; **3** ○(mener en bateau) to fob [sb] off
B se balader *vpr* **1** (faire une balade) (à pied) to go for a walk; (plus lent) to go for a stroll; (à moto, vélo) to go for a ride; (en voiture) to go for a drive; **2** (voyager) to travel; **se ~ dans une région** to tour a region; **3** (se déplacer) [*douleur*] to move around; **il y a un écrou qui se balade** there's a loose nut
(Idiome) **envoyer qn ~**○ to send sb packing○; **j'ai envie de tout envoyer ~** I feel like packing everything in○

baladeur, -euse /baladœʀ, øz/
A *adj* [*lampe*] portable
B *nm* walkman®, personal stereo
C baladeuse *nf* portable lamp
(Idiome) **avoir les mains baladeuses** pej to have wandering hands

Bison Futé® /bizɔ̃fyte/ *nm*: *TV and radio traffic monitoring service*
bisontin, ~e /bizɔ̃tɛ̃, in/ ▸ **p. 894** *adj* of Besançon
Bisontin, ~e /bizɔ̃tɛ̃, in/ *nm,f* (natif) native of Besançon; (habitant) inhabitant of Besançon
bisou○ /bizu/ *nm* baby talk kiss; **faire un ~ à qn** to kiss sb, to give sb a kiss; **envoyer des ~s** (avec la main) to blow kisses; (par lettre) to send kisses
bisque /bisk/ *nf* Culin bisque
(Composé) **~ de homard** lobster bisque
bisquer○ /biske/ [1] *vi* (enrager) to be mad○, to be furious; **faire ~ qn** to make sb mad○
bissac /bisak/ *nm* (huntsman's) pouch
bissecteur, -trice /bisɛktœʀ, tʀis/
A *adj* [*plan, droite*] bisecting
BERD /bɛʀd/ *nf*: *abbr* ▸ **banque**
béret /beʀɛ/ *nm* beret; **~ basque** Basque beret
bergamasque /bɛʀgamask/ *nf* bergamask

Labels:
- headword — **bagage**
- IPA pronunciation — /bagaʒ/
- examples
- part of speech plus gender — *nmpl*
- uncountable use — ₵
- figurative use — fig
- swung dash as substitute for headword in examples — ~
- compounds in block at end of entry — (Composé)
- North American translation — US
- idioms in block at end of entry — (Idiomes)
- register symbol: informal ○, very informal ◑, vulgar or taboo ●
- grammatical category marked by a capital letter — **A**
- feminine form of headword — **-euse**
- pejorative use — pej
- trademark symbol — ®
- explanatory gloss where there is no direct translation equivalent
- level of language — baby talk
- field label — Culin
- number of verb group, referring to the French verb tables at the end of the dictionary — [1]
- IPA pronunciation for feminine form — tʀis
- cross-reference — ▸ **banque**

The structure of English–French entries

mash /mæʃ/
A *n* **1** Agric (for dogs, poultry) pâtée *f*; (for horses) mash *m*; **bran ~** pâtée de son; **2** (in brewing) trempe *f*; **3** ○GB Culin purée *f* (de pommes de terre); **bangers and ~** des saucisses avec de la purée
B *vtr* **1** écraser [*fruit*]; **~ed potatoes/turnips** purée *f* de pommes de terre/de navets; **to ~ potatoes** faire de la purée (de pommes de terre); **2** (in brewing) brasser
(Phrasal verb) ■ **mash up**: ▸ **~ up [sth]**, **~ [sth] up** écraser [*fruit, potatoes*]

MASH /mæʃ/ *n* US (*abrév* = **mobile army surgical hospital**) unité *f* médicale de campagne

masher /ˈmæʃə(r)/ *n* (utensil) presse-purée *m inv*

mask /mɑːsk, US mæsk/
A *n* **1** (for face) (for disguise, protection) masque *m*; (at masked ball) loup *m*; **a ~ of indifference** fig un masque d'indifférence; **2** (sculpture) masque *m*; **3** Cosmet **face ~** masque *m*; **4** Electron, Comput masque *m*; **5** Phot cache *m*; **6** Theat masque *m*
B *vtr* **1** masquer [*face*]; **2** fig dissimuler [*truth, emotions*]; masquer [*taste*]; **3** Fin déguiser [*losses*]; **4** Phot masquer; **5** Med, Sport masquer [*drug*]

MCN *n*: *abrév* ▸ **Micro Cellular Network**

MD *n* **1** Med, Univ (*abrév* = **Doctor of Medicine**) docteur *m* en médecine; **2** US Post *abrév écrite* = **Maryland**; **3** Mgmt (*abrév* = **Managing Director**) directeur *m* général

MDF *n* (*abrév* = **medium-density fibreboard**) lamifié *m*

MDT *n* US *abrév* ▸ **Mountain Daylight Time**

meagrely GB, **meagerly** US /ˈmiːɡəlɪ/ *adv* [*eat, live, spread*] chichement

meal /miːl/ *n* **1** (food) repas *m*; **hot/cold/main ~** repas chaud/froid/principal; **they had a ~ in the canteen** ils ont mangé à la cantine; **did you enjoy your ~?** est-ce que vous avez bien mangé?; **to go out for a ~** sortir dîner; **2** (from grain) farine *f*
(Idiom) **don't make a ~ of it**○! n'en fais pas tout un plat○!

meals on wheels *n* repas *mpl* (livrés) à domicile (*pour personnes âgées ou handicapées*)

meal ticket *n* **1** (voucher) ticket-repas *m*; **2** ○fig (quality, qualification) gagne-pain *m*; (person) **I'm just a ~ for you!** pour toi je ne suis qu'un portefeuille!

meal: **~time** *n* heure *f* de repas; **~worm** *n* ver *m* de farine

miraculous /mɪˈrækjʊləs/ *adj* **1** (as by miracle) [*cure, escape, recovery, survival*] miraculeux/-euse; **2** (great, amazing) [*speed, efficiency etc*] prodigieux/-ieuse

muscular dystrophy ▸ **p. 1327** *n* dystrophie *f* musculaire

musculature /ˈmʌskjʊlətʃə(r)/ *n* musculature *f*

musculoskeletal injury, **MSI** /ˌmʌskjʊləʊˈskelɪtl/ *n* Med trouble *m* musculo-squelettique, TMS *m*

muse /mjuːz/
A *n* muse *f*
B *vi* (in silence) songer (**on, over, about** à); (aloud) commenter, l'air songeur

---

Labels (left):

- headword
- Arabic sense numbers
- part of speech
- phrasal verb
- acronym
- IPA pronunciation showing North American variation
- swung dash as substitute for headword in examples
- typical object collocates
- abbreviation
- North American usage
- North American variant spelling
- idioms in block at end of entry
- explanatory gloss for French speaker
- separate entry for complex compound
- compounds in alphabetical order

Labels (right):

- grammatical category marked by a capital letter
- translation
- phrasal verb pattern
- usage information
- sense indicator
- field labels for specialist terms
- gender of translation
- cross-reference to full form
- examples
- register symbol
  - ○ informal
  - ◑ very informal
  - ● vulgar or taboo
- feminine endings in translations
- page number cross-reference to a lexical usage note
- structures, complementation giving information on how to use the translation

Structure du texte français–anglais

sigle/acronyme	**FIV** /fiv/ **A** *nf: abbr* ▸ **fécondation**	renvoi à une entrée
	fivete /fivɛt/ *nf* ZIFT, zygote intra-fallopian transfer	
entrée	**flûtiste*** /flytist/ ▸ **p. 532** *nmf* flautist, flutist US	renvoi à une note d'usage lexicale
	foie /fwa/ *nm* **1** Anat liver; **avoir mal au ~** ≈ to have an upset stomach; **crise de ~** indigestion; **2** Culin liver	tiret ondulé remplaçant l'entrée dans les exemples symbole indiquant un équivalent dans la langue cible
	(Composés) **~ d'agneau** lamb's liver; **~ de génisse** beef liver; **~ gras** foie gras; **~ de porc** pig's liver; **~ de veau** calf's liver; **~s de volaille** chicken livers	
idiomes regroupés en fin d'article	(Idiomes) **se ronger les ~s**○ to worry; **avoir les ~s**◑ to have the jitters○	indicateurs de niveau de langue ○ familier ◑ populaire ● vulgaire ou tabou
mot composé avec trait d'union ayant valeur d'entrée à part entière	**foie-de-bœuf**, *pl* **foies-de-bœuf** /fwadbœf/ *nm* Bot beefsteak fungus	
forme du féminin	**foliacé, ~e** /fɔljase/ *adj* **1** Bot foliaceous; **2** Minér foliated	domaines
traduction avec sa variante nord-américaine	**formidablement** /fɔʀmidabləmɑ̃/ *adj* awfully; **il a ~ grossi** he's got GB *ou* gotten US awfully fat; **ça s'est ~ amélioré** there's been	
symbole marquant un mot archaïque	**fors‡** /fɔʀ/ *prép* liter save, except	
	fournaise /fuʀnɛz/ *nf* **1** (endroit chaud) blaze; **le bureau est une vraie ~!** the office is like an oven!; **la ville est une ~ en été** the town is baking hot in summer; **2** Can (chaudière) boiler GB, furnace US	numéro de catégorie sémantique inclusion de mots ou sens d'autres pays francophones (ici canadianisme)
symbole marquant un mot vieilli	**freluquet†** /fʀəlykɛ/ *nm* little squirt○, whippersnapper†	
	frémir /fʀemiʀ/ [3] *vi* **1** (trembler) [*voile, feuille, aile, violon*] to quiver; [*lac*] to ripple; [*vitre*] to ...	numéro de conjugaison
information sur l'existence d'une variante graphique nord-américaine (donnée sous l'entrée du côté anglais-français)	**vent faisait ~ les eaux du port** the wind rippled the waters of the harbour[GB]; **2** (sous l'effet d'une émotion) [*lèvre, narine, main*] to tremble; [*personne*] (d'indignation, impatience, de colère, joie, plaisir) to quiver **(de with)**; (de dégoût, d'horreur, effroi) to shudder **(de** with); **frémissant de rage/d'enthousiasme** quivering with rage/with enthusiasm; **je frémis à cette idée** I shudder at the thought; **tout mon être frémit** (d'horreur) my whole being shuddered; (de plaisir) my whole being thrilled; **ça fait ~ de penser que...** it makes you shudder to think that...; **poésie/sensibilité frémissante** vibrant poetry/sensitivity; **3** Culin [*liquide*] to start to	indicateur sémantique construction syntaxique exemple
indicateur de collocation		
transcription phonétique	**frère** /fʀɛʀ/ *nm* **1** (dans la famille) brother; **c'est mon grand/petit ~** he's my big/little brother; **Dupont et ~s** (enseigne) Dupont Brothers; **aimer qn comme un ~** to love sb	partie du discours
mots composés sans trait d'union regroupés alphabétiquement	(Composés) **~ d'armes** brother-in-arms; **~ jumeau** twin brother; **~ lai** lay brother; **~ de lait** foster brother; **~s maçons** brother Masons	
information grammaticale sur la langue cible (mot non dénombrable)	**fricandeau**, *pl* **~x** /fʀikɑ̃do/ *nm* braised veal ¢	forme du pluriel
catégorie grammaticale	**frictionner** /fʀiksjɔne/ [1] **A** *vtr* to give a rub to [*personne*]; to rub [*pieds, tête*] **B se frictionner** *vpr* to rub oneself down	
nom déposé	**frigidaire®** /fʀiʒidɛʀ/ *nm* refrigerator	

Structure du texte anglais–français

entrée •

matron /ˈmeɪtrən/ *n* 1▸ GB (nurse) (in hospital) infirmière *f* en chef; (in school) infirmière *f* (*chargée également de l'intendance*); 2▸ (person in charge) (of orphanage, nursing home) directrice *f*; 3▸ US (warder) gardienne *f*; 4▸ (woman) péj matrone *f* pej

• glose explicative

numéro d'homographe •

mine² /maɪn/

A *n* 1▸ Mining mine *f*; **to work in** *ou* **down the ~s** travailler dans les mines; **to go down the ~** (become a miner) descendre à la mine; 2▸ fig mine *f*; **to be a ~ of information** être une mine de renseignements; **to have a ~ of experience to draw on** pouvoir s'appuyer sur son expérience; 3▸ Mil (explosive) mine *f*; **to lay a ~** (on land) poser une mine; (in sea) mouiller une mine; **to hit** *ou* **strike a ~** heurter une mine

• traduction

tiret ondulé remplaçant l'entrée dans les exemples •

catégorie sémantique •

• genre des substantifs en français

catégorie grammaticale •

B *vtr* 1▸ Mining extraire [*gems, mineral*]; exploiter [*area*]; 2▸ Mil (lay mines in) miner [*area*]; (blow up) faire sauter [*ship, tank*]

• domaine

partie du discours •

C *vi* exploiter un gisement; **to ~ for** extraire [*gems, mineral*]

verbe à particule •

(Phrasal verb) ■ **mine out**: ▶ **~ out [sth], ~ [sth] out** extraire [*mineral*]; exploiter [*area, pit*]; **the pit is completely ~d out** la mine est épuisée

• construction d'un verbe à particule

groupe de mots composés •

mine maɪn: **~sweeper** *n* dragueur *m* de mines; **~sweeping** *n* dragage *m* de mines; **~worker** ▸ **p. 1683** *n* mineur *m*; **~ workings** *npl* chantier *m* de mine

• renvoi à une note d'usage lexicale

transcription phonétique de la prononciation nord-américaine •

minute² /maɪˈnjuːt, US -ˈnuːt/ *adj* [*particle, lettering*] minuscule; [*quantity*] infime; [*risk, rise, variation*] minime; **to describe sth in ~ detail** décrire qch dans les moindres détails

• exemple

minutiae /maɪˈnjuːʃiiː, US mɪˈnuːʃiː/ *npl* menus détails *mpl*, minuties† *fpl*

• symbole marquant un mot vieilli

sigle/acronyme •

MIPS, mips /mɪps/ *n* (*abrév* = **millions of instructions per second**) millions d'instructions par seconde

transcription phonétique •

misbegotten /ˌmɪsbɪˈgɒtn/ *adj* 1▸ [*plan*] mal conçu; [*person*] qui ne vaut rien; 2▸ ‡(illegitimate) bâtard; **~ child** bâtard/-e *m/f*

• symbole marquant un mot archaïque

indicateurs de collocations •

miserable /ˈmɪzrəbl/ *adj* 1▸ (gloomy, unhappy) [*person, expression*] malheureux/-euse; [*thoughts*] noir; [*event*] malheureux/-euse; [*weather*] sale (*before n*); **what a ~ afternoon!** quel après-midi maussade!; **to look ~** avoir l'air malheureux/-euse; **to feel ~** avoir le cafard; 2▸ ○(small, pathetic) [*helping, quantity*] misérable; [*salary, wage*] de misère; [*attempt, failure, performance, result*] lamentable; **a ~ 50 dollars** 50 misérables dollars; 3▸ (poverty-stricken) [*life*] de misère; [*dwelling*] misérable; 4▸ (abject) **a ~ sinner** un pécheur éhonté

• forme du féminin d'un adjectif

• indicateur de niveau de langue
- ○ familier
- ◑ populaire
- ● vulgaire ou tabou

indicateur sémantique •

mot composé ayant valeur d'entrée à part entière •

mother tongue *n* 1▸ (native tongue) langue *f* maternelle; 2▸ (from which another evolves) langue *f* mère

mouldy GB, **moldy** US /ˈməʊldɪ/ *adj* [*bread, food*] moisi; **a ~ smell** une odeur de moisi; **to go ~** moisir

• variante graphique nord-américaine

mowing /ˈməʊɪŋ/ *n* (of lawn) tonte *f*; (of hay) fauchage *m*

renvoi à une entrée •

mown /məʊn/ *pp* ▸ **mow**

The pronunciation of French

The symbols used in this dictionary for the pronunciation of French are those of the IPA (International Phonetic Alphabet). Certain differences in pronunciation are shown in the phonetic transcription, although many speakers do not observe them—e.g. the long 'a' /ɑ/ in *pâte* and the short 'a' /a/ in *patte*, or the difference between the nasal vowels 'un' /œ̃/ as in *brun* and 'in' /ɛ̃/ as in *brin*.

Transcription

Each entry is followed by its phonetic transcription between slashes, with the following exceptions:

- written abbreviations (*bd*, *kW*, etc.)
- cross-references from an inflected to a base form (*yeux*, *fol*)
- cross-references from a variant spelling to the preferred form (*paraphe/parafe*, *peinard/pénard*, *plasticage/plastiquage*).

Alternative pronunciations

Where the speaker has a choice of pronunciations, these are shown in one of the following two ways:

- by the use of brackets e.g. *syllabe* /sil(l)ab/, *déficit* /defisi(t)/
- in full, separated by a comma e.g. *revenir* /ʀəvniʀ, ʀvəniʀ/, *patio* /pasjo, patjo/.

Morphological variations

The phonetic transcription of the plural and feminine forms of certain nouns and adjectives does not repeat the root, but shows only the change in ending. Therefore, in certain cases, the presentation of the entry does not correspond to that of the phonetic transcription e.g. *platonicien, -ienne* /platɔnisjɛ̃, ɛn/.

Phrases

Full phonetic transcription is given for adverbial or prepositional phrases which are shown in alphabetical order within the main headword e.g. *emblée, d'emblée* /dɑ̃ble/, *plain-pied, de plain-pied* /d(ə)plɛ̃pje/.

Consonants

Aspiration of 'h'

Where it is impossible to make a liaison this is indicated by /ˈ/ immediately after the slash e.g. *haine* /ˈɛn/.

Assimilation

A voiced consonant can become unvoiced when it is followed by an unvoiced consonant within a word e.g. *absorption* /apsɔʀpsjɔ̃/.

Vowels

Open 'e' and closed 'e'

A clear distinction is made at the end of a word between a closed 'e' and an open 'e' e.g. *pré* /pʀe/ and *près* /pʀɛ/, *complet* /kɔ̃plɛ/ and *combler* /kɔ̃ble/.

Within a word the following rules apply:

- 'e' is always open in a syllable followed by a syllable containing a mute 'e' e.g. *règle* /ʀɛgl/, *réglementaire* /ʀɛgləmɑ̃tɛʀ/
- in careful speech 'e' is pronounced as a closed 'e' when it is followed by a syllable containing a closed vowel (y, i, e) e.g. *pressé* /pʀese/
- 'e' is pronounced as an open 'e' when it is followed by a syllable containing an open vowel e.g. *pressant* /pʀɛsɑ̃/.

Mute 'e'

The pronunciation of mute 'e' varies considerably depending on the level of language used and on the region from which the speaker originates. As a general rule it is only pronounced at the end of a word in the South of France or in poetry and it is, therefore, not shown. In an isolated word the mute 'e' preceded by a single consonant is dropped e.g. *galetas* /galta/, *parfaitement* /paʀfɛtmɑ̃/, but *agréablement* /agʀeabləmɑ̃/.

In many cases the pronunciation of the mute 'e' depends on the surrounding context. Thus one would say *une reconnaissance de dette* /ynʀəkɔnɛsɑ̃sdədɛt/, but, *ma reconnaissance est éternelle* /maʀkɔnɛsɑ̃sɛtetɛʀnɛl/. The mute 'e' is shown in brackets in order to account for this phenomenon.

Open 'o' and closed 'o'

The difference between open 'o' and closed 'o' is not clear and speakers may hesitate, particularly in the pronunciation of compound words whose first element ends in 'o' e.g. *broncho-pneumonie, sociolinguistique, politologue* etc. It is not possible to opt for one or the other to apply to all cases. Where the word seems to function more like a single word the 'o' tends to be pronounced as an open 'o'. Where the two elements of the compound retain a degree of autonomy, as is often the case when they are hyphenated, the 'o' tends to be pronounced as a closed 'o' e.g. *psychosocial* /psikosɔsjal/, but, *psychologie* /psikɔlɔʒi/.

Stress

There is no real stress as such in French. In normal unemphasized speech a slight stress falls on the final syllable of a word or group of words, providing that it does not contain a mute 'e'. This is not shown in the phonetic transcription of individual entries.

I.V.

Vowels

a	*as in*	patte	/pat/
ɑ		pâte	/pɑt/
ɑ̃		clan	/klɑ̃/
e		dé	/de/
ɛ		belle	/bɛl/
ɛ̃		lin	/lɛ̃/
ə		demain	/dəmɛ̃/
i		gris	/gʀi/
o		gros	/gʀo/
ɔ		corps	/kɔʀ/
ɔ̃		long	/lɔ̃/
œ	*as in*	leur	/lœʀ/
œ̃		brun	/bʀœ̃/
ø		deux	/dø/
u		fou	/fu/
y		pur	/pyʀ/

Semi-vowels

j	*as in*	fille	/fij/
ɥ		huit	/ɥit/
w		oui	/wi/

Consonants

b	*as in*	bal	/bal/
d		dent	/dɑ̃/
f		foire	/fwaʀ/
g		gomme	/gɔm/
k		clé	/kle/
l		lien	/ljɛ̃/
m		mer	/mɛʀ/
n		nage	/naʒ/
ɲ		gnon	/ɲɔ̃/
ŋ	*as in*	dancing	/dɑ̃siŋ/
p		porte	/pɔʀt/
ʀ		rire	/ʀiʀ/
s		sang	/sɑ̃/
ʃ		chien	/ʃjɛ̃/
t		train	/tʀɛ̃/
v		voile	/vwal/
z		zèbre	/zɛbʀ/
ʒ		jeune	/ʒœn/

Prononciation de l'anglais

Les sons et leur transcription

Alphabet phonétique

La prononciation de chaque entrée est donnée en notation phonétique entre des barres obliques / /. On trouvera le tableau des signes utilisés page suivante. A la différence de l'écriture orthographique de l'anglais dans laquelle la même lettre peut prendre des valeurs différentes, par exemple le *c* dans *cat* (/kæt/) et *city* (/ˈsɪtɪ/), dans l'alphabet phonétique, chaque signe représente un seul son.

Anglais britannique

La prononciation standard de l'anglais britannique suit immédiatement le mot-vedette. Cette prononciation correspond à la Received Pronunciation (RP) qui est la forme d'anglais britannique la plus répandue.

Prononciation du /r/

En anglais britannique, le *r* ou *re* à la fin d'un mot ne se prononce que si le mot qui suit commence par une voyelle.
C'est pourquoi, dans la transcription phonétique, ces sons sont indiqués entre parenthèses, par exemple *hair* /heə(r)/, *hire* /haɪə(r)/.

L'accent

Accent d'intensité

Les mots anglais polysyllabiques comportent une syllabe plus fortement accentuée que les autres. L'accent d'intensité est indiqué au moyen du signe /ˈ/ placé devant la syllabe qu'il affecte, par exemple *city* /ˈsɪtɪ/. Certains mots longs ont deux accents d'intensité, l'un plus fort, appelé accent primaire et également noté /ˈ/, l'autre plus faible, appelé accent secondaire et noté /ˌ/ : *pronunciation* /prəˌnʌnsɪˈeɪʃn/.

Déplacement de l'accent d'intensité

En général on évite d'avoir à prononcer deux accents d'intensité dans des syllabes adjacentes. Ainsi dans la phrase *Lisa is thirteen*, on prononcera /ˌθɜːˈtiːn/, mais dans *Lisa has thirteen bicycles*, on dira /ˌθɜːtiːn ˈbaɪsɪkls/. On notera que le déplacement de l'accent d'intensité est valable pour toutes les catégories de mots et que tout mot ayant un accent secondaire suivi d'un accent primaire peut perdre ce dernier lorsqu'il est suivi par un mot dont la première syllabe porte l'accent d'intensité primaire.

Variantes dans la prononciation

Variantes britanniques

Il arrive pour de nombreux mots que plusieurs prononciations soient acceptées. Dans ce cas les variantes sont données, la prononciation la plus courante étant placée en premier, par exemple *economic* /ˌiːkəˈnɒmɪk, ˌekəˈnɒmɪk/.

Formes fortes et formes faibles

Certains mots courants tels que *a, the, and, but, for, me, them, can, have*, etc. peuvent se prononcer de deux façons différentes (ou plus) : une forme forte et une forme faible. Des deux, la forme faible est la plus fréquente : c'est celle qui se rencontre dans la chaîne parlée.

La forme forte s'utilise pour un mot isolé, ou encore pour souligner le mot dans une phrase. On trouvera la prononciation des deux formes dans le dictionnaire, la forme forte étant donnée la première, par exemple *and* /ænd, ənd/.

Dans la chaîne parlée, les formes faibles de *be* et *have* suivent souvent un pronom personnel. On notera que pronom et verbe sont généralement combinés en une forme contractée qui est une forme faible, par exemple *you're* /jɔː(r)/, *I'm* /aɪm/.

Contractions

Dans la langue écrite, les contractions se font par omission d'une ou deux lettres auxquelles on substitue une apostrophe ('), par exemple *can't*. Dans la langue parlée, il y a contraction quand une syllabe disparaît et que la syllabe restante comporte une voyelle autre que /ə/. La contraction est très fréquente pour certains verbes auxiliaires suivis de *not*, par exemple *don't* /dəʊnt/. (Ces formes ne sont pas des formes faibles et peuvent être accentuées).

Mots étrangers

L'anglais possède un certain nombre de mots et expressions d'origine étrangère qui se sont intégrés à la langue et ont acquis une prononciation anglaise, par exemple *coffee* /ˈkɒfɪː/, *bungalow* /ˈbʌngələʊ/.

D'autres, bien que d'emploi courant, continuent à être perçus comme étrangers, d'où de grandes variations dans la manière dont ils sont prononcés. Beaucoup de ces mots sont français et de ce fait contiennent des voyelles nasales qui n'existent pas en anglais, par exemple *salon, en route*. La prononciation de ces sons est complexe pour les locuteurs de l'anglais et l'on peut entendre des sons totalement transformés aussi bien qu'une prononciation française correcte. La prononciation adoptée dans ce dictionnaire est la forme anglicisée des mots étrangers et l'on trouvera /ˈsælɒn/, /ˌɒn ˈruːt/.

Prononciation de l'anglais d'Amérique du nord

Celle-ci est indiquée après la prononciation RP chaque fois qu'il y a une différence marquée entre les deux, ainsi pour le mot *graph* /grɑːf, US græf/.

La prononciation de l'anglais d'Amérique du nord donnée ici est celle du General American.

Bien que les symboles utilisés soient les mêmes que pour la RP, on notera que certains sons, en particulier les voyelles, ont une valeur différente. On notera également que /r/ se prononce toujours en anglais d'Amérique du nord, ce qui n'est pas le cas en anglais britannique : *car, start*. Dans la transcription phonétique, la prononciation donnée sera celle de l'anglais britannique /kɑː(r)/, /stɑːt/.

Dérivés et composés

Dérivés

Les dérivés apparaissant généralement comme des entrées à part entière dans le dictionnaire, leur prononciation sera indiquée systématiquement.

Mots composés

En anglais, les mots composés s'écrivent soit en un seul mot ('closed compounds'), soit en deux mots parfois reliés par un trait d'union. Pour économiser de la place, la prononciation n'est pas toujours donnée, mais il suffira de consulter la prononciation des deux éléments du mot.

Prononciation de l'anglais

Au cours de l'articulation d'un mot composé il se produit souvent des changements phonétiques. Sous l'influence du phonème qui le suit, un son peut changer de valeur, ou disparaître complètement, comme dans *windscreen* qui se prononce /ˈwɪnskri:n/. Ce phénomène d'assimilation, plus ou moins marqué selon la rapidité d'élocution, se rencontre constamment dans la chaîne parlée. Toutefois, c'est toujours la forme complète qui est donnée dans le dictionnaire. *J.S.-S.*

Voyelles et diphtongues

i:	*de*	see	/si:/	ɜ:	*de*	fur	/fɜ:(r)/
ɪ		sit	/sɪt/	ə		ago	/əˈgəʊ/
e		ten	/ten/	eɪ		page	/peɪdʒ/
æ		hat	/hæt/	əʊ		home	/həʊm/
ɑ:		arm	/ɑ:m/	aɪ		five	/faɪv/
ɒ		got	/gɒt/	aʊ		now	/naʊ/
ɔ:		saw	/sɔ:/	ɔɪ		join	/dʒɔɪn/
ʊ		put	/pʊt/	ɪə		near	/nɪə(r)/
u:		too	/tu:/	eə		hair	/heə(r)/
ʌ		cup	/kʌp/	ʊə		pure	/pjʊə(r)/

Consonnes

p	*de*	pen	/pen/	s	*de*	so	/səʊ/
b		bad	/bæd/	z		zoo	/zu:/
t		tea	/ti:/	ʃ		she	/ʃi:/
d		did	/dɪd/	ʒ		vision	/ˈvɪʒn/
k		cat	/kæt/	h		how	/haʊ/
g		got	/gɒt/	m		man	/mæn/
tʃ		chin	/tʃɪn/	n		no	/nəʊ/
dʒ		June	/dʒu:n/	ŋ		sing	/sɪŋ/
f		fall	/fɔ:l/	l		leg	/leg/
v		voice	/vɔɪs/	r		red	/red/
θ		thin	/θɪn/	j		yes	/jes/
ð		then	/ðen/	w		wet	/wet/

Aa

a, **A** /a, ɑ/
A *nm inv* (lettre) a, A; **vitamine A** vitamin A; **de A à Z** from A to Z; **le bricolage de A à Z** the A to Z of DIY; **démontrer/prouver qch par A plus B à qn** to demonstrate/prove sth conclusively to sb
B **A** *nf* Transp (*abbr* = **autoroute**) **prendre l'A5** take the (motorway GB *or* freeway US) A5
(Composé) **~ commercial** at sign

à /a/ *prép*

> ⚠ La préposition *à* se traduit de multiples façons. Les expressions courantes du genre *machine à écrire, aller à la pêche, difficile à faire etc* sont traitées respectivement sous **machine, pêche, difficile** etc.
> Les emplois de *à* avec les verbes *avoir, être, aller, penser etc* sont traités sous les verbes.
> Pour trouver la traduction correcte de *à* on aura intérêt à se reporter aux mots qui précèdent la préposition ainsi qu'aux notes d'usage répertoriées ▸ **p. 1948**.
> On trouvera ci-dessous quelques exemples typiques de traductions de *à*.

1 (avec un verbe de mouvement) **se rendre au travail/~ Paris/~ la campagne** to go to work/to Paris/to the country; **aller de Paris ~ Nevers** to go from Paris to Nevers
2 (pour indiquer le lieu où l'on se trouve) **~ l'école/la maison** at school/home; **~ Paris/la campagne** in Paris/the country
3 (dans le temps) **~ l'aube/l'âge de 10 ans** at dawn/the age of 10; **au printemps** in (the) spring
4 (dans une description) with; **le garçon aux cheveux bruns** the boy with dark hair; **la femme au manteau marron/chapeau noir** the woman with the brown coat/black hat
5 (employé avec le verbe être) **la maison est ~ louer** the house is for rent *ou* to let GB; **'~ louer'** 'to let', 'for rent'; **la maison est ~ vendre** the house is for sale; **'~ vendre'** 'for sale'; **il est ~ plaindre** he's to be pitied; **je suis ~ vous tout de suite** I'll be with you in a minute; **maintenant je suis ~ vous** I'm all yours; **c'est ~ qui de jouer?** whose turn is it?; **c'est ~ Emma/~ toi** it's Emma's turn/your turn; **~ moi (de jouer)** my turn (to play); **(c'est) ~ lui de décider** it's up to him to decide
6 (marquant l'appartenance) **appartenir ~ qn** to belong to sb; **~ qui est cette montre?** whose is this watch?; **elle est ~ moi/lui/elle** it's mine/his/hers; **c'est ~ vous cette voiture?** is this your car?; **une amie ~ moi/eux** a friend of mine/theirs; **encore une idée ~ elle** another of her ideas; **un ami ~ mon père**○ a friend of my father's
7 (employé avec un nombre) **nous avons fait le travail ~ deux/trois/quatre** two/three/four of us did the work; **(en s'y mettant) ~ deux/dix on devrait y arriver** two/ten of us should be able to manage; **~ nous trois nous avons transporté la malle** the three of us carried the trunk; **~ nous tous on devrait y arriver** between all of us we should be able to manage; **~ trois on est déjà serrés mais ~ quatre c'est impossible** with three people it's crowded but with four it's impossible; **mener 3 ~ 2** to lead 3 (to) 2; **mener par 3 jeux ~ 2** to lead by 3 games to 2; **rouler ~ 100 kilomètres-heure, rouler ~ 100 ~ l'heure**○ to drive at 100 kilometres[GB] per *ou* an hour; **au 74 de la rue Bossuet** at 74 rue Bossuet; **au 3e étage** on the third GB *ou* second US floor; **~ quatre kilomètres d'ici** four kilometres[GB] from here; **des bananes ~ 2 euros le kilo** bananas at 2 euros a kilo; **un timbre ~ 46 centimes (d'euro)** a 46-cent stamp; **travailler (de) huit ~ dix heures par jour** to work between eight and ten hours a day, to work eight to ten hours a day; **(de) cinq ~ sept millions de personnes sont concernées** between five and seven million people are concerned, five to seven million people are concerned
8 (marquant une hypothèse) **~ ce qu'il paraît, ~ ce que l'on prétend, ~ ce que l'on dit** apparently; **~ ce qu'il me semble** as far as I can see; **~ vous entendre, on croirait que** to hear you talk one would think that; **~ y bien réfléchir** when you really think about it; **~ trop vouloir se dépêcher/réclamer on risque de faire** if you hurry too much/ask for too much you run the risk of doing; **~ ne jamais écouter les autres voilà ce qui arrive** that's what happens when you don't listen to other people
9 (dans phrases exclamatives) **~ nous/notre projet/tes vacances!** (en levant son verre) (here's) to us/our project/your vacation!; **~ ta santé, ~ la tienne!, ~ la vôtre!** cheers!; **~ tes souhaits** *or* **amours!** bless you!; **~ toi/vous l'honneur!** (de couper le gâteau) you do the honours!; (après vous) after you!; **~ nous la belle vie!** the good life starts here!; **~ nous (deux)!** (avant un règlement de compte) let's sort this out between us; (de commerçant à client) I'm all yours; **~ demain/ce soir/dans 15 jours** see you tomorrow/tonight/in two weeks; **~ lundi** see you on Monday!; **~ la prochaine** see you next time!
10 (dans une dédicace) **'~ ma mère'** (dans un livre) 'to my mother'; (sur une tombe) 'in memory of my mother'; **'~ nos chers disparus'** 'in memory of our dear departed'

Aaron /aarɔ̃/ *npr* Aaron

abaissant, **~e** /abɛsɑ̃, ɑ̃t/ *adj* degrading

abaisse /abɛs/ *nf* Culin rolled-out pastry ₵

abaisse-langue* /abɛslɑ̃g/ *nm inv* spatula, tongue-depressor

abaissement /abɛsmɑ̃/ *nm* **1** (diminution) (de prix, taux) cut (**de** in); (de seuil, niveau) lowering; **l'~ de l'âge de la retraite à 60 ans** the lowering of the retirement age to 60; **2** (de manette) (en tirant) pulling down; (en poussant) pushing down; **3** (de mur, socle) lowering (**de** of); **4** (avilissement) (de soi-même) self-abasement; (d'autrui) debasement

abaisser /abese/ [1]
A *vtr* **1** (diminuer en valeur) to reduce [*prix, taux*] (**à** to; **de** by); to lower [*niveau, seuil*] (**à** to; **de** by); **2** (diminuer en hauteur) to lower [*mur, socle*] (**de** by); **3** (faire descendre) to pull down [*manette, rideau de fer*]; to lower [*pont-levis, rideau de scène*]; **4** Math to draw [*perpendiculaire*]; to bring down [*chiffre de dividende*]; **5** (avilir) liter [*personne*] to humiliate [*adversaire, vaincu*]; [*douleur, vice*] to degrade; **6** (rabattre) to humble [*prétentions, orgueil*]; **7** Culin to roll out [*pâte*]
B **s'abaisser** *vpr* **1** (descendre) [*rideau de scène*] to fall; **2** (s'avilir) to demean oneself; **s'~ à faire qch** to stoop to doing sth; **ce n'est pas s'~ que de demander de l'aide** it is not demeaning to ask for help

abaisseur /abɛsœʀ/ *nm* **1** Anat **(muscle) ~** depressor; **2** Électrotech step-down transformer

abajoue /abaʒu/ *nf* cheek pouch

abandon /abɑ̃dɔ̃/ *nm* **1** (état) state of neglect; **état d'~** neglected state; **à l'~** [*maison, domaine*] abandoned, deserted; [*enfant*] running wild; [*jardin*] neglected; **biens à l'~** Jur ownerless property; **laisser à l'~** to allow [sth] to fall into decay [*maison*]; to allow [sth] to become overgrown [*jardin, terres*]; **2** Jur (de véhicule) abandonment; (de personne) desertion; **3** (d'idée, de projet, méthode) abandonment; (de droit, privilège) relinquishment; (de bien) surrender; **faire ~ de** to relinquish [*droit, bien*]; **faire ~ de qch à qn** to make over *ou* surrender sth to sb; **4** (de cours, d'épreuve) Scol, Sport withdrawal (**de** from) ; (de fonctions) giving up (**de** of); **être contraint à l'~** to be forced to withdraw; **vainqueur par ~** winner by default; **5** (confiance) lack of restraint; **parler avec ~** to talk freely *ou* without restraint; **6** (attitude détendue) relaxed attitude; **pose pleine d'~** attitude of complete relaxation
(Composés) **~ de créance** composition between debtor and creditor; **~ du domicile conjugal** desertion of the marital home; **~ d'enfant** abandonment of a child; **~ d'épave** abandonment of a vehicle; **~ d'incapable** abandonment of a person in need of care; **~ de navire** notice of abandonment (of a vessel) ; **~ de poste** desertion (of one's post) ; **~ des poursuites** abandonment of action, nolle prosequi spéc

abandonné, **~e** /abɑ̃dɔne/
A *pp* ▸ **abandonner**
B *pp adj* **1** (délaissé) [*épouse, famille, ami, cause*] deserted; [*véhicule*] abandoned; [*domaine, maison*] abandoned; [*héros, nation, peuple*] abandoned, forsaken sout; **chef ~ de tous** leader whose supporters have fled; **être ~ à soi-même** to be left to one's own devices; **être ~ par les médecins** to be considered past help by the doctors; **2** (désaffecté) [*chemin, usine, mine*] disused; **3** (qui n'a plus cours) [*théorie, méthode*] discarded; [*modèle, format*] discontinued; **4** (détendu) [*pose, attitude*] gén relaxed; (voluptueusement) abandoned

abandonner /abɑ̃dɔne/ [1]
A *vtr* **1** (renoncer à) to abandon, to give up [*projet, théorie, activité, espoir*]; to give up [*habitude*]; to give up, to forsake sout [*confort, sécurité*]; Scol to drop [*matière*]; **~ les recherches** to give up the search; **~ la cigarette/l'alcool** to give up smoking/drinking; **les médecins l'ont abandonné** the doctors have given up on him; **je peignais, mais j'ai abandonné** I used to paint, but I gave it up; **c'est trop dur, j'abandonne** it's too hard, I give up; **~ la partie** *or* **lutte** to throw in the towel; **2** (céder) to give *ou* relinquish sout [*bien*] (**à qn** to sb); to hand [sth] over [*gestion*] (**à qn** to sb); **je vous abandonne le**

soin d'expliquer I'm leaving it to you to explain; **elle lui abandonna sa main** she let him take her hand; [3] (se retirer de) to give up [*fonction*]; Sport (avant l'épreuve) to withdraw; (pendant l'épreuve) to retire; **forcé d'~ la course** forced to withdraw from the race; **~ ses études** to give up one's studies; [4] (quitter) to leave [*personne, lieu*]; to abandon [*véhicule, objet, navire*]; **~ Paris pour Nice** to leave Paris for Nice; **il s'enfuit, abandonnant son butin** he abandoned the loot and fled; **~ la ville pour la campagne** to move out of town to live in the country; **~ le terrain** lit to flee; fig to give up; [5] (délaisser) to abandon, to forsake sout [*enfant, famille*]; to abandon [*animal*]; to desert [*foyer, épouse, poste, cause, parti*]; [6] (livrer) **~ qch à** to leave *ou* abandon sth to; **~ un jardin aux orties** to abandon a garden to the nettles; **~ qn à son sort** to leave *ou* abandon sb to his/her fate; [7] (faire défaut) [*courage, chance*] to desert [*personne*]; **mes forces m'abandonnent** my strength is failing me; [8] (lâcher) to let go of [*outil, rênes*]; [9] Ordinat to abort

[B] **s'abandonner** *vpr* [1] (se confier) to let oneself go; [2] (se détendre) to let oneself go; **s'~ dans les bras de qn** to sink into sb's arms; [3] (se laisser aller) **s'~ à la passion/au désespoir** to give oneself up *ou* to abandon oneself to passion/to despair; **s'~ au plaisir de** to lose oneself in the pleasure of; **s'~ au sommeil** to let oneself drift off to sleep; [4] (se donner sexuellement) [*femme*] to give oneself (**à** to)

abaque /abak/ *nm* [1] (graphique) graph; [2] (boulier) abacus

abasourdir /abazuʀdiʀ/ [3] *vtr* [1] (assourdir) to deafen; [2] (stupéfier) to stun; **être abasourdi** [*personne, groupe*] to be stunned

abasourdissement /abazuʀdismɑ̃/ *nm* bewilderment, stupefaction

abâtardir /abɑtaʀdiʀ/ [3]

[A] *vtr* to make [sth] degenerate [*être vivant, race*]; to bastardize [*langue*]; to debase, to degrade [*sentiment, vertu, style*]

[B] **s'abâtardir** *vpr* [*style*] to become debased; [*race*] to degenerate

abâtardissement /abɑtaʀdismɑ̃/ *nm* debasement, degeneration

abat-jour* /abaʒuʀ/ *nm inv* lampshade

abats /aba/ *nmpl* [1] (bœuf, porc, mouton) offal ¢; [2] (de volaille) giblets

abat-son* /abasɔ̃/ *nm inv* louvre[GB]

abattage /abataʒ/ *nm* [1] (d'arbre) felling ¢; [2] (d'animal de boucherie) slaughter ¢; **~ rituel** ritual slaughter; [3] (de minerai) mining, working; **~ à l'explosif** blasting; [4] ○(énergie) dynamism; **avoir de l'~** to be very dynamic; [5] ○(prostitution) prostitution with a rapid turnover of clients

abattant /abatɑ̃/ *nm* (de bureau, secrétaire) (drop) leaf, flap; (de siège de WC) lid

abattement /abatmɑ̃/ *nm* [1] (état dépressif) despondency; **être plongé dans un ~ profond** to be deeply despondent; [2] (réduction) gén reduction; Fisc allowance

(Composé) **~ fiscal** tax allowance GB *ou* deduction US

abattis /abati/ *nmpl* [1] Culin giblets; [2] Mil abattis; [3] ○ (membres) hum limbs; **tu peux numéroter tes ~!** (avant rixe) you're in for a hiding!; **numéroter ses ~** (après accident) to check that one is all in one piece

abattoir /abatwaʀ/ *nm* slaughterhouse, abattoir; **envoyer qn à l'~** fig to send sb to be slaughtered; **aller à l'~** fig to go to the slaughter

abattre /abatʀ/ [61]

[A] *vtr* [1] (tuer) to slaughter [*animal de boucherie*]; to destroy [*animal dangereux*]; (avec une arme à feu) to shoot [sb] down [*personne*]; to shoot [*animal*]; **c'est l'homme à ~** he is the prime target; fig he is the one to beat; [2] (renverser) to bring [sth/sb] down [*tyran, régime*]; [3] (faire tomber) to pull down [*bâtiment*]; to knock down [*mur, paroi*]; to bring down [*statue*]; to shoot down [*avion*]; to break down [*tabou, préjugé*]; [*personne*] to fell [*arbre*]; [*tempête*] to bring down [*arbre, pylône*]; [*pluie*] to settle [*poussière*]; [4] (découvrir) to show [*carte, jeu*]; **~ ses cartes** *or* **son jeu** lit, fig to put one's cards on the table; [5] (accabler) (physiquement) to wear [sb] out; (moralement) to demoralize, to get [sb] down○; **être abattu** (physiquement) to be worn out; (moralement) to be demoralized; **on ne va pas se laisser ~!** we're not going to let things get us down!; **ne te laisse pas ~** keep your spirits up!; [6] (accomplir) to get through [*travail*]; **~ de la besogne** to get through a lot of work

[B] **s'abattre** *vpr* [1] [*arbre, construction, rocher*] to come down; [*avion*] to crash; [*personne*] to collapse; [2] (agresser) **s'~ sur** [*orage*] to beat down on; [*oiseau*] to swoop down on; [*léopard*] to pounce on; [*guerre*] to engulf; [*malheur*] to descend upon

abat-vent* /abavɑ̃/ *nm inv* [1] (de cheminée) (chimney) cowl; [2] Agric, Hort wind break

abbatial, **~e**, *mpl* **-iaux** /abasjal, o/

[A] *adj* abbey (*épith*), abbatial sout

[B] **abbatiale** *nf* abbey church

abbaye /abei/ *nf* abbey

abbé /abe/ *nm* [1] (supérieur d'une abbaye) abbot; **le père ~** the abbot; [2] (prêtre) priest; **monsieur l'~** Father; **l'~ Popelin** Father Popelin

abbesse /abɛs/ *nf* abbess; **mère ~** abbess

abc /ɑbese/ *nm* (rudiments) ABC, ABC's US, rudiments; **l'~ du jardinage** the ABC *ou* the rudiments of gardening

abcès /apsɛ/ *nm inv* abscess; **~ dentaire** (dental) abscess; **crever** *or* **vider l'~** fig to resolve a crisis

Abdias /abdjas/ *npr* Obadiah

abdication /abdikasjɔ̃/ *nf* lit, fig abdication

abdiquer /abdike/ [1]

[A] *vtr* to abdicate [*pouvoir, responsabilité*]; to renounce [*prérogative, sentiment*]

[B] *vi* [1] [*souverain*] to abdicate (**en faveur de** in favour[GB] of); [2] (renoncer) to surrender (**devant qn/qch** to sb/sth)

abdomen /abdɔmɛn/ *nm* [1] Anat, Zool abdomen; [2] Sport stomach

abdominal, **~e**, *mpl* **-aux** /abdɔminal, o/

[A] *adj* abdominal

[B] **abdominaux** *nmpl* [1] Anat abdominal muscles; [2] Sport stomach exercises

abdos○ /abdo/ *nmpl* [1] (muscles) abs○; [2] (exercices) abdominal exercises

abducteur /abdyktœʀ/ *nm* abductor

abécédaire /ɑbesedɛʀ/ *nm* spelling book, primer†

abeille /abɛj/ *nf* (honey) bee

(Composés) **~ maçonne** mason bee; **~ ouvrière** worker bee

Abel /abɛl/ *npr* Abel

aber /abɛʀ/ *nm* large estuary

aberrant, **~e** /abɛʀɑ̃, ɑ̃t/ *adj* [1] (absurde) absurd; [2] (anormal) aberrant

aberration /abɛʀasjɔ̃/ *nf* [1] (absurdité) aberration; [2] Astron, Phys aberration; [3] Biol aberration; **~ chromosomique** chromosome aberration

abêtir /abetiʀ/ [3]

[A] *vtr* to turn [sb] into a moron○

[B] **s'abêtir** *vpr* to become stupid, to turn into a moron○

abêtissant, **~e** /abetisɑ̃, ɑ̃t/ *adj* [*travail, spectacle, lecture*] mindless

abêtissement /abetismɑ̃/ *nm* [1] (processus) stupefying effect; **l'~ du public par les médias** the stupefying effect of the media on the public; [2] (état) mindlessness, stupidity

abhorrer /abɔʀe/ [1] *vtr* fml to abhor sout, to loathe

Abidjan /abidʒɑ̃/ ▸ **p. 894** *npr* Abidjan

abîme* /abim/ *nm* [1] (précipice) abyss; [2] (écart) gulf (**entre** between); **un ~ nous sépare** there is a gulf between us; [3] (ruine) ruin; **être au bord de l'~** to be on the verge of ruin; **toucher le fond de l'~** gén to hit rock bottom; (moralement) to be at one's lowest ebb; **sa lente remontée de l'~** his slow recovery from the depths of despair; [4] (haut degré) **un ~ de désespoir** the depths of despair; **plonger qn dans un ~ de perplexité** to make sb deeply perplexed; **être plongé dans des ~s de réflexion** to be deep in thought

abîmer* /abime/ [1]

[A] *vtr* to damage [*objet*]; [*froid, produit*] to damage [*peau, mains*]; **les meubles/fruits ont été très abîmés pendant le transport** the furniture/fruit was badly damaged in transit; **être tout abîmé** to be ruined; **des livres tout abîmés** damaged books; **il a eu le nez abîmé dans la bagarre** his nose was injured in the fight

[B] **s'abîmer** *vpr* [1] (se détériorer) [*objet*] to get damaged; [*fruit*] to spoil; **les murs s'abîment à l'humidité** the walls are getting damaged by the damp; **il s'est abîmé l'épaule en tombant** he damaged his shoulder in the fall; **s'~ les mains** to ruin one's hands; **tu vas t'~ la vue/les yeux avec cet éclairage** you'll ruin your eyesight/strain your eyes in this light; [2] (sombrer) liter **s'~ dans la mer** [*bateau, avion*] to be engulfed by the waves; [3] (se plonger) liter **s'~ dans qch** to be lost in sth; **il s'abîmait dans la méditation/prière** he was lost in meditation/prayer; **s'~ dans ses pensées** to be immersed in one's thoughts

abiotique /abjɔtik/ *adj* abiotic

abject, **~e** /abʒɛkt/ *adj* despicable, abject; **de façon ~e** despicably

abjectement /abʒɛktəmɑ̃/ *adv* despicably, abjectly

abjection /abʒɛksjɔ̃/ *nf* abjectness; **tomber dans l'~** to debase oneself

abjuration /abʒyʀasjɔ̃/ *nf* abjuration sout

abjurer /abʒyʀe/ [1]

[A] *vtr* to abjure sout [*religion*]; to renounce [*opinion, attitude*]

[B] *vi* Relig to recant

ablatif /ablatif/ *nm* Ling ablative; **à l'~** in the ablative

(Composé) **~ absolu** ablative absolute

ablation /ablasjɔ̃/ *nf* excision, removal; **avoir une ~ de la rate** to have one's spleen removed

ablette /ablɛt/ *nf* Zool bleak

ablution /ablysjɔ̃/

[A] *nf* Relig (du calice) ablution

[B] **ablutions** *nfpl* ablutions; **faire ses ~s** hum to perform one's ablutions

abnégation /abnegasjɔ̃/ *nf* self-sacrifice, abnegation sout; **faire preuve d'~** to act selflessly

aboiement /abwamɑ̃/ *nm* [1] (de chien) barking ¢; [2] ○(de personne) ranting ¢

abois /abwa/ *nmpl* **aux ~** Chasse at bay; fig in desperate *ou* dire straits

abolir /abɔliʀ/ [3] *vtr* [1] Jur to abolish [*loi, droit*]; [2] (supprimer) to abolish [*monarchie, peine de mort*]

abolition /abɔlisjɔ̃/ *nf* abolition

abolitionnisme /abɔlisjɔnism/ *nm* abolitionism

abolitionniste /abɔlisjɔnist/ *adj*, *nmf* abolitionist

abominable /abɔminabl/ *adj* [*crime, acte, personne, temps*] abominable; **l'~ homme des neiges** the abominable snowman

abominablement /abɔminabləmɑ̃/ *adv* (horriblement) abominably; (fortement) terribly

abomination /abɔminɑsjɔ̃/ *nf* abomination; **dire des ~s** to say abominable things; **avoir qn/qch en ~** to loathe sb/sth

abominer /abɔmine/ [1] *vtr* liter to abominate sout

abondamment /abɔ̃damɑ̃/ *adv* [*boire, manger*] copiously; [*illustrer*] copiously; [*pleuvoir*] heavily; [*évoquer, souligner*] at length; **l'événement fut ~ commenté dans la presse**

the event was commented on at considerable length in the press; **il était ~ documenté** [*personne*] he was extremely well-informed; [*livre*] it was extremely well-researched; **rincer ~ à l'eau** rinse thoroughly with water

abondance /abɔ̃dɑ̃s/ *nf* **1** (de produits, renseignements, d'idées) wealth (**de** of); (de récolte, ressources) abundance (**de** of); (de main-d'œuvre) abundant supply (**de** of); **en ~** [*trouver, fournir, produire*] in abundance; **il y a ~ de** there's plenty of; **le vin coulait en ~** wine flowed freely; **2** (aisance) aussi Écon affluence; **vivre dans l'~** to live in affluence; **parler d'~** liter to speak at great length

(Idiome) **~ de biens ne nuit pas** Prov wealth does no harm

abondant, ~e /abɔ̃dɑ̃, ɑ̃t/ *adj* **1** (en quantité) [*ressources, nourriture, récolte*] plentiful; [*source*] lit, fig abundant; [*commentaires, remarques, illustrations*] numerous; **les pluies ~es ont détrempé le sol** the heavy rainfall has drenched the ground; **une main-d'œuvre ~e** an abundant supply of labour; **il a laissé une ~e correspondance** he left a wealth of correspondence; **le journal a reçu un courrier ~** the newspaper has received a large number of letters; **elle versa des larmes ~es** she wept copious tears; **2** (riche) fml [*style*] rich; **être ~ en** to be rich in [*découvertes, surprises*]; **une bibliothèque ~e en ouvrages rares** a library which has a wealth of rare books; **3** (fourni) [*chevelure*] thick; [*végétation*] lush; **une poitrine ~e** an ample bosom

abondement /abɔ̃d(ə)mɑ̃/ *nm* Fin *employer's top-up contribution to an employee's company savings scheme*

abonder /abɔ̃de/ [1] *vi* **1** (être en quantité) [*fruits, produits*] to abound; [*gibier, poisson*] to be plentiful; **les exemples de ce type abondent** examples of this kind abound; **un quartier où abondaient les artistes** an area where artists abounded; **2** (avoir en quantité) **~ en** *or* **de** to be full of; **la région abonde en gibier/en sites archéologiques** the area is teeming with game/rich in archaeological sites

(Idiome) **~ dans le sens de qn** to agree wholeheartedly with sb; **j'abondai dans le même sens** I agreed wholeheartedly with this

abonné, ~e /abɔne/
A *pp* ▸ **abonner**
B *pp adj* **lecteur ~** subscriber; **spectateur** *or* **membre ~** season ticket holder; **être ~** Presse, TV to subscribe (**à** to); Mus, Théât, Transp to hold a season ticket; **être ~ au gaz** to be a gas consumer; **être ~ au téléphone** to be on the phone; **je suis ~ à ce journal** I subscribe to this newspaper; **y être ~**○ fig, hum to make a habit of it
C *nm,f* Presse, TV subscriber; Mus, Théât, Transp season ticket holder; Télécom subscriber; **~ au gaz** gas consumer

abonnement /abɔnmɑ̃/ *nm* **1** Presse subscription; **prendre** *or* **souscrire un ~** to take out a subscription (**à** to); **résilier/suspendre/renouveler son ~** to cancel/to suspend/to renew one's subscription; **votre ~ arrive à échéance le** your subscription falls due on; **les frais d'~ à** subscription rates for; **ventes hors ~s** non-subscription sales; **concert hors ~** concert not included on a season ticket; **2** Mus, Théât, Transp **(carte d')~** season ticket (**à** for); **3** (de service) Télécom rental system charge; (pour gaz, électricité) standing charge; **4** TV subscription (**à** to)

abonner /abɔne/ [1]
A *vtr* **~ qn à qch** Presse to take out a subscription to sth for sb; Mus, Théât to buy sb a season ticket for sth
B **s'abonner** *vpr* Presse, TV to subscribe (**à** to); Mus, Théât, Transp to buy a season ticket (**à** for); **je me suis abonné pour un an** Presse I've taken out a year's subscription

abord /abɔʀ/
A *nm* **1** (comportement) manner; **être d'un ~ aimable/facile/difficile** to have a pleasant/an easy/a difficult manner; **sous des ~s grincheux c'est un tendre** his gruff exterior hides a kind heart; **2** (approche) access; **sa théorie est d'un ~ relativement aisé** his theory is relatively accessible; **à l'~ de** on approaching; **3** (contact) **au premier** *or* **de prime ~** at first sight; **dès l'~** from the outset
B **d'abord** *loc adv* **1** (avant autre chose) first; **va d'~ te laver les mains** go and wash your hands first; **nous avons d'~ visité Rome** first we visited Rome; **2** (contrairement à la suite) at first; **j'ai d'~ cru à une mauvaise plaisanterie** at first I thought it was a bad joke; **c'est plus compliqué qu'il n'y paraît d'~** it's more complicated than it seems at first; **3** (primo) firstly, first; **il y a trois stades: d' ~ les maux de tête...** there are three stages: firstly headaches...; **j'ai décidé de partir, d'~ à cause du temps et puis...** I decided to leave, firstly because of the weather and then...; **4** (en priorité) first (of all); **les femmes et les enfants d'~** women and children first; **tout d'~** first of all; **d'~ et avant tout** first and foremost; **5** (avant tout) for a start; **d'~ je refuse de lui parler** for a start I refuse to speak to him
C **abords** *nmpl* area (*sg*) around; **les ~s immédiats de qch** the immediate area around sth; **aux ~s de qch** in the area around sth

abordable /abɔʀdabl/ *adj* **1** [*produit, prix*] affordable; **les chambres sont à des prix très ~s** rooms are very reasonably priced; **2** [*texte, lecture*] accessible; **c'est un problème difficilement ~ en de telles circonstances** it's not an easy subject to talk about in the circumstances; **3** [*personne*] approachable

abordage /abɔʀdaʒ/ *nm* **1** (collision) collision; **2** (attaque) boarding; **à l'~!** stand by to board!

aborder /abɔʀde/ [1]
A *vtr* **1** (commencer à traiter) to tackle [*problème, sujet, détails*]; **vous n'abordez pas le problème comme il faut** you're not going about the problem the right way; **2** (approcher) to approach [*personne, obstacle*]; **~ qn dans la rue** to approach sb in the street; **il a abordé le virage trop vite** he approached the bend too fast; **il n'a pas ralenti avant d'~ le virage** he didn't slow down on the approach to the bend; **3** (entamer) to enter; **ils ont abordé la discussion avec méfiance** they entered the discussion cautiously; **la compagnie aborde une période délicate** the company is entering a delicate period; **4** [*voyageur, navire*] to reach [*lieu, rive*]; **5** (heurter) to collide with; (attaquer)† to board†
B *vi* [*voyageur, navire*] to land; **nous avons abordé à Venise/sur une île** we landed in Venice/on an island

aborigène /abɔʀiʒɛn/
A *adj* **1** (indigène) aboriginal, indigenous; **2** (d'Australie) Aboriginal
B *nmf* **1** (indigène) aborigine; **2** (d'Australie) Aborigine

abortif, -ive /abɔʀtif, iv/
A *adj* **1** (pour faire avorter) [*produit, effet*] abortifacient; **2** (avorté) [*organe, forme*] abortive
B *nm* abortifacient

aboucher /abuʃe/ [1]
A *vtr* Tech to butt, to place [sth] end to end [*tube, tuyau*]
B **s'aboucher** *vpr* [*objets*] to be joined (up) to

Abou Dhabi /abudabi/ ▸ **p. 333** *npr* Abu Dhabi

abouler◐ /abule/ [1] *vtr* **aboule le fric**◐**, et vite!** quick, hand over the dough○!; **aboule ton assiette si tu veux manger!** hand me your plate if you want something to eat!

aboulie /abuli/ *nf* abulia

aboulique /abulik/
A *adj* abulic
B *nmf* person suffering from abulia

Abou Simbel /abusimbel/ *npr* Abu Simbel

about /abu/ *nm* (en bâtiment) end (piece); (en menuiserie) butt (joint)

aboutement /abutmɑ̃/ *nm* (procédé) butt jointing, abutting; (résultat) butt joint

abouter /abute/ [1] *vtr* to join [sth] end to end, to butt [*objets*]

abouti, ~e /abuti/ *adj* [*œuvre, film*] accomplished

aboutir /abutiʀ/ [3]
A **aboutir à** *vtr ind* **1** lit **~ à** [*sentier, rue, escalier*] to lead to [*maison, mer, rivière*]; [*personne*] to end up in [*ville, place, rue*]; to end up at [*fontaine, église*]; **2** fig **~ à** to lead to [*compromis, accord, résultat, rupture*]; to end in [*échec*]
B *vi* [*négociations, projet, démarches*] to succeed; **ne pas ~** not to come off

aboutissants /abutisɑ̃/ *nmpl* **les tenants et les ~ de qch** the ins and outs of sth

aboutissement /abutismɑ̃/ *nm* (de carrière, rêve, d'évolution) culmination; (de conférence, parcours) (successful) outcome; **la pièce est l'~ de six mois de travail** the play is the culmination of six months' work

aboyer /abwaje/ [23]
A *vtr* [*personne*] to bark [*ordres*] (**à** at); to shout [*injures*] (**à** at)
B *vi* **1** [*chien*] to bark (**après, contre** at); ▸ **caravane**; **2** [*personne*] to shout (**après, contre** at)

(Idiome) **chien qui aboie ne mord pas** Prov his/her bark is worse than his/her bite

aboyeur○ /abwajœʀ/ *nm* (à l'entrée d'une réception) usher (*who announces guests*); (à l'entrée d'un spectacle) barker

abracadabra /abʀakadabʀa/ *nm* abracadabra

abracadabrant, ~e /abʀakadabʀɑ̃, ɑ̃t/ *adj* bizarre; **une histoire ~e** a cock-and-bull story, a bizarre story

Abraham /abʀaham/ *npr* Abraham

abraser /abʀaze/ [1] *vtr* to abrade

abrasif, -ive /abʀazif, iv/
A *adj* abrasive
B *nm* abrasive

abrasion /abʀazjɔ̃/ *nf* abrasion; **~ dentaire** wearing down of the teeth

abrégé /abʀeʒe/ *nm* **1** (de discours, texte) summary; **faire l'~ d'une conférence** to summarize a conference; **en ~** [*mot, expression*] in abbreviated form; [*texte, discours*] in summarized form; **il nous a rapporté, en ~, le contenu des négociations** he gave us a summary of the ground covered by the negotiations; **2** (ouvrage) concise handbook; **un ~ de botanique** a concise handbook of botany

abrégement* /abʀɛʒmɑ̃/ *nm* (de délai, congé) shortening; (de texte, discours) summarizing; (de mot, d'expression) shortening

abréger /abʀeʒe/ [15] *vtr* **1** (rendre court) to shorten [*mot, expression*]; to summarize [*texte, discours*]; **~ 'télévision' en 'télé'** to shorten 'television' to 'TV'; **donner une version abrégée de qch** to give an abridged version of sth; **donner qch sous une forme abrégée** to give sth in abbreviated form [*terme*]; to give sth in summarized form [*texte*]; **2** (rendre bref) to cut short [sth]; **j'ai dû ~ ma visite** I had to cut short my visit; **une crise cardiaque a abrégé sa carrière** a heart attack cut short his career; **abrège**○**!** keep it short!; **~ les souffrances de qn** to put an end to sb's suffering; **disons, pour ~, qu'ils se séparent** to cut GB *ou* make US a long story short, let's just say they are separating

abreuver /abʀøve/ [1]
A *vtr* **1** to water [*animal*]; **2** fml to soak [*sol*]; **3** liter **~ qn de qch** to bombard sb with sth [*propagande*]; to shower sb with sth [*compliments*]; **~ qn d'injures** to heap abuse on sb
B **s'abreuver** *vpr* liter **1** lit [*animal*] to drink; **2** fig **s'~ de qch** to drink in sth [*aventures*]

abreuvoir /abʀøvwaʀ/ *nm* 1 (lieu) watering place; 2 (récipient) (de bétail) drinking trough; (de poussin, canari) drinking bowl

abréviation /abʀevjasjɔ̃/ *nf* abbreviation

abri /abʀi/ *nm gén* shelter; (pour voiture) carport; (cabane) shed; **se faire un ~ de qch**, **se servir de qch comme ~** (en se mettant derrière) to shelter behind sth; (en se mettant dessous) to shelter under sth; **trouver un ~ provisoire sous/dans** to take shelter temporarily under/in; **températures relevées sous ~** Météo temperature in the shade; **à l'~** (à couvert) under cover; (en lieu sûr) safe; **être à l'~** to be sheltered; **être à l'~ de** (d'un mur, d'un arbre) to be sheltered by; (du vent, d'un voleur) to be sheltered from; **se mettre à l'~ d'un arbre** to take shelter under a tree; **se mettre à l'~ des intempéries** to shelter from the weather; **courir se mettre à l'~** to run for shelter; **lire à l'~ d'un mur** to read in the shelter of a wall; **lire à l'~ d'un arbre** to read under a tree; **personne n'est à l'~ d'un accident** accidents can happen to anybody; **personne n'est à l'~ d'une erreur** everybody makes mistakes; **à l'~ de l'humidité** in a dry place
(Composés) **~ antiaérien** air raid shelter; **~ antiatomique** nuclear (fallout) shelter; **~ météorologique** thermometer screen; **~ souterrain** underground shelter *ou* bunker

abribus® /abʀibys/ *nm inv* bus shelter

abricot /abʀiko/ ▸ **p. 202**
A *adj inv* (couleur) apricot; **couleur ~** apricot-coloured[GB]
B *nm* 1 (fruit) apricot; **confiture d'~s** apricot jam; **à l'~** [*yaourt, tarte*] apricot (*épith*); [*thé*] apricot-flavoured[GB]; 2 (couleur) apricot

abricoté, **~e** /abʀikɔte/ *adj* [*crème, thé*] apricot-flavoured[GB]; **c'est légèrement ~** it has a slight apricot flavour[GB]

abricotier /abʀikɔtje/ *nm* apricot tree

abrité, **~e** /abʀite/
A *pp* ▸ **abriter**
B *pp adj* sheltered

abriter /abʀite/ [1]
A *vtr* 1 [*bâtiment*] to shelter, to provide shelter for [*personnes, animaux*]; to house [*société, organisation, objets*]; to host [*activité, réunion*]; 2 [*pays, région*] to provide a base for [*société, activité*]; to provide a home for [*personnes*]; to provide a habitat for [*animaux, végétaux*]; to harbour[GB] [*malfaiteurs, terroristes, tombe, lieu de culte*]
B **s'abriter** *vpr* (des intempéries) to take shelter (**de** from); (des balles, du feu) to take cover (**de** from); **s'~ derrière le secret professionnel** to shelter *ou* hide behind professional confidentiality

abrogation /abʀɔgasjɔ̃/ *nf* repeal, abrogation *sout*

abroger /abʀɔʒe/ [13] *vtr* to repeal, to abrogate *sout*

abrupt, **~e** /abʀypt/
A *adj* 1 (en pente raide) [*colline, chemin*] steep; (à pic) [*paroi*] sheer; 2 (sans nuances) [*personne, ton*] abrupt; **de manière ~e** [*parler, interrompre*] in an abrupt manner; **le caractère ~ de sa décision** fig the suddenness of his decision
B *nm* steep slope

abruptement /abʀyptəmɑ̃/ *adv* 1 (en pente raide) steeply; 2 (soudainement) suddenly; (de manière brusque) abruptly

abruti, **~e** /abʀyti/
A *pp* ▸ **abrutir**
B *pp adj* (idiot) [*personne, air*] stupid; **ne prends pas cet air ~!** take that stupid look off your face!
C *nm,f* moron○; **espèce d'~!** you moron○!; **quelle bande d'~s!** what a bunch of morons○!

abrutir /abʀytiʀ/ [3]
A *vtr* 1 (rendre passif) [*bruit*] to deafen; [*chaleur*] to wear [sb] out; [*alcool, médicament, fatigue*] to have a numbing effect on; [*coup*] to stun; **être abruti de chaleur** to be overpowered by the heat; **être abruti de fatigue** to be numb with fatigue; **abruti par les médicaments** dopey with medicine; 2 (rendre idiot) **~ qn** [*alcool, tâche répétitive*] to have a numbing effect on sb; 3 (accabler) **~ qn de travail** to load sb with work
B **s'abrutir** *vpr* 1 (devenir stupide) to turn into a moron○; 2 (s'accabler de) **s'~ de travail** to wear oneself out with work

abrutissant, **~e** /abʀytisɑ̃, ɑ̃t/ *adj* [*musique, vacarme*] deafening; [*chaleur*] exhausting; [*tâche, activité, travail*] mind-numbing

abrutissement /abʀytismɑ̃/ *nm* **l'~ des gens** reducing people to a mindless state

ABS /abees/
A (*written abbr* = **aux bons soins**) c/o
B *nm inv* Aut **système ~** ABS

abscisse /apsis/ *nf* abscissa

abscons, **~e** /apskɔ̃, ɔ̃s/ *adj* fml abstruse

absence /apsɑ̃s/ *nf* 1 (disparition temporaire) absence; **l'~ de la France à la conférence** the absence of France from the conference; **en l'~ de** in the absence of; **plusieurs ~s injustifiées** gén several absences without a proper justification; Scol repeated unauthorized GB *ou* unexcused US absences; **'en cas d'~ adressez-vous à côté'** 'if out please enquire next door'; **on a téléphoné ce matin pendant votre ~** somebody phoned this morning while you were out; **nous avons regretté votre ~ à la réunion** we were sorry (that) you didn't attend the meeting; **l'~ de vos bagages est due à** your luggage isn't here because of; 2 (inexistence) absence; **l'~ de témoins** the absence of (any) witnesses; **en l'~ de qch** in the absence of sth; **briller par son ~** hum to be conspicuous by *ou* in US one's absence hum; 3 (défaut) lack; **l'~ de pluie désespère les agriculteurs** the lack of rain is deeply worrying to farmers; **son ~ totale de réalisme** his total lack of realism; 4 (perte de mémoire) **il a des ~s** *or* **des moments d'~** at times his mind goes blank; 5 Jur presumption of death
(Composé) **~ illégale** Mil absence without leave

absent, **~e** /apsɑ̃, ɑ̃t/
A *adj* 1 (éloigné longtemps) away (*jamais épith*) (**de** from); (éloigné brièvement) out (*jamais épith*) (**de** of); **il est ~ pour deux mois** he's away for two months; **je serai ~ du bureau tout l'après-midi** I'll be out of the office all afternoon; 2 (qui ne s'est pas présenté) [*élève, employé, candidat*] absent; 3 (qui ne participe pas) absent (**de** from); **la France est ~e des débats** France is absent from the debates; 4 (inexistant) absent (**de** from); **mon nom est ~ de la liste** my name is not on *ou* is absent from the list; **cette espèce est ~e de nos régions** this species is not found in our region; **l'humour était ~ des débats** the debates were lacking in humour[GB]; 5 (absorbé) absent-minded; **elle répondit d'une voix ~e** she replied absent-mindedly
B *nm,f* 1 gén, Scol absentee; **'~s excusés...'** 'apologies for absence...'; **Pinchon, autre ~ remarqué de la réunion...** Pinchon, also notably absent from the meeting...; **le grand ~ du tournoi, Leconte, était tombé malade la veille** notably absent from the tournament was Leconte, who had fallen ill the day before; 2 (défunt) liter absent one; **il a eu une pensée émue pour les ~s** he thought with emotion of those no longer with him; 3 Jur missing person
(Idiome) **les ~s ont toujours tort** Prov those who are absent always get the blame

absentéisme /apsɑ̃teism/ *nm* 1 Admin, Ind, Entr (de travailleurs) absenteeism; 2 Scol gén absenteeism; (école buissonnière) truancy

absentéiste /apsɑ̃teist/ *nmf* (habitual) absentee

absenter: **s'absenter** /apsɑ̃te/ [1] *vpr* (longtemps) to go away; (brièvement) to go out; **il s'est absenté pour raisons de santé** he went away for health reasons; **ne vous absentez pas trop longtemps** don't be gone for long; **s'~ de** to go out of, to leave; **je dois m'~ de chez moi/du bureau** I must go out of the house/the office

abside /apsid/ *nf* Archit apse

absidial, **~e**, *mpl* **-iaux** /apsidjal, o/ *adj* apsidal

absidiole /apsidjɔl/ *nf* apsidiole, absidiole

absinthe /apsɛ̃t/ *nf* Vin, Bot absinthe

absolu, **~e** /apsɔly/
A *adj* 1 (sans réserve) [*certitude, confiance, pouvoir, souverain*] absolute; **une nécessité ~e** an absolute necessity; **sauf en cas d'~e nécessité** only if absolutely necessary; **défense ~e d'ouvrir cette porte** it is absolutely forbidden to open this door; **je suis dans l'impossibilité ~e de vous aider** it's absolutely impossible for me to help you; **maintenir le secret le plus ~ sur l'affaire** to maintain the utmost secrecy about the deal; **un repos ~** complete rest; 2 (hors du commun) journ [*supériorité*] absolute; [*champion*] undisputed; 3 (non relatif) [*vérité, température, majorité*] absolute; 4 (intransigeant) [*tempérament*] uncompromising; [*règle*] hard and fast; 5 Math [*nombre, valeur*] absolute; 6 Ling [*construction, forme*] absolute; **l'emploi ~ d'un verbe transitif** the use of a transitive verb in the absolute
B *nm* absolute; **l'~** Philos the Absolute; **dans l'~** in the absolute; **ton besoin/ta quête d'~** your need/your search for absolutes

absolument /apsɔlymɑ̃/ *adv* absolutely; **'êtes-vous d'accord?'—'~/~ pas!'** 'do you agree?'—'absolutely/absolutely not!'; **je dois ~ finir ce rapport** I absolutely have to finish this report; **tenir ~ à faire qch** to insist (up)on doing sth; **il veut ~ réussir** he's determined to succeed; **des réformes doivent ~ être introduites** it's imperative that reforms be introduced; **film à voir ~** film not to be missed; **il faut ~ que tu visites Versailles** you really must visit Versailles

absolution /apsɔlysjɔ̃/ *nf* Relig absolution (**de qch** for sth); **donner l'~ à qn** to give sb absolution; **recevoir l'~** to receive absolution

absolutisme /apsɔlytism/ *nm* absolutism

absolutiste /apsɔlytist/ *adj, nmf* absolutist

absorbable /apsɔʀbabl/ *adj* absorbable

absorbant, **~e** /apsɔʀbɑ̃, ɑ̃t/
A *adj* 1 [*substance, tissu*] absorbent; **à grand pouvoir ~** highly absorbent; 2 [*travail*] absorbing
B *nm* absorbent

absorber /apsɔʀbe/ [1]
A *vtr* 1 (s'imbiber) [*matériau*] to absorb, to soak up; 2 (consommer) [*personne*] to take [*nourriture, médicament*]; 3 (retenir) [*organisme, sang, plante*] to absorb; 4 (nécessiter) [*projet, entreprise*] to absorb [*argent*]; [*activité, tâche, problème*] to occupy [*esprit*]; **être absorbé par qch** to be absorbed *ou* engrossed in sth; **être absorbé dans ses pensées** to be lost in one's thoughts; 5 (intégrer) [*entreprise*] to take over [*entreprise*]; [*parti, groupement*] to absorb [*parti, groupuscule*]; [*région, profession, secteur*] to absorb [*population, immigrés*]; 6 (faire face à) to cope with [*dépenses, excédent, déficit*]
B **s'absorber** *vpr* **s'~ dans qch** to be engrossed in sth

absorption /apsɔʀpsjɔ̃/ *nf* 1 (de nourriture, médicament) taking; **l'~ de ce médicament est déconseillée aux femmes enceintes** pregnant women are advised not to take this medicine; 2 Bot, Physiol absorption; 3 (de liquide, choc, d'ondes) absorption; 4 (d'entreprise) takeover; 5 (de région, population) absorption

absoudre /apsudʀ/ [75] *vtr* Relig to absolve; **~ les péchés de qn** to absolve sb

absoute /apsut/ *nf* absolutions (*pl*) of the dead

abstenir: **s'abstenir** /apstəniʀ/ [36] *vpr* 1 (ne pas voter) to abstain; 2 (éviter) **s'~ de qch/de faire** to refrain from sth/from doing; **s'~ de tout commentaire** to refrain from any comment; **les participants sont priés de s'~ de fumer** participants are kindly requested to refrain from smoking; **abstenez-vous de café** keep off coffee; **'agences s'~'** 'no agencies'; **'pas sérieux s'~'** 'no time-wasters'

(Idiome) **dans le doute, abstiens-toi** Prov when in doubt, do nowt Prov

abstention /apstɑ̃sjɔ̃/ *nf* 1 (phénomène) abstention; **lutter contre/prôner l'~** to fight against/to advocate abstention; **une forte ~** a high level of abstention; 2 (personne ne votant pas) abstention; **il y a eu dix ~s** there were ten abstentions; **il y a eu 10% d'~** 10% abstained

abstentionnisme /apstɑ̃sjɔnism/ *nm* abstentionism

abstentionniste /apstɑ̃sjɔnist/
A *adj* abstentionist
B *nmf* abstentionist; **rallier les ~s du premier tour** to win over those who abstained in the first round

abstinence /apstinɑ̃s/ *nf* abstinence **(de** from); **faire ~** (de viande) to abstain from eating meat; (continence sexuelle) to abstain from sexual relations

abstinent, **~e** /apstinɑ̃, ɑ̃t/ *adj* abstinent

abstraction /apstʀaksjɔ̃/ *nf* 1 (opération) abstraction; **faire ~ de qch** (de douleur, goût, différence) to forget sth; 2 (chose imaginaire, idée) abstraction; 3 Art **l'~** abstract art; 4 (caractère) abstract style

abstraire /apstʀɛʀ/ [58]
A *vtr* to abstract **(de** from)
B **s'abstraire** *vpr* (s'isoler) to cut oneself off **(de qch** from sth)

abstrait, **~e** /apstʀɛ, ɛt/
A *adj* abstract
B *nm* 1 (opposé à concret) abstract; **dans l'~** [*parler, raisonner*] in the abstract; 2 Art (art) abstract art; (artiste) abstract artist

abstraitement /apstʀɛtmɑ̃/ *adv* in the abstract

abstrus, **~e** /apstʀy, yz/ *adj* fml abstruse sout

absurde /apsyʀd/
A *adj* (tous contextes) absurd; **c'est ~** it's absurd **(de faire** to do)
B *nm* absurd; **philosophie de l'~** philosophy of the absurd; **démontrer qch par l'~** gén, Math to prove sth by contradiction; **raisonnement par l'~** Math proof by contradiction

absurdement /apsyʀdəmɑ̃/ *adv* absurdly

absurdité /apsyʀdite/ *nf* 1 (caractère) absurdity; **l'~ de ses déclarations/de l'existence** the absurdity of his statements/of existence; 2 (acte, parole) nonsense ¢, absurdity; **quelle ~!** what nonsense!, what an absurdity!; **sa démission est une ~** his resignation is a nonsense; **il ne dit que des ~s** he talks nothing but nonsense; **techniquement c'est une ~** it's a technical nonsense

abus /aby/ *nm inv* 1 (usage excessif) abuse; **lutter contre l'~ d'alcool et de tabac** to fight against alcohol and tobacco abuse; **'~ dangereux'** 'can seriously damage your health'; 2 (injustice) abuse; **cette loi a donné lieu à de nombreux ~** this law has given rise to a number of abuses; **dénoncer les ~** to denounce abuses; **il y a de l'~**○! that's a bit much○!; 3 (mauvais usage) abuse; **il a été fait un ~ systématique du droit de grève** there has been systematic abuse of the right to strike

(Composés) **~ d'autorité** abuse of authority; **~ de biens sociaux** Jur fraudulent dealing with a company's assets; **~ de confiance** Jur breach of trust; **~ de droit** Jur abuse of process; **~ de langage** misuse of language; **~ de pouvoir** abuse of power

abuser /abyze/ [1]
A *vtr* liter to fool; **ses promesses n'abusent plus personne** his promises no longer fool anyone; **j'ai été abusé par leur ressemblance** I was fooled by their resemblance; **se laisser ~** to be taken in
B **abuser de** *vtr ind* 1 (faire usage excessif) **~ de l'alcool** to drink to excess; **~ des tranquillisants** to rely too heavily on tranquillizers[GB]; **~ des sucreries/bonnes choses** to overindulge in sweet things/good things; **~ de ses forces** to overdo it; 2 (profiter) **~ de** to exploit; **~ de la situation** to exploit the situation; **~ d'un ami/de la patience de qn** to take advantage of a friend/of sb's patience; **je ne voudrais pas ~ (de votre gentillesse)** I don't want to impose (on your kindness); **~ de sa force/son autorité/ses fonctions** to abuse one's strength/one's authority/one's post; 3 (violenter) **~ de qn** to sexually abuse sb
C *vi* (exagérer) to go too far; **je suis patient mais il ne faut pas ~** I may be patient but don't push me too far
D **s'abuser** *vpr* fml to be mistaken; **si je ne m'abuse** if I'm not mistaken

abuseur /abyzœʀ/ *nm* molester

(Composé) **~ d'enfants** child abuser

abusif, **-ive** /abyzif, iv/ *adj* 1 (exagéré) [*consommation, tarif*] excessive; **simplification abusive** oversimplification; **prescription abusive** inappropriate prescribing; **faire un usage ~ de qch** to use sth excessively; **stationnement ~** illegal parking; 2 (injuste) [*privilège, loi*] unfair; [*licenciement*] unfair, wrongful; [*détention*] wrongful; **les procédés ~s de la concurrence étrangère** the unfair conduct of foreign competitors; 3 (impropre) improper; **emploi ~ d'un terme** improper use of a term; **donner une interprétation abusive de qch** to give a misrepresentation of sth; 4 (possessif) [*mère, époux*] over-possessive

abusivement /abyzivmɑ̃/ *adv* 1 (exagérément) excessively; 2 (injustement) wrongly; **il a été détenu ~** he was wrongfully detained; **cette œuvre a été ~ attribuée à** this work was wrongly attributed to; 3 (improprement) misguidedly; **il mêle ~ politique et religion** he misguidedly mixes politics and religion; **un terme employé ~** a term improperly used

abyme /abim/ *nm* **structure** *or* **composition en ~** Théât play-within-a-play; Art image repeated to infinity; (de roman) 'Chinese boxes' structure

abyssal, **~e**, *mpl* **-aux** /abisal, o/ *adj* Géog abyssal; **profondeurs ~es** ocean depths

abysse /abis/ *nm* **les ~s** the abyssal plains

abyssin, **~e** /abisɛ̃, in/
A *adj* Hist Abyssinian
B *nm* Zool Abyssinian cat

Abyssin, **~e** /abisɛ̃, in/ *nm,f* Hist Abyssinian

Abyssinie /abisini/ *nprf* Hist Abyssinia

acabit /akabi/ *nm* pej **de cet** *or* **du même ~** of that sort; **les gens de ton ~** people like you; **je connais des gens de leur ~** I've met their sort before

acacia /akasja/ *nm* 1 (d'Europe) **(faux) ~** locust tree, false acacia; **miel d'~** acacia honey; 2 (de régions chaudes) acacia

académicien, **-ienne** /akademisjɛ̃, ɛn/ *nm,f* 1 gén academician; 2 (en France) *member of the Académie française*

académie /akademi/ *nf* 1 (école) (de billard, danse) school; (de police) academy; **~ de peinture** *or* **de dessin** art academy; 2 Admin ≈ local education authority GB, school district US; 3 Art (figure) nude; 4 (groupe de personnes) society

> **Académie**
> A geographical administrative division of the state education system, encompassing all levels of the service, headed by a *recteur* and served by *inspecteurs*.

Académie /akademi/ *nf* **l'~ française** the Académie française

> **Académie française**
> A scholarly body composed of 40 life members selected on the basis of their contribution to scholarship or literature. It is primarily known nowadays for its role in monitoring developments in the French language and for its rulings on French usage which are encoded in the *Dictionnaire de l'Académie française* but which are not always taken seriously by the public at large.

académique /akademik/ *adj* 1 gén academic; (de l'Académie française) of the Académie française; 2 Admin [*service, commission*] ≈ of the local education authority GB *ou* school district US; 3 Art academic

académisme /akademism/ *nm* academicism

Acadie /akadi/ ▸ p. 721 *nprf* Acadia

acadien, **-ienne** /akadjɛ̃, ɛn/
A *adj* 1 Géog Acadian; 2 Géol acadian
B ▸ p. 483 *nm* Ling Acadian

Acadien, **-ienne** /akadjɛ̃, ɛn/ *nm,f* Acadian

acajou /akaʒu/
A *adj inv* 1 ▸ p. 202 (couleur) mahogany; **couleur ~** mahogany colour[GB]; 2 (qui imite) **table ~** imitation mahogany table
B *nm* 1 (arbre) mahogany tree; 2 (bois) mahogany; **table en ~** mahogany table

acanthe /akɑ̃t/ *nf* Bot acanthus; **feuilles d'~** Archit acanthus leaves

(Composé) **~ sauvage** scotch thistle

a cappella /akapɛla/ *adv* a cappella

acariâtre /akaʀjɑtʀ/ *adj* gén cantankerous

acarien /akaʀjɛ̃/ *nm* dust mite

accablant, **~e** /akablɑ̃, ɑ̃t/ *adj* 1 (écrasant) [*chaleur, silence*] oppressive; [*tristesse*] overwhelming; **d'une naïveté/laideur ~e** painfully naïve/ugly; 2 (prouvant la culpabilité) [*rapport, témoignage, fait*] damning

accablement /akabləmɑ̃/ *nm* depression, despondency

accabler /akable/ [1] *vtr* 1 (écraser) [*chaleur, mauvaise nouvelle*] to devastate [*personne*]; **être accablé par les** *or* **de soucis** to be overwhelmed with worries; **~ qn de** to overburden sb with [*impôts*]; to bombard sb with [*questions*]; **~ qn d'injures** to heap insults on sb; **~ qn de mépris** to pour scorn on sb; 2 (condamner) [*témoignage, enquête, personne*] to condemn [*personne*]

accalmie /akalmi/ *nf* 1 fig (de lutte, crise) lull; (d'activité) slack period; **les combats ont repris après une ~ de quelques heures** the fighting resumed after a lull of a few hours; 2 Météo, Naut lull

accaparant, **~e** /akapaʀɑ̃, ɑ̃t/ *adj* [*personne, travail*] very demanding

accaparement /akapaʀmɑ̃/ *nm* 1 Comm (de marchandises) hoarding; (de marché) cornering; (de moyens de production) monopolizing; 2 fig (de pouvoir, personne) monopolizing

accaparer /akapaʀe/ [1] *vtr* 1 Comm to hoard [*marchandises*]; to corner [*marché*]; to monopolize [*production*]; 2 fig to monopolize [*personne*]; to preoccupy [*esprit*]; to take up [*temps*]; **~ l'attention générale** to monopolize everyone's attention

accapareur, **-euse** /akapaʀœʀ, øz/ *nm,f* monopolizer

accédant, **~e** /aksedɑ̃, ɑ̃t/ *nm,f* **~ à la propriété** home-buyer

accéder /aksede/ [14] *vtr ind* 1 (atteindre) **~ à** [*personnes*] to reach, to get to [*lieu*]; 2 (obtenir)

~ **à** to achieve [*célébrité, gloire*]; to acquire [*responsabilités*]; to obtain [*poste*]; to reach, to attain sout [*fonctions*]; ~ **à la propriété** to become a home-owner; ~ **au pouvoir** to come to power; ~ **au trône** to accede to the throne; [3] fml (satisfaire à) ~ **à** to grant, to accede to sout [*demande, prière, désir*]; [4] Ordinat ~ **à** to access

accélérateur, -trice /akseleʀatœʀ, tʀis/
A *adj* accelerating
B *nm* Aut accelerator; **câble d'~** accelerator cable; **appuyer sur l'~** to step on the accelerator; **coup d'~** touch on the accelerator; **donner un coup d'~** lit to step on the accelerator; **donner un coup d'~ à qch** fig to give sth a boost, to speed up sth; **jouer un rôle d'~** fig to act as a catalyst
(Composé) ~ **de particules** particle accelerator

accélération /akseleʀasjɔ̃/ *nf* (de vitesse) acceleration (**de** of); (de croissance, consommation, prix) sharp increase (**de** in); (de processus, travail, projet) speeding-up (**de** of); **l'~ de l'Histoire** the speeding-up of events

accéléré, ~e /akseleʀe/
A *pp* ▸ **accélérer**
B *pp adj* accelerated; **à un rythme ~** at an increasingly fast rate; **stage de formation ~e** intensive learning course
C *nm* Cin fast *ou* accelerated motion; **en ~** in fast *ou* accelerated motion

accélérer /akseleʀe/ [14]
A *vtr* (hâter) to speed up [*rythme, mouvement*]; to accelerate [*processus, réaction*]; ~ **le pas** *or* **l'allure** to quicken one's step *ou* pace
B *vi* [1] Aut [*conducteur*] to accelerate, to speed up; **accélère!** speed up!; [2] ○fig (se dépêcher) to get a move on○
C s'accélérer *vpr* [1] (aller plus vite) [*pouls, mouvement*] to quicken; **les événements s'accélèrent** the pace of events is quickening; [2] (s'intensifier) [*phénomène, tendance*] to accelerate

accent /aksɑ̃/ *nm* [1] (façon de parler) accent; **avoir l'~ bordelais** to have a Bordeaux accent; **parler français sans ~/avec un léger ~ anglais** to speak French without an accent/with a slight English accent; [2] (sur une lettre) accent; ~ **aigu/grave** acute/grave accent; ~ **circonflexe** circumflex (accent); **prendre un ~** [*mot, lettre*] to have an accent; **sourcils en ~ circonflexe** arched eyebrows; [3] Phon ~ **(d'intensité)** stress; ~ **fixe/libre** fixed/free stress; **l'~ porte sur la dernière syllabe** the stress is *ou* falls on the last syllable; **mettre l'~ sur qch** fig to put the emphasis on sth, to stress sth; [4] (nuance, note) **il n'y avait pas le moindre ~ de sincérité dans son discours** there wasn't the slightest hint of sincerity in his/her speech; **musique aux ~s mozartiens** music with Mozartian overtones; **un ~ de vérité** a ring of truth
(Composés) ~ **de hauteur** pitch; ~ **tonique** stress

accenteur /aksɑ̃tœʀ/ *nm* ~ **mouchet** hedge sparrow

accentuation /aksɑ̃tɥasjɔ̃/ *nf* [1] (de crise, tension) escalation; (d'inégalités) heightening; (de phénomène) worsening; (de tendance) increase; [2] Phon stress, (en poésie) accentuation; [3] (signes diacritiques) accents (*pl*)
(Composé) ~ **d'image** image enhancement

accentuel, -elle /aksɑ̃tɥɛl/ *adj* accentual, stress (*épith*); **groupe ~** stress group; **unité accentuelle** accentual unit

accentuer /aksɑ̃tɥe/ [1]
A *vtr* [1] (rendre plus évident) [*mesure, situation*] to accentuate [*inégalités, différences*]; to heighten [*tensions*]; to increase [*tendance*]; [2] (tenter de faire ressortir) [*personne*] to highlight [*différences, trait de caractère, inégalités*]; to emphasize [*aspect*]; [3] Phon to stress, (en poésie) to accentuate [*syllabe*]; **syllabe accentuée/non accentuée** stressed/unstressed syllable, (en poésie) accented/unaccented syllable; [4] (écrire) to put an accent on [*lettre*]; **les lettres accentuées** letters with accents, accented letters
B s'accentuer *vpr* [*déséquilibre, phénomène, tendance*] to become more marked, to become more pronounced; [*timidité*] to become worse

acceptabilité /aksɛptabilite/ *nf* acceptability

acceptable /aksɛptabl/ *adj* [1] (tolérable) [*seuil, norme, condition, comportement*] acceptable; **rendre qch ~** to make sth acceptable (**à** to); [2] (passable) [*travail, qualité*] passable; [*résultat*] satisfactory; **'comment est le nouveau professeur?'—'~'** 'what's the new teacher like?'—'he's/she's all right'

acceptation /aksɛptasjɔ̃/ *nf* acceptance; **sous réserve d'~** subject to acceptance (**de** of)

accepter /aksɛpte/ [1]
A *vtr* [1] (bien recevoir) to accept [*invitation, personne, proposition, cadeau*]; ~ **qch de qn** to accept sth from sb; ~ **de faire qch** to agree to do sth; ~ **que** to accept that; **s'il te plaît, accepte!** please say yes!; **je n'accepte pas qu'on m'interrompe!** I will not be interrupted!; [2] (agréer) to agree to [*condition, contrat, devis*]; [3] (relever) to accept, to take up [*défi, pari*]; [4] (admettre) to accept [*excuse, théorie, personne*]; **elle a essayé de faire ~ son fiancé/projet** she tried to get her fiancé/plan accepted; **il aura du mal à se faire ~ par sa belle-famille** he'll have trouble getting himself accepted by his in-laws; ~ **l'idée de faire qch** to accept the idea of doing sth; [5] (se résigner à) to accept, to come to terms with [*situation, destin*]
B s'accepter *vpr* [1] (soi-même) **s'~ (tel qu'on est)** to accept oneself (for what one is); [2] (l'un l'autre) **s'~ (mutuellement)** to accept one another

acception /aksɛpsjɔ̃/ *nf* [1] (sens) sense; **dans toute l'~ du terme** *or* **mot** in every sense of the word; [2] Jur (distinction) **sans ~ de** irrespective of

accès /aksɛ/ *nm inv* [1] (moyen, possibilité d'atteindre) access; **moyens d'~** means of access; **être facile d'~** *or* **d'un ~ facile** to be easy to get to; **être difficile d'~** *or* **d'un ~ difficile** to be difficult to get to; **être facile d'~ avec une voiture** to be easily accessible *ou* easy to get to by car; **être d'un ~ facile/difficile** [*personne*] to be approachable/unapproachable; **l'~ au village** (possibilité d'atteindre) access to the village; (moyen d'atteindre) the way into the village, the road leading to the village; **l'~ au roi** access to the king; **cela donne ~ à** (mener) it leads to; **toutes les voies d'~ sont barrées** (portes) all entrances are sealed off; (routes) all approach roads are closed off; **'~ aux quais'** 'to the trains'; [2] (moyen d'entrer) **l'~ à** access to; **les ~ du bâtiment** the entrances to the building; **les ~ de la ville** the approach roads *ou* approaches to the town; [3] (droit d'entrée) **ne pas avoir ~ à** not to be admitted to; **interdire l'~ aux enfants** not to admit children; **il s'est vu refuser l'~ de la maison** he was not allowed into the house; **'~ interdit'** 'no entry', 'no admittance'; **'~ interdit aux visiteurs'** 'visitors not admitted'; **'~ interdit aux chiens'** 'no dogs (allowed)'; **'~ réservé au personnel** *or* **au service'** 'staff only'; [4] (possibilité d'obtenir, d'utiliser) access; **avoir ~ à** to have access to [*documents, fonds, soins médicaux*]; **ne pas avoir libre ~ aux médias** not to have free access to the media; [5] (possibilité de participer à) **l'~ à** access to [*profession, cours*]; admission to [*club, grande école*]; **barrer l'~ d'une profession aux femmes** to keep women out of a profession; **ouvrir l'~ d'une profession aux femmes** to open up a profession to women; **faciliter l'~ à une profession** to open up a profession; [6] (possibilité de comprendre) **être d'un ~ facile** to be accessible; **être d'un ~ difficile** not to be very accessible; [7] (crise) ~ **de colère** fit of anger; ~ **de fièvre** bout of fever; ~ **d'enthousiasme** burst of enthusiasm; **par ~** by fits and starts; [8] Ordinat access; ~ **aléatoire/séquentiel** random/sequential access; **voie d'~** access path to

accessibilité /aksesibilite/ *nf* [1] (possibilité d'être atteint) accessibility (**de** of); (possibilité d'atteindre) access (**de** to); [2] (droit) right; **l'~ de tous à l'emploi/au droit de vote** everyone's right to a job/to vote; [3] Ling, Psych accessibility

accessible /aksesibl/ *adj* [1] [*lieu*] accessible; **un site ~ par les transports en commun** a site accessible by public transport; [2] [*emploi*] ~ **à** open to; **la culture doit être ~ à tous** culture must be accessible to everyone; [3] [*ouvrage, théorie*] accessible; **un langage ~ à tous** a language which can be understood by everyone; [4] [*prix, tarif*] affordable (**à qn** to sb); [5] [*personne*] (qu'on peut approcher) approachable; (qu'on peut émouvoir) ~ **à** susceptible to [*compassion, pitié*]

accession /aksesjɔ̃/ *nf* [1] (fait de parvenir) ~ **à** accession to [*pouvoir, trône*]; attainment of [*indépendance*]; ~ **à la propriété** home-buying; [2] Jur accession

accessit /aksesit/ *nm* honourable[GB] mention

accessoire /akseswaʀ/
A *adj* [*problème, détail, avantage*] incidental
B *nm* [1] (choses non essentielles) **distinguer l'~ de l'essentiel** to distinguish the non-essentials from the essentials; [2] (équipement complémentaire) (d'auto, de moto, vêtement) accessory; (de perceuse, robot ménager, d'aspirateur) attachment; [3] Cin, Théât ~**s** props (*pl*)
(Composés) ~**s de salle de bains** bathroom accessories; ~**s de table** condiments and cutlery; ~**s de toilette** toilet requisites
(Idiome) **ranger qch au magasin des ~s** to shelve sth

accessoirement /akseswaʀmɑ̃/ *adv* (en plus) incidentally, as it happens; (le cas échéant) if desired; **'je peux amener Paul?'—'oui ~'** 'can I bring Paul along?'—'if you must'

accessoiriser /akseswaʀize/ [1] *vtr* to accessorize

accessoiriste /akseswaʀist/ ▸ **p. 532** *nmf* Théât props man/woman

accident /aksidɑ̃/ *nm* [1] (dommage) accident; ~ **grave** serious accident; **en cas d'~ prévenir...** in case of accident (please) notify...; **l'~ a fait deux morts et quinze blessés** two died and fifteen were injured as a result of the accident; **un ~ est si vite arrivé!** accidents can easily happen!; **il y a 10 000 morts par ~ chaque année** 10,000 people die in accidents every year; **il s'est tué par ~ en nettoyant son fusil** he accidentally killed himself while cleaning his gun; [2] (problème) hitch; (événement inhabituel) one off○; hum accident; **une carrière qui évolue sans ~** a career which is progressing without a hitch; **une erreur qui n'est qu'un ~** an error which is just a one-off; **ils ont gagné! c'était un ~!** hum they won! that was an accident!; ~ **de parcours**○ hitch; hum accident; **l'arrivée du (petit) dernier est un ~ (de parcours)** the birth of the last one was an accident; **les ~s de l'existence** the unforeseen events of life; **une découverte faite par ~** (par hasard) a chance discovery; [3] Méd accident; ~ **cérébral/vasculaire** cerebral/vascular accident; ~ **cardiaque** cardiac event; ~ **de santé** health problem; [4] (inégalité) ~ **de terrain** irregularity in the landscape, accident spéc; **maison cachée par un ~ de terrain** house obscured by an undulation in the land; **le satellite peut repérer le moindre ~ de terrain** the satellite can pick out every contour; [5] Mus accidental; [6] Philos accident
(Composés) ~ **d'avion** plane crash; ~ **de chasse** hunting accident; ~ **de la circulation** traffic accident; ~ **corporel**

accident involving injury; ~ **domestique** accident in the home; ~ **ferroviaire** rail accident; ~ **industriel** industrial accident; ~ **de montagne** climbing accident; ~ **nucléaire** nuclear accident; ~ **de la route** road accident; ~ **du travail** industrial accident; ~ **de voiture** car accident

accidenté, **~e** /aksidɑ̃te/
A *pp* ▸ **accidenter**
B *pp adj* **1** [*personne*] injured; [*véhicule*] involved in an accident (*après n*); **2** [*chemin, terrain, paysage*] uneven; **3** fig (plein d'événements) chequered GB *ou* checkered US; **après un parcours ~ il a pris la tête du parti** after a chequered GB *ou* checkered US career he has taken over leadership of the party
C *nm,f* casualty, accident victim; **les ~s de la route** road accident victims; **les ~s du travail** people injured at work

accidentel, **-elle** /aksidɑ̃tɛl/ *adj* accidental; **l'explosion n'avait rien d'~** there was nothing accidental about the explosion

accidentellement /aksidɑ̃tɛlmɑ̃/ *adv* **1** (dans un accident) [*mourir, tuer*] accidentally; **il s'est tué ~** he accidentally killed himself (**en faisant** while doing); **2** (par hasard) by accident; **le coup (de feu) est parti ~** the shot went off by accident

accidenter /aksidɑ̃te/ [1] *vtr* to bump [*véhicule*]; **sa camionnette a été accidentée plusieurs fois** he has bumped his van several times

acclamation /aklamasjɔ̃/ *nf* cheering ₵, acclamation; **sous les ~s de** to the cheering of; **vote par ~** vote by acclamation, voice vote US

acclamer /aklame/ [1] *vtr* to cheer, to acclaim [*personne, orateur, chef d'État*]

acclimatable /aklimatabl/ *adj* acclimatizable, acclimatable US

acclimatation /aklimatasjɔ̃/ *nf* acclimatization, acclimation US

acclimatement /aklimatmɑ̃/ *nm* acclimatization, acclimation US

acclimater /aklimate/ [1]
A *vtr* **1** Bot, Zool to acclimatize, to acclimate US [*plante, animal*]; **2** (introduire) to introduce [*mode, idée, procédé*]
B **s'acclimater** *vpr* **1** Bot, Zool to become acclimatized, to become acclimated US; **2** [*personne*] to adapt; [*idée*] to become accepted

accointances /akwɛ̃tɑ̃s/ *nfpl* contacts; **avoir des ~ avec qn** to have contacts with sb, to know sb; **il a des ~ en haut lieu** he's got friends in high places

accolade /akɔlad/ *nf* **1** (embrassade) embrace; **donner l'~ à qn** to embrace sb; **2** Imprim brace; **3** (cérémonie) accolade

accoler /akɔle/ [1] *vtr* **1** (mettre côte à côte) **~ un bâtiment à qch** to build a building right next to sth; **~ une étiquette/un nom à** to attach a label/a name to; **~ une idée à** to associate an idea with; **2** Imprim to bracket (together) [*lignes, paragraphes*]

accommodant, **~e** /akɔmɔdɑ̃, ɑ̃t/ *adj* [*personne*] accommodating; [*politique*] flexible

accommodation /akɔmɔdasjɔ̃/ *nf* Physiol, Biol, Psych accommodation

accommodement /akɔmɔdmɑ̃/ *nm* **1** (transaction) arrangement; **parvenir à un ~ avec qn** to come to an arrangement with sb (**à propos de** about); **2** (expédient) hum agreement; **trouver des ~s avec sa conscience/avec le Ciel** to come to terms with one's conscience/with God

accommoder /akɔmɔde/ [1]
A *vtr* **1** Culin to prepare [*aliment, plat*]; **l'art d'~ les restes** the art of using up leftovers; **2** (adapter) to adapt; **il accommode ses propos aux circonstances** he adapts his remarks to suit the circumstances
B *vi* [*œil*] to focus
C **s'accommoder** *vpr* **s'~ de qch** (positif) to make the best of sth; (plus résigné) to put up with sth; **s'~ à** to adapt to

accompagnateur, **-trice** /akɔ̃paɲatœʀ, tʀis/ *nm,f* **1** ▸ **p. 532** Mus accompanist; **2** (d'enfants) accompanying adult; (de groupe touristique) courier; **vingt athlètes et ~s** twenty athletes and accompanying personnel

accompagnement /akɔ̃paɲmɑ̃/ *nm* **1** Mus accompaniment; **sans ~** unaccompanied; **2** Culin accompaniment; **en ~ à** as an accompaniment to; **avec ~ de** served with; **3** (de malade) caring (**de** for); (de touristes) accompanying; **4** (cortège) fig complement; (conséquence) result; **le chômage et son ~ de misères** unemployment and its attendant ills; **5** (soutien) support; **artillerie/aviation d'~** artillery/air support; **mesures/politiques d'~** attendant measures/policies

(Composés) **~ musical** musical arrangement; **~ social** social measures (*pl*); **crédits d'~ social** social funds

accompagner /akɔ̃paɲe/ [1]
A *vtr* **1** (se déplacer avec) (aller) to accompany, to go with; (venir) to accompany, to come with; (conduire) to take (**à** to); **~ un convoi** to accompany a convoy; **accompagne-le au magasin** go with him to the shop GB *ou* store US; **tu m'accompagnes à la gare?** (à pied) will you come to the station with me? **je vais vous (y) ~** (en voiture) I'll take you (there); (à pied) I'll come with you; **~ un enfant à l'école** to take a child to school; **tous mes vœux vous accompagnent** all my good wishes go with you; **il s'est fait ~ par** *or* **d'un ami** he got a friend to go with *ou* accompany him; **être accompagné de** *or* **par** to be accompanied by; **20% de réduction à la personne qui vous accompagne** 20% reduction for any person travelling[GB] with you; **ces personnes vous accompagnent?** are these people with you?; **elle les accompagna du regard** her eyes followed them; **elle a accompagné son mari jusqu'à la fin** she stayed by her husband's side until the end; **accompagné/non accompagné** [*bagage, enfant*] accompanied/unaccompanied; **2** (aller de pair avec) to accompany, to go with; **les difficultés qui pourraient ~ la réforme** the difficulties which may accompany the reform; **fièvre accompagnée de maux de tête** fever accompanied by headaches; **une cassette accompagne le livre** there's a cassette with the book; **elle accompagna ces mots d'un sourire/clin d'œil** she smiled/winked as she said this; **CV accompagné de deux photos** CV *ou* resumé US together with two photographs; **l'inflation et les problèmes qui l'accompagnent** inflation and its attendant problems; **3** (soutenir) to back, to support; **~ la réforme de garanties** to back up the reform with guarantees; **4** Mus to accompany (**à** on); **5** Culin [*sauce, vin, légumes*] (être servi avec) to be served with; (convenir à) to go with; **vin pour ~ un plat** wine to accompany a dish
B **s'accompagner** *vpr* **1** Mus to accompany oneself (**à** on); **2** (s'associer à) to be accompanied (**de** by); **la restructuration doit s'~ d'une modernisation** reorganization will have to be accompanied by modernization; **l'accord s'accompagne d'un contrat** the agreement comes with a contract; **3** Culin to be served with

accompli, **~e** /akɔ̃pli/
A *pp* ▸ **accomplir**
B *pp adj* (parfait) [*personne*] accomplished; (achevé) fulfilled, accomplished; **mission ~e!** mission accomplished!

accomplir /akɔ̃pliʀ/ [3]
A *vtr* **1** (s'acquitter de) to accomplish [*tâche, mission*]; to fulfil[GB] [*obligation*]; **~ son devoir** to do one's duty; **2** (réaliser) to make [*progrès, effort*]; **~ de grandes choses** to achieve great things; **3** Jur, Admin (faire) to do [*service militaire, peine de prison*]; **~ des démarches/formalités** to go through procedures/formalities
B **s'accomplir** *vpr* **1** (se produire) [*événement*] to take place; **2** (se réaliser) [*vœu, souhait, prévisions*] to be fulfilled[GB]; **3** (s'épanouir) [*personne*] to find fulfilment[GB] (**dans** in)

accomplissement /akɔ̃plismɑ̃/ *nm* (d'activité, de mission) accomplishment, fulfilment[GB]; (réalisation) realization, achievement; (épanouissement) (self-)fulfilment[GB]

accord /akɔʀ/ *nm* **1** (consentement) consent (**à** to), agreement (**à** to); **donner son ~ à qch** to give one's consent to sth, to agree to sth; **d'un commun ~** by common consent *ou* mutual agreement; **2** (pacte) agreement (**portant sur** on); (non formel) understanding; **~ de conciliation/cessez-le-feu** conciliation/ceasefire agreement; **conclure un ~** to enter into an agreement; **~s de commerce** *or* **commerciaux** trade agreements; **~s bilatéraux** bilateral agreements; **3** (avis partagé, entente) agreement (**sur** on); **décider qch en** *or* **d'~ avec qn** to decide sth in agreement with sb; **être d'~** to agree; **je suis/je ne suis pas d'~ avec toi là-dessus** I agree/I disagree with you on this; **je suis d'~ que** I agree (that); **Pierre est d'~ pour faire** Pierre has agreed to do; **je suis/je ne suis pas d'~ pour payer** I am/I am not willing to pay; **je ne suis pas d'~ pour que nous fassions** I am not in favour[GB] of our doing; **je demeure d'~ avec vous sur ce point** I am in agreement with you on this point; **se mettre** *or* **tomber d'~** to come to an agreement; **mettre tout le monde d'~** (du même avis) to bring everybody round[GB] to the same way of thinking; (mettre fin aux querelles) to put an end to the argument; **tu es d'~ pour la plage**[○]**?** are you on for the beach[○]?; **'on signe?'—'d'~'**[○] 'shall we sign?'—'OK[○]', 'all right', 'fine'; **4** (entre personnes, couleurs, styles) harmony; **vivre en ~** to live in harmony; **un ~ parfait règne entre eux** they have a very harmonious relationship; **être en ~ avec** (avec écrit, tradition, promesse) to be in keeping *ou* consistent with; **en ~ avec le reste du mobilier** in keeping with the rest of the furniture; **agir en ~ avec le règlement/ses principes** to act in accordance with the rules/one's principles; **5** Ling agreement; **~ en genre/en nombre** gender/number agreement; **faire l'~** to make the agreement; **6** Mus (notes) chord; (réglage) tuning; **le piano tient l'~** the piano is in tune

(Composés) **~ à l'amiable** informal agreement; **~ d'association** UE association agreement; **~ de contingentement** quota agreement; **~ de gré à gré** mutual agreement; **~ de paiement** Écon trade agreement; **~ de principe** agreement in principle; **~ salarial** Entr wage settlement; **~s de crédit** Fin credit arrangements; **Accord général sur les tarifs douaniers et le commerce** Hist General Agreement on Tariffs and Trade, GATT

accordable /akɔʀdabl/ *adj* **1** [*prêt*] grantable, which may be granted; **2** Mus [*instrument*] tunable

accordage /akɔʀdaʒ/, **accordement** /akɔʀd(ə)mɑ̃/ *nm* Mus tuning

accord-cadre, *pl* **accords-cadres** /akɔʀkadʀ/ *nm* outline agreement

accordéon /akɔʀdeɔ̃/ ▸ **p. 557**
A *nm* accordion; **un air d'~** a tune on the accordion; **en ~** fig [*chaussettes, pantalon*] wrinkled; [*voiture accidentée*] concertinaed; **plier qch en ~** to fold sth into pleats; **être plié en ~** to be folded into a concertina
B **(-)accordéon** (*in compounds*) **cloison ~** sliding and folding partition; **porte ~** folding door

(Composés) **~ chromatique** chromatic accordion; **~ diatonique** diatonic accordion

accordéoniste /akɔʀdeɔnist/ ▸ **p. 532**, **p. 557** *nmf* accordion-player

accorder /akɔʀde/ [1]
A *vtr* **1** (octroyer) **~ qch à qn** to grant sth to sb,

a

to grant sb sth [*faveur, prêt, entretien, permission, droit*]; to give *ou* award sth to sb, to give *ou* award sb sth [*indemnité, bourse*]; to give sth to sb, to give sb sth [*réduction, chance, interview*]; ~ **une aide financière à qn** to give sb financial assistance; ~ **la main de sa fille à qn** to give sb one's daughter's hand in marriage; **m'accorderez-vous cette danse?** may I have this dance?; **peux-tu m'~ quelques instants?** can you spare me a few moments?; ~ **sa confiance à qn** to put one's trust in sb; 2▸ (prêter) to assign, to attach [*importance, valeur*] (**à** to); to pay [*attention*]; **il leur accorda une oreille distraite** he only half-listened to them; 3▸ (concéder) ~ **à qn que** to admit (to sb) that; **je t'accorde bien volontiers que** I freely admit that; **il n'a pas entièrement tort, je te l'accorde** he's not entirely wrong, I'll give you that; 4▸ (harmoniser) to match [*coloris*] (**avec** with); ~ **ses actes à ses principes** to act in accordance with one's principles; 5▸ Mus to tune [*instrument*]; 6▸ Ling to make [sth] agree [*mot*] (**avec** with); 7▸ †(mettre d'accord) to bring [sb] together [*personnes*]

B **s'accorder** *vpr* 1▸ (s'octroyer) to give *ou* allow oneself [*repos, congé*]; 2▸ (être ou se mettre d'accord) to agree (**sur** about, on); **ils s'accordent à dire/penser/reconnaître que** (tous les deux) they both say/think/ acknowledge that; (eux tous) they all say/think/acknowledge that; **ils s'accordent à leur trouver du talent** they agree that they are talented; 3▸ (s'entendre) [*personnes*] to get on together; **bien/mal s'~ avec qn** to get on/not to get on well with sb; 4▸ (s'harmoniser) [*couleurs*] to go (together) well; **ces chaises s'accordent bien/ne s'accordent pas avec la table** these chairs go well/do not go with the table; **ça s'accorde avec ce que je disais** it fits in with what I was saying; **leurs caractères s'accordent** they are well matched; **nos sentiments/opinions s'accordent** we feel/ think the same; 5▸ Ling [*adjectif, verbe*] to agree (**avec** with); 6▸ Mus to tune up

accordeur /akɔʀdœʀ/ ▸ p. 532 *nm* tuner; ~ **de pianos/d'orgues** piano/organ tuner

accordoir /akɔʀdwaʀ/ *nm* tuning hammer, tuning key

accort, ~**e** /akɔʀ, ɔʀt/ *adj* liter winsome littér

accostable /akɔstabl/ *adj* Naut with easy access

accostage /akɔstaʒ/ *nm* docking

accoster /akɔste/ [1]

A *vtr* 1▸ Naut to come *ou* draw alongside [*quai, navire*]; 2▸ (aborder) to accost [*personne*]

B *vi* Naut to dock, to land

accotement /akɔtmɑ̃/ *nm* verge; ~ **meuble** *or* **non stabilisé** Gén Civ soft verge GB, soft shoulder

accoter /akɔte/ [1]

A *vtr* 1▸ (étayer) to prop up [*mur, façade*]; 2▸ (appuyer) to lean (**à, contre** against)

B **s'accoter** *vpr* to lean (**à, contre** against)

accotoir /akɔtwaʀ/ *nm* arm-rest

accouchée /akuʃe/ *nf* Méd mother of newborn child

accouchement /akuʃmɑ̃/ *nm* delivery; **un ~ difficile/facile** a difficult/an easy birth *ou* delivery; ~ **à terme/avant terme** *or* **prématuré** full-term/premature birth; **préparation à l'~** preparation for birth; ~ **simple/multiple** single/multiple birth

(Composés) ~ **aquatique** underwater childbirth; ~ **provoqué** induced delivery; ~ **psychoprophylactique** *or* **sans douleur** natural childbirth, psychoprophylaxis spéc; ~ **par le siège** breech birth

accoucher /akuʃe/ [1]

A *vtr* [*médecin, sage-femme*] to deliver [*femme*]

B **accoucher de** *vtr ind* 1▸ Méd ~ **de** to give birth to [*enfant*]; 2▸ ○(produire) ~ **de** to produce [*œuvre, idée*]; **alors, t'accouches**○**!** OK, spit it out○!; ▸ **montagne**

C *vi* to give birth

accoucheur /akuʃœʀ/ ▸ p. 532 *nm* **médecin** ~ obstetrician

accoucheuse /akuʃøz/ ▸ p. 532 *nf* midwife

accouder: **s'accouder** /akude/ [1] *vpr* to lean on one's elbows (**à, sur** on); **il était accoudé au bar** he was sitting with his elbows on the bar

accoudoir /akudwaʀ/ *nm* arm-rest

accouplement /akupləmɑ̃/ *nm* 1▸ (pour reproduction) mating; 2▸ Tech coupling

accoupler /akuple/ [1]

A *vtr* 1▸ (pour reproduction) to mate (**à** with); 2▸ (mettre par paires) to yoke [*bœufs*]; 3▸ Tech to couple

B **s'accoupler** *vpr* to mate

accourir /akuʀiʀ/ [26] *vi* to run up; ~ **au secours de qn** to rush to sb's aid; ~ **pour faire** to rush to do; **les candidats sont accourus de toute la région** candidates came running from all over the area; **dès qu'ils ont entendu les appels à l'aide ils ont accouru sur les lieux de l'accident** as soon as they heard the cries for help they rushed to the spot

accoutrement /akutʀəmɑ̃/ *nm* pej get-up○, clothes (*pl*); **quel ~ ridicule!** what a ridiculous get-up!

accoutrer /akutʀe/ [1]

A *vtr* pej ~ **qn de qch** to rig sb out in sth

B **s'accoutrer** *vpr* to get oneself up (**de** in); **il s'accoutre vraiment n'importe comment!** he dresses any old how!

accoutumance /akutymɑ̃s/ *nf* 1▸ gén familiarization; **il y a une période d'~** there is an acclimatization period; 2▸ Méd (à un médicament) addiction (**à** to); ~ **aux stupéfiants** drug addiction

accoutumé, ~**e** /akutyme/

A *adj* liter (habituel) customary, usual; **avec leur politesse ~e** with their customary politeness

B **comme à l'accoutumée** *loc adv* as usual

accoutumer /akutyme/ [1]

A *vtr* fml to accustom (**à** to), to get [sb] used (**à** to)

B **s'accoutumer** *vpr* **s'~ à** to get used to, to grow accustomed to sout; **s'~ à faire qch** to get used to doing sth, to grow accustomed to doing sth; **être accoutumé à qch/à faire** to be used *ou* accustomed to sth/to doing

Accra /akʀa/ ▸ p. 894 *npr* Accra

accréditation /akʀeditasjɔ̃/ *nf* accreditation (**de** of)

accrédité, ~**e** /akʀedite/ *adj* [*représentant*] accredited (**auprès de** to); [*fournisseur*] authorized

accréditer /akʀedite/ [1]

A *vtr* 1▸ (rendre crédible) to give credence to [*opinion, rumeur*]; to lend weight to [*idée, théorie*]; 2▸ (faire reconnaître) to accredit [*ambassade, représentant*]; 3▸ Fin (recommander) to accredit [*personne*] (**auprès de** to); (accorder un crédit) to open credit facilities for; **être accrédité auprès d'une banque** to have credit facilities with a bank; **veuillez ~ le porteur** please open a credit to the bearer

B **s'accréditer** *vpr* [*nouvelle, rumeur*] to gain currency

accréditif, **-ive** /akʀeditif, iv/

A *adj* accreditive; **lettre accréditive** letter of credit

B *nm* (lettre) letter of credit; (crédit) credit

accro○ /akʀo/

A *adj* hooked○; **il est complètement ~** he's completely hooked; **être ~ à qch/qn** to be hooked on sth/sb

B *nmf* addict; **les ~s de la moto/du petit écran** motorcycling/TV addicts

accroc /akʀo/ *nm* 1▸ (déchirure) tear; **faire un ~ à qch** to tear sth; **avoir un ~ à** to have a tear in; 2▸ fig (infraction) breach; (tache) ~ **à la réputation de qn** blot on sb's reputation; **se dérouler sans ~(s)** fig to take place without a hitch

accrochage /akʀɔʃaʒ/ *nm* 1▸ (affrontement) clash (**entre** between); 2▸ Aut (légère collision) bump (**avec** with); 3▸ (de tableau) hanging

accroche /akʀɔʃ/ *nf* slogan

accroche-cœur, *pl* ~**s** /akʀɔʃkœʀ/ *nm* kiss curl

accroche-plat* /akʀɔʃpla/ *nm inv* plate hanger

accrocher /akʀɔʃe/ [1]

A *vtr* 1▸ (suspendre) to hang (**à** from); 2▸ (attacher) to hook [sth] on [*remorque, wagon*] (**à** to); **la chaîne était mal accrochée** the chain wasn't hooked on properly; **il a accroché le char au tracteur** he hooked the cart onto the tractor; 3▸ (faire un accroc à) to catch [*bas, pull*] (**à** on); **j'ai accroché mon collant aux ronces** I caught my tights on the brambles; 4▸ (accoster) [*démarcheur*] to buttonhole○ [*personne, client*]; 5▸ (heurter) [*voiture, automobiliste*] to bump into [*voiture, piéton*]; 6▸ (attirer) to catch [*regard, attention*]; **titre qui accroche le lecteur** eye-catching title; 7▸ Fin, Écon (rattacher) ~ **qch à** to tie sth to [*monnaie*]; ~ **le dinar au euro** to tie the dinar to the euro

B *vi* 1▸ (coincer) [*fermeture*] to stick; [*négociations*] to hit a snag; 2▸ (attirer) [*titre, image, publicité*] to catch on; **trouver une formule qui accroche** to find a phrase which catches on; 3▸ ○(apprécier) ~ **avec qn** to hit it off○ with sb; ~ **avec qch** to go for [*style, musique*]; **je n'accroche pas avec elle** we don't click○, we don't hit it off○

C **s'accrocher** *vpr* 1▸ (se suspendre) lit (à une corniche) to hang on; (à un poteau) to cling (on) (**à** to); fig [*objet*] to cling (on) (**à** to); **accroche-toi à la branche** hang on to the branch; **des villages/chalets accrochés aux pentes** villages/chalets clinging to the slopes; **alpiniste accroché à une corde** climber hanging from a rope; 2▸ (s'attacher) lit, fig [*personne*] to cling (**à** to); **s'~ au bras de qn** to cling to sb's arm; **l'hameçon s'est accroché à ma veste** the hook got caught on my jacket; 3▸ ○(tenir bon) **s'~ pour faire** to try hard to do; **accroche-toi!** (sur une moto) hang on to your hat!; (avant histoire, film) brace yourself!; 4▸ (se disputer) **s'~ avec qn** to have a brush with sb

(Idiome) **avoir le cœur** *or* **l'estomac bien accroché** to have a strong stomach

accrocheur, **-euse** /akʀɔʃœʀ, øz/ *adj* 1▸ (opiniâtre) [*démarcheur, vendeur*] persistent; 2▸ (attrayant) [*chanson, air*] catchy; [*image, titre*] eye-catching

accroire /akʀwaʀ/ *vtr* fml **faire** *or* **laisser ~ qch à qn** to have sb believe sth; **faire ~ à qn que** to make sb believe that; **en faire ~ à qn** to take sb in; **s'en laisser ~** to be taken in (**par** by)

accroissement /akʀwasmɑ̃/ *nm* growth, increase (**de** in); **un fort/net ~ démographique** a strong/clear demographic growth; **un ~ de 5% par an** an increase of 5% per annum; **être en ~** to be on the increase

accroître* /akʀwatʀ/ [72]

A *vtr* to increase [*quantité, nombre, possibilités, bénéfices*]

B **s'accroître** *vpr* [*population, pouvoir*] to increase; [*sentiment*] to grow

accroupi, ~**e** /akʀupi/

A *pp* ▸ **accroupir**

B *pp adj* gén squatting (down); (pour se cacher) crouching

accroupir: **s'accroupir** /akʀupiʀ/ [3] *vpr* gén to squat (down); (pour se cacher) to crouch (down)

accroupissement /akʀupismɑ̃/ *nm* squatting, crouching

accru, ~**e** /akʀy/

A *pp* ▸ **accroître**

B *pp adj* [*besoin, présence, stabilité*] increased, greater

accu○ /aky/ *nm* accumulator; ~**s** battery (*sg*); **recharger ses ~s** fig to recharge one's batteries

accueil /akœj/ *nm* welcome, reception; ~ **froid** cool reception; ~ **chaleureux/enthousiaste** warm/enthusiastic welcome *ou* reception; **il a reçu le meilleur** ~ he received the warmest of welcomes; **faire bon ~ à qn** to make sb welcome; **faire bon ~ à qch** to welcome sth; **faire mauvais ~ à qn/qch** to give sb/sth a cool reception

accueillant, ~e /akœjɑ̃, ɑ̃t/ *adj* 1 [*personne*] hospitable *ou* welcoming (**à l'égard de** to); 2 [*maison*] homely GB, homey US; [*ville, campagne*] friendly, welcoming; [*appartement, chambre*] inviting

accueillir /akœjiʀ/ [27] *vtr* 1 (souhaiter la bienvenue) to welcome; 2 (recevoir) to welcome, to receive [*invités, clients, voyageurs*]; to receive [*décision, projet, livre, film*]; **bien/mal ~ qn/qch** to give sb/sth a good/bad reception; **j'ai été bien accueilli** (à l'arrivée) I was given a warm welcome; (pendant le séjour) I was made to feel very welcome; **ils ont été accueillis par des acclamations/sifflets** they were greeted with cheers/whistles; **l'idée a été accueillie avec méfiance/intérêt** the idea was received with suspicion/interest; 3 (contenir) to accommodate [*personnes*]; 4 (prendre en charge) [*organisme, hôpital, maison de retraite*] to cater for [*patients, réfugiés*]; **la Croix rouge est chargée d'~ 200 réfugiés** the Red Cross is responsible for taking care of 200 refugees

acculer /akyle/ [1] *vtr* 1 (dans un endroit) to drive [sb] back (**contre** against); **les troupes étaient acculées à la mer** the troops were driven back to the edge of the sea; 2 (dans une situation) **~ qn à qch/à faire qch** to force sb into sth/into doing sth; **~ qn à la ruine/au désespoir** to drive sb to ruin/to despair; **~ qn à la faillite** to drive sb into bankruptcy; **se sentir acculé** to feel cornered

acculturation /akyltyʀasjɔ̃/ *nf* acculturation

accumulateur /akymylatœʀ/ *nm* accumulator; **batterie d'~s** battery (of accumulators)

(Composé) **~ de chaleur** Tech storage heater

accumulation /akymylasjɔ̃/ *nf* 1 (action) accumulation, build-up; **l'~ du capital/des richesses** the accumulation of capital/of wealth; 2 (résultat) accumulation, mass; **une ~ de preuves** a mass of evidence; 3 Tech (emmagasinage) storage; **radiateur/chauffe-eau à ~** storage heater/water heater; 4 Géol accumulation

accumuler /akymyle/ [1]
A *vtr* 1 (entasser) store (up) [*objets, provisions, réserves*]; 2 (amasser) to accumulate, to amass [*biens, capital, intérêts*]; to let [sth] build up [*colère, ressentiment*]; 3 (répéter) to make a succession *ou* series of [*erreurs, sottises*]; to have a string of [*succès*]; 4 (emmagasiner) to store (up) [*énergie, chaleur, électricité*]
B s'accumuler *vpr* 1 (s'entasser) [*neige, ordures, commandes*] to pile up; 2 (s'accroître) [*stocks, dettes*] to accrue; [*pression*] to build up

accusateur, -trice /akyzatœʀ, tʀis/
A *adj* 1 [*silence, mot, doigt, ton*] accusing (*épith*); 2 [*inscription, présence, discours*] accusatory
B *nm,f* accuser

(Composé) **~ public** Hist public prosecutor

accusatif /akyzatif/ *nm* Ling accusative; **à l'~** in the accusative

accusation /akyzasjɔ̃/ *nf* 1 (reproche grave) accusation; Jur (formulation) charge; **porter une ~ contre** to make an accusation against; **répondre d'une ~** to answer an accusation; **mettre qn en ~** (reprocher) to censure sb; Jur to indict sb; **mise en ~ de** gén, Jur indictment of; 2 (ministère public) **l'~** the prosecution

accusatoire /akyzatwaʀ/ *adj* accusatory

accusé, ~e /akyze/
A *pp* ► **accuser**
B *pp adj* (accentué) [*traits*] strong; [*ride*] deep; [*relief*] marked
C *nm,f* Jur defendant; **les ~s** the accused; **faites entrer l'~** call the defendant; **'~ levez-vous'** 'will the defendant please rise'

(Composé) **~ de réception, AR** Postes acknowledgement of receipt

accuser /akyze/ [1]
A *vtr* 1 Jur [*plaignant*] to accuse (**de** of); [*juge*] to charge (**de** with); **il est accusé du meurtre de sa femme/de meurtre** (par le plaignant, un témoin) he is accused of murdering his wife/of murder; (à l'issue du procès) he is charged with murdering his wife/with murder; ► **rage**; 2 (rendre coupable) [*personne*] to accuse [*personne*] (**de (faire)** of (doing)); to blame [*sort, malchance*]; [*fait, preuve*] to point to [*personne*]; **on l'accuse d'espionnage** he is accused of spying; **il est accusé d'avoir provoqué un accident** he is accused of causing an accident; **tout l'accuse** everything points to him; **son silence l'accuse** his silence incriminates him; **voici les photos qui l'accusent** here are the photos which point the finger at him; **~ qn/qch de tous les maux** to put all the blame on sb/sth; 3 (rendre évident) [*traits, expression*] to show [*fatigue, ennui*]; [*ventes, affaires, chiffres*] to show [*baisse, déficit*]; **~ une hausse de 10%** to show a 10% increase; **il accuse son âge** he looks his age; **il accuse (bien) la cinquantaine** he looks all of his fifty years; 4 (accentuer) [*éclairage, maquillage*] to accentuate [*contour, défaut*]
B s'accuser *vpr* 1 (se rendre coupable) to take the blame (**de qch** for sth; **d'avoir fait** for doing); **elle s'accuse pour protéger son amant** she took the blame to protect her lover; 2 (l'un l'autre) to accuse each other (**de (faire)** of (doing)); **ils s'accusent mutuellement d'être responsables du conflit** they are accusing each other of being to blame for the conflict; 3 (s'aggraver) [*contour, défaut, différence*] to become more marked *ou* pronounced

(Idiomes) **~ le coup** to be visibly shaken; **~ réception** to acknowledge receipt (**de** of)

ace /ɛs/ *nm* Sport ace

acerbe /asɛʀb/ *adj* acerbic

acéré, ~e /aseʀe/ *adj* 1 lit [*objet*] sharp; 2 fig [*critique, remarque*] cutting, scathing; [*style*] trenchant; [*œil, regard*] sharp, keen; **plume ~e** scathing pen

acériculture /aseʀikyltyʀ/ *nf* maple syrup production

acétate /asetat/ *nm* acetate

acétique /asetik/ *adj* acetic

acétone /asetɔn/ *nf* acetone

acétylène /asetilɛn/ *nm* acetylene

acétylsalicylique /asetilsalisilik/ *adj* **acide ~** acetylsalicylic acid

ACF /aseɛf/ *nm* (*abbr* = **Automobile Club de France**) *French automobile association*

achalandé, ~e /aʃalɑ̃de/ *adj* (approvisionné) **bien/mal ~** well-/poorly-stocked

achaler° /aʃale/ [1] *vtr* Can (importuner) [*personne*] to hassle° GB, to bug° US; [*mouche, bruit*] to irritate; **achale-moi pas** don't hassle me

acharné, ~e /aʃaʀne/
A *pp* ► **acharner**
B *pp adj* [*partisan, défenseur*] passionate; [*fumeur, séducteur*] incorrigible; [*travail*] unremitting, relentless; [*lutte, discussion, résistance*] fierce; **c'est un travailleur ~** he works relentlessly

acharnement /aʃaʀnəmɑ̃/ *nm* (énergie) furious energy; (ténacité) tenacity, determination; **l'~ de qn à faire** sb's determination to do; **son ~ au travail** the fact that he/she works so relentlessly; **lutter avec ~** to fight tooth and nail

(Composé) **~ thérapeutique** extraordinary *or* heroic treatment

acharner: s'acharner /aʃaʀne/ [1] *vpr* 1 (s'obstiner) to persevere; **s'~ à faire** to try desperately to do; **à force de s'~ il a fini par réussir son examen** by persevering he eventually passed his exam; **une organisation qui s'acharne à dénoncer les manquements aux droits de l'homme** an organization that is determined to denounce violations of Human Rights; **pourquoi s'acharne-t-il à la faire souffrir?** why is he so determined to make her suffer *ou* hell-bent on making her suffer?; **s'~ contre** [*personne, groupe*] to fight against [*projet*]; 2 (continuer des violences) **s'~ sur** [*personne, animal*] to keep going at [*victime, proie*]; fig [*personne*] to hound [*enfant, collaborateur*]; [*destin*] to dog [*personne, projet*]; **la fatalité s'acharne sur eux** they're dogged by bad luck

achat /aʃa/
A *nm* 1 (action) buying, purchase; **l'~ de qch** buying sth, the purchase of sth; **un ~** a purchase; **c'est plus cher à l'~** it's more expensive to buy; **j'ai versé 25% à l'~** I paid 25% of the total at the time of purchase; **faire l'~ de qch** to buy *ou* purchase sth; **consacrer le samedi aux ~s** to spend Saturday shopping; **l'~ sur catalogue** buying by mail order; **faire un ~** to buy something, to make a purchase; **faire des ~s** to do some shopping; **l'~ par téléphone** telephone shopping; **~ d'espace publicitaire** buying advertising space; 2 (objet acheté) purchase; 3 Fin (de devise) buying; (d'action) purchase, buying
B achats *nmpl* (service) buying department, purchasing department

acheminement /aʃ(ə)minmɑ̃/ *nm* 1 (de troupes, blessés, vivres) transportation (**vers** to); **responsable de l'~ du courrier** responsible for handling the mail; **il y a des retards dans l'~ du courrier** there are postal delays; 2 (fait de se diriger) **l'~ du pays vers la ruine/démocratie** the country's march toward(s) ruin/democracy

acheminer /aʃ(ə)mine/ [1]
A *vtr* (transporter) to transport [*troupe, blessés, vivres*] (**vers** to); **~ le courrier** [*service postal*] to handle the mail
B s'acheminer *vpr* 1 [*personne, troupe*] to make one's way (**vers** to *ou* toward(s)); 2 fig **s'~ vers** [*négociations*] to move toward(s); [*pays, économie*] (aboutissement fâcheux) to head for *ou* toward(s); (aboutissement positif) to move toward(s)

achetable /aʃtabl/ *adj* [*personne*] venal, corruptible

acheter /aʃte/ [18]
A *vtr* 1 to buy, to purchase [*objet*]; to buy [*charge, droit, vote, silence*]; **~ qch (au) comptant/à crédit** to buy sth for cash/on credit; **~ à crédit** to buy on credit; **~ qch sur catalogue** to buy sth from a catalogue^GB; **~ qch par correspondance** to buy sth by mail order; **~ un cadeau à qn** to buy sb a present, to buy a present for sb; **j'ai acheté un livre à ta sœur** (pour elle) I've bought your sister a book *ou* a book for your sister; (chez elle) I bought a book from your sister; **~ pour 20 euros de qch** to buy 20 euros worth of sth; **~ qch 20 euros** to pay 20 euros for sth, to buy sth for 20 euros; **~ français/japonais** to buy French/Japanese products; 2 (soudoyer) to buy [*juge, politicien*]
B s'acheter *vpr* 1 (pour soi) **s'~ qch** to buy oneself sth; 2 (être disponible à l'achat) **cela s'achète où?** where can you get it?; **cela ne s'achète pas** it's something money can't buy

(Idiome) **s'~ une conduite** to mend one's ways

acheteur, -euse /aʃtœʀ, øz/
A *adj* [*pays*] importing
B *nm,f* 1 (client) buyer, purchaser; **pour tout ~ du dictionnaire** for anyone who buys the dictionary; **je vends ma voiture, es-tu ~?** I'm selling my car, would you like to buy it?; **à ce prix-là je ne suis pas ~** at that price, I'm not interested; **est-il ~?** is he interested?; 2 ► **p. 532** (professionnel) buyer

achevé, ~e /aʃve/
A *pp* ► **achever**
B *pp adj* liter [*œuvre, style, technique*] accomplished; [*exemple, forme, modèle*] perfect; **être**

a

d'un ridicule ~/d'une bêtise ~e to be utterly ridiculous/stupid; **être d'un comique ~/d'une intelligence ~e** [*situation, œuvre*] to be sheer comedy/intelligence; **il est d'une intelligence ~e** he's extremely intelligent; **c'est un snob ~** he's a consummate snob; **c'est un idiot ~** he's a complete idiot

achèvement /aʃɛvmɑ̃/ *nm* (de travaux, projet, roman) completion; (de rencontre, discussions) conclusion; **en cours** *or* **voie d'~** nearing completion

achever /aʃve/ [16]
A *vtr* **1** (terminer) to finish [*travail, repas, œuvre*]; to conclude [*discussions*]; to complete [*projet, visite, enquête, service militaire*]; to end [*vie*]; **~ de faire** to finish doing; **il avait à peine achevé que tout le monde partait déjà** he had hardly finished speaking when everyone started to leave; **2** (réussir) **l'orage a achevé de décourager les spectateurs** the spectators were dispirited and the storm was the last straw; **il a achevé de me démoraliser avec ses mauvaises nouvelles** I was feeling downhearted and the bad news he gave me was the last straw; **ta démonstration a achevé de me convaincre** the proof you gave me finally convinced me; **3** (tuer) to destroy [*animal*]; to finish off [*personne*]; **4** ○(épuiser) [*personne, effort*] to wear [sb] out, to finish○; **5** ○(terrasser) [*scandale, ruine*] to finish [sb] off
B s'achever *vpr* to end (**par** with; **sur** on); **le jour s'achève** the day is drawing to a close; **s'~ par un record** to end with a record; **s'~ sur une victoire** to end on a victory

Achille /aʃil/ *npr* Achilles; **tendon d'~** Achilles tendon

Achkhabad /aʃkabad/ ▸ **p. 894** *npr* Ashkhabad

achoppement /aʃɔpmɑ̃/ *nm* **pierre d'~** stumbling block

achopper /aʃɔpe/ [1] *vi* **~ sur** to stumble over; **les négociations ont achoppé sur ce point** the talks hit a snag over this issue

achromatique /akʀɔmatik/ *adj* achromatic

acide /asid/
A *adj* **1** (pas assez sucré) [*goût*] acid, sour; (agréablement) [*goût*] sharp; (comme propriété naturelle) [*aliment*] acidic; **2** [*odeur*] acrid; [*couleur*] acid; [*remarque*] acerbic; **3** Chimie acid, acidic
B *nm* **1** Chimie acid; **~ faible/fort** weak/strong acid; **~ gras** fatty acid; **~ chlorhydrique/sulfurique/urique** hydrochloric/sulphuric[GB]/uric acid; **2** ○(drogue) acid○
(Composé) **~ aminé** amino acid

acidifiant, **~e** /asidifjɑ̃, ɑ̃t/
A *adj* acidifying
B *nm* acidifying agent

acidification /asidifikasjɔ̃/ *nf* acidification

acidifier /asidifje/ [2]
A *vtr* to acidify
B s'acidifier *vpr* to acidify

acidité /asidite/ *nf* **1** (désagréable) gén acidity, sourness; (pas désagréable) tartness, sharpness; **2** (de personne, réflexion, discours) acerbity; **3** Chimie acidity

acidulé, **~e** /asidyle/ *adj* **1** lit slightly acid; **2** fig [*parfum*] tangy; [*jaune, vert*] acid

acier /asje/
A ▸ **p. 202** *adj inv* **gris/bleu ~** steel(y) grey GB *ou* gray US/blue
B *nm* **1** (alliage) steel; **d'~** [*cuve*] steel (*épith*); [*muscle*] of steel; **avoir des nerfs d'~** to have nerves of steel; **avoir un moral d'~** to be made of stern stuff; **2** (industrie) steel industry
(Composés) **~ chirurgical** surgical steel; **~ inoxydable** stainless steel; **~ rapide** high-speed steel; **~ trempé** tempered steel

aciérie /asjeʀi/ *nf* steelworks (+ *v sg ou pl*)

aciériste /asjeʀist/ *nm* steel maker

acmé /akme/ *nm* **1** (apogée) liter acme littér; **2** Méd crisis

acné /akne/ *nf* Méd acne; **~ juvénile** teenage acne; **~ rosacée** acne rosacea

acnéique /akneik/ *adj* [*peau*] acned

acolyte /akɔlit/ *nmf* **1** (complice) péj henchman, acolyte; **2** Relig acolyte

acompte /akɔ̃t/ *nm* (premier versement) down payment; (arrhes) deposit; (versement échelonné) instalment[GB]; (versement partiel) part payment; **~ sur salaire** advance on salary; **verser un ~ de** to make a deposit of; **1 000 euros d'~** *or* **en ~** a 1,000-euro deposit
(Composé) **~ provisionnel** Fisc first payment on account

aconit /akɔnit/ *nm* monkshood

a contrario* /akɔ̃tʀaʀjo/ *loc adv* on the contrary

acoquiner: **s'acoquiner** /akɔkine/ [1] *vpr* **s'~ avec qn** to get thick○ with sb

Açores /asɔʀ/ ▸ **p. 435** *nprfpl* **les ~** the Azores

à-côté, *pl* **~s** /akote/ *nm* **1** (problème) side issue; **2** (avantages) perk; (gains) **se faire de petits ~s** to make a bit on the side○; **3** (dépenses) extra

à-coup, *pl* **~s** /aku/ *nm* (secousse) jolt; (de processus, négociations, travail, d'économie) hitch; **les ~s du moteur** the coughs and splutters of the engine; **par ~s** lit, fig by *ou* in fits and starts; **sans ~s** lit, fig smoothly; **essayez d'éviter les ~s** (dans le travail) try to keep things running smoothly; (dans la vie, les relations) try to keep things on an even keel

acouphène /akufɛn/ *nm* tinnitus

acousticien, **-ienne** /akustisjɛ̃, ɛn/ ▸ **p. 532** *nm,f* acoustician

acoustique /akustik/
A *adj* acoustic
B *nf* **1** Phys acoustics (+ *v sg*); **2** (d'un lieu) acoustics (*pl*); **3** Mus acoustic quality

acquéreur /akeʀœʀ/ *nm* buyer, purchaser; **elle est ~** she's interested; **trouver un ~ pour** to find a buyer for; **se porter ~ de** to state one's intention to buy; **se rendre ~ de** to purchase, to buy

acquérir /akeʀiʀ/ [35]
A *vtr* **1** (devenir propriétaire de) to acquire; (en achetant) to purchase; **~ qch par héritage** *or* **succession** to inherit sth; **2** (arriver à avoir) [*personne*] to acquire [*habitude, connaissance, expérience, réputation*]; **~ une formation** to undergo training; **~ la certitude que** to become convinced that; **~ la preuve de** to gain proof of; **cela vous a acquis le soutien de vos collègues** this has won you your colleagues' support; **3** (gagner) to acquire; **~ de la valeur** to gain in value; **cela a acquis de l'importance** it has become important; **~ de la vitesse** to gain speed; **4** (au passif) **il est acquis à notre cause** we have his support; **son bon vouloir nous est acquis** we can count on his good will; **il est acquis que** it is accepted that
B s'acquérir *vpr* **1** (s'obtenir) **s'~ facilement** to be easy to acquire; **s'~ par succession** *or* **héritage** to be inherited; **2** (s'apprendre) **c'est quelque chose qui s'acquiert** it's something you acquire *ou* pick up; **l'expérience s'acquiert avec l'âge** experience comes with age

acquêt /akɛ/ *nm*: *property acquired in common by husband and wife*

acquiescement /akjɛsmɑ̃/ fml *nm* acquiescence sout; **donner son ~ à qch** to acquiesce to sth

acquiescer /akjese/ [12] *vi* to acquiesce; **~ d'un signe de tête** to nod in agreement; **et sa fille d'~** and the daughter agrees

acquis, **~e** /aki, iz/
A *pp* ▸ **acquérir**
B *pp adj* **1** Psych [*comportement, idée*] acquired; **2** (obtenu) [*valeur, expérience, connaissance, conviction*] acquired; **3** (reconnu) [*principe, droit, fait*] accepted, established; **les avantages ~** the gains; **tenir qch pour ~** to take sth for granted *ou* as read
C *nm inv* **1** (connaissances) knowledge; **vivre sur ses ~** to draw on one's knowledge; **2** (réussite) achievement; **3** (avantage obtenu) **~ salariaux/syndicaux** wage/union gains; **~ sociaux** social benefits; **c'est un ~** that is one thing gained; **4** Psych, Philos **l'~** acquired knowledge; **l'inné et l'~** nature versus nurture; **5** **~ (communautaire)** UE acquis (communautaire)
(Idiome) **bien mal ~ ne profite jamais** Prov ill-gotten gains never prosper

acquisition /akizisjɔ̃/ *nf* **1** (achat) purchase, acquisition; **prix d'~** purchase price; **faire l'~ de** to purchase; **2** Ordinat data capture, data acquisition; **temps d'~** data capture time; **3** (de musée, bibliothèque) acquisition, accession spéc; **4** (processus) acquisition; **l'~ du langage** language acquisition; **l'~ automatique de la nationalité** the automatic acquisition of citizenship

acquit /aki/ *nm* Comm receipt; **pour ~** received
(Idiome) **par ~ de conscience** to put one's mind at rest

acquit-à-caution, *pl* **acquits-à-caution** /akiakosjɔ̃/ *nm* (customs and excise) bond

acquittement /akitmɑ̃/ *nm* **1** Jur acquittal; **2** Fin settlement

acquitter /akite/ [1]
A *vtr* **1** Jur to acquit [*personne*]; **faire ~ qn** to get sb acquitted; **2** (payer) to pay [*impôt, loyer*]; to settle, to pay [*dette*]; **3** (dégager) **~ qn d'une dette** to release sb from a debt
B s'acquitter *vpr* **bien s'~ de son rôle** to fulfil[GB] a role; **s'~ de son devoir** to discharge one's duty; **s'~ d'une dette** lit to pay off a debt; fig to repay a debt of gratitude

acra /akʀa/ *nm* acra, akra

acre /akʀ/ ▸ **p. 816** *nf* acre

âcre /ɑkʀ/ *adj* [*goût, fruit*] sharp; [*fumée, odeur*] acrid; [*remarque*] caustic

âcreté /ɑkʀəte/ *nf* (de fumée, d'odeur) acridity; (d'aliment, de goût) sharpness

acrimonie /akʀimɔni/ *nf* liter acrimony littér

acrimonieux, **-ieuse** /akʀimɔnjø, øz/ *adj* acrimonious

acrobate /akʀɔbat/ ▸ **p. 532** *nmf* acrobat

acrobatie /akʀɔbasi/ *nf* **1** Sport (activité) **l'~** acrobatics (+ *v sg*); **faire de l'~** to do *ou* perform acrobatics; **un exercice d'~** an acrobatic exercise; **2** (mouvement) **une ~** Sport an acrobatic exercise; **faire des ~s** Sport to do *ou* perform acrobatics; fig to jump through all sorts of hoops; **elle s'en tire toujours avec une ~** she always wriggles out of it
(Composé) **~ aérienne** aerobatics (+ *v sg*)

acrobatique /akʀɔbatik/ *adj* acrobatic

acronyme /akʀɔnim/ *nm* acronym

Acropole /akʀɔpɔl/ *nprf* **l'~** the Acropolis

acrostiche /akʀɔstiʃ/ *nm* acrostic

acrylique /akʀilik/
A *adj* acrylic
B *nm* acrylic; **un pull-over en ~** an acrylic jumper; **c'est de l'~** it's acrylic

actant /aktɑ̃/ *nm* Ling actor

acte /akt/
A *nm* **1** (action) act; **~ isolé/raciste** isolated/racist act; **~ de guerre/violence** act of war/violence; **l'~ de chair** sexual congress; **un ~ de foi** lit, fig an act of faith; **mes/tes ~s** my/your actions; **être libre de ses ~s** to do as one wishes; **faire ~ d'allégeance/de bravoure/charité** to show allegiance/courage/charity; **faire ~ d'autorité** to exercise one's authority; **faire ~ de candidature** to put oneself forward as a candidate; **faire ~ de citoyen** to perform one's duty as a citizen; **faire ~ de présence** to put in an appearance; **2** Jur deed; **passer des ~s** to execute

deeds; **demander/donner ~ de** to ask for/make acknowledgement of; **prendre ~ de** gén to take note of; Jur to take cognizance of; **j'en prends ~** I'll bear it in mind; **dont ~** gén point noted; Jur which is hereby legally certified; **3** Théât act; **pièce en un ~** one-act play; **4** Philos actual; **passer de la puissance à l'~** to go from the potential to the actual; **en ~** in actuality
B actes *nmpl* **1** (de congrès, réunion) proceedings; **2** Relig acts
(Composés) **~ d'accusation** bill of indictment; **~ authentique** authenticated deed; **~ de contrition** act of contrition; **~ de décès** death certificate; **~ de l'état civil** *birth, marriage or death certificate*; **~ de foi** act of faith; **~ gratuit** gratuitous act; **~ manqué** parapraxis spéc, Freudian slip; **~ de mariage** marriage certificate; **~ médical** Méd medical treatment; **~ de naissance** birth certificate; **~ notarié** notarial deed; **~ officiel** instrument; **~ de parole** speech act; **~ sexuel** sexual act; **~ de vente** bill of sale; **l'Acte unique européen** Single European Act; **les Actes des apôtres** the Acts of the Apostles

acteur, -trice /aktœʀ, tʀis/ *nm,f* **1** ▸ **p. 532** Cin, Théât actor/actress; **~ de cinéma/théâtre** film/stage actor; **les ~s du film/de la pièce** the actors in the film/play; **2** (participant) **~s de la scène politique** actors on the political stage; **tous les ~s de la vie économique** all the parties involved in economic life; **les ~s d'un drame** the protagonists of a tragedy; **3** (agent) agent (**de** of); **~s du changement** agents for change

actif, -ive /aktif, iv/
A *adj* **1** (occupé) [*personne, vie*] active; **les femmes actives** working women; **la vie active** working life; **service ~** active service; **l'armée d'active** the regular army; **2** (pas passif) [*association, participation*] active; [*propagande*] vigorous; **jouer/avoir un rôle ~ dans qch** to play/to have an active part in sth; **avoir/prendre une part active à qch** to play/to take an active part in sth; **militant ~** activist; **3** (plein d'énergie) gén active; [*marché, secteur*] buoyant; **4** (agissant) [*substance, principe*] active; **5** Ling **voix active** active voice
B *nm,f* (qui travaille) working person; **les ~s** the working population
C *nm* Fin, Compta **l'~** the assets (*pl*); **à l'~ du bilan** on the assets side; **à mettre à l'~ de qn** fig a point in sb's favour[GB]
D active *nf* **l'armée d'active** the regular army
(Composés) **~ brut** gross assets (*pl*); **~ disponible** liquid assets (*pl*); **~ immobilisé** fixed assets (*pl*); **~ net** net assets (*pl*)

actinium /aktinjɔm/ *nm* actinium

action /aksjɔ̃/ *nf* **1** (fait d'agir) action; **il serait temps de passer à l'~** gén it's time to act; (combattre) it's time for action; **entrer en ~** Mil to go into action; **l'entrée en ~ de l'armée** the army's involvement in the conflict; **un homme/une femme d'~** a man/a woman of action; **avoir toute liberté d'~** to have complete freedom of action; **être en ~** [*personne*] to be in action; **en ~** [*machine, mécanisme*] in operation; **mettre qch en ~** to put sth into operation [*mesure, plan*]; **un sportif en (pleine) ~** a sportsman in action; **volonté d'~** will to act; **2** (façon d'agir) action; **programme** *or* **plan d'~** plan of action; **moyens d'~** courses of action; **avoir une unité d'~** to have a common plan of action; **champ d'~** field of action; **3** (effet) effect; **l'~ du temps** the effects of time; **avoir une ~ bénéfique/néfaste/immunologique** to have a positive/a negative/an immunizing effect; **sous l'~ de qch** under the effect of sth; **l'~ de qch sur qch/qn** the effect of sth on sth/sb; **l'~ de qn sur qch/qn** sb's influence on sth/sb; **4** (acte) action, act; **une ~ irresponsable/stupide** an irresponsible/a stupid action; **des ~s criminelles/individuelles/racistes** criminal/individual/racist acts; **une ~ d'éclat** a remarkable feat; **faire une ~ d'éclat** to distinguish oneself; **une bonne/mauvaise ~** a good/bad deed; **j'ai fait ma bonne ~ de la journée** I've done my good deed for the day; **5** (initiative) initiative; Mil, Jur action; **une ~ des Nations unies** a UN initiative; **~s culturelles** culturel initiatives; **mener des ~s humanitaires** to carry out a programme[GB] of humanitarian aid; **dégager des ressources pour des ~s sociales** to free money for social programmes[GB]; **entreprendre une ~ militaire offensive** to take offensive action; **intenter une ~ en justice à qn** to take legal action against sb; **intenter une ~ en diffamation** to bring a libel action GB *ou* suit; **6** (histoire) action; **l'~ se situe à Venise** the action takes place in Venice; **un film d'~** an action film; **un roman d'~** an adventure novel; **j'aime quand il y a de l'~** I like a bit of action; **7** Fin share; **~s et obligations** securities; **une société par ~s** a joint stock company; **~ A/B** A/B share; **~ gratuite** free share; **~ nominative** registered share; **~ ordinaire** ordinary share GB, common share US; **~ préférentielle** preference share GB, preferred share US
(Composé) **~ de grâce(s)** thanksgiving

actionnaire /aksjɔnɛʀ/ *nmf* shareholder, stockholder US; **être ~ à 100%** to be the sole shareholder; **petit/gros ~** minor/major shareholder; **~ majoritaire/minoritaire** majority/minority shareholder

actionnariat /aksjɔnaʀja/ *nm* **1** (fait d'être actionnaire) shareholding; **2** (ensemble des actionnaires) shareholders (*pl*)

actionner /aksjɔne/ [1] *vtr* **1** (mettre en marche) to activate, to turn on [*sirène, mécanisme*]; **2** (faire fonctionner) to operate [*système, turbine*]; **3** Jur to sue

activation /aktivasjɔ̃/ *nf* activation

active ▸ **actif A, B, D**

activement /aktivmɑ̃/ *adv* actively; **participer ~ à** to take an active part in

activer /aktive/ [1]
A *vtr* **1** (hâter) to speed up [*travail, débat, préparatifs*]; to stimulate [*digestion*]; **2** (intensifier) [*vent*] to stir up [*flamme*]; [*personne*] to stoke [*feu*]; **3** Chimie to activate
B ○*vi* to get a move on○, to hurry up
C s'activer *vpr* **1** (s'affairer) to be very busy (**pour faire** doing); **la cuisinière s'activait devant le fourneau** the cook was busy at the stove; **2** ○(se dépêcher) to hurry up

activisme /aktivism/ *nm* activism

activiste /aktivist/ *adj, nmf* activist

activité /aktivite/ *nf* **1** (occupation) activity; **leurs ~s de syndicalistes** their activities as trade unionists; **~ professionnelle** occupation; **c'est une ~ manuelle** it's manual work; **exercer une ~ rémunérée** to be gainfully employed; **l'escroc qui exerçait son ~ sur la côte** the con-man who operated on the coast; **cesser ses ~s** [*entreprise, commerçant*] to stop trading; [*avocat, médecin*] to stop working; **reprendre ses ~s** [*entreprise, commerçant*] to start trading again; [*malade, vacancier*] to go back to work; **entrer en ~** [*entreprise*] to start trading; **l'entrée en ~ de la société en 1993** the company's entry into the market in 1993; **2** (fonctionnement) activity; **~ économique** economic activity; **l'~ de la rue/ville** the bustle of the street/town; **l'~ du volcan** the active state of the volcano; **être en pleine ~** [*atelier*] to be in full production; [*rue, ville, gare*] to be bustling with activity; hum [*personne*] to be very busy; **en ~** [*volcan*] active; [*usine*] in operation; [*travailleur*] working; [*militaire*] in active service GB *ou* on active duty US; **ses années d'~** his working years; **3** (énergie) (de personne) energy; **être d'une ~ débordante** to be brimming with energy
(Composé) **~ dirigée** Scol class work

actrice *nf* ▸ **acteur**

actuaire /aktɥɛʀ/ ▸ **p. 532** *nmf* actuary

actualisation /aktɥalizasjɔ̃/ *nf* **1** (mise à jour) (processus) updating ¢; (résultat) update; **2** Fin conversion to current value; **3** Philos actualization; **4** Ling realization

actualisé, ~e /aktɥalize/
A *pp* ▸ **actualiser**
B *pp adj* **1** (mis à jour) updated; **2** Fin converted to current value

actualiser /aktɥalize/ [1] *vtr* **1** (mettre à jour) to update, to bring [sth] up to date [*ouvrage, fichier, méthode*]; **~ ses connaissances** to brush up one's knowledge; **2** Fin to convert [sth] to current value; **3** Philos to actualize; **4** Ling to realize

actualité /aktɥalite/
A *nf* **1** (événements) current affairs (*pl*); **ne pas s'intéresser à l'~** not to be interested in current affairs; **l'~ cinématographique** film news; **coller à l'~** to be up to the minute with the news; **l'~ culturelle** cultural events (*pl*); **être sous les feux de l'~** to be in the spotlight of the media; **être à la une de l'~** to be in the headlines; **2** (d'idées, de débat, livre) topicality; (de réflexion, de pensée) relevance; **sujets d'une brûlante ~** burning issues; **d'~** [*thème, question*] topical; **la démission du Premier ministre n'est plus d'~** the Prime Minister's resignation is no longer at issue; **garder toute son ~** [*texte , question*] to be still relevant today; **3** Philos actuality
B actualités *nfpl* news; (au cinéma) newsreel (*sg*); **les ~s télévisées** the television news

actuariel, -ielle /aktɥaʀjɛl/ *adj* Stat [*calcul*] actuarial (*épith*)
(Composés) **taux (d'intérêt) ~ brut** Fin yield to maturity before tax; **taux (d'intérêt) ~ net** Fin yield to maturity after tax

actuel, -elle /aktɥɛl/ *adj* **1** (présent) present, current; **la forme actuelle du traité** the present form of the treaty; **en l'état ~ de l'enquête** at the current stage of the enquiry[GB]; **en l'état ~ des connaissances** in the present state of our knowledge; **en l'état ~ de la science** as far as science extends today; **à l'époque actuelle** in the present day; **dans le monde ~** in today's world; **l'~ territoire de la Pologne** the territory of present-day Poland; **l'Italie actuelle** present-day Italy; **2** (d'actualité) [*œuvre, débat, question*] topical; **3** Philos actual

actuellement /aktɥɛlmɑ̃/ *adv* (en ce moment précis) at the moment, at present; (à notre époque) currently

actus○ /akty/ *nfpl* TV, Radio news

acuité /akɥite/ *nf* **1** (d'intelligence, analyse, de perception) acuteness; **ressentir qch avec ~** to feel sth keenly; **2** (de son) shrillness; **3** (de douleur) intensity; **4** (de problème, crise) seriousness; **le problème se pose avec ~** this is a burning issue

acupressing /akypʀesiŋ/ *nf* acupressure

acupuncteur, -trice* /akypɔ̃ktœʀ, tʀis/ ▸ **p. 532** *nm,f* acupuncturist

acupuncture* /akypɔ̃ktyʀ/ *nf* acupuncture

acutangle /akytɑ̃gl/ *nm* acute-angled triangle

ADAC /adak/ *nm* (*abbr* = **avion à décollage et atterrissage courts**) STOL

adage /adaʒ/ *nm* saying, adage

adagio /ada(d)ʒjo/ *nm, adv* adagio

Adam /adɑ̃/ *npr* Adam; **être en tenue d'~** fig to be in one's birthday suit; ▸ **Ève**

adamantin, ~e /adamɑ̃tɛ̃, in/ *adj* liter adamantine

adaptabilité /adaptabilite/ *nf* adaptability (**à** to)

adaptable /adaptabl/ *adj* **1** (souple) [*personne, caractère, animal*] adaptable (**à** to); **2** (réglable) [*hauteur, équipement*] adjustable; **~ à toutes les circonstances** *or* **tous les besoins** all-purpose (*épith*)

adaptateur, -trice /adaptatœʀ, tʀis/
A ▸ **p. 532** *nm,f* Cin, Théât adapter

a

B *nm* Tech adapter
adaptation /adaptasjɔ̃/ *nf* **1** gén, Biol (réajustement) adaptation; **processus/période d'~** process/period of adaptation; **faculté d'~** capacity for adaptation; **~ à** adjustment to; **accomplir un effort d'~** to try to adapt; **avoir des problèmes d'~** to have difficulty in adapting; **2** Cin, Mus, Théât adaptation; **~ au cinéma/à la télévision/au théâtre** film/TV/stage adaptation; **~ d'un roman** adaptation of a novel; **~ libre** loose adaptation
adapté, **~e** /adapte/
A *pp* ▸ **adapter**
B *pp adj* **1** (approprié) [*logement, emploi, produit, spectacle*] suitable (**à** for); **~ aux circonstances** *or* **à la situation** suited to the circumstances; **2** (inséré) [*personne*] adjusted (**à** to); **un élève mal ~** a maladjusted pupil; **le personnel est maintenant ~ aux nouveaux horaires** the staff has now got GB *ou* gotten US used to the new timetable; **3** Cin, Théât adapted (**à, pour** for; **de** from); **4** Tech (modifié) [*équipement, conception, version*] adapted
adapter /adapte/ [1]
A *vtr* **1** Tech (poser) to fit [*tuyau, pneu, moteur*] (**à** to); **2** Tech (modifier) to adapt [*équipement*]; **3** (rendre conforme) to adapt [*loi, formation*] (**à** to); **~ l'offre à la demande** to adapt supply to demand; **4** (former) **~ le personnel aux nouvelles technologies** to get the staff to adapt to new technologies; **5** Cin, Théât [*personne*] to adapt [*roman*] (**à, pour** for)
B **s'adapter** *vpr* **1** Tech (s'insérer) [*outil, pièce*] to fit (**dans** into); **2** (s'habituer) [*personne*] to adapt (**à** to); **3** (être approprié) [*discours, politique, méthode*] to be suited (**à** to)
ADAV /adav/ *nm* (*abbr* = **avion à décollage et atterrissage verticaux**) VTOL
addenda* /adɛ̃da/ *nm inv* addendum; **des ~** addenda
Addis-Abeba /adisabeba/ ▸ **p. 894** *npr* Addis Ababa
additif, **-ive** /aditif, iv/
A *adj* Math additive
B *nm* **1** Chimie, Ind (substance) additive; **2** Jur (article, clause) rider (**à** to)
addition /adisjɔ̃/ *nf* **1** Math addition ₵; **il sait déjà faire les ~s** he can already do addition; **faire une erreur d'~** to make a mistake in the addition; **vérifier des ~s** to check sums; **ton ~ est fausse** your sum is wrong; **l'~ des voix** the counting of the votes; **2** Chimie (ajout) addition; **3** (accumulation) accumulation; **l'~ des preuves** the accumulation of evidence; **4** (dans un restaurant) bill, check US; **une ~ de 100 euros** a bill for 100 euros; **5** (dépense) bill; **payer l'~** lit to foot the bill; fig to pay for it; **le projet a représenté une ~ de plusieurs milliards** the project has cost several billion
additionnel, **-elle** /adisjɔnɛl/ *adj* [*taxe, clause*] additional
additionner /adisjɔne/ [1]
A *vtr* **1** Math [*personne, calculatrice*] to add (up) [*chiffres, quantités*]; **~ qch à qch** to add sth to sth; **2** (ajouter) to add; **~ une sauce de cognac** to add cognac to a sauce; **vin additionné de sucre** wine with sugar added; **3** (accumuler) to accumulate [*erreurs, échecs*]; **elle additionne bêtise sur bêtise** she makes one stupid mistake after another
B **s'additionner** *vpr* **1** (s'accumuler) [*problèmes, erreurs*] to add up; **2** Math **les fractions s'additionnent** fractions can be added
additionneur /adisjɔnœʀ/ *nm* Ordinat adder; **~ complet/parallèle/série** full/parallel/serial adder
adducteur /adyktœʀ/ *nm* adductor
adduction /adyksjɔ̃/ *nf* Physiol adduction
(Composé) **~ d'eau** Gén Civ water conveyance; **travaux d'~ d'eau** work on the water supply system
Adélaïde /adelaid/ ▸ **p. 894** *npr* Adelaide
Adélie /adeli/ *npr* Géog **terre ~** Adélie Land
Aden /adɛn/ ▸ **p. 894** *npr* Aden

adénome /adenom/ *nm* adenoma
adénovirus /adenoviʀys/ *nm inv* adenovirus
adepte /adɛpt/ *nmf* (de secte) follower; (de doctrine) supporter; (de personne) disciple; (de sport, d'activité) enthusiast; **c'est une ~ de la bicyclette** she's a cycling enthusiast
adéquat, **~e** /adekwa, at/ *adj* **1** (approprié) [*réponse, environnement, choix*] appropriate; [*équipement, outil*] suitable; **2** (suffisant) [*niveau, formation, soins*] adequate
adéquation /adekwasjɔ̃/ *nf* **1** (conformité) appropriateness (**de** of; **à, avec** to); **en ~ avec qch** in accord with sth; **2** Sci (de modèle) adequacy (**à** to)
adhérence /adeʀɑ̃s/ *nf* **1** Tech (de colle, papier) adhesion (**à** to); (de pneu, semelle) grip; **2** Méd adhesion
adhérent, **~e** /adeʀɑ̃, ɑ̃t/
A *adj* [*matière*] which adheres (**à** to) (*après n*); [*pneu*] with a good grip (*après n*)
B *nm,f* (membre) member; **les ~s du parti/club** the party/club members
adhérer /adeʀe/ [14] *vtr ind* **1** (coller) [*colle, tissu*] to stick (**à** to), to adhere (**à** to); **le pneu adhère à la route** the tyre GB *ou* tire US grips the road; **2** (s'inscrire) **~ à** to join [*parti, syndicat*]; to become a member of [*organisme*]; (être membre) to be a member of; **3** (se rallier) **~ à** to subscribe to [*doctrine, thèse, politique*]
adhésif, **-ive** /adezif, iv/
A *adj* adhesive
B *nm* (matière) adhesive; **~ thermocollant** iron-on adhesive
adhésion /adezjɔ̃/ *nf* **1** (appartenance) membership (**à** of GB, in US); **2** (inscription) **l'~ est gratuite** membership is free; **l'~ n'est pas obligatoire** you don't have to join; **l'~ d'un pays à la UE** the entry of a country into the EU; **le club a enregistré dix ~s** the club has enrolled ten members; **3** (soutien) support (**à** for); **~ à une cause** support for a cause; **mon ~ à votre point de vue est totale** I completely support your point of view
ad hoc /adɔk/ *loc adj inv* ad hoc
adieu, *pl* **~x** /adjø/ *nm* goodbye, farewell sout; **se dire ~** to say one's goodbyes, to say goodbye (to each other); **dire ~ à qn, faire ses ~x à qn** to say goodbye to sb, to bid sb farewell sout; **dire ~ à qch** to say goodbye to sth; **un discours/une lettre/un baiser d'~** a farewell speech/letter/kiss; **faire un geste/un sourire d'~** to wave/smile goodbye (**à** to); **donner** *or* **offrir un pot**○**/un dîner d'~** to give a farewell drink/dinner; **faire ses ~x à la scène** to take one's leave of the stage; **~ le ski** it's goodbye to skiing
adipeux, **-euse** /adipø, øz/ *adj* **1** Anat [*tissu, cellule*] fatty, adipose spéc; **2** gén [*personne, visage*] podgy; [*ventre*] fat
adiposité /adipozite/ *nf* **1** (caractère) adiposity spéc; **2** (amas graisseux) surplus fat ₵
adjacent, **~e** /adʒasɑ̃, ɑ̃t/ *adj* adjacent (**à** to)
adjectif, **-ive** /adʒɛktif, iv/
A *adj* [*forme, locution*] adjectival
B *nm* adjective; **~ attribut/possessif/qualificatif** predicative/possessive/qualifying adjective; **~ déterminatif** determiner
adjectival, **~e**, *mpl* **-aux** /adʒɛktival, o/ *adj* adjectival
adjoindre /adʒwɛ̃dʀ/ [56]
A *vtr* **on m'a adjoint un nouvel assistant** I've been assigned a new assistant; **~ de nouveaux collaborateurs à son personnel** to take on some extra staff; **~ une pièce au dossier** to attach a document to the file
B **s'adjoindre** *vpr* to take on [*collaborateur, équipe*]; **l'organisation vient de s'~ les services d'un juriste** the organization has just engaged the services of a lawyer
adjoint, **~e** /adʒwɛ̃, ɛ̃t/
A *nm,f* Entr assistant; **l'~ du directeur** the manager's assistant
B *nm* Ling adjunct

(Composé) **~ au maire** Admin deputy mayor
adjonction /adʒɔ̃ksjɔ̃/ *nf* addition (**à** to)
adjudant /adʒydɑ̃/ ▸ **p. 406** *nm* Mil (terre) ≈ warrant officer class II GB, ≈ warrant officer US; (air) *intermediate rank between flight sergeant and warrant officer* GB, ≈ warrant officer US; **oui, mon ~** lit yes, sir; fig yes, sergeant
adjudant-chef, *pl* **adjudants-chefs** /adʒydɑ̃ʃɛf/ ▸ **p. 406** *nm* ≈ warrant officer class I GB, ≈ chief warrant officer US
adjudicataire /adʒydikatɛʀ/ *nmf* **1** (dans une vente) successful buyer; **2** (de contrat) contractor
adjudicateur, **-trice** /adʒydikatœʀ, tʀis/ *nm,f* **1** (possesseur) vendor; **2** (intermédiaire) auctioneer
adjudication /adʒydikasjɔ̃/ *nf* **1** (de biens) auction; **par ~** by auction; **2** (de contrat) tender; **~ ouverte** competitive tender; **par ~** by tender; **3** (d'emprunt) bid
(Composé) **~ judiciaire** Jur sale by order of the court
adjuger /adʒyʒe/ [13]
A *vtr* **1** (vendre aux enchères) to auction; **adjugé 1 000 euros** auctioned for 1,000 euros; **vase adjugé 400 euros à qn** vase sold to sb at auction for 400 euros; **une fois, deux fois adjugé! vendu!** going, going, gone!; **2** (attribuer) to award (**à** to); **prix littéraire adjugé à un jeune écrivain** literary prize awarded to a young writer; **se voir ~ un contrat** to win a contract; **~ une récompense à qn** to give sb a reward
B **s'adjuger** *vpr* [*personne*] to grant oneself [*repas, part*]; [*sportif, équipe*] to take [*coupe, titre*]; [*action*] to gain [*plus-value*]
adjuration /adʒyʀasjɔ̃/ *nf* plea
adjurer /adʒyʀe/ [1] *vtr* to implore (**de faire** to do), to beg (**de faire** to do)
adjuvant /adʒyvɑ̃/ *nm* **1** Méd adjuvant; **2** Chimie additive
ad libitum /adlibitɔm/ *loc adv* [*jouer, discuter*] ad lib; [*boire*] as much as one likes
ADM /adeɛm/ *nf* (*abbr* = **arme de destruction massive**) WMD
admettre /admɛtʀ/ [60] *vtr* **1** (reconnaître) to accept, to admit [*fait, hypothèse*]; to admit [*tort, échec, erreur*]; **il faut (bien) ~ que la situation est difficile** it has to be admitted that the situation is difficult; **tout en admettant qu'ils ne l'aient pas fait exprès** whilst accepting that they didn't do it deliberately; **je dois ~ que j'ai eu tort/que tu avais raison** I have to admit I was wrong/you were right; **2** (accepter) to accept [*principe, idée, droit*]; to admit [*personne*] (**dans** to); **un club qui admet les enfants** a club which admits children; **avoir du mal à ~ qch** to have difficulty accepting sth; **la société admet mal ce genre de protestation** society does not readily accept this sort of protest; **tant qu'on ne voudra pas ~ cet état de fait** as long as there is a refusal to accept this state of affairs; **ils n'ont jamais bien admis leur nouveau chef** they've never really accepted their new boss; **le plus difficile à ~ pour eux** the most difficult thing for them to accept; **faire ~ qch à qn** to get sb to accept sth; **elle n'a pas réussi à se faire ~ comme déléguée/dans leur société/à ce poste** she didn't get accepted as a delegate/in their company/for this post; **je n'admets pas que l'on soit en retard** I won't tolerate people being late; **nous n'admettrons aucune exception** no exceptions will be made; **je n'admets pas qu'on me traite de cette façon/qu'on me parle sur ce ton** I won't be treated in this way/be spoken to in this way; **3** (supposer) **~ que** to suppose (that); **admettez qu'il vienne plus tôt que prévu** suppose he comes earlier than expected; **admettons que vous ayez raison/qu'il ne se soit rien passé** let's suppose (that) you're right/that nothing happened; **même en admettant que ce soit/que tu puisses** even supposing (that) it is/(that) you can; **'suppose que**

je gagne!'—'bon, admettons' 'suppose I win!'—'all right then, suppose you do'; [4] Scol, Univ (accepter) to admit (**en** to); **les professeurs n'ont pas voulu m'~ en classe supérieure sans examen** the teachers wouldn't let me move up unless I took an exam; **il n'a pas été admis à se présenter à l'examen** he wasn't allowed to take the exam; **les enfants admis à l'école** children admitted to school; **être admis à l'oral** to get through to the oral; **elle a été admise au concours** she passed the exam; [5] (recevoir) [*personne, local*] to admit (**à** to); **le roi l'admet à sa table** he's admitted to the king's table; **l'huissier m'a admis dans une salle d'attente** the usher showed me into a waiting room; **nos salles de classe ne peuvent ~ que 20 élèves** our classrooms can only hold 20 pupils; **le musée n'admet les visiteurs que par groupes de 20 personnes** visitors are only admitted to the museum in groups of 20; **être admis à la maternité/à l'hôpital** to be admitted to the maternity ward/to hospital; [6] (autoriser) fml **~ qn à faire** to allow sb to do; [7] Tech (laisser passer) to let [sth] through [*liquide, vapeur*]

administrateur, -trice /administʀatœʀ, tʀis/ ▸ p. 532 *nm,f* [1] Admin (d'organisme, de bibliothèque, théâtre) administrator; **~ général** general administrator; [2] Fin (membre du conseil d'administration) director; **~ délégué** executive director; [3] Jur (de fondation, succession) trustee; [4] (gestionnaire) administrator; **bon/mauvais ~** good/bad administrator; **avoir des qualités d'~** to have administrative skills

(Composés) **~ de biens** property manager; **~ civil** ≈ senior civil servant; **~ colonial** Hist colonial administrator; **~ judiciaire** (de faillite) receiver; (de succession) administrator; **~ légal** (des biens d'un mineur) guardian; (d'un patrimoine) trustee; **~ de site Internet** webmaster

administratif, -ive /administʀatif, iv/
A *adj* [1] (relatif à l'administration) [*bâtiment, retard, personnel, réforme*] administrative; [2] (émis par l'administration) official; **courrier/document/rapport ~** official mail/document/report
B *nm,f* **être un ~** to work in administration; **les ~s** the administrative staff

administration /administʀasjɔ̃/ *nf* [1] Admin, Pol (appareil) administration; **~ centrale/civile/publique** central/civil/public administration; **~ américaine/française** American/French administration; [2] (fonction publique) civil service; **haute ~** senior civil service; **entrer dans l'~** to go into the civil service; [3] (contrôle) administration; **~ d'une ville** administration of a city; **sous ~ militaire** under military rule; [4] (gestion) management; **~ des entreprises** business management; [5] (octroi) (de médicament, sacrement) administration; (de preuve) furnishing

(Composés) **~ douanière** customs service; **~ fiscale** Fisc Inland Revenue GB, Internal Revenue US; **~ judiciaire** Jur receivership; **être placé sous ~ judiciaire** to go into receivership; **être sous ~ judiciaire** to be in receivership; **~ légale** Jur trusteeship; **~ militaire** military administration; **~ pénitentiaire** prison service; **~ territoriale** regional administration

administrativement /administʀativmɑ̃/ *adv* administratively

administré, ~e /administʀe/
A *pp* ▸ **administrer**
B *pp adj* **bien/mal ~** well/badly run
C *nm,f* constituent

administrer /administʀe/ [1]
A *vtr* [1] (gérer) to administer [*projet, fonds*]; to run [*économie, pays, compagnie*]; [2] (donner) to administer [*médicament, sacrement*] (**à** to); to produce [*preuve*]; [3] (infliger) **~ une correction à qn** to give sb a good hiding; **~ des coups** to deliver blows
B **s'administrer** *vpr* [*médicament*] to be administered

admirable /admiʀabl/ *adj* admirable; **être ~ de dévouement** to show admirable devotion; **des soldats ~s de courage** soldiers of exemplary courage; **se comporter de manière ~** to behave admirably; **s'exprimer dans une langue ~** to express oneself with admirable elegance

admirablement /admiʀabləmɑ̃/ *adv* [*s'exprimer, travailler, réussir, jouer*] admirably; [*ouvragé, brodé, vêtu, construit, cuisiné*] superbly

admirateur, -trice /admiʀatœʀ, tʀis/ *nm,f* admirer

admiratif, -ive /admiʀatif, iv/ *adj* [*personne, air, regard*] admiring (*épith*); **tous les spectateurs étaient ~s** all the spectators were full of admiration; **elle poussa un cri ~** she gave a cry of admiration

admiration /admiʀasjɔ̃/ *nf* admiration (**pour** for); **regarder qn/qch avec ~** to look at sb/sth in admiration; **être en ~ devant qn/qch** to be lost in admiration for sb/sth; **forcer l'~** to command admiration; **remplir qn d'~** to fill sb with admiration; **faire l'~ de qn** to be admired by sb; **avoir de l'~ pour qn** to admire sb; **être digne d'~** to be admirable

admirativement /admiʀativmɑ̃/ *adv* admiringly

admirer /admiʀe/ [1] *vtr* to admire; **c'est un homme très admiré** he's much admired; **~ qn de faire** to admire sb for doing

admis, ~e /admi, iz/
A *pp* ▸ **admettre**
B *pp adj* (reconnu) [*opinion, pratique, théorie*] accepted, admitted; **selon une idée/thèse généralement ~e** according to a generally accepted idea/theory; **il est généralement ~ que** it is generally accepted *ou* admitted that; **être bien ~** [*principe, méthode, idée*] to be widely accepted
C *nm,f* Scol, Univ successful candidate; **publier la liste des ~** to publish the list of successful candidates *ou* the pass list; **la liste des ~ au concours** the list of successful candidates in the exam

admissibilité /admisibilite/ *nf* [1] (d'étudiant) eligibility (*to take oral after written examination*); [2] (de preuve, témoignage) admissibility; [3] (d'hypothèse, argument) acceptability

admissible /admisibl/ *adj* [1] (tolérable) [*dose, seuil, comportement, écart*] acceptable; [2] Jur [*preuve, témoignage*] admissible; [3] Philos, Sci [*théorie, hypothèse, argument*] acceptable; [4] Univ [*étudiant*] eligible (*to take oral after written examination*)

admission /admisjɔ̃/ *nf* [1] (accueil) admission (**à, en** to); **~ d'un patient/élève/candidat** admission of a patient/pupil/candidate; **~ à la UE/au FMI** admission to the EU/to the IMF; **~ à l'hôpital/l'enseignement supérieur** admission to hospital/higher education; **~ en maison de retraite** admission to a retirement home; **~ sur examen** admission by entrance examination; **~ sur dossier** admission based on work experience and qualifications; **~ sur titres** admission based on certified qualifications; **demande** *or* **formulaire d'~** application form; **faire une demande d'~** to fill in an application form; **bureau** *or* **service des ~s** reception; [2] (droit) **~ à** eligibility for; **~ à l'aide sociale** eligibility for social security; [3] (reconnaissance) admission (**de la part de** by; **que** that); [4] Mécan intake; **régler l'~** to adjust the intake

(Composés) **~ à la cote** Fin listing; **~ temporaire** Fisc temporary importation

admonestation /admɔnɛstasjɔ̃/ *nf* admonition; **faire des ~s à qn** to admonish sb

admonester /admɔnɛste/ [1] *vtr* to admonish

admonition /admɔnisjɔ̃/ *nf* admonition

ADN /adeɛn/ *nm* (*abbr* = **acide désoxyribonucléique**) DNA

ado○ /ado/ *nmf* teenager

adolescence /adɔlesɑ̃s/ *nf* adolescence; **les premières années de l'~** early adolescence; **à l'~** during adolescence *ou* the teenage years

adolescent, ~e /adɔlesɑ̃, ɑ̃t/
A *adj* adolescent, teenage (*épith*)
B *nm,f* teenager, adolescent

adonis /adɔnis/ *nm inv* fig Adonis

Adonis /adɔnis/ *npr* Mythol Adonis

adonner: s'adonner /adɔne/ [1] *vpr* **s'~ à** to devote oneself to [*travail, sport, art*]; **s'~ au plaisir** to live a debauched life; **il s'adonnait à la boisson** he used to drink too much

adopter /adɔpte/ [1] *vtr* [1] Jur to adopt [*enfant*]; [2] (prendre chez soi) to adopt, to take in [*animal, personne*]; [3] (accepter) to accept; **il a vite été adopté par le village** he was soon accepted by the village; **je me suis tout de suite senti adopté par mes nouveaux amis** I immediately felt at home with my new friends; [4] (choisir) to adopt [*méthode, style, attitude, mode*]; [5] (approuver) to take up [*projet*]; to adopt [*proposition, réforme*]; **~ une loi** to pass a law

adoptif, -ive /adɔptif, iv/ *adj* [*enfant*] adopted; [*parent, famille*] adoptive; [*village, pays*] adopted

adoption /adɔpsjɔ̃/ *nf* [1] Jur adoption; [2] (par choix) adoption; **pays/famille d'~** adopted country/family; **Anglais d'~** English by adoption; [3] (de loi) passing; (de proposition, politique, réforme, texte) adoption

adorable /adɔʀabl/ *adj* adorable

adorablement /adɔʀabləmɑ̃/ *adv* [*vêtu*] delightfully; [*naïf*] charmingly

adorateur, -trice /adɔʀatœʀ, tʀis/ *nm,f* [1] (d'un dieu) worshipper[GB]; [2] (d'une personne) fervent admirer

adoration /adɔʀasjɔ̃/ *nf* [1] (action de rendre hommage) worship, adoration; **être en ~ devant qn/qch** to worship sb/sth; [2] (sentiment) adoration; **avoir de l'~ pour qn** to adore sb

adorer /adɔʀe/ [1]
A *vtr* [1] (aimer) to love; (plus fort) to adore; [2] Relig to worship, to adore
B **s'adorer** *vpr* [1] (l'un l'autre) to adore one another; [2] (soi-même) **elle s'adore** she thinks she's wonderful

(Idiome) **brûler ce qu'on a adoré** to turn against what one used to hold dear

adosser /adose/ [1]
A *vtr* [1] (appuyer) to lean [sb/sth] (**à** on; **contre** against); **être adossé à qch** [*personne*] to be leaning against sth; **~ un meuble contre un mur** to stand a piece of furniture against a wall; (un peu incliné) to lean a piece of furniture against a wall; [2] (placer à côté) **~ une maison contre qch** to build a house backing on to sth
B **s'adosser** *vpr* [1] (s'appuyer) [*personne*] **s'~ à/contre qch** to lean back on/against sth, to lean one's back on/against sth; [2] (être à côté de) [*maison, village*] **s'~ à qch** to back onto sth

adoubement /adubmɑ̃/ *nm* dubbing

adouber /adube/ [1] *vtr* [1] (aux échecs) to adjust; [2] Hist to dub

adoucir /adusiʀ/ [3]
A *vtr* [1] (rendre plus doux) to soften [*peau, tissu, eau, éclairage, expression*]; to soothe [*gorge*]; to moderate [*son, voix*]; to tone down [*langage*]; to sweeten [*boisson, mets*]; **cette coiffure t'adoucit les traits** this hairstyle softens your features; **~ la réalité** to soften reality; **~ le métal** Tech to soften metal; **~ les angles** to soften the angles; [2] (rendre moins pénible) to alleviate [*misère, conditions*]; to ease [*sort, chagrin*]; to mitigate [*rigueur, régime*]
B **s'adoucir** *vpr* [1] (devenir plus doux) [*température*] to become milder; [*lumière, voix*] to become softer; [*pente*] to become more

gentle; [2] (devenir moins pénible) [*chagrin*] to be soothed; [*conditions*] to be alleviated

(Idiome) **la musique adoucit les mœurs** music soothes the savage breast

adoucissant, **~e** /adusisɑ̃, ɑ̃t/
A *adj* Cosmét [*lotion, lait*] soothing; **crème ~e** soothing skin cream
B *nm* Tex softener

adoucissement /adusismɑ̃/ *nm* (de température) improvement (**de** in); (de conditions) alleviation (**de** of); (de voix) softening (**de** of)

adoucisseur /adusisœʀ/ *nm* **~ d'eau** water softener

ad patres /adpatʀɛs/ *loc adv* **envoyer qn ~** to send sb to meet his/her maker

adragante /adʀagɑ̃t/ *nf* **gomme ~** (gum) tragacanth

adrénaline /adʀenalin/ *nf* adrenalin

adressable /adʀɛsabl/ *adj* addressable; **mémoire ~** addressable memory

adressage /adʀɛsaʒ/ *nm* addressing

(Composé) **~ par domaines** Ordinat domain name system, DNS

adresse /adʀɛs/ *nf* [1] (domicile) address; **~ postale** postal GB *ou* mailing US address; **c'est une bonne ~** [*restaurant, magasin*] it's a good place; **faire un changement d'~** to notify one's change of address; **partir sans laisser d'~** to leave without a forwarding address; **se tromper d'~** fig (de personne) to pick the wrong person, to get the wrong number○ US fig; (de lieu) to get the wrong address; **une remarque lancée à l'~ de qn** a remark directed at sb; **a-t-il dit à l'~ des participants** he said for the benefit of the participants; [2] (habileté physique) dexterity; **jongler avec ~** to juggle with dexterity; **exercer son ~ au tir** to practise[GB] one's shooting; [3] (habileté intellectuelle) skill; **avec ~** skilfully[GB]; [4] (allocution) address; **~ retransmise à la télévision** address broadcast on TV; [5] Ling (en lexicographie) headword; (en sociolinguistique) address; **forme** *or* **formule d'~** form of address; [6] Ordinat address

(Composés) **~ électronique** email address; **~ e-mail** email address; **~ réticulaire** universal resource locator, URL; **~ universelle** universal resource locator, URL

adresser /adʀese/ [1]
A *vtr* [1] (destiner) to direct [*critique, menace, propos*] (**à** at); to put [*demande, question*] (**à** to); to make [*déclaration*]; to deliver [*ultimatum, message, mise en garde*] (**à** to); to present [*recommandation, pétition, témoignage*] (**à** to); to put out [*appel*] (**à** to); to aim [*coup*] (**à** at); **cette remarque m'était adressée** that remark was directed at me; **~ la parole à qn** to speak to sb; **~ un sourire à qn** to smile at sb; **~ un sourire complice à qn** to give sb a conspiratorial smile; **~ un regard à qn** to look at sb; **~ des éloges** *or* **louanges à qn** to praise sb; **~ la parole à qn** to speak to sb; [2] (expédier) to send [*lettre, questionnaire*]; **note adressée par télécopie** memorandum sent by fax; [3] (écrire l'adresse) to address [*lettre, colis*]; **lettre bien/mal adressée** correctly/incorrectly addressed letter; **adressé à mon nom** addressed to me personally; [4] (diriger) to refer [*personne*] (**à qn** to sb); **~ un patient à un spécialiste** to refer a patient to a specialist
B s'adresser *vpr* [1] (parler) **s'~ à qn** to speak to sb; **s'~ à la foule** to speak to *ou* to address the crowd; [2] (contacter) **s'~ à** to contact; **s'~ au consulat** to contact the consulate; **s'~ à une firme japonaise** to go to a Japanese firm; **pour tous renseignements, s'~ à...** for all information, contact...; **adressez-vous au guichet 2** go to window 2; **adressez-vous au bureau d'information** go and ask at the information desk; **adresse-toi à ton père** ask your father; **pour les visas, adressez-vous au consulat** apply to the consulate for visas; [3] (être destiné) **s'~ à** [*mesure, invention*] to be aimed at; (toucher) **s'~ à** to appeal to [*conscience, instinct*]; [4] (échanger) to exchange [*salut, signe, reproche, lettres*]; **s'~ la parole** to speak to each other

adret /adʀe/ *nm* sunny *or* south-facing side

adriatique /adʀijatik/ *adj* [*côte*] Adriatic

Adriatique /adʀijatik/ ▸ **p. 579** *nprf* **la mer ~, l'~** the Adriatic

adroit, **~e** /adʀwa, at/ *adj* [1] [*jongleur, bricoleur, tireur, manœuvre*] skilful[GB]; **d'un geste ~** with a deft movement; **avoir des gestes ~s** to be nimble; **être ~ de ses mains** to be good with one's hands; [2] [*homme politique, diplomate*] skilful[GB]; [*réponse, discours*] clever

adroitement /adʀwatmɑ̃/ *adv* skilfully[GB]

ADSL /adeɛsɛl/ *nm* (*abbr* = **Asymmetric Digital Subscriber Line**) ADSL; **une connexion ~** a broadband connection

adulateur, **-trice** /adylatœʀ, tʀis/ *nm,f* liter adulator liter; pej flatterer

adulation /adylasjɔ̃/ *nf* adulation

aduler /adyle/ [1] *vtr* to worship, to adulate

adulte /adylt/
A *adj* [*personne, comportement, relation*] adult, grown-up; [*démocratie, nation, électorat*] mature; [*animal, plante*] full-grown; **l'âge ~** adulthood
B *nmf* adult, grown-up

adultère /adyltɛʀ/
A *adj* adulterous
B *nmf* adulterer/adulteress
C *nm* adultery

adultérin, **~e** /adylteʀɛ̃, in/ *adj* [*enfant*] born of adultery (*après n*)

advenir /advəniʀ/ [36] *v impers* fml [1] (se produire) to happen; **quoi qu'il advienne** no matter what happens; **advienne que pourra** come what may; [2] (devenir) **~ de** to become of; **qu'adviendra-t-il de la démocratie?** what will become of democracy?

adventice /advɑ̃tis/ *adj* adventitious

adventiste /advɑ̃tist/ *adj, nmf* Adventist

adverbe /advɛʀb/ *nm* adverb; **~ de temps/de manière** adverb of time/manner

adverbial, **~e**, *pl* **-iaux** /advɛʀbjal, o/ *adj* adverbial

adverbialement /advɛʀbjalmɑ̃/ *adv* adverbially

adversaire /advɛʀsɛʀ/ *nmf* gén opponent; Mil adversary

adversatif, **-ive** /advɛʀsatif, iv/ *adj* adversative

adverse /advɛʀs/ *adj* [*équipe*] opposing; [*thèse*] opposite; [*attaque, manœuvre*] from the opposite camp; **partie** *or* **camp ~** opposite camp

adversité /advɛʀsite/ *nf* adversity

ad vitam æternam○ /advitametɛʀnam/ *loc adv* till kingdom come

AELE /aəɛlə/ *nf* (*abbr* = **Association européenne de libre échange**) EFTA

aérage /aeʀaʒ/ *nm* Mines ventilation

aérateur /aeʀatœʀ/ *nm* ventilator

(Composé) **~ transtympanique** Méd ventilating tube, grommet

aération /aeʀasjɔ̃/ *nf* (en ouvrant une fenêtre) airing; (avec un appareil) ventilation; **conduit d'~** airduct

aéré, **~e** /aeʀe/
A *pp* ▸ **aérer**
B *pp adj* [1] lit (**bien**) **~** [*pièce, chambre*] airy, well-ventilated; [*mine*] well-ventilated; **mal ~** [*pièce, chambre*] stuffy, badly-ventilated; [*mine*] badly-ventilated; [2] (espacé) [*document, texte*] **bien ~** nicely spaced out; **mal ~** cramped

aérer /aeʀe/ [14]
A *vtr* [1] (en ouvrant) to air [*pièce, draps*]; [*appareil*] to ventilate; [2] (faire prendre l'air) **ça m'aère un peu** it gets me out into the fresh air; [3] (sur papier) to space out [*devoir, document, lettre*]; [4] Agric to aerate [*terre, champ*]
B s'aérer *vpr* [*personne*] to get some fresh air; **s'~ l'esprit** to think about something different for a change

aérien, **-ienne** /aeʀjɛ̃, ɛn/ *adj* [1] Aviat [*transport, désastre, base, attaque, carte*] air (*épith*); [*photographie*] aerial; **liaison aérienne** air link; [2] Météo [*courant, phénomène*] air (*épith*); [3] (en l'air) [*câble, circuit*] overhead; [*racine, plante*] aerial; **métro ~** elevated section of the underground GB *ou* subway US; [4] (léger) [*démarche*] floating; [*grâce*] exquisite; [*musique*] ethereal

aérobic /aeʀɔbik/ ▸ **p. 469** *nm* aerobics (+ *v sg*)

aérobie /aeʀɔbi/
A *adj* aerobic
B *nm* aerobe

aérobiose /aeʀɔbjoz/ *nf* aerobiosis

aéro-club, *pl* **~s*** /aeʀoklœb/ *nm* flying club

aérodrome /aeʀodʀom/ *nm* aerodrome GB, (small) airfield

(Composé) **~ de dégagement** alternate aerodrome *ou* airfield

aérodynamique /aeʀodinamik/
A *adj* aerodynamic
B *nf* aerodynamics (+ *v sg*)

aérodynamisme /aeʀodinamism/ *nm* (de voiture, d'avion) aerodynamic properties

aérofrein /aeʀofʀɛ̃/ *nm* air brake

aérogare /aeʀogaʀ/ *nf* (air) terminal; **~ 2** terminal 2

aérogénérateur /aeʀoʒeneʀatœʀ/ *nm* wind generator

aéroglisseur /aeʀoglisœʀ/ *nm* hovercraft

aérogramme /aeʀogʀam/ *nm* aerogram, air letter

aérographe /aeʀogʀaf/ *nm* airbrush; **peinture à l'~** airbrushing

aérolithe /aeʀolit/ *nm* aerolite

aéromaritime /aeʀomaʀitim/ *adj* [*compagnie, filiale*] air and sea

aéromodélisme /aeʀomɔdelism/ *nm* model aircraft making; **un club d'~** a model aircraft club; **faire de l'~** to make model aircraft

aéronaute /aeʀɔnot/ *nmf* aeronaut

aéronautique /aeʀonotik/
A *adj* [*construction, industrie*] aeronautics; [*ingénieur*] aeronautical
B *nf* aeronautics (+ *v sg*); **le marché de l'~** the aeronautics market

aéronaval, **~e** /aeʀonaval/
A *adj* [*opération, forces, base*] air and sea
B aéronavale *nf* Fleet Air Arm GB, Naval Aviation US

aéronef /aeʀɔnɛf/ *nm* aircraft

aérophagie /aeʀɔfaʒi/ ▸ **p. 283** *nf* aerophagia spéc; **faire de l'~** to suffer from aerophagia

aéroplane† /aeʀɔplan/ *nm* aeroplane GB, airplane US

aéroport /aeʀɔpɔʀ/ *nm* airport

aéroporté, **~e** /aeʀɔpɔʀte/ *adj* [*troupes, opération*] airborne; [*missile, arme, matériel*] transported by air

aéroportuaire /aeʀɔpɔʀtɥɛʀ/ *adj* [*équipement, trafic, capacité*] airport

aéropostal, **~e**, *mpl* **-aux** /aeʀɔpɔstal, o/ *adj* [*compagnie, service*] airmail

aérosol /aeʀɔsɔl/ *nm* [1] (suspension) aerosol; [2] (bombe, système) aerosol; **un déodorant/insecticide en ~** an aerosol deodorant/insecticide

aérospatial, **~e**, *mpl* **-iaux** /aeʀɔspasjal, o/
A *adj* [*industrie*] aerospace (*épith*); [*véhicule, lanceur*] space
B aérospatiale *nf* (industrie) aerospace industry

aérostat /aeʀɔsta/ *nm* aerostat

aérostatique /aeʀɔstatik/
A *adj* Aviat [*technique*] aerostatic; **un vol ~** a flight in an aerostat
B *nf* aerostatics (+ *v sg*)

aérostier /aeʀɔstje/ *nm* aerostat pilot

aéroterrestre /aeʀoteʀɛstʀ/ *adj [division, opération]* air and land

aérotrain® /aeʀotʀɛ̃/ *nm* hovertrain

AFAT /afat, aɛfate/ *nf (abbr =* **auxiliaire féminin de l'armée de terre***) women's component of the French army*

affabilité /afabilite/ *nf* courtesy, affability

affable /afabl/ *adj [personne, attitude, propos]* courteous, affable

affablement /afabləmɑ̃/ *adv* courteously

affabulateur, -trice /afabylatœʀ, tʀis/ *nm,f* storyteller

affabulation /afabylasjɔ̃/ *nf* [1] (invention) fabrication ¢; **ce sont des ~s** that's pure fabrication; [2] Littérat (de roman, récit) construction of the plot

affabuler /afabyle/ [1] *vi* to tell tall stories

affacturage /afaktyʀaʒ/ *nm* factoring

affadir /afadiʀ/ [3]

A *vtr* [1] lit to make [sth] tasteless *ou* insipid *[sauce, plat]*; [2] fig *[auteur, corrections]* to make [sth] dull *[texte, personnage]*

B **s'affadir** *vpr* [1] lit *[plat]* to lose its flavour[GB]; *[odeur]* to fade; [2] fig *[intérêt]* to fade; *[argument]* to lose impact

affadissement /afadismɑ̃/ *nm* [1] (de nourriture, goût) loss of flavour[GB]; (de couleur, d'odeur) fading; [2] (de style) weakening, loss of impact

affaiblir /afɛbliʀ/ [3]

A *vtr* to weaken *[personne, démocratie, sens, monnaie]*; to reduce *[capacité, impact]*; to dull *[intelligence, sentiments]*; **~ les forces de qn** to sap sb's strength; **~ la portée d'un texte de loi** to reduce the scope of a law

B **s'affaiblir** *vpr [autorité, gouvernement, économie, pont]* to be weakened; *[personne, voix, vue, détermination, volonté]* to get weaker; *[bruit]* to grow fainter; *[force, courage, capacité]* to diminish; *[santé, mémoire]* to deteriorate; **l'euro s'affaiblit (face au dollar)** the euro is weakening (against the dollar); **l'euro s'est affaibli face au dollar** the euro has fallen against the dollar; **le sens du mot s'est affaibli** the meaning of the word has weakened; **sortir affaibli d'une maladie** to be drained by an illness

affaiblissement /afɛblismɑ̃/ *nm* [1] (de personne, pays, monnaie, sens) (processus) weakening; (état) weakened state; [2] (de bruit, vue, santé) fading; [3] (de volonté, courage, détermination) diminishing; [4] (de style, d'œuvre) **les critiques ont remarqué l'~ de son style dans ses derniers écrits** critics have noted that his style lost its edge in his later writings; [5] (de volume, quantité) reduction (**de** in)

affaire /afɛʀ/

A *nf* [1] (ensemble de faits) gén affair; (à caractère politique, militaire) crisis, affair; (à caractère délictueux, scandaleux) (d'ordre général) scandal; (de cas unique) affair; (soumis à la justice) case; **une mystérieuse ~** a mysterious affair; **l'~ des otages** the hostage crisis *ou* affair; **l'~ de Suez** the Suez crisis; **une ~ politique/de corruption** a political/corruption scandal; **l'~ des fausses factures** the scandal of the bogus invoices; **~ civile/criminelle** civil/criminal case; **il a été condamné pour une ~ de drogue** he was convicted in a drug case

[2] (histoire, aventure) affair; **une ~ délicate** a delicate matter *ou* affair; **une drôle d'~** an odd affair; **j'ignore tout de cette ~** I don't know anything about the matter; **pour une ~ de cœur** for an affair of the heart; **être mêlé à une sale ~** to be mixed up in some nasty business; **quelle ~!** what a business *ou* to-do!; **c'est une ~ d'argent/d'héritage** there's money/an inheritance involved; **et voilà toute l'~** and that's that

[3] (occupation, chose à faire) matter, business; **c'est une ~ qui m'a pris beaucoup de temps** it's a matter that has taken up a lot of my time; **il est parti pour une ~ urgente** he's gone off on some urgent business; **c'est toute une ~** it's quite a business; **c'est une (tout) autre ~** that's another matter (entirely); **ce n'est pas une petite** *or* **mince ~** it's no small *ou* simple matter; **c'est mon ~, pas la vôtre** that's my business, not yours; **c'est l'~ de tous** it's something which concerns everyone *ou* us all; **ça ne change rien à l'~** that doesn't change a thing; **l'~ se présente bien/mal** things are looking good/bad; **j'en fais mon ~** I'll deal with it

[4] (spécialité) **il connaît bien son ~** he knows his business; **c'est une ~ d'hommes/de femmes** it's men's/women's business; **c'est une ~ de garçons/filles** it's boys'/girls' stuff péj; **la mécanique/soudure, c'est leur ~** mechanics/welding is their thing; **c'est une ~ de spécialistes** it's a case for the specialists

[5] (transaction) deal; **une bonne/mauvaise ~** a good/bad deal; **conclure une ~** to make *ou* to strike a deal; **l'~ a été conclue** *or* **faite** the deal was settled; **faire ~ avec qn** to make a deal with sb; **la belle ~**○**!** big deal○!; ▸ **sac**

[6] (achat avantageux) bargain; **à ce prix-là, c'est une ~** at that price, it's a bargain; **j'ai fait une ~** I got a bargain; **tu y feras des ~s** you'll find bargains there; **on ne fait plus beaucoup d'~s au marché aux puces** there aren't many bargains to be had at the flea market any more; **j'ai acheté cette robe en solde mais je n'ai pas fait une ~** I bought this dress in the sales but it wasn't a good buy

[7] (entreprise) business, concern; **~ commerciale/d'import-export/de famille** commercial/import-export/family business *ou* concern; **de petites ~s** small businesses *ou* concerns; **~ industrielle** industrial concern; **leur fils a repris l'~** their son took over the business; **c'est elle qui fait marcher l'~** lit she runs the whole business; fig she runs the whole show; **une ~ en or** fig a gold mine

[8] (question, problème) **c'est une ~ de temps/goût** it's a matter of time/taste; **c'est l'~ de quelques jours/d'un quart d'heure** it'll only take a few days/a quarter of an hour; **c'est l'~ de politiciens** it's a matter for the politicians; **c'est l'~ des politiciens** it's the concern of politicians; **il en a fait une ~ personnelle** he took it personally; **en faire toute une ~**○ to make a big deal○ of it *ou* a fuss○ about it; **on ne va pas en faire une ~ d'État**○**!** let's not make a big issue out of it!; **c'est une ~ de famille** fig it's a family affair

[9] (difficulté, péril) **être hors** *or* **tiré d'~** *[malade]* to be in the clear; **s'il obtient le poste, il est tiré d'~** if he gets the job, his problems are over; **se tirer d'~** to get out of trouble; **tirer** *or* **sortir qn d'~** to get sb out of a spot; **on n'est pas encore sortis** *or* **tirés d'~** we're not out of the woods yet

[10] (relation) **avoir ~ à** to be dealing with *[malfaiteur, fou, drogue, fausse monnaie]*; **nous avons ~ à un escroc/faux** we're dealing with a crook/fake; **je le connais mais je n'ai pas souvent ~ à lui** I know him but I don't have much to do with him; **j'ai eu ~ au directeur lui-même** I saw the manager himself; **tu auras ~ à moi!** you'll have me to contend with!

B **affaires** *nfpl* [1] (activités lucratives) gén business ¢; (d'une seule personne) business affairs; **être dans les ~s** to be in business; **faire des ~s avec** to do business with; **les ~s sont calmes/au plus bas** business is quiet/at its lowest ebb; **les ~s reprennent** *or* **marchent mieux** business is picking up; **il gère les ~s de son oncle** he runs his uncle's business affairs; **parler ~s** to talk business; **revenir aux ~s** to go back into business; **avoir le sens des ~s** to have business sense; **voir qn pour ~s** to see sb on business; **voyager pour ~s** to go on a business trip; **le monde des ~s** the business world; **quartier/milieux/lettre/rendez-vous d'~s** business district/circles/letter/appointment; **le français/chinois des ~s** business French/Chinese; **un homme dur en ~s** a tough businessman

[2] (problèmes personnels) business ¢; **ça, c'est mes ~s**○**!** that's my business!; **occupe-toi de tes ~s!** mind your own business!; **se mêler** *or* **s'occuper des ~s des autres** to interfere *ou* meddle in other people's business *ou* affairs; **mettre de l'ordre dans ses ~s** to put one's affairs in order; **parler de ses ~s à tout le monde** to tell everybody one's business; **ça n'arrange pas mes ~s qu'elle vienne** her coming isn't very convenient for me

[3] (effets personnels) things, belongings; **mets tes ~s dans le placard** put your things in the cupboard; **mes ~s de sport/de classe** my sports/school things

[4] Admin, Pol affairs; **~s publiques/sociales/étrangères** public/social/foreign affairs; **les ~s intérieures d'un pays** a country's internal affairs; **les ~s de l'État** affairs of state

(Composé) **les ~s courantes** gén daily business (*sg*); Jur Pol day-to-day running of a country

(Idiomes) **être à son ~** to be in one's element; **il/ça fera l'~** he'll/that'll do; **il/ça ne peut pas faire l'~** he/that won't do; **ça a très bien fait l'~** it was just the job; **elle fait** *or* **fera notre ~** she's just the person we need; **ça fera leur ~** (convenir) that's just what they need; (être avantageux) it'll suit them; **faire** *or* **régler son ~ à qn**○ (tuer) to bump sb off○; (sévir) to sort sb out

affairé, ~e /afeʀe/

A *pp* ▸ **affairer**

B *pp adj [personne, air, vie]* busy (**à qch** with sth; **à faire** doing); **avoir l'air ~** to look busy

affairement /afɛʀmɑ̃/ *nm* bustling activity

affairer: **s'affairer** /afeʀe/ [1] *vpr [personne]* to bustle about; **s'~ auprès de** *or* **autour de qn** to fuss over sb; **s'~ à faire** to bustle about doing

affairisme /afeʀism/ *nm* pej wheeling and dealing○

affairiste /afeʀist/ *nmf* pej wheeler-dealer○

affaissé, ~e /afɛse/

A *pp* ▸ **affaisser**

B *pp adj [toiture, pont, joues, épaules, tête]* sagging

affaissement /afɛsmɑ̃/ *nm* [1] (de sol, route) subsidence; (de toit, pont, joues) sagging; [2] (de parti politique, valeurs morales) decline (**de** in)

affaisser: **s'affaisser** /afese/ [1] *vpr* [1] *[route, terrain]* to subside, to sink; *[visage, épaules, chair, toit, pont]* to sag; **faire ~ le pont** to cause the bridge to sag; [2] (s'effondrer) *[personne]* to collapse (**sur** on; **dans** into); *[tête]* to droop; [3] (se tasser) **un vieillard qui s'affaisse avec l'âge** an old man who is shrinking *ou* becoming hunched with age; [4] *[ventes, bénéfices]* to decline

affalé, ~e /afale/

A *pp* ▸ **affaler**

B *pp adj* slumped (**dans** in; **sur** on)

affaler /afale/ [1]

A *vtr* Naut *[personne, marin]* to lower *[voile, cordage]*; **affalez!** lower away!

B **s'affaler** *vpr* [1] ○*[personne]* (de fatigue) to collapse; (par accident) to fall; [2] Naut *[personne]* to slide; **s'~ par une échelle** to slide down a ladder

affamé, ~e /afame/

A *pp* ▸ **affamer**

B *pp adj* [1] lit starving; [2] fig **~ de** hungry for

C *nm,f* lit, iron (adulte) starving man/woman; (enfant) starving child; **les ~s** the starving

(Idiome) **ventre ~ n'a pas d'oreilles** Prov ≈ a hungry man is an angry man

affamer /afame/ [1] *vtr* to starve *[personne, pays]*

affameur /afamœʀ/ *nm* [1] lit *person who exploits famine situations for financial gain*; [2] fig *employer who pays starvation wages*

affect /afɛkt/ *nm* Psych affect

affectation /afɛktasjɔ̃/ *nf* **1** (de bâtiment, matériel, d'argent) allocation (**à** to); **2** (nomination) aussi Mil (à un emploi, une fonction) appointment (**à** to); (dans un lieu, un pays) posting (**à** to); **recevoir une ~** to receive a posting; **lieu d'~** place of work; **3** (comportement) affectation; **sans ~** unaffectedly, without (any) affectation; **avec ~** in an affected way, affectedly; **4** Compta appropriation; **~s budgétaires** budget appropriations; **5** Math **l'~ d'un signe à un nombre** the modification of a number by a sign

affecté, ~e /afɛkte/
A *pp* ▸ **affecter**
B *pp adj* (non naturel) [*langage, manières, personne*] affected

affecter /afɛkte/ [1] *vtr* **1** (feindre) to feign, to affect [*pitié, gaieté, indifférence, tristesse*]; to affect [*genre, comportement*]; to take on, to assume [*forme*]; **~ la surprise** to feign surprise; **innocence/gaieté/pondération affectée** feigned innocence/cheerfulness/level-headedness; **~ de faire** to pretend to do; **il affecte de ne pas être ému** he pretends not to be moved; **malgré sa tristesse il affecte la gaieté** despite his unhappiness he's putting on a show of cheerfulness; **~ de grands airs** to put on airs; **2** (allouer) to allocate, to assign [*matériel, lieu*] (**à** to); to allocate [*logement, argent*] (**à qn** to sb; **à qch** to, for sth); **3** (nommer) (à une activité, une fonction, un poste) to appoint (**à** to); (dans un lieu, un pays, une région) to post (**à, en** to); **4** (toucher, affliger) to affect [*pays, marché, cours, autorité, personne*]; **être affecté d'une légère surdité/myopie** to be slightly deaf/short-sighted; **5** Math to modify; **affecté de** modified by

affectif, -ive /afɛktif, iv/ *adj* gén emotional; Psych affective

affection /afɛksjɔ̃/ *nf* **1** (tendresse) affection; **avoir beaucoup d'~ pour** to have a lot of affection for; **prendre qn en ~, se prendre d'~ pour qn** to become fond of sb; **2** Méd complaint; **les ~ cardiaques** heart conditions

affectionné, ~e /afɛksjɔne/
A *pp* ▸ **affectionner**
B *pp adj* (dans une lettre) **votre neveu ~** your loving nephew; **votre ~** yours affectionately

affectionner /afɛksjɔne/ [1] *vtr* to be particularly fond of [*chose, activité*]; to be very fond of [*personne*]

affectivité /afɛktivite/ *nf* feelings (*pl*), affectivity spéc

affectueusement /afɛktɥøzmɑ̃/ *adv* affectionately, fondly

affectueux, -euse /afɛktɥø, øz/ *adj* [*personne, geste, lettre, animal*] affectionate; [*caresse, regard*] fond

afférent, ~e /afeʀɑ̃, ɑ̃t/ *adj* **1** Jur [*héritage*] accruing (**à** to); **2** Anat [*vaisseau, nerf*] afferent (**à** to); **3** [*renseignements, documents*] relative (**à** to), relating (**à** to)

affermage /afɛʀmaʒ/ *nm* leasing

affermer /afɛʀme/ [1] *vtr* [*propriétaire*] to lease (out) *ou* rent (out); [*locataire*] to rent *ou* lease [*terres, domaine*]

affermi, ~e /afɛʀmi/
A *pp* ▸ **affermir**
B *pp adj* **1** [*pouvoir, autorité, paix*] consolidated; [*chairs*] firmed up; [*volonté, muscles, voix*] strengthened; [*santé*] better; **2** [*trait, style*] sharpened up, sharpened (up) US; [*écriture*] incisive

affermir /afɛʀmiʀ/ [3]
A *vtr* **1** (consolider) to strengthen [*autorité, conviction, volonté, voix*]; to consolidate [*pouvoir, position*]; to firm up [*muscle, chair*]; **2** (rendre plus défini) to sharpen up [*style, écriture*]
B **s'affermir** *vpr* **1** [*autorité, pouvoir, croissance*] to be consolidated; [*voix*] to become stronger; [*muscle, chair*] to firm up; [*terrain*] to become firmer; [*santé*] to become better; **2** [*style, écriture*] to become sharper

affermissement /afɛʀmismɑ̃/ *nm* (de pouvoir, reprise) consolidation; (de volonté, muscles, voix) strengthening; (de santé, tendance, d'économie) improvement (**de** in)

affété, ~e /afete/ *adj* liter [*personne, style, manières*] affected

afféterie* /afɛtʀi/ *nf* liter (affectation, manières) affectation; **sans ~** without affectation

affichage /afiʃaʒ/ *nm* **1** (publicitaire, électoral) billsticking, billposting; **communiqué par voie d'~** [*résultat*] posted (up); **interdit à l'~** [*roman*] not for public display; **campagne d'~** poster campaign; **à ~ numérique** [*réveil*] with digital display; **2** Ordinat display; **3** (de connaissances, savoir) display
(Composés) **~ à cristaux liquides** liquid crystal display; **~ sauvage** flyposting GB, illegal *ou* unauthorized posting of bills

affiche /afiʃ/ *nf* (publicitaire, électorale) poster; (de cinéma, film, d'exposition) poster; (administrative, judiciaire) notice; **à l'~** Cin now showing; Théât on; **plusieurs spectacles sont à l'~ du festival** several shows are on at the festival; **tenir le haut de l'~** to have top billing; **tenir l'~ pendant deux ans** [*pièce*] to run for two years; **la pièce/le film quitte l'~ cette semaine** the play/the film ends its run this week; **une belle ~** a fine cast; **mettre à l'~** to put [sth] on
(Composés) **~ lumineuse** neon sign; **~ publicitaire** advertisement, advertising poster; **~ de théâtre** playbill

affiché, ~e /afiʃe/
A *pp* ▸ **afficher**
B *pp adj* **1** [*photo, annonce*] put up; [*résultat, horaire, information*] posted (up); **2** Écon [*hausse, résultat*] published; [*bénéfice*] declared; **3** fig [*optimisme, volonté, dédain, objectif, opinion*] declared; **4** péj [*liaison*] flaunted; **5** Ordinat [*donnée, texte*] displayed

afficher /afiʃe/ [1]
A *vtr* **1** (coller) to put up [*affiche, photo*]; **'défense d'~'** 'no fly-posting', 'stick no bills'; **2** (faire connaître par voie d'affiche) to display [*prix*]; to post (up) [*décret, résultat*]; **3** Comm, Fin [*entreprise*] to show [*déficit, résultat*]; [*Bourse, marché*] to show [*hausse, baisse, excédent*]; **4** Cin, Théât [*cinéma*] to show [*film*]; [*théâtre*] to have [sth] on [*pièce, spectacle*]; **~ complet** Cin, Théât to be sold out; [*hôtel, voyage*] to be completely full, to be fully booked GB, to be booked up GB; [*parking*] to be full; **5** fig (montrer) to show [*admiration, confiance, détermination*]; to declare [*ambitions*]; to display [*mépris, autorité, opinions*]; to flaunt [*liaison, vie privée*]; **~ le sourire** lit to have a big smile; (feindre) to put on a big smile; **~ sa bonne santé/forme** to show how healthy/fit one is, to flaunt one's health/fitness péj; **6** Ordinat to display [*donnée, résultat*]
B **s'afficher** *vpr* **1** Tech [*résultat, texte, horaire*] to be displayed (**sur** on); **2** (avec ostentation) [*personne*] to flaunt oneself; **s'~ comme catholique** to declare oneself to be a Catholic; **un catholique qui s'affiche comme tel** an out-and-out Catholic; **3** [*sourire, joie*] to appear (**sur** on)

affichette /afiʃɛt/ *nf* (pour information) notice; (électorale) small poster

afficheur /afiʃœʀ/ *nm* **1** (entreprise) poster display firm; **2** (personne) manager of a poster display firm; **3** (écran) display

affichiste /afiʃist/ ▸ **p. 532** *nmf* poster artist; **~ de cinéma** designer of cinema posters; **~ publicitaire** designer of advertising posters

affidé, ~e /afide/ *nm,f* littér, péj accomplice, conspirator

affilage /afilaʒ/ *nm* sharpening

affilé, ~e /afile/
A *pp* ▸ **affiler**
B *pp adj* **1** [*couteau, lame, outil*] sharpened; **2** fig [*intelligence*] keen; ▸ **langue**
C **d'affilée** *loc adv* in a row; **pendant deux semaines d'~e** for two weeks in a row; **parler trois heures d'~e** [*amis*] to talk non-stop for three hours; [*politiciens, directeur*] to talk for three hours without a break; **boire trois verres d'~e** to have three drinks one after the other

affiler /afile/ [1] *vtr* to sharpen

affiliation /afiljasjɔ̃/ *nf* affiliation (**à** to)

affilié, ~e /afilje/ *nm,f* affiliated member (**à** of), affiliate; **les ~s à** the affiliated members of

affilier /afilje/ [2]
A *vtr* to affiliate (**à** to)
B **s'affilier** *vpr* to become affiliated (**à** to)

affiloir /afilwaʀ/ *nm* **1** (instrument) gén sharpener; (à couteaux) steel; **2** (pierre) sharpening stone, whetstone

affinage /afinaʒ/ *nm* Tech (de métal) refining; (de verre) fining; (de fromage) maturing

affine /afin/ *adj* Math affine

affinement /afinmɑ̃/ *nm* refinement

affiner /afine/ [1]
A *vtr* **1** lit to refine [*métal*]; to fine [*verre*]; to mature [*fromage*]; **2** fig to refine [*stratégie, politique, idée, style, jugement*]; to sharpen [*ouïe*]; to slim down [*taille, silhouette*]
B **s'affiner** *vpr* [*jugement*] to become keener; [*politique, idée, style, goût*] to become (more) refined; [*personne, taille, silhouette*] to slim down; [*ligne, dessin*] to become (more) refined

affineur, -euse /afinœʀ, øz/ ▸ **p. 532** *nm,f* (de métal) refiner; (de verre) finisher; (de fromage) *person in charge of the maturing process*

affinité /afinite/ *nf* affinity

affirmatif, -ive /afiʀmatif, iv/
A *adj* [*proposition, mot, réponse, signe*] affirmative; [*personne, ton*] assertive; **faire un signe de tête ~** to nod agreement
B *nm* Ling affirmative; **à l'~** in the affirmative
C *adv* affirmative
D **affirmative** *nf* affirmative; **répondre par l'affirmative** to reply in the affirmative; **dans l'affirmative** if so, if the answer is yes

affirmation /afiʀmasjɔ̃/ *nf* **1** (assertion) assertion; **2** (manifestation) (de sentiment, religion) affirmation; (de personnalité) assertion; **l'~ de soi** assertiveness; **3** Ling assertion

affirmative ▸ **affirmatif A, D**

affirmativement /afiʀmativmɑ̃/ *adv* affirmatively

affirmer /afiʀme/ [1]
A *vtr* **1** (soutenir) to maintain [*fait, vérité, contraire*]; **'je n'ai pas l'intention de démissionner', affirma-t-il** 'I have no intention of resigning,' he declared; **~ faire/avoir fait** to claim to do/to have done; **~ que** to maintain *ou* claim (that); **pouvez-vous l'~?** can you be sure about it?; **la police ne peut encore rien ~** the police are not yet able to make any positive statement; **je vous l'affirme** I can assure you (of it); **2** (prouver) to assert [*talent, personnalité, autorité, originalité, indépendance*]; **3** (proclamer) to declare, to affirm [*volonté, désir*] (**à** to)
B **s'affirmer** *vpr* [*progrès, tendance*] to become apparent; [*majorité*] to be established; [*personnalité, style*] to assert itself; **s'~ comme** [*personne*] to establish oneself as; **s'~ comme une force nouvelle** to establish itself as a new force; **le festival s'affirme comme un événement majeur** the festival is becoming established as a major event

affixe /afiks/ *nm* Ling affix

affleurement /aflœʀmɑ̃/ *nm* **1** lit (de roche, minerai) outcrop; (de récif) emergence; **2** fig (d'inconscient, de thème) appearance, surfacing; **3** Tech flushing

affleurer /aflœʀe/ [1]
A *vtr* **1** Tech to make [sth] flush [*planches, battants*]; **2** (arriver au même niveau) **la rivière affleure les quais** the river is almost level with the banks
B *vi* **1** lit [*roche, glace, récif*] to show on the surface; **~ au niveau du sol** [*eau, pétrole*] to come up to ground level; [*roche, minerai*] to come

through the soil, to outcrop spéc; 2 fig [*thème, sentiment*] to surface, to crop up

affliction /afliksjɔ̃/ *nf* fml affliction; **jeter** *or* **plonger qn dans l'~** to afflict sb deeply; **être dans l'~** to be in a state of distress

afflictive /afliktiv/ *adj f* **peine ~** *sentence that strips a person of their civil rights*

affligé, **~e** /afliʒe/ *nm,f* **les ~s** the afflicted

affligeant, **~e** /afliʒɑ̃, ɑ̃t/ *adj* 1 (attristant) distressing; 2 (consternant) pathetic, depressing

affliger /afliʒe/ [13]
A *vtr* 1 (frapper) [*destin, malheur, handicap*] to afflict, to strike; **~ qn de qch** to afflict sb with sth; **être affligé de qch** to be afflicted with sth; 2 (peiner) to distress
B **s'affliger** *vpr* to be distressed (**de qch** about sth)

affluence /aflyɑ̃s/ *nf* (de personnes) crowd(s); (d'objets) abundance; **l'~ des grands magasins** the crowds in the department stores; **les heures d'~ dans les magasins** peak shopping periods

affluent /aflyɑ̃/ *nm* Géog tributary

affluer /aflye/ [1] *vi* [*foule, clients, passagers*] to flock (**à**, **vers** to); [*eau, air, sang*] to rush (**à**, **vers** to); [*argent, capitaux*] to flow (**à**, **vers** to); [*plaintes, lettres de protestation*] to pour in

afflux /afly/ *nm inv* (de sang) rush; (de personnes) flood; (d'argent, de capitaux, produits) influx; Électron flow

affolant, **~e** /afɔlɑ̃, ɑ̃t/ *adj* (effrayant) [*nouvelle, prix, situation*] frightening, disturbing; **il fume trois paquets par jour, c'est ~!** he smokes three packets a day, it's awful!

affolé, **~e** /afɔle/
A *pp* ▸ **affoler**
B *pp adj* panic-stricken

affolement /afɔlmɑ̃/ *nm* panic; **être en proie à l'~** to be in a state of panic; **dans l'~** in the panic; **pas d'~!** don't panic!

affoler /afɔle/ [1]
A *vtr* to terrify, to throw [sb] into a panic [*personne*]
B **s'affoler** *vpr* 1 [*personne, animal*] to panic; [*aiguille de boussole*] to spin; **ne t'affole pas** don't get into a panic; 2 °(se dépêcher) to get a move on°; (réagir) [*élève*] to stir oneself

affouiller /afuje/ [1] *vtr* Tech to undermine

affranchi, **~e** /afʀɑ̃ʃi/ *nm,f* emancipated slave

affranchir /afʀɑ̃ʃiʀ/ [3]
A *vtr* 1 Postes (en collant des timbres) to stamp, to put a stamp *ou* stamps on; (avec une machine) to frank; **une lettre non affranchie** an unstamped letter; **tu n'as pas suffisamment affranchi le paquet** you haven't put enough stamps on the parcel; **une lettre insuffisamment affranchie** a letter without enough stamps on it; 2 (libérer) lit, fig to free, to liberate [*serf, population, pays*] (**de** from); 3 ◑(informer) to give [sb] the lowdown°; 4 Jeux (aux cartes) to clear
B **s'affranchir** *vpr* to free oneself (**de** from)

affranchissement /afʀɑ̃ʃismɑ̃/ *nm* 1 Postes (action) (en collant des timbres) stamping; (avec une machine) franking; (coût) postage; **l'~ va augmenter** postage is going up; 2 (libération) (de peuple, pays) liberation; (de serf, d'esclave) freeing; (de groupe, minorité) emancipation

affres /afʀ/ *nfpl* littér agony; (de douleur) agony; (de faim) pangs; (de jalousie) throes; **les ~ de la mort** death throes

affrètement /afʀɛtmɑ̃/ *nm* (d'avion, de bateau, camion) chartering

affréter /afʀete/ [14] *vtr* Transp to charter [*avion, bateau, camion*]

affréteur /afʀetœʀ/ *nm* Comm, Naut charter company

affreusement /afʀøzmɑ̃/ *adv* 1 [*se conduire, parler*] abominably; [*laid, blessé, défiguré, torturé*] horribly; [*malade*] terribly, dreadfully; 2 °(extrêmement) terribly; **parler ~ mal** to speak appallingly badly

affreux, **-euse** /afʀø, øz/ *adj* 1 (laid) [*personne, visage, vêtement, couleur, style*] ugly, hideous; [*blessure, plaie, monstre*] hideous; 2 (abject) [*crime, attentat, tyrannie, personne*] despicable, dreadful; 3 (désagréable) [*temps, route, voyage, vacances*] awful; [*malentendu*] dreadful, terrible; **c'est ~ ce qu'il est ennuyeux** he really is terribly boring; **c'est ~ le monde qu'il y a** it really is terribly busy; **c'est ~!** it's awful *ou* dreadful!; 4 (extrême) [*besoin, envie, soif*] terrible; (cruel) [*torture, douleur, accident, blessure*] dreadful, terrible

affriander /afʀiɑ̃de/ [1] *vtr* to entice, to attract

affriolant, **~e** /afʀiɔlɑ̃, ɑ̃t/ *adj* [*femme*] alluring; [*vêtement*] titillating; [*idée*] tempting

affrioler /afʀiɔle/ [1] *vtr* to entice

affriqué, **~e** /afʀike/
A *adj* affricative; **consonne ~e** affricate
B **affriquée** *nf* affricate

affront /afʀɔ̃/ *nm* affront (**à** to); **rougir sous l'~** to blush at the affront; **faire à qn l'~ de faire** to affront *ou* insult sb by doing; **il m'a fait l'~ de refuser mon invitation** he insulted me by refusing my invitation

affrontement /afʀɔ̃tmɑ̃/ *nm* confrontation, clash; **au cours d'~s armés** in armed clashes; **tué dans des ~s avec l'armée** killed in clashes with the army; **des ~s ont eu lieu entre la police et les manifestants** there were clashes between police and demonstrators

affronter /afʀɔ̃te/ [1]
A *vtr* to face, to confront [*adversaire, mort, situation, troupe*]; to brave [*montagne, tempête, froid*]
B **s'affronter** *vpr* [*adversaires, armées, équipes*] to confront one another; [*idées, points de vue*] to clash; [*politiciens, théoriciens*] to confront one another

affublement /afybləmɑ̃/ *nm* attire†

affubler /afyble/ [1]
A *vtr* péj **~ qn de** to deck sb out in, to dress sb up in [*vêtement, ornement*]; to saddle sb with [*prénom, surnom*]; **elle était affublée d'un chapeau de cow-boy** she was wearing a stupid cowboy hat; **il est affublé d'un prénom ridicule** he's saddled with a ridiculous name
B **s'affubler** *vpr* **s'~ de** to deck oneself out in, to dress oneself up in [*vêtement*]; to deck oneself out in [*ornement*]; to take on, to assume [*nom, surnom*]

affût* /afy/ *nm* 1 Mil **~ (de canon)** (gun) carriage; 2 Chasse hide GB, blind US; **chasser à l'~** to hunt game from a hide GB *ou* blind US; **se tenir** *or* **être à l'~** lit to lie in wait; fig to be on the lookout (**de** for)

affûtage* /afytaʒ/ *nm* gén sharpening; (avec une meule) grinding, sharpening

affûter* /afyte/ [1] *vtr* gén to sharpen; (avec une meule) to grind, to sharpen

affûteur* /afytœʀ/ *nm* 1 ▸ **p. 532** (personne) grinder; 2 (outil) sharpener, grinder

afghan, **~e** /afgɑ̃, an/ ▸ **p. 561, p. 483**
A *adj* Afghan
B *nm* Ling Afghan

Afghan, **~e** /afgɑ̃, an/ ▸ **p. 561** *nm,f* Afghan

Afghanistan /afganistɑ̃/ ▸ **p. 333** *nprm* Afghanistan

afin /afɛ̃/
A **afin de** *loc prép* **~ de faire** in order to do, so as to do; **~ de ne pas faire** so as not to do
B **afin que** *loc conj* so that; **faire cuire cinq minutes ~ que la sauce épaississe** cook for five minutes so that the sauce thickens; **prendre des mesures ~ que les jeunes trouvent du travail** to take measures so that young people might find work; **je lui écris régulièrement ~ qu'il ne se sente pas abandonné** I write to him regularly so that he won't feel neglected

AFME /aɛfɛmə/ *nf: abbr* ▸ **agence**

AFNOR /afnɔʀ/ *nf* (*abbr* = **Association française de normalisation**) AFNOR (*French standards authority*)

afocal, **~e**, *mpl* **-aux** /afɔkal, o/ *adj* Phys afocal

a fortiori /afɔʀsjɔʀi/ *loc adv* all the more so, a fortiori sout

AFP /aɛfpe/ *nf* (*abbr* = **Agence France-Presse**) AFP (*French news agency*) ▸ **presse**

AFPA /afpa/ *nf* (*abbr* = **Association pour la formation professionnelle des adultes**) *adult education and training organization*

africain, **~e** /afʀikɛ̃, ɛn/ *adj* African

Africain, **~e** /afʀikɛ̃, ɛn/ *nm,f* African

africanisation /afʀikanizasjɔ̃/ *nf* Africanization

africaniser /afʀikanize/ [1] *vtr* to Africanize

africanisme /afʀikanism/ *nm* African-French expression

africaniste /afʀikanist/ *nmf* Africanist

afrikaans /afʀikɑ̃s/ ▸ **p. 483** *nm* Ling Afrikaans

afrikaner /afʀikanɛʀ/ *adj* Afrikaans

Afrikaner /afʀikanɛʀ/ *nmf* Afrikaner

Afrique /afʀik/ ▸ **p. 333** *nprf* Africa; **l'~ australe/du Nord/de l'Ouest/de l'Est** Southern/North/West/East Africa; **l'~ noire** Black Africa; **République d'~ du Sud** Republic of South Africa

Afrique-Équatoriale /afʀikekwatɔʀjal/ *nprf* Hist **~ française** French Equatorial Africa

Afrique-Occidentale /afʀikɔksidɑ̃tal/ *nprf* Hist **~ française** French West Africa

afro /afʀo/
A *adj inv* **coiffure ~** Afro haircut
B °*nmf* African

afro- /afʀo/ *préf* **~-brésilien/-cubain** Afro-Brazilian/-Cuban; **~-jazz** African Jazz; **afrophobie** afrophobia; **afrocentrisme** afrocentrism

afro-américain, **~e**, *mpl* **~s** /afʀoameʀikɛ̃, ɛn/ *adj* Afro-American, African American

Afro-américain, **~e**, *mpl* **~s** /afʀoameʀikɛ̃, ɛn/ *nm,f* Afro-American, African American

afro-asiatique /afʀoazjatik/ *adj* Afro-Asian

Afro-asiatique /afʀoazjatik/ *nmf* Afro-Asian

afrocentrisme /afʀosɑ̃tʀism/ *nm* Afrocentrism

AG /aʒe/ *nf: abbr* ▸ **assemblée**

agaçant, **~e** /agasɑ̃, ɑ̃t/ *adj* annoying, irritating

agacement /agasmɑ̃/ *nm* 1 (ennui) irritation, annoyance; 2 (douleur) irritation

agacer /agase/ [12] *vtr* 1 (excéder) to annoy, to irritate; **tu commences à m'~** you're starting to annoy me *ou* get on my nerves; **tu commences à m'~ avec tes cris/pleurs** your shouting/crying is starting to annoy me; **que ça m'agace!** this is really annoying!; **ça m'agace qu'il ne comprenne pas** it annoys me that he doesn't understand; **tu m'agaces à ne jamais écouter ce que je te dis** it annoys me that you never listen to what I say; **tu m'agaces à te ronger les ongles** it annoys me when you bite your nails; 2 (lanciner) to set [sth] on edge [*dent*]; to grate on [*nerf*]

(Idiome) **~ les nerfs de qn** to set sb's nerves on edge

Agamemnon /agamɛmnɔ̃/ *npr* Agamemnon

agapes /agap/ *nfpl* feast (*sg*), banquet (*sg*)

agar-agar /agaʀagaʀ/ *nm* agar-agar

agate /agat/ *nf* 1 Minér agate; **une coupe d'~** an agate cup; **des yeux d'~** (couleur) agate-coloured[GB] eyes; 2 (bille) marble

a

ⓘ L'âge

Quel âge avez-vous?

■ *L'anglais n'emploie pas le verbe* to have (avoir) *pour exprimer l'âge, mais le verbe* to be (être).

quel âge a-t-il?
= how old is he?
ou what age is he?

■ *Les deux mots* years old *peuvent être omis pour les personnes, mais pas pour les choses.*

elle a trente ans
= she is thirty years old
ou she is thirty

il a quatre-vingts ans
= he is eighty
ou he is eighty years old

la maison a cent ans
= the house is a hundred years old

atteindre soixante ans
= to reach sixty

Nick est plus âgé qu'Isabelle
= Nick is older than Isabelle

Isabelle est plus jeune que Nick
= Isabelle is younger than Nick

Nick a deux ans de plus qu'Isabelle
= Nick is two years older than Isabelle

Isabelle a deux ans de moins que Nick
= Isabelle is two years younger than Nick

Louis a le même âge que Mary
= Mary is the same age as Louis

Louis et Mary ont le même âge
= Louis and Mary are the same age

on te donnerait seize ans
= you look sixteen

j'ai l'impression d'avoir seize ans
= I feel sixteen

on lui donnerait dix ans de moins
= he looks ten years younger

Âgé de

il est âgé de quarante ans
= he is forty years of age

un homme de soixante ans
= a man of sixty

un enfant de huit ans et demi
= a child of eight and a half

une femme âgée de quarante ans
= a woman aged forty

M. Stein, âgé de quarante ans
= Mr Stein, aged forty

à l'âge de cinquante ans
= at fifty
ou at the age of fifty (*GB*), at age fifty (*US*)

il est mort à vingt-sept ans
= he died at twenty-seven
ou at the age of twenty-seven

un homme âgé de soixante ans
= a sixty-year-old man

■ *Noter l'utilisation du trait d'union. Noter aussi que* year, *qui fait partie de l'adjectif, ne prend pas la marque du pluriel.*

■ *Lorsque l'on parle d'êtres humains ou d'animaux, le mot qui suit* old *peut être sous-entendu. Ainsi,* a three-year-old *peut être un enfant ou un animal (souvent un cheval).*

un enfant de cinq ans et demi
= a five-and-a-half-year-old

une course pour les trois ans
= a race for three-year-olds

Mais:
un vin de soixante ans d'âge
= a sixty-year-old wine

L'âge approximatif

■ *L'anglais emploie indifféremment* about *et* around *dans ce cas.*

elle a dans les trente ans
= she's about thirty
ou around thirty

elle a une cinquantaine d'années
= she's about fifty
ou around fifty

il n'a pas encore dix-huit ans
= he's not yet eighteen

il vient d'avoir quarante ans
= he's just over forty
ou (*plus familier*) he's just turned forty

il aura bientôt cinquante ans
= he's just under fifty

elle a entre trente et quarante ans
= she's in her thirties

elle a dans les quarante-cinq ans
= she's in her mid-forties

elle va sur ses soixante-dix ans
= she's in her late sixties
ou she's nearly seventy

elle va avoir vingt ans
= she's in her late teens
ou she's almost twenty

il a tout juste dix ans
= he's just ten

il a à peine douze ans
= he's barely twelve

Les personnes âgées de X ans

les plus de quatre-vingts ans
= the over eighties

les moins de dix-huit ans
= the under eighteens

■ *Les mots anglais en* -arian *sont des noms:*

ce sont des septuagénaires
= they're septuagenarians

elle est octogénaire
= she's an octogenarian

agave /agav/ *nm* agave

âge /ɑʒ/ *nm* **1** (nombre d'années) age; **quel ~ a-t-il?** how old is he?; **ils sont du même ~** they are the same age; **il est mort à l'~ de 25 ans** he died at the age of 25; **depuis l'~ de 12 ans** from the age of 12; **faire** *or* **paraître son ~** to look one's age; **paraître plus/moins que son ~** to look older/younger than one's years; **bien porter son ~** to be good for one's age; **être sans ~, ne pas avoir d'~** to be ageless; **un homme d'un certain ~** a middle-aged man; **une personne d'un ~ avancé** *or* **d'un grand ~** an elderly person; **~ avancé, grand ~** great age; **avoir l'~** *or* **être en ~ de faire** to be old enough to do, to be of an age to do; **il est mort à 95 ans, c'est un bel ~** he died at 95, a fine old age; **30 ans, c'est le bel ~** 30 is a good age; **en ~ de se marier** of marriageable age; ▸ **artère**; **2** (vieillesse) (old) age; **le respect dû à l'~** the respect due to age; **s'assagir avec l'~** to calm down as one gets older; **être vieux avant l'~** to be old before one's time; **prendre de l'~** to grow old; **le doyen d'~** the most senior person; **3** (période de la vie) age; **à tout ~, à tous les ~s** at any age; **être entre deux ~s** to be middle-aged; **être à un ~ critique** to be at a critical age; **être à l'~ critique** (ménopause) to be at the change of life; **avoir passé l'~ de faire** to be past the age when one does, to be past the age for doing; **être encore/ne plus être en ~ de faire** to be still young enough/to be too old to do, to be still/no longer of an age to do; **ce n'est plus de mon ~ de faire** I'm too old to do; **qch n'est plus de mon ~** I'm too old for sth; **va t'amuser, c'est de ton ~!** go and have fun, you're young!; **4** (époque) Géol age; Hist age, era; **à travers les ~s** through the ages; **tradition qui nous vient du fond des ~s** tradition which has come down to us through the ages; **idées d'un autre ~** ideas from another age

(Composés) **l'~ adulte** adulthood; **l'~ bête** the awkward *ou* difficult age; **l'~ du bronze** the Bronze age; **l'~ critique** the change of life; **l'~ du fer** the Iron age; **l'~ d'homme** manhood; **l'~ ingrat** the awkward *ou* difficult age; **~ légal** legal age; **~ mental** mental age; **l'~ mûr** maturity; **d'~ mûr** mature; **l'~ d'or** the golden age; **l'~ de la pierre** the Stone age; **l'~ de la pierre polie** the neolithic age; **l'~ de la pierre taillée** the palaeolithic age; **l'~ de raison** the age of reason; **l'~ de la retraite** retirement age; **l'~ scolaire** school age; **l'~ tendre** youth; **l'~ viril** manhood

âgé, ~e /ɑʒe/ *adj* [*femme, homme*] old, elderly; **les personnes ~es** old *ou* elderly people; **~ de 12 ans** 12 years old; **les personnes ~es de 15 à 35 ans** people aged between 15 and 35

agence /aʒɑ̃s/ *nf* **1** Comm agency; **2** Admin agency, bureau; **3** (de banque) branch

(Composés) **~ bancaire** branch of a bank; **~ commerciale** local branch; **~ consulaire** consular agency; **~ immobilière** estate agents (*pl*) GB, real-estate agency US; **~ d'intérim** temporary employment agency; **~ matrimoniale** marriage bureau; **~ de placement** employment agency; **~ postale** sub post office GB, branch post office US; **~ de presse** news agency; **~ publicitaire** *or* **de publicité** advertising agency; **~ de renseignements commerciaux** trade bureau; **~ spatiale européenne, ASE** European Space Agency, ESA; **~ de voyage** travel agency, travel agents (*pl*) GB; **Agence française pour la maîtrise de l'énergie, AFME** *energy conservation agency*; **Agence nationale pour l'emploi, ANPE** *national employment agency*, ≈ Job Centre GB

agencement /aʒɑ̃smɑ̃/ *nm* (d'appartement, de magasin) layout; (de mots, phrases) arrangement; (de couleurs, motifs, d'éléments) setting out; **l'~ des pièces n'est pas fonctionnel** the layout of the rooms is not practical

agencer /aʒɑ̃se/ [12]
A *vtr* **1** (disposer) to lay out [*cuisine, salle de bains*]; to put together [*éléments, motifs, couleurs*]; **un magasin bien agencé** a well-laid-out shop GB *ou* store US; **2** (structurer) to construct [*intrigue, scénario*]
B s'agencer *vpr* **les parties du tableau s'agencent harmonieusement** the various elements of the picture are harmoniously set out; **les bureaux du nouveau bâtiment s'agencent mal** the offices in the new building are not very well laid out

agenda /aʒɛ̃da/ *nm* **1** (carnet prédaté) diary; **2** Pol (programme) agenda

(Composés) **~ de bureau** desk diary; **~ électronique** electronic personal organizer; **~ de poche** pocket diary

agenouiller: **s'agenouiller** /aʒnuje/ [1] *vpr* **1** (se mettre à genoux) to kneel (down); **être agenouillé** to be kneeling; **2** fig (se soumettre) **s'~ devant** to bow to [*décision, pouvoir*]; to kowtow to [*personne*]

agenouilloir /aʒnujwaʀ/ *nm* hassock

agent ➜ /aʒɑ̃/ ▸ **p. 532** *nm* **1** (de l'État) Admin officer, official; Pol agent; **~ du gouvernement** government official; **~ secret/double** secret/double agent; **2** Comm agent; **~ exclusif** sole agent; **~ agréé** authorized dealer; **3** (employé) Admin, Entr employee; **~ qualifié/non qualifié** skilled/unskilled employee; **~s contractuels/temporaires** contract/temporary staff; **~s de santé** health workers; **4** Chimie, Ling, Sci agent

(Composés) **~ accompagnateur** *person who helps the elderly and the disabled on public transport*; **~ d'ambiance** customer assistant; **~ artistique** Théât theatrical agent; **~ d'assurances** insurance broker; (vendeur) insurance salesman; **~ de bureau** office worker, clerk; **~ de change** stockbroker; **~ de la circulation** traffic policeman; **~ de classement** filing clerk; **~ commercial** sales representative; **~ comptable** Admin accountant; **~ consulaire** consular agent; **~ de dissuasion** deterrent; **~ en douane** customs officer; **~ économique** economic agent; **~ hospitalier** nursing auxiliary GB, nurse's aide US; **~ immobilier** estate agent GB, real-estate agent US; **~ intelligent** Ordinat intelligent agent; **~ de liaison** liaison officer; **~ de maîtrise** supervisor; **~ maritime** shipping agent; **~ de police** policeman; **~ provocateur** agent provocateur; **~ de publicité** advertising agent; **~ de recouvrement** (de dette) debt collector; (d'impôt) tax collector; **~ de renseignements** intelligence agent; **~ technique** technician; **~ de transmission** messenger, dispatch rider; **~ de vie quotidienne** handyman/handywoman; **~ de voyage** travel agent

aggiornamento /aʒjɔʀnamɛnto/ *nm* **1** Relig aggiornamento; **2** fig modernization, aggiornamento

agglomérat /aglɔmeʀa/ *nm* **1** Géol, Minér agglomerate; **2** Phon (de consonnes) cluster; **3** (de personnes, d'objets) jumble

agglomération /aglɔmeʀasjɔ̃/ *nf* **1** (ville) town; (village) village; **l'~ lyonnaise** Lyons and its suburbs; **vitesse maximum en ~** Aut maximum speed in built-up areas; **2** Tech agglomeration (**de** of)

aggloméré /aglɔmeʀe/ *nm* chipboard; **une table en ~** a chipboard table

agglomérer /aglɔmeʀe/ [14]
A *vtr* Tech to agglomerate
B **s'agglomérer** *vpr* [*personnes*] to gather together; [*habitations*] to be grouped together

agglutinant, **~e** /aglytinɑ̃, ɑ̃t/ *adj* **1** [*langue*] agglutinative; **2** [*sérum*] agglutinant, agglutinative

agglutination /aglytinasjɔ̃/ *nf* agglutination

agglutiner /aglytine/ [1]
A *vtr* to agglutinate
B **s'agglutiner** *vpr* **1** (se masser) [*badauds*] to crowd together (**à** at); [*mouches*] to cluster together; **s'~ autour de** [*curieux*] to crowd around; [*maisons*] to be clustered around; **2** Méd [*plaie*] to close; [*microbes*] to agglutinate

aggravant, **~e** /agʀavɑ̃, ɑ̃t/ *adj* Jur [*témoignage, circonstance*] aggravating

aggravation /agʀavasjɔ̃/ *nf* (de situation, conflit, crise) worsening; (de maladie) aggravation, worsening; (de chômage, dette, déficit) increase (**de** in)

(Composé) **~ de peine** Jur increase in sentence

aggravé, **~e** /agʀave/
A *pp* ▸ **aggraver**
B *pp adj* Jur [*vol, proxénétisme*] aggravated

aggraver /agʀave/ [1]
A *vtr* **1** (rendre pire) to aggravate, to make [sth] worse [*situation, souffrance*]; to aggravate [*crise, faute*]; to make [sth] worse [*santé, conditions*]; **~ son cas** to make things worse; **2** (accroître) to increase [*risque, chômage, inflation, déficit*]; **3** Jur to increase [*peine*]; **~ une peine de cinq années supplémentaires** to increase a sentence by five additional years
B **s'aggraver** *vpr* **1** (devenir pire) [*situation, crise, conditions*] to get worse, to deteriorate; [*état de santé*] to deteriorate; **la situation va en s'aggravant** the situation is getting worse *ou* is deteriorating; **2** (augmenter) [*chômage, inflation, dette*] to increase

agile /aʒil/ *adj* [*personne, animal*] agile; [*doigts, pas, esprit*] nimble

agilement /aʒilmɑ̃/ *adv* nimbly, with agility

agilité /aʒilite/ *nf* agility; **~ d'esprit** mental agility; **avec ~** [*grimper, se faufiler*] with agility; **ses doigts courent avec ~ sur le clavier** his/her fingers run nimbly over the keyboard

agios /aʒjo/ *nmpl* Fin bank charges

agiotage /aʒjɔtaʒ/ *nm* illegal speculation

agir /aʒiʀ/ [3]
A *vi* **1** (accomplir une action) to act; **décider/refuser d'~** to decide/to refuse to act *ou* to take action; **il a agi sous le coup de la colère** he acted in anger; **assez parlé, maintenant il faut ~!** that's enough talk, now we've got to act *ou* let's have some action!; **~ comme intermédiaire** to act as an intermediary; **il est urgent d'~** urgent action must be taken; **il parle beaucoup mais agit peu** he's all talk and no action; **~ avec prudence** to proceed with caution
2 (se comporter) to behave, to act; **bien/mal ~** to behave well/badly (**envers**, **avec** towards[GB]); **~ comme un enfant/idiot** to behave childishly/stupidly, to act like a child/fool; **je n'aime pas sa manière** *or* **façon d'~** I don't like the way he/she behaves; **~ en honnête homme** to behave honourably[GB]; **~ en lâche/gentleman** to act like a coward/gentleman; **~ comme on l'entend** to do what one likes
3 (avoir un effet) [*substance, médicament*] to take effect, to work; **le somnifère agit immédiatement** the sleeping pill takes effect *ou* works *ou* acts immediately; **le médicament n'a pas agi** the medicine hasn't worked; **~ sur qch/qn** to have an effect on sth/sb; **~ comme un signal d'alarme** to serve as an alarm signal; **~ sur le marché** Fin to influence the market
4 (intervenir) **~ auprès de** to approach; **~ auprès d'un ministre pour obtenir une faveur** to approach a minister in order to obtain a favour[GB]
5 Jur **~ contre qn** to take legal action against sb; **~ au civil** to sue; **~ au criminel** to prosecute
B **s'agir de** *vpr impers* **1** (il est question de) **de quoi s'agit-il?** what is it about? ; (il y a un problème) what's the matter?; **mais il ne s'agit pas de ça!** but that's not the point!; **mais il s'agit de ton bonheur/ta santé!** but we're talking about your happiness/your health here!, but it's your happiness/your health that's at stake (here)!; **dans ce livre, il s'agit d'une famille d'agriculteurs** this book is about a family of farmers; **il s'agit de votre mari** it's about your husband, it's to do with your husband; **on connaît maintenant les gagnants: il s'agit de messieurs X et Y** we now know who the winners are: they're Mr X and Mr Y; **d'après les experts il s'agirait d'un attentat** according to the experts, it would appear to be an act of terrorism; **quand il s'agit de faire le ménage, il n'est jamais là!** when there's cleaning to be done, he's never there *ou* around!; **quand il s'agit d'argent il est toujours là!** where money's concerned *ou* when it comes to money, he's always right in there!; **s'agissant de qch/qn** as regards sth/sb; **il s'agit bien de partir en vacances maintenant que je suis au chômage!** iron now that I'm unemployed it's hardly the (right) time to talk about going on vacation!
2 (il est nécessaire de) **il s'agit de faire vite** we/you etc must act quickly; **il s'agit de se remettre au travail** we/you etc must get back to work; **il s'agit de vous ressaisir!** you must pull yourself together!; **il s'agit de savoir ce que tu veux!** make up your mind!; **il ne s'agit pas de changer d'avis à la dernière minute!** there's no question of a last-minute change of mind!; **il s'agit pour le gouvernement de redonner confiance aux électeurs/relancer l'économie** what the government must do now is regain the confidence of the electorate/boost the economy; **il s'agirait de se mettre d'accord: vous venez mardi ou jeudi?** we'd better get it straight: are you coming on Tuesday or Thursday?; **il ne s'agit pas de rater notre coup, il s'agit de ne pas rater notre coup** we must get it right the first time
C ○**s'agir que** *vpr impers* **il s'agit qu'il obéisse!** he must do as he's told!; **il ne s'agit pas qu'elle soit en retard!** she mustn't be late!

âgisme /aʒism/ *nm* ageism

agissant, **~e** /aʒisɑ̃, ɑ̃t/ *adj* **1** (efficace) effective; **2** (actif) active

agissements /aʒismɑ̃/ *nmpl* pej activities, doings; **de tels ~ sont condamnables** such activities are reprehensible

agitateur, **-trice** /aʒitatœʀ, tʀis/
A *nm,f* Pol agitator
B *nm* (dispositif) agitator; (baguette) stirring rod

agitation /aʒitasjɔ̃/ *nf* **1** (mouvement) (de mer) choppiness; (d'air) turbulence; (de branche) swaying; (de malade) restlessness; (d'impatient) restlessness, fidgetiness; **2** (affairement) (de maison, rue) bustle (**de** in); (de marché, d'échange) activity; **peu d'~ à la Bourse** little activity on the Stock Exchange; **3** (nervosité) agitation; **4** (malaise social) Pol unrest

(Composé) **~ magnétique** Géog, Phys geomagnetic disturbance

agité, **~e** /aʒite/
A *pp* ▸ **agiter**
B *pp adj* **1** (en mouvement) [*mer*] rough; (moins fort) choppy; [*malade, patient*] agitated; [*rue*] bustling; [*vie*] hectic; **2** (troublé) [*esprit, âme, sommeil*] troubled; [*période*] turbulent; [*nuit*] restless
C *nm,f* **1** Méd agitated mental patient; **les ~s** the mentally disturbed; **2** (indiscipliné) troublemaker, disruptive element

agiter /aʒite/ [1]
A *vtr* **1** (remuer) to wave [*main, mouchoir, cigare*]; to shake [*boîte*]; to shake up [*liquide*]; to wag [*queue*]; to flap [*aile*]; **le vent agite les feuilles** the wind is rustling the leaves; **voile agitée par le vent** sail flapping in the wind; **barque agitée par les vagues** boat tossed by the waves; **un tremblement agitait mon corps** my whole body was shaking; **2** (brandir) to raise [*menace, spectre*]; **3** (troubler) to trouble [*esprit, pays, personne*]; **4** (débattre) to debate, to discuss [*problème, question*]
B **s'agiter** *vpr* **1** (remuer) [*personne*] gén to fidget; (au lit) [*malade, insomniaque*] to toss and turn; [*branche*] to sway (in the wind); **2** (s'affairer) to bustle about; **3** (perdre son calme) [*esprit, peuple*] to become agitated *ou* restless; **4** ○(se dépêcher) [*paresseux, retardataire*] to get a move on○

agneau, *pl* **~x** /aɲo/ *nm* **1** Zool, Culin lamb; **2** (cuir) lambskin; **des gants en ~** lambskin gloves; **3** ○hum (enfant) **bonjour, mes ~x!** hello dearies! hum

---

➜ *voir* Vivre dans un pays anglophone

(Composés) ~ **de Dieu** Relig Lamb of God; **l'~ pascal** Relig the paschal lamb
(Idiome) **être doux comme un ~** to be as meek as a lamb

agnelage /aɲəlaʒ/ *nm* lambing

agneler /aɲəle/ [19] *vi* to lamb

agnelet /aɲəlɛ/ *nm* baby lamb

agneline /aɲəlin/ *nf* virgin lamb's wool

agnelle /aɲɛl/ *nf* ewe lamb

agnosticisme /agnɔstisism/ *nm* agnosticism

agnostique /agnɔstik/ *adj, nmf* agnostic

agonie /agɔni/ *nf* [1] (d'être vivant) death throes (*pl*) littér (**de** of); **il est à l'~** he's at death's door, he's dying; **son ~ a été longue/terrible** he/she died a slow/terrible death; [2] (d'un parti, régime) slow death (**de** of); **le régime politique est à l'~** the political regime is dying *ou* in its death throes

agonir /agɔniʀ/ [3] *vtr* **~ qn d'injures** to hurl insults at sb; **se faire ~ d'injures** to have insults hurled at one; **en rentrant, il s'est fait ~** when he got home he was told off soundly

agonisant, **~e** /agɔnizɑ̃, ɑ̃t/
[A] *adj* dying
[B] *nm,f* dying person

agoniser /agɔnize/ [1] *vi* lit, fig to be dying

agora /agɔʀa/ *nf* agora

agoraphobe /agɔʀafɔb/ *adj, nmf* agoraphobic

agoraphobie /agɔʀafɔbi/ *nf* agoraphobia

agrafage /agʀafaʒ/ *nm* [1] (de vêtement) fastening; [2] (de papiers) stapling; [3] Méd fastening skin clips (*pl*)

agrafe /agʀaf/ *nf* [1] (pour vêtements) hook; [2] (pour papiers) staple; [3] Méd skin clip; **on m'a mis trois ~s au front** they've put three (skin) clips in my forehead

agrafer /agʀafe/ [1]
[A] *vtr* [1] (fermer) to fasten [*vêtement*]; [2] (attacher) to staple (together) [*papiers, tissu*]; [3] ◐(attraper) to nab○, to catch
[B] **s'agrafer** *vpr* [*vêtement*] to fasten

agrafeuse /agʀaføz/ *nf* stapler

agraire /agʀɛʀ/ *adj* [*société*] agrarian; [*mesure, réforme*] land (*épith*)

agrammatical, **~e**, *mpl* **-aux** /agʀamatikal, o/ *adj* Ling ungrammatical

agrandir /agʀɑ̃diʀ/ [3]
[A] *vtr* [1] (en dimensions) to enlarge [*ville, photo*]; to extend [*pièce, maison, magasin*]; to widen [*tunnel, marge, écart*]; to make [sth] bigger, to enlarge [*trou*]; **il me regardait, les yeux agrandis par la peur** he was looking at me, his eyes wide with fear; **faire ~ une maison** to have an extension built; **faire ~ une photo** to have a photo enlarged; **la peinture blanche agrandit la pièce** white paint makes the room look bigger *ou* larger; [2] (en importance) to extend [*famille*]; to expand [*entreprise, parti*]
[B] **s'agrandir** *vpr* [1] (devenir plus grand) [*trou*] to get bigger; [*ville, famille, entreprise*] to expand, to grow; [*marge, écart, yeux*] to widen; [2] ○(dans un logement) to have more room to live in, to have more space; **déménager pour s'~** to move in order to have more space

agrandissement /agʀɑ̃dismɑ̃/ *nm* [1] Phot enlargement; [2] (de maison, pièce) extension; (d'ouverture) enlargement; (d'entreprise) expansion; **faire des travaux d'~** (dans une maison) to build an extension; (dans un magasin) to extend the floor space

agrandisseur /agʀɑ̃disœʀ/ *nm* enlarger

agraphie /agʀafi/ ▸ p. 283 *nf* agraphia

agrarien, **-ienne** /agʀaʀjɛ̃, ɛn/ *adj, nm,f* Hist, Pol agrarian

agréable /agʀeabl/
[A] *adj* nice, pleasant; **avoir un physique ~** to be good-looking; **~ à l'œil/au toucher/à l'oreille** pleasing to the eye/to the touch/to the ear; **~ à vivre** [*personne*] pleasant *ou* nice to be with; [*ville*] pleasant to live in; **être ~ à qn** [*personne*] to be nice to sb
[B] *nm* **l'~ de qch** the agreeable aspect of sth; ▸ **utile**

agréablement /agʀeabləmɑ̃/ *adv* pleasantly, agreeably

agréé, **~e** /agʀee/
[A] *pp* ▸ **agréer**
[B] *pp adj* [*agence, concessionnaire*] authorized (**par** by); [*médecin, ambulancier, nourrice*] registered (**par** with); [*matériel, association, établissement*] approved (**par** by)

agréer /agʀee/ [11] *vtr* [1] (accepter) to agree to [*demande*]; **faire ~ qch par qn** to have sth agreed by sb; **veuillez ~, Messieurs, mes salutations distinguées** (personne non nommée) yours faithfully; (personne nommée) yours sincerely; [2] (reconnaître officiellement) to recognize [sb] officially [*diplomate*]; to authorize [*concessionnaire*]; to register [*taxi, nourrice, médecin*]; to approve [*matériel, association, établissement*]

agrégat /agʀega/ *nm* [1] Biol, Constr, Écon aggregate; [2] fig jumble (**de** of)
(Composé) **~s monétaires** Écon monetary aggregates

agrégatif, **-ive** /agʀegatif, iv/ *nm,f*: *candidate for the agrégation*

agrégation /agʀegasjɔ̃/ *nf* [1] Univ *examination for recruitment of teachers*; [2] (de particules) agregation

> **Agrégation**
>
> This qualification, awarded by competitive examination or *concours*, entitles the holder to teach at the highest level in secondary and tertiary education. In most subjects, the number of candidates exceeds the number of places available. The successful *agregé/-ée* is then committed to five years of service in either a state school or a university.

agrégé, **~e** /agʀeʒe/ *nm,f*: *holder of the agrégation*

agréger: **s'agréger** /agʀeʒe/ [15] *vpr* [1] (se coller) [*particules*] to aggregate; [2] (se joindre) **s'~ à** [*personne, groupe*] to join

agrément /agʀemɑ̃/ *nm* [1] (validation officielle) approval; **retirer son ~ à une école de langues** to withdraw a language school's accreditation; [2] (accord) agreement; **recevoir l'~ de qn** to obtain sb's agreement; [3] (charme) (d'activité, expérience) pleasure; (de personne, lieu, chose) charm; **un des ~s de la vie à l'étranger** one of the pleasures of living abroad; **c'en est le principal ~** that's its main charm; **trouver de l'~ à une ville** to find a certain charm in a town; **plein d'~** [*séjour*] very pleasant; [*lieu*] full of charm (*après n*); **sans ~** [*séjour, existence*] dull; [*visage, maison*] unattractive; [*décor, pièce*] cheerless; **voyage d'~** pleasure trip
(Composés) **~ fiscal** tax relief; **~ mélodique** ornament

agrémenter /agʀemɑ̃te/ [1]
[A] *vtr* to liven up [*texte, histoire*] (**de** with); to cheer up [*réunion*] (**de** with); to brighten up [*jardin*] (**de** with); to supplement [*repas, plat*] (**de** with); **les petits plaisirs qui agrémentent l'existence** the little things that brighten up one's life; **un ensemble immobilier agrémenté de nombreux services** a property development offering many facilities; **un texte agrémenté d'illustrations** a text with illustrations; **un chapeau agrémenté d'une voilette** a hat trimmed with a veil; **une pièce agrémentée de tableaux** a room decorated with pictures
[B] **s'agrémenter** *vpr* **s'~ de** [*chapeau, vêtement*] to be trimmed with; [*pièce*] to be decorated with; [*conversation*] to be laced with

agrès /agʀɛ/ *nmpl* [1] Sport apparatus ₡; **aux ~** on the apparatus; [2] Naut tackle

agresser /agʀese/ [1] *vtr* [1] (physiquement) [*personne*] to attack, to assault [*personne*]; (pour voler) to mug [*personne*]; [*pays, peuple*] to attack [*pays, peuple*]; **se faire ~ dans la rue** to be mugged in the street; [2] (moralement) [*personne*] to be aggressive with [*personne*]; **se sentir agressé** to feel threatened (**par** by); **les images télévisées nous agressent** we are bombarded by pictures on television; [3] (être trop fort) [*shampooing, pluies acides, fumée*] to attack

agresseur /agʀesœʀ/ *nm* (individu) attacker; (groupe, peuple) aggressor; **le pays ~** the aggressor

agressif, **-ive** /agʀesif, iv/ *adj* [1] (hostile) [*personne, animal*] aggressive (**avec qn** with sb; **envers qn** toward, towards GB sb); [*tempérament, ton, air, environnement, publicité*] aggressive; **d'un ton ~** aggressively; [2] (trop fort) [*couleur*] violent; [*son*] ear-splitting; [*lumière, shampooing*] harsh; [*images*] threatening; [3] (dynamique) [*politique, campagne, jeu*] aggressive; **mener une politique commerciale agressive** to have an aggressive sales policy

agression /agʀesjɔ̃/ *nf* [1] (par une personne) attack; (pour voler) mugging; (par un pays) act of aggression; **une ~ raciste** a racist attack; **être victime d'une ~** gén to be attacked; (être volé) to be mugged; **commettre une ~ contre qn** gén to attack sb; (pour voler) to mug sb; **~ à main armée** armed assault; [2] (par un fait) **protégez votre visage contre les ~s** protect your face from the wind and the cold; **les ~s de l'entourage/la vie urbaine** the stresses and strains of one's surroundings/city life; [3] Psych aggression

agressivement /agʀesivmɑ̃/ *adv* aggressively

agressivité /agʀesivite/ *nf* [1] gén aggressiveness; [2] Psych aggression

agreste /agʀɛst/ *adj* liter rustic

agricole /agʀikɔl/ *adj* [*produit, ouvrier*] farm; [*coopérative*] farming; [*méthode, problème*] agricultural; [*syndicat*] farm workers'

agriculteur, **-trice** /agʀikyltœʀ, tʀis/ ▸ p. 532 *nm,f* farmer; **une famille d'~s** a farming family

agriculture /agʀikyltyʀ/ *nf* farming, agriculture spéc
(Composé) **~ biologique** organic farming; **~ raisonnée** integrated farming

agripper /agʀipe/ [1]
[A] *vtr* to grab [*branche, personne*]
[B] **s'agripper** *vpr* **s'~ à** to cling to [*paroi, bras*]; **il était agrippé à une branche** he was clinging to a branch

agro-alimentaire, *pl* **~s** /agʀoalimɑ̃tɛʀ/
[A] *adj* [*industrie, filière, complexe*] food processing; **la recherche ~** food research
[B] *nm* food processing industry; **un géant de l'~** a food giant

agrochimie /agʀoʃimi/ *nf* agro-chemistry

agrochimique /agʀoʃimik/ *adj* agrochemical

agro-industrie, *pl* **~s** /agʀoɛ̃dystʀi/ *nf* agro-industry

agronome /agʀɔnɔm/ ▸ p. 532 *nmf* agronomist; **ingénieur ~** agronomist

agronomie /agʀɔnɔmi/ *nf* agronomy

agronomique /agʀɔnɔmik/ *adj* agronomic

agrotechnologie /agʀotɛknɔlɔʒi/ *nf* agrotechnology

agrume /agʀym/ *nm* citrus fruit; **les ~s** citrus fruits

aguerri, **~e** /ageʀi/
[A] *pp* ▸ **aguerrir**
[B] *pp adj* [1] Mil (accoutumé à la guerre) seasoned (**par** by); [2] gén (endurci) hardened, inured sout (**à, contre** to)

aguerrir /ageʀiʀ/ [3]
[A] *vtr* [*expérience*] to harden [*personne*] (**à qch** to sth); **~ des troupes au combat** to toughen soldiers for battle
[B] **s'aguerrir** *vpr* to become hardened *ou* inured sout (**à, contre** to)

aguets: aux aguets /ozagɛ/ *loc adv* **être aux ~** (à l'affût) to lie in wait; (se méfier) to be on one's guard; (surveiller de près) to be watching like a hawk

aguichant, **~e** /agiʃɑ̃, ɑ̃t/ *adj* [*personne, pose, sourire*] alluring

aguicher /agiʃe/ [1] *vtr* (sexuellement) to lead [sb] on; (pour vendre) to attract [*client*]

aguicheur, **-euse** /agiʃœʀ, øz/
A *adj* [*personne, propos*] alluring
B **aguicheuse** *nf* pej tease péj

ah /ɑ/
A *nm inv* (d'étonnement, admiration) gasp; (de soulagement, satisfaction) sigh
B *excl* oh!; **~ non alors!** certainly not!; **~, tu vois!** see!; **~! c'est dégoûtant!** ugh! it's revolting!; **~ oui** *or* **bon?** really?; **~ ~, il est parti en voyage d'affaires?** iron so, it's a business trip, is it? iron; **~ ~ ~!** (rire) ha ha ha!

ahaner /aane/ [1] *vi* (grogner) to grunt with effort; (peiner) to strain, to heave

ahuri, **~e** /ayʀi/
A *pp* ▸ **ahurir**
B *pp adj* (hébété) dazed; (étonné) stunned
C *nm,f* pej halfwit péj

ahurir /ayʀiʀ/ [3] *vtr* [*réponse, nouvelle*] to stun; **j'ai été ahuri d'apprendre que** I was stunned to hear that

ahurissant, **~e** /ayʀisɑ̃, ɑ̃t/ *adj* [*nouvelle, bruit*] incredible; [*personne, comportement, force*] incredible; [*chiffre*] staggering; **c'est ~!** it's absolutely incredible!

ahurissement /ayʀismɑ̃/ *nm* amazement

aï /ai/ *nm* three-toed sloth

aidant, **~e** /ɛdɑ̃, ɑ̃t/ *nm,f* carer

aide /ɛd/ ▸ p. 532
A *nmf* (dans un travail) assistant
B *nf* **1** (secours) (d'individu, de groupe) help, assistance; (d'État, organisme) assistance; **appeler à l'~** to call for help; **à l'~!** help!; **avec/sans l'~ de qn** with/without sb's help; **à l'~ de** with the help *ou* aid of [*tournevis, dictionnaire, police*]; **proposer son ~ à qn** to offer to help sb; **apporter son ~ à qn** to help sb; **il m'a apporté une ~ considérable** he was a great help to me; **venir/aller à l'~ de qn** to come/to go to sb's aid *ou* assistance; **venir en ~ à qn** (financièrement) to help *ou* aid sb; **2** (en argent) (à un pays) aid **₵**; (aux démunis) aid **₵**, allowance **C**; (à une industrie, un organisme) aid **₵**, subsidy **C**; (pour un projet) aid **₵**, grant **C**; **recevoir des ~s de** to receive financial backing *ou* aid from [*État, organisme*]; **les ~s à la famille** financial aid for families; **recevoir une ~ de 2 000 euros** to receive 2,000 euros in aid

(Composés) **~ de camp** aide-de-camp; **~ au développement** foreign aid; **~ à domicile** home help GB, home helper US; **~ familiale** mother's help GB, mother's helper US; **~ française** *international aid programme*[GB]; **~ judiciaire** legal aid; **~ légale** = **~ judiciaire**; **~ maternelle** = **~ familiale**; **~ médicale** health care; **~ ménagère** = **~ à domicile**; **~ régionale** regional aid; **~ au retour** *incentive for voluntary repatriation*; **~ sociale** social security benefits GB, welfare benefits US

Aide française

This refers to the government programme of international aid, mainly directed to French-speaking countries in Africa.

Aide judiciaire

The legal aid available to those whose income is below a certain level. This includes awards for the costs of a case and also free initial legal consultations.

Aide au retour

A government measure to encourage the repatriation of foreign nationals who wish to return to their country of origin.

aide-anesthésiste, *pl* **aides-anesthésistes** /ɛdanɛstezist/ ▸ p. 532 *nmf* assistant anaesthetist[GB]

aide-bibliothécaire, *pl* **aides-bibliothécaires** /ɛdbiblijɔtekɛʀ/ ▸ p. 532 *nmf* assistant librarian

aide-comptable, *pl* **aides-comptables** /ɛdkɔ̃tabl/ ▸ p. 532 *nmf* assistant accountant

aide-cuisinier, **-ière**, *pl* **aides-cuisiniers**, **aides-cuisinières** /ɛdkɥizinje, ɛʀ/ ▸ p. 532 *nm,f* assistant cook

aide-éducateur, **-trice**, *pl* **aides-éducateurs**, **aides-éducatrices** /ɛdedykatœʀ, tʀis/ ▸ p. 532 *nm,f*: *classroom assistant*

aide-électricien, *pl* **aides-électriciens** /ɛdelɛktʀisjɛ̃/ ▸ p. 532 *nm* electrician's mate GB, electrician's helper US

aide-mécanicien, *pl* **aides-mécaniciens** /ɛdmekanisjɛ̃/ ▸ p. 532 *nm* mechanic's mate GB, mechanic's helper US

aide-mémoire* /ɛdmemwaʀ/ *nm inv* aide-mémoire sout; **c'est mon ~** I use it to jog my memory

aider /ede/ [1]
A *vtr* **1** (prêter son concours à) to help; **il n'aide jamais** he never helps; **~ qn à faire** to help sb to do; **en quoi puis-je vous ~?** how can I help you?; **~ qn financièrement** gén to help sb financially; (une fois) to help sb out financially; **se faire ~ par qn** to get help from sb; **~ qn de ses conseils** to give sb helpful advice; **il m'a aidé par sa présence** the fact he was there helped me; **le vin/la fatigue aidant** wine/tiredness playing its part; **le temps aidant** with time; **2** (subventionner) to aid [*industrie, déshérités*]; to give aid to [*pays pauvre*]
B **aider à** *vtr ind* to help toward(s) [*compréhension, insertion sociale, financement*]; **~ à faire** to help in doing
C **s'aider** *vpr* **1** (soi-même) **s'~ de** to use [*dictionnaire, tableau, outil*]; **marcher en s'aidant d'une canne** to walk with the help of a stick; **2** (les uns les autres) to help each other

(Idiome) **aide-toi le Ciel t'aidera** Prov God helps those who help themselves Prov

aide-soignant, **~e**, *pl* **aides-soignants**, **aides-soignantes** /ɛdswaɲɑ̃, ɑ̃t/ ▸ p. 532 *nm,f* nursing auxiliary GB, nurse's aide US

aïe /ɑj/ *excl* (de douleur) ouch!; (d'inquiétude) **~ (~ ~), que se passe-t-il?** oh dear, what's going on?; (d'anticipation) **~ ~ ~!...** oh NO!...

aïeul, **~e** /ɑjœl/ *nm,f* liter grandfather/grandmother

aïeux /ɑjø/ *nmpl* liter ancestors; **mes ~†!** upon my word†!

aigle /ɛgl/
A *nm* **1** Zool eagle; ▸ **petit**; **2** (lutrin) lectern
B *nf* **1** Zool (female) eagle; **2** Hérald Hist Mil eagle; **les ~s romaines** the Roman eagles

(Composés) **~ impérial** imperial eagle; **~ royal** golden eagle

(Idiome) **ce n'est pas un ~** he's not the brightest

aiglefin /ɛgləfɛ̃/ *nm* haddock

aiglon /ɛglɔ̃/ *nm* eaglet

aigre /ɛgʀ/ *adj* **1** lit [*odeur, goût*] sour; [*vin, lait*] sour; [*fruit*] (acidulé) sharp; (pas mûr) sour; **2** fig [*paroles, ton*] sharp; [*caractère*] sour; **d'un ton ~** sharply; **tourner** *or* **virer à l'~** [*discussion, plaisanterie*] to turn sour

aigre-doux, **-douce**, *pl* **aigres-doux**, **aigres-douces** /ɛgʀədu, dus/ *adj* **1** Culin [*fruit, goût*] bitter-sweet; [*cuisine, sauce*] sweet and sour; **2** fig [*propos, communiqué*] barbed

aigrefin /ɛgʀəfɛ̃/ *nm* swindler

aigrelet, **-ette** /ɛgʀəlɛ, ɛt/ *adj* **1** lit [*goût*] rather sour; [*fruit*] (acidulé) rather sharp; (pas mûr) rather sour; **un petit vin ~** a sharpish wine; **2** fig [*voix*] shrill

aigrement /ɛgʀəmɑ̃/ *adv* fig sharply

aigrette /ɛgʀɛt/ *nf* **1** Zool (oiseau) egret; (plumes) crest; **2** (ornement de coiffure) aigrette; **un casque à ~** a plumed helmet; **3** Bot pappus

aigreur /ɛgʀœʀ/ *nf* **1** gén (de lait) sourness; (de vin) sharpness; (de fruit) (acidulé) sharpness; (pas mûr) sourness; **2** Méd **des ~s d'estomac** heartburn **₵**; **3** fig bitterness

aigri, **~e** /egʀi/
A *pp* ▸ **aigrir**
B *pp adj* [*personne*] embittered

aigrir /egʀiʀ/ [3]
A *vtr* [*expérience*] to embitter [*personne*]
B **s'aigrir** *vpr* **1** [*personne*] to become embittered; **2** [*vin, aliment*] to turn sour

aigu, **-uë*** /egy/
A *adj* **1** (à l'oreille) [*son, voix, note*] high-pitched; **2** Méd, gén (violent) [*maladie, crise, douleur*] acute; [*symptôme, problème*] acute; [*phase*] critical; **3** (intense) [*perception, sens*] keen; **il a un sens ~ du devoir** he's got a keen sense of duty
B *nm* Mus (de chaîne stéréo) treble; (de voix) high notes (*pl*); **passer du grave à l'~** to go from low notes to high notes

aigue-marine, *pl* **aigues-marines** /ɛgmaʀin/ *nf* aquamarine

aiguière /ɛgjɛʀ/ *nf* ewer

aiguillage /egɥijaʒ/ *nm* **1** Rail (appareil) points (*pl*) GB, switch US; (manœuvre) switching to another line; **une erreur d'~** a signalling[GB] error; **poste d'~** signal box; **2** fig (orientation) **il y a eu une erreur d'~** (confusion) there's been a mix-up; **il y a eu une erreur d'~ dans leurs études** they were led to choose the wrong courses

aiguille /egɥij/ *nf* **1** (pour coudre) needle; **~ à coudre/broder/repriser** sewing/embroidery/darning needle; **~ à brider** poultry needle; **~ à suture** suture needle; **travail à l'~** needlework; **tirer l'~†** to ply one's needle†; **2** (de seringue) needle; (en acupuncture) needle; **3** (de montre, chronomètre) hand; (de jauge, d'altimètre) needle; (de balance) pointer; **l'~ des minutes/des heures** the minute/hour hand; **dans le sens des ~s d'une montre** clockwise; **dans le sens inverse des ~s d'une montre** anticlockwise; **4** Bot needle; **5** Géog peak; **6** Zool garfish

(Composés) **~ aimantée** magnetic needle; **~ de pin** pine needle; **~ de radium** radium needle; **~ à tricoter** knitting needle

(Idiomes) **autant chercher une ~ dans une botte** *or* **meule de foin** it's like looking for a needle in a haystack; **et de fil en ~** and one thing leading to another

aiguillée /egɥije/ *nf* length of thread (*on a needle*)

aiguiller /egɥije/ [1] *vtr* **1** (vers un endroit) to direct [*personne*] (**vers** toward); to send [*courrier, dossier*] (**vers** to); (vers une profession, des études) to guide, to steer [*personne*] (**vers** toward, towards GB); (orienter) to steer [*conversation*] (**sur** toward, towards GB); **elle a été mal aiguillée dans ses études** she was badly advised about what to study; **c'est ce qui nous a aiguillés dans nos recherches** that's what put us on the right track in our research; **2** Rail **~ un train** to switch a train to a new line; **3** Ordinat to route

aiguillette /egɥijɛt/ *nf* **1** Culin (de bœuf) *tip of rump steak*; (de volaille) breast fillet; (mince tranche de viande) fillet; **2** Hist Mil aiguillette

(Idiome) **nouer l'~ à qn** to render sb impotent by witchcraft

aiguilleur /egɥijœʀ/ ▸ p. 532 *nm* Rail pointsman GB, switchman US

(Composé) **~ du ciel** air traffic controller

aiguillon /egɥijɔ̃/ *nm* **1** Zool sting; **2** (stimulant) incentive; **3** (bâton) goad; **4** Bot thorn

aiguillonner /egɥijɔne/ [1] *vtr* **1** (stimuler) to spur [*personne*]; to stimulate [*ambition*]; **~ l'action d'un groupe** to spur a group into action; **la faim m'aiguillonnant...** driven by hunger...; **2** lit to goad [*bœuf*]

aiguisage /egizaʒ/ *nm* sharpening

aiguiser /egize/ [1] *vtr* **1** (rendre tranchant, pointu) to sharpen [*lame, griffes, crocs*]; **2** (rendre plus vif) to whet [*appétit*]; to arouse [*curiosité*]; to heighten [*sentiment*]; to stimulate [*concurrence*]; to sharpen [*intelligence*]; to hone [*style*]; **ton histoire continue d'~ les curiosités** your story still arouses keen interest

aiguiseur /egizœʀ/ ▸ **p. 532** *nm* knife grinder

aiguisoir /egizwaʀ/ *nm* **1** (pour couteaux) knife sharpener; **2** Can (taille-crayons) pencil sharpener

aïkido /ajkido/ ▸ **p. 469** *nm* aikido

ail, *pl* **~s** *or* **aulx** /aj, o/ *nm* garlic; **sauce à l'~** garlic sauce; **piquer un gigot d'~** to put slivers of garlic in a leg of lamb

aile /ɛl/ *nf* **1** (d'oiseau) wing; **~ de poulet** chicken wing; **2** (d'avion) wing; **3** (de bâtiment) wing; **4** Pol (de mouvement) wing; (d'armée) flank; **5** (de moulin) sail; Agric (de charrue) wing; Bot (de plante, fleur) wing; Pêche (de chalut) wing; **6** Sport (au football, rugby) wing; **7** Aut (de voiture) wing GB, fender US; **~ avant droite** front right-hand wing GB *ou* fender US

(Composés) **~ de corbeau** (noir) raven black; **~ delta** Aviat delta wing; Sport hang-glider; **~ de l'ilium** Anat ala (ossis) ilii; **~ libre** Sport (engin) hang-glider; (activité) hang-gliding; **~ marchante** Mil moving flank; **~ du nez** Anat wing of the nose, ala nasi spéc; **~ du sacrum** Anat ala sacralis

(Idiomes) **battre de l'~, ne battre que d'une ~** [*croissance*] to have fallen off; [*économie, entreprise*] to be struggling; **se sentir pousser des ~s** to feel exhilarated; **rogner les ~s de qn** to clip sb's wings; **prendre un coup dans l'~** to suffer a setback; **avoir un coup dans l'~**° to be the worse for drink; **voler de ses propres ~s** to stand on one's own two feet; **la peur leur a donné des ~s** fear lent them wings; **vouloir voler avant d'avoir des ~s** to want to run before one can walk

ailé, **~e** /ele/ *adj* winged

aileron /ɛlʀɔ̃/ *nm* **1** (d'oiseau) wing tip; (de requin) fin; **soupe aux ~s de requin** shark's fin soup; **2** (d'avion) aileron; **3** Naut (de coque) fin; **4** (de planche de surf) skeg; **5** (de voiture de course) aerofoil GB, airfoil US; **6** Archit console

ailette /ɛlɛt/ *nf* **1** Tech (de radiateur) fin; (de turbine, ventilateur) blade; **~ de refroidissement** cooling fin; **2** Astronaut, Mil (de fusée, missile) fin; Aviat (d'aile) winglet; **bombe/obus à ~s** Mil fin-stabilized bomb/shell; **3** (de serviette hygiénique) wing

ailier /elje/ *nm* **1** (au football) winger; **~ droit/gauche** right/left winger GB *ou* wing US; **2** (au rugby) wing three-quarter

aillade /ajad/ *nf* garlic dressing

ailler /aje/ [1] *vtr* to put garlic into [*salade, gigot*]; **la salade est trop aillée** there's too much garlic in the salad

ailleurs /ajœʀ/

A *adv* elsewhere; **ici comme ~** here as elsewhere; **des artistes venus d'~** artists from other places; **le problème est ~** the problem lies elsewhere; **l'essentiel est ~** that's not the issue; **ce qui se fait ~** what is done elsewhere; **nulle part ~** nowhere else; **partout ~** everywhere else; **quelque part ~** somewhere else; **ici ou ~, ça m'est égal** here or somewhere else, it's all the same to me; ▸ **voir**

B d'ailleurs *loc adv* besides, moreover, what's more; **d'~, je n'étais pas là** besides, I wasn't there; **ils ont d'~ reconnu les faits** besides, they have acknowledged the facts; **il a fait des tentatives, d'~ fort timides** he made some rather feeble attempts; **l'excuse de mon mal de tête, d'~ bien réel, m'a permis de partir plus tôt** the excuse of having a headache, which I might add was true, allowed me to leave earlier

C par ailleurs *loc adv* **par ~, l'inflation a atteint un taux record** in addition, inflation has reached a record level; **par ~, je n'ai pas encore reçu les marchandises** may I also add that I have not yet received the goods; **des efforts pour comprendre un problème par ~ complexe** efforts to understand a problem which is in some respects complex; **ils se sont par ~ engagés à faire** they have also undertaken to do

(Idiomes) **être ~, avoir l'esprit ~** to be miles away

ailloli = **aïoli**

aimable /ɛmabl/ *adj* **1** (sympathique) [*personne*] pleasant; [*mot*] kind; **c'est très ~ à vous** it's very kind of you; **votre ~ invitation** your kind invitation; **nous informons notre ~ clientèle que** we wish to inform our customers that; **trop ~!** how very kind of you!; **2** (poli) [*lettre, propos*] polite; **c'était une façon ~ de refuser** it was a polite way of saying no; **3** littér [*lieu, visage*] pleasant; **4** ‡(digne d'amour) [*personne*] amiable‡

(Idiome) **être ~ comme une porte de prison** to be a miserable so-and-so

aimablement /ɛmabləmɑ̃/ *adv* (avec politesse) politely; (avec gentillesse) kindly

aimant, **~e** /ɛmɑ̃, ɑ̃t/

A *adj* affectionate, loving; **être d'une nature ~e** to have an affectionate nature

B *nm* **1** (corps magnétique) magnet; **2** Minér **~ naturel** magnetite, lodestone

aimantation /ɛmɑ̃tasjɔ̃/ *nf* magnetization

aimanter /ɛmɑ̃te/ [1] *vtr* to magnetize

aimé, **~e** /eme/

A *pp* ▸ **aimer**

B *pp adj* [*personne, visage*] beloved; **une femme très ~e** a woman who is greatly *ou* very much loved

C *nm,f* liter **mon ~(e)** my beloved littér

aimer /eme/ [1]

A *vtr* **1** (d'amour) to love [*homme, femme, enfants, parents, conjoint*]; **~ qn à la folie** to adore sb; ▸ **châtier**; **2** (apprécier) to like, to be fond of [*personne, animal, activité, aliment*]; **il t'aime bien/beaucoup** he's fond/very fond of you; **~ faire, ~ à faire**† to like doing, to be fond of doing; **j'aime à croire que** I like to think that; **~ la chasse/les voyages** to like hunting/travelling[GB]; **cette plante aime l'ombre** this plant likes shade; **je n'aime pas beaucoup cet écrivain** I don't like this writer much; **elle n'aime pas le voir soucieux** she doesn't like to see him worried; **je n'aime pas qu'on me dise ce que j'ai à faire/qu'on me réponde sur ce ton** I don't like being told what to do/being spoken to in that tone; **je n'aimerais pas être à sa place** I wouldn't like to be in his/her shoes; **j'aimerais que tu me dises la vérité** I'd like you to tell me the truth; **aimeriez-vous un peu de thé?** would you like some tea?; **j'aime quand tu me fais ça!** I like *ou* love it when you do that to me!; **j'aime bien l'opéra/mes collègues** I like opera/my colleagues; **il aime autant le vin que la bière** he likes wine as much as he likes beer; **j'aimerais autant rester à la maison ce soir** I'd rather stay at home tonight, I'd sooner stay at home tonight; **j'aime autant te dire que tu vas le regretter/qu'il n'était pas content!** I may as well tell you that you're going to regret it/that he wasn't very pleased!; **~ mieux** to prefer; **j'aime mieux nager que courir** I prefer swimming to running; **j'aimerais mieux que tu ne le leur dises pas** I'd rather you didn't tell them; **elle aurait mieux aimé que je ne sois pas là** she would have preferred me not to be there; **il n'a rien de cassé? j'aime mieux ça!** (ton de soulagement) nothing's broken? thank goodness!; **vous acceptez de me rembourser? j'aime mieux ça!** (ton menaçant) you agree to pay me back? that's more like it!

B s'aimer *vpr* **1** (d'amour) to love each other; **aimez-vous les uns les autres** love one another; **2** (s'apprécier) **elles s'aiment bien** they like each other; **3** (s'apprécier soi-même) **je ne m'aime pas tellement avec les cheveux courts** I don't like my hair short, I don't think short hair suits me; **4** (faire l'amour) to make love; **ils se sont aimés toute la nuit** they made love all night (long)

(Idiomes) **qui m'aime me suive** if you love me, follow me; **elle/il m'aime un peu, beaucoup, passionnément, à la folie, pas du tout** she/he loves me, loves me not, loves me...

Ain /ɛ̃/ ▸ **p. 372, p. 721** *nprm* (rivière, département) **l'~** the Ain

aine /ɛn/ *nf* groin

aîné, **~e*** /ene/

A *adj* (de deux) elder; (de plus de deux) eldest

B *nm,f* **1** (enfant) (premier de deux) elder son/daughter, elder child; (premier de plus de deux) eldest son/daughter, eldest child; **les deux ~es ont quitté la maison** the two eldest daughters have left home; **2** (frère, sœur) elder *ou* older brother/sister; **3** (personne plus âgée) elder; (personne la plus âgée) oldest; **c'est mon ~** he's older than me; **j'ai épousé une femme de vingt ans mon ~e** I married a woman twenty years older than me; **l'~ du groupe** the oldest (person) in the group; **les ~s de la tribu** the elders of the tribe

aînesse* /enɛs/ *nf* **droit d'~** the law of primogeniture

ainsi /ɛ̃si/

A *adv* **1** (de cette manière) **c'est ~ que l'on faisait le beurre** that's the way *ou* how they used to make butter; **est-ce ~ que tu parles à ta mère?** is that the way *ou* how you speak to your mother?; **le mélange ~ obtenu** the mixture obtained in this way; **je t'imaginais ~** that's how I imagined you; **le monde est ~ fait que** the world is made in such a way that; **elle est ~** that's how *ou* the way she is; **~ va la vie** such is life, that's the way it goes; **puisque c'est ~** since that's how it is, since that's the way it is; **Charlotte, c'est ~ qu'on m'appelait** Charlotte, that's what they used to call me; **s'il en est ~** if that's how it is *ou* the way it is; **il n'en est pas ~ de tous nos amis** this is not the case with all our friends; **les mois ont passé ~** thus the months went by; **~ parlait le prophète** thus spoke the prophet; **le jury se compose ~** the panel is made up as follows; **~ fut fait** that's what was done; **~ soit-il** Relig amen; ▸ **suite**; **2** (introduisant une conclusion) thus liter, so; **~, depuis 1989...** thus, since 1989...; **l'enfant apprendra ~ à être indépendant** the child will thus learn to be independent; **partez tôt, vous éviterez ~ les embouteillages** leave early, that way you'll avoid the traffic jams; **~ tu nous quittes?** so you're leaving us then?; **~ (donc) vous niez les faits** so you deny the facts (then); **c'est ~ que nous sachant seuls...** and so, knowing (that) we were alone...; **3** (de même) liter **comme un coup de tonnerre éclate, ~ se répandit la nouvelle** like a bolt from the blue, the news spread

B ainsi que *loc conj* **1** (de même que) as well as; **les employés ~ que leurs conjoints sont invités** employees together with their partners are invited; **l'Italie ~ que quatre autres pays d'Europe participe à ce projet** Italy, along with four other European countries, is taking part in this project; **l'exposition comprend des aquarelles, des huiles ~ que quelques sculptures** the exhibition includes watercolours[GB] and oils as well as some sculptures; **la question portait sur la vie de l'auteur ~ que sur ses influences littéraires** the question concerned the life of the author as well as his literary influences; **2** (comme) as; **~ que nous en avions convenu** as we had agreed; **je vous écris dès mon arrivée, ~ que je l'avais promis** I have just arrived and I am writing to you as I promised; **il a remis sa démission ~ que le réclamaient les chefs du parti** he handed in his resignation as the party leaders were demanding; **elle marchait ~ qu'un automate** she was walking like a robot; **~ que l'a précisé Paul** as Paul pointed out

aïoli /ajɔli/ *nm: provençal garlic mayonnaise*

air /ɛʀ/ *nm* **1** (que l'on respire) air; **l'~ marin/de la campagne** the sea/country air; **le bon ~** clean air; **l'~ est vif/pollué** the air is bracing/polluted; **l'~ est confiné** it's stuffy; **changer** *or* **renouveler l'~ d'une pièce** to let some air circulate in a room; **mettre qch à l'~** to put sth out to air [*lit, tapis*]; **se promener les fesses à l'~** to walk around with a bare bottom; **à l'~ libre** outside, outdoors; **faire sécher du linge à l'~** to dry one's washing outside; **concert en plein ~** open-air concert; **activités de plein ~** outdoor activities; **la vie au grand ~** outdoor life; **on manque d'~ ici** it's stuffy in here; **de l'~!** lit let's get some air in here!; (va-t'en)○ get lost○!; **aller prendre l'~** to go out and get some fresh air
2 (brise, vent) **il y a de l'~** (dans une pièce) there's a draught GB *ou* draft US; (à l'extérieur) there's a breeze; **il n'y a pas d'~** there's no wind; **un déplacement d'~** a rush of air; **un courant d'~** a draught GB *ou* draft US; **ça fait de l'~** there's a draught GB *ou* draft US
3 (autour de la terre) air; **jeter qch/tirer en l'~** to throw sth/to shoot into the air; **rester en l'~** to stay in the air; **avoir les bras/les pieds en l'~** to have one's arms/one's feet (up) in the air; **monter** *or* **s'élever dans les ~s** to rise into the air; **planer dans les ~s** to glide into the air; **par les ~s, par ~** by air; **transport par ~** transport by air; **regarder en l'~** to look up; **avoir le nez en l'~** to daydream; **dans l'~** fig [*réforme, idée*] in the air; **il y a un virus dans l'~** there's a virus going around; **en l'~** [*menace, paroles, promesse*] empty; [*projet, idée*] vague; **parler en l'~** to speculate; **envoyer** *or* **flanquer qch en l'~**○ to send sth flying; **tout mettre en l'~**○ (mettre en désordre) to make a dreadful mess; (jeter) to chuck everything out; (faire échouer) to ruin everything; **ils ont mis (toute) la maison en l'~**○ they made a (dreadful) mess of the house
4 (manière d'être) manner; (expression) expression; **avec un ~ résolu/prétentieux** in a resolute/pretentious manner; **avoir un drôle d'~** to look odd *ou* funny; **avoir un ~ très distingué** to look very distinguished; **un ~ bête/intelligent** a stupid/an intelligent expression; **afficher un ~ dégoûté/blasé** to affect an expression of disgust/of indifference; **avec son petit ~ supérieur/coquin** with that superior/mischievous expression of his/hers; **d'un ~ sérieux/triste** with a serious/sad expression; **d'un ~ fâché/désolé** angrily/helplessly; **il y a un ~ de famille entre vous deux** you two share a family likeness; **avoir l'~ épuisé/heureux** to look shattered/happy; **elle a eu l'~ fin(e)!** she looked (like) a fool!; **tu as l'~ malin maintenant!** iron you look a right fool now!; **il avait l'~ d'un prince** he looked like a prince; **la maison a l'~ d'un taudis** the house looks like a slum; **leur histoire (m')a (tout) l'~ d'un mensonge** their story sounds like a lie (to me); **cela m'en a tout l'~** it seems *ou* looks like it to me; **j'aurais l'~ de quoi?** I'd look a right idiot!; **il n'a l'~ de rien mais il...** he doesn't look it but he...; **il est futé sans en avoir l'~** he's sly although he doesn't look it; **cela n'a l'~ de rien mais** it may not look it, but; **il a l'~ de comprendre** he seems to understand; **cela a l'~ d'être bien/solide** it looks good/strong; **cela a l'~ d'être une usine** it looks like a factory; **ils n'ont pas l'~ de se rendre compte** they don't seem to realize; **il a l'~ de vouloir faire beau** it looks as if it's going to be fine *ou* nice US
5 (ambiance) **un ~ d'abandon/de déchéance** an air of neglect/of decay; **il règne un ~ de fête** there's a carnival atmosphere; **la réunion avait un ~ de déjà-vu** there was a feeling of déjà-vu about the meeting
6 (mélodie) tune; **l'~ d'une chanson** the tune of *ou* to a song; **siffler/fredonner un ~** to whistle/to hum a tune; **un ~ de jazz** a jazz tune; **un ~ d'opéra** an aria; **jouer toujours le même ~** lit to play the same tune over and over again; fig to come out with the same old story; **danser sur un ~ de tango/valse** to dance to a tango/waltz
(Composés) **~ climatisé** conditioned air; **~ comprimé** compressed air; **~ conditionné** (système) air-conditioning; (que l'on respire) conditioned air; **~ liquide** Tech liquid air
(Idiomes) **il ne manque pas d'~**○ he's got a nerve; **brasser** *or* **remuer de l'~**○ to give the impression of being busy; **prendre** *or* **se donner des grands ~s** to put on airs; **j'ai besoin de changer d'~** (d'environnement) I need a change of scene; (par agacement) I need to go and do something else

airain† /ɛʀɛ̃/ *nm* bronze

air-air /ɛʀɛʀ/ *adj inv* [*missile*] air-to-air

airbag /ɛʀbag/ *nm* air bag

aire /ɛʀ/ *nf* **1** (domaine) sphere; **~ économique/culturelle** economic/cultural sphere; **étendre son ~ d'activité** to extend one's sphere of activity; **2** (surface) area; **3** (nid) eyrie
(Composés) **~ d'atterrissage** (pour avions) landing strip; (pour hélicoptère) landing pad; **~ de battage** threshing floor; **~ de chargement** loading bay; **~ continentale** continental shield; **~ de jeu** playground; **~ de lancement** launching pad, launch pad GB; **~ linguistique** linguistic region; **~ de loisirs** recreation area; **~ de pique-nique** picnic area; **~ de repos** rest area; **~ de services** services *pl* GB, motorway GB *ou* freeway US service station; **~ de stationnement** parking area

airedale /ɛʀdal/ *nm* Airedale (terrier)

airelle /ɛʀɛl/ *nf* (myrtille) bilberry; (baie rouge) cranberry

air-mer /ɛʀmɛʀ/ *adj inv* [*missile*] air-to-sea

air-sol /ɛʀsɔl/ *adj inv* [*missile*] air-to-ground

air-surface /ɛʀsyʀfas/ *adj inv* [*missile*] air-to-surface

aisance /ɛzɑ̃s/ *nf* **1** (facilité) ease; **ton ~ à faire** the ease with which you do; **l'~ de tes mouvements/ta démarche** the ease with which you move/walk; **avec ~** [*parler, se mouvoir*] with ease; **manquer d'~** [*style, manières, personne*] to lack ease; **l'~ de ton style** your flowing style; **2** (opulence) comfort, affluence; **vivre dans l'~** to live comfortably; **l'~ financière** *or* **matérielle** financial security; **3** (en couture) **donner de l'~ à une veste** (à la confection) to make a jacket roomy; (après confection) to let out a jacket
(Composés) **~ budgétaire** affluence (of money); **~ monétaire** = **~ budgétaire**; **~ de trésorerie** abundance of cash

aise /ɛz/
A *adj* liter pleased; **être bien** *or* **fort ~ de faire** to be very pleased (to do); **je suis bien ~ que tu puisses venir** I am very pleased you can come; **j'en suis fort ~** hum I'm very pleased about it
B *nf* liter (contentement) pleasure; **d'~** [*sourire, rougir, ronronner*] with pleasure; [*soupirs*] of pleasure; **être comblé** *or* **transporté d'~** to be filled with pleasure
C aises *nfpl* **tenir à** *or* **aimer ses ~s** to like one's creature comforts; **il prenait ses ~s sur le canapé** he was stretched out on the sofa
D à l'aise *loc* **être à l'~** *or* **à son ~** (physiquement) to be comfortable; (financièrement) to be comfortably off; (psychologiquement) to be at ease, to feel comfortable (**avec qn** with sb); **se sentir mal à l'~** (physiquement) to feel uncomfortable; (psychologiquement) to feel uncomfortable *ou* ill at ease (**avec qn** with sb); **mettre qn à l'~** *or* **à son ~** to put sb at his/her ease; **mettre qn mal à l'~** to make sb feel ill at ease; **mets-toi à l'~** *or* **à ton ~** make yourself comfortable; **faire qch à l'~**○ to do sth easily; **'tu arriveras à porter le sac?'—'à l'~○!'** 'will you manage to carry the bag?'—'no problem!'; **en prendre à son ~ avec qch/qn** to make free with sth/sb; **vous en parlez à votre ~** it is easy for you to talk; **à votre ~!** as you wish *ou* like!

aisé, **~e** /eze/ *adj* **1** (simple) [*procédé, tâche*] easy; **il n'est pas ~ de faire qch** it is not easy to do sth; **2** (cossu) [*commerçant, famille, quartier*] wealthy; **être ~** to be well-off, to be comfortably off; **les classes ~es** the well-off; **3** (sans contrainte) [*manières*] easy; [*style*] flowing

aisément /ezemɑ̃/ *adv* easily

Aisne /ɛn/ ▸ p. 372, p. 721 *nprm* (rivière, département) **l'~** the Aisne

aisselle /ɛsɛl/ *nf* armpit

Aix-la-Chapelle /ɛkslaʃapɛl/ ▸ p. 894 *npr* Aachen

aixois, **~e** /ɛkswa, az/ ▸ p. 894 *adj* of Aix-en-Provence

Aixois, **~e** /ɛʀswa, az/ ▸ p. 894 *nm,f* (natif) native of Aix-en-Provence; (habitant) inhabitant of Aix-en-Provence

ajonc /aʒɔ̃/ *nm* gorse bush; **dans les ~s** in the gorse, in the gorse bushes

ajour /aʒuʀ/ *nm* Cout openwork ₵

ajouré, **~e** /aʒuʀe/
A *pp* ▸ **ajourer**
B *pp adj* **1** Cout [*lingerie, dentelle, broderie*] (entier) openwork (*épith*); (bord) hemstitched; **en mailles ~es** with a lacy pattern; **2** Archit [*clocher, balcon*] with ornamental apertures

ajourer /aʒuʀe/ [1] *vtr* **1** Cout (le bord) to hemstitch; (l'ensemble) to embroider [sth] in openwork [*napperon, lingerie*]; **2** Archit to make ornamental apertures in [*balcon, clocher*]

ajournement /aʒuʀnəmɑ̃/ *nm* (de voyage, décision) postponement; (de débat, procès) adjournment; **~ de peine** *or* **du prononcé de la peine** *non-imposition of a sentence*

ajourner /aʒuʀne/ [1] *vtr* to postpone, to put off [*voyage, projet, décision*]; to adjourn [*débat, procès*] **les débats sont ajournés d'une semaine** discussions are adjourned for a week; **un procès ajourné** an adjourned trial

ajout /aʒu/ *nm* addition; **faire des ~s** to make additions (**à** to)

ajouter /aʒute/ [1]
A *vtr* to add (**à** to); **je n'ai rien à ~** I've nothing to add; **j'ajouterais que** I would (also) add that; **si l'on ajoute à cela que** if one adds to that the fact that; **permettez-moi d'~ une remarque à ce que vous venez de dire** allow me to make an additional comment on what you've just said; **~ foi à qch** fml to put faith in sth; **ne pas ~ foi à qch** fml to put no faith in sth; **la chaleur ajoutée à la pollution fait que l'air est irrespirable** the heat on top of all the pollution means that it is impossible to breathe; **j'ajoute 8** (dans un calcul) add 8; **ajoute une assiette, il reste dîner** put out another plate, he's staying for dinner
B ajouter à *vtr ind* to add to; **des ordres contradictoires ajoutaient à la confusion** contradictory orders added to the confusion; **en parler ne ferait qu'~ à leur peine** talking about it would only add to their grief
C s'ajouter *vpr* to be added to each other; **s'~ à** to be added to; **à cela s'ajoute...** to that may be added...; **les désordres sociaux viennent s'~ aux difficultés économiques** on top of the economic difficulties there is also social unrest

ajustage /aʒystaʒ/ *nm* fitting

ajusté, **~e** /aʒyste/
A *pp* ▸ **ajuster**
B *pp adj* [*veste*] tailored; [*robe, corsage*] close fitting

a

ajustement /aʒystəmɑ̃/ *nm* 1 Tech fit; 2 (adaptation) adjustment (**avec** with); **~ des prix** price adjustment; **plan d'~ structurel** structural adjustment programme[GB]

ajuster /aʒyste/ [1] *vtr* 1 (régler) to adjust [*taux, prix, horaire*]; to alter [*robe, chemise*] (**à** to); to calibrate [*balance*]; to tighten [*rênes*]; **~ qch à** *or* **sur qch** lit to make sth fit sth; **~ un manche à une brosse** to adjust a handle to fit a brush; **~ la théorie à la pratique** to adapt the theory to the practice; 2 (arranger) to arrange [*coiffure*]; to adjust [*tenue*]; 3 (viser) to take aim at [*lapin*]; **~ son tir** *or* **coup** lit to adjust one's aim; fig to fix a more precise target

ajusteur /aʒystœʀ/ ▸ p. 532 *nm* fitter

akène /akɛn/ *nm* achene

Alabama /alabama/ ▸ p. 721 *nprm* Alabama

alacrité /alakʀite/ *nf* alacrity sout; **avec ~** with alacrity

Aladin /aladɛ̃/ *npr* Aladdin

alaise = **alèse**

alambic /alɑ̃bik/ *nm* Chimie still

alambiqué, **~e** /alɑ̃bike/ *adj* [*expression, style*] convoluted; [*explication*] tortuous

alangui, **~e** /alɑ̃gi/
A *pp* ▸ **alanguir**
B *pp adj* languid

alanguir /alɑ̃giʀ/ fml [3] *vtr* 1 (rendre langoureux) [*amour, musique*] to make [sb] languid; 2 (rendre languissant) [*maladie*] to sap [sb's] energy; [*chaleur*] to enervate, to make [sb] listless

alanguissement /alɑ̃gismɑ̃/ *nm* languor

alarmant, **~e** /alaʀmɑ̃, ɑ̃t/ *adj* alarming

alarme /alaʀm/ *nf* 1 (appareil) alarm; **sonner l'~** to sound the alarm; 2 (alerte) alarm, alert; **donner l'~** to raise the alarm; **c'est ce qui a donné l'~** that was what made us/them realize something was wrong; 3 (peur) alarm; **une population tenue en ~** a population kept perpetually on its guard; **en état d'~** in a state of perpetual alarm

alarmer /alaʀme/ [1]
A *vtr* to alarm [*personne, population*]
B s'alarmer *vpr* to become alarmed (**de qch** about sth); **vous n'avez aucune raison de vous ~** there's no cause for alarm

alarmisme /alaʀmism/ *nm* alarmism

alarmiste /alaʀmist/ *adj, nmf* alarmist

Alaska /alaska/ ▸ p. 721 *nprm* Alaska

albanais, **~e** /albanɛ, ɛz/
A ▸ p. 561 *adj* Albanian
B ▸ p. 483 *nm* Ling Albanian

Albanais, **~e** /albanɛ, ɛz/ ▸ p. 561 *nm,f* Albanian

Albanie /albani/ ▸ p. 333 *nprf* Albania

albanophone /albanɔfɔn/
A *adj* Albanian-speaking
B *nmf* Albanian speaker

albâtre /albɑtʀ/ *nm* alabaster; **un vase en ~** an alabaster vase; **une peau d'~** a skin as white as alabaster

(Idiome) **blanc comme l'~** as white as alabaster

albatros /albatʀos/ *nm inv* albatross

Alberta /albɛʀta/ ▸ p. 721 *nprm* Alberta

albigeois, **~e** /albiʒwa, az/ *adj* Albigensian

Albigeois /albiʒwa/ *nprmpl* **les ~** the Albigenses; **croisade contre les ~** crusade against the Albigenses

albinisme /albinism/ *nm* albinism

albinos /albinos/ *adj inv, nmf inv* albino

Albion /albjɔ̃/ *nprf* Albion; **la perfide ~** perfidious Albion

album /albɔm/ *nm* 1 (livre illustré) illustrated book; **~ de bandes dessinées** comic strip book; 2 (classeur, cahier) album; **~ de photographies/cartes postales/timbres** photograph/postcard/stamp album; 3 (disque) album; **double ~** double album

(Composés) **~ à colorier** colouring[GB] book; **~ de famille** family album

albumen /albymɛn/ *nm* albumen

albumine /albymin/ *nf* albumin; **avoir de l'~**○ to suffer from albuminuria spéc

albumineux, **-euse** /albyminø, øz/ *adj* albuminous

albuminurie /albyminyʀi/ *nf* albuminuria

alcali /alkali/ *nm* 1 (ammoniaque) ammonia; **~ volatil** ammonia; 2 Chimie alkali

alcalin, **~e** /alkalɛ̃, in/ *adj* alkaline

alcalinité /alkalinite/ *nf* alkalinity

alcaloïde /alkalɔid/ *nm* alkaloid

Alceste /alsɛst/ *npr* Mythol Alcestis

alchimie /alʃimi/ *nf* alchemy

alchimique /alʃimik/ *adj* alchemic

alchimiste /alʃimist/ *nmf* alchemist

alcolo○ /alkolo/ *nmf* drunk

alcool /alkɔl/ *nm* 1 (boisson) alcohol; **boire de l'~** to drink alcohol; **vous prendrez bien un petit ~?** will you have a little drop of something?; **~ de poire** pear brandy; **sans ~** [*cocktail*] non-alcoholic; [*bière*] alcohol-free; **elle ne tient pas du tout l'~** she cannot take *ou* hold her drink at all; **l'~ m'est interdit** I'm not allowed to drink alcohol; 2 (alcoolisme) drink; **s'adonner à** *or* **sombrer dans l'~** to take to drink; **l'~ au volant** drinking and driving; 3 (substance) alcohol; **avoir une forte teneur en ~** to have a high alcohol content; 4 **un ~** a spirit; **il ne boit que des ~s forts** he only drinks spirits

(Composés) **~ absolu** absolute alcohol; **~ blanc** clear fruit brandy; **~ à brûler** methylated spirits, meths○ GB; **~ camphré** camphorated alcohol; **~ éthylique** ethyl alcohol; **~ à 90°** surgical spirit GB, rubbing alcohol US; **~ de menthe** mentholated alcohol

alcoolat /alkɔla/ *nm* alcohol-based medicine

alcoolémie /alkɔlemi/ *nf* presence of alcohol in the blood; **contrôle d'~** checking for alcohol in the blood; **taux d'~** level of alcohol in the blood

alcoolique /alkɔlik/ *adj, nmf* alcoholic

alcoolisation /alkɔlizasjɔ̃/ *nf* alcoholization

alcoolisé, **~e** /alkɔlize/
A *pp* ▸ **alcooliser**
B *pp adj* alcoholic; **une boisson peu/non ~e** a low-alcohol/non-alcoholic drink

alcooliser /alkɔlize/ [1]
A *vtr* to alcoholize
B s'alcooliser○ *vpr* hum to get drunk

alcoolisme /alkɔlism/ *nm* alcoholism

alcootest /alkɔtɛst/ *nm* 1 (appareil) Breathalyzer®; 2 (contrôle) breath test

> **Alcootest**
>
> A test carried out on drivers, sometimes randomly and always after a traffic accident, in order to measure the alcohol content in the bloodstream. The legal limit in France is 0.5g/l.

Alcotest® /alkɔtɛst/ *nm* Breathalyzer®

alcôve /alkov/ *nf* alcove; **d'~** [*histoires, secrets*] of the boudoir

alcyon /alsjɔ̃/ *nm* 1 Mythol halcyon; 2 Zool dead man's fingers (+ *v sg*)

aléa /alea/ *nm* (de temps, nature, marché) vagary; (économique, financier) hazard; **les ~s du métier** occupational hazards

aléatoire /aleatwaʀ/ *adj* 1 [*événements, succès, résultat*] unpredictable; [*profession*] insecure, risky; **le caractère ~ de** the unpredictability of [*résultat*]; the unstable nature of [*emploi*]; 2 Littérat, Mus aleatory; 3 Math, Stat random; 4 Jur [*acte, contrat*] aleatory

alémanique /alemanik/ ▸ p. 483 *adj, nm* Alemannic

ALÉNA /alena/ *nm* (*abbr* = **Accord de libre-échange nord-américain**) NAFTA

alêne /alɛn/ *nf* awl

alentour /alɑ̃tuʀ/
A *adv* surrounding; **visite de la ville et de la région ~** visit of the town and surrounding area; **les maisons d'~** the surrounding houses
B alentours *nmpl* (environs) surrounding area (*sg*); **les ~s de la ferme/ville** the area around the farm/town; **il n'y a personne aux** *or* **dans les ~s** there is no-one in the surrounding area
C aux alentours de *loc prép* 1 (de lieu) around; **aux ~s de la place/Nîmes** around the square/Nîmes; 2 (de chiffre, date) about, around; **aux ~s de l'an 2000** about the year 2000; **il y avait aux ~s de 1 000 personnes** there were about 1,000 people

aléoute /aleut/ ▸ p. 483
A *adj* Aleutian
B *nm* Ling Aleut

Aléoute /aleut/ *nmf* Aleut

Aléoutiennes /aleusjɛn/ ▸ p. 435 *adj fpl* **les îles ~** the Aleutian islands

alerte /alɛʀt/
A *adj* (vif) [*personne, esprit*] alert; [*démarche*] brisk; [*style, jeu, interprétation*] lively
B *nf* alert; **être en état d'~** lit to be in a state of alert; fig to be on the alert; **en cas d'~ grave...** in the event of a serious alert...; **donner l'~** to raise the alarm; **donner l'~ à qn** to alert sb; **fausse ~** false alarm; **~ générale** full alert

(Composés) **~ aérienne** air raid warning; **~ à la bombe** bomb scare

alerter /alɛʀte/ [1] *vtr* 1 (donner l'alerte) to alert [*police, autorités*]; 2 (informer) to alert [*opinion publique*] (**sur qch** to sth); to inform [*personne, service*]; **les pompiers alertés sont arrivés rapidement** the firemen arrived soon after being alerted

alésage /alezaʒ/ *nm* 1 (usinage) boring; 2 (partie alésée) bore; 3 Aut (diamètre des cylindres) cylinder bore

alèse /alɛz/ *nf* undersheet, mattress protector; (imperméable) waterproof undersheet, waterproof mattress protector

alésé, **~e** /aleze/ *adj* Hérald couped

aléser /aleze/ [14] *vtr* to bore

aléseur /alezœʀ/ *nm* 1 ▸ p. 532 boring-machine operator; 2 Mines reamer; **~ à rouleaux** rotary reamer

aléseuse /alezøz/ *nf* Mécan boring machine

aléseuse-fraiseuse, *pl* **aléseuses-fraiseuses** /alezøzfʀɛzøz/ *nf* boring and milling machine

alésoir /alezwaʀ/ *nm* Mécan reamer

alevin /alvɛ̃/ *nm* young fish

alevinage /alvinaʒ/ *nm* stocking with young fish

Alexandre /alɛksɑ̃dʀ/ *npr* Alexander; **~ le Grand** Alexander the Great

Alexandrie /alɛksɑ̃dʀi/ ▸ p. 894 *npr* 1 (en Égypte) Alexandria; 2 (en Italie) Alessandria

alexandrin /alɛksɑ̃dʀɛ̃/ *adj m, nm* alexandrine

alezan, **~e** /alzɑ̃, an/
A *adj* [*cheval*] chestnut
B *nm* chestnut (horse)

alfa /alfa/ *nm* 1 (herbe) esparto grass; 2 (fibre) esparto; 3 (papier) esparto paper, alfa paper

algarade /algaʀad/ *nf* quarrel; **avoir une ~ avec qn** to have a quarrel with sb

algèbre /alʒɛbʀ/ *nf* algebra

algébrique /alʒebʀik/ *adj* algebraic

algébriquement /alʒebʀikmɑ̃/ *adv* algebraically

algébriste /alʒebʀist/ ▸ p. 532 *nmf* algebraist

algéco® /alʒeko/ *nm* portakabin®

Alger /alʒe/ ▸ p. 894 *npr* Algiers

Algérie /alʒeʀi/ ▸ p. 333 *nprf* Algeria

algérien, -ienne /alʒeʀjɛ̃, ɛn/ ▸ p. 561 *adj* Algerian

Algérien, -ienne /alʒeʀjɛ̃, ɛn/ ▸ p. 561 *nm,f* Algerian

algérois, ~e /alʒeʀwa, az/ ▸ p. 894 *adj* of Algiers

Algérois, ~e /alʒeʀwa, az/ ▸ p. 894 *nm,f* (natif) native of Algiers; (habitant) inhabitant of Algiers

algicide /alʒisid/ *nm* algicide

algie /alʒi/ *nf* pain; **~ dentaire** toothache, odontalgia spéc

ALGOL /algɔl/ *nm* (*abbr* = **algorithmic language**) ALGOL

algonquin /algɔ̃kɛ̃/ ▸ p. 483 *nm* Ling 1▸ (famille de langues) Algonquian languages (*pl*); 2▸ (langue) Algonquin

algorithme /algɔʀitm/ *nm* algorithm

algorithmique /algɔʀitmik/ *adj* algorithmic

algue /alg/ *nf* 1▸ Bot (d'eau douce) alga; (marine) seaweed ¢, alga spéc; **des ~s** (marines) seaweed, algae spéc; 2▸ Culin seaweed ¢

(Composés) **~s brunes** brown algae; **~s rouges** red algae; **~s vertes** green algae

alias /aljas/
A *nm* Ordinat alias
B *adv* alias

Ali Baba /alibaba/ *npr* **~ et les quarante voleurs** Ali Baba and the forty thieves; **une vraie caverne d'~** a real Aladdin's cave

alibi /alibi/ *nm* 1▸ Jur alibi; **fournir un ~ très solide** to give a watertight alibi; 2▸ (prétexte) excuse; **il a invoqué l'~ d'une importante réunion de travail** he gave an important business meeting as his excuse; **servir d'~** to do as an excuse

alicament /alikamɑ̃/ *nm* nutraceutical, functional food

aliénabilité /aljenabilite/ *nf* Jur alienability

aliénable /aljenabl/ *adj* Jur alienable

aliénant, ~e /aljenɑ̃, ɑ̃t/ *adj* alienating

aliénataire /aljenatɛʀ/ *nmf* Jur alienee

aliénateur, -trice /aljenatœʀ, tʀis/ *nm,f* Jur alienator

aliénation /aljenasjɔ̃/ *nf* 1▸ (asservissement) alienation (**de** of); 2▸ Jur alienation; 3▸ †Méd **~ (mentale)** insanity, (mental) alienation†

aliéné, ~e /aljene/ *nm,f* Méd insane person

aliéner /aljene/ [14]
A *vtr* 1▸ Jur (céder) to alienate [*terre*]; 2▸ (perdre) to lose [*liberté*]; (par renoncement) to give up; 3▸ (détourner) **~ qn à qn** to alienate sb from sb; **ces mesures lui ont aliéné une partie du vote socialiste** these measures have lost him a section of the socialist vote; 4▸ Philos, Sociol to alienate [*personne*]
B **s'aliéner** *vpr* 1▸ (détourner) to alienate [*confrères, électorat, opinion publique*]; **s'~ qch** to lose sth; **tu t'es aliéné leur estime** you have lost their esteem; 2▸ Philos, Sociol to be alienated (**à** from); **s'~ par le travail** to be alienated by work

aliéniste /aljenist/ *nmf* alienist†, psychiatrist

aligné, ~e /aliɲe/
A *pp* ▸ **aligner**
B *pp adj* Pol [*pays*] aligned; **non ~** nonaligned

alignement /aliɲ(ə)mɑ̃/
A *nm* 1▸ (rang) row, line; **mettre qch à l'~ de qch** to line sth up with sth, to align sth with sth; **se mettre à/sortir de l'~** [*soldat*] to fall into/to step out of line; **~!** Mil fall in!; 2▸ (mise côte à côte) alignment; 3▸ (pour la conformité) alignment; **~ de qch sur qch** [*monnaie, salaires, parti, politique*] alignment of sth with sth; **l'~ de sa conduite sur celle de qn d'autre** bringing one's behaviour[GB] into line with sb else's; 4▸ (de voie publique) alignment
B **alignements** *nmpl* Archéol alignments

aligner /aliɲe/ [1]
A *vtr* 1▸ (mettre côte à côte) to put [sth] in a line, to line [sth] up; (mettre en ligne droite) to line [sth] up, to align [*objets, points*]; **alignés contre le mur** lined up *ou* in a line against the wall; **des objets alignés** objects in a line; **stands alignés le long de la route** rows of stalls along the road; 2▸ (rendre conforme à) **~ qch sur qch** to bring sth into line with sth; 3▸ (énumérer) to give a list of [*statistiques, arguments, chiffres*]; (accumuler) to line up [*somme*]; to notch up○ [*kilomètres, bons résultats*]; 4▸ ○(payer) **tu peux ~ tes 100 balles**○ you can fork out○ your 100 francs; **~ les fautes/les excuses** to make one mistake/excuse after another *ou* the other; 5▸ (présenter) to line up [*joueurs, équipe*]
B **s'aligner** *vpr* 1▸ (être côte à côte) to be in a line; 2▸ (se mettre en file) to line up; (en formation militaire) to fall into line; 3▸ **s'~ sur** to align oneself with [*pays, parti, idées*]; **s'~ sur le règlement** to conform with the rules; 4▸ ○(dans une compétition) **ils peuvent toujours s'~!** they can try but they don't stand a chance!

aligot /aligo/ *nm*: *creamed potato with cheese*

aligoté /aligɔte/
A *adj* [*cépage, vin*] aligoté (*épith*)
B *nm* white wine

aliment /alimɑ̃/
A *nm* 1▸ (pour êtres humains) food; **un ~ rare** a rare food; **certains ~s** certain foods; **lavez/faites cuire vos ~s** wash/cook your food; **~s énergétiques/surgelés** high-energy/frozen foods; **dans quels ~s trouve-t-on du fer?** which foods contain iron?; **un ~ de base** a staple food; 2▸ (pour animaux) gén food; (pour animaux d'élevage) feed; **les ~s pour chats/chiens** catfood/dogfood; **les ~s pour volailles** poultry feed; 3▸ (pour plantes) nutrient; **les plantes puisent leurs ~s dans le sol** plants take their nutrients from the soil; 4▸ fig **fournir** *or* **être un ~ à qch** to feed sth
B **aliments** *nmpl* Jur alimony, maintenance

alimentaire /alimɑ̃tɛʀ/ *adj* 1▸ lit [*besoins, comportement, habitudes*] dietary; [*ration, aide, industrie, pénurie*] food; **prix ~s** food prices; **produits** *or* **denrées ~s** foodstuffs; **régime ~** diet; **trouble du comportement ~** eating disorder; 2▸ fig (pour survivre) **un travail purement ~** a job done purely to make a living; **roman ~** potboiler; **il fait de la traduction/peinture ~** he churns out translations/paintings for money

alimentation /alimɑ̃tasjɔ̃/ *nf* 1▸ (manière de se nourrir) diet; **avoir une ~ saine** to have a healthy diet; **surveiller son ~** to watch one's diet; **une ~ riche en** a diet rich in; **l'~ de base** staple food; 2▸ (action de se nourrir) feeding; **~ artificielle** Méd artificial feeding; **être sous ~ artificielle** to be artificially fed; 3▸ Comm (produits alimentaires) food; (industrie) food industry; (commerce) food retailing; **20% de leur budget est consacré à l'~** 20% of their budget is devoted to food; **le rayon ~** the food section; **magasin d'~** food shop, grocery store; 4▸ (approvisionnement) (en papier, oxygène) feeding (**de** of); **l'~ en électricité/eau/mazout de qch** the electricity/water/fuel supply of sth; **l'~ d'une arme à feu** loading a firearm

alimenter /alimɑ̃te/ [1]
A *vtr* 1▸ to feed [*personne, animal*]; **~ au biberon** to bottle-feed; **~ qn artificiellement** to feed sb artificially; 2▸ (approvisionner) [*torrent, eau*] to feed [*lac, rivière, barrage, turbine*]; [*tuyau, système*] to feed [*chaudière, poêle, moteur*]; **~ qch en** to feed sth with [*papier, grain, données*]; **~ une chaudière en mazout** to feed *ou* supply a stove with oil; **~ un appareil en électricité** to power an appliance with electricity; **la centrale alimente toute la ville** the power station supplies the whole town with electricity; **~ un budget** to fund a budget; 3▸ fig to fuel [*conversation, hostilité, feu*]
B **s'alimenter** *vpr* 1▸ [*personne*] to eat; [*animal*] to feed; **il s'alimente bien/mal** he eats well/badly; **s'~ de** [*personne*] to live on; [*animal*] to feed on; 2▸ (en eau, gaz, électricité) [*ville, bâtiment*] **s'~ en** to be supplied with; 3▸ [*conversation, jalousie, haine*] **s'~ de** to thrive on

alinéa /alinea/ *nm* (rentré) indentation; (ligne rentrée) indented line; (paragraphe) paragraph; **l'article 49, ~ 3 de la Constitution** article 49, paragraph 3 of the Constitution

alisier /alizje/ *nm* sorb

(Composé) **~ blanc** whitebeam mountain ash

alitement /alitmɑ̃/ *nm* bed rest

aliter: **s'aliter** /alite/ [1] *vpr* to take to one's bed; **être/rester alité** to be/to remain confined to bed

alizé /alize/
A *adj m* **vent ~** trade wind
B *nm* trade wind; **les ~s** trade winds

Allah /alla/ *npr* Allah

allaitement /alɛtmɑ̃/ *nm* (humain) feeding ¢; (animal) suckling ¢

(Composés) **~ artificiel** bottle-feeding; **~ maternel** breast-feeding; **~ mixte** mixed feeding

allaiter /alete/ [1] *vtr* [*femme*] to breast-feed; [*animal*] to suckle; **~ au biberon** to bottle-feed

allant, ~e /alɑ̃, ɑ̃t/
A *adj* active, lively
B *nm* drive, bounce; **avoir de l'~, être plein d'~** to have plenty of drive, to be full of bounce; **perdre son ~** to run out of steam

alléchant, ~e /alɛʃɑ̃, ɑ̃t/ *adj* tempting

allécher /aleʃe/ [14] *vtr* to tempt; **~ qn avec des promesses** to tempt sb with promises

allée /ale/
A *nf* 1▸ (chemin) (de jardin, bois, parc) path; (de château) drive; (rue) road; **une petite ~** a little path; **une ~ de peupliers** an avenue of poplars; **les ~s du pouvoir** fig the corridors of power; 2▸ (entre des rangées de sièges) aisle; **~ (centrale)** aisle; **~ latérale** side aisle; 3▸ (escalier) staircase
B **allées** *nfpl* **~s et venues** comings and goings; **surveiller les ~s et venues de qn** to watch sb's movements; **faire des ~s et venues entre les bureaux** to go back and forth between offices

(Composés) **~ cavalière** bridleway, bridle path; **~ forestière** forest trail

allégation /alegasjɔ̃/ *nf* allegation; **~s mensongères** false allegations

allégé, ~e /aleʒe/
A *pp* ▸ **alléger**
B *pp adj* [*beurre, yaourt, menu, cuisine*] low-fat; [*sucre, confiture*] diet (*épith*)

allégeance /aleʒɑ̃s/ *nf* allegiance; **faire acte d'~** to pledge one's allegiance

allégement* /alɛʒmɑ̃/ *nm* 1▸ (en poids) lightening; 2▸ (réduction) (de dette, charges) reduction; (de contrôles) relaxing; (de structures, procédures) simplification; **~ des effectifs** Scol reduction in numbers; **~ de la fiscalité** tax cuts (*pl*); **~ fiscal** tax relief; 3▸ Sport (en ski) unweighting; 4▸ (de conditions de détention) improvement, easing

alléger /aleʒe/ [15]
A *vtr* 1▸ (rendre moins lourd) to lighten [*véhicule, fardeau, bagages*]; 2▸ (rendre moins important) to reduce [*dette, charges*] (**de** by); to cut [*impôt*]; to simplify [*structure, dispositif, procédure*]; to relax [*contrôle*]; **~ les horaires scolaires** to reduce the school day; **~ les programmes** Scol, Univ to cut the content of courses; 3▸ (rendre moins pénible) to improve [*conditions de détention*]; to alleviate [*souffrances*]
B **s'alléger** *vpr* 1▸ (devenir moins lourd) [*fardeau, véhicule, bagages*] to get lighter; 2▸ (devenir moins important) [*dette, impôt, charges*] to be reduced; [*dispositif, structure, procédure*] to be simplified; [*embargo, contrôle*] to be relaxed; 3▸ (devenir moins pénible) [*conditions de détention*] to be improved

allégorie /alegɔʀi/ *nf* allegory

a

allégorique /alegɔʀik/ *adj* allegorical
allégoriquement /alegɔʀikmɑ̃/ *adv* allegorically
allègre /alɛgʀ/ *adj* [*texte, style*] light; [*récit, ton*] light-hearted; [*pas, humeur*] buoyant
allégrement* /alegʀəmɑ̃/ *adv* 1 (avec allégresse) joyfully; 2 iron (sans souci) blithely; **elle est partie ~ au Népal** she blithely went off to Nepal; **promettre ~ un allégement des impôts** to promise tax cuts blithely, to make a blithe promise of tax cuts; **mettre ~ qn en prison** to throw sb in jail without a second thought
allégresse /alegʀɛs/ *nf* joy; **dans l'~** in joyful mood; **participer à l'~ générale** to share in the general rejoicing; **explosion d'~** joyous outburst
allegretto* /alegʀeto/ *nm, adv* allegretto
allegro* /alegʀo/ *adv* allegro
alléguer /alege/ [14] *vtr* 1 (invoquer) to invoke [*exemple, précédent*]; 2 (prétexter) to allege, to claim
allèle /alɛl/ *nm* allele
alléluia /aleluja/ *nm* hallelujah
Allemagne /almaɲ/ ▸ **p. 333** *nprf* Germany; **la République fédérale d'~** the Federal Republic of Germany; **les deux ~s** the two Germanies; **l'~ unie** unified Germany; **l'ancienne ~ de l'Est** the former East Germany
allemand, **~e** /almɑ̃, ɑ̃d/
A ▸ **p. 561** *adj* German
B ▸ **p. 483** *nm* Ling German
C **allemande** *nf* Danse, Mus allemande.
Allemand, **~e** /almɑ̃, ɑ̃d/ ▸ **p. 561** *nm,f* German; **~ de l'Est/de l'Ouest** East/West German
aller¹ /ale/ [9]
A *v aux* 1 (marque le futur) **je vais partir** I'm leaving; **je vais rentrer chez moi/me coucher** I'm going home/to bed; **j'allais partir** I was just leaving; **j'allais partir quand il est arrivé** I was about to leave when he arrived; **l'homme qui allait inventer la bombe atomique** the man who was to invent the atomic bomb; **il allait le regretter** he was to regret it; **il va le regretter** he'll regret it; **elle va avoir un an** she'll soon be one; **il va faire nuit** it'll soon be dark; **ça va ~ mal**○ there'll be trouble; **tu vas me laisser tranquille?** will you please leave me alone!
2 (marque le futur programmé) **je vais leur dire ce que je pense** I'm going to tell them what I think; **elle va peindre sa cuisine en bleu** she's going to paint her kitchen blue; **j'allais te le dire** I was just going to tell you
3 (marque le mouvement) **~ rouler de l'autre côté de la rue** to go rolling across the street; **~ valser**○ **à l'autre bout de la pièce** to go flying across the room; **~ atterrir**○ **en plein champ/sur mon bureau** to end up in the middle of a field/on my desk
4 (marque l'inclination, l'initiative) **qu'est-ce que tu vas imaginer là?** what a ridiculous idea!; **va savoir!** who knows?; **va** *or* **allez (donc) savoir ce qui s'est passé** who knows what happened?; **qu'es-tu allé te mettre en tête?** where did you pick up that idea?; **qui irait le soupçonner?** who would suspect him?; **vous n'iriez pas leur dire ça?** you're not going to go and say that, are you?; **pourquoi es-tu allé faire ça?** why did you have to go and do that?; **n'allez pas croire une chose pareille!** (pour réfuter) don't you believe it!; (pour tempérer l'enthousiasme) don't get carried away!; **allez y comprendre quelque chose!** just try and work that out!
5 (marque l'évolution) **la situation va (en) se compliquant** the situation is getting more and more complicated; **~ (en) s'améliorant/s'aggravant** to be improving/getting worse; **la tristesse ira (en) s'atténuant** the grief will diminish
B *vi* 1 (se porter, se dérouler, fonctionner) **comment vas-tu, comment ça va?** how are you?; **ça va (bien)** I'm fine; **les enfants vont bien?** are the children all right?; **et ta femme/ton épaule, comment ça va?** how's your wife/your shoulder?; **comment va la santé?** how are you keeping?; **ça va la vie**○**?** how's life○?; **ça va les amours**○**?** how's the love life going?; **~ beaucoup mieux** to be much better; **bois ça, ça ira mieux** drink this, you'll feel better; **tout va bien pour toi?** is everything going all right?; **si tout va bien** if everything goes all right; **vous êtes sûr que ça va?** are you sure you're all right?; **les affaires vont bien/mal** business is good/bad; **ça va l'école?** how are things at school?; **ça ne va pas très fort** *or* **bien** (ma santé) I'm not feeling very well; (la vie) things aren't too good; (le moral) I'm feeling a bit low; **ça pourrait ~ mieux, ça va plus ou moins** (réponse) so-so; **ça va mal entre eux** things aren't too good between them; **qu'est-ce qui ne va pas?** what's the matter?; **la voiture a quelque chose qui ne va pas** there's something wrong with the car; **tout va pour le mieux** everything's fine; **tout est allé si vite!** it all happened so quickly!; **ne pas ~ sans peine** *or* **mal** not to be easy; **ne pas ~ sans hésitations** to take some thinking about; **ça va de soi** *or* **sans dire** it goes without saying; **ça devrait ~ de soi** it should be obvious; **ainsi vont les choses** that's the way it goes; **ainsi va le monde** that's the way of the world; **ainsi allait la France** this was the state of affairs in France; **l'amour ne va jamais de soi** love is never straightforward; **ça va tout seul** (c'est facile) it's a doddle○ GB, it's as easy as pie; **ça ne va pas tout seul** it's not that easy, it's no picnic○; **les choses vont très vite** things are moving fast; **on fait ~**○ struggling on○; **ça peut ~**○, **ça ira**○ could be worse○; **ça va pas, non**○ *or* **la tête**○**?** are you mad○ GB *ou* crazy○?; **ça va pas, non, de crier** *or* **gesticuler comme ça**○**?** what's the matter with you, carrying on like that○?; ▸ **pis**
2 (se déplacer) to go; **tu vas trop vite** you're going too fast; **allez tout droit** go straight ahead; **~ et venir** (dans une pièce) to pace up and down; (d'un lieu à l'autre) to run in and out; **la liberté d'~ et venir** the freedom to come and go at will; **je préfère ~ à pied/en avion** I'd rather walk/fly; **les nouvelles vont vite** news travels fast; **~ d'un pas rapide** to walk quickly; **je sais ~ à bicyclette/cheval** I can ride a bike/horse; **où vas-tu?** where are you going?, where are you off○ to?; **je vais en Pologne** I'm going to Poland; **~ au marché/en ville** to go to the market/into town; **~ chez le médecin/dentiste** to go to the doctor's/dentist's; **va dans ta chambre** go to your room; **je suis allé de Bruxelles à Anvers** I went from Brussels to Antwerp; **je suis allé jusqu'en Chine/au marché** (et pas plus loin) I went as far as China/the market; (et c'était loin) I went all the way to China/the market; **je préfère ne pas y ~** I'd rather not go; **allons-y!** let's go!; **je l'ai rencontré en allant au marché** I met him on the way to the market; **~ vers le nord** to head north; **j'y vais** (je m'en occupe) I'll get it; (je pars)○ I'm going, I'm off○; **où va-t-il encore?** where is he off to now○?; **~ sur** *or* **vers Paris** to head for Paris; **où va-t-on**○**?, où allons-nous**○**?** fig what are things coming to?, what's the world coming to?; **va donc, eh, abruti**○**!** get lost○, you idiot!; ▸ **cruche**
3 (pour se livrer à une activité, chercher un produit) **~ à l'école/au travail** to go to school/to work; **~ à la chasse/pêche** to go hunting/fishing; **allez-vous à la piscine?** do you go to the swimming pool?; **il est allé au golf/tennis** he's gone to play golf/tennis; **~ aux champignons/framboises** to go mushroom/raspberry-picking; **~ au pain**○ to go and get the bread; **dans quelle boulangerie allez-vous?** which bakery do you go to?; **~ aux courses**○ *or* **commissions**○ to go shopping; **~ au ravitaillement** to go and stock up; **~ aux nouvelles** *or* **informations** to go and see if there's any news
4 (s'étendre dans l'espace) **la route va au village** the road leads to the village; **la rue va de la gare à l'église** the street goes from the station to the church
5 (convenir) **ma robe/la traduction, ça va?** is my dress/the translation all right?; **ça va, ça ira**○, **ça peut aller**○ (en quantité) that'll do; (en qualité) it'll do; **ça va comme ça** it's all right as it is; **ça ne va pas du tout** that's no good at all; **ça ne va pas du tout, tu dois mettre une cravate** you can't go like that, you have to wear a tie; **la traduction n'allait pas** the translation was no good; **lundi ça (te) va?** would Monday suit you *ou* be okay○?; **une soupe, ça (te) va?** how about some soup?; **va pour une soupe**○ soup is okay○; **ça irait si on se voyait demain?** would it be all right if we met tomorrow?; **ça va si je porte un jean?** can I wear jeans?; **si le contrat ne te va pas, ne le signe pas** don't sign the contract if you're not happy with it; **si ça va pour toi, ça va pour moi**○ *or* **ça me va**○ if it's okay by you, it's okay by me○; **ça n'irait pas du tout** (inacceptable) that would never do; **ma scie ne va pas pour le métal** my saw is no good for metal; **ça te va bien de faire la morale/parler comme ça**○ iron you're hardly the person to preach/make that sort of remark
6 (être de la bonne taille, de la bonne forme) **~ à qn** to fit sb; **tes chaussures sont trop grandes, elles ne me vont pas** your shoes are too big,

ℹ aller¹

Lorsque *aller* fait partie d'une expression figée comme *aller dans le sens de*, *aller de pair avec* etc., l'expression est traitée sous l'entrée **sens**, **pair** etc.

On notera les différentes traductions de *aller* verbe de mouvement indiquant:

un déplacement unique dans le temps:

je vais au théâtre ce soir
= I'm going to the theatre this evening

ou une habitude:

je vais au théâtre tous les lundis
= I go to the theatre every Monday

aller + infinitif

La traduction dépend du temps:

je vais apprendre l'italien
= I'm going to learn Italian

il est allé voir l'exposition
= he went to see the exhibition

j'allais me marier quand la guerre a éclaté
= I was going to get married when the war broke out

va voir
= go and see

va leur parler
= go and speak to them

j'irai voir l'exposition demain
= I'll go and see the exhibition tomorrow

je vais souvent m'asseoir au bord de la rivière
= I often go and sit by the river

il ne va jamais voir une exposition
= he never goes to see exhibitions

On notera que pour les activités sportives on peut avoir:

aller nager
= to go swimming *ou* to go for a swim

aller faire du vélo
= to go cycling *ou* to go on a bike ride

On trouvera ci-dessous des exemples et des exceptions illustrant *aller* dans ses différentes fonctions verbales.

they don't fit me; **cette vis/clé ne va pas** this screw/key doesn't fit

7 (flatter, mettre en valeur) ~ **à qn** to suit sb; **le rouge ne me va pas** *or* **me va mal** red doesn't suit me; **sa robe lui allait (très) bien** her dress really suited her; **le rôle t'irait parfaitement** the part would suit you perfectly; **ta cravate ne va pas avec ta chemise** your tie doesn't go with your shirt; **les tapis vont bien ensemble** the rugs go together well; **les meubles vont bien ensemble** the furniture all matches; **je trouve que ta sœur et son petit ami vont très bien ensemble** I think your sister and her boyfriend are ideally suited

8 (se ranger) to go; **les assiettes vont dans le placard** the plates go in the cupboard; **la chaise pliante va derrière la porte** the folding chair goes behind the door

9 (faculté) **pouvoir ~ dans l'eau** to be waterproof; **le plat ne va pas au four** the dish is not ovenproof

10 (dans une évaluation) **la voiture peut ~ jusqu'à 200 km/h** the car can do up to 200 km/h; **certains modèles peuvent ~ jusqu'à 1 000 euros** some models can cost up to 1,000 euros; **une peine allant jusqu'à cinq ans de prison** a sentence of up to five years in prison

11 (en arriver à) ~ **jusqu'au président** to take it right up to the president; ~ **jusqu'à mentir/tuer** to go as far as to lie/kill; **leur amour est allé jusqu'à la folie** their love bordered on madness

12 (dans le temps) ~ **jusqu'en 1914** to go up to 1914; **pendant la période qui va du 8 février au 13 mars** between 8 February and 13 March; **la période qui va de 1918 à 1939** the period between 1918 and 1939; **l'offre va jusqu'à jeudi** the offer lasts until Thursday; **le contrat allait jusqu'en 2007** the contract ran until 2007; **va-t-on vers une nouvelle guerre?** are we heading for another war?; ~ **sur ses 17 ans** to be going on 17

13 (agir, raisonner) **vas-y doucement** *or* **gentiment, le tissu est fragile** careful, the fabric is delicate; **ils n'y sont pas allés doucement avec les meubles**○ they were rather rough with the furniture; **tu vas trop vite** you're going too fast; **j'y vais**○ (je vais agir) here we go!; **si tu vas par là** *or* **dans ce sens, rien n'est entièrement vrai** if you take that line, nothing is entirely true

14 (pour inciter, encourager) **vas-y, demande-leur!**○ (incitation) go on, ask them!; **vas-y, dis-le!**○ (provocation) come on, out with it!; **allons!, allez!**○ (pour encourager, inciter) come on!; **allez Zidane!, vas-y Zidane!**○ come on Zidane; **allez les Bleus!**○ (Sport) come on France; **allez-y!**○ (après vous) after you!

15 (contribuer) **y ~ de sa petite larme** to shed a little tear; **y ~ de sa petite chanson** to do one's party piece; **y ~ de ses économies** to dip into one's savings; **y ~ de sa personne** to pitch in; **y ~ de 100 euros** Jeux to put in 100 euros

16 ○(se succéder) **ça y va la vodka avec lui** he certainly gets through the vodka; **ça y allait les coups** the fur was flying○

17 (servir) **où est allé l'argent?** where has the money gone?; **l'argent ira à la réparation de l'église** the money will go toward(s) repairing the church

18 (enfreindre) ~ **contre la loi** [*personne*] to break the law; [*acte*] to be against the law; **je ne peux pas ~ contre ce qu'il a décidé** I can't go against his decision

C s'en aller *vpr* **1** (partir, se rendre) **il faut que je m'en aille** I must go *ou* leave; **je m'en vais en Italie cet été** I'm going to Italy this summer; **je m'en vais du Japon l'année prochaine** I'll be leaving Japan next year; **va-t'en!** go away!; **s'en ~ en vacances/au travail** to go off on vacation/to work; **ils s'en allaient chantant†** they went off singing

2 (disparaître) **les nuages vont s'en ~** the clouds will clear away; **la tache ne s'en va pas** the stain won't come out; **avec le temps, tout s'en va** everything fades with time; **les années s'en vont** the years go by

3 fml (mourir) to pass away

4 (avoir l'intention de, essayer) **je m'en vais leur dire ce que je pense** I'm going to tell them what I think; **ne t'en va pas imaginer une chose pareille** (pour réfuter) don't you believe it!; (pour tempérer l'enthousiasme) don't get carried away!; **va-t'en savoir ce qu'il a voulu dire!** who knows what he meant?

D *v impers* **1** (être en jeu) **il y va de ma réputation** my reputation is at stake; **il y va de ta santé** your health is at stake

2 (se passer) **il en va souvent ainsi** that's often what happens; **tout le monde doit aider et il en va de même pour toi** everyone must help, and that goes for you too; **il en ira de même pour eux** the same goes for them; **il en va autrement en Corée** things are different in Korea; **il en ira de lui comme de ses prédécesseurs** he'll go the same way as his predecessors

3 Math **40 divisé par 12 il y va 3 fois et il reste 4** 12 into 40 goes 3 times with 4 left over

aller² /ale/ *nm* **1** (trajet) **j'ai fait une escale à l'~** I made a stopover on the way out; **j'ai pris le bus à l'~** (en allant là) I took the bus there; (en venant ici) I took the bus here; **l'~ a pris trois heures** the journey there took three hours; **il n'arrête pas de faire des ~s et retours entre chez lui et son bureau** he keeps running to and fro from his house to the office; **je suis pressé, je ne fais que l'~ et le retour**○ I'm in a hurry, I've just popped in○; **billet ~** gén single ticket GB, one-way ticket US; (d'avion) one-way ticket; **billet ~ (et) retour** return ticket GB, round trip (ticket) US; **2** (ticket) ~ **(simple)** single (ticket); **deux ~s (pour) Lille** two singles to Lille; ~ **(et) retour** return ticket; **3** Sport (match) first leg; **à l'~** in the first leg; **match** *or* **rencontre ~** first leg

allergène /alɛʀʒɛn/ *nm* allergen

allergie /alɛʀʒi/ *nf* Méd allergy; **avoir une ~ à qch** Méd to have an allergy to sth; fig to be allergic to sth; **une ~ médicamenteuse** an allergy to a medicine; ~ **professionnelle** work-related allergy

allergique /alɛʀʒik/ *adj* Méd, fig allergic (**à** to); **réaction ~** allergic reaction

allergisant, ~e /alɛʀʒizɑ̃, ɑ̃t/ *adj* Méd [*produit*] allergenic; **sans effet ~** hypoallergenic; **un produit qui a une action ~e** a product which causes allergic reactions

allergologie /alɛʀgɔlɔʒi/ *nf* Méd study of allergies; **se spécialiser en ~** to specialize in (the study of) allergies

allergologue /alɛʀgɔlɔg/ ▸ **p. 532** *nmf* allergist

alliacé, ~e /aljase/ *adj* [*odeur, plante*] alliaceous

alliage /aljaʒ/ *nm* **1** (produit) alloy; **en ~** alloy (*épith*); **en ~ d'aluminium** in aluminium GB *ou* aluminum US alloy (*après n*); **2** (action) formation of an alloy (**de qch avec qch** of sth and sth); **3** fig (association) combination

alliance /aljɑ̃s/ *nf* **1** (bague) wedding ring; **2** (entente) (entre pays, personnes, groupes) alliance; **faire ~ avec** to form an alliance with; **rompre une ~** to break off an alliance; ~ **militaire** military alliance; **3** Relig Covenant; **l'ancienne/la nouvelle ~** the old/the new Covenant; **4** (mariage) fml union sout, marriage; **cousin par ~** cousin by marriage; **5** (combinaison) fml combination; **une ~ d'autorité et de douceur** a combination of authority and gentleness

(Composés) **l'~ atlantique** the Atlantic Alliance; ~ **de mots** Ling oxymoron

allié, ~e /alje/

A *pp* ▸ **allier**

B *pp adj* (uni) (par un mariage) related by marriage (**à qn** to sb); (par un traité) [*nation, peuple*] allied; **le débarquement ~** the Allied landings

C *nm,f* (proche) ally; (parent) relative; **il s'en est fait une ~e** he made an ally of her; **parents et ~s** immediate family and other relatives; **les ~s** Mil Hist the Allies

allier /alje/ [2]

A *vtr* **1** Tech to alloy [*métaux*] (**à, avec** with); **2** (combiner) to combine (**et, à** with); **elle réussit à ~ fantaisie et rigueur dans ses œuvres** she successfully combines imagination with precision in her works; **3** (par un mariage) to unite [sth] by marriage [*familles*]

B s'allier *vpr* **1** Pol, Mil (s'unir) to form an alliance (**avec, à** with); **2** (s'harmoniser) [*sons, couleurs*] to go (well) together

Allier /alje/ ▸ **p. 372**, **p. 721** *nprm* (rivière, département) **l'~** the Allier

alligator /aligatɔʀ/ *nm* alligator

allitération /al(l)iteʀasjɔ̃/ *nf* alliteration ₵; **une ~ en s/t** alliterative 's's/'t's

allô* /alo/ *excl* hello!, hallo!; **~? bonjour! ici Sarah, pourrais-je parler à Yves?** hello, Sarah here, could I speak to Yves?

allocataire /al(l)ɔkatɛʀ/ *nmf* person entitled to a state benefit

allocation /al(l)ɔkasjɔ̃/ *nf* **1** (action) allocation, granting; **2** (somme) benefit, benefits (*pl*) US; **verser une ~ à qn** to pay sb benefit *ou* benefits US; **toucher des ~s** to get benefit *ou* benefits US; **toucher une ~ de 10 000 euros par an** to get 10,000 euros in benefit *ou* benefits US a year; **3** Fin (de prêt) granting

(Composés) ~ **chômage** unemployment benefit *ou* benefits US; ~ **de devises** foreign currency allowance; ~ **de fin de droits** income support (*after the period of unemployment benefit has ended*); ~ **logement** housing benefit *ou* benefits US; ~ **de maternité** maternity benefit *ou* benefits US; ~ **de recherche** Univ research grant; ~ **vieillesse** discretionary retirement pension; **~s familiales** family allowance (*sg*)

> **Allocations familiales**
>
> Known colloquially as *les allocs*, they cover both maternity benefits and child benefit generally. For a first child, a working mother is entitled to sixteen weeks of paid maternity leave financed by the state. After the birth of a second child, child benefit is payable monthly.

allocs○ /alɔk/ *nfpl* family allowance

allocutaire /al(l)ɔkytɛʀ/ *nmf* Ling addressee

allocution /al(l)ɔkysjɔ̃/ *nf* address; **une ~ de bienvenue/clôture** a welcome/closing address; **prononcer une ~ télévisée** to make a televised address

allogène /al(l)ɔʒɛn/

A *adj* [*population, peuple*] non-indigenous

B *nmf* non-indigenous person

allogreffe /alogʀɛf/ *nf* (de tissu) allograft; (d'organe) allotransplant

allomorphe /alomɔʀf/ *nm* allomorph

allonge /alɔ̃ʒ/ *nf* **1** (de table) leaf; **2** (électrique) extension cord, extension lead GB; **3** Sport (en boxe) reach; **4** (crochet de boucherie) meat-hook

allongé, ~e /alɔ̃ʒe/

A *pp* ▸ **allonger**

B *pp adj* **1** (longiforme) elongated; **visage ~** elongated face; **2** Équit [*pas, trot, galop*] extended

allongement /alɔ̃ʒmɑ̃/ *nm* **1** (de liste, procédure, délais) lengthening; (de vacances) extension; **2** (de voyelle) lengthening; **3** Aviat aspect ratio; **4** Phys (de ressort) extension

allonger /alɔ̃ʒe/ [13]

A *vtr* **1** (coucher) to lay [sb] down; **2** (agrandir) to lengthen [*robe, rideau*] (**de** by); to extend [*itinéraire, liste, vacances*] (**de** by); to prolong [*espérance de vie*] (**de** by); ~ **le visage de qn** to make sb's face look longer; ~ **la silhouette de qn** to make sb look slimmer; ~ **le pas** to quicken one's step; **3** (étirer) to stretch [sth] out [*bras, cou, jambes*]; **allonge tes jambes sur le canapé** stretch your legs out on the sofa;

elle avait les jambes allongées her legs were stretched out; 4 (diluer) to water [sth] down [*café, vin*]; **allongé d'eau** watered down; 5 ○(dans un combat) to floor○ [*adversaire, personne*]; 6 ○(donner) ~ **200 euros** to give 200 euros; **200 euros, allez, allonge!** 200 euros, go on, hand them over!; ~ **un coup de poing à qn** to throw a punch at sb

B *vi* [*jours*] to lengthen

C **s'allonger** *vpr* 1 (pour se reposer, dormir) to lie down; (s'étirer) to stretch out; **allongé sur son lit/le dos** lying on his bed/his back; 2 (tomber)○ **s'~ sur le trottoir** to fall flat on the pavement GB *ou* sidewalk US; 3 (s'agrandir) [*liste, délais*] to get longer; **ta silhouette s'allonge** you look slimmer; **leur pas s'allonge** they are quickening their step

allopathe /al(l)ɔpat/ *nmf* allopath

allopathie /al(l)ɔpati/ *nf* allopathy

allopathique /al(l)ɔpatik/ *adj* [*méthode, traitement*] allopathic

allophone /alɔfɔn/

A *adj* [*personne*] allophonic

B *nmf* allophone

C *nm* Ling allophone

allotir /alɔtiʀ/ [3] *vtr* to divide up

allotropie /al(l)ɔtʀɔpi/ *nf* allotropy

allotropique /al(l)ɔtʀɔpik/ *adj* [*état, variétés*] allotropic

allouer /alwe/ [1] *vtr* 1 (donner) to allocate [*somme, pension, prime, budget*] (**à qn** to sb; **à qch** for sth); **la somme qui nous est allouée** the sum allocated to us; 2 (accorder) to grant [*prêt, indemnité, subvention*] (**à qn** to sb; **à qch** for sth); to allot, to allow [*temps*] (**à qn** to sb; **à qch** for sth); **le temps qui nous est alloué** the time allotted to us

allumage /alymaʒ/ *nm* 1 Aut ignition; **double ~** dual ignition; 2 (de lampe, chauffage) switching on; **l'~ est automatique** it switches on automatically

allumé○, **~e** /alyme/

A *adj* 1 (fou) mad○; 2 (ivre) tipsy○; **être bien ~** to be well oiled○

B *nm,f* (fou) **c'est un ~** he's mad○; **les ~s du sport** sport fanatics

allume-cigare(s)* /alymsigaʀ/ *nm inv* cigar lighter

allume-feu* /alymfø/ *nm inv* fire-lighter

allume-gaz /alymgaz/ *nm inv* gas lighter

allumer /alyme/ [1]

A *vtr* 1 (par la flamme) to light [*bougie, poêle, briquet, gaz*]; to strike [*allumette*]; to start [*incendie*]; **le feu ne va pas rester allumé** the fire is not going to stay alight GB, lighted US; 2 (électriquement) to switch [sth] on, to turn [sth] on [*lumière, appareil, électricité*]; **~ la chambre** to switch on *ou* turn on the light in the bedroom; **le couloir est allumé** the light is (switched *ou* turned) on in the corridor; **laisser ses phares allumés** to leave one's headlights on; **laisser sa chambre allumée** to leave the lights in one's room on; **allume!** switch on *ou* turn on the light!; **c'est allumé chez elle** her lights are on; 3 (exciter) to stir [*imagination*]; to arouse [*désir, jalousie, colère*]; to turn [sb] on○ [*personne*]

B **s'allumer** *vpr* 1 (électriquement) [*lampe, radio, chauffage*] to switch on; **le chauffage s'allume automatiquement** the heating switches on automatically; **le couloir s'allume où?** where do you switch on the light in the corridor?; 2 (s'exciter) [*désir, colère*] to be aroused; [*regard*] to light up

allumette /alymɛt/ *nf* match, matchstick

(Composés) **~ au fromage** Culin cheese straw GB, cheese stick US; **~ suédoise** *or* **de sûreté** safety match

(Idiome) **avoir des jambes commes des ~s** to have legs like matchsticks

allumeur, **-euse** /alymœʀ, øz/ ▸ p. 532

A *nm,f* 1 **~ de réverbères** lamplighter; 2 ○(séducteur) tease

B *nm* Aut, Mécan distributor

allure /alyʀ/ *nf* 1 (de marcheur) pace; (de véhicule) speed; **rouler à vive** *or* **grande/faible ~** to drive at high/low speed; **l'entreprise s'est développée à grande ~** the company expanded at a tremendous pace; **modérer** *or* **ralentir son ~** to slow down; **presser l'~** (à pied) to quicken one's pace; (en véhicule) to speed up; **à toute ~** (conduire, marcher) at top speed; (réciter, manger, noter) really fast; **partir à toute ~** to speed off; **à cette ~ nous allons être en retard** at this rate we're going to be late; 2 (apparence) (de personne) appearance; (de vêtement) look; (d'événement) aspect; **avoir des ~s de** to look like; **il a une drôle d'~** he's a funny-looking chap; **tu as une ~** *or* **de l'~ avec ce chapeau!** you look really daft in that hat!; **ses vêtements lui donnent l'~ d'un bandit** his clothes make him look like a gangster; **prendre l'~** *or* **les ~s de** [*changement, révolte*] to begin to look like; [*personne*] to make oneself out to be; 3 (distinction) style; **elle a beaucoup d'~** she's got a lot of style; **avoir belle ~** to look very stylish; **une personne de belle ~** a distinguished-looking person; **le salon a de l'~** the sitting room is stylish; **avoir fière ~** to cut a fine figure; 4 Naut sailing trim; 5 (d'animal) gait

allusif, **-ive** /alyzif, iv/ *adj* 1 (qui contient une allusion) [*propos, phrase, réponse*] allusive; 2 (qui parle par allusions) [*personne*] indirect; **elle est restée très allusive** she spoke very indirectly; **répondre de façon allusive** to give an indirect reply, to reply indirectly

allusion /alyzjɔ̃/ *nf* (évocation, sous-entendu) allusion (**à** to); **faire ~ à** to allude to; **une ~ littéraire** a literary allusion; **une ~ perfide** an innuendo; **sans faire la moindre ~ au conflit** without alluding at all to the conflict; **l'~ n'était pas innocente** it was not an innocent allusion

allusivement /alyzivmɑ̃/ *adv* [*s'exprimer, répondre*] indirectly

alluvial, **~e**, *mpl* **-iaux** /alyvjal, o/ *adj* alluvial

alluvion /alyvjɔ̃/ *nf* alluvium; **des ~s** alluvia

alluvionnement /alyvjɔnmɑ̃/ *nm* alluviation

alluvionner /alyvjɔne/ [1] *vi* to deposit alluvia

Alma-Ata /almaata/ ▸ p. 894 *npr* Alma-Ata

almanach /almana(k)/ *nm* almanac

almée /alme/ *nf* Hist, littér almah

aloès /alɔɛs/ *nm inv* aloe

aloi /alwa/ *nm* **un succès de bon/mauvais ~** a well-deserved/an undeserved success; **une plaisanterie de bon/mauvais ~** a joke in good taste/a tasteless joke; **une gaieté de bon ~** a simple cheerfulness

alopécie /alopesi/ *nf* hair loss, alopecia spéc

alors /alɔʀ/

A *adv* 1 (à ce moment-là) (dans le passé ou dans le futur) then; **nous pourrons ~ réaliser nos projets** then we will be able to carry out our plans; **j'ai les mêmes amis qu'~** I've got the same friends as I had then; **il est aussi timide qu'~** he's as shy as he was then; **il avait ~ 18 ans** he was 18 at the time; **~ seulement tu pourras faire** only then will you be able to do; **~ enfin il put sortir** then at last he could go out; **l'usine, ~ en pleine activité** the factory, which was then at full production; **le président, ~ gravement malade** the president, who was seriously ill at the time; **le pays, ~ sorti de la crise, pourra** the country which by then will be out of recession, will be able to; **la mode/les habitudes d'~** the fashion/the custom in those days; **c'étaient les mœurs d'~** that was the custom in those days; **le propriétaire/patron/premier ministre d'~** the then owner/boss/prime minister; **le premier ministre britannique d'~** the British Prime Minister at the time; **les enfants d'~ craignaient le maître** in those days children were scared of their teachers; **mes amis d'~ étaient surtout des peintres** my friends at the time were mainly painters; **mes toiles/romans d'~** my paintings/novels of the time; **jusqu'~** until then; **il n'avait cessé jusqu'~ de refuser** until then he had kept on refusing; **une organisation terroriste jusqu'~ inconnue** a terrorist organization which nobody had heard of before then; **c'est ~ qu'il prit la parole** it was then that he started to speak; **c'est ~ qu'il prendra une décision** then he'll come to a decision; **c'est seulement ~ que nous saurons s'il est sauvé** only then will we know whether he's been saved or not

2 (dans ce cas-là) then; **s'il venait à mourir, ~ elle hériterait** if he should die, then she would inherit; **~ je m'en vais** I'm going then; **(mais) ~ cela change tout!** but that changes everything!; **et (puis) ~?** so what?; **~ quoi? on est encore en retard?** what's this? late again are we?; **~ quoi? qu'est-ce que j'entends? on n'est pas content?** what's this I hear? complaining are we?; **~? que faisons-nous?** so? what shall we do?; **~? qu'en penses-tu?** so? what do you think?

3 (de ce fait) so; **il y avait grève du métro, ~ j'ai pris un taxi** there was a tube GB *ou* subway US strike, so I took a taxi

4 (pour résumer) then; **on se voit demain ~?** we'll see each other tomorrow then?; **tu n'as rien trouvé d'autre ~?** you couldn't find anything else then?

5 (ou bien) **ou ~** or else; **il a oublié le rendez-vous ou ~ il a eu un accident** he's forgotten the appointment, or else he's had an accident; **je serai dans la cuisine ou ~ dans le jardin** I'll be in the kitchen or in the garden

6 ○(dans un récit) so; **~ il me dit..., ~ je lui dis...** so he said to me..., so I said to him...; **~ le type s'en va** so the guy goes off

7 (pour renforcer une exclamation) **non mais ~!** honestly!; **ça ~!** (étonnement) good grief!; **~ ça!** (indignation) that's not on!; **chic** *or* **chouette ~!** (hey) that's great!; **mince** *or* **zut ~!** (étonnement) wow○!; (colère) blast○! GB, darn○! US

B **alors que** *loc conj* 1 (pendant que) while; **j'ai appris la nouvelle ~ que j'étais à Rome** I heard the news while I was in Rome; **il fait chaud ici ~ que dehors il gèle** it's hot in here while outside it's freezing

2 (tandis que) when; **vous jouez ~ qu'il faudrait travailler** you're playing when you should be working; **tu lui souris ~ que tu le détestes** you smile at him while (in fact) you hate him

C **alors même que** *loc conj* even though

alose /aloz/ *nf* shad

alouette /alwɛt/ *nf* lark

(Composé) **~ des champs** skylark

(Idiome) **attendre que les ~s vous tombent toutes rôties dans le bec** Prov to expect everything just to drop into one's lap

alourdir /aluʀdiʀ/ [3]

A *vtr* 1 (rendre plus lourd) [*fardeau*] to weigh [sb] down [*personne*]; [*problème*] to make [sth] tense [*atmosphère*]; **le subjonctif/l'adverbe alourdit la phrase** the subjunctive/the adverb weighs the sentence down; **la valise était alourdie par les livres** the suitcase was weighed down by the books; **un manteau alourdi par la pluie** a coat heavy with rain; 2 (rendre plus important) to increase [*impôt, charges, déficit*]; **le dernier témoignage a alourdi les accusations** the statement by the last witness weighed heavily against the accused

B **s'alourdir** *vpr* 1 (devenir plus lourd) [*paupières*] to grow heavy; [*air, atmosphère*] to get heavy; 2 (devenir plus important) [*dépenses, dette*] to increase; **le bilan de victimes s'est alourdi** the death toll has risen

alourdissement /aluʀdismɑ̃/ *nm* 1 (en poids) heaviness; 2 Fin (de l'impôt, de prélèvement) increase (**de** in)

aloyau /alwajo/ *nm* (Culin) sirloin; **un bifteck dans l'~** a sirloin steak

alpaga /alpaga/ *nm* (animal, laine) alpaca
alpage /alpaʒ/ *nm* mountain pasture
alpaguerᴼ /alpage/ [1] *vtr* to collar [*personne*]; **se faire ~ par qn** to be collared by sb
alpe /alp/ *nf* alpine pasture
Alpes /alp/ ► **p. 721** *nprfpl* **les ~s** the Alps
Alpes-de-Haute-Provence /alpdəotpʀɔvɑ̃s/ ► **p. 721** *nprfpl* (département) **les ~** the Alpes-de-Haute-Provence
Alpes-Maritimes /alpmaʀitim/ ► **p. 721** *nprfpl* (département) **les ~** the Alpes-Maritimes
alpestre /alpɛstʀ/ *adj* alpine
alpha* /alfa/ *nm inv* (lettre) alpha
(Idiome) **être l'~ et l'omega** to be the alpha and omega
alphabet /alfabɛ/ *nm* 1 (signes) alphabet; 2 (manuel) ABC (book)
(Composés) **~ morse** Morse alphabet; **~ phonétique international, API** International Phonetic Alphabet, IPA
alphabétique /alfabetik/ *adj* alphabetical; **dans l'ordre** *or* **par ordre ~** in alphabetical order
alphabétiquement /alfabetikmɑ̃/ *adv* alphabetically
alphabétisation /alfabetizasjɔ̃/ *nf* 1 (enseignement de l'écriture) literacy tuition; **une politique d'~** a policy of promoting literacy; **un cours d'~** a literacy class; 2 (mise en ordre alphabétique) alphabetizing
alphabétiser /alfabetize/ [1] *vtr* 1 (enseigner) to teach [sb] to read and write [*personne, groupe*]; to promote literacy in [*population, pays*]; 2 (mettre en ordre alphabétique) to put [sth] in alphabetical order, to alphabetize
alphafétoprotéine /alfafetopʀɔtein/ *nf* alphafetoprotein
alpha-immunothérapie, *pl* **~s** /alfaimynoteʀapi/ *nf* alpha ray therapy
alphanumérique /alfanymeʀik/ *adj* alphanumeric
alpin, **~e** /alpɛ̃, in/ *adj* alpine
alpinisme /alpinism/ ► **p. 469** *nm* mountaineering
alpiniste /alpinist/ *nmf* mountaineer
Al-Quaida /alkaida/ *nm* Al-Qaeda
Alsace /alzas/ ► **p. 721** *nprf* **l'~** Alsace
alsacien, **-ienne** /alzasjɛ̃, ɛn/
A ► **p. 721** *adj* [*personne*] from Alsace; [*cuisine, population, paysage*] of Alsace
B ► **p. 483** *nm* Ling Alsatian
Alsacien, **-ienne** /alzasjɛ̃, ɛn/ *nm,f* Alsatian
altérable /alteʀabl/ *adj* [*couleur*] unstable; [*revêtement*] easily damaged
altération /alteʀasjɔ̃/ *nf* 1 (détérioration) (de facultés) impairment (**de** of); (de denrée) spoiling (**de** of); (d'environnement) deterioration (**de** in); (de sentiment, couleur) change (**de** in); **l'~ de sa santé** the deterioration in his health; 2 (falsification) (de texte, faits) distortion; (de monnaie) falsification; 3 Mus **~ (accidentelle)** accidental; **~ constitutive** key signature
altercation /altɛʀkasjɔ̃/ *nf* altercation
alter ego /alteʀego/ *nm inv* alter ego
altérer /alteʀe/ [14]
A *vtr* 1 (détériorer) to impair [*saveur, caractère, relation*]; to affect [*santé*]; to spoil [*denrée*]; to mar [*joie*]; to alter [*sentiment, composition*]; to change [*expression, visage*]; to fade [*couleur*]; **d'une voix altérée** in a faltering voice; 2 (falsifier) to distort [*fait, texte*]; to falsify [*monnaie*]; to adulterate [*substance*]; 3 fml (donner soif) to make [sb] feel parched; **être altéré de sang** to thirst for blood
B **s'altérer** *vpr* [*santé, faculté, relation, saveur*] to become impaired; [*denrée*] to spoil; [*voix*] to falter; [*sentiments, expression*] to change
altérité /alteʀite/ *nf* otherness

altermondialisation /altɛʀmɔ̃djalizasjɔ̃/ *nf* alterglobalization
altermondialiste /altɛʀmɔ̃djalist/ *adj, nmf* alterglobalist
alternance /altɛʀnɑ̃s/ *nf* 1 gén alternation; **~ d'ondées et d'éclaircies** showers with intermittent bright spells; **en ~ avec** alternately with; **en ~** alternately; **'l'Avare' se joue en ~** 'l'Avare' is on every other night; **formation en ~** work-based learning ₵; 2 Pol **choisir l'~** [*électorat, pays*] to opt for a change in power
alternant, **~e** /altɛʀnɑ̃, ɑ̃t/ *adj* alternating
alternateur /altɛʀnatœʀ/ *nm* Électrotech alternator
alternatif, **-ive** /altɛʀnatif, iv/
A *adj* 1 gén alternate; 2 Électrotech alternating; 3 Sociol alternative
B **alternative** *nf* alternative
alternativement /altɛʀnativmɑ̃/ *adv* alternately, in turn
alterne /altɛʀn/ *adj* 1 Bot alternate; 2 Math [*angles*] alternate
alterné, **~e** /altɛʀne/ *adj* alternating
alterner /altɛʀne/ [1]
A *vtr* gén to alternate; **nous alternons cours pratique et cours théorique** we alternate between practical work and lessons in theory; **~ les cultures** to rotate crops
B *vi* 1 (se succéder) [*périodes, couleurs, objets*] to alternate (**avec** with); 2 (se relayer) [*personnes, groupe*] **~ avec qn pour faire qch** to take turns with sb (at) doing sth; **les deux partis ont alterné au pouvoir pendant 30 ans** the two parties have been alternately in and out of power for 30 years
altesse /altɛs/ *nf* 1 (titre) highness; **son Altesse royale** His/Her Royal Highness; 2 (personne) prince/princess
altier, **-ière** /altje, ɛʀ/ *adj* [*personne, attitude, démarche*] haughty; **avoir un port ~** to have a haughty bearing
altimètre /altimɛtʀ/ *nm* altimeter
altimétrie /altimetʀi/ *nf* altimetry
altiport /altipɔʀ/ *nm* mountain airstrip
altiste /altist/ ► **p. 557, p. 532** *nmf* viola player GB, violist US
altitude /altityd/ *nf* 1 (hauteur) altitude; **perdre/prendre de l'~** [*avion, ballon*] to lose/to gain altitude *ou* height; **à basse/haute ~** [*neiger, voler*] at low/high altitude; **vol à basse/haute ~** low/high altitude flight; **à une ~ de 2 000 mètres** [*avion*] at an altitude of 2,000 metres[GB]; [*montagne, plateau*] at a height of 2,000 metres[GB] (above sea-level), at an altitude of 2,000 metres[GB]; **quelle est l'~ du mont Blanc?** how high is Mont Blanc?, what is the altitude of Mont Blanc?; **des sommets de plus de 6 000 mètres d'~** peaks more than 6,000 metres[GB] high; **avoir une faible ~** [*plateau, ville*] to be close to sea-level; 2 (haute montagne) **en ~** [*pousser, neiger*] high up (in the mountains), at altitude spéc; **station d'~** mountain resort
alto /alto/
A *adj* [*saxophone, clarinette*] alto
B *nm* 1 ► **p. 557** (instrument) viola; 2 ► **p. 532** (musicien) viola player GB, violin US; 3 ► **p. 141** (voix) alto
altocumulus /altokymylys/ *nm inv* altocumulus
altostratus /altostʀatys/ *nm inv* altostratus
altruisme /altʀɥism/ *nm* altruism
altruiste /altʀɥist/
A *adj* altruistic
B *nmf* altruist
aluᴼ /aly/ *nm* aluminium GB, aluminum US; **papier ~** kitchen foil
aluminate /alyminat/ *nm* aluminate
alumine /alymin/ *nf* alumina
aluminer /alymine/ [1] *vtr* to aluminize

aluminium /alyminjɔm/ *nm* aluminium GB, aluminum US; **d'~** [*resine, production*] aluminium GB, aluminum US; **en ~** [*casseroles, jantes*] aluminium (*épith*) GB, aluminum (*épith*) US
alun /alœ̃/ *nm* alum
alunir /alyniʀ/ [3] *vi* controv to land on the moon
alunissage /alynisaʒ/ *nm* controv moon landing
alvéolaire /alveɔlɛʀ/ *adj* 1 Anat [*arcade, point*] alveolar; 2 Ling [*consonne, articulation*] alveolar; 3 Géol [*structure*] alveolate
alvéole /alveɔl/ *nf* 1 (de ruche) alveolus; 2 Anat (de poumon) alveolus; (de dent) tooth socket, alveolus spéc; 3 Géol cavity
alvéolé, **~e** /alveɔle/ *adj* [*caoutchouc, carton, métal*] honeycombed
Alzheimer /alzajmœʀ/ ► **p. 283** *npr* **la maladie d'~** Alzheimer's disease
amabilité /amabilite/
A *nf* 1 (gentillesse) kindness; **avec ~** kindly; **veuillez avoir l'~ de** please; **il est toujours plein d'~** he's always very pleasant; **quelle ~!** iron charming!; 2 (politesse) courtesy; **avec ~** politely, courteously
B **amabilités** *nfpl* (prévenances) **faire des ~s à qn** to be polite to sb; **se dire des ~s** lit to exchange pleasantries; iron to exchange insults; **après cet échange d'~s** lit after this exchange of pleasantries; iron after this exchange of insults
amadou /amadu/ *nm* tinder, touchwood
amadouer /amadwe/ [1]
A *vtr* to coax, to cajole [*personne, animal*]; **~ qn pour qu'il fasse qch** to cajole sb into doing sth; **elle cherche à nous ~ avec des promesses** she's trying to cajole us with promises; **se laisser ~** to let oneself be coaxed
B **s'amadouer** *vpr* [*personne*] to soften
amaigrir /amegʀiʀ/ [3] *vtr* [*maladie, régime*] to make [sb] thinner [*personne*]; **je l'ai trouvée très amaigrie** I found her much thinner; **un visage amaigri par la maladie** a face made thin by illness
amaigrissant, **~e** /amegʀisɑ̃, ɑ̃t/ *adj* [*régime, produit*] slimming
amaigrissement /amegʀismɑ̃/ *nm* weight loss, loss of weight
amalgamation /amalgamasjɔ̃/ *nf* amalgamation
amalgame /amalgam/ *nm* 1 (de qualités, sentiments) mixture; (d'idées) pej hotchpotch GB, hodgepodge US; (d'objets, de personnes) mixture; **faire l'~ entre des problèmes/situations** pej to lump together various problems/situations; 2 Dent, Chimie amalgam
amalgamer /amalgame/ [1] *vtr* 1 (associer) pej to lump together [*idées, problèmes*]; to combine, to mix [*qualité, sentiments*]; to mix [*personnes, communautés*]; 2 (mélanger) to blend, to amalgamate [*ingrédients*]
amande /amɑ̃d/ *nf* Bot 1 (fruit) almond; **en ~** almond-shaped; **yeux en ~** almond(-shaped) eyes; **huile d'~ douce** almond oil; 2 (dans un noyau) kernel
amandier /amɑ̃dje/ *nm* almond tree
amandine /amɑ̃din/ *nf* almond tart
amanite /amanit/ *nf* amanita
(Composés) **~ phalloïde** death cap; **~ tue-mouche** fly agaric; **~ vireuse** destroying angel
amant /amɑ̃/ *nm* lover; **prendre un ~** to take a lover
amante‡ /amɑ̃t/ *nf* mistress†, lover
amarante /amaʀɑ̃t/
A ► **p. 202** *adj inv* amaranthine
B *nm* 1 (couleur) red; 2 (arbre) purple heart; **bois d'~** purple heart
C *nf* 1 (plante) amaranth; 2 (colorant) amaranth
amariner /amaʀine/ [1] *vtr* 1 (habituer à la mer) to accustom [sb] to life at sea [*personne*];

a

2 †to commandeer [*navire*]

amarrage /amaʀaʒ/ *nm* 1 (de bateau, dirigeable) mooring; 2 (fixation) tying, fastening; 3 Astronaut docking

amarre /amaʀ/ *nf* (cordage) rope; **les ~s** moorings; **rompre les ~s** to break its moorings; **larguer les ~s** lit to cast off; fig to set off

amarrer /amaʀe/ [1] *vtr* 1 Naut to moor; **~ à** to moor to alongside [*quai*]; to moor to [*anneau, piquet*]; 2 (attacher) to tie (**à, sur** to)

amaryllis /amaʀilis/ *nf inv* amaryllis

amas /ama/ *nm inv* 1 (d'objets, de sable, neige) pile; (de tôle, ferraille, ruines) heap; (de sang, graisse) Méd accumulation; 2 Astron cluster; **~ globulaire** globular cluster; 3 Géol mass; **~ de minerai** mass of ore

amasser /amase/ [1]

A *vtr* to amass, to accumulate [*fortune, livres, papiers*]; to lay in [*provisions*]; to acquire [*connaissances*]; to amass [*preuves*]; to collect [*témoignages*]; **tu devrais profiter de ton argent au lieu de l'~** you should use your money, not hoard it

B s'amasser *vpr* [*documents, objets, neige*] to pile up; [*preuves*] to build up

amateur /amatœʀ/

A *adj inv* [*catégorie, sport, photographe, cinéma*] amateur; **radio ~** radio ham○, amateur radio operator

B *nm* 1 (connaisseur) (en moto, tennis, photographie) enthusiast; (en vin) connoisseur; **~ d'opéra/de jazz** opera/jazz lover; **c'est un grand ~ de cigares/cuisine japonaise** he's a great lover of cigars/Japanese cooking; **pour les ~s de sensations fortes** for thrill-seekers; **elle est très ~ de chocolat** she loves chocolate; 2 (collectionneur) **~ d'art/d'antiquités** art/antiques collector; 3 (non-professionnel) amateur; **faire du cinéma en ~** to be an amateur filmmaker; **match entre ~s** amateur match; **c'est du travail d'~** it's the work of an amateur; 4 (acheteur éventuel) potential buyer; **il vend sa voiture, vous êtes ~?** he's selling his car, are you interested?; **avis aux ~s, je vends mon vélo** I'm selling my bike, if anyone's interested; **avis aux ~s de botanique/catch** calling all botany lovers/wrestling fans

amateurisme /amatœʀism/ *nm* lit, fig amateurism

a maxima /amaksima/ *loc* **appel ~** *appeal lodged by public prosecutor against too harsh a sentence*

amazone /amazon/ *nf* 1 (cavalière) horsewoman; **monter en ~** to ride sidesaddle; **tenue d'~** riding habit; 2 ○(prostituée) prostitute (*who solicits from a car*)

Amazone /amazon/

A *nf* Mythol Amazon

B ▸ **p. 372** *nprm* Géog **l'~** the Amazon (river)

Amazonie /amazɔni/ ▸ **p. 721** *nprf* Amazon

amazonien, **-ienne** /amazɔnjɛ̃, ɛn/ *adj* Amazonian

ambages: **sans ambages** /sɑ̃zɑ̃baʒ/ *loc adv* without beating around the bush

ambassade /ɑ̃basad/ *nf* 1 (lieu, service) embassy; **l'~ de France à Moscou** the French Embassy in Moscow; 2 (employés) embassy staff; (diplomates) embassy officials; 3 (fonction) ambassadorship; 4 (mission diplomatique permanente) embassy; (temporaire) delegation; fig mission; **aller en ~ auprès de qn** fig to go on a mission to sb

ambassadeur, **-drice** /ɑ̃basadœʀ, dʀis/ *nm,f* 1 (diplomate) ambassador; **l'~ de France au Chili/en Belgique** the French ambassador to Chile/to Belgium; **~ auprès des Nations unies** ambassador to the United Nations; **~ extraordinaire** ambassador extraordinary; **madame l'~** *or* **l'ambassadrice** (en s'adressant à elle) Ambassador; **~ itinérant** roving ambassador, ambassador-at-large US; 2 (représentant) representative; **l'~ du rock russe** the representative of Russian rock

(Composé) **~ du tri** refuse disposal and recycling advisor

ambiance /ɑ̃bjɑ̃s/ *nf* 1 (atmosphère) atmosphere, ambiance; **musique/lumière/éclairage d'~** atmospheric music/light/lighting; 2 (gaieté) lively atmosphere; **mettre de l'~** [*musique, éclairage*] to give things a bit of atmosphere; **il a mis un disque pour mettre un peu d'~** he played a record to liven things up *ou* to liven up the atmosphere; **tu peux compter sur lui pour mettre de l'~** you can count on him to liven things up; **cela manque d'~ ici** it's not much fun here, it lacks atmosphere here

ambiant, **~e** /ɑ̃bjɑ̃, ɑ̃t/ *adj* 1 [*air, chaleur, humidité*] surrounding; **à température ~e** at room temperature; 2 [*joie, hostilité, pessimisme*] pervading; [*état d'esprit*] prevailing

ambidextre /ɑ̃bidɛkstʀ/ *adj* ambidextrous

ambigu, **-uë*** /ɑ̃bigy/ *adj* [*réponse, mot, discours, situation, prise de position*] ambiguous; [*personnage*] multifaceted; [*sentiment, attitude*] ambivalent

ambiguïté* /ɑ̃bigɥite/ *nf* 1 (de mot, formule, situation) ambiguity; **sans ~** [*question, article, prise de position*] unambiguous; [*situation*] clear-cut; [*définir, dire*] unambiguously; 2 (de mot, d'expression) ambiguity; 3 (de personnage) enigmatic nature; (de sentiment) ambivalence

ambitieusement /ɑ̃bisjøzmɑ̃/ *adv* ambitiously

ambitieux, **-ieuse** /ɑ̃bisjø, øz/

A *adj* ambitious

B *nm,f* ambitious person; **les ~** ambitious people

ambition /ɑ̃bisjɔ̃/ *nf* ambition; **avoir de l'~** to be ambitious; **ne pas avoir d'~** to have no ambition; **manquer d'~** to lack ambition; **un homme sans ~** a man with no ambition; **avoir l'~ de faire qch** [*personne*] to have an ambition to do sth; **ces réformes ont pour ~ de moderniser l'industrie** the aim *ou* object of these reforms is to modernize industry; **être plein d'~** to be very ambitious *ou* full of ambition; **l'~ du pouvoir** the thirst for power; **je n'ai pas l'~ de réformer le système en un mois** I don't aim to change the system in a month

ambitionner /ɑ̃bisjɔne/ [1] *vtr* to aspire to [*poste, place*]; to be after○, to aim for [*médaille, titre sportif*]; **~ de faire** to aim to do; **il ambitionne d'obtenir 25% du marché européen de l'automobile** his ambition is to win 25% of the European car market

ambivalence /ɑ̃bivalɑ̃s/ *nf* ambivalence

ambivalent, **~e** /ɑ̃bivalɑ̃, ɑ̃t/ *adj* ambivalent

amble /ɑ̃bl/ *nm* amble; **aller** *or* **marcher l'~** to go at an amble

ambler /ɑ̃ble/ [1] *vi* to go at an amble

amblyope /ɑ̃blijɔp/

A *adj* amblyopic

B *nmf* person with amblyopia

amblyopie /ɑ̃blijɔpi/ *nf* amblyopia

ambre /ɑ̃bʀ/ *nm* 1 Zool, Cosmét **~ (gris)** ambergris; 2 (résine) **~ (jaune)** amber; **couleur d'~** amber; **collier d'~** amber necklace

ambré, **~e** /ɑ̃bʀe/ *adj* 1 ▸ **p. 202** (couleur d'ambre) amber; 2 (à senteur d'ambre) perfumed with ambergris

ambroisie /ɑ̃bʀwazi/ *nf* 1 Mythol ambrosia; 2 Bot ragweed

ambulance /ɑ̃bylɑ̃s/ *nf* ambulance

ambulancier, **-ière** /ɑ̃bylɑ̃sje, ɛʀ/

A *adj* **service ~** ambulance service

B ▸ **p. 532** *nm,f* ambulance driver

ambulant, **~e** /ɑ̃bylɑ̃, ɑ̃t/ *adj* [*musicien, comédien*] itinerant; [*marchand*] mobile; [*cirque*] travelling^GB; **marchand de fruits et légumes ~** mobile fruit and vegetable man; **théâtre ~** itinerant *ou* roving† players; **service de restauration ~e** train buffet trolley; **vendeur ~** (dans une gare) snack trolley man; **c'est un (vrai) cadavre/dictionnaire ~**○ he's/she's a walking skeleton/dictionary○

ambulatoire /ɑ̃bylatwaʀ/ *adj* ambulatory; **malade ~** outpatient

âme /ɑm/ *nf* 1 Philos, Relig soul; **(que) Dieu ait son ~** (may) God rest his/her soul; ▸ **cheviller**; 2 (nature profonde) (de l'homme) soul; (de nation) soul, spirit; **avoir une ~ de poète** to have the soul of a poet *ou* a poetic soul; **avoir l'~ d'un pionnier/chef** to have the pioneering spirit/the spirit of a leader; **il se sentait l'~ d'un conquérant** he felt in his soul the power of a conqueror; **ville sans ~** soulless town; 3 (siège de la pensée et des émotions) soul; **du fond de l'~** from the (very) depths of one's soul; **avoir l'~ sensible** to be a sensitive soul; **être ému jusqu'au fond de l'~** to be moved to the depths of one's soul; **chanter/jouer avec ~** to sing/play with feeling; **interprétation sans ~** soulless interpretation; **socialiste/musicien dans l'~** a socialist/musician to the core; 4 (conscience morale) soul; **avoir l'~ sereine** to have an easy conscience; **grandeur** *or* **noblesse d'~** nobility of spirit; **paix de l'~** spiritual peace; **en mon ~ et conscience** in all honesty; 5 (personne, habitant) soul; **~ noble** noble soul; **c'est une ~ généreuse** he/she has great generosity of spirit; **une bonne ~** a kind soul; **une bonne ~, une ~ charitable** aussi iron some kind soul; **sans voir ~ qui vive** without seeing a (living *ou* single) soul; **hameau de 25 ~s** hamlet of 25 souls; 6 (de résistance, nation, parti) soul **(de** of); (de complot) moving spirit **(de in)**; 7 Tech (de canon, fusil) bore; (de rail, statue, câble) core; (de soufflet) air-valve; (d'instrument à cordes) soundpost; 8 ‡(terme d'affection) **mon ~** dear heart†

(Composés) **~ damnée** partner in crime; **~ en peine** soul in torment; **errer comme une ~ en peine** to wander around like a lost soul; **~ sœur** soul mate

améliorable /ameljɔʀabl/ *adj* **résultats ~s** results which can be improved on

améliorant, **~e** /ameljɔʀɑ̃, ɑ̃t/ *adj* **plante ~e** soil improver

amélioration /ameljɔʀasjɔ̃/ *nf* improvement (**de, dans** in); **faire des ~s dans une maison** to carry out improvements to a house; **des résultats en nette ~** results that show a distinct improvement

améliorer /ameljɔʀe/ [1]

A *vtr* to improve [*résultat, performance, travail*]; to increase [*production*]; **cela ne va pas ~ la situation** that won't help *ou* improve the situation; **~ une maison** to carry out home improvements; **un pique-nique amélioré** hum a superior picnic

B s'améliorer *vpr* to improve; **cela ne s'améliore pas, ça ne va pas en s'améliorant**○ things aren't getting any better; **je veux m'~** I want to improve my performance

amen /amɛn/ *nm inv* Relig amen; **dire ~ à tout** fig to agree to everything; **dire ~ à qn** fig to go along with sb

aménagé, **~e** /amenaʒe/

A *pp* ▸ **aménager**

B *pp adj* 1 (transformé) [*fermette, grenier*] converted; 2 (équipé) [*cuisine, salle de bains*] equipped; **l'appartement est mal ~** the apartment is not very well appointed

aménageable /amenaʒabl/ *adj* 1 [*fermette, grenier*] suitable for conversion (*après n*); (en adaptant) **la petite chambre est ~ en bureau** the small room can be converted into a study; 2 [*emploi du temps, horaire*] flexible

aménagement /amenaʒmɑ̃/ *nm* 1 (de région, ville) development; **~ urbain/régional** urban/regional development; **l'~ du territoire** ≈ town and country planning; 2 (de port de plaisance, routes) construction; (d'espaces verts) creation; (de parc, terrain de sport) laying out; 3 (de fermette, grenier) (en transformant) conversion; (en améliorant) improvement; **l'~ d'une chambre en salle de jeu** the conversion of a bedroom into a playroom; **l'~ d'un coin**

repas fut difficile making a dining area was difficult; 4 (en équipant) (de cuisine) equipping; (de magasin) fitting; 5 (de maison, bateau) fitting; 6 (par rapport à règlement, loi) adjustment; **~s fiscaux** tax adjustments; **obtenir des ~s d'horaires** to obtain more flexible working hours; **l'~ du temps de travail** flexible working hours (*pl*)

aménager /amenaʒe/ [13] *vtr* 1 (en transformant) to convert [*fermette, grenier*]; (en améliorant) to do up [*fermette, appartement*]; **~ un grenier en bureau** to convert a loft into a study; 2 (en équipant) to equip [*cuisine, salle de bains*]; to develop [*région, espace rural*]; to fit out [*magasin, musée*]; 3 (créer) to create [*espaces verts*]; to build [*route*]; to make [*coin-repas*]; to lay out [*jardin, terrain de sport*]; 4 (en adaptant) to arrange [*emploi du temps, horaire*]; to adjust [*règlement*]

amendable /amɑ̃dabl/ *adj* 1 Jur [*loi*] subject to amendment (*après n*); 2 Agric [*sol*] which can be enriched (*épith, après n*)

amende /amɑ̃d/ *nf* fine; **une ~ de 350 euros** a fine of 350 euros, a 350-euro fine; **payer 45 euros d'~** to pay a 45-euros fine; **être condamné à 1 000 euros d'~** to be fined 1,000 euros; **défense d'afficher sous peine d'~** billstickers will be prosecuted; **mettre qn à l'~** hum to give sb a forfeit

(Idiome) **faire ~ honorable** to make amends

amendement /amɑ̃dmɑ̃/ *nm* 1 Pol amendment (**à** to; **sur** on); 2 Agric (opération) enrichment; (substance) enriching agent

amender /amɑ̃de/ [1]
A *vtr* 1 Jur to amend [*loi, texte*]; 2 (moralement) fml to improve; 3 Agric to enrich [*sol*]
B s'amender *vpr* to mend one's ways; **un criminel amendé** a reformed criminal

amène /amɛn/ *adj* liter affable; **des paroles peu ~s** unkind words

amenée /amәne/ *nf* **canal d'~** Gén Civ headrace channel

amener /amne/ [16]
A *vtr* 1 (mener) **~ qn quelque part** [*personne, bus, train*] to take sb somewhere; **j'ai amené ma fille chez le dentiste** I took my daughter to the dentist's; 2 (venir avec) **~ qn (quelque part)** to bring sb (somewhere); **tu peux ~ tes amis** you can bring your friends; **quel bon vent vous amène?** what brings you here?; 3 (apporter) controv **~ qch (à qn)** to bring (sb) sth; **amène nous tes photos** bring us your photos; **je vous amène le beau temps** I've brought the fine weather with me; 4 (convoyer) [*personne, organisme*] to bring [*eau, électricité, marchandises*]; 5 (provoquer) to cause [*problèmes, catastrophe, maladie*]; to bring [*pluie, neige*]; to bring [*gloire, victoire*]; to bring about [*renouveau*]; **la hausse des taux a amené l'effondrement des marchés** the rise in rates caused the market to collapse; 6 (aborder) to bring up, to introduce [*sujet, question*]; **il a bien amené la question** he introduced the question skilfully[GB]; **~ qch sur le tapis**○ to bring sth up; **~ la conversation sur un thème** to bring the conversation around to a subject; **être bien amené** [*conclusion*] to be well-presented; [*phrase, remarque*] to be well-timed; 7 (conduire) fig **~ qn à** to lead sb to [*conclusion*]; to bring sb to [*question*]; **cela l'a amené à de meilleures pensées** this made him think along more positive lines; **~ qn à faire** to lead sb to do; **l'entreprise a été amenée à diversifier ses activités** the company was forced to diversify its activities; **nous serons amenés à nous revoir** we shall doubtless meet again; **~ un liquide à la bonne température** to bring a liquid to the right temperature; 8 (tirer vers soi) [*pêcheur*] to pull in [*filet*]; [*navigateur*] to strike [*voile*]; **~ le pavillon** Naut to strike one's flag; fig to surrender
B s'amener○ *vpr* (venir) to come; (arriver) to show up○, to turn up○ (**avec** with); **amène-toi!** come here!; **ils se sont amenés sur le coup de onze heures du soir** they showed up at eleven o'clock at night

aménité /amenite/ *nf* liter affability; **traiter qn avec ~** to be affable with sb; **accueillir qn sans ~** to give sb an unfriendly reception

aménorrhée /amenɔʀe/ *nf* amenorrhea

amenuisement /amәnɥizmɑ̃/ *nm* dwindling

amenuiser /amәnɥize/ [1]
A *vtr* 1 gén to reduce [*réserves, pouvoir, popularité, chance, risque*]; 2 Tech [*personne*] to plane down [*planche*]
B s'amenuiser *vpr* [*réserves, espoir, chance, clientèle*] to dwindle; [*risque*] to lessen; [*temps*] to slip by

amer, -ère /amɛʀ/
A *adj* lit, fig bitter; **laisser un goût ~ dans la bouche** lit, fig to leave a bitter taste in one's *ou* the mouth; **il a un pli ~ au coin des lèvres** his mouth is set in an embittered expression
B *nm* Naut seamark

amèrement /amɛʀmɑ̃/ *adv* bitterly

américain, ~e /ameʀikɛ̃, ɛn/
A ▸ **p. 561** *adj* American; **à l'~e** gén in the American style; Culin à l'américaine (*in a tomato sauce*)
B *nm* Ling American English
C américaine *nf* (automobile) American car

Américain, ~e ➡ /ameʀikɛ̃, ɛn/ ▸ **p. 561** *nm,f* American

américanisation /ameʀikanizasjɔ̃/ *nf* Americanization

américaniser /ameʀikanize/ [1]
A *vtr* to Americanize [*peuple, entreprise*]
B s'américaniser *vpr* [*personne, entreprise, peuple*] to become Americanized

américanisme /ameʀikanism/ *nm* Americanism

américaniste /ameʀikanist/ *nmf* specialist in American studies

américium /ameʀisjɔm/ *nm* americium

amérindien, -ienne /ameʀɛ̃djɛ̃, ɛn/ *adj* Amerindian

Amérindien, -ienne /ameʀɛ̃djɛ̃, ɛn/ ▸ **p. 561** *nm,f* Amerindian, American Indian

Amérique /ameʀik/ ▸ **p. 333** *nprf* America; **~ centrale** Central America; **~ latine** Latin America; **~ du Nord** North America; **~ du Sud** South America

amerlo◑ /amɛʀlo/, **amerloque**◑ /amɛʀlɔk/ *nmf* offensive Yank○ injur

amerrir /ameʀiʀ/ [3] *vi* [*hydravion*] to land (on water); [*vaisseau spatial*] to splash down

amerrissage /ameʀisaʒ/ *nm* (d'hydravion) landing (on water); (de vaisseau spatial) splashdown

(Composé) **~ forcé** ditching

amertume /amɛʀtym/ *nf* lit, fig bitterness

améthyste /ametist/ ▸ **p. 202** *adj inv, nf* amethyst

ameublement /amœbləmɑ̃/ *nm* 1 (meubles) furniture; (secteur d'activité) furniture trade *ou* business; 2 (action) furnishing

ameublir /amœbliʀ/ [3] *vtr* to break up

ameuter /amøte/ [1]
A *vtr* 1 (alerter) [*personne, bruit, événement*] to bring [sb] out; **ses cris avaient ameuté les voisins** his shouts had brought the neighbours[GB] out; **tais-toi, tu vas ~ tout le quartier**○ be quiet or you'll bring the whole area out; 2 (attrouper à des fins hostiles) to stir [sb] up (**contre** against); 3 (pour la chasse) to whip [sth] in [*chiens*]
B s'ameuter *vpr* [*foule, passants*] to mass, to gather

AMF /aɛmɛf/ *nm* (*abbr* = **alliage à mémoire de forme**) SMA, shape memory alloy

ami, ~e /ami/
A *adj* [*pays, entreprise, troupe, personne*] friendly; **être ~ avec qn** to be a friend of sb's; **nous sommes très ~s** we are very good friends
B *nm,f* 1 (camarade) friend; **un ~ à moi** a friend of mine; **se faire des ~s** to make friends; **je m'en suis fait une ~e** I made a friend of her; **grand ~** great friend; **~ fidèle/intime/d'enfance** faithful/close/childhood friend; **c'est un ~ de la maison** he's a friend of the family; **un ~ de longue date** a friend of long standing; **un ~ de 30 ans** a friend of 30 years; **un ~ de toujours** a life-long friend; **'un ~ qui vous veut du bien'** (sur une lettre anonyme) 'a friend who has your best interests at heart', 'a well-wisher'; **en ~** as a friend; **je te parle en ~** I say this as a friend; **le meilleur ~ de l'homme** man's best friend; ▸ **faux**; 2 (amateur) friend; **un ~ des bêtes** an animal lover; **c'est un ~ de la simplicité** he likes simplicity; **l'association des ~s de Pouchkine**, the Pushkin Society; 3 (forme d'adresse) gén friend; (entre époux) dear

(Composé) **~ de cœur** soul mate

(Idiomes) **les bons comptes font les bons ~s** a debt paid is a friend kept; **c'est dans le besoin** *or* **malheur qu'on connaît ses ~s** Prov a friend in need is a friend indeed; **les ~s de mes ~s sont mes ~s** the friends of my friends are my friends too

amiable /amjabl/
A *adj* Jur (de gré à gré) [*transaction*] privately negotiated
B à l'amiable *loc* [*se séparer*] on friendly terms; [*séparation*] amicable; [*adoption*] by private agreement; [*divorce*] by mutual consent; **s'arranger à l'~** to settle amicably

amiante /amjɑ̃t/ *nm* asbestos; **poussière/fibres d'~** asbestos dust/fibres[GB]; **combinaison d'** *or* **en ~** asbestos suit

amianté, ~e /amjɑ̃te/ *adj* 1 [*matériau, déchet*] contaminated with asbestos; 2 Méd [*travailleur*] asbestos-exposed (*épith*)

amibe /amib/ *nf* Zool, Méd amoeba

amibiase /amibjɑz/ *nf* amoebiasis

amibien, -ienne /amibjɛ̃, ɛn/
A *adj* amoebic
B *nm* amoeba

amical, ~e, *mpl* **-aux** /amikal, o/
A *adj* 1 [*personne, geste, relations, ambiance*] friendly; 2 Sport [*match, rencontre*] friendly
B amicale *nf* association; **~e des anciens combattants** veterans' association

amicalement /amikalmɑ̃/ *adv* 1 (gentiment) [*conseiller, aider*] kindly; [*accueillir*] warmly; [*concourir*] in a friendly way; **bavarder ~** to chat (away) happily; 2 (en fin de lettre) **(bien) ~** best wishes

amidon /amidɔ̃/ *nm* starch; **~ modifié** modified starch; **l'~ du pain/des pâtes** the starch in bread/in pasta

amidonnage /amidɔnaʒ/ *nm* starching

amidonner /amidɔne/ [1] *vtr* to starch [*linge*]; **du linge amidonné** starched linen

amincir /amɛ̃siʀ/ [3]
A *vtr* 1 (faire paraître mince) [*vêtement*] to make [sb] look slimmer; **cette coupe de manteau amincit toujours** a coat of this cut always has a slimming effect; 2 (avec un outil) to plane down [*planche*]
B s'amincir *vpr* 1 [*personne, visage*] to get slimmer; 2 [*planche, couche*] to get thinner

amincissant, ~e /amɛ̃sisɑ̃, ɑ̃t/ *adj* [*produit*] slimming; [*coupe, robe*] that makes you look slim (*après n*)

amincissement /amɛ̃sismɑ̃/ *nm* 1 (de personne) slimming; **produit favorisant l'~** slimming product; 2 (de couche de glace) thinning (down)

aminé, ~e /amine/ *adj* **acide ~** amino acid

a minima /aminima/ *loc adj* **appel ~** public prosecutor's appeal against lenient sentence

aminoacide /aminoasid/ *nm* amino acid

amiral, ~e[1], *mpl* **-aux** /amiʀal, o/
A *adj* **bateau** *or* **vaisseau ~** flagship
B *nm* ▸ **p. 406** admiral; **~ de la flotte** ≈ admiral

➡ *voir* Variétés d'anglais

of the fleet GB, fleet admiral US

amirale² /amiʀal/ *nf* admiral's wife

amirauté /amiʀote/ *nf* 1 (grade) admiralship; **accéder à l'~** to become an admiral; 2 (corps des amiraux) admiralty

amitié /amitje/

A *nf* 1 (sentiment) friendship (**pour** for); **profonde/solide ~** deep/solid friendship; **par ~** out of friendship; **~ entre les peuples** friendship between peoples; **l'~ franco-allemande** Franco-German friendship; **geste/marque/message d'~** gesture/mark/message of friendship; **entretenir l'~** to keep friendship alive; **en toute ~** as a friend; **éprouver de l'~ pour qn** to have friendly feelings toward(s) sb; **prendre qn en ~, se prendre d'~ pour qn** to take a liking to sb; **faire à qn l'~ de faire** to be kind enough to do; ▸ **cadeau**; 2 (relation) friendship; **vieille ~** old friendship; **~s durables** lasting friendships; **se lier d'~ avec qn** to strike up a friendship with sb; **nouer des ~s avec** to form friendships with; **trahir une ~** to betray a friendship; **être fidèle en ~** to be a faithful friend

B amitiés *nfpl* (en fin de lettre) kindest regards; **faire ses ~s à qn** to give one's kindest regards to sb; **toutes mes ~s à** my kindest regards to

(Composé) ~ **particulière** homosexual relationship

Amman /aman/ ▸ **p. 894** *npr* Amman

ammoniac /amɔnjak/ *nm* (gaz) ammonia

ammoniacal, ~e, *mpl* **-aux** /amɔnjakal, o/ *adj* [*odeur*] of ammonia (*après n*); [*sel*] ammonia (*épith*)

ammoniaque /amɔnjak/ *nf* ammonia

ammoniaqué, ~e /amɔnjake/ *adj* [*détergent, produit*] ammonia-based

ammonite /amɔnit/ *nf* ammonite

ammonium /amɔnjɔm/ *nm* ammonium; **chlorure/sulfate d'~** ammonium chloride/sulphate[GB]

amnésie /amnezi/ *nf* amnesia; **période/crise d'~** period/attack of amnesia; **il est atteint d'~** he is suffering from amnesia

amnésique /amnezik/

A *adj* [*patient, symptôme*] amnesic

B *nmf* amnesiac

amniocentèse /amnjosɛ̃tɛz/ *nf* amniocentesis

amnios /amnjos/ *nm inv* amnion

amniotique /amnjɔtik/ *adj* amniotic

amnistiable /amnistjabl/ *adj* [*peine*] pardonable; [*personne*] who can be given amnesty (*épith, après n*)

amnistie /amnisti/ *nf* amnesty (**en faveur de** for); **loi d'~** amnesty law

> **Amnistie**
>
> It is usual after the election of the *Président de la République* for an amnesty to be granted in which certain categories of offenders have their penalties reviewed. This can mean suspension of fines, reduced sentences or early release.

amnistier /amnistje/ [2] *vtr* to grant amnesty to [*délinquent*]; to grant amnesty for [*délit*]

amocher○ /amɔʃe/ [1]

A *vtr* to bash○ [sb/sth] up [*personne, voiture*]; **leur voiture est bien amochée** their car is really bashed up○; **se faire ~** [*personne*] to get oneself bashed up○; **se faire ~ le nez/sa voiture** to get one's nose/car bashed up○

B s'amocher *vpr* to bash oneself up○; **s'~ le nez/le bras/le visage** to bash up○ one's nose/face/arm

amoindrir /amwɛ̃dʀiʀ/ [3]

A *vtr* to reduce [*résistance*]; to weaken [*autorité, personne*]; **il est sorti très amoindri de cette épreuve** he came out of that ordeal a lesser man

B s'amoindrir *vpr* [*forces, ressources, chances, possibilités*] to diminish; [*différences*] to grow less

amoindrissement /amwɛ̃dʀismɑ̃/ *nm* (de pouvoir, forces physiques, facultés) weakening; (de fortune, ressources) reduction

amollir: **s'amollir** /amɔliʀ/ [3] *vpr* 1 (devenir mou) to soften, to go *ou* become soft; **la cire s'amollit à la chaleur** wax becomes soft when heated; **s'~ dans le luxe** to grow soft in the lap of luxury; 2 (s'affaiblir) [*jambes, courage, résistance, énergie*] to grow weak, to weaken

amonceler /amɔ̃sle/ [19]

A *vtr* to pile up [*sable, terre, neige*]; to pile up, to stack [*objets, pierres*]; to amass [*richesses*]; **des nuages amoncelés** banked clouds

B s'amonceler *vpr* [*nuages, sable, neige*] to build up; [*preuves, soucis, ennuis*] to pile up, to accumulate

amoncellement* /amɔ̃sɛlmɑ̃/ *nm* 1 (entassement) (de sable, neige, terre) piling up; (de richesses, biens) amassing; 2 (pile) (de sable, neige, terre) pile; (de richesses, biens) mass

amont /amɔ̃/

A *adj inv* [*ski*] uphill

B *nm* 1 Géog (de cours d'eau) upper reaches (*pl*); **en ~** upstream (**de** from); **naviguer d'~ en aval** to sail downstream; 2 (dans un processus) **dès l'~** from the initial stages; **en ~** upstream (**de** of)

amoral, ~e, *mpl* **-aux** /amɔʀal, o/ *adj* amoral

amoralisme /amɔʀalism/ *nm* amorality

amoralité /amɔʀalite/ *nf* amorality

amorçage /amɔʀsaʒ/ *nm* (d'obus, de pompe) priming; (de poisson, ligne) baiting; (d'arc à souder) lighting; (de discussions, négociations) initiating; **l'~ de la reprise économique paraît difficile** getting economic recovery underway seems difficult

amorce /amɔʀs/ *nf* 1 (de processus, discussion, changement) initiation, beginning; (de route, voie ferrée) initial section, beginning; (de pellicule) leader, tongue; **l'~ d'un sourire** the hint of a smile; 2 Pêche (produit) bait; 3 (détonateur) (d'arme) cap, primer; **brûler une ~** to set off a detonator; (de pétard) cap; **pistolet à ~s** cap gun

amorcer /amɔʀse/ [12]

A *vtr* 1 (commencer) to begin, to initiate [*dialogue, changement, processus*]; [*avion*] to begin [*descente*]; [*véhicule*] to go into [*virage*]; **il amorça un geste pour ouvrir la fenêtre** he made as if to open the window; 2 Pêche (appâter) to bait [*ligne, poisson*]; 3 Tech (mettre en route) to prime [*pompe*]; to arm, to activate [*arme à feu*]; 4 Ordinat to boot

B s'amorcer *vpr* to begin, to get under way

amorphe /amɔʀf/ *adj* 1 (apathique) apathetic, lifeless; 2 Chimie [*roche, substance*] amorphous

amorti /amɔʀti/ *nm* (au tennis) drop shot; (au football) trap; **exécuter un ~ spectaculaire** (au football) to trap the ball spectacularly

amortir /amɔʀtiʀ/ [3] *vtr* 1 (atténuer) to deaden [*bruit*]; to absorb, to cushion [*choc*]; to break, to cushion [*chute*]; 2 (rentabiliser) **j'ai amorti mon ordinateur en quelques mois** my computer paid for itself in a few months; **pour ~ mon abonnement il faut que j'aille à la piscine deux fois par semaine** to make my season ticket pay I'll have to go to the swimming pool twice a week; **mon investissement/achat est maintenant amorti** my investment/purchase has paid for itself; 3 Fin (rembourser) to redeem, to pay off [*dette, emprunt*]; 4 Sport (au tennis) to kill [*balle*]; (au football) to trap [*ballon*]

amortissable /amɔʀtisabl/ *adj* [*dette, emprunt*] redeemable

amortissement /amɔʀtismɑ̃/ *nm* 1 (de bruit) deadening; (de choc) absorption; (de chute) cushioning; **~ de vibrations** Phys dampening of vibrations; 2 Fin (de dette) redemption; (d'emprunt, obligation) paying off; 3 Compta (de machines, d'équipement) depreciation; (d'actifs) amortization; 4 Archit amortizement

(Composés) ~ **comptable** depreciation; ~ **dégressif** depreciation on a reducing balance; ~ **économique** depreciation; ~ **financier** amortization; ~ **linéaire** straight line depreciation

amortisseur /amɔʀtisœʀ/ *nm* Mécan shock absorber; Phys damper

(Composé) ~ **d'oscillation** oscillation damper

amour /amuʀ/

A *nm* 1 (affection) love; **~ maternel/paternel** maternal/paternal love; **l'~ filial** filial love; **avec ~** [*regarder, penser*] with love; 2 (inclination personnelle) love; **~ fou/heureux/déçu** passionate/blissful/disappointed love; **c'est le grand ~ entre eux** they are passionately in love; **lettre/poème/histoire d'~** love letter/poem/story; **aimer qn d'~** to be in love with sb; **par ~ pour** out of love for; **faire qch par ~ pour qn** to do sth out of love for sb *ou* for the love of sb; **faire qch par ~ de l'aventure** to do sth out of a love of adventure *ou* for the love of adventure; **mourir d'~** to die of a broken heart; 3 (profond attachement) (pour argent, pays, musique) love; **l'~ de la liberté/de l'art** the love of liberty/of art; **l'~ de la patrie** love of one's country; **pour l'~ de l'art** for the sake of art; **pour l'~ de Dieu** lit for the love of God; fig (supplication) for heaven's sake; **pour l'~ de Dieu vas-tu te taire!** for heaven's sake, will you shut up!; 4 (personne aimée) gén love; (forme d'adresse) darling; **mon ~** my darling; **c'était elle mon ~** she was my true love; **premier ~** first love; **c'était un ~ de jeunesse** it was a youthful romance; 5 ○(relations sexuelles) love; **faire l'~○ avec** to make love with; **les plaisirs de l'~** the pleasures of lovemaking; 6 ○(charmant) **~ de** adorable; **un ~ d'enfant/de chapeau** an adorable child/hat

B amours *nmpl ou nfpl* 1 Zool mating ¢; **saison des ~s** mating season; 2 (aventures) love affairs; **les ~s de** the amorous adventures of; **~s enfantines** childhood crushes; **comment vont tes ~s?** what news of the affairs of your heart?; **à tes ~s!** (quand on éternue) bless you!

(Composés) ~ **courtois** Hist courtly love; ~ **d'enfance** childhood sweetheart; ~ **libre** free love; ~ **physique** physical love

(Idiomes) **vivre d'~ et d'eau fraîche** to live on love alone; **revenir à ses anciennes** *or* **premières ~s** to return to one's first love

Amour /amuʀ/ *nprm* 1 Art Cupid; 2 ▸ **p. 372** Géog (fleuve) Amur

amouracher: **s'amouracher** /amuʀaʃe/ [1] *vpr* **s'~ de** to become infatuated with

amourette /amuʀɛt/

A *nf* passing infatuation

B amourettes *nfpl* Culin beef marrow ¢

amoureusement /amuʀøzmɑ̃/ *adv* lovingly

amoureux, -euse /amuʀø, øz/

A *adj* 1 (de quelqu'un) [*personne*] in love (*jamais épith*) (**de** with); **femmes amoureuses** women in love; **être/tomber ~** to be/to fall in love (**de** with); **il est encore très ~ d'elle** he's still very much in love with her; 2 (passionné) **être ~ de peinture** to be a lover of painting; **être ~ de sport** to be a sport lover; 3 (qui dénote de l'amour) [*relation, regard*] loving; [*élan, comportement*] of love; **vie amoureuse** love life; **déception amoureuse** disappointment in love

B *nm,f* 1 (de quelqu'un) lover; 2 (de quelque chose) **un ~ de musique/des livres** a music-/book-lover

amour-propre /amuʀpʀɔpʀ/ *nm* self-esteem; **il est blessé dans son ~** his pride is hurt

amovible /amovibl/ *adj* [*capuchon, col, housse, doublure*] detachable; [*étagère, siège, cloison*] removable; **mémoire/disque ~** detachable memory/disk

ampélopsis /ɑ̃pelɔpsis/ *nm* ampelopsis

ampère /ɑ̃pɛʀ/ *nm* Phys amp, ampère; **un fusible de 16 ~s** a 16 amp fuse

ampèremètre /ɑ̃pɛʀmɛtʀ/ *nm* ammeter

amphétamine /ɑ̃fetamin/ *nf* amphetamine

amphi○ /ɑ̃fi/ *nm* lecture theatre[GB] *ou* hall; **un cours en ~** a class in a lecture theatre[GB], a lecture course US

amphibie /ɑ̃fibi/ *adj* Zool, Aut amphibious

amphibien /ɑ̃fibjɛ̃/ *nm* amphibian; **les ~s** amphibians

amphigourique /ɑ̃figuʀik/ *adj* [*discours, style*] convoluted, amphigoric sout

amphithéâtre /ɑ̃fiteɑtʀ/ *nm* 1 Antiq, Géog amphitheatre[GB]; 2 Univ lecture theatre[GB] *ou* hall

(Composé) **~ morainique** Géol morainic amphitheatre[GB]

amphitryon /ɑ̃fitʀijɔ̃/ *nm* liter host

amphore /ɑ̃fɔʀ/ *nf* amphora

ample /ɑ̃pl/ *adj* 1 (large) [*vêtement, manteau*] ample; [*robe*] loose-fitting; [*jupe, manche*] full, ample; [*geste, mouvement*] sweeping; 2 (abondant) [*quantité*] ample; [*récolte*] abundant, rich; [*détails, information*] full; **faire ~ provision de qch** to lay in ample stocks of sth; **je me tiens à votre disposition pour de plus ~s renseignements** *or* **détails** I would be pleased to provide you with any further information *ou* details; 3 (puissant) [*style, phrase*] rich; [*voix*] sonorous

amplement /ɑ̃pləmɑ̃/ *adv* fully, amply; **une victoire ~ méritée** a fully deserved victory; **être ~ renseigné** to be fully informed; **c'est ~ suffisant** that's more than enough!

ampleur /ɑ̃plœʀ/ *nf* (de problème) size, extent; (de projet, sujet, d'étude) scope; (d'événement, de catastrophe, tâche) scale; (de dégâts, réactions) extent; **mesurer l'~ des dégâts** to gauge the extent of the damage; **devant l'~ de la crise** faced with the scale of the crisis; **des manifestations d'une ~ limitée/comparable** demonstrations on a limited/similar scale; **prendre de l'~** [*épidémie, rumeur*] to spread, [*manifestations, parti*] to grow in size; **le mouvement prend de plus en plus d'~** the movement is becoming more and more extensive; **de (très) grande ~** [*marée noire, mobilisation, crise*] on a large *ou* vast scale

ampli○ /ɑ̃pli/ *nm* amp○, amplifier

ampliation /ɑ̃plijasjɔ̃/ *nf* Jur 1 (copie) (certified) true copy; 2 (ajout) amplification

amplificateur, -trice /ɑ̃plifikatœʀ, tʀis/
A *adj* [*effet, force*] magnifying
B *nm* Audio, Phys amplifier

(Composés) **~ de brillance** Phot image intensifier; **~ de courant** Électrotech current amplifier; **~ de luminance** = **~ de brillance**; **~ magnétique** Électron magnetic amplifier; **~ de tension** Électrotech voltage amplifier

amplification /ɑ̃plifikasjɔ̃/ *nf* 1 Phys amplification; 2 (extension) (de relations, d'échanges) development; (de grève, revendications) escalation; (de dialogue, débat) expansion

amplifier /ɑ̃plifje/ [2]
A *vtr* to amplify [*voix, son, courant*]; to magnify [*geste, mouvement, rumeur*]; to expand, to extend [*mouvement, grève, échanges*]
B **s'amplifier** *vpr* [*son*] to grow; [*échanges*] to grow, to increase; [*grève, rumeur, scandale*] to intensify; [*tendance, revendication*] to gain momentum

ampliforme /ɑ̃plifɔʀm/ *adj* padded

amplitude /ɑ̃plityd/ *nf* amplitude

(Composé) **~ thermique** Météo range of temperature

ampoule /ɑ̃pul/ *nf* 1 Électrotech (light) bulb; **une ~ de 100 watts** a 100-watt bulb; 2 Pharm (buvable) phial; (injectable) ampoule; 3 Méd (lésion) blister, ampulla spéc; **j'ai une ~ au pied** I have a blister on my foot; 4 Anat ampulla; 5 Relig, Antiq ampulla

(Composés) **~ buvable** phial; **~ électrique** light bulb; **~ de flash** flash bulb; **~ injectable** ampoule

ampoulé, ~e /ɑ̃pule/ *adj* pej [*discours, style*] bombastic

amputation /ɑ̃pytasjɔ̃/ *nf* 1 Méd amputation; **~ d'une jambe** amputation of a leg; 2 (de discours, texte, crédits) drastic cut (**de** in)

amputé, ~e /ɑ̃pyte/ *nm,f* amputee

amputer /ɑ̃pyte/ [1] *vtr* 1 Méd to amputate [*membre*]; to perform an amputation on [*personne*]; **il a été amputé du bras droit** he had his right arm amputated; 2 (réduire) to cut [sth] drastically [*texte, crédits, discours*]; **~ qch de qch** to cut sth from sth; **il a amputé son discours d'un long passage** he cut a long passage from *ou* out of his speech

Amsterdam /amstɛʀdam/ ▸ **p. 894** *npr* Amsterdam

amuïr: s'amuïr /amyiʀ/ [3] *vpr* [*lettre, son*] to become mute

amuïssement /amɥismɑ̃/ *nm* disappearance

amulette /amylɛt/ *nf* amulet

amure /amyʀ/ *nf* tack; **courir bâbord/tribord ~s** to go on the port/starboard tack; **point d'~** tack (of sail)

amurer /amyʀe/ [1] *vtr* to haul aboard the tack of [*voile*]

amusant, ~e /amyzɑ̃, ɑ̃t/ *adj* 1 (distrayant) [*émission, spectacle, soirée, sport*] entertaining; **trouver ~ de faire** to find it entertaining to do, to enjoy doing; 2 (drôle) [*personne, histoire, film, livre*] funny, amusing; **le plus ~ c'est que** the funniest thing is that; 3 (surprenant) [*idée, initiative, détail*] funny; **c'est ~, je n'y aurais pas pensé** that's funny, I wouldn't have thought of that

amusé, ~e /amyze/
A *pp* ▸ **amuser**
B *pp adj* [*sourire, regard, air*] amused, of amusement (*après n*); **elle a eu un sourire ~** she smiled in amusement (**à** at), she gave an amused smile

amuse-gueule* /amyzgœl/ *nm inv* 1 (chose à grignoter) cocktail snack GB, munchies (*pl*) US; **des ~** cocktail snacks, nibbles○; 2 ○fig appetizer; **en ~** as an appetizer

amusement /amyzmɑ̃/ *nm* 1 (action de divertir) entertainment, amusement; 2 (divertissement) entertainment; **prendre qch comme un ~** to treat sth as entertainment; **écouter/regarder qn avec ~** to enjoy listening to/watching sb

amuser /amyze/ [1]
A *vtr* 1 (divertir) to entertain [*personne, auditoire, classe*]; (plaire) to amuse [*personne*]; **laisse-le, si ça l'amuse!** let him be, if he's happy; **tes plaisanteries douteuses ne m'amusent plus** your tasteless jokes no longer amuse me; **ce qui m'amuse c'est que** what I find amusing is that; **ça les amuse de faire** they enjoy doing; **tu crois que ça m'amuse de faire les courses tous les jours?** do you think I enjoy doing the shopping every day?; **amuse-le pendant que je me prépare** keep him entertained while I'm getting ready; 2 (détourner l'attention de) [*personne*] to distract [*personne, classe*]; **il ne travaille pas et amuse toute la classe** he doesn't work and he distracts the whole class; **si tu réussis à les ~ je pourrai téléphoner** if you can manage to distract them I'll be able to phone
B **s'amuser** *vpr* 1 (jouer) [*enfant, animal*] to play (**avec** with; **dans** in); **pour s'~** for fun; **dépêche-toi, je n'ai pas le temps de m'~** fig hurry up, I haven't got time to mess about○; **ne t'amuse pas à ce petit jeu avec moi** fig don't play that little game with me; 2 (passer du bon temps) [*enfant, adulte*] to have a good time, to enjoy oneself; **ils s'amusent bien tous les deux!** the two of them are having a great time!; **amuse-toi bien!** enjoy yourself!; **il s'amuse à nous faire peur** he gets a kick out of scaring us○; **j'ai fait ça pour m'~** I did it for fun; 3 (s'aviser de) **ne t'amuse pas à faire cela** don't go doing that; 4 (se moquer de) liter **s'~ de qch/qn** to make fun of sth/sb; **on s'amuse de lui en privé** people make fun of him in private

(Idiome) **s'~ comme des fous**○ to have a great time *ou* a ball○

amusette /amyzɛt/ *nf* 1 (distraction) diversion; 2 (aventure amoureuse) fling○, passing fancy iron

amuseur, -euse /amyzœʀ, øz/ *nm,f* lit, fig entertainer; **un ~ public** a public entertainer

amygdale /ami(g)dal/ *nf* tonsil; **enlever les ~s** to remove the tonsils; **se faire opérer des ~s** to have one's tonsils taken out

amygdalite /ami(g)dalit/ ▸ **p. 283** *nf* tonsillitis

amylacé, ~e /amilase/ *adj* [*produit, composé, dérivé*] starch (*épith*)

amylase /amilɑz/ *nf* amylase

an /ɑ̃/ ▸ **p. 222, p. 836** *nm* 1 (durée) year; **passer trois ~s en France** to spend three years in France; **trente euros/trois pour cent par ~** thirty euros/three per cent per year; **trois fois par ~** three times a year; 2 (de date) year; **l'~ dernier** *or* **passé** last year; **l'~ prochain** next year; **tous les ~s** every year; **une fois par ~** *or* **l'~** once a year; **en l'~ deux mille** in the year two thousand; **en l'~ de grâce 1616** in the year of Our Lord 1616; **l'~ 55 avant/après Jésus-Christ** 55 BC/AD; 3 (pour exprimer l'âge) **avoir huit ~s** to be eight (years old); **les moins de dix-huit ~s** the under-eighteens; **il est mort à 25 ~s** he died at the age of 25; **être âgé de 30 ~s** to be 30 years old; **une fille de 7 ~s** a 7-year-old girl; **whisky de douze ~s d'âge** twelve-year-old whisky; **quand il a eu 12 ~s** when he was 12; **quand j'aurai 20 ~s** when I'm 20

(Idiome) **bon ~, mal ~** year in, year out

ana* /ana/ *nm inv* ana

anabaptisme /anabatism/ *nm* Anabaptism

anabaptiste /anabatist/ *adj, nmf* Anabaptist

anabolisant, ~e /anabolizɑ̃, ɑ̃t/
A *adj* anabolic
B *nm* anabolic steroid

anabolisme /anabɔlism/ *nm* anabolism

anacarde /anakaʀd/ *nm* cashew nut

anacardier /anakaʀdje/ *nm* cashew tree

anachorète /anakɔʀɛt/ *nm* anchorite

anachronique /anakʀɔnik/ *adj* anachronistic

anachronisme /anakʀɔnism/ *nm* anachronism

anacoluthe /anakɔlyt/ *nf* anacoluthia

anaconda /anakɔ̃da/ *nm* anaconda

anaérobie /anaeʀɔbi/
A *adj* anaerobic
B *nm* anaerobe

anaglyphe /anaglif/ *nm* anaglyph

anagrammatique /anagʀamatik/ *adj* anagrammatical

anagramme /anagʀam/ *nf* anagram

anal, ~e, *mpl* **-aux** /anal, o/ *adj* anal

analgésie /analʒezi/ *nf* analgesia

analgésique /analʒezik/ *adj, nm* analgesic

anallergique /analɛʀʒik/ *adj* non-allergenic, non-allergic

analogie /analɔʒi/ *nf* analogy

analogique /analɔʒik/ *adj* analogical

analogiquement /analɔʒikmɑ̃/ *adv* analogically

analogue /analɔg/
A *adj* similar (**à** to), analogous sout (**à** to)
B *nm* Chimie analogue[GB]

a

analphabète /analfabɛt/ *adj, nmf* illiterate
analphabétisme /analfabetism/ *nm* illiteracy
analysable /analizabl/ *adj* analysable[GB]
analyse /analiz/ *nf* **1** gén (examen) analysis; ~ **politique/financière** political/financial analysis; **ton ~ de la situation est très juste** your analysis of the situation is very accurate; ~ **d'un produit/d'une substance** analysis of a product/of a substance; **faire l'~ de qch** to analyse[GB] sth; **en dernière ~** in the final analysis; **avoir l'esprit d'~** to have an analytical mind; **2** Méd test; **elle s'est fait faire des ~s** she's had tests done; **3** Math (discipline) calculus; **4** Psych psychoanalysis; **faire une ~, être en ~** to be in analysis
(Composés) ~ **combinatoire** combinatorial analysis; ~ **coût-efficacité** cost-effectiveness analysis; ~ **coûts-avantages** cost-benefit analysis; ~ **économique** economic analysis; ~ **fonctionnelle** functional analysis; ~ **grammaticale** parsing; **faire l'~ grammaticale d'une phrase** to parse a sentence; ~ **harmonique** harmonic analysis; ~ **logique** clause analysis; ~ **numérique** numerical analysis; ~ **organique** organic analysis; ~ **de sang** blood test; ~ **spectrale** spectrum analysis; ~ **transactionnelle** transactional analysis; ~ **d'urine** urine test; ~ **de la valeur** value engineering; ~ **vectorielle** vector analysis
analyser /analize/ [1] *vtr* **1** gén to analyse[GB] [*problème, situation, produit, substance, texte*]; **2** Méd to test [*sang, urine*]; **3** Psych to psychoanalyse[GB]; **se faire ~** to be in analysis
analyseur /analizœʀ/ *nm* ~ **différentiel** Ordinat differential analyser[GB]; ~ **d'ondes** Phys wave analyser[GB]; ~ **de spectre** Phys spectrum analyser[GB]
analyste /analist/ ▸ **p. 532** *nmf* **1** gén, Ordinat analyst; **2** Psych analyst
(Composé) ~ **financier** Fin financial analyst
analyste-programmeur, -euse, *mpl* **analystes-programmeurs** /analistpʀɔgʀamœʀ, øz/ ▸ **p. 532** *nm,f* analyst-programmer
analytique /analitik/
A *adj* **1** gén, Philos analytical; **2** Psych analytic
B *nf* Philos analytics (+ *v sg*)
analytiquement /analitikmɑ̃/ *adv* analytically
anamorphose /anamɔʀfoz/ *nf* anamorphosis
ananas /anana(s)/ *nm inv* pineapple
anapeste /anapɛst/ *nm* anapaest
anaphore /anafɔʀ/ *nf* anaphora
anaphylactique /anafilaktik/ *adj* anaphylactic; **choc ~** anaphylactic shock, anaphylaxis
anar○ /anaʀ/ *adj inv, nmf* (*abbr* = **anarchiste**) anarchist
anarchie /anaʀʃi/ *nf* lit, fig anarchy
anarchique /anaʀʃik/ *adj* lit, fig anarchic
anarchiquement /anaʀʃikmɑ̃/ *adv* anarchically
anarchisant, ~e /anaʀʃizɑ̃, ɑ̃t/ *adj* anarchistic
anarchisme /anaʀʃism/ *nm* anarchism
anarchiste /anaʀʃist/
A *adj* anarchistic
B *nmf* anarchist
anarcho-syndicalisme* /anaʀkosɛ̃dikalism/ *nm* anarcho-syndicalism
anarcho-syndicaliste, *pl* **~s*** /anaʀkosɛ̃dikalist/ *adj, nmf* anarcho-syndicalist
anastigmatique /anastigmatik/ *adj* anastigmatic
anastrophe /anastʀɔf/ *nf* anastrophe
anathème /anatɛm/ *nm* anathema; **prononcer l'~ contre qn, frapper qn d'~** to excommunicate sb; **jeter l'~ sur qn/qch** fig to curse *ou* anathematize sout sb/sth
Anatolie /anatɔli/ ▸ **p. 721** *nprf* Anatolia

anatolien, -ienne /anatɔljɛ̃, ɛn/ *adj* Anatolian
anatomie /anatɔmi/ *nf* **1** Anat (science) anatomy; (structure) anatomy; **2** ○(silhouette) figure; **elle a une belle ~** she's got a good figure; **3** (analyse) analysis; **faire l'~ d'une crise économique** to analyse[GB] an economic crisis
(Composé) ~ **artistique** (spécialité) life drawing; (œuvre) life study
anatomique /anatɔmik/ *adj* [*étude, planche, dessin*] anatomical; [*forme, objet*] anatomically designed
anatomiquement /anatɔmikmɑ̃/ *adv* anatomically
anatomiste /anatɔmist/ *nmf* anatomist
ancestral, ~e, *mpl* **-aux** /ɑ̃sestʀal, o/ *adj* ancestral
ancêtre /ɑ̃sɛtʀ/ *nmf* **1** (aïeul) ancestor; **mes ~s** my ancestors, my forebears; **nos ~s les Gaulois** our ancestors the Gauls; **2** ○(personne âgée) old man/woman; **3** (forme ancienne) ancestor; (précurseur) father, forerunner; **l'~ de l'homme/du catamaran** the ancestor of man/of the catamaran
anche /ɑ̃ʃ/ *nf* Mus reed
anchois /ɑ̃ʃwa/ *nm inv* anchovy
ancien, -ienne /ɑ̃sjɛ̃, ɛn/
A *adj* **1** (qui a été autrefois) [*champion, mari, président, coiffeur, toxicomane, capitale*] former; **mon ancienne école** my old school; **2** (vieux) [*église, connaissance, modèle, famille*] old; **dans l'~ temps** in the old days; **3** Antiq [*histoire, langue, civilisation*] ancient; **la Grèce ancienne** ancient Greece; **l'~ français** Old French; **4** Art, Comm [*style, monnaie, tableau*] old; [*voiture*] vintage; [*meuble*] antique; [*livre*] old, antiquarian; **5** (dans une profession, une fonction, un grade) senior
B *nm* **1** (vétéran) (de congrégation, tribu) elder; (d'entreprise) senior member; **les ~s du village** the village elders; **les ~s** (les personnes âgées) the older people; **2** (qui a été membre) (d'école, entreprise) old member; (de grande école) graduate; **3** (immobilier) **l'~** older property; **4** Comm (vieilles choses) antiques (*pl*); **acheter de l'~** to buy antiques; **5** (pour distinguer des générations) elder; **Caton l'~** Cato the Elder
C **anciens** *nmpl* Antiq ancients; **littérature des ~s** literature of the ancients
D **ancienne** *nf* **à l'ancienne** [*confiture, meuble*] traditional; [*préparé, fabriqué*] in the traditional way
(Composés) ~ **combattant** veteran; ~ **élève** Scol old boy; Univ graduate; ~ **franc** old franc; **l'~ monde** the Old World; **l'Ancien Régime** the Ancien Régime; **l'Ancien Testament** the Old Testament
anciennement /ɑ̃sjɛnmɑ̃/ *adv* formerly
ancienneté /ɑ̃sjɛnte/ *nf* **1** (de personne) seniority (**dans** in); **elle a plus d'~ que lui** she has more seniority than him; **avoir peu d'~** to have little seniority; **promotion à l'~** promotion based on seniority; **trois mois/ans d'~** three months'/years' service; **jour d'~** Entr, Ind service-related leave *ou* holiday GB; **~ dans le chômage** average period of unemployment; **2** (de tradition, relique) antiquity; **3** (âge) age; **4** (temps écoulé depuis) **l'~ de leur immigration** the time elapsed since they immigrated; **en raison de l'~ des faits** because the events happened a long time ago
ancillaire /ɑ̃silɛʀ/ *adj* **amours ~s** amorous liaisons with the servants
ancrage /ɑ̃kʀaʒ/ *nm* **1** Naut (action d'ancrer) anchoring; (mouillage) anchorage; **2** Constr (de mur) cramping
ancre /ɑ̃kʀ/ *nf* **1** Naut anchor; **jeter l'~** lit to cast anchor; fig to settle down; **lever l'~** lit to weigh anchor; fig○ to get a move on○; **être à l'~** to be *ou* lie *ou* ride at anchor; **2** Tech (dans le bâtiment) cramp-iron; (en horlogerie) anchor escapement
(Composé) ~ **de salut** *or* **miséricorde** sheet anchor

ancrer /ɑ̃kʀe/ [1]
A *vtr* **1** Naut to anchor [*navire*]; **les navires ancrés dans la baie** the ships lying at anchor *ou* anchored in the bay; **2** (fixer) ~ **une idée dans les esprits** to fix an idea in people's minds; ~ **un parti dans une région** to establish a party in an area; ~ **qch dans la réalité** to anchor sth to reality; **3** Constr to cramp [*bâtiment*]
B **s'ancrer** *vpr* **1** Naut to anchor, to cast anchor; **2** fig [*idée*] to become fixed (**dans** in); [*parti, coutume*] to become established (**dans** in); **tradition bien ancrée** well-established tradition; **société trop ancrée dans ses habitudes** society which is too set in its ways
andain /ɑ̃dɛ̃/ *nm* swathe
andalou, -ouse /ɑ̃dalu, uz/ *adj* Andalusian
Andalou, -ouse /ɑ̃dalu, uz/ *nm,f* Andalusian
Andalousie /ɑ̃daluzi/ ▸ **p. 721** *nprf* Andalusia
andante /ɑ̃dɑ̃t(e)/ *nm, adv* andante
Andes /ɑ̃d/ *nprfpl* **les ~** the Andes
andin, ~e /ɑ̃dɛ̃, in/ *adj* Andean
andorran, ~e /ɑ̃dɔʀɑ̃, an/ ▸ **p. 561** *adj* Andorran
Andorran, ~e /ɑ̃dɔʀɑ̃, an/ ▸ **p. 561** *nm,f* Andorran
Andorre /ɑ̃dɔʀ/ ▸ **p. 333** *nprf* Andorra
andouille /ɑ̃duj/ *nf* **1** Culin andouille; **2** ○fool; **faire l'~** to act the fool GB, to goof around US
andouiller /ɑ̃duje/ *nm* branch of an antler, tine spéc
andouillette /ɑ̃dujɛt/ *nf* andouillette (*small sausage made from chitterlings*)
androgène /ɑ̃dʀɔʒɛn/
A *adj* androgenic
B *nm* androgen
androgenèse /ɑ̃dʀɔʒənɛz/ *nf* androgenesis
androgyne /ɑ̃dʀɔʒin/
A *adj* androgynous
B *nm* androgyne
androïde /ɑ̃dʀɔid/ *nm* android
Andromaque /ɑ̃dʀɔmak/ *npr* Andromache
andropause /ɑ̃dʀɔpoz/ *nf* male menopause
androstérone /ɑ̃dʀosteʀɔn/ *nf* androsterone
âne /ɑn/ *nm* **1** Zool donkey, ass; **2** ○(personne stupide) dimwit○; Scol dunce
(Composé) ~ **bâté** stupid clot
(Idiomes) **faire l'~ pour avoir du son** to act dumb to find out more; **être comme l'~ de Buridan** to be chronically indecisive
anéantir /aneɑ̃tiʀ/ [3]
A *vtr* **1** (détruire) to ruin [*récoltes*]; to lay waste to [*ville, région*]; to wipe out [*peuple, armée*]; to shatter [*espoir, rêve, autorité*]; **2** (abattre) [*nouvelle, chagrin*] to crush; [*effort, fatigue*] to exhaust; [*chaleur*] to overwhelm; **anéanti par la fatigue** utterly exhausted
B **s'anéantir** *vpr* [*espoir, rêve*] to be shattered
anéantissement /aneɑ̃tismɑ̃/ *nm* **1** (de ville, pays) destruction; (de peuple, armée) annihilation; (de récolte) devastation; **2** (d'espoir) shattering; (d'une personne) total collapse; **la nouvelle a provoqué l'~ de tous leurs espoirs** the news completely shattered all their hopes
anecdote /anɛkdɔt/ *nf* anecdote; **ton article tient plus de l'~ que de l'analyse** your article is more anecdotal than analytical; **un auteur qui se perd dans l'~** an author who digresses on trivial topics; **pour l'~** as a matter of interest
anecdotique /anɛgdɔtik, anɛkdɔtik/ *adj* anecdotal
anémie /anemi/ *nf* **1** ▸ **p. 283** Méd anaemia; **2** fig weakness

(Composé) ~ **pernicieuse** pernicious anaemia

anémier /anemje/ [2]
A *vtr* **1** Méd to make [sb] anaemic [*personne*]; **2** fig to weaken
B s'anémier *vpr* **1** Méd to become anaemic; **2** fig to grow feeble

anémique /anemik/ *adj* **1** Méd anaemic; **2** fig weak, anaemic

anémomètre /anemɔmɛtʀ/ *nm* anemometer

anémone /anemɔn/ *nf* anemone
(Composé) ~ **de mer** Zool sea anemone

ânerie /ɑnʀi/ *nf* (parole) silly remark; (action) silly blunder; **dire des ~s** to talk rubbish° *ou* nonsense; **faire des ~s** to do silly things

anéroïde /aneʀɔid/ *adj* **baromètre ~** aneroid barometer

ânesse /ɑnɛs/ *nf* she-ass, female donkey; **lait d'~** asses' milk

anesthésiant, **~e** /anɛstezjɑ̃, ɑ̃t/ *adj* **1** Méd anaesthetic; **2** fig stupefying

anesthésie /anɛstezi/ *nf* **1** Méd anaesthesia; **provoquer une ~** to induce anaesthesia; **faire une ~ locale/générale** to give sb a local/general anaesthetic; **sous ~ locale/générale** under local/general anaesthetic; **il ne supporterait pas l'~** he would not tolerate the anaesthetic; **2** fig (de l'opinion publique, de la population) anaesthetizing

anesthésier /anɛstezje/ [2] *vtr* **1** Méd to anaesthetize; **2** fig to anaesthetize [*opinion publique, population*]

anesthésique /anɛstezik/ *adj, nm* anaesthetic

anesthésiste /anɛstezist/ ▸ **p. 532** *nmf* (spécialiste) anaesthetist GB, anesthesiologist US

aneth /anɛt/ *nm* dill

anévrisme /anevʀism/ *nm* aneurysm

anfractuosité /ɑ̃fʀaktɥɔzite/ *nf* crevice

ange /ɑ̃ʒ/ *nm* **1** Relig angel; **être le bon ~ de qn** fig to be sb's good angel; **être le mauvais ~ de qn** fig to be a bad influence on sb; **être un ~ de beauté** to be angelically beautiful; **être un ~ de patience** to be patience itself; **2** (terme d'affection) angel, darling; **va me chercher mes cigarettes, tu seras un ~!** be an angel and get my cigarettes for me!
(Composés) ~ **déchu** fallen angel; ~ **exterminateur** avenging angel; ~ **gardien** guardian angel; ~ **de mer** angel shark; ~ **de la mort** Angel of Death; ~ **de la route** motorbike patrolman
(Idiomes) **être aux ~s** to be in seventh heaven, to be walking on air; **'un ~ passe!'** 'somebody's walked over my grave!'; **un ~ passa** there was a lull in the conversation; **sourire aux ~s** to smile serenely; **il est beau comme un ~** he looks like a cherub; **être patient comme un ~** to have the patience of a saint; **être doux comme un ~** to be sweet-natured; **discuter sur le sexe des ~s** to count how many angels can dance on the head of a pin

angélique /ɑ̃ʒelik/
A *adj* angelic
B *nf* Bot, Culin angelica

angéliquement /ɑ̃ʒelikmɑ̃/ *adv* angelically

angélisme /ɑ̃ʒelism/ *nm* angelism

angelot /ɑ̃ʒlo/ *nm* cherub

angélus /ɑ̃ʒelys/ *nm inv* Relig angelus

angevin, **~e** /ɑ̃ʒvɛ̃, in/ ▸ **p. 894** *adj* Angevin (*épith*), of Anjou (*après n*)

Angevin, **~e** /ɑ̃ʒvɛ̃, in/ *nm,f* **1** ▸ **p. 894** (natif d'Angers) native of Angers; (habitant d'Angers) inhabitant of Angers; **2** ▸ **p. 721** (natif de l'Anjou) native of Anjou; (habitant de l'Anjou) inhabitant of Anjou

angine /ɑ̃ʒin/ ▸ **p. 283** *nf* Méd throat infection
(Composés) ~ **diphtérique** angina diphtherica; ~ **de poitrine** angina pectoris; ~ **rouge** tonsillitis; ~ **de Vincent** Vincent's angina *ou* disease

angiocardiogramme /ɑ̃ʒjokaʀdjɔgʀam/ *nm* angiocardiogram

angiocardiographie /ɑ̃ʒjokaʀdjɔgʀafi/ *nf* angiocardiography

angiogenèse /ɑ̃ʒjoʒənɛz/ *nf* angiogenesis

angiogramme /ɑ̃ʒjogʀam/ *nm* angiogram

angiographie /ɑ̃ʒjogʀafi/ *nf* angiography

angiologie /ɑ̃ʒjolɔʒi/ *nf* angiology

angiologue /ɑ̃ʒjolɔg/ ▸ **p. 532** *nmf* angiologist

angiome /ɑ̃ʒjom/ ▸ **p. 283** *nm* angioma

angioplastie /ɑ̃ʒjoplasti/ *nf* angioplasty

angiosperme /ɑ̃ʒjospɛʀm/ *nf* angiosperm

anglais, **~e** ➡▥ /ɑ̃glɛ, ɛz/
A *adj* English
B ▸ **p. 483** *nm* Ling English; **parler l'~** to speak English
C anglaise *nf* **1** (écriture) slanted script; **2** (boucle) ringlet
(Idiome) **filer à l'~e** to take French leave

Anglais, **~e** /ɑ̃glɛ, ɛz/ *nm,f* Englishman/Englishwoman; **les ~** the English

angle /ɑ̃gl/ *nm* **1** Math angle; **~ de 90°** ninety-degree angle; **2** (coin) corner; **être à** *or* **faire l'~ de deux rues** to be at the corner of two streets; **le bâtiment qui fait l'~** the building on the corner; **bibliothèque/cheminée d'~** corner bookcase/fireplace; **faire un ~** [*rue*] to bend; **3** (point de vue) angle; **prendre une photo sous le bon ~** to take a photo from the right angle; **vu sous cet ~** viewed from this angle
(Composés) ~ **aigu** Math acute angle; ~ **d'arrivée** Mil angle of incidence; ~ **d'attaque** Astronaut, Aviat angle of attack; Tech (d'un outil) angle of clearance; ~ **de braquage** Aut steering lock; ~ **de carrossage** Aut camber angle; ~ **de champ** Phot angle of field; ~ **de contingence** Math angle of contingence; ~ **de déphasage** Phys phase angle; ~ **droit** Math right angle; **faire un ~ droit avec qch** to make a right angle with sth; **se couper à ~ droit** to intersect at right angles; ~ **d'éclairage** Phot angle of reflection; ~ **de gîte** Naut angle of list; ~ **de hausse** (au tir) angle of elevation, elevation firing angle; ~ **horaire** Aviat, Phot angle of incidence; ~ **d'inclinaison** Aviat bank angle; Phot angle of tilt; ~ **de montée** Aviat angle of climb; ~ **mort** Aut, Aviat blind spot; Mil dead angle; ~ **obtus** Math obtuse angle; ~ **d'ouverture** Phot, Phys aperture angle; ~ **plat** Math straight angle; ~ **de prise de vue** viewing angle; ~ **de réflexion** Phot, Phys angle of reflection; ~ **de réfraction** Phys angle of refraction; ~ **rentrant** Math reentrant angle; ~ **de route** Aviat track angle; ~ **saillant** Math salient angle; ~ **solide** Math solid angle; ~ **de tir** Mil firing angle; ~ **visuel** Phot visual angle; **~s adjacents** Math adjacent angles; **~s alternes externes** Math alternate exterior angles; **~s complémentaires** Math complementary angles; **~s opposés par le sommet** Math opposite angles; **~s supplémentaires** Math supplementary angles

Angleterre /ɑ̃glətɛʀ/ ▸ **p. 721** *nprf* Géog England

anglican, **~e** /ɑ̃glikɑ̃, an/ *adj, nm,f* Anglican

anglicanisme /ɑ̃glikanism/ *nm* Anglicanism

anglicisation /ɑ̃glisizasjɔ̃/ *nf* anglicization

angliciser /ɑ̃glisize/ [1]
A *vtr* to anglicize
B s'angliciser *vpr* to become anglicized

anglicisme /ɑ̃glisism/ *nm* Anglicism

angliciste /ɑ̃glisist/ *nmf* (spécialiste) Anglicist; (étudiant) student of English

anglo-américain, **~e**, *mpl* **~s** /ɑ̃gloameʀikɛ̃, ɛn/
A *adj* gén Anglo-American; Ling American English (*épith*)
B ▸ **p. 483** *nm* Ling American English

anglomanie /ɑ̃glomani/ *nf* Anglomania

anglo-normand, **~e**, *mpl* **~s** /ɑ̃glonɔʀmɑ̃, ɑ̃d/
A *adj* Hist Anglo-Norman
B *nm* Ling Anglo-Norman

Anglo-Normande /ɑ̃glonɔʀmɑ̃d/ ▸ **p. 435** *adj f* **les îles ~s** the Channel Islands

anglophile /ɑ̃glɔfil/ *adj, nmf* Anglophile

anglophone /ɑ̃glɔfɔn/
A *adj* [*pays, province, groupe, personne*] English-speaking; **littérature ~** Univ literature of the English-speaking countries; **civilisations ~s** Univ the English-speaking world
B *nmf* gén English speaker; (au Canada) Anglophone

anglo-saxon, **-onne**, *mpl* **~s** /ɑ̃glosaksɔ̃, ɔn/
A *adj* **1** Hist, Ling Anglo-Saxon; **2** (de langue anglaise) [*littérature*] English language (*épith*)
B ▸ **p. 483** *nm* Ling Anglo-Saxon

Anglo-Saxon, **-onne**, *mpl* **~s** /ɑ̃glosaksɔ̃, ɔn/ *nm,f* Anglo-Saxon

angoissant, **~e** /ɑ̃gwasɑ̃, ɑ̃t/ *adj* (alarmant) [*question, futur, réalité*] alarming; (effrayant) [*silence, film, pénombre*] frightening

angoisse /ɑ̃gwas/ *nf* **1** gén, Psych anxiety (**devant, de** about); **vivre dans l'~ permanente** to live in a state of perpetual anxiety; **ce boulot c'est l'~°!** this work is torture!; **je suis arrivée tôt dans l'~ de rater mon avion** I arrived early for fear of missing my plane; **2** (crise d'anxiété) anxiety; **tous les soirs elle a des ~s** she suffers from anxiety every night; **3** Philos anguish, angst

angoissé, **~e** /ɑ̃gwase/
A *pp* ▸ **angoisser**
B *pp adj* [*voix, visage, personne*] anxious
C *nm,f* worrier

angoisser /ɑ̃gwase/ [1]
A *vtr* [*personne, situation, question*] to worry [*personne*]; **ma santé m'angoisse** my health is a source of worry *ou* anxiety to me
B °*vi* to be anxious *ou* nervous; **j'ai angoissé toute la nuit avant l'examen** I was anxious all night before my exam
C s'angoisser *vpr* to get anxious (**de faire** doing)

Angola /ɑ̃gɔla/ ▸ **p. 333** *nprm* Angola

angolais, **~e** /ɑ̃gɔlɛ, ɛz/ ▸ **p. 561** *adj* Angolan

Angolais, **~e** /ɑ̃gɔlɛ, ɛz/ ▸ **p. 561** *nm,f* Angolan

angora /ɑ̃gɔʀa/
A *adj* [*animal, laine*] angora (*épith*)
B *nm* Tex angora; **pull-over en ~** angora sweater

angström* /ɑ̃gstʀœm/ *nm* angstrom

anguille /ɑ̃gij/ *nf* Zool, Culin eel
(Composés) ~ **de mer** conger eel; ~ **des sables** sand eel
(Idiomes) **il y a ~ sous roche** there's something going on; **se faufiler comme une ~** to slip in and out; **filer** *or* **glisser comme une ~** to be as slippery as an eel

angulaire /ɑ̃gylɛʀ/ *adj* Math, Phys angular

anguleux, **-euse** /ɑ̃gylø, øz/ *adj* [*visage, traits, coude*] bony; [*aspect, contours*] jagged; [*personne, caractère, esprit*] prickly

angusture /ɑ̃gystyʀ/ *nf* angostura

anhydre /anidʀ/ *adj* anhydrous

anhydride /anidʀid/ *nm* anhydride

anicroche /anikʀɔʃ/ *nf* hitch; **sans ~(s)** without a hitch

ânier, **-ière** /ɑnje, ɛʀ/ ▸ **p. 532** *nm,f* donkey-driver

aniline /anilin/ *nf* aniline

➡▥ *voir* Variétés d'anglais

a

animal, **~e**, *mpl* **-aux** /animal, o/
A *adj* **1** Biol [*espèce, comportement, graisses*] animal (*épith*); **protéines d'origine ~e** animal proteins; **2** (digne de l'animal) [*foule*] savage; [*comportement*] brutish
B *nm* Biol, Zool animal
(Composés) **~ de compagnie** pet; **~ domestique** domestic animal; **~ familier** = **~ de compagnie**; **~ de laboratoire** laboratory animal; **~ nuisible** pest; **~ sauvage** wild animal; **~ utile** useful animal

animalcule /animalkyl/ *nm* animalcule

animalerie /animalʀi/ *nf* **1** (dans un laboratoire) animal house; **2** ▸ **p. 532** (magasin) pet shop GB, pet store US

animalier, **-ière** /animalje, ɛʀ/
A *adj* [*parc, artiste*] wildlife (*épith*)
B *nm,f* ▸ **p. 532** (dans laboratoire) animal keeper
C *nm* ▸ **p. 532** Art wildlife artist

animalité /animalite/ *nf* animality

animateur, **-trice** /animatœʀ, tʀis/ ▸ **p. 532** *nm,f* **1** (de groupe de vacanciers, club) coordinator; (de groupe d'études, d'association) leader; (de projet, congrès, festival) organizer; **~ des ventes** sales coordinator; **~ socioculturel** coordinator of sociocultural activities; **2** (présentateur) host, presenter, emcee US; **~ sportif** sports presenter, sportscaster US; **3** Cin (technicien) animator; **4** Scol *organizer of extra-curricular activities*

animation /animasjɔ̃/ *nf* **1** (de groupe, d'émission, exposition) organization; (de ventes, service commercial) coordination; (de festival, cérémonie) orchestration; **elle a été chargée de l'~ du tournoi/stand** she's in charge of running the tournament/stand; **~ culturelle/sportive** promotion of cultural/sporting activities; **2** (entrain) life, vitality; **mettre de l'~ dans une réception** to liven up a reception; **le tourisme crée de l'~ au village** tourism puts a bit of life into the village; **ville/spectacle qui manque d'~** town/show that lacks vitality *ou* lacking in vitality; **une soirée sans ~** a lacklustre[GB] party; **discuter avec ~** to discuss animatedly, to have a lively discussion; **3** (de rue, marché, lieu de travail) hustle and bustle; (de personnes) excitement; **l'~ de la Bourse au lendemain des événements** the excitement on the Stock Exchange the day after the events; **il règne encore une grande ~ dans le quartier après minuit** there's still a lot going on in the area after midnight; **4** (activité dirigée) organized activity; **5** Cin animation

animé, **~e** /anime/
A *pp* ▸ **animer**
B *pp adj* **1** (vivant) [*débat, soirée, expression, regard*] lively; [*présentateur, orateur*] lively, dynamic; [*période, journées, époque*] lively, busy; [*rue, marché, ville*] bustling; **le marché des valeurs est très ~ en ce moment** the securities market is very brisk *ou* active at the moment; **2** (inspiré) **~ de bonnes/mauvaises intentions** spurred on by good/bad intentions; **3** Ling, Philos animate

animer /anime/ [1]
A *vtr* **1** (diriger) to lead [*débat, groupe, atelier, cérémonie*]; to run [*stage, séjour, exposition, festival*]; to present, to host, to emcee US [*émission, spectacle*]; to run [*revue, association, club*]; **animé par** [*groupe, spectacle, atelier*] organized by; [*mouvement*] led by; TV hosted by, presented by; **2** (rendre vivant) to liven up [*quartier, ville, région*]; to brighten up, to liven up [*récit, réunion, conversation*]; **3** (inspirer) [*sentiment, désir, volonté*] to drive (on) [*personne, équipe, peuple, entreprise*]; **4** (rendre brillant) [*excitant, joie*] to put a sparkle into [*regard, expression*]; **une lueur d'intérêt anima son visage** his/her face brightened with interest; **5** (insuffler la vie) lit [*âme, vie*] to animate [*corps, matière*]; fig [*artiste, lumière*] to bring [sth] to life [*œuvre*]
B **s'animer** *vpr* **1** (devenir vif) [*conversation, débat*] to become lively; [*réunion, jeu*] to liven up; [*visage, expression*] to light up; [*orateur, participant*] to become animated; **elle s'animait au fur et à mesure de la discussion** she became more animated as the discussion went on; **2** (s'agiter) [*lieu public, auditoire*] to come to life; **le quartier commence à s'~ dès huit heures** from eight o'clock onwards the area begins to liven up; **3** (prendre vie) to come to life; **un film où les objets s'animent** a film in which (the) objects come to life

animisme /animism/ *nm* animism

animiste /animist/
A *adj* [*religion*] animistic; [*société*] animist (*épith*)
B *nmf* animist

animosité /animɔzite/ *nf* animosity (**envers** toward, towards GB; **entre** between); **avoir de l'~ contre** *or* **à l'égard de** *or* **envers qn** to be hostile toward(s) sb

anion /anjɔ̃/ *nm* anion

anis /ani/ *nm inv* **1** Bot (plante) anise; (graine) aniseed; **à l'~** (biscuit, bonbon) aniseed (*épith*); (boisson) aniseed-flavoured[GB]; **2** (bonbon) aniseed drop
(Composés) **~ étoilé** Chinese *ou* star anise; **~ vert** anise

aniser /anize/ [1] *vtr* to flavour[GB] [sth] with aniseed; **goût anisé** aniseed flavour[GB]

anisette /anizɛt/ *nf* anisette

Anjou /ɑ̃ʒu/ ▸ **p. 721** *nprm* **l'~** Anjou

Ankara /ɑ̃kaʀa/ ▸ **p. 894** *npr* Ankara

ankylose /ɑ̃kiloz/ *nf* ankylosis

ankyloser: **s'ankyloser** /ɑ̃kiloze/ [1] *vpr* [*personne, jambes, bras*] to get stiff; **j'ai les jambes ankylosées** my legs are stiff

annales /anal/ *nfpl* **1** (de pays, période, d'activité) annals; **ça restera** *or* **c'est à inscrire dans les ~** fig that will go down in history; **2** (d'un examen) book of past papers; **3** (revue) **'~ littéraires/politiques'** 'literary/political review'

annamite /anamit/ *adj* Annamese

Annamite /anamit/ *nmf* Annamese

anneau, *pl* **~x** /ano/
A *nm* **1** (bijou) ring; **2** (pour attacher) ring; **~x de rideau** curtain rings; **3** Astron ring; **les ~s de Saturne** the rings of Saturn; **4** Zool ring, segment spéc; **5** Bot annulus; **6** Gén Civ ring road GB, beltway US
B **anneaux** *nmpl* Sport rings; **aux ~x** on the rings
(Composés) **~ épiscopal** Relig episcopal ring; **~ de mamelon** nipple ring; **~ de mariage** wedding ring; **~ nuptial** = **~ de mariage**; **~ oculaire** Tech Ramsden circle; **~ de vitesse** Sport (en patinage) speed-skating oval; (en sport automobile) racetrack; **~x de Newton** Newton's rings; **~x olympiques** Olympic rings

année /ane/ ▸ **p. 836** *nf* year; **l'~ en cours** this year, the current year; **en quelle ~ le disque est-il sorti?** what year was the album released?; **~ de naissance** year of birth; **il y a des ~s que je ne l'ai pas vue** I haven't seen her for years; **avec les ~s** over the years; **d'~ en ~** year by year; **d'une ~ à l'autre** from one year to the next; **l'~ 1962** the year 1962; **l'~ Mozart** the Mozart year; **ces dix dernières ~s** over the last ten years; **il a fait une ~ de droit** he has done one year of law; **dans le courant de l'~** in the course of the year; **souhaiter la bonne ~ à qn** to wish sb a happy new year; **tout le long de l'~** throughout the year; **en quelques ~s** within the space of a few years; **dans quelques ~s** in a few years; **au début/à la fin de l'~** at the beginning/at the end of the year; **en début/fin d'~** early/late in the year; **(dans) les ~s 80** (in) the eighties; **abonnement/location à l'~** annual subscription/rent; **il est décédé dans sa soixante-neuvième ~** he died in his sixty-ninth year
(Composés) **~ bissextile** leap year; **~ civile** calendar year; **~ financière** financial year GB, fiscal year US; **~ fiscale** tax year; **~ de référence** base year; **~ sabbatique** sabbatical year; **prendre une ~ sabbatique** to take a one-year sabbatical; **~ sainte** Holy Year; **~ scolaire** school year; **~ séculaire** last year of the century; **~ sidérale** sidereal year ; **~ solaire** solar year; **~ tropique** tropical year; **~ universitaire** academic year; **les Années folles** the Roaring Twenties

> **Année scolaire**
>
> School holidays are fixed nationally, and an *académie* falls into one of three zones so that the starts and ends of holidays are staggered. The year lasts from early September to late June, and main breaks occur in early November *(Toussaint)*, at Christmas and New Year, in February and Spring.

année-lumière, *pl* **années-lumière** /anelymjɛʀ/ *nf* light-year

annelé, **~e** /anle/ *adj* **1** Zool [*ver*] ringed; **2** Archit [*colonne*] annulated

annexe /anɛks/
A *adj* **1** (contigu) [*local, salle*] adjoining; **2** (complémentaire) [*questions, déclaration, activités, budget*] additional; [*fiche, dossier*] attached
B *nf* **1** (bâtiment) annexe GB, annex US; **l'~ de l'école/de la mairie** the school/town hall annexe GB *ou* annex US; **2** (document complémentaire) appendix; **mettre qch en ~** to put sth in an appendix

annexer /anɛkse/ [1]
A *vtr* **1** Pol [*État, pays*] to annex [*territoire, pays*]; **2** (joindre) to append (**à** to)
B **s'annexer** *vpr* (s'approprier) to appropriate [*part, droit*]

annexion /anɛksjɔ̃/ *nf* Pol annexation (**par** by)

annexionnisme /anɛksjɔnism/ *nm* annexationism

annexionniste /anɛksjɔnist/ *adj, nmf* annexationist

Annibal /anibal/ *npr* Hannibal

annihilation /aniilasjɔ̃/ *nf* **1** gén (d'espoirs) death; (d'efforts) destruction; **2** Phys Nucl (destruction) annihilation

annihiler /aniile/ [1]
A *vtr* to destroy [*efforts, espoirs*]; to cancel out [*effet, résultats*]
B **s'annihiler** *vpr* [*pouvoirs, forces*] to cancel each other out

anniversaire /anivɛʀsɛʀ/
A *adj* **date** *or* **jour ~ de** anniversary of
B *nm* **1** (de personne, d'entreprise) birthday; **bon** *or* **joyeux ~!** happy birthday! **gâteau/cadeau/bougies d'~** birthday cake/present/candles; **2** (d'événement) anniversary; **le dixième ~ de sa naissance/mort** the tenth anniversary of his birth/death

annonce /anɔ̃s/ *nf* **1** (action) announcement; **l'~ des résultats/de son arrestation** the announcement of the results/of his arrest; **à/dès/après l'~ du déficit il décida** when/as soon as/after the deficit was announced he decided; **un jour avant l'~ de leur départ** a day before they announced (that) they were leaving; **2** (message oral ou écrit) advertisement, advert○ GB, ad○; **une ~ publicitaire** *or* **commerciale** an advert○; **faire passer une ~** to place an advertisement (**dans** in); **trouver du travail par ~** to find a job through an advertisement; ▸ **petit**; **3** Jeux declaration; **faire une ~** (au bridge) to bid; **4** (indice) sign
(Composés) **~ classée** classified ad○; **~ immobilière** property *ou* real-estate US ad○; **~ matrimoniale** lonely hearts advertisement (*for marriage partner*)

annoncer /anɔ̃se/ [12]
A *vtr* **1** (faire savoir) to announce [*nouvelle, déci-*

sion, événement] (**qch à qn** sth to sb); **M. et Mme X sont heureux de vous ~ la naissance de Julie** Mr and Mrs X are pleased to announce the birth of Julie; **elle nous a annoncé son départ** she informed us that she was leaving; **~ à qn que** to announce that; **il a annoncé publiquement qu'il démissionnait** he publicly announced that he was resigning; **ils annoncent qu'ils ne participeront pas au colloque** they are announcing that they won't attend the symposium; **j'ai une triste nouvelle à vous ~** I have some sad news for you; **ils nous ont annoncé la nouvelle** gén they told us the news; (mauvaise nouvelle) they broke the news to us; **2** (signaler l'arrivée de) to announce; **veuillez m'~ à** please announce me to; **qui dois-je ~?** what name shall I give?; **se faire ~ (par qn)** to be announced (by sb); **3** (prédire) to forecast [*phénomène, événement*]; **on nous annonce de la pluie pour demain** rain is forecast for tomorrow; **on annonce une reprise de l'inflation** another rise in inflation is forecast; **4** (être l'indice de) [*événement, signal*] to herald [*événement*]; **~ un refroidissement** to herald a return of the cold weather; **n'~ rien de bon** to be a bad sign; **5** Jeux (au bridge) to bid; **~ trois sans atout** to bid three no trumps; **~ la couleur** (aux cartes) to call trumps; fig to lay one's cards on the table; **6** (prêcher) to preach

B s'annoncer *vpr* **1** (se manifester) [*crise, tempête*] to be brewing; **2** (se présenter) **la saison/le programme s'annonce bien** the season/the programme is off to a good start; **l'été s'annonce chaud/pluvieux** the summer looks like being a hot/rainy one; **la récolte 92 s'annonce excellente** the '92 harvest promises to be very good; **la semaine s'annonce (comme une semaine) difficile** it looks as if this week is going to be difficult; **comment s'annonce la réunion?** how do things look for the meeting?; **3** (prévenir de sa venue) **Oncle Paul s'est annoncé** Uncle Paul said he was coming

annonceur /anɔ̃sœʀ/ *nm* Pub advertiser

annonciateur, -trice /anɔ̃sjatœʀ, tʀis/
A *adj* [*ange*] herald (*épith*); [*signe, signal*] warning (*épith*) (**de qch** of sth); **des problèmes ~s de qch** problems heralding sth
B *nm,f* herald

Annonciation /anɔ̃sjasjɔ̃/ *nf* Relig **l'~** the Annunciation

annotateur, -trice /anɔtatœʀ, tʀis/ *nm,f* annotator

annotation /anɔtasjɔ̃/ *nf* annotation

annoter /anɔte/ [1] *vtr* to annotate [*ouvrage*]; to write notes on [*copie, devoir*]; **un exemplaire annoté de la main de l'auteur** a copy annotated in the author's own hand

annuaire /anɥɛʀ/ *nm* **1** (d'adresses, du téléphone) directory; **consulter l'~** to consult *ou* look in the directory; **ne pas être dans l'~** not to be in the phone book GB, to have an unlisted number; **2** (recueil) yearbook

(Composés) **~ de domaine** domain name system; **~ électronique** Télécom electronic directory; **~ professionnel** professional directory; **~ téléphonique** telephone directory, phone book GB

annualité /anɥalite/ *nf* yearly basis

annuel, -elle /anɥɛl/ *adj* **1** (de chaque année) [*rapport, bénéfice, congés*] annual, yearly; **2** (qui dure un an) [*abonnement*] annual, one-year (*épith*); [*contrat*] one-year (*épith*)

annuellement /anɥɛlmɑ̃/ *adv* annually, yearly

annuité /anɥite/ *nf* **1** Fin (dette) annuity; **2** Admin (année de service) year of pensionable service

annulable /anylabl/ *adj* Jur annullable

annulaire /anylɛʀ/
A *adj* annular
B *nm* Anat ring finger

annulation /anylasjɔ̃/ *nf* **1** gén (de mesure) abolition; (de sanction, loi) repeal; (d'événement) cancellation[GB]; **l'Europe propose l'~ de la dette du tiers monde** Europe suggests writing off Third World debts; **2** Jur (de procédure) quashing; (d'élection) cancellation[GB]; (de traité) revocation; (de mariage) annulment; **~ de permis de conduire** removal of driving licence[GB]

annuler /anyle/ [1]
A *vtr* **1** (supprimer) to cancel [*rendez-vous, vol, spectacle*]; to write off [*dette, créance*]; to discount [*résultat sportif*]; **2** Jur to declare [sth] void [*élection, contrat*]; to revoke [*testament, jugement*]; to quash [*procédure*]; to repeal [*loi*]; **~ le permis de conduire de qn** to remove sb's driving licence[GB]
B s'annuler *vpr* [*questions, forces*] to cancel each other out

anoblir /anɔbliʀ/ [3] *vtr* to ennoble

anoblissement /anɔblismɑ̃/ *nm* ennoblement

anode /anɔd/ *nf* anode

anodin, ~e /anɔdɛ̃, in/ *adj* (insignifiant) [*personne*] insignificant; (sans risques) [*substance*] harmless, innocuous; [*remède*] mild; [*sujet*] safe, neutral; [*question, plaisanterie*] innocent

anodiser /anɔdize/ [1] *vtr* to anodize

anomal, ~e, *mpl* **-aux** /anɔmal, o/ *adj* anomalous

anomalie /anɔmali/ *nf* gén anomaly; Astron, Sci anomaly; Biol abnormality; Tech fault; **~ magnétique** magnetic anomaly

anomie /anɔmi/ *nf* anomie

ânon /ɑnɔ̃/ *nm* **1** (petit de l'âne) donkey foal; **2** (petit âne) little donkey

anone /anɔn/ *nf* annona

ânonnement /ɑnɔnmɑ̃/ *nm* (récitation hésitante) faltering delivery; (récitation monotone) monotonous delivery; (ton monotone) drone

ânonner /ɑnɔne/ [1] *vtr* (en hésitant) to stumble through [*texte, leçon*]; (sans expression) (lire) to read [sth] in a drone; (réciter) to recite [sth] in a drone

anonymat /anɔnima/ *nm* gén anonymity; (discrétion) confidentiality; **sous le couvert de l'~** anonymously; **garder l'~** to remain anonymous; **sortir de l'~** (dire son nom) to reveal one's identity; (devenir célèbre) to emerge from obscurity

anonyme /anɔnim/
A *adj* **1** (sans nom) [*auteur, lettre, don*] anonymous; **2** (neutre) [*décor, style*] impersonal
B *nmf* unknown man/woman; **les ~s** anonymous people

anonymement /anɔnimmɑ̃/ *adv* anonymously

anophèle /anɔfɛl/ *nm* anopheles

anorak /anɔʀak/ *nm* anorak

anorexie /anɔʀɛksi/ *nf* anorexia

(Composé) **~ mentale** anorexia nervosa

anorexique /anɔʀɛksik/ *adj, nmf* anorexic

anormal, ~e, *mpl* **-aux** /anɔʀmal, o/ *adj* **1** (inhabituel) [*saignement, usure, taux, température*] abnormal; [*événement*] unusual; **il est ~ qu'il neige en juin** it's unusual for it to snow in June; **2** (injuste) unfair; **je trouve ~ qu'il parte ainsi** I think it's unfair that he should leave like this; **3** °(déficient) [*enfant*] abnormal

anormalement /anɔʀmalmɑ̃/ *adv* abnormally

anormalité /anɔʀmalite/ *nf* abnormality

anoxie /anɔksi/ *nf* anoxia

anoxique /anɔksik/ *adj* anoxic

ANPE /aɛnpeœ/ *nf* (*abbr* = **Agence nationale pour l'emploi**) *national employment agency*

> **ANPE**
>
> The national agency providing services for the unemployed as well as for employers seeking manpower. Job seekers must agree to take training offered by the *ANPE* in order to qualify for unemployment benefits. Benefits, paid by the ASSEDIC, are calculated according to the last salary earned by the job seeker and the duration of his/her period of unemployment. In the initial period of unemployment, a job seeker receives a high percentage of his/her last salary. This figure is gradually reduced to the point where the job seeker no longer qualifies for benefits and is known as a *chômeur/-euse en fin de droits*.

anse /ɑ̃s/ *nf* **1** (de tasse, panier) handle; **2** Géog cove; **3** Anat loop

(Composé) **~ de panier** Archit basket arch

(Idiome) **faire danser** *or* **valser l'~ du panier** to be on the fiddle°

antagonique /ɑ̃tagɔnik/ *adj* [*personnes, forces*] antagonistic; [*intérêts*] conflicting

antagonisme /ɑ̃tagɔnism/ *nm* antagonism (**entre** between)

antagoniste /ɑ̃tagɔnist/
A *adj* **1** [*groupes, forces*] opposing; [*méthodes, conceptions, intérêts*] conflicting; **2** Anat [*muscles*] antagonist
B *nmf* antagonist

antalgique /ɑ̃talʒik/ *adj, nm* analgesic

antan: **d'antan** /dɑ̃tɑ̃/ *loc adj* liter [*guerres, fêtes, guinguettes*] of old (*après n*); [*prestige, splendeur*] former; **les métiers/la ville d'~** the old trades/town; **le Lyon d'~** the Lyons of yesteryear littér

Antarctide /ɑ̃taʀktid/ *nprf* Antarctica

antarctique /ɑ̃taʀktik/ *adj* Antarctic

Antarctique /ɑ̃taʀktik/ *nprm* **1** ▸ **p. 333** (continent et eaux) Antarctic; (continent seul) Antarctica; **2** ▸ **p. 579** (océan) **océan ~** Antarctic Ocean

antécédent, ~e /ɑ̃tesedɑ̃, ɑ̃t/
A *adj* (précédent) previous (*épith*)
B *nm* **1** (fait du passé) past history; **elle a un ~ judiciaire** she has a criminal record; **2** Méd medical history; **des ~s cardiaques** a (medical) history of heart trouble; **y a-t-il des ~s d'allergie dans votre famille?** do you have a family history of allergy?; **3** Ling, Math antecedent

antéchrist /ɑ̃tekʀist/ *nm* Antichrist

antédiluvien, -ienne /ɑ̃tedilyvjɛ̃, ɛn/ *adj* antediluvian

antémémoire /ɑ̃tememwaʀ/ *nf* cache memory

anténatal, ~e, *mpl* **~s** /ɑ̃tenatal/ *adj* antenatal

antenne /ɑ̃tɛn/ *nf* **1** Télécom (de radio, télévision) aerial; (de radar, satellite) antenna; **~ collective** community antenna; **~ directive** directional antenna; **~ parabolique** parabolic antenna, satellite dish; **~ télescopique** telescopic aerial; **2** Radio, TV (liaison) **être sur** *or* **à l'~** to be on the air; **passer à l'~** to go on the air; **être interdit d'~** to be banned from broadcasting; **l'~ est à vous** over to you; **je te rends l'~** back to you; **garder l'~** to stay on the air; **c'est à toi, l'~ dans dix secondes** get ready, on the air in ten seconds; **3** (poste détaché) branch; **~s locales/régionales** local/regional branches; **~s commerciales** commercial outlets; **~ universitaire** outpost of the university GB, branch campus US; **~ médicale** medical unit; **~ chirurgicale** Méd mobile surgical unit; Mil advanced surgical unit; **4** Zool (d'insecte, crustacé) antenna; **avoir des ~s** fig to have a sixth sense

(Composé) **~ de justice** *legal advice and victim support drop-in centre*

antépénultième /ɑ̃tepenyltjɛm/
A *adj* antepenultimate

B *nf* antepenultimate syllable

antéposé, **~e** /ɑ̃tepoze/ *adj* Ling **en anglais l'adjectif est ~** in English the adjective comes before the noun

antérieur, **~e** /ɑ̃teʀjœʀ/ *adj* **1** (précédent) [*salaire, situation, œuvre*] previous; **le texte est ~ à 1986** the text was written prior to 1986; **toutes les estimations sont ~es au lundi noir** all the estimates were made prior to Black Monday; **sa nomination est très ~e à la guerre** his nomination dates back to long before the war; **2** (placé devant) [*partie, face*] front; [*membre, ligament*] anterior; **3** Phon [*voyelle*] front

antérieurement /ɑ̃teʀjœʀmɑ̃/ *adv* previously; **~ à** prior to

antériorité /ɑ̃teʀjɔʀite/ *nf* anteriority; **l'~ de qch sur** the anteriority of sth in relation to

anthologie /ɑ̃tɔlɔʒi/ *nf* anthology

anthozoaire /ɑ̃tozɔɛʀ/ *nm* anthozoan; **les ~s** Anthozoa

anthracite /ɑ̃tʀasit/

A ▸ **p. 202** *adj inv* (couleur) charcoal grey GB *ou* gray US

B *nm* anthracite

anthrax /ɑ̃tʀaks/ *nm inv* Méd carbuncle

anthropocentrisme /ɑ̃tʀɔposɑ̃tʀism/ *nm* anthropocentrism

anthropoïde /ɑ̃tʀɔpoid/

A *adj* anthropoid

B *nm* (singe) anthropoid ape

anthropologie /ɑ̃tʀɔpɔlɔʒi/ *nf* anthropology

anthropologique /ɑ̃tʀɔpɔlɔʒik/ *adj* anthropological

anthropologiste /ɑ̃tʀɔpɔlɔʒist/, **anthropologue** /ɑ̃tʀɔpɔlɔg/ ▸ **p. 532** *nmf* anthropologist

anthropométrie /ɑ̃tʀɔpɔmetʀi/ *nf* anthropometry

anthropométrique /ɑ̃tʀɔpɔmetʀik/ *adj* anthropometric; **service ~** anthropometry department

anthropomorphe /ɑ̃tʀɔpɔmɔʀf/ *adj* anthropomorphic

anthropomorphique /ɑ̃tʀɔpɔmɔʀfik/ *adj* anthropomorphic

anthropomorphisme /ɑ̃tʀɔpɔmɔʀfism/ *nm* anthropomorphism

anthropophage /ɑ̃tʀɔpɔfaʒ/

A *adj* cannibalistic, anthropophagous spéc

B *nmf* cannibal, anthropophagite spéc

anthropophagie /ɑ̃tʀɔpɔfaʒi/ *nf* cannibalism, anthropophagy spéc

anthropopithèque /ɑ̃tʀɔpɔpitɛk/ *nm* Anthropopithecus

anti- /ɑ̃ti/ *pref* anti(-); **anti-européen** anti-European

antiacarien, **-ienne** /ɑ̃tiakaʀjɛ̃, ɛn/ *adj* anti-dust mite (*épith*)

antiacide /ɑ̃tiasid/ *adj inv, nm* antacid

antiacnéique /ɑ̃tiakneik/ *adj* for the treatment of acne

antiadhésif, **-ive** /ɑ̃tiadezif, iv/ *adj* nonstick

antiaérien, **-ienne** /ɑ̃tiaeʀjɛ̃, ɛn/ *adj* [*défense, missile*] antiaircraft (*épith*)

antialcoolique /ɑ̃tialkɔlik/ *adj* **mesure/campagne ~** anti-alcohol measure/campaign; **ligue ~** temperance league; **centre de cure ~** (alcohol) detoxification centre[GB]

antiallergique /ɑ̃tialɛʀʒik/ *adj* antiallergic

antianémique /ɑ̃tianemik/ *adj* haematinic

anti-apartheid /ɑ̃tiapaʀtɛd/ *adj* antiapartheid

antiasthénique /ɑ̃tiastenik/ *adj* for the treatment of asthenia

antiatomique /ɑ̃tiatɔmik/ *adj* [*vêtement*] (anti-)radiation (*épith*); **abri ~** nuclear fall-out shelter

antiaveuglant, **~e** /ɑ̃tiavøglɑ̃, ɑ̃t/ *adj* Aut antiglare, antidazzle

antibactérien, **-ienne** /ɑ̃tibakteʀjɛ̃, ɛn/ *adj* antibacterial

antibalistique /ɑ̃tibalistik/ *adj* antiballistic

antibiothérapie /ɑ̃tibjoteʀapi/ *nf* antibiotic therapy

antibiotique /ɑ̃tibjɔtik/ *adj, nm* antibiotic; **traiter qn aux ~s** to treat sb with antibiotics; **être sous ~s** to be on antibiotics

antiblocage /ɑ̃tiblɔkaʒ/ *adj inv* **système ~ des roues** anti-lock braking system, ABS

antibrouillard /ɑ̃tibʀujaʀ/ Aut

A *adj inv* **phare ~** fog lamp GB, fog light

B *nm* fog lamp GB, fog light

antibruit /ɑ̃tibʀɥi/ *adj inv* [*mur, revêtement*] soundproof

antibuée /ɑ̃tibye/ *adj inv* **dispositif ~** demister

anticalcaire /ɑ̃tikalkɛʀ/ *adj* **agent** *or* **produit ~** water softener

anticancéreux, **-euse** /ɑ̃tikɑ̃seʀø, øz/ *adj* [*traitement*] cancer (*épith*); [*médicament*] anti-cancer (*épith*); **centre ~** (hôpital) cancer hospital; (laboratoire) cancer research centre[GB]

anticerne /ɑ̃tisɛʀn/ *nm* concealer

antichambre /ɑ̃tiʃɑ̃bʀ/ *nf* lit, fig anteroom, antechamber; **faire ~** to wait in the anteroom; **l'~ de la gloire** fig the way to stardom

antichar /ɑ̃tiʃaʀ/ *adj* antitank (*épith*)

antichoc /ɑ̃tiʃɔk/ *adj inv* **1** (protecteur) **casque ~** crash helmet; **2** (incassable) [*montre*] shockproof

anticipation /ɑ̃tisipasjɔ̃/ *nf* **1** (prévision) anticipation; **faire qch par ~** to do sth in advance; **2** Cin, Littérat **film/roman d'~** science fiction film/novel

anticipé, **~e** /ɑ̃tisipe/

A *pp* ▸ **anticiper**

B *pp adj* [*départ, élection, libération*] early; **il a demandé à partir en retraite ~e** he asked for early retirement; **avec mes remerciements ~s** thanking you in advance; **faire qch de façon ~e** to do sth in advance

anticiper /ɑ̃tisipe/ [1]

A *vtr* **1** (prévoir) to anticipate [*réaction, coup, victoire, changement*]; to foresee [*invention*]; **~ qch de plusieurs années/trois mois** to anticipate sth by several years/three months; **n'anticipons pas!** let's not get ahead of ourselves!; **2** (effectuer à l'avance) to bring [sth] forward [*paiement, remboursement*]; **ils ont anticipé la construction du pont d'un an** they brought the building of the bridge forward by a year

B **anticiper sur** *vtr ind* to anticipate [*événements, évolution, mouvement*]; **vous anticipez sur le récit en révélant ce détail** by mentioning that detail you are anticipating the next part of the story

C *vi* Jeux, Sport (au tennis, aux échecs) to think ahead

anticlérical, **~e**, *mpl* **-aux** /ɑ̃tikleʀikal, o/ *adj, nm,f* anticlerical

anticléricalisme /ɑ̃tikleʀikalism/ *nm* anticlericalism

anticlinal, **~e**, *mpl* **-aux** /ɑ̃tiklinal, o/

A *adj* anticlinal

B *nm* anticline

anticoagulant, **~e** /ɑ̃tikɔagylɑ̃, ɑ̃t/

A *adj* anticoagulant

B *nm* anticoagulant

anticolonialisme /ɑ̃tikɔlɔnjalism/ *nm* anti-colonialism

anticolonialiste /ɑ̃tikɔlɔnjalist/ *adj, nmf* anti-colonialist

anticommunisme /ɑ̃tikɔmynism/ *nm* anti-communism

anticommuniste /ɑ̃tikɔmynist/ *adj, nmf* anti-communist

anticonceptionnel, **-elle** /ɑ̃tikɔ̃sɛpsjɔnɛl/ *adj* [*pilule, méthode*] contraceptive; [*propagande*] birth control (*épith*)

anticoncurrentiel, **-ielle** /ɑ̃tikɔ̃kyʀɑ̃sjɛl/ *adj* anticompetitive

anticonformisme /ɑ̃tikɔ̃fɔʀmism/ *nm* nonconformism

anticonformiste /ɑ̃tikɔ̃fɔʀmist/ *adj, nmf* nonconformist

anticonstitutionnel, **-elle** /ɑ̃tikɔ̃stitysjɔnɛl/ *adj* unconstitutional

anticonstitutionnellement /ɑ̃tikɔ̃stitysjɔnɛlmɑ̃/ *adv* unconstitutionally

anticorps /ɑ̃tikɔʀ/ *nm inv* antibody; **fabriquer des ~** to produce antibodies

anticorrosion /ɑ̃tikɔʀɔzjɔ̃/ *adj inv* rustproof

anti-crevaison /ɑ̃tikʀəvɛzɔ̃/ *adj inv* **bombe ~** Aut puncture sealant spray

anticyclone /ɑ̃tisiklon/ *nm* anticyclone, high

anticyclonique /ɑ̃tisiklɔnik/ *adj* anticyclonic

antidater /ɑ̃tidate/ [1] *vtr* to antedate

antidéflagrant, **~e** /ɑ̃tideflagʀɑ̃, ɑ̃t/ *adj* explosion-proof

antidémarrage /ɑ̃tidemaʀaʒ/ *nm* immobilizer; **~ électronique** electronic immobilizer

antidémocratique /ɑ̃tidemɔkʀatik/ *adj* undemocratic

antidépresseur /ɑ̃tidepʀesœʀ/ *nm* antidepressant

antidérapant, **~e** /ɑ̃tideʀapɑ̃, ɑ̃t/ *adj* [*pneu, chaussée*] nonskid; [*semelle*] nonslip

antidétonant, **~e** /ɑ̃tidetɔnɑ̃, ɑ̃t/

A *adj* antiknock

B *nm* antiknock

antidiphtérique /ɑ̃tidifteʀik/ *adj* diphtheria (*épith*)

antidiscriminatoire /ɑ̃tidiskʀiminatwaʀ/ *adj* antidiscriminatory

antidopage /ɑ̃tidɔpaʒ/ *adj* [*contrôle, test*] dope; [*mesure, lutte*] against doping (*après n*); **subir un contrôle ~** to be dope-tested

antidote /ɑ̃tidɔt/ *nm* lit, fig antidote (**contre** against; **à, de** for)

antidrogue /ɑ̃tidʀɔg/ *adj inv* antidrug

antiéconomique /ɑ̃tiekɔnɔmik/ *adj* uneconomical

antiémeute /ɑ̃tiemøt/ *adj inv* **police/véhicule ~** riot police/vehicle

antienne /ɑ̃tjɛn/ *nf* **1** (refrain) refrain; **2** Relig antiphon

antiesclavagisme /ɑ̃tiɛsklavaʒism/ *nm* opposition to slavery; (aux États-Unis) abolitionism

antiesclavagiste /ɑ̃tiɛsklavaʒist/

A *adj* anti-slavery; (aux États-Unis) abolitionist

B *nmf* opponent of slavery; (aux États-Unis) abolitionist

antifasciste /ɑ̃tifaʃist/ *adj, nmf* antifascist

antifatigue /ɑ̃tifatig/ *adj inv* [*bas, collant*] support (*épith*)

antifongique /ɑ̃tifɔ̃ʒik/ *adj* antifungal

anti-g /ɑ̃tiʒe/ *adj inv* anti-g; **combinaison ~** G suit

antigang /ɑ̃tigɑ̃g/ *adj inv* **brigade ~** crime squad

antigel /ɑ̃tiʒɛl/ *adj inv, nm* antifreeze

antigène /ɑ̃tiʒɛn/ *nm* antigen

antigivre /ɑ̃tiʒivʀ/ *nm* antifreeze

antiglisse /ɑ̃tiglis/ *adj inv* non-slip

Antigone /ɑ̃tigɔn/ *npr* Antigone

antigouvernemental, **~e**, *mpl* **-aux** /ɑ̃tiguvɛʀnəmɑ̃tal, o/ *adj* anti-government

Antigue et Barbude /ɑ̃tigebaʀbyd/ ▸ **p. 333, p. 435** *nprf* Antigua and Barbuda

anti-guerre /ɑ̃tigɛʀ/ *adj inv [mouvement, mobilisation]* anti-war *(épith)*
antihausse /ɑ̃tios/ *adj inv* anti-inflationary
antihéros /ɑ̃tieʀo/ *nm inv* anti-hero
antihistaminique /ɑ̃tiistaminik/ *adj, nm* antihistamine
antihormonal, **~e**, *mpl* **-aux** /ɑ̃tiɔʀmɔnal, o/ *adj* antihormonal
antihygiénique /ɑ̃tiiʒjenik/ *adj* unhygienic
anti-inflammatoire, *pl* **~s** /ɑ̃tiɛ̃flamatwaʀ/ *adj, nm* anti-inflammatory
anti-inflation /ɑ̃tiɛ̃flasjɔ̃/ *adj inv* anti-inflation *(épith)*
antijeu /ɑ̃tiʒø/ *nm* ₵ unsporting behaviour
antilibéral, **~e** /ɑ̃tilibeʀal, o/ *adj, nm,f* Pol antiliberal, anti-freemarket *(épith)*
antilimaces /ɑ̃tilimas/ *adj inv* **granulés ~** slug pellets
antillais, **~e** /ɑ̃tijɛ, ɛz/ *adj* West Indian
Antillais, **~e** /ɑ̃tijɛ, ɛz/ ▸ p. 721 *nm,f* West Indian
Antilles /ɑ̃tij/ ▸ p. 721 *nprfpl* **les ~** the West Indies; **les ~ françaises** the French West Indies; **les ~ néerlandaises** the Netherlands Antilles; **les Petites/Grandes ~** the Lesser/Greater Antilles
antilope /ɑ̃tilɔp/ *nf* antelope
antimatière /ɑ̃timatjɛʀ/ *nf* antimatter
antimilitarisme /ɑ̃timilitaʀism/ *nm* antimilitarism
antimilitariste /ɑ̃timilitaʀist/ *adj, nmf* antimilitarist
antimissile /ɑ̃timisil/ *adj* antimissile
antimite /ɑ̃timit/
A *adj* moth-repellent
B *nm* moth repellent
antimoine /ɑ̃timwan/ *nm* antimony
antimonarchique /ɑ̃timɔnaʀʃik/ *adj, nmf* antimonarchist
antimonarchiste /ɑ̃timɔnaʀʃist/ *nmf* antimonarchist
antimondialisation /ɑ̃timɔ̃djalizasjɔ̃/ *nf* antiglobalization
antimondialisme /ɑ̃timɔ̃djalism/ *nm* antiglobalization
antinational, **~e**, *mpl* **-aux** /ɑ̃tinasjɔnal, o/ *adj* antinational
antinauséeux, **-euse** /ɑ̃tinozeø, øz/ *adj* anti-emetic
antinévralgique /ɑ̃tinevʀalʒik/ *adj* for the relief of neuralgia
antinomie /ɑ̃tinɔmi/ *nf* antinomy
antinomique /ɑ̃tinɔmik/ *adj [lois, éléments]* antinomic; *[idées, concepts]* paradoxical
antinucléaire /ɑ̃tinykleɛʀ/ *adj* antinuclear
Antioche /ɑ̃tjɔʃ/ ▸ p. 894 *npr* Antioch
antioxydant, **~e** /ɑ̃tiɔksidɑ̃, ɑ̃t/
A *adj* antioxidant
B *nm* antioxidant
antipape /ɑ̃tipap/ *nm* antipope
antiparasitage /ɑ̃tipaʀazitaʒ/ *nm* interference suppression
antiparasite /ɑ̃tipaʀazit/ *adj inv* anti-interference; **dispositif ~** suppressor
antiparasiter /ɑ̃tipaʀazite/ [1] *vtr* to fit a suppressor to
antiparlementaire /ɑ̃tipaʀləmɑ̃tɛʀ/ *adj* antiparliamentary
antiparlementarisme /ɑ̃tipaʀləmɑ̃taʀism/ *nm* antiparliamentarianism
antipathie /ɑ̃tipati/ *nf* antipathy (**pour** toward, towards GB, to; **entre** between); **j'éprouve de l'~ pour eux** I dislike them
antipathique /ɑ̃tipatik/ *adj [personne, défaut]* unpleasant; **je le trouve ~** I find him unpleasant; **il m'est ~** I dislike him
antipatriotique /ɑ̃tipatʀijɔtik/ *adj* unpatriotic
antipelliculaire /ɑ̃tipɛlikylɛʀ/ *adj [shampooing, lotion]* antidandruff *(épith)*
antipersonnel /ɑ̃tipɛʀsɔnɛl/ *adj inv* antipersonnel
antiphrase /ɑ̃tifʀaz/ *nf* antiphrasis; **employer une expression par ~** to use an expression ironically
antipode /ɑ̃tipɔd/
A *nm* Géog antipodes *(pl)*; **être l'~ de** to be the antipodes of; **être aux ~s de** lit to be the antipodes of; fig to be the exact opposite of
B antipodes *nmpl* (pays lointain) **les ~s** the other side of the world
antipoison /ɑ̃tipwazɔ̃/ *adj inv* **centre ~** poisons unit
antipoliomyélitique /ɑ̃tipɔljɔmjelitik/ *adj [vaccin]* polio *(épith)*
antipollution /ɑ̃tipɔlysjɔ̃/ *adj inv* **la lutte ~** the fight against pollution; **barrage ~** oil-trapping boom; **impôt ~** pollution tax
antiprotectionniste /ɑ̃tipʀɔtɛksjɔnist/
A *adj* antiprotectionist, free-trade *(épith)*
B *nmf* antiprotectionist, free-trader
antipsoriasique /ɑ̃tipsɔʀjazik/ *adj* antipsoriatic
antipuces /ɑ̃tipys/ *adj inv* **collier ~** flea collar
antipyrétique /ɑ̃tipiʀetik/ *adj, nm* antipyretic
antiquailles○ /ɑ̃tikɑj/ *nfpl* pej old junk○ ₵
antiquaire /ɑ̃tikɛʀ/ *nmf* ▸ p. 532 antique dealer; **le quartier des ~s** the area which is full of antique shops GB *ou* stores US
antique /ɑ̃tik/
A *adj* **1** Hist Antiq *[cité, théâtre, période]* ancient; **la Rome/Grèce ~** ancient Rome/Greece; **2** liter (ancien) *[croyance, demeure]* age-old *(épith)*; **3** (démodé) *[véhicule]* antiquated; *[costume]* old-fashioned
B *nm* Art **l'~** classical art
antiquité /ɑ̃tikite/
A *nf* **1** (objet) antique; **un magasin d'~s** an antique shop; **elle adore les ~s** she loves antiques; **2** (de coutume) ancientness
B antiquités *nfpl* Art antiquities
Antiquité /ɑ̃tikite/ *nf* antiquity; **dans l'~** in antiquity; **cela remonte à la plus haute ~** that goes back to ancient times
antirabique /ɑ̃tiʀabik/ *adj [vaccin]* rabies *(épith)*
antirachitique /ɑ̃tiʀaʃitik/ *adj* antirachitic
antiraciste /ɑ̃tiʀasist/ *adj* antiracist
antiradar /ɑ̃tiʀadaʀ/ *adj inv* antiradar
antireflet /ɑ̃tiʀəflɛ/ *adj inv [surface, verre]* nonreflective; Phot antiglare
antireflux /ɑ̃tiʀəfly/ *adj inv* reflux suppressant
antirejet /ɑ̃tiʀəʒɛ/ *adj inv* immunosuppressive
antireligieux, **-ieuse** /ɑ̃tiʀəliʒjø, jøz/ *adj* antireligious
antirépublicain, **~e** /ɑ̃tiʀepyblikɛ̃, ɛn/ *adj* antirepublican
antiretour /ɑ̃tiʀətuʀ/ *adj inv* **clapet ~** check valve
antirévolutionnaire /ɑ̃tiʀevɔlysjɔnɛʀ/ *adj* antirevolutionary
antirides /ɑ̃tiʀid/ *adj inv* anti-wrinkle *(épith)*
antirouille /ɑ̃tiʀuj/
A *adj* (pour protéger) rust-proofing *(épith)*; (pour enlever) rust-removing *(épith)*
B *nm* (pour protéger) rust inhibitor; (pour enlever) rust remover
antiroulis /ɑ̃tiʀuli/ *adj inv [dispositif, aileron]* roll-damping
antiscorbutique /ɑ̃tiskɔʀbytik/ *adj* antiscorbutic
antisèche○ /ɑ̃tisɛʃ/ *nf* students' slang crib○
antiségrégationniste /ɑ̃tisegʀegasjɔnist/ *adj* antisegregationist
antisémite /ɑ̃tisemit/
A *adj* anti-Semitic
B *nmf* anti-Semite
antisémitisme /ɑ̃tisemitism/ *nm* anti-Semitism
antisepsie /ɑ̃tisɛpsi/ *nf* antisepsis
antiseptique /ɑ̃tisɛptik/ *adj, nm* antiseptic
antisida /ɑ̃tisida/ *adj inv* Méd *[vaccin, thérapie]* AIDS *(épith)*
antisismique /ɑ̃tisismik/ *adj* anti-seismic
antislash /ɑ̃tislaʃ/ *nm* backslash
antisocial, **~e**, *mpl* **-iaux** /ɑ̃tisɔsjal, o/ *adj* antisocial
anti-sous-marin, **~e**, *mpl* **~s** /ɑ̃tisumaʀɛ̃, in/ *adj* anti-submarine
antispasmodique /ɑ̃tispasmɔdik/ *adj, nm* antispasmodic
antisportif, **-ive** /ɑ̃tispɔʀtif, iv/ *adj* (contraire à l'esprit du sport) unsporting
antistatique /ɑ̃tistatik/ *adj* antistatic
antistress /ɑ̃tistʀɛs/ *adj inv [voyage, séjour]* stress-free; *[médicament, traitement]* stress-relieving
antistrophe /ɑ̃tistʀɔf/ *nf* antistrophe
antisubversif, **-ive** /ɑ̃tisybvɛʀsif, iv/ *adj* antisubversive
antisudoral, **~e**, *mpl* **-aux** /ɑ̃tisydɔʀal, o/
A *adj* antiperspirant
B *nm* antiperspirant
antitabac /ɑ̃titaba/ *adj inv* antismoking
antitache /ɑ̃titaʃ/ *adj inv* **traité ~** stain-resistant
antiterroriste /ɑ̃titɛʀɔʀist/ *adj* antiterrorist; **la lutte ~** the fight against terrorism
antitétanique /ɑ̃titetanik/ *adj [vaccin]* tetanus *(épith)*
antithèse /ɑ̃titɛz/ *nf* gén Littérat antithesis; **elle est l'~ de son frère** fig she's the exact opposite of her brother
antithétique /ɑ̃titetik/ *adj* antithetical
antitoxine /ɑ̃titɔksin/ *nf* antitoxin
antitoxique /ɑ̃titɔksik/ *adj* antitoxic
antitrust /ɑ̃titʀœst/ *adj inv* anti-monopoly GB, antitrust US
antituberculeux, **-euse** /ɑ̃titybɛʀkylø, øz/ *adj [vaccin]* tuberculosis *(épith)*; **timbre ~** stamp in aid of tuberculosis research
antitumoral, **~e**, *mpl* **-aux** /ɑ̃titymɔʀal, o/ *adj* antitumoral
antitussif, **-ive** /ɑ̃titysif, iv/
A *adj* **sirop ~** cough mixture GB, cough syrup GB *ou* sirup US
B *nm* cough medicine
antivariolique /ɑ̃tivaʀjɔlik/ *adj [vaccin]* smallpox *(épith)*
antivénéneux, **-euse** /ɑ̃tivenenø, øz/ *adj* antidotal
antivenimeux, **-euse** /ɑ̃tivənimø, øz/ *adj* **produit/sérum ~** product/serum for use against snake-bite, antivenin product/serum
anti-VIH /ɑ̃tiveiaʃ/ *adj inv* Méd *[anticorps, thérapie]* HIV *(épith)*
antiviolence /ɑ̃tivjɔlɑ̃s/ *adj inv* anti-violence, non-violence
antiviral, **~e**, *mpl* **-aux** /ɑ̃tiviʀal, o/ Pharm, Méd
A *adj* antiviral
B *nm* antiviral
antivirus /ɑ̃tiviʀys/ *nm inv* Ordinat antivirus software
antivol /ɑ̃tivɔl/
A *adj inv* **dispositif ~** antitheft device
B *nm* (de vélo, moto) lock; (de voiture) steering lock, anti-theft device
antonomase /ɑ̃tɔnɔmaz/ *nf* antonomasia
antonyme /ɑ̃tɔnim/ *nm* antonym
antonymie /ɑ̃tɔnimi/ *nf* antonymy
antre /ɑ̃tʀ/ *nm* **1** (d'animal) den, lair; **2** fig den, lair; **3** Anat antrum

Antrim *npr* **le comté d'~** Antrim
anurie /ɑ̃nyʀi/ *nf* anuria
anus /anys/ *nm inv* anus
(Composé) **~ artificiel** colostomy
ANVAR /ɑ̃vaʀ/ *nf* (*abbr* = **Agence nationale de valorisation de la recherche**) *national council for the promotion of research in industry*
Anvers /ɑ̃vɛʀ/ ▸ **p. 894, p. 721** *npr* Antwerp; **la province d'~** Antwerp (province)
anxiété /ɑ̃ksjete/ *nf* anxiety; **l'~ de l'attente** the anxiety of waiting; **être dans l'~** to be very anxious *ou* worried; **état d'~** anxiety state; **crise d'~** panic attack; **avec ~** anxiously
anxieusement /ɑ̃ksjøzmɑ̃/ *adv* anxiously
anxieux, **-ieuse** /ɑ̃ksjø, øz/
A *adj* [*personne, voix, attente*] anxious; [*attitude*] concerned; **~ de savoir** anxious to know
B *nm,f* worrier
anxiogène /ɑ̃ksjɔʒɛn/ *adj* anxiety-inducing
anxiolytique /ɑ̃ksjɔlitik/ *adj, nm* anxiolytic
AOC /aose/ *nf: abbr* ▸ **appellation**
AOP /aope/ *nf: abbr* ▸ **appellation**
aoriste /aɔʀist/ *nm* aorist
aorte /aɔʀt/ *nf* aorta
aortique /aɔʀtik/ *adj* aortic
Aoste /aɔst/ ▸ **p. 894** *npr* Aosta; **le Val d'~** Valle d'Aosta
août* /u(t)/ ▸ **p. 544** *nm* August
aoûtat* /auta/ *nm* harvest mite GB, chigger US
aoûtien, **-ienne*** /ausjɛ̃, ɛn/ *nm,f* August holidaymaker GB *ou* vacationer US
AP /ape/ *nf* **1** (*abbr* = **Associated Press**) AP; **2** *abbr* ▸ **assistance**
apache○† /apaʃ/ *nm* (voyou) hooligan
Apache /apaʃ/ *nprm* (Indien) Apache
apaisant, **~e** /apɛzɑ̃, ɑ̃t/ *adj* **1** (lénifiant) [*paroles, voix, personne*] soothing; [*influence*] calming; [*déclaration*] conciliatory; **2** Cosmét, Pharm [*lotion, crème*] soothing
apaisement /apɛzmɑ̃/ *nm* **1** (de foule, personne) calming down; (de querelle) quietening down; **geste/mesure d'~** calming gesture/measure; **politique d'~** policy of appeasement; **tentative/volonté d'~** attempt/willingness to appease; **2** (calme) calm; **éprouver un profond ~** to have a feeling of deep calm
apaiser /apeze/ [1]
A *vtr* (calmer) to pacify, to appease [*personne, militants*]; to ease [*conflit, rivalité*]; to calm, to appease [*colère, inquiétude*]; to satisfy, to appease [*faim, soif, désir*]; to soothe [*brûlure, douleur*]; **dire qch pour ~ les esprits** to say sth to ease people's minds; **il est revenu, l'esprit apaisé** he came back, his mind at rest
B **s'apaiser** *vpr* [*vent, orage, colère, troubles*] to die down; [*débat*] to quieten down, to calm down; [*curiosité, désir, faim, douleur*] to subside
apanage /apanaʒ/ *nm* prerogative; **être l'~ de qch/qn** to be the prerogative of sth/sb; **avoir l'~ de qch** to have a monopoly on sth
à-paraître /apaʀɛtʀ/ *nm inv* forthcoming title
aparté /apaʀte/ *nm* **1** (entretien privé) private conversation; **dire qch à qn en ~** to say sth to sb in private; **2** (remarque, commentaire) gén, Théât aside; **en ~** in an aside
apartheid /apaʀtɛd/ *nm* apartheid
apathie /apati/ *nf* (personnelle) apathy; (politique) indifference, apathy; (économique) stagnation; (sportive) lethargy
apathique /apatik/
A *adj* (mou) apathetic; (indifférent) indifferent, apathetic; (stagnant) stagnant; (indolent) lethargic
B *nmf* apathetic person
apatride /apatʀid/
A *adj* stateless
B *nmf* stateless person; **les ~s** stateless people
APD /apede/ *nm* (*abbr* = **appel de préparation à la défense**) *compulsory Ministry of Defence workshop for 16-18 year olds*
APEC /apɛk/ *nf* (*abbr* = **Agence pour l'emploi des cadres**) *executive employment agency*
Apennins /apənɛ̃/ *nprmpl* **les ~** the Apennines
aperception /apɛʀsɛpsjɔ̃/ *nf* apperception
apercevoir /apɛʀsəvwaʀ/ [5]
A *vtr* **1** (voir) [*personne*] to make out [*montagne, clocher, silhouette*]; to see, to catch sight of [*personne, voiture*]; **laisser ~ qch** to reveal sth; **2** (prévoir) [*personne*] to see [*difficultés, possibilités*]
B **s'apercevoir** *vpr* **1** (se rendre compte) **s'~ que** to notice that, to realize that; **s'~ de** to notice [*erreur, supercherie*]; **personne ne s'est aperçu de ton absence/de ton départ** nobody noticed that you weren't there/that you had left; **il fait des gaffes sans s'en ~** he makes blunders without realizing; **2** (sans se parler) to catch sight of each other; (en se parlant) to meet briefly
aperçu /apɛʀsy/ *nm* **1** (échantillon) (de talent, caractère) glimpse (**de** of); (de variété, soirée, course) taste (**de** of); (de politique, situation) outline (**de** of); **2** (point de vue) insight (**sur** into)
apéritif, **-ive** /apeʀitif, iv/
A *adj* [*boisson, promenade*] which stimulates the appetite (*épith, après n*)
B *nm* aperitif GB, drink; **prendre l'~** to have an aperitif GB *ou* a drink; **en ~** as an aperitif; **je vous offre un ~?** can I get you an aperitif GB *ou* a drink?
apéro○ /apeʀo/ *nm: abbr* = **apéritif B**
aperture /apɛʀtyʀ/ *nf* aperture
apesanteur /apəzɑ̃tœʀ/ *nf* weightlessness; **en état d'~** in a state of weightlessness
à-peu-près /apøpʀɛ/ *nm inv* vague approximation, (rough) guess
apeuré, **~e** /apœʀe/ *adj* (effrayé) frightened; (craintif) timid
apex /apɛks/ *nm inv* **1** Astron, Zool apex; **2** Anat tip of the tongue; **3** Ling macron
aphasie /afazi/ *nf* aphasia
aphasique /afazik/ *adj, nmf* aphasic
aphérèse /afeʀɛz/ *nf* apheresis
aphone /afɔn/ *adj* voiceless; **être ~** to have lost one's voice
aphonie /afɔni/ *nf* aphonia
aphorisme /afɔʀism/ *nm* aphorism; **parler par ~s** to speak *ou* talk in aphorisms
aphrodisiaque /afʀɔdizjak/ *adj, nm* aphrodisiac
Aphrodite /afʀɔdit/ *npr* Aphrodite
aphte /aft/ *nm* mouth ulcer, aphtha spéc
aphteuse /aftøz/ ▸ **p. 283** *adj f* **fièvre ~** foot-and-mouth disease
api: **d'api** /dapi/ *loc adj* **pomme d'~** small apple
API /apei/ *nm: abbr* ▸ **alphabet**
à-pic* /apik/ *nm inv* sheer drop; **un ~ de plus de 800 mètres** a sheer drop of more than 800 metres[GB]
apical, **~e**, *mpl* **-aux** /apikal, o/ *adj* apical; **r ~** trilled r
apico-alvéolaire, *pl* **~s** /apikoalveɔlɛʀ/
A *adj* palato-alveolar
B *nf* palato-alveolar consonant
apico-dental, **~e**, *mpl* **-aux** /apikodɑ̃tal, o/
A *adj* dental
B **apico-dentale** *nf* dental consonant
apicole /apikɔl/ *adj* beekeeping (*épith*), apiarian spéc
apiculteur, **-trice** /apikyltœʀ, tʀis/ ▸ **p. 532** *nm,f* beekeeper, apiarist spéc
apiculture /apikyltyʀ/ *nf* beekeeping, apiculture spéc
apitoiement /apitwamɑ̃/ *nm* pity (**sur** for)
apitoyer /apitwaje/ [23]
A *vtr* to move [sb] to pity [*personne*]; **~ qn sur qn** to make sb feel sorry for sb; **n'essaie pas de m'~** don't try to get my sympathy
B **s'apitoyer** *vpr* **s'~ sur (le sort de) qn** to feel sorry for sb; **ils s'apitoient sur la malchance de Paul** they feel sorry for Paul on account of his bad luck
APL /apeɛl/ *nf* **1** (*abbr* = **aide personnalisée au logement**) ≈ housing benefit; **2** (*abbr* = **Armée populaire de libération**) PLA
aplanir /aplaniʀ/ [3]
A *vtr* **1** Constr, Gén Civ [*personne, bulldozer*] to level [*terrain, chemin*]; **2** (éliminer) to iron out [*difficultés, problèmes*]; to ease [*tensions*]
B **s'aplanir** *vpr* fig [*difficultés*] to be ironed out; [*tensions*] to ease
aplanissement /aplanismɑ̃/ *nm* **1** Constr, Gén Civ levelling[GB]; **2** (de situation financière) levelling[GB] out; (d'obstacle) elimination; (de difficultés) ironing out
aplat /apla/ *nm* area of flat colour
aplati, **~e** /aplati/
A *pp* ▸ **aplatir**
B *pp adj* [*sphère, forme*] oblate; [*fruit, tuyau*] flattened; [*nez*] flat; **la Terre est ~e aux pôles** the Earth is oblate at the poles
aplatir /aplatiʀ/ [3]
A *vtr* (rendre plat) to flatten [*carton, tôle*]; to smooth out [*coussin, oreiller*]; to smooth down [*cheveux*]; to press [*coutures, plis*]; **mon chapeau est tout aplati!** my hat is all squashed!
B *vi* (au rugby) to score a try
C **s'aplatir** *vpr* **1** ○(tomber) [*personne*] to fall flat (**sur** on); **2** ○(s'immobiliser) [*personne*] to flatten oneself (**contre** against, **dans** in); **aplatis dans le fossé, ils attendaient** they waited, lying flat in the ditch; **3** (devenir plat) [*chapeau*] to get squashed; [*carton*] to be flattened; **4** ○(s'écraser) **s'~ contre** [*voiture, conducteur*] to smash into [*arbre, mur*]; **5** ○(être servile) **s'~ devant qn** to grovel in front of sb
aplomb /aplɔ̃/
A *nm* **1** (de personne) (confiance en soi) confidence; (équilibre) balance; **manquer d'~** to lack confidence; **avoir de l'~** to be confident; **avec ~** confidently, with aplomb; **vous ne manquez pas d'~!** you've got a nerve!; **retrouver son ~** to regain one's balance *ou* confidence; **2** (de mur) perpendicularity; **à l'~ de qch** directly below sth
B **d'aplomb** *loc adv* **1** (en équilibre) [*étagère, armoire*] straight; [*personne*] steady; **attends! je ne suis pas d'~** wait! I'm off balance; **2** ○(en bonne santé) **tu te sens d'~?** do you feel well?; **je ne suis pas bien d'~** I don't feel very well; **prends ça, ça va te remettre d'~** have this, it will put you back on your feet
C **aplombs** *nmpl* (du cheval) conformation (*sg*) of the legs
apnée /apne/ *nf* apn(o)ea; **plonger en ~** to dive without an aqualung
apocalypse /apɔkalips/ *nf* (fin du monde) apocalypse; **vision/paysage d'~** apocalyptic vision/landscape
Apocalypse /apɔkalips/ *nprf* **l'~** the Apocalypse
apocalyptique /apɔkaliptik/ *adj* apocalyptic
apocope /apɔkɔp/ *nf* apocope
apocryphe /apɔkʀif/
A *adj* apocryphal
B *nm* book of the Apocrypha; **les ~** the Apocrypha
apodictique /apɔdiktik/ *adj* apodictic
apogée /apɔʒe/ *nm* **1** (paroxysme) peak (**de** of); **atteindre** *or* **connaître son ~** to peak; **2** Astron, Hist apogee
apolitique /apɔlitik/ *adj* apolitical
apolitisme /apɔlitism/ *nm* **l'~ de qch** the apolitical nature of sth; **l'~ de qn** the fact that sb is apolitical

apollon /apɔlɔ̃/ *nm* good-looking man, hunk○; **quel ~!** he looks like a Greek god!

Apollon /apɔlɔ̃/ *npr* Apollo

apologétique /apɔlɔʒetik/
A *adj* [1] (qui loue) laudatory; (qui justifie) justificatory; [2] Relig apologetic
B *nf* apologetics (+ *v sg*)

apologie /apɔlɔʒi/ *nf* (pour louer) panegyric (**de** of); (pour justifier) apologia (**de** for); **faire l'~ de qch** (justifier) to justify sth; (louer) to applaud sth; **faire l'~ de qn** (louer) to praise sb

apologiste /apɔlɔʒist/ *nmf* (qui justifie) Relig apologist; (qui loue) eulogist

apologue /apɔlɔg/ *nm* apologue

apophyse /apɔfiz/ *nf* apophysis

apoplectique /apɔplektik/ *adj* apoplectic

apoplexie /apɔpleksi/ *nf* apoplexy; **crise d'~** lit, fig apoplectic fit; **elle était au bord de l'~** fig she was on the verge of having an apoplectic fit

apostasie /apɔstazi/ *nf* apostasy

apostasier /apɔstazje/ [2] *vi* to apostatize

apostat, **~e** /apɔsta, at/ *adj, nm,f* apostate

a posteriori* /apɔsteʀjɔʀi/
A *loc adj inv* [*connaissances*] inductive
B *loc adv* [*se justifier, décider*] after the event; **~, il semblerait que** with hindsight, it would appear that

apostille /apɔstij/ *nf* apostil

apostiller /apɔstije/ [1] *vtr* to add an apostil (to)

apostolat /apɔstɔla/ *nm* [1] Relig apostolate; [2] (activité désintéressée) apostolic mission

apostolique /apɔstɔlik/ *adj* (des apôtres) apostolic; (papal) Apostolic

apostrophe ➜
/apɔstʀɔf/ *nf* [1] (marquant une élision, en rhétorique) apostrophe; **mot mis en ~** word used in apostrophe; [2] (remarque vive) remark

apostropher /apɔstʀɔfe/ [1] *vtr* to heckle

apothème /apɔtɛm/ *nm* apothem

apothéose /apɔteoz/ *nf* [1] (moment fort) (de spectacle) high point; (d'événement) grand finale; (d'œuvre) supreme achievement; (de carrière) culmination; **finir** *or* **s'achever en ~** [*spectacle*] to end in a blaze of glory; **l'arrivée de ma belle-mère a été l'~!** iron my mother-in-law's arrival was the last straw!; [2] Antiq apotheosis

apothicaire‡ /apɔtikɛʀ/ *nm* apothecary‡; **des comptes d'~** fig complicated calculations

apôtre /apotʀ/ *nm* lit, fig apostle; **se faire l'~ de la non-violence** to become an apostle of nonviolence

(Idiome) **faire le bon ~** to play the saint

Appalaches /apalaʃ/ ▸ **p. 721** *nprfpl* **les ~** the Appalachians, the Appalachian mountains

appalachien, **-ienne** /apalaʃjɛ̃, ɛn/ *adj* Appalachian

apparaître* /apaʀɛtʀ/ [73]
A *vi* [1] (devenir visible) [*personne, spectre, bouton, problèmes, produit*] to appear; [*lune, soleil*] to come out; **~ à la télévision** to appear on television; **~ en public** to appear in public; **soudain une silhouette apparut dans le brouillard/la nuit** suddenly a shape appeared out of the fog/the darkness; **l'homme est apparu sur Terre** man (first) appeared on Earth; **laisser ~** to reveal; **voir ~ un spectre** to see a ghost; **~ à qn** to appear to sb; [2] (se révéler) [*idée, courage, misère, désaccord*] to become apparent; **laisser ~** [*analyse, compte, rapport, enquête*] to show; **faire ~** (montrer) to show; (révéler) to reveal; **~ comme une victime** to be seen as a victim; [3] (sembler) to appear (to be); **~ à qn** to appear to sb to be; **~ (à qn) comme** to appear (to sb) to be; **~ comme un gâchis** to seem a waste; **~ comme excessif/comme un anachronisme** to appear excessive/anachronistic
B *v impers* **il apparaît que** it appears that; **il apparut certain que** it appeared certain that

apparat /apaʀa/ *nm* [1] (faste, luxe) grandeur; (cérémonial) pomp, ceremonial; **d'~** (luxueux) sumptuous; (de cérémonie) ceremonial; **en grand ~** [*fêter*] with pomp and ceremony; [*être habillé*] (pour une cérémonie) in ceremonial regalia; (de façon luxueuse) in one's finery, sumptuously; [2] Littérat **~ critique** apparatus criticus

apparatchik /apaʀatʃik/ *nm* lit, fig apparatchik

appareil /apaʀɛj/ *nm* [1] (machine, instrument) device; (pour la maison) appliance; **~ de mesure/de contrôle** measuring/control device; **~ de radio/télévision** radio/television set; **~ de projection** projector; **~ de prise de vues** *or* **de cinéma** cine GB *ou* movie US camera; **~ électroménager** household appliance; [2] (téléphone) telephone; **qui est à l'~?** who's calling please?; **on te demande à l'~** you're wanted on the phone; **passe-moi l'~** give me the phone; **Vladimir à l'~** (this is) Vladimir speaking; [3] (avion) plane; [4] Méd (bagues) braces (*pl*); (en chirurgie) brace; **~ (dentaire)** (dentier) dentures (*pl*); (tige métallique) brace; **~ auditif** hearing aid; **~ orthopédique** orthopaedic appliance; **poser** *or* **mettre un ~ dentaire à qn** to fit sb with dentures; [5] Anat system; **l'~ digestif / circulatoire / respiratoire / phonateur** the digestive/circulatory/respiratory/vocal system; **~ urinaire** urinary tract; [6] (système) apparatus; **l'~ d'État/du parti/scolaire/administratif** the state/party/educational/administrative apparatus; [7] Archit, Constr bond; [8] (ensemble de notes) **~ critique** *or* **de notes** critical apparatus; [9] liter (apparence) trappings; **funèbre ~** funeral pomp; **pompeux ~** pompous trappings; **modeste** *or* **simple ~** simple apparel; **dans le plus simple ~** in one's birthday suit; [10] Culin mixture

(Composés) **~ d'appui** Constr bearing apparatus; **~ distributeur** vending machine; **~ photographique** *or* **(de) photo** Phot camera; **~ photo numérique** Phot digital camera; **~ de production** productive capacity; **~ à sous** slot machine

appareillage /apaʀɛjaʒ/ *nm* [1] Naut (départ) casting off; (préparations) fitting out; **prêt pour l'~!** ready to cast off!; [2] (appareils) equipment; [3] Méd (pose) fitting; (appareil) surgical appliances (*pl*)

appareiller /apaʀeje/ [1]
A *vtr* [1] (assembler) to match (up) [*objets*]; to match [*personnes, joueurs*]; [2] (préparer) to fit out [*bateau*]; [3] Méd **~ un bras/une jambe** (mettre une prothèse) to fit an artificial arm/leg; [4] Archit, Constr to dress [*pierre*]; [5] (accoupler) to mate [*animaux*]
B *vi* [*bateau*] to cast off

apparemment /apaʀamɑ̃/ *adv* [1] (selon toute apparence) apparently; **~ pas!** apparently not!; [2] (en apparence seulement) seemingly

apparence /apaʀɑ̃s/ *nf* [1] gén (extérieur) appearance; **ne jugez pas sur les ~s** don't judge by appearances; **ne vous fiez pas aux ~s** appearances are deceptive; **pour sauver les ~s** to keep up appearances; **il est bon, malgré les** *or* **en dépit des ~s** he is kind, despite appearances to the contrary; **contre toute ~** despite every indication to the contrary; **malgré certaines ~s** despite certain indications to the contrary; **il est jeune d'~** he looks young; **homme d'~** *or* **à l'~ jeune** young-looking man; **elle n'est calme qu'en ~** she only looks *ou* seems calm; **il n'a que l'~ de la bonté** he only looks *ou* seems kind; **en ~** seemingly; **sous l'~ de la bonté** under the guise of kindness; **sous des ~s raisonnables** behind a façade of reasonableness; **selon toute ~, ils sont d'accord** it would seem that they agree; **'ils sont d'accord?'—'selon toute ~'** 'they agree?'—'it would seem so'; **'ils sont d'accord'—'en ~ (seulement)'** 'they agree'—'only on the surface'; **des personnes en ~ si différentes** people outwardly so different; [2] Philos **l'~** appearance

apparent, **~e** /apaʀɑ̃, ɑ̃t/ *adj* [1] (visible) [*signe, partie, bouton, couture*] visible; [*trouble, fragilité*] apparent; **sans raison ~e** for no apparent reason; **sans cause ~e** without any apparent cause; [2] (trompeur) [*facilité, indulgence*] seeming

apparenté, **~e** /apaʀɑ̃te/
A *pp* ▸ **apparenter**
B *pp adj* [*personne, famille*] related (**à** to); [*entreprise*] allied; **maire/sénateur ~ socialiste** mayor/senator allied to the socialist party

apparentement /apaʀɑ̃tmɑ̃/ *nm* Pol *electoral alliance under proportional representation*

apparenter: **s'apparenter** /apaʀɑ̃te/ [1] *vpr* [1] (ressembler à) **s'~ à** to resemble; **ma méthode s'apparente à celle d'un sculpteur** my method resembles that of a sculptor; **le film s'apparente à un conte** the film resembles a fairy tale; [2] (s'allier à) **s'~ à** (par mariage) to marry into [*aristocratie*]; (politiquement) to ally with [*parti*]

apparier /apaʀje/ [2] *vtr* fml to match [*gants, bas*]

appariteur /apaʀitœʀ/ *nm* [1] Univ (gardien) ≈ porter GB, *college staff member who handles mail and reception duties*; (surveillant d'examen) invigilator GB, proctor US; [2] (de laboratoire) laboratory technician

apparition /apaʀisjɔ̃/ *nf* (de personne, bouton, problème, planète, produit) appearance; (de Vierge, spectre) apparition (**à qn** to sb); (de mouvement, mode, science, technologie) emergence; (d'invention) advent; **faire une courte ~** to make a brief appearance; **faire son ~** to turn up; **refaire son ~** to reappear; **faire sa première ~** [*acteur*] to make one's first appearance; **avoir une ~** *or* **des ~s** to see things

apparoir /apaʀwaʀ/ *v impers* fml **il appert de ceci que** it appears from this that

appartement ➜ /apaʀtəmɑ̃/
A *nm* flat GB, apartment; **la vie en ~** living in a flat GB *ou* apartment; **de nombreux parisiens vivent en ~** many Parisians live in flats GB *ou* apartments; **chien/chat/lapin d'~** small dog/cat/rabbit suited to life in an apartment; **plante d'~** houseplant
B **appartements** *nmpl* (de château) apartments; **se retirer dans ses ~s** to retire to one's chamber liter

(Composé) **~ témoin** show flat GB, show apartment US

appartenance /apaʀtənɑ̃s/ *nf* [1] gén (à un parti, syndicat) membership; (à un groupe non officiel) **il ne dissimule pas son ~ au movement** he doesn't conceal the fact that he belongs to the movement; **condamné pour ~ à un groupe terroriste** condemned for being a member of a terrorist organization; **quelle est son ~ politique?** what are his political sympathies?; **un sentiment d'~** a sense of belonging; [2] Math membership (**à** of); **relation d'~** membership relation

appartenir /apaʀtəniʀ/ [36]
A **appartenir à** *vtr ind* [1] (être la propriété) **~ à** [*objet, propriété, capital*] to belong to; [*projet*] to be the responsibility of; **ce stylo m'appartient** this pen belongs to me *ou* is mine; [2] (revenir) **~ à** [*victoire*] to belong to; **la décision/le choix t'appartient** the decision/the choice is yours; [3] (faire partie) **~ à** [*personne*] to be a member of; **cesser d'~ à un club** to cease to be a member of a club
B **s'appartenir** *vpr* liter [1] [*amants*] to live for each other; [2] (soi-même) **ne plus s'~** not to have a minute to oneself
C *v impers* (être du ressort de) **il appartient à qn de faire** it is up to sb to do; **il appartient au syndicat de décider/définir** it is up to the union

➜ voir L'anglais efficace; Vivre dans un pays anglophone

a

to decide/define; **il m'appartient de choisir une solution** it is up to me to choose a solution

appas†* /apɑ/ *nmpl* liter charms (*pl*)

appât /apɑ/ *nm* **1** Chasse, Pêche bait **C**; **attirer avec un ~** to lure with bait; **mettre** *or* **fixer un ~ à l'hameçon** to bait the hook; **2** (attrait) lure; **l'~ du gain/de la réussite** the lure of profit/of success

appâter /apɑte/ [1] *vtr* **1** Chasse, Pêche to lure [*poisson, gibier*]; to bait [*hameçon, piège*]; **2** (attirer) to lure, to entice [*personne*] (**par, avec** with; **en** by)

appauvrir /apovʀiʀ/ [3]
A *vtr* lit, fig to impoverish
B **s'appauvrir** *vpr* to become impoverished

appauvrissement /apovʀismɑ̃/ *nm* lit, fig impoverishment (**de** of)

appeau, *pl* **~x** /apo/ *nm* decoy

appel /apɛl/ *nm* **1** (invitation pressante) call; **'dernier ~ pour Tokyo'** 'last call for Tokyo'; **~ au secours** lit call for help; fig cry for help; **les enfants se sont enfuis à l'~ de leur mère** the children ran away when they heard their mother calling; **l'~ des syndicats n'a pas été entendu** the call of the trade unions was not heeded; **il m'a fait un ~ du regard** he signalled[GB] to me with his eyes; **l'~ des fidèles à la messe** calling the faithful to mass; **l'~ de la cloche le dimanche** the ringing of church bells on Sundays
2 (supplique) appeal, plea; **un ~ pathétique/solennel** a pathetic/solemn appeal; **lancer un ~ (en faveur de)** to make an appeal (on behalf of); **~ à l'aide** plea *ou* appeal for aid; **répondre** *or* **se rendre à l'~ de** to respond to the appeal of; **lancer un ~ à la télévision/à la radio** to put out an appeal on television/on the radio
3 (incitation) **~ à** call for [*solidarité*]; appeal for [*calme*]; call to [*révolte*]; plea for [*clémence*]; **~ à la grève** strike call; **lancer un ~ à** to call for [*solidarité, grève*]; to appeal for [*calme*]; to call to [*révolte, armes*]; **~ au meurtre** death threat; **lancer un ~ au meurtre contre qn** to call for sb's assassination
4 Télécom call; **~ téléphonique** phone call; **~ radio** radio call; **un ~ de Londres pour vous** a call from London for you; **prendre/recevoir un ~** to take/to get a call
5 (recours) **~ à** appeal to [*personne, générosité, bon sens*]; **faire ~ à** [*personne*] to call [*pompiers, police, spécialiste*]; to bring in [*artiste, architecte*]; to call up [*capitaux*]; [*gouvernement*] to call in [*armée, police, puissance étrangère*]; to call for [*intervention*]; [*tâche*] to call for [*connaissances, notions*]; **faire ~ à la justice** to go to court
6 (vérification) gén roll call; Scol registration; **faire l'~** gén to take the roll call; Scol to take the register; **manquer à l'~** gén to be absent at the roll call; Scol to be absent at registration
7 Mil (convocation) call up GB, draft US
8 (attirance) **l'~ de** the call of [*large, chair, forêt*]
9 Jur appeal; **faire ~** to appeal; **faire ~ d'un jugement** to appeal against a decision; **perdre en ~** to lose an appeal; **juger en ~** to hear an appeal; **sans ~** lit without further right of appeal; **une décision sans ~** fig a final decision; **condamner sans ~** fig to condemn out of hand
10 Sport take off; **prendre son ~** to take off; **jambe/pied d'~** take-off leg/foot
11 Jeux (aux cartes) signal; **faire un ~** to signal for a card; **faire un ~ à cœur** to ask for a return in hearts
12 Ordinat call; **d'~** [*programme, station, séquence*] calling (*épith*); [*demande, indicatif, mot*] call (*épith*)
13 Comm **prix d'~** loss-leader price; **produit** or **article d'~** loss leader
(Composés) **l'~ du 18 juin** Hist *General de Gaulle's appeal of 18 June 1940*; **~ d'air** draught GB, draft US; **créer** *or* **faire un ~ d'air** to create a draught GB *ou* draft US; **~ des causes** Jur roll call of matters listed; **~ de fonds** Fin call for capital; **faire un ~ de fonds** to call for capital, to call up capital; **~ d'offres** Admin invitation to tender; **lancer un ~ d'offres** to invite tenders; **~ de phares** flash of headlights GB *ou* high beams US; **faire un ~ de phares** to flash one's headlights GB *ou* high beams US; **~ du pied**° veiled invitation, discreet appeal

appelant, **~e** /aplɑ̃, ɑ̃t/
A *adj* **1** Jur appellate, appellant; **2** Ordinat **programme ~** calling routine
B *nm,f* Jur appellant

appelé, **~e** /aple/
A *pp* ▸ **appeler**
B *pp adj* (destiné) **~ à qch** destined for sth; **jeune homme ~ à un brillant avenir** young man destined for a brilliant future; **~ à faire** destined to do
C *nm* Mil conscript, draftee US; **les ~s du contingent** the conscripts

appeler /aple/ [19]
A *vtr* **1** (dénommer) to call [*personne, chose*]; **comment ont-ils appelé leur fille?** what did they call their daughter?; **~ un roi 'Majesté'** to call a king 'Your Majesty'; **comment appelles-tu cet arbre?** what's this tree called?; **comment appelle-t-on cela en français?** what's that called in French?; **il se fait ~ Luc** (pour son plaisir) he likes to be called Luc; (par sécurité) he goes by the name of Luc
2 (attirer l'attention) to call; **~ ses enfants pour dîner** to call one's children for dinner; **~ qn par l'interphone** to call sb on the intercom; **~ les fidèles à la prière** to call the faithful to prayer; **~ à l'aide** to call for help; **~ qn à son aide** *or* **à l'aide** to call sb to help one
3 (téléphoner) to phone GB, to call; **je t'appelle demain** I'll phone you tomorrow
4 (faire venir) to call [*docteur, ambulance, pompier, taxi*]; to call [*ascenseur*]; to send for [*employé, élève*]; **~ un médecin auprès d'un malade** to call a doctor to see a sick person; **il est temps d'~ un prêtre** it's time to call a priest; **le docteur a été appelé à l'extérieur** the doctor is out on a call; **le docteur a été appelé trois fois la nuit dernière** the doctor was called out three times last night; **le devoir m'appelle** duty calls; **~ un témoin** Jur to call a witness; **~ qn à comparaître (devant le juge/les tribunaux)** to summon sb to appear (before the judge/the court); **~ qn en justice** to summon sb to appear in court
5 (inciter) **~ qn à** to incite sb to [*révolte*]; to call sb out on [*grève*]; **~ qn à l'abstention** to call on sb to abstain; **les syndicats ont appelé à la grève** unions have called for strike action; **~ qn à faire** to call on sb to do; **~ à manifester** to call for a demonstration
6 (destiner) **~ qn à** to assign sb to [*charge, fonction*]; to appoint sb to [*poste*]; **il a été appelé à de hautes fonctions** he was called to high office; **ses compétences l'appellent à ce poste** his skills make him ideal for the job; **mon travail m'appelle à beaucoup voyager** my work involves a lot of travel
7 (qualifier de) to call; **j'appelle ça du vol** I call that robbery; **c'est ce que j'appelle une idiotie/une gaffe!** now that's what I call stupid/a blunder!
8 (réclamer) **~ qch sur qn** to call sth down on sb [*malédiction*]; **~ la mort sur qn** fml to wish death on sb; **~ l'attention de qn sur qch** to draw sb's attention to sth; **cette question appelle toute notre attention** this issue calls for our full attention
9 (entraîner) [*crime, comportement*] to call for [*sanction*]; **la violence appelle la violence** violence begets violence
10 Mil to call [sb] up [*contingent*]; **~ qn sous les drapeaux** to call sb up
B **en appeler à** *vtr ind* **1** (s'adresser) **en ~ à** to appeal to [*générosité, bon sens, population*]
2 fml (contester la validité) **en ~ de** to dispute [*jugement, décision*]
C *vi* (crier) [*personne*] to call; **en cas de besoin, appelez** if you need anything, just call
D **s'appeler** *vpr* **1** (se dénommer) [*objet, fleur, oiseau*] to be called; **comment s'appelle cette fleur en latin?** what is this flower called in Latin?, what is this flower's Latin name?; **comment t'appelles-tu?** what's your name?; **je m'appelle Paul** my name's Paul; **voilà ce qui s'appelle une belle voiture!** now, that's what you call a nice car!; **voilà qui s'appelle jouer/cuisiner/faire une gaffe!** now that's what you call acting/cooking/a blunder!; **voilà qui s'appelle parler!** well said!
2 (entre personnes, animaux) to call each other, to call to one another; (au téléphone) to phone each other GB, to call each other; **nous nous appelons par nos prénoms** we call each other by our first names; **on s'appelle demain?** shall one of us give the other a ring tomorrow?; **on s'appelle!** we'll be in touch!
(Idiomes) **beaucoup seront appelés mais peu seront élus** many are called but few are chosen; **ça s'appelle reviens**°! don't forget to give it back!; **~ les choses par leur nom** *or* **un chat un chat** to call a spade a spade

appellatif, **-ive** /apɛlatif, iv/ Ling
A *adj* appellative
B *nm* appellative

appellation /apɛlɑsjɔ̃/ *nf* name, appellation sout; **~ d'origine (de produit)** indication of country of origin
(Composés) **~ d'origine contrôlée**, **AOC** Vin appellation contrôlée; **~ d'origine protégée**, **AOP** UE Protected Designation of Origin, PDO

> **Appellation d'origine contrôlée**
> The quality-control system imposed on the production of higher quality wines. The label identifies the approved wine-growing area and specifies the vineyard of production.

appendice /apɛ̃dis/ *nm* **1** Anat appendix; **~ nasal** Zool proboscis sout, nasal appendage; **2** (d'ouvrage) appendix; **3** (de système, bâtiment) annexe GB, annex US

appendicite /apɛ̃disit/ ▸ **p. 283** *nf* appendicitis; **se faire opérer de l'~**° to have one's appendix removed; **avoir une crise d'~** to have appendicitis

appentis /apɑ̃ti/ *nm inv* (bâtiment) (adossé) lean-to; (non adossé) shed

Appenzell /apɛnzɛl/ ▸ **p. 721** *nprm* **le canton d'~, l'~** the canton of Appenzell

appert /apɛʀ/ ▸ **apparoir**

appesantir /apəzɑ̃tiʀ/ [3]
A *vtr* **1** (engourdir) [*âge, froid*] to slow down [*démarche*]; [*inactivité*] to dull [*esprit*]; **2** (augmenter) [*personne, régime*] to strengthen [*autorité, domination*]
B **s'appesantir** *vpr* **1** (insister) [*orateur, invité*] to dwell on the subject; **s'~ sur** to dwell on; **ne vous appesantissez pas sur des détails** don't dwell on details; **2** (devenir pesant) [*démarche*] to slow

appesantissement /apəzɑ̃tismɑ̃/ *nm* fml (de démarche) slackening; (de vivacité) (action) dulling; (résultat) dullness

appétence /apetɑ̃s/ *nf* fml appetence sout

appétissant, **~e** /apetisɑ̃, ɑ̃t/ *adj* **1** [*mets*] appetizing, tempting; **un plat peu ~** an unappetizing dish; **2** °[*personne*] appealing

appétit /apeti/ *nm* **1** (de mangeur) appetite; **le bon air donne de l'~** fresh air gives you an appetite; **perdre l'~** to lose one's appetite; **j'en ai perdu l'~** it made me lose my appetite; **mettre qn en ~** lit, fig to whet sb's appetite; **avoir un ~ modeste/robuste** to have a small/hearty appetite; **ouvrir l'~ de qn** to give sb an appetite; **couper l'~ de qn** to take sb's appetite away; **avoir un ~ d'oiseau** to eat like a bird; **manger avec ~** to eat heartily *ou* with relish; **manger sans ~** to eat without feeling hungry; **bon ~!** enjoy your meal!; **2** (désir naturel) appetite; **~ sexuel** sexual appetite; **3** (de plaisirs, culture) appetite (**de** for); (de gloire, pouvoir) hunger (**de** for); **on craint**

les ~s des concurrents the competitors' acquisitiveness *ou* greed is causing some concern; **les ~s de conquête du pays** the country's expansionist ambitions

(Idiome) **l'~ vient en mangeant** Prov appetite comes with eating

applaudimètre○ /aplodimɛtʀ/ *nm* **1** lit applause meter, clapometer○ GB; **2** fig **à l'~ les féministes l'ont emporté** judging by the applause the feminists won

applaudir /aplodiʀ/ [3]

A *vtr* **1** lit [*personne, public*] to applaud [*musicien, chanson*]; **ils ont été très applaudis par le public** they got a big round of applause from the audience; **on les applaudit bien fort** let's have a big round of applause; **2** fig (approuver) [*personne, groupe*] to applaud [*message, décision*]

B applaudir à *vtr ind* fml to applaud [*choix, décision, résultat*]

C *vi* **1** lit [*personne, foule*] to applaud, to clap; **l'assistance ravie applaudit** the delighted audience applauded *ou* clapped; **~ des deux mains** to applaud heartily; **le public a applaudi le spectacle à tout rompre** the show brought the house down; **2** fig (approuver) to approve

D s'applaudir *vpr* (se féliciter) to congratulate oneself (**de qch** on sth; **de faire qch** on doing sth)

applaudissement /aplodismɑ̃/ *nm* **1** lit applause ¢; **ton discours a suscité de vifs ~s** your speech was greeted with loud applause; **elle a quitté la salle sous un tonnerre d'~s** she left the room to thunderous applause; **2** fig (approbation) acclaim ¢; **le livre a reçu l'~ de la critique** the book has met with critical acclaim

applet /aplɛt/ *nm* applet

applicabilité /aplikabilite/ *nf* applicability

applicable /aplikabl/ *adj* **1** [*loi, règle, sanction*] applicable (**à** to); **facilement/difficilement ~** [*idée, mesure*] easy/difficult to implement; **2** [*peinture, vernis*] **~ sur bois** which can be applied to wood

applicateur /aplikatœʀ/ *nm* applicator

application /aplikasjɔ̃/ *nf* **1** (soin) care; **coudre/écrire avec ~** to sew/to write with care; **~ à faire/à qch** the care one takes to do/over sth; **travailler avec/manquer d'~** to work with/to lack application; **2** (de loi, règlement, d'accord) (respect) application; (mise en œuvre) implementation; (de peine) administration; **étendre le champ d'~ de qch** to extend the application of sth [*allocation, découverte, loi*]; to widen the parameters of sth [*loi, dispositif*]; **mettre en ~** to apply [*théorie*]; to implement [*loi, règlement*]; **la loi/réforme entrera en ~ le 2 janvier** the law/reform will come into force on 2 January; **en ~ de l'article 5** in accordance with article 5; **3** Ind, Méd, Tech application; **4** (de vernis, peinture) application (**sur** to; **à** to); **5** Ordinat (programme) application program; **6** Math mapping

applique /aplik/ *nf* **1** (lampe) wall light; **2** Cout appliqué

appliqué, ~e /aplike/

A *pp* ▸ **appliquer**

B *pp adj* **1** [*élève*] hardworking; [*travail, écriture*] careful; **2** [*science*] applied

C *nm* Cout appliqué

appliquer /aplike/ [1]

A *vtr* **1** (enduire de) to apply [*vernis, fond de teint*] (**sur** to); **2** (poser) to apply [*compresse, feuille d'or*] (**sur** to); to put [*cachet, tampon*] (**sur** on); **~ son nez contre une vitre** to press one's nose against a window; **3** ○(donner) to give [*coup, baiser, sobriquet*] (**à qn** to sb); **4** (mettre en œuvre) to implement [*politique, ordres, décision*]; **5** (respecter) to apply [*loi, règlement*]; to follow [*quotas*]; (faire subir) **~ une peine à qn** to administer a sentence on sb; **6** (utiliser) to apply [*technique, raisonnement, traitement*] (**à** to); **~ ses talents/son intelligence à qch** to apply one's talents/one's intelligence to sth; **7** (en géométrie) to apply

B s'appliquer *vpr* **1** (faire avec soin) to take great care (**à faire** to do); **elle ne s'applique pas** [*élève*] she doesn't take much care, she doesn't apply herself; **s'~ à écrire lisiblement** to take care to write legibly; **2** (concerner) **s'~ à qch/qn** [*loi, taux, remarque*] to apply to sth/sb; **3** [*vernis, fond de teint*] to be applied

appliquette /aplikɛt/ *nf* applet

appogiature /apo(d)ʒjatyʀ/ *nf* appoggiatura

appoint /apwɛ̃/ *nm* **1** (somme d'argent) exact change; **je n'ai pas l'~** I haven't got the exact change; **prière de faire l'~** please tender GB *ou* provide US the exact change; **2** (complément) support; **équipe d'~** support team; **jouer le rôle d'~** to play a supporting role; **mon salaire est juste un salaire d'~** my salary just constitutes a supplementary income; **chauffage d'~** additional heating GB, space heater US

appointements /apwɛ̃tmɑ̃/ *nmpl* fml salary (*sg*)

appointer /apwɛ̃te/ [1] *vtr* fml to pay a salary to

appondre /apɔ̃dʀ/ [6] *vtr* Helv (attacher) to attach

appontage /apɔ̃taʒ/ *nm* landing (on an aircraft carrier)

appontement /apɔ̃tmɑ̃/ *nm* landing stage

apponter /apɔ̃te/ [1] *vi* to land (on an aircraft carrier)

apport /apɔʀ/ *nm* **1** (action) **l'~ de** the provision of [*aide financière, solution, modifications*]; the bringing-in of [*idées nouvelles*]; **grâce à l'~ d'engrais/d'eau** thanks to the provision of fertilizers/of water; **2** Jur Comm, Fin (bien concret) contribution; **~ de capitaux** capital contribution *ou* contribution of capital; **~ (immobilier)** Jur *goods contributed by a partner in a joint estate*; **3** (bénéfice) benefit; (contribution) contribution; **les ~s pédagogiques/nutritionnels de qch** the educational/nutritional benefits of sth; **les ~s de l'Asie à l'art européen** Asia's contribution to European art; **~ calorique/alimentaire** caloric/dietary intake

(Composé) **~ quotidien recommandé, AQR** recommended daily amount, RDA

apporter /apɔʀte/ [1] *vtr* **1** (transporter) to bring; **apporte ton livre** bring your book; **apporte-moi mon livre** bring me my book; **apporte-leur un livre** take them a book; **apporté par avion** [*primeurs, produits exotiques*] brought in by plane, flown in; **2** (fournir pour sa part) to give [*soutien, aide, coopération technique*]; to bring [*savoir-faire*]; to bring in [*fonds, revenus*]; **~ de l'aide à qn** to help sb; **~ son concours à qch** to help with sth; **~ sa contribution à qch** to contribute to sth; **3** (fournir en plus) to give [*précision, explication, raisons*] (**à qn** to sb); to bring [*idées nouvelles, amélioration, bonnes nouvelles*] (**à qn/qch** to sb/sth); **~ la preuve de qch** to bring proof of sth; **~ des modifications à qch** to modify sth; **les modifications apportées** the modifications made; **4** (créer) to bring [*gloire, ennuis*] (**à qn** to sb); to produce [*émotions fortes*] (**à qn** in sb); **~ une sensation de bien-être** to give a feeling of well-being; **ce stage ne m'a rien apporté** I didn't get anything out of this course; **cet homme ne peut rien t'~** this man has nothing to offer you; **5** (employer) to bring [*courage, sensibilité*] (**à qch** to sth); **~ beaucoup de soin à son travail** to do one's work with great care; **6** (causer) to bring about [*changement, révolution*]; to bring [*liberté, maladie*]

apposer /apoze/ [1] *vtr* fml to affix [*affiche, autocollant*] (**à** to; **sur** on); **~ un visa sur un passeport** to stamp a visa in a passport; **~ sa signature** to affix one's signature

apposition /apozisjɔ̃/ *nf* **1** Ling apposition; **en ~** in apposition; **2** (action) **l'~ d'un visa** the stamping of a visa

appréciable /apʀesjabl/ *adj* [*différence*] considerable, appreciable; [*niveau, marge*] considerable; [*soutien, progrès, avantage*] noticeable; **il y avait un nombre ~ de spectateurs** there were a good many spectators; **un grand jardin en ville, c'est ~** it's nice to have a big garden in the centre[GB] of town

appréciatif, -ive /apʀesjatif, iv/ *adj* (approbateur) [*jugement, regard*] appreciative; (évaluatif) [*coup d'œil*] appraising

appréciation /apʀesjɑsjɔ̃/ *nf* **1** (de distance, résultat, proposition) estimate; (financière) evaluation; **faire une erreur d'~** to make a misjudgment; **2** (jugement) assessment; **émettre une ~ favorable/défavorable** to give a favourable[GB]/an unfavourable[GB] assessment; **c'est une question d'~** it's a question of taste; **être laissé à l'~ de qn** to be left to sb's discretion; **3** (de monnaie) appreciation

apprécier /apʀesje/ [2]

A *vtr* **1** (juger favorablement) to appreciate [*musique, vin, calme*]; to like [*personne*]; to appreciate [*efforts, initiative, talent*]; **je n'apprécie pas qu'on se mêle de mes affaires** I don't appreciate people interfering in my affairs; **elle n'a pas apprécié** iron she wasn't exactly pleased; **un chercheur des plus appréciés** a highly valued researcher; **ce que j'apprécie en *or* chez elle, c'est...** what I like about her is...; **2** (évaluer) to value [*objet*]; to estimate [*prix, valeur, distance, vitesse*]; **3** (juger) to assess [*conséquences, résultat, événement*]; **ce sera à vous d'~ la situation** it will be up to you to assess the situation

B s'apprécier *vpr* **1** (s'aimer) [*personnes*] to like one another; **2** (augmenter de valeur) [*monnaie*] to appreciate

appréhender /apʀeɑ̃de/ [1] *vtr* **1** (arrêter) [*police*] to arrest, to apprehend sout [*malfaiteur, suspect*]; **2** (redouter) to dread [*rencontre, avenir, examen*]; **~ de faire** to dread doing; **elle appréhende de voyager seule** she dreads travelling[GB] on her own; **tu appréhendes qu'il vienne te voir?** are you frightened that he might come and see you?; **j'appréhende toujours un peu les examens** I'm always a bit apprehensive before exams; **3** (concevoir) fml to comprehend [*phénomène, art, univers*]

appréhension /apʀeɑ̃sjɔ̃/ *nf* **1** (crainte) apprehension; **avoir une ~ irraisonnée/soudaine** to have an irrational/a sudden apprehension; **attendre/faire qch avec ~** to wait for/to do sth apprehensively; **2** (conception) apprehension

apprenant, ~e /apʀənɑ̃, ɑ̃t/ *nm,f* learner

apprendre /apʀɑ̃dʀ/ [52]

A *vtr* **1** (étudier) to learn; **~ qch par cœur** to learn sth by heart, to learn sth off by heart GB; **le bonheur d'~** the joy of learning; **~ à écrire/à conduire** to learn to write/to drive; **~ l'italien** to learn Italian; **~ à reconnaître qch/à se servir de qch** to learn (how) to recognize sth/to use sth; **~ qch sur qch** to learn sth about sth; **2** (être informé de) to hear, to learn [*nouvelle, vérité, décision*] (**par qn** from sb); to hear [*rumeur*]; (de façon indirecte) to hear of *ou* about [*décision*]; **~ la mort de qn** to learn of *ou* hear of sb's death; **~ qch par qn** to hear about sth through sb; **~ qch par la radio** to hear sth on the radio; (sujet plus vaste) to hear about sth on the radio; **~ qch par la presse** to see sth in the papers; **~ qch sur qn** to hear *ou* learn sth about sb; **~ que** to hear *ou* learn that; **~ qch par téléphone** to be told sth over the phone; **3** (enseigner) to teach; **~ qch à qn** to teach sb sth; **~ à conduire à qn** to teach sb (how) to drive; **cela t'apprendra (à ne pas faire ça)!** that'll teach you (not to do that)!; **ce n'est pas à toi que je l'apprendrai** you don't need me to tell you; **4** (faire savoir) [*personne, journal*] to tell; **~ qch à qn** to tell sb sth; **tu ne m'apprends rien** you're not telling me anything new

a

a

B s'apprendre *vpr* **qch qui s'apprend facilement/difficilement** sth which is easy/difficult to learn; **la patience, cela s'apprend** patience is something you can learn

apprenti, ~e /apʀɑ̃ti/
A *nm,f* gén trainee; (d'artisan) apprentice; **être ~ chez qn** gén to train with sb; (avec un artisan) to serve as an apprentice *ou* to do an apprenticeship with sb; **entrer comme ~ chez qn** to be apprenticed to sb
B apprenti(-), apprentie(-) (*in compounds*) [1] gén trainee; (de métier artisanal) apprentice; **~ boulanger** baker's apprentice; **~ forgeron** blacksmith's apprentice; **~ serveur** trainee waiter; [2] (sans expérience) **~-ministre** novice minister; **~ poète** novice poet
(Composé) **~ sorcier** sorcerer's apprentice; **jouer les ~s sorciers** to open a Pandora's box

apprentissage /apʀɑ̃tisaʒ/ *nm* [1] gén training; (de métier artisanal) apprenticeship; (chez un artisan) **faire son ~ chez Vladeau** to train with Vladeau, to do one's apprenticeship *ou* to serve as an apprentice with Vladeau; **faire son ~ de boulanger** to train as a baker; **être en ~** gén to be a trainee; (chez un artisan) to be an apprentice; **entrer en ~ chez qn/dans un atelier** to be apprenticed to sb/to a company; **être placé en ~** to be apprenticed; [2] (étude) learning; **l'~ d'une langue/de la lecture** learning a language/to read; **faire l'~ de la démocratie** to take the first steps toward(s) democracy; **faire l'~ de la vie** to learn about life

apprêt /apʀɛ/ *nm* [1] Tech (pour cuir, tissu) dressing, finishing; [2] Constr (sur mur, plafond) size; (sur bois) primer; **couche d'~** coat of size *ou* primer; [3] (affectation) affectation; **un style sans ~** an unaffected style

apprêtage /apʀɛtaʒ/ *nm* (d'étoffe) dressing, finishing

apprêté, ~e /apʀete/
A *pp* ▸ **apprêter**
B *pp adj* [*style*] affected; [*coiffure*] fussy

apprêter /apʀete/ [1]
A *vtr* Tech to dress, to finish [*étoffe*]; to size [*mur, plafond*]; to prime [*bois*]
B s'apprêter *vpr* **s'~ à faire** to get ready to do

apprêteur, -euse /apʀɛtœʀ, øz/ ▸ p. 532 *nm,f* dresser, finisher

apprivoisable /apʀivwazabl/ *adj* tamable

apprivoisé, ~e /apʀivwaze/
A *pp* ▸ **apprivoiser**
B *pp adj* [*animal*] tame

apprivoisement /apʀivwazmɑ̃/ *nm* taming

apprivoiser /apʀivwaze/ [1]
A *vtr* to tame [*animal*]; to win [sb] over [*enfant, personne*]
B s'apprivoiser *vpr* to become tame; **un animal qui ne peut pas s'~** an untamable animal

approbateur, -trice /apʀɔbatœʀ, tʀis/ *adj* [*sourire, clin d'œil*] approving, of approval (*épith, après n*)

approbatif, -ive /apʀɔbatif, iv/ *adj* [*mimique, signe de tête*] approving, of approval (*épith, après n*)

approbation /apʀɔbasjɔ̃/ *nf* approval (**de** of); **présenter** *or* **soumettre qch à l'~ de qn** to present *ou* submit sth for sb's approval; **la décision a reçu l'~ générale** the decision met with general approval

approchable /apʀɔʃabl/ *adj* **il n'est guère ~** (distant) he's rather unapproachable; (occupé) one never gets to see him

approchant, ~e /apʀɔʃɑ̃, ɑ̃t/ *adj* (comparable) [*problème, mot*] similar; (proche) [*valeur*] approximate; [*résultat*] close; **chercher quelque chose d'~** to look for something similar

approche /apʀɔʃ/
A *nf* [1] (arrivée) approach (**de** of); **il s'est enfui à mon ~** he ran off as I approached; [2] (imminence, proximité) approach (**de** of); **à l'~** *or* **aux ~s de l'hiver** as winter approaches; **la campagne s'intensifia à l'~ du scrutin** the campaign intensified as the election drew nearer *ou* approached; **il partit à l'~ de la nuit** he left as night was falling; **à l'~** *or* **aux ~s de la trentaine il décida que…** as he neared thirty, he decided that…; **ralentis à l'~ du virage** slow down as you approach the bend; [3] (manière d'aborder) approach (**de** to); **~ commerciale/romantique** commercial/romantic approach; **leur nouvelle ~ du problème** their new approach to the problem; **marche d'~** (en alpinisme) approach; **travail d'~** (manœuvres) Mil, fig approaches (*pl*); (préparation) groundwork; **d'~ difficile/aisée** [*lieu*] hard/easy to get to; [*œuvre, auteur*] hard/easy to get to grips with; **personne d'~ difficile** unapproachable person; **personne d'~ aisée** friendly person; **ce n'est qu'une ~ de la théorie** it's only an introduction to the theory; [4] Aviat approach; **procédure d'~** approach procedure; [5] Sport (au golf) approach shot; [6] Imprim (espace) spacing
B approches *nfpl* (accès) approaches (**de** to); (alentours) gén (general) vicinity (**de** of); (de ville) outskirts (**de** of); **aux ~s de la ville** on the outskirts of town; **aux ~s de la côte** near the coast

approché, ~e /apʀɔʃe/ *adj* approximate

approcher /apʀɔʃe/ [1]
A *vtr* [1] (déplacer) **~ qch de qch** (placer près de) to move *ou* bring sth close to sth; (placer plus près de) to move *ou* bring sth closer to sth; **~ les lits l'un de l'autre** to push the beds closer together; **~ le bureau de la fenêtre** to move *ou* bring the desk close *ou* closer to the window; **approche une chaise du lit** bring *ou* draw a chair up to the bed; **il approcha ses lèvres des siennes** he moved his lips close to hers; **approche ta chaise** pull up your chair, bring your chair closer; **~ la cuillère/le verre de ses lèvres** to raise the spoon/the glass to one's lips; [2] (aller près de) to go up to [*personne*]; (venir près de) to come up to [*personne*]; fig (aborder) to approach [*personne*] (**au sujet de** about); **ne les approche pas** don't go near them, keep away from them; **ne m'approche pas** don't come near me, keep away from me; **on ne peut pas les ~** (occupés) you can never get to see them; (trop distants) they're unapproachable; **dans ce travail, on approche des gens importants** in this job, you come into contact *ou* you rub shoulders with important people
B approcher de *vtr ind* to near, to get near [*endroit*]; to be (getting) close to [*but, solution*]; to be close to [*vérité, perfection*]; **nous approchons du but** lit, fig we're nearly there; **il approche de la soixantaine** he's getting on for sixty, he's close to sixty; **nous approchons du marché unique** the single market will soon be with us; **la température approche du zéro** the temperature is near zero; **j'approchais du 100 km à l'heure** I was going at nearly 100 km an hour
C *vi* [*saison, date, événement*] to approach, to draw near; [*personne, avion, orage*] to approach, to come nearer; **sentir la mort ~** to feel death drawing near; **l'heure du départ approchait** it was nearly time to leave; **approche, que je te voie** come closer *ou* nearer, so I can see you; **la nuit approche** it's getting dark
D s'approcher *vpr* [1] **s'~ de qn/qch** (aller) to go up to sb/sth; (venir) to come up to sb/sth; **il s'approcha pour mieux m'examiner** he came up to me to get a better look at me; **l'ennemi s'approchait** the enemy was approaching; **ne t'approche pas du bord** (ne va pas) don't go near the edge; (ne viens pas) don't come near the edge; [2] (ressembler) **ça s'approche de la vérité** it's close to *ou* not far from the truth; [3] (être imminent) [*saison, date, événement*] to approach, to draw near

approfondi, ~e /apʀɔfɔ̃di/ *adj* [*examen, recherche, discussion*] detailed; [*enquête, étude, connaissances*] in-depth (*épith*); **étudier qch de façon très ~e** to study sth in great detail

approfondir /apʀɔfɔ̃diʀ/ [3]
A *vtr* [1] fig to go into [sth] in depth [*sujet*]; **vous auriez pu ~** you could have gone into the subject in greater depth; **inutile d'~** don't go into detail; **~ ses connaissances en littérature** to improve one's knowledge of literature; [2] lit to deepen [*canal, trou*]
B s'approfondir *vpr* [1] [*crevasse, trou*] to deepen; [2] [*problèmes*] to get worse

approfondissement /apʀɔfɔ̃dismɑ̃/ *nm* [1] lit deepening (**de** of); [2] fig improvement; **l'~ de ses connaissances** the improvement of one's knowledge; **l'~ d'une question/d'un débat** the development of an issue/of a debate; **l'~ européen** European consolidation

appropriation /apʀɔpʀijasjɔ̃/ *nf* taking over, appropriation sout (**de** of)

approprié, ~e /apʀɔpʀije/
A *pp* ▸ **approprier**
B *pp adj* [*moyens, technique, régime*] appropriate

approprier: s'approprier /apʀɔpʀije/ [2] *vpr* [1] (s'accaparer) to take, to appropriate sout [*chose, œuvre, idée*]; to seize [*pouvoir*]; to steal [*gloire*]; to take the credit for [*succès*]; [2] (être adapté) [*ton*] to be appropriate

approuver /apʀuve/ [1] *vtr* [1] gén to approve of [*action, décision, projet*]; **je t'approuve totalement** (sur une idée, opinion) I quite agree with you; **je t'approuve d'avoir accepté/d'avoir parlé** I think you were right to accept/to speak up; **je les approuve d'avoir acheté cette maison** I approve of their buying this house; [2] Admin, Pol [*commission, ministres*] to approve [*texte, projet, budget*]; [*parlement*] to pass [*projet de loi, décret*]

approvisionnement /apʀɔvizjɔnmɑ̃/ *nm* [1] (activité) supply (**en** of); **assurer l'~ d'une ville en eau potable** to ensure the supply of drinking water to a town; **l'~ de la ville en eau soulève de graves problèmes** supplying the town with water raises serious problems; [2] (marchandises) **service des ~s** supplies department; [3] (source) supplier; **les industriels diversifient leurs ~s** industrialists vary their suppliers

approvisionner /apʀɔvizjɔne/ [1]
A *vtr* [1] (fournir) to supply [*ville, marché*] (**en** with); to load [*arme automatique*]; **une boutique mal approvisionnée** a badly stocked shop; [2] (verser de l'argent à) to pay money into [*compte en banque*]; **votre compte n'est plus approvisionné depuis trois mois** your account has not been in credit for three months
B s'approvisionner *vpr* [1] (faire des provisions) to stock up (**en** on, with); [2] (acheter) **la compagnie s'approvisionne en papier directement auprès de l'usine** the company gets its supplies of paper directly from the factory

approximatif, -ive /apʀɔksimatif, iv/ *adj* [*devis, coût, croquis, chiffre*] rough; [*traduction*] approximate; **dans un anglais ~** in broken English

approximation /apʀɔksimasjɔ̃/ *nf* [1] (résultat grossier) (chiffre) rough estimate; (traduction, concept) approximation; [2] (caractère) imprecision; **l'~ de ta traduction/ton tir/ton anglais** the inaccuracy of your translation/your shot/your English; [3] Math approximation

approximativement /apʀɔksimativmɑ̃/ *adv* approximately

appui /apɥi/ *nm* [1] (soutien) lit, fig support; **il se sert du tabouret comme ~ pour sa jambe cassée** he uses the stool to support his broken leg; **prendre ~ sur** to lean on [*objet, personne*]; **~ financier** financial backing; **~ matériel/moral** material/moral support; **il bénéficie d'~s puissants** he has the support *ou* backing of powerful people; **avoir l'~ de**

qn to have sb's support; **mon ~ vous est acquis!** you have my support!; **à l'~ de** in support of; **à l'~ de cette thèse il y a de nombreuses statistiques** there are numerous statistics in support of this theory; **une accusation sans preuves à l'~** an accusation which has no proof to support it *ou* to back it up; **point d'~** Phys fulcrum; **2** Constr **~ (de fenêtre)** window sill, window ledge; **3** Mil support; **~ aérien/tactique/de feu** air/tactical/fire support; **4** Mus (de voix) placing

appui-bras, *pl* **appuis-bras** /apɥibʀa/ *nm* armrest

appui-main*, *pl* **appuis-main** /apɥimɛ̃/ *nm* maulstick, mahlstick

appui-tête*, *pl* **appuis-tête** /apɥitɛt/ *nm* **1** (de confort) headrest; **2** (de protection) antimacassar

appuyé, **~e** /apɥije/

A *pp* ▸ **appuyer**

B *pp adj* [*regard*] intent; [*plaisanterie*] heavy; [*politesse*] laboured[GB], overdone

appuyer /apɥije/ [22]

A *nm* Équit half-pass

B *vtr* **1** (poser) to lean, to rest [*objet, partie du corps*] (**sur** on; **contre** against); **~ ses coudes sur la table** to rest *ou* lean one's elbows on the table; **~ sa tête sur un oreiller** to rest one's head on a pillow; **~ une échelle/bicyclette contre un mur** to lean a ladder/bicycle against a wall; **il dormait, la tête appuyée contre la vitre du train** he was asleep, his head resting against the train window; **2** (presser) to press (**contre** against; **sur** on); **il a appuyé son doigt sur l'endroit douloureux** he pressed his finger on the painful spot; **elle appuyait sa cuisse contre la mienne** she was pressing her thigh against mine; **3** (baser) to support, to back up [*argumentation, démonstration, raisonnement, théorie*] (**sur** with); **~ une démonstration sur des faits irréfutables** to support a demonstration with irrefutable facts; **4** (soutenir) to back [*personne, candidat*]; to support [*action, projet*]; **5** Mil [*artillerie, aviation, blindés*] to support [*assaut, offensive*]

C **appuyer sur** *vtr ind* **1** (presser) **~ sur** (avec le doigt) to press [*interrupteur, bouton, sonnette, endroit sensible*]; (avec le pied) to put one's foot on [*pédale, frein, levier*]; **appuie sur l'accélérateur!** put your foot down!; **~ sur la détente** to pull *ou* press the trigger; **il faut ~ sur ton stylo pour que l'encre coule** you have to press on your pen to make the ink flow; **2** (insister) **~ sur** to stress [*syllabe*]; to stress, to emphasize [*mot*]; to accentuate [*note de musique*]; to emphasize [*aspect, argument, qualités, résultats*]; **il appuyait lourdement sur les défauts de son collaborateur** he put heavy emphasis on *ou* he dwelled on his collaborator's shortcomings; **3** (se porter sur) [*véhicule, automobiliste*] **~ sur la droite/gauche** to bear right/left

D **s'appuyer** *vpr* **1** (prendre appui) to lean (**sur** on; **contre** against); **s'~ sur une canne/le bras de qn** to lean on a stick GB *ou* cane/sb's arm; **s'~ contre un mur** to lean against a wall; **l'édifice s'appuie sur ces colonnes** the building is supported by these columns, these columns bear the weight of the building; **2** (se fonder) **s'~ sur** to depend on, to rely on [*personne , ami*]; to rely on [*argument, théorie, démonstration, témoignage*]; to draw on [*loi, texte, enquête, rapport*]; to be based on [*connaissance, concept*]; **3** ○(faire, subir) **s'~ qch** to be stuck *ou* lumbered○ with sth; **s'~ qn** to be stuck *ou* lumbered○ with sb; **c'est toujours moi qui m'appuie la vaisselle** I'm always the one who gets stuck *ou* lumbered○ with doing the dishes; **je me suis appuyé le trajet à pied** I was forced to go on foot

âpre /ɑpʀ/ *adj* **1** (désagréable) [*goût, fruit*] bitter; [*voix*] harsh; [*froid, vent*] bitter; **2** (acharné) [*lutte, concurrence*] fierce; [*dispute, discussion*] bitter; **~ au gain** grasping

> **ⓘ après¹**
>
> *après* adverbe se traduit généralement par *afterwards* et *après* préposition par *after*.
>
> Les expressions telles que *courir après qn/qch, crier après qn* etc. sont traitées respectivement sous **courir, crier** etc.
>
> *après* entre dans la composition de nombreux mots qui s'écrivent avec un trait d'union (*après-demain, après-guerre, après-midi* etc.). Ces mots sont des entrées à part entière et on les trouvera dans la nomenclature du dictionnaire. Utilisé avec un nom, propre ou commun, pour désigner la période suivant un événement ou la disparition d'une personne, il se traduit par *post* et forme alors un groupe adjectival que l'on fait suivre du nom approprié:
>
> ***l'après-Gorbatchev***
> = the post-Gorbachev period
>
> ***l'après-crise***
> = the post-recession period
>
> ***l'après-1789***
> = the post-1789 period
>
> On notera:
>
> ***l'après-8 mai***
> = the period following 8 May
>
> ***la France de l'après-de Gaulle***
> = post-de Gaulle France

âprement /ɑpʀəmɑ̃/ *adv* [*lutter, défendre*] fiercely; [*discuter*] bitterly

après¹ /apʀɛ/

A *adv* **1** (dans le temps) afterwards; **viens manger, tu finiras ~** come and eat your dinner, you can finish afterwards; **aussitôt** *or* **tout de suite ~ il s'est mis à pleuvoir** straight after that *ou* afterwards it started raining; **~ seulement, il a appelé les pompiers** only afterwards did he call the fire brigade; **j'ai compris longtemps ~** I understood a long time after *ou* afterwards; **il a mangé au restaurant et (puis) ~ il est allé au cinéma** he ate in a restaurant and afterwards went to the cinema; **on verra ça ~** we'll come to that later; **je te le dirai ~** I'll tell you later; **et ~ que s'est-il passé?** and then what happened?, and what happened next?; **peu/bien ~** shortly/long after(wards); **une heure/deux jours/quatre ans ~** one hour/two days/four years later; **la semaine/le mois/l'année d'~** the week/the month/the year after; **pas ce week-end celui d'~** not this weekend, the one after; **pas la semaine prochaine celle d'~** not next week, the week after next; **la fois d'~ nous nous sommes perdus** the next time we got lost; **le bus/train d'~** the next bus/train; **l'instant d'~ il avait déjà oublié** a moment later he had already forgotten; **j'ai regardé le film mais je n'ai pas vu l'émission d'~** I watched the film but I didn't see the programme[GB] after it **2** (dans l'espace) **tu vois le croisement, j'habite (juste) ~ à droite** can you see the crossroads? I live (just) past *ou* beyond it on the right; **peu ~ il y a un lac** a bit further on there's a lake; **'c'est après le village?'—'oui juste ~'** 'is it after the village?'–'yes just after'; **la page/le chapitre d'~** the next page/chapter **3** (dans une hiérarchie) **~ il y a le S puis le T** S comes after and then T; **les loisirs d'abord, le travail passe ~** leisure first, work comes after **4** (utilisé seul en interrogation) **~?** and what next?; **deux kilos de carottes, ~○?** two kilos of carrots and what else? **5** (marquant l'agacement) **et ~?** so what○?; **oui je suis rentré à 4 h du matin, et ~?** yes, I came home at 4 am, so what?

B *prép* **1** (dans le temps) after; **sortir/passer ~ qn** to go out/to go after sb; **~ 22 h/12 jours** after 10 pm/12 days ; **~ mon départ** after I left; **~ quelques années ils se sont revus** a few years later they saw each other again; **~ une croissance spectaculaire** after spectacular growth; **~ tant de passion/violence** after so much passion/violence; **~ déduction/impôt** after deductions/tax; **~ cela** after that; **~ tout** after all; **~ tout c'est leur problème** after all it's their problem; **~ quoi** after which; **jour ~ jour** day after day, day in day out; **livre ~ livre** book after book; **~ tout ce qu'il a fait pour toi** after all (that) he's done for you; **j'irai ~ avoir fait la sieste** I'll go after I've had a nap; **~ avoir pris la parole il se rassit** after he had spoken he sat down again; **il est conseillé de boire beaucoup ~ avoir couru** it is advisable to drink a lot after you have been running; **~ manger/déjeuner/dîner/souper** after eating *ou* meals/lunch/dinner/supper; **peu ~ minuit** shortly after midnight **2** (dans l'espace) after; **~ l'église/la sortie de la ville** after the church/you come out of the town; **bien/juste ~ l'usine** well/just after the factory; **je suis ~ toi sur la liste** I'm after you on the list; **~ vous!** (par politesse) after you!; **être ~ qn○** to be getting at sb○; **il est toujours ~ son fils** he's always on at his son○; **en avoir ~ qn○** to have it in for sb○ **3** (dans une hiérarchie) after; **la dame vient ~ le roi** the Queen comes after the King; **c'est le grade le plus important ~ celui de général** it's the highest rank after that of general; **faire passer qn/qch ~ qn/qch** to put sb/sth after sb/sth

C **d'après** *loc prép* **1** (selon) **d'~ moi/toi/nous/vous** in my/your/our/your opinion; **d'~ lui/elle/eux** according to him/her/them *ou* in his/her/their opinion; **d'~ les journalistes/le gouvernement** according to the journalists/the government; **d'~ la météo il va faire beau** according to the weather forecast it's going to be fine; **d'~ la loi** under the law; **d'~ mes calculs/mes estimations/ma montre** by my calculations/my reckoning/my watch; **d'~ ce qu'elle a dit/mon expérience** from what she said/my experience **2** (en imitant) from; **un tableau peint d'~ une photo** a painting made from a photograph; **d'~ un dessin de Gauguin** from a drawing by Gauguin **3** (adapté de) based on; **un film d' ~ un roman de Simenon** a film based on a novel by Simenon

D **après que** *loc conj* after; **~ que je leur ai annoncé la nouvelle** after I told them the news; **~ qu'il eut parlé** after he had spoken

après² /apʀɛ/ *nm* **l'~** the future; **il n'y aura pas d'~** there won't be an afterwards

après-demain /apʀɛdmɛ̃/ *adv* the day after tomorrow; **la technologie de demain et celle d'~** the technology of tomorrow and beyond

après-guerre, *pl* **~s** /apʀɛgɛʀ/ *nm ou f* postwar period, postwar years (*pl*); **les générations d'~** postwar generations

après-midi* /apʀɛmidi/ *nm ou f inv* afternoon; **en début/fin d'~** early/late in the afternoon; **j'y vais le samedi ~** I go there on Saturday afternoons; **à 2 heures de l'~** at 2 in the afternoon, at 2 pm

après-rasage, *pl* **~s** /apʀɛʀazaʒ/ *nm* aftershave

après-shampooing, *pl* **~s** /apʀɛʃɑ̃pwɛ̃/ *nm* conditioner

après-ski* /apʀɛski/ *nm inv* **1** (chaussure) snowboot, moon boot; **2** (moment) après-ski

après-soleil /apʀɛsɔlɛj/ *nm inv* after-sun lotion; **une crème ~** an after-sun cream

après-vente* /apʀɛvɑ̃t/ *adj inv* **service ~** (département) after-sales service department; (activité) after-sales service

âpreté /ɑpʀəte/ *nf* **1** (acharnement) (de lutte, concurrence) fierceness; (de discussion) bitterness; **discuter avec ~** to argue bitterly; **son ~ au**

gain his/her greed for gain; 2 (de fruit) liter bitterness

a priori* /apʀijɔʀi/

A *loc adj inv* [*jugement, raisonnement, preuves*] a priori

B *loc adv* 1 (à première vue) on the face of it; ~, **ça ne devrait pas poser de problèmes** on the face of it there shouldn't be any problems; ~ **je ne connais personne qui puisse faire ce travail** offhand I can't think of anybody who could do this job; ~ **je ne peux rien décider** right now I can't make a decision; 2 (sans réfléchir) out of hand; **rejeter ~ une proposition** to reject a proposal out of hand; 3 Philos a priori

C *nm inv* a priori assumption

apriorisme /apʀijɔʀism/ *nm* 1 gén, pej a priori reasoning; 2 Philos apriorism

à-propos /apʀɔpo/ *nm inv* 1 (art d'arriver au bon moment) timing; (d'intervention) timeliness; **interrompre avec ~** to make a well-timed interruption; **cette déclaration manque d'~** this declaration is badly timed; 2 (pertinence) aptness, relevance; **intervenir avec ~ dans une discussion** to make a pertinent remark *ou* observation in a discussion; **répondre avec ~** to make an apt reply; **parler/agir avec ~** to say/to do the right thing; **ta remarque manque d'~** your remark is off the point; 3 (présence d'esprit) presence of mind; **réagir avec (beaucoup d')~** to react with great presence of mind

apte /apt/ *adj* 1 (capable) capable (**à** of); 2 (ayant les qualifications requises) qualified (**à** for; **à faire** to do); (ayant les qualités requises) suitable (**à** for); (présentant les conditions requises) fit (**à** for; **à faire** to do); 3 Mil fit; **être déclaré ~** to be declared fit (**à** for); 4 Jur **être ~ à qch** to have legal capacity to do sth

aptitude /aptityd/ *nf* 1 (capacité) competence (**à, pour** for), ability (**à faire** to do); (don) aptitude (**à** for); 2 Mil **~ au service** fitness to serve; **signer l'~ de qn** to pass sb as fit to serve; 3 Jur legal capacity

apurement /apyʀmɑ̃/ *nm* (de comptes) audit; (de dette, passif) discharge

apurer /apyʀe/ [1] *vtr* to audit [*comptes*]; to discharge [*dette, passif*]

AQR /akyɛʀ/ *nm: abbr* ▸ **apport**

aquaculture /akwakyltyʀ/ *nf* aquaculture

aquagym /akwaʒim/ ▸ **p. 469** *nf* aquarobics, aquafitness

aquaplanage /akwaplanaʒ/ *nm* Aut aquaplaning GB, hydroplaning US

aquaplane /akwaplan/ *nm* 1 (planche) aquaplane; 2 ▸ **p. 469** (activité) aquaplaning

aquaplaning /akwaplaniŋ/ *nm* controv Aut aquaplaning GB, hydroplaning US

aquarelle /akwaʀɛl/ *nf* 1 (procédé) watercolours[GB] (*pl*); 2 (œuvre) watercolour[GB]

aquarelliste /akwaʀelist/ *nmf* painter in watercolours[GB], aquarellist spéc

aquariophile /akwaʀjɔfil/ *nmf: person who keeps exotic fish as a hobby*

aquariophilie /akwaʀjɔfili/ *nf* ornamental fish-keeping

aquarium /akwaʀjɔm/ *nm* aquarium, fish tank

aquatinte /akwatɛ̃t/ *nf* aquatint

aquatique /akwatik/ *adj* 1 [*flore, faune*] aquatic; 2 [*jardin, sport*] water (*épith*)

aquazole® /akwazɔl/ *nf* clean fuel (*made with an emulsion of oil and water*)

aqueduc /akdyk/ *nm* 1 Constr aqueduct; 2 Anat duct; **~ du limaçon** cochlear duct

aqueux, **~euse** /akø, øz/ *adj* aqueous

aquifère /akɥifɛʀ/

A *adj* water-bearing, aquiferous spéc

B *nm* aquifer

aquilin /akilɛ̃/ *adj m* [*nez, profil*] aquiline

aquilon /akilɔ̃/ *nm* liter north wind

aquitain, **~e** /akitɛ̃, ɛn/ ▸ **p. 721** *adj* of Aquitaine; **le bassin ~** the Aquitaine Basin

Aquitaine /akitɛn/ ▸ **p. 721** *nprf* **l'~** Aquitaine

AR *written abbr* ▸ **accusé**

ara /aʀa/ *nm* macaw

arabe /aʀab/

A *adj* [*architecture, civilisation*] Arab; [*chiffre, dialecte, écriture*] Arabic

B ▸ **p. 483** *nm* Ling Arabic; **~ classique/littéral** classical/written Arabic

Arabe /aʀab/ *nmf* Arab

arabesque /aʀabɛsk/ *nf* arabesque

arabica /aʀabika/ *nm* arabica

Arabie /aʀabi/ ▸ **p. 333, p. 721** *nprf* Arabia; **désert d'~** Arabian desert

(Composé) **~ Saoudite** Saudi Arabia

arabique /aʀabik/ *adj* (d'Arabie) Arabian

arabisant, **~e** /aʀabizɑ̃, ɑ̃t/ *nm,f* Arabist

arabisation /aʀabizɑsjɔ̃/ *nf* Arabization

arabiser /aʀabize/ [1] *vtr* to Arabize

arabisme /aʀabism/ *nm* Arabism

arable /aʀabl/ *adj* arable

arachide /aʀaʃid/ *nf* groundnut; **huile d'~** groundnut oil

arachnéen, **-éenne** /aʀakneɛ̃, ɛn/ *adj* 1 lit arachnidan; 2 fig, liter gossamer (*épith*)

arachnide /aʀaknid/ *nm* arachnid; **les ~s** Arachnida

arachnoïde /aʀaknɔid/ *nf* arachnoid

araignée /aʀeɲe/ *nf* 1 Zool (arachnide) spider; 2 Tech (crochet) grapnel

(Composé) **~ de mer** spider crab

(Idiome) **avoir une ~ au plafond**○ to have a screw loose○, to have bats in the belfry○

araire /aʀɛʀ/ *nm* ard plough

aralia /aʀalja/ *nm* aralia

araméen, **-éenne** /aʀameɛ̃, ɛn/

A *adj* [*architecture, civilisation*] Aramean; [*alphabet, langue*] Aramaic

B ▸ **p. 483** *nm* Ling Aramaic

Araméen, **-éenne** /aʀameɛ̃, ɛn/ *nm,f* Aramean

araser /aʀaze/ [1] *vtr* Constr to level off [*mur*]; Tech to plane down [*tenon*]; Géol to wear down [*relief*]

aratoire /aʀatwaʀ/ *adj* ploughing GB, plowing US

araucaria /aʀokaʀja/ *nm* monkey puzzle tree, araucaria spéc

arbalète /aʀbalɛt/ *nf* crossbow

arbalétrier /aʀbaletʀije/ *nm* 1 Hist, Sport crossbowman; 2 Constr top chord

arbitrage /aʀbitʀaʒ/ *nm* 1 (de différend) arbitration; **soumettre un litige à l'~ d'un tiers** to submit a dispute to arbitration by a third party; 2 Sport (en boxe, football, rugby) refereeing; (en baseball, cricket, tennis) umpiring; 3 Fin arbitrage

arbitraire /aʀbitʀɛʀ/

A *adj* arbitrary; **le côté ~ de la décision** the arbitrariness of the decision

B *nm* 1 (autorité) arbitrary power; **l'~ administratif** the arbitrary power of administration; 2 Ling **l'~ du signe** the arbitrary nature of the sign

arbitrairement /aʀbitʀɛʀmɑ̃/ *adv* arbitrarily

arbitral, **~e**, *mpl* **-aux** /aʀbitʀal, o/ *adj* arbitration (*épith*)

arbitralement /aʀbitʀalmɑ̃/ *adv* Jur by arbitration

arbitre /aʀbitʀ/ *nm* 1 Sport (en boxe, football, rugby) referee; (en baseball, cricket, tennis) umpire; ▸ **libre**; 2 fig (expert) arbiter; **l'~ suprême** the Supreme Arbiter; **elle est l'~ des élégances** she's the arbiter of all things elegant; **être l'~ d'une consultation électorale** to hold the balance of power in an election; 3 Jur (de différend) arbitrator

arbitrer /aʀbitʀe/ [1]

A *vtr* 1 Sport to referee [*match de boxe, football, rugby*]; to umpire [*match de baseball, cricket, tennis*]; 2 (régler) to arbitrate in [*différend, situation*]

B *vi* to arbitrate (**entre** between)

arboré, **~e** /aʀbɔʀe/ *adj* [*terrain*] planted with trees (*après n*)

arborer /aʀbɔʀe/ [1] *vtr* 1 (porter avec ostentation) [*personne*] to sport [*objet*]; 2 (montrer) to wear [*sourire, air*]; to parade [*attitude, idée*]; 3 (porter normalement) [*personne, groupe*] to bear [*enseigne, couleur*]; [*navire, avion, bâtiment*] to fly [*pavillon, drapeau*]

arborescence /aʀbɔʀesɑ̃s/ *nf* 1 (de végétal) tree-like aspect, arborescence spéc; 2 (de veines, branches) branching; 3 Math, Ordinat tree diagram

arborescent, **~e** /aʀbɔʀesɑ̃, ɑ̃t/ *adj* Bot, Ordinat tree (*épith*)

arboretum* /aʀbɔʀetɔm/ *nm* arboretum

arboricole /aʀbɔʀikɔl/ *adj* [*animal*] tree-dwelling, arboreal spéc; [*technique*] arboricultural

arboriculteur, **-trice** /aʀbɔʀikyltœʀ, tʀis/ ▸ **p. 532** *nm,f* arboriculturist

arboriculture /aʀbɔʀikyltyʀ/ *nf* arboriculture

arborisation /aʀbɔʀizasjɔ̃/ *nf* tree-like pattern, arborization spéc

arborisé, **~e** /aʀbɔʀize/ *adj* dendritic

arbouse /aʀbuz/ *nf* arbutus berry

arbousier /aʀbuzje/ *nm* arbutus (tree)

arbre /aʀbʀ/ *nm* 1 (végétal) tree; ▸ **forêt**; 2 (diagramme) tree (diagram); 3 Tech shaft

(Composés) **~ à cames** Aut camshaft; **~ généalogique** family tree; **~ d'hélice** Naut propeller shaft; **~ de Judée** Bot Judas tree; **~ de la liberté** Hist *tree planted during the French Revolution as a symbol of liberty*; **~ de Noël** (sapin) Christmas tree; (de puits de pétrole) Christmas tree; **~ à pain** Bot breadfruit; **~ de transmission** Aut transmission shaft, propeller shaft; **~ de vie** Bible tree of life

(Idiomes) **grimper à l'~**○ to be taken for a ride○; **entre l'~ et l'écorce il ne faut pas mettre le doigt** Prov never meddle in other people's affairs

arbrisseau, *pl* **~x** /aʀbʀiso/ *nm* small tree

arbuste /aʀbyst/ *nm* shrub

arc /aʀk/ *nm* 1 Chasse, Sport bow; **tendre** *or* **bander un ~** to bend a bow back; 2 (courbe) curve; **en (forme d') ~** arched; 3 Math arc; **~ de cercle** arc of a circle; 4 Archit arch; 5 Électrotech arc; **~ électrique** electric arc

(Composés) **~ en accolade** ogee arch; **~ brisé** lancet arch; **~ de décharge** discharging arch; **~ plein cintre** round arch; **~ rampant** rampant arch; **~ trilobé** trefoil arch; **~ de triomphe** triumphal arch; **~ Tudor** Tudor arch

(Idiome) **avoir plus d'une corde à son ~** to have more than one string to one's bow

arcade /aʀkad/ *nf* 1 Archit arcade; **~ aveugle** blind arcade; **~s** (arches) arcades; (ensemble) archways; 2 Anat arch; **~ dentaire** dental arch; **~ sourcilière** arch of the eyebrow

Arcadie /aʀkadi/ ▸ **p. 721** *nprf* **l'~** Arcadia

arcadien, **-ienne** /aʀkadjɛ̃, ɛn/ *adj* Arcadian

arcanes /aʀkan/ *nmpl* liter mysteries; **les ~ de la politique** the mysteries of politics

arcature /aʀkatyʀ/ *nf* arcature

arc-boutant, *pl* **arcs-boutants*** /aʀkbutɑ̃/ *nm* flying buttress

arc-bouter* /aʀkbute/ [1]

A *vtr* to buttress

B **s'arc-bouter** *vpr* to brace oneself (**contre** against)

arceau, *pl* **~x** /aʀso/ *nm* 1 (de voûte) arch; 2 (de tonnelle, croquet) hoop; 3 Aut (de voiture) roll bar; 4 (de lit) cradle

arc-en-ciel, *pl* **arcs-en-ciel** /aʀkɑ̃sjɛl/ *nm* rainbow

archaïque /aʀkaik/ *adj* archaic
archaïsant, **~e** /aʀkaizɑ̃, ɑ̃t/ *adj* [*style, œuvre, écrivain*] archaistic
archaïsme /aʀkaism/ *nm* archaism
archange /aʀkɑ̃ʒ/ *nm* archangel
arche /aʀʃ/ *nf* **1** Archit arch; **2** Relig Ark; **~ d'alliance** Ark of the Covenant; **~ de Noé** Noah's Ark
archéologie /aʀkeɔlɔʒi/ *nf* archaeology
archéologique /aʀkeɔlɔʒik/ *adj* archaeological
archéologue /aʀkeɔlɔg/ ▸ **p. 532** *nmf* archaeologist
archer /aʀʃe/ *nm* archer
archet /aʀʃɛ/ *nm* Mus bow
archétype /aʀketip/ *nm* archetype; **c'est l'~ du héros/méchant** he's the archetypal hero/villain
archevêché /aʀʃəveʃe/ *nm* **1** (domaine) archdiocese; **2** (dignité) archbishopric; **3** (siège) archbishop's palace
archevêque /aʀʃəvɛk/ *nm* ▸ **p. 848** archbishop
archibondé○, **~e** /aʀʃibɔ̃de/ *adj* [*salle, bus*] absolutely packed
archiconnu○, **~e** /aʀʃikɔny/ *adj* really well-known
archidiaconat /aʀʃidjakɔna/ *nm* archdeaconate
archidiacre /aʀʃidjakʀ/ ▸ **p. 848** *nm* archdeacon
archidiocèse /aʀʃidjɔsɛz/ *nm* archdiocese
archiduc /aʀʃidyk/ ▸ **p. 848** *nm* archduke
archiduchesse /aʀʃidyʃɛs/ ▸ **p. 848** *nf* archduchess
archiépiscopal, **~e**, *mpl* **-aux** /aʀʃiepiskɔpal, o/ *adj* archiepiscopal
archiépiscopat /aʀʃiepiskɔpa/ *nm* archiepiscopate
archimandrite /aʀʃimɑ̃dʀit/ *nm* archimandrite
Archimède /aʀʃimɛd/ *npr* Archimedes
archipel /aʀʃipɛl/ *nm* archipelago; **l'~ des Baléares** the Balearic archipelago
archiphonème /aʀʃifɔnɛm/ *nm* archiphoneme
archiprêtre /aʀʃipʀɛtʀ/ *nm* archpriest
architecte /aʀʃitɛkt/ ▸ **p. 532** *nmf* lit, fig architect; **~ naval** naval architect
architectonique /aʀʃitɛktɔnik/
A *adj* architectonic
B *nf* architectonics (+ *v sg*)
architectural, **~e**, *mpl* **-aux** /aʀʃitɛktyʀal, o/ *adj* architectural
architecture /aʀʃitɛktyʀ/ *nf* **1** lit, Ordinat architecture; **2** fig structure
(Composés) **~ industrielle** industrial architecture; **~ paysagère** landscape architecture
architrave /aʀʃitʀav/ *nf* architrave
archivage /aʀʃivaʒ/ *nm* archiving
archiver /aʀʃive/ [1] *vtr* to archive
archives /aʀʃiv/ *nfpl* archives, records; **~ communales** parish records; **classé aux ~** filed in the archives; **fouiller dans les ~** to go through the archives; **je vais fouiller dans mes ~** hum I'll go through my (old) papers
(Composé) **~ sonores** sound archives
archiviste /aʀʃivist/ ▸ **p. 532** *nmf* archivist
archivolte /aʀʃivɔlt/ *nf* archivolt
arçon /aʀsɔ̃/ *nm* Équit tree; **bois d'~** saddle tree; **vider les ~s** to fall off one's horse; **cheval d'~s** pommel horse
arctique /aʀktik/ *adj* arctic
Arctique /aʀktik/ *nprm* **1** ▸ **p. 721** (région) Arctic; **2** ▸ **p. 579** (océan) **l'océan ~** the Arctic Ocean
Ardèche /aʀdɛʃ/ ▸ **p. 372, p. 721** *nprf* (rivière, département) **l'~** the Ardèche
ardemment /aʀdamɑ̃/ *adv* [*aimer, désirer*] passionately; [*défendre*] fiercely, passionately; **être ~ républicain** to be an ardent republican
Ardennes /aʀdɛn/ ▸ **p. 721** *nprfpl* (département) **les ~** the Ardennes
ardent, **~e** /aʀdɑ̃, ɑ̃t/ *adj* **1** [*braise*] glowing; [*tison*] red-hot; [*flamme, soleil, chaleur*] blazing; [*fièvre, soif*] burning, raging; fig [*regard, couleur*] fiery; **d'un rouge ~** fiery red; **2** (intense) [*foi, conviction*] burning, passionate; [*ambition, désir, passion*] burning; [*vœu, souhait, prière, piété*] fervent; [*lutte*] fierce; [*zèle, défense, discours, appel*] impassioned; [*supplications*] urgent; **3** (fougueux) [*nature, amant, partisan, défenseur*] passionate; [*militant, patriote*] fervent; [*jeunesse*] hot-blooded; **être ~ au combat** to fight fiercely; **être ~ au travail** to be an enthusiastic worker
ardeur /aʀdœʀ/ *nf* **1** (chaleur) heat; **2** (fougue) (d'amant, enthousiasme) ardour[GB]; (de foi, patriotisme) fervour[GB]; (de néophyte) keenness GB, enthusiasm; (de combattant, révolutionnaire) fervour[GB], eagerness; **les ~s de la passion** fig the flames of passion; **modérer** *or* **calmer les ~s de qn** to cool sb's ardour[GB]; **cheval plein d'~** fiery steed†; **3** (zèle) zeal; **~ révolutionnaire** revolutionary zeal; **ton ~ au travail** your enthusiasm for work; **travailler avec ~** to work hard; **redoubler d'~** to try twice as hard
ardillon /aʀdijɔ̃/ *nm* **1** (de boucle) prong; **2** (d'hameçon) barb
ardoise /aʀdwaz/
A ▸ **p. 202** *adj inv* slate-grey GB, slate-gray US
B *nf* **1** Minér slate; **2** (tuile) slate; **toit d'~(s)** slate roof; **3** (d'écolier) slate; **4** ○(dette) debt; **régler une ~** to settle a debt, to wipe the slate clean; **avoir une ~ chez un commerçant** to owe a shopkeeper money
(Composés) **~ électronique** notepad computer; **~ magique** magic drawing board
ardoisé, **~e** /aʀdwaze/ ▸ **p. 202** *adj* (couleur) slate-grey
(Composé) **peinture ~e** blackboard paint
ardoisier, **-ière** /aʀdwazje, ɛʀ/
A *adj* [*gîte, roche*] slaty; [*carrière*] slate (*épith*)
B ▸ **p. 532** *nm* **1** (ouvrier) slate worker; **2** (patron) slate quarry owner
C **ardoisière** *nf* slate quarry
ardu, **~e** /aʀdy/ *adj* **1** (difficile) [*tâche, travail*] arduous, laborious; [*négociations, problème*] taxing, difficult; **2** (escarpé) [*montée, perte*] steep
are /aʀ/ ▸ **p. 816** *nf* one hundred square metres[GB], are
arec /aʀɛk/ *nm* areca
arène /aʀɛn/ *nf* **1** (dans un amphithéâtre) arena; (au cirque) ring; (pour corridas) bullring; fig arena; **l'~ politique/internationale** the political/international arena; **2** (amphithéâtre) **~s** Antiq amphitheatre[GB] (*sg*); (pour corridas) bullring (*sg*); **3** Géol coarse sand, arenite spéc
(Idiome) **entrer** *or* **descendre dans l'~** to enter the ring
arénicole /aʀenikɔl/ *nf* sandworm
aréole /aʀeɔl/ *nf* areola
aréomètre /aʀeɔmɛtʀ/ *nm* hydrometer
aréométrie /aʀeɔmetʀi/ *nf* hydrometry
aréopage /aʀeɔpaʒ/ *nm* fig prestigious assembly
Aréopage /aʀeɔpaʒ/ *nm* **l'~** the Areopagus
aréquier /aʀekje/ *nm* areca (palm *ou* tree)
arête /aʀɛt/ *nf* **1** Zool fishbone; **c'est plein d'~s** it's full of bones; **retirer les ~s d'un poisson** to bone a fish; **sans ~s** boned; **pavage en ~ de poisson** herringbone paving; **2** (de toit, montagne) ridge; (de voûte) groin; (de prisme, roche) edge; (de nez) bridge; **3** Bot (d'un épi) **~s** awns
argent /aʀʒɑ̃/ ▸ **p. 48** *nm* **1** (monnaie) money; **~ facile/frais/sale** easy/ready/dirty money; **~ public** public funds (*pl*) *ou* money; **déposer de l'~ à la banque** to deposit money in the bank; **retirer de l'~ à la banque** to withdraw money from the bank; **l'~ me fond dans les mains** money just runs through my fingers; **ça rapporte peu d'~** it doesn't bring in much money; **faire de l'~** to make money; **se faire de l'~ en vendant qch/par la spéculation/sur le dos des autres** to make money by selling sth/through speculation/at the expense of others; **dépenser son ~ sans compter** to spend one's money like water○; **pour de l'~** for money; **perdre son ~ au jeu** to gamble one's money away; **en avoir/vouloir pour son ~** to get/to want one's money's worth; **parler d'~** to talk about money (matters); **l'~ de la drogue** drug money; ▸ **bonheur, fenêtre, odeur, serviteur**; **2** (métal) silver; **en ~** [*bracelet, couvert*] silver (*épith*); **d'~** [*fil, feuille*] silver (*épith*); **3** Hérald argent
(Composés) **~ liquide** cash; **~ de poche** pocket money
(Idiomes) **le temps c'est de l'~** time is money; **prendre qch pour ~ comptant** to take sth at face value
argenté, **~e** /aʀʒɑ̃te/
A *pp* ▸ **argenter**
B *pp adj* (plaqué d'argent) silver-plated; **un bougeoir en métal ~** a silver-plated candlestick
C *adj* **1** (couleur d'argent) silvery; **2** ○(fortuné), loaded○; **n'être pas très ~** to be hard up○
argenter /aʀʒɑ̃te/ [1] *vtr* lit, fig to silver
argenterie /aʀʒɑ̃tʀi/ *nf* silverware, silver
argentier /aʀʒɑ̃tje/ *nm* **1** Hist treasurer; ▸ **grand**; **2** (meuble) display case (*for storing silverware*)
argentifère /aʀʒɑ̃tifɛʀ/ *adj* argentiferous
argentin, **~e** /aʀʒɑ̃tɛ̃, in/ *adj* **1** [*son*] silvery; **2** ▸ **p. 561** (d'Argentine) Argentinian; **la République ~e** the Argentine Republic
Argentin, **~e** /aʀʒɑ̃tɛ̃, in/
A ▸ **p. 561** *nm,f* Argentinian
B ▸ **p. 333** **Argentine** *nprf* Argentina
argentique /aʀʒɑ̃tik/ *adj* silver (*épith*); Phot traditional
argenture /aʀʒɑ̃tyʀ/ *nf* **1** (action d'argenter) (de miroir) silvering; (d'objet) silver-plating; **~ électrolytique** electro-plating with silver; **2** (couche d'argent) silver plate
argile /aʀʒil/ *nf* clay; **~ sédimentaire/à silex** sedimentary/siliceous clay; ▸ **colosse**
argileux, **-euse** /aʀʒilø, øz/ *adj* clayey
argon /aʀgɔ̃/ *nm* argon
argonaute /aʀgɔnot/ *nm* Zool argonaut
Argonautes /aʀgɔnot/ *nprmpl* Argonauts
argot /aʀgo/ *nm* slang; **un mot d'~** a slang word
argotique /aʀgɔtik/ *adj* (propre à l'argot) slang (*épith*); (peu raffiné) slangy
argotisme /aʀgɔtism/ *nm* (mot) slang word; (expression) slang expression
argousin† /aʀguzɛ̃/ *nm* péj (agent de police) copper◑, policeman
Argovie /aʀgɔvi/ ▸ **p. 721** *npr* **le canton d'~** the canton of Aargau
arguer* /aʀge/ [1]
A *vtr* **1** fml (conclure, déduire) to deduce; **~ qch de qch** to deduce sth from sth; **2** (prétexter) **~ qch** to give sth as a reason (**pour faire** for doing); **~ que** to claim that
B **arguer de** *vtr ind* (prétexter) to give [sth] as a reason (**pour faire** for doing); **arguant du fait que** pointing to the fact that; **~ de faux** Jur *to assert that an item is forged*
argument /aʀgymɑ̃/ *nm* **1** (raison) argument (**en faveur de** for; **contre** against); **~ choc** *or* **massue** decisive *ou* clinching argument; **~ décisif** deciding factor; **présenter** *or* **trouver de bons ~s en faveur de/contre qch** to make a good case for/against sth; **les ~s présentés étaient faibles** the case he/they etc made was weak; **tirer ~ de qch** to use sth as an argument *ou* excuse (**pour faire** for doing); **2** Comm, Pub **~ de vente** selling point; **~ électoral** electoral issue GB, campaign issue US; **3** Littérat, Math argument

ℹ L'argent et les monnaies

■ *Pour la prononciation des nombres en anglais* ▸ **p. 568.**

L'argent en Grande-Bretagne

écrire	**dire**
1p	one p ([pi:])
	ou one penny
	ou a penny
2p	two p
	ou two pence
5p	five p
	ou five pence
20p	twenty p
	ou twenty pence
£1*	one pound
	ou a pound
£1.03	one pound three pence†
	ou one pound three p‡
£1.20	one pound twenty
	ou one pound twenty pence
	ou one pound twenty p
£1.99	one pound ninety-nine
£10	ten pounds
£200	two hundred pounds
£1,000§	one thousand pounds
	ou a thousand pounds
£1,000,000	one million pounds
	ou a million pounds

L'argent aux États-Unis

écrire	**dire**
1c	one cent
	ou a cent
2c	two cents
5c	five cents
10c	ten cents
25c	twenty-five cents
$1*	one dollar
	ou a dollar
$1.99	one dollar ninety-nine
$10	ten dollars
$200	two hundred dollars
$1,000	one thousand dollars§
	ou a thousand dollars
$1,000,000	one million dollars¶
	ou a million dollars

L'argent en France

écrire	**dire**
0,20 €	twenty cents
1 €	one euro
1,50 €	one euro fifty cents
	ou one euro fifty
2 €	two euros
2,75 €	two euros seventy-five cents
	ou two euros seventy-five
20 €	twenty euros
100 €	one hundred euros
	ou a hundred euros
200 €	two hundred euros
1 000 €	one thousand euros
	ou a thousand euros
2 000 €	two thousand euros
1 000 000 €	one million euros
	ou a million euros
2 000 000 €	two million euros

* *L'anglais place les abréviations £ et $ avant le chiffre, jamais après.*

† *On ne dit jamais* point *pour les sommes d'argent.*

‡ *Si le chiffre des pence est inférieur ou égal à 19, on n'omet pas* pence *ou* p: one pound nineteen pence, *mais* one pound twenty.

§ *Noter que l'anglais utilise une virgule là où le français a un espace.*

¶ *Les numéraux français* millier *ou* million, *qui sont des noms, se traduisent en anglais par des adjectifs:* deux millions de francs = two million francs. *Pour plus de détails,* ▸ **p. 568.**

il y a 100 pennies dans une livre
= there are 100 pence in a pound

il y a 100 centimes dans un dollar
= there are 100 cents in a dollar

il y a 100 centimes dans un euro
= there are 100 cents in a euro

Les pièces et les billets

■ *Attention:* billet *se dit* note *en anglais britannique, et* bill *en anglais américain.*

■ *Noter l'ordre des mots dans les adjectifs composés anglais, et l'utilisation du trait d'union. Noter aussi que* pound, dollar *etc. qui font partie de l'adjectif composé, ne prennent pas la marque du pluriel:*

un billet de 10 livres
= a ten-pound note (*GB*)

un billet de 50 dollars
= a fifty-dollar bill (*US*)

un billet de 100 €
= a hundred-euro note (*GB*)
ou a hundred-euro bill (*US*)

une pièce de 20 pennies
= a 20p piece (dire [ə twɛntɪ pi: pi:s])

une pièce de 50 pennies
= a 50p piece

une pièce d'une livre
= a pound coin

■ *Noter que pièce se traduit par* coin *pour l'unité monétaire et au-delà, et par* piece *pour toute fraction de l'unité monétaire.*

une pièce de 50 centimes
= a 50-cent piece

une pièce de 1 €
= a one-euro coin

une pièce de 2 €
= a two-euro coin

Mais aux États-Unis:

une pièce de 5 cents
= a nickel

une pièce de 10 cents
= a dime

une pièce de 25 cents
= a quarter

Les prix

combien ça coûte?
= how much does it cost?
ou how much is it?

ça coûte 200 livres
= it costs £200 *ou* it is £200

le prix de l'appareil est de 200 livres
= the price of the camera is £200

à peu près 200 livres
= about £200

presque 200 livres
= almost £200

jusqu'à 20 dollars
= up to $20

15 euros le mètre
= 15 euros a metre

■ *Noter l'absence d'équivalent anglais de la préposition française* de *avant le chiffre dans les expressions de ce genre.*

plus de 200 livres
= over £200 *ou* more than £200

moins de 300 livres
= less than £300

un peu moins de 250 livres
= just under £250

■ *Noter l'ordre des mots dans les adjectifs composés anglais et l'utilisation du trait d'union. Noter aussi que* franc, cent *etc. qui font partie de l'adjectif composé, ne prennent pas la marque du pluriel:*

un timbre à 1 euro
= a one-euro stamp

un timbre à 75 centimes
= a seventy-five-cent stamp

un billet de théâtre à 10 livres
= a £10 theatre ticket
(*dire* a ten-pound theatre ticket)

une bourse de deux mille livres
= a £2,000 grant
(*dire* a two-thousand-pound grant)

une voiture à 50 000 dollars
= a $50,000 car
(*dire* a fifty-thousand-dollar car)

■ *L'anglais considère parfois une somme d'argent comme une unité indissociable, et donc comme un singulier:*

ça coûte dix livres de plus
= it is an extra ten pounds

encore dix livres
= another ten pounds

dix livres, ça fait beaucoup d'argent
= ten pounds is a lot of money

prends tes 20 €, ils sont sur la table
= take your 20 euros, it's on the table

Le maniement de l'argent

payer en livres
= to pay in pounds

faire une transaction en euros
= to make a transaction in euros

50 livres en liquide
= £50 in cash

un chèque de 500 livres
= a £500 cheque

un chèque de voyage en dollars
= a dollar travelers' check

un chèque de voyage en livres
= a sterling travellers' cheque

changer des livres en euros
= to change pounds into euros

le dollar vaut 1,12 euros
= there are 1.12 euros to the dollar

faire la monnaie d'un billet de 100 dollars
= to change a 100-dollar bill

Le système lsd

■ *Le système non-décimal utilisé en Grande-Bretagne jusqu'en 1971 reposait sur la livre, le* shilling *et le* penny. *Le* penny *(pluriel* pence*) était abrégé en* d., *à cause du latin* denarius. *Il y avait douze* pence *dans un* shilling *et vingt* shillings *dans une livre.*

(Idiome) **recourir aux ~s frappants** hum to resort to blows

argumentaire /aʀgymɑ̃tɛʀ/ *nm* **1** Comm sales talk; **2** (arguments) arguments (*pl*)

argumentation /aʀgymɑ̃tasjɔ̃/ *nf* (arguments) line of argument; **une ~ sans faille** a flawless line of argument

argumenter /aʀgymɑ̃te/ [1] *vi* to argue (**sur** about; **contre** against); **défense solidement argumentée** soundly argued defence[GB]; **condamnation argumentée en quatre points** condemnation resting on four points

argus /aʀgys/ *nm inv* **1** Aut *used car prices guide*; **2** Presse **~ (de la presse)** press-cutting agency GB, clipping service; **3** Tech **verre ~** one-way glass

argutie /aʀgysi/ *nf* pej quibble; **se perdre en ~s** to get lost in a lot of quibbles

aria /aʀja/ *nf* aria

Ariane /aʀjan/ *npr* Mythol Ariadne

arianisme /aʀjanism/ *nm* Arianism

aride /aʀid/ *adj* **1** [*terre, climat*] arid; **2** [*matière, sujet*] dry; **c'est un texte d'une lecture ~** it makes very dry reading

aridification /aʀidifikasjɔ̃/ *nf* aridification

aridité /aʀidite/ *nf* **1** (de terre, climat) aridity; **2** (de lecture, statistiques) dryness

Ariège /aʀjɛʒ/ ▸ **p. 372, p. 721** *nprf* (rivière, département) **l'~** the Ariège

arien, -ienne /aʀjɛ̃, ɛn/ *adj* Arian

ariette /aʀjɛt/ *nf* arietta, ariette

Arioste /aʀjɔst/ *npr* **l'~** Ariosto

ariser /aʀize/ [1] *vtr* to reef

aristo○ /aʀisto/ *nmf* (*abbr* = **aristocrate**) pej aristocrat, toff○

aristocrate /aʀistɔkʀat/ *nmf* aristocrat

(Idiome) **les ~s à la lanterne!** string up the aristocrats!

aristocratie /aʀistɔkʀasi/ *nf* aristocracy

aristocratique /aʀistɔkʀatik/ *adj* aristocratic

Aristophane /aʀistɔfan/ *npr* Aristophanes

Aristote /aʀistɔt/ *npr* Aristotle

aristotélicien, -ienne /aʀistɔtelisjɛ̃, ɛn/ *adj, nm,f* Aristotelian

aristotélisme /aʀistɔtelism/ *nm* Aristotelianism

arithméticien, -ienne /aʀitmetisjɛ̃, ɛn/ ▸ **p. 532** *nm,f* arithmetician

arithmétique /aʀitmetik/
A *adj* arithmetical
B *nf* arithmetic

arithmétiquement /aʀitmetikmɑ̃/ *adv* **1** lit arithmetically; **2** fig mathematically

Arizona /aʀizɔna/ ▸ **p. 721** *nprm* Arizona

Arkansas /aʀkɑ̃sas/ ▸ **p. 721** *nprm* Arkansas

arlequin /aʀləkɛ̃/ *nm* harlequin

arlequinade /aʀləkinad/ *nf* harlequinade

arlésien, -ienne /aʀlezjɛ̃, ɛn/ ▸ **p. 894** *adj* of Arles

Arlésien, -ienne /aʀlezjɛ̃, ɛn/ ▸ **p. 894** *nm,f* (natif) native of Arles; (habitant) inhabitant of Arles

armada /aʀmada/ *nf* **1** (armée) hum army; **l'invincible Armada** Hist the Spanish Armada; **2** ○(grand nombre) **une ~ de** an avalanche of [*touristes, photographes*]; a huge fleet of [*camions*]

Armagh *npr* **le comté d'~** Armagh

armagnac /aʀmaɲak/ *nm* armagnac

armateur /aʀmatœʀ/ *nm* (propriétaire) shipowner

armature /aʀmatyʀ/ *nf* **1** (de tente, store, d'abat-jour) frame; (de soutien-gorge) underwiring ₵; (de voûte) arch reinforcement; (de béton armé) reinforcing steel rods (*pl*); **à ~** [*soutien-gorge*] underwired; **sans ~** [*soutien-gorge*] light control (*épith*); **2** (de région, de parti, d'entreprise) infrastructure; **l'~ commerciale de la région** the region's commercial infrastructure; **3** (de roman, pièce de théâtre) structure; **4** Mus key signature; **5** Électrotech armament; **6** (d'aimant) armature

arme /aʀm/
A *nf* **1** (objet) weapon; **~ automatique/de guerre/de chasse** automatic/military/hunting weapon; **l'~ absolue** lit, fig the ultimate weapon; **l'~ du crime** the murder weapon; **porter une ~ sur soi** to carry a weapon; **avoir l'~ au poing** to be holding a weapon; **charger une ~** to load a gun; ▸ **bagage, gauche**; **2** fig (moyen) weapon; **la calomnie est une ~ redoutable** slander is a formidable weapon; **une ~ à double tranchant** a two-edged sword; **3** Mil (corps d'armée) branch of the armed services; **dans quelle ~ as-tu fait ton service?** which branch of the armed services did you do your military service in?
B **armes** *nfpl* **1** Mil arms (*pl*); **aux ~s!** to arms!; **présentez/reposez ~s!** present/order arms!; **portez ~s!** slope arms! GB, shoulder arms! US; **lancer un appel** *or* **appeler aux ~s** to call to arms; **prendre les ~s** (guerre) to take up arms; (insurrection) to rise up in arms; **conquérir un pays par la force des ~s** to conquer a country by force of arms; **jeter** *or* **rendre les ~s** lit to lay down (one's) arms; fig to surrender; **en ~s** [*peuple, soldats, insurgés*] armed; **être/rester en ~s** to be/remain armed; **mourir les ~s à la main** to die fighting; **passer qn par les ~s** to execute sb by firing squad; **prendre le pouvoir/régler un différend par les ~s** to take power/to settle a dispute by force; **à ~s égales** lit, fig on equal terms; **donner** *or* **fournir des ~s contre soi** fig to provide ammunition against oneself; **faire ses premières ~s** Mil to begin one's military career; fig to start out; **j'ai fait mes premières ~s dans l'enseignement** I started out as a teacher; **2** Sport (escrime) fencing; **faire des ~s** to fence; **3** Hérald (armoiries) coat (*sg*) of arms; **aux ~s de la ville** bearing the town's coat of arms

(Composés) **~ blanche** *weapon with a blade*; **~ de destruction massive** weapon of mass destruction; **~ d'épaule** rifle; **~ à feu** firearm; **~ de poing** handgun; **~ de service** standard issue weapon

armé, ~e /aʀme/
A *pp* ▸ **armer**
B *pp adj* **1** lit (muni d'armes) [*homme, groupe, conflit, révolte*] armed (**de** with); **~ jusqu'aux dents** armed to the teeth; **agression/attaque/vol à main ~e** armed assault/attack/robbery; **2** fig (pourvu) equipped (**de** with; **contre** against); **~ pour faire** [*personne*] equipped *ou* in a position to do; [*objet*] designed to do; **il est bien ~ pour réussir dans la vie** he's well equipped to succeed in life; **il est bien ~ pour répondre à leurs arguments** he's well armed to answer their arguments
C *nm* (d'arme à feu) cocked position
D **armée** *nf* **1** lit army; **l'~e française/américaine** the French/US army *ou* armed forces (*pl*); **~e de libération** army of liberation; **~e de volontaires** volunteer army; **être à l'~e** to be doing one's military service; **être dans l'~e** to be in the army; **2** (troupe nombreuse) (de serviteurs, figurants, sauterelles) army; (d'incapables, de fainéants) pej bunch

(Composés) **~e d'active** regular army; **~e régulière** = **~e d'active**; **l'~e de réserve** the reserves (*pl*); **l'~e de terre** the army; **l'Armée des ombres** Hist *the French Resistance in World War Two*; **l'Armée rouge** the Red Army; **l'Armée du Salut** the Salvation Army

armement /aʀməmɑ̃/ *nm* **1** (apport d'armes) (de recrue, nation, d'armée) arming; **2** (moyens armés) gén armament; (de personne, troupe) weapons (*pl*); (d'unité mobile) weaponry; **~ léger/lourd** light/heavy armament; **leur supériorité dans ce type d'~** their superiority in this kind of armament *ou* weaponry; **3** (ensemble d'armes) arms (*pl*); **réduction des ~s** arms reduction; **ventes/dépenses d'~s** arms sales/expenditure; **4** (mise en état de marche) (d'arme) arming; (d'appareil photo) winding on; **5** Naut (de navire marchand) fitting out

Arménie /aʀmeni/ ▸ **p. 333** *nprf* Armenia

arménien, -ienne /aʀmenjɛ̃, ɛn/
A ▸ **p. 561** *adj* Armenian
B **p. 483** *nm* Ling Armenian

Arménien, -ienne /aʀmenjɛ̃, ɛn/ ▸ **p. 561** *nm,f* Armenian

armer /aʀme/ [1]
A *vtr* **1** (munir d'armes) to arm [*personne, troupe, véhicule, lieu*] (**de** with; **contre** against); **2** (garnir) (pour renforcer) to reinforce [*objet, béton*] (**de** with); (pour faire une arme) to arm, to fit [*objet, canne*] (**de** with); **3** (prémunir) to arm (**contre** against); **4** Naut (équiper) to fit out [*navire marchand*]; **5** (mettre en ordre de marche) to arm [*arme*]; to wind on [*appareil photo*]; to set [*piège*]; **~ un fusil** to cock a rifle
B **s'armer** *vpr* **1** (se munir d'armes) to arm oneself (**de** with); **ils s'étaient armés jusqu'aux dents** they were armed to the teeth; **2** (se munir) **s'~ de courage/patience** to summon up one's courage/patience

armistice /aʀmistis/ *nm* armistice

armoire /aʀmwaʀ/ *nf* gén cupboard; (pour vêtements) wardrobe; **~ vitrée** glass-fronted cupboard

(Composés) **~ chauffante** hot cupboard; **~ électrique** switchgear cubicle; **~ frigorifique** cold store; **~ à glace** lit wardrobe with a full-length mirror; **c'est une ~ à glace**○ fig he/she is built like a tank○; **~ à linge** linen cupboard, linen closet US; **~ métallique** metal locker; **~ normande** large wardrobe (*in traditional Norman style*); **~ à pharmacie** medicine cabinet; **~ de toilette** bathroom cabinet

armoiries /aʀmwaʀi/ *nfpl* arms

armorial, ~e, *mpl* **-iaux** /aʀmɔʀjal, o/ *adj* armorial

armoricain, ~e /aʀmɔʀikɛ̃, ɛn/ *adj* **1** Hist, Géog Armorican; **2** Culin **à l'~e** *in a sauce made from tomatoes and garlic*

armorié, ~e /aʀmɔʀje/ *adj* [*vaisselle*] (de famille) with the family crest (*épith, après n*); (de société) with the company crest (*épith, après n*); [*papier à lettres*] crested (*épith*)

Armorique /aʀmɔʀik/ *nprf* **l'~** Armorica

armure /aʀmyʀ/ *nf* **1** Hist Mil armour[GB]; fig form of protection; **chevalier en ~** knight in armour; **2** Tex weave; **3** (de câble) protective sleeving; (de machine) protective metal casing

armurerie /aʀmyʀʀi/ *nf* **1** ▸ **p. 532** (magasin, atelier) gunsmith's; **2** Mil (pièce) gun room

armurier /aʀmyʀje/ ▸ **p. 532** *nm* **1** (qui vend, répare) gunsmith; **2** (dans l'armée) armourer[GB]

ARN /aɛʀɛn/ *nm* (*abbr* = **acide ribonucléique**) RNA

arnaque◑ /aʀnak/ *nf* swindle, rip-off○.

arnaquer◑ /aʀnake/ [1] *vtr* to swindle, to rip [sb] off○ [*personne*]; **se faire ~** to be had○, to be ripped off○; **se faire ~ 100 euros** to be conned out of 100 euros

arnaqueur◑, **-euse** /aʀnakœʀ, øz/ *nm,f* swindler; **ne va pas dans cette boutique, ce sont des ~s** don't go to that shop GB *ou* store US, they'll rip you off○

arnica /aʀnika/ *nf* arnica

arobas(e) /aʀɔbas, aʀɔbaz/ *nm* at sign

aromate /aʀɔmat/ *nm* (épice) spice; (basilic, persil, menthe etc) herb; **des ~s** (aromatic) herbs and spices

aromathérapeute /aʀɔmateʀapøt/ ▸ **532** *nmf* aromatherapist

aromathérapie /aʀɔmateʀapi/ *nf* aromatherapy

aromatique /aʀɔmatik/
A *adj* aromatic

a

B *nf* **1** (en pétrochimie) aromatic compound; **2** (étude des arômes) science of food flavourings

aromatiser /aʀɔmatize/ [1] *vtr* to flavour[GB]; **aromatisé au citron** lemon-flavoured[GB]

arôme /aʀom/ *nm* **1** (odeur) aroma; **2** (additif alimentaire) flavouring[GB]; **à l'~ de fruit** fruit-flavoured[GB]; **'~ naturel'** 'natural flavour[GB]'; **'~ citron'** 'lemon flavour[GB]'

aronde /aʀɔ̃d/ *nf* **assemblage à queue d'~** dovetailing

arpège /aʀpɛʒ/ *nm* arpeggio

arpéger /aʀpeʒe/ [15] *vtr* **~ un accord** to play a chord in arpeggio; **accord arpégé** broken chord

arpent /aʀpɑ̃/ *nm* Hist arpent; **quelques ~s de terre** a few acres of land

arpentage /aʀpɑ̃taʒ/ *nm* surveying

arpenter /aʀpɑ̃te/ [1] *vtr* **1** (parcourir) to stride along [*rues, couloirs*]; to travel the length and breadth of [*région*]; **2** (aller et venir) to pace up and down [*couloirs, pièce, terrain*]; **3** (mesurer) to survey

arpenteur /aʀpɑ̃tœʀ/ ▸ p. 532 *nm* (land) surveyor

arpète /aʀpɛt/ *nmf* apprentice

arpion◑ /aʀpjɔ̃/ *nm* foot

arqué, **~e** /aʀke/ *adj* [*sourcils*] arched; [*nez*] hooked; **avoir les jambes ~es** to have bandy *ou* bow legs, to be bow-legged

arquebuse /aʀkəbyz/ *nf* arquebus

arquebusier /aʀkəbyzje/ *nm* (soldat) arquebusier

arquer /aʀke/ [1]

A *vtr* to bend, to curve [*poutrelle, barre*]; **~ le dos** to arch one's back

B *vi* **1** [*objet*] to bend, to curve; [*poutre*] to sag; **2** ◑(marcher) to walk

C s'arquer *vpr* [*poutrelle, barre*] to become bowed

arrachage /aʀaʃaʒ/ *nm* (de récolte) picking; (de dent, poteau) pulling out; (de broussailles, souche) digging out; **~ des mauvaises herbes** weeding

arraché /aʀaʃe/ *nm* Sport snatch; **à l'~** with a snatch; **obtenir qch à l'~** fig to snatch sth; **emporter la première place à l'~** to snatch first place; **réussir une vente à l'~** to manage to bring off a sale; **vol à l'~** bag snatching

arrache-clou, *pl* **~s** /aʀaʃklu/ *nm* claw hammer

arrachement /aʀaʃmɑ̃/ *nm* **1** (douleur morale) wrench; **l'~ des adieux** the wrench of parting; **2** (séparation) **~ d'un enfant à sa mère** separating a child from his/her mother

arrache-pied: **d'arrache-pied*** /daʀaʃpje/ *loc adv* **travailler d'~** to work flat out

arracher /aʀaʃe/ [1]

A *vtr* **1** (déraciner) [*personne*] to dig up [*légumes*]; to dig out [*broussailles, souche, poteau*]; to uproot [*arbre*]; [*ouragan*] to uproot [*arbre, poteau*]; **~ les mauvaises herbes** to weed; **2** (détacher vivement) [*personne*] to pull [sth] out [*poil, cheveu, dent, ongle, clou*] (**de** from); to tear [sth] down [*affiche*]; to rip [sth] out [*feuillet, page*]; to tear [sth] off [*bandeau, masque*] (**de** from); [*vent*] to blow [sth] off [*feuilles d'arbre*]; to rip [sth] off [*toit, tuiles*] (**de** from); **la machine/l'obus lui a arraché le bras** the machine/the shell ripped his/her arm off; **3** (ôter de force) to snatch [*personne, objet*] (**de, à** from); **~ qch des mains de qn** to snatch sth out of sb's hands; **elle s'est fait ~ son sac** she had her bag snatched; **~ qn à la mort/au désespoir** to snatch sb from the jaws of death/from despair; **~ qn à la misère** to rescue sb from poverty; **~ qn à sa famille/à son pays** to tear sb from the bosom of his/her family/from his/her native land; **4** (tirer brutalement) **~ qn à** to rouse sb from [*rêve, torpeur, pensées*]; to drag sb away from [*travail*]; **5** (soutirer) to force [*augmentation, compromis*] (**à qn** out of sb); to extract [*secret, précision, consentement, confession*] (**de, à qn** from sb); to get [*mot, sourire*] (**de, à qn** from sb); **ils leur ont arraché la victoire** they snatched victory from them; **~ un nul** Sport to manage to draw GB *ou* tie; **la douleur lui a arraché un cri** he/she cried out in pain; **la douleur lui a arraché des larmes** the pain brought tears to his/her eyes

B s'arracher *vpr* **1** (ôter à soi-même) **s'~ les cheveux blancs** to pull out one's grey GB *ou* gray US hairs; **s'~ les poils du nez** to pluck the hairs from one's nose; **2** (se disputer pour) to fight over [*personne*]; to fight over, to scramble for [*produit*]; **on** *or* **tout le monde se les arrache** everyone is crazy for them; **3** (se séparer) **s'~ à** to rouse oneself from [*pensées, rêverie*]; to tear oneself away from [*travail, occupation, étreinte*]; **4** ○(partir) **s'~ d'un lieu** to tear oneself away from a place ; **viens, on s'arrache** come on, let's split○

(Idiomes) **~ les yeux à** *or* **de qn** to scratch sb's eyes out; **c'est à s'~ les cheveux**○**!** (difficile) it's enough to make you tear your hair out!; **s'~ les cheveux de désespoir** to tear one's hair out in despair; **s'~ les yeux** to fight like cat and dog

arracheur /aʀaʃœʀ/ *nm* **~ de dents** quack

(Idiome) **mentir comme un ~ de dents** to be a born liar

arracheuse /aʀaʃøz/ *nf* Agric picker

arraisonnement /aʀɛzɔnmɑ̃/ *nm* Naut, Aviat boarding and inspection (**de** of)

arraisonner /aʀɛzɔne/ [1] *vtr* Naut, Aviat to board and inspect [*navire, avion*]

arrangeant, **~e** /aʀɑ̃ʒɑ̃, ɑ̃t/ *adj* obliging

arrangement /aʀɑ̃ʒmɑ̃/ *nm* **1** (accord) arrangement, agreement; **arriver/parvenir à un ~** to come to/to reach an agreement; **2** (de bouquets, personnages, fleurs) arrangement; (de maison) lay out; **3** (d'objets, de mots) arrangement; **4** Math permutation; **~ de cinq objets pris deux à deux** permutation of five things taken two at a time; **5** Mus arrangement

arranger /aʀɑ̃ʒe/ [13]

A *vtr* **1** (organiser) [*personne*] to arrange [*voyage, réunion*]; to organize [*vie*]; **~ des rencontres entre hommes d'affaires** to arrange meetings between businessmen

2 (régler) to settle [*différend, querelle, conflit*]; to sort out [*difficulté, malentendu, affaires*]; **cela ne va pas ~ les choses** that won't help matters; **ça n'arrange rien de se mettre en colère** getting angry isn't going to help matters; **pour ne rien ~, pour tout ~** iron to make matters worse; **le temps arrangera peut-être les choses** perhaps things will improve with time

3 (disposer) to arrange [*objets, fleurs, bouquet, pièce*]; **~ des livres sur une étagère** to arrange books on a shelf; **elle a joliment arrangé sa chambre** she arranged her bedroom nicely

4 (remettre en ordre) to tidy [*cheveux, coiffure*]; to straighten [*écharpe, châle, gilet*]; **~ son chapeau (sur sa tête)** to straighten one's hat; **~ sa tenue** to make oneself presentable

5 (modifier) (en améliorant) to rearrange [*texte, plan, article*]; iron (en déformant) to doctor [*histoire, faits*]

6 (réparer) to put right, to fix [*mécanisme, montre*]; to fix [*jouet*]; **'mon ourlet est défait' —'donne, je vais (t')~ ça'** 'my hem's come down'—'here, I'll mend it for you'; **faire ~ une montre** to have a watch mended *ou* fixed; **cela ne t'a pas arrangé de veiller si tard**○**!** it hasn't done you much good staying up so late!

7 (convenir) [*fait, événement*] to suit [*personne, affaires*]; **leur faillite nous arrange** their bankruptcy suits us fine; **tu dis ça parce que ça t'arrange** you say that because it suits you; **ton retard m'arrange** it's quite convenient for me that you're late; **ça n'arrange pas mes affaires** that's really inconvenient for me; **il est difficile d'~ tout le monde** it's difficult to please everybody; **il ne garde que ce qui l'arrange** he keeps only what suits him; **ça m'arrangerait que tu viennes plus tôt, tu m'arrangerais en venant plus tôt** it would suit me better if you came earlier; **si cela peut vous ~** if it's all right with you; **remboursez-moi le mois prochain si cela vous arrange** pay me back next month if that's easier for you; **si ça ne vous arrange pas, on peut changer la date** if it's inconvenient for you, we can change the date

8 ○iron (maltraiter) [*personne, vent, pluie*] to make a right GB *ou* complete mess of○ [*coiffure, plantes*]; [*critique*] to lay into [*auteur, œuvre*]; **ton coiffeur t'a bien arrangé!** your hairdresser has made a right mess of your hair!

9 ○(battre) to give [sb] a good going-over○; **se faire ~** to get a good going-over

10 Mus to arrange [*morceau de musique*]

B s'arranger *vpr* **1** (s'améliorer) [*situation, temps*] to get better; [*santé*] to improve; **elle ne s'est pas arrangée depuis la dernière fois!** fig, hum she hasn't got GB *ou* gotten US any better *ou* hasn't improved since the last time; **s'~ avec l'âge** fig, hum to improve with age; **tout finira par s'~** things will sort themselves out in the end

2 (se mettre d'accord) **s'~ avec qn** to arrange it with sb; **s'~ avec qn pour faire** to arrange with sb to do; **elle s'est arrangée avec sa voisine pour la garde des enfants** she arranged with her neighbour[GB] to look after the children; **s'~ à l'amiable** to come to a friendly agreement

3 (prendre des dispositions) **arrange-toi comme tu voudras, mais sois ici à midi** do as you like but be here by 12; **s'~ pour faire** to make sure one does; **arrange-toi pour être à l'heure** make sure you're on time; **arrangez-vous pour que la pièce soit propre d'ici demain** make sure that the room is tidy by tomorrow; **il s'est arrangé pour ne pas partir en même temps que moi** he managed not to leave at the same time as me

4 (se débrouiller) **il n'y a que trois lits mais on s'arrangera** there are only three beds but we'll sort it out; **je paye tout et on s'arrangera après** I'll pay for everything and we'll sort it out later

5 (se contenter de) **s'~ de** to make do with; **il s'arrange du peu d'argent qu'il a** he makes do with what little money he has; **son bureau est petit mais il s'en arrange** his study is small but he makes do; **arrange-toi avec ça** try and make do with that

6 ○(s'habiller) **elle ne sait pas s'~** she doesn't know how to do herself up nicely

7 (être réparé) **ta montre ne peut pas s'~** your watch can't be mended *ou* fixed

arrangeur, **-euse** /aʀɑ̃ʒœʀ, øz/ *nm,f* Mus arranger

arrérages /aʀeʀaʒ/ *nmpl* arrears

arrestation /aʀɛstasjɔ̃/ *nf* arrest; **ordonner l'~ de qn** to order sb's arrest; **être en état d'~** to be under arrest; **mettre qn en état d'~** to place sb under arrest; **procéder à l'~ de qn** to arrest sb

arrêt /aʀɛ/

A *nm* **1** (de véhicule) stopping; (de combats) cessation; (de livraison, transaction) cancellation; (de production, distribution) halt; (de croissance économique) cessation; **attendez l'~ complet du train/de l'avion** wait until the train/plane has come to a complete stop; **faire un ~ de deux heures** to stop for two hours; **nous ferons plusieurs ~s** we'll make several stops; **demander l'~ des hostilités/essais nucléaires** to call for an end to hostilities/nuclear testing; **décider l'~ de la construction/production de qch** to decide to halt the building/production of sth; **sans ~** (sans escale) nonstop; (sans interruption) constantly; **je suis dérangée sans ~** I'm continually being disturbed; **ce train est sans ~ jusqu'à Toulouse** this train goes nonstop to Toulouse; **tousser/interrompre/se défaire sans ~** to cough/to interrupt/to come undone constantly; **nous sommes sans ~ dérangés** we are constantly being disturbed; **il a plu sans ~ pendant une semaine** it rained continuously for a week; **il faut sans ~ répéter la même chose** the same thing has to be repeated over and over again; **il faut sans ~ que je te répète la même chose** I have to tell you the same thing over and over again; **à l'~** [*voiture, camion, train*] stationary; [*machine*] (prête à fonctionner) idle; (hors tension) off; **'Dijon: trois minutes d'~!'** 'this is Dijon, there will be a 3-minute stop'; **marquer un temps d'~** to pause; **un coup d'~** a halt; **donner un coup d'~ à** (à construction, concurrence, progression) to stop *ou* halt; **2▸** (dans les transports en commun) stop; **un ~ de bus** a bus stop; **tu descends à quel ~?** which stop are you getting off at?; **~ facultatif/fixe** request/compulsory stop; **3▸** Can (sur un panneau) stop; **4▸** Jur ruling; **rendre un ~** to give *ou* pass a ruling; **5▸** Chasse **chien d'~** pointer; **être en ~** [*chien*] to point; **être en ~ devant qch** fig to stand with one's tongue hanging out in front of sth

B arrêts *mpl* Mil arrest ₵; **être aux ~s, garder les ~s** to be under arrest

(Composés) **~ du cœur** heart failure; **~ sur image** freeze-frame, still; **faire un ~ sur image** to freeze a frame; **~ de jeu** Sport stoppage time; **jouer les ~s de jeu** to play injury time; **~ maladie** (événement) sick leave; (document) sick note; **être en ~ de maladie** to be on sick leave; **~ pipi**○ break in a journey (*to go to the toilet*); **~ de porte** doorstop; **~ sur salaire** Admin, Jur writ of attachment of earnings; **~ de travail** (pour grève) stoppage of work; (pour maladie) (événement) sick leave ₵; (document) sick note; **être en ~ de travail** to be on sick leave; **j'ai un ~ de travail de dix jours** I have a sick note for ten days; **~ de volée** (au rugby) mark; **~s de forteresse** Mil confinement ₵; **~s de rigueur** Mil close arrest ₵; **~s simples** Mil open arrest ₵

arrêté, ~e /aʀete/

A *pp* ▸ **arrêter**

B *pp adj* **1▸** (convenu) **c'est une chose ~e** it's settled; **l'affaire est ~e** the matter has been settled; **la décision est ~e** the decision has been taken; **2▸** (inébranlable) [*idée, principe*] fixed; **avoir des idées trop ~es (sur qch)** to have very fixed ideas (about sth)

C *nm* Admin order, decree; **~ ministériel** ministerial decree; **~ d'expulsion** (contre un étranger) expulsion order, deportation order; (contre un locataire) eviction notice; **~ municipal** bylaw; **~ préfectoral** bylaw (*issued by a prefecture*); **~ de réquisition** requisition order

(Composé) **~ de compte** settlement of account

arrêter /aʀete/ [1]

A *vtr* **1▸** (empêcher d'avancer) lit, fig [*personne, groupe*] to stop [*personne, véhicule, cheval*]; to stop [*chronomètre*]; **~ sa voiture le long du trottoir** to pull up along the kerb GB *ou* curb US, to stop one's car by the kerb GB *ou* curb US; **arrêtez-la!** stop her!; **rien ne les arrête** fig (pour faire un voyage, pour s'amuser) there's no stopping them; péj (pour obtenir de l'argent) they'd stop at nothing; **fais-le, qu'est-ce qui t'arrête?** just do it, what's stopping you?; **c'est le prix du billet qui m'arrête** I'd go if it weren't for the cost of the ticket; **une plaine immense où rien n'arrête le regard** a vast plain where there's nothing as far as the eye can see **2▸** (éteindre) [*personne, mécanisme*] to stop, to switch off [*machine, moteur*]; to switch off [*ventilateur, réveil, radio*]; **arrêtez votre moteur** stop your engine **3▸** (mettre fin à) to stop [*fuite, hémorragie, circulation*]; to stop [*guerre, massacre, invasion*]; to halt [*processus, production, transaction, construction*]; **~ la marche** or **le cours du temps** to halt the passage of time; **les travaux ont été arrêtés** work has been halted; **~ qn** (dans une conversation) to stop sb; **je vous arrête tout de suite** I'll stop you straight away; **~ de faire** to stop doing; **arrête de te plaindre/de mentir** stop complaining/lying; **il n'a pas arrêté de pleuvoir** it didn't stop raining; **le téléphone n'arrête pas de sonner** the phone never stops ringing; **elles n'arrêtent pas de bavarder** they never stop talking; **~ de travailler** (définitivement) to stop work; **le trafic est arrêté sur la ligne B en raison d'un accident** service has been suspended on the B line due to an accident; **arrête!** (tu m'ennuies) stop it!; (je ne te crois pas) I don't believe you!; **arrête tes bêtises!** (tais-toi) stop talking nonsense!; (cesse de faire des bêtises) stop fooling around!; (je ne te crois pas) I don't believe you!; **je n'arrête pas en ce moment!** (je suis très occupé) I'm always on the go○ these days!; **'tu n'as qu'à travailler!'—'mais je n'arrête pas!'** 'you should work!'—'but that's what I'm doing!'

4▸ (renoncer à) to give up [*études, compétition, activité, alcool*]; **~ la danse/le piano** to give up dance/(playing) the piano; **~ de faire** to give up doing; **~ de fumer/de boire/de se droguer** to give up smoking/drinking/taking drugs

5▸ (appréhender) [*police*] to arrest; **13 personnes ont été arrêtées lors de la manifestation** 13 people were arrested at the demonstration

6▸ (signer un arrêt de travail pour) [*médecin*] to give [sb] a sick note; **être arrêté pour trois semaines** to be given a sick note for three weeks

7▸ Cout to fasten off [*couture*]; (en tricot) to cast off [*mailles*]

8▸ (déterminer) to fix [*lieu, date*]; to make [*décision*]; to decide on [*plan, principe, mesure*]; to formulate [*clause, décret*]

B *vi* (faire arrêt) to stop (**à** at); (cesser) [*bruit, cri*] to stop ; **le téléphone n'arrête pas** the phone hasn't stopped (ringing)

C s'arrêter *vpr* **1▸** (faire un arrêt) [*personne*] to stop (**pour faire** to do); [*voiture, bus, train*] to stop; **arrête-toi ici** stop here; **sans s'~** without stopping; **s'~ pour se reposer** to stop for a rest; **s'~ dans un restaurant** to stop at a restaurant; **s'~ à Grenoble** [*personne*] to stop off in Grenoble; [*train, car*] to stop in Grenoble; **je me suis arrêté chez un ami** I stopped off at a friend's house; **il était arrêté au feu rouge** he had stopped at the red light

2▸ (cesser de fonctionner) [*montre, pendule, machine*] to stop; [*radio, télévision*] to go dead *ou* off; [*cassette, disque*] to be finished

3▸ (cesser) [*hémorragie, pluie, neige, musique*] to stop; [*émission*] to end; **s'~ de faire** to stop doing; **s'~ de bouger/de pleurer** to stop moving/crying; **s'~ de travailler** to stop working; **ils ne vont pas s'~ là** fig they won't stop there

4▸ (renoncer à) to give up (**de faire** doing); **s'~ de boire/de fumer** to give up drinking/smoking

5▸ (se terminer) [*enquête, recherche, histoire*] to end; [*voie ferrée, chemin, champ, jardin*] to end; **la ressemblance entre les deux s'arrête là** any similarity between the two ends there; **l'affaire aurait pu s'~ là** that could have been the end of the matter

6▸ (fixer son attention sur) **s'~ sur** to dwell on [*texte, point, proposition*]; **s'~ à** to focus on [*détails, essentiel*]; **ce dernier point mérite qu'on s'y arrête** this last point merits some attention

arrhes /aʀ/ *nfpl* Comm deposit (*sg*); **verser des ~** to put down *ou* pay a deposit

arriération /aʀjeʀasjɔ̃/ *nf* backwardness

arrière /aʀjɛʀ/

A *adj inv* [*poche*] back; Mil [*base*] rearguard; Aut [*vitre, portière, roue, feux, frein*] rear; [*banquette*] back; **siège ~** (de voiture) back seat; (de moto) pillion; **les places ~** (de véhicule) the back seats; **la partie ~ du fuselage/bâtiment** the rear of the fuselage/building; **sur le côté ~ gauche du crâne** on the left side of the skull at the back

B *nm* **1▸** (partie) (de voiture, bâtiment) back, rear; (de train, navire) rear; **à l'~** (dans une voiture) in the back; (dans un train, bus, avion) at the back *ou* rear; (sur un bateau) in the stern; (au rugby, football) at the back; **une bicyclette était fixée à l'~ de la camionnette** there was a bicycle on the back of the van; **le capitaine est à l'~ du bateau** the captain is aft; **le moteur est à l'~** the engine is at the back; **une voiture avec le moteur à l'~** a rear-engine car; **en ~** (direction) gén backward(s); **faire un pas en ~** to take a step backward(s); **un pas en avant mais deux en ~** one step forward, two steps back; **il est tombé en ~** he fell over backward(s); **se pencher en ~** to lean backward(s); **pencher la tête en ~** to tilt one's head back; **rester en ~** (parmi les spectateurs) to stand back; (après le départ des autres) to stay behind; (par sécurité, crainte) to keep back; (traîner) to lag behind; **jeter un regard** or **regarder en ~** lit, fig to look back; **remonter de deux ans en ~** to go back two years; **il faut remonter loin en ~** one has to go back a long way; **revenir en ~** [*personne, politique*] lit, fig to go back; (sur un enregistrement) to rewind; **ce qui est fait est fait, on ne peut pas revenir en ~** what's done is done, you can't turn back the clock; **faire un bond en ~** to leap back; **avoir les cheveux tirés en ~** to have one's hair pulled back; **se coiffer en ~** to wear one's hair off the face; **en ~ de** (derrière) behind; **la maison est un peu en ~ de la voie ferrée** the house is set back a bit from the railway line; **vers l'~** backwards; **tendez la jambe vers l'~ en inspirant** stretch your leg backward(s) and breathe in; **2▸** Sport (au rugby, hockey) fullback; (au football) defender; (au basket) guard; (au volley) back-line player; **~ gauche/droit** (au football, hockey) left/right back; **il joue ~** (au rugby) he plays fullback; (au football) he's a defender; **les ~s** (au rugby) the backs; (au football) the defence[GB]; **3▸** Mil (territoire) civilian zone; (population) civilian population

C ‡*excl* begone!

D arrières *nmpl* Mil rear (*sg*); **ils ont attaqué nos ~s** they attacked us in the rear; **surveiller ses ~s** lit, fig to watch one's rear; **assurer ses ~s** fig to cover one's back

arriéré, ~e /aʀjeʀe/

A *adj* **1▸** (rétrograde) [*idées, pratique*] outdated; [*pays, société*] backward; [*personne*] behind the times (*jamais épith*); **2▸** Psych retarded; **3▸** Comm, Fin [*dette*] outstanding; [*paiement, intérêts*] overdue (*jamais épith*); **loyer ~** arrears (*pl*)

B *nm* arrears (*pl*)

arrière-ban, *pl* **~s** /aʀjɛʀbɑ̃/ *nm* ▸ **ban**

arrière-boutique, *pl* **~s** /aʀjɛʀbutik/ *nf* back of the shop

arrière-cour, *pl* **~s** /aʀjɛʀkuʀ/ *nf* lit, fig (enclosed) backyard

arrière-cuisine, *pl* **~s** /aʀjɛʀkɥizin/ *nf* scullery

arrière-garde, *pl* **~s** /aʀjɛʀgaʀd/ *nf* Mil rearguard; **combat d'~** rearguard action; **d'~** [*idée, principe*] regressive

arrière-goût, *pl* **~s*** /aʀjɛʀgu/ *nm* lit, fig aftertaste

arrière-grand-mère, *pl* **arrière-grands-mères** /aʀjɛʀgʀɑ̃mɛʀ/ *nf* great-grandmother

arrière-grand-oncle, *pl* **arrière-grands-oncles** /aʀjɛʀgʀɑ̃tɔ̃kl, *pl* gʀɑ̃zɔ̃kl/ *nm* great-great-uncle

arrière-grand-père, *pl* **arrière-grands-pères** /aʀjɛʀgʀɑ̃pɛʀ/ *nm* great-grandfather

arrière-grands-parents /aʀjɛʀgʀɑ̃paʀɑ̃/ *nmpl* great-grandparents

arrière-grand-tante, *pl* **arrière-grands-tantes** /aʀjɛʀgʀɑ̃tɑ̃t/ *nf* great-great-aunt

arrière-main, *pl* ~**s** /aʀjɛʀmɛ̃/ *nf* hindquarters (*pl*)

arrière-neveu, *pl* ~**x** /aʀjɛʀn(ə)vø/ *nm* great-nephew

arrière-nièce, *pl* ~**s** /aʀjɛʀnjɛs/ *nf* great-niece

arrière-pays /aʀjɛʀpei/ *nm inv* back country, hinterland spéc; **acheter une maison dans l'**~ to buy a house inland

arrière-pensée, *pl* ~**s** /aʀjɛʀpɑ̃se/ *nf* ulterior motive (**de faire** of doing); **sans** ~ without reservation; **non sans** ~ not without ulterior motives

arrière-petite-fille, *pl* **arrière-petites-filles** /aʀjɛʀpətitfij/ *nf* great-granddaughter

arrière-petite-nièce, *pl* **arrière-petites-nièces** /aʀjɛʀpətitnjɛs/ *nf* great-great-niece

arrière-petit-fils, *pl* **arrière-petits-fils** /aʀjɛʀpətifis/ *nm* great-grandson

arrière-petit-neveu, *pl* **arrière-petits-neveux** /aʀjɛʀpətin(ə)vø/ *nm* great-great-nephew

arrière-petits-enfants /aʀjɛʀpətizɑ̃fɑ̃/ *nmpl* great-grandchildren

arrière-plan, *pl* ~**s** /aʀjɛʀplɑ̃/ *nm* lit, fig background; **en** ~, **à l'**~ in the background

arriérer /aʀjeʀe/ [14] *vtr* to defer [*paiement*]

arrière-saison, *pl* ~**s** /aʀjɛʀsɛzɔ̃/ ▸ **p. 769** *nf* late autumn GB, late fall US

arrière-salle, *pl* ~**s** /aʀjɛʀsal/ *nf* backroom (*in café, restaurant*)

arrière-train, *pl* ~**s** /aʀjɛʀtʀɛ̃/ *nm* **1** (d'animal) hindquarters (*pl*); **2** °(d'humain) behind

arrimage /aʀimaʒ/ *nm* **1** Naut (action) stowing, stowage; **2** Astronaut docking

arrimer /aʀime/ [1]
A *vtr* **1** (sur un bateau, une voiture) to stow [sth] away; ~ **qch à** *or* **sur qch** to fasten sth to sth; **2** Astronaut to dock (**à** with)
B s'arrimer *vpr* fig **s'**~ **à** [*pays, communauté*] to bind itself to

arrimeur /aʀimœʀ/ ▸ **p. 532** *nm* stevedore, docker GB, longshoreman US

arrivage /aʀivaʒ/ *nm* **1** Comm delivery, consignment; **attendre un** ~ to expect a delivery; **le dernier** ~ **de fruits** the last delivery of fruit; **un nouvel** ~ a new delivery; **2** (de personnes) influx

arrivant, ~**e** /aʀivɑ̃, ɑ̃t/ *nm,f* **les premiers/derniers** ~**s** the first/last to arrive; **un nouvel** ~ a newcomer, a new arrival

arrivé, ~**e** /aʀive/
A *pp* ▸ **arriver**
B *pp adj* **1** (parvenu au but) **le premier/dernier** ~ the first/last person to arrive; **le premier** ~ **aura un livre** the first person to arrive will get a book; **2** (qui a réussi socialement) **être** ~ to have made it; **se croire** ~ to think one has made it; **tous ces politiciens** ~**s** all these politicians who have made it *ou* arrived
C arrivée *nf* **1** (moment) arrival; **à/dès/après mon** ~**e** when/as soon as/after I arrived; **l'**~**e au pouvoir de la gauche** the left's accession to power; **depuis son** ~**e au pouvoir** since he/she came to power; **il a fait une** ~**e remarquée** he made quite an entry; **l'**~**e du printemps/de l'hiver** the coming of spring/of winter; **attendre l'**~**e de qn** to wait for sb to arrive; **guetter l'**~**e du courrier** to watch out for the post; ~**e à Londres Heathrow, 18 h 30** arrival at London Heathrow, 18.30; **trains à l'**~**e** arrivals; **je t'attendrai à l'**~**e (du train)** I'll meet you off GB *ou* at US your train; **quelle est la gare d'**~**e?** what station does the train arrive at?; **2** Sport, Turf finish; **à/avant l'**~**e** at/before the finish; **je n'aurai rien de plus à l'**~**e** fig I'll be no better off at the end of the day; **3** Tech inlet; ~**e d'air/d'eau** air/water inlet; **le tuyau d'**~**e d'eau** the water supply pipe

arriver /aʀive/ [1]
A *vi* **1** (dans l'espace) [*personne, avion, train, colis, lettre*] to arrive; [*nuage, pluie*] to come; ~ **de** [*personne, train, bus*] to come from; ~ **par** [*eau, gaz*] to come through; ~ **ensemble** to arrive together; **elle n'est pas encore arrivée** she hasn't arrived yet; ~ **à 13 h à Paris** to arrive in Paris at 1 pm; ~ **dans le centre ville/sur la berge** to reach the town centre[GB]/the bank; ~ **par bateau/avion/le train** to arrive by boat/plane/train; **je suis arrivé chez moi** I got home; **j'arriverai chez toi dans l'après-midi/tard** I'll get to *ou* arrive at your place in the afternoon/late; **appelle-nous dès que tu seras arrivé** give us a call as soon as you arrive *ou* get there; ~ **en avance/en retard/à l'heure** to arrive early/late/on time; ~ **juste au bon moment** to arrive *ou* come at just the right moment; **je suis arrivée avant/après toi** I got here before/after you; **elle est arrivée au Japon en 1982** she came to Japan in 1982; **dépêche-toi, le train arrive!** hurry up, the train is coming!; **regarde qui arrive** look who's coming; **le mauvais temps arrive par le nord** the bad weather is coming from the north; **l'eau arrive par ce tuyau** the water comes in through this pipe; **j'arrive!** I'm coming!; **j'arrive du centre ville** I've just come from the city centre[GB]; **j'arrive de Londres** I've just come from London; ~ **en courant** to come running up; ~ **sur qn** [*orage, cyclone*] to hit sb; [*personne*] to descend on sb; **l'eau nous arrivait aux chevilles** the water came up to our ankles, we were ankle-deep in water; **l'eau arrivait au niveau de la fenêtre** the water came up to the window; **ma jupe m'arrive aux chevilles** my skirt comes down to my ankles; ~ **(jusqu')à qn** [*nouvelle, rumeur, odeur*] to reach sb; **heureusement cela n'est pas arrivé jusqu'à lui** *or* **jusqu'à ses oreilles**° luckily it didn't reach him *ou* his ears; ~ **sur scène** [*chanteur, acteur*] to come on stage; ~ **sur le marché** [*personnes, produits*] to come on the market
2 (dans le temps) ~ **en tête/en queue** to come first/last; **en arrivant au ministère** when he/she became minister; **il est arrivé le premier** he arrived first, he was the first to arrive; ~ **dans les premiers** (en compétition) to be among the first to finish; (à une soirée) to be among the first to arrive; **de nombreux signes montrent qu'on arrive à la fin d'une période** a number of signs show that we are coming to the end of an era; ~ **à son terme** [*contrat*] to expire; [*projet*] to come to an end; **ce plan arrive au moment où** this plan comes at a time when; **maintenant j'arrive au problème de la drogue** now, I'll come to the problem of drugs; **'qu'en est-il du chômage?'—'j'y arrive'** 'what about unemployment?'—'I'm coming to that'; **tu arrives à un âge où** you are getting to an age when
3 (avec un raisonnement, après une suite d'événements) ~ **à une somme** to come to an amount; ~ **à des résultats** to achieve results; ~ **à une solution** to find a solution; ~ **à une conclusion** to come to a conclusion; ~ **à un accord** to reach an agreement
4 (réussir) ~ **à faire** to manage to do, to succeed in doing; **je n'arrive pas à faire** I can't do; **il n'arrive plus à la suivre** he can't keep up with her; **j'essaie, mais je n'y arrive pas** I'm trying, but I can't do it; **je n'arrive à rien** I'm getting nowhere; ~ **à ses fins** to achieve one's ends
5 (aboutir) **on en arrive à des absurdités** you end up with nonsense; **comment peut-on en** ~ **là?** how could it have come to this?; (parlant d'un pays, d'une économie) how did things get into that state?; **j'en arrive à croire que/à me demander si...** I'm beginning to think that/to wonder if...
6 (survenir) [*accident, catastrophe*] to happen; **ce sont des choses qui arrivent** these things happen, it's just one of those things; **cela n'était pas arrivé depuis longtemps** it hadn't happened for a long time; **ça arrive mais c'est rare** it does happen, but not very often; **tout peut** ~ anything can happen; **ça n'arrive qu'aux autres** it only happens to other people; **on ne sait jamais ce qui peut** ~ you never know what may happen; **un accident est si vite arrivé** accidents happen so easily; **voilà ce qui arrive quand on ne fait pas attention** that's what happens when you don't pay attention; **la même chose m'est arrivée il y a un mois** the same thing happened to me a month ago; **tu vois, tout arrive!** I told you, you should never give up hope!
7 (réussir socialement) [*personne*] to succeed; **faire n'importe quoi pour** ~ to do anything to succeed
B *v impers* **il est arrivé quelque chose** something has happened (**à** to); **il arrive toujours quelque chose** something always happens; **qu'est-il arrivé?** what happened?; **il n'est rien arrivé** nothing happened; **il n'arrive jamais rien ici** nothing ever happens around here; **il arrive un moment où** there comes a time when; **il arrive que qn fasse** sometimes sb does; **il m'arrive d'être en retard/d'aller à l'opéra** sometimes I'm late/I go to the opera; **est -ce qu'il arrive que le courrier se perde?** does the mail ever go missing GB *ou* get lost?; **est-ce qu'il t'arrive d'y penser?** do you ever think about it?; **qu'est-il arrivé à ta voiture?** what happened to your car?; **que t'arrive-t-il?** what's wrong with you?; **il m'est arrivé une chose bizarre** something odd happened to me; **quoi qu'il arrive** whatever happens; **je t'appellerai quoi qu'il arrive** I'll call you whatever happens *ou* come what may; **que peut-il** ~ **au pays?** what can happen to the country?

arrivisme /aʀivism/ *nm* ruthless ambition

arriviste /aʀivist/
A *adj* [*attitude, personne*] ruthlessly ambitious
B *nmf* upstart, arriviste GB

arrogance /aʀɔgɑ̃s/ *nf* arrogance

arrogant, ~**e** /aʀɔgɑ̃, ɑ̃t/
A *adj* arrogant
B *nm,f* arrogant person

arroger: **s'arroger** /aʀɔʒe/ [13] *vpr* to appropriate [*titre*]; to assume, to arrogate sout [*droit, privilège, pouvoir*]; to assume [*fonction*]; to arrogate sout [*monopole*]; **s'**~ **le monopole de** fig to claim a monopoly on; **s'**~ **le droit de faire** to assume the right to do; **s'**~ **des prérogatives** to claim *ou* appropriate prerogatives

arroi /aʀwa/ *nm* liter **en grand** ~ in full array; **en mauvais** ~ fig [*affaires*] in disarray

arrondi, ~**e** /aʀɔ̃di/
A *pp* ▸ **arrondir**
B *pp adj* **1** [*objet*] rounded; [*visage*] round; **femme aux formes** ~**es** shapely woman; **2** Cout [*encolure*] round; **3** [*chiffre*] round; **4** Phon [*voyelle*] rounded
C *nm* **1** (d'objet, de visage) roundness; (d'épaule) curve; **l'**~ **de ses formes** her shapely figure; **2** Cout (de jupe, robe) hemline; **l'**~ **du col/de l'emmanchure** the shape of the neck/of the armhole; **3** Aviat flare out; **atterrissage avec** ~ flared landing

arrondir /aʀɔ̃diʀ/ [3]
A *vtr* **1** (rendre rond) to round [sth] off [*objet*]; to round off [*bord*]; to open [sth] wide [*yeux*]; to make the hem of [sth] even [*jupe*]; ~ **la bouche** to purse one's lips; **cette coiffure lui arrondit le visage** that hairstyle makes her face look round; ~ **les bras au dessus de la tête** to arch one's arms above one's head; **2** (adoucir) to make [sth] softer [*mouvement*]; to polish [*phrase*]; ~ **le caractère de qn** to make sb a more rounded character; **3** (dans un calcul) to round off [*chiffre, résultat*]; **on arrondit?** shall we round it off?; ~ **à l'euro supérieur/inférieur** to round up/down to the nearest euro; **en arrondissant** in round figures; **4** (augmenter) to increase [*fortune, patrimoine*] ; ~ **son revenu** *or* **ses fins de mois** to supplement one's income (**en faisant** by

doing); **5** Naut to round [*cap*]; **6** Phon to round [*voyelle*]
B **s'arrondir** *vpr* **1** (devenir rond) [*objet*] to become round(ed); [*personne, visage, ventre*] to fill out; [*yeux*] to widen; **2** (s'adoucir) [*personne*] to mellow; **3** (augmenter) [*fortune, patrimoine*] to be growing
(Idiome) **~ les angles** to smooth the rough edges

arrondissement /aʀɔ̃dismɑ̃/ *nm* **1** (de ville) arrondissement; **2** (petite région) *administrative division*

> **Arrondissement**
> A subdivision of a *département*. Each *arrondissement* has a *sous-préfet* representing the state administration at local level. In Paris, Lyons and Marseilles, an *arrondissement* is a sub-division of the commune, and has its own *maire* and local council.

arrosage /aʀozaʒ/ *nm* **1** (de plante, champ) watering; (de sol) spraying; **2** Mil (bombardement) bombardment; **3** °(corruption) palm-greasing°; **4** °(célébration) celebratory drink

arroser /aʀoze/ [1]
A *vtr* **1** (avec de l'eau) [*personne*] (avec un arrosoir, un tuyau) to water [*plante, champ*]; (avec un arroseur) to sprinkle [*plante, champ*]; [*personne, arroseuse*] to spray [*rue, trottoir*]; [*pluie*] to water; **région bien/peu arrosée** region with a lot of/very little rainfall; **un orage arrive, on va se faire ~°!** there's a storm coming on, we're going to get soaked!; **2** (avec un autre liquide) **~ qch d'essence** to douse sth with petrol GB *ou* gasoline US; **~ qch de sang** to cover sth with blood; **~ qch de ses larmes** liter to bathe sth with one's tears; **3** [*rivière*] to water [*région, ville*]; **4** Culin to baste [*rôti*]; to sprinkle [*gâteau*] (**de** with); to lace [*cocktail, café*] (**de** with); **5** (avec une boisson) [*personne*] to wash [sth] down with drink [*repas, plat*]; to drink to [*promotion, victoire*]; **un repas arrosé au bourgogne** a meal washed down with Burgundy; **il faut ~ ça** we must drink to that; **une soirée un peu trop arrosée** a rather over-alcoholic evening; **6** (avec des balles) to spray; (avec des obus) to bombard; **7** °(corrompre) **~ qn** to grease sb's palm°; **toutes les entreprises de la région ont été arrosées par le candidat** the candidate has bought off all the companies in the area
B **s'arroser°** *vpr* (se fêter) **ça s'arrose** that calls for a drink; **un succès comme ça doit s'~ au champagne** such success calls for champagne

arroseur /aʀozœʀ/ *nm* (appareil) sprinkler
(Idiome) **c'est l'~ arrosé** he's been hoisted by his own petard

arroseuse /aʀozøz/ *nf* (véhicule) (mobile) street sprinkler

arrosoir /aʀozwaʀ/ *nm* watering can

arsenal, *pl* **-aux** /aʀsənal, o/ *nm* **1** Naut (chantier naval) naval shipyard; **2** Mil (dépôt, fabrique d'armes) arsenal; **3** (matériel) gear ¢, paraphernalia ¢; **4** (grand nombre) **tout un ~ de** a whole battery of

arsenic /aʀsənik/ *nm* arsenic; **empoisonné à l'~** poisoned with arsenic; **empoisonnement à l'~** arsenic poisoning

arsenical, **~e**, *mpl* **-aux** /aʀsənikal, o/ *adj* arsenical

art /aʀ/
A *nm* **1** (création, œuvres) art; **l'~ abstrait/chinois/nègre** abstract/Chinese/Negro art; **l'~ du Moyen-Âge** the art of the Middle Ages; **l'~ pour l'~** art for art's sake; **d'~** [*amateur, livre, galerie*] art (*épith*); ▸ **grand**; **2** (savoir-faire) art; (habileté) skill; **c'est tout un ~ de créer un parfum** creating a perfume is an art in itself; **c'est du grand ~** it's a real art; **il nous a enseigné l'~ du mime/du trucage/de faire des sauces** he taught us the art of mime/of special effects/of sauce-making; **l'~ de l'écrivain/du jardinier** the writer's/gardener's art; **ils ont un ~ consommé du compromis** they have perfected the art of compromise; **avoir l'~ et la manière** to have the skill and the style (**de faire qch** to do sth); **avec ~** (artistement) artistically; (habilement) skilfully[GB]; **elle joue/s'exprime avec un ~ consommé de la nuance** she plays/expresses herself with a fine command of nuance; **3** (don) knack; **elle a l'~ de convaincre/de plaire** she has the knack of convincing/of pleasing people; **il a l'~ de parler pour ne rien dire** he's very good at talking without saying anything
B **arts** *nmpl* arts; ▸ **école**
(Composés) **~ contemporain** contemporary art; **~ déco** art deco; **un meuble ~ déco** a piece of art deco furniture; **~ dramatique** drama; **~ floral** flower arranging; **~ de la guerre** art of war; **~ lyrique** opera; **~ martial** martial art; **~ nouveau** art nouveau; **un vase ~ nouveau** an art nouveau vase; **~ oratoire** public speaking; **~ poétique** (versification, ouvrage) art of poetry; **~ de la table** art of entertaining; **~ de vivre** art of living; **être célibataire c'est plus que vivre seul, c'est un ~ de vivre** there's more to being a bachelor than living on your own, it's an art; **~s appliqués** applied arts; **~s décoratifs** decorative arts; **~s graphiques** graphic arts; **~s libéraux** liberal arts; **~s mécaniques** mechanical arts; **~s ménagers** home economics; **le Salon des Arts Ménagers** ≈ the Ideal Home Exhibition GB, the Home Show US; **~s plastiques** plastic arts; **~ premiers** primitive art

Artaban /aʀtabɑ̃/ *npr* **fier comme ~** proud as a peacock

Artémis /aʀtemis/ *npr* Artemis

artère /aʀtɛʀ/ *nf* **1** Anat artery; **~ axillaire/humérale/pulmonaire** axillary/brachial/pulmonary artery; **2** (voie) artery; **grande ~, ~ principale** (rue) main thoroughfare *ou* street; (route) arterial road
(Idiome) **on a l'âge de ses ~s** there's no getting away from one's actual physical age

artériel, -ielle /aʀteʀjɛl/ *adj* arterial

artériographie /aʀteʀjɔgʀafi/ *nf* arteriography

artériole /aʀteʀjɔl/ *nf* arteriole

artériopathie /aʀteʀjopati/ *nf* arteriopathy

artériosclérose /aʀteʀjoskleʀoz/ ▸ **p. 283** *nf* arteriosclerosis

artérite /aʀteʀit/ ▸ **p. 283** *nf* arteritis

artésien /aʀtezjɛ̃/ *adj m* **puits ~** artesian well

arthrite /aʀtʀit/ ▸ **p. 283** *nf* Méd arthritis; **avoir de l'~** to have arthritis

arthritique /aʀtʀitik/ *adj, nmf* arthritic

arthrographie /aʀtʀogʀafi/ *nf* arthrography

arthropathie /aʀtʀopati/ *nf* arthropathy

arthropode /aʀtʀɔpɔd/ *nm* arthropod; **les ~s** Arthropoda

arthrose /aʀtʀoz/ ▸ **p. 283** *nf* osteoarthritis; **avoir de l'~** to suffer from osteoarthritis

artichaut /aʀtiʃo/ *nm* (globe) artichoke
(Idiome) **avoir un cœur d'~** to be fickle (*in love*)

article /aʀtikl/
A *nm* **1** Presse article (**sur** about, on); **dans un ~ publié dans le Monde** in an article published in le Monde; **série d'~s consacrés à** series of articles about; **l'~ de M. Berne/de Libération** the article by M. Berne/in Libération; **2** Ling article; **~ défini/indéfini** definite/indefinite article; **3** Édition (de dictionnaire) entry; **4** Comm (pris individuellement) item; **quels ~s sont les plus demandés?** which items are most in demand?; **~s de consommation courante** basic consumer items; **faire l'~ à qn** (pour vendre) to give sb the sales pitch; fig to try to win sb over; **5** Jur (de loi, traité, convention) article; (de contrat) clause; **il est très strict sur cet ~** he's very particular about that; **6** Fin item; **7** Ordinat (de forum) news posting, article; **8** Bot, Zool segment
B **articles** *nmpl* Comm goods (*pl*); **catalogue d'~s de luxe/voyage** catalogue[GB] of luxury/travel goods; **~s de pêche/sport** fishing/sports equipment; **tous les ~s de sport** all sports equipment ¢; **~s de toilette** toiletries
(Composés) **~ de fond** feature article; **~ de synthèse** synthesis; **~ de tête** editorial
(Idiome) **être à l'~ de la mort** to be at death's door

articulaire /aʀtikylɛʀ/ *adj* articular

articulation /aʀtikylasjɔ̃/ *nf* **1** Anat (jointure) joint, articulation spéc; (mouvement) articulation; **~ du coude/de la hanche** elbow/hip joint; **~ mobile/semi-mobile/immobile** mobile/cartilaginous/fused joint; **2** Mécan mobile joint; **3** Phon articulation; **point/mode d'~** place/manner of articulation; **double ~** Ling double articulation; **4** (élément) (de phrase) linking sentence; (de paragraphe) linking paragraph; **5** (structure) (d'argumentation) (logical) connection; (de dissertation, discours) structure, logical ordering; **6** Jur ≈ statement of claims

articulatoire /aʀtikylatwaʀ/ *adj* articulatory

articulé, **~e** /aʀtikyle/
A *pp* ▸ **articuler**
B *pp adj* [*trolleybus, autobus, membre*] articulated; [*glace*] adjustable; [*son*] articulate
C *nm* **1** Zool arthropod; **2** Dent **~ dentaire** dental occlusion

articuler /aʀtikyle/ [1]
A *vtr* **1** (prononcer) to articulate [*mot, phonème, son*]; to utter [*phrase*]; **articule quand tu parles!** speak clearly!; **2** Mécan (assembler) to connect [*pièce*] (**sur** to); **3** (structurer) to structure [*idées, discours*]; **j'ai articulé mon discours/le débat autour de deux thèmes** I structured my speech/the discussion around two themes
B **s'articuler** *vpr* **1** Anat **s'~ à** *or* **avec** [*os*] to articulate with [*os*]; **2** Mécan **s'~ à** *or* **sur** [*pièce*] to connect to [*axe*]; **3** (être structuré) **s'~ autour de** [*débat, action*] to be based on [*idées, thème*]

artifice /aʀtifis/ *nm* **1** (ruse) (ingenious) trick; **user d'~s pour...** to use (all sorts of) tricks to...; **les ~s d'un grand séducteur** the ploys of a great charmer; **2** (moyen ingénieux) device; **les ~s du style** stylistic devices; **3** (résultat ingénieux) effect; **~s scéniques/d'éclairage** stage/lighting effects; **4** (procédé) artifice; **sans ~** [*être*] unpretentious; [*agir*] unpretentiously

artificiel, -ielle /aʀtifisjɛl/ *adj* **1** (fabriqué) gén [*intelligence, lumière, fibre*] artificial; [*port, colline*] man-made; **lac ~** artificial lake; **2** (faux) pej [*besoins*] artificial; [*vie, plaisirs*] superficial; [*gaieté, rire*] forced; [*enthousiasme*] false; **3** (arbitraire) [*notion, classification*] arbitrary; [*argumentation*] contrived

artificiellement /aʀtifisjɛlmɑ̃/ *adv* **1** (en fabriquant) [*produire*] by artificial means, artificially; **fibre fabriquée ~** man-made fibre[GB]; **2** (arbitrairement) [*résoudre, différencier*] arbitrarily

artificier /aʀtifisje/ ▸ **p. 532** *nm* **1** (fabricant) (de feux d'artifice) fireworks manufacturer; (d'explosifs) explosives manufacturer; **2** (qui désamorce) bomb disposal expert

artificieusement /aʀtifisjøzmɑ̃/ *adv* liter in a deceitful way

artificieux, -ieuse /aʀtifisjø, øz/ *adj* liter [*paroles, procédés*] deceitful; [*compliments*] insincere

artillerie /aʀtijʀi/ *nf* Mil **1** (matériel) artillery; **~ lourde/de campagne** heavy/field artillery; **2** (corps de l'armée) artillery; **il est dans l'~**

a

a

he's in *ou* with the artillery; ~ **navale** naval guns (*pl*); ~ **antiaérienne** anti-aircraft guns (*pl*); [3] ◑(arme à feu) gun
(Idiome) **sortir la grosse** ~ to bring out the big guns

artilleur /aʀtijœʀ/ *nm* Mil artilleryman, gunner

artimon /aʀtimɔ̃/ *nm* Naut (voile) mizzen; (mât) mizzen(mast); **mât d'**~ mizzenmast

artisan /aʀtizɑ̃/ ▸ p. 532 *nm* [1] (travailleur) artisan, (self-employed) craftsman; **il est** ~ **menuisier** he's a self-employed carpenter *ou* joiner; [2] (auteur) architect; **être l'**~ **de qch** to be the architect of sth; **être l'**~ **de son propre malheur** to bring about one's own misfortune

artisanal, ~**e**, *mpl* **-aux** /aʀtizanal, o/ *adj* **activités/professions** ~**es** craft industries/professions; **foire/tradition** ~**e** craft fair/tradition; **méthode** ~**e** traditional method; **petites entreprises** ~**es** cottage industries; **ils sont restés à un stade très** ~ they are still at the cottage industry stage; **de fabrication** ~**e** [*objet*] hand-crafted; [*charcuterie, pain, moutarde*] made by traditional methods; [*jambon*] home-cured; [*bombe*] home-made

artisanalement /aʀtizanalmɑ̃/ *adv* **fabriqué** ~ [*objet*] hand-crafted; [*charcuterie, pain*] made by traditional methods

artisanat /aʀtizana/ *nm* [1] (activité) craft industry, cottage industry; **l'**~ **connaît un renouveau** the craft industry is making a comeback; [2] (groupe social) artisans (*pl*)
(Composé) ~ **d'art** arts and crafts

artiste /aʀtist/ ▸ p. 532
A *adj* [1] (créatif) artistic; [2] (peu sérieux) **il est un peu** ~ he's a bit of a clown
B *nmf* [1] (créateur) artist; **une sensibilité d'**~ an artistic sensibility; [2] (chanteur, danseur, musicien) artist performer; (de music-hall) artiste; ~ **dramatique** actor; ~ **de cinéma** film actor; ~ **lyrique** opera singer; ~ **invité** *or* **en représentation** guest artist; [3] (bon à rien) clown; **salut l'**~○**!** hello there!
(Composé) ~ **peintre** painter

artistement /aʀtistəmɑ̃/ *adv* artistically

artistique /aʀtistik/ *adj* artistic

artistiquement /aʀtistikmɑ̃/ *adv* artistically

artothécaire /aʀtɔtekɛʀ/ ▸ p. 532 *nmf* librarian at an art lending library

artothèque /aʀtɔtɛk/ *nf* art lending library

arum /aʀɔm/ *nm* arum lily

aryen, **-enne** /aʀjɛ̃, ɛn/ *adj* Aryan

Aryen, **-enne** /aʀjɛ̃, ɛn/ *nm,f* Aryan

arythmie /aʀitmi/ *nf* arrhythmia

as /ɑs/ *nm inv* [1] Jeux (aux cartes, dés, dominos) ace; (au loto, tiercé) **l'**~ number one; ~ **de cœur/trèfle** ace of hearts/clubs; [2] ○(champion) ace○; ~ **du volant** ace○ *ou* crack driver; ~ **du ciel** flying ace; **être un** ~ **en cuisine** to be an ace○ *ou* a brilliant○ cook; **tu es un** ~**!** you're brilliant○!; **pour faire des bêtises tu es vraiment un** ~ when it comes to doing stupid things you're the best *ou* the world champion; [3] Sport (au tennis) ace
(Composé) ~ **de pique** lit ace of spades; fig○ [*croupion*] parson's nose; **être ficelé** *or* **fagoté comme l'**~ **de pique**○ to look a mess
(Idiomes) **être plein aux** ~○ to be loaded○, to be stinking rich○; **passer à l'**~○ (être gaspillé) [*somme d'argent*] to be *ou* to go down the drain; (être annulé) [*projet, augmentation, vacances*] to go by the board; (ne pas être compté) [*consommations*] gén to be overlooked; (sur une facture) to be left off the bill; **passer qch à l'**~ (ne pas compter) to forget about sth deliberately

AS /aɛs/ *nf* [1] (*abbr* = **Armée secrète**) Secret Army; [2] *abbr* ▸ **association**

asbeste /asbɛst/ *nm* asbestos

asbestose /asbɛstoz/ ▸ p. 283 *nf* Méd asbestosis

ascaris /askaʀis/ *nm inv* roundworm

ascendance /asɑ̃dɑ̃s/ *nf* [1] (ligne généalogique) descent; **il est d'**~ **normande** he is of Norman descent; [2] (ancêtres) ancestry; [3] Aviat, Météo thermal; [4] Astron rising

ascendant, ~**e** /asɑ̃dɑ̃, ɑ̃t/
A *adj* [*courbe, trait*] rising; [*mouvement*] upward; [*astre*] ascending; [*aorte, côlon*] ascending; **dans sa phase** ~**e** Astron during its ascent; ▸ **courant B**
B *nm* [1] (ancêtre) ancestor; (parent) Jur ascendant; [2] (pouvoir) influence (**sur** over); **avoir de l'**~ **sur qn** to have influence over sb, to have a hold on sb; **prendre de l'**~ **sur qn** to gain influence over sb; [3] Astrol ascendant; **elle est scorpion,** ~ **sagittaire** she's a Scorpio with a Sagittarius ascendant

ascenseur /asɑ̃sœʀ/ *nm* [1] Transp lift GB, elevator US; **immeuble sans** ~ building without a lift GB, walk-up building US; [2] Ordinat slider, scroll box
(Composé) ~ **social** social ladder
(Idiome) **renvoyer l'**~ to return the favour[GB]

ascension /asɑ̃sjɔ̃/ *nf* [1] (en montagne) ascent; **la première** ~ **hivernale** the first winter ascent; **faire l'**~ **de** to climb [*montagne, sommet*]; [2] (dans les airs) (d'avion) ascent, climb; (d'aérostat, de fusée) ascent; **l'avion était en pleine** ~ **quand...** the aeroplane GB *ou* airplane US was climbing when...; [3] fig (dans une hiérarchie) rise; **les prix sont en pleine** ~ prices are rising sharply; **son** ~ **sociale** his/her rise in social status, his/her social advancement; **son** ~ **professionnelle** his/her climb up the professional ladder

Ascension /asɑ̃sjɔ̃/
A *nf* Relig (fête) Ascension; **l'**~ the Ascension; (jour) Ascension Day
B ▸ p. 435 *nprf* Géog **île de l'**~ Ascension Island

ascensionnel, **-elle** /asɑ̃sjɔnɛl/ *adj* [*mouvement*] upward; [*vitesse*] climbing

ascèse /asɛz/ *nf* [1] Relig asceticism; [2] fig (façon de vivre) form of asceticism

ascète /asɛt/ *nmf* Relig ascetic

ascétique /asetik/ *adj* Relig ascetic

ascétisme /asetism/ *nm* asceticism

ASCII /aski/ *nm* Ordinat (*abbr* = **American Standard Code for Information Interchange**) ASCII

ascorbique /askɔʀbik/ *adj* ascorbic

ASE /aɛsə/ *nf*: *abbr* ▸ **agence**

asepsie /asɛpsi/ *nf* asepsis

aseptique /asɛptik/ *adj* aseptic

aseptisation /asɛptizasjɔ̃/ *nf* (de pièce) disinfection; (d'instrument) sterilization

aseptisé, ~**e** /asɛptize/
A *pp* ▸ **aseptiser**
B *pp adj* [*musique, art*] sanitized; [*vie, monde*] sterile; [*décor, ambiance*] impersonal

aseptiser /asɛptize/ [1] *vtr* to disinfect [*plaie, pièce*]; to sterilize [*instrument*]

asexué, ~**e** /asɛksɥe/ *adj* Biol, Zool asexual

ashkénaze /aʃkenaz/ *nmf* Ashkenazi

asiate /azjat/ *nmf* offensive Asian

asiatique /azjatik/ *adj* Asian

Asiatique /azjatik/ *nmf* Asian

Asie /azi/ ▸ p. 333 *nprf* Asia; ~ **Mineure** Asia Minor

asile /azil/ *nm* [1] gén refuge; Pol asylum; Relig sanctuary; **terre d'**~ land of refuge; **chercher** ~ to seek refuge; **offrir** ~ **pour la nuit** to offer shelter for the night; **trouver** ~ **chez qn** to find refuge in sb's house; **demander l'**~ **politique** to seek political asylum; **donner** ~ **(politique) à qn** to grant sb political asylum; **droit d'**~ Pol right of asylum; Relig right to sanctuary; **droit d'**~ **politique/diplomatique** right to political/diplomatic asylum; **trouver** ~ **dans une église** to find sanctuary in a church; [2] (établissement) ~ **de vieillards** old people's home; ~ **d'aliénés** lunatic asylum; ~ **de nuit** night shelter; **il est bon pour l'**~○ he should be locked up○

asociabilité /asɔsjabilite/ *nf* Sociol antisocial behaviour[GB]

asocial, ~**e**, *pl* **-iaux** /asɔsjal, o/
A *adj* Sociol antisocial
B *nm,f* social misfit

asparagus /aspaʀagys/ *nm inv* asparagus fern

aspartam(e) /aspaʀtam/ *nm* aspartame

aspect /aspɛ/ *nm* [1] (perspective) side; **voir qch sous son** ~ **positif** to see the good side of sth; **je ne connaissais pas Paul sous cet** ~ I didn't know that side of Paul; **examiner la question sous tous ses** ~**s** to examine the question from every angle; **je n'avais pas vu la situation sous cet** ~ I hadn't seen the situation in that light; **prendre un** ~ **inquiétant/bizarre** to take an alarming/a strange turn; [2] (facettes) aspect; **cet** ~ **du problème** that aspect of the problem; **par bien des** ~**s** in many respects; [3] (apparence) appearance; **leur** ~ **physique** their physical appearance; **changer d'**~ to change in appearance; **reprendre son** ~ **normal** to look normal again; **d'**~ **redoutable** formidable-looking; **une femme d'**~ **engageant** a pleasant-looking woman; **avoir l'**~ **du cuir/bois** to look like leather/wood; **garder l'**~ **du neuf** to stay looking new; [4] Ling, Astrol aspect

asperge /aspɛʀʒ/ *nf* [1] (légume) asparagus; [2] ○(personne) pej beanpole○, string bean US

asperger /aspɛʀʒe/ [13]
A *vtr* [1] (avec un jet) to spray (**de** with); (accidentellement) to splash (**de** with); (pour humecter) to sprinkle (**de** with); **se faire** ~ **par une voiture** to get splashed by a (passing) car; [2] Relig ~ **un cercueil/un malade/les fidèles d'eau bénite** to sprinkle a coffin/a sick person/the congregation with holy water
B **s'asperger** *vpr* to splash oneself (**de** with); **s'**~ **le visage d'eau froide** to splash one's face with cold water; **le vainqueur s'est aspergé de champagne** the winner sprayed champagne all over himself; **il s'est aspergé en manipulant le tuyau d'arrosage** he got sprayed by the hosepipe

aspérité /aspeʀite/ *nf* [1] (saillie) (de sol, planche) bump (**de** in); (de paroi rocheuse) protrusion sout (**de** on); [2] (de voix, caractère) asperity, harshness

aspersion /aspɛʀsjɔ̃/ *nf* [1] (avec un tuyau, produit) spraying; [2] Relig (avant la messe) asperges (+ *v sg*); (au baptême) aspersion

aspersoir /aspɛʀswaʀ/ *nm* aspersorium, aspergillum

asphaltage /asfaltaʒ/ *nm* asphalting

asphalte /asfalt/ *nm* asphalt

asphalter /asfalte/ [1] *vtr* to asphalt

asphodèle /asfɔdɛl/ *nm* asphodel

asphyxiant, ~**e** /asfiksjɑ̃, ɑ̃t/ *adj* [*gaz, vapeurs*] asphyxiating

asphyxie /asfiksi/ *nf* [1] Méd death by suffocation, asphyxia; [2] Bot asphyxiation; [3] (arrêt d'activité) [*de réseau routier, d'entreprise*] paralysis

asphyxier /asfiksje/ [2]
A *vtr* [1] Méd to asphyxiate, to suffocate to death; **mourir asphyxié** to die of suffocation; **tu nous asphyxies avec ta fumée de cigarette!** you're choking us to death with your cigarette smoke!; [2] fig (gêner) to paralyse[GB]
B **s'asphyxier** *vpr* [1] Méd to suffocate to death; (avec un gaz) to asphyxiate; **on va s'**~ **avec tous ces fumeurs!** we'll choke to death with all these people smoking!; [2] [*pays, économie*] to become paralysed

aspic /aspik/ *nm* [1] Zool (serpent) asp; [2] Culin aspic; ~ **de viande/poisson/légumes** meat/fish/vegetables in aspic; **faire des** ~**s** to make aspic dishes

aspirant, ~**e** /aspiʀɑ̃, ɑ̃t/
A *adj* [*pompe*] suction; [*ventilateur*] extractor

B *nm,f* (candidat) candidate (**à** for)
C ▸ **p. 406** *nm* Mil (armée de terre, de l'air) ≈ senior officer cadet; (marine) ≈ midshipman cadet

aspirateur /aspiʀatœʀ/ *nm* **1** (appareil ménager) vacuum cleaner, hoover® GB; **passer l'~ (dans une pièce)** to hoover GB *ou* vacuum (a room); **donner un coup○ d'~ dans le salon** to give the sitting room a quick hoover GB *ou* vacuum; **~ industriel** industrial vacuum cleaner; **2** Méd aspirator

aspirateur-balai, *pl* **aspirateurs-balais** /aspiʀatœʀbalɛ/ *nm* electric broom

aspirateur-traîneau, *pl* **aspirateurs-traîneaux** /aspiʀatœʀtʀeno/ *nm* cylinder vacuum cleaner

aspiration /aspiʀasjɔ̃/ *nf* **1** (désir) aspiration (**à** for); **2** Tech (de poussière) sucking up; (de liquide) drawing up; (d'air) drawing in; **nettoyage par ~** vacuum extraction; **3** Physiol inhalation; **pendant l'~** when inhaling, when breathing in; **4** Méd (gastrique, endo-utérine) vacuum extraction

aspiré, **~e** /aspiʀe/
A *pp* ▸ **aspirer**
B *pp adj* aspirated
C **aspirée** *nf* aspirate

aspirer /aspiʀe/ [1]
A *vtr* **1** (inhaler) [*personne*] to breathe in [*air*]; to inhale [*fumée*]; **aspirez, expirez!** breathe in, breathe out!; **2** (avec une paille, un tuyau) to suck up [*boisson, essence*]; (avec un aspirateur) to suck up [*poussière*]; to vacuum [*tapis, pièce*]; (avec une pompe) (pour extraire) to pump [sth] up [*liquide*]; (pour vider) to pump [sth] out [*liquide*]; **3** Ling to aspirate
B **aspirer à** *vtr ind* liter to yearn for [*calme, liberté*]; to aspire to [*honneurs, gloire, fonction*]; **~ à faire** to desire to do

aspirine® /aspiʀin/ *nf* aspirin; **un comprimé** *or* **cachet d'~** an aspirin; **prenez trois ~s** take three aspirins GB *ou* aspirin
(Idiome) **être blanc comme un cachet d'~** to be lily white

aspiro-batteur, *pl* **~s** /aspiʀobatœʀ/ *nm* (upright) vacuum cleaner

assagir /asaʒiʀ/ [3]
A *vtr* to quieten GB *ou* quiet US [sb] down [*personne*]
B **s'assagir** *vpr* (devenir sage) to quieten down GB, to quiet down US; (se ranger) to settle down

assaillant, **~e** /asajɑ̃, ɑ̃t/
A *adj* [*force, armée*] attacking (*épith*)
B *nm,f* attacker, assailant; **les ~s** Mil the attacking forces

assaillir /asajiʀ/ [28] *vtr* **1** (attaquer) [*ennemi*] to attack; [*pluie, orage, grêle*] to buffet; **2** fml (envahir) [*mélancolie*] to plague, to assail sout; **être assailli par le doute** to be assailed by doubts; **3** (se précipiter sur) [*mendiant*] to assail; [*journaliste*] to set upon [*personne*]; **nous avons été assaillis par les médias** we were set upon by the media; **~ qn de questions** to bombard sb with questions

assainir /aseniʀ/ [3]
A *vtr* **1** (rendre sain) to clean up [*maison, rivière, région*]; to purify [*air, atmosphère*]; **2** (améliorer) to clean up, to rehabilitate [*quartier, rue*]; to clean up [*organisation*]; **3** Écon to stabilize [*marché, économie, situation, climat social*]; to streamline [*entreprise, gestion*]; **~ les finances** to make the finances healthier
B **s'assainir** *vpr* [*atmosphère, environnement*] to become healthier; [*marché, économie, monnaie, situation*] to stabilize

assainissement /asenismɑ̃/ *nm* **1** lit (de logement, rivière, région) cleaning up; (d'air, atmosphère, eau) purification; **2** fig (d'économie, de monnaie) stabilization; (d'entreprise, administration) streamlining; (de situation) improvement

assaisonnement /asɛzɔnmɑ̃/ *nm* **1** (vinaigrette) dressing; (sel, poivre, épices) seasoning; **2** (addition d'ingrédients) seasoning; **l'~ d'une viande se fait avant la cuisson** meat should be seasoned before cooking

assaisonner /asɛzɔne/ [1] *vtr* **1** (avec du sel, du poivre, des épices) to season (**de** with); (avec de la vinaigrette) to dress (**de** with); (dans une recette) 'add seasoning'; **~ avec du citron** sprinkle with lemon juice; **la salade est assaisonnée?** is there dressing on the salad?; **une sauce bien assaisonnée** a well-seasoned sauce; **2** (rendre plus vivant) to spice (**de** with); **3** ◐(critiquer) to tick [sb] off○; (escroquer) to rip [sb] off○, to rob

assassin, **~e** /asasɛ̃, in/
A *adj* [*main, regard*] murderous; [*campagne*] vicious; **la remarque assassine lancée par** the poisoned arrow launched by; **lancer une œillade ~e à qn** hum to look daggers at sb; **faire** *or* **lancer une remarque ~e à qn** to make a scathing remark to sb
B *nm* gén murderer; (par idéologie) assassin; **'à l'~!'** 'murder!'
(Composé) **~ en série** serial killer

assassinat /asasina/ *nm* gén murder; (idéologique, politique) assassination

assassiner /asasine/ [1] *vtr* **1** (tuer) to murder [*personne*]; to assassinate [*homme d'État, personnage important*]; **2** (détruire) to destroy; **3** ○(critiquer) to slate○; **4** ○(financièrement) to squeeze [sb] dry, to bleed [sb] white [*personne*]

assaut /aso/ *nm* gén attack (**de** on); (de place forte) assault (**de** on); **donner l'~, partir** *or* **monter à l'~** to attack; **se lancer** *or* **partir** *or* **monter à l'~ de** to launch an attack on [*village, marché, buts adverses*]; [*candidat*] to set out to win [*électeurs*]; [*soliste*] to launch into [*œuvre*]; **prendre d'~** [*soldats, touristes*] to storm; **subir un double/triple ~** to be attacked on two/three fronts; **le buffet a été pris d'~** the buffet was besieged; **la prise d'~ de** the storming of; **à l'~!** attack!; fig **les ~s du froid/de la tempête** the onslaught of cold weather/of the storm

assèchement /asɛʃmɑ̃/ *nm* **1** Agric, Tech (en drainant) draining; (en vidant) emptying; (dû au climat) drying up *ou* out; **2** (de marché financier, caisses publiques) (par les responsables) draining; (dû aux circonstances) drying up

assécher /aseʃe/ [14]
A *vtr* **1** (drainer) to drain [*marais, sol*]; (vider) to empty [*étang, puits*]; (dessécher) [*vent, chaleur*] to dry up [*marais, sol*]; **2** fig [*responsables*] to drain [*économie, caisses d'État*]; [*récession, phénomène*] to dry [sth] up [*marchés financiers*]
B **s'assécher** *vpr* [*étang, puits*] to dry up; [*marais, sol*] to dry out

ASSEDIC /asedik/ *nf* (*abbr* = **Association pour l'emploi dans l'industrie et le commerce**) *organization managing unemployment contributions and payments.* ▸ **ANPE**

assemblage /asɑ̃blaʒ/ *nm* **1** (montage) Tech (de pièces, machine, meuble) assembly (**de** of); Édition (de feuilles) gathering; Cout (de pièces, vêtement) sewing together; **l'~ des pièces par soudure** the welding together of parts; **procéder à l'~ de qch** to assemble sth; **l'~ du moteur nous a pris deux heures** it took us two hours to assemble the engine; **2** (structure) **un livre est un ~ de feuilles** a book is an assembly of pages; **3** (en menuiserie) joint; **~ à onglet/entaille** mitre/halving joint; **4** (réunion) (d'objets, idées, de données) collection, assemblage; (de couleurs, sons) combination; **5** Ordinat assembly; **6** (de thés, cafés, huiles) blend; **7** Vin assemblage (*blending wines of the same vintage*); **8** Art assemblage

assemblé /asɑ̃ble/ *nm* Danse assemblé

assemblée /asɑ̃ble/ *nf* **1** (foule) gathering; Relig **~ (de fidèles)** congregation; **une grande** *or* **nombreuse ~** a large gathering; **à la fureur de l'~** to the fury of those present; **2** (réunion convoquée) meeting; **se réunir en ~** to assemble for a meeting; **convoquer une ~ générale/extraordinaire** to call a general/an extraordinary meeting; **3** Pol (groupe élu) assembly; **~ législative/constituante** legislative/constituent assembly
(Composés) **~ générale**, **AG** general meeting; **~ générale extraordinaire** extraordinary general meeting; **~ générale ordinaire** ordinary general meeting; **l'Assemblée européenne** the European Assembly; **l'Assemblée nationale** the French National Assembly

> **Assemblée nationale**
>
> The lower house of the French parliament, in which 577 *députés* are elected for a five-year term. A member, who must be at least 23 years old, has to be elected by at least 50% of the votes cast and, if necessary, a second round of voting is held to ensure this. Party affiliation is indicated by a *député*'s allocation to a seat within a left-right gradation in the semi-circular chamber.
>
> The *Assemblée nationale* passes laws, votes on the Budget, and questions ministers (who cannot be *députés*).

assembler /asɑ̃ble/ [1]
A *vtr* **1** (monter) to assemble, to put [sth] together [*éléments, pièces, moteur*]; to make up, to sew [sth] together [*vêtement, pull*]; **~ des pièces par collage** to glue pieces together; **2** (disposer ensemble) to put [sth] together, to combine [*idées, mots*]; to combine [*couleurs, sons*]; **~ des mots pour faire une phrase** to put words together *ou* to combine words in a sentence; **3** Ordinat to assemble [*programme*]
B **s'assembler** *vpr* [*foule*] to gather; [*conseillers, députés*] to assemble
(Idiome) **qui se ressemble s'assemble** Prov birds of a feather stick together Prov

assembleur, **-euse** /asɑ̃blœʀ, øz/
A ▸ **p. 532** *nm,f* **1** Ind fitter; **2** Édition gatherer
B *nm* **1** Ordinat (programme, langage) assembler; **2** Comm (commerçant) assembler
C **assembleuse** *nf* Édition (machine) gathering machine

asséner* /asene/ [14] *vtr* **1** (donner) **~ un coup à qn/qch** lit, fig to deal sb/sth a blow; **~ un coup de poing/matraque à qn** to punch/cosh sb; **2** fig (lancer) to hurl [*questions, injures*] (**à** at); to fling [*remarque*]; to fling back [*réplique*]; **la propagande qu'on nous assène** the propaganda we are bombarded with; **une réplique bien assénée** a well-aimed retort

assentiment /asɑ̃timɑ̃/ *nm* (accord) assent, consent; (approbation) approval; **donner son ~ à** to give one's assent *ou* consent *ou* approval to

asseoir* /aswaʀ/ [41]
A *vtr* **1** (sur un siège) to sit [*personne debout*]; to sit [sb] up [*personne allongée*]; **~ qn sur ses genoux** to sit *ou* take sb on one's knee; **faire ~ qn** (contraindre) to make sb sit down; (convier) to offer a seat to sb; **~ l'héritier sur le trône** fig to install the heir on the throne; **2** Constr to seat, to bed [*fondations*]; **3** (établir) to establish [*régime, autorité, réputation, conclusion*]; to set up [*argument*]; **~ sa réputation sur qch** to build one's reputation on sth; **4** Admin, Fisc to base [*cotisation, impôt*] (**sur** on); **5** ○(sidérer) to stagger○; **ça m'a assise** I was staggered
B **s'asseoir** *vpr* **1** [*personne debout*] to sit (down); [*personne allongée*] to sit up; **s'~ sur une chaise/dans un fauteuil/par terre** to sit on a chair/in an armchair/on the floor; **je me suis assise dessus** I sat on it; **s'~ en tailleur** to sit cross-legged; **voulez-vous vous ~?** would you like to sit down?; **il n'y a rien pour s'~** there's nothing to sit on; **asseyez-vous** (invitation) do sit down, do take a seat GB, please be seated; (ordre) sit down; **s'~ à une** *or* **autour d'une table** lit to sit down at a table; fig to sit down at the negotiating table; **s'~ sur le trône** to come to the throne; **2** ○(mépriser) **s'~ sur** not to give a damn about○

assermenté, **~e** /asɛʀmɑ̃te/ *adj* [*témoin, expert*] sworn (*épith*), on oath (*jamais épith*)

assertion /asɛʀsjɔ̃/ *nf* assertion

a

asservir /asɛʀviʀ/ [3] *vtr* to enslave [*peuple, personne*]; to subjugate [*pays*] (**à** to); to control [*presse*]; **être asservi à** to be a slave to

asservissant, **~e** /asɛʀvisɑ̃, ɑ̃t/ fml *adj* [*loi, règle*] oppressive; [*travail*] exacting, demanding

asservissement /asɛʀvismɑ̃/ *nm* fml 1 (action) (de pays) subjugation; (de peuple) enslavement; (de presse) control; 2 (état) subjection (**à** to); **maintenir un pays dans l'~** to keep a country enslaved; 3 fig (de personne) subservience; **l'~ de qn à un parti politique** sb's subservience to a political party; **l'~ de la jeunesse à la mode vestimentaire** youth's slavish following of fashion, youth's enslavement to fashion; 4 Tech (action) servoing; (dispositif) servo control; (système) servosystem, servomechanism

assesseur /asesœʀ/ *nm* Jur magistrate's assistant

assez /ase/ ▸ **p. 691** *adv*

> Lorsqu'il signifie 'suffisamment', *assez* se traduit par *enough*: *les pommes ne sont pas assez mûres* = the apples are not ripe enough; *tu ne manges pas assez* = you don't eat enough.
>
> On notera la place de *enough* avec un adjectif: *assez grand (pour faire)* = tall enough (to do). ▸ **1** ci-dessous.
>
> Lorsqu'il est utilisé pour atténuer un jugement *assez* se traduit par *quite*: *il est assez grand* = he's quite tall. ▸ **2** ci-dessous.

1 (évaluation) enough; **~ fort** strong enough; **~ fort/stupide pour faire** strong/stupid enough to do; **tu n'es pas ~ grand pour atteindre l'interrupteur** you're not tall enough to reach the switch; **~ bien/couramment** well/fluently enough; **avoir ~ de temps/tasses pour tout le monde** to have enough time/cups for everybody; **~ de temps pour finir** enough time to finish; **est-ce qu'il y a ~ de potage pour tout le monde?** is there enough soup for everyone?; **il y en avait à peine ~** there was barely *ou* hardly enough; **nous avons bien ~ de soucis comme ça** we've got quite enough problems as it is; **~!** that's enough (of that)!; **~ de promesses, nous voulons des actes** that's enough talk, we want action; **serons-nous ~?** will there be enough of us?; **il ne travaille pas ~** he doesn't work hard enough; **j'en aurai ~ de quatre** four will be quite enough (for me); **en avoir ~** to be fed up○ (**de** with); **j'en ai ~ de tes mensonges** I've had enough of *ou* I'm fed up○ with your lies; **j'en ai ~ qu'il pleuve tous les jours** I'm getting fed up○ with it raining every day; **il a fini par en avoir ~** he eventually got fed up with it; **il n'y en avait ni trop ni pas ~** there was neither too much nor too little; **je ne vous dirai jamais ~ toute ma reconnaissance** I can't thank you enough; **avez-vous ~ mangé?** have you had enough to eat?; 2 (jugement) quite; **~ jeune/lourd** quite young/heavy; **~ souvent** quite often, fairly often; **je suis ~ pressé** I'm in rather a hurry; **leurs notes sont ~ bonnes** their grades are quite *or* fairly good; **il cuisine ~ bien** he cooks quite well, he's quite a good cook; (plus positif) he cooks rather well; **l'hôtel coûte ~ cher** hotels are rather expensive; **je suis ~ d'accord** I tend to agree; **je les trouve ~ ennuyeux** I find them rather boring

assidu, **~e** /asidy/ *adj* [*travail*] diligent; [*soins*] unremitting; [*présence, fréquentation, visites*] regular; [*élève*] diligent, assiduous; [*employé, chercheur*] hard-working; [*amateur de théâtre, lecteur*] devoted, assiduous; [*amoureux*] devoted; [*soins*] constant; **faire une cour ~e à qn** to court sb assiduously fml

assiduité /asidɥite/

A *nf* 1 (application) diligence; **avec ~** [*travailler*] diligently; [*s'entraîner*] assiduously; [*lire, regarder*] regularly; [*courtiser*] assiduously; 2 (fréquentation régulière) regular attendance

B assiduités *nfpl* assiduities

assidûment* /asidymɑ̃/ *adv* [*travailler*] diligently; [*fréquenter un lieu*] regularly, assiduously; [*s'entraîner*] assiduously

assiégé, **~e** /asjeʒe/ *nm,f* **les ~s** the besieged

assiégeant, **~e** /asjeʒɑ̃, ɑ̃t/ *nm,f* besieger; **les ~** the besiegers

assiéger /asjeʒe/ [15] *vtr* 1 Mil to besiege, to lay siege to [*ville, troupe*]; **la ville/population assiégée** the besieged town/population; **la ville a été assiégée pendant six mois** the town was under siege *ou* besieged for six months; 2 fig (assaillir) to besiege [*magasin, bureau de réclamations*]; **~ la maison de qn** [*journalistes, créanciers*] to lay siege to sb's house; **~ qn** [*créanciers, journalistes*] to besiege sb; **~ qn de questions** to besiege sb with questions; **assiégé de remords** assailed by remorse

assiette /asjɛt/ *nf* 1 (vaisselle) plate; (contenu) plate (**de** of); **finis ton ~** finish what's on your plate; **il n'a pas touché à son ~** he hasn't touched his food; 2 (base) (de route, voie ferrée) bed; 3 Équit seat; **avoir une bonne ~** to have a good seat; **perdre son ~** to become unseated; **prendre son ~** to settle into the saddle; 4 Fisc (d'imposition) **~ (fiscale)** tax base; **détermination de l'~ fiscale** tax assessment; 5 (de véhicule) stability

(Composés) **~ anglaise** Culin assorted cold meats (*pl*); **~ creuse** soup plate; **~ en carton** paper plate; **~ à dessert** dessert plate; **~ plate** dinner plate; **~ à soupe** = **~ creuse**

(Idiome) **ne pas être dans son ~** to be out of sorts

assiettée /asjete/ *nf* plateful

assignable /asiɲabl/ *adj* fml ascribable (**à** to)

assignat /asiɲa/ *nm* Hist *banknote issued during the French Revolution*

assignation /asiɲasjɔ̃/ *nf* 1 (attribution de crédits) allocation; 2 Jur (à défendeur) summons (*sg*); (à témoin) subpoena; **l'huissier lui a délivré une ~** (au défendeur) the bailiff served him with a summons; **~ devant le tribunal de grande instance** (à témoin) subpoena to appear before the high court

(Composés) **~ à comparaître** (à défendeur) summons (*sg*); (à témoin) subpoena; **~ en justice** summons to appear before the court; **~ en référé** urgent summons (*to appear before the court within three days*); **~ à résidence** house arrest

assigner /asiɲe/ [1]

A *vtr* 1 (attribuer) to assign [*tâche, rôle*] (**à** to); to allocate [*crédits*] (**à** to); 2 (déterminer) to fix [*date, limite*] (**à** to); to ascribe [*valeur*] (**à** to); 3 Jur **~ à comparaître** to summons [*défendeur*]; to subpoena [*témoin*]; **~ qn en justice** to summons sb to appear before the court; **~ qn à résidence** to put sb under house arrest

B s'assigner *vpr* **~ un objectif/un but** to set oneself an objective/a goal

assimilable /asimilabl/ *adj* 1 (comparable) **~ à** comparable to; 2 Jur (équivalent) **~ à** [*personne*] deemed; [*avantage, pratique*] deemed equivalent to; **les résidents étrangers sont ~s aux nationaux du point de vue fiscal** foreign residents are deemed nationals for tax purposes; **les primes sont ~s à des salaires** bonuses are deemed equivalent to salaries; 3 (par l'esprit) **des notions ~s dès l'âge de cinq ans** ideas which can be assimilated from the age of five; 4 (intégrable) [*minorité, peuple*] easily assimilated; 5 Physiol [*aliment, substance*] easily assimilated (**par** by)

assimilateur, **-trice** /asimilatœʀ, tʀis/ *adj* [*pigment, fonction*] assimilative

assimilation /asimilasjɔ̃/ *nf* 1 (comparaison) comparison (**de qch à qch** between sth and sth); **il refuse l'~ de son association à une secte** he rejects the comparison between his organization and a sect; 2 Jur (équivalence) **accepter/refuser l'~ d'un couple d'homosexuels à un couple marié** to accept/to refuse to deem a homosexual couple to be a married couple; 3 (de connaissances, langue) assimilation; **ses capacités d'~ sont faibles** his ability to assimilate knowledge is poor; 4 (intégration) (de minorité, peuple) assimilation; 5 Physiol assimilation; 6 Phon assimilation

(Composé) **~ chlorophyllienne** Bot photosynthesis

assimilé, **~e** /asimile/

A *pp* ▸ **assimiler**

B *pp adj* 1 (intégré socialement) [*milieu, minorité*] assimilated; 2 (de même catégorie) **les médicaments et produits ~s** medicines and similar products

C *nm* **cadres et ~s** management and those in the same category

assimiler /asimile/ [1]

A *vtr* 1 (considérer équivalent) **~ l'embargo à une déclaration de guerre/leur silence à un refus** to consider the embargo tantamount to a declaration of war/their silence tantamount to a refusal; **~ les travailleurs à des machines** to treat workers as machines; **~ le livre aux périodiques** to make no distinction between books and periodicals; 2 Jur (considérer équivalent juridiquement) **~ une prime à un salaire** to consider a bonus equivalent to a salary; **être assimilé cadre** to have executive status; 3 (comparer) **~ qch/qn à** to liken sth/sb to; **nous ne voulons pas être assimilés à des délinquants** we don't want to be likened to delinquents; 4 (intégrer) to assimilate [*minorité, communauté*]; 5 (apprendre) to assimilate [*leçon, langue*]; to learn [*métier*]; to adopt [*réflexe, geste*]; 6 Physiol to assimilate [*aliment, substance*]

B s'assimiler *vpr* 1 (être comparable) [*style, méthode*] to be comparable (**à** to); 2 (se comparer) [*personne*] to compare oneself (**à** to); 3 (s'intégrer) [*communauté, minorité*] to become assimilated; 4 Physiol [*aliments, substances*] to be assimilated

assis, **~e** /asi, iz/

A *pp* ▸ **asseoir**

B *pp adj* 1 (position) **être ~** (et non debout) to be sitting down; (et non allongé) to be sitting up; (installé sur un siège) to be sitting down *ou* seated; **j'étais ~ à mon bureau/dans le jardin** I was sitting at my desk/in the garden GB *ou* yard US; **je l'ai trouvée ~e par terre** I found her sitting on the floor; **il était ~ dans son lit** he was sitting up in bed; **rester ~** to remain seated; **rester ~ des heures à attendre/ne rien faire** to sit about waiting for hours/for hours doing nothing; **les enfants, ça ne peut pas rester ~** children can't sit still; **reste ~** (ne te lève pas) don't get up; (ne bouge pas) sit still; **~!** (à un chien) sit!; **on est bien/mal ~ dans cette voiture** the seats in this car are comfortable/uncomfortable; 2 (affirmé) [*situation, réputation*] well-established (*épith*); **son autorité est bien ~e** his authority is well established; **régime ~ sur des bases solides** solidly based regime; 3 ○(époustouflé) staggered; ▸ **chaise**

C *adj* [*personne, position*] seated; **portrait de femme ~e** portrait of (a) seated woman

D assise *nf* 1 (confort) seating; **ce sofa offre une bonne ~e** this is a comfortable sofa; 2 (fondement) basis, foundation; 3 Constr (pour fondations) bedding, hardcore; (rangée) **~e de briques** course of bricks; 4 Géol (couche) stratum; (de montagne, rocher) step; 5 Biol, Bot layer (of cells)

E assises *nfpl* 1 (réunion) gén meeting; Pol conference; **le comité tiendra ses ~es à Paris** the committee will meet *ou* hold its meeting in Paris; 2 Jur assizes; **envoyer qn aux ~es** to send sb for trial; **c'est ce qu'il soutiendra aux ~es** this is what he will say in court

Assise /asiz/ ▸ **p. 894** *npr* Assisi

assistanat /asistana/ *nm* 1 (fonction) Univ assistantship; Cin, Théât position as assistant; 2 pej (aide de l'État) charity

assistance /asistɑ̃s/ *nf* 1 (secours) gén assistance; (à l'étranger) aid; **~ financière** financial assistance; **~ militaire/technique** (à l'étranger) military/technical aid; **demander l'~ d'un avocat** to ask for legal representation; **~ médicale** medical care; **~ judiciaire** legal aid; **porter** *or* **prêter ~ à qn** to assist sb; 2 (auditoire) audience; 3 (présence) attendance (**à** at); 4 Aut **~ à la direction/au freinage** power steering/brakes

(Composés) **l'Assistance publique, AP** ≈ welfare services; **~ respiratoire** artificial respiration.

assistant, ~e /asistɑ̃, ɑ̃t/ ▸ **p. 532** *nm,f* 1 (aide) Cin, TV assistant; Scol (language) assistant; Méd assistant doctor; 2 (personne présente) person present; **l'un des ~s s'est évanoui** one of those present fainted

(Composés) **~ personnel** Ordinat personal digital assistant, PDA; **~ de production** Cin, TV production assistant; **~ réalisateur** Cin, TV assistant director; **~e maternelle** (nourrice) childminder GB, babysitter US; (dans une crèche) crèche worker; **~e sociale** social worker

assisté, ~e /asiste/
A *pp* ▸ **assister**
B *pp adj* 1 [*personne*] gén assisted (**de** by); (par l'État) receiving benefit GB, on welfare US; 2 Ordinat aided; **~ par ordinateur** computer-aided (*épith*); 3 Aut [*freins, direction*] power (*épith*)
C *nm,f person receiving benefit* GB *ou welfare* US; **avoir une mentalité d'~** pej to think one can live on government handouts péj

assister /asiste/ [1]
A *vtr* 1 (aider) to assist (**de, par** by; **dans** with); **il se fait ~ de plusieurs stagiaires** he has several trainees to assist him; **elle m'assiste dans mon travail** she assists me with my work; 2 (secourir) to aid [*réfugiés, pays*]
B assister à *vtr ind* 1 (être présent) **~ à** to be at [*mariage, spectacle*]; to be present at [*couronnement*]; to attend [*réunion, cours, messe*]; 2 (observer) **~ à** to witness [*accident*]; **on assiste à une recrudescence du racisme** we are witnessing a new upsurge in racism

associatif, -ive /asɔsjatif, iv/ *adj* 1 Ling, Math, Psych [*rapport, loi, lien*] associative; **mémoire associative** associative memory; 2 Jur, Sociol [*personne*] belonging to an association; [*réseau, tissu*] of associations; **militant ~** association activist; **responsable ~** association office-holder; **les milieux ~s** associations; **mouvement ~** (ensemble) association; (tendance) trend toward(s) the forming of associations; **à structure associative** with association status; **vie associative** community life

association /asɔsjasjɔ̃/ *nf* 1 Jur (corps constitué) association; **~ de défense des consommateurs** consumer protection association; 2 (regroupement) association; **en ~ avec** in association with; 3 Psych (rapprochement) association; **libre ~** free association; **~ verbale** verbal association; **~ d'idées** association of ideas; 4 (de couleurs, styles, substances) combination; 5 (groupe) Astron, Biol, Chimie, Géol association

(Composés) **~ à but non lucratif** non-profitmaking organization GB, non-profit organization US; **~ déclarée** *association that has registered with the prefecture, and is therefore entitled to receive subsidies or take court action*; **~ (de type) loi de 1901** non-profitmaking organization GB, non profit organization US (*conforming to a law passed in 1901*); **~ familiale** *registered association with the aim of protecting the interests of families*; **~ de malfaiteurs** Jur criminal conspiracy; **~ sportive, AS** sports association; **~ syndicale de propriétaires** association of property owners

associationnisme /asɔsjasjɔnism/ *nm* Philos, Psych associationism

associationniste /asɔsjasjɔnist/ *adj, nmf* Philos, Psych associationist

associativité /asɔsjativite/ *nf* Math associativeness

associé, ~e /asɔsje/
A *pp* ▸ **associer**
B *pp adj* (*after n*) [*membre, directeur, professeur*] associate (*épith*); [*entreprises, organismes*] associated (*épith*); **être ~ à qch/qn** to be associated with sth/sb
C *nm,f* associate, partner; **les ~s européens** Pol the European partners

associer /asɔsje/ [2]
A *vtr* 1 (réunir) to bring together [*personnes*]; **une coproduction qui associe plusieurs éditeurs** a coproduction which brings together several publishers; 2 (faire partager) **~ qn/qch à** to include sb/sth in; 3 (combiner) to combine [*objets, forces, sentiments*] (**à** *or* **et** with); 4 (rapprocher) to associate (**à** with); **~ une couleur à un son** to associate a colour[GB] with a sound
B s'associer *vpr* 1 (s'unir) [*personnes, sociétés*] to go into partnership, to link up (**à, avec** with); **s'~ pour faire** to join forces to do; 2 (se rallier) [*personne, entité*] **s'~ à** to join [*mouvement, manifestation, campagne*]; to join in [*projet, vote, décision, opération*]; to join in (with) [*proposition, accord, activité*]; **s'~ aux efforts de qn** to join in sb's efforts; 3 (partager) **s'~ à la joie/à la peine/à l'indignation de qn** to share in sb's joy/sorrow/indignation; 4 (se combiner) (matériellement) to combine, to be combined (**à** with; **pour faire** in order to do); (abstraitement) to be associated (**à** with; **pour faire** to do)

assoiffé, ~e /aswafe/
A *pp* ▸ **assoiffer**
B *pp adj* 1 lit thirsty; (plus fort) parched○; 2 fig (avide) **~ de** thirsting *ou* hungry for [*pouvoir, liberté*]; **~ de sang** bloodthirsty

assoiffer /aswafe/ [1] *vtr* to make [sb/sth] thirsty [*personnes, animal*]

assolement /asɔlmɑ̃/ *nm* rotation of crops

assoler /asɔle/ [1] *vtr* **~ des terres** to rotate crops

assombri, ~e /asɔ̃bʀi/
A *pp* ▸ **assombrir**
B *pp adj* [*ciel, paysage*] darkened; [*visage, regard*] gloomy

assombrir /asɔ̃bʀiʀ/ [3]
A *vtr* 1 lit [*arbres, papier peint, couleur*] to make [sth] dark [*lieu*]; [*nuages*] to darken [*ciel*]; 2 fig [*nouvelle, événement*] to cast a shadow over [*période, conjoncture, soirée*]; to spoil [*atmosphère*]; **la tristesse assombrit son visage** his/her face clouded
B s'assombrir *vpr* 1 lit [*ciel, paysage, horizon*] to darken; 2 fig [*visage, regard*] to become gloomy; [*conjoncture, perspectives*] to become gloomy

assombrissement /asɔ̃bʀismɑ̃/ *nm* (tous contextes) darkening

assommant○**, ~e** /asɔmɑ̃, ɑ̃t/ *adj* 1 (ennuyeux) [*travail, soirée, livre, personne*] deadly boring○; **c'est ~ de faire la vaisselle** it's a real drag○ doing the dishes; 2 (agaçant) **tu es ~ avec tes questions/conseils** you're a real pain○ with your questions/advice

assommer /asɔme/ [1] *vtr* 1 (étourdir) to knock [sb] senseless; **~ qn à coups de massue** to club sb senseless; **il a reçu un coup à ~ un bœuf** he got a blow that would have felled an ox; 2 ○(ennuyer) to bore [sb] to tears○; **ça m'assomme d'aller chez eux/de faire ce travail** going to see them/this work bores me to tears; **ça m'assomme d'aller à cette réunion!** what a drag○ having to go to that meeting!; 3 ○(agacer) **il nous assomme avec ses histoires** he gets on our nerves with his stories; 4 ○(accabler) [*nouvelle*] to stagger; [*chaleur*] to overcome

assommoir‡ /asɔmwaʀ/ *nm* 1 (arme) club; 2 (débit de boissons) low class bar, grogshop† GB

Assomption /asɔ̃psjɔ̃/ *nf* Relig **l'~** the Assumption

assonance /asɔnɑ̃s/ *nf* assonance

assonant, ~e /asɔnɑ̃, ɑ̃t/ *adj* assonant

assorti, ~e /asɔʀti/
A *pp* ▸ **assortir**
B *pp adj* 1 (en harmonie) [*couleurs, vêtements, linge*] matching; **draps et serviettes ~es** matching sheets and towels; **un couple bien/mal ~** a well-/an ill-matched couple; **un abat-jour ~ aux rideaux** a lampshade that matches the curtains; 2 (varié) [*chocolats, bonbons*] assorted; **pâtisseries ~es** assorted cakes; 3 Comm **une boutique bien/mal ~e** a well-/badly-stocked shop GB *ou* store US

assortiment /asɔʀtimɑ̃/ *nm* 1 (ensemble) (d'outils, de pinceaux) set; (de fromages, charcuterie, légumes) assortment; (de produits de beauté) selection; 2 (harmonie) (de tons, couleurs) match; 3 Comm stock

assortir /asɔʀtiʀ/ [3]
A *vtr* 1 (harmoniser) to match [*couleurs, vêtements*] (**à** to; **avec** with); to match [*convives*]; **~ sa cravate à** *or* **avec ses chaussettes** to match one's tie with one's socks; **son sac à main est assorti à ses chaussures** her handbag matches her shoes; 2 (compléter) **~ qch de qch** to add sth to sth; **ils ont assorti leurs propositions de deux conditions** they added two conditions to their proposals; 3 Comm (approvisionner) to stock [*magasin*]
B s'assortir *vpr* 1 (s'harmoniser) [*couleurs, objets, vêtements*] to match; **s'~ à** *or* **avec qch** to match sth; 2 (être complété) **s'~ de qch** to come with; **la condamnation s'assortit d'une mise à l'épreuve de trois ans** the sentence comes with a three-year probationary period

assoupir /asupiʀ/ [3]
A *vtr* 1 (endormir) to make [sb] drowsy [*personne*]; 2 (atténuer) to dull [*passion, remords, sens*]
B s'assoupir *vpr* 1 lit [*personne*] to doze off; **il était assoupi devant la télévision** he was dozing off in front of the television; 2 fig [*enthousiasme, passion*] to wane; [*haine*] to abate; [*querelle*] to die down; [*activité économique*] to be in a lull; [*ville*] to be sleepy

assoupissement /asupismɑ̃/ *nm* (somnolence) drowsiness; (sommeil) doze; **lutter contre l'~** to fight against drowsiness

assouplir /asupliʀ/ [3]
A *vtr* 1 (rendre moins rigide) to make [sth] supple [*cuir*]; to soften [sth] up [*chaussures*]; to soften [*linge, lainage*]; to make [sth] more supple [*corps, membres*]; to loosen [*muscles*]; fig **~ qn** *or* **le caractère de qn** to make sb more accommodating; 2 (rendre moins strict) to relax [*règlement, politique, sanctions*]; to make [sth] more flexible [*méthode, système*]; to make [sth] less strict [*régime alimentaire*]; **~ sa position/son attitude** to adopt a more flexible position/attitude; **un régime fiscal assoupli** a more flexible system of taxation
B s'assouplir *vpr* 1 (devenir moins rigide) [*cuir*] to become supple; [*chaussures*] to soften up; [*linge, lainage*] to get softer; [*corps, membres*] to become more supple; fig [*caractère, personne*] to become more accommodating; 2 (devenir moins strict) [*règlement*] to become more relaxed; [*régime politique*] to relax; [*méthode, système*] to become more flexible; [*position, attitude*] to become less rigid

assouplissant, ~e /asuplisɑ̃, ɑ̃t/
A *adj* **liquide** *or* **produit ~** fabric softener
B *nm* fabric softener

assouplissement /asuplismɑ̃/ *nm* 1 (de cuir, lainage) softening; (de linge) conditioning; 2 Sport **faire des ~s** *or* **des exercices d'~** to limber up; 3 (de règlement, politique, attitude) relaxing; **s'attendre à un ~ de la politique d'austérité** to expect a relaxation of the austerity measures; **prendre des mesures d'~ des horaires de travail** to take steps to

a

make working hours more flexible

assouplisseur /asuplisœʀ/ *nm* fabric conditioner

assourdir /asuʀdiʀ/ [3]

A *vtr* **1** (rendre sourd) to deafen [*personne*]; **2** (atténuer) [*tapis, rideau, neige*] to muffle [*bruit*]; **la musique nous parvenait assourdie** muffled music reached us

B **s'assourdir** *vpr* **1** [*bruit*] to become muffled; **2** Phon to become voiceless

assourdissant, **~e** /asuʀdisɑ̃, ɑ̃t/ *adj* **1** [*bruit*] deafening; **2** [*bavard, discours*] tiresome

assourdissement /asuʀdismɑ̃/ *nm* **1** (de personne) (action) deafening; (état) temporary deafness; **2** (de bruit) muffling; **3** Phon devoicing

assouvir /asuviʀ/ [3] *vtr* to satisfy [*faim, désir, curiosité*]; to assuage [*colère, passion*]; **~ sa vengeance** to satisfy one's desire for vengeance

assouvissement /asuvismɑ̃/ *nm* **1** (action) (de faim, désir, curiosité) satisfying; (de colère) assuaging; **2** (résultat) satisfaction

assuétude /asɥetyd/ *nf* **1** (tolérance) tolerance; **2** (dépendance) addiction

assujetti, **~e** /asyʒeti/

A *adj* **~ à** liable for; **les personnes ~es à l'impôt sur le revenu** persons liable for income tax; **être ~ à la sécurité sociale** to be obliged to participate in the French national health and pensions system

B *nm,f* (à un impôt) person liable for tax; (à une cotisation) contributor

assujettir /asyʒetiʀ/ [3]

A *vtr* **1** (astreindre) to subject (**à** to); **2** (soumettre) to subjugate, to subdue [*pays, peuple*]; **un peuple assujetti** a subjugated people; **~ qn par la violence** to subdue sb by violence; **3** (fixer) to secure [*étagère, chargement*]

B **s'assujettir** *vpr* [*personne*] to submit (**à** to)

assujettissant, **~e** /asyʒetisɑ̃, ɑ̃t/ *adj* fml [*travail, tâche*] demanding; [*devoirs*] exacting

assujettissement /asyʒetismɑ̃/ *nm* subjection (**à** to); **~ à l'impôt** Fisc liability for tax

assumer /asyme/ [1]

A *vtr* **1** (prendre en charge) to take [*responsabilité*]; to hold [*fonctions*]; to meet [*coûts, dépenses*]; **il assume la gestion de l'entreprise** he manages the firm on his own; **je ne peux ~ seul les frais de son éducation** I can't take on the cost of his/her education on my own; **2** (accepter) to come to terms with [*condition, identité, passé*]; to accept [*conséquences*]; **elle a du mal à ~ sa maternité** she's finding it difficult to accept that she's become a mother

B ○*vi* to cope

C **s'assumer** *vpr* to come to terms with oneself

assurable /asyʀabl/ *adj* insurable; **non ~** uninsurable

assurage /asyʀaʒ/ *nm* Sport belay

assurance /asyʀɑ̃s/ *nf* **1** (aisance, aplomb) (self-)confidence, self-assurance; (maîtrise) assurance; **avoir** *or* **montrer de l'~** to be self-confident; **prendre de l'~** to gain confidence, to become more confident; **perdre (de) sa belle ~** to lose (some of) one's self-confidence; **regard/air plein d'~** confident look/appearance; **avec ~** confidently; **2** (promesse) assurance; (certitude) certainty; **obtenir** *or* **recevoir l'~ que** to be assured that; **donner à qn l'~ que** to assure sb that; **donnez-moi l'~ que** give me your assurance that; **il n'a accepté de partir qu'avec l'~ que** he agreed to leave only on the assurance that; **avoir l'~ de perdre/gagner** to be certain to lose/win; **il est innocent, j'en ai l'~** I'm convinced *ou* certain that he is innocent; **ils avaient l'~ de ne pas être dérangés** they could be sure of not being disturbed; **veuillez agréer l'~ de mes sentiments distingués/ma considération** (à une personne nommée) yours sincerely; (à une personne non nommée) yours faithfully; **3** Assur (garantie) insurance (**contre** against); (contrat) insurance (policy); (compagnie) insurance company; (prime) insurance (premium); (secteur) **l'~, les ~s** insurance; **~ sur la vie** life insurance; **contracter** *or* **souscrire une ~ contre l'incendie** to take out insurance *ou* to insure against fire; **avoir une bonne ~** to be well insured; **4** Prot Soc (prestations) benefit ₵ GB, benefits (*pl*) US; **5** (en alpinisme) belaying

(Composés) **~ automobile** car insurance; **~ chômage** (système) unemployment insurance; (prestations) unemployment benefit GB *ou* benefits (*pl*) US; **~ incendie** fire insurance; **~ individuelle accident** personal accident insurance; **~ maladie** (système) health insurance; (prestations) sickness benefit GB *ou* benefits (*pl*) US; **~ maritime** marine insurance; **~ maternité** maternity benefit GB *ou* benefits (*pl*) US; **~ mixte** endowment policy *ou* insurance; **~ multirisque** comprehensive insurance; **~ multirisque habitation** comprehensive household insurance; **~ mutuelle** (association) mutual insurance society; **~ responsabilité civile** third-party insurance; **~ scolaire** pupil's personal accident insurance; **~s sociales** social insurance ₵; **~ au tiers** third-party insurance; **~ tous risques** comprehensive insurance; **~ vieillesse** state pension; **~ voyage** travel insurance

assurance-crédit, *pl* **assurances-crédit** /asyʀɑ̃skʀedi/ *nf* credit insurance

assurance-vie, *pl* **assurances-vie** /asyʀɑ̃svi/ *nf* life insurance

assuré, **~e** /asyʀe/

A *pp* ▸ **assurer**

B *pp adj* **1** (sûr) [*personne*] sure, certain; **être ~ de qch/de trouver qch** to be sure *ou* certain of sth/of finding sth; **~ qu'il était de ne jamais les revoir** since he was sure *ou* certain he would never see them again; **elle se dit ~e du succès de l'entreprise** she says she is sure *ou* certain that the venture will succeed; **se sentir mal ~ de l'avenir** to feel uncertain of the future; **tenir qch pour ~** to take sth as certain, to be certain *ou* confident of sth; **75% des voix leur sont ~es** they are sure of 75% of the vote; **soyez ~ de ma reconnaissance** I am very grateful to you; **2** Assur [*personne, marchandise*] insured; **la personne ~e** the insured party; **non ~** uninsured

C *adj* **1** (plein d'assurance) [*démarche, air*] confident; [*main*] steady; **dit-il d'une voix ~e** *or* **d'un ton ~** he said confidently; **mal ~** [*pas, main*] unsteady; [*geste, ton*] nervous; [*voix*] unsteady, trembling; **sa démarche est encore mal ~e** he's/she's still rather unsteady on his/her legs; **2** (garanti) [*échec, réussite*] certain; [*situation, succès*] assured; **il a son avenir ~ dans l'entreprise** his future in the firm is assured; **avoir la subsistance ~e** to have a secure livelihood; **leur statut professionnel est mal ~** their professional status is rather shaky; **maintenant que sa collaboration nous est ~e** now that we are sure of his/her cooperation; **opération dont la réussite est ~e** operation which is sure to succeed, sure-fire operation

D *nm,f* Assur insured party

(Composé) **~ social** Prot Soc social insurance contributor

assurément /asyʀemɑ̃/ *adv* gén definitely; (pour autoriser) most certainly; **tu n'as ~ rien à leur envier** you definitely have no reason to envy them; **~ pas** gén definitely not; (pour refuser) certainly not

assurer /asyʀe/ [1]

A *vtr* **1** (affirmer) **~ à qn que** to assure sb that; **cela marchera, m'assura-t-il** he assured me it would work; **le journal assure qu'il est mort** the paper claims that he's dead; **ce n'est pas drôle, je t'assure** believe me, it's no joke; **qu'est-ce que tu es maladroit, je t'assure**○**!** you really are clumsy!

2 (faire part à) **~ qn de** to assure sb of [*affection, soutien*]

3 Assur to insure [*biens*] (**contre** against); **~ sa voiture contre le vol/qn sur la vie** to insure one's car against theft/sb's life

4 (effectuer) to carry out [*maintenance, tâche*]; to provide [*service*]; (prendre en charge) to see to [*livraison*]; **ils n'assurent que les réparations urgentes** they only carry out urgent repairs; **le service après-vente est assuré par nos soins** we provide the after-sales service; **~ l'approvisionnement en eau d'une ville** to supply a town with water; **le service ne sera pas assuré demain** there will be no service tomorrow; **sa propulsion est assurée par deux turboréacteurs** it is propelled by two turbojets; **le centre assure la conservation des embryons** the centre[GB] stores embryos; **~ la liaison entre** [*train, car*] to run between; [*ferry*] to sail between; [*compagnie*] to operate between; **un vol quotidien assure la liaison entre les capitales** a daily flight links the two capitals; **~ la gestion/défense/sauvegarde de** to manage/to defend/to safeguard; **~ sa propre défense** Jur to conduct one's own defence[GB]; **~ les fonctions de directeur/président** to be director/chairman

5 (garantir) to ensure [*bonheur, gloire*]; to ensure, to secure [*victoire, paix, promotion*]; to give [*monopole, revenu*]; (par des efforts, une intervention) to secure [*droit, situation*] (**à qn** for sb); to assure [*position, avenir*]; to protect [*frontière*]; **pour ~ le succès commercial** (in order) to ensure commercial success; **cela ne suffira pas à ~ son élection** that won't get him/her elected; **il est là pour ~ la bonne marche du projet** his role is to make sure *ou* to ensure that the project runs smoothly; **~ sa qualification en finale** to get into the final; **ce rachat assure à l'entreprise le monopole** the takeover gives the company a guaranteed monopoly; **il veut leur ~ une vieillesse paisible** he wants to give them a peaceful old age; **mon travail m'assure un revenu confortable** my job provides me with *ou* gives me a comfortable income; **il assure une rente à son fils** he gives his son an allowance; **le soutien de la gauche lui a assuré la victoire** the support of the left secured his/her victory; **il a réussi à leur ~ un poste** he managed to secure a position for them; **l'exposition devrait ~ 800 emplois** the exhibition ought to create 800 jobs; **~ ses vieux jours** to provide for one's old age

6 (rendre stable) to steady [*escabeau*]; (fixer) to secure [*corde*]; to fasten [*volet*]; **~ son pas** to steady oneself

7 Sport (ne pas risquer) **~ une balle/un service** to play a safe ball/service

8 Sport (en alpinisme) to belay [*grimpeur*]

B *vi* **1** ○(être à la hauteur) to be up to the mark○, to be up to snuff○ US; **~ en chimie** to be good at chemistry; **~ avec les filles** to have a way with the girls

2 Sport to play it safe

C **s'assurer** *vpr* **1** (vérifier) **s'~ de qch** to make sure of sth, to check on sth; **s'~ que** to make sure that, to check that; **il vaut mieux s'~ de leur présence** we had better check that they're there; **je vais m'en ~** I'll make sure, I'll check

2 (se procurer) to secure [*avantage, bien, aide, monopole*]; **s'~ les services de** to enlist the services of; **s'~ une bonne retraite** to arrange to get a good pension; **s'~ une position de repli** to make sure one has a fall-back position

3 Assur to take out insurance (**contre** against); **s'~ contre l'incendie/sur la vie** to take out fire/life insurance

4 (se prémunir) **s'~ contre** to insure against [*éventualité, risque*]

5 (se stabiliser) [*voix*] to steady; [*personne*] to steady oneself; **s'~ en selle** Équit to steady oneself in the saddle

[6] Sport (en alpinisme) to belay oneself [7] †(se rendre sûr de) **s'~ de qn/de qch** to make sure of sb/about sth

assureur /asyʀœʀ/ ▸ p. 532 *nm* (contractant) underwriter; (intermédiaire) insurance agent; (compagnie) insurance company

(Composé) **~ conseil** insurance adviser *ou* consultant

Assyrie /asiʀi/ *nprf* Assyria

assyrien, -ienne /asiʀjɛ̃, ɛn/ ▸ p. 483
[A] *adj* [*personne, ville, style, art*] Assyrian
[B] *nm* Ling Assyrian

Assyrien, -ienne /asiʀjɛ̃, ɛn/ *nm,f* Assyrian

astasie /astasi/ ▸ p. 283 *nf* astasia

aster /astɛʀ/ *nm* aster

astérie /asteʀi/ *nf* starfish

astérisque /asteʀisk/ *nm* asterisk; **marqué d'un ~** asterisked

astéroïde /asteʀɔid/ *nm* asteroid

asthénie /asteni/ *nf* asthenia

asthénique /astenik/ *adj, nmf* asthenic

asthmatique /asmatik/ *adj, nmf* asthmatic

asthme /asm/ ▸ p. 283 *nm* asthma; **avoir une crise d'~** to have an asthma attack

asticot /astiko/ *nm* maggot

asticoter○ /astikɔte/ [1] *vtr* to needle○ [*personne*]; **cesse de m'~**○ stop needling○ me; **il m'a asticoté jusqu'à ce que j'accepte** he goaded me into accepting

astigmate /astigmat/ *adj* astigmatic

astigmatisme /astigmatism/ *nm* astigmatism

astiquage /astikaʒ/ *nm* polishing

astiquer /astike/ [1] *vtr* to polish

astragale /astʀagal/ *nm* [1] Bot astragalus, milk vetch; [2] Archit astragal; [3] Anat astragalus

astrakan /astʀakɑ̃/ *nm* astrakhan; **manteau d'~** astrakhan coat

astral, ~e, *mpl* **-aux** /astʀal, o/ *adj* astral

astre /astʀ/ *nm* star; **l'~ du jour** liter the sun; **l'~ de la nuit** the moon

astreignant, ~e /astʀɛɲɑ̃, ɑ̃t/ *adj* [*tâche, horaires*] demanding; [*discipline, mesures*] strict

astreindre /astʀɛ̃dʀ/ [55]
[A] *vtr* **~ qn à qch** [*personne*] to force sth upon sb; [*réglementation*] to bind sb to sth; **être astreint au secret professionnel** to be bound by the rules of professional confidentiality; **mon taux de cholestérol m'astreint à un régime sévère** my high cholesterol level keeps me on a strict diet; **~ qn à faire** to compel sb to do
[B] **s'astreindre** *vpr* **s'~ à qch** to subject oneself to sth; **s'~ à faire** (par autodiscipline) to make oneself do; (par obligation) to force oneself to do

astreinte /astʀɛ̃t/ *nf* [1] Jur periodic penalty payment, daily fine for delay (*in performance of contract or in payment of debt*); [2] liter (contrainte) constraint

astringent, ~e /astʀɛ̃ʒɑ̃, ɑ̃t/ *adj* astringent

astrolabe /astʀɔlab/ *nm* astrolabe

astrologie /astʀɔlɔʒi/ *nf* astrology

astrologique /astʀɔlɔʒik/ *adj* astrological

astrologue /astʀɔlɔg/ ▸ p. 532 *nmf* astrologer

astronaute /astʀonot/ ▸ p. 532 *nmf* astronaut

astronautique /astʀɔnotik/ *nf* astronautics (+ *v sg*)

astronef /astʀɔnɛf/ *nm* spacecraft

astronome /astʀɔnɔm/ ▸ p. 532 *nmf* astronomer

astronomie /astʀɔnɔmi/ *nf* astronomy

astronomique /astʀɔnɔmik/ *adj* lit, fig astronomical

astrophysicien, -ienne /astʀofizisjɛ̃, ɛn/ ▸ p. 532 *nm,f* astrophysicist

astrophysique /astʀofizik/
[A] *adj* astrophysical
[B] *nf* astrophysics (+ *v sg*)

astuce /astys/ *nf* [1] (ingéniosité) gén cleverness; (sagacité) shrewdness, astuteness; **être plein d'~** [*enfant*] to be very clever; **avoir beaucoup d'~** [*adulte*] to be extremely shrewd; [2] (truc) trick; **il doit y avoir une ~** there must be some trick to it; **toute l'~ consiste à faire** the trick's in doing; **une ~ juridique** a crafty legal manoeuvre GB *ou* maneuver US; [3] (jeu de mots) pun; (plaisanterie) joke; **~ vaseuse** awful pun

astucieusement /astysjøzmɑ̃/ *adv* (ingénieusement) cleverly; (avec sagacité) shrewdly

astucieux, -ieuse /astysjø, øz/ *adj* (ingénieux) clever; (sagace) sharp, shrewd

asymétrie /asimetʀi/ *nf* asymmetry

asymétrique /asimetʀik/ *adj* asymmetrical

asymptomatique /asɛ̃ptɔmatik/ *adj* asymptomatic

asymptote /asɛ̃ptɔt/
[A] *adj* asymptotic (**à** to)
[B] *nf* asymptote; **en ~** asymptotically

asynchrone /asɛ̃kʀon/ *adj* asynchronous

asyndète /asɛ̃dɛt/ *nf* asyndeton

ataraxie /ataʀaksi/ *nf* ataraxia

atavique /atavik/ *adj* atavistic

atavisme /atavism/ *nm* atavism

ataxie /ataksi/ *nf* ataxia

(Composés) **~ cérébellaire** cerebellar ataxia; **~ locomotrice** locomotor ataxia

atchoum /atʃum/ *nm* (*also onomat*) atishoo

atèle /atɛl/ *nm* spider monkey

atelier /atəlje/ *nm* [1] (local) (d'artisan, de bricoleur) workshop; (d'artiste) studio; (de couturier) design studio; [2] Ind (dans usine) shop, workshop; **~ de réparation/montage** repair/assembly shop; [3] (groupe de travail) working group; (séance de travail) workshop; [4] Art (groupe autour d'un maître) studio; **l'~ de David** the studio of David; **œuvre d'~** studio work

(Composé) **~ protégé** Jur training centre[GB] for the disabled

atemporel, -elle /atɑ̃pɔʀɛl/ *adj* atemporal

atermoiement /atɛʀmwamɑ̃/ *nm* procrastination ¢; **après bien des ~s** after much procrastination

atermoyer /atɛʀmwaje/ [23] *vi* to procrastinate

athée /ate/
[A] *adj* atheistic
[B] *nmf* atheist

athéisme /ateism/ *nm* atheism

Athènes /atɛn/ ▸ p. 894 *npr* Athens

athénien, -ienne /atenjɛ̃, ɛn/ *adj* Athenian

Athénien, -ienne /atenjɛ̃, ɛn/ *nm,f* Athenian

athérome /ateʀom/ ▸ p. 283 *nm* atheroma

athérosclérose /ateʀɔskleʀoz/ ▸ p. 283 *nf* atherosclerosis

athlète /atlɛt/ *nmf* athlete; **c'est un bel ~** he's a splendid athlete; **carrure/corps d'~** athletic build/body

athlétique /atletik/ *adj* athletic

athlétisme /atletism/ ▸ p. 469 *nm* athletics (+ *v sg*) GB, track and field events; **championnat d'~** athletics championship GB, track and field championship US; **~ en salle** indoor athletics GB, indoor track and field events; **faire de l'~** to do athletics

atlante /atlɑ̃t/ *nm* Archit telamon, atlas

Atlantide /atlɑ̃tid/ *nprf* **l'~** Atlantis

atlantique /atlɑ̃tik/ *adj* Atlantic

Atlantique /atlɑ̃tik/ ▸ p. 579 *nprm* **l'(océan) ~** the Atlantic (Ocean)

atlantisme /atlɑ̃tism/ *nm* Atlanticism

atlantiste /atlɑ̃tist/ *adj, nmf* Atlanticist

atlas /atlas/ *nm inv* [1] (livre) atlas; [2] (vertèbre) atlas

Atlas /atlas/ *nprm* Géog, Mythol Atlas

atmosphère /atmɔsfɛʀ/ *nf* lit, fig atmosphere; **j'ai besoin de changer d'~** I need a change of air

atmosphérique /atmɔsfeʀik/ *adj* atmospheric

ATNC /ateɛnse/ *nm* (*abbr* = **agent transmissible non conventionnel**) Biol, Méd unconventional transmissible agent, prion

atoll /atɔl/ *nm* atoll; **l'~ de Mururoa** (the) Mururoa atoll; **sur un ~ du Pacifique** on an atoll in the Pacific

atome /atom/ *nm* (particule, système) atom; **un ~ d'hydrogène** a hydrogen atom

(Idiomes) **ne pas avoir un ~ de bon sens/courage** not to have an ounce of common sense/courage; **avoir des ~s crochus avec qn**○ to hit it off with sb○

atomique /atɔmik/ *adj* [*énergie, centrale, arme*] nuclear; [*bombe, nombre, structure*] atomic

atomisation /atɔmizasjɔ̃/ *nf* [1] (de pouvoir, parti, société) fragmentation, atomization; [2] (destruction) nuclear annihilation

atomiser /atɔmize/ [1]
[A] *vtr* [1] (détruire) to annihilate [sth] with nuclear weapons [*ville*]; [2] (morceler) to shatter [*pouvoir*]; to fragment [*secteur, parti*]; to annihilate [*concurrence*]; [3] Nucl to atomize [*corps, métal*]
[B] **s'atomiser** *vpr* [*parti, État, pouvoir*] to fragment

atomiseur /atɔmizœʀ/ *nm* spray, atomizer; **~ à parfum** perfume spray *ou* atomizer

atomisme /atɔmism/ *nm* atomism

atomiste /atɔmist/
[A] *adj* [1] Nucl [*savant, chercheur*] nuclear; [*structure, théorie*] atomic; [2] Philos atomist
[B] *nmf* [1] ▸ p. 532 Nucl nuclear *ou* atomic scientist; [2] Philos atomist

atonal, ~e, *mpl* **-aux** /atɔnal, o/ *adj* atonal

atonalité /atɔnalite/ *nf* atonality

atone /atɔn/ *adj* [1] (apathique) [*vie, pays, groupe*] apathetic; [*personne*] lifeless; [2] (inexpressif) expressionless; [3] Méd atonic; [4] Phon unstressed, unaccented

atonie /atɔni/ *nf* [1] (de personne, pouvoir, marché) sluggishness, apathy; (de regard, voix) lifelessness; [2] Phon, Méd atony

atonique /atɔnik/ *adj* atonic

atours† /atuʀ/ *nmpl* finery ¢; **mettre ses plus beaux ~** to deck oneself out in all one's finery

atout /atu/ *nm* [1] Jeux (carte) trump; (couleur) trumps (*pl*); **le valet/dix d'~** the jack/ten of trumps; **~ maître** master trump; **c'est ~ cœur** hearts are trumps; **avoir de l'~** to have trumps *ou* trump cards; **jouer ~** to play a trump; (en début de partie) to lead trumps; **deux sans ~** two no trumps; [2] fig (avantage) asset; (avantage sur les autres) trump card; **ton principal ~, c'est ton charme** your greatest asset is your charm; **jouer son ~/son dernier ~** to play one's trump card/one's last card; **~ supplémentaire** additional advantage; **avoir tous les ~s en main** *or* **dans son jeu** to hold all the aces; **avoir un ~ en réserve** to have an ace up one's sleeve; **mettre tous les ~s dans son jeu** to leave nothing to chance

(Composé) **~ sec** singleton trump

ATP /atepe/ *nf* [1] Sport (*abbr* = **association des tennismen professionnels**) APT; [2] Biol (*abbr* = **adénosinetriphosphate**) ATP

atrabilaire† /atʀabilɛʀ/ *adj* bad-tempered, atrabilious sout

âtre /ɑtʀ/ *nm* hearth

Atrée /atʀe/ *npr* Atreus

atrésie /atʀezi/ *nf* atresia

Atrides /atʀid/ *nprmpl* **les ~** the Atreids

atrium /atʀijɔm/ *nm* atrium

a

atroce /atʀɔs/ *adj* 1 (horrible) [*blessure, sentiment, nouvelle*] dreadful; [*souffrance, douleur*] atrocious; [*peur*] terrible; [*supplice*] horrific; [*crime, vengeance, mort*] horrible; [*acte, spectacle*] horrifying; 2 ○(mauvais) [*nourriture, temps, accent*] atrocious, appalling; **il est d'une ~ bêtise** he's appallingly stupid; **tu es ~!** you are dreadful!

atrocement /atʀɔsmɑ̃/ *adv* 1 (horriblement) [*mutiler*] dreadfully; [*souffrir*] horribly, terribly; [*punir*] horribly; **mourir ~** to die a horrible death; **j'ai ~ mal** I'm in agony; **elle a ~ mal aux dents** she has a dreadful toothache; 2 ○(excessivement) [*ennuyeux, bête*] dreadfully, terribly; [*laid*] atrociously

atrocité /atʀɔsite/ *nf* 1 (caractère) atrocity; 2 (crime) atrocity; 3 (calomnie) **dire des ~s sur qn** to say dreadful things about sb; 4 ○(chose laide) hideous monstrosity; 5 (laideur) **c'est d'une ~!** it's absolutely hideous!

atrophie /atʀɔfi/ *nf* (tous contextes) atrophy

atrophier /atʀɔfje/ [2]
A *vtr* Méd, fig to atrophy
B **s'atrophier** *vpr* 1 Méd to atrophy; **bras atrophié** wasted arm; 2 fig [*facultés*] to atrophy; [*économie, marché, secteur industriel*] to decline; **une industrie atrophiée** an industry that has declined

atropine /atʀɔpin/ *nf* atropine

attabler: **s'attabler** /atable/ [1] *vpr* to sit down at the table; **être attablé** to be sitting at table

attachant, **~e** /ataʃɑ̃, ɑ̃t/ *adj* [*personne*] charming, engaging; [*caractère*] charming; [*animal*] sweet

attache /ataʃ/ *nf* 1 gén tie; (ficelle) string; (corde) rope; (courroie) strap; **être à l'~** [*animal*] to be tied up; [*bateau*] to be moored; 2 Anat (articulation) joint; (de muscle) point of attachment; **avoir des ~s fines** to have delicate ankles and wrists; 3 (lien) tie; **il n'a aucune ~ nulle part** he has no ties anywhere; **il a des ~s en Normandie** he has ties in Normandy
(Composé) **~ parisienne** paper fastener

attaché, **~e** /ataʃe/ ▸ p. 532
A *pp* ▸ **attacher**
B *pp adj* (lié par l'affection) **être ~ à** to be attached to [*personne, animal, idée, lien*]
C *nm,f* attaché; **~ militaire/culturel/commercial** military/cultural/commercial attaché; **~ d'ambassade** attaché
(Composés) **~ d'administration** administrative assistant; **~ de presse** press attaché

attaché-case /ataʃekɛs/ *nm* attaché case

attachement /ataʃmɑ̃/ *nm* 1 (sentimental) attachment (**à** to); 2 (de principe) commitment (**à** to)

attacher /ataʃe/ [1]
A *vtr* 1 (joindre à l'aide d'un lien) to tie [*personne*] (**à** to); (avec une corde, laisse) to tie [*chien*] (**à** to); (avec une chaîne) to chain [*chien*] (**à** to); to lock [*bicyclette*] (**à** to); to tether, to fasten [*laisse, corde*] (**à** to); **~ les mains/pieds de qn** to tie sb's hands/feet; **~ ses cheveux** to tie one's hair back; 2 (entourer d'un lien) to tie up [*personne, paquet, colis*]; **~ des lettres avec un élastique** to tie up letters with an elastic band; **~ qn à un poteau** to tie sb to a stake; **~ ses lacets** to tie (up) one's laces; **~ ses chaussures** to do up one's shoes; 3 (fermer) to fasten [*ceinture, collier, vêtement*]; **veuillez ~ vos ceintures** please fasten your seat belts; **n'oublie pas d'~ ton vélo** don't forget to lock your bike; 4 (accorder) **~ de l'importance à qch** to attach importance to sth; **~ du prix** *or* **de la valeur à qch** to attach great value to sth; **~ une signification à un geste/un regard** to read something into a gesture/an expression; 5 (employer) **~ qn à son service** to take sb into one's service, to employ sb; 6 (associer) **les privilèges attachés à un poste** the privileges attached to a post; **médecin attaché à un hôpital** Admin doctor attached to a hospital; **~ son nom à une découverte/un événement** to link one's name to a discovery/an event; **son nom est attaché à cette découverte** his/her name is linked to *ou* associated with this discovery
B *vi* [*aliment, plat, récipient*] to stick (**à** to); **le sucre a attaché au fond de la casserole** the sugar stuck to the bottom of the pan; **cette poêle n'attache pas** this is a nonstick frying-pan
C **s'attacher** *vpr* 1 (se fixer par un lien) to fasten, to do up; **robe qui s'attache par derrière** dress which fastens *ou* does up at the back; 2 (s'accrocher) **le lierre s'attache aux pierres** ivy clings to stones; **s'~ aux pas de qn** to dog sb's footsteps; 3 (s'efforcer) **s'~ à faire** to set out to do; **s'~ à analyser/prouver/démontrer qch** to set out to analyse[GB]/to prove/to demonstrate sth; 4 (se lier affectivement) **s'~ à qn/qch** to become attached to sb/sth, to grow fond of sb/sth

attaquable /atakabl/ *adj* 1 [*lieu, place*] **facilement/difficilement ~** easy/difficult to attack; **la ville n'est ~ que par le sud** the town can only be attacked from the south; 2 [*théorie, position*] shaky; 3 [*testament*] contestable

attaquant, **~e** /atakɑ̃, ɑ̃t/ *nm,f* 1 Mil attacker; 2 Sport gén attacker; (au football) striker; 3 Fin raider

attaque /atak/ *nf* 1 Mil attack; **~ aérienne/terrestre** air/land attack; **~ surprise** surprise attack; **~ en force** attack in force; **passer à l'~** to move onto the attack; **lancer une ~** to launch an attack (**contre** on); **à l'~!** charge!; 2 (crime) (de banque, magasin) raid; (de personne) attack; **~ à main armée** armed raid; 3 fig (critique) attack; **il s'est livré à une ~ en règle contre la presse** he launched into a full-scale attack on the press; **pas d'~s personnelles!** no personal comments!; 4 Méd (d'apoplexie) stroke; (cardiaque) attack; 5 Sport (au football, rugby) break; (en course) spurt; (au tennis, golf) drive; (en alpinisme) attempt; (à la rame) beginning of a stroke; **l'ailier a un bon jeu d'~/est reparti à l'~** the winger GB *ou* wing US has a good attacking style/is attacking again; 6 Mus striking up
(Idiomes) **être** *or* **se sentir d'~/tout à fait d'~** to feel on GB *ou* in US form/on GB *ou* in US top form; **être** *or* **se sentir (assez) d'~ pour faire qch** to feel up to doing sth; **je ne me sens pas très d'~ le matin** I don't feel too lively in the morning

attaquer /atake/ [1]
A *vtr* 1 Mil to attack [*troupe, pays*]; **~ de front/par derrière/sur tous les fronts** to attack from the front/from behind/on all sides; **nous avons été attaqués par surprise** a surprise attack was made on us; **nos positions sont attaquées au sud** our positions are under attack from the south; 2 (agresser) to attack [*personne*]; to raid [*banque, magasin, train*]; **'attaque!' dit-il à son chien** 'at 'em' GB *ou* 'sic!' US he said to his dog; 3 (critiquer) to attack [*ministre, projet*]; 4 Jur to contest [*contrat, testament*]; **~ qn en justice** to bring an action against sb GB, to lawsuit sb US; 5 (dégrader) [*produit chimique, médicament*] to attack; 6 (commencer) to launch into [*discours*]; to make a start on [*lecture, rédaction*]; to get going on [*tâche*]; to attack [*plat, dessert*]; to attempt [*escalade*]; 7 (affronter) to tackle [*problème, difficulté*]; 8 Mus to strike up [*air*]; to attack [*note*]
B *vi* 1 Sport (au football, rugby) to break; (au tennis, golf) to drive; [*coureur*] to put on a spurt; 2 (commencer) to begin (brusquely); **'personne ne possède la vérité,' attaqua-t-il** 'nobody has an exclusive right to the truth,' he began brusquely
C **s'attaquer** *vpr* **s'~ à** to attack [*personne, œuvre, politique*]; to make a start on [*tâche, lecture*]; to tackle [*problème, difficulté*]; **tu t'attaques à plus fort que toi** you're taking on sb who is more than a match for you

attardé, **~e** /ataʀde/
A *pp* ▸ **attarder**
B *pp adj* 1 (en retard) late; **quelques passants ~s** some people out late; 2 pej (démodé) [*idées, personne*] old-fashioned; 3 pej (mentalement déficient) [*personne*] retarded
C *nm,f* pej (handicapé mental) mentally retarded person

attarder /ataʀde/ [1]
A *vtr* (mettre en retard) to delay [*personne*]; **être attardé par qch** to be delayed by sth
B **s'attarder** *vpr* 1 lit (rester) to stay; (traîner) to linger; **ne t'attarde pas au bureau** don't stay too late at the office; **je me suis attardée en chemin** I lingered on my way; **la caméra s'attarde sur un visage** the camera lingers on a face; 2 fig (s'arrêter) to take one's time; **s'~ sur** to dwell on [*contenu, point, aspect, chiffres*]; **je suis navré de m'~ sur ce point** I'm really sorry at having to dwell on this point; **s'~ à expliquer/examiner** to spend time explaining/examining

atteindre /atɛ̃dʀ/ [55]
A *vtr* 1 (arriver à) to reach [*lieu, âge*]; to reach [*niveau, valeur, somme, vitesse*]; [*personne, réforme*] to achieve [*but*]; [*projectile*] to reach [*but, cible*]; **la température peut ~ 30° à l'ombre** the temperature can get up to *ou* reach 30° in the shade; **arbre qui peut ~ 40 mètres** tree which can grow up to 40 metres[GB] high; **~ des proportions massives** to reach huge proportions; 2 (frapper) [*projectile, tireur*] to hit [*personne, animal, cible*]; 3 (affecter) [*maladie, malheur*] (de façon durable) to affect [*personne, groupe*]; (brusquement) to hit [*personne, groupe*]; [*parole blessante*] to affect [*personne*]; **ses critiques ne m'atteignent pas** I'm impervious to his/her criticism; **~ qn dans son honneur** to cast a slur on sb's honour[GB]; ▸ **crapaud**; 4 (toucher) to reach [*public*]
B **atteindre à** fml *vtr ind* to achieve [*connaissance, style, succès*]

atteint, **~e** /atɛ̃, ɛ̃t/
A *pp* ▸ **atteindre**
B *pp adj* 1 (affecté) affected (**de, par** by); **les personnes légèrement/gravement ~es** the people slightly/seriously affected; **une région très ~e par la pollution** a region badly affected by pollution; **être ~ de** (de façon durable) to be suffering from [*maladie*]; **les plus ~s** the worst affected; 2 (frappé) hit (**de/par** by); **un passant ~ d'une balle/par un éclat d'obus** a passer-by hit by a bullet/by shrapnel; 3 ○(timbré) **être ~** to be touched○; **un peu ~** a bit touched (*jamais épith*); **complètement ~** off one's rocker○ (*jamais épith*)
C **atteinte** *nf* 1 (attaque) **~e à** attack on; **il considérait cela comme une ~e à sa virilité** he considered it an attack on his virility; **hors d'~e** [*personne, paix, poste*] beyond reach; [*cible*] out of range; [*rester, sembler*] out of reach; **porter ~e à** to undermine [*crédit, prestige, dignité*]; to damage [*réputation, honneur*]; to endanger [*sécurité, sûreté*]; to infringe [*droit*]; to threaten [*région, environnement*]; **~e aux droits de l'Homme** infringement of human rights; **~e à la liberté/aux droits (de l'individu)** Jur infringement of civil liberties/of personal rights; **~e à l'ordre public** Jur public order offence[GB]; **~e à la sécurité** *or* **sûreté de l'État** Jur breach of national security; **~e à la vie privée** Jur breach of the right to privacy; 2 (affection) problem; **~e pulmonaire** lung problem; **~e de** attack of; **les ~es du froid** the effects of cold; **les premières ~es de la maladie** the onset *ou* first effects of the disease

attelage /atlaʒ/ *nm* 1 (système) (de cheval) harness; (de bœuf) yoke; (de wagon) coupling; (de remorque) towing attachment; (de fusée) docking *ou* coupling device; 2 (animaux) (de chevaux, chiens, bœufs) team; (de deux bœufs) yoke; 3 (équipage) horse-drawn carriage; **~ à deux/quatre chevaux** carriage and pair/four GB, two-/four-horse carriage; 4 (sport) **l'~** (carriage) driving; 5 (action, manière d'atteler) (de cheval) harnessing; (de bœuf) yoking; (de remorque) hitching up; (de wagon) coupling

atteler /atle/ [19]

A *vtr* (attacher) to harness [*cheval*] (**à** to); to yoke [*bœuf*]; to hitch up [*remorque*] (**à** to); to couple [*wagon*] (**à** to); **~ deux wagons ensemble** to couple two carriages (together); **~ qn à une tâche** *fig* to put sb on a job; **~ une charrette à un cheval** *or* **un cheval à une charrette** to harness a horse to a cart; **le cocher n'a pas attelé** the coachman hasn't harnessed up; **charrette attelée** harnessed cart

B s'atteler *vpr* **s'~ à une tâche/à faire** to get down to a job/to doing

attelle /atɛl/ *nf* Méd splint; **mettre des ~s à qn** to put splints on sb

attenant, ~e /atnɑ̃, ɑ̃t/ *adj* 1) (accolé) [*pièce*] adjacent (**à** to); 2) (associé) [*problème*] related (**à** to)

attendre /atɑ̃dʀ/ [6]

A *vtr* 1) (processus qui dure) [*personne*] to wait for [*personne*]; to wait for, to await sout [*événement*]; to wait until *ou* till [*date*] (**pour faire** to do); **~ l'arrivée de qn** to wait for sb to arrive, to await sb's arrival; **j'attends le bus** I'm waiting for the bus; **j'ai attendu le bus (pendant) dix minutes** I waited for the bus for ten minutes, I waited ten minutes for the bus; **j'attends le bus depuis dix minutes** I've been waiting for the bus for ten minutes, I've been waiting ten minutes for the bus; **je t'ai attendu jusqu'à 8 heures** I waited for you until 8 o'clock; **~ la fin d'une émission** to wait till the end of a programme[GB]; **n'attends pas demain/la nuit pour le réparer** don't wait until *ou* till tomorrow/dark to mend it; **~ le bon moment pour agir** to wait for the right moment *ou* until the time is right to act; **~ la pluie pour semer** to wait for the rain before sowing; **j'attends qu'il finisse** *or* **ait fini** I'm waiting for him to finish; **j'attends qu'on me serve** *or* **d'être servi** I'm waiting to be served; **elle n'attendait que ça!** that's just what she was waiting for; **il attend impatiemment Noël/leur départ** he can't wait for Christmas/for them to leave; **il n'attend qu'une chose, c'est de prendre sa retraite** he can't wait to retire; **~ son tour** to wait one's turn; **on n'attend plus qu'elle pour commencer** we're just waiting for her and then we can start; **aller ~ un train/qn au train/qn à la gare** to (go and) meet a train/sb off a train/sb at the station; **attends qu'il écrive pour** *or* **avant de décider** wait until *ou* till he writes *ou* wait for him to write before you decide; **attends d'avoir vu l'autre pour commander** wait until *ou* till you've seen the other one before you order; **qu'attends-tu pour partir/répondre?** why don't you leave/answer?; **j'attends de voir pour y croire** I'll believe it when I see it; **se faire ~** to keep people waiting; **le serveur/chèque se fait ~** the waiter/cheque GB *ou* check US is taking a long time *ou* is a long time coming; **le printemps se fait ~** spring is late, spring is slow to arrive; **la réaction ne se fit pas ~** the reaction was instantaneous; **~ son jour** *or* **heure** to bide one's time; **reste ici en attendant de trouver mieux/que la pluie cesse/l'heure du départ** stay here until you find sth better/the rain stops/it's time to go; **en attendant mieux** until something better turns up; **où étais-tu, on ne t'attendait plus!** where were you? we'd given up on you!; **si je n'attendais que toi pour m'aider/ça pour vivre!** iron it's a good thing I'm not relying on you to help/that to keep me going!; **c'est là que je l'attends**○**!** I'm ready and waiting!, I'm right here!; ▸ **ferme**

2) (être prêt, préparé) [*voiture, taxi*] to be waiting for [*personne*]; [*chambre, appartement*] to be ready for [*personne*]; **une lettre vous attend à la réception** there's a letter (waiting) for you at reception; **un délicieux repas m'attendait** a delicious meal awaited me; **le déjeuner vous attend!** lunch is ready!

3) (être prévu, prévisible) [*succès, aventure*] to await, to be in store for [*personne*]; **une surprise désagréable les attendait à leur arrivée** there was a nasty surprise awaiting them when they arrived; **je ne sais pas ce qui m'attend** I don't know what's in store for me; **quel avenir nous attend?** what does the future hold (in store) for us?; **un brillant avenir les attendait** a brilliant future lay ahead of them; **les élections sont attendues comme un test** the elections are being viewed as a test

4) (compter sur) **je les attends pour 5 heures** I'm expecting them at five; **elle attend un bébé** *or* **un enfant** she's expecting a baby, she's expecting○; **~ qch de qn/qch** to expect sth from sb/sth; **~ de qn qu'il fasse** to expect sb to do; **on attend beaucoup de ce nouveau traitement** great things are expected of this new treatment; **j'attendais mieux de vous** I expected more of you; **j'attendais mieux de ce roman** I found the novel rather disappointing

B *vi* to wait; (au téléphone) to hold; **attends un instant** wait a moment, hang on (a minute)○; **la ligne est occupée, voulez- vous ~?** the line is engaged GB *ou* busy US, do you want to hold?; **attends un peu!** wait a moment; (menace) just (you) wait!; **attends voir**○ wait a minute, let's see; **faire ~ qn** to keep sb waiting; **sans plus ~** without further delay; **la lettre attendra** the letter can wait; **ce plat n'attend pas** this dish has to be served immediately; **en attendant** (pendant ce temps) in the meantime; (néanmoins) all the same, nonetheless; **en attendant, je ferai mes courses** in the meantime, I'll do my shopping; **ce n'est peut-être pas grave mais, en attendant, ça fait mal** it may not be serious but all the same it's painful *ou* it's painful nonetheless; **tu ne perds rien pour ~**○**!** I'll get you, just you wait!

C s'attendre *vpr* **s'~ à qch/à faire** to expect sth/to do; **je m'attendais au pire/à mieux** I was expecting the worst/something better; **attends-toi à être interrogé** you'll no doubt be grilled; **au moment où je m'y attendais le moins** (just) when I was least expecting it; **s'~ à ce que qn fasse/qch se produise** to expect sb to do/sth to happen; **il fallait s'y ~** it was to be expected; **avec lui, il faut s'~ à tout** with him, anything can happen; **ça alors, si je m'attendais à te retrouver professeur!** I must say I'm surprised to find you in teaching!; **quelle bonne surprise! si je m'attendais**○**!** what a nice surprise! who would've thought it!; ▸ **cent**

(Idiome) **tout vient à point pour qui sait ~** Prov everything comes to him who waits Prov

attendri, ~e /atɑ̃dʀi/

A *pp* ▸ **attendrir**

B *pp adj* 1) (ému) [*sourire, regard*] fond, tender; **le cœur tout ~** feeling very moved; **être ~ par qch** to be touched *ou* moved by sth; 2) (viande) tenderized

attendrir /atɑ̃dʀiʀ/ [3]

A *vtr* 1) (émouvoir) to touch, to move [*personne*]; to touch [*cœur*]; **se laisser ~** to soften; **tu ne vas pas te laisser ~ par lui!** you're not going to let him soften you up!; 2) Culin to tenderize [*viande*]

B s'attendrir *vpr* 1) (s'émouvoir) [*personne*] to feel moved; **son regard s'attendrit** his/her eyes softened; **s'~ sur qn/soi-même** to feel sorry for sb/oneself; **s'~ sur ses malheurs** to lament one's misfortunes; 2) Culin [*viande*] to become tender

attendrissant, ~e /atɑ̃dʀisɑ̃, ɑ̃t/ *adj* [*spectacle, mots*] touching, moving; [*candeur*] endearing; **être ~ de naïveté** to be endearingly naïve

attendrissement /atɑ̃dʀismɑ̃/ *nm* (affectueux) tenderness; (ému) emotion; **laisser percevoir son ~** to show one's emotion; **pleurer d'~** to be moved to tears; **avec ~** tenderly; **allons, pas d'~!** now, now, let's not get emotional!

attendrisseur /atɑ̃dʀisœʀ/ *nm* tenderizer; **passer qch à l'~** to tenderize sth

attendu¹ /atɑ̃dy/

A *prép* given, considering

B attendu que *loc conj* given *ou* considering that; Jur whereas

attendu², ~e /atɑ̃dy/

A *adj* 1) (prévu) [*personne, résultat, réaction*] expected; 2) (souhaité) **le jour/moment (tant) ~** the long-awaited day/moment

B *nm* Jur **~s d'un jugement** grounds for a decision

attenir /at(ə)niʀ/ [36] *vi* **~ à** to adjoin

attentat /atɑ̃ta/ *nm* 1) (contre un individu) assassination attempt (**contre** on); (contre un groupe, bâtiment) attack (**contre** on); **~ terroriste/raciste** terrorist/racist attack; **~ à la bombe** bomb attack; **commettre** *or* **perpétrer un ~ contre** to carry out an assassination attempt against, to make an attempt on the life of [*individu*]; to carry out an attack against [*groupe, bâtiment*]; 2) Jur **~ à la vie de qn** attempted murder of sb, attempt on sb's life

(Composés) **~ à la pudeur** Jur indecent assault; **~ suicide** suicide attack

attentatoire /atɑ̃tatwaʀ/ *adj* prejudicial (**à** to)

attente /atɑ̃t/ *nf* 1) (processus) waiting ₵; (période) wait; **l'~ du verdict est angoissante** waiting for the verdict is agonizing; **l'~ n'en finissait pas** the wait was interminable; **il y a deux heures d'~** there's a two-hour wait; **mon ~ a été vaine** I waited in vain *ou* for nothing; **vivre dans l'~ du facteur** to spend one's life waiting for the postman GB *ou* mailman US; **vivre dans l'~ des repas** to live in anticipation of the next meal; **dans l'~ de notre rencontre/de vous lire** looking forward to our meeting/to hearing from you; **en ~** [*passager*] waiting; [*dossier, demande, affaire*] pending (*jamais épith*); Télécom [*appel, demandeur*] on hold (*épith, après n*); **commandes en ~** Comm back orders; **le dossier est resté en ~** the file is pending *ou* is being held over; **employé en ~ de mutation** employee awaiting transfer; **commande en ~ d'exécution** order waiting to be filled; **en ~ de la décision du juge** pending a decision from the judge; **mettre un avion en ~** to stack a plane; **laisser 23 mailles en ~** (au tricot) to leave 23 stitches on a holder; 2) (espoir) expectations (*pl*); **répondre à/dépasser l'~ de qn** to come up to/to exceed sb's expectations; **contrairement à/contre toute ~** contrary to/against all expectations

attenter /atɑ̃te/ [1] *vtr ind* **~ à** to cast a slur on [*dignité*]; to seek to undermine [*droit*]; to be an affront to [*intelligence*]; Jur to offend against [*pudeur, mœurs*]; to infringe [*liberté, sécurité, autorité*]; **~ à ses jours** to attempt suicide; **~ à la vie de qn** to make an attempt on sb's life

attentif, -ive /atɑ̃tif, iv/ *adj* 1) (vigilant) [*auditeur, spectateur, élève*] attentive; **être ~ à** to pay attention to [*propos, consignes, détail, évolution*]; to be mindful of [*convenances*]; **il est plus/très ~ aux détails** he pays closer/a lot of attention to detail; **être ~ à son travail** to be careful in one's work; **être ~ à ce que qch soit fait** to make sure that sth is done; **être ~ à faire** to be careful to do; **sous l'œil** *or* **le regard ~ de leur mère** under the watchful eye of their mother; **prêter une oreille attentive à qn** to listen carefully to sb; 2) (minutieux) [*lecture, travail, description*] careful; [*examen*] close; [*soin*] special; **un examen plus ~ du dossier** a closer look at *ou* examination of the file; 3) (attentionné) [*soins*] special; **être ~ aux autres/besoins de qn** to be attentive to others/sb's needs

attention /atɑ̃sjɔ̃/

A *nf* 1) (vigilance) attention; **demander beaucoup d'~** to require a lot of attention; **porter son ~ sur qch/qn** to turn one's attention to sth/sb; **à l'~ de F. Pons** for the attention of F.

Pons; **faire ~ à qch** (prendre garde à) to mind [*voitures, piège, marche*]; to watch out for [*faux billets, fatigue, verglas*]; to be careful of [*soleil*]; to consider [*conséquences*]; (prendre soin de) to take care of [*affaires, vêtements*]; to watch [*alimentation, santé*]; (s'intéresser à) to pay attention to [*actualité, mode, évolution, détails*]; **ne faites pas ~ à ce qu'elle dit** don't take any notice of what she says; **fais ~ à ce que tu fais/dis/écris** be careful what you do/say/write; **faire ~ à qn** (écouter) to pay attention to sb; (surveiller) to keep an eye on sb; (remarquer) to take notice of sb; **faites ~ aux voleurs** watch out for *ou* beware of thieves; **fais ~ à toi** take care of yourself; **il faut faire ~ avec elle** you've got to be careful with her; **fais ~ que tout soit en ordre** make sure (that) everything is in order; **fais ~ de ne pas confondre les deux** take care not to confuse the two; **avec (beaucoup d')~** [*suivre, écouter, lire, examiner*] (very) carefully; **je n'ai pas fait ~** (je n'ai pas remarqué) I didn't notice; (je n'écoutais pas) I wasn't paying attention; (j'ai été maladroit) I wasn't being careful; **fais ~, tu mets de la peinture partout** be careful, you're getting paint everywhere; **2** (marque de gentillesse) **j'ai été touché par toutes ces ~s** I was touched by all these kind gestures; **être plein d'~s pour qn** to be very attentive to sb; **il a eu la délicate ~ de faire** he was thoughtful enough to do

B *excl* **1** (pour avertir) (cri) look out!, watch out!; (écrit) gén attention!; (en cas de danger) warning!; (panneau routier) caution!; **~ à la peinture/marche/voiture** mind the paint/step/car; **~, les dossiers d'inscription doivent être retirés avant lundi** please note that application forms must be collected by Monday; **mais ~, il faut réserver à l'avance** however, you must book GB *ou* reserve in advance; **~ les yeux**○**!** watch out!; **2** (pour se justifier) **~, je ne veux pas dire...** don't get me wrong, I don't mean...; **mais ~, je ne vous parle pas de politique** now don't get me wrong, I'm not talking about politics here

attentionné, ~e /atɑ̃sjɔne/ *adj* [*personne*] attentive, considerate (**pour, envers qn** toward, towards GB, to sb); [*soins*] special

attentionnel, -elle /atɑ̃sjɔnɛl/ *adj* Psych attention (*épith*)

attentisme /atɑ̃tism/ *nm* wait-and-see attitude; **faire de l'~** to play a waiting game

attentiste /atɑ̃tist/

A *adj* [*attitude*] cautious, wait-and-see (*épith*)

B *nmf* person who adopts a wait-and-see attitude *ou* policy

attentivement /atɑ̃tivmɑ̃/ *adv* [*écouter, suivre*] attentively; [*examiner, regarder*] carefully

atténuantes /atenɥɑ̃t/ *adj fpl* **circonstances ~** Jur mitigating *ou* extenuating circumstances

atténuateur /atenɥatœʀ/ *nm* attenuator

atténuation /atenɥasjɔ̃/ *nf* (de douleur, tension) alleviation, relief; (de nuisance) reduction; (d'effet) mitigation; (de rigueur) relaxation

atténuer /atenɥe/ [1]

A *vtr* (amoindrir) to ease [*douleur, tension, chagrin*]; to lessen [*mal, rancune, désespoir*]; to weaken [*sensation, impression, effet*]; to soften [*choc*]; to reduce [*rides, rougeur*]; to reduce [*violence, risques, inégalités, gravité*]; to tone down [*reproche, critique*]; to relax [*sévérité, rigueur*]; to dim [*lumière*]; to tone down [*couleur, éclat*]; to make [sth] less strong [*odeur, goût*]; to mitigate [*faute*]

B **s'atténuer** *vpr* (s'amoindrir) [*douleur*] to ease; [*colère, chagrin, violence*] to subside; [*corruption, pessimisme*] to be lessened; [*tendance*] to become less pronounced; [*inégalités, écarts*] to be reduced; [*ride, couleur*] to fade; [*tempête, bruit*] to die down; [*lumière*] to dim

atterrant, ~e /atɛʀɑ̃, ɑ̃t/ *adj* **1** (consternant) [*bêtise*] appalling; **2** (choquant) [*image, nouvelle*] shattering

atterré, ~e /ateʀe/

A *pp* ▸ **atterrer**

B *pp adj* **1** (consterné) appalled; **d'un air ~** aghast; **2** (en état de choc) shattered

atterrement /atɛʀmɑ̃/ *nm* consternation

atterrer /ateʀe/ [1] *vtr* to leave [sb] aghast

atterrir /ateʀiʀ/ [3] *vi* **1** Aviat to land; **~ en catastrophe/sur le ventre** to make a crash landing/a belly landing; **2** (toucher le sol) [*personne, objet*] to land; **3** ○(aboutir) [*dossier, personne*] to land up○; **~ sur le bureau de qn** to land up on sb's desk; **4** ○(se ressaisir) **il atterrit, cela fait six mois que nous en parlons** it's finally dawned on him, we've been talking about it for six months; **atterris!** wake up!; **5** Naut to make landfall

atterrissage /ateʀisaʒ/ *nm* landing; **~ en catastrophe** crash landing; **~ en douceur/forcé/d'urgence/sans visibilité** soft/forced/emergency/blind landing

attestation /atɛstasjɔ̃/ *nf* **1** (déclaration) attestation; (sous serment) affidavit Jur; (certificat) certificate; **~ d'assurance/du médecin** insurance/doctor's certificate; **2** (marque) **être une ~ de qch** to be proof of sth, to prove sth; **3** Ling (d'emploi) attestation

attester /atɛste/ [1] *vtr* **1** (certifier) to vouch for [*vérité, innocence, fait*]; (témoigner) to testify to [*vérité, innocence*]; **~ que** to vouch for the fact that; (témoigner) to testify that; **j'atteste qu'il était présent** I can vouch for the fact that he was there; **fait attesté** attested fact; **ce fait est attesté par plusieurs témoins** several witnesses can vouch for the fact; **forme attestée/non attestée** Ling attested/unattested form; **2** (être preuve de) [*fait, déclaration*] to prove, to attest to; **les chiffres attestent leur succès** the figures prove their success; **~ la bonne foi de qn** to prove sb's good faith; **3** (prendre à témoin) liter **j'atteste le Ciel/les dieux que** I call heaven/the gods to witness that; **j'en atteste le Ciel** as God is my judge

attiédir /atjediʀ/ [3] liter

A *vtr* **1** (réchauffer) to warm [*pièce*]; (refroidir) to cool [*liquide*]; **2** (modérer) to cool [*amour, désir*]

B **s'attiédir** *vpr* **1** [*liquide, terre*] (se réchauffer) to warm up; (se refroidir) to cool down; **2** (se modérer) [*ardeur, enthousiasme*] to cool down, to wane; [*goût*] to wane

attifé○**, ~e** /atife/

A *pp* ▸ **attifer**

B *pp adj* rigged out○ (**de** in), dressed (**de** in)

attifer○ /atife/ [1]

A *vtr* to rig [sb] out○ (**de** *or* **avec** in)

B **s'attifer** *vpr* to rig oneself out○ (**de** *or* **avec** in)

attiger○† /atiʒe/ [13] *vi* to go too far, to go over the top○

attique /atik/

A *adj* Attic

B ▸ **p. 483** *nm* Ling Attic dialect

Attique /atik/ ▸ **p. 721** *nprf* Géog Attica

attirail /atiʀaj/ *nm* **1** (équipement) gear; **~ de campeur** camping gear; **~ de pêche** fishing tackle; **l'~ du parfait bricoleur** the well-equipped DIY enthusiast's tool kit; **2** ○(objets encombrants) hum paraphernalia; **tout l'~** all the paraphernalia

attirance /atiʀɑ̃s/ *nf* attraction (**pour** for); **éprouver** *or* **avoir de l'~ pour** to feel drawn toward(s), to be attracted to; **l'~ du vide** the fascination *ou* lure of the abyss

attirant, ~e /atiʀɑ̃, ɑ̃t/ *adj* attractive

attirer /atiʀe/ [1]

A *vtr* **1** (faire venir) gén, Phys to attract [*foudre, personne, animal, capitaux, convoitises*]; to draw, to attract [*foule, attention*]; **le film attire les foules** the film draws *ou* attracts the crowds, the film is a big draw *ou* crowd-puller; **~ l'attention** *or* **l'œil de qn sur qch** to draw sb's attention to sth; **~ qn vers/à/contre soi** to draw sb toward(s)/to/against oneself; **le bruit l'attira dans le jardin** the noise drew him to the garden GB *ou* yard US; **c'est ce qui les a attirés l'un vers l'autre** it's what drew them together; **~ qn dans un coin** to take sb into a corner; **~ qn dans un piège** to lure sb into a trap; **~ qn par des promesses** to entice sb with promises; **2** (séduire) [*personne, pays*] to attract; [*études, métier*] to appeal to [*personne*]; **les brunes l'attirent** he goes for brunettes; **3** (susciter) to bring [sth] [*reproche, critique*] (**à qn** on sb); to bring [sth] down [*colère*] (**à qn** on sb); to bring [sth] [*honte, mépris*] (**sur qn** on sb); **~ des ennuis à qn** to cause sb problems; **son échec ne lui a pas attiré de compliments** his failure earned him no congratulations; **~ sur soi** *or* **sa tête la colère du patron** to bring the boss down on one's head; **ça va lui ~ des jalousies** people are going to be jealous of him

B **s'attirer** *vpr* **s'~ des ennemis** to make enemies; **s'~ l'estime de qn** to earn sb's respect; **s'~ le soutien de qn** to win sb's support; **s'~ la colère/les reproches de qn** to incur sb's anger/reproaches; **le livre s'est attiré de nombreuses critiques** the book has attracted a lot of criticism; **s'~ des ennuis** to get into trouble

attiser /atize/ [1] *vtr* **1** (exciter) to kindle [*sentiment, convoitises*]; to fuel [*discorde*]; to stir up [*haine*]; **2** (aviver) to fan [*feu*]

attitré, ~e /atitʀe/ *adj* **1** (officiel) official; **chauffeur ~** official driver; **détaillant ~** authorized dealer; **représentant ~** accredited representative; **2** (habituel) regular; **client ~** regular customer

attitude /atityd/ *nf* **1** (du corps) (maintien) bearing; (position) attitude, posture; (pose) pose; **~ raide** stiff bearing; **~ de (la) soumission/de la rébellion** submissive/rebellious attitude; **2** (conduite) attitude (**à l'égard de** *or* **à l'encontre de** *or* **vis-à-vis de** *or* **envers qch/qn** to sth/to *ou* toward sb); **changer d'~** to change one's attitude; **prendre une ~** to adopt an attitude; **3** (affectation) pose; **ce n'est qu'une ~** it's just a pose; **se composer une ~** to adopt a pose; **4** Danse attitude

attouchement /atuʃmɑ̃/ *nm* **1** (sexuel) (sans consentement) (sexual) interfering ¢, molesting ¢; (avec consentement) fondling ¢; **se livrer à des ~s sur qn** to interfere (sexually) with sb; **2** (de guérisseur) laying on ¢ of hands

attractif, -ive /atʀaktif, iv/ *adj* **1** gén, Phys attractive; **2** controv [*spectacle*] entertaining

attraction /atʀaksjɔ̃/ *nf* **1** (force) gén, Ling, Phys attraction; **Paris exerce une forte ~ sur sa région** Paris acts as a magnet for the surrounding area; **elle exerce une grande ~ sur les hommes** men find her very attractive; **2** (élément qui attire) attraction; **~ touristique** tourist attraction; **centre d'~** centre[GB] of attraction; **principale ~ de la région** main *ou* star attraction of the area; **3** (de fête, foire) attraction; (numéro d'un spectacle) act, turn; **~ déshabillée** strip show; **elle passe en ~ ce soir au casino** she is appearing tonight at the casino

(Composés) **~ terrestre** Earth's attraction; **~ universelle** gravitation

attractivité /atʀaktivite/ *nf* attractiveness

attrait /atʀɛ/

A *nm* **1** (de personne, paysage, projet, vie) appeal, attraction; (de l'inconnu, de la nouveauté, du pouvoir) appeal, lure; (de l'interdit) lure; **plein d'~** very attractive; **avoir de l'~ pour qn** to appeal to sb; **exercer de l'~ sur** to appeal to; **manquer d'~** to have no appeal, to be unattractive; **je ne leur trouve aucun ~** they don't appeal to me (in the least); **les actions perdent de leur ~** the shares are *ou* the stock is no longer so attractive; **banlieue sans ~** dreary suburb; **2** (goût) **l'~ de qn pour qch/qn** sb's liking for sth/sb; **éprouver de l'~ pour qch/qn** to feel attracted *ou* drawn to sth/sb

B **attraits** *nmpl* (charmes) liter charms

attrape /atʀap/ *nf* trick, joke

attrape-couillon◐**,** *pl* **~s** /atʀapkujɔ̃/ *nm* con○, con trick○

attrape-mouches* /atʀapmuʃ/ *nm inv* **1** (plante) flytrap; **2** (piège) gén flytrap; (papier collant) flypaper

attrape-nigaud, *pl* **~s** /atʀapnigo/ *nm* con○; **tomber dans un ~** to fall for a con; **se laisser prendre à un ~** to be conned○

attraper /atʀape/ [1]

A *vtr* **1** (saisir en mouvement) to catch [*personne, animal, ballon*]; **tiens, attrape!** here, catch!; **~ qch au vol** to catch sth in mid air; **2** (capturer) to catch [*malfaiteur, animal*]; **~ une vache au lasso** to catch a cow with a lasso, to lasso a cow; **se faire ~** to get caught; **attrapez-le!** stop him!; **3** (prendre) to catch hold of [*corde, main, jambe*]; **~ qch à deux mains** to catch hold of sth with both hands; **~ qn par le bras/la manche** to catch hold of sb by the arm/the sleeve; **~ une bouteille par le goulot** to pick up a bottle by the neck; **tu peux ~ le livre sur l'étagère?** can you reach and get the book from the shelf?; **4** ○(contracter) [*personne*] to catch [*maladie, virus*]; to get [*coup de soleil*]; to pick up [*manie, accent*]; **~ froid** to catch cold; **~ un torticolis** to get a stiff neck; **j'ai attrapé mal dans le dos/mal à la tête** I got a backache/a headache; **il a attrapé l'accent de la région** he's picked up the local accent; **tu vas ~ du mal!** you'll catch something!; **5** ○(surprendre) to catch [sb] out [*personne*]; **il a été bien attrapé d'apprendre que** he was really caught out by the news that; **~ qn à faire** *or* **en train de faire** fig to catch sb doing; **6** ○(réprimander) to tell [sb] off [*personne*]; **se faire ~ (par qn)** to get told off (by sb); **7** ○(recevoir) to get [*coup, punition, amende*]; **8** ○(saisir par la pensée) to catch [*mots, phrase*]; to pick up [*idées*]

B **s'attraper** *vpr* [*maladie*] to be caught

attrayant, **~e** /atʀɛjɑ̃, ɑ̃t/ *adj* gén attractive; [*lecture*] pleasant; **peu ~** gén unattractive; [*tâche, lecture*] unappealing

attribuable /atʀibɥabl/ *adj* attributable (**à** to)

attribuer /atʀibɥe/ [1]

A *vtr* **1** (octroyer) to allocate [*quota, place, numéro, logement, tâche*] (**à qn** to sb); to grant [*droit, statut, garde*] (**à qn** to sb); to award [*prix, médaille, bourse*] (**à qn** to sb); Fin to allot [*actions*]; **2** (donner comme cause à) **~ qch à la fatigue/malchance** to put sth down to tiredness/bad luck; **3** (blâmer pour) **~ la responsabilité de qch à qn/qch** to hold sb/sth responsible for sth, to blame sb/sth for sth; **~ un accident au mauvais temps** to blame the bad weather for an accident, to blame an accident on the bad weather; **4** (prêter) **~ qch à qn** to credit sb with sth [*invention, qualité, mérite, bonne intention*]; to ascribe sth to sb [*œuvre*]; **on attribue ce tableau à Poussin** this painting is attributed to Poussin; **~ de l'importance/un sens à qch** to lend importance/meaning to sth

B **s'attribuer** *vpr* **s'~ la meilleure part/la meilleure place** to give oneself the largest share/the best seat; **s'~ tout le mérite** to claim *ou* take all the credit for oneself

attribut /atʀiby/ *nm* **1** (propriété) attribute; (symbole) symbol; **2** Ling complement; **adjectif ~** predicative adjective; **nom ~** complement

attributaire /atʀibytɛʀ/ *nmf* recipient of a state benefit

attribution /atʀibysjɔ̃/

A *nf* **1** gén (de crédits, numéro, place, rôle) allocation (**à** to); (de prix, bourse, d'avantage) awarding (**à** to); (de nom, surnom) giving (**à** to); (d'actions) allotment (**à** to); (de nationalité) granting (**à** to); **2** Art, Littérat, Mus (d'œuvre) attribution (**à** to)

B **attributions** *nfpl* (de personne) remit (sg); (de tribunal) competence; **ça ne fait pas partie de** *ou* **ça n'entre pas dans mes ~s** it doesn't come within my remit

attristant, **~e** /atʀistɑ̃, ɑ̃t/ *adj* **1** (peinant) distressing, upsetting; **2** (consternant) depressing; **d'une bêtise/médiocrité ~e** depressingly stupid/mediocre

attristé, **~e** /atʀiste/ *adj* sad; **condoléances ~es** heartfelt condolences

attrister /atʀiste/ [1]

A *vtr* (peiner) to sadden; **j'ai été attristé d'apprendre** I was sorry to hear

B **s'attrister** *vpr* **1** (exprimer sa tristesse) to lament (**de** about); **2** (être peiné) to be saddened (**de** by)

attroupement /atʀupmɑ̃/ *nm* gathering; **~ de manifestants** crowd of demonstrators; **causer un ~** to cause a crowd to gather

attrouper /atʀupe/ [1]

A *vtr* [*accident*] to attract [*passants*]

B **s'attrouper** *vpr* [*personnes, groupe*] to gather (**devant** *or* **autour de** around)

atypique /atipik/ *adj* atypical

au /o/ *prép* = **(à le)** ▸ **à**

aubade /obad/ *nf* **1** (à la femme aimée) dawn serenade; **donner l'~ à qn** to serenade sb (at dawn); **2** (en l'honneur de quelqu'un) (little) concert

aubaine /obɛn/ *nf* **1** (chance inespérée) godsend; **véritable ~** real godsend; **quelle ~!** what a godsend!; **ne pas laisser passer une ~** not to miss an opportunity; **profiter d'une ~** to make the most of an opportunity; **2** (bonne affaire) bargain

aube /ob/ *nf* **1** (point du jour) dawn; **à l'~** at dawn; **à l'~ du 6 juin** at dawn on 6 June; **avant l'~** before dawn; **dès l'~** at the crack of dawn; **2** (début, approche) dawn; **à l'~ de** at the dawn of; **à l'~ des années 20** in the early twenties; **3** Tech (en bois) paddle; (en métal) blade; **bateau/roue à ~s** paddle boat/wheel; **4** Relig (de prêtre) alb; (d'enfant de chœur) cassock; (pour la communion solennelle) alb

Aube /ob/ ▸ **p. 372, p. 721** *nprf* (rivière, département) **l'~** the Aube

aubépine /obepin/ *nf* hawthorn; **haie d'~s** hawthorn hedge; **fleurs d'~** may *ou* hawthorn blossom

aubère /obɛʀ/ *adj, nm* strawberry roan

auberge /obɛʀʒ/ *nf* inn; **~ rurale** country inn; **ce n'est pas une ~ ici!** this isn't a hotel you know!

(Composé) **~ de jeunesse** youth hostel

(Idiomes) **c'est l'~ espagnole ici** if you want anything around here, you have to bring it yourself; **tu n'es pas sorti de l'~**○**!** you're not out of the wood yet!

aubergine /obɛʀʒin/

A *adj inv* aubergine

B *nf* **1** Bot, Culin aubergine, eggplant US; **2** ○(auxiliaire de police) (female) traffic warden GB, meter maid US

aubergiste /obɛʀʒist/ ▸ **p. 532** *nmf* innkeeper

aubier /obje/ *nm* sapwood

aubrietia /obʀijesja/ *nf* aubrietia

auburn /obœʀn/ *adj inv* auburn

aucun, **~e** /okœ̃, yn/

A *adj* **1** (dans une phrase négative) no, not any; **elle n'a ~ défaut** she has no faults, she hasn't got any faults; **il n'a ~ talent** he has no talent, he hasn't got any talent; **il n'y aura ~es représailles** there won't be any reprisals; **elle n'aura ~e difficulté à s'adapter** she won't have any trouble adapting; **il n'y a plus ~ espoir** there's no hope left; **ils n'ont ~e raison de refuser** they have no reason *ou* haven't got any reason to refuse; **je n'ai ~e nouvelle de lui** I haven't heard from him; **je n'ai eu ~ mal à le convaincre** I had no trouble persuading him, I didn't have any trouble persuading him; **il parle français sans ~ accent** he speaks French without any accent; **elle l'a fait sans ~e hésitation** *or* **sans hésitation ~e** she did it without any hesitation; **sans ~e aide du gouvernement** without any aid from the government; **en ~e façon** in no way; **2** liter (quelque) **je l'aime plus qu'~e autre** I love her more than anybody; **je doute qu'~ employé accepte tes conditions** I doubt that any employee would accept your conditions

B *pron* **1** (dans une phrase négative) **il a trois voitures, ~e n'est en état de marche** he has three cars, none of them work; **je ne connais ~ de ses amis** I don't know any of his friends; **je n'ai lu ~ de vos livres** I haven't read any of your books; **~ de ses arguments n'est convaincant** none of his arguments are convincing; **~ des soldats n'est revenu vivant** none of the soldiers came back alive; **'tu as reçu beaucoup de lettres?'—'~e!'** 'did you receive many letters?'–'not one!'; **2** liter (quiconque) **il est plus compétent qu'~ d'entre nous** he's more competent than any of us; **je doute qu'~ d'entre eux réussisse** I doubt that any of them will succeed; **d'~s** some; **d'~s ont suggéré que** it has been suggested by some that

aucunement /okynmɑ̃/ *adv* in no way; **je n'avais ~ l'intention de vous froisser** I in no way meant to hurt your feelings, in no way did I mean to hurt your feelings; **il ne voulait ~ la critiquer** he in no way meant to criticize her; **je ne suis ~ surpris** I'm not surprised in the least, I'm not at all surprised; **'est-ce que je vous dérange?'—'~!'** 'am I disturbing you?'–'not in the least!'; **il n'a ~ l'intention de l'épouser** he hasn't got the slightest intention of marrying her

audace /odas/ *nf* **1** (hardiesse) boldness (**face à** in the face of), daring; **il faut (avoir) de l'~** you have to be bold *ou* daring; **œuvre d'une grande ~** very bold *ou* daring work; **avec une grande ~** very boldly, with great daring; **il manque d'~** he's not very daring; **2** (effronterie) audacity, nerve○; (de geste, propos) impudence; **avoir l'~ de faire qch** to have the audacity *ou* nerve○ to do sth; **il ne manque pas d'~** he's got a nerve○; **mentir avec ~** to tell a bare-faced lie; **3** (innovation) **une ~** a daring *ou* bold innovation; **les ~s des couturiers/architectes** the daring creations of designers/architects; **~s stylistiques** stylistic daring ₵

audacieusement /odasjøzmɑ̃/ *adv* (hardiment) boldly; (en innovant) daringly

audacieux, **-ieuse** /odasjø, øz/

A *adj* (hardi) audacious, daring; (effronté) bold

B *nm,f* daring *ou* bold person

(Idiome) **la fortune sourit aux ~** Prov fortune favours[GB] the brave Prov

Aude /od/ ▸ **p. 372, p. 721** *nprf* (fleuve, département) **l'~** the Aude

au-dedans /odədɑ̃/

A *adv* lit, fig inside

B **au-dedans de** *loc prép* **~ de** inside; **~ de la maison** inside the house

au-dehors /odəɔʀ/ *adv* **1** lit outside; **il a des contacts ~** he has contacts outside; **il pleuvait ~** it was raining outside; **le liquide s'écoule ~** the liquid is oozing out; **'ne pas se pencher ~'** 'do not lean out of the window'; **2** fig outwardly; **~ elle paraît froide mais elle est en fait très chaleureuse** outwardly she appears cold, but she is in fact very warm

au-delà /od(ə)la/

A *nm* Relig beyond, hereafter; **dans l'~** in the beyond *ou* hereafter

B *adv* beyond; **un peu/très ~** a bit/far beyond; **20% est la limite, ils n'iront pas ~** 20% is the limit, they won't go beyond *ou* over that; **c'est un problème de financement, et ~, d'organisation générale** it's a problem of funding, and beyond that, of general organization; **je veux bien aller jusqu'à 1 000 euros mais pas ~** I'm quite prepared to go up to 1,000 euros but no more; **il a eu ce qu'il voulait et ~** he got what he wanted and more besides; **il est allé ~ dans sa réflexion** he carried his thoughts further; **aller ~ dans l'amélioration** to make further improvements

C **au-delà de** *loc prép* beyond; **~ de cette limite** beyond that point; **~ des frontières** beyond the borders; **~ des mers** over *ou* beyond the seas; ~ **d'un certain délai** beyond a certain period; ~ **de 20%/10 000 euros** over 20%/10,000 euros; ~ **de ces questions/ce débat idéologique** beyond these questions/ this ideological debate; ~ **de cet objectif** beyond this objective

au-dessous /odəsu/

A *adv* **1** (plus bas) below; **la maison est sur le plateau, la mer est** ~ the house is on the plateau, the sea is below; **tu vois le dictionnaire, mon livre est** ~ you see the dictionary, my book is underneath; **l'étagère** ~ the shelf below; **va voir à l'étage** ~ go and have a look downstairs; **mon appartement est calme, il n'y a personne** ~ my apartment is quiet, there's no one living on the floor below; **il habite juste** ~ he lives one floor down; **2** (marquant une infériorité) under; **les enfants de 10 ans et** ~ children of 10 years and under

B au-dessous de *loc prép* **1** (plus bas que) ~ **de la fenêtre/du tableau** under *ou* below the window/the painting; ~ **de chez eux** (dans la rue) in the street below them; (à l'étage inférieur) on the floor below them; ~ **du genou** below the knee; **2** (inférieur à) **température** ~ **de zéro** temperature below zero; ~ **de ce niveau, il y a un risque de pollution** below this level, there is a risk of pollution; **les notes** ~ **de 10** marks GB *ou* grades US below 10; **les enfants** ~ **de 13 ans** children under 13, the under-thirteens; **les chèques** ~ **de 100 euros** cheques for under 100 euros; **le dollar est tombé** ~ **de 1,05 euros** the dollar has fallen below 1.05 euros; **il est** ~ **de sa tâche/son rôle** he isn't up to his task/his role; **être** ~ **de tout**○ (ne pas être à la hauteur) to be absolutely useless; (moralement) to be despicable

au-dessus /odəsy/

A *adv* **1** (plus haut) above; **le village est en bas, la station de ski est** ~ the village is at the foot of the mountain, the ski resort is above (it); **ne prends pas ce livre, prends celui qui est** ~ don't take that book, take the one on top (of it); **l'étagère** ~ the shelf above; **il habite l'étage** ~ he lives on the next floor up *ou* on the floor above; **il y a plusieurs étages** ~ there are several floors above; ~ **il y a trois chambres** there are three bedrooms upstairs; **2** (marquant une supériorité) above; **les enfants de 10 ans et** ~ children of 10 and over, the over-tens; **la taille** ~ the next size up; **les billets de 50 euros et** ~ notes GB *ou* bills US of 50 euros and over; **3** fig **être** ~ [*œuvre, auteur*] to be better; **il n'a rien écrit qui soit** ~ he hasn't written anything better

B au-dessus de *loc prép* **1** (plus haut que) above; ~ **du tableau/de la ville/de Paris** above the painting/the town/Paris; ~ **de la cheminée** above the mantlepiece; ~ **des nuages** (up) above the clouds; ~ **de chez moi** in the flat GB *ou* apartment above me; **deux étages** ~ **de chez moi** two floors up from me; ~ **du genou/de la ceinture** above the knee/the waist; ~ **de toi** above you; **un pont** ~ **de la rivière** a bridge over *ou* across the river; **se pencher** ~ **de la table** to lean across the table; **2** (supérieur à) above; ~ **de zéro** above zero; ~ **de 5%** above *ou* over 5%; **les enfants** ~ **de 3 ans** children over 3 years old, the over-threes; ~ **de la moyenne** above average; **les chèques** ~ **de 1 000 euros** cheques GB *ou* checks US for over 1,000 euros; **le paiement par carte est accepté** ~ **de 10 euros** payment by card is accepted for purchases over 10 euros; **elle est** ~ **de lui dans la hiérarchie** she's above him in the hierarchy; **mettre qn/qch** ~ **de qn/qch** to place sb/sth above sb/sth; **il met sa fierté** ~ **de tout** he places his pride above everything else; **un spectacle** ~ **de tout éloge/toute critique** a show beyond praise/criticism; **il veut se situer** ~ **des partis/des querelles du groupe** he wants to put himself above the political parties/the internal quarrels; **le débat doit être** ~ **des considérations politiques** the debate must rise above political considerations; **il est (bien)** ~ **de ça** fig he's (well) above that

au-devant: **au-devant de** /odəvɑ̃də/ *loc prép* (à la rencontre) **aller** ~ **de qn** lit to go to meet sb; **aller** ~ **des clients** fig to go out looking for custom; **aller** ~ **des désirs/demandes de qn** fig to anticipate sb's wishes/requests; **aller** ~ **des ennuis/du danger** fig to let oneself in for trouble/danger

audibilité /odibilite/ *nf* audibility

audible /odibl/ *adj* audible

audience /odjɑ̃s/ *nf* **1** Jur hearing; **'l'~ est suspendue'** 'the hearing is adjourned'; **lever l'~** to close the hearing; **salle d'~** courtroom; ~ **publique** public hearing; **2** (entretien) audience sout; **accorder une** ~ **à qn** to grant sb an audience; **3** (succès, attention) success; **jouir d'une grande** ~ **auprès des jeunes** to have a lot of success with young people; ~ **électorale/nationale** electoral/national success; **4** TV, Radio (ensemble des gens) audience; (chiffres) audience ratings (*pl*); **indicateurs d'~** audience ratings; **32% d'~** 32% in the audience ratings

audimat® /odimat/ *nm* audience ratings (*pl*); **records d'~** ratings records; **12 points d'~** 12% of the TV audience

audimètre /odimɛtʀ/ *nm* (appareil) audience research device

audio /odjo/ *adj inv* [*bande, enregistrement, équipement*] audio

audiocassette /odjokasɛt/ *nf* audio cassette

audioconférence /odjokɔ̃feʀɑ̃s/ *nf* audioconference

audiofréquence /odjofʀekɑ̃s/ *nf* audiofrequency

audiogramme /odjogʀam/ *nm* audiogram

audiologie /odjɔlɔʒi/ *nf* audiology

audiomètre /odjɔmɛtʀ/ *nm* audiometer

audiométrie /odjɔmetʀi/ *nf* audiometry

audionumérique /odjonymeʀik/ *adj* **disque** ~ digital audio disc, compact disc

audio-oral, ~**e**, *mpl* **-aux** /odjoɔʀal, o/ *adj* audio-oral

audioprothésiste /odjɔpʀɔtezist/ ▸ p. 532 *nmf* specialist in hearing aids

audiotypiste /odjɔtipist/ ▸ p. 532 *nmf* audiotypist

audiovisuel, **-elle** /odjɔvizɥel/

A *adj* **1** Radio, TV broadcasting; **techniques audiovisuelles** broadcasting technology; **2** Ling, Vidéo audiovisual

B *nm* **1** Radio, TV broadcasting; **l'~ public** public service broadcasting; **2** (équipement) audiovisual equipment; **3** (méthodes) audiovisual methods (*pl*)

audit /odit/ *nm* **1** (contrôle) audit; ~ **interne** internal audit; **cabinet d'~** audit firm; **l'~ des comptes** the auditing of the accounts; **2** (contrôleur) auditor

auditer /odite/ [1] *vtr* to audit

auditeur, **-trice** /oditœʀ, tʀis/ *nm,f* **1** gén, Radio listener; (dans un auditorium) member of the audience, listener; **il s'est tourné vers ses ~s** he turned toward(s) the audience; **2** Fin auditor; **3** Ling hearer

(Composé) ~ **libre** Univ *person following a university course with no obligation to take the exam*

auditif, **-ive** /oditif, iv/ *adj* Anat [*nerf, conduit*] auditory; [*troubles, appareil*] hearing (*épith*); [*mémoire*] aural

audition /odisjɔ̃/ *nf* **1** Physiol (perception) hearing; **troubles de l'~** hearing troubles; **2** (écoute) hearing; **3** (essai) Cin, Mus, Théât audition; **passer une** ~ to be auditioned, to go for an audition; **faire passer une** ~ **à qn** to audition sb; **4** Jur hearing, examination; **procéder à l'~ des témoins** to examine the witnesses

auditionner /odisjɔne/ [1] *vtr, vi* to audition

auditoire /oditwaʀ/ *nm* audience

auditorium /oditɔʀjɔm/ *nm* auditorium

auge /oʒ/ *nf* **1** (d'animal) trough; **2** ◑(assiette) plate; **3** (de maçon) board; **4** Géog U-shaped valley; ~ **glaciaire** glacial valley

Augias /oʒjas/ *npr* Augeas; **les écuries d'~** the Augean stables

augment /ogmɑ̃/ *nm* augment

augmentatif, **-ive** /ogmɑ̃tatif, iv/

A *adj* augmentative

B *nm* augmentative

augmentation /ogmɑ̃tasjɔ̃/ *nf* **1** (accroissement) increase; (action) increasing; **l'~ des effectifs/du nombre de** the increase in staff/ in the number of; ~ **de 3%** 3% increase; ~ **de 200 euros** increase of 200 euros; **l'~ du capital de 10 millions de euros** the increase in capital of 10 million euros; **2** (majoration) (de salaire) rise GB, raise US, increase; (de prix, loyer, d'impôt, allocation) increase; **l'~ des prix/loyers** the increase in prices/rents; **l'~ des impôts par le gouvernement** the raising of taxes by the government; **une ~ (de salaire)** a pay rise GB *ou* raise US; **j'ai eu une** ~ **de 10%** I got a 10% rise GB *ou* raise US; ~ **des prix de 3% en avril** a 3% price increase in April; ~ **des tarifs pétroliers de 6%** a 6% increase in oil; **3** (en tricot) increase; **faire une** ~ to increase

augmenter /ogmɑ̃te/ [1]

A *vtr* **1** (accroître) to raise *ou* increase [*nombre, salaire, charge, volume*] (**de** by); to turn up *ou* increase [*son*]; to increase [*valeur, production, participation, capital*] (**de** by); to extend [*durée*] (**de** by); to increase [*risque, chance, joie, impatience*] (**de** by); ~ **le loyer de qn** to put sb's rent up; ~ **ses revenus** to supplement one's income (**en faisant** by doing); **2** (majorer les appointements de) to give [sb] a rise GB *ou* raise US [*employé*]; ~ **qn de 1 000 euros/5%** to give sb a rise GB *ou* raise US of 1,000 euros/5%; **3** (en tricot) to increase; ~ **de deux mailles** increase two stitches

B *vi* **1** (devenir plus élevé) [*impôts, charges, loyer*] to increase (**de** by), to go up (**de** by); [*température*] to rise (**de** by), to go up (**de** by); [*revenus*] to increase (**de** by); [*prix, nombre*] to rise (**de** by), to increase (**de** by), to go up (**de** by); [*surface, volume, capacité*] to increase (**de** by); **le nombre des attentats/chômeurs a augmenté** the number of attacks/unemployed people has risen; **le train a augmenté** train fares have gone up; **le cinéma va** ~ the price of cinema tickets is going to go up; **le gaz/l'électricité va** ~ the price of gas/electricity is going to go up; **les timbres ont augmenté** stamps have gone up; ~ **en valeur** to increase in value; **2** (s'intensifier) [*sentiment, danger, faim, force*] to increase; **l'absentéisme ne cesse d'~** absenteeism keeps increasing

C s'augmenter *vpr* **l'entreprise s'est augmentée d'un nouveau service** a new department has been added to the company

augure /ogyʀ/ *nm* **1** (devin) Antiq augur; fig, hum soothsayer, oracle; **consulter les ~s** Antiq to consult the augurs; fig to consult the oracle; **2** (signe) omen; Antiq augury; **être de bon/mauvais** ~ **pour qch/qn** to be a good/ bad omen for sth/sb

augurer /ogyʀe/ [1] *vtr* **1** (attendre) **que peut-on** ~ **de cette attitude?** what should we expect from this attitude?; **j'augure mal** *or* **je n'augure rien de bon de cette rencontre** I can't see any good coming of this meeting; **cela augure bien/mal de l'avenir** it bodes/ doesn't bode well for the future; **cela laisse** ~ **une difficulté** this suggests we can anticipate a difficulty; **me laissant** ~ **que** giving me to understand that; **2** (annoncer) [*signe*] to herald

auguste /ogyst/

A *adj* [*personne*] august; [*maison*] venerable; [*démarche, geste*] noble

B *nm* (clown) circus clown

a

Auguste /ogyst/ *npr* Augustus; **le siècle d'~** the Augustan age

augustin, ~e /ogystɛ̃, in/
A *adj* Augustinian
B *nm,f* Augustinian friar/nun

Augustin /ogystɛ̃/ *npr* Relig **Saint ~** Saint Augustine

augustinien, -ienne /ogystinjɛ̃, ɛn/ *adj, nm,f* Augustinian

aujourd'hui /oʒuʀdɥi/ *adv* **1** (ce jour) today; **il arrive ~** he's arriving today; **dans le journal d'~** in today's newspaper; **~ en huit/quinze** a week/two weeks (from) today; **à partir** *ou* **à dater d'~** as from today; **dès ~** from today; **~ même** just today; **voilà** *or* **il y a un an ~ que** it's a year ago today that; **pourquoi n'en parles-tu qu'~?** why didn't you mention it before now?; **alors, c'est pour ~ (ou pour demain)**○**?** come on, we haven't got all day!; **2** (de nos jours) today, nowadays; **la jeunesse d'~** the youth of today; **la France d'~** present-day France; **ça ne date pas d'~** [*objet*] it's quite old; [*problème, attitude*] that's nothing new; **~ que la société est mondialement connue** now that the company is known throughout the world

aulne /on/ *nm* alder
(Composés) **~ blanc** grey GB *ou* gray US alder; **~ glutineux** common alder

aulx ▸ **ail**

aumône /omon/ *nf* **1** (aux pauvres) hand-out, alms† (*pl*); **faire l'~ à** to give alms to; **demander l'~** to ask for charity; **2** (somme dérisoire) pittance

aumônerie /omonʀi/ *nf* **1** (lieu) chaplaincy; **2** (charge) chaplainship

aumônier /omonje/ ▸ **p. 532** *nm* chaplain; **~ militaire** army chaplain

aumônière /omonjɛʀ/ *nf* (de dame) purse; (de gentilhomme) pouch

aune /on/
A *nm* = **aulne**
B *nf* Mes ≈ ell; **à l'~ de** by the yardstick of

auparavant /opaʀavɑ̃/ *adv* **1** (avant) before; **comme ~** as before; **nous ferons comme ~** we'll do as we did before; **peu (de temps) ~** shortly before; **un an ~** a year before *ou* earlier; **moins/plus qu'~** less/more than before; **2** (précédemment) previously; **il était ~ ambassadeur** previously he was ambassador; **3** (autrefois) formerly; **~ elle avait été chanteuse** she had formerly been a singer; **4** (en premier lieu) beforehand; **non sans avoir ~ vérifié** not without having checked beforehand

auprès /opʀɛ/
A *adv* liter nearby
B **auprès de** *loc prép* **1** (à côté de) next to, beside; (aux côtés de) with; **allongé ~ d'elle** lying down next to her; **il faut rester ~ de lui, il est souffrant** you must stay with him, he's ill; **il s'est rendu ~ de sa tante** he went to see his aunt; **2** (en comparaison de) compared with; **mes problèmes ne sont rien ~ des tiens** my problems are nothing compared with yours; **3** (en s'adressant à) to; **se plaindre/se justifier/s'excuser ~ de qn** to complain/to justify oneself/to apologize to sb; **renseigne-toi ~ de la mairie** ask for information at the town hall; **un sondage effectué ~ de 2 000 personnes** a poll carried out among 2,000 people; **4** fml (en relation avec) to; **représentant ~ de l'ONU** representative to the UN; **négociateur du Canada ~ de la UE** Canadian negotiator with the EU; **5** (dans l'opinion de) to; **il passe pour riche/un malotru ~ d'eux** to them he's rich/a lout; **il a perdu toute crédibilité ~ des électeurs/de l'opinion** he has lost all credibility among voters/the public; **l'émission a du succès ~ des téléspectateurs/du public** the programme[GB] is a success with TV viewers/the public

auquel ▸ **lequel**

aura /oʀa/ *nf* aura; **bénéficier d'une ~ de respect** to enjoy an aura of respect

auréole /ɔʀeɔl/ *nf* **1** (tache) ring; **laisser une ~** to leave a ring; **2** (d'un astre) halo; **3** (couronne) halo; **~ de cheveux blancs** halo of white hair; **4** (prestige) glory; **paré** *or* **entouré de l'~ de** crowned with the glory of; **5** Art, Relig halo

auréoler: **s'auréoler** /ɔʀeɔle/ [1] *vpr* **s'~ de** to take on an aura of; **auréolé de** basking in the glow of

auréomycine® /ɔʀeɔmisin/ *nf* aureomycin®

auriculaire /ɔʀikylɛʀ/
A *adj* auricular
B *nm* little finger, pinkie

auriculothérapie /ɔʀikyloteʀapi/ *nf* auriculotherapy

aurifère /ɔʀifɛʀ/
A *nf* Fin gold stock
B *adj* **1** Géol auriferous; **2** Fin **valeurs ~s** gold stocks

aurification /ɔʀifikasjɔ̃/ *nf* Dent gold filling

aurifier /ɔʀifje/ [2] *vtr* Dent to fill [sth] with gold

aurige /ɔʀiʒ/ *nm* Auriga

Aurigny /ɔʀiɲi/ ▸ **p. 435** *nf* Alderney; **à ~** in Alderney

aurochs /ɔʀɔk/ *nm inv* aurochs

aurore /ɔʀɔʀ/
A *adj inv* rosy gold
B *nf* **1** (lever du soleil) dawn **¢**; **l'~** dawn; **à l'~** at dawn; **aux ~s** (tôt) with the lark; (trop tôt) at an ungodly hour; **dès l'~** at first light; **2** fml (début) dawn; **à l'~ de** at the dawn of; **à l'~ des années 30** in the early thirties
(Composés) **~ australe** aurora australis; **~ boréale** Northern Lights (*pl*), aurora borealis; **~ polaire** polar lights

auscultation /ɔskyltasjɔ̃/ *nf* **1** Méd examination with a stethoscope, auscultation spéc; **2** fig (examen approfondi) thorough examination; **3** Tech auscultation

ausculter /ɔskylte/ [1] *vtr* **1** Méd to sound, to examine [sb] with a stethoscope; **se faire ~** to be examined with a stethoscope; **2** (examiner) to examine thoroughly; **3** Tech to sound

auspices /ospis/ *nmpl* **1** (augures) auspices; **sous d'heureux/de mauvais/les meilleurs ~** under favourable[GB]/bad/the best auspices; **2** (protection) **sous les ~ de** (patronage institutionnel) under the aegis *ou* auspices of; (protection personnelle) under the patronage of; (protection symbolique) under the auspices of; **3** Antiq auspices

aussi /osi/
A *adv* **1** (également) too, as well, also; **moi ~, j'ai du travail** I have work too; **il sera absent et moi ~** he'll be away and so will I; **je suis allée à Paris, à Lyon et ~ à Montpellier** I went to Paris, Lyons and Montpellier too *ou* as well, I went to Paris, Lyons and also Montpellier; **'j'adore le jazz'—'moi ~'** 'I love jazz'–'me too', 'so do I'; **elle est professeur, elle ~** she's a teacher too *ou* as well; **mon père ~ était vétérinaire** my father was a vet too *ou* as well; **nous partons ~** we're leaving too *ou* as well; **c'est ~ notre opinion** that's our opinion too *ou* as well, that's also our opinion; **il est peintre et ~ musicien** he's a painter and also a musician, he's a painter and a musician too *ou* as well; **'bonne journée!'—'merci, toi ~!'** 'have a nice day!'–'thanks, you too!'; **2** (dans une comparaison) **~ âgé/gentil/ennuyeux/débordé que** as old/kind/boring/overloaded as; **~ étrange/ridicule que cela puisse paraître** (as) strange/ridiculous as it may seem; **~ riche soit-elle** (as) rich as she may be; **~ riche qu'elle soit** rich though she is, however rich she is; **cette émission concerne les femmes ~ bien que les hommes** this programme[GB] concerns women as well as men; **~ longtemps que** as long as; **c'est ~ bien** it's just as well; **c'est ~ bien comme cela** lit it's just as good like that; fig it's just as well; **3** (si, tellement) so; **je ne savais pas qu'il était ~ vieux** I didn't know he was so old; **je n'ai jamais rien vu d'~ beau** I've never seen anything so beautiful; **on n'en fait plus d'~ beaux aujourd'hui** they don't make such nice ones nowadays; **dans une ~ belle maison** in such a nice house; **après une ~ longue absence** after such a long absence, after being away so long; **obtenir d'~ bons résultats** to get such good results
B *conj* **1** (en conséquence) so, consequently; **sa voiture n'a pas démarré, ~ elle a été en retard** her car wouldn't start, so she was late; **il a beaucoup travaillé, ~ a-t-il réussi** he worked hard, so *ou* consequently he succeeded; **je m'en doutais, ~ ne suis-je guère surprise** I suspected it, so I'm not entirely surprised; **2** ○(mais, d'ailleurs) **'on lui a volé son sac'—'quelle idée ~ de le laisser traîner!'** 'her bag was stolen'–'well, it was stupid to leave it lying about!'; **mais ~, pourquoi est-ce que tu y es allée?** why on earth did you go there?

aussitôt /osito/
A *adv* **1** (immédiatement) [*partir, arriver, s'endormir, reconnaître*] immediately, straight away; **il se tut ~** he shut up immediately *ou* straight away; **je m'en voulus ~ de m'être mise en colère** I was immediately cross with myself for having lost my temper; **presque ~** almost immediately; **~ après** straight after, immediately after; **je passerai chez toi ~ après l'avoir vu** I'll come to your place straight *ou* immediately after I've seen him; **~ après ton départ** straight *ou* immediately *ou* just after you left; **il est arrivé ~ après** he arrived straight *ou* immediately afterwards; **2** (juste après) **~ arrivé/descendu de l'avion** as soon as *ou* the moment he arrived/got off the plane; **un tableau, ~ acheté, n'a plus d'intérêt pour lui** no sooner has he bought a painting than he loses interest in it; **elle n'avait pas ~ quitté la pièce qu'il entra** no sooner had she left the room than he came in; **~ dit ~ fait** no sooner said than done
B **aussitôt que** *loc conj* as soon as, the moment; **~ qu'il m'a vue, il m'a souri** as soon as *ou* the moment he saw me, he smiled at me; **je viendrai ~ que possible** I'll come as soon as possible; **elle partit ~ qu'elle put** she left as soon as she could

austère /ɔstɛʀ, ostɛʀ/ *adj* [*personne, éducation, allure, vie, économie*] austere; [*expression, visage*] stern; [*vêtement*] severe; [*monument, lieu*] forbidding; [*livre*] dry

austèrement /ostɛʀmɑ̃/ *adv* austerely

austérité /osteʀite/ *nf* **1** (d'allure, économie, éducation, de lieu, personnne, vie) austerity; **mesures/plan d'~** austerity measures/plan; **politique d'~** policy of austerity; **2** (de vêtement, visage) severity; **3** (d'œuvre) dryness

austral, ~e, *mpl* **~s** /ostʀal/ *adj* **1** (du sud) austral; **vents ~s** austral winds; **2** (de l'hémisphère Sud) southern; **été ~** southern summer

Australasie /ostʀalazi/ *nprf* Australasia; **d'~** Australasian

Australie ➡□ /ostʀali/ ▸ **p. 333** *nprf* Australia

Australie-Méridionale /ostʀalimeʀidjɔnal/ ▸ **p. 721** *nprf* Southern Australia

australien, -ienne /ostʀaljɛ̃, ɛn/ ▸ **p. 561** *adj* Australian

Australien, -ienne /ostʀaljɛ̃, ɛn/ ▸ **p. 561** *nm,f* Australian

Australie-Occidentale /ostʀaliɔksidɑ̃tal/ ▸ **p. 721** *nprf* Western Australia

australopithèque /ostʀalɔpitɛk/ *nm* Australopithecus

austro-hongrois, ~e, *mpl* **~** /ostʀoɔ̃gʀwa, az/ *adj* Austro-Hungarian

autant /otɑ̃/
A *adv* **comment peut-il manger/dormir ~?** how

➡□ *voir* Variétés d'anglais

can he eat/sleep so much?; **il n'a jamais ~ neigé/plu** it has never snowed/rained so much; **je t'aime toujours ~** I still love you as much; **essaie** *or* **tâche d'en faire ~** try and do the same; **je ne peux pas en dire ~** I can't say the same; **triste ~ que désagréable** as sad as it is unpleasant; **~ elle est gentille, ~ il peut être désagréable** she's as nice as he's unpleasant; **~ je comprends leur chagrin, ~ je déteste leur façon de l'étaler** as much as I understand their grief, I hate the way they parade it; **cela m'agace ~ que toi** it annoys me as much as it does you; **ma mère ~ que mon père déteste voyager** my mother hates travelling[GB] as much as my father does; **je les hais tous ~ qu'ils sont** I hate every single one of them; **je me moque de ce que vous pensez tous ~ que vous êtes** I don't care what any of you think; **j'aime ~ partir tout de suite** I'd rather leave straight away, I'd just as soon leave straight away; **j'aime ~ ne pas attendre pour le faire** I'd rather not wait to do it, I'd just as soon not wait to do it; **j'aime ~ te dire qu'il n'était pas content** believe me, he wasn't pleased; **~ dire que la réunion est annulée** in other words the meeting is cancelled[GB]; **~ parler à un mur** you might as well be talking to the wall; **donnez-m'en encore ~** give me as much again; **tout ~** just as much; **il risque tout ~ de faire** he equally runs the risk of doing; **~ que faire se peut** as much as possible, as far as possible; **~ que je sache** as far as I know; **~ que tu peux/veux** (comme tu peux/veux) as much as you can/like; (aussi longtemps que tu peux/veux) as long as you can/like; **tu peux changer le motif ~ que tu veux** you can change the pattern as much as you like

B autant de *dét indéf* **1** (avec un nom dénombrable) **~ de cadeaux/de gens/d'erreurs** so many presents/people/mistakes; **leurs promesses sont ~ de mensonges** their promises are just so many lies; **il les considère comme ~ de clients potentiels** he considers them as so many potential customers; **il y a ~ de femmes que d'hommes** there are as many women as (there are) men; **je n'ai pas eu ~ d'ennuis que lui** I haven't had as many problems as he has

2 (avec un nom non dénombrable) **~ d'énergie/d'argent/de temps** so much energy/money/time; **~ de gentillesse/stupidité** such kindness/stupidity; **ce sera toujours ~ de fait** that'll be done at least; **je n'ai pas eu ~ de chance que lui** I haven't had as much luck as he has, I haven't been as lucky as he has; **je n'ai plus ~ de force qu'avant** I'm not as strong as I used to be; **~ à boire qu'à manger** as much to drink as to eat; **je n'avais jamais vu ~ de monde** I'd never seen so many people; **il y a ~ de place qu'ici** there's as much space as there is here; **il a révélé ~ de gentillesse que d'intelligence** he showed as much kindness as he did intelligence

C d'autant *loc adv* **cela va permettre de réduire d'~ les coûts de production** this will allow an equivalent reduction in production costs; **les salaires ont augmenté de 3% mais les prix ont augmenté d'~** salaries have increased by 3% but prices have increased by just as much; **les informations seront décalées d'une heure et les émissions suivantes retardées d'~** the news will be broadcast an hour later than scheduled as will the following programmes[GB]; **d'~ plus!** all the more reason!; **d'~ mieux!** all the better, even better!; **d'~ moins** even less, all the less; **d'~ moins contrôlable** even less easy to control; **il pouvait d'~ moins ignorer les faits que...** it was all the more difficult for him to ignore the facts since...; **n'étant pas jalouse moi-même je le comprends d'~ moins** not being jealous myself I find it even harder to understand; **d'~ que** all the more so as; **il était furieux d'~ (plus) que personne ne l'avait prévenu** he was all the more furious as nobody had warned him; **d'~ plus heureux/grand que...** all the happier/bigger as...; **une histoire d'~ moins vraisemblable que...** a story all the more implausible since...; **la mesure a été d'~ mieux admise que...** the measure was all the more welcome since...

D pour autant *loc adv* gén for all that; (en début de phrase) but for all that; **sans pour ~ faire** without necessarily doing; **je ne vais pas abandonner pour ~** I'm not going to give up for all that; **sans pour ~ tout modifier** without necessarily changing everything; **sans pour ~ que les loyers augmentent** without rents necessarily increasing

E pour autant que *loc conj* **pour ~ que** as far as; **pour ~ qu'ils se mettent d'accord** if they agree; **pour ~ que je sache** as far as I know

autarcie /otaʀsi/ *nf* autarky; **~ relative** relative autarky; **vivre en ~** to be self-sufficient

autarcique /otaʀsik/ *adj* autarkic(al)

autel /otɛl/ *nm* altar; **sur l'~ de** on the altar of; **mener** *or* **conduire sa fille à l'~** to give one's daughter away; **être immolé sur l'~ de** to be sacrificed on the altar of

auteur /otœʀ/ *nm* **1** (qui a écrit) author; **les grands ~s** the great authors; **relire un ~** to re-read an author; **du même ~** by the same author; **2** (créateur) (de chanson) composer; (de tableau, d'œuvre artistique) artist; **film d'~** art film; **cinéma d'~** art-house cinema GB *ou* movies (*pl*) US; **photographie d'~** art photography; **3** (de réforme, loi) author; (de découverte) inventor; (de crime, délit, d'attentat) perpetrator; (de coup d'État) leader; **l'~ du canular** the hoaxer; **l'~ de mes jours** hum (mère) my revered mother; (père) my revered father

(Composés) **~ de chansons** songwriter; **~ dramatique** playwright

auteur-compositeur, *pl* **auteurs-compositeurs** /otœʀkɔ̃pozitœʀ/ *nm* songwriter

auteur-compositeur-interprète, *pl* **auteurs-compositeurs-interprètes** /otœʀkɔ̃pozitœʀɛ̃tɛʀpʀɛt/ ▸ p. 532 *nm* singer-songwriter

authenticité /otɑ̃tisite/ *nf* (de document, fait) authenticity; (de sentiment) genuineness

authentifier /otɑ̃tifje/ [2] *vtr* to authenticate

authentique /otɑ̃tik/ *adj* **1** (vrai) [*fait, récit, histoire*] true; [*tableau, document*] authentic, genuine; [*sentiment*] genuine; **ça s'est passé hier, ~○!** it happened yesterday, it really did! *ou* that's the honest truth!; **2** (conforme) [*document*] authentic; **acte ~** authenticated deed

authentiquement /otɑ̃tikmɑ̃/ *adv* **1** (sincèrement) genuinely; **2** ○(absolument) totally

autisme /otism/ *nm* autism

autiste /otist/

A *adj* autistic

B *nm,f* autistic person

autistique /otistik/ *adj* autistic

auto /auto/

A *adj inv* **assurance ~** car *ou* motor insurance GB, automobile insurance US

B *nf* car, automobile US

(Composé) **~ tamponneuse** bumper car, dodgem

auto-adhésif, **-ive**, *pl* **~s*** /otoadezif, iv/ *adj* self-adhesive

auto-allumage* /otoalymaʒ/ *nm* pre-ignition

auto-analyse, *pl* **~s** /otoanaliz/ *nf* self-analysis

autobilan /otobilɑ̃/ *nm* Aut MOT (test)

autobiographie /otobjoɡʀafi/ *nf* autobiography

autobiographique /otobjoɡʀafik/ *adj* autobiographical

autobloquant, **~e** /otoblɔkɑ̃, ɑ̃t/ *adj* **pavé ~** paverprint

autobloqueur /otoblɔkœʀ/ *nm* jammer

auto-bronzant, **~e** /otobʀɔ̃zɑ̃, ɑ̃t/ *adj* [*crème*] self-tanning

autobus /otɔbys/ *nm inv* bus

autocar /otɔkaʀ/ *nm* coach GB, bus US

auto-caravane, *pl* **autos-caravanes** /otokaʀavan/ *nf* motorhome, camper US

autocassable /otokasabl/ *adj f* **ampoule ~** easy to open phial

autocensure /otosɑ̃syʀ/ *nf* self-censorship

autocensurer: **s'autocensurer** /otosɑ̃syʀe/ [1] *vpr* to practise[GB] self-censorship

autochauffant, **~e** /otoʃofɑ̃, ɑ̃t/ *adj* self-heating

autochenille /otoʃnij/ *nf* half-track

autochtone /otɔkton/

A *adj* **1** Anthrop native, autochthonous spéc; **2** Géol autochthonous

B *nmf* native, autochthon spéc

autoclave /otɔklav/

A *adj* **fermeture ~** pressure seal

B *nm* autoclave

autocollant, **~e** /otɔkɔlɑ̃, ɑ̃t/

A *adj* self-adhesive

B *nm* sticker

autocommutateur /otɔkɔmytatœʀ/ *nm* private automatic exchange, PAX

autocongratuler: **s'autocongratuler** /otokɔ̃ɡʀatyle/ [1] *vpr* to give oneself a pat on the back, to pat oneself on the back

autoconsommation /otokɔ̃sɔmasjɔ̃/ *nf* home consumption; **ils tirent de l'~ le quart de leur alimentation** a quarter of their food is home-produced

autocontrôle /otokɔ̃tʀol/ *nm* **1** (gestion) (d'entreprise) self-regulation; **2** Fin holding by a company of its own shares

autocopiant, **~e** /otokɔpjɑ̃, ɑ̃t/ *adj* carbonless, self-copying

autocorrection /otokɔʀɛksjɔ̃/ *nf* autocorrection

autocouchettes /otokuʃɛt/ *adj inv* **train ~** motorail train

autocrate /otokʀat/

A *adj* autocratic

B *nmf* autocrat

autocratie /otokʀasi/ *nf* autocracy

autocratique /otokʀatik/ *adj* autocratic

autocritique /otokʀitik/ *nf* self-criticism ₵; **faire son ~** to criticize oneself

autocuiseur /otokɥizœʀ/ *nm* pressure cooker

autodafé /otodafe/ *nm* **1** Hist (cérémonie) auto-da-fé; **2** (destruction par le feu) book-burning; **faire un ~ de qch** fig to throw sth on the bonfire

autodéfense /otodefɑ̃s/ *nf* gén self-defence; Méd auto-immunity

autodéfinir: **s'autodéfinir** /otodefiniʀ/ [3] *vpr* Psych to define oneself (**comme** as)

autodérision /otodeʀizjɔ̃/ *nf* self-derision

autodestructeur, **-trice** /otodɛstʀyktœʀ, tʀis/ *adj* self-destructive

autodestruction /otodɛstʀyksjɔ̃/ *nf* self-destruction

autodétention /otodetɑ̃sjɔ̃/ *nf* holding by a company of its own shares

autodétenu, **~e** /otodetny/ *adj* [*actions*] held by the issuing company

autodétermination /otodetɛʀminasjɔ̃/ *nf* self-determination

autodéterminer: **s'autodéterminer** /otodetɛʀmine/ [1] *vpr* to exercise self-determination

autodétruire: **s'autodétruire** /otodetʀɥiʀ/ [69] *vpr* [*person*] to destroy oneself; [*cassette*] to self-destruct; [*missile*] to autodestruct

autodictée /otodikte/ *nf* autodictation

autodidacte /otodidakt/

A *adj* gén self-educated; (dans un domaine) self-taught

B *nmf* self-educated person, autodidact sout

autodirecteur, -trice /otodirɛktœr, tris/ *adj* [*torpille, missile*] homing, smart

autodiscipline /otodisiplin/ *nf* self-discipline; **en ~** without supervision

autodrome /otodrom/ *nm* racetrack

auto-école, *pl* **~s*** /otoekɔl/ *nf* driving school

auto-érotique, *pl* **~s*** /otoerɔtik/ *adj* autoerotic

auto-érotisme* /otoerɔtism/ *nm* autoeroticism

autoévaluation /otoevalɥasjɔ̃/ *nf* self-assessment

autoévaluer: **s'autoévaluer** /otoevalɥe/ [1] *vpr* to assess oneself

autofécondation /otofekɔ̃dasjɔ̃/ *nf* self-fertilization

autofinancement /otofinɑ̃smɑ̃/ *nm* self-financing

autofinancer: **s'autofinancer** /otofinɑ̃se/ [1] *vpr* to be self-financing

autofocus /otofɔkys/

A *adj inv* autofocus

B *nm inv* (appareil) autofocus camera

autogène /otoʒɛn/ *adj* **soudage ~** welding; **soudure ~** weld; ▸ **training**

autogérer: **s'autogérer** /otoʒere/ [14] *vpr* [*entreprise*] to be run on a cooperative basis; **autogéré par les ouvriers** run by the workers themselves

autogestion /otoʒɛstjɔ̃/ *nf* (d'entreprise) worker management, cooperative management; (de collectivité) collective management

autogestionnaire /otoʒɛstjɔnɛr/ *adj* involving worker management (*après n*)

autogonflable /otogɔ̃flabl/ *adj* self-inflating

autographe /otɔgraf/

A *adj* original, autograph (*épith*)

B *nm* **1** (texte) original manuscript; **2** (signature) autograph

autogreffe /otogrɛf/ *nf* (de tissu) autograft; (d'organe) autotransplant

autoguidage /otogidaʒ/ *nm* (de missile) homing guidance; (d'avion) automatic guiding

autoguidé, ~e /otogide/ *adj* self-guided

autohypnose /otoipnoz/ *nf* auto-hypnosis

auto-immunisation, *pl* **~s** /otoimynizasjɔ̃/ *nf* autoimmunity

auto-induction /otoɛ̃dyksjɔ̃/ *nf* self-induction

auto-injecteur, *pl* **~s** /otoɛ̃ʒɛktœr/ *nm* Pharm auto-injector

auto-intoxication /otoɛ̃tɔksikasjɔ̃/ *nf* autointoxication

autolimitation /otolimitasjɔ̃/ *nf* voluntary restraint

autologue /otɔlɔg/ *adj* autologous

autolubrifiant, ~e /otolybrifjɑ̃, ɑ̃t/ *adj* self-lubricating

automate /otɔmat/ *nm* lit, fig robot, automaton; **gestes d'~** robotic *ou* robot-like movements; **comme un ~** like a robot

automation /otɔmasjɔ̃/ *nf* controv automation

automatique /otɔmatik/

A *adj* **1** [*réflexe, appareil, voiture, arme, remboursement*] automatic; [*montre*] self-winding; **l'arrêt est ~** it stops automatically; **2** °(certain) **c'est ~** you can bet on it°

B *nm* **1** Télécom **l'~** STD, subscriber trunk dialling[GB]; **2** (revolver) automatic (revolver); **3** Phot automatic camera

C *nf* Tech automation

automatiquement /otɔmatikmɑ̃/ *adv* **1** (de façon automatique) automatically; **2** °(inévitablement) inevitably

automatisation /otɔmatizasjɔ̃/ *nf* automation

automatiser /otɔmatize/ [1] *vtr* to automate

automatisme /otɔmatism/ *nm* (de personne, fonction, réaction) automatism; (de machine) automatic functioning; **les ~s boursiers/économiques** automatic stock exchange/economic triggers; **acquérir des ~s** to acquire automatic reflexes

automédication /otomedikasjɔ̃/ *nf* self-medication

automitrailleuse /otomitrajøz/ *nf* armoured[GB] car

automnal, ~e, *mpl* **-aux** /otɔnal, o/ *adj* autumnal

automne /otɔn/ ▸ **p. 769** *nm* autumn GB, fall US; **en ~** in autumn GB, in the fall US; **l'~ prochain/dernier** next/last autumn GB, next/last fall US; **l'~ de leur vie** the autumn of their lives

automobile /otomɔbil/

A *adj* **1** [*véhicule*] motorized; **voiture ~** (motor) car; **2** [*industrie, assurance*] car, motor, automobile US; [*accessoire, constructeur*] car (*épith*); **3** Sport [*course*] motor (*épith*); [*circuit*] motor racing (*épith*)

B *nf* **1** (voiture) (motor) car, automobile US; **2** (industrie) **l'~** the car *ou* motor industry GB, the automobile industry US

automobiliste /otomɔbilist/ *nmf* motorist

automoteur, -trice /otomɔtœr, tris/

A *adj* [*véhicule, bateau*] self-propelled, motor (*épith*)

B *nm* self-propelled barge

C **automotrice** *nf* electric railcar

automutilation /otomytilasjɔ̃/ *nf* self-mutilation, self-harm

autonettoyant, ~e /otonetwajɑ̃, ɑ̃t/ *adj* self-cleaning

autonome /otɔnɔm/ *adj* **1** Pol [*région, république*] autonomous; **2** (autogéré) [*filiale, gestion*] independent, autonomous; [*syndicat*] nonaffiliated, independent; [*personne*] self-sufficient; [*vie*] independent; **variable ~** Écon independent variable; **3** (non connecté) [*moteur*] independent; Ordinat [*unité*] stand-alone; [*système, équipement*] off-line; **4** Philos [*volonté*] autonomous

autonomie /otɔnɔmi/ *nf* **1** Admin, Fin, Philos, Pol autonomy; **2** Aut, Aviat range; **~ de vol** flight range

(Composé) **~ de marche** Tech running time

autonomiser /otɔnomize/ [1] *vtr* (complètement) to make [sth] autonomous; (en partie) to grant a degree of autonomy to

autonomiste /otɔnɔmist/ *adj, nmf* separatist

autoplastie /otoplasti/ *nf* Méd autoplasty

autopollinisation /otopɔlinizasjɔ̃/ *nf* self-pollination

autopompe /otopɔ̃p/ *nf* fire engine

autopont /otopɔ̃/ *nm* flyover

autoportrait /otopɔrtrɛ/ *nm* self-portrait

autoproclamer: **s'autoproclamer** /otoprɔklame/ [1] *vpr* to proclaim oneself

autoproduire /otoprɔdɥir/ [69] *vtr* **~ ses disques** to produce one's own records

autoproduit, ~e /otoprɔdɥi, it/ *adj* made at one's own expense

autopropulsé, ~e /otoprɔpylse/ *adj* self-propelled

autopropulsion /otoprɔpylsjɔ̃/ *nf* self-propulsion

autoprotection /otɔprɔtɛksjɔ̃/ *nf* automatic burglar alarm; **dispositif d'~** automatic alarm system

autopsie /otɔpsi/ *nf* postmortem (examination), autopsy; **faire une ~** to carry out a postmortem (examination), to perform an autopsy; **faire l'~ de la défaite électorale** fig to hold a postmortem on why the election was lost

autopsier /otɔpsje/ [2] *vtr* to carry out a postmortem (examination) on, to perform an autopsy on [*cadavre*]

autopunition /otopynisjɔ̃/ *nf* self-punishment

autoradio /otoradjo/ *nm* car radio

autorail /otorɑj/ *nm* rail car

auto-réversible /otoreversibl/ *adj* [*cassette*] with auto-reverse (*après n*)

autorisation /otɔrizasjɔ̃/ *nf* **1** (accord) gén permission (**de faire** to do); (officielle) authorization (**de faire** to do); **donner à qn l'~ de faire** to give sb permission to do; (officiellement) to give *ou* grant sb authorization to do; **avoir l'~ de faire** to have permission to do; **sans l'~ du gouvernement** without government authorization; **entrée interdite sans ~** no unauthorized entry; **2** Admin, Comm, Jur licence[GB]; **sans ~** without a licence[GB]; **avoir l'~ d'exporter des armes** to have a licence for exporting weapons, to be licensed to export weapons; **3** (document) permit; (licence) licence[GB]

(Composés) **~ administrative de licenciement** Admin *administrative fiat for a company's redundancy plan*; **~ de crédit** Fin overdraft facility; **~ d'étalage** stallholder's permit; **~ de mise sur le marché** product licence[GB]; **~ de mise sur le marché français** product licence[GB] in France; **~ parentale** parental consent; **~ de prélèvement** direct-debit form; Comm release for shipment; **~ de programme** authorization bill; **~ de sortie** Scol *consent form allowing a pupil to leave the school building*; **~ de sortie du territoire** parents' authorization for an unaccompanied minor to travel abroad; **~ de vol** Aviat flight clearance

autorisé, ~e /otɔrize/

A *pp* ▸ **autoriser**

B *pp adj* **1** (approuvé) [*biographie, édition, agent*] authorized; [*parti*] legal; [*représentant*] Comm accredited; **non ~** unauthorized; **2** (officiel) [*personne*] authorized; **milieux ~s** official circles; **de source ~e** from official sources; **3** (qualifié) [*avis, ouvrage*] authoritative; **4** (toléré) [*tension, pression*] permitted; **poids maximum en charge ~** maximum permitted load

autoriser /otɔrize/ [1]

A *vtr* **1** (donner une permission) [*personne*] to allow [*visite*]; [*autorités*] to authorize [*paiement, visite*]; **~ qn à faire** to give sb permission to do, to authorize sb to do; **~ le café à qn** to allow sb coffee; **~ que les prix augmentent** to permit *ou* allow prices to rise; **2** (donner un droit) [*événement, loi*] **~ qn à faire** to entitle sb to do; **ce qui autorise à penser que** which makes it reasonable *ou* legitimate to think that; **rien ne vous autorise à agir ainsi** you have no right to behave like that; **3** (rendre possible) [*situation, conditions*] to make [sth] possible, to allow (of) [*réalisation, innovation*]; **la situation n'autorise aucune baisse des prix** the situation doesn't allow of any price reductions; **4** (donner une raison) [*événement, état*] to give grounds for [*espoir, optimisme*]; to justify [*sentiment, réaction*]; **rien n'autorise ce pessimisme** there are no grounds for such pessimism

B **s'autoriser** *vpr* **s'~ de qch** (prétexter) to use sth as an excuse (**pour faire** to do); (s'appuyer sur) **je me suis autorisé de votre lettre pour solliciter leur aide** in view of what you wrote in your letter I asked them to help; **s'~ d'un précédent pour faire qch** to rely on precedent in doing sth

autoritaire /otɔritɛr/ *adj, nmf* authoritarian

autoritairement /otɔritɛrmɑ̃/ *adv* in an authoritarian way

autoritarisme /otɔritarism/ *nm* authoritarianism

autorité /otɔrite/ *nf* **1** (domination) authority (**sur** over); **exercer son ~ sur qn** to exercise authority over sb; **être sous l'~ de qn** to be under sb's authority; **faire acte d'~** to impose one's authority; **de sa propre ~** on one's own authority; **agir avec ~** to act decisively; **faire qch d'~** (de façon impérieuse) to do sth decisively; (sans consulter) to take it upon oneself to do sth; **il a été désigné d'~ comme porte-parole** it has been decided that he will be appointed as a spokesman; **2** (ascendant) authority; **avoir de l'~ sur qn** to have influence *ou* authority over sb; **il n'a aucune ~ sur ses enfants/élèves** he has no control over his children/pupils; **faire ~** [*personne*] to be an authority (**en, en matière de** on); [*ouvrage*] to be authoritative; **parler avec ~ de qch** to speak authoritatively on sth; **3** (spécialiste) authority, expert; **4** Admin (pouvoir établi) authority; (personnel) **les ~s** the authorities; **défier l'~** to defy authority; **les ~s françaises monétaires** the French monetary authorities; **5** Jur jurisdiction; **territoire soumis à** *or* **placé sous l'~ de** territory within the jurisdiction of; **placer qch sous l'~ de** to place sth under the authority of [*ministère, conseil*]; **l'~ de la loi** the force of the law; **l'~ de la chose jugée** Jur res judicata; **par ~ de justice** by order of the court

(Composé) **~ parentale** parental authority

autoroute /otoʀut/ *nf* **1** (route) motorway GB, freeway US; **~ de dégagement** bypass GB, freeway US; **~ de liaison** motorway GB, freeway US; **~ à péage** toll motorway; **~ urbaine** urban motorway; **2** Ordinat **~ de l'information** information (super)highway

> **Autoroutes**
>
> France has an extensive motorway system, which is largely financed by tolls calculated according to the distance travelled and the vehicle type. Tickets are obtained and tolls paid at *péages* (tollgates). There is a speed limit for standard vehicles of 130 km/h (approx. 80 mph) and 110 km/h (approx. 70 mph) in wet weather. Some motorways have specific names, e.g. the *autoroute du soleil* refers to the A6 and A7 between Paris and Marseilles.

autoroutier, -ière /otoʀutje, ɛʀ/ *adj* motorway (*épith*) GB, freeway (*épith*) US

autosatisfaction /otosatisfaksjɔ̃/ *nf* self-satisfaction

auto-stop* /otostɔp/ *nm* hitchhiking; **faire de l'~** to hitchhike; **aller à Paris en ~** to hitchhike to Paris; **faire la France en ~** to hitchhike around France; **prendre qn en ~** to pick up a hitchhiker; **je l'ai prise en ~** I gave her a lift GB *ou* ride US

auto-stoppeur, -euse, *mpl* **~s*** /otostɔpœʀ, øz/ *nm,f* hitchhiker; **prendre un ~** to pick up a hitchhiker

autosubsistance /otosybzistɑ̃s/ *nf* self-sufficiency

autosuffisance /otosyfizɑ̃s/ *nf* self-sufficiency

autosuffisant, ~e /otosyfizɑ̃, ɑ̃t/ *adj* self-sufficient

autosuggestion /otosygʒɛstjɔ̃/ *nf* autosuggestion

autotensiomètre /ototɑ̃sjɔmɛtʀ/ *nm* blood pressure monitor

autotest /ototɛst/ *nm* self-test

autotour /ototuʀ/ *nm* driving holiday package (*car hire and hotel accommodation*)

autotracté /ototʀakte/ *adj* self-propelled

autotransfusion /ototʀɑ̃sfyzjɔ̃/ *nf* autologous transfusion

autour¹ /otuʀ/

A *adv* **un parterre de fleurs avec des pierres ~** a flowerbed with stones around it; **tout ~** all around

B autour de *loc prép* **1** (marquant le lieu) around, round GB; **~ de la table/du soleil** around the table/the sun; **2** (marquant une approximation) around, round GB; **~ de 10 h/200 euros** around 10 o'clock/200 euros; **3** (au sujet de) **un débat/une conférence ~ du thème du pouvoir** a debate/a conference on the theme of power; **un débat ~ de cinq thèmes** a debate centred^GB around five themes; **la publicité organisée ~ de cet événement** fig the publicity organized around this event

autour² /otuʀ/ *nm* goshawk

autre¹ /otʀ/

> ⚠ Lorsqu'il est adjectif indéfini et employé avec un article défini *autre* se traduit par *other*: *l'autre rue* = the other street.
>
> On notera que *un autre* se traduit par *another* en un seul mot.
>
> Les autres emplois de l'adjectif ainsi que le pronom indéfini sont traités ci-dessous.
>
> Les expressions comme *entre autres, nul autre, personne d'autre etc* se trouvent respectivement à **entre, nul, personne** etc. De même les expressions telles que *comme dit l'autre, en voir d'autres, avoir d'autres chats à fouetter etc* se trouvent respectivement sous **dire, voir, fouetter** etc.
>
> En revanche *l'un... l'autre* et ses dérivés sont traités ci-dessous.

A *adj indéf* **1** (indiquant la différence) **l'~ côté/solution/bout** the other side/solution/end; **l'~ jour** the other day; **une ~ idée/histoire** another idea/story; **je ferai ça un ~ jour** I'll do that some other day; **pas d'~ place/solution** no other space/solution; **il n'y a pas d'~s exemples** there aren't any other examples; **une (tout) ~ conception** an altogether *ou* a completely different design; **allumettes, briquets et ~s gadgets** matches, lighters and other gadgets; **bien** *or* **beaucoup d'~s problèmes** many other problems; **quelque chose/rien d'~** something/nothing else; **quoi d'~?** what else?; **quelqu'un/personne d'~** someone/no-one else; **personne d'~ que lui n'aurait accepté** no-one but him would have accepted; **l'actrice principale n'est ~ que la fille du metteur en scène** the leading actress is none other than the director's daughter; **mon livre préféré n'est ~ que la Bible** my favourite^GB book is none other than the Bible

2 (supplémentaire) **tu veux un ~ bonbon?** do you want another sweet GB *ou* candy US?; **ils ne veulent pas d'~ enfant, ils ne veulent pas d'~s enfants** they don't want another child, they don't want any more children; **donnez-moi dix ~s timbres** give me another ten stamps

3 (différent) different; **être ~** to be different; **l'effet obtenu est tout ~** the effect produced is completely different; **dans des circonstances ~s** in *ou* under other circumstances; **un produit ~ que l'éther** a product other than ether

4 °(après un pronom personnel) **nous ~s/vous ~s** we/you; **nous ~s professeurs/Français** we teachers/French

B *pron indéf* **1** (indiquant la différence) **où sont les autres?** (choses) where are the other ones?; (personnes) where are the others?; **je t'ai pris pour un ~** I mistook you for someone else; **certains estiment que c'est juste, d'~s non** some (people) think it's fair, others don't; **elle est pourrie cette pomme, prends-en une ~** this apple is rotten, have another one; **tu n'en as pas d'~s?** haven't you got any others?; **penser aux ~s** to think of others *ou* other people; **je me fiche° de ce que pensent les ~s** I don't care what other people think; **l'un est souriant l'~ est grognon** one is smiling, the other one is grumpy; **l'une est pliante mais pas l'~** one is folding, the other one isn't; **ce qui amuse l'un agace l'~** what amuses one annoys the other; **certains sont ravis d'~s moins** some people are thrilled, others less so; **aussi têtus l'un que l'~** as stubborn as each other, both equally stubborn; **des récits plus vivants les uns que les ~s** stories each more lively than the one before; **loin l'un de l'~, loin les uns des ~s** far away from each other, far apart; **nous sommes dépendants l'un de l'~, nous sommes dépendants les uns des ~s** we're dependent on each other *ou* one another; **ils se respectent les uns les ~s** they respect each other; **'aimez-vous les uns les ~s'** 'love one another'; **l'un après/devant/derrière l'~, les uns après/devant/derrière les ~s** one after/in front of/behind the other; **c'est l'un ou l'~!** it's got to be either one or the other!; **quand ce n'est pas l'un c'est l'~** if it isn't one of them, it's the other; **chez lui c'est tout l'un ou tout l'~** he goes to extremes; **ni l'un ni l'~** neither one nor the other, neither of them; **il est où l'~°?** where's what's-his-name° got to?; **l'~ il est gonflé°!** he's got a nerve, that one!; **à d'~s°!** pull the other one (it's got bells on°)!, go and tell it to the marines°! US

2 (indiquant un supplément) **prends-en un ~ si tu aimes ça** have another one if you like them; **si je peux je t'en apporterai d'~s** if I can I'll bring you some more; **ils ont deux enfants et n'en veulent pas d'~s** they have two children and don't want any more

C autre part *loc adv* somewhere else; ▸ **part**

autre² /otʀ/ *nm* Philos **l'~** the other

autrefois /otʀəfwa/ *adv* gén in the past; (précédemment) before, formerly sout; (en un temps révolu) in the old days, in days gone by littér; **~ c'était possible** it used to be possible; **c'est là que je travaillais ~** that's where I worked before *ou* I used to work; **~, il n'y avait pas d'électricité** in the old days, there was no electricity; **~, quand Paris s'appelait Lutèce** long ago, when Paris was called Lutetia; **elle ~ si riche** she, who used to be so wealthy; **mes habitudes/ma vie d'~** my former habits/life; **les coutumes/légendes d'~** old customs/legends; **les voitures d'~** cars of an earlier era; **les maisons d'~ étaient solides** in the old days, houses were well built

autrement /otʀəmɑ̃/ *adv* **1** (de façon autre) [*faire, voir, agir*] differently, in a different way; [*décider, conclure*] otherwise; [*nommé, appelé*] otherwise; **le sort en a voulu ~** fate decided otherwise; **ça ne s'explique pas ~** there's no other explanation for it; **un escroc n'aurait pas agi ~** it's the sort of thing you would expect from a crook; **on ne peut les qualifier ~** that's all you can say about them; **parlez-moi ~, je vous prie** don't talk to me like that, please; **il en est** *or* **va (tout) ~ des films** it's quite different for films; **il n'en est pas ~ des films** it's no different for films; **il ne peut (pas) en être ~** that's the way it has to be; **c'est comme ça, et pas ~** that's just the way it is; **on ne peut pas faire ~** there's no other way; **comment aurait-elle pu faire ~?** what else could she have done?; **je n'ai pas pu faire ~ que de les inviter** I had no alternative but to invite them; **on ne peut y accéder ~ que par bateau** you can only get there by boat; **je ne l'ai jamais vue ~ qu'en jean** I've never seen her in anything but jeans; **ça s'est passé ~ que prévu** it did not turn out as expected; **~ dit** in other words; **2** (sans quoi) otherwise; **~ ne compte pas sur moi** otherwise don't count on me; **3** °(à part cela) otherwise, apart from that; **4** °(spécialement) **pas ~** not particularly *ou* unduly; **je n'en serais pas ~ surpris** I wouldn't be particularly *ou* unduly surprised; **5** °(beaucoup plus) **~ grave** (much) more serious; **~ aimable** (much) nicer; **c'est ~ plus petit qu'ici** it's much smaller than here

Autriche /otʀiʃ/ ▸ **p. 333** *nprf* Austria

Autriche-Hongrie /otʀiʃɔ̃gʀi/ *nprf* Hist Austro-Hungary

autrichien, -ienne /otʀiʃjɛ̃, ɛn/ ▸ **p. 561** *adj* Austrian

Autrichien, -ienne /otʀiʃjɛ̃, ɛn/ ▸ **p. 561** *nm,f* Austrian

autruche /otʀyʃ/ *nf* ostrich
(Idiomes) **avoir un estomac d'~** to have a cast-iron stomach; **faire l'~, jouer les ~s, pratiquer la politique de l'~** to bury one's head in the sand

autrui /otʀɥi/ *pron indéf* others (*pl*), other people (*pl*); **les biens d'~** other people's property; **la vie d'~** other people's lives (*pl*); **sans l'aide d'~** without the help of others, without other people's help

auvent /ovɑ̃/ *nm* (de maison) canopy; (de tente, caravane) awning

auvergnat, ~e /ovɛʀɲa, at/ ▸ **p. 721** *adj* of the Auvergne

Auvergnat, ~e /ovɛʀɲa, at/ ▸ **p. 721** *nm,f* (natif) native of the Auvergne; (habitant) inhabitant of the Auvergne

Auvergne /ovɛʀɲ/ ▸ **p. 721** *nprf* **l'~** the Auvergne

aux /o/ *prép* (= **à les**) ▸ **à**

auxerrois, ~e /osɛʀwa, az/ ▸ **p. 894** *adj* of Auxerre

Auxerrois, ~e /osɛʀwa, az/ ▸ **p. 894** *nm,f* (natif) native of Auxerre; (habitant) inhabitant of Auxerre

auxiliaire /oksiljɛʀ/
A *adj* **1** Ling auxiliary; **2** (accessoire) [*machine*] auxiliary; [*motor*] back-up (*épith*); [*service*] supplementary; [*cause*] secondary; [*moyen*] additional; Ordinat [*mémoire*] additional; **bureau ~** sub-office; **3** ▸ **p. 532** (non titulaire) **maître ~** assistant teacher; **infirmier ~** nursing auxiliary GB, aide US
B *nmf* assistant helper
C *nm* **1** (moyen, objet) aid; **2** Ling auxiliary verb
D auxiliaires *nmpl* Naut auxiliary equipment ¢
(Composés) **~ de justice** representative of the law; **~ médical** medical auxiliary GB, aide US

auxiliairement /ɔksiljɛʀmɑ̃/ *adv* **1** Ling as an auxiliary verb; **2** fig less importantly

auxquels, auxquelles ▸ **lequel**

avachi, ~e /avaʃi/
A *pp* ▸ **avachir**
B *pp adj* **1** [*valise, chaussure*] which has lost its shape (*épith, après n*); [*fauteuil*] shapeless; **2** [*traits, visage*] flabby

avachir /avaʃiʀ/ [3]
A *vtr* to wear out [*poche, chaussure*]
B s'avachir *vpr* **1** [*fauteuil*] to sag; fig [*personne*] to let oneself go; **2** (s'écrouler) **aussitôt rentré il s'est avachi dans un fauteuil** as soon as he got in he flopped into an armchair; **elle était avachie devant la télévision** she was slumped in front of the television

avachissement /avaʃismɑ̃/ *nm* (fatigue) sluggishness; **~ intellectuel** intellectual flabbiness

AVAE /aveaə/ *nm* (*abbr* = **appelé volontaire pour l'action extérieure**) *conscript who volunteers for military service abroad*

aval /aval/
A *adj inv* Sport downhill
B *nm* **1** Géog (de cours d'eau) downstream part; **en ~** downstream (**de** from); **2** Géog (de pente) lower slopes (*pl*); **en ~** lower down (**de** from); **3** (de processus) **en ~** downstream (**de** from); **4** Fin (engagement de payer) guarantee; **'Bon pour ~'** 'Guaranteed by'; **donner son ~ à** to endorse; **donneur d'~** guarantor; **5** (approbation) **vous avez mon ~** I'm behind you; **avoir reçu l'~ de qn** to have sb behind one; **donner son ~ à qn** to give sb one's approval

avalanche /avalɑ̃ʃ/ *nf* **1** Géog, Météo avalanche; **2** (grande quantité) (de critiques, sondages, scandales, questions, réformes) flood; (de projectiles, coups) avalanche; (de compliments) shower

avaler /avale/ [1] *vtr* **1** (ingurgiter) [*personne*] to swallow [*aliment, sirop, médicament*]; [*machine*] to swallow [*ticket, carte de crédit*]; fig [*entreprise*] to swallow up [*petite entreprise*]; **'ne pas ~'** Pharm 'not to be taken internally'; **~ sa salive** to swallow; **j'ai avalé de travers** it went down the wrong way; **j'ai avalé mon vin de travers** my wine went down the wrong way; **~ ses mots** fig to swallow one's words; **~ un livre** fig to devour a book; **~ l'obstacle** Sport to make nothing of an obstacle; **2** (inhaler) to inhale [*fumée, vapeur*]; **tu avales la fumée?** do you inhale?; **3** ○(admettre) to swallow [*histoire, récit, mensonge*]; **faire ~ qch à qn** to make sb swallow sth; **on te ferait ~ n'importe quoi** they'd make you swallow anything; **c'est dur à ~**○ it's difficult to swallow
(Idiomes) **tu as avalé ta langue?** hum have you lost your tongue?; **il a avalé son parapluie** *or* **sa canne** hum he's so stiff and starchy

avaleur /avalœʀ/ ▸ **p. 532** *nm* **~ de sabres** sword swallower

avaliseur /avalizœʀ/ *nm* Fin guarantor

à-valoir /avalwaʀ/ *nm inv* Fin instalment[GB]

avance /avɑ̃s/
A *nf* **1** (progression) advance; **fuir devant l'~ des rebelles** to flee before the advance of the rebels; **ralentir/contenir l'~ de l'ennemi** to slow/to contain the enemy's advance; **2** (avantage) lead; **conserver son ~** to keep one's lead; **~ technologique** technological advance; **avoir une ~ de 3% dans les sondages** [*parti, candidat*] to have a 3% lead in the opinion polls; **prendre de l'~ sur** [*personne, pays, entreprise*] to pull ahead of; **avoir de l'~ sur** [*personne, pays, entreprise*] to be ahead of; **3** Fin (acompte) advance; **une ~ sur salaire** an advance on one's salary
B à l'avance *loc adv* in advance; **faire qch à l'~** to do sth in advance; **ils ont eu connaissance des sujets à l'~** they knew the subjects in advance
C d'avance *loc adv* already; **il a perdu d'~** he has already lost; **ça me déprime d'~** I'm already depressed about it; **c'est acquis d'~, elle sera augmentée** it's already been agreed, she will get a rise GB *ou* raise US; **il faut payer d'~** you have to pay in advance; **d'~ je vous remercie** I thank you in advance; **avoir cinq minutes d'~** to be five minutes early
D en avance *loc adv* **1** (sur l'heure) early; **être en ~** to be early; **arriver/partir en ~** to arrive/to leave early; **2** (sur les autres) **le Japon est en ~ sur l'Europe** Japan is ahead of Europe; **il est en ~ pour son âge** he's advanced for his age; **leur fille est très en ~ dans ses études** their daughter is very advanced in her studies
E par avance *loc adv* already; **l'opposition dénonce par ~ les résultats de l'élection** the opposition is denouncing the election results before they're even out
F avances *nfpl* advances; **faire des ~s à qn** to make advances to sb, to come on to sb○ US; **répondre aux ~s de qn** to respond to sb's advances
(Composé) **~ rapide** fast-forward

avancé, ~e /avɑ̃se/
A *pp* ▸ **avancer**
B *pp adj* **1** (précoce) [*enfant, élève*] advanced; **2** (évolué) [*technique, niveau de vie*] advanced; [*opinion, idée*] progressive; **3** (qui s'abîme) [*poire, tomate, camembert*] overripe; **le poisson a l'air un peu ~** the fish looks as if it's going off GB *ou* bad; **4** (loin du début) advanced; **dans un état de décomposition ~e** in an advanced state of decomposition; **être bien ~** [*travail, recherche, construction*] to be well advanced; **la saison est bien ~e** it's late in the season; **la nuit était bien ~e** it was late at night; **je ne suis pas plus ~** I'm none the wiser; **te voilà bien ~!** iron that's done you a lot of good! iron; **être à un stade ~** [*maladie, détérioration*] to be at an advanced stage; **à une heure ~e de la nuit** late at night; **5** Mil [*poste*] advanced
C avancée *nf* **1** (de toit, rocher) overhang; **le belvédère forme une ~e sur le ravin** the belvedere projects over the ravine; **2** (progression) (de monnaie, technologie) advance (**sur** over); (sur le terrain) Mil advance (**de** of); **les sondages confirment l'~e du candidat** the opinion polls confirm the candidate's progress; **l'~e des connaissances en ce domaine** advances made in this field of knowledge; **l'~e du désert** the advance of the desert

avancement /avɑ̃smɑ̃/ *nm* **1** (dans une carrière) promotion; **obtenir de l'~** to get promotion; **il a reçu de l'~** he was promoted; **demander de l'~** to ask for promotion; **2** (dans des travaux, des connaissances) progress; **un rapport sur l'état d'~ du projet** a progress report on the project; **3** (d'une limite) **~ de l'âge de la retraite** lowering of the retirement age

avancer /avɑ̃se/ [12]
A *vtr* **1** (dans l'espace) to move [sth] forward [*chaise, assiette, échelle*]; **~ le cou** to crane one's neck (forward); **~ une main timide** to hold one's hand out shyly; **~ un siège à qn** to pull *ou* draw up a seat for sb; **la voiture de Monsieur est avancée** your car awaits, sir
2 (dans le temps) to bring forward [*départ, voyage, réunion, heure, élections*]; **un match avancé** a game that has been brought forward
3 (faire progresser) to get ahead with [*travail, tricot*]; **tous ces problèmes ne font pas ~ vos affaires** all these problems aren't improving matters for you; **classe les fiches, ça m'avancera** sort out the cards, it'll help me get on more quickly; **ils ont embauché un intérimaire pour les ~ un peu** they have taken on a temp○ to speed things up a bit; **toutes ces récriminations ne nous avancent pas beaucoup** all these recriminations aren't getting us very far; **à quoi ça t'avance d'avoir deux voitures?** where does it get you, having two cars?; **cela ne nous avance à rien** that doesn't get us anywhere
4 (prêter) **~ de l'argent à qn** [*banque*] to advance money to sb; [*parent, ami*] to lend money to sb; **pourriez-vous m'~ 500 euros sur mon salaire?** could you advance me 500 euros out of my salary?
5 (changer l'heure) **~ sa montre de cinq minutes** to put one's watch forward (by) five minutes
6 (affirmer) to put forward [*accusation, argument, théorie*]; to propose [*chiffre*]; **~ que** to suggest that
B *vi* **1** (progresser dans l'espace) [*personne, véhicule, navire*] to move (forward); [*armée, troupes*] to advance; **~ d'un mètre** to move forward (by) one metre; **~ vers la sortie** to move toward(s) the exit; **je ne peux plus ~** I can't go any further; **allez, avance!** go on!; **~ au pas** [*voiture, cavalier*] to move at walking pace; **~ d'un pas** to take one step forward; **~ en boitant** to limp forward; **elle poussait mon frère pour le faire ~** she was pushing my brother forward; **elle avança vers moi** she came up to me; **elle avança vers le guichet** (elle alla) she went up to the ticket office; (elle vint) she came up to the ticket office
2 (progresser) [*personne*] to make progress; [*travail, construction, recherche*] to progress; **le travail avance vite/péniblement** the work is making good/halting progress; **j'ai bien avancé dans mon travail ce matin** I've made good progress with my work this morning; **ce pull n'avance guère** this sweater isn't coming on *ou* progressing very quickly; **et votre projet? ça avance○?** and your project? how is it coming along?; **faire ~ une enquête/les négociations** to speed up an inquiry/the negotiations; **faire ~ la science** to further science; **~ en âge** to be getting on (in years); **plus on avance dans la vie** the longer one lives; **la matinée/l'hiver avançait** the morning/the winter was wearing on
3 (par rapport à l'heure réelle) **j'avance de dix minutes** I am ten minutes fast; **ma montre avance de deux minutes** my watch is two minutes fast
4 (faire saillie) [*menton, dents*] to stick out, to protrude; [*cap, presqu'île*] to jut out (**dans**

a

a

ⓘ avant¹

Lorsque *avant* est adverbe il se traduit par *before* sauf lorsqu'il signifie 'en premier lieu, d'abord'; il se traduit alors par *first*:

si tu prends la route, mange quelque chose avant
= if you're going to drive, have something to eat first

Lorsque *avant* est préposition il se traduit par *before* sauf dans le cas où une limite de temps est précisée; il se traduit alors par *by*:

à retourner avant le 30 mars
= to be returned by 30 March

avant entre dans la composition de nombreux mots qui s'écrivent avec un trait d'union (avant-hier, *avant-guerre*, *avant-coureur* etc.). Ces mots sont des entrées à part entière et on les trouvera dans la nomenclature du dictionnaire. Utilisé avant un nom pour désigner une période précédant un événement ou l'avènement d'une personne, il se traduit par *pre-* et forme alors un groupe adjectival que l'on fait suivre du nom approprié:

l'avant-1945
= the pre-1945 period

l'avant-Thatcher
= the pre-Thatcher era

l'avant-sommet
= the pre-summit discussions

into); [*balcon, plongeoir*] to jut out, to project (**au-dessus de** over)

C s'avancer *vpr* **1** (physiquement) **s'~ vers qch** to move toward(s) sth; **s'~ vers qn** (aller) to go toward(s) sb; (venir) to come up to sb; **elle s'avança jusqu'à la porte** she went up to the door; **ne t'avance pas trop près du bord** don't go too near the edge; **s'~ dans le bois** to go further into the woods; **s'~ dans le couloir** to go down the corridor; **la mer s'avance dans les terres** the sea goes (a long way) inland

2 (dans une tâche) to get ahead; **je me suis bien avancé (dans mon travail)** I've got well ahead (with my work); **je me suis avancée pour la semaine prochaine** I'm ahead with my work for next week

3 (faire saillie) to jut out, to protrude (**dans** into; **sur, au-dessus de** over)

4 (donner son point de vue) to commit oneself; **s'~ sur un terrain glissant** fig to be on slippery ground fig; **je me suis un peu avancé en te promettant le dossier pour demain** I shouldn't have committed myself by promising you I'd have the file ready for tomorrow; **en disant cela je m'avance peut-être un peu trop** maybe I am exaggerating a bit in saying that; **il s'est avancé jusqu'à dire que** he went as far as to say that

avanie /avani/ *nf* **faire des ~s à qn** to humiliate sb; **subir des ~s** to suffer humiliation

avant¹ /avɑ̃/

A *adv* **1** (dans le temps) gén before, beforehand; (d'abord) first; **que faisait-il ~** what was he doing before?; **tu n'aurais pas pu le dire ~?** couldn't you have said so before(hand)?; **si j'avais su cela ~ j'aurais...** if I'd known that before(hand) I would have...; **quelques heures/jours ~** a few hours/days before; **la nuit/la semaine/le mois ~** the night/the week/the month before; **peu ~** not long before (that); **bien ~** long before; **le bus/train d'~** the previous bus/train; **les locataires d'~** the previous tenants; **le cours/la séance d'~** the previous lesson/performance; **repose-toi ~ tu partiras ensuite** rest first and then go; **laquelle de ces lettres veux-tu que je tape ~?** which of these letters would you like me to type first?; **~ nous n'avions pas l'électricité** we didn't have electricity before; **aussitôt ~** just before; **j'avais compris longtemps ~** I had understood a long time before; **ce n'était pas ce lundi mais celui d'~** it was not this Monday but the previous one; **la fois d'~ nous nous étions déjà perdus** we got lost the last time as well; **j'ai vu le film mais pas l'émission d'~** I saw the film GB *ou* movie US but not the programme[GB] before it

2 (dans l'espace) before; **tu vois l'église, j'habite (juste) ~** can you see the church? I live (just) before it; **'c'est ~ l'église?'—'oui juste ~'** 'is it before the church?'—'yes just before it'; **il l'a mentionné ~ dans l'introduction** he mentioned it earlier in the introduction; **je crois que la dame était ~** I think this lady was first; **il est inutile de creuser plus ~** lit, fig there's no point in digging any further; **refuser de s'engager plus ~** lit to refuse to go any further; fig to refuse to get any more involved

3 (dans une hiérarchie) before; **le T vient ~** T comes before; **son travail passe ~** his work comes first

B *prép* **1** (dans le temps) before; **partir/arriver ~ qn** to leave/to arrive before sb, to leave/to arrive before sb does; **~ mon départ/retour** before I leave/come back; **les enfants ~ les adultes** children before adults; **je suis partie ~ la fin** I left before the end; **~ l'ouverture/la fermeture des magasins** before the shops GB *ou* stores US open/close; **peu ~ minuit** shortly before midnight; **ne viens pas ~ 5 heures** don't come before 5 o'clock; **rentrer ~ la nuit/le dîner** to come back before nightfall/dinner; **la situation d'~ la crise/révolution** the situation before the crisis/revolution; **~ le 1er juillet** by 1 July; **le travail doit être fini ~ l'été/la fin de l'année/19 heures** the work must be completed by the summer/the end of the year/7 pm; **j'aurai fini ~ une semaine/un mois** I'll have finished within a week/a month; **nous partons à 11 heures, ~ cela je vais travailler un peu** we're leaving at 11, I'm going to do a bit of work before then; **~ peu** shortly; **vous serez informé ~ peu des nouvelles consignes** you will be informed of the new orders shortly; **bien/peu ~ 16 heures** well/a little before 4 pm; **bien ~ ta naissance** long *ou* well before you were born ; **~ toute explication/considération** before explaining/considering anything; **~ déduction/impôt** before deductions/tax

2 (dans l'espace) before; **~ le croisement/la poste** before the crossing/the post office; **bien/juste ~ le pont** well/just before the bridge; **j'étais ~ vous** I was in front of *ou* before you; ▸ **charrue**

3 (dans une hiérarchie) before; **le grade de capitaine vient ~ celui de colonel** the rank of captain comes before that of colonel; **faire passer qn/qch ~ qn/qch** to put sb/sth before sb/sth; **~ tout, ~ toute chose** (surtout) above all; (d'abord) first and foremost; **il recherche ~ tout la tranquillité** above all he wants peace and quiet; **il s'agit ~ tout de comprendre le principe** above all, it is a matter of understanding the principle; **je suis ~ tout un peintre** I am first and foremost a painter

C en avant *loc adv* **1** (dans l'espace) forward(s); **se pencher/faire un pas en ~** to lean/to take a step forward(s); **faire deux pas en ~** to take two steps forward(s); **partir en ~** to go ahead; **en ~!, en ~ la musique**○**!** off we go!; **en ~, marche!** Mil, fig forward march!; **en ~ toute!** Naut, fig full steam ahead!; **mettre qch en ~** to put sth forward; **mettre en ~ le fait que** to point out the fact that; **mettre qn en ~** to put sb forward; **se mettre en ~** to push oneself forward

2 (dans le temps) ahead

D avant de *loc prép* **~ de faire** before doing; **réfléchis ~ de prendre ta décision** think about it before making a decision *ou* before you make a decision; **c'est juste ~ d'arriver dans le village** it's just before you get to the village; **agiter ~ de servir** shake before serving

E avant que *loc conj* **~ qu'il ne soit trop tard/qu'elle ne dise non** before it's too late/she says no; **essaie de rentrer ~ qu'il ne fasse nuit** try to come back before dark; **il est parti un jour ~ que je n'arrive** he left one day before I arrived; **le gouvernement a démissionné ~ que la révolte n'éclate** the government resigned before the rebellion broke out

F en avant de *loc prép* ahead of [*groupe, cortège*]

avant² /avɑ̃/

A *adj inv* [*roue, siège, patte*] front; **la partie ~ de qch** the front part of sth

B *nm* **1** (partie antérieure) **l'~** the front; **tout l'~ du véhicule est à refaire** the whole of the front of the vehicle will have to be repaired; **à l'~** in (the) front; **à l'~ du train** [*passager, locomotive*] at the front of the train; **à l'~ du bateau** at the front of the boat; **d'~ en arrière** backward(s) and forward(s); **aller de l'~** to forge ahead; **aller de l'~ dans ses projets** to forge ahead with one's plans; **c'est une femme qui va de l'~** she's very go-ahead;

2 Sport forward; **la ligne des ~s** gén the forward line; (au rugby) the front line

avantage /avɑ̃taʒ/ *nm* **1** (point positif) advantage; **les deux méthodes ont chacune leurs ~s** the two methods each have their advantages; **offrir/présenter de grands ~s** to offer/to have great advantages; **2** (supériorité) advantage; **prendre l'~** Mil, Sport, fig to have the advantage (**sur** over); **avoir/reprendre l'~** Mil, Sport, fig to have/to regain the advantage *ou* upper hand; **perdre/conserver son ~** to lose/to keep one's advantage (**sur** over); **tirer parti de son ~** to exploit one's advantage; **avoir l'~ de l'âge/du nombre** to have the advantage of age/in numbers; **avoir l'~ de faire** gén to have the advantage of doing; **avoir un ~ sur qn/qch** to have an advantage over sb/sth; **elle a sur toi l'~ de parler anglais** she has the advantage over you in that she speaks English; **3** (faveur) advantage; **être à l'~ de qn** [*situation, transaction*] to be to sb's advantage; [*coiffure, vêtement*] to suit sb; [*propos, attitude*] to be in sb's favour[GB]; **se sortir d'une situation à son ~** to come out of a situation well; **tourner à l'~ de qn** to turn to sb's advantage; **tourner qch à son ~** to turn sth to one's advantage; **être/se montrer à son ~** to be/to show oneself at one's best; **paraître à son ~** to look one's best; **4** (profit) advantage; **tirer ~ de qch** to take advantage of sth; **retirer un ~ de qch** to profit from sth; **je les ai beaucoup aidés, mais je n'en ai retiré aucun ~** I helped them a lot, but I didn't get anything out of it; **avoir ~ à faire** to be better off doing; **il aurait ~ à accepter le poste** he'd be better off accepting the post; **tu aurais ~ à prendre un emprunt** you'd be better off taking out a loan; **5** Sport (au tennis) advantage; **'~, Leconte'** 'advantage, Leconte'; **6** Entr benefit; **~s acquis** vested benefits; **~s financiers/commerciaux** financial/trade benefits; **~s sociaux** benefits package (*sg*); **~s en nature** benefits in kind; **~ fiscaux** tax benefits

avantager /avɑ̃taʒe/ [13] *vtr* **1** (favoriser) [*personne*] to favour[GB]; [*situation*] to be to the advantage of; **~ Pierre par rapport à/au détriment de Paul** to favour[GB] Pierre over/to the detriment of Paul; **être avantagé par rapport à qn** to be at an advantage compared with sb; **être avantagé dès le départ** [*personne, entreprise*] to have a head start; **la nature ne l'a pas avantagé** hum nature hasn't favoured[GB] him; **2** (mettre en valeur) [*vêtement, parure*] to show [sb] off to advantage; **sa robe n'avantageait pas sa silhouette** her dress didn't show her figure off to advantage; **le rouge avantage les brunes** red really is more flattering to women with dark hair

ℹ avec

La préposition *avec* se traduit presque toujours par *with* quand elle marque:

l'accompagnement

danser avec qn
= to dance with sb

du vin blanc avec du cassis
= white wine with blackcurrant

la possession

la dame avec le chapeau noir
= the lady with the black hat

une chemise avec un grand col
= a shirt with a large collar

la relation

être d'accord avec qn
= to agree with sb

avec lui c'est toujours pareil
= it's always the same with him

la simultanéité

se lever avec le soleil
= to get up with the sun

l'opposition

se battre avec qn
= to fight with sb

être en concurrence avec qn
= to be in competition with sb

l'identité de vue

je suis avec toi
= I'm with you

le moyen

avec une fourchette
= with a fork

avec une canne
= with a stick

avec de l'argent
= with money

Quand elle désigne la manière elle se traduit souvent par un adverbe formé à partir du nom qui la suit:

avec attention
= carefully

avec passion
= passionately

On trouvera ces expressions sous **attention**, **passion** etc.

On notera toutefois que *avec beaucoup d'attention, avec une grande passion* se traduisent: with great care, with a lot of passion. Les expressions telles que *avec l'âge/l'expérience/les années* etc. sont traitées respectivement sous **âge**, **expérience**, **année** etc.

On trouvera ci-dessous des exceptions et des exemples supplémentaires.

avantageusement /avɑ̃taʒøzmɑ̃/ *adv* **1▸** (sous un jour favorable) [*dépeindre*] favourably[GB]; **l'article ne le dépeignait pas ~** the article did not depict him in the best light; **2▸** (honorablement) **ce système remplace ~ le précédent** this system is an improvement on the previous one; **il a ~ tiré parti de la situation** he exploited the situation to his advantage

avantageux, **-euse** /avɑ̃taʒø, øz/ *adj* **1▸** (intéressant) [*condition, offre, solution, marché*] favourable[GB], advantageous; [*taux, prix, placement*] attractive; [*produit, article*] good value (*jamais épith*); **il est ~ de faire** it is advantageous to do; **trouver ~ de faire** to find it advantageous to do; **être ~ pour qn** to be advantageous to sb; **au tarif le plus ~** at a most attractive rate; **tirer un parti ~ de qch** to profit from sth; **le grand paquet est plus ~** the large packet is more economical; **l'achat en gros est plus ~** it's cheaper to buy wholesale; **2▸** (flatteur) [*opinion, aspect*] favourable[GB]; [*description, termes, vêtement*] flattering; [*physique*] superior; **présenter qch sous un jour ~** to present sth in a favourable[GB] light; **en termes très ~** in very flattering terms; **il se fait une idée trop avantageuse de lui-même** he has an over-inflated opinion of himself; **3▸** (vaniteux) liter [*air, ton, attitude*] conceited; **prendre un air ~** to assume an air of superiority

avant-bras /avɑ̃bʀa/ *nm inv* forearm

avant-centre, *pl* **avants-centres** /avɑ̃sɑ̃tʀ/ *nm* centre[GB] forward; **jouer ~** to play centre[GB] forward

avant-contrat, *pl* **~s** /avɑ̃kɔ̃tʀa/ *nm* preliminary contract

avant-coureur, *pl* **~s** /avɑ̃kuʀœʀ/ *adj m* **signes ~s** early warning signs

avant-dernier, **-ière**, *pl* **~s** /avɑ̃dɛʀnje, ɛʀ/
A *adj* **l'~ champion/disque/film** the last champion/record/film but one; **arriver ~** to come last but one
B *nm,f* the last but one; **l'~ d'une famille de cinq enfants** the second youngest of five children

avant-garde, *pl* **~s** /avɑ̃gaʀd/ *nf* **1▸** (mouvement novateur) Art, Littérat avant-garde; **d'~** avant-garde; **cinéma d'~** avant-garde cinema; **être d'~** to be avant-garde; **2▸** (pointe) **à l'~** in the vanguard; **à l'~ de la recherche** in the vanguard of research; **3▸** Mil vanguard

avant-gardisme, *pl* **~s** /avɑ̃gaʀdism/ *nm* avant-gardism

avant-gardiste, *pl* **~s** /avɑ̃gaʀdist/
A *adj* avant-garde
B *nmf* avant-gardist

avant-goût, *pl* **~s*** /avɑ̃gu/ *nm* foretaste

avant-guerre, *pl* **~s** /avɑ̃gɛʀ/
A *nm ou f* **l'~** the prewar period; **remonter à l'~** to date from before the war; **d'~** prewar; **l'Espagne d'~** prewar Spain
B *adv* before the war

avant-hier /avɑ̃tjɛʀ/ *adv* the day before yesterday; **toute la journée d'~** the whole of the day before yesterday; **~ matin/soir** two mornings/evenings ago

avant-match, *pl* **~s** /avɑ̃matʃ/ *nm* pre-match (period)

avant-midi* /avɑ̃midi/ *nm inv* Can (matin) morning

avant-port, *pl* **~s** /avɑ̃pɔʀ/ *nm* outer harbour[GB]

avant-poste, *pl* **~s** /avɑ̃pɔst/ *nm* **1▸** Mil outpost; **2▸** fig **être aux ~s** to be in the vanguard

avant-première, *pl* **~s** /avɑ̃pʀəmjɛʀ/ *nf* preview

avant-projet, *pl* **~s** /avɑ̃pʀɔʒɛ/ *nm* draft; **~ de loi** draft bill

avant-propos /avɑ̃pʀɔpo/ *nm inv* foreword

avant-rasage /avɑ̃ʀazaʒ/ *adj inv* pre-shave; **lotion ~** pre-shave lotion

avant-scène, *pl* **~s** /avɑ̃sɛn/ *nf* (partie de scène) forestage; (loge) box

avant-toit, *pl* **~s** /avɑ̃twa/ *nm* eaves (*pl*)

avant-veille, *pl* **~s** /avɑ̃vɛj/ *nf* **1▸** (deux jours avant) **l'~** two days before; **l'~ du couronnement** two days before the coronation; **2▸** (journée) **l'~** the day two days before; **l'~ avait été pluvieuse** the day two days before had been rainy

avare /avaʀ/
A *adj* mean with money GB, miserly; **~ de qch** sparing with; **être ~ de son temps** to give one's time to people sparingly; **être ~ de paroles** to use words sparingly; **il n'est pas ~ de compliments** he's generous with his compliments
B *nmf* miser
(Idiome) **à père ~, fils prodigue** Prov a miser will father a spendthrift son

avarice /avaʀis/ *nf* meanness with money GB, miserliness

avaricieux, **-ieuse** /avaʀisjø, øz/ *adj* miserly

avarie /avaʀi/ *nf* **1▸** Naut problem; **2▸** Assur, Comm, Jur (dommage matériel) damage ₵; (dommage de transport maritime) average ₵
(Composés) **~ commune** Assur, Jur general average; **~ particulière** Assur, Jur particular average

avarié, **~e** /avaʀje/
A *pp* ▸ **avarier**
B *pp adj* **1▸** (gâté) [*viande, poisson*] rotten; **2▸** †(endommagé) [*navire, avion*] damaged

avarier /avaʀje/ [2]
A †*vtr* (endommager) to damage [*navire, véhicule*]
B **s'avarier** *vpr* (se gâter) [*viande, poisson*] to go rotten

avatar /avataʀ/ *nm* **1▸** (mésaventure) mishap; **2▸** (changement) change; **connaître des ~s** to undergo changes; **3▸** Relig (réincarnation) reincarnation

AVC /avese/ *nm* (*abbr* = **accident vasculaire cérébral**) cerebrovascular accident

Ave /ave/ *nm* Relig **~ (Maria)** Ave Maria; **dire** *or* **réciter un ~ (Maria)** to say an Ave Maria

avec /avɛk/
A °*adv* **mon chapeau lui a plu, elle est partie ~** she liked my hat and went off with it; **si tu lui donnes tes bijoux, il va jouer ~** if you give him your jewels he'll play with them; **quand j'enlève le papier peint le plâtre vient ~** when I take the wallpaper off, the plaster comes away with it
B *prép* **viens ~ tes amis** bring your friends with you; **une maison ~ jardin/piscine** a house with a garden GB *ou* yard US/swimming pool; **je suis arrivée ~ la pluie** it started raining when I arrived; **~ cette chaleur** in *ou* with this heat; **~ ce brouillard il va y avoir des accidents** there are going to be some accidents with this fog; **se marier ~ qn** to marry sb, to get married to sb; **et ~ cela, que désirez-vous?** what else would you like?; **je fais tout son travail et ~ ça il n'est pas content!** I do all his work and he's still not happy!; **sa séparation d'~ son mari** her separation from her husband

aveline /avlin/ *nf* Bot, Culin filbert

aven /avɛn/ *nm* Géog, Géol sinkhole

avenant, **~e** /avnɑ̃, ɑ̃t/
A *adj* [*air, personne*] pleasant; [*maison, façade*] attractive; **peu ~** [*air, personne*] rather unpleasant; [*maison, façade*] rather unattractive
B *nm* **1▸** Assur endorsement (à to); **faire un ~ à** to add an endorsement to; **2▸** (de contrat) codicil
C **à l'avenant** *loc adv* **être à l'~** to be in keeping; **la suite était à l'~** the rest was in keeping

avènement /avɛnmɑ̃/ *nm* **1▸** (de souverain) accession; (d'homme politique, ère) advent; **~ au trône** accession to the throne; **2▸** Relig Advent; ▸ **second**

avenir /avniʀ/ *nm* **1▸** (futur) future; **à l'~** in future GB, in the future US; **dans un**

~ proche/immédiat in the near/immediate future; **pour l'~** for the future; **projet d'~** future plan; **seul l'~ nous le dira** only time will tell; **préparer l'~ de qn** to plan sb's future; **vivre dans la crainte de l'~** to live in fear of what the future may bring; **il y va de ton ~** your future is at stake; **avoir de l'~** to have a future; **avoir beaucoup d'~** to have a great future; **d'~** [*métier, technique, science*] of the future; **2** Jur writ of summons to opposing counsel

(Idiome) **l'~ appartient à ceux qui se lèvent tôt** Prov the early bird catches the worm Prov

avent /avɑ̃/ *nm* **l'~** Advent; **premier/deuxième dimanche de l'~** first/second Sunday in Advent; **calendrier de l'~** Advent calendar

aventure /avɑ̃tyʀ/
A *nf* **1** (épopée) adventure; **esprit d'~** spirit of adventure; **partir à l'~** to set off in search of adventure; **2** (péripétie) adventure; **les ~s de Tintin et Milou** the adventures of Tintin and Milou; **une drôle d'~** a strange adventure; **3** (entreprise risquée) venture; **se lancer dans une ~** to throw oneself into a venture; **l'~ européenne** the European venture; **tenter l'~** to try one's luck; **4** (intrigue amoureuse) affair
B **d'aventure** *loc adv* by chance; **si d'~ il venait...** if by chance he should come...

(Idiome) **dire la bonne ~ à qn** to tell sb's fortune

aventuré, **~e** /avɑ̃tyʀe/
A *pp* ▸ **aventurer**
B *pp adj* [*hypothèse, affirmation*] bold

aventurer /avɑ̃tyʀe/ [1]
A *vtr* to risk [*argent*]
B **s'aventurer** *vpr* lit, fig to venture (**dans** in; **sur** onto; **jusqu'à** to); **s'~ à faire** to venture doing

aventureusement /avɑ̃tyʀøzmɑ̃/ *adv* adventurously

aventureux, **-euse** /avɑ̃tyʀø, øz/ *adj* [*personne, esprit*] adventurous; [*vie, jeunesse*] adventurous; [*entreprise, investissement*] risky

aventurier, **-ière** /avɑ̃tyʀje, ɛʀ/
A *adj* [*esprit, humeur*] adventurous
B *nm,f* gén, péj adventurer/adventuress

aventurisme /avɑ̃tyʀism/ *nm* adventurism

aventuriste /avɑ̃tyʀist/ *adj, nmf* adventurist

avenu, **~e** /avny/
A *adj* **nul et non ~** null and void
B **avenue** *nf* lit, fig avenue

avéré, **~e** /aveʀe/
A *pp* ▸ **avérer**
B *pp adj* [*fait, échec, goût*] recognized; [*maladie*] confirmed; **il est ~ que** it is proven *ou* confirmed that

avérer: **s'avérer** /aveʀe/ [14] *vpr* to prove to be [*indispensable, insuffisant, efficace*]; **le téléphone s'avère (être) un outil indispensable** the telephone is proving (to be) an indispensable tool; **il s'avère que** it transpires that, it turns out that

avers /avɛʀ/ *nm inv* obverse

averse /avɛʀs/ *nf* lit, fig shower

(Composé) **~ de neige** Can snow shower

aversif, **-ive** /avɛʀsif, iv/ *adj* **thérapie aversive** aversion therapy

aversion /avɛʀsjɔ̃/ *nf* aversion (**pour qch/qn** to sb/sth); **avoir qn/qch en ~** to have a loathing for sb/sth; **prendre qn/qch en ~** to develop a loathing for sb/sth

averti, **~e** /avɛʀti/
A *pp* ▸ **avertir**
B *pp adj* **1** (avisé) [*lecteur, visiteur*] informed; **2** (expérimenté) [*professionnel*] experienced

(Idiome) **un homme ~ en vaut deux** Prov forewarned is forearmed Prov

avertir /avɛʀtiʀ/ [3] *vtr* **1** (informer) to inform [*personne*] (**de qch** of sth; **que** that); **2** (lancer une menace à) to warn [*personne*] (**de qch** of sth; **que** that); **je t'avertis, si je t'attrape...** I warn you, if I catch you...

avertissement /avɛʀtismɑ̃/ *nm* **1** gén, Jur, Scol warning; **le ministre a adressé un ~ à** the minister gave a warning to; **dernier ~** Scol final warning; (sur une facture) final demand; **2** Fisc notification; **3** Sport caution; **4** Édition foreword

avertisseur /avɛʀtisœʀ/
A *adj m* [*panneau*] warning (*épith*)
B *nm* gén alarm; Aut horn; **~ d'incendie** fire alarm; **~ lumineux** warning light

aveu, *pl* **~x** /avø/ *nm* **1** (de méfait) confession; **arracher des ~x à qn** to extract a confession from sb; **faire des ~x** to make a confession; **faire des ~x complets** to make a full confession; **faire l'~ de** to confess to [*crime, faute*]; **passer aux ~x** to confess; **2** (sans action blâmable) admission; **un ~ d'échec/de faiblesse** an admission of failure/of weakness; **de l'~ de qn** on the admission of sb; **de son propre ~** on his own admission; **c'est un ~ d'impuissance** it's an admission of powerlessness; **après de tendres ~x** liter after tender avowals of love littér

aveuglant, **~e** /avœglɑ̃, ɑ̃t/ *adj* [*clarté, éclat*] blinding; fig [*preuve*] glaring; [*vérité, fait*] glaringly obvious

aveugle /avœgl/
A *adj* **1** (sans vue) blind; **devenir ~** to go blind; **~ d'un œil** blind in one eye; **il est ~ de naissance** he has been blind from birth, he was born blind; **2** (sans lucidité) [*personne, confiance, passion, ambition*] blind; [*politique*] blinkered; (sans discernement) [*violence, tir*] indiscriminate; **avoir une foi ~ en qn** to have blind faith in sb; **la passion/l'ambition le rend ~** he's blinded by passion/ambition; **3** (sans ouverture) [*façade*] blank; [*couloir*] windowless; [*fenêtre*] blocked-up
B *nmf* blind person; **les ~s** the blind; **en ~** [*se lancer*] blindly; **jouer en ~** (échecs) to play blind; **traitement en ~** Méd single-blind treatment; **en double ~** Méd double-blind (*épith*); ▸ **royaume**

aveuglement /avœgləmɑ̃/ *nm* liter (égarement) blindness; **faire preuve d'un ~ coupable** to be shamefully unaware

aveuglément /avœglemɑ̃/ *adv* blindly

aveugler /avœgle/ [1]
A *vtr* **1** (rendre aveugle) lit, fig to blind; (éblouir) lit, fig to dazzle, to blind; **la passion les aveugle** they're blinded by passion; **2** Constr to block up [*fenêtre*]; to stop up [*voie d'eau*]
B **s'aveugler** *vpr* to hide the truth from oneself; **s'~ sur ses défauts/possibilités** to be blind to one's shortcomings/limitations

aveuglette: **à l'aveuglette** /alavœglɛt/ *loc adv* **1** (à tâtons) **avancer à l'~** to grope one's way along; **se diriger à l'~ vers la sortie** to grope one's way towards the exit; **2** (au hasard) [*tirer, se lancer*] blindly; [*choisir, distribuer*] at random; [*décider, agir*] in an inconsidered way

aveulir /avøliʀ/ [3] *vtr* liter to enervate

aveulissement /avølismɑ̃/ *nm* enervation

Aveyron /avɛʀɔ̃/ ▸ **p. 372, p. 721** *nprm* (rivière, département) **l'~** the Aveyron

aviateur, **-trice** /avjatœʀ, tʀis/ ▸ **p. 532** *nm,f* **1** (pilote) airman/woman pilot; **les premiers ~s** the first aviators; **2** Mil ≈ aircraftman GB, ≈ airman US

aviation /avjasjɔ̃/ *nf* **1** (civile) (secteur) aviation; (industrie de fabrication) aircraft industry; **l'~ civile/commerciale** civil/commercial aviation; **compagnie d'~** aviation company; **2** Mil (armée, avions) **l'~** the air force; **3** (activité du pilote, activité sportive) **l'~** flying; **faire de l'~** to fly

(Composés) **~ de bombardement** bomber command; **~ de chasse** fighter command; **~ navale** carrier-based aviation

aviatrice *nf* ▸ **aviateur**

avicidine /avisidin/ *nf* avicidine

avicole /avikɔl/ *adj* **1** (de volailles) [*ferme, élevage*] poultry (*épith*); **2** (d'oiseaux) [*exposition, élevage*] bird (*épith*)

aviculteur, **-trice** /avikyltœʀ, tʀis/ ▸ **p. 532** *nm,f* **1** (de volailles) poultry farmer; **2** (d'oiseaux) aviculturist

aviculture /avikyltyʀ/ *nf* **1** (de volailles) poultry farming; **2** (d'oiseaux) aviculture

avide /avid/ *adj* (vorace) [*mangeur, yeux*] greedy; [*lecteur*] avid; (cupide) greedy; **~ de** avid for [*pouvoir*]; eager for [*plaisirs, affection, honneurs, nouvelles, connaissances, vengeance*]; **~ de faire** eager to do; **tendre une oreille ~** to listen eagerly; **~ de sang** bloodthirsty; **économie ~ de pétrole** oil-guzzling economy

avidement /avidmɑ̃/ *adv* **1** (voracement) [*manger*] greedily; [*lire, écouter*] avidly; **2** (avec ardeur) [*chercher*] eagerly

avidité /avidite/ *nf* **1** (cupidité) greed (**de** for); **avec ~** [*manger*] greedily; **2** (vif désir) eagerness (**de** for); **leur ~ d'information** their eagerness for information; **avec ~** eagerly

Avignon /aviɲɔ̃/ *npr* Avignon; **le Festival d'~** the Avignon Theatre[GB] Festival

> **Festival d'Avignon**
>
> A theatre festival which takes place every July in Avignon. Inaugurated in 1947, it also features contemporary dance, music and cinema. As well as the official festival, known as *le festival 'in'*, there are a large number of fringe events, collectively known as *le festival 'off'*.

avignonnais, **~e** /aviɲɔnɛ, ɛz/ ▸ **p. 894** *adj* of Avignon

Avignonnais, **~e** /aviɲɔnɛ, ɛz/ ▸ **p. 894** *nm,f* (natif) native of Avignon; (habitant) inhabitant of Avignon

avilir /aviliʀ/ [3]
A *vtr* to demean [*personne*]; to debase [*monnaie*]; to bring down the price of [*marchandise*]
B **s'avilir** *vpr* [*personne*] to demean oneself; [*marchandise, monnaie*] to depreciate; **la langue écrite s'avilit** the written language is being debased

avilissant, **~e** /avilisɑ̃, ɑ̃t/ *adj* [*conduite, spectacle*] demeaning; [*effet*] debasing

avilissement /avilismɑ̃/ *nm* (de personne) degradation; (de monnaie, marchandise) depreciation

aviné, **~e** /avine/ *adj* liter [*personne*] inebriated littér; [*regard, visage*] drunken; **il avait une haleine ~e** you could smell wine on his breath

avion /avjɔ̃/ *nm* **1** (appareil) (aero)plane GB, airplane US, aircraft (*inv*); **dans l'~** on the plane; **constructeur d'~s** aircraft manufacturer; **aller à Rome en ~** to go to Rome by air, to fly to Rome; **faire 100 000 kilomètres par an en ~** to fly 100,000 kilometres a year; **faire les lacs en ~** to do an aerial tour of the lakes; **envoyer qch par ~** Postes to send sth air mail; **'par ~'** Postes 'by air mail'; **2** (vol) flight; **ton ~ est à quelle heure?** what time is your flight?; **3** (activité) **l'~** flying; **je déteste (prendre) l'~** I hate flying; **il n'a jamais pris l'~** he's never been on a plane, he's never flown

(Composés) **~ bombardier d'eau** fire-fighting plane ; **~ de chasse** fighter (plane); **~ de combat** combat aircraft; **~ à flèche variable** variable-geometry aircraft; **~ de fret** cargo plane; **~ furtif** stealth bomber; **~ de ligne** civil aircraft, liner; **~ en papier** paper aeroplane GB *ou* airplane US; **~ pompier** fire-fighting plane; **~ postal** mail plane; **~ à réaction** jet (plane); **~ de reconnaissance** reconnaissance plane; **~ sanitaire** air ambulance; **~ spatial** spacecraft; **~ de tourisme** light passenger aircraft; **~ de transport** transport *ou* freight plane

avion-cargo, *pl* **avions-cargos** /avjɔ̃kaʀgo/ *nm* cargo plane

avion-cible, *pl* **avions-cibles** /avjɔ̃sibl/ *nm* target aircraft (*inv*)

avion-citerne, *pl* **avions-citernes** /avjɔ̃sitɛʀn/ *nm* tanker aircraft (*inv*)

avion-école, *pl* **avions-école** /avjɔ̃ekɔl/ *nm* training aircraft (*inv*)

avion-espion, *pl* **avions-espions** /avjɔ̃ɛspjɔ̃/ *nm* spy plane

avion-fusée, *pl* **avions-fusées** /avjɔ̃fyze/ *nm* rocket powered aircraft (*inv*)

avionique /avjɔnik/ *nf* avionics (+ *v sg*)

avionneur /avjɔnœʀ/ *nm* aircraft manufacturer

avion-suicide, *pl* **avions-suicide** /avjɔ̃sɥisid/ *nm* kamikaze plane

avion-taxi, *pl* **avions-taxis** /avjɔ̃taksi/ *nm* air taxi

aviron /aviʀɔ̃/ *nm* [1] ▸ **p. 469** Sport rowing; **course d'~** rowing race; **faire de l'~** to row; **la course d'~ entre Oxford et Cambridge** the Oxford-Cambridge Boat Race; [2] (rame) oar; **coup d'~** stroke

avis /avi/ *nm inv* [1] (opinion) opinion (**sur** on, about); **à mon ~** in my opinion; **je ne partage pas votre ~** I don't share your opinion; **les ~ sur la question sont partagés** opinions differ; **je suis de ton ~** I agree with you; **je suis du même ~** I agree, I think the same, I'm of the same opinion; **je suis d'un ~ contraire** I disagree, I think differently, I'm of the opposite opinion; **être d'~ que** to be of the opinion that; **donner son/un ~ sur qch** to give one's/an opinion on sth; **de l'~ général** in most people's opinion; **de** *or* **selon l'~ des spécialistes** in the opinion of specialists; **de l'~ même des spécialistes** in the specialists' own opinion; **demander son ~ à qn** to ask sb his/her opinion; **on ne leur a pas demandé leur ~!** nobody asked for their opinion!; **changer d'~** to change one's mind; **tu ne me feras pas changer d'~** you won't make me change my mind; ▸ **chemise**; [2] (conseil) advice (**sur** on, about); **sans ~ médical** without consulting your doctor; **sauf ~ contraire** unless you hear to the contrary, unless otherwise informed sout (**de qn** by sb); [3] (de jury, commission etc) recommendation; **~ favorable/défavorable** favourable[GB]/unfavourable[GB] recommendation; [4] (annonce) notice; **~ à la population** (affiche) public notice; (cri) public announcement; **'cet ~ tient lieu de faire-part'** (dans journal) 'no individual announcements will be sent'; **'~ de recherche'** 'wanted'; **lancer/faire paraître un ~ de recherche** (pour un disparu) to issue/to publish a description of a missing person; (pour un malfaiteur) to issue/publish a description of a wanted person

(Composés) **~ de coup de vent** Météo, Naut gale warning; **~ de crédit** credit advice *ou* note; **~ de débit** debit advice *ou* note; **~ de décès** death notice; **~ d'échéance** Assur renewal notice; **~ au lecteur** foreword; **~ de mise en recouvrement** demand for payment (*of money owed to the Treasury*); **~ de passage** calling card (*left by meter reader, postman etc*)

(Idiome) **deux ~ valent mieux qu'un** two heads are better than one

avisé, **~e** /avize/

[A] *pp* ▸ **aviser**

[B] *pp adj* [*personne, conseil*] sensible; **être bien/mal ~** to be well-/ill-advised; **le gouvernement serait (bien) ~ de faire** the government would be well-advised *ou* wise to do

aviser /avize/ [1]

[A] *vtr* [1] (prévenir) to notify [*personne, famille*] (**de qch** of sth; **que** that); [2] †(apercevoir) to catch sight of

[B] *vi* (réfléchir) **nous aviserons plus tard** we'll decide later; **'et s'il n'est pas là?'—'j'aviserai'** 'and if he's not there?'—'I'll see'

[C] **s'aviser** *vpr* [1] (se rendre compte) **s'~ que** to realize that, **s'~ de qch** to notice sth; [2] (oser) **ne t'avise pas de recommencer** don't do that again

aviso /avizo/ *nm* escort vessel

avitaminose /avitaminoz/ *nf* vitamin deficiency, avitaminosis spéc

aviver /avive/ [1]

[A] *vtr* [1] (exciter) to intensify [*chagrin, désir, colère*]; to increase [*intérêt*]; to stir up [*querelle*]; to make [sth] more acute [*douleur physique*]; [2] (rehausser) to liven up [*couleur*]; to brighten up [*teint*]; [3] (attiser) to kindle [*feu*]; **un vent violent avivait l'incendie** a strong wind fanned the flames; [4] Méd **~ une plaie** to remove the damaged tissue from a wound; [5] Tech to polish [*métal, marbre*]

[B] **s'aviver** *vpr* fig [*chagrin*] to deepen; [*désir, colère, intérêt*] to grow stronger; [*douleur physique*] to become more acute; **la concurrence s'avive** competition is becoming keener

avocaillon /avɔkajɔ̃/ *nm* pej small-time lawyer

avocassier○, **-ière** /avɔkasje, ɛʀ/ *adj* péj legal-eagle○ (*épith*)

avocat /avɔka/ ▸ **p. 532** *nm* [1] Jur gén lawyer, solicitor GB, attorney (at law) US; (au barreau) barrister GB, (trial) lawyer US; **elle est ~** she is a solicitor; (elle plaide) she is a barrister; **consulter un ~** to consult a solicitor *ou* lawyer, to seek legal advice; **~ de la défense** counsel for the defence, defence counsel, defense attorney US; **~ de l'accusation** counsel for the prosecution, prosecuting counsel; **~ commis d'office** court-appointed lawyer, prosecuting attorney US; [2] fig (d'une idée) advocate (**de** of); (d'une cause, personne) champion (**de** of); **se faire l'~ de qn/qch** to champion sb/sth; [3] Bot, Culin avocado (pear)

(Composés) **~ d'affaires** business lawyer; **~ commercial** commercial lawyer; **~ à la cour** barrister GB, (trial) lawyer US allowed to plead at a court of appeals; **l'~ du diable** the devil's advocate; **se faire l'~ du diable** to play devil's advocate; **~ d'entreprise** company *ou* corporate lawyer GB, corporation lawyer US; **~ général** Advocate-General

avocat-conseil, *pl* **avocats-conseils** /avɔkakɔ̃sɛj/ ▸ **p. 532** *nm* legal consultant

avocate /avɔkat/ *nf* female lawyer

avocatier /avɔkatje/ *nm* avocado (pear) tree

avocette /avɔsɛt/ *nf* avocet

avoine /avwan/ *nf* oats (*pl*); **manger de l'~** to eat oats; **champ d'~** field of oats; **récolte d'~** crop of oats, oat crop; ▸ **fou**

avoir¹ /avwaʀ/ [8] *vtr* [1] (obtenir) to get [*objet, rendez-vous*]; to catch [*train, avion*]; **j'ai pu vous ~ votre visa** I managed to get your visa for you; **j'ai eu ce vase pour cinq euros** I got this vase for five euros; **pouvez-vous m'~ un des traducteurs?** can you get me one of the translators?; **je n'ai pas eu mon train** I didn't catch my train; **il l'a eue◑ le soir même** he had○ her that very evening; [2] (au téléphone) **j'ai réussi à l'~** I managed to get through to him/her; **essayer d'~ le ministre** to try to get through to the minister; **pouvez-vous m'~ son adjoint/Hongkong** can you put me through to *ou* get me his assistant/Hong Kong; [3] (porter) to wear, to have [sth] on; **elle avait une robe bleue à son mariage** she wore a blue dress at her wedding; **elle a toujours une écharpe autour du cou** she's always got a scarf round her neck; **il avait un béret (sur la tête)** he had a beret on *ou* he was wearing a beret; [4] ○(triompher) to beat, to get○, to have; **l'équipe de Marseille nous a eus** the Marseilles team beat us; **ne nous laissons pas avoir par la concurrence** let's not let the competition beat us; **cette fois-ci, on les aura** this time, we'll get *ou* have them; [5] (duper) to have○; (par malveillance) to con○; **j'ai été eu** I've been had○; **il t'a bien eu!** (l'escroc) he conned○ you!; (le plaisantin) he was having you on○! GB, he put one over on you○!; **elle s'est fait** *or* **laissé ~** she's been had○; **j'ai failli me faire ~** I was nearly conned○; **je ne me laisserai pas ~ par un abruti**○ I won't be conned○ by a moron; [6] (éprouver moralement) to feel; **~ du chagrin/de la haine** to feel sorrow/hate; **qu'est-ce que tu as?** what's wrong *ou* the matter with you?; **j'ai qu'il m'énerve** he's getting on my nerves, that's what's wrong; **qu'est-ce que tu as à crier comme ça?** what are you shouting like that for?; **j'ai que mon ordinateur ne marche pas** because my computer doesn't work; **qu'est-ce qu'il a à conduire comme ça?** why is he driving like that?; **il a qu'il est soûl** because he's drunk, that's why; [7] (servant à exprimer l'âge, des sensations physiques) **j'ai 20 ans/faim/froid** I am 20 years old/hungry/cold; **la salle a 20 mètres de long** the room is 20 metres[GB] long

(Idiomes) **en ~**○ to have balls◑; **ne pas en ~**○ to have no balls◑

avoir² /avwaʀ/ *nm* [1] Comm (somme) credit; (attestation) credit note; [2] (possessions) assets (*pl*), holdings (*pl*); **~s à l'étranger** foreign assets *ou* holdings; **~s en caisse** cash holdings; **~s en dollars** dollar-based assets; [3] Compta (notion) assets (*pl*); (titre d'entrée) credit

(Composé) **~ fiscal** tax credit

avoirdupois /avwaʀdypwa/ *nm* avoirdupois

avoisinant, **~e** /avwazinɑ̃, ɑ̃t/ *adj* neighbouring[GB]

avoisiner /avwazine/ [1] *vtr* [1] [*coûts, somme*] to be close to, to be about; **~ les 20%** to be close to *ou* about 20%; **~ (les) 200 euros** to be close to 200 euros; [2] [*ferme, village*] to be near [*forêt, route*]

Avon *nprm* **l'~** Avon

avortement /avɔʀtəmɑ̃/ *nm* [1] Méd abortion; **~ spontané** miscarriage; **~ thérapeutique** termination of pregnancy (*on medical grounds*); [2] (échec) collapse (**de** of)

avorter /avɔʀte/ [1] *vi* [1] Méd (par intervention) to have an abortion; (spontanément) to abort, to miscarry; **se faire ~** to have an abortion; **faire ~ qn** [*personne*] to carry out an abortion on sb; [*pilule*] to induce abortion in sb; [2] [*projet, révolution*] to abort

avorteur, **-euse** /avɔʀtœʀ, øz/ *nm,f* pej abortionist péj

avorton /avɔʀtɔ̃/ *nm* pej (personne, animal, plante) runt

avouable /avwabl/ *adj* [*sentiment*] worthy; [*motif, raison*] respectable; **méthode peu ~** rather dubious method

avoué, **~e** /avwe/

[A] *pp* ▸ **avouer**

[B] *pp adj* [*ennemi, revenu*] declared; [*thème*] stated; [*ambition, but, intention*] avowed; [*terroriste, socialiste*] self-confessed; **le mobile ~ du crime** the motive given for the crime; **de manière ~e ou non** overtly or otherwise

[C] ▸ **p. 532** *nm* Jur ≈ solicitor GB, attorney(-at-law) US

avouer /avwe/ [1]

[A] *vtr* [1] (confesser) to confess [*amour, haine*] (**à qn** to sb); to confess (to) [*crime*]; (admettre) to admit [*incartade, faiblesse*] (**à qn** to sb); to admit *ou* confess [*ignorance, dépit, peur*] (**à qn** to sb); **~ un penchant pour qch** to admit (to) a weakness for sth; **'je ne sais pas,' avoua-t-il** 'I don't know,' he admitted; **avoue(-le), tu as triché** admit it, you cheated; **~ avoir fait qch** to admit *ou* confess to having done sth; **elle avoue ne pas travailler** she admits that she isn't working; **j'avoue m'être trompé** I admit I made a mistake; **~ que** to admit *ou* confess (that); **(il est) impossible de lui faire ~ que** you'll never get him to admit that; [2] (reconnaître) to admit; **c'est cher, je l'avoue** I must admit, it's expensive; **avoue** *or* **tu avoueras que c'est ridicule** you must admit, it's ridiculous; **j'avoue qu'il fait chaud** I must admit (that) it's hot

a

avoir¹

Généralités

Dans la plupart des situations exprimant la possession ou la disponibilité, *avoir* sera traduit par *to have* ou *to have got*:

j'ai des livres
= I have (got) books

j'ai des enfants
= I have (got) children

j'ai des employés
= I have (got) employees

je n'ai pas assez de place
= I don't have (*ou* I haven't got) enough room

je n'ai pas assez de temps
= I don't have (*ou* I haven't got) enough time

la maison a l'électricité
= the house has electricity

la maison a cinq pièces
= the house has five rooms

j'aurai mon visa demain
= I'll have my visa tomorrow

ils vont/elle va avoir un bébé en mai
= they're/she's having a baby in May

Les autres sens de *avoir*, verbe transitif simple (obtenir, porter, triompher de etc.), sont traités dans l'entrée.

On notera qu'en règle générale les expressions figées du type *avoir raison*, *avoir beau*, *en avoir marre*, *il y a belle lurette*, *il y a de quoi* etc. seront traitées respectivement sous **raison**, **beau**, **marre**, **lurette**, **quoi** etc.

On pourra également consulter les diverses notes d'usage répertoriées ▸ **p. 1948**, notamment celles consacrées à l'expression de **l'âge**, aux **douleurs et maladies**, à l'expression de **l'heure** etc.

On trouvera ci-dessous les divers emplois de *avoir* pour lesquels une explication est nécessaire.

avoir = verbe auxiliaire

avoir verbe auxiliaire se traduit toujours par *to have* sauf dans le cas du passé composé:

ils avaient révisé les épreuves quand je suis parti
= they had revised the proofs when I left

quand ils eurent (ou ont eu) révisé les épreuves, ils sont partis
= when they had revised the proofs, they left

ils auront fini demain
= they will have finished tomorrow

il aurait (ou eût) aimé parler
= he would have liked to speak

Lorsqu'on a un passé composé en français, il sera traduit soit par le prétérit:

ils ont révisé les épreuves en juin
= they revised the proofs in June

ils ont révisé les épreuves avant ma démission
= they revised the proofs before I resigned

je suis sûr qu'il l'a laissé là en partant
= I'm sure he left it here when he left

soit par le 'present perfect':

ils ont révisé les épreuves plusieurs fois
= they have revised the proofs several times

avoir = verbe semi-auxiliaire

De même, *avoir* semi-auxiliaire dans les tournures attributives du type *avoir le cœur malade/les genoux cagneux*, se traduit de façon variable (*to be* ou *to have*) selon la structure adoptée par l'anglais pour rendre ces tournures; voir, en l'occurrence, les entrées **cœur** et **cagneux**; mais c'est en général sous l'adjectif que ce problème est traité.

Emplois avec à

avoir à + infinitif

Exprimant l'obligation ou la convenance, cette locution verbale se rend généralement par *to have to* suivi de l'infinitif:

j'aurais à ajouter que…
= I would have to add that…

tu auras à rendre compte de tes actes
= you'll have to account for your actions

je n'ai pas à vous raconter ma vie
= I don't have to tell you my life-story

vous n'aviez pas à le critiquer
= you didn't have to criticize him

il n'a pas à te parler sur ce ton
= he shouldn't speak to you in that tone of voice

j'ai beaucoup à faire
= I have a lot to do
ou I've got a lot to do

tu n'as rien à faire?
= don't you have anything to do?
ou haven't you got anything to do?

j'ai à faire un rapport
= I have to write a report
ou j'ai un rapport à faire
ou I have a report to write

n'avoir qu'à

Quand cette locution équivaut à *suffire*, plusieurs possibilités de traduction se présentent:

tu n'avais qu'à = tu aurais dû

Elle se rend par *should have* suivi du participe passé

tu n'as qu'à leur écrire
= you only have to write to them
ou you've only got to write to them,
ou all you have to do is write to them

tu n'auras que cinq minutes à attendre
= you'll only have to wait five minutes

tu n'avais qu'à faire attention
= you should have paid attention

tu n'avais qu'à me le dire
= you should have told me

tu n'avais qu'à partir plus tôt
= you should have left earlier

Emplois avec en

On trouvera sous **assez**, **marre** etc. les expressions figées *en avoir assez*, *en avoir marre* etc. Voir aussi les emplois avec *il y a* plus bas.

Expression du temps: *en avoir pour*

L'anglais distingue généralement entre une tâche précise (*to take*) et une activité ou absence indéterminée (*to be*):

vous en avez (ou aurez) pour combien de temps? (à faire ce travail)
= how long will it take you?

(à me faire attendre)
= how long are you going to be?

j'en ai pour cinq minutes
(je reviens)
= I'll be five minutes

je n'en ai pas pour longtemps
= I won't be long

j'en ai eu pour deux heures
= it took me two hours

Expression du coût: *en avoir pour*

Se traduit par *to cost* suivi du pronom personnel complément correspondant au pronom sujet français (voir aussi **argent**):

j'en ai eu pour 200 euros
= it cost me 200 euros

nous en aurons pour combien?
= how much will it cost us?

☛ Voir page suivante

B *vi* (faire des aveux) [*inculpé, suspect*] to confess; [*fautif*] to own up
C s'avouer *vpr* **1** (se déclarer) **s'∼ rassuré/satisfait** to say one feels reassured/satisfied; **s'∼ coupable** to admit one's guilt; **s'∼ battu** *or* **vaincu** to admit defeat; **2** (à soi-même) to admit [sth] to oneself [*motif*]
(Idiome) **faute avouée est à moitié pardonnée** a fault confessed is half redressed

avril /avʀil/ ▸ p. 544 *nm* April
(Idiome) **en ∼, ne te découvre pas d'un fil, en mai fais ce qu'il te plaît** Prov ne'er cast a clout till May be out Prov

axe /aks/ *nm* **1** Anat, Astron, Math axis; **2** Mécan axle; **3** (route) major road; **les grands ∼s routiers** the major trunk roads GB, the major highways US; **l'∼ Paris–Metz** the main Paris–Metz road; **4** (prolongement) **dans l'∼ du bâtiment** straight along the road from the building; **la cible est dans l'∼ du viseur** the target is lined up in the sights; **dans l'∼ de sa politique** fig in line with his policy; **5** (ligne directrice) (de projet, plan) main line; (de discours) central theme; **6** Hist **l'Axe** the Axis
(Composés) **∼ de rotation** axis of rotation; **∼ rouge** urban clearway GB, urban thruway US

axel /aksɛl/ *nm* axel

axer /akse/ [1] *vtr* **1** lit to centre[GB] [*vis*]; to line up [*pièce*]; **2** fig (baser) to base (**sur** on); (concentrer) to centre[GB] (**sur** on); **∼ ses recherches sur un thème** to focus one's research on a theme; **film axé sur les problèmes sociaux** film which focuses on social problems; **projet axé sur la clientèle étrangère** scheme aimed at foreign customers

axial, **∼e**, *mpl* **-iaux** /aksjal, o/ *adj* axial; **éclairage ∼** centre[GB]-hung (street) lighting

axillaire /aksilɛʀ/ *adj* axillary

axiomatique /aksjɔmatik/
A *adj* Philos, Math axiomatic
B *nf* Math axiomatics (+ *v sg*)

axiome /aksjom/ *nm* axiom

axis /aksis/ *nm inv* axis

axone /aksɔn/ *nm* axon

ayant cause, *pl* **ayants cause** /ɛjɑ̃koz/ *nm* Jur assign, cessionary

ayant droit, *pl* **ayants droit** /ɛjɑ̃dʀwa/ *nm* **1** (à une prestation, une allocation) legal claimant, beneficiary; **2** (ayant cause) assign

ayatollah /ajatɔla/ ▸ **p. 848** *nm* ayatollah

azalée /azale/ *nf* azalea

avoir[1] suite

Expression de l'existence

il y a du lait dans le réfrigérateur
= there's some milk in the fridge

il y a des souris au grenier
= there are mice in the attic

il n'y a pas de riz
= there's no rice
ou there isn't any rice

il n'y a plus de riz
= there's no more rice
ou there isn't any more rice

il doit y avoir des souris dans le grenier ou il y aura des souris dans le grenier
= there must be mice in the attic

il n'y a pas eu moins de 50 concurrents
= there were no less than 50 competitors

il y a chapeau et chapeau
= there are hats and hats

il y aura Paul, Marie,...
= there will be Paul, Marie, ...

et il y aura Paul et Marie!
= and Paul and Marie will be there!

il n'y a pas de raison de faire
= there's no reason to do

il n'y a pas de raison que tu fasses
= there's no reason for you to do

il a dû y avoir quelque chose de grave
= something serious must have happened

qu' est-ce qu'il y a? (qui ne va pas)
= what's wrong?

(qui se passe)
= what's going on?

il y a qu'elle m'énerve
= she's getting on my nerves, that's what's wrong

il y a que l'ordinateur est en panne
= the computer has broken down

Attention, un mot singulier en français peut être traduit par un mot fonctionnant comme un pluriel en anglais:

il y a beaucoup de monde
= there are a lot of people

y avait-il du monde?
= were there many people?

Expression du temps

il est venu il y a longtemps
= he came a long time ago

il est venu il y a cinq ans
= he came five years ago

il y a cinq ans que j'habite ici
= I have been living here for five years

il y aura cinq ans demain que j'ai pris ma retraite
= it will be five years tomorrow since I retired

il y aura deux mois mardi que je travaille ici
= I will have been working here for two months on Tuesday

il n'y a que deux mois que je suis ici
= I have only been here for two months

il n'y a que deux mois que je travaille ici
= I have only been working here for two months

il n'y a pas cinq minutes qu'il est parti
= he left less than five minutes ago

il n'y a pas 200 ans que l'espèce est éteinte
= the species has been extinct for no more than 200 years

il y a combien de temps que tu habites ici?
= how long have you lived here?

il y a combien d'années que tu habites ici?
= how many years have you lived here?

il y a combien de temps qu'on ne s'est vus?
= how long is it since we last met?

il y a combien d'années qu'on ne s'est vus?
= how many years has it been since we last met?

Expression de la distance

Elle se fait généralement à l'aide du verbe *to be*:

combien y a-t-il jusqu'à la gare?
= how far is it to the station?

combien y a-t-il d'ici à la gare?
= how far is it to the station from here?

combien y a-t-il encore jusqu'à la gare?
= how much further is it to the station?

il y a 15 kilomètres jusqu'à la gare
= the station is 15 kilometres away

il y a 15 kilomètres d'ici à la gare
= the station is 15 kilometres away from here

il y a au moins 15 kilomètres
= it's at least 15 kilometres away

il y a encore 15 kilomètres
= it's another 15 kilometres

il n'y a pas 200 mètres d'ici à la gare
= it's less than 200 metres from here to the station

il n'y a que 200 mètres d'ici à la gare
= it's only 200 metres from here to the station

il y a à + infinitif

il y a à manger pour quatre
= there's enough food for four

il y a (beaucoup) à faire
= there's a lot to be done
(ceci traduit également *il y a de quoi faire*)

souligner le danger qu'il y a à faire
= to stress how dangerous it is to do

souligner l'avantage qu'il y a à faire
= to stress how advantageous it is to do

les risques qu'il y avait/aurait à faire
= how risky it was/would be to do

il n'y a pas à hésiter
= there's no need to hesitate

il n'y a pas à s'inquiéter
= there's no need to worry

il n'y a pas à discuter!
= no arguments!

'il n'y a qu'à le repeindre!'
= 'all you have to do is repaint it!'

'y a qu'à, c'est facile à dire!'
= 'just repaint it! easier said than done!'

il y en a qui, il y en a pour

L'existence se rend par *there is/are*, le temps par *to take*, et le coût par *to cost* ou *to come to*:

il y en a qui n'ont pas peur du ridicule!
= there are some people who aren't afraid of being laughed at!

il y en a toujours pour se plaindre (ou qui se plaignent)
= there's always someone who complains

il y en a (ou aura) pour deux heures
= it'll take two hours

il y en a eu pour deux heures
= it took two hours

il y en aurait eu pour deux heures
= it would have taken two hours

il n'y en a plus que pour deux heures
= it'll only take another two hours

il y en a encore pour combien de temps?
= how much longer will it take?

il y en a (ou aura) pour 200 euros
= it'll cost (ou come to) 200 euros

il y en a eu pour 200 euros
= it cost (*ou* came to) 200 euros

Noter aussi:

il n'y en a que pour leur chien
= they only think of their dog
ou their dog comes first

Remarque: certaines formes personnelles du verbe *avoir* sont équivalentes au présentatif *il y a*. En corrélation avec le relatif *qui*, elles ne se traduisent pas; directement suivies de l'objet présenté, elles se traitent comme *il y a*:

j'ai mon stylo qui fuit
= my pen is leaking

elle avait les larmes aux yeux
= there were tears in her eyes

j'ai ma cicatrice qui me fait souffrir
= my scar is hurting

à droite, vous avez une tapisserie d'Aubusson
= on your right, there's an Aubusson tapestry

Azerbaïdjan /azɛʀbajdʒɑ̃/ ▸ **p. 333** *nprm* Azerbaijan

azerbaïdjanais /azɛʀbajdʒanɛ, ɛz/
A ▸ **p. 561** *adj* Azerbaijani
B ▸ **p. 483** *nm* Ling Azerbaijani

Azerbaïdjanais, ~e /azɛʀbajdʒanɛ, ɛz/ ▸ **p. 561** *nm,f* Azerbaijani

azéri /azeʀi/
A ▸ **p. 561** *adj* Azerbaijani
B ▸ **p. 483** *nm* Ling Azerbaijani

Azéri /azeʀi/ ▸ **p. 561** *nmf* Azerbaijani

AZERTY /azɛʀti/ *adj inv* **clavier ~** AZERTY keyboard

azimut /azimyt/ *nm* **1** Astron, Géog azimuth; **2** fig **défense tous ~s** Mil total defence[GB]; **une offensive tous ~s** Mil an all-out offensive; **négociations/débat tous ~s** wide-ranging negotiations/debate; **arrestations tous ~s** extensive *ou* wholesale arrests; **dans tous les ~s** everywhere, all over the place
(Composé) **~ magnétique** magnetic azimuth

azimutal, ~e, *mpl* **-aux** /azimytal, o/ *adj* azimuthal

azimuté○, **~e** /azimyte/ *adj* crazy○

Azincourt /azɛ̃kuʀ/ *npr* Agincourt

azote /azɔt/ *nm* nitrogen

azoté, ~e /azɔte/ *adj* nitrogenous

aztèque /astɛk/ *adj* Aztec

Aztèque /astɛk/ *nmf* Aztec

azur /azyʀ/ *nm* **1** ▸ **p. 202** (couleur) azure; **un ciel d'~** an azure sky; **2** (ciel) liter azure, skies (*pl*)

azurant /azyʀɑ̃/ *nm* optical brightener

azuré, ~e /azyʀe/ *adj* azure (*épith*)

azuréen, -éenne /azyʀeɛ̃, ɛn/ *adj* French Riviera (*épith*)

azurer /azyʀe/ [1] *vtr* [*personne, produit*] to blue [*linge*]; to give a bluish tinge to [*papier*]

azyme /azim/ *adj* unleavened
(Composé) **pain ~** gén unleavened bread; (en pâtisserie) rice paper; (Relig juive) matzo; **galette de pain ~** matzo

Bb

b, B /be/ *nm inv* b, B; **le b a ba** the rudiments

BA /bea/ *nf* (*abbr* = **bonne action**) good deed

baasiste /bazist/ *adj* Pol Baathist, Baath Party (*épith*)

BAB (*written abbr* = **bord à bord**) FIO

baba /baba/
A ○*adj inv* **en être** *or* **rester** ~ to be flabbergasted○
B *nm* **1▸** Culin ~ **(au rhum)** (rum) baba; **2▸** ○(personne) ~ **(cool)** hippie
(Idiome) **il l'a eu dans le** ~◑ he was really had○

Babel /babɛl/ *npr* Babel; **la tour de** ~ the tower of Babel

babeurre /babœʀ/ *nm* buttermilk

babiche○ /babiʃ/ *nf* Can (visage) face

babil /babil/ *nm* (d'oiseau) twittering, chattering; (d'enfants, de ruisseau, source) babbling; (bavardage) chattering

babillage /babijaʒ/ *nm* (d'enfants) babbling

babiller /babije/ [1] *vi* [*bébé, ruisseau*] to babble; [*personne, oiseau*] to chatter

babines /babin/ *nfpl* Zool chops; **s'en lécher les** ~ fig to lick one's chops

babiole /babjɔl/ *nf* **1▸** (objet sans valeur) trinket; **2▸** (chose sans importance) trifle; **ne t'en fais pas, c'est une** ~**!** don't worry about it, it's nothing!

bâbord /babɔʀ/ *nm* port (side); **à** ~ (position) on the port side; (direction) to port; **terre à** ~**!** land to port!

babouche /babuʃ/ *nf* oriental slipper

babouin /babwɛ̃/ *nm* baboon

baby-blues○ /bebibluz/ *nm inv* baby blues○

baby-boom, *pl* ~**s*** /bebibum/ *nm* baby boom

baby-foot* /babifut/ ▸ **p. 469** *nm inv* table football GB, table soccer

Babylone /babilɔn/ *npr* ▸ **p. 894** Babylon

babylonien, -ienne /babilɔnjɛ̃, ɛn/ *adj, nm* Babylonian

baby-sitter, *pl* ~**s*** /bebisitœʀ/ *nmf* babysitter

baby-sitting* /bebisitiŋ/ *nm* babysitting; **faire du** ~ to babysit

bac /bak/ *nm* **1▸** ○Scol (*abbr* = **baccalauréat**) baccalaureate; **'**~ **+ 2'** baccalaureate plus 2 years' higher education; **2▸** (bateau) ferry; **3▸** (cuve) gén tub; Ind vat; Phot tray; **évier à deux** ~**s** double sink
(Composés) ~ **blanc** Scol mock baccalaureate; ~ **à fleurs** plant tub; ~ **à glace** ice tray; ~ **à légumes** vegetable compartment (in fridge), crisper US; ~ **professionnel** Scol ≈ GNVQ (*secondary school vocational diploma*); ~ **à sable** sandpit GB, sandbox US; ~ **à shampooing** shampoo basin

> **Bac + 2/3/4/5**
>
> Abbreviations for courses of study successfully completed two, three, four or five years after the *baccalauréat*, e.g. a *maîtrise* would be designated as a *bac + 4* course of study. The terms feature widely in job advertisements.

BAC /bak/ *nf* (*abbr* = **brigade anticriminalité**) crime squad

baccalauréat /bakalɔʀea/ *nm* Scol baccalaureate

> **Baccalauréat**
>
> known informally as the *bac*, is an examination sat in the final year of the *lycée* (*la terminale*), so usually at age 17 or 18. Students sit exams in a fairly broad range of subjects in a particular category: the *bac S* places the emphasis on the sciences, for example, whilst the *bac L* has a literary bias. Some categories cater for students specializing in more directly job-based subjects such as agriculture.

baccara /bakaʀa/ ▸ **p. 469** *nm* baccarat

baccarat /bakaʀa/ *nm* Baccarat crystal

bacchanale /bakanal/
A *nf* **1▸** Art bacchanal; **2▸** Danse bacchanal, bacchanalian dance; **3▸** †(débauche tapageuse) drunken orgy, bacchanalian orgy
B **bacchanales** *nfpl* Antiq Bacchanalia

bacchante /bakɑ̃t/
A *nf* Antiq bacchante
B **bacchantes**○ *nfpl* moustache (*sg*) GB, mustache (*sg*) US

Bacchus /bakys/ *npr* Bacchus

bâchage /bɑʃaʒ/ *nm* covering (*with sheets*), sheeting over; **nous allons procéder au** ~ **des camions** we are going to sheet over *ou* cover the trucks

bâche /bɑʃ/ *nf* tarpaulin; **toile de** ~ canvas sheet
(Idiome) **se prendre une** ~◑ to get a slap in the face

bachelier, -ière /baʃəlje, ɛʀ/ *nm,f*: *holder of the (French) baccalaureate*

bâcher /bɑʃe/ [1] *vtr* to cover [sth] with tarpaulin [*véhicule*]; **un camion bâché** a covered truck

bachique /baʃik/ *adj* **1▸** Antiq [*culte, rite*] bacchic; **2▸** (relatif au vin) drinking (*épith*); **chanson** ~ drinking song

bachot /baʃo/ *nm* **1▸** ○Scol = **baccalauréat**; **2▸** (bateau) skiff

bachotage○ /baʃɔtaʒ/ *nm* Scol cramming; **faire du** ~ to cram (for an exam)

bachoter /baʃɔte/ [1] *vi* Scol to cram (for an exam)

bacillaire /basilɛʀ/ *adj* **1▸** (relatif au bacille) bacillary (*épith*); **2▸** (tuberculeux) consumptive

bacille /basil/ *nm* bacillus; ~ **de Koch** Koch bacillus

backgammon /bakgamɔ̃/ ▸ **p. 469** *nm* backgammon

bâcler /bakle/ [1] *vtr* to dash [sth] off [*devoirs, travail*]; to rush through [*cérémonie*]; ~ **une rédaction en vingt minutes** to dash an essay off in twenty minutes; **il bâcle tout ce qu'il fait** his work is always slapdash; **c'est du travail bâclé** it's a slapdash job; **l'ouvrier a bâclé le travail** the workman did a sloppy job; **après un procès bâclé** after a summary trial

bacon /bekɔn/ *nm* smoked back bacon

bactéricide /bakteʀisid/
A *adj* bactericidal
B *nm* bactericide

bactérie /bakteʀi/ *nf* bacterium; **des** ~**s** bacteria

bactérien, -ienne /bakteʀjɛ̃, ɛn/ *adj* bacterial

bactériologie /bakteʀjɔlɔʒi/ *nf* bacteriology

bactériologique /bakteʀjɔlɔʒik/ *adj* bacteriological

bactériologue /bakteʀjɔlɔg/ *nmf* bacteriologist

bactériophage /bakteʀjɔfaʒ/
A *adj* bacteriophagous
B *nm* bacteriophage

badaboum /badabum/
A *nm* crash
B *excl* crash bang wallop!

badaud, ~**e** /bado, od/ *nm,f* (flâneur) passer-by; (curieux) onlooker, rubberneck○ US péj

baderne○ /badɛʀn/ *nf* **vieille** ~ old fogey

badge /badʒ/ *nm* **1▸** (insigne) badge; **2▸** (identité) badge, name tag; (avec piste magnétique) swipe card.

badgeuse /badʒøz/ *nf* time clock

badiane /badjan/ *nf* star anise

badigeon /badiʒɔ̃/ *nm* **1▸** (lait de chaux) whitewash; (coloré) colourwash[GB]; **passer un coup de** ~ **au plafond** to give the ceiling a coat of whitewash; **2▸** ○(peinture) paint

badigeonnage /badiʒɔnaʒ/ *nm* **1▸** (peinture) whitewashing; (avec couleur) colourwashing[GB]; **2▸** Méd (de gorge) swabbing

badigeonner /badiʒɔne/ [1]
A *vtr* **1▸** (enduire) (de chaux) to whitewash [*mur*]; (en couleur) to paint; **badigeonné de bleu** painted blue; **2▸** (barbouiller) to daub (**de** with); **3▸** Méd to paint [*blessure, gorge*] (**de** with); **4▸** Culin ~ **la pâte de lait** to brush the pastry with milk
B **se badigeonner** *vpr* **se** ~ **la gorge** to paint one's throat (**de, à** with)

badin, ~**e** /badɛ̃, in/
A *adj* [*ton*] bantering, playful; [*esprit, humeur*] playful
B **badine** *nf* **1▸** (baguette) switch; **2▸** (canne) cane

badinage /badinaʒ/ *nm* **1▸** (attitude) bantering; **2▸** (propos) banter

badine ▸ **badin**

badiner /badine/ [1] *vi* to banter, to jest; **pour** ~ in jest; **il ne badine pas avec le règlement** he doesn't mess about when it comes to rules; **avec lui, on ne badine pas** that guy means business○ *ou* doesn't stand for any nonsense

badinerie /badinʀi/ *nf* liter **1▸** (comportement) bantering, jesting littér; **2▸** (parole) **dire des** ~**s** to jest littér

badminton /badmintɔn/ ▸ **p. 469** *nm* badminton

BAFA /bafa/ *nm* (*abbr* = **brevet d'aptitude aux fonctions d'animateurs**) *diploma taken to be a children's camp instructor*

baffe○ /baf/ *nf* clout, slap; **il a reçu une paire de** ~**s** he got his ears boxed; **il m'a donné**

une ~ he hit *ou* clouted me

Baffin /bafɛ̃/ ▸ **p. 435** *npr* **la terre de ~** Baffin island; **mer** *or* **baie de ~** Baffin bay

baffle /bafl/ *nm* (enceinte) speaker; (écran acoustique) baffle

bafouer /bafwe/ [1] *vtr* to scorn

bafouillage /bafujaʒ/ *nm* **1** (façon de parler) hesitancy; **2** (propos) gibberish ¢

bafouille○ /bafuj/ *nf* letter

bafouiller /bafuje/ [1]
A *vtr* to mumble [*excuse, réponse*]; **qu'est-ce que tu bafouilles?** what are you mumbling about?; **il ne bafouille que des inepties** he just talks nonsense
B *vi* **1** [*personne*] to mumble; **2** [*moteur*] to splutter

bâfrer◑ /bɑfʀe/ [1] *vi*, **se bâfrer** *vpr* to gorge oneself, to stuff oneself○

bâfreur◑, **-euse** /bɑfʀœʀ, øz/ *nm,f* glutton, pig○ péj

bagage /bagaʒ/
A *nm* **1** (effets) luggage; (de soldat) kit; **elle avait un sac pour tout ~** her only luggage was one bag; **envoyer qch en ~ accompagné** to send sth as registered luggage; **2** (sac, valise) piece of luggage; **3** fig (connaissances) knowledge; (diplômes) qualifications (*pl*); (expérience) credentials (*pl*); **avoir un bon/mince ~** to have good/poor qualifications; **il a un excellent ~ de directeur** he has splendid credentials as a manager
B bagages *nmpl* (valises, effets) luggage ¢; **faire/défaire ses ~s** to pack/unpack (one's suitcases); **il a amené qn dans ses ~s** fig he's brought sb along with him; **il est toujours dans les ~s du Président** fig the President always takes him along
(Composé) **~ à main** hand luggage, carry-on baggage US
(Idiomes) **plier ~**○ to pack up and go; **partir avec armes et ~s** to up sticks and leave; **se rendre avec armes et ~s** to capitulate; **passer à l'ennemi avec armes et ~s** to defect

bagagiste /bagaʒist/ ▸ **p. 532** *nm* baggage handler

bagarre /bagaʀ/ *nf* **1** (empoignade) fight (**entre** between); (action de se battre) **la ~** fighting; **~ dans un club** fight *ou* brawl in a club; **aimer la ~** to like fighting *ou* a fight; **chercher la ~** to be spoiling *ou* looking for a fight; **violentes ~s avec la police** violent clashes with the police; **il y a de violentes ~s dans les rues** there's rioting in the streets; **~ générale** free-for-all; **2** fig (lutte) fight, struggle; **c'est la ~ pour leur faire faire leur travail** it's a real fight *ou* struggle to get them to do their work; **3** (dispute) clash, confrontation (**entre** between); **entrer dans la ~** to join the fray

bagarrer○ /bagaʀe/ [1]
A *vi* (se battre, se disputer) to fight; **ça bagarrait dur hier soir** there was a real dingdong fight last night
B se bagarrer *vpr* to fight (**pour** for)

bagarreur○, **-euse** /bagaʀœʀ, øz/
A *adj* (agressif) aggressive; (combatif) **être ~** to like to pick a fight
B *nm,f* bruiser○, fighter

bagatelle /bagatɛl/ *nf* **1** (chose sans importance) triviality; **se fâcher pour des ~s** to get angry over trivialities; **~!**† nonsense!; **2** (objet sans valeur) **je lui ai acheté une ~** I bought him/her a little something; **3** (somme d'argent) trifle; **~ de** iron trifling sum of; **la ~ de 70 millions d'euros** the trifling sum of 70 million euros; **4** †(amour physique) euph physical love

Bagdad /bagdad/ ▸ **p. 894** *npr* Baghdad

bagel /bagɛl, begɛl/ *nm* bagel

baggy○ /bagi/ *nm* baggies *pl*, pair of baggies

bagnard /baɲaʀ/ *nm* convict

bagne /baɲ/ *nm* **1** (prison) penal colony; **2** (peine) penal servitude, hard labour[GB]; **faire vingt ans de ~** to do twenty years' hard labour[GB]; **ce travail, c'est le ~**○**!** fig this job is hell○!

bagnole○ /baɲɔl/ *nf* car; **vieille ~** old banger○ GB *ou* clunker○ US, old car

bagou(t)○ /bagu/ *nm* volubility, glibness péj; **avoir du ~** to have the gift of the gab

baguage /bagaʒ/ *nm* (d'oiseau, arbre) ringing

bague /bag/ *nf* **1** (anneau) ring; **porter une ~ au doigt** to wear a ring on one's finger; **avoir une ~ à la patte** to have a ring around its foot; **2** (cercle) (de cigare, colonne) band; (de tuyau) collar; **3** Phot ring
(Composés) **~ de fiançailles** engagement ring; **~ de serrage** Tech jubilee clip
(Idiomes) **avoir la ~ au doigt** to be married; **elle lui a mis** *or* **passé la ~ au doigt** she got him to the altar

baguenaude○ /bagnod/ *nf* **être en ~** to be strolling *ou* sauntering about

baguenauder○ /bagnode/ [1] *vi*, **se baguenauder** *vpr* to stroll *ou* saunter about

baguer /bage/ [1] *vtr* **1** to ring [*oiseau, arbre*]; Tech to collar [*tuyau*]; **doigts bagués** beringed fingers; **2** Cout to baste

baguette /bagɛt/ *nf* **1** (pain) baguette, French stick; **2** (bâton) stick; (pour manger) chopstick; **~ d'encens** incense stick; **mener** *or* **faire marcher qn à la ~** fig to rule sb with a rod of iron; **3** Mus (pour percussion) drumstick; **~ de chef d'orchestre** conductor's baton; **l'orchestre jouera sous la ~ de R. Mutti** the orchestra will be conducted by R. Mutti; **4** Constr (moulure) beading; (pour cacher) casing; **poser des fils sous ~s** to conceal wires in casing; **5** Mode (sur bas, chaussettes) clock
(Composés) **~ de coudrier** hazel switch, divining rod; **~ de fusil** ramrod; **~ magique** magic wand; **d'un coup de ~ magique** with a wave of the magic wand; **~ de protection** Aut side trim; **~ de sourcier** water-divining rod; **~s de tambour** drumsticks; **elle a les cheveux raides comme des ~s de tambour** her hair is dead straight

bah /ba/ *excl* so what?

Bahamas /baamas/ ▸ **p. 333, p. 435** *nprfpl* **les (îles) ~** the Bahamas

Bahreïn /baʀɛn/ ▸ **p. 333** *nprm* Bahrain

bahreïni /baʀeni/ ▸ **p. 561** *adj* Bahreini

Bahreïni /baʀeni/ ▸ **p. 561** *nmf* Bahreini

bahut /bay/ *nm* **1** (buffet) sideboard; **2** ○(lycée) students' slang school; **3** ○(camion) truck; **4** (malle) chest

bai, **~e** /bɛ/
A ▸ **p. 202** *adj* bay
B baie *nf* **1** Géog bay; **2** Bot berry; **3** Archit opening; Constr (fenêtre) **~e (vitrée)** picture window

baignade /bɛɲad/ *nf* **1** (activité) swimming, bathing†; **la ~ était bonne?** did you have a nice swim?; **'~ interdite'** 'no swimming', 'no bathing'; **après la ~** after swimming; **2** (lieu) bathing spot

baigner /beɲe/ [1]
A *vtr* **1** (donner un bain à) to bath GB, bathe US, to give [sb] a bath [*enfant, malade*]; **2** (pour soulager) to bathe [*œil malade, figure, blessure*] (**dans** in; **avec** with); **3** (inonder) **il avait le visage baigné de larmes** his face was bathed with tears; **baigné de sueur** [*front*] bathed in sweat; **baigné de lumière** liter bathed in light; **4** (voisiner avec) liter **la ville est baignée par l'océan** the ocean laps the town's shores
B *vi* **les saucisses baignent dans l'huile** the sausages are swimming in grease; **ils baignaient dans leur sang** they were in a pool of their own blood; **ils baignent dans la joie** fig they are ecstatic; **la situation baigne dans l'ambiguïté** fig the situation is steeped in ambiguity
C se baigner *vpr* **1** (dans la mer, une piscine) to have a swim; **allons nous ~** let's go for a swim; **on s'est baigné en haute mer/dans la rivière** we swam in the open sea/in the river; **2** (dans une baignoire) to have GB *ou* take US a bath
(Idiome) **ça baigne** *or* **tout baigne (dans l'huile)** things are going fine

baigneur, **-euse** /bɛɲœʀ, øz/
A *nm,f* (personne) swimmer, bather†
B *nm* (poupée) baby doll

baignoire /bɛɲwaʀ/ *nf* **1** (pour se laver) bath GB, bathtub; **2** Théât ground-floor box; **3** (de sous-marin) conning tower
(Composé) **~ sabot** hip bath

Baïkal /bajkal/ ▸ **p. 479** *npr* **le (lac) ~** Lake Baikal

bail, *pl* **baux**[1] ➜
/baj, bo/ *nm* gén lease; (de trois ans ou moins) tenancy agreement; **~ commercial/à construction** commercial/building lease; **donner à ~** to lease out; **prendre à ~** to lease; **renouveler un ~** to renew a lease; **ça fait un ~ qu'on ne s'est pas vus**○**!** we haven't seen each other for ages○!

baille /baj/ *nf* **1** ○(eau) water; (mer) briny○; **mettre qn à la ~** to push sb into the water; **2** ○Naut (rafiot) old tub○; **3** Naut (baquet) tub, bucket

bâillement /bɑjmɑ̃/ *nm* yawn; **étouffer** *or* **retenir un ~** to stifle a yawn; **avoir un ~** to yawn

bailler† /baje/ [1] *vtr* **vous me la baillez belle** *ou* **bonne** you're pulling my leg○

bâiller /bɑje/ [1] *vi* **1** lit [*personne, animal*] to yawn (**de** from, out of); **~ de fatigue** to yawn from tiredness; **2** fig [*col, chaussure*] to gape (open); [*porte*] to be ajar

bailleur, **bailleresse** /bajœʀ, bajʀɛs/ *nm,f* lessor
(Composé) **~ de fonds** Comm backer, silent partner

bâilleur, **-euse** /bɑjœʀ, øz/ *nm,f* sleepyhead

bailli /baji/ *nm* Hist bailiff

bailliage /bajaʒ/ *nm* bailiwick

bâillon /bɑjɔ̃/ *nm* gag; **il avait un ~** he was gagged; **mettre un ~ à qn/la presse** fig to gag sb/the press

bâillonnement /bɑjɔnmɑ̃/ *nm* (tous contextes) gagging

bâillonner /bɑjɔne/ [1] *vtr* lit, fig to gag [*prisonnier, opposition, presse*]

bain /bɛ̃/ *nm* **1** (pour se laver) (eau) bath; **un ~ moussant** a bubble *ou* foam bath; **prendre un ~** to have GB *ou* take a bath; **donner un ~ à un enfant** to give a child a bath, to bath GB *ou* bathe US a child; **être dans son ~** to be in the bath GB *ou* bathtub; **je te fais couler un ~?** shall I run you a bath?; **2** (baignade) swim; **après le ~** after a swim; **éviter les ~s** to avoid swimming; **3** (bassin) **grand ~** deep end; **petit ~** (séparé) children's GB *ou* baby pool; (dans le grand bassin) shallow end; **4** (préparation liquide) bath; **5** fig **un ~ linguistique** *or* **de langue** total immersion ¢ in a language
(Composés) **~ de bouche** (produit) mouthwash; **faire des ~s de bouche** to rinse one's mouth (out); **~ de boue** mudbath; **~ bouillonnant** whirlpool bath; **~ fixateur** fixing bath; **~ de foule** walkabout; **prendre un ~ de foule** gén to mingle with the crowd; [*personnalité*] to go on a walkabout GB, to mingle with the crowd US; **~ de friture** cooking oil; **à ~ d'huile** oil-immersed; **~ de jouvence** rejuvenating experience; **~ de minuit** midnight swim; **prendre un ~ de minuit** to go for a midnight swim; **faire des ~s de pieds** to soak one's feet; **~ à remous** Jacuzzi®; **~ révélateur** developing bath; **~ de sable** sand bath;

➜ *voir* Vivre dans un pays anglophone

b

~ **de sang** bloodbath; ~ **de siège** Méd sitz bath; ~ **de soleil** (corsage) suntop; **robe ~ de soleil** sun dress; **prendre un ~ de soleil** to sunbathe; ~ **de teinture** (produit) dye; (bac) vat of dye; ~ **turc** Turkish bath; ~ **de vapeur** steam bath; ~ **d'yeux** (produit) eyewash; **faire des ~s d'yeux** to bathe one's eyes with eyewash; **~s de mer** sea bathing ¢; **~s municipaux** or **publics** public baths

(Idiomes) **être dans le ~** to be in the swing of things; **se mettre/se remettre dans le ~** to get/to get back into the swing of things; **mettre qn dans le ~** to implicate sb; ▸ **bébé**

bain-douche, *pl* **bains-douches** /bɛ̃duʃ/ *nm* public baths

bain-marie /bɛ̃maʀi/ *nm* **au ~** gén in a bain-marie; (crèmes, sauces) in a double boiler

baïonnette /bajɔnɛt/ *nf* [1] Mil bayonet; **~ au canon!** (fix) bayonets!; **charger à la ~** to charge with fixed bayonets; [2] Électrotech bayonet fitting; **ampoule à ~** bulb with a bayonet fitting; **douille à ~** bayonet socket; **culot à ~** bayonet cap

baise● /bɛz/ *nf* screwing●, fucking●

baise-en-ville◑ /bɛzɑ̃vil/ *nm inv* overnight bag

baisemain /bɛzmɛ̃/ *nm* hand-kissing ¢; **faire le ~ à qn** to kiss sb's hand

baisement /bɛzmɑ̃/ *nm* Relig kissing

baiser /beze/ [1]

A *nm* kiss; **faire un ~ à qn** to give sb a kiss; **envoyer un ~ à qn** to blow sb a kiss; **bons ~s** love (and kisses); ~ **d'adieu** farewell kiss

B *vtr* [1] †(embrasser) to kiss; [2] ●(faire l'amour à) to fuck●; [3] ●(tromper, duper) to screw◑; **se faire ~, être baisé** to be screwed◑ *ou* had○

C ●*vi* (faire l'amour) to fuck●; **il/elle baise bien** he/she's a good fuck●

(Composés) ~ **de Judas** Judas kiss; **le ~ de paix** the kiss of peace

baiseur●, **-euse** /bɛzœʀ, øz/ *nm,f* **c'est un bon ~** he's a good fuck●; **c'est un sacré ~** he likes fucking● a lot

baisse /bɛs/ *nf* [1] gén (de température, pression, d'intensité) fall, drop; (de niveau sonore) lowering; (de lumière) (extérieure) fading; (intérieure) dimming (**de** of); (de puissance, d'influence, de qualité, ventes) decline; **une ~ de 10°/de pression** a fall *ou* drop of 10°/in pressure; [2] Écon, Fin, Stat (décidée) (de prix, taux, salaires, d'impôts) cut (**de** in); (constatée) (de prix, taux) fall, drop (**de** in); (de salaires, d'impôts) decrease (**de** in); (de productivité) drop (**de** in); **la ~ du dollar** the fall in the value of the dollar; **une ~ des loyers de 2%** a 2% drop in rents; **après deux jours de ~, la Bourse s'est reprise légèrement** after two days of losses, the Stock Exchange recovered slightly; **être en ~** [*taux, actions, valeurs*] to be going down; [*résultats*] to be decreasing; **la natalité est en ~** the birthrate is coming down; **l'or est en ~** gold prices are going down; **le marché est à la ~** Fin the market is bearish; **tendance à la ~** downward *ou* bearish trend; **revoir** or **réviser des prévisions à la ~** to revise estimates downward(s); **opérations/spéculations à la ~** bear transactions/speculations; **spéculateur à la ~** bear; **spéculer à la ~** to go a bear *ou* for a fall; **les cinémas connaissent une ~ de fréquentation** fewer people are going to the cinema *ou* the movies US

baisser /bese/ [1]

A *vtr* [1] (abaisser) [*personne*] to lower [*volet, store*]; to wind [sth] down [*vitre*]; to pull down [*pantalon, culotte, visière*]; to turn down [*col*]; **les stores étaient baissés** the blinds were down; ~ **la tête** (par précaution) to lower one's head; (vivement) to duck one's head; (par soumission, de honte) to bow; ~ **les yeux (de honte)** to look down (in shame); ~ **les bras** lit to lower one's arms; fig to give up; ~ **le nez** fig to hang one's head; **je vais leur faire ~ le nez, à ces prétentieux!** I'm going to bring them down a peg or two, those pretentious twits!; [2] (réduire) to turn down [*son, volume*]; to dim [*lumière*]; [*autorité*] to cut [*prix, taux*]; [*circonstances*] to bring down [*prix, taux*]

B *vi* [1] (diminuer de niveau) [*température, pression, tension*] to fall, to drop, to go down (**à** to; **de** by); [*fièvre, volume sonore*] to go down; [*lumière*] to fade, to grow dim; [*eaux*] to subside; [*qualité*] to decline; [*criminalité, délinquance*] to decline, to be on the decline; [*moral*] to fall; [*optimisme*] to fade; **le Rhône continue de ~** water levels in the Rhône are still dropping; **le niveau des étudiants n'a pas baissé** the standard of the students' work has not deteriorated; ~ **dans l'estime de qn** to go down in sb's esteem; ~ **dans les sondages** [*candidat*] to go down in the polls; **le baromètre baisse** the barometer is falling; **le jour baisse** the light is fading; ~ **d'un ton**○ [*personne*] fig to calm down; [2] (diminuer de valeur) [*prix, résultat, taux, production, recettes*] to fall; [*salaires*] to go down; [*pouvoir d'achat*] to decrease; [*chômage, emplois*] to fall, to decrease; [*productivité*] to decline; [*actions, chiffre d'affaires*] to go *ou* come down, to decrease; [*budget*] to be cut; [*marché*] to decline; [*monnaie*] to slide; **les loyers vont ~** rents are going to go down; **les prix/taux d'intérêt/salaires ont baissé de 2%** prices/interest rates/salaries have come down by 2%; **leur PNB a baissé de moitié** their GNP has dropped by half; **la productivité va ~ de 10%** productivity will fall *ou* drop by 10%; **la nouvelle de la guerre a fait ~ la Bourse** news of the war caused prices on the Stock Exchange to fall *ou* drop; [3] (diminuer de qualité) [*vue*] to fail; [*intelligence, ouïe, facultés*] to deteriorate; **ma vue baisse** my sight is failing

C **se baisser** *vpr* [*personne*] (pour passer, saisir) to bend down; (pour éviter) to duck; [*levier, mécanisme*] to go down; [*rideau*] Théât to drop; **baisse-toi pour passer sous les barbelés** bend down to get under the barbed wire; **baissez-vous, ils tirent!** duck, they're shooting at us!

baissier, -ière /besje, ɛʀ/ Fin

A *adj* bearish

B *nm* bear

bajoue /baʒu/ *nf* [1] Culin (de porc, veau) cheek; [2] ○(joue humaine) jowl, chop

bakchich○ /bakʃiʃ/ *nm* backhander GB, bribe

bakélite® /bakelit/ *nf* Bakelite®

baklava /baklava/ *nm* baklava

Bakou /baku/ ▸ **p. 894** *npr* Baku

bal /bal/ *nm* [1] (cérémonieux) ball; (simple) dance; **donner un ~ en l'honneur de qn** to give a ball in sb's honour[GB]; **ouvrir le ~ avec qn** to open the dance with sb; **ouvrir le ~ avec une valse** to open the ball with a waltz; **conduire** or **mener le ~** lit [*couple*] to be the centre[GB] of attention at the ball; [*femme*] to be the belle of the ball; fig to run the show; [2] (lieu) dancehall; **aller au ~** to go dancing

(Composés) ~ **champêtre** village dance; ~ **costumé** fancy-dress ball, costume ball US; ~ **masqué** masked ball; ~ **musette** dance with accordion music; ~ **populaire** dance; ~ **public** (lieu) public dancehall

balade /balad/ *nf* (à pied) walk; (plus lent) stroll; (à moto, vélo) ride; (en voiture) drive; **faire une ~** to go for a walk *ou* stroll; **être en ~ (dans une région)** to tour (a region); **ils sont en ~ pour la journée** they've gone on a day trip

balader○ /balade/ [1]

A *vtr* [1] (à pied) to take [sb] for a walk; (en voiture) to take [sb] for a drive; **je l'ai baladé dans tous les musées** I showed him around all the museums; [2] (emporter avec soi) to carry [sth] around; [3] ○(mener en bateau) to fob [sb] off

B **se balader** *vpr* [1] (faire une balade) (à pied) to go for a walk; (plus lent) to go for a stroll; (à moto, vélo) to go for a ride; (en voiture) to go for a drive; [2] (voyager) to travel; **se ~ dans une région** to tour a region; [3] (se déplacer) [*douleur*] to move around; **il y a un écrou qui se balade** there's a loose nut

(Idiome) **envoyer qn ~**○ to send sb packing○; **j'ai envie de tout envoyer ~** I feel like packing everything in○

baladeur, -euse /baladœʀ, øz/

A *adj* [*lampe*] portable

B *nm* walkman®, personal stereo

C **baladeuse** *nf* portable lamp

(Idiome) **avoir les mains baladeuses** pej to have wandering hands

baladin /baladɛ̃/ *nm* strolling player

balafon /balafɔ̃/ ▸ **p. 557** *nm* balafon

balafre /balafʀ/ *nf* (marque) scar; (entaille) (profonde) slash, gash; (superficielle) cut

balafrer /balafʀe/ [1] *vtr* (intentionnellement) to slash; (accidentellement) to gash

balai /balɛ/ *nm* [1] (pour le sol) broom; **passer le ~** to sweep the floor; **donner un coup de ~** lit to give the floor a quick sweep; **coup de ~ dans l'entreprise** fig mass redundancies in the company; [2] (d'essuie-glace) blade; [3] Électrotech brush; [4] ○(an) **avoir 50 ~s** to be fifty

(Composé) ~ **mécanique** carpet sweeper

(Idiome) **du ~**○**!** go away!, push off○ GB!

balai-ballon /balɛbalɔ̃/ ▸ **p. 469** *nm* ¢ broomball

balai-brosse, *pl* **balais-brosses** /balɛbʀɔs/ *nm* stiff broom

balai-éponge, *pl* **balais-éponges** /balɛepɔ̃ʒ/ *nm* squeeze mop

balaise○ = **balèze**

balalaïka /balalaika/ ▸ **p. 557** *nf* balalaika

balance /balɑ̃s/ *nf* [1] Mes scales (*pl*); **monter sur la ~** to get *ou* step on the scales; **peser lourd dans la ~** fig [*décision, vote, influence*] to carry a lot of weight; **faire pencher la ~** fig to tip the scales **(en faveur de** in favour[GB] of); [2] Compta balance; [3] (équilibre) balance; **la ~ des forces** or **pouvoirs** the balance of power; [4] Audio balance; [5] ◑(dénonciateur) grass○ GB, informer, stool pigeon○ US; [6] Pêche lift net

(Composés) ~ **commerciale** balance of trade; ~ **des comptes** = ~ **des paiements**; ~ **de cuisine** kitchen scales; ~ **électronique** electronic scales; ~ **de laboratoire** laboratory balance; ~ **des paiements** balance of payments; **la ~ des paiements courants** the current balance of payments; ~ **à plateaux** balance; ~ **de précision** precision balance; ~ **de Roberval** Roberval's balance; ~ **romaine** steelyard; **~s dollars** dollar balances

Balance /balɑ̃s/ ▸ **p. 912** *nprf* Libra

balancé, ~e /balɑ̃se/

A *pp* ▸ **balancer**

B *pp adj* **bien ~** [*phrase*] well- *ou* nicely balanced; [*personne*]○ well-built

balancelle /balɑ̃sɛl/ *nf* swing seat, garden hammock

balancement /balɑ̃smɑ̃/ *nm* lit (de branches, corps) swaying ¢; (de bras, jambes, hanches, corde) swinging ¢; (de tête) lolling ¢

balancer /balɑ̃se/ [12]

A *vtr* [1] (faire osciller) [*vent*] to sway [*branches*]; to swing [*cordage*]; ~ **les bras/jambes** to swing one's arms/legs; ~ **la tête** to rock one's head; ~ **la queue** to wag its tail; **il balançait la tête de droite à gauche** he was rocking his head from right to left; [2] ○(jeter) to chuck○, to throw [*projectile, ordures*]; **balance-moi le tournevis** chuck *ou* pitch○ US me the screwdriver; **arrête de ~ des cailloux!** stop chucking stones!; ~ **qch par la fenêtre** or **vitre** to chuck *ou* pitch○ sth out of the window; ~ **qch sur qch/qn** to chuck sth at sth/sb; ~ **une gifle à qn** to whack sb○; ~ **des coups de pied dans qch** to kick sth; [3] ○(se débarrasser de) to chuck out○, to throw out [*vieux habits, objets inutiles*]; **j'ai balancé tous mes bibelots** I've chucked out all my trinkets;

4 ○(dire) (brutalement) to toss off [*phrases, réponse*]; (pêle-mêle) to bandy [sth] about [*chiffres*]; **~ des statistiques/dates à la figure de qn** to fling statistics/dates at sb; **~ une nouvelle à qn** to break the news to sb brutally; **je leur ai balancé: 'je m'en fiche!'** 'I don't give a damn○!' I flung back at them; **5** ○(dénoncer) **~ qn** to squeal on sb◑; **être balancé** *or* **se faire ~ par qn** to be squealed on by sb; **il a menacé de ~ tout ce qu'il sait** he's threatened to come out with everything he knows; **6** Compta to balance [*compte*]

B *vi* **1** (osciller) [*branches*] to sway; [*corde, trapèze*] to swing; [*bateau*] to rock; **2** (hésiter) **~ entre deux choix/personnes** to hesitate *ou* be torn between two choices/people; **il balance entre le 'oui' et le 'non'** he is wavering between 'yes' and 'no'; **entre les deux mon cœur balance** my heart is torn between the two

C **se balancer** *vpr* **1** (se mouvoir) [*personne, animal*] to sway; [*bateau*] to rock; **elle se balance au rythme de la musique** she is swaying to the rhythm of the music; **se ~ d'un pied sur l'autre** to shift from one foot to the other; **se ~ de gauche à droite** to sway from left to right; **se ~ au bout d'une liane/d'un trapèze** to swing on a creeper/a trapeze; **se ~ sur sa chaise** to rock on one's chair; **cesse de te ~ (sur ta chaise)!** stop rocking on your chair!; **2** ○(se jeter) **se ~ dans le vide** to throw oneself into space; **se ~ du sixième étage** to fling oneself off the sixth GB *ou* seventh US floor

(Idiome) **je m'en balance**◑ I don't give a damn◑

balancier /balɑ̃sje/ *nm* **1** gén (d'horloge, de métronome) pendulum; **mouvement de ~** lit, fig swing of the pendulum; **politique de ~** fig seesaw politics; **2** (pour funambule) balancing pole; **3** Zool haltere

balançoire /balɑ̃swaʀ/ *nf* **1** (nacelle suspendue) swing; **faire de la ~** to have a swing *ou* go on the swing; **2** (planche qui bascule) seesaw

balanite /balanit/ ▸ **p. 283** *nf* balanitis

balayage /balɛjaʒ/ *nm* **1** (avec un balai) sweeping; **2** (en coiffure) **se faire faire un ~** to have highlights put in; **3** Électron scanning

balayer /baleje/ [21] *vtr* **1** (avec un balai) to sweep [*lieu, plancher*]; to sweep up [*miettes, feuilles*]; **2** (frôler) [*cape, manteau*] **~ le sol** to brush the ground; **3** [*vent, rafale de pluie*] to sweep across [*plaine, carrefour*]; [*faisceau de projecteur*] to sweep [*terrain*]; [*mitrailleuse*] to rake [*place*]; **son regard balaya l'assistance** his gaze swept the audience; **4** (faire disparaître) to sweep [sth] away [*craintes, divergences*]; (faire fi de) to brush [sth] aside [*objections, rumeurs*]; (plus fort) to sweep [sth] aside [*craintes*]; **5** (chasser) [*vent*] to sweep [sth] away [*nuages, feuilles*]; **être balayé par l'opposition** to be swept aside by the opposition; (sans retour) to be swept away by the opposition; **être balayé du pouvoir** to be swept from power; **~ l'ennemi hors de la région** to sweep the enemy out of the area; **6** Électron to scan

(Idiome) **~ devant sa porte** to put one's own house in order before criticizing other people

balayette /balɛjɛt/ *nf* (short-handled) brush

balayeur -euse /balɛjœʀ, øz/

A ▸ **p. 532** *nm,f* (personne) cleaner; **~ (de rues)** street cleaner

B **balayeuse** *nf* (machine) mechanical road-sweeper GB, mechanical street-sweeper US

balayures /balɛjyʀ/ *nfpl* sweepings

balbutiant, **~e** /balbysjɑ̃, ɑ̃t/ *adj* **1** (qui bredouille) [*personne, enfant*] stammering; [*bébé*] babbling; **2** (qui débute) in its infancy

balbutiement /balbysimɑ̃/ *nm* **1** lit (de personne, d'enfant) stammering ₵; (de bébé) babbling; **2** fig (début) first step; **les ~s d'une découverte/entreprise** the first steps in a discovery/project; **les ~ du cinéma/d'une science** the cinema's/a science's first steps; **la psychanalyse n'en était qu'à ses premiers ~s** psychoanalysis was still in its infancy

balbutier /balbysje/ [2]

A *vtr* [*personne, enfant*] to stammer; [*bébé*] to babble

B *vi* **1** lit (bredouiller) [*enfant, personne*] to stammer; [*bébé*] to babble; **l'émotion le fit ~** emotion caused him to stammer; **2** fig (débuter) to be in its infancy

balbuzard /balbyzaʀ/ *nm* osprey

balcon /balkɔ̃/ *nm* **1** Constr balcony; **2** Théât balcony, circle; **fauteuil de ~** seat in the circle; **premier ~** dress circle GB, mezzanine US; **deuxième ~** balcony, upper circle; **3** Naut (rambarde) bow pulpit, stern pulpit; (galerie) Hist stern gallery

(Idiome) **il y a du monde au ~**○**!** hum she's well-endowed!

balconnet /balkɔnɛ/ *nm* **1** Constr small balcony; **2** Mode **soutien-gorge à ~** half-cup bra; **un soutien-gorge à ~ pigeonnant** an uplift half-cup bra; **3** (dans un réfrigérateur) shelf (*in fridge door*)

Balconnet® /balkɔnɛ/ *nm* Mode uplift bra

baldaquin /baldakɛ̃/ *nm* (de lit) canopy; (de trône, catafalque) baldaquin, canopy; **lit à ~** four-poster bed

Bâle /bɑl/ *npr* **1** ▸ **p. 894** (ville) Basel; **2** ▸ **p. 721** (région) **le canton de ~** the canton of Basel; **le demi-canton de ~-ville/~-campagne** the half-canton of Basel-stadt/Basel-land

Baléares /baleaʀ/ ▸ **p. 435** *nprfpl* **les (îles) ~** the Balearic Islands, the Balearics

baleine /balɛn/ *nf* **1** Zool whale; **la chasse à la ~** whaling; **chasser la ~** to go whaling; **2** Mode (pour renforcer) (de corset) whalebone, stay US; (de col) stiffener, stay US

(Composés) **~ blanche** white whale; **~ bleue** blue whale; **~ à bosse** humpback whale; **~ franche** right whale; **~ de parapluie** umbrella rib

(Idiome) **rire** *or* **se tordre comme une ~**○ to laugh one's head off○

baleiné, **~e** /balɛne/ *adj* [*col*] stiffened, with stays (*après n*) US; [*corset*] boned; [*parapluie*] ribbed

baleineau, *pl* **~x** /balɛno/ *nm* whale calf

baleinier, **-ière** /balɛnje, ɛʀ/

A *adj* [*bateau, industrie*] whaling

B ▸ **p. 532** *nm* (pêcheur) whaler

C **baleinière** *nf* (bateau) whaleboat

balèze○ /balɛz/

A *adj* **1** (grand et fort) hefty○; **2** fig [*intellectuel*] fantastic○, brilliant GB; [*sportif*] fantastic○; **être ~ en qch** (intellectuellement) to be hot○ at sth; (physiquement) to be great at sth

B *nmf* **1** (personne forte) hefty person; **2** fig (as) genius; **un ~ en informatique** a genius at computing

balisage /balizaʒ/ *nm* **1** Naut (de port, chenal) beaconing; **2** Aviat (de piste d'aviation) runway lighting; **3** Transp (de route) signposting; (de sentier) marking; **4** Sport (de piste de ski) marking-out; **5** Ordinat (de texte) tagging

balise /baliz/ *nf* **1** Naut (flotteur) beacon, buoy; (émetteur) radio beacon; **2** Aviat beacon, light; **3** Aut signpost, sign; **4** Rail (de voie ferrée) signal; **5** Sport (de piste de ski) marker; **6** (de sentier) marker; **7** Ordinat tag

baliser /balize/ [1]

A *vtr* **1** Naut (avec bouées) to buoy, to mark [sth] out with beacons [*port, chenal*]; **2** Aviat to mark [sth] out with beacons [*piste*]; **3** Transp to signpost [*route*]; **4** Rail to mark [sth] out with signals [*voie ferrée*]; **5** Sport to mark out [*piste, sentier*]; **6** Ordinat to tag [*texte*]

B ○*vi* fig (avoir peur) to have the jitters○, to be frightened

baliseur /balizœʀ/ *nm* (navire) buoy-layer

baliste /balist/ *nf* Antiq Mil ballista

balisticien, **-ienne** /balistisjɛ̃, ɛn/ *nm,f* ballistics expert

balistique /balistik/

A *adj* [*missile*] ballistic; **expert ~** ballistics expert

B *nf* ballistics (+ *v sg*)

baliveau, *pl* **~x** /balivo/ *nm* Constr staddle

baliverne /balivɛʀn/ *nf* nonsense ₵; **raconter des ~s** to talk nonsense *ou* rubbish; **s'amuser à des ~s** to fool around○

balkanique /balkanik/ *adj* Balkan

balkanisation /balkanizasjɔ̃/ *nf* (de territoire) Balkanization; (d'institution) break-up

balkaniser /balkanize/ [1]

A *vtr* to Balkanize

B **se balkaniser** *vpr* to become Balkanized

Balkans /bɑlkɑ̃/ ▸ **p. 721** *nprmpl* Balkans; **la péninsule des ~** the Balkan Peninsula

ballade /balad/ *nf* **1** Mus (instrumentale) ballade; (chanson) ballad; **2** Littérat (forme fixe) ballade; (forme libre) ballad

ballant, **~e** /balɑ̃, ɑ̃t/

A *adj* **1** [*bras, jambe*] dangling; [*tête*] lolling; **il était là, les bras ~s** there he was with his arms dangling; **2** Naut [*câble, cordage*] slack

B *nm* **avoir du ~** [*véhicule, charge*] to sway around; [*câble, cordage*] to be slack; **donner du ~** to give some slack

ballast /balast/ *nm* Naut, Rail ballast; **sur le ~** on the railway track

balle /bal/ *nf* **1** Jeux, Sport (objet) ball; **~ de tennis/golf/ping-pong**® tennis/golf/table-tennis ball; **~ à terre** (au football) drop ball; **jouer à la ~** to play ball; **la ~ est dans notre camp** fig the ball is in our court; **renvoyer la ~ (à qn)** lit to throw the ball back (to sb); fig to retort (to sb); **se renvoyer la ~** (discuter) to keep a lively argument going; (se rejeter la responsabilité) to keep passing the buck; ▸ **bond**; **2** Sport (échange, envoi) shot; **~ coupée** sliced shot; **faire des ~s** to knock up GB, to have a knock up GB, to knock the ball around US; **~ de jeu/de set/de match** game/set/match point; **3** (pour arme) bullet, **~ explosive/en plastique/perdue** explosive/plastic/stray bullet; **fausse ~** dummy bullet; **criblé de ~s** riddled with bullet holes; **tué par ~** shot dead; **tué d'une ~ dans la tête** killed by a gunshot wound in the head; **il a été blessé par ~** he was shot and injured; **4** ○(franc) franc; **5** (de café, foin) bale; (de papier) ream; **6** Agric, Bot husk

(Composés) **~ à blanc** blank (bullet); **~ au chasseur** Jeux hunter; **~ traçante** tracer (bullet)

(Idiome) **c'est un enfant de la ~** he comes from a family of performers

ballerine /balʀin/ *nf* **1** ▸ **p. 532** (danseuse) ballerina, ballet dancer; **2** (chaussures) (de danse) ballet pump; (de ville) ballerina-style shoe

ballet /balɛ/ *nm* **1** Danse, Mus ballet; **2** (va et vient) **~ de voitures officielles** flurry of official cars; **~ diplomatique** diplomatic comings and goings (*pl*)

(Composés) **~ aquatique** Sport synchronized swimming; **~s bleus** paedophile ring (*involving young boys*); **~s roses** paedophile ring (*involving young girls*)

ballon /balɔ̃/ *nm* **1** (grosse balle) ball; **~ de football** football GB, soccer ball; **~ de rugby** rugby ball; **jouer au ~** to play ball; **2** (plein de gaz, de liquide) (jouet) balloon; Aviat, Météo balloon; **monter en ~** to go up in a balloon; **3** (verre) **(verre) ~** (pour vin) (red) wine glass (*with rounded bowl*); (pour cognac) brandy glass; **un ~ de rouge** (contenu) a glass of red wine; **4** Aut **~ alcootest** Breathalyzer®; **souffler dans le ~** to breathe into the Breathalyzer®; **5** Géog round-topped mountain

(Composés) **~ captif** tethered *ou* captive balloon; **~ dirigeable** airship GB, blimp US; **~ d'eau chaude** hot water tank; **~ d'essai** lit pilot balloon, trial balloon;

b

lançons un ~ d'essai fig let's test the waters; **~ ovale** (jeu) rugby; (objet) rugby ball; **~ d'oxygène** lit oxygen bottle; fig life-saver; **~ prisonnier** *team game where players hit by the ball become the prisoners of the opposite team;* **~ rond** (jeu) soccer; (objet) football GB, soccer ball

(Idiomes) **avoir du ~**○ to have a potbelly; **attraper le ~**◑ to get knocked up; **avoir le ~**◑ to have a bun in the oven○ GB, to be pregnant

ballonnement /balɔnmɑ̃/ *nm* bloating; **avoir des ~s (d'estomac)** to have a bloated stomach, to feel bloated; **provoquer des ~s** to cause the stomach to become bloated

ballonner /balɔne/ [1] *vtr* to bloat [*personne, animal*]; **cela me ballonne le ventre** it makes my stomach bloated; **j'ai trop mangé, je suis ballonné** I've eaten too much, I'm bloated

ballonnet /balɔnɛ/ *nm* **1** (de gaz, liquide) small balloon; **~ d'oxygène** small oxygen bottle; **2** Méd balloon

ballon-sonde, *pl* **ballons-sondes** /balɔ̃sɔ̃d/ *nm* sounding balloon

ballot /balo/ *nm* **1** (de marchandises, vêtements) bundle; **2** ○(sot) nerd○, fool

ballotin /balɔtɛ̃/ *nm* **~ de chocolats** small box of chocolates

ballottage* /balɔtaʒ/ *nm* Pol *absence of an absolute majority in the first round of an election;* **il y a ~** there has to be a runoff (ballot); **être mis en ~** to face a runoff; **~ pour M. X** Mr X goes on to (compete in) a runoff; **~ favorable/défavorable** easy/difficult runoff

ballottement* /balɔtmɑ̃/ *nm* (de bateau) tossing; (de personne, voiture) jolting

ballotter* /balɔte/ [1]

A *vtr* **1** [*mer*] to toss [sb/sth] around [*personne, embarcation*]; [*cahot*] to jolt [*personne, véhicule*]; **véhicule/radeau ballotté par la tempête** vehicle/raft buffeted by the storm; **2** fig **être ballotté entre qn et qn/entre la France et l'Angleterre** to be tossed back and forth between sb and sb/between France and England; **être ballotté par qch** to be buffeted by sth; **être ballotté entre sa famille et son travail** fig to be torn between one's family and one's job

B *vi* [*bateau*] to be buffeted; [*voiture, objet, tête*] to jolt

ballottine /balɔtin/ *nf* ballottine

ball-trap, *pl* **~s*** /baltʀap/ *nm* **1** (appareil) trap (for clay pigeon shooting); **2** (sport) clay pigeon shooting; **3** (séance) clay pigeon shoot

balluchon = **baluchon**

balnéaire /balneɛʀ/ *adj* [*station*] seaside

balnéothérapie /balneɔteʀapi/ *nf* balneotherapy

balourd, **~e** /baluʀ, uʀd/

A *adj* uncouth

B *nm,f* (personne) oaf

C *nm* Tech (déséquilibre) unbalance; Aut (de roue) imbalance; **avoir du ~** [*roue*] to be out of balance

balourdise /baluʀdiz/ *nf* **1** (gaucherie) clumsiness; **2** (gaffe) (acte) blunder, faux-pas; (parole) gaffe, faux-pas

baloutche /balutʃ/, **baloutchi** /balutʃi/ ▸ **p. 483**

A *adj* Baluchi

B *nm* Ling Baluchi

Baloutche /balutʃ/ *nmf* Géog Baluchi

Baloutchistan /balutʃistɑ̃/ ▸ **p. 721** *nprm* Baluchistan

balsa /balza/ *nm* **1** (arbre) balsa; **2** (bois) balsa wood

balsamier /balzamje/ *nm* balsam tree

balsamine /balzamin/ *nf* balsam

balsamique /balzamik/ *adj* balsamic

balte /balt/ ▸ **p. 721** *adj* Baltic; **les pays ~s** the Baltic States

Balte /balt/ *nmf* Balt

balthazar /baltazaʀ/ *nm* (bouteille) Balthazar

Baltique /baltik/ ▸ **p. 579** *nprf* **la (mer) ~** the Baltic (Sea)

baluchon /balyʃɔ̃/ *nm* bundle

(Idiome) **faire son ~** to pack one's bags (and leave)

balustrade /balystʀad/ *nf* **1** (en ciment, pierre) parapet; (en métal) railing; **2** (avec colonnettes) balustrade

balustre /balystʀ/ *nm* Archit baluster

balutchi = **baloutche**

balzacien, **-ienne** /balzasjɛ̃, ɛn/

A *adj* Balzac (*épith*); **un héros ~** a Balzac hero; **un personnage très ~** a character very much out of Balzac

B *nm,f* Balzac specialist

balzane /balzan/ *nf* (de cheval) **petite ~** sock; **grande ~** stocking

Bamako /bamako/ ▸ **p. 894** *npr* Bamako

bambin, **~e** /bɑ̃bɛ̃, in/ *nm,f* kid○, child

bambou /bɑ̃bu/ *nm* bamboo; **des pousses de ~** bamboo shoots; **coup de ~** (facture) steep *ou* hefty bill; **dans ce magasin, c'est le coup de ~** in that shop GB *ou* store US, they charge the earth; **avoir le coup de ~** (se comporter bizarrement) to go off one's rocker○; (être fatigué) to be knackered○ GB *ou* bushed○ US

bamboula /bɑ̃bula/ *nf* **1** ○(fête) bash○; **faire la ~**○ to have a bash○; **2** Danse, Mus bamboula

ban /bɑ̃/

A *nm* (applaudissements) round of applause (**pour** for); (roulements de tambour) drum roll; (sonnerie) bugle call; **ouvrir/fermer le ~** (de réunion) to start/end the proceedings

B bans *nmpl* banns; **publier** *or* **afficher les ~s** to publish the banns

(Idiomes) **mettre qn/un groupe au ~ de la société** to ostracize sb/a group from society; **être mis au ~ des nations civilisées** to be ostracized from civilized nations; **être en rupture de ~** to have broken (**avec** with); **le ~ et l'arrière-ban de la famille** hum every single member of the family

banal, **~e** /banal, o/ *adj* **1** (*mpl* **~s**) (courant) [*mot, idée*] commonplace; [*cas, événement, personne*] unremarkable; (trivial) [*roman, spectacle*] banal; **peu** *or* **pas ~** rather unusual; **2** (*mpl* **-aux**) Hist [*four, moulin, pressoir*] communal

banalisation /banalizasjɔ̃/ *nf* **1** (fait de rendre trivial) trivialization; (fait de rendre courant) **favoriser la ~ de qch** to help sth to become more commonplace; **2** (de voiture, véhicule) **la ~ d'une voiture de police** the removal of distinguishing marks from a police car

banaliser /banalize/ [1]

A *vtr* **1** (rendre courant) to make [sth] commonplace; (rendre trivial) to trivialize; **2** [*police, armée*] to remove all distinguishing marks from [*véhicule*]; **voiture banalisée** unmarked car

B se banaliser *vpr* to become commonplace

banalité /banalite/ *nf* **1** (caractère courant) (d'histoire, de vie) commonplace nature; (de remarque, d'idée) triteness; **2** (propos, écrit sans originalité) banality, platitude; **ils ont échangé quelques ~s** they exchanged a few banalities *ou* platitudes; **3** (caractère peu original) banality

banane /banan/ *nf* **1** Bot banana; **gâteau/yaourt à la ~** banana cake/yoghurt; **parfumé à la ~** banana-flavoured[GB]; **2** (coiffure d'homme) quiff; (de femme) French pleat; **3** (sac) bumbag GB, fanny pack US; **4** ○(imbécile) dummy○

bananeraie /bananʀɛ/ *nf* banana plantation

bananier, **-ière** /bananje, ɛʀ/

A *adj* **culture bananière** banana growing; **région bananière** banana-growing region

B *nm* **1** Bot banana tree; **2** (bateau) banana boat

banc /bɑ̃/ *nm* **1** (siège) bench; **~ public** bench; **~ de jardin** garden bench; **nous nous sommes rencontrés sur les ~s de l'école** we met at school; **2** Pol (au Parlement) bench GB, seats (*pl*) US; **3** Zool **~ de poissons** shoal of fish; **~ d'huîtres** oyster bed; **4** Géol (couche) layer, bed; **5** Tech Mécan bench

(Composés) **~ des accusés** dock; **dans le ~ des accusés** in the dock; **mettre qn au ~ des accusés** fig to put sb in the dock; **au ~ des avocats** at the bar; **~ de brouillard** patch of fog; (en mer) fog bank; **~ de brume** patch of mist; **~ de coraux** coral reef; **~ d'église** pew; **~ d'essai** test bench; **passer qch au ~ d'essai** lit to test sth; fig to put sth to the test; **au ~ de l'infamie** in the dock; **au ~ du ministère public** on the prosecution bench; **~ de nage** thwart; **~ de neige** Can snow drift; **~ de sable** sandbank; **au ~ des témoins** in the witness box GB, on the witness stand US; **le ~ de touche** the substitutes' bench; **~ de vase** mud bank

bancable /bɑ̃kabl/ *adj* bankable

bancaire /bɑ̃kɛʀ/ *adj* **1** [*activité, secteur, service*] banking; **2** [*carte, compte, chèque, prêt*] bank

bancal, **~e** /bɑ̃kal/ *adj* [*chaise, table*] rickety; [*solution, raisonnement*] shaky; **la dernière phrase est ~e** the last sentence does not really stand up; **des meubles ~s** rickety furniture

bancassurance /bɑ̃kasyʀɑ̃s/ *nf* bankassurance

bancassureur /bɑ̃kasyʀœʀ/ ▸ **p. 532** *nm* bankassurer

banco /bɑ̃ko/ *nm* **1** (au baccara) banco; **un ~ de 10 000 euros** a banco for 10,000 euros; **faire ~** to go banco; **gagner le ~** fig to make a packet○; **2** (butin) haul

bandage /bɑ̃daʒ/ *nm* **1** Pharm (objet) bandage; (action) bandaging; **faire un ~ à qn** to bandage sb up; **faire un ~ à un bras** to bandage an arm; **2** Aut tyre

bandana /bɑ̃dana/ *nm* bandan(n)a

bandant●, **~e** /bɑ̃dɑ̃, ɑ̃t/ *adj* (sexuellement) [*femme*] hung-looking◑; **c'est ~** it's a turn-on○

bande /bɑ̃d/ *nf* **1** (de malfaiteurs, voyous) gang; **~ armée** armed gang; **la ~ à Léo**○ Leo's gang; **2** (de touristes, jeunes, d'amis) group, crowd; **en ~** [*sortir, se déplacer*] in a group *ou* crowd; **~ de crétins!** you bunch of idiots!; **ils font ~ à part** they don't join in; **3** (d'animaux sauvages) pack; **en ~** [*vivre, se déplacer*] in packs; **4** (de tissu, papier, cuir) gén strip; (plus large) band; Pharm bandage; (de journal) mailing wrapper; **5** (forme étroite et allongée) gén strip; (qui orne) (rayure) large stripe; (en bordure) band; **~ de terre** strip of land; **6** (support d'enregistrement) tape; Cin film; **~ (magnétique)** (magnetic) tape; **~ démo**○ demo tape○; **~ vidéo** video tape; **7** (au billard) cushion; **8** Naut **donner de la ~** to list

(Composés) **~ amorce** Phot leader tape; **~ d'arrêt d'urgence**, **BAU** hard shoulder; **~ banalisée** = **~ publique**; **~ dessinée**, **BD**○ (dans les journaux) comic strip; (livre) comic book; (genre) comic strips (*pl*); **~ élastique** Pharm elastic bandage; **~ d'essai** Phot test strip; **~ étalon** Ordinat calibrating tape; **~ de fréquences** waveband; **~ de lecture** Phot index print strip; **~ molletière** puttee; **~ originale** Cin original soundtrack; **~ passante** Télécom, Ordinat bandwidth; **~ perforée** Ordinat paper tape; **~ publique** Citizens' band, CB; **~ de roulement** Aut tread; **~ rugueuse** Aut rumble strip; **~ sonore** Cin soundtrack; (d'autoroute) rumble strip; **~ Velpeau®** crepe bandage GB, Ace bandage® US

(Idiomes) **apprendre qch par la bande**○ to hear sth on the grapevine; **faire qch par la ~**○ to do sth in a roundabout way

Bande dessinée

It plays a significant cultural role in France. More than a comic book or entertainment for the youth, it is a form of popular literature known as the *neuvième art* and celebrated annually at the *Festival d'Angoulême*. Cartoon characters such as *Astérix*, *Lucky Luke*, and *Tintin* are household names and older comic books are often collectors' items.

bande-annonce, *pl* **bandes-annonces** /bɑ̃danɔ̃s/ *nf* trailer

bandeau, *pl* **~x** /bɑ̃do/ *nm* [1] (pour ne pas voir) blindfold; (d'œil malade) eye patch; **mettre un ~ à qn** to blindfold sb; **avoir un ~ sur les yeux** fig to be blind; [2] (de coiffure) headband; **porter les cheveux en ~** to wear one's hair parted down the middle (and drawn into a bun); [3] (de publicité) banner

bandelette /bɑ̃dlɛt/ *nf* [1] Archéol, Pharm bandage; [2] (de soie, papier etc) small strip

bander /bɑ̃de/ [1]

[A] *vtr* [1] (panser) to bandage; [2] (avec un bandeau) **~ les yeux à qn** to blindfold sb; **avoir les yeux bandés** to be blindfolded; [3] (tendre) to bend [*tige souple, arc*]; to stretch [*ressort*]; **~ ses muscles** to tense one's muscles

[B] ●*vi* to have a hard-on●

banderille /bɑ̃dʀij/ *nf* banderilla

banderillero /bɑ̃deʀijeʀo/ *nm* banderillero

banderole /bɑ̃dʀɔl/ *nf* banner

bande-son, *pl* **bandes-son** /bɑ̃dsɔ̃/ *nm* soundtrack

bandit /bɑ̃di/ *nm* [1] (malfaiteur) bandit; [2] (homme sans scrupules) crook; [3] (enfant insupportable) rascal; **espèce de petit ~** you little rascal

(Composés) **~ de grand chemin** highwayman; **~ manchot**○ one-armed bandit

banditisme /bɑ̃ditism/ *nm* **le ~** crime; **le grand/petit ~** organized/petty crime

bandonéon /bɑ̃dɔneɔ̃/ ► **p. 557** *nm* bandoneon

bandoulière /bɑ̃duljɛʀ/ *nf* shoulder strap; **porter qch en ~** (sur l'épaule) to have sth slung over one's shoulder; (sur la poitrine) to have sth slung across one's chest

bang /bɑ̃g/

[A] *nm* (supersonique) sonic boom

[B] *excl* (explosion) bang!, boom!

Bangkok /bɑ̃kɔk/ ► **p. 894** *npr* Bangkok

bangladais, **~e** /bɑ̃gladɛ, ɛz/ ► **p. 561** *adj* Bangladeshi

Bangladais, **~e** /bɑ̃gladɛ, ɛz/ ► **p. 561** *nm,f* Bangladeshi

Bangladesh /bɑ̃gladɛʃ/ ► **p. 333** *nprm* Bangladesh

banjo /bɑ̃(d)ʒo/ ► **p. 557** *nm* banjo

Banjul /bɑ̃ʒul/ ► **p. 894** *npr* Banjul

banlieue /bɑ̃ljø/ *nf* [1] (périphérie) suburbs (*pl*); **la proche/moyenne/grande ~** the inner/intermediate/outer suburbs; **~ sud/nord** southern/northern suburbs; **vivre en lointaine ~** to live in the outer suburbs; **Versailles est en ~** Versailles is in the suburbs; **une ville de ~** a suburban town; **hôpital/pavillon de ~** suburban hospital/house; **le problème des ~s** the social problems of the suburbs; [2] (quartier) suburb; **une ~ résidentielle/industrielle/ouvrière/rouge**○ a residential/an industrial/a working-class/a communist suburb; ► **dortoir**

banlieusard, **~e** /bɑ̃ljøzaʀ, aʀd/

[A] *adj* suburban

[B] *nm,f* person from the suburbs, suburbanite; **c'est un ~** he's from the suburbs

banne /ban/ *nf* awning

banni, **~e** /bani/ *nm,f* exile

bannière /banjɛʀ/ *nf* (tous contextes) banner; **lever la ~ de** to raise the banner of; **se ranger/combattre sous la ~ de** to rally to/fight under the banner of

(Composé) **la ~ étoilée** the star-spangled banner, the Stars and Stripes

(Idiomes) **c'est la croix et la ~** it's hell (**de faire** doing); **c'est la croix et la ~ pour la faire aller à l'école** it's hell getting her to go to school

bannir /baniʀ/ [3] *vtr* [1] (chasser) to banish [*personne*] (**de** from); **~ qn pour 10 ans** to banish sb for 10 years; **~ qn à vie** to banish sb for life; **il est banni de ma mémoire** he's banished from my memory; [2] (exclure) to ban [*coutume, sujet*]

bannissement /banismɑ̃/ *nm* banishment (**de** from); **~ à vie** life-long banishment

banque ➔▭

/bɑ̃k/ *nf* [1] (établissement) bank; **mettre son argent à la ~** to put one's money in the bank; **avoir 1 000 euros en ~** to have 1,000 euros in the bank; **mettre un chèque à la ~** to pay in *ou* deposit a cheque GB *ou* check US; [2] (activité) banking; **les métiers de la ~** banking careers; [3] Jeux bank; **faire sauter la ~** to break the bank; **tenir la ~** to be banker

(Composés) **~ d'affaires** investment bank; **~ de connaissances** knowledge bank; **~ de dépôt** deposit bank; **~ à domicile** home banking; **~ de données** Ordinat data bank; **~ d'émission** issuing bank; **~ d'organes** Méd organ bank; **~ du sang** Méd blood bank; **~ de sperme** Méd sperm bank; **Banque centrale européenne**, **BCE** UE European Central Bank, ECB; **Banque européenne d'investissement**, **BEI** European Investment Bank, EIB; **Banque européenne pour la reconstruction et le développement**, **BERD** European Bank for Reconstruction and Development, EBRD; **Banque de France** Banque de France; **Banque mondiale** World Bank; **Banque des règlements internationaux**, **BRI** Bank for International Settlements, BIS

Banque de France

The French central bank, under state ownership since 1945, works closely with the European Central Bank and the other eurozone central banks. It supervises banking throughout the country.

banquer○ /bɑ̃ke/ [1] *vi* to fork out○

banqueroute /bɑ̃kʀut/ *nf* [1] Fin bankruptcy; **~ frauduleuse** fraudulent bankruptcy; **faire ~** to go bankrupt; [2] fig (échec) complete failure

banqueroutier, **-ière** /bɑ̃kʀutje, ɛʀ/ *nm,f* bankrupt; (après fraude) fraudulent bankrupt

banquet /bɑ̃kɛ/ *nm* [1] (repas d'apparat) banquet; (repas abondant) feast; **un véritable ~** a real feast; [2] fig (avantages) **les miettes du ~** the crumbs from the table; **être exclu du ~ de la croissance** to miss out on one's share of economic growth; [3] Antiq banquet

banqueter /bɑ̃kte/ [20] *vi* (participer à un banquet) to banquet; (faire bonne chère) to feast

banquette /bɑ̃kɛt/ *nf* [1] (de restaurant, café) wall seat, banquette US; (de voiture, train) seat; (de piano) stool; [2] (talus) bank; [3] Archit window seat

banquier, **-ière** /bɑ̃kje, ɛʀ/

[A] ► **p. 532** *nm,f* Fin banker

[B] *nm* Jeux banker

(Composé) **~/banquière d'affaires** Fin investment banker

banquise /bɑ̃kiz/ *nf* [1] (glace) ice floe; [2] fig (personne) cold fish

bantou, **~e** /bɑ̃tu/ ► **p. 483**

[A] *adj* Géog Bantu

[B] *nm* Ling Bantu

Bantou, **~e** /bɑ̃tu/ *nm,f* Bantu

bantoustan /bɑ̃tustɑ̃/ *nm* homeland

baobab /baɔbab/ *nm* baobab

baptême /batɛm/ *nm* [1] Relig baptism, christening; **donner le ~ à qn** to baptize sb; **recevoir le ~** to be baptized; [2] (inauguration) (de bateau) naming GB, christening US; (de cloche) blessing; [3] (initiation) baptism

(Composés) **~ de l'air** maiden flight; **~ du feu** lit, fig baptism of fire

baptiser /batize/ [1] *vtr* [1] Relig to baptize, to christen [*personne*]; **se faire ~** to be baptized; **il n'est pas baptisé** he isn't baptized; [2] (donner un nom à) to call, to christen [*enfant, phénomène, projet, invention*]; **comment va-t-il ~ son émission?** what is he going to call his programme[GB]?; **~ qn/qch du nom de Rose** to name *ou* call sb/sth Rose; **~ qch du nom de qn/qch** to name sth after sb/sth; **ils l'ont baptisée Chouchou** they nicknamed her Chouchou; [3] (inaugurer) to name GB, to christen US [*navire*]; to bless [*cloche*]; [4] ○hum (tacher) to christen [*moquette, vêtement*]; [5] ○(mettre de l'eau dans) to water down [*vin*]

baptismal, **~e**, *mpl* **-aux** /batismal, o/ *adj* [*eau*] baptismal; **les fonts baptismaux** the font (*sg*)

baptisme /batism/ *nm* Baptist doctrine

baptiste /batist/ *adj, nmf* Baptist

baptistère /batistɛʀ/ *nm* baptistry

baquet /bakɛ/ *nm* [1] (récipient) tub; [2] (siège) bucket-seat

bar /baʀ/ *nm* [1] (lieu) bar; [2] (comptoir) bar; **au ~** at the bar; [3] (meuble) bar; [4] Zool sea bass; [5] Phys bar

Barabbas /baʀabas/ *npr* Barabbas

baragouin○ /baʀagwɛ̃/ *nm* gobbledygook○, gibberish

baragouinage○ /baʀagwinaʒ/ *nm* gibbering

baragouiner○ /baʀagwine/ [1]

[A] *vtr* to gabble [*propos, phrase*]; to speak [sth] badly [*langue*]; **je baragouine quelques mots d'italien** I speak broken Italian

[B] *vi* to witter○ GB, to gibber

baraka○ /baʀaka/ *nf* luck; **avoir la ~** to be lucky

baraque /baʀak/ *nf* [1] (construction légère) shack; **une ~ en bois** a wooden shack; [2] ○(maison) pad○, house; (en mauvais état) dump○; **je vis dans une vieille ~** I live in a real dump; [3] ○(personne forte) hefty person

(Composés) **~ de chantier** builder's hut; **~ foraine** fairground stall *ou* stand US

(Idiomes) **casser la ~**○ to be a resounding success; **casser la ~**○ **à qn** *or* **de qn** to mess things up for sb○

baraqué○, **~e** /baʀake/ *adj* [*personne*] hefty, husky US

baraquement /baʀakmɑ̃/ *nm* [1] (ensemble de constructions) group of huts; (baraque) hut, terrapin; [2] Mil army camp

baratin○ /baʀatɛ̃/ *nm* (pour vendre) spiel○, sales pitch; (pour séduire) sweet-talk; (pour convaincre) smooth talk○ GB, bullshit○; **arrête ton ~, je ne te crois pas** stop flannelling GB *ou* bullshitting, I don't believe you; **il a un ~ avec les femmes!** he's great at chatting up the girls; **avoir du ~** to have the gift of the gab; **il m'a eu au ~** he talked me into it

baratiner○ /baʀatine/ [1]

[A] *vtr* (pour vendre) to give [sb] the spiel [*client*]; (pour séduire) to chat [sb] up [*personne*]; (pour convaincre) to try to talk [sb] round GB, to try to persuade [*personne*]; **il m'a baratiné jusqu'à ce que j'accepte l'invitation** he went on○ at me until I accepted the invitation

[B] *vi* to jabber (on)

baratineur○, **-euse** /baʀatinœʀ, øz/ *nm,f* (beau parleur) smooth talker○; (menteur) liar

baratte /baʀat/ *nf* churn

baratter /baʀate/ [1] *vtr* to churn

Barbade /baʀbad/ ► **p. 333, p. 435** *nprf* **la ~** Barbados

barbant○, **~e** /baʀbɑ̃, ɑ̃t/ *adj* boring

barbaque◑ /baʀbak/ *nf* meat

➔▭ *voir* Vivre dans un pays anglophone

b

barbare /baʀbaʀ/
A *adj* **1** (féroce) barbaric; **2** pej (choquant) [*musique, style, langue*] barbaric; **3** (peu civilisé) [*mœurs, coutumes*] barbarian; [*beauté, splendeur*] barbaric; **4** Antiq **les invasions ~s** the barbarian invasions
B *nmf* **1** (personne féroce) barbarian, savage; **2** (personne non civilisée) barbarian

barbaresque /baʀbaʀɛsk/ *adj* **États ~s** Barbary states; **pirates ~s** Barbary Coast pirates

barbarie /baʀbaʀi/ *nf* **1** (férocité) barbarity, barbarism; **un acte de ~** a barbarous deed, a barbaric act; **la ~ nazie** the barbarity of the Nazis; **2** pej (état) barbarism

Barbarie /baʀbaʀi/ *nprf* Barbary; **les côtes de ~** the Barbary Coast (*sg*)

barbarisme /baʀbaʀism/ *nm* Ling barbarism

barbe /baʀb/
A *adj* [*cheval, jument*] Barbary (*épith*)
B *nm* (cheval) barb
C *nf* **1** (d'homme) beard; **porter la ~** to have a beard; **se laisser pousser la ~** to grow a beard; **avoir la ~ dure/fournie** to have a bristly/bushy beard; **faire la ~ à qn** (raser) to shave off sb's beard; (égaliser) to trim sb's beard; **se faire faire la ~** (raser) to have one's beard shaved off; (égaliser) to have one's beard trimmed; **une ~ de trois jours** stubble, a three-day growth; **il avait une ~ de huit jours** he hadn't shaved for a week; **une vieille ~** pej an old fogey○GB; **parler dans sa ~** fig to mutter into one's beard; **rire dans sa ~** fig to laugh up one's sleeve; **2** Zool (de bouc, chien) beard; (de plume) barb; (de poisson) barbel; **3** Bot (d'épi, de céréale) awn; **4** Tech (de papier) rough edge; (de pièce métallique) burr; **5** ○(chose ennuyeuse) **quelle ~!, c'est la ~!** what a drag○!; **c'est vraiment la ~ de tout recommencer** it's a real drag to have to start all over again
D ○*excl* **la ~!** I've had enough!; **la ~ avec leurs consignes!** to hell with their orders○!
(Composés) **~ de capucin** Bot wild chicory; **~ à papa** Culin candyfloss GB, cotton candy US
(Idiomes) **à la ~ de qn** under sb's nose; **avoir de la ~ au menton** to be an adult

barbeau, *pl* **~x** /baʀbo/ *nm* **1** (fleur) cornflower; **2** (poisson) barbel

Barbe-bleue /baʀbəblø/ *npr* Bluebeard

barbecue /baʀbəkju/ *nm* **1** (appareil) barbecue; **faire cuire qch au ~** to barbecue sth; **une côtelette au ~** a barbecued chop; **2** (réception) barbecue

barbelé, **~e** /baʀbəle/
A *adj* [*fil*] barbed
B *nm* barbed wire ¢; **je me suis accroché dans les ~s** I got caught on the barbed wire

barber○ /baʀbe/ [1]
A *vtr* to bore [sb] stiff○
B **se barber** *vpr* to be bored stiff○

Barberousse /baʀbəʀus/ *npr* Barbarossa

barbet /baʀbɛ/ *nm* water spaniel

barbiche /baʀbiʃ/ *nf* (d'homme) goatee (beard); (de chèvre) (small) beard

barbichette /baʀbiʃɛt/ *nf* (small) goatee (beard)

barbichu, **~e** /baʀbiʃy/
A *adj* with a goatee (beard) (*épith, après n*)
B *nm* man with a goatee (beard)

barbier /baʀbje/ ▸ **p. 532** *nm* barber

barbillon /baʀbijɔ̃/ *nm* **1** (petit barbeau) small barbel, small goatfish US; **2** (de poisson) barbel; (de volaille) wattle; (de bétail) barb

barbiturique /baʀbityʀik/
A *adj* barbituric
B *nm* barbiturate

barbon† /baʀbɔ̃/ *nm* pej fogey

barbotage /baʀbɔtaʒ/ *nm* **1** (dans l'eau) (de canard) dabbling; (de personne) paddling; **2** ○(vol) nicking○ GB, filching○; **3** Chimie (de gaz) bubbling

barboter /baʀbɔte/ [1]
A ○*vtr* (voler) to nick○ GB, to filch○ [*portefeuille, stylo*] (**à qn** from sb); **se faire ~ qch** to have sth nicked GB *ou* filched○
B *vi* **1** (dans l'eau) [*canard*] to dabble; [*enfant*] to paddle; **2** Chimie **faire ~ un gaz** to bubble a gas through a liquid

barboteuse /baʀbɔtøz/ *nf* romper-suit

barbouillage /baʀbujaʒ/ *nm* pej (action) daubing; (résultat) daub

barbouiller /baʀbuje/ [1]
A *vtr* **1** (salir) to smear (**de** with); **~ son visage/un meuble de qch** to get sth all over one's face/a piece of furniture, to smear one's face/a piece of furniture with sth; **il est tout barbouillé** his face is all dirty; **il est tout barbouillé de confiture** his face is all smeared with jam; **2** (couvrir) to daub [*surface, support*] (**de** with); **~ un plafond/une porte de peinture verte** to slap green paint on a ceiling/a door, to daub a ceiling/a door with green paint; **~ un pont d'inscriptions** to daub graffiti all over a bridge; **3** (peindre) pej **~ des natures mortes/des paysages** to do daubs of still lives/landscapes péj; **~ du papier** to write drivel péj; **4** (rendre malade) **cela barbouille l'estomac** it makes you feel queasy; **être** *or* **se sentir barbouillé** to feel queasy
B **se barbouiller** *vpr* (se salir) **se ~ le visage/le corps de qch** to get one's face/body all covered in sth, to smear one's face/body with sth

barbouilleur, **-euse** /baʀbujœʀ, øz/ *nm,f* pej **1** (peintre) dauber; **2** (qui écrit) bad writer

barbouillis /baʀbuji/ *nm* pej **1** (écrit) scrawl; **2** (tableau) daub

barbouze◑ /baʀbuz/
A *nm ou f* secret agent
B *nf* (barbe) beard, fungus○ GB

barbu, **~e** /baʀby/
A *adj* bearded; **il est ~** he has a beard
B *nm* bearded man
C **barbue** *nf* Zool brill

barcarolle* /baʀkaʀɔl/ *nf* barcarole

barcasse /baʀkas/ *nf* boat

Barcelone /baʀsəlɔn/ ▸ **p. 894** *npr* Barcelona

barda○ /baʀda/ *nm* **1** (bagage encombrant) baggage, gear○; **2** Mil (équipement) kit

barde /baʀd/
A *nm* (chantre) bard
B *nf* (de lard) bard

bardé, **~e** /baʀde/
A *pp* ▸ **barder**
B *pp adj* **1** fig (couvert) covered; **être ~ de diplômes/médailles** to be covered in diplomas/medals; **2** [*cheval*] barded

bardeau, *pl* **~x** /baʀdo/ *nm* **1** Tech shingle; **un toit de ~x** a shingle roof; **2** Zool = **bardot**

barder /baʀde/ [1]
A *vtr* Culin to bard [*rôti, volaille*]
B ○*vi* **ça barde chez les voisins!** sparks are flying next door!; **si je me lève ça va ~!** if I have to get up, sparks will fly!

bardot /baʀdo/ *nm* hinny

barème /baʀɛm/ *nm* (recueil de tableaux) (set of) tables; (méthode de calcul) scale; **~ d'imposition** tax schedule *ou* scale; **~ de correction** marking-scheme; **~ des prix** price list

barge /baʀʒ/ *nf* **1** (embarcation) barge; **2** (oiseau) black-tailed godwit

baril /baʀil/ *nm* **1** (récipient) barrel, cask; (pour vin) cask; (pour poudre) keg; (en métal, carton) drum; **2** Comm (unité de capacité) barrel

barillet /baʀijɛ/ *nm* **1** Tech (de pistolet, serrure) cylinder; (d'horloge) barrel; **2** Anat middle ear; **3** (petit baril) small barrel

bariolage /baʀjɔlaʒ/ *nm* (action) splashing ¢ of colours[GB]; (résultat) mixture of colours[GB], hotchpotch GB *ou* hodgepodge US of colours[GB]

bariolé, **~e** /baʀjɔle/ *adj* **1** (multicolore) [*habits, tissus*] multicoloured[GB]; pej gaudy; **2** (mélangé) [*foule*] motley

barjaquer /baʀʒake/ [1] *vi* Helv (bavarder) to chatter

barjo◑ /baʀʒo/ *adj* nuts○, crazy

barmaid /baʀmɛd/ ▸ **p. 532** *nf* barmaid

barman, *pl* **barmen*** /baʀman, mɛn/ ▸ **p. 532** *nm* barman

bar-mitsva /baʀmitsva/ *nf inv* bar mitzvah

barnum /baʀnɔm/ *nm* **1** (abri) *shelter for newspaper seller*; **2** ◑(chahut) racket○, din

baromètre /baʀɔmɛtʀ/ *nm* **1** Météo barometer; **le ~ monte/descend** the barometer is rising/falling; **2** fig barometer; **le ~ de la conjoncture est au beau fixe** the situation looks to be set fair
(Composés) **~ enregistreur** recording barometer; **~ à mercure** mercury barometer

barométrique /baʀɔmetʀik/ *adj* barometric

baron /baʀɔ̃/ *nm* **1** ▸ **p. 848** Hist baron; **2** (personne importante) baron; **les ~s de la drogue** the drug barons; **les ~s de la politique** political heavyweights; **3** Culin **~ d'agneau** saddle and hind legs of lamb; **4** ○Jeux (dans un casino) stooge

baronnage /baʀɔnaʒ/ *nm* **1** (qualité) barony, baronage; **2** (ensemble des barons) baronage

baronne /baʀɔn/ ▸ **p. 848** *nf* baroness

baronnet /baʀɔnɛ/ ▸ **p. 848** *nm* baronet

baronnie /baʀɔni/ *nf* barony

baroque /baʀɔk/
A *adj* **1** [*style, art, époque*] baroque; **2** (bizarre) [*idée*] bizarre, outlandish; [*personne*] bizarre, weird
B *nm* **le ~** the baroque

baroud○ /baʀud/ *nm* fighting; **aller au ~** to go into battle
(Composé) **~ d'honneur** last-ditch stand

baroudeur /baʀudœʀ/ *nm* **1** (soldat) fighter, warrior; **un vieux ~ de la politique** an old political warrior; **2** (aventurier) adventurer

barouf○ /baʀuf/ *nm* (bruit, vacarme) row, racket; (protestation) row, fuss; **faire du ~** to fuss

barque /baʀk/ *nf* (small) boat; **promenade en ~** boatride; **~ à moteur** motorboat
(Composé) **~ de pêche** fishing boat
(Idiomes) **mener la ~** to be in charge; **bien/mal mener sa ~** to manage things well/badly

barquette /baʀkɛt/ *nf* **1** Culin (tartelette) (small) tart; **2** (récipient) (pour fruits) punnet GB, basket US; (de margarine) tub; (pour plat cuisiné) container

barracuda /baʀakyda/ *nm* barracuda

barrage /baʀaʒ/ *nm* **1** (pour retenir l'eau) dam (**sur** on); **~ hydroélectrique** hydroelectric dam; **2** (pour faire obstacle) (d'armée, de police, milice) roadblock; (de manifestants) barricade; **~ militaire/de police** military/police roadblock; **forcer/franchir un ~** to break through/to cross a roadblock; **un ~ de voitures en feu** a barricade of burning cars; **former un ~** [*arbre tombé, montagnes*] to form an impassable barrier; **faire ~ à qn/qch** fig to block sb/sth
(Composés) **~ de feux** fire barrage; **~ de fumée** smoke screen

barre /baʀ/ *nf* **1** (pièce de métal, bois etc) bar, rod; **~ de fer** iron bar; **~ d'or fin** fine gold bar; **2** (petite tablette) bar; **~ de céréales** cereal bar; **~ de chocolat** chocolate bar GB, candy bar US; **3** Naut tiller, helm; **être à** *or* **tenir la ~** lit, fig to be at the helm; **prendre la ~** to take the helm; **4** (bande) band; **5** (trait écrit) stroke; **la ~ du t** the cross on the t; **6** Sport (en rugby, football) crossbar; (en saut en hauteur, à la perche) bar; **7** Danse barre; **faire des exercices à la ~** to exercise at the barre; **8** Jur (des avocats) bar; (des témoins) ≈ witness box GB, witness stand US; **être appelé à la ~** to be called to the witness box; **9** (seuil) mark; **passer** *or* **franchir la ~ du 13%** to go over the 13% mark; **dépasser la ~ des trois**

millions to exceed the three-million mark; **tu places la ~ trop haut** you're expecting too much; 10 ○(douleur) **avoir une ~ à la poitrine** to have a pain across one's chest; 11 Géog (dans un estuaire) sandbar; (hautes vagues) tidal wave; 12 Géol ridge; 13 Mus **~ de mesure** bar (line); 14 Zool bar

(Composés) **~ d'accouplement** tie rod; **~ d'appui** safety rail; **~ de commande de direction** steering drag link; **~ de coupe** cutter bar; **~ de défilement** Ordinat scroll bar, slider; **~ d'espacement** space bar; **~ d'état** Ordinat status bar; **~ fixe** horizontal bar; **~ de fraction** fraction bar; **~ de menu** Ordinat menu bar; **~ à mine** jumper; **~ oblique** slash, stroke, solidus spéc; **~ d'outils** Ordinat toolbar; **~ de remorquage** tow bar; **~ à roue** wheel, helm; **~ de torsion** torsion bar; **~ des tâches** Ordinat taskbar; **~s asymétriques** asymmetrical bars; **~s parallèles** parallel bars

(Idiomes) **avoir un coup de ~**○ to feel drained all of a sudden; **c'est le coup de ~ dans ce restaurant**○ that restaurant is a rip-off○; **c'est de l'or en ~** it's a golden opportunity

barreau, *pl* **~x** /baʀo/ *nm* 1 (de cage, fenêtre, prison) bar; **être derrière les ~x** to be behind bars; 2 (d'échelle) rung; 3 Jur (dans prétoire) bar; **le ~** (avocats) the Bar; **le ~ de Toulouse** barristers practising[GB] in Toulouse

(Composé) **~ de chaise** lit rung of a chair; (cigare)○ fat cigar

barrer /baʀe/ [1]

A *vtr* 1 (obstruer) to block [*voie, accès*] (**avec** with); **la rue est barrée** the street is blocked; **~ le passage à qn** lit, fig to stand in sb's way; **~ la route** *or* **le chemin à qn** fig to block sb; **'route barrée'** 'road closed'; 2 (rayer) to cross out [*mot, mention, paragraphe*]; **~ un chèque** Fin to cross a cheque; 3 (traverser) **une cicatrice lui barrait le front** he/she had a scar across his/her forehead; 4 Naut (prendre la barre) to take the helm of; (être à la barre) to be at the helm of; (en aviron) to cox; **un quatre barré** a coxed four

B **se barrer**◑ *vpr* (se sauver) [*personne*] to clear off○; [*animal*] to run off; (partir) to leave; **elle s'est barrée de chez elle** she left home; **se ~ au Sénégal/avec qn** to go off to Senegal/with sb

(Idiomes) **on est mal barré**◑ we're in big trouble○; **c'est mal barré**◑ it's looking a bit iffy○; **ne pas être barré**○ Can to have a lot of nerve

barrette /baʀɛt/ *nf* 1 (pour les cheveux) (hair) slide GB, barrette US; 2 (bijou) bar brooch; 3 Relig red biretta; **recevoir la ~** to become a cardinal; 4 (insigne de décoration) ribbon

barreur, **-euse** /baʀœʀ, øz/ *nm,f* gén helmsman; (en aviron) cox, coxswain; **avec ~** coxed; **sans ~** coxless

barricade /baʀikad/ *nf* barricade; **ne pas être du même côté de la ~** fig to be on opposite sides of the fence

barricader /baʀikade/ [1]

A *vtr* to barricade [*rue, passage, fenêtre*]

B **se barricader** *vpr* 1 (se protéger) to barricade oneself (**dans** in); 2 (s'isoler) to lock oneself up

barriérage /baʀjeʀaʒ/ *nm* crowd-control barriers (*pl*)

barrière /baʀjɛʀ/ *nf* 1 (clôture) fence; (porte) gate; (de passage à niveau) Rail level crossing gate GB, grade crossing gate US; 2 (obstacle naturel) barrier; **~ naturelle/montagneuse** natural/mountain barrier; ▸ **grand**; 3 fig barrier; **~ de la langue** language barrier; **faire tomber les ~s** to break down the barriers

(Composés) **~ automatique** Rail automatic barrier; **~ corallienne** Géol coral reef; **~ de dégel** Transp *ban on heavy vehicles using a road during a thaw*; **~ métallique** crowd barrier; **~ de sécurité** Ordinat firewall; **~s douanières** *or* **tarifaires** trade *ou* tariff barriers

(Idiome) **être de l'autre côté de la ~** to be on the other side of the fence

barrique /baʀik/ *nf* 1 (tonneau) barrel; 2 (personne forte) pej tubby man/woman

(Idiome) **être plein comme une ~**◑ to be drunk as a lord GB *ou* skunk US

barrir /baʀiʀ/ [3] *vi* [*éléphant*] to trumpet; [*rhinocéros*] to bellow

barrissement /baʀismɑ̃/ *nm* (d'éléphant) trumpeting ¢; (de rhinocéros) bellowing ¢

bar-tabac, *pl* **bars-tabac** /baʀtaba/ *nm* café (*where stamps and cigarettes can be purchased*)

bartavelle /baʀtavɛl/ *nf* rock partridge

bartholinite /baʀtɔlinit/ *nf* bartholinitis

baryton /baʀitɔ̃/ ▸ **p. 141**

A *adj* Mus baritone

B *nm* 1 Mus (voix, chanteur) baritone; 2 Ling baritone

baryton-basse /baʀitɔ̃bas/ ▸ **p. 141** *nm* (chanteur) bass-baritone

baryum /baʀjɔm/ *nm* barium

bas, **basse** /bɑ, bɑs/

A *adj* 1 (peu étendu verticalement) [*maison, table, mur*] low; [*salle*] low-ceilinged (*épith*)
2 (en altitude) [*nuage*] low; [*côte, terre, vallée*] low-lying (*épith*); **la partie basse d'un mur** the lower part of a wall; **l'étagère la plus basse** the bottom shelf; **les branches basses** the lower *ou* bottom branches; **le ciel est ~** the sky is overcast
3 (dans une échelle de valeurs) [*fréquence, pression, température, prix, salaire, latitude*] low; Mus [*note*] low; [*instrument*] bass; **vendre qch à ~ prix** to sell sth cheap; **un enfant en ~ âge** a very young child; **basses besognes** (ennuyeuses) menial chores; (répugnantes) dirty work ¢; **le moral des joueurs est très ~** the players are in very low spirits; **de ~ niveau** [*produit*] low-grade; [*élève, classe*] at a low level (*après n*); [*style, texte*] low-brow; **être au plus ~ de la hiérarchie** to be at the bottom of the hierarchy; **les cours sont au plus ~** Fin prices have reached rock bottom
4 (dans une hiérarchie) [*origine, condition*] low, lowly; **les postes les plus ~** the lowest-grade jobs
5 Géog **le ~ Dauphiné** the Lower Dauphiné
6 Hist (dans le temps) [*époque, période*] late; **le ~ Moyen Âge** the late Middle Ages (*pl*)
7 (moralement) [*esprit, âme, vengeance, complaisance*] base; **de ~ étage** [*individu*] common; [*plaisanterie*] coarse, vulgar

B *adv* 1 (à faible hauteur) [*voler, s'incliner*] low; **la lune est ~ dans le ciel** the moon is low in the sky; **tomber** *or* **descendre très ~** [*thermomètre*] to go down very low; [*prix, cours*] to fall very low; **comment peut-on tomber si ~!** (dans l'abjection) how can one sink to such a low level!; **tu es assis trop ~** your seat is too low; **colle-le plus ~ sur la page** stick it lower down (the page); **loger un étage plus ~** to live one floor below; **plus ~ dans la rue/sur la colline** further down the street/the hill
2 (dans un texte) **voir plus ~** see below
3 (doucement) [*parler*] quietly; **tout ~** [*parler*] in a whisper; [*chanter*] softly; **parle plus ~** lower your voice; **ce que chacun pense tout ~** what everyone is thinking privately; **jeter** *or* **mettre ~** (abattre) to bring [sb/sth] down [*dictateur, régime*]; **mettre ~ les armes** lit (se rendre) to lay down one's arms; fig (renoncer) to give up the fight; ▸ **mettre B**
4 (mal) **être bien ~** (physiquement) to be very weak; (moralement) to be very low; **être au plus ~** (physiquement) to be extremely weak; (moralement) to be at one's lowest *ou* at a very low ebb

C *nm inv* 1 (partie inférieure) (d'escalier, échelle, de mur, montagne, meuble, vêtement, page) bottom; **le ~ du visage** the lower part of the face; **le ~ du corps** the bottom half of the body; **déchiré dans le ~** torn at the bottom; **au ~ de la liste/colline** at the bottom of the list/hill; **le rayon/l'image du ~** the bottom shelf/picture; **les pièces du ~** the downstairs rooms; **vers le ~** [*incliner*] downward(s); **le ~ de son maillot de bain** the bottom part of her swimsuit; **sauter à ~ de sa monture** to jump off one's horse
2 Mode stocking; **~ de soie** silk stocking; **des ~ nylon®** nylon stockings
3 Mus ¢ (registre) **chanter dans le ~** to sing bass notes (*pl*)

D **en bas** *loc* (au rez-de-chaussée) downstairs; (en dessous) down below; (sur panneau, page) at the bottom; **en ~ de** at the bottom of [*falaise, page*]; **tomber en ~ de la falaise** to fall to the bottom of the cliff; **il habite en ~ de chez moi** he lives below me; **l'arrêt de bus en ~ de chez moi** the bus stop outside my place; **la cuisine est en ~** the kitchen is downstairs; **en ~ dans la rue** in the street (down) below; **signe en ~ à gauche** sign on the bottom left-hand side; **l'odeur vient d'en ~** the smell is coming from below; **tout en ~** right at the bottom; **jusqu'en ~** right down to the bottom; **passer par en ~** (dans un village) to take the bottom road; (dans une maison) to get in on the ground GB *ou* first US floor

E **basse** ▸ **p. 141, p. 557** *nf* Mus (partie, chanteur, instrument) bass; (voix) bass (voice); **basse continue** (bass) continuo; **basse contrainte** ground bass

(Composés) **~ allemand** Ling Low German; **~ de casse** Imprim lower case; **le ~ clergé** Relig the lower clergy; **~ de contention** Méd support stocking; **~ de gamme** Ind, Comm *adj* low-quality (*épith*); *nm* lower end of the market; **~ de laine** fig nest egg, savings (*pl*); **~ latin** Ling Low Latin; **~ morceaux** Culin cheap cuts; **~ sur pattes** short-legged (*épith*); **le ~ peuple** the lower classes; **~ de plafond** *adj* half-witted; *nm* half-wit; **les ~ quartiers** the seedy *ou* poor districts (of a town); **~ à varices** Méd = **~ de contention**; **basse fréquence** Phys, Télécom low frequency; **basse saison** Tourisme low season; **basse de viole** Mus viola da gamba; **basses eaux** (de mer) low tide ¢; (de rivière) low water ¢; **pendant les basses eaux** when the waters are low

(Idiomes) **avoir des hauts et des ~** to have one's ups and downs; **à ~ les tyrans!** down with tyrants!; **mettre qn plus ~ que terre** to run sb into the ground

basal, **~e**, *mpl* **-aux** /bazal, o/ *adj* basal

basalte /bazalt/ *nm* basalt

basaltique /bazaltik/ *adj* basaltic

basané, **~e** /bazane/ *adj* 1 (hâlé) sunburned[GB], (sun-)tanned; 2 (à la peau sombre) offensive swarthy, dark-skinned

bas-bleu, *pl* **~s** /bɑblø/ *nm* bluestocking

bas-côté, *pl* **~s** /bɑkote/ *nm* 1 (de route) verge GB, shoulder US; 2 (d'église) (side) aisle

basculant, **~e** /baskylɑ̃, ɑ̃t/ *adj* **pont ~** bascule bridge; **camion à benne ~e** tipper lorry GB, dump truck; **fenêtre ~e centre**[GB] hung side pivot window

bascule /baskyl/ *nf* 1 Tech rocker; **fauteuil/cheval à ~** rocking chair/horse; 2 (balançoire) seesaw; **jeu de ~** lit, fig seesaw; **politique de ~** fig policy of alternating party alliance; **mouvement de ~** rocking movement; 3 (machine à peser) weighing machine; 4 Électrotech rocker, multivibrator

basculement /baskylmɑ̃/ *nm* 1 fig (renversement) swing; 2 Gén Civ lane deviation

basculer /baskyle/ [1]

A *vtr* Télécom to transfer [*appel*]

B *vi* 1 (tomber) [*objet, personne*] to topple over; [*benne*] to tip up; **~ dans le ravin** to topple into the ravine; **faire ~** to tip up [*benne*]; to tip out [*chargement*]; to knock [sb] off balance [*personne*]; 2 fig [*match, vie, ambiance*] to change radically; [*opinion*] to swing in the opposite direction; **~ à droite/vers l'opposition** Pol to swing over to the right/toward(s) the opposition; **~ dans la guerre** to be plunged into war; **la scène a basculé dans le drame** the scene suddenly turned

b

dramatic; **faire ~** to turn [*match, opinion publique*]; to change the course of [*Histoire*]; **faire ~ le pays dans l'extrémisme** to push the country into extremism

basculeur /baskylœʀ/ *nm* Tech tip, tipper

base /bɑz/ *nf* 1▸ (partie inférieure) base (**de** of); 2▸ fig (assise de système, théorie) basis (**de** of); (point de départ) basis (**de** for); **sur la ~ de** on the basis of; **servir de ~ à** to serve as a basis for; **jeter les ~s d'un partenariat** to pave the way to *ou* lay the foundations for a partnership; **reposer sur des ~s solides** to rest on a firm foundation; **à la ~ de qch** at the root *ou* heart of sth; **ces principes sont à la ~ de la démocratie** there principles lie at the very heart of democracy; **avoir des ~s en chimie** to have a basic grounding in chemistry; **avoir des ~s solides en russe** to have a solid grounding in Russian; **connaissances/salaire/formation de ~** basic knowledge/salary/training; **citoyen/culture de ~** basic citizen/culture; **document/données de ~** source document/data; **ce raisonnement pèche par la ~** this argument is basically unsound; **repartir sur de nouvelles ~s** fig [*personne*] to make a fresh start; 3▸ (ingrédient essentiel) base (**de** of); **poison à ~ d'arsenic** arsenic-based poison; **alliage à ~ de cuivre** copper alloy; **le riz forme la ~ de leur alimentation** rice is their staple diet; 4▸ Chimie base; 5▸ Math **~ de numération** numerical base; 6▸ Ling (radical) root; 7▸ (cosmétique) make-up base, foundation; 8▸ Mil base; **rejoindre sa ~** to return to base; **avoir Lyon pour ~** [*régiment, groupe industriel*] to be based in Lyons; 9▸ Pol (militants) **la ~** the rank and file; **militant de ~** rank and file member

(Composés) **~ aérienne** air base; **~ de données** Ordinat data base; **~ de données relationnelles** Ordinat relational database; **~ d'imposition** tax base; **~ de lancement** launching site; **~ de loisirs** leisure centre[GB]; **~ navale** naval base; **~ d'observation de satellites** satellite observation station; **~ spatiale** space station

base-ball* /bɛzbol/ ▸ **p. 469** *nm* baseball

base-jump /besdʒœp/ ▸ **p. 469** *nm* (activité) base-jumping

Bas-Empire /bɑzɑ̃piʀ/ *nprm* Hist **le ~** the Later Roman Empire

baser /bɑze/ [1]
A *vtr* 1▸ (fonder) to base [*théorie, stratégie, économie*] (**sur** on); 2▸ (installer) gén, Mil to base [*unité, missile, société*] (**à, en** in); **missiles basés à terre** land-based missiles
B se baser *vpr* **se ~ sur qch** to go by sth [*chiffres, étude*]; **sur quoi te bases-tu pour affirmer qu'il est coupable?** what grounds do you have for saying he is guilty?

bas-fond, *pl* **~s** /bɑfɔ̃/
A *nm* (haut-fond) shoal; (dépression) dip
B bas-fonds *nmpl* (de société) dregs (of society); (de ville) seedy parts

basic, BASIC /bazik/ *nm* BASIC

basilic /bazilik/ *nm* 1▸ (plante) basil; 2▸ (animal) basilisk

basilique /bazilik/ *nf* basilica

basique /bɑzik/ *adj* gén, Chimie basic; Géol basal

basket /baskɛt/ ▸ **p. 469** *nm* 1▸ (sport) basketball; 2▸ (chaussure de sport) trainer

(Idiomes) **lâcher les ~s à qn**○ to give sb a break○; **être bien** *or* **à l'aise dans ses ~s**○ to be very together○

basket-ball* /baskɛtbol/ ▸ **p. 469** *nm* basketball

basketteur, -euse /baskɛtœʀ, øz/ *nm,f* basketball player

basquaise /baskɛz/ *adj* **poulet ~** *chicken cooked with tomatoes and sweet peppers*; **sauce ~** *sauce made with tomatoes and sweet peppers*

basque /bask/ ▸ **p. 483**
A *adj* Basque; **le Pays ~** the Basque Country
B *nm* Ling Basque
C basques *nfpl* Cout, Mode basques

(Idiome) **être pendu aux ~s de qn**○ to be always hanging on sb's coat-tails

Basque /bask/ *nmf* Basque

bas-relief, *pl* **~s** /bɑʀəljɛf/ *nm* bas-relief, low relief

Bas-Rhin /bɑʀɛ̃/ ▸ **p. 721** *nprm* (département) **le ~** the Bas-Rhin

basse ▸ **bas A, E**

Basse-Californie /bɑskalifɔʀni/ ▸ **p. 721** *nprf* Lower California GB, Baja California US

basse-cour, *pl* **basses-cours*** /bɑskuʀ/ *nf* 1▸ (poulailler) poultry-yard; 2▸ (volailles) poultry

basse-fosse, *pl* **basses-fosses** /bɑsfos/ *nf* dungeon

bassement /bɑsmɑ̃/ *adv* [*agir, se conduire*] despicably, basely; [*flatter*] basely; **fins/raisons ~ politiques** base political ends/reasons

Basse-Normandie /bɑsnɔʀmɑ̃di/ ▸ **p. 721** *nprf* **la ~** Basse-Normandie

bassesse /bɑsɛs/ *nf* 1▸ (caractère vil) baseness, lowness; **faire preuve de ~ dans son attitude/ses actes** to show baseness in one's attitude/one's actions; **avec ~** [*se comporter, agir*] basely; 2▸ (acte vil) base *ou* despicable act; **commettre des ~s** to commit despicable acts; **prêt à toutes les ~s** prepared to stoop to anything; **obtenir une faveur à force de ~s** to obtain a favour[GB] through base actions

basset /bɑsɛ/ *nm* basset (hound)

bassin /basɛ̃/ *nm* 1▸ (de parc) ornamental lake; (plus petit) pond; (fontaine) fountain; (de piscine) pool; **petit/grand ~** small/main pool; 2▸ (plat creux) bowl; 3▸ Géog, Géol basin; 4▸ Anat pelvis; **grand/petit ~** upper/lower pelvis; 5▸ Méd bedpan; **passer le ~ à un malade** to give a patient the bedpan; 6▸ Écon area

(Composés) **~ d'effondrement** fault-basin, rift; **~ d'emploi** labour[GB] pool; **~ houiller** coal field *ou* basin; **~ hydrographique** drainage basin; **~ hygiénique** bedpan; **~ minier** mineral field *ou* basin; **~ sédimentaire** sedimentary basin

bassine /basin/ *nf* (récipient) bowl; (contenu) bowlful

(Composé) **~ à confitures** preserving pan

bassiner /basine/ [1] *vtr* 1▸ (chauffer) to warm [sth] with a warming pan [*lit*]; 2▸ ○(agacer) **tu nous bassines avec tes histoires!** you're a pain in the neck with your stories!; 3▸ (humecter) to bathe [*front, visage*]; 4▸ Agric to spray [*semis, plante*]

bassinet /basinɛ/ *nm* 1▸ (petite bassine) small bowl; 2▸ Hist (casque) basnet

(Idiomes) **cracher au ~** to cough up○; **faire cracher qn au ~** to get sb to cough up○

bassinoire /basinwaʀ/ *nf* warming pan

bassiste /bɑsist/ ▸ **p. 557, p. 532** *nmf* bass player

basson /bɑsɔ̃/ ▸ **p. 557** *nm* 1▸ (instrument) bassoon; 2▸ (instrumentiste) bassoonist

bassoniste /bɑsɔnist/ *nmf* bassoonist

basta○ /basta/ *excl* **~!** that's enough!

baster /baste/ [1] *vi* Helv (céder) to give in

bastiais, ~e /bastjɛ, ɛz/ ▸ **p. 894** *adj* of Bastia

Bastiais, ~e /bastjɛ, ɛz/ ▸ **p. 894** *nm,f* (natif) native of Bastia; (habitant) inhabitant of Bastia

bastide /bastid/ *nf* 1▸ (ville fortifiée) (medieval) fortified town; 2▸ (maison) country house

bastille /bastij/ *nf* fortress

Bastille /bastij/ *nprf* **la ~** the Bastille

bastingage /bastɛ̃gaʒ/ *nm* (garde-corps) ship's rail; **accoudé au ~** leaning on the ship's rail

bastion /bastjɔ̃/ *nm* (tous contextes) bastion

baston◑ /bastɔ̃/ *nm ou f* fight

bastonnade /bastɔnad/ *nf* beating

bastonner◑ /bastɔne/ [1]
A *vtr* to bash○, to beat; **se faire ~** to be bashed up○ *ou* beaten up
B se bastonner *vpr* to fight

bastringue /bastʀɛ̃g/ *nm* 1▸ ○(vacarme) din, racket; 2▸ ○(attirail) stuff, clobber○ GB; 3▸ ○(chose quelconque) thingumajig○; **et tout le ~** and the whole caboodle○ *ou* shebang○; 4▸ †(salle de bal) dancehall, ballroom; (orchestre) dance band

bas-ventre, *pl* **~s** /bɑvɑ̃tʀ/ ▸ **p. 196** *nm* lower abdomen; **recevoir un coup dans le ~** lit, fig to be hit below the belt

bât /bɑ/ *nm* pack-saddle

(Idiome) **c'est là que le ~ blesse** that's where the shoe pinches

bataclan○ /bataklɑ̃/ *nm* stuff, junk○; **et tout le ~** and all the rest of it

bataille /batɑj/
A *nf* 1▸ Mil battle; **livrer ~ à qn** to give battle to sb; **perdre/gagner une ~** to lose/win a battle; **ordre de ~** battle order *ou* formation; 2▸ (lutte morale) battle, war; **~ électorale** electoral battle; **~ commerciale** trade war; **se jeter dans la ~ du pouvoir/de la succession** to fling oneself into the battle for power/for succession; **mener la ~ contre qn/qch** to wage war against sb/sth; **une ~ d'idées** a war of ideas; **dans la ~ j'ai oublié mon sac**○ with all that was going on I forgot my bag; 3▸ (lutte physique) fight; **une ~ de boules de neige** a snowball fight; 4▸ Jeux (aux cartes) ≈ beggar-my-neighbour[GB]
B en bataille *loc adj* 1▸ **les cheveux en ~** dishevelled[GB] hair; **les sourcils en ~** bushy eyebrows; 2▸ **stationnement en ~** perpendicular parking

(Composés) **~ navale** naval battle; **~ rangée** lit, fig pitched battle

batailler /batɑje/ [1] *vi* (lutter) fig to fight, to battle (**pour faire** to do; **pour qch** for sth); **il a fallu ~ pour les convaincre** I had a battle to persuade them

batailleur, -euse /batɑjœʀ, øz/
A *adj* [*enfant*] aggressive; [*tempérament*] belligerent
B *nm,f* fighter

bataillon /batɑjɔ̃/ *nm* lit, fig battalion; **un ~ de supporters** a battalion of supporters; **X?, inconnu au ~** hum X?, never heard of him

bâtard, ~e /bɑtaʀ, aʀd/
A *adj* 1▸ fig [*solution, œuvre, style*] hybrid; [*statut*] ill-defined; [*couleur*] indefinite; 2▸ Zool [*chien*] crossbred; 3▸ (né hors mariage) offensive [*enfant*] bastard injur
B *nm,f* 1▸ (chien) mongrel; 2▸ (enfant) offensive bastard injur
C *nm* Culin (pain) small loaf of bread
D bâtarde *nf* (écriture) bastard hand

bâtardise /bɑtaʀdiz/ *nf* bastardy

batavia /batavja/ *nf* batavia

bateau, *pl* **~x** /bato/
A *adj inv* **un sujet/une question ~** a hackneyed subject/question
B *nm* 1▸ Naut, Transp gén boat; (navire) ship; **~ à voile/moteur/vapeur** sailing/motor/steam boat; **prendre le ~** to take the boat; **faire un voyage en ~** to take a boat trip; **aller en** *or* **par ~** to go by boat; **faire du ~** gén to go boating; (voile) to go sailing; 2▸ Mode **encolure ~** boat neck; 3▸ ○(plaisanterie) joke; **monter un ~ à qn** to take sb for a ride; **mener qn en ~** to take sb in; 4▸ (sur un trottoir) dropped kerb GB *ou* curb US (*in front of an entrance*)

(Composés) **~ amiral** flagship; **~ de commerce** cargo boat, merchant ship; **~ de guerre** warship; **~ de pêche** fishing boat; **~ de plaisance** pleasure boat; **~ pneumatique** rubber dinghy; **~ de sauvetage** lifeboat

bateau-bus, *pl* **bateaux-bus** /batobys/ *nm* river bus

bateau-citerne, *pl* **bateaux-citernes** /batositεʀn/ *nm* tanker

bateau-école, *pl* **bateaux-écoles** /batoekɔl/ *nm* training ship

bateau-feu, *pl* **bateaux-feux** /batofø/ *nm* lightship

bateau-lavoir, *pl* **bateaux-lavoirs** /batolɑvwɑʀ/ *nm* washhouse

bateau-mouche, *pl* **bateaux-mouches** /batomuʃ/ *nm*: *large river boat for sightseeing*

bateau-phare, *pl* **bateaux-phares** /batofɑʀ/ *nm* lightship

bateau-pilote, *pl* **bateaux-pilotes** /batopilɔt/ *nm* pilot boat

bateau-pompe, *pl* **bateaux-pompes** /batopɔ̃p/ *nm* fireboat

bateleur, **-euse** /batlœʀ, øz/ *nm* **1** lit tumbler, juggler; **2** fig, pej buffoon

batelier, **-ière** /batəlje, εʀ/ ▸ **p. 532** *nm,f* boatman/boatwoman

batellerie /batεlʀi/ *nf* inland water shipping; **la ~ de la Seine** shipping on the Seine

bâter /bɑte/ [1] *vtr* to put a pack-saddle on

bat-flanc* /baflɑ̃/ *nm inv* (dans une écurie) stall partition; (dans un dortoir) wooden partition

bath○† /bat/ *adj inv* great, smashing

bathymètre /batimεtʀ/ *nm* bathymeter

bathymétrie /batimetʀi/ *nf* bathymetry

bathymétrique /batimetʀik/ *adj* bathymetric

bathyscaphe /batiskaf/ *nm* bathyscaph

bâti, **~e** /bɑti/

A *pp* ▸ **bâtir**

B *pp adj* **1** [*maison, édifice*] built, constructed; **terrain ~** developed site; **2** [*histoire, scénario*] constructed; **un homme bien ~** a well-built man; **il est bien ~** he's well built; **un petit homme mal ~** a small man of irregular build

C *nm* **1** (terrain bâti) developed site; **2** (de fenêtre, porte) frame; **3** (de machine) frame; **4** Cout tacking

(Composé) **~ dormant** fixed frame

batifolage /batifɔlaʒ/ *nm* romping *ou* larking○ about

batifoler /batifɔle/ [1] *vi* **1** (jouer) to romp *ou* lark○ about; **2** (flirter) to flirt

batik /batik/ *nm* batik

bâtiment /bɑtimɑ̃/ *nm* **1** (construction) building; **~s administratifs/d'exploitation/universitaires** administrative/farm/university buildings; **2** (métier) building trade; **travailler dans le ~** to work in the building trade; **géant du ~** giant of the building trade; **quand le ~ va, tout va** when the building trade is doing well, everything is doing well; **3** (navire) ship

(Composé) **~ de guerre** battleship

bâtir /bɑtiʀ/ [3]

A *vtr* **1** Constr to build [*édifice*]; **~ qch de ses propres mains** to build sth with one's own hands; **faire ~ sa maison par qn** to have one's house built by sb; **terrain à ~** building land; **2** (établir) to build [*fortune, réputation, avenir, Europe*]; to develop [*stratégie, pays*]; to establish [*paix*]; to build up [*équipe, structure*]; to base [*argumentation, rapport*] (**sur** on); **3** Cout to tack [*vêtement, ourlet*]; ▸ **Espagne**

B se bâtir *vpr* [*personne*] to build oneself [*maison, cabane*]; to build up [*fortune*]; [*maison, fortune*] to be built

bâtisse /bɑtis/ *nf* (maison) house; (bâtiment) building

bâtisseur, **-euse** /bɑtisœʀ, øz/ *nm* **1** Hist Constr (maçon) master-builder; **les ~s de cathédrales** cathedral master-builders; **2** fig (créateur) builder; **~ d'empire** empire builder; **un roi qui fut un grand ~** a king who commissioned a great number of buildings

batiste /batist/ *nf* batiste

bâton /bɑtɔ̃/ *nm* **1** (bout de bois) stick; **un coup de ~** a blow with a stick; **donner un coup de ~ à qn** to hit sb with a stick; **donner des coups de ~ à qn** to beat sb with a stick; **faire donner du ~ à qn** to have sb beaten; **retour de ~** backlash; ▸ **parquet**; **2** (objet allongé) stick; **un ~ de cire/réglisse/colle/dynamite** a stick of wax/liquorice GB *ou* licorice US/glue/dynamite; **3** (trait vertical) vertical stroke; (pour compter) bar; **4** ○(dix mille francs) ten thousand francs

(Composés) **~ blanc** baton (*used for directing traffic*); **~ de commandement** baton (*of office*); **~ de craie** stick *ou* piece of chalk; **~ de maréchal** lit marshal's baton; fig pinnacle of one's career; **~ de rouge (à lèvres)** lipstick; **~ de ski** ski stick

(Idiomes) **être le ~ de vieillesse de qn** to be sb's support in their old age; **mener une vie de ~ de chaise** to lead a wild life; **discuter à ~s rompus** to talk about this and that; **conversation à ~ rompus** general conversation; **mettre des ~s dans les roues de qn** to put a spoke in sb's wheel

bâtonner /bɑtɔne/ [1] *vtr* to beat [sb] with a stick

bâtonnet /bɑtɔnε/ *nm* **1** (petit bâton) stick; **2** (de rétine) (retinal) rod

(Composés) **~ ouaté** cotton bud GB, cotton swab US; **~ de poisson** fish finger GB, fish stick US

bâtonnier /bɑtɔnje/ ▸ **p. 848** *nm* ≈ president of the Bar

batracien /batʀasjε̃/ *nm* batrachian

battage /bataʒ/ *nm* **1** ○Pub publicity, hype○; **~ publicitaire** advertising hype○; **faire du ~ autour de qch** to hype sth○, give sth the hard sell; **2** (action de battre) beating; Agric threshing; **le ~ de l'or** Tech gold beating; **le ~ du blé** Agric wheat threshing; **le ~ du beurre** Tech butter churning

battant, **~e** /batɑ̃, ɑ̃t/

A *adj* **~ neuf** brand new; **à deux heures ~es** on the stroke of two; **le cœur ~** with a beating heart; ▸ **porte**

B *nm,f* fighter

C *nm* **1** (de porte, fenêtre) hinged section; (de tablo, comptoir) leaf; **le ~ droit de la porte** the right-hand door (*of a double door*); **ouvre les deux ~s de la fenêtre** open both sides of the window; **porte à deux ~s** double door; **2** (de cloche) clapper; **3** (de pavillon, drapeau) fly

batte /bat/ *nf* Sport bat GB, paddle US

battement /batmɑ̃/ *nm* **1** (pulsation) (de cœur, pouls) beating ¢, beat; **les ~s réguliers du cœur** Méd regular heartbeat (*sg*); **avoir des ~s de cœur** to have palpitations; **2** (de pluie, tambour) beating ¢; **entendre des ~s de tambour** to hear drums; **le ~ des volets contre le mur** the banging of the shutters against the wall; **3** Mus, Phys beat; **4** (mouvement) (d'ailes) flutter; (de cils) fluttering ¢; (de paupières) blinking ¢; (de danseur) battement; (de nageur) (en crawl) flutter kick ¢; (en brasse) frog kick ¢; **5** (entre deux activités) break; (attente) wait; (période creuse) gap; **les professeurs ont du ~ entre les cours** teachers have some free time (in) between lessons; **6** Phon flap

batterie /batʀi/ *nf* **1** Mus (de grand orchestre) percussion section; (de jazz, rock) drum kit; **être à la ~** (dans un grand orchestre) to be on percussion; (dans un orchestre de jazz, rock) to be on the drums; **morceau de ~** drum break; **2** Mil (artillerie, régiment) battery; **~ de canons** gun battery; **~ ennemie/anti-chars** enemy/antitank battery; **dresser ses ~s** fig to prepare for the assault; **changer ses ~s** fig to change one's strategy; **démasquer** *ou* **dévoiler ses ~s** fig to show one's hand; **3** Aut, Électrotech battery; **recharger ses ~s** fig to recharge one's batteries; **4** (série) (de caméras, missiles, tests) battery; (de projecteurs) bank; (de satellite) array; (d'avocats, experts) battery

(Composé) **~ de cuisine** Culin pots and pans (*pl*)

batteur /batœʀ/ ▸ **p. 532** *nm* **1** Mus (de grand orchestre) percussionist; (de jazz, rock) drummer; **2** (ouvrier) Agric thresher; Tech **~ d'or/d'étain** gold-/pewter-beater; **3** Sport (au cricket) batsman; (au baseball) batter; **4** Culin whisk; **~ à œufs** egg whisk

(Composé) **~ électrique** hand mixer

batteuse /batøz/ *nf* **1** Agric threshing machine, thresher; **2** Tech, Ind beating machine, beater

battoir /batwaʀ/ *nm* **1** (instrument) beater; **~ à tapis** carpet beater; **2** ○(main) paw○, hand

battre /batʀ/ [61]

A *vtr* **1** (l'emporter) to beat, defeat [*adversaire*]; to break [*record*]; **~ qn à un jeu/en une matière** to beat sb at a game/in a subject; **je le bats au tennis/en chimie** I beat him at tennis/in chemistry; **elle me bat à la course** she beats me in running; **~ qn aux élections** to beat sb in the elections; **se faire ~ par 6 à 2** to lose 6–2; **ne pas se tenir pour battu** not to admit defeat; ▸ **couture**; **2** (frapper) to beat [*personne, animal*]; **il bat son chien** he beats his dog; **~ qn à coups de balai** to beat sb with a broom; **~ qn à coups de pied/poing** to kick/punch sb repeatedly; **battu à mort** beaten to death; ▸ **plâtre**; **3** (taper sur) to beat [*matelas, tapis*]; Tech to beat [*métal*]; Agric to thresh [*blé*]; Chasse to beat [*taillis*]; **~ l'air/l'eau de ses bras** to thrash the air/the water with one's arms; **ma jupe me bat les talons** my skirt is flapping about my heels; **~ monnaie** to mint coins; **~ le briquet**† to strike a light; **4** (heurter) [*pluie*] to beat *ou* lash against [*vitre*]; [*mer*] to pound *ou* beat against [*rocher*]; [*artillerie*] to pound [*mur, position*]; **battu des vents/par la pluie** lashed by the wind/by the rain; **5** Culin to whisk [*œuf*]; to churn [*crème*]; **~ les œufs en neige** beat the egg whites until stiff; **~ les œufs en omelette** beat the eggs; **6** Jeux to shuffle [*cartes*]; **7** Mus **~ la mesure** to beat time; **~ le tambour** Mil to beat the drum; fig to shout from the rooftops; Mil [*tambour*] to beat; **~ la retraite** to beat the retreat; **8** (parcourir) to scour [*pays, forêt*]; **~ les chemins** *or* **sentiers** *or* **routes** to travel the roads; ▸ **pavillon**

B battre de *vtr ind* **1** (agiter) **~ des ailes** to flap its wings; **~ des cils** to flutter one's eyelashes; **~ des mains** to clap (one's hands); **~ des paupières** to blink; **2** (jouer) **~ du tambour** to beat the drum

C *vi* **1** (palpiter) [*cœur, pouls*] to beat; **la joie/l'émotion me faisait ~ le cœur** my heart was pounding fast with joy/emotion; **le sang me battait aux tempes** I could feel my temples throbbing; **2** (claquer) [*porte, volet*] to bang; **le vent fait ~ les volets** the wind is banging the shutters; **la pluie bat contre la vitre** the rain is lashing against the window; ▸ **verge**

D se battre *vpr* **1** (lutter) to fight (**contre** against; **avec** with); **se ~ au couteau** to fight with knives *ou* a knife; **se ~ en duel** to fight a duel; **se ~ avec qn** to fight with sb; **se ~ pour obtenir qch** fig to fight for sth; **se ~ avec une serrure** hum to struggle with a lock; **se ~ contre un champion/une équipe** Jeux, Sport to fight (against) a champion/a team; **se ~ contre la corruption** to fight (against) corruption; **2** (échanger des coups) to fight; **leurs enfants n'arrêtent pas de se ~** their children are always fighting; **3** (se frapper) **se ~ la poitrine** to beat one's breast

(Idiomes) **~ en retraite** to beat a retreat; **~ en retraite devant qch/qn** to retreat before sth/sb; **~ son plein** to be in full swing; **je m'en bats l'œil**○ I don't give a damn○

battu, **~e** /baty/

A *pp* ▸ **battre**

B *pp adj* **1** (maltraité) [*enfant, femme, prisonnier*] battered; fig [*mine, air*] tired; **2** Danse battu (*épith, après n*); ▸ **terre**

C **battue** *nf* Chasse beat
bau, *pl* **baux²** /bo/ *nm* Naut beam; **maître ~** midship beam
BAU /beay/ *nf: abbr* ▸ **bande**
baud /bod/ *nm* baud
baudelairien, -ienne /bodlɛʀjɛ̃, ɛn/ *adj* Baudelairian
baudet /bodɛ/ *nm* ○(âne) donkey, ass
(Idiome) **être chargé comme un ~** to be loaded down like a mule
baudrier /bodʀije/ *nm* **1** (d'uniforme) shoulder strap; **2** (d'alpinisme) harness
(Composé) **~ réfléchissant** Sam Browne Belt
baudroie /bodʀwa/ *nf* monkfish
baudruche /bodʀyʃ/ *nf* **1** (de caoutchouc) (matière) rubber skin; (ballon) balloon; **2** fig (homme faible) pej wimp○ péj
(Idiome) **se dégonfler comme une ~** to lose one's nerve
bauge /boʒ/ *nf* **1** (de sanglier) wallow; **2** (lieu sale) pigsty; **3** (torchis) cob, clay and straw mortar
baume /bom/ *nm* Chimie, Pharm balm, balsam
(Idiome) **mettre du ~ au cœur de qn** to be a solace to sb
baux /bo/ *nmpl* ▸ **bail, bau**
bauxite /boksit/ *nf* bauxite
bavard, ~e /bavaʀ, aʀd/
A *adj* **1** (qui parle beaucoup) [*personne*] talkative; **2** (qui commet des indiscrétions) **on ne peut pas lui faire confiance, il est trop ~** he can't be trusted, he talks too much *ou* he can't keep his mouth shut; **3** pej (prolixe) [*roman, film, critique*] long-winded péj
B *nm,f* **1** (personne qui parle beaucoup) chatterbox; **un ~ impénitent** an incorrigible chatterbox; **2** (personne qui commet des indiscrétions) indiscreet person, bigmouth○
bavardage /bavaʀdaʒ/ *nm* **1** (action) chattering; **2** (indiscrétions) gossip ¢; **les ~s vont bon train** tongues are wagging; **3** (propos, discussion) idle chatter
bavarder /bavaʀde/ [1] *vi* **1** péj (parler beaucoup) to talk, to chatter; **2** (s'entretenir avec) to chat (**avec** with); **3** (médire) to gossip (**sur** about); **on bavardait beaucoup sur lui** there was a lot of gossip about him
bavarois, ~e /bavaʀwa, az/
A *adj* Bavarian
B *nm* Culin Bavarian cream, bavarois
Bavarois, ~e /bavaʀwa, az/ ▸ **p. 721** *nm,f* Bavarian
bavasser○ /bavase/ [1] *vi* to babble on○
bave /bav/ *nf* **1** (salive) (de personne, bébé) dribble; (de crapaud) spittle; (de chien enragé) froth; (d'animal) slaver, slobber; **2** (sécrétion) (d'escargot, de limace) slime; ▸ **crapaud**
baver /bave/ [1] *vi* **1** [*personne, bébé*] to dribble, to drool; [*chien enragé*] to froth at the mouth; [*animal*] to slaver, to slobber; **~ d'envie à la vue de qch** to drool over sth; **~ d'admiration** to be open-mouthed with admiration; **2** (couler) [*stylo*] to leak; [*pinceau*] to dribble; [*encre, peinture*] to run; **3** ○(dénigrer) **~ sur qn/qch** to put sb/sth down○
(Idiomes) **en ~ (des ronds de chapeau)**○ to have a hard time; **il leur en a fait ~**○ he gave them a hard time, he put them through the mill○ *ou* wringer○ US
bavette /bavɛt/ *nf* **1** (de tablier, salopette) bib; (pour bébé) bib; **2** Culin flank; **3** Aut mudflap
(Idiome) **tailler une ~ avec qn**○ to have a good chat with sb
baveux, -euse /bavø, øz/
A *adj* **1** [*enfant, bouche*] dribbling; **2** [*omelette*] runny
B ○*nm,f* Can (personne arrogante) show-off○
Bavière /bavjɛʀ/ ▸ **p. 721** *nprf* Bavaria
bavoir /bavwaʀ/ *nm* bib
bavolet /bavɔlɛ/ *nm* storm flap
bavure /bavyʀ/ *nf* **1** (tache, aussi en imprimerie) smudge; **2** (erreur) blunder; **~ policière** police blunder; **c'est un travail net et sans ~** it's a clean job with no botches
bayadère /bajadɛʀ/
A *adj inv* Tex bayadere
B *nf* (danseuse) bayadere
bayer /baje/ [21] *vi* **~ aux corneilles** to gape
bayonnais, ~e /bajɔnɛ, ɛz/ ▸ **p. 894** *adj* of Bayonne
Bayonnais, ~e /bajɔnɛ, ɛz/ ▸ **p. 894** *nm,f* (natif) native of Bayonne; (habitant) inhabitant of Bayonne
Bayonne /bajɔn/ ▸ **p. 894** *npr* Bayonne
bayou /baju/ *nm* bayou
bazar /bazaʀ/ *nm* **1** (magasin) general store, bazaar; **2** ○(désordre) mess; **quel ~ dans cette pièce** what a mess this room is; **rangez-moi ce ~** clear this mess up; **ils ont mis le ~ dans toute la maison** they messed up the whole house; **3** ○(affaires) clutter; **il est parti avec son ~** he left with all his clutter; **et tout le ~** and all the rest; **4** (marché oriental) bazaar
bazarder○ /bazaʀde/ [1] *vi* (jeter) to throw out; (vendre) to sell off
bazarette /bazaʀɛt/ *nf* convenience store
bazooka /bazuka/ *nm* bazooka
bazou○ /bazu/ *nm* Can (voiture) banger○ GB, crate○ US
BCBG○ /besebeʒe/ *adj* (*abbr* = **bon chic bon genre**) iron chic and conservative

> **BCBG**
> The abbreviation which is a term in its own right denotes a social type and its associated lifestyle, dress code and linguistic mannerisms which tend to reflect conventional *bourgeois* or upper middle-class values and tastes. It is not usually intended as a compliment.

BCE /beseə/ *nf* UE (*abbr* = **Banque centrale européenne**) ECB
BCG /beseʒe/ *nm* (*abbr* = **bacille bilié de Calmette et Guérin**) Méd BCG; **on leur a fait le ~** they had their BCG
bd *written abbr* = **boulevard 1**
BD○ /bede/ *nf: abbr* ▸ **bande**
bê /bɛ/ *nm* (*also onomat*) baa
beagle /bigl/ *nm* beagle
béant, ~e /beɑ̃, ɑ̃t/ *adj* [*plaie, trou, sac*] gaping
Béarn /beaʀn/ ▸ **p. 721** *nprm* **le ~** the Béarn
béarnais, ~e /beaʀnɛ, ɛz/
A *adj* **1** Géog from the Béarn; **2** Culin [*sauce*] Béarnaise
B **béarnaise** *nf* Béarnaise sauce
Béarnais, ~e /beaʀnɛ, ɛz/ ▸ **p. 721** *nm,f* person from the Béarn
béat, ~e /bea, at/ *adj* [*personne*] blissfully happy; [*sourire, air, expression*] blissful, beatific hum; **être d'un optimisme ~** to be blindly optimistic; **être ~ devant qch** to be enraptured by sth; **rester ~ devant qch** to gaze enraptured at sth; **être** *or* **rester ~ d'admiration devant qn/qch** to be wide-eyed with admiration for sb/sth
béatement /beatmɑ̃/ *adv* blissfully
béatification /beatifikasjɔ̃/ *nf* Relig beatification
béatifier /beatifje/ [2] *vtr* to beatify
béatitude /beatityd/
A *nf* **1** (bonheur) bliss, beatitude; **plonger qn dans la ~** to fill sb with bliss; **2** Relig (bonheur des élus) beatitude
B **béatitudes** *nfpl* Relig **les ~s** the Beatitudes
beatnik /bitnik/ *nmf* beatnik
beau (bel *before vowel or mute h*), **belle**, *mpl* **~x** /bo, bɛl/
A *adj* **1** (esthétiquement) [*enfant, femme, visage, yeux, cheveux*] beautiful; [*homme, garçon*] handsome; [*jambes*] nice; [*corps, silhouette, dents*] good; [*couleur, son, musique, maison, jardin, objet*] beautiful; **tu es belle** (extraordinairement) you're beautiful; (normalement) you look lovely; **c'est une belle fille** she's very nice-looking; **c'est une belle femme** she's a beautiful woman; **avoir belle allure** [*personne*] to cut a fine figure; [*maison, voiture*] to be fine-looking; **se faire ~** to do oneself up; **faire ~ qn** to smarten sb up; **ce n'est pas (bien) ~ à voir**○! it's not a pretty sight!; **peindre qch sous de belles couleurs** to make sth sound wonderful; ▸ **fille**
2 (qualitativement) [*vêtements, machine, performance, match, spectacle*] good; [*œuvre, collection, bijou, spécimen*] fine; [*travail, poste, cadeau, anniversaire*] nice; [*temps, jour*] fine, nice; [*journée, promenade, rêve*] lovely; [*promesse, débat, discours, projet*] fine; [*effort, victoire, exemple, manière*] nice; [*geste, sentiment, âme*] noble; [*pensée*] beautiful; [*carrière*] successful; [*succès, avenir, optimisme*] great; **fais de ~x rêves!** sweet dreams!; **il fait ~** the weather is fine; **il n'est pas ~ de faire** it's not nice to do; **un ~ jour/matin/soir** one fine day/morning/evening; **au ~ milieu de** right in the middle of; **rien n'est trop ~ pour lui/eux** nothing is too good for him/them; **c'est bien ~ tout ça, mais**○ that's all very fine, but; **trop ~ pour être vrai** too good to be true; **ça serait trop ~**○! one should be so lucky○!; **ce ne sont que de belles paroles** it's all talk; **assez de belles paroles, dites ce que vous avez à dire** enough of your fine words, say what you have to say; **il y a ~ temps qu'il n'est pas venu** he hasn't been here for ages; ▸ **démener, pluie**
3 (quantitativement) [*somme, héritage*] tidy; [*salaire*] very nice; [*appétit*] big; **belle pagaille** absolute mess; **~ mensonge** whopping lie, whopper○; **bel égoïste** awful egoist; **~ salaud**◑ real bastard◑
B *nm* **1** (choses intéressantes) **qu'est-ce que tu as fait de ~?** done anything interesting?; **tu n'as rien de ~ à nous raconter?** anything interesting to tell us?; **le plus ~ (de l'histoire) est que** the best part (of the story) is that
2 Philos (beauté) **le ~** beauty; **goût/recherche/sentiment du ~** taste/quest/feeling for beauty
3 (bonne qualité) best quality; **n'acheter que du ~** to buy only the best quality
4 (homme) dandy; **jouer les ~x** to be a dandy; ▸ **vieux**
5 Météo **le temps est/se met au ~** the weather is/is turning fine
C **avoir beau** *loc verbale* **j'ai ~ essayer/travailler, je n'y arrive pas** it's no good my trying/working, I can't do it; **l'économie a ~ se développer, le chômage progresse** even if the economy does develop, unemployment is still growing; **on a ~ dire, ce n'est pas si simple** no matter what people say, it's not that easy
D **bel et bien** *loc adv* **1** (irréversiblement) well and truly; **bel et bien fini** well and truly over
2 (indiscutablement) definitely; **il était bel et bien coupable** he was definitely guilty
E **belle** *nf* **1** (femme) **courtiser les belles** to go courting the ladies; **ma belle** darling, love○ GB, doll○ US
2 (maîtresse) lady friend; **avoir rendez-vous avec sa belle** to have a date with one's lady friend
3 Jeux decider; **faire la belle** to play the decider
F **de plus belle** *loc adv* with renewed vigour[GB]; **les hostilités ont repris de plus belle** hostilities resumed with renewed vigour[GB]; **la pluie a repris de plus belle** it started raining again harder than ever; **frapper de plus belle** to hit harder than ever; **crier de plus belle** to shout louder than ever
G **belles**○ *nfpl* (paroles) stories; **j'en ai appris** *or* **entendu de belles à ton sujet** I have been hearing stories about you; **on en raconte de**

belles sur elle there are quite a few stories about her

(Composés) ~ **fixe** Météo fine weather; **être au ~ fixe** [*temps, baromètre*] to be set fair; [*affaire, relation*] to be going well; **avoir le moral au ~ fixe**○ to be on a high○; **~ gosse**○ good-looking guy○; **être ~ gosse** to be good-looking; **~ linge**○ high society; **fréquenter le ~ linge** to hang out○ with society types; **~ parleur** smooth talker; **~ parti** (homme) eligible bachelor; (femme) good match; **épouser un ~ parti** to marry money; **~ sexe** fair sex; **~x jours** (beau temps) fine weather ₵; (belle époque) good days; **les ~x jours sont arrivés** the fine weather is here; **c'étaient les ~x jours** those were the days; **Beau Danube bleu** Mus Blue Danube; **bel esprit** bel esprit; **la Belle au Bois dormant** Sleeping Beauty; **Belle Époque** Belle Époque; **style Belle Époque** Belle Époque style; **belle page** Imprim right-hand page; **belle plante**○ gorgeous specimen○; **belle vie** life of ease; **c'est la belle vie!** this is the life!; **avoir la belle vie** to live it up; **belles années** happy years

(Idiomes) **faire le ~** [*chien*] to sit up and beg; [*personne*] to show off; **(se) faire la belle**○ (s'évader) to do a bunk○ GB, to take a powder○ US; **l'avoir belle**○ to have an easy life; **en faire voir de belles**○ **à qn** to give sb a hard time; **c'est du ~**○**!** iron lovely! iron; **tout ~ (tout ~)!** (pour calmer) easy (, easy)!; **il ferait ~ voir**○ **(qu'il vienne)** I'd like to see the day (when he shows up)○

Beaubourg /bobuʀ/ *nmpr* Beaubourg

> **Beaubourg**
>
> A district in Paris' third *arrondissement*, *Beaubourg* is synonymous with the *Centre Georges Pompidou*, a cultural centre built in 1977 which houses a number of art galleries, exhibition venues, a public library, a *cinémathèque*, *vidéothèque* and restaurant. The *parvis* or terrace in front of the centre is a popular venue for street entertainers, buskers, and the general public.

Beauce /bos/ ▸ p. 721 *nprf* **la ~** the Beauce

beauceron, -onne /bosʀɔ̃, ɔn/ *adj* from the Beauce

Beauceron, -onne /bosʀɔ̃, ɔn/ *nm,f* person from the Beauce

beaucoup /boku/ ▸ **p. 691**

A *adv* **1** (modifiant un verbe) a lot; (dans les phrases interrogatives et négatives) much; **gagner/écrire/risquer ~** to earn/to write/to risk a lot *ou* a great deal; **je vous remercie ~** thank you very much; **aimer ~ qn/qch** to like sb/sth a lot *ou* a great deal; **elle va ~ au théâtre** she goes to the theatre[GB] a lot *ou* a great deal; **je n'apprécie pas ~ leur comportement** I don't much care for their behaviour[GB]; **la fin du roman surprend ~** the ending of the novel is very surprising; **s'intéresser ~ à qch** to be very interested in sth; **il a ~ changé** he has changed a lot *ou* a great deal; **j'ai ~ aimé le concert** I enjoyed the concert a lot *ou* very much *ou* a great deal; **je n'ai pas ~ aimé le concert** I didn't enjoy the concert very much; **il n'écrit plus ~** he doesn't write much any more; **a-t-il ~ joué ces derniers temps?** has he played much recently?; **~ à boire** a lot to drink; **il a encore ~ à apprendre** he still has a lot to learn; **vous avez déjà fait ~ pour moi** you've already done a lot *ou* a great deal for me; **c'est ~ dire** that's going a bit far; **c'est ~ pour ton âge** it's a lot for your age; **ils sont 40 élèves par classe, c'est ~** there are 40 pupils in each class, that's a lot; **c'est déjà ~ qu'elle soit venue** it's already quite something that she came; **c'est déjà ~ s'il ne nous met pas dehors** it'll already be something if he doesn't throw us out

2 (modifiant un adverbe) much, far; **elle va ~ mieux** she's much *ou* a lot better; **~ moins** much less; **~ moins d'argent** far *ou* much less money; **~ moins de gens/de livres** far fewer people/books; **c'est ~ moins difficile qu'avant** it's much easier than before, it's much less difficult than before; **~ plus** much more, a lot more; **~ plus d'argent** far *ou* much more money; **il travaille ~ plus vite que moi** he works much faster than I do; **~ trop** far too much, much too much; **il est resté ~ trop longtemps** he stayed far *ou* much too long; **c'est ~ trop grand** it's far *ou* much too big; **j'en ai déjà ~ trop dit** I've already said far *ou* much too much

3 (un grand nombre) **~ de** a lot of, lots of○ [*objets, problèmes, idées*]; (dans les phrases interrogatives et négatives) much, many; (une grande quantité) **~ de** a lot of, a great deal of [*argent, eau, bruit, chaleur*] ; **j'ai mangé ~ de cerises** I've eaten a lot of cherries; **il y a ~ de moustiques cette année** there are a lot of mosquitoes this year; **il ne reste plus ~ de places pour le concert** there aren't many seats left for the concert; **des gens intéressants j'en ai rencontré ~ au cours de mes voyages** I met a lot of interesting people during my travels; **a-t-il gagné ~ de matchs?** did he win many matches?; **cela ne m'a pas pris ~ de temps** it didn't take me much time; **il ne reste plus ~ de pain** there isn't much bread left; **il n'y a pas ~ de monde** there aren't many *ou* a lot of people; **avec ~ de gentillesse** very kindly; **avec ~ de soin** very carefully, with great care; **il a du courage et même ~** he has courage, and a lot of it

4 (avec valeur pronominale) many; **parmi ces gâteaux, ~ me tentent** I find many *ou* a lot of these cakes tempting; **~ des lieux que nous avons visités** many *ou* a lot of the places we visited; **~ de ces gens/d'entre eux** many *ou* a lot of these people/of them; **~ sont retraités** many are pensioners; **le soir certains lisent, ~ regardent la télévision** in the evenings some read, many watch television; **~ sont tentés de le croire** many are inclined to believe it

B de beaucoup *loc adv* by far; **elle le surpasse de ~** she surpasses him by far; **elle est de ~ la plus intelligente** she's by far the most intelligent; **je préfère de ~ la musique baroque** I prefer baroque music by far, I much prefer baroque music; **ma montre retarde de ~** my watch is very slow; **il s'en faut de ~ qu'elle ait le niveau** she's nowhere near up to standard; **il ne s'en est pas fallu de ~ qu'il remportât le championnat** he came very close to winning the championship

C pour beaucoup *loc adv* **il compte pour ~ dans la réussite du projet** he counts for a lot in the success of the project; **ta réussite est due pour ~ à** your success is largely due to; **être pour ~ dans** to have a lot to do with

beauf○ /bof/ *nm* **1** (*abbr* = **beau-frère**) brother-in-law; **2** (rustre) pej boor○, redneck○ US

beauferie○ /bofʀi/ *nf* boorishness

beau-fils, *pl* **beaux-fils** /bofis/ *nm* **1** (gendre) son-in-law; **2** (fils du conjoint) stepson

beaufitude○ /bofityd/ *nf* boorishness

beau-frère, *pl* **beaux-frères** /bofʀɛʀ/ *nm* brother-in-law

beaujolais, ~e /boʒɔlɛ, ɛz/

A *adj* from Beaujolais

B *nm inv* Beaujolais; **le ~ nouveau** Beaujolais nouveau

Beaujolais /boʒɔlɛ/ ▸ **p. 721** *nprm* **le ~** the Beaujolais

beau-papa, *pl* **beaux-papas** /bopapa/ *nm* father-in-law

beau-père, *pl* **beaux-pères** /bopɛʀ/ *nm* **1** (père du conjoint) father-in-law; **2** (conjoint de la mère) stepfather

beaupré /bopʀe/ *nm* **(mât de) ~** bowsprit

beauté /bote/ *nf* **1** (esthétique) beauty; **la ~ idéale** ideal beauty; **la ~ d'un paysage/d'une femme** the beauty of a landscape/of a woman; **la ~ d'un homme** a man's good looks (*pl*); **éblouissant/étonnant de ~** dazzlingly/amazingly beautiful; **d'une ~ remarquable/surprenante** amazingly/strikingly beautiful; **d'une grande ~** very beautiful; **de toute ~** exquisite; **être en ~** to look really good; **avoir la ~ du diable** to be in the bloom of youth; **mise en ~** beauty treatment; **se faire une ~** to do oneself up; **2** (qualité) (de geste, sacrifice, sentiments) nobility; (d'œuvre) beauty; **~ de la vie** beauty of life; **les ~s de la rhétorique/la Grèce/la nature** the beauties of rhetoric/Greece/nature; **faire qch pour la ~ du geste** to do sth because it is a nice thing to do; **commencer/s'achever** *or* **finir en ~** to start/to end with a flourish; **3** (belle personne, belle chose) **elle se prend pour une ~** she thinks she's a great beauty; **les ~s du village** the local lovelies; **ta voiture est une ~** your car is a beauty; **salut, ~**○ hello, love○ GB, hi, doll○ US

beaux-arts /bozaʀ/ *nmpl* fine arts and architecture

beaux-parents /bopaʀɑ̃/ *nmpl* parents-in-law

bébé /bebe/ *nm* (tous contextes) baby; **des cheveux de ~** baby hair; **shampooing/aliments pour ~s** baby shampoo/food; **~ phoque/éléphant** baby seal/elephant; **attendre un ~** to be expecting a baby; **ne fais pas le ~** don't be a baby; **être resté très ~** to be babyish

(Idiomes) **refiler le ~**○ to pass the buck○; **jeter le ~ avec l'eau du bain**○ to throw the baby out with the bathwater

bébé-bulle, *pl* **bébés-bulles** /bebebyl/ *nm* bubble-baby

bébé-éprouvette, *pl* **bébés-éprouvette** /bebeepʀuvɛt/ *nm* test-tube baby

bébé-nageur, *pl* **bébés-nageurs** /bebenaʒœʀ/ *nm* **séances pour bébés-nageurs** swim-sessions for babies

bébête○ /bebɛt/

A *adj* childish, silly

B *nf* baby talk creepy-crawly○ GB, insect

bec /bɛk/ *nm* **1** (d'oiseau) beak, bill; (de tortue, poisson) beak; (de dauphin) snout; **donner des coups de ~** to peck **(dans** at); **(nez en) ~ d'aigle** hooked nose; **2** ○(bouche) mouth; **essuie ton ~!** wipe your mouth!; **il a toujours la cigarette/pipe au ~** he's always got a cigarette/pipe stuck in his mouth; **3** (de pichet, casserole) lip; (de théière) spout; **4** (d'instrument à vent) mouthpiece; **5** (de stylo) nib; **6** Géog bill, headland; **7** Can, Helv (baiser) kiss

(Composés) **~ Bunsen** Bunsen burner; **~ fin** gourmet; **~ à gaz** gas burner; **~ de gaz** gas street-lamp; **~ verseur** pourer(-spout)

(Idiomes) **clouer** *or* **clore le ~ à qn**○ to shut sb up○; **se retrouver le ~ dans l'eau**○ to be stuck, to be left high and dry; **tomber sur un ~**○ to come across a snag; ▸ **ongle**

bécane○ /bekan/ *nf* **1** (deux-roues) bike○; **2** (équipement) gear○, machine

bécarre /bekaʀ/ *nm* natural; **ré ~** D natural

bécasse /bekas/ *nf* **1** (oiseau) woodcock; **2** (sotte) featherbrain○

bécasseau, *pl* **~x** /bekaso/ *nm* **1** (oiseau de rivage) sandpiper; **2** (jeune bécasse) young woodcock

bécassine /bekasin/ *nf* **1** (oiseau) snipe; **2** (sotte) silly goose○

bec-croisé, *pl* **becs-croisés** /bɛkkʀwaze/ *nm* crossbill

bec-de-cane, *pl* **becs-de-cane** /bɛkdəkan/ *nm* (serrure) spring lock; (poignée) door handle

bec-de-lièvre, *pl* **becs-de-lièvre** /bɛkdəljɛvʀ/ *nm* harelip

b

bêchage /bɛʃaʒ/ *nm* digging

béchamel /beʃamɛl/ *nf* béchamel sauce

bêche /bɛʃ/ *nf* (à lame pleine) spade; (à dents) garden fork

bêcher /beʃe/ [1] *vtr* to dig [sth] (with a spade) [*jardin*]

bêcheur○, **-euse** /bɛʃœʀ, øz/
A *adj* stuck-up○
B *nm,f* stuck-up○ person

bécot○ /beko/ *nm* kissie○, kiss

bécoter○ /bekɔte/ [1]
A *vtr* to bill and coo○ with
B se bécoter *vpr* to bill and coo○, kiss

becquée /beke/ *nf* beakful; **donner la ~ à** to feed [*oisillon*]

becquerel /bɛkʀɛl/ *nm* becquerel

becquet /bɛkɛ/ *nm* **1** Imprim paster; **2** Aut spoiler

becquetance◑ /bɛktɑ̃s/ *nf* grub○, food

becqueter /bɛkte/ [20] *vtr* **1** Zool to peck at; **2** ◑(manger) to eat; **il n'y a rien à ~?** isn't there anything to eat, isn't there any grub○?

bedaine○ /bədɛn/ *nf* paunch

bedeau, *pl* **~x** /bədo/ *nm* verger

bédéphile○ /bedefil/ *nmf* comic strip fan

bédéthèque /bedetɛk/ *nf* comic strip collection

Bedfordshire ▸ **p. 721** *nprm* **le ~** Bedfordshire

bedon○ /bədɔ̃/ *nm* baby talk tummy

bedonnant○, **~e** /bədɔnɑ̃, ɑ̃t/ *adj* [*personne*] paunchy, pot-bellied○

bedonner○ /bədɔne/ [1] *vi* to have a paunch

bédouin, **~e** /bedwɛ̃, in/ *adj*, *nm,f* Bedouin

bée /be/ *adj f* **être bouche ~** to gape (**devant** at); **j'en suis resté bouche ~** I stood there open-mouthed *ou* gaping; **être bouche ~ d'admiration/d'étonnement/de stupéfaction** to be gaping in wonder/in astonishment/in stupefaction

béer /bee/ [11] *vi* **1** (être grand ouvert) to gape; **2** (regarder avec étonnement) to gape (**de** in); **~ de surprise/d'étonnement/d'admiration** to gape in surprise/in astonishment/in wonder

beffroi /befʀwa/ *nm* **1** Archit belfry; **2** Mil (tour de guet) watchtower; (tour mobile) belfry; **3** Gén Civ gantry

bégaiement /begɛmɑ̃/ *nm* **1** (trouble) stammer, stutter; **2** fig (répétition) repetition, recurrence; **les ~s de l'histoire** the repetitions of history

bégayer /begeje/ [21] *vtr*, *vi* to stammer, to stutter

bégonia /begɔnja/ *nm* begonia

bègue /bɛg/
A *adj* **être ~** to stammer, to stutter
B *nmf* stammerer, stutterer

bégueule /begœl/
A *adj* prudish; **elle n'est pas ~** she is no prude
B *nf* prude

bégueulerie /begœlʀi/ *nf* prudishness

béguin /begɛ̃/ *nm* **1** ○(personne, sentiment) crush; **avoir le ~ pour qn** to have a crush on sb; **2** (bonnet) bonnet

béguinage /beginaʒ/ *nm* Relig Beguine convent

béguine /begin/ *nf* Relig Beguine

behaviorisme /beaviɔʀism/, **behaviourisme** /beavjuʀism/ *nm* behaviourism[GB]

behavioriste /beavjɔʀist/, **behaviouriste** /beavjuʀist/ *adj*, *nmf* behaviourist[GB]

Behring *nprm* = **Béring**

BEI /bəi/ *nf*: *abbr* ▸ **banque**

beige /bɛʒ/ ▸ **p. 202** *adj*, *nm* beige

beigne /bɛɲ/
A *nm* Can **1** (beignet) doughnut GB, donut US; **2** ○(idiot) fool GB, dummy US
B ○*nf* (coup) clout○, belt○; **filer**○ **une ~ à qn** to give sb a clout○ *ou* a belt○, to wallop○ sb

beignet /bɛɲɛ/ *nm* gén fritter; (à la pâte levée) doughnut, donut○ US; **~ au sucre** doughnut; **~ de** *or* **aux pommes** apple fritter

(Composé) **~s de crevettes** prawn crackers

bel *adj m* ▸ **beau A, D**

bêlant, **~e** /bɛlɑ̃, ɑ̃t/ *adj* **1** [*animal*] bleating; **2** [*personne*] pej plaintive

bêlement /bɛlmɑ̃/ *nm* bleating ¢

bêler /bɛle/ [1]
A *vtr* pej to bleat out [*chanson*]
B *vi* to bleat

belette /bəlɛt/ *nf* weasel

Belfort /bɛlfɔʀ/ ▸ **p. 894**, **p. 721** *npr* (ville) Belfort; (département) **le Territoire de ~** Territoire de Belfort

belfortain, **~e** /bɛlfɔʀtɛ̃, ɛn/ ▸ **p. 894** *adj* of Belfort

Belfortain, **~e** /bɛlfɔʀtɛ̃, ɛn/ ▸ **p. 894** *nm,f* (natif) native of Belfort; (habitant) inhabitant of Belfort

belge /bɛlʒ/ ▸ **p. 561** *adj* Belgian

Belge /bɛlʒ/ ▸ **p. 561** *nmf* Belgian

belgicisme /bɛlʒisism/ *nm* Belgian French expression

Belgique /bɛlʒik/ ▸ **p. 333** *nprf* Belgium

Belgrade /bɛlgʀad/ ▸ **p. 894** *npr* Belgrade

bélier /belje/ *nm* **1** Zool ram; **2** Mil, Hist battering ram; **3** Tech **coup de ~** water hammer

(Composé) **~ hydraulique** hydraulic ram

Bélier /belje/ ▸ **p. 912** *nprm* Aries

Belize /beliz/ ▸ **p. 333** *nprm* Belize

bélizien, **-ienne** /belizjɛ̃, ɛn/ ▸ **p. 561** *adj* Belizean

Bélizien, **-ienne** /belizjɛ̃, ɛn/ ▸ **p. 561** *nm,f* Belizean

belladone /bɛladɔn/ *nf* **1** Bot (plante) deadly nightshade, belladonna; **2** Méd (extrait) belladonna

bellâtre /bɛlɑtʀ/ *nm* handsome hunk

belle *adj f*, *nf* ▸ **beau A, E, F, G**

belle-de-jour, *pl* **belles-de-jour** /bɛldəʒuʀ/ *nf* Bot morning glory

belle-de-nuit, *pl* **belles-de-nuit** /bɛldənɥi/ *nf* **1** Bot four-o'clock; **2** (prostituée) lady of the night

belle-doche◑, *pl* **belles-doches** /bɛldɔʃ/ *nf* mother-in-law

belle-famille, *pl* **belles-familles** /bɛlfamij/ *nf* in-laws (*pl*)

belle-fille, *pl* **belles-filles** /bɛlfij/ *nf* **1** (bru) daughter-in-law; **2** (fille du conjoint) stepdaughter

belle-maman○, *pl* **belles-mamans** /bɛlmamɑ̃/ *nf* mother-in-law

belle-mère, *pl* **belles-mères** /bɛlmɛʀ/ *nf* **1** (mère du conjoint) mother-in-law; **2** (conjoint du père) stepmother

belles-lettres /bɛllɛtʀ/ *nfpl* literature ¢, belles lettres ¢

belle-sœur, *pl* **belles-sœurs** /bɛlsœʀ/ *nf* sister-in-law

bellicisme /bɛl(l)isism/ *nm* warmongering

belliciste /bɛl(l)isist/
A *adj* [*politicien, discours, opinion*] warmongering (*épith*); [*gouvernement, parti*] hawkish
B *nmf* warmonger

bellifontain, **~e** /bɛlifɔ̃tɛ̃, ɛn/ ▸ **p. 894** *adj* of Fontainebleau

Bellifontain, **~e** /bɛlifɔ̃tɛ̃, ɛn/ ▸ **p. 894** *nm,f* (natif) native of Fontainebleau; (habitant) inhabitant of Fontainebleau

belligérance /bɛl(l)iʒeʀɑ̃s/ *nf* state of belligerence, state of war; **reconnaissance de ~** Jur recognition of belligerence

belligérant, **~e** /bɛl(l)iʒeʀɑ̃, ɑ̃t/
A *adj* [*puissance, pays*] belligerent; [*troupes*] combatant; **les États non ~s** the nonbelligerent states; **les parties ~es** Jur the warring parties
B *nm* **1** (pays) belligerent, warring party; **2** (combattant) combatant

belliqueux, **-euse** /bɛl(l)ikø, øz/ *adj* **1** (guerrier) warlike, bellicose fml; **2** (agressif) aggressive, belligerent

belon /bəlɔ̃/ *nf* Belon oyster

belote /bəlɔt/ ▸ **p. 469** *nf* belote (*card game*); **jouer à la ~** to play belote

bélouga /beluga/ *nm* beluga

béluga /belyga/ *nm* beluga

belvédère /bɛlvedɛʀ/ *nm* **1** (point de vue) panoramic viewpoint; **2** Archit (pavillon) belvedere, gazebo

bémol /bemɔl/ *nm* **1** Mus flat; **mi ~** E flat; **2** (atténuation) damper; **mettre un ~ à qch** to put a damper on sth; **un ~ les enfants**○! pipe down children!

bénédicité /benedisite/ *nm* Relig grace; **réciter** *or* **dire le ~** to say grace

bénédictin, **~e** /benediktɛ̃, in/
A *adj* Benedictine
B *nm,f* Benedictine; **un couvent de ~es** a Benedictine convent; **un travail de ~** fig a painstaking task

bénédiction /benediksjɔ̃/ *nf* **1** (geste) lit, fig blessing; **donner sa ~ à qn** to give sb one's blessing; **recevoir la ~ de qn** to be given sb's blessing; **avoir la ~ de qn** to have sb's blessing; **avec la ~ des autorités** with the full blessing *ou* approval of the authorities; **2** (consécration) (d'une église) consecration; **3** (grâce accordée par Dieu) blessing; **implorer la ~ de Dieu** to implore God's blessing; **4** (événement heureux) godsend; **cet emploi est une ~ du ciel** that job is a godsend; **c'est une ~!** it's a miracle!

(Composés) **~ nuptiale** wedding ceremony; **~ papale** papal blessing; **~ Urbi et Orbi** Urbi et Orbi blessing

bénef◑ /benɛf/ *nm* profit

bénéfice /benefis/ *nm* **1** (gain financier) profit; **~ brut/net** gross/net profit; **~ consolidé** consolidated profit; **~ courant** profit for the year; **~s distribués et non distribués** distributed and retained profits; **faire des ~s** to make profits *ou* a profit; **faire un ~ de 5 millions de euros, faire 5 millions de ~** to make a profit of 15 million euros (**sur** on); **vendre à ~** to sell at a profit; **c'est tout ~**○ it's all profit; **2** (action bénéfique) benefit; **les ~s du sommeil/d'une bonne alimentation** the benefits of sleep/of a good diet; **tu as perdu tout le ~ de tes vacances** all the good that your vacation did you has been undone; **3** (avantage) advantage; **le ~ de l'ancienneté** the advantage of seniority; **tirer ~ de qch** to gain advantage from sth; **il n'en tire aucun ~** he doesn't gain anything from it, he doesn't get anything out of it; **au ~ de qch/qn** (en faveur de) in favour[GB] of sth/sb, to the advantage of sth/sb; **faire qch au ~ de qch/qn** (pour faire bénéficier) to do sth to benefit sth/sb; **organiser qch au ~ d'une œuvre caritative** to organize sth in aid of a charity; **accorder** *or* **laisser à qn le ~ du doute** to give sb the benefit of the doubt; **~ des circonstances atténuantes** benefit of extenuating circumstances; **le ~ de l'âge** the prerogative of age

bénéficiaire /benefisjɛʀ/
A *adj* [*affaire, entreprise*] profitable; **marge ~** profit margin
B *nmf* beneficiary

bénéficier /benefisje/ [2] *vtr ind* **~ de** to receive [*bourse, aide financière, formation, appui*]; to enjoy [*immunité diplomatique, soutien populaire, avantages importants*]; [*économie, industrie*] to have the advantage of, to benefit from [*conjoncture favorable*]; **~ d'un traitement de faveur** to receive *ou* enjoy special treatment; **il n'a bénéficié d'aucune publicité** he did not get *ou* receive any publicity; **~ d'un tarif réduit** to get a reduction; **faire ~ qn de**

to give sb [*tarif réduit, bourse*]

bénéfique /benefik/ *adj* beneficial; **cela a un effet** *or* **pouvoir ~** it's beneficial; **être ~ à qn/qch** to be good for sb, to be beneficial to sb/sth

Bénélux /benelyks/ *nprm* Benelux

benêt /bənɛ/
A *adj m* simple, simpleminded; **il est un peu ~** he's a bit simple
B *nm* half-wit; **espèce de grand ~!** you great half-wit!

bénévolat /benevɔla/ *nm* voluntary *ou* volunteer work

bénévole /benevɔl/
A *adj* [*travail, service*] voluntary, volunteer; [*travailleur*] voluntary, volunteer
B *nmf* voluntary *ou* volunteer worker, volunteer

bénévolement /benevɔlmɑ̃/ *adv* voluntarily; **travailler ~ pour** to do voluntary *ou* volunteer work for; **rendre des services ~** to carry out work *ou* to help out on a voluntary basis

Bengale /bɛ̃gal/ ▸ **p. 721** *nprm* Bengal; **le golfe du ~** the Bay of Bengal

bengali /bɛ̃gali/ ▸ **p. 483**
A *adj* Bengali
B *nm* **1** Ling Bengali; **2** Zool waxbill

Bengali /bɛ̃gali/ *nmf* Bengali

bénigne *adj f* ▸ **bénin**

bénignité /beniɲite/ *nf* **1** Méd (de maladie) mildness; (de tumeur) nonmalignancy; **2** (d'erreur, de faute) harmlessness; (de remarque, critique) mildness

bénin, **-igne** /benɛ̃, iɲ/ *adj* **1** (sans gravité) [*maladie, blessure*] minor; [*tumeur*] benign; [*faute, erreur*] harmless, minor; **2** fml (bienveillant) [*air, sourire, humour*] benign sout

Bénin /benɛ̃/ ▸ **p. 333** *nprm* Benin

béninois, **~e** /beninwa, az/ ▸ **p. 561** *adj* Beninese

Béninois, **~e** /beninwa, az/ ▸ **p. 561** *nm,f* Beninese

béni-oui-oui○ /beniwiwi/ *nm inv* yes-man

bénir /beniʀ/ [3] *vtr* **1** gén to bless [*fidèle, mariage, objet*]; **(que) Dieu vous** *or* **te bénisse** gén God bless you; (quand on éternue) bless you!; **2** (louer) to praise [*Dieu*]; **~ Dieu pour** *or* **de qch** to praise God for sth; **je bénis le ciel de, béni soit le ciel de** thank God for; **~ qn de qch** to be (eternally) grateful to sb for sth; **3** (se féliciter de) to be grateful for, to thank God for [*moment, occasion*]; **je bénis le jour où je l'ai rencontré** I bless *ou* I thank God for the day I met him; **je bénissais l'arrivée de la police** I thanked God when the police arrived; **4** ○iron (maudire) **elle a dû me ~** I bet she thanked me for that iron

bénit, **~e** /beni, it/ *adj* [*pain, médaille, cierge*] blessed; [*water*] holy

bénitier /benitje/ *nm* holy water font, stoup
(Idiome) **se démener comme un diable dans un ~** to struggle like mad (to get oneself out of a predicament)

benjamin, **~e** /bɛ̃ʒamɛ̃, in/
A *adj* Sport ≈ junior (*aged 10-11*)
B *nm,f* **1** (dans une famille) youngest son/daughter; (dans un groupe) youngest member; **2** Sport ≈ junior player (*aged 10-11*)

benjoin /bɛ̃ʒwɛ̃/ *nm* benzoin

benne /bɛn/ *nf* **1** (de chantier) skip GB, dumpster® US; (de mine) (colliery) wagon; (contenu) wagon(ful); **2** (de camion) skip GB, dumpster® US; **3** (cabine) (de téléphérique) (cable) car; (de mine) (pit) cage
(Composés) **~ à béton** concrete mixer; **~ à ordures** (camion) waste disposal GB *ou* garbage US truck; (conteneur) skip GB, dumpster® US; **~ preneuse** (de grue) grab-bucket GB, bucket US

benoît, **~e*** /bənwa, at/ *adj* sanctimonious

benoîtement* /bənwatmɑ̃/ *adv* sanctimoniously

benzène /bɛ̃zɛn/ *nm* benzene

benzine /bɛ̃zin/ *nf* benzine

benzol /bɛ̃zɔl/ *nm* benzol

Béotie /beɔsi/ *nprf* Boeotia

béotien, **-ienne** /beɔsjɛ̃, ɛn/
A *adj* Antiq, Géog Boeotian
B *nm,f* fml (ignorant) ignoramus

Béotien, **-ienne** /beɔsjɛ̃, ɛn/ *nm,f* Boeotian

BEP /bɛp/ *nm*: *abbr* ▸ **brevet**

BEPA /bepa/ *nm* (*abbr* = **Brevet d'études professionnelles agricoles**) *certificate of agricultural studies (age 17)*

BEPC /beəpese, bɛps/ *nm* (*abbr* = **Brevet d'études du premier cycle**) *former examination at the end of the first stage of secondary education*

béquille /bekij/ *nf* **1** Méd crutch; **marcher avec des ~s** to walk *ou* be on crutches; **2** Tech (de bicyclette, moto) kickstand; Naut shore; (d'avion) tailskid; (d'arme) bipod

ber /bɛʀ/ *nm* cradle

berbère /bɛʀbɛʀ/ ▸ **p. 483**
A *adj* Berber
B *nm* Ling Berber

Berbère /bɛʀbɛʀ/ *nmf* Berber

bercail /bɛʀkaj/ *nm* **1** Relig fold; **ramener une brebis au ~** to bring a lost sheep back to the fold; **2** ○(foyer) home

berçante /bɛʀsɑ̃t/ Can
A *adj f* **chaise ~** rocking chair
B *nf* rocking chair

berceau, *pl* **~x** /bɛʀso/ *nm* **1** (de bébé) cradle; **dès** *or* **depuis le ~** from the cradle; **du ~ jusqu'à la tombe** from the cradle to the grave; **il prend ses petites amies au ~, il les prend au ~** fig he's a cradle snatcher; **2** (lieu d'origine) (de personne, famille) birthplace; (de religion, civilisation, peuple) cradle; **3** Tech, Mil, Naut cradle; **4** Archit barrel vault; **5** (voûte de feuillage) bower, arbour[GB]

bercelonnette /bɛʀsəlɔnɛt/ *nf* rocking cradle

bercement /bɛʀsəmɑ̃/ *nm* rocking (movement)

bercer /bɛʀse/ [12]
A *vtr* **1** (balancer) to rock, to lull [*enfant*]; **~ un enfant pour l'endormir** to rock *ou* lull a baby to sleep; **2** (imprégner) **ces musiques/ces contes ont bercé mon enfance** I was brought up with this music/those stories; **3** fml (apaiser) to soothe [*personne, douleur, chagrin*]; **4** (tromper) **~ qn de** to string sb along *ou* delude sb with [*promesses, paroles*]
B se bercer *vpr* **se ~ de** to delude oneself with [*idées fausses, vains espoirs*]; **se ~ d'illusions** to delude oneself

berceuse /bɛʀsøz/ *nf* **1** (chanson) lullaby; (morceau de musique) berceuse, lullaby; **2** (siège) rocking chair

Bercy /bɛʀsi/ *nmpr* Bercy

> **Bercy**
>
> Though it's the name of a district in south-eastern Paris, *Bercy* is primarily associated, if not synonymous, with the Ministry of Finance which is located there. The other major connotation of *Bercy* is the stadium and concert complex, the *Palais omnisports Paris Bercy* or *POPB*.

BERD /bɛʀd/ *nf*: *abbr* ▸ **banque**

béret /beʀɛ/ *nm* beret; **~ basque** Basque beret

bergamasque /bɛʀgamask/ *nf* bergamask

bergamote /bɛʀgamɔt/ *nf* **1** (poire) bergamot (pear); **2** (agrume) bergamot (orange); **essence de ~** essence of bergamot; **thé à la ~** earl grey tea

bergamotier /bɛʀgamɔtje/ *nm* bergamot

berge /bɛʀʒ/ *nf* **1** (de rivière, canal) bank; **la ~ du canal** the canal bank; **voie sur ~** quayside road; **2** ◑(an) year (of age); **elle a 20 ~s** she's 20 years old

berger, **-ère** /bɛʀʒe, ɛʀ/ ▸ **p. 532**
A *nm,f* lit (personne) shepherd/shepherdess
B bergère *nf* (fauteuil) wing chair
(Composés) **~ allemand** German shepherd (dog), Alsatian GB; **~ belge** Belgian sheepdog *ou* shepherd; **~ des Pyrénées** Pyrenean sheepdog
(Idiome) **la réponse du ~ à la bergère** a settling of accounts

bergerie /bɛʀʒəʀi/ *nf* (abri) sheep barn
(Idiome) **faire entrer le loup dans la ~** to set the fox to mind the geese

bergeronnette /bɛʀʒəʀɔnɛt/ *nf* wagtail

béribéri /beʀibeʀi/ ▸ **p. 283** *nm* beriberi

Béring /beʀiŋ/ *npr* **le détroit/la mer de ~** the Bering Strait(s)/Sea

berk○ /bɛʀk/ *excl* yuk○!

berkélium /bɛʀkeljɔm/ *nm* berkelium

Berlin /bɛʀlɛ̃/ ▸ **p. 894** *npr* Berlin; **~-Est/-Ouest** East/West Berlin

berline /bɛʀlin/ *nf* **1** (automobile) four-door saloon GB, sedan US; **2** Mines (wagonnet) (colliery) wagon; **un train de ~s** a string of wagons *ou* tubs; **3** (attelage) berlin

berlingot /bɛʀlɛ̃go/ *nm* **1** (bonbon) *twisted hard mint*; **2** (emballage) soft plastic carton

berlinois, **~e** /bɛʀlinwa, az/ ▸ **p. 894** *adj* Berlin (*épith*); **est-/ouest-~** East/West Berlin (*épith*)

Berlinois, **~e** /bɛʀlinwa, az/ ▸ **p. 894** *nm,f* Berliner; **les ~ de l'Est/l'Ouest** East/West Berliners

berlue○ /bɛʀly/ *nf* **avoir la ~** to be seeing things; **donner la ~ à qn** to make sb see things

berme /bɛʀm/ *nf* (de canal) path; (de fossé) verge

bermuda /bɛʀmyda/ *nm* bermudas (*pl*)

Bermudes /bɛʀmyd/ ▸ **p. 435** *nprfpl* **les ~s** Bermuda (*sg*)

bernacle /bɛʀnakl/ *nf* **~ cravant** brent (goose); **~ nonnette** barnacle goose; **~ du Canada** Canada goose

bernardin, **~e** /bɛʀnaʀdɛ̃, in/ *nm,f* Bernardine

bernard-l'(h)ermite /bɛʀnaʀlɛʀmit/ *nm inv* hermit-crab

berne /bɛʀn/ *nf* **en ~** [*drapeau*] at half-mast; [*enthousiasme*] flagging; **mettre les drapeaux en ~** to put flags at half-mast

Berne /bɛʀn/ *npr* **1** ▸ **p. 894** (ville) Bern; **2** ▸ **p. 721** (région) **le canton de ~** the canton of Bern

berner /bɛʀne/ [1] *vtr* to fool, to deceive

Bernin /bɛʀnɛ̃/ *npr* Bernini

bernique /bɛʀnik/
A *nf* limpet
B †*excl* nothing doing○!

bernois, **~e** /bɛʀnwa, az/ ▸ **p. 894** *adj* of Bern

Bernois, **~e** /bɛʀnwa, az/ ▸ **p. 894** *nm,f* (natif) native of Berne; (habitant) inhabitant of Berne

berrichon, **-onne** /bɛʀiʃɔ̃, ɔn/ ▸ **p. 721** *adj* of Berry

Berrichon, **-onne** /bɛʀiʃɔ̃, ɔn/ ▸ **p. 721** *nm,f* (natif) native of Berry; (habitant) inhabitant of Berry

berruyer, **-ère** /bɛʀyje, ɛʀ/ ▸ **p. 894** *adj* of Bourges

Berruyer, **-ère** /bɛʀyje, ɛʀ/ ▸ **p. 894** *nm,f* (natif) native of Bourges; (habitant) inhabitant of Bourges

Berry /bɛʀi/ ▸ **p. 721** *nprm* **le ~** Berry

béryl /beʀil/ *nm* beryl

berzingue◑: **à toute berzingue** /atutbɛʀzɛ̃g/ *loc adv* flat out○, at top speed

besace /bəzas/ *nf* (huntsman's) pouch; **avoir qch dans la** *or* **sa ~** fig (avantage) to have sth under one's belt; (surprise) to have sth up one's sleeve

bésef◐ /bezɛf/ *adv* **(il n')y a pas ~ de** there's not a whole lot of○; **ça ne fait pas ~** it's not a whole lot○

besicles*† /bezikl/ *nfpl* spectacles

bésigue /bezig/ ▸ **p. 469** *nm* bezique

besogne /bəzɔɲ/ *nf* job; **une rude/sale ~** a tough/dirty job; **une basse ~** a menial chore; **abattre de la ~** to get through a lot of work

(Idiome) **tu vas vite en ~, toi!** you don't waste any time, do you!

besogner /bəzɔɲe/ [1]

A ○*vtr* (posséder sexuellement) to get one's leg over○

B †*vi* (travailler) to toil

besogneux, **-euse** /bəzɔɲø, øz/

A *adj* **1** pej (laborieux) plodding (*épith*); **2** †(pauvre) poor

B *nm,f* **1** (tâcheron) drudge; **2** †(pauvre) needy person

besoin /bəzwɛ̃/

A *nm* **1** (exigence) need; **exprimer un ~** to express a need; **satisfaire un ~** to satisfy a need; **répondre à un ~** to meet a need; **répondre aux ~s de qn** to meet sb's needs; **au ~, si ~ est** if need be; **en cas de ~** if the need arises; **au ~ on prendra deux voitures** if need be, we'll take two cars; **le ~ de qch** the need for sth; **le ~ de faire** the need to do; **j'étais poussée par le ~ de comprendre/savoir** I was driven by the need to understand/know; **avoir ~ de qch/qn** to need sth/sb; **merci, je n'ai ~ de rien** I don't need anything, thank you; **j'ai bien ~ de ça**○! iron that's all I need! iron; **avoir ~ de faire** to need to do; **elle a ~ d'être réconfortée/d'en parler à qn** she needs to be comforted/to talk it over with sb; **j'ai ~ de changer d'air** I need a change of scene; **ai-je ~ de préciser/de rappeler/d'ajouter que...?** need I specify/remind you/add that...?; **tu as ~ qu'on te parle/s'occupe de toi** you need somebody to talk to you/take care of you; **parle-lui, il en a bien ~** go and talk to him, he really needs it right now; **nous avons ~ qu'ils acceptent le contrat** we need them to accept the contract; **il n'est pas ~ de faire** fml there is no need to do; **est-il ~ de venir** *or* **que je vienne?** fml is it necessary for me to come?; **est-il ~ de le dire** need I remind you, I hardly need to remind you; **éprouver** *or* **ressentir le ~ de faire** to feel a need to do; **elle n'éprouve pas le ~ de déménager** she doesn't feel a need to move; **si le ~ se fait sentir nous ouvrirons le dimanche** if there is a demand for it we'll open on Sundays; **ils se sont unis pour les ~s de la cause** they got together for the good of the cause; **2** (pauvreté) poverty; **être dans le ~** to be in need; **être à l'abri du ~** to be free from want

B besoins *nmpl* needs; **pour s'adapter aux ~s actuels/des utilisateurs** to adapt to today's/the users' needs; **on se crée des ~s** people invent needs; **subvenir aux ~s de sa famille** to provide for one's family; **les ~s en équipement/gaz/eau** equipment/gas/water requirements; **quels sont leurs ~s en personnel/main-d'œuvre?** what are their personnel/manpower requirements?

(Idiome) **faire ses ~s**○ [*personne*] to relieve oneself; [*animal*] to do its business

Bessarabie /besaʀabi/ ▸ **p. 721** *nprf* Bessarabia

bestiaire /bɛstjɛʀ/ *nm* bestiary

bestial, **~e**, *mpl* **-iaux** /bɛstjal, o/ *adj* brutish, bestial

bestialement /bɛstjalmɑ̃/ *adv* [*se comporter*] brutishly; [*assassiner*] brutally

bestialité /bɛstjalite/ *nf* **1** (caractère bestial) brutality; **2** (zoophilie) bestiality

bestiaux /bɛstjo/ *nmpl* gén livestock ¢; (bovins) cattle (+ *v pl*)

bestiole○ /bɛstjɔl/ *nf* (insecte) bug; (animal) animal

bêta, **-asse*** /beta, as/

A ○*adj* silly

B ○*nm,f* (personne niaise) silly billy○

C *nm inv* (lettre) beta; **rythme ~** beta rhythm

bêta-bloquant, **~e** /betablɔkɑ̃, ɑ̃t/

A *adj* beta-blocking

B *nm* beta-blocker

bétail /betaj/ *nm* gén livestock ¢; (bovins) cattle (+ *v pl*); **aliments pour le ~** cattle feed; ▸ **gras**

bétaillère /betajɛʀ/ *nf* cattle truck

bêtasse ▸ **bêta**

bête /bɛt/

A *adj* **1** (pas intelligent) [*personne, air, idée, question*] stupid; **ce que tu peux être ~!** you can be so stupid sometimes!; **il est loin d'être ~** he's far from stupid; **il n'est pas ~** he's no fool; **tiens ce n'est pas ~ ça!** hey that's not a bad idea!; **suis-je ~!** how stupid of me!; **c'est ~ à pleurer** it's too stupid for words; **tu es bien ~ d'avoir accepté** it was really stupid of you to accept; **je suis restée toute ~** I was dumbfounded; **~ et méchant** [*personne, plaisanterie*] nasty; **il est ~ et discipliné** he just does as he's told; **2** (très simple) [*problème, objet*] simple; **j'ai une question toute ~** I have a very simple question; **c'est tout ~** it's quite simple; **tu prends une boîte toute ~** you just take an ordinary box; **3** (regrettable) [*accident*] silly; **c'est (trop) ~ d'échouer/d'en arriver là** it's (such) a shame to fail/that things should come to this; **c'est ~, je ne peux pas venir** it's (such) a shame I can't come

B *nf* **1** Zool (quadrupède) animal; (insecte) insect, bug; **la sale ~ m'a mordue** the wretched animal bit me; **on n'est pas des ~s!** we're not animals!; **la Belle et la ~** Beauty and the beast; **nos amis les ~s** our four-legged friends; **2** Agric (vache) cow; (taureau) bull; **il a une cinquantaine de ~s** he has around 50 head of cattle; **3** (en parlant d'une personne) animal; **une vraie ~** a real animal; **sale ~!** stupid thing!; **4** ○(personne talentueuse) **au tennis/en musique c'est une (vraie) ~!** he's/she's (really) brilliant at tennis/music; **une ~ de scène/du rock** a brilliant actor/rock star; **une ~ de travail** a workaholic

(Composés) **~ à bon Dieu** Zool ladybird GB, ladybug US; **~ à concours**○ exam fiend○; **~ à cornes** Zool horned animal; **~ curieuse** freak; **regarder qn comme une ~ curieuse** to look at sb as if he/she were a freak; **~ féroce** Zool ferocious animal; **~ noire** bête noire GB, pet hate, pet peeve US; **être la ~ noire de qn** [*personne, sujet, problème*] to be sb's bête noire GB *ou* pet hate; **~ sauvage** Zool wild animal; **~ de somme** Zool beast of burden

(Idiomes) **il est ~ comme ses pieds**○ *or* **une oie** he's (as) thick as two short planks○ GB; **elle est ~ à manger du foin**○ *or* **de la paille**○ she's got nothing between her ears; **bon et ~ commencent par la même lettre** kind souls are easily duped; **chercher la petite ~**○ to nit-pick○; **reprendre du poil de la ~**○ to perk up; **travailler comme une ~**○ to work like crazy○

bétel /betɛl/ *nm* betel; **noix de ~** betel nut; **mâcher du ~** to chew betel

bêtement /bɛtmɑ̃/ *adv* **1** (de façon peu intelligente) [*ricaner, se conduire*] stupidly; **2** (simplement) simply; **il suffit (tout) ~ de faire** you simply need to do; **3** (absurdement) [*se blesser, heurter, échouer*] stupidly

Béthanie /betani/ ▸ **p. 894** *nprf* Bethany

Bethléem /bɛtleɛm/ ▸ **p. 894** *npr* Bethlehem

Bethsabée /bɛtsabe/ *npr* Bathsheba

bêtifiant, **~e** /bɛtifjɑ̃, ɑ̃t/ *adj* [*ouvrage, paroles, émission*] idiotic

bêtifier /bɛtifje/ [2] *vi* to say stupid things

bêtise /bɛtiz/ *nf* **1** (défaut d'intelligence) stupidity; **je ne supporte pas la ~** I can't stand stupidity; **il est d'une ~ incroyable** he's incredibly stupid; **c'est de la ~ de dire une chose pareille** it's stupid to say such a thing; **tu as eu la ~ de le faire** you were stupid enough to do it; **2** (acte stupide) act of stupidity; (parole irréfléchie) mistake; (parole stupide) nonsense ¢; **faire une ~** [*enfant, adulte*] to do something stupid *ou* a stupid thing; **excusez-moi, j'ai dit une ~** I'm sorry, I said something stupid; **arrête de dire des ~s** stop talking nonsense; **j'ai fait une ~ en acceptant** I was stupid to accept; **surtout pas de ~s!** be good now!; **faire une grosse ~** to do something really stupid; **3** (futilité) **se fâcher pour une ~** to get angry over nothing

(Composé) **~ de Cambrai** Culin mint

bêtisier /betizje/ *nm* collection of howlers○

béton /betɔ̃/ *nm* concrete; **de** *or* **en ~** [*barrage, pont*] concrete (*épith*); [*argument, dossier*] watertight; **gencives en ~** strong and healthy gums

(Composés) **~ armé** reinforced concrete; **~ précontraint** prestressed concrete

(Idiome) **laisse ~**○**!** (laisse-moi tranquille) lay off○!; (n'en parle plus) drop it○!

bétonnage /betɔnaʒ/ *nm* Constr concreting

bétonner /betɔne/ [1] *vtr* Constr to concrete

bétonneuse /betɔnøz/ *nf* cement mixer

bétonnière /betɔnjɛʀ/ *nf* concrete mixer

bette /bɛt/ *nf* Swiss chard

betterave /bɛtʀav/ *nf* beet, beetroot

(Composés) **~ fourragère** mangel-wurzel; **~ potagère** *or* **rouge** beetroot; **~ sucrière** sugar beet

betteravier, **-ière** /bɛtʀavje, ɛʀ/

A *adj* beet (*épith*)

B ▸ **p. 532** *nm,f* beet grower

beuglant†○ /bøglɑ̃/ *nm*: *café with live music*

beuglante /bøglɑ̃t/ *nf* **1** ◐(protestation) outburst; **pousser une ~** to hit the roof○; **2** ○(chanson) raucous song

beuglement /bøgləmɑ̃/ *nm* **1** (de vache) mooing; (de bœuf, taureau) bellowing; **2** ○(de personne) bawling, yelling

beugler /bøgle/ [1]

A *vtr* to bellow (out) [*chanson, ordre, injures*]

B *vi* **1** [*vache*] to moo; [*bœuf, taureau*] to bellow; **2** ○(hurler) [*personne*] to yell; [*haut-parleur, télévision*] to blare out

beur○ /bœʀ/ *nmf* second-generation North African (*living in France*)

> **Beur**
>
> A term in *verlan* derived from the French word *arabe* and which refers to the French-born children of North African immigrants. The *jeunes beurs* have been at the heart of anti-racist activity in recent years but equally at the centre of ethnic tensions in the suburbs of major French cities ▸ **verlan**

beurette○ /bøʀɛt/ *nf* second-generation North African girl (*living in France*)

beurk /bœʀk/ = **berk**

beurre /bœʀ/ *nm* **1** (du lait) butter; **~ demi-sel/doux** salted/unsalted butter; **~ clarifié** clarified butter; **~ composé** compound butter; **cuisiner au ~** to cook with butter; ▸ **inventer**; **2** (pâte) **~ de cacahuètes/de cacao** peanut/cocoa butter; **~ d'anchois/de saumon** anchovy/salmon paste

(Composés) **~ blanc** *sauce made of butter, vinegar and shallots*; **~ d'escargot** garlic and parsley butter; **~ maître d'hôtel** maître d'hôtel butter; **~ manié** Culin kneaded butter; **~ noir** Culin black butter; **raie au ~ noir** skate in black butter; **œil au ~ noir** black eye

(Idiomes) **faire son ~**○ to make a packet○; **compter pour du ~**○ to count for nothing; **vouloir le ~ et l'argent du ~**○ to want to have one's cake and eat it; **entrer dans qch comme dans du ~**○ to go into sth like a knife through butter; ▸ **épinard**

b

beurré, ~e /bœʀe/
A *pp* ► **beurrer**
B ○*pp adj* (soûl) plastered○
beurre-frais /bœʀfʀɛ/ ► **p. 202** *adj inv* off-white
beurrer /bœʀe/ [1]
A *vtr* to butter [*pain, tartine*]; to grease [sth] with butter [*moule à gâteau*]
B **se beurrer**○ *vpr* to get plastered○
beurrier /bœʀje/ *nm* butter dish
beuverie /bœvʀi/ *nf* drinking session, booze-up◑ GB
bévue /bevy/ *nf* blunder; **commettre une ~** to make a blunder
bey /bɛ/ *nm* bey
Beyrouth /beʀut/ ► **p. 894** *npr* Beirut
bézef *adv* ► **bésef**
Béziers /bezje/ ► **p. 894** *npr* Béziers
Bhoutan /butɑ̃/ ► **p. 333** *nprm* Bhutan
bi /bi/ *nm* **grand ~** penny-farthing
biacide /biasid/ *adj* diacid
Biafra /bjafʀa/ *nprm* Hist Biafra
biafrais, ~e /bjafʀɛ, ɛz/ *adj* Biafran
Biafrais, ~e /bjafʀɛ, ɛz/ *nm,f* Biafran
biais /bjɛ/
A *nm inv* **1** Cout, Tex (sens) bias; (bande de tissu) bias binding; **2** (moyen) way; péj dodge○; **trouver un ~ pour éviter de payer** to find a way to get out of paying; **par le ~ de qn** through sb; **par le ~ d'un amendement** by means of an amendment
B **de biais, en biais** *loc adv* **couper une étoffe en ~** to cut material on the bias; **regards en ~** fig sidelong glances; **jeter des regards en ~ à qn** to cast sidelong glances at sb; **prendre un problème de ~** fig to tackle a problem in a roundabout way
biaiser /bjeze/ [1] *vi* to hedge
biarrot, ~e /bjaʀo, ɔt/ ► **p. 894** *adj* of Biarritz
Biarrot, ~e /bjaʀo, ɔt/ ► **p. 894** *nm,f* (natif) native of Biarritz; (habitant) inhabitant of Biarritz
biathlon /biatlɔ̃/ *nm* biathlon
bibelot /biblo/ *nm* ornament
biberon /bibʀɔ̃/ *nm* (baby's) bottle GB, (nursing) bottle US; **nourrir au ~** to bottle-feed; **c'est l'heure du ~** it's time for his/her feed
biberonner○ /bibʀɔne/ [1] *vi* to booze○, to drink
bibi○ /bibi/
A †*nm* woman's hat
B *pron* hum muggins○ GB, me
bibine○ /bibin/ *nf* pej cheap wine, plonk○ GB
bible /bibl/ *nf* (tous contextes) bible; **la Bible** the Bible
bibliobus /biblijɔbys/ *nm inv* mobile library GB, bookmobile US
bibliographe /biblijɔgʀaf/ ► **p. 532** *nmf* bibliographer
bibliographie /biblijɔgʀafi/ *nf* bibliography
bibliographique /biblijɔgʀafik/ *adj* bibliographical
bibliomanie /biblijɔmani/ *nf* bibliomania
bibliophile /biblijɔfil/ *nmf* bibliophile
bibliophilie /biblijɔfili/ *nf* bibliophily spéc
bibliothécaire /biblijɔtekɛʀ/ ► **p. 532** *nmf* librarian
bibliothéconomie /biblijɔtekɔnɔmi/ *nf* library studies (*pl*)
bibliothèque /biblijɔtɛk/ *nf* **1** (endroit) library; **~ publique/universitaire** public/university library; **~ de prêt/de consultation** lending/reference library; **2** (meuble) bookcase; **~ vitrée** glass-fronted bookcase; **3** (collection de livres) library
(Composés) **~ nationale de France, BNF** *national library in Paris*; **~ publique d'information, BPI** *main library of the Pompidou Centre in Paris*
biblique /biblik/ *adj* biblical
bibliquement /biblikmɑ̃/ *adv* **connaître qn ~** hum to know sb biblically hum
bic® /bik/ *nm* biro®
bicaméral, ~e, *mpl* **-aux** /bikameʀal, o/ *adj* [*système, assemblée*] bicameral, two-chamber (*épith*)
bicaméralisme /bikameʀalism/, **bicamérisme** /bikameʀism/ *nm* bicameralism
bicarbonate /bikaʀbɔnat/ *nm* Chimie bicarbonate
(Composé) **~ de soude** Méd bicarbonate of soda; Culin bicarbonate of soda GB, baking soda
bicarré, ~e /bikaʀe/ *adj* biquadratic
bicentenaire /bisɑ̃tnɛʀ/
A *adj* two-hundred-year-old (*épith*); **être ~** to be two hundred years old
B *nm* bicentenary GB, bicentennial US; **célébrer le ~ de la naissance de X** to celebrate the bicentenary of X's birth
bicéphale /bisefal/ *adj* two-headed, bicephalous spéc
biceps /bisɛps/ *nm inv* biceps; **avoir des ~** to have muscular arms; **jouer des ~** to flex one's muscles
biche /biʃ/ *nf* **1** Zool doe; **2** (terme d'affection) **ma ~** my pet GB, honey US
bicher○ /biʃe/ [1] *vi* **1** (aller bien) **ça biche?** how's tricks○?; **2** (être content) to be pleased with oneself
bichette○ /biʃɛt/ *nf* **ma ~** my poppet
Bichkek /biʃkɛk/ ► **p. 894** *npr* Bishkek
bichlorure /biklɔʀyʀ/ *nm* dichloride
bichonner○ /biʃɔne/ [1]
A *vtr* **1** (dorloter) to pamper [*personne, animal*]; **2** (parer) to dress [sb] up, to doll up péj
B **se bichonner** *vpr* **1** (se dorloter) to pamper oneself; **2** (se parer) to get dressed up
bichromate /bikʀɔmat/ *nm* dichromate
bichromie /bikʀɔmi/ *nf* two-colour printing process
bicolore /bikɔlɔʀ/ *adj* **1** [*drapeau*] two-coloured[GB] (*épith*); [*étoffe*] two-tone; **2** (au bridge) two-suited
biconcave /bikɔ̃kav/ *adj* biconcave
biconvexe /bikɔ̃vɛks/ *adj* biconvex
bicoque○ /bikɔk/ *nf* little house, dump○ péj
bicorne /bikɔʀn/
A *adj* **1** Anat [*utérus*] bicornuate; **2** Zool [*rhinocéros*] two-horned
B *nm* (chapeau) cocked hat
bicot /biko/ *nm* **1** ●offensive North African Arab, wog● GB injur; **2** ○(chevreau) kid, young of goat
bi-cross /bikʀɔs/ ► **p. 469** *nm inv* **1** (discipline) BMX; **2** (vélo) BMX
bicycle /bisikl/ *nm* penny-farthing GB, ordinary US
bicyclette /bisiklɛt/ *nf* **1** (objet) bicycle, bike○; **il sait monter à ~** he can ride a bicycle; **un tour à ~** a bike *ou* cycle GB ride; **aller au travail à ~** to cycle to work, to go to work by bike; **faire de la ~** to cycle; **il vient de passer à ~** he's just cycled past GB, he just rode by on his bike US; **2** (activité) cycling
bidasse○ /bidas/ *nm* soldier
bide /bid/ *nm* **1** ◑(ventre) stomach; **avoir du ~** *or* **un gros ~** to have a paunch; **2** ○(échec) flop; **faire un ~** to be a flop
bidet /bidɛ/ *nm* **1** (de salle de bains) bidet; **2** ○(cheval) nag
bidirectionnel, -elle /bidiʀɛksjɔnɛl/ *adj* bidirectional
bidoche◑ /bidɔʃ/ *nf* meat
bidon /bidɔ̃/
A ○*adj inv* [*candidat, affaire, compagnie*] bogus; [*adresse, numéro*] false, bogus; [*excuse, histoire*] phoney; **chèque ~** dud cheque
B *nm* **1** (récipient) (portatif) can; (baril) drum; (gourde) flask; **~ d'essence** (contenant) petrol can GB, gas can US; (contenu) can of petrol GB *ou* gas US; **~ de peinture** tin GB *ou* can of paint; **2** ◑(ventre) stomach; **3** ○(bluff) **cette histoire/ton plan, c'est du ~** that story/your plan is a load of hogwash○; **c'est pas du ~** no kidding○
(Composé) **~ à lait** milk churn GB, milk can US
bidonnant○, **~e** /bidɔnɑ̃, ɑ̃t/ *adj* hilarious, killing○
bidonner○: **se bidonner** /bidɔne/ [1] *vpr* to laugh, to fall about○
bidonville /bidɔ̃vil/ *nm* shanty town
bidouiller◑ /biduje/ [1] *vtr* to fiddle with [*appareil, mécanisme*]
bidule○ /bidyl/ *nm* **1** (objet) thingy○ GB, whatsit○ GB, thingamajig○; **2** (femme) what's-her-name○; (homme) what's-his-name○; (à qn) what's-your-name; **3** (de taxi) (taxi) sign
bief /bjɛf/ *nm* reach
bielle /bjɛl/ *nf* (de locomotive, d'automobile) connecting rod; **couler une ~** to run a big end; **j'ai coulé une ~** the big end has gone
(Composé) **~ de connexion** track rod
biellette /bjelɛt/ *nf* small connecting rod
biélorusse /bjeloʀys/ ► **p. 561** *adj* Byelorussian
Biélorusse /bjeloʀys/ ► **p. 561** *nmf* Byelorussian
Biélorussie /bjeloʀysi/ ► **p. 333** *nprf* Byelorussia
bien /bjɛ̃/
A *adj inv* **1** (convenable) **être ~ dans un rôle** to be good in a part; **être ~ de sa personne** to be good-looking; **il n'y a rien de ~ ici** there's nothing of interest here; **voilà qui est ~** that's good; **ce n'est pas ~ de mentir** it's not nice to lie; **ce serait ~ si on pouvait nager** it would be nice if we could swim; **ça fait ~ d'aller à l'opéra**○ it's the done thing to go to the opera; **les roses font ~ sur la terrasse** the roses look nice *ou* good on the terrace; **tout est ~ qui finit ~** all's well that ends well
2 (en bonne santé) well; **ne pas se sentir ~** not to feel well; **non, mais, t'es pas ~**○**!** you're out of your mind○!
3 (à l'aise) comfortable; **je suis ~ dans ces bottes** these boots are comfortable; **on est ~ sur cette chaise!** what a comfortable chair!; **on est ~ au soleil!** isn't it nice in the sun!; **je me trouve ~ ici** I like it here; **suis mes conseils, tu t'en trouveras ~** take my advice, it'll serve you in good stead; **nous voilà ~!** iron we're in a fine mess!
4 ○(de qualité) **un quartier ~** a nice district; **des gens ~** respectable people; **un type ~** a gentleman; **un film ~** a good film
B *adv* **1** (correctement) [*équipé, fait, géré, s'exprimer, dormir, choisir, se souvenir, danser*] well; [*fonctionner*] properly; [*libeller, diagnostiquer, interpréter*] correctly; **~ payé** well paid; **~ joué!** lit well played!; fig well done!; **aller ~** [*personne*] to be well; [*affaires*] to go well; **ça s'est ~ passé** it went well; **la voiture ne marche pas ~** the car isn't running properly *ou* right; **ni ~ ni mal** so-so; **parler (très) ~ le chinois** to speak (very) good Chinese, to speak Chinese (very) well; **il travaille ~** (élève) his work is good; (artisan) he does a good job; **un travail ~ fait** a good job; **il est ~ remis** (malade) he's made a good recovery; **~ se tenir à table** to have good table manners; **~ employer son temps** to make good use of one's time; **j'ai cru ~ faire** I thought I was doing the right thing; **il fait ~ de partir** he's right to leave; **c'est ~ fait pour elle!** it serves her right!; **tu ferais ~ d'y aller** it would be a good idea for you to go there; **pour ~ faire, il faudrait acheter une lampe** the thing to do would be to buy a lamp; **~ m'en a pris de refuser** it's a good thing I refused
2 (complètement) [*arroser, décongeler, laver, mélanger, propre, cuit*] thoroughly; [*remplir, sécher, sec,*

b

fondu] completely; [*lire, examiner, écouter, regarder*] carefully; **marche ~ à droite** keep well over to the right; **mets-toi ~ dans le coin/devant** stand right in the corner/at the front; **~ profiter d'une situation** to exploit a situation to the full
3▸ (agréablement) [*présenté, situé*] well; [*s'habiller*] well, smartly; [*décoré, meublé*] tastefully; [*logé, installé, vivre*] comfortably; **femme ~ faite** shapely woman; **aller ~ ensemble** to go well together; **aller ~ à qn** [*couleur, style*] to suit sb; **se mettre ~ avec qn** to get on good terms with sb; **~ prendre une remarque** to take a remark in good part
4▸ (hautement) [*aimable, triste*] very; [*apprécier, craindre*] very much; [*simple, vrai, certain, évident*] quite; **il s'est ~ mal comporté** he behaved very *ou* really badly; **il y a ~ longtemps de ça** that was a very long time ago; **c'est ~ loin pour nous** it's rather far for us; **merci ~** thank you very much; **tu as ~ raison** you're quite *ou* absolutely right; **c'est ~ dommage** it's a great *ou* real pity; **~ rire/s'amuser/se reposer** to have a good laugh/time/rest; **tu as l'air ~ pensif** you're looking very pensive; **c'est ~ promis?** is that a promise?; **c'est ~ compris?** is that clear?; **~ au contraire** on the contrary; **c'est ~ beau** *ou* **joli tout ça, mais** that's all very well, but; **~ mieux/ moins/pire** much *ou* far better/ less/worse; **~ trop laid/tard** much too ugly/ late; **~ plus riche/cher** much *ou* far richer/ more expensive; **~ plus, il la vole!** not only that, he also takes her money; **~ sûr** of course; **~ entendu** *or* **évidemment** naturally; **~ souvent** quite often
5▸ (volontiers) **j'irais ~ à Bali** I wouldn't mind going to Bali; **j'en prendrais ~ un autre** I wouldn't mind another; **je veux ~ t'aider** I don't mind helping you; **j'aimerais ~ essayer** I would love to try; **je te dirais ~ de rester/venir, mais** I would ask you to stay/come but; **je verrais ~ un arbre sur la pelouse** I think a tree would look nice on the lawn; **je le vois ~ habiter à Paris** I can just imagine him living in Paris
6▸ (malgré tout) **il faut ~ le faire/que ça finisse** it has to be done/to come to an end; **il faudra ~ s'y habituer** we'll just have to get used to it; **elle sera ~ obligée de payer** she'll just have to pay; **tu aurais ~ pu me le dire** you could at least have told me; **il finira ~ par se calmer** he'll calm down eventually
7▸ (pour souligner) **ça prouve/montre ~ que** it just goes to prove/show that; **j'espère ~ que** I do hope that; **je vois/comprends ~** I do see/understand; **je sais/crois ~ que** I know/ think that; **insiste ~** make sure you insist; **dis-le lui ~** make sure you tell him/her; **on verra ~** well, we'll see; **sache ~ que je n'accepterai jamais** let me tell you that I will never accept; **crois ~ que je n'hésiterais pas!** you can be sure *ou* I can assure you that I would not hesitate!; **je m'en doutais ~!** I thought as much!; **je t'avais ~ dit de ne pas le manger!** I told you not to eat it!; **il le fait ~ lui, pourquoi pas moi?** if he can do it, why can't I?; **veux-tu ~ faire ce que je te dis!** will you do as I tell you!; **tu peux très ~ le faire toi-même** you can easily do it yourself; **il se pourrait ~ qu'il pleuve** it might well rain; **que peut-il ~ faire à Paris?** what on earth can he be doing in Paris?
8▸ (réellement) definitely; **c'est ~ lui/mon sac** it's definitely him/my bag, it's him/my bag all right○; **j'ai vérifié: il est ~ parti** I checked, he's definitely gone *ou* he's gone all right○; **c'est ~ ce qu'il a dit/vu** that's definitely *ou* exactly what he said/saw; **et c'est ~ lui qui conduisait?** and it was definitely him driving?; **il ne s'agit pas d'une erreur, mais ~ de fraude** it's not a mistake, it's fraud; **c'est ~ mardi aujourd'hui?** today is Tuesday, isn't it?; **c'est ~ ici qu'on vend les billets?** this is where you get tickets, isn't it?; **tu as ~ pris les clés?** are you sure you've got the keys?; **est-ce ~ nécessaire?** is it really necessary?; **s'agit-il ~ d'un suicide?** was it really suicide?; **c'est ~ de lui!** it's just like him!; **voilà ~ la politique!** that's politics for you!; **c'est ~ le moment!** iron great timing!; **c'est ~ le moment de partir!** iron what a time to leave!
9▸ (au moins) at least; **elle a ~ 40 ans** she's at least 40, she's a good 40 years old; **ça pèse ~ dix kilos** it weighs at least ten kilos, it weighs a good ten kilos; **ça vaut ~ le double** it's worth at least twice as much
10▸ (beaucoup) **c'était il y a ~ des années** that was a good many years ago; **~ des fois** often, many a time; **~ des gens** lots of people; **il s'est donné ~ du mal** he's gone to a lot *or* a great deal of trouble; **il s'en faut ~!** far from it!; **mon fils me donne ~ du souci** my son is a great worry to me; **avoir ~ de la chance** to be very lucky; **je te souhaite ~ du plaisir!** iron I wish you joy!

C *nm* **1▸** (avantage) good; **pour le ~ du pays** for the good of the country; **pour le ~ de tous** for the general good; **c'est pour ton ~** it's for your own good; **ce serait un ~** it would be a good thing; **sacrifier son propre ~ à celui d'autrui** to put others first; **le ~ et le mal** good and evil; **faire le ~** to do good; **il a fait beaucoup de ~ autour de lui** he has done a lot of good; **ça fait du ~ aux enfants/plantes** it's good for the children /plants; **ça fait/ça leur fait du ~** it does you/them good; **mon repos m'a fait le plus grand ~** my rest did me a world of good; **grand ~ vous fasse!** iron much good may it do you!; **vouloir le ~ de qn** to have sb's best interests at heart; **vouloir du ~ à qn** to wish sb well; **'un ami qui vous veut du ~'** (dans une lettre anonyme) 'from a well-wisher', 'one who has your best interests at heart'; **dire du ~ de qn** to speak well of sb; **on dit le plus grand ~ du maire/musée** people speak very highly of the mayor/ museum; **on a dit le plus grand ~ de toi** a lot of nice things were said about you; **parler en ~ de qn** to speak favourably[GB] of sb; ▸ **ennemi, honneur**
2▸ (possession) possession; (maison, terres) property; (domaine) **~(s)** estate; (ensemble des possessions) **~(s)** property ₵; (patrimoine) **~(s)** fortune; (avoirs) **~s** assets; **perdre tous ses ~s dans un incendie** to lose all one's possessions in a fire; **ce livre est mon ~ le plus précieux** this book is my most precious possession; **les ~s de ce monde** material possessions; **un petit ~ en Corse** a small property in Corsica; **hériter des ~s paternels** to inherit one's father's property *ou* estate; **dilapider son ~** to squander one's fortune; **avoir du ~** (maisons, terres) to own property; (argent) to be wealthy; **des ~s considérables** substantial assets; **la santé/liberté est le plus précieux des ~s** you can't put a price on good health/freedom; ▸ **abondance, acquis**

D *excl* **1▸** (approbatif) **~! voyons le reste** good! let's see the rest
2▸ (impatient) **~! ~! j'arrive!** all right! all right! *ou* OK! OK○! I'm coming!

E **bien que** *loc conj* although, though; **~ qu'il le sache** although he knows; **~ qu'elle vive maintenant en Floride, je la vois régulièrement** although she lives in Florida, I see her regularly; **il est venu travailler ~ qu'il soit grippé** he came in to work, although he had flu; **~ que très différentes en apparence, les deux œuvres ont des points communs** although very different in appearance, the two works have common features; **il joue un rôle important ~ que discret** he plays an important role, albeit a discreet one; ▸ **aussi, ou, si**

(Composés) **~s de consommation** consumer goods; **~s durables** consumer durables; **~s d'équipement** capital goods; **~s d'équipement ménager** household goods; **~s fonciers** land ₵; **~s immeubles** immovables; **~s immeubles par destination** fixtures; **~s immobiliers** real estate ₵; **~s mobiliers** personal property ₵; **~s personnels** private property ₵; **~s propres** separate estate (*sg*); **détenir qch en ~ s propres** to hold sth as separate estate; **~s publics** public property ₵; **~s sociaux** corporate assets

bien-être /bjɛ̃nɛtʀ/ *nm* **1▸** (sensation agréable) well-being; **un sentiment de ~** a feeling of well-being; **le ~ social** the well-being of society; **2▸** (protection sociale) welfare (**de** of); **préserver le ~ des enfants** to ensure the children's welfare; **3▸** (situation matérielle satisfaisante) comforts (*pl*); **~ matériel** material comforts

bienfaisance /bjɛ̃fəzɑ̃s/ *nf* charity; **société de ~** charity, charitable organization; **c'est pour une œuvre de ~** it's for charity; **soirée de ~** charity gala

bienfaisant, **~e** /bjɛ̃fəzɑ̃, ɑ̃t/ *adj* **1▸** [*traitement, influence*] beneficial; **2▸** [*personne*] beneficent

bienfait /bjɛ̃fɛ/ *nm* **1▸** (acte généreux) kind deed; **c'est un ~ du ciel** it's a godsend; **2▸** (effet bénéfique) beneficial effect
(Idiome) **un ~ n'est jamais perdu** a good turn is never wasted

bienfaiteur /bjɛ̃fɛtœʀ/ *nm* benefactor

bienfaitrice /bjɛ̃fɛtʀis/ *nf* benefactress

bien-fondé* /bjɛ̃fɔ̃de/ *nm* **1▸** gén (d'idée) validity; **2▸** Jur (de demande) legitimacy

bienheureux, **-euse** /bjɛ̃nøʀø, øz/
A *adj* **1▸** liter blessed, happy; **2▸** Relig blessed, blest; **~ les pauvres en esprit** blessed are the poor in spirit
B *nm,f* Relig **le ~ Adrien** the Blessed Adrian; **les ~** the blessed; **Basile le ~** St Basil the Blessed

biennal, **~e**, *mpl* **-aux** /bjenal, o/
A *adj* biennial
B **biennale** *nf* biennial event; **~e de la danse** biennial festival of dance

bien-pensant, **~e**, *mpl* **~s** /bjɛ̃pɑ̃sɑ̃, ɑ̃t/
A *adj* [*personne*] right-thinking; péj self-righteous
B *nm,f* right-thinking person; péj self-righteous person

bienséance /bjɛ̃seɑ̃s/ *nf* fml propriety sout; **les règles de la ~** the rules of polite society

bienséant, **~e** /bjɛ̃seɑ̃, ɑ̃t/ *adj* fml seemly

bientôt /bjɛ̃to/ *adv* **1▸** (dans peu de temps, peu de temps après) soon; **je reviens** *or* **reviendrai ~** I'll be back soon; **ce départ, c'est pour ~?** are you leaving soon?; **~, on pourra aller sur la lune** before long *ou* soon we'll be able to travel to the moon; **à ~** see you soon; **on est ~ servis?** are we going to be served soon?; **à ~ le plaisir de vous lire** I look forward to hearing from you soon; **mais, ~, tout recommença** but soon it all started again; **2▸** (presque) nearly; **c'est ~ Noël** it's nearly Christmas, it'll soon be Christmas; **on est ~ arrivés?** are we nearly there?; **voilà ~ 2 ans qu'il est parti** it's nearly 2 years since he left; **ça fait ~ 2 ans que je travaille** I've been working for nearly 2 years

bienveillance /bjɛ̃vɛjɑ̃s/ *nf* benevolence (**envers** to); **avec ~** [*regarder, parler, sourire*] benevolently; **par ~** out of kindness; **étudier une requête avec ~** to look at a request favourably[GB]; **je sollicite de votre haute ~** fml may I respectfully request

bienveillant, **~e** /bjɛ̃vɛjɑ̃, ɑ̃t/ *adj* benevolent

bienvenu, **~e** /bjɛ̃vəny/
A *adj* welcome
B *nm,f* **être le ~** to be welcome; **soyez la ~e** welcome!
C **bienvenue** *nf* welcome (**à, dans** to); **~e dans notre pays** welcome to our country; **souhaiter la ~e à qn** to welcome sb; **en signe de ~e** in welcome

bière /bjɛʀ/ *nf* **1▸** (boisson) beer; **de la ~** beer; **deux ~s** two beers; **~ en bouteille** bottled beer; **~ (à la) pression** *or* **en fût** Can draught GB *ou* draft US beer; **2▸** (cercueil) coffin, casket US; **mettre qn en ~** to lay sb in a coffin; **mise**

en ~ laying in the coffin
(Composés) ~ **blonde** lager, light ale GB; ~ **brune** stout; ~ **rousse** bitter; (plus fort) brown ale
(Idiomes) **c'est de la petite** ~ it's (pretty) small beer GB *ou* small potatoes US; **ce n'est pas de la petite** ~ it's something quite important

biface /bifas/
A *adj* bifacial
B *nm* biface

biffer /bife/ [1] *vtr* to cross out

biffure /bifyʀ/ *nf* (action) crossing out; (trait) crossing-out GB, erasure US

bifidus /bifidys/ *nm inv* bifidus

bifocal, ~**e**, *mpl* **-aux** /bifɔkal, o/ *adj* bifocal; **des lunettes** ~**es** bifocals

bifteck /biftɛk/ *nm* steak; ~ **de cheval** horsemeat steak
(Composé) ~ **haché** beefburger
(Idiomes) **gagner son** ~○ to earn a living *ou* crust GB; **défendre son** ~○ to look out for number one○

bifurcation /bifyʀkasjɔ̃/ *nf* **1** (de route, voie ferrée) fork, junction; **2** Bot, Anat branching, bifurcation spéc; **3** (dans des études) option

bifurquer /bifyʀke/ [1] *vi* **1** [*route, voie ferrée*] to fork, to branch off; [*tige, artère*] to branch, to bifurcate; **2** [*automobiliste*] to turn off; ~ **sur** *or* **vers la gauche** to turn off to the left; **3** (dans ses études, sa carrière) to change tack

bigame /bigam/
A *adj* bigamous
B *nmf* bigamist

bigamie /bigami/ *nf* bigamy

bigarade /bigaʀad/ *nf* Seville orange, bitter orange; **sauce** ~ orange sauce

bigaradier /bigaʀadje/ *nm* Seville orange tree, bitter orange tree

bigarré, ~**e** /bigaʀe/ *adj* **1** (multicolore) [*tissu*] multicoloured[GB]; [*foule*] colourful[GB]; **2** (varié) [*foule, société*] colourful[GB]

bigarreau, *pl* ~**x** /bigaʀo/ *nm* bigarreau, cherry

bigarrure /bigaʀyʀ/ *nf* multicoloured[GB] pattern; **les** ~**s de sa robe** the multicoloured[GB] patterns on her dress

big-bang /bigbɑ̃g/ *nm inv* big bang

bigleux○, **-euse** /biglø, øz/ *adj* pej poor-sighted; **il était complètement** ~ he was as blind as a bat

bigophone◑ /bigɔfɔn/ *nm* phone, horn○ US

bigophoner◑ /bigɔfɔne/ [1]
A *vtr* to give sb a buzz○, to call sb
B **se bigophoner** *vpr* to call *ou* phone each other

bigorneau, *pl* ~**x** /bigɔʀno/ *nm* winkle

bigorner◑ /bigɔʀne/ [1] *vtr* to prang○ GB, to bang up US [*voiture*]

bigot, ~**e** /bigo, ɔt/
A *adj* pej zealously religious
B *nm,f* religious zealot

bigoterie /bigɔtʀi/ *nf* pej religious bigotry

bigoudi /bigudi/ *nm* curler, roller; **en** ~**s** in curlers *ou* rollers; **mettre des** ~**s** to put curlers *ou* rollers in; ~**s chauffants** heated rollers

bigre○† /bigʀ/ *excl* hum crikey○, goodness!

bigrement○† /bigʀəmɑ̃/ *adv* hum jolly○ GB, extremely

biguine /bigin/ *nf* biguine (*type of Caribbean dance*)

bihebdomadaire /biɛbdɔmadɛʀ/
A *adj* twice-weekly
B *nm* twice-weekly publication

bijectif, **-ive** /biʒɛktif, iv/ *adj* bijective

bijection /biʒɛksjɔ̃/ *nf* bijection

bijou, *pl* ~**x** /biʒu/ *nm* piece of jewellery GB *ou* jewelry US; (de très grande valeur) jewel; ~**x en or** gold jewellery GB *ou* jewelry US; ~**x (de) fantaisie** costume jewellery GB *ou* jewelry US; **boîte à** ~**x** jewellery GB *ou* jewelry US box; ~ **de famille** piece of family jewellery GB *ou* jewelry US; ~**x de famille** family jewels aussi hum; **leur maison est un vrai** ~ their house is an absolute gem; **un petit** ~ **mécanique** a marvel of engineering

bijouterie /biʒutʀi/ ▸ **p. 532** *nf* **1** (magasin) jeweller's GB, jewellery shop GB, jewelry store US; **2** (bijoux, art) jewellery GB, jewelry US; **3** (commerce) jewellery GB *ou* jewelry US trade

bijoutier, **-ière** /biʒutje, ɛʀ/ ▸ **p. 532** *nm,f* jeweller[GB]

bikini® /bikini/ *nm* bikini®

bilabiale /bilabjal/ *adj f, nf* bilabial

bilame /bilam/ *nm* bimetallic strip

bilan /bilɑ̃/ *nm* **1** Compta balance sheet; ~ **provisoire** interim balance sheet; **dresser** *or* **établir un** ~ to draw up a balance sheet; ~ **de fin d'exercice/de vérification** closing/trial balance; **déposer son** ~ to file a petition in bankruptcy; **demander un dépôt de** ~ to file for bankruptcy; **hors** ~ [*passif*] off balance sheet; **2** (aboutissement) outcome; **3** (de catastrophe, d'accident) toll; **le** ~ **des feux de forêt** the toll of forest fires; ~ **officiel** official toll; **'accident de voiture,** ~**: deux morts'** 'two killed in a car accident'; **4** (évaluation) assessment; **faire** *or* **dresser le** ~ **de qch** to assess sth; **quel** ~ **tirez-vous de...?** what is your assessment of...?; **quel est le** ~ **de l'année?** how did the year turn out?; **5** (compte rendu) report; **le** ~ **d'activité du comité pour 1990** the committee's annual report for 1990; **présenter un** ~ **des ventes** to report on sales
(Composés) ~ **de compétences** skills assessment; ~ **de liquidation** statement of affairs (in a bankruptcy petition); ~ **médical** = ~ **de santé**; ~ **professionnel** performance appraisal; ~ **de santé** check-up; **se faire faire un** ~ **de santé** to have a check-up; ~ **social** Entr social balance sheet; gén (d'une politique) social consequences

bilatéral, ~**e**, *mpl* **-aux** /bilateʀal, o/ *adj* [*négociations, traité, contrat*] bilateral; **stationnement** ~ parking on both sides of the street

bilboquet /bilbɔkɛ/ ▸ **p. 469** *nm* cup-and-ball

bile /bil/ *nf* bile
(Idiomes) **se faire de la** ~○ to worry, to fret (**pour qch** over sth); **déverser** *or* **cracher sa** ~○ to vent one's spleen; **échauffer la** ~ **de qn**○ to make sb's blood boil, to rile○ sb

biler: se biler○ /bile/ [1] *vpr* to worry, to fret (**pour qch** about qch)

bileux○, **-euse** /bilø, øz/
A *adj* **être** ~, **avoir un caractère** ~ to be a worrier; **ne pas être** ~ not to let things get to one
B *nm,f* worrier

bilharziose /bilaʀzjoz/ ▸ **p. 283** *nf* bilharziasis

biliaire /biljɛʀ/ *adj* biliary

bilieux, **-ieuse** /biljø, øz/
A *adj* **1** Méd bilious; **2** (coléreux) irritable
B *nm,f* (personne colérique) irritable person

bilingue /bilɛ̃g/ *adj* [*texte, personne*] bilingual

bilinguisme /bilɛ̃gɥism/ *nm* bilingualism

bilirubine /biliʀybin/ *nf* bilirubin

billard /bijaʀ/ ▸ **p. 469** *nm* (jeu) billiards (+ *v sg*); (salle) billiard room; (table) billiard table
(Composés) ~ **américain** pool; ~ **anglais** snooker; ~ **électrique** pinball machine
(Idiomes) **c'est du** ~○ it's a doddle○ GB *ou* cinch○; **passer sur le** ~○ to have an operation

bille /bij/ *nf* **1** ▸ **p. 469** Jeux (d'enfant) marble; (au billard) (billiard) ball; **jouer aux** ~**s** to play GB *ou* shoot US marbles; **2** (petite boule) Tech ball; **roulement à** ~**s** ball bearing; **déodorant à** ~ roll-on deodorant; **3** (bois) cut length of tree trunk; **4** ○(tête) mug○, face; **5** ○(idiot) twit○ GB, nitwit
(Idiomes) **reprendre** *or* **retirer ses** ~**s**○ to pull out; **placer ses** ~**s**○ to stake out one's position; **il a mal placé ses** ~**s**○ he backed the wrong horse; **foncer** ~ **en tête**○ to go blindly ahead

billet /bijɛ/ *nm* **1** (argent) (bank)note, bill US; ~ **de 50 euros** 50-euro note; **faux** ~ forged (bank)note *ou* bill; **2** Transp ticket; ~ **de bus/d'avion** bus/plane ticket; ~ **circulaire/collectif** round-trip/group ticket; ~ **à prix réduit** cheap ticket; **j'ai perdu mon** ~ **de retour** I've lost my return ticket; **3** (d'admission) ticket; ~ **de théâtre/parking/loterie** theatre/car park/lottery ticket; **4** Comm note, bill; **5** Presse short article; **6** (lettre) †or liter note
(Composés) ~ **de banque** banknote, bank bill US; ~ **doux** love letter; ~ **de faveur** complimentary ticket; ~ **de logement** Mil billet; ~ **à ordre** Comm promissory note; ~ **au porteur** bearer order; ~ **à présentation** bill payable on demand; ~ **de retard** Scol late note; Admin, Entr *note from transport company explaining delay to worker's employer*; ~ **de trésorerie** Fin commercial paper; ~ **vert**○ dollar, greenback○ US
(Idiome) **je te fiche mon** ~ **que**○ I bet you anything that

billetterie /bijɛtʀi/ *nf* **1** (de billets de banque) cash dispenser; **2** (de billets de théâtre, voyage) ticket agency; **3** (activité) issuing of tickets
(Composé) ~ **automatique** ticket machine

billettiste /bijɛtist/ ▸ **p. 532** *nmf* **1** Journ writer of short articles; **2** (employé) ticket clerk

billevesées /bilvəze, bijvəze/ *nfpl* fml nonsense ₵

billion /biljɔ̃/ ▸ **p. 568** *nm* (mille milliards) billion GB, trillion US

billot /bijo/ *nm* block; ▸ **tête**

bilobé, ~**e** /bilɔbe/ *adj* bilobate

bimane /biman/ *adj* bimanous

bimbeloterie /bɛ̃blɔtʀi/ *nf* **1** (objets) knick-knacks (*pl*); Comm fancy goods (*pl*); **2** (commerce) fancy goods trade

bimensuel, **-elle** /bimɑ̃sɥɛl/
A *adj* fortnightly GB, semimonthly US
B *nm* (journal) fortnightly paper GB, semimonthly US; (revue) fortnightly magazine GB, semimonthly US

bimensuellement /bimɑ̃sɥɛlmɑ̃/ *adv* fortnightly GB, twice a month

bimestriel, **-ielle** /bimɛstʀijɛl/
A *adj* bimonthly
B *nm* (revue) bimonthly magazine

bimétallique /bimetalik/ *adj* bimetallic

bimétallisme /bimetalism/ *nm* bimetallism

bimoteur /bimɔtœʀ/
A *adj* twin-engined
B *nm* (avion) twin-engined plane

binage /binaʒ/ *nm* hoeing

binaire /binɛʀ/ *adj* binary

biner /bine/ [1] *vtr* to hoe

binette /binɛt/ *nf* **1** (outil) hoe; **2** ○(visage) face.

bing /biŋ/ *excl* bang

bingo /biŋo/
A ▸ **p. 469** *nm* ≈ bingo
B *excl* bingo!

biniou /binju/ ▸ **p. 557** *nm* Breton bagpipes (*pl*)

binoclard○, ~**e** /binɔklaʀ, aʀd/
A *adj* pej four-eyed○
B *nm,f* pej four-eyes○

binocle /binɔkl/
A *nm* pince-nez
B **binocles**○ *nfpl* specs○, glasses

binoculaire /binɔkylɛʀ/ *adj* binocular

b

binôme /binom/ *nm* 1▸ Math binomial; 2▸ students' slang (personne) partner (*for practical work in science*); **travailler en ~** to work in pairs

binomial, **~e**, *mpl* **-iaux** /binɔmjal, o/ *adj* [*loi, nomenclature*] binomial

bio¹ /bjo/ *préf* bio; **bioclimatologie** bioclimatology; **biogéographie** biogeography; **bioluminescence** bioluminescence

bio² /bjo/
A *adj inv* (naturel) **aliments ~** health foods; **produits ~** organic produce ¢; **avoir des goûts ~** to be a health food freak; **yaourt ~** bio yoghurt
B ○*nf* (biographie) biography

bioactif, **-ive** /bjoaktif, iv/ *adj* bioactive

bioastronomie /bjoastʀɔnɔmi/ *nf* bioastronomy

biocapteur /bjokaptœʀ/ *nm* biosensor

biocarburant /bjokaʀbyʀɑ̃/ *nm* bio-fuel

biochimie /bjoʃimi/ *nf* biochemistry

biochimique /bjoʃimik/ *adj* [*composé, réaction*] biochemical; **usine ~** biochemicals factory *ou* plant

biochimiste /bjoʃimist/ ▸ **p. 532** *nmf* biochemist

bioclimat /bjoklima/ *nm* bioclimate

biodégradable /bjodegʀadabl/ *adj* biodegradable

biodégradation /bjodegʀadasjɔ̃/ *nf* biodegradation

biodiesel* /bjodjezɛl/ *nm* biodiesel

biodiversité /bjodivɛʀsite/ *nf* biodiversity

bioénergie /bjoenɛʀʒi/ *nf* bioenergetics (+ *v sg*)

bioéquivalence /bjoekivalɑ̃s/ *nf* bioequivalence

bioéquivalent, **~e** /bjoekivalɑ̃, ɑ̃t/ *adj* bioequivalent

bioéthanol /bjoetanɔl/ *nm* bioethanol

bioéthicien, **-ienne** /bjoetisjɛ̃, ɛn/ ▸ **p. 532** *nm,f* bioethicist

bioéthique /bjoetik/
A *adj* bioethical
B *nf* bioethics (+ *v sg*)

biogenèse /bjoʒənɛz/ *nf* biogenesis

biographe /bjɔgʀaf/ *nmf* biographer

biographie /bjɔgʀafi/ *nf* biography

biographique /bjɔgʀafik/ *adj* biographical

biologie /bjɔlɔʒi/ *nf* biology
(Composés) **~ cellulaire** cell biology; **~ moléculaire** molecular biology

biologique /bjɔlɔʒik/ *adj* 1▸ Biol biological; 2▸ Agric [*ferme, produit, pain*] organic.

biologiste /bjɔlɔʒist/ ▸ **p. 532** *nmf* biologist

biomarqueur /bjomaʀkœʀ/ *nm* biomarker

biomasse /bjomas/ *nf* biomass

biomatériau, *pl* **~x** /bjomateʀjo/ *nm* biocompatible material

biomédecine /bjomedsin/ *nf* biomedicine

biomédical, **~e**, *mpl* **-aux** /bjomedikal, o/ *adj* biomedical

biométrie /bjometʀi/ *nf* biometry

biométrique /bjometʀik/ *adj* biometric

biomimétisme /bjomimetism/ *nm* biomimetics (+ *v sg*)

bionique /bjɔnik/ *nf* bionics (+ *v sg*)

biophysicien, **-ienne** /bjofizisjɛ̃, ɛn/ ▸ **p. 532** *nm,f* biophysicist

biophysique /bjofizik/ *nf* biophysics (+ *v sg*)

biopôle /bjopol/ *nm*: *institute of applied life sciences (in partnership with industry)*

bioprospection /bjopʀɔspɛksjɔ̃/ *nf* bioprospection

biopsie /bjɔpsi/ *nf* biopsy

biorythme /bjoʀitm/ *nm* biorhythm

biosphère /bjosfɛʀ/ *nf* biosphere

biostatistique /bjostatistik/ *nf* biostatistics (+ *v pl*)

biosurveillance /bjosyʀvɛjɑ̃s/ *nf* biomonitoring

biosynthèse /bjosɛ̃tɛz/ *nf* biosynthesis

biotechnicien, **-ienne** /bjotɛknisjɛ̃, ɛn/ ▸ **p. 532** *nm,f* biotechnologist

biotechnologie /bjotɛknɔlɔʒi/ *nf* biotechnology

bioterrorisme /bjɔtɛʀɔʀism/ *nm* bioterrorism

biotope /bjɔtɔp/ *nm* biotope

bioxyde† /biɔksid/ *nm* dioxide

bip /bip/ *nm* 1▸ (son) beep; **~ sonore** tone; 2▸ (appareil) beeper; **appeler qn au ~** to beep sb

biparti, **~e** /bipaʀti/ = **bipartite**

bipartisme /bipaʀtism/ *nm* two-party system

bipartite /bipaʀtit/ *adj* 1▸ Bot bipartite; 2▸ Pol two-party, bipartite

bipède /bipɛd/ *nm* biped

biper /bipe/ [1] *vtr* to beep

biphasé, **~e** /bifɑze/ *adj* two-phase

biplace /biplas/ *adj, nm* two-seater

biplan /biplɑ̃/
A *adj m* **avion ~** biplane
B *nm* biplane

bipolaire /bipɔlɛʀ/ *adj* bipolar

bipolarisation /bipɔlaʀizasjɔ̃/ *nf* Pol bipolarization

bipolarité /bipɔlaʀite/ *nf* bipolarity

bique○ /bik/ *nf* 1▸ (chèvre) nanny goat; 2▸ (femme) pej bag○, nasty woman; **une vieille ~** an old bag○; **une (grande) ~** a great ninny

biquet○ /bikɛ/ *nm* 1▸ Zool (chevreau) kid; 2▸ (terme d'affection) **mon ~** sweetheart○

biquette○ /bikɛt/ *nf* 1▸ (jeune chèvre) young female goat; 2▸ (terme d'affection) **ma ~** sweetheart○

birbe‡ /biʀb/ *nm* **un vieux ~** an old fogey[GB]

biréacteur /biʀeaktœʀ/ *nm* twin-engined jet

biréfringent, **~e** /biʀefʀɛ̃ʒɑ̃, ɑ̃t/ *adj* birefringent

birème /biʀɛm/ *nf* bireme

birman, **~e** /biʀmɑ̃, an/ ▸ **p. 483, p. 561**
A *adj* Burmese
B *nm* Ling Burmese

Birman, **~e** /biʀmɑ̃, an/ ▸ **p. 561** *nm,f* Burmese

Birmanie /biʀmani/ ▸ **p. 333** *nprf* Burma

bis¹ /bis/
A *adv* 1▸ (dans une adresse) **15 ~** 15 bis; 2▸ Mus (indication) bis, repeat
B *nm inv* (œuvre supplémentaire) encore; **l'orchestre a donné** *or* **joué trois ~** the orchestra did three encores; **le ténor a donné un air de Mozart en ~** the tenor sang a Mozart aria as an encore

bis², **~e** /bi, biz/ ▸ **p. 202**
A *adj* [*couleur*] greyish GB *ou* grayish US brown
B **bise** *nf* 1▸ ○(baiser) kiss; **une grosse ~e** a smacker○, a big kiss; **donner** *or* **faire une ~e à qn** to give sb a kiss, to kiss sb; **faire la ~e à qn** to kiss sb on the cheeks; **se faire la ~e** to kiss each other on the cheeks; 2▸ Météo (vent) North wind

bisaïeul, **~e** /bizajœl/ *nm,f* fml great-grandfather/-grandmother

bisannuel, **-elle** /bizanɥɛl/ *adj* biennial

bisbille○ /bizbij/ *nf* quarrel; **être en ~ avec qn** to be on bad terms with sb

biscornu, **~e** /biskɔʀny/ *adj* [*esprit, idée, architecture*] quirky, cranky○

biscotte /biskɔt/ *nf* continental toast

biscuit /biskɥi/ *nm* 1▸ (petit gâteau sec) biscuit GB, cookie US; (gâteau) sponge cake; 2▸ (porcelaine) biscuit, bisque; (objet) piece of biscuit ware
(Composés) **~ apéritif** cocktail biscuit GB *ou* cracker US; **~ pour chien** dog biscuit; **~ à la cuiller** sponge GB *ou* lady US finger; **~ salé** cracker; (petit) cocktail biscuit GB *ou* cracker US; **~ de Savoie** sponge cake
(Idiome) **s'embarquer sans ~** to launch into something with no backup

biscuiterie /biskɥitʀi/ *nf* (fabrication) biscuit GB *ou* cookie US making; (fabrique) biscuit GB *ou* cookie US factory

bise ▸ **bis²**

biseau, *pl* **~x** /bizo/ *nm* 1▸ (bord) bevel (edge); **tailler en ~** to bevel; **glace en ~** bevelled[GB] mirror; 2▸ (outil) bevel; **tailler au ~** to bevel

biseautage /bizotaʒ/ *nm* bevelling[GB]

biseauter /bizote/ [1] *vtr* 1▸ Tech to bevel; 2▸ (aux cartes) to mark [*carte*]; **cartes biseautées** marked cards

bisexualité /bisɛksɥalite/ *nf* bisexuality

bisexué, **~e** /bisɛksɥe/ *adj* bisexual

bisexuel, **-elle** /bisɛksɥɛl/ *adj, nm,f* bisexual

bismuth /bismyt/ *nm* bismuth

bison /bizɔ̃/ *nm* (d'Europe) bison; (d'Amérique) buffalo, American bison

Bison Futé® /bizɔ̃fyte/ *nm*: *TV and radio traffic monitoring service*

> **Bison Futé**
>
> Symbolized by a little Native American, *Bison Futé* is a creation of the *Centre National d'Information Routière*, the French traffic information service which reports on travel conditions nationwide, particularly during holiday periods when traffic is heaviest, and recommends alternative routes (*les itinéraires 'bis'*) for travellers keen to avoid traffic jams. The *Bison Futé* traffic tips are broadcast across the full range of media (radio, TV, the national press, the internet and minitel) and appear at regular intervals on the road system itself. Information is updated constantly to reflect actual traffic conditions enabling motorists to choose the best time to travel. Allied to *Bison Futé* is a colour-coding system to mark the relative intensity of traffic on the roads at any time (green, red, yellow and black) which is a key factor in staggering holiday traffic on the roads.

bisontin, **~e** /bizɔ̃tɛ̃, in/ ▸ **p. 894** *adj* of Besançon

Bisontin, **~e** /bizɔ̃tɛ̃, in/ *nm,f* (natif) native of Besançon; (habitant) inhabitant of Besançon

bisou○ /bizu/ *nm* baby talk kiss; **faire un ~ à qn** to kiss sb, to give sb a kiss; **envoyer des ~s** (avec la main) to blow kisses; (par lettre) to send kisses

bisque /bisk/ *nf* Culin bisque
(Composé) **~ de homard** lobster bisque

bisquer○ /biske/ [1] *vi* (enrager) to be mad○, to be furious; **faire ~ qn** to make sb mad○

bissac /bisak/ *nm* (huntsman's) pouch

bissecteur, **-trice** /bisɛktœʀ, tʀis/
A *adj* [*plan, droite*] bisecting
B **bissectrice** *nf* Math bisector

bisser /bise/ [1] *vtr* 1▸ (répéter) [*musicien, orchestre*] to do an encore of, to play [sth] again [*morceau*]; [*comédien, troupe*] to do an encore of, to perform [sth] again [*scène*]; 2▸ (faire répéter) [*public*] to encore, to ask [sb] for an encore [*musicien, orchestre, comédien*]

bissextile /bisɛkstil/ *adj* **année ~** leap year, bissextile year

bistouri /bistuʀi/ *nm* bistoury
(Composé) **~ électrique** diathermy knife

bistre /bistʀ/ ▸ **p. 202**
A *adj* [*couleur*] yellowish brown; [*peinture*] bistre[GB]; [*peau*] swarthy
B *nm* (couleur) bistre[GB]

bistré, **~e** /bistʀe/ ▸ **p. 202** *adj* [*couleur*] yellowish brown; [*peau*] swarthy

bistro(t)○ /bistʀo/ *nm* bistro, café

bistroquet○ /bistʀɔkɛ/ *nm* bistro

bistrotier○, **-ière** /bistʀotje, ɛʀ/ ▸ **p. 532** *nm,f* bistro owner

bit /bit/ *nm* bit

BIT /beite/ *nm* (*abbr* = **Bureau international du travail**) International Labour Office

bite● *nf* = **bitte 2**

biter● [1] *vtr* = **bitter**

biterrois, **~e** /bitɛʀwa, az/ ▸ **p. 894** *adj* of Béziers

Biterrois, **~e** /bitɛʀwa, az/ ▸ **p. 894** *nm,f* (natif) native of Béziers; (habitant) inhabitant of Béziers

bithérapie /biteʀapi/ *nf* dual *ou* combination therapy

bitoniau○ /bitonjo/ *nm* whatsit○

bitte /bit/ *nf* [1] (sur un navire) bitt; (sur un quai) **~ d'amarrage** mooring bollard; [2] ●(pénis) prick◑, cock◑

bitter● /bite/ [1] *vtr* **ne rien ~ à** to understand fuck all● *ou* zilch○ of [*discours*]; to understand fuck● all *ou* zilch○ about [*sujet*]

bitumage /bitymaʒ/ *nm* asphalting, blacktopping US

bitume /bitym/ *nm* [1] Chimie, Minér bitumen; [2] Transp Tarmac®, asphalt, blacktop US

bitumer /bityme/ [1] *vtr* to asphalt, to tarmac, to blacktop US [*route*]; to coat [sth] with bitumen [*toile*]

bitumineux, **-euse** /bityminø, øz/ *adj* bituminous

biture○ /bityʀ/ *nf* **quelle ~!** what a booze-up○ GB *ou* bender○!; **tenir/prendre une (bonne) ~** to be/to get plastered○ *ou* drunk

biturer: **se biturer** /bityʀe/ [1] *vpr* to get plastered○, to get drunk

biunivoque /biynivɔk/ *adj* Math [*correspondance*] bi-uniform, one-to-one

bivalent, **~e** /bivalɑ̃, ɑ̃t/ *adj* bivalent

bivalve /bivalv/ *adj, nm* bivalve

bivouac /bivwak/ *nm* bivouac

bivouaquer /bivwake/ [1] *vi* to bivouac

bizarre /bizaʀ/

A *adj* [1] (inhabituel) [*objet, parole, événement, acte, attitude*] strange, odd; **il leur est arrivé une aventure ~** something strange *ou* odd happened to them; **comme c'est ~** how strange *ou* odd; [2] (étrange) [*personne*] strange, peculiar; **il est ~** he's strange *ou* peculiar

B *nm* (d'idée, d'acte, de parole) strangeness, oddity; **le ~ dans cette affaire est que** what is strange *ou* odd about this business is that

bizarrement /bizaʀmɑ̃/ *adv* strangely; **~, elle a préféré partir** strangely enough, she thought it better to go

bizarrerie /bizaʀʀi/ *nf* [1] (caractère étrange) strangeness (**de** of); [2] (chose étrange) quirk; **une ~ du destin** a quirk of fate; **une ~ de l'Histoire** a strange turn of history; **une ~ de la langue** a peculiarity of the language

bizarroïde○ /bizaʀɔid/ *adj* weird○

bizut(h)* /bizy/ *nm* [1] (étudiant) fresher○ GB, freshman US; [2] (novice) newcomer, rookie○

bizutage /bizytaʒ/ *nm* students' slang ragging○ GB ₵, hazing○ US ₵

bizuter /bizyte/ [1] *vtr* to rag○, to haze○ US [*étudiant*]; (brimer) to bully [*nouveau*]; **se faire ~** [*étudiant*] to be ragged○ GB *ou* hazed○ US

blabla○ /blabla/ *nm inv* waffle○ GB, hogwash○ US; **tout ça, c'est du ~!** what a load of waffle! GB *ou* hogwash! US

black○ /blak/ *nmf* black (person)

black-blanc-beur○ /blakblɑ̃bœʀ/ *adj inv* multiculti○, multicultural

blackbouler○ /blakbule/ [1] *vtr* to blackball [*personne, candidat*]

black-out* /blakaut/ *nm inv* blackout

blafard, **~e** /blafaʀ, aʀd/ *adj* [*teint, visage*] pallid; [*paysage, lumière, aube*] pale, wan

blague /blag/ *nf* [1] ○(plaisanterie, histoire) joke; (mensonge) fib○; **c'est pas des ~s** I'm not kidding○, no kidding○; **ne me raconte pas de ~s** tell me the truth; **sans ~!** no kidding○!; **~ à part** seriously, joking apart; [2] ○(farce) practical joke, trick; **faire une ~ à qn** to play a joke *ou* a trick on sb; **pas de ~!** no messing around!; [3] (tabatière) **~ (à tabac)** tobacco pouch

blaguer○ /blage/ [1] *vi* [1] (plaisanter) to joke, to crack jokes; **il dit ça pour ~** he's kidding○; **arrête de ~** stop kidding around○; [2] (bavarder) to chat

blagueur○, **-euse** /blagœʀ, øz/ *nm,f* joker

blair◑ /blɛʀ/ *nm* snout○, nose

blaireau, *pl* **~x** /blɛʀo/ *nm* [1] (animal) badger; [2] (pour rasage) shaving brush; [3] (pinceau) badger-hair brush

blairer◑ /bleʀe/ [1] *vtr* to stick○ GB, to stand [*personne*]; **je ne peux pas le ~** I can't stick○ GB *ou* stand him

blâmable /blɑmabl/ *adj* blameworthy

blâme /blɑm/ *nm* [1] (désapprobation) criticism; [2] (sanction) official warning; **infliger un ~ à qn** to give sb an official warning

blâmer /blɑme/ [1] *vtr* (désapprouver) to criticize; **~ qn pour qch** to criticize *ou* censure sb for sth; **le public n'a pas applaudi, on ne peut pas le ~** the public did not applaud and you can't blame them; **ils sont plus à plaindre qu'à ~** they're more to be pitied than condemned

blanc, **blanche** /blɑ̃, blɑ̃ʃ/ ▸ **p. 202**

A *adj* [1] (couleur) white; **fleurs/dents/chaussettes blanches** white flowers/teeth/socks; **~ mat/brillant** matt/glossy white; **devenir ~** to go *ou* turn white; **~ de peur** white with fear; ▸ **aspirine**, **cheveu**, **coudre**, **crapaud**, **loup**, **patte**

[2] (occidental) gén white; Anthrop Caucasian; **homme/quartier ~** white man/district; **race/domination blanche** white race/domination

[3] (innocent) **il n'est pas ~ dans l'histoire** he was certainly mixed up in it; **ne pas être ~** to have a less than spotless reputation

[4] (vierge) blank; **page/feuille blanche** blank page/sheet; **rendre feuille** *or* **copie ~** Scol, Univ to give in a blank script

[5] Vin [*vin*] white; **Bordeaux/Bourgogne ~** white Bordeaux/Burgundy

B *adv* [*laver*] white; **laver plus ~** to wash whiter; **il gèle ~** there's a hoarfrost

C *nm* [1] (couleur) white; **un beau ~** a beautiful white; **un ~ éclatant** a dazzling white

[2] (peinture) white paint; **un tube de ~** a tube of white paint; **peindre en ~**, **passer au ~** to paint [sth] white [*mur, meuble*]

[3] (linge) household linen; **promotion de ~** household linen promotional sales; **quinzaine du ~** household linen sales period

[4] (vêtements) white; **porter du ~** to wear white; **être habillé en ~** to be dressed in white

[5] Culin (de volaille) white meat; (de poireau) white part; (d'œuf) white; **battre les ~s** beat the whites; **un ~ de poulet** a chicken breast; **je préfère le ~** I prefer white meat; ▸ **neige**

[6] Vin (vin) white wine; (verre de vin) glass of white wine; **préférer le ~** to prefer white wine

[7] Imprim (espace entre des mots) (volontaire) blank; (involontaire) gap; **laisser un ~** to leave a blank; **remplir les ~s** to fill in the blanks; **il y a un ~ dans le texte** there's a gap in the text; **laisser en ~** to leave [sth] blank [*nom, adresse*]

[8] ○(liquide pour corriger les erreurs) correction fluid, Tipp-Ex®, white-out US; **mettre du ~ sur qch** to Tipp-Ex sth out, to white sth out US [*texte, erreur*]

[9] (temps mort) lull

[10] Psych (dans la tête) **j'ai eu un ~** my mind went blank

[11] Cosmét (poudre) white powder

[12] Bot (moisissure) powdery mildew

D **à blanc** *loc* Mil (sans projectile offensif) **coup à ~** blank shot; **tirer à ~** to fire blanks; **charger à ~** to load [sth] with blanks

E **blancs** *nmpl* Jeux (aux échecs, aux dames) white (*sg*); **les ~s gagnent** white wins; **je prends les ~s** I'll be white

F **blanche** *nf* [1] Mus minim GB, half note US [2] Jeux (au billard) white (ball) [3] ○(eau-de-vie) brandy [4] ◑(héroïne) smack○, horse○; (cocaïne) snow○

(Composés) **~ de baleine** spermaceti; **~ de blanc** blanc de blancs; **~ cassé** off-white; **~ de céruse** white lead; **~ de chaux** whitewash; **~ crémeux** cream; **~ d'Espagne** whiting; **~ laiteux** milk white; **~ de l'œil** white of the eye; **~ d'œuf** egg white; **~ de plomb** flake white; **~ de zinc** zinc oxide

(Idiomes) **c'est écrit noir sur ~** it's there in black and white; **quand l'un dit ~, l'autre dit noir** they can never agree on anything; **avec lui/elle, c'est (toujours) tout ~ ou tout noir** he/she sees everything in black-and-white terms; **c'est un jour à marquer d'une pierre** *or* **croix blanche** it's a red-letter day, it's a day to remember; **regarder qn dans le ~ des yeux** to look sb straight in the eye; **se regarder dans le ~ des yeux** to gaze into each other's eyes

Blanc, **Blanche** /blɑ̃, blɑ̃ʃ/ *nm,f* gén white man/woman; Anthrop Caucasian; **école pour ~s** all-white school

blanc-bec, *pl* **blancs-becs** /blɑ̃bɛk/ *nm* pej greenhorn

blanchâtre /blɑ̃ʃɑtʀ/ ▸ **p. 202** *adj* whitish

blanche ▸ **blanc A, F**

Blanche-Neige /blɑ̃ʃnɛʒ/ *npr* Littérat Snow White

blancheur /blɑ̃ʃœʀ/ *nf* [1] (couleur) whiteness; [2] (innocence) innocence

blanchiment /blɑ̃ʃimɑ̃/ *nm* [1] Fin (d'argent) laundering; **le ~ de l'argent de la drogue** laundering (of) drug money; [2] Chimie, Ind (de tissu, pâte à papier) bleaching; **un ~ rapide** fast bleaching; **agent de ~** bleaching agent; [3] (badigeonnage) whitewashing; [4] Culin blanching; [5] (de chaussures) whitening

blanchir /blɑ̃ʃiʀ/ [3]

A *vtr* [1] gén (rendre blanc) (avec une couche colorée) to whiten [*chaussures, surface*]; (avec de la lumière) to light up [*ciel, route*]; **la gelée blanchit les prés** the frost turns the meadows white; **la lune blanchit la route** the moonlight turns the road white; **~ (à la chaux)** to whitewash [*mur, plafond*]; [2] (laver) **donner son linge à ~** to send one's linen to the laundry; ▸ **logé**; [3] Chimie, Ind to bleach [*textile, pâte à papier, farine*]; to refine [*sucre*]; **papier non blanchi** unbleached paper; **farine non blanchie** unbleached flour; [4] Culin to blanch [*légumes, viande, amandes*]; [5] (disculper) to clear [*accusé, nom*] (**de** of); **blanchi de tout soupçon** cleared of all suspicion; [6] Fin to launder [*argent sale*]; **argent blanchi** laundered money

B *vi* [1] (devenir blanc) [*cheveux*] to turn grey GB *ou* gray US; [*ciel*] to grow light; **~ de rage/peur** to go white with rage/fear; **~ aux tempes** to go grey GB *ou* gray US at the temples; **cheveux blanchis** silvery hair; [2] Culin **faire ~** to blanch [*légumes, viande, amandes*]; **battre le mélange jusqu'à ce qu'il blanchisse** beat the mixture until it turns white

C **se blanchir** *vpr* (se disculper) to clear oneself (**de** of; **auprès de** in the eyes of)

blanchissage /blɑ̃ʃisaʒ/ *nm* [1] (du linge) (action) laundering; **service de ~** laundry service; **le ~ coûte cher** laundering is expensive; [2] Ind (du sucre) refining

blanchissant, **~e** /blɑ̃ʃisɑ̃, ɑ̃t/ *adj* bleaching; **poudre ~e** bleaching powder; **produit ~** bleaching product; **agent ~** bleaching agent

blanchissement /blɑ̃ʃismɑ̃/ *nm* [1] (des cheveux) greying GB *ou* graying US; **un ~ précoce des cheveux** hair going grey GB *ou* gray

US early *ou* prematurely; **2** (disculpation) exoneration

blanchisserie /blɑ̃ʃisʀi/ ▸ p. 532 *nf* laundry

blanchisseur, -euse /blɑ̃ʃisœʀ, øz/ ▸ p. 532
A *nm,f* **1** (personne) laundry worker; **2** (magasin) laundry; **le ~ est en face** the laundry is across the street; **aller chez le ~** to go to the laundry
B **blanchisseuse** *nf* (femme qui fait des lessives) laundress

blanc-manger /blɑ̃mɑ̃ʒe/ *nm* blancmange

blanc-seing, *pl* **blancs-seings** /blɑ̃sɛ̃/ *nm* **1** fig free hand; **donner un ~ à qn** to give carte blanche *ou* a free hand to sb; **2** Jur blank endorsement; **signer un ~** to endorse in blank

blanquette /blɑ̃kɛt/ *nf* Culin blanquette; **~ de veau** blanquette of veal

blase◑ /blaz/ *nm* (nez) conk◑ GB, schnoz◑ US, nose

blasé, ~e /blaze/
A *pp* ▸ **blaser**
B *pp adj* blasé; **être ~ de qch/de faire** to be blasé about sth/about doing
C *nm,f* blasé person; **jeunes ~s** blasé young people; **jouer les ~s, faire le ~** to affect a blasé attitude

blaser /blaze/ [1] *vtr* to make [sb] blasé

blason /blazɔ̃/ *nm* Hérald **1** (armoiries) coat of arms, blazon spéc; **2** (discipline) **le ~** heraldry
(Idiome) **redorer son ~** to restore one's reputation

blasphémateur, -trice /blasfematœʀ, tʀis/ *nm,f* blasphemer

blasphématoire /blasfematwaʀ/ *adj* blasphemous

blasphème /blasfɛm/ *nm* blasphemy ₵

blasphémer /blasfeme/ [14]
A *vtr* to blaspheme [*nom de Dieu*]
B *vi* to blaspheme (**contre** against)

blatte /blat/ *nf* cockroach

blazer /blazɛʀ/ *nm* blazer

blé /ble/ *nm* **1** Agric (céréale) wheat; **grain de ~** grain of wheat; **épi de ~** ear of wheat; **semer du ~** to sow wheat; **~ tendre/dur** soft/hard wheat; **faire du ~**○ to grow wheat; **du ~ en herbe** wheat in the blade; **le ~ est en herbe** the wheat is (still) in the blade; **2** ◑(argent) dough○, money; **avoir du ~**◑ (être riche) to be rolling in it○; **gagner, (se) faire du ~**◑ to rake it in○
(Composés) **~ cornu** rye affected with ergot; **~ d'Inde** Can (maïs) maize GB, corn US; **~ noir** buckwheat
(Idiome) **manger son ~ en herbe** to spend one's money before one gets it

bled○ /blɛd/ *nm* **1** (localité) village; **passer ses vacances dans un ~ perdu** to spend one's holiday in a godforsaken hole○ GB, to spend one's vacation in the boondocks US; **2** (pays d'origine) homeland

blême /blɛm/ *adj* **1** (naturellement) [*visage, teint*] pallid; **2** (sous le coup de l'émotion) ashen (**de** with); **3** littér [*lumière, matin*] pale, wan

blêmir /blemiʀ/ [3] *vi* [*personne, visage*] to pale; **~ de peur/rage** to go white with fear/rage

blennorragie /blenɔʀaʒi/ ▸ p. 283 *nf* gonorrhea

blèsement /blɛzmɑ̃/ *nm* Ling lisping

bléser /bleze/ [16] *vi* fml to lisp

blessant, ~e /blesɑ̃, ɑ̃t/ *adj* [*propos*] hurtful, cutting

blessé, ~e /blese/ *nm,f* (par accident) injured man/woman; (par arme) wounded man/woman; Mil wounded soldier, casualty; **les ~s** gén the injured; Mil the wounded; **l'explosion a fait 20 ~s** 20 people were injured in the explosion; **il n'y a pas de ~s** nobody has been hurt; Mil there are no casualties
(Composés) **~ de guerre** person wounded in the war; **les ~s de guerre** the war wounded; **~ de la route** road accident victim

blesser /blese/ [1]
A *vtr* **1** (par accident) to injure, to hurt; (dans un conflit armé) to wound; **il a été blessé à la tête** (par accident) he received *ou* sustained head injuries; (par balle, agression) he received head wounds; **~ qn d'un coup de couteau** to stab sb (with a knife); **~ qn d'un coup de revolver** to shoot sb (with a gun); **il a été blessé par balle/un coup de couteau** he received a bullet/a stab wound; **2** (en irritant) [*chaussure, menotte*] to hurt, to make [sth] sore [*personne, pied*]; **3** (offenser) to hurt, to upset [*personne*]; to hurt, to wound [*amour-propre*]; **musique qui blesse l'oreille** music which grates on *ou* offends the ear; **il s'est senti blessé dans ses sentiments/son orgueil** his feelings were/his pride was hurt; **~ qn au vif** to cut sb to the quick; **un rien la blesse** she's easily hurt; **4** liter (porter atteinte à) to offend against [*convenances, pudeur*]
B **se blesser** *vpr* (se faire mal) to injure *ou* hurt oneself; **je me suis blessé au bras en tombant** I fell and hurt my arm
(Idiome) **il n'y a que la vérité qui blesse** Prov nothing hurts like the truth

blessure /blesyʀ/ *nf* **1** (lésion) injury; (plaie) wound; **une ~ à la tête/jambe** a head/leg injury *ou* wound; **~ légère/grave** minor/serious injury *ou* wound; **2** fig wound; **~ d'amour-propre** wounded pride ₵

blet, blette /blɛ, blɛt/
A *adj* overripe
B **blette** *nf* Swiss chard

blettir /bletiʀ/ [3] *vi* **1** (sur l'arbre) to overripen; **2** (dans une corbeille) to get overripe

bleu, ~e /blø/
A *adj* **1** ▸ p. 202 (couleur) blue; **des yeux ~s** blue eyes; **~ vert** blue-green; **j'ai les lèvres toutes ~es** my lips are all blue; **~ de froid** [*personne, doigts*] blue with cold; **~ de peur** white with fear; ▸ **grand**; **2** Culin [*entrecôte, viande*] very rare
B *nm* **1** ▸ p. 202 (couleur) blue; **le ciel était d'un ~ magnifique** the sky was a magnificent blue; **2** (ecchymose) bruise; **avoir un ~ sur le bras/la cuisse** to have a bruise on one's arm/thigh; **être couvert de ~s** to be covered in bruises; **se faire un ~** to bruise oneself; **3** (vêtement) **~ (de travail)** (combinaison) overalls (*pl*); (veste et pantalon) *workman's blue cotton jacket and trousers*; **4** (fromage) blue cheese; **5** ○(nouvelle recrue) soldiers' slang rookie○; (débutant) beginner, greenhorn○; **se faire avoir comme un ~** to be completely conned
(Composés) **~ ardoise** slate blue; **~ azur** azure blue; **~ canard** peacock blue; **~ ciel** sky blue; **~ de cobalt** cobalt blue; **~ électrique** electric blue; **~ horizon** sky blue; **~ lavande** lavender blue; **~ marine** navy blue; **~ de méthylène** methylene blue; **~ noir** blue-black; **~ nuit** midnight blue; **~ océan** ocean blue; **~ outremer** ultramarine; **~ pétrole** petrol-blue; **~ de Prusse** Prussian blue; **~ roi** royal blue; **~ saphir** sapphire blue; **~ turquoise** turquoise blue
(Idiomes) **avoir une peur ~e de qch** to be scared stiff○ of sth; **j'ai eu une peur ~e** I had a bad scare

bleuâtre /bløɑtʀ/ ▸ p. 202 *adj* pej bluish

bleuet /blœɛ/ *nm* **1** Bot cornflower; **2** (réchaud) picnic stove; **3** Can (myrtille) blueberry

bleuir /bløiʀ/ [3]
A *vtr* [*froid*] to turn [sth] blue [*mains, objets*]; **le froid lui a bleui les doigts** the cold turned his fingers blue
B *vi* (tous contextes) to turn blue

bleuissement /bløismɑ̃/ *nm* **on observe un ~ des lèvres** one can observe that the lips turn blue

bleusaille○ /bløzaj/ *nf* soldiers' slang **1** (nouvelle recrue) rookie○; **2** (collectif) rookies○

bleuté, ~e /bløte/ ▸ p. 202 *adj* bluish

blindage /blɛ̃daʒ/ *nm* **1** (revêtement) (de porte) reinforcement, armour[GB] plating; (de véhicule, coffre-fort) armour[GB] plating; (pose, revêtement) reinforcing, armour[GB] plating; **2** Mil (revêtement) armour[GB] plate; (pose) armour[GB] plating; **3** Nucl (dispositif) shield; (installation du dispositif) shielding

blindé, ~e /blɛ̃de/
A *adj* **1** Mil [*division, unité, corps*] armoured[GB]; **2** (renforcé) **porte ~e** security door; **3** ◑(soûl) pissed○ GB, sloshed○
B *nm* armoured[GB] vehicle; **un ~ léger** an armoured[GB] car

blinder /blɛ̃de/ [1]
A *vtr* **1** (protéger) to reinforce [*porte*]; Mil to armour[GB]; Nucl to shield [*réacteur*]; Électron, Télécom to shroud; **2** ○(endurcir) to harden [*personne*]
B **se blinder**○ *vpr* (s'endurcir) to become hardened

blini /blini/ *nm* blini

blinquer /blɛ̃ke/ [1] *vi* Belg (briller) to shine; **faire ~** to polish

blister /blistɛʀ/ *nm* blisterpack

blizzard /blizaʀ/ *nm* blizzard; **un coup de ~** a blizzard

bloc /blɔk/
A *nm* **1** (masse solide) block (**de** of); **statue faite d'un seul ~** (en bois) statue made from a single piece of wood; (en marbre) statue made from a single piece of marble; **se retourner tout d'un ~** to pivot round GB *ou* around US; **2** (de personnes) group (**de** of); Pol bloc; **le ~ socialiste** the socialist bloc; **faire ~** to side together; **faire ~ avec qn** to side with sb; **faire ~ contre qn** (s'unir) to unite against sb; (être unis) to be united against sb; **3** (pour écrire) notepad; **~ de papier à lettres** writing pad; **4** Fin (d'actions, de titres) block (**de** of); **5** Ordinat block; **6** ○(prison) nick○
B **à bloc** *loc adv* [*serrer, visser, fermer*] tightly; [*charger, gonfler*] fully
C **en bloc** *loc adv* **1** (entièrement) **admettre/rejeter/nier qch en ~** to admit/reject/deny sth outright; **2** Comm **acheter en ~** to buy in bulk
(Composés) **~ de contrôle** controlling[GB] block; **~ de départ** starting block; **~ monétaire** monetary block; **~ opératoire** surgical unit; **~ optique** Aut headlamp GB *ou* headlight unit; **~ sanitaire** toilet block; **~ de touches** Ordinat keypool

blocage /blɔkaʒ/ *nm* **1** (coincement) (de roue, mécanisme) locking; (d'écrou) overtightening; **~ de direction** Aut locking of the steering wheel; **assurer le ~ d'une pièce** to ensure that a part is locked into place; **2** (de route, véhicule, marchandise) blocking (**de** of); **~ des vins italiens dans le port** blockade of Italian wines in the port; **3** Écon, Fin, Pol (action) (d'opération, de fonds, négociations) blocking (**de** of); (de compte, prix) freezing (**de** of); (état) (de situation, négociations) deadlock (**de** in); (d'opération) block (**de** on); (de prix) freeze; **~ de la vente des armes** ban on sales of arms; **situation de ~** deadlock situation; **~ des prix/salaires** price/wage freeze; **4** (mental) (mental) block; **avoir** *or* **faire un ~** to have a (mental) block; **5** Constr rubble(-filler)
(Composés) **~ articulaire** Méd joint locking; **~ de direction** Aut (antivol) steering lock

bloc-calendrier, *pl* **blocs-calendriers** /blɔkkalɑ̃dʀije/ *nm* tear-off calendar

bloc-cuisine, *pl* **blocs-cuisines** /blɔkkɥizin/ *nm* kitchen unit

bloc-cylindre, *pl* **blocs-cylindres** /blɔksilɛ̃dʀ/ *nm* cylinder block

bloc-diagramme, *pl* **blocs-diagrammes** /blɔkdjagʀam/ *nm* block diagram

blockhaus /blɔkos/ *nm inv* blockhouse

bloc-moteur, *pl* **blocs-moteurs** /blɔkmɔtœʀ/ *nm* engine block

bloc-note, *pl* **blocs-notes** /blɔknɔt/ *nm* notepad

bloc-système, *pl* **blocs-systèmes** /blɔksistɛm/ *nm* block system

blocus /blɔkys/ *nm inv* blockade; **~ économique** economic blockade; **imposer un ~** to impose a blockade; **forcer/lever le ~** to run/lift the blockade

blog /blɔg/ *nm* Internet blog

blogosphère /blɔgɔsfɛʀ/ *nm* blogosphere

bloguer /blɔge/ [1] *vi* to blog

blogueur, **-euse** /blɔgœʀ, øz/ *nm,f* blogger

blond, **~e** /blɔ̃, ɔ̃d/ ▸ p. 202

A *adj* [*cheveux, barbe*] fair, blonde GB, blond US; [*femme*] fair-haired, blonde GB, blond US; [*homme*] fair-haired, blond; [*caramel, épi*] golden; [*tabac*] Virginia, light; **des cigarettes ~es** Virginia tobacco cigarettes; **bière ~e** lager, light ale GB; **les/nos chères têtes ~es** the/our little darlings

B *nm,f* (femme) fair-haired woman, blonde GB, blond US; (homme) fair-haired man, blond(e); ▸ **faux**

C *nm* (couleur) blond

D **blonde** *nf* 1) (cigarette) Virginia tobacco cigarette; 2) (bière) lager, light ale GB; 3) Can (petite amie) girlfriend

(Composés) **~ vénitien** strawberry blond; **~e décolorée** peroxide blonde

blondasse○ /blɔ̃das/

A *adj* [*cheveux*] dirty○ blond(e)

B *nf* **une ~** pej a brassy blonde péj

blondeur /blɔ̃dœʀ/ *nf* (de cheveux) blond(e)ness, fairness

blondinet /blɔ̃dinɛ/ *nm* fair-haired boy

blondinette /blɔ̃dinɛt/ *nf* blond(e)

blondir /blɔ̃diʀ/ [3]

A *vtr* [*soleil*] to lighten, to turn [sth] blonde GB *ou* blond US [*hair*]

B *vi* [*cheveux, personne*] to turn *ou* go blonde GB *ou* blond US; [*épi, champ*] to turn golden; **faire ~** Culin to brown [sth] lightly [*sauce, beurre, caramel*]; **quand le beurre commence à ~** when the butter is lightly browned

bloqué, **~e** /blɔke/

A *pp* ▸ **bloquer**

B *pp adj* 1) (obstrué) blocked; Méd **avoir les reins ~s** to have a blockage in the kidneys; 2) (immobilisé) [*mécanisme, porte*] jammed; [*voyageur, véhicule*] stuck; (par la neige) snowbound; **je suis ~ à Paris par la grève** I'm stuck in Paris because of the strike; **il a le dos ~** his back has seized up; 3) fig **être ~** [*activité, carrière, négociations*] to be at a standstill; [*situation*] to be deadlocked; **sans cet accord, je suis ~** without this agreement, I'm stuck; 4) Fin [*fonds, compte*] frozen; 5) (mentalement) **être ~** to have a (mental) block (**sur** about)

bloquer /blɔke/ [1]

A *vtr* 1) (obstruer) to block [*route, entrée, porte*]; Mil to blockade [*ville, port*]; **~ la route** lit to block the road; fig to block the way; **des difficultés inattendues le bloquent** fig unforeseen difficulties are holding him back *ou* standing in his way; 2) (coincer) (accidentellement) to jam [*mécanisme, porte*]; to lock [*volant, roue*]; to overtighten [*écrou*]; (volontairement) to lock [sth] into place [*pièce*]; to put a block under [*roues*]; to wedge [*porte*]; to tighten [*écrou*]; **~ les freins** to jam on the brakes; 3) (immobiliser) to stop, to hold [sth] up [*véhicule, voyageur, circulation, marchandise*]; Sport to catch [*ballon*]; Jeux (au billard) to jam, to wedge [*bille*]; 4) Écon, Fin to freeze [*compte, salaires, crédit, prix, dépenses*]; to stop [*chèque*]; **~ des capitaux** to lock up capital; 5) (enrayer) to stop [*initiative, projet, contrat*]; to prevent [*ovulation*]; to prevent [sth] from going ahead [*travaux*]; 6) (grouper) to lump [sth] together [*heures, jours, personnes*]; Comm to bulk [*commandes*]; 7) fig (paralyser) **les examens/ses parents la bloquent** she can't handle exams/being with her parents

B *vi* 1) (coincer) to jam, to stick; **il y a quelque chose qui bloque** there's something jamming *ou* sticking; 2) (ne pas progresser) [*dossier*] to be held up; 3) Psych to have a block (**sur** about); 4) ○Belg students' slang (étudier) to cram

C **se bloquer** *vpr* 1) lit [*frein, mécanisme, porte*] to jam; [*volant, roue*] to lock; 2) fig [*personne*] to freeze, to tense up

blottir /blɔtiʀ/ [3]

A ○*vtr* **~ sa tête contre qn/qch** to press one's head against sb/sth; **sa tête était blottie contre mon épaule** his/her head was pressed against my shoulder

B **se blottir** *vpr* to nestle; **le chien était blotti sous la table** the dog was nestling under the table; **se ~ contre qn/qch** (par affection) to snuggle up against sb/sth; (par peur, froid) to huddle up against sb/sth; **se ~ dans les bras de qn** (par affection) to snuggle up in sb's arms; (par peur, froid) to huddle up in sb's arms; **le village était blotti au pied de la montagne** the village nestled at the foot of the mountain

blousant, **~e** /bluzɑ̃, ɑ̃t/ *adj* [*chemisier*] full

blouse /bluz/ *nf* 1) (tablier) overall; (de dentiste, médecin) **~ blanche** white coat; 2) (chemisier) blouse; 3) (tunique de paysan) smock

blouser /bluze/ [1] *vtr* 1) ○(tromper) to take [sb] for a ride○; **se faire ~** to be taken for a ride○; 2) (au billard) to pocket [*bille*]

blouson /bluzɔ̃/ *nm* jacket, blouson

(Composés) **~ d'aviateur** bomber jacket; **~ noir** ≈ rocker GB

blue-jean*, *pl* **~s** /bludʒin/ *nm* jeans (*pl*)

blues /bluz/ *nm inv* 1) (genre) blues; **chanter du** *or* **le ~** to sing the blues; 2) (morceau) **jouer un ~** to play a blues song

(Idiome) **avoir le ~**○ to have the blues

bluet /blyɛ/ *nm* cornflower

bluff /blœf/ *nm* bluff; **ce n'est que du ~** it's only a bluff; **avoir qn au ~** to bluff sb

bluffer○ /blœfe/ [1]

A *vtr* 1) (au poker) to bluff [*adversaire*]; 2) (tromper) to bluff, to have [sb] on○ GB, to put [sb] on○ US

B *vi* to bluff

bluffeur○, **-euse** /blœfœʀ, øz/ *nm,f* bluffer

blush /blœʃ/ *nm* blusher

blutage /blytaʒ/ *nm* flour dressing

BN /beɛn/ *nf*: *abbr* ▸ **BNF**

BNF, **BnF** /beɛnɛf/ *nf* (*abbr* = **Bibliothèque nationale de France**) *National Library of France*

boa /bɔa/ *nm* 1) (serpent) boa; 2) (parure) boa

(Composé) **~ constricteur** boa constrictor

bob /bɔb/ *nm* 1) ○*abbr* = **bobsleigh**; 2) (chapeau) (sailor's) sunhat

bobard○ /bɔbaʀ/ *nm* fib○, tall story

bobèche /bɔbɛʃ/ *nf*: *part of a candleholder which catches drips*

bobinage /bɔbinaʒ/ *nm* 1) Tech winding (*onto a bobbin*); 2) Électrotech (enroulement de fils) (coil-)winding; (fils enroulés) winding

bobine /bɔbin/ *nf* 1) (de fil, câble, film) reel; (bobineau) bobbin; (de métier à tisser) bobbin; (de machine à écrire) spool; 2) Électrotech coil; 3) ◑(visage) face; **il fait une drôle de ~** he looks pretty fed up○

(Composé) **~ d'allumage** Aut ignition coil

bobiner /bɔbine/ [1] *vtr* to wind (*onto a bobbin*)

bobinette† /bɔbinɛt/ *nf* (wooden) latch

bobineuse /bɔbinøz/ *nf* 1) Électrotech spooling machine; 2) (en papeterie) winder; 3) Tex winding frame

bobinoir /bɔbinwaʀ/ *nm* Tex winding frame

bobinot /bɔbino/ *nm* Tex reel, bobbin

bobo[1]○ /bobo/ *nm* baby talk 1) (douleur physique) pain; **se faire ~** to hurt oneself; **j'ai** *or* **ça fait ~** it hurts; 2) (petite plaie) scratch; **se faire un ~** to get a scratch

bobo[2] /bobo/ *adj, nmf* (*abbr* = **bourgeois bohème**) bobo, *high-achieving professional who combines a wealthy lifestyle with an anti-establishment attitude and a concern for quality of life*

bobonne○ /bɔbɔn/ *nf* pej little housewife péj; **il est arrivé avec sa ~** he turned up with his missus○

bobsleigh /bɔbslɛg/ ▸ p. 469 *nm* 1) (engin) bobsleigh, bobsled US; 2) (activité) bobsleighing

bocage /bɔkaʒ/ *nm* hedged farmland

bocal, *pl* **-aux** /bɔkal, o/ *nm* 1) (récipient) jar; **mettre qch en bocaux** to preserve sth; **faire des bocaux** to make preserves; 2) (aquarium) (fish)bowl; 3) ○(tête) nut○, noodle○, head; **il n'a rien dans le ~**○ he's got nothing between his ears○

(Composé) **~ gradué** measuring jug

boche○† /bɔʃ/

A *adj* German, Gerry○†

B *nmf* German, Gerry○†

bock /bɔk/ *nm* 1) (chope) beer glass; 2) (bière) glass of beer

body* /bɔdi/ *nm* Costume body

Boers /buʀ/ *nmpl* Boers; **la guerre des ~** the Boer War

bœuf /bœf, *pl* bø/ *nm* 1) (animal) (de boucherie) bullock GB, steer US; (de trait) ox; **un ~ de labour** *or* **trait** a draft ox; 2) (viande) beef; **le ~** beef; 3) ○Mus jam (session); **faire un ~**○ lit to have a jam; fig to be a great success

(Composés) **~ bourguignon** beef bourguignon; **~ gros sel** boiled beef; **~ (à la) mode** braised beef; **~ musqué** Zool musk ox

(Idiomes) **qui vole un œuf vole un ~** Prov once a thief, always a thief; **fort comme un ~**○ as strong as an ox; **souffler comme un ~**○ to huff and puff; **faire un effet ~**○ to make a fantastic○ impression

bof○ /bɔf/ *excl* **'c'est un bon acteur'—'~, pas terrible!'** 'he's a good actor'—'hmm, not so hot○!'; **'tu aimes la soupe?'—'~, pas vraiment!'** 'do you like soup?'—'hmm, not particularly'; **'tu préfères la mer ou la montagne?'—'~!'** 'which do you prefer the sea or the mountains?'—'I don't mind'

bog(g)ie* /bɔgi/ *nm* Rail bogy, bogie US

Bogota /bogota/ ▸ p. 894 *npr* Bogota

bogue /bɔg/

A *nm ou f* Ordinat bug

B *nf* Bot chestnut bur

bogué○, **~e** /bɔge/ *adj* buggy

bohème /bɔɛm/

A *adj* [*personne, caractère*] bohemian

B *nf* (milieu artiste) **la ~** bohemia; (style de vie) bohemian lifestyle; **vie de ~** bohemian lifestyle

Bohême /bɔɛm/ ▸ p. 721 *nf* Bohemia

bohémien, **-ienne** /bɔemjɛ̃, ɛn/ *nm,f* 1) (tzigane) Bohemian, Romany; 2) (vagabond) tramp, vagabond

boire /bwaʀ/ [70]

A *nm* drink; **le ~ et le manger** food and drink; **il en a perdu le ~ et le manger** fig it has taken over his whole life

B *vtr* 1) (consommer) [*personne*] to drink; **~ dans un verre/bol** to drink out of a glass/bowl; **elle ne boit que de l'eau** she only drinks water; **~ à la santé de qn** to drink to sb's health; **je bois à la réussite de notre projet** I drink to the success of our project; **ce vin n'est pas encore bon à ~** this wine isn't ready to drink yet; **un vin à ~ frais** a wine which should be drunk chilled; **~ un verre** *or* **un coup**○ to have a drink; **il a bu un coup de trop**○ he's had one too many○; **donner/verser à ~ à qn** to give/pour sb a drink; **faire ~ qn** to give sb a drink; **allons ~ un verre** let's go for a drink; **~ les paroles de qn** fig to lap up sb's words○; **il y a à ~ et à manger dans leur théorie** fig there's both good and bad in their theory; ▸ **lie**, **vin**; 2) (avec excès) to drink; **il boit pour oublier** he drinks to forget; **il s'est mis/remis à ~** he's taken to drink/to drinking again; **il m'a fait ~ pour**

b

obtenir des renseignements he got me drunk to get some information out of me; **3** (absorber) [*plante*] to drink; [*buvard, moquette*] to soak [sth] up [*liquide*]

C se boire *vpr* **ce vin se boit frais** this wine should be drunk chilled; **ce porto se boit bien** *or* **se laisse ~** this port is very drinkable; **ce punch se boit comme du petit lait!** this punch goes down very easily but it's lethal!

(Idiomes) **~ comme un trou**○ to drink like a fish○; **qui a bu boira** Prov once a drinker, always a drinker

bois /bwa/

A *nm inv* **1** (lieu) wood; **~ de chênes/pins** oak/pine wood; **2** (matière) wood; **~ de pin/chêne** pine/oak; **c'est en ~?** is it made of wood?; **~ massif** solid wood; **table en** *or* **de ~** wooden table; **travailler le ~** to work in wood; **leur visage est resté de ~** they remained impassive; ▸ **déménager**, **loup**; **3** (matériau) (pour menuisier, ébéniste) wood; (pour charpentier, construction) timber; **4** Art (gravure) woodcut; **5** (objet) (manche) handle; (club de golf) wood

B *nmpl* **1** Zool (de cerf) antlers; **2** Mus **les ~** the woodwind instruments, the woodwind (+ *v pl*); (dans un orchestre) the woodwind section

(Composés) **~ aggloméré** chipboard; **~ blanc** whitewood, deal; **~ à brûler** firewood; **~ de caisse** softwood; **~ de charpente** timber; **~ de chauffage** firewood; **~ debout** standing timber; **~ d'ébène** lit ebony; Hist fig (esclaves) black slaves (*pl*); **~ des îles** tropical hardwood; **le ~ de justice** the guillotine; **~ de lit** wooden bedstead; **~ mort** firewood; **~ de placage** wood veneer; **~ de rose** rosewood; **~ vert** green wood; (en menuiserie) unseasoned timber

(Idiomes) **être de ~** to be insensitive; **ne pas être de ~** to be only human; **faire un ~** (au tennis) to hit the ball off the wood; **être du ~ dont on fait les flûtes** to be extremely accommodating; **il n'est pas du ~ dont on fait les flûtes** he's not going to let himself be pushed around; **il va voir de quel ~ je me chauffe**○ I'll show him; **faire feu** *or* **flèche de tout ~** to turn anything to good account; **casser du ~**○ Aviat to crash one's plane

boisage /bwazaʒ/ *nm* (processus) fixing of timbers; (structure) timber work

boisé, **~e** /bwaze/

A *pp* ▸ **boiser**

B *pp adj* [*terrain*] wooded; **région très ~e** densely wooded area; **dans les régions ~es** in the woodlands

boisement /bwazmɑ̃/ *nm* afforestation

boiser /bwaze/ [1] *vtr* **1** (planter) to afforest, to plant [sth] with trees [*terrain*]; **2** (garnir de bois) to timber [*tunnel, mine*]

boiserie /bwazʀi/ *nf* **1** (montants de porte, de fenêtre) woodwork ¢; **2** (lambris) panelling[GB] ¢

boisseau, *pl* **~x** /bwaso/ *nm* (unité) bushel

(Idiome) **mettre qch sous le ~** to keep sth dark

boisson /bwasɔ̃/ *nf* drink; **~ alcoolisée/non alcoolisée** alcoholic/soft drink; **être pris de ~** to be under the influence

boîte* /bwat/ *nf* **1** gén box; (en métal) tin; (de conserve) tin GB, can; **~ de cigares** box of cigars; **~ à chaussures** shoe box; **petits pois en ~** tinned peas GB, canned peas; **mettre des fruits en ~** to can fruit; **mise en ~** Ind canning ¢; ▸ **diable**; **2** ○(cabaret) nightclub; **aller** *or* **sortir en ~** (une fois) to go out to a nightclub; (d'habitude) to go clubbing; **3** ○(entreprise) firm; (bureau) office; (école) school; **j'en ai marre de cette ~**○ I'm fed up with this place

(Composés) **~ d'allumettes** (pleine) box of matches; (vide) matchbox; **~ automatique** Aut automatic gearbox GB *ou* transmission; **~ à bachot**○ Scol crammer○ GB, prep school US; **~ à biscuits** biscuit tin; **~ de conserve** tin GB, can; **~ de couleurs** Art paint box; **~ crânienne** Anat cranium; **~ expressive** Mus swell box; **~ à fusibles** fuse box; **~ à gants** Aut glove compartment; **~ à idées** suggestion box; **~ à** *or* **aux lettres** Postes post box GB, mailbox US; fig (personne) go-between; (adresse fictive) accommodation address; **~ à** *or* **aux lettres électronique** electronic mailbox; **~ à malice** bag of tricks; **~ à musique** Mus musical box GB, music box US; **~ noire** Aviat black box; **~ de nuit** nightclub; **~ à œufs** egg box; **~ à onglets** mitre[GB] box; **~ à ordures** (d'intérieur) rubbish bin GB, garbage can US; **~ à outils** toolbox; **~ à ouvrage** Cout sewing box; **~ de Pétri** Biol Petri dish; **~ à pilules** pillbox; **~ postale**, **BP** Postes PO Box; **~ de raccordement** junction box; **~ à rythmes** Mus drum machine; **~ à thé** tea caddy; **~ de vitesses (automatique/mécanique)** (automatic/manual) gearbox; **~ vocale** voice mail box

(Idiome) **mettre qn en ~**○ to tease sb

boiter /bwate/ [1] *vi* [*personne*] to limp; [*meuble*] to wobble; [*raisonnement*] to be shaky; [*phrase*] (incorrecte) to be badly put together; (maladroite) to be clumsy; **marcher en boîtant** to walk with a limp

boiteux, **-euse** /bwatø, øz/

A *adj* **1** [*personne*] lame; [*meuble*] wobbly; **2** [*raisonnement, paix*] shaky; [*vers*] lame

B *nm,f* lame person

boîtier* /bwatje/ *nm* gén case; (d'appareil photo) body; (de téléphone) casing

boitillant, **~e** /bwatijɑ̃, ɑ̃t/ *adj* [*personne*] with a slight limp (*épith, après n*); **démarche ~e** limping gait

boitillement /bwatijmɑ̃/ *nm* slight limp

boitiller /bwatije/ [1] *vi* to limp slightly

boit-sans-soif○ /bwasɑ̃swaf/ *nmf inv* soak○

boïviki /bojviki/ *nm* Chechen guerilla

bol /bɔl/ *nm* **1** (récipient, contenu) bowl; **un ~ de café** a bowl of coffee; **2** ○(chance) luck; **coup de ~** stroke of luck; **avoir du ~** to be lucky

(Composés) **~ d'air** breath of fresh air; **~ alimentaire** bolus

(Idiome) **se casser le ~**○ to go to a lot of trouble

bolchevik, **bolchevique*** /bɔlʃevik/ *adj, nmf* Bolshevik

bolchevisme* /bɔlʃevism/ *nm* Bolshevism

bolduc /bɔldyk/ *nm* ≈ gift ribbon

bolée /bɔle/ *nf* **~ de cidre** bowl of cider

boléro /bɔleʀo/ *nm* (danse, vêtement) bolero

bolet /bɔlɛ/ *nm* boletus

bolide /bɔlid/ *nm* **1** (véhicule) high-powered car; **comme un ~** at high speed; **passer comme un ~** to shoot past; **2** Astron bolide

Bolivie /bɔlivi/ ▸ **p. 333** *nprf* Bolivia

bolivien, **-ienne** /bɔlivjɛ̃, ɛn/ ▸ **p. 561** *adj* Bolivian

Bolivien, **-ienne** /bɔlivjɛ̃, ɛn/ ▸ **p. 561** *nm,f* Bolivian

bollard /bɔlaʀ/ *nm* Naut bollard

bolle○ /bɔl/ *nf* Can (personne intelligente) brain○; **c'est (toute) une ~ en physique** he's/she's (really) great at physics

bolognaise /bɔlɔɲɛz/ *adj inv* [*spaghetti*] bolognese (*épith, après n*) GB, with meat sauce (*après n*) US

Bologne /bɔlɔɲ/ ▸ **p. 894** *npr* Bologna

bombage /bɔ̃baʒ/ *nm* **1** (action) graffiti spraying; **2** (résultat) sprayed graffiti

bombance /bɔ̃bɑ̃s/ *nf* **faire ~** to have a feast

bombarde /bɔ̃baʀd/ *nf* **1** Hist Mil bombard; **2** Mus (bois) bombardon; (jeu d'orgue) bombarde

bombardement /bɔ̃baʀdəmɑ̃/ *nm* **1** Mil gén bombardment; (avec des bombes) bombing; (d'artillerie) shelling ¢; **~ aérien** air raid; **~ atomique** atom-bomb attack; **~ (à l'arme) chimique** chemical weapons attack; **2** (jet) (de projectiles) pelting; (de questions, critiques) bombardment; **être soumis à un ~ de tomates** to get pelted with tomatoes; **être soumis à un ~ de critiques** to get bombarded with criticism; **3** Phys bombardment; **~ atomique** atomic bombardment

bombarder /bɔ̃baʀde/ [1] *vtr* **1** Mil gén to bombard; (avec des bombes) to bomb; (avec des obus) to shell; **2** (harceler) **~ qn de tomates** to pelt sb with tomatoes; **~ qn de questions** to bombard sb with questions; **~ qn de coups de fil/lettres** to inundate sb with phone calls/letters; **3** Phys to bombard; **4** ○(nommer) **~ qn à un poste** to catapult sb into a job

bombardier /bɔ̃baʀdje/ *nm* **1** (avion) bomber; **2** (aviateur) bombardier

Bombay /bɔ̃bɛ/ ▸ **p. 894** *npr* Bombay

bombe /bɔ̃b/ *nf* **1** Mil bomb; **~ artisanale** homemade bomb; **attaque/attentat à la ~** bomb attack; **l'annonce a fait l'effet d'une ~** the news came as a bombshell; **2** (atomiseur) **~ (aérosol)** spray; **~ de peinture** paint spray; **peindre à la ~** to spray-paint; **3** Équit riding hat

(Composés) **~ A** A-bomb; **~ antigel** de-icer; **~ atomique** atomic bomb; **avoir la ~ atomique** to have the bomb; **~ autoguidée** homing bomb; **~ à billes** shrapnel bomb; **~ au cobalt** Méd cobalt therapy unit; **~ éclairante** flare bomb; **~ à fission** fission bomb; **~ à fragmentation** fragmentation bomb; **~ gigogne** cluster bomb; **~ glacée** Culin bombe (glacée); **~ à grappes** cluster bomb unit; **~ guidée** = **~ intelligente**; **~ H** H-bomb; **~ à hydrogène** hydrogen bomb; **~ incendiaire** Mil incendiary bomb; (artisanal) incendiary device; **~ insecticide** insecticide spray; **~ intelligente** smart bomb; **~ lacrymogène** Mil teargas grenade; **~ de laque** Cosmét can of hairspray; **~ à neutrons** neutron bomb; **~ perforante** penetration bomb; **~ à retardement** time bomb; **~ soufflante** air-blast bomb; **~ volcanique** Géol volcanic bomb

(Idiomes) **arriver/partir à toute ~**○ [*personne*] to rush in/off; **arriver comme une ~** [*nouvelle*] to come like a bolt out of the blue○; **faire la ~**○ (s'amuser) to live it up; (dans l'eau) to dive-bomb

bombé, **~e** /bɔ̃be/

A *pp* ▸ **bomber¹**

B *pp adj* [*front*] domed; [*vase*] rounded; [*lentille*] convex; [*route*] cambered; [*mur*] bulging

bombement /bɔ̃bmɑ̃/ *nm* **1** (de lentille) convexity; (de route) camber; (de mur) bulge; **2** **marcher avec des ~s de torse** to walk along with one's chest stuck out

bomber¹ /bɔ̃be/ [1]

A *vtr* **1** (gonfler) **~ le torse** lit to thrust out one's chest; fig to swell with pride; **en bombant le torse** with one's chest stuck out; **2** ○(peindre) to spray-paint [*inscription; mur*]

B *vi* **1** [*planche, mur*] to bulge out; **2** ○(rouler vite) to belt along○

bomber² /bɔ̃bœʀ/ *nm* bomber jacket

bomblette /bɔ̃blɛt/ *nf* bomblet

bombyx /bɔ̃biks/ *nm inv* bombyx

(Composé) **~ du mûrier** silk-worm moth

bôme /bom/ *nf* Naut boom

bon, **bonne** /bɔ̃, bɔn/

A *adj* **1** (agréable) [*repas, aliment, odeur, matelas, douche*] good; **très ~, ce gâteau!** this cake's very good!; **viens, l'eau est bonne** come on in, the water's lovely *ou* fine US; ▸ **aventure** **2** (de qualité) [*objet, système, hôtel, vacances*] good; [*livre, texte, style*] good; [*conseil, métier, travail*] good; [*santé, vue, mémoire*] good; **il n'y a rien de ~ dans ce film** there's nothing good in *ou* about this film; **un ~ bâton** a good strong stick; **de bonnes chaussures** good

b

strong shoes; **prends un ~ pull** take a warm jumper; **la balle est bonne** (au tennis) the ball is good *ou* in; **tu as de ~s yeux pour pouvoir lire ça!** you must have good eyesight if you can read that!; **à 80 ans, il a encore de bonnes jambes** at 80, he can still get around; **elle est (bien) bonne, celle-là**○**!** lit (amusé) that's a good one!; iron (indigné) I like that!; ▸ **raison**, **sang**, **temps**

3 (supérieur à la moyenne) [*niveau, qualité, client, quantité*] good; **il n'est pas ~ en latin** he's not very good at Latin; **une bonne pointure en plus** a good size bigger; **j'ai attendu un ~ moment/deux bonnes heures** I waited a good while/a good two hours; **une bonne centaine de feuilles** a good hundred sheets; **elle leur a donné une bonne claque** she gave them a good smack; **il a bu trois ~s verres** he's drunk three good *ou* big glasses; **ça fait un ~ bout de chemin** it's quite a (long) way; **voilà une bonne chose de faite!** that's that out of the way!; **j'ai un ~ rhume** I've got a rotten cold; **nous sommes ~s derniers** we're well and truly last; **elle est arrivée bonne dernière** she came well and truly last; ▸ **an**, **poids**

4 (compétent) [*médecin, père, nageur, élève*] good; **en ~ mari/citoyen/écologiste** like a good husband/citizen/ecologist; **en ~ Français (qui se respecte), il passe son temps à râler** like all good Frenchmen, he spends his time moaning; **en ~ fils qu'il est/que tu es** like the good son he is/you are; **elle n'est bonne à rien** she's good for nothing; **il n'est pas ~ à grand-chose** he isn't much use, he's pretty useless; ▸ **ami**, **prince**, **rat**

5 (avantageux) good; **ce serait une bonne chose** it would be a good thing; **j'ai cru** *or* **jugé ~ de faire/que qch soit fait** I thought it was a good idea to do/that sth be done; **je n'attends rien de ~ de cette réforme** I don't think any good will come of this reform; **il n'est pas toujours ~ de dire la vérité** it isn't always a good idea to tell the truth; **il est/serait ~ de faire** it is/would be a good thing to do; **il serait ~ qu'on le leur dise/qu'elles le sachent** they ought to be told/to know; **c'est ~ à savoir** that's good to know; **c'est toujours ~ à prendre** it's not to be sneezed at; **à quoi ~?** what's the use *ou* point?

6 (efficace) [*remède, climat*] good (**pour, contre** for); **prends ça, c'est ~ pour** *or* **contre la toux** take this, it's good for coughs; **ce climat n'est pas ~ pour les rhumatisants** this climate isn't good for people with rheumatism; **ce qui est ~ pour moi l'est pour toi** if it's good enough for me, it's good enough for you; **toutes les excuses lui sont bonnes** he'll/she'll use any excuse; **tous les moyens lui sont ~s pour arriver à ses fins** he'll/she'll do anything to get what he/she wants

7 (destiné) **~ pour qch** fit for sth; **l'eau n'est pas bonne à boire** the water isn't fit to drink; **ton stylo est ~ à jeter** *or* **pour la poubelle** your pen is fit for the bin GB *ou* garbage US; **c'est tout juste ~ pour les chiens!** it's only fit for dogs!; **tu es ~ pour la vaisselle, ce soir!** you're in line for the washing up GB *ou* for doing the dishes tonight!; **me voilà ~ pour une amende** I'm in for a fine○

8 (bienveillant) [*personne, paroles, geste*] kind (**avec, envers** to); [*sourire*] nice; **il est ~ avec** *or* **pour les animaux** he's kind to animals; **il a une bonne tête** *or* **gueule**○ he looks like a nice person *ou* guy○; **un homme ~ et généreux** a kind and generous man; **tu es trop ~ avec lui** you're too good to him; **c'est un ~ garçon** he's a good lad; **ce ~ vieil Arthur!** good old Arthur!; **avoir ~ cœur** to be good-hearted; **tu es bien ~ de la supporter** it's very good of you to put up with her; **vous êtes (bien) ~!** iron that's (very) good *ou* noble of you! iron; **il est ~, lui**○**!** iron it's all very well for him to say that!; ▸ **Dieu**, **figure**

9 (correct) [*moment, endroit, numéro, réponse, outil*] right; **j'ai tout ~ à ma dictée**○ I've got everything right in GB *ou* on US my dictation; **c'est ~, vous pouvez y aller** it's OK, you can go; **c'est ~ pour les jeunes/riches** it's all right for the young/rich

10 (utilisable) [*billet, bon*] valid; **le lait/pneu/ciment est encore ~** the milk/tyre/cement is still all right; **le pâté n'est plus ~** (périmé) the pâté is past its sell-by date; (avarié) the pâté is off; **le lait ne sera plus ~ demain** the milk will have gone off by tomorrow; **la colle n'est plus bonne** the glue has dried up; **le pneu n'est plus ~** the tyre GB *ou* tire US is worn, the tyre GB *ou* tire US has had it○

11 (dans les souhaits) [*chance, nuit*] good; [*anniversaire*] happy; **~ retour!** (have a) safe journey back!; **bonne journée/soirée!** have a nice day/evening!; **~ séjour/week-end!** have a good *ou* nice time/weekend!; ▸ **port**, **pied**, **race**, **valet**

B *nm,f* (personne) **mon ~**† my good man†; **ma bonne**† my good woman†; **les ~s et les méchants** good people and bad people; (au cinéma) the good guys and the bad guys○, the goodies and the baddies○ GB

C *nm* **1** (ce qui est de qualité) **il y a du ~ dans cet article** there are some good things in this article; **il y a du ~ et du mauvais chez lui** he has good points and bad points; **la concurrence peut avoir du ~** competition can be a good thing; **la vie de célibataire/sous les tropiques a du ~** being single/in the tropics has its advantages

2 Comm, Pub (sur un emballage) token GB, coupon; (contremarque) voucher; **cadeau gratuit contre 50 ~s et deux timbres** free gift with 50 tokens GB *ou* coupons US and two stamps; **~ à valoir sur l'achat de** voucher valid for the purchase of; **échanger un ~ contre** to redeem a voucher against, to exchange a voucher for

3 Fin bond; **~ indexé/convertible** indexed/convertible bond

D *excl* (satisfaction) good; (accord, concession) all right, OK; (intervention, interruption) right, well; **tu as fini? ~, on va pouvoir y aller** have you finished? good, then we can go; **'je vais à la pêche'—'~, mais ne reviens pas trop tard'** 'I'm going fishing'—'all right *ou* OK, but don't be back too late'; **~, on va pas en faire un drame**○**!** well, let's not make a fuss about it!; **~, il faut que je parte** right, I must go now; **~, allons-y!** right *ou* OK, let's go!; **~, si tu veux** well *ou* OK, if you like; **~, ~, ça va, j'ai compris!** OK, OK, I've got it!; **~, changeons de sujet** right *ou* well, let's change the subject; **allons ~!** oh dear!

E *adv* **ça sent ~!** that smells good!; **il fait ~ aujourd'hui/en cette saison** the weather's mild today/in this season; **il fait ~ dans ta chambre** it's nice and warm in your room; **il fait ~ vivre ici** it's nice living here; **il ne fait pas ~ le déranger/s'aventurer dans la région** it's not a good idea to disturb him/to venture into the area; ▸ **tenir**

F **pour de bon** *loc adv* (vraiment) really; (définitivement) for good; **je vais me fâcher pour de ~** I'm going to get really cross; **j'ai cru qu'il allait le faire pour de ~** I thought he'd really do it; **je suis ici pour de ~** I'm here for good; **tu dis ça pour de ~?** are you serious?

G **bonne** *nf* **1** ▸ **p. 532** (domestique) maid; **je ne suis pas ta bonne!** I'm not the maid!

2 (plaisanterie) **tu en as de bonnes, toi!** you must be joking!; **il m'en a raconté une bien bonne** he told me a good joke

(Composés) **~ ami**† boyfriend; **~ de caisse** certificate of deposit; **~ de commande** order form; **~ à composer** final draft; **~ de croissance** Fin share option, stock option; **~ d'échange** voucher; **~ enfant** good-natured; **~ d'essence** petrol GB *ou* gas US coupon; **~ de garantie** guarantee slip; **~ garçon** nice chap; **être ~ garçon** to be a nice chap; **~ de livraison** delivery note; **~ marché** cheap; **~ mot** witticism; **faire un ~ mot** to make a witty remark (**sur** about); **~ point** lit merit point; fig brownie point○; **~ de réduction** Comm discount voucher; **~ à rien** good-for-nothing; **~ sauvage** noble savage; **~ sens** common sense; **avoir du ~ sens** to have common sense; **un peu de ~ sens, quoi!** use your common sense!; **~ teint** dyed-in-the-wool (*épith*); **une féministe/communiste ~ teint** a dyed-in-the-wool feminist/communist; **~ à tirer** pass for press; **~ de transport** travel voucher; **~ du Trésor** Treasury bill *ou* bond; **~ usage** good usage; **~ vivant** *adj* jovial; *nm* bon vivant *or* viveur; **bonne action** good deed; **bonne amie**† girlfriend; **bonne d'enfants** nanny; **bonne femme**○ (femme) woman péj; (épouse) old lady○, wife; **bonne fille** nice person; **être bonne fille** lit to be a nice person; fig [*administration, direction*] to be helpful; **bonne parole** word of God; **bonne pâte** good sort; **bonne sœur**○ nun; **bonne à tout faire** pej skivvy○ GB pej, maid; **bonnes feuilles** advance sheets; **bonnes mœurs** Jur public decency ₵; **bonnes œuvres** good works; **~s offices** good offices; **par les ~s offices de** through the good offices of; **offrir ses ~s offices** to offer one's help and support; **s'en remettre aux ~s offices de qn** to put oneself in the good hands of sb

(Idiome) **il m'a à la bonne** I'm in his good books

bonapartisme /bɔnapaʀtism/ *nm* Bonapartism

bonasse /bɔnas/ *adj* pej meek

bonbon /bɔ̃bɔ̃/ *nm* sweet GB, candy US; **des ~s** sweets GB, candy US; **~s fourrés** sweets GB *ou* candy US with a soft centre

(Composés) **~ acidulé** acid drop GB, sour ball US; **~ anglais** fruit drop; **~ à la menthe** mint; **~ au miel** honey sweet GB, honey candy US

(Idiomes) **coûter ~**◑ to cost a lot; **casser les ~s à qn**◑ to annoy sb, to bug○ sb

bonbonne /bɔ̃bɔn/ *nf* (en verre) demijohn; (plus grand) carboy; **~ de gaz** gas cylinder; **~ d'oxygène** oxygen cylinder

bonbonnière /bɔ̃bɔnjɛʀ/ *nf* **1** (boîte) sweet dish GB, candy dish US, bonbonniere spéc; **2** (logement) bijou flat GB, bijou apartment US

bond /bɔ̃/ *nm* **1** lit, gén (de personne, d'animal) leap, bound; fig (dans le temps) jump; **d'un ~** in one leap *ou* bound; **d'un ~, il fut à la porte** in one bound, he reached the door; **franchir qch d'un ~** to leap across sth; **se lever d'un ~** to leap to one's feet; **faire un ~ en avant** to leap forward; **faire un ~ en avant de 30 ans** to jump forward 30 years; **le film nous fait faire un ~ en arrière de trois siècles** the film takes us back three centuries; **2** fig (progrès) leap; (hausse) (de prix) jump (**de** in); (de bénéfices, d'exportations) leap (**de** in); **~ en avant** leap forward; (découverte) breakthrough; **faire un ~ en avant** [*technologie, économie*] to make a leap forward; **le chiffre d'affaires/l'action a fait un bond de 50%** the turnover/the share has leaped by 50%; **3** Mil thrust; **progresser par ~s** to progress through a series of thrusts

(Idiomes) **saisir la balle au ~** to seize the opportunity; **faire faux ~ à qn** to let sb down

bonde /bɔ̃d/ *nf* **1** (orifice) (de piscine) outlet; (d'étang) sluice; (de lavabo) plughole; (de tonneau) bunghole; **2** (bouchon) (de piscine) outlet cover; (d'étang) sluicegate; (de lavabo) plug; (de tonneau) bung; **3** (fromage) *goat cheese (from the Poitou region)*

bondé, **~e** /bɔ̃de/ *adj* packed; **l'endroit est ~ de touristes** the place is packed *ou* crammed with tourists

bondieuserie○ /bɔ̃djøzʀi/ *nf* **1** pej (objet) religious souvenir; **2** (religiosité) pej excessive religiosity

bondir /bɔ̃diʀ/ [3] *vi* **1** (sauter) [*personne, animal, cœur, flamme, torrent*] to leap; **~ de joie** to jump for joy; **~ de surprise/frayeur** to start with surprise/fright; 2 (s'élancer) ~ **sur qn/qch** to pounce on sb/sth; ~ **vers qn/qch** to rush to sb/sth; 3 (gambader) [*animal*] to leap about; 4 (s'indigner) to react furiously, to hit the roof○; **ça m'a fait** ~ I was absolutely furious *ou* hopping mad○ (about it); ~ **d'indignation** to be outraged; ~ **de colère** to fly into a rage; 5 (augmenter) [*prix, devise*] to soar, to rocket○; **faire** ~ **les prix** to send prices soaring; ~ **de 17%** to jump 17%

bondissant, ~**e** /bɔ̃disɑ̃, ɑ̃t/ *adj* [*animal*] bounding; [*torrent*] leaping

bondissement /bɔ̃dismɑ̃/ *nm* leap, bound

bongo /bɔ̃go/ ▸ **p. 557** *nm* bongo drum; ~**s** bongos

bonheur /bɔnœʀ/ *nm* 1 (état de plénitude) happiness; **je vous souhaite beaucoup de** ~, **tous mes vœux de** ~ I wish you every happiness; **être au comble du** ~ to be ecstatic; 2 (moment heureux) pleasure; **quel** ~ **de vous retrouver/boire un bon café** what a pleasure it is to see you again/to drink a nice coffee; **mon plus grand** ~ **c'est de faire** my greatest pleasure is to do; **faire le** ~ **de** [*personne, cadeau*] to make [sb] happy [*personne, enfant*]; [*exposition, événement*] to delight [*spectateur, touriste*]; **le nouveau musée fait le** ~ **des touristes** the new museum is delighting the tourists; **les nouvelles mesures font le** ~ **de l'industrie** the industry is delighted by the new measures; **pour le plus grand** ~ **de qn** to the great delight of sb; 3 (chance) pleasure; **c'est un vrai** ~ **de travailler avec elle** it's a real pleasure to work with her; **avoir le** ~ **de faire** to have the pleasure of doing; **par** ~ fortunately; **au petit** ~ **(la chance)** [*répondre, décider, chercher*] at random; **tu ne connais pas ton** ~**!** you don't realize how lucky you are!; 4 fml (réussite) **il manie la métaphore avec** ~ he uses metaphor to great effect; **il a répondu avec** ~ **à toutes nos questions** he answered all our questions felicitously

(Idiomes) **le malheur des uns fait le** ~ **des autres** Prov one man's meat is another man's poison Prov; **l'argent ne fait pas le** ~ Prov money can't buy happiness; **alors, tu as trouvé ton** ~○? did you find what you wanted?

bonheur-du-jour, *pl* **bonheurs-du-jour** /bɔnœʀdyʒuʀ/ *nm* escritoire, writing desk

bonhomie* /bɔnɔmi/ *nf* good-nature; **avec** ~ good-naturedly

bonhomme, *pl* ~**s**, **bonshommes** /bɔnɔm, bɔ̃zɔm/

A *adj* [*air, propos, gendarme*] good-natured

B ○*nm* (homme) fellow, chap○; (mari) old man○; (enfant) little man; **découper des** ~**s de carton** to cut out little cardboard people

(Composés) ~ **de neige** snowman; ~ **en pain d'épice** gingerbread man

(Idiome) **aller** *or* **suivre son petit** ~ **de chemin** to go peacefully along

boni /bɔni/ *nm* 1 (excédent) surplus; **ça nous fait un petit** ~ that gives us a small surplus; 2 (prime) bonus

boniche /bɔniʃ/ *nf* pej skivvy○ GB péj, servant

bonification /bɔnifikɑsjɔ̃/ *nf* 1 Sport bonus points; (en cyclisme) bonus time; 2 Fin bonus; 3 Agric, Vin improvement

(Composé) ~ **d'intérêt(s)** (action) subsidization of interest; (résultat) interest rebate

bonifié, ~**e** /bɔnifje/ *adj* **prêt à taux** ~ (government-)subsidized loan

bonifier *vtr*, **se bonifier** *vpr* /bɔnifje/ [2] Agric, Vin to improve

boniment /bɔnimɑ̃/

A *nm* (de camelot) sales patter *ou* pitch; **faire du** *or* **son** ~ **à qn** to give sb a sales pitch

B **boniments** *nmpl* stories; **raconter des** ~**s à qn** (mensonges) to give sb some story○ (**à propos de qch** about sth); (flatteries) to smooth-talk sb, to give sb a line○ US; **arrête tes** ~**s!** don't try that on me!

bonimenter† /bɔnimɑ̃te/ [1] *vi* to make a sales pitch

bonimenteur /bɔnimɑ̃tœʀ/ *nm* 1 fig smooth talker; 2 †(camelot) street pedlar GB *ou* peddler US

bonite /bɔnit/ *nf* bonito

(Composés) ~ **à dos rayé** Atlantic bonito; ~ **à ventre rayé** skipjack

bonjour /bɔ̃ʒuʀ/ *nm* gén hello; (le matin) good morning, hello; (l'après-midi) good afternoon, hello; **faire (un)** ~ **de la main** to wave hello; **faire un** ~ **de la tête** to nod; **bien le** ~ **à votre sœur** say hello to your sister for me, give my regards to your sister; **donnez-leur le** ~ **de ma part** give them my regards; **tu as le** ~ **de mon frère** my brother sends his regards; **allô,** ~**!** hello!

(Idiomes) **être simple** *or* **facile comme** ~○ to be dead easy○ GB, to be easy as pie○; ~○ **les dégâts** here comes trouble○; ~○ **l'angoisse**○**!** it doesn't sound good!; ~○ **le libéralisme/le progrès!** so much for liberalism/progress!

Bonn /bɔn/ ▸ **p. 894** *npr* Bonn

bonne ▸ **bon A, B, G**

bonne-maman, *pl* **bonnes-mamans** /bɔnmamɑ̃/ *nf* grandma, grandmama

bonnement /bɔnmɑ̃/ *adv* **tout** ~ (quite) simply

bonnet /bɔnɛ/ *nm* 1 (coiffe) hat; (de bébé) bonnet; ▸ **gros**; 2 (de soutien-gorge) cup; 3 Zool reticulum

(Composés) ~ **d'âne** Scol dunce's cap; ~ **de bain** bathing cap; ~ **de douche** shower cap; ~ **de nuit** lit nightcap; fig wet blanket○; ~ **à poils** Mil bearskin

(Idiomes) **prendre qch sous son** ~ to make sth one's concern; **avoir la tête près du** ~ to be hot-tempered GB *ou* hotheaded; **c'est blanc** ~ **et** ~ **blanc** it's six of one and half a dozen of the other; **être triste comme un** ~ **de nuit** to be as boring as hell○; ▸ **moulin**

bonneteau /bɔnto/ *nm inv* three-card trick GB *ou* monte US

bonneterie* /bɔnɛtʀi/ *nf* 1 Comm, Ind **la** ~ hosiery; 2 (magasin) hosiery shop

bonnetier, **-ière** /bɔntje, ɛʀ/

A ▸ **p. 532** *nm,f* Comm hosier

B **bonnetière** *nf* (armoire) (small) cupboard

bonniche = **boniche**

bon-papa, *pl* **bons-papas** /bɔ̃papa/ *nm* granddad○, grandpapa○

bonsaï /bɔ̃nzaj/ *nm* bonsai (tree); **un chêne** ~ an oak bonsai (tree)

bonshommes ▸ **bonhomme**

bonsoir /bɔ̃swaʀ/ *nm* (à l'arrivée) good evening, hello; (au départ) good night; (avant le coucher) good night; **on se connaît à peine, bonjour** ~ we're just nodding acquaintances

bonté /bɔ̃te/

A *nf* (de personne) kindness (**envers** towards[GB]); (de Dieu, Ciel) goodness; **un homme d'une grande** ~ a man of great kindness; **un regard/sourire plein de** ~ a look/smile full of kindness; **traiter qn avec** ~ to treat sb with kindness; **par** ~ **d'âme** out of the goodness of one's heart; **c'est mon jour de** ~ hum I'm feeling generous today; **voudriez-vous avoir la** ~ **de faire** fml would you please be kind enough to do; ~ **divine!** good heavens!

B **bontés** *nfpl* (gentillesses) kindness ¢ (**pour** towards[GB])

bonus /bɔnys/ *nm inv* no-claims bonus

bonze /bɔ̃z/ *nm* 1 Relig bonze; 2 ○mandarins

bonzerie /bɔ̃zʀi/ *nf* buddhist monastery

boogie-woogie, *pl* ~**s** /bugiwugi/ *nm* boogie-woogie; **danser le** ~ to do the boogie-woogie

Boole /bul/ *npr* **algèbre de** ~ Math Boolean algebra

booléen, **-éenne** /boleɛ̃, ɛn/ *adj* boolean

boom* /bum/ *nm* boom; ~ **économique** economic boom; **une industrie en plein** ~ a booming industry; **être en plein** ~ [*personne*] to be extremely busy

boomerang /bumʀɑ̃g/ *nm* boomerang; **effet** ~ boomerang effect; **faire** ~ to boomerang; **revenir en** ~ to backfire on sb

booster○ /buste/ [1] *vtr* to boost

boots /buts/ *nfpl* (avec élastique) jodhpur boots

boqueteau, *pl* ~**x** /bɔkto/ *nm* copse

borborygme /bɔʀbɔʀigm/ *nm* 1 (bruit) (de faim) rumbling ¢; (de digestion) gurgling ¢; (de tuyauterie) gurgling ¢; 2 (parole indistincte) mumbling ¢

bord /bɔʀ/ *nm* 1 (limite) gén edge; (de route) side; (de cours d'eau) bank; **le** ~ **de l'assiette** the edge of the plate; **sur le** *or* **au** ~ **de la route** on *ou* at the side of the road; **au** ~ **de** lit on *ou* at the edge of [*chemin, lac, rivière*]; fig on the brink of [*drame, précipice, chaos*]; on the verge of [*faillite, divorce, mort*]; **ils se sont assis au** ~ **du lac** they sat down by the lake; **au** ~ **de l'eau** [*restaurant*] waterside (*épith*); [*manger, jouer*] by the waterside; **notre maison est au** ~ **de l'eau** our house is on the waterside; **au** ~ **de la mer** [*maison, village, terrain*] by the sea (*après n*); [*activité, vacances*] at the seaside (*après n*); **le** ~ **de la mer** the seaside; **du** ~ **de mer** [*avenue, village, activité*] seaside (*épith*); **les** ~**s de (la) Seine** the banks of the Seine; ~ **à** ~ edge-to-edge; **virage à** ~ **relevé** bend with a (raised) camber; 2 (pourtour) (de tasse, verre, cratère, lunettes) rim; (de chapeau) brim; **à** ~**s relevés** [*chapeau*] with a turned-up brim; **soucoupe à large** ~ wide-rimmed saucer; ▸ **ras**; 3 (dans un véhicule) **à** ~ [*être, travailler, dîner, dormir*] on board, aboard; **monter à** ~ to go aboard, to board; **nous sommes restés/avons été retenus à** ~ we stayed/have been detained on board; **le travail à** ~ work on board; **il y avait 200 passagers à** ~ there were 200 passengers on board; **le capitaine/l'hélicoptère les a pris à son** ~ the captain/the helicopter took them on board; **à** ~ **d'un navire/avion/train/bus** on board a ship/plane/train/bus; **un incendie s'est déclaré à** ~ a fire broke out on board; **les missiles embarqués à** ~ **du sous-marin** the missiles on board the submarine; **ils sont partis à** ~ **de leur voiture/d'une camionnette volée** they left in their car/a stolen van; **par-dessus** ~ [*tomber, jeter*] overboard; **de** ~ [*instrument, personnel*] on board (*après n*); **on se débrouillera** *or* **on fera**○ **avec les moyens du** ~ we'll make do with what we've got; 4 fig (tendance) side; **je ne suis pas de leur** ~ I'm not on their side; **ils sont du même** ~ they're on the same side; **des deux/de tous** ~**s** from both/all sides; **il est un peu anarchiste/alcoolique sur les** ~**s** he has slightly anarchic/alcoholic tendencies; 5 (côté) side; **ils passaient d'un** ~ **à l'autre de la frontière** they were crossing from one side of the border to the other; **nous étions projetés d'un** ~ **à l'autre pendant la tempête** we were thrown from one side to the other during the storm; **de hauts** ~**s** [*navire*] high-sided (*épith*); **rouler** ~ **sur** ~ [*navire*] to roll in the swell; **tirer des** ~**s** Naut to tack

(Composés) ~ **d'attaque** Aviat leading edge; ~ **de fuite** Aviat trailing edge

bordage /bɔʀdaʒ/ *nm* 1 Naut (en bois) plank; (en métal) plate; 2 Cout (de vêtement) edging

bordé /bɔʀde/ *nm* 1 Cout border; 2 Naut (en bois) planking; (en métal) plating

bordeaux /bɔʀdo/

A ▸ **p. 202** *adj inv* burgundy

B *nm* Vin Bordeaux; ~ **rouge** claret

Bordeaux /bɔʀdo/ ▸ **p. 894** *npr* Bordeaux

bordée /bɔʀde/ *nf* 1 Mil Naut (décharge) broadside; (canons) broadside; **tirer une** ~ lit to fire a broadside; fig to go on a binge○; 2 Naut (route) tack; **tirer des** ~**s** to tack

(Idiome) **lâcher une ~ d'injures** to let out a volley of abuse

bordel◑ /bɔʀdɛl/
A *nm* **1** (maison de prostitution) brothel, whorehouse○; **2** (désordre) shambles (*sg*); **quel ~!** what a shambles!; **mettre le ~** to make a terrible mess; **3** (tapage) racket; **faire le ~** to make a racket
B *excl* damn○!

bordelais, **~e** /bɔʀdəlɛ, ɛz/ ▸ **p. 894** *adj* of Bordeaux

Bordelais, **~e** /bɔʀdelɛ, ɛz/
A ▸ **p. 894** *nm,f* (natif) native of Bordeaux; (habitant) inhabitant of Bordeaux
B ▸ **p. 721** *nprm* Géog **le ~** the Bordeaux region

bordélique◑ /bɔʀdelik/ *adj* [*personne*] disorganized; [*lieu*] shambolic○ GB, messy; **c'est ~ ici** this place is a real tip○ GB *ou* dump○ *ou* mess

border /bɔʀde/ [1] *vtr* **1** (suivre un contour) to line (**de** with); **route bordée d'arbres** road lined *ou* bordered with trees, tree-lined road; **2** (entourer) [*plage, îles*] to skirt [*côte*]; [*plantes*] to border [*massif, lac*]; **une pelouse bordée de rosiers** a lawn bordered with rose bushes; **3** (longer) [*chemin, cours d'eau*] to border, to run alongside [*maison, terrain*]; [*marin, navire*] to sail along [*côte*]; **sentier bordant la forêt** track bordering the forest; **4** (arranger la literie) to tuck in [*lit*]; to tuck [sb] in [*personne*]; **5** Cout (garnir) to edge [*vêtement, lingerie*] (**de** with); **un mouchoir bordé de dentelle** a handkerchief edged with lace, a lace-trimmed handkerchief; **6** (étarquer) [*marin*] to take up the slack in [*voile*]; **7** (revêtir de bordages) (en bois) to plank; (en métal) to plate; **8** (ramener) [*rameur*] to ship [*avirons*]

bordereau, *pl* **~x** /bɔʀdəʀo/ *nm* **1** (feuille) Admin form, slip; Comm, Fin note; Ordinat sheet; **~ de retrait/de versement** withdrawal/deposit slip; **~ de crédit/d'envoi/d'escompte** credit/dispatch/discount note; **~ de commande** order form; **~ de livraison** delivery slip; **2** (en Bourse) contract; **~ d'achat/de vente** purchase/sale contract; **3** (de dossier juridique) docket

bordure /bɔʀdyʀ/
A *nf* **1** (de terrain, tapis, vêtement) border; **une ~ de dentelle** a lace border; **un jardin/bassin à ~ de fleurs** a garden/pond with a flower border; **une boîte/une enveloppe à ~ rouge** a box/an envelope with a red border; **un manteau à ~ de fourrure** a coat edged *ou* trimmed with fur; **2** (contour externe) (de route, chemin, quai) edge; (de trottoir) kerb GB, curb US; **3** Naut (de voile) foot
B **en bordure de** *loc prép* **1** (sur le bord) (en un point) next to [*parc, terrain*]; (en entourant) on the edge of [*parc, terrain*]; (en longeant) next to, running alongside [*canal, voie ferrée*]; on the side of [*route, chemin*]; **2** (à proximité) just outside [*village, ville*]

bore /bɔʀ/ *nm* boron

boréal, **~e**, *mpl* **-aux** /bɔʀeal, o/ *adj* boreal; **aurore ~e** aurora borealis

borgne /bɔʀɲ/
A *adj* **1** [*personne*] one-eyed (*épith*); **il est ~** he has only one eye; **2** (bouché) **fenêtre ~** obstructed window; **trou ~** blind hole; **3** (mal famé) [*hôtel, rue*] seedy
B *nmf* one-eyed man/woman; ▸ **royaume**

borique /bɔʀik/ *adj* boric

bornage /bɔʀnaʒ/ *nm* **1** Jur boundary marking; **2** †Naut coastal navigation

borne /bɔʀn/
A *nf* **1** (sur une route) **~ (kilométrique)** kilometre[GB] marker; **2** (autour d'une propriété) boundary stone; (autour d'un édifice) post; **3** (pour bloquer le passage) bollard GB, post US; **4** ○(kilomètre) kilometre[GB]; **faire 2000 ~s en trois jours** to drive 2000 kilometres[GB] in three days; **5** Électrotech terminal; **~ d'entrée/de sortie** input/output terminal; **6** Math limit; **~ supérieure/inférieure** upper/lower bound
B **bornes** *nfpl* fig (limites) limits, boundaries; **mettre** *or* **fixer des ~s** to put limits (**à** on); **une stupidité/tristesse sans ~s** boundless stupidity/sadness; **leur ambition/admiration est sans ~s** their ambition/admiration knows no bounds

(Composés) **~ d'appel** = **~ téléphonique**; **~ automatique de paiement** electronic pay point; **~ d'incendie** fire hydrant; **~ interactive** electronic communication and information terminal; **~ téléphonique** (sur l'autoroute) emergency telephone; (pour taxis) taxi stand telephone

(Idiome) **dépasser les ~s** to go too far

borné, **~e** /bɔʀne/
A *pp* ▸ **borner**
B *pp adj* [*personne*] narrow-minded; [*esprit, existence*] narrow; [*intelligence*] limited

borne-fontaine, *pl* **bornes-fontaines** /bɔʀnfɔ̃tɛn/ *nf* Can fire hydrant

Bornéo /bɔʀneo/ ▸ **p. 435** *npr* Borneo

borner /bɔʀne/ [1]
A *vtr* **1** Jur to mark out the boundaries of [*propriété*]; **2** lit [*rivière, montagne*] to border [*pays, région*]; **3** fig to limit [*ambition, désirs*] (**à qch** to sth; **à faire** to doing)
B **se borner** *vpr* **1** (se contenter) **se ~ à faire** [*personne*] to content oneself with doing; **il s'est borné à déclarer/préciser que** he contented himself with declaring/explaining that; **2** (se limiter) **se ~ à qch/à faire** [*rôle, fonctions*] to be limited to sth/to doing; [*personne*] to limit oneself to sth/to doing; **notre rôle se borne à analyser/évaluer** our role is limited to analysing[GB]/evaluating; **je me bornerai à dire que** I'll just say that; **je me suis bornée au strict nécessaire** I kept it down to the absolute essentials

borsalino® /bɔʀsalino/ *nm* fedora

bosniaque /bɔsnjak/ ▸ **p. 721** *adj* Bosnian

Bosniaque /bɔsnjak/ *nmf* Bosnian

Bosnie /bɔsni/ ▸ **p. 721** *nprf* Bosnia

Bosnie-Herzégovine /bɔsniɛʀzegɔvin/ ▸ **p. 721** *nprf* Bosnia-Herzegovinia

boson /bɔzɔ̃/ *nm* boson

Bosphore /bɔsfɔʀ/ *nprm* **le ~** Bosphorus; **le détroit du ~** the Bosphorus straits

bosquet /bɔskɛ/ *nm* (d'arbres) grove

boss○ /bɔs/ *nm inv* boss

bossage /bɔsaʒ/ *nm* boss

bossa-nova, *pl* **bossas-novas*** /bɔsanɔva/ *nf* bossa-nova; **danser la ~** to do the bossa-nova

bosse /bɔs/ *nf* **1** Anat, Zool (sur le dos) hump; (sur le nez) bump; **2** (après un choc) bump; **se faire une ~** to get a bump; **3** (sur un terrain) bump; (sur une piste de ski) mogul, bump; **un parcours en creux et en ~s** a bumpy course; **4** (sur objet) (après choc) dent; (voulue) indentation; **faire une ~ à sa voiture** to dent *ou* bump one's car

(Idiomes) **avaler les ~s** to zoom over the bumps; **avoir la ~ de** to have a flair for; **rouler sa ~** to knock about

bosselage /bɔslaʒ/ *nm* embossment

bosselé, **~e** /bɔsle/
A *pp* ▸ **bosseler**
B *pp adj* **1** (déformé) [*terrain*] bumpy; [*gobelet*] dented, battered; **2** Art, Tech embossed

bosseler /bɔsle/ [19] *vtr* **1** (accidentellement) to dent; (volontairement) to make small indentations in; **2** Art, Tech to emboss

bossellement* /bɔsɛlmɑ̃/ *nm* embossing

bosselure /bɔslyʀ/ *nf* **1** (accidentelle) (small) dent; (voulue) (small) indentation; **2** Art, Tech embossment

bosser○ /bɔse/ [1]
A *vtr* to work on, to swot up○ GB, to cram
B *vi* to work; **~ comme un fou** to slave away○

bosseur○, **-euse** /bɔsœʀ, øz/ *nm,f* hard worker, grind○, swot○ GB

bossoir /bɔswaʀ/ *nm* (d'embarcation) davit; (d'ancre) cathead

bossu, **~e** /bɔsy/
A *adj* (infirme) hunchbacked; (qui se tient mal) round-shouldered
B *nm,f* hunchback

(Idiome) **rire comme un ~** to laugh like a drain

boston /bɔstɔ̃/ *nm* Mus, Jeux boston

Boston /bɔstɔ̃/ ▸ **p. 894** *npr* Boston

bot /bo/ *adj m* **pied ~** club foot; **avoir un pied ~** to be club-footed

botanique /bɔtanik/
A *adj* botanical; **jardin ~** botanical gardens (*pl*)
B *nf* botany

botaniste /bɔtanist/ ▸ **p. 532** *nmf* botanist

Botnie /bɔtni/ ▸ **p. 721** *nprf* Bothnia

Botswana /bɔtswɑna/ ▸ **p. 333** *nprm* Botswana

botte /bɔt/ *nf* **1** (chaussure) boot; **coup de ~**○ kick; ▸ **plein**; **2** Agric (de fleurs, légumes) bunch; (de foin, paille) bale; **3** Sport (en escrime) thrust; (au football, rugby) kick; **4** Univ students' slang **la ~** the top students; **5** Géog **la ~ italienne**, **la Botte** Italy; ▸ **aiguille**

(Composés) **~s de caoutchouc** wellington boots, wellingtons; **~s de cheval** riding boots; **~s d'égoutier** waders; **~s de sept lieues** seven league boots

(Idiomes) **sous la ~ de l'ennemi** under the oppressor's heel; **être/se mettre à la ~ de qn** to be/to put oneself under sb's heel

botté, **~e** /bɔte/
A *pp* ▸ **botter**
B *pp adj* with boots on; **~ de cuir** leather-booted

botter /bɔte/ [1]
A *vtr* **1** (chausser de bottes) to put [sb's] boots on; **2** (fournir en bottes) to sell boots to; **3** ○(plaire) **ça le botte!** he loves it, he really digs it○; **4** (frapper du pied) to kick; **~ le ballon** to kick the ball; **~ le train** *or* **le derrière**○ *or* **les fesses**○ **de qn** to boot sb up the backside○ GB, to kick sb in the ass◑
B *vi* Équit, Sport to kick

(Idiome) **~ en touche** to kick into touch

botteur, **-euse** /bɔtœʀ/ *nm,f* Sport striker

bottier /bɔtje/ *nm* bootmaker

bottillon /bɔtijɔ̃/ *nm* bootee

bottin® /bɔtɛ̃/ *nm* telephone directory, phone book

bottine /bɔtin/ *nf* ankle-boot

botulique /bɔtylik/ *adj* botulinic; **bacille ~** botulinum

botulisme /bɔtylism/ ▸ **p. 283** *nm* botulism

boubou /bubu/ *nm* African robe, bubu

bouc /buk/ *nm* **1** (animal) billy goat; **2** (barbe) goatee; **porter le ~** to have a goatee (beard)

(Composé) **~ émissaire** scapegoat

(Idiome) **sentir le ~** to stink

boucan○ /bukɑ̃/ *nm* **1** (bruit) din, racket○; **faire du ~** to make a din *ou* racket○; **2** (protestation) fuss (**pour** about); **du ~** a fuss; **faire du ~** [*personne*] to kick up a fuss; [*affaire*] to cause an uproar

boucanage /bukanaʒ/ *nm* smoke-drying

boucane○ /bukan/ *nf* Can smoke

boucané, **~e** /bukane/ *adj* [*poisson, viande*] smoke-dried; [*peau*] dried out

boucaner /bukane/ [1] *vtr* to smoke-dry

boucanier /bukanje/ *nm* **1** (pirate) buccaneer; **2** (chasseur) hunter of wild ox

bouchage /buʃaʒ/ *nm* gén sealing; (avec du liège) corking

bouche /buʃ/
A *nf* **1** (cavité buccale) mouth; **respirer par la ~** to breathe through one's mouth; **ne parle pas la ~ pleine!** don't talk with your mouth full!; **j'avais la ~ sèche** my mouth was dry; ▸ **cul-de-poule**, **eau**, **pain**; **2** (lèvre) mouth, lips (*pl*); **elle a une ~ sensuelle** she has a sensual mouth, she has sensual lips;

s'embrasser à pleine ~ to kiss full on the mouth; **s'embrasser sur la ~** to kiss on the lips; **s'embrasser à ~ que veux-tu** to kiss passionately; **il est arrivé la ~ en cœur** (en minaudant) he came simpering up; **3** (organe de la parole) **ouvrir la ~** to speak; **dès qu'elle ouvre la ~, c'est pour dire une bêtise** every time she opens her mouth, she says something stupid; **il n'a pas ouvert la ~ de toute la soirée** he hasn't said a word all evening; **en avoir plein la ~ de qn/qch** to be unable to stop talking about sb/sth; **il n'a que ce mot à la ~** that word is never off his lips; **il a toujours la critique à la ~** he's always ready to criticize; **dans sa ~, ce n'est pas une insulte** coming from him, that's not an insult; **parler** or **s'exprimer par la ~ de qn d'autre** to use sb else as one's mouthpiece; **il a mis ce mot dans la ~ de Dupont** he put this word into Dupont's mouth; **apprendre qch de la ~ de qn** to hear sth from sb; **apprendre qch de la ~ même de qn** to hear sth from sb's own lips; **être dans la ~ de tout le monde** to be on everyone's lips; **passer/se transmettre de ~ à oreille** [*nouvelle*] to be passed on/to be spread by word of mouth; ▸ **fendre, vérité**; **4** (organe du goût) **c'est une fine ~** he's/she's a gourmet; **5** (personne) mouth; **avoir trois ~s à nourrir** to have three mouths to feed; **les ~s inutiles de la société** people who are a burden on society; **6** (de four, volcan) mouth

B bouches *nfpl* (de fleuve) mouth (*sg*); (de golfe, détroit) entrance

(Composés) **~ d'aération** air vent; **~ de chaleur** hot-air vent; **~ d'égout** manhole; **~ à feu** Hist Mil piece of ordnance; **~ d'incendie** fire hydrant; **~ de métro** tube entrance GB, subway entrance US

(Idiomes) **faire la fine ~ devant qch** to turn one's nose up at sth; **garder qch pour la bonne ~** to keep the best till last; ▸ **sept**

bouché, ~e /buʃe/

A *pp* ▸ **boucher²**

B *pp adj* **1** lit (obstrué) [*route, tuyau, accès, nez, artère*] blocked; fig [*profession, secteur, discipline*] oversubscribed; **j'ai les oreilles ~es** my ears feel blocked; **tu as les oreilles ~es ou quoi?** iron are you deaf or what○?; **2** Météo [*ciel, temps*] overcast; **l'avenir semble complètement ~** fig the future looks grim; **3** pej (stupide) thick, stupid; **~ à l'émeri** thick○; **4** (en bouteille) [*vin, cidre*] bottled

C bouchée *nf* **1** (contenu de la bouche) mouthful; **pour une ~e de pain** fig for next to nothing; **ne faire qu'une ~e d'un gâteau** to wolf a cake down; **ne faire qu'une ~e d'un adversaire** fig to make short work of an opponent; **mettre les ~es doubles** fig to double one's efforts; **2** Culin **une ~e (au chocolat)** a chocolate; **~e sucrée** petit four

(Composé) **~e à la reine** vol-au-vent

bouche-à-bouche /buʃabuʃ/ *nm inv* mouth-to-mouth resuscitation; **faire le ~** to give mouth-to-mouth resuscitation (**à qn** to sb)

bouche-à-oreille /buʃaɔʀɛj/ *nm inv* **le ~** word of mouth

bouchée ▸ **bouché**

boucher¹, -ère /buʃe, ɛʀ/

A ▸ **p. 532** *nm,f* butcher; **aller chez le ~** to go to the butcher's

B bouchère *nf* butcher's wife

boucher² /buʃe/ [1]

A *vtr* **1** (mettre un bouchon à) to cork, to put a cork on [*bouteille*]; **2** (obstruer) to block [*tuyau, passage, aération, fenêtre, vue*]; (en encrassant) to clog (up) [*gouttière, artère, pore*]; (en comblant) to fill [*trou, fente*]; **~ les trous** lit to fill the holes; fig (dans un budget, une soirée) to fill the gaps

B se boucher *vpr* **1** (se fermer) **se ~ le nez** lit to hold one's nose; **se ~ les oreilles** lit (avec doigts) to put one's fingers in one's ears; (avec du coton) to plug one's ears; fig to turn a deaf ear; **2** (s'obstruer) [*lavabo, WC*] to get blocked; [*vaisseaux, artères*] to get clogged up; [*oreilles*] to feel blocked; [*nez*] to get blocked; **3** Météo [*temps*] to become overcast

(Idiome) **en ~ un coin à qn**○ to amaze sb; **ça t'en bouche un coin que je sache coudre!** you're amazed that I can sew, eh?

boucherie /buʃʀi/ *nf* **1** ▸ **p. 532** (magasin) butcher's shop, butcher's; (commerce) butcher's trade, butchery; **2** fig (tuerie) slaughter

(Composé) **~ chevaline** horsemeat butcher's

Bouches-du-Rhône /buʃdyʀon/ ▸ **p. 721** *nprfpl* (département) **les ~** the Bouches-du-Rhône

bouche-trou, *pl* **~s** /buʃtʀu/ *nm* stand-in; **jouer les ~s** to be a stand-in

bouchon /buʃɔ̃/ *nm* **1** (pour boucher) (en liège) cork; (en verre, métal, plastique) stopper; (de baignoire) plug; (qui se visse) (de bidon) cap; (de tube, d'encrier) top, cap; **sentir le ~** [*vin*] to be corked; **2** (obstruction) plug; **~ de cérumen** plug of earwax; **faire ~** to plug; **3** (de la circulation) (en ville) traffic jam; (sur autoroute) traffic jam, tailback; **4** Pêche float; **5** (aux boules) jack

(Composés) **~ antivol** Aut locking fuel filler cap; **~ de carafe**○ fig gem, rock○; **~ doseur** optic; **~ de réservoir** Aut petrol GB ou gas US cap; **~ de sécurité** safety lid; **~ de vapeur** Mécan air ou vapour[GB] lock; **~ verseur** spout; **~ à vis** screw-top

(Idiome) **pousser le ~ trop loin** to push it a bit○

bouchonné, ~e /buʃɔne/

A *pp* ▸ **bouchonner**

B *adj* [*vin*] corked

bouchonner /buʃɔne/ [1]

A *vtr* **1** (frotter) to rub down [*cheval*]; to rub [*personne, visage*]; **2** (cajoler) to pamper

B *vi* [*circulation*] to get jammed; **ça bouchonne sur les quais** there are traffic jams along the river

bouchot /buʃo/ *nm* Pêche (parc à moules) mussel bed; **moules de ~** cultivated mussels

bouclage /buklaʒ/ *nm* **1** (de ceinture) fastening, buckling; **2** (achèvement) (de dossier, d'une affaire) completion; (de périphérique, travaux) completion; **3** Presse **la nouvelle de sa mort est arrivée après le ~** the news of his death arrived after the newspaper had been put to bed; **4** (encerclement) cordoning off; **la police a procédé au ~ du quartier** the police cordoned off the area; **5** Ordinat wraparound

boucle /bukl/ *nf* **1** (de ceinture, chaussure) buckle; **une ~ en métal** a metal buckle; **la Grande Boucle**○ Sport the Tour de France; **2** (de cheveux) curl; (de lacet, corde) loop; (de lettre) loop; **de belles ~s blondes** lovely blonde curls; **faire une ~ avec une corde** to make a loop with a rope; **la ~ du 'l'** the loop of the 'l'; **3** TV, Vidéo **en ~** in a continuous loop; **4** Ordinat loop

(Composé) **~ d'oreille** earring

bouclé, ~e /bukle/

A *pp* ▸ **boucler**

B *pp adj* [*cheveux, perruque*] curly; [*fourrure*] curled; **elle est toute ~e** she's got very curly hair

boucler /bukle/ [1]

A *vtr* **1** (attacher) to fasten [*ceinture de sécurité, valise, bagages*]; **2** ○(fermer) to lock [*porte, issue*]; to lock [*immeuble, pièce*]; to lock [*coffre, armoire*]; **3** ○(encercler) [*police, gendarmes*] to cordon off, surround [*quartier, secteur, territoire*]; to close [*frontière*]; **4** (achever) to complete [*enquête, saison, projet, disque*]; to close [*dossier*]; to sign [*accord*]; **l'enquête a été bouclée en un mois** the enquiry GB ou investigation US was completed in one month; **5** Fin to balance [*budget*]; to settle [*financement*]; **~ un bilan** to balance the books; **~ une OPA** to clinch a takeover bid; **~ le mois/les fins de mois** to make ends meet at the end of the/each month; **6** Presse to put [sth] to bed [*journal, édition*]; **on a bouclé le journal à 19 h** we put the paper to bed at 7 pm; **7** ○(mettre en prison) [*police, justice*] to lock [sb] up [*malfaiteur, meurtrier*]; **faire ~ qn** to get sb locked up

B *vi* [*cheveux*] to curl; **ses cheveux bouclent naturellement** his/her hair curls naturally; **se faire ~ les cheveux** to have one's hair curled

(Idiomes) **la ~** to shut up; **boucle-la**◐**!** shut your trap◐!; **~ la boucle** to come full circle; **le héros retrouve son fils, la boucle est bouclée** the hero finds his son and things have come full circle

bouclette /buklɛt/ *nf* **1** (de cheveux) small curl; **2** Tex **(laine) ~** bouclé (wool)

bouclier /buklije/ *nm* shield; **~ humain** human shield; **~ thermique** heat shield

bouddha /buda/ *nm* (représentation) buddha

Bouddha /buda/ *nprm* Buddha

bouddhique /budik/ *adj* Buddhist

bouddhisme /budism/ *nm* Buddhism

bouddhiste /budist/ *adj, nmf* Buddhist

bouder /bude/ [1]

A *vtr* to avoid [*personne*]; to want nothing to do with [*études*]; to stay away from [*spectacle*]; to steer clear of [*marchandise*]; **il ne boude pas le vin/les distractions** he never turns down a glass of wine/a good time

B *vi* to sulk

C se bouder *vpr* not to be on speaking terms

bouderie /budʀi/ *nf* **1** (action) sulking; **2** (manifestation de déplaisir) sulk

boudeur, -euse /budœʀ, øz/

A *adj* [*personne, caractère, mine*] sulky

B *nm,f* sulker

boudin /budɛ̃/ *nm* **1** Culin ≈ black pudding GB, blood sausage; **~ blanc** ≈ white pudding GB ou sausage; **2** ○pej (femme) lump○; **3** Naut fender

(Idiomes) **s'en aller** or **partir** or **finir en eau de ~** to come to nothing; **faire du ~**○ to sulk

boudiné, ~e /budine/

A *pp* ▸ **boudiner**

B *pp adj* **1** (gros) [*doigt, main*] podgy; **2** (serré) squeezed (**dans** into)

boudiner /budine/ [1]

A *vtr* **1** Tech to coil [*fil de fer*]; **2** Tex to rove [*fil*]; **3** (serrer) **sa robe la boudine** her dress shows every bulge

B ○**se boudiner** *vpr* to squeeze oneself (**dans** into)

boudoir /budwaʀ/ *nm* **1** (salon) boudoir; **2** (biscuit) sponge finger GB, ladyfinger

boue /bu/

A *nf* **1** (terre) mud; (sédiment) silt; **bain de ~** mudbath; **2** (scandale) muck; **remuer la ~** to muckrake; **traîner qn dans la ~** to drag sb's name through the mud

B boues *nfpl* (déchet industriel) sludge ¢

bouée /bwe/ *nf* **1** (gonflable) rubber ring; **2** (balise) buoy; **3** ○(de graisse) spare tyre○ GB ou tire US

(Composé) **~ de sauvetage** or **de secours** lit lifebelt GB, life preserver US; fig lifeline

boueux, -euse /buø, øz/

A *adj* **1** [*terrain, chemin*] muddy; **2** Imprim smudgy

B ○*nm* dustman GB, bin man GB, garbage man US

bouffant, ~e /bufɑ̃, ɑ̃t/

A *adj* [*chemisier, pantalon*] baggy; [*manche*] puffed; [*coiffure*] bouffant

B *nm* (de manche) fullness; **donner du ~ à sa coiffure** to make one's hair look fuller

bouffarde○ /bufaʀd/ *nf* pipe

bouffe○ /buf/ *nf* (activité de manger) eating; (nourriture) food, grub○; (repas) meal; **grande ~** blowout○, spread○; **à la ~!** grub's up○!, come and get it○!

bouffée /bufe/ *nf* **1** (souffle) (d'odeur) whiff; (de tabac, vapeur, vent) puff; **une ~ d'air frais** lit, fig a breath of fresh air; **tirer une ~** to have a puff ou drag○; **tirer une ~ de sa pipe** to draw a puff on one's pipe; **le vent soufflait par ~s**

the wind blew in gentle gusts; 2 (accès) rush (**de** of); ~ **d'orgueil** rush of pride

(Composés) ~ **de chaleur** Méd hot flush GB, hot flash US; ~ **délirante** Méd period of hallucination

bouffer /bufe/ [1]

A ○*vtr* 1 (manger) to eat; **on dirait qu'il va la** ~ it looks as if he's going to strangle her; 2 (accaparer) ~ **qn** [*politique, famille*] to take over sb's whole life; **ça me bouffe tout mon temps** it takes up all my time; **se faire/laisser** ~ to be/let oneself be taken over (**par** by); 3 (consommer) [*voiture*] to guzzle [*essence*]; [*voiture*] to burn [*huile*]; 4 (dépenser) to throw [sth] away [*argent*]; 5 (utiliser) to take up [*espace*]

B *vi* 1 ○(manger) to eat; (beaucoup) to eat a lot, to stuff oneself○; 2 Mode (gonfler) to billow out

(Idiomes) ~ **du curé** to be violently anticlerical; ~ **du kilomètre**○ to clock up a lot of mileage; **se** ~ **le nez**○ to be at each other's throats

bouffetance◑ /buftɑ̃s/ *nf* grub○, food

bouffi, ~**e** /bufi/

A *pp* ▸ **bouffir**

B *pp adj* 1 (physiquement) puffy; **il a les yeux** ~**s de sommeil** his eyes are puffy *ou* swollen with sleep; **il a le visage** ~ **par l'alcool** his face is swollen from alcohol; **elle est** ~**e** her face is puffy; **avoir les traits** ~**s** to have swollen features; 2 (moralement) puffed up (**par** with)

(Idiome) **tu l'as dit,** ~○! you don't say○!

bouffir /bufiʀ/ [3] *vtr* to make [sth] puffy *ou* swollen [*yeux, visage, peau*]

bouffissure /bufisyʀ/ *nf* 1 (d'œil, de visage) puffiness; 2 (de style) pomposity

bouffon, **-onne** /bufɔ̃, ɔn/

A *adj* farcical

B *nm* 1 (plaisantin) clown; **faire le** ~ to clown about *ou* around; 2 Hist (de cour) jester; (de théâtre) buffoon

bouffonnerie /bufɔnʀi/ *nf* 1 (acte) antics (*pl*); 2 (effets comiques) buffoonery; 3 (caractère) ridiculousness; 4 Théât farce

bougainvillée /bugɛ̃vile/ *nf*, **bougainvillier** /bugɛ̃vilje/ *nm* bougainvillea

bouge /buʒ/ *nm* (logement) hovel; (café) dive

bougeoir /buʒwaʀ/ *nm* candleholder; (haut) candlestick

bougeotte○ /buʒɔt/ *nf* restlessness; **avoir la** ~ to be restless

bouger /buʒe/ [13]

A *vtr* (tous contextes) to move

B *vi* 1 (faire un mouvement) [*personne, animal*] to move; **ne bouge pas, j'arrive!** lit, fig don't move, I'm coming!; **il tire sur tout ce qui bouge** he shoots at everything that moves; **ne bougez plus, je prends une photo!** keep still, I'm taking a photo!; **c'est malin, tu m'as fait** ~! well done, you jogged me!; **le vent fait** ~ **les feuilles** the wind is stirring the leaves; 2 (se déplacer) [*personne, groupe*] to move; **il ne bouge plus de chez lui** he doesn't go out any more; 3 ○(évoluer) [*secteur, entreprise, pays*] to stir; **ça bouge dans l'audiovisuel/en Espagne** things are stirring in the audio-visual world/in Spain; **faire** ~ **un parti/une entreprise** to shake up a party/a company; 4 ○(être animé) **c'est une ville/un quartier qui bouge** this is a lively town/area; 5 ○(réagir) to show signs of unrest; **le peuple commence à** ~ there is some unrest among the people; 6 ○(varier) [*prix, score, prévision*] to change; **le prix/score n'a pas bougé** the price/score hasn't changed; 7 ○Tex **tu peux le laver à la machine, ça ne bougera pas** you can wash it in the machine, it won't shrink; **la couleur ne devrait pas** ~ the colour[GB] shouldn't fade

C se bouger○ *vpr* [*personne*] (se pousser) to get out of the way; (se dépêcher) to move oneself○; (se donner du mal) to put some effort in; ▸ **cul**

bougie /buʒi/ *nf* 1 (de cire) candle; ~ **d'anniversaire** birthday candle; **souffler ses 30** ~**s** to celebrate one's 30th birthday; **s'éclairer à la** ~ to use candles (for light); 2 Aut sparking plug GB, spark plug

bougnat○† /buɲa/ *nm* café proprietor (*formerly selling coal*)

bougnoule◑ /buɲul/ *nmf* offensive wog◑ GB injur, North African

bougon, **-onne** /bugɔ̃, ɔn/

A *adj* grumpy

B *nm,f* grouch

bougonnement /bugɔnmɑ̃/ *nm* grouching ₵

bougonner /bugɔne/ [1] *vi* to grumble

bougre /bugʀ/ *nm* 1 ○(type) bloke; **le** ~! that so and so!; **bon** ~ good sort; **pauvre** ~ poor devil; ~ **d'imbécile** you bloody GB *ou* damn○ idiot; 2 †(sodomite) bugger†

bougrement○ /bugʀəmɑ̃/ *adv* damn○; ~ **difficile** damn hard; **se tromper** ~ to be absolutely wrong

bougresse○ /bugʀɛs/ *nf* bird○ GB, chick○, woman

boui-boui○, *pl* **bouis-bouis*** /bwibwi/ *nm* 1 (restaurant) joint○, greasy spoon○, small restaurant; 2 (hotel) cheap hotel, fleabag○ US

bouif◑ /bwif/ *nm* cobbler

bouillabaisse /bujabɛs/ *nf* bouillabaisse, fish soup

bouillant, ~**e** /bujɑ̃, ɑ̃t/ *adj* 1 (qui bout) [*eau, huile*] boiling; **faire cuire à l'eau** ~**e** cook in boiling water; 2 ○(très chaud) [*radiateur, bain, plat, thé*] boiling (hot)

bouille○ /buj/ *nf* face; **quelle** ~! what a face!; **une bonne** ~ a nice face

bouilleur /bujœʀ/ *nm* ~ **de cru** home distiller

bouillie /buji/ *nf* 1 Culin gruel; (pour bébés) baby cereal; **en** ~ [*légumes*] pej mushy; **mettre en** ~ lit, fig to reduce [sth/sb] to a pulp; 2 (pesticide) spray

(Composés) ~ **bordelaise** Bordeaux mix(ture); ~ **bourguignonne** Burgundy mix(ture); ~ **explosive** slurry

bouillir /bujiʀ/ [31] *vi* 1 gén [*eau, lait, préparation*] to boil; **faire** ~ to boil, to bring [sth] to the boil; **du lait bouilli** boiled milk; **je vais mettre ces draps à** ~ I'm going to boil these sheets; 2 fig (s'emporter) [*personne*] to seethe; **je bouillais intérieurement** I was seething inside; ~ **de** to seethe with [*impatience, rage*]

bouilloire /bujwaʀ/ *nf* kettle; ~ **électrique** electric kettle

bouillon /bujɔ̃/ *nm* 1 (potage) broth; ~ **de légumes** vegetable broth; ▸ **onze**; 2 (liquide de cuisson, concentré) stock; ~ **de poisson/légumes** fish/vegetable stock; 3 (de liquide qui bout) bubble; **au premier** ~ as soon as it begins to boil; **bouillir à gros** ~**s** to boil fiercely; **sortir à gros** ~**s** [*eau, sang*] to gush out; 4 Cout shirring; 5 Édition **le** ~ unsold copies (*pl*); **un** ~ **important** lots of unsold copies

(Composés) ~ **de culture** Biol nutrient broth; fig hotbed (**pour** of); ~ **gras** Culin meat-stock

(Idiome) **prendre** *or* **boire un** ~ (en nageant) to get a mouthful; (en affaires) to take a tumble○, to sustain losses

bouillonnant, ~**e** /bujɔnɑ̃, ɑ̃t/ *adj* [*liquide*] foaming; [*idées*] bubbling up to the surface; [*milieu, personne*] lively; [*ambition*] boundless; **source** ~**e** Géol hot spring

bouillonnement /bujɔnmɑ̃/ *nm* 1 (de liquide) foaming; fig ferment; 2 Géol boil

bouillonner /bujɔne/ [1]

A *vtr* Cout to shirr; **store bouillonné** Austrian blind

B *vi* 1 (faire des bulles) [*liquide*] to bubble; 2 (être dynamique) to be lively; ~ **d'activité** to be bustling with activity

bouillotte /bujɔt/ *nf* hot-water bottle

boulange○ /bulɑ̃ʒ/ *nf* bakery trade

boulanger, **-ère** /bulɑ̃ʒe, ɛʀ/

A ▸ **p. 532** *nm,f* baker

B boulangère *nf* (épouse de boulanger) baker's wife

boulangerie /bulɑ̃ʒʀi/ ▸ **p. 532** *nf* 1 (magasin) bakery, baker's; 2 (activité) bakery trade

boulangerie-pâtisserie, *pl* **boulangeries-pâtisseries** /bulɑ̃ʒʀipɑtisʀi/ *nf* bakery (*selling cakes and pastries*), bakery-patisserie GB

boulangisme /bulɑ̃ʒism/ *nm* Boulangism

boulangiste /bulɑ̃ʒist/ *adj, nmf* Boulangist

boule /bul/

A *nf* (de bowling) bowl; (de jeu de boules) boule; (de rampe d'escalier) knob; (de machine à écrire) head; **mettre qch en** ~ to roll sth up into a ball; **avoir une** ~ **dans la gorge** to have a lump in one's throat; **avoir une** ~ **sur l'estomac** to have a lead weight in one's stomach; ▸ **loto**

B boules ▸ **p. 469** *nfpl* Jeux boules

(Composés) ~ **de billard** billiard ball; ~ **de commande** Ordinat tracker ball; ~ **de cristal** crystal ball; ~ **de feu** fireball; ~ **de gomme** pastille; ~ **à légumes** vegetable steamer; ~ **de naphtaline** mothball; ~ **de neige** snowball; **faire** ~ **de neige** to snowball; ~ **de nerfs**○ bundle of nerves; ~ **puante** stink bomb; ~ **Quiès**® earplug; ~ **à thé** tea ball

(Idiomes) **avoir la** ~ **à zéro**○ to have no hair left; **il a perdu la** ~○ (définitivement) he's gone mad; (passagèrement) he's lost his marbles○; **être en** ~○ to be furious; **mettre qn en** ~○ to make sb furious; **avoir les** ~**s**○ (angoisse) to have butterflies○ (in one's stomach); (colère) to be hopping mad○; **ça me fout les** ~**s**◑ (angoisse) the thought of it makes me sick○; (exaspération) it really gets to me○

bouleau, *pl* ~**x** /bulo/ *nm* birch

(Composé) ~ **blanc** silver birch

boule-de-neige, *pl* **boules-de-neige** /buldənɛʒ/ *nf* Bot snowball

bouledogue /buldɔg/ *nm* bulldog

bouler /bule/ [1] *vi* ~ **au bas de l'escalier** to roll down the stairs; **envoyer qn** ~○ to send sb packing○

boulet /bulɛ/ *nm* 1 (projectile) ~ **(de canon)** cannonball; **il est passé comme un** ~ **de canon** he shot past; 2 (de bagnard) ball and chain; 3 fig millstone; **avoir un** ~ **au pied** to have a millstone around one's neck; **être un** ~ **pour qn** to be a millstone around sb's neck; **traîner qch/qn comme un** ~ to drag sth/sb around like a ten-ton weight; 4 (de charbon) coal nut; 5 (du cheval) fetlock (joint)

(Idiome) **tirer à** ~**s rouges sur qn/qch** to launch a bitter attack on sb/sth

boulette /bulɛt/ *nf* 1 (de pain, papier) pellet; 2 ○(bourde) blunder; **faire une** ~ to make a blunder

(Composé) ~ **de viande** Culin meatball

boulevard /bulvaʀ/ *nm* 1 (avenue) boulevard; 2 Théât farce; **théâtre de** ~ farce

(Composé) ~ **périphérique** ring road GB, beltway US

boulevardier, **-ière** /bulvaʀdje, ɛʀ/ *adj* **esprit** ~ bawdy humour[GB]

bouleversant, ~**e** /bulvɛʀsɑ̃, ɑ̃t/ *adj* (émouvant) deeply moving; (pénible) distressing

bouleversement /bulvɛʀsəmɑ̃/ *nm* upheaval; **le** ~ **du site** the way the whole place has been turned upside down

bouleverser /bulvɛʀse/ [1] *vtr* 1 (émouvoir) to move [sb] deeply; (affliger) to shatter; **la cérémonie l'a bouleversé** he was deeply moved by the ceremony; **il a été bouleversé par la mort de son ami** he was shattered by the death of his friend; 2 (mettre en désordre) **l'orage a bouleversé le jardin/le paysage** the storm wreaked havoc in the garden/on the countryside; **les cambrioleurs ont bouleversé la maison/les dossiers** the thieves turned the house/the files upside down; [3] (désorganiser) to disrupt; [4] (changer) to change; **les récents événements ont bouleversé le paysage politique** recent events have changed the face of politics

boulgour /bulguʀ/ *nm* Culin bulgar wheat, bulgur

boulier /bulje/ *nm* abacus

boulimie /bulimi/ *nf* [1] Psych, Méd bulimia; [2] fig **être pris d'une ~ de lecture** to be devouring books

boulimique /bulimik/
A *adj* [1] Méd bulimic; [2] fig insatiable
B *nmf* bulimic

bouliste /bulist/ *nmf* boules player

boulocher /bulɔʃe/ [1] *vi* [*pull, tissu*] to pill

boulodrome /bulɔdʀom/ *nm* area for playing boules

boulon /bulɔ̃/ *nm* (à écrou) bolt; (à clavette) key bolt; **serrer** *or* **resserrer les ~s** lit to tighten the bolts; fig to tighten things up

boulonnage /bulɔnaʒ/ *nm* Tech (d'un élément) bolting; (d'éléments entre eux) bolting together

boulonnais, **~e** /bulɔnɛ, ɛz/ ▸ **p. 894** *adj* of Boulogne

Boulonnais, **~e** /bulɔnɛ, ɛz/ ▸ **p. 894** *nm,f* (natif) native of Boulogne; (habitant) inhabitant of Boulogne

boulonner /bulɔne/ [1]
A *vtr* to bolt [sth] on [*élément*]; to bolt together [*éléments*]
B ○*vi* to work, to slave away

boulot, **-otte** /bulo, ɔt/
A *adj* tubby; **il est un peu ~** he's a bit on the tubby side
B ○*nm* [1] (tâche) work; **au ~!** (toi) get to work!; (moi, nous) let's get to work!; **tu as fait du bon ~** you've done a good job; **ça va être un sacré ~** it's going to be a helluva○ job; [2] (emploi) job; **chercher du ~** to look for a job; **les petits ~s** casual jobs

boulotter*○ /bulɔte/ [1] *vtr, vi* to eat

boum /bum/
A *nm* [1] (bruit) bang; **il y a eu un gros ~ et puis plus rien** there was an enormous bang and then nothing; [2] ○(développement) **être en plein ~** [*économie, ventes, affaires*] to be booming; **faire un ~** [*naissances*] to boom
B *nf* (fête) party
C *excl* [1] (explosion) bang!; **ça va faire ~!** it's going to explode, it'll go 'bang!' lang enfantin; [2] (chute) baby talk **~ (par terre)!** oops a daisy! lang enfantin

boumer○ /bume/ [1] *vi* **ça boume?** how's it going?; **ça boume!** things are going great○!

bouquet /bukɛ/ *nm* [1] (floral) **~ (de fleurs)** bunch of flowers; (composé) bouquet; (petit) posy; **faire un ~** to make a bouquet; [2] (de feu d'artifice) final flourish; **~ final** crowning piece; **en** *or* **comme ~ final** fig to crown it all; [3] (d'arbres) clump; [4] (de fines herbes) bunch; [5] (crevette) prawn; [6] Vin bouquet; [7] Comm down payment on a property (*subsequent payments being in the form of an annuity to the owner*)
(Composés) **~ garni** bouquet garni; **~ numérique** TV digital channel package
(Idiome) **c'est le ~○!** (le comble) that's the limit○!; (le coup de grâce) that's the last straw○!

bouquetière /buktjɛʀ/ ▸ **p. 532** *nf* Comm flower seller

bouquetin /buktɛ̃/ *nm* ibex

bouquin○ /bukɛ̃/ *nm* book

bouquiner○ /bukine/ [1] *vtr, vi* to read

bouquiniste /bukinist/ ▸ **p. 532** *nmf* second-hand bookseller

bourbe /buʀb/ *nf* silt, mud

bourbeux, **-euse** /buʀbø, øz/ *adj* muddy

bourbier /buʀbje/ *nm* [1] lit quagmire; [2] fig tangle, quagmire

bourbon /buʀbɔ̃/ *nm* bourbon

Bourbon /buʀbɔ̃/ *nprm* Bourbon; **les ~** the Bourbons

bourde /buʀd/ *nf* (bévue) blunder; **faire une ~** to make a blunder, to make a boo-boo○

bourdon /buʀdɔ̃/ *nm* [1] Zool bumblebee; [2] (cloche) tenor bell; [3] Mus (d'orgue) bourdon; [4] Imprim out; [5] Relig (de pèlerin) pilgrim's staff
(Idiome) **avoir le ~** to feel depressed, to be down in the dumps○

bourdonnement /buʀdɔnmɑ̃/ *nm* (d'insecte) buzzing ¢; (de ruche) humming ¢; (de moteur) hum; (d'hélicoptère, avion) drone; (de foule) murmur
(Composé) **~ d'oreilles** Méd ringing in the ears, tinnitus spéc

bourdonner /buʀdɔne/ [1] *vi* [*insecte*] to buzz; [*moteur*] to hum; [*avion, hélicoptère*] to drone; [*foule*] to murmur; **avoir les oreilles qui bourdonnent** to have a ringing in one's ears, to have tinnitus spéc

bourg /buʀ/ *nm* market town

bourgade /buʀgad/ *nf* small town

bourgeois, **~e** /buʀʒwa, az/
A *adj* [1] [*libéralisme, idéologie*] bourgeois; péj [*morale, préjugés*] middle-class; [2] (cossu) [*quartier, maison*] bourgeois; [3] Jur [*habitation*] for private use (*après n*)
B *nm,f* [1] (personne de la classe moyenne) middle-class person, bourgeois péj; [2] Hist (sous l'Ancien Régime) bourgeois; (au Moyen Âge) burgher; **les ~ de Calais** the burghers of Calais

bourgeoisement /buʀʒwazmɑ̃/ *adv* [1] (confortablement) comfortably; [2] Jur for private use (*après n*)

bourgeoisie /buʀʒwazi/ *nf* [1] (classe moyenne) middle classes (*pl*); **la grande** *or* **haute ~** the upper middle class; **la petite ~** the lower middle class; [2] Hist, Pol bourgeoisie

bourgeon /buʀʒɔ̃/ *nm* [1] Bot bud; **en ~s** in bud; [2] †(bouton) pimple

bourgeonnant, **~e** /buʀʒɔnɑ̃, ɑ̃t/ *adj* [1] [*nature*] budding; [*arbre*] burgeoning, in bud (*après n*); [2] fig [*activité*] burgeoning

bourgeonnement /buʀʒɔnmɑ̃/ *nm* [1] (d'arbre) budding, lit burgeoning; (de graine) burgeoning; [2] fig (développement) burgeoning

bourgeonner /buʀʒɔne/ [1] *vi* [1] Bot to bud, to burgeon; [2] fig (se développer) to burgeon; [3] ○[*personne*] to get pimples

bourgmestre /buʀgmɛstʀ/ *nm* burgomaster

bourgogne /buʀgɔɲ/ *nm* Vin Burgundy

Bourgogne /buʀgɔɲ/ ▸ **p. 721** *nprf* **la ~** Burgundy

bourguignon, **-onne** /buʀgiɲɔ̃, ɔn/
A *adj* [*personne, activité, lieu*] Burgundian; **la capitale bourguignonne** the capital of Burgundy
B *nm* Culin beef bourguignon, beef casserole cooked in red wine

Bourguignon, **-onne** /buʀgiɲɔ̃, ɔn/ ▸ **p. 721** *nm,f* Burgundian

bourlinguer○ /buʀlɛ̃ge/ [1] *vi* (beaucoup naviguer) to sail the seven seas; (beaucoup voyager) to travel around a lot; **~ dans le monde entier** to travel all over the world

bourlingueur○, **-euse** /buʀlɛ̃gœʀ, øz/ *nm,f* globetrotter

bourrache /buʀaʃ/ *nf* (plante) borage; (infusion) borage tea

bourrade /buʀad/ *nf* (avec la main, l'épaule) shove; (avec le coude) (sharp) nudge; **une ~ amicale** a nudge

bourrage /buʀaʒ/ *nm* [1] (remplissage) (de fauteuil, coussin) stuffing; (de pipe) filling; (de cartouche) wadding; [2] (engorgement) jamming
(Composé) **~ de crâne** brainwashing

bourrasque /buʀask/ *nf* [1] Météo (de vent) gust; (de neige) flurry; **souffler en ~s** to gust; [2] fig whirlwind

bourratif, **-ive** /buʀatif, iv/ *adj* very filling; (plus lourd et compact) stodgy; **c'est très ~** it's very filling

bourre /buʀ/
A ◐†*nm* (policier) cop○
B *nf* [1] (pour remplissage) stuffing; (déchets textiles) flock; (de cartouche) wad; [2] Bot down
(Idiomes) **de première ~○** fig first-rate, top-notch○; **être à la ~○** to be pushed for time

bourré, **~e** /buʀe/
A *pp* ▸ **bourrer**
B *pp adj* [1] (plein) [*train, musée*] packed; [*valise, sac*] bulging (**de** with); **c'était ~ de monde** it was packed; **un livre/rapport ~ d'idées** a book/report bursting with ideas; **il est ~ de fric○** he's stinking rich○; [2] ◐(ivre) sloshed○
C **bourrée** *nf* Danse bourrée

bourreau, *pl* **~x** /buʀo/ *nm* [1] (exécuteur) executioner; [2] (criminel) butcher; (persécuteur) tormenter
(Composés) **~ des cœurs** lady-killer; **~ d'enfant** child beater; **~ de travail** workaholic

bourrée ▸ **bourré**

bourrelé, **~e** /buʀle/ *adj* racked (**de** by)

bourrelet /buʀlɛ/ *nm* [1] Tech (d'étanchéité) weather strip, draught GB *ou* draft US excluder GB; (amortisseur) pad; [2] (adiposité) **~ (de graisse)** roll of fat

bourrelier, **-ière** /buʀəlje, ɛʀ/ ▸ **p. 532** *nm,f* (sellier) saddler; (maroquinier) leather craftsman/craftswoman

bourrellerie /buʀɛlʀi/ *nf* [1] (sellerie) (fabrication) saddlery; (produits) tack; [2] (maroquinerie) (fabrication) making of leather goods; (produits) leather goods (*pl*)

bourrer /buʀe/ [1]
A *vtr* [1] (remplir) to cram [*valise, caisse*]; to fill [*pipe*]; to fill [sth] up [*poêle*]; to wad [*arme à feu*]; **~ qch de** to cram sth with; **trop ~ une valise** to cram *ou* stuff too much in a suitcase; **discours bourré de citations** speech crammed with quotations; **pièce bourrée de livres** room crammed with books; [2] (gaver) (de nourriture) to stuff (**de** with); (de médicaments) to dose [sb] up (**de** with); [3] (faire apprendre) **~ (l'esprit de) qn de notions inutiles** to stuff sb's head with idle nonsense; [4] ○(frapper) **~ qn de coups** to lay into sb○; **~ la gueule à qn**◐ to smash sb's face in○
B *vi* [1] ○(remplir l'estomac) [*aliment*] to be filling; [2] ○(aller vite) [*voiture, automobiliste*] to belt along○; [3] (s'engorger) [*appareil photo, imprimante*] to jam
C **se bourrer** *vpr* [1] ◐(s'enivrer) **se ~ (la gueule)** to get sloshed○; [2] (se gaver) **se ~ de** to stuff oneself with [*aliments*]; to dose oneself up with [*médicaments*]

bourriche /buʀiʃ/ *nf* creel

bourrichon○ /buʀiʃɔ̃/ *nm* **monter le ~ à qn** to get sb worked up; **se monter le ~** (s'échauffer l'esprit) to get oneself into a state; (se faire des illusions) to get carried away

bourricot /buʀiko/ *nm* donkey

bourrin○ /buʀɛ̃/ *nm* nag○, horse

bourrique /buʀik/ *nf* [1] Zool donkey; [2] ○(entêté) pig-headed person
(Idiome) **faire tourner qn en ~○** to mess sb around○

bourru, **~e** /buʀy/ *adj* gruff

bourse /buʀs/
A *nf* [1] Scol, Univ (pour soutien financier) grant GB, scholarship US; (pour mérite) scholarship; (pour un projet particulier) grant; [2] (porte-monnaie) purse; **'la ~ ou la vie'** 'your money or your life'; [3] fig budget; **pour les petites ~s** for limited budgets; **être à la portée de toutes les ~s** to be within everybody's means; **faire ~ commune** to share the expenses; [4] (vente d'objets d'occasion) **~ aux livres/skis/vêtements** second-hand book/ski/clothes sale; [5] Anat bursa
B **bourses** *nfpl* Anat scrotum (*sg*)

b

(Composés) ~ **d'étude** grant; ~ **de recherche** research grant

Bourse /buʀs/ *nf* Fin stock exchange; (valeurs cotées) shares (*pl*); **à la ~ de Tokyo** on the Tokyo Stock Exchange; **être coté en ~** to be listed on the stock exchange; **placer de l'argent en ~** to invest money on the stock exchange; **la ~ a chuté de dix points** shares have fallen by ten points; **la ~ de Paris a monté** shares on the Paris Stock Exchange have gone up; **faire son entrée à la ~ de Milan** to become listed on the Milan Stock Exchange; **une société de ~** a broking GB *ou* brokerage US firm

(Composés) ~ **de commerce** commodity exchange; ~ **du travail** Ind *local trade union offices*

Bourse

There are seven stock exchanges (*bourse de valeurs*) in France, where dealing is carried out by *agents de change*. Most operations on the Paris *Bourse* are computerized. The index of the 40 most-quoted stocks is the *CAC-40* (*compagnie des agents de change*).

boursicotage /buʀsikɔtaʒ/ *nm* dabbling in stocks and shares

boursicoter /buʀsikɔte/ [1] *vi* [*personne*] to dabble in stocks and shares

boursicoteur, **-euse** /buʀsikɔtœʀ, øz/ *nm,f* dabbler in stocks and shares, small-time speculator

boursier, **-ière** /buʀsje, ɛʀ/
A *adj* Fin [*indice, milieu, cotation, activités, valeur*] stock exchange, stock market (*épith*); [*semaine, mois*] trading (*épith*); **sur les grandes places boursières** on the major stock markets; **le krach ~ d'octobre 87** the stock market crash of October '87; **marché ~** stock market; **la nouvelle a stimulé le marché ~** the news stimulated share prices
B *nm,f* Scol, Univ (pour raisons financières) grant holder GB, scholarship recipient US; (pour mérite) scholar GB, scholarship recipient US; **les étudiants ~s** students on a grant GB, students on financial aid US; (pour mérite) scholarship holders
C *nm* Fin stock exchange dealer

boursouflage /buʀsuflaʒ/, **boursouflement*** /buʀsufləmɑ̃/ *nm* puffiness

boursouflé*, **~e** /buʀsufle/
A *pp* ▸ **boursoufler**
B *pp adj* **1** (enflé) [*peau, surface*] blistered; [*partie du corps*] puffy; [*corps*] bloated; **2** (emphatique) [*discours*] bombastic

boursoufler* /buʀsufle/ [1]
A *vtr* **1** (faire gonfler) to cause [sth] to swell [*visage, bras, peau*]; to blister [*papier, peinture*]; **2** (donner de l'emphase à) to blow up [*événement*]; to overdo [*style*]
B **se boursoufler** *vpr* [*peau, visage*] to swell up; [*papier, peinture*] to blister

boursouflure* /buʀsuflyʀ/ *nf* (de peau) swelling ₵; (de papier, peinture) blister

bousculade /buskylad/ *nf* **1** (choc) (volontaire) jostling; (involontaire) crush; **2** (précipitation) rush

bousculer /buskyle/ [1]
A *vtr* **1** (heurter) (involontairement) to bump into [*personne*]; (volontairement) to knock about [*personne, mobilier*]; **2** (remettre en question) to shake up [*idée, programme*]; **3** (malmener) to jostle [*équipe, parti*]; **4** (presser) to rush [*personne, programme*]
B **se bousculer** *vpr* **1** (se heurter) to bump into each other; **2** (être nombreux) to fall over each other (**pour faire** to do); **on se bouscule** there are queues GB *ou* lines US; **on ne se bouscule pas** iron people are not exactly queuing GB *ou* lining US up; **surtout ne vous bousculez pas pour venir m'aider!** iron don't all rush at once to help me!; ▸ **portillon**

bouse /buz/ *nf* **1** (substance) cow dung; **2** (fragment) **une ~ (de vache)** a cowpat

bouseux○, **-euse** /buzø, øz/ *nm,f* pej hick○, country bumpkin○

bousier /buzje/ *nm* dung beetle

bousiller○ /buzije/ [1]
A *vtr* **1** (gâcher) to botch [*travail*]; to ruin [*carrière, vie*]; **2** (détériorer) to wreck [*appareil, moteur, objet*]; to smash up [*véhicule*]; to bust○ [*mécanisme*]; to turn [sb] into a wreck○ [*personne*]; **3** (tuer) to do [sb] in○, to waste○
B **se bousiller** *vpr* **se ~ la santé/la vue/l'estomac** to ruin one's health/eyesight/stomach

boussole /busɔl/ *nf* compass

(Idiome) **perdre la ~**○ to go round the bend○ GB, to go nuts◑

boustifaille◑ /bustifɑj/ *nf* grub○, food

bout[1] /bu/ *nm* **1** (dernière partie) (de nez, queue, branche, ficelle, ligne, table, rue, processus) end; (pointe) (d'épée, aile, de bâton, stylo, langue, doigt) tip; (de chaussure) toe; **au ~ de la jetée** at the end of the pier; **aux deux ~s de la table** at opposite ends of the table; **en ~ de piste** Aviat at the end of the runway; **la maison/le siège du ~** the end house/seat; **tout au ~ de la rue** at the very end of the street; **l'autre ~ de la pièce** the far end of the room; **ciseaux à ~s ronds/pointus** round-ended/pointed scissors; **à ~ rond/carré/rouge** [*bâton, doigt, aile*] round-/square-/red-tipped; **à ~ ferré** [*canne, chaussures*] steel-tipped; **chaussures à ~ pointu/ferré/blanc** pointy-/steel-/white-toed shoes; **au ~ du jardin/champ** at the bottom of the garden/field; **en ~ de table** at the foot of the table; **siège en ~ de rangée** aisle seat; **valser○/projeter qch à l'autre ~ de la pièce** to fly/to fling sth across the room; **mener de ~ en ~** to lead from start to finish; **lire un livre de ~ en ~** to read a book from cover to cover; **parcourir** *or* **éplucher une liste d'un ~ à l'autre** to scour a list; **d'un ~ à l'autre du spectacle/de l'Europe/de l'année** throughout the show/Europe/the year; **parcourir la Grèce d'un ~ à l'autre** to cover the length and breadth of Greece; **marcher d'un ~ à l'autre de la ville** to walk across the city; **poser/coller ~ à ~** to lay/stick [sth] end to end; **mettre ~ à ~** (additionner) to add up; **être incapable de mettre deux phrases ~ à ~** to be unable to string two sentences together; **mettre des données ~ à ~** to piece data together; **rester jusqu'au ~** to stay until the end; **essayer jusqu'au ~** to try to the end; **je suis/elle est avec vous jusqu'au ~** I'm/she's with you every step of the way; **je te soutiendrai jusqu'au ~** I'm with you all the way; **aller jusqu'au ~** to go all the way; **aller (jusqu')au ~ de** to follow through [*idée, exigence*]; **aller au ~ de soi-même** to push oneself to the limit; **écouter qn jusqu'au ~** to hear sb out; **brûler jusqu'au ~** to burn out; **lutter jusqu'au ~** to fight to the last drop of blood; **je suis/elle est à ~** I/she can't take any more; **je suis à ~ de forces** I can do no more; **ma patience est à ~** my patience is exhausted; **je commence à être à ~ de patience** my patience is wearing thin; **pousser qn à ~** to push sb to the limit; **ne me pousse pas à ~** don't push me; **être à ~ d'arguments** to run out of arguments; **venir à ~ de** to overcome [*problème, difficultés*]; to get through [*tâche, repas*]; to tame [*personne*]; **au ~ d'une semaine/d'un certain temps/de trois chansons** after a week/a while/three songs; **au ~ du compte** ultimately; **à ~ portant** at point-blank range
2 (morceau) (de pain, chiffon, métal, fil, papier) piece; (de terrain) bit; **j'ai vu un ~ du spectacle** I saw part of the show; **~ de bois** gén piece of wood; (allongé) stick; **~s de papier/ferraille** scraps of paper/metal; **~ de crayon** pencilstub; **~s d'ongles** nail clippings; **par petits ~s** [*apprendre, manger*] a bit at a time; [*payer, recevoir*] in dribs and drabs; [*occuper, progresser*] little by little; **un ~ de temps** a while; **un petit ~ de temps** a little while; **un bon ~ de temps** quite a long time; **un petit ~ de femme**○ a tiny woman; ▸ **chandelle**, **discuter**

(Composés) ~ **de l'an** Relig *memorial service on the first anniversary of sb's death*; ~ **de chou**○ sweet little thing○; ~ **d'essai** Cin screen test; **tourner un ~ d'essai** to do a screen test; ~ **filtre** (de cigarette) filter tip; ~ **renforcé** Mode (de chaussure) toe cap; ~ **de sein**○ Anat nipple; ~ **de vergue** Naut yardarm

(Idiomes) **tenir le bon ~**○ to be on the right track; **voir le ~ de qch** to get through sth; **ne pas être au ~ de ses peines** *or* **ennuis** not to be out of the woods yet; **ne pas être au ~ de ses surprises** to have still a few surprises in store; **ne pas savoir par quel ~ commencer** not to know where to begin; **ne pas savoir par quel ~ prendre** not to know how to deal with; **prendre qn/qch par le bon/mauvais ~** to handle sb/sth the right/wrong way; **en connaître un ~**○ to know a thing or two○; **mettre les ~s**○ to leave, to clear off○ GB, to split○ US

bout[2] /but/ *nm* Naut rope; **filer par le ~** to slip anchor

boutade /butad/ *nf* **1** (trait d'esprit) witticism; **en forme de ~** as a quip; **2** (caprice) whim

bout-dehors, *pl* **bouts-dehors** /budəɔʀ/ *nm* Naut boom

boute-en-train* /butɑ̃tʀɛ̃/ *nmf inv* live wire; ~ **de la bande** life and soul of the party

boutefeu, *pl* **~x** /butfø/ *nm* rabble-rouser

bouteille /butɛj/ *nf* **1** (emballage) bottle; ~ **de lait/champagne** (contenant) milk/champagne bottle; (contenu) bottle of milk/champagne; ~ **de gaz** cylinder *ou* bottle of gas; ~ **à gaz** gas bottle *ou* cylinder; **mettre le vin en ~s** to bottle wine; **mis en ~ au château/à la propriété** château/estate bottled; **la mise en ~ du champagne** the bottling of champagne; **l'eau en ~** bottled water; **le lait en ~** milk in bottles; **boire à la ~** to drink out of the bottle; **2** (produit vinicole) bottle; **il nous a offert une de ses meilleures ~s** he served us with one of his best bottles; **sortir une bonne ~** to get out a good bottle of wine; **3** Sport **faire de la plongée** *or* **plonger avec des/sans ~s** to dive with/without breathing equipment; ▸ **encre**, **Paris**

(Composés) ~ **isolante** vacuum flask; ~ **magnétique** magnetic bottle; ~ **d'oxygène** oxygen cylinder

(Idiomes) **être porté sur** *or* **aimer la ~** to be fond of the bottle; **prendre de la ~**○ (expérience) to have cut one's eyeteeth; (âge) to be getting on; **jeter** *or* **lancer une ~ à la mer** to make a last despairing bid for help

bouter† /bute/ [1] *vtr* to drive [*ennemi*] (**hors de** out of)

bouteur /butœʀ/ *nm* bulldozer

boutique /butik/ *nf* **1** (d'artisan, de commerçant) shop GB, store US; (de prêt-à-porter) boutique; **ouvrir une ~** to open a shop; **ouvrir ~** to set up shop; **tenir ~** to keep shop; **plier** *or* **fermer ~** lit, fig to shut up shop; **parler ~** to talk shop; ~ **hors taxes** duty-free shop GB *ou* store US; **2** ○(maison, entreprise) place

boutiquier, **-ière** /butikje, ɛʀ/
A *adj* pej [*personne*] small-minded; **avoir l'esprit ~** to be small-minded
B *nm,f* Comm shopkeeper

boutis /buti/ *nm* **1** (technique) French quilting; **2** (couvre-lit) quilted bedspread

boutoir /butwaʀ/ *nm* snout; **coup de ~** attack

bouton /butɔ̃/ *nm* **1** Cout, Mode button; **sans ~s** buttonless; **2** Tech (d'appareil) (à tourner) knob; (à presser) button; **appuyer sur le ~ de la sonnette** to ring the bell; **3** Méd spot GB, pimple US; **donner des ~s à qn**○ fig to make sb shudder; **4** Bot bud; ~ **floral** flower bud; **en ~** in bud

(Composés) ~ **d'acné** Méd acne ₵;

b

~ démarrer Ordinat start button; **~ de fièvre** Méd cold sore; **~ de manchette** Mode cuff link; **~ de porte** Constr doorknob; **~ retour** Ordinat back button

bouton-d'or, *pl* **boutons-d'or** /butɔ̃dɔʀ/ *nm* Bot buttercup

boutonnage /butɔnaʒ/ *nm* Cout, Mode **1** (type) **robe à ~ devant/dans le dos** front/back-buttoning dress; **blazer à ~ croisé** double-breasted blazer; **2** (action) **le ~ est très long** buttoning up is very slow

boutonner /butɔne/ [1]
A *vtr* to button [*vêtement*]; **~ qn** to do up sb's buttons; **être boutonné jusqu'au cou** [*vêtement*] to be buttoned right up (to the neck); [*personne*] to have all one's buttons done up; **jupe boutonnée sur le côté** side-buttoning skirt
B se boutonner *vpr* **1** [*vêtement*] to button up; **robe qui se boutonne devant/derrière** dress which buttons up the front/back; **2** [*personne*] to do up one's buttons

boutonneux, **-euse** /butɔnø, øz/ *adj* [*visage*] spotty GB, pimply US

boutonnière /butɔnjɛʀ/ *nf* (de vêtement) buttonhole; **il porte une fleur rouge à la ~** he's wearing a red buttonhole GB *ou* boutonniere US; **il porte une décoration à la ~** he's wearing a decoration on his lapel

bouton-poussoir, *pl* **boutons-poussoirs** /butɔ̃puswaʀ/ *nm* push-button

bouton-pression, *pl* **boutons-pression** /butɔ̃pʀɛsjɔ̃/ *nm* press stud GB, popper GB, snap (fastener)

bout-rimé, *pl* **bouts-rimés** /buʀime/ *nm* poem in set rhymes

bouturage /butyʀaʒ/ *nm* Hort cutting

bouture /butyʀ/ *nf* cutting; **faire des ~s** to take cuttings

bouturer /butyʀe/ [1]
A *vtr* to take a cutting from [*plante*]
B *vi* [*plante*] to propagate from cuttings

bouvier /buvje/ *nm* **1** ▸ **p. 532** (personne) oxherd; **2** (chien) bouvier

bouvreuil /buvʀœj/ *nm* bullfinch

bovidé /bɔvide/ *nm* bovid; **les ~s** the Bovidae

bovin, **~e** /bɔvɛ̃, in/
A *adj* bovine
B *nm* bovine; **des ~s** cattle (+ *v pl*); **150 ~s** 150 head of cattle

bowling /buliŋ/ ▸ **p. 469** *nm* **1** (jeu) tenpin bowling GB, bowling US; **faire un ~** to go bowling; **2** (lieu) bowling alley

box, *pl* **boxes** /bɔks/ *nm* (pour véhicule) lock-up garage; (pour cheval) stall; (dans un bar) alcove; (dans un dortoir, parloir) cubicle; (de travail) section
(Composé) **~ des accusés** Jur dock

boxe /bɔks/ ▸ **p. 469** *nf* boxing; **champion de ~** boxing champion; **faire de la ~** to do boxing, to box
(Composé) **~ française** savate

boxer¹ /bɔksɛʀ/ *nm* (chien) boxer

boxer² /bɔkse/ [1]
A °*vtr* (frapper) to punch; **se faire ~** to get thumped
B *vi* **1** (pratiquer la boxe) to box; **2** (livrer un match de boxe) to have a fight on

boxeur /bɔksœʀ/ ▸ **p. 532** *nm* boxer

box-office, *pl* **~s** /bɔksɔfis/ *nm* box office; **être premier au ~** to top the box office

boxon◑ /bɔksɔ̃/ *nm* **1** (maison de prostitution) whorehouse◑, knocking-shop◑ GB; **2** (désordre) shambles° (*sg*); **foutre le ~**◑ to create havoc

boy /bɔj/ *nm* gén boy; (domestique) houseboy

boyard /bɔjaʀ/ *nm* boyar

boyau, *pl* **~x** /bwajo/
A *nm* **1** (intestin d'animal) gut; **2** (pour raquette, violon) catgut; **3** (pour saucisse) casing; **~ de porc** pork sausage casing; **4** (pneu) tubeless tyre GB *ou* tire US; **5** (passage) back alley; **6** (tuyau flexible) hose
B °**boyaux** *nmpl* (intestins) insides°; **se tordre les ~x (de rire)** to be in stitches°; **ça vous tord les ~x** it's real rotgut°
(Composé) **~ de chat** catgut

boycott /bɔjkɔt/, **boycottage** /bɔjkɔtaʒ/ *nm* **1** (mesure) boycott; **2** (action) boycotting; **le ~ de qch par qn** the boycotting of sth by sb

boycotter /bɔjkɔte/ [1] *vtr* to boycott

boys band, *pl* **boys bands** /bɔjzbɑ̃d/ *nm* boy band

boy-scout†, *pl* **~s*** /bɔjskut/ *nm* boy scout

BP *written abbr* ▸ **boîte**

BPI /bepei/ *nf: abbr* ▸ **bibliothèque**

brabançon, **-onne** /bʀabɑ̃sɔ̃, ɔn/ *adj* of Brabant

Brabançon, **-onne** /bʀabɑ̃sɔ̃, ɔn/
A *nm,f* (natif) native of Brabant; (habitant) inhabitant of Brabant
B Brabançonne *nf* **la Brabançonne** (the) Brabançonne (*the Belgian national anthem*)

brabant /bʀabɑ̃/ *nm* half-turn plough GB *ou* plow US

Brabant /bʀabɑ̃/ ▸ **p. 721** *nprm* **le ~** Brabant

bracelet /bʀaslɛ/ *nm* (au poignet) gén bracelet; (large) bangle; (souple) wristband; (au bras, à la cheville) bangle
(Composés) **~ à breloques** charm bracelet; **~ électronique** electronic tag; **~ de force** Sport wristband; **~ d'identification** identity bracelet; **~ de montre** watchstrap

bracelet-montre, *pl* **bracelets-montres** /bʀaslɛmɔtʀ/ *nm* wristwatch

brachial, **~e**, *mpl* **-iaux** /bʀakjal, o/ *adj* brachial

brachiopode /bʀakjɔpɔd/ *nm* brachiopod; **les ~s** the Brachiopoda

brachycéphale /bʀakisefal/ *adj, nmf* brachycephalic

braconnage /bʀakɔnaʒ/ *nm* poaching

braconner /bʀakɔne/ [1] *vi* to poach

braconnier /bʀakɔnje/ *nm* poacher

bradage /bʀadaʒ/ *nm* lit, fig selling off

bradé, **~e** /bʀade/
A *pp* ▸ **brader**
B *pp adj* **prix ~s** knockdown prices

brader /bʀade/ [1]
A *vtr* **1** (vendre à bas prix) to sell [sth] cheaply; **2** (liquider) to sell off
B *vi* to slash prices

braderie /bʀadʀi/ *nf* **1** Comm (marché) street market; (magasin) discount store; **2** (vente) clearance sale; (liquidation) selling off

bradeur, **-euse** /bʀadœʀ, øz/ *nm,f* **1** lit cheap-jack; **2** fig discarder

bradycardie /bʀadikaʀdi/ *nf* bradycardia

braguette /bʀagɛt/ *nf* Mode flies GB (*pl*), fly US

brahmane /bʀaman/ *nm* Brahman

brahmanique /bʀamanik/ *adj* Brahmanic

brahmanisme /bʀamanism/ *nm* Brahmanism

Brahmapoutre /bʀamaputʀ/ ▸ **p. 372** *nprm* Brahmaputra

brai /bʀɛ/ *nm* pitch

braies /bʀɛ/ *nfpl* breeches, trousers (*worn by the Gauls*)

braillard°, **~e** /bʀɑjaʀ, aʀd/
A *adj* (qui crie) yelling (*épith*); (qui pleure) bawling (*épith*)
B *nm,f* loudmouth

braille /bʀaj/ *nm* Braille; **en ~** in Braille

braillement° /bʀɑjmɑ̃/ *nm* (cri) yell, yelling ₵; (pleurs) bawling ₵

brailler° /bʀaje/ [1]
A *vtr* to yell out [*injure*]; to bawl out [*chanson*]
B *vi* (crier) to yell; (chanter fort, pleurer) to bawl

brailleur°, **-euse** /bʀɑjœʀ, øz/ *adj, nm,f* = **braillard**

braiment /bʀɛmɑ̃/ *nm* braying ₵

braire /bʀɛʀ/ [58] *vi* to bray
(Idiome) **ça me fait ~**° that gets on my wick° GB, it bugs me°

braise /bʀɛz/ *nf* live embers (*pl*); **cuire des pommes de terre sous la ~** to bake potatoes in the embers; **souffler sur les ~s** lit, fig to fan the flames

braiser /bʀeze/ [1] *vtr* Culin to braise; **chou braisé** braised cabbage

brame /bʀɑm/ *nm* Chasse, Zool bell

bramer /bʀɑme/ [1] *vi* **1** [*cerf*] to bell; **2** °(brailler) to bawl; (se lamenter) to wail

bran /bʀɑ̃/ *nm* (de son) coarse bran
(Composé) **~ (de scie)** sawdust

brancard /bʀɑ̃kaʀ/ *nm* (civière) stretcher; (de charrette) shaft
(Idiome) **ruer dans les ~s** to rebel

brancardier /bʀɑ̃kaʀdje/ ▸ **p. 532** *nm* stretcher-bearer

branchage /bʀɑ̃ʃaʒ/
A *nm* branches (*pl*)
B branchages *nmpl* (branches coupées) cut branches

branche /bʀɑ̃ʃ/ *nf* **1** (d'arbre) branch; **~ maîtresse** limb; **~ charpentière** bough; ▸ **oiseau**, **scier**; **2** Culin **céleri en ~s** sticks of celery; **épinards en ~s** spinach on the stalk; ▸ **vieux**; **3** (secteur) field; **la même ~ d'activité** the same field; **dans chaque ~ professionnelle** in every professional field; **choisir entre la ~ littéraire et la ~ scientifique** to choose the arts or the science subjects; **4** (de famille) branch; **la ~ aînée/cadette** the elder/younger branch; **5** (de nerf, d'artère) branch; **6** (de chandelier) branch; (de compas) arm; (de lunettes) arm; (d'étoile) point; (de ciseaux) blade; **étoile à quatre/cinq ~s** four-/five-pointed star
(Idiome) **avoir de la ~**° to have a lot of class

branché, **~e** /bʀɑ̃ʃe/
A *pp* ▸ **brancher**
B °*pp adj* trendy°

branchement /bʀɑ̃ʃmɑ̃/ *nm* **1** (de l'électricité, du gaz, du téléphone) connection; (de nouvel abonné) connecting; **on vous fera le ~ lundi** we'll connect you on Monday; **2** (de deux parties) connection; **3** (conduite d'eau) branch-pipe; (ligne électrique) (service) lead GB, cable US; **4** Rail points (*pl*) GB, switch US; **5** Électron, Ordinat branching

brancher /bʀɑ̃ʃe/ [1]
A *vtr* **1** (avec une prise) to plug in [*télévision, téléphone*]; **2** (au réseau) to connect (up) [*eau, gaz, électricité, téléphone*]; to connect [*usager, maison*]; **faire ~ le gaz/téléphone** to have the gas/phone connected; **l'électricité n'est pas encore branchée** the electricity isn't connected (up) yet; **3** Ordinat **~ qn/qch sur un réseau** to connect sb/sth to a network; **être branché** to be connected to the Internet; **4** (aiguiller) **~ qn sur** *or* **vers** to get sb interested in [*activité*]; to get sb onto [*sujet de conversation*]; **~ qn sur qn** to put sb in touch with sb; **5** °(plaire à) **ça ne me branche pas** it doesn't do anything for me; **la voile, ça le branche** he's really into° sailing
B se brancher *vpr* **1** Radio, TV (capter) **se ~ sur** to tune into [*poste, station*]; **2** °(s'intéresser à) **se ~ sur** to get into° [*activité, passe-temps*]

branchette /bʀɑ̃ʃɛt/ *nf* small branch

branchial, **~e**, *mpl* **-iaux** /bʀɑ̃ʃjal, o/ *adj* branchial

branchie /bʀɑ̃ʃi/ *nf* gill, branchia spéc

branchiopode /bʀɑ̃kjɔpɔd/ *nm* branchiopod; **les ~s** the Branchiopoda

branchu, **~e** /bʀɑ̃ʃy/ *adj* many-branched (*épith*)

brandade /bʀɑ̃dad/ *nf* **~ (de morue)** brandade, dish of flaked salt cod

brande /bʀɑ̃d/ *nf* **1** Bot (végétation) brush ₵; (terre) heathland ₵; **2** (fagot) brushwood ₵

brandebourg /bʀɑ̃dbuʀ/ *nm* **1** (ornement) frogging; **à ~s** frogged; **2** (fermeture) frog

Brandebourg /bʀɑ̃dbuʀ/ ▸ **p. 721, p. 894** *nm* Brandenburg; **porte de ~** Brandenburg Gate

brandebourgeois, ~e /bʀɑ̃dbuʀʒwa, az/ *adj* of Brandenburg; **concerto ~** Brandenburg Concerto

brandir /bʀɑ̃diʀ/ [3] *vtr* to brandish [*arme, objet*]; to throw out [*menace, slogan*]; to hold up [*idée*]

(Idiome) **~ l'étendard de la révolte** to be at the vanguard of revolt

brandon /bʀɑ̃dɔ̃/ *nm* firebrand

(Composé) **~ de discorde** bone of contention

brandy /bʀɑ̃di/ *nm* brandy

branlant, -e /bʀɑ̃lɑ̃, ɑ̃t/ *adj* [*meuble, construction*] rickety; [*mur, mât*] unstable, wobbly; [*dent*] loose; [*situation, projet, raisonnement, régime*] shaky

branle /bʀɑ̃l/ *nm* (oscillation) swing; **mettre qch en ~, donner le ~ à qch** to set [sth] in motion [*mesure, projet, convoi*]; **se mettre en ~** [*convoi, personnes*] to get going; [*processus*] to be set in motion

branle-bas* /bʀɑ̃lba/ *nm inv* (agitation) commotion

(Composé) **~ de combat** Mil, fig action stations; **(c'était le) ~ de combat au village ce matin** it was action stations in the village this morning

branlement /bʀɑ̃lmɑ̃/ *nm* **approuver d'un ~ de tête** to nod one's approval

branler /bʀɑ̃le/ [1]

A *vtr* **1** (hocher) **~ la tête** *or* **du chef** to nod one's head; **2** ●(masturber) to wank● [sb] GB, to jack [sb] off● US, to masturbate [*personne*]; **3** ●(faire) **je n'ai rien branlé** I've done fuck all●, I've done nothing; **mais qu'est-ce qu'il branle?** what the fuck● is he doing?

B *vi* (osciller) [*mur*] to wobble; [*escalier, construction, échafaudage, chaise*] to be rickety; [*dent*] to be loose

C **se branler●** *vpr* to wank● GB, to jerk off●, to masturbate; **il s'en branle** he doesn't give a fuck●, he couldn't care less

branlette● /bʀɑ̃lɛt/ *nf* wank● GB, hand job●

branleur●, -euse /bʀɑ̃lœʀ, øz/ *nm,f* (paresseux) lazy sod● GB, bum◑ US

braquage /bʀakaʒ/ *nm* **1** ○(de supermarché, banque) robbery; **2** Aut (steering) lock, turning circle

braque /bʀak/

A ○*adj* crazy

B *nm* Zool **~ allemand** German shorthaired pointer

braquemart◑ /bʀakmaʀ/ *nm* dick◑, penis

braquer /bʀake/ [1]

A *vtr* **1** (diriger) to point [*arme, caméra*] **(sur, vers** at); to train [*télescope, projecteur*] **(sur, vers** on); to turn *ou* fix [*yeux*] **(sur, vers** on); **les feux de l'actualité** *or* **tous les projecteurs sont braqués sur lui** fig he's in the spotlight, the spotlight is on him; **tous les regards sont braqués sur vous** lit, fig all eyes are upon you; **2** Aut to turn [*volant, roues*] **(à gauche/droite** hard left/right); **3** ○(viser) to point a gun at; (plus longtemps) to hold [sb] at gunpoint; **je me suis fait ~** I was held at gunpoint; **4** ○(attaquer) to rob, to make an armed raid on [*banque*]; **5** ○(buter) **~ qn contre qch/qn** to turn sb against sth/sb; **ne le braque pas** don't get his back up; **il est braqué** he's got GB *ou* gotten US his back up

B *vi* Aut [*chauffeur*] to turn the wheel full lock GB *ou* all the way US; [*véhicule*] **bien/mal ~** to have a good/poor lock GB, to turn well/poorly US; **braque à gauche/droite** turn (the wheel) sharply to the left/right

C **se braquer** *vpr* **1** (viser) **se ~ sur/vers** [*arme, caméra*] to be pointed at; [*télescope, projecteur*] to be trained on; [*yeux*] to be turned on; **2** (se concentrer) [*personne, attention*] to focus **(sur** on); **3** ○(se buter) to have one's back up; **se ~ contre qn** to turn against sb; **se ~ contre qch** to set one's face against sth

braquet /bʀakɛ/ *nm* gear ratio; **changer de ~** lit, fig to change gear

braqueur○ /bʀakœʀ/ *nm* robber

bras /bʀa/ ▸ **p. 196** *nm inv* **1** Anat arm; **lever/tendre le ~** to raise/stretch one's arm; **avoir les ~ musclés/maigres** to have muscular/thin arms; **prendre qn dans ses ~** to take sb in one's arms; **se jeter/tomber dans les ~ de qn** to throw oneself/fall into sb's arms; **se blottir dans les ~ de qn** to snuggle up in sb's arms; **avoir les ~ en croix** to have one's arms outstretched; **par le ~** [*tenir, prendre*] by the arm; **sous le ~** under one's arm; **au ~ de qn** on sb's arm; **~ dessus ~ dessous** lit, fig arm in arm; **donner le ~ à qn** to give sb one's arm; **accueillir qn à ~ ouverts** to welcome sb with open arms; **elle avait des paquets plein les ~** her arms were full of parcels GB *ou* packages US; **se retrouver avec** *or* **avoir qch/qn sur les ~** fig to be lumbered with sth/sb; **porter qch à bout de ~** lit to carry sth with one's arms straight out; fig to keep sth afloat; **baisser les ~** lit to lower one's arms; fig to give up; **en ~ de chemise** in one's shirt-sleeves; **les ~ croisés** with one's arms folded; **rester les ~ croisés** to stand idly; **croiser les ~** lit to fold one's arms; fig to twiddle one's thumbs; **viens dans mes ~!** come and have a big hug!; ▸ **tour A 1**; **2** (main-d'œuvre) manpower, labour[GB]; **manquer de ~** to be short of manpower; ▸ **gros**; **3** Géog (de fleuve) branch; **un ~ du Rhin** a branch of the Rhine; **4** Tech (de fauteuil, d'électrophone, ancre) arm; (de brancard) pole; **5** Zool (de cheval) shoulder; (de mollusque) tentacle

(Composés) **~ cassé○** (en parlant d'une personne) waste of space; **~ droit** fig right hand man; **il est devenu le ~ droit du ministre** he has become the minister's right hand man; **~ de fer** (épreuve physique) arm wrestling; (lutte d'influence) trial of strength; **faire un ~ de fer** *or* **une partie de ~ de fer avec qn** to arm wrestle with sb; **~ de levier** Phys leverage; **~ de mer** sound; **~ oscillant** swing arm; **le ~ séculier** the secular arm

(Idiomes) **les ~ m'en tombent** I'm absolutely speechless; **avoir le ~ long** to have a lot of influence; **faire un ~ d'honneur à qn** ≈ to give sb the V sign GB *ou* the finger

brasage /bʀazaʒ/ *nm* Tech brazing

braser /bʀaze/ [1] *vtr* Tech to braze

brasero* /bʀazeʀo/ *nm* brazier

brasier /bʀazje/ *nm* inferno

Brasilia /bʀazilja/ ▸ **p. 894** *npr* Brasilia

bras-le-corps: à bras-le-corps /abʀalkɔʀ/ *loc adv* **1** lit [*soulever*] bodily; **2** fig head-on; **s'occuper d'un problème à ~** to deal with a problem head-on; **prendre la vie à ~** to live life to the full

brassage /bʀasaʒ/ *nm* **1** Ind (de bière) brewing; **2** (mélange) (de personnes) intermingling; (d'idées, de cultures) cross-fertilization; (d'air) mixture; **le ~ des populations** the intermingling of populations

brassard /bʀasaʀ/ *nm* **1** gén armband; **2** Hist Mil arm-piece

brasse /bʀas/ *nf* **1** Sport (style) breaststroke; (mouvement) stroke; **faire/nager la ~** to do/swim breaststroke; **à la ~** in breaststroke; **traverser en cinq ~s** to cross in five strokes; **2** Hist (160 cm) ≈ 2 yards

(Composés) **~ anglaise** Naut fathom; **~ coulée** Sport racing breaststroke; **~ papillon** Sport butterfly (stroke)

brassée /bʀase/ *nf* **1** (de fleurs, papier, bois) armful **(de** of); **2** (de chiffres, personnalités) (whole) host **(de** of)

brasser /bʀase/ [1] *vtr* **1** (remuer) [*personne*] to toss [*salade*]; to toss [sth] around [*idées*]; to shuffle [*cartes à jouer*]; to shuffle [sth] around [*papier*]; to gather [sth] up [*feuilles mortes, linge*]; [*vent*] to blow about [*feuilles*]; **les guerres ont brassé les populations d'Europe** war has intermingled the different populations of Europe; **il brasse des millions** he handles big money; **~ des affaires** to do business; **2** Ind to brew [*bière*]

(Idiome) **~ de l'air○** to talk a lot of hot air○

brasserie /bʀasʀi/ ▸ **p. 532** *nf* **1** (café, restaurant) brasserie; **2** (usine) brewery; **3** (secteur) brewing industry

brasseur, -euse /bʀasœʀ, øz/ *nm,f* Ind (de bière) brewer

(Composé) **~ d'affaires** business tycoon

brassière /bʀasjɛʀ/ *nf* **1** (de bébé) (en coton) baby's vest; (en tricot) baby's top; **2** (soutien-gorge) crop top

brasure /bʀazyʀ/ *nf* **1** (joint) brazed joint; **2** (alliage) brazing solder

Bratislava /bʀatislava/ ▸ **p. 894** *npr* Bratislava

bravache /bʀavaʃ/

A *adj* [*personne*] blustering

B *nmf* show-off○, braggart†; **faire le ~** to brag

bravade /bʀavad/ *nf* (attitude) bravado; **par ~** out of bravado

brave /bʀav/

A *adj* **1** (gentil) [*personne*] nice; **un ~ homme** a nice man GB *ou* guy; **de ~s gens** nice people; **ah ma ~ dame○ si vous saviez!** well, dear, you can't imagine!; **2** (courageux) [*personne*] brave

B †*nm* **1** (homme courageux) brave man; **2** (forme d'adresse) **mon ~** my man

(Idiome) **il n'y a pas d'heure pour les ~s** any time is the right time

bravement /bʀavmɑ̃/ *adv* **1** (avec courage) bravely; **2** (sans hésiter) boldly

braver /bʀave/ [1] *vtr* to defy [*personne, ordre, tabou*]; to brave [*tempête, danger*]; **~ la faim et la soif** to brave hunger and thirst

bravo /bʀavo/

A *nm* cheer; **un grand ~ pour** *or* **à** a big cheer for GB, let's hear it for

B *excl* **1** (pour applaudir) bravo!; **2** (pour féliciter) aussi iron well done!

bravoure /bʀavuʀ/ *nf* bravery; **être d'une grande ~** to be very brave; **combattre avec ~** to fight bravely; **faire preuve de ~** to be brave

break /bʀɛk/ *nm* **1** Aut estate car GB, station wagon US; **2** (d'attelage) (shooting) break

brebis /bʀəbi/ *nf inv* Zool ewe; **les ~** lit, fig the flock

(Composés) **~ égarée** lost sheep; **~ galeuse** black sheep

(Idiome) **à ~ tondue Dieu mesure le vent** Prov God tempers the wind to the shorn lamb Prov

brèche /bʀɛʃ/ *nf* **1** (trou) (dans un mur) hole; (dans une haie) gap; **2** Mil (trouée) breach; **ouvrir une ~ dans un parti/le gouvernement** fig to bring about a split in a party/the government; **3** Géol breccia

(Idiomes) **battre qn/qch en ~** to give sb/sth a pounding; **être sur la ~** to be on the go

bréchet /bʀeʃɛ/ *nm* wishbone

brechtien, -ienne /bʀɛʃtjɛ̃, ɛn/ *adj* Brechtian

bredouillant, ~e /bʀədujɑ̃, ɑ̃t/ *adj* mumbling

bredouille /bʀəduj/ *adj* lit, fig empty-handed; **revenir ~ de la chasse/de la pêche/d'un championnat** to come back from hunting/from angling/from a championship empty-handed

bredouillement /bʀədujmɑ̃/ *nm* mumbling ¢

bredouiller /bʀəduje/ [1] *vtr, vi* to mumble

bref, brève /bʀɛf, bʀɛv/

A *adj* **1** (court) [*récit, apparition, séjour*] brief;

b

[voyelle, son] short; **soyez ~ s'il vous plaît** please be brief; **dans les plus ~s délais** as soon as possible; **2** (sec) [ton, voix] curt; **d'un ton ~** curtly
B adv (pour résumer) **(en) ~** in short
C nm Relig (lettre papale) brief
D **brève** nf **1** Presse (information) news flash; **2** Littérat, Phon (voyelle, syllabe) short; **deux brèves** two shorts

brelan /bʀəlɑ̃/ nm Jeux three of a kind; **avoir un ~ de 10** to have three tens

breloque /bʀəlɔk/ nf charm; **porter qch en ~** (à un bracelet) to wear sth on a bracelet
Idiome **battre la ~** [pendule] to be erratic; [cœur] to be none too good; [personne] to be a bit batty○

brème /bʀɛm/ nf **1** Zool bream; **2** ◑(carte) card

brésil /bʀezil/ nm Bot brazil (wood)

Brésil /bʀezil/ ▸ p. 333 nprm Brazil

brésilien, -ienne /bʀeziljɛ̃, ɛn/ ▸ p. 561 adj **1** Géog Brazilian; **2** Mode [slip, maillot de bain] high-cut

Brésilien, -ienne /bʀeziljɛ̃, ɛn/ ▸ p. 561 nm,f Brazilian

bressan, ~e /bʀɛsɑ̃, an/ adj of Bresse

Bresse /bʀɛs/ ▸ p. 721 nprf **la ~** Bresse

brestois, ~e /bʀɛstwa, az/ ▸ p. 894 adj of Brest

Brestois, ~e /bʀɛstwa, az/ ▸ p. 894 nm,f (natif) native of Brest; (habitant) inhabitant of Brest

Bretagne /bʀətaɲ/ ▸ p. 721 nprf **la ~** Brittany

bretèche /bʀətɛʃ/ nf brattice

bretelle /bʀətɛl/
A nf **1** (de robe, maillot) strap; **une ~ de soutien-gorge** a bra-strap; **une robe à ~s** a dress with shoestring straps; **2** (de fusil) sling; **porter l'arme à la ~** to carry a weapon slung over one's shoulder; **3** (de sac à dos, accordéon) strap; **4** Gén Civ (d'autoroute) slip road GB, ramp US; **5** Rail crossover
B **bretelles** nfpl Mode braces GB, suspenders US; **porter des ~s** to wear braces GB ou suspenders US; **une paire de ~s** (a pair of) braces GB ou suspenders US
Composés **~ d'accès** or **d'entrée** Gén Civ access road, entry slip road GB; **~ de raccordement** access road; **~ de sortie** Gén Civ exit, exit slip road GB
Idiomes **remonter les ~s à qn**○ to tear sb off a strip○; **se faire remonter les ~s**○ to get told off○

breton, -onne /bʀətɔ̃, ɔn/ ▸ p. 483
A adj Breton
B nm Ling Breton

Breton, -onne /bʀətɔ̃, ɔn/ nm,f Breton

bretonnant, ~e /bʀətɔnɑ̃, ɑ̃t/ adj Breton-speaking

bretteur /bʀɛtœʀ/ nm swashbuckler

bretzel /bʀɛtzɛl/ nm pretzel

breuvage /bʀœvaʒ/ nm **1** (boisson étrange) pej brew; **2** Can (boisson) beverage

brève ▸ **bref A, D**

brevet /bʀəvɛ/ nm **1** (d'invention) **~ (d'invention)** patent; **déposer un ~** to take out a patent (**pour** on); **après le dépôt du ~** after patenting; **2** (diplôme) ≈ certificate; **~ de moniteur de ski/de secourisme** ski instructor's/first aid certificate; **~ de respectabilité** hum social acceptability certificate
Composés **~ des collèges** Scol *certificate of general education*; **~ d'études professionnelles, BEP** Scol *certificate of technical education*; **~ de pilote** Aviat pilot's licence[GB]; **~ professionnel** *specialized technical qualification acquired in the workplace*; **~ de technicien supérieur, BTS** Univ *advanced vocational diploma*

> **Brevet**
>
> The term usually designates a type of vocational qualification such as the *brevet d'études professionnelles* or *BEP*, which is awarded after two years of practically oriented coursework at a *lycée professionnel* or the *brevet de technicien supérieur* or *BTS*, taken after the *baccalauréat* and representing two years of study in a specific vocational field.
>
> The *brevet des collèges*, on the other hand, is a general educational qualification taken at around the age of fifteen at the end of study in a *collège*.

brevetable /bʀəvtabl/ adj [invention] patentable

breveté, ~e /bʀəvte/
A pp ▸ **breveter**
B pp adj **1** (déposé) [dispositif, invention] patented; **2** (diplômé) [personne, pilote] qualified

breveter /bʀəvte/ [20] vtr **(faire) ~** to patent [invention]

bréviaire /bʀevjɛʀ/ nm **1** Relig breviary; **2** fig bible

BRI /beɛʀi/ nf: abbr ▸ **banque**

briard, ~e /bʀijaʀ, aʀd/ Géog
A adj [produit] from Brie; [patrimoine] of Brie; [région, population, économie] Brie (épith); **le pays ~** the Brie region
B nm (chien) briard

bribes /bʀib/ nfpl (de conversation, phrase, dialogue) snatches; (de texte, d'histoire, information) bits and pieces; **par ~** bit by bit

bric: de bric et de broc /dəbʀiked(ə)bʀɔk/ loc adv [s'habiller] any old how; [meublé] with bits and pieces; **équipe composée de ~ et de broc** motley crew

bric-à-brac /bʀikabʀak/ nm inv lit bric-à-brac, odds and ends (pl); fig bric-à-brac

brick /bʀik/ nm Naut brig

bricolage /bʀikɔlaʒ/ nm **1** (activité) DIY GB, do-it-yourself GB, fixing things US; **magasin de ~** DIY shop GB, hardware store US; **j'adore le ~** I love DIY GB, I love fixing things US; **tout pour le ~** everything for the DIY enthusiast GB ou the do-it-yourselfer US; **2** (travail non professionnel) makeshift job; **c'est du ~ mais ça tiendra** it's a makeshift job but it'll hold

bricole /bʀikɔl/ nf **1** (menu objet) **acheter une ~** to buy a little something; **des ~s** bits and pieces; **2** (bagatelle) **se fâcher pour des ~s** to get angry at the slightest thing; **3** Équit breast harness

bricoler /bʀikɔle/ [1]
A ○vtr (tenter de réparer) to tinker with [moteur, appareil]; (confectionner) to knock up GB, to throw together [étagère, système]; (truquer) to fiddle GB ou tamper with US [compteur, machine]
B vi (faire du bricolage) to do DIY GB, to fix things US

bricoleur, -euse /bʀikɔlœʀ, øz/
A adj **être ~** to be good with one's hands
B nm,f (personne habile) handyman/handywoman; (personne qui fait du bricolage) DIY enthusiast GB, do-it-yourselfer US

bride /bʀid/ nf **1** Équit bridle; **2** (de boutonnage) button loop; **3** Mécan (fixation) flange; **4** Méd adhesions (pl)
Idiomes **partir à ~ abattue** to dash off; **tourner ~** lit, fig to do a U-turn; **tenir qn/qch en ~** to keep a tight rein on sb/sth; **avoir la ~ sur le cou** to have free rein; **lâcher la ~ à qn** to give sb free rein; **tenir la ~ (haute) à qn** to keep sb on a tight rein

bridé, ~e /bʀide/
A pp ▸ **brider**
B pp adj **yeux ~s** slanting eyes

brider /bʀide/ [1] vtr **1** Équit to bridle [cheval]; **2** (contenir) to control [personne]; to curb [élan, liberté, spontanéité]; **3** Culin to truss [volaille]; **4** Tech to flange [tuyau]

bridge /bʀidʒ/ nm **1** ▸ p. 469 Jeux bridge; **~ contrat** contract bridge; **~ aux enchères** auction bridge; **2** Dent bridge

bridger /bʀidʒe/ [13] vi Jeux to play bridge

bridgeur, -euse /bʀidʒœʀ, øz/ nm,f Jeux bridge player

bridon /bʀidɔ̃/ nm snaffle

brie /bʀi/ nm Culin Brie (cheese)

Brie /bʀi/ ▸ p. 721 nprf Géog **la ~** Brie, the Brie region

briefer /bʀife/ [1] vtr to brief

briefing /bʀifiŋ/ nm briefing

brièvement /bʀijɛvmɑ̃/ adv briefly

brièveté /bʀijɛvte/ nf brevity

brigade /bʀigad/ nf **1** Mil brigade; **~ aérienne** airborne brigade; **~ d'infanterie** infantry unit; **2** (dans la police) squad; **3** Admin (groupe de travailleurs) team
Composés **~ antiterroriste** antiterrorist squad; **~ criminelle** crime squad; **~ financière** fraud squad; **~ de gendarmerie** (gendarmes) (small town) police force; (bâtiment) small town police station; **~ des mineurs** juvenile delinquency division; **~ des mœurs** or **mondaine** vice squad; **~ de sapeurs-pompiers** fire brigade GB, fire department US; **~ des stupéfiants** drugs squad GB, drug squad US; **Brigades internationales** Hist International Brigade (sg); **Brigades rouges** Hist Red Brigades

brigadier /bʀigadje/ ▸ p. 406 nm **1** Mil (caporal) ≈ corporal (*in tank, artillery or transport division*); **2** (de sapeurs-pompiers) fire chief; **3** Théât *wooden staff used to give the signal for the beginning of a performance*

brigadier-chef, pl **brigadiers-chefs** /bʀigadjeʃɛf/ ▸ p. 406 nm: *French army rank between corporal and sergeant (in tank, artillery or transport division)*

brigand /bʀigɑ̃/ nm **1** (bandit) brigand, bandit; **2** péj (filou) crook○; **3** (enfant) rascal

brigandage /bʀigɑ̃daʒ/ nm (armed) robbery, banditry†; **commettre des actes de ~** to commit robbery; **c'est du ~!** fig it's daylight ou highway US robbery!

brigantine /bʀigɑ̃tin/ nf Naut spanker

brigue /bʀig/ nf liter intrigue; **obtenir qch par ~** to get sth by intrigue

briguer /bʀige/ [1] vtr to crave [honneur, faveur]; to set one's sights on [présidence, poste]; to solicit [voix]

brillamment /bʀijamɑ̃/ adv gén brilliantly; **réussir** ou **être reçu ~ à un examen** to pass an exam with flying colours

brillance /bʀijɑ̃s/ nf (d'astre, de diamant) brilliance; (de tissu, papier) sheen

brillant, ~e /bʀijɑ̃, ɑ̃t/
A adj **1** (luisant) [yeux, métal, plumage] bright; [surface polie] shiny; [surface mouillée] glistening; [cheveux] shiny, glossy; **regard ~ de joie** eyes shining with joy; **2** (admirable) [personne, carrière, conversation] brilliant; **pas ~** euph [résultat, performance] not brilliant, not very good at all; [situation] none too rosy○, quite bad; [santé, affaires] none too good, rather poor; **les résultats ne sont pas des plus ~s** the results are not exactly brilliant
B nm **1** (éclat) (de surface polie, cheveux) shine (**de** of); **donner du ~ aux cheveux/meubles** to give hair/furniture a shine; **2** (diamant) (cut) diamond, brilliant

brillantine /bʀijɑ̃tin/ nf brilliantine

briller /bʀije/ [1] vi **1** (luire) [soleil, lampe] to shine; [flamme] to burn brightly; [diamant] to sparkle; [surface polie, métal] to shine; (au soleil) to gleam, to shine; [surface mouillée, neige, larme] to glisten; [nez] to be shiny; [yeux] to shine; (pétiller) to sparkle; **tout brillait de propreté** everything was sparkling clean; **faire ~ ses chaussures** to shine one's shoes; **faire ~ l'argenterie** to clean the silver; **shampooing qui fait ~ les cheveux** shampoo which makes your hair shine; **les étoiles brillent** the stars are out; **2** (exprimer) [yeux, *regard*] ~ **de** to shine with [*joie, curiosité*]; to blaze with [*colère*]; to burn with [*fièvre, désir*]; to glitter with [*convoitise*]; **3** (se distinguer) [*mondain, causeur*] to shine; [*élève*] (dans une matière) to be brilliant (**en** at), to shine (**en** in); (dans une épreuve) to do brilliantly (**à, en** in); ~ **en société** to shine in company; **elle brille par son esprit/talent** she's extremely witty/talented; **elle ne brille pas par son intelligence** euph she's not noted for her intelligence, intelligence isn't her strong point; **il n'a pas brillé par son courage** he wasn't exactly brave; ~ **par son absence** to be conspicuous by one's absence; ▸ **or**

brimade /bʀimad/ *nf* bullying ¢; **être victime de ~s** to be bullied; **faire subir des ~s à qn** to bully sb

brimborion /bʀɛ̃bɔʀjɔ̃/ *nm* trinket

brimer /bʀime/ [1] *vtr* to bully [*personne*]; **un enfant brimé par ses camarades** a child who is bullied; **se sentir brimé** to feel frustrated

brin /bʀɛ̃/ *nm* **1** (tige) **un ~ de muguet/persil** a sprig of lily-of-the-valley/parsley; **un ~ de paille** a wisp of straw; **un ~ d'herbe** a blade of grass; **du muguet à 15 euros le ~** lily-of-the-valley at 15 euros a sprig; **couvert de ~s d'herbe** covered in bits of grass; **2** (peu) **un ~ de** a bit of; **faire un ~ de toilette** to have a quick wash GB, to wash up quickly US; **faire un ~ de causette** to have a little chat; **un ~ exagéré/ennuyeux** a touch exaggerated/boring; **juste un ~** just a touch; **un beau ~ de fille** a gorgeous girl

brindille /bʀɛ̃dij/ *nf* twig

bringue○ /bʀɛ̃g/ *nf* **1** (beuverie) booze-up○ GB, drinking party; (fête) rave-up○; **faire la ~** (boire) to have a booze-up○; (faire la fête) to rave it up○, to have a wild time; **2** (fille) **(grande) ~** beanpole

brinquebaler /bʀɛ̃kbale/ [1] *vi* [*chargement*] to rattle about; [*véhicule*] to jolt along; [*personne*] to be shaken

brio /bʀijo/ *nm* (talent) brilliance, panache; Mus brio; **avec ~** brilliantly, with great panache

brioche /bʀijɔʃ/ *nf* **1** Culin brioche, (sweet) bun; **~ aux raisins** currant bun; **saumon en ~** salmon brioche; **2** ○(ventre) paunch; **prendre de la ~** to develop a paunch

brioché, **~e** /bʀijɔʃe/ *adj* Culin brioche (*épith*)

brique /bʀik/

A ▸ **p. 202** *adj inv* [*peinture*] brick red; [*vêtement, objet*] rust-coloured^GB

B *nf* **1** Constr brick; **mur de** *or* **en ~s** brick wall; **2** (emballage de lait, jus de fruit) carton; **3** ○(dix mille francs) ten thousand francs; **une ~ et demie** fifteen thousand francs

(Composés) ~ **creuse** hollow block; ~ **pleine** brick; ~ **de verre** glass block

briquer /bʀike/ [1] *vtr* to polish up; Naut to scrub down

briquet /bʀikɛ/ *nm* **1** (de fumeur) (cigarette) lighter; **2** Zool beagle; **3** (sabre) sabre^GB

briquetage /bʀiktaʒ/ *nm* **1** (en briques) brickwork; **2** (imitation de briques) brick facing ¢

briqueterie* /bʀikɛtʀi/ *nf* **1** (industrie) brickworks (+ *v sg ou pl*); **2** (usine) brickyard

briquette /bʀikɛt/ *nf* briquette GB, briquet US

briquet-tempête /bʀikɛtɑ̃pɛt/ *nm* windproof lighter

bris /bʀi/ *nm inv* **1** (rupture) gén, Jur (de matériel, scellés) breaking; **la police ne couvre pas le ~ de glaces** Assur, Aut the policy does not cover broken windows or mirrors; **~ de clôture** Jur breaking and entering; **2** (débris d'objet cassé) fragment

brisant, **~e** /bʀizɑ̃, ɑ̃t/

A *adj* high-explosive; **explosif ~** high-explosive charge

B *nm* (haut-fond) shoal

C **brisants** *nmpl* (vagues) breakers

briscard /bʀiskaʀ/ *nm* lit, fig veteran

brise /bʀiz/ *nf* breeze; **légère/bonne ~** light/fresh breeze

brisé, **~e** /bʀize/

A *pp* ▸ **briser**

B *pp adj* **1** (fracturé) broken; **2** fig [*personne*] broken; [*élan*] broken; [*rêve, espoir*] shattered; **avoir le cœur ~** to be broken-hearted; **il est ~ par le chagrin** he's broken-hearted; **un vieil homme ~ par la vie** a broken old man; **dit-elle, la voix ~e par l'émotion** she said, her voice breaking with emotion; **3** Hérald [*chevron*] broken

C *nm* Danse brisé

D **brisées** *nfpl* Chasse broken branches (*to mark the track of an animal*); **aller** *or* **marcher sur les ~es de qn** fig to poach on sb's territory *ou* preserve; **suivre les ~es de qn** fig to follow in sb's footsteps

brise-béton* /bʀizbetɔ̃/ *nm inv* Constr jackhammer

brise-bise* /bʀizbiz/ *nm inv* half-curtain

brise-fer* /bʀizfɛʀ/ *nm inv* destructive child

brise-glace* /bʀizglas/ *nm inv* **1** Naut (navire) icebreaker; **2** Constr (de pont) icebreaker

brise-jet* /bʀizʒɛ/ *nm inv* (rubber) spout

brise-lames* /bʀizlam/ *nm inv* breakwater

brise-mottes* /bʀizmɔt/ *nm inv* harrow

briser /bʀize/ [1]

A *vtr* **1** (rompre) to break [*objet, jambe*]; **2** (interrompre) to break [*rythme, volonté, élan*]; to stop [*tentative, attaque, ascension, inflation*]; to break down [*résistance*]; to crush [*révolte*]; [*travailleur*] to break [*grève*]; [*police*] to stop [*grève*]; **3** (mettre fin à) to break [*silence, monopole, accord, isolement*]; to break down [*tabou*]; to bring [sth] to an end [*influence*]; to shatter [*rêve, idylle*]; **4** (détruire) to destroy [*pays, organisation, structure*]; to break [*personne*]; to wreck [*carrière*]; to shatter [*image*]; **cette épreuve a brisé sa vie/ses espoirs** this experience has wrecked his/her life/his/her hopes; **l'émotion lui brisait la voix** his/her voice was breaking with emotion; **5** (épuiser) to shatter [*personne*]

B **se briser** *vpr* **1** (se rompre) [*vitre, os*] to break; [*vague*] to break (**sur, contre** against); **mes arguments se sont brisés contre son entêtement** fig my arguments were useless in the face of his stubbornness; **2** (s'interrompre) [*élan*] to break; [*rêve*] to be shattered; **3** (s'altérer) [*voix*] to break; **quand il en parle, sa voix se brise** when he talks about it, his voice breaks; **son cœur se brise devant tant de pauvreté** all this poverty is breaking his/her heart

(Idiome) **il nous les brise**◑ he's bugging us◑

brise-soleil* /bʀizsɔlɛj/ *nm inv* Archit brise-soleil

brise-tout* /bʀiztu/ *nm inv* (personne) butterfingers (*sg*)

briseur, **-euse** /bʀizœʀ, øz/ *nm,f* wrecker

(Composés) ~ **de chaînes** chain-breaker, strongman in fairground; ~ **de grève** strike breaker

brise-vent* /bʀizvɑ̃/ *nm inv* Agric windbreak

brisquard /bʀiskaʀ/ *nm* = **briscard**

bristol /bʀistɔl/ *nm* **1** (carton) Bristol (board); **2** (carte de visite) visiting card, calling card US; **3** (carton d'invitation) invitation card

brisure /bʀizyʀ/ *nf* **1** (fêlure) crack; (débris) fragment; **2** Tech (joint) break; **3** Hérald mark of cadency

britannique /bʀitanik/ ▸ **p. 561** *adj* British

Britannique /bʀitanik/ ▸ **p. 561** *nmf* Briton, Britisher US; **un/une ~** a British man/woman; **les ~s** the British (people)

Britanniques /bʀitanik/ ▸ **p. 435** *adj fpl* **les îles ~** the British Isles

broc /bʀo/ *nm* ewer; ▸ **bric**

brocante /bʀɔkɑ̃t/ *nf* **1** (activité) bric-à-brac trade; **2** (marché) flea market

brocanteur, **-euse** /bʀɔkɑ̃tœʀ, øz/ ▸ **p. 532** *nm,f* bric-à-brac trader

brocard /bʀɔkaʀ/ *nm* **1** Zool brocket; **2** †liter gibe

brocarder /bʀɔkaʀde/ [1] *vtr* liter to ridicule, to gibe at

brocart /bʀɔkaʀ/ *nm* Tex brocade; **~ de soie** silk brocade

brochage /bʀɔʃaʒ/ *nm* **1** Imprim soft binding (with paper); **2** Tex brocading

broche /bʀɔʃ/ *nf* **1** (bijou) brooch; **2** Culin spit; **faire cuire qch à la ~** to spit-roast sth, to roast sth on a spit; **3** Méd pin; **4** Tech spindle

(Composé) ~ **à glace** Sport ice-piton

broché, **~e** /bʀɔʃe/

A *pp* ▸ **brocher**

B *pp adj* [*livre*] paperback (*épith*), softcover (*épith*)

C *nm* Tex (tissu) brocade; (technique) brocading

brocher /bʀɔʃe/ [1] *vtr* **1** Imprim to bind [sth] (with paper) [*livre*]; **2** Tex to brocade

brochet /bʀɔʃɛ/ *nm* Zool pike

(Composé) ~ **de mer** barracuda

brochette /bʀɔʃɛt/ *nf* **1** Culin (tige) skewer; (mets) kebab, brochette; **~ de poisson/viande** fish/meat kebab; **2** fig (de personnalités) band (**de** of); (de décorations) row (**de** of)

brocheur, **-euse** /bʀɔʃœʀ, øz/

A ▸ **p. 532** *nm,f* book binder

B **brocheuse** *nf* (machine) binder, binding machine

brochure /bʀɔʃyʀ/ *nf* **1** (fascicule) booklet; (de voyage) brochure; (de présentation) prospectus; **2** Imprim binding (with paper)

brocoli /bʀɔkɔli/ *nm* broccoli ¢

brodequin /bʀɔdkɛ̃/

A *nm* (laced) boot; (autrefois) buskin

B **brodequins** *nmpl* (pour torturer) **les ~s** the boot

broder /bʀɔde/ [1]

A *vtr* to embroider [*nappe*] (**de** with); to embroider [*motif*]; **brodé à mes initiales** embroidered with my initials

B *vi* (enrichir de détails) to embroider (**sur** on)

broderie /bʀɔdʀi/ *nf* **1** (art) embroidery; **~ à la main** hand-embroidery; **faire de la ~** to do embroidery; **2** (ouvrage) piece of embroidery, embroidery ¢; **3** Ind embroidery trade

(Composé) ~ **anglaise** broderie anglaise

brodeuse /bʀɔdøz/ *nf* Tex **1** (personne) embroiderer; **2** (machine) embroidery machine

bromate /bʀɔmat/ *nm* bromate

brome /bʀom/ *nm* Chimie bromine

broméliacées /bʀɔmeljase/ *nfpl* Bot bromeliads

bromique /bʀɔmik/ *adj* **acide ~** bromic acid

bromure /bʀɔmyʀ/ *nm* bromide; **~ d'argent/de potassium** silver/potassium bromide

bronche /bʀɔ̃ʃ/ *nf* bronchus; **les ~s** the bronchial tubes; **avoir les ~s fragiles** to have a weak chest

(Idiome) **souffler dans les ~s de qn**○ to tear a strip off sb○ GB, to tell sb off

broncher /bʀɔ̃ʃe/ [1] *vi* **1** (réagir) **sans ~** without turning a hair; **il n'a pas bronché quand on lui a annoncé les résultats** he took it calmly when they told him the results; **2** Équit [*cheval*] to stumble

bronchiole /bʀɔ̃kjɔl/ *nf* bronchiole

bronchiolite /bʀɔ̃kjɔlit/ ▸ **p. 283** *nf* bronchiolitis

bronchique /bʀɔ̃ʃik/ *adj* bronchial

bronchite /bʀɔ̃ʃit/ ▸ **p. 283** *nf* bronchitis ¢; **avoir une (bonne) ~** to have (a bad attack of) bronchitis; **~ chronique** chronic bronchitis

bronchitique /bʀɔ̃ʃitik/

A *adj* [*symptôme*] bronchitic; **il est ~** he suffers from bronchitis

B *nmf* bronchitis sufferer

bronchodilatateur /bʀɔ̃kodilatatœʀ/ *nm* bronchodilator

broncho-pneumonie, *pl* **~s*** /bʀɔ̃kɔpnømɔni/ ▸ **p. 283** *nf* bronchopneumonia

bronchoscopie /bʀɔ̃kɔskɔpi/ *nf* bronchoscopy

brontosaure /bʀɔ̃tozɔʀ/ *nm* brontosaurus

bronzage /bʀɔ̃zaʒ/ *nm* **1** (action de se faire bronzer) (sun-)tanning; (hâle) tan; **~ artificiel** artificial tan; **mon ~ n'a pas tenu** my tan did not last long; **2** Tech (de matière) bronzing

(Composé) **~ intégral** (action) nude sunbathing; (hâle) all-over tan

bronze /bʀɔ̃z/ *nm* (matière, objet) bronze; **un (objet de** *or* **en) ~** a bronze (object)

(Idiome) **couler un ~●** to have a shit●

bronzé, **~e** /bʀɔ̃ze/

A *pp* ▸ **bronzer**

B *pp adj* (sun-)tanned; **il est revenu tout ~** he came back with a dark tan

C *nm,f* péj (sur la plage) beach bum○

bronzer /bʀɔ̃ze/ [1]

A *vtr* **1** (hâler) to tan [*peau*]; **2** Tech to bronze [*métal*]

B *vi* [*personne*] to get a tan, to go brown; [*peau*] to tan; **il est allé se faire ~ en Italie** he's gone to sun himself in Italy

(Idiome) **~ idiot**○ to lie around in the sun

bronzette○ /bʀɔ̃zɛt/ *nf* sunbathing

bronzeur /bʀɔ̃zœʀ/ *nm* (ouvrier) bronze-smelter, bronzer

broquette /bʀɔkɛt/ *nf* (tin) tack

brossage /bʀɔsaʒ/ *nm* (des cheveux, dents) brushing ¢; (du dos) scrubbing ¢; (d'un cheval) grooming ¢

brosse /bʀɔs/ *nf* **1** gén brush; **donner un coup de ~ à qch** to give sth a brush; **se donner un coup de ~** (se coiffer) to give one's hair a quick brush; **être coiffé en ~, avoir les cheveux (taillés) en ~** to have a crew cut; **2** Belg (balai) broom

(Composés) **~ à cheveux** hairbrush; **~ en chiendent** scrubbing brush; **~ à dents** toothbrush; **~ à habits** clothesbrush; **~ métallique** wire brush; **~ à ongles** nailbrush

brosser /bʀɔse/ [1]

A *vtr* **1** (frotter) to brush [*vêtements, cheveux, dents*]; to scrub [*dos*]; to brush [sb] down [*personne*]; to groom [*cheval*]; **2** (peindre) to paint [*toile, paysage*]; **3** (décrire) to give a quick outline of; **~ un tableau de la situation** to give an outline of the situation; **4** Sport to spin [*balle*]

B ○*vi* Belg schoolchildren's slang (s'absenter) to skip school

C se brosser *vpr* to brush oneself down; **se ~ les dents/cheveux** to brush one's teeth/hair

(Idiome) **il peut (toujours aller) se ~◑** he can go and jump in the lake○, he can forget about it

brou /bʀu/ *nm* (écale) husk

(Composé) **~ de noix** walnut stain

broue /bʀu/ *nf* Can **1** (bière) beer; **2** (mousse) (de bière) head; (de lait) froth

brouet /bʀuɛ/ *nm* Culin **1** péj unsubstantial soup hum; **2** ‡(bouillon) broth; **un ~ de poisson** a fish broth

brouette /bʀuɛt/ *nf* (véhicule) wheelbarrow; (contenu) barrowful; **trois ~s de terre** three barrowfuls of earth; **faire la ~** Jeux to play wheelbarrows

brouettée /bʀuɛte/ *nf* barrowful

brouetter /bʀuete/ [1] *vtr* to wheelbarrow, to cart

brouhaha /bʀuaa/ *nm* hubbub; **un grand ~** a loud hubbub

brouillage /bʀujaʒ/ *nm* **1** Radio, Télécom (provoqué) jamming; (involontaire) interference; **2** fig (de pistes) covering up; (de données) mixing up

brouillard /bʀujaʀ/ *nm* **1** Météo fog; **il y a du ~** it's foggy; **un ~ à couper au couteau** a thick fog, a pea-souper GB; **voir tout à travers un ~** to be in a complete daze; **être dans le ~**○ fig to be somewhat in the dark; **foncer dans le ~**○ fig to charge blindly ahead; **2** (pulvérisation) spray; **3** Comm (livre) daybook

(Composé) **~ givrant** Météo freezing fog

brouillasser /bʀujase/ [1] *v impers* to drizzle; **il brouillasse** it's drizzling

brouille /bʀuj/ *nf* (momentanément) quarrel; (durablement) discord; **cinq ans de ~** five years of discord

(Composé) **~ ancestrale** blood feud

brouiller /bʀuje/ [1]

A *vtr* **1** (rendre trouble) [*produit*] to make [sth] cloudy [*liquide*]; [*pluie*] to blur, to smudge [*nom, texte*]; [*larmes*] to blur [*vue*]; [*personne*] to cover (over) [*empreintes*]; **regard brouillé par les larmes** vision blurred by tears; **~ la combinaison d'un coffre** to scramble the combination of a safe; **~ les pistes** *or* **les cartes** fig to confuse *ou* cloud the issue; **il ne cesse de ~ les pistes** he keeps confusing the issue; **2** Radio, Télécom [*personne, groupe*] to jam [*signaux, émission*]; [*parasites, appareils ménagers*] to interfere with [*émission, réception*]; **3** (désunir) **l'incident avait brouillé les deux frères** the two brothers had fallen out over the incident; **~ qn avec qn** to turn sb against sb; **rien ne peut ~ leur amitié** fig nothing can get in the way of their friendship

B se brouiller *vpr* **1** (se fâcher) [*personnes, groupes*] to fall out; **se ~ avec qn** to fall out with sb; **être brouillé avec qn** to have fallen out with sb; **il est brouillé avec tout le monde** he's fallen out with everybody; **ils sont brouillés (à vie)** they've fallen out (for good); **elles sont brouillées depuis deux ans** they fell out two years ago; **être brouillé avec les chiffres/avec les langues** fig to be hopeless with figures/at languages; **2** (devenir trouble) [*liquide*] to become cloudy; [*vue*] to become blurred; [*esprit, souvenirs*] to become confused; **avoir le teint brouillé** to look ill *ou* liverish; **3** Météo **le temps se brouille, il va pleuvoir** it's clouding over *ou* the weather is breaking, it's going to rain; ▸ **œuf**

brouillon, **-onne** /bʀujɔ̃, ɔn/

A *adj* **1** (qui manque de soin) [*personne, copie, devoir*] untidy; **essayez d'être moins ~** try to be less untidy; **2** (désorganisé) [*personne*] disorganized; [*esprit, pensée, caractère*] muddled, confused; [*style*] muddled; [*émission, conférence*] disorganized; **son discours était très ~** his speech was very muddled

B *nm* **1** (première rédaction) (de texte, discours, devoir) rough draft; **montrez-moi le ~ de votre devoir** show me the rough draft of your work; **fais un ~** make a rough draft; **faire qch au ~** to do sth in rough; **2** (papier) ¢ **(papier) ~** rough paper; **donne-moi du ~** give me some rough paper; **une feuille de ~** a sheet of rough paper

broum /bʀum/ *excl* broom!

broussaille /bʀusaj/ *nf* (dans sous-bois) undergrowth ¢; (sur terrain inculte) scrub ¢, brush ¢; (dans jardin, parc) bushes (*pl*); **sourcils en ~** bushy eyebrows; **cheveux en ~** tousled hair

broussailleux, **-euse** /bʀusajø, øz/ *adj* **1** [*terrain, région*] covered with bushes; [*jardin*] overgrown; **2** [*barbe, sourcils*] bushy; [*cheveux*] tousled

broussard /bʀusaʀ/ *nm* bushman

brousse /bʀus/ *nf* Géog bush; **vivre dans la ~** to live (out) in the bush; **village/taxi de ~** bush village/taxi; **en pleine ~**○ in the middle of nowhere, in the sticks○

broutement /bʀutmɑ̃/ *nm* **1** Agric grazing; **2** Aut juddering; **3** Tech (d'outil) chattering

brouter /bʀute/ [1]

A *vtr* [*vache, mouton*] to graze; [*chèvre*] to nibble

B *vi* **1** Agric [*vache, mouton*] to graze; [*chèvre*] to nibble; **2** Aut to judder; **3** Tech [*outil*] to chatter

broutille /bʀutij/ *nf* trifle; **ce n'est qu'une ~** it's nothing

broyage /bʀwajaʒ/ *nm* grinding, crushing

broyer /bʀwaje/ [23] *vtr* **1** (écraser) to grind [*grain, couleurs, aliments*]; to crush [*pierre*]; to crush [*bras, pied*]; **2** (anéantir) to crush [*ennemi*]

(Idiome) **~ du noir** [*personne*] to brood; [*entreprise*] to be in the doldrums

broyeur, **-euse** /bʀwajœʀ, øz/

A *adj* grinding, crushing

B *nm* (machine) crusher, grinder

(Composés) **~ à cylindres** break roll; **~ de documents** shredder; **~ d'évier** waste disposal unit; **~ à feuilles** leaf shredder; **~ à glace** ice crusher; **~ à rouleaux** roller crusher; **~ de WC** Saniflo® unit

brrr /bʀʀ/ *excl* brr!

bru /bʀy/ *nf* daughter-in-law

bruant /bʀyɑ̃/ *nm* Zool bunting

(Composés) **~ fou** rock bunting; **~ jaune** yellowhammer; **~ lapon** lapland bunting; **~ des roseaux** reed bunting

brucelles /bʀysɛl/ *nfpl* tweezers

brucellose /bʀysɛloz/ *nf* ▸ **p. 283** brucellosis

brugeois, **~e** /bʀyʒwa, az/ ▸ **p. 894** *adj* of Bruges

Brugeois, **~e** /bʀyʒwa, az/ ▸ **p. 894** *nm,f* (natif) native of Bruges; (habitant) inhabitant of Bruges

brugnon /bʀyɲɔ̃/ *nm* nectarine

brugnonier /bʀyɲɔnje/ *nm* nectarine tree

bruine /bʀɥin/ *nf* drizzle

bruiner /bʀɥine/ [1] *v impers* to drizzle; **il bruine** it's drizzling

bruire /bʀɥiʀ/ [3] *vi* liter [*feuille, papier, tissu*] to rustle; [*ruisseau*] to murmur; [*insecte*] to hum; **le vent bruissait dans les feuillages** the wind was rustling through the leaves

bruissement /bʀɥismɑ̃/ *nm* liter (de feuille, papier, tissu, vent) rustle ¢, rustling ¢; (de ruisseau) murmur(ing) ¢; (d'insecte) humming ¢

bruit /bʀɥi/ *nm* **1** (son) noise; **entendre un ~** to hear a noise; **on n'entend pas un ~** you can't hear a sound; **~ léger** faint noise; **~ soudain** sudden noise; **~ étouffé** thud; **le ~ de la circulation/d'un train** (au loin) the sound of traffic/of a train; (proche) the noise of traffic/of a train; **un ~ de marteau** hammering; **un ~ de casseroles/d'assiettes** the clatter of saucepans/of plates; **un ~ de ferraille** a clang; **j'entends un ~ de pas/voix** I can hear footsteps/voices; **entendre le ~ des charrettes sur les pavés** to hear carts rattling over the cobbles; **on dirait un ~ de moteur** it sounds like an engine; **il y a un ~ dans le moteur** the engine is making a funny noise; **dans un ~ de tonnerre** with a noise like thunder; **2** (tapage) noise; **la pollution par le ~** noise pollution; **faire du ~** to make a noise, to be noisy; **tu fais trop de ~** you're too noisy, you're making too much noise; **ne fais pas de ~, il dort** don't make any noise, he's asleep; **il y a du ~** it's noisy; **travailler dans le ~** to work in a noisy environment; **faire un ~ infernal** *or* **d'enfer** [*machine*] to make a terrible din; [*voisins*] to make an awful racket; **sans ~** [*marcher*] silently; [*pleurer*] in silence; [*fonctionner*] without making any noise; **3** fig (commotion) **son film a fait beaucoup de ~** his/her film attracted a lot of attention; **on a fait grand ~ de ce livre** this book caused quite a stir; **faire beaucoup de ~ pour rien** to make a lot of fuss about nothing; **une affaire qui a fait du ~** an affair that caused an uproar; **4** (rumeur) rumour^GB; **le ~ court que** rumour^GB has it that, there's a rumour^GB that; ▸ **faux**; **5** Méd murmur; **~s cardiaques** heart murmur (*sg*); **6** Télécom noise; 7 liter (agitation) **loin du ~ du monde** far from the madding crowd

(Composés) **~ de couloir** rumour^GB; **~ de fond** background noise

bruitage /bʀɥitaʒ/ *nm* Cin, Théât sound effects (*pl*)

bruiteur /bʀɥitœʀ/ *nm* sound effects engineer

brûlage* /bʀylaʒ/ *nm* 1 Agric (de terres) burning; 2 Cosmét (de cheveux) singeing; 3 Tech (de peinture) burning off

brûlant*, ~e /bʀylɑ̃, ɑ̃t/ *adj* 1 (très chaud) [*fer à repasser, casserole, plat*] hot; [*thé, café, soupe*] boiling hot; [*vent, sable, rocher, asphalte, tuile, radiateur*] burning hot; [*soleil*] blazing; 2 (fiévreux) [*personne, front*] burning hot; **être ~ de fièvre** to be burning with fever; 3 (urgent) [*question, thème*] burning; **un problème ~** a burning issue; **un sujet d'une ~e actualité** a burning issue; 4 (ardent) [*passion*] burning; [*amour*] passionate; [*regard*] blazing; **il lui jeta un regard ~ de passion** he looked at him/her, his eyes ablaze with passion

brûlé*, ~e /bʀyle/

A *pp* ▸ **brûler**

B *pp adj* (démasqué) **être ~** [*agent secret*] to have one's cover blown

C *nm,f* Méd **un grand ~** a third degree burns victim; **service des grands ~s** burns unit

D *nm* **odeur de ~** smell of burning, a burned smell; **avoir un goût de ~** to taste burned; **ça sent le ~** lit there's a smell of burning; fig things are becoming unpleasant; **je n'aime pas le ~** I won't eat the burned bit

brûle-gueule*◑ /bʀylgœl/ *nm inv* short-stemmed pipe

brûle-parfum(s)* /bʀylpaʀfœ̃/ *nm inv* perfume-burner

brûle-pourpoint: **à brûle-pourpoint*** /abʀylpuʀpwɛ̃/ *loc adv* point-blank; **demander à ~** to ask point-blank

brûler* /bʀyle/ [1]

A *vtr* 1 (mettre le feu) to burn [*papiers, broussailles*]; to set fire to [*voiture, maison*]; to burn [*encens*]; **~ un cierge à saint Antoine** to light a candle to Saint Anthony; **~ qn vif** to burn sb alive; ▸ **chandelle**; 2 (consommer) to burn [*bois, charbon, mazout*]; to use [*électricité*]; to burn [*calories*]; ▸ **cartouche**; 3 (provoquer une brûlure) [*acide, flamme, huile*] to burn [*personne, peau*]; [*eau, thé*] to scald [*peau, corps*]; [*aliments, alcool*] to burn [*estomac, gorge*]; [*soleil*] to burn [*peau*]; [*soleil*] to scorch [*herbe*]; **être brûlé par une explosion/dans un accident** to get burned in an explosion/ in an accident; **l'acide/l'huile m'a brûlé les mains** the acid/ the oil burned my hands; **~ sa chemise en la repassant** to burn *ou* scorch one's shirt while ironing it; **être brûlé au visage/cou** to suffer burns to one's face/neck; **être brûlé au premier/troisième degré** to sustain first/ third degree burns; **attention, ça brûle!** careful, it's very hot!; **être brûlé par le soleil** [*personne*] to get sunburned; **l'argent leur brûle les doigts** fig money burns a hole in their pocket; **j'ai les yeux qui me brûlent** my eyes are stinging; 4 Méd to cauterize [*verrue*] (**à** with); 5 ○(ne pas respecter) to ignore [*stop, priorité*]; to miss [*station*]; **~ un feu (rouge)** to jump○ the lights; 6 †(torréfier) to roast [*café*]

B *vi* 1 (se consumer) [*bois, charbon, bougie*] to burn; [*forêt, maison, ville*] to be on fire; **bien/mal ~** [*bois, combustible*] to burn well/badly; **3000 hectares de forêt ont brûlé** 3000 hectares of forest have been destroyed by fire; **faire ~ qch** to burn [sth] down [*papier, bois, pneu, maison*]; **il fait ~ des ronces dans le jardin** he's burning brambles in the garden; 2 Culin [*rôti, tarte, gâteau*] to burn; **j'ai fait** *or* **laissé ~ mon gâteau** I've burned the cake; 3 (flamber) [*feu*] to burn (**dans la cheminée** in the fireplace); 4 (être fiévreux) [*personne, front, mains*] to be burning hot; **~ de fièvre** to be burning with fever; 5 (désirer) **~ de faire, ~ d'envie** *or* **d'impatience de faire** to be longing to do; **~ d'amour/de passion pour qn** to be consumed with love/with passion for sb; **~ pour qn** to be consumed with love for sb; 6 Jeux (à cache-tampon) **tu brûles!** you're getting very, very warm!

C se brûler *vpr* [*personne*] to burn oneself (**avec** with; **en faisant** doing); **se ~ la main/langue** to burn one's hand/tongue; **se ~ les ailes** fig to come to grief, to come unstuck; **se ~ les cheveux** to singe one's hair; **se ~ les doigts** fig to get one's fingers burned; ▸ **pont**

brûlerie* /bʀylʀi/ *nf* 1 (usine) coffee-roasting plant; 2 ▸ **p. 532** (magasin) coffee merchant

brûleur* /bʀylœʀ/ *nm* Tech burner

brûlis* /bʀyli/ *nm inv* 1 (procédé) slash-and-burn technique; 2 (terrain) burned land; **culture sur ~** slash-and-burn cultivation

brûlot* /bʀylo/ *nm* 1 Presse scathing article; 2 Hist Mil fireship; 3 Culin *sugar lump flambéed with brandy*; 4 Can Zool biting midge

brûlure* /bʀylyʀ/ *nf* 1 Méd burn; **souffrir de ~s** to suffer from burns; **~ du premier/deuxième/troisième degré** first/second/third degree burn; 2 (marque) mark; (sur un tissu) burn; (sur une surface) mark; **~ de cigarette sur le sol** cigarette mark on the floor

(Composé) **~s d'estomac** Méd heartburn ℂ

brumaire /bʀymɛʀ/ *nm* Brumaire (*second month of the French revolutionary calendar, ≈ November*); **le coup d'État du 18 ~** the coup of 18 Brumaire

brume /bʀym/ *nf* 1 (brouillard léger) mist; (en mer) (sea) mist; (épaisse) fog; **un banc de ~** a patch of mist; 2 (vapeur) (d'aérosol) mist; 3 (état confus) haze; **sortir des ~s du sommeil/de l'ivresse** to come out of a sleepy/drunken haze

(Composé) **~ de chaleur** heat haze

brumeux, -euse /bʀymø, øz/ *adj* 1 Météo (de chaleur) hazy; (de froid) misty, foggy; 2 (peu clair) [*esprit, idée*] hazy

brumisateur® /bʀymizatœʀ/ *nm* facial mister

brun, ~e /bʀœ̃, bʀyn/

A ▸ **p. 202** *adj* [*peau, tissu, fourrure*] brown, dark; [*cheveux, barbe*] dark; [*yeux*] brown; [*personne*] dark-haired; [*tabac*] black; **cigarette ~e** black tobacco cigarette; **bière ~e** ≈ stout GB; **~ foncé/clair** dark/light brown; **~ de peau** dark-skinned

B *nm,f* (homme) dark-haired man; (femme) dark-haired woman, brunette

C *nm* (couleur) brown; **~ clair/foncé** light/dark brown

D brune *nf* 1 (cigarette) black tobacco cigarette; 2 (bière) brown ale, stout GB

E à la brune *loc prép* littér at dusk

(Composé) **~ Van Dyck** Vandyke brown

brunante /bʀynɑ̃t/ *nf* Can (crépuscule) dusk; **à la ~** at dusk

brunâtre /bʀynɑtʀ/ ▸ **p. 202** *adj* brownish

brune ▸ **brun A, B, D, E**

Brunei /bʀynɛi/ ▸ **p. 333** *nprm* Brunei

brunette /bʀynɛt/ *nf* brunette

brunir /bʀyniʀ/ [3]

A *vtr* 1 (bronzer) [*soleil, rayon*] to tan [*personne, peau*]; 2 Tech to burnish

B *vi* 1 [*personne, peau*] to tan; [*cheveux*] to get darker; 2 Culin to brown; **faire ~** to brown [*sauce, caramel, beurre*]; **plat à ~** browning dish

brunissage /bʀynisaʒ/ *nm* Tech burnishing

brunissure /bʀynisyʀ/ *nf* Tech burnish

brushing /bʀœʃiŋ/ *nm* blow-dry; **faire un ~ à qn** to give sb a blow-dry; **se faire faire un ~** to have a blow-dry

brusque /bʀysk/ *adj* 1 (bourru) [*personne, ton*] abrupt, brusque; **être ~ avec** *or* **envers qn** to be abrupt with sb; 2 (imprévu) [*mouvement*] sudden; [*virage*] sharp; **donner un ~ coup de frein** to brake sharply

brusquement /bʀyskəmɑ̃/ *adv* 1 [*répondre, dire, interrompre*] abruptly; 2 [*agir, ralentir, entrer, mourir*] suddenly; [*freiner, accélérer*] sharply

brusquer /bʀyske/ [1] *vtr* 1 (traiter sans ménagement) to be brusque with; 2 (précipiter) to rush; **ne pas ~ les choses** not to rush things; **il ne faut pas ~ les choses** it doesn't do to rush things; **une attaque brusquée** a surprise attack; **un départ brusqué** a hurried departure

brusquerie /bʀyskəʀi/ *nf* 1 (rudesse) brusqueness; **avec ~** brusquely; 2 (soudaineté) suddenness

brut, ~e /bʀyt/

A *adj* 1 (non traité) [*coton, soie, matière, minerai, métal*] raw; [*pierre précieuse*] rough, uncut; [*marbre, granit*] rough; [*laine*] untreated; [*sucre*] unrefined; **à l'état ~** in its natural state; **métal ~ de coulée** as-cast metal; **métal ~ de laminage** as-rolled metal; 2 Vin [*champagne, vin mousseux*] dry, brut; [*cidre*] dry; 3 Fin, Écon [*salaire, bénéfice*] gross; 4 Transp, Comm [*poids, charge*] gross; **poids ~** gross weight

B *adv* [*rapporter, gagner, peser*] gross; **rapporter 10% ~** to gross 10%, to make 10% gross; **véhicule pesant ~ 5t** vehicle weighing 5t gross

C *nm* (pétrole) crude (oil); (champagne) dry *ou* brut champagne; (mousseux) dry *ou* brut sparkling wine; (cidre) dry cider

D brute *nf* 1 (personne violente) brute; **sale ~e!** dirty brute!; **comme une ~e** savagely; 2 (personne sans culture) lout; **c'est une ~e épaisse** he/she's just a stupid lout; 3 (créature sauvage) beast

(Idiomes) **dormir comme une ~e** to sleep like a log; **travailler comme une ~e** to work like a horse

brutal, ~e, *mpl* **-aux** /bʀytal, o/ *adj* 1 (brusque) [*coup, choc*] violent; [*douleur, attaque, mort*] sudden; [*hausse, chute, changement, phénomène*] dramatic; [*coup de frein, d'accélérateur*] sharp; 2 (violent) [*ton, réponse, caractère, franchise, discours, article*] brutal; [*geste*] violent; **employer la force ~e** to use brute force; **être ~ avec qn** (physiquement) to be rough with sb; (en paroles) to be brutal with sb; 3 (choquant) [*réalité*] stark

brutalement /bʀytalmɑ̃/ *adv* 1 (avec violence) [*agir, réprimer, parler, frapper, se conduire*] brutally; [*fermer, ouvrir, poser*] violently; 2 (brusquement) [*changer, baisser, augmenter*] dramatically; [*mourir, choisir, s'arrêter*] suddenly; [*freiner, virer, accélérer*] sharply

brutaliser /bʀytalize/ [1] *vtr* to ill-treat [*personne, animal*]; to use [sth] roughly [*machine, appareil*]

brutalité /bʀytalite/ *nf* 1 (violence) brutality; **agir/parler avec ~** to act/speak brutally; 2 (brusquerie) suddenness; 3 (acte de violence) (act of) brutality ℂ; **les ~s policières** police brutality

brute *adj, nf* ▸ **brut**

Bruxelles /bʀysɛl/ ▸ **p. 894** *npr* Brussels

bruxellois, ~e /bʀysɛlwa, az/ ▸ **p. 894** *adj* of Brussels

Bruxellois, ~e /bʀysɛlwa, az/ ▸ **p. 894** *nm,f* (natif) native of Brussels; (habitant) inhabitant of Brussels

bruyamment /bʀɥijamɑ̃/ *adv* [*rire, éternuer, protester*] loudly; [*entrer, sortir*] noisily

bruyant, ~e /bʀɥijɑ̃, ɑ̃t/ *adj* 1 lit [*conversation, musique*] loud; [*enfant, jeu*] noisy, boisterous; [*pièce, rue*] noisy; 2 fig [*renommée, succès, scandale*] resounding

bruyère /bʀyjɛʀ/ *nf* 1 (plante) heather; (racine) briar; **une pipe de** *or* **en ~** a briar pipe; ▸ **terre**; 2 (lieu) heath; **se promener dans la ~** to walk over the heath

BSR /beɛsɛʀ/ *nm* (*abbr* = **brevet de sécurité routière**) road safety certificate

BT (*written abbr* = **basse tension**) low voltage

BTP /betepe/ *nm* (*abbr* = **bâtiment et travaux publics**) building and civil engineering works
BTS /beteɛs/ *nm*: *abbr* ▸ **brevet**
bu, **~e** /by/ *pp* ▸ **boire**
buanderie /bɥɑ̃dʀi/ *nf* [1] (dans une maison) laundry room; [2] Can (laverie automatique) launderette GB, Laundromat® US
bubon /bybɔ̃/ *nm* bubo
bubonique /bybɔnik/ *adj* bubonic
Bucarest /bykaʀɛst/ ▸ **p. 894** *npr* Bucharest
buccal, **~e**, *mpl* **-aux** /bykal, o/ *adj* oral
buccin /byksɛ̃/ *nm* [1] (trompette) buccina; [2] (mollusque) whelk
bucco-dentaire /bykɔdɑ̃tɛʀ/ *adj* [*hygiène*] oral
bucco-génital, **~e**, *pl* **-aux** /bykoʒenital, o/ *adj* **rapports bucco-génitaux** oral sex ₵
bûche* /byʃ/ *nf* [1] (de bois) log; [2] ○(chute) tumble; **prendre** *or* **ramasser une ~** to come a cropper○ GB, to fall (flat on one's face); **quelle ~!** what a fall!
(Composé) **~ de Noël** yule log
bûcher* /byʃe/ [1]
[A] *nm* [1] (pour un condamné) stake; **condamner qn au ~** to condemn sb to be burned at the stake; **monter sur le ~** to be burned at the stake; **Jeanne au ~** Joan at the stake; [2] (pour un mort) (funeral) pyre; [3] (réserve) woodshed
[B] ○*vtr* to slog (away) at○ [*matière*]
[C] ○*vi* to slog away○; **il a dû ~ pour en arriver là** he had to slog to get where he is
bûcheron* /byʃʀɔ̃/ ▸ **p. 532** *nm* lumberjack
bûchette* /byʃɛt/ *nf* [1] (objet) (pour le feu) stick; **des ~s pour allumer le feu** kindling ₵; [2] (pour compter) counting rod; [3] Culin individual yule log
bûcheur○, **-euse*** /byʃœʀ, øz/
[A] *adj* [*élève, étudiant*] industrious
[B] *nm,f* swot○ GB, grind○ US
Buckinghamshire ▸ **p. 721** *nprm* **le ~** Buckinghamshire
bucolique /bykɔlik/
[A] *adj* [*scène, rêverie, atmosphère*] bucolic, pastoral; [*poésie, style*] bucolic
[B] *nf* (poème) bucolic
Budapest /bydapɛst/ ▸ **p. 894** *npr* Budapest
budget /bydʒɛ/ *nm* budget; **gérer un ~** to administer a budget; **un petit ~** a tight budget; **le ~ de l'État** the Budget; **~ familial** household budget; **~ de fonctionnement** operating budget
budgétaire /bydʒetɛʀ/ *adj* [*prévisions, déficit, excédent*] budget (*épith*); [*contrôle*] budgetary, budget (*épith*); [*contraintes, restrictions*] budgetary; [*année*] financial GB, fiscal US
budgétisation /bydʒetizasjɔ̃/ *nf* [1] Fin inclusion in the budget; [2] Entr budgeting
budgétiser /bydʒetize/ [1] *vtr* to include [sth] in the budget [*dépense, recette*]
budgétivore○ /bydʒetivɔʀ/ *adj* hum expensive
buée /bɥe/ *nf* (de froid) condensation; (d'haleine) steam; **vitres couvertes de ~** steamed up windows, windows covered in condensation; **dégager de la ~** to let off steam
Buenos Aires /byenɔzɛʀ/ ▸ **p. 894** *npr* Buenos Aires
buffet /byfɛ/ *nm* [1] (meuble) (de salle à manger) sideboard; (de cuisine) dresser; [2] (de gare) buffet; **rendez-vous au ~ de la gare** let's meet in the station buffet; [3] (table garnie) buffet; **~ froid/campagnard** cold/country-style buffet; [4] ◑(ventre) belly◑; **ne rien avoir dans le ~** to have an empty belly; [5] (d'orgue) (organ) case
(Idiome) **danser devant le ~** to have nothing to eat
buffle /byfl/ *nm* buffalo
buggy, *pl* **buggies** /bygi/ *nm* Aut buggy
bugle /bygl/ *nm* Bot, Mus bugle
bugne /byɲ/ *nf* (sugar-covered) fritter

buis /bɥi/ *nm* [1] (buisson) box tree; (formant une haie) box hedge; [2] (bois) boxwood; **pièces d'échec en ~** boxwood chess pieces; ▸ **faux**
buisson /bɥisɔ̃/ *nm* (sauvage) bush; (dans jardin) shrub; **~ d'aubépine** hawthorn bush
(Composés) **~ ardent** Bible burning bush; **~ d'écrevisses** Culin buisson of crayfish
buissonneux, **-euse** /bɥisɔnø, øz/ *adj* scrub-covered (*épith*); **être ~** to be scrubby; **terrain ~** scrub
buissonnière /bɥisɔnjɛʀ/ *adj* **faire l'école ~** to play truant GB, to play hooky○ US
bulbe /bylb/ *nm* [1] (de plante) bulb, corm spéc; **~ d'oignon/de jacinthe** onion/hyacinth bulb; [2] (coupole) onion(-shaped) dome; **église à ~s** onion-domed church; [3] Naut (d'étrave) bulb
(Composés) **~ dentaire** root of tooth; **~ pileux** hair bulb; **~ rachidien** medulla oblongata
bulbeux, **-euse** /bylbø, øz/ *adj* bulbous
bulgare /bylgaʀ/ ▸ **p. 561**, **p. 483** *adj*, *nm* Bulgarian
Bulgare /bylgaʀ/ ▸ **p. 561** *nmf* [1] Géog Bulgarian; [2] Hist Bulgar
Bulgarie /bylgaʀi/ ▸ **p. 333** *nprf* Bulgaria
bulldozer* /byldozœʀ/ *nm* bulldozer; **démolir qch à coups de ~** to bulldoze sth
bulle /byl/
[A] *nm inv* **papier ~** unbleached paper
[B] *nf* [1] (d'air, de gaz) bubble; **~ de savon** soap bubble; **faire des ~s** to blow bubbles; [2] (de bande dessinée) balloon; [3] Méd bubble (*providing a sterile environment*); **bébé ~** *immunodeficient baby kept in a sterile environment*; [4] Relig, Hist bull; **~ pontificale** papal bull; [5] Ordinat **~ (magnétique)** (magnetic) bubble; [6] (pour l'emballage) bubble; **film à ~s** bubblewrap; **sachet ~** bubble pack; **enveloppe à ~s** padded envelope
(Idiome) **coincer la ~**○ to twiddle one's thumbs
buller○ /byle/ [1] *vi* to lounge (around), to loaf○ (about)
bulletin /byltɛ̃/ *nm* [1] (informations) bulletin, report; **~ météorologique** weather forecast; **~ d'information** TV, Radio news bulletin; **le ~ de la mi-journée/soirée** TV, Radio the lunchtime/evening news; **~ de santé** Méd medical bulletin; **~ scolaire** *ou* **de notes** school report GB, report card US; [2] (document) certificate; (d'abonnement, adhésion) form; **~ de salaire** *or* **paie** payslip; **~ d'expédition** Comm certificate of posting; **~ de naissance** birth certificate; [3] (bon) **~ de commande** order form; **~ de participation** Jeux entry form; [4] (publication) bulletin; **Bulletin de la Bourse** Fin ≈ Stock Exchange prices; [5] (rubrique de journal) (colonne) column; (page) page; **~ économique** financial page; [6] Pol (de vote) ballot *ou* voting paper; **~ blanc** blank vote; **~ nul** spoiled ballot paper; **dépouiller les ~s** to count the votes
(Idiome) **avaler son ~ de naissance**○ to kick the bucket○, to die
bulletin-réponse, *pl* **bulletins-réponse** /byltɛ̃ʀepɔ̃s/ *nm* answer coupon
bulot /bylo/ *nm* whelk
bunker /bunkɛʀ/ *nm* bunker
buraliste /byʀalist/ ▸ **p. 532** *nmf* [1] (de bureau de tabac) (vendant des articles pour fumeurs) tobacconist GB, keeper of a smoke shop US; (vendant des cigarettes et journaux) newsagent GB, newsdealer US; [2] (de bureau de paiement) clerk
bure /byʀ/ *nf* [1] (étoffe) frieze; [2] (vêtement) habit; **porter la ~** to be a monk
bureau, *pl* **~x** /byʀo/ *nm* [1] (meuble) desk; [2] (pièce individuelle) (chez soi) study; (au travail) office; **immeuble de ~x** office-block; **heures d'ouverture des ~x** office hours; [3] (établissement) office; **ouvrir un ~ à Londres** to open an office in London; **la société va fermer ses ~x de Londres** the company is about to close its London offices; [4] (organe directeur) board; **~ exécutif** executive board; **~ politique** *policy-making committee of a political party*; [5] Ordinat desktop
(Composés) **~ d'accueil** reception; **~ d'aide sociale** social security office GB, welfare office US; **~ du cadastre** land registry; **~ de change** bureau de change, foreign exchange office; **~ des contributions** tax office; **~ à cylindre** roll-top desk; **~ de douane** customs office; **~ d'enregistrement** stamp duty office; **~ de l'état civil** registry office; **~ d'étude technique** engineering and design department; **~ d'études** (recherche) research department; (conception) design office; **~ de liaison** liaison office; **~ ministre** executive desk; **~ des objets trouvés** lost property office GB, lost-and-found office US; **~ de placement** agency (*for actors and domestic staff*); **~ de poste** post office; **~ de tabac** (articles pour fumeurs) tobacconist's GB, smoke shop US; (cigarettes, journaux) newsagent GB, news stand US; **~ de tri** sorting office; **~ de vote** polling station; **Bureau international du travail**, **BIT** International Labour Office, ILO
bureaucrate /byʀokʀat/ *nmf* pej bureaucrat; **une mentalité de ~** a bureaucratic mentality
bureaucratie /byʀokʀasi/ *nf* (administration) bureaucracy; (pouvoir des bureaucrates) officialdom
bureaucratique /byʀokʀatik/ *adj* péj bureaucratic
bureaucratisation /byʀokʀatizasjɔ̃/ *nf* bureaucratization
bureaucratiser /byʀokʀatize/ [1] *vtr* to bureaucratize
bureautique /byʀotik/ *nf* office automation; **~ communicante** network computing
burette /byʀɛt/ *nf* [1] (pour l'huile, le vinaigre) cruet; [2] (de messe) cruet; [3] Mécan oil applicator; (plus grand) oilcan; [4] Chimie (tube d'analyses) burette
(Idiome) **casser les ~s à qn**◑ to get on sb's tits◑ GB *ou* nerves
burin /byʀɛ̃/ *nm* chisel; **à coups de ~** with a chisel; **gravure au ~** engraving, **sculpter au ~** to chisel
buriné, **~e** /byʀine/
[A] *pp* ▸ **buriner**
[B] *pp adj* [*visage*] furrowed, deeply lined; **avoir les traits ~s** to have a deeply furrowed face
buriner /byʀine/ [1] *vtr* [1] (graver) to engrave; [2] (dégrossir) to chisel out [*statue, bloc*]; [3] (marquer) to furrow [*visage, traits*]
burkinabè /byʀkinabe/ ▸ **p. 561** *adj* of Burkina Faso
Burkinabè /byʀkinabe/ ▸ **p. 561** *nmf* (natif) native of Burkina Faso; (habitant) inhabitant of Burkina Faso
Burkina Faso /byʀkinafaso/ ▸ **p. 333** *nprm* Burkina Faso
burlat /byʀla/ *nm*: *type of cherry*
burlesque /byʀlɛsk/
[A] *adj* [*tenue, idée, histoire*] ludicrous; [*farce, film, scène*] farcical
[B] *nm* Cin, Littérat **le ~** the burlesque
burlingue◑ /byʀlɛ̃g/ *nm* office
burnes◑ /byʀn/ *nfpl* balls◑, testicles
burnous /byʀnu(s)/ *nm inv* burnous
(Idiome) **faire suer le ~**○ to use sweated labour[GB]
burqua /byʀka/ *nf* burk(h)a
burundais, **~e** /buʀundɛ, ɛz/ ▸ **p. 561** *adj* of Burundi
Burundais, **~e** /buʀundɛ, ɛz/ ▸ **p. 561** *nm,f* (natif) native of Burundi; (habitant) inhabitant of Burundi
Burundi /buʀundi/ ▸ **p. 333** *nprm* Burundi
bus /bys/ *nm inv* [1] Transp bus; [2] Ordinat bus

busard /byzaʀ/ *nm* harrier
(Composés) **~ cendré** Montagu's harrier; **~ des roseaux** marsh harrier; **~ Saint-Martin** hen-harrier

buse /byz/ *nf* **1** Zool buzzard; **2** ○(idiot) clot○ GB, clod○; **triple ~!** you total *ou* prize idiot○!; **3** Tech (conduit) pipe, duct; (embout) nozzle

business○ /biznɛs/ *nm inv* **1** (affaires commerciales) business; **2** (affaires privées) affairs; **3** (situation embrouillée) business, affair; **je ne comprends rien à tout ce ~** this whole business is a mystery to me
(Composé) **~ angel** Fin private backer, business angel

busqué, **~e** /byske/ *adj* [*nez*] hooked

buste /byst/ *nm* **1** (sculpture) bust; **2** (torse) chest; **3** (seins) bust

bustier /bystje/ *nm* **1** (sous-vêtement) long-line bra; **2** (vêtement) bustier; **robe ~** bustier dress

but /by(t)/ *nm* **1** (de randonnée, course) goal; **marcher sans ~** to walk aimlessly; **2** (dans la vie) (objectif) goal; (intention) aim, purpose; (ambition) aim; **atteindre son ~** to reach one's goal; **c'est le ~ à atteindre** it's our/your etc goal; **nous touchons au** *or* **approchons du ~** our goal is in sight; **il s'est fixé pour ~ la présidence** he has set his sights on the presidency; **mon ~ dans la vie est de m'amuser** my aim in life is to have a good time; **notre ~ est la protection de** *or* **de protéger la faune** our aim is the protection of *ou* to protect wildlife; **dans quel ~ est-il venu?** what was his purpose *ou* object in coming here?; **dans le (seul) ~ de faire** with the (sole) intention *ou* aim of doing; **dans ce ~** with this aim in view; **faire qch dans un ~ désintéressé** to do sth with no ulterior motive; **faire qch dans un ~ lucratif/publicitaire** to do sth for financial gain/(the) publicity; **aller droit au ~** to go straight to the point; **3** (d'action, de démarche) purpose, object; **le ~ de la publicité est d'inciter à l'achat** the purpose of advertising is to encourage people to buy; **quel est le ~ de leur visite?** what's the purpose *ou* object of their visit?; **association à ~ lucratif** profit-making association; **association sans ~ lucratif** non profit-making GB *ou* nonprofit US association; **4** Sport (au football) goal; (au tir) target; **marquer un ~** to score a goal; **par trois ~s à un** by three goals to one; **marquer un ~ contre son camp** to score an own goal
(Idiomes) **demander/déclarer de ~ en blanc** to ask/declare point-blank; **annoncer qch de ~ en blanc à qn** to spring sth on sb

butane /bytan/ *nm* Calor gas® GB, butane

butanier /bytanje/ *nm* Naut butane carrier *ou* tanker

buté, **~e** /byte/
A *pp* ▸ **buter**
B *pp adj* [*personne, air*] stubborn, obstinate
C **butée** *nf* **1** Tech stop; (sur ski) toe piece; **~e d'une porte** doorstop; **2** Archit buttress

buter /byte/ [1]
A *vtr* **1** (rendre têtu) to make [sb] even more stubborn; **2** Constr (étayer) to prop up, to support [*mur*]; **3** ○(tuer) to bump [sb] off○, to kill [*personne*]
B *vi* **1** [*personne*] to trip, to stumble; **~ contre qch** (trébucher) to trip over sth; (se heurter) to bump into sth; **~ sur** *or* **contre** to come up against [*obstacle, difficulté*]; **2** Constr (s'appuyer) to rest against sth, to abut on sth
C **se buter** *vpr* **1** (s'obstiner) **il va se ~** he'll be even more stubborn; **2** (se heurter) **se ~ à un problème/un adversaire** to come up against a problem/an opponent

buteur /bytœʀ/ *nm* (au rugby) (place-)kicker; (au football) leading goal scorer

butin /bytɛ̃/ *nm* **1** (de guerre) booty, spoils (*pl*); **2** (de vol) haul, loot; **part de ~** share of the loot; **3** (de recherche) fruits (*pl*)

butiner /bytine/ [1]
A *vtr* **1** [*abeilles*] to gather pollen from [*fleurs*]; **2** fig (glaner) to glean, to pick up [*renseignements*]
B *vi* [*abeilles*] to gather pollen

butoir /bytwaʀ/ *nm* **1** Rail buffer; **2** Tech stop; **~ de porte** doorstop; **3** (date limite) deadline

butor /bytɔʀ/ *nm* **1** Zool bittern; **2** (malappris) lout

buttage /bytaʒ/ *nm* earthing up

butte /byt/ *nf* mound
(Composés) **~ témoin** outlier; **~ de tir** butts (*pl*)
(Idiomes) **être en ~ à** to come up against [*difficultés*]; to be the butt of [*sarcasmes, moquerie*]; **être en ~ à des critiques** to be heavily criticized

butter /byte/ [1] *vtr* to earth up

buvable /byvabl/ *adj* **1** Pharm (à boire) to be taken orally (*après n*); **2** (qu'on peut boire) drinkable; **pas ~** undrinkable; **3** ○(supportable) just about OK○; **elle est gentille, mais son mari n'est pas ~!** she's nice but her husband is a pain○!

buvard /byvaʀ/ *nm* **1** (matière) **(papier) ~** blotting paper ₵; **2** (feuille) sheet of blotting paper; **3** (sous-main) blotter

buvette /byvɛt/ *nf* **1** (de gare, fête) refreshment area; **2** (de station thermale) pump room

buveur, **-euse** /byvœʀ, øz/ *nm,f* **1** (alcoolique) drinker, alcoholic; **c'est un gros ~** he's a heavy drinker; **un ~ invétéré** an inveterate drinker; **2** (personne qui boit) drinker; **un ~ de thé/bière** a tea/beer drinker; **3** (consommateur) customer

Byzance /bizɑ̃s/ ▸ **p. 894** *npr* Byzantium
(Idiome) **c'est ~!** hum this is real luxury!

byzantin, **~e** /bizɑ̃tɛ̃, in/ *adj* **1** lit Byzantine; **2** fig **discussions/querelles ~es** hair-splitting discussions/quarrels

BZH (*written abbr* = **Breizh**) Brittany

Cc

C

c, C /se/ *nm inv* c, C; **c cédille** c cedilla

c' ▸ **ce**

CA **1** Fin *written abbr* ▸ **chiffre**; **2** Électrotech *written abbr* ▸ **courant**

ça¹ /sa/ *pron dém*

(Idiomes) **elle est bête et méchante avec ~** she's stupid and what's more she's nasty; **et avec ~?** anything else?; **avec ~ qu'il ne l'a pas pris○!** iron of course he took it!; **rien que ~!** iron is that all! iron; **c'est ~!** that's right!; **eh bien, c'est ~, ne te gêne pas!** iron oh, carry on GB *ou* keep going, don't mind me! iron; **~ va** *or* **roule○?** (la vie) how are things?; (l'affaire proposée) is that a deal?; **~ y est, ~ recommence!** here we go again!; **~ y est, j'ai fini!** that's it, I've finished!; **~ y est, oui, je peux m'asseoir?** is that it then, can I sit down?; **~ y est, tu l'as déchiré!** there! you've gone and torn it!; **~ y est, il pleut!** here comes the rain!; **'alors, ~ y est, tu es prêt?'—'non, ~ n'y est pas!'** 'well, are you ready?'—'no, I'm not!'

ça² /sa/ *nm* Psych **le ~** the id

çà /sa/ *adv* **~ et là** here and there

cabale /kabal/ *nf* **1** (intrigue, intrigants) cabal; **monter une ~ contre qn** to form a cabal against sb; **2** Relig cabbala

cabaliste /kabalist/ ▸ **p. 532** *nmf* cabbalist

cabalistique /kabalistik/ *adj* lit, fig cabbalistic

caban /kabɑ̃/ *nm* sailor's jacket

cabane /kaban/ *nf* **1** (habitation) hut; pej shack péj; **2** (abri) shed; ▸ **lapin**; **3** ○(prison) nick○; **mettre qn en ~** to put sb in the nick○; **avoir fait cinq ans de ~** to have done five years in the nick○

cabanon /kabanɔ̃/ *nm* **1** (abri) shed; **2** (maison en Provence) small house

(Idiome) **être bon pour le ~○** to be fit for the loony bin○

cabaret /kabaʀɛ/ *nm* cabaret

cabaretier†, -ière /kabaʀtje, ɛʀ/ ▸ **p. 532** *nm,f* innkeeper

cabas /kaba/ *nm* shopping bag

cabernet /kabɛʀnɛ/ *nm* **1** (cépage) **(cépage) ~** Cabernet grape; **2** (vin) Cabernet

cabestan /kabɛstɑ̃/ *nm* capstan

cabiai /kabjɛ/ *nm* capybara

cabillaud /kabijo/ *nm* cod; **filet de ~** cod fillet

cabine /kabin/ *nf* (de bateau, vaisseau spatial) cabin; (de camion, grue) cab; (d'ascenseur, de téléphérique) car; (de laboratoire de langue) booth; (de piscine) cubicle; (pour se changer) changing room

(Composés) **~ d'aiguillage** Rail signal box; **~ de bain** changing cubicle; **~ de conduite** Rail driver's cab; **~ de douche** shower cubicle; **~ d'essayage** fitting room; **~ de pilotage** Aviat cockpit; **~ de plage** beach hut; **~ de projection** Cin projection room; **~ téléphonique** phone box GB, phone booth

cabinet /kabinɛ/

A *nm* **1** (local) gén office; (de médecin, dentiste) surgery GB, office US; (d'avocat, de notaire) office; (d'avocat au barreau, de juge) chambers *(pl)*; **2** (affaires et clientèle de professions libérales) practice; (cabinet collectif) firm; (de médecins, dentistes) (group) practice; **le ~ du Dr Hallé** Dr Hallé's practice; **avoir/vendre un ~** to have/to sell a practice; **ouvrir un ~** to set up in practice; **~ d'architectes/d'audit** firm of architects/auditors; **~ d'avocats/d'experts-comptables** law/accountancy firm; **~ de médecins/dentistes** medical/dental practice; **3** (agence) agency; **~ de recrutement** recruitment agency; **~ immobilier** estate agent's; (collectif) firm of estate agents; **avoir un ~ d'assurances** to be an insurance broker; **ouvrir un ~ d'assurances** to set up (in) business as an insurance broker; **4** Pol (gouvernement) cabinet; (de ministre, préfet) staff, cabinet US; **~ ministériel** minister's personal staff; **5** (de musée) exhibition room; **~ des estampes/médailles** print/coin room; **6** (pièce) (bureau) study; (réduit) closet†; **7** †(meuble) cabinet

B cabinets *nmpl* toilet *(sg)*, loo○ *(sg)* GB, bathroom *(sg)* US

(Composés) **~ d'aisances†** water closet† GB, lavatory; **~ de consultation** surgery GB, office US; **~ d'instruction** Jur judge's chambers *(pl)*; **~ juridique** law firm; **~ de lecture†** reading room; **~ médical** medical practice; **~ noir** cubbyhole; **~ particulier** private dining room; **~ de toilette** bathroom; **~ de travail** study

> **Cabinet**
>
> The political and administrative office of a minister or *Président de la République*.

cabinet-conseil, *pl* **cabinets-conseil** /kabinɛkɔ̃sɛj/ *nm* consultancy *ou* consulting US firm, firm of consultants

câblage /kɑblaʒ/ *nm* **1** (connexions) wiring; **2** (mise en place) wiring; **3** TV cabling; **faire le ~ d'une ville** to install cable television in a town

câble /kɑbl/ *nm* **1** (cordage) (en métal, synthétique) cable; (en fibres végétales) rope; **~ de frein** brake cable; **~ armé/coaxial/isolé** armoured[GB]/coaxial/insulated cable; **~ électrique** electric cable; **~ porteur** (de pont) suspension cable; (de téléphérique) carrying cable; **2** †TV cable television; **3** †(télégramme) cable

(Composés) **~ d'amarrage** Naut mooring rope; **~ de démarrage** Aut jump lead GB, jumper cable US; **~ de direction** guide cable; **~ de halage** Naut towrope; **~ optique** optical cable; **~ de remorque** (de navire) towline; (de grue) trailing cable

câbler /kɑble/ [1] *vtr* **1** (connecter) to wire; **2** TV to install cable television in *[ville, pays]*; **la ville est câblée** the town has cable television; **foyer/immeuble câblé** house/building with cable television; **3** Ordinat to hardwire *[instruction]*; **4** (télégraphier) to cable

câblerie /kɑbləʀi/ *nf* **1** (usine) cable-manufacturing plant; **2** (métier, commerce) cable industry

câbleur, -euse /kɑblœʀ, øz/

A ▸ **p. 532** *nm,f* (personne) wiring specialist

B câbleuse *nf* (machine) wire-stranding machine

câblier /kɑblije/ *nm* cable ship

câblodistributeur /kɑblodistʀibytœʀ/ *nm* TV distributor of cable television

câblodistribution /kɑblodistʀibysjɔ̃/ *nf* cable television

câblo-opérateur, *pl* **~s** /kɑblooperatœʀ/ *nm* cable television company

cabochard○, ~e /kabɔʃaʀ, aʀd/

A *adj [personne]* pigheaded○, stubborn; *[animal]* stubborn

B *nm,f* pigheaded person○

caboche /kabɔʃ/ *nf* **1** ○(tête) nut○, head; **avoir la ~ solide** to have a thick skull; **mets-toi ça dans la ~** get that into your thick skull; **2** (clou de chaussure) hobnail

cabochon /kabɔʃɔ̃/ *nm* **1** (pierre fine) cabochon; **2** (clou) (furnishing) stud

cabosser /kabɔse/ [1] *vtr* to dent; **(tout) cabossé** *[véhicule, casque]* battered

cabot○ /kabo/ *nm* **1** (chien) pej dog, mutt○ péj; **2** (acteur) pej ham actor

cabotage /kabɔtaʒ/ *nm* **1** Naut coastal shipping; **2** Transp cabotage

caboter /kabɔte/ [1] *vi* Naut to coast

caboteur /kabɔtœʀ/ *nm* (navire) coaster

cabotin, ~e /kabɔtɛ̃, in/

A *adj* **être ~** to like playing to the gallery

B *nm,f* **1** (acteur) pej ham actor; **2** (poseur) **c'est un ~** he likes playing to the gallery

cabotinage /kabɔtinaʒ/ *nm* **1** (comportement) **son ~** the way he/she plays to the gallery; **2** (jeu d'acteur) pej ham acting péj

cabotiner /kabɔtine/ [1] *vi* pej to ham it up○

cabrer /kabʀe/ [1]

A *vtr* **1** Équit to make [sth] rear *[cheval]*; **2** (braquer) **~ qn** to put sb's back up; **3** Aviat to zoom *[avion]*

B se cabrer *vpr* **1** *[cheval]* to rear **(devant** at); **mon cheval s'est cabré devant l'obstacle** my horse reared at the jump; **2** *[personne]* to jib; **il se cabre à la moindre remontrance** he jibs at the slightest reproach; **quand on lui a parlé de cela il s'est cabré** it put his back up when we mentioned that; **3** Aviat *[avion]* to zoom

cabri /kabʀi/ *nm* Zool kid

(Idiome) **sauter comme un ~** to gambol like a lamb

cabriole /kabʀijɔl/ *nf* **1** (de clown, d'enfant, animal) capering ₵; **faire des ~s** to caper about; **2** Équit capriole; **3** Danse cabriole

cabrioler /kabʀijɔle/ [1] *vi* to caper about, to cavort

cabriolet /kabʀijɔlɛ/ *nm* **1** Aut convertible, cabriolet; **2** (voiture à cheval) cabriolet; **3** (meuble) **(fauteuil) ~** open armchair with cabriole legs

cabus /kaby/ *nm inv* **chou ~** white cabbage

CAC® /kak/ *nf* (*abbr* = **compagnie des agents de change**) **indice ~ 40, le ~ 40** Paris Stock Exchange index

caca /kaka/ *nm* baby talk poo GB, poop US; **je veux faire ~!** want to do poo-poo!; **il a fait ~ dans sa culotte** he pooed GB *ou* pooped US in his pants

(Composé) **~ d'oie** (couleur) greenish yellow

ⓘ ça[1]

I. *ça* sert à désigner

Pour désigner un objet présent, on utilisera *this* si l'objet est proche, *that* s'il est plus éloigné:

aide-moi à plier ça
= help me fold this

Pour récapituler, reprendre ce dont il s'agit, on utilisera *that*:

à part ça
= apart from that

et tout ça, parce que…
= and all that because…

tu n'en as pas envie, je vois ça
= you don't feel like it, I can see that

où as-tu entendu ça?
= where did you hear that?

me faire/dire ça, à moi!
= fancy doing/saying that to me (of all people)!

c'est pour ça qu'il est parti
= that's why he left

il ne manquait plus que ça!
= that's all we needed!

on dit ça!
= that's what they/you etc. say!

Attention:

sans ça
= otherwise

II. *ça* est sujet du verbe

(Voir également les verbes **aller, être, faire, marcher** ainsi que la note d'usage sur **la mesure du temps** pour l'expression *ça fait un an/deux mois que*)

ça représente un objet:

si ça flotte, ce n'est pas une pierre
= if it floats, it can't be a stone

ça coûte cher?
= is it expensive?

ça représente un fait, une déclaration, une idée déjà mentionnés: si le ton est neutre, on emploiera *it*, mais s'il est emphatique, on utilisera *that*:

ça fait mal
= it hurts

Lorsqu'il s'agit d'une simple constatation, mais quand il exprime la surprise, l'indignation:

ça fait mal
= that hurts!

de même:

ça ne marchera pas
= it won't work
(*est une affirmation neutre*)

alors que:

ça ne marchera pas
= that won't work
(*rejette avec force la solution proposée*)

ça paraît incroyable
= it seems incredible
ou that seems incredible
(*selon l'emphase*)

Dans les phrases ci-dessous, nettement emphatiques, *that* est la traduction qui s'impose:

ça suffit, voyons!
= that's enough!

ça t'a étonné, n'est-ce pas?
= that surprised you, didn't it?

ça représente ce qui va être explicité:

ça m'inquiète de la voir dans cet état
= it worries me to see her in that state

ça vaut la peine qu'il y aille
= it's worth his going

ça n'est pas pour me vanter, mais…
= I don't want to boast, but…

On notera cependant:

la rue a ça de bien qu'elle est calme
= one good thing about the street is that it is quiet

ça a une valeur impersonnelle:

ça souffle aujourd'hui!
= it's windy today!

ça chauffe aujourd'hui!
= it's hot today!

ça représente une personne: dans ce cas on utilisera le pronom personnel approprié, *he, she* ou *they*:

et ça se croit malin!
= and he/she etc. thinks he's/she's etc. clever!

La nature de *ça* n'est pas définie: on pourra souvent traduire par la tournure impersonnelle *there is/ are*, comme dans les exemples suivants:

ça sent le brûlé
= there's a smell of burning

ça tapait de tous les côtés
= there was banging everywhere

ça criait de tous les côtés
= there was shouting everywhere

Lorsque *ça* est sujet de rappel, il ne se traduit pas:

la télévision, ça m'ennuie
= television bores me;

voyager** (ou **les voyages**), **ça revient cher
= travelling is expensive

et le jardin, ça pousse?
= how's the (*ou* your) garden doing?

ça a une valeur d'insistance. La tournure est emphatique:

qu'est-ce que c'est que ça?
= what's that?

ça, je m'en moque!
= I couldn't care less about that!

ça, ne compte pas!
= that doesn't count!

c'est bizarre, ça** ou **ça, c'est bizarre
= that's strange

On notera que les gallicismes *c'est ça qui/que* sont traités sous le verbe **être**.

Pour renforcer une interrogation:

pourquoi ça?
= why's that?

'je l'ai vu' 'quand/où ça?'
= 'I saw him' 'when/where was that?'

'tu la connais?' 'qui ça?'
= 'do you know her?' 'who do you mean?'

'je ne veux pas' 'comment ça, tu ne veux pas?'
= 'I don't want to' 'what do you mean, you don't want to?'

'c'est faisable' 'comment ça?'
= 'it can be done' 'how?'

Dans une comparaison (voir également **comme**):

ce n'est pas si facile que ça
= it's not as easy as (all) that
ou it's not that easy

la dernière fois que je l'ai vu, il n'était pas plus haut que ça!
= last time I saw him, he was only so high!

Attention:

tu te lèves toujours aussi tard que ça?
(*l'heure qu'il est*)
= do you always get up this late?
(*l'heure mentionnée*)
= do you always get up that late?

Avec valeur d'interjection:

***ça, par exemple!** (indigné)*
= well, honestly!
(*surpris*)
= well I never!

***ça, alors!** (surpris)*
= well I never!

ça, oui!
= definitely!

ça, non!
= no way! *ou* absolutely not!

ça, pour se plaindre, il se plaint!
= talk about complain, he does nothing else!

ça, comme bavard, il n'y a pas mieux!
= he can certainly talk all right!

ça, mon vieux, débrouille-toi!
= sort it out for yourself, mate!

(Idiomes) **mettre à qn le nez dans son ∼**○ to rub sb's nose in it○; **être dans le ∼**○ to be in the soup○, to be in a mess○; **faire un ∼ nerveux**○ to throw a wobbly○

cacahuète* /kakawɛt/ *nf* peanut; **∼s grillées** roasted peanuts

cacao /kakao/ *nm* 1 (poudre, boisson) cocoa; 2 (fève) cocoa bean

cacaoté, **∼e** /kakaɔte/ *adj* chocolate-flavoured[GB]

cacaotier /kakaɔtje/, **cacaoyer** /kakaɔje/ *nm* cacao tree

cacarder /kakaʀde/ [1] *vi* [*oie*] to honk

cacatoès /kakatɔɛs/ *nm* cockatoo

cacatois /kakatwa/ *nm* royal (sail); **(mât de) ∼** royal mast; ▸ **grand**, **petit**

cachalot /kaʃalo/ *nm* sperm whale

cache /kaʃ/
A *nm* 1 (feuille opaque) mask; **se servir d'un ∼ pour apprendre une liste de vocabulaire** to cover up *ou* mask off the answers while learning a list of vocabulary; 2 Cin matte
B *nf* hiding place; **∼ d'armes** arms cache

caché, **∼e** /kaʃe/
A *pp* ▸ **cacher**
B *pp adj* [*trésor, recoin, charme, beauté, sens*] hidden; [*complot, douleur, désir, amour*] secret; **la face ∼e de qch** the hidden face of sth

cache-bagages* /kaʃbagaʒ/ *nm inv* parcel shelf

cache-cache* /kaʃkaʃ/ ▸ **p. 469** *nm inv* hide and seek; **jouer à ∼** lit, fig to play hide and seek

cache-cœur* /kaʃkœʀ/ *nm inv* wrap-over top, wrap top

cache-col* /kaʃkɔl/ *nm inv* scarf

cache-entrée* /kaʃɑ̃tʀe/ *nm inv* key-hole cover, escutcheon

cachemire /kaʃmiʀ/ *nm* cashmere; **de** *or* **en ∼** cashmere (*épith*); **motif ∼** paisley pattern

Cachemire /kaʃmiʀ/ ▸ **p. 721** *nprm* **le ∼** Kashmir

cache-misère*○ /kaʃmizɛʀ/ *nm inv* presentable outer garment (*to hide shabby clothes*)

cache-nez /kaʃne/ *nm inv* scarf, muffler

cache-plaque* /kaʃplak/ *nm* hotplate cover

cache-pot* /kaʃpo/ *nm inv* flowerpot holder, planter

C

cache-poussière* /kaʃpusjɛʀ/ *nm inv* overcoat

cache-prise* /kaʃpʀiz/ *nm inv* socket cover

cacher /kaʃe/ [1]

A *vtr* **1** (soustraire à la vue) to hide [*argent, corps, cartes, prisonnier, réfugié*]; **~ son visage dans ses mains/bras** to hide *ou* bury one's face in one's hands/arms; **~ sa nudité/ses seins** to cover one's nakedness/one's breasts; **~ son jeu** lit to hide one's cards *ou* hand; fig to keep one's cards close to one's chest; **2** (barrer) to hide [*paysage, mer, soleil, objet*]; **3** fig (dissimuler) [*personne*] to hide [*larmes*]; to hide, to conceal [*embarras, déception, enthousiasme, faits*]; **~ qch à qn** to conceal *ou* hide sth from sb; **tu me caches quelque chose!** you're hiding something from me!; **il leur a caché la mort de son chien** he didn't tell them his dog had died; **je ne vous cache pas que je suis inquiète** frankly, I'm worried; **pour ne rien vous ~** to be quite frank

B se cacher *vpr* **1** gén to hide (**dans** in; **derrière** behind); (temporairement) [*personne*] to go into hiding; [*animal*] to go to ground; **le visage caché derrière son voile** her face hidden behind her veil; **se ~ à** *or* **de qn** to hide from sb; **il ne s'en cache pas** he makes no secret of it; **derrière son sourire se cache une profonde tristesse** behind his/her smile there lies a deep sadness; **quelle organisation se cache derrière les émeutes?** which organization is behind these riots?; **2** (disparaître) [*soleil, lunettes*] to disappear; **où se cache mon stylo?** where has my pen disappeared to?

cache-radiateur* /kaʃʀadjatœʀ/ *nm inv* radiator cover

cache-sexe* /kaʃsɛks/ *nm inv* G-string

cachet /kaʃɛ/ *nm* **1** (comprimé) tablet; **tu veux un ~ d'aspirine®?** do you want an aspirin?; **~ soluble** soluble tablet; **~ à croquer** chewable tablet; **2** (à l'encre) stamp; (de cire) seal; **~ de la poste** postmark; **'le ~ de la poste faisant foi'** 'as attested by date on postmark'; **3** (chic) style; (marque distinctive) cachet; **un village qui a gardé tout son ~** a village which has kept all its cachet; [*personne, vêtement*] **avoir du ~** to have style; **4** Cin, Théât (paie) fee

(Idiome) **courir le ~** [*acteur, chanteur*] to be continually looking for work

cache-tampon* /kaʃtɑ̃pɔ̃/ ▸ p. 469 *nm inv* hunt the thimble; **jouer à ~** to play hunt the thimble

cacheter /kaʃte/ [20] *vtr* to seal; **un paquet cacheté à la cire** a parcel sealed with wax

cachette /kaʃɛt/ *nf* hiding-place; **sortir de sa ~** gén to come out of one's hiding place; [*fugitif*] to come out of hiding; **en ~** [*manger, téléphoner*] on the sly; **il fume en ~ de sa femme** he smokes on the sly without his wife knowing

cachexie† /kaʃɛksi/ *nf* cachexia

cachot /kaʃo/ *nm* (de prison moderne) prison cell; (de prison ancienne) dungeon; (pièce exiguë) prison; **faire trois jours de ~** to be locked up alone for three days; **après avoir dormi sur la paille humide des ~s** liter after having been locked up

cachotterie* /kaʃɔtʀi/ *nf* little secret; **elle lui a reproché cette ~** she told him off for keeping this from her; **faire des ~s** to keep little secrets; **faire des ~s à qn** to keep things from sb

cachottier, -ière* /kaʃɔtje, ɛʀ/

A *adj* secretive

B *nm,f* secretive person; **petit ~!** you secretive thing!

cachou /kaʃu/ *nm* **1** (pastille) cachou; **2** Pharm, Tex catechu

cacique /kasik/ *nm* **1** Hist cacique; **2** (personnalité) leading figure

cacochyme† /kakɔʃim/ *adj* doddery

cacophonie /kakɔfɔni/ *nf* cacophony

cacophonique /kakɔfɔnik/ *adj* cacophonous

cactacées /kaktase/, **cactées** /kakte/ *nfpl* Cactaceae

cactus /kaktys/ *nm inv* cactus

c-à-d (*written abbr* = **c'est-à-dire**) ie

cadastral, ~e, *mpl* **-aux** /kadastʀal, o/ *adj* [*plan*] cadastral; [*registre*] land (*épith*)

cadastre /kadastʀ/ *nm* **1** (registre) land register, cadastre^GB; **2** (administration) land registry

cadastrer /kadastʀe/ [1] *vtr* to register [sth] with the land registry

cadavéreux, -euse /kadaveʀø, øz/ *adj* [*teint, mine*] deathly pale

cadavérique /kadaveʀik/ *adj* [*pâleur, odeur*] deathly (*épith*); [*teint*] deathly pale

cadavre /kadavʀ/ *nm* **1** (de personne) gén corpse; (de victime) body; (d'animal) body, carcass; **on a retiré trois ~s des décombres** three bodies were pulled out of the rubble; **~ ambulant**○ walking skeleton; **2** ○(bouteille vide) dead bottle

(Composé) **~ exquis** game of consequences

caddie /kadi/ *nm* **1** (au golf) caddie; **2** ®(de supermarché) shopping trolley GB, shopping cart US; **3** Ordinat CD caddy

cade /kad/ *nm* cade; **huile de ~** oil of cade

cadeau, *pl* **~x** /kado/

A *nm* present, gift (**pour** for); **~ d'anniversaire/de Noël/de baptême** birthday/Christmas/christening present; **faire un ~ à qn** to give sb a present; **elle m'a fait ~ d'une montre** she gave me a watch; **je t'en fais ~** (je te l'offre) I'm giving it to you; (je ne veux pas d'argent) I'm making you a present of it; (tu peux le garder) you can keep it; **achetez le canapé, et je vous fais ~ de la housse** buy the sofa, and I'll throw in the cover as well; **vends-le au lieu d'en faire ~** sell it instead of giving it away; **je te fais ~ de la monnaie** you can keep the change; **il ne fait pas de ~x** [*commerçant*] he's not exactly cheap; [*juge, examinateur, professeur*] he's very strict; **les politiciens ne se font pas de ~x** politicians don' t do each other favours^GB; **se faire un ~** to treat oneself; **les petits ~x entretiennent l'amitié** small gifts keep a friendship going; **et, en ~, un disque** Comm and a record as a free gift; **mon chef/le nouvel ordinateur, c'est pas un ~**○ my boss/the new computer is a pain○

B (-)cadeau (*in compounds*) gift; **idée(-)~** gift idea; **papier(-)~** wrapping paper

(Composés) **~ électoral** electoral sweetener; **~ empoisonné** poisoned chalice; **~ d'entreprise** company gift (*given to a customer*); **~ fiscal** present from the taxman

cadenas /kadna/ *nm* padlock; **fermer qch avec un ~** to padlock sth

cadenasser /kadnase/ [1] *vtr* to padlock

cadence /kadɑ̃s/ *nf* **1** (de mouvements, pas) rhythm; **en ~** [*marcher*] in step; [*ramer*] rhythmically; **donner la ~** (pour ramer) to set the stroke; **2** (de sons, poème) cadence; **3** (de travail, production) rate; **~ infernale** infernal rate; **à la ~ de six par semaine** at the rate of six a week; **à une ~ soutenue/réduite** at a sustained/reduced rate; **relâcher/tenir/forcer la ~** to slacken/keep up/force the pace; **4** Mil (de tir) rate; **5** Mus (enchaînement d'accords) cadence; (passage de soliste) cadenza; **~ parfaite/imparfaite** perfect/imperfect cadence

cadencer /kadɑ̃se/ [12] *vtr* to put rhythm into [*pas, marche*]; to give rhythm to [*phrase, style*]; **les slogans cadencés des manifestants** the rhythmic chanting of the demonstrators; **les gestes cadencés des rameurs** the rhythmic strokes of the rowers

cadet, -ette /kadɛ, ɛt/

A *adj* (de deux) younger; (de plus de deux) youngest

B *nm,f* **1** (enfant) (dernier de deux) younger son/daughter, younger child; (dernier de plus de deux) youngest son/daughter, youngest child; **les deux cadettes sont encore étudiantes** the two youngest daughters are still students; **c'est moi la cadette de la famille** I am the youngest in *ou* of the family; **2** (frère, sœur) younger brother/sister; **3** (personne plus jeune) junior; (personne la plus jeune) youngest; **le ~ du groupe** the youngest (person) in the group; **un homme de trente ans ton ~** a man thirty years your junior; **il est mon ~** he's younger than me; ▸ **souci 3**; **4** Sport *athlete between the ages of 15 and 17*; **5** Mil cadet

cadmiage /kadmjaʒ/ *nm* cadmium plating

cadmium /kadmjɔm/ *nm* cadmium; **pile au ~** cadmium cell

cadogan /kadɔgɑ̃/ = **catogan**

cadrage /kadʀaʒ/ *nm* **1** (action de cadrer) framing (**de** of); **2** (résultat) composition

cadran /kadʀɑ̃/ *nm* (de baromètre, montre, boussole) face; (de compteur) dial; **~ solaire** sundial

(Idiome) **faire le tour du ~**○ to sleep round GB *ou* around US the clock

cadre /kadʀ/

A *nm* **1** (de tableau, miroir, fenêtre) frame; **2** (lieu) setting; (milieu) surroundings; **dans un ~ agréable/champêtre** in a pleasant/rustic setting; **le théâtre antique servira de ~ à une série de concerts** the amphitheatre^GB will be the setting for a series of concerts; **hors de son ~ habituel, c'est un autre homme** out of his usual surroundings, he's a different man; **3** (domaine délimité) **cela sort du ~ de mes fonctions** that's not part of my duties; **nous sortons du ~ de notre contrat** we're overstepping the limits of our contract; **sortir du ~ de la légalité** to go outside the law; **4** (structure) framework; **il n'existe aucun ~ juridique à ce problème** there is no legal framework for this problem; **le ~ d'un récit/ouvrage** the framework of a story/book; **étudier une langue en dehors du ~ scolaire** to study a language outside a school context; **5** (employé) executive; **~ moyen/supérieur** middle ranking/senior executive; **les ~s moyens/supérieurs** middle/senior management (+ *v pl*); **passer ~** to be made an executive; ▸ **jeune**; **6** Ordinat frame; **7** (de bicyclette, moto) frame; **8** (dans un formulaire) space, box; **9** Transp, Comm crate; **10** (en apiculture) frame; **11** Naut berth, bunk

B cadres *nmpl* Entr **figurer sur les ~s** to be on the company's books; **être rayé des ~s** to be dismissed

C dans le cadre de *loc prép* **1** (à l'occasion de) on the occasion of [*voyage, fête, rencontre*]; **dans le ~ de cette journée particulière** on this special occasion; **2** (dans le contexte de) within the framework of [*lutte, politique, négociations, organisation*]; as part of [*enquête, campagne, plan*]; **les manifestations organisées dans le ~ du festival** events organized as part of the festival; **les négociations doivent avoir lieu dans le ~ de la UE** negotiations must take place within the framework of the EU; **recevoir une formation dans le ~ d'une entreprise/d'une association** to undergo training within a company/an association

(Composés) **~ conteneur** container; **~ margeur** Phot masking frame; **~ de vie** (living) environment

cadrer /kadʀe/ [1]

A *vtr* **1** Phot, Cin to centre^GB [*image, scène*]; **la photo est mal cadrée** the photo is off-centre^GB; **photo bien cadrée** well-composed photo; **2** fig to restrict; **un débat trop cadré** a debate which is too restrictive

B *vi* to tally, to fit (**avec** with); **vos déclarations ne cadrent pas avec les faits** your statements don't tally *ou* fit with the facts; **les témoignages ne cadrent pas** eyewitness accounts do not tally; **ça ne cadre pas** it doesn't fit

cadrette○ /kadʀɛt/ *nf* young female executive

cadreur /kadʀœʀ/ ▸ p. 532 *nm* Cin cameraman

caduc, **caduque** /kadyk/ *adj* [1] (désuet) obsolete; (sans effet) null; **rendre qch ~** to render sth null and void; [2] Bot [*feuille*] deciduous; **arbre à feuilles caduques** deciduous tree; [3] Phon silent; **e ~** silent e; [4] Méd, Zool deciduous; **membrane caduque** decidua (*pl*); [5] †(chancelant) [*personne, construction*] rickety; [*santé*] precarious

caducée /kadyse/ *nm* caduceus

cæcum /sekɔm/ *nm* caecum

cætera ▸ **et cætera**

CAF /seaɛf/
A *nf: abbr* ▸ **caisse**
B (*written abbr* = **coût, assurance et fret**) CIF

cafard, **~e** /kafaʀ, aʀd/
A *adj* (fourbe) [*air, expression, mine*] shifty
B *nm,f* [1] ○schoolchildren's slang (dénonciateur) sneak○ GB, tattletell○ US; [2] †(hypocrite) hypocrite
C *nm* [1] ○(mélancolie) depression; **avoir le ~** to be down in the dumps○; **un coup de ~** a fit of depression; **donner le ~ à qn**○ to get sb down○, to make sb depressed; [2] (blatte) cockroach

cafardage○ /kafaʀdaʒ/ *nm* schoolchildren's slang taletelling, tattling US

cafarder○ /kafaʀde/ [1]
A *vtr* schoolchildren's slang (dénoncer) to tell on
B *vi* [1] (avoir le cafard) to feel down○; [2] (rapporter) to tell tales GB, to tattle US

cafardeur○, **-euse**[1] /kafaʀdœʀ, øz/ *nm,f* schoolchildren's slang telltale GB, tattletale US

cafardeux, **-euse**[2] /kafaʀdø, øz/ *adj* [*personne*] glum; [*nature, tempérament*] gloomy; [*lieu*] depressing

café /kafe/
A ▸ **p. 202** *adj inv* (couleur) dark brown
B *nm* [1] (substance) coffee; **~ vert/torréfié** unroasted/roasted coffee; **~ en grains** coffee beans (+ *v pl*); **~ moulu** ground coffee; **~ instantané** *or* **soluble** instant coffee; [2] (boisson) coffee; **faire du ~** to make coffee; **prendre un ~** to have a coffee; [3] (arôme) coffee; **glace/gâteau au ~** coffee ice cream/cake; [4] Comm (établissement) café; **être à la terrasse d'un ~** to be sitting outside a café; [5] (à la fin d'un repas) **au ~** at the end of the meal

(Composés) **~ crème** espresso with milk; **~ filtre** filter coffee; **~ au lait** white coffee GB, coffee with milk; **peau ~ au lait** coffee-coloured[GB] skin; **~ noir** black coffee; **le ~ du pauvre**○ lovemaking; **~ turc** Turkish coffee

(Idiome) **c'est (un peu) fort de ~**○**!** that's a bit steep○!

café-bar, *pl* **cafés-bar** /kafebaʀ/ *nm* café-bar

café-concert, *pl* **cafés-concerts** /kafekɔ̃sɛʀ/ *nm* café with live music

caféier /kafeje/ *nm* coffee tree

caféière /kafejɛʀ/ *nf* coffee plantation

caféine /kafein/ *nf* caffeine

café-restaurant, *pl* **cafés-restaurants** /kafeʀɛstɔʀɑ̃/ *nm* café-restaurant

café-tabac, *pl* **cafés-tabac** /kafetaba/ *nm* café (*where cigarettes may be purchased*)

cafétéria /kafeteʀja/ *nf* cafeteria

café-théâtre, *pl* **cafés-théâtres** /kafeteɑtʀ/ *nm* café with live theatre[GB]

cafetier, **-ière** /kaftje, ɛʀ/
A *nm,f* café proprietor
B **cafetière** *nf* [1] (récipient) coffee pot; (appareil) coffee maker; [2] ○(tête) head; **il n'a rien dans la cafetière** he is brainless

(Composés) **cafetière électrique** coffee machine; **cafetière à piston** cafetiere

cafouillage○ /kafujaʒ/ *nm* (confusion) bungling○ ₵; (en sport) blunder

cafouiller○ /kafuje/ [1] *vi* [*personne*] to get flustered; [*appareil*] to go wrong; [*organisation*] to get in a muddle; **il a fait ~ nos projets** he messed up our plans; **ça cafouille** things are in a mess

cafouilleux○, **-euse** /kafujø, øz/ *adj* [*personne*] clumsy; [*projet, discours*] muddle-headed○; [*orthographe, mise en scène*] slipshod

cafouillis○ /kafuji/ *nm* mess○

caftan /kaftɑ̃/ *nm* caftan

cafter◑ /kafte/ [1] schoolchildren's slang
A *vtr* to tell on (**à** to)
B *vi* to tell tales GB, to tattle US; **il a cafté** he went and told

cafteur◑, **-euse** /kaftœʀ, øz/ *nm,f* schoolchildren's slang telltale GB, tattletale US

cage /kaʒ/ *nf* [1] (pour animaux sauvages) cage; **en ~** caged; **mettre en ~** to cage [*animal*]; to put [sb] behind bars [*personne*]; **mise en ~** caging; **dans une ~ de verre** behind a glass screen; **vivre en ~** fig to be cooped up○; [2] ○Sport goal

(Composés) **~ d'ascenseur** lift shaft GB, elevator shaft US; **~ d'écureuil** Jeux climbing frame GB, jungle jim US; Électrotech cage winding; **~ d'escalier** Constr stairwell; **~ d'extraction** Mines cage; **~ de Faraday** Phys Faraday cage; **~ à lapins** lit, fig○ rabbit hutch; **~ à oiseaux** birdcage; **~ à poules** lit hen coop; Jeux climbing frame GB, jungle jim US; fig rabbit hutch○; **~ de roulement à billes** Mécan ball-bearing housing; **~ thoracique** Anat rib cage

(Idiomes) **être dans la ~ aux lions** to be in the lion's den; **tourner comme un ours** *or* **lion en ~** to pace up and down like a caged animal

cageot /kaʒo/ *nm* crate

cagette /kaʒɛt/ *nf* tray; **acheter une ~ de pêches** to buy a tray of peaches

cagibi /kaʒibi/ *nm* store cupboard

cagne = **khâgne**

cagneux, **-euse** /kaɲø, øz/
A *adj* [*cheval*] bowlegged; [*jambes*] crooked; **avoir les genoux ~** [*personne*] to be knock-kneed
B *nm,f* = **khâgneux**

cagnotte /kaɲɔt/ *nf* [1] (caisse commune) kitty; [2] (de loterie, loto) jackpot; [3] (économies) (pour plus tard) nest egg; (plus général) **une jolie ~** a nice little sum

cagoule /kagul/ *nf* [1] (passe-montagne) balaclava; [2] (de malfaiteur) balaclava; **deux pirates en ~** two hooded *ou* masked hijackers; [3] (de moine) cowl

cagoulé, **~e** /kagule/ *adj* wearing a balaclava (*après n*), hooded

cahier /kaje/
A *nm* [1] (carnet) notebook; Scol exercise book; **~ à spirales** spiral-bound notebook; [2] Imprim section, signature; [3] Presse supplement
B **cahiers** *nmpl* (revue) journal (*sg*)

(Composés) **~ d'appel** register; **~ de brouillon** roughbook; **~ des charges** Jur conditions (*pl*) of contract; Tech specifications (*pl*); **~ de devoirs** homework book; **~ de doléances** register of grievances; **~ d'écriture** copybook; **~ d'exercices** Scol exercise book; **~ de revendications** Entr list of union demands; **~ de textes** homework notebook; **~ de travaux pratiques** lab book, laboratory notebook

cahin-caha*○ /kaɛ̃kaa/ *adv* [*marcher, avancer*] with difficulty; **les affaires vont ~** business isn't going too well

cahot /kao/ *nm* (sur terrain inégal) jolt; fig **les ~s** the ups and downs

cahotant, **~e** /kaɔtɑ̃, ɑ̃t/ *adj* [*route, carrière*] bumpy; [*danse*] jerky; [*œuvre*] lacking coherence (*jamais épith*)

cahoté, **~e** /kaɔte/
A *pp* ▸ **cahoter**
B *pp adj* (secoué) shaken about; (éprouvé) buffeted; **~ par la vie** buffeted by life

cahotement /kaɔtmɑ̃/ *nm* jolting ₵

cahoter /kaɔte/ [1] *vi* [*véhicule*] to bounce along

cahoteux, **-euse** /kaɔtø, øz/ *adj* bumpy

cahute* /kayt/ *nf* (cabane) hut, shack

caïd /kaid/ *nm* [1] (gangster) boss; **faire le ~**, **jouer les ~s** to act tough; [2] ○(personne importante) big shot; (personne supérieure) Scol, Sport star; (personne très compétente) wizard; **c'est un ~ en électronique** he is a real electronics wizard; [3] (magistrat) kaid

caillage /kɑjaʒ/ *nm* curdling

caillasse /kajas/ *nf* (cailloux) stones

caillasser○ /kajase/ [1] *vtr* to stone [*personne, véhicule*]

caille /kaj/ *nf* [1] Zool quail; [2] (terme d'affection) **ma ~** pet○, darling

caillé, **~e** /kaje/
A *pp* ▸ **cailler**
B *pp adj* [*lait*] curdled; [*sang*] congealed
C *nm* curd; **du ~ de brebis** ewe's milk cheese

caillebotis /kajbɔti/ *nm* [1] (en bois) duckboards (*pl*); (en métal) open metal flooring ₵; [2] Naut grating

cailler /kaje/ [1]
A *vtr* to curdle
B *vi* [1] (se figer) [*lait*] to curdle; [*sang*] to congeal; **faire ~** to curdle [*lait*]; [2] ○(avoir froid) [*personne*] to be freezing
C **se cailler** *vpr* [1] [*lait*] to curdle; [*sang*] to congeal; [2] ○(avoir froid) [*personne*] to be freezing; **se ~ les meules** *or* **les miches**◑ to be freezing; **on se les caille ici**◑ it's cold enough to freeze the balls off a brass monkey●
D ○*v impers* **ça caille** it's freezing, it's brass monkey weather◑

caillera◑ /kajʀa/ *nf* scum ▸ **verlan**

caillette /kajɛt/ *nf* rennet bag, abomasum spéc

caillot /kajo/ *nm* clot

caillou, *pl* **~x** /kaju/ *nm* [1] (pierre) pebble; **gros ~** stone; **du ~**○ rock ₵; **avoir un ~ à la place du cœur** fig to have a heart of stone; [2] ○(pierre précieuse) stone; [3] ○(tête) nut○, head; **ne plus avoir un poil sur le ~** to be as bald as a coot○; **ne rien avoir dans le ~** to be brainless; [4] ○(îlot) piece of rock○; [5] (bonbon) sweet GB, candy US (*that looks like a pebble*); [6] ◑drug users' slang (de drogue) rock○

Caillou /kaju/ *nprm* **le ~** New Caledonia

cailloutage /kajutaʒ/ *nm* [1] Gén Civ (couche) road metal GB, gravel US; (processus) metalling GB, graveling US; [2] Constr (mortier) pebbledash GB

caillouter /kajute/ [1] *vtr* to metal GB, to gravel US [*route*]; to ballast [*voie de chemin de fer*]

caillouteux, **-euse** /kajutø, øz/ *adj* [*sol, route*] stony; [*plage*] pebbly

cailloutis /kajuti/ *nm inv* Gén Civ road metal GB, gravel US

(Composé) **~ glaciaire** Géol glacial deposits (*pl*)

caïman /kaimɑ̃/ *nm* cayman

Caïmans /kaimɑ̃/ ▸ **p. 435** *nprfpl* **les (îles) ~** the Cayman Islands

Caïn /kaɛ̃/ *npr* Cain

caïque /kaik/ *nm* caïque

Caire /kɛʀ/ ▸ **p. 894** *npr* **le ~** Cairo

cairn /kɛʀn/ *nm* cairn

cairote /kɛʀɔt/ ▸ **p. 894** *adj* of Cairo

Cairote /kɛʀɔt/ *nmf* (natif) native of Cairo; (habitant) inhabitant of Cairo

caisse /kɛs/ *nf* [1] (boîte) gén crate; (de champagne, vin) case, crate; (bac) planter; [2] Tech (de voiture) shell, body; (d'horloge) casing; (de piano, d'orgue) case; [3] ◑(voiture) car; **vieille ~** old banger○; [4] (tambour) drum; ▸ **gros**; [5] (pour l'argent) (tiroir) till; (appareil) cash register; (coffret) cash box; **avoir de l'argent en ~** lit to have money in the till; fig to have money; **les ~s**

C

de l'État the Treasury coffers; **voler la ~** to steal the takings; **tenir la ~** Comm (normalement) to be the cashier; (un moment) to be on the cash desk; fig hum to hold the purse strings; **faire sa ~** to balance one's cash; **petite ~** petty cash; **6** (guichet) (de magasin) cash desk; (de supermarché) checkout (counter); (de banque) cashier's desk; **passer à la ~** (pour payer) to go to the cash desk; (pour être payé) to collect one's money; (pour être licencié)○ to be paid off; **7** (capital, organisme gérant un capital) fund; **~ d'amortissement** sinking fund; **~ d'assurances sociales** social insurance fund; **~ de solidarité/retraite** solidarity/pension fund; **~ de secours** relief fund

(Composés) **~ d'allocations familiales, CAF** ≈ Social Security Office; **~ claire** snare drum; **~ d'emballage** packing case *ou* crate; **~ enregistreuse** cash register; **~ d'épargne** ≈ savings bank; **~ noire** slush fund; **~ à outils** toolbox; **~ de résonance** sound box; **~ de tympan** middle ear, tympanic cavity spéc; **Caisse des dépôts et consignations** *French public and investment organization*

(Idiome) **à fond la ~**○ [*partir, s'en aller*] at breakneck speed; [*mettre la musique*] at full blast

caissette /kɛsɛt/ *nf* gén small box *ou* case; (pour fruits) crate

caissier, -ière /kesje, ɛʀ/ ▸ **p. 532** *nm,f* cashier

caisson /kɛsɔ̃/ *nm* **1** Archit caisson; **plafond à ~s** coffered ceiling; **2** (à bouteilles) crate; **3** (pour méditer) flotation tank; **4** Mil (chariot) caisson

(Composés) **~ de décompression** decompression chamber; **le mal des ~s** decompression sickness, the bends; **~ d'isolation sensorielle** flotation tank

(Idiome) **se faire sauter le ~**◑ to blow one's brains out○

cajoler /kaʒɔle/ [1] *vtr* **1** (être tendre avec) to make a fuss of *ou* over; **se faire ~ par qn** to be made a fuss of by sb; **2** (flatter) to bring [sb] round GB *ou* around US

cajolerie /kaʒɔlʀi/ *nf* **1** (caresse) cuddle; (parole) compliment; **faire des ~s à un enfant** to cuddle a child; **2** †(flatterie) wheedling

cajoleur, -euse /kaʒɔlœʀ, øz/
A *adj* (tendre) affectionate
B *nm,f* **1** (séducteur) enticer; **2** †(flatteur) wheedler

cajou /kaʒu/ *nm* **noix de ~** cashew nut

cajun /kaʒœ̃/ ▸ **p. 483** *adj, nm* Cajun

Cajun /kaʒœ̃/ *nmf* Cajun

cake /kɛk/ *nm* fruit cake

cal /kal/ *nm* callus; **avoir des ~s aux mains** to have calluses on one's hands

calabrais, ~e /kalabʀɛ, ɛz/ ▸ **p. 721** *adj* Calabrian

Calabre /kalabʀ/ ▸ **p. 721** *nprf* Calabria

calage /kalaʒ/ *nm* **1** (d'étai, de poutre) wedging; **2** (de dynamo, d'altimètre) setting; (de moteur) tuning; **3** Imprim setting

Calais /kalɛ/ ▸ **p. 894** *npr* Calais

calaisien, -ienne /kalɛzjɛ̃, ɛn/ ▸ **p. 894** *adj* of Calais

Calaisien, -ienne /kalɛzjɛ̃, ɛn/ *nm,f* (natif) native of Calais; (habitant) inhabitant of Calais

calamar /kalamaʀ/ *nm* squid

calamine /kalamin/ *nf* **1** Minér calamine GB, smithsonite; **2** Aut (résidu) carbon deposit

calaminer: se calaminer /kalamine/ [1] *vpr* [*moteur, cylindre*] to carbonize, to coke up; **être calaminé** to be coked up

calamistré, ~e /kalamistʀe/ *adj* **1** (frisé) [*cheveux, barbe*] waved, curled; **2** (gominé) brilliantined

calamité /kalamite/ *nf* **1** (malheur) disaster, calamity; **2** (personne insupportable) hum pain○; (catastrophe ambulante) walking disaster

calamiteux, -euse /kalamitø, øz/ *adj* disastrous, calamitous

calancher◑ /kalɑ̃ʃe/ [1] *vi* to kick the bucket○, to die

calandre /kalɑ̃dʀ/ *nf* **1** Aut (radiator) grille[GB]; **2** Tech (machine) calender; **3** Nucl calandria

calandrer /kalɑ̃dʀe/ [1] *vtr* to calender

calanque /kalɑ̃k/ *nf* deep rocky inlet (*in the Mediterranean*)

calao /kalao/ *nm* hornbill

(Composés) **~ bicorne** Great Indian hornbill; **~ rhinocéros** rhinoceros hornbill

calcaire /kalkɛʀ/
A *adj* [*sel*] calcium (*épith*); [*eau*] hard; [*minéral*] calcareous; [*terrain*] chalky; [*plateau, roche*] limestone
B *nm* **1** (roche) limestone; **2** (dépôt blanc) fur GB, sediment US; **enlever le ~ d'une bouilloire** to descale a kettle

calcanéum /kalkaneɔm/ *nm* heel bone, calcaneum spéc

calcédoine /kalsedwan/ *nf* chalcedony

calcémie /kalsemi/ *nf* calcaemia[GB]

calcif○ /kalsif/ *nm* (caleçon) underpants (*pl*)

calcification /kalsifikasjɔ̃/ *nf* calcification

calcifié, ~e /kalsifje/ *adj* calcified

calcination /kalsinasjɔ̃/ *nf* calcination

calciné, ~e /kalsine/
A *pp* ▸ **calciner**
B *pp adj* **1** (carbonisé) charred; **2** (soumis à une chaleur intense) scorched

calciner /kalsine/ [1] *vtr* **1** (carboniser) to char; (au four) to burn [sth] to a crisp; **2** Chimie to calcine

calcique /kalsik/ *adj* calcic

calcium /kalsjɔm/ *nm* calcium

calcul /kalkyl/
A *nm* **1** (opération) calculation; **faire des ~s** to make some calculations; **faire une erreur de ~** to make an error *ou* a mistake in calculation; **faire le ~ du prix de revient/bénéfice** to calculate the cost price/profit margin; **'à combien est-ce que ça va me revenir?'—'attends, il faut que je fasse le ~'** 'how much will it come to?'—'wait, I'll have to work it out'; **2** (matière) arithmetic; **3** (tactique) calculation; **agir par ~** to act out of self-interest; **être un bon/mauvais ~** to be a good/bad move; **déjouer les ~s de l'ennemi** to upset the enemy's calculations; **4** Méd stone, calculus spéc
B **calculs** *nmpl* (estimations) calculations; **d'après mes ~s nous y serons à midi** according to my calculations, we'll get there by noon

(Composés) **~ algébrique** algebra (calculation); **~ biliaire** gallstone; **~ différentiel** differential calculus; **~ intégral** integral calculus; **~ mental** mental arithmetic; **~ numérique** numerical calculation; **~ de probabilités** calculation of probability; **~ rénal** kidney stone; **~ urinaire** stone in the bladder

calculable /kalkylabl/ *adj* [*grandeur, conséquence*] calculable

calculateur, -trice /kalkylatœʀ, tʀis/
A *adj* [*personne, esprit*] calculating
B *nm,f* calculating person; **c'est une calculatrice, elle fait tout par intérêt** she's very calculating, she does everything out of self-interest
C *nm* Ordinat computer
D **calculatrice** *nf* (calculette) (pocket) calculator

calculer /kalkyle/ [1]
A *vtr* **1** (compter) to calculate, to work out [*trajectoire, pourcentage, moyenne, surface*]; **j'ai calculé que ça me reviendrait moins cher de prendre l'avion** I worked out that it would be cheaper for me to go by plane; **2** (évaluer) to weigh up [*avantages, chances*]; to gauge [*résultats, effort*]; **~ son élan** Sport to judge one's run-up; **~ son rythme** Sport to pace oneself; **il a mal calculé son geste et il a renversé le vase** he misjudged his movement and knocked over the vase; **tout bien calculé** all things considered; **3** (préméditer) **~ ses effets** to stage things carefully; **~ son coup** to plan one's move
B *vi* [*personne, machine*] to calculate

calculette /kalkylɛt/ *nf* pocket calculator

Caldoche /kaldɔʃ/ *nmf* European New Caledonian

cale /kal/ *nf* **1** (pour meuble, porte) wedge; (pour roue de voiture, d'avion) chock; (pour surélever) block; **la voiture est sur ~s** the car is on blocks; **2** Naut (ship's) hold; **~ avant/arrière** fore/stern hold; **à fond de ~** down in the hold

(Composés) **~ de construction** slipway; **~ flottante** floating dock; **~ de lancement** slipway; **~ sèche** dry dock

calé○, **~e** /kale/ *adj* **1** (instruit) [*personne*] bright, knowledgeable; **être ~ en qch** to be brilliant at sth; **2** (complexe) [*problème*] difficult, thorny; [*manipulation, calcul*] difficult, clever

calebasse /kalbas/ *nf* **1** Bot calabash, gourd; **2** ○(tête) nut○, head; **se prendre un coup sur la ~** to be bashed○ on the head

calèche /kalɛʃ/ *nf* barouche, calash

caleçon /kalsɔ̃/ *nm* **1** (sous-vêtement masculin) boxer shorts (*pl*), underpants (*pl*); **porter un ~, porter des ~s** to wear boxer shorts; **il est en ~** he's in his boxer shorts; **2** (vêtement féminin) leggings (*pl*)

(Composé) **~ long** long johns○ (*pl*)

Calédonie /kaledɔni/ *nprf* Hist Caledonia

calédonien, -ienne /kaledɔnjɛ̃, ɛn/ *adj* **1** ▸ **p. 721** (de Nouvelle-Calédonie) New Caledonian; **2** (de Calédonie) Caledonian; **plissement ~** Caledonian fold

Calédonien, -ienne /kaledɔnjɛ̃, ɛn/ *nm,f* New Caledonian, inhabitant of New Caledonia

calembour /kalɑ̃buʀ/ *nm* pun, play on words; **faire** *or* **dire des ~s** to make puns, to pun

calembredaine† /kalɑ̃bʀədɛn/ *nf* twaddle○ GB ¢, nonsense ¢; **dire des ~s** to talk twaddle○

calendaire /kalɑ̃dɛʀ/ *adj* [*année, mois, jour*] calendar

calendes /kalɑ̃d/ *nfpl* Antiq calends; **les ~ de mars** the calends of March

(Idiomes) **aux ~ grecques** never in a month of Sundays○; **renvoyer qch aux ~ grecques** to postpone sth indefinitely; **renvoyer qch à d'autres ~** to postpone sth to an unspecified date

calendos◑ /kalɑ̃dos/ *nm inv* camembert

calendrier /kalɑ̃dʀije/ *nm* **1** (système) calendar; **~ républicain** French Revolutionary calendar; **~ perpétuel** perpetual calendar; ▸ **grégorien**; **2** (imprimé) calendar; **~ illustré** illustrated calendar; **3** (programme) schedule; **être en avance sur son ~** to be ahead of (one's) schedule; **4** (dates) dates (*pl*); **le ~ des vacances scolaires** the dates of school holidays GB *ou* vacation US

cale-pied, *pl* **~s** /kalpje/ *nm* toe clip

calepin /kalpɛ̃/ *nm* notebook

caler /kale/ [1]
A *vtr* **1** (stabiliser) to wedge [*roue, pied de table*]; to steady [*meuble*]; to support [*rangée de livres*]; **~ une bouteille dans un sac** to wedge a bottle in a bag; **~ sa tête sur un oreiller** to rest one's head on a pillow; **~ un malade dans un fauteuil** to prop up a patient in an armchair; **bien calé dans mon fauteuil** nicely settled in my armchair; **2** (régler) to set; **3** ○(remplir) **petit déjeuner qui cale l'estomac** breakfast that fills you up; **le porridge, ça cale!** porridge is filling!; **4** fig (positionner) to target; **5** Naut **~ cinq mètres** [*navire*] to draw five metres[GB] of water; **6** Naut (abaisser) to lower [*mât, voile, vergue*]
B *vi* **1** (s'arrêter) [*moteur, voiture*] to stall; **tu as encore calé!** you've stalled again!;

2 (abandonner) [*personne*] to give up; **j'ai calé au dessert** I gave up when it came to the dessert; ~ **sur un problème de maths** to get stuck on a maths GB *ou* math US problem; **3** Naut [*navire*] to draw water
C **se caler** *vpr* **1** (s'installer) to settle (**dans** in); **2** (se remplir) **se** ~ **les joues**○ to stuff oneself○

caleter = **calter**

calfatage /kalfataʒ/ *nm* caulking

calfater /kalfate/ [1] *vtr* to caulk

calfeutrage /kalføtʀaʒ/, **calfeutrement** /kalføtʀəmɑ̃/ *nm* draught proofing, weather stripping US

calfeutrer /kalføtʀe/ [1]
A *vtr* to stop up, to seal [*fissure*]; to draught proof, to weather strip US [*porte, fenêtre*]
B **se calfeutrer** *vpr* to shut oneself away; **se** ~ **chez soi** to shut oneself up at home

calibrage /kalibʀaʒ/ *nm* **1** Tech (de pièce, machine) calibration; **2** Imprim casting-off; **3** Agric (d'œufs, de fruits, légumes) grading, sizing

calibre /kalibʀ/ *nm* **1** (diamètre) (d'arme à feu, de tuyau, balle) calibre[GB], bore; (de câble) diameter; **arme/balle de** ~ **5,56** 5.56 mm (calibre[GB]) gun/bullet; **arme de gros** ~ large-bore weapon; **obus de gros** ~ large-calibre[GB] shell; **2** (d'œufs, de fruits, légumes) size, grade; **3** Mécan (étalon) gauge; ~ **d'épaisseur** thickness gauge; **4** Mécan, Mode (mesure) template, pattern; **5** ○(pistolet) gun, rod○ US; **6** (de personne) calibre[GB]; **être d'un tout autre** ~ [*personne*] to be of a different calibre[GB] altogether; [*création, œuvre*] to be in a different class altogether

calibrer /kalibʀe/ [1] *vtr* **1** (donner le calibre convenable à) to calibrate [*arme, projectile, tuyau*]; **2** (régler) to calibrate [*machine*]; **3** (classer) to grade, to size [*œufs, fruits, légumes*]; to size [*gravier*]; **4** Imprim to cast off [*texte*]

calice /kalis/ *nm* **1** Relig chalice; ▸ **lie**; **2** Anat, Bot calyx

calicot /kaliko/ *nm* **1** (banderole) banner; **2** Tex calico

califat /kalifa/ *nm* caliphate

calife /kalif/ *nm* caliph

Californie /kalifɔʀni/ ▸ **p. 721** *nprf* California; **golfe de** ~ Gulf of California

californien, **-ienne** /kalifɔʀnjɛ̃, ɛn/ ▸ **p. 721** *adj* Californian

Californien, **-ienne** /kalifɔʀnjɛ̃, ɛn/ *nm,f* Californian

califourchon: **à califourchon** /akalifuʀʃɔ̃/ *loc adv* astride; **être (assis) à** ~ **sur une chaise/un mur** to sit astride a chair/a wall; **il s'est assis** *or* **mis à** ~ **sur le mur** he sat astride the wall

câlin, ~**e** /kalɛ̃, in/
A *adj* [*air, regard, ton*] affectionate; [*personne*] cuddly
B *nm* cuddle; euph lovemaking; **faire un** ~ **à qn** to give sb a cuddle; **se faire un** ~ euph to make love

câliner /kaline/ [1] *vtr* to cuddle

câlinerie /kalinʀi/ *nf* **1** (manières câlines) tender ways (*pl*); **2** (caresse) ~**s** caresses; **amoureux qui se font des** ~**s** lovers caressing each other

calisson /kalisɔ̃/ *nm*: *marzipan sweet*

calleux, **-euse** /kalø, øz/ *adj* calloused, rough-skinned

call-girl, *pl* ~**s*** /kolgœʀl/ *nf* call girl

calligramme /kaligʀam/ *nm* calligram

calligraphe /kaligʀaf/ *nmf* calligrapher

calligraphie /kaligʀafi/ *nf* calligraphy

calligraphier /kaligʀafje/ [2] *vtr* to write [sth] in a decorative hand [*texte, lettre*]

calligraphique /kaligʀafik/ *adj* calligraphic

Calliope /kaljɔp/ *npr* Calliope

callipyge /kalipiʒ/ *adj* callipygous

callosité /kalozite/ *nf* callus

calmant, ~**e** /kalmɑ̃, ɑ̃t/
A *adj* **1** gén [*musique, parole*] soothing; **2** Pharm sedative
B *nm* sedative; **prendre un** ~ to take a sedative

calmar /kalmaʀ/ *nm* squid

calme /kalm/
A *adj* **1** (paisible) [*mer, temps, situation*] calm; [*ciel, nuit, atmosphère*] still; [*endroit, marché, Bourse, journée, période, vie, personne*] quiet; **2** (maître de soi) [*personne, regard, voix, attitude*] calm; **restons** ~**s!** let's keep calm!
B *nmf* (personne tranquille) calm person; **c'est un grand** ~ he is unflappable
C *nm* **1** (environnement paisible) peace (and quiet); **j'ai besoin de** ~ I need peace and quiet (**pour faire** to do); **travailler/vivre dans le** *or* **au** ~ to work/live in peace (and quiet); **dans le** ~ **de ma maison** in the quiet of my house; **2** (absence d'agitation) calm; (de foule, d'assemblée) calmness; (de mer, nuit, sanctuaire) stillness; **lancer un appel au** ~ to appeal for calm; **c'est le** ~ **avant la tempête** lit, fig it's the calm before the storm; **retour au** ~ return to a state of calm; **en période de** ~ in a period of calm; **un** ~ **de courte durée** a short-lived calm; **le plus grand** ~ **règne sur le marché** all is quiet on the stock market; **le** ~ **est revenu** calm has returned; **dans le** ~ peacefully; **rétablir le** ~ to restore calm; ~ **plat** dead calm; **c'est le** ~ **plat** (sur mer) there's a dead calm; (en affaires) it's dead quiet; **c'est le** ~ **plat dans ma vie sentimentale** my love life is non-existent; **3** (maîtrise de soi) composure; **perdre son** ~ to lose one's composure; **il nous a étonnés par son** ~ he amazed us by his composure; **avec le plus grand** ~ with the greatest composure; **il restait d'un** ~ **parfait en toutes circonstances** he remained perfectly composed *ou* calm in all circumstances; **garder** *or* **conserver son** ~ to keep calm; **avec** ~ calmly; **du** ~**!** (reste tranquille) calm down!; (fais moins de bruit) quiet!; **4** (sérénité) liter inner peace; **5** Météo, Naut calm

calmement /kalməmɑ̃/ *adv* calmly

calmer /kalme/ [1]
A *vtr* **1** (apaiser) to calm [sb/sth] down [*personne, foule, animal*]; to calm [*marché, Bourse*]; to defuse [*situation*]; to tone down [*discussion*]; to subdue [*agitation, révolte, colère*]; to allay [*inquiétude, crainte*]; to quieten [*dissensions*]; ~ **le jeu** fig to calm things down; ~ **les esprits** to calm people down; **2** (atténuer) to ease, to relieve [*douleur, mal*]; to bring down [*fièvre*]; to dampen [*passions, ardeur, désir*]; to curb [*impatience*]; to take the edge off [*faim, soif*]
B **se calmer** *vpr* **1** (s'apaiser) [*personne, foule, situation*] to calm down; [*éléments, tempête*] to die down; [*agitation, révolte, passions, colère*] to die down; [*débat, discussion*] to quieten GB *ou* quiet US down; [*inquiétude, crainte*] to subside; [*ardeur, désir*] to cool; **calme-toi!** (reste tranquille) calm down!; (fais moins de bruit) quieten GB *ou* quiet US down!; **les choses se calment** things are calming down; **après l'annonce du ministre, les esprits se sont calmés** after the minister's announcement, tempers cooled; **2** (s'atténuer) [*douleur, mal*] to ease, to wear off; [*fièvre, faim, soif*] to die down; [*rire, bruit, tapage*] to subside

calomel /kalɔmɛl/ *nm* calomel

calomniateur, **-trice** /kalɔmnjatœʀ, tʀis/ *nm,f* slanderer

calomnie /kalɔmni/ *nf* (orale) slander; (écrite) libel ₵, slander; **répandre des** ~**s** to spread slanders

calomnier /kalɔmnje/ [2] *vtr* to slander

calomnieux, **-ieuse** /kalɔmnjø, øz/ *adj* [*propos*] slanderous; [*écrit*] libellous[GB], slanderous

caloporteur /kalopɔʀtœʀ/ *adj m* **fluide** ~ Nucl coolant

calorie /kalɔʀi/ *nf* calorie; **pauvre/riche en** ~**s** low/high in calories; **régime (à) basses** ~**s** low-calorie diet

calorifère /kalɔʀifɛʀ/
A *adj* heat-conveying; **tuyau** ~ heating pipe
B *nm* (appareil) (heating) stove

calorifique /kalɔʀifik/ *adj* calorific

calorifuge /kalɔʀifyʒ/
A *adj* insulating
B *nm* lagging

calorifugeage /kalɔʀifyʒaʒ/ *nm* (heat) insulation

calorifuger /kalɔʀifyʒe/ [13] *vtr* to insulate

calorimètre /kalɔʀimɛtʀ/ *nm* calorimeter

calorimétrie /kalɔʀimetʀi/ *nf* calorimetry

calorimétrique /kalɔʀimetʀik/ *adj* calorimetric

calorique /kalɔʀik/ *adj* calorie (*épith*); **ration/valeur** ~ calorie intake/content

calot /kalo/ *nm* **1** (couvre-chef) Mil forage cap GB, overseas cap US; Mode brimless hat; **2** Jeux (bille) large marble; **3** ◑(œil) eye; **rouler des** ~**s**○ to roll one's eyes

calotin○, ~**e** /kalɔtɛ̃, in/
A *adj* pej devoutly Catholic
B *nm,f* pej pious churchgoer, Holy Joe○ péj

calotte /kalɔt/ *nf* **1** (couvre-chef) skull cap; **la** ~ **d'un chapeau** the body of a hat; **2** ○Relig (clergé) **la** ~ the cloth; **être de la** ~○ to be of the cloth; **3** ○(tape) slap; fig **prendre une bonne** ~ to be given a slap; **4** Archit calotte; **la** ~ **d'une voûte** the calotte of a vault
(Composés) ~ **crânienne** Anat top of the skull, calvarium spéc; ~ **glaciaire** Géog icecap; ~ **sphérique** Math spherical cap

calotter○ /kalɔte/ [1] *vtr* **1** (frapper) to slap; **2** (voler) to pinch○, to steal; ~ **qch à qn** to pinch sth from sb; **il s'est fait** ~ **son portefeuille** he had his wallet pinched○

calquage /kalkaʒ/ *nm* tracing

calque /kalk/ *nm* **1** (copie) tracing; **2** (papier) tracing paper; **3** (imitation) replica; **4** Ling calque

calquer /kalke/ [1]
A *vtr* **1** (imiter) to copy [*comportement*]; ~ **qch sur qch** to model sth on sth; **calqué sur** modelled[GB] on; **2** Tech to trace
B **se calquer** *vpr* **se** ~ **sur qch/qn** to model oneself on sth/sb

calter◑ /kalte/ [1] *vi*, **se calter**◑ *vpr* to beat it○, to scarper○

calumet /kalymɛ/ *nm* calumet; ~ **de la paix** peace pipe; **fumer le** ~ **de la paix avec qn**○ fig to make (one's) peace with sb

calva○ /kalva/ = **calvados**

calvados /kalvados/ *nm* calvados (*apple brandy distilled in Normandy*)

Calvados /kalvados/ ▸ **p. 721** *nprm* (département) **le** ~ Calvados

calvaire /kalvɛʀ/ *nm* **1** (épreuves) ordeal; **2** Relig (monument) wayside cross; (lieu) Calvary; **la montée au** ~ the road to Calvary; **3** Art (représentation) Calvary

Calvin /kalvɛ̃/ *npr* Calvin

calvinisme /kalvinism/ *nm* Calvinism

calviniste /kalvinist/ *adj, nmf* Calvinist

calvitie /kalvisi/ *nf* **1** (affection) baldness; ~ **précoce** premature baldness; **avoir un début de** ~, **avoir une** ~ **naissante** to be going bald; **2** (résultat) (crâne chauve) bald head; (zone dégarnie) bald patch

calypso /kalipso/ *nm* calypso

camaïeu /kamajø/ *nm* **1** Minér cameo; **2** Art monochrome (painting), camaïeu spéc; **en** ~ in monochrome; **3** Mode shades (*pl*); **en** ~ **vert** in green shades

camail /kamaj/ *nm* **1** Hist Mil camail; **2** Mode (hooded) capelet; **3** Zool hackles (*pl*), neck feathers (*pl*)

camarade /kamaʀad/ *nmf* **1** gén friend, mate○ GB; ~ **d'école** schoolfriend, schoolmate GB, classmate US; ~ **d'atelier** workmate;

C

~ **de régiment** army pal○ *ou* buddy○; [2] Pol comrade; **la ~ Markova demande la parole** Comrade Markova wishes to take the floor

camaraderie /kamaʀadʀi/ *nf* comradeship, camaraderie; **avoir des relations de bonne ~ avec ses collègues de travail** to be on friendly terms with one's colleagues, to get on well with one's colleagues

camard, **~e** /kamaʀ, aʀd/ liter
[A] *adj* [*nez*] pug (*épith*); [*personne*] pug-nosed
[B] *nm,f* (personne) pug-nosed person

Camarde /kamaʀd/ *nf* **la ~** Death, the grim reaper

camarguais, **~e** /kamaʀgɛ, ɛz/
[A] ▸ **p. 721** *adj* of the Camargue
[B] **camarguaise** *nf* cowboy boot

Camarguais, **~e** /kamaʀgɛ, ɛz/ *nm,f* (natif) native of the Camargue; (habitant) inhabitant of the Camargue

Camargue /kamaʀg/ ▸ **p. 721** *nprf* the Camargue

camarilla /kamaʀija/ *nf* pej cabal, camarilla

cambiste /kɑ̃bist/ ▸ **p. 532** *nm* foreign exchange dealer *ou* broker

Cambodge /kɑ̃bɔdʒ/ ▸ **p. 333** *nprm* Cambodia

cambodgien, **-ienne** /kɑ̃bɔdʒjɛ̃, ɛn/ ▸ **p. 561, p. 483**
[A] *adj* Cambodian
[B] *nm* Ling Cambodian

Cambodgien, **-ienne** /kɑ̃bɔdʒjɛ̃, ɛn/ ▸ **p. 561** *nm,f* Cambodian

cambouis /kɑ̃bwi/ *nm* dirty grease
(Idiome) **mettre les mains dans le ~** to get one's hands dirty

cambrage /kɑ̃bʀaʒ/ *nm* = **cambrement**

cambré, **~e** /kɑ̃bʀe/
[A] *pp* ▸ **cambrer**
[B] *pp adj* [*dos, reins*] arched; [*pied, chaussure*] with a high instep (*épith, après n*); **avoir le pied ~** to have a high instep; **avoir le pied bien ~** to have a finely arched foot

cambrement /kɑ̃bʀəmɑ̃/ *nm* (de corps) bending; (de reins) arching; (d'objet) curving

cambrer /kɑ̃bʀe/ [1]
[A] *vtr* to curve [*objet*]; to arch [*chaussure*]; **~ les reins** *or* **le dos** to arch one's back
[B] **se cambrer** *vpr* [*personne*] to arch one's back

Cambridgeshire ▸ **p. 721** *nprm* **le ~** Cambridgeshire

cambrien, **-ienne** /kɑ̃bʀijɛ̃, ɛn/
[A] *adj* Cambrian
[B] *nm* Cambrian

cambriolage /kɑ̃bʀijɔlaʒ/ *nm* burglary

cambrioler /kɑ̃bʀijɔle/ [1] *vtr* to burgle GB, to burglarize US; **se faire ~** to be burgled GB, to be burglarized US

cambrioleur, **-euse** /kɑ̃bʀijɔlœʀ, øz/ *nm,f* burglar

cambrousse○ /kɑ̃bʀus/ *nf* **la ~** the sticks○ (*pl*), the country; **en pleine ~** right out in the sticks○, in the middle of nowhere; **n'être jamais sorti de sa ~** to be a country bumpkin

cambrure /kɑ̃bʀyʀ/ *nf* [1] (état courbé) bending; [2] (courbe) curve
(Composés) **~ des pieds** instep; **~ des reins** small of the back

cambuse /kɑ̃byz/ *nf* [1] Naut storeroom; [2] ◑(chambre, maison) pej dump○, hovel péj

came /kam/ *nf* [1] Mécan cam; [2] ◑(drogue) drugs (*pl*)

camé◑, **~e**¹ /kame/
[A] *pp* ▸ **camer**
[B] *pp adj* (avec drogue, médicament) **être ~** to be on drugs
[C] *nm,f* junkie○, drug addict

camée² /kame/ *nm* cameo

camel /kamɛl/ ▸ **p. 202** *adj inv* camel, camel-coloured^{GB}

caméléon /kameleɔ̃/ *nm* lit, fig chameleon

camélia /kamelja/ *nm* camellia; **la Dame aux ~s** the Lady of the Camellias

camelot○ /kamlo/ ▸ **p. 532** *nm* street vendor

camelote○ /kamlɔt/ *nf* pej junk○, rubbish GB; **c'est de la ~ cette montre!** this watch is junk *ou* rubbish!

camembert /kamɑ̃bɛʀ/ *nm* [1] Culin Camembert; [2] ○Ordinat, Stat pie chart

camer◑ /kame/ [1]
[A] *vtr* to dope○, to drug; **~ qn à** *or* **avec qch** to dope○ *ou* drug sb with sth
[B] **se camer** *vpr* to be on drugs

caméra /kameʀa/ *nf* (cine-)camera GB, movie camera US; **~ de télévision** TV camera; **la ~ cachée** TV candid camera

cameraman, *pl* **-men*** /kameʀaman, mɛn/ ▸ **p. 532** *nm* controv cameraman

camériste /kameʀist/ *nf* [1] (dame d'honneur) lady-in-waiting; [2] (femme de chambre) chambermaid

Cameroun /kamʀun/ ▸ **p. 333** *nprm* Cameroon

camerounais, **~e** /kamʀunɛ, ɛz/ ▸ **p. 561** *adj* Cameroonian

Camerounais, **~e** /kamʀunɛ, ɛz/ ▸ **p. 561** *nm,f* Cameroonian

caméscope® /kameskɔp/ *nm* camcorder

camion /kamjɔ̃/ *nm* [1] (véhicule) truck, lorry GB; [2] (récipient de peinture) paint bucket
(Composés) **~ à benne** tipper truck; **~ de déménagement** removal van; **~ frigorifique** refrigerated truck *ou* lorry GB; **~ militaire** Mil military truck

camion-citerne, *pl* **camions-citernes** /kamjɔ̃sitɛʀn/ *nm* tanker

camionnage /kamjɔnaʒ/ *nm* [1] (transport) road haulage GB, trucking US; [2] (coût) haulage

camionnette /kamjɔnɛt/ *nf* van, panel truck US; **~ de livraison** delivery van

camionneur /kamjɔnœʀ/ ▸ **p. 532** *nm* [1] (conducteur) lorry driver GB, truck driver; [2] (entrepreneur) haulage contractor GB, trucker US

camisole /kamizɔl/ *nf* camisole
(Composés) **~ chimique** Méd sedatives (*pl*); **~ de force** Méd straitjacket; **mériter la ~ de force** fig to need locking up

camomille /kamɔmij/ *nf* [1] (plante) camomile; [2] (infusion) camomile tea

camouflable /kamuflabl/ *adj* concealable

camouflage /kamuflaʒ/ *nm* [1] Mil (dispositif) camouflage; (action) camouflaging ⊄; **tenue de ~** camouflage fatigues (*pl*); [2] fig (dissimulation de la vérité) concealing ⊄; (transformation des faits) disguising ⊄ (**en** as); **une opération de ~** a cover-up

camoufler /kamufle/ [1]
[A] *vtr* [1] Mil to camouflage; [2] (cacher) to cover up [*crime, défaut, erreur, vérité*]; to conceal [*intention, sentiment*]; **~ un meurtre en suicide** to disguise a murder as a suicide; [3] (mettre en lieu sûr) to hide [*argent*]
[B] **se camoufler** *vpr* to hide; **se ~ le visage** to cover one's face

camouflet /kamuflɛ/ *nm* affront, snub; **infliger un ~ à qn** to snub sb

camp /kɑ̃/ *nm* [1] Mil (lieu, groupe) camp; **~ militaire** military camp; **~ fortifié** fortified camp; **~ d'entraînement** training camp; **rentrer au ~** to return to (the) camp; **lever le ~** lit to strike camp; fig○ to leave; [2] (prison) camp; **~ de prisonniers** prison camp; **~ de détention** *or* **réclusion** detention centre^{GB}; [3] (campement provisoire) camp; **~ de réfugiés/nudistes/vacances** refugee/nudist/holiday camp; **~ scout** scout camp; **faire un ~** [*scout*] to go on camp; **partir en ~ d'escalade** to go on a climbing holiday; [4] Sport, Pol side; **choisir son ~** to choose one's side; **changer de ~** to change sides; **dans le ~ adverse** on the other side
(Composés) **~ de concentration** concentration camp; **~ d'extermination** extermination camp; **~ d'internement** internment camp; **~ de la mort** death camp; **~ retranché** entrenched camp; **~ de travail** labour^{GB} camp; **Camp du Drap d'or** Field of the Cloth of Gold
(Idiomes) **ficher**○ *or* **foutre**◑ **le ~** to split○, to leave; **tout fout le ~**◑ everything is falling apart

campagnard, **~e** /kɑ̃paɲaʀ, aʀd/
[A] *adj* [*vie, fête, accent*] country (*épith*); [*accent, repas, meuble*] rustic
[B] *nm,f* country person; **les ~s** country people

campagne /kɑ̃paɲ/ *nf* [1] (régions rurales) country; (paysage) (open) countryside; **la ~ toscane** the Tuscan countryside; **habiter (à) la ~** to live in the country; **en pleine ~** in the countryside; **en rase ~** in the open countryside; **route/médecin de ~** country road/doctor; **les gens/les habitudes de la ~** country people/habits; **les travaux de la ~** farm work, agricultural labour^{GB}; [2] (opération) campaign; **~ électorale/publicitaire** election/advertising campaign; **~ de presse/propagande** press/propaganda campaign; **~ commerciale** sales campaign *ou* drive; **~ de recrutement/vaccination** recruitment *ou* recruiting/vaccination drive; **entrer en ~** [*homme politique*] to start one's campaign; **son entrée en ~** the start of his/her campaign; **mener** *or* **faire ~ pour/contre** to campaign for/against; **~ de saturation** Pub media saturation campaign; [3] (période d'activité) year; **~ viticole/de pêche** winegrowing/fishing year; **~ de commercialisation 1991–92** 1991/92 marketing year; [4] Mil campaign; **la ~ d'Égypte/de Russie** the Egyptian/Russian campaign; **armée en ~** army on campaign *ou* in the field; **faire ~** to fight (a campaign); **se mettre en ~** Mil to put oneself on a war footing; **se mettre en ~ pour trouver qch** fig to set about finding sth; **artillerie/tenue de ~** field artillery/dress
(Composé) **Campagne romaine** Campagna
(Idiome) **battre la ~**○ to be off one's rocker○

campagnol /kɑ̃paɲɔl/ *nm* vole

Campanie /kɑ̃pani/ ▸ **p. 721** *nf* Campania

campanile /kɑ̃panil/ *nm* bell tower, campanile spéc

campanule /kɑ̃panyl/ *nf* campanula, bellflower

campement /kɑ̃pmɑ̃/ *nm* [1] (lieu) camp; **établir un ~** to set up camp; **replier le ~** to pack up; [2] (activité) camping; **matériel de ~** camping equipment

camper /kɑ̃pe/ [1]
[A] *vtr* [1] (décrire) to portray [*personnage*]; to depict [*paysage, scène*]; **personnage bien campé** well-portrayed character; **récit bien campé** well-constructed story; [2] ○(quitter) **il m'a campé là** he dumped me there○
[B] *vi* to camp; **~ sur ses positions** fig to stand firm
[C] **se camper** *vpr* **se ~ devant qch/qn** to stand squarely in front of sth/sb; **bien campé sur ses jambes** standing firm; **se campant sur ses jambes, il...** standing firm, he...

campeur, **-euse** /kɑ̃pœʀ, øz/ *nm,f* camper

camphre /kɑ̃fʀ/ *nm* camphor

camphré, **~e** /kɑ̃fʀe/ *adj* [*alcool, huile*] camphorated

camphrier /kɑ̃fʀije/ *nm* camphor laurel

camping /kɑ̃piŋ/ *nm* [1] (activité) camping; **faire du ~** to go camping; **faire du ~ sauvage** to camp rough; **'~ sauvage interdit'** 'no camping'; **~ à la ferme** camping on a farm-based site; [2] (lieu) campsite GB, campground US

camping-car, *pl* **~s** /kɑ̃piŋkaʀ/ *nm* controv camper

camping-gaz® /kɑ̃piŋgaz/ *nm inv* (réchaud) camping stove

campus /kɑ̃pys/ *nm inv* campus; **hors ~** off-campus

camus, ~e /kamy, yz/ *adj* [*nez*] snub (*épith*); **il a le nez ~** he's got a snub nose

canada* /kanada/ *nf inv* Bot, Culin ≈ russet (apple)

Canada ➡📖 /kanada/ ▸ **p. 333** *nprm* Canada

Canadair® /kanadɛʀ/ *nm* water bomber, air tanker

canadianisme /kanadjanism/ *nm* Canadianism

canadien, -ienne /kanadjɛ̃, ɛn/ ▸ **p. 561**
A *adj* Canadian
B canadienne *nf* **1** (veste) sheepskin-lined jacket; **2** (tente) ridge tent

Canadien, -ienne /kanadjɛ̃, ɛn/ ▸ **p. 561** *nm,f* Canadian

canaille /kanɑj/
A *adj* [*air, allure*] mischievous
B *nf* **1** (personne) villain; **petite ~** rascal; **2** †(racaille) rabble

canal, *pl* **-aux** /kanal, o/ *nm* **1** (voie navigable) canal; **le Grand Canal** the Grand Canal; **le ~ de Suez** the Suez canal; **au bord du ~** by the canal; **2** (moyen) channel; **le ~ administratif/diplomatique** the administrative/diplomatic channel; **annoncer/apprendre qch par le ~ de la télévision** to announce/to hear sth on television; **3** Anat (tube) duct; **un ~ obstrué** a blocked duct; **4** Géog (bras de mer) channel; **5** Télécom (fréquence) channel
(Composés) **~ adducteur** water supply channel; **~ d'amenée** headrace channel; **~ biliaire** bile duct; **~ déférent** vas deferens; **~ de dérivation** bypass channel; **~ de diffusion** *or* **de distribution** distribution channel; **~ de drainage** drop pipe; **~ d'irrigation** irrigation channel; **~ médullaire** medullary canal; **canaux semi-circulaires** semicircular canals

canalisation /kanalizasjɔ̃/ *nf* **1** (tuyau) pipe; (réseau) mains (*pl*); **les ~s sont bouchées** the pipes are blocked; **2** (aménagement d'un cours d'eau) canalization; **3** (action de diriger) channelling[GB]; **la ~ de l'information** the channelling[GB] of information

canaliser /kanalize/ [1] *vtr* **1** Gén Civ to canalize [*cours d'eau*]; to carry out the canalization of [*région*]; **2** (diriger) to channel [*argent, circulation, foule, énergie, force*]; to contain [*colère, mécontentement*]

cananéen /kananeɛ̃/ *nm* Ling Canaanitic

canapé /kanape/ *nm* **1** (siège) sofa, settee; **~ convertible** sofa bed; **2** Culin canapé; **~s au caviar** caviar canapés

canapé-lit, *pl* **canapés-lits** /kanapeli/ *nm* sofa bed

canaque /kanak/ *adj* Kanak

Canaque /kanak/ *nmf* Kanak

canard /kanaʀ/ *nm* **1** Zool duck; **chasse aux ~s** duck shooting; **~ domestique/sauvage** domestic/wild duck; **marcher en ~** to waddle; ▸ **vilain**; **2** Culin duck; **~ à l'orange/aux olives** duck in orange sauce/with olives; **3** ○(sucre) *sugar lump dipped in coffee or brandy*; **4** ○(journal) rag○, newspaper; **5** ○(fausse nouvelle) false rumour[GB]; **lancer des ~s** to spread false rumours[GB]; **6** Mus (fausse note) wrong note; **7** ○(terme d'affection) darling; **8** Can (bouilloire) kettle
(Composés) **~ de Barbarie** Muscovy duck; **~ boîteux** fig lame duck; **~ laqué** Peking duck; **~ mandarin** mandarin duck
(Idiomes) **ça ne casse pas trois** *or* **quatre pattes à un ~**○ it's nothing to write home about; **glisser sur qn comme l'eau sur l'aile d'un ~** to be like water off a duck's back to sb; **il ne faut pas prendre les enfants du bon Dieu pour des ~s sauvages**○ you should give people credit for some intelligence

canardeau, *pl* **~x** /kanaʀdo/ *nm* duckling

canarder○ /kanaʀde/ [1]
A *vtr* lit, fig to snipe at [*personne, positions*]
B ○*vi* Mus (en chantant) to sing a wrong note; (en jouant) to play a wrong note

canardière /kanaʀdjɛʀ/ *nf* **1** (mare) duck pond; **2** (fusil) punt gun

canari /kanaʀi/ *nm* **1** (oiseau) canary; **2** ▸ **p. 202** (couleur) **jaune ~** canary yellow

Canaries /kanaʀi/ ▸ **p. 435** *nprfpl* **les (îles) ~** the Canary Islands, the Canaries

canasson◑ /kanasɔ̃/ *nm* nag○, horse

canasta /kanasta/ ▸ **p. 469** *nf* canasta

Canberra /kɑ̃bɛʀa/ ▸ **p. 894** *npr* Canberra

cancan /kɑ̃kɑ̃/ *nm* **1** ○(commérage) gossip ₵; **faire** *or* **raconter des ~s** to gossip; **faire courir des ~s sur qn** to spread gossip about sb; **2** (danse) **(French) ~** cancan

cancaner /kɑ̃kane/ [1] *vi* **1** ○[*personne*] to gossip; **2** [*canard*] to quack

cancanier, -ière /kɑ̃kanje, ɛʀ/
A *adj* [*personne*] gossipy (*épith*); **il est (très) ~** he's a (real) gossip
B *nm,f* (personne) gossip

cancer /kɑ̃sɛʀ/ *nm* **1** ▸ **p. 283** Méd cancer; **avoir un ~** to have cancer; **un ~ du sein/du poumon/de la peau** breast/lung/skin cancer; **~ du col de l'utérus/du rein** cervical/renal cancer; **~ de l'estomac/de l'œsophage** cancer of the stomach/of the oesophagus; **2** fig cancer
(Composés) **~ épithélial** carcinoma; **~ glandulaire** adenocarcinoma

Cancer /kɑ̃sɛʀ/ ▸ **p. 912** *nprm* Cancer

cancéreux, -euse /kɑ̃seʀø, øz/
A *adj* [*tumeur, cellule*] cancerous; [*personne*] with cancer (*épith, après n*)
B *nm,f* gén person with cancer; (sous traitement) cancer patient; **les ~** people with cancer; **c'est un ~** he has cancer

cancérigène /kɑ̃seʀiʒɛn/ *adj* carcinogenic

cancérisation /kɑ̃seʀizasjɔ̃/ *nf* cancerization

cancériser: se cancériser /kɑ̃seʀize/ [1] *vpr* to become cancerous; **tissu cancérisé** cancerous tissue

cancérogène /kɑ̃seʀɔʒɛn/ *adj* carcinogenic

cancérologie /kɑ̃seʀɔlɔʒi/ *nf* cancer research; **service de ~** cancer ward

cancérologue /kɑ̃seʀɔlɔg/ ▸ **p. 532** *nmf* cancer specialist

cancre /kɑ̃kʀ/ *nm* dunce

cancrelat /kɑ̃kʀəla/ *nm* cockroach

candela* /kɑ̃dela/ *nf* candela

candélabre /kɑ̃delabʀ/ *nm* (chandelier) candelabra GB, candelabrum US

candeur /kɑ̃dœʀ/ *nf* ingenuousness; **yeux pleins de ~** innocent eyes

candi /kɑ̃di/ *adj m* **fruit ~** candied fruit; **sucre ~** sugar candy, rock candy US

candidat, ~e /kɑ̃dida, at/ *nm,f* **1** Pol candidate; **être** *or* **se porter ~ aux élections** to stand for election GB, to run for office US; **être ~ aux législatives** to stand for election to the Assemblée; **~ désigné** *or* **officiel** Pol nominee; **2** Admin, Scol, Univ (à un examen) candidate; **les ~s à l'examen** examination candidates; **les ~s au permis de conduire** people taking the driving test; **3** Admin, Entr (à un poste, statut) applicant (**à** for); **le ~ retenu** the successful applicant; **~ à l'immigration** applicant for immigration; **être** *or* **se porter ~ (à un poste)** to apply (for a post); **4** Jeux contestant (**à** in); **~ à un concours** contestant in a competition; **5** (aspirant) **~ au voyage/à l'emprunt** would-be traveller[GB]/borrower; **~ au suicide** potential suicide; **c'est un ~ à l'infarctus** he's heading for a heart attack; **être ~ à l'émigration** to be considering emigrating; **il n'est pas ~ au mariage/au suicide** he's not the marrying type/the type to commit suicide; **pour la vaisselle, il n'y a pas beaucoup de ~s!** hum when it comes to doing the dishes, there aren't many takers *ou* volunteers

candidater /kɑ̃didate/ [1] *vi* to apply

candidature ➡📖 /kɑ̃didatyʀ/ *nf* **1** (à une élection) candidacy, candidature GB; **il a annoncé sa ~ aux élections** he has announced his candidacy in the election; **retirer sa ~** to stand down GB, to drop out US; **2** (à un poste, statut) application; **~ spontanée** Entr unsolicited application; **retirer sa ~** to withdraw one's application; **faire acte de ~** to apply (**à** for)

candide /kɑ̃did/ *adj* ingenuous, guileless

candidement /kɑ̃didmɑ̃/ *adv* ingenuously

candidose /kɑ̃didoz/ ▸ **p. 283** *nf* Méd candidiasis

candir /kɑ̃diʀ/ [3] *vtr* to candy

cane /kan/ *nf* (female) duck

canepetière /kanpətjɛʀ/ *nf* little bustard

caner◑ /kane/ [1]
A *vtr* (fatiguer) to knacker [sb] out◑; **j'étais cané** I was knackered◑
B *vi* (mourir) to die, to croak◑

caneton /kantɔ̃/ *nm* duckling

canette /kanɛt/ *nf* **1** (bouteille) **~ (de bière)** (small) bottle of beer; **2** (boîte) **~ de bière** can of beer; **3** Tex (de tissage) pirn GB, quill US; Cout (de machine à coudre) spool; **faire une ~** to make up a spool; **4** Zool (female) duckling
(Composé) **~ métallique** can

canevas /kanva/ *nm* **1** Tex (toile) canvas; **2** Cout (ouvrage) tapestry work; **3** fig framework

caniche /kaniʃ/ *nm* poodle; ▸ **grand**
(Composés) **~ miniature** *or* **moyen** miniature poodle; **~ nain** toy poodle

caniculaire /kanikylɛʀ/ *adj* [*chaleur, journée*] scorching

canicule /kanikyl/ *nf* **1** (chaleur) **hier, c'était la ~** yesterday was a real scorcher○; **sortir en pleine ~** to go out in the scorching heat; **2** (période chaude) dog days (*pl*); (vague de chaleur) heatwave

canidé /kanide/ *nm* canine; **les ~s** Canidae

canif /kanif/ *nm* **1** gén penknife, pocketknife; **bois marqué de coups de ~** wood scored by a penknife; **2** Art (de graveur) knife
(Idiome) **donner un coup de ~ dans le contrat**○ to be unfaithful

canin, ~e /kanɛ̃, in/
A *adj* Zool [*race*] canine; [*exposition, nourriture*] dog (*épith*)
B canine *nf* (dent) canine (tooth)

caninette® /kaninɛt/ *nf* pooper-scooper○

canisse /kanis/ *nf* (treillis) reed screening ₵

caniveau, *pl* **~x** /kanivo/ *nm* (de chaussée) gutter; (pour câbles) trough; Agric (pour excréments) slurry channel

canna /kana/ *nm* Bot canna

cannabis /kanabis/ *nm* cannabis

cannage /kanaʒ/ *nm* **1** (travail) caning ₵; **2** (produit) canework ₵; **faire refaire le ~ d'une chaise** to have a chair re-caned

canne /kan/ *nf* **1** (pour marcher) (walking) stick, cane; **une ~ à pommeau** a stick with a knob; **donner un coup de ~ à qn** to hit sb with a stick; **2** Bot cane; **3** Ind (de souffleur de verre) blowpipe; **4** ◑(jambe) pin○, leg; **ne pas tenir sur ses ~s** to be a bit unsteady *ou* wobbly○ on one's feet
(Composés) **~ anglaise** (forearm) crutch; **~ blanche** (objet) white stick GB, white cane US; (personne) blind person; **~ de golf** golf club; **~ à pêche** fishing rod; **~ de Provence** Bot giant reed; **~ à sucre** sugar cane

---

➡📖 *voir* Variétés d'anglais; La recherche d'un emploi

C

C

canné, **~e** /kane/
A *pp* ▸ **canner**
B *pp adj* [*fauteuil, chaise*] cane (*épith*)

canne-béquille, *pl* **cannes-béquilles** /kanbekij/ *nf* elbow crutch

canneberge /kanbɛʀʒ/ *nf* cranberry

canne-épée, *pl* **cannes-épées** /kanepe/ *nf* sword stick GB, sword cane US

cannelé, **~e** /kanle/ *adj* [1] gén [*colonne, verre*] fluted; [2] Hérald invecked

cannelier /kanəlje/ *nm* cinnamon (tree)

cannelle /kanɛl/
A ▸ **p. 202** *adj inv* (couleur) cinnamon; **couleur ~** cinnamon coloured[GB]
B *nf* [1] Bot, Culin cinnamon; [2] Tech (robinet) spigot

cannelloni* /kanɛlɔni/ *nmpl* Culin cannelloni

cannelure /kanlyʀ/ *nf* (de colonne) flute; **~s** fluting ₵

canner /kane/ [1] *vtr* to cane [*siège*]

Cannes /kan/ ▸ **p. 894** *npr* Cannes; **le Festival de ~** the Cannes Film Festival

> **Festival de Cannes**
>
> The international cinema festival which takes place in May in Cannes, the high point of which is the selection from a number of nominations of the best film of the year. The winner is awarded the *Palme d'Or*. The ten-person *jury*, composed of film-makers, writers, artists, and actors, also awards prizes for best actor, best actress, best screenplay, best director, best short film, best debut, and the *Grand Prix du Jury*.

cannette *nf* = **canette 1, 2, 3**

canneur, **-euse** /kanœʀ, øz/ ▸ **p. 532** *nm,f* cane worker, caner

cannibale /kanibal/
A *adj* [*tribu, espèce*] cannibal (*épith*)
B *nmf* cannibal

cannibaliser /kanibalize/ [1] *vtr* to cannibalize [*machine, véhicule*]

cannibalisme /kanibalism/ *nm* cannibalism

cannois, **~e** /kanwa, az/ ▸ **p. 894** *adj* of Cannes

Cannois, **~e** /kanwa, az/ *nm,f* (natif) native of Cannes; (habitant) inhabitant of Cannes

canoë /kanɔe/ ▸ **p. 469** *nm* [1] (embarcation) (Canadian) canoe; **descendre une rivière en ~** to canoe down a river; [2] (sport) canoeing; **faire du ~** to go canoeing

canoéiste /kanɔeist/ *nmf* (Canadian) canoeist

canoë-kayak /kanɔekajak/ ▸ **p. 469** *nm* canoeing

canon /kanɔ̃/
A *adj m inv* [1] ◑(superbe) fantastic○, magnificent; [2] Jur **droit ~** canon law
B *nm* [1] Mil (arme) (big) gun; (sur un avion) cannon; Hist cannon; **~ de 75 (mm)** 75-mm gun; **tirer un coup de ~** to fire a gun; **entendre des coups de ~** to hear cannon fire; **salué de 21 coups de ~** given a 21-gun salute; **boulet de ~** cannonball; [2] Mil (tube d'arme) barrel; **à ~ lisse** smoothbore (*épith*); **à ~ rayé** rifled; **fusil à ~ double** double-barrelled[GB] shotgun; **fusil à ~ scié** sawn-off GB *ou* sawed-off US shotgun; [3] Mus canon; **chanter en ~** to sing in a round; [4] (principe) canon; **les ~s de la beauté** the canons of beauty; [5] Bible, Relig canon; [6] Zool (os) cannon bone; [7] ○(verre) glass (of wine)
(Composés) **~ antiaérien** antiaircraft gun; **~ antichar** antitank gun; **~ arroseur** Agric sprinkler; **~ à corbeaux** Agric bird-scaring device; **~ à eau** water cannon; **~ à électrons** Phys electron gun; **~ mitrailleur** heavy machine gun; **~ à mousse** foam gun; **~ à neige** Sport snow-blower; **~ de perçage** Tech bush GB, bushing US

cañon* /kanjɔ̃, kanjɔn/ *nm* canyon; **~ sous-marin** submarine canyon

canonicat /kanɔnika/ *nm* canonry

canonique /kanɔnik/ *adj* [1] Relig [*décret*] canonical; **droit ~** canon law; **d'âge ~** hum of a venerable age; [2] Ling, Math [*phrase, forme, équation, matrice*] canonical

canonisation /kanɔnizasjɔ̃/ *nf* canonization

canoniser /kanɔnize/ [1] *vtr* to canonize

canonnade /kanɔnad/ *nf* cannonade

canonner /kanɔne/ [1] *vtr* gén to bombard; (avec des obus) to shell

canonnier /kanɔnje/ *nm* gunner

canonnière /kanɔnjɛʀ/ *nf* [1] (navire) gunboat; [2] (meurtrière) loophole, eyelet

canope /kanɔp/ *nm* Canopic jar

canopée /kanɔpe/ *nf* canopy

Canossa /kanɔsa/ ▸ **p. 894** *npr* Canossa
(Idiome) **aller à ~** to eat humble pie

canot /kano/ *nm* (small) boat, dinghy
(Composés) **~ automobile** motorboat; **~ de pêche** (open) fishing boat; **~ pneumatique** rubber *ou* inflatable dinghy; **~ à rames** rowing boat; **~ de sauvetage** Naut lifeboat; Aviat life raft

canotage /kanɔtaʒ/ *nm* boating

canoter /kanɔte/ [1] *vi* to go boating

canoteur, **-euse** /kanɔtœʀ, øz/ *nm,f* rower

canotier /kanɔtje/ *nm* (chapeau) boater

cantabile /kɑ̃tabile/ *nm* Mus cantabile

Cantal /kɑ̃tal/ ▸ **p. 721** *nprm* (département) **le ~** Cantal

cantaloup /kɑ̃talu/ *nm* cantaloupe melon

cantate /kɑ̃tat/ *nf* cantata

cantatrice /kɑ̃tatʀis/ ▸ **p. 532** *nf* (d'opéra) opera singer; (de musique classique) (professional) singer

cantharide /kɑ̃taʀid/ *nf* Zool Spanish fly; **poudre de ~** cantharides (*pl*)

cantilène /kɑ̃tilɛn/ *nf* cantilena

cantilever /kɑ̃tilɛvœʀ/ *adj inv* [*suspension, pont*] cantilever; **travée ~** cantilever span

cantine /kɑ̃tin/ *nf* [1] (restaurant) canteen GB, cafeteria; **je ne mange jamais à la ~** gén I never eat in the canteen GB *ou* cafeteria; Scol I never have school dinner GB *ou* school lunch; [2] (malle) tin trunk
(Composé) **~ ambulante** Mil mobile canteen

cantinier, **-ière** /kɑ̃tinje, ɛʀ/ ▸ **p. 532**
A *nm,f* canteen manager/manageress
B **cantinière** *nf* Hist Mil camp follower (*who cooks for army*)

cantique /kɑ̃tik/ *nm* canticle; **le Cantique des ~s** the Song of Songs

canton /kɑ̃tɔ̃/ *nm* [1] Admin canton; **réputé dans tout le ~**○ famed for miles around; [2] (de route, voie ferrée) section; [3] Hérald canton
(Composés) **~ dextre du chef** Hérald dexter chief; **~ dextre de pointe** Hérald dexter base; **~ senestre du chef** Hérald sinister chief; **~ senestre de pointe** Hérald sinister base; **~ de voie** Rail block section; **Cantons de l'Est** Eastern Townships

> **Canton**
>
> An electoral district within a *département*, which elects a member of the *conseil régional*.

Canton /kɑ̃tɔ̃/ ▸ **p. 894** *npr* Canton, Guangzhou

cantonade: **à la cantonade** /alakɑ̃tɔnad/ *loc adv* **parler à la ~** to speak to no-one in particular; Théât to speak off; **dire qch à la ~** to say sth for all to hear; **il raconte ça à la ~** he tells anyone and everyone

cantonais, **~e** /kɑ̃tɔnɛ, ɛz/ ▸ **p. 483**
A ▸ **p. 894** *adj* Cantonese
B *nm* Ling Cantonese

Cantonais, **~e** /kɑ̃tɔnɛ, ɛz/ *nm,f* Cantonese

cantonal, **~e**, *mpl* **-aux** /kɑ̃tɔnal, o/
A *adj* cantonal
B **cantonale** *nf* Pol **~e (partielle)** by-election; **les ~es** cantonal elections

cantonné, **~e** /kɑ̃tɔne/ *adj* Hérald cantoned

cantonnement /kɑ̃tɔnmɑ̃/ *nm* [1] Mil (stationnement) (dans une ville, région) stationing ₵; (chez l'habitant) billeting ₵; (lieu) gén quarters (*pl*); (chez l'habitant) billet; (camp) station; **installer ses ~s** Mil to set up one's quarters; [2] Rail block
(Composé) **~ de pêche** Pêche fishery reserve

cantonner /kɑ̃tɔne/ [1]
A *vtr* [1] Mil gén to station [*troupes*]; (chez l'habitant) to billet [*troupes*] (**chez** with); **régiment cantonné à la frontière** regiment stationed at the border; [2] (restreindre) **~ qn dans un lieu** to confine sb to a place; **~ qn dans le rôle de** to reduce sb to the role of
B *vi* [*troupes*] to be stationed
C **se cantonner** *vpr* **se ~ dans un rôle/style** to restrict oneself to a role/style

cantonnier /kɑ̃tɔnje/ ▸ **p. 532** *nm* roadmender

cantonnière /kɑ̃tɔnjɛʀ/ *nf* (de fenêtre) pelmet

Cantorbéry /kɑ̃tɔʀbeʀi/ ▸ **p. 894** *npr* Canterbury

canulant○, **~e** /kanylɑ̃, ɑ̃t/ *adj* irritating

canular /kanylaʀ/ *nm* hoax; **monter un ~** to set up a hoax; **monter un ~ à qn** to hoax sb

canule /kanyl/ *nf* cannula; **~ de trachéotomie** tracheotomy tube

canut, **-use** /kany, yz/ *nm* silk worker (*in Lyons*)

canyon = **cañon**

canyoning /kanjɔniŋ/ ▸ **p. 469** *nm* canyoning

CAO /seao/ *nf*: *abbr* ▸ **conception**

caoua○ /kawa/ *nm* coffee

caoutchouc /kautʃu/ *nm* [1] (matière) rubber; **de** *or* **en ~** rubber (*épith*); **être en ~** to be made of rubber; **bottes en ~** rubber boots, wellington boots; **~ mousse/synthétique** foam/synthetic rubber; [2] (de protection) rubber overshoe; [3] (plante) rubber plant; [4] (élastique) rubber band

caoutchouter /kautʃute/ [1] *vtr* to rubberize

caoutchouteux, **-euse** /kautʃutø, øz/ *adj* rubbery

cap /kap/ *nm* [1] Géog (promontoire) cape; **le ~ Horn** Cape Horn; **doubler** *or* **franchir un ~** to round a cape; [2] (obstacle) hurdle; **franchir** *or* **passer un ~** to get over a hurdle; [3] (limite) mark; **le ~ des 1 000 abonnés** the 1,000 subscribers mark; **passer le ~ de la cinquantaine** to pass the fifty mark; [4] (orientation) course; **changer de ~** [*navire, capitaine, parti, ministre*] to change course; **tenir** *or* **garder** *or* **maintenir le ~** [*navire, capitaine, parti, ministre*] to hold one's course; **mettre le ~ sur** [*capitaine, navire*] to head for; **mettre le ~ au sud** [*navire, capitaine*] to head south

Cap /kap/ ▸ **p. 894** *npr* **le ~** Cape Town

CAP /seape/ *nm*: *abbr* ▸ **certificat**

CAPA /kapa/ *nm*: *abbr* ▸ **certificat**

capable /kapabl/ *adj* [*personne, machine, test*] capable (**de qch** of sth; **de faire** of doing); **c'est quelqu'un de très ~** he's a very capable person; **il est ~ d'une analyse lucide** he is capable of lucid analysis; **il n'est même pas ~ de faire cuire un œuf dur** he isn't even capable of boiling an egg!, he can't even boil an egg!; **je vais lui montrer de quoi je suis ~**○ I'll show him/her what I'm capable of!; **il est ~ de tout pour garder sa place** he would do anything to keep his job; **il doit noter les appels mais je ne sais pas s'il en est ~** he has to note down the calls but I don't know if he is up to it; **c'est une situation grave,**

C

ℹ La capacité

■ *Pour mesurer les liquides, on utilise traditionnellement les pints, les quarts (rares aujourd'hui) et les gallons en Grande-Bretagne et aux États-Unis. Les liquides comme le vin ou l'essence sont de plus en plus vendus au litre, mais cela n'a pas modifié les habitudes des consommateurs. L'automobiliste anglais ou américain achète donc désormais son essence en litres, mais compte toujours sa consommation en gallons.*

■ *Pour les mesures en cm³, dm³, m³ etc. voir* **le volume ▸ p. 903**. *Pour la prononciation des nombres, voir* **les nombres ▸ p. 568.**

Les mesures britanniques: équivalences

		dire
1 pint = 0,57l	1 litre* 1l† = 1.76‡ pt	*pint*
1 quart = 2 pints = 1,13l	0.88 qt	*quarts*
1 gallon = 8 pints = 4,54l	0.22 galls	*gallons*

Les mesures américaines: équivalences

		dire
1 pint = 0,47l	1 litre* 1l† = 2.12‡ pts	*pint*
1 quart = 2 pints = 0,94l	1.06 qt	*quarts*
1 gallon = 8 pints = 3,78l	0.26 galls	*gallons*

* *Attention: on écrit* litre *en anglais britannique, et* liter *en anglais américain.*

† *L'abréviation de* litre *(l) est la même en anglais qu'en français.*

‡ *Noter que l'anglais utilise un point là où le français a une virgule.*

il y a 1 000 centimètres cubes dans un litre
= there are 1,000 cubic centimetres in a litre

1 000 centimètres cubes font un litre
= 1,000 cubic centimetres make one litre

il y a huit pintes dans un gallon
= there are eight pints in a gallon

quelle est la contenance de la bouteille?
= what is the size of the bottle?
ou (moins familier) what is the capacity of the bottle?

combien contient-elle?
= what does it hold?

elle contient 2 litres
= it holds two litres

elle a une contenance de 2 litres
= its capacity is two litres

la contenance de la bouteille est de 2 litres
= the capacity of the bottle is two litres

■ *Noter l'absence d'équivalent anglais de la préposition française* de *avant le chiffre dans les deux derniers exemples.*

la bouteille fait 2 litres
= the bottle holds 2 litres

elle fait à peu près 2 litres
= it holds about 2 litres

presque 3 litres
= almost 3 litres

plus de 2 litres
= more than 2 litres

moins de 3 litres
= less than 3 litres

A a une plus grande contenance que B
= A has a greater capacity than B

B a une moins grande contenance que A
= B has a smaller capacity than A

A a la même contenance que B
= A has the same capacity as B

A et B ont la même contenance
= A and B have the same capacity

■ *Noter l'ordre des mots dans les adjectifs composés anglais, et l'utilisation du trait d'union. Noter aussi que* litre, *employé comme adjectif, ne prend pas la marque du pluriel.*

une bouteille de deux litres
= a 2-litre bottle

un réservoir de 200 litres
= a 200-litre tank

■ *Mais on peut également dire* a tank 200 litres in capacity.

deux litres de vin
= two litres of wine

vendu au litre
= sold by the litre

ils utilisent 20 000 litres par jour
= they use 20,000 litres a day

elle fait 8 litres aux 100
= it does 28 miles to the gallon

■ *En anglais, on compte la consommation d'une voiture en mesurant non pas le nombre de litres nécessaires pour parcourir 100 kilomètres, mais la distance parcourue (en miles) avec 4,54 litres (un gallon) de carburant.*

~ **d'évoluer vers la guerre** it's a serious situation which could escalate into war; **je ne le crois pas ~ de nous trahir** I don't think he would betray us; **ils sont bien ~s de nous dénoncer/de ne pas nous attendre** I wouldn't put it past them to turn us in/not to wait for us; **'recherchons boulanger, bon salaire si ~'** 'baker required, good salary for the right person'

capacitance /kapasitɑ̃s/ *nf* capacitance

capacité /kapasite/
A *nf* **1** (aptitude) ability; **~ de qn/qch à faire** capacity of sb/sth to do; **la ~ d'évolution des employés** the employees' capacity to progress; **un chercheur d'une grande ~** a researcher of great ability, a very talented researcher; **tes ~s d'imagination/d'analyse** your capacity for imagining/analysing; **avoir ~ à faire** Jur to be qualified to do; **2** (potentiel) capacity; **~ exportatrice/de production** export/production capacity; **~ d'intervention** Mil intervention capacity; **~ de 100 mégawatts** 100 megawatt capacity; **~s de stockage** storage capacity; **~ de mémoire** Ordinat memory capacity *ou* size; **3** (contenance) capacity; **un récipient de grande ~** a large capacity container; **~ d'accueil d'un hôtel/d'une prison** capacity of a hotel/of a prison; **un avion d'une ~ de 200 places** a plane with a capacity of 200; **la ~ d'accueil d'une ville touristique** the number of visitors a tourist resort can accommodate; **machine à laver à ~ variable** washing machine with variable load settings
B capacités *nfpl* (talent) abilities; **~s intellectuelles/physiques** intellectual/physical abilities; **je ne doute pas de vos ~s** I have no doubts as to your ability *ou* abilities
(Composés) **~ civile** civil capacity; **~ électrostatique** capacitance; **~ en droit** Univ, Jur *basic legal qualification*; **~ légale** Jur legal capacity, legal competence; **~ respiratoire** Méd vital capacity; **~ thermique** Phys thermal capacity; **~ thoracique** = **~ respiratoire**

caparaçon /kaparasɔ̃/ *nm* caparison

caparaçonner /kaparasɔne/ [1] *vtr* **1** Hist to caparison; **2** (protéger) to armour[GB]

cape /kap/ *nf* **1** Mode cape; (très longue) cape, cloak; **~ de berger** shepherd's cloak; **film de ~ et d'épée** swashbuckler; **2** (de matador) cape
(Idiome) **rire sous ~** to laugh up one's sleeve

capelan /kaplɑ̃/ *nm* (poisson) poor cod

capeline /kaplin/ *nf* wide-brimmed hat

CAPES /kapes/ *nm* (*abbr* = **certificat d'aptitude professionnelle à l'enseignement secondaire**) *secondary school teaching qualification*

> **CAPES**
> A teaching qualification, awarded by competitive examination or *concours*, which is normally required to teach in a *collège* or *lycée*. Preparation for the *CAPES* can be course-based at a specialist teacher-training institution (*IUFM*) or can be prepared for independently by candidates. Those who succeed in gaining the qualification are known as *capésiens* and are committed to five years of service in a state school. ▸**IUFM**

capésien, -ienne /kapesjɛ̃, ɛn/ *nm,f* holder of the CAPES

capharnaüm /kafarnaɔm/ *nm* shambles○ (*sg*); **quel ~, ta chambre!** what a shambles your room is!

cap-hornier /kapɔrnje/ *nm* **1** (voilier) *clipper which has followed the Cape Horn route*; **2** (marin) *sailor who has sailed the Cape Horn route*

capillaire /kapilɛr/
A *adj* **1** (de vaisseau sanguin) capillary; **2** (de cheveu) hair (*épith*); **soins ~s** hair care; **3** Phys capillary
B *nm* **1** Anat capillary; **2** Bot maidenhair fern

capillarité /kapilarite/ *nf* capillarity

capilliculteur, -trice /kapilikyltœr, tris/ ▸ **p. 532** *nm,f* hair care specialist

capilotade○ /kapilɔtad/ *nf* **en ~** in a bad way○; **se mettre le foie en ~** to ruin one's liver

capitaine /kapitɛn/ ▸ **p. 406** *nm* **1** (grade) (d'armée de terre, de marine) ≈ captain; (d'armée de l'air) ≈ flight lieutenant GB, ≈ captain US; (d'équipe sportive) captain; **2** Zool threadfin
(Composés) **~ de corvette** Mil Naut ≈ lieutenant commander; **~ de frégate** Mil Naut ≈ commander; **~ d'industrie** captain of industry; **~ au long cours** Naut fully-licensed captain; **~ des pompiers** fire chief; **~ de port** Naut harbour[GB] master; **~ de vaisseau** Mil Naut ≈ captain

capitainerie /kapitɛnri/ *nf* **1** (administration) port authority; **2** (bâtiment) port authority buildings (*pl*)

capital, ~e, *mpl* **-aux** /kapital, o/
A *adj* **1** (fondamental) [*rôle, rencontre, témoignage, œuvre*] key (*épith*), crucial; [*importance*] major; **le dernier chapitre de son livre est ~** the last chapter of his/her book is crucial; **une découverte ~e dans la recherche contre le cancer** a major breakthrough in cancer research; **c'est d'une importance ~e** it's of the utmost importance; **il est ~ de faire** it's essential to do; **il est ~ que tu viennes** it is essential that you (should) come; **2** Imprim

C

[*lettre*] capital; **3** (de mort) **peine ~e** capital punishment
B *nm* **1** Fin capital; **société au ~ de 50000 euros** company with (a) capital of 50,000 euros; **procéder à une augmentation de ~** to increase capital; **impôt sur le ~** capital levy; **2** Écon capital; **le ~ et le travail** capital and labour[GB]; **3** (ressource) **notre ~ santé** our health; **le ~ humain/industriel** human/industrial resources (*pl*)
C **capitaux** *nmpl* Fin (fonds) capital ₵, funds; **avoir besoin/manquer de capitaux** to need/to lack capital; **capitaux étrangers** foreign capital; **marché des capitaux** capital markets (*pl*); **mouvements de capitaux** capital movements
D **capitale** *nf* **1** (d'un pays) capital (city); **les ~es européennes** the European capitals; **les rues de la ~e** the streets of the capital; **2** (centre) capital; **une ~e boursière/culturelle** a financial/cultural capital; **Lyon, ~e des gourmets** Lyons, a paradise for gourmets; **3** Imprim capital; **en ~es d'imprimerie** in block capitals
(Composés) **~ décès** death benefit; **~ fixe** fixed assets (*pl*); **~ propre** equity capital; **~ social** issued capital; **capitaux fébriles** *or* **flottants** hot money ₵

capitalisable /kapitalizabl/ *adj* capitalizable

capitalisation /kapitalizasjɔ̃/ *nf* capitalization
(Composé) **~ boursière** market capitalization

capitaliser /kapitalize/ [1] *vtr* to capitalize

capitalisme /kapitalism/ *nm* capitalism

capitaliste /kapitalist/ *adj, nmf* capitalist

capitalistique /kapitalistik/ *adj* capital-intensive

capital-risque /kapitalʀisk/ *nm inv* venture capital

capital-risqueur, *pl* **~s** /kapitalʀiskœʀ/ *nm* venture capitalist

capitation /kapitasjɔ̃/ *nf* head tax

capiteux, **-euse** /kapitø, øz/ *adj* [*alcool, parfum*] heady

Capitole /kapitɔl/ *nm* **1** (de Rome) (colline) **(mont) ~** Capitoline; (temple) Capitol; ▸ **Tarpéienne**; **2** (de Washington) Capitol

capiton /kapitɔ̃/ *nm* **1** (bourre de soie) padding floss; **2** (rembourrage) padding; **3** (graisse) cellulite dimpling

capitonnage /kapitɔnaʒ/ *nm* padding

capitonner /kapitɔne/ [1] *vtr* to pad; **capitonné** padded

capitulaire /kapitylɛʀ/
A *adj* Relig [*acte, assemblée*] capitular
B *nm* Hist capitulary

capitulard○, **~e** /kapitylaʀ, aʀd/ *adj, nm,f* pej defeatist

capitulation /kapitylasjɔ̃/ *nf* capitulation (**devant** to); **~ sans conditions** unconditional surrender

capitule /kapityl/ *nm* Bot capitulum

capituler /kapityle/ [1] *vi* lit, fig to capitulate (**devant** to)

caporal, *pl* **-aux** /kapɔʀal, o/ ▸ **p. 406** *nm* **1** Mil (de l'armée de terre) ≈ corporal; (de l'armée de l'air) ≈ corporal GB, ≈ sergeant US; **2** (tabac) caporal

caporal-chef, *pl* **caporaux-chefs** /kapɔʀalʃɛf, kapɔʀoʃɛf/ ▸ **p. 406** *nm* (dans l'armée de terre) *rank between corporal and sergeant*; (dans l'armée de l'air) *rank between corporal and sergeant* GB *ou staff sergeant* US

capot /kapo/
A *adj inv* Jeux **être ~** not to win a trick; **mettre qn ~** to stop sb from winning any tricks
B *nm* **1** Aut bonnet GB, hood US; **2** (couvercle) cover; **3** Naut (toile) cover; (trou) hatchway

capotage /kapɔtaʒ/ *nm* (échec) collapse

capote /kapɔt/ *nf* **1** (manteau) great-coat; **2** (de voiture, landau) hood GB, top; **3** ○(préservatif) **~ (anglaise)** condom, French letter†○

capoter /kapɔte/ [1] *vi* **1** (échouer) [*négociation, projet*] to collapse; **faire ~** to ruin [*opération, affaire*]; **2** (se retourner) [*voiture*] to overturn; [*navire*] to capsize

Capoue /kapu/ ▸ **p. 894** *npr* Capua; **les délices de ~** the luxury (*sg*) of Capua

cappuccino /kaputʃino/ *nm* cappuccino

câpre /kɑpʀ/ *nf* caper; **sauce aux ~s** caper sauce

caprice /kapʀis/ *nm* **1** (fantaisie) (de personne) whim; (de temps, marché, nature, voiture) vagaries (*pl*); **sur un ~** on a whim; **céder aux ~s de qn** to indulge sb's whims; **satisfaire un ~** to indulge one's whim; **2** (accès de colère) tantrum; **faire un ~** to throw a tantrum; **3** (amourette) passing fancy; **4** Mus capriccio

capricieusement /kapʀisjøzmɑ̃/ *adv* **1** (comme un enfant gâté) capriciously; **2** (avec fantaisie) whimsically

capricieux, **-ieuse** /kapʀisjø, øz/
A *adj* [*personne*] capricious; [*mécanisme*] temperamental; [*temps, destin*] fickle; [*cours d'eau*] irregular
B *nm,f* capricious person; **petit ~** spoiled *ou* capricious child

capricorne /kapʀikɔʀn/ *nm* Zool capricorn beetle

Capricorne /kapʀikɔʀn/ ▸ **p. 912** *nprm* Capricorn

câprier /kɑpʀije/ *nm* caper shrub

caprin, **~e** /kapʀɛ̃, in/
A *adj* goat (*épith*), caprine spéc
B *nm* goat; **les ~s** Capra

capsulage /kapsylaʒ/ *nm* capsule sealing

capsule /kapsyl/ *nf* **1** (de bouteille) (bouchon) cap; (enveloppe du bouchon) capsule; **2** Pharm capsule; **3** Astronaut capsule; **~ spatiale** space capsule; **4** Anat, Bot capsule; **5** (détonateur) cap; **~ fulminante** percussion cap

capsuler /kapsyle/ [1] *vtr* to put a cap on [*bouteille*]; to put a capsule on [*bouchon*]; **boisson capsulée** bottled drink

captable /kaptabl/ *adj* Radio, TV that can be picked up (*épith, après n*); **une station qui n'est pas ~** a station that you can't pick up

captage /kaptaʒ/ *nm* **1** (extraction) catchment; **zone de ~** catchment area; **2** (site d'extraction) catchment point

captation /kaptasjɔ̃/ *nf* Jur illegal securement, captation spéc

capter /kapte/ [1] *vtr* **1** Électrotech, Radio, Télécom, TV (recevoir) to get [*émission, chaîne*]; to pick up [*signal, rayonnement*]; **~ la BBC sur ondes courtes** to get the BBC on short wave; **2** (saisir et exprimer) to capture [*atmosphère, esprit, expression, image*]; **3** (attirer) to catch [*attention*]; **4** (absorber) to take in [*parole, information*]; to soak up [*lumière*]; Phys to capture [*photons, particules*]; **5** Jur to secure illegally [*héritage, fonds*]; **6** Sport (réceptionner) to catch [*ballon*]; to take [*passe*]; **7** (recueillir) to collect [*eaux*]

capteur /kaptœʀ/ *nm* sensor; **~ à infrarouges** infra-red sensor
(Composé) **~ solaire** solar cell

captieux, **-ieuse** /kapsjø, øz/ *adj* fml fallacious

captif, **-ive** /kaptif, iv/
A *adj* **1** (enfermé) [*personne, animal*] captive; **2** Comm [*clientèle, marché*] captive
B *nm,f* captive

captivant, **~e** /kaptivɑ̃, ɑ̃t/ *adj* [*livre, lecture*] enthralling; [*récit, histoire*] gripping; [*moment, scène*] riveting; [*musique, personnage, ambiance*] captivating

captiver /kaptive/ [1] *vtr* [*beauté*] to captivate; [*voix, musique*] to enthral[GB]; [*histoire, aventure, programme, personne*] to fascinate

captivité /kaptivite/ *nf* captivity; **en ~** in captivity; **vingt ans de ~** twenty years in captivity

capture /kaptyʀ/ *nf* **1** (action d'attraper) capture; **la ~ d'un criminel/d'un animal/d'un navire** the capture of a criminal/of an animal/of a ship; **2** (ce qui est attrapé) catch; **une belle ~** a good catch; **3** Géog, Phys capture

capturer /kaptyʀe/ [1] *vtr* lit, fig to capture

capuche /kapyʃ/ *nf* hood; **à ~** with a hood (*épith, après n*)

capuchon /kapyʃɔ̃/ *nm* **1** (de vêtement) hood; **2** (de moine) cowl; **3** (de stylo, seringue) cap; (de cheminée) cowl; **4** Anat hood

capucin /kapysɛ̃/ *nm* **1** (moine) Capuchin friar; **2** (singe) capuchin (monkey)

capucine /kapysin/ *nf* Bot nasturtium

cap-verdien, **-ienne**, *mpl* **~s** /kapvɛʀdjɛ̃, ɛn/ ▸ **p. 561** *adj* Cape Verdean

Cap-verdien, **-ienne**, *mpl* **~s** /kapvɛʀdjɛ̃, ɛn/ ▸ **p. 561** *nm,f* Cape Verdean

Cap-Vert /kapvɛʀ/ ▸ **p. 435**, **p. 333** *nprm* **îles du ~** Cape Verde islands

caque /kak/ *nf* herring barrel
(Idiomes) **être serrés comme des harengs en ~** to be squashed (in) like sardines; **la ~ sent toujours le hareng** you can't hide your origins

caquelon /kaklɔ̃/ *nm* heavy saucepan

caquet /kakɛ/ *nm* **1** (de poule) cackle; **2** (de bavard) prattle; **rabattre son ~**○ to stop crowing○; **rabattre le ~ à qn**○ to put sb in his/her place, to take sb down a peg or two; **se faire rabattre le ~**○ to be put in one's place

caquetage /kaktaʒ/ *nm* **1** (de poule) cackling; **2** (de bavard) prattling

caqueter /kakte/ [20] *vi* **1** [*poule*] to cackle; **2** [*bavard*] to prattle

car¹ /kaʀ/ *conj* because, for

car² /kaʀ/ *nm* (véhicule) coach GB, bus; **prendre le ~** to take the coach; **voyager en ~** to travel by coach
(Composés) **~ de police** police van; **~ (de ramassage) scolaire** school bus

carabin○ /kaʀabɛ̃/ *nm* students' slang medical student

carabine /kaʀabin/ *nf* **1** (arme) rifle; **~ 22 long rifle** .22 rifle; **coup de ~** rifle shot; **à coups de ~** with rifle shots; **~ à air comprimé** air rifle; **~ à plombs** shotgun; **2** (jouet) toy gun; **~ à flèches** pop gun

carabiné○, **~e** /kaʀabine/ *adj* [*fièvre*] raging; [*migraine*] ferocious; [*rhume*] stinking○; [*café*] ferociously strong; **avoir une cuite**○ **~e** to be as drunk as a skunk○

carabinier /kaʀabinje/ *nm* **1** (policier italien) carabiniere; **les ~s** the carabinieri; **2** Hist Mil carabineer; **3** Sport rifle marksman
(Idiome) **arriver comme les ~s** to be too late

carabistouille○ /kaʀabistuj/ *nf* Belg (sottise) nonsense ₵

Carabosse /kaʀabɔs/ *npr* **la fée ~** the wicked fairy

Caracas /kaʀakas/ ▸ **p. 894** *npr* Caracas

caraco /kaʀako/ *nm* camisole (top)

caracoler /kaʀakɔle/ [1] *vi* **1** (avoir une position favorable) [*personne, parti*] to be well ahead; **~ en tête** to be well in the lead; **~ en tête de** to be well ahead in; **~ dans les premières places** to be well up among the leaders; **2** Équit [*cheval*] to prance; [*cavalier*] to parade

caractère /kaʀaktɛʀ/ *nm* **1** (signe d'écriture) character; **~s chinois/cyrilliques** Chinese/Cyrillic characters; **2** Imprim character; **~s d'imprimerie** (type d'écriture) block capitals; **en petits/gros ~s** in small/large print; **en ~s gras** in bold type; **3** Ordinat character; **4** (tempérament) nature; **nous n'avons pas le même ~** we haven't got the same character; **ce n'est pas dans son ~ de critiquer** it's not in his/her nature to criticize; **avoir bon ~** to be good-natured; **avoir mauvais ~** to be bad-tempered; **être d'un ~ gai/facile/joueur** to have a cheerful/an easy-going/a playful nature *ou* temperament; **avoir un fichu**◑ *or* **sacré**○ **~** (coléreux) to have a foul temper; (difficile) to be absolutely impossible; **5** (forte personnalité) character; **avoir du ~** to have character; **force de ~** strength of character; **il n'a aucun ~** he's got no backbone, he's spineless; **homme/femme de ~** man/woman of character; **6** (de maison, lieu) character; **avoir du ~** to have character; **sans ~** without character, characterless; **'à vendre, fermette de ~'** 'for sale, small farm with character'; **7** (type humain) character; **une étude de ~s** a study of character types; **8** (marque distinctive) characteristic; **9** (côté, valeur) nature; **le ~ provisoire/anormal/complexe/officiel de qch** the provisional/abnormal/complex/official nature of sth; **la manifestation a un ~ politique** the demonstration is of a political nature; **des articles de ~ scientifique/religieux** articles of a scientific/religious nature; **ma demande n'a aucun ~ définitif/personnel** my request has nothing definite/personal about it; **à ~ commercial/éducatif/expérimental** of a commercial/an educational/an experimental nature; **cela a un ~ grave** it's serious; **film à ~ pornographique** pornographic film

(Composés) **~ acquis** acquired characteristic; **~ dominant** dominant characteristic; **~ récessif** recessive character

(Idiomes) **avoir un ~ de chien** *or* **cochon**○, **avoir un sale ~** to have a vile temper; **avoir un ~ en or** to have a delightful nature

caractériel, -ielle /kaʀakteʀjɛl/
A *adj* [*troubles*] emotional; [*enfant, adolescent, adulte*] disturbed
B *nm,f* (enfant) disturbed child; (adulte) disturbed person

caractérisation /kaʀakteʀizasjɔ̃/ *nf* characterization

caractérisé, ~e /kaʀakteʀize/ *adj* **c'est du vol ~** it's a blatant act of theft; **c'est une colite ~e** it's a clear case of colitis

caractériser /kaʀakteʀize/ [1]
A *vtr* **1** (être typique de) to characterize, to be characteristic of [*personne, société, genre*]; to characterize, to be a characteristic feature of [*situation, conflit*]; **2** (décrire) to characterize
B **se caractériser** *vpr* to be characterized (**par** by)

caractéristique /kaʀakteʀistik/
A *adj* characteristic (**de** of)
B *nf* characteristics (*pl*); **quelle est la principale ~ de leur politique?** what are the main characteristics of their policy?

caractérologie /kaʀakteʀɔlɔʒi/ *nf* study of character types

carafe /kaʀaf/ *nf* **1** (récipient) carafe; **vin en ~** wine by the carafe; **2** ○(tête) nut○, head; **ne rien avoir dans la ~**○ to be brainless, to have nothing upstairs○

(Idiomes) **être** *or* **rester en ~**○ to be stuck○; **tomber en ~**○ to break down

carafer /kaʀafe/ [1] *vtr* Vin to decant

carafon /kaʀafɔ̃/ *nm* **1** (récipient) small carafe; **2** ○(tête) nut○, head

caraïbe /kaʀaib/ *adj* Caribbean

Caraïbes /kaʀaib/
A *nmpl* (peuple) Caribs
B *nprfpl* **1** ▸ **p. 435** (îles) Caribbean (islands); **aller aux ~** to go to the Caribbean; **sous le soleil des ~** under the Caribbean sun; **2** ▸ **p. 579** (mer) **mer des ~** Caribbean Sea

carambolage /kaʀɑ̃bɔlaʒ/ *nm* **1** (de voitures) pile-up; **2** (au billard) cannon GB, carom US

caramboler /kaʀɑ̃bɔle/ [1]
A *vtr* to collide with [*véhicule*]
B **se caramboler** *vpr* [*véhicules*] to collide with each other; [*idées*] to clash

carambouillage /kaʀɑ̃bujaʒ/ *nm*, **carambouille** /kaʀɑ̃buj/ *nf* swindling (*by reselling unpaid-for goods*)

caramel /kaʀamɛl/ *nm* **1** (liquide) caramel; **2** (bonbon) toffee GB, toffy US; **~ mou** ≈ fudge

caramélisation /kaʀamelizasjɔ̃/ *nf* **1** (transformation) caramelization; **2** (enrobage) coating with caramel

caraméliser /kaʀamelize/ [1]
A *vtr* **1** (transformer) to caramelize; **2** (recouvrir) to coat [sth] with caramel
B *vi* to caramelize
C **se caraméliser** *vpr* to caramelize

carapace /kaʀapas/ *nf* **1** Zool shell, carapace; **2** (protection) **~ de béton** concrete shell; fig armour[GB]; **une ~ d'indifférence/d'égoïsme** a wall of indifference/of selfishness; **3** Tech (en métallurgie) shell mould GB *ou* mold US

carapater○: **se carapater** /kaʀapate/ [1] *vpr* to scarper○ GB, to beat it○

carat /kaʀa/ *nm* **1** Mes carat; **en or 18 ~s** 18-carat gold (*épith*); **2** ◑(an) year; **se payer 50 ~s** to be a good 50 years old

(Idiome) **dernier ~**◑ at the latest

Caravage /kaʀavaʒ/ *npr* **le ~** Caravaggio

caravanage /kaʀavanaʒ/ *nm* caravanning GB, camping (*in a trailer*) US

caravane /kaʀavan/ *nf* **1** (véhicule) caravan GB, trailer US; **2** (de désert) caravan

(Composé) **~ publicitaire** publicity cars (*pl*)

(Idiome) **les chiens aboient, la ~ passe** sticks and stones may break my bones (but words will never hurt me)

caravanier, -ière /kaʀavanje, ɛʀ/
A *adj* [*piste*] caravan (*épith*)
B *nm,f* **1** Tourisme caravanner GB, camper (*in a trailer*) US; **2** (nomade) nomad

caravaning /kaʀavaniŋ/ *nm* caravanning GB, camping (*in a trailer*) US

caravansérail /kaʀavɑ̃seʀaj/ *nm* caravanserai

caravelle /kaʀavɛl/ *nf* Naut caravel

Caravelle /kaʀavɛl/ *nf* Aviat Caravelle

carbochimie /kaʀbɔʃimi/ *nf* organic chemistry

carboglace® /kaʀbɔglas/ *nf* dry ice

carbonade /kaʀbɔnad/ *nf* Culin (viande grillée) carbonado; (ragoût) carbonade

carbonate /kaʀbɔnat/ *nm* carbonate; **~ de potassium** potassium carbonate; **~ de sodium** washing soda, sodium carbonate

carbone /kaʀbɔn/ *nm* **1** Chimie carbon; **2** Imprim (papier) carbon paper; (feuille) sheet of carbon paper

(Composés) **~ 14** carbon 14; **dater qch au ~ 14** to carbon-date sth; **datation de qch au** *or* **par ~ 14** (radio)carbon dating sth; **~ blanc** correction paper

carboné, ~e /kaʀbɔne/ *adj* carbon (*épith*)

carbonifère /kaʀbɔnifɛʀ/
A *adj* **1** (contenant du charbon) [*terrain*] carboniferous; **2** Géol **époque ~** Carboniferous period
B *nm* Géol **le ~** the Carboniferous period

carbonique /kaʀbɔnik/ *adj* carbonic; **neige ~** carbon snow; **glace ~** dry ice

carbonisation /kaʀbɔnizasjɔ̃/ *nf* carbonization

carbonisé, ~e /kaʀbɔnize/
A *pp* ▸ **carboniser**
B *pp adj* **1** [*véhicule*] burned-out (*épith*), burned out (*jamais épith*); [*forêt*] charred; [*débris, arbre, corps*] charred; **2** Culin burned to a cinder (*jamais épith*), burned

carboniser /kaʀbɔnize/ [1] *vtr* **1** Chimie to carbonize; **2** (brûler complètement) to burn [sb] to death [*personne*]; to reduce [sth] to ashes [*forêt, maison, corps*]; to char [*objet, arbre, poutre*]; **les poutres ont été carbonisées par l'incendie** the beams were charred by the fire; **3** Culin to burn [sth] to a cinder

carburant /kaʀbyʀɑ̃/
A *adj m* **mélange ~** mixture of petrol GB *ou* gas US and air
B *nm* fuel

carburateur /kaʀbyʀatœʀ/ *nm* carburettor GB, carburetor US; **régler le ~** to adjust the carburettor GB *ou* carburetor US

carburation /kaʀbyʀasjɔ̃/ *nf* **1** Aut carburation; **2** Tech carburization

carbure /kaʀbyʀ/ *nm* carbide; **les ~s** carbides; **~ d'hydrogène** hydrogen carbide

carburé, ~e /kaʀbyʀe/ *adj* carburized

carburer /kaʀbyʀe/ [1]
A *vtr* Tech, Ind to carburize
B *vi* **1** Aut **bien/mal ~** to be well/badly tuned; **2** ◑(fonctionner) **il carbure au vin rouge** hum he runs on red wine; **3** ○(travailler dur) to work flat out; **4** ○(aller) **alors, ça carbure?** how is it going?

carburol /kaʀbyʀɔl/ *nm* Tech gasohol

carcajou /kaʀkaʒu/ *nm* Zool wolverine, carcajou

carcan /kaʀkɑ̃/ *nm* **1** (entrave) **~ politique/scolaire/administratif** political/educational/administrative constraints (*pl*) *ou* straitjacket; **le ~ de la discipline/des institutions** disciplinary/institutional rigidity; **briser le ~ de qch** to break free of sth; **enfermer qn/qch dans le ~ de qch** to place sb/sth under the yoke of sth; **2** (objet qui enserre) vice; **le ~ d'un col empesé** the vice-like grip of a starched collar; **3** Hist (instrument, peine) iron collar

carcasse /kaʀkas/ *nf* **1** (squelette d'animal) carcass; **une ~ de poulet** a chicken carcass; **2** ◑(corps humain) body; **promener** *or* **traîner sa ~** to bum around◑; **sauver sa ~** to save one's bacon○; **3** ○(épave de véhicule) shell; **4** (armature) (de navire) skeleton; (de bâtiment, hangar) frame

carcassonnais, ~e /kaʀkasɔnɛ, ɛz/ ▸ **p. 894** *adj* of Carcassonne

Carcassonnais, ~e /kaʀkasɔnɛ, ɛz/ *nm,f* (natif) native of Carcassonne; (habitant) inhabitant of Carcassonne

Carcassonne /kaʀkasɔn/ ▸ **p. 894** *npr* Carcassonne

carcéral, ~e, *mpl* **-aux** /kaʀseʀal, o/ *adj* prison (*épith*); **le milieu ~** the prison environment

carcinogène /kaʀsinɔʒɛn/ *adj* carcinogenic

carcinome /kaʀsinom/ *nm* carcinoma

cardage /kaʀdaʒ/ *nm* carding

cardamome /kaʀdamɔm/ *nf* cardamom

cardan /kaʀdɑ̃/ *nm* universal joint

carde /kaʀd/ *nf* **1** Tech (instrument) card; (machine) carding machine, card; **2** Bot, Culin chard stalk

carder /kaʀde/ [1] *vtr* to card; **machine à ~** carding machine, card

cardère /kaʀdɛʀ/ *nf* teasel

cardeur, -euse /kaʀdœʀ, øz/ ▸ **p. 532**
A *nm,f* (ouvrier) carder
B **cardeuse** *nf* (machine) carding machine, card

cardiaque /kaʀdjak/
A *adj* **1** (ayant rapport au cœur) heart (*épith*), cardiac spéc; **greffe ~** heart transplant; **avoir des ennuis ~s** to have heart trouble; **2** (malade du cœur) [*personne*] **être ~** to have a heart condition
B *nmf* person with a heart condition

cardigan /kaʀdigɑ̃/ *nm* cardigan

cardinal, ~e, *mpl* **-aux** /kaʀdinal, o/
A *adj* Ling, Math, Relig cardinal; **vertu ~e** cardinal virtue; **nombre ~** cardinal number
B *nm* **1** ▸ **p. 848** Relig cardinal; **le ~ Newman** Cardinal Newman; **il a été nommé ~** he was made a cardinal; **~ in petto** cardinal 'in petto'; **2** Ling, Math cardinal number; **3** Zool cardinal (grosbeak), redbird US

cardinalat /kaʀdinala/ *nm* cardinalship

C

cardinalice /kaʀdinalis/ *adj* of a cardinal; **conférer la dignité** *or* **la pourpre ~ à qn** to make sb a cardinal

cardiofréquencemètre /kaʀdjofʀekɑ̃smɛtʀ/ *nm* heart-rate monitor

cardiogramme /kaʀdjɔgʀam/ *nm* cardiogram

cardiographe /kaʀdjɔgʀaf/ *nm* cardiograph

cardiographie /kaʀdjɔgʀafi/ *nf* cardiography

cardiologie /kaʀdjɔlɔʒi/ *nf* cardiology; **service de ~** cardiology ward; **être en ~** [*patient*] to be in the cardiology ward

cardiologue /kaʀdjɔlɔg/ ▸ **p. 532** *nmf* cardiologist

cardiopathie /kaʀdjopati/ *nf* heart disorder

cardio-pulmonaire, *pl* **~s*** /kaʀdjopylmɔnɛʀ/ *adj* cardiopulmonary

cardio-vasculaire, *pl* **~s*** /kaʀdjɔvaskylɛʀ/ *adj* cardiovascular

cardite /kaʀdit/ ▸ **p. 283** *nf* Méd carditis

cardon /kaʀdɔ̃/ *nm* cardoon

Carélie /kaʀeli/ ▸ **p. 721** *nprf* Karelia

carême /kaʀɛm/ *nm* Relig **le ~** Lent; **observer** *or* **respecter le ~** to observe *ou* keep Lent; **avoir une face de ~** to look as miserable as sin

carême-prenant /kaʀɛmpʀənɑ̃/ *nm* Shrovetide

carénage /kaʀenaʒ/ *nm* [1] Naut careening; [2] Tech streamlining

carence /kaʀɑ̃s/ *nf* [1] Méd deficiency; **maladie par ~** deficiency disease; **~ en vitamines/fer/calcium** vitamin/iron/calcium deficiency; [2] (absence) lack; **~ d'autorité** lack of authority; [3] (manquement) shortcomings (*pl*); **les ~s de la loi** the shortcomings of the law; [4] Jur insolvency; **procès-verbal de ~** statement of insolvency; [5] Admin **délai de ~** waiting period (*for social security benefit*)

(Composé) **~ affective** Psych emotional deprivation

carène /kaʀɛn/ *nf* [1] Naut hull (*below the waterline*); **abattre** *or* **mettre un navire en ~** to careen a vessel; [2] Bot carina

caréner /kaʀene/ [14] *vtr* [1] Naut to careen; [2] Tech to streamline

caressant, **~e** /kaʀɛsɑ̃, ɑ̃t/ *adj* [1] [*enfant, geste, regard, parole*] affectionate; [2] [*brise, vent, rayon*] soft

caresse /kaʀɛs/ *nf* (à un animal) stroke; (à une personne) caress, stroke; **couvrir qn de ~s** to caress sb all over; **il aime les ~s** he likes being stroked; **faire une ~** *or* **des ~s à un enfant** to caress *ou* stroke a child; **faire une** *or* **des ~s à un animal** to stroke an animal

caresser /kaʀese/ [1]
A *vtr* [1] [*personne*] to stroke [*animal, joue, bras, menton, cheveux, barbe*]; to caress [*amant, maîtresse*]; to finger [*objet*]; **~ qn du regard** *or* **des yeux** to look at sb lovingly *ou* fondly; [2] (effleurer) liter [*soleil, vent, air, lumière*] to caress [*joue, cheveux*]; **la mer venait ~ les rochers** the sea was lapping against the rocks; **le vent caressait les blés** the corn was caressed by the wind; [3] (nourrir) to entertain [*rêve, espoir*]; to entertain, to toy with [*idée, projet*]; to flatter [*vanité*]; **il caressait l'espoir de pouvoir retourner dans son pays** he entertained the hope that he would be able to return to his country
B se caresser *vpr* to stroke; **il se caressa la barbe/le menton/la joue** he stroked his beard/chin/cheek

(Idiomes) **~ qn dans le sens du poil** to stay on the right side of sb; **~ la bouteille** to be on the bottle○; **~ les côtes à qn**○ to give sb a hiding○

caret /kaʀɛ/ *nm* (tortue) loggerhead (turtle)

car-ferry, *pl* **-ies*** /kaʀfɛʀi/ *nm* controv ferry

cargaison /kaʀgɛzɔ̃/ *nf* [1] Transp (chargement) cargo; [2] ○(grande quantité) load; **une ~ d'enfants**○ a load of children○

cargo /kaʀgo/ *nm* [1] Naut freighter, cargo boat; **~ mixte** passenger-cargo ship; [2] (pantalon) cargo pants *pl*

cargue /kaʀg/ *nf* Naut brails (*pl*)

carguer /kaʀge/ [1] *vtr* to brail in

cari /kaʀi/ *nm* = **curry**

cariatide /kaʀjatid/ *nf* caryatid

caribou /kaʀibu/ *nm* caribou

caricatural, **~e**, *mpl* **-aux** /kaʀikatyʀal, o/ *adj* [1] [*dessin, portrait, masque*] (deliberately) grotesque; [2] [*récit, numéro*] caricatural

caricature /kaʀikatyʀ/ *nf* [1] (genre) caricature; [2] (dessin) (d'une personne) caricature; (de plusieurs personnes, de situation) cartoon; **dessiner** *or* **faire une ~** to draw a caricature *ou* cartoon; [3] (représentation déformée) caricature; **c'est une ~ de la réalité** it's a caricature of reality; **dans ses romans il fait une ~ de la société** his novels caricature society; [4] (parodie) mockery; **c'est une ~ de procès** it's a mockery of a trial

caricaturer /kaʀikatyʀe/ [1] *vtr* to caricature

caricaturiste /kaʀikatyʀist/ ▸ **p. 532** *nmf* caricaturist, cartoonist

carie /kaʀi/ *nf* [1] (lésion) decay ₵, caries spéc; (trou) cavity; **avoir une ~** to have a cavity, to have a decayed tooth; **j'ai une ~ à une dent** one of my teeth is decayed; **faire soigner une ~** to have a cavity treated *ou* a decayed tooth treated; [2] Bot (de blé, vigne) blight; (d'arbre) (dry) rot

carié, **~e** /kaʀje/
A *pp* ▸ **carier**
B *pp adj* decayed

carier /kaʀje/ [2] Dent
A *vtr* to cause [sth] to decay [*dent*]
B se carier *vpr* [*dent*] to decay

carillon /kaʀijɔ̃/ *nm* [1] (d'église, de beffroi) (cloches) bells (*pl*); (sonnerie) chimes (*pl*); **le ~ de Notre-Dame a retenti dans toute la ville** the bells of Notre Dame rang out throughout the town; [2] (pendule) (chiming) clock; (sonnerie) chimes (*pl*); **une horloge à ~** a chiming clock; **le ~ sonna neuf heures** the clock struck nine; **le ~ sonne toutes les heures** the clock chimes on the hour; [3] (de porte) (door) chimes (*pl*)

carillonner /kaʀijɔne/ [1]
A *vtr* [1] [*cloches*] to chime [*minuit, heure*]; to chime (out) [*air*]; to ring *ou* peal out for [*événement, naissance, fête*]; **~ les heures** to chime the hours; [2] ○(faire savoir) to broadcast [*nouvelle, victoire, succès*]
B *vi* [1] [*cloches*] to ring out; (très fort) to peal out; [2] (à une porte) to ring (loudly); **~ à la porte/chez qn** to ring loudly at the door/at sb's door

carillonneur /kaʀijɔnœʀ/ *nm* bell-ringer

carioca /kaʀjɔka/ ▸ **p. 894** *adj* of Rio de Janeiro

Carioca /kaʀjɔka/ ▸ **p. 894** *nmf* (natif) native of Rio de Janeiro; (habitant) inhabitant of Rio de Janeiro

cariste /kaʀist/ ▸ **p. 532** *nmf* forklift truck operator

caritatif, **-ive** /kaʀitatif, iv/ *adj* [*action*] charitable; **une association** *or* **organisation caritative** a charity

carlin /kaʀlɛ̃/ *nm* pug (dog)

carlingue /kaʀlɛ̃g/ *nf* [1] Aviat cabin; [2] Naut keelson

carliste /kaʀlist/ *adj, nmf* Hist, Pol Carlist

carmagnole /kaʀmaɲɔl/ *nf* Hist carmagnole

carme /kaʀm/ *nm* Carmelite, white friar

carmel /kaʀmɛl/ *nm* (de carmes) Carmelite monastery; (de carmélites) Carmelite convent

Carmel /kaʀmɛl/ *nprm* [1] Géog **le (mont) ~** Mount Carmel; [2] Relig (ordre) **le Carmel** the Carmelite order

carmélite /kaʀmelit/ *nf* Carmelite nun

carmin /kaʀmɛ̃/ ▸ **p. 202**
A *adj inv* carmine; **rouge ~** carmine red
B *nm* [1] (matière) cochineal; [2] (couleur) carmine

carminé, **~e** /kaʀmine/ ▸ **p. 202** *adj* carmine

carnage /kaʀnaʒ/ *nm* carnage ₵, massacre; **ils ont fait un véritable ~** they massacred everyone

carnassier, **-ière** /kaʀnasje, ɛʀ/
A *adj* carnivorous; **un sourire ~** fig a ferocious smile
B *nm* carnivore
C carnassière *nf* [1] Dent carnassial; [2] (gibecière) game bag

carnation /kaʀnasjɔ̃/ *nf* complexion; **être de ~ délicate** to have a delicate complexion

carnaval, *pl* **~s** /kaʀnaval/ *nm* [1] (fête) carnival; **jour du ~** carnival day; **masque/char de ~** carnival mask/float; **le ~ de Venise/Rio** the Venice/Rio carnival; [2] (mannequin) (**sa majesté**) **~** King Carnival

carnavalesque /kaʀnavalɛsk/ *adj* [1] (grotesque) grotesque; [2] (de carnaval) carnival (*épith*)

carne◑ /kaʀn/ *nf* [1] (viande) leathery meat; **cette viande, c'est de la ~** this meat is leathery; [2] (cheval) nag○; [3] (personne) swine◑

carné, **~e** /kaʀne/ *adj* [1] [*régime, alimentation*] meat-based (*épith*); [2] ▸ **p. 202** (couleur) flesh-coloured[GB]

carnet /kaʀnɛ/ *nm* [1] (calepin) notebook; **publier les ~s d'un écrivain** to publish a writer's notebooks; [2] (groupe de tickets, bons) book; **un ~ de tickets** a book of tickets; **j'achète mes timbres en ~** I always buy a book of stamps

(Composés) **~ d'adresses** address book; **~ de bal** dance card; **~ de bord** Naut log book; Aut, Sport record book; **~ de chèques** chequebook GB, checkbook US; **~ de commandes** (registre) order book; **notre ~ de commandes s'élève à 10 millions d'euros** our orders amount to 10 million euros; **~ de correspondance** Scol mark book; **~ du jour** Presse 'births, marriages and deaths'; **~ de maternité** ≈ maternity records (*pl*); **~ mondain** Presse = **~ du jour**; **~ de notes** = **~ de correspondance**; **~ de rendez-vous** appointments diary; **~ de route** travel journal; **~ de santé** health record; **~ à souches** counterfoil book; **~ de timbres** book of stamps

carnier /kaʀnje/ *nm* game bag

carnivore /kaʀnivɔʀ/
A *adj* [1] Zool [*animal, plante*] carnivorous; [2] (qui aime la viande) **être ~** to be a great meat-eater
B *nm* carnivore; **les ~s** the carnivores, Carnivora spéc

carnotzet /kaʀnɔtzɛ/ *nm* Helv (bar) little bar

Caroline /kaʀɔlin/
A *npr* (prénom) Caroline
B ▸ **p. 721** *nprf* Géog **la ~ du Nord/du Sud** North/South Carolina
C ▸ **p. 435 Carolines** *nprfpl* **les (îles) ~s** the Caroline Islands

carolingien, **-ienne** /kaʀɔlɛ̃ʒjɛ̃, ɛn/ *adj* Carolingian

Carolingien, **-ienne** /kaʀɔlɛ̃ʒjɛ̃, ɛn/ *nmf* Carolingian

caroncule /kaʀɔ̃kyl/ *nf* Zool wattle

carotène /kaʀɔtɛn/ *nf* carotene

carotide /kaʀɔtid/ *adj, nf* carotid

carottage /kaʀɔtaʒ/ *nm* Tech core sampling

carotte /kaʀɔt/
A ▸ **p. 202** *adj inv* [1] (orange foncé) carrot-coloured[GB]; [2] (roux) [*cheveux, poils*] carroty
B *nf* [1] Bot, Culin carrot; **manger des ~s** to eat carrots; **~s râpées** grated carrot ₵; [2] Sci, Tech (échantillon) core sample; **prélever une ~** to

take a core sample; 3 (enseigne) *tobacconist's street sign*

(Idiomes) **les ~s sont cuites**○ the game is up○; **manier la ~ et le bâton** to use stick-and-carrot tactics

carotter /kaʀɔte/ [1] *vtr* 1 ○(extorquer) **~ qch à qn** to cheat sb out of sth; **elle m'a carotté 10 euros** she cheated me out of 10 euros; **je me suis encore fait ~** I've been cheated again; 2 Tech to take a core sample (from)

caroube /kaʀub/ *nf* carob

caroubier /kaʀubje/ *nm* carob tree

carpaccio /kaʀpatʃio/ *nm* carpaccio; **~ d'agrumes/de thon** citrus fruit/tuna carpaccio

Carpates /kaʀpat/ ▸ p. 721 *nprfpl* **les ~** the Carpathians

carpe /kaʀp/
A *nm* Anat carpus
B *nf* Zool carp

(Idiomes) **il est resté muet comme une ~** he never said a word; **faire des sauts de ~** to leap about

carpeau, *pl* **~x** /kaʀpo/ *nm* young carp

carpette /kaʀpɛt/ *nf* 1 (paillasson) rug; 2 ○(personne) pej doormat○

(Idiome) **s'aplatir comme une ~ devant qn** to grovel to sb

carpien, -ienne /kaʀpjɛ̃, ɛn/ *adj* carpal

carpillon /kaʀpijɔ̃/ *nm* young carp

carquois /kaʀkwa/ *nm* quiver

carrare /kaʀaʀ/ *nm* Carrara marble

carre /kaʀ/ *nf* (de ski, patin) edge

carré, ~e /kaʀe/
A *adj* 1 gén [*objet, forme*] square; **des chaussures à bout ~** square-toed shoes; 2 (anguleux) [*visage, menton, front, paume*] square; [*silhouette*] stocky; **il est ~ d'épaules** he has broad shoulders, he's broad-shouldered; 3 (direct) [*personne*] straightforward; [*réponse*] straight; [*refus*] outright; **elle est ~e en affaires** she's straight in her business dealings; 4 ▸ **p. 816** Math, Mes [*mètre, kilomètre, racine*] square; **prix du** *or* **au mètre ~** price per square metre[GB]
B *nm* 1 (figure) gén square; (de ciel, plantations) patch; (de chocolat) piece; **avoir une coupe au ~** [*femme*] to have one's hair cut in a bob; **je vais lui faire une** *or* **lui mettre la tête au ~**○ I'll beat the hell out of him/her○; **un lit (fait) au ~** a meticulously made bed; 2 Math square; **le ~ de l'hypoténuse** the square of the length of the hypotenuse; **élever un nombre au ~** to square a number; **le ~ de deux** two squared; **deux au ~ égale quatre** two squared is four; 3 Culin **~ d'agneau** rack of lamb; 4 Mil square; **former le** *or* **se former en ~** to form up in a square; 5 Naut wardroom; 6 Jeux (au poker) **avoir un ~ de dix/d'as** to have the four tens/aces; 7 Can (place) square
C **carrée**○ *nf* bedroom

(Composés) **~ blanc** *'suitable for adults only' sign on French TV*; **~ magique** magic square

carreau, *pl* **~x** /kaʀo/
A *nm* 1 (de sol) (floor) tile; (de mur) (wall) tile; 2 (carrelage) tiled floor; **glisser sur le ~** to slip on the tiles; 3 (vitre) window-pane; **à petits ~x** with small panes; **faire les ~x** to clean the windows; **regarder à travers les ~x** to look out of the window; 4 (carré) (sur du papier) square; (sur du tissu) check; **papier à ~x** squared paper; **tissu/jupe à ~x** check(ed) fabric/skirt; **à ~x bleus et blancs** blue-and-white checked (*épith*); **papier à grands/petits ~x** large-/small-squared paper; **tissu à grands/petits ~x** fabric in large/small check; 5 ▸ **p. 469** Jeux (carte) diamonds (*pl*); **sept/valet de ~** seven/jack of diamonds; **jouer ~** to play diamonds; **avoir du ~** to be holding diamonds; 6 Hist (marché) market (floor); 7 Mines pithead; 8 (pour broder) lace-maker's pillow; 9 (d'arbalète) bolt
B **carreaux**○ *nmpl* (lunettes) specs○

(Composé) **~ de plâtre** plasterboard

(Idiomes) **étendre qn sur le ~**○ to lay sb out○, to floor sb○; **rester sur le ~**○ (dans une bagarre) to be killed; (dans une affaire) to be left high and dry○; (à un examen) to fail; **se tenir à ~**○ to watch one's step

carrefour /kaʀfuʀ/ *nm* 1 (intersection) gén junction, intersection; (de deux routes) crossroads (*sg*); **~ ferroviaire** railway junction *ou* intersection; **un ~ dangereux** a dangerous crossroads; 2 (lieu de passage) crossroads (+ *v sg*); (réseau de communications) transport hub; **l'aéroport est un ~ international** the airport is an international meeting point; **une région ~** a transport hub, a centre[GB] of communications; 3 (moment stratégique) crossroads (*sg*); **être à un ~ de qch** to be at a crossroads in sth; **être à un ~ de sa vie** to be at a crossroads in one's life; **la biochimie est au ~ de la biologie et de la chimie** biochemistry is at the meeting point of biology and chemistry; 4 (forum) debate; **assister à un ~ de l'écologie** to attend a debate on ecology

(Composé) **~ à sens giratoire** roundabout GB, traffic circle US

carrelage /kaʀlaʒ/ *nm* 1 (sol) tiled floor; **poser un ~** to lay a tiled floor; **le ~ est propre** the floor is clean; 2 (ensemble de carreaux) tiles (*pl*); (pose) tiling

carreler /kaʀle/ [19] *vtr* to tile; **faire ~ une pièce** to have a room tiled

carrelet /kaʀlɛ/ *nm* (poisson) plaice

carreleur /kaʀlœʀ/ ▸ p. 532 *nm* tiler

carrément /kaʀemɑ̃/ *adv* 1 (purement et simplement) [*malhonnête, stupide, désastreux, exotique*] downright; **la situation devient ~ inquiétante** the situation is becoming downright worrying; **ce n'est plus de la prudence, c'est ~ de la lâcheté** it's no longer a question of being cautious, it's downright cowardice; **il vaut ~ mieux les jeter/changer le moteur** it would be better just to throw them out/to change the engine; 2 (complètement) completely; **changer ~ de nom** to change name completely; **on est ~ dans le brouillard** we're completely in the dark; **c'est ~ un désastre/le cauchemar** it's a complete disaster/nightmare; **certaines entreprises ont ~ été exonérées** some companies have been totally exempted; **ils ont ~ engagé des tueurs** they have even hired assassins; **il faudrait ~ louer une camionnette** we should really hire a van; **reprenons ~ depuis le début** let's start again right from the beginning; **les réformes ne suffiront pas, il faut ~ changer le système** the reforms will not be enough, it's the system that needs changing; 3 (sans ambages) [*demander, dire*] straight out; [*exprimer*] clearly, in no uncertain terms; **elle m'a ~ accusé de mentir** she accused me straight out of lying; 4 (sans hésiter) **allez-y ~!** go straight ahead!, go for it○!; **il a ~ démissionné** he went straight ahead and resigned; **faute de pouvoir payer son loyer, il a ~ installé un lit de camp dans son bureau** since he was unable to pay the rent, he went and set up a camp bed in his office; **dans un cas pareil, appelle ~ la police** in such a case, don't hesitate to call the police; **le pétrolier a ~ vidé ses cuves dans le port** the tanker emptied its tanks right in the harbour[GB]

carrer: **se carrer** /kaʀe/ [1] *vpr* 1 (s'installer) **se ~ dans un fauteuil** to ensconce oneself in an armchair; 2 ◑(se mettre) **ton argent, tu peux te le ~ où je pense!** you know what you can do with your money◑!

carrier /kaʀje/ ▸ p. 532 *nm* (ouvrier) quarryman; (entrepreneur) quarry manager

carrière /kaʀjɛʀ/ *nf* 1 (profession) career; **~ politique/commerciale** political/business career; **une ~ d'écrivain** a career as a writer; **évolution** *or* **déroulement de ~** career development; **plan/perspectives de ~** career plan/prospects; **en début/fin de ~** at the start/end of one's career; **militaire/officier de ~** career soldier/officer; **combien gagne un professeur en fin de ~?** what would be a teacher's pre-retirement salary?; **faire ~** to make a career; **faire ~ dans l'enseignement/l'armée** to make a career in teaching/the army; **faire toute sa ~ dans qch** to spend one's whole career in sth; 2 (lieu d'extraction) quarry; **~ d'ardoise/de marbre** slate/marble quarry; **~ de sable** sandpit; 3 Équit outdoor arena

carriérisme /kaʀjeʀism/ *nm* pej careerism

carriériste /kaʀjeʀist/ *nmf* pej careerist

carriole /kaʀjɔl/ *nf* 1 (charrette) cart; 2 ○(voiture) pej jalopy○, car

carrossable /kaʀɔsabl/ *adj* suitable for motor vehicles (*après n*)

carrosse /kaʀɔs/ *nm* (horse-drawn) coach; ▸ **roue**

(Idiome) **rouler ~** to live in style

carrossé, ~e /kaʀɔse/
A *pp* ▸ **carrosser**
B *pp adj* (dessiné) designed; **une voiture superbement ~e** a superbly designed car

carrosserie /kaʀɔsʀi/ *nf* 1 (de voiture) bodywork; 2 Ind (conception) coachbuilding; (réparation) body repair work; **atelier de ~** body repair workshop; 3 (d'électroménager) casing

carrossier /kaʀɔsje/ ▸ **p. 532** *nm* 1 (réparateur) coachbuilder, body repair specialist; 2 (concepteur) coachbuilder

carrousel /kaʀuzɛl/ *nm* 1 Équit carousel; 2 (pour enfants) merry-go-round, carousel; 3 (pour diapositives) carousel

carrure /kaʀyʀ/ *nf* 1 lit shoulders (*pl*); **avoir une ~ imposante** to have broad shoulders; **tu as vu sa ~?** have you seen how broad his/her shoulders are?; **une ~ de lutteur** a wrestler's shoulders; 2 fig innate qualities (*pl*), calibre[GB]; **avoir la ~ d'un président/champion** to have the necessary qualities to be a president/champion; **il n'a pas la ~ pour diriger l'entreprise** he hasn't got the necessary qualities to run the company

carry /kaʀi/ *nm* = **curry**

cartable /kaʀtabl/ *nm* (d'écolier) schoolbag; (avec des bretelles) satchel; (d'adulte) briefcase

carte ➡
/kaʀt/ *nf* 1 (pour écrire) card
2 (document) gén card; (laissez-passer) pass
3 ▸ **p. 469** Jeux card; **~ à jouer** playing card; **jouer aux ~s** to play cards; **mettre ~s sur table** fig to put one's cards on the table; **jouer la ~ de qn** (soutenir) to choose to support sb; (pour obtenir un soutien) to seek the support of sb; **jouer la ~ de la franchise/du dialogue** to opt for sincerity/dialogue; **jouer la ~ de l'Europe** to turn toward(s) Europe; **il possède plus d'une ~ dans son jeu** he's got other cards up his sleeve
4 Géog map; Astron, Météo, Naut chart; **~ de la Corse** map of Corsica; **~ marine/du ciel** sea/astronomical chart
5 Biol **~ génétique** genetic map
6 (au restaurant) menu; **excellente ~** excellent range of (à la carte) dishes; **prendre la ~, manger à la ~** to eat à la carte, to order from the menu; **repas à la ~** à la carte meal; **horaire/programme à la ~** fig personalized timetable/programme[GB]; **activités sportives à la ~** choice of sporting activities

(Composés) **~ d'abonnement** Rail season ticket; **~ d'accès à bord** Aviat boarding pass; **~ d'adhérent** membership card; **~ d'alimentation** ration card; **~ d'ancien combattant** *card issued to war veterans, affording some privileges*; **~ d'anniversaire** birthday card; **~ d'assuré social** ≈ national insurance card; **~ bancaire** debit card; **~ bleue**® credit card; **~ de chemin de**

➡ *voir* Vivre dans un pays anglophone

C

fer season *ou* commutation US ticket; ~ **de correspondance** plain postcard; ~ **de crédit** credit card; ~ **d'électeur** polling card GB, voter registration card US; ~ **d'état-major** Ordnance Survey map GB, Geological Survey map US; ~ **d'étudiant** student card, student ID card; ~ **de famille nombreuse** *card issued to families with three or more children, entitling them to reductions*; ~ **de fidélité** loyalty card; ~ **graphique** Ordinat graphics card; ~ **grise** car registration document *ou* papers US; ~ **d'identité scolaire** pupil's identity *ou* ID card; ~ **d'immatriculation** registration card; ~ **d'immatriculation consulaire** *card issued by the consulate to French nationals living abroad*; ~ **d'invalidité** disabled persons' card; ~ **jeunes®** (young persons') railcard; Comm (young people's) discount card; ~ **de lecteur** library card, reader's ticket GB; ~ **magnétique** gén magnetic card; (pour ouvrir une porte) swipe card; ~ **maîtresse** lit master card; fig trump card; ~ **de membre** membership card; ~ **à mémoire** smart card ; ~ **à microprocesseur** smart card; ~ **(nationale) d'identité** Admin identity card; ~ **de Noël** Christmas card; ~ **orange®** season ticket (*in the Paris region*); ~ **de paiement** direct debit card; ~ **PCI** Ordinat PCI card; ~ **perforée** punch card; ~ **postale** postcard; ~ **de presse** press pass; ~ **privative** store card; ~ **professionnelle** identity card (*showing occupation*); ~ **à puce** smart card; ~ **de rationnement** ration card; ~ **de réduction** discount card; ~ **routière** roadmap; ~ **scolaire** *distribution of the state-run schools in an area*; ~ **SCSI** Ordinat SCSI card; ~ **de sécurité sociale** = ~ **d'assuré social**; ~ **de séjour** residence permit ➡; ~ **SIM** Télécom SIM card; ~ **syndicale** union card; ~ **de téléphone** phonecard; ~ **téléphonique prépayée** telephone voucher; ~ **vermeil®** senior citizen's rail pass; ~ **verte®** Assur, Aut green card GB, ≈ certificate of motor insurance; ~ **vidéo** Ordinat video card; ~ **des vins** wine list; ~ **de visite** gén visiting *ou* calling card; Comm, Entr business card; ~ **vitale** Ordinat social insurance smart card; ~ **de vœux** greetings card; **Carte Européenne d'Assurance Maladie, CEAM** European Health Insurance Certificate, EHIC

(Idiomes) **avoir ~ blanche** to have carte blanche *ou* a free hand; **donner ~ blanche à qn** to give sb carte blanche *ou* a free hand; **brouiller les ~s** to confuse the issue

> **Carte bleue**
>
> A credit card issued by French banks, which can be part of the international Visa network. Payments made using a *carte bleue* can be debited from the account immediately or at the end of the following month. The card is accepted wherever the *CB* sign is displayed.

> **Carte d'identité**
>
> Not to be confused with a passport, this is a proof of identity carried by most French citizens. It is issued free of charge generally by the *préfecture* and is valid for ten years. Though not compulsory, it is often used to guarantee payments by cheque and is accepted as a travel document within EU member states.

carte-fille, *pl* **cartes-filles** /kaʀtfij/ *nf* daughterboard

cartel /kaʀtɛl/ *nm* 1 Écon cartel; **le ~ pétrolier/chimique** the oil/chemicals cartel; **les ~s de la drogue** the drug cartels; 2 Pol coalition; 3 (pendule) wall clock

carte-lettre, *pl* **cartes-lettres** /kaʀtəlɛtʀ/ *nf* letter-card

cartellisation /kaʀtelizasjɔ̃/ *nf* cartelization

carte-mère, *pl* **cartes-mères** /kaʀtmɛʀ/ *nf* motherboard

carte-modem, *pl* **cartes-modem** /kaʀtmɔdɛm/ *nf* modem card

carter /kaʀtɛʀ/ *nm* 1 Aut (de moteur) crankcase; (de boîte de vitesses) casing; 2 Mécan gén case; (de vélo) chain guard

carte-réponse, *pl* **cartes-réponses** /kaʀtʀepɔ̃s/ *nf* reply card

carterie® /kaʀtəʀi/ ▸ **p. 532** *nf* card shop

cartésianisme /kaʀtezjanism/ *nm* Cartesianism

cartésien, -ienne /kaʀtezjɛ̃, ɛn/ *adj, nm,f* Cartesian

carte-son, *pl* **cartes-son** /kaʀtsɔ̃/ *nf* sound card

Carthage /kaʀtaʒ/ ▸ **p. 894** *npr* Carthage

carthaginois, -oise /kaʀtaʒinwa, az/ *adj* Carthaginian

Carthaginois, ~e /kaʀtaʒinwa, az/ *nm,f* Carthaginian

cartilage /kaʀtilaʒ/ *nm* 1 Anat, Zool cartilage; 2 Culin gristle

cartilagineux, -euse /kaʀtilaʒinø, øz/ *adj* 1 Anat, Zool cartilaginous; 2 Culin gristly

cartographe /kaʀtɔgʀaf/ ▸ **p. 532** *nmf* cartographer

cartographie /kaʀtɔgʀafi/ *nf* cartography; ~ **du génome humain** genetic mapping

cartographier /kaʀtɔgʀafje/ [2] *vtr* to map

cartographique /kaʀtɔgʀafik/ *adj* cartographic

cartomancie /kaʀtɔmɑ̃si/ *nf* fortune-telling, cartomancy spéc

cartomancien, -ienne /kaʀtɔmɑ̃sjɛ̃, ɛn/ ▸ **p. 532** *nm,f* fortune-teller, cartomancer spéc

carton /kaʀtɔ̃/ *nm* 1 (matière) cardboard; **de** *or* **en ~** cardboard (*épith*); 2 (boîte) (cardboard) box; **un ~ de jouets** a box *ou* boxful of toys; **c'est resté dans les ~s** lit it's still in the box; fig it didn't get past the drawing-board; **ressortir des ~s** lit to be brought out again; fig to be dusted off; 3 (carte) card; 4 Art (modèle) cartoon; ~ **de tapisserie** tapestry cartoon; 5 (cible) target

(Composés) ~ **à chapeau** hatbox; ~ **à dessin** portfolio; ~ **goudronné** roofing felt; ~ **d'invitation** invitation card; ~ **jaune** Sport yellow card; ~ **ondulé** corrugated cardboard; ~ **rouge** Sport red card

(Idiomes) **faire un ~**° (remporter un succès) to do great°; (tirer sur une cible) to shoot at a target; **battre** *or* **taper le ~**° to play cards; **prendre** *or* **ramasser un ~**° to get a licking°

cartonnage /kaʀtɔnaʒ/ *nm* 1 (emballage) cardboard packaging; (boîtes) cardboard boxes (*pl*); 2 Ind cardboard industry; 3 (reliure) hard cover

cartonné, ~e /kaʀtɔne/

A *pp* ▸ **cartonner**

B *pp adj* **boîte ~e** cardboard box; **cahier ~** hardback notebook; **couverture ~e** (de livre) case-cover; **livre ~** hardback

cartonner /kaʀtɔne/ [1]

A *vtr* 1 Imprim to bind; 2 °to get one over [*adversaire*], to score a point over [*adversaire*]

B °*vi* 1 (marquer) to score; 2 (jouer aux cartes) to be a keen card player

cartonnerie /kaʀtɔnʀi/ *nf* 1 (usine) cardboard factory; 2 (secteur) cardboard manufacturing industry

cartonnier, -ière /kaʀtɔnje, ɛʀ/ *nm,f* Art creator of cartoons (*for stained glass etc*)

carton-pâte /kaʀtɔ̃pɑt/ *nm inv* pasteboard; **en** *or* **de ~** lit pasteboard (*épith*); fig cardboard (*épith*)

cartoonesque /kaʀtunɛsk/ *adj* cartoon (*épith*), cartoon-style (*épith*)

cartouche /kaʀtuʃ/

A *nm* 1 (sur plan) title block; (sur une carte) legend, cartouche spéc; 2 Archéol cartouche

B *nf* 1 Mil, Chasse cartridge; 2 (recharge) (de stylo plume, d'imprimante) cartridge; (de gaz) refill; **une ~ d'encre** an ink cartridge; 3 (emballage) ~ **de cigarettes** carton of cigarettes; 4 Ordinat cartridge

(Composé) ~ **à blanc** Mil blank cartridge

(Idiome) **brûler ses dernières ~s** to play one's last cards

cartoucherie /kaʀtuʃʀi/ *nf* cartridge factory

cartouchière /kaʀtuʃjɛʀ/ *nf* cartridge belt

carvi /kaʀvi/ *nm* caraway

caryatide /kaʀjatid/ *nf* caryatid

caryotype /kaʀjotip/ *nm* karyotype

cas /kɑ/

A *nm inv* 1 (circonstance) case; **dans ce ~** in that case; **dans certains ~** in certain cases; **en pareil ~** in such a case; **auquel ~** in which case; **dans le premier/second ~** in the first/second case; **dans les deux ~** either way, one way or the other, in both cases; **dans tous les ~** in every case; **dans** *or* **en ce ~(-là)** in that case; **c'est le ~** it is the case; **ce n'est pas le ~** it is not the case; **si tel était le ~, si c'était le ~** if that was the case; **au ~ où il viendrait/déciderait** in case he comes/decides; **prends ta voiture, au ~ où** take your car, just in case; **en ~ de panne** in case of breakdown; **en ~ d'urgence** in case of emergency; **en ~ de besoin** if necessary, if need be; **en ~ de décès/d'invalidité/d'accident** in the event of death/of disability/of an accident; **en ~ d'incendie, brisez la glace** in the event of a fire, break the glass; **nous faisons 10% ou 20% de remise, selon le(s) ~** we give a discount of 10% or 20%, as the case may be; **savoir être sévère ou pas selon les ~** to know how to be strict or not, as circumstances dictate; **ne pas déranger sauf pour un ~ grave** do not disturb except in an emergency; **si le ~ se présente** if the case arises; **le ~ ne s'était jamais présenté** the case had never arisen; **le ~ échéant** if need be; **dans le ~ contraire, vous devrez...** should the opposite occur, you will have to...; **dans le meilleur/pire des ~** at best/worst; **c'est un ~ à envisager** it's a possibility we should bear in mind; **en aucun ~** on no account; **ton chagrin ne peut en aucun ~ justifier ta conduite** your grief in no way justifies your behaviour; **n'abusez en aucun ~ des excitants** under no circumstances *ou* on no account should you take excessive amounts of stimulants; **elle ne veut en aucun ~ quitter son domicile** she doesn't want to *ou* won't leave her home under any circumstances; **cet argent ne doit en aucun ~ être dépensé pour autre chose** under no circumstances *ou* on no account should this money be spent on anything else; **il ne s'agit en aucun ~ de tout recommencer** starting all over again is out of the question; **c'est le ~ de le dire!** you can say that again!

2 (situation particulière) case; **dans mon/ton ~** in my/your case; **étudier le ~ de qn** to look into sb's case; **le ~ de Sophie est spécial** Sophie's is a special case; **au ~ par ~** case by case; **traiter/négocier qch au ~ par ~** to deal with/negotiate sth case by case; **être dans le même ~ que qn** to be in the same position as sb; **n'aggrave pas ton ~** don't make things worse for yourself

3 (occurrence) case; **plusieurs ~ de rage/rubéole** several cases of rabies/German measles; **un ~ rare** a rare occurrence; **c'est vraiment un ~ ta sœur!** hum your sister is a real case°!; **plusieurs ~ de suicide** several cases of suicide

4 (en grammaire) case

5 (cause) **c'est un ~ de renvoi** it's grounds for dismissal

B **en tout cas, en tous les cas** *loc adv*

➡ *voir* Vivre dans un pays anglophone

1 (assurément) in any case, at any rate; **ce n'est pas moi en tout ~** it's not me at any rate **2** (du moins) at least; **en tout ~ pas pour l'instant** at least not at the moment

(Composés) **~ de conscience** moral dilemma; **cela me pose un ~ de conscience** it presents me with a moral dilemma; **~ d'école** textbook case; **~ d'espèce** special case; **~ de figure** scenario; **il y a plusieurs ~ de figure** there are several possible scenarios; **~ de force majeure** case of force majeure *ou* vis major; **~ de guerre** cause for war; **~ limite** borderline case; **~ social** socially disadvantaged person; **~ type** typical case

(Idiomes) **il a fait grand ~ de son avancement** he made a big thing of his promotion; **elle n'a fait aucun ~ de mon avancement** she didn't attach much importance to my promotion

Casablanca /kazablɑ̃ka/ ▸ **p. 894** *npr* Casablanca

casanier, **-ière** /kazanje, ɛʀ/
A *adj* [*personne*] stay-at-home (*épith*); [*existence*] unadventurous; **il est très ~** he's a real stay-at-home *ou* homebody US
B *nm,f* stay-at-home, homebody US

casaque /kazak/ *nf* **1** Turf jersey, silk; **le numéro 10, ~ verte** number 10, green jersey *ou* silk; **2** Pol (étiquette) label

(Idiome) **tourner ~** to do a U-turn

casbah /kazba/ *nf* **1** (citadelle, quartier) kasbah; **2** ○(maison) pad○, house

cascabelle /kaskabɛl/ *nf* Zool rattle

cascade /kaskad/ *nf* **1** (chute d'eau) waterfall; **2** Cin stunt; **une ~ de voitures** a car stunt; **3** (succession précipitée) (de rires, d'applaudissements) stream (**de** of); (d'incidents, de réactions) series (+ *v sg*) (**de** of); **une ~ de dévaluations** a series of devaluations; **un rire en ~** peals (*pl*) of laughter; **ses cheveux tombaient en ~ sur ses épaules** liter his/her hair cascaded over her shoulders; **crises/conflits/démissions en ~** series of crises/conflicts/resignations

cascadeur, **-euse** /kaskadœʀ, øz/ *nm,f* ▸ **p. 532** stuntman/stuntwoman

case /kɑz/ *nf* **1** (maison) hut, cabin; **2** (de damier, monopoly®) square; **sauter une ~** to jump a square; **reculer d'une ~** lit to move *ou* go back a square; fig to move backward(s); **3** (sur un formulaire, un test) box; **une lettre par ~** one letter per box; **cochez la ~ correspondante** tick the appropriate box; **4** (de boîte, tiroir) compartment

(Composés) **~ départ** lit start; fig square one; **retour à la ~ départ** back to square one; **repasser par la ~ départ** to pass go; **~ horaire** TV time slot; **~ postale** Can, Helv PO Box

(Idiomes) **il lui manque une ~○, il a une ~ en moins○** he's got a screw loose○

caséeux, **-éeuse** /kaʒeø, øz/ *adj* caseous

caséine /kazein/ *nf* casein

casemate /kazmat/ *nf* (abri) bunker; (ouvrage fortifié) pillbox

caser○ /kɑze/ [1]
A *vtr* **1** (placer) to put, to stick○ (**dans** in; **sur** on; **sous** under); **où puis-je ~ mes affaires?** where can I put my things?; **je n'ai pas de place pour ~ mes jambes** I haven't got any leg room; **tu as réussi à ~ ton expression favorite!** you've managed to slip in your favourite[GB] expression!; **2** (marier) [*parents*] to marry off [*enfant*]; **ils aimeraient bien ~ leur fils** they would like to marry off their son; **3** (loger) to put [sb] up; **où vas-tu les ~?** where are you going to put them up?; **4** (trouver un emploi pour) to find a place for; **~ un protégé au service des ventes** to find a place for a protégé in the sales department
B **se caser** *vpr* to tie the knot○, to get married; **elle a 29 ans et n'est toujours pas casée!** she's 29 and she still hasn't tied the knot!

caserne /kazɛʀn/ *nf* Mil barracks; **regagner sa ~** to get back to barracks

(Composés) **~ de gendarmerie** police quarters (*pl*); **~ de sapeurs-pompiers** fire station

casernement /kazɛʀnəmɑ̃/ *nm* **1** Mil (caserne) barracks; **2** (action de caserner) quartering in barracks

caserner /kazɛʀne/ [1] *vtr* to quarter [sb] in barracks

casernier /kazɛʀnje/ *nm* barrack quartermaster

cash○ /kaʃ/ *adv* cash; **payer ~** to pay cash

casher /kaʃɛʀ/ *adj inv* kosher

cash-flow, *pl* **~s** /kaʃflo/ *nm* controv cash flow

casier /kɑzje/ *nm* **1** (meuble) **~ (de rangement)** rack; **~ à bouteilles/légumes/chaussures** bottle/vegetable/shoe rack; **2** (pour le courrier) pigeonhole; **j'ai mis la lettre dans ton ~** I've put the letter in your pigeonhole; **3** Pêche pot; **~ à langoustes** lobster pot

(Composés) **~ fiscal** Jur tax record; **~ judiciaire** Jur police record; **avoir un ~** to have a (police) record; **mon ~ judiciaire est vierge** I don't have a police record

casino /kazino/ *nm* casino

casoar /kazɔaʀ/ *nm* **1** Zool cassowary; **2** (plumet) plume

Caspienne /kaspjɛn/ ▸ **p. 579** *nprf* **la (mer) ~** the Caspian Sea

casque /kask/ *nm* **1** (de motard, pilote) crash helmet; (de cycliste) cycle helmet; (pour les sports dangereux, les chantiers) **~ de protection** hard hat, safety helmet; **le port du ~ est obligatoire** crash *ou* safety helmets must be worn; **2** Mil helmet; **3** Audio, Mus headphones (*pl*); **4** Cosmét (sèche-cheveux) hairdrier GB, hairdryer US; **être sous le ~** to be under the drier GB *ou* dryer US; **5** Zool, Bot helmet

(Composés) **~ antibruit** ear protectors (*pl*); **~ de chantier** safety helmet, hard hat; **~ colonial** pith helmet; **~ intégral** Sport full-face crash helmet; **~ de pompier** fireman's helmet; **~ de tranchée** Mil tin hat○; **Casque bleu** Blue Helmet, Blue Beret

casqué, **~e** /kaske/
A *pp* ▸ **casquer**
B *pp adj* [*policier, soldat, motocycliste*] helmeted; **(être) botté et ~** (to be) wearing boots and a helmet

casquer○ /kaske/ [1] *vi* **1** (payer la note) to foot the bill; **2** (être puni) to carry the can○ GB, to take the rap○

casquette /kaskɛt/ *nf* **1** Mode (peaked) cap; **~ de base-ball/cuir** base-ball/leather cap; **~ de contrôleur** ticket collector's cap; **2** (fonction) hat; (étiquette) label; **porter plusieurs ~s** to wear several hats

cassable /kasabl/ *adj* **1** gén breakable; **2** Jur liable to annulment

Cassandre /kasɑ̃dʀ/ *npr* Mythol Cassandra; **jouer les ~** to spread doom and gloom

cassant, **~e** /kasɑ̃, ɑ̃t/ *adj* **1** (qui se brise facilement) [*bois, cheveux*] brittle; [*métal*] brittle, short spéc; **2** (tranchant) [*voix, ton, personne*] curt, abrupt; **3** ○(fatigant) back-breaking; **c'est pas ~ comme travail** it's not exactly back-breaking work!

cassate /kasat/ *nf* cassata

cassation /kasasjɔ̃/ *nf* Jur quashing, annulment

casse /kɑs/
A ◑*nm* break-in, heist○ US; **faire un ~** to break into a bank
B *nf* **1** (objets cassés) breakage; **payer la ~** to pay for breakage *ou* for the damage; **il y a eu beaucoup de ~ pendant le déménagement** a lot of things got broken during the move; **sans trop de ~** without causing too much damage; **si les deux bandes se rencontrent il va y avoir de la ~** if the two gangs meet there'll be a bust-up○; **2** (lieu) breaker's yard, scrap yard; **ta voiture est bonne pour la ~!** your car's ready for the breaker's yard *ou* scrap yard!; **mettre à la ~** to scrap [*voiture, bicyclette, réfrigérateur*]; **3** Imprim case; **haut de ~** upper case; **bas de ~** lower case; **4** Bot cassia; **5** Vin casse

cassé, **~e** /kase/
A *pp* ▸ **casser**
B *pp adj* [*voix*] hoarse; ▸ **blanc**

casse-cou* /kasku/
A *adj inv* [*personne, entreprise*] reckless; [*lieu*] dangerous
B *nmf inv* (personne) daredevil
C *nm inv* (lieu) death trap

(Idiome) **crier ~** to give a warning

casse-couilles*● /kaskuj/ *nmf inv* pain in the arse● GB *ou* ass◑ US

casse-croûte* /kaskʀut/ *nm inv* snack

casse-cul*● /kasky/
A *adj inv* **être ~** [*gêneur*] to be a pain in the arse● GB *ou* ass◑ US; [*raseur*] to be a bore; [*corvée*] to be a drag○ *ou* bore
B *nmf inv* (gêneur) pain in the arse● GB *ou* ass◑ US; (raseur) bore

casse-dalle*◑ /kasdal/ *nm inv* snack

casse-graine*○ /kasgʀɛn/ *nm inv* snack

casse-gueule*◑ /kasgœl/
A *adj inv* [*lieu, opération*] dangerous; [*projet*] risky; [*action*] reckless
B *nm inv* (entreprise, projet) risky business; (lieu) deathtrap; **aller au ~** soldiers' slang to go to the front

casse-noisettes /kasnwazɛt/, **casse-noix*** /kasnwa/ *nm inv* nutcrackers (*pl*)

casse-pieds*○ /kaspje/
A *adj inv* **être ~** [*gêneur*] to be a pain in the neck○; [*raseur*] to be a bore; [*corvée*] to be a drag○ *ou* bore
B *nmf inv* (gêneur) pain in the neck○; (raseur) bore

casse-pipe*◑ /kaspip/ *nm inv* **aller au ~** to go to the front

casser /kase/ [1]
A *vtr* **1** (briser) to break [*objet, os, membre*]; to crack [*noix, noisette*]; **les vandales ont tout cassé dans la maison** the vandals wrecked the house; **~ un bras/une côte/une dent à qn** to break sb's arm/rib/tooth; **quel maladroit! il casse tout!** he's so clumsy, he breaks everything!; **~ un carreau** to smash *ou* break a windowpane; **~ le moral de qn** to break sb's spirit; **~ le mouvement syndical** to break the unions; **ça m'a cassé la voix de hurler comme ça** shouting like that has made me hoarse; **~ les prix** Comm to slash prices; **~ le rythme d'une course** to slow down the pace of a race; **~ la figure○** *or* **la gueule◑ à qn** to beat sb up○; **~○ du flic○/du manifestant** to beat up policemen/ demonstrators; ▸ **sucre**, **omelette**; **2** ○(dégrader) to demote [*militaire, employé*]; **3** (annuler) to quash [*jugement*]; to annul [*arrêt*]; **4** ○(humilier) to cut [sb] down to size [*personne*]; **le patron l'a cassé devant tous les employés** the boss put him down in front of all the employees
B *vi* **1** (se briser) [*matière, objet*] to break; [*ficelle, corde, bande enregistrée*] to break, to snap; **la branche a cassé sous le poids des fruits** the branch broke *ou* snapped under the weight of the fruit; **ça casse très facilement** it breaks very easily; **2** ○(se séparer) [*couple*] to split up; **il a cassé avec sa petite amie** he's split *ou* broken up with his girlfriend
C **se casser** *vpr* **1** ○(partir) to go away; **'bon, je me casse!'** 'right, I'm off○ *ou* I'm going!'; **2** (se briser) to break; **la clé s'est cassée net** the key snapped in two; **3** (se blesser) **se ~ une jambe/un bras**, **se ~ la jambe/le bras** to break one's leg/one's arm; **se ~ la figure○** *or* **gueule◑** (tomber par terre) [*piéton*] to fall over GB *ou* down; [*cavalier, motard*] to take a fall;

(avoir un accident) [*automobiliste, motard, avion*] to crash; (échouer) [*entreprise, projet*] to fail, to come a cropper○ GB; (se battre) [*personnes*] to have a scrap○; **il ne s'est pas cassé**○, **il ne s'est pas cassé la tête** ○ *or* **le tronc**○ *or* **la nénette**○ *or* **le cul**◑ he didn't exactly strain himself; **se ~ la tête**○ **(sur un problème)** to rack one's brain (over a problem); **se ~ la tête**○ *or* **le cul**◑ **à faire qch** to go out of one's way to do sth

(Idiomes) **~ les pieds**○ *or* **les couilles**● **à qn** to annoy sb, to bug○ sb; **il nous les casse**● he's bugging○ us; **~ la croûte** *or* **la graine**○ to eat, to nosh○ GB, to chock○ US; **ça casse rien**○, **ça casse pas des briques**○ *or* **trois pattes à un canard**○ it's nothing to write home about○; **il faut que ça passe ou que ça casse** it's make or break; **une fête/un banquet à tout ~**○ a fantastic party/dinner; **ça te prendra trois heures, à tout ~**○ it'll take you three hours at the very most *ou* at the outside; **il y avait 200 personnes, à tout ~**○ there were 200 people at the very most *ou* at the outside; **qui casse (les verres) paie** if you cause damage, you pay for it

casserole /kasʀɔl/ *nf* Culin saucepan, pan; **~ en aluminium/émaillée** aluminium GB *ou* aluminum US/enamelled[GB] saucepan *ou* pan; **une ~ d'eau chaude** a saucepan *ou* pan of hot water

(Idiomes) **passer à la ~**◑ (se faire disputer) to get into trouble; (subir un rapport sexuel) to be coerced into sex; **chanter/jouer comme une ~**○ to sing/play atrociously

casse-tête* /kastɛt/ *nm inv* **1** (problème) headache fig; **2** (jeu, devinette) puzzle; **3** (massue) club

(Composé) **~ chinois** Jeux Chinese puzzle

cassette /kasɛt/ *nf* **1** Audio cassette, tape; **~ vierge** blank cassette *ou* tape; **acheter une ~ de Tom Waits** to buy a Tom Waits cassette *ou* tape; **~ de musique classique** classical music cassette *ou* tape; **2** Ordinat cassette, tape; **3** (petit coffret) casket; **4** Hist privy purse

(Composés) **~ audio** audio cassette tape; **~ vidéo** video (cassette); **j'ai le film en ~ vidéo** I've got the film on video

casseur /kasœʀ/ *nm* **1** ▸ **p. 532** (ferrailleur) scrap merchant GB *ou* dealer; **2** (manifestant) rioting demonstrator; **3** ○(cambrioleur) burglar

cassis /kasis/ *nm inv* **1** Bot (arbre) blackcurrant (bush); **2** Culin (fruit) blackcurrant; **crème de ~** blackcurrant liqueur, crème de cassis; **une glace au ~** a blackcurrant ice cream; **sirop de ~** blackcurrant cordial; **3** (sur la route) dip

Cassius /kasjys/ *npr* **pourpre de ~** Chimie gold tin purple

cassolette /kasɔlɛt/ *nf* **1** Culin (récipient) small ovenproof dish; (plat) small dish (**de** of); **2** (brûle-parfum) essential oil burner

cassonade /kasɔnad/ *nf* soft brown sugar

cassoulet /kasulɛ/ *nm*: *meat and (haricot) bean stew*

cassure /kasyʀ/ *nf* **1** (endroit brisé) break; **2** (rupture) split, rupture; **le divorce de mes parents a été une ~ dans ma vie** my parents' divorce turned my life upside down; **3** Géol fracture; **4** Mode crease, fold mark

castagne○ /kastaɲ/ *nf* fight, scrap○; **il va y avoir de la ~** there's going to be a fight *ou* scrap○

castagnettes /kastaɲɛt/ ▸ **p. 557** *nfpl* castanets; **jouer des ~** to play the castanets

caste /kast/ *nf* **1** Sociol caste; **2** (groupe social) pej class; **la ~ des gouvernants/officiers** the ruling/officer class

castel /kastɛl/ *nm* small castle

castillan, **~e** /kastijɑ̃, an/ ▸ **p. 483**
A *adj* Castilian
B *nm* Ling Castilian

Castillan, **~e** /kastijɑ̃, an/ *nm,f* Castilian

Castille /kastij/ ▸ **p. 721** *nprf* Castile

casting /kastiŋ/ *nm* (sélection) casting

castor /kastɔʀ/ *nm* **1** Zool beaver; **2** (fourrure) beaver; **c'est du ~** it's beaver

castrat /kastʀa/ *nm* **1** Mus castrato; **2** (homme castré) eunuch

castrateur, **-trice** /kastʀatœʀ, tʀis/ *adj* Psych castrating

castration /kastʀasjɔ̃/ *nf* castration

castrer /kastʀe/ [1] *vtr* to castrate [*animal, homme*]

castrisme /kastʀism/ *nm* Castroism

castriste /kastʀist/
A *adj* Castro (*épith*)
B *nmf* Castroist

casuel, **-elle** /kazɥɛl/ *adj* **1** (fortuit) fml fortuitous; **2** Ling [*langue, flexion*] case (*épith*)

casuiste /kazɥist/ *nm* casuist

casuistique /kazɥistik/ *nf* casuistry

CAT /kat, seate/ *nm* (*abbr* = **centre d'aide par le travail**) adult training centre[GB]

cata○ /kata/ *nf* (*abbr* = **catastrophe**) disaster

catabolisme /katabɔlism/ *nm* catabolism

catachrèse /katakʀɛz/ *nf* catachresis

cataclysme /kataklism/ *nm* lit, fig cataclysm

cataclysmique /kataklismik/ *adj* cataclysmic

catacombes /katakɔ̃b/ *nfpl* catacombs

catadioptre /katadjɔptʀ/ *nm* reflector

catafalque /katafalk/ *nm* catafalque

catalan, **~e** /katalɑ̃, an/ ▸ **p. 483**
A *adj* Catalan
B *nm* Catalan

Catalan, **~e** /katalɑ̃, an/ *nm,f* Catalan

catalepsie /katalɛpsi/ *nf* catalepsy; **tomber en ~** to have a cataleptic fit

cataleptique /katalɛptik/
A *adj* cataleptic
B *nmf* person suffering from catalepsy

catalogage /katalɔgaʒ/ *nm* cataloguing[GB]

Catalogne /katalɔɲ/ ▸ **p. 721** *nprf* Catalonia

catalogue /katalɔg/ *nm* **1** (publication) catalogue[GB]; **~ de l'exposition** exhibition catalogue[GB]; **~ de vente par correspondance** mail order catalogue[GB]; **acheter/vendre qch sur ~** to buy/sell sth by mail order; **la vente sur ~** selling by mail order; **2** (de liste) catalogue[GB]; **faire** *or* **dresser le ~ de** to catalogue[GB]

cataloguer /katalɔge/ [1] *vtr* **1** (dresser la liste de) to catalogue GB, to catalog US; **2** (juger définitivement) to label; **être catalogué comme républicain** to be labelled as a republican; **se sentir catalogué** to feel one is being pigeonholed

catalpa /katalpa/ *nm* catalpa

catalyse /kataliz/ *nf* catalysis; **par ~** by catalysis

catalyser /katalize/ [1] *vtr* lit, fig to catalyse[GB]

catalyseur /katalizœʀ/ *nm* **1** Chimie catalyst; **2** (pot catalytique) catalytic converter; **3** fig catalyst (**de** for, of); **jouer le rôle de** *or* **servir de ~** to act as *ou* be a catalyst

catalytique /katalitik/ *adj* lit, fig catalytic

catamaran /katamaʀɑ̃/ *nm* catamaran

cataphote® /katafɔt/ *nm* (safety) reflector

cataplasme /kataplasm/ *nm* poultice; **poser un ~** to apply a poultice

catapultage /katapyltaʒ/ *nm* catapulting

catapulte /katapylt/ *nf* Aviat, Hist catapult

catapulter /katapylte/ [1] *vtr* to catapult; **~ qn à un poste de direction** to catapult sb into a managerial position

cataracte /kataʀakt/ *nf* **1** Méd cataract; **2** Géog cataract

catarrhal, **~e**, *mpl* **-aux** /kataʀal, o/ *adj* catarrhal

catarrhe /kataʀ/ *nm* catarrh

catarrheux, **-euse** /kataʀø, øz/ *adj* catarrhal

catastase /katastaz/ *nf* **1** Littérat catastasis; **2** Phon on-glide

catastrophe /katastʀɔf/ *nf* disaster; **~ aérienne** air disaster; **tourner à la ~** to end in disaster; **aller** *or* **courir à la ~** to head for disaster; **ce n'est pas une ~** it's not the end of the world; **en ~** [*partir, terminer*] in a (mad) panic; **atterrissage en ~** crash landing

(Composé) **~ naturelle** gén natural disaster; Assur, Jur act of God

catastrophé, **~e** /katastʀɔfe/
A *pp* ▸ **catastropher**
B *pp adj* devastated; **avoir l'air ~** to look *ou* seem devastated

catastropher /katastʀɔfe/ [1] *vtr* to devastate; **j'ai été catastrophé de voir** I was devastated when I saw

catastrophique /katastʀɔfik/ *adj* disastrous; (plus fort) catastrophic

catastrophisme /katastʀɔfism/ *nm* doomwatch

catatonie /katatɔni/ *nf* catatonia

catatonique /katatɔnik/ *adj* catatonic

catch /katʃ/ ▸ **p. 469** *nm* wrestling; **faire du ~** to wrestle

(Composé) **~ à quatre** tag wrestling

catcher /katʃe/ [1] *vi* to wrestle

catcheur, **-euse** /katʃœʀ, øz/ ▸ **p. 532** *nm,f* wrestler; **avoir des épaules de ~** to be built like a wrestler

catéchèse /kateʃɛz/ *nf* catechesis

catéchisation /kateʃizasjɔ̃/ *nf* catechization

catéchiser /kateʃize/ [1] *vtr* **1** Relig to catechize; **2** (endoctriner) to indoctrinate

catéchisme /kateʃism/ *nm* **1** Relig catechism; **faire le ~ aux enfants** to teach children the catechism; **2** (dogme) dogma

catéchiste /kateʃist/ *nmf* catechist

catéchumène /katekymɛn/ *nmf* catechumen

catégorie /kategɔʀi/ *nf* **1** (type) category; **de première/deuxième ~** top-/low-grade; **2** Admin class; **3** Sociol group; **~ socioprofessionnelle** social and occupational group; **4** Sport class; **hors ~** in a class of one's own; **toutes ~s** all-round; **5** Ling, Philos category

catégoriel, **-ielle** /kategɔʀjɛl/ *adj* category-specific

catégorique /kategɔʀik/ *adj* **1** (inébranlable) adamant; **refus ~** adamant *ou* categoric refusal; **2** (sans ambiguïté) categoric; **règle ~** categoric rule

catégoriquement /kategɔʀikmɑ̃/ *adv* categorically; **refuser ~** to refuse flatly *ou* categorically

catégorisation /kategɔʀizasjɔ̃/ *nf* categorization; péj labelling[GB]

catégoriser /kategɔʀize/ [1] *vtr* to categorize; péj to label

catelle /katɛl/ *nf* Helv (carreau) tile

caténaire /katenɛʀ/ *adj*, *nf* Rail catenary

catgut /katgyt/ *nm* catgut

cathare /kataʀ/ *adj*, *nmf* Cathar

catharsis /kataʀsis/ *nf* catharsis

cathartique /kataʀtik/ *adj* cathartic

cathédrale /katedʀal/ *nf* cathedral; **silence de ~** cathedral-like silence

Catherine /katʀin/ *npr* Catherine

(Composés) **~ d'Aragon** Catherine of Aragon; **~ la Grande** Catherine the Great; **~ de Médicis** Catherine de' Medici

(Idiome) **coiffer sainte ~** to remain unattached at the age of 25

catherinette /katʀinɛt/ *nf*: *single woman aged 25*

cathéter /katetɛʀ/ *nm* catheter; **~ à ballonnet** balloon catheter

cathétérisme /kateteʀism/ *nm* catheterization

catho○ /kato/ *adj inv, nmf* (*abbr* = **catholique**) Catholic

cathode /katɔd/ *nf* cathode

cathodique /katɔdik/ *adj* **1** Phys cathodic; **rayons ∼s** cathode rays; **tube ∼** cathode-ray tube; **2** TV televisual

catholicisme /katɔlisism/ *nm* (Roman) Catholicism

catholicité /katɔlisite/ *nf* **1** (groupe) the (Roman) Catholics (*pl*); **2** (caractère) Catholicity

catholique /katɔlik/
A *adj* (Roman) Catholic; **l'Église ∼** the (Roman) Catholic Church; **ce n'est pas très ∼**○ hum it's a bit unorthodox; **ne pas avoir l'air très ∼**○ to look a bit dubious
B *nmf* (Roman) Catholic

catimini: **en catimini** /ɑ̃katimini/ *loc adv* on the sly

catin† /katɛ̃/ *nf* prostitute, strumpet†

cation /katjɔ̃/ *nm* cation

catogan /katɔgɑ̃/ *nm* **1** (coiffure) ponytail (*attached at the nape of the neck*); **2** (ruban) bow, hair ribbon

Caton /katɔ̃/ *npr* Cato; **∼ l'Ancien** Cato the Elder; **∼ d'Utique** Cato Uticensis

Catulle /katyl/ *npr* Catullus

Caucase /kokaz/ ▸ **p. 721** *nprm* Caucasus

caucasien, **-ienne** /kokazjɛ̃, ɛn/ *adj* Caucasian

cauchemar /koʃmaʀ/ *nm* nightmare; **faire un ∼** to have a nightmare

cauchemarder○ /koʃmaʀde/ [1] *vi* to have nightmares

cauchemardesque /koʃmaʀdesk/ *adj* [*expérience*] nightmare (*épith*); [*scène*] nightmarish

cauchemardeux, **-euse** /koʃmaʀdø, øz/ *adj* **1** [*sommeil*] disturbed by nightmares (*après n*); **2** [*personne*] subject to nightmares (*après n*)

caudal, **∼e**, *mpl* **-aux** /kodal, o/
A *adj* [*nageoire*] caudal; [*plume*] tail
B **caudale** *nf* caudal fin

caudines /kodin/ *adj fpl* **fourches ∼** Caudine Forks

(Idiome) **passer sous les fourches ∼** to suffer a humiliating defeat

caulerpe /kolɛʀp/ *nf* caulerpa

cauri /ko(ɔ)ʀi/ *nm* cowrie

causal, **∼e**, *mpl* **-aux** /kozal, o/
A *adj* Philos, Ling causal
B **causale** *nf* Ling causal clause

causalité /kozalite/ *nf* causality; **rapports** *or* **liens de ∼ entre** causal relations between

causant○, **∼e** /kozɑ̃, ɑ̃t/ *adj* talkative, chatty○

causatif, **-ive** /kozatif, iv/ Ling
A *adj* [*conjonction*] causal; [*fonction*] causative
B *nm* (verbe) causative (verb); (forme) causative (form)

cause /koz/ *nf* **1** (origine) cause (**de** of); **un rapport** *or* **une relation de ∼ à effet entre** a relation of cause and effect between; **il n'y a pas d'effet sans ∼** there's no smoke without fire; **à petites ∼s grands effets** minor causes can bring about major results; **2** (raison) reason; **j'ignore la ∼ de leur colère/départ** I don't know the reason for their anger/departure; **pour une ∼ encore indéterminée** for a reason as yet unknown; **il s'est fâché et pour ∼** he got angry and with good reason; **sans ∼** [*licenciement, chagrin*] groundless; **c'est une ∼ de licenciement immédiat** it's a ground for immediate dismissal; **pour ∼ économique** for financial reasons; **pour ∼ de maladie** because of illness; **fermé pour ∼ d'inventaire/de travaux** closed for stocktaking/for renovation; **avoir pour ∼ qch** to be caused by sth; **à ∼ de** because of; **3** (ensemble d'intérêts) cause; **défendre une/sa ∼** to defend a/one's cause; **se battre pour la ∼** to fight for the cause; **une ∼ juste/perdue** a just/lost cause; **être dévoué à la ∼ commune** to be dedicated to the common cause; **être acquis à la ∼ de qn** to be won over to sb's cause; **gagner qn à sa ∼** to win sb over to one's cause; **pour les besoins de la ∼** for the sake of the cause; **prendre fait et ∼ pour qn** to take up the cause of sb; **faire ∼ commune avec qn** to make common cause with sb; **pour la bonne ∼** for a good cause; **4** (affaire) case; **plaider/gagner/perdre une ∼** to plead/win/lose a case; **plaider la ∼ de qn/sa propre ∼** to plead sb's case/one's own case; **la ∼ est entendue** Jur the case is closed; fig it's an open and shut case; **les ∼s célèbres** the causes célèbres, the famous cases; **être en ∼** [*système, fait, organisme*] to be at issue; [*personne*] to be involved; **être hors de ∼** to be in the clear; **mettre qn/qch en ∼** to implicate sb/sth; **mise en ∼** implication; **mettre qn/qch hors de ∼** gén to clear sb/sth; [*police*] to eliminate [sb] from an enquiry; **remettre en ∼** to call [sth] into question, to challenge [*politique, principe, droit, hiérarchie, décision*]; to cast doubt on [*projet, efficacité, signification*]; to undermine [*efforts, proposition, processus*]; **tout est remis en ∼** everything has been thrown back into doubt; **se remettre en ∼** to pass one's life under review; **remise en ∼** (de soi-même) rethink; (de système) reappraisal; **avoir** *or* **obtenir gain de ∼** to win one's case; **donner gain de ∼ à** to decide in favour^GB of

(Idiomes) **en toute connaissance de ∼** in full knowledge of the facts, fully conversant with the facts sout; **en tout état de ∼** in any case; **en désespoir de ∼** as a last resort

causer /koze/ [1]
A *vtr* **1** (provoquer) to cause; **∼ la mort de qn** [*accident, conflit*] to cause sb's death; **∼ de la peine à qn** to cause sb grief; **elle m'a causé de gros ennuis** she caused me a lot of trouble; **∼ des surprises/un scandale** to cause surprise/a scandal; **∼ du tort à qn** to wrong sb; **la Bourse/ma santé m'a causé des soucis** the stock exchange/my health has given me cause for concern; **2** ○(discuter de) to talk; **elles ont causé philosophie toute la soirée** they talked philosophy all evening; **∼ travail** *or* **boutique** to talk shop
B **causer de** *vtr ind* to talk about (**avec qn** with sb); **∼ longuement d'une affaire** to talk about a matter at length; **∼ de choses et d'autres** to talk about this and that; **causons un peu de ton avenir** let's have a chat about your future; ▸ **pluie**
C *vi* to talk (**avec qn** to sb; **à propos de** about); **hé, je te cause**○**!** hey, I'm talking to you!; **cause toujours tu m'intéresses!** iron fascinating, I'm sure! iron

causerie /kozʀi/ *nf* **1** (entretien organisé) talk; **une ∼ télévisée** a television chat show; **2** (entretien libre) chat; **une ∼ au coin du feu** a fireside chat

causette○ /kozɛt/ *nf* chat; **faire la** *or* **un brin de** *or* **un bout de ∼ avec qn** to have a little chat with sb

causeur, **-euse** /kozœʀ, øz/
A *nm,f* conversationalist; **c'est un brillant ∼** he's a brilliant conversationalist; **c'est un ∼ insupportable** he talks too much
B **causeuse** *nf* (meuble) love seat

causse /kos/ *nm* limestone plateau

causticité /kostisite/ *nf* lit, fig causticity

caustique /kostik/
A *adj* caustic
B *nm* caustic substance

cautèle /kotɛl/ *nf* fml cunning

cauteleux, **-euse** /kotlø, øz/ *adj* fml **1** (hypocrite) dissembling sout; **2** (rusé) cunning

cautère /kotɛʀ/ *nm* cautery

cautérisation /koteʀizasjɔ̃/ *nf* cauterization

cautériser /koteʀize/ [1] *vtr* to cauterize

caution ➡📖
/kosjɔ̃/ *nf* **1** (garantie financière) Comm deposit; Fin guarantee, security; Jur bail; **j'ai versé un mois de ∼ pour mon appartement** I paid a deposit of one month's rent on my apartment; **être libéré sous ∼** to be released on bail; **demander/accorder la mise en liberté sous ∼** to request/to grant bail; **2** (soutien) support, backing (**de** of); **apporter sa ∼ à** to lend one's support to [*thèse, politique*]; **3** (garantie morale) guarantee; **leur témoignage est sujet à ∼** their testimony is open to doubt *ou* is to be treated with caution; **4** (garant) **se porter ∼ pour qn** Comm, Fin to stand surety *ou* guarantor for sb; Jur to put up bail for sb; **il aura besoin de la ∼ parentale** his parents will have to stand surety GB *ou* accountable US for him

cautionnement /kosjɔnmɑ̃/ *nm* **1** (dépôt d'argent) deposit; **2** (soutien) support, backing

cautionner /kosjɔne/ [1] *vtr* **1** (soutenir) to give one's support to, to give one's approval to [*régime, action, événement*]; **être cautionné par** to have the support of; **terrorisme cautionné par l'État** state-sanctioned terrorism; **2** Comm, Fin to stand surety for [*personne, projet*]; Jur to put up bail for [*personne*]

cavaillon /kavajɔ̃/ *nm* ≈ cantaloupe (melon)

cavalcade /kavalkad/ *nf* **1** (course bruyante) stampede; **on entendit une ∼ dans l'escalier** people could be heard stampeding on the stairs; **2** (défilé de cavaliers) cavalcade

cavale /kaval/ *nf* **1** ○(évasion) escape; **être en ∼** to be on the run; **après trois mois de ∼** after three months on the run; **2** (jument) mare

cavaler○ /kavale/ [1]
A *vi* **1** (courir) to rush about; **∼ dans** to rush around [*magasins, ville*]; **∼ après qn/qch** to chase after sb/sth; **2** (courir après les femmes) to be a womanizer, to chase after girls; (courir après les hommes) to chase after men
B **se cavaler**○ *vpr* to leg it○, to scarper○, to run

cavalerie /kavalʀi/ *nf* Mil cavalry; **officier/charge de ∼** cavalry officer/charge

cavaleur○, **-euse** /kavalœʀ, øz/ pej
A *adj* womanizing (*épith*)/man-chasing (*épith*); **ce** *or* **qu'est-ce qu'il est ∼!** what a womanizer!
B *nm,f* womanizer/man-chaser

cavalier, **-ière** /kavalje, ɛʀ/
A *adj* **1** pej (impertinent) [*personne, procédé*] cavalier; **2** (en dessin) **vue cavalière** bird's eye view; **perspective cavalière** isometric projection; **3** Équit **allée** *or* **piste cavalière** bridle path
B *nm,f* **1** Équit horseman/horsewoman; (en promenade) horse rider; **être bon ∼** to be a good rider; **2** (pour danser) partner; **changer de ∼** to change partners
C *nm* **1** Mil cavalryman; **2** (aux échecs) knight; **3** (clou) staple (*for wood*); **4** (de fichier) tab

(Idiome) **faire ∼ seul** [*personne, entreprise*] to go it alone; Sport to be ahead

cavalièrement /kavaljɛʀmɑ̃/ *adv* [*répondre, agir*] in a cavalier fashion

cavatine /kavatin/ *nf* cavatina

cave /kav/
A *adj* liter (creux) [*yeux, joues*] hollow, sunken
B ○*nm* sucker○
C *nf* **1** (sous-sol) cellar; **de la ∼ au grenier** high and low; **∼ voûtée** vault; **2** (réserve de vin) cellar; **avoir une bonne ∼** [*individu*] to have a good cellar; [*restaurant*] to have a good winelist; **3** (entreprise vinicole) cellar; **4** (cabaret) club; **5** (meuble) drinks cabinet GB, liquor cabinet US; **6** (magasin) wine merchant

caveau, *pl* **∼x** /kavo/ *nm* **1** (sépulture) vault; **∼ de famille** family vault; **2** (salle) club

➡📖 *voir* Vivre dans un pays anglophone

C

C

ℹ ce

L'adjectif démonstratif: *ce, cet, cette, ces*

Lorsque *ce* (parfois renforcé par *-ci*) marque la proximité dans l'espace ou le temps, on le traduira par *this*:

prends ce livre(-ci) plutôt que celui-là
= take this book, not that one

il a plu ce matin
= it rained this morning

ce mois-ci
= this month

un de ces jours
= one of these days

Lorsque *ce* (parfois renforcé par *-là*) marque l'éloignement, on le traduira par *that*:

cet homme(-là)
= that man

cette année-là
= that year

en ces temps lointains
= in those far-off days

Lorsque le nom n'est pas suivi de *-ci* ou *-là*, on prendra en compte le contexte pour choisir la traduction:

dans cette maison
(celle où l'on se trouve)
= in this house
(celle dont on parle)
= in that house

j'aime ces endroits calmes
(tels que celui où nous sommes)
= I like these quiet places
(tels que celui dont on parle)
= I like those quiet places

en ces temps difficiles
(maintenant)
= in these difficult times
(autrefois)
= in those difficult times

On notera que *that* sert aussi à indiquer que le locuteur se distancie d'une chose ou d'une personne, souvent pour marquer sa désapprobation:

tu es ridicule avec ce chapeau!
= you look ridiculous in that hat!

ce garçon m'énerve!
= that boy gets on my nerves!

Attention aux expressions suivantes:

cette nuit
(passée)
= last night
(à venir)
= tonight

en ce moment
= at the moment
(précis)
= at this moment in time

Le pronom démonstratif: *ce, c'*

L'emploi du pronom démonstratif avec le verbe *être* est traité à l'entrée du verbe **être¹**.

Les autres emplois sont traités ci-dessous, voir **B**.

caverne /kavɛʀn/ *nf* **1** (grotte) cavern; **2** Anat cavity
(Composé) ~ **d'Ali Baba** Aladdin's cave

caverneux, -euse /kavɛʀnø, øz/ *adj* **1** [*voix, son*] hollow; **2** Anat cavernous

caviar /kavjaʀ/ *nm* caviar
(Composé) ~ **d'aubergines** aubergine dip GB, eggplant dip US
(Idiome) **passer au** ~ to blue-pencil

caviarder○ /kavjaʀde/ [1] *vtr* to blue-pencil

caviste /kavist/ ▸ p. 532 *nmf* cellarman/cellarwoman

cavité /kavite/ *nf* cavity; ~ **buccale** oral cavity

Cayenne /kajɛn/ *nf* **1** Géog Cayenne; **2** Hist Cayenne penal settlement

CB /sebe/ *nf* (*abbr* = **Citizens' Band**) **bande** ~ CB

cc /sese/ *nm* (*abbr* = **centimètre cube**) cc

CC *written abbr* ▸ **courant**

CCP /sesepe/ *nm: abbr* ▸ **compte**

CD /sede/ *nm* **1** Audio, Vidéo (*abbr* = **compact disc**) CD; **2** Admin (*written abbr* = **corps diplomatique**) CD

CDD /sedede/ *nm: abbr* ▸ **contrat**

CDI /sedei/ *nm: abbr* ▸ **centre**; **contrat**

CD-I /sedei/ *nm inv* (*abbr* = **compact disc interactif**) CD-I

CDP /sedepe/ *nm: abbr* ▸ **centre**

CD-ROM /sedeʀɔm/ *nm inv* (*abbr* = **compact disc read only memory**) CD-ROM

ce /sə/ (**c'** /s/ *before e*, **cet** /sɛt/ *before vowel or mute h*), **cette** /sɛt/, *pl* **ces** /se/
A *adj dém* **1** ○(avec un sujet redondant) **alors,** ~ **bébé, ça pousse?** how's the baby doing?; **et ces travaux, ça avance?** how's the work progressing?; **cet entretien, ça s'est bien passé?** how did the interview go?; **et cette grippe?** how's your flu? **2** (de politesse) **et pour ces dames?** what are the ladies having?; **si ces messieurs veulent bien me suivre** if the gentlemen would care to follow me
3 (suivi d'une précision) **il a commis cette erreur que commettent beaucoup de gens** he made the mistake so many people make; **il n'est pas de ces hommes qui manquent de parole** he's not the kind of man *ou* the sort to break his word; **je lui rends cette justice qu'il m'a tenu au courant** I must say in all fairness to him that he kept me informed; **elle a eu cette chance que la corde a tenu** she was lucky in that the rope held
4 (marquant le degré) **cette arrogance!** what arrogance!; **cette idée!** what an idea!; **ah,** ~ **repas!** what a meal!; **quand on a** ~ **talent** when you are as talented as that; **j'ai un de ces rhumes!** I've got an awful cold, I've got such a cold!; **je ne pensais pas qu'il aurait cette chance/audace** I never thought he would be so lucky/cheeky; **tu as de ces idées!** you've got some funny ideas!
B *pron dém* ~ **disant** so saying; ~ **faisant** in so doing; ~ **que voyant** (and) seeing this; **pour** ~ **faire, je devrais déménager** in order to do that, I would have to move; **il a refusé, et** ~**, parce que…** he refused, and all because…; **tout s'est bien passé, et** ~**, grâce à vos efforts** everything went well, and that was all thanks to you; **c'est un peu trop,** ~ **me semble** it's a bit much, it seems to me; **sur** ~**, je vous quitte** with that, I must take my leave; **c'est te dire s'il faisait chaud!** which just goes to show how hot it was; **c'est tout dire** that says it all; **fais** ~ **que tu veux** do what you like; **ne te fie pas à** ~ **qu'il dit** don't rely on what he says; **dis-moi** ~ **qui s'est passé** tell me what happened; **voilà** ~ **dont tu as besoin** that's what you need; ~ **que je veux savoir, c'est qui l'a cassé** what I want to know is who broke it; **c'est** ~ **à quoi il a fait allusion** that's what he was alluding to; **il faut être riche,** ~ **que je ne suis pas** you need to be rich, which I am not; **il a fait faillite,** ~ **qui n'est pas surprenant** he's gone bankrupt, which is hardly surprising; **il a accepté,** ~ **à quoi je ne m'attendais pas** he accepted, which is something I didn't expect; ~ **qui m'étonne, c'est qu'il ait accepté** what surprises me is that he accepted; **je ne m'attendais pas à** ~ **qu'il écrive** I wasn't expecting him to write; **il n'y a pas de mal à** ~ **que tu fasses cela** there's no harm in your doing that; **il s'étonne de** ~ **que tu ne le saches pas** he's surprised (that) you don't know; **il tient à** ~ **que vous veniez** he's very keen that you should come *ou* for you to come; **il se plaint de** ~ **que tu ne l'aies pas consulté** he complains (that) you didn't consult him; ~ **que c'est grand/laid!** it's so big/ugly!; ~ **qu'il te ressemble!** he really looks like you!; ~ **qu'il a mangé de** *or* **comme bonbons!** what a lot of sweets GB *ou* candy US he ate!; ~ **que c'est que d'être vieux/d'avoir étudié!** what it is to be old/to be educated!; ~ **que c'est que les enfants!** that's children for you!; **voilà** ~ **que c'est de se vanter/ne pas écouter!** that's what comes of boasting/not listening!; ~ **qu'il ne faut pas accepter/faire!** the things one has to put up with/to do!; ~ **que** *or* **qu'est-**~ **que**○ **j'ai faim!** I'm so hungry!, I'm starving!; ~ **qu'il**○ **pleut/fait froid!** it's pouring down/freezing!

CE /seə/ *nm* **1** Scol *abbr* ▸ **cours**; **2** Entr *abbr* ▸ **comité**; **3** Pol *abbr* ▸ **conseil**; **4** UE *written abbr* ▸ **commission**; **5** UE *written abbr* ▸ **communauté**

CEA /seəa/ *nm: abbr* ▸ **commissariat**

CEAM ➔ /seəaɛm/ *nf: abbr* ▸ **carte**

céans† /seɑ̃/ *adv* here; **le maître de** ~ the master of the house

CECA /seka/ *nf: abbr* ▸ **communauté**

ceci /səsi/ *pron dém* this; **prenez** ~ take this; **à** ~ **près** with one slight difference; **à** ~ **près que** except that; ~ **n'empêche pas cela** the one doesn't necessarily exclude the other; ~ **compense cela** things balance out; **que je fasse** ~ **ou cela** whether I do one thing or the other; **cet hôtel a** ~ **de bien que les chambres sont grandes** one good thing about this hotel is that the rooms are big

cécité /sesite/ *nf* blindness; **être atteint de** ~ to be blind; **souffrir de** ~ **partielle** to be partially sighted
(Composés) ~ **accidentelle** acquired blindness; ~ **verbale** word blindness, alexia spéc

cédant, ~**e** /sedɑ̃, ɑ̃t/
A *adj* assigning
B *nm,f* assignor

céder /sede/ [14]
A *vtr* **1** (laisser) to give up [*tour, siège, part*] (**à qn** to sb); to yield [*pouvoir, droit*] (**à qn** to sb); Jur to make over [*bien*] (**à** to); ~ **le passage** *or* **la priorité** Aut to give way (**à** to); **il m'a cédé sa place** he let me have his seat; ~ **la place** fig to give way (**à** to); ~ **le pas** fig to give way (**à** to; **devant** before); ~ **du terrain** lit [*armée*] to lose *ou* yield ground (**à l'ennemi** to the enemy); fig [*monnaie*] to lose ground (**par rapport à** against); [*épidémie*] to recede; [*négociateur*] to make concessions; **ne pas** ~ **un pouce de terrain** [*armée*] not to yield an inch of ground; [*négociateur*] not to yield an inch; **l'indice Dow Jones a cédé quelques points** Fin the Dow Jones index fell by a few points; **je cède la parole à mon collègue** I'll hand you over to my colleague; **2** (vendre) to sell (**à qn** to sb); **il m'a cédé son studio pour 50 000 euros** he let me have *ou* he sold me his studio for 50,000 euros; **'cède villa bord de mer'** (dans une annonce) 'for sale: seaside house'; ~ **à bail** Jur to lease; **bail à** ~ lease for sale; **3** (être inférieur) **ne le** ~ **en rien à qn/qch** to be

➔ *voir* La santé et sécurité sociale

on a par with sb/sth; **il ne le cède à personne en courage** when it comes to courage, he's second to none
B céder à *vtr ind* to give in to [*personne, désir*]; to give in to, to yield to [*tentation, envie, menace, exigences*]; to yield to [*charme*]; to succumb to [*sommeil*]
C *vi* 1 (fléchir) [*personne*] to give in; fig [*colère*] to subside; **faire ~ qn** to make sb give in; 2 (casser) [*poignée, branche*] to give way; (ne plus résister) [*serrure, porte*] to yield; **faire ~ une porte/serrure** to force a door/lock

cédérom /sedeʀɔm/ *nm* CD-ROM

cédéthèque /sedetɛk/ *nf* CD library

cédétiste /sedetist/ *nmf* member of the CFDT (*trade union*)

cedex /sedɛks/ *nm* (*abbr* = **courrier d'entreprise à distribution exceptionnelle**) *postal code for corporate users*

cédille /sedij/ *nf* cedilla

cédrat /sedʀa/ *nm* (fruit) citron

cédratier /sedʀatje/ *nm* (arbre) citron

cèdre /sɛdʀ/ *nm* 1 (arbre) cedar; 2 (bois) cedar(wood)
(Composés) **~ blanc** white cedar; **~ du Liban** cedar of Lebanon

CEE /seəə/ *nf*: *abbr* ▸ **communauté**

CEEA /seəəa/ *nf* (*abbr* = **Communauté européenne de l'énergie atomique**) EAEC

cégep /seʒɛp/ *nm* Can (*abbr* = **collège d'enseignement général et professionnel**) *college of further education in Quebec offering two-year courses*

cégépien, -ienne /seʒepjɛ̃, ɛn/ *nm,f*: *student at a cégep*

cégétiste /seʒetist/
A *adj* CGT (*épith*)
B *nmf* member of the CGT

CEI /seəi/ *nf*: *abbr* ▸ **communauté**

ceindre /sɛ̃dʀ/ [55] liter
A *vtr* 1 (entourer) **~ sa taille/son front d'un ruban** to put *ou* tie a ribbon around one's waist/one's head; **une serviette lui ceignait les reins** he/she had a towel tied round his/her waist; **le front ceint d'un bandeau/diadème** wearing a headband/tiara; **château ceint de douves/de ronces** castle encircled by a moat/surrounded by brambles; 2 (mettre) to put on [*armure*]; to gird [*épée*]; **~ l'écharpe municipale** lit to put on the mayoral sash; fig to become mayor; **~ la couronne** fig to assume the crown
B se ceindre *vpr* **se ~ d'un pagne** to put a loincloth on; **se ~ la tête d'un bandeau** to put a headband on; **se ~ les reins** to gird (up) one's loins

ceint, ~e /sɛ̃, sɛ̃t/ ▸ **ceindre**

ceinture /sɛ̃tyʀ/ *nf* 1 (accessoire vestimentaire) belt; **porter des clés à la ~** to carry keys on one's belt; **porter un couteau à la ~** to wear a knife on one's belt; 2 (partie de vêtement) waistband; 3 (gaine) girdle; 4 (taille) waist; **nu jusqu'à la ~** stripped to the waist; **avoir de l'eau jusqu'à la ~** to be up to one's waist in water; **coup en dessous de la ~** blow below the belt; **ne pas arriver à la ~ de qn** fig not to be in the same league as sb; 5 Sport (prise) waist hold; (lien) belt; **être ~ noire** to be a black belt (**de** in); 6 (ce qui entoure) ring; **~ d'arbres/de feu/d'usines** ring of trees/of fire/of factories; **boulevard de ~** ringroad, beltway US; **chemin de fer de ~** circle line; **petite/grande ~** (de ville) inner/outer circle
(Composés) **~ de chasteté** chastity belt; **~ de flanelle** flannel binder; **~ de grossesse** maternity girdle; **~ herniaire** truss; **~ orthopédique** surgical corset; **~ pelvienne** pelvic girdle; **~ rouge** (banlieue) *ring of communist suburbs around Paris*; **~ de sauvetage** lifebelt; **~ de sécurité** Aut, Aviat safety *ou* seat belt; **attacher** *or* **boucler sa ~ (de sécurité)** to fasten one's seat belt, to buckle up○ US; **~ verte** green belt
(Idiomes) **faire ~**○ to go without; **se serrer la ~** to tighten one's belt

> **Petite ceinture**
> The inner ring road in Paris, and the circular bus service which runs along it.

ceinturer /sɛ̃tyʀe/ [1] *vtr* 1 (construire) to surround [*quartier, ville*] (**de** with); 2 (être autour) [*réseau, murailles*] to encircle [*ville, terrain*]; **une écharpe ceinturait sa taille** he/she wore a scarf (tied) round[GB] his/her waist; 3 (maîtriser) to collar○ [*malfaiteur*]; Sport to tackle [*adversaire*]

ceinturon /sɛ̃tyʀɔ̃/ *nm* belt

CEL /səl/ *nm*: *abbr* ▸ **compte**

cela /səla/ *pron dém*

> ⚠ Dans de nombreux emplois, *cela* et *ça* sont équivalents. On se reportera donc à cette entrée

1 (pour montrer) that; **ceci est pour nous et ~, dans le coin, est pour vous** this is for us and that, in the corner, is for you; **mais ~ ne vous appartient pas!** but that doesn't belong to you!; 2 (pour faire référence) **~ m'inquiète de la voir dans cet état** it worries me to see her in that state; **~ n'a pas d'importance** it doesn' t matter ; **~ va sans dire** it *ou* that goes without saying; **~ serait fort surprenant!** that would be very surprising!; **il y a dix ans de ~** that was ten years ago; **qu'entendez-vous par ~?** what do you mean by that?; **quant à ~** as for that; **il a gagné le marathon et ~ à l'âge de 45 ans** he won the marathon at 45 years of age!; **~ dit/fait** having said/done that
(Idiome) **voyez-vous ~!** did you ever hear of such a thing!

céladon /seladɔ̃/ ▸ **p. 202** *adj inv, nm* celadon

Célèbes /selɛb/ ▸ **p. 435, p. 579** *nprfpl* Celebes; **mer des ~** Celebes Sea

célébrant /selebʀɑ̃/ *nm* celebrant

célébration /selebʀasjɔ̃/ *nf* celebration

célèbre /selɛbʀ/ *adj* famous (**pour, par qch** for sth); **se rendre ~ par qch/pour avoir fait** to become famous for sth/for doing; **tristement ~** notorious

célébrer /selebʀe/ [14] *vtr* 1 (fêter) to celebrate [*événement*]; 2 (accomplir) to celebrate [*messe, mariage, culte*]; to perform [*rite*]; 3 (vanter) to praise [*personne*]; to remember [*mort, disparu*]; to extol [*qualité*]

célébrissime /selebʀisim/ *adj* extremely famous

célébrité /selebʀite/ *nf* 1 (gloire) fame; 2 (personnage) celebrity

celer† /səle/ [17] *vtr* to conceal

céleri* /sɛlʀi/ *nm* 1 (en branches) celery; 2 (céleri-rave) celeriac
(Composés) **~ en branches** celery; **~ rémoulade** grated celeriac in a mayonnaise dressing

céleri-rave, *pl* **céleris-raves** /sɛlʀiʀav/ *nm* celeriac

célérité /seleʀite/ *nf* 1 (rapidité) fml promptness, celerity sout; **avec ~** promptly, with dispatch sout; 2 Phys (en acoustique) velocity

célesta /selɛsta/ ▸ **p. 557** *nm* celesta

céleste /selɛst/ *adj* 1 Astron [*corps, phénomène*] celestial; 2 (divin) [*puissances*] celestial; [*gloire, esprit*] heavenly; [*colère, intervention, messager*] divine; 3 (surnaturel) liter [*beauté, regard*] heavenly
(Composé) **Céleste Empire** Celestial Empire

célibat /seliba/ *nm* 1 (état) single status; **vivre dans le ~** to lead a single life; **les joies du ~** the joys of single life; 2 (chasteté) celibacy

célibataire /selibatɛʀ/
A *adj* 1 [*personne*] single; **je suis ~ pour quelques jours** I'm on my own for a few days; 2 Phys [*électron*] unpaired
B *nmf* (homme) bachelor, single man; (femme) single woman; **mère/père ~** single mother/father; **un ~ endurci** a confirmed bachelor

celle ▸ **celui**

celle-ci ▸ **celui-ci**

celle-là ▸ **celui-là**

celles-ci ▸ **celui-ci**

celles-là ▸ **celui-là**

cellier /selje/ *nm* (wine) cellar

cellophane® /selɔfan/ *nf* cellophane®

cellulaire /selylɛʀ/ *adj* 1 Biol (de la cellule) cell (*épith*); (fait de cellules) cellular; **la théorie ~** cell theory; 2 Jur [*régime, système*] of solitary confinement (*épith, après n*); **emprisonnement ~** solitary confinement; 3 Tech [*béton, plastique*] cellular; 4 Télécom [*téléphone*] cellular

cellule /selyl/ *nf* 1 Biol cell; **~s nerveuses/sanguines/végétales** nerve/blood/plant cells; **culture/greffe de ~s** cell culture/transplant; 2 (de prison, monastère, ruche) cell; 3 (d'isolement) **faire six jours de ~** to do six days in solitary; 4 Sociol unit; **la famille est la ~ élémentaire de la société** the family is the basic social unit; 5 Pol (de parti) cell; 6 Phot cell; **~ photoélectrique** photoelectric cell; 7 Tech (d'électrophone) cartridge; 8 Aviat airframe; 9 Ordinat cell
(Composés) **~ de crise** emergency committee; **~ fille** daughter cell; **~ de lecture** Tech cartridge; **~ mère** stem cell; **~ de réflexion** think-tank; **~ somatique** somatic cell; **~ souche** stem cell

cellulite /selylit/ *nf* 1 (graisse) cellulite; 2 (inflammation) cellulitis

celluloïd® /selylɔid/ *nm* celluloid

cellulose /selyloz/ *nf* cellulose

cellulosique /selylozik/ *adj* cellulosic

celte /sɛlt/ *adj, nm* Celtic

Celte /sɛlt/ *nmf* Celt

celtique /sɛltik/ *adj, nm* Celtic

celtitude /sɛltityd/ *nf* Celtic roots (+ *v pl*)

celui /səlɥi/, **celle** /sɛl/, *mpl* **ceux** /sø/, *fpl* **celles** /sɛl/ *pron dém*

> ⚠ Voir aussi **celui-ci** et **celui-là**

1 (devant un complément introduit par de) **tes yeux sont bleus, ceux de ton frère sont gris** your eyes are blue, your brother's are grey GB *ou* gray US; **le train du matin ou ~ de 17 heures?** the morning train or the 5 o'clock one?; **quelle voisine? celle d'en face?** which neighbour[GB]? the one who lives opposite?; **les gens d'à côté ou ceux du premier?** the people next door or the ones on the first GB *ou* second US floor?; **~ des deux qui finira le premier** the first one to finish; **c'est ~ de tes amis que je préfère** of all your friends, he's the one I like best; **~ d'entre vous que je choisirai** whichever one of you I choose; **ceux d'entre vous qui veulent partir** those of you who want to leave; **sa réaction a été celle d'un homme innocent** his reaction was that of an innocent man; **ce n'est pas le moment d'hésiter, mais ~ d'agir** now is not the time to hesitate, it's the time for action; 2 (devant une proposition relative) the one; **ceux, celles** (personnes) those; (choses) those, the ones; **non, ~ qui parlait** no, the one who was talking; **tous ceux qui étaient absents** all those who were absent; **ces livres ne sont pas ceux que j'avais choisis** these books are not the ones I chose; **ceux qu'ils ont vendus** the ones *ou* those they sold; **'quel disque?'—'~ dont je parlais'** 'which record?'—'the one I was talking about'; **il/elle est de ceux/celles qui croient tout savoir** he's/she's the sort who thinks he/she knows everything; **faire ~ qui n'entend pas** to pretend not to hear; **~ qui attend trop est toujours déçu** he who expects too much is bound to be disappointed; **heureux ~/ceux qui...** happy is he/are they who...; 3 (devant une proposition relative elliptique) the one; **ceux, celles** (personnes) those; (choses) those, the ones; **pas cette photo, celle prise**

C

en mai not this photograph, the one taken in May; **tous ceux munis d'une carte** all those who have a card; **les siècles passés et ceux à venir** centuries past and those to come

celui-ci /səlɥisi/, **celle-ci** /sɛlsi/, *mpl* **ceux-ci** /søsi/, *fpl* **celles-ci** /sɛlsi/ *pron dém* 1 (désignant ce qui est proche dans l'espace) this one; **ceux-ci, celles-ci** these; **prends une autre chaise, celle-ci est cassée** take another chair, this one is broken; **le prix n'est pas le même parce que ceux-ci sont doublés et ceux-là non** the price is different because these are lined and the others are not; 2 (annonçant ce qui suit) **je n'ai qu'une chose à dire et c'est celle-ci** I have only one thing to say and it's this; 3 (ce dernier) **elle essaya la fenêtre mais celle-ci était coincée** she tried the window but it was jammed; **il entra, suivi de son père et de son frère; ~ portait un paquet** he came in, followed by his father and his brother, the latter of whom was carrying a parcel; **le frère ou la sœur? celle-ci est très serviable mais celui-là est plus efficace** the brother or the sister? she is very obliging but he's more efficient; 4 (l'un) **ils ont tous apporté quelque chose: ~ une bouteille, celui-là un gâteau** they all brought something: one brought a bottle, another a cake

celui-là /səlɥila/, **celle-là** /sɛlla/, *mpl* **ceux-là** /søla/, *fpl* **celles-là** /sɛlla/ *pron dém*

> ⚠ Pour les sens 1, 3 et 4 voir aussi **celui-ci**

1 (désignant ce qui est plus éloigné) that one; **ceux-là, celles-là** those (ones); **'lequel des deux?'—'~ (là-bas)'** 'which one of the two?'—'that one (over there)'; ▸ **même**; 2 (le suivant) **si je n'ai qu'un conseil à te donner, c'est ~** if I only have one piece of advice for you, it's this; 3 (le premier des deux) the former; 4 (l'autre) another; 5 (par rapport aux précédents) **il fit une autre proposition, plus réaliste celle-là** he made another proposal, a more realistic one this time; 6 °(emphatique) **il exagère, ~!** that fellow° GB *ou* guy° is pushing it a bit°!; **celle-là, alors, quelle idiote!** what an idiot that woman is!; **~, alors!** (admiratif) what a man!; (irrité) that man!; **regardez-moi ~: il n'est même pas rasé!** look at him! he hasn't even shaved!; 7 °**elle est bien bonne, celle-là!** that's a good one!; **je ne m'attendais pas à celle-là** I didn't expect that!; **~ même qui a écrit le scénario** the very one who wrote the screenplay; **~ même qui a été publié hier** the very one that was published yesterday

cément /semɑ̃/ *nm* cementum

cémentation /semɑ̃tasjɔ̃/ *nf* cementation

cénacle /senakl/ *nm* 1 (groupe restreint) fml inner circle; **~ littéraire** literary circle; 2 Bible Cenacle

cendre /sɑ̃dʀ/ *nf* ash; **~ de cigarette** cigarette ash; **couleur de ~** ashen; **pommes de terre cuites sous la ~** potatoes baked in the embers; **le feu couve sous la ~** lit the fire is smouldering; fig there's something brewing; **réduire en ~s** to reduce to ashes; ▸ **mercredi**

cendré, **~e** /sɑ̃dʀe/

A ▸ **p. 202** *adj* ash (grey); **des cheveux blond ~** ash blond hair

B **cendrée** *nf* 1 Sport (piste) cinder track; 2 Tech lead dress; 3 (petit plomb) (pour la chasse) dust shot GB, mustard seed US; (pour la pêche) shot

cendreux, **-euse** /sɑ̃dʀø, øz/ *adj* 1 [*teint, visage*] ashen; 2 [*sol*] ashy

cendrier /sɑ̃dʀije/ *nm* 1 (de fumeur) ashtray; 2 (de foyer) ash pan; 3 (de locomotive) **~ (de foyer)** ash box

Cendrillon /sɑ̃dʀijɔ̃/ *npr* Cinderella

Cène /sɛn/ *nf* **la ~** the Last Supper

cénesthésie /senɛstezi/ *nf* coenesthesia

cénobite /senɔbit/ *nm* coenobite

cénotaphe /senɔtaf/ *nm* cenotaph

cens /sɑ̃s/ *nm* 1 Hist rent (*paid by tenant to feudal landowner*); 2 Antiq census

(Composé) **~ électoral** Hist *tax quota for voting rights*

censé, **~e** /sɑ̃se/ *adj* **être ~ faire** to be supposed to do; **les chiffres sont ~s représenter la tendance** the figures are supposed to represent the trend; **je n'étais pas ~e savoir** I was not supposed to know; **nul n'est ~ ignorer la loi** ignorance of the law is no excuse

censément /sɑ̃semɑ̃/ *adv* supposedly

censeur /sɑ̃sœʀ/ *nm* 1 Scol *school official in charge of discipline*; 2 (dans une commission) censor; 3 (moraliste) **s'ériger en ~ de qch** to set oneself up as a critic of sth; 4 Fin auditor; 5 Antiq censor

censitaire /sɑ̃sitɛʀ/ *adj* [*suffrage, système*] based on a tax qualification (*après n*); [*électeur*] who pays tax (*après n*)

censure /sɑ̃syʀ/ *nf* 1 (interdiction) censorship; **commission de ~** board of censors; **son œuvre est menacée par la ~** his/her work is in danger of being censored; **visa de ~** censor's certificate; 2 (commission) board of censors; **le film est interdit par la ~** the film is banned by the board of censors; 3 Pol censure; **procédure de ~** censure procedure; **voter la ~ (du gouvernement)** to pass a vote of censure *ou* no confidence; 4 Psych, Relig censure

censurer /sɑ̃syʀe/ [1] *vtr* 1 (expurger) to censor [*œuvre, passage, lettre*]; (interdire) to ban [*œuvre*]; 2 Pol to pass a vote of censure *ou* no confidence in [*gouvernement*]; 3 Relig to condemn [*personne, doctrine*]

cent[1] /sɑ̃/ ▸ **p. 568, p. 222**

A *adj* gén a hundred, one hundred; **deux/trois ~s** two/three hundred; **deux ~s enfants** two hundred children; **deux ~ trois/vingt-cinq** two hundred and three/twenty-five; **il y avait ~ à deux ~s personnes** there were between a hundred and two hundred people; ▸ **fois, mètre, occasion, raison**

B *pron* **ils sont venus tous les ~** all one hundred of them came

C *nm* (quantité) hundred; **un ~ d'œufs/d'huîtres** Comm a *ou* one hundred eggs/oysters; **vendre/acheter au ~** to sell/to buy by the hundred; **c'est 12 euros le ~** they're 12 euros a hundred

D **pour cent** *loc adj* per cent; **un emprunt à sept pour ~** *or* **7%** a loan at seven per cent *ou* 7%; **un placement à sept pour ~** an investment at seven per cent *ou* 7%; **dix à vingt pour ~** *or* **10 à 20% des enseignants** between ten and twenty per cent of teachers; **une jupe ~ pour ~** *or* **100% coton** a hundred per cent cotton skirt; **une production ~ pour ~ française** a hundred per cent *ou* 100% French production; **je ne suis pas sûr/convaincu à 100%** I'm not a hundred per cent sure/convinced

(Idiomes) **faire les ~ pas** to pace up and down; **être aux ~ coups**° to be worried sick°, to be in a state°; **faire les quatre ~s coups** to be a real tearaway; **s'ennuyer à ~ sous de l'heure**° to be bored stiff° *ou* to death; **attendre ~ sept ans**° to wait for ages; **durer ~ sept ans**° to last for ages *ou* forever

cent[2] /sɛnt/ ▸ **p. 48** *nm* (centième de dollar, florin, rand, shilling) cent; Belg (centième d'euro) cent

centaine /sɑ̃tɛn/ *nf* 1 (cent unités) hundred; **la colonne des ~s** the hundreds column; **dans une ~ il y a dix dizaines** in a hundred there are ten tens; 2 (environ cent) about a hundred; **nous étions une ~** there were about a hundred of us; **il y a une ~ de pages** there are about a hundred pages; **il y a une ~ de kilomètres** it's about a hundred kilometres^GB; **plus d'une ~ de blessés** a hundred injured people or more; **une ~ de milliers de manifestants** about a hundred thousand protesters; **des ~s de femmes et d'enfants** hundreds of women and children; **quelques/plusieurs ~s de tonnes** a few/several hundred tons; **les victimes se comptent par ~s** there are hundreds of victims; **les lettres arrivent par ~s** letters are arriving in hundreds; 3 (âge) **avoir la ~** to be about a hundred; **approcher de la ~** to be getting on for a hundred; **dépasser la ~** to be over a hundred

centaure /sɑ̃tɔʀ/ *nm* Mythol centaur

Centaure /sɑ̃tɔʀ/ *npr* Astron Centaurus

centaurée /sɑ̃tɔʀe/ *nf* Bot centaury

centenaire /sɑ̃tnɛʀ/

A *adj* 1 (de cent ans) [*arbre, objet*] hundred-year-old (*épith*); **plusieurs fois ~** several hundred years old; 2 [*personne*] centenarian; **elle est ~** she's a hundred years old; 3 (se produisant une fois par siècle) **crue ~** one-in-a-hundred-years flood

B *nmf* (personne) centenarian sout; **c'est une ~** she's a hundred years old

C *nm* (anniversaire) centenary GB, centennial US

centésimal, **~e**, *mpl* **-aux** /sɑ̃tezimal, o/ *adj* centesimal

centiare /sɑ̃tjaʀ/ ▸ **p. 816** *nm* centiare, square metre^GB

centième /sɑ̃tjɛm/ ▸ **p. 568**

A *adj* hundredth

B *nf* Théât **la ~** the hundredth performance

centigrade /sɑ̃tigʀad/ *adj, nm* centigrade

centigramme /sɑ̃tigʀam/ ▸ **p. 646** *nm* centigram

centilitre /sɑ̃tilitʀ/ ▸ **p. 123** *nm* centilitre^GB

centime /sɑ̃tim/ *nm* 1 ▸ **p. 48** (monnaie) **~ (d'euro)** cent; Hist (centième de francs) centime; 2 (somme infime) penny, cent US; **pas un ~** not a penny

(Idiomes) **ne plus avoir un ~** not to have a penny left; **calculer au ~ près** to work things out to the last penny; **dépenser jusqu'au dernier ~** to spend one's last penny; **on n'est pas au ~ près** we don't need to count the pennies

centimètre /sɑ̃timɛtʀ/ *nm* 1 ▸ **p. 498, p. 816, p. 827, p. 898, p. 903** (unité) centimetre^GB; 2 (distance infime) inch; **ne pas avancer d'un ~** not to move an inch; 3 (ruban) tape measure

(Composés) **~ carré** square centimetre^GB; **~ cube** cubic centimetre^GB

centrafricain, **~e** /sɑ̃tʀafʀikɛ̃, ɛn/ ▸ **p. 561** *adj* of the Central African Republic; **République ~e** Central African Republic

Centrafricain, **~e** /sɑ̃tʀafʀikɛ̃, ɛn/ ▸ **p. 561** *nm,f* (citoyen) citizen of the Central African Republic

Centrafrique /sɑ̃tʀafʀik/ ▸ **p. 333** *nprm* Central African Republic

centrage /sɑ̃tʀaʒ/ *nm* centring^GB

central, **~e**, *mpl* **-aux** /sɑ̃tʀal, o/

A *adj* 1 (au centre) [*pouvoir, gare, pilier, banque*] central; **l'Europe/l'Asie/l'Afrique ~e** Central Europe/Asia/Africa; **court ~** (en tennis) centre^GB court; **ordinateur ~** host computer; **les rues ~es** streets in the centre of town; **l'axe ~ de la ville** the main road through the town; **habiter dans un quartier ~** to live near the centre^GB of a town; **chercher quelque chose de plus ~** to look for somewhere *ou* something more central; 2 (principal) [*bureau, commissariat*] main; **elle occupe une position ~e dans l'entreprise** she holds a key position within the company; ▸ **école**

B *nm* 1 Télécom **~ (téléphonique)** (telephone) exchange; 2 Sport **le ~** centre court

C **centrale** *nf* 1 Nucl, Électrotech power station; **~e nucléaire** *or* **atomique** nuclear power station; **~e hydraulique/thermique** hydroelectric/thermal power station; **~e solaire** solar power station; 2 Entr **~e syndicale** *or* **ouvrière** confederation of trade unions; **les ~es syndicales** the trade unions; 3 (prison) prison (*for offenders with sentences of more than* *two years*); 4 Comm **~e d'achat** (groupement) *central purchasing agency*; (magasin) *discount store for students, civil servants etc*

Centrale○ /sɑ̃tʀal/ *nf* ▸ **école**

centralien, -ienne /satʀaljɛ̃, ɛn/ *nm,f*: *graduate of the École centrale des Arts et Manufactures*

centralisateur, -trice /sɑ̃tʀalizatœʀ, tʀis/ *adj* [*régime, politique*] centralizing

centralisation /sɑ̃tʀalizasjɔ̃/ *nf* centralization

centraliser /sɑ̃tʀalize/ [1] *vtr* to centralize; **pouvoir centralisé** centralized power; **verrouillage centralisé** central locking

centralisme /sɑ̃tʀalism/ *nm* centralism

centre /sɑ̃tʀ/ *nm* 1 (milieu) centre[GB]; **au ~ de qch** in the centre[GB] of sth; **en plein ~ de la ville** right in the centre[GB] of town; **habiter dans le ~** to live in the centre[GB]; **le ~ (de la France)** central France; **~ historique** historic centre[GB]

2 (lieu important) centre[GB]; **un grand ~ culturel/industriel/d'affaires** a large cultural/industrial/business centre[GB]

3 (établissement, organisme) centre[GB]

4 (point essentiel, pôle d'attraction) centre[GB]; **c'est au ~ des discussions** it's at the centre[GB] of the discussions; **il se prend pour le ~ du monde** he thinks the whole world revolves around him; **il a peu de ~s d'intérêt** he has few interests

5 Pol **le ~** the centre[GB]; **les partis du ~** the centre[GB] parties; **être ~ gauche/droit** to be centre[GB] left/right; **elle est au ~** she's in the centre[GB]

6 Anat centre[GB]; **~ nerveux** Anat, fig nerve centre[GB]; **~ respiratoire** respiratory centre[GB]; **les ~s vitaux** the vital organs

7 (passe du ballon) centre[GB] pass

(Composés) **~ d'accueil** reception centre[GB]; **~ aéré** children's outdoor activity centre; **~ d'affaires** business centre[GB]; **~ d'affaires international** international business centre[GB]; **~ d'animation** community centre[GB] (*offering leisure facilities etc*); **~ antipoison** poisons unit; **~ d'appel** call centre[GB]; **~ artistique** arts centre[GB]; **~ chorégraphique** dance studio; **~ commercial** shopping centre[GB] *ou* arcade; **~ de conférences** conference centre[GB]; **~ culturel** cultural centre[GB]; **~ de cure antialcoolique** alcohol detoxification centre[GB]; **~ de dépistage** screening unit *ou* centre[GB]; **~ de désintoxication** detoxification centre[GB]; **~ de détention** detention centre[GB]; **~ de diagnostic** Méd diagnostic centre[GB]; **~ de documentation** (dans une école) library; (pour professionnels) resource centre[GB]; **~ de documentation et d'information, CDI** learning resources centre[GB]; **~ dramatique** arts centre[GB] for theatre[GB]; **~ d'entraînement** training centre[GB]; **~ équestre** riding school; **~ d'études économiques** centre[GB] for economic studies; **~ d'études politiques** centre[GB] for political studies; **~ d'examens** Scol examination centre[GB]; **~ d'expérimentation nucléaire** nuclear test centre[GB]; **~ d'exportation** exhibition hall; **~ de formation** training centre[GB]; **~ de formation des apprentis, CFA** vocational training centre[GB]; **~ de gériatrie** geriatric hospital; **~ de gestion informatique** administrative data processing centre[GB]; **~ de gravité** centre[GB] of gravity; **~ hospitalier** hospital complex; **~ hospitalier spécialisé, CHS** psychiatric hospital *ou* unit; **~ hospitalier universitaire, CHU** ≈ teaching hospital; **~ d'inertie** centre[GB] of inertia; **~ de loisirs** leisure centre[GB]; **~ de masse** centre[GB] of mass; **~ médical** health centre[GB]; **~ opérationnel** operations centre[GB]; **~ d'orthogénie** family planning clinic; **~ de planification familiale** family planning clinic; **~ de poussée** centre[GB] of pressure; **~ de presse** Presse press room; **~ de recherches** research centre[GB]; **~ de rééducation** Méd rehabilitation centre[GB]; **~ de remise en forme** health farm; **~ social** community centre[GB]; **~ de soins** clinic; **~ sportif** sports centre[GB]; **~ de table** table centre-piece; **~ de thalassothérapie** thalassotherapy centre[GB]; **~ de traitement** Ordinat processing centre[GB]; **~ de transfusion sanguine** blood transfusion centre[GB]; **~ de tri (postal)** sorting office; **~ universitaire** university; **~ d'usinage** machining centre[GB]; **~ de vacances** holiday GB *ou* vacation US centre[GB]; **Centre de documentation pédagogique, CDP** teachers' reference centre[GB]; **Centre d'information et de documentation jeunesse, CIDJ** *youth information centre*[GB]; **Centre d'information et d'orientation, CIO** Scol national careers guidance centre[GB]; **Centre national d'enseignement à distance, CNED** national centre[GB] for distance learning

> **Centre d'information et de documentation jeunesse**
>
> Founded in 1961 by the Ministry of Sports and Youth, the *CIDJ* is based in Paris with a nationwide network of regional branches. With young people as its main focus, the *CIDJ* centralizes and disseminates a wide range of information on educational and training opportunities, leisure and sporting activities, holidays, accommodation and career guidance.

Centre /sɑ̃tʀ/ ▸ **p. 721** *nprm* **le ~** the Centre

centrer /sɑ̃tʀe/ [1] *vtr* 1 (fixer par rapport au centre) to centre[GB]; **~ une roue** Mécan to align a wheel; 2 (diriger) **être centré sur qch** [*débat, campagne électorale*] to be centred[GB] around sth; **école centrée sur l'enseignement de la musique** school which focuses on the teaching of music; 3 Sport to centre[GB]

centre-ville, *pl* **centres-villes** /sɑ̃tʀəvil/ *nm* town centre[GB]; (de grande ville) city centre[GB]; **la circulation dans le** *or* **en ~** the traffic in the town centre[GB]; **magasins/rues du ~** shops GB *ou* stores US/streets in the town centre[GB]

centrifugation /sɑ̃tʀifygasjɔ̃/ *nf* centrifugation

centrifuge /sɑ̃tʀifyʒ/ *adj* [*pompe, force*] centrifugal

centrifuger /sɑ̃tʀifyʒe/ [13] *vtr* to centrifuge

centrifugeur /sɑ̃tʀifyʒœʀ/ *nm* centrifuge

centrifugeuse /sɑ̃tʀifyʒøz/ *nf* 1 (en électroménager) juice extractor, juicer; 2 Chimie, Mécan centrifuge

centripète /sɑ̃tʀipɛt/ *adj* centripetal

centrisme /sɑ̃tʀism/ *nm* centrism

centriste /sɑ̃tʀist/ *adj, nmf* centrist

centuple /sɑ̃typl/

A *adj* **une somme ~ d'une autre** an amount a hundred times greater than another

B *nm* **dix mille est le ~ de cent** ten thousand is a hundred times one hundred; **notre investissement nous a rapporté au ~** lit we got back our investment a hundredfold; **rendre/être récompensé au ~** fig to repay/to be rewarded a hundred times over

centupler /sɑ̃typle/ [1]

A *vtr* to multiply [sth] by a hundred [*nombre*]; to increase [sth] a hundredfold [*fortune, production*]

B *vi* to increase a hundredfold

centurie /sɑ̃tyʀi/ *nf* Antiq century

centurion /sɑ̃tyʀjɔ̃/ *nm* centurion

cep /sɛp/ *nm* **~ (de vigne)** vine stock

CEP /seøpe/ *nm*: *abbr* ▸ **certificat**

cépage /sepaʒ/ *nm* grape variety; **~ cabernet** Cabernet grape

cèpe /sɛp/ *nm* cep

cependant /səpɑ̃dɑ̃/

A *conj* (pourtant) yet, however; **son histoire est incroyable et ~ elle est vraie** his/her story is incredible and yet it is true; **votre devoir est bon mais il y a ~ quelques erreurs** your work is good; however, there are a few mistakes; **une ambiguïté subsiste ~** one ambiguity remains, however; **vous avez été très gentil, j'ai un reproche à vous faire ~** you've been very kind; however, I have one criticism to make

B *adv* liter meanwhile

C **cependant que** *loc conj* **~ que** (tandis que) whereas, while

céphalée /sefale/ *nf* headache

céphalique /sefalik/ *adj* cephalic

céphalopode /sefalɔpɔd/ *nm* cephalopod; **les ~s** Cephalopoda

céphalo-rachidien*, -ienne, *mpl* **~s** /sefaloʀaʃidjɛ̃, ɛn/ *adj* cerebrospinal; **liquide ~** cerebrospinal fluid

céramique /seʀamik/

A *adj* ceramic

B *nf* 1 (matière) ceramic; **en ~** [*objet*] ceramic (*épith*); 2 (objet) ceramic; 3 (art, industrie, technique) ceramics (+ *v sg*)

céramiste /seʀamist/ ▸ **p. 532** *nmf* ceramicist, ceramist, potter

cerbère /sɛʀbɛʀ/ *nm* 1 (garde du corps) minder; 2 (gardien) watchdog

Cerbère /sɛʀbɛʀ/ *npr* Mythol Cerberus

cerceau, *pl* **~x** /sɛʀso/ *nm* (d'enfant, de tonneau) hoop; **pousser un ~** to bowl a hoop

cerclage /sɛʀklaʒ/ *nm* 1 (de colis, malle) strapping; 2 (de tonneau) hooping; 3 Méd **~ du col de l'utérus** cervical stitching; **faire un ~ du col de l'utérus** to put in a cervical stitch; **~ gastrique** stomach stapling

cercle /sɛʀkl/ *nm* 1 (figure) circle; **en ~** in a circle; **former un ~ autour de** to form a circle *ou* ring around; **entourez le verbe d'un ~** ring *ou* circle the verb; **décrire des ~s** [*avion, oiseau*] to circle (overhead); **décrivez de petits ~s rapides avec les jambes** (en gymnastique) move your legs quickly in a small circular motion; **faire ~ autour de qn** to gather around sb; 2 (groupe) circle; **un ~ d'amis** a circle of friends; **maintenir le ~ de ses relations** to keep in touch with one's circle of acquaintances; **le ~ de famille** the family circle; 3 (association) circle, society; Jeux, Sport club; (local) club; **~ littéraire/artistique** literary/art circle *ou* society; **~ sportif** sports club; **faire un bridge au ~** to play bridge at the club; 4 (étendue) (de connaissances) scope; (d'occupations) range; 5 (de tonneau) hoop

(Composés) **~ circonscrit** circumcircle, circumscribed circle; **~ exinscrit** escribed circle; **~ horaire** Astron horary circle; **~ inscrit** inscribed circle; **~ polaire** polar circle; **~ polaire antarctique** Antarctic circle; **~ polaire arctique** Arctic circle; **~ de qualité** quality circle; **~ vertueux** virtuous circle; **~ vicieux** vicious circle

cercler /sɛʀkle/ [1] *vtr* 1 (renforcer) to strap [*colis, caisse*]; to hoop [*tonneau*]; 2 (entourer) to circle [*mot*]; **les noms cerclés de** *or* **en rouge** the names circled in red; **poignets cerclés de bracelets d'argent** wrists circled with silver bracelets; **lunettes cerclées** rimmed glasses

cercopithèque /sɛʀkɔpitɛk/ *nm* Old World monkey

cercueil /sɛʀkœj/ *nm* coffin

céréale /seʀeal/

A *nf* cereal, grain ₵; **cultiver des ~s** to grow cereals; **le sorgho est une ~** sorgho is a cereal

B **céréales** *nfpl* Culin cereal ₵; **manger des ~s au petit déjeuner** to eat cereal for breakfast

céréaliculture /seʀealikyltyʀ/ *nf* cereal growing

céréalier, -ière /seʀealje, ɛʀ/

A *adj* [*production*] cereal (*épith*); [*région, potentiel*] cereal-growing (*épith*)

C

B *nm* (producteur) cereal farmer, grain farmer

cérébelleux, **-euse** /seʀebellø, øz/ *adj* cerebellar

cérébral, **~e**, *mpl* **-aux** /seʀebʀal, o/

A *adj* **1** Anat, Méd cerebral; **2** (intellectuel) [*travail*] intellectual; [*fatigue*] mental; [*personne*] cerebral

B *nm,f* cerebral type

cérébro-spinal, **~e**, *mpl* **-aux*** /seʀebʀospinal, o/ *adj* cerebrospinal

cérémonial, *pl* **~s** /seʀemɔnjal/ *nm* ceremonial

cérémonie /seʀemɔni/

A *nf* (tous contextes) ceremony; **~ commémorative/officielle/d'ouverture** commemorative/official/opening ceremony; **la ~ religieuse** the religious ceremony; **tenue** *or* **habit de ~** ceremonial dress

B **cérémonies** *nfpl* (politesse exagérée) ceremony ⊄; **faire des ~s** to stand on ceremony; **sans ~s** [*repas, invitation*] informal; [*recevoir*] informally

cérémonieusement /seʀemɔnjøzmɑ̃/ *adv* ceremoniously

cérémonieux, **-ieuse** /seʀemɔnjø, øz/ *adj* [*ton, personne*] ceremonious; **d'un air ~** ceremoniously

cerf /sɛʀ/ *nm* stag

cerfeuil /sɛʀfœj/ *nm* chervil

cerf-volant, *pl* **cerfs-volants** /sɛʀvɔlɑ̃/ *nm* **1** (jouet) kite; **2** (insecte) stag beetle

cerisaie /s(ə)ʀisɛ/ *nf* cherry orchard

cerise /s(ə)ʀiz/

A ▸ p. 202 *adj inv* **(rouge) ~** cherry-red, cerise

B *nf* cherry

(Idiomes) **se disputer pour des queues de ~s**○ to fall out over a trifle; **c'est la ~ sur le gâteau** it's the icing *ou* cherry on the cake

cerisier /s(ə)ʀizje/ *nm* **1** (arbre) cherry (tree); **2** (bois) cherrywood

cérium /seʀjɔm/ *nm* cerium

CERN /sɛʀn/ *nm* (*abbr* = **Conseil européen pour la recherche nucléaire**) CERN

cerne /sɛʀn/ *nm* **1** (autour des yeux) ring; **avoir des ~s** to have rings under one's eyes; **2** Bot tree ring; **3** (auréole) ring

cerné, **~e** /sɛʀne/

A *pp* ▸ **cerner**

B *pp adj* **avoir les yeux ~s** to have rings under one's eyes

cerneau, *pl* **~x** /sɛʀno/ *nm* **~x de noix** walnut halves, halved walnuts

cerner /sɛʀne/ [1] *vtr* **1** (encercler) to surround [*personne, lieu*]; **rendez-vous, vous êtes cernés!** give yourselves up, you're surrounded!; **2** (définir) to work out [*question, problème*]; to make [sb] out [*personne*]; to determine [*qualité, milieu, personnalité, besoins*]; **j'ai du mal à le ~** I can't make him out; **3** (décortiquer) to shell [*noix*]

certain, **~e** /sɛʀtɛ̃, ɛn/

A *adj* **1** (convaincu) **~ de** certain *ou* sure of; **être ~ de qch** to be certain *ou* sure of sth; **je suis ~ qu'elle est coupable** I'm certain *ou* sure that she's guilty; **est-ce que tu es ~ d'avoir fermé le gaz?** are your certain *ou* sure that you turned off the gas?; **nous ne sommes pas ~s qu'elle en a** *or* **qu'elle en ait envie** we're not certain *ou* sure that she feels like it; **2** (indiscutable) certain, sure; **tenir qch pour ~** to be certain of sth; **il est ~ qu'elle acceptera** it's certain that she'll accept, she's certain to accept; **il n'est pas ~ qu'il puisse venir** it's not certain *ou* definite that he'll be able to come; **ce n'est pas là chose ~e** it's not certain *ou* definite; **c'est sûr et ~**○ it's absolutely certain; **ils vont gagner, c'est ~!** they're bound to win!, they're sure to win!; **il est ~ qu'il n'aurait jamais pu faire ce qu'il a fait sans sa femme** he certainly couldn't have done what he did if it hadn't been for his wife; **ils vont à une mort ~e** they're heading for certain death; **il a sur ses élèves une influence ~e** he has an undeniable *ou* a definite influence on his pupils; **un homme d'un âge ~** a man of advanced years; **3** Comm [*date, prix*] definite, fixed; [*taux*] fixed

B *adj indéf* (*before n*) **1** (mal défini) **elle restera à la maison un ~ temps** she'll stay at home for some time *ou* for a while; **il y a encore dans le texte un ~ nombre d'erreurs** there are still a (certain) number of mistakes in the text; **il représente une ~e image de la France** he represents a certain image of France; **se faire une ~e idée de la vie** to have a certain conception of life; **j'ai malgré tout une ~e admiration pour lui** in spite of everything I've got a certain admiration for him; **dans une ~e mesure** to a certain *ou* to some extent; **d'une ~e manière** in a way; **jusqu'à un ~ point** up to a (certain) point; **il est venu un ~ soir que j'étais sorti** he came one evening when I was out; **2** (devant un nom de personne) **un ~ M. Grovagnard** a (certain) Mr Grovagnard; **3** (intensif) some; **il m'a fallu un ~ temps pour comprendre** it took me a while *ou* some time to understand; **ça demande un ~ entraînement/une ~e adresse** it requires some practice/some skill; **il faut un ~ culot**○ **pour...** it takes some nerve○ to...; **un homme d'un ~ âge** a man who's no longer young; **il avait déjà un ~ âge lorsqu'il a établi ce record** he was already getting on in years when he set this record

C **certains**, **certaines** *adj indéf pl* some; **à ~s moments** sometimes, at times

D **certains**, **certaines** *pron indéf pl* some people; **~s d'entre eux** some of them

certainement /sɛʀtɛnmɑ̃/ *adv* **1** (sans certitude) most probably; **c'est ~ quelqu'un de très compétent** he/she must be a very competent person; **vous avez ~ remarqué que** you've most probably noticed that; **il arrivera ~ en retard** he'll most probably be late; **2** (avec certitude) certainly; **je n'irai ~ pas!** I certainly won't go!; **tu y es ~ pour quelque chose!** you have certainly got something to do with it!; **3** (pour renforcer) certainly; **'tu peux m'aider?'—'mais ~!'** 'can you help me?'—'certainly' *ou* 'of course'; **~ pas!** certainly not!

certes /sɛʀt/ *adv* **1** (en signe de concession) admittedly; **ce ne sera ~ pas facile mais...** admittedly it won't be easy but...; **~, je me suis trompé, mais...** admittedly I made a mistake but...; **il est séduisant, ~, mais prétentieux** he is good-looking, certainly, but he is conceited; **2** †(assurément) indeed; **'c'est une question d'honneur?'—'~ non!'** 'is it a question of honour[GB]?'—'certainly not!'

certif○ /sɛʀtif/ *nm* **1** (*abbr* = **certificat**) certificate; **2** *abbr* = **certificat d'études primaires**

certificat /sɛʀtifika/ *nm* **1** Admin, Comm (document officiel) certificate; **~ attestant de** certificate attesting (to); **~ attestant que** certificate showing that; **2** (document privé) testimonial; **3** (diplôme) certificate; **4** (titre) certificate

(Composés) **~ d'aptitude à la profession d'avocat**, **CAPA** *postgraduate legal qualification needed to practise[GB] as a solicitor or barrister*; **~ d'aptitude professionnelle**, **CAP** *vocational training qualification*; **~ d'authenticité** certificate of authenticity; **~ de bonne vie et mœurs** ≈ character reference; **~ de décès** death certificate; **~ d'études (primaires)**, **CEP** *basic school-leaving qualification*; **~ de garantie** certificate of guarantee; **~ médical** medical certificate; **~ de naissance** birth certificate; **~ d'origine** certificate of origin; **~ de résidence** proof of residence; **~ de scolarité** proof of attendance (*at school or university*); **~ de travail** *document from a previous employer giving dates and nature of employment*

certification /sɛʀtifikasjɔ̃/ *nf* certification

certifié, **~e** /sɛʀtifje/

A *pp* ▸ **certifier**

B *pp adj* **professeur ~** fully qualified teacher

C *nm,f* fully qualified teacher

certifier /sɛʀtifje/ [2] *vtr* **1** gén to certify; Jur to guarantee [*caution*]; to authenticate [*signature*]; Fin to certify [*chèque*]; **~ que quelque chose est conforme à l'original** to certify that something is a true copy; **~ conforme** to authenticate; **copie certifiée conforme** certified true copy; **2** (affirmer) **elle m'a certifié que** she assured me that

certitude /sɛʀtityd/ *nf* **1** gén, Philos (caractère indubitable) certainty; **c'est maintenant une ~** it's now a certainty; **on sait avec ~ que** we know for certain that; **seule ~, il est parti à midi** all we know for certain is that he left at noon; **2** (conviction) conviction; **rien ne peut ébranler ses ~s** nothing can shake his/her convictions; **avoir la ~ que** to be certain that; **avoir la ~ de faire** to be certain of doing

céruléen, **-éenne** /seʀyleɛ̃, ɛn/ ▸ **p. 202** *adj* liter cerulean, deep blue

cérumen /seʀymɛn/ *nm* earwax, cerumen spéc; **bouchon de ~** cerumen blockage

céruse /seʀyz/ *nf* ceruse, white lead

Cervantès /sɛʀvɑ̃tɛs/ *npr* Cervantes

cerveau, *pl* **~x** /sɛʀvo/ *nm* **1** Anat brain; **2** (siège de l'intelligence) mind; **~ débile/puissant** feeble/powerful mind; **3** (personne intelligente) brain○; **importer/attirer des ~x** to import/attract the best brains○; **exode** *or* **fuite des ~x** brain drain; **la chasse aux ~x** talent hunting; **c'est un ~** he/she has an outstanding mind, he's/she's got brains○; **4** (organisateur) **c'est elle le ~ de l'association** she's the brains of the association; **c'est le ~ du projet/des attentats** he's/she's the brains *ou* mastermind behind the project/the attacks

(Composés) **~ antérieur** forebrain; **~ électronique** Ordinat electronic brain; **~ moyen** midbrain; **~ postérieur** hindbrain

(Idiome) **avoir le ~ fêlé**○ *or* **dérangé** to be deranged *ou* cracked○

cervelas /sɛʀvəla/ *nm* saveloy

cervelet /sɛʀvəlɛ/ *nm* cerebellum

cervelle /sɛʀvɛl/ *nf* **1** (substance) brains (*pl*); **se brûler** *or* **se faire sauter la ~**○ to blow one's brains out○; **~ de veau/d'agneau** Culin calf's/lamb's brains; **2** ○(tête) brain; **cette idée lui trotte dans la ~** he's/she's got this idea on the brain; **il n'a rien dans la ~** he's brainless; **être sans ~** to be scatterbrained; **quand il a** *or* **se met quelque chose dans la ~...** when he gets an idea in his head...; **c'est une petite ~** he's/she's a pinhead○; **~ d'oiseau** fig birdbrain○; **elle a une ~ d'oiseau** she's a birdbrain○

cervical, **~e**, *mpl* **-aux** /sɛʀvikal, o/ *adj* cervical

cervidé /sɛʀvide/ *nm* cervid; **les ~s** Cervidae

Cervin /sɛʀvɛ̃/ *nprm* **le (mont) ~** the Matterhorn

cervoise /sɛʀvwaz/ *nf* (barley) beer

ces ▸ **ce**

CES /seəɛs/ *nm* **1** *abbr* ▸ **collège**; **2** *abbr* ▸ **contrat**

césar /sezaʀ/ *nm* **1** Cin César; **2** (dictateur) caesar

César /sezaʀ/ *nm* **1** = **césar**; **2** Hist **Jules ~** Julius Caesar

(Idiome) **rendons à ~ ce qui appartient** *or* **est à**

~ render unto Caesar that which is Caesar's

Césars

The French equivalent of the Hollywood Oscars. At the annual televised ceremony, prizes are awarded to cinema personalities for achievements in the previous cinema and TV year. The prize was designed by the French sculptor César, hence its name.

Césarée /sezaʀe/ ▸ p. 894 *npr* Caesarea

césarienne /sezaʀjɛn/ *nf* caesarian (section); **on lui a fait une ~** she had a caesarian

césariser○ /sezaʀize/ [1] *vtr* to award a César to *[film, cinéaste]*

césium /sezjɔm/ *nm* caesium[GB]

cessante /sesɑ̃t/ *adj f* **toute(s) affaire(s) ~(s)** fml forthwith sout

cessation /sesasjɔ̃/ *nf* (d'aide, hostilités) suspension, cessation sout; (de poursuites, paiement, travail) suspension

(Composés) **~ d'activité** gén suspension of activities; (retraite) retirement; Comm closing down; **~ de commerce** Comm closing down; **~ de paiement** insolvency; **être en ~ de paiement** *[commerce, entreprise]* to be unable to meet one's financial obligations, to be insolvent

cesse /sɛs/ *nf* **elle n'a de ~ de démontrer/répéter/dénoncer...** she's forever demonstrating/repeating/denouncing...; **sans ~** *[parler, changer]* constantly; **un nombre sans ~ grandissant** an ever increasing number; **des machines sans ~ plus puissantes** ever more powerful machines

cesser /sese/ [1]

A *vtr* to cease, to stop *[traitement, livraisons]*; to end *[soutien, répression]*; **~ de faire** to stop doing; **~ toute activité** *[entreprise]* to cease trading; **~ son activité** *[employé]* to stop work; **~ les combats** to stop fighting; **elle n'a jamais cessé son combat contre...** she has fought relentlessly against...; **~ d'aider qn/de s'inquiéter** to stop helping sb/worrying; **~ de fumer/d'espérer** to give up smoking/hope; **~ d'exister** to cease to exist; **ils ont cessé d'être nos clients en 1992** they ceased to be our clients in 1992; **~ de payer** to cease payment; **ils n'ont (pas) cessé de critiquer** they kept on criticizing; **les taux d'intérêt ne cessent d 'augmenter/de baisser** interest rates keep (on) rising/falling; **son courage ne cesse de m'étonner** his/her courage never ceases to amaze me

B *vi* *[activité]* to cease; *[vent]* to drop; *[pluie]* to stop; **faire ~** to put an end to *[rumeur]*; to put a stop to *[répression, combats]*; to end *[poursuites]*

cessez-le-feu /seselfø/ *nm inv* ceasefire; **accord de ~** ceasefire agreement; **un ~ est entré en vigueur hier** a ceasefire came into force yesterday

cessible /sesibl/ *adj* transferable

cession /sesjɔ̃/ *nf* Jur, Fin transfer, assignment; **~ de droits/de titres/d'actifs** transfer of rights/of securities/of assets

cession-bail, *pl* **cessions-bails** /sesjɔ̃baj/ *nf* leaseback

cessionnaire /sesjɔnɛʀ/ *nmf* transferee, assignee

c'est-à-dire /setadiʀ/ *loc conj* **1** (pour préciser) that is (to say); **les pays de l'Est, ~...** eastern countries, that is to say...; **2** (ce qui signifie) **~ que** which means (that); **il n'a pas téléphoné, ~ qu'il ne viendra pas** he hasn't phoned, which means (that) he won't come; **'j'ai presque fini'—'~ que tu viens de commencer'** 'I've nearly finished'—'what you mean is that you've barely started'; **'le travail est trop dur'—'~?'** 'the work is too hard'—'what do you mean?'; **3** (pour rectifier, excuser) **~ que** well, actually; **'il ne se rend pas compte'—'~ qu'il est jeune'** 'he doesn't realize'—'well, you know, he's young'; **'tu ne manges pas?'—'~ que je suis au régime'** 'aren't you eating?'—'actually, I'm on a diet'

césure /sezyʀ/ *nf* **1** Littérat caesura; **2** Ordinat, Imprim line break; **3** (rupture) abrupt transition

cet ▸ **ce**

CET /seəte/ *nm: abbr* ▸ **collège**

cétacé /setase/ *nm* cetacean; **les ~s** Cetacea

cétonémie /setɔnemi/ *nf* ketonaemia[GB]

cétose /setoz/ ▸ p. 283 *nf* ketosis

cette ▸ **ce**

ceux ▸ **celui**

ceux-ci ▸ **celui-ci**

ceux-là ▸ **celui-là**

Cévennes /sevɛn/ ▸ p. 721 *nprfpl* **les ~** the Cévennes

cévenol, **~e** /sevnɔl/ ▸ p. 721 *adj* of the Cévennes

Cévenol, **~e** /sevnɔl/ *nm,f* (natif) native of the Cévennes; (habitant) inhabitant of the Cévennes

Ceylan /sɛlɑ̃/ *nprm* Hist Ceylon; **thé de ~** Ceylon tea

CFA /seɛfa/

A *adj* (*abbr* = **Communauté financière africaine**) **franc ~** CFA franc

B *nm: abbr* ▸ **centre**

CFAO /seɛfao/ *nf* (*abbr* = **conception et fabrication assistées par ordinateur**) CADCAM

CFC /seɛfse/ *nm* (*abbr* = **chlorofluorocarbone**) CFC

CFDT /seɛfdete/ *nf* (*abbr* = **Confédération française démocratique du travail**) CFDT (*French trade union*)

CFTC /seɛftese/ *nf* (*abbr* = **Confédération française des travailleurs chrétiens**) CFTC (*French trade union*)

CGC /seʒese/ *nf* (*abbr* = **Confédération générale des cadres**) CGC (*French trade union*)

CGPME /seʒepeɛmœ/ *nf* (*abbr* = **Confédération Générale des Petites et Moyennes Entreprises**) trade association for SMEs

CGT /seʒete/ *nf* (*abbr* = **Confédération générale du travail**) CGT (*French trade union*)

chacal, *pl* **~s** /ʃakal/ *nm* Zool, fig jackal

cha-cha-cha* /tʃatʃatʃa/ *nm* cha-cha

chaconne /ʃakɔn/ *nf* chaconne

chacun, **~e** /ʃakœ̃, yn/ *pron indéf* **1** (chaque élément) each (one); **~ de** each one of, every one of; **~ d'entre nous** each (one) of us, every one of us; **~ d'entre eux** each (one) of them, every one of them; **il nous a donné un fusil (à) ~** he gave each of us a gun; **ils avaient ~ un œil au beurre noir** they each had a black eye; **ils ont ~ sa** *or* **leur chambre** they each have their own room, each of them has their own room; **elles ont ~e leurs qualités** they each have their good points, each of them has their good points; **vous avez droit à une boisson ~** you're each entitled to a drink, you're entitled to a drink each; **ils coûtent 100 euros ~** they cost 100 euros each; **nous avons ~ pris notre veste** we all took our jackets; **~ rentra chez soi de son côté** everyone made their own way home; **2** (tout le monde) everyone; **~ a ses défauts** everyone has their faults; **comme ~ sait** as everyone knows; **~ son tour** everyone in turn, each in turn; **~ son tour!** wait your turn!; **~ a le droit de vivre comme il l'entend** everyone has the right to live as he or she chooses *ou* as they choose; **à ~ selon son mérite** to everyone according to their merits, to each according to his or her merits; **~ ses goûts** every man to his own taste; **~ pour soi (et Dieu pour tous)** every man for himself (and God for us all); **tout un ~** every Tom, Dick and Harry, everyone; **à ~ son métier** every man to his own trade

chafouin, **~e** /ʃafwɛ̃, in/ *adj* sly

chagrin, **~e** /ʃagʀɛ̃, in/

A *adj* *[personne]* despondent, dejected; *[visage]* doleful; *[temps]* dreary; **être d'humeur ~e** to be despondent *ou* dejected; **les esprits ~s** the malcontents

B *nm* **1** (peine) grief, sorrow; **faire du ~ à qn** to cause sb grief; **accablé de ~** grief-stricken; **à mon grand ~** to my (great) sorrow; **avoir du ~** to be sad; **avoir beaucoup de ~** to be very sad; **'M. et Mme Vernet ont l'immense ~ de vous faire part du décès de leur fils Pierre'** 'it is with great sadness that Mr and Mrs Vernet have to inform you of the death of their son Pierre'; **elle a eu de nombreux ~s** she's had many sorrows; **mourir de ~** to die of a broken heart; **avoir un gros ~** *[enfant]* to be very upset; **2** (en reliure) shagreen; **relié plein ~** bound in shagreen

(Composé) **~ d'amour** unhappy love affair

chagriner /ʃagʀine/ [1] *vtr* **1** (peiner) to pain, to grieve; **2** (contrarier) to bother, to worry; **il y a quelque chose qui me chagrine dans cette histoire** there's something about this story which bothers me

chah = **shah**

chahut /ʃay/ *nm* racket○; **faire du ~** *[fêtard]* to make a racket○; *[élève]* to play up the teacher

chahuter /ʃayte/ [1]

A *vtr* **1** *[élève, classe]* to play up *[enseignant, surveillant]*; *[personne, groupe]* to heckle *[orateur]*; **se faire ~ par qn** gén to be heckled by sb; **2** (mettre à mal) **être chahuté** *[monnaie, valeur]* to come under pressure; *[gouvernement]* to be given a hard time; *[emploi du temps]* to be disrupted

B *vi* to mess around (**avec** with)

chahuteur, **-euse** /ʃaytœʀ, øz/

A *adj* disruptive

B *nm,f* (élève) disruptive child; (adulte) rowdy person

chai /ʃɛ/ *nm* wine storehouse

chaînage* /ʃɛnaʒ/ *nm* Ordinat chaining

chaîne* /ʃɛn/

A *nf* **1** (entrave) chain; **mettre les ~s à qn** to put sb in chains; **attacher qn avec des ~s** to chain sb up; **attacher son chien à une ~** to put one's dog on a chain; **briser ses ~s** to cast off one's chains; **2** Mécan chain; **~ de transmission/de vélo** transmission/bicycle chain; **~ de sécurité** safety chain; **3** Ind assembly line; **être/travailler à la ~** to be/to work on the assembly line; **produire (qch) à la ~** to mass-produce (sth); **production à la ~** mass production; **on n'est pas à la ~○!** fig we're not machines, you know!; **système éducatif à la ~** conveyor-belt education system; **4** (bijou) chain; **~ en or** gold chain; **~ de montre** watch chain; **5** (succession) chain; **des catastrophes en ~** a series of disasters; **réaction en ~** chain reaction; **6** (organisation) network; **~ de solidarité** support network; **faire la ~** to make a chain; **7** Géog chain, range; **~ de montagnes/des Pyrénées** mountain/Pyrenean chain; **8** (de télévision) channel; **~ de télévision** television channel; **deuxième ~** channel 2; **~ câblée/musicale/publique** cable/music/public channel; **9** Comm chain; **~ de magasins** chain of stores; **~ d'hôtels** hotel chain; **10** Audio (système) **~ hi-fi** hi-fi system; **~ stéréo** stereo system; **~ compacte** music centre; **11** Chimie chain; **~ moléculaire** molecular chain; **12** Tex warp

B **chaînes** *nfpl* Aut snow chains; **mettre les ~s** to put the snow chains on

(Composés) **~ alimentaire** food chain; **~ d'arpenteur** surveyor's chain; **~ d'assemblage** assembly line; **~ de caractères** character string; **~ de commandement** chain of command; **~ éditoriale** editorial process; **~ de fabrication** Ind production line; **~ du froid** cold chain; ~ **de montage** Ind assembly line; ~ **nerveuse** Anat sympathetic chain; ~ **des osselets** Anat (chain of) bonelets; ~ **parlée** Ling speech chain; ~ **de survie** Méd chain of survival; ~ **thématique** special interest channel

> **Chaînes de télévision**
>
> In all, France has 6 terrestrial TV channels. There are three state-owned channels, *France 2*, *France 3* and *France 5* where programmes are financed mostly by revenue from the TV licences paid by all TV owners, as well as four privately-owned channels. These are *TF1 (télévision française 1)* which has an obligation to ensure that 50% of its programmes are of French origin; *Canal Plus*, a subscription-operated channel which requires the use of a decoder except during brief periods when programmes are not scrambled (i.e. when they are broadcast *en clair*); *Arte* (a Franco-German cultural channel) which broadcasts programmes on the same frequency *as France 5* but at different times of the day; and finally *M6*, a popular commercial channel.

chaîner* /ʃɛne/ [1] *vtr, vi* Aut to put snow chains on

chaînette* /ʃɛnɛt/ *nf* [1] Mécan small chain; [2] Mode chain; ~ **en argent** silver chain; [3] Math catenary

chaînon* /ʃɛnɔ̃/ *nm* [1] gén link; ~ **manquant** missing link; [2] Géog secondary chain

chair /ʃɛʀ/
[A] ▸ **p. 202** *adj inv* flesh-coloured[GB]; **soutien-gorge** ~ flesh-coloured[GB] bra
[B] *nf* [1] Anat flesh ₵; ~**s meurtries** bruised flesh; **bien en** ~ plump, well-padded○; [2] Culin (de fruit, légume, poisson) flesh; (de volaille) meat; ~ **à saucisses** sausage meat; [3] (corps) flesh; **plaisirs de la** ~ pleasures of the flesh; ~ **de ma** ~ my own flesh and blood; **être de** ~ to be only human
(Composés) ~ **à canon**○ cannon fodder; ~ **fraîche** young bodies *(pl)*; ~ **de poule** gooseflesh, goose pimples *(pl)*, goosebumps *(pl)*; **avoir la** ~ **de poule** to have gooseflesh *ou* goose pimples *ou* goosebumps; **donner la** ~ **de poule à qn** *[froid]* to give sb gooseflesh; *[peur]* to give sb gooseflesh, to make sb's flesh creep
(Idiomes) **transformer qn en** ~ **à pâté** *or* **saucisses**○ to make mincemeat of sb○; **l'esprit est ardent mais la** ~ **est faible** the spirit is willing but the flesh is weak

chaire /ʃɛʀ/ *nf* [1] Relig (tribune) pulpit; (siège) throne; **être en** ~ to be in the pulpit; **monter en** ~ to step up into the pulpit; **annoncer qch en** ~ to announce sth from the pulpit; ~ **épiscopale/pontificale** bishop's/papal throne; [2] Univ (poste) chair; **être titulaire d'une** ~ **d'histoire médiévale** to hold a chair in medieval history; [3] Univ (tribune) rostrum

chaise /ʃɛz/ *nf* [1] (siège) chair; ~ **cannée/pliante** cane/folding chair; **politique de la** ~ **vide** empty-chair policy; ▸ **bâton**; [2] Mécan (support d'arbre) seating, mounting
(Composés) ~ **d'arbitre** umpire's chair; ~ **pour bébé** = ~ **haute**; ~ **électrique** electric chair; ~ **haute** highchair; ~ **longue** deckchair; **faire de la** ~ **longue** fig to take it easy; ~ **percée** commode; ~ **à porteurs** sedan chair; ~ **de poste** post chaise; ~ **roulante** wheelchair; ~**s musicales** musical chairs
(Idiome) **être assis** *or* **avoir le cul**◐ **entre deux** ~**s** to be in an awkward position

chaisière /ʃɛzjɛʀ/ ▸ **p. 532** *nf* chair attendant

chaland, ~**e** /ʃalɑ̃, ɑ̃d/
[A] *nm,f* (client) regular customer
[B] *nm* Naut barge

chaland-citerne, *pl* **chalands-citernes** /ʃalɑ̃sitɛʀn/ *nm* tank barge

chalandise /ʃalɑ̃diz/ *nf* **zone de** ~ catchment area of shop *ou* shopping centre[GB]

chalazion /ʃalazjɔ̃/ *nm* chalazion, meibomian cyst

Chalcidique /kalsidik/ ▸ **p. 721** *nprf* Khalkidiki

chalcopyrite /kalkopiʀit/ *nf* chalcopyrite, fool's gold

Chaldée /kalde/ *nprf* Chaldea

chaldéen, **-éenne** /kaldeɛ̃, ɛn/
[A] *adj* Chaldean
[B] *nm* Ling Chaldean

Chaldéen, **-éenne** /kaldeɛ̃, ɛn/ *nm,f* Chaldean, Chaldee

châle /ʃɑl/ *nm* shawl

chalet /ʃalɛ/ *nm* [1] (de montagne) chalet; [2] (maison en bois) chalet-style house
(Composé) ~ **de nécessité**† public convenience

chaleur /ʃalœʀ/
[A] *nf* [1] (sensation physique) heat; (douce) warmth; **la** ~ **du poêle/soleil** the heat of the stove/sun; **vague de** ~ heatwave; **coup de** ~ heat stroke; ~ **moite/accablante** muggy/oppressive heat; **la douce** ~ **printanière** the warmth of spring; **pour conserver la** ~ **dans votre salon** to keep the heat in your living room; **on étouffe de** ~, **ici!** it's sweltering in here!; **il faisait une** ~ **moite** it was muggy; **il fait une de ces** ~**s**○! it's boiling (hot)○!; **elle est sortie en pleine** ~ she went out in the hottest part of the day; [2] (cordialité) (de personne, d'accueil) warmth; (de voix, coloris) warmth; **accueillir qn avec** ~ to give sb a warm welcome; **dans la** ~ **de la discussion** in the heat of the discussion; [3] Zool **(être) en** ~ (to be) on heat; **les** ~**s** the heat ₵; [4] Phys heat
[B] **chaleurs** *nfpl* Météo **les** ~**s** the hot season *(sg)*; **les premières/dernières** ~**s** the first/last days of the hot season; **lors des grandes** *or* **grosses**○ ~**s** in the hot season
(Composés) ~ **animale** body heat; ~ **de combustion** combustion heat; ~ **latente** latent heat; ~ **massique** *or* **spécifique** specific heat

chaleureusement /ʃaløʀøzmɑ̃/ *adv [applaudir, remercier]* warmly; *[soutenir]* wholeheartedly; **accueillir qn** ~ to give sb a warm welcome

chaleureux, **-euse** /ʃaløʀø, øz/ *adj [personne, accueil, voix, paroles]* warm; *[public, applaudissements]* enthusiastic; *[soutien, appui]* wholehearted; *[atmosphère]* friendly; *[maison, endroit]* welcoming

châlit /ʃɑli/ *nm* (cadre) bedstead; (lit) pallet (bed)

challenge /ʃalɑ̃ʒ/ *nm* [1] (défi) challenge; **femme/homme de** ~ woman/man who thrives on challenges; **avoir le goût du** ~ to like a challenge; [2] Sport (épreuve) tournament; (trophée) trophy

challenge(u)r /ʃalɑ̃ʒœʀ/ *nm* challenger

chaloir† /ʃalwaʀ/ *v impers* **peu me** *or* **m'en chaut** it matters little to me; **peu leur chaut mon hostilité/mes critiques** my hostility/my criticism matters little to them

chaloupe /ʃalup/ *nf* [1] (à rames) rowing boat GB, rowboat US; [2] (à moteur) (motor) launch

chaloupé, ~**e** /ʃalupe/ *adj [valse, tango]* swaying; **une démarche** ~**e** a rolling gait

chalumeau, *pl* ~**x** /ʃalymo/ *nm* [1] (outil) blowtorch; **au** ~ with a blowtorch; ~ **coupeur** *or* **à découper** cutting torch; ~ **soudeur** *or* **à souder** welding torch; ~ **à acétylène** oxy-acetylene torch; [2] ▸ **p. 557** (flûte) pipe; [3] (pour boire) straw

chalut /ʃaly/ *nm* trawl; **jeter/tirer le** ~ to shoot/to haul the trawl; **pêcher** *or* **draguer au** ~ to trawl; **pêcher qch au** ~ to trawl for sth

chalutier /ʃalytje/ *nm* [1] (bateau) trawler; [2] ▸ **p. 532** (marin) trawlerman

chamade /ʃamad/ *nf* **battre la** ~ to beat wildly

chamailler○: **se chamailler** /ʃamaje/ [1] *vpr* to squabble **(avec** with)

chamaillerie○ /ʃamajʀi/ *nf* squabble

chamailleur○, **-euse** /ʃamajœʀ, øz/ *adj* quarrelsome

chaman /ʃaman/ *nm* shaman

chamanisme /ʃamanism/ *nm* shamanism

chamarré, ~**e** /ʃamaʀe/
[A] *pp* ▸ **chamarrer**
[B] *pp adj* [1] (garni d'ornements) *[tissu, vêtement, uniforme]* richly coloured[GB] and brocaded; ~ **de** *[vêtement, tissu]* adorned with; ~ **d'or** with gold brocade; [2] (multicolore) *[perroquet]* brightly coloured[GB]

chamarrer /ʃamaʀe/ [1] *vtr* to adorn **(de** with)

chamarrure /ʃamaʀyʀ/ *nf* (ornement) rich decoration

chambard○ /ʃɑ̃baʀ/ *nm* [1] (vacarme, désordre) din, racket○; **ils ont fait un de ces** ~**s** they made such a dreadful racket○; [2] (bouleversement) upheaval

chambardement○ /ʃɑ̃baʀdəmɑ̃/ *nm* [1] (bouleversement) shake-up○; [2] (désordre) mess; **quel** ~**! tu déménages?** what a mess! are you moving house?

chambarder○ /ʃɑ̃baʀde/ [1] *vtr* [1] (mettre sens dessus dessous) to turn [sth] upside down; **ils ont chambardé toute la maison, ils ont tout chambardé dans la maison** they turned the whole house upside down; [2] (modifier) *[personne, événement]* to shake up *[vie]*; to upset *[plans, projets, habitudes]*

chambellan /ʃɑ̃bɛllɑ̃/ *nm* chamberlain; ▸ **grand**

chambérien, **-ienne** /ʃɑ̃beʀjɛ̃, ɛn/ ▸ **p. 894** *adj* of Chambéry

Chambérien, **-ienne** /ʃɑ̃beʀjɛ̃, ɛn/ *nm,f* (natif) native of Chambéry; (habitant) inhabitant of Chambéry

Chambéry /ʃɑ̃beʀi/ ▸ **p. 894** *npr* Chambéry

chamboulement○ /ʃɑ̃bulmɑ̃/ *nm* [1] (bouleversement) shake-up; [2] (désordre) mess

chambouler○ /ʃɑ̃bule/ [1] *vtr* [1] (bouleverser) *[personne, événement]* to upset *[programme, projet]*; to shake up *[vie, service, établissement]*; ~ **les habitudes de qn** to upset sb's routine; **ils ont tout chamboulé** they upset everything; [2] (mettre en désordre) to turn [sth] upside down *[pièce, maison]*; to mess [sth] up *[meubles, bureau]*; (mélanger) to mix [sth] up *[photos, timbres, papiers]*; **ils ont tout chamboulé (dans la maison)** they turned the whole house upside down

chambranle /ʃɑ̃bʀɑ̃l/ *nm* (de porte, fenêtre) frame; (de cheminée) mantel, fire surround

chambre /ʃɑ̃bʀ/ *nf* [1] (pour dormir) gén room; (chez soi) bedroom; ~ **meublée à louer** furnished room to let; ~ **d'hôtel/d'hôpital** hotel/hospital room; ~ **individuelle** *or* **à un lit** *or* **pour une personne** single room; ~ **double** *or* **pour deux personnes** double room; ~ **à deux lits** twin room; **faire** ~ **à part** to sleep in separate rooms; **avez-vous une** ~ **de libre?** have you got any rooms free *ou* vacancies?; **politicien/athlète en** ~ hum, pej armchair politician/athlete hum, péj; [2] Mus **musique/orchestre de** ~ chamber music/orchestra; [3] Pol (assemblée parlementaire) house; [4] Jur (section d'un tribunal) *division of a court of justice*; [5] Admin (organe professionnel) chamber; [6] Tech (enceinte close) chamber; ~ **d'un revolver/appareil photo** chamber of a gun/camera
(Composés) ~ **d'accusation** *criminal division of the court of appeal*; ~ **d'agriculture** *farmers' association in each French department*; ~ **à air** inner tube; ~ **d'amis** guest room; ~ **basse** Pol Lower House; ~ **de bonne** maid's room; ~ **à bulles** Phys Nucl bubble chamber; ~ **des cartes** Naut chart room; ~ **de chauffe** (de fonderie) fire chamber; Naut

stokehold, fire room; **~ civile** *civil appeal division of a superior court*; **~ claire** camera lucida; **~ de combustion** Aut combustion chamber; **~ de commerce (et d'industrie)** chamber of commerce; **~ de compensation** clearing house; **~ du conseil** (local) Judge's Chambers (*used for deliberation*); (magistrats) *magistrates in deliberation after completion of hearing*; **~ à coucher** (pièce) bedroom; (mobilier) bedroom suite; **~ criminelle** criminal court; **~ forte** strong room; **~ frigorifique** *or* **froide** cold (storage) room; **~ à gaz** gas chamber; **~ haute** Pol Upper House; **~ d'hôte** ≈ room in a guest house; **'~s d'hôte'** ≈ 'bed and breakfast'; **~ d'isolement** Méd isolation room; **~ de métiers** professional association; **~ noire** Phot (boîte) camera obscura; (local) darkroom; **~ pollinique** Bot pollen chamber; **~ de simulation** Astronaut simulation chamber; **~ sourde** Tech anechoic room; **~ syndicale** Employers' federation; **~ de torture** torture chamber; **Chambre des communes** House of Commons; **Chambre des députés** Pol Chamber of Deputies; **Chambre des lords** House of Lords; **Chambre des représentants** House of Representatives

chambrée /ʃɑ̃bʀe/ *nf* Mil (dortoir, soldats) barracks; **plaisanterie de ~** barrack-room joke GB, ≈ locker-room joke US

chambrer /ʃɑ̃bʀe/ [1] *vtr* **1** Vin to bring [sth] to room temperature [*vin, bouteille*]; **ce vin rouge se boit chambré** this red wine is drunk at room temperature; **2** ○(se moquer de) to tease, to take the mickey out of○ GB [*personne*]; **se faire ~** to get teased

chambrette /ʃɑ̃bʀɛt/ *nf* small bedroom

chambrière† /ʃɑ̃bʀijɛʀ/ *nf* (femme de chambre) chambermaid

chameau, *pl* **~x** /ʃamo/ *nm* **1** Zool camel; **2** ○(personne désagréable) pej nasty person; **c'est un ~** he's/she's really nasty

chamelier /ʃaməlje/ ▸ **p. 532** *nm* camel driver

chamelle /ʃamɛl/ *nf* she-camel

chamito-sémitique, *pl* **~s** /kamitosemitik/ *adj, nm* Semito-Hamitic

chamois /ʃamwa/

A ▸ **p. 202** *adj inv* (ocre jaune) fawn

B *nm* **1** Zool chamois; **2** Sport *medal awarded for skiing competence*

chamoisée /ʃamwaze/ *adj f* **chèvre ~** mountain goat

chamoniard, **~e** /ʃamɔnjaʀ, aʀd/ ▸ **p. 894** *adj* of Chamonix

Chamoniard, **~e** /ʃamɔnjaʀ, aʀd/ *nm,f* (natif) native of Chamonix; (habitant) inhabitant of Chamonix

Chamonix /ʃamɔni/ ▸ **p. 894** *npr* Chamonix

champ /ʃɑ̃/

A *nm* **1** (terre cultivable) field; **dans un ~ de colza** in a field of rapeseed; **des ~s de coton** cotton fields; **couper** *or* **prendre à travers ~s** to cut across the fields; **travailler aux ~s** to work in the fields; **se promener dans les ~s** to walk in the fields; **en pleins ~s** in open country; **2** (étendue) field; **~ de glace** ice field; **~ de neige** snowfield; **~ pétrolifère** *or* **de pétrole** oil field; **~ de dunes** dunes (*pl*); **3** (domaine) field; **mon ~ d'action/de recherche** my field of action/of research; **le ~ culturel/politique** the cultural/political arena; **le ~ des polémiques/investigations** the scope of the controversies/investigations; **le ~ est libre, on peut y aller** lit the coast is clear, we can go; fig the way is clear, we can go; **avoir le ~ libre** to have a free hand; **laisser le ~ libre à qn** gén to give sb a free hand; (en se retirant) to make way for sb; **4** Phot, Cin field; **le ~ visuel** the field of vision; **être dans le ~** to be in shot; **entrer dans le/sortir du ~** to come into/go out of shot; **être hors ~** [*personnage*] to be offscreen *ou* out of shot; **une voix hors ~** an offscreen voice; **prendre du ~** fig to stand back; **5** Phys field; **~ acoustique/électrique/magnétique** sound/electric/magnetic field; **6** Ling field; **~ conceptuel/dérivationnel/lexical/sémantique** conceptual/derivational/lexical/semantic field; **7** Math field; **~ de vecteurs/scalaires/tenseurs** vector/scalar/tensor field; **8** Hérald, Ordinat field

B à tout bout de champ○ *loc adv* all the time; ▸ **sur-le-champ**

(Composés) **~ d'aviation** airfield; **~ de bataille** Mil, fig battlefield; **~ de courses** racecourse GB, racetrack; **~ d'épandage** sewage farm; **~ de foire** fairground; **~ de manœuvre** training area; **~ de mines** minefield; **~ opératoire** (linge) sterile towel; (zone) operative field; **~ de tir** (terrain d'exercice) firing range; (portée) range; **~ de tir aérien** bombing range; **~s ouverts** open fields

(Idiome) **mourir au ~ d'honneur** to be killed in action

champagne /ʃɑ̃paɲ/ *nm* Vin champagne; **boire du ~** to drink champagne; **~ brut/sec/demi-sec** extra-dry/dry/medium-dry champagne; **~ rosé** pink champagne

Champagne /ʃɑ̃paɲ/ *nprf* ▸ **p. 721 la ~** the Champagne region

champagnisation /ʃɑ̃paɲizasjɔ̃/ *nf* (pour faire du champagne) champagne-making process; (pour faire un mousseux) carbonation by the champagne method

champagniser /ʃɑ̃paɲize/ [1] *vtr* **1** (pour faire du champagne) to make [sth] into champagne [*vin*]; **2** (pour imiter le champagne) to render [sth] sparkling by the champagne method [*vin*]; **vins champagnisés** sparkling wines

champenois, **~e** /ʃɑ̃pənwa, az/ *adj* **1** ▸ **p. 721** Géog of the Champagne region; **2** Vin **méthode ~e** champagne method

Champenois, **~e** /ʃɑ̃pənwa, az/ *nm,f* (habitant) inhabitant of the Champagne region; (natif) native of the Champagne region

champêtre /ʃɑ̃pɛtʀ/ *adj* [*fête*] village (*épith*); [*scène, paysage, cadre*] rural; **bal ~** village dance; **déjeuner/pique-nique ~** lunch/picnic in the country

champignon /ʃɑ̃piɲɔ̃/ *nm* **1** Culin mushroom, edible fungus; **~ vénéneux** poisonous mushroom, toadstool; **aller aux ~s** to go mushroom picking; **2** Bot, Méd fungus; **avoir un ~**○ to have a fungal infection; **3** (ornement) (porte-manteau) mushroom-shaped peg; (siège) mushroom-shaped stool; (dans un jardin) toadstool; **4** ○Aut (accélérateur) throttle, accelerator; **appuyer sur le ~** to put one's foot down GB, to step on the gas US

(Composés) **~ atomique** Nucl mushroom cloud; **~ de couche** *or* **de Paris** button mushroom GB, champignon US; **~ hallucinogène** hallucinogenic mushroom, magic mushroom○

(Idiome) **pousser comme des ~s** to pop up like mushrooms

champignonnière /ʃɑ̃piɲɔnjɛʀ/ *nf* mushroom bed

champion, **-ionne** /ʃɑ̃pjɔ̃, ɔn/ *nm,f* **1** Sport, Jeux (vainqueur) champion; (sportif de haut niveau) leading player; **~ d'Europe/du Monde d'escrime** European/World fencing champion; **~ olympique** Olympic champion; **le ~ en titre** the titleholder; **2** ○(qui excelle) **être ~** [*personne*] to be in a class of one's own; **quand il s'agit de faire des bêtises, tu es ~** when it comes to doing stupid things, you're in a class of your own; **~ de la gaffe** prize fool; **~ de l'imitation/du rire** top impressionist/comedian; **3** ○(leader) **pays ~ de la lutte contre la drogue** country which leads the field in the fight against drugs; **cette région est championne de la production de vin** this region leads the field in wine production; **4** ○(défenseur) champion; **se poser en ~ de la vertu** to set oneself up as a champion of virtue; **se faire le ~ d'une cause** to champion a cause

championnat /ʃɑ̃pjɔna/ *nm* Sport, Jeux championship; **~s d'Europe d'escrime** European fencing championships; **finale de ~** championship final

chançard○, **~e** /ʃɑ̃saʀ, aʀd/

A *adj* lucky

B *nm,f* lucky devil○

chance /ʃɑ̃s/ *nf* **1** (sort favorable) (good) luck; **quelle ~!** what (a piece of) luck!; **c'est bien ma ~!** iron just my luck!; **pas de ~, tu as perdu!** bad luck, you've lost!; **coup de ~** stroke of luck; **~ inespérée** unexpected stroke of luck; **la ~ a voulu que je le croise** as luck would have it, I bumped into him; **la ~ aidant, il a réussi** he was lucky, he succeeded; **la ~ aidant, il réussira** with a bit of luck, he'll succeed; **il y a une belle part de ~ dans sa réussite** luck played quite a part in his/her success; **la ~ leur a souri** fortune smiled on them; **avoir de la ~** to be lucky; **ne pas avoir de ~** to be unlucky; **il n'a pas eu de ~** (à un examen) he was unlucky; (ces derniers temps) he hasn't had much luck; **avoir une ~ du tonnerre**○ *or* **de cocu**○ to have the luck of the devil; **avoir la ~ de faire** to have the good luck to do; **courir** *or* **tenter sa ~** to try one's luck; **avoir la ~ de trouver une maison** to be lucky enough to find a house; **c'est une ~ de pouvoir partir** *or* **que nous puissions partir** we're lucky to be able to leave; **par ~** luckily, fortunately; **2** (possibilité) chance (**de qch** of sth; **de faire** of doing); **il y a (encore) une ~ de paix** there's (still) a chance of peace; **mes recherches ont peu de ~s d'aboutir** my research is unlikely to come to anything; **il y a de fortes ~s (pour) qu'elle vienne** there's every chance that she will come; **il a ses ~s** he stands a good chance; **il n'a aucune ~** he doesn't stand a chance; **mettre toutes les ~s de son côté** to take no chances; **avoir une ~ sur dix de gagner** to have a one in ten chance of winning; **il a une ~ sur deux** he has a fifty-fifty chance; **garder** *or* **conserver toutes ses ~s** still to have a chance (**de faire** of doing, to do); **'il va pleuvoir?'—'il y a des ~s'** 'is it going to rain?'–'probably'; **3** (fortune) luck; **leur ~ a tourné** their luck has turned; **tenter** *or* **courir sa ~** to try one's luck; ▸ **bonheur**; **4** (occasion favorable) chance, opportunity; **c'est la ~ de ma vie** it's the chance *ou* opportunity of a lifetime; **donner** *or* **laisser une ~ à qn** to give sb a chance; **la UE est une ~ pour leur pays** the EU represents an opportunity for their country; **saisir sa ~** to seize the opportunity; **c'est la réunion de la dernière ~** the meeting is the last hope

chancelant, **~e** /ʃɑ̃slɑ̃, ɑ̃t/ *adj* **1** (qui manque d'équilibre) [*démarche, pas*] unsteady; [*pont, objet*] rickety, shaky; [*personne*] staggering; **~ de fatigue** staggering with tiredness; **avancer** *or* **marcher d'un pas ~** to walk unsteadily; **2** (fragile) [*courage, pouvoir, foi*] wavering; [*moral*] flagging; [*volonté*] faltering; [*empire, trône*] tottering; [*marché*] unstable; **sa santé est** *or* **il a une santé ~e** his health is rather shaky

chanceler /ʃɑ̃sle/ [19] *vi* **1** (perdre l'équilibre) [*personne*] to stagger, to reel; [*objet*] to wobble; **le coup le fit ~** the blow made him stagger *ou* reel; **2** (manquer de fermeté) [*résolution, courage, foi*] to waver; **~ dans ses opinions** to waver; **3** (être menacé) [*pouvoir, gouvernement, trône*] to totter; [*santé*] to be precarious

chancelier /ʃɑ̃səlje/ *nm* gén chancellor; (d'ambassade) chancery; (en Allemagne, Autriche) Chancellor

(Composé) **le ~ de l'Échiquier** the Chancellor of the Exchequer

chancelière /ʃɑ̃səljɛʀ/ *nf* **1** (en Allemagne, Autriche) chancellor; **2** (épouse du chancelier) chancellor's wife; **3** (chauffe-pieds) footwarmer

chancellerie /ʃɑ̃sɛlʀi/ *nf* 1 (en France) Ministry of Justice; 2 (en Allemagne, Autriche) Chancellorship; 3 (d'une ambassade, d'un diocèse) chancellery

chanceux, -euse /ʃɑ̃sø, øz/
A *adj* (fortuné) lucky
B *nm,f* Can lucky man/woman

chancre /ʃɑ̃kʀ/ *nm* 1 Méd canker; 2 Bot canker; 3 (fléau) cancer, canker
(Composés) ~ **lépreux** leproma; ~ **mou** chancroid, soft chancre; ~ **syphilitique** chancre
(Idiome) **manger** *or* **bouffer comme un** ~◑ pej to make a pig of oneself○, to pig out◑ US

chandail /ʃɑ̃daj/ *nm* sweater, jumper GB

chandeleur /ʃɑ̃dlœʀ/ *nf* Relig Candlemas; **à la** ~ at Candlemas

chandelier /ʃɑ̃dəlje/ *nm* (à une branche) candlestick; (à plusieurs branches) candelabra[GB]; ~ **pascal** paschal candlestick; ~ **à sept branches** seven-branched candelabra[GB]

chandelle /ʃɑ̃dɛl/ *nf* 1 (bougie) candle; **lire à la lueur d'une** ~ to read by candlelight; **s'éclairer à la** ~ to use candles for lighting; **un dîner aux** ~**s** a candlelit dinner; 2 Sport **faire la** ~ (en gymnastique) to do a shoulder stand; (au tennis) to hit a lob; (au rugby) to play an up-and-under; (au football) to loft the ball; 3 Aviat **monter en** ~ to zoom; 4 ▸ **p. 469** (jeu) *children's party game*; 5 ◑(morve) trickle of snot○; **avoir la** ~ **au nez** to have a runny nose, to have a snotty○ nose
(Idiomes) **devoir une fière** ~ **à qn** to be hugely indebted to sb; **faire des économies de bouts de** ~**s** to make cheeseparing economies; **tenir la** ~○ to play gooseberry○; **brûler la** ~ **par les deux bouts** to burn the candle at both ends; **le jeu n'en vaut pas la** ~ the game isn't worth the candle; **la** ~ **brûle** time is running out; ▸ **trente-six**

chanfrein /ʃɑ̃fʀɛ̃/ *nm* 1 (de cheval) nose; 2 Constr chamfer

change /ʃɑ̃ʒ/ *nm* 1 Fin (taux) exchange rate; ~ **fixe/flottant** *or* **flexible** fixed/floating exchange rate; **hausse/baisse du** ~ rise/fall in the exchange rate; **le** ~ **ne nous est pas favorable** the exchange rate is not in our favour[GB]; 2 Fin (opération) (foreign) exchange; **gagner/perdre au** ~ lit to make/to lose money on the exchange; fig to make/to lose on the deal; **en quittant son emploi précédent il a gagné** *or* **il n'a pas perdu au** ~ when he left his previous job it was a change for the better; 3 (de bébé) ~ **(complet)** disposable nappy GB *ou* diaper US
(Idiome) **donner le** ~ **à qn** to pull the wool over sb's eyes

changeant, ~e /ʃɑ̃ʒɑ̃, ɑ̃t/ *adj* 1 (inconstant) [*personne, opinion, humeur, temps*] changeable, fickle; **il est d'humeur** ~**e** he's moody, he blows hot and cold; 2 (chatoyant) [*tissu*] shimmering; [*couleur, reflet*] changing, shifting

changement /ʃɑ̃ʒmɑ̃/ *nm* 1 (remplacement) change (**de** of); ~ **de stratégie/gérant** change of strategy/manager; **le** ~ **d'air te fera du bien** the change of air will do you good; **50 euros pour un** ~ **de roue** 50 euros for a wheel change; **j'attends les ouvriers pour le** ~ **de la chaudière** I'm waiting for the workmen to come and change the boiler; 2 (modification) change (**de** in); ~ **de température/situation/majorité** change in temperature/the situation/the majority; ~ **en mieux/pire** change for the better/worse; **'comment va-t-il?'—'pas de** ~**'** 'how is he?'—'there's no change'; **au** ~ **de saison** at the turn of the season; 3 (de train, bus, d'avion) change; **il y a un** ~ **à Varsovie** you have to change at Warsaw; **Bordeaux-Bruxelles sans** ~ Bordeaux-Brussels direct
(Composés) ~ **d'adresse** change of address; ~ **climatique** Écol climate change; ~ **de décor** Théât, Cin scene change; fig change of scene; ~ **d'état** Phys change of state; ~ **de lune** new moon; ~ **social** social change; ~ **de vitesse** Aut (mécanisme) gears (*pl*); (processus) change of gear; ~ **à vue** Théât transformation scene

changer /ʃɑ̃ʒe/ [13]
A *vtr* 1 (échanger) to exchange [*objet*] (**pour, contre** for); to change [*secrétaire, emploi*] (**pour, contre** for); **j'ai changé ma bicyclette pour un ordinateur** I've exchanged my bicycle for a computer; ~ **un billet de 10 euros en pièces de 1 euro** to change a 10-euro note into 1-euro coins; **on m'a changé mon assistant** I've been given a new assistant
2 (convertir) to change [*argent*]; to cash [*chèque de voyage*]; **vous pouvez** ~ **jusqu'à 1 000 euros** you can change up to 1,000 euros; ~ **des euros en dollars** to change euros into dollars
3 (remplacer) to change [*objet, décoration*] (**par, pour** for); to replace [*personne*] (**par , pour** with)
4 (déplacer) ~ **qch de place** to move sth; ~ **un employé de poste** to move an employee (to another position); **ils ont changé les livres de place** they've moved the books round GB *ou* around US; ~ **un livre d'étagère** to move a book to another shelf; ▸ **épaule**
5 (modifier) to change [*plan, attitude, habitudes, texte*]; **cette coiffure te change** you look different with your hair like that; **(mais) ça change tout!** that changes everything!; **qu'est-ce que ça change?** what difference does it make?; **il n'a pas changé une virgule au texte** he didn't change a single comma in the text; **tu as changé quelque chose à ta coiffure** you've done something different with your hair; **cela ne change rien à mes sentiments** that doesn't change the way I feel; **ça n 'a rien changé à mes habitudes** it hasn't changed my habits in any way; **cela ne change rien (à l'affaire)** that doesn't make any difference; **cela ne change rien au fait que** that doesn't alter the fact that; **tu n'y changerais rien** there's nothing you can do about it; **on ne peut rien y** ~**, on n'y peut rien** ~ fml we can't do anything about it; ~ **sa voix** to disguise one's voice
6 (transformer) ~ **qch/qn en** to turn sth/sb into; **essayer de** ~ **le plomb en or** to try to turn lead into gold; **elle a été changée en statue** she was turned into a statue; ~ **un prince en crapaud** to turn a prince into a toad
7 (rompre la monotonie) **cela nous change de la pluie/du poulet** it makes a change from the rain/from chicken; **ça va le** ~ **de sa vie tranquille à la campagne** it'll be a change from his quiet life in the country; **pour** ~ **j'ai fait de l'oie** I've cooked a goose (just) for a change; **pour** ~ **nous allons en Espagne cet été** for a change we are going to Spain this summer; **pour ne pas** ~ as usual; **pour ne pas** ~ **elle est en retard** she's late as usual; ▸ **idée**
8 (renouveler les vêtements de) to change
B **changer de** *vtr ind* 1 (quitter) ~ **de** to change; ~ **de main** lit, fig to change hands; ~ **de profession/travail** to change professions/jobs; ~ **de position** to change position; ~ **de place** [*personne*] to change seats (**avec** with); [*objet*] to be moved, to move; ~ **de chaussures/vêtements** to change one's shoes/clothes; **nous avons changé de route au retour** we came back by a different route; ~ **de rue/quartier** to move to another street/district; ~ **d'adresse** to move to a new address, to change address; **quand il m'a vu il a changé de trottoir** when he saw me he crossed over to the other side of the road; **elle change d'amant/de bonne tous les mois** she has a new lover/maid every month; ~ **d'opinion** *or* **d'avis** to change one's mind; **à cette nouvelle, il a changé de tête** *or* **visage** at this news, his expression changed; **changeons de sujet** let's change the subject; ~ **de propriétaire** [*maison, immeuble*] to have a change of owner; ~ **de locataire** [*propriétaire*] to get a new tenant; **il a changé de caractère** he's changed; ~ **de sexe** to have a sex change; ▸ **chemise, disque**
2 Transp ~ **de** to change; ~ **de train/d'avion** to change trains/planes
C *vi* 1 (se modifier) [*situation, santé, temps*] to change; **il ne change pas, il est toujours le même** he never changes, he's always the same; **rien n'avait changé** nothing had changed; **il a changé en bien/mal** he's changed for the better/worse; **il y a quelque chose de changé ici/dans leur comportement** there's something different here/about their behaviour[GB]
2 (être remplacé) [*personne, livre*] to be changed; [*horaire*] to change
D **se changer** *vpr* 1 (mettre d'autres vêtements) to get changed, to change; **je vais me** ~ **et j'arrive** I'm just going to get changed and I'll be with you; **si tu sors, change-toi** if you're going out, get changed first
2 (se transformer) **se** ~ **en** [*personne, animal*] to turn *ou* change into; **se** ~ **en citrouille** to turn into a pumpkin; **on ne se change pas** people can't change
(Idiomes) ~ **d'air** to have a change of air; ~ **du tout au tout** to change completely

changeur, -euse /ʃɑ̃ʒœʀ, øz/
A ▸ **p. 532** *nm,f* Fin money changer
B *nm* 1 Hist money changer; 2 Comm (appareil) change machine
(Composés) ~ **de disques** record changer; ~ **de fréquence** Télécom frequency changer

channe /ʃan/ *nf* Helv (broc) (pewter) tankard

chanoine /ʃanwan/ ▸ **p. 848** *nm* canon; **le** ~ **Kir** Canon Kir
(Idiomes) **être gras comme un** ~ to be as round as a barrel; **avoir une mine de** ~○ to look the picture of health and contentment

chanoinesse /ʃanwanɛs/ ▸ **p. 848** *nf* canoness

chanson /ʃɑ̃sɔ̃/ *nf* 1 (texte chanté) song; ~ **folklorique** traditional folk song; ~ **paillarde** bawdy song; 2 (genre) song; **la** ~ **française/pour enfants** French/children's song; **faire carrière dans la** ~ to make a career as a singer; **vedette de la** ~ singing star; 3 ○(propos) **c'est toujours la même** ~ it's always the same old story *ou* song; **c'est une autre** ~ that's another story; **je connais la** ~ I've heard it all before; 4 Littérat song, epic (poem); **la Chanson de Roland** the Chanson de Roland
(Composés) ~ **d'amour** love song; ~ **à boire** drinking song; ~ **de geste** chanson de geste; ~ **guerrière** song of battle; ~ **de marche** marching song; ~ **de marin(s)** sea shanty; ~ **populaire** (traditionnelle) traditional song; (moderne) popular song; ~ **à succès** hit (song)
(Idiome) **tout finit par des** ~**s** there's always a happy ending

chansonnette /ʃɑ̃sɔnɛt/ *nf* (simple) little song; (frivole) light-hearted song

chansonnier, -ière /ʃɑ̃sɔnje, ɛʀ/
A *nm* (livre) songbook
B ▸ **p. 532** *nm,f* cabaret artist (*specializing in political and social satire*)

chant /ʃɑ̃/ *nm* 1 (activité) singing; **entendre un** ~ **mélodieux** to hear the sweet sound of singing; **réveillé par le** ~ **des oiseaux** woken by the dawn chorus; **aimer le** ~ (chanter) to like singing; (écouter) to like songs; **concours/leçon de** ~ singing competition/lesson; 2 (sons caractéristiques) (d'oiseau, de baleine) song; (de coq) crow(ing); (de grillon) chirp(ing); (de cigale) shrilling; (de vent, ruisseau, d'instrument) sound; **au** ~ **du coq** at cockcrow; 3 (composition musicale) song; ~ **à plusieurs voix** part-song; ~**s profanes/sacrés** profane/sacred songs; 4 (mélodie) melody; 5 (poésie) ode; (division) canto; ~ **funèbre** funeral lament; ~ **nuptial** marriage song; **épopée en dix** ~**s** epic in ten cantos; 6 Tech edge; **de** *or* **sur** ~ on edge *ou* edgeways

ℹ Le chant et les chanteurs

Les voix et les chanteurs

soprano
= soprano*

mezzo-soprano
= mezzo-soprano

contralto
= contralto

haute-contre
= counter-tenor

ténor
= tenor

baryton
= baritone

baryton-basse
= bass-baritone ([beɪs,'bærɪ,təʊn])

basse
= bass

* *Pour* une soprano, *on dira* a soprano, *et pour parler d'un jeune garçon on précisera* a boy soprano.

■ *Dans les expressions suivantes,* ténor *est pris comme exemple; les autres noms de voix s'utilisent de la même façon.*

il est ténor
= he's a tenor
ou he sings tenor

■ *Les expressions françaises avec* de *se traduisent par l'emploi du nom de la voix en position d'adjectif.*

une voix de ténor
= a tenor voice

la tessiture de ténor
= the tenor range

un solo de ténor
= a tenor solo

(Composés) ~ **choral** choral singing; ~ **du cygne** swansong; ~ **d'église** hymn; ~ **grégorien** Gregorian chant; ~ **guerrier** war song; ~ **de Noël** Christmas carol; ~ **populaire** folk song; ~ **des sirènes** siren song

chantable /ʃɑ̃tabl/ *adj* singable; **pas** ~ impossible to sing (*après n*)

chantage /ʃɑ̃taʒ/ *nm* blackmail; **faire du** ~ to use blackmail; **faire du** ~ **à qn** to blackmail sb; **il me fait du** ~ **au suicide/divorce** he's using threats of suicide/divorce to blackmail me; ~ **affectif** emotional blackmail

chantant, ~**e** /ʃɑ̃tɑ̃, ɑ̃t/ *adj* 1 (mélodieux) [*voix, accent*] singsong (*épith*), lilting; **parler avec des intonations** ~**es** to speak in a lilting *ou* singsong voice; 2 (qui se chante aisément) [*mélodie*] tuneful

chantefable /ʃɑ̃təfabl/ *nf* chante fable

chanter /ʃɑ̃te/ [1]
A *vtr* 1 Mus to sing [*air, duo*]; **tu nous chantes quelque chose?** will you sing something for us?, will you give us a song?; **messe chantée** sung mass; **spectacle chanté et dansé** musical spectacular; 2 (célébrer) to sing (of), to celebrate [*exploit, héros*]; ~ **les louanges de qn** to sing sb's praises; 3 ○(raconter) **qu'est-ce qu'il nous chante?** what's he on about○? GB, what's he talking about?; ~ **qch sur tous les tons** to harp on about sth
B chanter à○ *vtr ind* (plaire) **si le film te chante** if the film appeals to you; **ça te chante d'aller à la campagne?** do you feel like *ou* fancy○ going to the country?; **ça ne me chante guère de partir** I don't really feel like going; **ça n'a guère chanté à mon père** it didn't go down very well with my father; **je ferai comme il me chantera** I'll do as I please
C *vi* 1 [*personne*] to sing; (en parlant) to have a lilting voice *ou* a singsong accent; ~ **juste/faux** to sing in tune/out of tune; **il a un accent/une voix qui chante** he has a singsong accent/a lilting voice; ~ **en parlant** to talk with a lilt; 2 [*oiseau*] to sing; [*coq*] to crow; [*poule*] to squawk; [*grillon*] to chirp; [*cigale*] to shrill; [*bouilloire*] to sing; [*vent*] (dans les voiles) to sing; (dans les arbres) to rustle; [*source*] to bubble; 3 (subir du chantage) **faire** ~ **qn** to blackmail sb

chanterelle /ʃɑ̃tʀɛl/ *nf* 1 Bot chanterelle; 2 Chasse decoy bird; 3 Mus E-string

chanteur, **-euse** /ʃɑ̃tœʀ, øz/
A *adj* **oiseau** ~ songbird; ▸ **maître**
B ▸ **p. 532** *nm,f* singer; (de groupe) vocalist; ~ **d'opéra/de blues** opera/blues singer; ~ **(de) rock/folk** rock/folk singer; ~ **de cabaret** cabaret singer; ~ **de charme** crooner; ~ **populaire** *singer of middle-of-the-road popular songs*; ~ **des rues** street singer

chantier /ʃɑ̃tje/ *nm* 1 (site) building *ou* construction site; ~ **de démolition** demolition site; **travailler sur le** ~ **d'une école en construction** to work on the building site of a school; **le** ~ **a été ouvert l'été dernier** the building *ou* construction work began last summer; '~ **interdit au public**' 'no admittance to the public'; **en** ~ [*bâtiment*] under construction; [*loi, document*] in the process of being drafted; [*film*] in the process of being made; **la ville est en** ~ **depuis deux mois** they've been doing building work in the town for two months; **notre maison sera en** ~ **tout l'hiver** the work on our house will go on all winter; **mettre en** ~ to undertake [*réforme, projet, loi*]; **remettre en** ~ to resurrect, to dust [sth] off; **des réformes ont été mises en** ~ **récemment** reforms have recently been undertaken; **on a décidé la mise en** ~ **de logements neufs** it has been decided to build some new homes; **on espère la mise en** ~ **de nouveaux programmes/d'une nouvelle loi** we're hoping that new programmes[GB]/a new law will be created; 2 (entrepôt) builder's yard; 3 ○(lieu en désordre) mess, shambles○ (*sg*); **quel** ~**!** what a mess!; 4 (de tonneau) gantry; 5 Mines face

(Composé) ~ **naval** shipyard

chantilly /ʃɑ̃tiji/ *nf inv* **(crème)** ~ Chantilly cream

chantonnement /ʃɑ̃tɔnmɑ̃/ *nm* humming

chantonner /ʃɑ̃tɔne/ [1]
A *vtr* to hum [sth] to oneself [*mélodie, air*]
B *vi* to hum to oneself

chantoung = **shantung**

chantourné, ~**e** /ʃɑ̃tuʀne/
A *pp* ▸ **chantourner**
B *pp adj* (arrondi) [*tableau*] with a curved top (*épith, après n*); (ajouré) [*écran*] fretted

chantourner /ʃɑ̃tuʀne/ [1] *vtr* to cut out

chantre /ʃɑ̃tʀ/ *nm* 1 Relig cantor; **voix de** ~ rich and powerful voice; 2 (laudateur) eulogist (**de** of); (poète) bard; **Virgile, le** ~ **d'Énée** Virgil, the bard who sang of Aeneas

chanvre /ʃɑ̃vʀ/ *nm* (plante, fibre) hemp; **toile de** ~ hempen cloth

(Composés) ~ **d'eau** eupatorium; ~ **indien** Indian hemp, cannabis; ~ **de Manille** Manila hemp

chaos /kao/ *nm inv* 1 (désordre) chaos; **sombrer dans le** ~ to descend into chaos; **mettre le** ~ **dans** to wreak havoc in; 2 Géol blockfield

(Composé) ~ **de glace** hummocked ice

chaotique /kaɔtik/ *adj* chaotic

chapardage○ /ʃapaʀdaʒ/ *nm* 1 (fait de chaparder) pilfering; 2 (petit vol) petty theft

chaparder○ /ʃapaʀde/ [1] *vtr* to pinch○ (**à qn** from sb); **elle chaparde dans les magasins** she pinches things from shops

chapardeur○, **-euse** /ʃapaʀdœʀ, øz/
A *adj* light-fingered
B *nm,f* pilferer, petty thief

chape /ʃap/ *nf* 1 Constr (surface étanche) screed GB, screed coat; ~ **de béton** concrete screed; 2 (couche) fml ~ **de nuages** blanket of cloud; ~ **de tristesse** burden of sadness; 3 Aut (de pneu) tread; 4 Relig (manteau) cope

(Composés) ~ **de bielle** bearing case; ~ **de poulie** pulley case

chapeau, *pl* ~**x** /ʃapo/
A *nm* 1 (couvre-chef) hat; **un** ~ **à large bord** a wide-brimmed hat; **porter** *or* **mettre la main au** ~ to touch one's hat; ▸ **baver**; 2 (de lampe, gâteau) top; (de tuyau de cheminée) hood; 3 Mécan cap; 4 Presse introductory paragraph; 5 Bot (de champignon) cap
B ○*excl* well done!

(Composés) ~ **de cardinal** cardinal's hat; ~ **chinois** (coquillage) limpet; Mus Turkish Crescent, Jingling Johnny; ~ **claque** opera hat; ~ **cloche** cloche (hat); ~ **de cow-boy** cowboy hat, Stetson®; ~ **de feutre** felt hat; ~ **de gendarme** paper hat; ~ **haut de forme** top hat; ~ **melon** bowler (hat) GB, derby (hat) US; ~ **mexicain** sombrero; ~ **mou** trilby GB, fedora; ~ **de paille** straw hat; ~ **de plage** sun hat; ~ **de roue** Aut hubcap; **démarrer sur les** ~**x de roues**○ [*conducteur, voiture*] to shoot off at top speed; [*film, roman, soirée*] to get off to a good *ou* cracking start; ~ **tyrolien** Tyrolean hat

(Idiomes) **porter le** ~○ to carry the can GB, to take the blame *ou* rap○; **travailler du** ~○ to be a bit cracked○; **coup de** ~ **à** hats off to; **tirer son** ~ **à** to take one's hat off to; **saluer** ~ **bas qn** to take one's hat off to sb

chapeauté○, ~**e** /ʃapote/
A *pp* ▸ **chapeauter**
B *pp adj* 1 (qui porte un chapeau) with a hat on (*épith, après n*), wearing a hat (*après n*); ~ **et ganté** wearing a hat and gloves; 2 (contrôlé) **service/organisme** ~ **par un ministère** department/organization under a ministry

chapeauter○ /ʃapote/ [1] *vtr* (contrôler) [*personne*] to head; **le ministère chapeaute notre équipe** our team works under the ministry

chapelain /ʃaplɛ̃/ *nm* chaplain

chapelet /ʃaplɛ/ *nm* 1 Relig (objet, prières) rosary; 2 (d'oignons, de saucisses, villages) string; (d'obus) stick; (d'îlots) chain; (de jurons, reproches) stream; **en** ~ in a string; **les îlots étaient en** ~ the islets formed a chain; **égrener un** ~ **d'injures** to reel off a stream of insults

chapelier, **-ière** /ʃapəlje, ɛʀ/
A *adj* [*industrie, commerce*] hat (*épith*)
B ▸ **p. 532** *nm,f* hatter

chapelle /ʃapɛl/ *nf* 1 Relig chapel; **la** ~ **de l'hôpital** the hospital chapel; ~ **expiatoire** expiatory chapel; **la** ~ **de la Sainte Vierge** the Lady chapel; **la** ~ **des marins** the sailors' chapel; 2 (groupe) pej clique, coterie; 3 Mus choir

(Composé) ~ **ardente** temporary mortuary (*used as a chapel to mourn the dead*)

chapellerie /ʃapɛlʀi/ *nf* 1 ▸ **p. 532** (magasin) hat shop GB *ou* store US; 2 (entreprise) hat business; 3 (activité) hat trade

chapelure /ʃaplyʀ/ *nf* breadcrumbs (*pl*)

chaperon /ʃapʀɔ̃/ *nm* 1 (personne) chaperon(e); 2 †(coiffe) hood; **le Petit Chaperon rouge** Little Red Riding Hood; 3 Constr coping

chaperonner /ʃapʀɔne/ [1] *vtr* 1 (accompagner) to chaperone; 2 Constr to cope [*mur*]

chapiteau, *pl* ~**x** /ʃapito/ *nm* 1 (tente) marquee GB, tent; (de cirque) big top; 2 (de colonne) capital; **3** (de buffet) cornice; **4** (d'alambic) still-head

chapitre /ʃapitʀ/ *nm* **1** (division) (de livre) chapter; (de rapport) section; **2** (rubrique) **et au ~ des faits divers...** and now, other news...; **3** (sujet) subject; **sur ce ~** on this subject; **au ~ de** on the issue of; **sur le ~ de** in the matter of; **4** (période) chapter; **5** Compta (d'un budget) section, item; **~ des dépenses** section on expenditure; **~ des recettes** section on revenue; **voter le budget par ~** to vote on the budget section by section; **6** Relig chapter

(Idiomes) **avoir voix au ~** to have a say in the matter; **ne pas avoir voix au ~** to have no say in the matter

chapitrer /ʃapitʀe/ [1] *vtr* (réprimander) to tell [sb] off (**à propos de** about); (faire la morale à) to lecture (**sur, à propos de** about); **se faire ~** to get told off, to get a lecture

chapka /ʃapka/ *nf* fur hat

chapon /ʃapɔ̃/ *nm* (jeune coq) capon

chapska = **schapska**

chaptalisation /ʃaptalizasjɔ̃/ *nf* chaptalization

chaptaliser /ʃaptalize/ [1] *vtr* to chaptalize

chaque /ʃak/

> ⚠ Si l'on veut insister sur ce qui fait l'homogénéité d'un ensemble de phénomènes, d'individus ou d'objets on traduit *chaque* par *every*: *chaque année ils allaient faire du ski* = they used to go skiing every year; si l'on veut mettre l'accent sur les phénomènes ou les individus pris séparément on utilisera plutôt *each* (mais *every* ne serait pas faux pour autant): *la situation se détériore chaque année* = each year the situation gets worse.
>
> On remarquera que *every* ne s'utilise que pour parler de plus de deux personnes, objets ou phénomènes; dans l'exemple suivant, seul *each* est correct: *au volley-ball, chaque équipe est composée de six joueurs* = in volleyball, each team is made up of six players.

A *adj indéf* each, every; **~ matin il fait sa promenade** he goes for a walk every morning; **~ travailleur devrait avoir droit à des congés payés** (dans l'absolu) every worker should be entitled to paid holidays GB *ou* vacation US; (dans un groupe particulier) each worker should be entitled to paid holidays GB *ou* vacation US; **~ violon a sa sonorité propre** each *ou* every violin has its own sound; **~ chose en son temps!** all in good time!; **~ chose à sa place** everything in its place; **~ visite chez le dentiste était pour elle un calvaire** each *ou* every visit to the dentist's was an ordeal for her; **la situation devient ~ jour plus compliquée** the situation becomes more and more complicated by the day *ou* each day *ou* every day; **il me dérange à ~ instant** he's always disturbing me; ▸ **suffire**

B ○*pron* (chacun) each; **il revend ses disques (à) 20 euros ~** he's selling his records for 20 euros each

char /ʃaʀ/ *nm* **1** Mil tank; **~ léger/lourd** light/heavy tank; **être dans les ~s** to be in a tank regiment; **2** Antiq chariot; **3** Agric cart, wagon; **~ à foin** haycart, haywagon; **4** (de carnaval) float; **le ~ de la reine** the carnival queen's float; **5** fig, liter **le ~ de la nuit** the chariot of night; **le ~ de l'État** the ship of state; **6** ○(bluff) bluff; **arrête ton ~!** come off it!; **7** ○Can (voiture) car

(Composés) **~ d'assaut** Mil tank; **~ à bancs** *horse-drawn wagon with benches*; **~ à bœufs** oxcart; **~ de combat** = **~ d'assaut**; **~ funèbre** hearse; **~ à voile** Sport (sur roues) sand yacht; (sur patins) ice yacht

charabia○ /ʃaʀabja/ *nm* gobbledygook○, double Dutch

charade /ʃaʀad/ *nf* riddle

charançon /ʃaʀɑ̃sɔ̃/ *nm* weevil

(Composé) **~ des arbres fruitiers** apple blossom weevil

charançonné, ~e /ʃaʀɑ̃sɔne/ *adj* weevilly, weevilled GB

charbon /ʃaʀbɔ̃/ *nm* **1** Minér, Mines coal; **se chauffer au ~** to use coal for heating; **faire griller qch sur des ~s (de bois)** to barbecue sth; **2** Pharm charcoal; **~ animal/végétal** animal/wood charcoal; **3** ▸ **p. 283** Méd, Vét anthrax; **4** Bot, Agric smut; **avoir le ~** to have smut; **5** Art charcoal; (dessin) charcoal drawing; **dessin au ~** charcoal drawing; **6** Électron (balai) carbon brush; (électrode) carbon

(Composés) **~ actif** *or* **activé** activated charcoal; **~ de bois** charcoal

(Idiomes) **être noir comme du ~** to be as black as coal; **être sur des ~s ardents** to be like a cat on a hot tin roof; **aller au ~**○ (aller au travail) to get to work; (effectuer une tâche pénible) to do the menial work

charbonnages /ʃaʀbɔnaʒ/ *nmpl* collieries

charbonner /ʃaʀbɔne/ [1]

A *vtr* to blacken [*visage, joue, mur*]

B *vi* [*lampe, mèche*] to go black; [*poêle*] to smoke

C **se charbonner** *vpr* **se ~ le visage/corps** to blacken one's face/body

charbonneux, -euse /ʃaʀbɔnø, øz/ *adj* **1** (évoquant le charbon) gén sooty; [*paupière*] black with make-up (*jamais épith*); **2** Méd, Vét [*fièvre*] anthracic; **tumeur charbonneuse** anthracic tumour[GB], anthrax; **3** Bot, Agric smutted

charbonnier, -ière /ʃaʀbɔnje, ɛʀ/

A *adj* [*centre*] coalmining (*épith*); [*production, industrie*] coal (*épith*)

B ▸ **p. 532** *nm,f* (marchand) coalman/coalwoman

C *nm* Naut collier GB, coaler

D **charbonnière** *nf* **1** Zool (mésange) great tit; **2** (lieu de fabrication du charbon de bois) charcoal burner's clearing

(Idiomes) **avoir la foi du ~** to have a simple faith; **~ est maître chez soi** Prov an Englishman's GB *ou* a man's US home is his castle

charcutage○ /ʃaʀkytaʒ/ *nm* (de viande) mangling; (de malade, texte) carving up

charcutaille○ /ʃaʀkytaj/ *nf* cooked pork meats (*pl*)

charcuter○ /ʃaʀkyte/ [1]

A *vtr* **1** (opérer) [*chirurgien*] to hack [sb] about [*malade*]; **se faire ~** (par un chirurgien) to get hacked about; **2** (découper) to mangle [*viande*]; **3** (dénaturer) to carve up [*texte*]

B **se charcuter** *vpr* (se couper) to cut oneself badly

charcuterie /ʃaʀkytʀi/ *nf* **1** Culin (produits) cooked pork meats (*pl*); **~s variées** assorted cooked pork meats; **2** ▸ **p. 532** **(traiteur)** (magasin) pork butcher's; (rayon dans un supermarché) delicatessen

charcutier, -ière /ʃaʀkytje, ɛʀ/

A ▸ **p. 532** *nm,f* (commerçant) pork butcher; **chez le ~** at the pork butcher's; **~ traiteur** pork butcher and caterer

B **charcutière** *nf* (épouse du charcutier) pork butcher's wife

chardon /ʃaʀdɔ̃/ *nm* thistle

chardonneret /ʃaʀdɔnʀɛ/ *nm* goldfinch

charentais, ~e /ʃaʀɑ̃tɛ, ɛz/

A ▸ **p. 721** *adj* [*personne*] from the Charente region; [*melon*] Charentais

B **charentaise** *nf* (pantoufle) carpet slipper

Charentais, ~e /ʃaʀɑ̃tɛ, ɛz/ *nm,f* (natif) native of the Charente region; (habitant) inhabitant of the Charente region

Charente /ʃaʀɑ̃t/ ▸ **p. 721** *nprf* (département) **la ~** Charente

Charente-Maritime /ʃaʀɑ̃tmaʀitim/ ▸ **p. 721** *nprf* (département) **la ~** Charente-Maritime

charge /ʃaʀʒ/ *nf*

A **1** (fardeau) lit, fig burden, load; (cargaison) (de véhicule) load; (de navire) cargo, freight; Naut (fait de charger) loading; **le mulet peinait sous la ~** the mule laboured[GB] under its load; **sept enfants, quelle lourde ~!** seven children, what a burden!; **prendre qn en ~** [*taxi*] to take sb as a passenger *ou* fare; **prise en ~** (dans un taxi) minimum fare

2 Archit, Constr load

3 (responsabilité) responsibility; **avoir la ~ de qn/qch** to be responsible for sb/sth; **avoir qn à ~** to be responsible for sb; **avoir trois enfants à ~** to have three dependent children; **il a la ~ de faire, il a pour ~ de faire** he's responsible for doing; **c'est à vous que revient la ~ de le mettre au courant** it's up to you *ou* it's your duty to let him know; **il s'est bien acquitté de sa ~** he carried out his task well; **prendre en ~** [*tuteur*] to take charge of [*enfant*]; [*services sociaux*] to take [sb] into care [*enfant*]; [*sécurité sociale*] to accept financial responsibility for [*malade*]; to take care of [*frais, dépenses*]; **les enfants sont entièrement pris en ~** all the expenses for the children will be paid for; **prise en ~** (par la sécurité sociale) agreement to bear medical costs; **prise en ~ à 100%** agreement to bear full medical costs; **prise en ~** (de personnes, frais) undertaking to accept responsibility; **la prise en ~ des réfugiés/dépenses sera assurée par...** the refugees/expenses will be taken care of *ou* looked after by...; **se prendre en ~** to take care of oneself; **être à la ~ de qn** [*frais*] to be payable by sb; [*personne*] to be dependent upon sb; **mes neveux sont à ma ~** I support my nephews, I have my nephews to support; **ces frais sont à la ~ du client** these expenses are payable by the customer, the customer is liable for these expenses; **à ~ pour lui de faire** but it's up to him to do; **avoir ~ d'âmes** Relig to have the cure of souls; ▸ **revanche**

4 Admin (fonction) office; **~ élective** elective office; **occuper de hautes ~s** to hold high office; **~ de notaire** notary's office

5 (preuve) evidence; **il n'y a aucune ~ contre lui** there's no evidence against him

6 Mil (assaut) charge (**contre** against); (d'explosifs) charge; **~ de cavalerie** cavalry charge

7 Électrotech, Phys charge; **~ positive/négative** positive/negative charge; **être en ~** to be charging up; **mettre en ~** to put [sth] on charge [*batterie, accumulateur*]; **conducteur en ~** live conductor

8 (contenu) **~ émotionnelle** emotional charge; **~ symbolique** symbolic content

9 (caricature) caricature; **ce rôle demande à être joué en ~** this role needs to be overacted

B **charges** *nfpl* gén expenses, costs; (de locataire, copropriétaire) service charge (*sg*); **les ~s de l'État** government expenditure **¢**; **~s directes** direct costs; **~s d'exploitation** running costs *ou* expenses

(Composés) **~ d'amorçage** Mil primer; **~ creuse** Mil hollow charge; **~ de famille** Fisc dependent; **~ inerte** Mil inert filling; **~ limite** maximum load; **~ nucléaire** nuclear warhead; **~ de rupture** Constr breaking stress; **~ de travail** workload; **~ utile** Transp payload; **~s fiscales** tax expenses; **~s locatives** maintenance costs (*payable by a tenant*); **~s patronales** employer's social security contributions; **~s sociales** welfare costs

(Idiome) **retourner** *or* **revenir à la ~** to try again

chargé, ~e /ʃaʀʒe/

A *pp* ▸ **charger**

B *pp adj* [*particule*] charged; **être ~ de** [*branches*] to be heavy *ou* laden (down) with [*fruits, neige*]; [*bras, doigts, personnes*] to be covered with [*bijoux*]; [*ciel*] to be full of [*nuages*]; [*lettres, texte*] to be full of [*ratures*]; **air ~ des senteurs du printemps** air heavy with the scents of

spring; **un regard ~ de menaces** a threatening look; **personnage ~ d'honneurs** person laden with honours[GB]; **être ~ de famille** to have dependents
C *adj* 1 gén [*personne, véhicule*] loaded; [*programmes scolaires, horaires, emploi du temps*] heavy; [*journée*] busy, full; [*décorations*] over-ornate; [*style*] heavy; [*langue*] coated; **trop ~** [*personne, véhicule, programmes scolaires, horaires, emploi du temps*] overloaded; **avoir un casier judiciaire ~** to have had several previous convictions; 2 Postes [*lettre, colis*] registered
(Composés) **~ d'affaires** Pol chargé d'affaires; **~ de cours** Univ part-time lecturer; **~ de mission** Pol representative; **~ de recherche** researcher; **~ de travaux dirigés** Univ tutor GB, instructor US

chargement /ʃaʀʒəmɑ̃/ *nm* 1 (objets transportés) gén load; (marchandises) (par avion, bateau) cargo, load; (par camion) load; **elle ne peut pas partir sans tout un ~**○ she can't go away without taking a whole load of baggage; 2 (mise à bord) loading; **le ~ a pris trois jours** the loading took three days; 3 (d'arme, appareil) loading; (de poêle) stoking; (de logiciel, réacteur) loading; **à ~ automatique** with automatic loading; **machine à laver à ~ frontal/par le haut** front-/top-loading washing machine; 4 Électrotech (de batterie) charging
(Composé) **~ postal** registered mail ₵

charger /ʃaʀʒe/ [13]
A *vtr* 1 gén to load [*marchandises*] (**dans** into; **sur** onto); to load [*véhicule, navire, avion, brouette, animal*] (**de** with); **~ des bagages dans une voiture** to load luggage into a car; **péniche chargée de sable** barge loaded with sand; **~ un client** [*taxi*] to pick up a passenger *ou* fare; **il a chargé le sac sur son dos** he heaved the bag onto his back; **trop ~ qch** to overload sth; 2 (remplir le chargeur) to load [*arme, appareil photo, caméra*]; 3 Ordinat to load [*disquette, programme*] (**dans** into); 4 Électrotech to charge [*batterie, accumulateur*]; 5 (outrer) to overdo [*description, aspect*]; **acteur qui charge un rôle** actor who hams it up○; 6 (confier une mission à) **~ qn de qch** to make sb responsible for sth; **~ qn de faire** to give sb the responsibility of doing, to make sb responsible for doing; **il l'a chargé de répondre au téléphone** he gave him the responsibility *ou* the job of answering the phone; **elle m'a chargé de vous transmettre ses amitiés** she asked me to give you her regards; **je l'ai chargé d'une mission de confiance** I entrusted him with an important mission; **être chargé de** to be in charge of; **c'est lui qui est chargé de l'enquête** he is in charge of the investigation; **nous sommes chargés de l'évacuation des blessés** *or* **d'évacuer les blessés** we are in charge of evacuating the wounded; **ils sont chargés de faire respecter la loi** it is their job to enforce the law; 7 (accabler) to bring evidence against [*accusé, suspect*]; 8 (attaquer) to charge at [*foule, manifestants, ennemi*]
B *vi* [*armée, taureau*] to charge
C se charger *vpr* 1 (s'occuper) **se ~ de** to take responsibility for; **je m'en charge** I'll see to it, I'll look after it; **je me charge de le leur dire** I'll tell them; **apportez à manger, je me charge de la boisson** bring some food, I'll look after the drinks *ou* I'll take care of the drinks; **nous nous chargerons de vous trouver un logement** we will undertake to find you accommodation; **il s'est chargé de découvrir la vérité** he made it his business to find out (the truth); 2 (prendre des bagages) to weigh oneself down; **ne te charge pas trop** don't weigh yourself down too much; 3 (s'accuser) **se ~ de** to blame oneself for [*faute, crime*]; 4 Mil **se ~ facilement** [*arme*] to be easy to load

chargeur /ʃaʀʒœʀ/ *nm* 1 Mil (objet) magazine; (personne) loader; **il a vidé son ~ sur le caissier** he fired a full round of bullets at the cashier; 2 Électrotech charger; 3 Phot cartridge; Cin film magazine; 4 Ordinat loader; 5 (débardeur) loader; 6 (expéditeur) loader, shipper

chargeuse /ʃaʀʒøz/ *nf* Ind loader

charia /ʃaʀja/ *nf* sharia

chariot* /ʃaʀjo/ *nm* 1 (poussé à la main) trolley GB, cart US; **~ à bagages** luggage trolley GB, luggage cart US; **~ à desserte** service trolley GB, service wagon US; **~ de supermarché** supermarket trolley GB, shopping cart US; 2 (motorisé) truck; 3 (tiré par des chevaux) waggon[GB]; **~ bâché** covered waggon[GB]; 4 (de machine à écrire) carriage; 5 Cin (de caméra) dolly
(Composés) **~ alsacien** bassinet; **~ élévateur à fourche** forklift truck

Chariot /ʃaʀjo/ *nprm* **le Petit ~** the Little Bear GB *ou* Dipper US; **le Grand ~** the Plough GB *ou* Plow US

charismatique /kaʀismatik/ *adj* charismatic

charisme /kaʀism/ *nm* charisma

charitable /ʃaʀitabl/ *adj* [*personne, pensée, bonté*] charitable (**envers** toward, towards GB, to); **tendre une main ~ à** fig to lend a helping hand to; **un conseil ~** hum a piece of friendly advice

charitablement /ʃaʀitabləmɑ̃/ *adv* (avec charité) charitably; (gentiment) kindly; **il leur a ~ conseillé de faire** he very kindly advised them to do

charité /ʃaʀite/ *nf* 1 (aumône) charity; **faire la ~ à qn** to give sb alms; **demander la ~ à qn** lit, fig to ask sb for charity; **je ne veux pas qu'on me fasse la ~** I don't want charity; **un appel à la ~ publique** a charity appeal; **vente/match de ~** charity sale/match; **la ~ s'il vous plaît** spare me some change, please; 2 (bienveillance) kindness; **par (pure) ~** out of the kindness of one's heart; **il a eu la ~ de faire** he was kind enough to do; 3 Relig charity; **la ~ chrétienne** Christian charity
(Idiome) **~ bien ordonnée commence par soi-même** Prov charity begins at home Prov

charivari /ʃaʀivaʀi/ *nm* din, racket○

charlatan /ʃaʀlatɑ̃/ *nm* (guérisseur) quack○, charlatan; (vendeur) trickster, con man; (prêcheur, politicien) fraud, phon(e)y○

charlatanisme /ʃaʀlatanism/ *nm* charlatanism

Charlemagne /ʃaʀləmaɲ/ *npr* Charlemagne

Charles /ʃaʀl/ *npr* Charles
(Composés) **~ le Bel** Charles the Fair; **~ Quint** Charles the Fifth (of Spain); **~ le Téméraire** Charles the Bold

charleston /ʃaʀlɛstɔn/ *nm* (danse) Charleston; **danser le ~** to do *ou* dance the Charleston

charlot○ /ʃaʀlo/ *nm* clown; **arrête de faire le ~!** stop clowning!

Charlot /ʃaʀlo/ *npr* Charlie (Chaplin); **aller voir un ~** to go and see a Charlie Chaplin film

charlotte /ʃaʀlɔt/ *nf* 1 (dessert) charlotte; **~ aux pommes** apple charlotte; 2 (bonnet) mobcap

charmant, **~e** /ʃaʀmɑ̃, ɑ̃t/ *adj* 1 (plaisant) [*personne, sourire, accent, décor, lieu, scène*] charming, delightful; [*soirée, enfant*] delightful; [*objet*] charming, lovely; **trois heures de retard, c'est ~!** iron three hours delay, charming *ou* wonderful! iron; **elle porte le ~ prénom de...** she has the charming name of...; iron she rejoices in the name of... iron; **un ~ bambin** iron a little dear iron; 2 (aimable) very nice (**avec** to; **envers** toward, towards GB); **ils ont été ~s avec nous** they were very nice to us

charme /ʃaʀm/
A *nm* 1 (de personne, sourire, visage) charm; **avoir du ~/beaucoup de ~** to have charm/great charm; **une opération de ~** a public relations exercise; **c'est une véritable offensive de ~ pour convaincre les électeurs** they are really trying to woo the electorate; **faire du ~** to turn on the charm; **faire du ~ à qn** to use one's charms on sb; **faire du ~** *or* **son numéro de ~ à qn pour qu'il fasse qch** to try to charm sb into doing sth; 2 (de lieu, musique) charm; **cela a le ~ de la nouveauté** it has (a certain) novelty value; **cela a son ~** *or* **ses ~s** it has its charms; **cela ne manque pas de ~** (mode de vie, roman) it is not without its charms; (proposition) it is not unattractive; **c'est ce qui fait tout son ~** (lieu) it's what makes it so charming; (après-midi, séjour) it's what makes it so delightful; 3 (qui envoûte) spell; **jeter/rompre un ~** to cast/to break a spell; **tenir qn sous son ~** to hold sb under one's spell; **être/tomber sous le ~ de qch** to be/to fall under sb's spell; 4 Bot hornbeam
B charmes *nmpl* euph physical attributes euph
(Idiome) **se porter comme un ~** to be as fit as a fiddle

charmé, **~e** /ʃaʀme/
A *pp* ▸ **charmer**
B *pp adj* delighted

charmer /ʃaʀme/ [1] *vtr* [*spectacle, artiste*] to charm, to enchant [*auditoire*]; to charm [*serpent*]; **se laisser ~ par qn** to fall for *ou* succumb to sb's charms

charmeur, **-euse** /ʃaʀmœʀ, øz/
A *adj* [*sourire*] winning, engaging; [*attitude*] charming, engaging; [*regard*] engaging; **airs ~s** charming manner (*sg*)
B *nm,f* charmer
(Composé) **~ de serpents** snake charmer

charmille /ʃaʀmij/ *nf* bower, arbour[GB]

charnel, **-elle** /ʃaʀnɛl/ *adj* 1 [*plaisirs, amour*] carnal; **l'acte ~** *or* **l'union charnelle** the carnal act; 2 (corporel) liter physical; **enveloppe charnelle** mortal coil

charnellement /ʃaʀnɛlmɑ̃/ *adv* **connaître qn ~** to have carnal knowledge of sb

charnier /ʃaʀnje/ *nm* gén mass grave; Hist (lieu couvert) charnel house

charnière /ʃaʀnjɛʀ/
A *nf* 1 (de porte, coquillage) hinge; 2 fig (lien important) bridge (**entre** between); 3 Anat joint; 4 (en philatélie) stamp hinge
B (-)charnière (*in compounds*) **œuvre(-)~** bridge; **époque(-)~** transitional period; **événement(-)/rôle(-)~** pivotal event/role

charnu, **~e** /ʃaʀny/ *adj* [*bras, corps, poulet*] plump; [*lèvre*] fleshy, thick; [*fruit*] plump, fleshy; [*feuille*] fleshy, thick; [*crabe*] meaty; **sur la partie la plus ~e de ma personne** hum on my behind

charognard /ʃaʀɔɲaʀ/ *nm* 1 (hyène, chacal) carrion feeder; (vautour) vulture; 2 (profiteur) vulture péj

charogne /ʃaʀɔɲ/ *nf* 1 (d'animal) rotting carcass; (d'humain) rotting corpse; 2 ◑bastard◑

charolais, **~e** /ʃaʀɔlɛ, ɛz/ ▸ **p. 721** *adj* Charolais

Charolais /ʃaʀɔlɛ/ ▸ **p. 721** *nm* Charolais

Charon /kaʀɔ̃/ *npr* Charon

charpente /ʃaʀpɑ̃t/ *nf* 1 Constr (de toit) roof structure; (de bâtiment) framework; (de bateau) structure; **bois de ~** timber; 2 (métier) carpentry; 3 Anat (structure interne) framework; (constitution) build; **~ osseuse** skeleton; **doté d'une robuste ~** sturdily built; 4 (de livre, film) structure
(Composé) **~ métallique** steel structure

charpenté, **~e** /ʃaʀpɑ̃te/ *adj* [*vin*] robust; **bien ~** [*personne*] well-built (*épith*); **solidement ~** [*personne*] solidly built; **être bien ~** [*personne*] to be well built

charpentier /ʃaʀpɑ̃tje/ ▸ **p. 532** *nm* carpenter

charpie /ʃaʀpi/ *nf* 1 fig **être en ~** to be in shreds; **réduire** *or* **mettre qch en ~** to tear sth to shreds; **mettre qn en ~** [*adversaire violent*] to beat sb to a pulp○; [*critique*] to make

C

mincemeat of sb; [*animal*] to tear sb limb from limb; [*véhicule*] to mangle sb; **2** ‡ lint

charretée /ʃaʀte/ *nf* cartload; **par ~s** lit, fig by the cartload; **une ~ de** loads (*pl*) of○ [*critiques, honneurs*]

charretier /ʃaʀtje/ ▸ **p. 532** *nm* carter

Idiome **jurer comme un ~** to swear like a trooper

charrette /ʃaʀɛt/ *nf* **1** (voiture à deux roues) cart; ▸ **roue**; **2** (série) **il a fait partie de la première ~ de licenciés/d'expulsés** he went in the first wave *ou* round of layoffs/of expulsions; **3** ○(voiture) car, jalopy○

Composés **~ à bras** handcart, barrow; **~ des condamnés** Hist tumbril

Idiome **être (en) ~** to be battling with a deadline

charrier /ʃaʀje/ [2]

A *vtr* **1** (avec un chariot, une brouette) to cart; **2** (tirer avec effort) to haul [*troncs d'arbre, blocs de pierre*]; **3** (entraîner) [*cours d'eau, coulée de lave*] to carry [sth] along; **4** ○(se moquer de) to tease [sb] unmercifully

B ○*vi* to go too far; **elle charrie** (elle exagère) she's going too far; (elle se moque) she must be kidding○; **faut pas ~** that's really pushing it○!

charroi /ʃaʀwa/ *nm* cartage

charron /ʃaʀɔ̃/ ▸ **p. 532** *nm* cartwright, wheelwright

charrue /ʃaʀy/ *nf* plough, plow US

Idiome **mettre la ~ avant les bœufs** to put the cart before the horse

charte /ʃaʀt/ *nf* charter; ▸ **école**

Composés **la ~ des droits de l'homme** the Charter of Human Rights; **la Charte sociale européenne** UE the Social Charter, the Social Chapter; **la Grande Charte (d'Angleterre)** Magna Carta

charter /ʃaʀtɛʀ/

A *adj inv* [*vol, tarif, compagnie, billet*] charter (*épith*)

B *nm* charter plane; **les touristes arrivaient par ~s entiers** whole planeloads of tourists were arriving

chartisme /ʃaʀtism/ *nm* Chartism

chartiste /ʃaʀtist/ *nmf* **1** Hist Chartist; **2** Univ *student at the School of Paleography and Archival Studies in Paris*

chartreuse /ʃaʀtʀøz/ *nf* **1** (monastère) Carthusian monastery, Charterhouse; **2** (liqueur) chartreuse

chartreux /ʃaʀtʀø/ *nm* (moine) Carthusian monk

Charybde /kaʀibd/ *npr* Charybdis

Idiome **tomber de ~ en Scylla** to jump out of the frying pan into the fire

chas /ʃa/ *nm* (d'aiguille) eye

chasse /ʃas/ *nf* **1** (activité) gén hunting; (au fusil) shooting; **aller à la ~** (au lapin, pigeon etc) to go shooting GB *ou* hunting US; (à cheval) to go hunting; **aller à la ~ au chevreuil** (à courre) to go deer hunting; (à pied) to go deer stalking; **la ~ au sanglier** boar hunting; **la ~ au renard** (fox) hunting; **la ~ au pigeon/faisan** pigeon/pheasant shooting; **la ~ au lapin** rabbit shooting, rabbiting; **~ au lièvre** hare coursing; **la ~ aux escargots** snail hunting; **la ~ aux papillons** catching butterflies; **~ au trésor** treasure hunt; ▸ **chien, cor, fusil, partie, pavillon, rendez-vous, tableau**; **2** (saison) (avec un fusil) shooting season; (à cheval) hunting season; **la ~ est ouverte/fermée** it's the open/closed season; ▸ **ouverture**; **3** (gibier) **faire (une) bonne ~** to get a good bag; **se partager la ~** to share the game; **4** (domaine) (pour le petit gibier) shoot; (pour le gros gibier) hunting ground; **~ gardée** lit, fig preserve; **c'est la ~ gardée des médecins** it's the preserve of doctors; **cette fille c'est ~ gardée**○**!** hum hands off, she's private property○!; ▸ **action**; **5** (participants) **la ~** the hunt; **6** (poursuite) chase; **donner la ~ à, prendre en ~** to chase; **faire la ~ aux araignées/fourmis** to wage war on spiders/ants; **faire la ~ aux trafiquants** to hunt down traffickers; **faire la ~ aux abus/fraudes** to search out abuses/fraud; **7** (recherche) hunting (**à** for); **~ aux autographes** autograph-hunting; **~ aux emplois/logements** job-/house-hunting; **être à la ~ de** *or* **à** to be hunting for; **se mettre en ~ pour trouver qch** to go hunting for sth; **faire la ~ au mari/aux images** to be looking for a husband/a good picture; **8** Mil (avions) **la ~, l'aviation de ~** fighter planes (*pl*); ▸ **avion, pilote**; **9** (de WC) **~ (d'eau)** (toilet) flush; **~ automatique** automatic flush; **actionner la ~** (manette) to flush the toilet; **tirer la ~** (chaîne) to pull the chain; **10** (de roues, d'essieu) play; **donner de la ~ à qch** to loosen sth up a bit

Composés **~ aérienne** Mil aerial pursuit; **~ à l'affût** hunting from a hide GB *ou* a blind US; **~ à la baleine** whaling; **~ aux cerveaux** head-hunting; **~ à courre** hunting; **~ au faucon** hawking; **~ au furet** ferreting; **~ à l'homme** manhunt; **~ photographique** wildlife photography; **~ aux sorcières** witch-hunt; **~ sous-marine** Sport harpoon fishing, harpooning

Idiome **qui va à la ~ perd sa place** Prov leave your place and you (will) lose it

châsse /ʃɑs/ *nf* **1** Relig reliquary; **2** ◑(œil) eye

chassé /ʃase/ *nm* Danse chassé

chasse-clou, *pl* **~s** /ʃasklu/ *nm* nail punch

chasse-coin, *pl* **~s** /ʃaskwɛ̃/ *nm* keying hammer

chassé-croisé, *pl* **chassés-croisés** /ʃasekʀwɑze/ *nm* **1** (manœuvres) continual coming and going (**entre** between); **~ de décisions/démarches** series of conflicting decisions/steps; **~ de dossiers entre les ministères** toing and froing of files chasing each other from ministry to ministry; **chassés-croisés amoureux** romantic intrigue (*sg*); **le ~ des automobilistes sur la route des vacances** the flow of departing and returning holidaymakers GB *ou* vacationers US on the roads; **2** Danse chassé-croisé, set to partners

chasselas /ʃasla/ *nm* chasselas grape

chasse-mouches* /ʃasmuʃ/ *nm inv* fly swatter

chasse-neige* /ʃasnɛʒ/ *nm inv* **1** (véhicule) snowplough GB, snowplow US; **2** (à skis) snowplough GB, snowplow US; **faire du ~** to snowplough GB, to snowplow US; **descendre une piste en ~** to snowplough down a piste

chasse-pierres* /ʃaspjɛʀ/ *nm inv* fender, cowcatcher US

chassepot /ʃaspo/ *nm* chassepot (rifle)

chasser /ʃase/ [1]

A *vtr* **1** [*animal*] to hunt [*proie*]; **le lion chasse les gazelles** lions hunt gazelles; **2** gén to hunt; (au fusil) to shoot GB, to hunt; **~ à courre** to go hunting; **~ à l'affût** to hunt from a hide GB *ou* a blind US; **~ au filet** to hunt with a net; **~ le renard/le perdreau** to go (fox) hunting/partridge shooting; **~ (le lapin) au furet** to go ferreting; **~ la baleine** to go whaling; ▸ **race**; **3** (éloigner) [*personne*] to chase away [*visiteurs, animal*]; [*bruit, mauvais temps, personne acariâtre*] to drive away [*touristes, client*]; (expulser) to drive out [*immigrant, ennemi*]; (congédier) to fire, to sack○ GB [*domestique, employé*]; **~ qn de quelque part** (de place, rue, terrain) to drive sb out of *ou* from somewhere; (de lieu fermé) to throw sb out of somewhere; **le bruit nous a chassés de Paris/chez nous** we were driven out of Paris/our home by the noise; **mes parents m'ont chassé de chez eux** my parents have thrown me out (of the house); **être chassé du parti/du pouvoir** to be thrown out of the party/of power; **être chassé de son emploi** (pour incompétence) to be fired *ou* sacked from one's job; (pour raisons économiques) to be laid off; **je vous chasse** (à un domestique) you're fired; **l'âne chasse les mouches de sa queue** the donkey flicks off the flies with its tail; ▸ **loup, galop**; **4** (disperser) to dispel [*fumée, brume, odeur, doute, soucis*]; **~ une idée de son esprit** to banish a thought from one's mind; **5** (faire avancer) to herd [*bétail, oies*]; **6** (déloger) to force [sth] out [*eau*]; to knock [sth] out [*tenon*]

B *vi* **1** (aller à la chasse) gén to go hunting; (avec un fusil) to go shooting GB *ou* hunting US; **~ sur les terres de qn** fig to poach on sb's territory; ▸ **chien**; **2** (déraper) [*voiture, moto*] to skid; **3** Naut **le navire chasse sur ses ancres** the ship is dragging her anchor; **4** Imprim to compress

chasseresse /ʃasʀɛs/ *nf* liter huntress littér

chasseur, **-euse** /ʃasœʀ, øz/

A *nm,f* Chasse (animal, personne) hunter; **mon oncle, c'est un ~** gén my uncle goes hunting; (au fusil) my uncle goes shooting GB *ou* hunting US; **~ de chevreuils/de renards/de sangliers** deer hunter/fox hunter/boar hunter; **c'est un ~ de canards/de lapins** he goes duck shooting/rabbiting, he shoots duck/rabbit; **être un bon ~** (au fusil) to be a good shot; (avec une meute) to be a good huntsman; **j'ai rencontré un ~** I met a man who was out shooting; **un groupe de ~s** (au fusil) a shooting party; (avec une meute) a hunt

B *nm* **1** Culin **poulet/lapin ~** sautéed chicken/rabbit (*served with a sauce made with mushrooms, tomatoes, shallots and white wine*); ▸ **sauce**; **2** Mil (soldat) chasseur; (régiment) **le 2ᵉ ~** the 2nd (regiment of) chasseurs; **3** Mil (avion) fighter (aircraft); (pilote) fighter pilot; **4** (groom) bellboy GB, bellhop US

Composés **~ d'accompagnement** escort fighter; **~ alpin** *soldier trained for mountainous terrain*; **~ d'autographes** autograph hunter GB *ou* hound; **~ de baleine** whaler; **~ bombardier** fighter bomber; **~ à cheval** light cavalryman; **~ d'images** camera buff; **~ d'interception** interceptor (plane); **~ de mines** minehunter; **~ à pied** light infantryman; **~ de prime** bounty hunter; **~ à réaction** jet fighter; **~ de sons** recording buff; **~ de têtes** lit, fig headhunter; **les ~s à cheval** (troupe) the light cavalry (*sg*)

chassie /ʃasi/ *nf* rheum

chassieux, **-ieuse** /ʃasjø, øz/ *adj* rheumy

châssis /ʃɑsi/ *nm* **1** (de fenêtre) frame; **2** Aut chassis; **~ surbaissé** drop frame chassis; **3** Hort cold frame; **4** Art (pour tapisserie, broderie) frame; (pour toile) chassis; (en sculpture) pointing machine; **5** Rail underframe; **6** Imprim chase; **7** Phot film holder; **8** Théât flat; **9** ○(corps de femme) body

chaste /ʃast/ *adj* [*vie, amour, baiser, vêtement*] chaste; [*personne*] celibate; [*oreilles*] innocent

chastement /ʃastəmɑ̃/ *adv* [*aimer*] chastely, in a chaste fashion; [*s'habiller*] modestly, demurely; **vivre ~** to lead a chaste life

chasteté /ʃastəte/ *nf* chastity; **vivre dans la ~** to lead a chaste *ou* celibate life

chasuble /ʃazybl/ *nf* gén tunic; (de prêtre) chasuble; **robe ~** pinafore dress

chat¹ /ʃa/ *nm* **1** (animal) gén cat; (mâle) tomcat; **~ siamois/birman/persan** Siamese/Burmese/Persian cat; ▸ **appeler**; **2** ○(terme d'affection) **mon ~**○ my pet○ GB, honeybunch○ US; **3** ▸ **p. 469** Jeux **jouer à ~** to play tag *ou* tig GB; **c'est toi le ~** you're 'it'

Composés **~ de gouttière** (tigré) tabby cat; (commun) ordinary cat; péj alley cat; **~ à neuf queues** cat-o'-nine-tails (+ *v sg*); **~ perché** Jeux off-ground tag *ou* tig GB; **~ sauvage** wildcat; **le Chat botté** Puss in Boots

Idiomes **écrire comme un ~** to scrawl; **donner sa langue au ~** to give in; **il n'y a pas un ~** the place is deserted; **avoir un ~ dans la gorge** to have a frog in one's throat; **retomber comme un ~ sur ses pattes** to fall on one's feet; **il ne faut pas réveiller le ~ qui dort** Prov let sleeping dogs lie Prov; **être** *or*

s'entendre comme chien et ~ to fight like cat and dog

chat²○ /tʃat/ *nm* Internet (conversation) chat; (forum) chatroom

châtaigne /ʃɑtɛɲ/ *nf* 1 Bot (sweet) chestnut; 2 ○(coup de poing) clout○, punch; **filer** *or* **flanquer une ~ à qn** to clout○ sb, to give sb a clout○

(Composé) **~ d'eau** water chestnut

châtaigneraie /ʃɑtɛɲəʀɛ/ *nf* chestnut grove

châtaignier /ʃɑtɛɲe/ *nm* (arbre) (sweet) chestnut (tree); **une table de** *or* **en ~** a chestnut table

châtain /ʃɑtɛ̃/ ▸ **p. 202** *adj m* [*cheveux, barbe*] brown; **des cheveux ~ foncé/clair** dark brown/light brown hair; **il est ~** he's got brown hair

château, *pl* **~x** /ʃato/ *nm* 1 (forteresse) castle; **~ médiéval** medieval castle; 2 (résidence) (royale) palace; (seigneuriale) castle; **le ~ de Versailles** the palace of Versailles; **les ~x de la Loire** the Châteaux of the Loire; **le Château** (Élysée) the Elysée; 3 (grande demeure) manor; ▸ **Espagne, lettre**

(Composés) **~ d'arrière** Naut sterncastle; **~ d'avant** Naut forecastle; **~ de cartes** lit, fig house of cards; **~ d'eau** water tower; **~ fort** fortified castle; **~ gonflable** bouncy castle; **~ de poupe** Naut = **~ d'arrière**; **~ de proue** Naut = **~ d'avant**; **~ de sable** sand castle

(Idiome) **mener une vie de ~** to live the life of Riley GB, to live like a prince

chateaubriand, **châteaubriant** /ʃatobʀijɑ̃/ *nm* Culin chateaubriand

château-la-pompe○ /ʃatolapɔ̃p/ *nm inv* hum tap water

châtelain, **~e** /ʃɑtlɛ̃, ɛn/

A *nm,f* 1 (propriétaire) owner of a manor; 2 Hist lord/lady (of the manor)

B **châtelaine** *nf* Mode chatelaine

chat-huant, *pl* **chats-huants** /ʃayɑ̃/ *nm* tawny owl

châtier /ʃɑtje/ [2] *vtr* liter 1 (punir) to punish [*fautif, criminel*]; to punish [*faute, délit*]; **~ qn pour son insolence**, **~ l'insolence de qn** to punish sb for his/her insolence; 2 (soigner) to polish [*style*]; to refine [*langage*]; **parler un français châtié** to speak very proper French; 3 Relig to mortify [*chair, corps*]

(Idiome) **qui aime bien châtie bien** Prov spare the rod and spoil the child Prov

chatière /ʃatjɛʀ/ *nf* 1 (porte) catflap; 2 (en spéléologie) crawl

châtiment /ʃɑtimɑ̃/ *nm* punishment; **infliger un ~ à qn** to punish sb

(Composé) **~ corporel** corporal punishment

chatoiement /ʃatwamɑ̃/ *nm* shimmering

chaton /ʃatɔ̃/ *nm* 1 (petit chat) kitten; 2 (sur les arbres) catkin; 3 (de bague) (monture) setting; (pierre) gem, stone; 4 ○(flocon de poussière) ball of fluff; 5 ○(terme d'affection) **mon ~** my love

chatouille /ʃatuj/ *nf* tickle ¢; **faire des ~s à qn** to tickle sb; **craindre les ~s** to be ticklish

chatouillement /ʃatujmɑ̃/ *nm* (picotement) tickle; (action de chatouiller) tickling ¢; **sentir des ~s dans la gorge** to have a tickle in one's throat

chatouiller /ʃatuje/ [1] *vtr* 1 lit to tickle; **arrête, ça chatouille!** stop it, it tickles!; **ça me chatouille dans le dos** my back is tickling; 2 (flatter) to titillate [*palais*]; to tickle [*curiosité, vanité*]; to flatter [*orgueil*]; **une bonne odeur de café vint me ~ les narines** *or* **l'odorat** a lovely smell of coffee reached my nose; 3 ○(énerver) to nettle, to irritate [*personne*]; **ce n'est pas le moment de le ~** don't needle him now; **il ne faut pas le ~ sur ce sujet** he's very touchy about that

(Idiome) **~ les côtes à qn** euph to tan sb's hide

chatouilleux, **-euse** /ʃatujø, øz/ *adj* 1 (sensible aux chatouilles) ticklish; **être ~ des pieds** to have ticklish feet; 2 (susceptible) [*personne*] touchy (**sur** about); **il est très ~ sur l'honneur** he's very touchy about points of honour[GB]

chatouillis○ /ʃatuji/ *nm inv* (gentle) tickling ¢; **faire des ~ à qn** to tickle sb

chatoyant, **~e** /ʃatwajɑ̃, ɑ̃t/ *adj* 1 [*mer, étoffe, couleur, bijou*] shimmering; [*plumage*] iridescent; [*vitrail*] glowing; 2 [*style, écriture*] sparkling

chatoyer /ʃatwaje/ [23] *vi* [*étoffe, couleur, bijou, plumage, mer*] to shimmer; [*vitrail*] to glow

châtrer /ʃɑtʀe/ [1] *vtr* 1 (castrer) to neuter [*chat*]; to geld [*cheval*]; to castrate [*homme, taureau, chien*]; **faire ~ un chat** to have a cat neutered; **un cheval châtré** a gelding; 2 (mutiler) liter to mutilate [*article, film*]; 3 Hort to remove the runners from [*fraisier*]

chatte /ʃat/ *nf* 1 (female) cat; **elle a des allures de ~** she's quite feline; 2 ○(terme d'affection) **ma petite ~** my pet○ GB, sweetie○; 3 ◑(vagin) pussy◑

(Idiomes) **être gourmande comme une ~** to be a piggy○; **une ~ n'y retrouverait pas ses petits** it's a real mess

chatter○ /tʃate/ [1] *vi* Internet to chat

chatteries† /ʃatʀi/ *nfpl* 1 (caresses) **faire des ~ à son enfant** to give one's child a cuddle; **des amoureux qui se font des ~** lovers cuddling each other; **faire des ~ à qn** fig to be all over sb; 2 (friandises) sweets GB, candy US; **aimer les ~** to have a sweet tooth

chatterton® /ʃatɛʀtɔn/ *nm* insulating tape

chaud, **~e** /ʃo, ʃod/

A *adj* 1 (à température élevée) hot; (modérément) warm; [*temps, vent, air*] hot *ou* warm; [*climat, pays, saison, journée*] hot *ou* warm; [*nourriture, repas, boisson*] hot; [*mer*] warm; [*soleil*] (excessivement) hot; (agréablement) warm; [*moteur, appareil*] (anormalement) hot; (après usage) warm; **à four ~/très ~** in a warm/hot oven; **on nous a servi des croissants tout ~s** we were served piping hot croissants; ▸ **fer, gorge, larme, sang**

2 (qui donne de la chaleur) [*local, pièce*] (agréablement) warm; (excessivement) hot; **emportez des vêtements ~s** take warm clothing; **ma veste est bien/trop ~e** my jacket is really/too warm

3 (récent) **ma nomination est toute ~e** my appointment is hot news; **'ils sont mariés?'—'oui, c'est tout ~'** 'they're married?'—'yes, it's hot news'

4 (enthousiaste) [*recommandation, félicitations*] warm; [*partisan*] strong; **ils n'ont pas été très ~s pour faire** they were not very keen on doing; **une ~e ambiance entre amis** a warm, friendly atmosphere among friends

5 (agité) [*région, période, rentrée sociale*] turbulent; [*dossier, sujet*] sensitive; [*assemblée, réunion, discussion*] heated; **l'automne sera ~ sur le front social** it's going to be a turbulent autumn GB *ou* fall US on the industrial relations front; **un des points ~s du globe** one of the flash points of the world; **ils ont eu une ~e alerte** they had a narrow escape; **~e ambiance ce soir chez les voisins!** iron things are getting heated next door tonight!

6 (attrayant) [*coloris, ton, voix*] warm

7 ○(de prostitution) euph [*quartier*] red light (*épith*); **une des rues les plus ~es de la capitale** one of the most notorious red light districts in the capital

B *adv* **il fait ~** (agréablement) it's warm; (excessivement) it's hot; **il a fait/fera ~ toute la journée** Météo it has been/will be hot all day; **ça ne me/leur fait ni ~ ni froid** it doesn't matter one way or the other to me/to them; **boire/manger ~** to drink hot drinks/to eat hot foods; **'à boire/manger ~'** 'to be drunk/eaten hot'; **je n'aime pas boire trop ~** I don't like very hot drinks; **'servir ~/très ~'** 'serve hot/very hot'

C *nm* (chaleur) heat; **on crève de ~ ici**○**!** we're roasting○ in here!; **avoir ~** (modérément) to be warm; (excessivement) to be hot; **as-tu assez ~?** are you warm enough?; **nous avons eu ~** lit we were very hot; fig we had a narrow escape; **donner ~ à qn** [*boisson*] to make sb feel hot; [*course, aventure*] to make sb sweat; **tenir ~ à qn** to keep sb warm; **ça me tient ~ aux pieds** it keeps my feet warm; **reste contre moi, tu me tiens ~** stay right there, you're keeping me warm; **se tenir ~** [*personnes, animaux*] to keep warm; **~ devant**○**!** watch out!; **coup de ~ à la Bourse** flurry of activity on the stock exchange; **prendre un coup de ~** [*plante, fleur*] to wilt (in the sun); **tenir** *or* **garder au ~** lit to keep [sb] warm [*personne, malade*]; to keep [sth] hot [*plat, boisson*]; fig (pour parer à une éventualité) to have [sth] on standby [*matériel, projet, remède*]; **au ~/bien au ~ dans mon manteau/lit** snug/snug and warm in my coat/bed; **je préfère rester au ~ devant la cheminée** I prefer to stay in the warm by the fire; ▸ **souffler**

D **à chaud** *loc adv* **à ~** [*commenter, analyser, résoudre*] on the spot; [*réaction, impression*] immediate; [*étirer, travailler*] Tech under heat; [*opérer*] on the spot; **opérer qn à ~** Méd to carry out an emergency operation (on sb); **soluble à ~** Chimie, Pharm heat-soluble

(Composé) **~ et froid** Méd chill; **attraper un ~ et froid** to catch a chill

(Idiome) **souffler le ~ et le froid** to blow hot and cold

chaudement /ʃodmɑ̃/ *adv* 1 [*vêtu*] warmly; **'comment ça va?'—'~'** hum 'how are you?'—'hot!'; 2 (vivement) [*féliciter*] warmly; [*recommander*] heartily; [*défendre*] hotly; **ma candidature est ~ appuyée par le directeur** my application has the strong support of the director

chaude-pisse◑, *pl* **chaudes-pisses** /ʃodpis/ *nf* clap◑ ¢, gonorrhea; **attraper une ~** to catch the clap; **filer une ~ à qn** to give sb a dose (of clap)◑

chaud-froid, *pl* **chauds-froids** /ʃofʀwɑ/ *nm* chaudfroid

chaudière /ʃodjɛʀ/ *nf* (de chauffage central, bateau) boiler

(Composés) **~ à bois** wood-fired boiler; **~ à gaz** gas boiler; **~ à mazout** oil-fired boiler; **~ nucléaire** nuclear steam boiler

chaudron /ʃodʀɔ̃/ *nm* 1 lit cauldron; 2 fig pressure cooker

chaudronnerie /ʃodʀɔnʀi/ *nf* 1 (industrie) boilermaking industry; (métier) boilermaking; 2 (usine) boilerworks (+ *v sg*); 3 (articles) **grosse ~** industrial boilers (*pl*); **petite ~** pots and pans (*pl*)

chaudronnier, **-ière** /ʃodʀɔnje, ɛʀ/ ▸ **p. 532** *nm,f* (ouvrier) boilermaker

chauffage /ʃofaʒ/ *nm* 1 (utilisation de chaleur artificielle) heating; **le ~ est facturé en sus de la location/n'est pas compris dans le loyer** heating is on top of the rent/isn't included in the rent; **une chambre sans ~** an unheated bedroom; **on dépense trop pour le ~** the heating costs are too high; **mettre/allumer le ~** to put/to turn the heating on; **arrêter le ~** to turn the heating off; **le ~ de notre maison coûte très cher** the house is very expensive to heat; **pour le ~ des serres on utilise une source d'eau chaude** a hot spring is used to heat the greenhouses; 2 (installations) heating; **~ central/au gaz/par le sol** central/gas/underfloor heating; **notre voisin/leur maison n'a pas le ~** our neighbour[GB]/their house has no heating; **le ~ est en panne** the heating has broken down; **on a rénové le ~ de l'église** the heating system in the church has been modernized; **l'installation du ~ prendra un mois** it will take a month to install the heating; 3 (appareil) heater; **~ d'appoint** extra heater GB, space heater US; 4 (élévation

C

de la température) heating; **après un léger ~, le colorant vire au rouge** after heating gently, the colouring[GB] turns to red; **il suffit d'un léger ~ pour que la réaction se produise** it is only necessary to heat gently to trigger the reaction; **par un ~ continu à 180°C** by continuously heating at 180°C

chauffagiste /ʃofaʒist/ ▸ **p. 532** *nmf* heating engineer

chauffant, ~e /ʃofɑ̃, ɑ̃t/ *adj* [*surface, élément*] heating

chauffard○ /ʃofaʀ/ *nm* pej reckless driver, road hog○; **(espèce de) ~!** road hog○!

chauffe /ʃof/ *nf* Tech **1** (opération) stoking; **2** (lieu) fire chamber

chauffe-assiettes* /ʃofasjɛt/ *nm inv* plate warmer

chauffe-bain, *pl* **~s** /ʃofbɛ̃/ *nm* water-heater

chauffe-biberon* /ʃofbibʀɔ̃/ *nm inv* bottle warmer

chauffe-eau* /ʃofo/ *nm inv* water-heater; **~ électrique** immersion heater; **~ électrique instantané pour douche** electric shower; **~ à gaz** gas water-heater; **~ à accumulation** storage water-heater

chauffe-pieds* /ʃofpje/ *nm inv* foot warmer

chauffe-plat* /ʃofpla/ *nm inv* dish warmer

chauffer /ʃofe/ [1]

A *vtr* **1** (élever la température de) to heat [*maison, pièce*]; to heat (up) [*métal, objet, liquide, plat*]; to warm (up) [*pâte à modeler*]; **notre maison est bien/mal chauffée** our house is well/poorly heated; **une piscine chauffée** a heated pool; **les salles de classe sont toujours trop chauffées** the classrooms are always overheated; **je ne chauffe presque pas** I hardly ever have the heating on; **~ du fer au rouge/à blanc** to bring iron to a red/white heat; **il a chauffé l'auditoire à blanc** fig he whipped the audience into a frenzy; **~ le public** to warm up the audience; **2** (procurer de la chaleur) [*soleil, alcool*] to warm; **le cognac chauffait ses joues** the brandy warmed his/her cheeks; ▸ **oreille**; **3** Can (conduire) to drive

B *vi* **1** (devenir chaud) [*aliment, plat*] to heat (up); [*moteur, machine*] to warm up; [*four, fer à repasser*] to heat up; **la soupe est en train de ~** the soup is heating up; **laissez ~ cinq minutes à feu doux** heat for five minutes on a low setting; **ne laisse pas le café ~ trop longtemps** don't leave the coffee on the heat for too long; **faire ~** to heat [*eau, aliment*]; to warm [*assiette, biberon*]; to heat (up) [*fer à repasser, four*]; to warm (up) [*moteur, machine*]; **faites ~ au four** heat up in the oven; **mettre à ~** to put [sth] on to heat [*eau*]; to heat up [*aliment, plat*]; to warm [*biberon*]; **2** (devenir trop chaud) [*appareil, moteur, frein*] to overheat; **évitez de faire ~ l'appareil** don't let the appliance overheat; **ne laissez pas l'appareil ~ toute la nuit** don't leave the appliance running all night; **3** (produire de la chaleur) [*radiateur, four, lampe*] to give out heat; **4** ○fig (être animé) **avec ce groupe, ça va ~!** this group's going to liven things up!; **ça ~ dans le stade/la discothèque!** things are hotting up○ in the stadium/the disco!; **si le patron l'apprend, ça va ~!** if the boss finds out, there'll be big trouble!; **5** Jeux (à cache-tampon) to get warm; **tu chauffes!** you're getting warm!

C se chauffer *vpr* **1** (se donner chaud) to get warm; **se ~ près du poêle/au coin du feu** to warm oneself by the stove/by the fire; **se ~ au soleil** [*personne, animal*] to bask in the sun; **2** (utiliser un chauffage) **nous nous chauffons au charbon** we have coal-fired heating; ▸ **bois**

chaufferette /ʃofʀɛt/ *nf* bedwarmer

chaufferie /ʃofʀi/ *nf* (de bâtiment) boiler room; (de bateau) stokehold

chauffeur /ʃofœʀ/ *nm* **1** ▸ **p. 532** Aut gén driver; (de particulier) chauffeur; **~ de camion** or **de poids lourd** lorry driver GB, truck driver; **~ de car** coach driver GB, bus driver US; **~ de taxi** taxi driver, cab driver; **voiture avec/sans ~** chauffeur-driven/self-drive car; **faire le ~ pour qn** to chauffeur sb about; **2** (de chaudière) gén stoker; Rail fireman

(Composés) **~ du dimanche** pej Sunday driver; **~ de direction** company chauffeur; **~ de maison** or **maître** chauffeur

chauffeuse /ʃoføz/ *nf* (chaise) low fireside chair; (fauteuil) low armless easy chair

chaulage /ʃolaʒ/ *nm* **1** Agric (de sol) liming; **2** (de mur) limewashing

chauler /ʃole/ [1] *vtr* **1** Agric to lime [*sol*]; **2** to limewash [*mur*]

chaume /ʃom/ *nm* **1** Agric (tige) stubble ¢; (champ) stubble field; **2** (pour toiture) thatch; **une maison recouverte de ~** a thatched cottage; **refaire le ~ d'une maison** to re-thatch a house

chaumer /ʃome/ [1]

A *vtr* to clear stubble from [*champ*]

B *vi* to clear (the) stubble

chaumière /ʃomjɛʀ/ *nf* **1** (avec toit de chaume) thatched cottage; **2** (petite maison) liter humble cottage; **une ~ et un cœur** fig love with roses around the door; **faire jaser dans les ~s** hum to cause tongues to wag

chaumine /ʃomin/ *nf* liter small cottage, cot littér

chaussant, ~e /ʃosɑ̃, ɑ̃t/ *adj* well-fitting; **ces bottes sont très ~es** these boots are a very good fit; **article** or **produit ~** footwear ¢

chaussée /ʃose/ *nf* **1** (route) road(way) GB, highway; (rue) street; **2** (revêtement) surface; **~ bitumée** tarmac® road surface; **~ glissante** slippery surface; **~ déformée** uneven road surface; ▸ **pont**; **3** (chemin surélevé) causeway; (remblai) embankment; **la ~ des Géants** Géog the Giants' Causeway

chausse-pied, *pl* **~s*** /ʃospje/ *nm* shoehorn

chausser /ʃose/ [1]

A *vtr* **1** (mettre aux pieds) to put [sth] on [*chaussures, skis*]; to put [sth] on [*lunettes*]; Équit to take [*étriers*]; **~ qn de qch** to put sth on sb; **chaussez les étriers!** take your stirrups!; **être bien/mal chaussé** to be well/poorly shod; **elle était chaussée** or **avait les pieds chaussés de pantoufles** she was wearing slippers; **des écoliers chaussés de neuf** schoolchildren in their new shoes; **le nez chaussé de lunettes de soleil** wearing sunglasses; **2** (équiper) to provide [sb] with shoes [*personne, équipe*]; **je n'arrive pas à ~ ma fille pour moins de 100 euros** I can't buy my daughter shoes for less than 100 euros; **c'est la marque qui chausse l'équipe de France** it's the brand of shoes that the French team wear; **se faire ~ par** or **chez** to get one's shoes at; **se faire ~ sur mesure** to have one's shoes made to measure; **3** (être adapté) to fit; **les noires te chaussent mieux/moins bien** the black ones fit you better/don't fit you as well; **4** Agric (butter) to earth up [*plante*]; **5** (garnir de pneus) to fit [sth] with tyres GB ou tires US [*véhicule*]

B ▸ **p. 827** *vi* **vous chaussez du combien** or **quelle pointure?** what size do you take?; **je chausse du 41** I take a (size) 41; **il chausse un bon 43** he takes at least a size 43; **elle chausse un petit 37** she's a size 37 or smaller; **ces mocassins chaussent grand/petit** these loafers are large-/small-fitting

C se chausser *vpr* **1** (mettre ses chaussures) to put (one's) shoes on; **se ~ de qch** to put on sth; **elle se chausse de tennis pour aller au travail** she wears trainers to go to work; **2** (s'équiper) to get ou buy (one's) shoes; **chez qui** or **où te chausses-tu?** where do you get ou buy your shoes?; **je me chausse au moment des soldes** I get my shoes in the sales; **elle a du mal à se ~ à cause de sa petite pointure** she has difficulty in buying shoes because her feet are so small

chausses /ʃos/ *nfpl* chausses

chausse-trap(p)e, *pl* **~s*** /ʃostʀap/ *nf* **1** lit trap; **2** fig pitfall

chaussette /ʃosɛt/ *nf* **1** (vêtement) sock; **ne reste pas dehors en ~s** don't stay outside in your socks ou your stockinged feet; **2** (de cafetière) cloth filter

(Idiome) **laisser tomber qn comme une vieille ~**○ to cast sb off like an old rag

chausseur /ʃosœʀ/ *nm* **1** ▸ **p. 532** (commerçant) shoe shop GB ou store US; **2** (fabricant) shoemaker

chausson /ʃosɔ̃/ *nm* (pantoufle) slipper; (de bébé) bootee; (de danse) ballet shoe ou pump; (de sport) pump

(Composés) **~ d'escalade** rock-climbing boot; **~ de gymnastique** gymnastics slipper; **~ aux pommes** Culin apple turnover

chaussure /ʃosyʀ/ *nf* **1** (soulier) shoe; (à tige haute) boot; **~ fermée** high shoe; **~ basse** shoe; **~ montante** ankle boot; **~ cloutée** hobnailed boot; **~ de tennis/golf** tennis/golf shoe; **~ de ski** ski boot; **magasin de ~s** shoe shop GB ou store US; **rayon ~s** shoe department; **2** (industrie) footwear industry; (commerce) footwear trade; **travailler dans la ~** to be in footwear

(Idiome) **trouver ~ à son pied** (compagnon) to find the right person; (travail) to find one's niche

chaut† /ʃo/ *v impers* ▸ **chaloir**

chauve /ʃov/

A *adj* **1** [*personne, crâne*] bald; **2** fig, liter [*montagne, sommet*] bare

B *nmf* bald(-headed) man/woman

(Idiome) **être ~ comme un œuf**○ or **mon genou**○ or **une boule de billard**○ to be as bald as a coot○

chauve-souris, *pl* **chauves-souris*** /ʃovsuʀi/ *nf* Zool bat

chauvin, ~e /ʃovɛ̃, in/

A *adj* [*personne, attitude, discours, journal*] chauvinistic, jingoistic

B *nm,f* chauvinist, jingoist

chauvinisme /ʃovinism/ *nm* chauvinism, jingoism; **faire preuve de ~** to be chauvinistic ou jingoistic

chaux /ʃo/ *nf inv* lime; **lait de ~** whitewash; **blanchir** or **passer à la ~** to whitewash

(Composés) **~ éteinte** slaked lime; **~ vive** quicklime

chavirer /ʃaviʀe/ [1]

A *vtr* (bouleverser) to overwhelm; **j'en ai le cœur tout chaviré** I am overwhelmed

B *vi* **1** [*navire*] to capsize; **faire ~ un navire** to capsize a ship; **2** (vaciller) [*paysage, pièce*] to reel; **tout chavira autour d'elle** everything reeled about her; **faire ~ les cœurs** to be a heartbreaker; **3** (se renverser) [*objets*] to tip over

chébran◑ /ʃebʀɑ̃/ *adj inv* trendy○ ▸ **verlan**

chèche /ʃɛʃ/ *nm: long scarf worn by Arab men, usually around the head*

chéchia /ʃeʃja/ *nf* ≈ fez

check-list, *pl* **~s** /tʃɛklist/ *nf* Aviat, Astronaut controv checklist; **faire la ~** to go through the checklist

check-up* /tʃɛkœp/ *nm inv* controv check-up; **se faire faire un ~** to have a check-up; **faire un ~ à qn** to give sb a check-up

chef /ʃɛf/

A *nm* **1** (meneur) leader; **le ~ du parti** the party leader; **le ~ de l'école cubiste** the leader of the Cubist school; **~ de l'opposition** leader of the opposition; **~ de bande** gang leader; **avoir des qualités de ~** to have leadership qualities; **avoir une âme** or **un tempérament de ~** to be a born leader; **2** (supérieur) superior, boss○; Mil (sergent) sergeant; **votre ~ en sera informé** your superior will be informed; **mon ~** my boss○; **salut, ~○!** hi, boss○!; **3** (patron, dirigeant) gén head; Comm (d'un service) manager; **~ de l'Église/de l'exécutif** head of

the Church/of the executive branch of government; **l'exemple doit venir des ~s** the example must come from the top; **architecte en ~** chief architect; **commandant en ~** Mil commander-in-chief; ▸ **petit**; **4** Culin **~ (cuisinier** *or* **de cuisine)** chef; **pâté du ~** chef's pâté; **5** ○(as, champion) ace; **se débrouiller comme un ~** to manage splendidly; **6** †(tête) head; **de mon/leur (propre) ~** on my/their own initiative, off my/their own bat○ GB; **7** (chapitre) heading; **sous ce ~** under this heading; **au premier ~, leur négligence** primarily *ou* first and foremost, their negligence; **il importe, au premier ~, de rétablir l'ordre** primarily, we must restore order
B ○*nf* boss○; **à la maison, c'est elle la ~** at home, she's the boss○

(Composés) **~ d'accusation** Jur count of indictment; **répondre à un ~ d'accusation** to answer a charge; **~ d'atelier** (shop) foreman; **~ de bataillon** major; **~ de bureau** chief clerk; **~ de cabinet** principal private secretary; **~ de chantier** works GB *ou* site foreman; **~ de chœur** choirmaster; **~ de clan** chieftain; **~ de classe** ≈ class prefect *ou* monitor GB, class president US; **~ de clinique** Méd ≈ senior registrar GB; **~ de département** head of department; **~ d'entreprise** head of a company; **~ d'équipe** Entr foreman; Sport team captain; **~ d'escadron** cavalry major; **~ d'établissement** head teacher; **~ d'État** head of state; **~ d'état-major** Chief of Staff; **~ de fabrication** production manager; **~ de famille** head of the family *ou* household; **~ de file** gén leader; Pol party leader; Fin (de consortium) lead bank; Naut lead ship; **~ de gare** stationmaster; **~ de gouvernement** head of government; **~ indien** Indian chief; **~ mécanicien** engine driver GB, (locomotive) engineer US; **~ de musique** bandmaster; **~ de nage** stroke; **~ d'orchestre** conductor; **~ de patrouille** patrol leader; **~ du personnel** personnel manager; **~ de plateau** Cin, TV floor manager; **~ de produit** Comm product manager; **~ de projet** Entr project manager; **~ de publicité** (d'agence) account executive; (annonceur) advertising manager; (dans les médias) advertising (sales) manager; **~ de rang** chef de rang; **~ de rayon** Comm department supervisor *ou* manager; **~ de région** area *ou* regional manager; **~ de réseau** (espionnage) leader of a spy ring; (Résistance) leader of a cell (*in the Resistance movement*); **~ de service** Admin section *ou* department head; Méd clinical director GB, chief physician US; **~ de train** guard GB, conductor US; **~ de tribu** headman; **~ des ventes** sales manager; **~ de village** village headman

chef-d'œuvre, *pl* **chefs-d'œuvre** /ʃɛdœvʀ/ *nm* masterpiece, chef-d'oeuvre

chef-lieu, *pl* **chefs-lieux** /ʃɛfljø/ *nm* (ville) administrative centre

chef-opérateur, *pl* **chefs-opérateurs** /ʃɛfopeʀatœʀ/ *nm* Cin, TV director of photography

cheftaine /ʃɛftɛn/ *nf* (de louveteaux) cubmistress GB, den mother US; (d'éclaireuses) guide captain GB, girl scout leader US; (de jeannettes) Brown Owl GB, brownie troop leader US

cheik(h) /ʃɛk/ *nm* sheik(h)

chelem /ʃlɛm/ *nm* **1** (aux cartes) slam; **faire le petit/grand ~** to make a small/grand slam; **2** Sport **gagner** *or* **faire le grand ~** to win the Grand Slam

chélidoine /kelidwan/ *nf* greater celandine

chemin /ʃ(ə)mɛ̃/ *nm* **1** (route) country road; (étroit) lane; (de terre) (pour véhicule) track; (pour piétons) path; **être toujours sur les ~s** to be always on the road; **le ~ du village** the road (that leads) to the village; ▸ **quatre, Rome**; **2** (passage) way; **se frayer un ~ à travers les broussailles** to clear a way through the undergrowth; **les obstacles qui sont** *or* **se trouvent sur mon ~** lit, fig the obstacles which stand in my way; **3** (direction, itinéraire, trajet) way; **indiquer le/demander son** *or* **le ~ à qn** to tell/to ask sb the way; **se tromper de ~** to go the wrong way; **sur le ~ du retour/ de l'école** on the way back/to school; **reprendre le ~ du bureau** to go back to the office *ou* to work; **Aix? c'est (sur) mon ~** Aix? it's on my way; **c'est le plus court ~ entre Pau et Oloron** it's the quickest way from Pau to Oloron; **le plus court ~ vers la paix** the shortest path to peace; **on a fait un bout de ~ ensemble** (à pied) we walked along together for a while; (dans la vie) we were together for a while; **continuer** *or* **passer** *or* **aller son ~** to continue on one's way; **passez votre ~!** liter go on your way!; **~ faisant, en ~** on *ou* along the way; **faire tout le ~ à pied/en boitant** to walk/to limp all the way; **il a su trouver le ~ de mon cœur** fig he's found the way to my heart; **avoir du ~ à faire** to have a long way to go; **on a fait du ~** we've come a long way; **cette femme fera/a fait du ~** this woman will go/has come a long way; **l'idée fait/a fait son ~** the idea is gaining/has gained ground; **faire la moitié du ~** (être conciliant) to meet sb halfway; **montrer le ~** (donner l'exemple) to lead the way, to set an example; **être sur le bon ~** gén to be heading in the right direction; [*malade*] to be on the road to recovery; **prendre le ~ de la faillite/ l'échec** to be heading for bankruptcy/ failure; **il a l'air d'en prendre le ~** he seems to be heading that way; **s'arrêter en ~** lit to stop off on the way; fig to stop; **tu ne vas pas t'arrêter en si bon ~!** don't stop when things are going so well!; **le ~ de la gloire** the path of glory; **le ~ de la célébrité/perdition** the road to fame/ruin; **le destin l'a mis sur mon ~** fate threw him in my path; ▸ **bonhomme, droit**; **4** (tapis) (carpet) runner

(Composés) **~ acoustique sûr** Mil reliable acoustic path; **~ de câbles** cable tray; **~ charretier** cart track; **~ creux** sunken lane; **~ critique** critical path; **le ~ de (la) croix** Relig the stations (*pl*) of the Cross; **le ~ de Damas** Relig the road to Damascus; **trouver son ~ de Damas** to see the light; **le ~ des écoliers** the long way round GB *ou* around US; **prendre le ~ des écoliers** to take the long way round GB *ou* around US; **~ de fer** Rail (infrastructure) railway, railroad US; (mode de transport) rail; Jeux chemin de fer; **par ~ de fer** by rail; **~ de halage** towpath; **~ de ronde** path round[GB] the battlements; **~ de roulement** Aviat taxiway; Tech roller conveyor; **~ de table** (table) runner; **~ de terre** (pour véhicule) dirt track; (pour piétons) path; **~ de traverse** path across *ou* through the fields; **~ vicinal** country lane

chemineau†, *pl* **~x** /ʃ(ə)mino/ *nm* vagabond, vagrant

cheminée /ʃ(ə)mine/ *nf* **1** (de maison) (conduit complet) chimney; (sur toit) chimney stack; (foyer) fireplace; (manteau) mantelpiece; **faire un feu dans la ~** to make a fire in the fireplace; **portrait accroché à la ~** picture hung above the mantelpiece; **2** (d'usine) chimney, smokestack US; **3** (de fosse, cave) shaft; **~ d'aération/de ventilation** air/ventilation shaft; **4** (de bateau, locomotive) funnel, smokestack US; **5** Mines chute; **6** (en montagne) chimney

(Composé) **~ des fées** Géol fairy chimney

cheminement /ʃ(ə)minmɑ̃/ *nm* **1** (avance) (de personne, véhicule) (slow) progression; Mil advance; **2** (voie suivie) (d'eaux, de lave) course; **3** (démarche) development, evolution; **le ~ de sa pensée** his/her train of thought; **par un long ~** gradually

cheminer /ʃ(ə)mine/ [1] *vi* liter **1** (marcher) to walk (along), Mil (avancer à couvert) to advance (under cover); **~ à travers bois** to walk through the woods; **~ péniblement à travers la forêt** to plod along through the forest; **2** (avancer) [*ruisseau, sentier*] **~ à travers/entre** to wend its way through/between littér; **3** (progresser) [*idée, pensée*] to progress, to develop

cheminot /ʃ(ə)mino/ *nm* railway worker GB, railroader US

chemisage /ʃəmizaʒ/ *nm* jacketting

chemise /ʃ(ə)miz/ *nf* **1** (pour hommes) shirt; **~ à manches longues/courtes** long-/short-sleeved shirt; **une ~ à carreaux** a checked shirt; **être en bras de ~** to be in one's shirt-sleeves; **2** (lingerie) vest GB, undershirt US; **3** (en papeterie) folder; **4** Tech (intérieure) lining; (extérieure) jacket; **5** Constr facing

(Composés) **~ américaine** envelope-neck vest; **~ de nuit** (pour femme) nightgown, nightdress GB; (pour homme) nightshirt; **Chemises bleues** Hist Blue Shirts; **Chemises brunes** Hist Brown Shirts; **Chemises noires** Hist Blackshirts

(Idiomes) **j'y ai laissé ma ~**○ it broke the bank; **je m'en moque comme de ma première ~**○ I don't give two hoots○ GB *ou* a hoot○ US; **changer d'avis comme de ~**○ to change one's mind at the drop of a hat; **être (comme) cul et ~**◑ to be inseparable, to be as thick as thieves; **mouiller sa ~**○ to work hard

chemiser /ʃ(ə)mize/ [1] *vtr* **1** Culin to line [*moule*]; **2** Tech to jacket [*pièce, conduit*]

chemiserie /ʃ(ə)mizʀi/ *nf* (industrie) shirt-making trade; (fabrique) shirt factory; (magasin) shirt shop GB *ou* store US

chemisette /ʃ(ə)mizɛt/ *nf* short-sleeved shirt

chemisier, -ière /ʃ(ə)mizje, ɛʀ/
A ▸ **p. 532** *nm,f* Ind shirt maker
B *nm* Mode blouse; **~ à manches courtes** short-sleeved blouse

chênaie /ʃɛnɛ/ *nf* oak grove

chenal, *pl* **-aux** /ʃənal, o/ *nm* (de fleuve, d'estuaire) channel, fairway; (d'usine) flume; (de moulin) millrace

chenapan /ʃənapɑ̃/ *nm* hum scallywag○, rascal; **espèce de petit ~** you little rascal

chêne /ʃɛn/ *nm* **1** (arbre) oak (tree); **forêt de ~s** oak forest; **2** (bois) oak; **table en ~** oak table

(Composés) **~ blanc d'Amérique** white oak; **~ chevelu** Turkey oak; **~ écarlate** scarlet oak; **~ des marais** pin oak; **~ pédonculé** common *ou* pedunculate oak; **~ pubescent** downy oak; **~ rouge d'Amérique** red oak; **~ rouvre** sessile oak, durmast (oak); **~ vert** holm oak, ilex

(Idiome) **être fort comme un ~** to be as strong as an ox

chéneau, *pl* **~x** /ʃeno/ *nm* gutter

chêne-liège, *pl* **chênes-lièges** /ʃɛnljɛʒ/ *nm* cork oak

chenet /ʃənɛ/ *nm* firedog, andiron

chènevis /ʃɛnvi/ *nm* hempseed

chenil /ʃənil/ *nm* **1** (niche) kennel; **2** (pension pour chiens) kennels (*sg*)

chenille /ʃənij/ *nf* **1** Zool caterpillar; **2** Aut caterpillar; **véhicule à ~s** tracked vehicle; **3** Tex chenille

chenillé, ~e /ʃ(ə)nije/ *adj* Aut tracked; Mil [*bulldozer, char*] with caterpillar tracks

chenillette /ʃ(ə)nijɛt/ *nf* universal carrier, armoured supply carrier

chenit○ /ʃni/ *nm* Helv (désordre) mess; **en ~** messy

chenu, ~e /ʃəny/ *adj* liter [*vieillard, tête, barbe*] hoary; [*arbre*] leafless

cheptel /ʃɛptɛl/ *nm* **1** (ensemble du bétail) **~ (vif)** livestock; **le ~ bovin de la Normandie** the beef *ou* dairy herd in Normandy; **le ~ ovin/porcin** the sheep/pig population; **2** Jur contract of agistment

(Composé) **~ mort** (matériel) dead stock, farm equipment

chèque ➡

/ʃɛk/ *nm* cheque GB, check US; **faire un ~** to write a cheque GB *ou* check US; **un ~ de 1 000 euros** a cheque GB *ou* check US for 1,000 euros; **faire** *or* **établir un ~ à l'ordre de M. Dawson** to make a cheque GB *ou* check US out *ou* payable to Mr Dawson; **'je mets le ~ à quel nom○?'** 'who should I make the cheque GB *ou* check US out *ou* payable to?'; **les ~s sont acceptés à partir de 15 euros** cheques GB *ou* checks US are accepted for 15 euros or more; (dans un magasin) 'no cheques GB *ou* checks US under 15 euros'; **mettre** *or* **déposer un ~ à la banque** to pay in a cheque GB *ou* check US; **barrer un ~** to cross a cheque GB *ou* check US

(Composés) **~ bancaire** cheque GB, check US; **~ en blanc** blank cheque GB *ou* check US; **donner un ~ en blanc à qn** fig to give sb carte blanche; **~ en bois○** rubber cheque○ GB *ou* check US; **il m'a fait un ~ en bois** the cheque GB *ou* check US he wrote me bounced; **~ certifié** certified cheque GB *ou* check US; **~ emploi service** Admin *bankable money voucher for casual worker which credits their social security records*; **~ essence** petrol GB *ou* gas US coupon *ou* voucher; **~ à ordre** order cheque GB *ou* check US; **~ au porteur** bearer cheque GB *ou* check US; **~ postal** ≈ giro cheque; **~ sans provision** bad cheque GB *ou* check US; **~ de voyage** traveller's cheque GB *ou* check US; **~s postaux** (service) ≈ National Girobank

chèque-cadeau, *pl* **chèques-cadeaux** /ʃɛkkado/ *nm* gift-token

chèque-service, *pl* **chèques-services** /ʃɛksɛʀvis/ *nm* Admin *bankable money voucher for casual worker which credits their social security records*

chèque-vacances, *pl* **chèques-vacances** /ʃɛkvakɑ̃s/ *nm*: *staff holiday discount voucher*

chèque-voyage, *pl* **chèques-voyage** /ʃɛkvwajaʒ/ *nm* traveller's cheque GB *ou* check US

chéquier /ʃekje/ *nm* Fin chequebook GB, checkbook US; **être interdit de ~** not to be allowed to use a chequebook GB *ou* checkbook US

cher, **chère** /ʃɛʀ/

A *adj* [1] (aimé) [*personne*] dear; [*objet, visage*] beloved; **ses amis les plus ~s** his/her dearest friends; **la mort d'un être ~** the death of a loved one; [2] (précieux) **~ à qn** [*thème, principe, idée*] dear to sb (*épith, après n*); **selon un principe qui lui est ~** according to a principle that he/she holds dear; **selon une formule qui lui est chère** as his/her favourite[GB] saying goes; **une image chère à l'artiste** a favourite[GB] image of the artist; **un site ~ au poète/à Byron** a place the poet/Byron was fond of; [3] (pour interpeller) dear; **~ ami/monsieur, vous avez tout à fait raison!** my dear friend/sir, you're absolutely right!; **ah, mais c'est ce ~ Dupont!** well, if it isn't our dear old Dupont!; [4] (dans la correspondance) dear; **~s tous** dear all; **~ monsieur Martin** dear Mr Martin; [5] (onéreux) expensive, dear; **c'est ~ pour ce que c'est** it's expensive *ou* dear for what it is; **pas ~** [*restaurant, robe*] cheap, inexpensive; **ils ont des robes pas chères du tout** they've got some very cheap *ou* reasonably-priced dresses; **15 euros le menu, ce n'est vraiment pas ~** 15 euros for the set menu, that's pretty reasonable; **la vie est plus chère** the cost of living is higher; **manifestations contre la vie chère** demonstrations against the high cost of living

B *nm,f* **mon ~** gén dear; (condescendant, à homme plus jeune) my dear boy; (à homme plus âgé) my dear sir; **ma chère** gén dear; (condescendant, à femme plus jeune) my dear girl; (à femme plus âgée) my dear lady; **que désirez-vous, très chère?** fml what would you like, my dear?

C *adv* [1] lit (en argent) a lot (of money); **coûter/valoir ~** to cost/be worth a lot; **les vêtements en cuir coûtent ~ à nettoyer** having leather clothes cleaned is expensive *ou* costly; **coûter plus/moins ~** to cost more/less; **coûter ~ en qch** lit, fig to cost a lost in sth; **acheter/vendre ~** to buy/to sell at a high price; **se vendre ~** [*objet*] to fetch a lot; **ses tableaux ne se vendent pas ~** his/her paintings don't fetch much; **je l'ai payé très ~** I paid a lot for it; **je l'ai eu pour pas ~/moins ~** I got it cheap/cheaper; **il y a mieux ailleurs pour moins ~** there's better and cheaper elsewhere; **certains médecins prennent plus ~** some doctors charge more; **ils font payer ~/très ~ leur services** they charge a lot/an awful lot for their services; **c'est/ce n'est pas ~ payé** it's/it's not expensive; **le procédé revient ~/trop ~** the process is expensive/too expensive; **on y mange pour pas ~** you can eat there at a reasonable price *ou* quite cheaply; [2] fig (en importance) [*coûter, payer*] dearly; **ça nous a coûté ~** it cost us dearly; **ils lui ont fait payer ~ sa négligence** they made him/her pay dearly for his/her negligence; **le blocus a coûté ~ à notre économie/la collectivité** our economy/the community paid a high price for the blockade

D **chère** *nf* fml food, fare; **faire bonne chère** to eat well; **aimer la bonne chère** to appreciate good food *ou* fare

(Idiome) **ne pas donner ~ de qn** *or* **des chances de qn** *or* **de la peau de qn○** not to rate sb's chances (highly)

Cher /ʃɛʀ/ ▸ **p. 721** *nprm* (département) **le ~** the Cher

chercher /ʃɛʀʃe/ [1]

A *vtr* [1] (essayer de trouver) to look for [*personne, objet, vérité*]; to look for, to try to find [*emploi, repos, appartement*]; **cela fait une heure que je vous cherche** I've been looking for you for the past hour; **~ un mot dans le dictionnaire** to look up a word in the dictionary; **~ qn du regard dans la foule** to look (about) for sb in the crowd; **'cherchons vendeuses'** 'sales assistants wanted'; **son regard cherchait celui de sa femme** he sought his wife's eye; **il cherche son chemin** he's trying to find his way; **elle chercha quelques pièces de monnaie dans sa poche** she felt for some coins in her pocket; **cherche mieux** look harder *ou* more carefully; **tu n'as pas bien cherché** you didn't look hard enough; **~ le sommeil** to try to get some sleep; **~ l'aventure** to look for *ou* seek adventure; **~ fortune** to seek one's fortune; **ne cherchez plus!** look no further!; **cherche mon chien, cherche!** fetch, boy, fetch!; ▸ **aiguille**, **bête**, **pou**

[2] (s'efforcer) **~ à faire** to try to do; **je cherche à vous joindre depuis ce matin** I've been trying to contact you since this morning; **il cherchait à les impressionner** he was trying to impress them; **je ne cherche plus à comprendre** I've given up trying to understand; ▸ **quatorze**

[3] (quérir) **aller ~ qn/qch** gén to go and get sb/sth; (passer prendre) to pick sb/sth up; **aller ~ qch** [*chien*] to fetch sth; **allez me ~ le patron!** go and get the boss for me!; **aller ~ la balle/les balles** (au tennis) to go for a shot/for the difficult shots (**au filet** at the net); **venir ~ qn/qch** gén to come and get sb/sth; (passer prendre) to pick sb/sth up; **il est venu me ~ à l'aéroport** he came to meet me at the airport; **envoyer qn ~ qch** to send sb to get sth

[4] (réfléchir à) to try to find [*réponse, idées, mot, solution*]; to look for [*prétexte, excuse*]; (se souvenir de) to try to remember [*nom*]; **je cherche mes mots** I'm groping for words; **~ un moyen de faire qch** to try to think of a way to do sth; **il ne cherche pas assez** he doesn't think hard enough about it; **j'ai beau ~, impossible de m'en souvenir** I've thought and thought and still can't remember it; **pas la peine de ~ bien loin, c'est lui le coupable** you don't have to look too far, he's the guilty one

[5] (imaginer) **qu'allez-vous ~!** what are you thinking of!; **où est-il allé ~ cela?** what made him think that?; **où va-t-il ~ tout cela?** how does he come up with all that?; **je me demande où il est allé ~ tous ces mensonges** I wonder how he thought up all these lies

[6] (atteindre) **une maison dans ce quartier, ça va ~ dans les 300 000 euros** a house in this area must fetch GB *ou* get US about 300,000 euros; **un vol à main armée, ça doit/va ~ dans les cinq ans de prison** armed robbery would/could get you about five years in prison; **'combien ça va me coûter?'—'ça ne devrait pas aller ~ loin'** 'how much will that cost me?'—'it shouldn't come to much'

[7] (aller à la rencontre de) to look for [*complications, problèmes*]; **elle t'a giflé mais tu l'as bien cherché** she slapped you but you asked for it; **il a été renvoyé mais il l'a quand même bien cherché** he was fired but he was asking for it; **si tu me cherches, tu vas me trouver○** if you're looking for trouble, you'll get it

B **se chercher** *vpr* [1] (être en quête de soi-même) to try to find oneself; **un écrivain qui se cherche** (raison d'être) a writer trying to find himself; (style, idées) a writer who is feeling his way

[2] (se donner) **se ~ des excuses/un alibi** to try to find excuses/an alibi for oneself

[3] ○(se provoquer) to be out to get each other○

chercheur, **-euse** /ʃɛʀʃœʀ, øz/

A *adj* liter [*esprit*] inquiring

B ▸ **p. 532** *nm,f* researcher; **elle est chercheuse dans un laboratoire** she's a researcher in a lab; **~ en génétique** genetic researcher; **~ en littérature américaine** researcher in American literature

C *nm* Astron finder

(Composés) **~ d'or** gold-digger; **~ de trésor** treasure hunter

chère ▸ **cher A, B, D**

chèrement /ʃɛʀmɑ̃/ *adv* (difficilement) **une réforme/une indépendance ~ acquise** a reform/an independence gained at great cost; **la victoire a été ~ payée en vies humaines** the victory was dearly bought in terms of human lives

(Idiome) **vendre ~ sa peau○** *or* **sa vie** to sell one's life dearly

chéri, **~e** /ʃeʀi/

A *pp* ▸ **chérir**

B *pp adj* beloved; **l'enfant ~ de** the darling of

C *nm,f* [1] (en adresse) darling; **ma ~e** my darling; [2] (favori) darling; **le ~ de la famille** the darling of the family; **le ~ de ces dames** a favourite[GB] with the ladies; **le ~ à sa maman○** mummy's boy○; [3] ○(amoureux) baby talk boyfriend/girlfriend

chérir /ʃeʀiʀ/ [3] *vtr* liter to cherish [*personne*]; to hold [sth] dear [*principe, idée*]

chérot○ /ʃeʀo/ *adj m* (coûteux) pricey○

cherté /ʃɛʀte/ *nf* (de produit) high cost, dearness; (de terrain, logement) high cost; (de monnaie) high price; **la ~ de la vie sur l'île** the high cost of living on the island

chérubin /ʃeʀybɛ̃/ *nm* [1] Relig **des ~s** cherubim; [2] Art cherub; [3] (enfant) iron little angel *ou* cherub

Cheshire ▸ **p. 721** *nprm* **le ~** Cheshire

chétif, **-ive** /ʃetif, iv/ *adj* [*enfant*] puny, undeveloped; [*plante*] scrawny, stunted; **un enfant à l'air ~** a puny-looking child

chevaine /ʃəvɛn/ *nm* Zool chub

cheval, *pl* **-aux** /ʃ(ə)val, o/

A *nm* [1] Zool horse; **~ sauvage** wild horse; **à (dos de) ~** on horseback; **monter à ~** to ride a horse; **à ~!** mount!; **promenade à ~** (horse) ride; **tenue de ~** riding clothes; **remède/traitement de ~** strong medicine; **fièvre de ~** raging fever; **bon ~** fig right choice; **miser sur le bon/mauvais ~** fig to back the right/

➡ *voir* Vivre dans un pays anglophone

wrong horse; ▸ **petit**, **sabot**; **2** ▸ p. 469 (activité) horse-riding; **aimer le ~** to like horse-riding; **faire du ~** to go horse-riding; **3** (viande) horsemeat; **bifteck de ~** horsemeat steak; **4** (personne) real Trojan; **(vieux) ~ de retour** (homme politique) war horse; (récidiviste) habitual offender, old lag○; **5** ○(femme masculine) péj **c'est un vrai ~** she's built like a horse
B **à cheval sur** *loc prép* **1** (à califourchon sur) astride; **à ~ sur un mur** astride a wall; **2** (s'étendant sur) spanning; **à ~ sur deux pays/trois décennies** spanning two countries/three decades; **3** (de part et d'autre de) **le domaine est à ~ sur la route** the estate straddles the road; **4** (entre) in between; **à ~ sur le rouge et le violet** in between red and purple; **5** (pointilleux sur) **être à ~ sur les principes/bonnes manières/horaires** to be a stickler for principles/good manners/schedules
(Composés) **~ d'arçons** pommel horse; **~ à bascule** Jeux rocking horse; **~ de bataille** hobbyhorse; **enfourcher son ~ de bataille** to get on one's hobbyhorse; **~ de course** racehorse; **~ fiscal**, **CV** Fisc *unit for car tax assessment*; **~ de labour** carthorse GB, drafthorse US; **~ de manège** riding school horse; **~ marin** Zool sea horse; **~ pur sang** thoroughbred horse; **~ reproducteur** stud horse; **~ de saut** Sport vaulting horse; **~ de selle** saddle horse; **~ de trait** = **~ de labour**; **~ de Troie** gén, Ordinat Trojan horse; **chevaux de bois** merry-go-round horses; **chevaux de frise** Mil chevaux-de-frise
(Idiomes) **à ~ donné on ne regarde pas les dents** Prov don't look a gift horse in the mouth; **ne pas être un mauvais ~** not to be such a bad sort; **monter sur ses grands chevaux** to get on one's high horse; **ce n'est pas la mort du petit ~** it's not a disaster

chevalement /ʃ(ə)valmɑ̃/ *nm* (de mur) shoring; Mines pit-head frame

chevaler /ʃ(ə)vale/ [1] *vtr* to shore up [*mur*]

chevaleresque /ʃ(ə)valʀɛsk/ *adj* **1** Littérat [*littérature, poème*] chevaleresque; **2** (courtois) chivalrous

chevalerie /ʃ(ə)valʀi/ *nf* chivalry

chevalet /ʃ(ə)valɛ/ *nm* **1** (de peintre) easel; (de menuisier) trestle, sawhorse; **être à son ~** to be at one's easel; **2** (de violon) bridge; **3** (de torture) rack
(Composé) **~ de levage** Tech hydraulic lift

chevalier /ʃ(ə)valje/ *nm* (tous contextes) knight; **les Chevaliers de la Table ronde** the Knights of the Round Table; **Chevalier de Malte** Knight of Malta; **armer qn ~** to dub sb knight, to knight sb; **il a été fait Chevalier de la Légion d'honneur** he has been made a chevalier of the Legion of Honour^GB
(Composés) **~ blanc** Fin white knight; **~ culblanc** Zool green sandpiper; **~ errant** knight errant; **~ gambette** Zool redshank; **~ guignette** Zool common sandpiper; **~ noir** Fin black knight; **~ servant** hum devoted admirer

chevalière /ʃ(ə)valjɛʀ/ *nf* signet ring

chevalin, **~e** /ʃ(ə)valɛ̃, in/ *adj* **1** (ayant rapport au cheval) equine; **race ~e** equine breed; **boucherie ~e** horse butcher's; **2** (ressemblant au cheval) **profil/rire ~** horsey profile/laugh

cheval-vapeur, *pl* **chevaux-vapeur** /ʃ(ə)valvapœʀ, ʃ(ə)vovapœʀ/ *nm* horsepower

chevauchant, **~e** /ʃ(ə)voʃɑ̃, ɑ̃t/ *adj* [*tuiles, dents*] overlapping (*épith*); [*feuille*] equitant

chevauchée /ʃ(ə)voʃe/ *nf* ride; **faire une ~** to go for a ride

chevauchement /ʃ(ə)voʃmɑ̃/ *nm* **1** (recouvrement) overlapping; **2** Géol thrust fault

chevaucher /ʃ(ə)voʃe/ [1]
A *vtr* **1** (être assis sur) to sit astride [*animal, objet*]; **2** (recouvrir en partie) to overlap
B *vi* **1** [*tuiles, dents*] to overlap; **2** Imprim [*caractères*] to become misaligned; **3** liter to ride
C **se chevaucher** *vpr* [*tuiles, dents*] to overlap (each other); [*horaires, attributions*] to overlap

chevau-léger, *pl* **~s** /ʃəvoleʒe/ *nm* (soldat) light-horseman; (compagnie) **les ~s** the Household Cavalry

chevêche /ʃəvɛʃ/ *nf* Zool little owl

chevelu, **~e** /ʃəvly/
A *adj* **1** [*homme, génération*] pej long-haired (*épith*); **2** Bot [*racine*] hairy, tufted; [*épi*] bearded
B *nm* (homme) pej long-haired lout péj

chevelure /ʃəvlyʀ/ *nf* **1** (cheveux) hair ¢; **une abondante ~ bouclée** a mass of curly hair; **2** Astron (de comète) tail

chevenne *nm*, **chevesne** /ʃəvɛn/ *nm* chub

chevet /ʃəvɛ/ *nm* **1** (de lit) bedhead; **être/rester au ~ de qn** to be/stay at sb's bedside; **livre de ~** bedside book; **2** (meuble) bedside table; **3** Archit (d'église) chevet

cheveu, *pl* **~x** /ʃəvø/
A *nm* **1** (poil) hair; **avoir quelques ~x blancs** to have a few grey^GB hairs; **avoir les ~x blancs** to have grey GB *ou* gray US hair; **il ne lui reste que quelques ~x sur le dessus** he only has a few hairs left on his head; **il n'a plus un ~ sur la tête** he's nearly bald, he hasn't got a single hair left on his head; **un spécialiste du ~** a hair specialist; **avoir le ~ lisse/mal peigné** to have smooth/dishevelled^GB hair; **avoir le ~ rare** to be a bit thin on top; **2** (petite dimension) hair's breadth; **être à un ~ de qch/de faire** to be within a hair's breadth of sth/of doing; **il s'en est fallu d'un ~ que je fasse** I came within a hair's breadth of doing; **ne tenir qu'à un ~** to hang by a thread
B **cheveux** *nmpl* (chevelure) hair ¢; **avoir les ~x longs** *or* **de longs ~x** to have long hair; **~x gras/secs** greasy/dry hair; **se couper/se laver les ~x** to cut/to wash one's hair; **se faire couper les ~x** to have one's hair cut; **avoir les ~x en broussaille** *or* **en bataille** to have tousled hair; **une histoire à vous faire dresser les ~x sur la tête** a story that makes your hair stand on end; **se prendre aux ~x** to grab each other by the hair
(Composé) **~x d'ange** Culin (vermicelle) angel-hair pasta ¢
(Idiomes) **avoir un ~ sur la langue** to have a lisp; **venir/arriver comme un ~ sur la soupe** to come/to arrive at an awkward moment; **se faire des ~x○ (blancs)** to worry oneself to death (**pour** about); **couper les ~x en quatre** to split hairs; **avoir mal aux ~x○** to have a hangover; **être tiré par les ~x** to be far-fetched; **il y a un ~○** there's a hitch○

cheveu-de-Vénus, *pl* **cheveux-de-Vénus** /ʃəvødvenys/ *nm* Bot maidenhair fern

cheville /ʃ(ə)vij/ ▸ p. 196 *nf* **1** Anat ankle; **avoir la ~ fine/bien prise** to have slender/well-turned ankles; **jupe qui arrive à la ~** ankle-length skirt; **on avait de l'eau jusqu'aux ~s** we were ankle-deep in water; **l'eau nous arrivait aux ~s** the water came up to our ankles; **2** Constr (pour vis) rawlplug, wall plug US; (pour assemblage) peg; (en bois) dowel; **3** (d'instrument de musique) peg; **une ~ d'accord** a tuning peg; **4** (de boucherie) butcher's hook; **vente à la ~** wholesale butchery trade; **acheter/vendre à la ~** to buy/sell meat wholesale; **5** (dans poème) pej padding ¢ péj
(Composé) **~ ouvrière** lit kingpin; fig kingpin○; **être la ~ ouvrière de...** to play a key role in...
(Idiomes) **il n'arrive pas à la ~ de sa sœur** he can't hold a candle to his sister; **avoir les ~s qui enflent** to get big-headed; **être en ~ avec qn○** to be in cahoots with sb○

cheviller /ʃ(ə)vije/ [1] *vtr* to peg
(Idiome) **avoir l'âme chevillée au corps** to have a tremendous hold on life

chevillère /ʃəvijɛʀ/ *nf* ankle support

chevillette† /ʃəvijɛt/ *nf* small peg; ▸ **choir**

cheviotte /ʃəvjɔt/ *nf* cheviot (wool)

chèvre /ʃɛvʀ/
A *nm* (fromage) goat's cheese
B *nf* **1** Zool goat; (femelle du bouc) nanny-goat; **2** (peau) goatskin; **un tapis en ~** a goatskin rug; **3** Tech (pour levage) hoist; (pour débiter) saw-horse, sawbuck US
(Composés) **~ angora** Angora goat; **~ du Cachemire** Kashmir goat; **~ chamoisée** mountain goat
(Idiomes) **devenir ~○** to go round the bend○ GB, go nuts◑; **rendre qn ~○** to drive sb round the bend○ GB, drive sb nuts◑; **ménager la ~ et le chou** to sit on the fence

chevreau, *pl* **~x** /ʃəvʀo/ *nm* **1** Zool kid; **2** (cuir) kid; **gants de** *or* **en ~** kid gloves

chèvrefeuille /ʃɛvʀəfœj/ *nm* honeysuckle

chevrette /ʃəvʀɛt/ *nf* **1** Zool (chèvre) young nanny goat; (femelle du chevreuil) (female) roe deer; **2** (trépied) tripod

chevreuil /ʃəvʀœj/ *nm* **1** Zool roe (deer); (mâle) roebuck; **2** Culin venison

chevrier, **-ière** /ʃɛ(ə)vʀije, ɛʀ/ ▸ p. 532 *nm,f* goatherd

chevron /ʃəvʀɔ̃/ *nm* **1** (poutre) rafter; **2** (motif) chevron; **les ~s** *or* **le ~** (petits) herringbone pattern; (grands) chevron design; **disposés en ~** [*briques, lattes, lames*] laid in a herringbone pattern; **veste à ~s** herringbone jacket; **3** Archit, Hérald chevron; **chapiteau à ~s** chevron-patterned capital; **4** Mil (galon) chevron, stripe

chevronné /ʃəvʀɔne/ *adj* **1** [*personne*] experienced, seasoned (*épith*); **peu ~** fairly inexperienced; **2** [*écu*] per chevron; [*tissu*] herringbone (*épith*)

chevrotant, **~e** /ʃəvʀɔtɑ̃, ɑ̃t/ *adj* [*voix*] quavering, tremulous; [*personne*] with a quavering voice (*après n*)

chevrotement /ʃəvʀɔtmɑ̃/ *nm* (de voix) quaver, tremor; (de personne) quavering voice

chevroter /ʃəvʀɔte/ [1] *vtr, vi* to quaver

chevrotine /ʃəvʀɔtin/ *nf* buckshot; **abattu d'une décharge de ~s** shot dead with a rifle

chewing-gum, *pl* **~s** /ʃwiŋgɔm/ *nm* chewing gum ¢

chez /ʃe/ *prép* **1** (au domicile de) **~ qn** at sb's place; **~ David** at David's (place); **rentre ~ toi** go home; **je reste/travaille/mange ~ moi** I stay/work/eat at home; **tu peux dormir/rester ~ moi** you can sleep/stay at my place; **viens ~ moi** come to my place; **on va ~ toi ou ~ moi?** your place or mine?; **on passe ~ elle en route** we call in on her on the way; **de ~ qn** [*téléphoner, sortir, venir*] from sb's place; **de Paris à ~ moi** from Paris to my place; **je ne veux pas de ça ~ moi!** I'll have none of that in my home!; **fais comme ~ toi** aussi iron make yourself at home also iron; **il a été suivi jusque ~ lui** he was followed home; **derrière ~ eux il y a une immense forêt** there is a huge forest behind their house; **~ qui l'as-tu rencontré?** whose place did you meet him at?; **vous habitez ~ vos parents?** do you live with your parents?; **faire irruption ~ qn** to burst in on sb; **il a retrouvé le livre ~ lui** he found the book at home
2 ▸ p. 532 (magasin, usine, cabinet etc) **je ne me sers plus ~ eux** I don't go there any more; **la montre ne vient pas de ~ nous** this watch doesn't come from our shop GB *ou* store US; **en vente ~ tous les dépositaires** on sale at all agents; **il ne se fait plus soigner les dents ~ elle** he doesn't use her as a dentist any more; **va chez Hallé, c'est un très bon médecin** go to Hallé, he's a very good doctor; **s'habiller ~ un grand couturier** to buy one's clothes from a top designer; **une montre de**

~ **Lip** a Lip watch; **paru** *or* **publié ~ Hachette** published by Hachette; **le nouveau parfum de ~ Patou** the new perfume by Patou; **je fais mes courses ~ l'épicier du coin** I do my shopping at the local grocer's; **il travaille ~ Merlin-Gerin** he works at Merlin-Gerin; '**~ Juliette**' (sur une enseigne) 'Juliette's'; **il va passer à la télévision, ~ Rapp** he's going to be on television, on the Rapp show; **être convoqué ~ le patron** (à son bureau) to be called in before the boss
3 (dans la famille de) **~ moi/vous/eux** in my/your/their family; **comment ça va ~ les Pichon?** how are the Pichons doing?; **ça va bien/mal ~ eux** things are going well/badly for them
4 (dans le pays, la région de) **~ nous** (d'où je viens) where I come from; (où j'habite) where I live; **c'est une expression de ~ nous** it's a local expression; **chez eux ils appellent ça...** in their part of the world they call this...; **un nom/fromage bien de ~ nous**○ (de France) a good old French name/cheese; (de notre région) a good old local name/cheese
5 (parmi) among, **~ les enseignants/les femmes enceintes/les Romains** among teachers/pregnant women/the Romans; **~ les insectes** among insects; **maladie fréquente ~ les bovins** common disease in cattle; **~ l'homme/l'animal** in man/animals
6 (dans la personnalité de) **qu'est-ce que tu aimes ~ un homme?** what do you like in a man?; **ce que j'aime ~ elle, c'est son humour** what I like about her, is her sense of humour[GB]; **c'est une obsession ~ elle!** it's an obsession with her!
7 (dans l'œuvre de) in; **~ Cocteau/Mozart/les surréalistes** in Cocteau/Mozart/the surrealists; **un thème récurrent ~ Buñuel/Prévert** a recurrent theme in Buñuel/Prévert

chez-elle○ /ʃezɛl/ *nm inv* **son ~** her (own) home

chez-eux○ /ʃezø/ *nm inv* **leur ~** their (own) home

chez-lui○ /ʃelɥi/ *nm inv* **son ~** his (own) home

chez-moi○ /ʃemwa/ *nm inv* **mon ~** my (own) home

chez-nous○ /ʃenu/ *nm inv* **notre ~** our (own) home

chez-soi○ /ʃeswa/ *nm inv* **son ~** one's (own) home

chez-toi○ /ʃetwa/ *nm inv* **ton ~** your (own) home

chez-vous○ /ʃevu/ *nm inv* **votre ~** your (own) home

chiadé◑, **~e** /ʃjade/
A *pp* ▸ **chiader**
B *pp adj* 1 (bien fait) detailed, elaborate; 2 (ardu) tough

chiader◑ /ʃjade/ [1] *vtr* to work on, to put a lot of work into [*devoir*]; to swot up (on)○ [*sujet*]

chialer◑ /ʃjale/ [1] *vi* pej to blubber○, to snivel○; **faire ~ qn** to start sb crying *ou* blubbering○

chialeur○, **-euse** /ʃjalœʀ, øz/
A *adj* pej blubbering○ (*épith*), snivelling○ (*épith*)
B *nm,f* pej crybaby○

chiant●, **~e** /ʃjɑ̃, ɑ̃t/ *adj* 1 (ennuyeux) bloody◑ GB *ou* really boring; 2 (pénible, contrariant) **c'est/il est ~** it's/he's a pain○

chiard◑ /ʃjaʀ/ *nm* pej brat○ péj

chiasma /kjasma/ *nm* Anat chiasm(a); **~ optique** optic chiasm(a)

chiasme /kjasm/ *nm* Littérat chiasmus

chiasse● /ʃjas/ *nf* **avoir la ~** to have the runs○; **quelle ~!** (c'est contrariant) fig what a pain○!

chic /ʃik/
A *adj* 1 (élégant) [*personne, vêtement*] smart GB, chic; **être ~** to look smart GB *ou* chic; 2 ○(sophistiqué) [*magasin, école, personne, hôtel, quartier*] chic; **il est ~ de faire** it's chic GB *ou* fashionable to do; **être bon ~ bon genre** to be chic and conservative; 3 ○(gentil) nice; **c'est ~ de ta part** that's nice of you
B *nm* chic; **avoir le ~ pour faire** to have a knack for doing; **avec ~** with style; **avoir du ~** to have style; **le dernier ~ est de faire** the in thing○ is to do; **c'est du dernier ~** it's the height of sophistication
C *adv* [*s'habiller*] smartly GB, stylishly
D *excl* great!

chicane /ʃikan/ *nf* 1 (formée par obstacles) chicane; (tracé de route, piste) double bend; (dans conduit) baffle; **en ~** on alternate sides; 2 (tracasserie) bickering ¢; **chercher ~ à qn pour qch** to pick a quarrel with sb over sth; 3 Jur (point de détail) delaying tactics (*pl*); (procédure) pej legal quibbling péj; 4 (au bridge) chicane; 5 Can (dispute) fight

chicaner /ʃikane/ [1]
A *vtr* 1 (harceler) **~ qn sur qch** to argue with sb about sth; **~ qch à qn** to argue about sth with sb; 2 Can (réprimander) to scold
B *vi* (discuter) to squabble (**sur, pour** over); (faire des manières) to fuss (**sur** about)
C **se chicaner** *vpr* to squabble (**pour** over)

chicanerie /ʃikanʀi/ *nf* fuss; **que de ~s pour dix euros!** what a fuss over ten euros!

chicaneur, **-euse** /ʃikanœʀ, øz/
A *adj* [*personne, esprit*] fussy
B *nm,f* fusspot○ GB, fussbudget US

chicanier, **-ière** /ʃikanje, ɛʀ/
A *adj* gén fussy; [*fonctionnaire, administration*] pettifogging
B *nm,f* gén fusspot○ GB, fussbudget US; (fonctionnaire) stickler

chiche /ʃiʃ/
A *adj* 1 (parcimonieux) [*personne, institution*] mean GB, stingy (**sur** with; **de** with); 2 (minable) [*portion, subvention*] mean GB, stingy; 3 ○(capable) **être ~ de faire qch** to be able to do sth; **t'es pas ~ de le faire** I bet you can't do it; ▸ **pois**
B *excl* **'je vais le faire'—'~!'** 'I'll do it'—'I dare you!'; **~ que je le fais!** bet you I can do it!

chichement /ʃiʃmɑ̃/ *adv* [*manger, vivre*] frugally; [*donner, accorder*] meanly GB, stingily; [*décorer*] sparsely; [*récompenser, payer*] poorly

chichi /ʃiʃi/ *nm* fuss ¢; **ils font toujours des tas de ~s** they always make such a fuss; **ne fais pas de ~s pour moi!** don't go to any trouble!; **sans ~(s)** [*personne*] straightforward; [*réception*] informal

chichiteux○, **-euse** /ʃiʃitø, øz/
A *adj* fussy
B *nm,f* fusspot○ GB; **cesse de faire le ~!** stop being such a fusspot!

chicon /ʃikɔ̃/ *nm* 1 (laitue) cos (lettuce) GB, Romaine US; 2 (endive) chicory

chicorée /ʃikɔʀe/ *nf* 1 Bot chicory; (salade) endive GB, chicory ¢ US; 2 Culin (poudre) chicory; (boisson) chicory coffee

chicot /ʃiko/ *nm* 1 ○(dent) stump, snag; 2 (souche) (tree) stump

chié●, **~e** /ʃje/
A *adj* 1 (embêtant) **tu es ~, toi** you've got a bloody◑ nerve GB, you have some nerve○; 2 (bien) bloody◑ marvellous[GB] GB, absolutely terrific; 3 (difficile) bloody◑ GB, absolutely impossible
B **chiée** *nf* **une ~e de** loads○ of, a whole slew of US

chien, **chienne** /ʃjɛ̃, ʃjɛn/
A ○*adj* bloody-minded GB, nasty; **il est un peu ~** he's rather bloody-minded GB *ou* nasty; **~ de temps** wretched weather; **ma chienne de vie** my wretched life; **ne pas être ~** not to be too hard
B *nm* 1 (animal) dog; **~ enragé** rabid dog; **~ à poil ras/long** short-/long-haired dog; **'~ méchant'** 'beware of the dog'; ▸ **caravane, faïence, quille, rage, saucisse**; 2 (de fusil) hammer; 3 Naut **coup de ~** fresh gale
C ○**de chien** *loc adj* [*métier, temps*] rotten; **vie de ~** dog's life; **avoir un caractère de ~** to have a lousy○ character; **être d'une humeur de ~** to be in a foul mood; **ça me fait un mal de ~** it hurts like hell○
D **chienne** *nf* 1 (animal) bitch; **c'est une chienne** it's a bitch; **il promène sa chienne** he's walking his dog; 2 ◑(femme) bitch◑

(Composés) **~ d'arrêt** pointer; **~ d'aveugle** guide dog; **~ de berger** sheepdog; **~ de chasse** retriever, gundog; **~ courant** hound; **~ esquimau** husky; **~ fou** fig wild one; **~ de garde** lit guard dog; fig watchdog; **~ de mer** dogfish; **~ policier** police dog; **~ de prairie** prairie dog *ou* marmot; **~ de race** pedigree dog; **~ savant** performing dog; fig poodle; **~s écrasés** Presse fillers; **la rubrique des ~s écrasés**○ *column made up of filler items*; **~ de traîneau** sled dog

(Idiomes) **traiter qn comme un ~** to treat sb like a dog *ou* like dirt; **ne pas donner sa part au ~** not to be backward in coming forward; **être comme ~ et chat** to be always at each other's throats; **être couché en ~ de fusil** to be curled up; **entre ~ et loup** at dusk; **elle a du ~** she's got what it takes; **avoir un air de ~ battu** to have a hangdog look; **ce n'est pas fait pour les ~s**○ it's there to be used; **garder à qn un ~ de sa chienne** to bear a grudge against sb; **merci mon ~**○ iron and thank you too; **c'est un temps à ne pas mettre un ~ dehors** it's foul weather

chien-assis, *pl* **chiens-assis** /ʃjɛ̃asi/ *nm* dormer window

chien-chien○, *pl* **chiens-chiens** /ʃjɛ̃ʃjɛ̃/ *nm* doggy

chiendent /ʃjɛ̃dɑ̃/ *nm* Bot couch grass, scutch grass; **brosse de ~** scrubbing brush

(Idiome) **pousser comme du ~** to grow like a weed

chienlit /ʃjɑ̃li/ *nf* havoc, chaos; **c'est la ~** it's havoc *ou* chaos

chien-loup, *pl* **chiens-loups** /ʃjɛ̃lu/ *nm* Alsatian GB, German shepherd

chienne ▸ **chien A, D**

chiennerie○ /ʃjɛnʀi/ *nf* bloody-mindedness◑ GB, nastiness

chier● /ʃje/ [2] *vi* 1 (déféquer) to shit●; 2 (contrarier) **faire ~ qn** (contrarier) to piss sb off●; (énerver) to get up sb's nose○ GB; **se faire ~** to have a bloody◑ GB *ou* really boring time; **se faire ~ sur qch/à faire** to kill oneself over sth/doing○; **envoyer qn ~** to tell sb to piss● off

(Idiomes) **en ~** to go through it; **ça va ~ des bulles** there'll be hell to pay○; **~ dans la colle** to be taking the piss◑

chiffe /ʃif/ *nf* fig wet blanket○, drip○; **être une vraie ~ molle, être mou comme une ~** to be a real drip *ou* wet blanket

chiffon /ʃifɔ̃/ *nm* 1 (morceau d'étoffe) rag, (piece of) cloth; **une poupée de ~s** a rag doll; **des ~s imbibés d'essence** rags soaked in petrol GB *ou* gas US; **collecte de ~s** collection of old clothes; **à l'arrivée ma robe était un vrai ~** when I arrived my dress was all crumpled up; 2 (pour nettoyer) gén (sec) duster; **donner** *or* **passer un coup de ~ sur qch** to give sth a quick dust *ou* wipe; **donner** *or* **passer un coup de ~** to do some dusting; **elle a toujours le ~ à la main** she's always got a duster in her hand; **nettoyer avec un ~ humide** to clean [sth] with a damp cloth; 3 (document sans valeur) scrap of paper; **cet accord n'est qu'un ~** this agreement isn't worth the paper it's written on

(Composés) **~ antistatique** antistatic cloth; **~ à chaussures** shoe cloth; **~ à poussière** duster

(Idiomes) **parler** *or* **causer ~s** to talk (about) clothes; **agiter un ~ rouge devant qn** to goad sb

chiffonnade /ʃifɔnad/ *nf* Culin chiffonnade

chiffonné, **~e** /ʃifɔne/
A *pp* ▸ **chiffonner**
B *pp adj* 1 (fatigué) [*teint, trait*] tired; [*visage*]

tired-looking; 2 °(chagriné) troubled, ruffled; **il avait l'air ~** he looked ruffled

chiffonner /ʃifɔne/ [1]
A *vtr* 1 (froisser) to crumple (up) [*document, papier, feuille*]; to crease, to crumple [*vêtement, tissu*]; 2 °(chagriner) to bother [*personne*]; **il y a quelque chose qui me chiffonne dans ce que vous dites** something bothers *ou* is bothering me about what you're saying
B **se chiffonner** *vpr* [*vêtement, tissu*] to crease, to crumple

chiffonnier, -ière /ʃifɔnje, ɛʀ/
A ▸ **p. 532** *nm,f* rag-and-bone man/woman
B *nm* (meuble) chiffonnier
(Idiomes) **se battre comme des ~s** to fight like cat and dog; **être habillé comme un ~** to be dressed like a tramp

chiffrable /ʃifʀabl/ *adj* [*pertes, dégâts*] calculable; [*électorat, effectif*] whose size can be calculated (*épith, après n*); **les conséquences sont difficilement ~s** the consequences are difficult to calculate; **les pertes ne sont pas ~s** it's impossible to put a figure on the losses

chiffrage /ʃifʀaʒ/ *nm* 1 Fin (de pertes) assessment (**de** of); (de travaux) costing; 2 Mus figuring

chiffre /ʃifʀ/ *nm* 1 (symbole) figure; (numéro, nombre) number; **trois ~s après la virgule** three figures after the decimal point; **le ~ 7** the figure 7; **écrire le montant en ~s** to write the amount in figures; **un numéro à six ~s** a six-figure *ou* -digit number; **les ~s, c'est son fort** he/she has a good head for figures; **avoir horreur des ~s** to hate anything to do with figures; **donne-moi un ~ entre 0 et 9** give me a number between 0 and 9; 2 (résultat) figure; **les ~s de ce mois sont mauvais** this month's figures are bad; 3 (statistique) statistic; **les ~s officiels/du chômage** the official/unemployment statistics; **selon les ~s de l'OCDE** according to OECD figures; 4 (total) total; **le ~ des dépenses/victimes** the total expenditure/number of victims; **~ global** total amount; 5 (code) (de message) code; (de coffre) combination; **le (service du) Chiffre** the cipher room; 6 (monogramme) monogram; **brodé** *or* **gravé à son ~** monogrammed
(Composés) **~ d'affaires, CA** turnover GB, sales (*pl*) US; **réaliser un ~ d'affaires de 300 millions d'euros par an** to have a turnover of 300 million euros a year, to turn over 300 million euros a year; **faire du ~ d'affaires**° to go for quick turnover; **~ d'affaires prévisionnel** forecast turnover; **~ d'affaires à l'exportation** export sales (*pl*); **~ arabe** Arabic numeral; **en ~s arabes** in Arabic numerals; **~ romain** Roman numeral; **~ de vente** sales (*pl*)

chiffrement /ʃifʀəmɑ̃/ *nm* encoding

chiffrer /ʃifʀe/ [1]
A *vtr* 1 (évaluer) to put a figure on, to assess [*coût, dépenses, pertes*]; to cost [*travaux*]; **~ à** to put *ou* assess [sth] at [*coût, dépenses, pertes*]; to put the cost of [sth] at [*travaux*]; **la dette extérieure est chiffrée à 46 milliards** the foreign debt is put at 46 billion; **données chiffrées** figures; 2 (coder) to encode [*message*]; 3 (marquer) to monogram [*linge, vaisselle*]; 4 (numéroter) to number [*pages*]
B °*vi* (coûter cher) to add up; **ça chiffre vite** it soon adds up
C **se chiffrer** *vpr* **se ~ à** [*réparations, installation, vente*] to amount to, to come to; **la progression des ventes s'est chiffrée à 4,8%** the increase in sales amounted to 4.8%; **les travaux se chiffrent à plusieurs millions** the work comes to several millions; **se ~ par millions** to amount to millions

chiffreur, -euse /ʃifʀœʀ, øz/ ▸ **p. 532** *nm,f* cipher clerk

chignole /ʃiɲɔl/ *nf* 1 (outil) hand drill; 2 °péj (voiture) banger° GB, junker° US, car

chignon /ʃiɲɔ̃/ *nm* bun; (plus élégant) chignon; **avoir un ~** to wear one's hair in a bun; **~ sur la nuque** low bun; **le ~ ne lui va pas** a bun doesn't suit her; **coiffer ses cheveux en ~** to put one's hair in a bun *ou* chignon; **pouvez-vous me faire un ~?** could you put my hair up?

chihuahua /ʃiwawa/ *nm* chihuahua

chiisme /ʃiism/ *nm* Shiism

chiite /ʃiit/ Relig *adj, nmf* Shiite

chikungunya /ʃikunguɲa/ *nm* chikungunya *mosquito-borne viral fever*

Chili /ʃili/ ▸ **p. 333** *nprm* Chile

chilien, -ienne /ʃiljɛ̃, ɛn/ ▸ **p. 561** *adj* Chilean

Chilien, -ienne /ʃiljɛ̃, ɛn/ ▸ **p. 561** *nm,f* Chilean

chimère /ʃimɛʀ/ *nf* fml 1 fig wild *ou* pipe dream, chim(a)era sout; **se forger des ~s** to fill one's head with wild dreams; **se complaire dans des ~s** to live in a dream world; **poursuivre** *or* **caresser des ~s** to chase rainbows; **de folles/vagues ~s** crazy/vague fantasies; 2 Mythol Chim(a)era, chim(a)era; 3 Biol, Bot chim(a)era; Zool (poisson) chim(a)era

chimérique /ʃimeʀik/ *adj* 1 (irréalisable) [*projet, espoir*] wild; 2 (irréel) [*animal*] fabulous; 3 (visionnaire) [*personne, esprit*] fanciful; **c'est un esprit ~** he's a dreamer

chimie /ʃimi/ *nf* 1 chemistry; **~ organique/minérale** organic/inorganic chemistry; **laboratoire de ~** chemistry laboratory; 2 (transformation) liter alchemy

chimiorésistance /ʃimjoʀezistɑ̃s/ *nf* chemoresistance

chimiosynthèse /ʃimjosɛ̃tɛz/ *nf* chemosynthesis

chimiothérapie /ʃimjoteʀapi/ *nf* chemotherapy; **suivre une ~** to have chemotherapy treatment

chimique /ʃimik/ *adj* 1 [*analyse, réaction, industrie, produit*] chemical; [*fibre*] man-made; **armes ~s** chemical weapons; 2 péj [*boisson, nourriture*] synthetic; [*goût*] chemical

chimiquement /ʃimikmɑ̃/ *adv* chemically

chimiquier /ʃimikje/ *nm* Naut chemical tanker

chimiste /ʃimist/ ▸ **p. 532** *nmf* chemist; **ingénieur ~** chemical engineer

chimpanzé /ʃɛ̃pɑ̃ze/ *nm* chimpanzee

chinchilla /ʃɛ̃ʃila/ *nm* 1 Zool chinchilla; **lapin/chat ~** chinchilla rabbit/cat; 2 (fourrure) chinchilla

chine /ʃin/
A *nm* 1 (porcelaine) china; **une tasse en ~** a china cup; 2 (papier) rice paper
B °*nf* (par un particulier) antique hunting; (brocante) antique dealing

Chine /ʃin/ ▸ **p. 333** *nprf* China; **~ continentale** mainland China; **République populaire de ~** People's Republic of China

chiner /ʃine/ [1]
A *vtr* 1 Tex to dye the warp threads of; **tissu chiné** chiné fabric; **une étoffe rouge chinée de jaune** a red fabric with a yellow thread in it; 2 °(se moquer) to kid°
B °*vi* (chercher) to bargain-hunt, to antique US; (vendre) to deal in second-hand goods

Chinetoque◑ /ʃintɔk/ *nmf* offensive Chinese, Chink◑ injur

chineur°, -euse /ʃinœʀ, øz/ *nm,f* 1 (acheteur) bargain hunter; (vendeur) second-hand dealer; 2 (plaisantin) teaser

chinois, ~e /ʃinwa, az/
A *adj* 1 ▸ **p. 561** Géog Chinese; 2 °(tatillon) nitpicking°
B *nm* 1 ▸ **p. 483** Ling Chinese; 2 Culin conical strainer
(Idiome) **pour moi c'est du ~** it's double-Dutch GB *ou* Greek to me

Chinois, ~e /ʃinwa, az/ ▸ **p. 561** *nm,f* Chinese

chinoiser /ʃinwaze/ [1] *vi* to quibble (**sur** about *ou* over)

chinoiserie /ʃinwazʀi/
A *nf* (bibelot) chinoiserie
B **chinoiseries**° *nfpl* unnecessary complications; **les ~s administratives** red tape ₵

chintz /ʃints/ *nm* chintz

chiot /ʃjo/ *nm* puppy, pup

chiottes● /ʃjɔt/ *nfpl* toilets; **les ~** the bog◑ (*sg*) GB, the shitter● (*sg*) US

chiourme /ʃjuʀm/ *nf* Hist 1 (galériens) galley slaves (*pl*); 2 (forçats) convicts (*pl*)

chiper° /ʃipe/ [1] *vtr* to pinch°; **~ qch à qn** to pinch sth from sb; **il m'a chipé mon journal** he's pinched my newspaper

chipie° /ʃipi/ *nf* cow° pej

chipolata /ʃipɔlata/ *nf* chipolata

chipoter /ʃipɔte/ [1]
A *vi* 1 (faire des difficultés) to quibble (**sur** over); 2 (marchander) to haggle (**sur** over); 3 (pour manger) to pick at one's food
B **se chipoter** *vpr* to squabble (**à propos de, pour** over)

chipoteur, -euse /ʃipɔtœʀ, øz/
A *adj* 1 (exigeant) difficult; 2 (sur prix) **être ~** to haggle over everything; 3 (à table) fussy
B *nm,f* 1 (personne exigeante) nit-picker; 2 (sur prix) person who haggles over everything; 3 (à table) fussy *ou* picky° US eater

chips /ʃips/ *nf inv* crisp GB, potato chip US

chique /ʃik/ *nf* plug *ou* quid GB (of tobacco); **mâcher sa ~** to chew tobacco
(Idiomes) **avoir la ~**° to have a swollen cheek; **avaler sa ~**° to kick the bucket; **couper la ~ à qn** (faire taire) to shut sb up°; (surprendre) to leave sb speechless; **mou comme une ~** spineless, wet°

chiqué° /ʃike/ *nm* 1 (bluff) **c'est du ~** it's a put-on *ou* sham°; **c'est du ~, il n'a pas mal** he's putting it on, there's nothing wrong with him; **combat sans ~** no-holds-barred fight; 2 (affectation) airs (*pl*); **faire du ~** to put on *ou* give oneself airs; **sans ~** without affectation

chiquenaude /ʃiknod/ *nf* flick; **d'une ~** with a flick; **donner une ~ sur la joue de qn** to flick sb on the cheek

chiquer /ʃike/ [1] *vtr* **~ (du tabac)** to chew tobacco; **tabac à ~** chewing tobacco

chiqueur, -euse /ʃikœʀ, øz/ *nm,f* tobacco-chewer

chiromancie /kiʀomɑ̃si/ *nf* palmistry, chiromancy; **faire de la ~** to read palms

chiromancien, -ienne /kiʀomɑ̃sjɛ̃, ɛn/ ▸ **p. 532** *nm,f* palm-reader

chiropracteur /kiʀopʀaktœʀ/ ▸ **p. 532** *nm* chiropractor

chiropraxie /kiʀopʀaksi/ *nf* chiropractic

chirurgical, ~e, *mpl* **-aux** /ʃiʀyʀʒikal, o/ *adj* surgical

chirurgie /ʃiʀyʀʒi/ *nf* surgery; **~ dentaire** dental surgery; **~ endoscopique** keyhole surgery; **~ plastique** *or* **réparatrice** *or* **esthétique** plastic surgery

chirurgien /ʃiʀyʀʒjɛ̃/ ▸ **p. 532** *nm* surgeon

chirurgien-dentiste, *pl* **chirurgiens-dentistes** /ʃiʀyʀʒjɛ̃dɑ̃tist/ ▸ **p. 532** *nm* dental surgeon

Chisinau /kiʃinao/ ▸ **p. 894** *npr* Chisinau, Kishinev

chistera /ʃisteʀa/ *nm* pelota basket

chitine /kitin/ *nf* chitin

chitineux, -euse /kitinø, øz/ *adj* chitinous

chiure /ʃjyʀ/ *nf* **~ (de mouche)** flyspeck

chleuh◑ /ʃlø/ *adj, nm* offensive kraut◑ injur

chlinguer◑ /ʃlɛ̃ge/ [1] *vi* to stink

chlorate /klɔʀat/ *nm* chlorate; **~ de soude** *or* **sodium/potasse** *or* **potassium** sodium/potassium chlorate

chlore /klɔʀ/ *nm* chlorine

C

chloré, **~e** /klɔʀe/ *adj* chlorinated
chlorer /klɔʀe/ [1] *vtr* to chlorinate
chlorhydrique /klɔʀidʀik/ *adj* hydrochloric
chlorique /klɔʀik/ *adj* chloric
chloroforme /klɔʀɔfɔʀm/ *nm* chloroform
chloroformé, **~e** /klɔʀɔfɔʀme/
A *pp* ▸ **chloroformer**
B *pp adj* [*personne, collectivité*] apathetic
chloroformer /klɔʀɔfɔʀme/ [1] *vtr* to chloroform
chlorophylle /klɔʀɔfil/ *nf* chlorophyll; **dentifrice/chewing-gum à la ~** chlorophyll toothpaste/chewing gum
chlorophyllien, **-ienne** /klɔʀofiljɛ̃, ɛn/ *adj* chlorophyllous
chlorure /klɔʀyʀ/ *nm* chloride; **~ de sodium/potassium** sodium/potassium chloride; **~ de chaux** chloride of lime
chlorurer /klɔʀyʀe/ [1] *vtr* to chlorinate
choc /ʃɔk/
A *adj inv* **mesures ~** drastic measures; **'prix ~!'** 'huge reductions'; **c'est l'argument ~!** there's no answer to that!; **le film ~ de l'année** the most sensational film of the year
B *nm* **1** (rencontre brutale) (d'objets) impact, shock; (de vagues) crash; (de personnes) collision; Aut (collision) crash; (sans gravité) bump; **ça s'ébrèche au moindre ~** it chips at the slightest knock; **résister aux ~s** to be shock-resistant; **à cause de la violence du ~** because of the force of the impact; **sous le ~** under the impact; **à la suite d'un ~ avec un attaquant adverse** Sport after colliding with an opponent; ▸ **onde**; **2** (bruit) (violent) crash, smash; (sourd) thud; (métallique) clang; (de verre, vaisselle) chink; **3** (affrontement) (d'adversaires) gén, Mil clash; Sport encounter; fig (d'idées, opinions) clash; **les troupes ont résisté au premier ~** the troops have weathered the first onslaught; **troupe** *or* **unité de ~** Mil shock troops (*pl*); **de ~** [*journaliste, patron*] ace○; **4** (commotion) shock; **ça m'a fait un ~ de la revoir** it gave me a shock to see her again; **être encore sous le ~** (après une nouvelle) to be still in a state of shock; Méd (après un accident) to be still in shock; **tenir le ~** to cope; **traitement de ~** shock treatment; ▸ **état**
(Composés) **~ culturel** culture shock; **~ électrique** electric shock; **~ nerveux** (nervous) shock; **~ opératoire** post-operative shock; **~ pétrolier** oil crisis; **~ en retour** return shock; fig backlash; **~ septique** toxic shock
chochotte○ /ʃɔʃɔt/ *adj, nf* la-di-da○
chocolat /ʃɔkɔla/
A ▸ **p. 202** *adj inv* (couleur) chocolate-brown (coloured[GB])
B *nm* Culin **1** (substance) chocolate; **gâteau au ~** chocolate cake; **~ aux noisettes** hazelnut chocolate; **une tablette de ~** a chocolate bar, a bar of chocolate; **2** (friandise) chocolate; **je peux reprendre un ~?** can I have another chocolate?; **une boîte de ~s** a box of chocolates; **3** (boisson) chocolate; **un ~ chaud** a hot chocolate
(Composés) **~ blanc** white chocolate; **~ à croquer** plain GB *ou* dark chocolate; **~ à cuire** cooking chocolate; **~ au lait** milk chocolate; **~ de ménage** = **~ à cuire**; **~ noir** = **~ à croquer**; **~ en poudre** drinking chocolate
(Idiome) **être ~**○ to feel let down
chocolaté, **~e** /ʃɔkɔlate/ *adj* [*boisson, bouillie*] chocolate-flavoured[GB]
chocolaterie /ʃɔkɔlatʀi/ *nf* chocolate factory
chocolatier, **-ière** /ʃɔkɔlatje, ɛʀ/
A ▸ **p. 532** *nm,f* chocolate maker; **pâtissier ~** confectioner and chocolate maker
B **chocolatière** *nf* hot chocolate jug
chocottes○ /ʃɔkɔt/ *nfpl* **avoir les ~** to have the jitters○

chœur /kœʀ/ *nm* **1** (groupe) choir; (d'opéra) chorus; **2** (morceau) chorus; **chanter en ~** to sing in chorus; **reprendre le refrain en ~** to sing the chorus all together; **'reprenons tous en ~'** 'all together now'; **3** (de théâtre) chorus; **4** Archit chancel, choir; **5** fig chorus (**de** of); **le ~ des grévistes** all the strikers; **en ~** [*dire, affirmer*] in unison; [*rire, souffrir*] all together
choir /ʃwaʀ/ [51] *vi* liter to fall; **la bobinette cherra** the latch will drop; **se laisser ~** to flop; **laisser ~ qch** to drop sth; **laisser ~ qn** (se séparer de) to drop sb; (ne plus aider) to let sb down
choisi, **~e** /ʃwazi/
A *pp* ▸ **choisir**
B *pp adj* **1** (sélectionné) [*morceaux, œuvres*] selected; **des morceaux ~s de Rimbaud** selected passages from Rimbaud; **2** (recherché) [*expressions, terme*] carefully chosen; **expression bien/mal ~e** felicitous *ou* appropriate/unfortunate choice of expression; **3** (sélect) [*société, clientèle*] select
choisir /ʃwaziʀ/ [3] *vtr* to choose (**entre** between); **~ l'exil/la fuite** to choose exile/to flee; **~ son camp** fig to choose sides; **~ de faire** to choose to do; **ils ont choisi de ne pas répondre** they chose not to answer; **bien/mal ~** to make the right/wrong choice; **~ qn comme ministre** to pick sb as a minister; **Nice ou Paris? c'est à toi de ~** Nice or Paris? it's up to you; **ça y est, j'ai choisi** I've made my choice
choix /ʃwa/ *nm inv* **1** (option) choice (**entre** between; **parmi** among); **le sport/film de ton ~** the sport/film of your choice; **avoir le ~ des armes** to have the choice of weapons; **avoir/ne pas avoir le ~** to have a/no choice; **ne pas avoir d'autre ~ que de partir** to have no choice but to leave; **faire le bon/mauvais ~** to make the right/wrong choice; **mon ~ est fait** I've made my choice; **faire le ~ de rester** to choose to stay; **faire un ~ entre** to choose between; **faire ~ de qch** fml to select sth; **trois menus au ~** a choice of three menus; **fromage ou dessert au ~** a choice of cheese or dessert; **couleur au ~ du client** colour[GB] to be chosen by the customer; **être libre de son ~** to be free to choose; **je te laisse le ~ du jour** you decide on the date; **fixer** *or* **arrêter** *or* **porter son ~ sur** to settle *ou* decide on; **tes ~ musicaux/littéraires** your choice of music/literature; **2** (assortiment) choice; **il y a beaucoup de ~ ici** there's plenty of choice here; **le ~ est très limité** there's very little choice; **un très grand ~ de...** a very wide choice *ou* range of...; **on manque un peu de ~** there's not much choice; **3** (sélection) selection; **un ~ d'images/d'instruments/d'œuvres** a selection of pictures/of instruments/of works; **4** (qualité) **de ~** [*produit*] choice; [*candidat, collaborateur*] first-rate; **les places de ~ sont toutes réservées** the best seats are all reserved; **un morceau de ~** (en boucherie) a prime cut; **de premier ~** [*fruits*] class one; [*viande*] prime, top-grade; **de ~ courant** standard quality; **de second ~** of poorer quality (*après n*)
choléra /kɔleʀa/ ▸ **p. 283** *nm* cholera
cholérique /kɔleʀik/ *nmf* cholera victim
cholestérol /kɔlɛsteʀɔl/ *nm* cholesterol; **avoir du ~**○ to have a high cholesterol level; **surveiller son (taux de) ~** to watch one's cholesterol level
cholestérolémie /kɔlɛsteʀɔlemi/ *nf* cholesterolemia
chômage /ʃomaʒ/ *nm* unemployment; **~ saisonnier/de longue durée/des jeunes** seasonal/long-term/youth unemployment; **la lutte contre le ~** the fight against unemployment; **être au** *or* **en ~** to be unemployed, to be on the dole○ GB; **ça fait un an qu'il est au ~** he has been out of work *ou* unemployed for a year; **s'inscrire au ~** to sign on *ou* up US for unemployment benefit, to go on the dole○ GB; **pointer au ~** to sign on GB, to sign up for unemployment US; **mettre qn au** *or* **en ~** to make sb redundant GB, to lay sb off; **la mise au ~** redundancy GB, laying off; **l'usine a mis 300 personnes au ~** the factory has made 300 people redundant GB *ou* has laid off 300 people; **taux de ~** unemployment rate
(Composés) **~ conjoncturel** *or* **cyclique** cyclical unemployment; **~ d'insertion** youth unemployment (*of young people who have never had a job*); **~ partiel** short time (working); **mettre qn au ~ partiel** to put sb on short time; **~ structurel** structural unemployment; **~ technique** layoffs (*pl*); **mettre les ouvriers au** *or* **en ~ technique** to lay off the workforce; **500 ouvriers au** *or* **en ~ technique** 500 workers laid off
chômé, **~e** /ʃome/
A *pp* ▸ **chômer**
B *pp adj* **jour ~** day off; **fête ~e** national holiday
chômedu◑ /ʃomdy/ *nm* (inactivité) unemployment; (indemnités) dole○ GB, welfare○ US
chômer /ʃome/ [1]
A *vtr* not to work on
B *vi* **1** (être improductif) [*personne, machine, capital, imagination*] to be idle; **nous ne chômons pas en ce moment!** we're not short of work at the moment!; **laisser ~ les terres** Agric to leave the land fallow; **2** (être sans travail) [*employé*] to be out of work; [*usine, machines*] to stand idle; [*industrie*] to be at a standstill
chômeur, **-euse** /ʃomœʀ, øz/ *nm,f* unemployed person; **il est ~** he is unemployed; **les ~s** the unemployed; **le nombre de ~s** the number of unemployed; **15%/2 millions de ~s** 15%/2 million unemployed; **les ~s de longue durée** the long-term unemployed; **~s en fin de droits** unemployed people no longer eligible for benefit
chope /ʃɔp/ *nf* beer mug, tankard
choper◑ /ʃɔpe/ [1] *vtr* **1** (attraper) to get [*coup, habitude, tic*]; to catch [*maladie, virus*]; **2** (voler) **~ qch à qn** to pinch○ sth from sb; **se faire ~ qch** to have sth pinched; **3** (arrêter) to nab○, to catch [*voleur*]; **se faire ~** to be nabbed
chopine○ /ʃɔpin/ *nf* **1** (bouteille de vin) bottle of wine; (verre) glass of wine; **2** Can (pinte) pint
choquant, **~e** /ʃɔkɑ̃, ɑ̃t/ *adj* shocking; **~ de brutalité/franchise** shockingly brutal/frank
choquer /ʃɔke/ [1]
A *vtr* **1** (scandaliser) to shock [*personne*]; **ça a choqué les lecteurs** it shocked the readers; **ton cynisme me choque** I am shocked by your cynicism; **ça l'a choqué de voir ça** he was shocked to see it; **ça m'a choqué qu'elle refuse** I was shocked that she should refuse; **si le mot choque** if the word is shocking *ou* causes offence[GB]; **ça choque** it's shocking; **cela risque de ~** (comportement, film, remarque) it might cause offence[GB]; **2** (commotionner) [*événement, nouvelle*] to shake [*personne*]; [*chute, accident*] to shake [sb] (up); **cette nouvelle l'a choqué** he was shaken by the news; **un peu choqué par sa chute** slightly shaken by his fall; **être choqué** Méd to be in shock; **3** (blesser) to offend [*œil, sensibilité*]; to jar on [*oreille*]; to go against [*bon sens*]; **4** (cogner) to knock [*objet*]; **~ les verres** to clink glasses; **5** Naut to slacken, to loosen [*amarre*]
B **se choquer** *vpr* (s'offusquer) to be shocked (**de** at, by)
choral, **~e**, *mpl* **~s** *or* **-aux** /kɔʀal, o/
A *adj* choral
B (*pl* **~s**) *nm* chorale
C **chorale** *nf* choir
chorée /kɔʀe/ *nf* chorea; **~ de Sydenham** Sydenham's chorea; **~ de Huntington** Huntington's chorea

chorégraphe /kɔʀegʀaf/ ▸ p. 532 *nmf* choreographer

chorégraphie /kɔʀegʀafi/ *nf* choreography; **composer la ~** to choreograph

chorégraphier /kɔʀegʀafje/ [2] *vtr* to choreograph

chorégraphique /kɔʀegʀafik/ *adj* choreographic

choreute /kɔʀøt/ *nm* member of the chorus

choriste /kɔʀist/ *nmf* (d'église) chorister; (d'opéra) member of the chorus; (de chorale) member of the choir

chorizo /(t)ʃɔʀizo/ *nm* chorizo

chorus /kɔʀys/ *nm inv* Mus chorus; **faire ~ avec qn** fig to join in with sb

chose /ʃoz/

A ○*adj* **se sentir/avoir l'air tout ~** to feel/look out of sorts

B *nf* **1▸** (objet) thing; **il aime les bonnes ~s** he likes good things; **ils ont acheté beaucoup de ~s pour dîner** they've bought a lot of things for dinner; **quelle autre ~ pourrais-je leur acheter?** what else could I buy them?; **'une bière'—'la même ~ (pour moi)'** 'a beer'—'the same for me'; **la même ~ s'il vous plaît** (pour être resservi) (the) same again, please; ▸ **quelque C**
2▸ (entité) thing; **c'est une bonne/mauvaise ~ (en soi)** it's a good/bad thing (in itself); **il y a de bonnes ~s dans ce livre** there are some good things in this book; **une seule et unique ~** one thing only; **il ne s'intéresse qu'à une seule et unique ~** he's only interested in one thing; **et, ~ incroyable/aberrante, il a dit oui** and the incredible/absurd thing is that he said yes; **de deux ~s l'une** it's got to be one thing or the other; **il se passe la même ~ ici** the same thing is happening here; **c'est toujours la même ~ ici/avec lui** it's always the same here/with him; **tu seras privé de dessert et même ~ pour ta sœur** you won't get your dessert and the same goes for your sister; **une ~ communément admise** a widely accepted fact; **je pense** or **j'ai pensé à une ~** I've thought of something; **c'est autre ~** that's different; **autre ~, avez-vous pensé à faire...?** another thing, have you thought about doing...?; **et si on parlait d'autre ~** let's talk about something else; **ce n'est pas autre ~ que de la jalousie** it's nothing but jealousy; **c'est ça, ce n'est pas autre ~** it's that and nothing else; **voilà autre ~**○**!** that's something else!; **c'est une ~ de rentrer tard, c'en est une autre de disparaître pour trois jours** it's one thing to come home late, quite another (thing) to disappear for three days; ▸ **dû**
3▸ (affaire, activité, message) thing; **j'ai une ou deux ~s à faire en ville** I've got one or two things to do in town; **j'ai une ~/deux ou trois ~s à vous dire** I've got something/two or three things to tell you; **(vous direz) bien des ~s à votre famille/Madame Lemoine** give my best regards to your family/Mrs Lemoine; **c'était la seule ~ à ne pas dire/faire** that was the last thing to say/do; **c'est pas des ~s**○ **à dire/faire** that's the last thing to say/do; **parler de ~s et d'autres** to talk about one thing and another *ou* this and that; **la pire ~ qui puisse m'arriver** the worst thing that could happen to me; **en mettant les ~s au mieux/au pire** at best/at (the) worst; **mettre les ~s au point** to clear things up; **ce sont des ~s qui arrivent** it's (just) one of those things, these things happen; **on verra plus tard, chaque ~ en son temps** we'll cross that bridge when we come to it; **avant toute ~** (auparavant) before anything else; (surtout) above all else; **la ~ à craindre** the worrying thing; **ce n'est pas ~ facile** or **aisée de faire** it's no easy thing to do; **c'est ~ courante que de faire** it's common to do; **faire bien les ~s** to do things properly; **'avez-vous déménagé?'—'c'est ~ faite'** 'have you moved?'—'it's all done'; **il leur manquait la bombe atomique, c'est désormais ~ faite** they needed the atomic bomb, now they've got it; **il a l'intention de vous écrire si ce n'est pas déjà ~ faite** he intends to write to you if he hasn't already done so; **voilà** or **c'est une bonne ~ de faite** that's one thing out of the way
4▸ (ce dont il s'agit) matter; **la ~ en question** the matter in hand; **la ~ est d'importance** the matter is of some importance; **je vais vous expliquer la ~** I'll tell you what it is (all) about; **la ~ dont je vous parle** what I'm talking about; **il a pris la ~ avec humour** he saw the funny side of it; **il a bien/mal pris la ~** he took it well/badly; **comment a-t-il pris la ~?** how did he take it?
5▸ (personne) **ce n'est qu'une pauvre ~** he/she is a poor little thing
6▸ ○(activités sexuelles) **être un peu porté sur la ~** to like it○, to be keen on sex
7▸ ○(nom de substitution) **Chose m'a dit qu'il...** what's-his-name/what's-her-name *ou* thingummy told me that he...; **un costume de chez Chose** a suit from thingummy's

C **choses** *nfpl* **1▸** (réalité) **la nature des ~s** the nature of things; **les ~s étant ce qu'elles sont** things being what they are; **toutes ~s (étant) égales par ailleurs** other *ou* all things being equal; **regarder les ~s de plus près** to take a closer look at things
2▸ (domaine) **les ~s d'ici bas** or **de ce monde** the things of this world; **les ~s de l'esprit/de la chair** things of the mind/of the flesh; **les ~s de la religion** religious matters; **les ~s de la vie (quotidienne)** the little things in life

(Composés) **~ imprimée** printed word; **~ jugée** Jur res judicata; **autorité de la ~ jugée** binding force of the res judicata; **~ léguée** Jur bequest; **~ publique** liter res publica, state; **~ en soi** Philos thing-in-itself

(Idiomes) **en toutes ~s il faut considérer la fin** in all matters one must consider the outcome; **il faut prendre les ~s comme elles viennent** Prov take things as they come

chosifier /ʃozifje/ [2] *vtr* Philos to reify

chou, *pl* **~x** /ʃu/

A *adj inv* [*personne*] sweet; **elle est ~ avec son chapeau** she looks so sweet in her hat

B *nm* **1▸** (légume) cabbage; **soupe aux ~x** cabbage soup; **~ farci** stuffed cabbage; ▸ **chèvre**, **oreille**, **palmiste**; **2▸** (pâtisserie) choux bun GB, pastry shell US; **3▸** (personne aimable) dear; **ferme la porte tu seras un ~** be a dear and close the door; **tu es un ~** you're a little darling

(Composés) **~ de Bruxelles** Brussels sprout; **~ à la crème** cream puff; **~ rave** kohlrabi; **~ rouge** red cabbage; **~ vert** green cabbage

(Idiomes) **bête comme ~** really easy; **faire ~ blanc**○ to draw a blank; **faire ses ~x gras de qch**○ to use sth to one's advantage; **être dans les ~x**○ to bring up the rear; **aller planter ses ~x**○ to go and live in the country; **aller planter ses ~x ailleurs** to go to pastures new; **rentrer dans le ~**○ **de qn** (physiquement) to beat sb up; (verbalement) to give sb a piece of one's mind

chouan /ʃwɑ̃/

A *adj* Chouan

B *nm* Chouan (*Royalist insurgent from western France during the Revolution*)

chouannerie /ʃwanʀi/ *nf* **1▸** (révolte) revolt of the Chouans; **2▸** (mouvement) Chouan movement

choucas /ʃuka/ *nm* jackdaw

chouchou○, **-oute** /ʃuʃu, ut/

A *nm,f* (du professeur) pet; (du public) darling

B *nm* (pour les cheveux) scrunchie

chouchouter○ /ʃuʃute/ [1] *vtr* to pamper [*enfant, adulte*]; **se faire ~** to be pampered

choucroute /ʃukʀut/ *nf* sauerkraut; **~ garnie** sauerkraut with meat

chouette /ʃwɛt/

A ○*adj* great○, neat○ US; **c'est ~ comme sport** it's a great sport; **être ~ avec qn** to be really nice to sb; **c'est ~ de sa part** that's really nice of him/her

B *nf* Zool owl; **vieille ~** fig pej old harridan

C *excl* great○! brilliant○! GB, neat○ US!

(Composé) **~ hulotte** tawny owl

chou-fleur, *pl* **choux-fleurs** /ʃuflœʀ/ *nm* cauliflower

chouia○ /ʃuja/ *nm* smidgen○, tiny bit; **un ~ de** a smidgen of

chou-navet, *pl* **choux-navets** /ʃunavɛ/ *nm* swede GB, rutabaga US

chou-rave, *pl* **choux-raves** /ʃuʀav/ *nm* kohlrabi

chouraver◑ /ʃuʀave/, **chourer**◑ /ʃuʀe/ [1] *vtr* to pinch○; **se faire ~ qch** to have sth pinched

chow-chow, *pl* **chows-chows*** /ʃoʃo/ *nm* chow(-chow)

choyer /ʃwaje/ [23] *vtr* to pamper [*enfant, adulte, client*]

chrême /kʀɛm/ *nm* chrism; **le saint ~** holy chrism

chrestomathie /kʀɛstɔmati, kʀɛstɔmasi/ *nf* chrestomathy

chrétien, **-ienne** /kʀetjɛ̃, ɛn/ *adj, nm,f* Christian

chrétien-démocrate, **chrétienne-démocrate**, *pl* **chrétiens-démocrates**, **chrétiennes-démocrates** /kʀetjɛ̃demɔkʀat, kʀetjɛndemɔkʀat/ *adj, nm,f* Christian Democrat

chrétiennement /kʀetjɛnmɑ̃/ *adv* **vivre ~** to lead a Christian life; **mourir ~** to die a Christian death; **être enterré ~** to have a Christian burial; **élever ~ ses enfants** to bring up one's children as Christians

chrétienté /kʀetjɛ̃te/ *nf* **la ~** Christendom

christ /kʀist/ *nm* Art **un ~** (sculpté) a sculpted Christ; (peint) a figure of Christ; (crucifix) a crucifix; **un ~ en croix** a crucifixion; **~ en gloire** or **majesté** Christ in majesty

Christ /kʀist/ *npr* **le ~** Christ

(Composés) **le ~ aux limbes** Christ in Limbo; **le ~ aux outrages** Christ Mocked

christiania /kʀistjanja/ *nm* Sport christie, christiana

christianisation /kʀistjanizasjɔ̃/ *nf* Christianization

christianiser /kʀistjanize/ [1] *vtr* to Christianize

christianisme /kʀistjanism/ *nm* **le ~** Christianity

christologie /kʀistɔlɔʒi/ *nf* Christology

chromage /kʀomaʒ/ *nm* chromium-plating

chromate /kʀɔmat/ *nm* chromate; **~ rouge** potassium dichromate

chromatide /kʀɔmatid/ *nf* Biol chromatid

chromatique /kʀɔmatik/ *adj* **1▸** Mus chromatic; **2▸** (relatif aux couleurs) chromatic

chromatisme /kʀɔmatism/ *nm* **1▸** Mus chromaticism; **2▸** (ensemble des couleurs) colour[GB] range

chrome /kʀom/ *nm* **1▸** Chimie chromium; **2▸** Aut **faire les ~s** to polish the chrome

chromer /kʀome/ [1] *vtr* to chrome-plate

chromo /kʀomo/ *nm* bad colour print

chromolithographie /kʀomolitɔgʀafi/ *nf* **1▸** (procédé) chromolithography; **2▸** (image) chromolithograph

chromosome /kʀɔmozom/ *nm* chromosome; **~ X/Y** X/Y chromosome

chromosomique /kʀɔmozomik/ *adj* chromosome (*épith*)

chronicité /kʀɔnisite/ *nf* chronicity

chronique /kʀɔnik/

A *adj* (tous contextes) chronic

B *nf* **1▸** Presse column, page; Radio, TV programme[GB]; **la ~ économique/politique**

C

C

the business/political column; **~ mondaine** gossip column; **tenir une ~** Presse to have a column; TV, Radio to have a spot; **2** (bavardages) local gossip; **3** Hist, Littérat chronicle; **le livre des Chroniques** Bible the book of Chronicles

chroniquement /kʀɔnikmɑ̃/ *adv* chronically

chroniqueur, -euse /kʀɔnikœʀ, øz/ ▸ **p. 532** *nm,f* **1** Presse columnist, editor; Radio, TV commentator; **~ littéraire** book reviewer; **~ dramatique** drama critic; **chroniqueuse de mode** fashion editor; **2** Hist, Littérat chronicler

chrono○ /kʀono/ *nm* **1** (*abbr* = **chronomètre**) stopwatch; **faire du 120 km/h ~** to do 120 kilometres[GB] an hour; **réussir un bon ~** to make good time; **2** (classeur) chronological correspondence file

chronobiologie /kʀɔnobjɔlɔʒi/ *nf* chronobiology

chronologie /kʀɔnɔlɔʒi/ *nf* chronology

chronologique /kʀɔnɔlɔʒik/ *adj* chronological

chronologiquement /kʀɔnɔlɔʒikmɑ̃/ *adv* chronologically

chronométrage /kʀɔnɔmetʀaʒ/ *nm* timing

chronomètre /kʀɔnɔmɛtʀ/ *nm* **1** (chronographe) stopwatch; **2** (montre de précision) chronometer

(Composé) **~ de marine** (marine) chronometer

chronométrer /kʀɔnɔmetʀe/ [14] *vtr* to time

chronométreur /kʀɔnɔmetʀœʀ/ *nm* timekeeper

chronométrique /kʀɔnɔmetʀik/ *adj* chronometric

chronophage /kʀɔnɔfaʒ/ *adj* time-consuming

chronophotographie /kʀɔnofɔtɔgʀafi/ *nf* chronophotography, sequential photography

chrysalide /kʀizalid/ *nf* chrysalis

(Idiome) **sortir de sa ~** fig to come out of one's shell

chrysanthème /kʀizɑ̃tɛm/ *nm* chrysanthemum

CHS /seaʃɛs/ *nm: abbr* ▸ **centre**

ch'timi○ /ʃtimi/

A *adj* northern French

B *nm,f* (personne) person from northern France

C *nm* (patois) northern French dialect

chtonien, -ienne /ktɔnjɛ̃, ɛn/ *adj* chthonian, chthonic

chtouille◐ /ʃtuj/ *nf* clap◐, gonorrhea

chu ▸ **choir**

CHU /seaʃy/ *nm: abbr* ▸ **centre**

chuchotement /ʃyʃɔtmɑ̃/ *nm* (de personnes) whisper; (de ruisseau, vent) murmur; (de feuilles) rustling

chuchoter /ʃyʃɔte/ [1]

A *vtr* to whisper; **elle me chuchota quelques mots à l'oreille** she whispered a few words in my ear; **on chuchote de drôles d'histoires en ville** there are some strange stories going around town

B *vi* [*personne*] to whisper; [*ruisseau, vent*] to murmur; [*feuilles*] to rustle

chuchotis /ʃyʃɔti/ *nm* (de personnes) faint whispering; (d'eau) murmur

chuintant, ~e /ʃɥɛ̃tɑ̃, ɑ̃t/

A *adj* **1** **bruit ~** (sifflement) hissing sound; (frottement) swishing sound; **2** Phon [*consonne*] palato-alveolar fricative

B **chuintante** *nf* Phon palato-alveolar fricative

chuintement /ʃɥɛ̃tmɑ̃/ *nm* **1** (de vapeur) hiss; (de pneus, semelles) swish; **2** (en prononciation) ≈ lisp, pronunciation of *s* as *sh*

chuinter /ʃɥɛ̃te/ [1] *vi* **1** [*vapeur*] to hiss gently; [*pneu, semelle*] to swish; **2** [*personne*] ≈ to lisp, to pronounce *s* as *sh*; **3** [*chouette*] to hoot

chum○ /tʃœm/ *nm* Can (petit ami) boyfriend

chut /ʃyt/ *excl* shh!, hush!

chute /ʃyt/ *nf* **1** (action de tomber) fall; **faire une ~** [*personne*] to have *ou* take US a fall; [*objet*] to fall; **faire une ~ de cheval/moto** to fall off a horse/motorbike; **une ~ de 5 mètres** a 5-metre[GB] fall; **faire une ~ de 5 mètres** to fall 5 metres[GB]; **2** (fait de se détacher) (de feuille) fall; **~ des cheveux** hair loss; **attention aux ~s de pierres** look out for falling rocks; **3** (cascade) **~ d'eau** waterfall; **les ~s du Niagara** Niagara Falls; **barrage de haute ~** Électrotech dam with a high head; **4** Météo fall; **fortes ~s de neige/pluie** heavy snowfall (*sg*)/rainfall (*sg*); **5** (baisse) (de température, pression, prix etc) fall (**de** in), drop (**de** in); (des ventes) drop (**de** in); (de monnaie) Fin **~ du franc** fall in the price of the franc; **~ de la Bourse** fall on the stock market; **~ de tension** Méd sudden drop in blood pressure; **il a fait une ~ de tension** his blood pressure dropped suddenly; **~ de 5%** 5% drop; **6** (faillite) (de ministre, gouvernement, régime, d'empire) fall (**de** of); (d'empire commercial) collapse (**de** of); Mil (de ville, forteresse) fall (**de** of); **7** Relig **la ~** the Fall; **8** (fin) (de texte, film) ending; (d'histoire) punch line; **9** (pente) slope; **10** (de tissu, papier, cuir) offcut

(Composés) **~ des corps** Phys gravity; **~ libre** free-fall; **descendre en ~ libre** [*parachutiste, avion*] to be in free-fall; **tomber en ~ libre** [*personne, objet*] to fall through the air; **économie/prix/popularité en ~ libre** fig plummeting economy/prices/ popularity; **la ~ des reins** the small of the back; **~ du rideau** Théât fall of the curtain, end of the play

chuter /ʃyte/ [1] *vi* **1** (baisser) [*température, tension, prix*] to fall, to drop; [*ventes, production*] to fall; [*valeurs, actions*] to fall; **~ de/à 10 euros** to fall *ou* drop by/to 10 euros; **la livre a chuté de deux points (par rapport au dollar)** the pound has fallen two points (against the dollar); **faire ~ les cours** to bring prices down, to cause prices to fall; **2** ○(tomber) [*personne*] to fall down *ou* over, to come a cropper○

chyle /ʃil/ *nm* Physiol chyle

chyme /ʃim/ *nm* Physiol chyme

Chypre /ʃipʀ/ ▸ **p. 435, p. 333** *nprf* Cyprus

chypriote /ʃipʀijɔt/ ▸ **p. 561** *adj* Cypriot

Chypriote /ʃipʀijɔt/ ▸ **p. 561** *nmf* Cypriot

ci /si/

A *dét dém* **ce côté-~** this side; **cette page-~** this page; **ces mots-/chaises-~** these words/ chairs; **ce lundi-/mois-~** this Monday/ month; **cette fois-~** this time; **ces jours-~** (récemment) these last few days; (bientôt) in the next few days; (en ce moment) at the moment; **ces temps-~** (récemment) lately; (à présent) at the moment; **à cette heure-~** (de la journée) at this time of day; (de la nuit) at this time of night; **à cette heure-~, tu ne trouveras personne** at this time, there won't be anybody there; **il doit être arrivé à cette heure-~** he must have arrived by now; **vers cette heure-~** around this time

B *pron dém* this; **l'un dit ~, l'autre dit ça** one says this, the other says that; **~ et ça** this and that; ▸ **comme**

CI *written abbr* ▸ **circuit**

ci-annexé, ~e, *mpl* **~s** /sianɛkse/

A *adj* enclosed; **la copie ~e** the enclosed copy

B *adv* enclosed

ciao*○ /tʃao/ *excl* bye○!, see you○!

ci-après /siapʀɛ/ *adv* gén below; Jur hereinafter; **voir ~** see below, v. infra sout

cibiche○ /sibiʃ/ *nf* fag○ GB, cigarette

cibiste /sibist/ *nmf* CB enthusiast

ciblage /siblaʒ/ *nm* targeting

cible /sibl/ *nf* Mil, Pub, Sport target; fig (de critique) target; (de moquerie) butt, target; **~ mobile** moving target; **prendre qn/qch pour ~** fig to pick on sb/sth; **servir de ~ aux moqueries de qn** to be the butt of sb's jokes

cibler /sible/ [1] *vtr* Comm, Pub to target; **ils ont mal ciblé leur clientèle** they didn't target their market properly

ciboire /sibwaʀ/ *nm* ciborium

ciboule /sibul/ *nf* spring onion, scallion US

ciboulette /sibulɛt/ *nf* Bot chive; Culin chives (*pl*)

ciboulot○ /sibulo/ *nm* nut○, head; **il n'a rien dans le ~** he's not very bright

cicatrice /sikatʀis/ *nf* lit, fig scar

cicatriciel, -ielle /sikatʀisjɛl/ *adj* Méd scar (*épith*)

cicatrisable /sikatʀizabl/ *adj* lit, fig healable

cicatrisant, ~e /sikatʀizɑ̃, ɑ̃t/

A *adj* [*substance*] healing

B *nm* cicatrizant spéc, healing product

cicatrisation /sikatʀizasjɔ̃/ *nf* lit, fig healing

cicatriser /sikatʀize/ [1]

A *vtr* lit, fig to heal; **sa blessure est cicatrisée** his/her wound has healed

B **se cicatriser** *vpr* lit, fig to heal

Cicéron /siseʀɔ̃/ *npr* Cicero

cicérone† /siseʀɔn/ *nm* hum cicerone

ci-contre /sikɔ̃tʀ/ *adv* opposite

ci-dessous /sidəsu/ *adv* below; **voir ~** see below, v. infra sout

ci-dessus /sidəsy/ *adv* above; **voir ~** see above, v. supra sout

ci-devant /sidəvɑ̃/

A *adj inv* former

B *nmf inv* Hist *former aristocrat*

C *adv* formerly

CIDJ /seideʒi/ *nm: abbr* ▸ **centre**

cidre /sidʀ/ *nm* cider; **~ doux/sec** sweet/dry cider

(Composé) **~ bouché** cider (*in a corked bottle*)

cidrerie /sidʀəʀi/ *nf* **1** (local) cider-works; **2** (fabrication) cider-making

CIE /seiə/ *nm* (*abbr* = **contrat initiative-emploi**) *job creation scheme offering financial incentives to employers*

ciel /sjɛl, sjø/ *nm* **1** (*pl* **ciels**) Météo sky; **~ clair** *or* **dégagé** clear sky; **les ~s d'Afrique/ de Dali** African/Dali's skies; **carte du ~** star chart; **2** (*pl* **cieux**) liter (firmament) sky; **les cieux étoilés** the starry skies, the starry heavens littér; **être suspendu entre ~ et terre** to be hanging in midair; **entre ~ et terre** fig between heaven and earth; **sous d'autres cieux** in other climes; **sous des cieux plus cléments** (climat) liter in a kinder clime, in kinder climes; (lieu plus sûr) in safer waters; **vivre sous le ~ de Toscane/la Guadeloupe** liter to live in Tuscany/Guadeloupe; **à ~ ouvert** [*piscine, musée*] open-air; [*égout*] open; [*mine*] open-cast GB, strip US; **3** (*pl* **cieux**) (paradis) Relig heaven; **être au ~** to be in heaven; **le royaume des cieux** the kingdom of heaven; **notre Père qui êtes aux cieux** our Father, which *ou* who art in heaven; **4** (providence) liter heaven; **le ~ m'est témoin que** heaven knows that; **remercier le ~** to thank heaven; **le ~ soit loué!** thank heavens!; **(juste) ~!** (good) heavens!; **c'est le ~ qui t'envoie** you are a godsend; ▸ **aider**

(Composés) **~ de carrière** Mines quarry ceiling; **~ de lit** tester

(Idiome) **remuer ~ et terre** to move heaven and earth (**pour faire** to do)

cierge /sjɛʀʒ/ *nm* **1** (d'église) (church) candle; **brûler un ~ à un saint** to light a candle to a saint; **2** Bot cereus

cieux ▸ **ciel 2, 3**

CIG /seiʒe/ *nf* UE (*abbr* = **Conférence intergouvernementale**) IGC

cigale /sigal/ *nf* cicada

cigare /sigaʀ/ *nm* **1** (à fumer) cigar; **2** °(tête) noodle°, head; **il n'a rien dans le ~** he hasn't got much upstairs°

cigarette /sigaʀɛt/ *nf* cigarette; **~ sans filtre** cigarette without a filter; **la ~ du condamné** the condemned man's last cigarette

(Composé) **~ (à) bout filtre** filter-tip (cigarette)

cigarettier /sigaʀetje/ ▸ **p. 532** *nm* cigarette manufacturer

cigarillo /sigaʀijo/ *nm* cigarillo

ci-gît* /siʒi/ *loc verbale* here lies

cigogne /sigɔɲ/ *nf* Zool stork

ciguë* /sigy/ *nf* (poison, plante) hemlock

ci-inclus, **~e** /siɛ̃kly, yz/
A *adj* enclosed; **la copie ~e** the enclosed copy
B *adv* enclosed; **veuillez trouver ~ la pièce demandée** please find enclosed the document requested

ci-joint, **~e** /siʒwɛ̃, ɛ̃t/
A *adj* enclosed; **la copie ~e** the enclosed copy
B *adv* enclosed; **vous trouverez ~ les pièces demandées** you will find enclosed the documents requested

cil /sil/ *nm* **1** Anat eyelash; **2** Biol, Bot cilium

(Composé) **~s vibratiles** cilia

ciliaire /siljɛʀ/ *adj* ciliary

cilice /silis/ *nm* hair shirt; **porter le ~** to wear a hair shirt

cilié, **~e** /silje/
A *adj* Bot ciliate
B **ciliés** *nmpl* Zool Ciliograda

cillement /sijmɑ̃/ *nm* blinking

ciller /sije/ [1] *vi* **~ (des yeux)** to blink; **sans ~** lit unblinkingly; fig without batting an eyelid

cimaise /simɛz/ *nf* (de corniche) cyma; (à mi-hauteur) picture rail

cime /sim/ *nf* top

ciment /simɑ̃/ *nm* **1** Constr cement; **~ hydraulique** hydraulic cement; **~ à prise rapide** quick-setting cement; **2** fig cement; **leur passé commun est le ~ de leur amitié** their friendship is cemented by their common past

cimenter /simɑ̃te/ [1]
A *vtr* **1** Constr to cement [*mur, briques*]; to concrete [*sol, allée*]; **2** fig to cement [*amitié*]
B **se cimenter** *vpr* [*amitié*] to grow stronger

cimenterie /simɑ̃tʀi/ *nf* **1** (usine) cement works; **2** (industrie) cement industry

cimentier /simɑ̃tje/ *nm* **1** (industriel) cement manufacturer; **2** (ouvrier) cement worker

cimeterre /simtɛʀ/ *nm* scimitar

cimetière /simtjɛʀ/ *nm* **1** lit cemetery, graveyard; (d'église) churchyard, graveyard; **à conduire comme ça tu vas finir au ~** if you drive like that you'll end up dead; **2** fig graveyard

(Composés) **~ d'éléphants** elephants' graveyard; **~ de voitures** scrapyard

cimier /simje/ *nm* crest

cinabre /sinabʀ/ *nm* cinnabar

ciné° /sine/ *nm* cinema GB, movies (pl) US

cinéaste /sineast/ ▸ **p. 532** *nmf* film director

ciné-club, *pl* **~s** /sineklœb/ *nm* (groupe, lieu) film club

cinéma /sinema/ *nm* **1** (bâtiment) cinema GB, movie theater US; **dans une salle de ~** in a cinema GB *ou* movie theater US; **aller au ~** to go to the cinema GB *ou* movies° US; **2** (art, technique) cinema; (industrie) film industry; **le marché du ~** the film market; **de ~** [*école*] film (*épith*); [*affiche, actrice, séance*] film (*épith*) GB, movie (*épith*) US; [*programme, écran*] cinema (*épith*) GB, movie (*épith*) US; **l'âge d'or du ~** the golden age of the cinema; **faire du ~** to be in films; **le ~ politique/de Truffaut** political/Truffaut's films; **nouvelle adaptée pour le ~** short story adapted for the screen; **3** péj **c'est du ~** (pas vrai) it's just play-acting; **arrête ton ~** (faire semblant) cut out the play-acting; (faire un drame) stop making such a fuss°; **il a fait tout un ~** he really made a fuss°; **se faire tout un ~** to start imagining things

(Composés) **~ d'animation** animation; **~ d'art et d'essai** (salle) cinema showing art films GB, art house US; (genre) art films (*pl*); **le ~ muet** silent films (*pl*); **le ~ parlant** the talkies° (*pl*)

CinémaScope® /sinemaskɔp/ *nm* Cinemascope®

cinémathèque /sinematɛk/ *nf* **1** (collection) film archive; **2** (petite salle) film theatre GB, movie theater US

cinématique /sinematik/
A *adj* kinematic
B *nf* kinematics (+ *v sg*)

cinématographe /sinematɔgʀaf/ *nm* **1** (appareil) cinematograph GB, motion-picture camera and projector; **2** †(art de faire des films) cinema

cinématographie /sinematɔgʀafi/ *nf* cinematography

cinématographique /sinematɔgʀafik/ *adj* [*production, industrie, expérience, version*] film (*épith*) GB, movie (*épith*) US; **œuvres ~s** films; **l'art ~** the art of filmmaking

cinéma-vérité /sinemaveʀite/ *nm inv* cinéma vérité

cinémomètre /sinemɔmɛtʀ/ *nm* ≈ speed camera

ciné-parc, *pl* **~s*** /sinepaʀk/ *nm* drive-in cinema

cinéphile /sinefil/
A *adj* [*public*] filmgoing (*épith*); **elle est ~** she's a great filmgoer GB *ou* moviegoer US
B *nmf* cinema enthusiast GB *ou* buff°

cinéraire /sineʀɛʀ/
A *adj* [*urne*] funerary
B *nf* Bot cineraria

Cinérama® /sineʀama/ *nm* Cinerama®

cinétique /sinetik/
A *adj* kinetic
B *nf* kinetics (+ *v sg*)

cing(h)alais, **~e** /sɛ̃galɛ, ɛz/ ▸ **p. 483**
A *adj* Sinhalese
B *nm* Ling Sinhalese

Cing(h)alais, **~e** /sɛ̃galɛ, ɛz/ ▸ **p. 561** *nm,f* Sinhalese

cinglant, **~e** /sɛ̃glɑ̃, ɑ̃t/ *adj* **1** lit [*vent*] biting; [*pluie*] driving (*épith*); **2** fig [*remarque, ironie*] scathing; [*démenti*] stinging; [*défaite, échec*] crushing, ignominious

cinglé°, **~e** /sɛ̃gle/
A *adj* mad°, crazy°
B *nm,f* (fou) loony°, nut°; (chauffeur) maniac

cingler /sɛ̃gle/ [1]
A *vtr* **1** [*pluie, vent*] to sting [*visage*]; **2** (avec un fouet) to lash
B *vi* Naut **~ vers** to head for

cinoche° /sinɔʃ/ *nm* **1** (art) cinema GB, pictures° (*pl*) GB, movies (*pl*) US; **aller au ~** to go to the cinema *ou* the movies; **2** (salle) cinema GB, movie theater US

cinoque = **sinoque**

cinq /sɛ̃k/ ▸ **p. 568, p. 424, p. 222** *adj inv, pron, nm inv* five; ▸ **recevoir**

(Idiomes) **je lui ai dit les ~ lettres** I told him/her where to go; **il a dit les ~ lettres** he said a naughty word

cinq-à-sept° /sɛ̃kasɛt/ *nm inv* (rendez-vous) afternoon meeting (*between lovers*)

cinquantaine /sɛ̃kɑ̃tɛn/ *nf* **1** (environ cinquante) about fifty; **une ~ d'étudiants manifestaient** fifty or so students were demonstrating, about fifty students were demonstrating; **avoir une ~ d'années** to be about fifty; **la ~ de passagers qui attendaient** the fifty or so passengers who were waiting; **il y en a une bonne ~** there are well over fifty of them; **il y a une ~ d'années** about fifty years ago; **nous étions une ~/plus d'une ~** there were about fifty of us/more than fifty of us; **il faut compter une ~ d'euros** it's going to cost around fifty euros; **2** (âge) **avoir la ~** to be about fifty, to be fiftyish°; **approcher de la ~** to be getting on for fifty; **Bernard, la ~ bedonnante, est employé de bureau** Bernard, fifty and pot-bellied, works in an office

cinquante /sɛ̃kɑ̃t/ ▸ **p. 568, p. 222** *adj inv, pron* fifty

cinquantenaire /sɛ̃kɑ̃tnɛʀ/
A *adj* [*vigne*] fifty-year-old (*épith*), fifty years old (*jamais épith*)
B *nm* fiftieth anniversary

cinquantième /sɛ̃kɑ̃tjɛm/ ▸ **p. 568** *adj* fiftieth

cinquième /sɛ̃kjɛm/ ▸ **p. 568, p. 222**
A *adj, nmf* fifth; ▸ **roue**
B *nf* Scol *second year of secondary school, age 12–13*

(Composés) **~ colonne** the Fifth Column; **la Cinquième République** Hist the fifth Republic

> **Cinquième République**
>
> As established by the constitution of 1958 and still valid today, the *Cinquième République* refers to the regime founded along the lines laid down by Charles de Gaulle, emphasizing the role of a strong executive and institutions for guaranteeing stability.

cintrage /sɛ̃tʀaʒ/ *nm* bending

cintre /sɛ̃tʀ/
A *nm* **1** (pour vêtement) hanger; **2** Archit curve; (arc) **plein ~** round arch; **3** (armature) former
B **cintres** *nmpl* Théât **les ~s** the flies

cintré, **~e** /sɛ̃tʀe/
A *pp* ▸ **cintrer**
B *pp adj* **1** [*manteau*] waisted; [*chemise*] tailored; **2** Archit [*porte, fenêtre*] arched; [*galerie*] vaulted

cintrer /sɛ̃tʀe/ [1] *vtr* **1** Cout to take [sth] in at the waist [*veste*]; **2** Archit to arch [*porte, fenêtre*]; to vault [*galerie*]; **3** Tech to bend [*tuyau*]

CIO /seio/ *nm: abbr* ▸ **centre**

cirage /siʀaʒ/ *nm* **1** (produit) (shoe) polish; **~ en crème** shoe cream; **2** (activité, méthode) polishing

(Idiome) **être dans le ~**° (à demi conscient) to be half-conscious, to be out of it°; (désorienté) to be all at sea; Aviat to be flying blind

circadien, **-ienne** /siʀkadjɛ̃, ɛn/ *adj* **rythme ~** circadian rhythm

circaète /siʀkaɛt/ *nm* harrier eagle

circoncire /siʀkɔ̃siʀ/ [64] *vtr* to circumcise; **faire ~ qn** to have sb circumcised

circoncision /siʀkɔ̃sizjɔ̃/ *nf* male circumcision

circonférence /siʀkɔ̃feʀɑ̃s/ *nf* circumference

circonflexe /siʀkɔ̃flɛks/ *adj* **accent ~** circumflex (accent)

circonlocution /siʀkɔ̃lɔkysjɔ̃/ *nf* circumlocution sout; **s'exprimer par ~s** to have a rather convoluted way of expressing oneself

circonscription /siʀkɔ̃skʀipsjɔ̃/ *nf* Admin district

(Composé) **~ électorale** (de député) ≈ electoral constituency GB *ou* district US; (de conseiller, maire) ≈ electoral ward

circonscrire /siʀkɔ̃skʀiʀ/ [67] *vtr* **1** Math to circumscribe; **2** (limiter) to contain [*incendie, épidémie*]; to limit [*sujet, domaine*] (**à** to); **3** (délimiter) to define

circonspect, **~e** /siʀkɔ̃spɛ, ɛkt/ *adj* [*personne, attitude*] cautious, circumspect (**envers qn** toward, towards GB sb; **envers qch** about sth)

circonspection /siʀkɔ̃spɛksjɔ̃/ *nf* caution, circumspection sout (**envers qn** towards sb; **envers qch** about sth); **avec ~** cautiously, circumspectly sout

circonstance /siʀkɔ̃stɑ̃s/
A *nf* **1** (condition) circumstance; **~s d'une mort** circumstances of a death; **en raison des ~s** under the circumstances; **2** (situation) situation; **~ grave** serious situation; **en pareille ~** in a situation like this; **en toute ~** in any event; **en la ~** in this particular case; **pour la ~** for the occasion; **être à la hauteur des ~s** to be equal to the occasion
B de circonstance *loc adj* [*poème*] for the occasion; [*blague, programme*] topical; [*allié, préoccupation*] of the moment; [*loi*] ad hoc; [*sourire, attitude*] artificial; **être de ~** to be fitting; **faire une tête de ~** to assume a fitting expression
(Composés) **~ aggravante** Jur aggravating circumstance; **~s atténuantes** Jur extenuating *ou* mitigating circumstances

circonstancié, **~e** /siʀkɔ̃stɑ̃sje/ *adj* detailed

circonstanciel, **-ielle** /siʀkɔ̃stɑ̃sjɛl/
A *adj* **1** (de circonstance) incidental; **2** Ling [*complément, proposition*] adverbial
B circonstancielle *nf* adverbial clause

circonvenir /siʀkɔ̃v(ə)niʀ/ [36] *vtr* fml to circumvent sout, to get around US [*personne*]

circonvolution /siʀkɔ̃vɔlysjɔ̃/ *nf* convolution; **décrire des ~s** to twist and turn

circuit /siʀkɥi/ *nm* **1** Courses Aut circuit; **2** (de tourisme) tour; **~ accompagné/guidé** accompanied/guided tour; **faire le ~ des châteaux de la Loire** to tour the Châteaux of the Loire; **ne pas suivre les ~s touristiques** to go off the beaten track; **3** (d'activité) circuit; **~ bancaire/financier/parallèle** banking/financial/unofficial circuit; **~ de production/distribution** production/distribution circuit; **~ économique** economic process; **être mis hors ~** [*personne*] to be put on the sidelines, to be sidelined; **je ne suis plus dans le ~**○ I'm out of the swing of things; **remettre qch dans le ~** to put sth back into circulation; **vivre en ~ fermé** to live in a closed world; **4** (itinéraire) **j'ai fait tout un ~** *or* **un de ces ~s pour arriver ici!** I took a very roundabout route to get here!; **5** Tech circuit; **~ électrique** electric circuit; **~ fermé/ouvert/dérivé** Électrotech closed/open/derived circuit; **~ primaire/secondaire de refroidissement** Nucl primary/secondary coolant circuit
(Composés) **~ d'alimentation** feed system; **~ hydraulique** hydraulic system; **~ imprimé** printed circuit; **~ intégré, CI** integrated circuit, IC; **~ intégré logique** integrated logic circuit

circulaire /siʀkylɛʀ/
A *adj* circular; **de forme ~** circular
B *nf* (lettre) circular

circularité /siʀkylaʀite/ *nf* circularity; **la ~ de ton raisonnement** your circular logic

circulation /siʀkylɑsjɔ̃/ *nf* **1** (de véhicules) traffic; **~ alternée** Transp contraflow; **~ aérienne/ferroviaire/maritime/routière** air/rail/maritime/road traffic; **rue interdite à la ~** street closed to traffic; **faire la ~** [*agent*] to be on traffic duty; (en cas d'accident) to direct traffic; **accident de la ~** road accident; **2** (déplacement, échange) circulation; **la libre ~ des personnes, des marchandises et des capitaux** the free movement of people, goods and capital; **être en ~** [*billets, produit*] to be in circulation; [*bateau*] to be in operation; [*train*] to be running; **la mise en ~ de** the circulation of [*produit*]; **mettre/remettre qch en ~** to put sth/to put sth back into circulation [*billets, produit*]; **disparaître de la ~** lit, fig [*personne, produit*] to disappear from circulation; **retirer de la ~** to withdraw [sth] from circulation [*billet, produit*]; **3** (d'air, de gaz, sang) circulation; **la ~ sanguine** *or* **du sang** the circulation of the blood, blood circulation; **avoir une bonne/mauvaise ~** to have good/poor circulation

circulatoire /siʀkylatwaʀ/ *adj* Physiol [*accident, troubles*] circulation (*épith*); [*appareil, système*] circulatory spéc

circuler /siʀkyle/ [1] *vi* **1** (être en service) [*train, bus*] to run; [*bateau*] to operate; **interdiction de ~** no traffic, traffic banned; **'ne circule pas le dimanche'** (train, bus) 'does not run on Sundays'; **les camions ne circulent pas le dimanche** there are no trucks on the roads on Sundays; **2** (aller d'un lieu à un autre) to get around; (sans but précis) to move about; (être en voiture) to travel; **je circule en vélo** I get around by bike; **leurs ressortissants peuvent ~ librement** their nationals can move (about) freely; **deux policiers circulaient à bord de la voiture** there were two policemen travelling[GB] in the car; **circulez, il n'y a rien à voir!** move along, there's nothing to see!; **3** (se répandre) [*rumeur, information, plaisanterie, idée*] to circulate, to go around *ou* about; **faire ~** to circulate [*information, idée*]; to spread, to put about [*rumeur*]; **4** (être distribué) [*marchandises, billets, journal*] to circulate; **faire ~** to put [sth] into circulation [*marchandises, billets, actions*]; to circulate [*journal, publication*]; **5** [*sang, air*] to circulate; **faire ~** to circulate

circumpolaire /siʀkɔmpɔlɛʀ/ *adj* circumpolar

cire /siʀ/ *nf* wax; **en ~** wax (*épith*). ▸ **moulage, pain**
(Composés) **~ d'abeilles** beeswax; **~ à cacheter** sealing wax

ciré /siʀe/ *nm* oilskin

cirer /siʀe/ [1] *vtr* to polish [*chaussures, parquet*]; ▸ **toile**
(Idiomes) **~ les pompes de qn**○ to suck up to sb○; **ne rien avoir à ~ de qn/qch**◑ not to give a damn about sb/sth○

cireur, **-euse**[1] /siʀœʀ, øz/
A ▸ **p. 532** *nm,f* shoe-shine boy/girl
B cireuse *nf* (appareil) (floor) polisher

cireux, **-euse**[2] /siʀø, øz/ *adj* [*aspect, teint*] waxen; [*consistance*] waxy

cirque /siʀk/ *nm* **1** (spectacle) circus; **un numéro de ~** a circus act; **2** ○(chahut) racket○; (désordre) shambles○ (*sg*); (comédie) carry-on GB; **il a fait le ~ toute la nuit** he made a racket all night; **arrête ton ~!** stop your nonsense!; **c'est le ~ pour se garer à Oxford** it's a real performance parking in Oxford; **3** Géog cirque; **4** Antiq circus; **les jeux du ~** circus games

cirrhose /siʀoz/ ▸ **p. 283** *nf* cirrhosis
(Composé) **~ du foie** cirrhosis of the liver

cirrocumulus /siʀokymylys/ *nm inv* cirrocumulus

cirrostratus /siʀostʀatys/ *nm inv* cirrostratus

cirrus /siʀys/ *nm inv* cirrus

cisaille /sizɑj/ *nf* **1** (de jardinier, ferblantier, d'orfèvre) pair of shears; **~s** shears; **2** (de relieur, d'établi) guillotine

cisaillement /sizɑjmɑ̃/ *nm* **1** (découpage) (de plaque, tôle) shearing; (de câble, tige) cutting; **2** (entaille) cutting; **3** (rupture) (de pièces) shearing; (de couches géologiques) shear

cisailler /sizɑje/ [1] *vtr* **1** (avec une cisaille) to shear [*tôle*]; to cut [*câble*]; **2** (par usure) to shear off

cisalpin, **~e** /sizalpɛ̃, in/ *adj* [*région*] cisalpine; [*Gaule*] Cisalpine

ciseau, *pl* **~x** /sizo/
A *nm* **1** Tech chisel; **2** Sport (saut) scissors jump; (prise de lutte) scissors hold
B ciseaux *nmpl* scissors (*pl*); (gros et robustes) shears; **saut en ~x** scissors jump; **tailler une étoffe à grands coups de ~x** to cut boldly into a piece of material; **coupe aux ~x** scissor cut; **donner un coup de ~x dans un texte** fig to prune a text
(Composés) **~ à froid** cold chisel; **~x à broder** embroidery scissors; **~x de couture** sewing scissors; **~x à cranter** pinking shears; **~x à ongles** nail scissors

ciselage /sizlaʒ/ *nm* **1** Tech chiselling[GB]; **2** Agric *trimming of bad grapes from bunch before sale*

cisèlement /sizɛlmɑ̃/ *nm* = **ciselage**

ciseler /sizle/ [17] *vtr* **1** Tech to chase [*métal*]; to chisel [*bois, pierre*]; **ses traits finement ciselés** his/her finely chiselled[GB] features; **2** fig liter to chisel, to polish [*style, discours*]; **3** Agric to trim off bad grapes from a bunch (before sale); **4** Culin to score [*viande*]; to snip [*herbes*]

ciselure /sizlyʀ/ *nf* (de métal) chasing; (de pierre, bois) carving

Cisjordanie /sisʒɔʀdani/ ▸ **p. 721** *nprf* **la ~** the West Bank (of Jordan)

cistercien, **-ienne** /sistɛʀsjɛ̃, ɛn/ *adj, nm,f* Cistercian

citadelle /sitadɛl/ *nf* lit, fig citadel

citadin, **~e** /sitadɛ̃, in/
A *adj* city (*épith*)
B *nm,f* city-dweller
C citadine *nf* Aut city car

citation /sitasjɔ̃/ *nf* **1** gén quotation; **'fin de ~'** 'unquote'; **2** Jur (d'accusé) summons (+ *v sg*); (de témoin) subpoena; **3** Mil (récompense) commendation
(Composé) **~ à l'ordre du jour** mention in dispatches

cité /site/ *nf* **1** Antiq city; (ville) city; (plus petite) town; **2** (ensemble de logements) housing estate; ▸ **dortoir B**
(Composés) **~ ouvrière** workers' housing development; **la ~ des Papes** Avignon; **~ universitaire** student halls (*pl*) of residence GB, dormitories (*pl*) US; **la Cité du Vatican** the Vatican City.

cité-jardin, *pl* **cités-jardins** /siteʒaʀdɛ̃/ *nf* garden city GB, planned town US

citer /site/ [1] *vtr* **1** (rapporter exactement) to quote [*auteur, phrase, passage*]; **je cite** I quote; **2** (mentionner) to name [*titre, œuvre*]; to cite [*personne, pays*]; to cite [*exemple, fait, chiffres*]; **cite-moi le nom de trois acteurs espagnols** name three Spanish actors; **elle a cité l'exemple de cet homme qui...** she cited the example of the man who...; **3** Jur to summon [*témoin*]; **être cité en justice** to be issued with a summons; **4** Mil to commend [*soldat, général, unité*]; **~ qn à l'ordre du jour** to mention sb in dispatches

citerne /sitɛʀn/ *nf* tank

cithare /sitaʀ/ ▸ **p. 557** *nf* zither

citoyen, **-enne** /sitwajɛ̃, ɛn/ *nm,f* citizen; **un drôle de ~**○ a strange character
(Composé) **~ d'honneur** ≈ freeman

citoyenneté /sitwajɛnte/ *nf* citizenship

citrate /sitʀat/ *nm* citrate

citrique /sitʀik/ *adj* citric

citron /sitʀɔ̃/
A ▸ **p. 202** *adj inv* lemon; **jaune ~** lemon yellow
B *nm* **1** Bot, Culin lemon; **jus de ~** lemon juice; **poulet au ~** lemon chicken; **goût/odeur de ~** lemony taste/smell; **2** ○(tête) head, nut○
(Composés) **~ givré** lemon sorbet (*served inside a lemon*); **~ pressé** freshly squeezed lemon juice (*with sugar*); **~ vert** lime
(Idiomes) **presser qn comme un ~**○ to squeeze sb dry○; **se presser le ~**○ to rack one's brains

citronnade /sitʀɔnad/ *nf* lemon squash GB, lemonade US

citronné, **~e** /sitʀɔne/ *adj* [*odeur, goût*] lemony; [*crème, tisane*] lemon(-flavoured[GB]); **eau ~e** water with a dash of lemon juice

citronnelle /sitʀɔnɛl/ *nf* **1** Bot citronella; **huile de ~** citronella oil; **2** (mélisse) lemon balm; **3** (liqueur) citronella

citronnier /sitʀɔnje/ *nm* lemon tree

citrouille /sitʀuj/ *nf* **1** Bot, Culin pumpkin; **2** ○(tête) head, nut○

(Idiome) **avoir la tête comme une ~**○ to feel as if one's head was going to burst

cive /siv/ *nf* **1** Bot chive; **2** Culin chives (*pl*)

civet /sivɛ/ *nm* ≈ stew; **~ de lapin/chevreuil** rabbit/venison stew; **~ de lièvre** jugged hare ¢

civette /sivɛt/ *nf* **1** (ciboulette) Bot chive; Culin chives (*pl*); **2** (mammifère) civet (cat); **3** (musc) civet

civière /sivjɛʀ/ *nf* stretcher

civil, **~e** /sivil/

A *adj* **1** (non militaire) [*vie, autorités, vêtements*] civilian; (non religieux) [*mariage*] civil; [*enterrement*] non religious; (non pénal) [*droit, tribunal*] civil; **2** (du citoyen) [*droits*] civil; **3** †(courtois) civil (**à l'égard de** to)

B *nm* **1** (personne) civilian; **soldat en ~** soldier in civilian clothes *ou* in civvies○; **policier en ~** plain-clothes policeman; **se mettre en ~** [*soldat*] to dress in civilian clothes; [*policier*] to dress in plain clothes; **dans le ~** in civilian life, in civvy street○ GB; **2** ○Jur **poursuivre qn au ~** to bring a civil suit against sb

civilement /sivilmɑ̃/ *adv* **1** (laïquement) **se marier ~** to get married in a registry office GB *ou* at city hall US; **être enterré ~** to have a non religious funeral; **2** †(courtoisement) in a civil manner; **3** Jur [*poursuivre*] in the civil court; [*responsable*] under civil law

civilisateur, **-trice** /sivilizatœʀ, tʀis/ *adj* civilizing (*épith*)

civilisation /sivilizasjɔ̃/ *nf* civilization

civiliser /sivilize/ [1]

A *vtr* lit, fig to civilize

B **se civiliser** *vpr* to become civilized

civilité /sivilite/

A *nf* **1** †(politesse) civility; **les règles de la ~** good manners **2** (état civil) title (*Mr, Mrs, Ms*)

B **civilités** *nfpl* fml courtesies; **échanger des ~s** to exchange courtesies; **présenter ses ~s à qn** to pay one's respects to sb

civique /sivik/ *adj* civic; **avoir l'esprit ~** to have a sense of civic responsibility; **instruction** *or* **éducation ~** civics (+ *v sg*)

civisme /sivism/ *nm* **avoir le sens du/n'avoir aucun ~** to have a/to have no sense of civic responsibility

clabaudage /klabodaʒ/ *nm* liter backbiting ¢

clabaudeur, **-euse** /klabodœʀ, øz/ *nm,f* liter backbiter

clac /klak/ *nm* (*also onomat*) (de porte) slam; (de piège à souris) snap; (de fouet) crack

cladonie /kladɔni/ *nf* reindeer moss

clafoutis /klafuti/ *nm* fruit baked in batter

claie /klɛ/ *nf* **1** (à fromages, fruits) wicker rack; **2** (crible) riddle; **3** (clôture) hurdle; **4** (de sac à dos) stretcher frame

clair, **~e** /klɛʀ/

A *adj* **1** (pâle) [*couleur, teinte*] light; [*teint*] (rosé) fair; (frais) fresh; **du tissu gris très ~** very light grey GB *ou* gray US material; **avoir les yeux ~s** (bleus) to have pale blue *ou* grey GB *ou* gray US eyes; **2** (lumineux) [*logement, pièce*] light; **la maison est très ~e** the house is very light; **3** Météo (pas couvert) [*journée, nuit, ciel, temps*] clear; **par temps ~** (de jour) on a clear day; (de nuit) on a clear night; **4** (limpide) [*son, voix, tonalité*] clear; [*eau*] clear; **à l'eau ~e** [*rincer*] in clear water; **5** (intelligible) [*texte, personne, idées, langue*] clear; **en termes plus ~s** in clearer terms; **je n'ai pas les idées ~es aujourd'hui** I'm not thinking very clearly today; **6** (sans équivoque) [*message, décision, situation*] clear; **suis-je ~?** do I make myself clear?; **il faut que les choses soient (bien) ~es** let's get things straight; **pour moi, c'est ~, il est jaloux** it's clear to me that he's jealous; **il a été très ~ sur ce point** he was very clear on this point; **c'est ~ et net, c'est ~ net et précis** it's absolutely clear; **il n'est pas ~ dans cette histoire**○ his role in this affair is not clear; **il est/semble ~ que** it is/seems clear that; **pour moi il est ~ qu'il ment/que ça ne sert à rien** it's clear to me that he's lying/that it's useless; **passer le plus ~ de son temps** *or* **de sa vie** to spend most of one's time (**à faire** doing; **dans** in); **dépenser le plus ~ de son argent en bêtises** to spend most of one 's money on rubbish; **7** (peu épais) [*soupe*] clear; (trop) thin; **8** (usé) [*vêtement, tissu*] worn through, thin; **9** (pas touffu) [*forêt, blé*] sparse

B *adv* **il faisait ~** it was already light; **il fait ~ très tôt** it gets light very early; **il fait ~ très tard** it stays light very late; **voir ~** lit to see well; **avec mes lunettes je** *or* **j'y vois ~** lit with my glasses I can see well *ou* properly; **il ne** *or* **n'y voit pas ~** lit his eyesight is not very good; **j'aimerais y voir ~ dans cette histoire** fig I'd like to get to the bottom of this story; **parler ~** fig to speak clearly

C *nm* **1** (clarté) light; **en ~** TV unscrambled; Mil, Ordinat in clear; (pour parler clairement) to put it clearly; **en ~ cela veut dire qu'il refuse** to put it clearly it means that he refuses; **mettre ses idées au ~** fig to get one's ideas straight; **tirer une histoire** *or* **une affaire au ~** to get to the bottom of things; **2** (couleur) light colours[GB] (*pl*); **3** Art **les ombres et les ~s d'un tableau** the light and shadow of a painting

D **claire** *nf* (bassin) oyster bed; **fine de ~e** Culin claire oyster

(Composé) **~ de lune** moonlight; **se promener au ~ de lune** to go for a walk in the moonlight

(Idiome) **c'est ~ comme le jour** *or* **de l'eau de roche** it's clear as daylight, it's crystal clear

clairance /klɛʀɑ̃s/ *nf* Biol, Chimie clearance

claire ▸ **clair A, D**

clairement /klɛʀmɑ̃/ *adv* [*apparaître, dire, définir*] clearly; **il apparaît ~ que** it clearly appears that; **elle a ~ défini/expliqué** she clearly defined/explained

clairet, **-ette** /klɛʀɛ, ɛt/

A *adj* [*vin*] thin; [*bouillon, soupe*] thin

B *nm* Vin light red wine

C **clairette** *nf* Vin (vin) sparkling white wine; (cépage) *variety of white grape*

claire-voie, *pl* **claires-voies*** /klɛʀvwa/ *nf* **1** (clôture) openwork fence; **à ~** [*volets, porte*] openwork; **2** Archit clerestory

clairière /klɛʀjɛʀ/ *nf* clearing, glade

clair-obscur, *pl* **clairs-obscurs** /klɛʀɔbskyʀ/ *nm* **1** Art chiaroscuro; **2** (pénombre) (evening) twilight

clairon /klɛʀɔ̃/ ▸ **p. 557** *nm* **1** (instrument) bugle; **sonner du ~** to sound the bugle; **2** (personne) bugler; **3** (jeu d'orgue) clarion stop

claironnant, **~e** /klɛʀɔnɑ̃, ɑ̃t/ *adj* [*voix*] strident

claironner /klɛʀɔne/ [1] *vtr* (proclamer) to shout [sth] from the rooftops [*nouvelle*]

clairsemé, **~e** /klɛʀsəme/ *adj* [*arbres, maisons*] scattered; [*cheveux, public, foule*] thin

clairvoyance /klɛʀvwajɑ̃s/ *nf* perceptiveness; **faire preuve de/manquer de ~** to show/to lack perceptiveness

clairvoyant, **~e** /klɛʀvwajɑ̃, ɑ̃t/ *adj* fig [*personne*] perceptive; **un esprit ~** a perceptive person

clam /klam/ *nm* clam

clamecer◑ /klamse/ [1] *vi* to croak◑ GB, to die

clamer /klame/ [1] *vtr* to proclaim (**que** that); **~ haut et fort son soutien** to loudly proclaim one's support

clameur /klamœʀ/ *nf* (de protestation) clamour[GB] ¢; (d'enthousiasme) roar

clamser◑ = **clamecer**

clan /klɑ̃/ *nm* lit, fig clan; **esprit de ~** clan mentality, clannishness

clandestin, **~e** /klɑ̃dɛstɛ̃, in/

A *adj* [*organisation, journal*] underground (*épith*); [*immigration, commerce, travail*] illegal; [*prostitution*] clandestine; **passager ~** stowaway

B *nm,f* (immigrant) illegal immigrant GB *ou* alien US; (passager) stowaway

clandestinement /klɑ̃dɛstinmɑ̃/ *adv* (illégalement) illegally; (en secret) secretly

clandestinité /klɑ̃dɛstinite/ *nf* **1** (d'activité, organisation) secret *ou* clandestine nature; **atmosphère de ~** atmosphere of secrecy; **les milieux de la ~** those who operate in secret; **pendant sa ~** during his/her time in hiding; **dans la ~** [*passer, se réfugier*] underground; [*vivre*] in hiding; [*opérer*] in secret; **sortir de la ~** to come out into the open; **2** (situation illégale) **travailler dans la ~** to work illegally

clanique /klanik/ *adj* clan (*épith*)

clap /klap/ *nm* clapperboard

clapet /klapɛ/ *nm* **1** (soupape) valve; **2** ○(bouche) mouth, trap○; **ferme ton ~!** shut your trap○!

(Composés) **~ antiretour** check valve, non-return valve; **~ d'échappement** exhaust valve; **~ de retenue** check valve

clapier /klapje/ *nm* rabbit hutch

clapotement /klapɔtmɑ̃/ *nm* lapping ¢ (**de** of)

clapoter /klapɔte/ [1] *vi* to lap

clapotis /klapɔti/ *nm inv* lapping (**de** of)

clappement /klapmɑ̃/ *nm* clicking ¢

clapper /klape/ [1] *vi* **faire ~ sa langue** to click one's tongue

claquage /klakaʒ/ *nm* **1** Méd (action) pulling *ou* straining (of a muscle); (blessure) pulled *ou* strained muscle; **se faire un ~** to pull a muscle; **2** Électrotech breakdown

claquant○, **~e** /klakɑ̃, ɑ̃t/ *adj* exhausting, knackering○ GB

claque /klak/

A *nm* **1** (chapeau) **(chapeau) ~** opera hat; **2** ◑(maison close) knocking shop◑ GB, whorehouse

B *nf* **1** (gifle) slap; **donner une ~ à qn** to slap sb; **recevoir une ~** to get a slap; **2** ○(humiliation) slap in the face; (échec) beating; **se prendre une ~ aux élections** to take a beating *ou* hammering at the elections; **3** Théât claque

(Idiome) **en avoir sa ~**○ to be fed up (to the back teeth○ GB)

claqué, **~e** /klake/

A *pp* ▸ **claquer**

B ○*pp adj* (épuisé) knackered○ GB, done in○

claquement /klakmɑ̃/ *nm* (de porte, fenêtre) bang; (de fouet) crack; (de tonnerre) clap; (de langue) cluck; (répété) (de porte, fenêtre) banging ¢; (de fouet) cracking ¢; (de langue) clicking ¢; (de bannière, voile) flapping ¢; **le ~ des sabots** (de personne) the clatter(ing) of clogs; (de chevaux) the clip-clop of hooves; **après un ~ de talons, il se retira** with a click of his heels, he withdrew; **un perpétuel ~ de volets** a constant sound of banging shutters; **les ~s du fouet** the crack(ing) of the whip

claquemurer /klakmyʀe/ [1]

A *vtr* to immure (**dans** in)

B **se claquemurer** *vpr* to shut oneself away (**dans** in); **elle vit claquemurée dans sa chambre** she lives shut away in her bedroom

claquer /klake/ [1]

A *vtr* **1** (fermer) to slam [*porte*]; **~ la porte au nez de qn** lit, fig to slam the door in sb's face; **partir** *or* **sortir en claquant la porte** lit to storm out slamming the door behind one; **ils sont partis en claquant la porte** (pendant des négociations) they walked out closing the door on further negotiations; **2** ○(épuiser) to exhaust, to wear [sb] out [*personne*]; **la course l'a claqué** he was worn out after the race; **3** ○(dépenser) to (manage to) go through, to blow○ [*argent*]; **~ sa paie au casino/en livres** to blow one's wages at the casino/on books; **4** Sport to pull, to strain [*muscle*]; **5** (gifler) to slap [*personne*]; **6** ○(casser) to break [*appareil*]

B *vi* **1** (faire un bruit) [*porte, volet*] to bang; [*coup de* *feu*] to ring out; [*bannière, voile*] to flap; **faire ~ la porte** to slam the door; **faire ~ son fouet** to crack one's whip; **la porte claqua** (se ferma) the door slammed shut; **2** (faire un bruit avec une partie du corps) **~ des doigts** to snap one's fingers; **~ des talons** Mil to click one's heels; **~ des mains** *or* **dans ses mains** to clap (one's hands); **elle claque des dents** her teeth are chattering; **faire ~ ses doigts** to snap one's fingers; **faire ~ sa langue** to click one's tongue; **3** ◑(mourir) to die (**de** from), to snuff it○ GB, to croak○; **le malade lui a claqué dans les doigts** the patient died on him/her○; **4** ○(se casser) [*appareil, machine*] to pack up○ GB, to conk out○; [*corde*] to snap; fig (échouer) [*affaire*] to go bust○; **la télé m'a claqué dans les mains** the TV died on me○

C **se claquer** *vpr* **1** Sport **se ~ un muscle** to pull *ou* strain a muscle; **2** ○(s'épuiser) to wear oneself out (**à faire** doing)

claquette /klakɛt/
A *nf* (claquoir) gén clapper; Cin clapper board
B **claquettes** *nfpl* Danse tap dancing (*sg*); **faire des ~s** to tap dance

claquoir /klakwaʀ/ *nm* clapper board

clarification /klaʀifikasjɔ̃/ *nf* clarification **₵**; **apporter des ~s** to clarify matters (**sur** concerning)

clarifier /klaʀifje/ [2] *vtr* **1** fig to clarify [*position, situation, débat*]; **2** lit to clarify [*mélange, beurre*]

clarine /klaʀin/ *nf* cowbell

clarinette /klaʀinɛt/ ▸ **p. 557** *nf* clarinet; **jouer de la ~** to play the clarinet

clarinettiste /klaʀinetist/ ▸ **p. 532** *nmf* clarinettist

clarisse /klaʀis/ *nf* nun of the order of St Clare

clarté /klaʀte/
A *nf* **1** (lumière) light; **une douce ~** a soft light; **manquer de ~** to lack light; **à la ~ de** by the light of [*bougie, lampe*]; **2** (de l'eau, du verre) clarity; (de teint) fairness; **3** (de raisonnement, style, d'exposé) clarity; **avec ~** clearly; **besoin de/manque de ~** need for/lack of clarity; **faire (toute) la ~ sur qch** to get to the bottom of sth
B **clartés** *nfpl* (connaissances) knowledge **₵**; **avoir des ~s sur qch** to be knowledgeable about sth

clash○ /klaʃ/ *nm* clash

classe /klas/ *nf* **1** Scol (groupe d'élèves) class, form GB; (niveau) year, form GB, grade US; **une ~ turbulente/studieuse** a rowdy/hard-working class *ou* form GB; **les ~s primaires/de maternelle** primary (school)/nursery classes; **les ~s du secondaire** secondary school classes *ou* forms GB, ≈ junior high school and high school US; **redoubler une ~** to repeat a year; **passer dans la ~ supérieure** to go up a year; **être le premier/dernier de sa ~** to be *ou* come top/bottom of the class; **2** Scol (cours) class, lesson; **une ~ de dessin** a drawing class *ou* lesson; **les élèves de Mme Dupont n'auront pas ~ demain** Mrs Dupont's class won't be having any lessons tomorrow; **parler en ~** to talk in class; **faire la ~** to teach; **le soir après la ~** in the evening after school; **3** Scol (salle) classroom; **il s'est fait mettre à la porte de la ~** he was sent out of the classroom; **4** Sociol, Pol class; **les ~s sociales** the social classes; **la ~ ouvrière/dirigeante** the working/ruling class; **les ~s moyennes** the middle classes; **une société sans ~s** a classless society; **~ politique** political class *ou* community; **5** (catégorie) class (**de** of); **la ~ des mammifères** the class of mammals; **les artistes sont une ~ à part** artists are a class apart; **~ grammaticale** Ling grammatical class; **6** gén class; (rang) Admin grade; **produits/champagne de première ~** first-class products/champagne; **7** (élégance) class; **avoir de la ~** to have class; **il a beaucoup de ~** he has real class; **ça, c'est la ~**◑**!** now that's class *ou* style○!; **c'est pas la ~**◑**!** that's not very stylish!; **elle est très ~**◑ she's really classy○; **8** Transp class; **billet de première/seconde ~** first-/second-class *ou* standard GB ticket; **~ touristes/affaires** economy *ou* tourist/business class; **voyager en première ~** to travel first class; **9** Mil annual levy *ou* draft; **la ~ 1990** the 1990 levy *ou* draft; **faire ses ~s** lit to do one's basic training; fig to start out; **un cinéaste qui a fait ses ~s à la télévision** fig a film director who started out in television

(Composés) **~ d'adaptation** special needs class; **~ d'âge** age group; **~ de mer** *educational schooltrip to the seaside*; **~ de nature** *schooltrip to the countryside*; **~ de neige** *schooltrip in the mountains*; **~ de transition** Scol remedial class; **~ verte** = **~ de nature**; **les ~s creuses** *age groups depleted by low birthrate*; **~s préparatoires (aux grandes écoles)** *preparatory classes for entrance to Grandes Écoles*

> **Classe de neige**
>
> The *classe de neige* denotes the period of about a week which school classes spend in a mountain area when ski tuition is integrated with normal school work. The *classe de nature* or *classe verte* similarly refers to the week-long stay by school pupils in the countryside where nature study is integrated with normal school work.

classement /klasmɑ̃/ *nm* **1** (en catégories) classification (**de** of); **faire un ~ alphabétique/chronologique** to put into alphabetical/chronological order; **2** (rangement) filing (**de** of); **vous vous occuperez du ~** you'll be in charge of filing; **elle fait du ~ toute la journée** she spends all day filing; **faire du ~ dans ses papiers** to sort one's papers out; **3** (d'élèves, employés) grading (**de** of); **donner à des élèves leur ~ trimestriel/annuel** to give students their termly/yearly positions (in class); **avoir un bon/mauvais ~** to be in the top/bottom half of the class; **4** Sport ranking (**de** of); **~ individuel/par équipe** individual/team ranking; **prendre la tête du ~** to get first place; **5** (d'hôtel, de restaurant) rating (**de** of); **~ deux/trois étoiles** two-/three-star rating; **6** Jur closing (**de** of); **~ d'une affaire par manque de preuves** closing of a case for lack of evidence

classer /klase/ [1]
A *vtr* **1** (catégoriser) to classify [*animaux, documents, livres, objets, papiers*]; **~ par ordre alphabétique** to classify in alphabetical order; **~ des objets par couleur/des livres par auteur** to classify objects by colour[GB]/books by author; **~ des nombres en ordre croissant/décroissant** to place numbers in ascending/descending order; **être classé comme dangereux** to be considered dangerous; **2** (ranger) to file (away) [*documents, archives*] (**dans** in); **3** Jur, Pol to close [*dossier, affaire*]; **c'est une affaire classée** fig the matter is closed; **4** Admin to list [*bâtiment*]; to designate [sth] as a conservation area [*site*]; **~ un château monument historique** to list a castle as a historical monument; **un immeuble classé** a listed building; **une parcelle classée en terrain non constructible** a plot listed as unsuitable for development; **5** (attribuer un rang à) to class [*pays, élèves*]; to rank [*film, chanson, artiste, joueur*] (**parmi** among); **un sportif classé au plan international** a world class sportsman; **un joueur de tennis classé** a ranked *ou* seeded tennis player; **non classé** unseeded; **6** ○(juger) to size [sb] up; **je l'ai toute de suite classé** I sized him up○ immediately
B **se classer** *vpr* [*tableau, pays, site*] to rank (**parmi** among); **se ~ comme le pays le plus pauvre** to be listed as the world's poorest country; **se ~ premier/deuxième** Sport [*personne*] to rank first/second

classe-relais, *pl* **classes-relais** /klasʀəlɛ/ *nf* temporary class for problem pupils

classeur /klasœʀ/ *nm* **1** (à anneaux) ring binder; (à compartiments) file; **2** (meuble de rangement) filing cabinet

classicisme /klasisism/ *nm* **1** Art, Littérat classicism; **2** (conformisme) (de tenue, goût) traditionalism (**of** de), conservatism (**de** of)

classieux○, **-ieuse** /klasjø, øz/ *adj* péj flashy

classificateur, -trice /klasifikatœʀ, tʀis/
A *adj* [*méthode*] of classification (*après n*)
B *nm* Chimie classifier

classification /klasifikasjɔ̃/ *nf* classification (**de** of); **méfiez-vous des ~s hâtives** don't make hasty judgments; **la ~ périodique des éléments** the periodic table (of elements)

classifier /klasifje/ [2] *vtr* to classify

classique /klasik/
A *adj* **1** (gréco-latin) [*auteur, œuvre, culture, études*] classical; **la littérature ~ grecque** classical Greek literature; **faire des études ~s** Scol to do Latin and Greek, to do classics; **la section ~** Scol the classics stream GB *ou* group; **2** Ling [*langue*] classical; **3** (pour distinguer une époque, un genre) [*période*] classical; [*danse, musique, répertoire*] classical; **théâtre ~ français** French classical theatre; **4** (consacré) [*auteur, œuvre*] classic; **5** (harmonieux, sobre) [*beauté, style, tenue*] classic; **de coupe ~** of classic cut; **6** (courant) [*exemple, histoire, situation*] classic; [*traitement, méthode*] classic, standard; (habituel) [*symptôme, réaction*] classic; [*conséquence*] usual; **c'est ~**○**!** it's typical!; **c'est l'itinéraire ~ d'un élève studieux** it's the path good students usually follow; **c'est le coup ~**○**!** it's the same old story!; **7** (traditionnel) [*grammaire, agriculture*] traditional; [*arme, genre*] conventional
B *nm* **1** (auteur) classical author; **2** (œuvre) classic; **un ~ de l'écran** a screen classic; **un ~ du genre** a classic of its kind; **je connais mes ~s**○**!** hum I know my classics!; **3** (style) **le ~** Mus classical music; Danse classical ballet; Mode classic clothes (*pl*)
C *nf* Sport classic

classiquement /klasikmɑ̃/ *adv* (de façon traditionnelle) traditionally; (habituellement) usually

claudélien, -ienne /klodeljɛ̃, ɛn/ *adj* Claudelian

claudicant, ~e /klodikɑ̃, ɑ̃t/ *adj* **1** lit [*démarche*] limping; **2** fig [*argumentation*] shaky

claudication /klodikasjɔ̃/ *nf* **1** (fait de boiter) limping; **2** (infirmité) limp

claudiquer /klodike/ [1] *vi* to limp

clause /kloz/ *nf* clause (**sur** on); **~ résolutoire/échappatoire** cancellation[GB]/escape clause; **~ d'indexation/de sauvegarde** escalator/safeguard clause

(Composés) **~ de conscience** Presse conscience clause; **~ d'exemption** UE opt-out clause; **~ de style** standard formula

claustra /klostʀa/ *nm* Archit trellis; (cloison mobile) trellised screen

claustral, ~e, *mpl* **-aux** /klostʀal, o/ *adj* fml monastic

claustration /klostʀasjɔ̃/ *nf* confinement

claustrer /klostʀe/ [1]
A *vtr* to confine
B **se claustrer** *vpr* to shut oneself away (**dans** in); **se ~ dans le mutisme** to retreat into stubborn silence

claustrophobe /klostʀɔfɔb/
A *adj* claustrophobic
B *nmf* claustrophobia sufferer

claustrophobie /klostʀɔfɔbi/ *nf* claustrophobia

clavecin /klavsɛ̃/ ▸ **p. 557** *nm* harpsichord; **jouer du ~** to play the harpsichord

claveciniste /klavsinist/ ▸ **p. 532** *nmf* harpsichordist

clavette /klavɛt/ *nf* Tech key

clavicorde /klavikɔʀd/ ▸ p. 557 *nm* clavichord

clavicule /klavikyl/ *nf* collarbone, clavicle spéc

clavier /klavje/ *nm* keyboard

(Composé) **~ numérique** numeric keypad

claviériste /klavjeʀist/ *nmf* keyboard player

claviste /klavist/ ▸ p. 532 *nmf* 1 Imprim typesetter; 2 Ordinat keyboarder

clayette /klɛjɛt/ *nf* 1 (de réfrigérateur) shelf; 2 (cageot) crate

clayon /klɛjɔ̃/ *nm* (à fromages, fruits) small wicker rack; (à gâteaux) cake tray

clayonnage /klɛjɔnaʒ/ *nm* wicker fences (*pl*)

clé /kle/

A *nf* 1 Tech (de serrure, mécanisme, conserve) key; **la ~ de la porte d'entrée/du garage** the front-door/garage key; **la ~ de ma chambre** the key to my bedroom; **laisser la ~ sur la porte** to leave the key in the door *ou* lock; **sous ~** under lock and key; **fermer à ~** to lock [*porte, valise, tiroir*]; **ça ferme à ~?** does it lock?; **usine/projet ~s en main** turnkey factory/project; **solution ~s en main** ready-made solution; **prix ~s en main** Aut on the road price GB, sticker price US; 2 (condition, solution) key (**de** to); **détenir la ~ du bonheur** to know the secret of true happiness; **détenir la ~ du mystère** to have the key to the mystery; **détenir la ~ de la situation** to control the situation; **la ~ des songes** the key to the interpretation of dreams; **roman à ~** roman à clef; 3 (outil) spanner GB, wrench; 4 Mus (de flûte, clarinette) key; (de violon, guitare) peg; (de cor, trompette) valve; (de tambour) tuning screw; (dans une notation) clef; **~ de fa/de sol/d'ut** bass *ou* F/treble *ou* G/alto *ou* C clef; 5 Sport (prise) armlock; **faire une ~ à qn** to get sb in an armlock; 6 Ling (de caractère chinois) key; 7 Hérald key

B (-)clé (*in compounds*) **poste/mot/document(-) ~** key post/word/document; **les industries ~s** the key industries; **l'homme(-)~** the key man

C à la clé *loc adv* (comme enjeu) at stake; Mus in the key-signature; **avec, à la ~, une récompense/un beau salaire** with a reward/a fat salary thrown in

(Composés) **~ d'accès électronique** Télécom digital security coding; **~ d'accordeur** Mus tuning key; **~ anglaise** = **~ à molette**; **~ à bougie** Aut plug spanner GB, spark-plug wrench US; **~ de contact** Aut ignition key; **~ à crémaillère** monkey wrench; **~ à douille** box spanner GB, socket wrench; **~ dynamométrique** torque spanner GB *ou* wrench US; **~ de mandrin** chuck key; **~ à molette** adjustable spanner GB *ou* wrench US; **~ à pipe** box spanner GB, socket wrench; **~ plate** (de serrage) open end spanner GB *ou* wrench US; (de serrure) cylinder key; **~ de poêle** damper; **~ polygonale** ring spanner GB, box end wrench US; **~ de protection** Ordinat dongle; **~ de remontage** winding key; **~ à sardines** Culin sardine tin key GB, sardine can key US; **~ de sécurité** Ordinat dongle; **~ de sûreté** (de serrure) Yale® key; **~ pour vis à six pans creux** Allen® key GB *ou* wrench US; **~ USB** Ordinat USB key; **~ de voûte** Archit, fig keystone; **~s du royaume** Relig keys of the Kingdom of Heaven; **~s de la ville** keys of the city

(Idiomes) **prendre la ~ des champs** to escape; **mettre la ~ sous la porte** *or* **le paillasson** (partir) to leave; (faire faillite) to go bankrupt

clean○ /klin/ *adv inv* [*étudiant, style*] squeaky clean○

clearing /kliʀiŋ/ *nm* clearing; **accord de ~** clearing agreement

clébard◑ /klebaʀ/, **clebs**◑ /klɛps/ *nm* mutt○ péj, dog

clef = **clé**

clématite /klematit/ *nf* clematis

(Composé) **~ des haies** old man's beard, traveller's joy

clémence /klemɑ̃s/ *nf* 1 (indulgence) leniency (**envers** to), clemency sout (**envers** to); **~ judiciaire** judicial clemency; 2 (de climat) mildness, clemency sout (**de** of)

clément, **~e** /klemɑ̃, ɑ̃t/ *adj* 1 [*juge*] lenient (**envers** to), clement sout (**envers** to); **se montrer ~** to show clemency (**envers** to); 2 [*température, hiver*] mild, clement sout

clémentine /klemɑ̃tin/ *nf* clementine

clenbutérol /klɑ̃byteʀɔl/ *nm* clenbuterol

clenche /klɑ̃ʃ/ *nf* latch

Cléopâtre /kleɔpatʀ/ *npr* Cleopatra

clepsydre /klɛpsidʀ/ *nf* water clock, clepsydra

cleptomane /klɛptɔman/ *adj, nmf* kleptomaniac

cleptomanie /klɛptɔmani/ *nf* kleptomania

clerc /klɛʀ/ *nm* 1 ▸ p. 532 Admin, Jur clerk; **~ (de notaire)** notary's clerk; 2 †Relig cleric; 3 ‡(lettré) scholar; **être (grand) ~ en la matière** to be an expert on the subject; **il ne faut pas être grand ~ pour...** you don't need to be a genius to...; 4 (intellectuel) intellectual

clergé /klɛʀʒe/ *nm* clergy; **régulier/séculier** regular/secular clergy; **haut/bas ~** upper/lower clergy

clérical, **~e**, *mpl* **-aux** /kleʀikal, o/

A *adj* 1 [*vie, fonction*] clerical; 2 [*parti, presse*] that supports the Church (*épith, après n*)

B *nm,f* supporter of clericalism

cléricalisme /kleʀikalism/ *nm* clericalism

Clermont-Ferrand /klɛʀmɔ̃fɛʀɑ̃/ ▸ p. 894 *npr* Clermont-Ferrand

clermontois, **~e** /klɛʀmɔ̃twa, az/ ▸ p. 894 *adj* of Clermont-Ferrand

Clermontois, **~e** /klɛʀmɔ̃twa, az/ *nm,f* (natif) native of Clermont-Ferrand; (habitant) inhabitant of Clermont-Ferrand

Cleveland ▸ p. 721 *nprm* **le ~** Cleveland

clic /klik/ *nm* 1 (*also onomat*) click (**de** of); 2 (en phonétique) click

clic-clac /klikklak/ *nm inv* 1 (*also onomat*) (d'appareil photo, de hauts talons) click (**de** of); 2 (canapé) sofa-bed

cliché /kliʃe/ *nm* 1 Phot (négatif) negative; (photo) snapshot; **prendre un ~** to take a snap; 2 (lieu commun) cliché; 3 Imprim plate

client, **~e** /klijɑ̃, ɑ̃t/ *nm,f* 1 (personne) (de magasin) customer; (d'avocat, de notaire) client; (d'hôtel) guest, patron; (de taxi) passenger, fare; **être ~ d'un magasin** to be a regular customer in a shop GB *ou* store US; **je ne suis pas ~e** (de magasin) I'm not a regular customer; (de banque) I am not a customer; **tu es ~?** fig are you interested?; 2 (pays, société) customer, client; **les pays ~s** countries which are customers; 3 Hist client

(Idiome) **c'est à la tête du ~** it depends whether they like the look of you

clientèle /klijɑ̃tɛl/ *nf* 1 (de magasin, restaurant) customers (*pl*), clientele; (d'avocat, de notaire) clients (*pl*); (de médecin) patients (*pl*); (d'hôtel) clientele; **la ~ d'affaires** business customers (*pl*); **ils ont surtout une ~ féminine** their customers are mainly women; **avoir une bonne ~** [*magasin, restaurant*] to have a lot of customers; [*avocat, médecin*] to have a large practice; **se faire une ~** to build up a clientele; **ils ont une ~ d'entreprises** they deal with firms; **perdre de la ~** to lose business *ou* custom; 2 (habitude d'achat) custom; (à plus grande échelle) business; **accorder sa ~ à qn** to give sb one's custom *ou* business; **je vais lui retirer ma ~** I'll take my custom elsewhere, I'll take my business elsewhere; 3 Hist clients (*pl*)

(Composé) **~ électorale** Pol supporters (*pl*), constituency US

clientélisme /klijɑ̃telism/ *nm* Pol pej vote-catching

clignement /kliɲəmɑ̃/ *nm* **~ d'œil** blinking **¢**

cligner /kliɲe/ [1]

A *vtr* **~ les yeux** (plisser les yeux) to screw up one's eyes; (battre des paupières) to blink; **la lumière lui fit ~ les yeux** the light made him/her blink

B cligner de *vtr ind* **~ des yeux** (plisser les yeux) to screw up one's eyes; (battre des paupières) to blink; **~ de l'œil** to wink

C *vi* **ses yeux clignèrent** he/she blinked

clignotant, **~e** /kliɲɔtɑ̃, ɑ̃t/

A *adj* [*étoile*] twinkling; [*feu, lumière, phare*] flashing; [*yeux*] blinking

B *nm* 1 Aut (pour tourner) indicator GB, turn signal US, blinker US; **mettre son ~** to indicate GB *ou* signal; 2 Écon warning sign

clignotement /kliɲɔtmɑ̃/ *nm* (d'étoile) twinkling; (de feu, lumière, phare) flashing; (d'yeux) blinking

clignoter /kliɲɔte/ [1] *vi* 1 [*lumière*] (une fois) to flash; (longtemps) to flash on and off; [*étoile*] to twinkle; 2 [*personne, yeux*] to blink; **~ des yeux** to blink

climat /klima/ *nm* 1 Météo, Géog climate; **~ continental/océanique** continental/oceanic climate; **sous d'autres ~s** liter in other climes; 2 (ambiance) climate; **dans un ~ de violence/confiance** in a climate of violence/confidence; **dans un ~ détendu** in a relaxed atmosphere

climaticien, **-ienne** ▸ p. 532 /klimatisjɛ̃, ɛn/ *nm,f* air-conditioning engineer

climatique /klimatik/ *adj* climatic

climatisation /klimatizasjɔ̃/ *nf* air-conditioning

climatiser /klimatize/ [1] *vtr* (maintenir la température de) to air-condition [*pièce*]; (équiper) to install air-conditioning in [*maison*]; **hôtel climatisé** air-conditioned hotel

climatiseur /klimatizœʀ/ *nm* air-conditioner

climatologie /klimatɔlɔʒi/ *nf* climatology

climatologique /klimatɔlɔʒik/ *adj* climatological

climatologue /klimatɔlɔg/ *nmf* climatologist

climatothérapie /klimatɔteʀapi/ *nf* climatotherapy

clin /klɛ̃/ *nm* **~ d'œil** lit wink; fig allusion; **faire un ~ d'œil à qn** lit to wink at sb; **en un ~ d'œil** in a flash, in the wink of an eye littér

cline /klin/ *nm* cline

clinfoc /klɛ̃fɔk/ *nm* flying jib

clinicien, **-ienne** /klinisjɛ̃, ɛn/ *nm,f* clinician

clinique /klinik/

A *adj* clinical

B *nf* 1 (établissement) private hospital; 2 (médecine) clinical medicine

(Composés) **~ d'accouchement** maternity hospital *ou* home GB; **~ vétérinaire** veterinary clinic

cliniquement /klinikmɑ̃/ *adv* clinically

clinquant, **~e** /klɛ̃kɑ̃, ɑ̃t/

A *adj* [*bijou, intérieur*] flashy○; **discours ~** cheap rhetoric

B *nm* 1 (paillettes) beading; 2 (faux éclat) (de décor) flashiness○; (de discours) cheap rhetoric

Clio /klijo/ *npr* Clio

clip /klip/ *nm* 1 (vidéoclip) pop video; 2 (bijou) (broche) clip brooch; (boucle d'oreille) clip-on; 3 (de serviette hygiénique) wing

clipper /klipe/ [1] *vtr* to clip; **un portable clippé à la ceinture** a mobile clipped to his/her belt

cliquable /klikabl/ *adj* clickable

clique /klik/ *nf* 1 (groupe) clique; 2 (fanfare) pipe band

C

(Idiome) **prendre ses ~s et ses claques** to pack up and go

cliquer /klike/ [1] *vi* Ordinat to click (**sur** on); **~ à droite/gauche** to right-click/left-click

cliquet /klikɛ/ *nm* (de roue) pawl

cliqueter /klikte/ [20] *vi* [*clés, pièces de monnaie*] to jingle; [*chaîne, ferraille*] to rattle; [*mécanisme, engrenage*] to go clickety-clack; [*aiguilles à tricoter*] to click; [*couverts*] to clink; [*épées*] to rattle

cliquetis /klikti/ *nm inv* (de clés, pièces de monnaie) jingle; (de chaîne, ferraille) rattle; (de mécanisme, d'engrenage, aiguilles à tricoter) clicking; (d'épée) rattle; (de couverts) clinking

clisse /klis/ *nf* 1 (à fromage) wicker cheese-drainer; 2 (à bouteille) wicker bottle-covering

clisser /klise/ [1] *vtr* **~ une bouteille** to cover *ou* case a bottle in wicker

clitoridectomie /klitɔʀidɛktɔmi/ *nf* clitoridectomy

clitoridien, **-ienne** /klitɔʀidjɛ̃, ɛn/ *adj* clitoral

clitoris /klitɔʀis/ *nm inv* clitoris

clivage /klivaʒ/ *nm* 1 Géol (faille) cleavage; 2 Minér (de roche) cleavage; 3 Tech (de diamant, cristal) cleaving; 4 (division) divide (**entre** between); **les ~s politiques/sociaux** political/social divides; **le ~ droite-gauche** the left-right divide; **le ~ Nord-Sud** the North-South divide; **le ~ cinéma-TV**○ the divide between cinema and TV; **~ d'opinion** division of opinion

cliver /klive/ [1] *vtr*, **se cliver** *vpr* to cleave

cloaque /klɔak/ *nm* 1 fig cesspit; 2 Zool cloaca

clochard, **~e** /klɔʃaʀ, aʀd/ *nm,f* tramp, down-and-out

clochardisation /klɔʃaʀdizasjɔ̃/ *nf*: *process by which a person is reduced to vagrancy*; **des jeunes chômeurs en voie de ~** young unemployed people on the road to vagrancy

clochardiser: **se clochardiser** /klɔʃaʀdize/ [1] *vpr* to become reduced to vagrancy

cloche /klɔʃ/

A ○*adj* [*personne, propos*] silly, stupid

B *nf* 1 (instrument sonore) bell; **on a entendu dix coups de ~** we heard the bell ring ten times; **en (forme de) ~** bell-shaped; **courbe en ~** Math Gaussian curve, bell curve; ▸ **déménager**; 2 (ustensile) Chimie bell jar; Hort cloche; **mettre qch sous ~** to put sth under cloche; 3 ○(imbécile) clot○ GB, clod○, idiot; 4 ○(clochard) tramp; **la ~** the down-and-outs (*pl*)

(Composés) **~ à fromage** Culin cover of cheese dish; **~ de plongée** Naut diving bell; **~ à vide** Phys vacuum bell jar

(Idiomes) **se taper la ~**○ to have a good *ou* slap-up GB meal, to pig out○; **entendre plusieurs sons de ~** to hear several different versions; **qui n'entend qu'une ~ n'entend qu'un son** if you only listen to one person, you don't get the whole picture; **sonner les ~s à qn** to bawl sb out○; **se faire sonner les ~s** to get bawled out○

cloche-pied: **à cloche-pied*** /aklɔʃpje/ *loc adv* **sauter à ~** to hop

clocher /klɔʃe/ [1]

A *nm* 1 (d'église) (en pointe) steeple; (tour) church *ou* bell tower; 2 fig (pays natal) home town; **il n'a jamais quitté son ~** he has never left his home town; **esprit de ~** parochial *ou* small-town mentality; **querelle/rivalités de ~** parish-pump GB *ou* local quarrel/rivalries

B ○*vi* (être défectueux) [*argumentation*] to be faulty; **il y a quelque chose qui cloche dans l'amplificateur/dans ce que tu dis** there's something wrong with the amplifier/with what you are saying

clocheton /klɔʃtɔ̃/ *nm* 1 (ornement) pinnacle; 2 (petit clocher) little steeple

clochette /klɔʃɛt/ *nf* 1 (petite cloche) (little) bell; 2 (fleur) bell, bell-shaped flower

clodo○ /klɔdo/ *nm* tramp, down-and-out

cloison /klwazɔ̃/ *nf* 1 Constr partition; (mobile de bureau) screen; 2 Anat, Bot septum; 3 (d'un émail) metal strip (*in cloisonné*); 4 Naut bulkhead; **~ étanche** lit watertight bulkhead; fig watertight compartment; 5 fig (barrière) barrier (**entre** between)

(Composé) **~ extensible** folding room-divider

cloisonnage /klwazɔnaʒ/ *nm* Constr partitioning

cloisonné, **~e** /klwazɔne/

A *pp* ▸ **cloisonner**

B *pp adj* 1 Constr [*bureau*] partitioned; 2 Pol [*structure, parti*] compartmentalized; 3 Art [*émail*] cloisonné (*épith*)

C *nm* Art cloisonné

cloisonnement /klwazɔnmɑ̃/ *nm* 1 (action, résultat) partitioning; 2 (de la population) division; (de services, d'administration) compartmentalization; **les ~s entre** the barriers between [*services, groupes*]

cloisonner /klwazɔne/ [1] *vtr* 1 Constr to partition [*pièce*]; to divide up [*surface*]; 2 fig to divide up [*société*]; to compartmentalize [*secteurs, administration*]; to erect barriers between [*groupes*]

cloisonnisme /klwazɔnism/ *nm* Art synthetism

cloître* /klwɑtʀ/ *nm* cloister

cloîtrer* /klwatʀe/ [1]

A *vtr* 1 (enfermer) to shut [sb] away; **il cloître sa fille dans sa chambre** he keeps his daughter shut (away) in her bedroom; **rester cloîtré dans sa chambre** to shut oneself away in one's room; 2 Relig to put [sb] into a monastery [*homme*]; to put [sb] into a convent [*femme*]; **religieuse cloîtrée** nun belonging to an enclosed order

B **se cloîtrer** *vpr* 1 (s'enfermer) to shut oneself away (**dans** in); **se ~ dans le silence** to retreat into silence; 2 Relig [*homme*] to enter a monastery; [*femme*] to enter a convent

clonage /klonaʒ/ *nm* cloning

clone /klon/ *nm* clone

cloner /klone/ [1] *vtr* to clone

clope○ /klɔp/ *nm ou f* fag○ GB, ciggy○, cigarette

clopet○ /klɔpɛ/ *nm* Helv (sieste) nap

clopin-clopant*○ /klɔpɛ̃klɔpɑ̃/ *loc adv* 1 (en boitant) **marcher ~** to hobble along; **partir ~** to hobble off; **descendre/remonter la rue ~** to hobble down/up the street; 2 (mal) **aller ~** [*économie, affaires*] to limp along

clopiner /klɔpine/ [1] *vi* to hobble

clopinettes○ /klɔpinɛt/ *nfpl* **gagner des ~** to earn peanuts○; **des ~!** no way○!

cloporte /klɔpɔʀt/ *nm* woodlouse; **des ~s** woodlice

(Idiome) **vivre comme un ~** to live like a hermit

cloque /klɔk/ *nf* 1 (sur la peau) blister; 2 (sur du papier, de la peinture) blister; 3 Hort peach leaf curl

(Idiome) **être en ~**◑ to be up the spout○ GB, to be knocked up◑, to be pregnant

cloqué, **~e** /klɔke/

A *pp* ▸ **cloquer**

B *pp adj* **tissu ~** seersucker

C *nm* Tex seersucker

cloquer /klɔke/ [1]

A *vtr* Tex to pucker [*tissu*]

B *vi* 1 [*peinture, peau*] to blister; 2 [*feuille*] to curl

clore /klɔʀ/ [79]

A *vtr* 1 (mettre fin à) to close [*débat, scrutin, compte*] (**par** with); **l'exercice clos le 31 décembre** Compta the financial year which ended on 31 December; 2 (être la fin de) to end, to conclude [*programme, congrès*]; to end [*livre*]; **un dîner a clos le congrès** the conference ended with a dinner; 3 (fermer) liter to close [*yeux, volet*]; to block, to seal off [*passage*]; to seal [*enveloppe*]; 4 (enclore) to enclose [*terrain*] (**de** with); 5 †(conclure) to conclude [*accord, marché*]

B **se clore** *vpr* (se terminer) to end (**par** with)

clos, **~e** /klo, oz/

A *pp* ▸ **clore**

B *pp adj* 1 (fermé) gén closed; [*enveloppe*] sealed; **monde ~** fig self-contained world; **à la nuit ~e** liter after nightfall; 2 (clôturé) [*terrain*] fenced, enclosed

C *nm inv* (terrain) fenced *ou* enclosed field; (verger) orchard; (vigne) vineyard

clôture /klotyʀ/ *nf* 1 (barrière) (de bois) fence; (de fil de fer) wire fence; (de grillage) chain-link *ou* wire-mesh fence; (grille) railings (*pl*); (mur) surrounding wall; (haie) hedge; **~ électrique** electric fence; **mur de ~** enclosing wall; **poser une ~ autour d'un terrain** to fence *ou* enclose a field; 2 (de débat, scrutin, séance, liste) close; (de souscription) closing; (de magasin, bureau) closing; (de saison) close; **discours/séance de ~** closing speech/session; **~ des inscriptions le 3 mai à midi** closing date for registration, noon on 3 May; **le Te Deum de Bizet est programmé en ~ du festival** Bizet's Te Deum is scheduled to close the festival; 3 (de compte) closure; (en Bourse) close; **à la ~** at the close (of the day's trading); **faiblir en ~** to weaken at the close; **prix/stock de ~** closing price/stock; **achat/vente/opération après ~** after-hours buying/selling/trading; **valoir 10 euros en ~** to close at 10 euros; 4 (de monastère) enclosure

clôturer /klotyʀe/ [1]

A *vtr* 1 (enclore) to enclose, to fence in [*terrain*]; **il veut ~ son jardin** he wants to fence in his garden GB *ou* yard US; **il va le ~ avec du fil de fer barbelé/une haie** he's going to surround it with barbed wire/a hedge; 2 (terminer) [*personne*] to close [*débat, séance, liste, compte*]; [*discours, cérémonie*] to end, to bring [sth] to a close [*débat, festival etc*]; **les inscriptions sont clôturées** the closing date for registration has passed; **l'exercice clôturé le 31 décembre** Compta the financial year which ended on 31 December

B *vi* Fin [*marché, action*] **~ à 3 euros** to close at 3 euros; **~ à la hausse/baisse** to close up/down; **le marché a clôturé sur un gain de 10 points** trading closed on a gain of 10 points

C **se clôturer** *vpr* [*congrès*] to end (**par** with)

clou /klu/

A *nm* 1 Tech nail; **suspendu à un ~** hung on a nail; **ceinture/veste à ~s** studded belt/jacket; **planter un ~** to hammer in a nail; 2 (attraction) (de spectacle) star attraction; (de soirée) high point; 3 ○(bicyclette) bone-shaker○, bicycle; 4 (furoncle) boil; 5 ○(mont-de-piété) **être/mettre au ~** to be at/to take [sth] to the pawnshop

B **clous** *nmpl* 1 (passage pour piétons) pedestrian crossing (*sg*) GB, crosswalk (*sg*) US; 2 ○(rien) **des ~s!** no way!

(Composés) **~ à chaussures** shoe tack; **~ de girofle** Bot, Culin clove; **~ sans tête** lost-head nail; **~ de tapissier** upholstery tack

(Idiomes) **un ~ chasse l'autre** one takes over where the other leaves off; **enfoncer le ~** to drive the point home; **ne pas valoir un ~**○ not to be worth a thing *ou* a brass farthing GB

clouage /kluaʒ/ *nm* nailing

clouer /klue/ [1] *vtr* 1 (fixer avec de gros clous) to nail down [*caisse*]; to nail up [*pancarte*]; to nail together [*planches*]; 2 (fixer avec de petits clous) to tack [*moquette, affiche*]; 3 (immobiliser) **~ au sol** to pin [sb] down [*adversaire*]; **les avions sont restés cloués au sol en raison du mauvais temps** the planes were grounded because of the weather; 4 (invalider) (temporairement) **~ au lit/chez soi** to confine [sb]

to bed/to one's home; (en permanence) **être** *or* **rester cloué au lit** to be bedridden; 5 (stupéfier) to stun; **être** *or* **rester cloué** to be stunned; ~ **de stupeur** to stun
clouté, ~**e** /klute/ *adj* studded (**de** with); **passage** ~ pedestrian crossing GB, crosswalk US
clovisse /klɔvis/ *nf* clam
clown /klun/ *nm* clown; **quel** ~**!** fig what a comedian!; **faire le** ~ to clown about
(Composé) ~ **blanc** whitefaced clown
clownerie /klunʀi/ *nf* trick; ~**s** clowning ¢; **arrête tes** ~**s** stop clowning about
clownesque /klunɛsk/ *adj* [*mimique*] exaggerated; [*personnage*] clown-like; [*situation*] farcical
cloyère /klwajɛʀ, klɔjɛʀ/ *nf* oyster basket
club /klœb/ *nm* 1 (société, local) club; fig (groupe) group; 2 (au golf) (golf-)club; ▸ **classe, fauteuil**
(Composé) ~ **de vacances** holiday camp
clubiste /klœbist/ *nmf* club member
cluse /klyz/ *nf* transverse valley
Clwyd ▸ **p. 721** *nprm* **le** ~ Clwyd
clystère‡ /klistɛʀ/ *nm* clyster‡
Clytemnestre /klitɛmnɛstʀ/ *npr* Clytemnestra
cm (*written abbr* = **centimètre**) cm; **cm²** (centimètre carré) cm²; **cm³** (centimètre cube) gén cm³; (pour moteurs) cc
CM /seɛm/ *nm*: *abbr* ▸ **cours**
CMH /seɛmaʃ/ *nm* (*abbr* = **complexe majeur d'histocompatibilité**) MHC, major histocompatibility complex
CMU /seɛmy/ *nf*: *abbr* ▸ **couverture**
CMV /seɛmve/ *nm* (*abbr* = **cytomégalovirus**) CMV, cytomegalovirus
CNDP /seɛndepe/ *nm* (*abbr* = **Centre national de documentation pédagogique**) *teachers' resource centre*
CNED /knɛd/ *nm*: *abbr* ▸ **centre**
CNES /knɛs/ *nm* (*abbr* = **Centre national d'études spatiales**) *French national centre for space research*
CNET /knɛt/ *nm* (*abbr* = **Centre national d'études des télécommunications**) *French telecommunications research centre*
CNIL /knil/ *nf* (*abbr* = **Commission nationale de l'informatique et des libertés**) *French national data protection agency*
CNIT /knit/ *nm* (*abbr* = **Centre national des industries et des techniques**) *exhibition and conference centre in Paris*
CNJA /seɛnʒia/ *nm* (*abbr* = **Centre national des jeunes agriculteurs**) *union for young peasant farmers*
CNRS /seɛnɛʀɛs/ *nm* (*abbr* = **Centre national de la recherche scientifique**) *national centre for scientific research*
CNUCED /knysɛd/ *nf* (*abbr* = **Conférence des Nations unies pour le commerce et le développement**) UNCTAD
coaccusé, ~**e** /koakyze/ *nm,f* codefendant
coach, *pl* ~**s** /kotʃ/ *nmf* 1 gén, Sport coach; 2 (développement personnel) life coach
coacher /kotʃe/ [1] *vt* to coach
coacquéreur /koakeʀœʀ/ *nm* joint purchaser
coactionnaire /koaksjɔnɛʀ/ *nmf* joint shareholder
coadaptateur, **-trice** /koadaptatœʀ, tʀis/ *nmf* co-author (*of an adaptation*)
coadjuteur, **-trice** /koadʒytœʀ, tʀis/ *nm,f* coadjutor/coadjutress
coadministrateur, **-trice** /koadministʀatœʀ, tʀis/ *nm,f* 1 Comm joint administrator; 2 Jur joint trustee
coagulable /koagylabl/ *adj* coagulable
coagulant, ~**e** /kɔagylɑ̃, ɑ̃t/
A *adj* coagulative
B *nm* coagulant
coagulateur, **-trice** /kɔagylatœʀ, -tʀis/ *adj* coagulative
coagulation /kɔagylasjɔ̃/ *nf* coagulation; **temps de** ~ coagulation *ou* clotting time
coaguler /kɔagyle/ [1] *vi*, **se coaguler** *vpr* [*sang*] to coagulate; [*lait*] to curdle
coalisé, ~**e** /kɔalize/
A *pp* ▸ **coaliser**
B *pp adj* [*forces, pays, partis*] Mil, Pol allied; [*intérêts*] combined
C *nm,f* member of the coalition
coaliser /kɔalize/ [1]
A *vtr* gén to unite; Pol to unite [sb] in a coalition; ~ **un groupe** to unite a group (**contre** against)
B **se coaliser** *vpr* gén to unite; Pol to form a coalition; **se** ~ **contre la misère/pollution** to unite to combat poverty/pollution
coalition /kɔalisjɔ̃/ *nf* coalition; **gouvernement de** ~ coalition government
coaltar /kɔltaʀ, koltaʀ/ *nm* coal tar
(Idiome) **être dans le** ~○ to be in a daze
coassement /kɔasmɑ̃/ *nm* croaking ¢
coasser /kɔase/ [1] *vi* to croak
coassurance /koasyʀɑ̃s/ *nf* co-insurance
coauteur /kootœʀ/ *nm* co-author
coaxial, ~**e**, *mpl* **-iaux** /koaksjal, o/
A *adj* coaxial
B *nm* Électrotech Télécom feeder
COB /kɔb/ *nf* (*abbr* = **Commission des opérations de Bourse**) *Stock Exchange watchdog body*; *cf* SERC GB, SEC US
cobalt /kɔbalt/ *nm* cobalt; **bleu** ~ cobalt blue; ▸ **bombe**
cobaye /kɔbaj/ *nm* lit, fig guinea pig; **servir de** ~ to act as a guinea pig
cobelligérant, ~**e** /kobɛlliʒeʀɑ̃, ɑ̃t/
A *adj* cobelligerent
B *nm* cobelligerent
COBOL /kɔbɔl/ *nm* COBOL
cobra /kɔbʀa/ *nm* cobra
coca /kɔka/
A *nm* 1 ○(*abbr* = **coca-cola**®) Coke®; 2 Bot (arbuste) coca
B *nm ou f* (extrait) coca extract
coca-dollar○, *pl* **coca-dollars** /kɔkadɔlaʀ/ *nm* cocaine dollar
cocagne /kɔkaɲ/ *nf* **mât de** ~ ≈ greasy pole; **pays de** ~ land of Cockaigne
cocaïne /kɔkain/ *nf* cocaine
cocaïnomane /kɔkainɔman/ *nmf* cocaine addict
cocarde /kɔkaʀd/ *nf* (sur uniforme) cockade; (emblème national) (sur avion) roundel; (sur véhicule) official badge; ~ **tricolore** Hist revolutionary cockade; (en tissu) rosette
cocardier, **-ière** /kɔkaʀdje, ɛʀ/ pej
A *adj* jingoistic
B *nm,f* jingoist
cocasse /kɔkas/ *adj* comical
cocasserie /kɔkasʀi/ *nf* (de personnage, d'objet) comical appearance; (de propos) comical nature
coccinelle /kɔksinɛl/ *nf* 1 (insecte) ladybird, ladybug US; 2 ○(voiture) (VW) beetle○
coccyx /kɔksis/ *nm inv* coccyx
coche /kɔʃ/ *nm* (diligence) (stage)coach
(Composé) ~ **d'eau** horse-drawn barge
(Idiomes) **manquer le** ~ to miss the boat; **faire la mouche du** ~ to act as a goad, to make a nuisance of oneself
cochenille /kɔʃnij/ *nf* 1 (colorant) cochineal; 2 (insecte) cochineal insect
cocher /kɔʃe/ [1]
A *nm* (de diligence) coachman; (de fiacre) cabman
B *vtr* 1 (marquer) to tick GB, to check US; 2 (entailler) to make a notch in
(Idiome) **fouette**, ~○**!** make it snappy○!
cochère /kɔʃɛʀ/ *adj f* **porte** ~ carriage entrance
Cochinchine /kɔʃɛ̃ʃin/ *nprf* Cochin China
cochon, **-onne** /kɔʃɔ̃, ɔn/
A ○*adj* 1 (pornographique) [*film*] dirty, blue (*épith*); [*photographie*] dirty, explicit; [*histoire, plaisanterie, magazine*] dirty, smutty; [*personne*] dirty-minded; 2 (malpropre) [*personne*] messy, dirty
B ○*nm,f* 1 (personne malpropre ou brouillonne) pej pig○, slob○; **manger comme un** ~ to eat like a pig; **elle a mis du chocolat partout, la cochonne** she's got chocolate all over the place, the messy thing; **travailler comme un** ~ to make a mess of a job, to make a pig's ear of a job○ GB; **travail de** ~ botched job; **tour de** ~ dirty trick; 2 (personne lubrique) sex maniac; **espèce de vieux** ~**!** you dirty old man !; **tu n'es qu'une cochonne** you've got a mind like a sewer
C *nm* 1 Zool pig, hog; ▸ **confiture, perle**; 2 Culin pork
(Composés) ~ **d'Inde** Zool Guinea pig; ~ **de lait** Agric, Culin sucking pig; ~ **de mer** Zool porpoise
(Idiomes) **il ira loin, si les petits** ~**s ne le mangent pas** he'll go far, if nothing gets in his way; **un** ~ **n'y retrouverait pas ses petits** it's like a pigsty, it's a real shambles○; **on n'a pas gardé les** ~**s ensemble** don't get so pally○ GB *ou* chummy○ *ou* familiar with me!; ~ **qui s'en dédit!** Prov let's shake hands on it!
cochonceté○ /kɔʃɔ̃ste/ *nf* obscenity
cochonnaille○ /kɔʃɔnaj/ *nf*: *products made from pork such as salami, bacon, pâté and ham*
cochonner○ /kɔʃɔne/ [1] *vtr* 1 (souiller) to mess up, to dirty [*vêtement, moquette, livre*]; 2 (bâcler) to botch (up) [*travail*]
cochonnerie○ /kɔʃɔnʀi/ *nf* 1 (toute chose de mauvaise qualité) junk○ ¢; **il ne mange que des** ~**s** he only eats junk food; **c'est de la** ~ **ce stylo** this pen is crap◑ *ou* useless; 2 (saleté) mess ¢; **faire des** ~**s** to make a mess; 3 (obscénité) obscenity; **dire des** ~**s** to say smutty○ *ou* dirty things; **faire des** ~**s** to get up to dirty stuff; **des magazines pleins de** ~**s** dirty magazines; 4 (sale tour) dirty trick, mean trick; **faire une** ~ **à qn** to play a dirty trick on sb
cochonnet /kɔʃɔnɛ/ *nm* 1 Zool piglet; 2 (à la pétanque) jack
cochylis /kɔkilis/ *nm* cochylis moth
cocker /kɔkɛʀ/ *nm* (cocker) spaniel
cockpit /kɔkpit/ *nm* Aviat, Naut cockpit
cocktail /kɔktɛl/ *nm* 1 (boisson) cocktail; (plat composé) ~ **de crevettes/fruits** prawn/fruit cocktail; 2 fig (mélange) mixture; 3 (réception) cocktail party
(Composé) ~ **Molotov** Molotov cocktail
coco /koko/
A *nm* 1 (noix) coconut; **fibre de** ~ coconut matting; **huile de** ~ coconut oil; 2 ○(terme d'affection) darling, pet○; 3 ○(individu) guy○, customer○ péj; **c'est un drôle de** ~ **celui-là!** that guy's a bit of an oddball○ *ou* a strange customer○; 4 ○(communiste) pej commie○ péj, red○ péj; 5 (boisson à la réglisse) *lemon and liquorice* GB *ou licorice* US *drink*; 6 ○(tête) nut○, head; **elle n'a rien dans le** ~ she isn't all there○; 7 ○(œuf) baby talk egg
B ○*nf* (cocaïne) coke○
cocon /kɔkɔ̃/ *nm* lit, fig cocoon
(Idiome) **s'enfermer dans son** ~ to withdraw into one's shell
cocorico /kɔkɔʀiko/ *nm* (*also onomat*) cock-a-doodle-do; **faire** ~ lit, fig to crow
cocoteraie /kɔkɔtʀɛ/ *nf* coconut plantation
cocotier /kɔkɔtje/ *nm* coconut palm
(Idiome) **secouer le** ~ ≈ to clean out the dead wood
cocotte /kɔkɔt/ *nf* 1 ○(poule) baby talk hen; 2 ○(terme d'affection) **ma** ~ honey; 3 ○† péj (femme) loose woman; 4 Culin (récipient) casserole dish GB, pot; **(faire) cuire qch à la** ~ to

casserole GB *ou* stew sth; **bœuf à la ~** beef casserole GB, braised beef; 5 Culin Can (cafetière) coffee pot; 6 (à un cheval) **hue ~!** gee-up!

(Composé) **~ en papier** paper hen (*origami style*)

cocotte-minute®, *pl* **cocottes-minute** /kɔkɔtminyt/ *nf* pressure-cooker

cocotter*◑ /kɔkɔte/ [1] *vi* to stink, to pong○ GB

cocréancier, **-ière** /kokʀeɑ̃sje, ɛʀ/ *nm,f* joint creditor

cocu◑, **~e** /kɔky/

A *adj* **elle est ~e** her husband is unfaithful to her; **elle le fait ~** she is unfaithful to him (**avec** with), she's cheating on him○ (**avec** with)

B *nm,f* lit deceived husband/wife; fig dupe; ▸ **veine**

cocufier◑ /kɔkyfje/ [2] *vtr* lit to be unfaithful to, to cheat on○; fig to trick

coda /kɔda/ *nf* coda

codage /kɔdaʒ/ *nm* coding, encoding

codant, **~e** /kɔdɑ̃, ɑ̃t/ *adj* [*gène*] code-carrying

code /kɔd/

A *nm* 1 (recueil) code; **~ de déontologie** code of practice; 2 (conventions) code; **~ de conduite/de l'honneur** code of conduct/of honour[GB]; **s'appuyer sur les ~s du film noir** to follow the conventions of film noir; 3 (écriture, message) code; **~ chiffré** number code; **message en ~** coded message; **mettre qch en ~** to put sth in code, to encode sth; 4 Ordinat code; **~ de contrôle d'erreur** error-checking code; **~ correcteur d'erreurs** error-correcting code

B **codes** *nmpl* (phares) dipped GB *ou* dimmed US (head)lights, low beam (*sg*); **rouler en ~s** to drive with dipped (head)lights GB *ou* on low beam; **se mettre en ~s** to dip GB *ou* dim US one's headlights

(Composés) **~ (à) barres** Comm bar code; **~ civil** Jur civil code; **~ confidentiel (d'identification)** Fin personal identification number, PIN; **~ génétique** Biol genetic code; **~ Napoléon** Napoleonic code; **~ de la nationalité** Jur regulations (*pl*) as to nationality; **~ pénal** Jur penal code; **~ postal** Postes post code GB, zip code US; **~ de procédure civile** Jur code of civil procedure; **~ de procédure pénale** Jur code of criminal procedure; **~ de la route** Aut highway code GB, rules (*pl*) of the road US; **passer son ~**○ Aut to take the written part of a driving test; **~ secret** secret code; **~ source** Ordinat source code

> **le Code Napoléon**
>
> The civil code introduced by Napoléon Bonaparte in 1804 in France and in the European territories dominated by France at the time. It was named the *Code Napoléon* in 1807. The code attempted to unify the customs of northern and southern France and was a combination of rationalist and traditional principles. It includes key concepts such as equality for all in the eyes of the law and no recognition of privilege. The code was adopted in most of continental Europe and is a lasting legacy of the era.

codébiteur, **-trice** /kodebitœʀ, tʀis/ *nm,f* joint debtor

codécideur /kodesidœʀ/ *nm* joint decision-maker

codéine /kɔdein/ *nf* codeine

codemandeur, **-eresse** /kodəmɑ̃dœʀ, dəʀɛs/ *nm,f* joint plaintiff

coder /kɔde/ [1] *vtr* to code, to encode

codétenteur, **-trice** /kodetɑ̃tœʀ, tʀis/ *nm,f* Jur, Sport joint holder (**de** of)

codétenu, **~e** /kodetny/ *nm,f* fellow prisoner

codeur /kɔdœʀ/ *nm* 1 (appareil) converter; 2 ▸ p. 532 (personne) coder

co-développement /kodevlɔpmɑ̃/ *nm* economic partnership (*between developed and developing countries*)

codevi /kɔdevi/ *nm* (*abbr* = **compte pour le développement industriel**) *savings plan allowing banks to invest in industrial development*

codex /kɔdɛks/ *nm* 1 Pharm gén pharmacopoeia; (en France) French pharmacopoeia; 2 (manuscrit) codex

codicillaire /kɔdisilɛʀ/ *adj* Jur codicillary

codicille /kɔdisil/ *nm* codicil

codificateur, **-trice** /kɔdifikatœʀ, tʀis/ *adj* codifying

codification /kɔdifikasjɔ̃/ *nf* codification

codifier /kɔdifje/ [2] *vtr* to codify [*lois*]; to standardize [*langue, usage*]

codirecteur, **-trice** /kodiʀɛktœʀ, tʀis/ *nm,f* (responsable) joint manager; (administrateur) joint director

codon /kɔdɔ̃/ *nm* codon

co-éditer /koedite/ [1] *vtr* to co-edit

coédition /koedisjɔ̃/ *nf* coedition

coefficient /kɔefisjɑ̃/ *nm* 1 (proportion) ratio; 2 (pourcentage indéterminé) margin; **~ d'erreur** margin of error; **~ de sécurité** safety margin; 3 Scol, Univ *weighting factor in an exam*; **l'anglais a un ~ élevé** English results are heavily weighted; **la chimie est au ~ 4** chemistry results are multiplied by 4; 4 Math, Stat coefficient; Phys (d'expansion, absorption) coefficient; (d'élasticité, écrasement) modulus; 5 Admin *points on a salary scale*; **être au ~ 200** to have 200 points

(Composés) **~ de capitalisation des résultats** Fin price earning ratio, PER; **~ de liquidité** Fin liquid ratio; **~ d'occupation des sols, COS** (en urbanisme) building to plot ratio, site coverage; **~ d'occupation des vols** Aviat proportion of seats sold; **~ de pénétration dans l'air** Aut, Aviat drag coefficient

cœlacanthe /selakɑ̃t/ *nm* coelacanth

cœliaque /seljak/ *adj* Anat coeliac; **maladie ~** Méd coeliac disease

cœliochirurgie /seljoʃiʀyʀʒi/ *nf* coelioscopic surgery

cœlioscope /seljɔskɔp/ *nm* coelioscope

cœlioscopie /seljɔskɔpi/ *nf* coelioscopy

cœnesthésie /senɛstezi/ = **cenesthésie**

coentreprise /koɑ̃tʀəpʀiz/ *nf* joint venture

coéquipier, **-ière** /koekipje, ɛʀ/ *nm,f* team mate

coercible /kɔɛʀsibl/ *adj* [*gaz*] compressible

coercitif, **-ive** /kɔɛʀsitif, iv/ *adj* coercive

coercition /kɔɛʀsisjɔ̃/ *nf* coercion

cœur /kœʀ/

A *nm* 1 Anat heart; **il a le ~ malade, il est malade du ~** he has a heart condition; **'qu'est-ce qu'il a?'—'c'est le ~'** 'what's wrong with him?'—'it's his heart'; **opération à ~ ouvert** open-heart surgery; **être opéré à ~ ouvert** to have *ou* undergo open-heart surgery; **cellules prélevées sur un ~ de veau** cells taken from the heart of a calf; **je la tenais pressée sur mon ~** I held her close; **serrer qn sur** *or* **contre son ~** to hold sb close; **porter la main à son ~** (en signe de bonne foi) to put one's hand on one's heart; **en forme de ~** heart-shaped (*épith*); **avoir mal au ~** to feel sick GB *ou* nauseous US; **donner mal au ~ à qn** to make sb feel sick GB *ou* nauseous US; **lever** *or* **soulever le ~ de qn** to make sb feel sick GB *ou* nauseous US; ▸ **accrocher, joie, loin**

2 Culin heart; **~ d'agneau/de porc/de veau** lamb's/pig's/calf's heart; **~ de bœuf** ox heart; **~s de poulets** chicken hearts; **~ de palmier** palm heart

3 fig (de fruit, roche, matière, réacteur) core; (de problème, débat, région, bâtiment) heart; (d'arbre) heartwood; **au ~ de** (de région, ville) in the middle of; (de bâtiment, débat, problème, système) at the heart of; **au ~ de l'été** in the height of summer; **au ~ de l'hiver/la nuit** in the dead of winter/night; **ils ont pu pénétrer jusqu'au ~ de la centrale nucléaire** they got to the very heart of the nuclear power station

4 (personne) **un ~ simple** a simple soul; **un ~ fidèle** a faithful friend; **un ~ généreux** a generous spirit; **mon (petit) ~** dear heart, sweetheart

5 (siège des émotions) heart; **le ~ d'une mère** a mother's heart; **agir selon son ~** to follow one's heart; **écouter son ~** to go with one's feelings; **avoir le ~ léger** to be light-hearted; **avoir le ~ triste** to be sad at heart; **gagner** *or* **conquérir le ~ de qn** to win sb's heart; **trouver un mari selon son ~** to find the man of one's dreams; **aller droit au ~ de qn** [*attentions, bienveillance, sympathie, spectacle*] to touch sb deeply; [*attaque, remarque*] to cut sb to the quick; **ce tailleur est un coup de ~ de notre magazine** we on the magazine have chosen this suit as our special favourite[GB]; **avoir un coup de ~ pour qch** to fall in love with sth; **faire mal au ~** to be heartbreaking; **ça me fait mal au ~ de voir** it makes me sick at heart to see; **ça me réchauffe le** *or* **fait chaud au ~ de voir** it's heartwarming to see, it does my heart good to see; **mon ~ se serre** *or* **j'ai le ~ serré quand...** I feel a pang when...; **fendre** *or* **briser** *or* **déchirer le ~ à** *or* **de qn** to break sb's heart; **avoir le ~ pur** to be guileless; **la noirceur de son ~** the evil within him/her; **problème de ~** emotional problem; ▸ **gros, net**

6 (être intime) heart; **ouvrir son ~ à qn** to open one's heart to sb; **venir du ~** to come from the heart; **du fond du ~** from the bottom of one's heart; **je suis de tout ~ avec vous/elle** my heart goes out to you/her; **de tout son ~** with all one's heart; **aimer qn de tout son ~** to love sb dearly; **je t'embrasse de tout mon ~** ≈ with all my love; **parler à ~ ouvert** to speak openly

7 (siège de la bonté) **avoir du** *or* **bon** *or* **grand ~** to be kind-hearted; **avoir un ~ en** *or* **d'or** to have a heart of gold; **ton bon ~ te perdra** your generosity will be the end of you; **'à votre bon ~ messieurs-dames'** 'can you spare some change?'; **ne pas avoir de ~, être sans ~** to be heartless; **avoir le ~ dur** *or* **sec** to be hard-hearted; **faire appel au bon ~ de qn** to appeal to sb's better nature; **fermer son ~ à qch** to harden one's heart to sth; **une personne de ~** a kind-hearted person; ▸ **fortune**

8 (courage) courage; **le ~ m'a manqué** my courage failed me; **avoir le ~ de faire qch** to have the courage to do sth; **redonner du ~ à qn** to give sb new heart; **je n'aurai jamais le ~ de me débarrasser du chaton** I'll never have the heart to get rid of the kitten; **tu n'auras pas le ~ de leur dire la vérité** you won't have the heart to tell them the truth

9 (énergie) heart; **mettre tout son ~ dans qch/à faire** to put one's heart into sth/into doing

10 (envie) mood; **avoir le ~ à faire** to be in the mood for doing; **je n'ai pas le ~ à plaisanter** I'm not in the mood for jokes; **je n'ai plus le ~ à rien** I don't feel like doing anything any more; ▸ **ouvrage**

11 Jeux (carte) heart; (couleur) hearts (*pl*); **jouer (du) ~** to play hearts; **trois/dame de ~** three/ Queen of hearts

B **à cœur** *loc adv* **fait** *or* **moelleux à ~** [*fromage*] fully ripe; **grillé à ~** [*café*] roasted all the way through; **prendre** *or* **avoir à ~ de faire** to be intent on doing; **prendre qch à ~** (se vexer) to take sth to heart; (être résolu) to take sth seriously; **cela me tient à ~** it's close to my heart

C **de bon cœur** *loc adv* willingly; **faire qch de bon ~** to do sth willingly; **il me l'a prêté mais**

ce n'était pas de bon ~ he lent it to me, but rather unwillingly; **'merci de m'avoir prêté votre voiture'—'c'est de bon ~'** 'thank you for lending me your car'–'you're welcome'; **il brossait le sol et y allait de bon ~** he was scrubbing the floor with a will; **rire de bon ~** to laugh heartily

D par cœur *loc adv* by heart; **savoir/apprendre qch par ~** to know/to learn sth by heart; **connaître qn par ~** to know sb inside out

(Idiomes) **tant que mon ~ battra** until my dying day; **rester sur le ~ de qn** *[remarque, attitude]* to rankle with sb; **avoir le ~ au bord de lèvres** to be about to be sick; **avoir du ~ au ventre** to be brave; **être beau** *or* **joli comme un ~** to be as pretty as a picture; **avoir le ~ sur la main** to be open-handed; **il a un ~ gros** *or* **grand comme ça**○ he's very big-hearted; **avoir un ~ de pierre** *or* **marbre** to have a heart of stone; **il ne le porte pas dans son ~** euph he's not his favourite[GB] person euph; **le ~ n'y est pas** my/your etc heart isn't in it; **si le ~ t'en dit** if you feel like it; **avoir qch sur le ~** to be resentful about sth

cœur-poumon, *pl* **~s** /kœʀpumɔ̃/ *nm* heart-lung machine

coexistence /koegzistɑ̃s/ *nf* coexistence; **~ pacifique** Pol peaceful coexistence

coexister /koegziste/ [1] *vi* to coexist

coffrage /kɔfʀaʒ/ *nm* Constr [1] (moule) formwork GB, form US; [2] (action) formwork preparation; [3] (habillage de conduite) box; [4] (parois de tranchée) shoring

coffre /kɔfʀ/ *nm* [1] (meuble) chest; **~ à vêtements/à bois** clothes/wood *ou* log chest; **~ à linge** linen chest; **~ à jouets** toy box; [2] (pour valeurs) gén safe; (individuel dans banque) safety deposit box; **la salle des ~s** the strongroom; [3] Aut boot GB, trunk US; [4] (de piano, d'orgue) case; **un ~ de piano** a piano case; [5] ○(cage thoracique) chest

(Composés) **~ à bagages** boot GB, trunk US; **~ de sécurité** safe; **les ~s de l'État** the state coffers

(Idiome) **avoir du ~**○ (avoir du souffle) to be very fit; (avoir une voix puissante) to have a powerful voice

coffre-fort, *pl* **coffres-forts** /kɔfʀəfɔʀ/ *nm* safe

coffrer /kɔfʀe/ [1] *vtr* [1] ○(mettre en prison) **~ qn** to put sb inside○; **se faire ~** to be put inside○; [2] Constr to cast *[pilier, dalle]*; to shore [sth] up *[tranchée]*

coffret /kɔfʀɛ/ *nm* [1] (petit coffre) casket; **~ à bijoux** jewellery GB *ou* jewelry US box; [2] (de disques, cassettes, livres) boxed set; **un ~ de trois disques** a boxed set of three CDs; [3] (de présentation) presentation box

cofondateur, **-trice** /kofɔ̃datœʀ, tʀis/ *nm,f* co-founder

cogérance /koʒeʀɑ̃s/ *nf* joint management; **en ~** *[magasin]* under joint management

cogérant, **~e** /koʒeʀɑ̃, ɑ̃t/ *nm,f* joint manager

cogérer /koʒeʀe/ [14] *vtr* to co-manage

cogestion /koʒɛstjɔ̃/ *nf* joint management

cogitation /kɔʒitasjɔ̃/ *nf* cogitation ₵

cogiter /kɔʒite/ [1] hum

A ○*vtr* to dream up *[plan]*

B *vi* to cogitate, to think (**sur** about)

cognac /kɔɲak/ *nm* cognac (*brandy from the Cognac area*)

cognassier /kɔɲasje/ *nm* quince tree

(Composé) **~ du Japon** japonica

cogne◑ /kɔɲ/

A *nm* (agent) cop○

B *nf* (bagarre) fight

cognée /kɔɲe/ *nf* (woodman's) axe GB *ou* ax US

(Idiome) **jeter le manche après la ~** to throw in the towel

cognement /kɔɲəmɑ̃/ *nm* [1] (bruit) knocking sound; [2] Aut knock; **~ de moteur/des soupapes** engine/valve knock

cogner /kɔɲe/ [1]

A *vtr* [1] (heurter) (accidentellement) to knock (**contre** against, on); (volontairement) to bang (**contre** against, on); **tu as dû ~ la tasse** you must have given the cup a knock; **~ ses poings contre le mur** to bang on the wall with one's fists; [2] ○(battre) to beat up *[personne]*; **se faire ~** to be *ou* get beaten up

B *vi* [1] (frapper) **~ contre** *[volet]* to bang against; *[branche]* to knock against; *[projectile]* to hit; **ma tête/la pierre est allée ~ contre la vitre** my head/the stone hit the window; **~ à la porte/au mur** *[personne]* to knock on the door/on the wall; (violemment) to bang on the door/on the wall; **~ sur** (avec la main, le poing) to bang on; (avec un marteau) to hammer; [2] ○(frapper du poing) *[boxeur, agresseur]* to hit out; **~ dur** *or* **fort** to hit hard; **ça va ~** there's going to be a brawl; **il ne sait que ~** violence is the only thing he understands; [3] ○(être chaud) *[soleil]* to beat down; **ça cogne sur la plage** it's baking (hot) on the beach; **ça cogne aujourd'hui** it's a scorcher○, it's baking (hot) today; [4] (battre) *[cœur, sang]* to pound; [5] Aut (faire du bruit) *[moteur]* to knock; [6] ◑(sentir mauvais) to stink

C se cogner *vpr* [1] (se heurter) to bump into something; **se ~ contre** to hit; **se ~ le genou/la tête** to hit *ou* bump one's knee/head (**contre** on); **se ~ à la tête/au genou** to get a bump on the head/on the knee; **se ~ le pied contre une pierre** to stub one's toe on a stone; ▸ **mur**; [2] ○(se battre) to have a punch-up○ GB, to have a fistfight

cogneur○, **-euse** /kɔɲœʀ, øz/ *nm,f* [1] Sport big hitter○; [2] (personne violente) bruiser○

cogniticien, **-ienne** /kɔgnitisjɛ̃, ɛn/ ▸ **p. 532** *nm,f* artificial intelligence *ou* AI specialist

cognitif, **-ive** /kɔgnitif, iv/ *adj* cognitive

cognition /kɔgnisjɔ̃/ *nf* cognition

cohabitation /koabitasjɔ̃/ *nf* [1] living with somebody, living under the same roof as somebody; **la ~ avec la belle-famille** living with one's in-laws; [2] Pol *period when the French president and the government are drawn from opposing parties*

> **Cohabitation**
>
> A period in which the government and the *Président de la République* come from opposite political camps. The first instance of political cohabitation in the 5th Republic occurred in 1986 when François Mitterrand (PS) was president and Jacques Chirac (RPR) became prime minister. ▸ **parti**

cohabiter /koabite/ [1] *vi [personnes]* to live together, to live under the same roof; *[choses]* to coexist; **~ avec qn** to live with sb; **le couple ne fait plus que ~** the couple are living together in name only

cohérence /koeʀɑ̃s/ *nf* [1] (de discours, raisonnement) (logique) coherence; (homogénéité) consistency; (de programme, d'attitude) consistency; **manquer de ~** to be inconsistent; [2] (de molécules, d'éléments) cohesion

cohérent, **~e** /koeʀɑ̃, ɑ̃t/ *adj* [1] gén *[raisonnement]* (logique) coherent; (homogène) consistent; *[attitude, programme]* consistent; *[réseau]* integrated; *[gamme de produits]* coordinated; [2] Phys *[lumière]* coherent

cohéritier, **-ière** /koeʀitje, ɛʀ/ *nm,f* joint heir

cohésif, **-ive** /koezif, iv/ *adj* cohesive

cohésion /koezjɔ̃/ *nf* cohesion

cohorte /koɔʀt/ *nf* [1] ○(groupe) band; [2] (en démographie) cohort; [3] Hist Mil cohort

cohue /koy/ *nf* (monde) crowd; (désordre) crush, scramble; **c'est la ~** it's a crush *ou* scramble

coi, **coite** /kwa, kwat/ *adj* (silencieux) **rester** *or* **se tenir ~** to remain quiet; **j'en suis resté ~** it left me speechless

coiffant, **~e** /kwafɑ̃, ɑ̃t/ *adj* **gel ~** styling gel; **mousse ~e** styling mousse

coiffe /kwaf/ *nf* [1] (couvre-chef) gén headgear; (de religieuse) wimple; [2] (de chapeau) lining; [3] (de fusée) fairing; [4] (de racine) root cap; [5] (de nouveau-né) caul

coiffer /kwafe/ [1]

A *vtr* [1] (arranger les cheveux de) **~ qn** (mettre en forme) to do sb's hair; (peigner) to comb sb's hair; **il coiffe ses cheveux en arrière** he combs his hair back; **il ne coiffe que les hommes** he only does men's hair; **se faire ~ par qn** to have one's hair done by sb; **fais-toi ~ par Georges, il est mieux que Gérard** get George to do your hair, he does it better than Gérard; **elle est bien coiffée** her hair is nicely done; **elle est mal coiffée** her hair is untidy; **tu n'es pas coiffé, tes cheveux ne sont pas coiffés!** you haven't done your hair!; **elle est coiffée court maintenant** she has short hair now; **être coiffée à la Jeanne d'Arc** to have a pageboy hairstyle; [2] (couvrir la tête) to put [sth] on *[chapeau, casque]*; **le chapeau qui la coiffe** the hat she's wearing; **le béret te coiffe bien** a beret suits you; **leurs chapeaux coiffent toujours bien** their hats always look good; **~ qn de qch** to put sth on sb('s head); **ne reste pas coiffé pendant la cérémonie** take your hat off during the ceremony; **coiffé d'une casquette** wearing a cap; [3] (chapeauter) *[entreprise]* to control; *[personne]* to head; [4] (fournir) *[chapelier]* to make hats for; [5] (recouvrir) liter *[neige, mousse]* to cover; **sommets coiffés de brume** mist-capped peaks

B se coiffer *vpr* [1] (s'arranger les cheveux) to do one's hair; (se peigner) to comb one's hair; **tu t'es coiffé avec un râteau** *or* **un clou!** you look as if you've been dragged through a hedge backward(s)○!; **les cheveux frisés se coiffent mal** curly hair is difficult to keep tidy; [2] (se couvrir la tête) **se ~ de qch** to put sth on; **il se coiffe toujours d'un chapeau melon** he always wears a bowler hat GB *ou* a derby hat US

(Idiomes) **être né** *or* **naître coiffé** to be born with a silver spoon in one's mouth; **~ qn au poteau**○ *or* **sur le fil** to pip sb at the post GB, to nose sb out

coiffeur, **-euse** /kwafœʀ, øz/ ▸ **p. 532**

A *nm,f* (pour femmes) hairdresser, hairstylist; (pour hommes) hairdresser, barber†; **aller chez le ~** *[femme]* to go to the hairdresser's, to have one's hair done; *[homme]* to go to the barber's, to have one's hair cut, to go to the barber's

B coiffeuse *nf* (meuble) dressing table

coiffure /kwafyʀ/ *nf* [1] (coupe de cheveux) hairstyle; **tu as changé de ~** you've changed your hairstyle; **faites-moi cette ~** do my hair like that; [2] (profession) hairdressing; **apprendre la ~** to learn hairdressing; [3] (élément de costume) headgear ₵

coin /kwɛ̃/

A *nm* [1] (angle) corner; **un ~ de table/serviette** the corner of a table/napkin; **dans un ~** in a corner; **au ~ de la rue** on the corner of the street; **à tous les ~s de rue** everywhere, all over the place; **il y a des policiers/banques à tous les ~s de rue** there's a policeman/bank on every street corner; **un placard/une étagère qui fait le ~** a corner cupboard/shelf; **regarder dans tous les ~s** to look everywhere *ou* all over the place; **les ~s et les recoins** the nooks and crannies; **aux quatre ~s de la ville/du globe** *or* **du monde** all over the town/the world; **rester/travailler dans son ~** to stay/to work in one's own little corner; **aller au ~** (punition) to go and stand in the corner; **j'ai dû poser mon sac dans un ~** I must have put my bag down somewhere; **assis au ~ du feu** sitting by the fire; **une causerie au ~ du feu** a fireside chat; **avoir un ~ à soi dans la maison** to have a corner of one's own in the house; [2] (extrémité) (d'œil, de bouche) corner; **s'essuyer le ~ des lèvres** to wipe the corners of one's mouth; **regarder**

C

C

qch/qn du ~ de l'œil to watch sth/sb out of the corner of one's eye; **un sourire en ~** a half-smile; **un sourire au ~ des lèvres** a smile flickering around one's mouth; **un regard en ~** (sournois) a sidelong glance; (complice) a meaningful look; **3** (morceau) (de terre) plot; (de pelouse) patch; (d'ombre) spot; (de cour) area; **un ~ ensoleillé** a sunny spot; **un ~ de paradis** an idyllic spot; **un ~ de ciel bleu** a patch of blue sky; **un ~ de verdure** a green bit; **dans un ~ de ma mémoire** in my memory; **garder qch dans un ~ de sa mémoire** to remember sth; **4** (lieu d'habitation) part; **un ~ de France/de l'Ardèche** a part of France/of the Ardèche; **dans le ~** (ici) around here, in these parts; (là-bas) around there, in those parts; **il y a beaucoup de vignes dans le ~** there are a lot of vineyards around here; **nous étions dans le même ~** we were in the same area; **le café/boucher du ~** the local café/butcher; **je ne suis pas du ~** I'm not from around here; **de quel ~ est-il?** where does he come from?; **les gens du ~** the locals; **dans un ~ paumé**○ *or* **perdu** in the middle of the sticks○ *ou* of nowhere; **dans un ~ perdu de la Lozère** in a remote part of the Lozère; **connaître les bons ~s pour manger** to know all the good places to eat; **il connaît les bons ~s pour les champignons** he knows where to find mushrooms; **5** (en papeterie) (pour photos) corner; (pour classeur) reinforcing corner; **6** Tech (pour fendre) wedge

B **coin(-)** (*in compounds*) **~-repas/-salon** dining/living area; **~-rangement/-bureau** storage/work area

(Idiomes) **je n'aimerais pas le rencontrer au ~ d'un bois** I wouldn't like to meet him on a dark night *ou* in a dark alley; **jouer aux quatre ~s** *five players fight it out for four corners*

coincé, **~e** /kwɛ̃se/

A *pp* ▸ **coincer**

B *pp adj* **1** (incapable de bouger) [*personne, porte, fermeture, tiroir*] stuck; (incapable de sortir) [*personne*] trapped; **la pièce ~e dans la machine** the coin that is stuck in the machine; **rester ~ dans des embouteillages** to be stuck in traffic jams; **~ entre qch et qch** [*meuble, maison*] wedged between sth and sth; **un lit ~ entre une table et le mur** a bed wedged between a table and the wall; **il n'a pas pu se lever, il était ~**○ he couldn't get up, his back had gone○; **2** ○(incapable d'agir) stuck○; **s'il refuse le compromis, nous sommes ~s** if he refuses to compromise, we're stuck; **sans mes outils je suis ~** without my tools I'm stuck; **être ~ entre qch et qch** to be stuck between sth and sth; **il était ~ entre l'opposition et son propre parti** he was caught between the opposition and his own party; **3** ○(mal à l'aise) ill at ease; **4** ○(collet monté) uptight○

coincement /kwɛ̃smɑ̃/ *nm* jamming

coincer /kwɛ̃se/ [12]

A *vtr* **1** (immobiliser) to wedge [*objet*]; (pour maintenir ouvert) to wedge [sth] open [*porte, fenêtre*]; (pour maintenir fermé) to wedge [sth] shut [*porte, fenêtre*]; [*éboulement, neige*] to trap [*personne*]; **il a coincé la porte avec son pied** he put his foot in the door; **ils m'ont coincé contre le mur** they pinned me (up) against the wall; **2** (bloquer) to jam [*objet, clé, fermeture*]; **il y a des papiers qui coincent le tiroir** there are some papers (which are) jamming the drawer; **j'ai coincé ma fermeture** my zip GB *ou* zipper US is jammed *ou* caught; **3** (dans une porte, fermeture) to catch [*vêtement, doigt*]; **j'ai coincé mon écharpe dans la fermeture** I've caught my scarf in the zip GB *ou* zipper US; **4** (insérer) to wedge [*objet*]; **coinçons un des sacs sous le siège** let's wedge one of the bags under the seat; **5** ○(retenir) to catch, to corner [*personne*]; **elle m'a coincé dans le couloir** she caught me in the corridor (**pour faire** to do); **se faire ~ par** to get caught *ou* cornered by; **6** ◑(arrêter) [*police*] to pick [sb] up○, to nick○ GB [*criminel*]; **se faire ~** to get oneself *ou* to be picked up; **7** ○(prendre en défaut) to catch [sb] out [*personne*]; **il m'a coincé sur les coniques** he caught me out on conic sections; **ils n'ont pas réussi à le ~ juridiquement** they failed to catch him out legally

B *vi* **1** (résister au mouvement) [*fermeture, tiroir*] to stick; **la pellicule coince dans l'appareil** the film is sticking; **2** ○(créer des problèmes) [*relations*] to cause problems; **il y a quelque chose qui coince entre nous** there's something causing problems between us; **le nouveau projet de loi risque de ~ au Parlement** the new bill may cause problems in Parliament; **ça coince** there's a problem

C **se coincer** *vpr* **1** (se bloquer) [*objet*] to get stuck *ou* jammed; **2** (se prendre) **se ~ les doigts** to get one's fingers caught; **se ~ une vertèbre**○ to trap a nerve in one's back; **se ~ un doigt dans une porte** to get a finger caught in a door

coïncidence /kɔɛ̃sidɑ̃s/ *nf* (tous contextes) coincidence

coïncident, **~e** /kɔɛ̃sidɑ̃, ɑ̃t/ *adj* coincident

coïncider /kɔɛ̃side/ [1] *vi* [*figures, dates, événements, idées, dépositions*] to coincide (**avec** with); [*goûts*] to be similar (**avec** with); **faire ~ l'offre et la demande** to make supply and demand match

coin-coin* /kwɛ̃kwɛ̃/ *nm inv* (*also onomat*) quack; **faire ~** to go quack quack; **tu entends ses ~?** can you hear it quacking?

coïnculpé, **~e** /kɔɛ̃kylpe/ *nm,f* (prévenu) coaccused; (au tribunal) codefendant

co-infection /kɔɛ̃fɛksjɔ̃/ *nf* co-infection

coing /kwɛ̃/ *nm* quince

coït /kɔit/ *nm* coitus; **~ interrompu** coitus interruptus

coite ▸ **coi**

coke¹ /kɔk/ *nm* (charbon) coke

coke²○ /kɔk/ *nf* (cocaïne) drug users' slang coke○

cokéfaction /kɔkefaksjɔ̃/ *nf* coking

cokéfier /kɔkefje/ [2] *vtr* to coke

col /kɔl/ *nm* **1** Mode collar; **~ dur/souple** stiff/soft collar; **~ de fourrure/de dentelle** fur/lace collar; **~ de chemise** shirt collar; **chemise sans ~** collarless shirt; **~ rond** round neckline; **~ carré** square neckline; **~ en V** V neckline; ▸ **faux**; **2** Géog pass; **le ~ du Lautaret** the Lautaret pass; **3** (d'objet, de bouteille, vase) neck; **4** Anat (de vessie, fémur) neck; **il s'est cassé le ~ du fémur** he broke his hip(bone); **5** †(cou) neck

(Composés) **~ blanc** Sociol white-collar worker; **~ bleu** Sociol blue-collar worker; **~ boule** cowl-neck; **~ camionneur** zipped roll neck; **~ cassé** wing collar; **~ châle** shawl collar; **~ cheminée** turtleneck; **pull à ~ cheminée** turtleneck sweater; **~ chemisier** shirt collar; **~ Claudine** Peter Pan collar; **chemisier à ~ Claudine** blouse with a Peter Pan collar; **~ cravate** tie neck; **~ du fémur** Anat neck of the femur; **~ Mao** mandarin collar; **veste à ~ Mao** jacket with a mandarin collar; **~ marin** sailor collar; **~ montant** turtleneck GB, mock turtleneck US; **~ officier** stand-up collar; **veste à ~ officier** jacket with a stand-up collar; **~ polo** polo collar; **~ romain** clerical collar; **~ roulé** rollneck GB, polo neck GB, turtleneck US; **pull à ~ roulé** polo neck sweater; **~ tailleur** revers collar; **~ de l'utérus** Anat cervix, neck of the womb

cola /kɔla/ *nm* Bot cola tree; **noix de ~** cola nut

colback /kɔlbak/ *nm* busby

(Idiome) **attraper qn par le ~**◑ to grab sb by the scruff of the neck

colchique /kɔlʃik/ *nm* autumn crocus

col-de-cygne, *pl* **cols-de-cygne** /kɔldəsiɲ/ *nm* **1** Art, Tech (forme) swan neck; **2** (robinet) swan neck tap GB *ou* faucet US

colégataire /kolegatɛʀ/ *nmf* joint legatee

coléoptère /kɔleɔptɛʀ/ *nm* coleopteran spéc, beetle; **les ~s** Coleoptera spéc

colère /kɔlɛʀ/ *nf* **1** (humeur) anger (**contre qch** at sth; **contre qn** with sb), wrath sout; **~ froide** contained anger; **la ~ divine** *or* **de Dieu** Divine wrath; **être rouge de ~** to be flushed with anger; **avec ~** in anger; **passer sa ~ sur qn** to take out *ou* vent one's anger on sb; **sous le coup de la ~** in a fit of anger; **être en ~** to be angry (**contre** with), to be mad○ (**contre** at); **se mettre en ~** to get angry (**contre** with), to get mad○ (**contre** at); **mettre qn en ~** to make sb angry *ou* mad○; **geste/larmes de ~** angry gesture/tears; **être ~**○ to be angry *ou* mad○; **2** (crise) fit; (caprice) tantrum; **faire** *or* **piquer**○ **une ~** (crise) to have a fit; (caprice) to throw a tantrum; **il était dans une ~ noire** he was in a rage; **3** (de la mer) fury, wrath sout; (des cieux) wrath sout; (d'un volcan) fury

(Idiome) **la ~ est mauvaise conseillère** Prov one should never allow oneself to be influenced by anger

coléreux, **-euse** /kɔleʀø, øz/ *adj* [*personne*] quick-tempered, irascible; [*tempérament*] irascible

colibacille /kɔlibasil/ *nm* E coli, Escherichia coli

colibacillose /kɔlibasiloz/ *nf* Vét colibacillosis; Méd E coli infection

colibri /kɔlibʀi/ *nm* hummingbird

colifichet /kɔlifiʃɛ/ *nm* (bijou) trinket; (bibelot) knick-knack

colimaçon /kɔlimasɔ̃/ *nm* snail

(Composé) **escalier en ~** spiral staircase

colin /kɔlɛ̃/ *nm* (merlu) hake; (lieu noir) coley

colineau, *pl* **~x** = **colinot**

colin-maillard /kɔlɛ̃majaʀ/ *nm* blind man's buff; **jouer à ~** to play blind man's buff

colinot /kɔlino/ *nm* (merlu) (small) hake; (lieu noir) (small) coley

colique /kɔlik/ *nf* **1** (diarrhée) diarrhoea; **avoir la ~** lit to have diarrhoea; fig to have the collywobbles GB *ou* the willies◑; **2** (douleur abdominale) stomach pain; (chez le bébé) colic ₵; **~s hépatiques/néphrétiques** biliary/renal colic; **être pris de ~s** to have sudden stomach pains; **3** ◑(chose, personne ennuyeuse) **quelle ~** what a pain

colis /kɔli/ *nm* parcel

(Composés) **~ alimentaire** food parcel; **~ piégé** parcel bomb; **~ postal** parcel sent by mail; **~ postaux** (service) parcel post

Colisée /kɔlize/ *nprm* **le ~** the Coliseum

colistier, **-ière** /kɔlistje, ɛʀ/ *nm,f* fellow candidate GB, running mate US

colite /kɔlit/ ▸ **p. 283** *nf* colitis

collabo○ /kɔlabo/ *nmf* Hist pej collaborator; **les ~s du pouvoir** those in cahoots with the ruling party

collaborateur, **-trice** /kɔlabɔʀatœʀ, tʀis/ *nm,f* **1** (collègue) colleague; (assistant) assistant; **les ~s du président** the president's personal staff; **un ~ du ministre** an adviser to the minister; **2** (employé) employee; **3** (journaliste) contributor (**de** to); (coauteur) collaborator; **4** Hist pej collaborator

collaboratif, **-ive** /kɔlabɔʀatif, iv/ *adj* collaborative

collaboration /kɔlabɔʀasjɔ̃/ *nf* **1** (à revue, journal) contribution (**à** to); (à ouvrage, projet) collaboration (**à** on); **en ~ avec** in collaboration with; **2** Hist, Pol collaboration (**avec** with)

collaborationniste /kɔlabɔʀasjɔnist/ *adj* [*journal, discours*] collaborationist

collaborer /kɔlabɔʀe/ [1] *vi* **1** (participer) **~ à** to contribute to [*journal, revue*]; to collaborate on [*projet, ouvrage*]; **2** (travailler) to collaborate (**avec** with); **~ (à qch) avec qn** to collaborate with sb (on sth), to work with sb (on sth)

collage /kɔlaʒ/ *nm* **1** Art (technique, œuvre) collage; **les ~s de Braque/de Picasso** Braque's/Picasso's collages; **~s photographiques** photo montages; **2** Tech (de papier, d'étoffe) sizing (**de** of); Imprim gluing (**de** of); **brocher un livre par ~** to bind a book by gluing it; **3** (affichage) **le ~ des affiches** billposting GB, putting up posters; **~ sauvage** flyposting; **4** Vin fining (**de** of)

collagène /kɔlaʒɛn/ *nm* collagen

collant, **~e** /kɔlɑ̃, ɑ̃t/
A *adj* **1** (adhésif) [*substance*] sticky; **2** (gluant) [*main, terre, riz, bonbon*] sticky; Sport, Turf [*terrain*] heavy; **3** (moulant) [*robe, pantalon*] skintight, tight-fitting; **4** ○(importun) [*personne*] clinging; [*vendeur*] persistant; **qu'est-ce qu'ils sont ~s ces mecs○!** these guys○ just won't leave you alone!
B *nm* tights (*pl*) GB, panty hose (+ *v pl*) US; **~ sans pieds** footless tights GB, leggings (*pl*) US; **~ opaque/en mousse** opaque/micromesh tights GB *ou* panty hose US; **~ à gousset** gusseted tights GB *ou* panty hose US; **~ de danse** dance tights

collapsus /kɔlapsys/ *nm inv* collapse; **~ cardiovasculaire** circulatory collapse; **~ pulmonaire** collapse of the lung

collatéral, **~e**, *mpl* **-aux** /kɔlateʀal, o/
A *adj* **1** Anat [*nerf*] collateral; **2** Jur [*succession, ligne*] collateral; **3** (de côté) [*nef, rue*] side (*épith*); **4** fig [*dommages*] collateral
B **collatéraux** *nmpl* Jur (famille) collaterals

collation /kɔlasjɔ̃/ *nf* **1** (repas) light meal; **prendre une ~** to have a light meal; **2** (de manuscrits) collation; (d'épreuves) checking; **3** (de grade) conferment

collationnement /kɔlasjɔnmɑ̃/ *nm* (de manuscrit, télégramme) collation; (d'épreuves) checking

collationner /kɔlasjɔne/ [1] *vtr* **1** (comparer) to collate [*textes, manuscrits*] (**avec** with); **2** (vérifier) gén to check [*épreuves, liste*]; (en reliure) to collate

colle /kɔl/ *nf* **1** (adhésif) gén glue; (pour papier peint) (wallpaper) paste; **mettre de la ~ sur qch** to put glue on sth; **enduisez le papier peint de ~** coat the wallpaper with paste; **~ forte/à bois** strong/wood glue; **2** ○(question difficile) poser○; **poser une ~○ à qn** to set sb a poser○; **alors là, tu me poses une ~○!** that's a real poser○!; **3** (retenue) students' slang detention; **Larue, deux heures de ~!** Larue, two hours' detention for you!; **4** ○Univ students' slang oral test
(Composé) **~ blanche** paste
(Idiome) **vivre à la ~○** to live with sb; **ils vivent à la ~** they live together

collecte /kɔlɛkt/ *nf* **1** (de fonds, vêtements) collection; **faire une ~** to raise funds (**pour** for); **2** (prière) collect

collecter /kɔlɛkte/ [1] *vtr* to collect

collecteur, **-trice** /kɔlɛktœʀ, tʀis/
A *adj* **centre ~** collection point; **organisme ~** collecting agency; **égout ~** main sewer
B *nm,f* (personne) collector
C *nm* **1** (égout) main sewer; **2** Aut manifold; **3** Électron collector
(Composés) **~ de fonds** fundraiser; **~ d'impôts** tax collector; **~ solaire** solar panel

collectif, **-ive** /kɔlɛktif, iv/
A *adj* **1** gén [*travail, responsabilités*] collective; [*démissions, licenciements*] mass (*épith*); [*chauffage*] shared; [*billet, assurance*] group (*épith*); **immeuble ~** block of flats GB, apartment building US; **entreprendre une action collective** to act collectively; **donner une punition collective à toute la classe** to punish the whole class; **l'équipe pratique un bon jeu ~** the team plays well together; ▸ **convention**, **ferme**; **2** Ling collective
B *nm* **1** (groupe de personnes) collective; (groupe de pression) action group; **~ d'usagers des trains** train users' action group; **2** Ling collective noun

(Composé) **~ budgétaire** supplementary finance bill

collection /kɔlɛksjɔ̃/ *nf* **1** (de timbres, photos) collection (**de** of); (d'échantillons) line; **~ de timbres/tableaux** stamp/art collection; **c'est un timbre/badge de ~** it's a stamp/badge for collectors; **j'ai acheté deux timbres de ~ pour mon frère** I bought two stamps for my brother's collection; **faire ~ de qch** to collect sth; ▸ **pièce**; **2** ○(groupe) collection; **quelle ~ d'idiots!** what a bunch of idiots!; **3** (ouvrages) (du même genre) series (+ *v sg*); (du même auteur) set; **~ historique** historical series; **toute la ~ de Tintin** the whole set of Tintin books; **4** Cout, Mode collection

collectionner /kɔlɛksjɔne/ [1] *vtr* **1** lit to collect [*timbres, papillons*]; **2** fig **~ les erreurs/les gaffes** to make one mistake/blunder after another; **~ les maris** to go through○ one husband after another

collectionneur, **-euse** /kɔlɛksjɔnœʀ, øz/ *nm,f* collector; **~ de tableaux/timbres** art/stamp collector

collectivement /kɔlɛktivmɑ̃/ *adv* [*gérer, négocier*] collectively; [*démissionner*] en masse, as a body

collectivisation /kɔlɛktivizasjɔ̃/ *nf* collectivization

collectiviser /kɔlɛktivize/ [1] *vtr* to collectivize

collectivisme /kɔlɛktivism/ *nm* collectivism

collectiviste /kɔlɛktivist/ *adj, nmf* collectivist

collectivité /kɔlɛktivite/ *nf* **1** (groupe) group; **~ professionnelle** professional body; **2** (ensemble des citoyens) community; **esprit de ~** community spirit; **la ~ nationale** the nation
(Composés) **~ locale** local authority GB, local government US; **~ territoriale** *region with a measure of autonomy*; **~s publiques** state, regional and local authorities GB, federal, state and local government US

collège /kɔlɛʒ/ *nm* **1** (école) secondary school GB, junior high school US; **2** (assemblée) college; **~ électoral** Pol electoral college
(Composés) **~ d'enseignement secondaire, CES** secondary school GB, junior high school US; **~ d'enseignement technique, CET** *technical secondary school in France*

> **Collège**
>
> The school for pupils aged 11-15. The curriculum and organization are nationally prescribed.

collégial, **~e**, *mpl* **-iaux** /kɔleʒjal, o/
A *adj* [*église*] collegiate; [*assemblée, pouvoir, système*] collegial
B **collégiale** *nf* collegiate church

collégialement /kɔleʒjalmɑ̃/ *adv* collectively

collégialité /kɔleʒjalite/ *nf* **1** Pol corporatism; Entr corporate governance, management with collective responsibility; **2** Relig collegiality; **3** Jur *system whereby a number, always uneven, of judges sit in the same court*

collégien, **-ienne** /kɔleʒjɛ̃, ɛn/ *nm,f* schoolboy/schoolgirl
(Idiome) **se faire avoir comme un ~** to be completely taken in

collègue /kɔlɛg/ *nmf* colleague; (dans lettre) **Monsieur et cher ~** Dear Sir

coller /kɔle/ [1]
A *vtr* **1** (faire adhérer) to stick, to glue [*bois, papier, carton*], to paste up [*affiche*]; to hang [*papier peint, tissu mural*]; to stick [sth] on [*étiquette, timbre, rustine®*]; to stick down [*enveloppe*]; to stick [sth] together [*feuilles, morceaux*]; Cin to splice [*film, bande magnétique*]; **repliez la feuille et collez les bords** fold the sheet and glue the edges together; **~ un timbre sur une enveloppe/un colis** to stick a stamp on an envelope/a parcel; **~ des affiches** to stick *ou* post bills; **~ une photo sur une page** to stick a photograph onto a page; **il avait les cheveux collés par la peinture** his hair was matted with paint; **un ruban thermo-collant pour ~ les bords** an iron-on adhesive strip for taking up hems; **ta colle ne colle pas bien le carton** your glue isn't very good for sticking card
2 (appuyer) **~ qch contre** *or* **à qch** to press sth against sth; **~ son front/nez contre la vitre** to press one's forehead/nose against the window; **elle a collé son genou contre le mien** she pressed her knee against mine; **il avait un pistolet collé à la tempe** there was a pistol pressed to his head; **il la colla contre le parapet** he pushed her up against the parapet
3 ○(mettre) to stick○; **je leur ai collé l'article/la facture sous le nez** I stuck○ the article/the bill (right) under their noses; **je lui ai collé le bébé dans les bras** I stuck○ the baby in his/her arms; **à 15 ans, on m'a collé sur une fraiseuse** at 15, they stuck○ me on a milling machine; **ils m'ont collé président de l'association** they made me chairman of the association; **tu vas te faire ~ une amende** you'll get landed○ with a fine; **il lui a collé trois gosses** he got her pregnant three times; **si tu continues, je te colle une gifle** *or* **je vais t'en ~ une** if you keep on, I'm going to slap you; **on lui colle une étiquette de chanteur engagé** he's being labelled[GB] as a political singer
4 ○(dans un examen, un jeu) **je me suis fait ~ en physique** I failed *ou* flunked○ physics; **'comment s'appelle le premier ministre actuel?'—'alors là tu me colles!'** 'what's the present prime minister's name?'—'you've stumped○ *ou* got me there!'
5 ○(donner une retenue à) to give [sb] detention [*élève*]; **se faire ~** to have *ou* get detention
6 Vin to fine [*vin, liqueur*]
B *vi* **1** (adhérer) [*colle, timbre, enveloppe*] to stick; [*pâtes, riz, semoule*] to stick together; [*boue, substance*] to stick; **ta colle colle bien/ne colle pas bien** your glue sticks well/doesn't stick very well; **~ à la casserole** to stick to the pan; **~ aux chaussures/mains** to stick to one's shoes/hands; **~ aux dents** to stick to one's teeth; **~ à un véhicule** fig to drive close behind a vehicle; **le coureur collait à la roue de son adversaire** fig the runner stuck close to his opponent; **dans une dissertation, collez toujours au sujet** fig in an essay, always stick to the subject; **mon tee-shirt mouillé me collait à la peau/au corps** my wet T-shirt was clinging to my skin/body; **ta réputation/ton passé te colle à la peau** fig your reputation/your past never leaves you
2 ○(être cohérent) **~ à** to be consistent *ou* fit with; **ça colle à** *or* **avec l'idée qu'on se fait d'elle** that's consistent with her image; **leur analyse ne colle pas à la réalité** their analysis doesn't fit with the facts; **leurs témoignages ne collent pas** their evidence doesn't tally; **tout colle!** it's all falling into place!
3 (en jouant) to be it
C **se coller** *vpr* **1** (s'appuyer) **se ~ à** *or* **contre qn/qch** to press oneself against sb/sth; **j'ai dû me coller au mur pour les laisser passer** I had to press myself against the wall to let them pass; **les voyageurs étaient collés les uns contre les autres** the passengers were pressed against each other; **ils se sont collés au sol** they lay flat on the ground; **l'alpiniste se collait à la paroi** the climber clung to the rockface
2 ○(pour une activité) **dès qu'il rentre, il se colle devant la télé/son ordinateur** as soon as he comes in he's glued○ to the TV/his computer; **je m'y suis collé à 2 heures et je n'ai pas encore terminé** I got down to it at 2 o'clock and I still haven't finished; **c'est toi qui t'y colles** (à une tâche) it's your turn (to do it)

C

collerette /kɔlʀɛt/ *nf* **1** Mode ruffle; (fraise) ruff; **2** Culin (pour gigot) frill; **3** Tech (de tube) flange; **4** Bot (de champignon) ring, annulus spéc

collet /kɔlɛ/ *nm* **1** (piège) snare; **2** Culin (en boucherie) neck; **3** †Mode (col) collar; (fichu) shoulder cape; **prendre** *or* **saisir qn par le ~** to grab sb by the collar; **4** Bot collar; **5** (de dent) neck; **6** Tech flange

(Idiomes) **être ~ monté** to be prim; **mettre la main au ~ de qn** [*police*] to collar○ sb

colleter○: **se colleter** /kɔlte/ [20] *vpr* **se ~ avec** to have a fight with [*personne*]; to grapple with [*difficultés*]

colleur, -euse /kɔlœʀ, øz/ ▸ **p. 532**
A *nm,f* **~ (d'affiches)** billposter, billsticker
B colleuse *nf* Cin splicer

colley /kɔlɛ/ *nm* collie

collier /kɔlje/ *nm* **1** (bijou) necklace; (chaîne de chevalier) chain; **~ de perles** string of pearls; **~ de fleurs** garland of flowers; **2** (d'animal) (marque naturelle, lanière) collar; **3** (barbe) **~ (de barbe)** beard (*round jaw*); **4** (en boucherie) neck; **5** Tech (de tuyau) pipe-collar

(Composé) **~ de serrage** circlip

(Idiomes) **reprendre le ~** to get back into harness; **donner un coup de ~** (intellectuellement) to get one's head down; (manuellement) to put one's back into it

collimateur /kɔlimatœʀ/ *nm* Tech collimator

(Composés) **~ de tir** *or* **de visée** Mil sight; **~s de pilotage** Aviat head-up display

(Idiomes) **avoir qn dans le ~**○ to have it in for sb○; **être dans le ~**○ **de qn** to be in sb's bad books

colline /kɔlin/ *nf* hill; **au pied de la ~** at the bottom of the hill

collision /kɔlizjɔ̃/ *nf* **1** (choc) collision; **~ frontale** head-on collision; **entrer en ~ avec** to collide with; **~ en chaîne** pileup; **2** (affrontement) clash, conflict

collocation /kɔlɔkasjɔ̃/ *nf* **1** Ling collocation; **2** Jur *scheduling of creditors (in statement of affairs)*

collodion /kɔlɔdjɔ̃/ *nm* collodion

colloïdal, ~e, *mpl* **-aux** /kɔlɔidal, o/ *adj* [*état*] colloidal

colloïde /kɔlɔid/ *nm* colloid

colloque /kɔl(l)ɔk/ *nm* conference, symposium (**sur** on)

collusion /kɔlyzjɔ̃/ *nf* collusion (**avec** with)

collutoire /kɔlytwaʀ/ *nm* Pharm throat preparation

collyre /kɔliʀ/ *nm* eye drops (*pl*)

colmatage /kɔlmataʒ/ *nm* (de fuite) sealing

colmater /kɔlmate/ [1] *vtr* **1** (boucher) to plug, to seal off [*fuite*]; to seal [*fente*]; **2** fig (réparer) **~ les brèches** to fill in the gaps; Mil **~ une brèche** to seal a gap

colo○ /kolo/ *nf* holiday camp GB, summer camp US

colocataire /kɔlɔkatɛʀ/ *nmf* cotenant

Colomb /kɔlɔ̃/ *npr* **Christophe ~** Christopher Columbus

colombage /kɔlɔ̃baʒ/ *nm* half-timbering; **ferme à ~s** half-timbered farmhouse

colombe /kɔlɔ̃b/ *nf* **1** (oiseau) dove; **2** (partisan de la paix) dove; **3** (terme d'affection) **ma ~** my little love; ▸ **crapaud**

Colombie /kɔlɔ̃bi/ ▸ **p. 333** *nprf* Colombia

Colombie-Britannique /kɔlɔ̃bibʀitanik/ ▸ **p. 721** *nprf* British Columbia

colombien, -ienne /kɔlɔ̃bjɛ̃, ɛn/ ▸ **p. 561** *adj* Colombian

Colombien, -ienne /kɔlɔ̃bjɛ̃, ɛn/ ▸ **p. 561** *nm,f* Colombian

colombier /kɔlɔ̃bje/ *nm* dovecote

colombin /kɔlɔ̃bɛ̃/ *nm* **1** (en poterie) coil; **2** ◑(étron) turd◑

colombophile /kɔlɔ̃bɔfil/
A *adj* **club ~** pigeon fanciers'club
B *nmf* pigeon fancier

colombophilie /kɔlɔ̃bɔfili/ *nf* pigeon fancying

colon /kɔlɔ̃/ *nm* **1** (de terres inhabitées) colonist; **2** (de colonie de vacances) child (*at children's holiday camp*); **3** ○(colonel) soldiers' slang colonel

côlon /kolɔ̃/ *nm* colon

colonel /kɔlɔnɛl/ ▸ **p. 406** *nm* Mil (dans l'armée de terre) ≈ colonel; (dans l'armée de l'air) ≈ group captain GB, ≈ colonel US

colonelle /kɔlɔnɛl/ *nf* colonel's wife

colonial, ~e, *mpl* **-iaux** /kɔlɔnjal, o/
A *adj* colonial
B *nm,f* (habitant) colonial
C *nm* Hist (soldat) soldier (*in French colonial army*)
D coloniale○ *nf* Hist (armée) **la ~e** the French colonial army

colonialisme /kɔlɔnjalism/ *nm* colonialism

colonialiste /kɔlɔnjalist/ *adj, nmf* colonialist

colonie /kɔlɔni/ *nf* **1** Pol, Écon colony; **les ~s** the colonies; **2** (groupe) (d'artistes) colony; (ethnique) community; **3** Zool, Biol colony

(Composés) **~ pénitentiaire**† reformatory†; **~ de vacances** holiday camp GB, summer camp US

> **Colonie de vacances**
>
> A holiday village or summer camp for children. Originally set up to give poorer children a means of getting out into the countryside, these are still largely state-subsidized. The informal word for them is *colo*.

colonisateur, -trice /kɔlɔnizatœʀ, tʀis/
A *adj* colonizing
B *nm,f* colonizer

colonisation /kɔlɔnizasjɔ̃/ *nf* Pol, Écon colonization

coloniser /kɔlɔnize/ [1] *vtr* Pol, Écon [*colons*] to colonize; péj to take [sth] over

colonnade /kɔlɔnad/ *nf* colonnade

colonne /kɔlɔn/ *nf* gén column; (de lit) (bed)post; Archit column, pillar; **défiler en ~ par cinq** to march in fives; **sur cinq ~s à la une** Presse splashed across the front page; **~ d'air** air stream; ▸ **cinquième**

(Composés) **~ blindée** Mil armoured[GB] column; **~ de direction** Aut steering column; **~ humide** Constr wet standpipe; **~ montante** Constr riser; **~ Morris** theatre[GB] publicity display (*in the form of a cylinder*); **~ de production** Tech tubing; **~ sèche** Constr dry standpipe; **~ de secours** Mil rescue party; **~ vertébrale** Anat spinal column, vertebral column spéc; **les Colonnes d'Hercule** Géog the Pillars of Hercules

colonnette /kɔlɔnɛt/ *nf* small column

colopathie /kɔlɔpati/ *nf* colonopathy

colophane /kɔlɔfan/ *nf* rosin

coloquinte /kɔlɔkɛ̃t/ *nf* **1** Bot colocynth; **2** ○(tête) nut○, head

Colorado /kɔlɔʀadɔ/ ▸ **p. 721** *nprm* Colorado

colorant, ~e /kɔlɔʀɑ̃, ɑ̃t/
A *adj* colouring[GB]
B *nm* gén colouring[GB] agent; (en teinture) dye; Chimie stain; Culin colouring[GB]; (pour cheveux) colourant[GB]

coloration /kɔlɔʀasjɔ̃/ *nf* **1** (action) colouring[GB]; (de textiles) dyeing; (de bois, cellule) staining; (de cheveux) tinting; (permanente) dyeing; **2** (couleur) colour[GB]; (de peau) colouring[GB]; (nuance) shade; **3** (ton de voix) coloration; **4** fig (aspect) complexion; **~ politique** political bent

colorature /kɔlɔʀatyʀ/ *nf* coloratura

coloré, ~e /kɔlɔʀe/
A *pp* ▸ **colorer**
B *pp adj* **1** (teinte) [*objet*] coloured[GB]; [*teint*] (par l'air vif) ruddy; (par l'alcool) florid; **très ~** [*tissu, jupe*] brightly coloured[GB]; **2** (pittoresque) [*vie, foule*] colourful[GB]; [*style*] lively

colorer /kɔlɔʀe/ [1]
A *vtr* **1** (teinter) to colour[GB] [*liquide, aliment, verre*]; to tint [*photo, cheveux*]; to stain [*bois, cellule*]; (teindre) to dye [*textiles, cheveux*]; **~ qch en vert** to colour[GB] sth green; **2** (empreindre) [*nostalgie, regret*] to tinge; **coloré de nostalgie** tinged with nostalgia; **3** (embellir) to embellish [*récit*] (**de** with)
B se colorer *vpr* **1** lit [*visage*] to flush; [*fruit*] to take colour[GB]; **se ~ de vert/rose** liter [*pétale, ciel*] to become flushed with green/pink; **2** fig **se ~ de nostalgie/racisme** to become tinged with nostalgia/racism

coloriage /kɔlɔʀjaʒ/ *nm* (action) colouring[GB]; (dessin colorié) coloured[GB] picture; (dessin à colorier) picture for colouring[GB] in

colorier /kɔlɔʀje/ [2] *vtr* to colour in GB, to color US [*dessin*]; **~ qch en rouge** to colour[GB] sth red

coloris /kɔlɔʀi/ *nm inv* **1** colour[GB]; (nuance) shade; **'existe en 5 ~'** 'available in 5 colours[GB] *ou* colour[GB] ways'; **2** Art **l'éclat du ~** the brilliance of the colours[GB]; **le ~ du Titien** Titian's use of colour[GB]

coloriser /kɔlɔʀize/ [1] *vtr* to colorize

coloriste /kɔlɔʀist/ *nmf* **1** (d'estampes) colourer[GB]; (peintre) colourist[GB]; **2** (coiffeur) colourist[GB]

coloscopie /kɔlɔskɔpi/ *nf* colonoscopy

colossal, ~e, *mpl* **-aux** /kɔlɔsal, o/ *adj* [*bâtiment, force*] colossal, huge; [*fortune, héritage*] enormous

colosse /kɔlɔs/ *nm* giant

(Composé) **le ~ de Rhodes** the Colossus of Rhodes

(Idiome) **un ~ aux pieds d'argile** an idol with feet of clay

colostomie /kɔlɔstɔmi/ *nf* colostomy

colostrum /kɔlɔstʀɔm/ *nm* colostrum

colportage /kɔlpɔʀtaʒ/ *nm* hawking

colporter /kɔlpɔʀte/ [1] *vtr* **1** (répandre) pej to spread, to peddle [*ragots*]; to spread [*fausses nouvelles*]; **2** (vendre) to hawk [*marchandises*]

colporteur, -euse /kɔlpɔʀtœʀ, øz/ *nm,f* (marchand) peddler

(Composé) **colporteuse de ragots** gossip

colposcopie /kɔlpɔskɔpi/ *nf* colposcopy

colt /kɔlt/ *nm* (pistolet) gun, Colt®

coltiner○ /kɔltine/ [1]
A *vtr* to lug○ [*objet lourd*]
B se coltiner *vpr* **1** (porter) to lug○ [*objet lourd*]; **2** (devoir se charger de) to get lumbered with GB, to get stuck with○ [*corvée, personne*]

columbarium /kɔlɔ̃baʀjɔm/ *nm* columbarium

Columbia /kɔlɔ̃bja/ ▸ **p. 721** *npr* **district de ~** District of Columbia, DC

col-vert, *pl* **cols-verts**, **colvert** /kɔlvɛʀ/ *nm* mallard (*inv*)

colza /kɔlza/ *nm* rape; **huile de ~** rapeseed oil

coma /kɔma/ *nm* coma; **~ éthylique/diabétique** ethylic/diabetic coma; **~ dépassé** irreversible coma; **être dans le ~** to be in a coma

comateux, -euse /kɔmatø, øz/
A *adj* [*état*] comatose
B *nm,f* coma patient

combat /kɔ̃ba/ *nm* **1** Mil fighting ¢; **violents ~s** fierce fighting; **~s sporadiques** sporadic fighting; **les ~s ont repris** the fighting has broken out again; **cessation des ~s** end to the fighting; **~s aériens/terrestres** air/land battles; **livrer ~** to join battle (**à** with; **contre** against); **envoyer au ~** to send into combat; **mettre hors de combat** to disable; **partir au ~** to set off for battle; **2** Pol struggle (**contre** against; **pour** for); **~ pour l'indépendance** struggle for independence;

~ **d'idées/politique** ideological/political struggle; **mener le ~** to lead the struggle; **littérature/presse de ~** militant literature/press; **livrer un ~** to campaign (**contre** against; **pour** for); 3 Sport bout; **~ de boxe/catch** boxing/wrestling bout; **(mettre) hors de ~** (to put) out of action

(Composés) **~ de coqs** cock fight; **~ de gladiateurs** gladiatorial combat; **~ rapproché** close combat; **~ de rue** street fighting; **~ singulier** single combat

combatif, -ive* /kɔ̃batif, iv/ *adj* (déterminé) assertive; (agressif) aggressive; *[boxeur, armée]* full of fighting spirit

combativité* /kɔ̃bativite/ *nf* fighting spirit

combattant, ~e /kɔ̃batɑ̃, ɑ̃t/
A *adj* 1 (combatif) *[ardeur, esprit]* fighting; 2 (de combat) *[troupe, unité]* combat; **non ~** non-combatant; **France ~e** France at arms
B *nm,f* 1 Mil combatant; 2 Pol fighter; **~ de rue** street fighter

combattre /kɔ̃batʀ/ [61]
A *vtr* 1 Mil, Pol to fight *[adversaire, ennemi]*; 2 Cosmét, Pharm to counteract GB, to fight *[déshydratation, vieillissement, stress]*
B *vi* to fight (**contre** against; **pour** for); **~ aux côtés de qn** to fight side by side with sb; **~ contre la délinquance informatique** to fight computer crime
C **se combattre** *vpr* to fight

combe /kɔ̃b/ *nf* coomb

combien¹ /kɔ̃bjɛ̃/
A *adv* 1 ▸ p. 498, p. 646, p. 691, p. 827 (dans une interrogation) **~ coûte une bouteille de vin?** how much *ou* what does a bottle of wine cost?; **~ vaut le livre?** how much *ou* what is the book worth?; **~ mesure le salon?** how big is the lounge?; **ça fait ~?** (valeur) how much does that come to?; (dimensions) how big is that?; (poids) how heavy is that?; **j'aimerais savoir ~ il a payé son costume** I'd like to know how much *ou* what he paid for his suit; **~ êtes-vous/sont-ils?** how many of you/them are there?; **à ~ s'évaluent leurs pertes?** how much *ou* what do their losses come to?; **~ pèse ta valise?** how much *ou* what does your case weigh?
2 (adverbe de degré modifiant un verbe) **il est triste de voir ~ la situation s'est dégradée** it's sad to see how the situation has deteriorated; **elle souligne ~ cette approche peut être efficace** she stresses how effective this approach can be; **vous voyez ~ les choses ont changé** you can see how (much) things have changed; **il est difficile d'expliquer ~ je les apprécie** it's difficult to explain how much I appreciate them
3 (adverbe de degré modifiant un adjectif) **c'est cher mais ~ efficace!** it's expensive but so effective!; **'il est malin!'—'ô ~!'** 'he's smart!'—'isn't he just!'; **le ~ célèbre chanteur** the very famous singer; **un travail intéressant mais ô ~ difficile** an interesting but very difficult job; **montrer ~ étaient dérisoires les efforts des sauveteurs** to show how useless the rescuers' efforts were; **il souligne ~ est précieuse l'aide de ses collègues** he stresses how valuable his colleagues' help is to him
4 (adverbe de degré modifiant un adverbe) **il a gagné ô ~ brillamment** he won really *ou* absolutely brilliantly; **~ peu d'idées** how few ideas; **~ peu d'or** how little gold; **~ plus d'argent/plus de personnes** how much more money/many more people; **~ moins d'argent/moins de personnes** how much less money/many fewer people
B **combien de** *dét inter* 1 (avec un nom dénombrable) how many; **~ d'élèves accueillerez-vous en janvier?** how many pupils will you receive in January?; **~ de candidatures avez-vous reçu?** how many applications did you receive?; **sais-tu ~ de voitures circulent dans Paris?** do you know how many cars there are in Paris?; **c'est à ~ de kilomètres?** how far away is it?; **~ de kilomètres y a-t-il entre les deux villes?** how far apart are the two towns?; **~ y a-t-il d'ici à la mer?** how far is it to the sea?; **~ de fois** (nombre de fois) how many times; (fréquence) how often; **dans ~ d'années envisages-tu d'avoir des enfants?** in how many years time do you intend to start a family?; **sais-tu ~ de jours il faut pour y aller?** do you know how many days it takes to get there?
2 (avec un nom non dénombrable) how much; **de ~ de pain as-tu besoin?** how much bread do you need?; **~ de pain reste-t-il?** how much bread is left?; **~ de temps faut-il?** how long does it take?; **tu es là depuis ~ de temps?** how long have you been here?; **on arrive dans ~ de temps?** when will we get there?; **~ de temps as-tu mis pour venir?** how long did it take you to get here?; **dis-moi ~ de temps il faut le faire cuire** tell me how long it takes to cook

combien² /kɔ̃bjɛ̃/ ▸ p. 827 *nmf inv* 1 (par rapport à un ordre) **tu es la ~?** (dans une queue) how many people are before you?; **tu es le ~ à l'école?** where are you in the class?; **vous êtes arrivés les ~ au rallye?** where did you come in the rally?; **'la sixième en partant de la gauche'—'la ~?'** 'the sixth from the left'—'the which?'; 2 (par rapport à une date) **le ~ sommes-nous?, on est le ~**○**?** what's the date today?; **vous arrivez le ~?** what date are you arriving?; 3 (par rapport à une mesure) **tu chausses du ~?** what size shoes do you take?; 4 (par rapport à la fréquence) **tu le vois tous les ~?** how often do you see him?

combientième○ /kɔ̃bjɛ̃tjɛm/ *adj* **c'est ton ~ accident?** how many accidents have you had?; **vous êtes arrivés les ~s au rallye?** where did you come in the rally?

combinaison /kɔ̃binɛzɔ̃/ *nf* 1 (agencement) (action) combining; (résultat) combination; 2 Chimie, Math combination; 3 (de serrure, coffre-fort) combination; 4 Mode (de femme) (sous-vêtement) (full-length) slip; (tenue sport) jumpsuit; (d'ouvrier) overalls *(pl)* GB, coveralls *(pl)* US

(Composés) **~ d'astronaute** space suit; **~ d'aviateur** flying suit; **~ ministérielle** Pol all-party cabinet; **~ de plongée** wetsuit; **~ de protection** protective clothing ₵; **~ de ski** ski-suit

combinard○**, ~e** /kɔ̃binaʀ, aʀd/ pej
A *adj* **il est ~** (débrouillard) he's a fixer○ *ou* wheeler-dealer○; (magouilleur) he's a schemer
B *nm,f* (débrouillard) fixer○, wheeler-dealer○; (magouilleur) schemer

combinat /kɔ̃bina/ *nm* complex

combinatoire /kɔ̃binatwaʀ/ *adj* Math combinatorial; Ling combinatory

combine○ /kɔ̃bin/ *nf* 1 (moyen, truc) trick○, wheeze○ GB; (tricherie) fiddle○; (intrigue) (shady) scheme, scam○, hustle○; **j'ai une (bonne) ~** (truc) I know a good wheeze○ GB; **être de** *ou* **marcher dans la ~** to be in on it; **il n'y a que la ~ qui marche** you have to wangle○ things; 2 Mode (full-length) slip

combiné /kɔ̃bine/ *nm* 1 Télécom handset, receiver; **~ de bureau** desktop telephone; 2 Mode (sous-vêtement) pantie-corselette; 3 (au ski) combined; 4 Aviat compound helicopter airliner; 5 Tech **~ toaster-gril** combined toaster and grill GB, toaster oven US; **~ robot-mixer** food processor and liquidizer

combiné(-gaine)-culotte, *pl* **combinés(-gaines)-culottes** /kɔ̃binegɛnkylɔt/ *nm* pantie-corselette

combiné-gaine, *pl* **combinés-gaines** /kɔ̃binegɛn/ *nm* corselette

combiner /kɔ̃bine/ [1]
A *vtr* 1 (réunir) to combine (**à, avec** with); **l'ambition et le talent combinés** a combination of ambition and talent; 2 (calculer) to work out *[horaire, plan]*; to plan *[action, stratégie]*; **~ de faire** to plan to do
B **se combiner** *vpr* 1 (se mélanger) *[éléments]* to combine (**à, avec** with); 2 (s'harmoniser) *[couleurs, saveurs]* to go together; 3 ○(s'arranger) *[plan, affaire]* to work out; **si ça se combine bien au bureau** if things work out in the office

combishort /kɔ̃biʃɔʀt/ *nm* combined swimsuit and shorts *(pl)*

comble /kɔ̃bl/
A *adj [salle]* packed; **faire salle ~** (pour une conférence) to have a capacity audience; (à un spectacle) to play to packed houses; **la mesure est ~, je démissionne!** that's the last straw, I resign!
B *nm* 1 (point extrême) **le ~ de l'injustice/du mauvais goût** the height of injustice/of bad taste; **c'est le ~ de l'horreur/du ridicule** it's absolutely horrific/ridiculous; **il était au ~ de la colère/joie** he was absolutely furious/delighted; **être à son ~** *[émotion, tension, suspense]* to be at its height; **porter qch à son ~** to take sth to its extreme; **être au ~ du désespoir** to be in the depths of despair; **c'est le ~ du paradoxe** it's a complete paradox; **pour ~ de malheur** *or* **malchance j'ai raté mon avion!** to crown it all *ou* as if that wasn't enough, I missed my plane!; **et, ~ du raffinement, les draps étaient en soie!** and, as the ultimate in refinement, there were silk sheets!; **c'est un** *or* **le ~**○**!** that's the limit!; 2 Archit roof space; **faux ~, ~ perdu** Archit lost roof space, unused roof space; **~ aménageable** usable roof space; **de fond en ~** *[fouiller, nettoyer]* from top to bottom; *[changer, détruire]* completely
C **combles** *nmpl* gén attic *(sg)*; Archit eaves

combler /kɔ̃ble/ [1] *vtr* 1 (remplir) to fill (in) *[fossé, tranchée]*; 2 (pallier) to fill in *[lacunes]*; to make up *[déficit]*; to make up for *[manque, perte]*; **~ le vide que sa mort a laissé** to fill the gap left by his/her death; **~ son retard** to make up (for) lost time; **le pays a comblé son retard technologique** the country has caught up in the field of technology; 3 (satisfaire) to fulfil[GB], to satisfy *[besoin, désir]*; **la vie m'a comblé** I've had a wonderful life; **~ qn** to fill sb with joy *ou* delight; **~ qn de cadeaux/d'honneurs** to lavish presents/honours[GB] on sb, **merci beaucoup, je suis comblé!** thank you very much, I don't know what to say!; **c'est une femme comblée** she has everything she could possibly want *ou* wish for; **je suis un professeur comblé** I'm a very lucky teacher

comburant /kɔ̃byʀɑ̃/ *nm* combustive

combustibilité /kɔ̃bystibilite/ *nf* combustibility

combustible /kɔ̃bystibl/
A *adj* combustible
B *nm* fuel; **~ nucléaire** nuclear fuel

combustion /kɔ̃bystjɔ̃/ *nf* Chimie combustion; **~ lente/vive** slow/fast combustion; **~ nucléaire** nuclear combustion; **~ organique** cellular combustion

comédie /kɔmedi/ *nf* 1 Littérat, Théât comedy; **~ de caractère/mœurs** comedy of character/manners; 2 (attitude feinte) play-acting; **c'est de la ~** it's just an act; **jouer la ~** to put on an act; 3 ○(caprice) scene; **faire une ~** to make a scene; **arrête tes ~s** enough of your nonsense; 4 ○(histoire) palaver○; **quelle ~ pour avoir un visa** what a palaver to get a visa; **c'est toute une ~** it's a real palaver

(Composés) **~ de boulevard** light comedy; **~ dramatique/policière** comedy drama/thriller; **~ d'intrigue** *or* **de situation** situation comedy; **~ musicale** musical

(Idiome) **la ~ a assez duré!** that's enough messing around!

Comédie-Française /kɔmedifʀɑ̃sɛz/ *nf* **la ~** the Comédie-Française

> **Comédie-Française**
> The oldest national theatre company, dating back to 1680, with premises in Paris, but also performing on tour.

comédien, **-ienne** /kɔmedjɛ̃, ɛn/
A *adj* **il est (un peu) ~** (simulateur) he puts it on; (hypocrite) he's a sham
B *nm,f* **1** ▸ **p. 532** (acteur) actor/actress; (acteur comique) comic actor/actress; **2** fig **c'est un ~** (simulateur) he puts it on; (hypocrite) he's a sham

comédon /kɔmedɔ̃/ *nm* blackhead, comedo spéc

comestible /kɔmɛstibl/
A *adj* [*aliment, champignon*] edible
B **comestibles** *nmpl* food ¢; **marchand de ~s** grocer

comète /kɔmɛt/ *nf* comet
(Idiome) **tirer des plans sur la ~** to make ambitious plans

comice /kɔmis/
A *nf* (poire) Comice pear
B **comices** *nmpl* Agric **~s agricoles** ≈ country fair

comique /kɔmik/
A *adj* **1** Théât [*genre, personnage*] comic; **2** (amusant) funny; **ça n'a rien de ~** there is nothing funny about it
B *nmf* (acteur) comic actor/actress; (humoriste) comedian
C *nm* **1** (pitre) clown; **2** (genre) comedy; **3** (drôlerie) **le ~ de la situation** the funny side of the situation; **le ~, c'est que...** the funny thing is that...; **c'est d'un ~!** it's so funny!; **c'est du plus haut ~** it's absolutely hilarious
(Composés) **~ de situation** comedy of situation; **~ troupier** coarse humour[GB]

comité /kɔmite/ *nm* **1** Admin committee; **~ exécutif/d'organisation** executive/steering committee; **~ directeur** executive *ou* management committee; **réunion du ~** committee meeting; **se réunir en ~** to hold a committee meeting; **faire partie d'un ~** to sit on a committee; **2** (groupe) group; **~ restreint** small group; **un dîner en petit ~** an intimate little dinner; **nous sommes en petit ~** there aren't many of us
(Composés) **~ d'accueil** welcoming committee; **~ central** Pol Central Committee; **~ d'entreprise**, **CE** works council GB; **~ des fêtes** events committee; **~ de gestion** management committee; **~ de lecture** selection panel

> **Comité d'entreprise**
>
> A representative body of workers and management, required by law in any business with more than 50 employees, and entitled to an annual report from the owners, and consultation on all proposed changes. The *comité d'entreprise* also organizes social activities and holiday packages and arranges discount prices on selected goods and services.

commandant /kɔmɑ̃dɑ̃/ ▸ **p. 406** *nm* (dans armée de terre) ≈ major; (dans armée de l'air) ≈ squadron leader GB, ≈ major US; **oui mon ~** (à un homme) yes sir; **oui ~** (à une femme) yes ma'am
(Composés) **~ de bord** Aviat, Naut captain; **~ d'école militaire** ≈ commandant; **~ en chef** Mil ≈ commander-in-chief; **~ en chef des forces armées en Europe** commander-in-chief of the armed forces in Europe; **~ en second** Mil ≈ second-in-command; **~ militaire** Mil ≈ military governor; **~ supérieur** Mil superior commander

commandante /kɔmɑ̃dɑ̃t/ *nf* major's wife

commande /kɔmɑ̃d/ *nf* **1** Comm order; **faire** *or* **passer une ~ (à qn)** to place an order (with sb); **prendre/honorer/différer une ~** to take/honour[GB]/postpone an order; **payable à la ~** cash with order; **fabriquer/travailler sur ~** to make/to work to order; **être en ~** to be on order; **passer ~ de qch (à qn)** to order sth (from sb), to place an order for sth (with sb); **un enthousiasme de ~** fig forced enthusiasm; **2** Littérat, Art commission; **une ~ publique** a state commission; **je ne travaille que sur ~** I only work to GB *ou* on US commission; **passer ~ de qch à qn** to commission sb to do sth; **écrire un roman sur ~ de son éditeur** to be commissioned by one's publisher to write a novel; **3** Tech control; **tableau/levier/salle de ~** control panel/lever/room; **à ~ automatique** automatically operated; **~ à distance** remote control; **à double ~** dual-control; **être aux** *or* **tenir les ~s** lit to be at the controls; fig to be in control; **se mettre aux** *or* **prendre les ~s de qch** lit to take the controls of sth; fig to take control of sth; **passer les ~s à qn** lit to hand over (the controls) to sb; fig to hand over (control) to sb; **4** Ordinat command
(Composés) **~ d'affichage** display command; **~ de flux** flow control; **~ de processus** process control; **~ numérique** digital control; **à ~ numérique** digitally operated

commandement /kɔmɑ̃dmɑ̃/ *nm* **1** Mil (direction) command; **sous le ~ de** under the command of; **avoir le ~ de, être au ~ de** to be in command of [*armée, opération, avion, bateau*]; to be in control of [*course, championnat*]; **prendre le ~ de** to take command of [*troupes, avion*]; to take control of [*championnat*]; **2** Mil (ordre) order, command; **à mon ~, feu!** at *ou* on my command, fire!; **3** (autorités militaires) command; **le ~ local/régional** local/regional command; **le haut ~** high command; **le ~ intégré de l'OTAN** the integrated military command structure of NATO; **le ~ suprême des forces alliées en Europe** supreme headquarters of the Allied powers in Europe; **4** Relig commandment; **les dix ~s** the Ten Commandments; **5** Jur summons (*sg*) *ou* order to pay

commander /kɔmɑ̃de/ [1]
A *vtr* **1** (demander livraison de) to order [*article, produit*]; **~ qch à qn** to order sth from sb, to place an order with sb for sth; **~ des pièces à un fournisseur** to order parts from a supplier; **~ qch pour qn** to order sth for sb; **je t'ai commandé une veste** I've ordered a jacket for you; **2** (demander l'exécution de) to commission [*livre, sculpture, tableau, étude, sondage*]; **le rapport a été commandé par** the report was commissioned by; **3** (dans un restaurant, café) to order [*boisson, plat*]; **~ une soupe en entrée** to order a soup as a starter; **êtes-vous prêts à ~?** are you ready to order?; **~ qch pour qn** to order sth for sb; **tu me commanderas une pizza** order a pizza for me; **4** Mil (être à la direction de) to command, to be in command of [*armée, troupe, division*]; (faire exécuter) to order [*manœuvre, attaque, repli*]; (contrôler l'accès de) to command [*fort*]; **5** (exercer une autorité sur) **~ qn** to order sb about; **il aime ~ tout le monde** he loves ordering everyone about; **sans te ~, tu peux fermer la porte?** could I ask you to close the door?; **6** (exiger) to command; **sa conduite commande le respect/l'admiration** his/her behaviour[GB] commands respect/admiration; **les circonstances commandent la prudence** the circumstances call for caution; **7** (actionner) [*dispositif, ordinateur*] to control [*mécanisme, manœuvre, levier*]; **la manette commande l'arrêt du moteur** the lever stops the engine
B **commander à** *vtr ind* **1** (avoir autorité sur) **~ à** to be in command of; **2** (ordonner) **~ à** to order, to command
C *vi* [*personne, chef*] to give the orders, to be in command; **c'est moi/lui qui commande!** I'm/he's in charge!
D **se commander** *vpr* **1** (demander livraison de) [*personne*] to order oneself [*article, produit*]; **je me suis commandé un chapeau** I've ordered myself a hat; **2** (être contrôlable) **la passion/l'amitié, ça ne se commande pas** passion/friendship doesn't come to order; **ces choses ne se commandent pas** you can't force these things

commandeur /kɔmɑ̃dœʀ/ *nm* Hist commander

commanditaire /kɔmɑ̃ditɛʀ/ *nmf* **1** Jur limited partner; **2** (bailleur de fonds) sleeping partner GB, silent partner US; **3** (sponsor) backer, sponsor; **4** (d'un crime) **le ~ d'un assassinat** the person behind an assassination

commandite /kɔmɑ̃dit/ *nf* Jur, Fin **société en ~ simple** limited *ou* special partnership; **société en ~ par actions** partnership limited by shares

commandité, **~e** /kɔmɑ̃dite/ *nm,f* active partner

commanditer /kɔmɑ̃dite/ [1] *vtr* **1** Jur, Fin to support, to finance [*société*]; **2** (parrainer) to sponsor [*artiste, exposition, projet*]; **3** (organiser) to be behind [*crime, détournement*]

commando /kɔmɑ̃do/ *nm* (groupe) commando unit; **un ~ de huit hommes** an eight-man commando unit; **une opération ~** a commando raid; **deux membres du ~ ont été arrêtés** two members of the commando unit were arrested

comme /kɔm/
A *adv* how; **~ tu es malin!** how clever you are!; **~ il a raison!** how right he is!; **~ j'aime lire!** how I love reading!; **~ tu as grandi, je ne t'ai pas reconnu** how you've grown, I didn't recognize you
B *conj* **1** (de même que) **ici ~ en Italie** (exclusivement) here as in Italy; (inclusivement) both here and in Italy; **ils sont bêtes, lui ~ elle** they are both as stupid as each other, he's as stupid as she is; **en France et en Angleterre, ~ dans les autres pays d'Europe** in France and in England as (well as) in the other European countries; **contente-toi de dire ~ moi** just say the same thing as me; **il est paresseux, ~ sa sœur d'ailleurs** he's lazy, just like his sister; **il mange ~ eux** he eats the same things as they do; **elle est sage-femme ~ sa mère et sa grand-mère** she's a midwife, like her mother and grandmother (before her); **fais ~ moi** do as I do; **nous avons fêté Noël chez nous, ~ tous les ans** we spent Christmas at home, as we do every year; **été ~ hiver** all year round, summer and winter alike; **~ toujours** as always; **j'y étais allé ~ chaque matin** I'd gone there as I did every morning; **jolie/légère ~ tout** ever so pretty/light GB, really pretty/light
2 (dans une comparaison) **il est grand ~ sa sœur** he's as tall as his sister; **les cheveux du bébé sont lisses ~ de la soie** the baby's hair is as smooth as silk; **c'est tout ~**○ it comes to the same thing; **rouge ~ une pivoine** as red as a beetroot GB *ou* beet US; **je leur ai parlé tout ~ je te parle** I spoke to them just like○ I'm speaking to you now; **c'est quelqu'un de ~ ça**○**!** he's/she's great!; **il est bête/courageux ~ pas un** he's as stupid/brave as they come; **il boit/travaille ~ pas un** he drinks/works like anything; **~ tu y vas!** that's going a bit far!; **elle me traite ~ un enfant** she treats me like a child, she treats me as if I were a child
3 (dans une équivalence) **c'est ~ une brioche avec des raisins à l'intérieur** it's like a brioche with currants in it; **un chapeau ~ celui-là** a hat like that one; **je voudrais un manteau ~ le tien** I'd like a coat like yours; **~ pour faire** as if to do; **et ~ pour bien marquer leur refus, ils sont sortis de la salle** and as if to make a point of their refusal, they left the room; **elle a fait un geste ~ pour se protéger** she made a movement as if to protect herself
4 (dans une illustration, une explication) **des pays industrialisés ~ les États-Unis et le Japon** industrialized countries such as *ou* like the United States and Japan; **qu'est-ce que vous avez ~ couleurs?** what colours do you

have?; **qu'est-ce qu'il y a ~ vaisselle?** what is there in the way of crockery?; **~ ça** like that; **alors ~ ça tu vas travailler à l'étranger?** so you're going to work abroad then?; **puisque c'est ~ ça** if that's the way it is, if that's how it is; **on va faire ~ si** we're going to pretend that; **il a fait ~ s'il ne me voyait pas** he pretended (that) he hadn't seen me; **c'est ~ si** it's as if; **~ s'il dormait** as if *ou* as though he was sleeping; **~ si je n'avais que ça à faire!** as if I had nothing better to do!; **~ si j'avais besoin de ça!** that's the last thing I needed!; **'je ne trouve pas ça joli'—'fais ~ si'** 'I don't think it's pretty'—'just pretend you do'; **elle m'a dit, ~ si de rien n'était, que...** she told me, just like that, that...; **se comporter ~ si de rien n'était** to act as if nothing were wrong

5▸ ○(dans une approximation) **elle a eu ~ un évanouissement** she sort of fainted, she had a kind of fainting fit; **elle semblait ~ gênée** she seemed somewhat embarrassed

6▸ (indiquant l'intensité) **avare ~ il est, il ne te donnera rien** he's so mean, he won't give you anything; **maigre ~ elle est** she's so thin

7▸ (indiquant une fonction) as; **travailler ~ jardinier** to work as a gardener; **il a été recruté ~ traducteur** he was taken on as a translator; **la phrase est donnée ~ exemple** the sentence is given as an example; **que veux-tu ~ cadeau?** what would you like for *ou* as a present?

8▸ (puisque) as, since; **~ elle était seule** as *ou* since she was alone; **comme il l'aime, il lui pardonnera** as *ou* since he loves him/her, he'll forgive him/her

9▸ (au moment où) as; **juste ~** just as; **~ il traversait la rue** as he was crossing the road; **elle arrivait ~ je partais** she was coming in as I was going out

(Idiomes) **~ quoi!** which just shows!; **~ ci ~ ça**○ so-so○

commémoratif, -ive /kɔmemɔʀatif, iv/ *adj* [*plaque, timbre*] commemorative; [*cérémonie*] memorial; **la cérémonie ~ du 18 juin** the ceremony to commemorate the 18th of June; **journée commémorative** (de victoire, libération) anniversary; (de morts) day of remembrance

commémoration /kɔmemɔʀasjɔ̃/ *nf* **1▸** (action) remembrance; (cérémonie) commemoration; **en ~ d'une bataille** to commemorate a battle; **2▸** Relig commemoration

commémorer /kɔmemɔʀe/ [1] *vtr* to commemorate [*victoire, événement*]; to remember [*mort*]

commencement /kɔmɑ̃smɑ̃/

A *nm* **1▸** (phase initiale) beginning; (point de départ) start; **au ~** at the beginning; **dès le ~** from the beginning *ou* start; **le ~ de la fin** the beginning of the end; **du ~ à la fin** from start to finish, from beginning to end; **commencez par le ~** start *ou* begin at the beginning; **il y a un ~ à tout** you've got to start somewhere; hum there's a first time for everything; **je n'en suis qu'au ~** I've only just started; **2▸** (premier signe) **un ~ de solution/mur** the beginnings (*pl*) of a solution/wall

B commencements *nmpl* **1▸** (premiers moments) beginnings (*pl*); **~s pénibles** difficult beginnings; **2▸** (rudiments) rudimentary notions

(Composés) **~ d'exécution** Jur attempt; **~ de preuve par écrit** Jur prima facie evidence ₵

commencer /kɔmɑ̃se/ [12]

A *vtr* **1▸** (entreprendre) to start, to begin [*travail, séance, discours*]; to open [*bouteille, boîte*]; **c'est lui qui a commencé!** (la dispute, bagarre) he started it!; **il a commencé sa carrière dans la marine** he began his career in the Navy; **elle a commencé le piano à six ans** she started playing the piano when she was six; **'eh bien,' commença-t-elle** 'well,' she began; **~ qch par le haut/commencement** to start *ou* begin sth at the top/beginning; **tu commences bien l'année/la journée!** that's a good start to the year/the day!; **la phrase qui commence l'article** the sentence at the beginning of the article; **le film est commencé depuis un moment** the film has already started; **2▸ ~ à** *or* **de faire** (se mettre à) to start *ou* begin to do, to start *ou* begin doing; (entamer un processus) to begin to do; **je commence à travailler à l'usine le 3 mai** I start (work) at the factory on 3 May; **je commence à comprendre/me demander** I'm beginning to understand/wonder; **je commence à en avoir marre**○ I'm getting fed up○; **il commence à se faire tard** it's getting late; **ça commence à bien faire**○ *or* **à suffire!** it's getting a bit much!

B *vi* [*année, film, rue*] to start, to begin; [*évolution, processus*] to begin; **ça commence à 8 heures** it starts *ou* begins at 8 o'clock; **que la fête commence!** let the party begin!; **et, pour ~, une chanson** and, to start with, a song; **pour ~, c'est trop cher** for a start , it' s too expensive; **qu'attends-tu pour ~?** what are you waiting for?; **commencez sans moi** start without me; **ne commence pas!** don't start!; **on commence dans dix minutes** we're starting in ten minutes; **~ par** [*soirée, mot, numéro*] to start with; **commence par le plafond/les manches** start with the ceiling/the sleeves; **par où** *or* **quoi vais-je ~?** where shall I start?; **~ par qn** to start with sb; **par qui vais-je ~?** who shall I start with?; **~ par faire** to start *ou* begin by doing; **commence par obéir/te taire!** for a start you can do as you're told/be quiet!; **~ par être** *or* **comme secrétaire** to start (off) as a secretary; **vous êtes tous coupables à ~ par toi** you're all guilty starting with you; ▸ **bête, charité**

C *v impers* **il commence à pleuvoir/neiger** it's starting *ou* beginning to rain/snow

commensal, ~e, *mpl* **-aux** /kɔmɑ̃sal, o/

A *adj* Biol, Zool commensal

B *nm,f* **1▸** Biol, Zool commensal; **2▸** (convive) liter table companion

commensalisme /kɔmɑ̃salism/ *nm* Biol, Zool commensalism

commensurable /kɔmɑ̃syʀabl/ *adj* commensurable

comment¹ /kɔmɑ̃/ *adv* **1▸** (de quelle manière) **~ le sais-tu?** how do you know (that)?; **~ ça s'écrit?** how do you spell it?; **~ allez-vous?** how are you?; **~ veux-tu que je me débrouille?** how do you expect me to manage?; **~ faire?** how can it be done?; **montre-moi ~** show me how; **~ t'y prendras-tu?** how will you go about it? ; **il faut voir ~ il nous a parlé/nous a traités!** you should have seen the way he spoke to us/treated us!; **~ s'étonner qu'il ait échoué?** it's hardly surprising that he failed!; ▸ **importer B**; **2▸** (pour faire répéter) **~, peux-tu répéter?** sorry, could you say that again?; **Paul ~?** Paul who?; **3▸** (évaluation) **~ est leur maison/fils?** what's their house/son like?; **~ trouvez-vous ma robe/son mari?** what do you think of my dress/her husband?, how do you like my dress/her husband?; **4▸** (indignation, surprise) **~ cela?** what do you mean?; **~ se fait-il qu'il soit parti?** how is it that *ou* how come○ he's gone?; **~ se peut-il que...?** how can it be that...?; **~ ça se fait ~?** how come○?, how is that?; **~? tu voudrais des excuses?** what? you expect me to apologize?; **~ donc!** but of course!; **et ~**○**!** most certainly!, and how○!; **'tu l'as éjecté**○**?'—'et ~!'** 'you threw him out?'—'I certainly did!' *ou* 'did I ever○!' *ou* 'I sure did○' US; **'c'était bon?'—'et ~**○**!'** 'was it nice?'—'it certainly was!' *ou* 'was it ever○!' *ou* 'it sure was○' US

comment² /kɔmɑ̃/ *nm* **le ~** the how

commentaire /kɔmmɑ̃tɛʀ/ *nm* **1▸** (remarque) comment (**sur** about); **~ enthousiaste/hostile/pessimiste** enthusiastic/hostile/pessimistic comment; **se passer de ~s** to need no comment; **se refuser au moindre ~** to refuse to comment; **s'abstenir de tout ~** to refrain from any comment; **sans (aucun) ~** without any comment; **sans ~!** no comment!; **épargnez-nous vos ~s** spare us your comments; **je vous dispense de vos ~s** I don't need any of your comments; **un scandale qui provoque bien des ~s** a scandal that gives rise to a lot of gossip; **2▸** Radio, TV commentary (**de** on); **~ en direct** live commentary; **3▸** Littérat commentary (**de, sur** on)

(Composés) **~ composé** commentary; **~ critique** Littérat critical commentary; **~ de texte** commentary; **faire un ~ de texte** to do *ou* write a commentary

commentateur, -trice /kɔmmɑ̃tatœʀ, tʀis/ ▸ **p. 532** *nm,f* commentator; **~ sportif/politique/de la radio** sports/political/radio commentator

commenter /kɔmmɑ̃te/ [1] *vtr* **1▸** (dire son opinion sur) to comment on [*décision, déclaration, événement*]; **commenté par** commented on by; **commenta-t-il** he commented; **2▸** (donner des explications) to give a commentary on [*film, visite*]; **commenté par** with a commentary by; **3▸** Radio, TV (décrire) to commentate on [*match, événement*]; **commenté par** commentated on by; **4▸** Littérat, Scol to comment on [*texte*]; **5▸** Jur, Relig to interpret [*loi, texte sacré*]

commérage /kɔmeʀaʒ/ *nm* gossip ₵

commerçant, ~e /kɔmɛʀsɑ̃, ɑ̃t/

A *adj* **rue ~e** shopping street; **quartier ~** shopping area; **nation très ~e** great trading nation; **il n'est pas très ~** he's not interested in pleasing the customer

B ▸ **p. 532** *nm,f* shopkeeper, storekeeper US; **petit ~** small shopkeeper *ou* storekeeper US;

ⓘ comment¹

Lorsqu'il signifie 'de quelle manière', *comment* se traduit généralement par *how*:

comment vas-tu au travail?
= how do you get to work?

comment as-tu fait pour arriver avant moi?
= how did you manage to get here before me?

je ne comprends pas comment tu as pu te perdre
= I don't understand how you managed to get lost

dis-moi comment elle a réagi
= tell me how she reacted

comment résoudre le problème?
= how can this problem be solved?

as-tu compris comment faire?
= do you understand how to do it?

il ne sait même pas comment faire cuire un œuf au plat
= he doesn't even know how to fry an egg

Attention: certains verbes comme *appeler*, *nommer* etc. ont une construction différente en anglais:

comment appelles-tu cet objet?
= what do you call this object?

On se reportera au verbe.

Lorsqu'il peut être remplacé par 'pourquoi', *comment* se traduit par *why*:

comment ne m'a-t-on pas averti?
= why wasn't I told?

Lorsqu'il sert à exprimer l'indignation ou la surprise, *comment* se traduit par *what*:

comment? il est marié?
= what? he's married?

Lorsqu'il sert à faire répéter une information, *comment* se traduit par *pardon*:

comment? qu'est-ce que tu dis?
= pardon? what did you say?

On trouvera exemples supplémentaires et exceptions ci-contre.

grand *or* **gros ~** large retailer; **les ~s ferment en août** the shops *ou* stores US close in August

commerce /kɔmɛʀs/ *nm* **1** (magasin) shop, store US; **dans le ~** in the shops *ou* stores US; **tenir un ~** to run a shop GB *ou* store US; **édition hors ~** privately printed book; **2** (entreprise commerciale) business; **dix mille mètres carrés de ~s** ten thousand square metres[GB] of business space; **3** (activité) trade; **~ mondial** world trade; **~ des armes/de l'art/du tabac** arms/art/tobacco trade; **le ~ ne marche pas très bien en ce moment** trade *ou* business is slow at the moment; **faire le ~ de** to trade in; **faire ~ de** to sell; **faire du ~** to be in business; ▸ **petit**; **4** (fréquentation) liter company; **~ des hommes** company of others; **être d'un ~ agréable/désagréable** to be good/poor company

(Composés) **~ de détail** retail trade; **~ d'échange** barter; **~ équitable** fair trade; **~ extérieur** foreign trade; **~ de gros** wholesale trade; **~ international** international trade; **~ triangulaire** Hist triangular trade

commercer /kɔmɛʀse/ [12] *vi* to trade (**avec** with)

commercial, **~e**, *mpl* **-iaux** /kɔmɛʀsjal, o/

A *adj* **1** Comm commercial; **entreprise/musique/réussite ~e** commercial company/music/success; **carrière ~e** career in sales and marketing; **sourire ~** plastic smile; **2** Écon trade; **accord/embargo/différend ~** trade agreement/embargo/disagreement

B *nm,f* sales and marketing person; **les commerciaux** sales and marketing people

commercialement /kɔmɛʀsjalmɑ̃/ *adv* commercially; **~ exploitable** commercially viable

commercialisable /kɔmɛʀsjalizabl/ *adj* marketable

commercialisation /kɔmɛʀsjalizasjɔ̃/ *nf* marketing; **~ du riz/de technologies** marketing of rice/of technology

commercialiser /kɔmɛʀsjalize/ [1] *vtr* to market

commère /kɔmɛʀ/ *nf* pej gossip; **c'est une vraie ~!** he/she is a real gossip!

commérer /kɔmeʀe/ [14] *vi* to gossip

commettant /kɔmetɑ̃/ *nm* principal

commettre /kɔmɛtʀ/ [60]

A *vtr* **1** (faire) to make [*erreur, gaffe*]; to commit [*délit, crime, péché*]; to carry out [*attentat, agression, massacre*]; **~ une lâcheté/infamie** to do something cowardly/disreputable; **~ une imprudence** to be careless; **le régime a commis des excès** the regime is guilty of excesses; **2** (créer) hum to perpetrate, to be the perpetrator of [*œuvre*]; **3** (préposer) to appoint; **~ qn à un emploi** to appoint sb to a post; **~ un avocat à la défense de qn** to appoint a lawyer to defend sb; **expert commis** appointed expert

B se commettre *vpr* fml **se ~ avec des indésirables** to consort *ou* associate with undesirable characters

comminatoire /kɔminatwaʀ/ *adj* **1** gén menacing, comminatory sout; **2** Jur with a stated penalty for noncompliance

commis /kɔmi/ ▸ **p. 532** *nm* (employé) (de ferme) hand; (de bureau) clerk; (de commerce) shop assistant GB, salesclerk US; ▸ **grand**

(Composés) **~ d'agent de change** stockbroker's assistant; **~ greffier** ≈ Registrar's assistant; **~ voyageur** travelling[GB] salesman

commisération /kɔmizeʀasjɔ̃/ *nf* commiseration

commissaire /kɔmisɛʀ/ ▸ **p. 532** *nm* **1** (dans la police) **~ (de police)** ≈ police superintendent; **~ adjoint** ≈ deputy police superintendent; **2** (membre d'une commission) commissioner; **~ à la concurrence/l'environnement**, **~ chargé de la concurrence/l'environnement** Competition/Environment Commissioner; **3** (organisateur) steward

(Composés) **~ de l'air** Mil ≈ command supply officer; **~ de bord** Naut purser; **~ aux comptes** auditor; **~ divisionnaire** Chief Superintendent; **~ européen** European Commissioner; **~ européen à la concurrence** European Competition Commissioner; **~ du gouvernement** Admin, Pol government Commissioner; **~ de la marine** chief administrator (*in the Navy*); **~ parlementaire** Parliamentary Commissioner; **~ de la République** prefect

commissaire-priseur, *pl* **commissaires-priseurs** /kɔmisɛʀpʀizœʀ/ ▸ **p. 532** *nm* auctioneer

commissariat /kɔmisaʀja/ *nm* **1** (local) **~ (de police)** police station; **2** (commission) commission; **3** (fonction) **~ de bord** pursership; **~ aux comptes** auditorship

(Composés) **~ général du plan** ≈ (government's) economic advisory committee; **Commissariat à l'énergie atomique, CEA** *French Atomic Energy Authority*

commission /kɔmisjɔ̃/

A *nf* **1** (groupe de travail) committee; **2** Comm, Fin commission; **elle prend une ~ de 5%** she takes a 5% commission; **être payé à la ~** to be payed on a commission basis; **3** (mission) **faire une ~ pour qn** to do *ou* run an errand for sb; **4** (message) **faire la ~ à qn** to give sb the message, to pass the message on to sb; **il pourrait faire ses ~s tout seul!** he could do *ou* run his own errands!

B commissions○ *nfpl* shopping ₵; **faire les ~s** to do one's *ou* the shopping; **il est parti en ~s** he is out shopping

(Composés) **~ ad hoc** ad hoc committee; **~ d'arbitrage** arbitration committee; **~ de contrôle** board of enquiry GB *ou* inquiry US; **~ des Communautés européennes** Commission of the European Communities, EC Commission; **~ des comptes** Fin accounts commission; **~ d'enquête** gén investigating committee, board of enquiry GB *ou* inquiry US; Pol select committee; **~ d'examen** board of examiners; **~ des Lois** Law commission; **~ paritaire** joint consultative committee; **~ parlementaire** parliamentary committee; **~ permanente** standing committee; **~ rogatoire** rogatory commission; **~ temporaire** temporary committee; **Commission européenne** UE European Commission

(Idiomes) **faire la petite ~**○ baby talk to do number one○; **faire la grosse ~** baby talk to do number two○

commissionnaire /kɔmisjɔnɛʀ/ ▸ **p. 532** *nm* **1** Jur, Comm agent, broker; **2** (coursier) messenger; **~ (d'hôtel)** doorman

(Composés) **~ en douane** customs agent; **~ de transport** forwarding agent

commissionner /kɔmisjɔne/ [1] *vtr* to commission, to appoint; **~ qn pour faire** to commission *ou* appoint sb to do

commissure /kɔmisyʀ/ *nf* corner, comissure spéc; **à la ~ de ses lèvres** at the corner of his/her mouth

commode /kɔmɔd/

A *adj* **1** (pratique) [*instrument, outil*] handy; [*système, télécommande, prétexte, lieu*] convenient; **un four micro-onde c'est bien ~** microwave ovens are really convenient; **c'est un endroit ~ pour se rencontrer** it's a convenient place to meet; **2** (aisé) easy; **trouver à se loger ce n'est pas ~** it's not easy to find accommodation; **ce serait trop ~** it would be too easy; **3 ne pas être (très) ~** (être strict) to be strict; (être difficile) to be difficult (to deal with)

B *nf* (meuble) chest of drawers

commodément /kɔmɔdemɑ̃/ *adv* [*situé*] conveniently; [*installé*] comfortably; [*se déplacer*] easily

commodité /kɔmɔdite/

A *nf* (avantage) convenience; **par ~** for (the sake of) convenience; **c'est d'une grande ~** it is very convenient; **pour plus de ~** for greater convenience

B commodités *fpl* **1** (de quartier) (local) services, facilities; (dans une maison) mod cons○, modern conveniences; **2** (facilités offertes) services; **3** †(toilettes) toilets

commotion /kɔmosjɔ̃/ *nf* **1** Méd (ébranlement) concussion; **~ cérébrale** concussion (*of the brain*); **2** fig (émotion) shock

commotionner /kɔmosjɔne/ [1] *vtr* **1** lit to concuss; **2** fig to shake

commuable /kɔmɥabl/ *adj* [*peine*] commutable (**en** to); **non ~** non-commutable

commuer /kɔmɥe/ [1] *vtr* to commute [*peine*] (**en** to)

commun, **~e** /kɔmœ̃, yn/

A *adj* **1** (venant de plusieurs personnes) [*travail, œuvre*] collaborative; [*désir, volonté, accord, préoccupation, conception*] common; [*candidat, politique, projet, revendication, stratégie*] joint (*épith*); **d'un ~ accord** by mutual agreement; **2** (appartenant à plusieurs) [*cour, pièce, équipement, fonds, souvenirs, expérience*] shared; [*ami*] mutual; [*ancêtre, langue, passé, dénominateur, facteur*] common; [*biens*] joint (*épith*); **nous avons des amis ~s** we have mutual friends, we have friends in common; **pour le bien ~** for the common good; **dans l'intérêt ~** in the common interest; **la cuisine est ~e aux locataires** the kitchen is shared by the tenants; **époux ~s en biens** Jur *couple who have become joint owners of property through marriage*; **après dix ans de vie ~e** after living together for ten years; **3** (semblable) [*caractéristiques, intérêts, traits*] common (**à** to); [*ambition, objectifs*] shared; **une politique ~e aux deux partis** a policy common to both parties; **n'avoir plus rien de ~ avec qch/qn** no longer to have anything in common with sth/sb; **les événements d'hier sont sans ~e mesure avec les précédents** yesterday's events are on an altogether different scale from previous ones; **4** (courant) [*attitude, opinion, faute, maladie, espèce*] common; **il est ~ de faire** it's common to do; **ce n'est pas un prénom très ~** that's a rather unusual name; **elle est d'une beauté peu ~e** she's uncommonly beautiful; **5** (ordinaire) pej [*goût, personne*] common péj; [*visage*] plain; **c'est/il est d'un ~!** it's/he's so common!

B *nm* ordinary; **sortir du ~** to be out of the ordinary; **les gens du ~** ordinary people; **le ~ des mortels** ordinary *ou* common mortals (*pl*); **le ~ des auditeurs/lecteurs** the ordinary listener/reader; **tomber dans le ~** to become commonplace *ou* run-of-the-mill; **hors du ~** exceptional

C en commun *loc adv* [*écrire, travailler, produire*] jointly, together; **prendre ses repas en ~** to eat together; **avoir qch en ~** to have sth in common (**avec qn** with sb); **mettre ses moyens** *or* **ressources en ~** to pool one's resources; **nous mettons tout en ~** we share everything

D communs *nmpl* outbuildings (*pl*)

E commune *nf* **1** Admin (village) village; (ville) town, district; **dans la ~e de Melay** in the village of Melay; **2** Hist **la Commune (de Paris)** the (Paris) Commune

F communes *nfpl* Pol **les Communes, la Chambre des communes** the (House of) Commons

(Composés) **~e rurale** Admin rural district; **~e urbaine** Admin urban district

> **Commune**
>
> The smallest administrative unit, headed by a *maire* and a *conseil municipal*. Each village, town and city is a *commune*, of which there are 36,000 nationwide.

communal, **~e**, *mpl* **-aux** /kɔmynal, o/

A *adj* Admin [*budget, gestion, ressources*] local council GB, local government US; [*bâtiment*] local council GB, community US; [*cimetière, fête*] village; **un employé** ~ a council worker GB, a town maintenance worker US; **un lotissement** ~ a council estate GB, a government-subsidized housing development US; **chemin** ~ ≈ public track; **terrain** ~ common land

B **communale** *nf* state primary school

communard, **~e** /kɔmynaʀ, aʀd/
A *adj* Hist [*mouvement*] Communard
B *nm,f* **1** Hist Communard; **2** (communiste) péj commie○ péj, communist

communautaire /kɔmynotɛʀ/ *adj* **1** Pol, UE [*budget, droit*] Community; [*population*] of the Community (*après n*); **2** (d'une collectivité) **la vie** ~ life in a community; **les règles** **~s** the rules of a community; **des affrontements** **~s** communal violence (*sg*)

communautarisme /kɔmynotaʀism/ *nm* communitarianism

communauté /kɔmynote/ ▸ **p. 333** *nf* **1** (groupe humain) community; ~ **culturelle/ethnique** cultural/ethnic community; **la** ~ **chypriote/musulmane** the Cypriot/Muslim community; **la** ~ **nationale/internationale** the national/international community; **la** ~ **scientifique/politique** the scientific/political community; **2** (collectivité) commune; **~s hippies** hippy communes; **vivre en** ~ to live in a commune; **la vie en** ~ communal life; **3** Relig community; **4** Jur ~ **(de biens)** joint ownership; ~ **(légale)** *or* **réduite aux acquêts** joint ownership of property upon marriage; **se marier sous le régime de la** ~ to marry on terms of joint ownership of property; **5** (identité) community; ~ **de vues/goûts** shared views/tastes; **une** ~ **d'idées/de valeurs** shared ideas/values

(Composés) ~ **thérapeutique** therapeutic community; ~ **urbaine** Admin metropolitan district *ou* area; **Communauté économique du charbon et de l'acier**, **CECA** European Coal and Steel Community, ECSC; **Communauté économique européenne**, **CEE** Hist European Economic Community, EEC; **Communauté européenne**, **Communautés européennes** European Community; **Communauté des États indépendants**, **CEI** Commonwealth of Independent States, CIS

commune ▸ **commun A, E, F**

communément /kɔmynemɑ̃/ *adv* [*admettre, désigner*] generally; **une fleur** ~ **appelée** a flower commonly *ou* generally known as

communiant, **~e** /kɔmynjɑ̃, ɑ̃t/ *nm,f* **1** (qui communie) communicant; **2** (qui fait sa première communion) **(premier)** ~ child taking his/her first communion; **ce n'est pas une première** **~e** hum she's no innocent

communicable /kɔmynikabl/ *adj* **1** (disponible) [*information*] available to the general public; **données** **~s par téléphone** data which can be given over the telephone; **2** (exprimable) [*réalité, sentiment*] which can be conveyed (*épith, après n*); **mon sentiment n'est pas** ~ my feeling cannot be conveyed; **3** Méd [*maladie*] communicable

communicant, **~e** /kɔmynikɑ̃, ɑ̃t/ *adj* **1** Constr [*pièces, porte*] communicating; **salle de bains** **~e** communicating *ou* en suite GB bathroom; **2** Méd [*artère*] communicating

communicateur /kɔmynikatœʀ/ *nm* communicator

communicatif, **-ive** /kɔmynikatif, iv/ *adj* **1** [*personne, nature*] talkative; **2** [*gaieté, dynamisme, passion*] infectious

communication /kɔmynikasjɔ̃/ *nf* **1** Télécom call; ~ **téléphonique** telephone call; ~ **en PCV** reverse-charge call; **être en** ~ **avec qn** to be on the line to sb; **je vous passe la** ~ I'll transfer the call to you, I'll put the call through to you; **mettre qn en** ~ **avec qn** to put sb through to sb; **prix de la** ~ cost of a call; ~ **longue distance** long-distance call; ~ **par satellite** satellite communication; **2** (relations sociales) communications (*pl*); ~ **interne** internal communications; **problème de** ~ communications problem; **stratégie de** ~ communications strategy; ~ **entre les individus** interpersonal communications; **améliorer la** ~ to promote better communications; ~ **de masse** mass communications; **diplôme en** ~ degree in communications; **homme de** ~ communicator; **3** (transmission) communication; ~ **du rapport à tous les membres** a copy of the report will be sent to all members; **donner** ~ **d'un dossier à qn** to send a file to sb; **demander** ~ **d'un dossier à qn** to ask sb for a file; **4** (au conseil des ministres) report; (à une conférence) paper; **faire une** ~ **sur** to give a paper on; **5** (relation personnelle) communication ₵; ~ **entre deux personnes** communication between two persons; **être en** ~ **avec qn** to be in communication with sb; **mettre qn en** ~ **avec qn** to put sb in touch with sb; **se mettre en** ~ **avec qn** to get in touch with sb; **6** (média) communications (*pl*); **groupe de** ~ communications group; **industrie de la** ~ communications industry; **7** (moyens de liaison) **moyens/voies de** ~ communications (*pl*); **les** **~s ont été coupées** communications have been cut off; **8** Ling communication

(Composés) ~ **de diffusion** Télécom broadcast call; ~ **multiple** Télécom conference call

communicatrice /kɔmynikatʀis/ *nf* communicator

communier /kɔmynje/ [2] *vi* **1** Relig [*personne*] to receive Communion; **aller** ~ to go up for communion; ~ **sous les deux espèces** to receive Communion in both kinds; **2** fig to commune (**avec** with); ~ **dans la douleur de qn** to share in sb's grief; ~ **dans la passion de qch** to share the same passion for sth

communion /kɔmynjɔ̃/ *nf* **1** Relig Communion; **recevoir la** ~ to receive *ou* take Communion; **donner** *or* **administrer la** ~ **à qn** to administer Communion to sb; **2** (accord) communion; **être en étroite** ~ to be in close harmony; **se sentir en** ~ **avec qch/qn** to feel in harmony with sth/sb; **être en** ~ **d'idées/de sentiments** liter to share the same ideas/feelings; **nous sommes en** ~ **de goûts** liter we share the same tastes

(Composés) ~ **(privée)** Relig first communion; **faire sa** ~ to take *ou* make one's first communion; ~ **solennelle** Relig *solemn declaration of faith made at the age of 11*

communiqué /kɔmynike/ *nm* **1** (de presse) communiqué, press release; **2** (de parti, gouvernement) statement; ~ **commun/final/officiel** common/final/official statement; ~ **à la presse** statement to the press; ~ **publié hier** statement issued yesterday

(Composé) ~ **de presse** press release

communiquer /kɔmynike/ [1]
A *vtr* **1** (faire connaître) [*journaliste*] to announce [*date, décision, résultat*]; [*personne*] to give [*adresse, détail, liste, chiffre*] (**à** to); [*personne*] to declare [*intention*] (**à** to); ~ **son enthousiasme à qn** to pass on one's enthusiasm to sb; **2** (transmettre) [*personne*] to pass on [*goût, dossier, proposition, maladie*] (**à** to); [*artiste, interprétation, œuvre*] to convey [*idée, sentiment*] (**à** to); **3** Mécan, Phys to transmit [*mouvement, rayonnement*]
B *vi* **1** Ling, Sociol, Télécom to communicate (**avec** with); ~ **par signes/lettres/téléphone** to communicate by signs/letters/telephone; **2** Entr, Pub to communicate; **aptitude à** ~ communication skills (*pl*); **3** Archit [*pièces*] to be adjoining; ~ **avec** to adjoin [*pièce*]; **faire** ~ to link
C **se communiquer** *vpr* **1** (se transmettre) [*personnes*] to pass on [sth] to each other [*information, nouvelle*]; **2** (se répandre) [*feu, peur, maladie*] to spread (**à** to); **3** (se répercuter) ~ **à** [*phénomène*] to affect

communisant, **~e** /kɔmynizɑ̃, ɑ̃t/
A *adj* [*idées*] sympathetic to communism (*après n*); **il a été** ~ he was a communist sympathizer
B *nm,f* communist sympathizer

communisme /kɔmynism/ *nm* communism

communiste /kɔmynist/ *adj, nmf* communist

commutable /kɔmytabl/ *adj* **1** Math commutative; **2** Ling commutable

commutateur /kɔmytatœʀ/ *nm* **1** Électrotech (de connexion) switch; (de direction, d'intensité) commutator; (interrupteur) (light) switch; ~ **conjoncteur/disjoncteur** circuit-closer/-breaker; **2** Télécom switching

commutatif, **-ive** /kɔmytatif, iv/ *adj* Ling, Math, Jur commutative

commutation /kɔmytasjɔ̃/ *nf* **1** Jur commutation (**de** of; **en** to); **2** Ling, Math commutation; **loi de** ~ commutative law; **3** Ordinat message switching; **4** Télécom switching

commutativité /kɔmytativite/ *nf* **1** Math commutativity; **2** Ling substitutability on a paradigmatic axis

commuter /kɔmyte/ [1]
A *vtr* **1** Math to commute (**avec** with); **2** Ling to substitute, to commute; **3** Électrotech to switch [*courant*]
B *vi* Math to commute (**avec** with)

Comores /kɔmɔʀ/ ▸ **p. 333, p. 435** *nprfpl* **les (îles)** ~ the Comoros

comorien, **-ienne** /kɔmɔʀjɛ̃, ɛn/ ▸ **p. 561** *adj* Comoran

Comorien, **-ienne** /kɔmɔʀjɛ̃, ɛn/ ▸ **p. 561** *nm,f* Comoran

compacité /kɔ̃pasite/ *nf* **1** (densité) density; **2** (faible encombrement) compactness

compact, **~e** /kɔ̃pakt/
A *adj* **1** (dense) [*brouillard, foule*] dense; [*bois*] close-grained; [*terre*] compact; **2** (peu encombrant) [*meuble*] compact; **sous format** ~ [*livre*] in pocket edition; **3** (solide) [*groupe, opposition*] monolithic; [*peloton*] compact
B *nm* **1** (disque) CD; **2** (appareil photo) compact camera; **3** Cosmét compact; **4** Sport (ski) compact ski
C **compacte** *nf* Aut small car, compact

compacter /kɔ̃pakte/ [1] *vtr* **1** Ordinat to compress [*données*]; **2** Constr, Écol to compact [*sol, ordures*]

compagne /kɔ̃paɲ/ *nf* **1** (amie) (female) companion; ~ **de toujours** lifelong companion; ~ **de voyage** travelling[GB] companion; **2** (femelle) mate

compagnie /kɔ̃paɲi/ *nf* **1** (présence) company; **attendre/vouloir de la** ~ to expect/to want company; **la** ~ **de** the company of; **tenir** ~ **à qn** to keep sb company; **être de bonne/mauvaise** ~ to be good/bad company; **voyager de** ~ to travel together; **en** ~ **de** together with; **2** (groupe) company; **toute la** ~ the entire company; **distraire la** ~ to entertain the company; **salut la** ~! hello everybody!; **embrasser/saluer la** ~ to kiss/to greet all present; **3** Comm company; ~ **privée** private company; **4** Mil company; **5** Danse, Théât company; ~ **théâtrale** theatre[GB] company; ~ **de danse** dance company; ~ **de ballet** ballet company; **6** (colonie animale) ~ **de perdrix** covey of partridges

(Composés) ~ **aérienne** airline; ~ **d'assurance** insurance company; ~ **bancaire** Fin banking corporation; ~ **de chemins de fer** railway company; ~ **cinématographique** film company; ~ **des eaux** water company; ~ **financière** Fin finance company; ~ **d'infanterie** rifle company; ~ **de navigation** shipping line; ~ **pétrolière** oil company; ~ **de transports** transport company; **Compagnie des agents de change** Fin company of stockbrokers; **Compagnie des Indes** Hist East India Company; **Compagnie de Jésus** Relig Society of Jesus

compagnon /kɔ̃paɲɔ̃/ *nm* 1 (ami) companion; ~ **fidèle** faithful companion; 2 (amant) partner; 3 (mâle) mate; 4 (artisan) journeyman; 5 (franc-maçon) fellow of the craft

(Composés) ~ **d'armes** comrade-in-arms; ~ **de captivité** fellow prisoner; ~ **d'infortune** companion in misfortune; ~ **de route** fellow traveller[GB]; ~ **de table** table companion; ~ **de voyage** travelling[GB] companion

compagnonnage /kɔ̃paɲɔnaʒ/ *nm* companionship

comparable /kɔ̃paʀabl/ *adj* [*prix, qualité, taille*] comparable (**à** to; **avec** with); **il est ~ aux plus grands peintres** he stands comparison with the greatest painters; **ça n'a rien de ~** it's altogether different

comparaison /kɔ̃paʀɛzɔ̃/ *nf* 1 (rapprochement) comparison (**à, avec** with; **entre** between); **il n'y a pas de ~ (possible)** there's no comparison; **en/par ~** in/by comparison; **en ~ de** by comparison with, compared with; **par ~ avec** *or* **à** compared with; **si tu fais la ~** if you compare them; **c'est sans ~ le plus confortable** it's far and away the most comfortable; **les deux films ont peu de points de ~** the two films have little in common; **je manque de points de ~** I've no way of making comparisons; **supporter la ~** to stand comparison; 2 (en rhétorique) simile; 3 Ling comparison; **adjectif/adverbe de ~** comparative adjective/adverb; **degré de ~** degree of comparison

(Idiome) ~ **n'est pas raison** Prov comparisons are odious

comparaître* /kɔ̃paʀɛtʀ/ [73] *vi* Jur to appear (**devant** before); **être appelé à ~** to be summoned to appear; **citer qn à ~** to serve sb with a summons; **citation à ~** summons to appear; **défaut de ~** default, failure to appear; **refus de ~** refusal to appear

comparatif, -ive /kɔ̃paʀatif, iv/

A *adj* [*étude, éléments, publicité*] comparative

B *nm* Ling comparative; ~ **d'égalité/d'infériorité/de supériorité** same/lower/higher degree comparative; **au ~** in the comparative

C comparative *nf* Ling comparative clause

comparatiste /kɔ̃paʀatist/

A *adj* comparative

B *nmf* (en linguistique) specialist in comparative linguistics; (en littérature) specialist in comparative literature

comparative ▸ **comparatif A, C**

comparativement /kɔ̃paʀativmɑ̃/ *adv* comparatively; ~ **à** compared with

comparé, ~e /kɔ̃paʀe/

A *pp* ▸ **comparer**

B *pp adj* 1 [*droit, littérature, anatomie*] comparative; 2 [*interprétations, textes*] compared (*épith*); ~ **à** compared with

comparer /kɔ̃paʀe/ [1]

A *vtr* (pour évaluer) to compare (**à, avec** with); (assimiler) to compare (**à** to); ~ **deux objets/hommes (entre eux)** to compare two things/men; **comparez avant d'acheter** shop around before you buy

B se comparer *vpr* 1 (soi-même) **se ~ à qn/qch** (pour évaluer) to compare oneself with sb/sth; (s'assimiler) to compare oneself to sb; 2 (être comparable) to be comparable; **ça ne se compare pas** there's no comparison

comparse /kɔ̃paʀs/ *nmf* 1 Théât extra; **rôle de ~** walk-on part; péj minor part; 2 (acolyte) sidekick○; **on n'a arrêté que les ~s** they have only arrested the small fry

compartiment /kɔ̃paʀtimɑ̃/ *nm* (de meuble, wagon) compartment; **faire des ~s dans qch** lit to divide sth up into compartments; fig to compartmentalize sth

compartimentage /kɔ̃paʀtimɑ̃taʒ/ *nf* (de service, science, société) compartmentalization

compartimenter /kɔ̃paʀtimɑ̃te/ [1] *vtr* 1 lit ~ **un coffret** to divide a box into compartments; ~ **un grenier** to divide up a loft with partitions; **tiroir compartimenté** drawer divided into compartments; 2 fig to compartmentalize [*administration, science*]

comparution /kɔ̃paʀysjɔ̃/ *nf* Jur appearance (**devant** before)

compas /kɔ̃pa/ *nm* 1 (de géométrie) compass, pair of compasses US; **tracé au/sans ~** drawn with a/without a compass; 2 Aviat, Naut compass; **se diriger au ~** to navigate by compass

(Composés) ~ **azimutal** Aviat azimuth compass; ~ **à balustre** spring bow compass; ~ **d'épaisseur** external callipers[GB] (*pl*); ~ **à pointes sèches** dividers (*pl*); ~ **à pompe** dropbow compass

(Idiome) **avoir le ~ dans l'œil** to have a good eye

compassé, ~e /kɔ̃pase/ *adj* pej [*personne, attitude*] stuffy; [*air, ton*] prim; [*manières*] affected

compassion /kɔ̃pasjɔ̃/ *nf* compassion; **avec ~** compassionately

compatibilité /kɔ̃patibilite/ *nf* 1 gén compatibility; ~ **sanguine** Biol compatibility of blood types; ~ **tissulaire** Biol histocompatibility; 2 Ordinat compatibility

compatible /kɔ̃patibl/ *adj* compatible (**avec** with); ~ **PC** Ordinat PC compatible; **énoncés ~s** Philos consistent statements *ou* propositions

compatir /kɔ̃patiʀ/ [3] *vi* to sympathize; **je compatis à votre douleur** fml I feel for you in your sorrow sout

compatissant, ~e /kɔ̃patisɑ̃, ɑ̃t/ *adj* compassionate

compatriote /kɔ̃patʀijɔt/ *nmf* fellow-countryman/-countrywoman, compatriot

compendium /kɔ̃pɑ̃djɔm, kɔ̃pɛ̃djɔm/ *nm* compendium (**de** of)

compensable /kɔ̃pɑ̃sabl/ *adj* 1 [*dommage, perte*] for which compensation can be obtained (*épith, après n*); 2 Fin **à** [*chèque*] to be cleared in

compensateur, -trice /kɔ̃pɑ̃satœʀ, tʀis/

A *adj* [*effet, indemnité*] compensatory; [*pendule*] compensation; [*filtre*] compensatory

B *nm* 1 Tech (en optique) compensator; 2 Télécom ~ **d'affaiblissement** attenuation frequency equalizer; 3 Aviat tab; 4 Audio equalizer

compensation /kɔ̃pɑ̃sasjɔ̃/ *nf* 1 (action de compenser) compensation; **en ~ ils nous ont payé l'hôtel** as compensation they paid for the hotel; **ils ont reçu une forte somme en ~ des travaux effectués** they received a large sum as compensation for the work carried out; **elle a obtenu 2 500 euros en ~** she got 2,500 euros in compensation; 2 (avantage accordé) compensation ₵; **recevoir une ~** to receive compensation; **ils ont obtenu des ~s financières** they obtained financial compensation; **comme** *or* **à titre de ~** in *ou* by way of compensation; **ils font des heures supplémentaires sans ~** they are working overtime with no compensation; 3 Écon countertrade, compensation; 4 Fin clearance; ▸ **accord, cours**; 5 Méd, Psych compensation

compensatoire /kɔ̃pɑ̃satwaʀ/ *adj* compensatory; **montants ~s** compensatory amounts

compensé, ~e /kɔ̃pɑ̃se/

A *pp* ▸ **compenser**

B *pp adj* 1 Mode **semelle ~e** wedge heel; 2 Méd compensated

compenser /kɔ̃pɑ̃se/ [1]

A *vtr* 1 gén, Psych, Méd [*personne, groupe, pays*] to compensate for [*manque, défaut, handicap*]; to make up for [*dommages*]; to offset [*inflation, dépenses, pertes*]; **je ne fume plus alors je compense en mangeant plus** I've stopped smoking so I compensate by eating more; **nous souhaitons ~ les pertes par la vente de machines** we want to offset our losses by selling machinery; **pour ~, les banques ont baissé le taux de 3%** to compensate, banks have lowered their rate by 3%; 2 (équilibrer) [*hausse, dédommagement, mesure*] to offset [*perte, inflation*]; [*qualité*] to make up for [*défaut*]; **la hausse des salaires va ~ l'inflation** the wage rise GB *ou* raise US will offset inflation; **sa timidité est compensée par sa gentillesse** he's/she's very shy but his/her kindness makes up for it

B se compenser *vpr* **les gains et les pertes se compensent** the profits offset the losses; **ses défauts et ses qualités se compensent** his/her good qualities make up for his/her faults

compère /kɔ̃pɛʀ/ *nm* 1 (partenaire) partner; (dans une tromperie) accomplice; 2 (camarade) mate○ GB, buddy○ US; 3 (individu) **joyeux/rusé ~** cheery/crafty fellow○

compère-loriot, *pl* **compères-loriots** /kɔ̃pɛʀlɔʀjo/ *nm* 1 Zool golden oriole; 2 †Méd sty

compétence /kɔ̃petɑ̃s/ *nf* 1 (aptitude) (dans une matière, un domaine) ability; (dans un emploi, une activité) competence, skill; **mes ~s en mécanique sont limitées** my mechanical skills are very limited; **faire preuve de ~** to show ability; **faire la preuve de ses ~s** to show one's competence *ou* ability; **manquer de ~** to lack competence; **avec une grande ~** very competently; **faire appel aux ~s de qn** to call upon sb's expertise; 2 (aptitude légale) competence; **relever de la ~ de qn** to fall within the competence of sb; 3 (fonction) domain, sphere; **être** *or* **entrer dans les ~s de qn** to be in sb's domain; **l'entretien du bâtiment n'est pas de mes ~s** I'm not responsible for the upkeep of this building; 4 Ling competence

compétent, ~e /kɔ̃petɑ̃, ɑ̃t/ *adj* 1 (qualifié) competent; **être ~ en la matière** to be competent in the subject *ou* matter; **être assez ~ pour faire** to have the competence *ou* ability to do; 2 (qui a l'autorité) [*autorité, préfet*] competent; [*administration, service*] appropriate; **tribunal ~** court of competent jurisdiction; **le maire est seul ~ pour faire** the mayor is the only one with the authority to do; **le tribunal de Rennes n'est pas ~ pour juger cette affaire** this case does not come within the jurisdiction of the Rennes court; **remettre un dossier aux autorités ~es** to forward a file to the appropriate authorities *ou* to the authorities concerned

compétiteur /kɔ̃petitœʀ/ *nm* competitor

compétitif, -ive /kɔ̃petitif, iv/ *adj* competitive

compétition /kɔ̃petisjɔ̃/ *nf* 1 (rivalité) rivalry (**entre** between); **faire naître la ~ entre** to stimulate rivalry between; **se livrer à une ~ acharnée** to be engaged in fierce competition; **être en ~ avec** to be competing with; **en ~ pour** competing for; **entrer en ~ avec** to compete with; **l'esprit de ~** the competitive spirit; 2 (activité) competition; **se retirer de** *or* **abandonner la ~** (définitivement) to retire from competition; (pour une épreuve) to withdraw from competition; **voiture de ~** competition car; **faire de la ~** to compete; **sport de ~** competitive sport; 3 (épreuve) ~ **(sportive)** sporting event; ~ **d'athlétisme/de natation/de ski** athletics/swimming/skiing event; ~ **automobile** motor GB *ou* auto US racing event

compétitivité /kɔ̃petitivite/ *nf* competitiveness

compétitrice /kɔ̃petitʀis/ *nf* (female) competitor

compilateur, -trice /kɔ̃pilatœʀ, tʀis/

A *nm,f* compiler

B *nm* Ordinat compiler; ~ **de ~s** compiler-compiler; ~ **croisé** cross-compiler

compilation /kɔ̃pilasjɔ̃/ *nf* 1 (action) compilation; 2 (ouvrage, disque) compilation

compiler /kɔ̃pile/ [1] *vtr* to compile

complainte /kɔ̃plɛ̃t/ *nf* lament

complaire: **se complaire*** /kɔ̃plɛʀ/ [59] *vpr* **se ~ à faire** to take pleasure in doing; **se ~ dans le malheur** to wallow in misery; **se ~ dans son ignorance** to bask in one's own ignorance

complaisamment /kɔ̃plɛzamɑ̃/ *adv* [1] (aimablement) obligingly; [2] (avec trop d'indulgence) indulgently; [3] (avec autosatisfaction) complacently

complaisance /kɔ̃plɛzɑ̃s/ *nf* [1] (volonté de faire plaisir) kindness, readiness to oblige; **avoir la ~ de faire** to be kind enough to do; **faire qch par ~** to do sth to oblige *ou* out of kindness; **sourire de ~** polite smile; **certificat médical de ~** medical certificate delivered by an obliging doctor; **pavillon de ~** flag of convenience; [2] (indulgence excessive) **la ~ d'un père à l'égard de ses enfants** a father's indulgence toward(s) his children; **leur ~ à l'égard du régime** their soft attitude toward(s) the regime, the fact that they condone the regime; **décrire la situation sans ~** to give an objective assessment of the situation; **un portrait sans ~** a candid portrait; [3] (autosatisfaction) complacency, smugness; **il s'écoute avec ~** he likes the sound of his own voice

complaisant, **~e** /kɔ̃plɛzɑ̃, ɑ̃t/ *adj* [1] (prévenant) obliging; [2] (trop indulgent) pej indulgent (**avec** with); **sa description des faits est trop ~e** he's too uncritical in his account of the facts; **un mari ~** a husband who turns a blind eye; **des oreilles ~es** people who like to listen to gossip; [3] (autosatisfait) pej complacent péj, self-satisfied péj; **se juger d'une manière ~e**, **se regarder d'un œil ~** to be self-satisfied

complément /kɔ̃plemɑ̃/ *nm* [1] (allocation) supplementary benefit; **~ de retraite** supplementary pension; [2] (revenu) **~ de salaire** extra payment; [3] (alimentaire, de programme, travail, financement) supplement; **~ de formation** further training; **en ~** as a supplement (**à**, **de** to); [4] (compagnon) complement (**de** to); **~ naturel** natural complement; [5] Ling complement; **~ d'agent** agent; **~ d'attribution** indirect object; **~ circonstanciel** adverbial phrase; **~ de nom** possessive phrase; **~ d'objet** object; **~ d'objet direct** direct object; **~ d'objet indirect** indirect object; [6] Math complement

(Composés) **~ d'enquête** Jur further enquiry GB *ou* inquiry US; **~ d'information** Jur further information

complémentaire /kɔ̃plemɑ̃tɛʀ/ *adj* [1] (supplémentaire) [*formation, information, examen médical, délai*] further; [*activité, somme*] supplementary; **pour tous renseignements ~s** for further information; [2] (apparié) [*personne, qualité, équipement*] complementary (**de** to); **être ~ l'un de l'autre** to complement each other; [3] Math **arcs/angles ~s** complementary arcs/angles

complémentarité /kɔ̃plemɑ̃taʀite/ *nf* complementarity

complet, **-ète** /kɔ̃plɛ, ɛt/

[A] *adj* [1] (total) [*arrêt, silence, succès, accord, changement, révision*] complete; [*misère, échec, destruction*] total; [2] (sans manques) [*œuvres, liste, exposé, dossier*] complete; [*enquête, formation, spectacle, gamme*] full; [*artiste, athlète*] all-round; **les œuvres complètes de Proust** the complete works of Proust; **la collection complète de** the whole collection of; **c'est un idiot ~** he's a complete idiot; **c'est un homme ~** he's an all-rounder; **c'est ~!** iron it's the last straw!; [3] (approfondi) comprehensive; **très ~** very comprehensive ; **panorama aussi ~ que possible** as comprehensive a survey as possible; **de façon (très) complète** (very) thoroughly; [4] (plein) [*train, autocar, hôtel* , *salle*] full; '**~**' (dans un hôtel) 'no vacancies'; (dans un théâtre) 'sold out', 'full house'; (dans un stade) 'ground GB *ou* stadium full'; (dans un parc de stationnement) 'car park full' GB, 'parking lot full' US; **au grand ~** entire (*épith*); **le gouvernement au ~** the entire government; **être (réuni) au (grand) ~** to be all present; **la famille est réunie au grand ~** the whole family is present

[B] *nm* Mode suit; **~ deux/trois pièces** two-/three-piece suit

complètement /kɔ̃plɛtmɑ̃/ *adv* [1] (totalement) completely; **il est ~ fou** he's completely mad; **~ absurde/différent** totally absurd/different; **pas ~** not entirely; **~ guéri** completely cured; **~ réveillé** fully awake; **~ d'accord** in complete agreement; **je suis ~ d'accord** I completely agree; **~ noir** [*pièce*] completely dark; [*mur, situation*] all black; **je n'en moque** *or* **fiche**○ *or* **fous**◑ **~** I couldn't care less; [2] (en entier) **j'ai ~ repeint la maison** I've repainted the whole house; **elle a ~ refait son article** she has rewritten her whole article *ou* her article in its entirety; **lire qch ~** to read sth out in its entirety, to read the whole of sth

compléter /kɔ̃plete/ [14]

[A] *vtr* [1] (s'ajouter à) to complete [*formation, diplôme, collection, enquête*]; to top up [*somme*]; [*arrêté*] to complement [*loi*]; to follow up [*informations*]; to supplement [*connaissances, études*]; **pour ~ le tout** *or* **tableau** iron to cap it all; [2] (ajouter à) [*personne, entreprise*] to complete [*ensemble*] (**par** by); **~ le financement d'un projet** to complete the funding of a project; [3] (être complémentaire de) [*personne*] to complement [*personne*]; [4] (remplir) [*personne*] to complete [*phrase*]; to complete, to fill in [*questionnaire*]; **'à ~ et à retourner à...'** 'complete and send to...'

[B] **se compléter** *vpr* (l'un l'autre) [*éléments, personnes*] to complement each other

complétif, **-ive** /kɔ̃pletif, iv/

[A] *adj* **proposition complétive** object clause; **proposition complétive sujet** subject clause

[B] **complétive** *nf* object clause; **complétive sujet** subject clause

complet-veston†, *pl* **complets-veston** /kɔ̃plɛvɛstɔ̃/ *nm* suit

complexe /kɔ̃plɛks/

[A] *adj* (tous contextes) complex

[B] *nm* [1] Psych complex; **avoir des ~s** to have complexes; **faire un ~**○ **(à cause de)** to have a complex (about); **donner des ~s à qn** to give sb complexes; **il n'a pas de ~** he hasn't got any hang-ups○, he has no inhibitions; **tu n'as aucun ~ à avoir** (à cause de différence sociale, d'instruction) there's no need to feel inferior (à cause de différence physique) there's no need to feel self-conscious; [2] (ensemble d'installations) complex; **un ~ touristique/hospitalier/sportif** a tourist/hospital/sports complex; [3] Math complex number; [4] Phys, Chimie coordination *ou* complex compound

(Composés) **~ de castration** castration complex; **~ d'Électre** Electra complex; **~ d'infériorité** inferiority complex; **~ d'Œdipe** Oedipus complex; **~ de supériorité** superiority complex

complexé, **~e** /kɔ̃plekse/

[A] *pp* ▸ **complexer**

[B] ○*pp adj* [*personne*] who has a lot of hang-ups○ (*épith, après n*); **il est très ~** he has a lot of hang-ups○; **vous n'avez aucune raison d'être ~** (moralement) there's no need for you to feel inferior; (physiquement) there's no need for you to feel self-conscious

complexer /kɔ̃plekse/ [1] *vtr* to give [sb] a complex [*personne*]; **son poids le complexe énormément** he has a terrible complex about his weight; **être complexé par qch** to have a complex about sth, to be self-conscious about sth; **il n'est pas du tout complexé par son accent** he is not in the least self-conscious about his accent

complexifier /kɔ̃plɛksifje/ [2]

[A] *vtr* to make [sth] more complex

[B] **se complexifier** *vpr* to become more complex

complexion /kɔ̃plɛksjɔ̃/ *nf* [1] (constitution) constitution; [2] †(teint) complexion

complexité /kɔ̃plɛksite/ *nf* complexity

compliance /kɔ̃plijɑ̃s/ *nf* Méd compliance

complication /kɔ̃plikasjɔ̃/ *nf* [1] (embarras) complication; **par peur des ~s** for fear of complications; **chercher les ~s** to complicate matters; **tu vas chercher des ~s là où il n'y en a pas** you're trying to create problems where there aren't any; **aimer les ~s** to like complicating matters; [2] Méd complication

complice /kɔ̃plis/

[A] *adj* [1] (qui aide) collusive; **être ~ de qch** to be a party to sth, to be complicit in sth; Jur to be an accessory to sth; [2] (manifestant la connivence) [*air, sourire, silence, regard*] of complicity (*épith, après n*)

[B] *nmf* [1] (comparse) accomplice (**de qch** in sth); Jur accessory (**de qch** to sth); **être le ~ de qn** to be sb's accomplice; **~ d'un crime** accomplice in a crime; **se faire le ~ de qch** to be a party to sth; [2] hum (de loisirs, d'enfance) companion; (dans une réalisation) partner in crime

complicité /kɔ̃plisite/ *nf* [1] (collaboration) complicity; **être accusé de ~ de vol/d'enlèvement** to be accused of complicity in a robbery/kidnapping[GB]; **agir en ~ avec qn** to act in complicity *ou* collusion with sb; **être arrêté pour ~ dans un meurtre** to be arrested for complicity in a murder; **realisé avec la ~ de...** carried out with the help of; [2] (entente) bond; **une tendre ~ les unissait** they shared a deep affection for each other; **un geste/sourire de ~** a gesture/smile of complicity

complies /kɔ̃pli/ *nfpl* compline (*sg*)

compliment /kɔ̃plimɑ̃/

[A] *nm* [1] (parole de félicitations) compliment; **il lui a retourné** *or* **renvoyé le ~** he returned the compliment; **ce n'est pas un ~ ce que tu me dis!** that's not very complimentary!; **faire un ~ à qn** to compliment sb *ou* to pay sb a compliment (**sur** on); [2] (petit discours) (nice little) speech

[B] **compliments** *nmpl* [1] (félicitations) compliments; **elle n'aime pas les ~s** she doesn't like compliments; **(tous) mes ~s!** aussi iron congratulations!; **faire des ~s à qn** to compliment sb (**sur, pour** on); **je ne te fais pas mes ~s!** I wouldn't say well done!; **adresser ses ~s aux jeunes mariés/à la famille** to congratulate the newlyweds/the family; [2] (formule de politesse) **avec les ~s de...** with the compliments of...; **faites** *or* **présentez mes ~s à votre mère** give my regards to your mother

complimenter /kɔ̃plimɑ̃te/ [1] *vtr* to compliment (**sur, pour** on; **pour avoir** *or* **d'avoir fait** on having done)

compliqué, **~e** /kɔ̃plike/

[A] *pp* ▸ **compliquer**

[B] *pp adj* [1] [*appareil, exercice, dessin*] complicated; [*problème*] complicated, difficult; [*esprit*] tortuous; [*personne*] complicated; **ce n'est pourtant pas ~ de changer un fusible** it's not exactly hard to change a fuse; **ce n'est quand même pas ~ de ranger tes affaires** it wouldn't take much effort to keep your things tidy; **si tu ne t'arrêtes pas de pleurer, ce n'est pas ~, tu vas au lit**○**!** it's quite simple, if you don't stop crying you'll go straight to bed!; **si ça continue comme ça, ce n'est pas ~, je démissionne**○ if things carry on as they are, I'll simply resign; **'c'est de sa faute alors?'—'c'est un peu plus ~ que cela'** 'so it's his fault?'–'it's not quite as simple as that'; [2] Méd [*fracture*] compound

compliquer /kɔ̃plike/ [1]

[A] *vtr* to complicate; **ne complique pas les choses avec tes questions** don't complicate things by asking questions; **tu compliques toujours tout** you always complicate things, you always make things (more) complicated; **~ la vie** *or* **l'existence de qn** to make life difficult for sb

[B] **se compliquer** *vpr* [1] (devenir complexe) to get

C

ou become more complicated; **ça se complique!** things are getting complicated!; **2** Méd **la rougeole peut se ~** measles can lead to complications; **3** (rendre plus complexe) **se ~ la vie** *or* **l'existence** to make life difficult for oneself

complot /kɔ̃plo/ *nm* (machination, petite intrigue) plot (**contre** against); **ourdir un ~** to hatch a plot; **faire partie du ~** to be in on the plot; **mettre qn dans le ~** to let sb in on the plot

comploter /kɔ̃plɔte/ [1]
A *vtr* to plot [*attentat, ruine*]; to plan [*mauvais coup*]
B *vi* to plot (**contre** against; **de faire** to do)

comploteur, **-euse** /kɔ̃plɔtœʀ, øz/ *nm,f* plotter

compograveur, **-euse** /kɔ̃pogʀavœʀ, øz/ ▸ **p. 532** *nm,f* phototypesetter and photoengraver

componction /kɔ̃pɔ̃ksjɔ̃/ *nf* **1** (gravité affectée) self-importance; **avec ~** self-importantly; **2** Relig contrition

componentiel, **-ielle** /kɔ̃pɔnɑ̃sjel/ *adj* componential

comportement /kɔ̃pɔʀtəmɑ̃/ *nm* **1** Psych behaviour^GB; **~ animal/de groupe** animal/group behaviour^GB; **2** (attitude) attitude (**à l'égard de, vis-à-vis de** toward(s)); **~ américain** American attitude; **~ de l'État** attitude of the State; **3** (manières) manner; **~ déplaisant** unpleasant manner; **4** (de sportif, voiture, Bourse) performance

comportemental, **~e**, *pl* **-aux** /kɔ̃pɔʀtəmɑ̃tal, o/ *adj* behavioural

comportementalisme /kɔ̃pɔʀtəmɑ̃talism/ *nm* behaviourism^GB

comportementaliste /kɔ̃pɔʀtəmɑ̃talist/
A *adj* [*méthode*] behaviouristic^GB
B *nmf* **1** (théoricien) behaviourist^GB; **2** (praticien) behaviour^GB therapist

comporter /kɔ̃pɔʀte/ [1]
A *vtr* **1** (inclure entre autres) to include; **~ une bibliographie** to include a bibliography; **ce texte ne doit ~ aucune coupure** there must be no cuts in this text; **2** (être composé de) to comprise; **~ trois parties** to comprise three parts; **3** (présenter) to entail [*risque, inconvénient*]; **avec tout ce que cela comporte comme incertitude** with all the concomitant uncertainty
B se comporter *vpr* **1** [*personne, animal*] to behave, to act; **se ~ en dictateur** to behave like a dictator; **se ~ comme un sauvage** to behave like a savage; **se ~ comme un pays neutre** to act as a neutral power; **2** (fonctionner) [*sportif, voiture, Bourse*] to perform; **bien se ~** to perform well

composant /kɔ̃pozɑ̃/ *nm* **1** Tech (élément) component; **~ électronique** electronic component; **2** Chimie (élément simple) constituent; **~s de l'eau** constituents of water

composante /kɔ̃pozɑ̃t/ *nf* **1** gén (élément) element; **2** Pol (de parti) constituent part; (de politique) component; (de pays) element; **3** Math, Phys, Ling component

composé, **~e** /kɔ̃poze/
A *pp* ▸ **composer**
B *pp adj* **~ de** made up of; **un groupe ~ à 90% de femmes** a group of which 90% are women; **le groupe est ~ à 90% de femmes** 90% of the group are women; **spectacle ~ de trois parties** show made up of three parts
C *adj* **1** (fait d'éléments divers) [*bouquet, style*] composite; [*salade*] mixed; **2** (affecté) affected
D *nm* **1** Chimie compound; **~ organique** organic compound; **2** Ling compound
E composée *nf* Bot composite; **les ~es** Compositae

composer /kɔ̃poze/ [1]
A *vtr* **1** (constituer) [*éléments, personnes*] to make up; **onze joueurs composent l'équipe** eleven players make up the team; **2** (réaliser) [*personne*] to put [sth] together [*programme, menu*]; to select [*équipe*]; to work out [*décor*]; to make up [*bouquet*]; **3** Art, Littérat, Mus [*personne*] to compose [*morceau, texte*]; to write [*discours*]; to work out the composition of [*tableau*]; **4** to dial [*numéro*]; **~ le 19** to dial 19; **~ son code secret** to enter one's secret code; **5** Imprim to typeset [*page, texte*]; **6** (adopter) fml to assume [*attitude, expression*]; to compose [*visage*]
B fml *vi* (trouver un compromis) to compromise; **~ avec** to come to a compromise with [*personne*]; **~ avec sa conscience** to square it with one's conscience
C se composer *vpr* **1** (être constitué) **se ~ de** to be made up of [*éléments, personnes*]; **2** (adopter) to assume [*attitude, expression*]; **se ~ un personnage** to put on an act

composite /kɔ̃pozit/
A *adj* **1** (divers) [*société, goûts, parti, livre*] heterogeneous; [*origines*] mixed; **2** Tech [*matériau, verre*] composite; **3** Antiq, Archit [*colonne, ordre*] composite
B *nm* Tech (matériau) composite

compositeur, **-trice** /kɔ̃pozitœʀ, tʀis/ ▸ **p. 532** *nm,f* **1** Mus composer; **~ classique** classical composer; **2** Imprim typesetter

composition /kɔ̃pozisjɔ̃/ *nf* **1** (éléments constitutifs) (de gouvernement, délégation, société) make-up, composition; (d'équipe) line-up, composition; (de produit, d'aliment) ingredients (*pl*); (chimique, pharmaceutique) composition; (de capital) structure; **entrer dans la ~ de** (faire partie de) [*gaz, sel*] to make up part of; (servir à fabriquer) to be used in; **entrer à 40% dans la ~ de** [*gaz, sel*] to make up 40% of; **la farine entre à 90% dans la ~ de ce pain** this bread contains 90% flour; **2** (mise en place) (de gouvernement) formation; (de comité) setting up; (d'équipe) selection; (de liste, menu) drawing up; (de bouquet) making up; **de ma/leur ~** of my/their invention; **3** Art, Littérat, Mus (tous contextes) composition (**de** by); **étudier la ~** to study composition; **~ florale** flower arrangement; **4** Cin, Théât (incarnation) performance (**de** as); **5** Scol (pour classer) end-of-term test; **6** Imprim typesetting; **l'article est à la ~** the article is being typeset; **7** Ling composition
(Composés) **~ du capital** Fin share structure; **~ française** (devoir) essay; (activité) essay writing; **~ murale** mural
(Idiome) **être de bonne ~** to be good-natured

compost /kɔ̃pɔst/ *nm* compost

compostage /kɔ̃pɔstaʒ/ *nm* **1** (de billet) (au tampon) (date)stamping; (au poinçon) punching; **2** Agric composting

composter /kɔ̃pɔste/ [1] *vtr* **1** Transp (au tampon) to (date)stamp; (au poinçon) to punch; **2** Agric to compost [*déchets*]

composteur /kɔ̃pɔstœʀ/ *nm* **1** (pour valider) (imprimante) ticket-stamping machine; (poinçon) ticket-punching machine; **2** Imprim composing stick

compote /kɔ̃pɔt/ *nf* Culin stewed fruit, compote; **~ d'abricots** stewed apricots; **~ de pommes** (en dessert) stewed apples; (avec de la viande) apple sauce; **j'ai les genoux en ~** fig (douloureux) my knees are killing me○; (tremblants) my knees are like jelly; (couverts de bleus) my knees are black and blue; **mettre qn en ~** to beat sb black and blue

compoter /kɔ̃pɔte/ [1] *vtr* to reduce [sth] slowly to the consistency of puree [*denrée*]

compotier /kɔ̃pɔtje/ *nm* (à compote) compote dish; (à fruits) fruit bowl

compréhensibilité /kɔ̃pʀeɑ̃sibilite/ *nf* comprehensibility

compréhensible /kɔ̃pʀeɑ̃sibl/ *adj* **1** [*erreur, réaction, attitude*] understandable; **c'est bien ~** it's quite understandable; **2** (intelligible) [*langage, terme, explication*] comprehensible; **à peine ~** barely comprehensible

compréhensif, **-ive** /kɔ̃pʀeɑ̃sif, iv/ *adj* **1** gén understanding; **2** Ling [*terme*] comprehensive

compréhension /kɔ̃pʀeɑ̃sjɔ̃/ *nf* **1** (faculté, aptitude) understanding; **la ~ du monde contemporain** understanding the modern world; **avoir des problèmes de ~** to have trouble understanding, to find it difficult to understand; **2** (possibilité, action de comprendre) (de texte, propos, paroles) comprehension; (de langue) understanding, comprehension; **pour aider à la ~** to make it easier to understand; **je n'ai pas de problèmes de ~ en allemand** I have no problems understanding German; **~ orale/écrite** oral/written comprehension; **3** (indulgence) **faire preuve de ~ à l'égard de** to show understanding toward(s); **une attitude pleine de ~** a sympathetic attitude

comprendre /kɔ̃pʀɑ̃dʀ/ [52]
A *vtr* **1** (saisir le sens de) to understand; **si je comprends bien** if I understand correctly; **je ne comprends rien à ce qu'il raconte** I don't understand a word of what he's saying; **je ne comprends rien aux mathématiques** I don't understand anything about mathematics; **dois-je ~ que tu n'as pas fini?** am I to understand *ou* to take it that you haven't finished?; **je ne suis pas certain d'avoir bien compris** I'm not sure I got it right; **il m'a dit son nom au téléphone mais je n'ai pas bien compris** he told me his name on the phone but I didn't quite catch it; **ne te mêles pas de cela, tu as compris** *or* **c'est compris!** keep out of it, do you hear *ou* understand?; **je ne veux pas que cela se reproduise, tu m'as (bien) compris!** it mustn't happen again, have you got that quite clear?; **est-ce que tu as compris quelque chose au cours?** did you understand any of the lecture?; **'pourquoi a-t-elle fait cela?'—'vas-y ~ quelque chose!'** 'why did she do that?'—'I've no idea!'; **il ne comprend rien à rien** he hasn't got a clue; **c'est à n'y rien ~** it's completely baffling; **mal ~ qn/qch** to misunderstand sb/sth; **être compris comme ironique** to be taken ironically; **être compris comme une menace** to be interpreted as a threat; **~ qch de travers**○ to get sth all wrong; **se faire ~** to make oneself understood; **être lent à ~** to be slow on the uptake; **(qu'est-ce que) tu comprends vite!** iron you're quick! iron; **tu as tout compris!** iron aren't you clever! iron; **tu comprends vite mais il faut t'expliquer longtemps!** hum so the penny's finally dropped!; **comprenne qui pourra!** make of it what you will!
2 (se rendre compte de) to understand; **faire ~ qch à qn** to make sb understand sth; **faire ~ à qn que** to make it clear to sb that; **ce n'est pas facile, je comprends** it's not easy, I realize that; **je n'ai pas le temps, tu comprends** you see, I haven't got time; **oui mais tu comprends ils ne paient pas de loyer** yes, but you see they don't pay any rent
3 (admettre) to understand [*attitude, sentiment*]; (faire preuve de compréhension envers) to understand [*person*]; **je comprends qu'il soit furieux** I can understand his anger; **je suis fatigué tu peux ~ cela?** can't you understand I'm tired?; **je suis prêt à ~ beaucoup de choses, mais n'en abuse pas** I'm usually very understanding, but don't push it○; **essaie de me ~** try to understand; **il n'a jamais rien compris aux femmes** he has never understood a thing about women; **comme je le comprends!** I understand him exactly
4 (se faire une idée de) to see [*métier, vie, mariage*]; **comment comprends-tu ton rôle dans le projet?** how do you see your role in the project?
5 (être totalement constitué de) [*comité, salaire*] to be made up of; [*équipement, boîte à outils*] to consist of, to comprise; [*méthode d'apprentissage, maison, immeuble, pièce*] to comprise; [*programme, formation*] to consist of, to comprise; [*prix*] to include, to cover; **notre association ne comprend que des médecins** the members of our association are all doctors
6 (être partiellement constitué de) to include; **l'équipe comprend plusieurs joueurs étrangers** the team includes several foreign players

7 (compter) to include [*TVA, prix, personnes*]
B **se comprendre** *vpr* **1** [*personnes*] (l'un l'autre) to understand each other *ou* one another
2 (soi-même) **je me comprends** I know what I'm trying to say
3 (être compréhensible) [*attitude, sentiment*] to be understandable
4 (être compris) [*terme, mot, expression*] **le terme doit se ~ ici dans son sens large** the term is to be understood *ou* taken in its broadest sense

comprenette○ /kɔ̃pʀənɛt/ *nf* **être lent** *or* **dur à la ~, avoir la ~ lente** *or* **difficile** to be slow on the uptake○

compresse /kɔ̃pʀɛs/ *nf* compress

compresser /kɔ̃pʀese/ [1] *vtr* to compress

compresseur /kɔ̃pʀesœʀ/ *nm* compressor

compressibilité /kɔ̃pʀesibilite/ *nf* **1** Phys, Chimie compressibility; **2 la ~ des effectifs/des dépenses** the extent to which manpower/expenses can be reduced

compressible /kɔ̃pʀesibl/ *adj* **1** Phys, Chimie compressible; **2** (réductible) [*dépenses, effectifs*] reducible

compression /kɔ̃pʀɛsjɔ̃/ *nf* **1** Tech compression; **2** (action de réduire) reduction; **la ~ des effectifs se fera progressivement** staff numbers will be reduced gradually; **la ~ des subventions** the cut in subsidies; **3** (diminution effective) cut (**de** in); **~ d'effectifs** cuts in manpower, **~s budgétaires** budget cuts; **~ de crédit** credit squeeze

comprimé /kɔ̃pʀime/ *nm* Pharm tablet; **~ effervescent/soluble** effervescent/soluble tablet; **~ à croquer** chewable tablet

comprimer /kɔ̃pʀime/ [1] *vtr* **1** (serrer) to constrict [*ventre, buste*]; to squeeze [*pâte*]; **ils étaient comprimés à l'arrière de la voiture** they were all packed together in the back of the car; **2** Méd (appuyer sur) to compress, to constrict [*objet, organe*]; **3** Tech to compress [*liquide, gaz*]; **air comprimé** compressed air; **4** (réduire) to cut, to reduce [*dépenses, demande, effectifs*]; to cut [*budget*]

compris, ~e /kɔ̃pʀi, iz/
A *pp* ▸ **comprendre**
B *pp adj* (inclus) including; **loyer de 1 000 euros charges ~es/non ~es** rent of 1,000 euros inclusive/exclusive; **service ~/non ~** service included/not included; **TVA ~e/non ~e** including/not including VAT; **être ~ dans** to be included in
C **tout compris** *loc adv* in total, all in○ GB; **cela fait 150 euros tout ~** that comes to 150 euros all in; **donnez-moi le prix tout ~** give me the all-in *ou* inclusive price; **payer 700 euros de loyer tout ~** to pay a rent of 700 euros, inclusive
D **y compris** *loc adv* including; **tout le monde peut se tromper moi/toi y ~** everybody makes mistakes, myself/you included; **y ~ à Paris** in Paris too; **y ~ dans les journaux** even in the newspapers

compromettant, ~e /kɔ̃pʀɔmetɑ̃, ɑ̃t/ *adj* [*écrit, situation, passé, présence*] compromising; [*soutien*] damaging; **n'y allez pas, c'est ~** don't go, it will compromise you; **va voir ce qu'il propose, ce n'est pas ~** go and see what he's offering, it won't commit you to anything

compromettre /kɔ̃pʀɔmɛtʀ/ [60]
A *vtr* **1** (mettre en danger) to endanger, to jeopardize [*santé, carrière, chances*]; to compromise [*victoire*]; to impair [*efficacité*]; **2** (souiller) to compromise [*personne, femme*]; to damage [*prestige, réputation*]; **~ qn dans qch** to implicate sb in sth
B *vi* Jur to accept arbitration
C **se compromettre** *vpr* **1** (risquer sa réputation) to compromise oneself; **2** (s'engager) to commit oneself

compromis, ~e /kɔ̃pʀɔmi, iz/
A *pp* ▸ **compromettre**
B *pp adj* **1** (menacé) [*carrière, résultat, projet*] in jeopardy; [*santé*] at risk; **2** (souillé) [*personne*] compromised; [*réputation, prestige*] damaged; **être ~ dans un scandale** to be involved in a scandal
C *nm* **1** (arrangement) compromise (**entre** between); (avec un créancier) arrangement; **solution de ~** compromise solution; **plaisir sans ~** pure unadulterated pleasure; **2** Jur arbitration agreement; **mettre une affaire en ~** to refer a dispute to arbitration

compromission /kɔ̃pʀɔmisjɔ̃/ *nf* (entre personnes) deal; (avec sa conscience) compromise of principle

comptabilisation /kɔ̃tabilizasjɔ̃/ *nf* **1** (d'erreurs, entrées, de sorties) counting; **2** Compta entering; **faire la ~ de qch** to enter sth

comptabiliser /kɔ̃tabilize/ [1] *vtr* **1** (additionner) to count (the number of) [*erreurs, personnes, entrées*]; **j'en ai comptabilisé 52** I have counted 52; **2** Compta to enter *ou* record [sth] in the books

comptabilité /kɔ̃tabilite/ *nf* **1** (concept, discipline) accountancy; **faire des études de ~** to study accountancy; **2** (profession, activité) accounting; **suivre un stage de ~** to do an accountancy course; **3** (tenue de livres) bookkeeping; **faire sa ~** to do one's accounts; **tenir la ~** to keep the books; **4** (ensemble des comptes) accounts (*pl*); **leur ~ est très mal tenue** their accounts are very badly kept; **5** (service) accounts department
(Composés) **~ analytique** (d'entreprise) management accounting; (de produit) cost accounting; **~ commerciale** business accounting; **~ d'entreprise = ~ commerciale**; **~ industrielle = ~ analytique**; **~ nationale** national accounts (*pl*); **~ publique** (règles) public accounts (*pl*); (service) public accounts office

comptable /kɔ̃tabl/
A *adj* **1** Compta [*document, règle, année*] accounting; [*service*] accounts; **la situation ~ d'un commerce** the state of the accounts of a business; **leur situation ~** the state of their accounts; **agent ~** accountant; **2** Ling [*nom*] countable; **non ~** uncountable; **3** (responsable) fml **être ~ de qch devant qn** to be accountable to sb for sth
B ▸ **p. 532** *nmf* (spécialiste) accountant; (personne qui tient les livres) bookkeeper
(Composés) **~ agréé** chartered accountant; **~ du Trésor** *regional government treasurer*

comptage /kɔ̃taʒ/ *nm* counting **₵**; **faire le ~ de** to count; **un rapide ~ permet d'affirmer que** a quick count makes it possible to state that; **le ~ des véhicules est effectué à l'entrée du tunnel** vehicles are counted at the tunnel entrance; **système de ~** counting system
(Composé) **~ ethnique** Sociol ethnic monitoring

comptant /kɔ̃tɑ̃/
A *adj inv* cash; **il m'a versé 300 euros ~** he paid me 300 euros cash; ▸ **argent**
B *adv* [*payer, régler*] cash; **acheter une maison ~** to pay cash for a house
C **au comptant** *loc adv* [*vendre*] for cash

compte ➡📖 /kɔ̃t/
A *nm* **1** (calcul) count; **faire le ~ de qch** to work out [*dépenses, recettes*]; to count (up) [*personnes, objets*]; **si je fais le ~ de ce qu'il me doit** if I work out what he owes me; **le ~ est bon** that works out right; **j'ai fait le ~ des chocolats qui restaient** I counted up how many chocolates were left; **tenir le ~ de qch** to keep count of sth; **elle tient un ~ précis de ses heures supplémentaires** she keeps an exact count of her extra hours; **comment fais-tu ton ~ pour faire...?** fig how do you manage to do...?; **au bout du ~** (pour constater) in the end; **tout ~ fait** (tout bien considéré) all things considered; (en fait) when all is said and done; **en fin de ~** (pour conclure) at the end of the day; **tout ~ fait** *or* **en fin de ~, c'est lui qui avait raison** when all is said and done, he was right
2 (résultat) (d'argent) amount; (d'objets, heures, de personnes) number; **le ~ y est** (en argent) that's the right amount; (en objets, personnes) that's all present and correct; **le ~ n'y est pas, il n'y a pas le ~** (en argent) that's not the right amount; (en objets, personnes) that's not the right number; **il y a 28 élèves, le ~ y est/n'y est pas** there are 28 pupils, everybody's here/somebody's missing *ou* (plusieurs personnes) some are missing; **il devrait rester 15 pots de confiture, le ~ n'y est pas** there should be 15 jars of jam left, but they're not all there; **faire le ~** (en argent) to come to the right amount; (en personnes, objets) to come to the right number; **voici 20 euros, cela devrait faire le ~** here's 20 euros, that should be about right; **même si chacun ajoute 3 euros cela ne fera pas le ~** even if everybody puts in another 3 euros, it still won't come to the right amount; **avoir son ~ d'heures de sommeil** to get the right amount of sleep; **il a son ~**○ (battu, tué) he's done for○; (ivre) he's had a drop too much; **nous avons eu notre ~ d'ennuis** fig we've had more than our fair share of problems; **à ce ~-là** (dans ces conditions) in that case
3 (considération) **prendre qch en ~, tenir ~ de qch** to take sth into account; **~ tenu de** considering
4 (intérêt personnel) **être à son ~** to be self-employed; **travailler à son ~** to work for oneself; **se mettre** *or* **s'établir à son ~** to set up one's own business; **reprendre un commerce à son ~** to take over a business in one's own name; **prendre des jours de congé à son ~** to take a few days off without pay *ou* to take a few days' unpaid leave; **pour le ~ de qn** on behalf of sb; **y trouver son ~** to get something out of it; **ils ont abandonné l'enquête, beaucoup ont dû y trouver leur ~** they abandoned the enquiry GB *ou* inquiry US, that must have suited a lot of people; **faire le ~ de qn**† to benefit sb; **les livres publiés à ~ d'auteur** books published at the author's expense
5 Compta account; **passer** *or* **mettre en ~** to place [sth] to account [*somme*]; **être en ~ avec qn** to have money matters to settle with sb; **faire ses ~s** [*commerçant, ménagère*] to do one's accounts; **tenir les ~s** [*commerçant, ménagère, comptable*] to keep the accounts; **c'est moi qui tiens les ~s à la maison** I keep the household accounts; ▸ **ami, ligne**
6 Fin account; **~ bancaire** *or* **en banque** bank account; **~ gelé/sans mouvement** frozen/dormant account; **avoir un ~ dans une banque** to have an account with a bank; **avoir un ~ en Suisse** to have a Swiss bank account; **avoir 1 000 euros sur son ~** to have 1,000 euros in one's account; **verser de l'argent** *or* **faire un versement sur un ~** to pay money into an account; **retirer de l'argent de son ~** to withdraw (some) money from one's account; **un ~ au nom de...** an account in the name of...
7 Comm (ardoise) account; **j'ai un ~ chez un libraire** I have an account with a bookshop GB *ou* bookstore; **mettre qch sur le ~ de qn** lit to charge sth to sb's account; fig to put sth down to sb; **il l'a mis sur le ~ de la fatigue** he put it down to tiredness
8 (somme à payer) **voilà votre ~** here's your money; **demander son ~ à qn** to hand in one's notice to sb; **donner son ~ à qn** to give sb notice; **recevoir son ~** (être payé) to be paid; (être renvoyé) to be given one's notice
9 (explication, rapport) **rendre ~ de qch à qn** (rapporter) to give an account of sth to sb; (justifier) to account for sth to sb; **je n'ai pas à te rendre ~ de mes actions** I don't have to account for my actions to you; **rendre des ~s à qn** [*responsable*] to be answerable to sb; **je n'ai pas de ~s à te rendre** I don't have to

➡📖 *voir* Vivre dans un pays anglophone

C

answer to you; **demander des ~s à qn** to ask for an explanation from sb
10▸ (notion nette) **se rendre ~ de** (être conscient) to realize; (remarquer) to notice; **il ne s'est pas rendu ~ du mal qu'il avait fait** he didn't realize the harm he had done; **tout cela s'est passé si vite que je ne me suis rendu ~ de rien** it all happened so quickly that I didn't realize what was going on; **tu ne te rends pas ~ que c'est dangereux!** don't you realize how dangerous it is?; **je ne me suis pas rendu ~ de l'heure** I didn't notice the time; **se rendre ~ de la difficulté d'une tâche** to realize how difficult a job is; **je ne me suis jamais rendu ~ que** I never realized that
11▸ (sujet) **sur le ~ de qn** about sb; **je ne sais rien sur leur ~** I don't know anything about them
12▸ Sport (en boxe) count; **pour le ~** for the count
B à bon compte *loc adv* lit (à peu de frais) [*acheter*] cheap; [*acquérir, voyager*] cheaply; fig (sans difficulté) the easy way; **avoir qch à bon ~** to get sth cheap; **étudiant qui a obtenu son diplôme à bon ~** student who got his degree the easy way; **s'en tirer à bon ~** to get off lightly; **s'en tirer à bon ~ avec un bras cassé** to get off (lightly) with a broken arm
(Composés) **~ d'affectation** Compta appropriation account; **~ d'amortissement** Compta depreciation account; **~ de bilan** Compta balance sheet; **~ bloqué** Fin blocked account; **~ chèque postal**, **CCP** Fin, Postes post office account; **~ chèques** Fin current account GB, checking account US; **~ client** Compta accounts receivable; Fin customer account; **~ courant** Fin = **~ chèques**; **~ de dépôt** Fin deposit account; **~ d'épargne** Fin savings account; **~ d'épargne logement**, **CEL** Fin *savings account entitling depositor to cheap mortgage*; **~ d'exploitation** Compta trading account; **~ fournisseurs** Compta accounts payable, payables US; **~ joint** Fin joint account; **~ sur livret** Fin savings account; **~ numéroté** Fin numbered account; **~ de pertes et profits** Compta profit and loss account; **ce livre a disparu! encore un à mettre au ~ des pertes et profits!** fig the book has disappeared! another one we can say goodbye to!; **~ à rebours** countdown; **le ~ à rebours de la campagne est commencé** fig the run-up to the elections has started; **~ rémunéré** Fin interest-bearing (current GB ou checking US) account; **~ de résultat** Compta profit and loss account; **~ de situation** = **~ de bilan**; **~ de soutien** Admin, Fin state support fund (**à** for); **~ à vue** = **~ chèques**; **~s d'apothicaire** complicated calculations

compté, **~e** /kɔ̃te/
A *pp* ▸ **compter**
B *pp adj* [*jours, heures*] numbered; **ses jours sont ~s, ses heures sont ~es** his/her days are numbered; **le temps est ~** time is short; **le temps nous est ~** we're pressed for time; **à pas ~s** lit with measured steps; fig cautiously

compte-fils* /kɔ̃tfil/ *nm inv* weaver's glass, thread counter

compte-gouttes* /kɔ̃tgut/ *nm inv* dropper; **au ~** lit with a dropper; fig (avec parcimonie) sparingly; (en petite quantité) a little at a time; (en petit nombre à la fois) a few at a time; **il donne le matériel/les stylos au ~** he gives out the supplies/the pens a few at a time

compter /kɔ̃te/ [1]
A *vtr* 1▸ (dénombrer) to count; **~ les jours** to count the days; **'j'ai compté cinq coups à l'horloge'—'j'en ai compté six'** 'I counted five strokes of the clock'—'I counted six'; **'combien y a-t-il de bouteilles?'—'j'en compte 24'** 'how many bottles are there?'—'I make it 24'; **on compte deux millions de chômeurs/3 000 cas de malaria** there is a total of two million unemployed/3,000 cases of malaria; **une heure après le début de l'attaque on comptait déjà 40 morts** an hour after the attack started 40 deaths had already been recorded; **on ne compte plus ses victoires** he/she has had countless victories; **je ne compte plus les lettres anonymes que je reçois** I've lost count of the anonymous letters I have received; **j'ai compté qu'il y avait 52 fenêtres/500 euros** I counted a total of 52 windows/500 euros; **as-tu compté combien il reste d'œufs?** have you counted how many eggs are left?
2▸ (évaluer) **~ une bouteille pour trois** to allow a bottle between three people; **pour aller à Caen il faut ~ cinq heures** you must allow five hours to get to Caen; **il faut ~ environ 100 euros** you should reckon on GB ou count on paying about 100 euros; **~ large/très large/trop large** to allow plenty/more than enough/far too much; **j'ai pris une tarte pour huit, je préfère ~ large** I got a tart for eight, I prefer to be on the safe side
3▸ (faire payer) **~ qch à qn** to charge sb for sth; **il m'a compté la livre à 1,71 euro** he charged me 1.71 euros to the pound; **il m'a compté 50 euros de déplacement** he charged a 50 euros call-out fee
4▸ (inclure) to count; **je vous ai compté dans le nombre des participants** I've counted you as one of ou among the participants; **nous t'avons déjà compté pour le repas de la semaine prochaine** we've already counted you (in) for the meal next week; **as-tu compté la TVA?** have you counted the VAT?; **2 000 euros par mois sans ~ les primes** 2,000 euros a month not counting bonuses; **sans ~ les soucis** not to mention the worry; **j'ai oublié de ~ le col et la ceinture quand j'ai acheté le tissu** I forgot to allow for the collar and the waistband when I bought the fabric; **je le comptais au nombre de mes amis** I counted him among my friends ou as a friend; **s'il fallait ~ le temps que j'y passe** if I had to work out how much time I'm spending on it
5▸ (avoir) to have [*habitants, chômeurs, alliés*]; to have [sth] to one's credit [*victoire, succès*]; **notre club compte des gens célèbres** our club has some well-known people among its members; **un sportif qui compte de nombreuses victoires à son actif** a sportsman who has many victories to his credit; **il compte 15 ans de présence dans l'entreprise** he has been with the company for 15 years
6▸ (projeter) **~ faire** to intend to do; **'comptez-vous y aller?'—'j'y compte bien'** 'do you intend to go?'—'yes, I certainly do'; **je compte m'acheter un ordinateur** I'm hoping to buy myself a computer
7▸ (s'attendre à) **il comptait que je lui prête de l'argent** he expected me to lend him some money; **'je vais t'aider'—'j'y compte bien'** 'I'll help you'—'I should hope so too'
8▸ (donner avec parcimonie) **il a toujours compté ses sous** he has always watched the pennies; **~ jusqu'au moindre centime** to count every penny; **sans ~** [*donner, dépenser*] freely; **se dépenser sans ~ pour (la réussite de) qch** to put everything one's got into sth
B *vi* 1▸ (dire les nombres) to count; **~ jusqu'à 20** to count up to 20; **il ne sait pas ~** he can't count; **il a trois ans mais il compte déjà bien** he's three but he's already good at counting; **~ sur ses doigts** to count on one's fingers
2▸ (calculer) to count, to add up; **il sait très bien ~, il compte très bien** he's very good at counting; **cela fait 59 non pas 62, tu ne sais pas ~!** that makes 59 not 62, you can't count!; **~ sur ses doigts** to work sums out on one's fingers
3▸ (avoir de l'importance) [*avis, diplôme, apparence*] to matter (**pour qn** to sb); **ce qui compte c'est qu'ils se sont réconciliés** what matters is that they have made it up; **c'est l'intention** or **le geste qui compte** it's the thought that counts; **40 ans dans la même entreprise ça compte/ça commence à ~** 40 years in the same company, that's quite something/it's beginning to add up; **ça compte beaucoup pour moi** it means a lot to me; **je ne compte pas plus pour elle que son chien** I mean no more to her than her dog; **~ dans** to be a factor in [*réussite, échec*]; **le salaire compte beaucoup dans le choix d'une carrière** pay is an important factor in the choice of a career; **cela a beaucoup compté dans leur faillite** it was a major factor in their bankruptcy; **ça fait longtemps que je ne compte plus dans ta vie** it's been a long time since I have meant anything to you; **il connaît tout ce qui compte dans le milieu du cinéma** he knows everybody who is anybody in film circles
4▸ (avoir une valeur) [*épreuve, faute*] to count; **~ double/triple** to count double/triple; **~ double/triple par rapport à** to count for twice/three times as much as; **ça ne compte pas, il a triché** it doesn't count, he cheated; **le dernier exercice ne compte pas dans le calcul de la note** the last exercise isn't counted in the calculation of the grade; **la lettre 'y' compte pour combien?** how much is the letter 'y' worth?; **la lettre 'z' compte pour combien de points?** how many points is the letter 'z' worth?; **une faute de grammaire compte pour quatre points** four marks are deducted for a grammatical error
5▸ (figurer) **~ au nombre de**, **~ parmi** to be counted among
6▸ **~ avec** (faire face) to reckon with [*difficultés, concurrence, belle-mère*]; (ne pas oublier) to take [sb/sth] into account [*personne, chose*]; (prévoir) to allow for [*retard, supplément*]; **il doit ~ avec les syndicats** he has to reckon with the unions; **il faut ~ avec l'opinion publique** one must take public opinion into account; **il faut ~ avec le brouillard dans cette région** you should allow for fog in that area
7▸ **~ sans** (négliger) to reckon without [*risque, gêne*]; (oublier) not to take [sb/sth] into account [*personne, chose*]; **c'était ~ sans le brouillard** that was without allowing for the fog; **j'avais compté sans la TVA** I hadn't taken the VAT into account
8▸ **~ sur** (attendre) to count on [*personne, aide*]; (dépendre, faire confiance) to rely on [*personne, ressource*]; (prévoir) to reckon on [*somme, revenu*]; **vous pouvez ~ sur moi, je viendrai** you can count on me, I'll be there; **tu peux ~ sur ma présence** you can count on me ou on my being there; **vous pouvez ~ sur moi, je vais m'en occuper** you can rely ou count on me, I'll see to it; **ne compte pas sur moi** (pour venir, participer) count me out; **ne compte pas sur moi pour payer tes dettes/faire la cuisine** don't rely on me to pay your debts/do the cooking; **ne compte pas sur eux pour le faire** don't count on them to do it; **le pays peut ~ sur des stocks de vivres en provenance de...** the country can count on stocks of food supplies coming from...; **le pays peut ~ sur ses réserves de blé** the country can rely on its stock of wheat; **je ne peux ~ que sur moi-même** I can only rely on myself; **je leur ferai la commission, compte sur moi** I'll give them the message, you can count on me; **je vais leur dire ce que j'en pense, tu peux ~ là-dessus**○ or **sur moi!** I'll tell them what I think, you can be sure of that!; **quand il s'agit de faire des bêtises, on peut ~ sur toi**○**!** iron trust you to do something silly!; **~ sur la discrétion de qn** to rely on sb's discretion; **je compte dessus** I'm counting ou relying on it
C se compter *vpr* **leurs victoires se comptent par douzaines** they have had dozens of victories; **les défections se comptent par milliers** there have been thousands of defections; **leurs chansons à succès ne se comptent plus** they've had countless hits; **les faillites dans la région ne se comptent plus** there have been countless bankruptcies in the area
D à compter de *loc prép* as from; **réparations gratuites pendant 12 mois à ~ de la date de**

vente free repairs for 12 months with effect from the date of sale

B sans compter que *loc conj* (en outre) and what is more; (d'autant plus que) especially as; **c'est dangereux sans ~ que ça pollue** it's dangerous and what's more it causes pollution

(Idiome) **compte là-dessus et bois de l'eau fraîche**○ that'll be the day

compte rendu, *pl* **comptes rendus** /kɔ̃tʀɑ̃dy/ *nm* (de débat, travaux, d'événement) report; (d'article, de livre) review; **faire le ~ de** to report on [*débat, travaux*]; to review [*article, livre*]; **faire un ~ rapide/détaillé de** to give a brief/detailed report on [*débat, événement*]; to give a short/detailed review of [*livre, thèse*]

compte-tours* /kɔ̃ttuʀ/ *nm inv* rev-counter, revolution-counter

compteur /kɔ̃tœʀ/ *nm* (de fluide) meter; (de distance) clock; **~ d'eau** water meter; **la voiture a 50 000 km au ~** the car has 50,000 km on the clock; **il faisait du 90 km/h au ~** he was doing 90 km/h on the speedometer; **remettre le ~ à zéro** lit to reset the meter at *ou* to zero; fig○ to make a fresh start

(Composés) **~ kilométrique** ≈ milometer; **~ de vitesse** speedometer

comptine /kɔ̃tin/ *nf* [1] (pour choisir) counting rhyme; [2] (chansonnette) nursery rhyme

comptoir /kɔ̃twaʀ/ *nm* [1] (de café) bar; **au ~** at the bar; **prix au ~** *tariff for drinks and snacks at the bar in a café*; [2] (de magasin) counter; **~ parfumerie** perfume counter; **~ frigorifique** refrigerated display counter; [3] Hist trading post; **un ancien ~ des Indes** a former trading post in India; [4] Fin branch (*of the Banque de France*)

(Composé) **~ d'enregistrement** Transp check-in desk

compulser /kɔ̃pylse/ [1] *vtr* to consult

compulsif, **-ive** /kɔ̃pylsif, iv/ *adj* compulsive

compulsion /kɔ̃pylsjɔ̃/ *nf* compulsion

comte /kɔ̃t/ ▸ **p. 848** *nm* gén count; (titre anglais) earl; **bien, monsieur le ~** very well, my lord

comté /kɔ̃te/ *nm* [1] (fromage) comté; [2] Admin county; [3] Hist earldom (*land*)

comtesse /kɔ̃tɛs/ ▸ **p. 848** *nf* countess; **bien, madame la ~** very well, your ladyship

comtois, **~e** /kɔ̃twa, az/ ▸ **p. 721** *adj* of Franche-Comté

Comtois, **~e** /kɔ̃twa, az/ *nm,f* (natif) native of Franche-Comté; (habitant) inhabitant of Franche-Comté

con●, **conne** /kɔ̃, kɔn/

A *adj* [1] (bête) pej fucking● stupid, bloody◑ GB stupid; **elle est ~** *or* **conne** she's bloody◑ stupid; [2] (facile) dead○ easy

B *nm,f* (bête) offensive bloody◑ idiot GB injur, stupid jerk○ injur; **faire le ~** to mess about, to arse around◑; **idée/voiture/ministre à la ~** lousy○ idea/car/minister

C *nm* (vagin) cunt●

(Idiome) **être ~ comme la lune** *or* **un balai** to be as thick as two short planks○

Conakry /kɔnakʀy/ ▸ **p. 894** *npr* Conakry

conard● = **connard**

conasse● = **connasse**

concassage /kɔ̃kasaʒ/ *nm* crushing

concasser /kɔ̃kase/ [1] *vtr* [1] Culin, Tech to crush; [2] Mus to mix

concasseur /kɔ̃kasœʀ/

A *adj m* crushing

B *nm* crusher

concaténation /kɔ̃katenasjɔ̃/ *nf* concatenation

concave /kɔ̃kav/ *adj* concave

concavité /kɔ̃kavite/ *nf* [1] (état) concavity; [2] (partie creuse) hollow

concédant /kɔ̃sedɑ̃/ *nm* Écon, Jur (de licence) licensor[GB]; (de contrat) contractor

concéder /kɔ̃sede/ [14] *vtr* [1] Admin, Comm, Écon to grant [*monopole, franchise*] (**à** to); to contract out [*travaux*] (**à** to); **~ un contrat à qn** gén to place a contract with sb; (après un appel d'offres) to award a contract to sb; **autoroute concédée** motorway GB *ou* freeway US (which is) under private management; [2] (admettre) to concede; **c'est possible, concéda-t-il** it's possible, he conceded; **c'est absurde, concédez-le** you must concede that it is ridiculous; [3] Sport to concede [*défaite, victoire, but*]

concélébrer /kɔ̃selebʀe/ [14] *vtr* Relig to concelebrate

concentration /kɔ̃sɑ̃tʀasjɔ̃/ *nf* [1] (attention) concentration; **~ d'esprit** (mental) concentration; **j'ai besoin de quelques instants de ~** I need to concentrate for a few moments; **elle manque de ~** she can't concentrate; [2] (accumulation) concentration (**de** of); **~ de troupes aux frontières du pays** build-up of troops on the country's borders; [3] Chimie concentration; [4] Écon concentration; **~ horizontale/verticale** horizontal/vertical integration

(Composé) **~ urbaine** conurbation

concentrationnaire /kɔ̃sɑ̃tʀasjɔnɛʀ/ *adj* [*vie, discipline*] concentration camp (*épith*)

concentré, **~e** /kɔ̃sɑ̃tʀe/

A *pp* ▸ **concentrer**

B *pp adj* [1] (attentif) **un air ~** a look of concentration; **un enfant ~** a child who is concentrating (**sur** on); **elle est ~e** she's concentrating; [2] (condensé, rassemblé) concentrated; **lait ~** condensed milk; [3] Mil [*tir*] heavy

C *nm* [1] Chimie (solution) concentrated solution; [2] (aliment) concentrate; **~ de tomate** tomato purée GB *ou* paste US; **ses cours, c'est du ~** fig his/her lectures are very condensed; [3] fig (de banalités, vertus) compendium

concentrer /kɔ̃sɑ̃tʀe/ [1]

A *vtr* (tous contextes) to concentrate; **~ ses efforts sur qch/à faire qch** to concentrate one's efforts on sth/on doing sth

B se concentrer *vpr* [1] (être attentif) to concentrate (**sur** on); (se préparer mentalement) to gather one's thoughts; **il n'arrive pas à se ~** he can't concentrate; **se ~ avant un entretien** to gather oneself *ou* one's thoughts before an interview; [2] (être dirigé) **se ~ sur qch** [*efforts, attention*] to be concentrated on sth; [3] (être rassemblé) [*population, erreurs, usines*] to be concentrated; [4] (se rassembler) **les grévistes se sont concentrés devant l'usine** the strikers gathered outside the factory

concentrique /kɔ̃sɑ̃tʀik/ *adj* concentric

concept /kɔ̃sɛpt/ *nm* concept

concepteur, **-trice** /kɔ̃sɛptœʀ, tʀis/ ▸ **p. 532** *nm,f* **~ maquettiste** graphic designer; **~ rédacteur** advertising copywriter

conception /kɔ̃sɛpsjɔ̃/ *nf* [1] Biol conception; [2] (formulation d'idée) conception; **la ~ de l'œuvre a été lente** it took a long time to conceive the work; [3] (élaboration de la forme) design; **au stade de la ~** at the design stage; **voiture d'une ~ révolutionnaire** car with a revolutionary design; [4] (idée) idea; (façon de voir) conception; **elle a une ~ bizarre de la fidélité** she has a pretty odd conception *ou* idea of fidelity; **ils ont une ~ différente du mariage** they don't share the same views on marriage, they have a different conception of marriage

(Composés) **~ assistée par ordinateur, CAO** computer-aided design, CAD; **~ et fabrication assistées par ordinateur, CFAO** CAD-CAM; **~ de programmes assistée par ordinateur, CPAO** computer-aided software engineering, CASE

conceptualisation /kɔ̃sɛptɥalizasjɔ̃/ *nf* conceptualization

conceptualiser /kɔ̃sɛptɥalize/ [1] *vtr* to conceptualize

conceptuel, **-elle** /kɔ̃sɛptɥɛl/ *adj* Philos, Psych conceptual; **art ~** conceptual art

concernant /kɔ̃sɛʀnɑ̃/ *prép* [1] (touchant) concerning; **le décret ~ l'élection** the decree concerning the election; [2] (en ce qui concerne) as regards, with regard to; **~ la banque, la situation reste inchangée** as regards the bank *ou* as far as the bank is concerned, the situation remains unchanged

concerner /kɔ̃sɛʀne/ [1] *vtr* [1] (viser) to concern; **cette remarque vous concerne** this remark concerns you; **pour affaire vous concernant** in connection with a matter that concerns you; **en ce qui me concerne** as far as I am concerned; **en ce qui concerne le salaire** as regards salary, as far as salary is concerned; **cela ne vous concerne pas** (ne vous vise pas) it does not concern you; (ne vous regarde pas) it's no concern of yours; **se sentir concerné** to feel concerned (**par** about); [2] (toucher) to affect; **cette décision nous concerne tous** this decision affects all of us

concert /kɔ̃sɛʀ/

A *nm* [1] Mus concert; **un ~ de rock/jazz** a rock/jazz concert; **un ~ de musique classique** a concert of classical music; **Max 80 en ~ ce soir** Max 80 in concert tonight; **donner un ~ en plein air** to give an open-air concert; **salle de ~** concert hall; [2] (bruits émis) **~ de klaxons®** a blaring of horns; **~ d'applaudissements** roar of applause; **~ de critiques** barrage of criticism; **~ d'aboiements** dogs barking in unison; [3] (entente) **le ~ des nations** the alliance of nations

B de concert *loc adv* **ils ont agi de ~** they worked together; **étudier/militer de ~** to study/campaign together; **ils ont protesté de ~ avec les étudiants** they protested in unison with the students

concertant, **~e** /kɔ̃sɛʀtɑ̃, ɑ̃t/ *adj* concertante; **symphonie ~e** sinfonia concertante; **style ~** concertante style

concertation /kɔ̃sɛʀtasjɔ̃/ *nf* [1] (discussions) consultation; **un manque de ~** a lack of consultation; **agir en ~ avec** to act in consultation with; **sans ~ préalable** without preliminary consultation; **le projet est en cours de ~** the project is being discussed; [2] (fait de travailler de concert) cooperation; [3] (principe) cooperation, dialogue[GB]

concerté, **~e** /kɔ̃sɛʀte/

A *pp* ▸ **concerter**

B *pp adj* [*plan, action, offensive*] concerted; **fraude ~e** collective fraud

concerter /kɔ̃sɛʀte/ [1]

A *vtr* to plan [*action, projet, décision*] (**avec** with)

B se concerter *vpr* to confer (with each other) (**sur** about; **pour faire** (in order) to do)

concertina /kɔ̃sɛʀtina/ *nm* concertina

concertino /kɔ̃sɛʀtino/ *nm* concertino

concertiste /kɔ̃sɛʀtist/ ▸ **p. 532** *nmf* concert artist *ou* performer

concerto /kɔ̃sɛʀto/ *nm* concerto

concessif, **-ive** /kɔ̃sesif, iv/

A *adj* concessive

B concessive *nf* concessive clause

concession /kɔ̃sesjɔ̃/ *nf* [1] (compromis) concession (**à** to; **sur** on); **film/livre sans ~s** uncompromising *ou* forthright film/book; **dresser un tableau sans ~s de qch** to give a frank account of sth; **faire des ~s** to make concessions (**à** to); [2] (attribution) concession; [3] (droit d'exploitation) (de mine, territoire, terrain) concession; (de produit) distributorship; Aut dealership; **~ minière** mining concession; [4] Admin (dans un cimetière) burial plot; **~ à perpétuité** burial plot in perpetuity; (pour travaux) **~ de travaux** works contract; **~ de service public** private contract to run a public service; [5] Ling concession; **'bien que' introduit la ~** 'bien que' introduces a concessive clause

C

C

concessionnaire /kɔ̃sesjɔnɛʀ/
A *adj* **1** Comm, Écon **société ~** concessionary company; **2** Admin (pour travaux, services publics) **entreprise ~** contract-holder
B *nmf* **1** (détenteur d'un droit) gén concessionaire; (d'une licence) licensee; (d'une franchise) franchise holder, franchisee; **elle est ~ de parfumerie dans un grand magasin** she runs a perfume concession in a department store; **2** (commerçant) (pour un produit) distributor; (pour un service) agent; Aut dealer

concessive ▸ **concessif**

concevable /kɔ̃s(ə)vabl/ *adj* conceivable; **très ~** quite conceivable

concevoir /kɔ̃s(ə)vwaʀ/ [5]
A *vtr* **1** (élaborer) to design [*produit, système, projet*] (**pour qch** for sth; **pour faire** to do); **conçu et réalisé par** designed and produced by; **un système conçu comme flexible** a system which is designed to be adaptable; **notre hôtel a d'abord été conçu comme une maison** we wanted our hotel to be first and foremost a home; **bien/mal conçu** well/badly designed; **conçu en ces termes** phrased in these terms; **2** (procréer) to conceive [*enfant*]; **3** (comprendre) to understand [*attitude, réaction*]; **on conçoit tout à fait que** it is perfectly understandable that; **je conçois très bien que** I fully understand why; **je ne conçois pas de faire** I cannot conceive of *ou* imagine having to do; **4** Philos to form [*idée*]; **~ une entité** to form an idea of an entity; **5** (considérer) to see [*phénomène, activité*] (**comme** as); **~ la politique comme un métier** to see politics as a job; **la rencontre a été conçue comme une première étape** the meeting was envisaged as a first step; **6** (ressentir) fml to conceive [*haine*]; to have [*doute*]
B se concevoir *vpr* **1** (être imaginable) to be conceivable; **l'avenir ne se conçoit pas sans lui** the future is inconceivable without him; **2** (être compréhensible) [*attitude, réaction*] to be understandable; **cela se conçoit aisément** this is quite understandable; **3** (s'élaborer) to be designed; **se ~ sur ordinateur** to be designed on a computer

conchyliculture /kɔ̃filikyltyʀ/ *nf* shellfish farming

concierge /kɔ̃sjɛʀʒ/ ▸ **p. 532** *nmf* caretaker GB, superintendant US; (dans un immeuble) concierge; **c'est une vraie ~** fig (bavard) he's/she's a real gossip; (curieux) he's/she's a nosy parker○

conciergerie /kɔ̃sjɛʀʒəʀi/ *nf* caretaker's flat GB, superintendent's apartment US; **la Conciergerie** Hist the Conciergerie

concile /kɔ̃sil/ *nm* Relig council; **~ œcuménique** ecumenical council

conciliable /kɔ̃siljabl/ *adj* [*opinions, théories*] reconcilable (**avec** with); [*caractères*] compatible (**avec** with); **nos idées ne sont pas ~s** our ideas are irreconcilable; **ces théories sont difficilement ~s avec celles du gouvernement** these theories are difficult to reconcile with those of the government

conciliabule /kɔ̃siljabyl/ *nm* **1** (discussion) consultation, confab○; **tenir un ~** to hold a consultation; **être en grand ~** to be deep in discussion; **2** †(réunion) secret meeting

conciliaire /kɔ̃siljɛʀ/ *adj* [*collection, décision*] conciliar; **père ~** Council Father

conciliant, ~e /kɔ̃siljɑ̃, ɑ̃t/ *adj* conciliatory (**avec** toward, towards GB)

conciliateur, -trice /kɔ̃siljatœʀ, tʀis/
A *adj* conciliatory (*épith*)
B *nmf* conciliator
C *nm* Jur conciliator

conciliation /kɔ̃siljasjɔ̃/ *nf* **1** Jur conciliation; (d'époux) reconciliation; **tentative/esprit de ~** attempt at/spirit of conciliation; **procédure de ~** conciliation procedure; **commission de ~** arbitration committee; **2** (d'intérêts, de besoins) reconciliation, reconciling

conciliatoire /kɔ̃siljatwaʀ/ *adj* Jur conciliation (*épith*)

concilier /kɔ̃silje/ [2]
A *vtr* **1** (accorder) to reconcile [*notions, besoins, intérêts*] (**avec** with); **2** Jur (réconcilier) to reconcile [*adversaires*]; **3** (gagner) fml **cette loi lui a concilié l'opinion publique** this law won over public opinion to his/her side
B se concilier *vpr* (conquérir) to win [*bienveillance, soutien*]; to win over [*opinion publique, personne*]; **se ~ les dieux** to propitiate the gods

concis, ~e /kɔ̃si, iz/ *adj* concise

concision /kɔ̃sizjɔ̃/ *nf* conciseness; **avec ~** concisely

concitoyen, -enne /kɔ̃sitwajɛ̃, ɛn/ *nm,f* **1** (d'un pays) fellow-countryman/fellow-countrywoman; **nos ~s** our fellow-countrymen; **2** (d'une ville) fellow-citizen

conclave /kɔ̃klav/ *nm* conclave

concluant, ~e /kɔ̃klyɑ̃, ɑ̃t/ *adj* conclusive; **peu ~** rather inconclusive

conclure /kɔ̃klyʀ/ [78]
A *vtr* **1** (déduire) to conclude (**que** that), to draw the conclusion (**que** that); (parvenir à une opinion) to draw a conclusion (**de** from); **que concluez-vous de ces chiffres?** what conclusion do you draw from these figures?; **il ne faut pas se hâter d'en ~ que** we mustn't jump to the conclusion that; **oui, mais de là à ~ qu'il est coupable...** yes, but to decide from that that he is guilty...; **2** (régler) to conclude [*accord, transaction*]; **~ un marché** to close *ou* clinch *ou* strike a deal; **'marché conclu!'** 'it's a deal!'; **3** (mettre fin à) [*personne*] to conclude [*discours, séance*] (**par** with); to finish off [*soirée, match*] (**par** with); **'voilà,' dit-il pour ~** 'that's all,' he concluded; **avant de ~ j'aimerais ajouter que** before concluding I would just like to add that; **4** (être la fin de) [*concert, match*] to bring [sth] to a close [*festival, journée*]; [*phrase*] to bring [sth] to a close *ou* an end [*discours, chapitre*]; to conclude [*lettre*]; [*but*] to end [*match*]
B conclure à *vtr ind* (décider) **~ à la nécessité/folie de qch** to conclude that sth is necessary/crazy; **~ à la culpabilité de qn** to conclude that sb is guilty; [*jury*] to return a verdict of guilty; **~ au meurtre** to conclude that it was murder; [*jury*] to return a verdict of murder; **~ à l'acquittement** Jur to decide on an acquittal
C *vi* **1** Jur **~ en faveur de/contre qn** [*témoignage*] to go in favour[GB] of/against sb; [*juge, jury*] to find in favour[GB] of/against sb; **2** Sport [*joueur de tennis*] to end the match
D se conclure *vpr* **1** (s'achever) [*soirée, festival, discours*] to end (**par** with); **2** (se régler) [*accord, transaction*] to be concluded; [*marché*] to be clinched *ou* struck

conclusion /kɔ̃klyzjɔ̃/
A *nf* **1** (déduction) conclusion; (moralité) moral; **en ~** in conclusion; **~, il y a un problème**○ in other words, there's a problem; **~, le dîner a été annulé**○ so, the dinner was cancelled[GB]; **tirer la ~ qu'il vaut mieux faire...** to draw the conclusion that it's better to do; **tirer les ~s d'une expérience** to learn from an experience; **ne tire pas de ~s hâtives** don't jump to conclusions; **2** (de traité, marché) conclusion; **3** (dénouement) (de discours, session) close; (d'aventure) outcome; **apporter une ~ au débat** to bring the debate to a close
B conclusions *nfpl* **1** (résultats) (d'analyse, autopsie) results; (d'enquête, de rapport) findings; **2** Jur (d'expert) opinion (*sg*); (de jury) verdict (*sg*); (de plaignant) pleadings, submissions; **déposer des ~s auprès d'un tribunal** to file submissions with a court

concocter○ /kɔ̃kɔkte/ [1] *vtr* to concoct [*dessert, sauce*]; to devise [*réponse, programme*]

concombre /kɔ̃kɔ̃bʀ/ *nm* cucumber

concomitance /kɔ̃kɔmitɑ̃s/ *nf* concomitance sout

concomitant, ~e /kɔ̃kɔmitɑ̃, ɑ̃t/ *adj* concomitant sout

concordance /kɔ̃kɔʀdɑ̃s/ *nf* **1** (similarité) concordance (**de** between); (compatibilité) compatibility; **la parfaite ~ de leurs témoignages** the fact that their accounts agree in every respect; **s'il y a ~ entre les résultats** if the results tally; **les ~s de vues entre eux** their like-minded attitudes; **mettre en ~ avec** to make [sth] agree *ou* tally with [*version, témoignage*]; to bring [sth] into line with [*emploi du temps, horaire*]; **2** (index) concordance; **3** Géol conformability
(Composés) **~ de phase** Phys synchronization; **~ des temps** Ling sequence of tenses

concordant, ~e /kɔ̃kɔʀdɑ̃, ɑ̃t/ *adj* **1** [*faits*] corroborating; [*sources, témoignages, informations*] which are in agreement (*épith, après n*); **être ~** to agree *ou* tally; **2** Géol conformable; **3** Littérat [*vers*] concordant

concordat /kɔ̃kɔʀda/ *nm* **1** Relig concordat; **2** (avec un créancier) (accord) composition; (attestation) bankrupt's certificate

concordataire /kɔ̃kɔʀdatɛʀ/ Jur
A *adj* [*débiteur*] certified; **procédure ~** composition proceedings (*pl*)
B *nmf* certified bankrupt

concorde /kɔ̃kɔʀd/ *nf* fml harmony, concord

Concorde /kɔ̃kɔʀd/ *nm* Aviat, Hist Concorde; **voyager en** *or* **prendre le ~** to fly on *ou* in Concorde

concorder /kɔ̃kɔʀde/ [1] *vi* **1** [*résultats, descriptions, témoignages*] to tally; [*évaluations*] to agree; **les opinions concordent** everyone agrees; **2** Jur [*débiteur*] to compound (**avec** with)

concourant, ~e /kɔ̃kuʀɑ̃, ɑ̃t/ *adj* **1** Math [*droites*] convergent; Phys [*forces*] concurrent; **2** [*efforts, tentatives*] concerted (*épith*)

concourir /kɔ̃kuʀiʀ/ [26]
A *vi* **1** (participer) [*athlète, candidat*] to compete (**pour** for; **dans** in); [*livre, film*] to be entered, to be in the running (**pour** for); **~ aux jeux Olympiques** to compete in the Olympic games; **les films admis à ~ au festival** the films which have been entered for the festival; **2** Math (converger) to converge (**vers** toward, towards GB)
B concourir à *vtr ind* **1** (collaborer pour) **~ à qch** [*facteurs*] to combine to bring about sth; [*personnes*] to work together towards sth; **~ à faire qch** [*facteurs*] to combine to do sth; [*personnes*] to work together to do sth; **2** (contribuer à) [*facteur, personne*] **~ à qch** to help bring about sth; **~ à faire qch** to help do sth

concours /kɔ̃kuʀ/ *nm inv* **1** (jeu, compétition) competition; **~ de piano/pêche** piano/angling competition; **~ agricole/floral** agricultural/flower show; **~ d'élégance** fig fashion show; **~ de beauté** beauty contest; **être hors ~** to be ineligible to compete; **2** Admin, Scol competitive examination; **par (voie de) ~** by competitive examination; **~ d'entrée** entrance examination (**à** for); **~ de recrutement** Admin competitive entrance examination; **3** (aide) help, assistance; (appui) support; (collaboration) cooperation; **~ financier** financial assistance; **grâce au ~ du personnel** thanks to the cooperation of the staff; **s'assurer le ~ d'agents qualifiés** to enlist the services of qualified staff; **avec le ~ de l'orchestre des Jeunes** (participation) with the Youth orchestra; **apporter** *or* **prêter son ~ à qch/qn** to help out with sth/to help sb out; **4** Sport (en athlétisme) field event
(Composés) **~ de circonstances** combination of circumstances; **~ complet** Équit three-day event; **faire un ~ complet** to go eventing; **~ général** Scol *prestigious competitive examination for pupils in top forms of French secondary schools*; **~ hippique** Équit (sport) show jumping; (épreuve) horse show

> **Concours**
>
> Entry into many areas of the public services, including the teaching profession, as well as the most prestigious institutes of higher education, depends on succeeding in a competitive examination or *concours*. The number of candidates admitted depends on the number of posts or places available in a given year.

concret, -ète /kɔ̃kʀɛ, ɛt/
A *adj* **1** (matériel, réel) [*mesure, résultat, détail*] concrete; [*présence*] tangible; **2** (pragmatique) [*esprit, personne*] practical
B *nm* **le ~ et l'abstrait** the concrete and the abstract; **offrir du ~** to offer something concrete

concrètement /kɔ̃kʀɛtmɑ̃/ *adv* (en termes réels) in concrete terms; (en pratique) in practical terms; **~, que proposez-vous?** in concrete terms, what are you proposing?; **~, comment t'y prendras-tu?** what are you going to do in practical terms?

concrétion /kɔ̃kʀesjɔ̃/ *nf* concretion

concrétisation /kɔ̃kʀetizasjɔ̃/ *nf* **1** (résultat) (de domination, d'alliance) concrete expression, concrete manifestation; (d'espoir, de souhait) fulfilment[GB]; (d'ambition) achievement; **2** (action) **quant à la ~ de ce projet** as for turning this project into a reality; **3** Sport (action) scoring; (résultat) score

concrétiser /kɔ̃kʀetize/ [1]
A *vtr* **1** (réaliser) to make [sth] a reality [*projet, souhait*]; **2** (exprimer concrètement) to give concrete expression to [*accord, besoin, malaise, notion*]; to make [sth] concrete [*alliance, stratégie*]; **3** Sport (marquer) to score; **~ un avantage** to press home an advantage
B se concrétiser *vpr* [*projet, rêve*] to become a reality; [*offre*] to materialize; [*espoir, souhait*] to be fulfilled

concubin, ~e /kɔ̃kybɛ̃, in/
A *nm,f* Jur common law husband/wife
B concubine *nf* Hist concubine

concubinage /kɔ̃kybinaʒ/ *nm* cohabitation; **ils vivent en ~** they live together (as husband and wife), they cohabit Admin; **les enfants issus du ~** children born to a cohabiting couple
(Composé) **~ notoire** Jur cohabitation

concupiscence /kɔ̃kypisɑ̃s/ *nf* lechery, concupiscence sout

concupiscent, ~e /kɔ̃kypisɑ̃, ɑ̃t/ *adj* lecherous, concupiscent sout

concurremment /kɔ̃kyʀamɑ̃/ *adv* **1** (en collaboration) conjointly sout; **~ avec** in conjunction with; **2** (simultanément) concurrently; **3** (en rivalité) **ils briguent ~ le poste** they are both competing for the post

concurrence /kɔ̃kyʀɑ̃s/
A *nf* **1** (rivalité) competition (**entre** between; **avec** with); **~ déloyale** unfair competition; **être en ~ avec qn/qch** to be in competition with sb/sth; **faire (de la) ~ à qn** to compete with sb; **prix défiant toute ~** unbeatable price; **jeu de la ~** free play of competition; **2** (concurrents) **la ~** competitors (*pl*); **s'aligner sur les prix de la ~** to bring one's prices into line with those of one's competitors
B jusqu'à ~ de *loc prép* up to a limit of

concurrencer /kɔ̃kyʀɑ̃se/ [12] *vtr* [*personne, entreprise*] to compete with; [*produit, invention*] to pose a threat to; **être rudement concurrencé par** to come up against fierce competition from; **marché fortement concurrencé** highly competitive market

concurrent, ~e /kɔ̃kyʀɑ̃, ɑ̃t/
A *adj* **1** Comm, Écon [*produit, compagnie*] rival; **2** †(concourant) [*forces, efforts*] concurrent
B *nm,f* (pour un avantage, poste) rival; Comm, Sport competitor; Scol, Univ candidate

concurrentiel, -ielle /kɔ̃kyʀɑ̃sjɛl/ *adj* competitive

concussion /kɔ̃kysjɔ̃/ *nf* Jur misappropriation of public funds

condamnable /kɔ̃danabl/ *adj* [*attitude, pratique, opinion*] reprehensible; **ce sont les parents qui sont ~s, pas l'enfant** the parents are to blame, not the child

condamnation /kɔ̃danasjɔ̃/ *nf* **1** Jur (action) conviction; (peine) sentence; **il y a plusieurs types de ~** there are several types of sentence; **elle en est à sa deuxième ~** this is her second conviction; **~ à la prison** prison sentence; **il risque la ~ à mort** he may be condemned to death; **il y a eu trois ~s à mort** three people were condemned to death; **~ à perpétuité/mort** life/death sentence; **~ à dix ans de prison** ten-year prison sentence; **les ~s pour vol/meurtre sont fréquentes** convictions on charges of theft/murder are frequent; **2** (vive critique) condemnation (**de** of); **3** Aut (verrouillage) **~ électronique** *or* **centralisée des portières** central locking

condamné, ~e /kɔ̃dane/
A *pp* ▸ **condamner**
B *pp adj* **1** (très malade) [*personne*] terminally ill; **atteint d'un cancer il se sait ~** he has cancer and he knows it's terminal; **2** (fermé) [*porte, fenêtre*] sealed up
C *nm,f* convicted prisoner
(Composé) **~ à mort** condemned man/woman

condamner /kɔ̃dane/ [1] *vtr* **1** Jur (infliger une peine à) to sentence; **~ qn à une amende** to fine sb; **elle a été condamnée à 1 000 euros d'amende** she was fined 1,000 euros; **~ qn à deux ans de réclusion** to sentence sb to two years' imprisonment; **il a été condamné à quatre mois de prison avec sursis** he was given a four-month suspended sentence; **~ qn à mort** to sentence sb to death; **~ qn pour vol** to convict sb of theft; **~ qn par défaut** *or* **contumace** to sentence sb in absentia; **2** (interdire) [*loi, article*] to punish [*vol, trafic*]; **la législation condamne le racisme/la bigamie** the law punishes racism/bigamy; **3** (désapprouver fortement) [*personne, pays, groupe*] to condemn [*acte, attitude, décision*]; **4** (astreindre à) to condemn (**à** to); **être condamné au silence** to be condemned to silence; **il se voit condamné à un choix difficile/à un rôle secondaire** he's being forced to make a difficult choice/to play a secondary role; **~ qn à faire** to compel sb to do; **il est condamné à attendre/coopérer** he is obliged to wait/cooperate; **5** (bloquer) (définitivement) to seal up [*fenêtre, porte, entrée*]; (fermer à clé) to shut up [*pièce*]; to lock [*portières*]; **6** fig (ruiner) to spell death for [*société, industrie, secteur*]; **les nouvelles technologies ont condamné l'artisanat** the new technologies spell death for the traditional crafts; **7** (déclarer incurable) **les médecins l'ont condamné** the doctors have given up hope of saving him

condé◑ /kɔ̃de/ *nm* (policier) cop○, policeman

condensateur /kɔ̃dɑ̃satœʀ/ *nm* condenser

condensation /kɔ̃dɑ̃sasjɔ̃/ *nf* condensation

condensé /kɔ̃dɑ̃se/ *nm* (résumé) summary; (recueil) digest

condenser /kɔ̃dɑ̃se/ [1]
A *vtr* **1** (abréger) to condense [*texte*]; **2** (liquéfier) to condense [*gaz*]; ▸ **lait**
B se condenser *vpr* [*vapeur*] to condense

condenseur /kɔ̃dɑ̃sœʀ/ *nm* condenser

condescendance /kɔ̃desɑ̃dɑ̃s/ *nf* condescension; **avec ~** condescendingly

condescendant, ~e /kɔ̃desɑ̃dɑ̃, ɑ̃t/ *adj* condescending

condescendre /kɔ̃desɑ̃dʀ/ [6] *vtr ind* **~ à** to condescend to

condiment /kɔ̃dimɑ̃/ *nm* **1** Culin (à la cuisson) seasoning; (à table) condiment; **2** fig spice

condisciple /kɔ̃disipl/ *nmf* fellow student

condition /kɔ̃disjɔ̃/
A *nf* **1** (circonstance nécessaire) condition; **~ nécessaire et suffisante** necessary and sufficient condition (**pour faire** to do); **toutes les ~s étaient réunies pour que la cérémonie se passe bien** everything was set for the ceremony to go off well; **mettre/poser une ~** to make/to set a condition (**à** for); **dicter/poser ses ~s** to state/to lay down one's conditions; **poser qch comme ~ à** to impose sth as a condition (up)on; **à une ~** on one condition; **je prends ce modèle à ~ de pouvoir l'échanger** I'll take this model on condition that I can exchange it; **c'est possible à ~ d'avoir le temps** it's possible provided (that) one has the time; **n'importe qui peut y arriver à ~ d'avoir de la patience** anybody can do it provided (that) they have patience; **tu peux le faire à ~ de ne pas perdre de temps** you can do it as long as *ou* provided (that) you don't waste time; **je le ferai mais à ~ que tu m'aides** I'll do it provided (that) you help me; **à la seule ~ que** on the sole condition that; **à la ~ expresse de revenir** *or* **qu'il revienne tôt** on the strict condition that he comes back early; **je vous prêterai la somme, mais sous ~** I'll lend you the money, but on certain conditions; **sous ~ que** on condition that; **sous ~** [*libéré*] conditionally; **achat sous ~** purchase on approval; **sans ~(s)** [*capitulation*] unconditional; [*capituler*] unconditionally; **imposer ses ~s** to impose one's own terms; **le talent n'est pas la seule ~ de tout succès** talent is not the only requirement for success; **~ préalable** precondition (**à qch** for sth); **~s d'admission** conditions of membership (**à** of GB, in US); **~s d'attribution d'une bourse** eligibility (*sg*) for a grant; **satisfaire** *or* **répondre aux ~s requises** to fulfil[GB] the necessary conditions; **le cours est ouvert à tout le monde, sans ~ de niveau d'études** the course is open to everyone, irrespective of their educational qualifications
2 Jur (clause) term
3 (forme) condition; **être en bonne ~ physique** to be in good physical condition, to be fit; **être en mauvaise ~ (physique)** to be out of condition *ou* unfit; **mettre qn en ~** (physiquement) to get sb fit; (mentalement) to prepare sb; **se mettre en ~** (physiquement) to get fit; (mentalement) to prepare oneself; **mise en ~** (physique) getting fit; (mentale) preparation; **se maintenir en ~** to keep fit
4 (situation sociale) condition; **la ~ humaine** the human condition; **la ~ ouvrière** the conditions of working-class life; **la ~ enseignante** the position of teachers in society; **la ~ féminine** *or* **des femmes** women's position in society; **il s'intéresse beaucoup à la ~ féminine** he's very interested in women's affairs
5 (niveau social) **~ (sociale)** social status; **vouloir changer de ~ sociale** to want to change one's social status; **accepter sa ~** to accept one's lot in life; **un jeune homme de ~ modeste** a young man from a humble background; **des personnes de toutes ~s** people from all walks of life; **personne de ~**† person of quality†; **se marier au-dessus/au-dessous de sa ~** to marry above/below one's station
6 Ling conditionality; **'si' exprime la ~** 'si' expresses conditionality
B conditions *nfpl* **1** (ensemble de circonstances) conditions; **~s atmosphériques** atmospheric conditions; **~s de travail/de logement** working/housing conditions; **~s de vie** living conditions; **~s d'hygiène** sanitary conditions; **ils travaillent dans des ~s difficiles/inhumaines** they are working in difficult/inhuman conditions; **dans ces ~s** (dans cet environnement) in these conditions; (puisque c'est comme ça) in that case
2 Comm (modalités) terms; **ils ont** *or* **proposent des ~s très avantageuses** they offer very favourable[GB] terms; **~s générales** general terms; **~s de paiement** terms of payment; **~s de financement** methods of financing

conditionné, ~e /kɔ̃disjɔne/
A *pp* ▸ **conditionner**

C

C

B *pp adj* **1** Psych [*personne*] conditioned (**à qch** to sth; **à faire** to do); [*animal, réflexe*] conditioned; **2** Comm [*produit*] packaged; **~ sous vide** vacuum-packed

conditionnel, -elle /kɔ̃disjɔnɛl/
A *adj* **1** [*soutien, accord*] conditional; **2** Ling conditional
B *nm* Ling conditional; **~ passé/présent** past/present conditional; **au ~** in the conditional; **prendre qch au ~** fig to regard sth as provisional
C conditionnelle *nf* Ling conditional clause

conditionnement /kɔ̃disjɔnmɑ̃/ *nm* **1** (de personne) conditioning; **2** (emballage) packaging ₵; **~s** forms of packaging; **3** (de l'air) conditioning
(Composé) **~ sous vide** vacuum packing

conditionner /kɔ̃disjɔne/ [1] *vtr* **1** (influencer) [*milieu, média*] to condition [*personne, comportement*]; to condition [*animal*]; **2** (déterminer) **votre habileté conditionne votre réussite** your success depends on your skill; **leur accord conditionne la réussite du projet** the success of the project depends on their agreement; **3** (emballer) to package (**en** in); **~ qch sous vide** to vacuum-pack sth

condoléances ➡ /kɔ̃dɔleɑ̃s/ *nfpl* condolences; **présenter** *or* **faire ses ~ à qn** to offer one's condolences to sb; **lettre de ~** letter of condolence; **toutes mes ~** please accept my deepest sympathy

condom /kɔ̃dɔm/ *nm* condom

condominium /kɔ̃dɔminjɔm/ *nm* condominium

condor /kɔ̃dɔʀ/ *nm* condor

conductance /kɔ̃dyktɑ̃s/ *nf* conductance

conducteur, -trice /kɔ̃dyktœʀ, tʀis/
A *adj* **1** Phys conductive; **un matériau peu ~** a poor conductor; **2** (qui guide) [*principe*] guiding
B ▸ **p. 532** *nm,f* **1** (de véhicule) driver; **être bon/mauvais ~** to be a good/bad driver; **2** (responsable) (de machine) operator; (de travaux) foreman
C *nm* Phys conductor; **être un bon/mauvais ~ de la chaleur/de l'électricité** to be a good/poor conductor of heat/of electricity
(Composés) **~ de bestiaux** drover; **~ de centrale** Électrotech, Nucl power station maintenance supervisor; **~ d'engin** Gén Civ ≈ bulldozer driver; **~ de presse** Imprim pressman; **~ de travaux** clerk of the works GB, foreman

conductibilité /kɔ̃dyktibilite/ *nf* conductivity

conductible /kɔ̃dyktibl/ *adj* conductive

conduction /kɔ̃dyksjɔ̃/ *nf* Phys, Physiol conduction

conductivité /kɔ̃dyktivite/ *nf* conductivity

conduire /kɔ̃dɥiʀ/ [69]
A *vtr* **1** (accompagner) to take [*personne*]; (en voiture) to drive [*personne*] (**à** to); **je vais vous ~ à l'hôpital** I'll take *ou* drive you to the hospital; **se faire ~ quelque part en taxi** to take a taxi somewhere; **conduisez monsieur à sa chambre** show the gentleman to his room; **2** (mener à un lieu) **un bus vous conduira à l'hôtel** a bus will take you to the hotel; **le chemin conduit à l'église** the path leads to the church; **les traces de pneus conduisaient à une clairière** the tyre-tracks GB *ou* tire-tracks US led to a clearing; **mon voyage m'a conduit dans cinq pays/à Paris** my trip took me to five countries/to Paris; **la route qui conduit à Oxford** the road that goes to Oxford; **~ qn à l'échafaud** to lead sb to the scaffold; **3** (faire aboutir) **~ à qch** to lead to sth; **~ qn à faire** to lead sb to do; **les résultats nous ont conduits à réviser notre programme** the results led us to modify our programme[GB]; **~ à une amélioration de qch/à la fermeture de qch** to lead to an improvement in sth/to the closing of sth; **~ à améliorer qch/à fermer qch** to lead to improvements in sth/to the closing of sth; **~ qn à la faillite** to make sb bankrupt; **~ qn à la folie/au désespoir/au suicide** to drive sb to madness/to despair/to suicide; **4** (être aux commandes de) to drive [*auto, camion, train*]; to ride [*moto*]; **je n'aime pas ~ la nuit/en ville** I don't like driving at night/in town; **je ne te laisserai pas ~** I won't let you drive; **5** (guider) to lead [*personne, animal*] (**à** to); **se laisser ~ par qn/par un chien** to be led by sb/by a dog; **6** (faire évoluer) to conduct [*recherches, négociations*]; to pursue [*politique*]; to carry out [*projet*]; to run [*affaire commerciale*]; **7** (être à la tête de) to lead [*délégation, troupe*]; **~ la marche/le deuil** to lead the march/the mourners; **il a conduit la nation pendant la guerre** he led the nation during the war; **il a conduit le pays d'une poigne de fer** he ruled the country with a rod of iron; **la liste conduite par le candidat socialiste** the list headed by the socialist candidate; **8** (faire passer) [*canalisation*] to carry [*eau, gaz, pétrole*]; [*fil*] to conduct [*électricité*]; [*corps*] to conduct [*chaleur*]
B se conduire *vpr* to behave; **il ne sait pas se ~ en société** he doesn't know how to behave in company; **se ~ bien/mal** to behave well/badly (**avec** *or* **envers qn** toward, towards GB sb); **se ~ comme un enfant/imbécile** to behave like a child/fool

conduit /kɔ̃dɥi/ *nm* **1** Constr conduit; **2** Anat canal
(Composés) **~ d'air chaud** hot-air duct; **~ auditif externe** external auditory canal *ou* meatus; **~ auditif interne** internal auditory meatus; **~ de fumée** flue; **~ de ventilation** ventilation shaft

conduite /kɔ̃dɥit/ *nf* **1** (manière d'être) gén behaviour[GB] (**avec, envers qn** to, toward(s) sb); (d'écolier) conduct; **ma peine a été réduite pour bonne ~** my sentence was reduced for good behaviour *ou* conduct; **elle a eu un zéro de ~** she got a black mark for bad behaviour[GB]; **avoir une ~ bizarre** to behave oddly; **ils n'accepteront pas qu'on leur dicte leur ~** they will not put up with being told what to do; **hésiter sur la ~ à tenir** to be uncertain what to do; **2** (d'enquête) conducting; (de travaux) supervision; (de carrière, d'entreprise) management; (de nation, d'armée) leadership; **sous la ~ de** under the supervision of; **mon père m'a laissé la ~ des affaires** my father left me to run the business; **elle leur a confié la ~ du projet** she put them in charge of the project; **3** (d'auto, de camion, train) driving; (de moto) riding; **la ~ de nuit/jour** night/daytime driving; **la ~ en ville/sur route** driving in town/on the open road; **~ en état d'ivresse** driving under the influence of alcohol, drunk GB *ou* drunken US driving; **n'oubliez pas la ~ à droite!** don't forget to drive on the right!; ▸ **sportif**; **4** Aut (colonne de direction) **voiture avec ~ à droite/à gauche** right-/left-hand drive car; **ma voiture a la ~ à droite** my car is right-hand drive; **5** (examen) driving test; **j'ai eu le code mais j'ai raté la ~** I passed the written test but I failed the road test; **6** (canalisation) pipe
(Composés) **~ accompagnée** driving accompanied by a qualified driver; **~ forcée** Gén Civ pressure pipeline

> **Conduite accompagnée**
>
> A learner driver who has passed the theory part of the driving test (*code de la route*) in a state-approved driving school is allowed to practise driving a vehicle accompanied by a certified driver over the age of 28. Such drivers are not allowed to drive on *autoroutes* and are required to have a white sticker with a red 'A' (for *apprenant*) displayed on the rear of their vehicle. ▸ **permis**

condyle /kɔ̃dil/ *nm* condyle

cône /kon/ *nm* cone; **objet en forme de ~** cone-shaped object; **objet en forme de ~ inversé** object shaped like an inverted cone; **taillé en forme de ~** trimmed into a conical shape
(Composés) **~ de déjection** Géol alluvial fan; **~ de lumière** Phys cone of light; **~ d'ombre** Astron cone of shadow; **~ de pin** Bot pine cone

confection /kɔ̃fɛksjɔ̃/ *nf* **1** Comm, Mode **la ~** (industrie) the clothing industry; (vêtements) ready-to-wear clothes (*pl*); **costume de ~** ready-to-wear suit; **s'habiller en ~** to buy one's clothes off the peg GB *ou* off the rack US; **2** (élaboration) making

confectionner /kɔ̃fɛksjɔne/ [1] *vtr* to make [*gâteau, vêtement*]; to prepare [*repas*]

confectionneur, -euse /kɔ̃fɛksjɔnœʀ, øz/ ▸ **p. 532** *nm,f* manufacturer of ready-to-wear clothing

confédéral, ~e, *mpl* **-aux** /kɔ̃fedeʀal, o/ *adj* confederal

confédération /kɔ̃fedeʀasjɔ̃/ *nf* confederation
(Composé) **Confédération helvétique** Switzerland

confédéré, ~e /kɔ̃fedeʀe/
A *pp* ▸ **confédérer**
B *pp adj* [*États*] confederate; [*syndicats*] confederated
C confédérés *nmpl* Hist **les ~s** the Confederates

confédérer /kɔ̃fedeʀe/ [14] *vtr* to confederate

conférence /kɔ̃feʀɑ̃s/ *nf* **1** (discours, cours) lecture (**sur** on, about); **faire** *or* **donner une ~** to give a lecture; **2** (congrès) conference (**sur** on); **la ~ de Genève** the Geneva Conference; **se réunir en ~** to hold a conference; **être en ~** to be in conference; **les participants à la ~** the conference delegates; **3** (discussion) debate
(Composés) **~ épiscopale** Bishops' Conference; **~ de presse** press conference; **~ au sommet** summit meeting; **Conférence intergouvernementale, CIG** UE Intergovernmental Conference, IGC

conférence-débat, *pl* **conférences-débats** /kɔ̃feʀɑ̃sdeba/ *nf* round table (discussion) (**sur** on)

conférencier, -ière /kɔ̃feʀɑ̃sje, ɛʀ/ ▸ **p. 532** *nm,f* gén speaker; Univ lecturer

conférer /kɔ̃feʀe/ [14]
A *vtr* **1** (remettre) [*personne, institution*] to confer [*diplôme, droit, statut, ordres*] (**à** on); to award [*décoration*] (**à** on); **~ le baptême à qn** to baptize sb; **2** (donner) fml [*fonction, âge, fortune*] to give [*droit, privilège*] (**à** to); **l'aisance que confère la compétence** the confidence that comes with skill
B *vi* fml (s'entretenir) to confer (**sur qch** on sth; **de qch** about sth)

confesse○ /kɔ̃fɛs/ *nf* confession; **être/aller à ~** to be at/to go to confession

confesser /kɔ̃fese/ [1]
A *vtr* **1** (avouer) to confess [*péché, ignorance*] (**à** to); (proclamer)† **~ sa foi** to confess one's faith; **2** (entendre en confession) **~ qn** to hear sb's confession; **3** ○(faire parler) to get [sb] to talk [*enfant, malfaiteur, témoin*]
B se confesser *vpr* **1** Relig to go to confession; **se ~ à un prêtre** to make one's confession to a priest; **se ~ de qch** to confess (to) sth; **2** (se confier) **se ~ à un ami** to confide in a friend

confesseur /kɔ̃fesœʀ/ *nm* confessor

confession /kɔ̃fesjɔ̃/ *nf* **1** (aveu) confession; **faire une ~ à** to make a confession to; **2** Relig (sacrement) confession; **entendre qn en ~** to hear sb's confession; **avouer qch en ~** to confess sth to a priest; **3** (foi) faith; **être de ~ juive** to be of the Jewish faith
(Idiome) **on te donnerait le bon Dieu sans ~**

you look as if butter wouldn't melt in your mouth

confessionnal, *pl* **-aux** /kɔ̃fesjɔnal, o/ *nm* confessional

confessionnel, **-elle** /kɔ̃fesjɔnɛl/ *adj* gén denominational; [*école*] denominational GB, parochial US; **non ~** non denominational; [*querelles*] interdenominational

confetti /kɔ̃feti/ *nm* confetti ¢; **un ~** a piece of confetti; **des ~s** confetti

confiance /kɔ̃fjɑ̃s/ *nf* 1 (foi en l'honnêteté) trust (**en** in); **la ~ réciproque** mutual trust; **ma ~ en elle** my trust in her; **placer** *or* **mettre sa ~ en qn** to put one's trust in sb; **gagner/perdre la ~ de qn** to win/lose sb's trust; **en toute ~** [*acheter, prêter*] with complete confidence; **de ~** [*personne*] trustworthy; [*mission*] which requires (the utmost) trust (*après n*); **poste de ~** position of trust; **avoir ~ en qn, faire ~ à qn** to trust sb; **j'y penserai, fais-moi** *or* **tu peux me faire ~** I'll remember, trust me *ou* you can trust me; **il va tricher, tu peux lui faire ~!** iron you can rely on him to cheat! iron; **j'ai ~ en l'avenir** I feel confident about the future; **faire ~ en son intuition** to trust one's intuition; 2 (foi en la compétence) confidence (**en** in); **faire ~ à qn** to have confidence in sb; **avoir ~ dans** to have confidence in [*technologie, méthode, médecine*]; 3 (assurance) confidence; **~ en soi** (self-)confidence; **avoir ~ en soi** to be self-confident; **tu manques de ~ en toi** you lack self-confidence; **cet homme/cette banque ne m'inspire pas ~** I don't have much confidence in that man/that bank; **ces champignons ne m'inspirent pas ~** I don't feel altogether happy about these mushrooms; **mettre qn en ~** to put sb at ease; **être/se sentir en ~ avec qn** to be/feel at ease with sb; 4 Pol **voter la ~** to pass a vote of confidence

confiant, **~e** /kɔ̃fjɑ̃, ɑ̃t/ *adj* 1 (certain) confident; **être ~ dans** to be confident about [*avenir, succès d'une opération*]; to have confidence in [*capacités, système judiciaire*]; 2 (assuré) (self-)confident; 3 (se fiant aux autres) [*personne, caractère, regard*] trusting; **être ~ de nature** to have a trusting nature

confidence /kɔ̃fidɑ̃s/ *nf* secret, confidence; **dire qch en ~** to say sth in confidence; **être dans la ~** to be in on the secret; **mettre qn dans la ~** to let sb in on the secret; **faire une ~ à qn** to tell sb a secret, to confide sth to sb; **faire des ~s à qn sur qch** to confide in sb about sth; **je ne reçois pas ses ~s** he/she doesn't confide in me; **elle m'a expliqué sur le ton de la ~, que** she explained, confidentially, that

(Composé) **~s sur l'oreiller** pillow talk ¢

confident /kɔ̃fidɑ̃/ *nm* 1 gén, Théât confidant; 2 (fauteuil) tête-à-tête

confidente /kɔ̃fidɑ̃t/ *nf* gén, Théât confidante

confidentialité /kɔ̃fidɑ̃sjalite/ *nf* confidentiality

confidentiel, **-ielle** /kɔ̃fidɑ̃sjɛl/ *adj* [*dossier, ton*] confidential; **'~'** (sur un pli) 'confidential'

confidentiellement /kɔ̃fidɑ̃sjɛlmɑ̃/ *adv* in confidence, confidentially

confier /kɔ̃fje/ [2]

A *vtr* 1 (remettre) **~ qch à qn** to entrust sth to sb, to entrust sb with sth [*mission, poste*]; to entrust sth to sb [*argent*]; to leave sth in sb's care, to entrust sth to sb [*lettres, valise*]; **~ (la garde d')un enfant à qn** to leave a child in sb's care; **~ à qn le soin de faire** to entrust sb with the task of doing; **~ qch aux soins de qn** to leave sth in sb's care; **confiez-nous votre voiture/vos pellicules photo**○ leave your car/your films to us; **on m'a confié la direction du projet** I have been put in charge of the project; **~ son sort au hasard** to entrust one's fate to chance; 2 (dire en confidence) **~ à qn** to confide [sth] to sb [*peines, intentions*]; **~ un secret à qn** to tell sb a secret

B **se confier** *vpr* to confide (**à** in); **je n'ai personne à qui me ~** I have nobody to confide in; **elle se confie peu** she doesn't confide in people much

configuration /kɔ̃figyʀasjɔ̃/ *nf* 1 (aspect) shape; **la ~ du terrain** the lie of the land; 2 (disposition) configuration; (situation) set-up; **la ~ du marché/de la majorité** the configuration of the market/of the majority; **la ~ administrative/politique** the administrative/political set-up; **la ~ des lieux** the layout of the premises; 3 Ordinat configuration; 4 Chimie configuration

confiné, **~e** /kɔ̃fine/

A *pp* ▸ **confiner**

B *pp adj* 1 (enfermé) **~ dans une pièce** confined to a room; **esprit ~ dans la routine** mind stuck in a rut; 2 (renfermé) [*atmosphère*] lit, fig stuffy; [*air*] stale; 3 (limité) [*espace*] confined, restricted

confinement /kɔ̃finmɑ̃/ *nm* 1 (de prisonnier, bétail) confinement; 2 Tech (de produit) containment

confiner /kɔ̃fine/ [1]

A *vtr* 1 (enfermer) **~ qn dans une pièce** to confine sb to a room; 2 (restreindre) **~ qn à une tâche/un poste** to restrict sb to a task/a post; **ce phénomène n'est pas confiné à la France** this phenomenon is not confined *ou* restricted to France

B **confiner à** *vtr ind* lit, fig to border on [*territoire*]; **~ à la caricature/l'absurde** to border *ou* verge on caricature/the absurd

C **se confiner** *vpr* (s'enfermer) to shut oneself away *ou* up (**dans** in); **se ~ dans le silence** to immure oneself in silence; **se ~ dans un rôle** to restrict oneself to a role

confins /kɔ̃fɛ̃/ *nmpl* (de domaine, territoire) boundaries; (de forêt, désert) edges; **aux ~ de l'empire** on the outer edges of the empire; **aux ~ de l'Europe et de l'Asie** on the borders of Europe and Asia; **aux ~ de la psychologie** fig on the borders of psychology; **aux ~ de la réalité** fig on the border(s) between the real and the imaginary; **aux ~ de la science et de l'art** fig in the area between science and art; **être aux ~ du mauvais goût** fig to border on bad taste

confire /kɔ̃fiʀ/ [64] *vtr* Culin **~ qch dans de la graisse** to preserve sth in fat; **~ des fruits dans du sucre** to crystallize fruit; **~ des cornichons dans du vinaigre** to pickle gherkins in vinegar

confirmand, **~e** /kɔ̃fiʀmɑ̃, ɑ̃d/ *nm,f* candidate for confirmation, confirmand

confirmatif, **-ive** /kɔ̃fiʀmatif, iv/ *adj* [*arrêt*] confirmative; [*jugement*] affirmative

confirmation /kɔ̃fiʀmasjɔ̃/ *nf* 1 (ratification) confirmation (**de** of; **que** that); **attendre ~ d'une commande** to await confirmation of an order; **pour** *or* **en ~** in confirmation (**de** of); **exiger une lettre de ~** to demand written confirmation; **être la ~ de qch, apporter la ~ de qch** to confirm sth; 2 Relig confirmation; **recevoir la ~** to be confirmed

confirmer /kɔ̃fiʀme/ [1]

A *vtr* 1 (rendre certain) to confirm [*commande, fait, jugement*]; to uphold [*décision, verdict*]; to bear out [*témoignage*]; to be evidence of [*attitude, qualité*]; to affirm [*intention, volonté*]; **~ que** to confirm that; 2 (conforter) **~ qn dans son opinion** to reinforce sb's opinion; 3 Relig to confirm

B **se confirmer** *vpr* 1 [*bruit, nouvelle*] to be confirmed; [*témoignage*] to be corroborated; 2 **il se confirme comme l'un de nos meilleurs acteurs** he's established himself as one of our best actors; 3 **il se confirme que** it is becoming increasingly certain that

confiscable /kɔ̃fiskabl/ *adj* confiscable, liable to confiscation; **non ~** nonconfiscable

confiscation /kɔ̃fiskasjɔ̃/ *nf* confiscation, seizure Jur

confiscatoire /kɔ̃fiskatwaʀ/ *adj* [*mesure, imposition*] confiscatory

confiserie /kɔ̃fizʀi/ *nf* 1 ▸ p. 532 (magasin) confectioner's (shop), sweetshop GB, candy store US; 2 (fabrication, commerce) confectionery; 3 (produits) confectionery ¢, sweets (*pl*) GB, candy ¢ US

confiseur, **-euse** /kɔ̃fizœʀ, øz/ ▸ p. 532 *nm,f* confectioner

confisquer /kɔ̃fiske/ [1] *vtr* 1 (prendre) gén, Jur to confiscate [*bien, propriété, film*] (**à** from); 2 fig (accaparer) to monopolize [*gestion*]; **~ la direction** *or* **le pouvoir de** to take control of

confit, **~e** /kɔ̃fi, it/

A *pp* ▸ **confire**

B *pp adj* 1 Culin [*fruits*] crystallized; [*cornichon*] pickled; [*canard*] preserved; 2 fig, pej smug; **être ~ en dévotion/dans des préjugés** to be steeped in piety/in prejudice

C *nm* confit; **~ de canard** confit of duck

confiture /kɔ̃fityʀ/ *nf* Culin jam, preserve; (d'agrumes) marmalade; **~ de fraises/de rhubarbe** strawberry/rhubarb jam; **~ d'oranges** marmalade; **faire de la ~** to make jam

(Idiomes) **donner de la ~ aux cochons** *or* **pourceaux** to cast pearls before swine; **mettre qn en ~**○ to make mincemeat○ of sb; **mettre qch en ~**○ to wreck sth○

confiturerie /kɔ̃fityʀʀi/ *nf* 1 (usine) jam factory; 2 (industrie) jam manufacture

confiturier, **-ière** /kɔ̃fityʀje, ɛʀ/

A *adj* jam (*épith*)

B ▸ p. 532 *nm,f* (fabricant) jam-producer

C *nm* (récipient) jam pot (*for serving*)

conflagration /kɔ̃flagʀasjɔ̃/ *nf* conflagration

conflictuel, **-elle** /kɔ̃fliktɥɛl/ *adj* [*sujet*] controversial, contentious; [*influences, tendances*] conflicting; [*rapport, relations*] confrontational; **c'est une situation conflictuelle** it's a source of conflict; (potentiellement) it's a potential source of conflict

conflit /kɔ̃fli/ *nm* gén conflict (**entre** between); Entr dispute; **~ d'intérêts** conflict of interests; **~ de compétence** demarcation dispute; **être en/entrer en ~ avec qn** to be in/to come into conflict with sb

(Composés) **~ armé** Mil armed conflict; **~ de générations** generation gap; **~ social** industrial strife; **~ du travail** Entr industrial dispute

confluence /kɔ̃flyɑ̃s/ *nf* 1 (de rivières) confluence; 2 (de courants de pensée) convergence

confluent /kɔ̃flyɑ̃/ *nm* Géog confluence

confluer /kɔ̃flye/ [1] *vi* 1 Géog to meet, to join; **~ avec** to flow into; 2 fig (troupes) to converge (**vers** on); **tous les efforts confluent vers le même but** all efforts are directed towards the same goal

confondant, **~e** /kɔ̃fɔ̃dɑ̃, ɑ̃t/ *adj* staggering; **il est d'une ignorance ~e** his ignorance is staggering

confondre /kɔ̃fɔ̃dʀ/ [53]

A *vtr* 1 (ne pas distinguer) to mix up, to confuse; **je l'ai confondu avec son cousin** I got him mixed up with his cousin, I mistook him for his cousin; **~ le sel avec le sucre** to mistake the salt for the sugar; **tu confonds la science et la technologie** you are confusing science with technology; **ce n'était pas moi, vous devez ~** it wasn't me, you must be confusing me with somebody else; **tu confonds tout!** you're getting it all mixed up!; **tous partis/secteurs confondus** all parties/sectors taken together; **toutes catégories confondues** all categories taken together; 2 (mêler) liter to merge; **les projecteurs confondent leurs faisceaux** the beams of the floodlights merge; **dans son œuvre, l'architecte et le sculpteur confondent leur art** his/her works bring architecture and sculpture together; 3 (décontenancer) fml to stagger; **il a confondu les journalistes par son érudition** he staggered the journalists with his learning; **leur ignorance me confondait** I found their ignorance staggering; 4 (démasquer) to

expose, to confound sout *[accusé, traître, fraudeur]*
B **se confondre** *vpr* **1** (se mêler) *[formes, couleurs]* to merge; *[événements, faits]* to become confused; **se ~ avec qch** to merge with sth; **la mer et le ciel se confondent à l'horizon** sea and sky merge on the horizon; **les deux dates se sont confondues dans mon esprit** the two dates have become confused in my mind; **les caméléons se confondent avec leur environnement** chameleons merge with their background; **2** (être identique) *[intérêts, espoirs, points de vue]* to coincide; **notre avenir se confond avec celui de l'Europe** our future is bound up with that of Europe; **sa vie se confond/ne se confond pas avec son œuvre** his/her life and his/her work are one/ are separate; **3** (se répandre) fml **il s'est confondu en excuses** he apologized profusely; **il s'est confondu en remerciements/politesses** he was effusive in his thanks/courtesies

conformable /kɔ̃fɔʀmabl/ *adj [semelles]* conformable

conformation /kɔ̃fɔʀmasjɔ̃/ *nf* conformation

conforme /kɔ̃fɔʀm/ *adj* **1** (en accord) **être ~ à** to be in keeping with *[loi, tradition, principes]*; to comply with *[normes, règlement]*; **radiateur ~ (aux normes de sécurité)** radiator which complies with safety standards; **la qualité de l'eau n'est pas ~ aux normes européennes** the water quality does not comply with European standards; **2** (identique) **être ~ à un modèle/l'original** to conform to a model/the original; **photocopie certifiée ~** Admin certified copy

conformé, **~e** /kɔ̃fɔʀme/
A *pp* ▸ **conformer**
B *pp adj* **bien ~** normally formed; **mal ~** malformed

conformément /kɔ̃fɔʀmemɑ̃/ *adv* **~ à** in accordance with

conformer /kɔ̃fɔʀme/ [1]
A *vtr* **1** (rendre conforme) **il est essentiel qu'il conforme sa décision aux directives gouvernementales** it's essential that his decision should comply with government directives; **2** Tech (donner une forme à) to shape
B **se conformer** *vpr* (à un usage) to conform (**à** to); (à un règlement, une norme) to comply (**à** with)

conformisme /kɔ̃fɔʀmism/ *nm* **1** péj conformity, conventionality; **elle est d'un ~!** she's such a conformist!, she's so conventional!; **2** Relig conformity

conformiste /kɔ̃fɔʀmist/ *adj, nmf* gén, Relig conformist

conformité /kɔ̃fɔʀmite/ *nf* **1** (par rapport aux règles) **~ à la loi/aux normes de sécurité** compliance with the law/with safety standards; **en ~ avec** *[agir]* in accordance with; **mettre qch en ~ avec qch** to make sth comply with sth; **2** (de deux objets) close correspondence; **vérifier la ~ de la traduction à l'original** to check that the translation is faithful to the original; **3** (de goûts, points de vue) correspondence

confort /kɔ̃fɔʀ/ *nm* comfort; **le ~ moderne** modern conveniences *(pl)*; **maison avec tout le ~**, **maison tout ~** house with all mod cons○ GB *ou* with all modern conveniences; **installer le ~** to install electricity, plumbing, heating etc; **il me faut mon ~** I must have my creature comforts; **ça va déranger ton ~** it'll disturb your cosy GB *ou* cozy US existence; **~ d'écoute** quality of reception; **~ d'utilisation** user-friendliness; **~ de conduite** driver comfort

confortable /kɔ̃fɔʀtabl/ *adj* **1** (agréable) *[hôtel, lit, vêtement]* comfortable; **pas ~** uncomfortable; **peu ~** rather uncomfortable; **2** (aisé) *[existence, situation]* comfortable; **3** (considérable) *[revenus, majorité, avance]* comfortable; **une marge ~ d'une seconde** Sport a comfortable lead of one second; **une marge ~ de vingt sièges** Pol an easy margin of twenty seats

confortablement /kɔ̃fɔʀtabləmɑ̃/ *adv* comfortably

conforter /kɔ̃fɔʀte/ [1] *vtr* **1** to consolidate *[position, régime]*; to reinforce *[situation]*; **2** **~ qn dans une opinion** to confirm sb in his/her opinion

confraternel, **-elle** /kɔ̃fʀatɛʀnɛl/ *adj* fraternal

confraternellement /kɔ̃fʀatɛʀnɛlmɑ̃/ *adv* fraternally

confrère /kɔ̃fʀɛʀ/ *nm* (de travail) colleague; (d'association) fellow member; **ses ~s musiciens/acteurs** his/her fellow musicians/ actors; **dans un entretien accordé à un ~ de la presse écrite** in an interview given to a newspaper

confrérie /kɔ̃fʀeʀi/ *nf* brotherhood

confrontation /kɔ̃fʀɔ̃tasjɔ̃/ *nf* **1** (de témoins, d'idées) confrontation (**entre** between; **avec** with); **2** (débat) debate; (affrontement) clash; **3** (de textes, d'écritures) comparison (**de** of); **travaux de ~ des données chiffrées** work on comparing statistical data

confronter /kɔ̃fʀɔ̃te/ [1]
A *vtr* **1** (opposer) to confront *[témoins, théories]*; **être confronté avec qn/à qch** to be confronted with sb/sth; **2** (comparer) to compare *[expériences, textes]*; (pour vérifier) **~ qch avec qch** to check sth against sth
B **se confronter** *vpr* **se ~ à qch** to be confronted with sth

confucéen, **-éenne** /kɔ̃fyseɛ̃, ɛn/ *adj* Confucian

confucianisme /kɔ̃fysjanism/ *nm* Confucianism

confucianiste /kɔ̃fysjanist/ *adj, nmf* Confucian

Confucius /kɔ̃fysjys/ *npr* Confucius

confus, **~e** /kɔ̃fy, yz/ *adj* **1** (indistinct) *[formes, mouvements, bruits]* confused; **un mélange ~** a hotchpotch GB, a hodgepodge US; **2** (obscur) *[situation, affaire, texte, style, esprit]* confused; *[déclaration, explication, débat, discours]* confused, muddled; **son raisonnement devient/paraît ~** his/her reasoning becomes/seems confused; **3** (vague) *[sentiment, crainte]* vague; **4** (navré) sorry; (gêné) embarrassed; **nous sommes ~ de ce retard** we apologize for the delay; **il avait l'air tout ~ de sa méprise** he looked really embarrassed about his mistake; **5** (touché) embarrassed; **merci, dit-il avec un sourire ~** thank you, he said with an embarrassed smile; **je suis ~ de votre générosité** I am overcome by your generosity

confusément /kɔ̃fyzemɑ̃/ *adv [requérir, expliquer]* confusedly; *[sentir]* vaguely; **savoir ~ que** to be vaguely aware that

confusion /kɔ̃fyzjɔ̃/ *nf* **1** (désordre) confusion; **il règne la plus grande ~ dans...** complete confusion reigns in...; **finir dans la ~ générale/la plus totale** to end in general/ complete and utter confusion; **jeter la ~ dans** *or* **parmi qch** to throw sth into confusion; **jeter la ~ dans les esprits** to throw people into confusion; **situation d'une incroyable ~** incredibly confused situation; ▸ **prêter**; **2** (gêne) embarrassment; **à ma grande ~** to my great embarrassment; **elle était rouge de ~** she was blushing with embarrassment; **ma ~ était visible** I was visibly embarrassed; **vous la plongez dans la ~** you're embarrassing her; **3** (méprise) mix-up; **il y a eu une ~ de noms** there has been a mix-up with the names; **à la suite d'une regrettable ~** owing to an unfortunate mix-up
(Composés) **~ des genres** Philos overlapping of categories; **~ de peines** Jur concurrency of sentences; **~ des pouvoirs** Pol non-separation of powers

congé /kɔ̃ʒe/ *nm* **1** (arrêt de travail) leave ₡; **prendre quatre jours de ~** to take four days' leave *ou* four days off; **être en ~** to be off; **être en ~ pour trois jours** to be away for three days; **se mettre en ~ pour trois jours** to take three days' leave; **se mettre en ~** to take some time off; **il me reste deux jours de ~ à prendre** I still have two days' leave due to me; **accorder six jours de ~ à qn** to grant sb six days' leave; **être en ~ de maladie/ maternité** to be on sick/maternity leave; **~ de longue maladie** extended sick leave; **se mettre en ~ de maladie** to go on sick leave; **avoir ~ le lundi** to have Mondays off; **2** Scol holiday GB, vacation US; **être en ~** to be on holiday GB *ou* vacation US; **en France les écoles ont ~ le mercredi** in France there is no school on Wednesdays; **3** Jur (fin de contrat) notice; **donner (son)** *or* **signifier son ~ à qn** to give sb notice; **demander son ~** to hand in one's notice; **4** Fisc clearance from bond
(Composés) **~ de conversion** paid leave for re-training; **~ individuel de formation** personal leave for training; **~ parental d'éducation** parental child-rearing leave; **~ sans solde** unpaid leave; **~s annuels** annual leave; **~s payés** paid leave; **~s scolaires** school holidays GB *ou* vacation US
(Idiome) **prendre ~ de qn** to take leave of sb

congédier /kɔ̃ʒedje/ [2] *vtr* to dismiss

congelable /kɔ̃ʒlabl/ *adj* suitable for home freezing *(après n)*

congélateur /kɔ̃ʒelatœʀ/ *nm* freezer, deep-freeze; (dans un réfrigérateur) freezer compartment
(Composés) **~ armoire** upright freezer; **~ bahut** chest freezer

congélation /kɔ̃ʒelasjɔ̃/ *nf* gén freezing; (d'huile) congelation; **point de ~** freezing point

congelé, **~e** /kɔ̃ʒle/
A *pp* ▸ **congeler**
B *pp adj* frozen; **produits ~s** frozen foods
C *nm* frozen foods *(pl)*

congeler /kɔ̃ʒle/ [17] *vtr*, **se congeler** *vpr* to freeze

congénère /kɔ̃ʒenɛʀ/
A *adj* **1** gén congeneric; **2** Ling *[mot]* cognate
B *nmf* (d'animal) fellow creature; (de personne) **vous et vos ~s** pej you and your like

congénital, **~e**, *mpl* **-aux** /kɔ̃ʒenital, o/ *adj [maladie, malformation]* congenital

congère /kɔ̃ʒɛʀ/ *nf* snowdrift

congestif, **-ive** /kɔ̃ʒɛstif, iv/ *adj [état, disposition]* congestive

congestion /kɔ̃ʒɛstjɔ̃/ *nf* **1** Méd congestion; **2** (encombrement) congestion; **~ de la circulation** traffic congestion
(Composés) **~ cérébrale** stroke; **~ pulmonaire** congestion of the lungs

congestionner /kɔ̃ʒɛstjɔne/ [1]
A *vtr* **1** Méd to congest *[poumon, muqueuse]*; **~ qn/le visage** to cause sb/the face to flush; **il est** *or* **son visage est tout congestionné** he's all flushed; **2** (encombrer) to congest *[rue, ville]*
B **se congestionner** *vpr [personne, visage]* to flush

conglomérat /kɔ̃glɔmeʀa/ *nm* **1** Écon, Géol conglomerate; **2** fig (mélange) conglomeration

conglomération /kɔ̃glɔmeʀasjɔ̃/ *nf* conglomeration

conglomérer /kɔ̃glɔmeʀe/ [14] *vtr* Géol to conglomerate

Congo /kɔ̃go/ ▸ **p. 333, p. 372** *nprm* (pays, fleuve) **le ~** the Congo

congolais, **~e** /kɔ̃gɔlɛ, ɛz/
A ▸ **p. 561** *adj* Congolese
B *nm* Culin (small) coconut cake

Congolais, **~e** /kɔ̃gɔlɛ, ɛz/ ▸ **p. 561** *nm,f* Congolese

congratulations† /kɔ̃gʀatylasjɔ̃/ *nfpl* congratulations

congratuler† /kɔ̃gʀatyle/ [1]
A *vtr* to congratulate
B **se congratuler** *vpr* [1] (soi-même) to congratulate oneself; [2] (l'un l'autre) to congratulate one another

congre /kɔ̃gʀ/ *nm* conger eel

congrégation /kɔ̃gʀegasjɔ̃/ *nf* [1] Relig congregation; [2] (assemblée) hum assembly

congrès /kɔ̃gʀɛ/ *nm inv* [1] (réunion) conference; **~ de radiologie** radiology conference; [2] Pol (aux États-Unis) **Congrès** Congress

congressiste /kɔ̃gʀesist/ *nmf* (conference) delegate

congru, **~e** /kɔ̃gʀy/ *adj* Math congruent (**à** with); ▸ **portion**

congruence /kɔ̃gʀyɑ̃s/ *nf* Math congruence

congruent, **~e** /kɔ̃gʀyɑ̃, ɑ̃t/ *adj* [1] [*idée, propos*] compatible (**à** with); [2] Math congruent

conifère /kɔnifɛʀ/ *nm* conifer

conique /kɔnik/
A *adj* Math conical; **de forme ~** cone-shaped
B *nf* conic

conjectural, **~e**, *mpl* **-aux** /kɔ̃ʒɛktyʀal, o/ *adj* conjectural

conjecture /kɔ̃ʒɛktyʀ/ *nf* conjecture Ȼ; **se perdre en ~s** to lose oneself in conjecture; **en être réduit aux ~s** to be reduced to conjecture; **vaines ~s** idle speculation Ȼ

conjecturer /kɔ̃ʒɛktyʀe/ [1] *vtr* fml to speculate (**que** that)

conjoint, **~e** /kɔ̃ʒwɛ̃, ɛ̃t/
A *adj* [1] [*démarche, déclaration, legs, débiteur*] joint (*épith*); [*questions, situations*] linked; [2] Bot [*feuilles*] compound; [3] Ling conjunct
B *nm,f* spouse; **les ~s** the husband and wife; **féliciter les (futurs) ~s** to congratulate the happy couple

conjointement /kɔ̃ʒwɛ̃tmɑ̃/ *adv* [1] (de concert) [*agir, déclarer*] jointly; **~ et solidairement** Jur jointly and severally; [2] (en même temps) at the same time; **~ avec** together with

conjonctif, **-ive** /kɔ̃ʒɔ̃ktif, iv/
A *adj* [1] Anat conjunctival; [2] Ling conjunctive
B **conjonctive** *nf* Anat conjunctiva

conjonction /kɔ̃ʒɔ̃ksjɔ̃/ *nf* (tous contextes) conjunction; **en ~ avec qn** in conjunction with sb

(Composés) **~ de coordination** Ling coordinating conjunction; **~ de subordination** Ling subordinating conjunction

conjonctive ▸ **conjonctif**

conjonctivite /kɔ̃ʒɔ̃ktivit/ ▸ **p. 283** *nf* conjunctivitis

conjoncture /kɔ̃ʒɔ̃ktyʀ/ *nf* situation; **~ politique/économique** political/economic situation; **dans la ~ actuelle** in the present circumstances; **bonne/mauvaise ~** favourable[GB]/unfavourable[GB] conjunction of circumstances

conjoncturel, **-elle** /kɔ̃ʒɔ̃ktyʀɛl/ *adj* [*déficit, politique*] short-term; [*situation, fluctuations*] economic; [*crise*] temporary, cyclical; [*prélèvement*] temporary; **évolution conjoncturelle** current trends (*pl*); **politique conjoncturelle adaptée à la situation** economic policy in line with the situation

conjoncturiste /kɔ̃ʒɔ̃ktyʀist/ *nmf* economic forecaster

conjugable /kɔ̃ʒygabl/ *adj* conjugable

conjugaison /kɔ̃ʒygɛzɔ̃/ *nf* [1] Biol, Ling conjugation; [2] fig (réunion) combination; **grâce à la ~ de leurs efforts** thanks to their joint efforts

conjugal, **~e**, *mpl* **-aux** /kɔ̃ʒygal, o/ *adj* [*amour, fidélité*] conjugal; [*drame*] marital; [*bonheur, vie*] married; ▸ **devoir, domicile**

conjugalement /kɔ̃ʒygalmɑ̃/ *adv* **vivre ~** to live together as man and wife

conjugaliser /kɔ̃ʒygalize/ [1] *vtr* Admin, Fisc **~ un avantage fiscal** to extend a tax advantage to married couples

conjugué, **~e** /kɔ̃ʒyge/
A *pp* ▸ **conjuguer**
B *pp adj* [1] [*éléments, efforts, facteurs*] combined; **dû à plusieurs facteurs ~s** due to a combination of factors; [2] Math conjugate
C **conjuguées** *nfpl* Bot freshwater algae

conjuguer /kɔ̃ʒyge/ [1]
A *vtr* [1] Ling to conjugate [*verbe*]; [2] (combiner) to combine, to unite [*efforts*]
B **se conjuguer** *vpr* [1] Ling [*verbe*] to be conjugated (**avec** with); [2] (se combiner) [*facteurs, efforts*] to combine

conjurateur, **-trice** /kɔ̃ʒyʀatœʀ, tʀis/ *nm,f* chief conspirator

conjuration /kɔ̃ʒyʀasjɔ̃/ *nf* [1] (complot) conspiracy; [2] (d'influences maléfiques) conjuration

conjuré, **~e** /kɔ̃ʒyʀe/ *nm,f* conspirator

conjurer /kɔ̃ʒyʀe/ [1] *vtr* [1] (écarter) to avert [*crise, accident, inflation*]; to ward off [*danger, démon, sort*]; to banish [*angoisse, solitude*]; **~ le (mauvais) sort** to ward off ill fortune; [2] (supplier) **~ qn de faire qch** to beg sb to do sth; **je vous en conjure** I beg you; [3] †(comploter) to plot [*perte, ruine*]

connaissable /kɔnɛsabl/ *adj, nm* knowable

connaissance /kɔnɛsɑ̃s/
A *nf* [1] (savoir) knowledge (**de** of); **~ abstraite/pratique/sensorielle** abstract/practical/sensory knowledge; **avoir une bonne ~ de l'espagnol/la musique** to have a good knowledge of Spanish/music; **à ma/notre/leur ~** to (the best of) my/our/their knowledge; **pas à ma ~** not to my knowledge, not as far as I know; **avoir ~ de qch** to know something about sth; **ne pas avoir ~ de qch** to have no knowledge of sth; **il a une profonde ~ de la psychologie humaine** he has a deep understanding of the way the human mind works; **ils ont ~ de nos intentions** they know of our intentions; **prendre ~ d'un texte/d'une information** to acquaint oneself with a text/a piece of information; **'confirme avoir pris ~ des conditions générales de vente'** Comm 'confirm that I have read the conditions of sale'; **donner ~ de qch à qn** to inform sb of sth; **porter à la ~ de qn que** fml to advise sb that; **il a été porté à notre ~ que** it has been drawn *ou* brought to our attention that; **en ~ de cause** with full knowledge of the facts; [2] (conscience) consciousness; **perdre ~** to lose consciousness; **reprendre ~** to regain consciousness; **rester sans ~** to be unconscious; **tomber sans ~** to faint; [3] (sur le plan social) acquaintance; **faire de nouvelles ~s** to make new acquaintances; **j'ai fait leur ~ hier** I met them yesterday; **un architecte de ma ~** an architect of my acquaintance, an architect I know; **(je suis) heureux de faire votre ~** (I'm) pleased to meet you; **faire (plus ample) ~ avec qn** to get to know sb (better), to become *ou* get (better) acquainted with sb; **ils ont lié ~ au cours d'un dîner** they struck up an acquaintance during a dinner; **faire faire ~ à deux personnes** to introduce two people (to each other); **un visage de ~** a familiar face; **se retrouver en pays de ~** (avec des gens que l'on connaît) to be among familiar faces; (dans un domaine familier) to find oneself on familiar ground
B **connaissances** *nfpl* (théoriques) knowledge Ȼ; (pratiques) experience Ȼ; **~s élémentaires/théoriques/solides** elementary/theoretical/sound knowledge; **posséder quelques ~s/des ~s approfondies en** *or* **sur qch** to have some knowledge/a good knowledge of sth; **approfondir/élargir ses ~s** to deepen/broaden one's knowledge; **'~s en informatique souhaitées'** 'computing experience desirable'

connaissement /kɔnɛsmɑ̃/ *nm* bill of lading, B/L

connaisseur, **-euse** /kɔnɛsœʀ, øz/
A *adj m* [*air, œil*] expert; **jeter un coup d'œil ~ sur un meuble ancien** to cast an expert eye over a piece of antique furniture
B *nm,f* expert, connoisseur; **~ en vin/art** wine/art connoisseur; **~ en peinture** connoisseur of painting; **nous avons une clientèle de ~s** our customers are all connoisseurs; **regarder qch en ~** to look at sth with an expert eye; **juger qch en ~** to be a discerning judge of sth

connaître* /kɔnɛtʀ/ [73]
A *vtr* [1] (avoir connaissance de) to know [*fait, nom, événement, résultat*]; **ne pas ~ sa force** not to know one's own strength; **vous connaissez la suite** you know the rest; **je connais les raisons de ta colère** I know why you're angry; **il nous a fait ~ son avis/ses intentions** he made his opinion/his intentions known (to us); **tu connais l'histoire de Toto qui...** do you know the one about Toto who...; **il ne tient jamais ses promesses, c'est (bien) connu** it is common knowledge that he never keeps his promises; **tes promesses, on connaît!** we know all about your promises!; **la rue de la Glacière? connais pas**○! rue de la Glacière? never heard of it!; **je lui connais de grands talents** I know that he/she is very talented; **je ne leur connais aucun vice** I don't know them to have any vices; **on te connaît plusieurs amants** we know you to have several lovers; **ne ~ ni le pourquoi ni le comment de qch** not to know the whys and the wherefores of sth; **leur vie privée est connue de tous** everybody knows about their private life; **tu connais la nouvelle?** have you heard the news?; **tu ne connais pas ta chance** you don't know how lucky you are; **j'en connais long sur ton passé** I know a lot about your past; **ne ~ que son plaisir/devoir** to think of nothing but one's pleasure/duty; ▸ **Dieu, loup**
[2] (pour avoir étudié) to know, to be acquainted with [*sujet, méthode, auteur*]; **la mécanique, je ne connais que ça** *or* **ça me connaît!** I know quite a bit about mechanics; **elle connaît tout du solfège** she knows all about music theory; **c'est lui qui m'a fait ~ la musique cajun** it was he who introduced me to Cajun music; **~ un poème/une partition musicale par cœur** to know a poem/a score (off) by heart, **en ~ un rayon**○ **en histoire/théâtre** to know one's stuff○ when it comes to history/the theatre[GB]
[3] (faire l'expérience de) to know, to experience [*faim, froid, pauvreté, amour*]; to experience [*crise, défaite, échec*]; to enjoy [*gloire, succès*]; to have [*difficultés, problèmes*]; **il connaît l'humiliation de la défaite** he knows *ou* has experienced the humiliation of defeat; **ils ont connu la défaite** they were defeated; **il a connu la prison** he's been to prison before; **il ne connaît pas la pitié/la honte** he knows no pity/shame; **c'est un homme qui connaît la vie** he's a man who knows what life is about; **~ les femmes/hommes** to know something about women/men; **il a connu son heure de gloire** he has had his hour of glory; **les problèmes d'argent, ça me connaît**○! I could tell you a thing or two○ about money problems!; **~ des hauts et des bas** to have one's/its ups and downs; **~ une fin tragique** to come to a tragic end; **~ une situation difficile** to be in a difficult situation; **~ une forte croissance** to show a rapid growth; **le club sportif connaît un nouvel essor** the sports club is having a new lease of GB *ou* on US life; **ils auraient pu ~ un meilleur sort** they could have had a better fate
[4] (de réputation) to know [*personne, acteur*]; **elle est très connue** she's (very) well-known; **~ qn de nom/vue** to know sb by name/sight; **je le connais de réputation mais je ne l'ai jamais rencontré** I know *ou* I've heard of him but I've never met him; **une œuvre connue/peu connue** a well-known/little-known work (**de** by); **être d'abord connu comme violoniste** to be chiefly known as a violinist
[5] (personnellement) to know [*ami, parent, relation*]; **je le connais depuis longtemps** I've

known him for a long time; **vous ne me connaissez pas** you don't know me; **j'ai appris à ~ mon père en grandissant** I got to know my father as I grew up; **j'aimerais bien la ~** I'd really like to get to know her; **c'est bien mal la ~ que de croire que...** they/you're misjudging her if they/you think that...; **je le connais trop bien** I know him only too well; **faire ~ qn à qn** to introduce sb to sb; **mes parents? je les connais, ils seront ravis!** my parents? if I know them, they'll be delighted; **Bernadette? je ne connais qu'elle!** Bernadette? I know her very well!; **il ne me connaît plus depuis qu'il est passé officier** he ignores me now that he's an officer
[6] †(coucher avec) to know†, to have a sexual relationship with
[7] Jur **~ de** to have jurisdiction over *[affaire, cause]*; **avoir à ~ de** to judge *ou* hear *[cas]*
[B] **se connaître** *vpr* [1] (soi-même) to know oneself; **il se connaît mal** he doesn't know himself very well; **'connais-toi toi-même'** 'know thyself'; **il ne se connaissait plus de joie** fml he was beside himself with joy; **quand il a bu, il ne se connaît plus** when he's drunk, he goes berserk
[2] (l'un l'autre) to know each other; **nous nous sommes connus chez des amis communs** we met (each other) at the home of some mutual friends
[3] (être compétent) **s'y ~ en électricité/théâtre** to know all about electricity/theatre; **c'est le carburateur qui est bouché ou je ne m'y connais pas** if I know anything about it, it's the carburettor GB *ou* carburetor US that's blocked
(Idiomes) **on connaît la chanson** *or* **musique!** we've heard it all before!, it's the same old story!; **c'est un air connu** it's the same old story; **~ qch comme sa poche** to know sth like the back of one's hand, to know sth inside out

connard● /kɔnaʀ/ *nm* offensive stupid bastard◑ injur

connasse● /kɔnas/ *nf* offensive silly bitch◑ injur

conne ▸ **con A B**

connecter /kɔnɛkte/ [1]
[A] *vtr* to connect (à to); **être/ne pas être connecté** Ordinat to be on/off line
[B] **se connecter** *vpr [appareil]* to be connected (à to)

connecteur /kɔnɛktœʀ/ *nm* [1] (cordon) connector cable; [2] (composant) connector; [3] (en logique) connective

Connecticut /kɔnɛktikyt/ ▸ **p. 721** *nprm* Connecticut

connectivité /kɔnɛktivite/ *nf* Ordinat connectivity

connerie● /kɔnʀi/ *nf* [1] (stupidité) stupidity; [2] (action, remarque) **il a sorti une ~** he came out with a bloody◑ stupid remark GB *ou* crass remark; **faire une ~** to do a bloody◑ stupid thing GB, to fuck up●; **dire des ~s** to talk bullshit●

connétable /kɔnetabl/ *nm* Hist *supreme commander of the French armies*

connexe /kɔnɛks/ *adj* related (à to)

connexion /kɔnɛksjɔ̃/ *nf* lit, fig connection (**entre** between; **avec** with); **~ USB** USB connection

connexité /kɔnɛksite/ *nf* Ordinat connectivity

connivence /kɔnivɑ̃s/ *nf* (complicité) connivance ¢; (accord tacite) tacit agreement; **signe/regard de ~** sign/look of complicity; **être** *or* **agir de ~ avec qn** to connive with sb

connotatif, -ive /kɔnɔtatif, iv/ *adj* connotative; **l'effet ~ d'un mot** the connotation(s) of a word

connotation /kɔnɔtasjɔ̃/ *nf* connotation

connoter /kɔnɔte/ [1] *vtr* to connote

conque /kɔ̃k/ *nf* [1] Zool (mollusque, coquille) conch; **en ~** cupped, shell-shaped; **mettre sa main en ~** to cup one's hand; [2] Anat (de l'oreille) concha; [3] Archit conch

conquérant, ~e /kɔ̃keʀɑ̃, ɑ̃t/
[A] *adj [peuple]* conquering; fig *[air]* triumphant
[B] *nm,f* (guerrier) conqueror

conquérir /kɔ̃keʀiʀ/ [35] *vtr* to conquer *[pays, sommet]*; to capture *[marché]*; to gain *[pouvoir]*; to win *[amitié, cœur, personne, titre, position]*; to win over *[lecteur, auditoire]*; **leur talent/charme a conquis Paris** they captivated Paris with their talent/charm; **des régions conquises sur** areas captured from
(Idiome) **se croire en pays** *or* **terrain conquis** to lord it over everyone

conquête /kɔ̃kɛt/ *nf* [1] (de pays, sommet, pouvoir) conquest; **faire la ~ d'un pays** to conquer a country; **~ de l'espace** conquest of space; **~s sociales/syndicales** social/trade union victories; **partir à la ~ de** to set out to conquer *[pays, sommet, pouvoir]*; to set out to capture *[marché]*; to set out to achieve *[bonheur]*; [2] (séduction) conquest; (personne séduite) conquest; **faire la ~ d'une femme** to win the heart of a lady; **tu vas faire des ~s dans cette robe** you are going to be a hit○ in that dress
(Composé) **la Conquête de l'Ouest** Hist the conquest of the Wild West

conquis, ~e /kɔ̃ki, iz/ ▸ **conquérir**

conquistador /kɔ̃kistadɔʀ/ *nm* conquistador

consacré, ~e /kɔ̃sakʀe/
[A] *pp* ▸ **consacrer**
[B] *pp adj* [1] (ratifié par l'usage) **formule** *or* **expression ~e** time-honoured[GB] expression; **selon la formule ~e** as the expression goes; [2] (reconnu) **artiste/talent ~** recognized artist/talent; **être ~ joueur de l'année** to be designated player of the year

consacrer /kɔ̃sakʀe/ [1]
[A] *vtr* [1] (accorder) to devote *[texte, effort, vie, ressources, exposition]* (à to); **~ du temps et de l'argent à qch** to devote time and money to sth; **~ 20 millions à qch** to devote 20 million to sth; [2] (sanctionner) to sanction *[rupture, alliance]*; **l'usage a consacré le mot** the word has gained acceptance through use; [3] Relig to consecrate *[basilique, hostie, évêque]*; to ordain *[prêtre]*; **jour consacré** holy day
[B] **se consacrer** *vpr* **se ~ à qch/à faire** to devote oneself to sth/to doing; **il pourra désormais se ~ à son passe-temps favori** from now on he'll be able to devote himself to his favourite[GB] hobby

consanguin, ~e /kɔ̃sɑ̃gɛ̃, in/
[A] *adj* [1] (entre proches parents) **union ~e, mariage ~** marriage between blood relations; [2] (du même père) **frère ~** half brother *(having the same father)*
[B] **consanguins** *nmpl* **les ~s** blood relations

consanguinité /kɔ̃sɑ̃gɥinite/ *nf* [1] (union consanguine) Biol inbreeding; [2] (filiation) consanguinity

consciemment /kɔ̃sjamɑ̃/ *adv* consciously

conscience /kɔ̃sjɑ̃s/ *nf* [1] (morale) conscience; **selon ta ~** according to your conscience; **en toute ~** in all conscience; **écouter (la voix de) sa ~** to follow one's conscience; **avoir bonne/mauvaise ~** to have a clear/a guilty conscience; **avoir la ~ tranquille** to be at peace with one's conscience; **faire qch pour se donner bonne ~** to do sth as a salve to one's conscience *ou* to ease one's conscience; **j'ai ma ~ pour moi** my conscience is clear; **avoir qch sur la ~** to have sth on one's conscience; [2] (connaissance, intuition) awareness; **avoir ~ de qch/d'être** to be aware of sth/of being; **avoir ~ que** to be aware that; **prendre ~ de/que** to become aware of/that; **prise de ~** realization; **campagne de prise de ~** public awareness campaign; **~ de soi** self-awareness; [3] (de collectivité) consciousness ¢; **~ collective/nationale/politique** collective/national/political consciousness; [4] (siège des sentiments) **scruter les ~s** to read people's thoughts; [5] (lucidité) consciousness ¢; **perdre/reprendre ~** to lose/to regain consciousness; **avoir toute sa ~** to be fully lucid
(Composés) **~ de classe** class consciousness; **~ professionnelle** conscientiousness

consciencieusement /kɔ̃sjɑ̃sjøzmɑ̃/ *adv* [1] (avec sérieux) conscientiously; [2] (comme il se doit) dutifully

consciencieux, -ieuse /kɔ̃sjɑ̃sjø, øz/ *adj* gén conscientious; *[enfant, époux]* dutiful

conscient, ~e /kɔ̃sjɑ̃, ɑ̃t/
[A] *adj* [1] (au fait) **~ de qch/que** aware of sth/that; **être ~ de qch** to be aware *ou* conscious of sth; **je suis ~ de choquer** I am aware that I shock people; [2] Psych (qui est fait sciemment) conscious; **personne/attitude ~e** conscious person/attitude; **de façon** *or* **manière ~e** consciously; **politiquement ~** politically aware; [3] (lucide) conscious; **être ~ jusqu'à la fin** to be conscious to the end
[B] *nm* conscious; **le ~ et l'inconscient** the conscious and the unconscious

conscription /kɔ̃skʀipsjɔ̃/ *nf* conscription; **armée de ~** conscript army

conscrit /kɔ̃skʀi/ *nm* [1] Mil conscript GB, draftee US; [2] (de la même année) **c'est mon ~** he was born in the same year as me

consécration /kɔ̃sekʀasjɔ̃/ *nf* [1] (reconnaissance) (de personne) recognition; **connaître la ~** to win recognition; **~ suprême** ultimate recognition; [2] Relig (de basilique, d'évêque) consecration; (de prêtre) ordination

consécutif, -ive /kɔ̃sekytif, iv/ *adj* [1] gén consecutive; **remporter le championnat pour la quatrième année consécutive** to win the championship for the fourth consecutive year; **retards ~s à la modernisation** delays resulting from modernization; **série de procès ~s au scandale** series of court cases following the scandal; [2] Ling **proposition consécutive** consecutive clause

consécutivement /kɔ̃sekytivmɑ̃/ *adv* consecutively; **les points perdus ~ à la défaite** the points lost following the defeat

conseil /kɔ̃sɛj/ *nm* [1] (avis) advice ¢; **un ~** a piece of advice; **des ~s** some advice; **beaucoup de ~s** a lot of advice; **donner un ~ à qn** to give sb advice; **demander ~ à qn** to ask (for) sb's advice; **suivre/écouter les ~s de qn** to follow/to listen to sb's advice; **un petit ~** a little piece of advice; **un bon ~** a piece of good advice; **~ d'ami** piece of friendly advice; **un ~ gratuit** a piece of free advice; **quelques ~s de prudence** a few words of caution *ou* warning; **sur les ~s de qn** on sb's advice; **donner à qn le ~ de faire** to advise sb to do; **il est de bon ~** he always gives good advice; **~s d'entretien** cleaning *ou* care instructions; ▸ **nuit**; [2] (assemblée) council; **réunir le ~** to convene the council; **tenir ~** to hold a meeting; [3] (conseiller) consultant; **~ en gestion** management consultant
(Composés) **~ d'administration** Entr board of directors; **~ de classe** Scol staff meeting *(for all those teaching a given class)*; **~ de discipline** Admin, Mil, Scol disciplinary committee; **~ de famille** Jur Board of Guardians; (non officiel) family meeting *ou* gathering; **~ général** Pol *council of a French department*; **~ de guerre** gén council of war, Mil Hist court martial; **~ des ministres** Pol gén council of ministers; (au Royaume-Uni) cabinet meeting; **~ municipal** Pol town council; **~ régional** Pol regional council; **~ de révision** Mil medical board *(assessing fitness for military service)*; **~ de surveillance** Entr supervisory board; **~ d'université** Univ senate; **Conseil des Affaires économiques et financières, Ecofin** UE Economic and Financial Affairs Council, Ecofin; **Conseil constitutionnel** Jur Constitutional Council; **Conseil économique et social** Pol Economic and Social Council; **Conseil d'État** Pol

Council of State (*advising government on administrative matters*); **Conseil de l'Europe**, **CE** Pol Council of Europe; **Conseil européen** UE European Council; **Conseil de sécurité (de l'ONU)** Pol (UN) Security Council; **Conseil supérieur de l'audiovisuel**, **CSA** Radio, TV *body which monitors broadcasting*; **Conseil supérieur de la langue française** *body responsible for the regulation and advancement of the French language*; **Conseil supérieur de la magistrature**, **CSM** Jur High Council for the Judiciary

> **Conseil supérieur de l'audiovisuel**
>
> The body which appoints the heads of the public broadcasting systems, licenses private contractors, monitors advertising and oversees all matters concerning impartiality, freedom of speech, quality and the promotion of French language and culture in the broadcast media.

conseillé, **~e** /kɔ̃seje/
A *pp* ▸ **conseiller**
B *pp adj* [*modèle, activité*] recommended; **il est ~ de faire** it is advisable to do

conseiller, **-ère** /kɔ̃seje, ɛʀ/ [1]
A *nm,f* **1** (expert) adviser[GB]; consultant; **~ militaire/politique/fiscal** military/political/tax adviser; **~ du président** presidential adviser; **~ en communication** communications adviser; **2** (guide) counsellor[GB]; ▸ **colère**
B *nm* **1** (membre de conseil, de cour) councillor[GB]; **2** (diplomate) counsellor[GB]
C *vtr* **1** (proposer) to recommend [*lieu, activité, mesure, personne*] (**à** to); **~ à qn de faire** to advise sb to do; **je te conseille de prendre un avocat** I advise you to get a lawyer; **~ la prudence** to recommend caution; **2** (servir d'expert à) to advise [*personne*] (**en matière de, sur** on); **être mal conseillé** to be badly advised; **il n'a pas été conseillé** nobody advised him; **se faire ~ par qn** to seek advice from sb
(Composés) **~ commercial** commercial counsellor[GB]; **~ culturel** cultural counsellor[GB]; **~ (principal) d'éducation** Scol chief supervisor; **~ d'État** member of the Council of State; **~ général** Pol councillor[GB] *for a French department*; **~ municipal** town councillor[GB]; **~ d'orientation** Scol, Univ careers adviser; **~ régional** regional councillor[GB]

> **Conseiller**
>
> A *conseiller d'éducation* is a staff member of a secondary school who is responsible for the general discipline of pupils.
> A *conseiller d'orientation* is a careers and course adviser, based in a secondary school.

consensualisme /kɔ̃sɑ̃sɥalism/ *nm* policy of consensus

consensuel, **-elle** /kɔ̃sɛ̃sɥɛl/ *adj* [*politique*] consensual; [*réforme*] based on consensus (*après n*); **de manière consensuelle** by common consensus

consensus /kɔ̃sɛ̃sys/ *nm inv* consensus (**sur** on; **autour de** on; **avec** with); **un ~ s'est fait** consensus has been reached

consentant, **~e** /kɔ̃sɑ̃tɑ̃, ɑ̃t/ *adj* [*personne*] willing; Jur consenting; **s'il est ~** if he is willing; **entre adultes ~s** Jur between consenting adults; **les parents doivent être ~s** the parents must give their consent; **sourire ~** smile of consent; **visage ~** face expressing consent

consentement /kɔ̃sɑ̃tmɑ̃/ *nm* consent (**à** to); **donner** *or* **accorder son ~** to give one's consent; **divorce par ~ mutuel** Jur divorce by consent GB, no-fault divorce US; **arracher le ~ de qn** to wrest agreement from sb

consentir /kɔ̃sɑ̃tiʀ/ [30]
A *vtr* to grant [*permission, augmentation*] (**à qn** to sb); to allow [*avantage*] (**à qn** to sb); to agree to make [*effort*]; **~ un délai/une remise à qn** to allow sb extra time/a discount; **~ un prêt à qn** [*banque*] to grant sb a loan
B **consentir à** *vtr ind* **~ à qch/à faire** to agree to sth/to do; **je consens à ce que tu y ailles** I agree to your going
(Idiome) **qui ne dit mot consent** Prov silence means consent Prov

conséquemment /kɔ̃sekamɑ̃/ *adv* **1** (par conséquent) consequently; **~ à** as a result of; **2** † (responsablement) responsibly

conséquence /kɔ̃sekɑ̃s/ *nf* consequence (**pour** for; **sur** to); **~ logique/pratique** logical/practical consequence; **~s désastreuses/financières** disastrous/financial consequences; **être la ~ de** to be the consequence of; **être lourd de ~s** to have serious consequences; **sans ~(s)** of no consequence; **supporter les ~s** to suffer *ou* bear the consequences; **tirer les ~s de qch** to learn one's lesson from sth; **ne pas tirer à ~** to be of no consequence; **~ heureuse** happy result; **avoir pour ~ de faire** to have the effect of doing; **avoir pour ~ le chômage/la hausse des prix** to result in unemployment/an increase in prices; **en ~ (de quoi)** as a result (of which); **agir en ~** to act accordingly; **avoir des qualifications et un salaire en ~** to have qualifications and a corresponding salary; **par voie de ~** consequently, by way of consequence

conséquent, **~e** /kɔ̃sekɑ̃, ɑ̃t/
A *adj* **1** (important) substantial; **aide ~e** substantial aid; **2** (cohérent) consistent (**avec** with); **être ~ avec soi-même** to be consistent; **3** Géog [*rivière, percée*] consequent; **4** Ling, Philos [*proposition*] consequent
B *nm* Ling, Philos, Mus consequent
C **par conséquent** *loc adv* therefore

conservateur, **-trice** /kɔ̃sɛʀvatœʀ, tʀis/
A *adj* **1** Pol conservative; **2** Chimie preservative
B *nm,f* **1** Pol conservative; **2** ▸ **p. 532** Admin (dans un musée) curator; (dans une bibliothèque) chief GB *ou* head US librarian
C *nm* **1** Chimie preservative; **'garanti sans ~s'** 'no preservatives'; **2** (appareil ménager) ≈ freezer compartment
(Composé) **~ des hypothèques** land registrar

conservation /kɔ̃sɛʀvasjɔ̃/ *nf* **1** (protection) (d'espèce, de patrimoine) conservation; (de livres, tableaux) preservation; **la ~ des manuscrits** the preservation of manuscripts; **état de ~** state of preservation; **2** Chimie (d'aliment, de sperme, d'embryon) preservation; **lait longue ~** long life milk GB; **la ~ des peaux** the preservation of skins; **3** Phys conservation
(Composé) **~ des hypothèques** Admin land registry

conservatisme /kɔ̃sɛʀvatism/ *nm* conservatism ¢; **les ~s** conservative attitudes

conservatoire /kɔ̃sɛʀvatwaʀ/
A *adj* Jur protective
B *nm* academy; **~ de musique** conservatoire of music
(Composé) **Conservatoire national des arts et métiers** (musée) *museum of technology*; (centre d'études) *institute for engineering studies*

conserve /kɔ̃sɛʀv/
A *nf* **1** Ind canned *ou* tinned GB food; **numéro un de la ~** market leader in canned food; **se nourrir de ~s** to live on canned foods; **~s de poissons** canned fish; **fruits/petits pois en ~** canned fruit/peas; **boîte de ~** can, tin GB; **2** Culin preserve; **faire des ~s** to make preserves; **des ~s de haricots verts** green bean preserves
B **de conserve** *loc adv* [*agir*] in concert; [*naviguer*] in convoy

conserver /kɔ̃sɛʀve/ [1]
A *vtr* **1** (garder) to keep [*brouillon, tableau, emploi*]; to retain [*influence, liens, majorité, titre*]; **~ ses habitudes** to retain one's habits; **~ un rythme** to keep a rythm; **~ son calme** to keep calm; **~ l'anonymat** to remain anonymous; **2** Culin to preserve [*aliment*]; **~ qch dans du vinaigre** to pickle sth; **'à ~ au frais'** 'keep refrigerated'; **3** (maintenir jeune) [*sport*] to keep [sb] young [*personne*]; **homme bien conservé** well-preserved man; **elle est bien conservée** she is well-preserved
B **se conserver** *vpr* **1** [*aliment*] to keep; **2** [*personne*] to keep young

conserverie /kɔ̃sɛʀvəʀi/ *nf* **1** (usine) cannery; **2** (secteur) canning industry

considérable /kɔ̃sideʀabl/ *adj* **1** (très grand) [*fortune, quantité, difficulté, retard*] considerable; **l'émotion est ~** feelings are running high; **2** (de grande importance) [*résultat, rôle, événement*] significant; **l'enjeu est ~** the stakes are high

considérablement /kɔ̃sideʀabləmɑ̃/ *adv* considerably, significantly

considérant /kɔ̃sideʀɑ̃/ *nm* Jur grounds (*pl*)

considération /kɔ̃sideʀasjɔ̃/ *nf* **1** (facteur) consideration; **des ~s budgétaires/politiques/techniques** budgetary/political/technical considerations; **prendre qch en ~** to take sth into consideration; **mériter ~** to merit consideration; **avant toute autre ~** before any other consideration; **en ~ de** in view of; **sans ~ de** irrespective of; **2** (respect) consideration, respect (**à l'égard de, pour** for); **par ~ de** *or* **pour** out of respect for; **jouir d'une ~ unanime** to be respected by all; **3** (remarque) reflection (**sur** on); **~s sur l'histoire** reflections on history; **~s inutiles** idle reflections

considéré, **~e** /kɔ̃sideʀe/
A *pp* ▸ **considérer**
B *pp adj* (en question) under consideration; **gérer les projets ~s** to manage the projects under consideration

considérer /kɔ̃sideʀe/ [14]
A *vtr* **1** (juger) **~ qn/qch comme (étant)** to consider sb/sth to be; **~ que** to consider that; **je le considère comme un ami** I consider him a friend, I consider him to be a friend; **être considéré comme le successeur de Rousseau** to be seen as Rousseau's successor; **~ être/ne pas être** to consider oneself to be/not to be; **je les considère comme compétents** I consider them to be competent; **~ un tableau comme un chef-d'œuvre** to consider a painting to be a masterpiece; **~ comme criminels ceux qui polluent l'atmosphère** to regard those who pollute the atmosphere as criminals; **~ que le gouvernement fait preuve d'incompétence** to consider that the government shows incompetence; **il considère comme acquise sa victoire électorale** he sees himself as having already won the election; **on considère généralement que** it is generally considered that; **2** (envisager) to regard [*personne*]; to consider [*chose*]; **~ un adversaire avec respect** to regard an opponent with respect; **~ les choses sous un angle différent** to consider things from a different angle; **si l'on considère les derniers chiffres** if we consider the latest figures; **~ une question sous tous ses aspects** to consider a matter from every angle; **à tout bien ~** all things considered; **3** (respecter) to have a high regard for; **personne/profession bien considérée** highly regarded person/profession; **4** (examiner) to consider; **~ qn/qch très attentivement** to consider sb/sth very carefully; **5** (regarder attentivement) to look at [*personne, spectacle*]
B **se considérer** *vpr* **1** (soi-même) **se ~ (comme)** to consider oneself (to be); **se ~ (comme) privilégié** to consider oneself (to be) privileged; **2** (l'un l'autre) **se ~ (comme)** to regard one another as being; (s'étudier) to gaze at each other

consignataire /kɔ̃siɲatɛʀ/ *nmf* **1** Jur, Fin depositary; **2** Comm, Naut consignee

consignation /kɔ̃siɲasjɔ̃/ *nf* **1** Jur, Fin deposit; **2** Comm **en ~** on consignment

consigne /kɔ̃siɲ/ *nf* **1** (ordre) orders (*pl*), instructions (*pl*); **donner ~ de faire** to give orders to do; **avoir pour ~ de faire** to have orders to do; **appliquer** *or* **respecter la ~** to comply with orders; **suivre des ~s** to follow orders; **c'est la ~** those are the orders; **donner** *or* **lancer une ~ de grève** to issue strike orders; **donner** *or* **lancer une ~ de boycott** to order a boycott; **la police a reçu des ~s de silence pour cette affaire** the police were instructed to keep silent on the matter; **le mouvement n'a donné aucune ~ de vote à ses adhérents** the movement did not instruct its members how to vote; **~ leur a été donnée de ne rien dire** they were instructed to say nothing; **passer la ~ à qn** to pass the word on to sb; **'~s à suivre en cas d'incendie'** 'fire regulations'; **2** (pour les bagages) (comptoir) left luggage office GB, baggage checkroom US; **mettre** *or* **laisser** *or* **déposer qch à la** *or* **en ~** to put sth in left luggage GB, to check sth (in) US; **3** (de bouteilles, d'emballages) deposit (**de** of)

(Composé) **~ automatique** left luggage lockers (*pl*) GB, baggage lockers (*pl*) US

consigné, ~e /kɔ̃siɲe/
A *pp* ▸ **consigner**
B *pp adj* [*bouteille, emballage*] returnable; **non ~** nonreturnable

consigner /kɔ̃siɲe/ [1] *vtr* **1** (conserver par écrit) to record, to write [sth] down [*fait, souvenir*] (**dans** in); **2** (retenir dans un lieu) Mil to confine [*soldat*] (**dans, à** to); Scol to give [sb] detention [*élève*]; **3** (mettre en dépôt) to consign [*objet, marchandise*]

consistance /kɔ̃sistɑ̃s/ *nf* **1** (de pâte, sauce, peinture) consistency; **de ~ molle** of a soft consistency; **avoir de la/manquer de ~** [*sauce, peinture*] to be quite thick/too runny; **prendre ~** to thicken; **donner de la ~ à qch** to thicken sth; **2** (d'argument, de théorie) substance, weight; **prendre de la ~** [*rumeur, théorie*] to gain weight; **sans ~** [*personne*] spineless; [*rumeur*] without substance; [*bonheur*] with no basis in reality

consistant, ~e /kɔ̃sistɑ̃, ɑ̃t/ *adj* **1** (copieux) [*repas*] substantial; [*plat*] nourishing; [*augmentation, investissement*] substantial; **2** (épais) [*sauce, peinture*] thick; **3** (solide) [*livre*] with some substance (*épith, après n*); [*argument*] solid; **4** (fondé) [*rumeur*] well-founded

consister /kɔ̃siste/ [1] *vi* **1** (résider) **~ en** *or* **dans qch** to consist in sth, to lie in sth; **~ à faire** to consist in doing; **le bonheur consiste à accepter son sort** happiness consists in accepting one's fate; **en quoi consiste mon erreur?** where have I gone wrong?; **2** (être fait) **~ en** to consist of [*éléments, parties*]; **l'examen consiste en deux épreuves/un oral** the examination consists of two papers/an oral; **en quoi consiste cette aide?** what form does this aid take?

consistoire /kɔ̃sistwaʀ/ *nm* consistory; **en ~ secret** in private consistory

consœur /kɔ̃sœʀ/ *nf* **1** (d'une personne) female colleague; **2** (d'une banque, organisation) counterpart

consolant, ~e /kɔ̃sɔlɑ̃, ɑ̃t/ *adj* comforting; **c'est ~ de faire** there is some comfort in doing

consolateur, -trice /kɔ̃sɔlatœʀ, tʀis/ liter
A *adj* comforting
B *nm,f* comforter

consolation /kɔ̃sɔlasjɔ̃/ *nf* consolation; **en guise de ~** by way of consolation; **c'est une maigre** *or* **piètre ~** it's small consolation; **lot** *or* **prix de ~** consolation prize

console /kɔ̃sɔl/ *nf* console

(Composés) **~ de jeu vidéo** games console; **~ de mixage** Audio, Tech mixing desk

consoler /kɔ̃sɔle/ [1]
A *vtr* to console [*personne*] (**de** for); to soothe away [*peine*]; **cela console de savoir que** it is some consolation to know that; **si ça peut te ~** if it is any comfort to you
B **se consoler** *vpr* **1** (soi-même) to find consolation, to get over it; **se ~ de qch** to get over sth; **se ~ d'avoir fait** to get over doing; **il s'est vite consolé de son échec** he soon got over his failure; **il s'en consolera vite** he'll soon get over it; **2** (réciproquement) to console each other

consolidable /kɔ̃sɔlidabl/ *adj* **1** [*dette*] fundable; **2** [*structure*] reinforceable

consolidation /kɔ̃sɔlidasjɔ̃/ *nf* **1** (de mur, chaise) strengthening; (de position) consolidation; **2** Fin (de dette) consolidation, funding; (de chiffre d'affaires, cours, d'usufruit) consolidation; (de monnaie) strengthening; **3** Compta (de bilan) consolidation; **4** Méd (de fracture) mending

consolidé, ~e /kɔ̃sɔlide/
A *pp* ▸ **consolider**
B *pp adj* **1** Fin [*chiffre d'affaires, résultat*] consolidated; **2** (affermi) consolidated; **3** (renforcé) strengthened

consolider /kɔ̃sɔlide/ [1]
A *vtr* **1** (renforcer) to strengthen [*mur*]; to consolidate [*position, résultat*]; **2** Fin to consolidate, to fund [*dette*]; to strengthen [*monnaie*]; **~ son avance** [*valeur*] to firm up; **3** Compta to consolidate [*bilan*]; **4** Méd to set [*fracture, tissus*]
B **se consolider** *vpr* **1** (se renforcer) [*économie*] to get stronger; [*organisation*] to gain strength; [*relation*] to grow stronger; [*position*] to be consolidated; [*structure*] to be strengthened; **2** (s'affermir) to consolidate; **3** Méd [*fracture, tissus*] to mend

consommable /kɔ̃sɔmabl/
A *adj* **1** [*aliment*] edible; [*boisson*] drinkable; **2** Tech expendable; **3** Comm, Ordinat consumable
B **consommables** *nmpl* Comm, Ordinat consumables

consommateur, -trice /kɔ̃sɔmatœʀ, tʀis/
A *adj* Écon [*pays, industrie*] consumer (*épith*); **~ de pétrole/d'énergie** oil-/energy-consuming (*épith*)
B *nm,f* **1** Écon consumer; **gros ~** large consumer; **~ de café/gaz/drogue** consumer of coffee/gas/drugs; **défense des ~s** consumer protection; **organisation de ~s** consumers' association; **2** (de café, bar) customer

consommation /kɔ̃sɔmasjɔ̃/ *nf* **1** Écon consumption; **~ d'alcool/d'acier** alcohol/steel consumption; **baisse/relance de la ~** drop/stimulation in consumption; **~ intérieure** domestic consumption, home market consumption; **~ des ménages** household consumption; **pour ma ~ personnelle** for my personal use; **faire une grande** *or* **grosse ~ de** to get through *ou* use a lot of; **2** (fait de manger, boire) consumption; (fait d'utiliser) **~ d'héroïne/de cocaïne** heroin/cocain use; **la ~ de tabac/d'alcool** tobacco/alcohol consumption; **limitez la ~ d'aliments riches en matières grasses** avoid eating fatty foods; **la trop forte ~ de graisses** excessive intake of fats; **une réduction de la ~ de sodium** eating less salt, a reduction in sodium intake; **3** Comm (boisson) drink; **régler les ~s** to pay for the drinks; **jugé pour ~ de cocaïne** charged with using cocaine; **4** (accomplissement) consummation sout

consommé, ~e /kɔ̃sɔme/
A *pp* ▸ **consommer**
B *pp adj* [*art, artiste*] consummate; **avec un sens ~ du spectacle** with a consummate sense of the theatrical
C *nm* Culin consommé; **~ de poulet** chicken consommé

consommer /kɔ̃sɔme/ [1]
A *vtr* **1** ▸ **p. 691** (utiliser) [*personne, pays*] to consume [*produit, énergie, matière*]; [*moteur, voiture*] to consume [*essence, huile*]; **~ peu d'électricité** to consume *ou* use little electricity; **ma voiture consomme énormément** my car consumes a lot of petrol GB *ou* gas US; **2** (manger) to eat [*viande, fromage*]; (boire) to drink [*alcool, thé*]; **~ de la drogue** to take drugs; **3** (accomplir) fml to consummate sout [*mariage*]; to complete [*rupture*]
B *vi* **1** Écon to consume; **les Français n'ont jamais autant consommé** the French are consuming more than ever before; **2** Comm (boire) to drink
C **se consommer** *vpr* **1** (être mangé) to be eaten; **le gaspacho se consomme froid** gazpacho is eaten cold; **2** (pouvoir être mangé) to be edible; **3** Écon (être utilisé) to be consumed

consomptible /kɔ̃sɔ̃ptibl/ *adj* Jur expendable

consomption† /kɔ̃sɔ̃psjɔ̃/ *nf* **1** (dépérissement) decline; **2** (tuberculose) consumption‡

consonance /kɔ̃sɔnɑ̃s/ *nf* consonance; **un mot aux ~s étrangères** a foreign-sounding word

consonant, ~e /kɔ̃sɔnɑ̃, ɑ̃t/ *adj* consonant

consonantique /kɔ̃sɔnɑ̃tik/ *adj* [*langue*] consonantal; [*groupe*] consonant (*épith*)

consonantisme /kɔ̃sɔnɑ̃tism/ *nm* consonantism

consonne /kɔ̃sɔn/ *nf* consonant; **~ occlusive/dentale** occlusive/dental consonant; **~ d'appui/de liaison** intrusive/linking consonant

consort /kɔ̃sɔʀ/
A *adj m* **prince ~** prince consort
B **consorts** *nmpl* (acolytes) pej **Gérard et ~s** Gérard and his gang; **voleurs, bandits et ~s** thieves, bandits and others of that ilk

consortium /kɔ̃sɔʀsjɔm/ *nm* consortium; **~ bancaire** consortium of banks

conspirateur, -trice /kɔ̃spiʀatœʀ, tʀis/
A *adj* [*activités, air*] conspiratorial
B *nm,f* conspirator

conspiration /kɔ̃spiʀasjɔ̃/ *nf* conspiracy (**contre** against); **déjouer une ~** to foil a conspiracy; **une ~ des généraux/de la direction** a conspiracy by the generals/on the part of management

conspirer /kɔ̃spiʀe/ [1]
A †*vtr* to plot [*mort, ruine*]
B *vi* (comploter) to conspire, to plot (**contre** against)
C **conspirer à** *vtr ind* **~ à** to conspire to bring about [*malheur, succès*]; **~ à faire** to conspire to do

conspuer /kɔ̃spɥe/ [1] *vtr* to boo; **se faire ~** to be booed

constamment /kɔ̃stamɑ̃/ *adv* **1** (invariablement) always; **il est ~ vainqueur** he always wins; **elle est ~ absente** she's never here; **2** (sans interruption) [*augmenter*] continuously; [*maintenir*] consistently; **elle a fait ~ preuve de courage** she consistently showed courage; **3** (très souvent) [*dérangé, malade*] constantly; **dire/se plaindre ~** to be constantly saying/moaning

constance /kɔ̃stɑ̃s/ *nf* **1** (caractère stable) (de sentiment, phénomène) constancy; (d'opinion) consistency; **2** (persévérance) steadfastness; (fidélité) constancy†; **aimer avec ~** to love with constancy; **affirmer avec ~ que...** to hold steadfastly that...; **travailler avec ~** to work steadily; **3** °(patience) patience; **4** †(fermeté, endurance) liter constancy†

Constance /kɔ̃stɑ̃s/ ▸ **p. 894, p. 479** *npr* Constance; **le lac de ~** Lake Constance

constant, ~e /kɔ̃stɑ̃, ɑ̃t/
A *adj* **1** (permanent, très fréquent) constant; **2** (stable) [*vitesse, qualité*] constant; [*personne*] (dans ses affections) constant; (dans ses opinions) consistent; **3** (continu) [*évolution, progression*] continuous; [*hausse, baisse*] continual; **être en hausse/baisse ~e** to be continually rising/falling; **4** (persévérant) liter [*personne*] steadfast; [*résolution*] firm.

> ⚠ On utilise *continuous* pour décrire une action qui ne cesse pas et *continual* pour décrire une action qui se répète

B **constante** *nf* **1** Math, Phys constant; **2** fig (trait) permanent feature

Constantin /kɔ̃stɑ̃tɛ̃/ *npr* Constantine

Constantinople /kɔ̃stɑ̃tinɔpl/ ▸ **p. 894** *npr* Constantinople

constat /kɔ̃sta/ *nm* **1** (procès-verbal) certified *ou* official report; **dresser un ∼** to draw up a report; **2** (bilan) assessment; **3** (preuve) acknowledgement

(Composés) **∼ (à l') amiable** Assur *accident report*; **∼ d'adultère** Jur record of adultery; **∼ d'échec** fig admission of failure; **faire un ∼ d'échec** to admit failure; **∼ d'huissier** Jur bailiff's report

> **Constat**
>
> A *constat* is a report certified by a *huissier* which can be used as evidence in legal proceedings. In the case of motor accidents, a *constat* describing the sequence of events is completed by all the parties and forwarded to the insurance companies.

constatable /kɔ̃statabl/ *adj* observable

constatation /kɔ̃statasjɔ̃/
A *nf* **1** (observation) observation; **faire la ∼ suivante** to observe the following (fact); **ce n'est pas une accusation, c'est une simple ∼** it's not an accusation, it's simply a statement of fact; **2** (enquête) investigation; (rapport d'enquête) report; **∼s d'usage** routine investigations; **procéder à la ∼ des pertes** Assur to assess losses
B constatations *nfpl* (conclusions) findings; **selon les premières ∼s des enquêteurs** according to the initial findings of the police

(Composé) **∼ de décès** record of death

constater /kɔ̃state/ [1] *vtr* **1** (observer) to note, to notice [*fait*]; to notice, to see [*défaut, différence*]; **∼ une amélioration/que qch s'est amélioré** to note an improvement/that sth has improved; **∼ (par) soi-même** to see for oneself; **comme tu peux le ∼** as you can see; **2** (établir) to ascertain, to establish [*fait*]; (consigner) to record [*délit*]; **∼ le décès** to certify that death has occurred

constellation /kɔ̃stɛlasjɔ̃/ *nf* **1** Astron constellation; **2** (groupe) (de partis, villes) cluster; (de firmes) group

constellé, **∼e** /kɔ̃stɛlle/
A *pp* ▸ **consteller**
B *pp adj* **∼ de** spangled with [*étoiles, diamants*]; scattered with [*fleurs*]; riddled with [*fautes*]; spotted with [*taches*]; **ciel ∼ d'étoiles** starry sky

consteller /kɔ̃stɛlle/ [1]
A *vtr* liter **des étoiles constellaient le ciel** the sky was spangled with stars; **des taches constellaient sa jupe** her skirt was spotted with stains; **il constelle ses articles de fautes** his articles are riddled with mistakes
B se consteller *vpr* liter **le ciel se constelle d'étoiles** the sky is filling up with stars

consternant, **∼e** /kɔ̃stɛʀnɑ̃, ɑ̃t/ *adj* distressing; **être d'une sottise ∼e** to be appallingly stupid

consternation /kɔ̃stɛʀnasjɔ̃/ *nf* consternation, dismay; **jeter** *or* **semer la ∼** to cause consternation; **frapper qn de ∼** to fill sb with consternation; **à la ∼ générale** to everyone's dismay

consterner /kɔ̃stɛʀne/ [1] *vtr* to fill [sb] with consternation; **être consterné** to be filled with consternation; **mine consternée** dismayed expression

constipation /kɔ̃stipasjɔ̃/ *nf* constipation

constipé, **∼e** /kɔstipe/
A *pp* ▸ **constiper**
B *pp adj* **1** Méd constipated; **2** °fig (contraint) pej **avoir l'air/être ∼** to look/to be uptight
C *nm,f* **1** Méd constipation sufferer; **2** °fig pej uptight person

constiper /kɔ̃stipe/ [1] *vtr* to make [sb] constipated; **le chocolat constipe** chocolate causes constipation

constituant, **∼e** /kɔ̃stitɥɑ̃, ɑ̃t/
A *adj* [*partie, élément*] constituent
B *nm* **1** (élément constitutif) constituent (**de** of); **∼s de la matière** constituents of matter; **2** Ling constituent; **∼ immédiat/ultime** immediate/ultimate constituent; **3** Jur (de procuration, vente) settlor

Constituante /kɔ̃stitɥɑ̃t/ *nf* Hist, Pol Constituent Assembly

constitué, **∼e** /kɔ̃stitɥe/
A *pp* ▸ **constituer**
B *pp adj* **1** Physiol **personne bien/mal ∼e** person of sound/unsound constitution; **2** Pol [*autorité, société*] constituted

constituer /kɔ̃stitɥe/ [1]
A *vtr* **1** (être) to be, to constitute; **le vol constitue un délit** theft constitutes an offence[GB]; **2** (mettre en place) [*personne, groupe*] to form [*équipe, commission, alliance*]; to build up [*stocks*]; **la nouvelle société constituée par l'actuelle direction** the new company formed by the existing management; **3** (composer) [*éléments*] to make up [*ensemble*]; **groupe constitué de militants** group made up of militants; **les chômeurs constituent 10% de la population active** unemployed people make up 10% of the working population; **4** Jur to settle [*dot, rente*] (**à, pour** on); **∼ qn héritier** to appoint sb as heir
B se constituer *vpr* **1** (se mettre en place) [*parti, réseau, collection*] to be formed; **2** (créer pour soi) **se ∼** to build up [*réseau, clientèle, réserve*]; to get oneself [*alibi*]; **3** (se grouper) **se ∼ en** to form [*parti, société*]; **4** (se faire) **se ∼ prisonnier** to give oneself up; **se ∼ partie civile** to institute a civil action

constitutif, **-ive** /kɔ̃stitytif, iv/ *adj* **1** (de base) [*élément*] constituent; **2** Pol [*assemblée*] constituent; [*congrès*] founding; [*réunion*] inaugural; [*document, texte*] constitutional

constitution /kɔ̃stitysjɔ̃/ *nf* **1** (création) **∼ d'une société** setting up of a company; **en voie de ∼** currently being set up; **∼ de capital** capital accumulation; **∼ d'un dossier d'inscription** preparing of an application; **∼ du plan d'un texte** drafting of an essay; **∼ de stocks** stockpiling; **2** Physiol constitution; **bonne ∼** sound constitution; **3** Jur (de rente, pension) settling **¢**; **∼ de partie civile** institution of civil action proceedings

Constitution /kɔ̃stitysjɔ̃/ *nf* Pol constitution

constitutionnalité /kɔ̃stitysjɔnalite/ *nf* constitutionality

constitutionnel, **-elle** /kɔ̃stitysjɔnɛl/ *adj* constitutional

constitutionnellement /kɔ̃stitysjɔnɛlmɑ̃/ *adv* constitutionally

constricteur /kɔ̃stʀiktœʀ/
A *adj m* **muscle ∼** constrictor muscle
B *nm* Anat constrictor

constrictif, **-ive** /kɔ̃stʀiktif, iv/ *adj* **1** Méd constrictive; **douleur constrictive** painful constriction; **2** Phon fricative

constriction /kɔ̃stʀiksjɔ̃/ *nf* constriction

constrictor /kɔ̃stʀiktɔʀ/ *nm* Zool boa constrictor

constructeur, **-trice** /kɔ̃stʀyktœʀ, tʀis/
A *adj* **1** (créateur) [*force, action*] constructive; **2** Constr **société constructrice** construction company; **3** Zool **animal ∼** builder
B ▸ **p. 532** *nm,f* **1** Ind manufacturer; **∼ automobile** *or* **d'automobiles** car manufacturer; **un ∼ aéronautique/informatique/de matériel** an aircraft/a computer/an equipment manufacturer; **∼ naval** shipwright; **2** Constr builder; **promoteurs et ∼s** planners and builders

constructible /kɔ̃stʀyktibl/ *adj* [*zone, domaine*] building (*épith*), suitable for development (*après n*); **terrain ∼** building land; **être rendu non ∼** to be made unsuitable for development

constructif, **-ive** /kɔ̃stʀyktif, iv/ *adj* **1** (positif) constructive; **2** Constr building *épith*; **les normes constructives** building standards

construction /kɔ̃stʀyksjɔ̃/ *nf* **1** (bâtiment) building; **les ∼s gâchent le paysage** the buildings ruin the landscape; **2** (édification) building; **encourager la ∼ de logements et de routes** to promote the building of housing and roads; **en (cours de) ∼** under construction; **bâtiment de ∼ ancienne/récente** old/recent building; **3** Écon (secteur industriel) **la ∼** the construction industry; **secteur de la ∼** construction sector; **entreprise de ∼** construction company; **4** Ind manufacture; **∼ de moteurs** engine manufacture; **de ∼ japonaise** made in Japan; **∼ aéronautique** aircraft manufacturing; **∼ automobile** car manufacturing; **∼ électrique** electrical engineering; **∼ ferroviaire** railway construction; **∼ mécanique** mechanical engineering; **∼ navale** shipbuilding; **5** Pol construction; **∼ européenne/du socialisme** construction of Europe/of socialism; **6** Ling, Math construction; **7** Psych reconstruction; **8** (élaboration) construction; **une pure ∼ de l'esprit** pure imagination

constructivisme /kɔ̃stʀyktivism/ *nm* constructivism

constructiviste /kɔ̃stʀyktivist/ *adj, nmf* constructivist

construire /kɔ̃stʀɥiʀ/ [69]
A *vtr* **1** Constr, Ind to build [*bâtiment, pont, nid, navire*]; to build [*maquette, décor*]; to manufacture [*voiture*]; **faire ∼ sa maison par qn** to have one's house built by sb; **se faire ∼ une villa** to have a villa built; **2** (établir) to build [*Europe, communisme, avenir*]; to shape [*personnalité, image*]; **3** Ling to construct [*phrase, théorie, modèle*]; **4** Math to construct [*triangle*]
B se construire *vpr* **1** (bâtir pour soi) [*personne*] **se ∼ une maison** to build a house for oneself; **se ∼ une majorité** fig to build a majority for oneself; **se ∼ son identité** fig to shape one's own identity; **2** (être bâti) [*maison*] to be built; **l'Europe se construira** fig Europe will be built; **une image se construit jour après jour** fig an image is shaped day by day; **3** Ling to be constructed; **se ∼ avec le subjonctif** to take the subjunctive

consubstantialité /kɔ̃sypstɑ̃sjalite/ *nf* consubstantiality

consubstantiation /kɔ̃sypstɑ̃sjasjɔ̃/ *nf* consubstantiation

consubstantiel, **-elle** /kɔ̃sypstɑ̃sjɛl/ *adj* **être ∼ à** Relig to be consubstantial with; fig to be an integral part of

consul /kɔ̃syl/ *nm* consul; **∼ suédois** *or* **de Suède** Swedish consul

(Composé) **∼ général** consul general

consulaire /kɔ̃sylɛʀ/ *adj* consular; ▸ **corps**

consulat /kɔ̃syla/ *nm* **1** Admin consulate; **le ∼ d'Italie à Paris** the Italian consulate in Paris; **2** Antiq consulate; **3** Hist **le Consulat** the Consulate

consultable /kɔ̃syltabl/ *adj* available for consultation (*après n*)

consultant, **∼e** /kɔ̃syltɑ̃, ɑ̃t/ ▸ **p. 532** *nm,f* (tous contextes) consultant; **un ∼ en gestion** a management consultant

consultatif, **-ive** /kɔ̃syltatif, iv/ *adj* consultative

consultation /kɔ̃syltasjɔ̃/ *nf* **1** (heures de réception des malades) surgery hours (*pl*) GB, office hours (*pl*) US; **∼ des nourrissons/de planning familial** baby/family planning clinic; **aller à la ∼** (au cabinet médical) to go to the surgery GB, to go to the doctor's office US; (à l'hôpital) to go to out-patients; **2** (examen médical) consultation; **elle donne aussi des ∼s à l'hôpital** she also gives consultations at the hospital; **3** (fait de prendre un avis) consulting; **après ∼ des experts** after consulting the experts; **être en faveur d'une ∼ populaire**

C

to be in favour^GB of consulting the people; ~ **électorale** election; ~ **juridique** legal consultation; ~ **gratuite** free consultation; **4** (délibération) consultation; **être en ~ avec qn** to be in consultation with sb; **5** (de calendrier, livre, document) consultation; **'~ sur place'** (dans une bibliothèque) 'for reference use only'; **la ~ de l'annuaire n'a rien donné** we/they etc looked in the directory but in vain; **une simple ~ du planning montre que** a simple look at the schedule shows that

consulter /kɔ̃sylte/ [1]
A *vtr* **1** (pour un diagnostic) [*malade*] to consult [*médecin*]; **2** (pour un conseil) [*gouvernement, individu*] to consult [*expert*]; to ask [sb] for advice [*ami*]; **3** (par un vote) **~ le peuple** to hold a general election, to hold a referendum; **4** (regarder pour information) to consult [*liste, instrument, base de données, agenda, astres, dictionnaire*]
B *vi* Méd (recevoir les patients) to hold surgery GB, to see patients
C se consulter *vpr* **1** (échanger des vues) [*parents, spécialistes*] to consult together; **se ~ du regard** to exchange glances; **2** (être consultable) **'se consulte sur place'** 'for reference use only'

consumer /kɔ̃syme/ [1]
A *vtr* **1** (brûler) to consume [*forêt*]; **2** fig, liter **l'amour le consumait** he was consumed with love; **la maladie qui la consume** the illness which is eating away at her; **il a consumé son temps/sa vie en vains plaisirs** he wasted his time/his life in idle pleasures
B se consumer *vpr* **1** (brûler) to be burning; **la mèche devrait se ~ en quelques minutes** the fuse should burn out in a few minutes; **2** fig, liter to waste away; **se ~ d'amour** to be consumed with love (**pour** for); **se ~ en vains efforts** to weary oneself in vain efforts

consumérisme /kɔ̃symeʀism/ *nm* consumerism

consumériste /kɔ̃symeʀist/ *adj* consumerist

contact /kɔ̃takt/ *nm* **1** (relation) contact ₵ (**avec** with); **avoir des ~s directs avec qn** to have direct contact with sb; **être en ~** to be in contact; **prendre ~ avec** to make contact with; **garder le ~** to keep in touch; **reprendre ~ avec qn** to get back in touch with sb; **la reprise des ~s avec les émissaires** the renewal of relations with the emissaries; **la première prise de ~ a été encourageante** initial contact was encouraging; **mettre en ~** to put in touch; **entrer en ~ avec** to get in touch with; **avoir un bon ~ avec qn** to get on well with sb; **être d'un ~ agréable/difficile** to be easy/hard to get on with; **elle est devenue plus sociable à ton ~** she's become more sociable through spending time with you; **2** (toucher) contact; **~ physique** physical contact; **en ~** in contact; **'éviter le** *or* **tout ~ avec les yeux/la peau'** 'avoid any contact with eyes/skin'; **3** Électrotech contact; **mettre/couper le ~** Aut to switch on/switch off the ignition; ▸ **faux**; **4** (personne) contact; **rencontrer son ~** to meet one's contact; **avoir des ~s au gouvernement** to have contacts in the government

contacter /kɔ̃takte/ [1]
A *vtr* to contact [*personne, journal, organisme*]
B se contacter *vpr* to get in touch with each other

contacteur /kɔ̃taktœʀ/ *nm* contactor

contagieux, -ieuse /kɔ̃taʒjø, øz/
A *adj* **1** Méd [*malade, maladie*] contagious; **maladie non contagieuse** non-contagious illness; **2** fig [*rire, enthousiasme*] infectious, catching (*jamais épith*); **la peur est contagieuse** fear is catching, fear breeds fear
B *nm,f* contagious person; **les ~** contagious patients

contagion /kɔ̃taʒjɔ̃/ *nf* **1** Méd contagion; **2** fig infectiousness; **craindre la ~ de certaines idées** to fear the spread of certain ideas; **les conflits sociaux s'étendent par ~** social unrest spreads like a disease

contagiosité /kɔ̃taʒjozite/ *nf* contagiousness; **jusqu'à disparition de la ~** until the end of the contagious stage

container /kɔ̃tɛnɛʀ/ *nm* controv container

contamination /kɔ̃taminasjɔ̃/ *nf* (tous contextes) contamination (**par** by)

contaminer /kɔ̃tamine/ [1] *vtr* **1** [*virus, personne*] to infect [*personne, animal*]; [*matière radioactive, agent chimique*] to contaminate [*personne, animal, végétaux, sol, eau*]; **2** fig to contaminate [*esprit, langage*]; **3** Ordinat to contaminate [*programme*]

conte /kɔ̃t/ *nm* **1** Littérat tale, story; **~ de fées** fairy tale; **2** (racontar) story

contemplateur, -trice /kɔ̃tɑ̃platœʀ, tʀis/
A *adj* contemplative
B *nm,f* contemplator

contemplatif, -ive /kɔ̃tɑ̃platif, iv/
A *adj* contemplative
B *nm* contemplative

contemplation /kɔ̃tɑ̃plasjɔ̃/ *nf* (tous contextes) contemplation; **s'abîmer dans la ~ de qch** to be lost in contemplation of sth; **rester en ~ devant un paysage** to stand contemplating a landscape

contempler /kɔ̃tɑ̃ple/ [1]
A *vtr* **1** (du regard) to survey [*spectacle*]; to contemplate [*paysage, monument*]; to look at [*photo, vitrine*]; **2** (par la pensée) to reflect on [*théorie*]
B se contempler *vpr* to gaze at oneself

contemporain, ~e /kɔ̃tɑ̃pɔʀɛ̃, ɛn/
A *adj* **1** (du présent) [*art, histoire*] contemporary; **2** (du même temps) [*personne*] contemporary; **il était ~ de Dickens** he was Dickens's contemporary; **roman/événement ~ de** novel/event contemporaneous with
B *nm,f* contemporary (**de** of)

contemporanéité /kɔ̃tɑ̃pɔʀaneite/ *nf* contemporaneousness

contempteur, -trice /kɔ̃tɑ̃ptœʀ, tʀis/ *nm,f* fml denigrator (**de** of)

contenance /kɔ̃t(ə)nɑ̃s/ *nf* **1** ▸ **p. 123, p. 903** (volume) capacity; **2** (allure) bearing; **essayer de se donner une ~** to try to appear composed; **perdre ~** to lose one's composure; **faire bonne ~** to keep an air of composure

contenant /kɔ̃t(ə)nɑ̃/ *nm* packaging

conteneur /kɔ̃t(ə)nœʀ/ *nm* container

contenir /kɔ̃t(ə)niʀ/ [36]
A *vtr* **1** (renfermer) to contain [*substance, erreur*]; **2** ▸ **p. 123, p. 903** (avoir une capacité de) to hold [*litre*]; (pouvoir accueillir) to accommodate [*spectateur*]; **3** (stopper) to contain [*foule, colère*]
B se contenir *vpr* to contain oneself

content, ~e /kɔ̃tɑ̃, ɑ̃t/
A *adj* **1** (heureux) happy, pleased (**de qch** with sth; **de faire** to do; **que** that); **ça te plaît? tu es ~?** do you like it? are you pleased?; **je suis ~ de jouer ce match** I'm happy to be playing in this match; **ne pas avoir l'air très ~** not to look very happy; **je suis ~e que tu sois là** I'm glad you're here; **2** (satisfait) pleased, satisfied (**de** with); **être ~ de soi** to be pleased with oneself; [*vaniteux*] to be self-satisfied; **je suis assez ~ de moi** I'm quite pleased with myself; **maintenant que tu as tout cassé, je suppose que tu es ~?** you've broken everything, are you happy now?; **non ~ de (faire)** not content with (doing); **non ~ de ne rien faire, il s'endette** not content with doing nothing, he is running up debts
B *nm* **(tout) son ~** [*manger, boire, dormir*] to one's heart's content; **avoir son ~ de** iron to have one's fill of [*ennuis*]

contentement /kɔ̃tɑ̃tmɑ̃/ *nm* contentment, satisfaction; **~ de soi** self-satisfaction

contenter /kɔ̃tɑ̃te/ [1]
A *vtr* to satisfy [*clientèle, envie, désir, curiosité*]; **il est facile/difficile à ~** he is easy/hard to please; **on ne peut pas ~ tout le monde** you can't please everybody
B se contenter *vpr* **se ~ de qch/de faire** to content oneself with sth/with doing; **il s'est contenté d'une remarque/de faire quelques remarques** he contented himself with one remark/with making a few remarks; **je me contente d'un sandwich/de peu** I make do with a sandwich/very little; **je me suis contenté de jeter un coup d'œil au/de feuilleter le rapport** I just glanced at/leafed through the report; **il s'est contenté de rire/d'envoyer des fleurs** he just laughed/sent flowers, all he did was laugh/send flowers

contentieux, -ieuse /kɔ̃tɑ̃sjø, øz/ Jur
A *adj* contentious
B *nm inv* **1** (litige) bone of contention (**avec** with; **entre** between; **sur** about); **un lourd ~** a serious bone of contention; **2** (service) legal department; (affaires) litigation

contention /kɔ̃tɑ̃sjɔ̃/ *nf* support; **des bas de ~** support stockings

contenu, ~e /kɔ̃t(ə)ny/
A *pp* ▸ **contenir**
B *pp adj* [*sentiment, style*] restrained; [*colère*] suppressed
C *nm* **1** (de récipient) contents (*pl*); **2** (d'œuvre) content

conter /kɔ̃te/ [1] *vtr* liter to tell [*histoire*]; to recount, to relate [*aventure, déboires*]

(Idiome) **s'en laisser ~** (une fois) to be taken in; (toujours) to be easily taken in, to be gullible

contestable /kɔ̃tɛstabl/ *adj* questionable

contestataire /kɔ̃tɛstatɛʀ/
A *adj* [*mouvement, journal*] anti-authority, anti-establishment; **étudiant ~** student protester
B *nmf* protester

contestation /kɔ̃tɛstasjɔ̃/ *nf* **1** Pol (de pouvoir) protest (**de** against); (dans une organisation) dissent (**de** from); **2** (de véracité, droit) challenging (**de** of); **être sujet à ~, prêter à ~** to be questionable; **il y a sujet** *or* **matière à ~** there are grounds for dispute *ou* contention; **sans ~ possible** beyond dispute; **3** (dispute) dispute

conteste: **sans conteste** /sɑ̃kɔ̃tɛst/ *loc adv* unquestionably

contesté, ~e /kɔ̃tɛste/
A *pp* ▸ **contester**
B *pp adj* [*penalty, territoire*] disputed; [*médicament, thèse*] controversial

contester /kɔ̃tɛste/ [1]
A *vtr* to question [*authenticité, bien-fondé, nécessité*]; to contest [*droit, succession, testament*]; to dispute [*chiffre, frontière*]; to dispute, to question [*fait, décision*]; to challenge [*impôt, principe, projet, régime*]; **~ à qn le droit de faire, ~ que qn ait le droit de faire** to contest sb's right to do
B *vi* **1** (ne pas être d'accord) to raise objections; **2** (faire de l'opposition) to protest

conteur /kɔ̃tœʀ/ *nm* storyteller

conteuse /kɔ̃tøz/ *nf* storyteller

contexte /kɔ̃tɛkst/ *nm* **1** Ling, fig context (**de** of); **dans le ~ politique/économique** in the political/economic context; **hors ~** out of context; **2** (conjoncture) situation; **dans le ~ actuel** in the present situation

contextualiser /kɔ̃tɛkstɥalize/ [1] *vtr* to contextualize

contextuel, -elle /kɔ̃tɛkstɥɛl/ *adj* Ling, fig contextual

contexture /kɔ̃tɛkstyʀ/ *nf* (de tissu) fml texture; (d'os) structure; (de poème) structure

contigu, -uë* /kɔ̃tigy/ *adj* **1** [*pièces, jardins*] adjoining; **~ à qch** adjoining sth; **2** [*idées, thèmes*] closely related (**à** to)

contiguïté* /kɔ̃tigɥite/ *nf* **1** (de pièces, jardins) contiguity sout; **2** (de notions, thèmes) relatedness; **à cause de la ~ de ces notions** because these ideas are closely related

continence /kɔ̃tinɑ̃s/ *nf* continence

continent, ~e /kɔ̃tinɑ̃, ɑ̃t/
A *adj* **1** fml (chaste) continent; **2** Méd continent

B *nm* Géog **1** (partie du monde) continent; **2** (par opposition à une île) mainland

(Composé) **le ~ noir** the Dark Continent

continental, **~e**, *mpl* **-aux** /kɔ̃tinɑ̃tal, o/ *adj* gén continental; (par opposition à un territoire insulaire) mainland (*épith*)

contingence /kɔ̃tɛ̃ʒɑ̃s/

A *nf* Philos contingency; **la ~ du monde** the contingent nature of the world

B **contingences** *nfpl* (faits imprévus) chance circumstances; (faits sans importance) trivial circumstances

contingent, **~e** /kɔ̃tɛ̃ʒɑ̃, ɑ̃t/

A *adj* contingent

B *nm* **1** (groupe) contingent; Mil (de conscrits) conscripts (*pl*), draft US; **soldat du ~** conscript; **2** Comm, Écon quota; **3** Jur, fig (quote-part) share

contingentement /kɔ̃tɛ̃ʒɑ̃tmɑ̃/ *nm* **système de ~** quota system; **le ~ des importations/exportations** the setting of import/export quotas

contingenter /kɔ̃tɛ̃ʒɑ̃te/ [1] *vtr* (limiter) to fix a quota for [*importations, exportations*]; (répartir) to distribute [sth] using a quota system [*matière première*]; **produit contingenté** product subject to a quota

continu, **~e** /kɔ̃tiny/

A *adj* continuous; **de façon ~e** continuously

B *nm* continuum

C **en continu** *loc adv* [*information*] nonstop; [*fabrication, travail, régulation*] continuous; **suivi en ~** continuous *ou* constant monitoring; **suivre en ~** to monitor continuously *ou* constantly

continuateur, **-trice** /kɔ̃tinɥatœʀ, tʀis/ *nm,f* (de personne) heir; (de tradition, projet) upholder

continuation /kɔ̃tinɥasjɔ̃/ *nf* continuation; **bonne ~!** all the best!

continuel, **-elle** /kɔ̃tinɥɛl/ *adj* continual

continuellement /kɔ̃tinɥɛlmɑ̃/ *adv* continually

continuer /kɔ̃tinɥe/ [1]

A *vtr* to carry on, to continue [*combat, conversation*]; to continue [*études, voyage*]; **~ son chemin** to continue on one's way; **~ l'œuvre de qn** to carry on sb's work; **continue ton histoire!** carry on with your story!

B *vi* to continue, to go on (**jusqu'à** until); **~ à** *or* **de faire** to continue doing *ou* to do; **cela ne peut pas ~** it can't go on; **continua-t-il** he continued; **c'est un bon début, continuez!** it's a good start, keep it up!

C **se continuer** *vpr* [*soirée, repas*] to continue

continuité /kɔ̃tinɥite/ *nf* continuity (**de** of); **assurer/garantir la ~** to ensure/guarantee continuity (**de** in)

continûment* /kɔ̃tinymɑ̃/ *adv* continuously

continuum /kɔ̃tinɥɔm/ *nm* continuum

contondant, **~e** /kɔ̃tɔ̃dɑ̃, ɑ̃t/ *adj* [*arme, instrument*] blunt

contorsion /kɔ̃tɔʀsjɔ̃/ *nf* lit, fig contortion

contorsionner: **se contorsionner** /kɔ̃tɔʀsjɔne/ [1] *vpr* [*personne*] to tie oneself in knots; (pour se dégager) to wriggle and writhe; [*serpent*] to writhe

contorsionniste /kɔ̃tɔʀsjɔnist/ ▸ p. 532 *nmf* contortionist

contour /kɔ̃tuʀ/

A *nm* **1** (d'objet, de montagne, bouche, dessin) outline; (de corps, visage, paysage) contour; (de meuble) line; **2** (aspect) (d'expérience, de projet, d'œuvre) outline

B **contours** *nmpl* (méandres) (de route, rivière) twists and turns

contourné, **~e** /kɔ̃tuʀne/

A *pp* ▸ **contourner**

B *pp adj* **1** [*pied de meuble, coquille*] (elaborately) curved; [*jambe*] deformed; **2** [*raisonnement, style*] convoluted

contournement /kɔ̃tuʀnəmɑ̃/ *nm* (de ville) bypass; **le ~ nord de Lyon** the bypass to the north of Lyons; **le ~ autoroutier de Toulouse** the motorway GB *ou* freeway US that bypasses Toulouse

contourner /kɔ̃tuʀne/ [1] *vtr* **1** (passer à côté) to by-pass [*ville, obstacle*]; **2** (faire le tour de) to skirt (around) [*colline*]; **3** lit, fig (éviter) to get round [*obstacle, difficulté*]; **4** (façonner) to shape [*vase*]; (tracer) to trace [*volutes*]

contraceptif, **-ive** /kɔ̃tʀasɛptif, iv/

A *adj* contraceptive

B *nm* contraceptive

contraception /kɔ̃tʀasɛpsjɔ̃/ *nf* contraception; **~ orale** (moyen) oral contraception; (pilule) oral contraceptive

contractant, **~e** /kɔ̃tʀaktɑ̃, ɑ̃t/

A *adj* contracting

B *nm,f* contracting party

contracté, **~e** /kɔ̃tʀakte/

A *pp* ▸ **contracter**

B *pp adj* **1** [*muscles, traits*] contracted (**par** with); **2** [*personne*] tense; **3** Ling contracted

contracter /kɔ̃tʀakte/ [1]

A *vtr* **1** (crisper) to contract, to tense [*muscle*]; to tense [*visage*]; to make [sb] tense [*personne*]; **une grimace contracta sa bouche** *or* **ses traits** he/she grimaced; **l'émotion lui contracta la gorge** his/her throat tightened with emotion; **la peur lui contractait la gorge** his/her throat was tight with fear; **2** Ling to contract [*forme*]; **3** (s'engager dans) to incur [*obligation, dette*]; to conclude [*marché*]; to take out [*assurance, emprunt*]; to enter into [*engagement*]; to form [*amitié, liaison*]; **4** (réduire) to make [sth] contract [*substance*]; **5** Méd to contract [*maladie , virus*]

B **se contracter** *vpr* **1** (se crisper) [*muscle*] to contract; [*visage, personne*] to tense up; [*gorge*] to tighten; **2** (diminuer) Phys [*substance*] to contract; [*exportations, marché*] to shrink; **3** Ling [*forme, mot*] (si l'on veut) to contract; (obligatoirement) to be contracted

contractile /kɔ̃tʀaktil/ *adj* contractile

contractilité /kɔ̃tʀaktilite/ *nf* contractility

contraction /kɔ̃tʀaksjɔ̃/ *nf* **1** Physiol (état) tenseness; (spasme) contraction; **2** Ling, Phys (action de réduire) contraction; **3** (de marché) shrinking; **la ~ de la demande/l'offre** Écon reduced demand/supplies; **~ des cours** Fin drop in prices

contractuel, **-elle** /kɔ̃tʀaktɥɛl/

A *adj* **1** Jur [*obligation*] contractual; **2** Admin [*personnel*] contract (*épith*); **10% des employés sont ~s** 10% of employees are contract staff

B *nm,f* **1** (employé) contract employee; **2** ▸ p. 532 (contrôlant le stationnement) traffic warden GB, meter reader US

contractuellement /kɔ̃tʀaktɥɛlmɑ̃/ *adv* contractually, by contract

contracture /kɔ̃tʀaktyʀ/ *nf* **1** Physiol contracture, spasm; **~ musculaire** muscle spasm; **2** Archit contracture

contradicteur /kɔ̃tʀadiktœʀ/ *nm* (de propos, théorie) opponent (**de** of)

contradiction /kɔ̃tʀadiksjɔ̃/ *nf* **1** (manque de logique) contradiction; **résoudre une ~** to resolve a contradiction; **un raisonnement plein de ~s** an argument full of contradictions; **être en ~ avec qch** to contradict sth; **être en ~ avec soi-même/ses principes** to contradict oneself/one's principles; **2** (contestation) contradiction; **il ne supporte pas la ~** he can't bear to be contradicted; **apporter la ~ à qn** to argue against sb; **porter la ~ dans un débat** to put forward counter-arguments in a debate

contradictoire /kɔ̃tʀadiktwaʀ/ *adj* [*idées, opinions, témoignages, raisonnement*] contradictory; **être ~ à qch** to be in contradiction to sth; **un débat ~** an open debate

contraignant, **~e** /kɔ̃tʀɛɲɑ̃, ɑ̃t/ *adj* restrictive

contraindre /kɔ̃tʀɛ̃dʀ/ [54]

A *vtr* **1** (obliger) **~ qn à la passivité** *or* **à demeurer passif** to force *ou* compel sb to remain passive; **être contraint au repos** *or* **de se reposer** to be forced *ou* compelled to rest; **je serai contraint de déménager** I'll have to *ou* be forced to move; **je me vois contraint de démissionner** I have no option but to resign; **~ par corps** Jur to imprison [sb] for debt; **~ qn par saisie de biens** Jur to distrain sb's property; **2** (réprimer) to restrain [*sentiments, désir*]; to curb [*goût*]

B **se contraindre** *vpr* **1** (se forcer) **se ~ à faire** to force oneself to do; **se ~ à des exercices/à une vie austère** to force oneself to exercise/to keep to an austere lifestyle; **2** (se contenir) liter to exercise self-control

contraint, **~e** /kɔ̃tʀɛ̃, ɛ̃t/

A *pp* ▸ **contraindre**

B *pp adj* **1** (obligé) **~ et forcé** Jur under duress; **2** (gêné) [*air*] strained; [*sourire*] forced

C **contrainte** *nf* **1** (pression) pressure; (coercition) coercion; **user de ~e à l'égard de qn** to exert *ou* put pressure on sb; **par la ~e** by force *ou* coercion; **être empêché par la ~e** to be forcibly prevented; **sous la ~e** under duress; **tenir un peuple dans la ~e** liter to keep a nation in bondage; **2** (exigence) constraint; **~es administratives/budgétaires** administrative/budgetary constraints; **les ~es du marché** the market restrictions; **3** (gêne) strain; **sans ~e** without restraint, freely; **4** Jur duress; **~e par saisie de biens** distress, distraint; **~e par corps** imprisonment for debt

contraire /kɔ̃tʀɛʀ/

A *adj* **1** (inverse) [*effet, sens, décision, attitude*] opposite; Naut [*vent*] contrary; (en conflit) [*avis, intérêts, théories*] conflicting (**à** with); [*forces*] opposite (**à** to); **être ~ à la justice/aux usages/au règlement** to be contrary to justice/to custom/to the regulations; **dans le cas ~** if this shouldn't be the case, (should it be) otherwise; **sauf avis ~** unless otherwise informed, unless you hear anything to the contrary; **2** (défavorable) [*destin, force*] adverse; **le sort leur fut ~** fate was against them

B *nm* **le ~** the opposite (**de** of); **je pense (tout) le ~** I take the opposite view; **être tout le ~ de qn/qch** to be the complete opposite of sb/sth; **ne dites pas le ~** don't deny it; **je ne dis pas le ~** I don't deny that *ou* it; **jusqu'à preuve du ~** until there is evidence to the contrary, until proved otherwise; **(bien** *or* **tout) au ~** on the contrary; **au ~ de tes amis** unlike your friends; **dire tout et son ~** to keep contradicting oneself

contrairement /kɔ̃tʀɛʀmɑ̃/ *adv* **~ à ce qu'on pourrait penser/à ce qu'il prétend** contrary to what one might think/to what he claims; **~ à une opinion répandue** contrary to popular belief; **~ à qn/à la France** unlike sb/France

contralto /kɔ̃tʀalto/ ▸ **p. 141**

A *nm* (voix) contralto

B *nf* (femme) contralto

contrapuntique /kɔ̃tʀapɔ̃tik/ *adj* contrapuntal

contrariant, **~e** /kɔ̃tʀaʀjɑ̃, ɑ̃t/ *adj* **1** [*personne, esprit*] contrary (*jamais épith*); **il n'est pas ~** he is accommodating; **2** [*événement, affaire*] annoying

contrarier /kɔ̃tʀaʀje/ [2] *vtr* **1** (chagriner) to upset; (fâcher) to annoy; **2** (rendre malade) [*aliment, boisson*] to upset [*personne*]; **3** (contrecarrer) to frustrate, to thwart [*projet, volonté, ambition*]; to hinder [*mouvement, progression*]; **amours contrariées** thwarted love ₵; **~ un gaucher** to make a lefthanded person write with his/her right hand; **4** (alterner) to alternate [*couleurs*]; **couleurs contrariées** alternating colours[GB]

contrariété /kɔ̃tʀaʀjete/ *nf* upset; **éprouver une vive** *or* **grande ~** to feel very upset

contrastant, **~e** /kɔ̃tʀastɑ̃, ɑ̃t/ *adj* contrasting (*épith*)

contraste /kɔ̃tʀast/
A *nm* (tous contextes) contrast (**entre qch et qch** between sth and sth); **mettre en ~** to contrast; **faire ~ avec** to contrast with; **adoucir les ~s** (de couleurs, photo) to soften the contrast
B par contraste *loc adv* in contrast (**avec** with), by way of contrast

contrasté, **~e** /kɔ̃tʀaste/
A *pp* ▸ **contraster**
B *pp adj* **1** (opposé) [*couleurs, périodes*] contrasting; **attitudes très ~es** sharply contrasting attitudes; **2** (nuancé) [*image, photo*] with good contrast (*épith, après n*); [*tableau*] with sharp contrasts (*épith, après n*); **trop ~** with too much contrast (*épith, après n*); **3** (inégal) [*résultats*] uneven; [*semaine, année*] of sharp contrasts (*épith, après n*)

contraster /kɔ̃tʀaste/ [1]
A *vtr* to contrast [*couleurs, motifs*]; to give contrast to [*photo*]
B *vi* to contrast (**avec** with)

contrastif, **-ive** /kɔ̃tʀastif, iv/ *adj* contrastive

contrat /kɔ̃tʀa/ *nm* (accord) contract, agreement (**entre** between; **avec** with); Jur (document) contract; fig (pacte) arrangement, understanding; **passer un ~ avec qn** Jur to enter into a contract with sb; fig to come to an arrangement with sb; **signer/rompre un ~** to sign/break a contract; **décrocher un gros ~** to land a large contract; **le ~ prévoit...** the contract provides for...; **sous ~ avec** under contract to; **s'engager par ~ à faire qch** to contract to do sth; **réaliser** *or* **remplir son ~** (au bridge) to make one's contract; fig to fulfil[GB] one's pledge

(Composés) **~ d'assurance** contract of insurance; **~ collectif** collective agreement; **~ à durée déterminée**, **CDD** fixed-term contract; **~ à durée indéterminée**, **CDI** permanent contract; **~ emploi solidarité**, **CES** *part-time work for the young unemployed*; **~ initiative emploi** *recruitment incentive*; **~ de licence** licensing agreement; **~ de location** hire contract GB, rental contract; (pour des locaux) tenancy agreement; **~ de maintenance** service contract; **~ de mariage** marriage contract *ou* settlement; **~ de prestation de services** contract of services; **~ social** social contract; **~ de société** deed of partnership; **~ de travail** contract of employment; **~ de vente** sale contract

> **Contrat emploi solidarité**
>
> Part-time contract of employment for young people, based on a fixed-term contract and paying rates below the minimum wage level of the *SMIC*. Created to help the educationally disadvantaged and those without any formal qualifications, these state-sponsored jobs are reserved for those on very low incomes and are designed to allow them to pursue further education in addition to their part-time working hours.

> **Contrat initiative emploi**
>
> A government cash incentive to employers to take on new workers as a measure to reduce unemployment.

contravention /kɔ̃tʀavɑ̃sjɔ̃/ *nf* **1** Aut (document) (pour stationnement illicite) parking ticket; (pour excès de vitesse) speeding ticket; (amende) fine; **dresser (une) ~ à qn** gén to take sb's particulars GB, to fine sb; (pour stationnement illicite) to issue a parking ticket; **flanquer**° *or* **coller**° **une ~ à qn** to book° sb; **2** Jur (infraction) minor offence[GB]; **être en ~ (à la loi)** to be in breach of the law

contre¹ /kɔ̃tʀ/
A *prép* **1** (marquant un contact entre personnes) **viens ~ moi** come to me; **ils étaient couchés l'un ~ l'autre** they were lying close together;

> ## i contre¹
>
> En général la préposition *contre* se traduit par *against* lorsqu'elle sert à indiquer:
> un contact entre des choses:
> ***pousse le fauteuil contre le mur***
> = push the armchair (up) against the wall
> (Les expressions telles que *joue contre joue, pare-chocs contre pare-chocs, furieux contre* sont traitées sous l'élément principal, respectivement **joue, pare-chocs, furieux** etc.)
> une opposition:
> ***lutter/réagir/voter contre le racisme***
> = to fight/react/vote against racism
> une défense:
> ***s'assurer contre le vol***
> = to take out insurance against theft
> ***se protéger contre une attaque***
> = to protect oneself against an attack
> On aura toujours intérêt à consulter l'article de l'élément principal.
> Lorsque *contre* sert à indiquer la proximité, il se traduit par *next to*:
> ***leur jardin est contre le mien***
> = their garden is next to mine
> Lorsque *contre* sert à indiquer un échange, il se traduit par *for*:
> ***changer une chemise trop petite contre une plus grande***
> = to change a shirt which is too small for a larger one
> Lorsque *contre* sert à indiquer une comparaison, il se traduit par *as against*:
> ***22% contre 10% le mois dernier***
> = 22% as against 10% last month
> On trouvera ci-dessous d'autres exemples de *contre* dans ses diverses fonctions.

2 (marquant l'opposition) against; **aller ~ la décision de qn** to go against sb's decision; **je ne vais pas aller ~ ce que tu as dit/fait** I won't go against what you have said/done; **c'est ~ mes principes** it's against my principles; **il a tout le monde ~ lui** everyone is against him; **tout est ~ moi** everything is against me; **être seul ~ tous** to stand alone against everyone else; **être ~ une décision/un projet** to be against a decision/a project; **elle est toujours ~ moi** she's always against me; **tu as quelque chose ~ lui/cette idée?** have you got anything against him/this idea?; **je n'ai rien ~ elle** I've got nothing against her; **on ne peut rien ~ ce genre de choses** there's nothing one can do about that kind of thing; **dix ~ un** (dans un pari) ten to one; **la loi a été adoptée par 230 voix ~ 110** the bill was passed by 230 votes to 110; **Nantes ~ Sochaux** Sport Nantes versus Sochaux, Nantes vs Sochaux; **le procès Bedel ~ Caselli** the Bedel versus Caselli case
B *adv* **1** (marquant un contact) **il y a un mur et une échelle appuyée ~** there's a wall and a ladder leaning against it; **2** (marquant l'opposition) **la majorité a voté ~** the majority voted against it; **'que penses-tu du projet?'—'je suis ~'** 'what do you think of the plan?'—'I'm against it'; **il refuse cette option, moi je n'ai rien ~** he rejects this option, but I have nothing against it; **si le comité vote en faveur des travaux je n'irai pas ~** if the committee votes for the work to go ahead, I won't go against it
C par contre *loc adv* on the other hand; **je pense par ~ que** on the other hand I think that; **en France, par ~, il est possible de...** in France, on the other hand, it is possible to...; ▸ **fortune**

contre² /kɔ̃tʀ/ *nm* **1** (d'opposition) **le pour et le ~** the pros and cons (*pl*); **2** Sport counter-attack; **faire un ~** to counter-attack; **3** Jeux (au bridge) double

contre-accusation, *pl* **~s** /kɔ̃tʀakyzasjɔ̃/ *nf* Jur counter-charge

contre-alizé, *pl* **~s*** /kɔ̃tʀalize/ *nm* anti-trade (wind)

contre-allée, *pl* **~s*** /kɔ̃tʀale/ *nf* (de route) service road; (de parc) side path; (d'église) side aisle

contre-alliance, *pl* **~s*** /kɔ̃tʀaljɑ̃s/ *nf* counter alliance

contre-amiral, *pl* **-aux*** /kɔ̃tʀamiʀal, o/ ▸ **p. 406** *nm* ≈ commodore

contre-analyse* /kɔ̃tʀanaliz/ *nf* counter analysis

contre-argument, *pl* **~s*** /kɔ̃tʀaʀgymɑ̃/ *nm* counter-argument

contre-attaque, *pl* **~s*** /kɔ̃tʀatak/ *nf* counter-attack

contre-attaquer* /kɔ̃tʀatake/ [1] *vi* to counter-attack

contre-autopsie, *pl* **~s*** /kɔ̃tʀotɔpsi/ *nf* second autopsy

contrebalancer /kɔ̃tʀəbalɑ̃se/ [12]
A *vtr* **1** (faire équilibre à) to counterbalance [*poids, force*]; **2** (compenser) to offset, to counterbalance [*importance*]; to offset, to make up for [*inconvénient, influence*]; to offset [*sentiment*]; **~ l'influence de la télévision** to offset the influence of television
B se contrebalancer *vpr* **1** (s'équilibrer) to counterbalance each other; **2** °(se moquer de) **se ~ de qch** not to give a damn° about sth; **je m'en contrebalance** I don't give a damn°

contrebande /kɔ̃tʀəbɑ̃d/ *nf* **1** (activité) smuggling; **faire de la ~** to be a smuggler, to be involved in smuggling; **faire de la ~ de vodka** to smuggle vodka; **faire la ~ d'armes** to smuggle arms; **la ~ d'armes** gun-running; **sortir/introduire qch en ~** (dans un pays) to smuggle sth out of/into the country; **des cigarettes de ~** smuggled cigarettes; **2** (marchandises) smuggled goods (*pl*), contraband; **vendre de la ~** to sell smuggled goods

contrebandier, **-ière** /kɔ̃tʀəbɑ̃dje, ɛʀ/ *nm,f* smuggler

contrebas: **en contrebas** /ɑ̃kɔ̃tʀəbɑ/ *loc adv* (down) below; **en ~ de** (de montagne, hauteur) at the foot of; **la rivière coule en ~ de la maison** the stream runs (down) below the house; **la maison est en ~ de la route** the house is at a lower level than the road

contrebasse /kɔ̃tʀəbas/ *nf* **1** ▸ **p. 557** (instrument) double bass; upright bass US; **2** ▸ **p. 532** (musicien) double bass player

contrebassiste /kɔ̃tʀəbasist/ ▸ **p. 532** *nmf* double bass player

contrebasson /kɔ̃tʀəbasɔ̃/ *nm* **1** ▸ **p. 557** (instrument) contrabassoon; **2** ▸ **p. 532** (musicien) contrabassoon player

contre-braquer* /kɔ̃tʀəbʀake/ [1] *vi* (pour se garer) to turn the wheel in the opposite direction; (en dérapage) to steer into a skid

contrecarrer /kɔ̃tʀəkaʀe/ [1] *vtr* to thwart, to foil [*effort, projet*]; to counteract [*influence, décision*]; **il faut ~ l'avancée des troupes ennemies** we must block the enemy's advance

contrechamp /kɔ̃tʀəʃɑ̃/ *nm* Cin (prise de vue) reverse angle; (plan) reverse shot

contre-chant, *pl* **~s*** /kɔ̃tʀəʃɑ̃/ *nm* counterpoint

contrechâssis /kɔ̃tʀəʃasi/ *nm inv* Tech double windowframe

contreclé /kɔ̃tʀəkle/ *nf* Archit archstone adjoining the keystone

contrecœur /kɔ̃tʀəkœʀ/
A *nm* **1** (de cheminée) fireback; **2** Rail guard rail, check rail
B à contrecœur *loc adv* [*donner, prêter*] grudg-

ingly, reluctantly; [*travailler, accepter*] reluctantly; **c'est à ~ que je lui ai prêté ma voiture** I lent him/her my car reluctantly

contrecollé /kɔ̃tʀəkɔle/ *nm* plywood

contrecoup /kɔ̃tʀəku/ *nm* (conséquences) effects (*pl*), repercussions (*pl*); **le ~ d'une opération** the after-effects of an operation; **subir le ~ de** to feel the effects of; **par ~** as a result

contre-courant, *pl* **~s*** /kɔ̃tʀəkuʀɑ̃/ *nm* counter-current; **nager à ~** to swim against the current; **aller à ~ de** fig to go against the tide of; **aller à ~ de la mode** to go against the fashion

contre-culture, *pl* **~s*** /kɔ̃tʀəkyltyʀ/ *nf* counterculture

contredanse /kɔ̃tʀədɑ̃s/ *nf* **1** ○(amende) gén fine; (pour stationnement illicite) parking ticket; **2** (danse) contredanse

contredire /kɔ̃tʀədiʀ/ [65]
A *vtr* **1** (dire le contraire) to contradict [*personne, affirmation, déclaration*]; **il ne supporte pas qu'elle le contredise** he can't bear her contradicting him; **2** (démentir) [*personne, fait, situation, déclaration*] to contradict, to belie [*témoignage, thèse, objectif*]; [*document*] to belie [*témoignage, résultat*]; **les résultats contredisent vos prévisions** the results contradict *ou* belie your predictions
B se contredire *vpr* **1** (soi-même) to contradict oneself; **2** (l'un l'autre) [*personnes, faits*] to contradict each other; [*témoignages*] to conflict

contredit: **sans contredit** /sɑ̃kɔ̃tʀədi/ *loc adv* fml indisputably

contrée /kɔ̃tʀe/ *nf* **1** (pays) liter land, clime littér; **des ~s lointaines** far-off lands; **2** (région) region, district; **le plus grand buveur de toute la ~** the heaviest drinker for miles around

contre-écrou, *pl* **~s*** /kɔ̃tʀekʀu/ *nm* locknut

contre-électromotrice* /kɔ̃tʀelɛktʀɔmɔtʀis/ *adj f* **force ~** back electromotive force

contre-emploi, *pl* **~s*** /kɔ̃tʀɑ̃plwɑ/ *nm* Théât, Cin **jouer à ~** to play against type

contre-enquête, *pl* **~s*** /kɔ̃tʀɑ̃kɛt/ *nf* second enquiry GB, second inquiry US

contre-épreuve, *pl* **~s*** /kɔ̃tʀepʀœv/ *nf* **1** (en offset) reproduction proof; **2** (vérification) crosscheck

contre-espionnage, *pl* **~s*** /kɔ̃tʀɛspjɔnaʒ/ *nm* **1** (lutte) counter-intelligence, counter-espionage; **2** (organisation) counter-intelligence service

contre-essai, *pl* **~s*** /kɔ̃tʀesɛ/ *nm* control test

contre-étiquette, *pl* **~s*** /kɔ̃tʀetikɛt/ *nf* back label

contre-exemple, *pl* **~s*** /kɔ̃tʀɛgzɑ̃pl/ *nm* exception, counter-example

contre-expertise, *pl* **~s*** /kɔ̃tʀɛkspɛʀtiz/ *nf* second opinion; **demander une ~** to seek a second opinion

contrefaçon /kɔ̃tʀəfasɔ̃/ *nf* **1** (action) (de signature, billet, gravure, carte de crédit) forging; (de pièces) counterfeiting; (d'invention, enregistrement) pirating; (de brevet) infringement; **poursuivre en ~** Jur (pour invention brevetée) to sue for infringement of patent; **2** (résultat) (signature, billet, gravure) forgery; (pièce, montre) counterfeit; (enregistrement, édition) pirated copy; **'se méfier des ~s'** 'beware of imitations'

contrefacteur /kɔ̃tʀəfaktœʀ/ *nm* (de billets, cartes de crédit, tableau) forger; (de pièces) counterfeiter; (de logiciels, signatures, d'inventions) pirate

contrefaire /kɔ̃tʀəfɛʀ/ [10] *vtr* **1** Comm, Jur (falsifier) to forge [*signature, billet, carte de crédit*]; to counterfeit [*pièce, montre*]; to pirate [*invention, enregistrement*]; to infringe [*brevet*]; **2** (imiter) liter to imitate [*personne, voix*]; **3** (déguiser) to disguise [*voix, écriture*]; **4** †(simuler) to feign; **5** †(déformer) to distort [*visage*]; to deform [*pied*]

contrefait, **~e** /kɔ̃tʀəfɛ, ɛt/ *adj* (difforme) [*personne, membre*] misshapen

contre-fenêtre, *pl* **~s*** /kɔ̃tʀəfənɛtʀ/ *nf* secondary glazing ₵

contre-fer, *pl* **~s*** /kɔ̃tʀəfɛʀ/ *nm* iron cap

contre-feu, *pl* **~x*** /kɔ̃tʀəfø/ *nm* **1** (feu de prévention) backfire; **2** (de cheminée) fireback

contreficher○: **se contreficher** /kɔ̃tʀəfiʃe/ [1] *vpr* not to give a damn○ (**de** about; **que** if)

contre-fil, *pl* **~s*** /kɔ̃tʀəfil/ *nm* (irrégularité) cross-grain ₵; **bois qui présente des ~s** cross-grained wood; **à ~** [*couper, graver*] against the grain

contre-filet* /kɔ̃tʀəfilɛ/ *nm* Culin ≈ sirloin

contrefort /kɔ̃tʀəfɔʀ/ *nm* **1** Géog foothills (*pl*); **les ~s de l'Atlas** the foothills of the Atlas Mountains; **2** Archit buttress; **3** (de chaussure) back, counter spéc

contrefoutre◑: **se contrefoutre** /kɔ̃tʀəfutʀ/ [6] *vpr* not to give a shit● (**de** about; **que** if)

contre-indication, *pl* **~s*** /kɔ̃tʀɛ̃dikasjɔ̃/ *nf* contraindication; **les ~s d'un médicament** the contraindications of a medicine

contre-indiqué, **~e**, *mpl* **~s*** /kɔ̃tʀɛ̃dike/ *adj* [*médicament*] contraindicated; [*activité*] inadvisable

contre-insurrection, *pl* **~s*** /kɔ̃tʀɛ̃syʀɛksjɔ̃/ *nf* counter-insurrection

contre-interrogatoire, *pl* **~s*** /kɔ̃tʀɛ̃teʀɔgatwaʀ/ *nm* cross-examination; **soumettre qn à un ~** Jur to cross-examine sb

contre-jour, *pl* **~s*** /kɔ̃tʀəʒuʀ/ *nm* Phot, Cin **1** (effet) backlighting, contre-jour spéc; **à ~** against *ou* into the light; **prendre une photo à ~** to take a photograph into *ou* against the light; **2** (photo) contre-jour *ou* back-lit photograph

contre-la-montre /kɔ̃tʀəlamɔ̃tʀ/ *nm inv* Sport time trial; ▸ **montre**

contremaître, **-esse*** /kɔ̃tʀəmɛtʀ, tʀɛs/ ▸ p. 532 *nm,f* foreman/forewoman

contre-manifestant, **~e**, *mpl* **~s*** /kɔ̃tʀəmanifɛstɑ̃, ɑ̃t/ *nm,f* counter-demonstrator

contre-manifestation, *pl* **~s*** /kɔ̃tʀəmanifɛstasjɔ̃/ *nf* counter-demonstration

contremarche /kɔ̃tʀəmaʀʃ/ *nf* **1** (d'escalier) riser; **2** Mil countermarch

contremarque /kɔ̃tʀəmaʀk/ *nf* **1** Théât, Cin pass (*for re-entry into theatre*); **2** Transp *voucher showing that the bearer is travelling on a group ticket*; **3** Admin, Comm counterseal

contre-mesure, *pl* **~s*** /kɔ̃tʀəməzyʀ/ *nf* countermeasure
(Composé) **~ électronique** Mil electronic countermeasure

contre-offensive, *pl* **~s*** /kɔ̃tʀɔfɑ̃siv/ *nf* counteroffensive

contre-offre, *pl* **~s*** /kɔ̃tʀɔfʀ/ *nf* counter-bid

contre-OPA /kɔ̃tʀɔpea/ *nf inv* counter-bid, counter-offer; **faire une ~** to make a counter-bid *ou* counter-offer

contrepartie /kɔ̃tʀəpaʀti/ *nf* **1** (équivalent) equivalent (**en** in); **2** (contrepoids) **c'est la ~ de la liberté que ça te laisse** it is the price you have to pay for the freedom it gives you; **mais la ~ est que le salaire est élevé** but this is offset by the high salary; **3** (dédommagement) compensation; **en ~** (en compensation) in compensation (**de** for); (en échange) in return (**de** for); **moyennant ~** for a consideration; **4** (inverse) (d'opinion) opposing view; (d'argument) counter-argument; **5** Compta (registre) duplicate register; (entrée) contra (item); **en ~** per contra; **6** Fin, Jur (autre partie) other side *ou* party; **faire de la ~** to operate a suspense account; **7** Mus other part

contre-pente, *pl* **~s*** /kɔ̃tʀəpɑ̃t/ *nf* opposite slope

contre-performance, *pl* **~s*** /kɔ̃tʀəpɛʀfɔʀmɑ̃s/ *nf* poor performance; **~ commerciale** poor commercial performance

contrepet /kɔ̃tʀəpɛ/ *nm*, **contrepèterie** /kɔ̃tʀəpɛtʀi/ *nf* (deliberate) spoonerism

contre-pied, *pl* **~s*** /kɔ̃tʀəpje/ *nm* **1** fig **prendre le ~ de qn** (en paroles) to say the opposite of what sb says (**de** about, on); **2** Sport **prendre qn à ~** to wrong-foot sb

contreplaqué /kɔ̃tʀəplake/ *nm* plywood

contre-plongée, *pl* **~s*** /kɔ̃tʀəplɔ̃ʒe/ *nf* low-angle shot; **en ~** from below; **filmer en ~** to film a low-angle shot, to film from below

contrepoids /kɔ̃tʀəpwa/ *nm* **1** lit, fig counterweight, counterbalance; **faire ~** to act as a counterbalance; **faire ~ à qch** lit, fig to counterbalance sth; **2** (de funambule) balancing pole

contrepoint /kɔ̃tʀəpwɛ̃/ *nm* **1** Mus counterpoint; **écrit en ~** written in counterpoint; **2** fig counterpoint; **en ~** as a counterpoint (**à** to); **servir de ~ à qch** to counterpoint sth, to serve as a counterpoint to sth

contrepoison /kɔ̃tʀəpwazɔ̃/ *nm* lit, fig antidote

contre-porte, *pl* **~s*** /kɔ̃tʀəpɔʀt/ *nf* inner door

contre-pouvoir, *pl* **~s*** /kɔ̃tʀəpuvwaʀ/ *nm* forces (*pl*) of opposition

contre-productif, **-ive*** /kɔ̃tʀpʀɔdyktif, iv/ *adj* counterproductive

contre-programmation, *pl* **~s*** /kɔ̃tʀəpʀɔgʀamasjɔ̃/ *nf* TV *changing of scheduled programmes for competitive purposes*

contre-projet, *pl* **~s*** /kɔ̃tʀəpʀɔʒɛ/ *nm* counter-proposal

contre-propagande* /kɔ̃tʀəpʀɔpagɑ̃d/ *nf* counter-propaganda

contre-proposition, *pl* **~s*** /kɔ̃tʀəpʀɔpozisjɔ̃/ *nf* counter-proposal

contre-publicité* /kɔ̃tʀəpyblisite/ *nf* adverse publicity

contrer /kɔ̃tʀe/ [1]
A *vtr* **1** (se dresser contre) to counter, to fend off [*offensive, armée*]; to counter [*délinquance, accusation*]; to fend off [*concurrent, opposition*]; to combat [*agressivité*]; to oppose [*parti*]; to block [*initiative*]; **2** Sport to block [*adversaire*]
B *vi* Jeux (aux cartes) to double

contre-rail, *pl* **~s*** /kɔ̃tʀəʀɑj/ *nm* guard rail

Contre-Réforme* /kɔ̃tʀəʀefɔʀm/ *nf* Counter-Reformation

contre-révolution, *pl* **~s*** /kɔ̃tʀəʀevɔlysjɔ̃/ *nf* counter-revolution

contre-révolutionnaire, *pl* **~s*** /kɔ̃tʀəʀevɔlysjɔnɛʀ/ *adj*, *nmf* counter-revolutionary

contrescarpe /kɔ̃tʀɛskaʀp/ *nf* counterscarp

contreseing /kɔ̃tʀəsɛ̃/ *nm* counter-signature; **apposer son ~** to countersign

contresens /kɔ̃tʀəsɑ̃s/ *nm* **1** (erreur) misinterpretation; (en traduisant) serious mistranslation; **faire un ~ sur qch** to misinterpret *ou* misconstrue sth; [*traducteur*] to mistranslate sth; **2** (absurdité) aberration; **3** (sens contraire) **prendre le ~ du trafic** to go against the flow of traffic; **à ~** [*rouler, avancer*] in the opposite direction; (dans le mauvais sens) the wrong way; [*raboter*] against the grain; **agir à ~** to do the precise opposite of what should be done

contresigner /kɔ̃tʀəsiɲe/ [1] *vtr* to countersign

contre-site, *pl* **~s*** /kɔ̃tʀəsit/ *nm* Ordinat counter-site

contre-sommet, *pl* **~s*** /kɔ̃tʀəsɔmmɛ/ *nm* Pol counter-summit

contretemps /kɔ̃tʀətɑ̃/ *nm inv* **1** (difficulté) setback, contretemps sout; **2** Mus syncopation; **à ~** lit [*jouer*] gén on the off-beat; (par erreur) out of time; fig [agir, parler, intervenir] at the wrong moment

contre-terrorisme, pl **~s*** /kɔ̃tʀətɛʀɔʀism/ nm counter-terrorism

contre-terroriste, pl **~s*** /kɔ̃tʀətɛʀɔʀist/ adj, nmf counter-terrorist

contre-torpilleur, pl **~s*** /kɔ̃tʀətɔʀpijœʀ/ nm destroyer

contre-ut, pl **~(s)*** /kɔ̃tʀyt/ nm high C

contre-valeur, pl **~s*** /kɔ̃tʀəvalœʀ/ nf Fin exchange value

contrevenant, **~e** /kɔ̃tʀəvənɑ̃, ɑ̃t/ nm,f offender

contrevenir /kɔ̃tʀəvəniʀ/ [36] vtr ind **~ à** to contravene, to infringe [loi, règle, accord]; to contravene [ordre]

contrevent /kɔ̃tʀəvɑ̃/ nm **1** (volet) shutter; **2** (de charpente) brace, strut

contre-vérité, pl **~s*** /kɔ̃tʀəveʀite/ nf untruth

contre-visite, pl **~s*** /kɔ̃tʀəvizit/ nf Méd (examen) second examination; (visite de contrôle) follow-up inspection

contre-voie, pl **~s*** /kɔ̃tʀəvwɑ/ nf Rail opposite track; **descendre à ~** [voyageur] to get out on the wrong side of the track

contribuable /kɔ̃tʀibɥabl/ nmf taxpayer

contribuer /kɔ̃tʀibɥe/ [1] vtr ind **~ à** to contribute to [frais]; to contribute to [projet, résultat]; **cela y a beaucoup contribué** it was a major factor, it played a large part in it; **~ aux dépenses** to pay one's share of the expenses; **l'argent ne fait pas le bonheur mais il y contribue** money doesn't buy happiness, but it helps

contributif, **-ive** /kɔ̃tʀibytif, iv/ adj Jur [part] contributory

contribution /kɔ̃tʀibysjɔ̃/

A nf (participation) contribution (**aux frais** toward(s) the costs; **à une entreprise** to an undertaking); **apporter sa ~ au projet** to make one's contribution to the project; **mettre qn à ~** to call upon sb's services

B contributions nfpl **1** (impôts) (à l'État) taxes; (à la commune) local taxes; **2** (bureau) tax office (sg)

(Composés) **~ sociale généralisée**, **CSG** supplementary social security contribution; **~s directes/indirectes** direct/indirect taxes; **~s foncières** property taxes

contrister /kɔ̃tʀiste/ [1] vtr liter to grieve [personne]; **être contristé du malheur des autres** to be sad at other people's misfortunes

contrit, **~e** /kɔ̃tʀi, it/ adj [personne, air] contrite, apologetic; **d'un air** or **sur un ton ~** apologetically

contrition /kɔ̃tʀisjɔ̃/ nf liter contrition sout; **acte de ~** act of contrition

contrôlable /kɔ̃tʀolabl/ adj **1** (maîtrisable) [situation, coût, variable, maladie] controllable; **2** (pouvant être surveillé) which can be monitored (après n); **difficilement ~** difficult to monitor (après n); **exportations difficilement ~s** exports which are difficult to monitor

contrôle /kɔ̃tʀol/ nm **1** (maîtrise) control (**de** of; **sur** over); **~ d'une région/société** control of a region/company; **prendre/perdre le ~** to take/to lose control; **prendre le ~ de** Fin to take a controlling interest in; **reprendre le ~ de la situation** to regain control of the situation; **échapper au ~ de** to slip out of the control of; **sous ~** under control; **sous le ~ de** under the control of; **passer sous ~ américain** to come under American control; **~ de l'inflation** control of inflation; **dispositif de ~** control mechanism; **avoir le ~ du ballon** to have control of the ball; **perdre le ~ de son véhicule** to lose control of one's vehicle; **2** Admin check; **~ de police/sécurité** police/security check; **moyen de ~** means of checking; **~ des billets** ticket inspection; **~ douanier** customs control; **3** Compta audit; **~ annuel** annual audit; **4** (suivi) monitoring ₵; **~ de l'environnement/d'une expérience** monitoring of the environment/of an experiment; **5** Scol, Univ test; **~ de géographie** geography test; **6** Dent, Méd check-up; **~ dentaire** dental check-up; **sous ~ médical** under medical supervision

(Composés) **~ d'accès** access control; **~ d'altitude** altitude control; **~ antidopage** dope test; **être soumis à un ~ antidopage** to be given a dope test; **~ des changes** Écon exchange controls (pl); **~ des connaissances** assessment ; **~ continu (des connaissances)** continuous assessment; **~ fiscal** tax investigation; **~ de gestion** management control; **~ d'identité** identity check; **~ judiciaire** legal restrictions (pl) pending trial; **mettre** ou **placer qn sous ~ judiciaire** to impose legal restrictions on sb pending trial; **être placé sous ~ judiciaire** to be subject to legal restrictions pending trial; **~ laitier** milk quality control test; **~ des naissances** birth control; **~ des passeports** (action, guérite) passport control; **~ des passeports s'il vous plaît!** passports please!; **~ phytosanitaire** plant control; **~ des prix** Écon price controls (pl); **~ de qualité** Ind quality control; **~ qualité assisté par ordinateur**, **CQAO** computer-aided quality control; **~ sanitaire** Admin health control; **~ de soi** Psych self-control; **~ technique (des véhicules)** Aut MOT (test); **~ du trafic aérien** Aviat air-traffic control; **~ vétérinaire** animal control

contrôler /kɔ̃tʀole/ [1]

A vtr **1** Fin, Mil, Pol (exercer son autorité sur) to control [pays, organisation, entreprise, marché]; **2** Écon, Psych, Sport (maîtriser) to control [prix, tremblement, prolifération, ballon]; **3** (superviser) to monitor [cessez-le-feu, opération, expérience]; **4** (vérifier) [inspecteur] to check [identité, voiture, billet]; [douanier] to inspect [bagage]; [comptable] to audit [comptes]; [contrôleur] to inspect [comptes]; [percepteur] to check [déclaration d'impôt]; [employé] to test [qualité, produit]; [chercheur] to verify [résultat, témoignage]; [conducteur] to check [huile]; **~ que** to make sure that

B se contrôler vpr (se maîtriser) to control oneself

contrôleur, **-euse** /kɔ̃tʀolœʀ, øz/ ▸ p. 532

A nm,f gén inspector

B nm Électrotech controller; **~ électronique** electronic controller

(Composés) **~ aérien** air-traffic controller; **~ financier** financial controller; **~ de gestion** management controller; **~ de pression** pressure gauge; **~ de qualité** quality control inspector

contrordre /kɔ̃tʀɔʀdʀ/ nm **1** gén **une série d'ordres et de ~s** a series of conflicting orders; **sauf ~** unless I/you etc hear to the contrary; **il y a ~** there's been a change of plan; **2** Mil counter command; **recevoir un ~** to receive a counter command

controuvé, **~e** /kɔ̃tʀuve/ adj liter fabricated

controversable /kɔ̃tʀɔvɛʀsabl/ adj controversial

controverse /kɔ̃tʀɔvɛʀs/ nf controversy (**sur** about); **soulever une** or **donner lieu à ~** to give rise to controversy; **il a relancé la ~ sur le problème de...** he has stirred up controversy about the problem of...

controversé, **~e** /kɔ̃tʀɔvɛʀse/ adj controversial

contumace /kɔ̃tymas/ nf **la procédure de ~** proceedings in the absence of the accused; **condamner qn par ~** to sentence sb in absentia

contusion /kɔ̃tyzjɔ̃/ nf bruise, contusion spéc

contusionner /kɔ̃tyzjɔne/ [1] vtr to bruise [personne, corps]; **avoir le visage contusionné** to have a bruised face

conurbation /kɔnyʀbasjɔ̃/ nf conurbation

convaincant, **~e** /kɔ̃vɛ̃kɑ̃, ɑ̃t/ adj **1** (concluant) [preuve, argument] convincing; **2** (persuasif) [personne, discours] persuasive; **3** Sport [tactique] impressive

convaincre /kɔ̃vɛ̃kʀ/ [57]

A vtr **1** to convince [incrédule] (**de** of; **que** that); to persuade [indécis] (**de faire** to do); **on a fini par le ~ de rester** we managed to persuade him to stay ou talk him○ into staying; **je ne suis pas convaincu** I remain to be convinced; **se laisser ~** to let oneself be persuaded; (à tort) to allow oneself to be persuaded; **crois-tu qu'il se laisserait ~?** do you think that he is open to persuasion?; **2** Jur to prove [sb] guilty (**de** of)

B se convaincre vpr to convince oneself (**de** of)

convaincu, **~e** /kɔ̃vɛ̃ky/

A pp ▸ **convaincre**

B pp adj **1** (persuadé) convinced; [partisan] staunch; **d'un ton ~** with conviction; **s'adresser à des auditeurs ~s** to preach to the converted; **2** (prouvé coupable) found guilty (**de** of)

convalescence /kɔ̃valesɑ̃s/ nf convalescence; **être en ~** to be convalescing; **sortir de ~** to finish convalescing

convalescent, **~e** /kɔ̃valesɑ̃, ɑ̃t/

A adj [personne] convalescent; [économie] on the mend (jamais épith)

B nm,f convalescent

convecteur /kɔ̃vɛktœʀ/ nm convector heater

convection /kɔ̃vɛksjɔ̃/ nf convection

convenable /kɔ̃vnabl/ adj **1** (approprié) [solution] suitable, appropriate; [endroit] suitable; **peu ~** [tenue] unsuitable; **2** (acceptable) [résultat, travail] reasonable, decent; [salaire, logement] decent, reasonable; [vin, repas] acceptable, decent; **tout juste ~** barely acceptable; **3** (bienséant) [vêtement] decent; [conduite, manières] proper; **pas ~** [vêtement] inappropriate; [conduite] improper; **il n'est pas ~ d'arriver en retard** it isn't done to arrive late; **4** (respectable) [gens, famille] respectable

convenablement /kɔ̃vnabləmɑ̃/ adv **1** (sans erreur) [fonctionner, s'exprimer] properly; **2** (de façon acceptable) [manger, travailler, payer] reasonably well; **3** (de façon appropriée) [vêtu] properly; **4** (sans choquer) [se vêtir] decently; [se conduire] properly

convenance /kɔ̃vnɑ̃s/

A nf **cette maison est à ma ~** (à mon goût) this house is to my liking; (qui m'arrange) this house suits me; **pour (des motifs de) ~ personnelle** for personal reasons; **lundi ou mardi, à votre ~** on Monday or Tuesday, to suit you ou at your convenience; **un mariage de ~** a marriage of convenience

B convenances nfpl (bienséance) conventions; **respecter/braver les ~s** to respect/to defy convention ou the conventions; **au mépris des ~s** in defiance of convention; **par souci des ~s** for propriety's sake

convenir /kɔ̃vniʀ/ [36]

A vtr **1** (concéder) to admit (**que** that); **convenez que c'est faux** you must admit (that) it's wrong; **~ avoir fait** to admit having done; **2** (s'entendre) to agree (**que** that); **nous sommes convenus** or **avons convenu que** we have ou are agreed that

B convenir à vtr ind (plaire à) to suit [personne, goût]; (être approprié à) to be suitable for [circonstance, activité]; to suit, to be suitable for [personne]; (ne pas gêner) [rendez-vous, horaire] to be convenient for [personne]; [aliment, climat] to agree with, to suit [personne]; **ce poste m'aurait convenu** that job would have suited me; **si cela vous convient** if it suits you; **la date ne me convient pas** that date isn't convenient for me; (plus catégorique) that date is no good for me; **c'est tout à fait ce qui me convient** it's exactly what I need; **de la taille/couleur qui convient** of a suitable size/colour[GB]; **de la façon qui convient** in the appropriate manner; **l'expression/le geste qui convient** the appropriate expression/gesture; **l'homme/le mot qui convient** the right man/word

C **convenir de** *vtr ind* **1** (reconnaître) **~ de** to admit, to acknowledge [*faute, erreur*]; to acknowledge [*qualité*]; **il convient d'avoir été injuste** he admits *ou* acknowledges (that) he has been unfair; **j'en conviens** I accept that; **2** (s'accorder sur) **~ de** [*personnes*] to agree on [*date, prix*]; **~ de faire** to agree to do

D **se convenir** *vpr* (être assorti) [*personnes*] to be well suited *ou* matched

E *v impers* **1** (il est sage, correct, nécessaire) **il convient de faire** one should do *ou* ought to do; **il convient que vous fassiez** you should do, you ought to do; **dire ce qu'il aurait convenu de taire** to say what should have been left unsaid; **il aurait convenu de noter** it should have been noted; **2** (il est entendu) fml **il a été/est convenu que** it has been/is agreed that; **il était convenu depuis longtemps que** it had long been agreed that; **il est convenu ce qui suit** it has been agreed as follows; **ce qu'il est convenu d'appeler le réalisme** what is commonly called realism; **comme convenu** as agreed

convention /kɔ̃vɑ̃sjɔ̃/

A *nf* **1** (accord, contrat) gén agreement; (officiel) covenant; (entre nations) convention; (clause) article, clause; **cela n'était pas dans nos ~s** that was not part of our agreement; **sauf ~ contraire** unless otherwise agreed, unless there be a clause to the contrary fml; **2** (usage admis) convention; **c'est par ~ que...** it is a convention that...; **de ~** conventional; **3** Pol (assemblée) convention

B **conventions** *nfpl* (convenances) convention ₵; **défier les ~s** to defy convention

(Composés) **~ collective** Écon ≈ collective labour[GB] agreement; **~ financière** Fin financial covenant; **Convention nationale** National Convention

convention-cadre, *pl* **conventions-cadres** /kɔ̃vɑ̃sjɔ̃kadʀ/ *nf* outline agreement

conventionné, **~e** /kɔ̃vɑ̃sjɔne/ *adj* Prot Soc, Admin [*clinique*] registered; **médecin ~** *doctor approved by the Department of Health (whose fees are refunded)*; **médecin non ~** private doctor; **médecin ~ honoraires libres** *doctor approved by the Department of Health (whose private fees may be partially refunded)*; **les tarifs ~s** *charges approved by the Department of Health*

conventionnel, **-elle** /kɔ̃vɑ̃sjɔnɛl/

A *adj* **1** gén conventional; **armes non conventionnelles** nonconventional weapons; **2** Jur [*clause*] contractual

B *nm* (en histoire de France) **les ~s** the members of the National Convention

conventionnellement /kɔ̃vɑ̃sjɔnɛlmɑ̃/ *adv* conventionally

conventionnement /kɔ̃vɑ̃sjɔnmɑ̃/ *nm*: *registration of a doctor with the Department of Health*

conventuel, **-elle** /kɔ̃vɑ̃tɥɛl/ *adj* [*vie, règle*] conventual

convenu, **~e** /kɔ̃v(ə)ny/

A *pp* ▸ **convenir**

B *pp adj* **1** (décidé) [*date, prix, termes*] agreed; **2** (conventionnel) [*expression, tour*] conventional; [*sourire*] polite, forced

convergence /kɔ̃vɛʀʒɑ̃s/ *nf* **1** (d'idées, intérêts, de politiques) convergence; **la ~ de leurs efforts a permis de réaliser le projet** their combined efforts have seen the project through; **la ~ des volontés a permis de...** a joint effort of will has made it possible to...; **2** (de faisceaux lumineux, lentille) convergence; (de chemins) meeting, joining; **3** Math convergence

convergent, **~e** /kɔ̃vɛʀʒɑ̃, ɑ̃t/ *adj* **1** Phys convergent; **2** fig similar, convergent

converger /kɔ̃vɛʀʒe/ [13] *vi* **1** (dans l'espace) [*chemins, véhicules, personnes*] to converge (**vers** on); **tous les regards convergèrent sur elle** all eyes turned toward(s) her; **2** fig **nos réflexions convergent vers les mêmes conclusions** our thoughts are leading us to the same conclusions; **tous nos efforts doivent ~ vers un seul but, l'Europe!** all of our efforts should be focused on one goal, Europe!; **nos opinions convergent** we're of the same opinion; **3** Math, Phys to converge

convers, **~e** /kɔ̃vɛʀ, ɛʀs/ *adj* Relig lay

conversation /kɔ̃vɛʀsasjɔ̃/ *nf* conversation (**avec** with); **une ~ privée/au coin du feu/téléphonique** a private/fireside/telephone conversation; **la ~ mondaine** *or* **de salon** polite conversation; **être en (grande) ~ (avec qn)** to be (deep) in conversation (with sb); **engager la ~** to strike up a conversation; **faire les frais de la ~** (en être l'objet) to be the chief topic *ou* subject of conversation; (la mener) to do all the talking; **faire la ~ à qn** to make conversation with sb; **rechercher la ~ de qn** to seek sb out for his/her conversation; **n'avoir aucune ~** to have no conversation; **avoir de la ~** to be a good conversationalist; **faire un brin** *or* **bout de ~** to have a little chat (**à** with); **anglais/français de ~** conversational English/French; **dans la ~ courante** in everyday *ou* ordinary speech

(Composés) **~ de bistrot** *or* **comptoir** bar-room talk; **~ à trois** Télécom three-way calling; **~s diplomatiques** diplomatic talks

conversationnel, **-elle** /kɔ̃vɛʀsasjɔnɛl/ *adj* Ordinat interactive

converser /kɔ̃vɛʀse/ [1] *vi* to converse sout (**avec** with)

conversion /kɔ̃vɛʀsjɔ̃/ *nf* **1** Relig, fig conversion (**à** to); **2** (transformation) (d'entreprise) conversion (**en** into); (d'employé) re-training; **prime de ~** conversion premium; **des aides à la ~** incentives for companies changing to a new line of production; **3** (de monnaie, dette) conversion (**en** into); **le taux de ~** the conversion rate; **4** (de degrés, mesures, poids) conversion (**en** into); converting (**en** into); **la ~ de miles en kilomètres** the conversion of miles into kilometres[GB], converting miles into kilometres[GB]; **5** Sport (en ski) kick-turn

converti, **~e** /kɔ̃vɛʀti/

A *pp* ▸ **convertir**

B *pp adj* converted

C *nm,f* convert

(Idiome) **prêcher un ~** to preach to the converted

convertibilité /kɔ̃vɛʀtibilite/ *nf* Fin (de devise, d'action) convertibility

convertible /kɔ̃vɛʀtibl/ *adj* **1** Fin [*devise, capital*] convertible (**en** into); **2** Math, Ordinat convertible (**en** to); **3** (transformable) **canapé ~** sofa-bed; **avion ~** convertiplane

convertir /kɔ̃vɛʀtiʀ/ [3]

A *vtr* **1** (faire changer d'idée) to convert [*personne, parti, gouvernement*] (**à** to); **~ qn au christianisme** to convert sb to Christianity; **~ qn à l'écologie/au végétarisme** to convert sb to ecological ideals/to vegetarianism; **2** (transformer) to convert [*industrie, logements*] (**en** into); **3** Fin to convert [*devise, prêt, dette*] (**en** into); **4** Math, Ordinat to convert [*fractions, texte*] (**en** to)

B **se convertir** *vpr* [*personne*] to convert, to become a convert (**à** to); [*entreprise*] to change products; **le pays doit se ~ au libéralisme** the country must go over to GB *ou* must adopt liberalism

convertisseur /kɔ̃vɛʀtisœʀ/ *nm* converter

(Composés) **~ analogique-numérique** Ordinat analogue[GB] to digital converter, ADC; **~ Bessemer** Bessemer converter; **~ de couple** torque converter; **~ francs euros** franc-euro currency converter; **~ d'image** image converter; **~ numérique-analogique** digital to analogue[GB] converter, DAC; **~ de tension** transformer

convexe /kɔ̃vɛks/ *adj* convex

convexité /kɔ̃vɛksite/ *nf* convexity

conviction /kɔ̃viksjɔ̃/

A *nf* **1** (certitude) conviction; **avoir la ~ que** to be convinced that; **j'en ai l'intime ~** I am utterly convinced of it; **agir par ~** to act on the strength of one's conviction(s); **2** (fougue, sérieux) conviction; **sans grande/avec ~** without much/with conviction; ▸ **pièce**

B **convictions** *nfpl* (opinions) convictions

convier /kɔ̃vje/ [2] *vtr* **1** (inviter) to invite [*personne*] (**à** to); **2** (engager) to invite [*personne*] (**à faire** to do); to ask [*population, entreprise*] (**à faire** to do); **je vous convie à examiner ce problème** I suggest you look at this problem

convive /kɔ̃viv/ *nmf* guest

convivial, **~e**, *mpl* **-iaux** /kɔ̃vivjal, o/ *adj* **1** [*repas, atmosphère, réunion*] friendly, convivial; **2** Ordinat user-friendly

convivialité /kɔ̃vivjalite/ *nf* **1** (de personne) friendliness, conviviality; (d'atmosphère, de réunion) warmth, friendliness; **la réunion s'est déroulée dans la ~** it was a warm and friendly meeting; **instaurer des rapports de ~ (entre les gens)** to establish friendly relations (between people); **2** Ordinat user-friendliness

convocation /kɔ̃vɔkasjɔ̃/ *nf* **1** (appel) (d'assemblée) convening, convocation sout; (d'individu) gén summoning; Mil (de réserviste) calling up; (pour entrevue) invitation; **il n'y a pas eu ~ de tous les participants** not all participants were invited to attend; **se rendre à une ~** gén to attend as instructed; Jur to obey a summons; **se présenter à un bureau sur ~** Admin to call at an office after being requested to do so; **2** (lettre) (ordre) gén notice to attend; Jur summons (*sg*); Mil call-up papers (*pl*); (invitation) invitation; **j'ai reçu une ~ à la mairie** I have received a letter asking me to call at the town hall; **~ aux examens** notification of examination timetables

convoi /kɔ̃vwa/ *nm* **1** (de véhicules, prisonniers, troupes) convoy; **un ~ militaire** a military convoy; **un ~ de ravitaillement** a supply convoy; **'~ exceptionnel'** Aut 'abnormal load'; **2** Rail train; **un ~ de marchandises** a goods train

(Composé) **~ funèbre** funeral cortege

convoiter /kɔ̃vwate/ [1] *vtr* to covet [*objet, honneurs*]; to covet, to lust after [*femme, fortune*]

convoitise /kɔ̃vwatiz/ *nf* gén desire; (péché) covetousness; (ambition, gourmandise) greed; (concupiscence) lust; (cupidité) lust for money; **l'objet de sa ~** the object of his/her desire; **exciter la ~ de qn** to arouse sb's envy; **regard brillant de ~** eyes shining with greed *ou* lust; **regarder qch avec ~** to cast covetous glances at sth; [*enfant*] to look longingly at sth

convoler /kɔ̃vɔle/ [1] *vi* hum to marry, to wed†; **~ avec qn** to marry *ou* wed† sb; **~ en justes noces** to get married

convoquer /kɔ̃vɔke/ [1] *vtr* **1** (appeler à se réunir) to call, to convene [*réunion, assemblée*]; **la réunion est convoquée pour le 12 juin** the meeting has been called *ou* convened for 12 June; **2** (appeler à se présenter) to send for, to summon [*élève*]; Jur to summon [*témoin*]; Mil to call [sb] up [*soldat, officier*]; **le ministre les a convoqués dans son bureau** the minister summoned them to his/her office; **~ un témoin à la barre** to summon a witness to give evidence; **être convoqué à un examen** to be asked to attend an exam; **être convoqué pour un entretien** to be called for interview

convoyage /kɔ̃vwajaʒ/ *nm* (de personnes, troupes, navires) escorting (**de** of); (de marchandises, secours, d'or) transport, transportation (**de** of)

convoyer /kɔ̃vwaje/ [23] *vtr* **1** (escorter) to escort [*prisonnier, navires, troupes*]; (transporter) to transport [*or, marchandises, secours*]; **2** (jusqu'à son lieu d'utilisation) to ferry [*bateau, avion*]

convoyeur, **-euse** /kɔ̃vwajœʀ/
A ▸ **p. 532** *nm,f* (de prisonnier) prison escort; (de marchandise) courier
B *nm* **1** Ind conveyor; **2** Naut **navire ~** escort ship
(Composés) **~ à bande** Ind conveyor belt; **~ de fonds** security guard; **convoyeuse de l'air** air ambulance nurse

convulser /kɔ̃vylse/ [1] fml
A *vtr* **1** (tordre) [*peur, douleur*] to convulse, to contort [*visage*]; to grip [*estomac*]; **il avait le visage convulsé de rage** his face was convulsed *ou* contorted with rage; **2** (bouleverser) to throw [sth] into turmoil [*pays, société*]
B se convulser *vpr* [*corps, visage*] to be convulsed (**de** with)

convulsif, **-ive** /kɔ̃vylsif, iv/ *adj* **1** [*sanglots, mouvement*] convulsive; [*rire*] nervous; **2** Méd [*toux, maladie*] convulsive

convulsion /kɔ̃vylsjɔ̃/ *nf* **1** Méd convulsion; **avoir des ~s** to have convulsions; **être pris de ~s** to be seized by convulsions; **2** Pol (troubles) convulsions (*pl*), turmoil ₵

convulsionnaire /kɔ̃vylsjɔnɛʀ/
A *adj* liter convulsionary
B *nmf* Hist **les ~s (de Saint-Médard)** the Convulsionaries

convulsionner /kɔ̃vylsjɔne/ [1] *vtr* [*maladie, souffrance*] to convulse [*traits, visage, corps*]; **il avait le visage convulsionné de douleur** his face was convulsed *ou* contorted with pain

convulsivement /kɔ̃vylsivmɑ̃/ *adv* convulsively

cooblígé, **~e** /kɔɔbliʒe/ *nm,f* joint debtor

cooccurrence /kɔɔkyʀɑ̃s/ *nf* cooccurrence

cookie /kuki/ *nm* Ordinat cookie

cool○ /kul/
A *adj inv* cool○, laidback○
B *adv* **s'habiller ~** to dress in a laidback○ way
C *excl* **~ les gars, ça suffit!** come on, cool it, lads GB *ou* guys, that's enough!

coolie /kuli/ *nm* coolie

coopérant /kɔɔpeʀɑ̃/ *nm*: *young man working abroad in lieu of military service*

coopérateur, **-trice** /kɔɔpeʀatœʀ, tʀis/
A *adj* cooperating
B *nm,f* **1** (associé) collaborator; **2** (membre d'une coopérative) member of a cooperative

coopératif, **-ive** /kɔɔpeʀatif, iv/
A *adj* cooperative
B coopérative *nf* (groupement) cooperative; (magasin) co-op
(Composé) **coopérative scolaire** school fund

coopération /kɔɔpeʀasjɔ̃/ *nf* **1** gén (collaboration) cooperation; **apporter sa ~ à un projet** to cooperate in a project; **2** Mil, Pol *form of national service consisting of working abroad*; **faire son service dans le cadre de la ~** to work abroad in lieu of military service

coopératisme /kɔɔpeʀatism/ *nm* cooperation

coopérative ▸ **coopératif**

coopérer /kɔɔpeʀe/ [14]
A coopérer à *vtr ind* to cooperate on *ou* in
B *vi* to cooperate

cooptation /kɔɔptasjɔ̃/ *nf* co-option; **un membre nommé par ~** a co-opted member; **il a été admis par ~** he was co-opted

coopter /kɔɔpte/ [1] *vtr* to co-opt [*personne*]

coordinateur, **-trice** /kɔɔʀdinatœʀ, tʀis/
A *adj* [*bureau, service*] coordinating
B *nm,f* (personne) coordinator

coordination /kɔɔʀdinasjɔ̃/ *nf* **1** gén coordination; **2** (groupe) representative committee

coordonnant /kɔɔʀdɔnɑ̃/ *nm* Ling coordinator

coordonnateur, **-trice** /kɔɔʀdɔnatœʀ, tʀis/ *nm,f* ▸ **coordinateur**

coordonné, **~e** /kɔɔʀdɔne/
A *pp* ▸ **coordonner**
B *pp adj* **1** [*gestes, travail*] coordinated; [*tissus, accessoires, vêtement*] coordinating (*épith*); **2** Ling [*proposition*] coordinate
C coordonnés *nmpl* (vêtements) coordinates; **les ~s de cuisine** coordinating kitchenware
D coordonnées *nfpl* **1** Géog, Math coordinates; **2** (adresse) address and telephone number; **prendre les ~es de qn** to take sb's address and phone number; **je n'ai pas ses ~es** I don't know how to get in touch with him/her; **prendre les ~es d'un magasin** to note the details of a shop

coordonner /kɔɔʀdɔne/ [1] *vtr* (tous contextes) to coordinate

corganisateur, **-trice** /kɔɔʀganizatœʀ, tʀis/ *nm,f* co-organizer

copain○, **copine** /kɔpɛ̃, in/
A *adj* pally○ GB, matey○ GB, chummy○
B *nm,f* (camarade) friend; (acolyte) pej crony; (amoureux) **son ~** her boyfriend; **sa copine** his girlfriend; **c'est un simple ~** he's just a good friend; **on sort en ~s** we go out as friends; **se réunir entre ~s** to get together with friends; (entre hommes) to get together with one's mates○; **se réunir entre copines** to get together with the girls○
(Composés) **~ d'école** *or* **de classe** school friend; **~ de régiment** old army buddy○
(Idiome) **être ~s comme cochons**○ to be as thick as thieves

coparentalité /kopaʀɑ̃talite/ *nf* coparenting

copeau, *pl* **~x** /kɔpo/ *nm* **1** (de bois, métal) shaving; **des ~x de bois** wood shavings; **2** Culin **recouvrez de ~x de parmesan/chocolat** Culin sprinkle with coarsely grated parmesan/chocolate

Copenhague /kɔpɛnag/ *npr* ▸ **p. 894** Copenhagen

Copernic /kɔpɛʀnik/ *npr* Copernicus

copiage /kɔpjaʒ/ *nm* **1** (reproduction) copying; **2** Scol copying (**sur** from)

copie /kɔpi/ *nf* **1** (de document, tableau, logiciel, cassette, film, produit) copy; **être la ~ conforme de qch** to be the exact copy of sth; **être la ~ conforme de qn** to be the spitting image of sb; **~ pirate** pirate copy; **2** (duplication) copying ₵; **3** Scol (feuille) sheet of paper; (devoir) paper; **ramasser les ~s** to collect the papers; **~ d'examen** examination paper; ▸ **blanc**; **4** Imprim copy
(Composés) **~ certifiée conforme** Jur certified true copy; **~ de jugement** Jur copy of judgment; **~ de sauvegarde** back-up copy
(Idiomes) **être en mal de ~** [*journaliste*] to be short of copy; **revoir sa ~** to revise one's work

copié-collé, **copier-coller** /kɔpjekɔle/ *nm* Ordinat copy-and-paste

copier /kɔpje/ [2] *vtr* **1** (transcrire) to copy [*lettre, texte*]; **vous copierez dix fois...** write out ten times...; **il l'a copié dans un livre** he copied it from *ou* out of a book; **2** (reproduire) to copy [*tableau*]; **3** Scol **~ sur qn** to copy *ou* crib from sb [*voisin*]; **il copie!** he's copying!
(Idiome) **tu me la copieras (celle-là)**○! I'm not likely to forget that in a hurry!

copier-coller /kɔpjekɔle/ [1] *vtr* Ordinat to copy and paste

copieur, **-ieuse** /kɔpjœʀ, øz/
A *nm,f* **1** Scol cheat; **c'est une copieuse** she's a cheat; **2** (plagiaire) imitator
B *nm* photocopier; **~ couleur** colour[GB] photocopier

copieusement /kɔpjøzmɑ̃/ *adv* [*manger*] heartily, a lot; [*illustrer*] lavishly; [*annoter*] copiously; **il m'a servi ~** he served *ou* gave me a generous portion; **un repas ~ arrosé** a meal with lots to drink; **se faire ~ tremper/disputer/insulter** hum to get well and truly soaked/told off/insulted; **il s'est ~ ennuyé** hum he was bored stiff

copieux, **-ieuse** /kɔpjø, øz/ *adj* [*repas*] substantial, hearty; [*portion*] generous; [*notes*] copious; [*rapport*] weighty, substantial; **dans ce restaurant c'est bon et c'est ~** it's a good restaurant and the portions are generous; **ce n'est pas très ~** there isn't much of it; **une copieuse engueulade**◑ a good telling off

copilote /kopilɔt/ *nmf* **1** Aviat, Naut co-pilot; **2** Aut co-driver

copinage○ /kɔpinaʒ/ *nm* pej cronyism pėj

copine ▸ **copain**

copiner○ /kɔpine/ [1] *vi* to be pals (**avec** with)

copiste /kɔpist/ ▸ **p. 532** *nmf* copyist

copra(h)* /kɔpʀa/ *nm* copra

coprésidence /kopʀezidɑ̃s/ *nf* (d'association, de club) joint presidency, co-presidency; (de comité) joint chairmanship, co-chairmanship; **il assure la ~ de la conférence avec...** he is joint chairperson of the conference with...

coprésident /kopʀezidɑ̃/ *nm* (de société, d'association) joint president, co-president; (de comité, réunion) co-chair, co-chairman

coprésidente /kopʀezidɑ̃t/ *nf* (de société, d'association) joint president, co-president; (de comité, réunion) co-chair, co-chairwoman

coprévenu, **~e** /kopʀevny/ *nm,f* co-defendant

coprin /kɔpʀɛ̃/ *nm* ink(y) cap, coprinus spéc

coprocesseur /kopʀɔsesœʀ/ *nm* coprocessor

coproducteur, **-trice** /kopʀɔdyktœʀ, tʀis/ *nm,f* co-producer

coproduction /kopʀɔdyksjɔ̃/ *nf* co-production; **le spectacle sera réalisé en ~ avec l'Opéra de Toulouse** the show is being produced jointly with the Toulouse opera company

coproduire /kopʀɔdɥiʀ/ [69] *vtr* to co-produce [*film, spectacle*]

coproduit /kopʀɔdɥi/ *nm* co-product

coprophage /kɔpʀɔfaʒ/ *adj* coprophagous

copropriétaire /kopʀɔpʀijetɛʀ/ *nmf* **1** (dans un immeuble) owner (*of a flat in a jointly-owned building*); **2** (de bien, cheval) co-owner

copropriété /kopʀɔpʀijete/ *nf* (à deux) joint ownership; (à plus de deux) co-ownership; **posséder qch en ~** (à deux) to be joint owner of sth; (à plus de deux) to be co-owner of sth; **acheter qch en ~** to buy sth jointly with someone; **la ~ d'un chemin/d'un mur** joint ownership of a road/of a wall; **vendre des appartements en ~** to sell apartments in a block to individual buyers; **un immeuble en ~** a block of individually owned flats GB, a condominium US

copte /kɔpt/
A *adj* Coptic
B *nmf* Copt; **les ~s** the Copts
C *nm* Ling Coptic

copulatif, **-ive** /kɔpylatif, iv/ *adj* Ling copulative

copulation /kɔpylasjɔ̃/ *nf* copulation

copuler /kɔpyle/ [1] *vi* to copulate (**avec** with)

copyright /kɔpiʀajt/ *nm* copyright

coq /kɔk/ *nm* **1** (de poulailler) cockerel, rooster US; (oiseau mâle) cock; **au chant du ~** at cockcrow; **rouge comme un ~** [*personne*] bright red in the face; **mollets** *or* **jambes de ~** skinny legs; **le ~ gaulois** the French cockerel (*symbol of the French fighting spirit*); ▸ **grand**; **2** Culin cockerel; **3** Archit (de clocher) weathercock; **4** (jeune séducteur) **le ~ du village** the local Casanova; **5** Naut (ship's) cook
(Composés) **~ de bruyère** grouse; **~ de combat** fighting cock; **~ faisan** cock pheasant; **~ nain** bantam cock; **~ au vin** coq au vin
(Idiomes) **être comme un ~ en pâte** to be in

C

clover; **sauter du ~ à l'âne** to hop from one subject to another

coq-à-l'âne, *pl* **coqs-à-l'âne** /kɔkalɑn/ *nm* abrupt change of subject; **faire un ~** to change the subject abruptly; ▸ **coq**

coquard○, **coquart**○ /kɔkaʀ/ *nm* black eye

coque /kɔk/ *nf* 1 Naut hull; **~ en bois/en acier** wooden/steel hull; **un bateau à plusieurs ~s** a multi-hulled ship, a multi-hull; 2 Aviat (d'hydravion) fuselage; Aut (car) body; 3 Zool (coquillage) cockle; 4 (coquille) shell

(Composé) **~ de noix**○ hum leaky old tub

coquelet /kɔklɛ/ *nm* young cockerel

coquelicot /kɔkliko/ *nm* poppy

(Idiome) **être rouge comme un ~** to be as red as a beetroot GB *ou* beet US

coqueluche /kɔklyʃ/ *nf* 1 ▸ **p. 283** Méd whooping cough, pertussis spéc; 2 ○fig (chanteur, acteur, sportif) idol; **être la ~ des jeunes** to be the idol of the younger generation

coquerelle /kɔkʀɛl/ *nf* Can (blatte) cockroach

coquerie /kɔkʀi/ *nf* Naut (à bord) galley; (à terre) canteen, cookhouse US

coquet, **-ette** /kɔkɛ, ɛt/

A *adj* 1 [*personne*] (effet) well turned-out; (attitude) **être ~** to be particular about one's appearance; 2 [*village*] pretty, well-kept, cute US; [*intérieur, chapeau*] pretty; 3 ○[*revenu, somme*] tidy○ (*épith*); [*héritage*] substantial

B coquette† *nf* coquette†, flirt

coquetier /kɔktje/ *nm* eggcup

(Idiome) **il a gagné le ~!** (réussi) he's hit the jackpot○!; iron he's made a great job of that!

coquettement /kɔkɛtmɑ̃/ *adv* [*regarder*] coquettishly; [*s'habiller*] stylishly; [*meubler*] prettily

coquetterie /kɔkɛtʀi/ *nf* 1 (souci de plaire) interest in one's appearance; (excessif) vanity; **s'habiller avec ~** to dress stylishly; **par ~** out of vanity; 2 (envers les hommes) coquetry; 3 (maniérisme) affectation; **ses ~s** (minauderies) her coquettish ways; 4 liter (amour-propre) **elle met toute sa ~ à parler leur langue** she prides herself on speaking their language

(Idiome) **avoir une ~ dans l'œil**○ to have a cast in one's eye

coquillage /kɔkijaʒ/ *nm* 1 (mollusque) shellfish (*inv*); 2 (coquille) shell

coquillard◐ /kɔkijaʀ/ *nm* **s'en tamponner le ~** not to give a hoot○ (about it)

coquille /kɔkij/ *nf* 1 (d'œuf, de noix, mollusque) shell; **poussin à peine sorti de sa ~** newly-hatched chick; **rentrer dans/sortir de sa ~** fig to withdraw into/come out of one's shell; **escalier en ~** spiral staircase; 2 Culin (ravier) scallop-shaped dish; (mets) **~ de saumon** scalloped salmon GB, salmon served in a shell US; 3 Imprim misprint, literal spéc; 4 Archit shell; (feston) scallop; 5 Sport box GB, cup US; 6 (d'épée) guard; 7 Méd (plâtre) spinal jacket

(Composés) **~ de beurre** butter curl; **~ de noix**○ hum cockleshell; **~ d'œuf** (couleur) off-white; **~ Saint-Jacques** scallop; (écaille) scallop shell

coquillette /kɔkijɛt/ *nf* Culin small macaroni ¢; **des ~s** (small) macaroni

coquillier, **-ière** /kɔkije, ɛʀ/ *adj* 1 Agric [*élevage, industrie*] shellfish (*épith*); 2 Géol [*calcaire, roche*] shelly

coquin, **~e** /kɔkɛ̃, in/

A *adj* 1 (espiègle) [*enfant, air*] mischievous; 2 (osé) [*coup d'œil, film*] naughty, saucy

B *nm,f* (enfant) scamp; **petit ~!** you little monkey *ou* scamp!

C †*nm* (scélérat) scoundrel, rascal

D coquin de sort○ *loc excl* (de surprise) what the devil!; (de dépit) damn it○!

cor /kɔʀ/ *nm* 1 ▸ **p. 557** Mus horn; **sonner** *or* **donner du ~** to blow the horn; 2 Méd corn; **j'ai un ~ au pied** I've got a corn on my foot; 3 Zool (de cerf) tine; **un (cerf de) six ~s** a 6-point stag, a 6-pointer

(Composés) **~ anglais** cor anglais; **~ basset** basset horn; **~ de chasse** hunting horn; **~ d'harmonie** French horn; **~ à pistons** valve horn

(Idiome) **réclamer** *or* **demander qch à ~ et à cri** to clamour[GB] for sth

corail, *pl* **-aux** /kɔʀaj, o/

A *adj inv* 1 ▸ **p. 202** (couleur) coral(-pink); **une robe ~** a coral-pink dress; 2 Rail **train ~** *inter-city train*

B *nm* 1 Zool coral; **une barrière de ~** a coral reef; 2 (matière) coral; **un collier en ~** a coral necklace; 3 Culin (de crustacé) coral

corallien, **-ienne** /kɔʀaljɛ̃, ɛn/ *adj* coral (*épith*)

Coran /kɔʀɑ̃/ *nm* **le ~** the Koran; **suivre le ~** to follow the teachings of the Koran

coranique /kɔʀanik/ *adj* [*loi, texte, État*] Koranic; [*préceptes*] of the Koran (*après n*)

corbeau, *pl* **~x** /kɔʀbo/ *nm* 1 Zool crow; **grand ~** raven; 2 ○(auteur de lettres anonymes) poison-pen letter writer; 3 ○(prêtre) offensive priest; 4 Archit corbel; 5 Astron Corvus

(Composés) **~ corneille** carrion crow; **~ freux** rook

(Idiomes) **être noir comme un ~** to be as black as a crow; **avoir des cheveux (couleur) aile de ~** to have raven black hair

corbeille /kɔʀbɛj/ *nf* 1 (en vannerie, en plastique) basket; (de bureau) tray; **~ (à courrier) d'arrivée/de départ** in-/out-tray GB, in-/out-box US; **~ de classement/tri** filing/sorting tray; **une ~ en osier** a wicker basket; **une ~ de fleurs/fruits** a basket of flowers/fruit; 2 Théât dress circle; **un fauteuil de ~** a dress circle seat; 3 (à la Bourse) trading floor; 4 Archit bell

(Composés) **~ à courrier** letter tray; **~ à linge** laundry basket; **~ de mariage** wedding presents (*pl*); **elle a reçu une maison dans sa ~ de mariage** she has been given a house for a wedding present; **~ à pain** bread basket; **~ à papier** (à l'intérieur) (en osier) wastepaper basket; (en métal, en plastique) wastepaper bin, (dans la rue) litter bin GB, trash can US

corbeille-d'argent, *pl* **corbeilles-d'argent** /kɔʀbɛjdaʀʒɑ̃/ *nf* candytuft

corbeille-d'or, *pl* **corbeilles-d'or** /kɔʀbɛjdɔʀ/ *nf* yellow alyssum

corbillard /kɔʀbijaʀ/ *nm* hearse

cordage /kɔʀdaʒ/ *nm* 1 Naut (corde) rope; **~s** rigging ¢; 2 (de raquette) stringing

corde /kɔʀd/ *nf* 1 (câble, lien) rope; **avec une ~** with a (piece of) rope; **à semelles de ~** rope-soled; 2 (d'arc, de raquette) string ▸ **arc**; 3 (pendaison) **la ~** hanging; ▸ **cou**; 4 Sport **être à la ~** [*coureur*] to be on the inside; [*cheval*] to be on the rail; **commencer à la ~** [*coureur*] to start in the inside lane; **envoyer un boxeur dans les ~s** to put a boxer against the ropes; **prendre un virage à la ~** to hug a bend; 5 Mus (d'instrument) string; **les (instruments à) ~s** the strings; **à ~s croisées** [*piano*] overstrung; 6 Tex (fil de chaîne) warp thread; 7 Math chord; 8 Aviat **~ de l'aile** wing chord; 9 (mesure) cord

(Composés) **~ dorsale** spinal cord; **~ à linge** clothes line; **~ lisse** Sport climbing rope; **~ à nœuds** Sport knotted (climbing) rope; **~ raide** lit, fig tightrope; **être sur/marcher sur la ~ raide** to be on/to walk a tightrope; **~ de rappel** Sport abseiling rope; **~ à sauter** skipping rope, jump rope US; **~s du tympan** chorda tympani; **~s vocales** vocal chords

(Idiomes) **pleuvoir** *or* **tomber des ~s** to rain cats and dogs○; **tirer sur la ~** to push one's luck; **il ne vaut pas la ~ pour le pendre** he's absolutely worthless; **ce n'est pas dans mes ~s**○ it's not my line; **c'est dans tes ~s**○ it's just your sort of thing; **toucher** *or* **faire vibrer la ~ sensible de qn** to touch on something close to someone's heart; **faire jouer la ~ sensible** to tug at the heartstrings; **quand la ~ est trop tendue, elle casse** Prov (d'une personne) if you push somebody too far, they'll snap; (d'une situation) if you allow a situation to reach a certain point, something's got to give; ▸ **pendu**

cordeau, *pl* **~x** /kɔʀdo/ *nm* (corde) line; (de jardinier) gardener's line *ou* cord; **tiré** *or* **tracé au ~** fig dead straight; **tracer ses lettres au ~** to write very neatly

(Composés) **~ Bickford** Bickford fuse; **~ détonant** detonator fuse

cordée /kɔʀde/ *nf* 1 (en alpinisme) roped party (of climbers); **~ de secours** mountain rescue party; **premier de ~** leader; 2 ‡(de bois) cord

cordelette /kɔʀdəlɛt/ *nf* thin cord

cordelier /kɔʀdəlje/ *nm* Relig Cordelier

cordelière /kɔʀdəljɛʀ/ *nf* 1 (corde) cord; 2 Archit cable moulding GB *ou* molding US

corder /kɔʀde/ [1] *vtr* 1 Sport to string [*raquette*]; 2 (torsader) to twist; 3 (lier) to tie up [sth] with rope [*ballot, malle*]; to secure [sth] with rope [*cargaison*]

corderie /kɔʀdəʀi/ *nf* 1 (industrie) ropemaking industry; 2 (atelier) rope-works (*pl*)

cordial, **~e**, *mpl* **-iaux** /kɔʀdjal, o/

A *adj* [*accueil, relations*] cordial; [*personne*] warm-hearted; [*sentiment*] warm; **une haine ~e** a deep loathing

B *nm* cordial

cordialement /kɔʀdjalmɑ̃/ *adv* warmly; **détester qn ~** to dislike sb heartily, to detest sb cordially; **~ (vôtre** *or* **à vous)** (dans une lettre) yours sincerely

cordialité /kɔʀdjalite/ *nf* (de relations) warmth, cordiality sout; (de personne, population) friendliness

cordier, **-ière** /kɔʀdje, ɛʀ/

A ▸ **p. 532** *nm,f* (fabricant) ropemaker; (marchand) rope-merchant

B *nm* Mus tailpiece

cordillère /kɔʀdijɛʀ/ *nf* cordillera

(Composés) **la ~ des Andes** the Andes; **la ~ australienne** the Great Dividing Range

cordon /kɔʀdɔ̃/ *nm* 1 (de rideau) cord; (de tablier, bourse, sac) string; (de chaussure) lace; **tenir/dénouer les ~s de la bourse** fig to hold/loosen the purse-strings; **tenir les ~s du poêle** to be a pall-bearer; 2 (d'appareil électrique) flex GB, cord US; 3 (ligne) (d'agents, de troupes) cordon; (d'arbres) row; 4 Anat cord; 5 (décoration) (ruban) ribbon; (écharpe) sash; **~ de la Légion d'honneur** sash of the Legion of Honour[GB]; 6 Hort cordon; 7 Archit (string) course

(Composés) **~ littoral** offshore bar; **~ médullaire** spinal cord; **~ ombilical** umbilical cord; **couper le ~ (ombilical)** lit, fig to cut the umbilical cord; **~ sanitaire** cordon sanitaire

cordon-bleu, *pl* **cordons-bleus** /kɔʀdɔ̃blø/ *nm* cordon-bleu cook

cordonnerie /kɔʀdɔnʀi/ ▸ **p. 532** *nf* 1 (fabrication) shoemaking; (réparation) shoe repairing; 2 (boutique) cobbler's; **aller à la ~** to go to the cobbler's

cordonnet /kɔʀdɔnɛ/ *nm* 1 (fil solide) buttonhole thread; 2 (petit cordon) thin cord

cordonnier /kɔʀdɔnje/ ▸ **p. 532** *nm* cobbler; **aller chez le ~** to go to the cobbler's

(Idiome) **les ~s sont toujours les plus mal chaussés** Prov it's always the baker's children who have no bread Prov

Cordoue /kɔʀdu/ ▸ **p. 894** *npr* Cordoba

Corée /kɔʀe/ ▸ **p. 333** *nprf* Korea; **République de ~** Republic of Korea; **République populaire démocratique de ~** Democratic People's Republic of Korea; **la ~ du Nord/Sud** North/South Korea

C

ⓘ Le corps humain

■ *L'anglais utilise souvent l'adjectif possessif avec les noms des parties du corps, là où le français utilise l'article défini.*

fermer les yeux
= to close one's eyes

je me suis frotté les mains
= I rubbed my hands

il a levé la main
= he put his hand up

elle se tenait la tête
= she was holding her head

il s'est cassé le nez
= he broke his nose

elle lui a cassé le nez
= she broke his nose

il a les cheveux longs
= his hair is long
ou he has long hair

elle a les yeux bleus
= she has blue eyes
ou her eyes are blue

elle a de beaux cheveux
= she has beautiful hair
ou her hair is beautiful

■ *Noter aussi:*

l'homme avec une jambe cassée
= the man with a broken leg

l'homme à la jambe cassée
= the man with the broken leg

la fille aux yeux bleus
= the girl with blue eyes

Pour décrire les gens

■ *La tournure française avec* avoir (il a le nez long) *peut se traduire en anglais par une tournure avec* to be (his nose is long), *ou par une tournure avec* to have (he has a long nose).

il a les mains sales
= his hands are dirty
ou he has dirty hands

il a mal aux pieds
= his feet are sore
ou he has sore feet

il a le nez qui coule
= his nose is running
ou he has a runny nose

■ *Noter enfin que les tournures anglaises suivantes ne peuvent être utilisées que pour décrire des caractéristiques durables:*

la fille aux yeux bleus
= the blue-eyed girl

ceux qui ont de longs cheveux
= long-haired people

■ *Pour la taille des personnes* ▸ **p. 827**; *pour le poids* ▸ **p. 646**; *pour la couleur des yeux, des cheveux* ▸ **p. 202**; *pour les maladies et douleurs* ▸ **p. 283**.

coréen, **-éenne** /kɔʀeɛ̃, ɛn/ ▸ **p. 483, p. 561**
A *adj* Korean
B *nm* Ling Korean

Coréen, **-éenne** /kɔʀeɛ̃, ɛn/ ▸ **p. 561** *nm,f* Korean; **~ du Nord/Sud** North/South Korean

coreligionnaire /kɔʀəliʒjɔnɛʀ/ *nmf* fellow believer, coreligionist

Coreper /kɔʀəpɛʀ/ *nm* UE (*abbr* = **Comité des représentants permanents**) Coreper, Permanent Representatives Committee

coresponsabilité /kɔʀɛspɔ̃sabilite/ *nf* shared responsibility

Corfou /kɔʀfu/ ▸ **p. 894** *npr* Corfu

coriace /kɔʀjas/ *adj* **1** [*personne*] tough, hard-headed; **2** [*viande*] tough

coriandre /kɔʀjɑ̃dʀ/ *nf* coriander

coricide /kɔʀisid/ *nm* corn remover

corindon /kɔʀɛ̃dɔ̃/ *nm* corundum

Corinthe /kɔʀɛ̃t/ ▸ **p. 894** *npr* Corinth; **raisins de ~** currants

corinthien, **-ienne** /kɔʀɛ̃tjɛ̃, ɛn/
A ▸ **p. 894** *adj* Corinthian
B *nm* Archit **le ~** the Corinthian order

Corinthien, **-ienne** /kɔʀɛ̃tjɛ̃, ɛn/ *nm,f* Corinthian

Coriolan /kɔʀjɔlɑ̃/ *npr* Coriolanus

cormier /kɔʀmje/ *nm* **1** (arbre) sorb, service tree; **2** (bois) sorb, service wood; **c'est en ~** it's made of sorb *ou* service wood

cormoran /kɔʀmɔʀɑ̃/ *nm* cormorant
(Composé) **~ huppé** crested cormorant

cornac /kɔʀnak/ *nm* elephant driver

cornard◐ /kɔʀnaʀ/ *nm* cuckold

corne /kɔʀn/ *nf* **1** (de vache, chamois etc, d'escargot) horn; (de cerf) antler; **animal à ~s** horned animal; **donner un coup de ~ à qn** to butt sb; **blesser qn d'un coup de ~** to gore sb; **tuer qn d'un coup de ~** to gore sb to death; **2** (substance) horn; **peigne de ~** horn comb; **3** ▸ **p. 557** (instrument) horn; **4** (coin) (de page) dog-ear; (de chapeau) point; **faire une ~ à** to turn down *ou* dog-ear the corner of [*feuille, page*]; to fold down the corner of [*bristol*]; **5** ○(peau durcie) **avoir de la ~ aux pieds** to have calluses on one's feet
(Composés) **~ d'abondance** horn of plenty, cornucopia; **~ africaine** *or* **de l'Afrique** horn of Africa; **~ de brume** Naut foghorn; **~ de chasse** hunting horn; **~ à chaussures** shoehorn; **~ de gazelle** gazelle's horn
(Idiomes) **faire les ~s à qn** to jeer at sb (*with a gesture of the hand*); **hou les ~s!** (dit par un enfant) you're no good!; hum shame on you!; **avoir** *or* **porter des ~s** to be a cuckold†; **faire porter des ~s à** to be unfaithful to, to cheat on○

cornée /kɔʀne/ *nf* cornea

cornéen, **-éenne** /kɔʀneɛ̃, ɛn/ *adj* corneal

corneille /kɔʀnɛj/ *nf* crow
(Composés) **~ mantelée** hooded crow; **~ noire** carrion crow

cornélien, **-ienne** /kɔʀneljɛ̃, ɛn/ *adj* [*style, tragédie*] Cornelian; **un choix ~** a Cornelian dilemma, a choice between love and duty

cornemuse /kɔʀnəmyz/ ▸ **p. 557** *nf* bagpipes (*pl*)

corner[1] /kɔʀne/ [1]
A *vtr* **1** (plier) to turn down the corner of [*page*]; **page cornée** dog-eared page; **2** †(crier) **~ une nouvelle aux oreilles de qn** to shout a piece of news into sb's ear
B *vi* **1** (conducteur) to hoot GB, to honk US; **2** (sonneur) to blow a horn

corner[2] /kɔʀnɛʀ/ *nm* Sport corner-kick

cornet /kɔʀnɛ/ *nm* **1** (emballage conique) (paper) cone; **feuille de papier roulée en ~** sheet of paper rolled up into a cone; **un ~ de dragées** a cornet of sugared almonds; **2** Helv (sachet) paper bag; **3** Culin (pour pâtisserie) horn; (pour glace) cone; **~ (à la crème)** cream horn; **un ~** a cone; **une glace en ~** an ice-cream cone; **4** Mus (d'orgue) cornet stop; (petit cor) post horn; **5** Électron, Radio horn antenna
(Composés) **~ acoustique** ear trumpet; **~ à dés** dice cup; **~ à pistons** cornet

cornette /kɔʀnɛt/ *nf* **1** (de religieuse) cornet, wimple; **2** Naut burgee; **3** Helv (coquillette) (small) macaroni ¢

cornettiste /kɔʀnɛtist/ ▸ **p. 532** *nmf* cornet player, cornetist

corniaud /kɔʀnjo/ *nm* **1** (chien) mongrel; **2** ◐(idiot) nitwit○, idiot

corniche /kɔʀniʃ/ *nf* **1** (de bâtiment) cornice; (de meuble) moulding GB *ou* molding US, beading; (de plafond) coving; **2** Géog (escarpement) ledge (of rock); **route en ~** (en bord de mer) coastal road; (à la montagne) mountain road; **3** (de neige) cornice

cornichon /kɔʀniʃɔ̃/ *nm* **1** Bot gherkin; Culin (pickled) gherkin; **2** ○(personne) idiot, nitwit○; **3** ○students' slang *student preparing for the entrance examination for Saint-Cyr*

cornière /kɔʀnjɛʀ/ *nf* **1** (de tuiles) valley; **2** (équerre) angle iron

cornique /kɔʀnik/ *nm* Ling Cornish

Cornouailles /kɔʀnuɑj/ ▸ **p. 721** *nprf* Cornwall

cornouiller /kɔʀnuje/ *nm* **1** (arbre) cornel, dogwood; **2** (bois) dogwood

cornu, **~e** /kɔʀny/
A *adj* [*animal*] horned
B **cornue** *nf* (alambic, four) retort

corollaire* /kɔʀɔlɛʀ/ *nm* **1** Math corollary; **2** (conséquence) corollary, consequence; **cette politique ne peut avoir pour ~ que l'inflation** this policy can only result in inflation

corolle* /kɔʀɔl/ *nf* Bot corolla; **en ~** [*jupe*] flared; [*abat-jour, coupe, vase*] flower-shaped

coron /kɔʀɔ̃/ *nm* miners' terraced houses (*pl*)

coronaire /kɔʀɔnɛʀ/ *adj* [*artère, veine*] coronary

coronal, **~e**, *mpl* **-aux** /kɔʀɔnal, o/ *adj* [*gaz*] coronal

coronarien, **-ienne** /kɔʀɔnaʀjɛ̃, ɛn/ *adj* coronary

corossol /kɔʀɔsɔl/ *nm* soursop

corporatif, **-ive** /kɔʀpɔʀatif, iv/ *adj* corporate (*épith*)

corporation /kɔʀpɔʀasjɔ̃/ *nf* **1** gén corporation; **2** Jur corporate body, body corporate; **3** Hist guild

corporatisme /kɔʀpɔʀatism/ *nm* corporatism

corporatiste /kɔʀpɔʀatist/ *adj* corporatist

corporel, **-elle** /kɔʀpɔʀɛl/ *adj* **1** (du corps) [*besoin, fonction*] bodily; [*température, lotion, soin*] body; [*châtiment*] corporal; **2** Jur (matériel) corporeal; **biens ~s** corporeal property ¢

corps /kɔʀ/ *nm inv* **1** Anat body; **~ humain** human body; **mouvement/forme du ~** body movement/shape; **qu'est-ce qu'elle a dans le ~?** fig what has got GB *ou* gotten US into her?; **(combat) ~ à ~** hand-to-hand combat; **lutter (au) ~ à ~** to fight hand to hand; **se donner ~ et âme à** to give oneself body and soul to; **appartenir ~ et âme à qn** to belong to sb body and soul; **passer sur le ~ de qn** fig to trample sb underfoot; ▸ **larme, sain, diable**; **2** Sociol (groupe) body; (profession) profession; **~ professionnel** professional body; **~ d'ingénieurs/de spécialistes** body of engineers/of specialists; **~ médical/enseignant** medical/teaching profession; **le ~ électoral** the electorate; **faire ~ avec** (avec sa famille, un groupe, une profession) to stand solidly behind; (avec la nature) to be at one with; ▸ **grand**; **3** Mil corps; **~ d'armée** army corps; **~ blindé** armoured[GB] corps; **~ d'artillerie/d'infanterie/d'élite** artillery/infantry/elite corps; **~ expéditionnaire** expeditionary force; **4** (de doctrine, texte) body; **5** Tech (partie principale) (d'instrument, de machine) body; (de meuble) main part; (de bâtiment) (main) body; 6 (consistance) body; **avoir/donner du ~** to have/give body; **prendre ~** to take shape; 7 (objet) body; 8 Chimie substance; **~ gras** fatty substance; 9 Imprim (de caractère) type size; 10 Mode (de vêtement) bodice; (de cuirasse) breastplate

(Composés) **~ adipeux** fat body; **~ astral** astral body; **~ de ballet** corps de ballet; **~ de bataille** field forces (*pl*); **~ calleux** corpus callosum; **~ caverneux** corpora cavernosa (*pl*); **~ de chauffe** heater; **~ du Christ** body of Christ; **~ composé** compound; **~ constitué** constituent body; **~ consulaire** consular service; **~ du délit** Jur corpus delicti; **~ diplomatique** diplomatic corps; **~ et biens** Naut with all hands; **~ étranger** foreign body; **~ de ferme** Archit farm building; **~ de garde** guardroom; **~ gazeux** gas ; **~ jaune** Anat corpus luteum; **~ judiciaire** Jur judicature; **~ de logis** Archit main building; **~ de métier** corporate body; **~ de moyeu** Mécan hub shell; **~ noir** Phys black body; **~ de pompe** Mécan pump-barrel; **~ de preuves** body of evidence; **~ des sapeurs-pompiers** fire service; **~ simple** element; **~ social** society; **~ spongieux** corpus spongiosum; **~ strié** corpus striatum; **~ de troupe** troop units (*pl*); **~ vitré** vitreous body

(Idiomes) **tenir au ~** to be nourishing; **faire commerce de son ~**, **vendre son ~** to sell one's body

corps-mort, *pl* **~s** /kɔʀmɔʀ/ *nm* Naut mooring

corpulence /kɔʀpylɑ̃s/ *nf* stoutness, corpulence; **de faible/forte/moyenne ~** of slight/stout/medium build

corpulent, **~e** /kɔʀpylɑ̃, ɑ̃t/ *adj* stout, corpulent

corpus /kɔʀpys/ *nm inv* corpus; **des ~** corpora

corpuscule /kɔʀpyskyl/ *nm* 1 Anat, Phys corpuscle; 2 (de poussière) particle

correct, **~e** /kɔʀɛkt/ *adj* 1 (sans erreur) [*calcul, réponse, interprétation, prévisions, résultat*] correct; [*copie*] accurate; 2 (convenable) [*tenue*] proper; [*conduite*] correct; [*personne*] polite; **il ne serait pas ~ d'y aller** it wouldn't be right *ou* proper to go; **il serait ~ de répondre** it would be polite to answer; 3 °(de qualité suffisante) [*résultat, vin*] reasonable, decent; [*devoir*] adequate, reasonable; [*logement*] adequate; 4 (honnête) [*personne*] fair, correct; **être ~ vis-à-vis de** *or* **avec qn** to be fair to *ou* with sb

correctement /kɔʀɛktəmɑ̃/ *adv* 1 (sans erreur) correctly; **répondre ~ à une question** to give the right *ou* correct answer to a question; 2 (convenablement) properly; 3 (raisonnablement) [*manger, loger, traiter*] decently; [*travailler, être payé*] reasonably well

correcteur, **-trice** /kɔʀɛktœʀ, tʀis/

A *adj* corrective; **code ~ d'erreurs** Ordinat, Télécom error correcting code

B ▸ p. 532 *nm,f* 1 (d'examen) examiner GB, grader US; 2 Édition proofreader

C *nm* 1 (pour effacer) correction fluid; 2 Tech controller

(Composés) **~ d'acidité** Chimie, Ind acidity regulator; **~ automatique d'orthographe** Ordinat automatic spell checker; **~ de fréquence** Audio graphic equalizer; **~ de tonalité** tone control

correctif, **-ive** /kɔʀɛktif, iv/

A *adj* corrective

B *nm* 1 (amélioration) corrective (**à** to); 2 (rectificatif) qualifier, rider

correction /kɔʀɛksjɔ̃/ *nf* 1 (action de corriger) gén correcting; Édition (de manuscrit) proofreading; **~ d'épreuves** proofreading; **apporter une ~ à qch** to correct sth; 2 (attribution d'une note) (d'examen) marking GB, grading US; 3 (modification) correction; **~s d'auteur** Édition author's emendations; 4 (punition) gén hiding°; (fessée) spanking; **recevoir une bonne ~** to get a good hiding°; 5 (exactitude) accuracy; (justesse) correctness; 6 (convenance) (de tenue, conduite) propriety, correctness; (politesse) good manners (*pl*); **manquer de ~** to have no manners; **c'est un manque de ~** it's bad manners; **il a été d'une grande ~** he behaved perfectly

correctionnel, **-elle** /kɔʀɛksjɔnɛl/

A *adj* **peine correctionnelle** penalty (imposed by court); **tribunal ~** magistrate's court; **chambre correctionnelle** *division of court judging minor offences*GB

B **correctionnelle** *nf* magistrate's court; **passer en correctionnelle** to go before the magistrate

Corrège /kɔʀɛʒ/ *npr* **le ~** Correggio

corrélatif, **-ive** /kɔʀelatif, iv/

A *adj* 1 (lié à) correlative (**de** to); 2 Ling correlative

B *nm* Ling correlative

corrélation /kɔʀelasjɔ̃/ *nf* correlation (**entre** between); **être en (étroite) ~ avec qn** to be (closely) related *ou* connected to sth; **mettre deux choses en ~** to establish a connection between two things, to correlate two things

correspondance ➡▯ /kɔʀɛspɔ̃dɑ̃s/ *nf* 1 Littérat (lettres) letters (*pl*); **la ~ Gide-Paulhan** the Gide-Paulhan correspondence; 2 Postes (courrier) mail; (échange de courrier) correspondence (**entre** between); **réservation/renseignements par ~** reservation *ou* booking GB/information by mail; **être en ~** to correspond (**avec** with); **faire sa ~** to write one's letters; **avoir une longue ~** to have been corresponding for a long time; **être vendu par ~** to be available by mail order; **faire des études par ~** to do a correspondence course; **étudier qch par ~** to follow a correspondence course in sth; 3 Presse correspondence; **~ de Londres** correspondence from London; 4 (lien, ressemblance) correspondence (**entre** between); **~ entre les sons et les lettres** correspondence between sounds and letters; 5 Transp connection; **rater la ~** to miss the connection; **assurer la ~ entre** to provide a connection between; **autobus en ~ avec le train** bus service connecting with the train; **trains/vols en ~** connecting trains/flights; **voyageurs en ~ pour Sofia** (en train) passengers with a connecting train to Sofia; (en avion) passengers with a connecting flight to Sofia; 6 Math correspondence

correspondancier, **-ière** /kɔʀɛspɔ̃dɑ̃sje, ɛʀ/

A ▸ p. 532 *nm,f* (employé) correspondence clerk

B *nm* (classeur) correspondence folder

correspondant, **~e** /kɔʀɛspɔ̃dɑ̃, ɑ̃t/

A *adj* [*avantage, chiffre, emploi, période, reçu*] corresponding; [*étiquette, boulon*] matching

B *nm,f* 1 (épistolaire) gén correspondent; (dans le cadre d'un passe-temps) penfriend GB, pen pal; 2 Télécom **votre ~** the person you are calling; 3 (responsable) guardian; 4 Admin, Comm, Transp correspondent; 5 Presse correspondent; **~ permanent/de guerre/à l'étranger** permanent/war/foreign correspondent; (d'un institut) corresponding member

correspondre /kɔʀɛspɔ̃dʀ/ [6]

A **correspondre à** *vtr ind* 1 (être approprié à) **~ à** to match [*dimension, contenu, formation, programme*]; to suit [*style, goût*]; **~ aux besoins/désirs de qn** to meet sb's needs/wishes; 2 (équivaloir à) **~ à** to correspond to [*valeur, chiffre, travail*]; (coïncider avec) [*élément*] to correspond to; **~ à la description** to match the description; **ce qu'il m'en a dit ne correspond pas du tout à la réalité** what he told me about it bears no relation to reality; 3 (être lié à) **~ à** to correspond to [*événement, caractéristique*]

B *vi* 1 (écrire) to correspond (**avec** with); 2 Télécom (communiquer) to communicate; **~ par téléphone/télécopie** to communicate by phone/fax; 3 [*lieu*] **~ avec** to connect with

C **se correspondre** *vpr* [*éléments*] to correspond

Corrèze /kɔʀɛz/ ▸ p. 721 *nprf* (département) **la ~** Corrèze

corrida /kɔʀida/ *nf* 1 lit bullfight; 2 °fig **ça a été la ~ pour avoir le dernier métro** we had a mad rush to catch the last (underground) train; **c'est la ~ pour se garer à Oxford** it's a real performance parking in Oxford

corridor /kɔʀidɔʀ/ *nm* 1 (dans un bâtiment) corridor, passage; 2 Géog, Pol corridor

(Composés) **~ aérien** Aviat air corridor; **le ~ de Dantzig** the Danzig Corridor; **~ de lancement** launching corridor

corrigé /kɔʀiʒe/ *nm* Scol correct version; **recueil d'exercices avec ~s** collection of exercises with answers

corriger /kɔʀiʒe/ [13]

A *vtr* 1 (éliminer les erreurs) gén to correct [*texte*]; Édition to proofread [*manuscrit, texte*]; to read, to correct [*épreuves*]; **édition revue et corrigée** revised edition; 2 (redresser) to correct [*erreur, défaut, jugement, observation*]; to redress [*situation*]; to improve [*manières*]; to correct [*trajectoire, instrument*]; (adapter) to adjust [*position, chiffre*]; to modify [*théorie*]; **~ qn d'un défaut/vice** to cure *ou* rid sb of a fault/vice; **~ le tir** Mil to alter one's aim; fig to adjust *ou* modify one's tactics; **en données corrigées des variations saisonnières** taking account of seasonally adjusted figures; 3 Scol to mark GB, to grade US [*copie, examen*]; 4 (tempérer) to soften [*effet*]; to alleviate [*symptômes*]; to mitigate [*influence*]; to dampen [*espoirs*]; (neutraliser) to counter [*effet, influence*]; **~ la sévérité d'un vêtement par une note de couleur** to brighten up an otherwise severe outfit; **pour ~ les injustices/inégalités sociales** to remedy social injustice/inequality; 5 (châtier) gén to give [sb] a hiding°; (fesser) to give [sb] a spanking

B **se corriger** *vpr* 1 (en parlant) to correct oneself; 2 (s'améliorer) to mend one's ways; **se ~ d'un défaut** to cure oneself of a fault

corrigible /kɔʀiʒibl/ *adj* which can be corrected (*épith, après n*)

corroboration /kɔʀɔbɔʀasjɔ̃/ *nf* corroboration

corroborer /kɔʀɔbɔʀe/ [1] *vtr* to corroborate

corrodant, **~e** /kɔʀɔdɑ̃, ɑ̃t/ *adj* corrosive

corroder /kɔʀɔde/ [1] *vtr* to corrode

corrompre /kɔʀɔ̃pʀ/ [53]

A *vtr* 1 (soudoyer) to bribe [*policier, juge*]; 2 (pervertir) to corrupt [*jeunesse, mœurs, goût*]

B **se corrompre** *vpr* [*mœurs, jeunesse*] to become corrupted

corrompu, **~e** /kɔʀɔ̃py/

A *pp* ▸ **corrompre**

B *pp adj* [*société, juge, gouvernement*] corrupt

corrosif, **-ive** /kɔʀozif, iv/

A *adj* 1 (qui attaque) [*substance*] corrosive; 2 (mordant) [*esprit, humour*] caustic; [*remarque*] scathing, caustic

B *nm* corrosive

corrosion /kɔʀozjɔ̃/ *nf* (de métal) corrosion

corroyer /kɔʀwaje/ [23] *vtr* to curry [*cuir*]; to weld [*métal*]; to trim [*bois*]; to compact [*talus*]

corrupteur, **-trice** /kɔʀyptœʀ, tʀis/

A *adj* [*pensée, influence*] corrupting

B *nm,f* (qui soudoie) briber; (qui déprave) corrupter

corruptible /kɔʀyptibl/ *adj* 1 (vénal) corruptible; **est-il ~?** can he be bought *ou* bribed?; 2 (moralement) **un individu facilement ~** a person who is easily corrupted *ou* led astray

corruption /kɔʀypsjɔ̃/ *nf* 1 (avec de l'argent, des cadeaux) bribery (**de** of); **affaire de ~** bribery scandal; **la ~ d'un témoin est sévèrement punie** bribing a witness is a highly punishable offence[GB]; 2 (état) corruption (**de** in); 3 (perversion) corruption (**de** of)

➡▯ *voir* Correspondance anglaise

C

corsage /kɔʀsaʒ/ *nm* 1 (chemisier) blouse; (de robe) bodice; 2 (poitrine) bosom

corsaire /kɔʀsɛʀ/
A *adj [bateau, pavillon]* corsair *(épith)*
B *nm* 1 (personne) corsair; 2 (pantalon) pedal pushers *(pl)*

corse /kɔʀs/
A ▸ p. 721 *adj [fromage, accent]* Corsican
B ▸ p. 483 *nm* Ling Corsican

Corse /kɔʀs/
A *nmf* (habitant) Corsican
B ▸ p. 435 *nprf* Corsica

corsé, **~e** /kɔʀse/ *adj* 1 Culin *[café]* strong; *[vin]* full-bodied; *[sauce]* spicy; 2 (grivois) racy, spicy; 3 ○(difficile) *[problème]* tough; 4 ○(élevé) *[addition, facture]* steep; **c'était plutôt ~** it was a bit steep

Corse-du-Sud /kɔʀsdysyd/ ▸ p. 721 *nprf* (département) **la ~** Corse-du-Sud

corselet /kɔʀsəlɛ/ *nm* corselet

corser /kɔʀse/ [1]
A *vtr* 1 (compliquer) to make [sth] more difficult *[exercice, problème]*; **pour ~ l'affaire** (just) to complicate matters; **pour ~ le tout, il a plu toute la journée!** to cap it all○, it rained all day!; 2 (accentuer le goût) to strengthen the flavour[GB] of *[sauce]*; (avec des épices) to make [sth] spicier, to spice up *[sauce, plat]*
B **se corser** *vpr* (se compliquer) to get more complicated; **ça** *or* **l'affaire se corse** the plot thickens

corset /kɔʀsɛ/ *nm* corset
(Composé) **~ orthopédique** orthopaedic *ou* surgical corset

corseter /kɔʀsəte/ [18] *vtr* lit to corset; **l'économie, corsetée par ces mesures...** fig the economy, fettered by these measures...

corsetier, **-ière** /kɔʀsətje, ɛʀ/ ▸ p. 532 *nm,f* corset-maker

corso /kɔʀso/ *nm* **~ fleuri** procession of floral floats

cortège /kɔʀtɛʒ/ *nm* 1 (défilé) procession; **marcher en ~** to walk in procession; **se former en ~** to form a procession; **le ~ des grévistes** the procession of strikers; **suivi d'un ~ d'enfants/de chiens** followed by a troop of children/of dogs; 2 (série) liter **un ~ de souvenirs** a stream of memories; **un ~ de joies et de peines** a succession of joys and sorrows; **la guerre et son ~ de misères** war and its trail of misery
(Composés) **~ funèbre** (funeral) cortège; **~ nuptial** wedding procession

cortex /kɔʀtɛks/ *nm* cortex

cortical, **~e**, *mpl* **-aux** /kɔʀtikal, o/ *adj* cortical

corticoïdes /kɔʀtikɔid/ *nmpl* corticoids

corticosurrénal, **~e**, *mpl* **-aux** /kɔʀtikosyʀ(ʀ)enal, o/ *adj* of the adrenal cortex *(épith, après n)*

cortisone /kɔʀtizɔn/ *nf* cortisone; **soigner qn à la ~** to treat sb with cortisone

corvéable /kɔʀveabl/ *adj* required to fulfil[GB] the corvée *(après n)*; ▸ **taillable**

corvée /kɔʀve/ *nf* 1 (activité pénible) chore; **les ~s ménagères** household chores; **aller les voir, quelle ~!** it's a real bore *ou* grind to have to go and see them; 2 (travail obligatoire) duty; Mil fatigue (duty); **tu es de ~ de patates**○ it's your turn to peel the potatoes; **être de ~ pour faire** to have been roped into doing; **on va être de ~ pour les aider à déménager** we're going to be roped in to helping them move (house); **c'est toujours moi qui suis de ~!** it's always me who has to do the chores!; 3 Hist corvée *(peasant's day of unpaid labour[GB] for feudal lord)*

corvette /kɔʀvɛt/ *nf* corvette

coryphée /kɔʀife/ *nm* 1 Théât coryphaeus; 2 Danse coryphée

coryza /kɔʀiza/ ▸ p. 283 *nm* head cold, coryza spéc

COS *written abbr* ▸ **coefficient**

cosaque /kɔzak/ *nm* Cossack

coscénariste /kosenaʀist/ *nmf* co-writer

cosécante /kosekɑ̃t/ *nf* cosecant

cosignataire /kosiɲatɛʀ/ *nmf* cosignatory

cosigner /kosiɲe/ [1] *vtr* to co-sign

cosinus /kosinys/ *nm inv* cosine

cosmétique /kɔsmetik/
A *adj* lit, fig cosmetic
B *nm* cosmetic *ou* beauty product; **des ~s** cosmetics

cosmétologie /kɔsmetɔlɔʒi/ *nf* cosmetology

cosmétologue /kɔsmetɔlɔg/ ▸ p. 532 *nmf* cosmetician

cosmique /kɔsmik/ *adj* lit, fig cosmic

cosmodrome /kɔsmodʀom/ *nm* cosmodrome

cosmogonie /kɔsmɔgɔni/ *nf* cosmogony

cosmographie /kɔsmɔgʀafi/ *nf* cosmography

cosmologie /kɔsmɔlɔʒi/ *nf* cosmology

cosmologiste /kɔsmɔlɔʒist/ ▸ p. 532 *nmf* cosmologist

cosmonaute /kɔsmɔnot/ ▸ p. 532 *nmf* cosmonaut

cosmopolite /kɔsmɔpɔlit/ *adj [ville, expérience]* cosmopolitan

cosmopolitisme /kɔsmɔpɔlitism/ *nm* cosmopolitanism

cosmos /kɔsmos/ *nm* cosmos

cossard○, **~e** /kɔsaʀ, aʀd/
A *adj [personne]* lazy, bone idle○
B *nm,f* idler, loafer○, lazybones○ (+ *v sg*)

cosse /kɔs/ *nf* 1 Bot (de fève, pois) pod; (de graine) husk; 2 Électrotech terminal; 3 ○(paresse) laziness; 4 Naut eyelet
(Composé) **~ de batterie** battery clip *ou* clamp

cossu, **~e** /kɔsy/ *adj [personne]* well-to-do, well-off; *[intérieur]* richly furnished, plush; *[existence]* comfortable; *[maison]* smart, posh○

costal, **~e**, *mpl* **-aux** /kɔstal, o/ *adj* Anat, Zool costal

costard○ /kɔstaʀ/ *nm* (costume) suit

Costa Rica /kɔsta ʀika/ ▸ p. 333 *nprm* Costa Rica

costaricain, **~e** /kɔstaʀikɛ̃, ɛn/ ▸ p. 561 *adj* Costa Rican

Costaricain, **~e** /kɔstaʀikɛ̃, ɛn/ ▸ p. 561 *nm,f* Costa Rican

costaud○ /kɔsto/
A *adj* 1 *[personne]* (fort) strong; (vigoureux) sturdy; **il est assez ~** (gros) euph he's pretty hefty○; **tu peux lui dire, elle est ~** (moralement) you can tell her, she's strong *ou* she can take it; 2 (solide, résistant) *[chaussures, bicyclette]* sturdy; *[matériau, assemblage]* strong; *[mur, maison]* sturdily built; (fort) *[alcool]* strong; *[aliment]* spicy, hot; **c'est du ~ ta machine!** that's a solid machine you have there!; **tâte mes biceps, c'est du ~!** feel my biceps, they're like iron!
B *nm* (homme) sturdily built man

costume /kɔstym/ *nm* 1 (ensemble veste, pantalon) suit; **il portait un ~, il était en ~** he was wearing a suit; **il est toujours en ~ cravate** he always wears a suit and tie; 2 Théât, Cin, Danse costume; **~ de scène/d'époque** stage/period costume; **elle est apparue en ~ de Pierrot** she appeared in a Pierrot costume; **répéter en ~** to have a dress rehearsal; 3 Hist costume; **les ~s nationaux/régionaux** national/regional costume *ou* dress ₡
(Composés) **~ de bain** swimming costume; **~ de cérémonie** ceremonial dress ₡; **~ marin** sailor suit; **~ trois pièces** three-piece suit
(Idiome) **en ~ d'Adam/d'Ève** in his/her birthday suit○

costumer: **se costumer** /kɔstyme/ [1] *vpr* to put on fancy dress; **soirée costumée** fancy-dress party, costume party US

costumier, **-ière** /kɔstymje, ɛʀ/ ▸ p. 532 *nm,f* 1 (de troupe) wardrobe master/mistress; (indépendant) costumier; 2 (pour soirées déguisées) **aller chez un ~** to go to a fancy-dress shop GB *ou* costume store US

cosy /kɔzi/ *nm*: *corner divan with attached shelves*

cotangente /kɔtɑ̃ʒɑ̃t/ *nf* cotangent

cotation /kɔtasjɔ̃/ *nf* Fin quotation; **~ en continu** quotation on the continuous market

cote /kɔt/ *nf* 1 Fin (valeur en Bourse) quotation; (liste des valeurs) (stock exchange) list; **entrée** *or* **admission à la ~** stock exchange listing; **inscrit** *or* **admis à la ~** listed (on the stock exchange); **marché hors ~** curb market, over-the-counter market; **actions hors ~** unlisted shares; 2 Comm (de voiture d'occasion, timbre) quoted value; 3 Turf odds *(pl)*; **la ~ est à dix contre un** the odds are ten to one; 4 (de personne, lieu, film) rating; **jouir d'une ~ élevée** to enjoy a high rating; **avoir la ~**○ **auprès de qn** *[célébrité]* to be popular with sb; *[individu]* to be well thought of by sb; **tu as la ~**○**!** you're in favour[GB]!; **ne plus avoir la ~**○ to have fallen from grace; **leur ~ est en baisse** their popularity is waning; **la chimie n'a pas la ~**○ chemistry is unpopular; 5 (sur un plan) dimension; 6 (sur une carte) spot height; **à la ~ plus/moins 20** 20 metres above/below sea level; 7 Mil **~ 451** hill 451; 8 (marque de classement) classification mark; (numéro de livre) pressmark GB, call number US
(Composés) **~ d'alerte** flood level; fig danger level; **~ d'amour** popularity rating; **~ de crédit** Fin credit rating; **~ foncière** land tax; **~ mal taillée** compromise; **~ mobilière** council tax GB, local rates *(pl)* US; **~ de popularité** = **~ d'amour**

côte /kot/
A *nf* 1 Géog (littoral) coast; **la ~ adriatique** the Adriatic coast; **aller à la ~** *[navire]* to run aground; 2 Géog (pente) hill; **dans une ~** on a hill; **en haut d'une ~** at the top of a hill; 3 Anat rib; **vraie/fausse ~** true/false rib; **~ flottante** floating rib; 4 Culin chop; **~ de porc/d'agneau** pork/lamb chop; **~ première** loin chop; **~ de bœuf** rib of beef; 5 (en tricot) rib; **col à ~s** ribbed collar; **tricoter les ~s** to do the ribbing; **~s simples/doubles** single/double rib; 6 Bot rib
B **côte à côte** *loc adv* side by side
(Composé) **Côte d'Azur** French riviera
(Idiomes) **on lui compte les ~s** he's/she's all skin and bone; **se tenir les ~s** to split one's sides with laughter; **avoir les ~s en long**○ to be bone idle

coté, **~e** /kɔte/
A *pp* ▸ **coter**
B *pp adj* (prestigieux) **être (très)/mal ~** *[personne, lieu, institution]* to be (very) well/not well thought of

côté /kote/
A *nm* 1 Anat (flanc) side; **être blessé au ~** to be wounded in the side; **porter une arme au ~** to wear a weapon at one's side
2 (partie latérale) side **(de** of**)**; **être de l'autre ~ de** to be on the other side of; **lancer qch de l'autre ~ du mur** to throw sth over (the other side of) the wall; **sauter de l'autre ~ du mur** to jump over the wall; **de chaque ~ de** on each *ou* either side of; **du même ~** on the same side; **se garer sur le ~ de la route** to park at the side of the road; **du ~ droit/gauche** on the righthand/lefthand side; **sur** *or* **d'un seul ~** on one side only; **le ~ face/pile d'une pièce de monnaie** the face/reverse side of a coin; **le ~ nord/sud d'une maison** the north/south side of a house; **le ~ italien des Alpes** the Italian side of the Alps; **chambre ~ cour/rue** room overlooking the courtyard/the street; **~ cour, c'est très calme** the courtyard side is very quiet; **changer de ~** (au tennis) to change ends

3 (direction) way, direction; **de quel ~ allez-vous?** which way are you going?; **ils sont arrivés des deux ~s** they came from both directions; **je ne vais pas de ce ~** I'm not going that way *ou* in that direction; **ils sont partis du mauvais ~** they went the wrong way
4 (aspect) side; **prendre** *or* **voir les choses du bon ~** to look on the bright side of things; **le bon ~ des choses** the positive side of things; **par certains ~s** in some respects; **d'un ~** (d'une part) on the one hand; (en un sens) in one respect *ou* way; **d'un autre ~** (d'autre part) on the other hand; (dans un autre sens) in another respect *ou* way; **~ santé, ça va** healthwise *ou* on the health side, it's all right; **~ cœur, tout va mal** on the romance side, everything's going badly; **~ travail** as far as work is concerned
5 (branche familiale) side (**de** of); **du ~ maternel** *or* **de la mère** on the mother's side; **du ~ de mon mari** on my husband's side
6 (camp) side; **être du ~ de qn/qch** to be on sb's side/on the side of sth; **du ~ britannique/français** on the British/French side
B à côté *loc adv* 1 (à proximité) **il habite à ~** he lives nearby *ou* close by; **tout à ~** very close; **les voisins d'à ~** the next-door neighbours[GB]; **passons (dans la pièce) à ~** let's go into the next room
2 (en dehors) lit, fig **le ballon est passé à ~** the ball went wide; **répondre à ~** (par erreur) to miss the point; (volontairement) to sidestep the question; **je n'ai rien compris, je suis passée complètement à ~** I didn't understand anything, I missed the point entirely
3 (en comparaison) by comparison
4 (simultanément) **elle est étudiante et travaille à ~ (pour payer ses études)** she's a student and she works on the side (to pay for her studies)
C à côté de *loc prép* 1 (à proximité de) next to
2 (en dehors de) **le ballon est passé à ~ du but** the ball went wide of the goal; **passer complètement à ~ de la question** (par erreur) to miss the point completely; (volontairement) to sidestep the issue; **ils sont passés à ~ de la réalité** they missed the truth
3 (en comparaison de) compared to
4 (en plus de) besides; **à ~ de ça**○ (par ailleurs) for all that
D de côté *loc adv* 1 (obliquement) **regarder qn de ~** to look sideways at sb, to give sb a sideways *ou* sidelong look; **faire un pas de ~** to step aside *ou* to one side; **sauter de ~** to jump aside *ou* to one side
2 (sur la partie latérale) side (*épith*); **des places de ~** Théât side seats
3 (en réserve) aside; **mettre de ~** to put [sth] aside *ou* on one side [*argent, livre, marchandise*]; **je n'ai rien de ~** I haven't got any money put aside; **je n'ai plus rien de ~** I have no money left, the money I had put aside has all gone
4 (à l'écart) **mettre son travail de ~** to put one's work aside; **mettre sa fierté de ~** to swallow one's pride
E du côté de *loc prép* 1 (vers) **aller du ~ de Dijon** to head for Dijon, to head Dijon way; **mes parents habitent du ~ de Beaune** my parents live not far from *ou* live near Beaune; **le bruit vient du ~ de chez eux** the noise is coming from their place
2 (en ce qui concerne) as for; **le président, de son ~, a dit...** the President, for his part, said...; **il s'amuse, de ce ~-là, il n'y a rien à craindre** he's having fun, as far as that's concerned, there's nothing to worry about; **elle n'a pas été gâtée du ~ de sa famille**○ she hasn't been lucky with her family; **indique-t-on du ~ de la Commission européenne** people in the European Commission are saying; **je regarde beaucoup du ~ de la danse américaine** I take a strong interest in (what is happening in) American dance; **même sévérité du ~ de** same severity on the part of *ou* from; **des progrès ont été réalisés du ~ de Pretoria** progress has been made by the government in Pretoria; **il se tourne du ~ des dramaturges américains** he's turning toward(s) the American dramatists; **10 morts du ~ des manifestants** 10 dead among the demonstrators
F aux côtés de *loc prép* (près de) lit, fig **aux ~s de qn** [*être, rester*] beside sb, at sb's side; **aux ~s de qn/qch** [*se retrouver*] beside *ou* alongside sb/sth; [*siéger, s'engager, travailler*] alongside sb/sth
G de tous (les) côtés *loc adv* (partout) **regarder/courir de tous ~s** to look/to run all over the place; **une ville cernée de tous ~s** a town surrounded on all sides; **ils arrivent de tous ~s** they're coming from all directions
(Composés) **~ cour** Théât stage left; **~ jardin** Théât stage right
(Idiome) **ne plus savoir de quel ~ se tourner** not to know which way to turn

coteau, **~x** /kɔto/ *nm* 1 (pente) hillside; **à flanc de ~** on the hillside; 2 (colline) hill; 3 (vignoble) (sloping) vineyard

Côte d'Ivoire /kotdivwaʀ/ ▸ p. 333 *nprf* Ivory Coast; **République de ~** Republic of the Ivory Coast, République de Côte d'Ivoire

Côte-d'Or /kotdɔʀ/ ▸ p. 721 *nprf* (département) **la ~** Côte-d'Or

côtelé, **~e** /kotle/ *adj* **velours ~** corduroy, cord

côtelette /kotlɛt/
A *nf* Culin chop; **~ de mouton/veau** mutton/veal chop
B côtelettes *nfpl* 1 ○Anat (côtes) ribs; 2 †(moustache) muttonchops

coter /kɔte/ [1] *vtr* 1 Comm, Fin (fixer le prix de) to quote [*titre, devise*]; to price [*voiture*]; (admettre à la cotation) to list [*titre, voiture*]; **action cotée en Bourse** share listed on the stock market; **~ en hausse/en baisse à la clôture à 392** to close up/down at 392; 2 (valoir) **~ 100 euros** [*titre*] to be quoted at 100 euros; [*voiture, œuvre*] to be priced at 100 euros; **timbre coté cent euros** stamp priced at ten euros; 3 (aux courses) to be quoted at; **~ 6 contre 1** to be quoted at 6-1; 4 (numéroter) to give a pressmark GB *ou* call number US to [*livre*]; 5 Tech to dimension [*dessin industriel*]; to put spot heights on [*carte*]

coterie /kɔtʀi/ *nf* pej circle, clique péj; **~ littéraire/politique** literary/political circle *ou* clique

Côtes-d'Armor /kotdaʀmɔʀ/ ▸ p. 721 *nprfpl* (département) **les ~** Côtes-d'Armor

cothurne /kɔtyʀn/ *nm* 1 Antiq, Théât buskin, cothurnus; 2 ○students' slang (camarade de chambre) roommate

côtier, **-ière** /kotje, ɛʀ/ *adj* [*ville, navigation, chemin*] coastal; [*pêche*] inshore

cotillon /kɔtijɔ̃/ *nm* 1 cotillion; **des accessoires de ~** *ou* **pour le ~** party accessories; 2 Mode, Hist petticoat
(Idiome) **courir le ~**† to chase petticoats†

cotisant, **~e** /kɔtizɑ̃, ɑ̃t/ *nm,f* (à la sécurité sociale, à une caisse de retraite) contributor; (à une assurance, à une association) subscriber, paid-up member

cotisation /kɔtizasjɔ̃/ *nf* 1 (à la sécurité sociale, à une caisse de retraite) contribution; **une hausse des ~s** a rise in contributions; **~ d'allocations familiales** contribution to a family allowance fund; **~ d'assurance-chômage** unemployment insurance premium *ou* contribution; **~s patronales/sociales** employer/social security contributions; **~ vieillesse** *contribution to a pension fund*; 2 (à une association) subscription; (à un syndicat) dues (+ *v pl*), subscription; **payer sa ~ syndicale** to pay one's union dues *ou* subscription; **la ~ est de 100 euros pour l'année** the subscription is 100 euros for the year

cotiser /kɔtize/ [1]
A *vi* 1 Prot Soc to pay one's contributions; **cette année, je n'ai pas cotisé** I haven't paid my contributions this year; **~ à une caisse de retraite** to pay one's superannuation contribution; 2 Entr, Pol (à une association) to pay one's subscription (**à** to), to subscribe (**à** to); (à un syndicat) to pay one's dues *ou* subscription (**à** to); **j'ai décidé de ne plus ~** I've decided to stop paying my subscription
B se cotiser *vpr* to join forces; **nous nous sommes tous cotisés pour leur faire un cadeau** we all joined forces to give them a present

co-titulaire /kotitylɛʀ/ *nmf* joint account-holder

coton /kɔtɔ̃/ *nm* 1 (plante, fibre) cotton; **drap de** *or* **en ~** cotton sheet; 2 (ouate) cotton wool GB, cotton US; (morceau d'ouate) piece of cotton wool GB *ou* cotton US; **avoir du ~ dans les oreilles** lit to have cotton wool in one's ears; fig○ to be cloth-eared; **un ~ imbibé d'eau** a cotton swab *ou* a piece of cotton wool GB soaked in water
(Composés) **~ à broder** Cout embroidery thread *ou* cotton; **~ démaquillant** make-up remover pad; **~ hydrophile** cotton wool GB, absorbent cotton US
(Idiomes) **filer un mauvais ~** (être en mauvaise santé) to be in a bad way; **élever un enfant dans du ~** to give a child a very sheltered upbringing; **elle est ~**○, **ta question** it's a tricky *ou* complicated question; **j'ai les jambes en ~** (après un choc) my legs have turned to jelly; (après une maladie) I am wobbly on my legs

cotonnade /kɔtɔnad/ *nf* Tex cotton fabric; **jupe en ~** a skirt made of cotton fabric

cotonneux, **-euse** /kɔtɔnø, øz/ *adj* [*brouillard*] like cotton-wool (*après n*); [*nuage*] fleecy, fluffy; [*ciel*] full of fleecy *ou* fluffy clouds (*après n*)

cotonnier, **-ière** /kɔtɔnje, ɛʀ/
A *adj* Tex [*industrie, production*] cotton
B *nm* Bot cotton plant

Coton-Tige®, *pl* **Cotons-Tiges** /kɔtɔ̃tiʒ/ *nm* cotton-bud GB, Q-tip®

côtoyer /kotwaje/ [23]
A *vtr* 1 (être près de) to be next to; (fréquenter) to move in [*milieu*]; to mix with, to rub shoulders with [*personnes*]; to be in close contact with [*mort, danger*]; 2 (longer) [*piéton*] to walk alongside [*rivière*]; [*route*] to run alongside [*rivière*]
B se côtoyer *vpr* [*personnes*] to mix; [*extrêmes*] to be side by side

cotre /kɔtʀ/ *nm* Naut cutter

cottage /kɔtaʒ, kɔtɛdʒ/ *nm* cottage

cotte /kɔt/ *nf* 1 (vêtement de travail) overalls (*pl*), dungarees (*pl*); 2 †(tunique) tunic coat
(Composés) **~ d'armes** Hist surcoat; **~ de mailles** Hist coat of mail

cotutelle /kotytɛl/ *nf* joint guardianship

cotuteur, **-trice** /kotytœʀ, tʀis/ *nm,f* joint guardian

cotylédon /kɔtiledɔ̃/ *nm* Bot cotyledon

cou /ku/ ▸ p. 196, p. 827 *nm* neck; **il s'est blessé au ~** he has hurt his neck; **j'ai mal au ~** my neck is aching; **avoir un ~ de taureau** to have a bull neck, to be bull-necked; **un animal au long ~** an animal with a long neck; **embrasser qn dans le ~** to kiss sb's neck; **porter un foulard autour du ~** to wear a scarf around one's neck; **avoir des ennuis** *or* **problèmes jusqu'au ~** fig to be up to one's neck in problems; **être endetté jusqu'au ~** fig to be up to one's eyes in debt
(Idiomes) **se casser** *or* **rompre le ~** to break one's neck; **se mettre/avoir la corde au ~**○ to tie/to have tied the knot○

couac○ /kwak/ *nm* Mus wrong note; fig jarring note; **faire un ~** Mus to play a wrong note; fig to strike a jarring note

couard, **~e** /kwaʀ, aʀd/ fml
A *adj* cowardly
B *nm,f* coward; **c'est un ~** he's a coward

C

couardise /kuaʀdiz/ fml *nf* cowardice; **par ∼** out of cowardice

couchage /kuʃaʒ/ *nm* (organisation) sleeping arrangements (*pl*); (lit) bed; (matériel pour dormir) bedding; **il va y avoir des problèmes de ∼** there are going to be problems with the sleeping arrangements; **un studio avec ∼ pour six** a studio that sleeps six

couchant /kuʃɑ̃/
A *adj m* **soleil ∼** setting sun; **au soleil ∼** at sunset
B *nm* **1** (coucher du soleil) sunset; **au ∼** at sunset; **2** (ouest) liter west

couche /kuʃ/
A *nf* **1** (de vernis, peinture, d'apprêt) coat; (d'aliments, de poussière, neige) layer; **passer la deuxième ∼** to put on the second coat; **une ∼ de crasse/graviers** a layer of filth/gravel; **une ∼ d'huile** a film of oil; **2** (strate) stratum, layer; **les ∼s atmosphériques** the layers *ou* strata of the atmosphere; **la ∼ d'ozone** the ozone layer; **'préserve la ∼ d'ozone'** 'ozone-friendly'; **une ∼ argileuse/calcaire** a stratum *ou* layer of clay/lime; **3** Sociol sector; **les ∼s défavorisées/laborieuses** the underprivileged/working classes *ou* sectors; **toutes les ∼s socioprofessionnelles** all the social and occupational sectors; **4** (pour bébés) nappy GB, diaper US; **∼ jetable** disposable nappy GB *ou* diaper US; **5** (lit) liter bed; **partager la ∼ de qn** to share sb's bed; ▸ **faux**
B couches† *nfpl* (accouchement) childbirth; **être en ∼s** to be giving birth
(Idiome) **en tenir une (sacrée) ∼**◐ to be really thick○

couché, ∼e /kuʃe/
A *pp* ▸ **coucher**
B *pp adj* **1** (penché) [*blés, herbes*] flattened; [*écriture*] sloping; **2** (à un chien) **∼!** (lie) down!

couche-culotte, *pl* **couches-culottes** /kuʃkylɔt/ *nf* disposable nappy GB *ou* diaper US

coucher /kuʃe/ [1]
A *nm* bedtime; **à l'heure du ∼** at bedtime; **le ∼ du roi** the King's going-to-bed ceremony
B *vtr* **1** (allonger) to put [sb] to bed [*malade, enfant*]; to lay out [*blessé, mort*]; **2** (mettre à l'horizontale) to lay [sth] on its side [*armoire, étagère*]; to lay [sth] down [*échelle, planche etc*]; **3** (faire pencher) [*vent, pluie*] to flatten [*blés, herbes*]; **4** (écrire) liter **∼ par écrit** to put [sth] down in writing [*idées, phrases*]; **∼ qn sur son testament** to name *ou* mention sb in one's will; **∼ une clause dans un contrat/traité** to insert a clause into a contract/treaty
C *vi* **1** (dormir) to sleep; **∼ dans un lit/par terre** to sleep in a bed/on the floor; **∼ dans des draps/un sac de couchage** to sleep in sheets/a sleeping bag; **∼ avec qn** (partager le lit de) to sleep with sb; **2** (passer la nuit) **∼ chez soi/qn** to sleep at home/sb's (house); **j'ai couché chez Eric** I slept at Eric's; **∼ à l'hôtel** to sleep at a hotel; **∼ sous la tente** to sleep in a tent; **∼ sous les ponts** fig to sleep rough GB *ou* outdoors; **3** ○(avoir des relations sexuelles) **∼ avec qn** to sleep with sb; **ils couchent ensemble** they're sleeping together; **elle ne couche pas** she doesn't want to have sex
D se coucher *vpr* **1** (s'allonger) [*personne, animal*] to lie (down); **je vais me ∼ un moment** I'm going to lie down for a while ; **le chien était couché à mes pieds** the dog was lying at my feet; **se ∼ sur/dans son lit** to lie (down) on/in one's bed; **couchez-vous sur le divan** lie on the couch; **les vaches sont couchées dans la paille** the cows are lying in the straw; **se ∼ sur le dos/côté** to lie on one's back/side; **se ∼ sur le ventre** to lie flat on one's stomach; **je dois rester couchée** I have to stay in bed; **2** (aller dormir) [*personne*] to go to bed; **se ∼ tôt/tard** to go to bed early/late; **je me suis couchée à 9 heures** I went to bed at nine; **il est retourné se ∼** he went back to bed; **les enfants sont couchés** the children are in bed; **va te ∼** lit go to bed!; (laisse-moi tranquille)○ clear off○!, get lost○!; **3** (se pencher) [*tige, blés*] to bend; [*voilier*] to list; (chavirer) to keel over; **se ∼ sur** [*motard, cycliste*] to lean forward over [*guidon*]; **se ∼ sur le côté** [*personne, motocycliste*] to lean (over) to one side, to lean out; **4** (disparaître à l'horizon) [*soleil*] to set, to go down; **le soleil se couche à 20 heures** the sun sets at 8 pm; **le soleil se couche sur la mer/derrière les montagnes** the sun sets over the sea/behind the mountains
(Composé) **∼ de soleil** sunset; **au ∼ du soleil** at sunset

coucherie◐ /kuʃʀi/ *nf* pej casual sexual encounter

couche-tard○ /kuʃtaʀ/ *nmf inv* night-owl○

couche-tôt○ /kuʃto/ *nmf inv*: *person who goes to bed early*

couchette /kuʃɛt/ *nf* (de train) couchette, berth; (de bateau) berth; **nous avons voyagé en ∼** we took couchettes; **un train à ∼s** a sleeper GB, a Pullman (car) US

coucheur /kuʃœʀ/ *nm* **mauvais ∼** awkward customer

couci-couça*○ /kusikusa/ *adv* so-so○

coucou /kuku/
A *nm* **1** Zool cuckoo; **2** Bot cowslip; **3** ○(avion) (old) crate○; **4** (horloge) cuckoo clock
B ○*excl* (bonjour) cooee!; (en se cachant) peekaboo!

coude /kud/ ▸ p. 196 *nm* **1** Anat elbow; **∼s au corps** with elbows tucked in; **donner un coup de ∼ à qn** (pour attirer l'attention) to nudge sb, give sb a nudge; (en se battant) to jab sb with one's elbow; **jouer des ∼s pour atteindre le buffet** to elbow one's way to the buffet; **2** Cout (partie de manche) elbow; (pièce) elbow patch; **3** (de chemin, tuyau) bend; (de fleuve) bend, elbow; **la route fait un ∼** there's a bend in the road; **le tuyau du lave-linge fait un ∼** there's a kink in the washing machine waste pipe
(Composé) **∼ à ∼** solidarity; **travailler ∼ à ∼** to work shoulder to shoulder; **être au ∼ à ∼** to be neck and neck
(Idiomes) **se serrer** *or* **se tenir les ∼s** to stick together; **lever le ∼**○ to drink a bit; **garder qch sous le ∼** to put sth on the back burner

coudé, ∼e /kude/
A *adj* bent at an angle
B coudée *nf* (mesure) cubit
(Idiomes) **avoir les** *or* **ses ∼es franches** to have elbow room; **être à cent ∼es au-dessus de qn** to stand head and shoulders above sb

cou-de-pied, *pl* **cous-de-pied** /kudpje/ *nm* (dessus du pied) instep; (articulation) ankle joint

couder /kude/ [1] *vtr* to bend

coudière /kudjɛʀ/ *nf* elbow support

coudoiement /kudwamɑ̃/ *nm* close contact

coudoyer /kudwaje/ [23] *vtr* to come into contact with, to mix with [*personnes*]

coudre /kudʀ/ [76]
A *vtr* (en couture) to sew [*ourlet*]; (en reliure) to stitch; to sew [sth] on [*bouton, pièce*]; to stitch [sth] on [*semelle*]; to stitch (up) [*robe, plaie*]; **∼ un ourlet à la main/à la machine** to sew a hem by hand/by machine; **∼ des morceaux de tissu ensemble** to sew pieces of material together; **∼ un bouton/une pièce à** *or* **sur qch** to sew a button/a patch on sth; **∼ qch dans l'ourlet** to sew sth inside the hem
B *vi* to sew; **elle sait très bien ∼** she's very good at sewing
(Idiomes) **leur histoire est cousue de fil blanc** you can see through their story; **être cousu d'or**† to be rolling in money; **c'est du cousu main**○ that's an expert job

coudrier /kudʀije/ *nm* hazel (tree); **baguette de ∼** divining rod

Coué /kwe/ *npr* **méthode ∼** autosuggestion, Couéism; **employer la méthode ∼** to use autosuggestion

couenne /kwan/ *nf* **1** Culin pork rind; **2** ◐(imbécile) jerk◐, fool; **3** ◐(peau) skin

couette /kwɛt/ *nf* **1** (couverture) duvet, continental quilt GB, comforter US; **2** (coiffure) **∼s** bunches GB, pigtails US; **se faire des ∼s** to put one's hair (up) in pigtails

couffin /kufɛ̃/ *nm* (berceau) Moses basket GB, bassinet US; (panier) basket

couguar* /kugaʀ/, **cougouar** /kugwaʀ/ *nm* cougar

couic /kwik/ *nm* (*also onomat*) squeak

couille● /kuj/ *nf* **1** (testicule) ball◐, testicle; **avoir/ne pas avoir de ∼s** fig to have/to have no balls◐; **2** (problème) cock-up◐ GB, fuck-up●
(Composé) **∼ molle** wimp○
(Idiome) **partir en ∼** to be a complete balls-up◐ GB *ou* ball-up◐ US

couillon◐, **-onne** /kujɔ̃, ɔn/
A *adj* bloody stupid◐ GB, fucking stupid●
B *nm,f* bloody idiot◐ GB, dumb fuck●; **faire le ∼** to piss about◐, to fuck around●

couillonnade◐ /kujɔnad/ *nf* **1** (sottise) **faire des ∼s** to piss around◐, to fuck around●; **dire des ∼s** to talk crap◐; **2** (tromperie) **c'est de la ∼** it's a con○

couillonner◐ /kujɔne/ [1] *vtr* to con○; **se faire ∼** to be conned○

couinement /kwinmɑ̃/ *nm* (de souris, chaton, jouet) squeak; (de lapin, porc, freins) squeal; (de porte, ressort) creak; (de chien, d'enfant) whine; **pousser un ∼** [*souris, chaton*] to squeak; [*lapin, porc*] to squeal; [*chien, enfant*] to whine

couiner /kwine/ [1] *vi* [*souris, chaton, jouet*] to squeak; [*lapin, porc, freins*] to squeal; [*ressort, porte*] to creak; [*chien, enfant*] to whine

coulant, ∼e /kulɑ̃, ɑ̃t/
A *adj* [*camembert*] runny; [*personne*] easy-going; [*style*] flowing
B *nm* **1** (anneau) belt loop; **2** Bot runner

coulé, ∼e /kule/
A *pp* ▸ **couler**
B *pp adj* **1** (souple) [*mouvement*] fluid, flowing; [*graphisme, écriture*] flowing; [*style*] flowing, fluid; **2** Naut [*navire*] sunken; **touché, ∼!** hit and sunk!
C *nm* Mus slide
D coulée *nf* **1** (en métallurgie) casting; **2** (d'une substance) **∼e de boue/neige** mudslide/snowslide; **∼e de lave** lava flow; **∼e de peinture** drip of paint; **3** Sport (en natation) glide
(Composé) **∼e arctique** *or* **polaire** Météo polar flow *ou* airstream

coulemelle /kulmɛl/ *nf* Bot common parasol

couler /kule/ [1]
A *vtr* **1** (verser) to cast [*métal, verre*]; to pour [*béton*]; **∼ une dalle de béton** to make a concrete slab; **2** (fabriquer) to cast [*buste, cloche*]; **∼ un bronze** lit to cast a bronze; (déféquer)◐ to have a crap○; **3** (faire sombrer) lit to sink [*navire*]; fig○ to put [sth] out of business [*entreprise, commerce*]; **le supermarché a coulé l'épicerie du quartier** the supermarket has put the corner shop out of business; **4** ○(faire échouer) [*matière, épreuve*] to make [sb] fail [*élève, étudiant*]; **ce sont les maths qui l'ont coulé** it was his maths mark GB *ou* math grade US that brought him down; **les scandales l'ont coulé** the scandals ruined him○; **5** (glisser discrètement) liter **∼ qch dans qch** to slip sth into sth; **il a coulé une lettre dans ma poche** he slipped a letter into my pocket; **∼ un regard vers qch/qn** to steal a glance at sth/sb
B *vi* **1** (se mouvoir) [*eau, ruisseau, boue, larmes, sang*] to flow; [*sève, peinture, colle, maquillage*] to run; **la Saône coule à Lyon** the Saône flows through Lyons; **ton rimmel® a coulé** your mascara has run; **le sang/la sueur coulait sur mon front** blood/sweat was running down my forehead; **∼ de** to run *ou* flow from [*robinet, fontaine, réservoir*]; to run *ou* flow out of

[*plaie*]; **faire ~ qch** to run [*eau*]; to pour [*vin, mazout*]; **faire ~ un bain** to run a bath; **fais-toi couler un bain** run yourself a bath; **2** (se fluidifier) [*fromage*] to go runny; **3** (glisser) [*neige*] to slide; **faire ~ du sable entre ses doigts** to let some sand run through one's fingers; **allez bois, ça coule tout seul!** come on drink it, it just slips down; **4** (fuir) [*robinet, tube, stylo*] to leak; [*nez*] to run; **j'ai le nez qui coule** my nose is running, I've got a runny nose; **5** (sombrer) [*bateau, personne*] to sink; **je coule!** I'm drowning!; **faire ~ un bateau** to sink a boat; **6** (passer paisiblement) liter [*vie, temps*] to slip by; **7** Bot [*fleur, fruit*] to drop; **8** ○(faire faillite) [*entreprise, projet*] to go under, to sink; **faire ~ une société** [*personne, concurrence*] to put a company out of business; **9** (être bien formulé) [*phrases, vers, paroles*] to flow

C se couler *vpr* (se glisser) **se ~ dans** to slip into [*foule, ouverture*]; to slip between [*draps*]; **se ~ entre** to slip between [*piquets, obstacles, gens*]

(Idiome) **~ des jours heureux** to lead a happy life

couleur /kulœʀ/ ▸ p. 202

A *nf* **1** gén colour[GB]; **~ primaire/secondaire** primary/secondary colour[GB]; **(de) quelle ~ est ta voiture?** what colour[GB] is your car?; **les feuilles ont pris de belles ~s** the leaves on the trees have turned golden; **sans ~** colourless[GB]; **une veste de ~ verte/marron** a green/brown jacket; **des rideaux de ~ claire/sombre/vive** light-/dark-/brightly-coloured[GB] curtains; **un sac ~ sable/abricot** a sand-/an apricot-coloured[GB] bag; **le linge de ~** coloureds[GB] (*pl*); **avoir la ~ de qch** to be the colour[GB] of sth; **faire prendre ~** Culin to brown; **plein de ~** fig [*récit, description*] vivid, colourful[GB]; **sans ~** dull; **2** Cin, Phot, TV **la ~** colour[GB]; **une télévision ~** a colour[GB] television; **filmer en ~(s)** to film in colour[GB]; **film en ~ (s)** film in colour[GB]; **photo en ~** colour[GB] photograph; **3** (substance colorante) colour[GB], paint; **une boîte de ~s** a paintbox; **un tube de ~** a tube of paint; **4** (coloration des joues) colour[GB]; **changer de ~** to change colour[GB]; **avoir de jolies ~s** to have a good colour[GB]; **tu as pris des ~s!** you've got some colour[GB] in your cheeks!; **ça te redonnera des ~s** it will put some colour[GB] back in your cheeks; **une personne de ~** a coloured[GB] person; **5** Jeux (aux cartes) suit; **quelle est la ~ demandée?** what is the suit?; **fournir à** *or* **jouer dans la ~** to follow suit; **6** Cosmét haircolour[GB]; **se faire faire une ~** to get one's hair coloured[GB]; **7** (tendance politique) **~ politique** political colour[GB]; **il affiche clairement sa ~** he 's showing his colours[GB] clearly; **8** (aspect) light; **donner une nouvelle ~ à qch** to shed a different light on sth; **sous des ~s trompeuses** in a false light

B couleurs *nfpl* **1** (drapeau) colours[GB]; **amener/hisser** *or* **envoyer les ~s** to lower/to hoist the colours[GB]; **2** (marque) colours[GB]; **une écharpe aux ~s de la ville/du club** a scarf in the town's/club's colours[GB]; **un avion aux ~s d'Air France** an aircraft with the Air France livery; **3** (vêtements de couleur) coloureds[GB]; **faire une lessive de ~s** to wash coloureds[GB] *ou* colour[GB] fabrics

(Composé) **~ locale** local colour[GB]; **pour faire plus ~ locale** to add some local colour[GB]; **le décor faisait très ~ locale** the decor was full of local colour[GB]

(Idiomes) **ne pas voir la ~ de qch**○ never to get a sniff of sth○; **l'héritage? elle n'en a jamais vu la ~** the inheritance? she never got a sniff of it; **avec lui, j'en ai vu de toutes les ~s**○ he really gave me a hard time, he put me through the mill○; **ils leur en ont fait voir de toutes les ~s**○ they really gave them a hard time, they really put them through the mill○; **passer par toutes les ~s (de l'arc-en-ciel)** to change colour[GB]; **sous ~ de faire** under the pretence[GB] *ou* guise of doing. ▸ **goût**

couleuvre /kulœvʀ/ *nf* grass snake

(Composés) **~ à collier** grass snake; **~ vipérine** viperine grass snake

(Idiomes) **être paresseux comme une ~** to be bone idle GB, to be a lazybones○; **avaler des ~s**○ (être humilié) to endure humiliation; (être trompé) to believe anything one is told; **faire avaler des ~s à qn**○ (humilier) to ride roughshod over sb; (tromper) to put one over on sb○

coulis /kuli/ *nm inv* Culin coulis

coulissant, ~e /kulisɑ̃, ɑ̃t/ *adj* sliding (*épith*)

coulisse /kulis/ *nf* **1** Théât **les ~s, la ~** (côtés) the wings; (loges) the dressing rooms; **en ~, dans les ~s, dans la ~** (arrière-scène, loges etc) backstage; (côtés) in the wings; fig behind the scenes; **dans les ~s de la politique** behind the political scenes; **2** (rainure) runner; (porte coulissante) sliding door; (cloison coulissante) sliding partition; **à ~** [*porte, cloison*] sliding; **regard en ~** sidelong glance; **3** (ourlet) casing; (cordon) drawstring

(Composé) **~ à baleine** whalebone casing

coulissé, ~e /kulise/

A *pp* ▸ **coulisser**

B *pp adj* **points ~s** running stitches; **short ~** *or* **à la taille ~e** shorts with a drawstring waist

coulisser /kulise/ [1] *vi* (dans une rainure) to slide; **la porte coulisse mal** the door isn't sliding properly; **faire ~ qch** (pour ouvrir, fermer) to slide sth open/shut

couloir /kulwaʀ/ *nm* **1** (de bâtiment) corridor GB, hallway US; (de train) corridor; (de station de métro) passage; **conversations de ~s** backstairs gossip; **bruits de ~s** rumours[GB]; **2** Transp **~ (de circulation** *or* **réservé)** bus (and taxi) lane; **~ de bus** bus lane; **3** (sur stade, en piscine) lane; (sur court) tramlines (*pl*) GB, alley US; **4** Géog corridor

(Composés) **~ aérien** air (traffic) lane; **~ de la mort** death row

coulommiers /kulɔmje/ *nm inv* Coulommiers (*cow's milk cheese*)

coulpe /kulp/ *nf* **battre sa ~** to go around in sackcloth and ashes

coulure /kulyʀ/ *nf* (de peinture) drip

country /kuntʀi/

A *adj inv* [*musique, style*] country

B *nm ou f* country (music)

coup /ku/ *nm*

> ⚠ Les expressions comme *coup de barre, coup de maître, coup de téléphone etc* seront normalement dans le dictionnaire sous le deuxième élément, donc respectivement sous **barre, maître, téléphone** etc

1 (choc physique) (neutre) knock; (brutal) blow, whack○; (dur, par accident) bang; (qui entaille) stroke; (d'un mouvement tranchant) chop; (du plat de la main) smack; (sec et rapide) rap; (léger et direct) tap; (léger et fouettant) flick; (de la pointe) poke, prod, jab; **~ sur la tête** knock *ou* blow *ou* bang on the head; **~ à la porte** knock at the door; **~ de marteau** hammer blow; **d'un ~ de hache** [*couper, tuer*] with a single blow from an axe GB *ou* ax US; **à ~s de hache/machette** [*couper, tuer*] with an axe GB *ou* ax US/a machete; **frapper qn à ~s de gourdin** to club sb, to beat sb with a club; **assommer qn à ~s de gourdin** to knock sb senseless with a club; **tuer qn à ~s de gourdin** to club sb to death; **casser qch à ~s de gourdin** to take a club to sth; **casser la porte à (grands) ~s de marteau** to break down the door with a hammer; **à ~s de dollars** by forking out dollars; **à ~s de subventions** by means of subsidies; **fièvre combattue à ~s d'antibiotiques** fever controlled with antibiotics; **disperser des manifestants à ~s de gaz lacrymogène** to disperse demonstrators by using *ou* with teargas; **sous le ~ d'un embargo** under an embargo; **céder sous les ~s de l'ennemi** to cave in under enemy pressure; **donner** *or* **porter un ~ à qn/qch** gén to hit sb/sth; **donner un ~ de qch à qn** gén to hit *ou* strike sb with sth; **donner un ~ de poing/pied/coude/dents/couteau à qn** to punch/kick/nudge/bite/stab sb; **recevoir un ~** [*personne*] to get hit; **recevoir un ~ de qch** gén to get hit with sth; **recevoir un ~ de poing/pied/coude/couteau** to be punched/kicked/nudged/stabbed; **prendre un ~** [*personne, appareil, voiture*] to get a knock; **en avoir pris un ~**○ (être très abîmé) to have taken (quite) a punishing; **rendre un ~** to hit back; **rendre ~ pour ~** lit to fight back; fig to give tit for tat; **en venir aux ~s** to come to blows (**pour** over); **frapper trois ~s à la porte** to knock on the door three times; **les trois ~s** Théât *three knocks signalling*[GB] *that the curtain is about to rise*

2 (choc moral) gén blow; (plus modéré) knock; **porter un ~ (sévère) à** to deal [sb/sth] a (severe) blow [*personne, organisation, théorie*]; **être un ~ terrible** to be a terrible blow (**pour** to); **sa fierté en a pris un ~** it was a blow to his/her pride; **ce fut un ~ dur pour eux** it was a great blow for them; **porter un ~ très dur à qn** to deal sb a major blow; **en cas de ~ dur** (accident) should anything really bad happen; (difficulté) if things get rough; **ça m'a donné un (sacré) ~**○ it gave me an awful shock; **sous le ~ de la colère** in (a fit of) anger; **sous le ~ de la fatigue/peur** out of tiredness/fear; **être sous le ~ d'une forte émotion** to be in a highly emotional state; **tomber sous le ~ d'une condamnation** to be liable to conviction; **être sous le ~ d'une condamnation** to have a conviction; **être sous le ~ d'une procédure d'extradition** to be facing extradition proceedings; ▸ **mauvais**

3 (bruit) gén knock; (retentissant) bang; (sourd) thump, thud; **j'ai entendu un ~ à la porte** I heard a knock at the door; **au douzième ~ de minuit** on the last stroke of midnight; **sur le ~ de dix heures**○ around ten; **~ de gong** stroke of a gong; **~ de sifflet** whistle blast; **donner un ~ de gong** to strike the gong; **donner un ~ de sifflet** to blow one's whistle

4 (mouvement rapide) **~ de brosse/peigne** brush/comb; **se donner un (petit) ~ de brosse/peigne** to give one's hair a (quick) brush/comb GB, to brush/comb one's hair (quickly); **donner un (petit) ~ d'aspirateur à une pièce** to give a room a (quick) hoover® GB, to vacuum a room (quickly); **donner un ~ sur la table** to dust the table; **les volets ont besoin d'un ~ de peinture** the shutters need a lick of paint; **d'un ~ d'aile** with a flap of its wings

5 Jeux, Sport (au tennis, golf, cricket) gén stroke; (dont on juge) shot; (aux échecs, dames) move; (aux dés) throw; (à la boxe) blow, punch; (au karaté) (du poing) punch; (du tranchant) chop; (du pied) kick; **tous les ~s sont permis** lit, fig no holds barred; **~ défendu** Jeux, Sport foul

6 (d'arme à feu) (décharge , détonation) shot; (munition) round; **chasser qn à ~s de fusil** to scare sb off with gunshots; **blesser qn d'un ~ de fusil** *or* **pistolet** to shoot and wound sb; **tuer qn d'un ~ de fusil** to shoot sb dead

7 ○(action organisée) (opération illégale) job○, racket○; (vilain tour) trick○; (manœuvre) move; **monter un ~** to plan a job○, to set up a racket○; **c'est encore un ~ des enfants!** the children have been up to their tricks again!; **c'était un beau ~ de vendre tes actions** it was a good *ou* shrewd move to sell your shares; **monter un ~ contre qn** gén to set sb up; (en vue d'une fausse accusation) to frame sb; **c'est un ~ monté!** it's a set-up○!; **monter le ~ à qn** to pull a fast one on sb○; **expliquer le ~ à qn** to put sb in the picture, **mettre qn dans le ~** to bring sb in on the job○, to cut sb in on the racket○ *ou* deal; **ils m'ont mis sur** *or* **dans le ~** they've let me in on it *ou* on

C

Les couleurs

■ *Attention: certains noms et adjectifs de couleurs français ont plusieurs traductions possibles. Par ex.,* brun *peut être* brown, dark, black *etc. Consulter les articles dans le dictionnaire.*

La couleur des choses

■ *Dans les expressions suivantes,* vert *est pris comme exemple; les autres adjectifs et noms de couleurs s'utilisent de la même façon.*

Les adjectifs

de quelle couleur est-il?
= what colour is it?

il est vert
= it's green

une robe verte
= a green dress

Les noms

■ *En anglais, les noms de couleurs n'ont en général pas d'article défini.*

j'aime le vert
= I like green

je préfère le vert
= I prefer green

le vert me va bien
= green suits me

porter du vert
= to wear green

une gamme de verts
= a range of greens

le même vert
= the same green

en vert
= in green

je t'aime bien en vert
= I like you in green

s'habiller en vert
= to dress in green

habillé de vert
= dressed in green

avez-vous le même modèle en vert?
= have you got the same thing in green?

■ *Avec les verbes* to paint *(peindre) et* to dye *(teindre), le* en *français n'est pas traduit:*

peindre la porte en vert
= to paint the door green

teindre un chemisier en vert
= to dye a blouse green

Les nuances

très vert
= very green

vert foncé
= dark green

vert clair
= light green

vert vif
= bright green

vert pâle
= pale green

vert pastel
= pastel green

vert profond
= deep green

vert soutenu
= strong green

un chapeau vert foncé
= a dark green hat

une robe vert clair
= a light green dress

un vert plus foncé
= a darker green

la robe était d'un vert plus foncé
= the dress was a darker green

un joli vert
= a pretty green

un vert affreux
= a dreadful green

sa robe est d'un joli vert
= her dress is a pretty green

■ *Noter l'absence d'équivalent du* de *français.*

■ *En anglais comme en français, on peut exprimer une nuance en utilisant le nom d'une chose dont la couleur est typique. Noter que l'adjectif prend un trait d'union* (sky-blue), *mais pas le nom* (sky blue).

bleu ciel
= sky blue

une robe bleu ciel
= a sky-blue dress

vert tilleul
= sage green

vert pomme
= apple green

une veste vert pomme
= an apple-green jacket

■ *De même,* navy-blue *(bleu marine),* midnight-blue *(bleu nuit),* blood-red *(rouge sang) etc. En cas de doute, consulter le dictionnaire. En ajoutant* -coloured *(GB) ou* -colored *(US) à un nom, on obtient un adjectif composé qui correspond au français avec* couleur.

une robe couleur framboise
= a raspberry-coloured dress (*GB*)
a raspberry-colored dress (*US*)

des collants couleur chair
= flesh-coloured tights (*GB*)

un papier peint couleur crème
= cream-coloured wallpaper (*GB*)

■ *Noter enfin:*

bleu-noir
= blue-black

verdâtre
= greenish

un jaune verdâtre
= a greenish yellow

■ *Attention: ces adjectifs n'existent pas pour toutes les couleurs. En cas de doute, consulter le dictionnaire. On peut toujours utiliser* shade, *comme on utilise* ton *ou* nuance *en français.*

un joli ton de vert
= a pretty shade of green

Le corps humain ▸ p. 196

■ *L'anglais n'utilise pas d'article défini dans les expressions suivantes:*

avoir les cheveux blonds
= to have fair hair

avoir les yeux bleus
= to have blue eyes

■ *Noter les adjectifs composés anglais:*

un blond
= a fair-haired man

une brune
= a dark-haired woman

un enfant aux yeux bleus
= a blue-eyed child

■ *Mais on peut aussi dire:* a man with fair hair, a child with blue eyes *etc.*

La couleur des cheveux

■ *Les adjectifs des deux langues ne sont pas exactement équivalents, mais les correspondances suivantes sont utiles. Noter que* hair *est toujours au singulier.*

les cheveux noirs
= black hair

les cheveux bruns
= dark hair

les cheveux châtains
= brown hair

les cheveux blonds
= fair hair (*ou* blond(e): *voir le mot français* blond *dans le dictionnaire*)

les cheveux roux
= red hair

les cheveux gris
= grey (*GB*)
ou gray (*US*) hair

les cheveux blancs
= white hair

La couleur des yeux

les yeux bleus
= blue eyes

les yeux bleu clair
= light blue eyes

les yeux gris
= grey (*GB*)
ou gray (*US*) eyes

les yeux verts
= green eyes

les yeux gris-vert
= greyish green (*GB*)
ou grayish green (*US*) eyes (grey-green *et* gray-green *sont aussi possibles*)

les yeux marron
= brown eyes

les yeux marron clair
= light brown eyes

les yeux noisette
= hazel eyes

les yeux clairs
= light-coloured (*GB*)
ou light-colored (*US*) eyes

les yeux noirs
= dark eyes

the racket○ *ou* on the deal○; **se mettre dans le ~** to get in on the action○; **mettre qn sur un ~** to put sb in on a job○, to put sb onto a racket○; **être sur un gros ~** to be onto something big○; **préparer un sale** *or* **mauvais ~** to be up to mischief; **manquer** *or* **rater○** *or* **foirer◑ son ~** to blow it○, not to pull it off; **il a raté son ~○** he blew it○; **réussir son ~** to pull it off; **être dans le ~** (impliqué) to be in on it *ou* on the racket○ *ou* on the deal○; (au courant) to be up to date, to know what's going on, to know what's what○; **tu n'es plus dans le ~!** fig you're behind the times!; **être/rester hors du ~** (non impliqué) to have/to keep one's nose clean○; **être sur le ~** (opération d'envergure) to be in on it *ou* on the job○; **qui a fait le ~?** gén who did it?; (opération minutieuse) whose work is it, who did the job?; **elle**

m'a fait le ~ de la veuve éplorée she did the weeping widow act with me; **ce n'est pas la première fois qu'il me fait le ~** it's not the first time he's done that to me
8 (fois, moment) **essayer un ~/encore un ~** to have a shot/another shot; **du premier ~** (immédiatement) straight off; (à la première tentative) at the first attempt; **au deuxième/troisième ~** at the second/third attempt; **(encore) un ~ pour rien** no go again○; **à chaque ~, à tout ~, à tous les ~s** every time; **ce ~-ci/-là** this/that time; **du ~**○ as a result; **du même ~**○ by the same token; **pour le ~**○ this time; **après ~** afterwards, in restropect; **au ~ par ~** as things come; **~ sur ~** in succession; **tout d'un ~, tout à ~** suddenly, all of a sudden; **d'un ~, d'un seul ~** just like that; **d'un seul ~ d'un seul**○ in one fell swoop; **en un seul ~** in one go○; **sur le ~** (à ce moment-là) at the time; [*mourir, tuer*] instantly, on the spot; **rigoler un bon ~** to have a good laugh; **pleure un bon ~** have a good cry; **mouche-toi un bon ~** give your nose a good blow; **respire un grand ~** take a deep breath; **boire à petits ~s** to sip; **boire à grands ~s** to swig
9 ○(boisson) drink; **viens, je te paye un ~ (à boire)** come on, I'll buy you a drink; **un ~ de rouge/blanc** a glass of red/white wine; **donne-moi encore un petit ~ de gin** give me another shot○ of gin
10 ●(partenaire sexuel) **un bon** *or* **beau ~** a good fuck● *ou* lay●
(Composés) **~ bas** (en boxe) blow *ou* punch below the belt; fig blow below the belt; **c'était un ~ bas** fig that was below the belt; **~s et blessures** Jur assault and battery; **~s et blessures volontaires** malicious wounding ¢; **~ droit** (au tennis) (forehand) drive; **faire un ~ droit** (au tennis) to drive; **~ fourré** dirty trick; **~ franc** (au football) free kick; **~ de tête/boule**○ headbutt; **donner un ~ de tête** *or* **boule**○ **à qn** to headbutt sb
(Idiomes) **tenir le ~** (résister à l'épreuve) [*personne*] to make it○; [*véhicule, appareil, chaussures*] to last out; [*lien, réparation*] to hold; (ne pas abandonner) [*personne*] to hold on; [*forces, armée*] to hold out; (faire face) to cope; **j'ai vu venir le ~** I could see it coming; **faire ~ double** to kill two birds with one stone; **compter les ~s** (rester neutre) to stay *ou* stand on the sidelines; **en mettre un ~**○ to give it all one's got○; **être aux cent ~s** to be worried sick○, to be in a state○; **faire les quatre cents ~s**○ to be up to no good; **avoir/attraper le ~ pour faire qch**○ to have/to get the knack of doing sth; **tirer un** *or* **son ~**● to have a screw●

coupable /kupabl/
A *adj* **1** gén, Jur [*personne, entreprise*] guilty **(de qch** of sth; **d'avoir fait** of doing); **non ~** not guilty; **être reconnu ~ de** to be found guilty of; **s'être rendu ~ de qch** to have committed sth; **2** (répréhensible) [*pensées, indifférence*] shameful; [*amour*] illicit
B *nmf* culprit; (dans un procès) guilty party

coupage /kupaʒ/ *nm* **1** Vin blending; **2** Tech cutting

coupant, ~e /kupɑ̃, ɑ̃t/ *adj* **1** [*lame*] sharp; **2** [*ton, remarque*] cutting, sharp

coup-de-poing, *pl* **coups-de-poing** /kudpwɛ̃/ *nm* **~ américain** knuckle-duster GB, brass knuckles (*pl*) US

coupe /kup/
A *nf* **1** Sport cup; **jouer en ~ Davis** to play in the Davis Cup; **la ~ du monde** the World Cup; **2** (coiffure) haircut; **tu as une jolie ~** you've got a nice haircut; **faire une ~ à qn** to give sb a haircut; **3** Cout (processus) cutting out; (façon) cut; **j'aime le tissu mais pas la ~** I like the fabric *ou* material but not the cut; **cours de ~ et de couture** dressmaking course; **4** (diminution) cut; **annoncer une ~ de 10% dans le budget** to announce a cut of 10% in the budget; **5** gén cutting **(de** of); **la ~ (des arbres) a commencé ce matin** they started cutting down the trees this morning; **fromage/jambon vendu à la ~** cheese/ham which is not sold pre-packed; **6** (surface d'exploitation) felling area; **7** Cin, Littérat, Presse (censure) (action) cutting; (résultat) cut; **8** (à fruits, dessert) bowl; (à champagne) glass; **une ~ de champagne** a glass of champagne; **9** Sci, Biol section; **une (vue en) ~ de qch** a section of sth; **~ longitudinale/transversale** longitudinal/cross section; **un os vu en ~** a bone seen in section; **10** (aux cartes) void; **avoir une ~ (à cœur/trèfle)** to have a void (in hearts/clubs); **11** Ling boundary; **~ syllabique** syllable boundary, syllabic division; **~ rythmique** rhythm group boundaries (*pl*)
B **sous la coupe de** *loc prép* **être sous la ~ de l'État** to be under the control of the state; **tomber sous la ~ de qn** to fall under sb's control; **vivre sous la ~ de parents autoritaires** to live under the thumb of authoritarian parents
(Composés) **~ au bol** pudding GB *ou* dessert US bowl cut; **~ en brosse** crew cut; **~ claire** lit heavy felling; fig drastic cut; **~ dégradée** layered cut; **~ réglée** periodic felling; **~ à sec** dry cut; **~ sombre** light felling
(Idiomes) **la ~ est pleine** enough is enough; **cette fois, la ~ est pleine!** this time, I've had enough!

coupé /kupe/ *nm* coupé

coupe-carrelage* /kupkarlaʒ/ *nm inv* tile-cutter

coupe-choux*○ /kupʃu/ *nm inv* **1** (sabre) short sword; **2** (rasoir) cut-throat razor GB, straight razor US

coupe-cigare, *pl* **~s** /kupsigar/ *nm* cigar cutter

coupe-circuit* /kupsirkɥi/ *nm inv* fuse

coupé-collé, **couper-coller** /kupekɔle/ *nm* Ordinat cut-and-paste

coupe-coupe* /kupkup/ *nm inv* machete

coupée /kupe/ *nf* gangway

coupe-faim* /kupfɛ̃/ *nm inv* appetite suppressant

coupe-feu* /kupfø/
A *adj inv* fire-proof; **mur ~** firewall; **porte ~** fire door
B *nm inv* (en forêt) firebreak

coupe-file, *pl* **~s** /kupfil/ *nm* pass

coupe-frites* /kupfrit/ *nm inv* chip-cutter GB, potato slicer US

coupe-gorge* /kupgɔrʒ/ *nm inv* (lieu) rough place; (quartier) rough area

coupe-jambon* /kupʒɑ̃bɔ̃/ *nm inv* bacon-slicer, ham-slicer

coupe-jarret*† /kupʒarɛ/ *nm inv* cut-throat†

coupe-légumes* /kuplegym/ *nm inv* vegetable cutter

coupelle /kupɛl/ *nf* small dish

coupe-œuf* /kupœf/ *nm inv* egg slicer

coupe-ongles* /kupɔ̃gl/ *nm inv* nail clippers (*pl*)

coupe-papier* /kuppapje/ *nm inv* paper knife, letter opener

couper /kupe/ [1]
A *vtr* **1** (sectionner) to cut [*ficelle, papier, tissu, fleur*] **(avec** with); to cut down [*arbre*]; to chop [*bois*]; (ôter) to cut [sth] off, to cut off [*frange, branche, tête, membre*]; **~ un fil avec les dents** to bite a thread off; **~ les cheveux/ongles à qn** to cut sb's hair/nails; **se faire ~ les cheveux** to have *ou* get one's hair cut; **on a dû lui ~ la jambe/le bras** they had to cut his/her leg/arm off; **ils ont coupé les ailes du corbeau pour qu'il ne s'envole pas** they have clipped the crow's wings so it won't fly off; **~ qch en deux/trois** to cut sth in two/three; **le débat a coupé notre pays en deux** the debate has split our country in two; **~ le voyage/la journée** to break up the journey/the day; **j'ai coupé par le bois/par le champ** I cut through the wood/across the field; ▸ **herbe**
2 Culin to cut (up), to slice [*pain, gâteau*]; to carve [*volaille, rôti*]; to cut (off) [*tranche*]; to chop [*légumes*]; **~ qch en morceaux** to cut sth up, to cut sth into pieces; **~ une tarte en huit** to cut a tart into eight pieces; **~ qch en lamelles** to cut sth into thin slices; **~ qch en dés** *or* **cubes** to dice sth, to cut sth into cubes; **~ qch en tranches** to slice sth, to cut sth into slices
3 Cout (d'après un patron) to cut out [*vêtement*]; (raccourcir) to shorten; **il faut ~ la robe de 3 cm** you've got to shorten the dress by 3 cm
4 (entamer) [*menottes, lanière*] to cut into [*poignet, chair*]; [*couteau, ciseaux*] to cut [*os, métal, carton*]
5 Cin to cut; (pour censurer) to cut (out) [*passage, images, scène*]
6 (croiser) [*route, voie ferrée*] to cut across [*route*]; Math [*droite, courbe*] to intersect with [*axe*]; **~ la route à qn/un véhicule** to cut in on sb/a vehicle
7 (pour faire obstacle) [*barrage, police*] to cut off [*route, passage*]; **une veste qui coupe bien le vent** a jacket that keeps out the wind
8 (interrompre) [*agence*] gén to cut off [*électricité, eau, téléphone*]; (pour non-paiement) to disconnect [*électricité, eau, téléphone*]; [*locataire, usager*] to turn off [*chauffage, eau, gaz*]; to switch off [*électricité, contact*]; **ne coupez pas!** don't cut us off!; **un œuf dur coupe la faim** a hard boiled egg takes the edge off your hunger; **~ la fièvre à qn** to bring sb's temperature down; **~ les vivres à qn** lit to cut off sb's food supply; fig to stop giving sb money; **~ l'appétit à qn** to ruin *ou* spoil sb's appetite; **~ le souffle à qn** lit, fig to take sb's breath away; **~ la parole à qn** to interrupt sb
9 (isoler) **~ qn de qn/qch** to cut sb off from sb/sth; **il vit coupé du monde** he lives cut off from the outside world
10 (mélanger) to dilute [*jus de fruit, vin*]; (à la fabrication) to blend [*vin*]
11 (au tennis) to slice [*balle, revers*]
12 Jeux (pour mélanger) to cut; (avec une carte) to trump; **j'ai coupé à trèfle/cœur** I trumped it with a club/heart
13 Vét to neuter, to castrate [*chat, chien*]; **il a fait ~ son chat** he had his cat neutered
B *vi* **attention ça coupe!** be careful, it's sharp *ou* you'll cut yourself!; **ça coupe beaucoup mieux** it cuts a lot better
C **se couper** *vpr* **1** (se blesser) to cut oneself **(avec** with); **il s'est coupé au menton/à l'oreille** he cut himself on the chin/on the ear; **il s'est coupé le doigt** (entamé) he cut his finger; (amputé) he cut his finger off; **se ~ les cheveux/ongles** to cut one's hair/nails
2 (se trahir) to give oneself away
3 (s'isoler) **se ~ de qn/qch** (volontairement) to cut oneself off from sb/sth; (involontairement) to be cut off from sb/sth
4 (se fendre) [*cuir*] to crack; [*étoffe*] to tear
5 (se tailler) **ça se coupe facilement/difficilement** it's easy/hard to cut
6 (se croiser) [*lignes, voies*] to cross, to intersect; Math to intersect, to cross
(Idiomes) **c'est ton tour de faire à manger, tu n'y couperas pas** it's your turn to cook, you won't get out of it; **j'en mettrais ma main à ~** *or* **au feu** I'd stake my life on it; **ça te la coupe**◑**, hein?** that's shut you up○!; ▸ **main**

couper-coller /kupekɔle/ [1] *vtr* Ordinat to cut and paste

couperet /kuprɛ/ *nm* (de boucher) cleaver; (de guillotine) blade; **la nouvelle est tombée comme un ~** the news came as a bombshell

couperose /kuproz/ *nf* broken veins (*pl*), rosacea spéc

couperosé, ~e /kuproze/ *adj* [*joue, nez*] with broken veins (*épith, après n*), affected by rosacea spéc

coupe-tomates* /kuptɔmat/ *nm inv* tomato slicer

coupeur, -euse /kupœr, øz/ ▸ **p. 532** *nm,f* Cout cutter

C

coupe-vent* /kupvɑ̃/ *nm inv* 1 (anorak) windcheater GB, windbreaker US; 2 (haie) windbreak

couplage /kuplaʒ/ *nm* Électrotech, Télécom coupling; Pub joint deal

couple /kupl/
A *nm* 1 (avec lien amoureux) couple; 2 (relation) relationship; **leur ~ n'a pas résisté à ces épreuves** their relationship didn't survive these problems; 3 (paire) (de danseurs) couple, pair; (d'animaux) pair; **le ~ de marcheurs/d'Italiens** the two walkers/Italians; **le ~ franco-allemand** France and Germany; 4 Électrotech, Phys couple; 5 Aviat frame; Naut **~ (de construction)** (transverse) frame
B *nf* Chasse couple

(Composés) **~ moteur** engine torque; **~ résistant** resisting torque

couplé, ~e /kuple/
A *pp* ▸ **coupler**
B *pp adj* **annonces ~es** Pub ads in a multimedia campaign; **pari ~** Turf reversed forecast; **télémètre ~** Phot coupled rangefinder
C *nm* Turf reversed forecast

coupler /kuple/ [1] *vtr* (tous contextes) to couple; **~ des machines** to couple machines (together); **~ qch avec qch** to couple sth (up) with sth

couplet /kuplɛ/ *nm* (de chanson) verse; Littérat (deux vers) couplet; péj **faire son ~ sur** to trot out the same old stuff about; **y aller de son petit ~** to trot out one's party piece

coupleur /kuplœʀ/ *nm* Électron, Ordinat coupler; Rail coupling

coupole /kupɔl/ *nf* Archit cupola, dome

Coupole /kupɔl/ *nprf* **la ~** the Académie française; **être reçu sous la ~** to become a member of the Académie française

coupon /kupɔ̃/ *nm* 1 (de tissu) remnant; 2 Théât ticket voucher; 3 Transp multiuse ticket (*in travel pass*); 4 Fin coupon

couponnage /kupɔnaʒ/ *nm* Fin couponing

coupon-réponse, *pl* **coupons-réponses** /kupɔ̃ʀepɔ̃s/ *nm* Postes, Pub reply coupon

coupure /kupyʀ/ *nf* 1 (pause) break; **~ estivale/publicitaire** summer/commercial break; **une ~ d'un quart d'heure** a 15-minute break; **trois jours de congé, ça fait une ~**○ three days off makes a nice break; 2 (fossé) gap; **la ~ entre l'école et le monde du travail** the gap between school and working life; 3 (passage censuré ou éliminé) cut; **ils ont fait plusieurs ~s dans le texte** they have made several cuts in the text; 4 (rupture) break; **je voulais une ~ nette avec mon passé** I wanted to make a clean break with my past; 5 (blessure) cut; **tu as une ~ au doigt/menton** you've got a cut on your finger/chin; 6 (d'eau, de gaz) **une ~ d'électricité** *or* **de courant** gén a power cut; (pour non-paiement) disconnection of electricity supply; **'~s d'eau pour travaux'** 'the water will be cut off several times during the repairs'; **les ~s de gaz sont rares** it's quite rare for the gas to be cut off; 7 Fin (billet de banque) (bank)note GB, bill US; **petites/grosses ~s** notes of small/large denomination

(Composé) **~ de journal** *or* **de presse** (newspaper) cutting *ou* clipping

cour /kuʀ/ *nf* 1 (de maison, bâtiment) courtyard; (où l'on joue) playground; (de ferme) yard; **la ~ des grands** lit the older children's playground; fig the big league; **~ de ferme** farmyard; **sur ~** overlooking the courtyard; 2 (de souverain) court; (de personne en vue) entourage; **~ d'Angleterre** English court; **~ royale/pontificale** royal/papal court; **habit de ~** court dress; **le roi et sa ~** the king and his courtiers; **être bien/mal en ~** to be in/out of favour[GB] **(auprès de** with); 3 (à une jeune fille) courtship; **faire la ~ à** to court; **faire sa ~ à** lit, fig to pay court to; 4 Jur court; **devant la ~** before the court; **'messieurs, la ~'** 'all rise'

(Composés) **~ d'appel** Jur court of appeal GB *ou* appeals US; **~ d'arrivée** arrivals area; **~ d'assises** Jur criminal court; **~ de caserne** barracks square; **~ constitutionnelle** Admin constitutional court; **~ de départ** departures area; **~ d'école** schoolyard; **~ de gare** station forecourt; **~ d'honneur** main courtyard; **~ d'immeuble** inner courtyard; **~ intérieure** inner courtyard; **~ martiale** Mil court-martial; **passer en ~ martiale** to be court-martialled; **faire passer qn en ~ martiale** to court-martial sb; **~ des Miracles** Hist *area of a city frequented by beggars and thieves*; fig den of thieves; **~ de récréation** playground; **~ de renvoi** court of appeal GB *ou* appeals US; **Cour de cassation** court of cassation; **Cour des comptes** national audit office; **Cour européenne des droits de l'homme** European Court of Human Rights; **Cour européenne de justice** UE ▸ **Cour de justice des Communautés européennes**; **Cour internationale de justice** International Court of Justice; **Cour de justice des communautés européennes** UE European Court of Justice; **Cour suprême** (des États-Unis) Supreme Court; **Cour de sûreté de l'État** state security court

(Idiome) **jouer dans la ~ des grands** to take on the big boys

courage /kuʀaʒ/ *nm* 1 (devant l'adversité) courage; (devant un danger physique) bravery; **avec ~** courageously, with courage, bravely; **avoir du ~** to be courageous *ou* brave; **avoir le ~ de faire** to be courageous *ou* brave enough to do, to have the courage to do; **trouver le ~ de faire** to pluck up the courage to do; **faire preuve de (beaucoup de) ~** to show (great) courage; **il faut du ~ pour faire ça** it takes courage *ou* guts○ to do that; **donner du ~ à qn** to give sb courage; **avoir le ~ de ses opinions** to have the courage of one's convictions; 2 (énergie) energy; **je n'ai même pas le ~ de me doucher** I don't even have the energy to have a shower; **je n'ai pas eu le ~ de dire non** I didn't have the heart to say no; **'je vais travailler'—'bon ~!'** 'I'm going to work'—'work hard!' *ou* iron 'good luck to you!'; **~!** don't lose heart!; **perdre/prendre ~** to lose/to take heart; **reprendre ~** to take fresh heart; **cela m'a donné du ~ (pour faire)** it encouraged me (to do); **je mange du chocolat pour me donner du ~** I eat chocolate to keep myself going

(Idiome) **prendre son ~ à deux mains** to take one's courage in both hands

courageusement /kuʀaʒøzmɑ̃/ *adv* 1 (face à l'adversité) courageously; (face au danger physique) bravely; 2 (avec décision) with a will; **~, elle se mit au travail** she went to work with a will

courageux, -euse /kuʀaʒø, øz/ *adj* 1 (fort moralement) courageous; (sans peur) brave; **sois ~** gén be brave; (avant une mauvaise nouvelle) be strong; 2 (énergique) **je ne me sens pas très ~ aujourd'hui** I haven't got much energy today; **il est ~, il travaille 16 heures par jour** he's not afraid of hard work, he works 16 hours a day

couramment /kuʀamɑ̃/ *adv* 1 (avec aisance) [*parler, écrire*] fluently; **il parle ~ le russe, il parle russe ~** he speaks Russian fluently, he speaks fluent Russian; 2 (communément) **cela se fait ~** it's very common; **ça se dit ~** it's a common expression; **se pratiquer ~** to be widely practised[GB]; **~ admis** widely *ou* generally accepted; **~ utilisé** widely *ou* extensively used

courant¹ /kuʀɑ̃/ *prép* some time in; **~ janvier** some time in January

courant², ~e /kuʀɑ̃, ɑ̃t/
A *adj* 1 (fréquent) [*mot, pratique, erreur*] common; **l'expression est de plus en plus ~e** the expression is becoming increasingly common; **il est ~ de faire** it is common to do
2 (ordinaire) [*langue*] everyday; [*procédure, fonctionnement*] usual, ordinary; Comm [*taille*] standard
3 (avec référence temporelle) [*semaine, mois, année*] current; **le 15 du mois ~** the 15th of this month, the 15th inst.; **bénéfice ~** profit for the year
B *nm* 1 (mouvement de l'eau) current; **un ~ fort/faible** a strong/weak current; **il y a beaucoup de ~** there's a strong current; **nager/ramer contre le ~** to swim/to row against the current; **aller contre le ~** fig to go against the tide; **suivre le ~** lit to go with the current, to go downstream; fig to go with the flow; **remonter le ~** [*saumon*] to swim upstream; [*embarcation*] to sail against the current; fig [*personne, entreprise*] to get back on one's feet
2 Aviat, Météo current; **~ aérien** air current
3 Électrotech current; **~ électrique** electric current; **il n'y a plus de ~** the power has gone off; **remettre le ~** to switch the power back on; **le ~ passe** lit the power's on; **le ~ ne passe pas** there's no power; **le ~ passe bien entre elle et lui** fig they get on very well; **il faut que le ~ passe avec le public** fig you have to have a good rapport with the audience; **certains soirs le ~ ne passe pas avec le public** fig on some evenings there's just no rapport with the audience
4 (tendance) trend; **un ~ culturel/politique/religieux** a cultural/political/religious trend; **un ~ de pensée/d'opinion** a current of thought/of opinion
5 (déplacement) movement; **les ~s migratoires/de population** migratory/population movements; ▸ **plume**
6 (période) **dans le ~ de** in the course of; **dans le ~ du mois/de l'année/de la journée** in the course of the month/of the year/of the day; **demain, dans le ~ de la journée** some time tomorrow
C **au courant** *loc adj* 1 (informé) **être au ~** to know **(de qch** about sth); **tu étais au ~ et tu n'as rien dit!** you knew and you didn't say anything!; **je ne suis pas du tout au ~ de ce qu'il veut faire** I really don't know what he wants to do; **mettre qn au ~** to put sb in the picture, to fill sb in **(de qch** about sth); **il serait préférable de les mettre au ~** it would be better to put them in the picture; **tenir qn au ~** to keep sb posted **(de qch** about sth); **tiens-moi au ~ de l'affaire, ça m'intéresse** keep me posted about the case, I'm interested
2 (au fait) **être très au ~** to know all about it; **pour les questions techniques demande à Paul, il est très au ~** for technical questions ask Paul, he knows all about it; **pour un spécialiste il n'a pas l'air très au ~** for a specialist he doesn't really seem to know what he's doing; **mettre qn au ~** to bring sb up to date **(de qch** on sth); **nous vous mettrons au ~ du nouveau système** we will bring you up to date on the new system; **se tenir au ~** to keep up to date **(de qch** on sth); **j'essaie de me tenir au ~ de ce qui se fait en informatique** I'm trying to keep up to date with what's happening in computing
D **courante** *nf* 1 Mus, Danse courante
2 ○(diarrhée) runs◑ (*pl*); **avoir la ~e** to have the runs◑

(Composés) **~ d'air** draught GB, draft US; **faire ~ d'air** to make a draught **(avec** with); **leur fils est un vrai ~ d'air** hum their son is never in one place for more than five minutes at a time; **~ alternatif, CA** alternating current, AC; **~ ascendant** updraught; **~ atmosphérique** Aviat air flow; Météo air stream; **~ continu, CC** direct current, DC; **~ descendant** Aviat downdraught; **~ d'induction** *or* **induit** Électrotech induction current; **~ porteur** carrier current

courant-jet, *pl* **courants-jets** /kuʀɑ̃ʒɛ/ *nm* jet stream

courbatu, ~e /kuʀbaty/ *adj* liter stiff; **être tout ~** to be stiff all over; **j'ai les bras ~s** my arms are stiff

courbature /kuʀbatyʀ/ *nf* ache; **avoir des ~s** to be stiff; **j'ai des ~s dans les jambes** my legs are stiff; **être plein de ~s** to be stiff all over; **donner des ~s à qn/dans le bras de qn** to make sb/sb's arm stiff

courbaturé, ~e /kuʀbatyʀe/ *pp adj* (après effort) stiff; (pendant grippe) aching; **être tout ~ après un match** to be stiff all over after a match; **j'ai le bras ~** my arm is stiff

courbe /kuʀb/
A *adj* curved
B *nf* 1 (représentation graphique) curve; **~ ascendante du chômage/des prix** rising unemployment/price curve; **~s de rentabilité/boursières** profit/stock exchange graphs; **la ~ de popularité du ministre** the minister's popularity rating; 2 (de rivière) bend; (de route) curve; (plus marqué) bend; (de sourcil) arch; **faire une ~** [*route, voie ferrée*] to curve; (plus marqué) to bend
(Composés) **~ gauche** Math skew curve; **~ de niveau** Géog contour line; **~ de température** Méd temperature chart

courbé, ~e /kuʀbe/
A *pp* ▸ **courber**
B *pp adj* **être ~** (avec l'âge) to be bent with age; (par déformation) to stoop

courber /kuʀbe/ [1]
A *vtr* 1 (faire plier) to bend [*rameau, barre*]; 2 (incliner) to bend [*corps, partie du corps*]; **courbant la tête sur son livre** bending over his/her book; **courbant le dos** *or* **les épaules pour** bending down in order to; **~ la tête** *or* **le front** *or* **le dos** fig to bow down
B *vi* **~ sous le poids** to be bowed down under the weight
C se courber *vpr* (se baisser) to bend down; (avec l'âge) to become bent with age

courbette /kuʀbɛt/ *nf* 1 (low) bow; **faire des ~s** fig to bow and scrape (**devant** to); 2 Équit curvet

courbure /kuʀbyʀ/ *nf* gén curve; **la ~ de mon nez** the curved shape of my nose

courette /kuʀɛt/ *nf* small courtyard

coureur, -euse /kuʀœʀ, øz/
A *adj* **il est ~** he's a womanizer; **elle est coureuse** she's a manhunter○
B *nm,f* 1 ▸ **p. 532** Sport (en course à pied) runner; 2 (séducteur) womanizer/manhunter○
(Composés) **~ automobile** racing driver; **~ des bois** Can (trappeur) trapper; **~ cycliste** (racing) cyclist; **~ de demi-fond** middle-distance runner; **~ de fond** long-distance runner; **~ de haies** hurdler; **~ de jupons** philanderer; **~ motocycliste** motorcycle racer

courge /kuʀʒ/ *nf* 1 (terme générique) gourd; (fruit) (vegetable) marrow; 2 ◑(imbécile) berk◑ GB, idiot

courgette /kuʀʒɛt/ *nf* courgette GB, zucchini US

courir /kuʀiʀ/ [26]
A *vtr* 1 Sport [*athlète*] to run (in) [*épreuve, marathon*]; [*cycliste*] to ride in [*épreuve*]; [*pilote*] to drive in [*rallye, course*]; [*cheval*] to run in [*épreuve*]; **~ le relais/100 mètres** to run (in) the relay/100 metres[GB]
2 (parcourir en tous sens) **~ la campagne/les océans/le monde** to roam the countryside/the oceans/the world; **j'ai couru tout Paris pour trouver ton cadeau** I searched the whole of Paris for your present; **~ les boutiques** to go round the shops GB *ou* stores US
3 (fréquenter) **~ les cocktails/bals/théâtres** to do the rounds of the cocktail parties/dances/theatres[GB]
4 (s'exposer à) **~ un (grand) danger** to be in (great) danger; **faire ~ un (grand) danger à qn/qch** to put sb/sth in (serious) danger; **~ un (gros) risque** to run a (big) risk; **je ne veux ~ aucun risque** I don't want to run any risks; **~ le risque de faire** to run the risk of doing; **faire ~ un risque à qn** to put sb at risk; **c'est un risque à ~** it's a risk one has to take
5 ◑(agacer) **~ qn** to get on sb's nerves *ou* wick○ GB; **tu nous cours avec tes histoires!** you're getting on our nerves with your stories!
6 ○(chercher à séduire) **~ les filles/garçons** to chase after girls/boys; ▸ **lièvre**
B *vi* 1 gén [*personne, animal*] to run; **~ dans le couloir/dans les escaliers** to run in the corridor/on the stairs; **~ à travers champs/à travers bois** to run across the fields/through the woods; **~ vite** (ponctuellement) to run fast; (en général) to be a fast runner; **je ne cours pas vite** I can't run very fast; **ils courent tous les samedis** (en jogging) they go for a run *ou* go jogging every Saturday; **sortir en courant** to run out; **se mettre à ~** to start running; **~ vers** *or* **à qn** to run toward(s) sb; **cours chercher de l'aide/ton père** run and get help/your father; **je cours leur dire/les prévenir** I'll run and tell them/warn them; **'va chercher ton frère'—'j'y cours'** 'go and get your brother'–'I'm going'; **tout le monde court voir leur spectacle** everybody is rushing to see their show; **qu'est-ce qui vous fait ~?** fig what makes you tick○?; **les voleurs courent toujours** fig the thieves are still at large
2 Sport (en athlétisme) to run; (en cyclisme) to ride, to race; (en voiture, moto) to race; (en équitation) to run; **~ sur** to race with [*nom de marque*]; to race on [*nom de véhicule*]; **~ au grand prix du Japon** to race in the Japanese Grand Prix; **on court à Vincennes cet après-midi** Turf there's a race meeting at Vincennes this afternoon; **~ sur une balle** (au tennis) to run for a ball
3 (se presser) [*personne*] to rush; **j'ai couru toute la journée** I've been rushing about all day; **elle court sans arrêt** she's always rushing about, she's always on the go; **~ au secours de qn** to rush to sb's aid; **en courant** hastily, in a rush; **~ (tout droit) à la catastrophe/faillite** to be heading (straight) for disaster/bankruptcy
4 (chercher à rattraper) **~ après qn/qch** gén to run after sb/sth; (poursuivre) to chase after sb/sth; **ton chien m'a couru après** your dog chased after me; **~ après un voleur** to chase after a thief; **s'il ne veut pas me voir je ne vais pas lui ~ après** fig if he doesn't want to see me I'm not going to go chasing after him; ▸ **valoir**
5 (essayer d'obtenir) **~ après qch** to chase after sth; **~ après les honneurs/le succès/la gloire** to chase after honour[GB]/success/glory
6 ○(essayer de séduire) **~ après qn** to chase after sb; **il te court après** he's chasing after you
7 ○(apprécier) **ne pas ~ après qch** not to be wild about sth○; **le chou, je ne cours pas après** I'm not wild about cabbage○
8 (se mouvoir rapidement) [*ruisseau, torrent*] to rush, to run (**dans** through); [*flammes*] to run, to race; [*nuages*] to race (**dans** across); **ses doigts courent sur le clavier** his/her fingers race over the keyboard; **ma plume court sur la feuille** my pen is racing across the page; **laisser ~ sa plume** *or* **son stylo (sur le papier)** to let one's pen run *ou* race across the page
9 (parcourir) **~ le long de** [*sentier*] to run along [*bois, pré*]; [*veine, varice*] to run down [*jambe*]; **les lignes qui courent sur la paume de la main** the lines that run across the palm
10 (se propager) [*rumeur, bruit*] to go around; **il y a un bruit qui court à leur sujet** there's a rumour[GB] going around about them; **le bruit court que** rumour[GB] has it (that), there's a rumour[GB] that; **c'est un bruit qui court** it's a rumour[GB]; **faire ~ un bruit** to spread a rumour[GB]
11 (être en vigueur) [*intérêts*] to accrue; [*bail, contrat*] to run (**jusqu'à** to)
12 (s'écouler) **le mois/l'année qui court** the current *ou* present month/year
13 Naut [*navire*] to run, to sail
C se courir *vpr* 1 (avoir lieu) [*tiercé, course à pied*] to be run; [*course de voiture, moto*] to take place
2 (chercher à se rattraper) **se ~ après** to chase (after) each other; **arrêtez de vous ~ après dans la maison!** stop chasing each other around the house!
3 ○(se chercher) **se ~ après** to look for each other
(Idiomes) **tu peux toujours ~○!** you can go whistle for it○!; **laisser ~○** to let things ride; **laisse ~, tu vois bien qu'il le fait exprès** forget it, can't you see he's doing it on purpose?; **rien ne sert de ~ il faut partir à point** Prov slow and steady wins the race Prov

courlis /kuʀli/ *nm* curlew

couronne /kuʀɔn/ *nf* 1 (de roi) crown; (de noble) coronet; **~ de fleurs d'oranger** garland of orange blossom; **~ d'épines** crown of thorns; **~ de lauriers** laurel wreath; **~ de fleurs** wreath; **~ de roses** wreath of roses; 2 (pour un enterrement) wreath; **~ funéraire** *or* **mortuaire** funeral wreath; 3 Dent crown; **poser une ~** to crown a tooth; 4 (cercle) ring; 5 (pouvoir) **la ~** the Crown; **les joyaux de la ~** the crown jewels; **prétendre à la ~** to lay claim to the throne; **héritier de la ~** heir to the throne; 6 Astron, Météo corona; Mécan crown wheel; (en numismatique) crown; 7 (pain) ring-shaped loaf; 8 (banlieue de Paris) **la petite ~** *the inner suburbs (pl)*; **la grande ~** *the outer suburbs (pl)*

couronnement /kuʀɔnmɑ̃/ *nm* 1 (de souverain) coronation; (de saint, héros) crowning; 2 (accomplissement) **c'est le ~ de leur carrière** it crowns their career

couronner /kuʀɔne/ [1] *vtr* 1 (coiffer d'une couronne, sacrer) to crown; **~ qn roi** to crown sb king; **il fut couronné d'épines/de lauriers** he was crowned with thorns/with a laurel wreath; **enfant à la tête couronnée de roses** child wearing a garland of roses on his head; 2 (entourer, surmonter) liter to crown; **couronné de neige** snow-capped; 3 (donner un prix à) to award a prize to [*personne, œuvre*]; (récompenser) **être couronné de succès** to be crowned with success; **cela couronne dix années de recherches** this is the crowning achievement of ten years' research; **et pour ~ le tout** iron and to crown it all; 4 Dent to crown
(Idiome) **se ~ les genoux** to graze one's knees

courre /kuʀ/ *vtr* **chasse à ~** hunting

courriel /kuʀjɛl/ *nm* email

courrier ➡📖
/kuʀje/ *nm* 1 (lettres) mail, post GB; **faire son ~** to do some letter-writing; **par retour du ~** by return (of post) GB, by return mail; 2 (une lettre) letter; **je vous envoie un ~** you will be receiving a letter from me; **en réponse à votre ~ du** in answer to your letter of; 3 Presse (lettres, rubrique) **~ des lecteurs** readers' letters; (dans journaux d'information) letters to the editor; 4 Postes (avion) mail GB, mail plane; (bateau) mail GB, mail boat; ▸ **long, moyen**; 5 (employé en malle-poste) post
(Composés) **~ d'ambassade** *or* **diplomatique** diplomatic courier; **~ du cœur** problem page; **~ de la mode/littéraire** fashion/book page; **~ électronique** Ordinat electronic mail

courriériste /kuʀjeʀist/ *nmf* (chargé de chronique) columnist

courroie /kuʀwɑ/ *nf* 1 (lien) strap; 2 Mécan belt
(Composés) **~ de transmission** lit drive belt; fig communication channel; **~ de ventilateur** Aut fan belt

---

➡📖 *voir* Le courrier électronique et l'Internet

C

courroucé, **~e** /kuʀuse/ *adj* fml wrathful sout, irate; **d'un ton ~** wrathfully sout, angrily; **sous le regard ~ de** under the incensed gaze of

courroucer /kuʀuse/ [12] *vtr* fml to anger, to incense

courroux /kuʀu/ *nm* fml wrath sout, ire sout; **être/se mettre en ~** to be/to become irate *ou* infuriated

cours /kuʀ/ *nm inv* 1▸ (session d'enseignement) Scol lesson, class; Univ class; (magistral) lecture; (hors cadre scolaire) class; (en privé) lesson; (ensemble de sessions) course; **avoir ~** to have a class; **je n'ai pas ~ demain** I haven't got any lessons *ou* classes tomorrow; **prendre des ~ de qch** to take classes in sth; **tu devrais prendre des ~ de diction** you should go to elocution classes; **suivre un ~** to do *ou* take a course; **il prend des ~ d'espagnol** he's taking Spanish lessons; **je suis un ~ de secrétariat/cuisine/littérature** I'm doing *ou* taking a secretarial/cookery/literature course; **je suis les ~ du professeur X** I'm attending Professor X's lectures; **le professeur X a publié son ~ sur la traduction** Professor X has published his/her course of lectures on translation; **faire ~** to teach; **qui vous fait ~ en maths?** who teaches you maths GB *ou* math US?; **faire un ~ sur qch** (une fois) to give a class in sth; (plusieurs fois) to teach a course in sth; **il nous a fait un véritable ~ sur la gastronomie** he gave us a real lecture on gastronomy; **donner des ~ de français/piano** (dans l'enseignement) to teach French/piano; (en privé) to give French/piano lessons

2▸ Scol, Univ (manuel) course book, textbook; (notes) notes (*pl*)

3▸ (établissement) school; **~ de théâtre** drama school

4▸ Fin (taux de négociation) (de denrée, valeur) price; (de devise) exchange rate; **le ~ du change** the exchange rate; **le ~ du dollar** the price of the dollar; **~ légal** official exchange rate; **les ~ boursiers** *or* **de la Bourse** Stock Exchange prices; **le ~ du marché** the market price; **acheter qch au ~ des halles** to buy sth at wholesale market price; **~ d'ouverture/de clôture** *or* **fermeture** opening/closing price; **avoir ~** Fin [*monnaie*] to be legal tender; fig [*théorie, pratique*] to be current; [*terme, expression*] to be used; **ne plus avoir ~** Fin [*monnaie*] to be no longer legal tender; fig [*théorie, pratique*] to be no longer accepted; [*terme, expression*] to be no longer used

5▸ (de rivière) (parcours) course; (débit) flow; **détourner le ~ d'une rivière** to divert the course of a river; **avoir un ~ lent/rapide** to flow slowly/quickly; **fleuve au ~ rapide** fast-flowing river; **descendre/remonter le ~ d'une rivière** to go down/to go up a river

6▸ (enchaînement) (de récit, conflit, carrière, maladie) course; (d'idées) flow; (d'événements) course; **les choses suivent tranquillement leur ~** things are quietly taking their course; **le ~ des choses** the course of events; **reprendre son ~** to resume; **la vie reprend son ~** life returns to normal; **la sonnerie interrompit le ~ de mes pensées** the bell interrupted my train of thought; **donner libre ~ à** to give free rein to [*imagination, fantaisie*]; to give way to [*peine, douleur*]; to give vent to [*colère, indignation*]; **au** *or* **dans le ~ de** in the course of, during; **dans le ~ du mois prochain** in the course of next month; **dans le ~ du mois** within the month; **en ~** [*mois, semaine, année*] current; [*processus, projet*] under way (*après n*); [*travail, négociations, changements*] in progress (*après n*); **en ~ de journée/saison/séance** in the course of the day/season/session; **en ~ de fabrication/rénovation** in the process of being manufactured/renovated; **le pont en ~ de construction** the bridge being built *ou* under construction; **le pont est en ~ de construction** the bridge is under construction *ou* in the process of being built; **en ~ de route** along the way; **rajoutez un peu d'eau en ~ de cuisson** add some water during the cooking

(Composés) **~ accéléré** crash course; **~ de compensation** Fin mark-up price; **~ d'eau** watercourse; **~ élémentaire deuxième année, CE2** *third year of primary school, age 8–9*; **~ élémentaire première année, CE1** *second year of primary school, age 7–8*; **~ intensif** intensive course; **~ magistral** Univ lecture; **~ moyen deuxième année, CM2** *fifth year of primary school, age 10–11*; **~ moyen première année, CM1** *fourth year of primary school, age 9–10*; **~ d'initiation** introductory course; **~ intensif** intensive course; **~ par correspondance** correspondence course; **suivre des ~ par correspondance** to take a correspondence course; **~ particulier(s)** private tuition ¢ GB, private tutoring ¢ US (**en, de** in); **donner/suivre des ~ particuliers** to give/to have private tuition *ou* lessons; **~ de perfectionnement** improvers' course; **~ préparatoire, CP** Scol *first year of primary school, age 6–7*; **~ de rattrapage** remedial course; **~ de remise à niveau** refresher course; **~ du soir** evening class

course /kuʀs/

A *nf* 1▸ (mode de déplacement) running; **être en pleine ~** to be running at full speed; **faire la ~ avec qn** lit, fig to race sb; **viens, on va faire la ~** come on, I'll race you; **être rapide à la ~** to be a fast runner

2▸ (trajet) (de personne) run; (de taxi) journey; **une ~ de 15 kilomètres** (à pied) a 15 kilometre[GB] run; (en taxi) a 15 kilometre[GB] journey; **après une ~ effrénée** after a frantic run; **cette ~ m'a épuisé** that run has tired me out; **c'est 10 euros la ~** the fare is 10 euros; **leurs ~s à travers l'Afrique/le monde** their travels around Africa/the world

3▸ ○(précipitation) rush; **ça va être la ~ pour rendre le rapport dans les délais** it'll be a rush getting the report in before the deadline; **ça a été la ~ aujourd'hui!** (pour moi) I've been rushing around all day!

4▸ (compétition) race; **la ~ au profit/pouvoir** the race for profit/power; **la ~ à la présidence/la Maison Blanche** the race for the presidency/the White House; **se lancer dans la ~ aux voix/au développement** to throw oneself into the race for votes/for development; **être en ~** Sport to be in the race; fig to be in the running; **être hors ~** Sport, fig to be out of the race; **plusieurs entreprises sont en ~ pour ce projet** there are several companies in the running for this project

5▸ (activité) (en athlétisme) running; (en alpinisme) climb; (avec un véhicule, animal) racing; (épreuve) race; **~ de motos** (activité) motorcycle racing; **~ de chevaux/lévriers** horse/greyhound race

6▸ (démarche) **j'ai une ~ à faire** I've got to get something; **elle est partie faire une ~** she's gone off to get something; **j'ai deux ou trois ~s à faire** I've got some shopping to do

7▸ (de pièce mécanique) (mouvement) travel; (distance parcourue) stroke; **~ à vide** idle stroke; **en bout de ~** at full stroke

8▸ (trajectoire) (d'astre, de planète, comète) path; (de nuages) passage; (de fusée, projectile) flight path

9▸ (passage) liter **la ~ du temps/des années** the passing of time/of the years

10▸ Hist Naut privateering; **navire en ~** privateer

B **courses** *nfpl* 1▸ (achats) shopping ¢; **faire des ~s** to go shopping; **je vais faire des ~s** I'm going shopping; **je fais mes ~s au marché/au supermarché** I do my shopping at the market/in the supermarket

2▸ Turf races; **jouer/gagner aux ~s** to bet/to win at the races; **quel est le résultat des ~s?** lit what are the racing results?; fig, hum○ can you fill me in?, what's the crack○?

(Composés) **~ aux armements** Pol arms race; **~ automobile** (activité) motor racing; (épreuve) motor race; **faire de la ~ automobile** to race cars; **~ de côte** hill climb; **~ cycliste** (activité) cycle racing; (épreuve) cycle race; **faire de la ~ cycliste** to compete in cycle races; **~ de demi-fond** middle-distance race; **~ de fond** long-distance race; **~ de haies** (en athlétisme) hurdle race, hurdles (*pl*); Équit steeplechase; **~ à handicap** Équit handicap race; **~ landaise** *sport in which a competitor must evade a charging bull controlled by a rope*; **~ contre la montre** race against the clock; **~ d'obstacles** Équit obstacle race; fig hurdle; **~ à pied** running; **~ de plat** Équit (activité) flat racing; (épreuve) flat race; **~ de relais** relay race; **~ en sac** sack race; **~ de taureaux** (corrida) bullfight; (dans la rue) bull run; **~ de trot** Équit trotting race; **~ de vitesse** (en athlétisme) sprint; (en moto) speedway race

(Idiomes) **ne plus être dans la ~** to be out of touch; **être en fin de ~** to be on the decline; **être à bout de ~** to be worn out

course-croisière, *pl* **courses-croisières** /kuʀskʀwɑzjɛʀ/ *nf* long-distance yacht race

course-poursuite, *pl* **courses-poursuites** /kuʀspuʀsɥit/ *nf* 1▸ lit chase; (en voitures) car chase; 2▸ fig race

courser○ /kuʀse/ [1] *vtr* to chase [*animal, personne*]; **se faire ~ par qn** (chasser) to be chased off by sb; (poursuivre) to be chased by sb

coursier, **-ière** /kuʀsje, ɛʀ/ ▸ p. 532

A *nm,f* messenger

B *nm* Hist charger, warhorse

coursive /kuʀsiv/ *nf* (d'immeuble, de bateau) passageway

court, **~e** /kuʀ, kuʀt/

A *adj* 1▸ (pas long) [*vêtement, cheveu, texte, période, mémoire, distance, balle*] short; **manches/culottes ~es** short sleeves/trousers GB *ou* pants US; **dans le délai le plus ~** in the shortest possible time; **de ~e durée** [*victoire, joie, espoir*] short-lived; [*prêt, emploi, maladie*] short-term; **s'arrêter, souffle ~** to get out of breath and stop; **avoir le souffle ~** to get out of breath easily; **avoir la vue ~e** lit, fig to be short-sighted; **~ sur pattes** [*animal*] short-legged; [*personne*]○ shortish; **prendre au plus ~** to take the shortest way; ▸ **paille**; 2▸ (insuffisant) [*connaissances*] limited; **une heure/deux euros/trois pages c'est (un peu) ~** one hour/two euros/three pages, that's not really enough; 3▸ (faible) [*défaite, victoire, majorité*] narrow; **gagner d'une ~e tête** to win by a short head

B *adv* **s'habiller ~** to wear short skirts; **jouer ~** to play short balls; **couper qch ~** to cut sth short; **les cheveux coupés ~** with short hair; **couper ~** to cut the conversation short; **couper ~ à qch** (abréger) to cut sth short; (faire cesser) to put paid to sth; **tourner ~** to come to a sudden end; **s'arrêter ~** to stop short

C *nm* 1▸ Mode **le ~** short skirts (*pl*); **la mode est au ~** short skirts are in; 2▸ Sport court; **~ de tennis** tennis court; **~ central** centre[GB] court

(Composés) **~ métrage** Cin short (film); **~e échelle** leg up; **faire la ~e échelle à qn** to give sb a leg up

(Idiomes) **être à ~ de** to be short of [*argent, munitions*]; to be short on [*arguments, idées*]; **prendre qn de ~** to catch sb on the hop○ GB *ou* unprepared

courtage /kuʀtaʒ/ *nm* brokerage

courtaud, **~e** /kuʀto, od/ *adj* 1▸ [*personne*] shortish; 2▸ [*chien, cheval*] with a docked tail

court-bouillon, *pl* **courts-bouillons** /kuʀbujɔ̃/ *nm* court-bouillon; **au ~** in a court-bouillon

court-circuit, *pl* **~s** /kuʀsiʀkɥi/ *nm* short-circuit

court-circuiter /kuʀsiʀkɥite/ [1] *vtr* 1▸ lit to short-circuit; 2▸ ○fig to bypass [*intermédiaire*]

court-courrier, *pl* **~s** /kuʀkuʀje/ *nm* short-haul carrier

courtier, **-ière** /kuʀtje, ɛʀ/ ▸ **p. 532** *nm,f* broker; **~ en assurances** insurance broker; **~ maritime** ship-broker

courtine /kuʀtin/ *nf* curtain

courtisan /kuʀtizɑ̃/ *nm* **1** (flagorneur) sycophant; **attitude de ~** fawning ¢; **2** Hist courtier

courtisane /kuʀtizan/ *nf* courtesan

courtiser /kuʀtize/ [1] *vtr* **1** (flatter) to woo [*électeurs, entreprise, puissants*]; **2** †to court, to woo [*femme*]

court-jus◐, *pl* **courts-jus** /kuʀʒy/ *nm* short○, short-circuit

courtois, **~e** /kuʀtwa, az/ *adj* [*personne, lettre, ton*] courteous (**avec** to); [*genre, tradition*] courtly

courtoisement /kuʀtwazmɑ̃/ *adv* courteously

courtoisie /kuʀtwazi/ *nf* courtesy; **visite de ~** courtesy visit; **par ~** out of courtesy

(Composé) **~ internationale** Jur comity of nations

court-vêtu, **~e**, *mpl* **~s** /kuʀvety/ *adj* **une femme ~e** a woman in a short skirt

couru, **~e** /kuʀy/

A *pp* ▸ **courir**

B *pp adj* (prisé) [*restaurant, musée, villégiature*] popular

(Idiome) **c'est ~ d'avance**○ it's a foregone conclusion

couscous /kuskus/ *nm inv* couscous

couscoussier /kuskusje/ *nm* steamer (*for cooking couscous*)

cousette /kuzɛt/ *nf* **1** (matériel) small sewing kit; **2** †(personne) dressmaker's apprentice

cousin, **~e** /kuzɛ̃, in/

A *nm,f* cousin; **~ germain** first cousin; **~s au deuxième degré** second cousins; **un vague ~** a distant relation

B *nm* Zool mosquito

(Idiomes) **être ~s à la mode de Bretagne** hum to be distantly related; **le roi n'est pas son ~** he thinks he is the cat's whiskers

cousinage /kuzinaʒ/ *nm* (lien de parenté) cousinhood; (éloigné) distant relationship; **air de ~** similarity (**entre** between)

cousiner /kuzine/ [1] *vi* to be on familiar terms (**avec** with)

coussin /kusɛ̃/ *nm* **1** (pour divan) cushion; **2** Tech (pour protéger) padding

(Composés) **~ d'air** air cushion; **~ de sécurité** air bag

coussinet /kusinɛ/ *nm* **1** (de divan) small cushion; **2** Mécan bearing; Rail chair

(Composés) **~ d'allaitement** breast pad; **~ plantaire** Zool pad

cousu, **~e** /kuzy/ ▸ **coudre**

coût* /ku/ *nm* cost (**de** of; **en** in); **~ élevé/total** high/total cost; **~ de fonctionnement/production** operating/production cost; **~ économique/politique/social** economic/political/social cost; **~ en vies humaines** cost in human lives

(Composés) **~ du crédit** Fin lending rate; **~ d'opportunité** Fin opportunity cost; **~ du travail** labour[GB] costs (*pl*); **~ de la vie** cost of living; **~s salariaux** wage costs; **~s salariaux indirects** non-wage labour[GB] costs

coûtant* /kutɑ̃/ *adj* **prix ~** cost price; **à** *or* **au prix ~** at cost price

couteau, *pl* **~x** /kuto/ *nm* **1** gén knife; (de mixeur) blade; **au ~** [*couper, graver*] with a knife; **c'est un coup de ~** (blessure) it's a knife wound; **jouer** *or* **manier du ~** to use a knife (*in a fight*); **donner un coup de ~ à qn** to stab sb; **tuer qn à coups de ~** to stab sb to death; **il a reçu un coup de ~** he was stabbed; ▸ **brouillard**, **lame**, **plaie**; **2** (coquillage) razor shell GB, razor clam US; **3** (de balance) knife edge; **4** (personne) **premier ~** accomplice; **second ~** henchman

(Composés) **~ à beurre** butter knife; **~ de boucher** butcher's knife; **~ de chasse** hunting knife ; **~ à cran d'arrêt** flick knife GB, switchblade US; **~ de cuisine** kitchen knife; **~ à découper** carving knife; **~ électrique** electric knife; **~ éplucheur** *or* **à éplucher** peeler; **~ à pain** bread knife; **~ à palette** Art palette knife; **~ de poche** pocket knife; **~ à poisson** fish knife; **~ de table** table knife

(Idiomes) **être à ~x tirés avec qn** to be at daggers drawn with sb; **avoir le ~ sous la gorge** to have a pistol to one's head; **mettre le ~ sous la gorge de qn** to hold a pistol to sb's head; **tendre la gorge au ~** to lay one's head on the block

couteau-scie, *pl* **couteaux-scies** /kutosi/ *nm* serrated knife

coutelas /kutlɑ/ *nm* (de cuisine) large (kitchen) knife; (sabre) cutlass

coutelier, **-ière** /kutəlje, ɛʀ/ ▸ **p. 532**

A *nm,f* (marchand, fabricant) cutler

B **coutelière** *nf* (étui) knife box

coutellerie /kutɛlʀi/ *nf* (magasin) cutlery shop; (fabrique) cutlery works (*pl*); (industrie) cutlery industry; (commerce) cutlery trade *ou* business; (objets) cutlery

coûter* /kute/ [1]

A *vtr* to cost; **~ son emploi à qn** to cost sb his/her job; **~ la vie à qn** to cost sb his/her life; **cela ne coûte rien de faire** it doesn't cost anything to do

B *vi* to cost; **~ dix euros** to cost ten euros; **~ beaucoup/une fortune** to cost a lot/a fortune; **me ~ six euros** to cost me six euros; **~ beaucoup à Pierre/au pays** to cost Pierre/the country a lot; **cela a coûté six euros à Paul** it cost Paul six euros; **cela ne te coûtera rien** it won't cost you a penny *ou* thing; **combien coûte ce livre?** how much is this book?, how much does this book cost?; **cela me coûte d'aller le voir** it's hard for me to go and see him; **~ cher** to be expensive; **ne pas ~ cher** to be cheap, not to cost a lot; **~ cher à qn** lit [*travaux, achat*] to cost sb a lot; fig [*erreur, action*] to cost sb dear(ly)

C *v impers* **ce chien nous coûte cher** this dog costs us a lot; **il en coûte à qn de faire** it's hard for sb to do; **il t'en coûtera d'avoir fait cela** you will pay for doing this; **coûte que coûte, quoi qu'il en coûte** at all costs

(Idiomes) **il n'y a que le premier pas qui coûte** the first step is the hardest; **~ la peau des fesses**◐ *or* **les yeux de la tête**○ to cost an arm and a leg○

coûteusement* /kutøzmɑ̃/ *adv* expensively

coûteux, **-euse*** /kutø, øz/ *adj* **1** (qui entraîne des dépenses) costly; **un bâtiment ~ à rénover** a building which is costly to renovate; **2** (qui entraîne des pertes) costly; **politique coûteuse en temps/pour l'environnement** policy which is costly in terms of time/for the environment

coutil /kuti/ *nm* (pour vêtement) (cotton) drill; (pour matelas) ticking; **pantalon de ~** twill trousers GB *ou* pants US

coutre /kutʀ/ *nm* coulter GB, colter US (of plough GB *ou* plow US)

coutume /kutym/ *nf* **1** (habitude) custom; **selon la ~** according to custom; **selon sa ~** as is his/her custom; **avoir ~ de faire qch** to be in the habit of doing sth; **la ~ le veut** it is the custom; **la ~ veut que** custom has it that; **de ~** as a rule; **comme de ~** as usual; **plus tôt/tard que de ~** earlier/later than usual; **2** Jur (usage) custom; (recueil) customary

(Idiome) **une fois n'est pas ~** it does no harm just this once

coutumier, **-ière** /kutymje, ɛʀ/

A *adj* **1** (habituel) customary, usual; **2** Jur [*droit, autorité*] customary

B *nm* Jur customary

couture /kutyʀ/

A *adj inv* designer

B *nf* **1** (activité, chose à coudre) sewing; (activité professionnelle) dressmaking; **faire de la ~** to sew; (occasionnellement) to do some sewing; **haute ~** haute couture; **2** (bords cousus) seam; **faire une ~ pour assembler** to stitch [*sth*] together; **sans ~s** seamless; **avec** *or* **à ~s** seamed; **~ apparente** visible seam; **~ rabattue** flat seam; **~ anglaise** French seam

(Idiomes) **le petit doigt sur la ~ du pantalon** standing stiffly to attention; **regarder** *or* **examiner qch sous toutes les ~s** to look at *ou* scrutinize sth from every angle; **battre qn à plates ~s** to beat sb hollow

couturé, **~e** /kutyʀe/

A *pp* ▸ **couturer**

B *pp adj* [*visage*] scarred

couturier /kutyʀje/ *nm* **1** ▸ **p. 532** dress designer; **grand ~** couturier; **2** Anat sartorius (muscle)

couturière /kutyʀjɛʀ/ *nf* **1** ▸ **p. 532** Cout dressmaker; **2** Théât dress rehearsal

couvain /kuvɛ̃/ *nm* (œufs) brood

couvaison /kuvɛzɔ̃/ *nf* (action) brooding; (période) incubation (period)

couvée /kuve/ *nf* (d'oisillons, enfants) brood; (d'œufs) clutch

couvent /kuvɑ̃/ *nm* **1** (pour femmes) convent; (pour hommes) monastery; **entrer au ~** to enter a convent; **2** (école) convent school

couventine /kuvɑ̃tin/ *nf* (religieuse) conventual; (écolière) convent schoolgirl

couver /kuve/ [1]

A *vtr* **1** Zool to brood; **~ trois œufs** to sit on three eggs; **2** (protéger) to overprotect; **tu le couves trop** you are overprotective (of him); **~ qn/qch du regard** (avec tendresse) to look fondly at sb/sth; (avec envie) to gaze longingly at sb/sth; **3** (être atteint de) to be sickening for [*maladie*]; **4** (préparer) to hatch [*complot*]; to plot [*vengeance*]

B *vi* [*révolte*] to brew; [*colère, jalousie*] to smoulder; [*racisme, fanatisme*] to lie dormant; [*feu*] to smoulder

couvercle /kuvɛʀkl/ *nm* (de boîte, pot, casserole) lid; (qui se visse) screw-top

couvert, **~e** /kuvɛʀ, ɛʀt/

A *pp* ▸ **couvrir**

B *pp adj* **1** (plein) covered (**de** in, with); **pages ~es d'écriture** closely-written pages; **être ~ de diplômes** to have a lot of qualifications; **2** (en intérieur) [*piscine*] indoor; [*court de tennis*] indoor, covered; [*marché, stade, passage*] covered; **3** Météo [*ciel*] overcast; [*temps*] overcast, cloudy, dull

C *nm* **1** (accessoires pour un repas) place setting; **un lave-vaisselle pour 12 ~s** a dishwasher for 12 place settings; **retirer un ~** to take away a place setting; **ajouter un ~** to set another place; **une table de six ~s** a table set for six; **mettre le ~** to lay the table; **mettre trois ~s** to lay *ou* set the table for three; **mets-lui un ~** set a place for him/her; **avoir son ~ chez qn** fig to be a frequent dinner guest at sb's house; **un repas de 12 ~s** a meal for 12 (people); **2** (ustensiles) **mettre les ~s** to put out the knives and forks; **un ~ en argent** a silver knife, fork and spoon; **ils mangent avec des ~s en argent** they eat with silver cutlery; **il manque les ~s** (sur la table) the knives and forks aren't on the table; **~ à dessert** dessert knife, fork and spoon, **un ~ à poisson** a fish knife and fork; **3** Comm (au restaurant) cover charge; **ils ne font pas payer le ~** there's no cover charge; **4** (abri) cover; **sous le ~ d'un arbre/bois** under the cover of a tree/wood; ▸ **gîte 1**

D **à couvert** *loc adv* under cover; **se mettre à ~**

to take cover; **mettre sa fortune à ~** to safeguard one's fortune
E à couvert de *loc prép* **être** *or* **rester à ~ de la pluie** to be sheltered from the rain; **être** *or* **rester à ~ d'un bois** to take cover in a wood; **se mettre à ~ de** to shelter from
F sous le couvert de *loc prép* 1 (apparence) under the pretence[GB] of; **sous ~ de la plaisanterie** under the guise of a joke; 2 Admin **écrire à X, sous le ~ de Y** to write to X, care of Y
G couverte *nf* 1 Imprim covering, facing; 2 Art glaze

couverture /kuvɛʀtyʀ/ *nf* 1 (de lit) blanket; (plus petit) rug GB, lap robe US; 2 (de livre, cahier, magazine) cover; **en ~** on the (front) cover; 3 (de journaliste, presse) coverage; **assurer la ~ d'un événement** to cover an event; 4 Constr roofing; **~ d'ardoises/de chaume** slate/thatched roofing; **il faut changer toute la ~** the whole roof needs replacing; 5 Assur, Fin, Mil cover; (cachant activités suspectes) cover; **~ aérienne** air cover; **taux de ~** (dans échanges commerciaux) import-export ratio; 6 Écol **~ (végétale)** plant cover
(Composés) **~ chauffante** electric blanket; **~ sociale** social security cover; **~ maladie universelle, CMU** *free health care for people on low incomes*; **~ de voyage** travelling rug GB, lap robe US
(Idiome) **tirer la ~ à soi** to turn a situation to one's own advantage

> **Couverture maladie universelle**
>
> Since January 2000, the social security cover guaranteed by the *CMU* provides 6 million low-income earners in France with free medical care. In addition, those eligible for full medical cover are entitled to free consultations.

couveuse /kuvøz/ *nf* 1 (appareil) incubator; **être en ~** to be in an incubator; 2 (poule) brood hen

couvrant, ~e /kuvʀɑ̃, ɑ̃t/
A *adj* [*peinture, produit de beauté*] that provides good cover (*épith, après n*); **pouvoir ~ (d'une peinture)** surface coverage (of a paint)
B couvrante◑ *nf* (couverture) blanket

couvre-chef, *pl* **~s** /kuvʀəʃɛf/ *nm* hum headgear ¢, hat

couvre-feu, *pl* **~x** /kuvʀəfø/ *nm* curfew; **instaurer le ~** to impose a curfew; **lever le ~** to lift the curfew

couvre-lit, *pl* **~s** /kuvʀəli/ *nm* bedspread

couvre-matelas /kuvʀəmatla/ *nm inv* mattress cover

couvre-pieds* /kuvʀəpje/ *nm inv* small quilt

couvre-plat, *pl* **~s** /kuvʀəpla/ *nm* dish cover

couvre-théière, *pl* **~s** /kuvʀətejɛʀ/ *nm* tea cosy

couvreur /kuvʀœʀ/ ▸ **p. 532** *nm* roofer

couvrir /kuvʀiʀ/ [32]
A *vtr* 1 (recouvrir) gén to cover [*meuble, mur, objet, feu, blessé*] (**de** with); to roof [*maison*]; (aux cartes) to cover; **des boutons couvraient son corps** his/her body was covered in *ou* with spots GB *ou* pimples; **~ un toit d'ardoises/de tuiles/de chaume** to slate/tile/thatch a roof; **~ des pages et des pages d'une écriture serrée** to fill page after page in closely written script; **une peinture qui couvre bien** a paint that gives good coverage; 2 (être plus fort que) [*son, musique*] to drown out; 3 (desservir) [*émetteur, radio, inspecteur*] to cover [*région*]; 4 (contre le froid) (avec des vêtements) to wrap [sb] up; (au lit) to cover [sb] up; **il est trop couvert** (vêtu) he's got too many clothes on; (au lit) he's got too many blankets on; **je ne l'ai pas assez couvert** (vêtu) I haven't dressed him warmly enough; (au lit) I haven't put enough blankets on his bed; 5 (donner en grande quantité) **~ qn de coups/d'honneurs** to shower sb with blows/honours[GB]; **~ qn de bijoux/compliments** to shower jewels/compliments on sb; **~ qn d'or** lit to shower sb with gold; fig (enrichir) to make sb wealthy; **~ qn de baisers** to cover sb with kisses; 6 (protéger) to cover up for [*faute, personne*]; (avec une arme) to cover [*complice, soldat, retraite*]; **~ qn de son corps** to shield sb with one's body; 7 (parcourir) [*coureur, véhicule*] to cover [*distance*]; 8 (rendre compte de) [*livre, film*] to cover [*sujet, période*]; [*journaliste, presse*] to cover [*affaire, événement*]; 9 (pourvoir à) **~ les besoins de qn** to meet sb's needs; 10 Fin [*somme*] to cover [*dépenses, coûts*]; **~ une enchère** to make a higher bid; 11 Assur (garantir) to cover [*dégât, risque, personne*]; 12 Zool [*mâle*] to cover [*femelle*]; **faire ~** to get [sth] covered
B se couvrir *vpr* 1 (s'habiller) to wrap up; (d'un chapeau) to put on a hat; **tu ne te couvres pas assez** you don't wrap up well enough; **elle se couvrit les épaules d'un châle noir** she covered her shoulders with a black shawl; **rester couvert** to keep one's hat on; 2 Météo [*ciel*] to become cloudy *ou* overcast; **le temps se couvrira un peu cet après-midi** it will cloud over in the afternoon; 3 (se remplir) **se ~ de** (de plaques, boutons) to become covered with; **au printemps la pelouse se couvre de fleurs** in spring the lawn becomes a carpet of flowers; **l'arbre se couvre de fleurs/feuilles** the tree comes into bloom/leaf; **son visage se couvrit de sueur/larmes** sweat/tears poured down his/her face; 4 (se protéger) (de critiques, d'accusations) to cover oneself, to cover one's back; (de coups) to protect oneself; **tu ne te couvres pas assez** (à la boxe) your guard isn't good enough; 5 Assur **se ~ contre** to cover oneself against

COV /kɔv/ *nm* (*abbr* = **composé organique volatil**) Chimie VOC

covoiturage /kovwatyʀaʒ/ *nm* car sharing

coxalgie /kɔksalʒi/ *nf* coxalgia

coyote /kɔjɔt/ *nm* coyote

CP /sepe/ *nm*: *abbr* ▸ **cours**

CPAO /sepeao/ *nf*: *abbr* ▸ **conception**

CPR /sepeɛʀ/ *nm* (*abbr* = **Centre pédagogique régional**) ≈ teachers' centre

CQAO /sekyao/ *nm*: *abbr* ▸ **contrôle**

CQFD /sekyɛfde/ (*abbr* = **ce qu'il fallait démontrer**) QED

crabe /kʀab/ *nm* Zool crab; **marcher en ~** to sidle along, to walk crabwise

crac /kʀak/ *nm* (*also onomat*) (cassure) crack; (déchirure) rip; **entendre un ~** to hear a cracking sound; **et puis ~! elle a changé d'idée** and then, bang! she changed her mind

crachat /kʀaʃa/ *nm* 1 spit ¢; **un ~** some spit; **couvert de ~s** covered in spit; 2 ○†(décoration) decoration, gong○ GB

craché○, **~e** /kʀaʃe/ *adj* **tu es (le portrait) de) ta mère toute ~e** you're the spitting image of your mother; **c'est lui tout ~** that's just like him

crachement /kʀaʃmɑ̃/ *nm* 1 (de salive, etc) spitting ¢, expectorating ¢ spéc; **le ~ de sang indique que** spitting blood is a sign that; 2 (de fumée) belching ¢; (d'étincelles) shower; (de flammes) burst; 3 (bruit à la radio, d'arme, etc) crackling ¢

cracher /kʀaʃe/ [1]
A *vtr* 1 (ce qui est dans la bouche) to spit out [*noyau, aliment*]; **~ du sang** to spit blood; **crache-le, crache** spit it out; 2 ○(payer) to cough up○ [*somme*]; 3 (dire) **~ des injures à qn** to hurl abuse at sb; **'bande d'idiots,' cracha-t-elle** 'you fools,' she hissed; **elle lui cracha à la figure que** she told him/her venomously that; 4 (émettre) to belch out [*flammes, fumée*]; to spit out [*balles*]
B *vi* 1 [*personne*] to spit; 2 fig **~ sur qn** (mépriser) to despise sb; (injurier) to hurl abuse at sb; **je ne cracherais pas dessus**○ I wouldn't say no, I wouldn't turn up my nose at it; 3 [*robinet, stylo*] to splutter; [*radio*] to crackle
(Idiome) **c'est comme si on crachait en l'air**○ it's a complete waste of time

cracheur /kʀaʃœʀ/ *nm* **~ de feu** fire-eater

crachin /kʀaʃɛ̃/ *nm* drizzle

crachiner /kʀaʃine/ [1] *v impers* to drizzle

crachoir /kʀaʃwaʀ/ *nm* spittoon
(Idiomes) **tenir le ~**○ to talk nonstop, to talk a mile a minute US; **tenir le ~ à qn**○ to talk on and on at sb○

crachotement /kʀaʃɔtmɑ̃/ *nm* 1 (de personne) coughing and spluttering ¢; 2 (de radio, micro) crackling ¢

crachoter /kʀaʃɔte/ [1] *vi* 1 [*personne*] to cough and splutter; 2 [*robinet, stylo*] to splutter; 3 [*micro, radio*] to crackle

crachouiller /kʀaʃuje/ [1] *vi* [*personne*] to cough and splutter

crack /kʀak/ *nm* 1 (cheval) champion horse; 2 ○(génie) ace; **c'est un ~ en français** he/she is an ace at French; **c'est un ~ au volant** he/she is an ace driver; 3 ○(drogue) crack○

cracking /kʀakiŋ/ *nm* = **craquage**

cracra○ /kʀakʀa/, **cradingue**◑ /kʀadɛ̃g/, **crado**○ /kʀado/ *adj* [*personne, vêtement*] filthy; [*endroit*] grotty GB, grungy US

craie /kʀɛ/ *nf* (roche, bâton) chalk; **~ (de) tailleur** French chalk, tailor's chalk; **écrire qch à la ~ sur** to chalk sth on

craignos◑ /kʀɛɲos/ *adj* [*personne, lieu, attitude*] scary○; [*situation*] hairy○

craindre /kʀɛ̃dʀ/ [54]
A *vtr* 1 (redouter) to fear, to be afraid of [*personne, attaque, réprimande, mort*]; **avoir tout à ~ de qn/qch** to have every reason to fear sb/sth; **n'avoir rien à ~ de qn/qch** to have nothing to fear from sb/sth; **~ une rechute/le pire** to fear a relapse/the worst; **ne craignez rien** don't be afraid; **oui, je le crains** yes, I'm afraid so; **~ pour** to fear for [*vie, réputation*]; **se faire ~** to make oneself feared; **~ de faire** to be afraid of doing; **il craignait d'être attaqué** he was afraid of *ou* he feared being attacked; **je crains d'avoir à le vendre** I am afraid *ou* I fear I may have to sell it; **je crains de ne pouvoir y aller** I am afraid *ou* I fear I may not be able to go; **je crains qu'il ne manque le train** I'm afraid *ou* I fear that he might miss the train; **je crains qu'il n'ait eu un accident** I'm afraid *ou* I fear that he may have had an accident; **ne crains-tu pas qu'il refuse?** aren't you afraid he might *ou* he'll say no?; **je crains que vous ne fassiez erreur** euph I'm afraid you are mistaken; **il est à ~ que l'amélioration ne dure pas** it is to be feared that the improvement won't last; **une explosion est à ~** there's some danger of an explosion; ▸ **échauder**; 2 (regretter) **~ de** to be afraid (that); **~ que** to be afraid (that); **je crains de ne pas savoir** I am afraid (that) I don't know; **je crains que non** I am afraid not; 3 (être sensible à) [*personne*] to be sensitive to [*froid*]; [*plante*] to dislike [*soleil*]; [*peau*] to be sensitive to [*savon*]; **ce produit craint l'humidité/la chaleur** this product must be kept in a dry/cool place
B ○*vi* **ça craint!** that's bad!
C se craindre *vpr* to be afraid of each other

crainte /kʀɛ̃t/ *nf* 1 (peur) fear (**de** of; **de faire** of doing); **la ~ du ridicule/d'être ridicule** fear of ridicule/of being ridiculous; **sans ~** without fear; **par ~ de qch/de faire** for fear of sth/of doing; **de ~ qu'on ne le voie** for fear of being seen; **de ~ qu'elle ne l'apprenne** for fear that she might find out; **de ~ d'avoir à payer, il n'est pas venu** he didn't come for fear of having to pay *ou* fearing that he might have to pay; **avec ~** fearfully; 2 (inquiétude) fear; **~s injustifiées** groundless fears; **alimenter/apaiser les ~s** to bolster/to calm fears; **avoir des ~s au sujet de qn** to be worried about sb; **n'ayez ~, soyez sans ~** have no fear
(Idiome) **la ~ est le commencement de la sagesse** Prov only a fool knows no fear

C

craintif, **-ive** /kʀɛ̃tif, iv/ *adj* [*personne, attitude, voix*] timorous; [*animal*] timid
craintivement /kʀɛ̃tivmɑ̃/ *adv* timidly
cramé○ /kʀame/ *nm* **ça sent le ~** there is a smell of burning
cramer○ /kʀame/ [1]
A *vtr* to burn [*rôti*]; to singe [*linge*]
B *vi* [*maison, forêt, meubles*] to go up in flames
cramique /kʀamik/ *nm* Belg currant loaf
cramoisi, **~e** /kʀamwazi/ ▸ **p. 202** *adj* crimson (**de** with)
crampe /kʀɑ̃p/ *nf* cramp; **avoir une ~ à la jambe** to have cramp GB *ou* a cramp US in one's leg; **des ~s** cramp
(Composé) **~s d'estomac** stomach cramps
crampon /kʀɑ̃pɔ̃/
A ○*adj* [*personne*] clingy○
B *nm* **1** (d'alpiniste) crampon; **chaussures à ~s** (de football, rugby) boots with studs GB *ou* cleats US; (de course) spiked shoes; **2** ○(personne) **quel ~!** what a leech!; **3** (pour assembler) cramp (iron), clamp
cramponner /kʀɑ̃pɔne/ [1]
A ○*vtr* to cling to
B **se cramponner** *vpr* to hold on tightly; **se ~ à qch/qn** lit, fig to cling to sth/sb
cran /kʀɑ̃/
A *nm* **1** (encoche) notch; (sur ceinture, courroie) hole; **resserrer sa ceinture d'un ~** to tighten one's belt by one notch; **se mettre un ~ à la ceinture** fig to tighten one's belt; **monter d'un ~** [*cote de popularité*] to go up a notch; [*personne*] (dans l'estime) to move up a notch; (dans une hiérarchie) to move up a rung; **pousse-toi d'un ~** move up one (place); ▸ **couteau**; **2** Cout, Imprim (comme repère) nick; **3** ○(courage) **avoir du ~** (courage) to have guts○; **4** (en coiffure) wave; **se faire faire des ~s** to have one's hair crimped
B **à cran** *loc adv* **être à ~, avoir les nerfs à ~** (irrité) to be edgy *ou* on edge; **ne la mets pas à ~** (en colère) don't make her angry
(Composés) **~ d'arrêt** flick knife GB, switchblade US; **~ de sûreté** safety catch
crâne /kʀɑn/
A *adj* [*personne*] gallant; péj cocksure
B *nm* **1** Anat (boîte osseuse) skull, cranium spéc; **2** ○(tête) head; **avoir mal au ~**○ to have a (splitting) headache; **ne rien avoir dans le ~** to have no brains; **avoir le ~ dur** fig to be thick(-skulled)○
(Idiome) **bourrer le ~ à qn**○ to brainwash sb
crânement /kʀɑnmɑ̃/ *adv* (bravement) gallantly; (fièrement) proudly; (insolemment) cheekily
crâner○ /kʀɑne/ [1] *vi* to show off
crânerie† /kʀɑnʀi/ *nf* gallantry; péj swaggering
crâneur○, **-euse** /kʀɑnœʀ, øz/
A *adj* pretentious; **être ~** to be a show-off, to be pretentious
B *nm,f* show-off; **faire le ~** to show off
crânien, **-ienne** /kʀɑnjɛ̃, ɛn/ *adj* cranial; **boîte crânienne** cranium
craniologie /kʀanjɔlɔʒi/ *nf* craniology
cranter /kʀɑ̃te/ [1] *vtr* **1** (entailler) to notch; **2** (en coiffure) to crimp; **cheveux crantés** crimped hair
crapahuter○ /kʀapayte/ [1] *vi* soldiers' slang to yomp○
crapaud /kʀapo/ *nm* **1** Zool toad; **2** ○(enfant) **petit ~!** little monkey○; **3** (de diamant) flaw
(Idiome) **la bave du ~ n'atteint pas la blanche colombe** hum ≈ sticks and stones (may break my bones but words will never hurt me)
crapaudine /kʀapodin/ *nf* **1** (grille) grating; **2** (palier) hinge bearing
crapouillot /kʀapujo/ *nm* Hist Mil trench-mortar
crapule /kʀapyl/ *nf* **1** (individu) crook; **2** ○(enfant espiègle) monkey○
crapulerie† /kʀapylʀi/ *nf* **1** (acte) dirty trick○; **2** (nature) villainy
crapuleux, **-euse** /kʀapylø, øz/ *adj* [*acte, personne*] villainous; ▸ **crime**
craquage /kʀakaʒ/ *nm* Chimie cracking
craquant○, **~e** /kʀakɑ̃, ɑ̃t/ *adj* [*personne*] irresistible
craque◑ /kʀak/ *nf* tall story○
craquèlement /kʀakɛlmɑ̃/ *nm* crackling
craqueler /kʀakle/ [19]
A *vtr* gén to crack; (en céramique) to crackle
B **se craqueler** *vpr* to crack
craquelure /kʀaklyʀ/ *nf* crack; **~s** (en céramique) (accidentelles) crazing ¢; (délibérées) crackle ¢; Art craquelure ¢
craquement /kʀakmɑ̃/ *nm* (produit en pliant) creaking sound, creak; (produit en se brisant) cracking sound, crack; (de feuilles mortes) crackle ¢
craquer /kʀake/ [1]
A *vtr* **1** (déchirer) to split [*pantalon, veste, jupe*]; to rip [*collant*]; to burst [*sac*]; to break [*sangle, poignée*]; **2** (frotter) to strike [*allumette*]; **3** Chimie to crack [*pétrole*]
B *vi* **1** (se rompre) [*couture*] to split; [*vêtement*] to split (at the seams); [*collant*] to rip; [*branche, poutre, plaque de verre*] to crack; [*sac*] to burst; **ta veste va ~ sous les bras** your jacket is going to split under the arms; **faire ~ une branche/poutre** to break a branch/beam; **2** (faire un bruit) [*plancher, mât*] to creak; [*neige*] to crunch; [*feuilles*] to rustle; [*branchages, brindilles*] to crack; **qui craque sous la dent** crunchy; **faire ~ ses articulations** to crack one's joints; **3** (pour allumer) **faire ~ une allumette** to strike a match; **4** ○(ne pas résister) [*entreprise*] to collapse; [*personne*] (de tension nerveuse) to break down, to crack up○; (dans effort) to give up; **je craque** (de tension nerveuse) I'm cracking up○; (séduit par qch) I just can't resist; **~ pour qn** (tomber amoureux) to fall for sb○
crash○ /kʀaʃ/ *nm* crash
crasher○: **se crasher** /kʀaʃe/ [1] *vpr* controv [*avion, voiture, ordinateur*] to crash; [*conducteur*] to have a crash (**dans, contre** into)
crasse /kʀas/
A *adj* [*ignorance, stupidité*] crass; [*impolitesse*] gross; **être d'une ignorance ~** to be pig ignorant○
B *nf* **1** (saleté) grime, filth; **plein de ~** covered in filth; **2** ○(mauvais tour) dirty trick, mean trick; **faire une ~ à qn** to play a dirty trick on sb; **3** Tech (scorie) dross, slag; (résidus) scum ¢
crasseux, **-euse** /kʀasø, øz/ *adj* filthy, grimy
crassier /kʀasje/ *nm* slag heap
cratère /kʀatɛʀ/ *nm* Antiq, Géog crater
cravache /kʀavaʃ/ *nf* whip; **donner un coup de ~ à** to whip
cravacher /kʀavaʃe/ [1]
A *vtr* to whip [*cheval*]
B ○*vi* **1** (rouler vite) to belt along○; **2** (travailler dur) to work like mad○
cravate /kʀavat/ *nf* **1** (pour chemise) tie; (insigne de décoration) ribbon; **2** (prise de catch) headlock; **3** Naut sling
(Composé) **~ de chanvre** hum hangman's rope
(Idiome) **s'en jeter un derrière la ~**◑ to put one down the hatch○, to knock back a drink○
cravaté, **~e** /kʀavate/
A *pp* ▸ **cravater**
B *pp adj* (portant une cravate) wearing a tie; **~ de soie** wearing a silk tie
cravater /kʀavate/ [1] *vtr* **1** ○(saisir par le cou) to grab [sb] round the neck; (en sport) to put [sb] in a headlock; **2** ◑(arrêter) [*police*] to collar○, to nab○; [*importun*] to buttonhole; **se faire ~ par qn** to be collared *ou* buttonholed by sb
crave /kʀav/ *nm* chough
crawl /kʀol/ *nm* crawl; **nager le ~** to do *ou* swim the crawl
crawler /kʀole/ [1] *vi* to do *ou* swim the crawl; **dos crawlé** backstroke; **nager le dos crawlé** to do *ou* swim backstroke
crayeux, **-euse** /kʀɛjø, øz/ *adj* gén chalky; [*teint*] chalk-white; **d'un blanc ~** chalk-white
crayon /kʀɛjɔ̃/ *nm* **1** (pour écrire) pencil; **au ~** [*écrire, dessiner*] in pencil; **dessin au ~** pencil drawing, drawing in pencil; **remarque au ~** comment written in pencil, pencilled[GB] remark; **avoir un bon coup de ~** to be good at drawing; **barrer qch d'un coup de ~** to draw a pencil-line through sth; **faire un portrait en trois coups de ~** to quickly sketch a portrait; **2** Cosmét, Pharm pencil, stick; **3** (dessin) pencil drawing; **4** Nucl **~ (combustible)** fuel rod
(Composés) **~ à bille** ballpoint pen; **~ de couleur** coloured[GB] pencil; **~ feutre** felt-tip pen; **~ gras** soft pencil; **~ à lèvres** lip pencil; **~ noir** lead pencil; **~ optique** *or* **lumineux** light pen; **~ à papier** lead pencil; **~ pour les yeux** eyeliner; **~ à sourcils** eyebrow pencil
crayon-feutre, *pl* **crayons-feutres** /kʀɛjɔ̃føtʀ/ *nm* felt-tip pen
crayon-lecteur, *pl* **crayons-lecteurs** /kʀɛjɔ̃lɛktœʀ/ *nm* bar-code reader
crayonnage /kʀɛjɔnaʒ/ *nm* (croquis) pencil sketch; (gribouillage) **des ~s** scribbles
crayonné /kʀɛjɔne/ *nm* Édit, Imprim rough
crayonner /kʀɛjɔne/ [1] *vtr* (dessiner) to make a pencil sketch of; (écrire) to scribble down
créance /kʀeɑ̃s/ *nf* **1** Fin, Jur (somme due) debt (*owed by a debtor*); (titre) letter of credit; **2** (foi) liter credence sout; **mériter ~** to deserve credence; **donner ~ à qch** (croire) to give credence to sth; (rendre croyable) to lend credibility to sth; **perdre ~ auprès de qn** to lose credibility with sb
(Composés) **~ douteuse** bad debt; **~s à recouvrer** outstanding debts
créancier, **-ière** /kʀeɑ̃sje, ɛʀ/ *nm,f* creditor; **~ hypothécaire/privilégié** secured/preferential creditor
(Composé) **~ gagiste** lienor
créateur, **-trice** /kʀeatœʀ, tʀis/
A *adj* creative; **un dieu ~** a god of creation
B *nm,f* (de parfum, genre littéraire, rôle) creator; (de produit) designer
Créateur /kʀeatœʀ/ *nm* Relig **le ~** the Creator
créatif, **-ive** /kʀeatif, iv/ *adj* creative
créatinine /kʀeatinin/ *nf* creatinine
création /kʀeasjɔ̃/ *nf* **1** (action de créer, produit original) creation; Comm (action) invention; (produit) product; **la ~ d'une société/d'un comité** the setting up of a company/a committee; **la ~ d'emplois** job creation; **il y aura des ~s d'emplois** new jobs will be created; **on va encourager les ~s d'entreprises** they are going to encourage business start-ups; **2** (univers) **la ~** creation; **3** Théât **c'est une ~** (rôle) the part has never been acted before; (pièce) the play is being staged for the first time
Création /kʀeasjɔ̃/ *nf* Bible **la ~ (du monde)** the Creation
créationnisme /kʀeasjɔnism/ *nm* creationism
créativité /kʀeativite/ *nf* creativity; **elle est d'une grande ~** she is very creative
créature /kʀeatyʀ/ *nf* gén creature; **une ~ de rêve** a beautiful woman
crécelle /kʀesɛl/ *nf* (instrument, jouet) rattle; **une voix de ~** a shrill voice
crécerelle* /kʀesʀɛl/ *nf* kestrel
crèche /kʀɛʃ/ *nf* **1** (garderie) crèche GB, day-nursery; **mon fils va à la ~** my son is at the day-nursery; **2** ◑(logement) pad○; **3** (de Noël) crib
(Composé) **~ parentale** *crèche run by parents on a voluntary basis*

C

crécher◑ /kʀeʃe/ [14] *vi* (loger) to live; (coucher) to crash○, to kip down○ GB

crédence /kʀedɑ̃s/ *nf* Relig (dans église) credence (table), credenza; (dans maison) credence

crédibiliser /kʀedibilize/ [1] *vtr* to make [sth] credible

crédibilité /kʀedibilite/ *nf* credibility; **perdre sa ~** to lose credibility (**auprès de** with)

crédible /kʀedibl/ *adj* credible

crédit /kʀedi/ *nm* **1** (somme allouée) funds (*pl*); **nous disposons d'un ~ de 20 000 euros** we have funds of 20,000 euros; **voter un ~** to allocate funds; **nos ~s sont épuisés** we have run out of funds; **injecter des ~s supplémentaires** to pump in additional funds *ou* money; **les ~s de la recherche/défense** research/defence^GB funding *ou* budget; **2** (avance de fonds) credit ¢; **accorder** *or* **octroyer un ~ à qn** to grant credit terms *ou* facilities to sb; **conditions de ~** credit terms; **~s à court/long terme** short-term/long-term credit; **organisme** *or* **société** *or* **établissement de ~** credit institution; **six mois de ~ gratuit** six months interest-free credit; **faire ~ à qn** to give sb credit; **'la maison ne fait pas ~'** 'no credit given'; **acheter qch à ~** to buy sth on credit; **une offre de ~** a credit offer; **3** Compta credit; **la colonne des débits et des ~s** the debit/credit side; **votre ~ est de 1 500 euros** you are 1,500 euros in credit; **porter une somme au ~ de qn** *or* **d'un compte** Compta to credit sb's account with a sum of money; **4** (considération) credibility; **disposer d'un** *or* **jouir d'un** *or* **avoir un grand ~** to have a lot of credibility; **mettre** *or* **porter qch au ~ de qn** fig to give sb credit for sth; **n'avoir plus aucun ~** not to have any credibility any more

(Composés) **~ acheteur** buyer credit; **~ bancaire** bank credit; **~ en blanc** unsecured credit; **~ budgétaire** budget appropriation; **~ à la consommation** consumer credit; **~ croisé** cross currency swap; **~ documentaire** documentary credit; **~ de fonctionnement** administrative appropriation; **~ immobilier** homebuyer's loan; **~ d'impôt** tax credit; **~ municipal** pawnshop; **~ permanent** revolving credit; **~ public** public credit

crédit-bail, *pl* **crédits-bails** /kʀedibaj/ *nm* leasing; **acheter qch en ~** to purchase sth under a leasing agreement

créditer /kʀedite/ [1] *vtr* Compta to credit [*compte, personne*]; **la somme n'a pas été créditée** the amount has not been credited; **~ un compte/qn de 700 euros** to credit an account/sb's account with 700 euros

créditeur, -trice /kʀeditœʀ, tʀis/
A *adj* [*compte, solde*] credit (*épith*); [*client, pays*] in credit (*après n*); **votre compte est ~** your account is in credit
B *nm,f* (personne) customer in credit; (pays) nation in credit

crédit-formation, *pl* **crédits-formation** /kʀedifɔʀmasjɔ̃/ *nm*: *government training grant*

crédit-relais, *pl* **crédits-relais** /kʀediʀəlɛ/ *nm* bridging loan

credo* /kʀedo/ *nm* **1** (principes) creed, credo sout; **2** Relig **le Credo** the Creed

crédule /kʀedyl/ *adj* gullible, credulous

crédulité /kʀedylite/ *nf* gullibility, credulity

créer /kʀee/ [11]
A *vtr* **1** gén to create [*problème*]; to set up [*compagnie, comité*]; to design, to invent [*produit*]; **le plaisir de ~** the pleasure of creating something; **~ une clientèle** [*médecin, notaire*] to build up a practice; **2** Théât to create [*rôle*]; to put on [sth] (for the first time) [*pièce, spectacle*]
B **se créer** *vpr* **se ~ du travail** to create work for oneself; **se ~ des problèmes** to store up trouble for oneself

crémage /kʀemaʒ/ *nm* Can (sur un gâteau) icing GB, frosting US

crémaillère /kʀemajɛʀ/ *nf* **1** Mécan, Tech rack; **ligne à ~** Rail rack railway, cog railway; **2** (de cheminée) trammel, chimney hook

(Idiome) **pendre la ~** to have a house-warming (party)

crémant /kʀemɑ̃/ *nm* sparkling wine

crémation /kʀemasjɔ̃/ *nf* cremation

crématoire /kʀematwaʀ/ *nm* crematorium; **four ~** crematorium furnace

crématorium /kʀematɔʀjɔm/ *nm* crematorium

crème /kʀɛm/
A ▸ **p. 202** *adj inv* [*peinture, surface, tissu*] cream
B *nm* **1** ○(café) espresso with milk; **2** ▸ **p. 202** (couleur) cream
C *nf* **1** (matière grasse) cream; **fraises à la ~** strawberries and cream; **escalope à la ~** escalope with cream; **2** (entremets) cream dessert; (pour fourrer un gâteau) cream; **une ~ au chocolat** a chocolate cream dessert; **un gâteau à la ~** a cream cake; **3** (soupe veloutée) **~ d'asperges/de volaille** cream of asparagus/chicken soup; **4** (liqueur) **~ de cassis/menthe** blackcurrant/peppermint liqueur, crème de cassis/menthe; **5** Cosmét, Pharm cream; **~ pour les mains/le visage** hand/face cream; **~ pour peaux sèches** dry skin cream; **~ à la cortisone** cortisone cream; **le produit existe aussi en ~** the product is also available in a cream *ou* also comes in a cream; **6** ○(élite) **la ~** (socialement) the cream of society; (professionnellement) the very best (people); **la ~ des linguistes** the very best linguists; **c'est la ~ des hommes/des maris** he's the perfect man/husband; **la ~ de la ~** the crème de la crème

(Composés) **~ anglaise** ≈ custard; **~ antirides** Cosmét anti-wrinkle cream; **~ au beurre** butter cream; **~ brûlée** crème brûlée; **~ (au) caramel** crème caramel; **~ Chantilly** Chantilly cream; **~ fleurette** ≈ whipping cream; **~ fraîche** crème fraîche, ≈ cream; **~ fraîche allégée** low-fat single cream GB, low-fat cream US; **~ fraîche épaisse** ≈ double cream GB (*thick cream*); **~ (fraîche) liquide** ≈ single cream GB, cream US; **~ fouettée** whipped cream; **~ glacée** dairy ice cream; **~ de gruyère** ≈ cheese spread; **~ de jour** Cosmét day cream; **~ de marrons** chestnut purée; **~ de nuit** Cosmét night cream; **~ pâtissière** confectioner's custard; **~ quotidienne de soin** Cosmét protective day cream; **~ renversée** caramel custard; **~ teintée** Cosmét tinted day cream

crémerie* /kʀɛmʀi/ ▸ **p. 532** *nf* cheese shop GB *ou* store US; **changer de ~**○ hum to take one's custom *ou* business elsewhere

crémeux, -euse /kʀemø, øz/ *adj* lit, fig creamy

crémier, -ière /kʀemje, ɛʀ/ ▸ **p. 532** *nm,f* cheese seller

crémone /kʀemɔn/ *nf* espagnolette (bolt)

créneau, *pl* **~x** /kʀeno/ *nm* **1** Aut parallel parking ¢; **faire un ~** to parallel-park; **2** (moment) **tu as un ~ demain?** do you have any free time tomorrow?; **3** Comm market; **~ porteur** profitable market; **trouver un ~ sur le marché** to find a gap *ou* a niche in the market; **4** Archit crenel; **les ~x** crenellations

(Composés) **~ de lancement** Astronaut launch window; **~ publicitaire/horaire** Radio, TV advertising/time slot

(Idiome) **monter au ~** to intervene

crénelage* /kʀenlaʒ/ *nm* (de fortification) crenellations (*pl*); (de pièce de monnaie) milling

crénelé, ~e* /kʀenle/
A *pp* ▸ **créneler**
B *pp adj* **1** [*muraille, tour*] crenellated; **2** Bot [*feuille*] crenate; **3** Hérald [*blason*] embattled

créneler* /kʀenle/ [19] *vtr* to crenellate [*tour*]; to mill [*pièce de monnaie*]

crénom† /kʀenɔ̃/ *excl* confound it†!

créole /kʀeɔl/
A *adj* [*accent, cuisine*] creole
B ▸ **p. 483** *nm* Ling Creole
C *nf* **1** (boucle d'oreille) hoop earring; **2** Culin **à la ~** creole

Créole /kʀeɔl/ *nmf* Creole

créosote /kʀeɔzɔt/ *nf* creosote

crêpage /kʀɛ(e)paʒ/ *nm* Tech, Tex creping

(Composé) **~ de chignon**○ fight

crêpe /kʀɛp/
A *nm* **1** Tex (tissu) crepe; **~ de laine** wool crepe; **robe de** *or* **en ~** crepe dress; **2** (de deuil) (voile) black veil; (brassard) black armband; (ruban) (au revers) black ribbon; (au chapeau) black band; (sur drapeau) black silk; **mettre un ~ à un drapeau** to drape a flag with black silk; **3** (latex) crepe (rubber); **semelles (de** *or* **en) ~** crepe soles
B *nf* Culin pancake, crepe; **faire sauter une ~** to toss a pancake

(Composés) **~ de Chine** Tex crepe de chine; **~ dentelle** Culin very thin pancake; **~ georgette** Tex georgette (crepe); **~ Suzette** Culin crepe Suzette

(Idiome) **s'aplatir comme une ~**○ pej to grovel (**devant qn** to sb, at sb's feet)

crêper /kʀepe/ [1]
A *vtr* **1** to backcomb GB, to tease [*cheveux*]; **cheveux crêpés** (naturellement) frizzy hair; (au peigne) backcombed GB *ou* teased hair; **2** Tex to crepe
B **se crêper** *vpr* **1** [*cheveux*] to go frizzy; **2** **se ~ les cheveux** to backcomb GB *ou* tease one's hair

(Idiome) **se ~ le chignon**○ (physiquement) to scratch each other's eyes out; (verbalement) to have a set-to○, to have a spat○ US

crêperie /kʀɛpʀi/ *nf* creperie

crépi, ~e /kʀepi/
A *pp* ▸ **crépir**
B *pp adj* rendered
C *nm* rendering

crépine /kʀepin/ *nf* **1** Culin caul (fat); **2** Tech inlet filter

crépir /kʀepiʀ/ [3] *vtr* to render

crépitation /kʀepitasjɔ̃/ *nf* gén crackling ¢; Méd crepitus

crépitement /kʀepitmɑ̃/ *nm* (de feu, flamme) crackling ¢; (d'huile) sizzling ¢; (de fusillade) crackle ¢; (d'appareils photo) clicking ¢

crépiter /kʀepite/ [1] *vi* [*feu, bois, marrons*] to crackle; [*huile*] to sizzle; [*pluie, grêle*] to patter; **les applaudissements crépitaient** there was a ripple of applause

crépon /kʀepɔ̃/ *nm* (tissu) plissé, crepon; (papier) crepe paper

crépu, ~e /kʀepy/ *adj* [*personne*] frizzy-haired (*épith*); [*cheveux*] frizzy; **le garçon était ~** the boy had frizzy hair

crépusculaire /kʀepyskylɛʀ/ *adj* lit, fig [*animal, vision*] crepuscular

crépuscule /kʀepyskyl/ *nm* lit twilight, dusk; fig twilight

crescendo /kʀeʃɛndo/
A *adv* Mus [*jouer*] crescendo; **aller ~** [*bruit, protestations, douleur*] to intensify; [*colère*] to grow, to mount
B *nm* Mus crescendo

cresson /kʀɛsɔ̃, kʀəsɔ̃/ *nm* watercress

cressonnière /kʀesɔnjɛʀ, kʀəsɔnjɛʀ/ *nf* watercress bed

Crésus /kʀezys/ *npr* Croesus

(Idiome) **être riche comme ~** to be as rich as Croesus

crétacé, ~e /kʀetase/
A *adj* Cretaceous
B *nm* Cretaceous

crête /kʀɛt/ *nf* **1** Zool (de volaille) comb; (de lézard, d'oiseau) crest; **2** (de montagne, de vague) crest; (de mur, de toit) ridge; **3** Électrotech peak value; ▸ **ligne**

Crète /kʀɛt/ ▸ **p. 435** *nprf* Crete

crétin, **~e** /kʀetɛ̃, in/
A *adj* **1** ○(idiot) moronic○ péj; **2** Méd cretin
B *nm,f* moron○ péj

crétinerie /kʀetinʀi/ *nf* **1** ○(acte) idiotic prank; (parole) idiotic remark; **2** (état) imbecillity

crétiniser○ /kʀetinize/ [1] *vtr* to turn [sb] into a moron○

crétinisme /kʀetinism/ *nm* **1** ○péj (sheer) stupidity; **2** Méd cretinism

crétois, **~e** /kʀetwa, az/
A *adj* Cretan
B *nm* Cretan

Crétois, **~e** /kʀetwa, az/ *nm,f* Cretan

cretonne /kʀətɔn/ *nf* cretonne

Creuse /kʀøz/ ▸ **p. 721** *nprf* (région, département) **la ~** Creuse

creusement /kʀøzmɑ̃/ *nm* **1** (de sol) digging; **2** (augmentation) widening

creuser /kʀøze/ [1]
A *vtr* **1** (ôter de la matière dans) [*personne*] to dig a hole in [*terre*]; to hollow out [*tronc, fruit*]; to drill a hole in [*dent*]; [*bulldozer*] to dig into [*roche*]; [*mer, eau*] to eat into, to erode [*falaise, rochers*]; [*ver*] to burrow through [*terre*]; **2** (pratiquer) [*personne*] to dig [*trou, souterrain, tombe, fossé*]; to sink [*puits, fondations*]; to cut, to dig [*canal, tunnel*]; to plough GB, to plow US [*sillon*] (**dans** in); [*lapin, renard*] to dig [*terrier*]; [*rivière*] to hollow out [*lit*]; **~ un trou à la pelleteuse** to dig a hole with a mechanical digger; **~ sa propre tombe** lit, fig to dig one's own grave; **3** (marquer) [*rides*] to furrow [*front, visage*]; **elle avait le visage creusé par la faim/le chagrin/l'épuisement** her face was gaunt with hunger/grief/exhaustion; **4** (accentuer la cambrure de) **~ le dos** *or* **les reins** to arch one's back; **5** (accentuer) to deepen, to increase [*déficit, fossé, inégalités*]; **~ l'écart entre** to widen the gap between; **6** (approfondir) [*personne*] to go into [sth] in depth, to research [*question, sujet, théorie*]; **vous ne creusez pas assez votre analyse** your analysis does not go far enough; **si tu creuses un peu, tu t'aperçois vite que** if you scratch the surface you soon realize that
B *vi* **~ dans la craie/la roche/l'argile** to dig into the chalk/the rock/the clay
C **se creuser** *vpr* **1** (devenir concave) [*joues, visage*] to become hollow; [*mer, vagues*] to be whipped up; **2** (s'accentuer) [*rides*] to deepen; [*écart, différence*] to widen
(Idiomes) **ça creuse**○ it really gives you an appetite; **se ~ (la tête** *or* **la cervelle)**○ to rack one's brains

creuset /kʀøzɛ/ *nm* **1** (récipient) crucible; **2** (mélange de cultures, d'influences) melting pot; **3** (épreuve) liter crucible; **passer par le ~ du temps/de la souffrance** to pass through the crucible of time/of suffering

creux, **-euse** /kʀø, øz/
A *adj* **1** (vide à l'intérieur) [*tronc, dent, balle, tube*] hollow; **un son ~** a hollow sound; **2** (concave) [*joues, visage*] hollow; **un plat ~** a shallow dish; **assiette creuse** soup dish *ou* plate; **3** (vide de sens) [*discours*] empty; [*débat, raisonnement, analyse*] shallow; **c'est un beau gosse mais totalement ~!** he's good-looking but he's completely shallow!; **4** (à l'activité réduite) [*heure, période*] off-peak; **pendant la saison creuse** during the off-season; **août est un mois ~ pour les affaires** August is a slack month for business; **un jour ~** a slack day
B *adv* **sonner ~** lit to make a hollow sound; fig to ring hollow
C *nm inv* **1** (légère dépression) hollow, dip; **les ~ et les bosses** the hollows and the bumps; **le ~ d'un arbre/rocher** the hollow of a tree/rock; **le ~ de l'épaule** the hollow of one's shoulder; **le ~ des reins** *or* **du dos** the small of the back; **le ~ de l'aisselle** the armpit; **il l'a frappé au ~ de l'estomac** he hit him in the pit of the stomach; **ça tient dans le ~ de la main** it fits into the palm of the hand; **l'oiseau a mangé/bu dans le ~ de ma main** the bird ate/drank from my hand; **le ~ de la vague** lit the trough of the wave; **être au ~ de la vague** fig to be at rock bottom; **au ~ de la vallée** in the bottom of the valley; **2** ○(petite faim) **avoir un (petit) ~** to feel peckish○ GB, to have the munchies○; **3** Art **en ~** [*fresque, motif*] incised, engraved; **gravure en ~** intaglio engraving; **4** (sur un graphique) trough, dip; **la courbe fait un ~** there is a trough in the curve; **5** (ralentissement d'activité) slack period; **pendant les heures de ~** during slack periods

crevaison /kʀəvɛzɔ̃/ *nf* puncture; **avoir une ~** to have a puncture

crevant○, **~e** /kʀəvɑ̃, ɑ̃t/ *adj* **1** (épuisant) [*activité*] killing○, exhausting; [*enfant, journée*] exhausting; **2** (amusant) hilarious; **il/c'est ~** he's/it's a scream○ *ou* riot○, he's/it's hilarious

crevard○, **~e** /kʀəvaʀ, aʀd/ *nm,f* **1** (personne chétive) sickly person; **2** (glouton) greedy guts○, hog○ US

crevasse /kʀəvas/ *nf* **1** (en montagne) crevasse; **2** (dans la terre, sur un mur) crack, fissure; **3** (gerçure) (sur les lèvres, mains) chap; (sur les mamelons) crack

crevassé, **~e** /kʀəvase/
A *pp* ▸ **crevasser**
B *pp adj* **1** [*terre*] cracked; **2** [*mains, peau*] chapped; [*mamelon*] cracked

crevasser /kʀəvase/ [1]
A *vtr* to cause [sth] to crack [*terre, mur*]; to chap [*peau*]
B **se crevasser** *vpr* [*terre, mur*] to crack; [*peau*] to chap, to become chapped

crève○ /kʀɛv/ *nf* chill; **avoir la ~** to have a bad cold; **tu vas attraper la ~** you'll catch a chill *ou* your death of cold

crevé, **~e** /kʀəve/
A *pp* ▸ **crever**
B *pp adj* **1** (percé) [*ballon, pneu*] punctured; [*tympan*] burst; **2** ○(épuisé) done in○ GB, exhausted; **3** (mort) dead

crève-cœur* /kʀɛvkœʀ/ *nm inv* heartbreak; **c'est un** *or* **quel ~ de voir ça!** it's heartbreaking to see

crève-la-faim○ /kʀɛvlafɛ̃/ *nmf inv* (affamé) hungry *ou* starving person; (clochard) down-and-out

crever /kʀəve/ [16]
A *vtr* **1** (percer) to puncture, to burst [*pneu, ballon*]; to burst [*bulle, abcès, tympan*]; **~ les yeux de qn** (accidentellement) to blind sb; (volontairement) to put *ou* gouge littér sb's eyes out; **ça te crève les yeux** fig it's staring you in the face; **ça crève les yeux** fig it's blindingly obvious; **ça me crève le cœur** fig it breaks my heart; **ça crève le cœur** fig it's heartbreaking; **2** ○(épuiser) [*travail, chaleur*] to wear [sb] out; [*patron*] to work [sb] into the ground; **cet enfant me crève** this child is wearing me out; **~ ses hommes (au travail)** to work one's men into the ground; **~ un animal** (au travail) to work an animal into the ground; **~ un cheval** (au galop) to ride a horse into the ground; **3** ○(être affamé) **la ~**◑, **~ la faim**○ *or* **la dalle**◑ to be famished; **on la crève**◑ **ici** they're starving us here
B *vi* **1** (se percer) [*pneu, ballon, bulle, nuage, abcès, tympan*] to burst; [*paquet, sac*] to burst open; **faire ~ les groseilles** cook the redcurrants gently until they burst (open); **2** [*automobiliste, cycliste*] to have a puncture; **j'ai crevé deux fois en route** I had two punctures on the way; **3** (mourir) [*plante, animal*] to die; **laisser ~ des plantes/un chien** to let plants/a dog die; **faire ~ des plantes** to kill plants; **4** ◑(mourir) [*personne*] to snuff it○ GB, to croak○, to die; **qu'il crève!** he can go to hell○!, he can die for all I care!; **plutôt ~ (que de...)** I'd rather die (than...); **~ de faim/froid** to be starving/freezing; **laisser qn ~ de faim/froid** to let sb starve/freeze to death; **on crève de froid/chaleur dans cette maison** it's freezing/baking *ou* boiling in this house; **il fait un froid/une chaleur à ~** it's terribly cold/hot; **tu veux nous faire ~!** are you trying to finish us off?; **~ de rire** to kill oneself○ laughing; **c'est à ~ de rire** it's hysterically funny○; **~ d'envie/de jalousie** to be eaten up *ou* consumed with envy/with jealousy; **~ d'orgueil** to be terribly full of oneself
C **se crever** *vpr* **1** (se percer) **se ~ un tympan** to burst an eardrum; **il s'est crevé un œil** he put one of his eyes out; **2** ◑(s'épuiser) to wear oneself out; **se ~ au travail** to work oneself to death; **se ~ à faire qch** to wear oneself out *ou* get worn out doing sth; **je me suis crevé à le peindre** I wore myself out painting it; **je me suis crevé pendant deux ans dans cette usine** I've slaved away for two years in this factory
(Idiome) **marche ou crève** sink or swim

crevette /kʀəvɛt/ *nf* **~ grise** shrimp; **~ rose** prawn; **filet à ~s** shrimping net

crevetticulture /kʀəvɛtikyltyʀ/ *nf* shrimp farming

crevettier /kʀəvɛtje/ *nm* shrimp boat

cri /kʀi/ *nm* **1** (de personne) cry; (plus fort) shout; (aigu) scream; **un ~ de douleur/d'effroi/de surprise** a cry of pain/of fright/of surprise; **un ~ de détresse** a cry for help; **des ~s de joie/protestation** cries of joy/protest; **un ~ déchirant** a heart-rending cry; **un ~ perçant** a piercing scream; **un ~ aigu** a shriek; **au ~ de 'vive la révolution'** shouting 'long live the revolution'; **à grands ~s** [*réclamer, protester*] loudly; **un ~ d'amour** a passionate declaration of love; **pousser un ~** to scream (**de** in); **pousser un grand ~** to scream loudly; **pousser des ~s de douleur/plaisir** to cry out in pain/pleasure; ▸ **dernier**; **2** (d'animal) gén cry; (d'oiseau) call; **la pauvre bête poussait des ~s lamentables** the poor creature was crying out pitifully; **comment s'appelle le ~ du renard/paon?** what noise does the fox/peacock make?
(Composés) **~ d'alarme** cry of alarm; **~ du cœur** cry from the heart, cri de cœur; **~ de guerre** lit, fig war cry; **~ primal** Psych primal scream
(Idiome) **pousser** *or* **jeter les hauts ~s** to protest loudly

criaillement /kʀi(j)ɑjmɑ̃/ *nm* **1** (cri désagréable) squeal; **2** Zool (d'oie) honk; (de paon) screech

criailler /kʀi(j)ɑje/ [1] *vi* **1** (crier souvent) [*enfants*] to shriek; **2** (rouspéter) to grouse (**après** at); **3** Zool [*oie*] to honk; [*paon*] to screech

criailleries /kʀi(j)ɑjʀi/ *nfpl* grousing ¢; **j'en ai assez de tes ~!** I've had enough of your grousing!

criant, **~e** /kʀijɑ̃, ɑ̃t/ *adj* **1** (manifeste) [*besoin, évidence, preuve*] clear, striking; [*contraste, manque*] striking; **~ de vérité** [*description, peinture, témoignage*] true to life (*jamais épith*); **il est ~ de vérité dans le rôle** he's extremely convincing in the role; **2** (scandaleux) [*inégalité, malhonnêteté, mauvaise foi*] blatant; [*injustice*] glaring; [*abus*] flagrant

criard, **~e** /kʀiaʀ, aʀd/ *adj* **1** (perçant) [*voix*] shrill; **2** (violent) [*couleur, affiche*] garish; **3** (braillard) **un enfant ~** a child who bawls a lot

criblage /kʀiblaʒ/ *nm* Tech (de sable) riddling; (de minerai) screening

crible /kʀibl/ *nm* Tech (pour minerai) screen; (pour sable) riddle; **passer au ~** lit to screen [*minerai*]; fig to sift through [*résultats, chiffres*]
(Composé) **~ mécanique** mechanical screen

criblé, **~e** /kʀible/
A *pp* ▸ **cribler**

C

B *pp adj* ~ **de** [*corps*] (de balles, trous) riddled with; (de flèches) bristling with; (de taches de rousseur) covered in; [*personne*] (de dettes) crippled with; [*texte*] (de fautes) riddled with

cribler /kʀible/ [1] *vtr* **1** ~ **qn/qch de balles** to riddle sb/sth with bullets; ~ **qn/qch de flèches** to rain arrows on sb/sth; ~ **qn de coups** to rain blows on sb; **2** (accabler) ~ **qn de reproches** to heap reproaches on sb; **3** Tech to screen [*minerai*]; to riddle [*grains, sable*]

cribleur /kʀiblœʀ/ *nm* Agric grader

cribleuse /kʀibløz/ *nf* = **cribleur**

cric /kʀik/ *nm* (de voiture) jack; ~ **hydraulique** hydraulic jack; **mettre qch sur** ~ to jack sth up

cric-crac /kʀikkʀak/ *excl* click!; ~, **je suis enfermé** click, I'm locked in

cricket /kʀikɛ(t)/ ▸ **p. 469** *nm* Sport cricket

cricoïde /kʀikɔid/ Anat

A *adj* cricoid

B *nm* cricoid cartilage

cricri /kʀikʀi/ *nm* (*also onomat*) **1** (cri du grillon) chirping; **2** (grillon) cricket

criée /kʀije/ *nf* auction; **vente à la** ~ (de bétail) cattle auction; (de poissons) auction of fish to fishmongers; **vendre à la** ~ to auction [*meubles, bétail*]; **acheter à la** ~ to buy [sth] at auction [*meubles, bétail*]

crier /kʀije/ [2]

A *vtr* **1** (pour dire) to shout (**à qn** to sb); ~ **des slogans** to shout *ou* chant slogans; **il m'a crié de m'enfuir** he shouted to me to run away; **elle a crié qu'elle en avait marre**○**/que c'était fini** she shouted that she'd had enough/that it was over; **2** (pour proclamer) ~ **son indignation/dégoût** to proclaim one's indignation/disgust; ~ **son innocence** to protest one's innocence

B crier à *vtr ind* **ils criaient à l'oppression/l'injustice/la provocation** they protested that it was oppression/injustice/provocation; **on a crié au génie quand il a proposé sa théorie** he was proclaimed a genius when he put forward his theory; ~ **au vol/au meurtre** to cry *ou* shout 'stop thief'/'murder'; **on a crié au scandale quand...** there was an outcry when...

C *vi* **1** (forcer la voix) [*personne*] to shout; (en pleurant) to cry; (de peur) to scream; **elle n'arrête pas de** ~ [*adulte*] she's always shouting; **ne crie pas, je t'entends!** you don't have to shout, I can hear you!; ~ **de joie** to shout for joy; ~ **de douleur/peur/plaisir** to cry out in pain/fear/delight; ~ **après**○ **qn** to shout at sb; **2** (émettre des sons) [*animal*] to give a cry; [*singe*] to chatter; [*mouette*] to cry; [*porc*] to squeal; **3** (crisser, grincer) [*craie, chaussure*] to squeak; [*planche, marche, gond*] to creak; [*pneu, frein*] to squeal; **la scie criait sur le métal** the saw screeched as it bit into the metal

(Idiome) ~ **comme un cochon qu'on égorge** *or* **un damné** to squeal like a stuck pig

crieur, -ieuse /kʀijœʀ, øz/ *nm,f* **une foule de** ~**s de slogans** a crowd of slogan chanters

(Composés) ~ **de journaux** news vendor; ~ **public** Hist town crier

CRIF /kʀif/ *nm* (*abbr* = **Conseil représentatif des institutions juives de France**) *council of French Jewish organizations*

crime /kʀim/

A *nm* **1** (acte criminel) crime; **ce n'est pas un** ~**!** there's no law against it!; **2** (meurtre) murder; **heure/lieux du** ~ time/scene of the murder; ~ **crapuleux** murder for money; ~ **passionnel** crime of passion, crime passionnel; ~ **parfait** perfect crime; **3** (actions criminelles) crime; **le** ~ **ne paie pas** crime does not pay; **4** (faute) crime; **ce serait un** ~ **de faire** it would be a crime to do; **ton seul** ~ **est d'avoir dit oui** your only crime is to have said yes

B ○*nf* crime squad

(Composés) ~ **contre l'humanité** crime against humanity; ~ **d'État** crime against the state; ~ **de haute trahison** crime of high treason; ~ **organisé** organized crime; ~ **de sang** murder; ~**s de guerre** war crimes

Crimée /kʀime/ ▸ **p. 721** *nprf* Crimea; **guerre/presqu'île de** ~ Crimean war/peninsula

criminaliste /kʀiminalist/ ▸ **p. 532** *nmf* criminologist

criminalité /kʀiminalite/ *nf* crime; **grande/petite** ~ serious/petty crime; ~ **informatique** computer crime; ~ **organisée** organized crime

criminel, -elle /kʀiminɛl/

A *adj* criminal; **acte/régime** ~ criminal act/regime; **l'origine criminelle de l'accident ne fait pas de doute** there's no doubt that the accident was caused deliberately; **c'est** ~ **de faire** it's a crime to do

B *nm,f* **1** (coupable d'actes criminels) criminal; ▸ **droit**; **2** (meurtrier) murderer

C *nm* **juger/poursuivre au** ~ to try/to prosecute before a criminal court

D criminelle○ *nf* crime squad

(Composé) ~ **de guerre** war criminal

criminellement /kʀiminɛlmɑ̃/ *adv* in a criminal way

criminogène /kʀiminɔʒɛn/ *adj* **environnement** ~ environment which is conducive to crime

criminologie /kʀiminɔlɔʒi/ *nf* criminology

criminologue /kʀiminɔlɔg/ ▸ **p. 532** *nmf* criminologist

crin /kʀɛ̃/ *nm* (de cheval) horsehair; **matelas en** *or* **de** ~ horsehair mattress; **à tout** ~ fig dyed-in-the-wool; ▸ **gant**

(Composé) ~ **végétal** leaf fibre

crincrin○ /kʀɛ̃kʀɛ̃/ *nm* pej scratchy (old) violin

crinière /kʀinjɛʀ/ *nf* **1** (de lion, cheval) mane; **2** ○(chevelure) mane; **3** (de casque) plume

crinoline /kʀinɔlin/ *nf* (jupon, robe) crinoline; **robe à** ~ crinoline (dress)

crique /kʀik/ *nf* Géog cove

criquet /kʀikɛ/ *nm* locust

(Composés) ~ **migrateur** migratory locust; ~ **pèlerin** desert locust

crise /kʀiz/ *nf* **1** gén crisis; ~ **conjugale/d'adolescence** marital/adolescent crisis; ~ **de conscience** crisis of conscience; ~ **d'identité** identity crisis; **la** ~ **de l'Église/de l'Université** the crisis in the Church/in the Universities; **être en** ~ [*couple, éducation*] to be in crisis; **traverser/connaître une** ~ to undergo/to experience a crisis; **2** Pol, Écon crisis; ~ **ministérielle/gouvernementale** ministerial/government crisis; ~ **constitutionnelle** constitutional crisis; ~ **bancaire/boursière/pétrolière** banking/stock market/oil crisis; ~ **agricole** crisis in the agricultural industry; ~ **de l'énergie** energy crisis; **en (pleine)** ~ [*secteur, pays*] in (the middle of a) crisis; **en période** *or* **temps de** ~ in times of crisis; **être au bord de la** ~ to be on the verge of a crisis; **la** ~ the economic crisis, the slump; **ressentir les effets de/sortir de la** ~ to feel the effects of/to come out of the economic crisis *ou* the slump; **la** ~ **de 1929** the Great Depression, the Slump; **3** (pénurie) shortage; ~ **de main-d'œuvre** shortage of labour[GB]; ~ **de l'emploi** job shortage; **4** Méd attack; ~ **d'asthme** asthma attack; ~ **de paludisme/d'urticaire** attack of malaria/of hives; **en cas de** ~ in case of an attack; ~ **d'angoisse** panic *ou* anxiety attack; ~ **d'appendicite** appendicitis; ~ **d'épilepsie** epileptic fit; ~ **de rhumatisme** bout of rheumatism; ~ **de toux** coughing fit; **5** (accès) fit; ~ **de colère/jalousie** fit of rage/jealousy; ~ **de larmes** crying fit; **elle a été prise d'une** ~ **de rangement** she had a sudden urge to tidy up; **une** ~ **de fou rire** (a fit of) the giggles (*pl*); **avoir une** ~ **de fou rire** to get the giggles; **6** ○(colère) outburst; **ne fais pas attention à mes** ~**s!** don't take any notice of my outbursts!; **faire/piquer**○ **une** *or* **sa** ~ [*enfant*] to have/to throw a tantrum; [*adulte*] to have/to throw a fit○

(Composés) ~ **cardiaque** heart attack; ~ **de foie** indigestion; ~ **de nerfs** hysterics (*pl*); **avoir une** ~ **de nerfs** to have hysterics

crispant○**, ~e** /kʀispɑ̃, ɑ̃t/ *adj* irritating, aggravating○

crispation /kʀispɑsjɔ̃/ *nf* **1** (contraction) (de muscle, visage) tensing; (de mâchoires, main) clenching; **2** (tension nerveuse) state of tension; **3** fig (durcissement) tension

crispé, ~e /kʀispe/

A *pp* ▸ **crisper**

B *pp adj* **1** (contracté) [*doigts, mâchoires*] clenched; [*muscles, visage*] tensed; **traits** ~**s par la douleur/colère** features tense with pain/anger; **2** (tendu) [*personne, sourire*] tense, nervous

crisper /kʀispe/ [1]

A *vtr* **1** (contracter) **la colère/l'angoisse crispait son visage** his/her face was tense with anger/worry; **2** ○(irriter) ~ **qn** to irritate sb, to get on sb's nerves○

B se crisper *vpr* **1** (se contracter) [*mains, doigts*] to clench; [*visage, personne*] to tense (up); [*sourire*] to freeze; **son visage se crispait sous l'effet de la colère** his/her face was tense with anger; **ne te crispe pas sur le volant!** don't clutch the wheel so hard!; **2** fig (devenir tendu) [*personne*] to get nervous, to tense up; **3** (se raidir) [*régime, gouvernement*] to take a hard line (**sur** on)

crispin /kʀispɛ̃/ *nm* cuff (of gauntlet); **gant à** ~ gauntlet

criss = **kriss**

crissement /kʀismɑ̃/ *nm* (de chaussures, craie, d'ongles) squeak; (de neige, sable) crunch; (de freins, pneus) screech; (de stylo à plume) scratching

crisser /kʀise/ [1] *vi* [*chaussures, craie, ongles*] to squeak; [*gravillons, neige*] to crunch; [*pneus, freins*] to screech; [*stylo à plume*] to scratch

cristal, *pl* **-aux** /kʀistal, o/ *nm* **1** Chimie, Minér crystal; ~ **de Bohême/Baccarat** Bohemian/Baccarat crystal; ~ **de soufre** sulphur[GB] crystal; ~ **de glace** ice crystal; ~ **de neige** snow crystal; **vase de** *or* **en** ~ crystal vase; **2** fig (limpidité d'eau) liter crystal clarity; **eaux d'une limpidité de** ~ crystal-clear waters; **voix de** ~ crystal-clear voice; **3** (objet) piece of crystalware; **les cristaux** crystal(ware) ₵; **les cristaux du lustre** the crystal droplets of the chandelier

(Composés) ~ **électro-optique** liquid crystal; ~ **liquide** liquid crystal; **affichage à cristaux liquides** liquid crystal display, LCD; ~ **de plomb** lead crystal; ~ **de quartz** quartz crystal; ~ **de roche** rock crystal; **cristaux (de soude)** (pour laver) washing soda ₵

(Idiomes) **clair comme le** ~ [*yeux, eau*] as clear as crystal; **pur comme le** ~ [*voix, son*] as clear as a bell

cristallerie /kʀistalʀi/ *nf* (fabrication) crystal glassmaking; (objets) crystal; (lieu de fabrication) crystal glassworks

cristallier /kʀistalje/ ▸ **p. 532** *nm* glassworker

cristallin, ~e /kʀistalɛ̃, in/

A *adj* **1** Géol [*roche*] crystalline; [*massif*] of crystalline rock (*après n*); **2** Chimie, Phys [*zone, structure*] crystal; **3** (limpide) [*eau*] crystal (*épith*); **elle avait un rire** ~ her laugh was as clear as a bell

B *nm* Anat (crystalline) lens

cristallisation /kʀistalizasjɔ̃/ *nf* Chimie, gén crystallization

cristalliser /kʀistalize/ [1] *vtr, vi*, **se cristalliser** *vpr* to crystallize; ▸ **sucre**

cristallisoir /kʀistalizwaʀ/ *nm* crystallizer

cristallographie /kʀistalɔgʀafi/ *nf* crystallography

cristallomancie /kʀistalɔmɑ̃si/ *nf* crystal gazing

critère /kʀitɛʀ/ *nm* **1** (pour juger, pour sélectionner) criterion; (pour évaluer) standard; (pour identifier) indication, sign; **~s psychologiques** psychological criteria; **les ~s du succès/de l'intelligence** the criteria for success/intelligence; **établir des ~s pour l'attribution d'un prix** to establish the criteria by which a prize can be awarded; **~s de gestion/de confort** standards of management/comfort; **ce n'est pas un ~** that doesn't mean anything; **le prix n'est pas un ~ de qualité** price is no indication of quality; **et si leur réaction est un ~...** and if their reaction is anything to go by *ou* is any indication...; **le ~ déterminant** the crucial factor; **le seul ~ qui puisse les influencer** the only consideration that could influence them; **2** (stipulation) specification; **les références aux ~s d'âge et de diplôme** the references to specifications of age and qualifications; **répondre aux** *or* **remplir les ~s d'âge et de diplôme** to meet the requirements as far as age and qualifications are concerned

critérium /kʀiteʀjɔm/ *nm* Sport (épreuve de classement) heat; (cycliste) rally

critiquable /kʀitikabl/ *adj* **1** (qu'on peut critiquer) open to criticism (*après n*); **2** (discutable, contestable) questionable

critique /kʀitik/

A *adj* **1** (décisif, alarmant) Méd, Phys [*instant, situation, seuil*] critical; **2** (désapprobateur) critical; **être** *or* **se montrer ~ à l'égard de** *or* **envers** to be critical of; **ton esprit ~** your readiness to criticize *ou* to pick holes in things; **avoir l'esprit ~** to be always criticizing *ou* ready to criticize; **3** (qui évalue, juge) [*examen, présentation, édition*] critical; **la pensée ~ de notre époque** contemporary critical thought; **d'un œil ~** critically, with a critical eye; **manquer de sens ~** to lack (critical) judgment

B ▸ **p. 532** *nmf* (commentateur) critic; **un ~ littéraire/musical** a literary/music critic; **un ~ d'art/de théâtre/de cinéma** an art/a theatre[GB]/a film critic

C *nf* **1** (reproche) criticism; **accabler qn de ~s** to heap criticism on sb; **tes ~s incessantes** your constant criticism(s); **être l'objet de ~s** to be the butt of criticism; **faire l'objet de vives ~s** to come in for sharp criticism; **faire une ~ à qn, faire des ~s à qn** to criticize sb; **j'ai une ~ à te faire** *or* **à t'adresser** there is one thing I would criticize you for; **une ~ que je te ferai, c'est que** there is one criticism I might make, which is that; **2** (désapprobation) criticism (**à l'égard** *or* **l'adresse de** of); **il ne supporte pas la ~** he can't bear criticism; **la ~ est aisée** it's easy to criticize; **3** (art de juger) criticism; **la ~ historique/littéraire/musicale** historical/literary/music criticism; **la nouvelle ~** the new criticism; **4** (de livre, film) review (**de** of); **lis les ~s avant de l'acheter** read the reviews before buying it; **avoir une bonne/mauvaise ~** to get good/bad reviews; **faire la ~ d'une pièce/d'un film** to review a play/a film; **5** (commentateurs) **la ~** the critics (*pl*); **la ~ est unanime, c'est un chef-d'œuvre** the critics all agree that it is a masterpiece

critiqué, ~e /kʀitike/

A *pp* ▸ **critiquer**

B *pp adj* **1** gén criticized; **très ~** much *ou* heavily criticized; **2** Ling controversial; **usage ~** controversial usage

critiquer /kʀitike/ [1] *vtr* **1** (condamner) to criticize; **il ne fait que ~** he finds fault with everything, he criticizes everything; **se faire ~ pour qch** to be criticized for sth; **2** (analyser) to make a critical study *ou* appraisal of [*ouvrage*]

croassement /kʀɔasmɑ̃/ *nm* cawing ⊄

croasser /kʀɔase/ [1] *vi* to caw

croate /kʀɔat/ ▸ **p. 561, p. 483**

A *adj* Croatian

B *nm* Ling Croatian

Croate /kʀɔat/ ▸ **p. 561** *nmf* Croat

Croatie /kʀɔasi/ ▸ **p. 333** *nprf* Croatia

croc /kʀo/ *nm* **1** (d'animal) fang; **montrer les ~s** lit to bare one's fangs; fig to bare one's teeth; **2** Tech (crochet) butcher's hook; (perche) boathook; (fourche) pitchfork

(Idiome) **avoir les ~s**○ to be starving

croc-en-jambe, *pl* **crocs-en-jambe** /kʀɔkɑ̃ʒɑ̃b/ *nm* **faire un ~ à qn** lit to trip sb up; fig to set sb up

croche /kʀɔʃ/ *nf* quaver GB, eighth note US; **double ~** semiquaver GB, sixteenth note US; **triple ~** demisemiquaver GB, thirty-second note US; **quadruple ~** hemidemisemiquaver GB, sixty-fourth note US

croche-pied○, *pl* **~s*** /kʀɔʃpje/ *nm* **faire un ~ à qn** to trip sb up

crochet /kʀɔʃɛ/ *nm* **1** Tech hook; (d'appareil dentaire) clasp; **~ de grue** crane hook; **pendu à un ~** hung on a hook; **2** (de serrurier) picklock; **3** Cout (instrument) crochet hook; (technique) crochet; (activité) crochet; **faire du ~** to crochet; **faire qch au ~** to crochet sth; **fait au ~** crocheted; **4** Imprim square bracket; **mettre entre ~s** to put [sth] in square brackets; **5** (détour) lit, fig detour; **faire un ~** to make a detour (**par** via); **6** (écart) swerve; **faire un ~** to swerve; **7** Sport (en boxe) hook; **~ du gauche** left hook; **8** Archit crocket; **9** Radio (pour chanteur) talent contest; **10** Zool (de serpent) fang

(Composés) **~ d'attelage** Rail coupling; **~ de fenêtre** Tech catch; **~ à venin** fang

(Idiome) **vivre aux ~s**○ **de qn** to sponge off○ sb

crochetage /kʀɔʃtaʒ/ *nm* (de serrure) lockpicking

crocheter /kʀɔʃte/ [18] *vtr* **1** Cout to crochet; **2** (ouvrir) to pick [*serrure*]; **~ une porte** to pick the lock on a door; **3** Sport to sidestep

crochu, ~e /kʀɔʃy/ *adj* [*bec, nez*] hooked; [*doigt, main*] clawed

(Idiome) **avoir les doigts ~s** to be tight-fisted

croco○ /kʀɔko/ *nm* (peau) crocodile; **chaussures en ~** crocodile shoes

crocodile /kʀɔkɔdil/ *nm* (animal, peau) crocodile; **ceinture en ~** crocodile belt; ▸ **larme**

crocus /kʀɔkys/ *nm inv* crocus; **des ~** crocuses

croire /kʀwaʀ/ [71]

A *vtr* **1** (admettre comme vrai) to believe [*histoire, récit*]; **je n'en crois pas un traître mot** I don't believe a single word of it; **il faut le voir pour le ~** it has to be seen to be believed; **faire ~ à qn** to make sb believe [*histoire*]

2 (faire confiance à) to believe [*personne*]; **je veux bien te ~ mais** I'd like to believe you but; **tu me croiras si tu veux** believe it or not; **je n'en ai pas cru mes yeux/oreilles** I couldn't believe my eyes/ears; ▸ **Dieu**

3 (penser) to think; **j'ai cru mourir/étouffer** I thought I was dying/suffocating; **je crois rêver!** I must be dreaming!; **je crois n'avoir rien oublié** I don't think I've forgotten anything; **je crois pouvoir vous aider** I think I can help you; **~ nécessaire/bon/raisonnable de faire** to think it necessary/a good thing/reasonable to do; **il n'a pas cru bon de vous prévenir** he didn't think it necessary to warn you; **elle croyait bien faire** she thought she was doing the right thing; **~ que** to think (that); **je crois bien que non** I don't think so; **je crois savoir que** I happen to know that; **il faut ~ qu'il avait vraiment besoin de repos** it would seem that he really needed a rest; **il est malin, (il ne) faut pas**○ **~!** he's clever, believe me!; **c'est à ~ qu'elle le fait exprès** anyone would think she was doing it on purpose; **je le croyais malade/disparu/sincère** I thought he was ill/missing/sincere; **je vous croyais en Afrique!** I thought you were in Africa!; **tu le crois capable de garder le secret?** do you think he can keep the secret?; **je ne suis pas celui que vous croyez** I'm not what you think I am; **tu ne crois pas si bien dire** you don't know how right you are; **on croirait de la soie/un diamant** it looks like silk/a diamond; **coiffée comme ça on croirait sa mère** with her hair like that she looks just like her mother

4 (se fier à) **en ~** to believe; **si l'on en croit l'auteur, à en ~ l'auteur** if we are to believe the author; **si l'on en croit le rapport** if you believe the report; **vous pouvez m'en ~** you can believe me; **à en ~ les sondages, elle va remporter les élections** if the polls are anything to go by, she will win the election; **crois-en mon expérience** take my word for it

B **croire à** *vtr ind* **1** (admettre comme vrai) **~ à** to believe [*histoire, mensonge*]; to believe in [*fantômes, esprits*]; **je n'ai pas cru à ton histoire** I didn't believe your story; **personne n'a cru au suicide** no-one believed it was suicide; **nous avons cru à la victoire** we thought we'd win; **'veuillez ~ à ma sympathie'** 'with deepest sympathy'; **faire ~ à un accident/vol** to make people believe *ou* think it was an accident/it was theft

2 (être convaincu du mérite de) **~ à** to believe in [*sorcellerie, justice, promesses*]; **~ à la médecine** to have faith in doctors; **~ au bonheur/à l'amour/au progrès** to believe in happiness/in love/in progress

C **croire en** *vtr ind* **1** (avoir foi en) **~ en** to believe in [*Dieu, esprit, saint*]; **~ en l'existence de qch/qn** to believe in the existence of sth/sb

2 (avoir confiance en) **~ en** to believe in; **~ en soi** to believe in oneself

D *vi* Relig to believe

E **se croire** *vpr* **1** (se considérer) **il se croit beau/libre/seul** he thinks he's handsome/free/alone; **elle se croit tout permis** she thinks she can do what she likes; **il se croit quelqu'un** he thinks he's really somebody; **on se croirait à New York/en Afrique** you'd think you were in New York/Africa; **tu te crois où?** where do you think you are?

2 ○(être vaniteux) **il se croit un peu, il s'y croit** he thinks he's really somebody

croisade /kʀwazad/ *nf* **1** Relig, Hist crusade; **partir pour les ~s** to go on the Crusades; **2** fig (lutte) crusade (**contre** against; **pour** for)

croisé, ~e /kʀwaze/

A *pp* ▸ **croiser**

B *pp adj* **1** (se chevauchant) [*bâtons, fils, jambes*] crossed; [*bras, mains*] folded; **châle ~ sur la poitrine** shawl crossed over the chest; **bretelles ~es dans le dos** braces GB *ou* suspenders US which cross over at the back; **conversations ~es** Télécom crossed lines; **2** (métissé) [*sang*] mixed; [*chien*] crossbred; **race ~e** crossbreed; **pollinisation ~e** cross-pollination; **3** Mode [*costume, veste*] double-breasted; [*dos, corsage*] crossover (*épith*); **4** (réciproque) [*accords, alliances*] reciprocal; [*taux*] cross (*épith*); **accord de licences ~es** reciprocal licensing agreements; **participations ~es** cross *ou* reciprocal holdings; **indexation ~e** cross indexing; **5** Littérat [*rimes, vers*] alternate; **6** Sport **volée ~e** cross-court volley; **passe ~e** reverse pass; **7** Tex **tissu ~** twill; **8** Ordinat **compilateur ~** cross-compiler

C *nm* **1** Hist crusader; **2** Tex twill

D **croisée** *nf* **1** (intersection) junction (**de** of); **à la ~e des chemins** lit, fig at the crossroads; **être à la ~e de deux cultures/mondes** to be poised between two different cultures/worlds; **2** (fenêtre) liter window; (fenêtre à meneaux) casement window; **3** Archit **~e d'ogives** ribbed vault; **~e du transept** transept crossing

croisement /kʀwazmɑ̃/ *nm* **1** Transp (carrefour) crossroads; (point d'intersection) crossing, junction; **au ~ des (deux) routes** where

C

the (two) roads cross; **au ~ de la rue A et de la rue B** where A Street and B Street cross; **au ~ de la route et de la voie ferrée** where the road crosses the railway line; **au ~ de la modernité et de la tradition** where modernity and tradition meet; **2▸** (entrecroisement) (de fils, lanières) crossing; **~ des financements** cross-financing; **3▸** (fait de passer à côté de) **le ~ de deux trains** two trains passing one another; **les ~s ne peuvent s'effectuer qu'ici** this is the only place where vehicles can pass; **4▸** Biol, Hort, Zool (méthode) crossing ₵ **(avec** with), crossbreeding ₵ **(avec** with); (spécimen obtenu) hybrid, cross(breed); **obtenu par des ~s répétés** obtained by repeated cross-breeding *ou* hybridization[GB]; **faire des ~s (d'espèces)** to crossbreed species; **faire un ~ entre A et B** to cross A with B; **c'est un ~ de A et B** it's a cross between A and B; **grâce au ~ de plusieurs techniques** fig through the combination of several techniques; **c'est le produit du ~ de deux styles** it is a mixture of two different styles

croiser /kʀwaze/ [1]

A *vtr* **1▸** (mettre l'un sur l'autre) to cross [*objets, câbles*]; **~ les bras/mains** to fold one's arms/hands; **~ les jambes** to cross one's legs; **~ les doigts (pour que ça réussisse)** fig to keep one's fingers crossed; **2▸** (couper) [*rue, voie*] to cross [*rue, voie*]; **3▸** (passer à côté de) [*véhicule, piéton*] **~ qn/qch** to pass sb/sth (coming the other way); (rencontrer) to meet; **on a croisé un car** we passed a coach GB *ou* bus (coming the other way); **j'ai croisé leur bateau en sortant du port** I passed their boat (coming in) as I left the harbour[GB]; **une voiture nous a croisés à vive allure** a car flashed past us in the opposite direction; **mon regard croisa le sien** our eyes met, my gaze met his/hers; **4▸** Biol to cross(breed) [*espèces, animaux*]; **~ A avec B** to cross A with B; **5▸** Sport (au tennis) **~ un coup** to play a cross-court stroke; (au football) **~ son tir** to make a diagonal pass

B *vi* **1▸** Cout, Mode [*bretelles*] to cross; [*veste*] to cross over; **la veste croise mal parce qu'il a grossi** the jacket pulls across the front because he's put on weight; **2▸** Naut gén to cruise; (pour surveiller) to be on patrol; **~ dans le golfe** to patrol the gulf; **~ au large des côtes africaines** to cruise off the coast of Africa

C se croiser *vpr* **1▸** (passer à côté) [*piétons, véhicules, navires*] to pass each other; [*colis, lettres*] to cross (in the post GB *ou* mail US); **2▸** (se couper) [*routes, lignes*] to cross; **nos regards se sont croisés** our eyes met; **3▸** Hist to go on a crusade

croiseur /kʀwazœʀ/ *nm* cruiser (warship)

croisière /kʀwazjɛʀ/ *nf* cruise; **faire une/partir en ~** to go/to set off on a cruise; **régime de ~** lit cruising speed; **en allure** *or* **vitesse** *or* **régime de ~ nous faisons 850 km à l'heure** we have a cruising speed of 850 km/h; **en régime de ~, nous produirons 10 tonnes par mois** fig once we're up and running○ we'll produce 10 tons a month; **mon rythme** *or* **régime de ~ est de 10 pages par jour** once I've got GB *ou* gotten US into my stride, I can do 10 pages a day

croisiériste /kʀwazjeʀist/ *nmf* (cruise) passenger

croisillon /kʀwazijɔ̃/ *nm* (de croix, charpente) crosspiece; (de châssis de fenêtre) transom; (d'église) transepts (*pl*); **~s** (de fenêtre) lattice work; (sur une tarte) lattice pattern

croissance /kʀwasɑ̃s/ *nf* **1▸** Écon growth; **~ annuelle/économique/rapide** annual/economic/fast growth; **forte/vive ~** sustained/sharp growth; **~ de 7%** 7% growth; **~ démographique** population growth; **en pleine ~** fast-growing (*épith*), growing fast (*jamais épith*); **chiffres en ~ constante** constantly increasing figures; **2▸** Physiol growth; **~ des plantes/enfants** plant/children's growth; **pendant sa ~** while growing; **un enfant en période de** *or* **en pleine ~** a growing child; ▸ **prime, rythme**

croissant, ~e /kʀwasɑ̃, ɑ̃t/

A *adj* **1▸** (en expansion) growing; **besoin/déficit/intérêt/nombre ~** growing need/deficit/interest/number; **doses ~es** increasingly large doses; **de manière ~e** increasingly; **2▸** Math [*fonction, suite*] monotonic

B *nm* **1▸** Culin croissant; **~ ordinaire/pur beurre** plain/all-butter croissant; **2▸** (forme) crescent; **en forme de ~** crescent-shaped; **3▸** Hérald crescent; **4▸** (emblème de l'islam, de la Turquie ottomane) crescent

(Composé) **~ de lune** crescent moon

croissanterie® /kʀwasɑ̃tʀi/ ▸ **p. 532** *nf* croissant shop, croissanterie

Croissant-Rouge /kʀwasɑ̃ʀuʒ/ *nm* **le ~** the Red Crescent

croître* /kʀwatʀ/ [72] *vi* **1▸** Physiol, Bot (se développer) [*animal, personne, plante*] to grow; **~ en volume/intelligence** to grow in volume/intelligence; **faire ~** to grow; **croissez et multipliez** be fruitful and multiply; **2▸** (en nombre, en importance) [*colère, peur, abstentionnisme*] to grow; [*bruit*] to get *ou* grow louder; **aller ~** to increase; **3▸** (augmenter) [*production, vente, exportation*] to grow (**de** by); [*jour*] to get longer; **~ de 3%** to grow by 3%; **4▸** Math [*fonction, valeur*] to increase; **faire ~** to increase

croix /kʀwa/ *nf inv* **1▸** (objet) cross; (décoration, emblème) cross; **~ russe/grecque** Russian/Greek Cross; **~ ansée** *or* **égyptienne** ansate cross, ankh; **~ potencée** cross of Jerusalem; **en ~** crosswise, in the shape of a cross; **disposer des brindilles en ~** to lay twigs crosswise; **être disposé** *or* **arrangé en ~** to form a cross, to be arranged crosswise; **mettre** *or* **tendre les bras en ~** to hold one's arms out on either side of the body; **être mis en ~** [*condamné*] to be crucified; **2▸** (marque) cross; **marquer un nom d'une ~** to put a cross against *ou* by a name; **signer d'une ~** to sign one's name with a cross; **3▸** (épreuve) cross (to bear); **cet enfant, c'est une vraie ~** he's a cross I have to bear; **chacun porte sa ~** we all have our cross to bear

(Composés) **~ celte** *or* **celtique** Celtic cross; **~ de fer** (décoration) Mil Iron Cross; Sport crucifix; **~ gammée** swastika; **~ de guerre** Mil Croix de guerre; **~ de Lorraine** cross of Lorraine; **~ de Malte** Maltese cross; **~ de Saint-André** St Andrew's cross; **~ de Saint-Pierre** Peter's cross; **~ du Saint-Sépulcre** cross of Jerusalem

(Idiomes) **ton argent, tu peux faire** *or* **tirer** *or* **mettre une ~ dessus**○ you can kiss your money goodbye; **la récompense promise, tu peux faire** *or* **tirer** *or* **mettre une ~ dessus**○ you can kiss goodbye to the promised reward; **faire une ~ sur son passé** to leave the past behind; **un jour à marquer d'une ~ blanche** a red-letter day, a day to remember; **~ de bois, ~ de fer (si je mens, je vais en enfer)** cross my heart (and hope to die)

Croix-du-Sud /kʀwadysyd/ *nprf* **la ~** the Southern Cross

Croix-Rouge /kʀwaʀuʒ/ *nprf* **la ~** the Red Cross

crolle /kʀɔl/ *nf* Belg (boucle de cheveux) curl

crollé, ~e /kʀɔle/ *adj* Belg (bouclé) curled

cromorne /kʀɔmɔʀn/ *nm* Mus crumhorn

croquant, ~e /kʀɔkɑ̃, ɑ̃t/

A *adj* [*salade, pâtisserie*] crunchy

B *nm,f* Hist *participant in French peasants' revolts of 16th, 17th centuries*

C *nm* Culin (petit gâteau) *small crunchy almond biscuit*; (cartilage) gristle

croque: **à la croque au sel** /alakʀɔksɛl/ *loc adv* with just a sprinkling of salt

croque-madame* /kʀɔkmadam/ *nm inv*: *toasted ham and cheese sandwich topped with a fried egg*

croquembouche /kʀɔkɑ̃buʃ/ *nm*: *pyramid of cream puffs with caramel*

croque-mitaine, *pl* **~s*** /kʀɔkmitɛn/ *nm* (monstre imaginaire) bogeyman; hum ogre

croque-monsieur* /kʀɔkməsjø/ *nm inv*: *toasted ham and cheese sandwich*

croque-mort○, *pl* **~s*** /kʀɔkmɔʀ/ *nm* undertaker; **avoir une tête de ~** to look like an undertaker

croquenot○ /kʀɔkno/ *nm* clodhopper○, shoe

croquer /kʀɔke/ [1]

A *vtr* **1▸** (manger) to crunch [*biscuit, pomme*]; **comprimé à ~** Pharm chewable tablet; **2▸** ○(dilapider) to blow○ [*paie*]; to squander [*fortune, argent*]; **3▸** (esquisser) to sketch [*personne*]; fig (décrire) to give a thumbnail sketch of [*personne*]; **elle est (jolie** *or* **belle) à ~** she's as pretty as a picture, she looks good enough to eat

B *vi* **1▸** [*pomme, biscuit*] to be crunchy; **pomme qui croque** crunchy apple; **2▸** [*personne*] **~ dans une pomme** to bite into an apple

croquet /kʀɔkɛ/ *nm* **1▸** ▸ **p. 469** Jeux croquet; **2▸** Cout rickrack braid GB, rickrack US

croquette /kʀɔkɛt/ *nf* **1▸** Culin croquette; **~ de viande/de pomme de terre** meat/potato croquette; **~ de poisson** fishcake; **2▸** (pour chien) dry dogfood ₵; (pour chat) dry catfood ₵

croqueuse /kʀɔkøz/ *nf*

(Composés) **~ de diamants**○ gold digger○; **~ d'hommes**○ man-eater○

croquignolet○, **-ette** /kʀɔkiɲɔlɛ, ɛt/ *adj* cute

croquis /kʀɔki/ *nm* **1▸** (dessin) sketch; **faire le ~ d'une maison** to draw a sketch of a house; **2▸** (description) outline; **faire un ~ de la situation** to give an outline of the situation

crosne /kʀon/ *nm* Bot Chinese artichoke

cross(-country)* /kʀɔs(kuntʀi)/ *nm inv* **1▸** (discipline) (à pied) cross country running; (à cheval) cross country racing; (à moto) motocross; **2▸** (course) (à pied) cross country race; (à cheval) cross country race; (à moto) motocross event; **3▸** (parcours) run; **tous les soirs, je fais un ~** every evening, I go for a run

crosse /kʀɔs/ *nf* **1▸** (de fusil) butt; (de revolver) grip; **frapper qn à coups de ~** (de fusil) to hit sb with the butt of a rifle; **2▸** Relig crozier; **~ d'évêque** bishop's crozier; **3▸** Sport stick; **~ de hockey** hockey stick; **4▸** (extrémité recourbée) (de fougère) crozier; (de canne) crook; (de violon) head; (d'aorte) arch

(Idiome) **chercher des ~s**○ **à qn** to pick a fight with sb

crotale /kʀɔtal/ *nm* rattlesnake

crotte /kʀɔt/

A *nf* **1▸** (déjection) (de souris, lapin, chèvre, cheval) dropping; **ce sont des ~s** *or* **c'est de la ~ de souris** they're mouse droppings; **c'est de la ~ de chien/chat** it's dog/cat mess ₵ *ou* muck ₵; **faire une ~**○ [*personne*] to have a pooh○; [*chien, chat*] to make a mess; **2▸** †(boue) mud; **être dans la ~**○ fig to be up the creek○

B ○*excl* **~ (de bique)!** damn○!

(Composés) **~ de bique**○ rubbish ₵; **c'est pas de la ~ de bique**○ it must be worth a pretty penny○; **~ en chocolat** Culin chocolate drop; **~ de nez** bogey○ GB, booger○ US

(Idiome) **il ne se prend pas pour de la ~**○ he thinks he's the cat's whiskers○

crotté, ~e /kʀɔte/ *adj* muddy

crotter /kʀɔte/ [1] *vtr* to muddy

crottin /kʀɔtɛ̃/ *nm* **1▸** (de cheval) dung; **2▸** (fromage) (*small round*) goat's cheese

croulant, ~e /kʀulɑ̃, ɑ̃t/

A *adj* **1▸** (en mauvais état) [*bâtiment*] crumbling; **2▸** ○(vieux) pej [*personne*] decrepit

B ○*nm,f* (vieillard) pej old fogey

crouler /kʀule/ [1] *vi* **1▸** [*mur, bâtiment*] (s'effondrer) to collapse; (se désagréger) to crumble; [*butte de terre*] to fall down; **se laisser**

C

~ **dans un fauteuil** to collapse into an armchair; [2]▸ (aller à la ruine) *[empire, pays, régime]* to collapse; ~ **de toutes parts** to collapse on all sides; [3]▸ (être submergé) ~ **sous** to be weighed down by *[dettes, travail, projets]*; *[personne]* to be inundated with *[fleurs]*; to be weighed down with *[paquets]*; *[arbre]* to be weighed down with *[fruits]*; *[ville]* to crumble under *[obus]*; ~ **sous les applaudissements** *[salle]* to resound with applause; ~ **sous le poids de** *[meuble, étagère, table]* to groan under the weight of

croup /kʀup/ *nm* croup; **faux** ~ spasmodic croup

croupe /kʀup/ *nf* [1]▸ (de cheval) croup; **monter en** ~ (à cheval) to ride behind the saddle; (en moto) to ride pillion; [2]▸ ○(postérieur) behind○, posterior hum; [3]▸ (de colline, montagne) (rounded) top

croupetons: **à croupetons** /akʀuptɔ̃/ *loc adv* squatting; **être à** ~ to be squatting; **se mettre à** ~ to squat down

croupi, ~**e** /kʀupi/

A *pp* ▸ **croupir**

B *pp adj [eau]* stagnant

croupier /kʀupje/ ▸ **p. 532** *nm* croupier

croupière /kʀupjɛʀ/ *nf* crupper

(Idiome) **tailler des** ~**s à qn** to put a spanner in the works for sb

croupion /kʀupjɔ̃/ *nm* [1]▸ (d'oiseau) rump; fig **parti/parlement** ~ rump party/parliament; [2]▸ Culin (de volaille) parson's nose; [3]▸ ○(postérieur) hum backside○

croupir /kʀupiʀ/ [3] *vi* [1]▸ *[eau]* to stagnate; *[détritus]* to rot; [2]▸ *[personne]* ~ **en prison** to rot in jail; ~ **dans l'ignorance/la misère** to languish in ignorance/poverty

croupissant, ~**e** /kʀupisɑ̃, ɑ̃t/ *adj [eau]* stagnant

CROUS /kʀus/ *nm (abbr* = **Centre régional d'œuvres universitaires et sociales)** French student welfare organization

> **CROUS**
>
> The student welfare organization attached to each university. As well as carrying out administration relating to student scholarships and subsistence expenses, running the *restaurants universitaires* and the *cités universitaires* or halls of residence, the *CROUS* organizes social events and trips notably for foreign nationals studying in France.

croustade /kʀustad/ *nf* ≈ savoury[GB] pie

croustillant, ~**e** /kʀustijɑ̃, ɑ̃t/ *adj* [1]▸ *[pain, peau grillée]* crispy; *[biscuit, toast]* crunchy; [2]▸ *[histoire, détails]* spicy

croustiller /kʀustije/ [1] *vi [pain]* to be crusty; *[viande grillée, chips]* to be crisp; *[chocolat]* to be crunchy

croûte* /kʀut/ *nf* [1]▸ (surface épaisse) (de pain) crust; (de fromage) rind; **une** ~ **de pain** a crust; [2]▸ (couche) (de peinture) old layers *(pl)*; (de glace) crust; [3]▸ Culin (plat) croute, pastry; **agneau/filet/pâté en** ~ lamb/fillet/pâté en croute *ou* in pastry; [4]▸ Méd scab; [5]▸ ○(tableau) daub; [6]▸ (de cuir) split, flesh split

(Composés) ~ **continentale** Géol continental crust; ~ **de lait** Méd cradle cap; ~ **océanique** Géol oceanic crust; ~ **terrestre** Géol earth's crust

(Idiomes) **casser la** ~○ to have a bite to eat; **gagner sa** ~○ to earn a crust○

croûter*○ /kʀute/ [1] *vtr, vi* to eat

croûton* /kʀutɔ̃/ *nm* [1]▸ (extrémité d'un pain) crust; [2]▸ Culin crouton; [3]▸ ○(vieillard) pej **vieux** ~ old fossil

croyable /kʀwajabl/ *adj* **ce n'est pas** ~**!** (c'est surprenant) it's unbelievable!; (c'est choquant) I don't believe it!; **c'est à peine** ~ it's hard to believe

croyance /kʀwajɑ̃s/ *nf* [1]▸ gén belief; **la** ~ **collective** *or* **populaire** popular belief; [2]▸ Relig, Sociol belief (**en** in)

croyant, ~**e** /kʀwajɑ̃, ɑ̃t/

A *adj* **être** ~ to be a believer; **je ne suis pas** ~**e** I'm not a religious person, I'm a non-believer

B *nm,f* believer

CRS /seɛʀɛs/ *(abbr* = **compagnie républicaine de sécurité)**

A *nm member of the French riot police*; **compagnie de** ~ ≈ riot squad

B *nf: French riot squad*

> **CRS**
>
> Special units of the *police nationale* trained in riot control and public order techniques. The *CRS* also have duties policing *autoroutes* and provide mountain safety and rescue services as well as coastal lifeguard support.

cru, ~**e** /kʀy/

A *adj* [1]▸ Culin *[viande, poisson, légume]* raw; *[pâte à tarte]* uncooked; *[lait]* unpasteurized; **du fromage au lait** ~ cheese made with unpasteurized milk; **se faire manger** *or* **dévorer tout** ~○ fig to get eaten alive○; [2]▸ (intense) *[lumière, éclairage]* stark, harsh; *[couleur]* garish péj, harsh; [3]▸ (direct) *[description, réalisme, réponse]* blunt; *[détail]* raw; *[représentation]* graphic; *[vérité]* harsh; **en termes un peu** ~**s** in rather blunt terms; **répondre de façon** ~**e** to answer bluntly; **il dit les choses toutes** ~**es**○ he says things straight out○; [4]▸ (osé) *[langage, plaisanterie]* crude; [5]▸ Tech *[métal]* crude; *[soie, chanvre]* raw; *[brique, terre]* unbaked

B *adv* (sans ménagement) *[parler]* bluntly; **elle le lui a annoncé tout** ~**!** she told him/her straight○!; **monter à** ~ Équit to ride bareback

C *nm* [1]▸ Vin (vignoble) vineyard; (vin) **un** ~ a vintage, a growth spéc; **un nouveau/grand** ~ a new/great vintage; [2]▸ (année) vintage year; **le** ~ **1987** the 1987 vintage; **de grand** *or* **du meilleur** ~ *[disque, collection]* vintage *(épith)*; **du** ~ *[vin, spécialités, auteur]* local; **les gens du** ~ the locals; **de son (propre)** ~ *[procédé, recette]* of one's own invention; *[terme, expression]* of one's coinage; [3]▸ Culin **le** ~ raw food

D **crue** *nf* (montée des eaux) rise in water level; (inondation) flood; **il a été emporté par les** ~**es** he was swept away by the flood waters; **en temps de** ~**e** in times of flood; **en** ~**e** in spate; **les** ~**es ont inondé la plaine** the plain is flooded *ou* under water

cruauté /kʀyote/ *nf* [1]▸ (caractère) cruelty **(envers** to); **il est d'une** ~ **incroyable envers les animaux** he is unbelievably cruel to animals; **traiter qn avec** ~ to treat sb cruelly; [2]▸ (action cruelle) act of cruelty; **subir des** ~**s** to be subjected to cruelty

cruche /kʀyʃ/

A ○*adj* stupid; **avoir l'air** ~ to look stupid

B *nf* [1]▸ (contenant) jug GB, pitcher US; (contenu) jugful GB, pitcherful US; **une** ~ **en terre** an earthenware jug; [2]▸ ○(personne niaise) dope○, twit○ GB

(Idiome) **tant va la** ~ **à l'eau qu'à la fin elle se casse** Prov that's what comes of taking things too much for granted

cruchon /kʀyʃɔ̃/ *nm* small jug GB, small pitcher US

crucial, ~**e**, *mpl* **-iaux** /kʀysjal, o/ *adj [moment, question, année]* crucial

crucifère /kʀysifɛʀ/ *nf* crucifer

crucifiement /kʀysifimɑ̃/ *nm* [1]▸ (supplice) crucifixion; [2]▸ (épreuve) torture ₵; **c'est un** ~ **pour leur mère** it's torture for their mother; **le** ~ **de la chair** the mortification of the flesh; [3]▸ Art Crucifixion

crucifier /kʀysifje/ [2] *vtr* lit, fig to crucify

crucifix /kʀysifi/ *nm* crucifix

crucifixion /kʀysifiksjɔ̃/ *nf* [1]▸ (supplice) crucifixion; [2]▸ Art Crucifixion

cruciforme /kʀysifɔʀm/ *adj* gén cruciform; Tech **vis (à tête)** ~ cross-head screw; **tournevis** ~ Phillips® *ou* cross-head screwdriver

cruciverbiste /kʀysivɛʀbist/ *nmf* crossword fan

crudité /kʀydite/ *nf* [1]▸ (légume) raw vegetable; **servir des** ~**s** to serve crudités; [2]▸ (d'aliments) rawness; [3]▸ (de couleur) garishness; (de lumière) harshness; [4]▸ (de langage, sentiment) crudeness

crue ▸ **cru A, D**

cruel, **-elle** /kʀyɛl/ *adj* [1]▸ *[personne, destin, histoire]* cruel **(envers, avec** to); *[incertitude]* cruel; [2]▸ (intense) *[manque]* desperate; [3]▸ (douloureux) terrible; *[maladie]* painful

cruellement /kʀyɛlmɑ̃/ *adv* [1]▸ (avec cruauté) *[se venger, réprimer, sacrifier]* cruelly; [2]▸ (beaucoup) desperately; **manquer** ~ **de qch** to be desperately short of sth; **avoir** ~ **besoin de qch** to be desperately in need of sth; **le talent lui fait** ~ **défaut** he's/she's desperately lacking in talent; **les médicaments font** ~ **défaut** medical supplies are desperately inadequate; [3]▸ (douloureusement) *[éprouver, ressentir]* terribly; **la pénurie de carburant se fait** ~ **sentir** the fuel shortage is being sorely felt; **les effets de l'embargo se font** ~ **sentir** the embargo is biting hard; **être** ~ **ramené à la réalité** to be brought back to earth painfully

cruiser /kʀuizœʀ/ *nm* cabin cruiser

crûment* /kʀymɑ̃/ *adv* [1]▸ (sans ménagement) bluntly; **répondre** ~ to reply bluntly; [2]▸ (de façon choquante) crudely

crustacé /kʀystase/ *nm* shellfish *(inv)*, crustacean spéc

cryochirurgie /kʀijoʃiʀyʀʒi/ *nf* cryosurgery

cryogène /kʀijoʒɛn/ *adj* cryogenic

cryogénie /kʀijoʒeni/ *nf* cryogenics (+ *v sg*)

cryogénique /kʀijoʒenik/ *adj* cryogenic

cryogéniser /kʀijoʒenize/ [1] *vt* to freeze cryogenically

cryoscopie /kʀijoskɔpi/ *nf* cryogenics *(sg)*

cryptage /kʀiptaʒ/ *nm* Ordinat encryption; TV scrambling

crypte /kʀipt/ *nf* crypt

crypté, ~**e** /kʀipte/ *adj* coded; Ordinat encrypted; TV scrambled

crypter /kʀipte/ [1] *vtr* to encrypt

cryptogame /kʀiptɔgam/

A *adj* cryptogamic

B *nm* cryptogam

cryptogramme /kʀiptɔgʀam/ *nm* cryptogram

cryptographie /kʀiptɔgʀafi/ *nf* cryptography

cryptographique /kʀiptɔgʀafik/ *adj [message, procédé]* cryptographic

crypton = **krypton**

CSA /seɛsa/ *nm: abbr* ▸ **conseil**

CSCE /seɛsseə/ *nf (abbr* = **Conférence sur la sécurité et la coopération en Europe)** CSCE

CSG /seɛsʒe/ *nf: abbr* ▸ **contribution**

CSM /seɛsɛm/ *nm: abbr* ▸ **conseil**

Cuba /kyba/ ▸ **p. 435, p. 333** *nprf* Cuba

cubage /kybaʒ/ *nm* (d'eau, air) volume

cubain, ~**e** /kybɛ̃, ɛn/ ▸ **p. 561** *adj* Cuban

Cubain, ~**e** /kybɛ̃, ɛn/ ▸ **p. 561** *nm,f* Cuban

cube /kyb/

A ▸ **p. 903** *adj* Math, Mes, Phys cubic; **mètre/centimètre** ~ cubic metre[GB]/centimetre[GB]

B *nm* [1]▸ Math (polyèdre) cube; (puissance) cube; **le** ~ **de 3 est 27** 3 cubed is 27; **mettre au** ~ to cube; [2]▸ (objet) cube; Culin cube; **couper en** ~**s** to cut [sth] into cubes *[viande]*; to dice *[légumes]*; [3]▸ (jouet) building block; ▸ **gros**

cuber /kybe/ [1]

A *vtr* to gauge *[pierre]*

B ▸ **p. 903** *vi [citerne, cuve, tonneau]* to have a capacity of, to hold

cubique /kybik/ *adj* [1]▸ Math *[racine]* cubic; [2]▸ gén **de forme** ~ cube-shaped

cubisme /kybism/ *nm* Cubism

C

cubiste /kybist/ *adj, nmf* Cubist
cubitainer® /kybitɛnɛʀ/ *nm* winebox
cubital, ~e, *mpl* **-aux** /kybital, o/ *adj* [*nerf, artère*] ulnar
cubitus /kybitys/ *nm inv* Anat ulna
cucul○ /kyky/
A *adj* pej [*histoire, film*] corny○; [*personne*] silly; [*intérieur, jardin*] twee GB, cutesy○ US
B *nmf* (personne) pej twit○ GB, jerk○ US
(Composé) **~ la praline** corny○
cucurbitacée /kykyʀbitase/ *nf* cucurbit; **les ~s** Cucurbitaceae
cueillette /kœjɛt/ *nf* [1] (ramassage) (de fruits, fleurs) picking; fig (d'idées, de chiffres) gathering together; **~ du coton/des pommes** cotton-/apple-picking; **ils vivent de chasse et de ~** Anthrop they are hunter-gatherers; [2] (produit) (de fruits) crop, harvest; (d'idées) crop
cueillir /kœjiʀ/ [27] *vtr* [1] (ramasser) to pick [*fruits, fleurs*]; [2] fig to gather [*informations*]; to win [*applaudissements*]; **~ des lauriers** to cover oneself in glory, to win acclaim; **cueillez votre jeunesse/le jour qui passe** liter make the most of your youth/of today; **~ un baiser** liter to steal a kiss; [3] ○(prendre) to pick up○, to arrest [*malfaiteur*]; to pick up○ [*ami*]; [4] (atteindre) [*projectile*] to catch; **se faire ~ à froid** fig to be caught off guard
cuesta /kwɛsta/ *nf* cuesta
cui-cui* /kɥikɥi/ *nm inv* (*also onomat*) twitter; **faire ~** to go tweet tweet!
cuiller, cuillère /kɥijɛʀ/ *nf* [1] (pour manger) spoon; (contenu) spoonful; **petite ~** ≈ teaspoon; **~ en bois** wooden spoon; **une ~ de sucre** a spoonful of sugar; ▸ **serrer**; [2] Mus spoon; **jouer des ~s** to play the spoons; [3] Pêche spoon; **pêche à la ~** spoonbait fishing; [4] Tech (de grenade) safety catch; (de fondeur, verrier) ladle
(Composés) **~ à café** ≈ teaspoon; (très petite) coffee spoon; **~ à dessert** dessertspoon; **~ à soupe** soupspoon; (pour mesurer) ≈ tablespoon; **une ~ à soupe d'huile** a tablespoon *ou* tablespoonful of oil; **~ tournante** spinner
(Idiomes) **il n'y va pas avec le dos de la ~**○ (en parlant) he doesn't pull his punches; (en agissant) he doesn't do things by halves; **on l'a ramassée à la petite ~**○ they had to scrape her up off the road; **je suis à ramasser à la petite ~**○ I'm knackered○ GB *ou* pooped○; **faire qch en deux** *or* **trois coups de ~ à pot** to do sth in two shakes of a lamb's tail○
cuillerée /kɥij(ə)ʀe/ *nf* spoonful; **deux ~s à soupe de farine** two tablespoonful(s) of flour
cuir /kɥiʀ/ *nm* [1] (peau traitée) leather; **c'est du ~** it's leather; **sac en** *or* **de ~** leather bag; **le travail du ~** leatherwork; [2] (peau non traitée) rawhide; (peau de gros mammifère) hide; **~ de bœuf/vache** oxhide/cowhide; [3] ○(peau humaine) hum hide; **avoir le ~ épais** to be thick-skinned; [4] ○(vêtement) leather○; [5] ○(liaison fautive) incorrect liaison (*by insertion of a t or z sound*); [6] ○(au football) ball
(Composés) **~ à rasoir** (razor) strop; **~ bouilli** cuir-bouilli; **~ chevelu** Anat scalp; **~ naturel** natural leather, russet leather spéc; **~ de Russie** Russia leather; **~ suédé** suede (leather); **~ verni** patent leather
cuirasse /kɥiʀas/ *nf* [1] (armure) breast-plate; (blindage) armour^GB plating; [2] fig (d'indifférence) front; [3] Zool cuirass
cuirassé, ~e /kɥiʀase/
A *pp* ▸ **cuirasser**
B *pp adj* Mil [*soldat*] armour^GB-clad; [*véhicule, bateau, division*] armoured^GB
C *nm* battleship
cuirasser /kɥiʀase/ [1]
A *vtr* [1] Mil to dress [sb] in armour^GB [*chevalier*]; to armour^GB [*véhicule, bateau*]; [2] fig (endurcir) to harden [*personne*] (**contre** to)
B se cuirasser *vpr* fig **se ~ contre qch** to harden oneself to sth; **être cuirassé contre qch** to be hardened to sth
cuirassier /kɥiʀasje/ *nm* [1] (soldat) cuirassier; [2] (régiment) **le premier/deuxième ~** the first/second armoured^GB division
cuire /kɥiʀ/ [69]
A *vtr* [1] Culin [*personne*] (sur le feu) to cook [*aliment*]; (au four) to bake [*pain, gâteau, poisson, pomme, gratin*]; to roast [*viande*]; to cook [*daube*]; **~ à l'eau/au bouillon/au beurre** to cook in water/in stock/in butter; **~ au bain-marie** to cook in a double-boiler; **~ à la vapeur** to steam; **~ à l'étuvée** to braise; **~ à la poêle** to fry; **~ au gril** to grill, to broil US; **~ au barbecue** to barbecue; **~ au gaz/au charbon de bois** to cook with gas/over charcoal; **~ qch à feu doux** to cook *ou* simmer sth gently; **~ qch à gros bouillons** to cook sth at full boil; **~ des pommes de terre au four** to bake potatoes; [2] Tech to fire [*porcelaine, brique, émaux*]; [3] (chauffer) [*soleil*] to scorch [*champ, plante*]; to bake [*argile, terre*]; to beat down on [*sable, rocher*]; to burn [*peau*]; **le soleil me cuit le dos** the sun is burning my back
B *vi* [1] Culin [*aliment, repas*] to cook; **le riz cuit vite** rice cooks quickly; **le rôti est en train de ~** the joint *ou* roast is cooking; **mets les légumes/la tarte à ~ à 6 heures** put the vegetables/the pie on (to cook) at 6 o'clock; **faire** *or* **laisser ~ 20 minutes** cook [sth] for 20 minutes; **laissez ~ à petit feu** allow to simmer gently; **faites ~ la pâte à four chaud** bake the pastry case in a hot oven; **faites ~ le poulet à four chaud** roast the chicken in a hot oven; **tu l'as trop peu/trop fait ~** it's undercooked *ou* underdone/overcooked; **à ~** [*chocolat, pomme*] cooking; [*fruit*] stewing; [2] ○(avoir chaud) [*personne*] **on cuit sur la plage** it's baking (hot) on the beach; **j'ai cuit au soleil toute la matinée** I spent the morning roasting in the sun; [3] (faire mal) [*écorchure*] to sting; [*alcool sur plaie*] to sting; **ça me cuit** it stings; **les joues me cuisaient** (de honte, après un coup de soleil) my cheeks were burning; (après gifles) my cheeks were stinging *ou* smarting
C *v impers* fml **il vous en cuira** you'll rue the day sout; **il lui en a cuit** he/she had good reason to feel sorry
(Idiome) **laisse-la ~ dans son jus**○ let her stew in her own juice○
cuisant, ~e /kɥizɑ̃, ɑ̃t/ *adj* [1] (humiliant) [*défaite, regret, déception*] bitter; [*remarque*] stinging; [2] (douloureux) [*douleur*] (qui brûle) burning; (qui pique) stinging; [*froid*] biting, bitter; [3] (brûlant) [*joue*] (de honte) burning; (après une gifle) stinging
cuisine /kɥizin/
A *nf* [1] (pièce) kitchen; Naut galley; [2] (mobilier) kitchen units (*pl*), kitchen furniture ¢; **ustensiles/meubles de ~** kitchen utensils/furniture ¢; [3] (préparation des aliments) (art) cookery; (activité) cooking; **apprendre la ~** Scol to do cookery, to study cooking US; **apprendre à faire la ~** to learn (how) to cook; **il sait faire la ~** he can cook; **qui fait la ~ chez toi?** who does the cooking in your house?; **les métiers de la ~** catering ¢; ▸ **grand**; [4] (méthode) cooking; (aliments) food; **tu n'aimes pas ma ~?** don't you like my cooking?; **~ au beurre** (méthode) cooking in butter; (aliments) food cooked in butter; **faire de la bonne ~** to be a good cook; **la ~ française** (méthode, art) French cooking *ou* cuisine; (aliments) French food; **je préfère la ~ épicée** I prefer spicy food *ou* dishes; [5] (personnel) **la ~** the kitchen staff; [6] ○(magouillage) jiggery-pokery○ GB, intrigues (*pl*); **la ~ électorale** dubious electioneering tactics; **faire sa petite ~** to be on the fiddle○ GB *ou* on the take○ US
B cuisines *nfpl* (de restaurant, d'hôpital, école) kitchens
(Composés) **~ bourgeoise** (good) plain cooking; **~ familiale** home cooking; **~ intégrée** fully fitted kitchen; **~ roulante** Mil field kitchen
cuisiner /kɥizine/ [1]
A *vtr* [1] Culin to cook [*plat*]; **viande cuisinée** meat in a sauce; [2] ○(combiner) to fix [*affaire, élection*]; [3] ○(interroger) to grill○ [*suspect*]
B *vi* to cook; **aimer ~** to like cooking; **bien ~** to be a good cook
cuisinette /kɥizinɛt/ *nf* kitchenette
cuisinier, -ière /kɥizinje, ɛʀ/
A ▸ **p. 532** *nm,f* (chez des particuliers) cook; (dans restaurant) chef
B cuisinière *nf* (à gaz, électrique) cooker GB, stove; **cuisinière à charbon/bois** solid-fuel/wood-burning stove, kitchen range
cuisiniste /kɥizinist/ ▸ **p. 532** *nmf* kitchen manufacturer
cuissage† /kɥisaʒ/ *nm* **droit de ~** droit du seigneur
cuissard /kɥisaʀ/ *nm* [1] (short) cycling shorts (*pl*); [2] (d'armure) cuisse
cuissarde /kɥisaʀd/ *nf* (de caoutchouc) wader; (de cuir, daim) thighboot
cuisse /kɥis/ ▸ **p. 196** *nf* [1] Anat thigh; [2] Culin (de poulet) thigh; (de chevreuil) haunch; **des ~s de grenouille** frogs' legs; [3] (en œnologie) **un vin qui a de la ~** a round full-bodied wine
(Idiome) **avoir la ~ légère**○ to be an easy lay◑
cuisseau, *pl* **~x** /kɥiso/ *nm* **~ de veau** haunch of veal
cuisse-madame, *pl* **cuisses-madame** /kɥismadam/ *nf*: (*variety of*) *pear*
cuissettes /kɥisɛt/ *nfpl* Helv (short) sports shorts
cuisson /kɥisɔ̃/ *nf* [1] Culin gén cooking; (au four) (de pain, gâteau, poisson) baking; (de rôti, poulet) roasting; **temps de ~** cooking time; **après dix minutes de ~** after cooking for ten minutes; **la ~ de la viande est très longue** meat takes a long time to cook; [2] Tech (de poterie, d'émaux) firing; **mettre qch à la ~** to fire sth
cuissot* /kɥiso/ *nm* (de chevreuil) haunch
cuistance◑ /kɥistɑ̃s/ *nf* [1] (préparation) cooking; [2] (aliments) grub○
cuistot○ /kɥisto/ *nm* cook
cuistre /kɥistʀ/ *nm* liter [1] (pédant) prig; [2] (malotru) oaf
cuistrerie /kɥistʀəʀi/ *nf* liter [1] (pédanterie) priggishness; [2] (grossièreté) oafishness
cuit, ~e /kɥi, kɥit/
A *pp* ▸ **cuire**
B *pp adj* [1] Culin [*aliment*] cooked; [*viande, poisson, gâteau*] done (*jamais épith*); [*abricot, pruneau*] stewed; **trop ~** [*gigot, steak*] overdone; **bien ~** well done; **pas assez ~** underdone; [2] Tech [*poterie, argile*] fired; [3] ○(par le soleil) [*gazon, plante*] scorched; [*peau*] burned
C cuite *nf* [1] ○(ivresse) **quelle ~e!** what a booze-up○ GB *ou* bender○!; **tenir/prendre une ~e** to be/to get plastered○ *ou* pissed◑ GB, to tie one on○ US; **il a** *or* **tient une sacrée ~e** he's plastered○ *ou* completely pissed◑ GB; [2] Tech (cuisson) firing; **mettre qch à la ~e** to fire sth
(Idiomes) **c'est ~**○ we've had it○; **sinon, on était ~s**○ otherwise, we were done for○; **c'est du tout ~**○ (facile) it's a piece of cake○; (assuré) it's in the bag○; **ce n'est pas du tout ~**○ it's not all cut and dried; **elle attend que ça (lui) tombe tout ~**○ she expects things to fall straight into her lap
cuiter○**: se cuiter** /kɥite/ [1] *vpr* to get plastered○ *ou* pissed◑ GB
cuivre /kɥivʀ/
A *nm* (métal) **~ (rouge)** copper; **~ (jaune)** brass; **vase en ~** (rouge) copper vase; (jaune) brass vase; **à fond de ~** copper-bottomed; **collection d'objets en ~** collection of copperware
B cuivres *nmpl* [1] (objets) (en cuivre rouge) copperware; (en cuivre jaune) brass; [2] Mus **les ~s** the brass (*sg*); **ensemble de ~s** brass ensemble
cuivré, ~e /kɥivʀe/
A *pp* ▸ **cuivrer**
B *pp adj* [1] ▸ **p. 202** [*peau*] copper-coloured^GB;

(par le soleil) bronzed; **aux reflets ~s** with coppery glints; 2 [*voix*] resonant

cuivrer /kɥivʀe/ [1] *vtr* 1 (bronzer) to bronze [*peau*]; 2 Tech to copper [*métal*]

cuivreux, -euse /kɥivʀø, øz/ *adj* Chimie [*métal, oxyde*] cuprous

cuivrique /kɥivʀik/ *adj* [*métal, oxyde*] cupric

cul /ky/

A ◑*adj inv* [*personne*] simple; [*film*] twee○

B *nm* 1 ◑Anat (postérieur) bottom, arse● GB, ass◑ US; ~ **nu** (à moitié nu) bare-bottomed; (entièrement nu) stark naked; ~ **par-dessus tête** head over heels, arse● GB *ou* ass◑ US over tit◑; **mon ~!** my foot○!, my arse● GB *ou* ass◑ US!; ▸ **faux, main, péter, pied, plein, taper**; 2 ◑(sexe) sex; **film/scène de ~** sex film/scene; **histoire de ~** (blague) dirty joke; (texte) dirty story; (liaison) affair; 3 Zool rump; 4 ○(arrière) (de voiture, camion) back end; ▸ **gros**; 5 (base) (de lampe, bouteille) bottom

(Composés) ~ **béni**◑ bigot○; ~ **de bouteille** bottom of a bottle; ~ **sec**○**!** bottoms up!; **faire ~ sec**○ to down it in one

(Idiomes) **avoir qn au ~**◑ to have sb on one's tail; **l'avoir dans le ~**◑ to be in trouble; **se bouger le ~**◑ (se dépêcher) to get moving○, to shift one's arse● GB *ou* ass◑ US; (se donner du mal) to get one's arse● GB *ou* ass◑ US into gear; **se le foutre** *or* **se le mettre au ~**● to stuff it up one's arse● GB *ou* ass◑ US; **parle à mon ~, ma tête est malade**◑ you may as well talk to my arse● GB *ou* ass◑ US for all I care; **en rester** *or* **tomber sur le ~**◑ to be gobsmacked○; **avoir le ~**◑ **bordé de nouilles** to be a lucky devil○ *ou* bastard◑

culasse /kylas/ *nf* 1 (de moteur) cylinder head; 2 (d'arme à feu) breechblock

culbute /kylbyt/ *nf* 1 (galipette) somersault; **faire une ~** to somersault, to turn a somersault; 2 Sport [*nageur*] somersault turn; **faire une ~** to do a somersault turn; 3 (chute) tumble; **faire une ~ dans l'escalier** to tumble down the stairs; 4 fig (de régime, d'institutions) fall; (de banque, d'entreprise) collapse; **faire la ~** (tout perdre) to come a cropper○, to go bust○; (doubler ses gains) to double one's money

culbuter /kylbyte/ [1]

A *vtr* (faire tomber) to knock [sth] over [*objet, personne*]; fig to topple [*régime*]; to break down [*préjugés*]; to overcome [*adversaire*]

B *vi* (se renverser) [*personne*] to take a tumble; [*meuble*] to tip over; [*vase*] to topple; [*véhicule*] to overturn, to somersault; **la voiture a culbuté dans le ravin** the car fell into the ravine

culbuteur /kylbytœʀ/ *nm* 1 (de récipient) tipper; 2 (de moteur) rocker arm; 3 (jouet) tumbler, tumbling toy

cul-cul○ = **cucul**

cul-de-basse-fosse, *pl* **culs-de-basse-fosse** /kyd(ə)bɑsfos/ *nm* dungeon

cul-de-jatte, *pl* **culs-de-jatte** /kydʒat/ *nmf* person who has had both legs amputated

cul-de-lampe, *pl* **culs-de-lampe** /kydlɑ̃p/ *nm* Imprim tailpiece

cul-de-poule, *pl* **culs-de-poule** /kydpul/ *nm* (récipient) mixing bowl

(Idiome) **avoir la bouche en ~** to have a small pursed mouth

cul-de-sac, *pl* **culs-de-sac** /kydsak/ *nm* 1 (rue) cul-de-sac; 2 (situation) dead end; (emploi sans avenir) dead-end job

culer /kyle/ [1] *vi* [*vent*] to veer astern; [*navire*] to go astern

culinaire /kylinɛʀ/ *adj* culinary; **préparation ~** dish; **l'art ~** the culinary arts (*pl*)

culminant, ~e /kylminɑ̃, ɑ̃t/ *adj* **point ~** (de montagne) highest point *ou* peak; (d'astre) culmination; (de carrière) peak, (de gloire, puissance, crise) height; (de réunion, vacances, soirée, spectacle) high point; **être au point ~ de sa carrière** to be at the peak of one's career

culminer /kylmine/ [1] *vi* 1 Géog [*sommet, massif*] ~ **au-dessus de qch** to tower above sth; **l'Everest culmine à 8 848 mètres** Everest reaches 8,848 metres[GB] at its peak; **les Alpes françaises culminent au mont Blanc** Mont Blanc is the highest peak in the French Alps; 2 fig [*inflation, chômage*] to reach its peak, to peak; [*fureur, crise, carrière*] to reach its height *ou* peak; [*soirée, festival*] to reach its climax; **l'inflation a culminé à 5% en mai** inflation peaked at 5% in May; 3 Astron [*astre*] to reach culmination

culot /kylo/ *nm* 1 ○(aplomb) cheek○, nerve○; **quel ~!** what (a) cheek○ *ou* nerve○!; **avoir du ~** to have a cheek○ *ou* a nerve○; **avoir un sacré ~** *or* **un ~ monstre** *or* **tous les ~s** to have the devil's own cheek○, to have a hell○ of a nerve; **avoir le ~ de faire** to have the nerve○ *ou* cheek○ to do; **y aller au ~** to bluff; 2 Tech (de bougie) shell, body; (de douille, cartouche, d'ampoule) base; 3 (résidu) (de pipe) dottle[GB]; (de creuset) residue

culotte /kylɔt/ *nf* 1 (sous-vêtement féminin) pants (*pl*) GB, knickers (*pl*) GB, drawers (*pl*), panties (*pl*) US; **une ~/deux ~s** (pour femme) a pair/two pairs of pants GB *ou* panties US *ou* drawers; ~ **en caoutchouc** plastic pants GB *ou* panties US *ou* drawers; **où est la ~ de mon maillot de bain?** where are my bikini bottoms?; **faire dans sa ~**○ (déféquer) to dirty one's pants; (uriner) to wet one's pants; fig to wet oneself; 2 (pantalon mi-long) breeches (*pl*); (pantalon) trousers (*pl*), pants US (*pl*); **en ~(s) courte(s)** in short trousers GB *ou* pants US

(Composés) ~ **bouffante** bloomers (*pl*); ~ **de cheval** (pantalon) riding breeches (*pl*); (cellulite) flabby thighs (*pl*); ~ **de golf** plus-fours (*pl*); ~ **de peau**○ fig pej old soldier

(Idiomes) **c'est elle qui porte la ~**○ she's the one who wears the trousers GB *ou* pants US; **baisser ~**○ fig to back down; **marquer**○ **qn à la ~** to keep a close eye on sb; **(se) prendre une ~**○ Jeux to lose one's shirt (gambling)

culotté○**, ~e** /kylɔte/ *adj* [*personne*] cheeky

culotter /kylɔte/ [1] *vtr* to season [*pipe*]; **une pipe bien culottée** a well-seasoned pipe

culpabilisation /kylpabilizasjɔ̃/ *nf* (action) making guilty; (résultat) feeling of guilt

culpabiliser /kylpabilize/ [1]

A *vtr* to make [sb] feel guilty

B *vi* to feel guilty

C **se culpabiliser** *vpr* to feel guilty

culpabilité /kylpabilite/ *nf* Jur, Psych guilt; **sentiment de ~** guilt feelings (*pl*); **complexe de ~** guilt complex

culte /kylt/

A *nm* 1 Relig gén cult; (adoration) worship; ~ **des morts** cult of the dead; ~ **du soleil** sun worship; ~ **des ancêtres** ancestor worship; **rendre/vouer un ~ à qn/qch** to worship sb/sth; 2 (ensemble de pratiques) religion; **le ~ catholique/musulman** the Catholic/Muslim religion; 3 (office protestant) (Protestant) service; 4 (adoration profane) cult, worship; **avoir le ~ de qch** to worship sth; **il a le ~ de la réussite sociale** he worships social success

B **(-)culte** (*in compounds*) **groupe-/film-/roman-~** cult group/film/novel

(Composé) ~ **de la personnalité** personality cult

cul-terreux○, *pl* **culs-terreux** /kyteʀø/ *nm* pej country bumpkin○

cultivable /kyltivabl/ *adj* cultivable

cultivateur, -trice /kyltivatœʀ, tʀis/

A ▸ p. 532 *nm,f* farmer

B *nm* (machine) cultivator

cultivé, ~e /kyltive/

A *pp* ▸ **cultiver**

B *pp adj* 1 Agric [*terre, espèce*] cultivated; 2 (raffiné) [*personne, esprit*] cultured, cultivated

cultiver /kyltive/ [1]

A *vtr* 1 Agric to grow [*plante*]; to cultivate [*champ*]; 2 (entretenir) to cultivate [*art, image, tradition, relation, mémoire, don*]

B **se cultiver** *vpr* 1 (devoir être entretenu) [*beauté, amitié, don, goût*] to need to be cultivated; 2 (s'instruire) [*personne*] to improve one's culture; 3 Agric [*plante*] to be grown; [*terre*] to be cultivated

cultuel, -elle /kyltɥɛl/ *adj* [*association*] religious; **lieu ~** place of worship

culture /kyltyʀ/

A *nf* 1 Agric (action de cultiver) cultivation; **la ~ du blé** wheat growing; ~ **d'un champ** cultivation of a field; **mettre en ~** to bring [sth] under cultivation; **petite/moyenne/grande ~** small-scale/medium-scale/large-scale farming; **aire/terre de ~** farming area/land; 2 Agric (espèce cultivée) crop; ~ **d'hiver** winter crop; ~ **d'exportation** export crop; ~ **céréalière** cereal crop; 3 Biol culture; ~ **in vitro** in vitro culture; 4 Anthrop, Sociol culture; **la ~ européenne/chinoise** European/Chinese culture; ~ **de masse** mass culture; ~ **d'entreprise/de groupe** corporate/group culture; 5 (connaissances) knowledge; ~ **encyclopédique/générale/musicale** encyclopedic/general/musical knowledge; **vaste ~** wide knowledge; ~ **classique** classical education; **femme/homme de (grande) ~** woman/man of (great) learning; **avoir de la ~** to be cultured; **ne pas avoir de ~** to be uncultured; 6 Écon arts (*pl*); **subventionner la ~** to subsidize the arts; **budget de la ~** arts budget

B **cultures** *nfpl* Agric (terres cultivées) cultivated land ₵

(Composés) ~ **extensive** extensive farming; ~ **intensive** intensive farming; ~ **physique** Scol physical education; Sport physical exercise; ~ **de rapport** commercial farming; ~**s vivrières** subsistence crops

culturel, -elle /kyltyʀɛl/ *adj* cultural

culturisme /kyltyʀism/ ▸ p. 469 *nm* bodybuilding

culturiste /kyltyʀist/ *nmf* body-builder

Cumbria ▸ p. 721 *nprm* **le ~** Cumbria

cumin /kymɛ̃/ *nm* cumin; **pain/fromage au ~** bread/cheese with cumin seeds

cumul /kymyl/ *nm* 1 (accumulation) ~ **d'avantages/de handicaps** accumulation of advantages/handicaps; ~ **de fonctions/charges/mandats** holding of several posts/offices/mandates concurrently; ~ **de salaires** drawing several salaries concurrently; **le ~ de la retraite avec un salaire** drawing both a pension and a wage concurrently; 2 Jur ~ **d'actions** joinder; ~ **d'infractions** multiple counts (*on an indictment*); ~ **juridique des peines** ≈ concurrent sentence; ~ **des peines** ≈ consecutive sentence; 3 Assur ~ **de responsabilités** aggregate liability (*third party*); ~ **de risques** accumulation of risks (*credit insurance*)

cumulable /kymylabl/ *adj* [*fonctions, mandats*] which can be held concurrently (*épith, après n*); [*traitement, allocations*] which can be drawn concurrently (*épith, après n*); **cette fonction est ~ avec celle de délégué** this post can be held concurrently with that of delegate

cumulard○**, ~e** /kymylaʀ, aʀd/ *nm,f* pej holder of various mandates or remunerative positions

cumulatif, -ive /kymylatif, iv/ *adj* cumulative

cumulativement /kymylativmɑ̃/ *adv* 1 (postes occupés, salaires perçus) concurrently; 2 Jur (peines purgées) consecutively

cumuler /kymyle/ [1]

A *vtr* 1 (avoir en même temps) to hold [sth] concurrently [*fonctions, titres*]; to draw [sth] concurrently [*salaires, allocations*]; ~ **deux pensions** to draw two separate pensions; **il cumule les fonctions de gestionnaire avec celles de concepteur** he combines the post of manager with that of designer; **si vous**

C

cumulez tous ces symptômes if you have a combination of all these symptoms; **2** (accumuler) to accumulate [*handicaps, échecs, diplômes*]; **3** (réunir) to combine [*résultats*]; (ajouter) to total *ou* add up [*sommes*]; **effets/bilans cumulés** combined effects/balance ₵; **intérêts/dividendes cumulés** Fin accrued interest ₵/dividends; **fréquence cumulée** Stat cumulative frequency; **~ qch avec qch** (réunir) to combine sth with sth; (ajouter) to add sth to sth

B se cumuler *vpr* **1** (être ajoutés) [*intérêts*] to accrue; [*dettes, sommes, erreurs*] to mount up; **2** (être cumulables) **ces fonctions se cumulent** these posts can be held concurrently; **ces réductions ne peuvent pas se ~** you may claim only one of these discounts

cumulo(-)nimbus /kymylonɛ̃bys/ *nm inv* cumulonimbus

cumulus /kymylys/ *nm inv* cumulus

cunéiforme /kyneifɔʀm/ *adj, nm* cuneiform

cunnilingus /kynilɛ̃gys/ *nm inv* cunnilingus

cupide /kypid/ *adj* [*personne, esprit*] grasping

cupidité /kypidite/ *nf* cupidity

Cupidon /kypidɔ̃/ *npr* Cupid

cuprifère /kypʀifɛʀ/ *adj* Minér [*sol*] cupriferous; [*exploitation*] copper

cupule /kypyl/ *nf* cupule

curabilité /kyʀabilite/ *nf* curability

curable /kyʀabl/ *adj* [*maladie*] curable

curage /kyʀaʒ/ *nm* (de puits) cleaning out; (de canal, rivière, d'étang) dredging; Agric (de fumier) mucking out GB, cleaning out

curare /kyʀaʀ/ *nm* curare

curatelle /kyʀatɛl/ *nf* Jur ≈ legal guardianship; **placer qn en ~** to place sb under guardianship

curateur, -trice /kyʀatœʀ, tʀis/ *nm,f* guardian (*of adult lacking legal capacity*)

curatif, -ive /kyʀatif, iv/ *adj* curative

cure /kyʀ/ *nf* **1** (dans une station thermale) course of treatment in *ou* at a spa; **faire une ~** to go for a course of treatment in a spa; **2** (traitement) course of treatment; **faire une ~ de vitamines/calcium** to take a course of vitamins/calcium; **3** (grande consommation) **faire une ~ de raisin/fruits** to eat a lot of grapes/fruit; **j'ai fait une ~ de repos/soleil/cinéma** I did nothing but rest/soak up the sun/watch films GB *ou* movies US; **4** fml (souci) **n'avoir ~ de qch** to care little about sth; **je n'en ai ~!** I care not! sout; **5** (presbytère) presbytery; (charge) cure

(Composés) **~ d'amaigrissement** slimming course GB, reducing treatment US; **~ de beauté** beauty treatment; **~ de désintoxication** detoxification; **faire une ~ de désintoxication** to go for detoxification; **~ de jouvence** rejuvenation treatment; **subir une ~ de jouvence** [*quartier*] to have a face lift; [*institution*] to be modernized; [*équipe*] to be given an injection of fresh blood; **~ de repos** rest cure; **~ de sommeil** sleep therapy; **faire une ~ de sommeil** to undergo sleep therapy; **~ de thalassothérapie** course of thalassotherapy

curé /kyʀe/ *nm* (parish) priest; **se faire ~**○ to become a priest; **les ~s**○ pej the clerics; **aller à l'école chez les ~s** to go to a church school

(Composé) **~ de campagne** country priest

(Idiome) **bouffer du ~**○ to be anticlerical

cure-dents* /kyʀdɑ̃/ *nm inv* toothpick

curée /kyʀe/ *nf* **1** Chasse (portion of) quarry (*fed to hounds*); **donner la ~ aux chiens** to give the hounds their quarry (*to eat*); **sonner la ~** to sound the horn (*for the hounds to eat their quarry*); **2** fig scramble for the spoils; **se précipiter à la ~** to scramble for the spoils

cure-ongles* /kyʀɔ̃gl/ *nm inv* nail cleaner, orange-stick

cure-pipes* /kyʀpip/ *nm inv* pipe cleaner

curer /kyʀe/ [1]

A *vtr* to clean out [*pipe, étang*]

B se curer *vpr* **se ~ les ongles/oreilles** to clean one's nails/ears; **se ~ les dents/le nez** to pick one's teeth/nose

curetage /kyʀtaʒ/ *nm* Méd D and C, curettage; **on lui a fait un ~** she's had a D and C spéc

cureter /kyʀte/ [20] *vtr* Méd to scrape

cureton○ /kyʀtɔ̃/ *nm* pej priest

curette /kyʀɛt/ *nf* Méd curette

curie /kyʀi/

A *nm* Phys curie

B *nf* **1** Antiq curia; **2** Relig **la ~** the Curia

curiethérapie /kyʀiteʀapi/ *nf* radium therapy

curieusement /kyʀjøzmɑ̃/ *adv* **1** (modifiant un verbe ou un adjectif) oddly, strangely, curiously; **2** (adverbe de phrase) curiously enough, oddly enough; **~, on m'a laissé entrer** curiously *ou* oddly enough, I was let in

curieux, -ieuse /kyʀjø, øz/

A *adj* **1** (comme défaut) [*personne*] inquisitive, nosy○, curious; [*visage, yeux*] inquisitive; **regarder qn d'un œil ~** to look curiously at sb; **2** (étrange) strange, curious, odd; **individu à l'allure curieuse** strange-looking *ou* odd-looking individual; **par une curieuse coïncidence** by a strange coincidence; **un ~ paradoxe** a curious paradox; **il est ~ de voir à quel point...** it is strange *ou* curious to see how much...; **c'est ~, il n'y a personne** that's strange *ou* curious, there's nobody there; **ce qui est ~ c'est que** the strange *ou* curious thing is that; **et, chose curieuse, elle était seule** and, curiously *ou* oddly enough, she was alone; **3** (intellectuellement) with an inquiring mind (*épith, après n*); **esprit ~** person with an inquiring mind; **être ~ de** to be very interested in; **elle est curieuse de tout** she has a keen interest in everything; **être ~ d'apprendre** to be keen to learn; **je suis ~ de voir...** (une réaction) I am curious to see...; (une collection, un objet) I am keen to see...; **4** (intéressant) interesting; **ce serait ~ à voir** it would be interesting to see

B *nm,f* **1** (personne indiscrète) **c'est un ~** he's nosy○; **le ~!** the nosy○ thing *ou* parker GB!; **aller quelque part en ~** to go somewhere (just) out of curiosity; **2** (passant) onlooker

C *nm* (chose étrange) **le ~ de l'histoire c'est que** the funny *ou* curious thing about it is that

curiosité /kyʀjozite/ *nf* **1** (défaut) curiosity; **par ~** out of curiosity; **par pure** *or* **simple ~** purely *ou* simply out of curiosity; **il est d'une ~!** he is so curious!; **susciter des ~s** to make a lot of people curious; **la ~ est un vilain défaut** curiosity killed the cat; **2** (désir de connaître) curiosity; **~ intellectuelle** intellectual curiosity; **sa ~ pour** his/her curiosity about; **avec ~** [*dévisager, regarder*] curiously; **se demander avec ~ si** to be curious to know if; **3** (objet) strange object; (de collection) curio, curiosity; **cabinet des ~s** cabinet of curios; **magasin de ~** curiosity shop; **4** (étrangeté) **objet d'une grande ~** very curious object

curiste /kyʀist/ *nmf* person having hydrotherapy

curling /kœʀliŋ/ ▸ **p. 469** *nm* curling; **jouer au ~** to go curling

curriculum vitae /kyʀikylɔmvite/ *nm inv* curriculum vitae, résumé US

curry /kyʀi/ *nm* **1** (assaisonnement) curry powder; **riz/poulet au ~** curried rice/chicken; **2** (plat) curry; **~ d'agneau/de bœuf** lamb/beef curry

curseur /kyʀsœʀ/ *nm* **1** Ordinat cursor; (de règle à calcul) cursor; **2** (de fermeture à glissière) slider

cursif, -ive /kyʀsif, iv/

A *adj* [*écriture*] cursive; [*lecture*] cursory

B cursive *nf* cursive script

cursus /kyʀsys/ *nm inv* programme[GB]

curule /kyʀyl/ *adj* **chaise ~** curule chair

curviligne /kyʀviliɲ/ *adj* curvilinear

custode /kystɔd/ *nf* **1** Aut rear quarter panel; **2** Relig pyx

custom /kœstɔm/ *nm* (voiture) customized car; (moto) customized motorbike

cutané, ~e /kytane/ *adj* skin (*épith*), cutaneous spéc; **affection/maladie ~e** skin disorder/disease

cuti /kyti/ *nf* skin test

(Idiome) **virer sa ~** lit to have a positive reaction to the Heaf test; fig (changer d'opinion) to switch sides; (changer de comportement sexuel) to switch over, to change one's sexual preferences

cuticule /kytikyl/ *nf* cuticle

cuti-réaction, *pl* **~s*** /kytiʀeaksjɔ̃/ *nf* skin test; (à la tuberculine) Heaf test

cutter* /kytœʀ/ *nm* Stanley® knife

cuve /kyv/ *nf* (pour fermentation, teinture, blanchissage) vat; (à eau, mazout) tank; (de lave-linge, lave-vaisselle) interior; Phot developing tank

cuvée /kyve/ *nf* **1** Vin (contenu) vatful; (vin de toute une vigne) vintage; **la ~ 1959** the 1959 vintage; **de la même ~** of the same vintage; **vin de première ~** first-rate wine; **~ du patron** house wine; **2** fig (de romans, films) crop; (d'élèves) year group

cuver /kyve/ [1]

A ○*vtr* **~ son vin** to sleep it off○; **~ sa colère** to be simmering down

B *vi* **1** [*vin, raisin*] to ferment; **2** ○[*personne*] to sleep it off○

cuvette /kyvɛt/ *nf* **1** (en plastique, métal) bowl; **~ des WC** (lavatory) bowl *ou* pan; **2** Géog basin; **~ océanique** deep sea floor; **3** Mécan race

CV ➡📖

/seve/ *nm* **1** (*abbr* = **curriculum vitae**) CV GB, résumé US; **2** (*written abbr* = **cheval-vapeur**) HP

cyanose /sjanoz/ *nf* cyanosis

cyanosé /sjanoze/ *adj* cyanotic spéc; **avoir le visage ~** to be blue in the face

cyanoser: se cyanoser /sjanoze/ [1] *vpr* [*peau, personne*] to become cyanotic

cyanure /sjanyʀ/ *nm* cyanide

cyberart /sibɛʀaʀ/ *nm* cyberart

cybercafé /sibɛʀkafe/ *nm* cybercafe, Internet café

cybercriminalité /sibɛʀkʀiminalite/ *nf* Jur cybercrime, Internet crime

cyberculture /sibɛʀkyltyʀ/ *nf* cyberculture

cyberespace /sibɛʀɛspas/ *nm* cyberspace

cyberlibraire /sibɛʀlibʀɛʀ/ ▸ **p. 532** *nmf* cyberbookseller

cyberlibrairie /sibɛʀlibʀɛʀi/ ▸ **p. 532** *nf* cyberbookshop[GB], cyberbookstore

cybermagazine /sibɛʀmagazin/ *nm* e-zine, Webzine

cybernaute /sibɛʀnot/ *nmf* cybernaut

cybernéticien, -ienne /sibɛʀnetisjɛ̃, ɛn/ ▸ **p. 532** *nm,f* cyberneticist

cybernétique /sibɛʀnetik/

A *adj* cybernetic

B *nf* cybernetics (+ *v sg*)

cyborg /sibɔʀg/ *nm* cyborg

cyclable /siklabl/ *adj* **piste ~** cycle track

cyclamen /siklamɛn/ *nm* cyclamen

cycle /sikl/ *nm* **1** (de phénomènes, changements) cycle; **~ solaire/du carbone** solar/carbon cycle; **~ de fonctionnement** operating cycle; **~ infernal** fig vicious cycle; **2** (série) gén series (*sg*); (de conférences) course, series; **deux ~s de dix sessions** two series of ten sessions; **deux ~s de dix semaines** two ten-week courses; **3** Littérat cycle; **~ de la Table ronde** Arthurian cycle; **~ de chansons** song cycle; **4** Scol

➡📖 *voir* La recherche d'un emploi

premier/second ~ *first four years/last three years of secondary school*; ~ **court** nonacademic course (*in secondary school*); ~ **long** academic course (*leading to university entrance*) GB, academic course (*for college-bound students*) US; 5 Univ **premier** ~ *first two years of a degree course leading to a diploma*; **deuxième** ~ *final two years of a degree course*; **troisième** ~ postgraduate GB *ou* graduate US studies; 6 (bicyclette) cycle; **magasin de ~s** cycle shop

(Composé) **~ de formation** training course

cyclique /siklik/ *adj* cyclic

cycliquement /siklikmɑ̃/ *adv* cyclically

cyclisme /siklism/ ► **p. 469** *nm* gén cycling; (de compétition) cycle racing; **faire du ~** to go cycling *ou* cycle racing

cycliste /siklist/
A *adj* [*club, saison*] cycling (*épith*); [*course, coureur*] cycle (*épith*)
B *nmf* cyclist; **short de ~** cycling shorts (*pl*)

cyclo○ /siklo/ *nm* moped

cyclo-cross* /siklokʀɔs/ ► **p. 469** *nm inv* 1 (sport) cyclo-cross; **faire du ~** to do cyclo-cross racing; 2 (épreuve) cyclo-cross event

cycloïdal, **~e**, *mpl* **-aux** /siklɔidal, o/ *adj* cycloidal

cycloïde /siklɔid/ *nm* cycloid

cyclomoteur /siklomɔtœʀ/ *nm* moped

cyclomotoriste /siklomɔtɔʀist/ *nmf* moped rider

cyclonal, **~e**, *mpl* **-aux** /siklɔnal, o/ *adj* cyclonic

cyclone /siklon/ *nm* 1 Météo (typhon) cyclone; (zone de basse pression) depression; 2 fig whirlwind; **arriver comme un ~** to sweep in like a whirlwind

Cyclope /siklɔp/ *npr* Cyclops; **travail de ~** *or* **cyclope** Herculean task

cyclopéen, **-éenne** /siklɔpeɛ̃, ɛn/ *adj* 1 Archéol, Mythol Cyclopean; 2 (fig) [*tâche*] Herculean

cyclo-pousse* /siklopus/ *nm inv* trishaw, rickshaw

cyclothymie /siklotimi/ *nf* cyclothymia

cyclothymique /siklotimik/ *adj, nmf* cyclothymic

cyclotourisme /siklotuʀism/ ► **p. 469** *nm* cycle touring; **faire du ~** to go long-distance cycling; **aller faire du ~ en Provence** to go on a cycling tour of Provence

cyclotouriste /siklotuʀist/ *nmf* (touring) cyclist

cyclotron /siklotʀɔ̃/ *nm* cyclotron

cygne /siɲ/ *nm* gén swan; **~ mâle** cob; **~ femelle** pen; **jeune ~** cygnet; **cou de ~** fig swan-like neck; **d'une blancheur de ~** snowy-white

(Idiome) **chant du ~** swan-song

cylindrage /silɛ̃dʀaʒ/ *nm* (de route) rolling; (au tour) turning

cylindre /silɛ̃dʀ/ *nm* 1 (objet cylindrique) cylinder; 2 Tech (pour compresser, laminer) roller; (pour imprimer) cylinder; **~ enregistreur** recording drum; 3 Math cylinder; **~ droit/oblique** right/oblique cylinder; **~ de révolution** cylinder of revolution; 4 Aut, Mécan cylinder

cylindrée /silɛ̃dʀe/ *nf* 1 (volume) capacity, size; **~ de 1200 cm³** 1200 cc engine, engine capacity of 1200 cc; **voiture de petite/grosse ~** car with a small/powerful engine; 2 (moto, voiture) **petite ~** (voiture) car with a small engine; (moto) light motorcycle; **grosse ~** (voiture) powerful car; (moto) powerful motorcycle

cylindrer /silɛ̃dʀe/ [1] *vtr* (pour aplatir) to roll

cylindrique /silɛ̃dʀik/ *adj* cylindrical

cymbale /sɛ̃bal/ ► **p. 557** *nf* cymbal; **coup de ~s** clash of cymbals

cymbalier, **-ière** /sɛ̃balje, ɛʀ/ ► **p. 532** *nm,f* cymbal player, cymbalist

cynégétique /sineʒetik/
A *adj* hunting (*épith*)
B *nf* hunting

cynique /sinik/
A *adj* 1 gén cynical; 2 Philos Cynic
B *nmf* 1 gén cynic; 2 Philos Cynic

cyniquement /sinikmɑ̃/ *adv* cynically

cynisme /sinism/ *nm* 1 gén cynicism; 2 Philos Cynicism

cynocéphale /sinosefal/ *nm* baboon

cynodrome /sinodʀom/ *nm* greyhound track

cynorhodon /sinoʀɔdɔ̃/ *nm* rosehip

cyprès /sipʀɛ/ *nm* cypress

cypriote /sipʀijɔt/ ► **p. 561** *adj* Cypriot

Cypriote /sipʀijɔt/ ► **p. 561** *nmf* Cypriot

cyrillique /siʀilik/ *adj* Cyrillic

cystite /sistit/ ► **p. 283** *nf* cystitis ₵; **avoir une ~** to have cystitis

cytaphérèse /sitafeʀɛz/ *nf* cytophoresis

Cythère /sitɛʀ/ *nprf* Cythera

cytise /sitiz/ *nm* laburnum

cytobiologie /sitobjɔlɔʒi/ *nf* cytobiology

cytogénétique /sitoʒenetik/ *nf* cytogenetics (+ *v sg*)

cytologie /sitɔlɔʒi/ *nf* cytology

cytologique /sitɔlɔʒik/ *adj* cytological

cytolyse /sitɔliz/ *nf* cytolysis

cytolytique /sitolitik/ *adj* cytolytic

cytomégalovirose /sitomegaloviʀoz/ *nf* cytalomegaloviral infection

cytomégalovirus /sitomegaloviʀys/ *nm inv* cytalomegalovirus

cytoplasme /sitoplasm/ *nm* cytoplasm

Dd

d

d, **D** /de/ *nm inv* d, D; ▸ **système**
d' ▸ **de**
dab○ /dab/ *nm* old man○, father; **mes ~s** my parents, my folks○
DAB /deabe/ *nm*: *abbr* ▸ **distributeur**
d'abord ▸ **abord**
dacquois, **~e** /dakwa, az/ ▸ **p. 894** *adj* of Dax
Dacquois, **~e** /dakwa, az/ ▸ **p. 894** *nm,f* (natif) native of Dax; (habitant) inhabitant of Dax
dacron® /dakʀɔ̃/ *nm* Dacron®
dactyle /daktil/ *nm* **1** Littérat dactyl; **2** Bot cocksfoot, orchard grass US
dactylique /daktilik/ *adj* Littérat dactylic
dactylo /daktilo/
A ▸ **p. 532** *nmf* (*abbr* = **dactylographe**) typist
B *nf* (*abbr* = **dactylographie**) typing
dactylographe /daktilɔgʀaf/ *nmf* typist
dactylographie /daktilɔgʀafi/ *nf* **1** (technique) typing; **2** (texte dactylographié) typewritten text
dactylographier /daktilɔgʀafje/ [2] *vtr* to type (out)
dactylographique /daktilɔgʀafik/ *adj* typing
dactyloscopie /daktilɔskɔpi/ *nf* fingerprinting
dada /dada/
A *adj* Art, Littérat Dada
B *nm* **1** ○(cheval) baby talk horsie○, gee-gee○ GB lang enfantin; **tu veux faire à ~ avec Papa?** do you want Daddy to bounce you up and down on his knee?; **jeu de ~** ≈ ludo GB, Parcheesi® US; **2** ○(passe-temps) hobby; (idée fixe) hobbyhorse; **enfourcher son ~** to get on one's hobbyhorse; **3** (mouvement artistique) Dada
dadais○ /dadɛ/ *nm inv* clumsy youth; **espèce de grand ~!** you great oaf!
dadaïsme /dadaism/ *nm* Dadaism
dadaïste /dadaist/ *adj*, *nmf* Dadaist
dague /dag/ *nf* **1** (épée courte) dagger; **2** (de cerf) spike
daguerréotype /dageʀeɔtip/ *nm* daguerreotype
Daguestan /dagɛstɑ̃/ ▸ **p. 333** *nprm* Dagestan
daguet /dagɛ/ *nm* brocket
dahlia /dalja/ *nm* dahlia
dahoméen, **-éenne** /daɔmeɛ̃, ɛn/ *adj* Dahomean
Dahoméen, **-éenne** /daɔmeɛ̃, ɛn/ *nm,f* Dahomean
Dahomey /daɔme/ *nprm* Hist Dahomey
dahu /day/ *nm*: *imaginary animal invented in order to lure children in its pursuit*
daigner /deɲe/ [1] *vtr* to deign (**faire** to do)
daim /dɛ̃/ *nm* **1** (animal) (fallow) deer; **2** (viande) venison; **3** (cuir de daim) buckskin; **4** (cuir de veau) suede; **chaussures/veste en ~** suede shoes/jacket
daine /dɛn/ *nf* fallow doe
dais /dɛ/ *nm inv* (tous contextes) canopy
Dakar /dakaʀ/ ▸ **p. 894** *npr* Dakar
Dakota /dakɔta/ ▸ **p. 721** *nprm* Dakota; **~ du Nord/du Sud** North/South Dakota
dalaï-lama /dalailama/ *nm* Dalai Lama
Dalila /dalila/ *npr* Delilah
dallage /dalaʒ/ *nm* **1** (revêtement) paving; **2** (action) flagging, paving
dalle /dal/ *nf* **1** (de pierre, marbre) slab; (dans église, maison) flagstone; (de trottoir) paving stone; **2** Géol slab; **3** Constr (à même le sol) concrete foundation slab; (d'étage) suspended slab; **~ de moquette** carpet tile; **4** (en alpinisme) wall; **5** ○throat; **avoir la ~ en pente** to be a boozer○; **se rincer la ~** to wet one's whistle○, to have a swig○; **6** **que ~**◑ nothing at all, damn○ all GB, zilch○; **on n'y voit que ~** you can't see a damn○ thing
(Composé) **~ funèbre** *or* **funéraire** tombstone
(Idiomes) **avoir** *or* **crever la ~**○ to be ravenous; **casser la ~**○ to eat
daller /dale/ [1] *vtr* to pave, to lay paving stones on
dalleur /dalœʀ/ *nm* paver
dalmate /dalmat/
A *adj* Dalmatian
B *nm* Ling Dalmatian
Dalmate /dalmat/ *nmf* Dalmatian
Dalmatie /dalmasi/ ▸ **p. 721** *nprf* Dalmatia
dalmatien /dalmasjɛ̃/ *nm* (chien) Dalmatian
dalmatique /dalmatik/ *nf* dalmatic
daltonien, **-ienne** /daltɔnjɛ̃, ɛn/
A *adj* colour[GB]-blind
B *nm,f* colour[GB]-blind person
daltonisme /daltɔnism/ *nm* colour[GB]-blindness
dam /dɑ̃, dɑm/ *nm* **au grand ~ de** to the great displeasure of; **il a arrêté ses études, au grand ~ de ses parents** he gave up his studies, to the great displeasure of his parents
damas /dama(s)/ *nm inv* **1** (tissu) damask; **2** (acier) Damascus steel; **3** Bot (prune) damson
Damas /damas/ ▸ **p. 894** *npr* Damascus
damasquinage /damaskinaʒ/ *nm* damascening
damasquiner /damaskine/ [1] *vtr* to damascene
damassé, **~e** /damase/
A *pp* ▸ **damasser**
B *pp adj* **1** [*tissu*] damask (*épith*); **2** [*acier*] damascened steel
C *nm* Tex damask
damasser /damase/ [1] *vtr* **1** to damask [*tissu*]; **2** to damascene [*acier*]
dame /dam/
A *nf* **1** (femme) lady; (de la noblesse) lady; **une vieille ~** an old lady; **la première ~ de France** France's First Lady; **les ~s des postes** the post office ladies; **il a du succès auprès des ~s** he's very popular with the ladies; **la ~ de son cœur** liter his lady-love; **de ~** [*chapeau, parapluie*] lady's; **pour ~s** [*vêtements, coiffeur*] ladies'; **jouer les grandes ~s** to behave like a princess; **c'est une grande ~ du cinéma** she's a grande dame of the screen; **ma bonne** *or* **petite ~**○ my dear; **2** ○(épouse) lady; **3** (dans fables, contes) **~ belette/tortue** Old Mother Weasel/Tortoise; **Dame Nature** Mother Nature; **4** Jeux (aux cartes, échecs) queen; (aux dames) King; **aller à ~** (aux dames) to crown a King; **mener un pion à ~** (aux dames) to crown a King; (aux échecs) to queen a pawn; **5** Jur Mrs; **(la) ~ Durand** Mrs Durand; **6** Tech (pour damer) rammer
B ○†*excl* upon my word!; **~ oui!/non!** my word yes!/no!
C **dames** *nfpl* **1** ▸ **p. 469** Jeux draughts (+ *v sg*) GB, checkers (+ *v sg*) US; **jouer aux ~s** to play draughts GB *ou* checkers US; **faire une partie de ~s** to have a game of draughts GB *ou* checkers US; **2** (inscription) ladies; **3** Sport **le simple/la finale ~s** the women's singles/final; **4** (prostituées) euph ladies of the night
(Composés) **~ catéchiste** (Catholic) Sunday school teacher; **~ de charité** lady who does charity work; **~ de compagnie** live-in companion; **~ d'honneur** lady-in-waiting; **~ de nage** Naut rowlock; **~ patronnesse** lady who does good works; **une ~ de petite vertu** a woman of easy virtue; **~ pipi**○ (female) toilet attendant; **la Vieille Dame (du quai Conti)** *the French Academy*
dame-d'onze-heures, *pl* **dames-d'onze-heures** /damdɔ̃zœʀ/ *nf* star-of-Bethlehem
dame-jeanne, *pl* **dames-jeannes** /damʒɑn/ *nf* demijohn
damer /dame/ [1] *vtr* **1** (tasser) to ram [*sol*]; to pack [*neige*]; **2** Jeux [*aux dames*] to crown; (aux échecs) to queen
(Idiome) **~ le pion à qn** to trump sb
damier /damje/ *nm* draughtboard GB, checkerboard US; **étoffe en** *or* **à ~** checked material; **rues en ~** streets in a grid pattern; **le ~ des champs** fig the patchwork of the fields
damnable /danabl/ *adj* Relig [*personne*] damnable; [*acte*] reprehensible
damnation /danasjɔ̃/ *nf* (tous contextes) damnation
damné, **~e** /dɑne/
A *pp* ▸ **damner**
B *pp adj* **1** ○(maudit) (*before n*) cursed; **2** Relig damned
C *nm,f* **1** Relig damned soul; **les ~s** the damned; **2** (réprouvé) outcast; **les ~s de la terre** the damned of the earth
(Idiome) **souffrir comme un ~** to suffer horribly
damner /dɑne/ [1]
A *vtr* to damn; **faire ~**○ **qn** to drive sb mad, to try sb's patience
B **se damner** *vpr* **1** Relig to damn oneself; **2** ○hum **se ~ pour qn/qch** to sell one's soul for sb/sth
Damoclès /damɔklɛs/ *npr* Damocles; **épée de ~** sword of Damocles
damoiseau‡, *pl* **~x** /damwazo/ *nm* Hist squire, page; hum (young) gallant
damoiselle‡ /damwazɛl/ *nf* Hist (jeune fille) damsel‡; (titre) mistress‡
dan /dan/ *nm* Sport dan

Danaïdes /danaid/ *nprfpl* Mythol Danaides; **c'est le tonneau des ~** (tâche sans fin) it's an insurmountable task; (gouffre financier) bottomless pit

dancing /dɑ̃siŋ/ *nm* dance hall

dandinement /dɑ̃dinmɑ̃/ *nm* waddling ₵

dandiner: **se dandiner** /dɑ̃dine/ [1] *vpr* [*canard*] to waddle; **se ~ d'un pied sur l'autre** to shift from one foot to the other; **se ~ sur une chaise** to shift about in a chair

dandy /dɑ̃di/ *nm* dandy

dandysme /dɑ̃dism/ *nm* dandyism

Danemark /danmaʀk/ ▸ **p. 333** *nprm* Denmark

danger /dɑ̃ʒe/ *nm* **1** (risque général) danger; **être en ~** to be in danger; **tout ~ est écarté maintenant** the danger is past now; **être hors de ~** to be out of danger; **mettre qn/qch hors de ~** to get sb/sth out of danger; **mettre qn/qch en ~** to endanger sb/sth; **le ~ est imminent** danger is imminent; **sans ~** safe; **(en) ~ de faire** (in) danger of doing; **le ~ d'une politique/doctrine** the danger of a policy/doctrine; **il y a ~ à faire** there's a danger in doing; **(il n'y a) pas de ~ qu'il fasse** no danger of him doing; **(il n'y a) pas de ~ que cela arrive** no danger of that happening; **'~ de chute'** 'Danger: steep drop'; **'~ d'éboulement'** 'risk of landslide'; **'~ de mort'** 'Danger of death'; **'~ de noyade'** 'Danger: unsafe for bathing'; **'attention ~!'** 'Danger!'; **2** (risque ponctuel) danger; (personne) menace, dangerous person; **un ~ grave/mortel** a serious/mortal danger; **au volant c'est un vrai ~** he is a real menace at the wheel; **un ~ pour qn/qch** a danger to sb/sth; **courir un (grand) ~** to be in (great) danger; **faire courir un (grand) ~ à qn** to put sb in (serious) danger; **~ de la route** (obstacle) road hazard; (personne) menace behind the wheel

(Composé) **~ public** lit danger to the public; fig iron menace

dangereusement /dɑ̃ʒʀøzmɑ̃/ *adv* dangerously; **se rapprocher ~** to come dangerously close

dangereux, **-euse** /dɑ̃ʒʀø, øz/ *adj* [*voyage, virage, activité*] dangerous, hazardous (**pour** to); [*personne, geste, politique, animal, produit*] dangerous (**pour** to); **zone dangereuse** danger zone

danois, **~e** /danwa, az/
A ▸ **p. 561** *adj* Danish
B *nm* **1** ▸ **p. 483** Ling Danish; **2** (chien) Great Dane

Danois, **~e** /danwa, az/ ▸ **p. 561** *nm,f* Dane

dans /dɑ̃/

> ⚠ La préposition *dans* est présentée ici dans ses grandes lignes. Les expressions courantes comme *dans la pénombre, dans le monde entier, être dans le pétrin etc* sont traitées respectivement dans les articles **pénombre, monde, pétrin** etc.
>
> On trouvera ci-dessous des exemples illustrant les principales utilisations de la préposition mais il sera toujours prudent de consulter l'entrée du nom introduit par *dans*.
>
> Par ailleurs, la consultation des notes d'usage dont la liste est donnée ▸ **p. 1948** pourra apporter des réponses à certains problèmes bien précis.

prép **1** (lieu, sans déplacement) **être ~ la cuisine/le tiroir/la forêt** to be in the kitchen/the drawer/the forest; **~ cette histoire/son discours/cette affaire** fig in this story/his speech/this business; **être ~ le brouillard/l'eau** to be in the fog/the water; **dans cette région/ville** in this region/town; **être ~ un avion/train/bus/bateau** to be on a plane/train/bus/boat; **être ~ une voiture/un taxi** to be in a car/a taxi; **il y a des fleurs ~ le vase** there are some flowers in the vase; **le paquet est ~ le placard/la chambre** the parcel is in the cupboard/the bedroom; **l'histoire se passe ~ un train/~ un pays lointain** the story takes place on a train/in a distant country; **il est en vacances ~ le Cantal/les Alpes** he's on vacation in the Cantal/the Alps; **j'ai lu ça ~ Proust/un magazine** I read that in Proust/a magazine; **boire ~ un verre** to drink out of a glass; **fouiller ~ un tiroir** to rummage through a drawer ; **prendre une casserole ~ un placard** to take a pan out of a cupboard; **vider qch ~ l'évier** to pour sth down the sink; **qu'est-ce que je fais ~ tout ça**○**?** what am I doing in all this?; **ce n'est pas ~ ton intérêt** it's not in your interest; **~ l'ensemble** by and large; **~ le fond** in fact; **2** (avec des verbes de mouvement) **aller ~ la cuisine/le grenier** to go to the kitchen/the attic; **entrer ~ une pièce** to go into a room; **voler ~ les airs** to fly in the air; **descendre ~ un puits** to go down a well; **monter ~ un avion** to get on a plane; **3** (temps) **~ ma jeunesse/leur adolescence/le futur** in my youth/their adolescence/the future; **~ deux heures/jours/ans** in two hours/days/years; **je t'appellerai ~ la journée** I'll call you during the day; **~ l'immédiat** for the time being; **~ la minute qui a suivi** the next moment; **~ l'heure qui suivit** within the hour; **finir qch ~ les temps**○ to finish sth in time; **4** (domaine) **être ~ les affaires/l'édition/la restauration** to be in business/publishing/the catering business; **5** (état) **~ la misère/le silence** in poverty/silence; **6** (but) **~ un esprit de vengeance** in a spirit of revenge; **~ l'espoir de** in the hope of; **~ l'intention de faire** with the intention of doing; **~ cette optique** from this perspective; **7** (approximation) about, around; **~ les 30 euros/20%/50 ans** about *ou* around 30 euros/20%/50 years old; **ça coûte ~ les 1 000 euros** it costs about *ou* around 1,000 euros

dansant, **~e** /dɑ̃sɑ̃, ɑ̃t/ *adj* **1** (entraînant) [*rythme*] dance (*épith*); [*reflet*] dancing; **une musique ~e** music that makes you want to get up and dance; **2** (où l'on danse) **dîner/thé ~** dinner/tea dance; **soirée ~e** dance; **nuit ~e** all-night dance

danse /dɑ̃s/ *nf* **1** (style) dance; (activité) dancing; **la ~ est une forme d'art** dance *ou* dancing is a form of art; **faire de la ~** to take dancing classes; **je fais de la ~ contemporaine** I go to contemporary dancing classes; **le tango est une ~ argentine** the tango is an Argentinian dance; **ce n'est pas de la ~ c'est de la gymnastique** that isn't dancing it's gymnastics; **accorder une ~ à qn** to give sb a dance; **m'accorderez-vous cette ~?** may I have this dance?; **de ~** [*festival*] of dance; [*club, piste, rythme, salle, troupe*] dance (*épith*); **cours de ~** (pour adultes) dance class; (pour enfants) dancing class; **école de ~** school of dance; **professeur de ~** gén dancing teacher; (de ballet) ballet teacher; **contempler la ~ des flammes dans l'âtre** to watch the flames dancing in the hearth; **2** ○(correction) hiding○; **flanquer une ~ à qn** to give sb a hiding

(Composés) **~ de caractère** character dancing; **~ classique** classical ballet; **amateur de ~ classique** ballet-lover; **faire de la ~ classique** to do ballet dancing; **~ contemporaine** contemporary dance; **~ du feu/de la pluie** Anthrop (ritual) fire-/rain-dance; **~ folklorique** (action) folk dancing; (spectacle) folk dance; **~ guerrière** war dance; **~ macabre** dance of death; **~ moderne** modern dance; **faire de la ~ moderne** to do modern dance; **~ nuptiale** Zool courtship display; **~ rythmique** rhythmic dancing; **~ de salon** ballroom dancing; **~ du ventre** lit belly dancing; fig seductive manoeuvre GB *ou* maneuver US

(Idiomes) **entrer dans la ~** lit to join the dance; fig to join in; **mener la ~** fig to run the show fig; **avoir la ~ de Saint-Guy** fig to have the fidgets; Méd to have St Vitus's dance

danser /dɑ̃se/ [1]
A *vtr* to dance [*valse, rock*]; **je ne sais pas ~ le tango** I can't do the tango; **un opéra dansé** an opera ballet; **scènes dansées** Cin, Théât dance scenes (**par qn** with sb)
B *vi* **1** [*personne*] to dance; [*abeilles, ours*] to dance; **~ dans un ballet** to dance in a ballet; **~ sur un rythme/une musique** to dance to a rhythm/a tune; **~ de joie** to dance with joy; **faire ~ qn** to have a dance with sb; **2** [*flammes, reflets*] to dance; [*barque*] to bob; ▸ **souris**

(Idiome) **ne pas savoir sur quel pied ~** not to know what to do

danseur, **-euse** /dɑ̃sœʀ, øz/
A *nm,f* dancer; **~ classique/de claquettes** ballet/tap dancer; **en danseuse** Sport standing on the pedals; **pédaler en danseuse** to pedal standing up
B **danseuse** *nf* hum (maîtresse) mistress; (passe-temps) (expensive) hobby; **entretenir une danseuse** (maîtresse) to keep a mistress; (passe-temps) to indulge in an expensive hobby

(Composés) **~/danseuse de corde** tightrope walker; **~/danseuse étoile** principal dancer; **danseuse de cabaret** chorus girl

dantesque /dɑ̃tɛsk/ *adj* Dantesque

DAO /deao/ *nm: abbr* ▸ **dessin**

dard /daʀ/ *nm* **1** (aiguillon) sting; **2** (arme) spear

Dardanelles /daʀdanɛl/ *nprfpl* **les ~** the Dardanelles

darder /daʀde/ [1] *vtr* **1** to hurl [*javelot*]; to shoot [*flèche*] (**contre** at); **2** liter **le soleil darde ses rayons** the sun is beaming down; **~ sur qn des regards aigus** to shoot piercing glances at sb

dare-dare*○ /daʀdaʀ/ *adv* [*rentrer, rejoindre*] double quick

darne /daʀn/ *nf* (fish) steak

dartre /daʀtʀ/ *nf* scurf patch

darwinien, **-ienne** /daʀwinjɛ̃, ɛn/ *adj, nm,f* Darwinian

darwinisme /daʀwinism/ *nm* Darwinism

darwiniste /daʀwinist/ *adj, nmf* Darwinist

datable /databl/ *adj* datable

datation /datasjɔ̃/ *nf* **1** (attribution d'une date) dating; **2** (date attribuée) date

date /dat/ ▸ **p. 222** *nf* **1** (moment précis) date; **~ de naissance/décès** date of birth/death; **~ d'expiration** expiry date GB, expiration date US; **~ d'arrivée** date of arrival; **~ de départ** departure date; **j'ai reçu les ~s d'examens** I've received the exam dates; **~ de clôture** closing date; **~ butoir** deadline; **prendre ~** to set a date; **à une ~ ultérieure** at some future date; **à ~ fixe** on a set date; **~ anniversaire** anniversary; **depuis 1962, ~ à laquelle...** since 1962, in which year...; **en ~ du 7 février...** of 7 February...; **~ limite** deadline; **~ limite de consommation** eat-by date; **~ limite de vente** sell-by date; **~ limite de dépôt/d'envoi des dossiers** final date for submission of/for sending the documents; **~ limite d'inscription** closing date for registration; **2** (époque) time; **à/depuis cette ~** at/from that time; **jusqu'à une ~ récente** until recently; **un ami de fraîche/longue ~** a recent/longstanding friend; **la réunion était prévue de longue ~** the meeting had been scheduled well in advance; **le premier/dernier scandale en ~** the earliest/latest scandal; **3** (événement marquant) date; **une grande ~ dans** *or* **de l'histoire** an important date in history; **faire ~** to make its mark

(Composé) **~ de valeur** *actual date on which an amount is credited to or debited from an account*

dater /date/ [1]
A *vtr* **1** (donner une date à) to date [*document*]; **la**

d

ℹ La date

Noter

- *Les noms de mois et les noms de jours prennent toujours une majuscule en anglais; pour les abréviations des noms de mois et de jours fréquemment utilisées en anglais* ▸ **p. 544** *et* ▸ **p. 782**.
- *En anglais parlé, on utilise presque toujours le nombre ordinal (par ex.* fifth *et non* five*) pour indiquer le jour du mois; pour les abréviations des nombres ordinaux* ▸ **p. 545**.

■ *En anglais, il y a quatre façons d'écrire la date, et trois façons de la dire: ces options sont toutes indiquées pour la première date du tableau suivant. Pour écrire la date, les deux premières façons* (May 1st *ou* May 1) *sont acceptées dans tous les pays anglophones. Dans le tableau on utilisera indifféremment l'une ou l'autre de ces deux formes.*

■ *Pour dire la date, la première des formes données* (May the first) *est acceptée partout, et c'est cette forme qu'on utilisera dans le tableau. Les deux autres ne sont pas aussi répandues.*

	écrire	**dire**
1er mai	May 1 *ou* May 1st (*US & GB*)	May the first (*GB & US*) *ou* the first of May (*GB*)
	1st May *ou* 1 May (*GB*)	*ou* May first (*US*)
2 avril	April 2 (*etc.*) *abrév.* Apr 2	April the second (*etc.*)
lundi 3 mai	Monday, May 3	Monday, May the third
4 mai 1927	May 4th 1927	May the fourth, nineteen twenty-seven
31.7.65	31.7.65* (*GB*) ou 7.31.65* (*US*)	July the thirty-first nineteen sixty-five
jeudi 5 mai 1994	Thursday, May 5 1994	Thursday, May the fifth, nineteen ninety-four
1968	1968	nineteen sixty-eight
1900	1900	nineteen hundred
l'an 2000	the year 2000	the year two thousand
2005	2005	two thousand and five
45 ap. J.-C.	45 AD†	forty-five AD [eɪdiː]
250 av. J.-C.	250 BC‡	two hundred and fifty BC [biːsiː]
le XVIe siècle	the 16th§ century	the sixteenth century

* *L'anglais britannique, comme le français, place le chiffre du jour avant celui du mois; l'anglais américain commence par le chiffre du mois.*

† AD *signifie* anno domini (*l'année de notre Seigneur*).

‡ BC *signifie* before Christ (*avant Jésus-Christ*).

§ *Noter que l'anglais utilise les chiffres arabes pour les siècles.*

Quel jour?

le combien sommes-nous aujourd'hui?
= what's the date today?

nous sommes le 10
= it's the tenth

nous sommes le lundi 10
= it's Monday 10th (*dire* Monday the tenth)

nous sommes le 10 mai
= it's May 10 (*dire* it's the tenth of May)

■ *Pour indiquer la date à laquelle il s'est passé ou se passera quelque chose, l'anglais utilise normalement la préposition* on *devant le quantième du mois.*

on se voit le 10
= see you on the 10th

c'est arrivé le 10
= it happened on the 10th

c'est arrivé le 10 décembre
= it happened on 10th December (*dire* the tenth of December)

le 10 de chaque mois
= on the 10th of every month

■ *L'anglais emploie* on *même en début de phrase.*

le lundi 5 mai, il atteignit Tombouctou
= on Monday May 5, he reached Timbuktu

■ *Mais on peut aussi utiliser d'autres prépositions:*

à partir du 10
= from the 10th onwards

jusqu'au 10
= till *ou* until the 10th

attendez le 10
= wait till the 10th

avant le 10 mai
= before May 10 (*dire* before May the tenth)

aux environs du 10 mai
= around 10 May (*dire* around the tenth of May)

du 10 au 16 mai
= from 10th to 16th May (*GB*) (*dire* from the tenth to the sixteenth of May) *ou* from 10th through 16th May (*US*) (*dire* from the tenth through the sixteenth of May)

■ *Devant les noms de mois et les chiffres des années et des siècles, l'anglais utilise normalement* in.

en mai
= in May

je suis né en mai 1914
= I was born in May 1914

en 1945
= in 1945

il est mort en 1616
= he died in 1616

Shakespeare (1564–1616)
= Shakespeare (1564–1616) (*dire* Shakespeare fifteen sixty-four to sixteen sixteen) *ou* Shakespeare, b. 1564–d. 1616 (*dire* Shakespeare born in fifteen sixty-four and died in sixteen sixteen)

la révolution de 1789
= the 1789 revolution

les émeutes de 68
= the riots of '68 (*dire* of sixty-eight)

en mai 45
= in May '45 (*dire* in May forty-five)

dans les années 50
= in the fifties *ou* in the 1950s (*dire* in the nineteen fifties)

au début des années 50
= in the early fifties

à la fin des années 50
= in the late fifties

au XVIIe siècle
= in the 17th century (*dire* in the seventeenth century)

au début du XXIe siècle
= in the early twenty-first century

à la fin du XIIe siècle
= in the late twelfth century

■ *Le mot* century *ne peut pas être omis en anglais:*

à partir du XIIe
= from the 12th century onwards (*dire* from the twelfth century onwards)

les romanciers du XIXe
= 19th-century novelists (*dire* nineteenth century novelists)

---

circulaire est datée du... the circular is dated the...; **n'oublie pas de ~ et de signer ton chèque** don't forget to date and sign your cheque GB *ou* check US; **document non daté** undated document; **à ~ du 31 juillet/de demain** as from 31 July/tomorrow; **2** (attribuer une date à) to date [*fossile, objet*]

B *vi* **1** (exister depuis) **~ de** to date from, date back to; **le disque date des années 50** the record dates from the 50's; **de quand date cette réforme?** what was the date of this reform?; **de quand date votre séparation/rencontre?** when did you separate/first meet?; **cela ne date pas d'hier**○ it's not exactly new; **2** (être démodé) [*vêtement, personne, roman*] to be dated

dateur /datœʀ, øz/
A *adj* [*tampon, timbre*] date (*épith*)
B *nm* **1** Admin date stamp; **2** (sur montre) date indicator

datif /datif/ *nm* Ling dative; **au ~** in the dative

dation /dasjɔ̃/ *nf* **~ (en paiement)** payment in kind

datte /dat/ *nf* date

dattier /datje/ *nm* date palm

daube /dob/ *nf* casserole; **bœuf en ~, ~ de bœuf** beef casserole

daubière /dobjɛʀ/ *nf* casserole dish

dauphin /dofɛ̃/ *nm* **1** Zool dolphin; **2** (successeur) heir apparent; **le président a choisi son ~** the president chose his heir apparent; **3** Hist dauphin

dauphine /dofin/ *nf inv* **pomme ~** Dauphine potato

Dauphiné /dofine/ ▸ **p. 721** *nprm* Dauphiné

dauphinois, ~e /dofinwa, az/ ▸ **p. 721** *adj* Géog [*club, musée*] Dauphiné (*épith*), from the Dauphiné region

Dauphinois, ~e /dofinwa, az/ ▸ **p. 721** *nm,f* **1** (natif) native of the Dauphiné region; **2** (habitant) inhabitant of the Dauphiné region

daurade /dɔʀad/ *nf* **~ (royale)** gilt-head bream

davantage /davɑ̃taʒ/
A *adv* **1** (plus) more; **il est rusé mais elle l'est ~** he's crafty but she's (even) more so; **il ne travaille pas ~** (en effort) he isn't working any harder; (en quantité) he doesn't do any more work; **je n'en sais pas ~!** I don't know any more than that!, more than that I do not know!; **après trois mois de cours je n'en sais pas ~** after three months of classes I don't know any more than I did before *ou* I'm none the wiser; **je lui ai répété deux fois la question, mais je crois qu'il n'a pas ~ compris** I repeated the question twice but I don't think he understood any better; **je ne peux pas la supporter et ses enfants pas ~** I can't stand her or her children either; **sinon ~** if not more; **~ que** more than; **rien ne me plaît ~ que** controv I like nothing better than; **maintenant je l'apprécie bien ~** now I like him/her much more; **choisissez l'ouvrage**

ℹ de

La préposition

Certains emplois de la préposition *de* sont traités ailleurs dans le dictionnaire, notamment:

lorsque *de* introduit le complément de verbes transitifs indirects comme *douter de*, *jouer de*, de verbes à double complément comme *recevoir qch de qn*, de certains noms comme *désir de*, *obligation de*, de certains adjectifs comme *fier de*, *plein de*;

lorsque *de* fait partie de locutions comme *d'abord*, *de travers* ou de composés comme *chemin de fer*, *pomme de terre*;

lorsque *de* est utilisé dans la structure de déterminants indéfinis comme *peu de*, *moins de* etc.;

lorsque *de* fait suite à *être* dans certaines tournures, voir **être**.

D'autres renvois essentiels apparaissent dans l'entrée ci-dessous, mais on se reportera également aux notes d'usage répertoriées **p. 1948** pour certaines constructions.

L'article indéfini

de article indéfini pluriel est traité sous **un**.

L'article partitif: *de, de l', de la, du*

Lorsqu'il exprime une généralité non quantifiée ou une alternative, *de*, article partitif, ne se traduit pas:

manger de la viande/du lapin/des œufs
= to eat meat/rabbit/eggs

il ne boit jamais de vin
= he never drinks wine

tu prends du café au petit déjeuner?
= do you have coffee for breakfast?

voulez-vous de la bière ou du vin?
= would you like beer or wine?

il ne veut pas de vin mais de la bière
= he doesn't want wine, he wants beer

Lorsque l'idée de quantité est présente, il se traduit par *some* ou *any*:

achète de la bière
= buy some beer

achète des bananes
= buy some bananas

voulez-vous de la bière?
= would you like some beer?

évidemment, tu leur as donné de l'argent?
= of course, you gave them some money?

y a-t-il du soleil?
= is there any sun?

il n'y a pas de soleil
= there isn't any sun, there's no sun

il y a rarement du soleil
= there's seldom any sun

il n'y a jamais de soleil
= there's never any sun

il n'y a plus de vin
= there isn't any more wine

Et lorsque qu'il s'agit d'une partie déterminée d'un tout, il se traduit par *some of* ou *any of*:

a-t-elle bu du vin que j'ai apporté?
= did she drink any of the wine I brought?

je ne prendrai plus de ce mélange
= I won't take any more of this mixture

qui vous plaît ~ choose the book you like better; **2▸** (plus longtemps) longer; **le projet prendra cinq ans et peut-être ~** the project will take five years and perhaps (even) more *ou* longer; **si vous vous exposez ~ aux radiations** if you are further exposed to radiation
B *dét indéf* **~ de** more; **en voulez-vous ~?** would you like some more?; **prenez ~ de viande** have some more meat; **créer ~ d'emplois** to create more jobs; **offrir ~ de possibilités** to offer more possibilities; **le système a ~ de succès à la campagne** the system is more successful in the country

David /david/ *npr* David; **~ et Goliath** David and Goliath

davier /davje/ *nm* **1▸** Dent dentist's forceps; **2▸** Tech cramp; **3▸** Naut davit

dB (*written abbr* = **décibel**) dB

DB /debe/ *nf abbr* ▸ **division**

DCA /desea/ *nf* (*abbr* = **défense contre les aéronefs**) antiaircraft defence[GB]

DDASS /das/ *nf* (*abbr* = **Direction départementale de l'action sanitaire et sociale**) regional social services department

DDT /dedete/ *nm* (*abbr* = **dichloro-diphényl-trichloréthane**) DDT

de (**d'** *before vowel or mute h*) /də, d/ *prép* **1▸** (indiquant l'origine) from; **leur départ/le train ~ Bruxelles** their departure/the train from Brussels; **il arrive du Japon** he's just come from Japan; **~ la fenêtre, on peut voir...** from the window, one can see...; **à 20 mètres ~ là** 20 metres[GB] from there; **~ ce moment** fml from that moment; **un enfant ~ mon premier mari/mariage** a child by my first husband/from my first marriage; **elle est ~ Taiwan** she's from Taiwan; **un vin ~ Grèce** (rapporté de là-bas) a wine from Greece; (fait là-bas) a Greek wine; **né ~ parents immigrés** born of immigrant parents; **il est ~ père italien et ~ mère chinoise** his father is Italian and his mother Chinese; **le bébé est ~ février** the baby was born in February; **~ méfiant il est devenu paranoïaque** he went from being suspicious to being paranoid; **d'ici là** between now and then; **d'ici la fin du mois** by the end of the month; ▸ **par**
2▸ (indiquant la progression) **~...à, ~...en** from...to; **~ 8 à 10 heures** from 8 to 10 (o'clock); **~ mardi à samedi, du mardi au samedi** from Tuesday to Saturday; **du matin au soir** from morning till night; **d'une semaine à l'autre** from one week to the next; **~ Lisbonne à Berlin** from Lisbon to Berlin; **~ l'équateur aux pôles** from the equator to the poles; **~ ville en ville** from town to town; **d'heure en heure** from hour to hour; **~ déception en désillusion** from disappointment to disillusion; ▸ **Charybde**, **long**, **moins**, **moment**, **place**, **plus**
3▸ (indiquant la destination) to; **le train ~ Paris** the train to Paris, the Paris train
4▸ (indiquant la cause) **mourir ~ soif/~ chagrin/d'une pneumonie** to die of thirst/of a broken heart/of pneumonia; **phobie ~ l'eau/la foule** fear of water/crowds; **des larmes ~ désespoir** tears of despair; **un hurlement ~ terreur** a scream of terror; **pleurer ~ rage** to cry with rage; **hurler ~ terreur** to scream with terror; **trembler ~ froid** to shiver with cold; ▸ **joie**
5▸ (indiquant la manière) in; **parler d'un ton monocorde** to speak in a monotone; **s'exprimer ~ manière élégante** to express oneself in an elegant way; **plaisanterie d'un goût douteux** joke in dubious taste; **tirer ~ toutes ses forces** to pull with all one's might; **il a répondu d'un geste obscène** he answered with an obscene gesture; ▸ **beau**, **cœur**, **concert**, **mémoire**, **tac**, **trait**
6▸ (indiquant le moyen) with; **pousser qch du pied** to push sth aside with one's foot; **soulever qch d'une main** to lift sth with one hand; **gravure/graver ~ la pointe d'un couteau** engraving/to engrave with the point of a knife; **suspendu des deux mains** hanging by two hands; **déjeuner/vivre ~ saucisses et ~ haricots** to lunch/to live on sausages and beans; **il a fait ~ sa chambre un bureau** he made his bedroom into a study; ▸ **coup**, **coude**
7▸ (indiquant l'agent) by; **un poème/dessin ~ Victor Hugo** a poem/drawing by Victor Hugo; **avoir un enfant ~ qn** to have a child by sb; **respecté ~ tous** respected by all
8▸ (indiquant la durée) **travailler ~ nuit/~ jour** to work at night/during the day; **ne rien faire ~ la journée/semaine** to do nothing all day/week; **~ ma vie je n'avais vu ça** I had never seen such a thing in my life; ▸ **temps**
9▸ (indiquant l'appartenance, la dépendance) **les chapeaux ~ Paul/~ mon frère/~ mes parents** Paul's/my brother's/my parents' hats; **les oreilles ~ l'ours/~ mon chat** the bear's/my cat's ears; **la politique ~ leur gouvernement/~ la France** their government's/France's policy, the policy of their government/of France; **un élève du professeur Talbin** one of professor Talbin's students; **l'immensité ~ l'espace/la mer** the immensity of space/the sea; **le toit ~ la maison** the roof of the house; **la porte ~ la chambre** the bedroom door; **les rideaux ~ la chambre sont sales** the bedroom curtains are dirty; **j'ai lavé les rideaux ~ la chambre** I washed the bedroom curtains; **le cadran du téléphone** the dial on the telephone; **c'est bien ~ lui** it's just like him
10▸ (détermination par le contenant) **le foin ~ la grange** the hay in the barn; **le vin du tonneau** (qui s'y trouve) the wine in the barrel; (qu'on a tiré) the wine from the barrel
11▸ (détermination par le contenu) of; **une tasse ~ café** a cup of coffee; **un sac ~ charbon** a sack of coal
12▸ (détermination par la quantité) of; **cinq pages ~ roman** five pages of a novel; **deux mètres ~ tissu** two metres[GB] of material; **trois litres ~ vin** three litres[GB] of wine; **une minute ~ silence** one minute of silence, a minute's silence; **quatre heures ~ musique** four hours of music; **deux milliardièmes ~ seconde** two billionths of a second; **le quart ~ mes économies** a quarter of my savings; **la totalité** *or* **l'ensemble ~ leurs œuvres** the whole of their works; **les sept maisons du hameau** the seven houses of the hamlet
13▸ (détermination par le lieu) of; **les pyramides d'Égypte** the pyramids of Egypt; **le roi ~ Brunéi** the King of Brunei; **le premier ministre du Japon** the prime minister of Japan, the Japanese prime minister; **le comte ~ Monte-Cristo** the Count of Monte-Cristo
14▸ (détermination par le temps) of; **les ordinateurs ~ demain** the computers of tomorrow; **le 20 du mois** the 20th of the month; **la réunion ~ samedi** Saturday's meeting; **la réunion du 20 juin** the meeting on 20 June; **le train ~ 15 heures** the 3 o'clock train; **les ventes ~ juin** the June sales
15▸ (détermination par la dimension, la mesure) **un livre ~ 200 pages** a 200-page book; **un spectacle ~ deux heures** a two-hour show; **une grue ~ 50 tonnes** a 50-tonne crane; **être long ~ 20 mètres, avoir 20 mètres ~ long** to be 20 metres[GB] long; **20 euros ~ l'heure** 20 euros an hour; **enceinte ~ trois mois** three months' pregnant; **on aura deux heures d'attente** we'll have a two-hour wait; **on aura deux heures ~ retard** we'll be two hours late; **trop lourd ~ trois kilos** three kilos too heavy; **plus/moins ~ trois** more/less than three; **elle est la plus âgée/jeune ~ deux ans** she's the oldest/youngest by two years

d

d

16▸ (détermination par la nature, fonction, matière) **un billet ~ train** a train ticket; **une statue ~ cristal** a crystal statue; **un livre ~ géographie** a geography book; **un professeur ~ botanique** a botany teacher; **un chapeau ~ cow-boy** a cowboy hat; **une salle ~ réunion** a meeting room; **une robe ~ coton rouge** a red cotton dress; **une bulle d'air/~ savon** an air/a soap bubble; **un joueur ~ tennis** a tennis player; **un produit ~ qualité** a quality product; **un travail ~ qualité** quality work; **un spécialiste ~ l'électronique** an electronics expert, an expert in electronics; **un homme ~ bon sens** a man of common sense; **la théorie ~ la relativité** the theory of relativity; ▸ **bois, laine**

17▸ (apposition) of; **le mois ~ juillet** the month of July; **la ville ~ Singapour** the city of Singapore; **le titre ~ duc** the title of duke; **le nom ~ Flore** the name Flore; **le terme ~ quark** the term quark

18▸ (avec attribut du nom ou du pronom) **trois personnes ~ tuées** three people killed; **une jambe ~ cassée** a broken leg; **un seul ticket ~ valable** only one valid ticket; **deux heures ~ libres** two hours free; **200 euros ~ plus** 200 euros more; **l'ourlet a deux centimètres ~ trop** the hem is two centimetres[GB] too long; **ton imbécile ~ frère** your stupid brother; **quelque chose/rien ~ nouveau** something/nothing new; **je n'ai jamais rien vu ~ semblable** I've never seen anything like it; **c'est quelqu'un ~ célèbre** he's/she's famous; **c'est ça ~ fait**○ that's that out of the way, that's that taken care of

19▸ (avec un infinitif) **~ la voir ainsi me peinait** seeing her like that upset me; **ça me peinait ~ la voir ainsi** it upset me to see her like that; **et eux/toute la salle ~ rire** and they/the whole audience laughed; **être content ~ faire** to be happy to do

20▸ (après un déverbal) **le filtrage ~ l'eau pose de gros problèmes** filtering water poses big problems; **le remplacement ~ la chaudière a coûté très cher** replacing the boiler was very expensive

21▸ (après un superlatif) gén of; (avec un lieu ou ensemble assimilé) in; **le plus jeune des trois frères** the youngest of the three brothers; **le roi des rois** the king of kings; **le plus grand restaurant ~ la ville** the biggest restaurant in the town; **le plus vieux ~ la classe/famille** the oldest in the class/family

22▸ ○(en corrélation avec le pronom un, une) **pour une gaffe, c'en est une, ~ gaffe!** as blunders go, that was a real one!; **est-ce que j'en ai une, moi, ~ voiture?** and me, have I got a car?

23▸ (dans une comparaison chiffrée) than; **plus/moins ~ 10** more/less than 10

dé /de/ *nm* 1▸ Jeux dice (*inv*); **un ~ en bois** a wooden dice; **jeter les ~s** to throw the dice; **les ~s sont jetés** the die is cast; **les ~s sont pipés** the dice are loaded; **couper de la viande/des légumes en ~s** to dice meat/vegetables; **coup de ~** lit, fig throw of the dice; **jouer sa carrière sur un coup de ~** to risk one's career on a toss of the dice; 2▸ Cout **~ (à coudre)** lit thimble; (mesure) thimbleful

DEA /deaa/ *nm* (*abbr* = **diplôme d'études approfondies**) postgraduate certificate

> **DEA**
>
> An academic qualification taken a year after the *maîtrise* by those who intend to engage in research or work for a doctorate.

dealer[1]○* /dilœʀ/ *nm* pusher○, (drug) dealer

dealer[2]○ /dile/ [1] *vi* to deal (in drugs)

déambulateur /deɑ̃bylatœʀ/ *nm* zimmer (frame) GB, walker US

déambulation /deɑ̃bylasjɔ̃/ *nf* wandering

déambulatoire /deɑ̃bylatwaʀ/ *nm* (d'église) ambulatory; (hall) reception hall

déambuler /deɑ̃byle/ [1] *vi* to wander (about)

débâcle /debɑkl/ *nf* 1▸ Géog breaking up; 2▸ Mil rout; 3▸ fig (économique) collapse; (générale) rout, collapse

déballage /debalaʒ/ *nm* 1▸ (de cartons) unpacking; 2▸ (désordre) jumble; 3▸ (aveu public) outpouring

déballastage /debalastaʒ/ *nm* oil dumping

déballer /debale/ [1] *vtr* 1▸ (retirer l'emballage de) to unpack [*marchandise, caisse*]; to open [*paquet, cadeau*]; 2▸ (étaler) to display [*marchandise*]; 3▸ (avouer) to pour out; ▸ **linge**

débandade /debɑ̃dad/ *nf* 1▸ (déroute) stampede; **manifestants/soldats en pleine ~** demonstrators/soldiers fleeing in disarray; 2▸ fig disarray; **tout va à la ~** everything's falling apart

débander /debɑ̃de/ [1]

A *vtr* 1▸ (ôter le bandage de) to take the bandage off; 2▸ (ôter un bandeau de) **~ les yeux de qn** to remove sb's blindfold; (détendre) to loosen [*ressort, arc*]

B ●*vi* (ne plus être en érection) to go limp

C **se débander** *vpr* (se disperser) to scatter

(Idiome) **sans ~**○ without pausing for breath

débaptiser /debatize/ [1] *vtr* to change the name of [*personne*]; to rename [*rue, ville*]

débarbouillage /debaʀbujaʒ/ *nm* wash

débarbouiller /debaʀbuje/ [1]

A *vtr* to wash [*enfant, visage*]

B **se débarbouiller** *vpr* to wash one's face

débarbouillette /debaʀbujɛt/ *nf* Can (petite serviette) face flannel GB, face cloth

débarcadère /debaʀkadɛʀ/ *nm* landing stage, jetty

débardage /debaʀdaʒ/ *nm* (en forêt) forwarding; (sur camion) hauling

débarder /debaʀde/ [1] *vtr* (en forêt) to forward; (sur camion) to haul

débardeur /debaʀdœʀ/ *nm* 1▸ (pull sans manches) tank top; (d'été) sleeveless tee-shirt; 2▸ (ouvrier) forest labourer[GB]; (dans un port) docker

débarquement /debaʀkəmɑ̃/ *nm* 1▸ (de marchandises) unloading; (de passagers) disembarkation; **à son ~** on disembarkation; **le ~ des marchandises du bateau** unloading the goods from the ship; **c'est lors de mon ~ (de l'avion) que...** while I was disembarking (from the plane)...; 2▸ Mil landing; **troupes de ~** landing troops; **le ~ en Normandie** Hist the Normandy landings (*pl*)

débarquer /debaʀke/ [1]

A *vtr* to unload [*marchandise, véhicule*] (**de** from; **sur** onto); to land, to unload [*passager, troupe*] (**de** from; **sur** onto)

B *vi* 1▸ (descendre à terre) [*passagers*] to disembark; **~ du train/de l'avion** to get off the train/the plane; 2▸ Mil to land (**sur** on; **en** in); 3▸ ○(arriver) (en masse) to descend (**à** upon); (à l'improviste) to turn up○ (**chez qn** at sb's place); (en un lieu inconnu) [*étranger*] to find oneself (**à** in); 4▸ ○(ne pas être au courant) **il débarque toujours** he never has a clue○ (what's going on); **tu débarques!** where have you been!

débarras /debaʀa/ *nm inv* 1▸ (endroit) junk room; **ça me sert de ~** I use it to store things; 2▸ (action) clearance; **~ de grenier** attic clearance; **bon ~**○! good riddance!

débarrasser /debaʀase/ [1]

A *vtr* 1▸ (vider) to clear out [*pièce, placard*]; to clear [*bureau, table, jardin*]; **~ une pièce/un placard de qch** to clear sth out of a room/a cupboard; **~ un bureau/une table de qch** to clear sth off a desk/a table; **~ (la table)** (après le repas) to clear the table; 2▸ (libérer) **~ qn de ses préjugés/complexes** to free sb from *ou* of their prejudices/complexes; **~ qn d'une obligation/d'une corvée** to release sb from an obligation/from a chore; **~ un pays d'un dictateur** to rid a country of a dictator; **~ un chien de ses puces** to get rid of a dog's fleas; **si tu as besoin de vieux journaux, sers-toi, ça me débarrasse** if you need some old papers, help yourself, it'll get them out of my way; **~ votre peau de ses impuretés** to rid your skin of impurities; **les murs ont été débarrassés des vieux papiers peints** the walls have been stripped of the old wallpaper; 3▸ **~ qn (de son manteau)** to take sb's coat; **je peux vous ~** can I take your coat?

B **se débarrasser** *vpr* 1▸ (se séparer) **se ~ de** to get rid of; **se ~ des déchets** to dispose of waste; **débarrassez-vous du travail en retard d'abord** get rid of the backlog first; **se ~ d'un rhume** to shake off a cold; 2▸ **se ~ (de son manteau)** to take off one's coat; 3▸ (tuer) **se ~ de** to get rid of

(Idiome) **~ le plancher**○ to clear off○

débarrer /debaʀe/ [1] *vtr* Can (ouvrir) to unlock [*porte*]

débat /deba/

A *nm* 1▸ (discussion) debate (**sur** on); **conduire un ~** to chair a debate; **entrer dans le cœur du ~** to get to the heart of the matter; 2▸ (conflit moral) crisis; **~ intérieur** *or* **de conscience** crisis of conscience

B **débats** *nmpl* 1▸ Pol debates; 2▸ Jur hearing (*sg*)

C **(-)débat** (*in compounds*) **dîner(-)~** dinner-debate

débâter /debɑte/ [1] *vtr* to unsaddle [*mulet*]

débâtir /debɑtiʀ/ [3] *vtr* to take out the basting from [*vêtement, ouvrage*]

débattement /debatmɑ̃/ *nm* Aut clearance

débattre /debatʀ/ [61]

A *vtr* 1▸ (discuter) to discuss [*question*]; 2▸ (négocier) to negotiate [*prix, conditions*]; **prix/salaire à ~** price/salary negotiable

B **débattre de** *or* **sur** *vtr ind* (discuter) to discuss; (au Parlement, à la télévision) to debate

C **se débattre** *vpr* 1▸ lit [*animal*] to struggle; [*personne*] to put up a struggle; **se ~ contre** to struggle with; 2▸ fig to struggle (**dans** with; **contre** against)

débauchage /deboʃaʒ/ *nm* (de personne) laying off

débauche /deboʃ/ *nf* 1▸ (dépravation) debauchery; **un lieu de ~** a den of vice; 2▸ (profusion) profusion; **~ de couleur** profusion of colour[GB]; **~ d'énergie/imagination** abundance of energy/imagination

débauché, ~e /deboʃe/

A *pp* ▸ **débaucher**

B *pp adj* [*personne*] debauched

C *nm,f* debauchee; **mener une vie de ~** to lead a dissolute life

débaucher /deboʃe/ [1] *vtr* 1▸ (licencier) to lay off [*employé*]; 2▸ (inciter à la grève) to incite [sb] to strike; 3▸ (dépraver) to corrupt [*personne*]; 4▸ ○(distraire) to tempt [sb] away (**pour faire** to do); **je voulais réviser mais il m'a débauchée!** I wanted to revise but he tempted me away!

débe(c)queter○ /debɛkte/ [1] *vtr* to make [sb] gag○; fig to make [sb] sick

débile /debil/

A ○*adj* 1▸ (idiot) [*personne*] moronic; [*film, raisonnement*] daft○; **c'est ~** it's daft○; 2▸ †liter (faible) [*enfant*] sickly; [*santé*] weak; [*esprit*] feeble

B *nmf* **~ mental** Méd retarded person; péj moron○

débilitant, ~e /debilitɑ̃, ɑ̃t/ *adj* (physiquement) debilitating; (moralement) demoralizing

débilité /debilite/ *nf* 1▸ Méd debility; 2▸ ○(de film, discours) stupidity

(Composé) **~ mentale** mental retardation

débiliter /debilite/ [1] *vtr* 1▸ (physiquement) to debilitate; 2▸ (moralement) to demoralize

débine◐ /debin/ *nf* **être dans la ~** to be down at heel; **tomber dans la ~** to fall on hard times

débiner○ /debine/ [1]

A *vtr* to slag [sb] off○ GB, to badmouth

B **se débiner** *vpr* 1▸ (partir) to clear off○; (pour

se dérober à qch) to make oneself scarce○; **2** (se disloquer) [*choses*] to fall apart

débineur○, **-euse** /debinœʀ, øz/ *nm,f* mud-slinger

débirentier, **-ière** /debiʀɑ̃tje, ɛʀ/ *nm,f* Jur payer of an allowance

débit /debi/ *nm* **1** Compta debit; **colonne des ~s** debit side; **la somme est inscrite au ~** gén the sum has been debited; (sur un relevé) the sum appears on the debit side; **inscrire** *or* **porter une somme au ~ d'un compte en banque** to debit a bank account with a sum of money; **porter un achat au ~ de qn** to charge a purchase to sb's account; **mettre** *or* **porter qch au ~ de qn** fig to count sth against sb; **2** (en parlant, récitant) delivery; **il a un de ces ~s!** (bavard) he never stops talking!; **3** (de cours d'eau) rate of flow; **4** (de liquide) flow, outflow; (de gaz) output; **5** (de ligne d'assemblage) output; **6** (de magasin) turnover (of stock); (de restaurant) customer turnover; **produit qui a un bon ~** product which sells well; **7** Télécom throughput; **bas/haut ~** low bandwidth/broadband; **8** Mil rate of fire; **9** Ordinat **~ d'une unité** data throughput rate; **10** (de pièce de bois) sawing up

(Composés) **~ de boissons** (bar) bar; **~ cardiaque** cardiac output; **~ de tabac** tobacconist GB; **ils font aussi ~ de tabac** they also sell tobacco

débitable /debitabl/ *adj* **1** [*compte*] debitable; **2** [*bois*] easy to cut up (*jamais épith*)

débitage /debitaʒ/ *nm* (de bois) sawing

débiter /debite/ [1] *vtr* **1** Fin to debit [*compte, client*]; **~ un compte de 100 euros** to debit an account with 100 euros, to debit 100 euros from *ou* to an account; **~ qn de 100 euros** to debit 100 euros to sb; **compte à ~** account which is to be debited; **2** (fournir) to reel off [*texte*]; [*radio, télévision*] to churn out [*musique*]; **~ des bêtises** to talk a lot of nonsense, **~ des mensonges** to spout lies; **3** (découper) to cut up [*animal, tissu, bois, marbre*]; **4** (vendre) to sell, to retail; **5** (produire) to produce; **6** (fournir en liquide) **~ tant par heure** [*cours d'eau*] to have a flow of so much per hour; [*appareil, pompe*] to discharge *ou* output so much per hour

débiteur, **-trice** /debitœʀ, tʀis/

A *adj* [*compte, solde*] debit (*épith*); [*pays*] debtor (*épith*), which is in debt; [*entreprise*] which is in debt; **il leur est ~ d'un million** he owes them a million

B *nm,f* Compta, Fin debtor

déblai /deblɛ/ Tech

A *nm* (pour dégager) clearing; (en creusant) excavation; (pour niveler) earth-moving

B déblais *nmpl* (débris) rubble ¢; (sol) earth ¢

déblaiement /deblɛmɑ̃/ *nm* clearing

déblatérer○ /deblateʀe/ [14] *vi* **~ contre** *or* **sur qch/qn** to rant on about sth/sb○

déblayage /deblɛjɑʒ/ *nm* **1** lit clearing; **2** fig (d'affaires) sorting out

déblayer /debleje/ [21] *vtr* **1** (dégager) to clear away [*gravats, terre, neige*]; to clear [*passage, lieu, porte*] (**de qch** of sth); (ranger) to tidy up [*pièce*]; **~**○ **le terrain** *or* **le plancher** to clear off○; **2** (traiter) to sort out [*correspondance*]; (préparer) to do the groundwork on [*affaire*]; **~ une question** to sort out the main issue

déblocage /deblɔkaʒ/ *nm* **1** (de frein) releasing; (de roue) unlocking; (de machine, mécanisme) unjamming; **2** (de fonds) releasing; (de salaires) unfreezing; (de prix) deregulating; **attendre un ~ de la situation** to wait for an end to the deadlock

débloquer /deblɔke/ [1]

A *vtr* **1** Tech to release [*frein*]; to unlock [*volant, roue*]; to unjam [*machine, mécanisme*]; **2** (libérer) to unfreeze [*salaires, prix*]; to release [*fonds, crédits, dossiers, marchandises*]; to break *ou* end the deadlock in [*situation, négociation*]; to give renewed impetus to [*processus*]; **3** (dégager) to make [sth] available [*crédits, subventions*]; to create [*poste*]; **4** (ouvrir) to clear [*rue, entrée*]; **~ la voie vers un accord** fig to clear the way for an agreement; **5** ○(guérir) **~ qn** to straighten sb out

B ○*vi* to be off one's rocker○

C se débloquer *vpr* **la situation s'est débloquée** the deadlock has been broken

débobiner /debɔbine/ [1] *vtr* **1** gén to wind off [*fil*]; to unwind [*bobine*]; **2** Électrotech to remove the coil(s) from [*dispositif*]

débogage /debɔgaʒ/ *nm* debugging

déboguer /debɔge/ [1] *vtr* to debug

déboires /debwaʀ/ *nmpl* **1** (déceptions) disappointments; **~ amoureux** disappointments in love; **2** (ennuis) trials, difficulties; **3** (échecs) setbacks; **essuyer des ~ professionnels** to meet with *ou* suffer professional setbacks

déboisement /debwazmɑ̃/ *nm* (de région) deforestation; **le ~ de la colline** the clearing of the hill

déboiser /debwaze/ [1]

A *vtr* to clear [sth] of trees [*terrain*]; to deforest [*région*]

B se déboiser *vpr* to become deforested

déboîtement* /debwatmɑ̃/ *nm* **1** Méd dislocation; **2** Aut pulling out; **accident dû au ~ d'une voiture** accident caused by a car pulling out

déboîter* /debwate/ [1]

A *vtr* (déloger) to dislocate [*os*]; to dislodge [*objet*]; to disconnect [*tubes*]; **~ une montre** to take a watch out of its case; **tu m'as déboîté l'épaule** you've dislocated my shoulder

B *vi* (sortir d'un alignement) [*personne*] to move out of line; [*groupe*] to break out of column; [*voiture*] to pull out

C se déboîter *vpr* **1 se ~ le genou** to dislocate one's knee; **2** (être luxé) **mon genou s'est déboîté** my knee is dislocated

débonnaire /debɔnɛʀ/ *adj* [*personne*] (sympathique) good-humoured[GB]; (tolérant) easy-going; [*ambiance, soirée*] relaxed; **il a l'air ~** he has a kindly air about him

débordant, **~e** /debɔʀdɑ̃, ɑ̃t/ *adj* **1** (extrême) [*imagination*] overactive; [*joie*] overflowing; **être d'une activité ~e** to be extremely active; **2** (abondant) **~ de** brimming with; **~ de vitalité/d'énergie** brimming with vitality/with energy; **~ de santé** bursting with health; **3** (qui déborde) lit, fig overflowing (**de** with); **4** Mil, Sport [*manœuvre*] outflanking

débordé, **~e** /debɔʀde/

A *pp* ▸ **déborder**

B *pp adj* **1** (dépassé) overwhelmed; **la police a été ~e** the police were overwhelmed; **~s, les pompiers n'ont pu sauver tout le monde** the firemen were overwhelmed and couldn't save everyone; **2** (surchargé) overloaded; **être ~ de travail** to be snowed under *ou* overloaded with work; **3** Mil, Sport outflanked (**sur** on)

débordement /debɔʀdəmɑ̃/

A *nm* **1** (abondance) (d'insultes, de protestations) flood; (d'enthousiasme) excess; **2** Pol, Entr (dépassement) outflanking; **le ~ d'un parti sur sa droite** the outflanking of a party by its right-wingers; **3** Mil, Sport (contournement) outflanking; **4** (de cours d'eau) overflowing

B débordements *nmpl* liter excesses

déborder /debɔʀde/ [1]

A *vtr* **1** (sortir de) [*problème*] to go beyond [*domaine*]; **~ le cadre de qch** to go beyond the scope *ou* framework of sth; **cette remarque/votre question déborde le sujet** that remark/your question is outside the scope of the subject; **2** (submerger) to overwhelm [*personne, groupe*]; **se laisser ~** to let oneself be overwhelmed (**par qn/qch** by sb/sth); **3** Entr, Pol (dépasser) to outflank; **le chef du parti s'est fait/laissé ~ sur sa gauche** the party leader was/let himself be outflanked by the left; **4** Mil, Sport (contourner) to outflank; **se faire ~ sur l'aile gauche** to be outflanked on the left wing; **5** (saillir de) to jut out from; **certaines briques débordent le mur de deux centimètres** some of the bricks jut out two centimetres[GB] from the wall; **6** Cout (ôter le bord) to cut the border off [*tapis, napperon*]; **7** (tirer les draps) **~ qn** to untuck sb's bed [*enfant, malade*]

B déborder de *vtr ind* (être plein de) to be overflowing with [*personnes, détails*]; to be brimming over with [*joie, amour*]; to be bursting with [*santé*]; **~ de vie/d'activité** to be full of life/of activity; **il débordait de gratitude** he was overflowing with gratitude

C *vi* **1** (sortir des bords) [*liquide, rivière*] to overflow; (en bouillant) to boil over; **la rivière a débordé de son lit** the river has overflowed; **faire** *or* **laisser ~ le lait** to let the milk boil over; **2** (laisser répandre) [*récipient*] to overflow; (en bouillant) to boil over; **la coupe déborde** fig it's the last straw; ▸ **vase**; **3** (dépasser) to spill out; **les vêtements débordent de la valise** the clothes are spilling out of the suitcase; **son ventre débordait de sa ceinture** his/her belly hung over his/her belt; **la foule débordait sur la chaussée** the crowd spilled out onto the street; **les poubelles débordent** the dustbins GB *ou* garbage cans US are overflowing; **ton rouge à lèvres déborde** your lipstick is smudged; **la terrasse du café déborde sur le trottoir** the café terrace spills out onto the pavement GB *ou* sidewalk US; **la pierre déborde de dix centimètres** the stone juts out ten centimetres[GB]; **elle déborde en coloriant** she goes over the lines when she's colouring[GB] in; **4** (s'épancher) fml **sa joie déborde** he's/she's bursting with joy; **laisser ~ son cœur** to give way to one's emotions

D se déborder *vpr* (perdre ses couvertures) to become untucked; **il s'est débordé en dormant** his covers came off while he was asleep

débosselage /debɔslaʒ/ *nm* Can **atelier de ~** body shop

débotté /debɔte/ *nm* **surprendre qn au ~** to take sb by surprise, to catch sb with his/her pants down○

débotter /debɔte/ [1]

A *vtr* **~ qn** to take off *ou* remove sb's boots

B se débotter *vpr* to take off one's boots, to remove one's boots

débouchage /debuʃaʒ/ *nm* (d'évier) unblocking; (de bouteille) opening

débouché /debuʃe/ *nm* **1** (ouverture commerciale) (pays, région) market (**dans** in; **pour** for); (créneau) outlet (**dans** in; **pour** for); **trouver de nouveaux ~s à l'exportation** to find new export outlets; **2** (perspective d'avenir) opening, job opportunity (**en** in); **la formation offre peu de ~s** the training course offers few job opportunities; **3** (de vallée) mouth; **au ~ de la rue** where the street opens out; **avoir un ~ sur la mer** to have access to the sea

déboucher /debuʃe/ [1]

A *vtr* **1** (dégager) to unblock [*évier, nez, oreilles*]; **2** (ouvrir) to open, to uncork [*bouteille*]; to unstopper [*carafe*]; to uncap [*tube*]

B *vi* **1** lit, fig (arriver) [*personne, véhicule*] to come out (**de** from; **sur** onto; **dans** into); (brusquement) to appear (**de** from; **sur** on; **dans** in); **ils ont débouché sur le marché de l'emploi** fig they appeared on the job market; **2** (ouvrir) **~ sur** *or* **dans** [*rue, passage*] to open onto; **3** (se jeter) **~ dans** [*cours d'eau*] to flow into; **4** (mener) **~ sur** [*études, négociations, débat*] to lead to; **~ sur un déficit** to result in a deficit

C se déboucher *vpr* **1** [*évier, conduit*] to come unblocked; **mes oreilles se sont débouchées** my ears popped; **2 se ~ les oreilles/le nez** to unblock one's ears/nose

déboucheur /debuʃœʀ/ *nm* **1** (instrument) **~ (à ventouse)** plunger; **2** (produit) drain clearing product; **~ liquide** drain clearing fluid

déboucler /debukle/ [1] *vtr* to unbuckle [*ceinture*]

d

déboulé /debule/ *nm* ① Danse déboulé; ② Chasse (de chien) bolt(ing); (de gibier) breaking cover; **tirer au ∼** to shoot as the animal breaks cover; ③ Sport sprint

débouler /debule/ [1]
A ○*vtr* (dévaler) to charge down [*pente, escalier*]
B ○*vi* ① (dégringoler) to tumble down; ② (venir rapidement) **∼ de** to come charging down; **∼ sur qn** to burst in on sb; **∼ dans l'arène politique** fig to burst onto the political scene; ③ Chasse [*gibier*] to bolt (**de** out of); ④ Sport to sprint

déboulonnage /debulɔnaʒ/ *nm*, **déboulonnement** /debulɔnmɑ̃/ *nm* (dévissage) unbolting; (pour séparer) removal

déboulonner /debulɔne/ [1] *vtr* ① (enlever les boulons de) to remove the bolts from, to unbolt [*roue*]; **∼ une statue** [*ouvrier*] to remove a statue; [*manifestants*] to topple a statue; ② ○(discréditer) to discredit; (renvoyer) to fire, to sack○ GB; (aux élections) to unseat [*élu*]

débourber /debuʀbe/ [1] *vtr* ① Écol (assainir) to dredge [*canal, étang*]; ② Minér (nettoyer) to wash [*minerai*]; ③ Vin to rack [*vin*]

débourrer /debuʀe/ [1] *vtr* Équit to break in

débours /debuʀ/
A *nm inv* ① gén expense, outlay ¢; **rentrer dans ses ∼** to cover one's expenses; ② Compta disbursement
B *nmpl* Jur costs

déboursement /debuʀsəmɑ̃/ *nm* paying out, disbursement sout (**de** of)

débourser /debuʀse/ [1] *vtr* to pay out, to disburse sout; **sans ∼ un centime** without paying out a single penny

déboussoler○ /debusɔle/ [1] *vtr* to throw○, to confuse [*personne*]; **il est complètement déboussolé** he's all at sea○ GB he's totally confused

debout /dəbu/
A *adv, adj inv* ① (vertical, sur pied) [*personne*] standing; **∼ sur une chaise** standing on a chair; **les personnes/trois personnes ∼** the people/three people standing; **il reste cinq places ∼** there are five standing places left; **'assis: 40, ∼:10'** (dans un bus) 'seated: 40, standing: 10'; **la station ∼ me fatigue** I find standing up tiring; **nous sommes restés ∼ toute la soirée** we stood (up) all evening; **j'ai dû voyager ∼** I had to stand all the way; **ne restez pas ∼, asseyez-vous** do take a seat; **merci, je préfère rester ∼** thanks, but I prefer to stand; **être** *or* **se tenir ∼** to stand; **se mettre ∼** to stand up, to get to one's feet, to get up; **le plafond était trop bas pour que je puisse me tenir ∼** the ceiling was too low for me to stand upright; **ça bougeait tellement que personne ne pouvait se tenir ∼** it was moving so much that no-one could stay on their feet; **je ne tiens plus ∼, je vais me coucher** I'm falling asleep on my feet, I'm going to go to bed; **le vieillard/l'ivrogne tient à peine ∼ sur ses jambes** the old man/the drunkard can hardly stand; **dès qu'elle a su se tenir ∼** as soon as she could stand; **aidez-la à se mettre ∼** help her to get up; ② (hors du lit) [*personne*] up; **tu es déjà ∼!** you're already up!; **il est ∼ à cinq heures** he's up at five; **je suis resté ∼ toute la nuit** I stayed up all night (long); ③ (qui se maintient) [*bâtiment, mur*] standing; **un seul temple/arbre était encore ∼** only one temple/tree was still standing; fig **une des rares institutions restant ∼** one of the few institutions still standing; **le bâtiment ne tient plus ∼** the building is falling down; **ton histoire tient ∼**○ your story seems likely; **leur histoire ne tient pas ∼**○ their story doesn't hold water; ④ (vertical, sur une extrémité) [*animal*] on its hind legs; [*objet*] upright; **le chien s'est mis ∼ pour attraper le sucre** the dog got up on its hind legs to get the sugar; **poser un tonneau ∼** to put a barrel upright; **j'ai mis la table ∼ contre le mur** I've stood the table up against the wall; **nous avons remis la statue ∼** we stood the statue back up; ⑤ (guéri) **grâce à votre médicament, il était ∼ en deux jours** thanks to your medicine, he was up and about in two days
B *excl* (hors du lit) get up! , out of bed!; (hors d'un siège) get up!, on your feet!

débouté /debute/ *nm* nonsuit

débouter /debute/ [1] *vtr* to nonsuit [*plaideur*]; **∼ qn de sa demande** to nonsuit a plaintiff in appeal

déboutonner /debutɔne/ [1]
A *vtr* to unbutton, to undo [*vêtement*]; **tu es déboutonné** your buttons are undone
B se déboutonner *vpr* ① [*personne*] to unbutton *ou* undo one's clothes; ② [*vêtement*] to come undone; ③ ○(parler sans réserve) to open up○; ④ ◑(avouer) to blab○, to spill the beans○

débraillé, ∼e /debʀaje/
A *adj* [*personne*] dishevelled[GB], sloppily dressed; [*tenue, style*] sloppy; [*manières*] slovenly; [*vie*] disorganized; [*conversation*] disjointed; **la poitrine ∼e** with his shirt half undone
B *nm* (de tenue, manières) slovenliness; (de style) sloppiness; **sortir en ∼** to go out sloppily dressed

débranchement /debʀɑ̃ʃmɑ̃/ *nm* ① gén disconnection; ② Rail splitting up

débrancher /debʀɑ̃ʃe/ [1] *vtr* ① (supprimer le branchement de) to disconnect, to unplug [*appareil*]; to disconnect, to switch off [*système d'alarme*]; to disconnect, to pull out [*prise*]; ② Rail to split up [*wagons*]

débrayage /debʀɛjaʒ/ *nm* ① Aut declutching; **manette/pédale de ∼** clutch lever/pedal; ② (grève) stoppage

débrayer /debʀeje/ [21]
A *vtr* Tech to throw [sth] out of gear
B *vi* ① Aut to declutch; ② (cesser le travail) to down tools GB, to stop work

débridé, ∼e /debʀide/
A *pp* ▸ **débrider**
B *pp adj* [*imagination, optimisme*] unbridled

débrider /debʀide/ [1] *vtr* ① (ôter la bride) to unbridle [*cheval*]; ② (donner libre cours à) to unleash [*imagination*]; ③ (faire tourner plus vite) to race, to rev up○ [*moteur*]; ④ Méd (inciser) **∼ un abcès** to lance an abscess; **∼ une plaie** to remove the unhealthy tissue from a wound; ⑤ (ôter la ficelle) to untruss [*volaille*]

débris /debʀi/
A *nm inv* ① (d'objet brisé) fragment; **des ∼ de verre** broken glass ¢; ② (de véhicule accidenté) piece of wreckage; **parmi les ∼ de l'avion** among the debris *ou* wreckage from the plane; ③ ○(personne, animal) pej **vieux ∼** old wreck
B *nmpl* ① (ordures) rubbish ¢; (restes) scraps; ② (humains, fossiles) remains; (d'édifice) ruins, remains; (d'empire, armée, de fortune) remnants

débrouillard, ∼e /debʀujaʀ, aʀd/
A *adj* resourceful; **il est ∼** he can look after himself
B *nm,f* **c'est un ∼** he can look after himself; péj he's a crafty one péj

débrouillardise /debʀujaʀdiz/ *nf* resourcefulness

débrouille○ /debʀuj/ *nf* resourcefulness

débrouiller /debʀuje/ [1]
A *vtr* ① (démêler) to disentangle [*fils, écheveau*]; ② (éclaircir) to solve, to unravel [*énigme, problème*]; ③ ○(enseigner les bases à) to teach [sb] the basics (**en, à** of)
B se débrouiller *vpr* ① (s'arranger) to manage; **je ne sais pas comment il s'est débrouillé mais...** I don't know how he managed it but...; **débrouille-toi comme tu veux, mais sois rentré pour 11 h** do as you like but make sure you're back by eleven; **débrouille-toi avec ça je n'ai rien d'autre** you'll have to make do with that I've got nothing else; **se ∼ avec qn** to sort it out with sb; **se ∼ pour qch** to sort sth out; **il s'est débrouillé pour les tickets de théâtre** he has sorted out the theatre[GB] tickets; **se ∼ pour faire** to manage to do; **se ∼ pour obtenir qch** to manage to get sth, to wangle○ sth; **débrouillez-vous pour faire** make sure you do; **se ∼ pour que** to arrange it so that; **débrouille-toi pour que** make sure that; **se ∼ pour ne pas faire** to weasel out of doing sth○; **il s'est débrouillé pour perdre la clé** he's gone and lost the key; ② (s'en sortir) to get by; **dans la vie il faut savoir se ∼** in life you have to learn to stand on your own two feet; **il se débrouille en espagnol** he gets by in Spanish; **il se débrouille bien en espagnol** he speaks good Spanish; **débrouille-toi tout seul** you'll have to manage on your own; **il se débrouille!** he's doing all right!

débroussaillage /debʀusajaʒ/, **débroussaillement** /debʀusajmɑ̃/ *nm* ① (d'un chemin) clearing (**de** of); ② (de texte, problème) spadework (**de** on)

débroussailler /debʀusaje/ [1] *vtr* ① Agric to clear the undergrowth from [*terrain*]; ② (éclaircir) to do the groundwork *ou* spadework on [*texte, problème*]

débroussailleuse /debʀusajøz/ *nf* brush-cutter

débusquer /debyske/ [1] *vtr* ① (dévoiler) to bring [sth] to light [*erreur*]; ② (déloger) to flush out [*animal, personne*]

début /deby/
A *nm* (de film, mois, discours) beginning; (de crise, négociations, d'épidémie) start; **au tout** *or* **tout au ∼** at the very beginning; **au ∼** at first, initially; **au ∼ de** at the beginning of; **∼ mars/1990** early in March/1990; **dès le ∼** from the outset *ou* the very beginning *ou* the start; **depuis le ∼ (de)** since the beginning (of); **je le savais depuis le ∼** I knew all along; **salaire de ∼** starting salary; **en ∼ de soirée/semaine/carrière** at the beginning of the evening/the week/one's career; **du ∼ (jusqu')à la fin** from start to finish; **ce n'est qu'un ∼** this is only the beginning; **il y a un ∼ à tout** you have to start somewhere; **pour un ∼, ce n'est pas mal** it's not bad for starters; **un ∼ de solution/d'explication/de démocratie** the beginnings of a solution/of an explanation/of democracy; **avoir un ∼ de calvitie** to have a bald patch
B débuts *nmpl* ① (de comédien, musicien) debut (*sg*); **faire ses ∼s dans le monde** to make one's debut in society; **faire des ∼s éblouissants au théâtre** to make a dazzling stage debut; **à mes ∼s** when I started out; ② (de parti politique, média) early stages; **(en être encore) à ses ∼s** [*mouvement, projet*] (to be still) in its early stages; **depuis ses ∼s en 1962, le mouvement a évolué** since its inception in 1962, the movement has evolved

débutant, ∼e /debytɑ̃, ɑ̃t/
A *adj* [*conducteur, skieur, artiste*] novice (*épith*); [*ingénieur, cadre*] recently qualified; [*diplômé*] recent; **elle est ∼e** she's a beginner; **cours d'anglais pour adultes** *or* **grands ∼s** English classes for adult beginners
B *nm,f* gén beginner (**en** in); Théât, Cin actor/actress making his/her debut; **c'est une ∼e** she's a beginner; **'∼s acceptés'** 'experience not essential'; ▸ **faux**
C débutante *nf* debutante

débuter /debyte/ [1]
A *vtr* controv to begin, to start [*match, réunion*]
B *vi* ① (commencer) [*journée, roman, séance*] to begin, to start (**avec, par, sur** with); [*personne*] to start off (**avec, par, sur** with); ② (faire ses premiers pas) gén to start out (**comme** as); [*acteur, comédien*] to make one's debut (**dans** in); **elle débute dans le métier** she's just starting out in the profession; **∼ à 1 500 euros par mois** to start on 1,500 euros per month

déca○ /deka/ *nm* decaf○, sanka® US

deçà /dəsa/
A *adv* **∼, delà** here and there
B en deçà *loc adv* on this side
C en deçà de *loc prép* ① (de ce côté-ci de) on this side of [*montagne, rivière*]; ② fig (en dessous de) below; **en ∼ de 2%** below 2%; **être (très) en ∼ des prévisions** to be (well) below the

forecasts; **le résultat est (très) en ~ de notre objectif/nos attentes** the result falls (far) short of our target/our expectations; **bien** *or* **très en ~ du seuil des 3%** well below the 3% threshold

décachetage /dekaʃtaʒ/ *nm* unsealing

décacheter /dekaʃte/ [20] *vtr* to unseal

décade /dekad/ *nf* **1** (dix jours) 10-day period; **2** (décennie) controv decade; **3** Littérat decade

décadenasser /dekadnase/ [1] *vtr* to unpadlock

décadence /dekadɑ̃s/ *nf* (état) decadence; (déclin) decline; **la ~ de l'empire romain** the decline of the Roman Empire

décadent, **~e** /dekadɑ̃, ɑ̃t/
A *adj* **1** (en état de dégénérescence) decadent; **2** (en déclin) in decline (*après n*); **3** Littérat Decadent
B *nm,f* Littérat Decadent

décaèdre /dekaɛdʀ/
A *adj* decahedral
B *nm* decahedron

décaféiné, **~e** /dekafeine/
A *adj* decaffeinated
B *nm* decaffeinated coffee

décaféiner /dekafeine/ [1] *vtr* to decaffeinate

décagonal, **~e**, *mpl* **-aux** /dekagɔnal, o/ *adj* decagonal

décagone /dekagɔn/ *nm* decagon

décagramme /dekagʀam/ ▸ **p. 646** *nm* decagram

décaissement /dekɛsmɑ̃/ *nm* Fin disbursement

décaisser /dekese/ [1] *vtr* **1** Fin to pay out; **2** Transp to uncrate

décalage /dekalaʒ/ *nm* **1** (différence) (écart) gap (**entre** between); (désaccord) discrepancy (**entre** between); **~ entre ce qu'il dit et ce qu'il fait** discrepancy between what he says and what he does; **se sentir/être en ~ (par rapport aux autres)** to feel/to be out of step (with the others); **2** (intervalle dans le temps) interval, time-lag (**entre** between); **3** (glissement dans le temps) (avance) move forward; (retard) move back; **à cause du ~ de date** (avance) because the date has been brought forward; (retard) because the date has been put back GB *ou* moved back US; **4** (dans l'espace) shift; (mouvement vers l'avant) shifting forward; (mouvement en arrière) shifting back; **~ des lignes de départ** Sport staggering of starting lines; **il y a un ~ de 10 centimètres entre les deux tableaux** there's a 10 centimetre[GB] difference in the height at which the two pictures are hung; **5** Ordinat shift

(Composé) **~ horaire** (entre deux lieux) time difference; **mal supporter le ~ horaire** to suffer from jet-lag

décalaminage /dekalaminaʒ/ *nm* decarbonization

décalaminer /dekalamine/ [1] *vtr* to decarbonize

décalcification /dekalsifikasjɔ̃/ *nf* decalcification

décalcifier /dekalsifje/ [2]
A *vtr* to decalcify
B **se décalcifier** *vpr* to be decalcified

décalcomanie /dekalkɔmani/ *nf* transfer GB, decal US

décalé, **~e** /dekale/
A *pp* ▸ **décaler**
B *pp adj* **salaires ~s par rapport à ceux des pays voisins** salaries out of step with those of neighbouring[GB] countries; **il se sent un peu perdu, ~** he feels a bit lost and out of step *ou* sorts

décaler /dekale/ [1]
A *vtr* **1** (dans le temps) (avancer) to bring [sth] forward [*date, départ*]; (reculer) to put GB *ou* move US [sth] back; **~ le départ d'une heure** (avancer) to bring forward the departure time by one hour; **les avions sont tous décalés d'une heure** (en retard) the planes are all taking off an hour later; **réactions décalées** delayed reactions; **2** (dans l'espace) (avancer) to move *ou* shift [sth] forward [*objet*]; (reculer) to move *ou* shift [sth] back; **~ qch de 10 centimètres** (avancer) to move *ou* shift sth 10 centimetres[GB] forward; **~ qn/qch d'un rang** (reculer) to move sb/sth back a row; **poteau décalé (par rapport aux autres)** post out of line (with the others); **lignes décalées** staggered lines
B **se décaler** *vpr* **se ~ sur la droite/gauche** to move *ou* shift to the right/left

décalitre /dekalitʀ/ ▸ **p. 123** *nm* **1** (unité) decalitre[GB]; **2** (récipient) decalitre[GB] container

décalogue /dekalɔg/ *nm* Decalogue[GB]

décalotter /dekalɔte/ [1] *vtr* to take the top off; **~ (le gland)** Physiol to retract the foreskin

décalquage /dekalkaʒ/ *nm* **1** Art tracing; **2** (imitation) carbon copying; **pur ~** pure imitation

décalque /dekalk/ *nm* **1** Art tracing; **2** (imitation) carbon copy

décalquer /dekalke/ [1] *vtr* **1** Art (par transparence) to trace (**sur** from); (reporter) to transfer (**sur** onto); **2** fig (imiter) to copy (**sur** onto)

décamètre /dekamɛtʀ/ *nm* **1** ▸ **p. 498** (unité) decametre[GB]; **2** (instrument) 10-metre[GB] tape measure

décamper○ /dekɑ̃pe/ [1] *vi* (s'enfuir) to scarper○ GB, to run off; (partir) to clear off, to clear out○ US; **faire ~ qn** to get rid of sb

décan /dekɑ̃/ *nm* decan

décanat /dekana/ *nm* (fonction) deanship

décaniller◑ /dekanije/ [1] *vi* to scarper○ GB, to run off

décantage /dekɑ̃taʒ/ *nm*, **décantation** /dekɑ̃tasjɔ̃/ *nf* **1** (procédé) decantation; **2** (action) (de liquide) (settling and) decanting; **3** (d'idées) clarification

décanter /dekɑ̃te/ [1]
A *vtr* **1** (laisser reposer) to allow [sth] to settle [*liquide*]; to clarify [*eaux usées*]; **2** (éclaircir) to get [sth] straight, to clarify [*idées*]
B **se décanter** *vpr* **1** [*liquide*] to settle; [*eaux usées*] to clarify; **2** [*situation, idées*] to become clearer; **laisser les choses se ~** to allow the dust to settle

décanteur /dekɑ̃tœʀ/ *nm* sedimentation *ou* settling tank

décapage /dekapaʒ/ *nm* **1** (de meuble, plancher) gén cleaning; **~ avec un abrasif** scouring; (avec un produit) stripping; (à la brosse) scrubbing; (à la ponceuse) sanding; **2** Tech (de métal) pickling

décapant, **~e** /dekapɑ̃, ɑ̃t/
A *adj* **1** (abrasif) scouring; **produit ~** (produit pour enlever la peinture, le vernis) paint stripper; **2** Tech **produit ~** (acide) pickle; **3** ○fig (stimulant) stimulating; (caustique) [*humour*] abrasive, caustic
B *nm* (abrasif) scouring agent; (pour peinture) paint stripper; (acide) pickle

décaper /dekape/ [1] *vtr* **1** (nettoyer) gén to clean; (enlever la peinture, le vernis de) to strip [*meuble, plancher*]; **~ à la brosse** to scrub; **~ avec un abrasif** to scour; **~ à la sableuse** to sandblast; **~ une surface au chalumeau** to burn the paint off a surface with a blowtorch; **~ à la ponceuse** to sand; **2** ○[*shampooing, savon*] to be harsh; **3** Tech to pickle [*métal*]; to strip [*chaussée*]

décapitation /dekapitasjɔ̃/ *nf* **1** (de personne) (accident) decapitation; (exécution) beheading, decapitation; **2** (d'arbre, de fleur, d'objet) removal of the top of; (d'organisation) removal of those at the top

décapiter /dekapite/ [1] *vtr* **1** (tuer) to behead [*personne*]; (accidentellement) to decapitate; **2** (étêter) to cut the top off [*arbre, fleur, objet*]; fig to remove the leaders from [*parti, organisation*], **être décapité** [*parti, organisation*] to be left leaderless

décapode /dekapɔd/ *nm* decapod; **les ~s** the Decapoda

décapotable /dekapɔtabl/
A *adj* **une voiture ~** a convertible; **cette voiture est ~** this car is a convertible
B *nf* convertible

décapoté, **~e** /dekapɔte/
A *pp* ▸ **décapoter**
B *pp adj* [*voiture*] with its top down (*épith, après n*); **la voiture est ~e** the car has got its top down

décapoter /dekapɔte/ [1] *vtr* **~ une voiture** to put the top of a car down

décapsuler /dekapsyle/ [1] *vtr* to take the top off [*bouteille*]

décapsuleur /dekapsylœʀ/ *nm* bottle-opener

décarcasser○: **se décarcasser** /dekaʀkase/ [1] *vpr* to put oneself to a lot of trouble (**pour qn** for sb; **pour faire** to do)

décarrer◑ /dekaʀe/ [1] *vi* to leave, to make tracks○; **ils ne voulaient pas ~** they wouldn't go *ou* leave

décasyllabe /dekasil(l)ab/
A *adj* decasyllabic
B *nm* decasyllable

décasyllabique /dekasil(l)abik/ *adj* decasyllabic

décathlon /dekatlɔ̃/ ▸ **p. 469** *nm* decathlon

décathlonien /dekatlɔnjɛ̃/ *nm* decathlete

décati, **~e** /dekati/ *adj* decrepit

décatir: **se décatir** /dekatiʀ/ [3] *vpr* to become decrepit

décavé○ /dekave/ *adj* **1** (épuisé) haggard; **2** (ruiné) cleaned out○, ruined

décéder /desede/ [14] *vi* to die; **Yan récemment décédé** Yan who died recently; **il est décédé d'un cancer** he died of cancer; **la pension du conjoint décédé** the pension of the deceased spouse

décelable /deslabl/ *adj* detectable

déceler /desle/ [17] *vtr* **1** (distinguer) to detect; **facile à ~** easily detectable, easy to detect; **l'analyse a permis de ~ des traces de poison** analysis revealed traces of poison; **2** (indiquer) to reveal [*anomalie, sentiment*]; to indicate [*présence*]

décélération /deseleʀasjɔ̃/ *nf* **1** (de rythme) slowdown; **2** (de vitesse) deceleration

décélérer /deseleʀe/ [14] *vi* to slow down, to decelerate

décembre /desɑ̃bʀ/ ▸ **p. 544** *nm* December

décemment /desamɑ̃/ *adv* **1** (selon les normes) [*se conduire, être logé*] decently; **2** (avec compétence) [*travailler, jouer*] reasonably well; **faire ~ un travail** to do a decent job, to do a job reasonably well; **3** (raisonnablement) reasonably; **on ne peut ~ le prendre au sérieux** one can't reasonably be expected to take him seriously, it's unreasonable to expect one to take him seriously

décence /desɑ̃s/ *nf* **1** (bienséance) decency; **il n'a pas eu la ~ de faire** he didn't have the decency to do; **2** (discrétion) sense of decency

décennal, **~e**, *mpl* **-aux** /desenal, o/ *adj* ten-year; **plan ~** ten-year plan

décennie /deseni/ *nf* decade

décent, **~e** /desɑ̃, ɑ̃t/ *adj* **1** (bienséant) [*tenue, conduite*] decent; **arriver à une heure ~e** to arrive at a decent time *ou* hour; **2** (correct) proper, right; **3** (acceptable) [*travail*] decent, reasonable; **faire qch d'une manière ~e** to do sth reasonably well

décentralisateur, **-trice** /desɑ̃tʀalizatœʀ, tʀis/
A *adj* [*politique*] of decentralization (*épith, après n*); [*homme politique*] in favour[GB] of decentralization (*après n*)
B *nm,f* advocate of decentralization

décentralisation /desɑ̃tʀalizasjɔ̃/ *nf* decentralization

décentralisé, **~e** /desɑ̃tʀalize/
A *pp* ▸ **décentraliser**
B *pp adj* decentralized

d

décentraliser /desɑ̃tʀalize/ [1]
A *vtr* to decentralize
B **se décentraliser** *vpr* to become decentralized

décentrement /desɑ̃tʀəmɑ̃/ *nm* 1 Phot shift; **objectif à ~** shift lens; 2 (décalage) shifting away from the centre^GB

décentrer /desɑ̃tʀe/ [1]
A *vtr* to move [sth] away from the centre^GB
B **se décentrer** *vpr* to move away (**par rapport à** from); **décentré** off-centre^GB

déception /desɛpsjɔ̃/ *nf* disappointment (**de faire** at doing); **~s amoureuses** unsuccessful love affairs

décérébrer /deseʀebʀe/ [14] *vtr* to decerebrate

décerner /desɛʀne/ [1] *vtr* 1 gén to give [*titre, label*]; to award, to give [*prix*]; **~ qch à qn** to award *ou* give sth to sb, to award *ou* give sb sth; 2 Jur to issue [*mandat*]

décès /desɛ/ *nm inv* death, decease sout; **fermé pour cause de ~** closed owing to bereavement

décevant, **~e** /desəvɑ̃, ɑ̃t/ *adj* disappointing

décevoir /desəvwaʀ/ [5]
A *vtr* 1 (ne pas répondre aux espoirs de) to disappoint [*personne*]; **tu me déçois (beaucoup)** I'm (very) disappointed in you; **ne pas ~** to come up to expectations; 2 (tromper) to fail to fulfil^GB [*espoir*]; **~ la confiance de qn** to betray sb's trust
B *vi* to be disappointing

déchaîné, **~e*** /deʃene/
A *pp* ▸ **déchaîner**
B *pp adj* 1 (violent) [*mer, vent*] raging; [*vagues*] crashing; [*passions, instincts*] unbridled; 2 (très énervé) [*personne, enfant, foule*] wild; [*opinion publique*] stirred up (*jamais épith*); **~ contre qn/qch** furious with sb/sth

déchaînement* /deʃɛnmɑ̃/ *nm* 1 (de tempête) raging; (de flots) crashing; 2 (explosion) **~ de colère/passion** outburst of anger/passion; **~ d'enthousiasme** wave of enthusiasm; **le ~ de l'opinion publique** the public outcry (**contre** against); **je ne comprends pas le ~ de Pierre contre Paul** I don't understand why Pierre is always attacking Paul; 3 (torrent) **~ d'injures/d'idées/de paroles** torrent *ou* flood of insults/of ideas/of words

déchaîner* /deʃene/ [1]
A *vtr* to rouse, to stir up [*passions, sentiments*]; to excite, to make [sb] wild [*personnes, foule*]; **le meurtre a déchaîné (la colère de) l'opinion publique** the murder unleashed a public outcry
B **se déchaîner** *vpr* 1 [*phénomènes naturels*] to rage; [*sentiments, passions*] to burst out; 2 (devenir très agité) [*personnes, foule*] to go wild; 3 (s'emporter) [*personne*] to fly into a rage (**contre qn/qch** against sb/sth)

déchanter /deʃɑ̃te/ [1] *vi* to become disenchanted; **elle a dû ~** she was brought down to earth; **faire ~** to disappoint

décharge /deʃaʀʒ/ *nf* 1 (d'arme à feu) discharge; **il a reçu une ~ de fusil de chasse en pleine tête** he was shot in the head with a hunting rifle; 2 (d'ordures) rubbish GB *ou* garbage US dump; **~ municipale/publique** municipal/public dump *ou* tip GB; 3 Électrotech (perte brusque) discharge; (dépense progressive) discharging; **recevoir une ~ dans les doigts** to get an electric shock in one's fingers; 4 Jur (d'accusé) acquittal; **à leur ~** fig in their defence^GB; 5 (libération) (de tâche) release; (de dette) discharge; **~ de l'obligation alimentaire** release from maintenance obligation; **signer une ~** to sign a discharge; 6 Fisc exemption; 7 Tech (dispositif) (d'étang, bassin) overflow; (de barrage) spillway; (citerne) overflow tank; (bassin) overflow basin
(Composé) **~ de service** reduction in working hours (*for civil servants*)

déchargement /deʃaʀʒəmɑ̃/ *nm* (de véhicule, d'arme à feu) unloading; **commencer le ~ d'une cargaison** to begin unloading a cargo; **je vous aiderai pour le ~ des caisses** I'll help you unload the boxes

décharger /deʃaʀʒe/ [13]
A *vtr* 1 (débarrasser de sa charge) to unload [*navire, véhicule, machine à laver*] (**de** from); to relieve [*personne*] (**de** of); 2 (enlever un chargement) to unload [*marchandises, passagers*]; **les dockers déchargeront cet après-midi** the dockers will unload this afternoon; 3 (ôter la charge de) to unload [*arme à feu*]; (tirer avec) to fire [*fusil, arme*]; 4 (libérer) **~ qn de** to relieve sb of [*tâche, obligation*]; to release sb from [*dette*]; 5 (innocenter) [*expertise, témoignage*] to clear [*accusé*] (**de** of); 6 Électrotech [*personne*] to discharge [*appareil, batterie*]; [*faux contact*] to cause [sth] to run down [*batterie*]; 7 (soulager) to unburden [*conscience, cœur*] (**auprès de qn** to sb); to vent [*colère*]; **~ sa colère sur qn** to take one's anger out on sb; 8 (alléger) to take the weight off [*plancher, poutre*]
B *vi* 1 (déteindre) [*tissu*] to lose its colour^GB; 2 ◑(éjaculer) to shoot one's load◑, to ejaculate
C **se décharger** *vpr* 1 (se libérer) **se ~ de qch** to off-load sth (**sur qn** onto sb); **j'ai pu me ~ du dossier/de toute la comptabilité sur un collègue** I managed to off-load the file/all the accounting onto a colleague; 2 Électrotech [*batterie*] to run down; **la batterie est déchargée** the battery is flat

décharné, **~e** /deʃaʀne/
A *pp* ▸ **décharner**
B *pp adj* 1 (maigre) [*corps, bras, visage*] emaciated; [*doigt*] bony; 2 (sans chair) [*squelette*] fleshless

décharner /deʃaʀne/ [1] *vtr* to emaciate; **son régime l'a décharné** his diet has left him emaciated *ou* has left him mere skin and bones

déchaussé, **~e** /deʃose/
A *pp* ▸ **déchausser**
B *pp adj* [*personne*] barefoot; [*mur*] with exposed foundations; [*arbre*] with exposed roots; **il avait les dents ~es** he had receding gums

déchaussement /deʃosmɑ̃/ *nm* 1 (de dents) receding of gums; 2 (de mur) exposure of the foundations

déchausser /deʃose/ [1]
A *vtr* 1 gén **~ qn** to remove sb's shoes, take sb's shoes off; 2 Sport **~ (ses skis)** to take off one's skis; 3 to expose the foundations of [*mur*]
B **se déchausser** *vpr* 1 (ôter ses chaussures) to take off one's shoes, to remove one's shoes; 2 [*dent*] to work loose due to receding gums; 3 [*plante, mur*] to become exposed at the base

dèche○ /dɛʃ/ *nf* **être dans la ~** to be broke○; **en ce moment, c'est la ~** I'm broke at the moment

déchéance /deʃeɑ̃s/ *nf* 1 (décadence morale) decline, degeneration; **tomber dans la ~** to go into total decline; 2 (décrépitude) degeneration; 3 (déclin) (d'une nation, civilisation) decline, decay; 4 Jur **~ des droits** forfeiture of rights; **~ de nationalité** loss of nationality; **~ de l'autorité parentale** loss of parental rights; 5 Hist, Pol (de monarque, politicien) deposition

déchet /deʃɛ/
A *nm* 1 (morceau inutilisé) scrap; **~s de viande/métal** scraps of meat/metal; 2 (perte) waste; **il y a du ~** (dans la marchandise) there's some waste; (parmi des candidats) there are failures *ou* duds○; 3 (incompétent) failure; (épave) wreck; **les ~s de la société** the dregs of society
B **déchets** *nmpl* (résidus) waste material ₵; (ordures) waste ₵; **~s d'activité de soins** biowaste ₵; **~s ménagers** household refuse ₵ *ou* waste ₵; **~s industriels/nucléaires/toxiques** industrial/nuclear/toxic waste; **~s de jardin** garden refuse

déchetterie* /deʃɛtʀi/ *nf* waste reception centre^GB

déchiffonner /deʃifɔne/ [1] *vtr* to smooth out [*papier, robe*]

déchiffrable /deʃifʀabl/ *adj* decipherable

déchiffrage /deʃifʀaʒ/ *nm* 1 (de message codé) decoding, deciphering; (de texte, d'écriture) deciphering; 2 Mus sight-reading; **~ chanté** sight-singing

déchiffrement /deʃifʀəmɑ̃/ *nm* (de message codé) decoding; (de texte, d'écriture) deciphering

déchiffrer /deʃifʀe/ [1] *vtr* 1 (lire) to decipher [*texte, écriture*]; to decode, to decipher [*texte codé*]; 2 (interpréter) to fathom out; 3 Mus to sight-read [*partition*]

déchiffreur, **-euse** /deʃifʀœʀ, øz/ *nm,f* 1 (de texte, d'écriture) decipherer; 2 (de message codé) decoder; 3 Mus sight-reader

déchiqueté, **~e** /deʃikte/
A *pp* ▸ **déchiqueter**
B *pp adj* [*côte, relief*] jagged, ragged

déchiqueter /deʃikte/ [20] *vtr* 1 (réduire en lambeaux) to tear [sth] to shreds, tear [sth] to pieces [*étoffe, viande, papier*]; 2 (mutiler) to mutilate, mangle [*membre*]; **des bâtiments déchiquetés par les bombardements** buildings devastated *ou* wrecked by bombs; 3 (tuer) [*machine, animal*] to tear [sb] to pieces [*victime*]; [*explosion*] to blow [sb] to pieces [*victime*]

déchiqueture /deʃiktyʀ/ *nf* fml 1 (partie déchiquetée) ragged edge; 2 (aspect découpé) jagged outline

déchirant, **~e** /deʃiʀɑ̃, ɑ̃t/ *adj* 1 (émouvant) [*adieu, cri, lettre, histoire*] heart-rending; 2 (difficile) [*choix, révision*] agonizing; 3 (fratricide) [*lutte*] divisive

déchirement /deʃiʀmɑ̃/ *nm* 1 (souffrance) heartbreak; 2 (conflit) rift (**entre, de** between); **~ entre deux cultures** rift between two cultures

déchirer /deʃiʀe/ [1]
A *vtr* 1 (mettre en morceaux) to tear [sth] up [*papier, tissu*]; to rip [sth] up [*chair*]; to break [sth] up [*surface*]; **~ un contrat/un accord** fig to go back on a contract/an agreement; **~ le voile** fig to lift the veil; 2 (détériorer) to rip, to tear [*vêtement, sac*]; 3 fml (troubler) [*bruit*] to shatter [*silence, nuit*]; [*éclair, lumière*] to rend [*obscurité, ciel*]; [*événement*] to shatter [*vie, illusion*]; 4 (diviser) [*conflit*] to split [*groupe, pays*]; **couple/pays déchiré** divided couple/country; **il était déchiré entre son devoir et son désir de rester** he was torn between his duty and his desire to stay; **déchiré entre sa famille et son travail** torn between his family and his work; 5 (faire souffrir) [*spectacle, douleur, personne*] to torture [*personne*]; **humanité déchirée** tortured humanity
B **se déchirer** *vpr* 1 (se rompre) [*papier, tissu, vêtement*] to tear, to rip; **ma robe s'est déchirée** my dress has torn *ou* ripped; 2 Méd **se ~ un muscle** to tear a muscle; 3 (s'affronter) [*groupes, personnes*] to tear each other apart; 4 fml (souffrir) [*cœur*] to break; [*âme*] to be in torment; **mon cœur se déchire à l'idée de partir** the thought of leaving breaks my heart

déchirure /deʃiʀyʀ/ *nf* 1 Méd tear; **~ abdominale/intercostale/musculaire** abdominal/intercostal/muscle tear; **~ à la cuisse** muscle tear in the thigh; 2 (accroc) tear (**de** in); **~ d'un tissu/d'une robe** tear in a piece of material/in a dress; 3 (rupture) break (**de** in); **~ de la couche d'ozone** hole in the ozone layer; 4 (conflit) rift (**de** within); **~ du pays** rift within the country

déchoir /deʃwaʀ/ [51]
A *vtr* Jur (priver) to strip [sb] of [*droit, privilège*]; **être déchu de ses droits** to be stripped *ou* deprived of one's rights
B *vi* 1 (tomber dans un état inférieur) [*personne*] to demean oneself, lower oneself; **vous pouvez accepter sans ~** you can accept without demeaning yourself; **~ de son rang** *or* **de sa condition** to come down in the world;

2 (s'affaiblir) [*autorité, popularité, influence*] to wane

déchristianisation /dekʀistjanizasjɔ̃/ *nf* de-christianization

déchristianiser /dekʀistjanize/ [1] *vtr* to de-christianize

déchu, ~e /deʃy/
A *pp* ▸ **déchoir**
B *pp adj* [*monarque, dictateur*] deposed; [*ange*] fallen; **politicien ~** political has-been○, politician who has fallen out of favour[GB]; **une star ~e** a has-been○, a star whose popularity has waned

de-ci /dəsi/ *adv* **~ de-là** here and there

décibel /desibɛl/ *nm* decibel

décidé, ~e /deside/
A *pp* ▸ **décider**
B *pp adj* **1** (arrêté) **c'est chose ~e** *or* **c'est ~, je m'en vais** it's settled, I'm leaving; **2** (résolu) [*personne*] determined; [*allure, air*] resolute

décidément /desidemɑ̃/ *adv* really; **tu as ~ la mémoire courte** you've really got a short memory; **~, tu n'as pas de chance!** you really don't have much luck!

décider /deside/ [1]
A *vtr* **1** (prendre la décision de) to decide (**de faire** to do; **que** that); **~ l'envoi de troupes/l'utilisation de qch** to decide to send troops/to use sth; **~ une politique** to decide on a policy; **j'ai décidé de ne pas m'en mêler** I decided not to interfere; **cela a été décidé en avril** it was decided in April; **je vous laisse ~** I'll let you decide; **c'est toi qui décides, c'est à toi de ~** it's up to you *ou* for you to decide; **il a décidé qu'il n'irait pas** he decided (that) he wouldn't go; **~ si** to decide whether; **as-tu décidé si tu les emmènes?** have you decided whether you're taking them?; **~ qui contacter/quelle route prendre** to decide who to contact/which road to take; **c'est à lui de ~ qui il veut inviter** it's up to him to decide who he wants to invite; **c'est ce qui a décidé sa perte** it's what led to his downfall; **2** Jur to decide on [*acquittement*]; **~ le non-lieu** to dismiss a case; **3** (persuader) to persuade (**à faire** to do); **l'approche de l'hiver l'a décidé à déménager** the onset of winter persuaded him to move house
B **décider de** *vtr ind* to decide on, to arrange, to set [*date*]; to fix [*prix*]; to decide on [*politique, mesure, lieu*]; **ont-ils décidé de la marche à suivre?** have they decided how to go about it?; **le hasard en décida autrement** fate decided otherwise; **l'événement allait ~ de leur avenir** the event would decide their future; **il faut toujours que tu décides de tout!** you're always the one who makes the decisions!; **~ du sort de qn** to seal sb's fate
C **se décider** *vpr* **1** (prendre une décision) to make up one's mind; **tu te décides à parler?** are you going to speak?; **elle s'est enfin décidée à s'excuser** she apologized at last; **ma voiture n'a pas l'air de se ~ à démarrer** my car doesn't seem to want to start; **être/sembler décidé à faire** to be/to seem determined to do; **2** (choisir) **se ~ pour qch/qn** to decide on sth/sb; **elle s'est décidée pour le pull vert** she's decided on the green sweater; **3** (être fixé) [*accord, réunion*] to be decided on; [*date*] to be set, to be arranged; **tout s'est décidé très vite** it all happened very quickly

décideur /desidœʀ/ *nm* decision-maker

décigramme /desigʀam/ ▸ **p. 646** *nm* decigram

décilitre /desilitʀ/ ▸ **p. 123** *nm* decilitre[GB]

décimal, ~e, *mpl* **-aux** /desimal, o/
A *adj* **1** Math [*nombre, système*] decimal; **2** Chimie decinormal; **dilution ~e** decinormal dilution
B **décimale** *nf* decimal

décimalisation /desimalizasjɔ̃/ *nf* decimalization

décimaliser /desimalize/ [1] *vtr* to decimalize

décimation /desimasjɔ̃/ *nf* decimation

décimer /desime/ [1] *vtr* to decimate

décimètre /desimɛtʀ/ *nm* **1** ▸ **p. 498** (unité) decimetre[GB]; **2** (instrument) (decimetre[GB]) ruler; **double ~** (20 centimetre[GB]) ruler

décisif, -ive /desizif, iv/ *adj* gén decisive; [*preuve*] conclusive; [*ton, voix*] authoritative

décision /desizjɔ̃/ *nf* **1** (résolution) decision (**de faire** to do); **prendre une ~** to make *ou* take GB a decision; **ma ~ est prise, je reste** I've made my decision, I'm staying; **j'ai pris la ~ de ne plus fumer/de ne plus le voir** I've decided to stop smoking/to stop seeing him; **2** (fait de décider) **avoir le pouvoir de ~** to be the one who makes the decisions; **3** (détermination) decisiveness; **faire preuve de ~** to show decisiveness; **avoir l'esprit de ~** to be decisive; **manquer d'esprit de ~** to be indecisive; **agir avec ~** to act decisively
(Composés) **~ exécutoire** binding decision; **~ judiciaire** court order

décisionnaire /desizjɔnɛʀ/
A *adj* [*pouvoir, instance*] decision-making (*épith*)
B *nmf* decision-maker

décisionnel, -elle /desizjɔnɛl/ *adj* [*système, processus*] decision-making (*épith*); **avoir un pouvoir ~** to have the power to make decisions

déclamateur, -trice /deklamatœʀ, tʀis/
A *adj* declamatory
B *nm,f* **1** péj ranter; **2** Hist declaimer

déclamation /deklamasjɔ̃/ *nf* Littérat declamation; péj ranting ⊄

déclamatoire /deklamatwaʀ/ *adj* declamatory

déclamer /deklame/ [1] *vtr* to declaim

déclarant, ~e /deklaʀɑ̃, ɑ̃t/ *nm,f* Admin declarant; Fisc taxpayer; Assur person making a statement

déclaratif, -ive /deklaʀatif, iv/ *adj* **1** Jur **jugement ~ de faillite** adjudication order; **2** Ling [*verbe, phrase*] declarative

déclaration /deklaʀasjɔ̃/ *nf* **1** (communication publique) gén statement; (officielle) declaration (**sur** about); **faire une ~ à la presse** to make a statement to the press; **signer une ~ commune** to sign a common declaration *ou* statement; **~ solennelle** solemn declaration; **~ d'intention/de principe** statement of intent/of principle; **~ de guerre/d'indépendance** declaration of war/of independence; **~ (d'amour)** declaration of love; **faire sa ~ à qn** to declare one's love to sb; **2** Admin notification; **~ d'accident/de changement de domicile** notification of an accident/of change of address; **~ de naissance** (enregistrement) registration of birth; (information) notification of birth; **~ d'une maladie** notification of a disease; **3** Jur statement; **faire une ~ à la police** to make a statement to the police; **~ de vol/perte** report of theft/loss; **~ sous serment** sworn statement. ▸ **impôt**
(Composés) **~ d'ajudication** declaration of adjudication; **~ d'impôts** *or* **de revenus** (income-)tax return; **faire** *or* **remplir sa ~ d'impôts** to fill in one's tax return; **Déclaration universelle des droits de l'homme** Universal Declaration of Human Rights

déclaratoire /deklaʀatwaʀ/ *adj* declaratory

déclaré, ~e /deklaʀe/
A *pp* ▸ **déclarer**
B *pp adj* **1** [*ennemi*] avowed; [*haine*] professed; **2** [*maladie*] full-blown

déclarer /deklaʀe/ [1]
A *vtr* **1** (dire, proclamer) to declare [*indépendance, intentions*]; **~ son amour/sa passion** to declare one's love/one's passion; **a-t-il déclaré** he declared; **le président a déclaré** the president declared; **la transaction a été déclarée illégale** the deal was declared illegal; **~ qn responsable/vainqueur/mort** to declare sb responsible/the winner/dead; **il a été déclaré coupable** he was found guilty; **~ la séance ouverte** to declare the meeting open; **il a déclaré vouloir participer/avoir travaillé** he declared that he wanted to take part/that he had worked; **~ que** to declare that; **il s'est contenté de ~ qu'il regrettait son acte** all he did was to declare that he regretted his action; **~ à qn que** to tell sb that; **il a déclaré à la presse qu'il n'était en rien responsable** he told the press that he was in no way responsible; **~ la guerre à qn/qch** lit, fig to declare war on sb/sth; **2** Admin to declare [*marchandise, revenus, employé*]; to report [*vol*]; (faire enregistrer) to register [*naissance, décès*]; **avez-vous qch à ~?** (à la douane) do you have anything to declare?; **elle emploie des gens sans les ~** she employs people without declaring them; **non déclaré** [*somme*] undeclared; [*travail*] illegal
B **se déclarer** *vpr* **1** (commencer) [*incendie, épidémie*] to break out; [*fièvre*] to start; [*maladie*] to manifest itself; **2** (se dire) **se ~ confiant/inquiet/heureux/convaincu** to declare oneself confident/worried/happy/convinced; **elle s'est déclarée prête à relever le défi** she declared herself ready to take up the challenge; **se ~ pour/contre qch** to come out for/against sth; **3** (avouer son amour) to declare one's love; **se ~ à qn** to declare one's love to sb

déclassé, ~e /deklase/
A *pp* ▸ **déclasser**
B *pp adj* **1** (relégué) [*athlète, équipe*] relegated; [*monument, hôtel, restaurant*] downgraded; **2** (en désordre) [*livres, fiches*] jumbled (*épith*), jumbled up (*jamais épith*); **3** (déchu) [*noble, bourgeois*] who has come down in the world (*épith, après n*)
C *nm,f* dropout

déclassement /deklasmɑ̃/ *nm* **1** (relégation) (de sportif, club) relegation GB, demotion; (d'hôtel, de monument, restaurant) downgrading; **2** Sociol (dévalorisation) drop in status

déclasser /deklase/ [1] *vtr* **1** (rétrograder) to downgrade [*personne, concurrent, hôtel*]; Sport to relegate [*équipe, joueur*]; **2** (mettre en désordre) to jumble up [*livres, fiches*]; **3** Ind, Mil (retirer du service) to decommission [*centrale nucléaire, armements*]; **4** (dévaloriser) **~ qn** [*situation, travail*] to lower sb's status; (humilier) to be socially demeaning for [*personne*]

déclenchement /deklɑ̃ʃmɑ̃/ *nm* **1** (de système) triggering; (de mécanisme) release; (d'avalanche) start; **provoquer le ~ de l'alarme** to set off the alarm; **2** (de maladie) onset; (de réaction) start; (de conflit, grève, crise) outbreak

déclencher /deklɑ̃ʃe/ [1]
A *vtr* **1** (actionner) to set off [*alarme, mécanisme*]; to cause [*explosion, orgasme*]; to start [*avalanche*]; **2** Ordinat to initiate [*opération*]; **3** (commencer) to launch [*offensive*]; to begin [*hostilités*]; to start [*grève, polémique*]; **4** (entraîner) [*nouvelle, décision, événement*] to spark (off) [*protestation, crise*]; to produce [*réaction*]; to prompt [*action, décision*]; [*médicament, manque*] to cause [*réaction, crise*]; [*dispute, discussion*] to lead to [*colère, larmes*]; to cause [*drame*]; **la déclaration n'a déclenché aucune réaction** the statement produced no reaction; **~ les larmes de qn** to make sb burst into tears; **~ un éclat de rire général** to provoke general laughter
B **se déclencher** *vpr* **1** (se mettre en marche) [*alarme*] to go off; [*signal, mécanisme*] to be activated; **la sirène se déclenche automatiquement** the alarm goes off automatically; **2** (commencer) [*douleur, réaction, contractions*] to start; [*grève, guerre*] to break out; [*crise, opération, offensive*] to begin

déclencheur /deklɑ̃ʃœʀ/ *nm* **1** Phot shutter release; **appuyer sur le ~** to press the shutter; **2** Électrotech release; **3** (événement décisif) trigger; **le ~ de la révolte** the factor which triggered the rebellion

déclic /deklik/ *nm* **1** (mécanisme) trigger; **actionner** *or* **faire jouer un ~** to activate a

d

trigger; **2** (bruit) (d'appareil photo, de gâchette) click; **attendre le ~** wait till you hear the click; **3** (moment décisif) turning point; **ma rencontre avec Gandhi a été un ~** my meeting with Gandhi marked a turning point

déclin /deklɛ̃/ *nm* gén decline; (de sentiment, passion) waning (**de** of); **~ d'une région/civilisation** decline of a region/civilisation; **~ de leur prestige/de la demande/du marché** decline in their prestige/in demand/in the market; **popularité/productivité en ~** declining popularity/productivity; **être en** *or* **sur le ~** [*civilisation, industrie*] to be in decline; [*talent, intelligence*] to be on the wane; [*popularité, prestige*] to be waning; **être sur le** *or* **son ~** [*homme d'État*] to be on the way out; **le soleil est à son ~** the sun is going down; **au ~ du jour** liter at the close of day; **au ~ de la vie** liter in the twilight of life littér; **la lune est à son ~** the moon is on the wane

déclinable /deklinabl/ *adj* **1** Ling [*mot*] declinable; **2** fig **~ en plusieurs coloris** available in several colours

déclinaison /deklinɛzɔ̃/ *nf* **1** Ling declension; **2** Astron declination; **~ australe/boréale** southing/northing

déclinant, ~e /deklinɑ̃, ɑ̃t/ *adj* [*courage, pouvoir, forces*] waning; [*santé*] failing

décliner /dekline/ [1]
A *vtr* **1** (refuser) to decline [*invitation*]; to turn down [*suggestion, offre*]; **~ toute responsabilité** to disclaim all responsibility; **~ la compétence d'un tribunal** to refuse to recognize the jurisdiction of a court; **2** Ling to decline; **3** fig **modèle décliné en trois coloris** item available in three colours; **4** (dire) to state, to give [*nom, adresse*]; **refuser de ~ son identité** to refuse to give one's name
B *vi* **1** (faiblir) [*lumière*] to fade; [*vue*] to deteriorate; [*gloire, succès, santé*] to decline; [*talent*] to fade; [*enthousiasme*] to wane; [*malade*] to deteriorate, to grow weaker; **la construction ne cesse de ~ depuis...** the building industry has been in constant decline since...; **2** (descendre) liter [*soleil*] to go down
C se décliner *vpr* **1** Ling to decline; **2** fig **ce modèle peut se ~** there are several versions available

déclivité /deklivite/ *nf* (inclinaison) gradient; (pente) slope; **habiter sur une ~** to live on a hill; **avoir une ~ de 20%** to have a gradient of one in five, to have a gradient of 20%

décloisonnement /deklwazɔnmɑ̃/ *nm* fig opening up

décloisonner /deklwazɔne/ [1] *vtr* to open up [*service*]; **~ les études** to make studies more interdisciplinary

déclouer /deklue/ [1] *vtr* to remove the nails from [*planche, coffre*]

décocher /dekɔʃe/ [1] *vtr* to shoot [*flèche*] (**à** at); **~ un coup de poing à qn** to punch sb; **~ un regard mauvais à qn** to give sb a dirty look; **~ des insultes à qn** to hurl insults at sb

décoction /dekɔksjɔ̃/ *nf* brew, decoction spéc

décodage /dekɔdaʒ/ *nm* decoding

décoder /dekɔde/ [1] *vtr* to decode

décodeur, -euse /dekɔdœʀ, øz/
A *nm,f* (personne) decoder
B *nm* (appareil) Tech, TV decoder

décoiffer /dekwafe/ [1]
A *vtr* **1** (dépeigner) **~ qn** to ruffle sb's hair; **elle est décoiffée** her hair is in a mess; **tu me décoiffes** you are messing up my hair; **2** Tech to uncap [*fusée*]
B ○*vi* Pub **ça décoiffe** it takes your breath away; **peu décoiffant** uninspiring
C se décoiffer *vpr* (se découvrir) to doff one's hat

décoincer /dekwɛ̃se/ [12]
A *vtr* **1** (débloquer) to unjam [*mécanisme, tiroir, porte*]; to free [*clé, levier*]; to get [sth] back to normal [*dos, cou*]; **2** ○(décomplexer) to put [sb] at ease [*personne*]
B se décoincer *vpr* **1** [*mécanisme, portière*] to come free; **mon dos a fini par se ~** my back eventually went back to normal; **2** ○[*personne*] to relax

décolérer /dekɔleʀe/ [14] *vi* **ne pas ~ de la soirée** to stay angry all evening; **sans ~** without letting up

décollage /dekɔlaʒ/ *nm* **1** (d'avion) take-off; (de fusée) lift-off; **au moment du ~** (d'avion) at take-off; (de fusée) at lift-off; **~ vertical** vertical take-off; **2** (démarrage) take-off; **~ économique/en flèche** economic/rapid take-off; **le ~ du projet a été lent** the project was slow to take off; **3** (d'affiche, étiquette) peeling off

décollation /dekɔlasjɔ̃/ *nf* beheading

décollectiviser /dekɔlektivize/ [1] *vtr* to decollectivize

décollement /dekɔlmɑ̃/ *nm* **~ de la rétine** detachment of the retina; **avoir un ~ de la rétine** to have a detached retina

décoller /dekɔle/ [1]
A *vtr* (détacher) gén to take *ou* get off; to peel off [*étiquette, affiche*]; to unstick [*bouts de ruban adhésif*]; to remove [*pansement adhésif*]; **~ une étiquette en la laissant tremper** to soak a label off; **~ à la vapeur** to steam [sth] off [*étiquette, papier*]; to steam [sth] open [*enveloppe*]; **affiche à moitié décollée** peeling poster
B *vi* **1** (s'envoler) [*avion*] to take off (**de** from); [*fusée*] to lift off (**de** from); **2** (démarrer) [*industrie, région*] to take off; [*spectacle*] to get going; **3** ○(maigrir) to lose weight; **4** ○(partir) [*importun*] to budge; **~ du peloton** Sport to break away from the pack; **5** ○[*drogué*] to get high○
C se décoller *vpr* **se ~ facilement** to come off easily; **c'est en train de se ~** it's coming off

décolletage /dekɔltaʒ/ *nm* bar turning

décolleté, ~e /dekɔlte/
A *pp* ▸ **décolleter**
B *pp adj* [*vêtement*] low-cut; **pas assez ~** too high-cut; **une robe ~e en V** a V-neck dress
C *nm* **1** Mode low neckline; **~ plongeant** plunging neckline; **2** (partie du corps) cleavage; **dans son ~** down her cleavage

décolleter /dekɔlte/ [20] *vtr* **1** Cout **~ une robe devant/dans le dos** to make a dress low-cut at the front/at the back; **2** Ind to cut (from the bar) [*vis, boulons*]

décolleuse /dekɔløz/ *nf* steam stripper

décolonisateur, -trice /dekɔlɔnizatœʀ, tʀis/ *adj* [*mesure, mouvement*] decolonization (*épith*)

décolonisation /dekɔlɔnizasjɔ̃/ *nf* decolonization

décoloniser /dekɔlɔnize/ [1] *vtr* to decolonize

décolorant, ~e /dekɔlɔʀɑ̃, ɑ̃t/
A *adj* [*produit, agent*] bleaching (*épith*)
B *nm* bleaching agent

décoloration /dekɔlɔʀasjɔ̃/ *nf* **1** (perte de la couleur) gén discoloration; (de tissu) fading; **2** Cosmét bleaching; **se faire faire une ~** to have one's hair bleached

décolorer /dekɔlɔʀe/ [1]
A *vtr* [*substance*] to bleach [*tissu, cheveux*]; [*lumière, lavage*] to cause [sth] to fade; **se faire ~ (les cheveux)** to have one's hair bleached
B se décolorer *vpr* **1** [*personne*] to bleach one's hair; **2** [*tapis, rideau*] to fade; **ça s'est décoloré au lavage** it faded in the wash

décombres /dekɔ̃bʀ/ *nmpl* rubble **₵**; **enseveli sous les ~** buried under the rubble

décommander /dekɔmɑ̃de/ [1]
A *vtr* to call off [*rendez-vous, soirée*]
B se décommander *vpr* to cry off

décompenser /dekɔ̃pɑ̃se/ *vi* **1** Méd to decompensate; **2** Psych to break down

décomplexer /dekɔ̃plekse/ [1] *vtr* **~ qn** [*stage, opération*] to do wonders for sb's self-confidence; **leur simplicité nous a décomplexés** their unpretentiousness soon put us at our ease

décomposable /dekɔ̃pozabl/ *adj* [*substance, lumière*] decomposable (**en** into); **~ en facteurs** [*nombre*] factorable

décomposer /dekɔ̃poze/ [1]
A *vtr* **1** (analyser) to break [sth] down [*raisonnement, argumentation, phrase*] (**en** into); **2** (montrer au ralenti) to break down [*mouvement*]; **3** Chimie, Phys to break down [*eau*]; to disperse [*lumière*]; to resolve [*force*]; **4** Math (en facteurs) to factorize; **5** (putréfier) to cause [sth] to decompose; **6** (par l'émotion) to distort [*traits, visage*]; **son visage décomposé** his/her distraught face; **7** (désorganiser, détruire) to cause [sth] to disintegrate [*société, parti*]
B se décomposer *vpr* **1** [*matière organique*] to decompose; **2** [*société, parti*] to fall apart; **3** [*visage, traits*] to become distorted; **4** [*composé*] to break down (**en** into); **la phrase/le raisonnement se décompose en...** the sentence/the argument can be broken down into *ou* separated into...

décomposition /dekɔ̃pozisjɔ̃/ *nf* **1** (putréfaction) decomposition; **en ~** decomposing; **2** (de société, parti, système) disintegration; **en ~** [*société*] decaying; **3** (altération passagère) **la ~ de son visage** *or* **de ses traits** his/her distraught face; **4** (de phrase, raisonnement, mouvement) breaking down (**de** into); **5** Chimie, Phys (d'eau) breakdown (**en** into); (de force) resolution (**en** into)

décompresser○ /dekɔ̃pʀese/ [1] *vi* to unwind, to relax

décompresseur /dekɔ̃pʀesœʀ/ *nm* decompressor

décompression /dekɔ̃pʀesjɔ̃/ *nf* decompression; **chambre/palier de ~** decompression chamber/stage; **avoir un accident de ~** to get the bends, to get decompression sickness

décomprimer /dekɔ̃pʀime/ [1] *vtr* to decompress

décompte /dekɔ̃t/ *nm* **1** (déduction) deduction, discount; **~ de 5% pour tout achat comptant** 5% discount on all cash purchases; **2** (calcul détaillé) count; **faire le ~ de** to count [sth] up [*votes, points*]; **le ~ des morts** body count; **3** (relevé) statement

décompter /dekɔ̃te/ [1]
A *vtr* **1** (déduire) to deduct (**de** from); **2** (calculer) to calculate, to work out [*frais*]; to count [*votes, points, personnes*]
B *vi* [*horloge*] to strike *ou* chime at the wrong time

déconcentration /dekɔ̃sɑ̃tʀasjɔ̃/ *nf* **1** Admin, Ind decentralization; **2** (de personne) loss of concentration

déconcentré, ~e /dekɔ̃sɑ̃tʀe/
A *pp* ▸ **déconcentrer**
B *pp adj* (parlant d'une personne) **être ~** to have lost one's concentration

déconcentrer /dekɔ̃sɑ̃tʀe/ [1]
A *vtr* **1** Admin to decentralize [*services, administration*]; to decentralize [*quartier, ville, région*]; Ind to disperse [*entreprises*]; **2** (distraire) [*personne, événement*] to distract sb
B se déconcentrer *vpr* [*personne*] to lose one's concentration

déconcertant, ~e /dekɔ̃sɛʀtɑ̃, ɑ̃t/ *adj* [*attitude, fait, personne*] disconcerting; **d'une facilité ~e** disconcertingly easy

déconcerter /dekɔ̃sɛʀte/ [1] *vtr* [*personne, événement, propos*] to disconcert; **il est vite déconcerté** he is easily disconcerted; **elle ne s'est pas laissé ~ par ma remarque** she didn't allow my remark to put her off

déconditionnement /dekɔ̃disjɔnmɑ̃/ *nm* (de personne) deconditioning

déconditionner /dekɔ̃disjɔne/ [1] *vtr* to decondition [*personne, opinion publique*]

déconfit, ~e /dekɔ̃fi, it/ *adj* **1** [*personne, air, mine*] crestfallen, downcast; **avoir l'air ~**

to look crestfallen *ou* downcast; 2 (vaincu) [*troupe*] routed

déconfiture /dekɔ̃fityʀ/ *nf* 1 (échec) (de personne) failure; (de parti, d'équipe, de gouvernement) defeat; **un parti politique en pleine ~** a political party that is falling apart; 2 (faillite) (d'entreprise) collapse; **être** *or* **tomber en pleine ~** to collapse completely; 3 Jur (de personne) insolvency; 4 Mil (déroute) defeat, rout

décongélation /dekɔ̃ʒelasjɔ̃/ *nf* (d'aliments) defrosting, thawing; **'faire cuire sans ~ préalable'** 'cook from frozen'

décongelé /dekɔ̃ʒle/
A *pp* ▸ **décongeler**
B *pp adj* [*aliment, produit*] thawed, defrosted

décongeler /dekɔ̃ʒle/ [17]
A *vtr* 1 [*personne*] to defrost, to leave [sth] to thaw [*aliment, viande*]; 2 Méd to thaw [*organe, sperme*]
B *vi* [*aliment, plat*] to defrost, to thaw; **laissez** *or* **faites ~ la viande à température ambiante** leave the meat to defrost *ou* thaw out at room temperature

décongestion /dekɔ̃ʒɛstjɔ̃/ *nf* (tous contextes) decongestion, relief of congestion

décongestionnant, **~e** /dekɔ̃ʒɛstjɔnɑ̃, ɑ̃t/
A *adj* decongestant
B *nm* decongestant

décongestionner /dekɔ̃ʒɛstjɔne/ [1]
A *vtr* 1 Méd [*médicament*] to relieve congestion in [*organe*]; to clear, to decongest [*nez*]; 2 fig [*déviation, autoroute*] to relieve congestion in [*rue, ville, zone urbaine*]; [*gouvernement, mesure*] to ease the pressure on [*universités, services administratifs, transports*]
B **se décongestionner** *vpr* 1 [*nez, poumons*] to clear; 2 [*carrefour, route*] to clear

déconnecté, **~e** /dekɔnɛkte/
A *pp* ▸ **déconnecter**
B *pp adj* 1 (débranché) Ordinat, Télécom disconnected; Électrotech [*appareil*] disconnected; [*circuit*] broken; 2 fig [*personne*] out of touch (**de** with)

déconnecter /dekɔnɛkte/ [1] *vtr* 1 Ordinat, Télécom to disconnect; Électrotech to disconnect [*appareil*]; to break [*circuit*]; 2 fig to dissociate (**de** from)

déconner◑ /dekɔne/ [1] *vi* 1 [*personne*] (plaisanter) to kid around○; (dire des bêtises) to talk crap◑; (faire l'idiot) to mess around○; (mal agir) to piss around◑ GB; **~ dans son travail** to screw up one's work; **sans ~!** no kidding○!; **faut pas ~!** come off it○!; 2 (dysfonctionner) [*appareil, montre*] to play up○, to act up○

déconneur◑, **-euse** /dekɔnœʀ, øz/
A *adj* [*tempérament*] wacky○, wild
B *nm,f* (enfant) unruly child; (adulte) joker

déconseillé, **~e** /dekɔ̃seje/
A *pp* ▸ **déconseiller**
B *pp adj* [*action*] inadvisable; [*médicament, boisson, nourriture*] not recommended; **~ aux enfants de moins de 10 mois** not recommended for children under 10 months; **exposition au soleil ~e aux femmes enceintes** sunbathing is not recommended for pregnant women; **départ ~ samedi entre 8 heures et 15 heures** you are advised not to travel on Saturday between 8 am and 3 pm; **baignade ~e** bathing unsafe

déconseiller /dekɔ̃seje/ [1] *vtr* **~ qch à qn** to advise sb against sth; **~ à qn de faire** to advise sb against doing; **il nous a vivement déconseillé d'accepter** he strongly advised us not to accept; **l'avion m'est déconseillé** I have been advised not to fly; **à ~ aux âmes sensibles** not recommended for the squeamish

déconsidération /dekɔ̃sideʀasjɔ̃/ *nf* fml discredit

déconsidérer /dekɔ̃sideʀe/ [14]
A *vtr* to discredit
B **se déconsidérer** *vpr* [*personne*] to discredit oneself, to bring discredit upon oneself; [*journal*] to become discredited

déconsigner /dekɔ̃siɲe/ [1] *vtr* 1 [*voyageur*] to take [sth] out of left-luggage GB *ou* of the baggage room US [*bagages*]; 2 [*commerçant*] to return the deposit on [*bouteille, emballage*]; 3 Mil to lift the order confining [sb] to barracks [*soldats, unité*]

décontamination /dekɔ̃taminasjɔ̃/ *nf* decontamination

décontaminer /dekɔ̃tamine/ [1] *vtr* to decontaminate [*personne, eau, matériel, zone*]

décontenancer /dekɔ̃tnɑ̃se/ [12]
A *vtr* to disconcert, to put [sb] out of countenance sout [*personne*]; **il en faut plus pour le ~** it takes more than that to disconcert him; **il ne se laisse pas facilement ~** he's not easily disconcerted
B **se décontenancer** *vpr* [*personne*] to be disconcerted, to lose countenance sout; **avoir une mine décontenancée** to look disconcerted

décontract○ /dekɔ̃tʀakt/ *adj inv* cool○, laidback○

décontractant, **~e** /dekɔ̃tʀaktɑ̃, ɑ̃t/
A *adj* relaxing
B *nm* relaxant

décontracté, **~e** /dekɔ̃tʀakte/
A *pp* ▸ **décontracter**
B *pp adj* 1 (décrispé) [*personne, corps, muscles*] relaxed; 2 (détendu) [*personne, allure, ambiance, soirée*] relaxed; [*tenue vestimentaire, mode*] casual; 3 (désinvolte) [*personne, attitude*] laidback○, casual

décontracter /dekɔ̃tʀakte/ [1] *vtr*, **se décontracter** *vpr* to relax

décontraction /dekɔ̃tʀaksjɔ̃/ *nf* 1 (relaxation) relaxation; **une telle ~ est rare chez un débutant** it's rare to see a beginner so relaxed; 2 (aisance) ease; 3 (désinvolture) casual attitude

déconvenue /dekɔ̃vny/ *nf* disappointment

décor /dekɔʀ/ *nm* 1 (de pièce) decor; (d'objet) decoration; **~ de rêve/sans goût** dream/tasteless decor; 2 (extérieur) (cadre) setting; (paysage) scenery; **~ de verdure** green *ou* lush setting; **j'ai besoin de changer de ~** fig I need a change of scene; **aller** *or* **rentrer dans le ~**○ Aut to drive off the road; 3 (de l'action) Cin set; Théât **le ~**, **les ~s** the set, the scenery ₵; **film tourné en ~ naturel** film shot on location; **comme un ~ de théâtre** like a stage setting; **planter le ~** to set the scene; 4 (surface de meuble) finish; **~ imitation chêne** oak finish

décorateur, **-trice** /dekɔʀatœʀ, tʀis/ ▸ p. 532 *nm,f* 1 (de maison, d'appartement) interior decorator; (de vitrine) window dresser; 2 Théât (créateur) set designer; (artiste peintre) scene painter; Cin, TV set designer

décoratif, **-ive** /dekɔʀatif, iv/ *adj* 1 (destiné à la décoration) [*plantes, bougie, casseroles*] ornamental; 2 (qui décore bien) [*vase, assiettes, meubles*] decorative; **ce piano, il est ~ ou bien tu sais en jouer?** hum is that piano purely for decoration or do you know how to play?

décoration /dekɔʀasjɔ̃/ *nf* 1 (action) decoration; 2 (garniture) decoration; **~s de Noël** Christmas decorations; 3 Mil (médaille) decoration; 4 (de pièce) interior design; Cin set design; Théât stage design

(Composé) **~ florale** flower arranging

décorder: **se décorder** /dekɔʀde/ [1] *vpr* [*alpiniste*] to unrope

décoré, **~e** /dekɔʀe/ *nm,f* person honoured[GB] for his/her service; **c'est un ~ de la guerre** he was decorated in the war

décorer /dekɔʀe/ [1] *vtr* 1 (orner) to decorate (**de** with); Cout to trim (**de** with); 2 Mil to decorate; **il a été décoré de la médaille militaire** he has been awarded the military medal

décorner /dekɔʀne/ [1] *vtr* 1 to smooth out [*page, photo*]; 2 to dehorn [*animal*]

(Idiome) **il fait un vent à ~ les bœufs** it's blowing a gale

décorticage /dekɔʀtikaʒ/ *nm* 1 (de crabe, noix) shelling; (de crevette) peeling; Agric (de graine) hulling, husking; 2 (de texte, roman) dissection

décortication /dekɔʀtikasjɔ̃/ *nf* Hort, Méd decortication

décortiquer /dekɔʀtike/ [1] *vtr* 1 (débarrasser de la coquille, l'enveloppe) to shell [*noix, crabe*]; to peel [*crevette*]; to hull, to husk [*riz, graine*]; 2 (analyser) to dissect [*texte, discours*]; 3 Méd [*vétérinaire, biologiste*] to decorticate [*animal*]; 4 Hort to decorticate

décorum /dekɔʀɔm/ *nm* 1 (bienséance) propriety, decorum; **observer/ignorer le ~** to observe/ignore the proprieties; 2 (étiquette) protocol; **le ~ royal** royal protocol

décote /dekɔt/ *nf* 1 Fisc tax rebate; 2 Fin (réduction) discount (**par** from); (baisse) drop; **des actions vendues avec une ~** shares sold at a loss

découcher /dekuʃe/ [1] *vi* to spend the night away from home

découdre /dekudʀ/ [76]
A *vtr* to take the stitches out of, unstitch [*vêtement, rideau*]; to unstitch, to take off [*bouton*]; to unpick GB, to take out US [*couture, ourlet*]
B *vi* **en ~** to have a fight (**avec** with)
C **se découdre** *vpr* [*couture, ourlet*] to come unstitched; [*bouton*] to come off

découler /dekule/ [1] *vi* 1 (s'ensuivre) to follow (**de** from); **des conséquences/décisions qui découlent des derniers conflits sociaux** consequences/decisions which follow from the recent industrial disputes; 2 (provenir) to result (**de** from); **la loi découle d'un rapport** the law is the result of a report; **la maladie qui en découle** the illness which results from it

découpage /dekupaʒ/ *nm* 1 (de gigot, volaille) carving; (de gâteau) cutting; (de bois, photo) cutting (out); 2 fig (division) division (**en** into); 3 (image découpée) cut-out; **faire des ~s** to make cut-out figures; 4 Cin (action) continuity editing; (script) shooting script

(Composé) **~ électoral** Pol division into constituencies GB, districting US; **procéder à un nouveau ~ électoral** to redraw the electoral boundaries GB, to redistrict US

découpe /dekup/ *nf* 1 Cout (coupe décorative) cut; (empiècement décoratif) (de veste, chemise) yoke; (de jupe, pantalon) panel; **à ~ en V** [*robe, T-shirt*] V-neck (*épith*); **une jupe à ~s** a panelled[GB] skirt; 2 Tech (de verre) cutting

découpé, **~e** /dekupe/
A *pp* ▸ **découper**
B *pp adj* Bot [*feuilles*] serrated

découper /dekupe/ [1]
A *vtr* 1 (pour diviser) to cut up [*tarte*]; to carve [*rôti, volaille*]; fig to divide up [*territoire, domaine*]; **~ qch en tranches** to cut sth into slices; **~ une émission en trois épisodes** fig to split a programme[GB] into three episodes; 2 (suivant un contour) to cut out [*article, photo*]; **~ une photo dans un journal** to cut a photo out of a newspaper; 3 liter (déchiqueter) to indent; **de petites baies découpent la côte** small bays indent the coast; 4 liter (profiler) **la lampe découpe des ombres sur le mur** the lamp casts shadows on the wall; **silhouette découpée par les phares** figure picked out by the headlights; **le clocher découpait sa silhouette sur le ciel** the steeple was outlined against the sky; 5 (émonder) to lop [*arbre*]
B **se découper** *vpr* liter (se profiler) **se ~ sur** to stand out against

découpeur, **-euse** /dekupœʀ, øz/
A *nm,f* (ouvrier) (de bois) jigsaw operator
B **découpeuse** *nf* (machine) cutting machine

découplé, **~e** /dekuple/ *adj* **bien ~** well-proportioned

découpure /dekupyʀ/ *nf* 1 (chose découpée) cutting; 2 (bord découpé) indented edge

découragé, **~e** /dekuʀaʒe/
A *pp* ▸ **décourager**
B *pp adj* [*personne*] disheartened, downhearted;

d

[*air*] despondent; [*ton*] dejected

décourageant, ~e /dekuʀaʒɑ̃, ɑ̃t/ *adj* disheartening, discouraging

découragement /dekuʀaʒmɑ̃/ *nm* discouragement, despondency

décourager /dekuʀaʒe/ [13]
A *vtr* **1** (déprimer) to discourage, to dishearten; **se laisser ~ par qch** to let oneself be discouraged by sth, to let sth get one down; **avoir l'air découragé** to look discouraged *ou* disheartened, to look down; **2** (rebuter) to discourage [*épargne, initiative, violence*]; to put [sb] off, to discourage [*personne*]; to discourage, to deter [*malfaiteur*]; **la pluie va en ~ plusieurs** the rain will put some people off; **~ qn de faire** to put sb off doing, to discourage sb from doing
B **se décourager** *vpr* to lose heart, to become discouraged *ou* disheartened; **ne te décourage pas** don't lose heart, don't be discouraged

découronner /dekuʀɔne/ [1] *vtr* **1** Hist [*peuple, révolution*] to dethrone, to depose [*roi*]; **2** [*vent*] to take the top off [*arbre*]

décours /dekuʀ/ *nm inv* **1** Méd (de maladie, fièvre) abating; (de crise) easing; **sa fièvre est à son ~** his fever is abating; **2** Astron (de lune) waning

décousu, ~e /dekuzy/
A *pp* ▸ **découdre**
B *pp adj* Cout [*vêtement, ourlet*] which has come unstitched (*épith*); **ta chemise est ~e au col** your shirt has come unstitched at the collar
C *adj* (sans cohésion) [*histoire, discours, exposé, conversation*] rambling; [*propos*] disjointed; [*idées*] disconnected; **travailler d'une façon ~e** to work in a disjointed way

découvert, ~e /dekuvɛʀ/
A *pp* ▸ **découvrir**
B *pp adj* **1** (nu) [*épaules*] bare; **avoir la tête ~e** to be bare-headed; **il est resté ~ pendant toute la cérémonie** he stood hat in hand throughout the ceremony; **2** (dégagé) [*terrain, pays*] open; **3** (non fermé) [*camion, wagon*] open; [*voiture*] open-topped
C *nm* Fin overdraft; **~ budgétaire** budget deficit
D **à découvert** *loc adv* **1** Fin **être à ~** [*client, compte*] to be overdrawn; **vendre à ~** (à la Bourse) to sell short; **2** (ouvertement) [*parler, agir*] openly; **3** (sans couvercle) [*cuire*] uncovered; **4** (à nu) **la marée laisse les rochers à ~** the tide leaves the rocks exposed; **5** (sans protection) [*combattre*] out in the open
E **découverte** *nf* discovery; **faire une grande ~e** to make a great discovery; **partir** *or* **aller à la ~e** to go exploring; **'à la ~e du jazz/de l'art antique'** 'discovering jazz/ancient art'

découvreur, -euse /dekuvʀœʀ, øz/ *nm,f* discoverer; **un ~ de talents** a talent-spotter

découvrir /dekuvʀiʀ/ [32]
A *vtr* **1** (trouver ce qui est inconnu) to discover [*remède, pays, fait, artiste*]; **j'ai découvert qu'elle s'intéressait aux sciences** I've discovered *ou* found out that she's interested in science; **2** (trouver ce qui est perdu, caché) to discover, to find [*objet, fugitif*]; to discover, to find out [*vérité*]; to uncover, to expose [*complot*]; **j'ai découvert par hasard le livre que je cherchais** I discovered, quite by chance, the book I was looking for; **elle a découvert que** she discovered that; **il a été découvert** (dans sa cachette) he was discovered; (dans ses activités occultes) he was found out; ▸ **pot**; **3** (apprendre à apprécier) to discover; **faire ~ ag. qn** to introduce sb to [*musique, peinture baroque*]; **je vais leur faire ~ Paris** I'm going to show them Paris; **les nouveaux auteurs/ouvrages à ~** new authors/works to be discovered; **4** (révéler) to reveal, to disclose (**à qn** to sb); **~ ses plans à un ami** to disclose one's plans to a friend; **~ son jeu** fig to show one's hand; **5** (dénuder) [*personne*] to bare [*partie du corps*]; to unveil [*statue*]; **6** (laisser voir) to reveal [*vêtement, geste*]; to reveal [*partie du corps, cicatrice*]; **son rictus découvrait des dents jaunies** his/her grin revealed yellow teeth; **7** (priver de protection) to leave [sth] exposed [*frontière, ligne de défense, pièce d'échec*]; **8** (apercevoir) to catch sight of [*château, vallée*]; (voir) to see [*château, vallée*]; **9** (ôter le couvercle) to take the lid off [*casserole, plat*]
B **se découvrir** *vpr* **1** (enlever son chapeau) to take one's hat off; **2** (trouver en soi) **se ~ avec l'âge** to become more self-aware as one grows older; **elle s'est découvert un talent/une passion** she found she had a talent/a passion; **3** (s'exposer) [*troupe*] to leave oneself exposed; [*boxeur*] to leave oneself open; **4** (perdre ses couvertures) to throw off one's bedclothes; ▸ **avril**; **5** (apparaître) [*lieu, site*] to come into sight; **6** liter (se confier) **se ~ à qn** to confide in sb

décrassage /dekʀasaʒ/ *nm* **1** (de bougie, moteur) cleaning; **2** (de mur, sol) scrubbing

décrasser /dekʀase/ [1]
A *vtr* **1** (nettoyer) to clean [sth] up, to give a good scrubbing to [*animal, enfant*]; (en frottant) to scrub the dirt off [*vêtement, chaussure*]; (en faisant tremper) to soak the dirt out of [*objet, vêtement*]; **2** ○(dégrossir) to take the rough edges off [sb], to give [sb] a bit of polish
B **se décrasser** *vpr* **1** (se laver) to clean oneself up, give oneself a good scrub; **se ~ les mains** to scrub one's hands clean; **se ~ les poumons**○ to get some fresh air into one's lungs; **2** ○(se dégrossir) [*personne*] to become more sophisticated

décrédibiliser /dekʀedibilize/ [1] *vtr* to strip [sb/sth] of all credibility

décrêper /dekʀepe/ [1] *vtr* to straighten [*cheveux*]

décrépir /dekʀepiʀ/ [3]
A *vtr* to remove roughcast from [*mur, surface*]
B **se décrépir** *vpr* [*immeuble, maison, façade, mur*] to crumble

décrépit, ~e /dekʀepi, it/ *adj* **1** [*personne, vieillard*] decrepit; **2** [*bâtiment*] decrepit, dilapidated; [*mur*] crumbling

décrépitude /dekʀepityd/ *nf* (de mœurs, d'idéologie) degeneration; (de civilisation, régime) decay; (de personne) decrepitude; **tomber en ~** [*idéologie, système*] to degenerate; [*lieu, monument*] to crumble

decrescendo* /dekʀeʃɛndo/
A *adv* Mus decrescendo; **aller ~** [*bruit, protestation, colère*] to be waning
B *nm* Mus decrescendo

décret /dekʀɛ/
A *nm* Jur, Relig order, decree (**sur** on); **légiférer/gouverner par ~s** to legislate/rule by decree; **publier un ~** to issue a decree
B **décrets** *nmpl* liter decrees; **les ~s de la Providence** the decrees of Providence; **les ~s de la bienséance** the dictates of etiquette
(Composés) **~ d'application** implementing decree; **~ présidentiel** *or* **du président** presidential decree

décréter /dekʀete/ [14] *vtr* **1** Pol (ordonner par décret) to order; **~ le couvre-feu** to impose a curfew; **~ la mobilisation générale** to order general mobilization; **2** (décider autoritairement) to decree (**que** that); (dire avec force) to announce (**que** that)

décret-loi, *pl* **décrets-lois** /dekʀɛlwɑ/ *nm* government decree

décrier /dekʀije/ [2] *vtr* to disparage, to decry sout [*auteur, œuvre, institution*]; **le roman a été très décrié** the novel was much maligned; **après avoir été tant décrié, le mariage redevient à la mode** after being denigrated for so long, marriage has come back into fashion

décriminaliser /dekʀiminalize/ [1] *vtr* to decriminalize

décrire /dekʀiʀ/ [67] *vtr* **1** (dépeindre) to describe, to depict; **~ en détail** to describe in detail; **être décrit comme un écologiste** to be described as an ecologist; **2** (suivre) to describe sout [*cercle, courbe*] (**autour de** around); to follow [*trajectoire*]

décrispation /dekʀispasjɔ̃/ *nf* easing of tension; **un climat de ~** a more relaxed atmosphere

décrisper /dekʀispe/ [1]
A *vtr* (détendre) to take the strain *ou* tension out of [*relations, atmosphère*]; to defuse [*situation*]; **les entretiens se déroulent dans un climat décrispé** talks are taking place in a more relaxed atmosphere
B **se décrisper** *vpr* **1** (se détendre) [*personne*] to relax; **2** Pol [*relations*] to become less strained; [*situation*] to de-escalate

décrochage /dekʀɔʃaʒ/ *nm* **1** Radio, TV switch-over; **2** Aviat stalling

décrochement /dekʀɔʃmɑ̃/ *nm* **1** (discontinuité) (en creux) indentation; (en saillie) projection; **en ~** (en creux) indented; (en saillie) projecting; **présenter un ~** to indent, to project; **2** Géol strike slip

décrocher /dekʀɔʃe/ [1]
A *vtr* **1** (détacher) to take down [*tableau, jambon, tenture*]; to uncouple [*wagon*]; **~ son téléphone** (pour répondre, appeler) to pick up the receiver; (pour ne pas être dérangé) to take the phone off the hook; **2** ○(obtenir) to clinch○, to get [*marché*]; to land○, to get [*contrat, poste, rôle*]; to get [*diplôme*]; to win [*titre*]
B *vi* **1** ○(cesser une activité) to give up; **2** ○(en parlant de tabac, drogue) to kick the habit○; **3** ○(cesser de s'intéresser) to switch off GB, to tune out US; **4** Mil to disengage; **5** Aviat to stall; **6** Radio, TV (passer sur un autre canal) to switch; (cesser les programmes) to cease transmission
C **se décrocher** *vpr* [*tableau, applique*] to come off its hook; [*rideau*] to come down; [*soutien-gorge, jupe*] to come undone; **le poisson s'est décroché** the fish has got off the hook; **se ~ facilement** [*rideau*] to be easy to take down; ▸ **mâchoire**
(Idiome) **~ la timbale** *or* **le gros lot** to hit the jackpot

décroiser /dekʀwaze/ [1] *vtr* **~ les bras** to unfold one's arms; **~ les jambes** to uncross one's legs; Tech to uncross [*fils*]

décroissance /dekʀwasɑ̃s/ *nf* Admin, Écon decline, fall (**de** in)

décroissant, ~e /dekʀwasɑ̃, ɑ̃t/ *adj* [*bruit*] fading; [*intensité*] lessening; [*fortune, pouvoir*] declining; [*vitesse, nombre*] decreasing, falling; **par** *or* **en ordre ~** in descending order; **dans l'ordre ~ de vos préférences** in descending order of preference

décroissement /dekʀwasmɑ̃/ *nm* (des jours) shortening; (de la lune) waning

décroître* /dekʀwɑtʀ/ [72] *vi* **1** Géog (baisser) [*niveau*] to fall, to drop; [*eau*] to subside; [*rivière*] to subside, to go down; **2** (diminuer) [*jour*] to get shorter; [*lumière, bruit*] to fade; [*inflation, chômage*] to go down; [*influence, force*] to decline; [*dimensions*] to diminish; **3** Astron [*lune*] to wane

décrotter /dekʀɔte/ [1] *vtr* **1** [*personne*] to scrape the dirt off [*chaussures, semelles*]; **2** ○[*personne, événement*] to civilize○ [*personne*]

décrottoir /dekʀɔtwaʀ/ *nm* shoescraper, mud scraper

décrue /dekʀy/ *nf* **1** (d'eaux, de fleuve) fall *ou* drop in the (water) level; **une ~ d'un mètre** a one metre[GB] drop in the water level; **le fleuve est en ~** the (water) level of the river is falling; **un fleuve en ~** a river with a falling water level; **2** (déclin) decline (**de** in)

décryptage /dekʀiptaʒ/ *nm* **1** (décodage) deciphering; **2** (interprétation) interpreting

décrypter /dekʀipte/ [1] *vtr* **1** (décoder) to decipher [*signes, langue*]; **2** (interpréter) to interpret [*déclaration, propos*]

déçu, ~e /desy/
A *pp* ▸ **décevoir**
B *pp adj* [*personne*] disappointed (**de** *or* **par** by);

[*espoir*] thwarted, foiled; **être ~ dans ses attentes** to feel let down
C *nm,f* disillusioned person; **un ~ du parti** a disillusioned party member; **les ~s de** those disillusioned with

déculottée◑ /dekylɔte/ *nf* (défaite) thrashing○, beating○; **infliger/prendre une ~** to give/take a thrashing○

déculotter /dekylɔte/ [1]
A *vtr* **~ qn** to take off sb's trousers GB *ou* pants US
B se déculotter *vpr* **1** lit to take off one's trousers GB *ou* pants US; **2** ◑(s'humilier) to grovel○, to crawl○ (**devant** to)

déculpabilisation /dekylpabilizasjɔ̃/ *nf* (de personne) freeing sb of guilt; (d'actes) justification

déculpabiliser /dekylpabilize/ [1]
A *vtr* to justify [*actes*]; to free [sb] of guilt [*personne*]
B se déculpabiliser *vpr* [*personne*] to stop feeling guilty

décuple /dekypl/
A *adj* **une somme ~ d'une autre** an amount ten times more than another
B *nm* **sa mise lui a rapporté le ~** he/she got back ten times more than what he/she had bet

décuplement /dekypləmɑ̃/ *nm* **1** lit tenfold increase; **2** fig **le ~ de leur énergie** their greatly increased energy

décupler /dekyple/ [1]
A *vtr* **1** Math to multiply [sth] by ten; **2** fig to increase *ou* to multiply [sth] tenfold [*énergie, forces*]; **~ les forces de qn** to give sb the strength of ten
B *vi* [*population, ressources*] to increase *ou* to multiply tenfold, to increase greatly

dédaignable /dedɛɲabl/ *adj* **ce n'est pas ~** it is not to be sneezed at *ou* despised

dédaigner /dedeɲe/ [1] *vtr* (mépriser) to despise [*personne, gloire, richesse*]; to scorn [*danger*]; to spurn [*conseil, office*]; (ne pas faire cas de) to disregard, to ignore [*insulte, interruption, danger*]; **ce n'est pas à ~** (somme, titre) it's not to be sneezed at *ou* despised; (danger) it shouldn't be ignored; **dédaigné de ses contemporains** spurned by his/her contemporaries; **il ne dédaigne pas la bonne chère** he's not averse to good food; **elle dédaigna de se lever** she did not deign to get up; **il ne dédaigne pas de les aider** he doesn't consider it beneath him to help them out

dédaigneusement /dedɛɲøzmɑ̃/ *adv* [*regarder, parler*] disdainfully; [*accueillir*] with disdain

dédaigneux, -euse /dedɛɲø, øz/ *adj* [*ton, sourire, air*] disdainful, scornful; **~ de** scornful of [*danger, honneurs*]; **faire une moue dédaigneuse** to curl one's lip

dédain /dedɛ̃/ *nm* contempt (**de** for), disdain (**de** for); **afficher un ~ complet de la mort** to be utterly disdainful of death; **avec ~** scornfully, disdainfully; **écraser qn de son ~** to be witheringly scornful of sb

dédale /dedal/ *nm* **1** (de couloirs, bâtiments) maze; **2** (de pensées, lois, formalités, d'intrigues) labyrinth

Dédale /dedal/ *npr* Daedalus

dedans /dədɑ̃/
A *adv* (à l'intérieur) inside; **il vaut mieux dîner ~** it would be better to eat inside *ou* indoors; **j'ai perdu mon sac et mes clés étaient ~** I've lost my bag and my keys were in it; **essaie ce fauteuil, on est très bien ~** try this armchair, it's very comfortable; **rouge à l'extérieur et blanc ~** red (on the) outside and white (on the) inside; **jetez les tomates ~** Culin throw the tomatoes in; **il n'y a rien ~** there's nothing in it *ou* inside; **de ~, je les entendais parler sous ma fenêtre** from inside, I could hear them talking under my window; **quand on vient de ~, on est ébloui par la lumière** when you come from indoors, the light blinds you
B en dedans *loc adv* **1** (à l'intérieur) inside; **en ~, la boîte est tapissée de soie** inside, the box is lined with silk; **2** (vers l'intérieur) inwards; **la porte s'ouvre en ~** the door opens inwards; **3** ○(en dessous de ses possibilités) **il joue un peu en ~** he's not playing up to his normal standard, he's playing a bit below par
C *nm* inside; **les oppositions politiques du dehors et du ~** political opposition from outside and from within; **un mouvement du dehors vers le ~** a movement from the outside in
(Idiome) **je lui ai mis le nez ~**◑ I really rubbed his/her nose in it○

dédicace /dedikas/ *nf* **1** (inscription) (imprimée) dedication (**à qn** to sb); (manuscrite) inscription (**à qn** to sb); **faire une ~ à qn** to sign sth for sb; **demander une ~ à un auteur** to ask an author to sign a book; **2** Radio request (**pour qn** for sb); **3** Relig (consécration) consecration, dedication

dédicacer /dedikase/ [12] *vtr* **1** (dédier) to dedicate (**à** to); **2** (signer) to sign [*ouvrage, photographie*] (**à** for)

dédier /dedje/ [2] *vtr* **1** (offrir en hommage) to dedicate [*roman, œuvre, pensées*] (**à** to); **2** (consacrer) [*personne, organisme*] to dedicate [*vie, efforts*] (**à** to); to devote [*soirée*] (**à** to); **3** Relig to dedicate [*chapelle, autel*] (**à** to)

dédire: **se dédire** /dediʀ/ [65] *vpr* **1** (se rétracter) to retract one's statement; **2** (revenir sur) to back out (**de** of) [*engagement, assurance*]; to go back on, to retract [*promesse*]. ▸ **cochon**

dédit /dedi/ *nm* **1** (fait de se dédire) retraction; **en cas de ~** in case of default; **2** (somme d'argent) forfeit money, fine (*for breaking a contract*)

dédommagement /dedɔmaʒmɑ̃/ *nm* compensation; **à titre de ~** in compensation (**pour** for); **recevoir une somme en ~ de qch** to get money as *ou* in compensation for sth

dédommager /dedɔmaʒe/ [13]
A *vtr* **1** Assur, Jur (indemniser) to compensate (**de** for); **sa maison a brûlé mais il n'a jamais été dédommagé** his house burned down but he never got compensation; **2** (offrir une compensation à) **~ de qch** to make up for sth; **~ qn de qch** to make it up to sb for sth; **je lui ai offert le restaurant pour le ~ des ennuis que je lui ai causés** I invited him out for a meal to make up for the problems I had caused him
B se dédommager *vpr* to take what is due to one; **il s'est servi dans la caisse pour se ~** he took money from the till to make up what was owed to him

dédouanement /dedwanmɑ̃/ *nm* customs clearance; **le ~ de qch** the clearance of [sth] through customs [*biens, marchandises*]; **certificat de ~** customs clearance certificate

dédouaner /dedwane/ [1]
A *vtr* **1** Comm to clear [sth] through customs [*marchandises, biens*]; **2** (réhabiliter) to clear; **~ qn d'un soupçon** to clear sb of suspicion (**auprès de** in the eyes of)
B se dédouaner *vpr* fig [*personne*] to clear oneself of responsibility

dédoublement /dedubləmɑ̃/ *nm* **1** (division) (de groupe) splitting [sth] in two; (de câble, fil) separating [sth] into strands; **2** (doublement) **le ~ d'un train** Rail the running of a relief train; **le ~ de la route** making the road into a dual carriageway
(Composé) **~ de la personnalité** Méd, Psych split *ou* dual personality

dédoubler /deduble/ [1]
A *vtr* **1** (diviser) to divide *ou* split [sth] in two [*groupe*]; to separate [sth] into strands [*câble*]; **2** (doubler) **~ un train** Rail to put on *ou* to run a relief train; **3** Cout to remove the lining of [*vêtement*]
B se dédoubler *vpr* **1** (se diviser) [*groupe*] to split in two; [*ongle*] to split; [*rayon, image*] to split into two; [*fil, laine, câble*] to come apart; **2** Méd, Psych [*personne*] to have a split personality

dédramatisation /dedʀamatizasjɔ̃/ *nf* (de conflit, maladie) playing down (**de** of)

dédramatiser /dedʀamatize/ [1] *vtr* to make [sth] less traumatic, to take the drama out of [*divorce, examen*]; to play [sth] down [*maladie*]; to take the tension out of [*situation*]; to play down the significance of [*événement*]; **on a vu dans leur discours une volonté de ~** their speech showed their desire to play things down

déductibilité /dedyktibilite/ *nf* deductibility; **~ fiscale** tax deductibility

déductible /dedyktibl/ *adj* deductible (**de** from); **~ des impôts** tax-deductible

déductif, -ive /dedyktif, iv/ *adj* deductive

déduction /dedyksjɔ̃/ *nf* **1** (raisonnement) deduction; **par ~** by deduction; **2** (conclusion) deduction; **3** (soustraction) deduction; **après ~ de, ~ faite de** after deducting; **~ fiscale** *or* **d'impôts** tax deduction; **venir en ~** to be deducted (**de** from)

déduire /dedɥiʀ/ [69]
A *vtr* **1** (tirer la conséquence) to deduce (**de** from; **que** that); **2** (supposer) to infer (**de** from; **que** that); **3** (soustraire) to deduct (**de** from); **frais déduits, une fois déduits les frais** after deduction of expenses
B se déduire *vpr* **1** (être induit) to be inferred (**de** from); **2** (découler) to be deduced (**de** from); **3** Compta to be deducted (**de** from); **se ~ des impôts** Fisc to be tax-deductible

déesse /deɛs/ *nf* goddess; **la ~ de l'amour/la beauté/la justice** the goddess of love/beauty/justice

de facto /defakto/ *loc adj inv, loc adv* de facto

défaillance /defajɑ̃s/ *nf* **1** (mauvais fonctionnement) fault; (panne) breakdown (**de** in); **2** (insuffisance) failing, weakness; **avoir des ~s en mathématiques** to have areas of weakness in mathematics; **3** (moment de faiblesse) (physique) blackout; (morale) moment of weakness; **ma mémoire a des ~s** my memory is faulty; **il a eu une ~ à 100 m de l'arrivée** he began to flag *ou* to lose strength 100 metres[GB] from the line; **travailler sans ~** to work consistently; **faire son devoir sans ~** not to fail in one's duty; **4** Jur default
(Composé) **~ cardiaque** heart failure

défaillant, ~e /defajɑ̃, ɑ̃t/ *adj* **1** (qui fonctionne mal) [*moteur, installation*] faulty; **2** (inefficace) [*organisation, service, pouvoir*] inefficient; **un service public ~ en matière de santé** a public service which fails to provide proper health care; **3** (qui faiblit) [*courage, volonté*] flagging; [*voix, pas*] faltering; [*santé, mémoire*] failing; (près de s'évanouir) fml [*personne*] on the verge of fainting (*après n*)

défaillir /defajiʀ/ [28] *vi* **1** (s'évanouir) to faint; **se sentir ~** to feel faint; **~ de faim/de peur** to feel faint with hunger/with fear; **elle défaillait de bonheur** fig she was overcome with happiness; **2** (faiblir) [*mémoire, santé*] to fail; **soutenir qn sans ~** to show unflinching support for sb

défaire /defɛʀ/ [10]
A *vtr* **1** (ce qui est fait) to undo [*paquet, chignon, ourlet, couture, assemblage*]; to unwind [*pelote*]; to unravel [*tricot, écheveau*]; to break [sth] up [*puzzle*]; to muddle up [*classement*]; **je n'ai pas encore défait mon sac** I haven't unpacked (my bag) yet; **~ le lit de qn** (mettre en désordre) to mess up sb's bed; (changer les draps) to strip sb's bed; **arrête! tu défais tout mon lit** stop it,

d

you're messing up my bed!; **le lit n'était pas défait** the bed hadn't been slept in; **tout ce que je fais il le défait** he undoes everything I do; **2** (détacher) to undo [*cravate, bouton, ceinture, soutien-gorge*]; to untie [*lacet, chaussure, nœud*]; **ta jupe est défaite** your skirt has come undone; **3** (casser) to break up [*union, alliance*]; to spoil [*plan, projet*]; **4** (infliger une défaite) to defeat, to rout littér [*armée, ennemi, pays*]; to defeat [*équipe, adversaire*]; **5** (délivrer) liter **~ qn de** to deliver *ou* free sb from [*chaînes, liens*]; fig to rid sb of [*habitudes, préjugés, illusions*]

B **se défaire** *vpr* **1** (ce qui était fait) [*nœud, coiffure, jupe, bouton, ourlet, collier*] to come undone; [*couture*] to come apart; **ta couture s'est défaite** your seam has come undone; **2** (se casser) [*alliance, amitié, liaison*] to break up; **3** (se débarrasser) **se ~ de** (volontairement) to get rid of; (à regret) to part with [*objet, voiture, animal*] ; to get [sth] out of one's mind [*pensée, idée*]; to rid oneself of [*croyance, habitude*]; to overcome [*faiblesse*]; to get rid of [*gêneur, importun*]; **4** (se troubler) [*visage, mine*] to fall; **son visage s'est défait en apprenant la nouvelle** his/her face fell when he/she heard the news

défait, **~e** /defɛ, ɛt/

A *pp* ▸ **défaire**

B *pp adj* **1** [*nœud, chignon*] undone; [*lit*] unmade; **2** [*visage*] haggard; **avoir la mine ~e** to look haggard; **3** [*armée, ennemi*] defeated

C **défaite** *nf* defeat

défaitisme /defetism/ *nm* defeatism

défaitiste /defetist/ *adj, nmf* defeatist

défalcation /defalkasjɔ̃/ *nf* deduction

défalquer /defalke/ [1] *vtr* to deduct (**de** from)

défausser /defose/ [1]

A *vtr* to straighten [*clé, outil*]

B **se défausser** *vpr* (aux cartes) to discard; **se ~ à cœur/pique** to discard a heart/spade; **se ~ d'une carte** to throw away a card

défaut /defo/

A *nm* **1** (moral) (de personne) fault, failing; (de caractère) flaw (**de** in); **la paresse est un vilain ~** laziness is a bad fault; **c'est là son moindre ~** that's the least of his/her faults *ou* failings; **elle a tous les ~s** I can't think of one good thing to say about her; **n'avoir aucun ~** to be perfect; **se mettre en ~** to put oneself in the wrong; **prendre qn en ~** to catch sb out; **2** (physique, matériel, esthétique) gén defect; (de machine, système) defect (**de** in), fault (**de** in); (de tissu, verre, gemme) flaw (**de** in); (de théorie, raisonnement, d'œuvre d'art) flaw (**de** in); **avoir** *or* **présenter des ~s** [*machine, construction*] to be faulty; [*diamant, roman*] to be flawed, to have flaws; **sans ~** [*système, machine*] perfect; [*rubis, raisonnement*] flawless; **(il) y a comme un ~**○**!** hum there's something seriously wrong; **3** (insuffisance) shortage (**de** of); (absence) lack (**de** of); **faire ~** [*argent, ressources*] to be lacking; [*signature, document*] to be missing; **les indices ne font pas ~** there's no lack of clues, there are plenty of clues; **le talent/courage leur fait ~** they lack talent/courage; **le courage leur a fait ~** their courage failed them; **la patience/bonne volonté ne leur fait pas ~** they are not lacking in patience/good will; **l'argent ne leur fait pas ~** they're not short of money; **le temps me/m'a fait ~** I don't/didn't have enough time; **4** Jur default; **~ de comparaître** default, failure to appear (in court); **~ de livraison/paiement** non-delivery/non-payment; **par ~** by default; (condamné, jugé) in absentia; **faire ~** [*accusé, témoin*] to fail to appear in court; **5** Math **arrondir (un résultat) par ~** to round (a figure) down; **6** Ordinat default; **valeur par ~** default (value)

B **à défaut de** *loc prép* **à ~ de qch/qn** (en son absence) if sth/sb is not available; **à ~ de miel, utilisez du sucre** if you have no honey, use sugar; **de la soie ou, à ~, du coton** silk or, failing that, cotton; **à ~ de paiement immédiat** failing prompt payment, unless prompt payment is made; **à ~ de quoi vous serez poursuivi** failing which you will be prosecuted; **à ~ de mieux** for want of anything better; **à ~ de pouvoir acheter, elle loue** since she can't buy, she has to rent

(Composés) **~ de construction** Constr structural defect; **le ~ de la cuirasse de qn** fig the chink in sb's armour[GB]; **~ de fabrication** Tech manufacturing fault; **~ de masse** mass defect; **~ de procédure** procedural error; **~ de prononciation** speech impediment *ou* defect

défaut-congé, *pl* **défauts-congés** /defokɔ̃ʒe/ *nm* Jur nonappearance of plaintiff

défaveur /defavœʀ/ *nf* **1** (perte d'estime) disfavour[GB] sout; **être en ~ auprès de qn** to be out of favour[GB] with sb; **2** (désavantage) **il s'est trompé de 3 euros en ma ~** he overcharged me 3 euros; **mon âge a joué en ma ~** my age worked against me

défavorable /defavɔʀabl/ *adj* [*situation, conditions*] unfavourable[GB] (**à** to); [*personne, gouvernement*] opposed (**à** to); **émettre un avis ~** to give an unfavourable[GB] response

défavorablement /defavɔʀabləmɑ̃/ *adv* unfavourably[GB]; **juger ~** to have an unfavourable[GB] opinion of

défavorisé, **~e** /defavɔʀize/

A *pp* ▸ **défavoriser**

B *pp adj* [*milieu, personne*] underprivileged, disadvantaged; [*région, pays*] disadvantaged, poor

C *nm,f* underprivileged person; **les ~s** the underprivileged

défavoriser /defavɔʀize/ [1] *vtr* **1** (léser) [*impôt, mesure sociale*] to discriminate against, to be unfair to [*personne, catégorie sociale*]; **2** (handicaper) [*difformité physique, défaut*] to put [sb] at a disadvantage [*personne*]; **3** (être injuste envers) [*professeur, examinateur*] to put [sb] at an unfair disadvantage, to treat unfairly [*candidat*]

défécation /defekasjɔ̃/ *nf* **1** Chimie defecation, purification; **2** Physiol defecation

défectif, **-ive** /defɛktif, iv/ *adj* defective

défection /defɛksjɔ̃/ *nf* **1** (abandon) (d'amis, alliés) desertion (**de** of); (pour un autre parti, pays) defection; **faire ~** to defect; **2** (absence) nonappearance; **faire ~** to back out; **on ne déplore aucune ~** nobody backed out

défectueux, **-euse** /defɛktɥø, øz/ *adj* [*matériel, article*] faulty, defective; [*raisonnement, logique*] flawed; [*enseignement, organisation, discipline*] poor

défectuosité /defɛktɥozite/ *nf* fml **1** (état défectueux) defectiveness; **2** (défaut) fault, imperfection

défendable /defɑ̃dabl/ *adj* Mil [*position, ville*] defensible, defendable; [*thèse, point de vue*] tenable; [*conduite*] justifiable; **pas ~** [*ville*] indefensible; [*thèse*] untenable; [*conduite*] indefensible, inexcusable; **l'accusé/employé n'est pas ~** the accused/employee hasn't got a case

défendant: **à son corps défendant** /asɔ̃kɔʀdefɑ̃dɑ̃/ *loc adv* against one's will, unwillingly

défendeur, **-eresse** /defɑ̃dœʀ, dəʀɛs/ *nm,f* Jur defendant

(Composé) **~ en appel** respondent

défendre /defɑ̃dʀ/ [6]

A *vtr* **1** (interdire) **~ qch à qn** to forbid sb sth; **~ que qn fasse**, **~ à qn de faire** to forbid sb to do; **il nous a défendu de sortir** he forbade us to go out; **ne fume pas ici, c'est défendu** you can't smoke here; **l'alcool/le tabac m'est défendu** I'm not allowed alcohol/cigarettes *ou* to drink/to smoke; **~ sa porte à qn** not to allow sb into one's house; **un panneau défend l'entrée aux civils** there's a sign telling civilians to keep out; **2** (lutter pour) gén, Mil to defend [*personne, pays, honneur, intérêts*] (**contre** against); to fight for [*droit*]; Sport to defend [*titre*]; **~ qn/qch au péril de sa vie** to risk one's life in defence[GB] of sb/sth; **~ une cause** to support *ou* champion a cause; **3** (protéger) to defend, to protect [*personne, territoire, biens*] (**de** *or* **contre** from *ou* against); to protect [*environnement*]; to defend [*démocratie*]; to safeguard [*paix, intérêts*]; Sport to defend [*but*]; **4** (soutenir) to defend [*idée, théorie, stratégie*]; to stand up for [*ami, principe*]; Jur to defend [*accusé*]; ▸ **orphelin**

B **se défendre** *vpr* **1** (lutter) gén, Jur, Mil to defend oneself (**contre** against); **2** (résister aux critiques, brimades) [*personne*] to stand up for oneself (**contre** against); [*argument, proposition, thèse*] to be tenable; **cette opinion/stratégie se défend** it's a valid opinion/strategy; **un petit vin qui se défend** a very decent little wine; **il préfère attendre et ça se défend** he'd rather wait and he's got a point; **3** (se protéger) to protect oneself (**de** *or* **contre** from *ou* against); **se ~ contre le désespoir/la tentation** to ward off despair/temptation; **4** ○(se débrouiller) to get by, to manage; **se ~ en français/au piano** to be quite good at French/at the piano; **il se défend bien en affaires/en classe** he does very well in business/at school; **5** (nier) **se ~ d'être jaloux/vexé** to deny being jealous/offended; **6** (s'empêcher) **se ~ de faire qch** to refrain from doing sth; **ne pouvoir se ~ d'un sentiment de regret** to be unable to repress a feeling of regret; **on ne peut se ~ de penser que…** one can't help thinking that…

défenestration /defənɛstʀasjɔ̃/ *nf* defenestration

défenestrer /defənɛstʀe/ [1] *vtr* to throw [sb] out of a window

défense /defɑ̃s/ *nf* **1** (interdiction) **'~ de pêcher/nager/fumer'** 'no fishing/swimming/smoking'; **'~ d'entrer'** 'no entry'; **'~ de toucher'** '(please) do not touch'; **~ d'en parler devant lui** don't mention it in front of him; **ils sont sortis malgré la ~ qui leur en avait été faite** they went out although they had been forbidden to do so; **2** (contre un agresseur) gén, Mil defence[GB] (**contre** against); (moyens, ouvrages) **~s** defences[GB]; **courir à la ~ de qn** to leap to sb's defence[GB]; **le budget de la ~ (nationale)** the defence[GB] budget; **ligne/moyens de ~** line/means of defence[GB]; **position/armes de ~** defensive position/weapons; **assurer la ~ du territoire** to defend the country; **sans ~** (faible) defenceless[GB], helpless; (sans protection) unprotected; ▸ **légitime**; **3** (protection) protection; **la ~ de l'environnement** the protection of the environment; **la ~ du patrimoine/de la langue française** the preservation of the national heritage/of the French language; **association pour la ~ des consommateurs/droits de l'homme/libertés** consumer rights/human rights/civil liberties organization; **faire grève pour la ~ de l'emploi** to strike against job cuts; **prendre la ~ de qn/qch** to stand up for sb/sth; **4** (résistance) Sport defence[GB]; **opposer une ~ énergique** to put up a stubborn defence[GB] *ou* resistance; **jouer en ~** Sport to play in defence[GB]; **5** Physiol, Psych defence[GB]; **les ~s de l'organisme** the body's defences[GB]; **les ~s immunitaires** the immune system; **6** (justification, plaidoyer) gén, Jur defence[GB]; **pour sa ~, elle a dit que…** in her defence[GB], she said that…; **assurer la ~ d'un accusé** Jur to conduct the case for the defence[GB]; **7** Jur (partie défendante) defence[GB]; (defenseur) defence[GB]; **l'avocat de la ~** counsel for the defence[GB], defense attorney US; **la parole est à la ~** (the counsel for) the defence[GB] may now speak; **8** Zool (d'éléphant, de sanglier, morse) tusk; **9** **la Défense** *commercial and residential district in Paris*

(Composé) **~ passive** civil defence[GB]

La Défense

The area immediately to the north-west of Paris, developed as a modern business and residential area from the 1960s to the 1980s. Its biggest attraction is the *Grande arche de la Défense*, an enormous archway erected in 1989 to mark the bicentenary of the Revolution. It is also an architectural throwback to the *Arc de Triomphe* which, together with the *Obélisque* in the *Place de la Concorde*, can be seen from the vantage point of the steps leading up to the *Grande arche* itself.

défense-recours /defɑ̃sʀəkuʀ/ *nf* **garantie ~** *cover against legal costs incurred when personally liable or when claiming against a third party*

défenseur /defɑ̃sœʀ/ *nm* 1 gén, Mil, Sport defender (**de** of); fig (de cause) champion, defender (**de** of); **se faire le ~ des faibles** to defend the weak; 2 Jur counsel for the defence GB, defense attorney US

défensif, **-ive** /defɑ̃sif, iv/
A *adj* defensive
B **défensive** *nf* **être** *or* **se tenir sur la défensive** to be on the defensive

déféquer /defeke/ [14]
A *vtr* Chimie to defecate, to purify
B *vi* Physiol to defecate

déférence /defeʀɑ̃s/ *nf* deference (**pour, envers** to); **par ~** out of *ou* in deference; **des marques de ~** marks of respect

déférent, **~e** /defeʀɑ̃, ɑ̃t/ *adj* (respectueux) deferential; **se montrer ~** to show respect (**envers, à l'égard de** for)

déférer /defeʀe/ [14] *vtr* Jur **~ une affaire à la justice** to refer a case to a court; **~ un accusé à la justice/devant un tribunal** to bring a defendant before the courts/before a court

déferlante /defɛʀlɑ̃t/
A *adj f* [*vague*] breaking
B *nf* breaker

déferlement /defɛʀləmɑ̃/ *nm* 1 (d'articles, images) flood; (de violence, protestations) upsurge (**de** in); (de passion) surge; (de paroles) torrent; (de louanges) flood; **il y eu un ~ de critiques** there was a barrage of criticism; 2 (de vagues) breaking

déferler /defɛʀle/ [1]
A *vtr* Naut to unfurl [*voile, gréement*]
B *vi* 1 fig [*violence, protestations, délinquance*] to erupt; [*injures*] to pour out; [*articles*] to flood in; **~ sur** [*crise, racisme*] to sweep through; **une vague de racisme déferle sur la France** a wave of racism is sweeping through France; **les nouveaux films déferlent sur la ville** a wave of new films has hit the city; **les images déferlent sur** *or* **à l'écran** pictures flash across the screen; 2 lit [*vague*] to break (**sur** on); 3 (envahir) **~ sur** [*réfugiés, soldats*] to pour into [*ville, pays*]; **~ dans** [*réfugiés, manifestants, touristes*] to pour through [*rues*]

défi /defi/ *nm* 1 (gageure) challenge; **lancer un ~ à qn** to challenge sb; **relever un ~** to take up a challenge; **mettre qn au ~ de faire** to challenge sb to do; **c'est un ~ à la raison/aux lois de l'équilibre** it defies reason/the laws of gravity; 2 (provocation) act of defiance; **a-t-il agi par ~?** was it an act of defiance?; **geste/air de ~** defiant gesture/look

défiance /defjɑ̃s/ *nf* distrust, mistrust; **avec ~** distrustfully, warily; **sans ~** unsuspectingly, trustingly; **éprouver** *or* **ressentir de la ~ envers qn** to distrust sb, to be distrustful of sb; **mettre qn en ~** to arouse sb's mistrust

défiant, **~e** /defjɑ̃, ɑ̃t/ *adj* [*attitude, personne*] distrustful, wary

défibrillateur /defibʀijatœʀ/ *nm* defibrillator

défibrillation /defibʀijasjɔ̃/ *nf* defibrillation

déficeler /defisle/ [19]
A *vtr* to untie [*paquet*]
B **se déficeler** *vpr* [*paquet*] to come untied

déficience /defisjɑ̃s/ *nf* 1 Méd deficiency; **~ mentale** mental deficiency; **~ en vitamines/calcium** vitamin/calcium deficiency; **~ physique** physical handicap; **~ musculaire** muscular deficit; **~ cardiaque** heart failure; **~ immunitaire** immunodeficiency; 2 fig deficiency; **pallier les ~s du système** to compensate for the deficiencies of the system; **les ~s du marché** the weak spots of the market; **les ~s de l'intrigue** weaknesses in the plot

déficient, **~e** /defisjɑ̃, ɑ̃t/ *adj* 1 Méd [*cœur, muscle*] deficient; [*organe*] mal-functioning; **il est mentalement ~** he's mentally deficient; 2 fig (insuffisant) [*système, budget, contrôle*] inadequate; (inapproprié) [*jugement, arbitrage*] faulty

déficit /defisit/ *nm* 1 Comm, Écon, Fin deficit; **~ budgétaire/commercial** budget/trade deficit; **~ chronique/cumulé/public** chronic/cumulative/public deficit; **combler/enregistrer un ~** to make up/show a deficit; **être en ~** to be in deficit; 2 Méd deficiency; **~ hormonal/intellectuel** hormone/mental deficiency; 3 fig (insuffisance) lack (**en qch** of sth)

déficitaire /defisitɛʀ/ *adj* 1 Comm, Écon, Fin [*budget, compte*] showing a deficit (*jamais épith*); [*affaire, entreprise*] showing a loss (*jamais épith*); [*activité, régime*] loss-making (*épith*); [*secteur, service*] loss-making (*épith*); 2 (insuffisant) [*récolte, ressources*] showing a shortfall (*jamais épith*)

défier /defje/ [2]
A *vtr* 1 (provoquer) to challenge [*rival, adversaire*] (**à** to); **~ qn en combat singulier** to challenge sb to single combat; **~ qn de faire** to challenge *ou* defy sb to do; **je te défie de plonger** I challenge *ou* dare you to dive; **~ qn du regard** to stare defiantly at sb; 2 (braver) [*personne*] to defy [*danger, mort, opinion*]; [*raisonnement, conclusion*] to defy [*raison, logique*]; **prix défiant toute concurrence** unbeatable price
B **se défier** *vpr* 1 (se braver) [*adversaires*] to defy each other; **se ~ du regard** to stare defiantly at each other; 2 (se méfier) **se ~ de qn/qch** fml to distrust sb/sth

défiguration /defigyʀasjɔ̃/ *nf* lit, fig disfigurement

défigurer /defigyʀe/ [1] *vtr* 1 lit [*accident, maladie, cicatrice*] to disfigure [*personne*]; [*grimace, peur*] to disfigure [*personne*]; **la douleur le défigurait** he was disfigured by pain; 2 fig (dénaturer) to disfigure [*paysage, monument*]; to mutilate [*texte*]; to distort [*pensée, propos*]; **le front de mer est défiguré par les immeubles** the seafront is disfigured by the buildings

défilé /defile/ *nm* 1 (de fête) parade, procession; (de manifestants) march; 2 (suite) (de visiteurs, candidats) stream; 3 Géog gorge, defile spéc

(Composés) **~ aérien** flypast GB, flyover US; **~ militaire** march-past, military parade; **~ de mode** fashion show

défilement /defilmɑ̃/ *nm* 1 Audio, Cin, TV (de film, bande) running; 2 Ordinat (à l'écran) scrolling (**vers le bas** down; **vers le haut** up); (**touche**) **arrêt ~** scroll lock (key); 3 Mil (technique de camouflage) defilade

(Composés) **~ horizontal** TV horizontal hold; **~ vertical** vertical hold

défiler /defile/ [1]
A *vi* 1 (marcher en rangs) (pour célébrer) to march, to parade; (pour manifester) to march; 2 (se succéder) [*mannequins, touristes*] to come and go; **j'ai vu ~ 15 candidats ce matin** I saw 15 candidates this morning; **il a vu ~ des générations d'étudiants** he's seen generations of students come and go; **~ devant** (devant cercueil, lieu) to file past; [*mannequin*] to parade in front of; **~ dans** [*clients, malades*] to go through; **les souvenirs défilaient dans ma mémoire** a stream of memories passed through my mind; 3 (s'additionner) [*minutes, kilomètres*] to add up; 4 (se dérouler) [*images, paysage*] to unfold; **~ rapidement** to flash past; **voir ~ sa vie en quelques secondes** to see one's life flash before one's eyes; **laisser** *or* **faire ~ la bande d'une cassette** (en avant) to fast forward a tape; (en arrière) to rewind a tape; 5 Ordinat [*texte*] to scroll (**vers le bas** down; **vers le haut** up)
B **se défiler**° *vpr* (se dérober) **se ~ au moment de faire** to slip away when it comes to doing

défini, **~e** /defini/
A *pp* ▸ **définir**
B *pp adj* 1 gén defined; **elle n'avait pas de thème ~** she had no clearly defined theme; **mal ~** [*sentiment, goût*] indefinable; [*contour, image, circonstances*] ill-defined; **bien ~** well-defined; 2 Ling [*article*] definite

définir /definiʀ/ [3]
A *vtr* 1 gén to define, to specify [*loi, règle*]; **les conditions sont clairement définies dans le contrat** the conditions are clearly specified in the contract; **mieux ~ le but choisi** to define the chosen aim more clearly; **les conditions sont à ~** the conditions are still to be specified; **~ sa politique** to lay down firm political guidelines; **~ comme une priorité la lutte contre l'inflation** to make the fight against inflation one's top priority; 2 (caractériser) to characterize [*personne*]; (résumer) [*personne, qualité*] to define [*personne*] (**comme** as); **~ la gestion comme un art** to see management as an art
B **se définir** *vpr* [*personne*] to define oneself (**comme** as); [*mot, sentiment, position*] to be defined

définissable /definisabl/ *adj* definable; **facilement/difficilement ~** easy/difficult to define

définitif, **-ive** /definitif, iv/
A *adj* 1 (final) [*comptes, rapport, traduction, édition, résultat, choix, plan*] definitive; [*édition d'un journal*] final; [*prix*] set; 2 (irrévocable) [*fermeture, cessez-le-feu, frontière, renvoi, arrêt*] permanent; [*accord, règlement, choix, jugement*] definitive; [*échec, succès*] conclusive; [*refus*] absolute; **rien de ~** nothing definite; 3 (péremptoire) definite
B *nm* **la fermeture, est-ce du ~?** is the closure permanent?
C **en définitive** *loc adv* after all is said and done

définition /definisjɔ̃/ *nf* 1 gén definition; (de mots croisés) clue; **par ~** by definition; **~ des objectifs/du marché** target/market specification; 2 TV definition; **télévision (à) haute ~** high-definition TV; **écran à haute ~ graphique** Ordinat screen with high-resolution graphics

définitivement /definitivmɑ̃/ *adv* 1 (pour toujours) [*fermer, cesser*] for good; [*abandonner, écarter*] once and for all, definitively; [*adopter, nommer*] definitively; 2 controv (en définitive) definitely

définitoire /definitwaʀ/ *adj* Ling defining (*épith*)

défiscaliser /defiskalize/ [1] *vtr* to exempt [sth] from taxation; **défiscalisez en faisant** avoid tax by doing; **épargne défiscalisée** tax-exempt savings

déflagration /deflagʀasjɔ̃/ *nf* (explosion) detonation; (combustion) deflagration

déflagrer /deflagʀe/ [1] *vi* to deflagrate

déflation /deflasjɔ̃/ *nf* 1 Écon deflation; **~ monétaire** deflation of the currency; 2 (d'emplois, effectifs) reduction; 3 Géol deflation

déflationniste /deflasjɔnist/ *adj* [*théorie, système, mesures*] deflationary; [*économiste, ministre*] deflationist

déflecteur /deflɛktœʀ/ *nm* 1 Aut quarter light GB, vent US; 2 Tech baffle

déflexion /deflɛksjɔ̃/ *nf* deflection

défloraison /deflɔʀɛzɔ̃/ *nf* flower loss

d

défloration /deflɔʀasjɔ̃/ *nf* defloration

déflorer /deflɔʀe/ [1] *vtr* 1 (trahir) to give away [*sujet, intrigue*]; 2 to deflower [*jeune fille*]

défoliant, **~e** /defɔljɑ̃, ɑ̃t/
A *adj* defoliant
B *nm* defoliant

défoliation /defɔljasjɔ̃/ *nf* defoliation

défolier /defɔlje/ [2] *vtr* to defoliate

défonçage /defɔ̃saʒ/ *nm* Agric (en bêchant) double-digging; (labour) deep-ploughing GB, deep-plowing US

défonce◑ /defɔ̃s/ *nf* drug users' slang (usage de la drogue) drug abuse; **~ à la colle** glue-sniffing; **~ aux solvants** solvent abuse

défoncé, **~e** /defɔ̃se/
A *adj* 1 (endommagé) [*fauteuil, divan*] sagging (*épith*); [*chaise*] with a broken seat (*épith, après n*); [*chemin*] potholed, full of potholes (*après n*); [*trottoir*] full of holes (*après n*); 2 ◑drug users' slang [*personne*] high○ (*jamais épith*)
B ○*nm,f* (drogué) drug users' slang junkie○ péj, drug addict

défoncer /defɔ̃se/ [12]
A *vtr* 1 (casser) to smash [*vitrine, barricade*]; to break [sth] down [*porte*]; to break the springs of [*divan, sommier*]; to smash [sth] in [*aile, arrière d'une voiture*]; to dent [*chapeau*]; **il lui a défoncé la mâchoire**○ he broke his jaw; **la pluie a défoncé le terrain** the rain has churned up the ground; **les camions ont défoncé la piste** the lorries have ruined the track *ou* left the track full of holes; 2 (ôter le fond) to knock the bottom out of [*tonneau, bateau*]; 3 (bêcher) to double-dig; (labourer) to deep-plough GB, to deep-plow US; 4 ○(surpasser) to break [*taux, record*]; **~ les taux d'audience** Radio, TV to break all the ratings records
B **se défoncer** *vpr* 1 ○(peiner) **quand il est sur scène il se défonce** when he's on stage he gives it his all; **se ~ pour qn/pour faire** to do everything one possibly can for sb/to do; 2 ◑(se droguer) drug users' slang to get high○ (**à** on); **se ~ à l'héroïne** to shoot heroin; **se ~ à la colle** to sniff glue

déforestation /defɔʀɛstasjɔ̃/ *nf* deforestation

déformant, **~e** /defɔʀmɑ̃, ɑ̃t/ *adj* [*influence*] warping; [*miroir*] distorting

déformation /defɔʀmasjɔ̃/ *nf* 1 (d'objet, image, de fait, propos) distortion; 2 (difformité) deformity; **~ de la colonne vertébrale** spinal deformity

(Idiome) **c'est de la ~ professionnelle** it's a habit that comes from the job

déformé, **~e** /defɔʀme/
A *pp* ▸ **déformer**
B *pp adj* 1 (tordu) [*visage, trait, image*] distorted; [*objet*] warped; [*corps, membre*] deformed, misshapen; (abîmé) [*vêtement*] gén shapeless; [*pantalon, pull-over*] baggy, shapeless; **mains ~es par le travail/l'âge** hands gnarled by work/with age; **chaussée ~e** uneven (road) surface; 2 (faussé) [*fait, pensée, message, vérité*] distorted; 3 (perverti) [*esprit*] warped, twisted; [*mœurs, sens moral*] corrupt; **~ par** warped *ou* corrupted by

déformer /defɔʀme/ [1]
A *vtr* 1 (endommager) to bend [sth] (out of shape) [*pare-chocs, aile d'avion*]; **tu vas le ~** (objet en plastique, en bois) it'll get out of shape, you'll damage it; **tu vas ~ les poches de ta veste** your jacket pockets will lose their shape, you're going to ruin the pockets of your jacket; 2 (transformer) to distort [*image, visage, traits*]; to deform [*corps, doigt*]; 3 (fausser) to distort, to misrepresent [*message, vérité, information, faits*]; to warp [*esprit*]; **on a déformé mes propos** (par erreur) I've been misquoted; (à dessein) my words have been twisted
B **se déformer** *vpr* gén to lose its shape; [*pantalon*] to go GB *ou* become baggy

défoulement /defulmɑ̃/ *nm* 1 (processus) (dépense d'énergie) letting off steam ¢; (détente) letting one's hair down○ ¢; 2 (résultat) loss of inhibition

défouler /defule/ [1]
A *vtr* 1 [*activité*] to release tension in [*personne*]; **ça me défoule** it helps me (to) unwind; 2 [*personne*] **~ sa colère contre qn** to vent one's anger on sb
B **se défouler** *vpr* (dépenser de l'énergie) to let off steam; (se détendre) to let one's hair down○; **se ~ sur qn** to take it out on sb

défouloir○ /defulwaʀ/ *nm* (activité) safety valve; (lieu) place to relax in

défourner /defuʀne/ [1] *vtr* to take [sth] out of the oven [*pain*]; to take [sth] out of the kiln [*céramique*]

défragmenter /defʀagmɑ̃te/ [1] *vtr* Ordinat to defragment

défraîchi, **~e*** /defʀeʃi/
A *pp* ▸ **défraîchir**
B *pp adj* (usé) [*vêtement, rideau*] worn; (passé) [*tissu, beauté, couleur*] faded; **une robe ~e** a dress that has seen better days; **vêtements ~s** Comm shop-soiled GB *ou* damaged garments

défraîchir* /defʀeʃiʀ/ [3]
A *vtr* [*temps*] to make [sth] look the worse for wear [*vêtement, tissu*]; [*soleil*] to fade [*couleur, tissu*]
B **se défraîchir** *vpr* (pâlir) to fade; (s'user) to look worn

défrayer /defʀeje/ [21] *vtr* 1 (être le sujet de) **~ la conversation** to be the main topic of conversation; **~ la chronique** to be the talk of the town; 2 (rembourser) **~ qn** to pay sb's expenses; **~ qn de son voyage** *or* **ses frais de voyage** to pay sb's travel costs

défrichage /defʀiʃaʒ/ *nm*, **défrichement** /defʀiʃmɑ̃/ *nm* 1 Agric clearance (**de** of); 2 (d'un sujet, texte) groundwork (**de** on)

défricher /defʀiʃe/ [1] *vtr* 1 Agric to clear [*bois, terre*]; **~ le terrain** fig to do the groundwork; 2 (éclaircir) to open up [*problème, domaine*]

défricheur, **-euse** /defʀiʃœʀ, øz/ *nm,f* 1 Agric land-clearer; 2 fig (de sujet, domaine) pioneer

défriper /defʀipe/ [1] *vtr* to smooth out

défrisant, **~e** /defʀizɑ̃, ɑ̃t/
A *adj* straightening
B *nm* hair straightener

défriser /defʀize/ [1] *vtr* 1 (rendre moins frisé) to straighten [*cheveux*]; **se faire ~** to have one's hair straightened; 2 ○(contrarier) to bug○ [*personne*]

défroisser /defʀwase/ [1] *vtr* to smooth out [*vêtement, papier*]

défroque /defʀɔk/ *nf* 1 (vêtements hors d'usage) cast-offs (*pl*); 2 (vêtements ridicules) ridiculous outfit

défroqué, **~e** /defʀɔke/
A *pp* ▸ **défroquer**
B *pp adj* [*moine, prêtre*] defrocked
C *nm* (prêtre) defrocked priest; (moine) defrocked monk

défroquer /defʀɔke/ [1]
A *vtr* to defrock [*prêtre*]
B **se défroquer** *vpr* Relig to leave holy orders

défunt, **~e** /defœ̃, œ̃t/
A *adj* 1 (décédé) [*personne*] late (*épith*); **votre ~ père** your late father; 2 liter [*jeunesse, bonheur*] lost; [*empire, grandeur*] former; [*parti, idéologie*] defunct
B *nm,f* **le ~**, **la ~e** the deceased

dégagé, **~e** /degaʒe/
A *pp* ▸ **dégager**
B *pp adj* 1 [*vue, accès, passage, entrée, chemin*] clear, unobstructed; [*espace, route*] clear, open; [*site*] clear; [*ciel*] clear, cloudless; 2 (dénudé) [*cou, front*] bare; 3 (décontracté) [*air, allure*] casual; **dit-il d'un ton ~** he remarked casually; **parler de qch d'un ton ~** to talk casually about sth

dégagement /degaʒmɑ̃/ *nm* 1 (d'un lieu) clearing (**de** of); **le ~ de la chaussée s'est effectué rapidement** the road was soon cleared; 2 (de vestiges) digging out (**de** of); 3 Sport (au football) clearance (**de qn** by sb); **~ en touche** kicking a ball out of play; 4 Méd **~ de la tête/des épaules d'un bébé** freeing of the head/of the shoulders of a baby

(Composés) **~ des cadres** Admin cutting back on managerial staff; Mil cutting back on officers; **~ instantané** gas escape

dégager /degaʒe/ [13]
A *vtr* 1 (libérer physiquement) to free; **elle essayait de ~ sa jambe coincée** she was trying to free her trapped leg; 2 (débarrasser) to clear [*bureau, route, passage*]; **~ un camion de la voie publique** to clear a truck off the public highway; **'dégagez le passage, s'il vous plaît'** 'clear the way, please'; **'dégagez, s'il vous plaît'** (ordre de la police) 'move along please'; **dégage**○**!** clear off○! GB, get lost○!; **demande au coiffeur de te ~ les oreilles/la nuque/le front** ask the hairdresser to cut your hair away from your ears/neck/forehead; 3 (extraire) to bring out [*idée, morale, sens*]; **~ les grands axes d'une politique** to bring out the salient *ou* main points of a policy; 4 (laisser échapper) [*volcan, voiture*] to emit [*odeur, gaz*]; [*casserole*] to let out [*vapeur*]; **le feu/moteur dégage de la chaleur** the fire/engine gives out *ou* off heat; 5 Fin **~ des crédits pour la construction d'une école** [*État, ville*] to make funds available *ou* release funds for a school to be built; **~ des bénéfices** *or* **profits** to make *ou* show a profit; **~ un excédent commercial** to show a trade surplus; 6 (racheter ce qui était en gage) **~ une montre du mont-de-piété** to redeem a watch from the pawnbroker; 7 (libérer moralement) **~ qn d'une responsabilité** to relieve sb of a responsibility; **~ qn d'une obligation/d'une promesse** to release *ou* free sb from an obligation/from a promise; **~ qn de tous soucis** to free sb from all his/her worries, to take all sb's worries away; 8 (au football, rugby) **~ une balle** *or* **un ballon** to clear a ball; 9 (déboucher) to unblock [*nez, sinus*]; to clear [*bronches*]
B **se dégager** *vpr* 1 (se libérer) to free oneself; **se ~ d'une situation piégée** to extricate oneself from a tricky situation; **se ~ du contrôle de l'État** to free oneself of state control; 2 Météo [*temps, ciel*] to clear; 3 (émaner) **se ~ de** [*chaleur, gaz, fumée*] to come out of; [*odeur, parfum*] to emanate from; 4 (apparaître) **un charme désuet se dégage du roman** the novel has an (element of) old world charm about it; **il se dégage de vos tableaux une impression de sérénité** there is an impression of calm about your paintings; **une conclusion se dégage: il faut agir** one thing is clear: we have to act; **la conclusion qui se dégage de la discussion est que** the outcome of the debate is (that)

dégaine○ /degɛn/ *nf* (allure) odd appearance; (démarche) odd walk; **tu ne pourras jamais entrer avec cette ~** you'll never be allowed in looking like that; **avoir une ~ de cow-boy** (allure) to look like a cowboy; (démarche) to walk like a cowboy

dégainer /degene/ [1] *vtr* 1 (sortir de son étui) to draw [*arme*]; 2 Électrotech to strip [*câble*]

déganter /degɑ̃te/ [1]
A *vtr* **elle déganta sa main droite** she took her right glove off; **une main dégantée** a gloveless hand
B **se déganter** *vpr* [*personne*] to take one's gloves off

dégarni, **~e** /degaʀni/
A *pp* ▸ **dégarnir**
B *pp adj* 1 (sans cheveux) [*personne*] balding; **front ~** receding hairline; 2 (vide) [*rayons, magasin*] bare; [*compte en banque*] empty

dégarnir /degaʀniʀ/ [3]
A *vtr* to empty [*rayon, frigo, compte en banque*]; **~ une place forte de ses troupes** Mil to withdraw the garrison from a fortress town
B **se dégarnir** *vpr* 1 (perdre ses cheveux) [*per-*

sonne] to be going bald, to be losing one's hair; **il a le crâne qui se dégarnit** he's receding, he's got a receding hairline; **2** (se vider) [*rue, salle*] to empty

dégât /dega/ *nm* **1** (dommage) **~s** damage ¢; **10 millions d'euros de ~** 10 million euros' worth of damage; **limiter les ~s** to limit the damage; **faire des ~s** [*personne*] to do damage; [*explosion*] to cause damage; **attention aux ~s causés par le soleil** beware of the damaging effects of the sun; **2** (désordre) mess○; **vous en avez fait du ~**○**!** you've made a real mess○!

(Composé) **~s des eaux** Jur flood damage ¢

(Idiomes) **attention, il va y avoir des ~s**○ watch out, there's going to be trouble; **arrêtez les ~s**○**!** stop right there!; **bonjour les ~s**○**!** here comes trouble○!

dégauchir /degoʃiʀ/ [3] *vtr* **1** (aplanir) to surface [*bois*]; to dress [*pierre*]; **2** (redresser) to straighten [*tringle*]

dégauchissage /degoʃisaʒ/ *nm* (de bois) surfacing; (de pierre) dressing; (de tringle) straightening

dégauchisseuse /degoʃisøz/ *nf* surface-planer

dégazage /degazaʒ/ *nm* **1** Chimie degassing; **2** (vidange des cuves) oil dumping

dégazer /degaze/ [1]
A *vtr* **1** Chimie to degas; **2** Naut to gas-free [*réservoir*]
B *vi* Naut (vidanger les cuves) to flush out the tanks (at sea)

dégazeur /degazœʀ/ *nm* (de chaudière, de réfrigérateur) deaerator; (de pétrole) degasser

dégel /deʒɛl/ *nm* **1** Météo thaw; **c'est le ~** it's thawing; **2** (de relations, tensions) thaw; **3** (de crédits) unfreezing; **le ~ économique** the unfreezing of the economy

dégelée○ /deʒle/ *nf* hiding○, beating; **recevoir une ~** to get a hiding

dégeler /deʒle/ [17]
A *vtr* **1** (détendre) to improve [*relations*]; to warm up [*public, spectateur*]; **sa plaisanterie a dégelé l'atmosphère** his/her joke broke the ice; **2** Fin (débloquer) to unfreeze [*crédits*]
B *vi* [*sol, lac*] to thaw (out); **le soleil a fait ~ les flaques** the sun has thawed the puddles
C se dégeler *vpr* fig [*relations, situation*] to thaw; [*public*] to warm up; [*personne*] to thaw out
D *v impers* to thaw; **ça dégèle aujourd'hui** it's thawing today

dégénératif, -ive /deʒeneʀatif, iv/ *adj* degenerative

dégénéré, ~e /deʒeneʀe/
A *pp* ▸ **dégénérer**
B *pp adj* **1** Sci [*animal, espèce, plante*] degenerate; [*personne*] degenerate○; **2** ○**il est complètement ~** offensive he's a real moron○
C *nm,f* **1** Méd degenerate; **2** ○offensive moron○

dégénérer /deʒeneʀe/ [14] *vi* **1** (mal tourner) [*bagarre, manifestation, incident*] to get out of hand; **~ en** to degenerate into; **les dissensions ont dégénéré en crise politique** the disagreements degenerated into a political crisis; **2** (s'abâtardir) [*race, plante, espèce*] to degenerate; **3** Méd [*tumeur*] to degenerate

dégénérescence /deʒeneʀesɑ̃s/ *nf* **1** Méd (de tissus) degeneration; (mentale) degeneracy; **~ cancéreuse** cancerous degeneration; **2** (de plante, race) degeneration; **3** (de mœurs, d'idées) degeneration; **en pleine ~** in decline

dégénérescent, ~e /deʒeneʀesɑ̃, ɑ̃t/ *adj* Méd [*cellules*] degenerating

dégermer /deʒɛʀme/ [1] *vtr* to remove the sprouts from [*pomme de terre*]; to degerm [*orge*]

dégingandé, ~e /deʒɛ̃gɑ̃de/ *adj* lanky

dégivrage /deʒivʀaʒ/ *nm* **1** Aviat, Aut de-icing; **2** (de réfrigérateur) defrosting

(Composé) **~ automatique** auto defrost

dégivrant, ~e /deʒivʀɑ̃, ɑ̃t/ *adj* [*rétroviseur*] heated

dégivrer /deʒivʀe/ [1]
A *vtr* **1** Tech to de-ice [*pare-brise, serrure*]; **2** (ôter la glace de) to defrost [*réfrigérateur*]
B *vi* [*réfrigérateur*] to defrost

dégivreur /deʒivʀœʀ/ *nm* **1** Aut, Aviat de-icing system; **2** (de réfrigérateur) defroster

déglaçage /deglasaʒ/ *nm* Culin deglazing

déglacer /deglase/ [12] *vtr* Culin to deglaze; **bien ~** deglaze thoroughly

déglingué○**, ~e** /deglɛ̃ge/
A *pp* ▸ **déglinguer**
B *pp adj* [*ascenseur, vélo, voiture*] clapped out○ GB, dilapidated; [*maison*] dilapidated

déglinguer○ /deglɛ̃ge/ [1]
A *vtr* to bust○, to break [*appareil, objet*]
B se déglinguer *vpr* [*mécanisme*] to go wrong; [*appareil, machine*] to go on the blink○, to break down; **se ~ la santé/le foie** to wreck○ one's health/liver

déglutir /deglytiʀ/ [3] *vtr, vi* to swallow

déglutition /deglytisjɔ̃/ *nf* swallowing, deglutition spéc

dégobiller◑ /degɔbije/ [1]
A *vtr* to puke◑ [sth] up, to vomit
B *vi* to puke◑, to vomit

dégoiser○ /degwaze/ [1] pej
A *vtr* (dire) to spout○, to utter [*âneries, boniments*]; to come out with a stream of○, to shout [*injures*]
B *vi* (parler) to rattle on○, to ramble on

dégommer○ /degɔme/ [1] *vtr* **1** (licencier) to dismiss, to fire, to sack○ GB; **se faire ~** to be fired; **2** (vilipender) to put [sb] down, to lay into○ [sb]; **se faire ~ (en flèche)** to get a telling off; **3** (atteindre) to hit (**avec** with)

dégonflage /degɔ̃flaʒ/ *nm* **1** (de pneu) deflation; **2** ○(lâcheté) chickening out○, loss of nerve

dégonflard○**, ~e** /degɔ̃flaʀ, aʀd/ *nm,f* chicken○, coward

dégonflé, ~e /degɔ̃fle/
A *pp* ▸ **dégonfler**
B *pp adj* [*ballon*] deflated; [*pneu*] flat
C ○*nm,f* chicken○, coward

dégonflement /degɔ̃fləmɑ̃/ *nm* = **dégonflage**

dégonfler /degɔ̃fle/ [1]
A *vtr* **1** (vider de son air) to deflate [*bouée*]; to let down, to deflate [*pneu, ballon*]; **2** ○(réduire) to streamline [*effectifs*]; to reduce [*masse monétaire*]
B *vi* (désenfler) [*entorse, cheville, bosse*] to go down
C se dégonfler *vpr* **1** (se vider de son air) [*bouée*] to deflate; [*pneu, ballon*] to go down; **2** ○(manquer de courage) [*personne*] to chicken out○, to lose one's nerve; **3** ○(perdre de l'importance) [*rêve*] to fade; [*mouvement, phénomène*] to fizzle out○, to die

dégorgement /degɔʀʒəmɑ̃/ *nm* **1** (de liquide) (épanchement) discharge; (évacuation) drainage; **2** (d'égout, de gouttière) (écoulement) overflow; (évacuation) clearing out; **3** (de cuir) soaking; (de laine) scouring

dégorgeoir /degɔʀʒwaʀ/ *nm* **1** (pour écoulement) overflow; **2** Tech (de menuisier) gouge; **3** Pêche disgorger

dégorger /degɔʀʒe/ [13]
A *vtr* **1** (déverser) [*conduit*] to discharge [*eau*] (**dans** into); [*stade, rue*] to disgorge [*foule*] (**dans** into); **2** (déboucher) to unblock, to clear [*gouttière, évier*]; **3** (nettoyer) to soak [*cuir*]; to scour [*laine*]
B *vi* **1** (se délaver) [*tissu, couleur*] to run; **2** Culin [*légume*] to sweat; [*escargot*] to purge; [*viande*] to soak; **faire ~, mettre à ~** to let [sth] sweat [*légume*]; to let [sth] soak [*viande*]
C se dégorger *vpr* [*réservoir*] to flow (**dans** into)

dégot(t)er*○ /degɔte/ [1] *vtr* to find

dégoulinade /degulinad/ *nf* trickle

dégoulinant, ~e /degulinɑ̃, ɑ̃t/ *adj* **1** [*liquide*] trickling; **2** [*personne, parapluie*] dripping (**de** with); **3** ○(exsudant) oozing; **~ de** oozing [*obséquiosité, hypocrisie*]

dégoulinement /degulinmɑ̃/ *nm* trickling

dégouliner /deguline/ [1] *vi* **1** [*liquide*] to trickle; **la sueur me dégouline sur le visage et dans le dos** sweat trickles down my face and my back; **2** [*personne, objet*] to drip; **~ de** to drip with [*liquide*]; **3** ○(exsuder) to ooze [*sentiment*]

dégoulinure /degulinyʀ/ *nf* = **dégoulinade**

dégoupiller /degupije/ [1] *vtr* **~ une grenade** to pull the pin out of a grenade

dégourdi, ~e /deguʀdi/
A *pp* ▸ **dégourdir**
B *pp adj* (débrouillard) smart; **tu n'es pas bien ~!** you're useless!

dégourdir /deguʀdiʀ/ [3]
A *vtr* **1** (réchauffer) to warm [sth] up [*doigts, mains, pieds*]; to take the chill off [*eau*]; **2** (assouplir) to loosen [sth] up [*doigts, membres*]; **un peu de marche va te ~** a walk will loosen you up; **3** (rendre plus hardi) **~ des enfants** to bring children out of themselves
B se dégourdir *vpr* **1** (se détendre) to unwind; **se ~ les jambes** to stretch one's legs; **2** (devenir plus hardi) to come out of oneself

dégoût* /degu/ *nm* **1** (répulsion) disgust (**devant** at; **pour** for); **éprouver du ~ pour** to feel disgust for; **avec un profond ~** with absolute disgust; **2** (lassitude) weariness; **~ de la vie** world-weariness; **3** (satiété) nausea; **jusqu'au ~** ad nauseam

dégoûtant, ~e* /degutɑ̃, ɑ̃t/
A *adj* **1** (sale) filthy; **des chaussettes ~es** filthy socks; **2** ○(scandaleux) disgusting; (éhonté) sickening (*jamais épith*); **c'est ~** it is disgusting; **il a une chance ~e** his luck is sickening; **3** (obscène) dirty; **revue ~e** dirty magazine; **4** (répugnant) [*habitude*] revolting; [*créature*] disgusting; **il fait un temps ~ aujourd'hui** the weather is foul today
B *nm,f* revolting man/woman; **vieux ~** dirty old man

dégoûtation* /degutasjɔ̃/ *nf* disgrace

dégoûté, ~e* /degute/
A *pp* ▸ **dégoûter**
B *pp adj* **1** [*commentaire, ton*] disgusted; **d'un air ~** with disgust; **2** **être ~ de qch** to have had enough of sth; **ne pas être ~** to have a strong stomach; **faire le ~** to turn one's nose up

dégoûter* /degute/ [1]
A *vtr* **1** (répugner) to disgust; (écœurer) to make [sb] feel sick; **la saleté me dégoûte** filthiness disgusts me; **les rognons me dégoûtent** kidneys make me feel sick; **ça me dégoûte** it's disgusting; **2** (ôter l'envie) to put [sb] off; **~ qn de qch/de faire** to put sb off sth/off doing sth; **3** (scandaliser) to sicken; **ça me dégoûte (de voir) que/de voir comment** it makes me sick (to see) that/the way
B se dégoûter *vpr* **1** (se lasser) **se ~ de** to get tired of; **2** (se répugner) to be disgusted with oneself (**de faire** for doing)

dégoutter /degute/ [1] *vi* **1** (couler) [*pluie, sueur*] to drip (**de** from); **2** (ruisseler) **~ de** [*toit, parapluie, front*] to drip with [*eau*]

dégradant, ~e /degʀadɑ̃, ɑ̃t/ *adj* [*activité, travail*] degrading

dégradation /degʀadasjɔ̃/ *nf* **1** (dégât provoqué) damage ¢; **commettre des ~s** to cause damage; **la ~ du site par les touristes** the damage caused to the area by tourists; **2** (usure naturelle) deterioration; **le monument/la peinture est dans un état de ~ avancé** the monument/paint is in an advanced state of deterioration; **3** (détérioration) (de conditions, situation, contacts) deterioration (**de** in); (de mœurs) decline (**de** in); **la ~ des conditions de vie/de l'économie** the deterioration in the standard of living/economy; **la ~ du pouvoir d'achat** the erosion in purchasing power; **4** Sci (de matière organique, d'énergie) degradation; (de l'environnement) degradation; (de la couche d'ozone) depletion

(Composé) **~ civique** loss of civil rights;

~ militaire dishonourable[GB] discharge

dégradé, **~e** /degʀade/
A *pp* ▸ **dégrader**
B *pp adj* **tons ~s** shaded tones; **coupe ~e** layered cut
C *nm* 1 (de couleurs) gradation; (de lumière) fading ¢; **peint en ~** painted in shaded tones; 2 (en coiffure) layered cut

dégrader /degʀade/ [1]
A *vtr* 1 (détériorer) to damage [*site, monument, environnement*]; 2 Mil (destituer) to cashier [*officier*]; 3 Art to use [sth] in gradation [*tons, couleurs*]; 4 (avilir) [*vice*] to degrade [*personne*]
B **se dégrader** *vpr* 1 (se détériorer) [*quartier, météo, situation, santé*] to deteriorate; 2 fml (s'avilir) to demean oneself (**en** by); 3 Phys [*énergie*] to degrade

dégrafer /degʀafe/ [1]
A *vtr* to undo, to unfasten [*corsage, soutien-gorge, collier, ceinture*]
B **se dégrafer** *vpr* (accidentellement) to come undone

dégraissage /degʀɛsaʒ/ *nm* 1 ○(d'effectifs) reduction (**de** in); (d'entreprise) streamlining ¢ (**de** of); **~s de personnel** staff cuts; 2 (nettoyage à sec) dry-cleaning; 3 (de viande) trimming; 4 (de laine) scouring

dégraissant, **~e** /degʀɛsɑ̃, ɑ̃t/
A *adj* [*produit, liquide*] grease-removing (*épith*)
B *nm* (pour ôter la graisse) grease remover; (pour taches diverses) stain remover

dégraissé, **~e** /degʀese/
A *pp* ▸ **dégraisser**
B *pp adj* Culin [*jambon, viande*] extra lean; [*bouillon*] with the fat skimmed off (*épith, après n*)

dégraisser /degʀese/ [1] *vtr* 1 ○(réduire le personnel) to streamline [*effectifs, entreprise*]; **son entreprise dégraisse** his company is cutting down on staff; 2 (nettoyer) to dry-clean [*vêtement*]; **j'ai fait ~ mon manteau** I had my coat dry-cleaned; 3 Culin to trim the fat off [*jambon, viande*]; to skim the fat from [*bouillon*]; 4 Tex to scour [*laine*]

degré /dəgʀe/ *nm* 1 ▸ **p. 835** (d'angle, de température) degree; **un angle de 30 ~s** *or* **30°** an angle of 30 degrees *ou* 30°; **eau chauffée à 37 ~s** *or* **37°** water heated to 37 degrees *ou* 37°; **la température a baissé/monté de cinq ~s** the temperature has fallen/risen (by) five degrees, there has been a five-degree drop/rise in temperature; **il fait 15 ~s dehors** it's 15 degrees outside; 2 (concentration) **~ en** *or* **d'alcool d'une boisson** proof of an alcoholic drink; **ce vin fait 12°** this wine contains 12% alcohol (by volume); **ce cognac fait 40°** this cognac contains 40% alcohol (by volume) GB, this cognac is 70° proof; **cette boisson fait combien de ~s?** what is the alcohol content of this drink?; 3 (niveau) degree (**de** of), level (**de** of); (stade d'une évolution) stage; **~ de comparaison** Ling degree of comparison; **par ~s** by degrees, gradually; **à des ~s divers** in varying degrees; **à un moindre ~** to a lesser extent *ou* degree; **jusqu'à un certain ~** to some extent *ou* degree, up to a point; **susceptible au dernier** *or* **plus haut ~** extremely touchy; **un tel ~ de cruauté est-il possible?** is it possible that anyone could be so cruel?; 4 (dans un classement) Tech, Sci degree; Admin (rang) grade; (en alpinisme) grade; **paroi du 4e ~** grade 4 wall; **~ de parenté** degree of kinship; **~ de brûlure** degree to which a person is burned; **brûlures du premier/troisième ~** first-/third-degree burns; **équation du premier/second ~** first/second-degree equation; **cousins au premier/second ~** first/second cousins; **enseignant/enseignement du premier/second ~** primary/secondary schoolteacher/education; 5 (dans une interprétation) **premier/deuxième** *or* **second ~** literal/hidden meaning; **prendre ce que qn dit au premier ~** to take what sb says literally *ou* at face value; **tout discours politique est à interpréter au deuxième** *or* **second ~** you need to read between the lines of any political speech; 6 (marche) step; **gravir les ~s de la terrasse** to climb the steps leading to the terrace; **les ~s de la hiérarchie** *or* **de l'échelle sociale** fig the rungs of the social ladder

(Composés) **~ Baumé** *or* **Bé** degree on the Baumé scale; **sirop à 40 ~s Baumé** *or* **Bé** syrup GB *ou* sirup US with a 40-degree (Baumé scale) sugar content; **~ Celsius** degree Celsius; **~ Fahrenheit** degree Fahrenheit; **~ prohibé** Jur proscribed degree of kinship

dégressif, **-ive** /degʀesif, iv/ *adj* **tarif ~** prices according to quantity of order; [*impôt*] graduated; **système ~ de taxation** graduated taxation; **amortissement ~ d'une dette** repayment of a loan on the basis of a diminishing balance

dégressivité /degʀesivite/ *nf* degression

dégrèvement /degʀɛvmɑ̃/ *nm* **~ (fiscal)** tax relief; **avoir droit à un ~** to be entitled to tax relief

dégrever /degʀəve/ [16] *vtr* Fisc to relieve the tax burden on [*contribuable*]; Jur to disencumber [*propriété*]

dégriffé, **~e** /degʀife/
A *adj* **robe/veste ~e** marked-down designer dress/jacket
B *nm* (vêtements) marked-down designer clothing; **un magasin de ~s** a shop GB *ou* store US that sells marked-down designer clothes

dégringolade○ /degʀɛ̃gɔlad/ *nf* 1 (de personne, d'objets) fall; 2 (de cours, prix) collapse; **une ~ de 50%** a drop of 50%

dégringoler○ /degʀɛ̃gɔle/ [1]
A *vtr* [*personne*] to race down [*escalier, pente*]
B *vi* 1 (culbuter) [*personne*] to tumble; [*livres, tuiles*] to tumble down (**de** off); [*pluie*] to pour down; **~ dans les escaliers/le ravin** to tumble on the stairs/into the ravine; **la neige dégringole du toit** the snow tumbles down off the roof; 2 (baisser) [*prix, cours, température*] to fall sharply; [*production*] to drop sharply; [*popularité*] to slump; **~ dans les sondages** to slump in the opinion polls; 3 (être abrupt) [*sentier, escalier*] to plunge down

dégrippant /degʀipɑ̃/ *nm* penetrating oil

dégripper /degʀipe/ [1]
A *vtr* Aut to lubricate [*moteur*]; Mécan to unjam [*mécanisme*]
B **se dégripper** *vpr* 1 Aut [*moteur*] to loosen up; Mécan [*mécanisme*] to unjam; 2 fig [*administration*] to be set in motion

dégrisement /degʀizmɑ̃/ *nm* sobering up

dégriser /degʀize/ [1]
A *vtr* 1 (dessoûler) to sober [sb] up; 2 (ramener à la réalité) to bring [sb] to his/her senses
B **se dégriser** *vpr* 1 (dessoûler) to sober up; 2 (revenir à la réalité) to come to one's senses

dégrossi, **~e** /degʀosi/ *adj* 1 [*planches*] rough-hewn; 2 pej [*personne*] **mal ~** coarse pej

dégrossir /degʀosiʀ/ [3] *vtr* 1 Tech [*tailleur de pierre, sculpteur*] to rough-hew [*marbre, pierre*]; 2 (éclaircir) to break the back of [*travail, tâche*]; to get a general idea of [*question, affaire*]; 3 (éduquer) to knock a few corners off [*personne*]

dégrossissage /degʀosisaʒ/ *nm* (de marbre, bois) rough-hewing

dégrouiller○: **se dégrouiller** /degʀuje/ [1] *vpr* to hurry up, to get a move on○; **dégrouille-toi de partir** hurry up and leave

dégrouper /degʀupe/ [1] *vtr* to divide into groups

déguenillé, **~e** /degənije/ *adj* ragged (*épith*), in rags (*après n*)

déguerpir /degɛʀpiʀ/ [3] *vi* to clear off○, to clear out US, to leave; **faire ~ qn** to drive sb off

dégueulasse◐ /degœlas/
A *adj* 1 (sale) [*personne, vêtement, cheveux, lieu, objet*] grotty○ GB, disgusting; 2 (mauvais) [*plat, aliment*] lousy○, disgusting; [*temps*] lousy○, disgusting; [*travail*] shoddy○, disgusting; **c'est pas ~ ce ragoût!** this stew isn't half bad○; 3 (révoltant) [*personne, action*] shitty◐, rotten; **c'est ~ ce qu'ils ont fait** what they did was really rotten; **tu es ~ de dire une chose pareille** what a rotten thing to say
B *nm* **un vieux ~** a dirty old man○

dégueulasser◐ /degœlase/ [1] *vtr* to dirty, to mess up○ [*pantalon, feuille*]

dégueuler◐ /degœle/ [1]
A *vtr* to throw [sth] up, to vomit [*nourriture*]
B *vi* to puke◐, vomit

dégueulis◐ /degœli/ *nm inv* puke○, vomit

déguisé, **~e** /degize/
A *pp* ▸ **déguiser**
B *pp adj* 1 (vêtu d'un déguisement) (pour s'amuser) in fancy dress (*jamais épith*); (pour duper) in disguise (*jamais épith*); **~ en pirate** dressed up as a pirate; **un escroc ~ en policier** a crook disguised as a policeman; 2 (où l'on se déguise) [*soirée, défilé*] fancy dress (*épith*); 3 (camouflé) [*appui, subvention, tentative*] concealed; [*compliment*] disguised; [*critique*] veiled, disguised; **une façon ~e de faire** a roundabout way of doing; **non ~** undisguised

déguisement /degizmɑ̃/ *nm* 1 (costume) (pour s'amuser) fancy dress, costume; (pour duper) disguise; **sous ce ~ de clown** in that clown's costume; 2 (de pensée, vérité) concealment; **sans ~** openly

déguiser /degize/ [1]
A *vtr* 1 (mettre un déguisement à) (pour s'amuser) to dress [sb] up (**en** as); (pour duper) to disguise (**en** as); 2 (altérer) to disguise [*visage, voix, écriture*]; 3 (camoufler) to disguise [*intentions, sentiment, ambition*]; 4 Jur to conceal [*donation*]
B **se déguiser** *vpr* (pour s'amuser) to dress up (**en** as); (pour duper) to disguise oneself (**en** as)

dégurgiter /degyʀʒite/ [1] *vtr* 1 (vomir) to bring up [*aliment*]; 2 (dire) to spew out [*insultes*]; to regurgitate [*leçon*]

dégustateur, **-trice** /degystatœʀ, tʀis/ *nm,f* Vin wine taster

dégustation /degystasjɔ̃/ *nf* tasting; **~ d'huîtres** tasting of oysters; **~ de vin(s)/fromages** wine/cheese tasting; **~ gratuite** free tasting

déguster /degyste/ [1]
A *vtr* 1 (savourer) to savour[GB] [*boisson, aliment, victoire*]; to enjoy [*livre, œuvre, spectacle*]; 2 [*dégustateur*] to taste [*vins, liqueurs*]
B ◐*vi* (endurer) to suffer, to go through hell○; **qu'est-ce que j'ai dégusté!** I really went through hell!

déhanché, **~e** /deɑ̃ʃe/
A *pp* ▸ **déhancher**
B *pp adj* 1 [*démarche, allure*] swaying; 2 (infirme) [*corps*] crooked

déhanchement /deɑ̃ʃmɑ̃/ *nm* 1 (naturel) swaying hips; 2 (d'infirme) lopsidedness; 3 Méd dislocation of the hip

déhancher: **se déhancher** /deɑ̃ʃe/ [1] *vpr* 1 (en marchant) to sway one's hips; (exagérément) to wiggle one's hips; 2 (sans bouger) to stand with one's weight on one hip

dehors /dəɔʀ/
A *adv* 1 (à l'extérieur) outside; **manger/dormir ~** to eat/to sleep outside *ou* outdoors; **ne restez pas ~, entrez** don't stay outside, come in; **passer la nuit ~** (occasionnellement) to spend the night outdoors; (habituellement) to sleep rough; **mettre sa bicyclette ~** to put one's bicycle outside; **allez jouer ~!** go and play outside!; 2 (hors de son domicile) out; **j'ai été ~ toute la journée** I was out all day; **je déjeune ~ aujourd'hui** I'm having lunch out today; **mettre** *or* **flanquer**○ **qn ~** (exclure d'un lieu) gén to throw *ou* to chuck○ sb out; (d'un cours) to throw sb out; (d'un travail) to fire, to sack○ GB; (d'un établissement scolaire) to expel; **de ~** [*voir, appeler, arriver*] from outside
B *excl* get out!
C *nm inv* 1 (lieu) **le ~** the outside; **les bruits du ~** noise from outside; **quelqu'un du ~ ne**

peut pas comprendre fig an outsider can't understand; [2] (apparence) **ses ~ bourrus cachent un cœur d'or** his/her rough exterior hides a heart of gold; **sous des ~ modestes, il est très orgueilleux** under his modest exterior, he's a very proud man

D **en dehors** *loc adv* [1] (à l'extérieur) outside; [2] fig (exclu) **il a préféré rester en ~** he preferred to stay out of it

E **en dehors de** *loc prép* [1] (à l'extérieur de) outside; **en ~ de la ville/du pays** outside the city/the country; **traverser en ~ des passages pour piétons** to cross the street *ou* road outside the pedestrian crossings; **il fait du tennis en ~ de l'école** he plays tennis outside school; **choisir qn en ~ du groupe/parti** to choose sb from outside the group/party; **l'accident est survenu en ~ de l'autoroute** the accident happened off the motorway GB *ou* freeway US; [2] (mis à part) apart from; **en ~ de quelques amis, il ne voit personne** apart from a few friends, he sees no one; **il a des indemnités en ~ de son salaire** he has allowances in addition to his salary; **en ~ de certaines dates** outside certain dates; [3] (hors de) outside of; **en ~ des heures d'ouvertures/heures de travail** outside of opening hours/office hours; **il est resté en ~ du coup** *or* **de cette histoire** he stayed out of the whole business; **c'est en ~ du sujet** Scol it's off the subject; **c'est en ~ de mes attributions** that's outside my jurisdiction sout, that's not my job; **c'est en ~ d'eux qu'il faut chercher la responsabilité** we must look beyond them to find those who are to blame; **en ~ de tout clivage idéologique** beyond all ideological divisions; **la police a agi en ~ des limites de la loi** the police went beyond the limits of the law; **en ~ des repas** between meals; [4] °(à l'insu de) **faire qch en ~ de qn** to do sth without the knowledge of sb; **la décision a été prise en ~ de moi** the decision was taken without my knowledge

déhoussable /deusabl/ *adj* [*canapé*] with fully removable covering (*épith, après n*); [*coussin*] with a removable cover (*épith, après n*)

déicide /deisid/
A *adj* deicidal
B *nmf* (personne) deicide
C *nm* (crime) deicide

déictique /deiktik/ *adj, nm* deictic

déification /deifikasjɔ̃/ *nf* [1] (divinisation) deification; [2] (vénération) idolization

déifier /deifje/ [2] *vtr* [1] (diviniser) to deify [*personne, animal*]; [2] (vénérer) to worship [*argent, progrès*]; to idolize [*jeunesse, vedette*]

déisme /deism/ *nm* deism

déiste /deist/
A *adj* [*personne, théologie*] deistic
B *nmf* deist

déité /deite/ *nf* liter [1] (divinité) deity; [2] (idole) idol; **faire de la richesse une ~** to worship money

déjà /deʒa/ *adv* [1] (dès maintenant) already; **il est ~ tard** it is already late, it is late already; **à trois ans ~, il savait lire** he could already read by the age of three; **sans cela, j'aurais ~ fini** if it hadn't been for that, I would have finished already *ou* I'd be finished by now; **elle serait ~ mariée, si elle l'avait voulu** she could have been married by now if she'd wanted; [2] (précédemment) before, already; **je te l'ai ~ dit** I told you before, I've already told you once; [3] °(pour renforcer) **c'est ~ un joli salaire!** that's a pretty good salary!; **être second, c'est ~ très bien!** even to come second is pretty good!; **c'est ~ beaucoup d'avoir la santé** if at least you have your health, that's a good start; **il s'est excusé, c'est ~ quelque chose** at least he apologized, that's something; [4] °(pour protester) **elle est ~ assez riche (comme ça)!** she's rich enough as it is; **~ qu'il est assommant, s'il faut en plus l'écouter!** he's boring enough as it is without having to listen to him as well; **~ que j'ai la migraine, tu veux que je supporte ce bruit?** with this migraine, how am I supposed to stand that noise?; [5] °(pour faire répéter) again; **qu'est-ce que tu voulais, ~?** what did you want again?; **il a dit quoi, ~?** what did he say again?; **c'est combien, ~?** how much was it again?

déjanter /deʒɑ̃te/ [1]
A *vtr* to remove [*pneu*]
B *vi* [1] [*conducteur*] to lose a tyre GB *ou* tire US; [*pneu*] to come off the rim; [2] °(devenir fou) to be off one's trolley°; **il déjante complètement!** he's completely off his trolley°!

déjauger /deʒoʒe/ [13] *vi* Naut [*bateau*] to lift out of the water; [*voilier, hors-bord*] to plane; **~ de 12 centimètres** to lift by 12 centimetres[GB]

déjà-vu /deʒavy/ *nm inv* [1] °**c'est du ~** we've seen it all before; [2] Psych déjà vu

déjection /deʒɛksjɔ̃/
A *nf* Physiol (évacuation) excretion
B **déjections** *nfpl* [1] Physiol (matières fécales) excrement ₵, dejecta (*pl*) spéc; **les ~s canines** dog excrement ₵; [2] Géol (de volcan) ejecta spéc

déjeté, **~e** /deʒ(ə)te/ *adj* [*arbre, mur, personne*] lopsided; [*marche*] out of true; [*planche*] warped; [*colonne vertébrale*] twisted

déjeuner /deʒœne/ [1]
A *nm* [1] (repas de midi) lunch; **~ d'affaires/de travail/de famille** business/working/family lunch; **prendre son ~** to have lunch; **inviter qn pour le ~** to invite sb to lunch; **manger de la soupe au ~** *or* **pour le ~** to have soup for lunch; **c'est l'heure du ~** it's lunchtime; **le ~ est servi** lunch is ready; **à l'heure du ~** at lunchtime; **après ~** after lunch; [2] (le matin) Belg, Can breakfast; **petit ~** breakfast; [3] (objet) breakfast cup and saucer
B *vi* [1] (prendre le repas de midi) to have lunch; **inviter qn à ~** to invite sb for *ou* to lunch; **restez (à) ~** stay for *ou* to lunch; **venez ~ samedi** come and have lunch *ou* come to lunch on Saturday; **qu'est-ce que tu as eu à ~?** what did you have for lunch?; **~ d'un sandwich** to have a sandwich for lunch; [2] (le matin) dial, Belg, Can to have breakfast
C **déjeuner(-)** (*in compounds*) **~-concert** lunchtime concert; **~-conférence** lecture accompanied by lunch

(Composé) **~ sur l'herbe** picnic lunch

déjouer /deʒwe/ [1] *vtr* to frustrate [*astuce, précaution*]; to foil [*plan, conspiration*]; to evade [*surveillance, contrôle*]; **~ les pièges de l'ennemi** to avoid the traps set by the enemy; **~ les manœuvres de qn** to outmanoeuvre sb

déjuger: **se déjuger** /deʒyʒe/ [13] *vpr* fml to go back on one's decision

delà /dəla/ *adv* **deçà, ~** here and there

de-là /dəla/ *adv* ▸ **de-ci**

délabré, **~e** /delabʀe/
A *pp* ▸ **délabrer**
B *pp adj* [*maison, équipement*] dilapidated; [*plafond, mur*] crumbling; [*vêtements*] ragged; fig [*santé, esprit*] damaged; [*affaires*] in a sorry state (*jamais épith*); [*fortune*] depleted

délabrement /delabʀəmɑ̃/ *nm* (de maison, d'équipement) dilapidation; (de santé, pays, d'affaires, économie) poor state; (de fortune) depletion; (de vêtements) raggedness; (d'esprit) impairment; **état de ~** fig dilapidated state

délabrer /delabʀe/ [1]
A *vtr* to ruin [*maison, équipement, vêtement, santé, économie*]; to deplete [*fortune*]
B **se délabrer** *vpr* [1] [*maison, équipement, économie, pays*] to become run down; [*affaires*] to go to rack and ruin; [*santé*] to deteriorate; [2] **se ~ la santé/l'estomac** to ruin one's health/stomach

délacer /delase/ [12]
A *vtr* to undo [*chaussures*]; to unlace [*corsage, corset*]; **~ qn** to unlace sb
B **se délacer** *vpr* [*chaussure*] to come undone; [*corsage*] to come unlaced

délai /delɛ/ *nm* [1] (période accordée) period of time; (date limite) deadline, final date; **tu as un ~ de 10 jours pour payer** you have (a period of) 10 days in which to pay; **dans un ~ de 24 heures/6 mois** within 24 hours/6 months; **faire qch dans le ~ prescrit** to do sth within the allotted *ou* prescribed time; **rester dans les ~s** to meet the deadline; **les ~s sont trop courts** *or* **serrés** there isn't enough time; **à l'expiration de ce ~** when the allotted time expires, when the deadline is reached; **fixer un ~** to set a time limit, to fix a deadline; **respecter un ~** to stick to *ou* meet a deadline; **dernier ~ pour les inscriptions, mardi 2 mai** final date for registration, Tuesday 2 May; [2] (période d'attente) **abaisser** *or* **réduire** *or* **raccourcir un ~** to reduce *ou* shorten *ou* cut the waiting time; **le ~ moyen tourne autour de six mois** the average wait is about six months; **comptez trois semaines de ~ pour l'obtention d'un visa/pour la livraison** allow three weeks to get a visa/for delivery; **le ~ écoulé depuis la demande/commande** the time since the application was made/the order was placed; **dans les meilleurs** *or* **plus brefs ~s** as soon as possible; **sans ~** [*agir*] without delay, immediately; **demander le retrait sans ~ de l'armée** to demand the immediate withdrawal of the army; [3] (période supplémentaire) extension; **obtenir un ~** to get an extension; **demander/accorder un ~** to ask for extra *ou* more/grant extra time; **accorder un ~ à un débiteur** to allow a debtor (more) time to pay; **proroger un ~** to extend a deadline; **je t'accorde un ~ de dix jours** I'll give you ten days' grace

(Composés) **~ d'amortissement** payback period; **~ de grâce** grace period; **~ de livraison** delivery *ou* lead time (**pour qch** on sth); **~ de préavis** (period of) notice; **~ de réflexion** time to think; **~ de rétraction** Comm cooling-off period; **~ de rigueur** deadline

délai-congé, *pl* **délais-congés** /delɛkɔ̃ʒe/ *nm* (period of) notice

délainage /delɛnaʒ/ *nm* fellmongering

délainer /delene/ [1] *vtr* to remove the wool from

délaissé, **~e** /delese/
A *pp* ▸ **délaisser**
B *pp adj* [1] (abandonné) [*épouse*] deserted; [*maîtresse, enfant, coutumes, profession, terres*] abandoned; [2] (négligé) [*personne, profession, méthodes*] neglected
C *nm,f* **les ~s** those abandoned, those left behind; **les ~s du système scolaire** those whom the education system has left behind

délaissement /delɛsmɑ̃/ *nm* sout [1] (action) abandonment; [2] (état) state of neglect *ou* abandonment; **être dans un état de ~ complet** to be completely neglected; [3] Jur (de bien, droit) relinquishment

(Composé) **~ d'enfant** Jur child neglect

délaisser /delese/ [1] *vtr* [1] (abandonner) to leave [*épouse, mari*]; to abandon [*lieu, activité*]; [2] (négliger) to neglect [*amis, études*]; [3] Jur to relinquish [*bien, droit*]

délassant, **~e** /delasɑ̃, ɑ̃t/ *adj* [*bain, activité physique*] relaxing; [*film, loisir*] entertaining

délassement /delasmɑ̃/ *nm* [1] (repos) relaxation; **un lieu de ~** a place for relaxation; [2] (loisir) means of relaxation; **c'est mon ~ préféré** it's my favourite[GB] way of relaxing

délasser /delɑse/ [1]
A *vtr* [*bain*] to relax [*corps*]; [*lecture*] to relax; **cela m'a délassé de faire** I feel more relaxed after doing; **c'est un film qui délasse** it's an entertaining film
B **se délasser** *vpr* to relax (**en faisant** by doing)

délateur, **-trice** /delatœʀ, tʀis/
A *adj* **encourager les pratiques délatrices** to encourage informing
B *nm,f* informer

délation /delɑsjɔ̃/ *nf* denunciation, informing; **incitations à la ~** encouragement to inform on others; **vivre dans un climat de ~** to live in constant fear of informers

délavage /delavaʒ/ *nm* **1** (de tissu) fading; (de couleur) watering down; **2** (de terres) waterlogging

délavé, **~e** /delave/
A *pp* ▸ **délaver**
B *pp adj* **1** (décoloré) [*couleur, ciel*] washed-out; [*jean, affiche*] faded; **2** (imprégné d'eau) [*terre*] waterlogged

délaver /delave/ [1] *vtr* **1** to water down [*couleur*]; to put a wash on [*aquarelle*]; to fade [*jean, tissu*]; **2** to saturate [*terre*]

Delaware /dəlawɛʀ/ ▸ **p. 721** *nprm* Delaware

délayage /delɛjaʒ/ *nm* **1** (de peinture, liquide) thinning (**avec** with); (de farine, poudre) mixing (**dans** with); **2** °péj waffle°; **faire du ~** to waffle°

délayer /deleje/ [21] *vtr* **1** (diluer) to thin [sth] down, to dilute [*peinture, liquide*] (**avec** with); to mix [*farine*] (**dans** with); **2** (trop étirer) to drag [sth] out [*idées, pensée*]; **un rapport trop délayé** a waffling report°

delco® /dɛlko/ *nm* Aut distributor; ▸ **tête**

deleatur* /deleatyʀ/ *nm inv* dele

délébile /delebil/ *adj* washable

délectable /delɛktabl/ *adj* [*nourriture, vin*] delicious, delectable sout; [*endroit, histoire*] delightful

délectation /delɛktasjɔ̃/ *nf* liter **1** (plaisir) delight, delectation; **manger/boire avec ~** to eat/to drink with relish; **lire/écouter avec ~** to read/to listen rapturously *ou* with delight; **2** Relig ecstasy, rapture

délecter: **se délecter** /delɛkte/ [1] *vpr* liter **se ~ à faire/en faisant** to delight in doing; **se ~ de** to enjoy [sth] thoroughly [*lecture, spectacle*]; to enjoy [sth] thoroughly, to relish [*poires, vin*]; **se ~ à l'avance de qch** to be thoroughly looking forward to sth; **se ~ à la pensée/l'idée de faire** to relish the thought/the idea of doing; **se ~ en apprenant que les résultats sont bons** to be delighted to hear that the results are good

délégant, **~e** /delegɑ̃, ɑ̃t/ *nm,f* Jur principal

délégataire /delegatɛʀ/ *nmf* Jur agent

délégation /delegasjɔ̃/ *nf* **1** (groupe de personnes) delegation (**auprès de** to); **~ d'étudiants** student delegation; **aller voir qn en ~** to form a delegation to go and see sb; **2** Jur, Admin authority; **agir en vertu d'une/signer par ~** to act/sign on sb's authority; **recevoir ~ (de qn) pour faire qch** to be authorized to do sth (by sb); **3** (transmission) delegation (**à qn** to sb); **~ de fonctions/pouvoirs** delegation of duties/power
(Composés) **~ de créance** Jur assignment of debt; **Délégation générale pour l'armement, DGA** *state organization supervising the manufacture and sale of armaments*

délégué, **~e** /delege/
A *pp* ▸ **déléguer**
B *pp adj* [*administrateur, directeur*] acting (*épith*); **~ à qch** [*adjoint, conseiller*] responsible for sth
C *nm,f* **1** (à conférence, réunion) delegate; **2** Entr, Admin (responsable) director
(Composés) **~ de classe** Scol student representative; **~ commercial** sales representative; **~ du personnel** workers' representative; **~ syndical** union representative

déléguer /delege/ [14] *vtr* **1** (charger d'une mission) to appoint [sb] as a delegate (**auprès de qn** to sb); **~ qn à un congrès** to appoint sb as a delegate to a congress; **2** (transmettre) to delegate [*autorité, responsabilités*] (**à qn** to sb)

délestage /delɛstaʒ/ *nm* **1** (de navire, d'aérostat) unloading of the ballast; **2** (d'axe routier) diversion (*to relieve a road of heavy traffic*); **3** Électrotech power cut; **effectuer un ~** to interrupt the power supply

délester /delɛste/ [1]
A *vtr* **1** (alléger) to get rid of the ballast from [*navire, aérostat*]; **~ un véhicule de six sacs** to take six bags out of a vehicle; **2** (décongestionner) to divert traffic away from [*autoroute, voie*]; **3** (voler) [*voleur*] to relieve (**de** of); **4** Électrotech to interrupt the power supply to
B **se délester** *vpr* **se ~ de** [*personne*] to get rid of [*bagages*]; to off-load [*responsabilité*] (**sur** onto); [*avion, aérostat*] (lâcher) to release [*bombe*]; (en cas de danger) to jettison [*cargaison, bagages*]

délétère /deletɛʀ/ *adj* fml **1** (nocif) [*gaz, vapeur*] noxious, toxic; **2** (néfaste) [*effet, doctrine, influence*] harmful, deleterious sout

délétion /delesjɔ̃/ *nf* deletion (**de** of)

Delhi /deli/ ▸ **p. 894** *npr* Delhi

déliasser /deljase/ [1] *vtr* Ordinat to decollate

délibérant, **~e** /delibeʀɑ̃, ɑ̃t/ *adj* [*assemblée, comité*] deliberative

délibératif, **-ive** /delibeʀatif, iv/ *adj* **avoir/avec voix délibérative** Jur to have/with voting powers

délibération /delibeʀasjɔ̃/ *nf* **1** (discussion) deliberation; **par** *or* **sur ~ de** after deliberation by; **être en ~** [*jury*] to be deliberating; **mettre qch en ~** to debate sth; **2** (décision) decision; **prendre/annuler une ~** to make/to quash a decision; **3** fml (réflexion) deliberation

délibéré, **~e** /delibeʀe/
A *pp* ▸ **délibérer**
B *pp adj* **1** (intentionnel) [*acte, pression, violation*] deliberate; **de propos ~** deliberately, on purpose; **2** (résolu) [*choix, volonté, politique*] conscious
C *nm* Jur deliberation

délibérément /delibeʀemɑ̃/ *adv* **1** (intentionnellement) [*ignorer, blesser, provoquer*] deliberately; **2** (résolument) [*accepter, choisir*] consciously

délibérer /delibeʀe/ [14]
A **délibérer de** *or* **sur** *vtr ind* (discuter de) to discuss [*affaire, question*]
B *vi* **1** (tenir conseil) [*jurés, assemblée*] to deliberate; **2** (réfléchir) fml to deliberate, to ponder

délicat, **~e** /delika, at/
A *adj* **1** (fin, subtil) gén delicate; **2** (raffiné) [*mets, manières*] delicate, dainty; [*palais*] discriminating; [*personne*] refined; **3** (plein de tact) tactful; (attentionné) thoughtful; **avoir un geste ~ pour** *or* **envers qn** to do something thoughtful for sb; **quelle attention ~e!** what a kind thought!; **un homme peu ~ en affaires** a man with few business scruples; **des procédés peu ~s** unscrupulous means; **4** (complexe, difficile) [*équilibre, négociations, tâche*] delicate; [*domaine, affaire, secteur, dossier, point, moment*] sensitive; [*mission, manœuvre*] tricky; **il est ~ pour lui de faire** it's tricky for him to do; **la tâche est ~e** it's a delicate task; **5** (fragile) [*peau*] delicate, sensitive; [*mécanisme, dispositif, instrument*] delicate; [*estomac*] sensitive; **elle est de santé ~e** she's delicate; **6** pej (tatillon) [*personne*] **elle est très ~e sur la nourriture** she's very fussy about her food; **vous êtes bien ~!** (pour choisir) how fussy GB *ou* picky US you are!; **7** (chaste) [*oreille*] sensitive
B *nm,f* (tatillon) pej fusspot° GB, fussbudget; **faire le ~** to be fussy

délicatement /delikatmɑ̃/ *adv* **1** (avec finesse, subtilité) [*dessiner, graver, sculpter*] finely, delicately; [*parfumer*] delicately; **2** (avec légèreté) [*appuyer, caresser, saisir*] delicately

délicatesse /delikatɛs/ *nf* **1** (de saveur, coloris, parfum, sentiments) delicacy; (de dentelle) fineness; **la ~ de ses traits** his/her delicate features; **une œuvre sans ~** a crude piece of work; **un style sans ~** a coarse style; **2** (fragilité) gén delicacy; (de peau) sensitivity; **3** (tact) delicacy; **manquer de ~** to be heavy-handed; **ne pas poser une question par ~** to tactfully refrain from asking a question; **il a eu la ~ de ne pas poser la question** he was tactful enough not to ask; **montrer de la ~ à l'égard de qn** to show kindness and consideration to sb; **4** (complexité, difficulté) (d'opération, de négociations) delicacy; (de problème, cas, situation) trickiness; **un problème/une situation d'une grande ~** a very delicate problem/situation; **5** (précaution) **manipuler qch avec ~** to handle sth with care; **6** (attention) **avoir des ~s pour qn** to be very attentive to sb
(Idiome) **être en ~ avec qn** to be at odds with sb

délice /delis/
A *nm* delight; **avec ~** with delight; **quel ~ de vivre ici!** what a delight to live here!; **un vrai ~ ton poulet** your chicken is quite delicious
B **délices** *nfpl* delights; **savourer les ~s de** to savour[GB] the delights of; **faire ses ~s de qch** to delight in sth; **faire les ~s de qn** [*humour, campagne, activité*] to delight sb; **ton cadeau/le disque a fait les ~s de papa** Daddy was delighted with your present/the record

délicieusement /delisjøzmɑ̃/ *adv* gén delightfully; (au goût) deliciously; **~ parfumé** [*bain, drap*] delightfully perfumed; [*fruit*] sweet-smelling (*épith*)

délicieux, **-ieuse** /delisjø, øz/ *adj* [*repas, goût, odeur, frisson*] delicious; [*sensation, endroit, humour, souvenir, musique*] delightful; [*joie*] exquisite; [*personne*] sweet; **il fait un temps ~** the weather is really lovely

délictueux, **-euse** /deliktɥø, øz/ *adj* [*acte*] criminal

délié, **~e** /delje/
A *pp* ▸ **délier**
B *pp adj* **1** [*taille*] slender; **2** [*foulée, mouvement*] loose; **3** liter [*esprit*] nimble
C *nm* (en calligraphie) upstroke
(Idiome) **avoir la langue ~e** to have the gift of the gab°

délier /delje/ [2]
A *vtr* **1** (dégager d'un lien) to untie [*personne, gerbe*]; **~ les poignets de qn** to untie sb's wrists; **2** (dénouer) to untie [*lacet, ruban*]; **3** (assouplir) to loosen up [*doigt, jambes*]; **4** (relever) **~ qn de** to release sb from [*promesse, serment*]; **5** Relig to absolve [*pécheur*] (**de** from)
B **se délier** *vpr* **1** (se dégager) [*prisonnier*] to untie oneself; **il se délia les chevilles** he untied his ankles; **2** (se dénouer) [*lacet*] to come undone; **3** (s'assouplir) **se ~ les doigts** to loosen up one's fingers; **4** (se libérer) **se ~ de** to release oneself from [*obligation, serment, promesse*]
(Idiomes) **sans bourse ~** without paying a penny; **~ la langue à qn** to loosen sb's tongue; **les langues se délient** people start talking

délimitation /delimitasjɔ̃/ *nf* **1** (fait de délimiter) demarcation (**de** of); **2** (frontière) demarcation, boundary (**entre** between).

délimiter /delimite/ [1] *vtr* **1** (déterminer les limites de) [*géomètre*] to demarcate, to delimit [*terrain*]; [*clôture*] to mark the boundary of [*domaine*]; [*montagnes*] to form the boundary of [*pays*]; **2** (définir) [*traité*] to set out [*frontière*] (**entre** between); to define [*rôle, tâches*]; to define the scope of [*sujet, question*]; to define [*idées, paragraphes*]; to circumscribe [*champ d'action*]; **3** Ordinat to delimit

délinquance /delɛ̃kɑ̃s/ *nf* crime; **la petite ~** petty crime; **la ~ en col blanc** white-collar crime; **~ informatique** computer crime; **la ~ juvénile** juvenile delinquency

délinquant, **~e** /delɛ̃kɑ̃, ɑ̃t/
A *adj* delinquent; **la jeunesse/l'enfance ~e**

juvenile/child delinquents (*pl*) *ou* offenders (*pl*)
B *nm,f* delinquent; **un petit ~** a petty criminal
(Composé) **~ primaire** first offender

déliquescence /delikesɑ̃s/ *nf* **1** (décomposition) decline (**de** of); **société en ~** society in decline; **être en pleine ~** to be in rapid decline, to be declining rapidly; **2** Chimie deliquescence (**de** of)

déliquescent, **~e** /delikesɑ̃, ɑ̃t/ *adj* [*mœurs*] declining; [*style*] lifeless; [*esprit*] failing; [*industrie*] in decline (*après n*)

délirant, **~e** /delirɑ̃, ɑ̃t/ *adj* **1** (exubérant) [*accueil, enthousiasme, foule*] delirious; **2** ○(loufoque) [*personne*] nutty○; [*scénario, soirée*] surreal○, wild○; **3** (déraisonnable) [*prix*] outrageous; **4** Méd [*personne, état*] delirious

délire /delir/ *nm* **1** Méd, Psych delirium; **fièvre accompagnée de ~** fever accompanied by delirium; **en proie au ~** suffering from delirium; **~ obsessionnel** obsessive-compulsive disorder, OCD; **2** ○(folie) madness; **travailler autant, c'est du ~!** it's madness to work that hard; **sur la route hier c'était le ~** it was sheer madness on the road yesterday; **la soirée de Max c'était le ~!** (c'était génial) Max's party was fantastic○; (c'était atroce) Max's party was a nightmare○; **3** (enthousiasme exubérant) frenzy; **au troisième but ce fut le ~** at the third goal the crowd went wild; **foule/salle en ~** crowd/audience in raptures; **4** (frénésie) frenzy; **~ verbal** verbal excess

délirer /delire/ [1] *vi* **1** Méd to be delirious; **la fièvre le fait ~** the fever is making him delirious; **2** ○fig to be off one's rocker○

delirium tremens* /delirjɔmtremɛ̃s/ *nm inv* delirium tremens

délit /deli/ *nm* offence[GB]; **~ civil/pénal** civil/criminal offence[GB]; **commettre un ~** to commit an offence[GB]; ▸ **flagrant**
(Composés) **~ de fuite** failure to report an accident Jur, hit-and-run offence[GB]; **~ d'initié** Fin insider trading; **~ d'opinion** *expression of opinion contrary to that of the ruling party*; **~ de presse** *violation of the laws governing the press*

déliter: **se déliter** /delite/ [1] *vpr* **1** lit [*roche*] to flake; **2** fig [*groupe*] to fall apart

délivrance /delivrɑ̃s/ *nf* **1** (soulagement) relief; **quelle ~ de quitter ce pays!** what a relief it is to leave this country!; **la mort fut pour elle une ~** her death was a merciful release; **2** (remise) (de certificat, brevet, passeport) issue; (de diplôme, prix) award; (de marchandises) delivery; (d'ordonnance) issue; **3** Méd, Vét (expulsion du placenta) delivery; (accouchement) liter delivery

délivrer /delivre/ [1]
A *vtr* **1** (libérer) to free [*captif, otage*]; to liberate [*pays, peuple*]; **~ qn de** to free sb from [*chaînes*]; to release sb from [*obligation*]; to relieve sb from [*angoisse, obsession*]; **~ qn de qn** liter to free sb from sb; **vous me délivrez d'un grand poids** you have taken a great weight off my shoulders; **délivre-nous du mal** Relig deliver us from evil; **2** (remettre) to issue [*certificat, brevet, passeport*]; to award [*diplôme, prix*]; to deliver [*marchandises*]; to issue [*ordonnance, reçu*]; **3** (dispenser) [*hôpital*] to provide [*soins*]
B **se délivrer** *vpr* **1** (se libérer) [*captif, otage*] to free oneself; **se ~ de** to free oneself from [*chaînes, obligation*]; to rid oneself of [*angoisse, obsession*]; **le pays s'est délivré du joug de l'occupant** the country threw off the occupier's yoke; **2** (être remis) [*document*] to be issued

délocalisation /delɔkalizasjɔ̃/ *nf* **1** (d'administration) relocation (**de** of); **~ industrielle** relocation of industry (*to a cheaper labour market*); **2** (de capitaux) relocation

délocaliser /delɔkalize/ [1] *vtr, vi* to relocate (to a cheaper labour market)

déloger /delɔʒe/ [13] *vtr* **1** (chasser d'un logement) to evict (**de** from); **2** (d'une position) to shift (**de** from); **3** Mil to flush out [*rebelles*]; **4** ○(enlever) to remove [*poussière*]; **5** Chasse to flush out [*gibier*]

déloyal, **~e**, *mpl* **-aux** /delwajal, o/ *adj* **1** (perfide) [*ami, collègue*] disloyal (**envers** to, toward, towards GB); [*concurrence*] unfair; [*acte, conduite, méthode, procédé*] underhand; **agir de manière ~e** to act in an underhand manner; **2** Sport **un coup ~** a foul; **porter un coup ~ à son adversaire** to foul one's opponent

déloyalement /delwajalmɑ̃/ *adv* disloyally

déloyauté /delwajote/ *nf* fml disloyalty (**à l'égard de, envers** to, toward, towards GB); (de concurrent) unfairness; **faire acte de ~** to be disloyal

Delphes /dɛlf/ ▸ **p. 894** *npr* Delphi

delphinarium /dɛlfinarjɔm/ *nm* dolphinarium

delphinium /dɛlfinjɔm/ *nm* delphinium

delta* /dɛlta/ *nm inv* **1** Math, Ling delta; **2** Géog delta; **le ~ du Rhône** the Rhône delta; **3** (forme) delta; **un avion à ailes ~** a delta-wing plane

deltaplane /dɛltaplan/ ▸ **p. 469** *nm* **1** (engin) hang-glider; **2** (activité) hang-gliding; **faire du ~** to go hang-gliding

deltoïde /dɛltɔid/ *adj, nm* deltoid

déluge /delyʒ/ *nm* **1** (pluie) downpour, deluge; **2** (profusion) (de coups, d'insultes) hail (**de** of); (de larmes, plaintes) flood (**de** of); (de mots) torrent (**de** of); (de compliments) shower (**de** of); (de fleurs) profusion; (de malheurs) spate (**de** of); **un ~ de malheurs s'est abattu sur eux** they had a spate of misfortunes

Déluge /delyʒ/ *nm* **le ~** the Flood, the Deluge
(Idiomes) **ça remonte au ~** it goes back to the year dot *ou* one; **après moi le ~** I don't care what happens after I'm gone, après moi le déluge

déluré, **~e** /delyre/
A *pp* ▸ **délurer**
B *pp adj* **1** (dégourdi) knowing; **il n'est pas très ~** he's not very smart; **2** (effronté) forward; péj fast (*jamais épith*)

délurer /delyre/ [1]
A *vtr* **1** (dégourdir) to wake [sb] up a bit GB, to wise [sb] up○ US; **2** (dévergonder) to lead [sb] astray
B **se délurer** *vpr* **1** (se dégourdir) to shake one's ideas up a bit GB, to wise up; **2** (se dévergonder) to run wild

délustrer /delystre/ [1] *vtr* to remove the shine from [*vêtement*]

démagnétisation /demaɲetizasjɔ̃/ *nf* demagnetization

démagnétiser /demaɲetize/ [1] *vtr* Phys to demagnetize

démagogie /demagɔʒi/ *nf* gén popularity seeking; (électoraliste) electioneering, demagogy sout; **faire de la ~** to try to gain popularity

démagogique /demagɔʒik/ *adj* gén popularity-seeking (*épith*); (en politique) electioneering (*épith*)

démagogue /demagɔg/ *nmf* popularity-seeker, demagogue sout

démailler /demaje/ [1]
A *vtr* **1** to unravel [*tricot*]; to ladder, run [*bas*]; **2** Naut to unshackle [*ancre*]; Pêche to disentangle [*poisson*]
B **se démailler** *vpr* [*tricot*] to unravel; [*bas*] to ladder, to run

démailloter /demajɔte/ [1] *vtr* to unswaddle

demain /dəmɛ̃/
A *adv* **1** (dans un jour) tomorrow; **~ matin/soir** tomorrow morning/evening; **~ toute la journée** all day tomorrow; **~ en huit/en quinze** a week/two weeks tomorrow; **à partir** *or* **dater de ~** as from tomorrow; **ce sera fait dès ~** it will be done first thing tomorrow; **2** (dans l'avenir) tomorrow; **~ tout peut arriver** anything could happen tomorrow; **~ l'homme pourra vivre sur la lune** one day man will be able to live on the moon
B *nm* **1** (jour suivant) tomorrow; **dans le journal de ~** in tomorrow's newspaper; **à ~!** see you tomorrow; **d'ici (à) ~ tout peut changer** by tomorrow things might look very different; **2** (avenir) tomorrow; **de quoi ~ sera-t-il fait?** who knows what tomorrow may bring?; **le monde/la jeunesse de ~** the world/the youth of tomorrow; **la voiture/la société/l'Europe de ~** the car/the society/the Europe of the future
(Idiomes) **~ il fera jour** tomorrow is another day; **ce n'est pas ~ la veille!** that's not going to happen in a hurry!; **il ne faut pas remettre à ~ ce que l'on peut faire aujourd'hui** Prov never put off till tomorrow what can be done today

démanché, **~e** /demɑ̃ʃe/
A *pp* ▸ **démancher**
B *pp adj* **1** (sans manche) without a handle (*épith, après n*); **des outils ~s** tools without handles; **le balai/couteau est ~** the handle has come off the broom/knife; **2** ○(disloqué) [*membre, mâchoire*] dislocated

démancher /demɑ̃ʃe/ [1]
A *vtr* **1** (ôter le manche de) to take the handle off; **2** ○(disloquer) to dislocate [*membre, mâchoire*]
B **se démancher** *vpr* **1** (perdre son manche) to come off its handle; **mon balai s'est démanché** the head of my broom has come off its handle; **2** ○(se disloquer) [*membre, mâchoire*] to be dislocated; **il s'est démanché l'épaule au tennis** he dislocated his shoulder playing tennis

demande /dəmɑ̃d/ *nf* **1** (sollicitation) request; **à la** *or* **sur (la) ~ de qn** at sb's request; **à la ~ générale** by popular request; **répondre à la ~ de qn** to grant sb's request; **2** (démarche) application; **les ~s de formation/d'abonnements sont nombreuses** there are many applications for training/subscriptions; **leur ~ d'adoption a été rejetée** their adoption application has been turned down; **les ~s (d'adhésion) peuvent se faire ici** applications (for membership) can be made here; **faire une ~ de mutation** to apply for a transfer; **gratuit sur (simple) ~** free on request; **remboursement sur simple ~ écrite** refund on written application; **3** Admin (formulaire) application form; **une ~ de passeport/d'inscription** a passport application/registration form; **envoyez votre ~ de bourse avant le 10 mai** send your grant application before 10 May; **4** Écon demand; **l'offre et la ~** supply and demand; **la ~ de logements** the demand for housing; **5** Assur, Jur **~ (en justice)** claim; **~ de dommages et intérêts** claim for damages; **~ de divorce** petition for divorce
(Composés) **~ d'asile** application for asylum; **faire une ~ d'asile** to apply for asylum; **~ d'emploi** (démarche) job application; **faire une ~ d'emploi** to apply for a job; **'~s d'emploi'** (rubrique) 'situations wanted'; **faire paraître une ~ d'emploi** to advertise in the situations wanted column; **~ d'extradition** extradition request; **faire une ~ d'extradition** to request extradition; **~ en mariage** marriage proposal; **faire une ~ en mariage à qn** to propose to sb

demandé, **~e** /dəmɑ̃de/
A *pp* ▸ **demander**
B *pp adj* (recherché) **très/peu ~** [*destination, sport, personne*] very/not very popular; [*service, qualification, produit*] in great demand/not in great demand

demander /dəmɑ̃de/ [1]
A *vtr* **1** (solliciter) to ask for [*conseil, argent, aide, permission*]; **~ l'addition** *or* **la note** to ask for the bill GB *ou* check US; **~ la démission de qn** to ask for sb's resignation; **~ la parole** to ask for permission to speak; **~ de l'argent à qn**

d

to ask sb for money; **~ des renforts** Mil to ask for reinforcements; fig to ask for support; **~ l'autorisation** *or* **la permission à qn** to ask sb's permission (**de faire** to do); **~ conseil à qn** to ask sb's advice; **~ le report/l'annulation de la réunion, ~ que la réunion soit reportée/annulée** to request that the meeting be postponed/cancelled[GB]; **il a demandé que tout le monde assiste à la réunion** he asked everybody to attend the meeting; **~ que le travail soit terminé** to ask for the work to be completed; **~ l'asile politique** to apply for political asylum; **~ la libération/condamnation de qn** to call for sb's release/conviction; **le policier m'a demandé mes papiers** the policeman asked to see my papers; **~ la main de qn** to ask for sb's hand; **~ qn en mariage** to propose to sb; **'le numéro que vous demandez n'est plus en service'** 'the number you have dialled[GB] is unobtainable'; **on demande un plombier/ingénieur** (dans une offre d'emploi) plumber/engineer required GB *ou* wanted; **elle a demandé à rester/sortir** she asked if she could stay/go out; **~ à rencontrer qn** to ask to meet sb; ▸ **reste**

2 (enjoindre) **~ à qn de faire** to ask sb to do; **nous vous demandons de ne pas fumer/prendre de photos** may we ask you not to smoke/take photographs; **on a demandé aux spectateurs de rester calme** the audience was told to stay calm; **fais ce qu'on te demande!** do as you're told!; **tout ce que je te demande c'est de faire un effort** all I ask is that you make an effort

3 (souhaiter) **il demande beaucoup de son personnel** he expects a lot of his staff; **il n'en demandait pas tant** he didn't expect all that; **je/il ne demande pas mieux que de partir** there's nothing I/he would like better than to go; **aller au théâtre? je ne demande pas mieux!** go to the theatre[GB]? I'd love to!; **les aider? mais je ne demande pas mieux** help them? but I'd be delighted to; **je ne demande que ça!** that's exactly what I want!; **il ne demande qu'à travailler/te croire** he'd really like to work/to believe you; **je demande à voir**○ that'll be the day○; **il ne faut pas trop leur en ~** you mustn't expect too much of them

4 (interroger sur) **~ qch à qn** to ask sb sth; **~ son chemin (à qn)** to ask (sb) the way; **~ l'heure** to ask the time; **il m'a demandé de tes nouvelles** he asked me how you were getting on GB *ou* along; **demande-lui son nom** ask him/her his name/her name; **~ à qn comment/pourquoi/si** to ask sb how/why/whether; **j'ai demandé à Paul s'il viendrait** I asked Paul if he was coming; **demande-lui comment il a fait** ask him how he did it; **'est-il parti?' demanda-t-il** 'has he left?' he asked; **je ne t'ai rien demandé**○**!** I wasn't talking to you!; **de qui se moque-t-on, je vous le demande**○**!** what do they think they're playing at?, I ask you! GB

5 (faire venir) to send for [*médecin, prêtre*]; **'un vendeur est demandé à l'accueil'** 'would a salesman please come to the reception'; **le patron vous demande** (dans son bureau) the boss wants to see you *ou* is asking for you; (au téléphone) the boss wants to speak to you; **on vous demande au parloir/téléphone** you're wanted in the visitors' room/on the phone

6 (nécessiter) [*travail, tâche*] to require [*effort, attention, qualification*]; [*plante, animal*] to need [*attention*]; **le tennis demande une grande énergie/concentration** tennis requires a lot of energy/concentration; **mon travail demande une attention constante/une formation spécifique** my work requires total concentration/special training; **~ à être revu/discuté/approfondi** [*sujet, texte*] to need revision/discussion/more in-depth treatment

7 Jur [*tribunal*] to call for [*peine, expertise*]; [*personne*] to sue *ou* ask for [*divorce*]; to sue for [*dommages-intérêts*]; **elle a décidé de ~ le divorce/des dommages-intérêts** she's decided to sue for divorce/damages

B **se demander** *vpr* **1** (s'interroger) **se ~ si/pourquoi/comment/où/ce que** to wonder whether/why/how/where/what; **il se demande quel sera son prochain travail** he wonders what his next job will be; **je me demande ce qu'elle a bien pu devenir** I wonder what on earth○ became of her; **'tu crois qu'elle l'a fait exprès?'—'je me demande'** 'do you think she did it on purpose?'—'I wonder'; **c'est à se ~ si le bonheur existe** it makes you wonder whether there's such a thing as happiness; **tu ne t'es jamais demandé pourquoi?** have you ever wondered why *ou* asked yourself why?

2 (être demandé) **ce genre de choses ne se demande pas** it's not the kind of thing you ask; **cela ne se demande même pas!** (c'est évident) what a stupid question!

demandeur¹, -euse /dəmɑ̃dœʀ, øz/

A *adj* Comm, Écon **le pays est très ~ de biens de consommation/matières premières** consumer goods/raw materials are very much in demand in the country

B *nm,f* gén, Admin applicant; **les couples ~s d'adoption** couples applying for adoption

(Composés) **~ d'asile** asylum-seeker; **~ d'emploi** job-seeker; **le nombre de ~s d'emploi a doublé** the number of people looking for work has doubled; **~ de visa** visa applicant

demandeur², -eresse /dəmɑ̃dœʀ, d(ə)ʀɛs/ *nm,f* Jur plaintiff

démangeaison /demɑ̃ʒɛzɔ̃/ *nf* **1** (irritation) itch **₵**; **les piqûres de moustiques provoquent des ~s** mosquito-bites cause itching; **avoir des ~s** to be itching; **j'ai des ~s dans le pied** my foot is itching; **2** ○fig (envie) **avoir une ~ de faire** to be itching to do○

démanger /demɑ̃ʒe/ [13] *vtr* **1** lit (irriter) **ça me/le démange** I'm/he's itchy; **ça me/le démange de partout** I'm/he's itching all over; **ça te démange beaucoup?** is it itching a lot?; **sa jambe/brûlure le démange terriblement** his leg/burn is itching terribly; **ça me/le démange à la jambe** my/his leg is itching; **2** fig **ça me/le démange de faire** I'm/he's itching to do; **l'envie de le gifler me démangeait** I was itching to slap him; **quand elle entend des choses pareilles la main lui démange**○ when she hears things like that she feels like hitting somebody

(Idiome) **gratter qn où ça le démange** to butter sb up○

démantèlement /demɑ̃tɛlmɑ̃/ *nm* (de laboratoire, service) dismantling (**de** of); (de forces nucléaires) destruction; **le ~ du gang a pris plusieurs mois** it took several months to smash the gang

démanteler /demɑ̃tle/ [17] *vtr* to dismantle [*institution, armes, barricades, frontières*]; to break up [*gang*]

démantibuler○ /demɑ̃tibyle/ [1]

A *vtr* to bust○, to break up [*meuble*]

B **se démantibuler** *vpr* [*meuble*] to fall to pieces

démaquillage /demakijaʒ/ *nm* make-up removal

démaquillant, ~e /demakijɑ̃, ɑ̃t/

A *adj* [*lait, gel*] cleansing (*épith*)

B *nm* make-up remover; **~ pour les yeux** eye make-up remover

démaquiller /demakije/ [1]

A *vtr* to remove make-up from; **~ qn** to remove sb's make-up

B **se démaquiller** *vpr* to remove one's make-up; **se ~ les yeux** to remove one's eye make-up

démarcatif, -ive /demaʀkatif, iv/ *adj* Ling demarcative

démarcation /demaʀkasjɔ̃/ *nf* demarcation (**de** of; **entre** between)

démarchage /demaʀʃaʒ/ *nm* door-to-door selling; **~ électoral** canvassing; **~ téléphonique** cold calling

démarche /demaʀʃ/ *nf* **1** (allure) walk; **~ bizarre** funny walk; **avoir une ~ assurée/lourde** to walk with a confident/heavy step; **avoir une ~ de canard** to waddle like a duck; **2** (tentative) step; **mes ~s pour adopter un enfant** the steps I took to adopt a child; **sa ~ auprès du ministre a abouti** the approaches he made to the minister were successful; **entreprendre des ~s auprès de qn** to apply to sb; **faire** *or* **tenter une ~ auprès de qn** to approach sb; **faire des ~s pour obtenir qch** to take steps to obtain sth; **multiplier les ~s pour sauvegarder la paix** to step up peace initiatives; **~ commune** *or* **collective** joint representation (**auprès de** to); **les ~s nécessaires** the appropriate steps; **aider qn dans ses ~s auprès de l'administration** to help sb deal with officialdom; **plusieurs ~s sont possibles** there are several possible courses of action; **les ~s à effectuer sont les suivantes** the correct procedure is as follows; **3** (attitude) approach; **la ~ homéopathique** the homœopathic approach; **4** (raisonnement) reasoning; (évolution) **~ de la pensée/du raisonnement** thought/reasoning process; **analyser la ~ par laquelle l'enfant apprend à parler** to analyse the process by which a child learns to speak; **~ de l'analyse** analytical methodology

(Composé) **~ qualité** Entr total quality control

démarcher /demaʀʃe/ [1] *vtr* **1** (vendre) to sell [sth] door-to-door [*produit*]; **2** (solliciter) to canvass [*client, entreprise*]

démarcheur, -euse /demaʀʃœʀ, øz/ *nm,f* (door-to-door) salesman

démarquage /demaʀkaʒ/ *nm* **1** Comm (d'article) marking down (**de** of); **'~ de tous nos appareils ménagers'** 'all household appliances marked down'; **2** (fait de se distinguer) **on observe un ~ de plus en plus net entre les deux candidats** one can see an increasingly clear distinction between the two candidates

démarque /demaʀk/ *nf* (de marchandises) mark-down (**de** of)

démarquer /demaʀke/ [1]

A *vtr* **1** (rendre anonyme) **~ un article** to remove the designer's label from an item (*so as to lower the price*); **2** (solder) to mark down [*marchandises*]; **3** Sport to free [sb] from a marker

B **se démarquer** *vpr* **1** (se distinguer) **se ~ de qn/qch** to distance oneself from sb/sth; **2** Sport to get free of one's marker, to shake off one's marker

démarrage /demaʀaʒ/ *nm* **1** (de moteur) starting up; **le ~ est parfois difficile** the car is sometimes difficult to start; **j'ai peur de caler au ~** I'm afraid of stalling as I pull away; **2** (d'activité, d'entreprise) starting up (**de** of); **le ~ de ce film/cette affaire/cet élève est assez lent** this film/business/pupil has made a rather slow start; **le ~ de l'économie a eu lieu dans les années 60** the economy began to take off in the 60's; **3** (en course à pied) spurt, burst of speed

(Composé) **~ en côte** hill start

démarrer /demaʀe/ [1]

A *vtr* **1** (mettre en marche) to start (up) [*moteur, véhicule*]; **2** (débuter) to start [*roman, tableau, émission*]; to get [sth] off the ground [*campagne électorale, projet*]

B *vi* **1** (se mettre en marche) [*véhicule*] to pull away; [*moteur*] to start; **2** (mettre en marche) [*chauffeur*] to drive off, pull away; **3** (débuter) [*affaire, entreprise*] to start up; [*campagne électorale*] to get under way; [*personne*] to start off; **~ dans les affaires** to start up in business; **faire ~ une affaire** to get a business off the ground; **bien/mal ~ en italien** to make a good/poor start in Italian; **4** (en course à pied) to put on a spurt

démarreur /demaʀœʀ/ *nm* Aut starter

démasquer /demaske/ [1]
A *vtr* **1** (révéler) to unmask [*traître, malfaiteur*]; to expose [*hypocrisie, vice*]; to discover [*passage secret*]; to uncover [*complot, dessein*]; **2** (ôter le masque de) **~ qn** to remove sb's mask
B se démasquer *vpr* **1** (se révéler) (involontairement) to betray oneself; (volontairement) to reveal oneself; **2** (ôter son masque) to remove one's mask
(Idiome) **~ ses batteries** to show one's hand

démâter /demate/ [1]
A *vtr* [*équipage*] to unstep the mast of [*navire*]; [*tempête*] to dismast [*navire*]
B *vi* [*voilier*] to lose its mast

dématérialisation /dematerjalizasjɔ̃/ *nf* Fin (de titres, valeurs) *phasing out of actual share certificates*

démazouter /demazute/ [1] *vtr* to clean the oil from [*plage*]

démédicaliser /demedikalize/ [1] *vtr* to demedicalize, to stop treating [sth] as a medical problem [*naissance, mort*]

démêlage /demɛlaʒ/ *nm* **1** (de fils, pelote) disentangling; (de cheveux) untangling; (de fibres) carding; **2** (d'énigme, affaire) disentanglement

démêlant, **~e** /demɛlɑ̃, ɑ̃t/ *adj* [*baume, shampooing*] detangling

démêlé /demele/ *nm* wrangle; **il a eu un ~ avec son voisin à propos d'une clôture** he had a wrangle with his neighbour[GB] about a fence; **avoir des ~s avec le fisc/la justice** to get in trouble with the taxman/the law

démêler /demele/ [1]
A *vtr* **1** lit to disentangle [*fils, pelote*]; to untangle [*cheveux*]; **2** fig (éclaircir) to sort out [*affaire, situation*]; **~ le vrai du faux** to sort out truth from falsehood; **~ la part de responsabilité de chacun** to sort out everyone's responsibilities; **~ les fils d'une intrigue** to unravel the threads of a plot; **je n'arrive pas à ~ le sens du message** I can't make out what the message means
B se démêler *vpr* **1** (être clarifié) [*situation*] to get sorted out; **2** (se dépêtrer) [*personne*] **se ~ de qch** to extricate oneself from sth

démêloir /demelwar/ *nm* wide-toothed comb

démembrement /demɑ̃brəmɑ̃/ *nm* **1** (d'un pays, d'un trust) break-up (**de** of), dismantling (**de** of); **2** Agric division (**de** of)

démembrer /demɑ̃bre/ [1] *vtr* **1** (dépecer) to cut up, to joint [*animal*]; **2** (morceler) to divide up, to dismember [*domaine, empire*]

déménagement /demenaʒmɑ̃/ *nm* **1** (action de déménager) move; **c'est mon troisième ~** it's my third move; **ton ~ s'est bien passé?** did your move go well?; **mon ~ est prévu pour le 31** I'm moving house on the 31st; **2** (changement de domicile) moving house ₵; **~ à Paris** moving house to Paris; **nouveau ~** moving house again; **3** (changement de bureaux) relocation (**from** de; **à** to); **4** (transport) removal; (effets transportés) **mon ~ arrive demain** the removals firm is bringing my stuff tomorrow; **le ~ du piano** the removal of the piano; **~s internationaux** international removals; **compagnie** *or* **entreprise de ~s** removals firm GB, moving company US; **les ~s Solo** Solo Removals; **5** (action de vider) clearing ₵; **le ~ du salon** clearing the lounge

déménager /demenaʒe/ [13]
A *vtr* **1** (déplacer) to move [*meubles, livres*] (**de** out of); to relocate [*bureaux*] (**de** from; **à** to); **2** (vider) to clear [*pièce, bâtiment*]
B *vi* **1** (changer de domicile) to move house; **~ de Paris** to move from Paris; **~ à Oxford** to move to Oxford; **2** (changer de bureaux) to relocate; **3** ○(partir) to push off○, to leave; **faire ~** to turf [sb] out○ GB, to make [sb] leave [*personne*]; **4** ○(être fou) to be out to lunch○, to lose one's reason
(Idiome) **~ à la cloche de bois** to do a moonlight flit GB

déménageur, **-euse** /demenaʒœr, øz/
A ► p. 532 *nm,f* (ouvrier) removal GB *ou* moving US man/woman; (patron) furniture remover GB *ou* mover US; **épaules de ~** muscular shoulders; **avoir une carrure de ~** to be built like an ox
B déménageuse *nf* Helv (camion) removal van

démence /demɑ̃s/ *nf* madness, insanity; **avoir une crise de ~** to have a fit of madness; **plaider la ~** Jur to plead insanity

démener: **se démener** /dem(ə)ne/ [16] *vpr* **1** (s'agiter) to thrash about; [*prisonnier*] to struggle; **l'animal se démène dans sa cage** the animal is running around like mad○ in its cage; **2** (se donner du mal) to put oneself out; **se ~ pour faire** to put oneself to some trouble to do, to do one's damnedest to do○; **elle se démène du matin au soir dans la maison** she slaves away in the house from morning till night; **j'ai beau me ~ je ne trouve pas d'emploi** however hard I try I can't find a job
(Idiome) **se ~ comme un beau diable** (pour se libérer) to thrash about; (pour avoir qch) to do one's utmost

dément, **~e** /demɑ̃, ɑ̃t/
A *adj* **1** (fou) mad, insane; **2** ○[*spectacle*] terrific○, fantastic○; [*événement*] amazing, incredible; [*prix*] outrageous
B *nm,f* mentally ill person

démenti /demɑ̃ti/ *nm* denial; **les faits ont apporté un ~ à ses déclarations** the facts proved his statements false; **cette rumeur est restée sans ~** the rumour[GB] has not been denied; **opposer un ~ formel à qch** to deny sth categorically

démentiel, **-ielle** /demɑ̃sjɛl/ *adj* **1** ○[*inflation, rythme*] insane; [*prix*] outrageous; **2** Psych insane

démentir /demɑ̃tir/ [30]
A *vtr* **1** (nier) to deny [*information, accusation, lien*]; **il dément l'avoir dit** he denies having said it; **sans ~ que** without denying that; **les autorités ont formellement démenti cette rumeur** the authorities have categorically denied this rumour[GB]; **2** (contredire) [*personne*] to refute [*propos, déclaration*]; [*fait*] to give the lie to [*propos, déclaration*]; to contradict [*point de vue, prévision*]; to belie [*apparence*]
B se démentir *vpr* to flag; **son intérêt pour cette cause ne s'est pas démenti un instant** his interest in this cause has never flagged for one moment; **un produit dont le succès ne s'est jamais démenti** an unfailingly successful product

démerdard◑, **~e** /demerdar, ard/
A *adj* **il est ~/vraiment pas ~** he's a smart cookie/bloody useless◑
B *nm,f* smart cookie○

démerder◑: **se démerder** /demerde/ [1] *vpr* **1** (se débrouiller) to manage; **se ~ pour faire** to manage to do; **se ~ pour obtenir qch** to wangle○ sth; **se ~ avec ses problèmes** to sort out one's own problems; **démerde-toi pour payer** sort the bill GB *ou* check US out yourself○; **il s'est démerdé pour trouver du travail** he managed to find a job; **2** (se dépêcher) **démerde-toi un peu!** get your arse GB *ou* ass US in gear◑!

démerdeur◑, **-euse** /demerdœr, øz/ = **démerdard**

démérite /demerit/ *nm* liter fault; **il n'y a pas de ~ à agir ainsi** there is no shame in acting this way

démériter /demerite/ [1] *vi* to prove oneself unworthy (**de** of); **~ auprès de** *or* **aux yeux de qn** to lose sb's respect

démesure /deməzyr/ *nf* **1** (d'ambition, de prétentions) excesses (*pl*); **avoir horreur de la ~** to have a horror of excess; **2** (taille exagérée) excessive size

démesuré, **~e** /deməzyre/ *adj* **1** [*taille*] excessive; **d'une hauteur/largeur ~e** excessively high/wide; **2** [*orgueil, appétit*] immoderate; [*ambition*] excessive, inordinate

démesurément /deməzyremɑ̃/ *adv* excessively, inordinately

démettre /demɛtr/ [60]
A *vtr* **1** (déboîter) **~ l'épaule de qn** to dislocate sb's shoulder, to put sb's shoulder out (of joint); **2** (révoquer) to dismiss [*personne*]; **~ qn de ses fonctions** to relieve sb of his/her duties; **3** Jur (débouter) **~ qn de son appel** to dismiss sb's appeal
B se démettre *vpr* **1** (se déboîter) **il s'est démis l'épaule en tombant** he dislocated his shoulder when he fell; **2** (démissionner) to resign; **il s'est démis de son poste de président** he resigned his position as chairman

demeurant: **au demeurant** /odəmœrɑ̃/ *loc adv* in fact; **un brave homme au ~** a good chap all things considered

demeure /dəmœr/
A *nf* **1** (habitation) residence; **une belle ~ du XIXe siècle** a beautiful 19th century residence; **~ ancestrale** ancestral home; ► **dernier**; **2** **mettre qn en ~ de faire** gén to require sb to do; Jur to give sb formal notice to do; **se mettre en ~ de faire** to set oneself to doing; **mise en ~** gén demand; Jur formal notice (**de faire** to do)
B à demeure *loc adv* permanently
(Idiome) **il n'y a pas péril en la ~** there's no rush

demeuré, **~e** /dəmœre/
A *adj* retarded
B *nm,f* simpleton

demeurer /dəmœre/ [1] *vi* **1** (résider) (+ *v avoir*) to reside; **demeurant à Paris/25 rue du Bac** residing in Paris/at 25 rue du Bac; **2** (rester) (+ *v être*) to remain; **il est demeuré sourd à nos supplications** he remained deaf to our entreaties; **~ comme un grand homme** to be remembered as a great man; **il n'en demeure pas moins que** nonetheless, the fact remains that

demi, **~e** /d(ə)mi/ ► p. 424
A et demi, **et demie** *loc adj* and a half; **trois et ~ pour cent** three and a half per cent; **trois kilos/jours et ~** three and a half kilos/days; **trois millions et ~ de dollars/victimes** three and a half million dollars/victims; **il est trois heures et ~e** it's half past three; ► **malin**
B *nm,f* half; **cinq ~s** five halves; **un jambon entier, c'est trop, achètes-en un ~** a whole ham will be too much, just buy a half; **je ne veux pas une bouteille entière, vous avez des ~es?** I don't want a whole bottle, have you got any half-bottles?
C *nm* **1** (verre de bière) glass of beer, ≈ half-pint GB; **2** Sport half; **~ de mêlée** scrum half; **~ d'ouverture** stand-off half
D à demi *loc adv* half; **je ne suis qu'à ~ satisfait/convaincu/éveillé** I'm only half satisfied/convinced/awake; **elle ne fait pas les choses à ~** she doesn't do things by halves
E demi- (*in compounds*) **1** (à moitié) half; **une ~-pomme** half an apple; **trois ~-pommes** three half apples; **2** (incomplet) partial; **un ~-succès** a qualified success; **nous n'avons obtenu qu'une ~-victoire** we only won a partial victory; **cela n'a été qu'une ~-surprise** it wasn't a total surprise
F demie *nf* (d'heure) half hour; **la ~e vient de sonner** the half hour has just struck; **l'horloge sonne les ~es** the clock strikes on the half hour; **il est déjà la ~e, dépêche-toi!** it's already half past, hurry up!

demi-arrêt, *pl* **~s** /d(ə)miarɛ/ *nm* Équit half halt

demi-botte, *pl* **~s** /d(ə)mibɔt/ *nf* calf-length boot

demi-bouteille, *pl* **~s** /d(ə)mibutɛj/ *nf* half-bottle

demi-centre /d(ə)misɑ̃tr/ *nm* halfback

demi-cercle, *pl* **~s** /d(ə)misɛrkl/ *nm* semicircle; **placez-vous en ~** form a semicircle; **en ~** [*objet*] semicircular

demi-colonne, *pl* **~s** /d(ə)mikɔlɔn/ *nf* Archit half-column

demi-deuil, *pl* **~s** /d(ə)midœj/ *nm* **1** (rituel) half-mourning; **une robe ~** a half-mourning dress; **se mettre en ~** to go into half-mourning; **2** Culin demi-deuil (*served with truffles and white sauce*)

demi-dieu, *pl* **~x** /d(ə)midjø/ *nm* demigod

demi-douzaine, *pl* **~s** /d(ə)miduzɛn/ *nf* **1** (six) half a dozen; **une ~ d'œufs** half a dozen eggs; **une ~ d'œufs coûte deux euros** half a dozen eggs cost two euros; **sa dernière ~ d'œufs** his/her last half-dozen eggs; **2** (environ six) half a dozen or so, about half a dozen; **une ~ de personnes étaient déjà là** about half a dozen people were already there; **la ~ de personnes qui restaient** the last half-dozen people; ▸ **cinquantaine 1**

demi-droite, *pl* **~s** /d(ə)midʀwat/ *nf* half-line

demie ▸ **demi A, B, F**

demi-échec /d(ə)mieʃɛk/ *nm* partial failure

demi-écrémé, **~e**, *mpl* **~s** /d(ə)miekʀeme/ *adj* semi-skimmed

demi-finale, *pl* **~s** /d(ə)mifinal/ *nf* semi-final

demi-finaliste, *pl* **~s** /d(ə)mifinalist/ *nmf* semifinalist

demi-fond, *pl* **~s** /d(ə)mifɔ̃/ *nm* (spécialité) middle-distance running; **de ~** [*course, coureur*] middle-distance

demi-frère, *pl* **~s** /d(ə)mifʀɛʀ/ *nm* half-brother

demi-gros /d(ə)migʀo/ *nm inv* wholesale direct to the public

demi-heure, *pl* **~s** /d(ə)mijœʀ/ *nf* half an hour; **à intervalles d'une ~** at half-hourly intervals; **je serai prêt dans une ~** I'll be ready in half an hour GB *ou* in a half-hour US

demi-jour, *pl* **~(s)** /d(ə)miʒuʀ/ *nm* half-light

demi-journée, *pl* **~s** /d(ə)miʒuʀne/ *nf* half a day; **à la ~** on a half-day basis; **travailler trois ~s par semaine** to work three half-days a week

démilitarisation /demilitaʀizasjɔ̃/ *nf* demilitarization

démilitariser /demilitaʀize/ [1] *vtr* to demilitarize

demi-litre, *pl* **~s** /d(ə)militʀ/ *nm* half a litre[GB]; **par ~** by the half-litre[GB]

demi-longueur, *pl* **~s** /d(ə)milɔ̃gœʀ/ *nf* half-length; **d'une ~** by a half-length

demi-lune, *pl* **~s** /d(ə)milyn/ *nf* **1** lit half-moon; **2** (objet) half-circle; **des montures de lunettes (en) ~** half-moon spectacles

demi-mal /d(ə)mimal/ *nm* **il n'y a que ~** it's not as bad as all that

demi-marathon /d(ə)mimaʀatɔ̃/ *nm* Sport half marathon

demi-mesure, *pl* **~s** /d(ə)mim(ə)zyʀ/ *nf* lit, fig half-measure; **se contenter de ~s** to make do with half-measures

demi-mondaine†, *pl* **~s** /d(ə)mimɔ̃dɛn/ *nf* demimondaine†

demi-monde†, *pl* **~s** /d(ə)mimɔ̃d/ *nm* demimonde†

demi-mort, **~e**, *pl* **~s**, **~es** /dəmimɔʀ, mɔʀt/ *adj* half-dead (**de** from *ou* with)

demi-mot: **à demi-mot** /ad(ə)mimo/ *loc adv* **j'ai compris à ~** I took the hint; **elle me comprend à ~** she can read my mind

déminage /deminaʒ/ *nm* (de terrain) (land) mine clearance; (de mer) minesweeping

déminer /demine/ [1] *vtr* **1** Mil to clear [sth] of mines [*terrain*]; to sweep [sth] of mines [*estuaire*]; **2** fig to defuse [*conflit, situation*]

déminéraliser /demineʀalize/ [1]
A *vtr* to demineralize [*eau*]
B **se déminéraliser** *vpr* [*personne*] to lose essential body salts, to suffer from a mineral deficiency

démineur /deminœʀ/ *nm* mine clearance expert

demi-pause, *pl* **~s** /d(ə)mipoz/ *nf* minim rest GB, half rest US

demi-pension /d(ə)mipɑ̃sjɔ̃/ *nf* **1** (régime, prix) half board; **être en ~** (à l'hôtel) to stay half board; (à l'école) to have school lunches; **2** (hôtel) hotel offering half board; **3** (pour un cheval) half-livery

demi-pensionnaire, *pl* **~s** /d(ə)mipɑ̃sjɔnɛʀ/ *nmf* Scol pupil who has school lunches

demi-place, *pl* **~s** /d(ə)miplas/ *nf* **deux ~s, s'il vous plaît** two halves, please; **payer ~** Transp to pay half-fare; (au spectacle) to pay half-price; **une ~ au cinéma** a half-price seat at the cinema

demi-plan, *pl* **~s** /d(ə)miplɑ̃/ *nm* Math half-plane

demi-pointe, *pl* **~s** /d(ə)mipwɛ̃t/ *nf* demi-pointe; **faire des ~s** to dance on demi-pointe

demi-portion○, *pl* **~s** /d(ə)mipɔʀsjɔ̃/ *nf* pej little squirt○ péj

demi-queue, *pl* **~s** /d(ə)mikø/ *nm* **(piano) ~** boudoir grand piano

demi-reliure, *pl* **~s** /d(ə)miʀəljyʀ/ *nf* quarter-binding; **~ à coins** half-binding

démis, **~e** /demi, iz/
A *pp* ▸ **démettre**
B *pp adj* [*articulation*] dislocated

demi-saison, *pl* **~s** /d(ə)misɛzɔ̃/ *nf* **manteau de ~** lightweight coat

demi-sel /d(ə)misɛl/ *adj inv* [*beurre, fromage*] slightly salted

demi-siècle, *pl* **~s** /d(ə)misjɛkl/ *nm* half a century

demi-sœur, *pl* **~s** /d(ə)misœʀ/ *nf* half-sister

demi-solde, *pl* **~s** /d(ə)misɔld/ *nf* half-pay; **à la ~** on half-pay

demi-sommeil, *pl* **~s** /d(ə)misɔmɛj/ *nm* **être dans un ~** (somnolence) to be half-asleep; (inactivité) to be slumbering

demi-soupir, *pl* **~s** /d(ə)misupiʀ/ *nm* quaver rest GB, eighth rest US

démission /demisjɔ̃/ *nf* **1** lit resignation (**de** from); **donner sa ~** lit to hand in one's resignation; hum to give up; **2** fig failure to take responsibility, cop out○

démissionnaire /demisjɔnɛʀ/
A *adj* **1** (qui a démissionné) resigning (*épith*); **2** (qui abandonne) negligent
B *nmf* person who has resigned

démissionner /demisjɔne/ [1]
A ○*vtr* hum to oust; **être démissionné** to be ousted
B *vi* **1** (quitter son poste) to resign (**de** from); **2** (renoncer) to give up; (renier ses responsabilités) to abdicate one's responsibilities

demi-succès /d(ə)misyksɛ/ *nm inv* qualified success

demi-tarif, *pl* **~s** /d(ə)mitaʀif/
A *adj inv* [*billet, place*] half-price (*épith*)
B *adv* **payer ~** to pay half-price
C *nm* (billet) half-price ticket; **voyager à ~** to travel half-fare; **avoir droit au ~** to be entitled to travel half-fare

demi-teinte, *pl* **~s** /d(ə)mitɛ̃t/ *nf* muted colours[GB]; **en ~s** lit in muted colours[GB]; fig in a subdued style

demi-ton, *pl* **~s** /d(ə)mitɔ̃/ *nm* semitone

demi-tonneau, *pl* **~x** /d(ə)mitɔno/ *nm* Aviat half-roll

demi-tour, *pl* **~s** /d(ə)mituʀ/ *nm* **1** (dans l'espace) Aut U-turn; Mil about-turn GB, about face US; **faire ~** gén to turn back; **faire** *or* **exécuter un ~** Aut to make a U-turn; Mil to about-turn GB, to about-face US; **2** (de serrure) sash

démiurge /demjyʀʒ/ *nm* Philos demiurge; Littéral creator

demi-vie, *pl* **~s** /d(ə)mivi/ *nf* Phys half-life

demi-vierge†, *pl* **~s** /d(ə)mivjɛʀʒ/ *nf* demi-vierge†

demi-volée, *pl* **~s** /d(ə)mivɔle/ *nf* half-volley

démobilisable /demɔbilizabl/ *adj* authorized to be demobilized

démobilisateur, **-trice** /demɔbilizatœʀ, tʀis/ *adj* **1** fig pacifying (*épith*); **2** Mil demobilization (*épith*)

démobilisation /demɔbilizasjɔ̃/ *nf* **1** Mil demobilization; **procéder à la ~** to demobilize; **2** fig demotivation

démobilisé, **~e** /demɔbilize/ *nm,f* demobilized soldier

démobiliser /demɔbilize/ [1]
A *vtr* **1** Mil to demobilize; **2** fig to demotivate [*électorat, partisan*]
B **se démobiliser** *vpr* (perdre sa combativité) to become demotivated

démocrate /demɔkʀat/
A *adj* **1** gén democratic; **2** (aux États-Unis) [*parti, sénateur*] Democratic; **voter pour le parti ~** to vote Democratic
B *nmf* **1** gén democrat; **2** (aux États-Unis) Democrat

démocrate-chrétien, **-ienne**, *pl* **démocrates-chrétiens**, **-iennes** /demɔkʀatkʀetjɛ̃, ɛn/ *adj, nm,f* Christian Democrat

démocratie /demɔkʀasi/ *nf* democracy; **~ parlementaire/populaire** parliamentary/popular democracy

démocratique /demɔkʀatik/ *adj* **1** Pol [*régime, débat*] democratic; **2** (accessible à tous) accessible

démocratiquement /demɔkʀatikmɑ̃/ *adv* democratically

démocratisation /demɔkʀatizasjɔ̃/ *nf* (tous contextes) democratization

démocratiser /demɔkʀatize/ [1]
A *vtr* Pol, fig to democratize [*régime, enseignement*]
B **se démocratiser** *vpr* **1** Pol [*régime*] to become more democratic; **2** [*enseignement*] to become more accessible to people

démodé, **~e** /demɔde/ *adj* old-fashioned

démoder: **se démoder** /demɔde/ [1] *vpr* to go out of fashion

démographe /demɔgʀaf/ ▸ **p. 532** *nmf* demographer

démographie /demɔgʀafi/ *nf* demography

démographique /demɔgʀafik/ *adj* demographic

demoiselle /d(ə)mwazɛl/ *nf* **1** (jeune fille) fml *or* iron young lady; **si ça ne dérange pas ces ~s** if the young ladies don't mind; **2** †(célibataire) single lady; **elle est restée ~** she remained single; **3** †(fille) daughter; **4** †(jeune noble) young noblewoman; **être habillée en ~** to be dressed in one's finery; **elle se prend pour une ~** she gives herself airs and graces; **5** (libellule) damselfly; **6** Tech (pour damer) rammer

(Composés) **~ coiffée** Géol earth pillar; **~ de compagnie** female companion; **~ d'honneur** (de mariée) bridesmaid; (à la cour) maid of honour[GB]

démolir /demɔliʀ/ [3]
A *vtr* **1** (détruire) to demolish [*quartier*]; to pull down, to demolish [*bâtiment*]; **2** (rendre inutilisable) to wreck [*appareil, jouet*]; **3** (ruiner) to destroy [*système, doctrine, réputation*]; [*critique*] to demolish [*argumentation*]; **les critiques m'ont démoli** the critics tore me to pieces; **4** (discréditer) to demolish [*politicien*]; **cette histoire a démoli sa carrière** the affair wrecked his/her career; **5** ○(rosser) to beat [sb] up○ [*personne*]; **se faire ~** to get beaten up; **6** ○(épuiser) [*effort*] to whack [sb] out○ [*personne*]; [*produit*] to do [sth] in○ [*organe*]; **l'alcool lui a démoli le foie/la santé** alcohol has wrecked his liver/health

B **se démolir** *vpr* **se ~**○ **la santé** to ruin one's health

démolissage /demɔlisaʒ/ *nm* (de réputation, organisation) destruction; (de bâtiment) demolition

démolisseur, **-euse** /demɔlisœʀ, øz/ *nm,f* **1** ▸ **p. 532** (personne) demolition worker; (entreprise) demolition contractor GB, wrecker US; **2** (destructeur) wrecker

démolition /demɔlisjɔ̃/

A *nf* **1** (de maison, construction) demolition; **travaux/chantier/entreprise de ~** demolition works/site/contractor; **bâtiment en (cours de) ~** building under demolition; **2** (de réputation, système, doctrine, d'institution) destruction

B **démolitions** *nfpl* rubble **¢**; **les victimes ensevelies sous les ~s** the victims buried under the rubble

démon /demɔ̃/ *nm* **1** Relig devil; **le ~** the Devil; **2** (esprit) **bon/mauvais ~** good/evil spirit; **poussé par son ~ intérieur** (bon) prompted by his guiding spirit; (mauvais) driven by the demon inside him; **3** (personne) devil; **4** (passion) demon; **le ~ du jeu** the gambling demon; **le ~ de la boisson** *or* **de l'alcool** the demon drink

(Composé) **~ de midi** ≈ mid-life crisis

démonétisation /demɔnetizasjɔ̃/ *nf* demonetization

démonétiser /demɔnetize/ [1] *vtr* Fin to demonetize

démoniaque /demɔnjak/ *adj* demonic

démonologie /demɔnɔlɔʒi/ *nf* demonology

démonstrateur, **-trice** /demɔ̃stʀatœʀ, tʀis/ ▸ **p. 532** *nm,f* Comm demonstrator; **être démonstratrice en produits de beauté** to demonstrate beauty products

démonstratif, **-ive** /demɔ̃stʀatif, iv/

A *adj* **1** (expansif) [*personne, caractère*] demonstrative; [*geste*] expressive; [*joie*] uninhibited; **individu peu ~** a rather undemonstrative person; **2** (convaincant) [*argument, expérience*] demonstrative; **3** Ling [*adjectif, pronom*] demonstrative

B *nm* Ling demonstrative

démonstration /demɔ̃stʀasjɔ̃/ *nf* **1** (signe extérieur) show **¢**; **faire des ~s d'amitié à qn** to make a show of friendship towards sb; **2** (leçon pratique) demonstration; **~ culinaire/de judo** cookery GB *ou* cooking US/judo demonstration; **faire une ~ à qn** to give sb a demonstration; **faire la ~ d'un appareil** to demonstrate an appliance; **de ~** [*appareil, matériel*] demonstration; **3** (illustration, preuve) (de loi, théorie, vérité) demonstration; (de théorème) proof; **la ~ en a été faite** this has been proved GB *ou* proven; **l'organisme a fait la ~ de son utilité** the organization has demonstrated its usefulness; **~ par l'absurde** reductio ad absurdum; **4** (manifestation) display; **~ de force/courage** display of strength/courage; **~ aérienne** Sport air display

démontable /demɔ̃tabl/ *adj* [*meuble*] that can be taken apart *ou* dismantled (*après n*), knockdown (*épith*) US

démontage /demɔ̃taʒ/ *nm* **1** (de tente, d'échafaudage) taking down; (de meuble) taking apart; (de moteur, d'arme) stripping down; (de serrure, pendule) dismantling; (de roue) removal; **le ~ de la tente est très simple** the tent is very easy to take down; **2** fig (explication) **procéder au ~ de mécanismes psychologiques/biologiques** to describe the functioning of psychological/biological mechanisms

démonté, **~e** /demɔ̃te/

A *pp* ▸ **démonter**

B *pp adj* [*mer*] stormy

démonte-pneu, *pl* **~s** /demɔ̃t(ə)pnø/ *nm* Aut tyre-lever GB, tire iron US

démonter /demɔ̃te/ [1]

A *vtr* **1** (désassembler) to take down [*tente, échafaudage*]; to take apart, to knock down US [*meuble, maquette*]; to strip down [*moteur, arme*]; to dismantle [*pendule, mécanisme*]; to unpick [*vêtement*]; **2** (enlever) to remove [*roue*]; to take off [*porte*]; to take down [*rideau*]; **3** ○(déconcerter) to fluster; **ne pas se laisser ~** to remain unruffled; **sans se laisser ~ il...** unruffled he...; **4** (désarçonner) Équit [*cheval*] to throw [*cavalier*]; **5** Chasse to wing [*oiseau*]

B **se démonter** *vpr* **1** (être démontable) [*meuble, maquette*] to be able to be taken apart; [*moteur, arme*] to be able to be stripped down; [*pendule, mécanisme*] to be able to be dismantled; [*vêtement*] to be able to be unpicked; **ce buffet se démonte facilement** this sideboard can be taken apart *ou* knocked down US easily; **2** (se disloquer) to come apart; **3** ○(perdre son sang-froid) to become flustered; **il ne s'est pas démonté devant cette accusation** he wasn't flustered by this accusation

démontrable /demɔ̃tʀabl/ *adj* demonstrable

démontrer /demɔ̃tʀe/ [1] *vtr* **1** (avec preuve) to demonstrate [*intérêt, puissance, absurdité*]; to prove [*théorème*]; **~ que** to demonstrate that; **~ qch à qn** to demonstrate sth to sb; **~ à qn que** to demonstrate to sb that; **je lui ai démontré par a plus b qu'il avait tort** I demonstrated to him conclusively that he was wrong; **2** (indiquer) to prove, to demonstrate (**que** that); **l'incident démontre la fragilité des accords** the incident proves how fragile the agreements are

démoralisant, **~e** /demɔʀalizɑ̃, ɑ̃t/ *adj* demoralizing

démoralisation /demɔʀalizasjɔ̃/ *nf* demoralization

démoraliser /demɔʀalize/ [1]

A *vtr* to demoralize; **se laisser ~** to let oneself get demoralized; **se laisser ~ par qch** to let sth demoralize one

B **se démoraliser** *vpr* to get demoralized

démordre: **démordre de** /demɔʀdʀ/ [6] *vtr ind* **je n'en démords pas** (d'une idée, opinion) I won't let go of it; (d'une déclaration, décision) I'm sticking to it

Démosthène /demɔstɛn/ *npr* Demosthenes

démotique /demɔtik/ *adj, nm, nf* demotic

démotiver /demɔtive/ [1] *vtr* to demotivate

démoulage /demulaʒ/ *nm* **1** (de pâtisserie) turning out; **avant/pendant le ~** before/when turning out; **2** Art, Tech (d'objet) removal from the mould GB *ou* mold US; (de moule) turning out of the mould GB *ou* mold US

démouler /demule/ [1]

A *vtr* to turn [sth] out of the tin GB *ou* pan US [*gâteau*]; to turn [sth] out of the mould[GB] [*flan*]; to remove [sth] from the mould [*statue*]

B **se démouler** *vpr* **bien/mal se ~** [*gâteau*] to come out of the tin GB *ou* pan US easily/badly; [*flan, statue*] to come out of the mould easily/badly

démultiplicateur, **-trice** /demyltiplikatœʀ, tʀis/

A *adj* reduction (*épith*)

B *nm* reduction-unit

démultiplication /demyltiplikasjɔ̃/ *nf* (effet) gearing down; (rapport) reduction ratio

démultiplier /demyltiplije/ [2] *vtr* **1** to reduce [*vitesse*]; **2** to multiply the number of [*établissements, réseaux*]

démuni, **~e** /demyni/

A *pp* ▸ **démunir**

B *pp adj* **1** (pauvre) impoverished; (à court d'argent) penniless; **2** (vulnérable) helpless (**face à, devant** in the face of); **nous sommes totalement ~s face à leur détresse** we are helpless when faced with their distress; **3** (à court de stock) out of stock (*jamais épith*); **4** (privé) **~ de** devoid of [*talent*]; lacking [*diplômes*]

démunir /demyniʀ/ [3]

A *vtr* (dégarnir) to divest (**de** of)

B **se démunir** *vpr* (se dessaisir) **se ~ de** to leave oneself without [*argent, provisions, biens*]; **je ne veux pas me ~** I don't want to leave myself short

démystification /demistifikasjɔ̃/ *nf* **1** **la ~ de qn** the dispelling of sb's illusions; **2** (d'une discipline) demystification

démystifier /demistifje/ [2] *vtr* **1** (détromper) **~ qn** to dispel sb's illusions; **2** to demystify [*discipline*]

démythification /demitifikasjɔ̃/ *nf* demythologization

démythifier /demitifje/ [2] *vtr* to demythologize

dénasalisation /denazalizasjɔ̃/ *nf* denasalization

dénasaliser /denazalize/ [1]

A *vtr* to denasalize

B **se dénasaliser** *vpr* to be denasalized

dénatalité /denatalite/ *nf* fall in the birthrate

dénationalisation /denasjɔnalizasjɔ̃/ *nf* denationalization

dénationaliser /denasjɔnalize/ [1] *vtr* to denationalize

dénaturant, **~e** /denatyʀɑ̃, ɑ̃t/

A *adj* [*produit*] denaturing (*épith*)

B *nm* denaturant; (agent traceur) denaturing agent

dénaturation /denatyʀasjɔ̃/ *nf* **1** Ind, Tech, Sci denaturation; **2** fig distortion

dénaturé, **~e** /denatyʀe/

A *pp* ▸ **dénaturer**

B *pp adj* **1** [*alcool*] denaturated; **2** (dépravé) warped; **3** (indigne) [*parents, enfants*] unnatural; **4** (déformé) distorted

dénaturer /denatyʀe/ [1] *vtr* **1** Tech, Ind to denature; **2** (déformer) to distort [*faits*]; **3** (altérer) to spoil [*goût, sauce*]

dénazification /denazifikasjɔ̃/ *nf* denazification

dénazifier /denazifje/ [2] *vtr* to denazify

dendrologie /dɑ̃dʀɔlɔʒi/ *nf* dendrology

dénébuler /denebyle/ [1] *vtr* to disperse fog; **~ une piste** to disperse the fog on a runway

dénégation /denegasjɔ̃/ *nf* gén, Jur denial

déneigement /denɛʒmɑ̃/ *nm* clearing of snow

déneiger /deneʒe/ [13] *vtr* to clear the snow; **~ qch** to clear the snow from sth

déni /deni/ *nm* denial (**de** of)

déniaiser /denjeze/ [1]

A *vtr* **1** (dégourdir) to make [sb] more worldly-wise, to wise [sb] up○ US; **2** ○(initier sexuellement) to initiate [sb] sexually

B **se déniaiser** *vpr* (devenir débrouillard) to become more worldly-wise, to wise up○

dénicher /deniʃe/ [1] *vtr* **1** ○(découvrir) to dig out○ [*objet*]; to track down [*personne*]; to discover [*bonne adresse*]; **2** (faire sortir) to flush out [*ennemi, voleur, animal*] (**de** from); **3** lit to take [sth] from the nest

dénicheur, **-euse** /deniʃœʀ, øz/ *nm,f* **1** (d'objets, de talents) spotter (**de** of); **2** (d'œufs) bird's-nester

dénicotiniser /denikɔtinize/ [1] *vtr* to make [sth] nicotine-free; **cigarette dénicotinisée** nicotine-free cigarette

denier /dənje/

A *nm* **1** Fin, Hist (français) denier; (romain) denarius; **2** Tex (unité de finesse) denier; **collants de 20 ~s** 20-denier tights GB *ou* panty hose US

B **deniers** *nmpl* money; **payer de ses ~s** to pay with one's own money; **~s publics** *or* **de l'État** public funds

(Composés) **~ du culte** Relig *funds collected annually for a parish*; **~ de saint Pierre** Relig Peter's pence

dénier /denje/ [2] *vtr* to deny; **~ qch à qn** to deny sb sth

dénigrement /denigʀəmɑ̃/ *nm* denigration; **par ~** disparagingly; **esprit de ~** disparaging mentality

dénigrer /denigʀe/ [1] *vtr* to denigrate

dénivelé /denivle/ *nm*, **dénivelée** *nf* difference in altitude (**entre** between); **1 000 mètres de ∼** a difference in altitude of 2,000 metres[GB]

déniveler /denivle/ [19] *vtr* **1** (rendre accidenté) to make [sth] uneven; **2** (changer le niveau) to alter the level of

dénivellation /denivɛlasjɔ̃/ *nf* **1** (écart d'altitude) difference in altitude (**entre** between); (écart de niveau) difference in level; **2** (inclinaison) gradient; **3** (inégalité de terrain) unevenness; **4** (changement du niveau) alteration of level

dénombrable /denɔ̃bʀabl/ *adj* Math, Ling countable, count (*épith*); **non ∼** uncountable

dénombrement /denɔ̃bʀəmɑ̃/ *nm* **∼ de la population** population count; **le ∼ des victimes a pris plusieurs jours** it took several days to count the victims

dénombrer /denɔ̃bʀe/ [1] *vtr* to count; **on dénombre 14 blessés** the number of wounded is 14

dénominateur /denɔminatœʀ/ *nm* denominator; **∼ commun** Math, fig common denominator (**à** of); **plus petit ∼ commun** lowest common denominator (**à** of)

dénominatif, **-ive** /denɔminatif, iv/
A *adj* denominative
B *nm* denominative

dénomination /denɔminasjɔ̃/ *nf* **1** gén name; **2** Relig denomination

(Composés) **∼ commune** Pharm generic name; **∼ sociale** Admin registered company name

dénommé, **∼e** /denɔme/
A *pp* ▸ **dénommer**
B *pp adj* Admin **le ∼ Pierre** the person by the name of Pierre; **il y avait là un ∼ Martin** there was a certain Martin there

dénommer /denɔme/ [1] *vtr* **1** Jur to name; **2** (appeler) to call; **comment dénommez-vous...?** what do you call...?; **3** (désigner) to designate; **∼ d'après** to designate according to

dénoncer /denɔ̃se/ [12]
A *vtr* **1** (signaler) to denounce [*personne, coupable*] (**à** to); **il a été dénoncé par ses amis** he was denounced by his friends; **2** (rendre public) to denounce [*abus, répression, scandale, activité*]; **3** Jur (rompre) to terminate [*traité, contrat*]
B **se dénoncer** *vpr* to give oneself up

dénonciateur, **-trice** /denɔ̃sjatœʀ, tʀis/
A *adj* [*lettre, article*] denunciatory
B *nm,f* (de coupable) informer; (d'injustice) campaigner (**de** against)

dénonciation /denɔ̃sjasjɔ̃/ *nf* **1** (de coupable) denunciation; **lettre de ∼** letter of denunciation; **il a été inculpé sur ∼ des voisins** he was convicted on the strength of his neighbours'[GB] denunciation; **2** (d'injustice, de scandale) denunciation; **3** Jur (rupture) termination; (signification légale) notice

dénotatif, **-ive** /denɔtatif, iv/ *adj* denotative

dénotation /denɔtasjɔ̃/ *nf* denotation

dénoter /denɔte/ [1] *vtr* denote

dénouement /denumɑ̃/ *nm* **1** Théât denouement; **2** (d'une affaire, d'un conflit) outcome, conclusion; **un heureux ∼** a happy ending

dénouer /denwe/ [1]
A *vtr* **1** (détacher) to undo, untie [*nœud, lacets, ruban*]; to let down [*cheveux*]; to undo [*cravate, ceinture*]; to disentangle [*fils*]; **mes cheveux étaient dénoués** my hair was loose; **2** (débrouiller) to unravel [*intrigue, imbroglio*]; to resolve [*affaire, crise, situation*]; **∼ les fils d'une intrigue** to unravel the threads of a plot
B **se dénouer** *vpr* **1** [*lacet, ruban, corde*] to come undone; **2** [*crise*] to resolve itself; [*intrigue*] to unravel itself; [*affaire, situation*] to resolve

dénoyauter /denwajote/ [1] *vtr* to stone GB, to pit US

dénoyauteuse /denwajotøz/ *nf* fruit-stoner GB, fruit-pitter US

denrée /dɑ̃ʀe/ *nf* **1** (produit) **∼ de base** staple; **∼s alimentaires** foodstuffs; **∼s congelées** frozen foods; **∼s de luxe/périssables** luxury/perishable foodstuffs; **∼s de consommation courante/de première nécessité** basic/primary foodstuffs; **2** fig commodity; **une ∼ rare** a rare commodity

dense /dɑ̃s/ *adj* **1** Géog **la population est ∼** it is densely populated; **2** Phys [*corps*] dense; **3** [*brouillard, végétation, texte, circulation*] dense; [*réseau*] concentrated; [*programme, tir*] heavy

densimètre /dɑ̃simɛtʀ/ *nm* densitometer

densité /dɑ̃site/ *nf* **1** Géog (population) density; **∼ rurale/urbaine** rural/urban population density; **∼ démographique** density of population; **à forte/faible ∼** densely/sparsely populated; **2** Phys relative density; **3** (de végétation, brouillard) denseness; **∼ d'un réseau** density of a network; **∼ bancaire/policière** number of banks/police; **4** Ordinat density

dent /dɑ̃/ *nf* **1** Anat, Zool tooth; **∼s de devant/de derrière** front/back teeth; **∼ en or** gold tooth; **entre les ∼s** between one's teeth; **entre ses ∼s** [*murmurer, jurer*] under one's breath; **parler entre ses ∼s** to mumble; **mal** *or* **rage de ∼s** toothache; **donner un coup de ∼ à qn/dans qch** to bite sb/into sth; **à pleines** *or* **à belles ∼s** [*mâcher, déchirer, croquer*] with relish; **rire de toutes ses ∼s** to laugh heartily; **manger du bout des ∼s** to pick at one's food; **rire du bout des ∼s** to laugh half-heartedly; **accepter du bout des ∼s** to accept reluctantly; **faire ses (premières) ∼s, percer ses ∼s** to teethe; **elle vient de percer une ∼** she has just cut a tooth; **jusqu'aux ∼s** [*s'armer, être armé*] to the teeth; **ne rien avoir à se mettre sous la ∼** (à manger) to have nothing to eat; (à lire) to have nothing to read; **montrer les ∼s** lit, fig to bare one's teeth; **serrer les ∼s** to grit one's teeth; **se faire les ∼s (sur qch)** to come to grief (over sth); **2** (de peigne, scie, roue d'engrenage) tooth; (de fourchette, râteau) prong; (de couteau, scie) tooth, serration; (de timbre, feuille) serration; **en ∼s de scie** [*bord, lame*] serrated; [*carrière*] full of ups and downs, chequered GB *ou* checkered US; [*résultats*] which go up and down; **avoir un moral en ∼s de scie** to have ups and downs; **3** (sommet) crag

(Composés) **∼ de lait** milk *ou* baby GB tooth; **∼ de sagesse** wisdom tooth; ▸ **faux**

(Idiomes) **avoir** *or* **conserver une ∼ contre qn** to bear sb a grudge; **avoir les ∼s longues** to be ambitious; **avoir la ∼ dure** to be scathing; **avoir la ∼**○ to feel peckish○; **être sur les ∼s** (occupé) to be up to one's eyes in work; (tendu) to be on edge; **œil pour œil, ∼ pour ∼** Prov an eye for an eye and a tooth for a tooth Prov

dentaire /dɑ̃tɛʀ/ *adj* dental; **faire ∼**○ *or* **des études ∼s** to study to be a dentist

dental, **∼e**, *mpl* **-aux** /dɑ̃tal, o/
A *adj* dental
B **dentale** *nf* dental (consonant)

dent-de-lion, *pl* **dents-de-lion** /dɑ̃dəljɔ̃/ *nf* dandelion

denté, **∼e** /dɑ̃te/ *adj* Tech, Zool toothed; Bot dentate

dentelé, **∼e** /dɑ̃t(ə)le/
A *pp* ▸ **denteler**
B *pp adj* [*côte*] indented; [*crête*] jagged; [*tissu*] pinked; [*papier, lame*] serrated; [*timbre*] perforated; Bot dentate

denteler /dɑ̃t(ə)le/ [19] *vtr* to pink [*tissu, papier*]; to indent [*côte*]; to give a jagged outline to [*montagne*]; to perforate [*timbre*]

dentelle /dɑ̃tɛl/ *nf* lace; **une ∼** a piece of lace; **mouchoir de** *or* **en ∼** lace handkerchief; **∼ au fuseau** bobbin lace; **∼ de pierre** stone filigree

(Idiome) **il ne fait pas dans la ∼** he's not one to bother with niceties

dentellerie /dɑ̃tɛlʀi/ *nf* (fabrication) lacemaking; (industrie) lace industry

dentellier, **-ière*** /dɑ̃təlje, ɛʀ/
A *adj* lace
B **dentellière** *nf* **1** (personne) lacemaker; **2** (machine) lacemaking machine

dentelure /dɑ̃tlyʀ/ *nf* (de timbre) perforation; (de tissu) pinked edge; (de papier, lame) serrated edge; (de côte) indentation; (de crête) jagged outline; Bot serration; Archit dentils (*pl*)

dentier /dɑ̃tje/ *nm* dentures (*pl*)

dentifrice /dɑ̃tifʀis/
A *adj* **pâte ∼** toothpaste; **poudre ∼** tooth powder; **eau ∼** mouthwash
B *nm* toothpaste

dentine /dɑ̃tin/ *nf* dentine[GB]

dentiste /dɑ̃tist/ ▸ **p. 532** *nmf* dentist; **aller chez le ∼** to go to the dentist's

dentisterie /dɑ̃tist(ə)ʀi/ *nf* dentistry

dentition /dɑ̃tisjɔ̃/ *nf* dentition; **avoir une bonne/mauvaise ∼** to have good/bad teeth

denture /dɑ̃tyʀ/ *nf* **1** Dent (disposition) dentition; (dents) set of teeth; **2** Tech teeth (*pl*), cogs (*pl*)

dénucléarisation /denykleaʀizasjɔ̃/ *nf* denuclearization

dénucléariser /denykleaʀize/ [1] *vtr* to denuclearize

dénudé, **∼e** /denyde/
A *pp* ▸ **dénuder**
B *pp adj* gén bare; (crâne) bald

dénuder /denyde/ [1]
A *vtr* **1** Électrotech to strip [*câble, fil*]; **2** [*mouvement*] to reveal [*corps*]; **la robe dénudait son épaule** the dress left her shoulder bare; **3** Méd to bare [*nerf, veine*]; to strip [*os*] (**de** of); **4** liter **le vent a dénudé les arbres/la colline** the wind stripped the trees/the hill bare; **∼ un arbre de son écorce** to strip a tree of its bark
B **se dénuder** *vpr* **1** [*personne*] to strip (off); **se ∼ jusqu'à la taille** to strip down to the waist; **2** [*arbre*] to become bare; **3** [*crâne*] to go bald

dénué, **∼e** /denɥe/ *adj* lacking (*après n*) (**de** in); **∼ d'inventivité** devoid of inventiveness, lacking in inventiveness; **∼ de scrupules** completely without scruples, lacking in scruples; **elle n'est pas ∼e d'imagination** she is not lacking in imagination; **un acte ∼ de sens** a senseless act, an act devoid of sense; **accusation ∼e de fondement** groundless accusation; **∼ de toute utilité** utterly useless; **∼ de tout** destitute

dénuement /denymɑ̃/ *nm* (de personne) destitution; (de pièce) bareness; **dans le plus grand ∼** in a state of utter destitution

dénutrition /denytʀisjɔ̃/ *nf* malnutrition

déodorant, **∼e** /deɔdɔʀɑ̃, ɑ̃t/
A *adj* [*savon, lotion*] deodorant
B *nm* deodorant; **un ∼ en bombe** a spray deodorant

déontologie /deɔ̃tɔlɔʒi/ *nf* (de profession) ethics (+ *v sg*), code of practice GB; Philos deontology; **code de ∼ médicale** medical ethics

déontologique /deɔ̃tɔlɔʒik/ *adj* Philos deontological; **code ∼ des médecins** code of practice governing doctors GB, medical code of ethics

déontologue /deɔ̃tɔlɔg/ ▸ **p. 532** *nmf* business ethics expert

dépailler /depɑje/ [1]
A *vtr* to strip the rush off [*chaise, fauteuil*]
B **se dépailler** *vpr* **la chaise se dépaille** the rush seat is wearing out

dépannage /depanaʒ/ *nm* **1** (réparation) repair; **∼s à domicile** home repairs; **∼ 24 heures sur 24** 24 hour repair service; **faire un**

~ to do a repair job; 2 °(aide temporaire) **à titre de ~ je leur ai prêté...** to help them out I lent them...

dépanner /depane/ [1] *vtr* 1 (réparer) to fix [*voiture, appareil*]; **le garagiste m'a dépanné** the mechanic fixed my car; 2 (remorquer) to tow away; 3 °(aider) to help [sb] out

dépanneur, -euse /depanœʀ, øz/
A ▸ p. 532 *nm,f* (personne) engineer
B *nm* Can (magasin) corner shop, convenience store
C dépanneuse *nf* (véhicule) breakdown truck GB, tow truck US

dépaqueter /depakte/ [20] *vtr* to unpack

déparasiter /depaʀazite/ [1] *vtr* Vét to disinfest

dépareillé, ~e /depaʀeje/
A *pp* ▸ **dépareiller**
B *pp adj* 1 (isolé) odd (*épith*); **un volume ~** an odd volume; **articles ~s** oddments; 2 (disparate) [*service, ensemble*] odd; **un service de verres ~** a set of odd glasses; 3 (incomplet) incomplete

dépareiller /depaʀeje/ [1] *vtr* 1 (rendre incomplet) to spoil (**en** by); **~ un service à thé en cassant une tasse** to spoil a tea service by breaking a cup; 2 (en mélangeant) **~ un costume** to wear a jacket and trousers from different suits; **~ un service à thé** to mix cups and saucers from different sets

déparer /depaʀe/ [1] *vtr* to spoil [*lieu, façade*]; to mar [*visage, beauté*]

déparié, ~e /depaʀje/ *adj* odd (*épith*); **mes gants sont ~s** my gloves don't match

départ /depaʀ/ *nm* 1 (d'un lieu) departure; **retarder son ~** to postpone one's departure; **heures de ~** departure times; **~ des grandes lignes/des lignes de banlieue** Rail (platforms for) main line/suburban departures; **je l'ai vue avant mon ~ pour Paris** I saw her before I left for Paris; **les ~s en vacances** holiday GB *ou* vacation US departures; **avant mon ~ en vacances** before I set off on holiday GB *ou* vacation US; **téléphone avant ton ~** phone before you leave; **c'est bientôt le ~, le ~ approche** it'll soon be time to leave; **se donner rendez-vous au ~ du car** (au lieu) to arrange to meet at the coach GB *ou* bus US; **vols quotidiens au ~ de Nice** daily flights from Nice; **le train a pris du retard au ~ de Lyon** the train was late leaving Lyons; **être sur le ~** to be about to leave; **il n'y a qu'un ~ du courrier par jour** the post GB *ou* mail US only goes once a day; 2 (exode) exodus (**vers** to); **le ~ des cadres vers la capitale** the exodus of executives to the capital; 3 (d'une fonction, organisation) departure; (démission) resignation; **son ~ du Parti socialiste** his/her departure from the socialist party, his/her leaving the socialist party; **exiger le ~ du directeur** to demand the manager's resignation; **le ~ en retraite/préretraite** retirement/early retirement; **la restructuration a abouti au ~ de 600 employés** restructuring led to 600 workers being laid off; 4 Sport start; **~ arrêté/décalé/lancé** standing/staggered/flying start; **ligne/position de ~** starting line/position; **donner le (signal du) ~ aux coureurs** to start the race; **prendre le ~** (d'une course) to be among the starters; **prendre un bon/mauvais ~** to get off to a good/bad start; **prendre un nouveau ~** fig to make a fresh start; ▸ **faux**; 5 (début) start; **dès le ~** right from the start; **au ~** (d'abord) at first; (au début) at the outset; **langue de ~** source language; **salaire de ~** starting salary; **capital de ~** start-up capital; 6 liter (séparation) distinction (**entre** between); **faire le ~ entre le bien et le mal** to distinguish between good and evil

départager /depaʀtaʒe/ [13] *vtr* 1 (trancher parmi) to decide between [*personnes, concurrents, opinions*]; **le vote du président va ~ les voix** the chairman has the casting vote; **~ un jury** to bring the members of a jury to agreement; **~ deux équipes aux tirs aux buts** to decide a match with a penalty shoot-out; 2 (séparer) to separate [*terrain*]

département /depaʀtəmɑ̃/ *nm* 1 Admin (administrative) department; 2 (d'organisme, d'université, d'administration) department; **ce n'est pas mon ~** lit fig that's not my department; 3 (ministère) department

> **Département**
>
> An administrative unit (of which there are 96 in Metropolitan France) based on a division dating from the Revolutionary period. Most are named after rivers or mountains within their border. The main town is the seat of the *préfet*, and is often called the *préfecture*. Each *département* has a number and this appears as the first two digits in postcodes for addresses within the *département* and as the two-digit number at the end of registration numbers on motor vehicles.

départemental, ~e, *mpl* **-aux** /depaʀtəmɑ̃tal, o/
A *adj* [*archives, budget, élection*] local, regional; **route ~e** secondary road
B départementale *nf* (route) secondary road, ≈ B road GB

départementaliser /depaʀtəmɑ̃talize/ [1] *vtr* **~ un territoire** to give a territory formal status as a department

départir /depaʀtiʀ/ [30]
A *vtr* to allot (**qch à qn** sth to sb)
B se départir *vpr* **se ~ de** to lose [*calme, sourire*]; to swerve from [*opinion*]; to abandon [*réserve*]; to break [*silence*]

départ-usine /depaʀyzin/ *adj inv* ex-works

dépassé, ~e /depase/
A *pp* ▸ **dépasser**
B *pp adj* 1 (qui n'a plus cours) [*idée, méthode, procédé, technique*] outdated, outmoded; 2 (vieux jeu) [*personne*] out-of-date (*épith*); **tu es ~, ça ne se fait plus** you're out of date, it isn't done any more; 3 °(débordé) [*personne*] overwhelmed; **être ~ par les événements** to be overtaken by events

dépassement /depɑsmɑ̃/ *nm* 1 Transp overtaking GB, passing US; **en France le ~ se fait à gauche** you overtake GB *ou* pass US on the left in France; **faire** *or* **effectuer un ~ dans un virage** to overtake GB *ou* pass US on a bend; 2 (de valeur) overrun; **~ d'horaire** overunning the schedule; **le ~ de la dose prescrite peut entraîner des effets secondaires** exceeding the stated dose can produce side-effects; **~ de la vitesse autorisée** exceeding the speed limit; 3 (fait de se surpasser) **~ de soi** surpassing oneself; **avoir le goût de l'aventure et du ~** to have a taste for adventure and challenge

(Composés) **~ budgétaire** Admin, Fin cost overrun; **~ de capacité** Ordinat overflow

dépasser /depɑse/ [1]
A *vtr* 1 (passer devant) [*concurrent, véhicule, automobiliste*] to overtake GB, to pass US; **il a dépassé le tracteur dans un virage** he overtook GB *ou* passed US the tractor on a bend; **se faire ~** to be overtaken GB *ou* passed US
2 (excéder) [*longueur, poids, budget, température*] to exceed; **leur dette dépasse le million de dollars** their debt exceeds the million dollar mark; **elle le dépasse de cinq centimètres/d'une tête** she's five centimetres[GB]/a head taller than him; **~ qch en hauteur/largeur** to be taller/wider than sth; **~ qch en taille/importance** to be larger/more important than sth; **orages qui dépassent en intensité ce qu'on attendait** storms which are fiercer than expected; **certaines classes dépassent 30 élèves** some classes have over 30 pupils; **l'entrevue ne devrait pas ~ une demi-heure** the interview shouldn't take more than *ou* exceed half an hour; **il a dépassé la cinquantaine** he's over *ou* past fifty; **les délais sont déjà dépassés de 3 semaines** we're already 3 weeks over the deadline
3 (aller au-delà de) lit to go past [*cible, lieu*]; fig to exceed [*espérances, attributions*]; **les résultats dépassent notre attente** the results exceed our expectations; **dépassez le village puis tournez à droite** go through the village and turn right; **je ne peux pas acheter cette maison, elle dépasse mes moyens** I can't buy that house, it's more than I can afford *ou* it's beyond my means; **j'ai dépassé le stade de ces puérilités** I'm past (the stage of) such childishness; **nous avons dépassé les difficultés de base** we have got over the basic difficulties; **~ la mesure** *or* **les bornes** *or* **les limites** to go too far
4 (montrer une supériorité sur) to be ahead of, to outstrip, to surpass; **~ qn en cruauté/bêtise** to be crueller/more stupid than sb, to surpass sb in cruelty/stupidity; **leurs propositions dépassent en absurdité tout ce qu'on a pu entendre** their proposals are the most ridiculous I've ever heard
5 (déconcerter) **ça me dépasse!** (incompréhensible) it's beyond me!; (effarant, choquant) it's beyond belief!; **la mode d'aujourd'hui me dépasse** I don't know what to make of today's fashions
B *vi* 1 (être plus grand) (plus large) to jut out (**de** from); (plus haut) to jut out (**au-dessus** above); **la planche dépasse du coffre** the plank juts out from the boot GB *ou* trunk US; **~ de 10 centimètres** [*poutre, pierre, motif*] to jut out 10 centimetres[GB]
2 (sortir) to stick out; **il y a un clou qui dépasse dans le parquet** there's a nail sticking out of the floor; **fais attention de ne pas ~ en coloriant** be careful not to colour[GB] over the lines
3 (se faire voir) to show; **ton jupon dépasse** your slip is showing; **la robe dépasse sous le manteau** the dress shows underneath the coat; **leurs têtes dépassaient à peine des fauteuils** their heads barely showed above the armchairs
C se dépasser *vpr* 1 (soi-même) to surpass oneself
2 (l'un l'autre) to overtake each other; **les concurrents se dépassaient à tour de rôle** the competitors kept overtaking each other

dépassionner /depasjɔne/ [1] *vtr* to defuse, to take the heat out of [*débat, discussion*]; **style dépassionné** dispassionate style; **réflexion dépassionnée** dispassionate reflection

dépatouiller°**: se dépatouiller** /depatuje/ [1] *vpr* to get by; **se ~ de** to pull oneself out of [*situation, affaire*]; **qu'il se dépatouille tout seul** he'll just have to get by on his own; **savoir se ~** to be able to manage

dépavage /depavaʒ/ *nm* taking up of paving stones (**de** from)

dépaver /depave/ [1] *vtr* to take up the paving stones (from)

dépaysé, ~e /depeize/
A *pp* ▸ **dépayser**
B *pp adj* out of place; **il est complètement ~** he's like a fish out of water; **il n'est pas ~ ici** he feels at home here

dépaysement /depeizmɑ̃/ *nm* (changement volontaire) change of scenery; (changement désagréable) disorientation; **ressentir une impression de ~** to feel disoriented; **c'est une promesse de ~** it promises exotic new surroundings

dépayser /depeize/ [1]
A *vtr* (agréablement) to provide [sb] with a pleasant change of scenery; (désagréablement) to disorient
B se dépayser *vpr* **aimer se ~** to like a change of scene

dépeçage /dep(ə)saʒ/ *nm* (d'animal) cutting up; (de pays, propriété) carving up

dépecer /dep(ə)se/ [16] *vtr* to tear [sth] apart [*proie*]; to cut up [*animal, victime*]; to carve up [*pays, propriété*]; to dissect [*ouvrage, cas*]

dépêche /depɛʃ/ *nf* dispatch; **~ d'agence** agency dispatch

d

(Composé) ~ **d'Ems** Hist Ems telegram

dépêcher /depeʃe/ [16]

A *vtr* to dispatch (**à** to); ~ **qn auprès de qn** to dispatch sb to see sb; ~ **qn sur place** to dispatch sb to the scene; ~ **des troupes en renfort** to dispatch troops as reinforcements

B se dépêcher *vpr* to hurry up; **dépêche-toi de finir ton travail** hurry up and finish your work; **je me dépêche** I'm hurrying

dépeigné, ~**e** /depeɲe/

A *pp* ▸ **dépeigner**

B *pp adj* dishevelled[GB]

dépeigner /depeɲe/ [1]

A *vtr* ~ **qn** to make sb's hair untidy

B se dépeigner *vpr* to make one's hair untidy

dépeindre /depɛ̃dʀ/ [55]

A *vtr* to depict (**comme** as)

B se dépeindre *vpr* to depict oneself (**comme** as)

dépenaillé, ~**e** /depənaje/ *adj* ragged

dépénalisation /depenalizasjɔ̃/ *nf* decriminalization (**de** of)

dépénaliser /depenalize/ [1] *vtr* to decriminalize

dépendance /depɑ̃dɑ̃s/ *nf* **1** (d'individu, de pays, d'économie) dependence; ~ **économique/administrative** economic/administrative dependence; **être sous la** ~ **de** to be dependent on; **maintenir qn dans la** ~ to keep sb dependent; **2** (lien) link; **3** (de malade, drogué) dependency; **être en état de** ~ **par rapport à l'alcool** to suffer from alcohol dependency; **4** (bâtiment) outbuilding; **5** Hist, Pol dependency

dépendant, ~**e** /depɑ̃dɑ̃, ɑ̃t/ *adj* **1** (pas autonome) gén dependent (**de** on); (l'un de l'autre) interdependent; **être** ~ **de qn** (dans un emploi) to be responsible to sb; **organisme** ~ **du ministère** organization under the authority of the ministry; **les personnes** ~**es** the aged and the infirm; **2** (qui fait partie de) [*bâtiment*] that is part of

dépendre /depɑ̃dʀ/ [6]

A *vtr* to take down [*pendu, tableau, décoration, jambon*]

B dépendre de *vtr ind* **1** (reposer sur) ~ **de** to depend on; **ton avenir en dépend** your future depends on it; **il dépend de toi que** it depends on you whether; **il ne dépend pas de toi qu'elle vienne** it's not up to you whether she comes or not; **ça dépend de toi** it's up to you; **il dépend de toi d'être prêt** it's up to you to be ready; **ça dépend** it depends; **cela dépend qui/pourquoi** it depends who/why; **2** (avoir besoin de) ~ **de** [*personne, pays, économie*] to be dependent on; ~ **financièrement de qn** to be financially dependent on sb; **3** (être sous l'autorité de) ~ **de** [*organisme, comité, région*] to come under the control of; [*personne*] to be responsible to; **combien de personnes dépendent du ministère?** how many people are employed by the ministry?; **4** (être la responsabilité de) ~ **de** [*environnement, dérogations*] to be the responsibility of; **5** (être un territoire de) ~ **de** to be a dependency of; **6** (être une dépendance de) ~ **de** [*bâtiment, terre, forêt*] to belong to

dépens /depɑ̃/ *nmpl* **1** (détriment) **aux** ~ **de** at the expense of; **économiser aux** ~ **des patients** to save money at the patients' expense; **insister sur la quantité aux** ~ **de la qualité** to put the emphasis on quantity at the expense of quality; **victoire** *or* **succès aux** ~ **de l'équipe favorite** win over the favourite[GB] team; **se qualifier aux** ~ **d'Auxerre** to qualify by beating Auxerre; **réussir aux** ~ **des autres** to walk over people to get to the top; **rire aux** ~ **de qn** to have a laugh at sb's expense; **apprendre/découvrir à ses** ~ to learn/to discover to one's cost; **2** (frais) **vivre aux** ~ **des autres** to live off other people; **s'enrichir/s'engraisser**○ **aux** ~ **des autres** to get rich/to become prosperous at other people's expense; **3** Jur (frais de justice) legal costs; **être condamné aux** ~ to be ordered to pay costs

dépense /depɑ̃s/ *nf* **1** (emploi d'argent) spending, expenditure; ~**s sociales/militaires** welfare/military expenditure; ~**s de fonctionnement** operating *ou* operational expenses; **pousser qn à la** ~ to make sb spend money; **ça vaut la** ~ it's worth the outlay; **regarder à la** ~ (être économe) to watch one's spending; **ne pas regarder à la** ~ to spare no expense; **2** (somme déboursée) outlay; **une** ~ **de 300 euros** an outlay of 300 euros; **avoir beaucoup de** ~**s** to have a lot of outgoings GB *ou* expenses; **excédent des** ~**s sur les recettes** excess of expenditure over income; **faire des** ~**s inconsidérées** to indulge in reckless spending; **se lancer dans de folles** ~**s pour faire** to spend an enormous amount of money on doing; **être une source de** ~**s** to be a drain on one's resources; **participer à la** ~ to make a contribution to the cost; **3** (quantité utilisée) consumption; ~ **en essence/d'électricité** petrol GB *ou* gasoline US/electricity consumption; ~ **d'énergie physique/nerveuse** expenditure of physical/nervous energy; **cela représente une** ~ **de temps trop importante** it takes too much time; **ce travail me demande une trop grosse** ~ **d'énergie** this work takes too much out of me

(Composés) **la** ~ **publique** public expenditure; ~**s courantes** running costs; ~**s de personnel** staff costs

dépenser /depɑ̃se/ [1]

A *vtr* **1** (employer de l'argent) to spend [*salaire, fortune*] (**en** *or* **pour** on); **aimer** ~ to enjoy spending money; ~ **sans compter** to spend (money) freely; **2** (consommer) [*moteur, machine, chaudière*] to use up [*carburant*]; to use [*tissu, papier*]; to spend [*temps*]; **j'ai dépensé toute mon énergie à essayer de** I've worn myself out trying to; **ils ont dépensé des trésors d'imagination pour faire** they've really used their imagination to do

B se dépenser *vpr* **1** (faire de l'exercice) to get (enough) exercise; **se** ~ **beaucoup** to get a lot of exercise; **2** (se donner du mal) **se** ~ **pour qn/qch** to do a lot for sb/sth; **se** ~ **pour faire** to put a lot of energy into doing; **dans son travail, il se dépense sans compter** he gives his all to his work

dépensier, **-ière** /depɑ̃sje, ɛʀ/

A *adj* [*personne, humeur*] extravagant

B *nm,f* spendthrift

déperdition /depɛʀdisjɔ̃/ *nf* **1** (perte) loss; ~ **de chaleur** heat loss; ~**s d'électricité** electricity losses; **2** (baisse) decline; **3** (affaiblissement) weakening

dépérir /depeʀiʀ/ [3] *vi* [*personne, animal*] lit to waste away; fig to fade away; [*plante*] to wilt; [*économie, région*] to be on the decline; [*civilisation*] to decay

dépérissement /depeʀismɑ̃/ *nm* (de personne) deterioration; (de plante) wilting; (d'économie, organisation, de région) decline; (de civilisation) decay

dépersonnalisation /depɛʀsɔnalizasjɔ̃/ *nf* depersonalization

dépersonnaliser /depɛʀsɔnalize/ [1]

A *vtr* to depersonalize, to make [sth] impersonal; **dépersonnalisé** depersonalized, impersonal

B se dépersonnaliser *vpr* **1** [*personne*] to lose one's personality; **2** [*chose*] to be depersonalized, to become impersonal

dépêtrer /depetʀe/ [1]

A *vtr* to extricate (**de** from)

B se dépêtrer *vtr* **se** ~ **de** to extricate oneself from [*situation*]; to get rid of [*personne*]

dépeuplement /depœpləmɑ̃/ *nm* depopulation

dépeupler /depœple/ [1]

A *vtr* **1** Géog, Sociol to depopulate; **2** (vider temporairement) to empty; ~ **les rues** to empty the streets; **3** École to reduce the wildlife in [*forêt, rivière*]

B se dépeupler *vpr* **1** Géog, Sociol to become depopulated; **2** (se vider temporairement) to become deserted; **3** École [*forêt, rivière*] to lose its wildlife

déphasage /defazaʒ/ *nm* **1** (décalage) discrepancy; **2** Électron, Phys phase difference (**entre** between); **3** Télécom phase shift

déphasé, ~**e** /defaze/

A *pp* ▸ **déphaser**

B *pp adj* **1** ○(décalé) out of step (**par rapport à** with); **je suis complètement** ~**e** I'm not with it at all; **2** Phys out of phase

déphaser /defaze/ [1]

A *vtr* **1** ○(décaler) to disorientate; **2** Électrotech to shift phase

B se déphaser *vpr* fig to fall out of step (**de** with)

déphaseur /defazœʀ/ *nm* Électrotech phase shifter

dépiautage○ /depjotaʒ/ *nm*, **dépiautement**○ /depjotmɑ̃/ *nm* **1** (de document) dissecting; **2** (d'animal) skinning

dépiauter○ /depjote/ [1] *vtr* **1** (analyser) to dissect [*document*]; **2** (ôter la peau de) to skin [*animal*]

dépierrage /depjɛʀaʒ/ *nm* stone picking

dépierrer /depjeʀe/ [1] *vtr* to clear the stones from [*chemin, terrain*]; **le chemin a été dépierré** the path has been cleared of stones

dépigmentation /depigmɑ̃tasjɔ̃/ *nf* **1** Méd depigmentation; **2** Zool, Bot loss of pigmentation

dépigmenter: **se dépigmenter** /depigmɑ̃te/ [1] *vpr* **1** Méd (totalement) to become depigmented; (partiellement) to become discoloured[GB]; **2** (volontairement) **se** ~ **la peau** to remove the colour[GB] from one's skin; **3** Zool, Bot to lose pigmentation

dépilation /depilasjɔ̃/ *nf* **1** (élimination) hair removal, depilation; **2** (chute) hair loss

dépilatoire /depilatwaʀ/

A *adj* [*crème, produit*] depilatory; **crème** ~ depilatory *ou* hair-removing cream

B *nm* depilatory

dépiler /depile/ [1] *vtr* **1** Cosmét to depilate; **2** †Méd ~ **qn** to make sb's hair fall out

dépiquer /depike/ [1] *vtr* Cout to unpick

dépistable /depistabl/ *adj* detectable

dépistage /depistaʒ/ *nm* (de maladie) screening; ~ **systématique du sida** mass screening for Aids; ~ **du cholestérol** cholesterol screening; **centre de** ~ screening centre[GB]; **test de** ~ **du sida** Aids test; ~ **précoce** early detection; **test de** ~ **génétique** genetic testing

dépister /depiste/ [1] *vtr* **1** (découvrir) to track down [*criminel*]; to identify [*problème*]; to detect [*maladie*]; **2** (détourner) to deflect [*soupçons*]; **3** Chasse to spoor [*gibier*]

dépit /depi/

A *nm* (déception) bitter disappointment, chagrin; (ressentiment) pique; **par** ~ in *ou* out of pique; **par** ~ **amoureux** on the rebound

B en dépit de *loc prép* in spite of; **en** ~ **du bon sens** contrary to common sense; **il travaille en** ~ **du bon sens** the way he works is contrary to common sense

dépité, ~**e** /depite/

A *pp* ▸ **dépiter**

B *pp adj* piqued (**de** at); **avoir une mine** ~**e** to look really disappointed *ou* upset; ~ **de faire** piqued at doing

dépiter /depite/ [1] *vtr* [*personne, comportement, échec*] to upset [*personne*]

déplacé, ~**e** /deplase/

A *pp* ▸ **déplacer**

B *pp adj* **1** Sociol [*population, personnes*] displaced; **2** (pas adapté) inappropriate; **c'est** ~ (malséant) it's out of place; (inopportun) it's uncalled for; **3** (impoli) [*geste, remarque*] improper

déplacement /deplasmɑ̃/ *nm* **1▸** (voyage) trip; **au cours de ses ~s il rencontre…** when he is travelling[GB] around he meets…; **les ~s en car/en train sont en hausse** more people are travelling[GB] by car/train; **les ~s urbains** journeys within the city; **son infirmité lui interdit les ~s** his/her disability means he/she is unable to travel; **elle a fait le ~** (pour aller) she made the effort to go; (pour venir) she made the effort to come; **ça vaut le ~!** it's worth the trip!; **2▸** (pour le travail) business trip; **être en ~** (pour la journée) to be out on business; (pour plus longtemps) to be away on business; **3▸** (frais) **payer pour le ~** (de médecin, d'artisan) to pay a call-out fee; **4▸** (action de déplacer) moving; (action de se déplacer) movement; (d'attention, de problème) shifting; (de l'âge de retraite) change; **le ~ des voix sur un autre parti** the swing of votes to another party; **5▸** (de population) displacement (**vers** to); (d'employé) transfer; (de service) transfer (**vers** to); **6▸** Ling, Naut, Psych displacement

(Composés) **~ d'air** air displacement; **~ de vertèbre** slipped disc

déplacer /deplase/ [12]
A *vtr* **1▸** (dans l'espace) (volontairement) to move [*objet, personne, lieu, membre*] (**de** from); (par accident) to dislodge [*tuile*]; to dislocate [*os*]; **2▸** (dans le temps) to move [*réunion, cours*]; to change [*âge de la retraite*]; **~ ses vacances** to change the dates of one's holidays GB *ou* vacation US; **3▸** (faire porter sur autre chose) to shift [*débat, problème, attention*]; to distract [*attention*]; **cela a déplacé des voix du parti X sur le parti Y** this has swung votes from the X party to the Y party; **4▸** (muter) to move; (faire venir) to call [sb] out [*médecin, artisan*]; (faire migrer) to displace; (attirer) to bring in [*foules*]
B **se déplacer** *vpr* **1▸** (changer de position, de place) [*personne, téléphérique, courants*] to move; **2▸** (être mis ailleurs) [*meuble, bouton*] to be moved; [*tuile*] to be dislodged; **se ~ avec difficulté** [*meuble*] to be difficult to move; **se ~ une vertèbre** to slip a disc; **3▸** (avancer, marcher) to get about; **se ~ avec des béquilles** to get about on crutches; **se ~ en fauteuil roulant** to be in a wheelchair; **se ~ avec difficulté** to have difficulty getting about; **4▸** (avec moyen de transport) to get about; (plus loin) to travel; **se ~ en voiture/à bicyclette** to get about by car/by bike; **5▸** (aller quelque part) to go; (venir) to come; **il ne s'est même pas déplacé** he didn't even bother to come; **ils se déplacent librement** they come and go as they please; **elle ne se déplace qu'avec ses gardes du corps** she never goes anywhere without her bodyguards; **il ne se déplace que la nuit** he only moves around at night; **6▸** [*médecin, artisan*] to go out on call; **faire ~ qn pour rien** to call sb out for nothing

(Idiome) **~ de l'air** *or* **beaucoup d'air**○ to like to make one's presence felt

déplafonnement /deplafɔnmɑ̃/ *nm* lifting of the ceiling

déplafonner /deplafɔne/ [1] *vtr* fig to lift the ceiling on; **déplafonné** without ceiling; **les cotisations sont déplafonnées** the ceiling on contributions has been lifted

déplaire* /deplɛʀ/ [59]
A *vi* **1▸** (ne pas avoir de succès) **le spectacle a déplu/n'a pas déplu** the show was not well received/was moderately successful; **2▸** (rebuter) **elle déplaît** she is not liked *ou* is disliked
B **déplaire à** *vtr ind* **cela m'a déplu** I didn't like it; **elle me déplaît** I don't like her; **une vie luxueuse ne me déplairait pas** I wouldn't say no to a life of luxury; **le spectacle m'a profondément déplu** I didn't like the show at all; **la situation n'est pas pour me ~** the situation quite suits me; **tout ceci me déplaît fort** I dislike all this intensely
C **se déplaire** *vpr* **1▸** (ne pas être bien) **je me déplais ici** I don't like it here; **la plante se déplaît à l'ombre** the plant doesn't like to be *ou* isn't happy in the shade; **2▸** (l'un l'autre) to dislike each other; **ils se sont déplu** they disliked *ou* didn't like each other
D *v impers* **il me déplairait de vous voir partir** fml I should be sorry to see you go; **il ne me déplaîrait pas de les voir partir** I'd be quite happy to see them go; **je le ferai ne vous en déplaise** fml with all due respect to you I shall do it in any case

déplaisant, **~e** /deplɛzɑ̃, ɑ̃t/ *adj* unpleasant, disagreeable

déplaisir /deplezIʀ/ *nm* fml displeasure

déplanter /deplɑ̃te/ [1] *vtr* to dig up [*plante*]; to clear [*jardin, terrain*]; to pull up [*piquet*]; to take down [*tente*]

déplâtrage /deplɑtʀaʒ/ *nm* **1▸** Constr stripping of plaster; **~ d'un mur** stripping plaster off a wall; **2▸** Méd removal of plaster (cast); **~ d'un bras** removal of the plaster (cast) from an arm

déplâtrer /deplɑtʀe/ [1] *vtr* **1▸** Constr to strip the plaster off; **2▸** Méd to remove the cast from

déplétion /deplesjɔ̃/ *nf* depletion; **~ des réserves** depletion of stocks

dépliage /deplijaʒ/ *nm* unfolding

dépliant /deplijɑ̃/ *nm* **1▸** gén leaflet; **2▸** Édition gatefold; **~ hors-texte** foldout

déplier /deplije/ [2]
A *vtr* to unfold [*mouchoir, journal*]; to open out [*carte*]; to display [*marchandise*]; **~ les jambes** to stretch one's legs out
B **se déplier** *vpr* **1▸** [*parachute*] to unfold; [*feuille, drapeau*] to unfurl; **2▸** ○[*personne*] to rise to one's feet

déplisser /deplise/ [1]
A *vtr* to take the pleats out of [*vêtement plissé*]; to remove the creases from, to smooth out [*vêtement froissé*]
B **se déplisser** *vpr* [*jupe*] to lose its pleats

déploiement /deplwamɑ̃/ *nm* **1▸** (démonstration) display; **~ de force/solidarité** display of force/solidarity; **un ~ considérable de nouvelles mesures** a deployment of a large number of new measures; **2▸** Mil deployment; **~ de missiles** deployment of missiles; **~ militaire/britannique** deployment of troops/of British troops; **3▸** (ouverture) (d'aile) spreading; (de drapeau, voile) unfurling; (de panneau) opening out

déplomber /deplɔ̃be/ [1] *vtr* **1▸** gén to unseal [*compteur, colis*]; **2▸** Dent to remove the filling from [*dent*]

déplorable /deplɔʀabl/ *adj* **1▸** (fâcheux) [*événement, incident, initiative*] regrettable; **2▸** (très mauvais) [*attitude, exemple, note*] appalling, deplorable; **temps/santé ~** appalling weather/health

déplorer /deplɔʀe/ [1] *vtr* to deplore [*événement, état de fait*]; **~ que** to lament *ou* bemoan the fact that; **'nous manquons d'argent,' déplore le maire** 'we're short of money,' laments the mayor; **il est à ~ que…** it's deplorable that…; **trois morts sont à ~** three deaths have been reported

déployer /deplwaje/ [23]
A *vtr* **1▸** (montrer) to display [*activité, talent*]; **~ des trésors de** to display a wealth of; **~ toute son énergie pour faire** to expend all one's energy to do; **~ une activité fébrile pour faire qch** to work really hard to get sth done; **2▸** Mil to deploy [*chars, troupes*]; **3▸** (déplier) to spread [*ailes*]; to unfurl [*drapeau, voile*]; to open out [*panneau*]
B **se déployer** *vpr* **1▸** (s'éparpiller) [*groupe, policiers*] to fan out; **2▸** Mil (prendre position) [*chars, troupes*] to be deployed; **3▸** (se déplier) [*ailes*] to spread; [*drapeau, voile*] to unfurl; [*panneau*] to open out

déplumer: **se déplumer** /deplyme/ [1] *vpr* **1▸** [*oiseau*] to lose its feathers; **2▸** ○[*personne*] to go bald, to lose one's hair

dépoitraillé○, **~e** /depwatʀaje/ *adj* with one's shirt open to the waist

dépolarisant, **~e** /depɔlaʀizɑ̃, ɑ̃t/
A *adj* depolarizing
B *nm* depolarizer

dépolarisation /depɔlaʀizasjɔ̃/ *nf* depolarization

dépolariser /depɔlaʀize/ [1] *vtr* to depolarize

dépoli, **~e** /depɔli/ *adj* **verre ~** gén frosted glass; Phot ground glass

dépolir /depɔliʀ/ [3]
A *vtr* to frost [*verre*]; to take the gloss off [*vernis*]; to texture [*marbre*]
B **se dépolir** *vpr* to tarnish

dépolissage /depɔlisaʒ/ *nm* (de verre) frosting; (de marbre) texturing

dépolitisation /depɔlitizasjɔ̃/ *nf* depoliticization

dépolitiser /depɔlitize/ [1]
A *vtr* to depoliticize [*conflit, débat, personne, groupe*]
B **se dépolitiser** *vpr* to become depoliticized

dépolluer /depɔlɥe/ [1] *vtr* to rid [sth] of pollution, to clean up [*rivière, lac*]

dépollution /depɔlysjɔ̃/ *nf* cleanup

dépolymérisation /depɔlimeʀizasjɔ̃/ *nf* depolymerization

dépolymériser /depɔlimeʀize/ [1] *vtr*, **se dépolymériser** *vpr* to depolymerize

déponent, **~e** /depɔnɑ̃, ɑ̃t/
A *adj* deponent
B *nm* deponent verb

dépopulation /depɔpylasjɔ̃/ *nf* depopulation

déportation /depɔʀtasjɔ̃/ *nf* **1▸** (dans un camp de concentration) internment in a concentration camp; **mourir en ~** to die in a concentration camp; **2▸** (bannissement) deportation, transportation

déporté, **~e** /depɔʀte/ *nm,f* **1▸** (dans un camp de concentration) prisoner interned in a concentration camp; **2▸** (personne bannie) transported convict

déportement /depɔʀtəmɑ̃/ *nm* **1▸** (tendance à se déporter) swerving; **2▸** (embardée) swerve

déporter /depɔʀte/ [1]
A *vtr* **1▸** (interner) to send [sb] to a concentration camp [*personne*]; **2▸** (faire dévier d'une trajectoire) to make [sth] swerve [*véhicule*] (**sur la gauche/droite** to the left/right); **3▸** Hist (bannir) to deport, to transport (**à** to)
B **se déporter** *vpr* to swerve (**sur la gauche/droite** to the left/right)

déposant, **~e** /depozɑ̃, ɑ̃t/ *nm,f* **1▸** Fin depositor; **les petits ~s** small savers; **2▸** Jur (de bien) bailor; (témoin) deponent

dépose /depoz/ *nf* (retrait) gén removal; (de tapis) taking up; (de tenture, rideau) taking down; (de robinet) taking out

déposer /depoze/ [1]
A *vtr* **1▸** (poser) to put down [*fardeau*]; to dump, to tip GB [*ordures*]; to lay [*gerbe*] (**sur** on); **'défense de ~ des ordures'** 'no dumping', 'no tipping'; **il déposa un baiser sur sa joue** he kissed his/her cheek; **~ les armes** fig to lay down one's arms; **2▸** (laisser) to leave [*objet, lettre*]; (au passage) to drop off, to leave [*paquet, passager*]; **on a déposé un paquet pour toi** somebody left a parcel for you; **dépose ma jupe au pressing en passant** drop my skirt off at the dry-cleaner's on your way; **le taxi m'a déposé à la gare** the taxi dropped me (off) at the station; **je peux vous ~ quelque part?** can I drop you (off) somewhere?, can I give you a lift GB *ou* ride US somewhere?; **3▸** (verser) gén, Fin to deposit [*argent, titre, bijoux*]; **~ de l'argent à la banque/dans un coffre/sur un compte** to deposit money in the bank/in a safe/in an account; **~ sa signature à la banque** to give the bank a specimen signature; **ses œuvres seront déposées au musée de la ville** his/her works will be put into the local museum; **4▸** (faire enregistrer) to register [*marque, brevet, nom*]; to submit [*rapport, dossier, offre*]; to table GB, to propose [*motion, amendement*]; to introduce [*projet de loi*]; to file [*requête*]; to lodge [*plainte*];

~ **une demande d'extradition** to apply for extradition; ~ **son bilan** Fin to file a petition in bankruptcy; ~ **sa candidature** [*chercheur d'emploi*] to apply (**à** for); [*homme politique*] to stand GB, to run (**à** for); ~ **une motion de censure** Pol to move a vote of no confidence; ~ **un préavis de grève** Entr to give notice of strike action; 5 (laisser un dépôt) [*fleuve*] to deposit [*alluvions, sable*]; 6 (destituer) to depose [*souverain, dirigeant*]; 7 (enlever) to remove [*moteur*]; to take up [*tapis*]; to take down [*rideau, tenture*]

B *vi* 1 Jur (devant un juge) to testify, to give evidence (**auprès de** before); (au commissariat) to make a statement; 2 (laisser un dépôt) [*liquide, vin*] to leave a sediment

C **se déposer** *vpr* [*poussière, lie*] to settle (**sur** on); [*sels, calcaire, sable*] to collect

dépositaire /depozitɛʀ/ *nmf* 1 Comm ~ **(exclusif)** (sole) agent (**de** for); ~ **agréé** authorized dealer; 2 (gardien) (d'objet confié) trustee; Jur (de biens) bailee; fig (de secret) guardian (**de** of)

(Composé) ~ **de journaux** newsagent GB, newsdealer US

déposition /depozisjɔ̃/ *nf* 1 Jur (au tribunal) evidence ¢; (recueillie) statement; (par écrit) deposition; ~ **sous serment** sworn statement; 2 (destitution) (de dirigeant, souverain) deposition; (de magistrat) removal from office; 3 Art ~ **de croix** Deposition (from the Cross)

déposséder /depɔsede/ [14] *vtr* ~ **qn de qch** to dispossess sb of sth, to take sth away from sb

dépossession /depɔsesjɔ̃/ *nf* dispossession

dépôt /depo/ *nm* 1 (entrepôt) warehouse; (plus petit) store, storehouse US; Rail depot; (à la douane) bonded warehouse; Mil (de garnison) depot; ~ **d'autobus** bus depot; **être en** ~ (à la douane) to be in a bonded warehouse; 2 Comm (succursale) outlet; **l'épicerie fait** ~ **de pain** the grocer's sells bread; **la maison a 30** ~**s** the firm has 30 outlets; **il y a un** ~ **de gaz au garage** they sell bottled gas at the garage GB *ou* service station US; 3 (enregistrement) Admin, Jur (d'acte, de candidature, plainte) filing ¢; (de marque, brevet) registration; (de projet de loi) introduction; (de clause, d'amendement) tabling ¢ GB, proposal; 4 (remise en un lieu) **nous recommandons le** ~ **des documents chez un notaire** we recommend that the documents be deposited with a notary; **date limite de** ~ **des déclarations d'impôt/des dossiers de demande de bourse** deadline for income tax returns/grant applications; 5 Fin (de fonds) deposit; (de titres) lodging ¢; ~ **en banque/coffre-fort** bank/safe deposit; **banque/compte de** ~ deposit bank/account; **en** ~ [*fonds*] on deposit; [*bijoux*] in a safe at the bank; **mettre des valeurs en** ~ to place securities in a safe deposit; 6 (sédiment) deposit; ~ **glaciaire** glacial deposit; ~ **de tartre** deposit of tartar; **il y a un** ~ **de calcaire dans la bouilloire** the kettle is furred up; 7 (prison) police cells; 8 (chose confiée) **restituer un** ~ to restore *ou* return an object entrusted to one

(Composés) ~ **d'armes** arms store; (clandestin) arms cache; ~ **de bilan** voluntary liquidation; **entreprises menacées de** ~ **de bilan** firms threatened with bankruptcy; ~ **légal** *formal deposit of a copy of a book, film, record, etc with an institution*; ~ **de marchandises** Rail goods GB *ou* freight US depot; ~ **de matériel** Mil depot; ~ **de munitions** Mil munitions store; (au rebut) munitions dump; ~ **d'ordures** (rubbish) tip *ou* dump GB, garbage dump US; ~ **à terme fixe/à vue** fixed term/demand *ou* sight deposit

dépotage /depɔtaʒ/ *nm*, **dépotement** /depɔtmɑ̃/ *nm* 1 Hort removal of a plant from its pot; 2 Tech (déchargement) stripping

dépoter /depɔte/ [1] *vtr* 1 Hort to remove a plant from its pot; 2 Tech (décharger) to strip

dépotoir /depɔtwaʀ/ *nm* 1 (décharge) rubbish dump, rubbish tip GB, garbage dump US; 2 ○(lieu en désordre) shambles○ (*sg*); 3 Ind (établissement de traitement) sewage works, sewage plant

dépôt-vente, *pl* **dépôts-ventes** /depovɑ̃t/ *nm* secondhand shop GB *ou* store (*where goods are sold on commission*)

dépouille /depuj/

A *nf* 1 (peau) skin; (de gros mammifère) hide; 2 Zool (de serpent) slough; (d'insecte) husk; 3 (cadavre) ~ **(mortelle)** mortal remains (*pl*)

B **dépouilles** *nfpl* (butin) spoils; **le système des** ~**s** US Pol the spoils system

dépouillé, ~**e** /depuje/

A *pp* ▸ **dépouiller**

B *pp adj* 1 (sobre, simple) [*style, formes*] pared down, spare; 2 (écorché) [*animal*] skinned; 3 (dénudé) [*arbre*] bare, leafless

dépouillement /depujmɑ̃/ *nm* 1 (examen) **le** ~ **du courrier/des documents** going through the mail/the documents; **assister au** ~ **du scrutin** *or* **des voix** to be present when the votes are counted; **procéder au** ~ **du courrier** to go through the mail; **le** ~ **du questionnaire sera long** it'll take a long time to analyze the answers to the questionnaire; 2 (ascèse) asceticism; **vivre dans le plus grand** ~ to live a very ascetic *ou* spartan life; 3 (sobriété) sobriety

dépouiller /depuje/ [1]

A *vtr* 1 (dépecer) to skin [*animal*]; 2 (dénuder) to strip [*personne*]; to lay [sth] bare [*champ, région*]; **le vent dépouille les arbres (de leurs feuilles)** the wind is stripping the leaves off the trees; 3 (déposséder) to rob [*voyageur*]; hum to fleece○ [*contribuable*]; ~ **un héritier** to rob sb of his inheritance; **l'État dépouille ceux qu'il devrait défendre** the State robs those it should protect; ~ **qn de qch** to rob sb of sth; 4 (ouvrir) to open [*courrier*]; to count [*scrutin*]; (examiner) to go through [*archives, documents*]

B **se dépouiller** *vpr* 1 (se démunir) [*personne*] **se** ~ **de** to shed [*vêtements*]; to divest oneself of [*biens*]; fig to cast off [*morgue, fierté*]; 2 Zool (muer) [*serpent*] to slough; 3 (se dénuder) [*arbre*] to shed its leaves; [*style*] to become spare

dépourvu, ~**e** /depuʀvy/

A *adj* ~ **de** devoid of, lacking in [*intérêt, charme, finesse, talent, qualités*]; free of [*agressivité, arrière-pensées*]; unequipped with [*accessoire*]; without [*chauffage, rideaux, rampe*]; **elle semble complètement** ~**e de bon sens** she seems completely devoid of *ou* lacking in common sense; **des négociations** ~**es d'ambiguïtés** negotiations free of all ambiguity; **des travailleurs** ~**s de toute qualification** workers who have no qualifications whatsoever

B *nm* **prendre qn au** ~ to take sb by surprise, to catch sb off-guard

dépoussiérage /depusjeʀaʒ/ *nm* 1 gén dusting; 2 Tech (procédé) dust extraction, dust removal; 3 (d'organisation, d'idéologie) revamping, retooling US

dépoussiérant /depusjeʀɑ̃/ *nm* furniture polish

dépoussiérer /depusjeʀe/ [14] *vtr* 1 gén to dust; 2 Tech to extract dust from; 3 fig to revamp [*idéologie, loi, programme politique*]

dépravation /depʀavasjɔ̃/ *nf* depravity

dépravé, ~**e** /depʀave/

A *adj* depraved

B *nm,f* depraved person; **c'est un** ~ he's depraved

dépraver /depʀave/ [1]

A *vtr* to deprave

B **se dépraver** *vpr* to become depraved

dépréciation /depʀesjasjɔ̃/ *nf* depreciation

déprécier /depʀesje/ [2]

A *vtr* 1 Écon, Fin to depreciate; 2 (rabaisser) to disparage, to depreciate

B **se déprécier** *vpr* 1 Écon, Fin to depreciate; 2 (se rabaisser) to put oneself down

déprédateur -trice /depʀedatœʀ, tʀis/

A *adj* destructive

B *nm,f* vandal

déprédation /depʀedasjɔ̃/ *nf* 1 (pillage) pillaging ¢; (dégâts) damage ¢; **commettre des** ~**s** to cause damage; **commettre des** ~**s dans une pièce** to vandalize a room; 2 Jur embezzlement

déprendre: **se déprendre** /depʀɑ̃dʀ/ [52] *vpr* littér **se** ~ **de qn/qch** to free oneself from sb/sth

dépressif, **-ive** /depʀesif, iv/ *adj, nm,f* depressive

dépression /depʀesjɔ̃/ *nf* 1 ▸ **p. 283** Méd, Psych (état) depression; ~ **nerveuse** nervous breakdown; **faire de la** ~ to be depressed; 2 Météo (atmospheric) depression; **une** ~ **centrée sur le nord de la France** a depression over northern France; 3 Écon depression, slump; 4 Géog depression

dépressionnaire /depʀesjɔnɛʀ/ *adj* **zone** ~ area of low pressure, low

dépressurisation /depʀesyʀizasjɔ̃/ *nf* (volontaire) depressurization; (accidentelle) loss of pressure

dépressuriser /depʀesyʀize/ [1] *vtr* to depressurize

déprimant, ~**e** /depʀimɑ̃, ɑ̃t/ *adj* depressing

déprime○ /depʀim/ *nf* depression; **il est en pleine** ~ he's really depressed; **faire de la** ~ to get depressed

déprimé, ~**e** /depʀime/

A *adj* depressed

B *nm,f* depressed person, depressive

déprimer /depʀime/ [1] *vtr* 1 (démoraliser) to depress; **tout ça me déprime** all this is depressing me *ou* getting me down; 2 (affaisser) to indent, to make a depression in

déprogrammer /depʀɔgʀame/ [1] *vtr* to cancel

dépucelage◑ /depyslaʒ/ *nm* losing of virginity

dépuceler◑ /depysle/ [19] *vtr* to take sb's virginity; **se faire** ~ to lose one's virginity (**par** to)

depuis /dəpɥi/

A *adv* since; **je ne les ai pas revus** ~ I haven't seen them since; **il est parti il y a deux ans,** ~ **je n'ai plus de nouvelles** he left two years ago, since then I haven't had any news; **elle a été gravement malade l'année dernière,** ~ **nous sommes inquiets** she was very ill last year and we've been worried ever since

B *prép* 1 (marquant le point de départ) since; **je fais du courrier** ~ **9 heures du matin** I've been writing letters since 9 am; **j'ai écrit trois lettres** ~ **9 heures du matin** I've written three letters since 9 am; **j'habite ici** ~ **le 1ᵉʳ juillet** I've been living here since 1 July; **elle est malade** ~ **ce matin** she's been ill since this morning; **il n'a pas retravaillé** ~ **son accident** he hasn't worked since his accident; **elle fait de la danse** ~ **l'âge de six ans** she has been dancing since she was six years old; ~ **ce jour-là** since that day; ~ **quand vis-tu là-bas?** how long have you been living there?; ~ **quand tu réponds à ta mère?** so you're answering your mother back now, are you?; ~ **lors** since then; ~ **ta naissance** since you were born; ~ **leur réconciliation** since they were reconciled *ou* since their reconciliation; ~ **le jour où je les ai rencontrés** since the day I met them; ~ **ce jour, je ne les ai pas revus** since that day I haven't seen them again; ~ **les événements de mai 68** since the events of May '68; ~ **sa création en 1986, l'entreprise s'est développée** since it was set up in 1986, the company has expanded; **c'est ce que je te répète** ~ **le début** that's what I've been telling you all along; ~ **le début jusqu'à la fin** from start to finish

ℹ depuis

L'adverbe

depuis se traduit généralement par *since*:

elle a démontré, depuis, qu'elle pouvait le faire
= she has since demonstrated that she could do it

Lorsqu'on veut insister sur le temps qui s'est écoulé depuis l'action dont on parle, on peut renforcer *since* par *ever*:

nous nous sommes disputés hier, depuis il me fait la tête
= we had an argument yesterday, he's been sulking ever since

Attention, cette construction ne marche pas à la forme négative:

depuis il ne me parle plus
= he hasn't talked to me since

La préposition

depuis, préposition de temps, se traduit par *since* lorsqu'il sert à indiquer un point de départ, une date, une heure précise:

depuis 1789
= since 1789

depuis 2 heures du matin
= since 2 am

depuis le début
= since the beginning

et par *for* lorsqu'il sert à indiquer une durée, un nombre de jours, d'heures:

depuis deux heures
= for two hours

depuis six ans
= for six years

depuis quelques mois
= for a few months

depuis + date

j'apprends l'anglais depuis l'âge de 12 ans
= I've been learning English since I was 12

cette maison nous appartient depuis 1876
= we've owned this house since 1876

je le connais depuis l'été dernier
= I've known him since last summer

je n'ai rien mangé depuis hier soir
= I haven't eaten since yesterday evening

il a fait trois films depuis le début de sa carrière
= he's made three films since the beginning of his career

il neigeait depuis midi
= it had been snowing since midday

il n'avait pas plu depuis dimanche
= it hadn't rained since Sunday

On notera l'emploi de la forme progressive:

il habite ici depuis 1990
= he's lived here since 1990
ou he's been living here since 1990

Il habite ici depuis le mois de janvier
= he's been living here since January

depuis + durée

il travaille ici depuis quelques années
= he's worked here for a few years

il travaille ici depuis dix ans
= he's worked here for ten years

nous marchons depuis deux heures
= we've been walking for two hours

je n'ai pas eu de nouvelles depuis six mois
= I haven't had any news for six months

je dormais depuis une heure
= I had been sleeping for an hour

je ne les avais pas vus depuis cinq ans
= I hadn't seen them for five years

On trouvera des exemples supplémentaires et les autres emplois de la préposition *depuis* et de la locution conjonctive *depuis que* dans l'entrée ci-dessous.

---

2 (marquant la durée) for; **~ deux heures/dix ans/trois siècles** for two hours/ten years/three centuries; **il fait une collection de timbres ~ deux ans** he's been collecting stamps for two years; **ils sont mariés/amis ~ six mois** they've been married/friends for six months; **il pleut ~ trois jours** it's been raining for three days; **nous marchions ~ deux heures lorsque...** we had been walking for two hours when...; **je ne fume plus ~ six mois** I gave up smoking six months ago, I haven't smoked for six months; **~ quand** *or* **combien de temps est-ce qu'elle enseigne?** how long has she been teaching?; **cela dure ~ des jours/mois/années** it's been going on for days/months/years; **~ longtemps** for a long time; **je le savais ~ longtemps** I had known for a long time; **il n'habite plus ici ~ longtemps** he hasn't lived here for a long time; **~ peu** recently; **il est installé à Caen ~ peu** he has recently settled in Caen; **~ toujours** always; **le travail/les vacances dont il rêve ~ toujours** the job/the vacation he has always dreamed of; **on pratique cette coutume ~ toujours** this custom has been observed from time immemorial
3 (marquant le lieu) from; **~ ma fenêtre/le belvédère on aperçoit...** from my window/the belvedere you can see...; **~ chez moi/Dijon il faut deux heures** from where I live/Dijon it takes two hours; **le lancement de la fusée sera retransmis ~ Kourou** the launch of the rocket will be broadcast from Kourou; **~ Paris jusqu'à Arles** from Paris to Arles
4 (dans une série) **tous les métiers ~ caissier jusqu'à infirmier** every job from cashier to nurse; **chemises, robes ~ 10 euros** shirts, dresses from 10 euros; **~ le premier jusqu'au dernier** from first to last; **nous avons toutes les pointures ~ le 34** we have all sizes from 34 upward(s)
C depuis que *loc conj* gén since; (pour renforcer) ever since; **~ qu'il sait nager, il adore l'eau** he has loved the water ever since he learned to swim; **je le vois rarement ~ qu'il habite au Canada** I haven't seen much of him since he went to live in Canada; **elle a changé ~ que sa fille est née** she's changed a lot since her daughter was born; **il pleut ~ que nous sommes arrivés** it's been raining ever since we arrived; **j'ai grossi ~ que je ne fais plus de sport** I've put on weight since I stopped doing any sport; **il dirige l'entreprise ~ qu'il a 20 ans** he's been running the company since he was 20

dépuratif, -ive /depyʀatif, iv/
A *adj* depurative
B *nm* depurative

députation /depytasjɔ̃/ *nf* 1 (délégation) deputation; 2 (mandat de député) Pol post of deputy; **être candidat à la ~** to stand GB *ou* run US for the post of deputy

député, ~e /depyte/ *nm, f* 1 Pol deputy; **élu ~ de Lyon** elected (as) deputy for Lyons; **~ britannique** (British) MP; **être ~ au Parlement européen** to be a Euro-MP GB *ou* member of the European Parliament; 2 (envoyé) representative, delegate

> **Député**
> A member of the *Assemblée nationale*, elected for five years from a constituency within a *département*. The minimum age is 23, and a *député* appointed to be a member of the government is replaced by a *suppléant*.

député-maire, *pl* **députés-maires** /depytemɛʀ/ *nm* deputy and mayor; **~ de Beaune** deputy and mayor of Beaune

députer /depyte/ [1] *vtr* **~ qn auprès d'un comité** to send sb as a representative to serve on a committee; **~ qn pour faire qch** to delegate sb to do sth; **la Corse a député Peretti à l'Assemblée nationale** Pol Corsica has elected Peretti to be a deputy in the National Assembly

déqualification /dekalifikasjɔ̃/ *nf* deskilling

déqualifier /dekalifje/ [2] *vtr* to deskill

der° /dɛʀ/ *nf* last; **la ~ des ~s** Hist the war to end all wars; **dix de ~** Jeux *bonus of 10 points awarded to player who takes the last trick in game of belote*

déraciné, ~e /deʀasine/
A *adj* lit, fig uprooted
B *nm,f* uprooted person

déracinement /deʀasinmɑ̃/ *nm* 1 (d'arbre) uprooting; 2 (d'immigré) (processus) loss of connection with one's roots; (résultat) rootlessness

déraciner /deʀasine/ [1] *vtr* 1 lit to uproot [*arbre, plante*]; 2 fig to uproot [*personne*]; 3 (faire disparaître) to eradicate [*préjugé, abus*]

déraillement /deʀɑjmɑ̃/ *nm* derailment

dérailler /deʀɑje/ [1] *vi* 1 Rail to derail, to go off the rails; **faire ~ un train** to derail a train; 2 °(perdre l'esprit) [*vieillard*] to go senile, to lose one's marbles°; (tenir des propos incohérents) to rave, to ramble; (se tromper) to talk through one's hat°; **mais tu dérailles!** you're talking through your hat°!; 3 [*voix*] (chantée) to waver; (parlée) to crack; [*instrument*] to go out of pitch

dérailleur /deʀɑjœʀ/ *nm* 1 (de bicyclette) derailleur; 2 Rail derailing stop

déraison /deʀɛzɔ̃/ *nf* fml madness

déraisonnable /deʀɛzɔnabl/
A *adj* (impensable) unrealistic; (peu sage) senseless; (excessif) unreasonable
B *nm* insanity; **à la limite du ~** bordering on insanity

déraisonner /deʀɛzɔne/ [1] *vi* (dire des bêtises) to talk nonsense

déramer /deʀame/ [1] *vtr* to fan out

dérangé, ~e /deʀɑ̃ʒe/
A *pp* ▸ **déranger**
B *pp adj* 1 [*estomac*] upset; 2 °(fou) **être ~, avoir l'esprit ~** to be deranged

dérangeant, ~e /deʀɑ̃ʒɑ̃, ɑ̃t/ *adj* [*idée, livre, film*] disturbing

dérangement /deʀɑ̃ʒmɑ̃/
A *nm* 1 (inconvénient) trouble, inconvenience; **c'est trop de ~** it's too much trouble, it's too inconvenient; **excusez le ~** sorry to bother you; 2 (dérèglement) **~ intestinal** stomach upset; **être en ~** [*ascenseur, téléphone*] to be out of order
B dérangements *nmpl* Télécom fault reporting service (*sg*); **appeler les ~s** to call the fault reporting service

déranger /deʀɑ̃ʒe/ [13]
A *vtr* 1 (importuner) [*visiteur, téléphone*] to disturb [*personne*]; **je vous dérange?** am I disturbing you?; **'prière de ne pas ~'** 'do not disturb';

d

entrez, vous ne me dérangez pas du tout come in, you're not disturbing me in the least; **excusez-moi de vous ~** (I'm) sorry to bother you; **2** (gêner) *[bruit, fumée]* to bother *[personne]*; **ça ne me dérange pas du tout** it doesn't bother me at all; **est-ce que la fumée vous dérange?** do you mind if I smoke?; **cela vous dérangerait-il de me le livrer?** would you mind delivering it?; **et alors, ça te dérange que je sorte?** so, what's it to you if I go out?; **3** (surprendre) to disturb *[animal, voleur]*; **4** (faire déplacer) to disturb *[spectateurs assis]*; (faire venir) to call out *[médecin, plombier]*; **~ dix personnes pour arriver à sa place** to disturb ten people getting to one's seat; **on l'a dérangé trois fois cette nuit** he was called out three times last night; **~ qn pour rien** to bother *ou* disturb sb for nothing; **5** (contrarier) to upset *[personne]*; to upset *[ordre établi, emploi du temps]*; (troubler) to disturb *[personne]*; **le ministre ne veut pas ~ les riches** the minister doesn't want to upset the rich; **ça dérange mes habitudes** it upsets my routine; **le film/la vérité dérange** the film/truth is disturbing; **cet auteur dérange par sa franchise** this writer's frankness is disturbing; **6** (mettre en désordre) to disturb *[affaires, livres]*; to ruffle, to mess up *[coiffure]*; to turn [sth] upside down *[pièce]*; **7** (dérégler) to upset *[estomac, foie]*; to affect *[esprit]*; **les chagrins lui ont dérangé l'esprit** grief has affected his mind

B se déranger *vpr* **1** (se déplacer) (aller) to go out; (venir) *[médecin, plombier]* to come out; **téléphone, tu n'as pas besoin de te ~ pour passer une commande** you don't have to go out to place an order, just phone; **ne vous dérangez pas, je vous l'apporte** don't come out, I'll bring it over; **je me suis dérangé pour rien, c'était fermé** I wasted my time going there, it was shut; **2** (se lever) to get up; **ne vous dérangez pas!** please don't get up!; (changer de place) to move; **il ne s'est même pas dérangé pour les laisser passer** he couldn't be bothered to move to let them by; **3** (faire un effort) **il ne se dérangerait pas pour m'aider** he wouldn't lift a finger to help me; **je vous en prie, ne vous dérangez pas pour moi** please don't go to any trouble *ou* don't put yourself out on my account; **ne vous dérangez pas, je m'en occupe** don't put yourself out, I'll see to it

dérapage /deʀapaʒ/ *nm* **1** (de véhicule) skid; **~ contrôlé** controlled skid; **des traces de ~** skid marks; **2** (erreur) blunder; **3** (augmentation) escalation; **~ des prix/salaires** escalation of prices/salaries; **4** (perte de contrôle) loss of control; **les risques de ~ demeurent** the risk of things getting out of control remains; **gare au ~!** don't let it get out of control!; **~ verbal** slip; **5** (sur skis) sideslip; **faire un ~** to sideslip

déraper /deʀape/ [1] *vi* **1** *[prix, affaire, débat]* to get out of control; **le mouvement dérape à droite** the movement is veering toward(s) the right; **2** *[outil, couteau]* to slip; **3** *[personne, voiture]* to skid; **4** (skis) to sideslip; **descendre en dérapant** to side-slip down

dératé○, **~e** /deʀate/ *nm,f* **courir comme un ~** to run like mad○

dératisation /deʀatizasjɔ̃/ *nf* pest control *(for rats)*

dératiser /deʀatize/ [1] *vtr* to clear [sth] of rats

derby /dɛʀbi/ *nm* **1** Équit Derby; **2** (en football, rugby) local derby; (en cyclisme) **~ de la route** Bordeaux-Paris race

Derbyshire ▸ p. 721 *nprm* **le ~** Derbyshire

derche◑ /dɛʀʃ/ *nm* arse◑ GB *ou* ass○ US, buttocks; ▸ **faux**

derechef /dəʀəʃɛf/ *adv* fml once again

déréglé, **~e** /deʀegle/

A *pp* ▸ **dérégler**

B *pp adj [esprit]* unbalanced; **avoir le sommeil ~** to have a disrupted sleep pattern

dérèglement /deʀɛgləmɑ̃/

A *nm* (de machine) fault; Météo disturbance; (psychologique) disturbance; (physiologique) disorder; (socio-économique) imbalance

B dérèglements *mpl* fml excesses

déréglementation* /deʀɛgləmɑ̃tasjɔ̃/ *nf* Econ deregulation

déréglementer* /deʀɛgləmɑ̃te/ [1] *vtr* to deregulate

dérégler /deʀegle/ [14] *vtr* to affect *[temps, organe]*; to upset *[déroulement]*; **~ la radio** to lose the station on the radio; **~ la télévision** to lose the channel on the TV; **~ le réveil** to change the alarm clock to the wrong time

dérégulation /deʀegylasjɔ̃/ *nf* Écon deregulation

déremboursement /deʀɑ̃buʀsəmɑ̃/ *nm* Soc Admin *reduction* or *stopping of medical reimbursements*

déresponsabilisation /deʀɛspɔ̃sabilizasjɔ̃/ *nf* lack of any sense of responsibility (**de** on the part of)

déresponsabiliser /deʀɛspɔ̃sabilize/ [1] *vtr* to remove all sense of responsibility from; **déresponsabilisé** with no sense of responsibility

dérider /deʀide/ [1]

A *vtr* to cheer [sb] up

B se dérider *vpr* to start smiling; **il ne s'est pas déridé** he didn't smile once

dérision /deʀizjɔ̃/ *nf* scorn, derision; **avec ~** scornfully, derisively; **un rire de ~** a derisive laugh; **être un objet de ~** to be the object of derision; **tourner en ~** to greet [sth/sb] with derision

dérisoire /deʀizwaʀ/ *adj [pouvoir, spectacle]* pathetic; *[somme, montant]* trivial, derisory

dérivable /deʀivabl/ *adj* Math differentiable

dérivatif, **-ive** /deʀivatif, iv/

A *adj* Ling derivative

B *nm* **1** gén diversion (**à** from); **2** Méd derivative

dérivation /deʀivasjɔ̃/ *nf* **1** (de cours d'eau) diversion; **un barrage/canal de ~** a diversion dam/channel; **2** (routière) diversion GB, detour US; **mettre en place une ~** to set up a diversion; **3** (de navire, nappe) drifting; **4** Méd (en chirurgie) shunt; **5** Électrotech shunt; **en ~** in parallel; **6** Ling derivation; **~ régressive** back formation; **7** Math differentiation; **8** Mil (en artillerie) drift; (pour armes légères) deflection; **(angle) de ~** drift *ou* deflection

dérivationnel, **-elle** /deʀivasjɔnɛl/ *adj* Ling derivational

dérive /deʀiv/ *nf* **1** (évolution regrettable) drift; **~ nationaliste** nationalist drift; **2** (errance) drift; **à la ~** drifting; **aller** *or* **partir à la ~** to drift away; **3** Écon slide; **~ budgétaire** budgetary slide; **4** Naut (aileron) centreboard[GB]; (déviation) deviation; **navire à la** *or* **en ~** ship adrift; **être à la ~** to be adrift; **5** Aviat (déviation) drift; (gouvernail) (vertical) fin; **6** Électron drift; **7** Mil, Sci drift

(Composé) **~ des continents** Géog continental drift

dérivé, **~e** /deʀive/

A *pp* ▸ **dériver**

B *pp adj* **1** gén stemming (**de** from); **2** Ind, Chimie derived (**de** from); **3** Ling derived (**de** from)

C *nm* **1** gén spin-off; **2** Ind by-product (**de** of); **~s du pétrole** petroleum by-products; **3** Chimie derivative (**de** of); **4** Ling derivative (**de** of); **5** Fin derivative

D dérivée *nf* Math derivative; **~e logarithmique/partielle** logarithmic/partial derivative

dériver /deʀive/ [1]

A *vtr* **1** (détourner) to divert *[rivière]*; **2** Math to obtain the derivative of *[fonction]*

B dériver de *vtr ind* **1** gén **~ de** to stem from; **2** Ling **~ de** to be derived from

C *vi* **1** lit, fig to drift (**vers** toward, towards GB); **2** Math to differentiate

dériveur /deʀivœʀ/ *nm* **1** (de plaisance) (sailing) dinghy; **2** (de pêche) drifter; **3** (voile) stormsail

dermatite /dɛʀmatit/ ▸ p. 283 *nf* dermatitis

dermatologie /dɛʀmatɔlɔʒi/ *nf* dermatology

dermatologique /dɛʀmatɔlɔʒik/ *adj* dermatological

dermatologiste /dɛʀmatɔlɔʒist/ *nmf*, **dermatologue** /dɛʀmatɔlɔg/ *nmf* ▸ p. 532 dermatologist

dermatose /dɛʀmatoz/ ▸ p. 283 *nf* dermatosis spéc

derme /dɛʀm/ *nm* dermis

dermite /dɛʀmit/ ▸ p. 283 *nf* dermatitis

dernier, **-ière** /dɛʀnje, ɛʀ/

A *adj* **1** (qui termine une série) *[coureur, jour, paragraphe, bâtiment]* last; *[étage, étagère]* top; **ce fut son ~ roman** it was his/her last novel; **faire un ~ effort** to make one last effort; **la dernière édition de la journée** Presse the last edition of the day; **la dernière édition date de 1920** the last edition came out in 1920; **dernière chance** last chance; **dernière fois** last time; **décision de dernière minute** *or* **heure** last-minute decision; **attendre la dernière minute** *or* **le ~ moment pour faire** to wait until the last minute to do; **arriver ~** (dans une course) to come last; **arriver bon ~** to come in last a long way behind; **être bon ~** to come well and truly last; **être classé** *or* **placé ~** (dans une course) to be in last place; **c'est la toute dernière maison** it's the very last house; **un ~ mot avant que vous ne partiez** a final word before you go; **je voudrais ajouter un ~ mot** I'd like to say one more thing; **troisième et ~ volume** third and final volume; **je les veux jeudi ~ délai** I want them by Thursday at the latest; **la dissertation est pour le 20 juin ~ délai** the deadline for this essay is 20 June; **de la dernière chance** final

2 (précédent) last; **l'an ~** last year; **jeudi ~** last Thursday; **la nuit dernière** last night; **au siècle ~** in the 19th century; **Noël ~** last Christmas; **les dernières 24 heures ont été éprouvantes** the last 24 hours have been terrible *ou* awful; **pendant la dernière guerre** during the last war; **son ~ livre** his/her last book; **la dernière édition datait de 1910** the last edition came out in 1910

3 (le plus récent) *[roman, album, production, nouvelles]* latest; **mon ~ roman paraîtra demain** my latest novel will come out tomorrow; **notre ~ modèle** our latest model; **notre dernière création** our latest creation; **les dernières exigences des ravisseurs** the kidnappers'[GB] latest demands; **nouvelles de dernière heure** latest news; **aux dernières nouvelles on apprenait que** the latest news was that; **ces ~ temps** recently; **ces ~s temps il n'a pas fait beau** the weather hasn't been very good recently *ou* lately

4 (extrême) **le ~ degré de** the height of; **c'est ridicule au ~ degré** *or* **point** it's utterly *ou* absolutely ridiculous; **être du ~ ridicule** to be utterly *ou* absolutely ridiculous; **c'est de la dernière impolitesse** it's the height of rudeness; **c'était la dernière chose à faire** it was the worst possible thing to do; **c'est bien la dernière personne à qui je ferais des confidences** he/she really is the last person I would confide in; **c'est bien la dernière personne que j'aurais choisie** he/she really is the last person I would have chosen; **le ~ choix** the poorest quality; **c'est la dernière fois que je viens ici** that's the last time I come here; **les trois ~s jours** the last three days

B *nm,f* **1** (qui est à la fin) last; **les ~s** the last; **arriver le ~** to arrive last; **le ~ arrivé** the last to arrive; **le ~ arrivé offre une bouteille de champagne** the last one there has to buy a bottle of champagne; **tu es toujours le ~** you are always last; **c'est le ~ qui me reste** it's my last one; **ce fut le ~ des rois de France** he was the last of the kings of France; **le ~ qui** the last person who; **ce sont les ~s à pouvoir faire** they are the last people who could do; **les premiers seront les ~s** Bible the first shall be last; **c'est bien le ~ de mes soucis** that really is the least of my worries; **être le ~ de la classe** to be bottom of the class; **être le ~ de la liste** to be bottom of the list; **si tu cherches ton nom dans la liste, c'est le ~** if you're looking for your name in the list, it's at the bottom; **la dernière des guerres** the war to end all wars; **le petit ~** the youngest child; **est-ce votre ~?** is that your youngest?; **ce ~, ces ~s** (de plusieurs) the latter; **c'était un fidèle de Grovagnard, et il devint chef du parti à la mort de ce ~** he was a follower of Grovagnard, and became party leader when he died; **elle est venue avec son mari, ce ~ me semblait d'ailleurs pas très à l'aise** she came with her husband, who actually didn't seem very comfortable; **elle est venue avec Pierre et Anne, cette dernière étant seule ce soir là** she came with Pierre and Anne, the latter of whom happened to be alone that evening; **dans ce ~ cas** in the latter case

2 (le pire) **c'est le ~ des imbéciles** *or* **idiots** he's a complete idiot; **c'est le ~ des lâches** he's a complete and utter coward; **le ~ des ignorants** *or* **imbéciles sait cela** any fool knows that; **le ~ des ~s** the lowest of the low

C **en dernier** *loc adv* last; **je m'en occuperai en ~** I'll deal with that last; **j'irai chez eux en ~** I'll go to them last

D **dernière** *nf* **1** (histoire, nouvelle) **la dernière** the latest; **connaissez-vous la dernière?** have you heard the latest?

2 (d'un spectacle) last performance

(Composés) **~ cri** latest fashion; **dernière demeure** final resting place; **conduire/accompagner qn à sa dernière demeure** to take/to accompany sb to his/her final resting place; **dernières volontés** final *ou* dying wish

(Idiome) **(en) être à sa dernière heure** to be on one's deathbed

dernièrement /dɛʀnjɛʀmɑ̃/ *adv* recently, lately

dernier-né, dernière-née, *mpl* **derniers-nés** /dɛʀnjene, dɛʀnjɛʀne/ *nm,f* **1** (enfant) youngest; **le ~ de la famille** the youngest in the family; **2** (modèle) latest model

dérobade /deʀɔbad/ *nf* gén evasion; Équit running out

dérobé, ~e /deʀɔbe/

A *pp* ▸ **dérober**

B *pp adj* [*porte, escalier*] concealed

C **à la dérobée** *loc adv* furtively

dérober /deʀɔbe/ [1]

A *vtr* **1** liter (voler) to steal [*argent, baiser, secret*] (**à** from); **2** liter (cacher) to hide [*vue, paysage*] (**à** from); **~ qch au regard de qn** to hide sth from sb

B **se dérober** *vpr* **1** (se soustraire aux questions) to be evasive, to hedge; **2** (se soustraire à son devoir) to shirk responsibility; **3** (se soustraire) **se ~ à** to shirk [*responsabilités, devoir*]; to evade, to avoid [*question*]; to evade [*justice*]; **se ~ à un engagement** to get out of a commitment; **4** (céder) [*sol*] to give way (**sous** under); **le sol se dérobe sous leurs pieds** the ground gives way under their feet; **ses jambes se dérobaient sous elle** her legs were giving way; **5** Équit (s'écarter) to run out; **se ~ devant un obstacle** to run out of a fence

dérocher /deʀɔʃe/ [1]

A *vtr* **1** to pickle [*métal*]; **2** to clear rocks away from [*rivière, terrain*]

B *vi* (en alpinisme) to fall from a rock

dérogation /deʀɔgasjɔ̃/ *nf* **1** (autorisation) (special) dispensation (**pour faire** to do); **obtenir par ~** to get by dispensation; **des ~s pourront être accordées** dispensations may be granted; **2** (contravention) infringement (**à** of); **par ~ à l'article 1** contrary to article 1

dérogatoire /deʀɔgatwaʀ/ *adj* [*mesure, arrêté*] derogatory (**à** from); [*régime, cas*] special; **clause ~** derogation clause

déroger /deʀɔʒe/ [13] *vtr ind* **~ à** [*personne, initiative*] to infringe [*loi, règle, droit*]; to depart from [*principes, politique*]; to break [*habitude*]; to disregard [*obligation*]; to break with [*tradition, usage*]; **~ aux bonnes manières** to breach the rules of etiquette

dérouillée○ /deʀuje/ *nf* **1** (volée de coups) hiding○, beating; **recevoir** *or* **prendre une ~** to get a hiding; **2** (défaite sportive) thrashing○

dérouiller○ /deʀuje/ [1]

A *vtr* (dégourdir) [*sport*] to loosen up [*jambes*]; to limber [sb] up [*personne*]; [*lecture*] to stimulate [*esprit*]

B *vi* (recevoir des coups) to get a hiding○, to get a beating; (souffrir) to go through hell○, to suffer

C **se dérouiller** *vpr* (se dégourdir) to limber up; **se ~ les jambes** to loosen up one's legs

déroulant /deʀulɑ̃/ *adj m* Ordinat **menu ~** pulldown menu

déroulement /deʀulmɑ̃/ *nm* **1** (succession de moments) **tenter de se remémorer le ~ des événements** to try to recall the sequence of events; **veiller au bon ~ de** [*cérémonie, négociations*] to make sure [sth] goes smoothly; **expliquer le ~ de la cérémonie** to explain the procedure for the ceremony; **expliquer le ~ d'une semaine de travail** to explain the organization of the working week; **~ de carrière** career development; **le ~ de l'intrigue** the unfolding of the plot; **2** (fait de progresser) **pendant le ~ du film/du match** during the film/the match, while the film/match was in progress; **3** (fait d'avoir lieu) **le ~ d'élections est encore utopique** the holding of elections is still a pipe-dream; **4** (de corde) uncoiling; (de câble, corde sur un tambour) unwinding; (de manuscrit) unrolling

dérouler /deʀule/ [1]

A *vtr* **1** (étendre) to unroll [*tapis, tuyau, manuscrit*]; to let down [*chevelure*]; to uncoil [*corde*]; (autour d'une bobine) to unwind [*fil, pellicule*]; **~ le tapis rouge** fig to roll out the red carpet (**à, pour** for); **2** fml (présenter) to unfold [*histoire*]

B **se dérouler** *vpr* **1** (avoir lieu) to take place; **la réunion s'est déroulée hier à Damas comme prévu** the meeting took place yesterday in Damascus as planned; **la manifestation s'est déroulée dans le calme** the demonstration went off without incident; **2** (évoluer) [*négociations*] to proceed sout, to go; **cela s'est déroulé comme prévu** it went as expected; **la façon dont les événements se déroulent** the way the situation is unfolding; **une vie qui s'est déroulée sans histoires** a trouble-free life; **3** (être déroulé) [*tapis*] to be unrolled; [*pellicule*] to be unwound; [*carte*] to unroll; **les images qui se déroulent dans ma tête** the images going through my head; **4** (se présenter) **se ~ devant nos yeux** [*panorama, histoire*] to unfold before our eyes

dérouleur /deʀulœʀ/ *nm* **1** gén holder; **~ de papier hygiénique** toilet paper holder; **2** Tech (de câble, papier) unwinding machine; **3** Ordinat **~ de bande** tape drive

déroutant, ~e /deʀutɑ̃, ɑ̃t/ *adj* puzzling

déroute /deʀut/ *nf* **1** (défaite) crushing defeat; **mettre qn en ~** to defeat sb; **2** (débandade) rout; **en ~** in full flight; **mettre en ~** to put [sb] to flight, to rout sb; **3** (crise profonde) disarray; **en ~** in disarray

déroutement /deʀutmɑ̃/ *nm* Aviat, Naut diversion

dérouter /deʀute/ [1]

A *vtr* **1** (déconcerter) to puzzle; **2** Aviat, Naut to divert

B **se dérouter** *vpr* to divert (**vers** to)

derrick /deʀik/ *nm* derrick

derrière¹ /dɛʀjɛʀ/

A *prép* **1** (en arrière de) behind; **une remorque accrochée ~ la voiture** a trailer hitched to the back of the car; **gardez les mains ~ le dos** keep your hands behind your backs; **l'un ~ l'autre** one behind the other; **2** (sous) behind; **il dissimule sa timidité ~ des plaisanteries** he hides his shyness behind a façade of joking remarks; **elle cache sa méchanceté ~ de grands sourires** she hides her nastiness behind a smiling exterior; **~ les apparences** (de chose) under the surface; (de personne) behind the façade; (de situation) beneath the surface

B *adv* (à l'arrière) (de personne) behind; (dans le fond) at the back; (à l'arrière d'une voiture) in the back; **mets- les ~** (dans une voiture) put them in the back, put them behind; **qu'y a-t-il ~?** fig what's behind it?; **ne poussez pas ~!** stop pushing at the back!

(Idiomes) **être toujours ~ le dos de qn** to be always on○ at sb GB, to be always bugging○ sb; **il ne fait rien par lui-même, il faut toujours être ~ lui** he never gets anything done unless you keep after him; **il a les syndicats ~ lui** the unions are behind him; **elle a laissé deux enfants ~ elle** she died leaving two children; **s'abriter** *or* **se retrancher ~ qn** to hide behind sb

derrière² /dɛʀjɛʀ/ *nm* **1** (de maison, véhicule, d'objet) back; **de ~** [*chambre, porte*] back; **2** ○(de personne, d'animal) behind○, backside○

Derry ▸ p. 721 *npr* **le comté de ~** Derry

derviche /dɛʀviʃ/ *nm* dervish; **~ tourneur** whirling dervish

des /de/

A *art indéf pl* ▸ **un A**

B *prép* ▸ **de**

dès /dɛ/

A *prép* **1** (indique le point de départ dans le temps) from; **~ (l'âge de) huit ans** from the age of eight; **~ aujourd'hui/hier** from today/yesterday; **~ maintenant** *or* **à présent** from now on; **~ le départ** *or* **début** (right) from the start *ou* beginning; **~ 1954 l'économie de la région commença à péricliter** the area's economy started to collapse from 1954 (onwards); **~ l'instant** *or* **le moment** *or* **la minute où** from the very moment when; **~ l'instant où il la vit** from the moment he saw her; **~ le lever du soleil il se met à faire chaud** as soon as the sun rises it starts to get hot; **je vous téléphone ~ mon arrivée** I'll phone *ou* call you as soon as I arrive; **cette boisson était connue ~ l'antiquité** this drink has been known since the earliest times; **~ avant** even before; **je lui en parlerai ~ lundi** I'll talk to him about it on Monday; **2** (indique le point de départ dans l'espace) from; **~ Versailles il y a des embouteillages** from Versailles onwards, there are traffic jams; **vous serez pris en charge par les organisateurs ~ l'aéroport** organizers will take care of you as soon as you get to the airport

B **dès que** *loc conj* as soon as; **~ que possible** as soon as possible; **~ qu'il m'a vue, il m'a souri** as soon as *ou* the moment he saw me, he smiled at me

C **dès lors** *loc adv* (à partir de ce moment) from then on, from that time on, henceforth; (de ce fait) therefore, consequently

D **dès lors que** *loc conj* (à partir du moment où) once, from the moment that; (puisque) since

désabonner: **se désabonner** /dezabɔne/ [1] *vpr* gén to cancel one's subscription (**à** to); Ordinat to unsubscribe

désabonnement /dezabɔnmɑ̃/ *nm* gén cancellation (*of a subscription*); (sur Internet) **~** unsubscribe

désabusé, ~e /dezabyze/

A *pp* ▸ **désabuser**

B *pp adj* [*personne*] disillusioned; [*air, ton, parole*] cynical

désabusement /dezabyzmɑ̃/ *nm* disenchantment (**quant à** with)

d

désabuser /dezabyze/ [1] *vtr* **1** (désillusionner) to disenchant (**de** with); **2** (détromper) to disabuse (**de** about)

désacclimaté, **~e** /dezaklimate/ *adj* out of one's element

désaccord /dezakɔʀ/ *nm* **1** (divergence) disagreement (**avec** with; **sur** over); **sujet de ~** subject of disagreement; **exprimer son ~** to express disagreement; **en ~** in disagreement; **en total ~** in complete disagreement; **être en ~** to disagree (**avec** with; **sur** over); **2** (contradiction) discrepancy; **~s entre différentes versions** discrepancies between various versions

désaccordé, **~e** /dezakɔʀde/
A *pp* ▸ **désaccorder**
B *pp adj* Mus out-of-tune (*épith*); **ton piano est ~** your piano is out of tune

désaccorder /dezakɔʀde/ [1]
A *vtr* [*chaleur, transport*] to make [sth] go out of tune [*piano, violon*]
B **se désaccorder** *vpr* [*instrument de musique*] to go out of tune

désaccoupler /dezakuple/ [1] *vtr* gén to uncouple; Électrotech to decouple; Mécan to disengage [*moteur, vitesses*]

désaccoutumance /dezakutymɑ̃s/ *nf* **la ~ à la drogue/l'alcool est progressive** overcoming drug/alcohol addiction is a gradual process

désaccoutumer /dezakutyme/ [1]
A *vtr* **~ qn de qch** to cure sb's addiction to sth [*tabac, drogue*]; **~ qn de faire** to cure sb of doing
B **se désaccoutumer** *vpr* **se ~ de** to break one's dependence on [*tabac, alcool*]; **se ~ de boire** to break one's dependence on drink; **se ~ de tricher** to break one's habit of cheating

désacralisation /desakʀalizasjɔ̃/ *nf* **~ de qch** destruction of the sacred aura surrounding sth

désacraliser /desakʀalize/ [1] *vtr* to destroy the sacred aura surrounding [*valeur, pratique*]

désactivation /dezaktivasjɔ̃/ *nf* Chimie deactivation; Nucl cooling

désactiver /dezaktive/ [1] *vtr* **1** (neutraliser) to deactivate [*alarme*]; **2** Nucl to cool; **3** Chimie to deactivate; **4** Ind (en pétrochimie) to inhibit

désaffecté, **~e** /dezafɛkte/ *adj* disused

désaffection /dezafɛksjɔ̃/ *nf* disaffection

désagréable /dezagʀeabl/ *adj* unpleasant (**avec, envers** to, toward(s)), disagreeable (**avec, envers** to, toward(s))

désagréablement /dezagʀeabləmɑ̃/ *adv* unpleasantly

désagrégation /dezagʀegasjɔ̃/ *nf* **1** (décomposition) disintegration; (écroulement) collapse; (dislocation) break-up; **2** Géol disintegration; **3** Psych collapse; **~ mental** *or* **psychique** mental collapse

désagréger /dezagʀeʒe/ [15]
A *vtr* to disintegrate, to break up
B **se désagréger** *vpr* **1** (se décomposer) to disintegrate; (s'écrouler) to collapse; (se disloquer) to break up; **2** Géol to disintegrate

désagrément /dezagʀemɑ̃/ *nm* **1** (gêne) inconvenience; **cela m'a causé beaucoup de ~** it caused me a lot of inconvenience; **2** (embêtement) annoyance, inconvenience; **les ~s de la vie citadine** the annoyances *ou* inconveniences of city life; **réserve une place, tu t'éviteras bien des ~s** if you reserve a seat, you'll save yourself a lot of trouble *ou* inconvenience

désaimantation /dezɛmɑ̃tasjɔ̃/ *nf* demagnetization

désaimanter /dezɛmɑ̃te/ [1] *vtr* to demagnetize

désalinisateur /desalinizatœʀ/ *nm* desalinator

désaltérant, **~e** /dezalteʀɑ̃, ɑ̃t/ *adj* thirst-quenching

désaltérer /dezalteʀe/ [14]
A *vtr* **~ qn** to quench sb's thirst; **le thé m'a désaltérée** the tea has quenched my thirst; **les pastèques désaltèrent** watermelons are thirst-quenching
B **se désaltérer** *vpr* to quench one's thirst

désambiguïser* /dezɑ̃biguize/ [1] *vtr* to disambiguate

désamorçage /dezamɔʀsaʒ/ *nm* **1** (d'explosif, de crise) defusing; **2** (de pompe) draining

désamorcer /dezamɔʀse/ [12] *vtr* to defuse [*explosif, crise*]; to drain [*pompe*]

désapparier /dezapaʀje/ [2] *vtr* to break up a pair of

désappointement /dezapwɛ̃tmɑ̃/ *nm* disappointment

désappointer /dezapwɛ̃te/ [1] *vtr* to disappoint

désapprendre /dezapʀɑ̃dʀ/ [52] *vtr* **1** (involontairement) to forget (**à faire** how to do); **2** (volontairement) to unlearn

désapprobateur, **-trice** /dezapʀɔbatœʀ, tʀis/ *adj* [*regard, ton, remarque*] disapproving; **d'un air ~** disapprovingly

désapprobation /dezapʀɔbasjɔ̃/ *nf* disapproval; **exprimer sa ~ pour qch** to express one's disapproval of sth

désapprouver /dezapʀuve/ [1] *vtr* to disapprove of [*projet, conduite, personne, manière*]; **il m'arrive de ~** I sometimes disapprove

désarçonner /dezaʀsɔne/ [1] *vtr* **1** Équit to throw [*cavalier*]; **2** (déconcerter) to take [sb] aback [*personne*]; **sa remarque m'a désarçonné** his remark took me aback; **être désarçonné** to be taken aback (**par** by); **se faire ~** to be thrown (**par** by)

désargenté○, **~e** /dezaʀʒɑ̃te/ *adj* (pauvre) hard up○, penniless

désargenter /dezaʀʒɑ̃te/ [1] *vtr* [*lave-vaisselle*] to take the silver plating off [*couverts, plat*]; **les fourchettes sont désargentées** the silver plating has come off the forks

désarmant, **~e** /dezaʀmɑ̃, ɑ̃t/ *adj* [*franchise, personne*] disarming

désarmé, **~e** /dezaʀme/
A *pp* ▸ **désarmer**
B *pp adj* **1** Mil [*soldat, pays*] disarmed; [*région*] demilitarized; **2** Naut [*navire*] laid up

désarmement /dezaʀməmɑ̃/ *nm* **1** Mil (de pays, région) disarmament; **~ conventionnel/chimique** conventional/chemical disarmament; **2** Naut (de navire) laying up

désarmer /dezaʀme/ [1]
A *vtr* **1** (rendre inoffensif) to disarm [*malfaiteur, adversaire*]; to disarm [*pays, région*]; to disarm [*arme à feu, mine*]; **2** (décontenancer) to disarm [*personne*]; (désamorcer) to defuse [*colère*]; to allay [*méfiance*]; to invalidate [*reproche*]; to disarm [*critique*]; **face à elle je me sens désarmé** I feel helpless faced with her; **3** Naut to lay up [*navire*]; to ship [*avirons*]
B *vi* **1** Mil to disarm; **2** (abandonner une lutte) [*personne*] to give up the fight; (cesser) [*colère, haine*] to abate

désarrimage /dezaʀimaʒ/ *nm* **1** Transp (accidentel) shifting; (volontaire) unstowing; **2** Astronaut undocking

désarrimer /dezaʀime/ [1]
A *vtr* **1** Transp to unstow; **2** Astronaut to undock
B **se désarrimer** *vpr* Transp to shift

désarroi /dezaʀwa/ *nm* (trouble moral) distress; (désordre) confusion; **sentiment de profond ~** feeling of deep distress; **au grand ~ de** much to the distress of; **le ~ du camp adverse** the confusion in the opposing camp; **jeter qn dans le ~** to throw sb into confusion; **être en plein ~** (moralement) to be very confused; (en désordre) to be in a state of disarray

désarticulation /dezaʀtikylasjɔ̃/ *nf* **1** (déboîtement) dislocation; **2** (amputation) disarticulation

désarticulé, **~e** /dezaʀtikyle/
A *pp* ▸ **désarticuler**
B *pp adj* [*fauteuil*] wrecked; [*pantin*] with broken joints (*épith, après n*)

désarticuler /dezaʀtikyle/ [1]
A *vtr* **1** (déboîter) to dislocate [*membre*]; **2** Méd (amputer) to amputate
B **se désarticuler** *vpr* [*acrobate, contorsionniste*] to contort oneself

désassembler /dezasɑ̃ble/ [1] *vtr* to dismantle [*pièces, planches*]

désassorti, **~e** /dezasɔʀti/ *adj* [*service*] incomplete; [*magasin*] poorly stocked

désastre /dezastʀ/ *nm* (tous contextes) disaster; **~ écologique/économique/électoral** environmental/economic/electoral disaster; **mesurer l'ampleur** *or* **l'étendue du ~** to assess the extent of the disaster

désastreusement /dezastʀøzmɑ̃/ *adv* disastrously

désastreux, **-euse** /dezastʀø, øz/ *adj* [*incidence, effet, état, bilan*] disastrous

désavantage /dezavɑ̃taʒ/ *nm* **1** (handicap) disadvantage; **~ intellectuel/physique** intellectual/physical disadvantage; **compenser un ~ intellectuel** to make up for intellectual shortcomings; **avoir un ~ par rapport à qn** to be at a disadvantage compared to sb; **être/tourner au ~ de qn** to be/to turn to sb's disadvantage; **voir qn à son ~** to see sb in an unfavourable[GB] light; **se montrer à son ~** to show oneself in an unfavourable[GB] light; **2** (inconvénient) drawback, disadvantage; **avoir** *or* **présenter des ~s** to have drawbacks

désavantager /dezavɑ̃taʒe/ [13] *vtr* **1** (mettre en état d'infériorité) to put [sb/sth] at a disadvantage, to disadvantage [*personne, entreprise*]; **~ qn/qch en faisant** to put sb/sth at a disadvantage by doing; **être le plus désavantagé** to be put at the greatest disadvantage; **il est désavantagé par sa mémoire/son jeune âge** his bad memory/his youth puts him at a disadvantage; **être désavantagé par rapport à qn/qch** to be at a disadvantage compared to sb/sth; **2** Jur to put [sb] at a disadvantage, to disadvantage

désavantageusement /dezavɑ̃taʒøzmɑ̃/ *adv* unfavourably[GB]

désavantageux, **-euse** /dezavɑ̃taʒø, øz/ *adj* [*contrat, affaire, échange, marché, prix*] unfavourable[GB], disadvantageous; [*jugement*] unfavourable[GB]; [*portrait, description*] unflattering; [*incident*] damaging; **être ~ à** *or* **pour qn** [*contrat, affaire*] to be unfavourable[GB] to sb

désaveu, *pl* **~x** /dezavø/ *nm* **1** (reniement) denial; **2** (condamnation) rejection; **encourir le ~ de l'opinion publique** to encounter rejection at the hands of the public

(Composé) **~ de paternité** Jur denial of paternity

désavouer /dezavwe/ [1] *vtr* **1** (ne pas reconnaître comme sien) to deny [*acte, propos*]; **il a désavoué les propos qu'il avait tenus** he denied his previous comments; **2** (rejeter) to disown [*personne, candidat*]; **elle a désavoué la conduite/les propos de son ami** she disowned her friend's behaviour[GB]/comments; **3** Jur to disown [*enfant*]; **~ la paternité d'un enfant** to deny that one is the father of a child

désaxé, **~e** /dezakse/
A *pp* ▸ **désaxer**
B *pp adj* [*personne*] deranged
C *nm,f* deranged person

désaxer /dezakse/ [1] *vtr* **1** Tech to put [sth] out of true [*roue*]; **2** (rendre fou) to unbalance [*personne*]

desceller /desele/ [1]
A *vtr* **1** Constr to work [sth] free [*lavabo*]; **2** (ouvrir) to unseal [*acte, lettre*]
B **se desceller** *vpr* [*lavabo*] to work loose

descendance /desɑ̃dɑ̃s/ *nf* **1** (lignée) descendants (*pl*); **une nombreuse ~** many descendants; **2** †(origine familiale) descent

descendant, **~e** /desɑ̃dɑ̃, ɑ̃t/
A *adj* [*cabine, courbe*] downward; **organe ~** Méd descending organ; **voie ~e** Rail down line; **train ~** Rail down train
B *nm,f* descendant (**de** of)

descendeur, **-euse** /desɑ̃dœʀ, øz/
A *nm,f* (en ski) downhill racer, downhiller
B *nm* Sport (en alpinisme) abseiling device, descendeur

descendre /desɑ̃dʀ/ [6]
A *vtr* **1▸** (transporter) (en bas) gén to take [sb/sth] down [*personne, objet*] (**à** to); (à l'étage) to take [sb/sth] downstairs [*personne, objet*]; (d'en haut) gén to bring [sb/sth] down [*personne, objet*] (**de** from); (de l'étage) to bring [sb/sth] downstairs [*personne, objet*]; **~ les bouteilles à la cave** to take the bottles down to the cellar; **~ les valises du grenier** to bring the suitcases down from the attic; **je peux vous ~ au village** I can take you down to the village; **descends-moi mes pantoufles** bring my slippers down for me; **je leur ai fait ~ les bouteilles à la cave** I had them take the bottles down to the cellar; **j'ai fait ~ le piano dans le salon** I had the piano taken *ou* brought down to the living room; **faites-moi ~ les dossiers secrets** have the secret files brought down to me
2▸ (placer plus bas) to put [sth] down [*objet*]; (en abaissant) gén to lower (**de** by); (avec une manivelle) to wind [sth] down; **descends le store** put the blind down; **j'ai descendu le vase sur l'étagère du bas/de l'étagère du haut** I moved the vase down to the bottom shelf/from the top shelf; **~ l'étagère d'un cran/de 20 centimètres** to lower the shelf by one notch/by 20 centimetres[GB]; **~ un seau dans un puits** to lower a bucket into a well
3▸ (réussir à mettre plus bas) to get [sth] down [*objet*]; **impossible de ~ le piano par l'escalier/par la fenêtre** it's impossible to get the piano down the stairs/through the window; **comment va-t-on ~ le piano?** (de l'étage) how are we going to get the piano downstairs?; (du camion) how are we going to get the piano out?; **tu peux me ~ cette valise de l'armoire?** can you get this suitcase down from the wardrobe for me?
4▸ (parcourir) (en allant) to go down [*pente, rue, marches, fleuve*]; (en venant) to come down [*pente, rue, marches, fleuve*]; **je l'ai vu ~ les escaliers sur le derrière**° I saw him slide down the stairs on his bottom; **~ la colline en rampant/à bicyclette** to crawl/to cycle down the hill; **~ la rivière en pagayant/à la nage** to paddle/to swim down the river; **je leur ai fait ~ la colline en courant** I made them run down the hill; **il m'a fait ~ les escaliers trois fois** he made me go downstairs *ou* down the stairs three times
5▸ °(éliminer) to bump off°, to plug°, to kill [*personne*]; to shoot down [*avion*]; **se faire ~** [*personne*] to be bumped off°; [*avion*] to be shot down; **on l'a descendu d'une balle dans la poitrine/tête** he was shot in the chest/head and killed
6▸ °(malmener) to tear [sb/sth] to pieces; **il s'est fait ~ par la presse** the newspapers tore him to pieces; **ils ont descendu ma thèse pendant deux heures** they spent two hours tearing my thesis to pieces
7▸ °(boire) [*personne*] to down [*bouteille, verre*]; **il a descendu son verre en deux secondes** he downed his drink in two seconds flat
B *vi* (+ *v être*) **1▸** (se déplacer) [*personne*] (en allant) gén to go down (**à** to); (de l'étage) to go downstairs; (en venant) gén to come down (**de** from); (de l'étage) to come downstairs; [*train, ascenseur, téléphérique, avion, hélicoptère*] (en allant) to go down; (en venant) to come down; [*oiseau*] to fly down; [*soleil*] to set (**sur** over); [*nuit*] to fall; [*brouillard*] to come down (**sur** over); **reste ici, je descends à la cave** stay here, I'm going down to the cellar; **peux-tu ~ chercher mon sac?** can you go downstairs and get my bag?; **tu peux ~ m'aider à pousser l'armoire?** can you come downstairs and help me push the wardrobe?; **il est descendu fumer** he went downstairs to smoke; **te voilà! tu es descendu par l'ascenseur?** there you are! did you come down in the elevator?; **tu es descendu à pied?** did you walk down?; **je préfère ~ par l'escalier** I prefer to go down by the stairs; **nous sommes descendus par le sentier/la route** (à pied) we walked down by the path/the road; (à cheval) we rode down by the path/the road; **il est descendu du col à bicyclette/en voiture** he cycled/drove down from the pass; **où est l'écureuil? il a dû ~ de l'arbre** where's the squirrel? it must have come down *ou* climbed down from the tree; **descends, je te suis** go on down, I'll follow you; **descends de là!** get down from there!; **je suis descendu au fond du puits/au bas de la falaise** I went down to the bottom of the well/to the foot of the cliff; **~ de son lit** to get out of bed; **~ de son nid** [*oiseau*] to fly out of its nest; **~ de** [*personne*] to step off [*trottoir, marche*]; [*animal*] to get off [*marche, trottoir*]; [*personne, animal*] to climb down from [*mur, tabouret*]; **il est descendu du toit** [*enfant, chat*] he' s come down from the roof; **~ de l'échelle/l'arbre/la corde** to climb down from the ladder/the tree/the rope; **~ à la verticale** [*paquet, alpiniste*] to descend vertically; **~ aux Enfers** Relig to descend into Hell; **l'air froid fait ~ les ballons/planeurs** cold air makes balloons/gliders drop; **elle m'a fait/ne m'a pas laissé ~ à la cave** she had me/didn't let me go down to the cellar; **faites-les ~** send them down [*clients, marchandises*]; **faire ~ sa jupe/ses bas/son châle** to pull one's skirt/one's tights/one's shawl down
2▸ (d'un moyen de transport) **~ d'une voiture** to get out of a car; **le chien ne veut pas ~** (de la voiture) the dog doesn't want to get out; **~ d'un train/bus/avion** to get off a train/bus/plane; **~ d'avion/de bateau** to get off a plane/a boat; **~ de bicyclette** to get off one's bicycle; **~ de cheval** to get off one's horse, to dismount sout; **~ à Marseille** (d'avion, de bateau, de bus, de train) to get off at Marseilles
3▸ (s'étendre de haut en bas) [*route, voie ferrée*] to go downhill, to go down; [*terrain*] to go down; [*canalisations, ligne téléphonique*] (en allant) to go down; (en venant) to come down; [*rivière*] to flow down; **~ jusqu'à** [*chemin, muraille, escalier*] to go down to; **~ jusqu'à la mer** [*route, rivière*] to go right down to the sea; **~ en lacets** [*route*] to wind its way down; **~ en pente douce** [*terrain, route*] to slope down gently; **~ en pente raide** [*terrain, route*] to drop steeply; **~ brusquement sur 200 mètres** [*pente, route*] to drop sharply for 200 metres[GB]
4▸ (atteindre) [*vêtement, cheveux*] to come down (**jusqu'à** to); **robe qui descend jusqu'aux chevilles** dress that comes down to the ankles; **elle avait une robe qui lui descendait aux chevilles** she was wearing an ankle-length dress; **il a les cheveux qui lui descendent sur la nuque/jusqu'à la taille** his hair comes down the nape of his neck/to his waist
5▸ (baisser) [*niveau, baromètre, température, pression, prix, taux*] to drop, to go down (**à** to; **de** by); [*marée*] to go out; **l'euro est** *or* **a descendu par rapport à la livre** the euro has dropped *ou* gone down against the pound; **faire ~ les cours de 2%** to bring prices down by 2%; **ça va faire ~ le dollar** it'll send *ou* put the dollar down; **ça fait ~ la température** gén it lowers the temperature; Méd it brings one's temperature down; **ça ne fera pas ~ le taux de chômage** it won't bring the unemployment rate down
6▸ (se rendre, séjourner) **~ à Marseille/dans le Midi** to go down to Marseilles/to the South (of France); **~ en ville** to go into town; **~ dans un hôtel** to stay at a hotel; **~ dans la rue** gén to go outside; Pol to take to the streets; **~ dans un bar/chez qn** [*police*] to raid a bar/sb's place
7▸ (être issu) **~ de** gén to come from; (génétiquement) to be descended from; **~ d'une famille de négociants** to come from a family of merchants; **l'homme descend du singe** man is descended from the ape
8▸ °(passer) **boire de l'eau pour faire ~ la viande** to have a drink of water to help the meat down; **un petit vin qui descend bien** a wine which slips down nicely

descente /desɑ̃t/ *nf* **1▸** (parcours d'un véhicule, d'une personne) descent; **nous amorçons notre ~ sur Paris** we're beginning our descent toward(s) Paris; **la ~ a été plus dure que la montée** it was much more difficult coming down than going up, the climb down *ou* descent was more difficult than the climb up; **la ~ a pris une heure** it took an hour to come down; **freiner dans les ~s** to brake going downhill; **la ~ est verglacée/dangereuse** it's icy/dangerous on the way down; **au milieu de la ~** halfway down; **ralentir/avoir peur dans la ~** to go slower/be scared on the way down; **tomber dans la ~** to fall on the way down; **au bas de la ~** at the bottom; **faire la ~ d'une rivière en canoë** to canoe down a river; **faire la ~ d'une rivière en péniche** to go down a river in a barge; **la ~ du fleuve a été très agréable** sailing down the river was most pleasant; **2▸** (sortie) **à ma ~ du train/bus/bateau/de l'avion** when I got off the train/bus/boat/plane; **accueillir qn à sa ~ d'avion** to meet sb off the plane; **'la ~ se fait à l'avant de l'appareil'** 'please disembark at the front of the aircraft'; **3▸** Sport (en ski) (épreuve) downhill (event); (parcours) run; **~ hommes/dames** men's/women's downhill; **faire une ~** to make a run; **c'est ma troisième ~ depuis ce matin** it's my third run since this morning; **4▸** Sport (en alpinisme, cyclisme, spéléologie) descent; (en parachutisme) drop; **~ en chute libre** free fall; **5▸** (raid) raid (**dans** en); **~ de police** police raid; **la police a fait une ~ dans l'immeuble/le bar** the police raided the building/bar; **faire une ~ dans la cuisine** hum to raid the kitchen; **6▸** Pol **~ dans la rue** demonstration; **une ~ à Paris des agriculteurs** a farmers' demonstration in Paris; **7▸** (exploration) exploration; **~ dans les profondeurs** *or* **au cœur de l'inconscient** exploration of the depths of the subconscious
(Composés) **~ de croix** Art, Relig descent from the cross; **~ d'eaux pluviales** Constr downpipe; **~ aux enfers** descent into hell; **~ de lit** (tapis) (bedside) rug; **~ d'organe** Méd prolapse; **~ en rappel** Sport (principe) abseiling ₵; **une ~ en rappel** a descent
(Idiome) **il a une bonne ~**° he can really knock it back°

descriptible /deskʀiptibl/ *adj* describable; **ne pas être ~** to be indescribable

descriptif, **-ive** /deskʀiptif, iv/
A *adj* (tous contextes) descriptive
B *nm* (notice explicative) gén detailed description; Constr specification

description /deskʀipsjɔ̃/ *nf* **1▸** gén description; **faire une ~ de qch** to give a description of sth, to describe sth; **2▸** Jur (inventaire) inventory

descriptivisme /deskʀiptivism/ *nm* descriptivism

descriptiviste /deskʀiptivist/ *adj* descriptivist

désectorisation /desektɔʀizasjɔ̃/ *nf* Admin, Scol phasing out of catchment areas

désectoriser /desektɔʀize/ [1] *vtr* to remove [sth] from catchment area restriction [*école*]

déségrégation /desegʀegasjɔ̃/ *nf* desegregation

désembourber /dezɑ̃buʀbe/ [1]
A *vtr* to get [sth] out of the mud [*véhicule*]
B **se désembourber** *vpr* (sortir de la boue) to get out of the mud

désembourgeoiser /dezɑ̃buʀʒwaze/ [1]
A *vtr* to make [sb/sth] less bourgeois [*groupe, mode de vie*]

d

B **se désembourgeoiser** *vpr* to become less bourgeois

désembouteiller /dezɑ̃buteje/ [1] *vtr* to ease congestion in [*rue, voie*]

désembuage /dezɑ̃byaʒ/ *nm* demisting GB, defogging US

désembuer /dezɑ̃bye/ [1] *vtr* to demist GB, to defog US

désemparé, **~e** /dezɑ̃paʀe/
A *pp* ▸ **désemparer**
B *pp adj* **1** (dérouté) [*personne*] distraught, at a loss (*jamais épith*); **2** [*avion, navire*] in distress

désemparer /dezɑ̃paʀe/ [1]
A *vtr* (dérouter) to throw [sb] into confusion
B *vi* **sans ~** without let-up

désemplir /dezɑ̃pliʀ/ [3]
A *vi* **ne pas ~** to be full; **ce restaurant ne désemplit pas** this restaurant is always full
B **se désemplir** *vpr* to empty

désenchanté, **~e** /dezɑ̃ʃɑ̃te/
A *pp* ▸ **désenchanter**
B *pp adj* disillusioned, disenchanted (**de** with)

désenchantement /dezɑ̃ʃɑ̃tmɑ̃/ *nm* disillusionment, disenchantment

désenchanter /dezɑ̃ʃɑ̃te/ [1] *vtr* to disillusion

désenclavement /dezɑ̃klavmɑ̃/ *nm* opening up

désenclaver /dezɑ̃klave/ [1]
A *vtr* to open up [*région*]
B **se désenclaver** *vpr* to open up

désencombrer /dezɑ̃kɔ̃bʀe/ [1] *vtr* to free [*esprit*] (**de** from); to unjam [*ligne téléphonique*]; to clear [*local*]; to ease congestion in [*rue, voie*]

désencrasser /dezɑ̃kʀase/ [1] *vtr* to clean out

désendettement /dezɑ̃dɛtmɑ̃/ *nm* (partiel) reduction of the debt; (complet) rescuing from debt

désendetter: **se désendetter** /dezɑ̃dete/ [1] *vpr* (partiellement) to reduce one's debt (**de** *or* **à hauteur de** by); (complètement) to get out of debt

désenfler /dezɑ̃fle/ [1] *vi* to become less swollen, to go down

désenfumage /dezɑ̃fymaʒ/ *nm* smoke extraction; **trappe de ~** smoke extraction hatch

désenfumer /dezɑ̃fyme/ [1] *vtr* to extract smoke from [*local*]

désengagement /dezɑ̃gaʒmɑ̃/ *nm* **1** Écon, Pol disengagement; **2** Mil withdrawal (**de** from)

désengager /dezɑ̃gaʒe/ [13] Écon, Mil, Pol
A *vtr* to disengage (**de** from)
B **se désengager** *vpr* to withdraw (**de** from)

désengorgement /dezɑ̃gɔʀg(ə)mɑ̃/ *nm* **1** (d'organisation) freeing up; **2** (de rue, voie) easing of congestion; **3** (de canalisation) unblocking

désengorger /dezɑ̃gɔʀʒe/ [13]
A *vtr* **1** Transp to ease congestion in [*rue, voie*]; **2** Tech to unblock [*canalisation*]
B **se désengorger** *vpr* **1** [*voie*] to become less congested; **2** [*canalisation*] to clear

désenivrer /dezɑ̃nivʀe/ [1]
A *vtr* to sober [sb] up [*personne*]
B *vi* to sober up

désensabler /dezɑ̃sable/ [1] *vtr* **1** (nettoyer) to dredge [*canal, port*]; **2** (sortir du sable) to get [sth] out of the sand [*auto, bateau*]

désensibilisant, **~e** /desɑ̃sibilizɑ̃, ɑ̃t/
A *adj* desensitizing (*épith*)
B *nm* desensitizing substance

désensibilisateur /desɑ̃sibilizatœʀ/ *nm* Phot desensitizer

désensibilisation /desɑ̃sibilizasjɔ̃/ *nf* **1** Phot desensitizing; **2** Méd desensitization

désensibiliser /desɑ̃sibilize/ [1] *vtr* Phot, Méd to desensitize; **se faire ~** to be desensitized

désensorceler /dezɑ̃sɔʀsəle/ [19] *vtr* to break the spell on

désentoiler /dezɑ̃twale/ [1] *vtr* to remove the canvas from [*tableau*]

désentortiller /dezɑ̃tɔʀtije/ [1] *vtr* to unravel

désentraver /dezɑ̃tʀave/ [1] *vtr* to untie

désenvenimer /dezɑ̃vənime/ [1] *vtr* **1** (apaiser) to defuse [*situation*]; **2** Méd to remove the poison from [*blessure*]

désenvoûtement /dezɑ̃vutmɑ̃/ *nm* breaking of a spell

désenvoûter /dezɑ̃vute/ [1] *vtr* to break the spell on

désépaissir /dezepɛsiʀ/ [3] *vtr* **1** Culin to thin [*sauce*]; **2** Cosmét to thin [sth] out [*chevelure*]

déséquilibrant, **~e** /dezekilibʀɑ̃, ɑ̃t/ *adj* fig [*facteur*] destabilizing

déséquilibre /dezekilibʀ/ *nm* **1** lit (de personne) loss of balance; (de meuble, objet) rocking; **le coup a entraîné un ~ de son adversaire** the blow upset his opponent's balance; **en ~** [*table*] unstable; [*personne*] off balance; **2** fig (d'ordre économique, social, écologique) imbalance; **~ de la balance des paiements** balance of payments problems; **le budget est en ~** the budget is unbalanced; **les marchés sont en ~** the markets are unstable; **3** Psych lack of balance; **on sent chez lui un ~** he seems to be unbalanced

déséquilibré, **~e** /dezekilibʀe/
A *pp* ▸ **déséquilibrer**
B *pp adj* Psych (perturbé) unbalanced; (fou) crazy
C *nm,f* Psych lunatic

déséquilibrer /dezekilibʀe/ [1] *vtr* **1** lit [*personne, choc, coup*] to make [sb] lose his/her balance [*personne*]; [*poids*] to make [sth] unstable [*barque, meuble*]; **le choc a déséquilibré le motocycliste** the jolt made the motorcyclist lose his balance; **être déséquilibré par qch** [*personne*] to be thrown off balance by sth; [*meuble, objet*] to be made unstable by sth; **2** fig to destabilize [*pays*]; to unbalance [*résultats*]; **3** Psych to unbalance [*personne*]

désert, **~e** /dezɛʀ, ɛʀt/
A *adj* **1** (inhabité) uninhabited; **île ~e** desert island; **2** (vide) deserted
B *nm* lit, fig desert; **~ du Sahara**/**Sinaï** Sahara/Sinai desert; **~ culturel** cultural desert
(Idiome) **prêcher dans le ~** to be a voice in the wilderness

déserter /dezɛʀte/ [1]
A *vtr* to desert; **ville**/**station de sports d'hiver désertée** deserted town/ski resort
B *vi* Mil to desert

déserteur /dezɛʀtœʀ/ *nm* deserter

déserticole /dezɛʀtikɔl/ *adj* desert (*épith*)

désertification /dezɛʀtifikasjɔ̃/ *nf* **1** Écol desertification; **2** Sociol (de région) depopulation

désertifier: **se désertifier** /dezɛʀtifje/ [2] *vpr* **1** Écol to turn into a desert; **2** Sociol to become depopulated

désertion /dezɛʀsjɔ̃/ *nf* **1** Mil desertion; **2** Pol defection (**vers** to)

désertique /dezɛʀtik/ *adj* **1** (du désert) [*paysage, climat, région*] desert (*épith*); **2** (vide) [*étendue*] barren

désescalade /desɛskalad/ *nf* de-escalation

désespérance /dezɛspeʀɑ̃s/ *nf* littér despair

désespérant, **~e** /dezɛspeʀɑ̃, ɑ̃t/ *adj* [*personne, situation*] hopeless; [*nouvelle*] heartbreaking; **il est d'une idiotie ~e** he's hopelessly stupid; **être d'une lenteur ~e** to be appallingly slow; **il a obtenu des résultats ~s** his results were hopeless

désespéré, **~e** /dezɛspeʀe/
A *pp* ▸ **désespérer**
B *pp adj* [*personne, population*] in despair (*épith, après n*); [*situation, cas*] hopeless; [*mesure, tentative, parti, aide, appel*] desperate; [*regard, visage, chant, geste*] despairing; **cri ~** cry of despair; **~ d'avoir découvert qch**/**que** driven to despair by the discovery of sth/that; **~, il voulait** driven to despair, he wanted
C *nm,f* desperate person; **un ~ se jette du haut de la tour Eiffel** man commits suicide by jumping off the Eiffel Tower

désespérément /dezɛspeʀemɑ̃/ *adv* **1** (avec désespoir) [*pleurer, attendre*] despairingly; [*regretter*] desperately; **2** (avec acharnement) [*tenter, chercher, lutter*] desperately; **3** (à en pleurer) hopelessly; **~ seul**/**vide** hopelessly lonely/empty

désespérer /dezɛspeʀe/ [14]
A *vtr* to fill [sb] with despair, to drive [sb] to despair (**avec**, **par** with); **~ que qn fasse** to have given up hope that sb will do, to have lost hope of sb doing; **je désespère qu'il réussisse** I have given up hope of his succeeding; **il ne désespère pas qu'elle revienne un jour** he has not given up hope that she will come back one day
B **désespérer de** *vtr ind* **~ de qn**/**qch** to despair of sb/sth; **~ de son fils** to despair of one's son; **~ de l'avenir** to despair of the future; **~ de faire** to despair of doing, to have given up (all) hope of doing; **il ne désespère pas de le sauver** he hasn't given up hope of saving him
C *vi* to despair, to lose hope; **il ne faut pas ~** don't despair; **c'est à ~** it's hopeless
D **se désespérer** *vpr* to despair, to give way to despair

désespoir /dezɛspwaʀ/ *nm* despair; **avec ~** despairingly, in despair; **par ~** out of despair; **à mon plus (grand) ~** to my utter despair; **jeter**/**plonger qn dans le ~** to cast/plunge sb into despair; **mettre** *or* **réduire qn au ~** to drive sb to despair; **s'abandonner au ~** to sink into despair; **être** *or* **faire le ~ de** [*enfant, paresse, bêtise*] to be the despair of; **cette décision fait leur ~** they despair at this decision; **être au ~ de faire** to be really sorry to do sth; **en ~ de cause** out of *ou* in desperation; **commettre un acte de ~** to commit suicide

désespoir-des-peintres, *pl* **désespoirs-des-peintres** /dezɛspwaʀdepɛ̃tʀ/ *nm* Bot London pride

désétatisation /dezetatizasjɔ̃/ *nf* (d'économie) removal from state control; (d'entreprise) denationalization

désétatiser /dezetatize/ [1] *vtr* to remove [sth] from state control [*économie*]; to denationalize [*entreprise*]

déshabillage /dezabijaʒ/ *nm* undressing; **procéder au ~ de qn** to undress sb

déshabillé, **~e** /dezabije/
A *adj* (osé) [*robe, tenue*] revealing
B *nm* Mode negligee; **un ~ de soie** a silk negligee

déshabiller /dezabije/ [1]
A *vtr* **1** (dévêtir) to undress [*personne*]; **il l'a déshabillée du regard** he undressed her with his eyes; **2** (dégarnir) to clear [sth] of ornaments [*mur, salon*]; **3** fig (dépouiller) **~ qn de qch** to strip sb of sth
B **se déshabiller** *vpr* **1** (complètement) to undress; **2** (ôter son manteau) to take one's coat off
(Idiome) **~ Pierre pour habiller Paul** to rob Peter to pay Paul

déshabituer /dezabitɥe/ [1]
A *vtr* to get [sb] out of the habit (**de qch** of sth; **de faire** of doing)
B **se déshabituer** *vpr* to get out of the habit (**de qch** of sth; **de faire** of doing)

désherbage /dezɛʀbaʒ/ *nm* weeding

désherbant /dezɛʀbɑ̃/ *nm* weedkiller

désherber /dezɛʀbe/ [1] *vtr* (à la main) to weed [*allée*]; (avec un désherbant) to apply weedkiller to [*allée*]

déshérence /dezeʀɑ̃s/ *nf* Jur escheat; **tomber en ~** to escheat; **succession tombée en ~** escheated inheritance; **une coutume en ~** fig a lapsed custom

déshérité /dezeʀite/
A *pp* ▸ **déshériter**
B *pp adj* (pauvre) [*personne*] underprivileged; [*pays*] disadvantaged; [*région, quartier*] deprived
C *nm,f* **les ~s** the underprivileged

déshériter /dezeʀite/ [1] *vtr* to disinherit

déshonneur /dezɔnœʀ/ *nm* disgrace; **il est le ~ de la famille** he is the black sheep of the family

déshonorant, **~e** /dezɔnɔʀɑ̃, ɑ̃t/ *adj* **1** (pour soi-même) dishonourable[GB]; **il n'y a rien de ~ à faire** there is nothing dishonourable[GB] in doing; **c'est ~ de faire** it's dishonourable[GB] to do; **2** (pour autrui) insulting

déshonorer /dezɔnɔʀe/ [1]
A *vtr* **1** (apporter le déshonneur à) to bring disgrace on [*personne, famille*]; to bring [sth] into disrepute [*doctrine, pays*]; **se sentir déshonoré** to feel disgraced; **être déshonoré** to be in disgrace; **2** fml (enlaidir) [*construction*] to disfigure [*paysage*]; **3** †(séduire) to dishonour[GB] [*femme, jeune fille*]
B **se déshonorer** *vpr* to disgrace oneself

déshumanisation /dezymanizasjɔ̃/ *nf* dehumanization

déshumaniser /dezymanize/ [1]
A *vtr* to dehumanize [*société, personne*]
B **se déshumaniser** *vpr* [*société, travail*] to become dehumanized

déshumidificateur /dezymidifikatœʀ/ *nm* dehumidifier

déshydratant, **~e** /dezidʀatɑ̃, ɑ̃t/
A *adj* dehydrating
B *nm* dehydrating agent

déshydratation /dezidʀatasjɔ̃/ *nf* **1** Cosmét, Méd dehydration; **2** Tech drying; **~ à froid** freeze-drying

déshydraté /dezidʀate/
A *pp* ▸ **déshydrater**
B *pp adj* **1** Cosmét, Méd dehydrated; **2** Tech [*aliment*] dried

déshydrater /dezidʀate/ [1]
A *vtr* **1** Méd to dehydrate; **ça m'a complètement déshydraté** it left me completely dehydrated; **2** Tech to dry [*aliment*]
B **se déshydrater** *vpr* [*malade*] to dehydrate; [*peau*] to dry out

déshydrogénation /dezidʀɔʒenasjɔ̃/ *nf* dehydrogenation

déshydrogéner /dezidʀɔʒene/ [14] *vtr* to dehydrogenate

déshypothéquer /dezipɔteke/ [14] *vtr* to pay off a mortgage on [*maison, propriété*]

desiderata* /dezideʀata/ *nmpl* wishes

design /dizajn/
A *adj inv* [*mobilier, véhicule*] modern and functional
B *nm* **1** (stylique) design; **~ industriel/graphique** industrial/graphic design; **~ italien/scandinave** Italian/Scandinavian design; **le ~ des années 80** the 80's style; **2** (ensemble d'objets) modern and functional furnishings (*pl*); **3** (conception) design; **le ~ futuriste d'une voiture** the futuristic design of a car

désignation /deziɲasjɔ̃/ *nf* **1** (d'un candidat) gén designation; (à un emploi) appointment; (comme candidat électoral) nomination; **2** Ling (appellation) designation; **3** Comm (description) description; **~ du contenu/des lieux/de l'article** description of the contents/of the property/of the item

designer /dizajnœʀ/ *nm* (stylicien) designer

désigner /deziɲe/ [1]
A *vtr* **1** (faire référence à) [*mot, expression*] to refer to, to designate; [*couleur, triangle*] to represent; **le mot 'baroque' désigne à peu près n'importe quoi** the word 'baroque' can refer to just about anything; **les cercles désignent les villes principales** the circles represent the main cities; **le contrat la désigne comme travailleur temporaire** the contract describes her as a temporary worker; **2** (indiquer) (d'un geste) to point out; (en nommant) to name; **~ qch du menton** *or* **d'un mouvement de tête** to indicate sth with a jerk of one's head; **~ du doigt** to point to; **~ nommément** to name; **elle a désigné la personne qui** she named the person who; **~ qch à l'attention de qn** to draw sb's attention to sth; **~ qn à l'hostilité générale** fml to signal sb out for public condemnation; **tout le désigne comme coupable** everything points to him as the guilty party; **~ qn comme responsable** to hold sb responsible; **3** (choisir) gén to choose, to designate (**comme, en qualité de** as); (à un emploi) to appoint (**comme** as); (comme candidat électoral) to nominate (**comme** as); **~ qn comme son successeur** to designate sb as one's successor; **avoir été désigné comme** to have been designated as; **être tout désigné pour** to be just right for; **c'est la victime toute désignée** he's *ou* she's the obvious person to go for; **4** (fixer) to set [*date, lieu*]
B **se désigner** *vpr* **il s'est désigné à notre attention en...** fml we noticed him when he...

désillusion /dezil(l)yzjɔ̃/ *nf* disillusion; **éprouver une ~** to be disillusioned

désillusionner /dezil(l)yzjɔne/ [1]
A *vtr* to disillusion
B **se désillusionner** *vpr* to lose one's illusions

désincarcération /dezɛ̃kaʀseʀasjɔ̃/ *nf* **la ~ des victimes a pris 3 heures** it took 3 hours to cut the victims free; **matériel de ~** cutting equipment

désincarcérer /dezɛ̃kaʀseʀe/ [14] *vtr* to free [*personne*]

désincarné, **~e** /dezɛ̃kaʀne/ *adj* **1** lit disembodied; **2** fig liter [*théorie*] wild

désincrustant, **~e** /dezɛ̃kʀystɑ̃, ɑ̃t/
A *adj* **1** Ind, Tech descaling; **2** Cosmét cleanser
B *nm* **1** Tech descaler; **2** Cosmét cleanser

désincruster /dezɛ̃kʀyste/ [1] *vtr* **1** Ind, Tech to descale [*chaudière, bouilloire*]; **2** Cosmét to cleanse [*peau*]

désindexation /dezɛ̃dɛksasjɔ̃/ *nf* deindexation (**de** of)

désindexer /dezɛ̃dɛkse/ [1] *vtr* to deindex

désindustrialisation /dezɛ̃dystʀijalizasjɔ̃/ *nf* deindustrialization

désinence /dezinɑ̃s/ *nf* Ling ending

désinfectant, **~e** /dezɛ̃fɛktɑ̃, ɑ̃t/
A *adj* disinfecting
B *nm* disinfectant

désinfecter /dezɛ̃fɛkte/ [1] *vtr* to disinfect

désinfection /dezɛ̃fɛksjɔ̃/ *nf* disinfection

désinflation /dezɛ̃flasjɔ̃/ *nf* disinflation

désinformation /dezɛ̃fɔʀmasjɔ̃/ *nf* disinformation; **opération de ~** disinformation campaign; **il y a une ~ du public sur ce point** the public is being misinformed on this

désinformer /dezɛ̃fɔʀme/ [1] *vtr* to misinform deliberately

désinhiber /dezinibe/ [1] *vtr* to disinhibit

désinsectisation /dezɛ̃sɛktizasjɔ̃/ *nf* pest control

désinsectiser /dezɛ̃sɛktize/ [1] *vtr* to treat with insecticide

désinstaller /dezɛ̃stale/ [1] *vtr* Ordinat to uninstall

désinstalleur /dezɛ̃stalœʀ/ *nm* Ordinat uninstall program

désintégration /dezɛ̃tegʀasjɔ̃/ *nf* **1** (destruction) disintegration; **2** Nucl disintegration; **3** Géol crumbling

désintégrer /dezɛ̃tegʀe/ [14]
A *vtr* **1** (détruire) to disintegrate, to break up; **2** Nucl to disintegrate
B **se désintégrer** *vpr* **1** (être détruit) to disintegrate, to break up; **2** Nucl to disintegrate

désintéressé, **~e** /dezɛ̃teʀese/
A *pp* ▸ **désintéresser**
B *pp adj* [*personne, acte*] selfless, unselfish; [*conseil, jugement*] disinterested; **son engagement n'est pas totalement ~** his commitment is not wholly disinterested; **il n'était pas ~ en faisant** he had an ulterior motive in doing; **il l'a aidée de façon ~e** he had no ulterior motive for helping her

désintéressement /dezɛ̃teʀɛsmɑ̃/ *nm* **1** (détachement) disinterestedness; **agir avec ~** to act disinterestedly; **2** Fin (remboursement) paying off

désintéresser /dezɛ̃teʀese/ [1]
A *vtr* **1** (démotiver) to make [sb] lose interest (**de** in); **2** Fin to pay off [*créancier*]
B **se désintéresser** *vpr* **1** (ne plus s'intéresser) **se ~ de qch/qn** to lose interest in sth/sb; **2** (se détacher de) **se ~ de qch/qn** to disassociate oneself from sth/sb; **nous nous désintéressons de la question** we disassociate ourselves from the question

désintérêt /dezɛ̃teʀɛ/ *nm* (indifférence) lack of interest (**pour** in); (baisse d'intérêt) loss of interest (**pour** in); **faire preuve du** *or* **marquer le plus total ~ envers** to show complete lack of interest in

désintermédiation /dezɛ̃tɛʀmedjasjɔ̃/ *nf* disintermediation

désintoxication /dezɛ̃tɔksikasjɔ̃/ *nf* detoxification; **subir une cure de ~** to go to a detoxification centre[GB]

désintoxiquer /dezɛ̃tɔksike/ [1] *vtr* Méd to detoxify [*alcoolique, toxicomane*]; **se faire ~** to undergo detoxification

désinvestir /dezɛ̃vɛstiʀ/ [3]
A *vtr* **1** Mil to withdraw one's troops from [*ville, région*]; **2** Fin, Écon **il a désinvesti son argent de l'entreprise** he took his money out of the company
B *vi* Fin, Écon to cut investment; **on désinvestit dans la sidérurgie** investment in the steel industry is being cut

désinvestissement /dezɛ̃vɛstismɑ̃/ *nm* **1** Écon (dans secteur économique) divestiture; (dans biens d'équipement) disinvestment; **2** Psych withdrawal of cathexis

désinvolte /dezɛ̃vɔlt/ *adj* (insolent) [*personne, remarque, geste*] offhand; (à l'aise) casual

désinvolture /dezɛ̃vɔltyʀ/ *nf* offhand manner; **avec ~** in an offhand manner

désir /deziʀ/ *nm* **1** (souhait) desire (**de** for; **de faire** to do); **~ compréhensible/naturel** understandable/natural desire; **~ d'indépendance du gouvernement** government's desire for independence; **~s du défunt/public** wishes of the deceased/public; **vos ~s sont des ordres** your wish is my command; **prendre ses ~s pour des réalités** to delude oneself; **2** (attirance sexuelle) desire

désirable /deziʀabl/ *adj* desirable

désirer /deziʀe/ [1] *vtr* **1** (vouloir) to want (**faire** to do); **s'il le désire** if he wants; **enfant désiré** wanted child; **effets non désirés** unwanted effects; **que désirez-vous?** what would you like? **je/elle désire qu'il parte** I/she would like him to leave; **n'avoir plus rien à ~** to have all one could wish for; **laisser à ~** to leave something to be desired; **laisser beaucoup à ~** to leave much to be desired; **se faire ~** to make oneself wanted; **2** (vouloir sexuellement) to want, to desire

désireux, **-euse** /deziʀø, øz/ *adj* **~ de faire/que** anxious to do/that

désistement /dezistəmɑ̃/ *nm* (de candidature, plainte) withdrawal; **~ en faveur de qn** withdrawal in order to allow sb else to stand GB *ou* to run

(Composés) **~ d'action** Jur withdrawal of a

lawsuit; ~ **de demande** Jur waiver of a claim

désister: **se désister** /deziste/ [1] *vpr* to stand down GB, to withdraw (**en faveur de** in favour[GB] of); **se ~ de sa plainte** Jur to withdraw one's complaint

désobéir /dezɔbeiʀ/ [3] *vtr ind* to be disobedient, to disobey; **~ à qn/à un ordre** to disobey sb/an order; **~ aux consignes de sécurité** to disregard safety regulations

désobéissance /dezɔbeisɑ̃s/ *nf* disobedience; **on l'a renvoyé pour ~ à ses professeurs** he was expelled for disobeying his teachers

(Composé) **~ civile** civil disobedience

désobéissant, **~e** /dezɔbeisɑ̃, ɑ̃t/ *adj* disobedient

désobligeance /dezɔbliʒɑ̃s/ *nf* disagreeableness; **avec ~** disparagingly

désobligeant, **~e** /dezɔbliʒɑ̃, ɑ̃t/ *adj* discourteous

désobliger /dezɔbliʒe/ [13] *vtr* to put [sb] out [*personne*]; **vous me désobligez!** I'm offended; **vous ne me désobligerez pas en faisant** I wouldn't mind if you did

désodorisant, **~e** /dezɔdɔʀizɑ̃, ɑ̃t/
A *adj* deodorant
B *nm* (pour la toilette) deodorant; (pour la maison) air freshener

désodoriser /dezɔdɔʀize/ [1] *vtr* to freshen

désœuvré, **~e** /dezœvʀe/
A *adj* at a loose end○ GB, at loose ends○ (*jamais épith*) US
B *nm,f* person at a loose end○ GB *ou* at loose ends○ US

désœuvrement /dezœvʀəmɑ̃/ *nm* lack of anything to do; **faire qch par ~** to do sth for lack of anything better to do

désolant, **~e** /dezɔlɑ̃, ɑ̃t/ *adj* **1** (attristant) distressing, upsetting; **2** (consternant) depressing

désolation /dezɔlasjɔ̃/ *nf* **1** (affliction) grief; **2** (caractère dévasté) desolation

désolé, **~e** /dezɔle/
A *pp* ▸ **désoler**
B *pp adj* **1** (au regret) sorry; **être ~ que** to be sorry that; **j'en suis ~** I am sorry about that; **je suis ~ d'être en retard!** sorry I'm late!; **il est ~ de ne pas pouvoir venir** he's sorry he can't come; **~ de te faire attendre**○ sorry to keep you waiting; **2** (très affligé) [*personne*] desolate; **3** (vide) [*pays, village, plaine*] desolate; **une région ~e par la peste** a region desolated by the plague

désoler /dezɔle/ [1]
A *vtr* **1** (attrister) to upset, to distress; **2** (consterner) to depress; **tu me désoles!** I despair of you!
B **se désoler** *vpr* to be upset (**de qch** about); **il se désole de ne pas pouvoir venir à la fête** he's upset that he can't come to the party; **il est cassé, se désole Charlotte** it's broken, laments Charlotte

désolidariser /desɔlidaʀize/ [1]
A *vtr* Tech to disconnect (**de** from)
B **se désolidariser** *vpr* to dissociate oneself (**de** from)

désopilant, **~e** /dezɔpilɑ̃, ɑ̃t/ *adj* hilarious; **une histoire ~e** a hilarious story

désordonné, **~e** /dezɔʀdɔne/ *adj* **1** (désorganisé) [*façon, article, paroles, pensée*] muddled; [*réunion, activité, combat*] disorderly; [*gestes*] uncoordinated; **2** (peu soigné) [*lieu, personne*] untidy; **3** (déréglé) [*conduite, existence*] wild

désordre /dezɔʀdʀ/
A ○*adj inv* **faire ~** to look untidy *ou* messy; **être très ~** to be very untidy
B *nm* **1** (fouillis) mess; **beau ~** fine mess; **dans le ~** in a mess; **dans le plus grand ~** in a complete mess; **pièce/maison en ~** untidy room/house; **laisser tout en ~** to leave everything in a mess; **quel ~!** what a mess!; **~ de papiers/livres** mess of papers/books; **il a tout mis en ~** (dans une pièce) he made it all untidy; (papiers, documents) he messed everything up○; **2** (manque de cohérence) chaos **Ȼ**; **être dans le ~/le plus grand ~** to be in chaos/utter chaos; **en ~** in chaos; **~ économique** economic chaos; **plonger le pays dans le ~/un ~ accru** to plunge the country into chaos/further chaos; **semer le ~** to cause chaos; **le ~ règne dans les esprits** confusion reigns in people's minds, everyone is utterly confused; **~ des idées** muddled thinking; **se retirer dans le ~** Mil to retreat in disorder; **3** (caractère peu soigné) untidiness; **le ~ de sa chevelure/maison** his/her untidy hair/house; **4** (ordre aléatoire) **dans le ~** in any order; **répondre à des questions dans le ~** to answer questions in no particular *ou* in any order; **gagner dans le ~** Turf to win with a combination forecast; **5** (trouble) disorder; **~ public** public disorder; **~s sociaux** social disorder; **~s mentaux/du foie** mental/liver disorders; **6** liter (dérèglement) **~ de sa conduite** his/her wild behaviour

désorganisation /dezɔʀganizasjɔ̃/ *nf* (action) disruption; (résultat) disorganization

désorganisé, **~e** /dezɔʀganize/
A *pp* ▸ **désorganiser**
B *pp adj* **1** [*économie, fonctionnement, structure*] disorganized; **2** [*personne, service*] disorganized

désorganiser /dezɔʀganize/ [1] *vtr* to disrupt

désorienter /dezɔʀjɑ̃te/ [1] *vtr* **1** (déconcerter) to confuse, to bewilder; **2** (faire perdre le sens de l'orientation) to disorientate[GB] [*personne*]; **ils ont été désorientés par la tempête** they lost their bearings in the storm

désormais /dezɔʀmɛ/ *adv* (au présent) from now on, henceforth; (au passé) from then on, henceforth

désossé, **~e** /dezɔse/ *adj* **1** Culin boned; **2** ○(très souple) lithe

désosser /dezɔse/ [1]
A *vtr* **1** Culin to bone; **2** (analyser) to take [sth] to pieces, to dissect [*texte*]
B **se désosser** *vpr* (se désarticuler) to contort oneself

désoxydant /dezɔksidɑ̃/ *nm* deoxydizer

désoxyder /dezɔkside/ [1] *vtr* to deoxydize

désoxyribonucléique /dezɔksiʀibɔnykleik/ *adj* deoxyribonucleic

desperado* /dɛspeʀado/ *nm* desperado

despote /dɛspɔt/ *nm* despot

despotique /dɛspɔtik/ *adj* despotic

despotiquement /dɛspɔtikmɑ̃/ *adv* despotically

despotisme /dɛspɔtism/ *nm* despotism

desquamation /dɛskwamasjɔ̃/ *nf* desquamation

desquamer /dɛskwame/ [1]
A *vi* (tomber) [*peau*] (en lambeaux) to peel off; (en pellicules) to flake off
B **se desquamer** *vpr* [*peau*] to peel off

desquelles ▸ **lequel**

desquels ▸ **lequel**

DESS /deəɛsɛs/ *nm inv* (*abbr* = **diplôme d'études supérieures spécialisées**) *postgraduate degree taken after Master's*

dessaisir /desɛziʀ/ [3]
A *vtr* **1** (priver) **~ qn de qch** to take sb off sth [*dossier*]; to relieve sb of sth [*responsabilité*]; **~ un juge d'une affaire** Jur to remove a judge from a case; **2** (déposséder) **~ qn de** to divest sb of [*bien*]
B **se dessaisir** *vpr* **se ~ de** to relinquish

dessaisissement /desɛzismɑ̃/ *nm* Jur **1** (dans une succession) divestment; **2** (de jury) withdrawal of a case (**de** from); **3** (d'après la loi anti-trust) divestiture

dessalage /desalaʒ/ *nm* **1** (d'eau de mer) desalination; **2** Naut capsizing

dessalement /desalmɑ̃/ *nm* **1** (d'eau de mer) desalination; **usine de ~** desalination plant; **2** (de mets) desalting

dessaler /desale/ [1]
A *vtr* **1** ○(initier) to teach [sb] the ways of the world; **2** (extraire le sel de) to desalinate [*eau de mer*]; to desalt [*mets*]
B *vi* **1** Culin to desalt; **2** ○Naut to capsize
C **se dessaler**○ *vpr* to lose one's innocence

dessangler /desɑ̃gle/ [1] *vtr* (défaire la sangle) to undo the girth of; (relâcher) to loosen the girth of

dessaouler* = **dessoûler**

desséchant, **~e** /deseʃɑ̃, ɑ̃t/ *adj* drying; **effet ~** drying effect

dessèchement /desɛʃmɑ̃/ *nm* **1** (de matière) (état) dryness; (processus) drying out; **2** (de personnne) (amaigrissement) withering

dessécher /deseʃe/ [14]
A *vtr* **1** (déshydrater) to dry [sth] out; **le soleil dessèche la peau** the sun makes your skin dry, the sun dries your skin out; **arbre/fruit desséché** withered tree/fruit; **cheveux desséchés** dry hair; **2** (rendre insensible) to harden [*personne, cœur*]; to deaden [*âme, imagination*]
B **se dessécher** *vpr* **1** (se déshydrater) [*cheveux, lèvres*] to become dry; [*végétation*] to wither; [*sol*] to dry out; **2** fig [*personne*] to wither; **un vieillard desséché** a withered old man; **un intellectuel desséché** a fusty intellectual; **3** (devenir insensible) [*personne*] to become unfeeling, to harden

dessein /desɛ̃/ *nm* (projet) design; (intention) intention; **grand ~** grand design; **noirs ~s** dark designs; **les ~s de Dieu** God's plans; **avoir/former le ~ de faire** to have/form the intention of doing; **avoir des ~s sur qn** to have designs on sb; **à ~** deliberately, by design; **à ~ de faire** with the intention of doing; **dans le ~ de faire** with a view to doing; **dans ce ~** to this end

desseller /desele/ [1] *vtr* to unsaddle

desserrage /desɛʀaʒ/ *nm* loosening

desserré, **~e** /deseʀe/
A *pp* ▸ **desserrer**
B *pp adj* loose

desserrement /desɛʀmɑ̃/ *nm* **1** Tech loosening; **2** Écon relaxation; **~ du crédit** relaxation of credit

desserrer /deseʀe/ [1]
A *vtr* **1** lit to loosen [*ceinture, col, cravate, écrou, vis*]; to release [*frein*]; to undo [*nœud*]; to space out [*écriture*]; **~ les cordons de la bourse** to loosen one's purse strings; **2** fig to relax [*étau, étreinte*]; to relax [*crédit*]; **~ les rangs** to break ranks
B **se desserrer** *vpr* **1** [*ceinture, col, cravate*] to come loose; [*écrou, vis*] to work loose; [*nœud*] to come undone; **2** [*étau, étreinte*] to slacken

(Idiome) **il n'a pas desserré les dents** he never once opened his mouth

dessert /desɛʀ/ *nm* **1** (plat) dessert, sweet GB, pudding GB; **en** *or* **comme ~** for dessert; **2** (moment) **au ~** at dessert; **servir un vin doux au ~** to serve a sweet wine at dessert

desserte /desɛʀt/ *nf* **1** (service de transport) service; **~ ferroviaire** rail *ou* train service; **~ de cars** coach GB *ou* bus US service; **2** (fait de desservir une localité) **la ~ d'une ville par les transports en commun** public transport services to and from a city; **la ~ aérienne des Antilles** flights to and from the Antilles; **chemin de ~** access road; **3** (meuble) sideboard

dessertir /desɛʀtiʀ/ [3] *vtr* to remove [sth] from its setting [*pierre*]

desservir /desɛʀviʀ/ [30]
A *vtr* **1** Transp (relier) to serve [*ville, village*]; **quartier bien/mal desservi** well-/badly-served district; **2** (conduire à) to lead to [*chambre, étage*]; **l'ascenseur ne dessert pas le premier étage** the elevator does not stop at the first floor GB *ou* second floor US; **3** (être au service de) to serve; **l'hôpital dessert la moitié du pays** the hospital serves half of the country; **4** (nuire

à) to do a disservice to; **5** (débarrasser) to clear [*table*]
B *vi* (débarrasser la table) to clear the table
dessiccatif, -ive /desikatif, iv/
A *adj* desiccative, desiccating
B *nm* dessicant
dessiccation /desikasjɔ̃/ *nf* (de ciment) drying out, desiccation; (d'aliment) drying, dessication; **conserver des fruits par ~** to dry fruit
dessiller* /desije/ [1] *vtr* **~ les yeux de qn** fig to open sb's eyes
dessin /desɛ̃/ *nm* **1** Art (activité) drawing; **le ~ s'apprend** drawing can be learned; **~ au crayon/pinceau** pencil/brush drawing; **~ de paysage/nu** landscape/nude drawing; **~ d'art** drawing; **faire du ~** to draw; **cours de ~** drawing class; **concours de ~** drawing competition; **apprendre le ~** to learn how to draw; **école/professeur de ~** art school/teacher; **2** (résultat) drawing; **~s et eaux-fortes** drawings and etchings; **~s d'enfants** children's drawings; **faire un ~** to do a drawing; **tu veux que je te fasse un ~○?** fig, iron do I have to spell it out for you?; **il n'y a pas besoin d'un ~○!** fig, iron it's perfectly clear!; **3** Art, Ind (conception) design; **~ d'une voiture/chaise** design of a car/chair; **4** (motif) pattern; **~ floral/géométrique** floral/geometric pattern; **5** (organisation) layout; **~ des rues/d'une ville** layout of the streets/of a city; **6** (contour) outline; **~ des lèvres** outline of the lips; **7** (grandes lignes) outline; **~ d'une intrigue/d'un projet** outline of a plot/a plan
(Composés) **~ animé** Cin cartoon; **~ d'architecture** architectural drawing; **~ assisté par ordinateur, DAO** computer-aided design, CAD; **~ humoristique** Presse cartoon; **~ industriel** technical drawing; **~ à main levée** freehand drawing; **~ mélodique** melodic line
dessinateur, -trice /desinatœr, tris/ ► p. 532 *nm,f* **1** Art draughtsman GB *ou* draftsman US; **~ de paysages** artist who does landscape drawings; **le ~ Daumier** Daumier, renowned for his drawings; **2** Ind **~ (industriel)** draughtsman[GB]; **3** Art, Ind (concepteur) designer; **~ de bijoux/meubles** jewellery GB *ou* jewelry US/furniture designer
(Composés) **~ de bande dessinée** Art (strip) cartoonist; **~ humoristique** Presse cartoonist; **~ de mode** fashion illustrator; **~ de presse** illustrator; **~ publicitaire** commercial artist
dessiné, ~e /desine/
A *pp* ► **dessiner**
B *pp adj* **bouche bien ~e** well-shaped mouth
dessiner /desine/ [1]
A *vtr* **1** Art (représenter) to draw; **~ un nu/un plan** to draw a nude/a map; **~ au crayon/à la plume** to draw in pencil/in pen and ink; **particulièrement bien/mal dessiné** very skilfully[GB]/badly drawn; **2** (en se maquillant) **~ les sourcils** to draw in one's eyebrows; **~ les lèvres** to outline the lips; **3** (concevoir) to design [*tissu, décor, timbre*]; to draw up [*plans*]; **~ les contours** *or* **les grandes lignes de** to outline [*plan, programme, objectif*]; **4** (faire ressortir) **robe qui dessine la silhouette** figure-hugging dress; **5** (former) **l'ombre des feuilles dessine une dentelle** the shadow of the leaves makes a lacy pattern
B *vi* Art to draw; **savoir ~** to be able to draw
C **se dessiner** *vpr* **1** (se faire jour) [*avenir, aptitude, possibilité, victoire*] to take shape; **un sourire se dessina sur ses lèvres** a smile played across his/her lips; **2** (apparaître) **se ~ à l'horizon** [*ruines, cavalier*] to appear on the horizon; **il se dessinait nettement dans la lumière** he was clearly outlined in the light; **3** (être représenté) to be drawn; **se ~ facilement** to be easy to draw; **4** (se maquiller) **se ~ les lèvres** to outline one's lips
dessouder /desude/ [1]
A *vtr* **1** (ôter la soudure de) to unsolder [*pièces*]; **2** ◑(tuer) to do [sb] in○, to kill [*personne*]
B **se dessouder** *vpr* to come unsoldered
dessoûler* /desule/ [1]
A *vtr* (faire cesser l'ivresse de) to sober up [*personne*]; **l'air frais l'a dessoûlée** the cool air has sobered her up
B *vi* (cesser d'être ivre) to sober up; **il n'a pas dessoûlé pendant trois jours** he's been drunk for three days
dessous /dəsu/
A *adv* underneath; **le prix est marqué ~** the price is marked underneath; **j'ai soulevé le livre, mes clés étaient ~** I lifted the book and my keys were underneath; **il ne pouvait pas sauter la barrière alors il s'est glissé ~** he couldn't jump over the gate so he slipped underneath; **quand je vois une échelle, je ne passe jamais ~** when I see a ladder, I never walk under it; **j'ai un parapluie, viens t'abriter ~** I've got an umbrella, why don't you come underneath?
B *nm* (de langue, vase, d'assiette) underside; (des bras) inside (part); **le ~ du pied** the sole of the foot; **le dossier se trouve dans le ~ de la pile** the file is toward(s) the bottom of the pile; **de ~, du ~** [*drap, couche*] bottom; **l'étagère de** *or* **du ~** (sous une autre) the shelf below; (la dernière) the bottom shelf; **les voisins du ~** the people who live on the floor below; **l'étage du ~** the floor below
C **dessous** *nmpl* **1** (sous-vêtements) underwear ₵; **porter des ~ en soie** to wear silk underwear
2 (la face cachée) (de scandale, cas, succès) inside story (*sg*) **(de** on); **les ~ de la campagne électorale** what goes on behind the scenes in the electoral campaign; **on ignore les ~ de l'affaire** we don't know what's behind this affair
D ‡*prép* under
E **en dessous** *loc adj* (inférieur) **la taille/le modèle en ~** the next size down
F **en dessous** *loc adv* **1** (sous quelque chose) underneath ; **tu vois l'armoire là-bas, la valise est en ~** see that wardrobe over there, the suitcase is underneath; **mets une chemise en ~** put a shirt on underneath; **il n'y a personne en ~** there's no one living on the floor below; **il habite juste en ~** he lives on the floor below; **va voir à l'étage en ~** go and have a look downstairs
2 (sournoisement) **agir en ~** to act in an underhand way; **rire en ~** to be laughing up one's sleeve; **regarder qn en ~** to look at sb sidelong
G **par en dessous** *loc adv* **1** (sous quelque chose) underneath; **passer par en ~** to go underneath; **ça fuit par en ~** it's leaking underneath; **prendre qch par en ~** to lift sth up from underneath
2 (de manière sournoise) **il te fait des sourires mais par en ~ il te critique** he's all smiles when he sees you but he criticizes you behind your back
H **en dessous de** *loc prép* **1** (sous) below; **il habite juste en ~ de chez moi** he lives on the floor below me; **en ~ de la fenêtre** below the window
2 (à un niveau inférieur) below; **15 degrés en ~ de zéro** 15 degrees below zero; **en ~ d'un salaire minimum/du seuil de pauvreté/de 10%** below a minimum wage/the poverty line/10%; **les producteurs de pétrole travaillent en ~ de leurs possibilités** oil producers are operating below capacity; **les chèques en ~ de 15 euros ne sont pas acceptés** cheques for under 15 euros are not accepted; **les enfants en ~ de 13 ans** children under 13; **tu travailles en ~ de tes possibilités** you're not working to your full potential, you're not giving your all
I **de dessous** *loc prép* (d'un endroit) **on l'a retiré de ~ les décombres** they pulled him from beneath *ou* out of the rubble; **j'ai retiré le tapis de ~ la table** I pulled the rug from under the table
(Idiomes) **avoir le ~** to come off worst; **être au ~ de tout○** (ne pas être à la hauteur) to be absolutely useless○; (moralement) to be despicable
dessous-de-bouteille /d(ə)sudbutɛj/ *nm inv* drip mat (for bottle)
dessous-de-bras /d(ə)sudbʀɑ/ *nm inv* dress shield
dessous-de-plat /d(ə)sudpla/ *nm inv* (en vannerie, en bois) table mat; (à pieds) plate stand; (en métal) trivet
dessous-de-table /d(ə)sudtabl/ *nm inv* (entre particuliers) under-the-counter payment; (pot-de-vin) bribe, backhander○ GB; **recevoir des ~ de qn** to be bribed by sb
dessous-de-verre /d(ə)sudvɛʀ/ *nm inv* coaster
dessus /dəsy/

> ⚠ Lorsque *dessus* est utilisé avec un verbe d'action tel que *marcher, taper, tirer, compter etc* on se reportera au verbe correspondant; de même pour certaines expressions telles que *mettre la main dessus, avoir le nez dessus etc* on se reportera aux entrées **main, nez** etc. Les usages particuliers sont traités dans l'entrée ci-dessous

A *adv* **passe ~** go over it; **tu vois la pile, le livre doit être ~** you see that pile over there, the book should be on top of it; **un gâteau avec du chocolat ~** a cake with chocolate on top; **ne mets pas tes doigts ~** gén don't touch it; (sur une photographie) don't put your fingers on it; **le prix est marqué ~** the price is on it; **'ton rapport est fini?'—'non , je travaille** *or* **suis ~'** 'is your report finished?'—'no, I'm working on it'; **il a mis ses meilleurs chercheurs ~** he set his best researchers to work on it; **nous n'avons aucune chance d'emporter le marché, le numéro un mondial est déjà ~** we're not likely to corner the market, the world leader is working on it; **il y en a deux, prends celui de** *or* **du ~** there are two of them, take the top one
B *nm inv* (de chaussure) upper; (de table, tête, panier) top; (de main) back; **les voisins du ~** the people who live on the floor above; **l'étage du ~** the floor above; **le drap de ~** the top sheet
(Idiomes) **avoir** *or* **prendre/reprendre le ~** to gain/to regain the upper hand; **avec lui, c'est toujours le poète qui prend le ~** his poetic nature always comes to the fore
dessus-de-lit /d(ə)sydli/ *nm inv* bedspread
dessus-de-porte /d(ə)sydpɔʀt/ *nm inv* decorated lintel
déstabilisation /destabilizasjɔ̃/ *nf* destabilization; **~ monétaire** monetary destabilization; **manœuvres de ~** destabilizing activities; **~ d'un adversaire/opposant** unsettling of an adversary/opponent
déstabiliser /destabilize/ [1] *vtr* to unsettle [*personne*]; to destabilize [*situation, pays*]
déstalinisation /destalinizasjɔ̃/ *nf* destalinization
destin /dɛstɛ̃/ *nm* **1** (fatalité) fate; **les arrêts du ~** the dictates of fate; **c'est le ~!** that's life!; **c'est un coup du ~** it's a twist of fate; **2** (existence) destiny; **prendre son ~ en main** to take control of one's (own) destiny
destinataire /destinatɛʀ/ *nmf* **1** Postes (de lettre) addressee; **2** Ling addressee; **3** (bénéficiaire de crédit, d'aide) beneficiary; (de mandat) payee
destination /destinasjɔ̃/
A *nf* **1** Postes, Télécom, Transp destination; **arriver à ~** [*personne*] to reach one's destination; [*lettre, train*] to reach its destination; **~ inconnue/finale** unknown/final destination; **~s exotiques/européennes** exotic/European destinations; **2** (rôle, fonction) purpose
B **à destination de** *loc prép* [*avion, bateau, train*] bound for [*lieu*]; **partir à ~ de** to leave for; **'vol Air France 810 à ~ de Londres'** 'Air France flight 810 to London'

destiné, **~e** /dɛstine/
A *pp* ▸ **destiner**
B *pp adj* **1** (prévu) **~ à faire** intended to do, meant to do; **un dispositif ~ à encourager l'investissement** a mechanism intended *ou* meant to encourage investment; **2** (promis) **~ à une belle carrière** destined for a successful career; **~ à la rencontrer** destined to meet her
C **destinée** *nf* destiny; **~e d'un peuple/d'un projet** destiny of a people/a project; **présider aux ~es d'une entreprise/d'un club** to control a company's/club's destiny; **prendre en main les ~es du pays** to take control of the country's destiny; **promis aux plus hautes ~es** destined for great things; **unir les ~es de nos enfants** liter to unite our children; **unir sa ~e à qn** to marry sb

destiner /dɛstine/ [1]
A *vtr* **1** (concevoir pour) **~ qch à qn** to design sth for sb; **être destiné à faire** [*objet, système*] to be designed *ou* intended to do; **l'appareil n'était pas destiné à cet usage** the appliance was not designed for that purpose *ou* was not intended to be used in that way; **des mesures destinées à faire** measures aimed at doing; **2** (réserver) **l'argent que je destine à mes enfants** the money I intend to leave to my children; **l'argent destiné à mes enfants** the money intended for my children; **la somme que je destinais à mes vacances** the money I had set aside for my holiday GB *ou* vacation US; **produits destinés à l'exportation** goods (destined) for export; **3** (adresser) **la lettre ne leur était pas destinée** the letter wasn't for them *ou* meant for them; **lettre destinée à ma sœur** letter for my sister; **la gifle ne t'était pas destinée** the slap wasn't aimed at you; **la bombe était destinée à quelqu'un d'autre** the bomb was meant *ou* intended for somebody else; **4** (vouer) **être destiné à qch/à faire** [*personne*] to be destined for sth/to do; **son talent la destine à un grand avenir** with her talent she's destined for a great future; **5** (par le destin) **on ne peut pas savoir ce qui nous est destiné** we never know what fate has in store for us
B **se destiner** *vpr* **elle se destine à une carrière de juriste** she's decided on a legal career

destituer /dɛstitɥe/ [1] *vtr* to discharge [*officier*]; to depose [*souverain*]; **~ qn de ses fonctions** to relieve sb of their duties

destitution /dɛstitysjɔ̃/ *nf* (d'officier) discharge; (d'homme politique) deposition

déstockage /destɔkaʒ/ *nm* reduction of stocks

déstocker /destɔke/ [1]
A *vtr* to reduce stocks of [*marchandise*]; **~ des surplus** to reduce surplus stocks
B *vi* to reduce stocks, to cut down on stocks

dé-stresser /destʀese/ [1] *vtr* to de-stress

destrier† /dɛstʀije/ *nm* charger†, steed†

destroyer /dɛstʀwaje/ *nm* Naut destroyer

destructeur, **-trice** /dɛstʀyktœʀ, tʀis/
A *adj* destructive; **produits chimiques ~s de la couche d'ozone** chemicals which destroy the ozone layer
B *nm,f* destroyer

destruction /dɛstʀyksjɔ̃/ *nf* destruction ₵; **~ partielle/totale/massive** partial/total/mass destruction; **instinct de ~** destructive instinct; **la ~ des cafards/moustiques** the extermination of cockroaches/mosquitoes

déstructuration /destʀyktyʀasjɔ̃/ *nf* **1** Sociol disintegration; **2** Psych breakdown, disintegration

désuet, **-ète** /dezɥɛ, ɛt/ *adj* **1** (vieillot) [*décor, charme*] old-world, quaint; [*manière, style*] old-fashioned; **2** (dépassé) [*mot, expression*] obsolete; [*méthode, technique*] outmoded

désuétude /dezɥetyd/ *nf* obsolescence; **tomber en ~** to become obsolete

désuni, **~e** /dezyni/ *adj* **1** (en désaccord) [*famille*] divided; [*amants*] estranged; **2** Sport [*athlète*] uncoordinated, off one's stride (*jamais épith*); **3** Équit [*cheval, galop*] disunited

désunion /dezynjɔ̃/ *nf* **1** (de parti) division, dissension; **2** (dans la famille, le couple) discord

désunir /dezyniʀ/ [3]
A *vtr* (diviser) [*dispute*] to divide, to break up [*famille, groupe*]
B **se désunir** *vpr* [*athlète*] to be off one's stride

désyndicalisation /desɛ̃dikalizasjɔ̃/ *nf* deunionization

détachable /detaʃabl/ *adj* **1** (qu'on peut ôter et rattacher) [*pièce, élément, partie de véhicule*] detachable; **2** (qu'on peut enlever et remettre) [*fiche, intercalaire*] removable; **3** (qui se déchire) [*coupon, feuille de calendrier*] tear-off (*épith*); **le coupon est ~** the coupon can be torn off

détachage /detaʃaʒ/ *nm* **procéder au ~ d'un vêtement** to remove the stains from a piece of clothing; **produit de ~** stain remover

détachant, **~e** /detaʃɑ̃, ɑ̃t/
A *adj* stain-removing (*épith*); **produit ~** stain remover
B *nm* stain remover

détaché, **~e** /detaʃe/
A *pp* ▸ **détacher**
B *pp adj* **1** (indifférent) [*air, expression, mine*] detached, unconcerned; **dit-elle d'un ton ~** she said indifferently; **2** Admin [*professeur, diplomate, militaire*] on secondment GB (*après n*), transferred (*jamais épith*) (**auprès de** to); **3** Mus [*note*] detached

détachement /detaʃmɑ̃/ *nm* **1** (distance) detachment (**de** from); **voir qch avec ~** to view sth with detachment; **2** (indifférence) ₵ indifference; **elle affiche le plus total ~ à l'égard des questions d'argent** she's completely indifferent to money matters; **3** Admin (de fonctionnaire) secondment GB, transfer (**auprès de** to); **être en ~** to be on secondment; **mettre qn en ~** to second sb; **4** Mil (troupe) detachment

détacher /detaʃe/ [1]
A *vtr* **1** (ôter les liens de) to untie [*personne, animal, barque, cheveux, paquet*] (**de** from); **2** (défaire un lien) to unfasten [*agrafe, ceinture, collier*]; to undo [*chaussure, bouton*]; to untie, to undo [*nœud, corde, ficelle, lacet*]; **détachez-lui ses menottes** remove his/her handcuffs; **3** (défaire d'un support) [*personne*] to tear [sth] off [*timbre, coupon, chèque*]; to take down [*affiche, tableau, cadre*]; [*vent*] to tear [sth] off [*affiche*]; to blow [sth] off [*fruits, feuilles, tuiles*]; [*humidité*] to make [sth] come away [*affiche, plâtre*]; **détachez selon** *or* **suivant le pointillé** tear along the dotted line; **'partie à ~'** 'tear off here'; **~ un fruit/une feuille d'un arbre** [*personne*] to pick a fruit/a leaf from a tree; [*vent*] to blow a fruit/a leaf off a tree; **~ un wagon d'un train** to uncouple a carriage GB *ou* car US from a train; **4** (éloigner) **~ qn de** to turn *ou* drive sb away from [*personne, famille*]; [*défaut, mode de vie*] to alienate sb from sb/sth; **son travail l'a détachée de sa vie de famille** her work has drawn her away from her family life; **5** (détourner) **~ les yeux** *or* **le regard/l'esprit de qch** to take one's eyes/one's mind off sth; **~ son attention/ses pensées de qch** to turn one's attention/one's thoughts away from sth; **6** (affecter) [*administration*] to second GB, to transfer [*enseignant, diplomate, militaire*] (**à, en, auprès de** to; **de** from); **demander à être détaché en Asie** to ask to be seconded to Asia; **se faire ~** to be seconded; **7** (faire ressortir) [*orateur*] to articulate [*mot, syllabe*]; [*musicien*] to detach [*note*]; [*imprimeur, designer*] to make [sth] stand out [*lettre, titre, mot*]; [*peintre*] to make [sth] stand out [*motif*]; **8** (écarter) **~ les bras du corps** to hold one's arms away from one's body; **9** (enlever les taches de) to remove the stain(s) from [*tissu, cuir, vêtement*] (**à** with)
B **se détacher** *vpr* **1** (se défaire de ses liens) [*prisonnier, animal*] to break loose (**de** from); [*bateau*] to come untied (**de** from); [*colis*] to come undone; **2** (se défaire) [*agrafe, nœud, corde, lacet*] to come undone; **comment se détache cette ceinture?** how does this belt unfasten?; **3** (se séparer d'un support) [*coupon, feuillet*] to come out (**de** of); [*papier peint, affiche*] to come away (**de** from), to peel (**de** off); **les fruits se détachent facilement des branches** the fruit comes off the branches easily; **4** (se désintéresser) **se ~ de** to lose interest in [*vie, activité*]; to turn one's back on [*monde*]; to grow away from [*personne*]; **se ~ des biens terrestres** to turn one's back on worldly goods; **5** (ressortir) [*motif, titre, objet, silhouette*] to stand out (**dans** in; **sur** against); **6** (s'éloigner) **se ~ de** [*individu, invité*] to detach oneself from [*groupe*]; [*coureur, cycliste, cheval*] to pull away from [*groupe*]; [*entreprise*] to pull away from [*concurrent*]; [*personne, œuvre, style*] to break away from [*tradition, genre*]; [*membre, pays*] to break away from [*organisation, union*]; **7** (se distinguer) [*élève, candidat, artiste, œuvre*] to stand out (**de** from)

détail /detaj/ *nm* **1** (petit élément) detail; **~ fâcheux/significatif/troublant** annoying/significant/disturbing detail; **~ sans intérêt** unimportant detail; **~s techniques** technical details; **soigner chaque ~** to pay attention to every detail; **le moindre ~** the slightest detail; **étudier/dépeindre/imaginer dans les moindres ~s** to study/depict/imagine in minute detail; **2** (analyse précise) breakdown; **~ des dépenses** breakdown of expenses; **~ chiffré** breakdown in figures; **expliquer en ~/plus en ~** to explain in detail/in greater detail; **entrer dans le ~** *or* **les ~s** to go into detail; **ne pas faire dans le ~** not to do in detail; **ils n'ont pas fait de ~, ils ont licencié tout le monde** they didn't use half-measures, they laid everybody off; **avoir un sens/le goût du ~** to have an eye/a liking for detail; **raconter qch en ~** to give a detailed account of sth; **analyse/étude/discussion de ~** detailed analysis/study/discussion; **un point de ~** a minor detail; **'un ~, n'oubliez pas votre manuel la prochaine fois!'** 'just one thing, don't forget your textbook next time!'; **3** Comm retail; **acheter/vendre (qch) au ~** to buy/sell (sth) retail

détaillant, **~e** /detajɑ̃, ɑ̃t/ *nm,f* retailer

détaillé, **~e** /detaje/
A *pp* ▸ **détailler**
B *pp adj* [*analyse, liste, plan*] detailed; [*facture*] itemized; **très ~** very detailed

détailler /detaje/ [1] *vtr* **1** (exposer) to detail [*dépenses, projet, problème*]; **2** (regarder) to scrutinize [*personne, objet*]

détaler○ /detale/ [1] *vi* **1** [*lapin*] to bolt; **2** ○[*personne*] to dash off, to scarper○ GB; **faire ~ des voleurs** to frighten off thieves; **il a détalé à toutes jambes** he made off as fast as his legs could carry him
(Idiome) **~ comme un lapin** to run off like a startled rabbit

détartrage /detaʀtʀaʒ/ *nm* **1** (de chaudière, bouilloire) descaling; **2** (de dents) scaling; **se faire faire un ~** to have one's teeth scaled

détartrant, **~e** /detaʀtʀɑ̃, ɑ̃t/
A *adj* descaling
B *nm* descaler

détartrer /detaʀtʀe/ [1] *vtr* **1** to descale [*bouilloire, chaudière*]; **2** to scale [*dents*]

détaxation /detaksasjɔ̃/ *nf* tax exemption

détaxe /detaks/ *nf* Fisc (suppression de taxe) tax removal; (remboursement de taxe) tax refund; (ristourne d'exportation) export rebate

détectable /detɛktabl/ *adj* detectable

détecter /detɛkte/ [1] *vtr* to detect

détecteur, **-trice** /detɛktœʀ, tʀis/
A *adj* detector (*épith*)
B *nm* detector; **~ de mines** mine detector

détection /detɛksjɔ̃/ *nf* detection

détective /detɛktiv/ ▸ **p. 532** *nm* detective; **~ privé** private detective, private eye○

déteindre /detɛ̃dʀ/ [55]
A *vtr* to fade [*tissu*]

B *vi* **1** (perdre sa couleur) [*vêtement, tissu*] to fade; **~ au lavage** to fade in the wash; **2** (être instable) [*couleur*] to run; **3** (donner sa couleur) [*vêtement*] to run; **ta jupe a déteint sur ma chemise** your skirt has run and the colour[GB] has come out on my shirt; **4** fig (influer) to rub off (**sur** on)

dételage /detlaʒ/ *nm* (de cheval) unharnessing; (de bœuf) unyoking

dételer /detle/ [19]
A *vtr* to unharness [*cheval*]; to unyoke [*bœuf*]; to unhitch [*charrue, wagon*]
B ○*vi* (arrêter de travailler) to knock off○; **sans ~** without a break

détendeur /detɑ̃dœʀ/ *nm* Tech regulator

détendre /detɑ̃dʀ/ [6]
A *vtr* **1** (faire jouer) to release [*arc, ressort*]; **2** (relâcher) to slacken [*ressort, corde*]; to make [sth] lose its shape, to make [sth] baggy○ [*vêtement*]; **3** (reposer) to relax [*muscle*]; to calm [*atmosphère, esprit*]; **~ la situation politique** to defuse the political situation; **4** (distraire) to entertain [*public*]
B *vi* **1** (reposer) [*pause, thé*] to be relaxing; **2** (distraire) [*comédie*] to be entertaining
C **se détendre** *vpr* **1** (s'étirer) [*corde, ressort*] to slacken; [*vêtement*] to lose its shape, to go baggy○; **2** (se relaxer) [*personne, muscle*] to relax; **l'atmosphère se détend** the atmosphere is becoming more relaxed

détendu, **~e** /detɑ̃dy/
A *pp* ▸ **détendre**
B *pp adj* (étiré) [*ressort, corde*] slack; [*vêtement*] shapeless, baggy○
C *adj* (calme) [*personne, ambiance, relation*] relaxed

détenir /det(ə)niʀ/ [36] *vtr* **1** (posséder) to keep [*objets*]; to hold [*pouvoir, capital, record*]; to possess [*armes*]; to have [*moyen, secret, preuve*]; **~ la vérité** to possess the truth; **2** Jur to detain [*criminel, suspect*]

détente /detɑ̃t/ *nf* **1** (repos) relaxation; **moment/journée de ~** moment/day of relaxation; **sensation de ~** feeling of relaxation; **~ musculaire** muscle relaxation; **c'est une ~ pour moi** it's a way for me to relax; **2** Pol détente; **~ en Europe** détente in Europe; **l'atmosphère est à la ~** détente is in the air; **3** Écon **~ des taux d'intérêt** relaxation of interest rates; **4** Tech (d'arme) trigger; **appuyer sur la ~** to pull the trigger; **5** Phys (de gaz) expansion; **6** Sport **avoir une bonne ~** [*joueur de tennis, gardien de but*] to have quick reflexes; [*athlète*] to have a good take-off
(Idiome) **être lent** *or* **dur à la ~**○ to be slow on the uptake

détenteur, **-trice** /detɑ̃tœʀ, tʀis/ *nm,f* (d'armes, argent) possessor; (d'actions, autorisation, autorité, de passeport, record) holder; (de secret) guardian

détention /detɑ̃sjɔ̃/ *nf* **1** (possession) (d'actions, de drogue, passeport, record) holding; (d'armes, de secret) possession; **2** Jur (privation de liberté) detention; **camp de ~** detention camp; **~ illégale** illegal detention
(Composés) **~ criminelle** Jur imprisonment; **~ préventive** *or* **provisoire** Jur custody; **placer qn en ~ préventive** to remand sb in custody

détenu, **~e** /detəny/ *nm,f* prisoner

détergent, **~e** /detɛʀʒɑ̃, ɑ̃t/
A *adj* detergent; **produit ~** detergent
B *nm* detergent

détérioration /deteʀjɔʀasjɔ̃/ *nf* **1** (dégât) damage (**de** to); **2** (usure) wear and tear (**de** on); **3** (déclin) deterioration (**de** in)

détériorer /deteʀjɔʀe/ [1]
A *vtr* to damage
B **se détériorer** *vpr* [*économie, équipement, relation, situation, temps*] to deteriorate; [*denrée*] to go bad; [*monnaie*] to weaken

déterminable /detɛʀminabl/ *adj* determinable

déterminant, **~e** /detɛʀminɑ̃, ɑ̃t/
A *adj* [*rôle, facteur, élément*] decisive
B *nm* **1** Ling determiner; **2** Math determinant; **3** (facteur) determining factor

déterminatif, **-ive** /detɛʀminatif, iv/
A *adj* **adjectif ~** determiner; **complément ~** postmodifier
B *nm* Ling determinative

détermination /detɛʀminasjɔ̃/ *nf* **1** (volonté) determination (**à faire** to do); **avec ~** with determination; **2** (mise en évidence) determination; **~ des causes** determination of the causes; **3** (fixation) determination; **~ du loyer** determination of the rent; **4** Ling determination and modification

déterminé, **~e** /detɛʀmine/
A *pp* ▸ **déterminer**
B *pp adj* **1** (résolu) [*personne*] determined; **~ à faire** determined to do; **2** (causé) determined (**par** by); **prix ~ par la demande** price determined by demand; **3** (établi) [*corrélation*] demonstrated (*jamais épith*); **il est mort dans des circonstances mal ~es** the circumstances in which he died are not yet clear *ou* established; **4** (donné) [*durée, objectif*] given; **appartenir à une religion ~e** to belong to a given religion; **5** Philos determinate
C *nm* Ling determined word, referent

déterminer /detɛʀmine/ [1]
A *vtr* **1** (établir) to determine [*raison, responsabilité*]; **~ les causes de l'accident** to determine what caused the accident; **2** (fixer) to work out [*mesures, modalités*]; **~ une politique** to work out a policy; **3** (causer) to determine [*attitude, décision, choix*]; to lead to [*événement, phénomène*]; **4** (pousser) **~ qn à faire** to cause sb to do; **cela l'a déterminé à quitter l'armée** it caused *ou* led him to leave the army; **5** Ling to determine
B **se déterminer** *vpr* **1** (être établi) to be determined; **2** (être fixé) to be worked out; **3** (choisir) [*personne*] to make a choice (**entre** between); (se décider à) **se ~ à** to make up one's mind to

déterminisme /detɛʀminism/ *nm* determinism

déterministe /detɛʀminist/ *adj, nmf* determinist

déterré, **~e** /deteʀe/
A *pp* ▸ **déterrer**
B *pp adj* [*cadavre, plante*] that has been dug up (*après n*)
C *nm,f* **avoir une tête** *or* **mine de ~** to look like death warmed up

déterrer /deteʀe/ [1] *vtr* to dig up [*trésor, plante, cadavre, os*]

détersif, **-ive** /detɛʀsif, iv/ Tech
A *adj* detergent; **produit ~** detergent
B *nm* detergent

détersion /detɛʀsjɔ̃/ *nf* cleaning with a detergent

détestable /detɛstabl/ *adj* [*caractère, style, temps*] appalling; [*habitudes*] revolting

détestablement /detɛstabləmɑ̃/ *adv* [*écrire, jouer, se comporter*] abominably

détestation /detɛstasjɔ̃/ *nf* detestation

détester /detɛste/ [1]
A *vtr* **1** (exécrer) to detest, loathe [*personne*]; **se faire ~ de qn** to arouse sb's hatred; **2** (ne pas supporter) to hate; **~ faire** to hate doing; **~ que qn fasse** to hate sb doing; **~ cordialement** to cordially detest; **ne pas ~ qch/faire qch** not to be averse to sth/doing sth; **ne ~ rien tant que** to hate nothing so much as
B **se détester** *vpr* **1** (soi-même) to hate oneself; **2** (l'un l'autre) to hate each other

détonant, **~e** /detɔnɑ̃, ɑ̃t/ *adj* lit, fig explosive

détonateur /detɔnatœʀ/ *nm* **1** (amorce d'explosif) detonator; **2** fig catalyst; **être le ~ de qch** to be the catalyst for sth, to trigger sth off

détonation /detɔnasjɔ̃/ *nf* detonation

détoner /detɔne/ [1] *vi* to go off, to detonate

détonner /detɔne/ [1] *vi* **1** (jurer) [*personne, comportement, meuble*] to be out of place (**au milieu de** among); [*couleur, rideaux*] to clash; **2** Mus (mal chanter) to sing out of tune; (mal jouer) to play out of tune

détordre /detɔʀdʀ/ [6] *vtr* to untwist [*barre de fer*]; to unwind [*câble*]

détortiller /detɔʀtije/ [1] *vtr* to untwist, to unwind

détour /detuʀ/ *nm* **1** (trajet) detour; **faire un ~** to make a detour; **faire un ~ par Oxford** to make a detour via Oxford; **ça vaut le ~** it's worth the trip; **faire du cinéma après un ~ par le théâtre** fig to go into films after a brief spell in the theatre[GB]; **les négociations font un ~ par les salaires** fig the negotiations have branched off into discussions about salaries; **2** (moyen indirect) roundabout means; (dans le langage) circumlocution; **user de ~s pour dire qch** to say sth in a roundabout way; **être sans ~s** (explication) to be straight and to the point; (personne) to be plain-speaking; **il nous a parlé sans ~s** he spoke to us frankly; **il me l'a dit sans ~s** he told me straight; **il m'a expliqué son point de vue sans ~s** he told me straight out what his position was; **3** (tournant) bend; **les ~s d'une route/rivière** the bends in a road/river; **au ~ de la route/rivière** at the bend in the road/river; **au ~ de la conversation** fig in the course of the conversation; **faire des ~s** [*route*] to twist and turn; [*rivière*] to meander

détourné, **~e** /detuʀne/
A *pp* ▸ **détourner**
B *pp adj* [*allusion, sens*] oblique; [*moyen*] indirect; **d'une façon** *or* **manière ~e** in a roundabout way; **par des chemins ~s** by a circuitous route

détournement /detuʀnəmɑ̃/ *nm* **1** (de recette, dividendes) misappropriation; **2** (d'avion, de navire) hijacking; **3** (de circulation, rivière) diversion; **4** (subversion) perversion; **~ du processus démocratique** perversion of the democratic process; **5** (d'œuvre, affiche, objet) defacement (**de** of)
(Composés) **~ de fonds** embezzlement, misappropriation of funds; **~ de fonds publics** misuse of public money, peculation; **~ de mineur** (incitation à la débauche) corruption of a minor

détourner /detuʀne/ [1]
A *vtr* **1** (écarter) to divert [*attention*] (**de** from); **~ les yeux** *or* **le regard** *or* **la tête** to look away (**de** from); **~ les soupçons sur qn d'autre** to make suspicion fall on sb else; **2** (éloigner) **~ de** to distract [sb] from [*objectif, études, vrai problème*]; **ils cherchent à te ~ de moi** they are trying to get you away from me; **3** (modifier le cours de) to divert [*rivière, circulation*]; **~ la conversation** to change the subject; **4** (modifier la destination de) to divert [*vol, navire, troupes, ressources*] (**sur, vers** to); **5** (à des fins criminelles) to hijack [*avion , navire*]; to misappropriate, to embezzle [*fonds, somme d'argent*]; **6** Sport to deflect [*balle*]; **~ la balle en corner** to deflect the ball for a corner kick; **7** (subvertir) to twist [*loi*]; **~ l'Histoire à son profit** to rewrite history to serve one's own purposes; **8** (déformer) to deface [*film, affiche, objet*]
B **se détourner** *vpr* **1** (renoncer) **se ~ de** to turn away from [*client, ami*]; to neglect [*obligation*]; **2** (tourner la tête) to look away

détracteur, **-trice** /detʀaktœʀ, tʀis/
A *adj* [*esprit*] disparaging
B *nm,f* detractor

détraqué, **~e** /detʀake/
A *pp* ▸ **détraquer**
B *pp adj* **1** [*mécanisme, moteur*] broken down, on the blink○; [*organisation, système*] broken down; [*temps*] unsettled; **mon ordinateur est ~** my computer is down *ou* on the blink○; **ma montre est complètement ~e** my watch has gone completely wrong; **2** ○**être ~, avoir l'estomac ~** to have an upset stomach;

avoir les nerfs ~s to have bad nerves; il a le cerveau ~ he's off his rocker○

C ○*nm,f* deranged person, headcase◑

détraquer /detʀake/ [1]

A *vtr* **1** [*personne*] to bust○ [*mécanisme, montre*]; [*poussière, rouille, humidité*] to make [sth] go wrong [*mécanisme, montre*]; **la pollution a détraqué le temps** pollution has upset the weather; **2** ○[*médicament, alcool*] to upset [*estomac*]; to damage [*santé, foie*]; **la mort de son fils lui a détraqué le cerveau** his son's death unhinged his mind

B **se détraquer** *vpr* **1** [*mécanisme, moteur*] to break down, to go on the blink○; [*montre, horloge*] to go wrong, to pack up○ GB; [*temps*] to break; **2** ○[*nerfs*] to go to pieces; [*esprit*] to become unhinged; [*santé*] to break down; **se ~ la santé** to ruin one's health (**avec** with)

détrempe /detʀɑ̃p/ *nf* **1** Art (technique, matière) tempera; (œuvre) tempera painting; **peindre à la ~** to paint in tempera; **2** (de l'acier) softening

détremper /detʀɑ̃pe/ [1] *vtr* **1** (imprégner) to saturate [*sol, vêtement*]; **la pluie a détrempé mon manteau** the rain has soaked my coat; **le terrain est détrempé** the ground is waterlogged; **2** Art (diluer) to dilute [*couleurs*]; **3** Tech to soften [*acier*]

détresse /detʀɛs/ *nf* **1** (angoisse) distress; **sentiment/cri de ~** feeling/cry of distress; **la ~ des réfugiés** the distress of refugees; **2** (difficulté) distress; **dans la ~** in distress; **soulager la ~ de qn** to alleviate sb's distress; **lancer un appel de ~** to send out a distress call; **émettre des signaux de ~** to emit distress signals; **en ~** [*navire, avion*] in distress; [*entreprise, train*] in difficulties; **se porter au secours d'un alpiniste en ~** to go to the aid of a climber in difficulty; **~ respiratoire** respiratory distress syndrome

détriment: **au détriment de** /odetʀimɑ̃də/ *loc prép* to the detriment of

détritique /detʀitik/ *adj* Géol detrital

détritus /detʀity(s)/

A *nm inv* (bon à rien) pej wreck péj

B *nmpl* (ordures) refuse ₵, rubbish GB ₵, garbage US

détroit /detʀwɑ/ *nm* Géog straits (*pl*); **le ~ de Gibraltar** the Straits of Gibraltar; **le ~ de Magellan** the Magellan Straits; **le ~ des Dardanelles** the Dardanelles

détromper /detʀɔ̃pe/ [1]

A *vtr* to disabuse, to set [sb] straight; **j'ai pu la ~ sur ce point** I was able to set her straight on this point

B **se détromper** *vpr* **détrompez-vous!** don't you believe it!; **si tu crois qu'il va nous attendre, détrompe-toi!** if you think he's going to wait for us, you'd better think again!

détrôner /detʀone/ [1] *vtr* **1** Hist, Pol to depose, to dethrone [*souverain*]; **2** fig to supplant [*personne, pays*]; to depose [*produit, usage*]

détrousser† /detʀuse/ [1] *vtr* to rob

détruire /detʀɥiʀ/ [69]

A *vtr* lit, fig to destroy; **forêt détruite par le feu aux deux tiers** forest two thirds destroyed by fire; **le drame l'a complètement détruit** the tragedy has completely destroyed him; **~ qch à l'explosif** to blow sth up

B **se détruire** *vpr* **1** (soi-même) to destroy oneself; **2** (l'un l'autre) to destroy each other

dette /dɛt/ *nf* **1** (somme due) debt; **~ publique/extérieure** Écon national/foreign debt; **avoir des ~s** to have debts, to be in debt; **avoir 1 000 euros de ~s** to have debts of 1,000 euros; **faire des ~s** to run up debts; **être couvert** *or* **criblé de ~s** to be debt-ridden, to be up to one's eyes in debt○; **~ de jeu** gambling debt; **être en ~ envers qn** lit, fig to be indebted to sb; **2** (obligation morale) debt (**envers** to); **avoir une ~ d'amitié/de reconnaissance envers qn** to owe sb a debt of gratitude/of friendship; **payer sa ~ à la société** to pay one's debt to society; **il leur gardait une ~ de reconnaissance** he remained indebted to them; **payer une vieille ~** to pay off an old debt

DEUG /dœg/ *nm* (*abbr* = **diplôme d'études universitaires générales**) *university diploma*

> **DEUG**
>
> A qualification awarded after two years of university education in most subjects.

deuil /dœj/ *nm* **1** (décès) bereavement; **être frappé par un ~** to be bereaved, to suffer a bereavement; **un nouveau ~ les afflige** they have suffered another bereavement fml, there has been another death in the family; **elle est en ~?** has she lost somebody?; **2** (douleur) mourning ₵, grief; **jour de ~ national** day of national mourning; **pays plongé dans le ~** country plunged into mourning; **prendre part** *or* **s'associer au ~ de qn** to share (in) sb's grief *ou* sorrow; **3** (tenue) mourning (clothes); **être/se mettre en ~** to be in/go into mourning; **être en grand ~** to be in deep mourning; **prendre/porter le ~ de qn** to go into/wear mourning for sb; **la nature est en ~** fig, liter nature is in mourning; **4** (période) period of mourning; **abréger le ~** to cut short a period of mourning; **une année de ~** a year's mourning; **5** (cortège) funeral procession; **le ~ se réunira à l'église** the funeral procession will meet at the church; **mener** *or* **conduire le ~** to head the funeral procession, to be chief mourner

(Idiomes) **faire son ~ de qch**○ to kiss sth goodbye○; **le contrat, tu peux en faire ton ~** you can kiss *ou* say goodbye to the contract○

deus ex machina /deusɛksmakina/ *nm inv* deus ex machina

deusio○ = **deuzio**

DEUST /dœst/ *nm* (*abbr* = **Diplôme d'études universitaires scientifiques et techniques**) *university diploma*

> **DEUST**
>
> A qualification awarded after two years of university education in a range of science courses.

deutérium /døteʀjɔm/ *nm* deuterium

Deutéronome /døteʀɔnɔm/ *nm* **le ~** Deuteronomy

deux /dø/ ▸ **p. 568, p. 424, p. 222**

A *adj inv* **1** (précisément) two; **il a été opéré des ~ yeux** he's had surgery on both (his) eyes; **prendre qch à ~ mains** to take sth with both hands; **ouvrez bien grand les ~ yeux/oreilles** look/listen very carefully; **~ fois** twice; **des ~ côtés de la rue/de la rivière/de l'Atlantique** on either side *ou* both sides of the street/of the river/of the Atlantic; **tous les ~ jours/ans** every other day/year, every two days/years; **'~ m'** (en épelant) 'double m' GB, 'two ms'; **balle s'écrit avec ~ l** there are two 'l's in balle; **à nous ~** (je suis à vous) I'm all yours; (parlons sérieusement) let's talk; (à un ennemi) it's just you and me now; **on sera ~** there will be two of us; ▸ **à**, **chose**, **doigt**, **par**, **tout**, **trois**, **uni**; **2** (quelques) a few, a couple of; **écrivez-nous ~ ou trois lignes** drop us a few *ou* couple of lines; **j'en ai pour ~ minutes** I'll be two minutes *ou* ticks○ GB; **c'est à ~ minutes d'ici** it's a couple of *ou* two minutes from here; **l'arrêt de bus est à ~ pas** the bus stop is a stone's throw away; ▸ **mot**; **3** (dans une date) second

B *pron* **je vais essayer les ~** I'll try both of them; **elles sont venues toutes les ~** they both came

C *nm inv* **1** (chiffre) two; **une fois sur ~** 50% of the time; **il travaille un week-end sur ~** he works every other week-end; **vivre à ~** to live together *ou* as a couple; **la vie à ~ n'est pas toujours facile** living together *ou* as a couple is not always easy; **faire qch en moins de ~**○ to do sth very quickly *ou* in two ticks○ GB; **2** Sport (en aviron) pair; **~ barré/sans barreur** coxed/coxless pair

D ○*adv* two, second(ly)

(Idiomes) **faire ~ poids, ~ mesures** to have double standards; **un tiens vaut mieux que ~ tu l'auras** Prov a bird in the hand is worth two in the bush Prov; **en ~ temps, trois mouvements** very quickly, in two ticks○ GB; **la couture et moi, ça fait ~** I know nothing about sewing; **lui et moi, ça fait ~** we're two different people; **il est menteur comme pas ~**○ he's the world's biggest liar; **c'est simple comme ~ et ~ font quatre** it's as easy as ABC; **aussi vrai que ~ et ~ font quatre** as true as I'm standing here; **je n'ai fait ni une ni ~** I didn't waste any time, I didn't hang about○

deux-coups /døku/ *nm inv* (fusil) double-barrelled[GB] shotgun

deux-deux /dødø/ *nm inv* Mus two-two; **à ~** in two-two (time)

deux-huit /døɥit/ *nm inv* Mus two-eight; **à ~** in two-eight (time)

deuxième /døzjɛm/ ▸ **p. 568, p. 222** *adj* **1** (dans une séquence) second; **~ fois/partie** second time/part; **dans un ~ temps nous étudierons...** subsequently, we will study...; **c'est à prendre au ~ degré** it is not to be taken literally; **2** (dans une hiérarchie) second; **3** (autre) second; **ma ~ patrie** my second home, my second homeland; **un ~ enfant** a second child

(Composés) **~ âge** [*produits, vêtements*] for babies from six to twelve months (*épith, après n*); **~ classe** (soldat) private; Transp second class, standard class GB

deuxièmement /døzjɛmmɑ̃/ *adv* secondly, second

deux-mâts /dømɑ/ *nm inv* Naut two-master

deux-points /døpwɛ̃/ *nm inv* Ling colon

deux-quatre /døkatʀ/ *nm inv* Mus two-four; **à ~** in two-four (time)

deux-roues /døʀu/ *nm inv* two-wheeled vehicle, two-wheeler

deux-seize /døsɛz/ *nm inv* two-sixteen; **à ~** in two-sixteen (time)

Deux-Sèvres /døsɛvʀ/ ▸ **p. 721** *nprfpl* (département) **les ~** Deux-Sèvres

deux-temps /døtɑ̃/ *adj, nm inv* Mécan two-stroke; **mélange ~** two-stroke mix

deuzio○ /døzjo/ *adv* secondly

dévaler /devale/ [1]

A *vtr* [*animal, rocher*] to hurtle down [*pente*]; [*personne*] to tear down [*pente, rue*]; **~ les escaliers** to rush downstairs; **elle a dévalé les escaliers/les marches quatre à quatre** she rushed down the stairs/the steps four at a time

B *vi* **1** (avec mouvement) **les manifestants dévalent dans la rue** the demonstrators go tearing down the street; **la lave dévale vers le village** the lava pours down toward(s) the village; **2** (sans mouvement) to fall away sharply; **le jardin dévalait vers le ravin** the garden sloped away sharply into the ravine

dévaliser /devalize/ [1] *vtr* **1** (voler) to rob [*personne, banque, coffre*]; to clean out○ [*appartement*]; **on s'est fait ~ pendant le voyage** we were robbed during the journey; **2** (vider) to clean out○; **la boutique de jouets a été dévalisée à l'approche de Noël** the toyshop has been completely cleaned out in the run-up to Christmas; **les soldes ont bien marché, j'ai été dévalisé!** the sales went well, I'm completely cleaned out!; **les enfants ont dévalisé le garde-manger** the children have raided the larder

dévaloir /devalwaʀ/ *nm* Helv (vide-ordures) chute

dévalorisation /devalɔʀizasjɔ̃/ *nf* **1** (de monnaie, compétence) depreciation; **2** (de politique, diplôme) devaluation

dévaloriser /devalɔʀize/ [1]

A *vtr* **1** Écon, Fin (diminuer la valeur de) to reduce the value of [*monnaie, produit*]; **2** (diminuer le prestige de) to depreciate [*objet*]; to belittle [*personne*]

B se dévaloriser *vpr* **1** (en valeur) to lose value; (en prestige) to lose prestige; **le métier se dévalorise** the job is losing its prestige; **2** (se déprécier soi-même) to put oneself down.

dévaluation /devalɥasjɔ̃/ *nf* Écon devaluation

dévaluer /devalɥe/ [1]

A *vtr* Écon to devalue [*monnaie*]

B se dévaluer *vpr* to become devalued

devancement /dəvɑ̃smɑ̃/ *nm* **~ d'appel** enlistment before call-up

devancer /dəvɑ̃se/ [12] *vtr* **1** (avoir de l'avance sur) to be ahead of, to outstrip [*adversaire, concurrent*]; **pour l'instant, il devance son rival de 12 minutes/2 000 voix/100 mètres** at the moment, he is 12 minutes/2,000 votes/100 metres[GB] ahead of his opponent; **un penseur qui a devancé ses contemporains** a thinker who is ahead of his time; **dans la course aux exportations, nous avons été devancés par nos concurrents** our competitors have outstripped us in the exports league; **2** (précéder) **les pompiers ont devancé la police sur les lieux de l'accident** the fire brigade got to the scene of the accident ahead of *ou* before the police; **3** (anticiper sur) to anticipate [*revendication, désir*]; to forestall, to pre-empt [*attaque, critiques*]; **4** (faire avant la date prévue) **~ l'appel** to enlist for military service before call-up; **~ l'échéance d'un paiement** to settle a payment before the due date

devancier, -ière /dəvɑ̃sje, ɛʀ/ *nm,f* precursor

devant[1] /dəvɑ̃/

A *prép* **1** (en face de) **~ qn/qch** in front of sb/sth; **la voiture est garée ~ la maison** the car is parked in front of the house; **il est assis ~ la fenêtre** he's sitting at the window; **tu as mis ton pull ~ derrière** you've put your jumper on back to front; **le bus est passé ~ moi sans s'arrêter** the bus went straight past me without stopping; **regarder/marcher droit ~ soi** to look/walk straight ahead; **regarde ~ toi quand tu marches!** look where you're going!; **il était assis ~ une bière** he was sitting with a beer in front of him; **pousse -toi de ~ la télévision** move away from the television ; **enlève ça de ~ moi** (obstacle à la vue) move that away, I can't see; (obstacle au passage) move that out of my way

2 (près de) outside; **on se retrouve ~ le théâtre** let's meet outside the theatre[GB]; **cela s'est passé ~ chez moi** it happened in front of *ou* outside my house; **il attendait ~ la porte** (à l'extérieur) he was waiting outside the door; (à l'intérieur) he was waiting by the door

3 (en présence de) **il l'a dit ~ moi** he said it in front of me; **il tremblait ~ le juge** he stood before the judge, trembling; **il doit comparaître ~ la Cour Suprême** he has to appear before the Supreme Court ; **tous les hommes sont égaux ~ la loi** all men are equal in the eyes of the law; **je jure ~ Dieu** I swear before God; **on est toujours ému ~ un tel spectacle** it's always such a moving sight; **il ne fume jamais ~ ses parents** (c'est interdit) he never smokes in front of his parents; **il s'inclina ~ elle** he bowed before her; **cela s'est passé ~ nous/nos yeux** it took place in front of us/before our very eyes; **~ la situation, il faut faire** faced with *ou* in view of the situation, it's necessary to do; **je m'incline ~ tes arguments** I bow to your arguments; **à la porte, il s'effaça ~ moi** when we got to the door, he stood back to let me pass; **passer ~ le maire** to get married

4 (face à) **fuir ~ le danger** to run away from danger, to flee in the face of danger; **hésiter ~ le danger** to hesitate in the face of danger; **je recule ~ ce genre de responsabilité** I shy away from that kind of responsibility; **l'égalité ~ l'éducation** equality in education; **~ l'inévitable/la difficulté** faced with the inevitable/difficulty; **l'impuissance des mots ~ le malheur** the inadequacy of language when confronted with misfortune; **la réaction des étudiants ~ le texte** the reaction of the students when faced *ou* confronted with the text; **ils ont reconnu leur impuissance ~ mon cas** they had to admit they couldn't help me

5 (en avant de) **la voiture ~ nous** the car ahead *ou* in front of us; **il était si fatigué qu'il ne pouvait plus mettre un pied ~ l'autre** he was so tired he could hardly put one foot in front of the other; **elle est passée ~ moi, elle m'est passée ~**○ (dans une file) she jumped the queue GB *ou* cut in line US and went ahead of me; **laisser passer quelqu'un ~ (soi)** to let somebody go first

6 (de reste) **avoir beaucoup de travail ~ soi** to have a lot of work to do; **avoir du temps ~ soi** to have plenty of time; **avoir de l'argent ~ soi** to have some money to spare; **avoir un mois ~ soi** to have a whole month ahead of one; **avoir toute la vie ~ soi** to have one's whole life ahead of one

B *adv* **1** (en face) **si tu passes ~, achète-moi un livre** if you're passing it *ou* the bookshop, buy me a book; **'où est la poste?'—'tu es juste ~'** 'where's the post office?'—'you're right in front of it'

2 (en tête) **je passe ~, si vous le permettez** (pour montrer le chemin) I'll go ahead of you, if you don't mind; **puis-je passer ~?** (dans une file) do you mind if I go before you?; **pars ~, je te rejoins** go ahead, I'll catch up with you

3 (à l'avant) (dans une salle, un théâtre) at the front; (dans une voiture) in the front; **j'ai pris des places ~** I've booked GB *ou* reserved seats at the front

(Idiomes) **sortir les pieds ~**○ to leave feet first; **se retrouver Gros Jean comme ~** to be back at square one, to be back where one started

devant[2] /dəvɑ̃/ *nm* (de vêtement, maison, scène) front; **une chambre sur le ~** a room at the front; **de ~** [*dents, chambre, porte*] front; ▸ **scène**

(Composé) **~ de cheminée** fire-screen

(Idiomes) **prendre les ~s** to take the initiative; **il savait qu'on allait le licencier: il a pris les ~s et a démissionné** he knew he was going to be made redundant: he pre-empted it by resigning *ou* he took the initiative and resigned first

devanture /dəvɑ̃tyʀ/ *nf* **1** (façade de magasin) front, frontage; **2** (vitrine) shop *ou* store US window; **3** (étalage) window-dressing; **en ~** on display, in the window

dévaser /devɑze/ [1] *vtr* to dredge

dévastateur, -trice /devastatœʀ, tʀis/ *adj* devastating; **une nouvelle à l'effet dévastateur** a devastating piece of news

dévastation /devastasjɔ̃/ *nf* devastation **₵**, havoc **₵**

dévaster /devaste/ [1] *vtr* **1** (détruire) [*armée*] to lay waste to [*pays*]; [*orage, feu*] to destroy [*récoltes, immeuble*]; **2** (saccager) [*cambrioleur*] to wreck [*habitation*]; **3** (altérer) [*passion, souffrance*] to ravage [*personne, cœur*]; **visage dévasté par la douleur** face ravaged by grief

déveine○ /devɛn/ *nf* rotten luck○, bad luck; **ça a été mon jour de ~ aujourd'hui** I've had a run of bad luck today; **tu parles d'une** *or* **d'un coup de ~!** what rotten luck!; **avoir la ~ de faire** to have the bad luck to do

développable /devlɔpabl/ *adj* gén, Math developable

développateur /devlɔpatœʀ/ *nm* Phot developer

développé /devlɔpe/ *nm* Sport press

développement /devlɔpmɑ̃/ *nm* **1** (de faculté, science, pensée, d'organisme) development; **le ~ de l'embryon/du langage** the development of the embryo/of language; **les ~s d'une affaire** the developments in an affair; **surveiller de près le ~ des événements** to keep a close eye on how things develop; **2** (d'entreprise, économie, de pays) development, expansion (**de** of); **pays en voie de ~** developing nation *ou* country; **l'entreprise a connu un fort ~ dans les années 80** the firm expanded greatly in the eighties; **en plein ~** [*pays*] rapidly developing (*épith*); [*industrie*] fast-growing (*épith*); [*ville, université*] rapidly expanding (*épith*); **3** (croissance) (de mouvement) growth (**de** of), spread (**de** of); (de fraude, chômage) increase (**de** in), rise (**de** in); (d'investissements) increase (**de** in); **4** (de produit, technique, stratégie) development; **le ~ de produits nouveaux** development of new products; **5** Phot developing; **détail qui est apparu au ~** detail which appeared when the picture was developed; **6** (de sujet, thème) development; **entrer dans des ~s oiseux** to ramble; **7** Math (de solide, fonction) development; (d'expression algébrique) simplification, reduction; **8** (en cyclisme) *distance covered for each revolution of the pedal*; **avec un petit ~, on grimpe mieux** it's easier to ride uphill in a low gear

(Composés) **~ durable** sustainable development; **~ personnel** Psych personal growth

développer /devlɔpe/ [1]

A *vtr* **1** (faire croître) to develop [*muscle, faculté, personnalité, pays, économie, technologie, ressources*]; to expand [*importations, réseau, connaissances, activité, projet*]; **muscles bien/peu développés** well-developed/underdeveloped muscles; **2** (amplifier) to develop, to expand [*sujet, chapitre, récit*]; Mus to develop [*thème*]; **3** (innover) to develop [*stratégie, politique, modèle*]; **4** Phot to develop [*cliché*]; **donner qch à ~** to have *ou* get sth developed; **5** Math to develop [*solide, fonction, série*]; to reduce [*expression*]; **6** Chimie **formule développée** structural formula; **7** (en cyclisme) **vélo qui développe deux mètres** bicycle which covers two metres[GB] for each turn of the pedals

B se développer *vpr* **1** (s'accroître) [*personne, corps, muscle, faculté*] to develop; [*plante*] to grow; [*entreprise, ville, économie*] to grow, to expand; [*pratique, mœurs, usage*] to become widespread; **2** (évoluer) [*intrigue*] to develop

développeur, -euse /devəlɔpœʀ, øz/ ▸ **p. 532** *nm,f* Ordinat software developer

devenir /dəvniʀ/ [36]

A *nm* **1** (avenir) future; **le ~ des minorités/d'une alliance** the future of the minorities/of an alliance; **2** Philos Becoming

B *vi* to become; **il est devenu riche/protestant/ministre** he has become rich/a Protestant/a minister; **~ réalité** to become a reality; **parti qui allait** *or* **devait ~ plus tard...** party which was later to become...; **qu'est-ce que je vais ~○?, que vais-je ~?** what is to become of me?; **que sont devenues tes belles promesses?** what has become of all your fine promises?; **et Paul, qu'est-ce qu'il devient○** *or* **que devient-il?** and what is Paul up to these days?; **il devient urgent de faire** it has become necessary to do; **la concurrence devient sévère** the competition is getting fierce

déverbal, *pl* **-aux** /devɛʀbal, o/ *nm* deverbal noun

dévergondage /devɛʀgɔ̃daʒ/ *nm* debauchery, loose living

dévergondé, ~e /devɛʀgɔ̃de/

A *adj* [*personne, conduite*] debauched, licentious; **vie ~e** loose living

B †*nm,f* (homme) profligate; (femme) shameless hussy†

dévergonder: se dévergonder /devɛʀgɔ̃de/ [1] *vpr* to lead a debauched life

déverrouiller /devɛʀuje/ [1] *vtr* to unbolt [*porte*]; to unlock [*portière*]; to open [*arme*]

dévers /devɛʀ/ *nm inv* (de rails, route) banking; **virage en ~** banked curve

déversement /devɛʀsəmɑ̃/ *nm* **1** (de trop-plein) draining-off, pouring-out; (d'effluents, de pétrole) dumping; **~ accidentel** spillage; **2** Constr deflection

déverser /devɛʀse/ [1]
A *vtr* **1** lit to pour [*liquide*] (**dans** into); to drop [*bombes*] (**sur** on); to dump [*ordures, sable*] (**dans** into; **sur** on); to tip GB, to dump [*sable*] (**sur** onto); to discharge [*effluents*] (**dans** into); to disgorge [*foule, touristes*] (**dans** onto); **~ du pétrole/des produits chimiques** (volontairement) to dump oil/chemicals (**dans** into); (accidentellement) to spill oil/chemicals (**dans** into); **la Seine déverse ses eaux dans la Manche** the Seine flows into the English Channel; **les agriculteurs en colère ont déversé du purin dans les rues** angry farmers dumped manure all over the streets; **2** fig to churn out [*musique*]; to pour out [*insultes*]; **elle a déversé sa colère sur lui** she vented her anger on him
B **se déverser** *vpr* [*fleuve, rivière*] to flow (**dans** into); [*égout, foule*] to pour (**dans** into); **tout le contenu du camion-citerne s'est déversé sur la chaussée** the entire contents of the tanker were spilled all over the roadway

déversoir /devɛʀswaʀ/ *nm* spillway
(Composé) **~ de fond** outlet-sluice

dévêtir /devɛtiʀ/ [33]
A *vtr* to undress
B **se dévêtir** *vpr* to get undressed

déviance /devjɑ̃s/ *nf* deviance ¢

déviant, **~e** /devjɑ̃, ɑ̃t/ *adj, nm,f* deviant

déviation /devjasjɔ̃/ *nf* **1** (de circulation, réseau) diversion GB, detour US; **mettre en place une ~** to set up a diversion; **2** (altération) departure (**par rapport à** from); **~ par rapport à la norme** departure from the norm; **3** (de boussole) deviation; **4** (optique) deflection; **5** (d'aiguille) deflection
(Composé) **~ de la colonne vertébrale** Méd curvature of the spine; **avoir une ~ de la colonne vertébrale** to have curvature of the spine

déviationnisme /devjasjɔnism/ *nm* deviationism

déviationniste /devjasjɔnist/ *adj, nmf* deviationist

dévidage /devidaʒ/ *nm* **1** (de bobine) unwinding; **2** Tex (d'écheveau) winding (up)

dévider /devide/ [1] *vtr* **1** (dérouler) to unwind [*fil, câble, bobine*]; **2** Tex (mettre en écheveau) to wind [sth] into a skein; **~ la soie du cocon** to spin the silk off the cocoon; **3** °(raconter) to pour out [*histoire, souvenirs*]

dévideur /devidœʀ/ *nm* Ordinat streamer

dévidoir /devidwaʀ/ *nm* skein winder

dévier /devje/ [2]
A *vtr* to deflect [*ballon, trajectoire*]; to divert [*circulation*]; **~ une attaque** to deflect an attack; **essayer de ~ la conversation** to try to change the subject
B *vi* **1** [*balle de fusil, ballon*] to deflect; [*véhicule*] to veer off course; **~ à gauche** to veer to the left; **~ de sa course pour éviter un accident** to swerve to avoid an accident; **~ d'une trajectoire** to veer off course; **2** fig **~ de** to deviate from, to depart from [*projet, plan*]; **3** [*outil*] to slip; **4** [*conversation*] to drift

devin /dəvɛ̃/ *nm* soothsayer, seer; **je ne suis pas ~!** I'm not psychic!

deviner /dəvine/ [1]
A *vtr* **1** (parvenir à connaître) to guess [*secret*]; to foresee, to tell [*avenir*]; **2** (soupçonner) to sense [*danger*]; **je devine quelque chose de louche là-dessous** I smell a rat; **3** (imaginer) to imagine; **je te laisse ~ leur joie** I leave you to imagine their joy; **4** (apercevoir) to make out; **on devine une maison au loin** you can make out a house in the distance; **sa robe laisse ~ ses rondeurs** you can make out her curves through her dress
B **se deviner** *vtr* **1** (être facile à connaître) **la suite du film se devine aisément** it's easy to guess what happens next in the film; **2** (transparaître) [*inquiétude, trouble*] to come out

devineresse /dəvinʀɛs/ *nf* soothsayer, seer

devinette /dəvinɛt/ *nf* riddle, conundrum; **poser une ~ à qn** to ask sb a riddle; **cesse** *or* **arrête de jouer aux ~s!** fig stop talking in riddles!

devis ➡📖
/d(ə)vi/ *nm inv* estimate, quote; **un ~ de dix millions** an estimate *ou* a quote of ten million; **établir/faire faire un ~** to draw up/to ask for an estimate *ou* quote; **~ pour la fabrication de qch** estimate of the cost of making sth; **~ gratuit sur demande** free estimate available on request; **~ descriptif** detailed estimate; **~ de réparation** estimate for repairs

dévisager /devizaʒe/ [13] *vtr* to stare at [*personne*]; **~ qn avec insistance** to stare hard at sb

devise /dəviz/ *nf* **1** (monnaie d'un pays) currency; **des ~ européennes** European currencies; **une ~ forte** a strong *ou* hard currency; **la ~ américaine/allemande** journ the US dollar/the Deutschmark; **2** (monnaie étrangère) (foreign) currency ¢; **acheter des ~s** to buy foreign currency; **payer en ~s** to pay in foreign currency; **3** (maxime) motto; **ne pas se mêler des affaires des autres, telle est ma ~** don't meddle in other people's affairs, that's my motto; **4** Hérald (emblème) device

deviser /dəvize/ [1] *vi* to converse (**de** about)

dévissage /devisaʒ/ *nm* **1** (de pièce vissée) unscrewing; **2** (en alpinisme) fall

dévisser /devise/ [1]
A *vtr* to unscrew [*couvercle, boulon*]
B *vi* (en alpinisme) to fall; **il a dévissé mortellement sur 1 000 mètres** he fell 1,000 metres^GB to his death
C **se dévisser** *vtr* **1** (être amovible) to unscrew; **2** °(se tordre) **~ la tête** *or* **le cou pour voir qch** to crane one's neck to see sth

de visu /devizy/ *loc adv* [*constater*] for oneself, with one's own eyes

dévitalisation /devitalizasjɔ̃/ *nf* **~ d'une dent** root canal work

dévitaliser /devitalize/ [1] *vtr* to do root canal work on [*dent*]

dévoilement /devwalmɑ̃/ *nm* **1** lit unveiling; **2** fig revelation

dévoiler /devwale/ [1] *vtr* **1** lit to unveil [*statue, plaque*]; to reveal [*partie du corps*]; **~ ses charmes** to reveal one's charms; **2** fig to reveal [*intentions, information, complot*] (**à qn** to sb); to uncover [*scandale, vérité*]; [*compagnie, firme*] to unveil [*nouveau modèle*]; **~ ses batteries** to reveal one's secret intentions

devoir¹ /dəvwaʀ/ [44]

> ⚠ Lorsque *devoir* est utilisé comme auxiliaire pour exprimer une obligation posée comme directive, une recommandation, une hypothèse ou un objectif, il se traduit par *must* suivi de l'infinitif sans *to*: *je dois finir ma traduction aujourd'hui* = I must finish my translation today; *tu dois avoir faim!* = you must be hungry!
> Lorsqu'il exprime une obligation imposée par les circonstances extérieures, il se traduit par *to have* suivi de l'infinitif: *je dois me lever tous les matins à sept heures* = I have to get up at seven o'clock every morning.
> Les autres sens du verbe auxiliaire, et *devoir* verbe transitif et verbe pronominal, sont présentés ci-dessous.

A *v aux* **1** (obligation, recommandation, hypothèse) **tu dois te brosser les dents au moins deux fois par jour** you must brush your teeth at least twice a day; **je dois aller travailler** I've got to go to work; **je devais aller travailler** I had to go to work; **il doit accepter** he has got to accept; **il a dû accepter** (obligation) he had to accept; (hypothèse) he must have accepted; **tu ne dois pas montrer du doigt!** you shouldn't point!; **ces mesures doivent permettre une amélioration du niveau de vie** these measures should allow an improvement in the standard of living; **le texte doit pouvoir être compris de tous** the text should be comprehensible to everyone; **il doit absolument éviter l'alcool** it's imperative that he avoid alcohol, he really must avoid alcohol; **je dois dire/reconnaître que cela ne m'étonne pas** I have to *ou* I must say/admit I'm not surprised; **je dois avouer que j'ai hésité** I have to *ou* must admit I did hesitate; **vous devrez être attentif à cela** you'll have to *ou* you must watch out for that; **tu devrais réfléchir avant de parler** you should think before you speak; **on devrait mettre cet enfant au lit** this child ought to be put to bed; **elle ne doit pas être fière!** she must be ashamed of herself!; **ils ne doivent plus lui faire confiance** they can't trust him any more; **je devais avoir 12 ans à ce moment-là** I must have been 12 at the time; **ils doivent arriver d'une minute à l'autre** they're due to arrive any minute
2 (être dans la nécessité de) **l'entreprise va ~ fermer** the company will have to close, the company is going to have to close; **encore doivent-elles faire leurs preuves** they still have to prove themselves; **dois-je prendre un parapluie?** should I take an umbrella?, do I need to take an umbrella?; **dussé-je en mourir** liter even if I die for it; **il a cru ~ partir** he felt obliged to leave
3 (exprime une prévision) **elles devaient en parler** they were to talk about it; **le contrat doit être signé à 16 heures** the contract is to be signed at 4 pm; **cet argent devait rester disponible** this money was to have remained available; **à quelle heure doit-il rentrer?** what time should he be home?; **à quoi doivent-ils s'attendre ensuite?** what are they to expect next?; **nous ne devons pas partir cet été** we're not intending to go away this summer; **je dois le voir demain** I'll be seeing him tomorrow; **je dois m'absenter prochainement** I'll have to leave shortly; **nous devions partir quand il s'est mis à pleuvoir** we were about to leave when it started raining, we should have left but it started raining
4 (exprime la fatalité) **10 ans plus tard, il devait sombrer dans la pauvreté** 10 years later, he was to be found languishing in poverty; **ce qui devait arriver arriva** the inevitable happened; **cela devait arriver** it had *ou* it was bound to happen; **nous devons tous mourir un jour** we all have to die some day; **elle devait mourir dans un accident de voiture** she was to die in a car crash
B *vtr* **1** (avoir à payer) to owe [*argent, repas*]; **~ qch à qn** to owe sth to sb, to owe sb sth; **il déteste ~ de l'argent** he hates owing money; **combien vous dois-je?** (pour un service) how much do I owe you?; (pour un achat) how much is it?; **j'ai payé la veste mais je dois encore la jupe** I've paid for the jacket but I haven't paid for the skirt yet
2 (être redevable de) **~ qch à qn** to owe sth to sb, to owe sb sth; **~ qch à qch** to owe sth to sth ; **il doit tout à sa femme** he owes it all to his wife; **je te dois d'avoir gagné** it's thanks to you that I won; **c'est à votre générosité que nous devons de ne pas être morts de faim** it's thanks to your generosity that we didn't die of hunger; ▸ **chandelle**
3 (avoir une obligation morale) **~ qch à qn** to owe sb sth; **il me doit des excuses** he owes me an apology
C **se devoir** *vpr* **1** (avoir une obligation morale) **se ~ à qn/son pays** to have a duty to sb/one's country; **je me dois de le faire** it's my duty to do it, I have a duty to do it
2 (réciproquement) **les époux se doivent fidélité** spouses owe it to each other to be faithful
3 (par convention) **un homme de son rang se doit d'avoir un chauffeur** a man of his standing has to have a chauffeur

➡📖 *voir* Vivre dans un pays anglophone

D **comme il se doit** *loc adv* [1] (comme le veut l'usage) **faire qch/agir comme il se doit** to do sth/to act in the correct way; **il plaça les convives comme il se doit** he seated the guests as was proper
[2] (comme prévu) **comme il se doit, elle est en retard!** as you might expect, she's late!

devoir² /dəvwaʀ/
A *nm* [1] (obligation morale) duty; **avoir le sens du ~** to have a sense of duty; **homme/femme de ~** man/woman of conscience; **agir par ~** to act out of a sense of duty; **faire son ~** to do one's duty; **je n'ai fait que mon ~** I only did my duty; [2] (obligation imposée par la loi ou les convenances) duty; **manquer à tous ses ~s** to fail in all one's duties; **le ~ m'appelle!** duty calls!; **se faire un ~ de faire** to make it one's duty to do; **il est de mon ~ de** it's my duty to; **se mettre en ~ de faire qch** to set about doing sth; **voter est un droit, c'est aussi un ~** voting is not only a right, but also a duty; ▸ **réserve**; [3] Scol (exercice écrit) (fait en classe) test; (fait à la maison) homework ₵; **faire ses ~s** to do one's homework; **j'ai un ~ d'anglais demain** I've got an English test tomorrow; **j'ai un ~ à rendre pour lundi** I have a piece of homework to hand in on Monday
B †**devoirs** *nmpl* (hommages) respects; **présenter ses ~s à qn** to pay one's respects to sb; **les derniers ~s rendus à qn** the last respects paid to sb
(Composés) **~ d'ingérence** Pol *duty to interfere in the affairs of another nation*; **~ de mémoire** duty to remember (*past events*); **~ surveillé** *or* **sur table** Scol written test; **~ de vacances** holiday homework (*done from workbooks*)

dévoisé, ~e /devwaze/ *adj* devoiced

dévoltage /devɔltaʒ/ *nm* cut in voltage

dévolter /devɔlte/ [1] *vtr* to reduce the voltage of [*circuit*]

dévolu, ~e /devɔly/
A *adj* [1] (échu par droit) devolved (**à** to); [2] (réservé) reserved (**à** for)
B *nm* **jeter son ~ sur** to set one's heart on [*objet*]; to set one's cap at [*personne*]

dévolution /devɔlysjɔ̃/ *nf* devolvement

devon /dəvɔ̃/ *nm* lure

Devon ▸ **p. 721** *nprm* **le ~** Devon

dévonien, -ienne /devɔnjɛ̃, ɛn/ *adj* [*système*] devonian

dévorant, ~e /devɔʀɑ̃, ɑ̃t/ *adj* [*faim, flamme*] voracious; [*soif*] raging; [*passion, amour*] all-consuming

dévorer /devɔʀe/ [1] *vtr* [1] (consommer) to devour [*nourriture, proie, livre*]; **être dévoré par les moustiques** to be eaten alive by mosquitoes; **~ qn de baisers** to smother sb with kisses; **~ qn des yeux** to devour sb with one's eyes; [2] (miner) [*obsession, sentiment*] to consume; **dévoré d'ambition/de chagrin** consumed with ambition/sorrow; [3] (consumer) to go through [*héritage*]; to eat up [*kilomètres*]; to take up [*temps*]

dévot, ~e /devo, ɔt/
A *adj* (très pieux) devout
B *nm,f* pej sanctimonious person

dévotion /devosjɔ̃/
A *nf* [1] (ferveur) devoutness; (culte) devotion (**à** to); **un lieu/livre de ~** a place/book of devotion; [2] (dévouement) **être à la ~ de qn** to be totally devoted to sb; **avec ~** devotedly; [3] (adoration) passion; **elle a une véritable ~ pour la musique** she has a real passion for music
B **dévotions** *nfpl* **faire ses ~s** to perform one's devotions

dévoué, ~e /devwe/ *adj* devoted (**à** to); **votre ~ serviteur**† your devoted servant

dévouement /devumɑ̃/ *nm* devotion (**à qn/qch** to sb/sth); **avec ~** with devotion

dévouer: se dévouer /devwe/ [1] *vpr* [1] (se consacrer) to devote oneself (**à** to), to dedicate oneself (**à** to); [2] (faire abnégation) to put oneself out (**pour qn/qch** for sb/sth; **pour faire** to do); **c'est toujours elle qui se dévoue** she's always the one who puts herself out

dévoyé, ~e /devwaje/
A *pp* ▸ **dévoyer**
B *pp adj* [*personne, esprit*] depraved
C *nm,f* depraved person; **jeune ~** (young) delinquent

dévoyer /devwaje/ [23]
A *vtr* [1] (pervertir) to deprave, to lead [sb] astray [*personne*]; [2] (déformer) to corrupt; **~ le sens d'un mot** to corrupt the meaning of a word
B **se dévoyer** *vpr* to go astray; **il s'est dévoyé au contact de ses nouveaux amis** he's been led astray by his new friends

dextérité /dɛksteʀite/ *nf* (adresse manuelle) dexterity, skill; (adresse de l'esprit) skill; **avec ~** with skill, skilfully[GB]

dextre /dɛkstʀ/
A *adj* Hérald dexter
B †*nf* right hand

dextrine /dɛkstʀin/ *nf* dextrin

DG /deʒe/ *nm* (*abbr* = **directeur général**) MD

DGA /deʒea/ *nm* (*abbr* = **directeur général adjoint**) assistant general manager

DGLF /deʒeɛlɛf/ *nf: abbr* ▸ **délégation**

dia: **à hue et à dia** /ayeadja/ *loc adv* **tirer à hue et à ~** to pull in opposite directions

diabète /djabɛt/ ▸ **p. 283** *nm* diabetes; **avoir du ~** to have diabetes

diabétique /djabetik/ *adj, nmf* diabetic

diable /djɑbl/
A *nm* [1] Mythol, Relig devil; **le Diable** the Devil; **signer un pacte avec le ~** to make a pact with the devil; **vendre son âme au ~** to sell one's soul to the devil; **avoir un mal du ~** *or* **de tous les ~s à faire** to have a devil *ou* a hell○ of a job doing; **se donner un mal de tous les ~s** to take a tremendous amount of trouble (**pour qch** over sth; **pour faire** to do); **du ~** [*courage, peur*] terrific; **il fait un froid du ~** *or* **de tous les ~s** it's hellishly cold; **un ~ d'homme/de métier** quite a man/job; **cette ~ de fille a vraiment du courage** what a fantastic girl—she really is brave; **en ~** [*difficile*] diabolically; [*beau*] devastatingly; [*intelligent*] fiendishly; ▸ **bénitier, démener, Dieu**; [2] (enfant) **un (petit) ~** a little devil; **faire le ~** to be up to mischief; [3] (individu) **un pauvre ~** a poor devil; **un bon ~** a decent sort; **ce n'est pas un mauvais ~** he's not a bad sort; **un grand ~** a beanpole; [4] (jouet) **~ (en boîte)** jack-in-the-box; [5] Culin (ustensile) *a high-lidded earthenware cooking vessel*; [6] Tech (chariot) two-wheeled trolley GB, hand truck US
B *excl* gosh! GB, my God!; **du ~ si** I'm damned if○; **faites un effort, que ~!** make an effort, damn it○!; **pourquoi/comment/qui/où ~** why/how/who/where on earth; **au ~ l'avarice!** hang the expense!; **au ~ les scrupules!** to hell○ with scruples!
C **à la diable** *loc* [1] (hâtivement) any old how; [2] Culin [*volaille, sauce*] devilled[GB]
(Composés) **~ cornu** moloch; **~ de mer** devilfish; **~ de Tasmanie** Tasmanian devil
(Idiomes) **habiter au ~** *or* **à tous les ~s** to live miles from anywhere; **qu'il aille au ~** *or* **à tous les ~s** *or* **aux cinq cents ~s!** he can go to the devil!; **que le ~ t'emporte!** to hell with you!; **(que) le ~ m'emporte si je me trompe** I'll eat my hat if I'm wrong; **à moins que le ~ s'en mêle** unless something weird occurs; **ce n'est pas le ~!** it's not that difficult!; **c'est le ~ pour faire** it's the devil of a job to do; **ce serait bien le ~ si** it would be odd if; **ce serait tenter le ~** that would be asking for it; **avoir le ~ au corps** to be like someone possessed; **tirer le ~ par la queue** to live from hand to mouth; **se faire un sang du ~** to get into a terrible state; **se débattre comme un beau ~** to fight tooth and nail; **surgir comme un ~ de sa boîte** to pop up out of the blue

diablement /djɑbləmɑ̃/ *adv* [*courageux, sévère*] terrifically; [*intelligent*] fiendishly; [*beau*] devastatingly; **il fait ~ chaud** it's hellishly○ hot

diablerie /djɑbləʀi/ *nf* mischief ₵; **ses ~s m'exaspèrent** his/her mischievous behaviour drives me mad

diablesse /djɑblɛs/ *nf* [1] Mythol, Relig she-devil; [2] (enfant) little devil; [3] †(femme méchante) she-devil

diablotin /djɑblɔtɛ̃/ *nm* [1] Mythol imp; [2] (enfant) little imp; [3] (pétard) ≈ party cracker

diabolique /djabɔlik/ *adj* [1] Relig [*inspiration, pouvoir*] diabolic; [2] (malveillant) [*personne, sourire*] demonic; [*machination, idée, ruse*] devilish; [*invention*] devilish, diabolical; [3] (pénible, difficile) [*problème, situation*] diabolical; [4] (extrême) [*précision, habileté*] uncanny

diaboliquement /djabɔlikmɑ̃/ *adv* fiendishly, diabolically

diaboliser /djabɔlize/ [1] *vtr* to demonize [*personne, entreprise*]

diabolo /djabɔlo/ *nm* (jouet) diabolo
(Composés) **~ grenadine** grenadine and lemonade GB *ou* soda US; **~ menthe** mint cordial and lemonade GB *ou* soda US

diachronie /djakʀɔni/ *nf* diachrony

diachronique /djakʀɔnik/ *adj* diachronic

diacide /diasid/ *adj, nm* diacid

diaconat /djakɔna/ *nm* diaconate

diaconesse /djakɔnɛs/ *nf* deaconess

diacre /djakʀ/ *nm* deacon

diacritique /djakʀitik/ *adj* diacritic; **signe ~** diacritic mark

diadème /djadɛm/ *nm* [1] (parure) tiara; [2] Hist diadem

diagnostic /djagnɔstik/ *nm* [1] Méd diagnosis; **bon/mauvais ~** correct/wrong diagnosis; **~ prénatal/psychiatrique** prenatal/psychiatric diagnosis; **établir** *or* **poser un ~** to make a diagnosis; **erreur de ~** error in diagnosis; **avoir un bon ~** to be good at making diagnoses; [2] (évaluation) diagnosis; **~ d'un expert** expert opinion
(Composé) **~ préimplantatoire** pre-implantation genetic diagnosis

diagnostique /djagnɔstik/ *adj* diagnostic

diagnostiquer /djagnɔstike/ [1] *vtr* lit, fig to diagnose

diagonal, ~e, *mpl* **-aux** /djagɔnal, o/
A *adj* diagonal
B **diagonale** *nf* diagonal; **en ~e** [*traverser, disposer*] diagonally; **lire qch en ~e** to skim through sth

diagonalement /djagɔnalmɑ̃/ *adv* diagonally

diagramme /djagʀam/ *nm* (courbe graphique) graph
(Composés) **~ de température** Méd temperature chart; **~ d'une phrase** sentence diagram

dialectal, ~e, *mpl* **-aux** /djalɛktal, o/ *adj* dialectal

dialecte /djalɛkt/ *nm* dialect

dialecticien, -ienne /djalɛktisjɛ̃, ɛn/ *nm,f* dialectician

dialectique /djalɛktik/
A *adj* dialectical
B *nf* dialectic

dialectiquement /djalɛktikmɑ̃/ *adv* dialectically

dialectologie /djalɛktɔlɔʒi/ *nf* dialectology

dialogue /djalɔg/ *nm* dialogue[GB] (**entre** between; **avec** with)
(Composé) **un ~ de sourds** a dialogue[GB] of the deaf

dialoguer /djalɔge/ [1]
A *vtr* (mettre en dialogue) to put [sth] into dialogue[GB] [*roman*]; **une scène dialoguée** a conversational scene
B *vi* to have talks (**avec** with), to enter into

dialogue^GB (avec, with); **accepter de ~ avec l'ennemi** to agree to have talks with the enemy; **les deux camps refusent de ~** the two camps are refusing to talk

dialoguiste /djalɔgist/ ▸ **p. 532** *nmf* Cin screenwriter, dialogist

dialyse /djaliz/ *nf* dialysis

dialysé, **~e** /djalize/ *nm,f* dialysis patient

dialyser /djalize/ [1] *vtr* **1** Méd to perform dialysis on [*malade*]; **être dialysé** to have dialysis treatment; **2** Chimie to dialyse^GB [*mélange*]

dialyseur /djalizœʀ/ *nm* dialyser^GB

diamant /djamɑ̃/ *nm* **1** Minér diamond; **~ brut** rough diamond; **2** Audio (de tête de lecture) stylus

(Composé) **~ de vitrier** glazier's diamond

diamantaire /djamɑ̃tɛʀ/ ▸ **p. 532** *nm* (tailleur) diamond cutter; (commerçant) diamond merchant

diamantifère /djamɑ̃tifɛʀ/ *adj* diamondiferous

diamétralement /djametʀalmɑ̃/ *adv* diametrically; **des opinions ~ opposées** diametrically opposite opinions; **une opinion ~ opposée à la mienne** an opinion diametrically opposed to mine

diamètre /djamɛtʀ/ *nm* diameter

diane /djan/ *nf* Mil reveille; **battre** *or* **sonner la ~** to sound the reveille

Diane /djan/ *npr* **~ (chasseresse)** Diana (the Huntress)

diantre† /djɑ̃tʀ/ *excl* **(que) ~!** good heavens!; **où/comment/pourquoi ~?** where/how/why on earth?

diapason /djapazɔ̃/ *nm* Mus **1** (note) diapason; **2** (instrument) **~ (à branches)** tuning fork; **~ à bouche** pitch pipe; **~ électronique** tuner

(Idiomes) **se mettre au ~** to fall in step (**de** with); **être au ~** to be in tune

diaphane /djafan/ *adj* liter [*teint*] pallid; [*brume*] hazy; [*tissu*] diaphanous; [*papier*] translucent

diaphragme /djafʀagm/ *nm* **1** Anat, Bot diaphragm; **2** (en contraception) cap, diaphragm; **3** (de haut-parleur) diaphragm; **4** Phot diaphragm, stop

diaphragmer /djafʀagme/ [1] *vi* Phot to adjust the aperture; **~ à 16** to adjust the aperture to 16

diaphyse /djafiz/ *nf* shaft, diaphysis spéc

diapo○ /djapo/ *nf* (*abbr* = **diapositive**) slide

diaporama /djapɔʀama/ *nm* slide show

diapositive /djapozitiv/ *nf* slide

diapré, **~e** /djapʀe/ *adj* liter iridescent

diaprer /djapʀe/ [1] *vtr* liter to dapple (**de** with)

diaprure /djapʀyʀ/ *nf* liter iridescence

diarrhée /djaʀe/ *nf* diarrhoea; **avoir la ~** to have diarrhoea

diarrhéique /djaʀeik/ *adj* diarrhoeic^GB

diarthrose /djaʀtʀoz/ *nf* diarthrosis

diaspora /djaspɔʀa/ *nf* diaspora; **la ~ ukrainienne** the Ukrainian diaspora

Diaspora /djaspɔʀa/ *nf* Hist, Relig **la ~ (juive)** the (Jewish) Diaspora

diastase /djastɑz/ *nf* diastase

diastasique /djastazik/ *adj* diastatic

diastole /djastɔl/ *nf* diastole

diastolique /djastɔlik/ *adj* diastolic

diathermie /djatɛʀmi/ *nf* diathermy

diatomique /diatɔmik/ *adj* diatomic

diatonique /djatɔnik/ *adj* diatonic

diatribe /djatʀib/ *nf* diatribe (**contre** against); **se lancer dans une ~** to launch into a diatribe

dichotomie /dikɔtɔmi/ *nf* dichotomy

dichotomique /dikɔtɔmik/ *adj* dichotomous, dichotomic

dichromatique /dikʀɔmatik/ *adj* dichromatic

dico○ /diko/ *nm* (*abbr* = **dictionnaire**) dictionary

dicotylédone /dikɔtiledɔn/
A *adj* dicotyledonous
B *nf* dicotyledon

dictaphone® /diktafɔn/ *nm* Dictaphone®

dictateur /diktatœʀ/ *nm* dictator; **jouer au ~** fig to behave *ou* act like a dictator

dictatorial, **~e**, *mpl* **-iaux** /diktatɔʀjal, o/ *adj* dictatorial

dictature /diktatyʀ/ *nf* dictatorship; **vivre sous une ~** to live under *ou* in a dictatorship; **la ~ des sondages en matière de politique** fig the tyranny of opinion polls in politics

(Composé) **~ du prolétariat** dictatorship of the proletariat

dictée /dikte/ *nf* **1** Scol (exercice) dictation; **faire une ~** to do a dictation; **faire faire une ~ à qn** to give sb a dictation; **2** (action de dicter) **écrire sous la ~ de qn** [*élève, secrétaire*] to take down sb's dictation; (sous la contrainte) to write down what sb dictates; **agir sous la ~ des événements/circonstances** to act as events/circumstances dictate

(Composé) **~ musicale** musical dictation

dicter /dikte/ [1] *vtr* **1** (à haute voix) to dictate [*texte, lettre*]; **~ qch à qn** to dictate sth to sb; **2** (motiver) to motivate, to dictate; **le souci d'aider autrui dicte notre action** our action is motivated by the desire to help others; **3** (imposer) to dictate (**à** to), to impose (**à** on); **les ravisseurs ont dicté leurs conditions à la police** the kidnappers^GB dictated their conditions to the police; **je ne me laisserai pas ~ ma conduite par cet imbécile** I'm not going to be dictated to by that idiot; **une paix dictée** an imposed peace settlement

diction /diksjɔ̃/ *nf* **1** gén diction; **avoir une bonne/mauvaise ~** to have good/poor diction; **2** Cin, Théât elocution; **professeur/cours de ~** elocution teacher/lesson

dictionnaire /diksjɔnɛʀ/ *nm* **1** gén dictionary; **un ~ de langue/synonymes** a dictionary of language/synonyms; **~ bilingue** bilingual dictionary; **~ encyclopédique** encyclopedic dictionary; **~ français-anglais** French-English dictionary; **2** Ordinat dictionary

(Composés) **~ analogique** ≈ thesaurus; **~ électronique** electronic dictionary; **~ inverse** reverse dictionary

dicton /diktɔ̃/ *nm* saying; **comme le dit le ~** as the saying goes

didacticiel /didaktisjɛl/ *nm* educational software program

didactique /didaktik/
A *adj* **1** (instructif) [*ouvrage, ton*] didactic; [*jouet*] educational; **matériel ~** teaching aids (*pl*); **2** (de spécialiste) [*terme, expression, langage*] technical, specialist (*épith*)
B *nf* didactics (+ *v sg*)

didactiquement /didaktikmɑ̃/ *adv* didactically

didactyle /didaktil/ *adj* didactyle

didascalie /didaskali/ *nf* stage direction

Didon /didɔ̃/ *npr* Dido

Die /di/ ▸ **p. 894** *npr* Die

dièdre /djɛdʀ/ *adj, nm* dihedral

Dieppe /djɛp/ ▸ **p. 894** *npr* Dieppe

dieppois, **~e** /djɛpwa, az/ ▸ **p. 894** *adj* of Dieppe

Dieppois, **~e** /djɛpwa, az/ ▸ **p. 894** *nm,f* (natif) native of Dieppe; (habitant) inhabitant of Dieppe

diérèse /djeʀɛz/ *nf* diaeresis; **faire la ~** to pronounce the diaeresis

dièse /djɛz/
A *adj* sharp; **do ~** C sharp
B *nm* sharp

diesel* /djezɛl/ *nm* **1** (moteur) **(moteur) ~** diesel (engine); **2** (véhicule) diesel; **fourgonnette/voiture ~** diesel van/car

diète /djɛt/ *nf* **1** Méd light diet; **mettre qn à la ~** to put sb on a light diet; **être à la ~** to be on a light diet; **2** Hist diet

diététicien, **-ienne** /djetetisjɛ̃, ɛn/ ▸ **p. 532** *nm,f* dietician

diététique /djetetik/
A *adj* dietary (*épith*); **ce n'est pas très ~ de manger du pain avec des pâtes** it's not very healthy to eat bread with pasta
B *nf* dietetics (+ *v sg*); **magasin de ~** health food shop GB *ou* store US

dieu, *pl* **~x** /djø/ *nm* **1** Mythol, Relig god; **le ~ des mers** the god of the sea; **les ~x égyptiens** the Egyptian gods; **grands ~x!** God almighty!; **vingt ~x**○**!** good God almighty○!; **2** (personne talentueuse) **sur le terrain c'est un ~** he's brilliant on the sports field; **le ~ du tennis/golf** the greatest tennis player/golfer

(Idiomes) **être beau comme un ~** to look like a Greek god; **nager/skier/jouer comme un ~** to be a superb swimmer/skier/player; **jurer ses grands ~x que...** to swear to God that...; **être dans le secret des ~x** to be privy to the secrets of those on high

Dieu /djø/ *nm* Relig God; **~ le père** God the Father; **le royaume de ~** the kingdom of God; **croire en ~** to believe in God; **le bon ~** the good Lord; **mon ~!** my God!; **grand ~!** God almighty!; **~ du ciel!** God in heaven!; **bon ~◑!** for God's sake!; **bon ~ d'bon ~◑!** good God almighty○!; **nom de ~◑!** Christ almighty◑!; **~ merci!** thank God!; **~ me pardonne!** God forgive me!; **~ vous entende!** may God hear your prayer!; **~ soit loué** *or* **béni!** thanks be to God!; **~ te garde!** may God protect you!; **~ m'en garde!** God forbid!; **~ ait son âme!** God rest his/her soul; **c'est pas ~ possible**○**!** good God, it's not possible!; **~ sait si je l'avais prévenu!** goodness *ou* God knows I warned him!; **~ sait pourquoi/quand!** goodness (only) knows why/when; **~ seul le sait** goodness only knows; **si ~ le veut** God willing; ▸ **confession**, **femme**, **fou**, **homme**

(Idiomes) **se prendre pour ~ le père** to think one is God Almighty; **ne craindre ni ~ ni diable** to fear neither Heaven nor Hell; **ne croire ni à** *or* **en ~ ni au diable** not to believe in anything; **chaque jour que ~ fait** day in, day out; **chacun pour soi et ~ pour tous** every man for himself (and God for us all); **l'homme propose et ~ dispose** man proposes, God disposes; **il vaut mieux s'adresser à ~ qu'à ses saints** Prov always go straight to the top; **qui donne aux pauvres prête à ~** Prov he who gives to the poor will be rewarded in heaven; **~ reconnaîtra les siens** the Lord looks after his own; **c'est la maison du bon ~ ici!** it's open house here!

diffamant, **~e** /difamɑ̃, ɑ̃t/ *adj* slanderous, defamatory

diffamateur, **-trice** /difamatœʀ, tʀis/
A *adj* **1** gén slanderous, defamatory; **2** Jur [*écrits*] libellous^GB; [*propos*] slanderous
B *nm,f* (par écrit) libeller^GB; (verbalement) slanderer

diffamation /difamasjɔ̃/ *nf* **1** gén slander, defamation; **2** Jur (par écrit) libel; (verbalement) slander; **plainte en ~** libel suit; **poursuivre qn en ~** to sue sb for libel

diffamatoire /difamatwaʀ/ *adj* **1** gén slanderous, defamatory; **2** Jur (par écrit) libellous^GB; (oralement) slanderous; **écrit ~** libel

diffamer /difame/ [1] *vtr* **1** gén to slander, to defame; **2** Jur (par écrit) to libel; (verbalement) to slander

différé, **~e** /difeʀe/
A *pp* ▸ **différer**
B *pp adj* **1** (remis) postponed; **2** Fin deferred; **3** Radio, TV pre-recorded
C *nm* recording; **match Cameroun-Roumanie en ~** recording of the Cameroon-Romania match; **le discours du président sera diffusé**

en ~ the broadcast of the president's speech will be a recording; **en léger ~** recorded moments before

différemment /difeʀamɑ̃/ *adv* differently (**de** from); **un peu ~** a little bit differently; **il en va ~ de** *or* **pour** it's a different matter for

différence /difeʀɑ̃s/ *nf* 1 (écart) difference (**entre** between); **~ de salaire/d'âge** wage/age difference; **~ de taille/statut** difference in height/status; **~ d'opinion** difference of opinion; **à une ~ près** with one difference; **à quelques petites ~s près** with one or two little differences; 2 (distinction) difference (**entre** between); **faire la ~** to tell the difference; **je suis incapable de faire la ~** I cannot tell the difference; **à la ~ de** unlike; **à la ~ que, à cette ~ que** with the difference that; 3 (discrimination) differentiation ₵ (**entre** between); **faire des ~s entre ses enfants** to differentiate between one's children; 4 (spécificité) difference; **le droit à la ~** the right to be different; **faire la ~** to make all the difference; **le style fait la ~** the style makes the difference; 5 Math difference

(Composé) **~ de potentiel** Phys potential difference

différenciation /difeʀɑ̃sjasjɔ̃/ *nf* differentiation; **~ cellulaire** Biol cellular differentiation

différencié, ~e /difeʀɑ̃sje/
A *pp* ▸ **différencier**
B *pp adj* 1 (varié) [*situation, évolution*] diverse; 2 (bien distinct) distinct; 3 Comm (spécifique) [*produit, service*] differentiated

différencier /difeʀɑ̃sje/ [2]
A *vtr* 1 (distinguer) to differentiate (**de** from); **rien ne les différencie** there's no way of telling them apart; 2 (créer une différence) to make [sb/sth] different (**de** from); **leur éducation les a différenciés l'un de l'autre** their education has made them different from each other; 3 (voir une différence) to differentiate between; **être incapable de ~ l'école flamande et l'école hollandaise** *or* **l'école flamande de l'école hollandaise** to be unable to tell the difference between the Flemish school and the Dutch school; 4 Math to differentiate
B se différencier *vpr* 1 (se rendre différent) [*personne, parti, organisation*] to differentiate oneself (**de** from); 2 (pouvoir être distingué) to differ, to be different (**de** from); 3 (devenir différent) to become different (**de** from); 4 Biol to differentiate

différend /difeʀɑ̃/ *nm* disagreement (**entre** between; **sur** over)

différent, ~e /difeʀɑ̃, ɑ̃t/ *adj* 1 (dissemblable) different (**de** from); 2 (varié) different, various; **il a choisi de ne pas venir pour ~es raisons** he chose not to come for various reasons *ou* for a number of reasons; **à ~s moments** at various times; **en ~s endroits** in different places; **à ~es heures de la journée** at different times of the day

différentiation /difeʀɑ̃sjasjɔ̃/ *nf* Math differentiation

différentiel, -ielle /difeʀɑ̃sjɛl/
A *adj* (tous contextes) differential
B *nm* Écon, Mécan differential
C différentielle *nf* Math differential

différer /difeʀe/ [14]
A *vtr* (remettre à plus tard) to postpone [*départ, réunion, décision*]; to defer [*paiement, remboursement*]
B *vi* (être différent) to differ (**de** from); **~ peu** to differ little; **ne ~ en rien** not to differ at all; **~ en ce que** to differ in that; **~ par** to differ in; **~ par le caractère** to differ in character

difficile /difisil/ *adj* 1 (malaisé, pénible) [*moment, parcours, conditions, atterrissage*] difficult; [*langue, problème, ascension, rôle, passage*] difficult, hard; [*victoire*] hard-won (*épith*); **avoir des débuts ~s** to have a difficult start; **c'est ~ à faire, il est ~ de faire** it's difficult *ou* hard to do; **le plus ~ reste à faire** the worst is yet to come; 2 (indocile) [*personne, caractère, humeur*] difficult; **un enfant ~ à élever** a difficult child; **être ~ à vivre** to be difficult to live with; 3 (exigeant) fussy (**sur** about); **il ne mange rien, il est trop ~** he doesn't eat anything, he's too fussy *ou* finicky; **je ne t'achète plus rien, tu es trop ~!** I won't buy you anything else, you're too fussy!; **est-ce que ce cadeau va lui plaire? elle est si ~!** will she like this present? she's so hard to please!; **tu le trouves beau? tu n'es pas ~!** do you think he's good-looking? you're not hard to please!; **être ~ sur** to be fussy about [*choix, nourriture, boisson*]; **faire le ~, faire la ~** to be fussy

difficilement /difisilmɑ̃/ *adv* [*se lever, atteindre, imaginer, admettre*] with difficulty; **je pouvais ~ dire non** I couldn't very well say no; **la chaleur/douleur est ~ supportable** the heat/pain is hard to bear

difficulté /difikylte/ *nf* 1 (peine) difficulty; **toute la ~ est là** therein lies the difficulty; **aimer/fuir la ~** to enjoy/to avoid difficulties; **reconnaître la ~ d'une tâche/d'une situation** to admit that a task/a situation is difficult; **avoir/éprouver de la ~ à faire** to have/to experience difficulty (in) doing; **avec ~** with difficulty; **en ~** [*avion, bateau, personne, famille, secteur*] in difficulties *ou* trouble; **mettre qn/se mettre en ~** to put sb/to put oneself in a difficult position; 2 (obstacle) difficulty, problem; **la principale/seconde ~ a été de faire** the main/second difficulty was to do; **avoir des ~s scolaires** *or* **à l'école** to have problems at school; **connaître/avoir des ~s financières/techniques** to experience/to have financial/technical difficulties; **ne présenter aucune ~** to present no difficulty; **sans ~(s)** without any difficulty; **non sans ~s** not without difficulty; **avoir des ~s en français/algèbre** to have difficulty with *ou* in French/algebra; **avoir des ~s à** *or* **pour faire** to have difficulty (in) doing; **avoir des ~s de stationnement/logement/trésorerie** to have problems parking/with housing/with one's finances; 3 (objection) objection; **faire des ~s** to raise objections (**pour faire** about doing); **elle n'a fait aucune ~** she didn't raise a single objection

difforme /difɔʀm/ *adj* [*corps, partie du corps*] deformed; [*objet, édifice*] strangely shaped (*épith*); [*arbre*] twisted

difformité /difɔʀmite/ *nf* deformity

diffracter /difʀakte/ [1] *vtr* to diffract

diffraction /difʀaksjɔ̃/ *nf* diffraction

diffus, ~e /dify, yz/ *adj* 1 [*lumière, chaleur*] diffuse; 2 [*sentiment, impression*] vague; [*style, exposé*] pej diffuse, loose

diffuser /difyze/ [1]
A *vtr* 1 Radio, TV to broadcast [*émission, reportage*]; **le concert a été diffusé en direct** the concert was broadcast live; **émission diffusée sur la deuxième chaîne** programme[GB] broadcast on channel two; **le match de tennis sera diffusé en différé** a recording of the tennis match will be broadcast; 2 (propager) to spread [*nouvelle, mode*]; to disseminate, to spread [*idées*]; **la police a diffusé le signalement du jeune fugueur** the police sent out *ou* issued a description of the young runaway; 3 Comm (distribuer) to distribute [*article, produit, revue*]; 4 (émettre) to diffuse [*lumière, chaleur*]
B *vi* [*matière, fluide, particules*] to diffuse
C se diffuser *vpr* [*nouvelle, information*] to spread; [*chaleur, lumière*] to be diffused

diffuseur /difyzœʀ/ *nm* 1 Comm, Presse (distributeur) distributor; 2 fig (propagateur) disseminator, spreader; 3 (de lumière) diffuser; 4 Radio, TV, Cin broadcaster; 5 Aut jet

(Composés) **~ d'insecticide** electric insecticide diffuser; **~ de parfum** air freshener

diffusion /difyzjɔ̃/ *nf* 1 Radio, TV, Cin broadcasting; **à la suite d'incidents techniques, la ~ du match de tennis n'aura pas lieu** due to technical problems, the tennis match will not be broadcast; **la ~ du film a provoqué un scandale** the showing of the film caused a scandal; 2 (de connaissances, d'écrits) dissemination, diffusion; 3 Comm (distribution) distribution; 4 Presse circulation; **à large ~** with a wide circulation; 5 Méd, Phys diffusion

(Composé) **~ personnalisée** *or* **sélective** push technology

digérer /diʒeʀe/ [14] *vtr* 1 Physiol to digest; **bien/mal ~** to have good/bad digestion; **un plat difficile à ~** a dish that is difficult to digest; **bois une tisane pour ~** drink some herbal tea to help your digestion; 2 (assimiler) to digest [*lecture, connaissances*]; **une théorie mal digérée** an ill-digested theory; 3 °(accepter) to swallow [*insulte, affront*]; to stomach [*défaite*]; **il a du mal à ~ son échec** he finds it hard to come to terms with his failure

digest /diʒɛst/ *nm* 1 (résumé) synopsis; 2 (volume) digest

digeste /diʒɛst/ *adj* easily digestible, easy to digest; **les cours ne sont pas très ~s** fig the lectures are very heavy-going

digestibilité /diʒɛstibilite/ *nf* digestibility

digestible /diʒɛstibl/ *adj* digestible

digestif, -ive /diʒɛstif, iv/
A *adj* Physiol digestive
B *nm* (liqueur) liqueur (*taken after dinner*); (eau-de-vie) brandy

digestion /diʒɛstjɔ̃/ *nf* Chimie, Physiol digestion; **faciliter la ~** to aid digestion; **problèmes de ~** digestive problems

digicode® /diʒikɔd/ *nm* digital (access) lock

digipuncture /diʒipɔ̃ktyʀ/ *nf* acupressure

digital, ~e, *mpl* **-aux** /diʒital, o/
A *adj* 1 (qui appartient aux doigts) [*artères, veines, nerfs*] digital; 2 (numérique) [*affichage, lecture, montre, enregistrement*] digital
B digitale *nf* Bot digitalis

(Composé) **~e pourprée** foxglove

digitaline /diʒitalin/ *nf* digitalin

digitaliser /diʒitalize/ [1] *vtr* to digitize

digitopuncture /diʒitɔpɔ̃ktyʀ/ *nf* acupressure

diglossie /diglɔsi/ *nf* diglossia

digne /diɲ/ *adj* 1 (plein de dignité) [*personne, débat, geste, air, silence*] dignified; 2 (approprié) [*défenseur, émule, représentant, successeur*] worthy; 3 (méritant) **~ de confiance** *or* **de foi** trustworthy; **~ d'être loué** praiseworthy; **~ d'être souligné** noteworthy; **~ d'envie** enviable; **~ de ce nom** worthy of the name; 4 (à la hauteur de) **~ de** worthy of [*personne, mission*]

dignement /diɲmɑ̃/ *adv* 1 (avec dignité) [*se comporter*] with dignity; **très ~** with great dignity; 2 (comme il convient) [*accueillir, fêter*] fittingly

dignitaire /diɲitɛʀ/ *nm* dignitary; **hauts ~s de l'État** leading state dignitaries

dignité /diɲite/ *nf* 1 (qualité) dignity; **mourir dans la ~** to die with dignity; **la cérémonie s'est déroulée dans la ~** the ceremony was very dignified; **~ de l'homme** human dignity; **la ~ des travailleurs** the dignity of the workers; **notre ~ de femmes** our dignity as women; **rendre leur ~ aux détenus** to restore dignity to the prisoners; **avoir sa ~** to have one's pride; 2 (fonction) dignity; **élever/promouvoir à la ~ de** to raise/promote to the dignity of

digramme /digʀam/ *nm* digraph

digression /digʀesjɔ̃/ *nf* 1 (s'écartant du sujet) digression (**sur** about); **ne faites pas trop de ~s** let's not have too many digressions; **faire une ~, faire des ~s** to digress; **partir dans une ~** to go off on a tangent; 2 Astron digression

digue /dig/ *nf* 1 (au bord de la mer) sea wall; (pour polder) dyke GB, dike US; (autour d'un port) harbour[GB] wall; 2 (barrière morale) barrier;

élever une ~ contre to erect a barrier against

Dijon /diʒɔ̃/ ▸ **p. 894** *npr* Dijon

dijonnais, **~e** /diʒɔnɛ, ɛz/ ▸ **p. 894** *adj* of Dijon

Dijonnais, **~e** /diʒɔnɛ, ɛz/ ▸ **p. 894** *nm,f* (natif) native of Dijon; (habitant) inhabitant of Dijon

diktat* /diktat/ *nm* diktat

dilapidateur, **-trice** /dilapidatœʀ, tʀis/ *adj, nm,f* spendthrift

dilapidation /dilapidasjɔ̃/ *nf* (d'argent, de richesses) squandering; (d'énergie, de forces) waste

dilapider /dilapide/ [1] *vtr* to squander [*argent, fortune*]; to fritter away [*temps, énergie*]

dilatabilité /dilatabilite/ *nf* expansibility, dilatability

dilatable /dilatabl/ *adj* expansible, dilatable

dilatateur, **-trice** /dilatatœʀ, tʀis/
A *adj* dilative
B *nm* dilator

dilatation /dilatasjɔ̃/ *nf* **1** (de corps, gaz) expansion; **2** (de pupille, vaisseau, d'organe, orifice) dilation, dilatation spéc

dilater /dilate/ [1]
A *vtr* **1** (agrandir) to dilate [*orifice, pupille, vaisseau*]; to expand [*poumons*]; to distend [*estomac*]; **2** Phys to expand [*corps, gaz*]
B **se dilater** *vpr* **1** (s'agrandir) [*pupille, vaisseau, orifice*] to dilate (**de** with); [*poumons*] to expand; [*estomac*] to be distended; **2** Phys [*corps, gaz*] to expand; **se ~ sous l'effet de la chaleur** to expand in the heat

dilatoire /dilatwaʀ/ *adj* **1** (pour gagner du temps) [*tactique*] delaying; [*mesure, réponse, conduite*] intended to gain time; **2** Jur dilatory

dilemme /dilɛm/ *nm* dilemma; **se laisser enfermer dans un ~** to be caught in a dilemma

dilettante /dilɛtɑ̃t/ *nmf* gén amateur, dilettante péj; **peindre** *or* **faire de la peinture en ~** to dabble in painting; **écrire des romans en ~** to be an amateur novelist

dilettantisme /dilɛtɑ̃tism/ *nm* gén amateurism; péj dilettantism

diligemment /diliʒamɑ̃/ *adv* diligently

diligence /diliʒɑ̃s/ *nf* **1** (véhicule) stagecoach; **l'attaque de la ~** the stagecoach hold-up; **2** (empressement) haste; **faire qch avec ~** to do sth posthaste; **mettre beaucoup de ~ à faire qch** to do sth very promptly; **mettre peu de ~ dans l'exécution d'un ordre** to carry out an order in no great haste; **3** fml (soin attentif) diligence; **avoir de la ~** to be diligent; **4** Jur **à la ~ de qn** at the behest of sb

diligent, **~e** /diliʒɑ̃, ɑ̃t/ *adj* diligent; **être ~ dans son travail** to be a diligent worker; **soins ~s** diligent care

diligenter /diliʒɑ̃te/ [1] *vtr* to carry out [sth] diligently [*enquête*]

diluant /dilɥɑ̃/ *nm* Tech thinner

diluer /dilɥe/ [1]
A *vtr* **1** (diminuer la concentration de) to dilute (**avec** with; **dans** in); **alcool dilué** diluted alcohol; **2** (rendre plus liquide) to thin [sth] down; **~ qch avec qch** to thin sth with sth; **3** (rendre moins dense) to dilute [*énergie, force, idées, réponses*] (**dans** in)
B **se diluer** *vpr* **1** [*peinture, alcool, vernis*] to be diluted; **2** (se disperser) [*responsabilité*] to attenuate; [*énergie, force*] to attenuate; [*volonté*] to evaporate

dilution /dilysjɔ̃/ *nf* **1** (pour diminuer la concentration) dilution; (pour liquéfier) thinning down; **2** (solution) solution; **3** (perte de puissance) dilution; **~ des responsabilités** attenuation of responsibility

diluvien, **-ienne** /dilyvjɛ̃, ɛn/ *adj* **1** (torrentiel) **pluies diluviennes** torrential rain; **2** Bible diluvian

dimanche /dimɑ̃ʃ/ ▸ **p. 782** *nm* Sunday; **habits** *or* **toilette du ~** Sunday best; **conducteur** *or* **chauffeur du ~** Sunday driver; **peintre/poète/mécanicien du ~** weekend *ou* amateur painter/poet/mechanic

(Idiome) **ce n'est pas tous les jours ~** not every day is a holiday

dîme* /dim/ *nf* tithe

dimension /dimɑ̃sjɔ̃/ *nf* **1** Math, Phys dimension; **la troisième/quatrième ~** the third/fourth dimension; **espace/object à trois ~s** three-dimensional space/object; **film en trois ~s** three-D film; **2** (mesure) dimension; **prendre** *or* **noter les ~s de qch** to take (down) *ou* note the dimensions of sth; **3** (taille, grandeur) size; **de toutes les ~s** of all sizes; **un objet de petite/grande ~** a small/large object; **un matelas de ~s standard** a standard-size mattress; **4** (aspect, caractère) dimension, aspect; **la ~ humaine/spirituelle/politique de qch** the human/spiritual/political dimension *ou* aspect of sth; **donner** *or* **conférer une nouvelle ~ à qch** to give sth a new dimension; **5** (importance, ampleur) dimensions (*pl*); **une entreprise de ~ internationale** a company of international dimensions; **prendre la ~** *or* **les ~s de** to get the measure of [*problème, situation*]; **à la ~ de, aux ~s de** commensurate to *ou* with

dimensionner /dimɑ̃sjɔne/ [1] *vtr* Tech to size

diminué, **~e** /diminɥe/
A *pp* ▸ **diminuer**
B *pp adj* **1** (affaibli) [*personne, adversaire*] weak; **je l'ai trouvé physiquement très ~** I found him physically very weak; **je ne pensais pas qu'il était aussi ~** (physiquement) I didn't think that he would be so weak; (intellectuellement) I didn't think that his faculties would be so impaired; **2** Mus [*intervalle*] diminished

diminuendo /diminɥɛndo/ *adv* diminuendo

diminuer /diminɥe/ [1]
A *vtr* **1** (réduire) to reduce [*quantité, intensité, durée, niveau, chances*] (**à** to; **de** by); to lower [*taux, taxe, salaire*]; **pour ~ les frais/pertes/risques** to reduce the cost/losses/risks; **~ sa consommation d'alcool** to reduce one's alcohol intake; **2** (modérer) to dampen [*enthousiasme, courage*]; **le salaire proposé a vite diminué mon ardeur** the salary which was offered soon dampened my enthusiasm; **3** (dénigrer) to diminish [*exploit, succès, réussite*]; **~ les mérites/le talent de qn** to detract from sb's merits/talent; **4** (affaiblir) [*maladie, opération*] to weaken [*personne*]; to sap [*forces*]; **5** (en tricot) to decrease [*mailles*] ; **diminuez deux mailles à chaque rang** decrease (by) two stitches on every row; **diminuez de deux mailles** decrease (by) two stitches; **arrêtez de ~** stop decreasing
B *vi* **1** (se réduire) [*facture, montant, chômage, taux, prix*] to come *ou* go down (**de** by), to decrease (**de** by); [*écart*] to close; [*réserves, consommation, quantité*] to decrease, to diminish; [*croissance, volume, déficit, différence*] to decrease; [*production, ventes, demande*] to fall off; [*bougie, bouteille*] to go down; **notre pouvoir d'achat/notre salaire a diminué** our purchasing power/our salary has gone down; **les jours diminuent** the days are getting shorter; **2** (faiblir) [*activité, intérêt, attaques, violence*] to fall off; [*pression, tension*] to decrease , to diminish; [*bruit, flamme, orage, rire, rumeurs, colère*] to die down; [*forces, capacités*] to diminish; [*courage*] to fail; [*ardeur*] to cool; [*température, fièvre*] to go down

diminutif, **-ive** /diminytif, iv/
A *adj* [*suffixe*] diminutive
B *nm* gén diminutive; (familier) pet name; **Jacquot est le ~ de Jacques** Jacquot is a pet name for *ou* a diminutive of Jacques

diminution /diminysjɔ̃/ *nf* **1** (réduction) gén (provoquée ou contrôlée) reduction; (constatée) decrease; (de production, d'activités commerciales) fall-off; **exiger une ~ de la durée du travail** to demand a reduction in working hours; **constater une ~ des accidents** to notice a decrease in the number of accidents; **la ~ des naissances** the decline in the birthrate; **être en ~** gén to be decreasing; [*production, exportations*] to be falling off; **le taux de natalité est en ~** the birthrate is on the decline; **être en ~ de 7%** to be down by 7%; **2** (affaiblissement) diminishing; **3** (en tricot) **commencer les ~s** start decreasing; **faites deux ~s à chaque rang** decrease two at the end of each row

dimorphe /dimɔʀf/ *adj* Bot, Zool, Chimie dimorphous

dimorphisme /dimɔʀfism/ *nm* Bot, Zool, Chimie dimorphism

dinanderie /dinɑ̃dʀi/ *nf* (fabrication) brassmaking; (ustensiles) brasswork ¢

dinandier /dinɑ̃dje/ ▸ **p. 532** *nm* brassworker

dinar /dinaʀ/ ▸ **p. 48** *nm* dinar

dînatoire* /dinatwaʀ/ *adj* **buffet ~** buffet supper

dinde /dɛ̃d/ *nf* **1** Zool gén turkey; (femelle) turkey hen; **2** Culin turkey; **~ aux marrons** turkey with chestnuts; **escalope de ~** turkey escalope; **3** ○(femme stupide) (silly) goose○; **petite ~!** you silly goose!

dindon /dɛ̃dɔ̃/ *nm* **1** Zool turkey (cock); **2** ○(homme stupide) dope○, stupid man

(Idiome) **être le ~ de la farce** to be fooled *ou* duped

dindonneau, *pl* **~x** /dɛ̃dɔno/ *nm* **1** Zool (turkey) poult; **2** Culin turkey; **un rôti de ~** turkey roast

dîner* /dine/ [1]
A *nm* **1** (repas du soir) dinner; **c'est l'heure du ~** it's dinner time; **préparer le ~** to get dinner ready, to fix dinner US; **qu'est-ce qu'il y a pour le ~?** what's for dinner?; **le ~ est servi** dinner is ready *ou* served; **après ~** after dinner; **2** (repas de midi) dial, Belg, Can lunch
B *vi* **1** (prendre le repas du soir) to have dinner, to dine; **inviter qn à ~** to invite *ou* ask sb to dinner; **~ d'une soupe/d'un œuf** to have soup/an egg for dinner, to dine on soup/an egg; **2** (prendre le repas de midi) dial, Belg, Can to have lunch

(Idiome) **qui dort dîne** Prov when you're asleep you don't feel hungry

dînette* /dinɛt/ *nf* **1** (petit repas simulé) (children's) tea party; **jouer à la ~** to play at tea parties; **2** (service miniature) doll's tea set

dîneur, **-euse*** /dinœʀ, øz/ *nm,f* diner, person dining in a restaurant

ding /diŋ/
A *excl* ding!
B **ding, ding, dong** /diŋdɛ̃dɔ̃/ *loc excl* ding dong!

dingo○ /dɛ̃go/
A *adj* crazy○, nuts○; **il est devenu complètement ~** he's lost his marbles○
B ○*nmf* (idiot) nutter○, nutcase○
C *nm* Zool dingo

dingue○ /dɛ̃g/
A *adj* **1** (idiot) [*personne*] crazy○, nuts○; **2** (fou) [*ambiance, bruit, spectacle, succès*] wild; [*prix, vitesse*] ridiculous; **c'est ~!** (inadmissible) it's crazy!; (incroyable) it's amazing!; **3** (passionné) **être ~ de qch** to be crazy○ *ou* nuts○ about sth
B *nmf* **1** (fou) nutcase○, loony○; **il est chez les ~s** he's in a loony bin○; **2** (passionné) **être un ~ de musique/tennis** to be a music/tennis freak○; **c'est un ~ de la vitesse** he's a real speed-merchant *ou* speed-freak○

dinguer◑ /dɛ̃ge/ [1] *vi* **aller/venir ~** to go/to come flying; **la pile de livres a failli ~ dans l'escalier** the pile of books nearly went flying down the stairs; **envoyer ~ qn** (pousser) to send sb flying; (chasser) to send sb packing○

dinosaure /dinozɔʀ/ *nm* dinosaur

diocésain, **~e** /djɔsezɛ̃, ɛn/ *adj, nmf* diocesan

diocèse /djɔsɛz/ *nm* diocese

diode /djɔd/ *nf* diode

Diogène /djɔʒɛn/ *npr* Diogenes

diois, **~e** /diwa, az/ ▸ **p. 894** *adj* of Die

Diois, **~e** /diwa, az/
A ▸ **p. 894** *nm,f* (natif) native of Die; (habitant) inhabitant of Die
B ▸ **p. 721** *nm* **le ~** the Die area

dionysiaque /djɔnizjak/
A *adj* Dionysian; **culte ~** cult of Dionysus
B **dionysiaques** *nfpl* **les ~s** the Dionysia

Dionysos /djɔnizɔs/ *npr* Dionysus

dioptrie /djɔptʀi/ *nf* dioptre[GB]

dioptrique /djɔptʀik/ Phys
A *adj* dioptric
B *nf* dioptrics (+ *v sg*)

diorama /djɔʀama/ *nm* diorama

dioxine /dijɔksin/ *nf* dioxin

dioxyde /dijɔksid/ *nm* dioxide; **~ de carbone** carbon dioxide

diphasé, **~e** /difaze/ *adj* diphase

diphtérie /difteʀi/ ▸ **p. 283** *nf* Méd diphtheria

diphtérique /difteʀik/
A *adj* diphtherial
B *nmf* diphtheria sufferer

diphtongaison /diftɔ̃gɛzɔ̃/ *nf* diphthongization

diphtongue /diftɔ̃g/ *nf* diphthong

diphtonguer /diftɔ̃ge/ [1] *vtr*, **se diphtonguer** *vpr* to diphthongize

diplodocus /diplɔdɔkys/ *nm inv* diplodocus

diplomate /diplɔmat/
A *adj* diplomatic
B ▸ **p. 532** *nmf* diplomat
C *nm* Culin *dessert of glacé fruits and custard on a sponge base*

diplomatie /diplɔmasi/ *nf* diplomacy; **faire preuve de ~ dans** to show diplomacy in; **agir avec ~** to act diplomatically

diplomatique /diplɔmatik/ *adj* diplomatic

diplomatiquement /diplɔmatikmɑ̃/ *adv* diplomatically

diplôme /diplom/ *nm* [1] Scol certificate, diploma; **il n'a aucun ~** he hasn't got any qualifications; **quels ~s faut-il pour faire?** what qualifications are needed to do?; [2] (d'université, de grande école) degree; (d'autre institution) diploma; **les ~s universitaires** university degrees; **~ de licence/de maîtrise** ≈ bachelor's degree/Master's (degree); **il possède un ~ d'une école de commerce** he has a degree from a business school; **~ d'enseignement** teaching qualification; **~ d'ingénieur** engineering degree; **~ d'architecte** degree in architecture; **~ d'infirmière** nursing qualification GB *ou* degree; [3] (dans l'armée, la police) staff exam; [4] (nécessaire à l'exercice d'une activité) certificate; **~ de maître nageur/de secouriste** lifesaver's/first aid certificate; [5] (épreuves) exam; **passer un ~** to take an exam; [6] (document) certificate

diplômé, **~e** /diplome/
A *pp* ▸ **diplômer**
B *pp adj* **il est ~ de l'université de Lille/d'une école de commerce** he's a graduate of the university of Lille/of a business school; **elle est ~e en droit** she has a degree in law; **il est ~ en mécanique** he has a diploma in mechanics; **une infirmière/sage-femme ~e** a qualified nurse/midwife; **un entraîneur ~** a qualified coach
C *nmf* graduate

diplômer /diplome/ [1] *vtr gén* to award a diploma to; Univ to award a degree to [*étudiant*]

diplopie /diplɔpi/ ▸ **p. 283** *nf* diplopia

dipsomane /dipsɔman/ *adj, nmf* Méd dipsomaniac

dipsomanie /dipsɔmani/ ▸ **p. 283** *nf* dipsomania

diptère /diptɛʀ/
A *adj* [1] Zool dipterous; [2] Archit dipteral
B *nm* dipteran; **les ~s** diptera

diptyque /diptik/ *nm* diptych

dircom○ /diʀkɔm/ ▸ **p. 532** *nmf* Entr director of public relations

dire /diʀ/ [65]
A *nm* **au ~ de** according to; **au ~ des experts** according to the experts; **au ~ de tous** by all accounts
B **dires** *nmpl* statements; **leurs ~s ne concordent pas** their statements do not agree; **selon les ~s de ta sœur** according to your sister
C *vtr* [1] (faire entendre) to say [*mots, prière*]; to recite [*poème*]; to read [*leçon*]; to tell [*histoire, blague*]; **~ non** to say no; **dites quelque chose de drôle** say something funny; **'entrez' dit-elle** 'come in,' she said; **j'ai quelque chose à ~ là-dessus** I've got something to say about that; **sans mot ~** without saying a word; **ce n'est pas une chose à ~** you don't say that sort of thing; **~ des bêtises** *or* **inepties** to talk nonsense; **~ qch à voix basse** to whisper sth; **~ qch entre ses dents** to mutter sth; **ne plus savoir que ~** to be at a loss for words; **avoir son mot à ~** to have one's say; **~ ce qu'on a à ~** to say one's piece
[2] (faire savoir) to tell; **~ des mensonges/la vérité/l'avenir** to tell lies/the truth/the future; **~ qch à qn** to tell sb sth; **dites-moi votre nom** tell me your name; **je le leur dirai** I'll tell them; **dis-le à ton frère** tell your brother; **je vous l'avais bien dit!** I told you so!; **dites-moi, vous aimez l'opéra?** tell me, do you like opera?; **c'est ce qu'on m'a dit** so I've been told; **dis-leur que tu es occupé** tell them you're busy; **je dois vous ~ que...** I have to tell you that...; **faire ~ à qn que** to let sb know that...; **faites ~ à ma femme que je serai en retard** let my wife know that I will be late; **~ ses projets** to describe one's plans; **~ son opinion/sa satisfaction** to express one's opinion/one's satisfaction; **je me suis laissé ~ que...** I heard that...; **tenez-vous le pour dit!** I don't want to have to tell you again!; **c'est moi qui vous le dis**○ I'm telling you; **permets-moi de te ~ que tu vas le regretter**○**!** you'll regret this, I can tell you!; **je ne te dis que ça**○ I'll say no more; **c'est pas pour ~, mais**○ I don't want to make a big deal of it, but○...; **à qui le dites-vous**○**!** don't I know it!; **vous m'en direz tant**○**!** you don't say!; **je ne vous le fais pas ~**○**!** you don't need to tell me!; **ne pas se le faire ~ deux fois**○ not to need to be told twice; **dis, tu me crois**○**?** tell me, do you believe me?; **dis donc, où tu te crois**○**?** hey! where do you think you are?; **dites-donc, il n'est pas valable, votre ticket!** here—did you know your ticket's not valid?; **à vous de ~** Jeux your bid; ▸ **vérité**
[3] (affirmer) to say (**que** that); **elle dit pouvoir le faire** she says she can do it; **~ ce qu'on pense** to say what one thinks; **~ tout haut ce que d'autres pensent tout bas** to say out loud what other people are thinking; **ne fais pas attention, il ne sait pas ce qu'il dit** don't mind him, he doesn't know what he's talking about *ou* he's talking through his hat; **on dit que...** it is said that...; **on le dit marié/veuf** he is said to be married/a widower; **j'irai jusqu'à ~ que** I'd go as far as to say that; **c'est le moins qu'on puisse ~** that's the least one can say; **le moins qu'on puisse ~ c'est que...** the least one can say is that...; **si l'on peut ~** if one might say so; **si je puis ~** if I may put it like that; **on peut ~ qu'elle a du toupet celle-là!** she's really got a nerve○!; **on ne peut pas ~ qu'il se soit fatigué!** he certainly didn't overtax himself; **autant ~ que** you might as well say that, in other words; **et que ~ de...?** to say nothing of...; **j'ose ~ que...** I'm not afraid to say that...; **si j'ose ~** if I may say so; **ce n'est pas à moi de le ~** it's not for me to say; **cela va sans ~** it goes without saying; **ce n'est pas peu ~** that's saying a lot; **il faut ~ que** one should say that; **c'est (tout) ~!** need I say more?; **cela dit** having said that; **c'est vous qui le dites!** that's what you say!; **tu peux le ~**○**!** you can say that again○!; **disons, demain** let's say tomorrow; **c'est difficile à ~** it's hard to tell; **je sais ce que je dis** I know what I'm talking about; **à ce qu'il dit** according to him; **vous dites?** pardon?; **à vrai ~** actually; **entre nous soit dit** between you and me; **soit dit en passant** incidentally; **pour tout ~** all in all; **c'est ~ si j'ai raison** it just goes to show I'm right; **c'est beaucoup ~** that's going a bit far; **c'est peu ~** that's an understatement; **c'est vite dit** that's easy for you to say; **ce n'est pas dit** I'm not that sure; **tout n'est pas dit** that's not the end of the story; **c'est plus facile à ~ qu'à faire** it's easier said than done; **il est dit que je ne partirai jamais** I'm destined never to leave; **tu l'as dit**○**!**, **comme tu dis**○**!** you said it○!; **que tu dis**○**!** says you○!; ▸ **envoyer**, **fontaine**
[4] (formuler) **~ qch poliment/effrontément** to say sth politely/cheekily; **voilà qui est bien dit!** well said!; **il l'a mal dit, mais j'ai compris** he put it badly but I understood; **comment ~?**, **comment dirais-je?** how shall I put it?; **tu ne crois pas si bien ~** you don't know how true that is; **pour ainsi ~**, **comme qui dirait**○ so to speak; **autrement dit** in other words; **lent, pour ne pas ~ ennuyeux** slow, not to say boring; **comme dirait l'autre**○ as they say; **disons que je suis préoccupé** let's say I'm worried; **un livre, disons un 'texte', comme dirait Adam** a book, or let's say a 'text', as Adam would have it; **un lien disons social** a link which we could call social
[5] (indiquer) [*loi*] to state (**que** that); [*appareil de mesure*] to show (**que** that); [*sourire*] to express (**que** that); **ma calculatrice dit l'heure** my calculator shows the time; **que dit ta montre?** what time is it by your watch?; **vouloir ~** to mean; **qu'est-ce que tu crois qu'il a voulu ~?** what do you think he meant?; **quelque chose me dit que** something tells me that; **qu'est-ce que ça veut ~ tout ce bruit**○**?** what's the meaning of all this noise?; **qu'est-ce que ça veut ~ de téléphoner à une heure pareille**○**?** what do you mean by calling me at this time?; **qu'est-ce à ~**†**?** what is the meaning of this?; **est-ce à ~ que...?** does this mean that...?; ▸ **doigt**
[6] (demander) **~ à qn de faire** to tell sb to do; **dites-leur de venir** tell them to come; **je vous avais dit d'être prudent** I told you to be careful; **qui vous a dit de partir?** who told you to go?; **fais ce qu'on te dit!** do as you're told!; **faites ~ au médecin de venir** have somebody call the doctor
[7] (objecter) **qu'avez-vous à ~ à cela?** what have you got to say to that?; **j'ai beaucoup à ~ sur ton travail** I've quite a lot to say about your work; **je n'ai rien à ~** no comment; **il n'y a pas à ~**○, **elle est belle** you have to admit, she's beautiful; **il n'y a rien à ~, tout est en ordre** nothing to report, everything's fine; **tu n'as rien à ~!** (ne te plains pas) don't complain!; (tais-toi) don't say a word!
[8] (penser) to think; **qu'en dites-vous?** what do you think?; **que dis-tu de mon nouveau sac?** what do you think of my new bag?; **que diriez- vous d'une promenade/d'aller au marché?** how about a walk/going to the market?; **on dirait qu'il va pleuvoir/neiger** it looks as if it's going to rain/to snow, it looks like rain/snow; **on dirait que le vent se lève** the wind seems to be picking up; **on dirait qu'elle me déteste** you'd think she hated me; **on dirait un fou** you'd think he was mad; **on aurait dit qu'elle était déçue** you'd have thought she was disappointed; **on dirait de l'estragon** (à la vue) it looks like tarragon; (au goût) it tastes like tarragon; **on dirait du Bach** it sounds like Bach; **~ qu'hier encore il était parmi nous!** it's odd to think (that) he was still with us yesterday!; **~ que demain à la même heure je serai chez moi** it's odd to

think that this time tomorrow I'll be home **9** (inspirer) **ça ne me/leur dit rien de faire** I /they don't feel like doing; **notre nouveau jardinier ne me dit rien (qui vaille)** I don't think much of our new gardener

10 Ling **il faut ~ 'excusez-moi' et non 'je m'excuse'** one should say 'excusez-moi', not 'je m'excuse'; **tu dirais 'une professeur', toi?** would you say 'une professeur'?; **comment dis-tu ça en italien?** how do you say that in Italian?

D se dire *vpr* **1** (penser) to tell oneself (**que** that); **je me suis dit qu'il était trop tard** I told myself that it was too late; **il faut (bien) se ~ que...** one must realize that...; **il faut te ~ que...** you must understand that...

2 (échanger des paroles) **se ~ des insultes/des mots doux** to exchange insults/sweet nothings; **se ~ adieu** to say goodbye to each other

3 (se prétendre) to claim to be, to say one is; **il se dit intelligent/innocent/ingénieur** he claims to be intelligent/innocent/an engineer; **elle se dit incapable de marcher** she claims to be unable to walk

4 (se déclarer) **il s'est dit prêt à participer à la conférence** he said that he was prepared to take part in the conference; **ils se sont dits favorables à cette mesure** they said that they were in favour[GB] of this measure; **elle s'est dite persuadée que...** she said that she was convinced that...

5 Ling **comment se dit 'voiture' en espagnol?** how do you say 'car' in Spanish?; **'surprise-party' ne se dit plus** people don't say 'surprise-party' any more; **ça ne se dit pas** you can't say that

6 (être dit) **il ne s'est rien dit d'intéressant à la réunion** nothing of interest was said during the meeting

(Idiomes) **bien faire et laisser ~** Prov do right and fear no man Prov; **dis-moi qui tu hantes, je te dirai qui tu es** you're known by the company you keep; **dis-moi ce que tu manges, je te dirai qui tu es** you are what you eat

direct /diʀɛkt/

A *adj* **1** (sans intermédiaire) [*contact, descendant, rapport, affrontement, allusion, impôt*] direct; [*supérieur, entourage*] immediate; **2** Transp [*route, chemin, liaison, accès*] direct; **l'itinéraire le plus ~** the most direct route; **vol ~** direct flight; **train ~** through train; **ce train est ~ pour Lille** this train is nonstop to Lille; **3** (franc) [*personne, regard, question*] direct; **4** Ling [*discours, style, objet*] direct

B *nm* **1** Radio, TV live broadcasting ₵; **les avantages et les inconvénients du ~** the advantages and disadvantages of broadcasting live; **en ~ de Prague** live from Prague; **émission diffusée en ~** live broadcast; **2** Sport (en boxe) jab; **~ du gauche/du droit** left/right jab; **3** Rail express (train)

directement /diʀɛktəmɑ̃/ *adv* **1** (sans détour) [*aller, rentrer, venir*] straight; **je suis venu ~** I came straight here; **elle est rentrée ~ chez elle** she went straight home; **je vous rejoindrai ~ à la piscine** I'll meet you at the swimming pool; **2** (personnellement) [*concerner, affecter*] directly; **ça te concerne ~** it concerns you directly *ou* personally; **ça ne dépend pas ~ de lui** it's not entirely up to him; **3** (sans intermédiaire) [*s'affronter, intervenir, financer*] directly; **nous achetons nos œufs ~ au fermier** we buy our eggs directly *ou* straight from the farmer; **~ du producteur au consommateur** straight from the producer to the consumer; **adressez-vous ~ au gérant** go straight to the manager

directeur, -trice /diʀɛktœʀ, tʀis/

A *adj* (central) **principe ~** guiding principle; **idée directrice d'un ouvrage** central theme of a book; **les lignes directrices d'une politique** the guidelines of a policy

B ▸ **p. 532** *nm,f* **1** Scol (d'école) head teacher, headmaster/headmistress GB, principal US; (d'établissement privé) principal; **2** Comm (d'hôtel, de cinéma, casino) manager/manageress; **3** Admin, Entr (administrateur) director; (chef) head (de of)

C directrice *nf* Math directrix

(Composés) **~ adjoint** deputy manager; **~ d'agence** branch manager; **~ artistique** artistic director; **~ de banque** bank manager; **~ commercial** sales manager; **~ de conscience** spiritual adviser; **~ exécutif** executive director; **~ financier** financial director; **~ général** managing director GB, chief executive officer US; Admin director general; **~ général adjoint** assistant general manager; **~ gérant** managing director; **~ de journal** newspaper editor; **~ du personnel** personnel manager; **~ de la photographie** director of photography; **~ de prison** prison governor GB, warden US; **~ de projet** project manager; **~ de la publication** Presse editorial director; **~ de recherche** head of research; **~ de la rédaction** Presse managing editor; **~ régional** district *ou* regional manager; **~ des ressources humaines, DRH** human resources manager; **~ sportif** (team) manager; **~ technique** Ind works *ou* plant manager, technical manager; **~ de thèse** Univ supervisor GB, adviser US; **~ d'usine** works manager GB, plant manager

directif, -ive /diʀɛktif, iv/

A *adj* **1** Psych [*entretien, méthode*] directive; **non ~** nondirective; **2** Tech [*antenne, micro*] directional

B directive *nf* Admin UE (instruction) directive

direction /diʀɛksjɔ̃/ *nf* **1** (chemin) direction; **se tromper de ~** to go in the wrong direction; **être** *or* **aller dans la bonne/mauvaise ~** lit, fig to be heading in the right/wrong direction; **changer de ~** lit, fig to change direction; **quelle est la ~ du vent?** which way is the wind blowing?; **quelle ~ ont-ils prise?** which way did they go?; **il a pris la ~ du nord** he headed north; **il faut orienter nos recherches dans une autre ~** we must take a new direction in our research; **dans la ~ de, en ~ de** [*aller, regarder*] toward(s); **un village dans la ~ de Clermont** a village on the way to Clermont; **demander la ~ de la poste/mairie** to ask the way *ou* for directions to the post office/town hall; **indiquer la ~ à qn** to tell sb the way, to give sb directions; **prenez la ~ Nation** (d'autobus) take the bus going to 'Nation'; (de métro) take the train going to 'Nation'; **la ~ Lille** (route) the Lille road; **train en ~ de Toulouse** Toulouse train; **avion/bateau en ~ de Lisbonne** flight/ship to Lisbon; **faire un pas** *or* **geste en ~ de qn** fig to make an overture to sb; **2** (fonction de directeur) (gestion) management; (supervision) supervision; (de journal) editorship; (de parti, mouvement) leadership; **on leur a confié la ~ du projet/de l'entreprise/des travaux** they've been put in charge of the project/company/work; **il a été nommé à la ~ de l'usine** he's been appointed manager of the factory; **il veut siéger à la ~** he wants to be on the management team; **assurer la ~ de** to manage, to run [*entreprise, service*]; to be in charge of [*opération, travaux, projet*]; **orchestre sous la ~ de** orchestra conducted by; **thèse /recherches sous la ~ de** thesis/research supervised by; **3** (personnes) management; **la ~ et les ouvriers** management and workers; **la ~ refuse de négocier** the management refuses to negotiate; **allez vous plaindre à la ~** go and complain to the management; **'changement de ~'** 'under new management'; **'la ~ décline toute responsabilité'** 'the management accepts no responsibility'; **4** (lieu) manager's office; (siège social) head office; **les grévistes ont occupé la ~ de l'usine** the strikers took over the factory manager's office; **5** (service) department; **~ commerciale/du personnel** sales/personnel department; **6** Aut, Aviat, Naut steering

(Composés) **~ assistée** Aut power steering; **~ à crémaillère** Aut rack-and-pinion steering; **~ des ressources humaines, DRH** human resources department; **Direction générale, DG** UE Directorate-General, DG

directionnel, -elle /diʀɛksjɔnɛl/ *adj* directional

directive ▸ **directif**

directoire /diʀɛktwaʀ/ *nm* board of directors (*in the day-to-day management of a firm*)

Directoire /diʀɛktwaʀ/ *nm* Hist Directoire (*French Regime from 1795 to 1799*); **meubles/style ~** Directoire furniture/style

directorial, ~e, *mpl* **-iaux** /diʀɛktɔʀjal, o/ *adj* managerial

directrice ▸ **directeur**

dirigeable /diʀiʒabl/

A *adj* dirigible

B *nm* dirigible, airship

dirigeant, ~e /diʀiʒɑ̃, ɑ̃t/

A *adj* [*classe*] ruling; [*rôle*] leading; **cadre ~** senior executive; **milieux ~s** executive circles

B *nm* (de pays, gouvernement, parti, mouvement) leader; (gérant) manager; (administrateur) director

diriger /diʀiʒe/ [13]

A *vtr* **1** (être responsable de) to be in charge of [*personnes, ouvriers, équipe*]; to run, to be in charge of [*service*]; to run, to be in charge of [*école*]; to manage, to run [*usine, entreprise, théâtre*]; to lead, to run [*parti, syndicat, pays*]; to lead [*discussion, débat, enquête*]; to direct [*opération, manœuvre*]; to supervise [*recherches, thèse, travaux*]; to run [*journal*]; **mal ~ une entreprise/un projet** to mismanage a business/project; **il veut tout ~** he wants to be in charge of everything; **2** (conduire) to steer [*véhicule*] (**vers** toward, towards GB); to steer, to navigate [*navire*] (**vers** toward, towards GB); to pilot [*avion*] (**vers** toward, towards GB); **il vous dirigera dans la vieille ville** he'll guide you around the old town; **la sonde spatiale est dirigée depuis la Terre** the space probe is guided from earth; **les blessés ont été dirigés vers l'hôpital le plus proche** the wounded were sent *ou* taken to the nearest hospital; **3** (orienter) lit to turn [*lumière, lampe, projecteur, jet*] (**vers** toward, towards GB; **sur** on); to turn [*regard*] (**vers** toward, towards GB); to point [*arme, canon, télescope*] (**sur** at); fig to direct [*critiques, attaques, sarcasmes*] (**contre** against); **~ son attention vers** *or* **sur qch** to turn one's attention to sth; **~ des étudiants dans leurs recherches** to guide students in their research; **~ qn vers un service/bureau** to send *ou* refer sb to a department/an office; **4** (expédier) to dispatch [*colis, marchandises*] (**vers, sur** to); to direct [*convoi*] (**vers, sur** to); **5** (motiver) **la volonté de plaire dirige tous leurs actes** all their actions are motivated by the desire to be liked; **le souci de satisfaire le client dirige notre action** our number one priority is to satisfy the customer; **6** Mus to direct, to conduct [*orchestre*]; to conduct [*symphonie, concerto*]; **7** Cin, Théât to direct [*acteurs*]; to manage [*troupe*]

B se diriger *vpr* **1** (aller) **se ~ vers** to make for, to head for; **se ~ droit sur** to head *ou* make straight for; **il se dirige vers la porte** he's heading for the door; **le cyclone se dirige vers le Mexique/le nord** the cyclone is heading for *ou* toward(s) Mexico/is heading northwards; **le météore se dirige droit sur la Terre** the meteorite is heading straight for earth; **tu devrais te ~ dans cette voie** fig that's the way to go; **2** (s'orienter) **se ~ d'après les étoiles** [*navigateur*] to sail *ou* navigate by the stars; [*promeneur*] to be guided by the stars

dirigisme /diʀiʒism/ *nm* planned economy

dirigiste /diʀiʒist/ *adj* [*politicien, gouvernement, État, pays*] in favour[GB] of a planned economy

discal, ~e, *mpl* **-aux** /diskal, o/ *adj* **hernie ~e** slipped disc, herniated (intervertebral) disc spéc

discernable /disɛʀnabl/ *adj* discernible, detectable

discernement /disɛʀnəmɑ̃/ *nm* judgment, discernment sout; **faire preuve/manquer de ~** to display/to lack judgment; **avoir du ~ dans** to be discerning in; **agir avec/sans ~** to act with/without discretion *ou* proper judgment; **choisir avec/sans ~** to be discriminating/undiscriminating in one's choice

discerner /disɛʀne/ [1] *vtr* 1 (par un effort d'attention) to detect [*signe, odeur, expression*]; to make out, to discern fml [*silhouette, bruit*]; **~ un fauteuil** to make out the shape of an armchair; 2 (par un effort de réflexion) to make out [*mobiles, intentions*]; **~ le vrai du faux** to discriminate between truth and untruth; **~ le bien du mal** to be able to tell right from wrong

disciple /disipl/ *nmf* 1 (partisan) follower, disciple; 2 (élève) disciple; **les ~s de Jésus** the disciples of Jesus

disciplinaire /disiplinɛʀ/ *adj* [*commission, procédure, mesure*] disciplinary; **cellule ~** punishment cell; **internement ~** Mil military detention

discipline /disiplin/ *nf* 1 (règle) discipline; **~ budgétaire/de fer** financial/iron discipline; **une stricte ~ de vie** a strictly disciplined way of life; **se plier/ne pas se plier à la ~ de vote** to follow/to ignore the party whip; 2 (spécialité) discipline; **des chercheurs de toutes les ~s** researchers of all disciplines; **les ~s artistiques** the artistic disciplines, the arts; 3 Scol (matière) subject; **une ~ secondaire** a subsidiary subject; 4 Sport sport; **~ olympique** Olympic sport; 5 (fouet) scourge

discipliner /disipline/ [1]
A *vtr* 1 (faire obéir) to discipline [*personne, groupe*]; **foule disciplinée** disciplined crowd; 2 (maîtriser) to control, to keep [sb] under control [*troupes*]; to discipline, to control [*pensées, passions*]; 3 (faire tenir en place) to keep [sth] under control [*cheveux*]
B se discipliner *vpr* to discipline oneself

disc-jockey, *pl* **~s** /diskʒɔkɛ/ ▸ p. 532 *nm* disc jockey, DJ

disco /disko/
A *adj inv* disco; **soirée ~** disco night
B *nm* disco music

discobole /diskɔbɔl/ *nm* 1 Antiq, Art discobolus; 2 Sport discus thrower

discographie /diskɔgʀafi/ *nf* discography; **une ~ de Mozart** a Mozart discography

discoïde /diskɔid/ *adj* discoid, discoidal

discompte /diskɔ̃t/ *nm* discount

discompteur /diskɔ̃tœʀ/ *nm* discounter

discontinu, **~e** /diskɔ̃tiny/ *adj* 1 (intermittent) [*effort, mouvement*] intermittent; [*ligne*] broken, dotted; 2 Math, Ling discontinuous

discontinuer /diskɔ̃tinɥe/ [1] *vi* **sans ~** without a break, nonstop

discontinuité /diskɔ̃tinɥite/ *nf* Math, Phys discontinuity

disconvenir /diskɔ̃v(ə)niʀ/ [36] *vi* fml **ne pas ~ de qch** not to deny sth; **je n'en disconviens pas** I don't deny it; **ne pas ~ que** not to deny that

discophile /diskɔfil/ *nmf* record collector

discordance /diskɔʀdɑ̃s/ *nf* 1 (d'opinions) conflict; (de couleurs) clash; 2 (de sons) dissonance; 3 Géol unconformity; **reposer en ~** to be unconformable

discordant, **~e** /diskɔʀdɑ̃, ɑ̃t/ *adj* 1 (mal assortis) [*caractères, couleurs*] clashing; 2 (désagréable) [*son, instrument*] discordant; [*voix*] strident; 3 (tranchant sur un ensemble) [*opinions*] conflicting; 4 Géol [*formation*] unconformable

discorde /diskɔʀd/ *nf* discord, dissension; **semer la ~** to sow dissension; **pomme de ~** bone of contention

discorder /diskɔʀde/ [1] *vi* fml 1 (être discordant) to be discordant, to be dissonant; 2 (être en désaccord) to conflict (**avec** with)

discothécaire /diskɔtekɛʀ/ ▸ p. 532 *nmf* music librarian

discothèque /diskɔtɛk/ *nf* 1 (organisme de prêt) music library; 2 (collection de disques) record collection; 3 (boîte de nuit) discotheque

discount /diskunt/ *nm* discount; **un ~ de 15%** a discount of 15%; **magasin de ~** discount shop GB *ou* store, cut-price shop GB *ou* store; **faire du ~** to offer discounts

discounter /diskunte/ [1] *vtr* to give *ou* offer a discount on

discoureur, **-euse** /diskuʀœʀ, øz/ *nm,f* pej great talker péj

discourir /diskuʀiʀ/ [26] *vi* **~ de** *or* **sur qch** to hold forth on sth

discours /diskuʀ/ *nm inv* 1 (exposé) speech (**devant** in front of; **sur** on); **faire/prononcer/improviser un ~** to make/to deliver/to improvise a speech; **un ~ inaugural/d'ouverture/de clôture/d'investiture** inaugural/opening/closing/investiture speech; **un ~, un ~!** speech, speech!; 2 (paroles) talk; **assez de ~, des actes!** let's have less talk and more action!, we want deeds not words!; **il nous ennuie avec ses ~** he bores us with his talk; **fais ce que je te dis et pas de ~!** do what I say and no argument!; **tenir de longs ~ sur qch** to talk at great length about sth, to hold forth about sth; **les beaux ~ ne servent à rien** fine words butter no parsnips; 3 (propos) views (*pl*); Pol position; **il tient toujours le même ~** his views haven't changed; **le ~ écologique/des syndicats** the position of the ecologists/the unions; 4 Ling (utilisation de la langue) speech; (unité de comportement) discourse; **~ direct/indirect/rapporté** direct/indirect/reported speech; **l'analyse du ~** discourse analysis
(Composé) **~ programme** Pol keynote speech

discourtois, **~e** /diskuʀtwa, az/ *adj* discourteous

discrédit /diskʀedi/ *nm* disrepute; **en ~** in disrepute; **jeter le ~ sur** to discredit, to bring [sth] into disrepute

discréditer /diskʀedite/ [1]
A *vtr* to discredit
B se discréditer *vpr* 1 (se déconsidérer) to discredit oneself (**auprès de qn, aux yeux de qn** in sb's eyes); 2 (se dévaloriser) to become discredited

discret, **-ète** /diskʀɛ, ɛt/ *adj* 1 (qu'on remarque peu) [*personne*] unassuming; [*vêtement, couleur*] sober; [*allusion, charme, maquillage*] subtle; [*éclairage*] subdued; [*sourire, signe, surveillance, parfum, bijou*] discreet; [*lieu*] quiet; 2 (qui garde les secrets) discreet (**sur** about); 3 (qui n'est pas curieux) not inquisitive; 4 Ling, Math, Phys, Stat discrete

discrètement /diskʀɛtmɑ̃/ *adv* (sans publicité) [*agir*] discreetly; (sobrement) [*se vêtir*] soberly; (sans bruit) [*marcher, fermer une porte*] quietly

discrétion /diskʀesjɔ̃/
A *nf* (réserve) discretion; **faire preuve de ~** to show discretion; **dans la plus grande ~** in the greatest secrecy; **entourer qch de (la plus grande) ~** to shroud sth in (the greatest) secrecy; **garder la plus grande ~ sur qch** to keep sth a closely-guarded secret; **~ assurée** discretion assured
B à discrétion *loc* [*vin, pain*] unlimited; **il y avait à boire et à manger à ~** you could drink and eat as much as you like
C à la discrétion de *loc prép* at the discretion of

discrétionnaire /diskʀesjɔnɛʀ/ *adj* discretionary; **pouvoir ~** discretionary power

discriminant, **~e** /diskʀiminɑ̃, ɑ̃t/
A *adj* 1 (qui différencie) [*caractère, facteur*] differential; 2 (discriminatoire) discriminatory
B *nm* Math discriminant

discrimination /diskʀiminasjɔ̃/ *nf* 1 (principe) discrimination (**contre, envers, à l'égard de** against); **sans ~ de race ou de religion** without racial or religious discrimination; **~ en fonction de** *or* **par l'argent** discrimination on grounds of money; 2 (acte) act of discrimination; **subir des ~s** to suffer discrimination
(Composé) **~ positive** positive discrimination

discriminatoire /diskʀiminatwaʀ/ *adj* discriminatory (**à l'encontre de** against)

discriminer /diskʀimine/ [1] *vtr* fml to categorize [*personnes, objets*]

disculpation /diskylpasjɔ̃/ *nf* fml exculpation sout

disculper /diskylpe/ [1]
A *vtr* Jur, gén [*juge, témoignage*] to exculpate
B se disculper *vpr* to vindicate oneself; **se ~ auprès de qn** to vindicate oneself in sb's eyes

discursif, **-ive** /diskyʀsif, iv/ *adj* discursive

discussion /diskysjɔ̃/ *nf* 1 (débat) discussion (**sur** about); **mettre qch en ~** to open sth up for discussion; **le texte est en ~** the text is under discussion; **une réforme en cours de ~** a reform being discussed; **lors de la ~ du budget/du projet de loi** when the budget/law was being discussed; **nous sommes en ~ avec eux** we're having discussions with them; **des ~s sont en cours** there are discussions *ou* talks in progress; **relancer la ~** to revive the debate; **cela mérite ~** that's worth discussing; 2 (échange de vues) discussion (**sur** about); **prendre part à la ~** to take part in the discussion; **avoir une ~ avec qn** (conversation) to have a discussion with sb; (dispute) to have an argument with sb; **après maintes ~s nous avons décidé de faire** after much discussion we decided to do; 3 (contestation) argument; **obéir sans ~** to obey without any argument; **pas de ~!** no argument!

discutable /diskytabl/ *adj* 1 (prêtant à discussion) [*question, notion, proportion*] debatable, arguable; 2 (critiquable) [*manière, choix, procédé*] questionable; **leur décision est très ~** their decision is very questionable

discutailler○ /diskytɑje/ [1] *vi* to quibble (**sur** over); **on ne va pas ~ là-dessus** we're not going to quibble over that

discuté, **~e** /diskyte/
A *pp* ▸ **discuter**
B *pp adj* [*problème, programme, proposition*] controversial; **question très ~e** vexed question

discuter /diskyte/ [1]
A *vtr* 1 (examiner) to discuss [*question, point, problème, accord*]; to debate [*texte, projet de loi, mesure*]; **~ le budget** Pol to debate the budget; 2 (contester) to question [*décision, ordre, mesure, autorité*]; **~ l'utilité/le bien-fondé de qch** to question the usefulness of/the grounds for sth
B discuter de *vtr ind* to discuss [*projet, réforme, crise, prix*]; **~ de la stratégie à adopter** to discuss the strategy to adopt; **le sujet dont nous avons discuté** the subject we discussed; **nous en avons longuement discuté** we discussed it at length; ▸ **ange, goût**
C *vi* 1 (converser) to talk (**avec qn** to sb); **~ toute la nuit** to talk all night; **on peut essayer de ~** we can try to talk; 2 (protester) to argue; **on ne discute pas!** no arguing!; **faites ce qu'on vous dit sans ~!** do what you're told without arguing!; **il a dit trois heures et il n'y a pas à ~** he said three o'clock and that's all there is to it
D se discuter *vpr* **ça se discute, ça peut se ~** that's debatable
(Idiomes) **~ le coup**○ to have a chat; **~ le bout de gras**○ to chew the fat○, to shoot the breeze○

disert, **~e** /dizɛʀ, ɛʀt/ *adj* fml 1 (bavard) talkative; 2 (éloquent) eloquent

d

d

disette /dizɛt/ *nf* (famine) famine, food shortage

diseur, -euse /dizœʀ, øz/ *nm,f* ~ **de bonne aventure** fortune-teller

disgrâce /disgʀɑs/ *nf* **1** (défaveur) disgrace; **tomber en** ~ to fall into disgrace; **connaître la** ~ to be in disgrace; **encourir la** ~ **de qn** to incur sb's displeasure; **2** (revers de fortune) fml misfortune; **avoir connu de nombreuses** ~**s** to have met with many misfortunes

disgracié, ~**e** /disgʀasje/ *adj* **1** (en disgrâce) disgraced; **2** (laid) ugly

disgracier /disgʀasje/ [2] *vtr* fml to dismiss [sb] from one's favour^GB [*protégé*]; to reject [*amant*]

disgracieux, -ieuse /disgʀasjø, øz/ *adj* [*visage, enfant*] ugly; [*bouton, poil*] unsightly; [*démarche*] awkward; [*vêtement*] unbecoming

disjoindre /disʒwɛ̃dʀ/ [56]
A *vtr* **1** (écarter) to loosen; **planches disjointes** loose boards; **2** (isoler) to separate; **questions disjointes** separate issues
B se disjoindre *vpr* to come loose

disjoint, ~**e** /disʒwɛ̃, ɛ̃t/
A *pp* ▸ **disjoindre**
B *pp adj* Ling [*pronom, forme*] disjunctive

disjoncter /disʒɔ̃kte/ [1]
A *vtr* Électrotech to trip [*circuit*]
B *vi* **1** Électrotech to trip out; fig [*système, usine*] to grind to a halt; **2** °[*personne*] (perdre le fil) to go off at GB *ou* on US a tangent; (divaguer) to go off one's head°

disjoncteur /disʒɔ̃ktœʀ/ *nm* circuit breaker

disjonctif, -ive /disʒɔ̃ktif, iv/ *adj* disjunctive

disjonction /disʒɔ̃ksjɔ̃/ *nf* disjunction

dislocation /dislɔkasjɔ̃/ *nf* **1** (d'empire, de fédération) dismemberment; (de pacte, coalition, conglomérat, groupe) breaking up; (de machine) falling apart; **2** Méd ~ **(articulaire)** dislocation (of a joint); **3** Phys dislocation

disloquer /dislɔke/ [1]
A *vtr* **1** (démembrer) to dismember [*empire, État*]; **2** (déboîter) to dislocate [*membre*]; **3** (démonter) to break up [*meuble, mécanisme*]; to pull sth off its hinges [*porte, fenêtre*]; **une chaise disloquée** a broken chair
B se disloquer *vpr* **1** (se démembrer) [*État, groupe*] to break up; **2** (se déboîter) [*personne*] **se** ~ **l'épaule** to dislocate one's shoulder; **3** (se contorsionner) [*personne*] to contort oneself; **4** (se casser) [*navire, mécanisme*] to break up

disparaître* /dispaʀɛtʀ/ [73] *vi* **1** (devenir invisible) to disappear; ~ **de la scène politique** to disappear from the political scene; **disparaissez!** out of my sight!; **le soleil disparaît à l'horizon** the sun is dipping below the horizon; **le village disparaissait sous la neige** the village was hidden by the snow; **faire** ~ **tout un gâteau** to gobble down° a whole cake; **2** (devenir introuvable) [*objet, personne*] to disappear; (soudainement) to vanish; **l'avion a disparu au-dessus de l'Atlantique** the plane disappeared somewhere over the Atlantic; ~ **sans laisser de traces** to disappear without trace; **des centaines de personnes disparaissent chaque année** hundreds of people go missing every year; **faire** ~ **qch** to remove sth [*objet*]; **3** (être supprimé) [*douleur, odeur*] to go; [*tache*] to come out; [*difficulté*] to disappear; [*craintes*] to vanish; [*enflure*] to go down; [*fièvre*] to subside; **faire** ~ to get rid of [*douleur, symptôme, trouble*]; to remove [*tache*]; to dispel [*crainte*]; to make [sth] go down [*enflure*]; to make [sth] extinct [*espèce*]; to clear [*pellicules, acné*]; to eradicate [*pauvreté, criminalité*]; **4** euph (mourir) to die, to go euph; (cesser d'exister) [*civilisation*] to die out; [*espèce*] to become extinct; **faire** ~ **qn** euph to get rid of sb; **voir** ~ **qch** to witness the end of sth [*civilisation, culture*]; **quand j'aurai disparu** when I'm gone; ~ **en mer** to be lost at sea; ~ **corps et bien** gén to be lost without trace; Naut to sink without trace

disparate /dispaʀat/ *adj* [*ensemble, mobilier*] ill-assorted; [*foule, groupe*] mixed; [*compétences, expériences*] varied

disparité /dispaʀite/ *nf* **1** (caractère différent) disparity sout (**de** in); **la** ~ **des réactions à une nouvelle** the range of reactions to a piece of news; **2** (différence) difference, disparity sout (**entre** between); ~**s sociales** social differences *ou* disparities

disparition /dispaʀisjɔ̃/ *nf* **1** gén disappearance; (d'espèce) extinction; **une espèce en voie de** ~ an endangered species; **en voie de** ~ [*culture, civilisation*] fast disappearing, dying (*épith*); [*art, métier*] dying (*épith*); **une race en voie de** ~ fig a dying breed; **2** euph (mort) death

disparu, ~**e** /dispaʀy/
A *pp* ▸ **disparaître**
B *pp adj* **1** [*personne*] (enlevé, présumé mort etc) missing; **porté** ~ Mil missing in action; **être porté** ~ to be reported missing; **l'enfant** ~ **depuis trois jours** the child who has been missing for three days; **2** (perdu) [*civilisation, tradition, peuplade*] lost; [*espèce*] extinct; [*amour, gaieté*] lost; **les œuvres à jamais** ~**es** works lost forever; **3** euph (mort) dead; **marin** ~ **en mer** sailor lost at sea; **notre ami** ~ our dear friend who is no longer with us
C *nm,f* **1** (personne introuvable) missing person; **il y a des centaines de** ~**s chaque année** hundreds of people go missing every year; **neuf morts, un** ~ nine dead, one missing; **2** euph (mort) **les** ~**s** the dead; **nos chers** ~**s** our dear departed

dispendieusement /dispɑ̃djøzmɑ̃/ *adv* fml extravagantly, expensively

dispendieux, -ieuse /dispɑ̃djø, øz/ *adj* expensive, extravagant

dispensaire /dispɑ̃sɛʀ/ *nm* health centre^GB

dispense /dispɑ̃s/ *nf* **1** (exemption) exemption (**de** from); **2** (certificat d'exemption) certificate of exemption; **3** Relig dispensation

(Composés) ~ **d'âge** Admin exemption from statutory age limit; ~ **d'examen** Univ exemption from an examination; ~ **de scolarité** Univ permission not to attend classes; ~ **de service national** Mil exemption from military service

dispenser /dispɑ̃se/ [1]
A *vtr* **1** (donner) to give [*cours, information, conseil, service, soin*] (**à** to); to hand out [*largesses*] (**à** to); to bestow sout [*honneurs, compliment, présent*] (**à** on); **2** (produire) to put out [*musique*]; to give out [*éclairage*]; **3** Jur (exempter) ~ **qn de qch/de faire** to exempt sb from sth/from doing; **dispensé de paiement/d'accomplir ses obligations** exempt from payment/from performing one's duties; **4** (épargner) ~ **qn de qch/de faire** to excuse sb from sth/doing; **cela ne vous dispense pas d'étudier** this does not make it any the less necessary for you to study; **se faire** ~ **d'un cours** to be excused from a lesson; **je vous dispense de (tout) commentaire** I don't need any comment from you
B se dispenser *vpr* **1** (être donné) [*cours, soins*] to be given; **2** (se passer de) **se** ~ **de qch/de faire** to spare oneself sth/the trouble of doing; **j'ai décidé de me** ~ **de vos services** I've decided to dispense with your services

dispersant /dispɛʀsɑ̃/ *nm* Chimie dispersing agent

dispersé, ~**e** /dispɛʀse/
A *pp* ▸ **disperser**
B *pp adj* [*personne, esprit*] unsystematic

disperser /dispɛʀse/ [1]
A *vtr* to scatter [*objets, documents, cendres, famille*]; to disperse [*foule, manifestants, fumée*]; to break up [*rassemblement, collection*]; ~ **ses efforts** *or* **forces** to spread oneself too thinly; ~ **son attention** to lack concentration
B se disperser *vpr* [*famille*] to disperse, to scatter; [*foule, manifestants*] (volontairement) to disperse; (par nécessité) to scatter; [*fumée*] to disperse; [*rassemblement*] to break up; [*attention, esprit*] to wander; **nos efforts se sont trop dispersés, nous nous sommes trop dispersés** we spread ourselves too thinly

dispersion /dispɛʀsjɔ̃/ *nf* **1** (de manifestants, foule, collection, fumée) dispersal; (de famille) scattering; **2** (manque de concentration) lack of concentration; **3** Mil (de tir, troupe) dispersion; **4** Chimie, Phys, Math, Stat dispersion

disponibilité /dispɔnibilite/
A *nf* **1** (temps libre) availability; **2** Comm availability; **3** Admin temporary leave of absence; **en** ~ on leave of absence; **prendre une** ~, **se mettre en** ~ to take temporary leave of absence; **4** Mil reserve; **en** ~ on reserve
B disponibilités *nfpl* Fin available funds

disponible /dispɔnibl/ *adj* **1** (libre) available (**pour** for); **esprit** ~ open mind; **2** Comm (à disposition) available (**auprès de** from)

dispos, ~**e** /dispo, oz/ *adj* (reposé) refreshed; (en bonne forme) in good form; **avoir l'esprit** ~ to have a fresh and alert mind; **frais et** ~ fresh as a daisy, bright eyed and bushy tailed°

disposé, ~**e** /dispoze/
A *pp* ▸ **disposer**
B *pp adj* **1** (agencé) [*meubles, fleurs*] arranged; [*appartement, pièce, jardin*] laid out; **chaises** ~**es en cercle autour de qch** chairs arranged in a circle around sth; **2** (prêt) ~ **à aider/investir** willing to help/invest; **3** (favorable) **être bien/mal** ~ to be in a good/bad mood; **être bien/mal** ~ **l'égard de** *or* **envers qn** to be well-/ill-disposed toward(s) sb

disposer /dispoze/ [1]
A *vtr* **1** (placer) to arrange [*objets*]; [*chef, capitaine*] to position [*personnes*]; ~ **des chaises le long d'un mur** to arrange chairs along a wall; **nous étions disposés en cercle autour de lui** we formed a circle around him; **2** fml (prescrire) ~ **que** to stipulate that
B disposer de *vtr ind* **1** (avoir) ~ **de** to have, to have at one's disposal [*moyens, instruments, temps*]; **les machines dont nous disposons** the machines we have at our disposal; **vous disposez de cinq minutes pour répondre** you have five minutes to answer; **je ne dispose que de quelques minutes pour vous recevoir** I can only spare you a few minutes; **2** (se servir de) ~ **de** to use; **vous pourrez** ~ **de notre appartement cet été** you can use our apartment this summer; **disposez de moi comme vous voudrez** fml you can employ me as you like; **3** (être maître de) fml ~ **de la vie/du sort de qn** to have sb's life/fate in one's hands; **le droit des peuples à** ~ **d'eux-mêmes** the right of peoples to self-determination; **merci, vous pouvez** ~ thank you, you may go; ▸ **homme**
C se disposer *vpr* **1** (se préparer) **se** ~ **à faire** to be about to do; **je me disposais à vous écrire quand vous avez appelé** I was about to write when you rang GB *ou* called; **2** (se placer) **nous nous sommes disposés en cercle autour de lui** we formed a circle around him

dispositif /dispozitif/ *nm* **1** (mécanisme) device; (système) system; ~ **d'alarme/de sécurité** warning/safety device; ~ **électronique/optique** electronic/optical device; ~ **de commande** control system; **2** (ensemble de mesures) operation; **un imposant** ~ **policier a été mis en place** a large-scale police operation was set up; ~ **militaire/de défense/financier** military/defence^GB/financial operation; **le** ~ **de sécurité mis en place pour la venue du président** the security operation for the president's visit; **3** Jur (de loi) purview; (de jugement) pronouncement

disposition /dispozisjɔ̃/
A *nf* **1** (arrangement) arrangement; (d'appartement, de salle) layout; (de pions, troupes) position; **arbustes plantés selon une** ~ **symétrique**

symmetrically planted shrubs; **espèces distinguées par la ~ de leurs nageoires** species distinguished by the position of their fins; **2** (possibilité d'utiliser) **c'est à ta ~** it's at your disposal; **j'ai une voiture à ma ~** I have a car at my disposal; **à la ~ du public** for public use; **se tenir à la ~ de qn** to be at sb's disposal (**pour qch** for sth; **pour faire** to do); **je suis à votre entière ~** I am entirely at your disposal; **mettre qch à la ~ de qn** to put sth at sb's disposal; **une voiture sera mise/sera à ~ pour** a car will be made/will be available for; **se mettre à la ~ de la justice** [*témoin*] to make oneself available to the court; **il doit rester à la ~ de la justice** he must remain available to the court; **les dossiers ont été remis à la ~ de la justice** the files were made available to the court; **il a été mis à la ~ de la justice** he was remanded in custody; **3** (mesure) measure, step; **~s fiscales/législatives** tax/legal measures; **j'ai pris mes ~s pour arriver à l'heure** I made arrangements to arrive on time; **4** (tendance) fml tendency (**à** to); **cet enfant a une ~ à la paresse** this child has a tendency to laziness; **5** Assur, Jur (clause) clause
B **dispositions** *nfpl* **1** (aptitudes) aptitude; **avoir/montrer des ~s pour qch/pour faire** to have/to show an aptitude for sth/for doing; **2** (humeur) **elle n'était pas dans de bonnes ~s ce jour-là** she wasn't in a good mood that day; **attends qu'il soit dans de meilleures ~s** wait till he's in a better mood; **ses mauvaises ~s à mon égard** his/her ill-feelings toward(s) me

(Composé) **~ d'esprit** state *ou* frame of mind

disproportion /dispʀɔpɔʀsjɔ̃/ *nf* lack of proportion, disproportion sout

disproportionné, **~e** /dispʀɔpɔʀsjɔne/ *adj* [*effort, demande*] disproportionate; [*réaction*] disproportionate, out of (all) proportion (*jamais épith*); [*nez, bouche*] disproportionately large; [*bras, jambes, tête*] out of proportion with one's body (*jamais épith*); **~ à qch** [*effort, demande, réaction*] out of (all) proportion with sth

dispute /dispyt/ *nf* **1** (querelle) argument (**sur** about); **un sujet de ~** a cause for argument; **avoir une ~ avec qn** to have an argument with sb; **2** (discussion) debate

disputé, **~e** /dispyte/ *adj* **1** (objet de lutte) [*épreuve, victoire, titre*] keenly contested (*épith*); **un match très ~** a keenly contested match; **2** (recherché) [*personne, marché, place*] sought-after (**de** by); **3** (contesté) [*question, projet*] controversial

disputer /dispyte/ [1]
A *vtr* **1** (participer à) to compete in [*épreuve, tournoi*]; to compete for [*coupe*]; to play [*match*]; to run [*course*]; to take part in [*combat*]; **la finale sera disputée à Rome** the final will be played in Rome; **2** (lutter pour obtenir) **~ qch à qn** to compete with sb for sth [*honneur, prix, place, titre, poste*]; to contend with sb for sth [*trône, pouvoir*]; **3** ○(réprimander) to tell [sb] off [*personne, enfant*]; **se faire ~** to get told off; **4** **le disputer à** liter to rival; **le réalisme le dispute au fantastique** realism rivals the fantastic; **elle le dispute en élégance à sa mère** she rivals her mother in *ou* for elegance
B **disputer de** *vtr ind* liter to debate [*question, point*]
C **se disputer** *vpr* **1** (se quereller) to argue; **cessez de vous ~!** stop arguing!; **nous nous sommes disputés** we had an argument; **se ~ pour qch** to argue over sth [*partage*]; **se ~ avec qn** to argue with sb (**à propos de, sur, au sujet de** about); **2** (lutter pour obtenir) to fight over [*héritage, os*]; to contest [*siège*]; to compete for [*honneur, place de classement*]; to contend for [*trône, titre, pouvoir, suprématie*]; **ils se disputent le contrôle de la société** they are competing for control of the company; **les deux familles se disputent la garde de l'enfant** the two families are fighting for custody of the child; **3** (avoir lieu) [*tournoi, championnat*] to take place; **le championnat se dispute par équipe/région** it's a team/regional championship

disquaire /diskɛʀ/ ▸ **p. 532** *nmf* record dealer

disqualification /diskalifikasjɔ̃/ *nf* disqualification

disqualifier /diskalifje/ [2]
A *vtr* **1** (exclure d'une compétition) to disqualify [*sportif, cheval*]; **se faire ~ (par)** to be disqualified (by); **se faire ~ d'office** to put oneself out of the running; **2** (discréditer) [*acte, personne*] to discredit [*personne, institution*]; **~ qn aux yeux de qn** to discredit sb in sb's eyes
B **se disqualifier** *vpr* to discredit oneself (**en faisant** by doing)

disque /disk/ *nm* **1** Mus record, disc; **passer un ~** to play a record; **change de ~○!** fig give it a rest *ou* break!; lit put another record on; **2** Tech disc; **3** ▸ **p. 469** Sport discus; **lancer le ~** to throw the discus; **le lancer du ~** the discus; **4** (objet rond) disc; **le ~ du soleil** the sun's disc; **5** Ordinat disk

(Composés) **~ audionumérique** digital audio disk; **~ compact** compact disc; **~ dur** Ordinat hard disk; **~ d'embrayage** Aut clutch disc; **~ intervertébral** Anat intervertebral disc; **~ laser** laser disc; **~ noir** vinyl; **~ numérique** digital disk; **~ numérique polyvalent** digital versatile disk, DVD; **~ optique** optical disk; **~ optique compact**, **doc** CD-ROM; **~ optique numérique**, **DON** digital optical disk; **~ d'or** gold disc; **~ souple** (de présentation, en cadeau) flexi disc; Ordinat floppy disk, diskette; **~ de stationnement** Aut parking disc; **~ vidéo** videodisc

disquette /diskɛt/ *nf* diskette, floppy disk; **~ de sauvegarde** back-up diskette; **lecteur de ~s** disk drive

disruptif, **-ive** /disʀyptif, iv/ *adj* [*décharge*] disruptive

dissection /disɛksjɔ̃/ *nf* **1** Méd, Biol dissection; **instruments/table de ~** dissecting instruments/table; **2** (de texte, d'œuvre) dissection, analysis

dissemblable /disɑ̃blabl/ *adj* dissimilar, different

dissemblance /disɑ̃blɑ̃s/ *nf* dissimilarity, difference (**de** in)

dissémination /diseminasjɔ̃/ *nf* (de germe, virus) spread; (de pollen, troupes) dispersal; (de maisons) scattering; (d'idée) dissemination

disséminé, **~e** /disemine/
A *pp* ▸ **disséminer**
B *pp adj* [*maisons, population, entreprises*] scattered

disséminer /disemine/ [1]
A *vtr* to spread [*germe, idée*]; to disperse [*pollen*]; to distribute [*personnes, troupes*]
B **se disséminer** *vpr* [*personnes*] to scatter; [*germe, idée*] to spread

dissension /disɑ̃sjɔ̃/ *nf* **1** (discorde) dissension sout, conflict; **être un sujet de ~ entre des personnes** to be the subject of dissension between people; **2** (désaccord) disagreement (**au sein de** within)

dissentiment /disɑ̃timɑ̃/ *nm* fml disagreement (**entre** between)

disséquer /diseke/ [14] *vtr* **1** Méd, Biol to dissect [*cadavre, plante*]; **2** (analyser) to dissect, to analyse[GB] [*texte, œuvre*]

dissertation ➡

/disɛʀtasjɔ̃/ *nf* **1** Scol, Univ (devoir) essay; **faire une ~** to write an essay; **sujet de ~** essay subject; **2** (exposé écrit ou oral) paper; **faire une ~ savante sur un sujet** (oralement) to present a paper on a subject; (par écrit) to write a paper on a subject

disserte○ /disɛʀt/ *nf* essay

disserter /disɛʀte/ [1] *vi* **1** (discourir) to speak (**sur** on); pej to hold forth (**sur** about); **2** Scol (composer une dissertation) to write (an essay) (**sur** on)

dissidence /disidɑ̃s/ *nf* **1** (opposition) Philos, Relig dissent; Pol dissidence; (insubordination civile) rebellion; **entrer en ~ contre** to enter into rebellion against [*régime*]; to break away from [*parti*]; **être en ~ avec** to have broken away from; **2** (opposants) **la ~** the dissidents; **les ~s religieuses/politiques** religious/political dissidents

dissident, **~e** /disidɑ̃, ɑ̃t/
A *adj* **1** Pol [*personne*] dissident; [*groupe*] breakaway; **2** Relig [*secte*] dissenting
B *nm,f* **1** Pol dissident; **2** Relig, Philos dissenter

dissimilation /disimilasjɔ̃/ *nf* dissimilation

dissimilitude /disimilityd/ *nf* dissimilarity

dissimulateur, **-trice** /disimylatœʀ, tʀis/
A *adj* secretive
B *nm,f* dissembler

dissimulation /disimylasjɔ̃/ *nf* **1** (de sentiment) dissimulation; **2** (d'information) concealment; **3** (caractère) secretiveness

dissimulé, **~e** /disimyle/
A *pp* ▸ **dissimuler**
B *pp adj* concealed; **mal ~** ill-concealed; **fierté non ~e** undisguised pride
C *adj* [*personne*] secretive

dissimuler /disimyle/ [1]
A *vtr* to conceal (**derrière** behind; **à qn** from sb); **mal ~** to conceal badly; **ne pas ~** not to try to conceal
B **se dissimuler** *vpr* **1** (se cacher) [*personne*] to hide; **2** (être caché) to be concealed (**derrière** behind); **3** (ne pas vouloir voir) to close one's eyes to [*problème*]

dissipation /disipasjɔ̃/ *nf* **1** (de malentendu) clearing up; **2** Météo (de brouillard, nuages) clearing; **après ~ des brumes matinales** after the early morning mist has cleared; **3** (de patrimoine) squandering; **4** (d'attention) wandering; **5** (d'élève) restlessness; **6** †(de débauché) dissipation

dissipé, **~e** /disipe/ *adj* **1** [*élève*] restless; **2** [*jeunesse, vie*] dissipated

dissiper /disipe/ [1]
A *vtr* to dispel [*menace, doute, illusion, fatigue, malaise*]; to clear up [*malentendu*]; to disperse [*fumée*]; to squander [*patrimoine*]; to distract [*personne*]
B **se dissiper** *vpr* **1** (disparaître) [*menace*] to recede; [*illusion, doute*] to vanish; [*fatigue*] to wear off; [*malaise*] to vanish, to wear off; [*malentendu*] to be cleared up; [*brume*] to clear; **2** (s'agiter) [*élève*] to grow restless

dissociable /disɔsjabl/ *adj* [*questions, événements*] dissociable, separable; **les deux causes ne sont pas ~s** the two causes can't be separated

dissociation /disɔsjasjɔ̃/ *nf* **1** gén dissociation, separation (**de** of); **2** Chimie dissociation; **3** Jur severance

dissocier /disɔsje/ [2]
A *vtr* **1** (séparer) to separate (**de** from), to dissociate (**de** from); **2** Chimie to dissociate [*molécules*]; to break down [*substance*]
B **se dissocier** *vpr* **se ~ de qch/qn** to dissociate oneself from sth/sb

dissolu, **~e** /disɔly/ *adj* [*vie*] dissolute; [*mœurs*] loose; **mener une vie ~e** to lead a dissolute life

dissolubilité /disɔlybilite/ *nf* dissolvability

dissoluble /disɔlybl/ *adj* that can be dissolved (*épith, après n*)

dissolution /disɔlysjɔ̃/ *nf* **1** (d'assemblée, organisation, de mariage, gouvernement) dissolution; (de parti, mouvement) dissolution, disbanding; **2** (de substance) dissolution, dissolving (**dans**

➡ *voir* Variétés d'anglais

d

in); **absorber les comprimés après ~ complète** take the tablets when they have completely dissolved; **3** (écroulement) (d'empire, de système politique) disintegration; (de famille) break-up; (d'autorité) breakdown, collapse

dissolvant, **~e** /disɔlvɑ̃, ɑ̃t/
A *adj* Chimie solvent; **un produit ~** a solvent
B *nm* **1** Cosmét nail varnish remover; **2** Chimie solvent

dissonance /disɔnɑ̃s/ *nf* **1** Mus dissonance ₵, discord; **musique pleine de ~s** very dissonant *ou* discordant music; **2** (de mots, syllabes) dissonance; **3** (incohérence) (d'opinions, idées) conflict; (de style) inconsistency; **~s entre** disparities between; **il y a des ~s dans le style de l'auteur** the author's style jars in places

dissonant, **~e** /disɔnɑ̃, ɑ̃t/ *adj* **1** (discordant) [*voix, sons*] dissonant, discordant; [*notes, accord, harmonie*] dissonant; [*couleurs, tons*] clashing, jarring; **2** (conflictuel) [*idées*] conflicting; **des voix ~es se faisaient entendre au sein du parti** dissenting voices were heard within the party

dissoudre /disudʀ/ [75]
A *vtr* **1** Jur, Pol to dissolve [*assemblée, mariage, compagnie*]; to disband [*parti, mouvement*]; **le mouvement dissous** the disbanded movement; **2** Chimie [*eau, acide, dissolvant*] to dissolve [*substance*] **(dans** in); **faire ~ la lessive** to dissolve the washing powder; **3** (briser) to break up [*empire, institutions, alliance*]; to destroy [*cohésion, unité*]; **4** liter [*lumière, éclairage, brouillard*] to blur [*contours, objets*]
B **se dissoudre** *vpr* **1** Jur, Pol [*organisation, parti*] to disband; [*mariage*] to be dissolved; **2** Chimie [*substance, comprimé*] to dissolve **(dans** in); **3** [*institutions*] to die out; [*société*] to disintegrate; [*unité*] to crumble; [*sentiment*] to fade; [*volonté*] to melt away; **4** liter (devenir flou) to dissolve, to be blurred **(dans** in)

dissuader /disɥade/ [1] *vtr* **~ qn de faire** [*personne*] to dissuade sb from doing, to persuade sb not to do; [*publicité, maladie, temps*] to put sb off doing, to deter sb from doing; **j'aimerais pouvoir t'en ~** I wish I could talk you out of it; **~ l'ennemi** to deter the enemy; **je n'ai pas réussi à la ~** I didn't manage to dissuade her

dissuasif, **-ive** /disɥazif, iv/ *adj* **1** (qui dissuade) [*argument, idée*] dissuasive; [*armes, force*] deterrent; **avoir un effet ~ sur qn** to act as a deterrent to sb; **les contrôles doivent être ~s** the controls must act as a deterrent; **le temps est plutôt ~** the weather is rather off-putting; **2** (élevé) [*prix, taux d'intérêt*] prohibitive; **à un prix ~** at a prohibitive price

dissuasion /disɥazjɔ̃/ *nf* **1** Mil, Pol deterrence; **la ~ nucléaire** nuclear deterrence; **stratégie/force de ~** deterrent strategy/force; **2** (action de dissuader) dissuasion

dissyllabe /disilab/
A *adj* disyllabic
B *nm* disyllable

dissyllabique /disilabik/ *adj* disyllabic

dissymétrie /disimetʀi/ *nf* asymmetry
(Composé) **~ moléculaire** Chimie molecular asymmetry

dissymétrique /disimetʀik/ *adj* asymmetrical

distance /distɑ̃s/ ▸ p. 498 *nf* **1** (intervalle spatial) distance; **quelle est la ~ entre Paris et Londres?** what is the distance between Paris and London?; **Paris est à quelle ~ de Londres?** what distance *ou* how far is Paris from London?; **à quelle ~ est-ce?** what distance *ou* how far is it?; **être à ~ moyenne de** to be a reasonable distance (away) from; **mettre une ~ entre X et Y** to put a distance between X and Y; **parcourir de longues ~s en peu de temps** to cover long distances in a short time; **je ne peux pas courir sur de longues ~s** I can't run long distances; **un avion capable de transporter 100 passagers sur une ~ de 1 000 kilomètres** an aeroplane GB *ou* airplane US capable of transporting 100 passengers over a distance of 1,000 kilometres[GB]; **j'ai couru sur une ~ de deux kilomètres** I ran for two kilometres[GB]; **à 100 mètres de ~, à une ~ de 100 mètres** 100 metres[GB] away; **les deux frères vivent à 1 000 kilomètres de ~** the two brothers live 1,000 kilometres[GB] apart; **notre maison est à faible ~ du centre** our house isn't far (away) from the centre[GB]; **~ d'un point à un plan** Math distance from a point to a plane; **gardez vos ~s** Aut keep your distance; **prendre ses ~s avec qn/qch** fig to distance oneself from sb/sth; **tenir** *or* **garder** *or* **maintenir qn/qch à ~** fig to keep sb/sth at a distance; **tenir** *or* **garder ses ~s** fig [*supérieur*] to stand aloof; [*inférieur*] to know one's place; **tenir/ne pas tenir la ~** [*sportif*] to stay/not to stay the course; **appel longue ~** Télécom long-distance call; **à ~** [*agir, communiquer, observer*] from a distance; [*commande, accès, manipulation*] remote (*épith*); **rester à bonne ~/à ~ respectueuse/à ~** to keep at a good distance/at a respectful distance/one's distance; **se tenir à bonne ~ de qch** to keep a good distance from sth; **à égale ~ de** at the same distance from; **2** (intervalle temporel) gap; **la ~ entre/qui sépare les deux événements** the gap between/separating the two events; **à une semaine/deux siècles de ~** one week/two centuries apart; **ils sont morts à trois mois de ~** their deaths were three months apart; **une considérable ~ culturelle les sépare** there is a considerable cultural gap between them; **3** (recul) distance; **avec la ~ que donne l'âge/le temps** with the distance conferred by age/time; **à ~, ces événements sont plus faciles à comprendre** with hindsight, those events are easier to understand
(Composés) **~ focale** focal length; **~ de freinage** braking distance

distancer /distɑ̃se/ [12] *vtr* (en compétition sportive) gén to outdistance; (en course à pied, à cheval) to outrun; **il a largement distancé son rival** fig he left his rival standing; **se faire** *or* **se laisser ~** to get left behind

distanciation /distɑ̃sjasjɔ̃/ *nf* **1** (recul) distance; **2** Théât alienation

distancier /distɑ̃sje/ [2]
A *vtr* to distance **(de** from)
B **se distancier** *vpr* to distance oneself **(de** from)

distant, **~e** /distɑ̃, ɑ̃t/ *adj* **1** (éloigné dans l'espace) [*lieu, bruit, lueur*] distant; **un village ~ de trois kilomètres** a village three kilometres[GB] away; **~s de trois kilomètres** three kilometres[GB] apart; **2** (réservé) [*personne*] distant, aloof, stand-offish○; [*regard*] distant; [*attitude, comportement, air*] reserved, stand-offish○; [*rapports, relations*] cool; **être** *or* **se montrer ~ avec/envers qn** to be distant with/toward(s) sb; **3** (éloigné spirituellement) [*opinions, points de vue*] divergent; **nos opinions sont très ~es** our opinions differ greatly; **son point de vue est très ~ du mien** his/her point of view is far removed from mine; **4** (éloigné dans le temps) **un événement ~ dans ma vie** an event in my remote past; **à une époque ~e de la nôtre** in the distant past; **des événements ~s de plusieurs années** (entre eux) events that are several years apart; (par rapport à aujourd'hui) events that took place several years ago

distendre /distɑ̃dʀ/ [6]
A *vtr* **1** (étirer) to distend [*estomac*]; to strain [*ligament, muscle*]; to stretch [*peau, câble, corde*]; to over-stretch [*ressort*]; **2** (relâcher) to weaken [*liens, attaches*]; **cette querelle a distendu nos relations** the quarrel has put a strain on our relationship
B **se distendre** *vpr* **1** (se relâcher) [*peau, ligament, ressort, câble, corde*] to slacken; **2** (s'affaiblir) [*liens, relations*] to cool

distendu, **~e** /distɑ̃dy/
A *pp* ▸ **distendre**
B *pp adj* **1** (étiré) [*estomac*] distended; [*peau*] stretched; [*muscle*] strained; [*ressort*] overstretched; **2** (relâché) [*peau, ressort, câble*] slack; **3** (affaibli) [*liens, relations*] cool

distension /distɑ̃sjɔ̃/ *nf* (de peau) stretching; (d'estomac) distension; (de muscle, ligament) straining

distillat /distila/ *nm* distillate

distillateur /distilatœʀ/ *nm* (personne) distiller

distillation /distilasjɔ̃/ *nf* **1** Ind, Vin distillation; **par ~** by distillation; **des opérations de ~** distilling operations; **2** fig (de savoir) distillation **(de** of)
(Composé) **~ fractionnée** fractional distillation

distiller /distile/ [1]
A *vtr* **1** Chimie to distil[GB] [*fruit, vin, plantes, alcool*]; **2** (secréter) to secrete [*suc, poison, résine*]; **3** (répandre) to disclose [sth] little by little [*informations, confidences, rumeurs, idée*]; **un écrivain qui distille l'ennui** a profoundly boring writer
B *vi* Chimie to evaporate **(à** at)

distillerie /distilʀi/ *nf* **1** (usine) distillery; **2** (production) distilling; **la ~ du vin** the distilling of wine; **il travaille dans la ~** he works in distilling

distinct, **~e** /distɛ̃, ɛ̃kt/ *adj* **1** (différent) distinct **(de** from); **2** (qui se perçoit nettement) [*forme, son*] distinct; [*voix*] clear; **de façon ~e** [*prononcer*] clearly, distinctly; [*s'exprimer*] clearly; **3** (sans liens) [*société, entreprise*] separate

distinctement /distɛ̃ktəmɑ̃/ *adv* [*voir, entendre, prononcer*] clearly, distinctly; [*s'exprimer*] clearly

distinctif, **-ive** /distɛ̃ktif, iv/ *adj* [*signe, caractère*] distinguishing; [*trait*] distinctive

distinction /distɛ̃ksjɔ̃/ *nf* **1** (différence) distinction; **faire** *or* **établir une ~ entre X et Y** to make *ou* draw a distinction between X and Y; **sans ~** [*agir, récompenser*] without discrimination; [*massacrer, nuire*] indiscriminately; **sans ~ d'origine ou de religion** irrespective of colour[GB] or creed; **2** (récompense) honour[GB]; **la plus haute ~** the highest honour[GB]; **remettre/recevoir une ~** to confer/to be awarded an honour[GB]; **~ honorifique** award; **3** (élégance) distinction *ou* refinement; **il n'a aucune ~** he lacks refinement; **avoir de la ~** to be distinguished *ou* refined; **d'une grande ~** [*personne, œuvre*] of great distinction (*épith, après n*)

distingué, **~e** /distɛ̃ge/
A *pp* ▸ **distinguer**
B *pp adj* **1** (élégant) [*personne, manières*] distinguished, refined; [*air, allure*] distinguished; **2** (éminent) distinguished; **3** (en correspondance) **veuillez agréer mes salutations ~es** (à une personne non nommée) yours faithfully; (à une personne nommée) yours sincerely

distinguer /distɛ̃ge/ [1]
A *vtr* **1** (séparer) [*personne, esprit*] to distinguish between; **il faut ~ deux domaines bien différents** we must distinguish between two very different fields; **~ A et B** to distinguish between A and B; **~ A de B** to tell *ou* distinguish A from B; **il est difficile de ~ les deux jumeaux** it's difficult to tell the twins apart; **2** (par la vue, l'ouïe) (percevoir les différences) to distinguish [*couleurs, nuances*]; (percevoir avec difficulté) to make out [*contours, sons, différences*]; **3** (percevoir intellectuellement) to discern; **quant aux espèces vénéneuses, on en distingue quatre** there are four poisonous species; **je distinguerais trois points** (dans un exposé) I would like to bring out three main points; **4** (différencier) [*détail, qualité, trait*] to set [sb] apart [*personnes, animaux*]; to make [sth] different [*objets*] **(de** from); **ce qui distingue Paris de Londres** what makes Paris different from London, what distinguishes Paris from London; **à part leur taille, rien ne les distingue** apart from their size, there's nothing that sets them apart; **je vois mal ce qui**

les distingue I fail to see what makes them different; **aucune caractéristique physique ne les distingue** physically, they have no distinguishing features; **5** (récompenser) [*personne, jury*] to single out [sb] for an honour[GB] [*personne*]; [*prix, récompense*] to be awarded to [*personne, œuvre*]

B *vi* **il faut savoir ~** you have to be able to tell the difference; **~ s'il s'agit d'un besoin réel ou d'un caprice** to judge whether it's a question of real need or of a whim; **~ entre A et B** to distinguish *ou* make a distinction between A and B

C se distinguer *vpr* **1** (différer) **se ~ de** (par ses qualités) to differ from; (par ses actes) to set oneself apart from; **il vaut mieux éviter de se ~** it's best not to be conspicuous; **2** (s'illustrer) [*chercheur, sportif, candidat*] to distinguish oneself; **il s'est surtout distingué en physique théorique** he distinguished himself especially in theoretical physics; **l'auteur se distingue/ne se distingue pas par son originalité** the author is noted/isn't noted for his originality; **3** (être perçu) to be distinguishable; **se ~ à peine dans le brouillard** to be barely distinguishable in the fog; **4** (se faire remarquer) pej to draw attention to oneself; **il faut toujours qu'elle se distingue, celle-là!** she always has to draw attention to herself!

distinguo /distɛ̃go/ *nm* fine distinction; **faire le** *or* **un ~ entre** to make a fine distinction between

distique /distik/ *nm* distich

distordre /distɔʀdʀ/ [6]

A *vtr* **1** (perturber) to distort [*son, image*]; **2** [*colère, douleur*] to contort [*visage, bouche*]; **être distordu par la douleur** to be contorted with pain

B se distordre *vpr* **1** [*visage, bouche, traits*] to become contorted; **leur visages se distordaient sous la douleur** their faces were contorted with pain; **2** [*image, son*] to become distorted

distorsion /distɔʀsjɔ̃/ *nf* **1** (de fait, réalité, d'histoire) distortion (**de** of); **2** (de son, d'image) distortion; **3** (de salaire, prix, taux, d'économie) imbalance; **4** (de visage, bouche) distortion

distraction /distʀaksjɔ̃/ *nf* **1** (activité) leisure ¢, entertainment ¢; **c'est ma seule ~** it's my only form of leisure; **cette ville manque de ~s** there's not much in the way of entertainment in this town; **les ~s sont rares ici** there's not much to do around here; **2** (détente) recreation; **la lecture est un moyen de ~** reading is a means of relaxation; **j'ai besoin de ~** I need some form of relaxation; **tout a été conçu pour la ~ des membres du club** everything has been designed to keep the club members entertained; **3** (étourderie) absent-mindedness ¢; **par ~** through absent-mindedness; **avec ~** absent-mindedly; **mes professeurs me reprochent ma ~** my teachers tell me off for not paying attention; **4** Jur (de fonds, biens) misappropriation

distraire /distʀɛʀ/ [58]

A *vtr* **1** (divertir) (en amusant) to amuse; (en occupant) to entertain; **cela m'a distrait un moment** (amusé) it kept me amused for a while; **2** (soulager) **~ qn de** to take sb's mind off [*problème, chagrin, ennui*]; **3** (déconcentrer) to distract [*personne*] (**de** from; **par** by); **il distrait les autres élèves** he distracts the other pupils; **~ l'attention de qn** to distract sb's attention; **je me suis laissée ~** I let myself be *ou* get distracted; **4** Jur (détourner) to misappropriate [*argent, fonds*]

B se distraire *vpr* **1** (s'amuser) to amuse oneself; (prendre du bon temps) to enjoy oneself; **que fais-tu pour te ~?** what do you do for entertainment?; **2** (se changer les idées) **j'ai besoin de me ~** I need to take my mind off things; **se ~ de ses problèmes** to take one's mind off one's problems

distrait, **~e** /distʀɛ, ɛt/

A *pp* ▸ **distraire**

B *pp adj* [*personne*] (trait de caractère) absent-minded; (occasionnellement) inattentive; [*élève*] inattentive; [*air, manière*] distracted; [*regard, sourire*] vague; **excusez-moi, j'étais ~** I'm sorry, I wasn't paying attention; **écouter d'une oreille ~e** to listen with only half an ear, to half-listen; **regarder qn d'un œil ~** to look vaguely at sb

distraitement /distʀɛtmɑ̃/ *adv* [*entrer, verser, déplacer*] absent-mindedly; **regarder ~ qch** to look vaguely at sth; **écouter ~** to listen with half an ear, to half-listen; **il lisait ~ un journal** he was reading a newspaper with half an eye, he was half-reading a newspaper

distrayant, **~e** /distʀɛjɑ̃, ɑ̃t/ *adj* [*personne, soirée, film*] entertaining, amusing; **c'est (d')une lecture ~e** it's an entertaining read, it makes entertaining reading

distribuer /distʀibɥe/ [1]

A *vtr* **1** (donner) to distribute [*prospectus, médicaments*] (**à** to); to pay out [*dividende*] (**à** to); to hand out [*compliments, poignées de main*] (**à** to); to allocate [*crédits, tâches, rôles*] (**à** to); **~ les cartes** Jeux to deal; **~ le courrier** to deliver the mail; **~ les prix** to award the prizes; **~ les récompenses** to give out the awards; **2** Comm (vendre) [*personne*] to distribute [*produit, film*]; [*machine*] to dispense [*tickets, boissons*]; **3** Constr, Gén Civ to supply [*eau, chaleur*]; **4** (organiser) **bâtiments mal distribués le long de l'avenue** buildings poorly distributed along the avenue; **maison bien/mal distribuée** well-/badly-planned house

B se distribuer *vpr* (se répartir) to be distributed; **se ~ régulièrement** to be evenly distributed

distributeur, **-trice** /distʀibytœʀ, tʀis/ ▸ **p. 532**

A *adj* **1** Comm distributing; **compagnie distributrice** distributing firm; **2** Tech **flacon ~** dispenser

B *nm,f* **1** Comm distributor; **~ de films** film distributor; **~ exclusif** sole distributor; **2** (de rue) distributor; **~ de prospectus** leaflet distributor

C *nm* **1** (machine automatique) dispenser; (payant) vending machine; **~ de mayonnaise** mayonnaise dispenser; **~ de tickets** ticket machine; **~ de billets (de banque)** cash dispenser; **~ de boissons/préservatifs/cigarettes** drinks/condom/cigarette vending machine; **2** Aut, Électrotech, Tech distributor; **3** (compagnie du secteur de la distribution) retailing group

(Composés) **~ automatique de billets, DAB** automatic teller machine, ATM; **~ d'engrais** Agric fertilizer spreader

distributif, **-ive** /distʀibytif, iv/ *adj* (tous contextes) distributive

distribution /distʀibysjɔ̃/ *nf* **1** Écon, Fin (secteur) retailing; **secteur de la ~ alimentaire** food retailing sector; **géant de la ~** retailing giant; **chaîne de ~** retailing chain; ▸ **grand**; **2** Comm (commercialisation) distribution; **branche ~** distribution branch; **~ d'un journal/du gin** distribution of a paper/of gin; **se réserver l'exclusivité de la ~** to keep exclusive distribution rights (**de** for); **3** Gén Civ supply; **~ de l'électricité/eau/énergie** electricity/water/energy supply; **4** (fourniture) (d'objets) distribution; (de tâches, rôles) allocation; **~ gratuite de lait aux écoliers** distribution of free milk to schoolchildren; **~ de prospectus** distribution of leaflets; **5** (disposition) distribution; **~ géographique** geographical distribution; **~ d'une maison** layout of a house; **6** Cin, Théât (choix effectué) casting; (liste) cast; **7** Tech valve gear

(Composés) **~ d'actions gratuites** allocation of bonus shares; **~ automatique** Comm automatic dispensing; **~ des cartes** Jeux deal; **~ complémentaire** Ling complementary distribution; **~ du courrier** Postes postal delivery; **~ de dividendes** Fin payment of dividends; **~ des prix** Scol prize-giving; **~ sélective** *or* **personnalisée** push technology

distributionnel, **-elle** /distʀibysjɔnɛl/ *adj* Ling distributional

distributivité /distʀibytivite/ *nf* Math distributivity

district /distʀik(t)/ *nm* ≈ district (*administrative subdivision of a department of France*)

District of Columbia ▸ **p. 721** *nprm* District of Columbia

dit /di/ *nm* Littérat ditty

dithyrambe /ditiʀɑ̃b/ *nm* **1** (éloge) fml dithyramb sout; (exagéré) panegyric; **2** Littérat, Antiq (poème) dithyramb

dithyrambique /ditiʀɑ̃bik/ *adj* [*discours, article, propos*] ecstatic; [*louange*] extravagant; **les critiques ont été ~s sur ce film** the critics gave the film ecstatic reviews

dito /dito/ *adv* Comm ditto

diurèse /djyʀɛz/ *nf* diuresis

diurétique /djyʀetik/ *adj*, *nm* diuretic

diurne /djyʀn/ *adj* [*activité, éclairage, programmation*] daytime; [*fleur, animal, fièvre*] diurnal

diva /diva/ *nf* diva

divagation /divagasjɔ̃/ *nf* **1** (de fou, malade) ravings (*pl*); **2** (élucubration) rambling ¢; **n'écoute pas leurs ~s** don't listen to their ramblings; **3** Jur (d'animal) straying; **être en état de ~** to be a stray

divaguer /divage/ [1] *vi* **1** (délirer) [*fou, malade*] to rave; **il divague** he's raving; **la fièvre le fait ~** he's raving with fever; **2** (déraisonner) to ramble; (dire des bêtises) to talk nonsense; **3** Jur [*animaux*] to stray

divan /divɑ̃/ *nm* **1** (siège) divan; **2** Hist (salle) divan; **3** ○(d'analyste) (shrink's) couch; **passer** *or* **s'allonger sur le ~** to go to see a psychoanalyst; **mettre qch sur le ~** to analyze sth closely

dive /div/ *adj f* **la ~ bouteille** hum the bottle○; **être porté sur la ~ bouteille** to be fond of the bottle○

divergence /divɛʀʒɑ̃s/ *nf* **1** (d'opinions, de points de vue) divergence; **des ~s d'intérêts** divergences of interest; **des ~s politiques/idéologiques** political/ideological differences; **~ de goûts/au sein d'un parti** differences of taste/within a party; **2** Sci divergence

divergent, **~e** /divɛʀʒɑ̃, ɑ̃t/ *adj* lit, fig divergent

diverger /divɛʀʒe/ [13] *vi* **1** (être en désaccord) [*idées, intérêts, points de vue*] to diverge (**de** from); [*lois, goûts*] to differ (**de** from; **sur** on); **les règlements divergent d'un pays à l'autre** regulations differ from one country to another; **les témoignages divergent sur l'heure à laquelle le suspect a été vu** testimonies differ as to the time at which the suspect was seen; **2** (se séparer) [*lignes, voies, rayons*] to diverge; **3** Nucl [*réacteur*] to go critical

divers, **~e** /divɛʀ, ɛʀs/

A *adj* **1** (varié) various, diverse; (plusieurs) various, several; **pour des raisons ~es** for various reasons; **pour des raisons très ~es** for very diverse reasons; **par des moyens ~** by various *ou* diverse means; **des styles/matériaux ~** diverse styles/materials; **les ~ aspects/résultats** the various aspects/results; **les résultats des ~es entreprises** the results of the various companies; **selon ~es sources** according to various *ou* several sources; **à ~es reprises** on various *ou* several occasions; **en ~ endroits** in various *ou* several places; **elle connaît les gens les plus ~** she knows all sorts of people; **2** (indéfini) [*frais*] miscellaneous; **dépenses ~es** sundries; **3** liter (nuancé) [*paysage*] varied; **le film a été accueilli avec un intérêt ~** the film was met with varying degrees of interest

d

B *nmpl* (rubrique) miscellaneous
(Composés) ~ **droite** Pol *minor right-wing parties*; ~ **gauche** Pol *minor left-wing parties*

diversement /divɛʀsəmɑ̃/ *adv* variously, in different ways; **le film a été ~ accueilli** the film had a mixed reception

diversification /divɛʀsifikasjɔ̃/ *nf* diversification; **une politique de ~** a policy of diversification; **une entreprise en voie de ~** a company in the process of diversifying; **la ~ des exportations/produits/investissements** export/product/investment diversification; **une ~ de la clientèle** targeting a wider clientele; **des efforts de ~** efforts at diversification; **la ~ de ses activités a permis à l'entreprise de se développer** by diversifying its activities, the company has been able to develop

diversifier /divɛʀsifje/ [2]
A *vtr* **1** (varier) [*personne*] to vary [*occupations, méthodes, lectures, intérêts*]; [*entreprise*] to widen the range of, to diversify [*produits, activités, services*]; to widen [*clientèle*]; [*personne, entreprise*] to diversify [*investissements*]; **des méthodes diversifiées** varied methods; **des produits diversifiés** a wide range of products; **2** Assur to spread [*risques*]
B se diversifier *vpr* [*entreprise*] to diversify; [*produits, activités*] to be diversified

diversion /divɛʀsjɔ̃/ *nf* **1** Mil diversion; **une manœuvre de ~** a diversionary move; **une tentative de ~** an attempt at diversion; **faire ~** to create a diversion; **2** liter (distraction) diversion, distraction; **trouver une ~ à son ennui** to find something to take one's mind off one's boredom; **pour faire ~, elle offrit du café** she created a diversion by serving coffee

diversité /divɛʀsite/ *nf* (de personnes, paysages) diversity; (de couleurs, produits, cultures) diversity, variety; (de goûts, d'opinions, intérêts) variety, range; **les ~s ethniques/culturelles** ethnic/cultural diversity; **ils tirent leur force de leur ~** their strength lies in their diversity

divertir /divɛʀtiʀ/ [3]
A *vtr* **1** (distraire) (en occupant) to entertain; (en amusant) to amuse [*personne*]; (en changeant les idées) ~ **qn** to take sb's mind off things; **le film nous a divertis** we thoroughly enjoyed the film; **2** Jur (détourner) to misappropriate [*fonds, argent, héritage*]
B *vi* to entertain; **le spectacle n'a d'autre ambition que de ~** the show aims purely to entertain
C se divertir *vpr* [*personne, enfant*] (en s'amusant) to amuse oneself; (en prenant du bon temps) to enjoy oneself; **nous nous sommes bien divertis** we really enjoyed ourselves; **se ~ de qch** to be amused by sth; **faire qch pour se ~** (en jouant, plaisantant) to do sth for fun; (à cause d'ennuis, de problèmes) to do sth to take one's mind off things

divertissant, ~**e** /divɛʀtisɑ̃, ɑ̃t/ *adj* [*personne, activité, jeu, spectacle*] (qui fait rire) amusing; (qui occupe) entertaining; (plaisant) enjoyable

divertissement /divɛʀtismɑ̃/ *nm* **1** (action) entertainment **¢**; **être chargé du ~ des enfants/vieillards** to be in charge of entertaining the children/old people; **la puissance de ~ du roman** the entertainment value of the novel; **2** (distraction) recreation; **la reliure et la photo sont mes ~s favoris** bookbinding and photography are my favourite[GB] recreations; **3** Mus divertimento, divertissement; Théât divertissement; **4** Jur misappropriation

dividende /dividɑ̃d/ *nm* **1** Fin dividend; **les ~s des actions** dividends from shares, share dividends; **verser/toucher des ~s** to pay out/to receive dividends; **2** Math dividend

divin, ~**e** /divɛ̃, in/
A *adj* **1** (de Dieu) divine; **2** (merveilleux) [*temps, écriture, musique, robe, vin*] divine; **tu es ~e ainsi** you look divine; **il y a quelque chose de ~ dans ta musique** there's something divine about your music; **le ~ Mozart** the divine Mozart
B *nm* **le ~** the divine
(Composés) **le ~ Enfant** the Holy Child; **la ~e Providence** divine Providence; **le ~ Sauveur** the Divine Saviour[GB]

divinateur, **-trice** /divinatœʀ, tʀis/ *adj* **instinct ~** intuition; **puissance divinatrice** powers of divination

divination /divinasjɔ̃/ *nf* divination

divinatoire /divinatwaʀ/ *adj* divinatory

divinement /divinmɑ̃/ *adv* [*chanter, jouer*] divinely; **elle est ~ belle** she's divinely beautiful

divinisation /divinizasjɔ̃/ *nf* deification

diviniser /divinize/ [1] *vtr* (tous contextes) to deify

divinité /divinite/ *nf* **1** (être divin) deity; ~ **agraire** agricultural deity; **2** Relig (nature) divinity; **la ~ du Christ** the divinity of Christ

divisé, ~**e** /divize/
A *pp* ▸ **diviser**
B *pp adj* **1** (désuni) [*communauté, opposition*] divided (**sur** over); **l'entreprise semble très ~e sur sa stratégie financière** the company seems very divided over its financial strategy; **2** (séparé) divided (**en** into); **l'exposition est ~e en deux parties** the exhibition is divided into two parts

diviser /divize/ [1]
A *vtr* **1** (désunir) to divide; **question qui divise l'opinion** issue which divides opinion; ~ **pour régner** divide and rule; **2** (séparer) to divide (**en** into; **entre** between); ~ **en trois groupes** to divide into three groups; ~ **en deux/dix** to divide in two/ten; **3** Math to divide (**par** by)
B se diviser *vpr* **1** (se désunir) to become divided (**sur** over); **2** (être divisible) **la liberté ne se divise pas** freedom is indivisible; **3** (être séparé) to be divided (**en** into); **le dictionnaire se divise en deux parties** the dictionary is divided into two parts; **se ~ en deux/dix** to be divided into two/ten; **4** Math to be divisible (**par** by); **trente se divise par cinq** thirty is divisible by five; **5** (se ramifier) [*cellule, branche, fleuve*] to divide; [*route*] to fork

diviseur /divizœʀ/ *nm* Math divisor

divisibilité /divizibilite/ *nf* Math, Phys divisibility

divisible /divizibl/ *adj* [*immeuble, nombre, élément*] divisible

division /divizjɔ̃/ *nf* **1** (désunion) division (**sur** over); ~ **du pays/de la population sur les questions sociales** division in the country/among the population over social issues; ~**s internes** internal divisions; **2** (répartition) division (**en** into; **entre** between); ~ **en salles de classe** division into classrooms; **3** Entr (service) division; ~ **communication/environnement** communications/environmental division; **4** Sport division; **jouer en deuxième ~** to play in the second division; **5** Mil division; **6** Math division **¢** (**par** by); **apprendre à faire des ~s** to learn to do division; **faire une erreur de ~** to make a mistake in the division; **ta ~ est fausse** your division is wrong; ~ **harmonique** harmonic division; **7** (graduation, partie) division; **la seconde est une ~ de la minute** the second is a division of the minute
(Composés) ~ **blindée, DB** Mil armoured[GB] division; ~ **cellulaire** Biol cell division; ~ **d'infanterie** Mil infantry division; ~ **légère blindée** Mil light armoured[GB] division; ~ **militaire territoriale** Mil military region; ~ **du travail** Écon division of labour[GB]

divisionnaire /divizjɔnɛʀ/ *adj* **commissaire ~** Admin ≈ Chief Superintendent; **inspecteur de police ~** Admin ≈ detective chief inspector; **monnaie ~** Fin fractional currency

divorce /divɔʀs/ *nm* **1** Jur divorce (**d'avec** from); **prononcer le ~ entre deux époux** to grant a divorce to a couple; **demander/obtenir le ~** to ask for/to obtain a divorce; **faire une demande en ~** to file for (a) divorce, to file a petition for divorce; ~ **par consentement mutuel** divorce by mutual agreement; ~ **aux torts de l'un des deux époux** divorce pronounced against one party; **gagner le ~** to win a divorce suit; **être en instance de ~** to be getting divorced *ou* a divorce; **2** fig (rupture) divorce (**entre** between)

divorcé, ~**e** /divɔʀse/
A *pp* ▸ **divorcer**
B *pp adj* divorced
C *nm,f* divorcee

divorcer /divɔʀse/ [12] *vi* **1** Jur to divorce; **il a divorcé d'avec** *or* **de sa femme** he has divorced his wife; **elle veut ~** she wants a divorce *ou* to divorce him; **ils veulent ~** they want a divorce *ou* to get divorced; **nous sommes divorcés depuis deux ans** we have been divorced for two years; **2** fig (rompre) [*personne, parti, entreprise*] to split (**d'avec, de** from); **les deux entreprises ont divorcé** the two companies have split

divulgation /divylgasjɔ̃/ *nf* disclosure

divulguer /divylge/ [1]
A *vtr* to disclose, to divulge
B se divulguer *vpr* to become known

dix /dis, *but before consonant* di, *before vowel* diz/ ▸ **p. 568**, **p. 424**, **p. 222** *adj inv, pron* ten; ▸ **pied**
(Idiomes) **ne rien savoir faire de ses ~ doigts** to be useless, to be good for nothing; **un de perdu, ~ de retrouvés** Prov there's plenty more fish in the sea Prov

dix-huit /dizɥit/ ▸ **p. 568**, **p. 424**, **p. 222** *adj inv, pron* eighteen

dix-huitième /dizɥitjɛm/ ▸ **p. 222**, **p. 568** *adj* eighteenth

dixième /dizjɛm/ ▸ **p. 222**, **p. 568**
A *adj* tenth
B *nf* Scol *second year of primary school, age 7–8*

dix-neuf /diznœf/ ▸ **p. 568**, **p. 424**, **p. 222** *adj inv, pron* nineteen

dix-neuvième /diznœvjɛm/ ▸ **p. 222**, **p. 568** *adj* nineteenth

dix-sept /dis(s)ɛt/ ▸ **p. 568**, **p. 424**, **p. 222** *adj inv, pron* seventeen

dix-septième /dis(s)ɛtjɛm/ ▸ **p. 222**, **p. 568** *adj* seventeenth

dizain /dizɛ̃/ *nm* Littérat ten-line poem

dizaine /dizɛn/ *nf* **1** (nombre) ten; **la colonne des ~s** the tens column; **2** (environ dix) about ten; **il y a une ~ de kilomètres** it's about ten kilometres[GB]; **il a une ~ d'années** he's about ten; **il y a une ~ d'années** about ten years ago; **ça a duré une bonne ~ d'années** it went on for over ten years; **nous étions une ~** there were about ten of us; **il y a une ~ de pages** there are about ten pages; **plus d'une ~ de victimes** at least ten casualties; **des ~s de personnes** dozens of people; **les victimes se comptent par ~s** there are dozens of casualties; ▸ **cinquantaine 1**

djellaba /dʒɛlaba/ *nf* jellaba

djeunz○ /dʒœnz/ *adj inv* yoof○, youth, young

Djibouti /dʒibuti/ ▸ **p. 894**, **p. 333** *npr* Djibouti

djihad /dʒiad/ *nm* jihad

djihadiste /dʒiadist/ *nmf* jihadist

djinn /dʒin/ *nm* djinn, jinni

dm *written abbr* = **décimètre 1**

DM Hist ▸ **p. 48** (*written abbr* = **Deutsche Mark**) DM

DMLA /deɛmɛla/ *nf* (*abbr* = **dégénérescence maculaire liée à l'âge**) age-related macular degeneration

Dniepr /dnjɛpʀ/ ▸ **p. 372** *nm* Dnieper

do /do/ *nm inv* Mus (note) C; (en solfiant) doh

doberman /dɔbɛʀman/ *nm* Doberman (pinscher)

docile /dɔsil/ *adj* [*animal, personne, élève*] docile, obedient; péj submissive; [*cheveux*] manageable; **il est d'un caractère ~** he's docile

docilement /dɔsilmɑ̃/ *adv* [*écouter*] obediently; [*sourire, obéir*] meekly

docilité /dɔsilite/ *nf* (d'animal, enfant) obedience; (d'employé, adhérent) docility, obedience (**de** of)

dock /dɔk/ *nm* [1] (bassin de chargement) dock; [2] (entrepôt) warehouse

docker /dɔkɛʀ/ ▸ **p. 532** *nm* docker

docte /dɔkt/ *adj* [*réflexions, personne*] learned, erudite; hum [*ton*] sententious

doctement /dɔktəmɑ̃/ *adv* learnedly

docteur /dɔktœʀ/ ▸ **p. 848** *nm* [1] (en médecine) doctor, GP GB; **le ~ Lagrange** Doctor Lagrange; **jouer au ~** to play doctors and nurses; [2] Univ Doctor; **~ en médecine/droit** Doctor of Medicine/Law; **elle est ~ ès sciences** she has a doctorate in science; **J.P. Lagrange, ~ ès lettres** J.P. Lagrange, PhD

(Composés) **~ de l'Église** Relig Doctor of the Church; **~ de la Loi** Relig Doctor of the Law

doctoral, **~e**, *mpl* **-aux** /dɔktɔʀal, o/ *adj* [1] (pédant) péj [*air, ton*] pompous; [2] Univ [*études, formation*] doctoral

doctoralement /dɔktɔʀalmɑ̃/ *adv* pej pompously

doctorat /dɔktɔʀa/ *nm* PhD, doctorate (**ès, en** in)

doctoresse† /dɔktɔʀɛs/ ▸ **p. 532** *nf* (female) doctor

doctrinaire /dɔktʀinɛʀ/

A *adj* [*attitude*] doctrinaire pej; [*ton*] sententious; [*discussion*] doctrinal

B *nmf* doctrinaire

doctrinal, **~e**, *mpl* **-aux** /dɔktʀinal, o/ *adj* [*revirement, référence*] Relig doctrinal; Pol ideological

doctrine /dɔktʀin/ *nf* doctrine

docu-fiction /dɔkyfiksjɔ̃/ *nm* TV docudrama

document /dɔkymɑ̃/ *nm* [1] (pour information, témoignage) document (**sur** on); **~s écrits/photographiques/d'archive** written/photographic/archive documents; **~s secrets** secret documents; **~ sonore/vidéo** audio/video material ₵; **prouver qch avec ~s à l'appui** to prove sth by means of documentary evidence; **l'exposition est un ~ extraordinaire sur notre époque** the exhibition is an extraordinary record *ou* chronicle of our times; [2] (papier officiel) document, paper; **faux ~s** false documents *ou* papers; [3] Scol, Univ **vous n'avez droit à aucun ~ pour cette épreuve** no books or notes are allowed for this exam

(Composé) **~s de bord** Naut ship's papers

documentaire /dɔkymɑ̃tɛʀ/

A *adj* [*caractère, intérêt*] documentary (*épith*); [*centre, système*] information (*épith*); **à titre ~** for your information

B *nm* documentary (**sur** on, about)

documentaliste /dɔkymɑ̃talist/ ▸ **p. 532** *nmf* Presse, Entr information officer; TV researcher; Scol (school) librarian

documentation /dɔkymɑ̃tasjɔ̃/ *nf* [1] (documents) material, information (**sur** on); **~ d'archives** archive material; **nous avons toute une ~ sur la ville** we can provide information *ou* literature about the town; [2] (information) research; **leur analyse est basée sur une ~ solide** their analysis is based on solid research; [3] (brochures) brochures (*pl*) (**sur** on); **j'ai pris de la ~ pour les vacances** I picked up some holiday GB *ou* travel brochures; **tous les participants recevront une ~ sur la ville** all the participants will be given an information pack about the city; [4] (activité) Entr information; Presse, TV research; **service de ~** Entr information unit; Presse, TV research unit; **centre de ~** resource centre[GB]; [5] Scol **la ~** the (school) library; [6] Univ (discipline) studies in librarianship

documenter /dɔkymɑ̃te/ [1]

A *vtr* [1] (fournir des renseignements à) to provide [sb] with information [*chercheur*]; **elle est mal documentée sur ce sujet** she hasn't got much information on that subject; [2] (fournir des renseignements pour) to research; **une thèse bien documentée** a well-researched thesis

B **se documenter** *vpr* **se ~ sur qch** to research sth, to gather information *ou* material on sth

dodécaèdre /dɔdekaɛdʀ/ *nm* dodecahedron

dodécagone /dɔdekagɔn/ *nm* dodecagon

dodécaphonique /dɔdekafɔnik/ *adj* Mus twelve-tone (*épith*), dodecaphonic

dodeliner /dɔdline/ [1] *vi* **il dodelinait de la tête** his head was nodding; **s'endormir en dodelinant de la tête** to nod off

dodo /dodo/ *nm* [1] baby talk **faire ~** to sleep; **c'est l'heure d'aller faire ~** it's time for beddy-byes lang enfantin, it's bedtime; **chut! fais ~** sssh! go to sleep; **au ~!** off to bed!; [2] Zool dodo

dodu, **-e** /dɔdy/ *adj* [*personne, épaule, volaille*] plump; [*bébé, joue*] chubby

doge /dɔʒ/ *nm* doge

dogmatique /dɔgmatik/ *adj* dogmatic

dogmatiquement /dɔgmatikmɑ̃/ *adv* dogmatically

dogmatiser /dɔgmatize/ [1] *vi* to dogmatize (**sur** about)

dogmatisme /dɔgmatism/ *nm* dogmatism

dogme /dɔgm/ *nm* dogma

dogue /dɔg/ *nm* mastiff

doigt /dwa/ ▸ **p. 196** *nm* [1] Anat finger; **compter sur ses ~s** to count on one's fingers; **petit ~** little finger GB, pinkie US; **le petit ~ sur la couture du pantalon** fig standing to attention; **lever le ~** to put one's hand up; **bout des ~s** fingertips (*pl*); **du bout des ~s** lit with one's fingertips; fig reluctantly; **être français jusqu'au bout des ~s** to be French through and through; **sur le bout des ~s** lit on one's fingertips; **connaître une ville sur le bout des ~s** to know a city like the back of one's hand; **savoir son vocabulaire sur le bout des ~s** to know one's vocabulary off pat; **désigner** *or* **montrer du ~** lit to point at; fig to point the finger at; **mettre le ~ sur qch** lit, fig to put one's finger on sth; **tu as mis le ~ dessus** you put your finger on it; **toucher du ~** (vraiment sentir) to experience at first hand; (atteindre) to come close to touching; ▸ **bague**, **dix**, **obéir**, **plaie**; [2] (de gant) finger; [3] Mes finger; **mettez-moi deux ~s de vodka** pour me two fingers of vodka

(Composés) **~ de dieu** Relig hand of God; **~ de pied** Anat toe; ▸ **éventail**

(Idiomes) **se brûler les ~s** to get one's fingers burned; **ça se compte sur les ~s de la** *or* **d'une main** it can be counted on the fingers of one hand; **croiser les ~s** to cross one's fingers; **être à deux ~s de qch/faire** to be a whisker away from sth/doing; **filer entre les ~s** [*affaire, argent, voleur*] to slip through one's fingers; [*temps*] to slip away from sb; **ne pas lever le petit ~** not to lift a finger (**pour qn** for sb; **pour faire** to do); **mon petit ~ me dit que** a little bird tells me that; ; **se mordre les ~s d'avoir fait** to kick oneself for having done; **s'en mordre les ~s** to kick oneself over it; **les ~s dans le nez**○ standing on one's head; **se mettre**○ *or* **fourrer**◑ **le ~ dans l'œil (jusqu'au coude)** to be seriously mistaken; **se faire taper sur les ~s** to get one's knuckles rapped

doigté /dwate/ *nm* [1] (diplomatie) tact; **faire preuve de/manquer de/demander du ~** to show/to be lacking in/to call for tact; **avoir du ~** to be tactful; [2] (adresse manuelle) light touch; **avoir du ~** to have a light touch; **manquer de ~** to be heavy-handed; [3] Mus fingering

doigtier /dwatje/ *nm* fingerstall; **~ en latex** rubber fingerstall

doléance /dɔleɑ̃s/ *nf* complaint; **faire** *or* **présenter ses ~s** to present a list of one's grievances

dolent, **~e** /dɔlɑ̃, ɑ̃t/ *adj* [*air, voix, personne*] doleful; [*ville*] lifeless

dolichocéphale /dɔlikosefal/ *adj*, *nmf* dolichocephalic

doline /dɔlin/ *nf* sinkhole

dollar /dɔlaʀ/ ▸ **p. 48** *nm* dollar

dolmen /dɔlmɛn/ *nm* dolmen

dolomie /dɔlɔmi/ *nf* dolomite

Dolomites /dɔlɔmit/ ▸ **p. 721** *nfpl* **les ~** the Dolomites

DOM /dɔm/ *nm inv* (*abbr* = **département d'outre-mer**) *French overseas (administrative) department*

domaine /dɔmɛn/

A *nm* [1] (terres) estate; **ils possèdent un vaste ~ dans le Sud-Ouest** they own a large estate in the South West; **~ vinicole** vineyards (*pl*); [2] (spécialité) field, domain; **dans le ~ financier/philosophique** in the field of finance/philosophy; **la mécanique, ce n'est pas mon ~** mechanics is not my field; **dans tous les ~s** in every field *ou* domain; [3] ○(territoire) **l'atelier/le grenier c'est mon ~ (réservé)** the workshop/the attic is my territory; [4] Admin **le Domaine** state(-owned) property; **appartenir au Domaine** to be owned by the State; [5] Ordinat domain; **nom de ~** domain name

B **Domaines** *nmpl*: *government department which manages state-owned land and property*

(Composés) **~ public** public domain; **tomber dans le ~ public** Jur [*œuvres d'art, invention*] to be in the public domain; [*œuvre littéraire*] to be out of copyright; **~ réservé** Pol, Jur reserved domain

domanial, **~e**, *mpl* **-iaux** /dɔmanjal, o/ *adj* [*forêt, terrain, biens*] state-owned (*épith*)

dôme /dom/ *nm* dome; **une tente ~** a dome tent

domestication /dɔmɛstikasjɔ̃/ *nf* [1] (d'un animal) domestication; [2] (d'une énergie) harnessing

domesticité /dɔmɛstisite/ *nf* [1] (ensemble des domestiques) (household) staff; [2] (condition de domestique) domestic service

domestique /dɔmɛstik/

A *adj* [1] (qui concerne la maison) [*soucis, vie, économie, tâche*] domestic; **le personnel ~** domestic staff; **les travaux ~s** housework; **les accidents ~s** accidents in the home; [2] (domestiqué) [*animal*] domestic; [3] Écon, Ind (concernant un pays) [*marché, consommation*] domestic, home

B *nmf* servant, domestic; **je ne suis pas ton ~** I'm not your slave *ou* skivvy○ GB

domestiquer /dɔmɛstike/ [1] *vtr* [1] (apprivoiser) to domesticate [*animal, espèce*]; [2] (maîtriser) to harness [*électricité, atome, marée*]; [3] (assujettir) to subjugate [*peuple*]

domicile /dɔmisil/

A *nm* (d'une personne) place of residence, domicile; (d'une société) registered address; **ils ont regagné leur ~** they went back home; **changer de ~** to move (house); **dernier ~ connu** last known address; **avoir un hôpital à proximité de son ~** to live near *ou* within easy reach of a hospital; **élire ~ quelque part** lit, fig to take up residence somewhere; ▸ **sans**

B **à domicile** *loc adj* **travail à ~** working at *ou* from home; **donner des soins à ~** to give home care; **victoire de Bordeaux à ~** Sport home win for Bordeaux; **'livraisons à ~'** 'home deliveries'

C **à domicile** *loc adv* **livrer à ~** to do home deliveries; **masser/coiffer à ~** to do home visits GB *ou* to make house calls US for

d

massage/hairdressing; **travailler à ~** to work from home

(Composés) **~ conjugal** marital home; **~ fiscal** *address for tax purposes*; **~ légal** permanent residence

domiciliaire /dɔmisiljɛʀ/ *adj* Jur **visite ~** domiciliary visit; **perquisition ~** house search

domiciliation /dɔmisiljasjɔ̃/ *nf* Fin domiciliation

domicilié, ~e /dɔmisilje/

A *pp* ▸ **domicilier**

B *pp adj* **être ~ à Arras** to live in Arras; Admin to be resident in Arras; **M. Pons, ~ 17 rue Roland...** Mr Pons, currently residing at 17 rue Roland...; **j'habite à Paris, mais je suis ~e à Rennes** I live in Paris, but my official address is in Rennes

domicilier /dɔmisilje/ [2] *vtr* **(faire) ~ ses factures** to have one's bills paid by banker's order; **faire ~ ses effets de commerce** to have one bills of exchange domiciled

domien, -ienne /dɔmjɛ̃, ɛn/ *nm,f*: *French citizen who lives in, or comes from, a Département d'Outre-Mer*

dominance /dɔminɑ̃s/ *nf* dominance

dominant, ~e /dɔminɑ̃, ɑ̃t/

A *adj* **1** (principal) *[couleur, ton, idéologie, rôle]* dominant; *[thème]* main; *[courant, vent, tendance, opinion]* prevailing; *[trait, idée, impression]* main; **2** (au pouvoir) *[classe]* ruling; **3** Biol *[caractère, gène]* dominant

B **dominante** *nf* **1** (trait caractéristique) dominant feature; **2** (couleur) main colour[GB]; **à ~e bleue** mainly blue; **3** Mus dominant (note); **septième de ~e** dominant seventh (chord); **4** Univ main subject, major US; **j'ai pris l'anglais en ~e** I took English as my main subject, I majored in English US; **faire des études à ~e littéraire** to study mainly arts subjects

dominateur, -trice /dɔminatœʀ, tʀis/

A *adj [personne]* domineering; *[caractère, manières, attitude]* overbearing; *[geste, ton, voix]* imperious

B *nm,f* ruler

domination /dɔminasjɔ̃/ *nf* domination; **être sous la ~ de** to be dominated by; **pays sous ~ étrangère** (influence) country dominated by a foreign power; (autorité) country under foreign rule; **la ~ de l'Europe par les Romains** the Romans' domination of Europe; **le pays était autrefois sous (la) ~ turque** the country was formerly under Turkish rule; **il est sous la ~ de sa femme** he's completely under his wife's thumb

dominer /dɔmine/ [1]

A *vtr* **1** (surplomber) *[maison, montagne]* to dominate *[ville, vallée]*; (dépasser) *[gratte-ciel, sommet]* to tower above *[quartier, montagnes]*; **de là, on domine toute la vallée** from there you get a view of the whole valley; **du haut de la tour, on domine toute la ville** from the top of the tower, you get a view of the whole town; **il est tellement grand qu'il domine tout le monde** he's so tall that he towers over everyone; **2** (s'imposer dans, contre) to dominate *[match, sport, débat]*; to overshadow *[adversaire, équipe]*; **il a dominé le cyclisme mondial pendant dix ans** he dominated world cycling for ten years; **il domine de loin les autres concurrents** he completely overshadows the other competitors; **ils ont été dominés pendant la première mi-temps** they were outplayed in the first half; **3** (prévaloir dans) *[idée, thème, problème]* to dominate *[œuvre, débat]*; **les questions monétaires ont dominé le débat** monetary issues dominated the debate; **4** (maîtriser) to master *[langue, technique, sujet, émotion]*; to overcome *[peur, timidité]*; to control *[colère]*; **~ la situation** to be in control of the situation; **il se laisse ~ par ses passions** his heart rules his head; **5** (avoir la haute main sur) to dominate *[marché, secteur]*; **~ l'économie mondiale** to dominate the world economy; **il est dominé par son frère** he's dominated by his brother; **il se laisse ~ par sa femme** he's hen-pecked; **6** Pol (gouverner) to rule *[pays]*; **leur rêve était de ~ le monde** their dream was to rule the world

B *vi* **1** (exercer son pouvoir) *[pays, peuple]* to rule, to hold sway; **2** (être en tête) *[équipe, sportif, concurrent]* to be in the lead; **il a dominé pendant toute la course** he was in the lead throughout the race; **elle a dominé pendant les deux premiers sets** she led during the first two sets; **3** (prévaloir) *[impression, idée]* to prevail; *[couleur, goût, parfum]* to stand out; **tel est le sentiment qui domine dans l'opinion publique** this is the prevailing public mood; **c'est le cassis qui domine** the flavour[GB] is mainly blackcurrant; **c'est la persévérance qui domine chez lui** his chief characteristic is perseverance

C **se dominer** *vpr [personne]* to control oneself

dominicain, ~e /dɔminikɛ̃, ɛn/ *adj* **1** ▸ **p. 561** Dominican; **République ~e** Dominican Republic; **2** Relig Dominican

Dominicain, ~e /dɔminikɛ̃, ɛn/ *nm,f* **1** ▸ **p. 561** Géog Dominican; **2** Relig Dominican

dominical, ~e, *mpl* **-aux** /dɔminikal, o/ *adj [repos, promenade, messe]* Sunday *(épith)*

dominion /dɔminjɔ̃/ *nm* Dominion

Dominique /dɔminik/ ▸ **p. 435, p. 333** *nprf* Dominica

domino /dɔmino/ *nm* **1** ▸ **p. 469** Jeux domino; **jouer aux ~s** to play dominoes; **2** (déguisement) domino

dommage /dɔmaʒ/ *nm* **1** (chose regrettable) **(quel) ~!** what a shame *ou* pity!; **c'est ~** it's a shame *ou* pity **(de faire** to do; **que** that); **c'est très** *ou* **vraiment ~** it's a great shame *ou* pity; **il serait ~ que** it would be a shame *ou* pity if; **c'est pas ~**○**!** iron great! iron; **2** (dégât) damage **¢**; **~s importants** severe damage; **subir des ~s** to suffer damage; **causer des ~s à** to damage; **3** Jur (préjudice) tort; **~ causé à un tiers** third-party damage

(Composés) **~s corporels** personal injury **¢**; **~s de guerre** Jur war damage **¢**; **~s immatériels** special damage **¢**; **~s et intérêts** Jur damages; **~s matériels** material damage

dommageable /dɔmaʒabl/ *adj* harmful **(pour** to)

dommages-intérêts /dɔmaʒɛ̃teʀɛ/ *nmpl* damages; **10 000 euros de ~** 10,000 euros in damages

domotique /dɔmɔtik/ *nf* home automation

domptable /dɔ̃tabl/ *adj* tamable

domptage /dɔ̃taʒ/ *nm* taming **(de** of)

dompter /dɔ̃te/ [1] *vtr* to tame *[fauve, nature, eaux]*; to bring [sb] to heel *[indiscipliné]*; to crush, to put down *[insurgés, insurrection]*; to overcome, to master *[orgueil, passion]*

dompteur, -euse /dɔ̃tœʀ, øz/ ▸ **p. 532** *nm,f* tamer; **~ de lions** lion tamer

DOM-TOM /dɔmtɔm/ *nmpl (abbr =* **départements et territoires d'outre-mer)** *French overseas administrative departments and territories*

don /dɔ̃/ *nm* **1** (donation) donation; **~s en argent** cash donations; **~s pour la recherche** donations for research; **~s des particuliers** private donations; **faire ~ de** to give *[amour, corps, œuvre]* **(à** to); **~ de soi** self-sacrifice; **2** (talent) gift; **avoir le ~ des langues** to have a gift for *ou* the gift of languages; **avoir le ~ de faire** to have a talent for doing; **il a le ~ de m'énerver** he has a special talent for getting on my nerves

(Composés) **~ d'ovocytes** egg donation; **~ du sang** blood donation; **~ de sperme** sperm donation

DON /deoɛn/ *nm*: *abbr* ▸ **disque**

donataire /dɔnatɛʀ/ *nmf* donee

donateur, -trice /dɔnatœʀ, tʀis/ *nm,f* donor

donation /dɔnasjɔ̃/ *nf* **1** (cadeau) donation; **2** Jur gift

donation-partage, *pl* **donations-partages** /dɔnasjɔ̃paʀtaʒ/ *nf* settlement (by deed)

donc /dɔ̃k/ *conj* **1** (indiquant une conséquence) so; (plus soutenu) therefore; (dans une déduction logique, un syllogisme) therefore; **il n'y avait pas de trains, ils sont ~ partis en voiture** there were no trains, so they left by car; **il avait une réunion, il n'a ~ pas pu venir** he had a meeting, so *ou* therefore he was unable to come; **nous ne disposons que de très peu de temps, il est ~ important de faire vite** we've got very little time, so *ou* therefore we've got to act quickly; **l'entreprise perdait de l'argent, il a ~ décidé de vendre** the company was losing money, so *ou* therefore he decided to sell up; **je pense ~ je suis** I think, therefore I am; **si ce n'est (pas) toi, c'est ~ ton frère** if it wasn't you, then it must have been your brother; **2** (marquant la surprise) so; **c'est ~ pour ça qu'il n'est pas venu!** so that's why he didn't come!; **3** (après interruption, digression) so; **nous disions ~?** so, where were we?; **j'étais ~ en train de lire, lorsque...** so I was reading, when...; **~, pour en revenir au sujet qui nous intéresse,...** so, to come back to the subject we're dealing with,...; **je disais ~ que...** as I was saying...; **4** (pour renforcer une affirmation, un ordre, une question) **laissez-moi ~ tranquille!** leave me alone, won't you?; **tais-toi ~!** be quiet *ou* shut up○, will you?; **enlève ~ cette casquette ridicule!** come on, take off that ridiculous cap!; **entrez ~!** do come in!; **ne dis ~ pas de bêtises!** don't be silly!; **mais où est-il ~ passé?** where on earth has he gone? ; **c'est ~ là que tu habites!** so, that's where you live then!; **allons ~!** come on!; **tiens ~!** fancy that!; **quoi ~?** what was that?, come again○?; **non mais dis ~, où est-ce que tu te crois?** hey! *ou* say! US where do you think you are?; **dis ~, où as-tu mis le dossier?** hey! *ou* say! US, where did you put the file?; **eh bien dites ~!** just fancy!

dondon○ /dɔ̃dɔ̃/ *nf* **une grosse ~** péj a big fat woman

donjon /dɔ̃ʒɔ̃/ *nm* keep, donjon

don Juan, *pl* **dons Juans** /dɔ̃ʒɥɑ̃/ *nm* (séducteur) **c'est un vrai ~** he's a real Casanova; **jouer les dons Juans** to be a Casanova

Don Juan /dɔ̃ʒɥɑ̃/ *npr* **1** Littérat Don Juan; **2** Mus Don Giovanni

donjuanesque /dɔ̃ʒɥanɛsk/ *adj [manœuvre]* Casanova *(épith)*

donjuanisme /dɔ̃ʒɥanism/ *nm* womanizing

donne /dɔn/ *nf* **1** (aux cartes) deal; **mauvaise** *or* **fausse ~** misdeal; **2** (rapport de forces) order; **nouvelle ~ économique/internationale** new economic/international order

donné, ~e /dɔne/

A *pp* ▸ **donner**

B *pp adj* **1** (possible) **il n'est pas ~ à tout le monde de faire** not everyone can do *ou* is capable of doing; **il m'a été ~ de travailler avec lui** I had the chance to work with him; **2** (déterminé) *[quantité, durée, endroit, situation]* given; **à un moment ~** gén at one point; (soudain) all at once, all of a sudden; **3** (bon marché) cheap; **c'est ~!** it's a gift *ou* bargain!; **ce n'est pas ~!** they're not exactly giving it away!; **à ce prix-là, c'est ~!** they're practically giving it away, at that price!

C **étant donné** *loc adj* given; **étant ~** *or* **~es les circonstances** given the circumstances; **étant ~** *or* **~e la nature du phénomène** given the nature of the phenomenon

D **étant donné que** *loc conj* given that; **étant ~ que tout le monde est d'accord** given that everybody agrees; **étant ~ qu'il y a d'autres possibilités** given that there are other possibilities

E donnée *nf* **1▸** (élément d'information) fact, element; **c'est une ~e parmi tant d'autres du problème** this is one element of the problem among many; **cette révélation va bouleverser les ~es politiques** this revelation is going to change the whole political picture; **nous n'avons aucune ~e sur cette question** we have no information on this issue; **les ~es de la psychologie/de l'embryologie** data on psychology/embryology; **2▸** (élément défini) data (+ *v pl ou sg*); **les ~es démographiques/informatiques/statistiques** demographic/computer/statistical data; **en ~es brutes** in raw data; **en ~es corrigées des variations saisonnières** Écon according to the seasonally adjusted figures; **après correction des ~es saisonnières** Écon with seasonally adjusted figures

donner /dɔne/ [1]

A *vtr* **1▸** (mettre en la possession de) to give [*livre, jouet, argent, salaire*]; **~ qch à qn** to give sth to sb, to give sb sth; **~ pour les œuvres** to give to charity; **j'ai déjà donné!** lit I've already made a donation!; fig been there, done that!; **je donnerais beaucoup** *or* **cher pour savoir qui/comment** I'd give a lot to know who/how; ▸ **chat**

2▸ (attribuer) to give [*nom, titre*] (**à** to); **~ un sens particulier à un mot** to give a word a particular meaning; **je lui donne 40 ans** I'd say he/she was 40; **on ne lui donne pas d'âge** you can't tell how old he/she is; **il me donnait du 'Maître'** he was calling me 'Maître'

3▸ (faire avoir) to give [*migraine, appétit, courage, cauchemars*] (**à** to); **~ froid/faim à qn** to make sb feel cold/hungry

4▸ (procurer) to give [*objet, emploi, nourriture, réponse, conseil*] (**à** to); Jeux to deal [*cartes*] (**à** to); **~ le bras/la main à qn** to give sb one's arm/hand; **~ à boire à qn** to give sb something to drink; **c'est à toi de ~** Jeux it's your deal; **~ à croire** *or* **penser** *or* **comprendre que...** to suggest that...; **~ à qn à penser/croire que...** to make sb think/believe that...; **donne-moi ton genou que j'examine cette blessure** let me see your knee so that I can look at that wound; ▸ **main**

5▸ (transmettre, communiquer) to give [*renseignement*] (**à** to); **je vais vous ~ mon adresse** I'll give you my address; **elle m'a donné son rhume** she's given me her cold; **~ l'heure à qn** to tell sb the time

6▸ (confier) to give [*objet, tâche*] (**à faire** to do); **il m'a donné son chat/ses livres à garder** he gave me his cat/his books to look after; **elle donne sa fille à garder à mes parents** she has my parents look after her daughter; **j'ai donné ma voiture à réparer** I've taken my car in to be repaired

7▸ (accorder) to give [*temps, moyens, autorisation*]; **je ne te donne pas deux mois pour te faire renvoyer** I'd give you less than two months before you're sacked; **~ tout son temps au club** to devote all one's time to the club

8▸ (présenter) [*salle, cinéma*] to show [*film*]; [*théâtre*] to put on [*pièce*]; [*troupe*] to give [*spectacle, représentation*] ; **qu'est-ce qu'on donne au Marignan?** Cin what's showing *ou* on at the Marignan?; Théât what's playing at the Marignan?; **cette pièce a été donnée pour la première fois en 1951** this play was first performed in 1951

9▸ (organiser) to give [*dîner, réception, gala*] (**pour qn** for sb)

10▸ (assurer) to give [*cours, exposé*] (**à, devant** to)

11▸ (considérer) to give [*personne, œuvre*] (**comme, pour** as); **les sondages le donnent en tête** the polls put him in the lead; **on donne ce texte pour authentique** this text is given as authentic; **les spécialistes le donnent comme futur champion** the experts point to him as the future champion

12▸ (produire) [*aspect*] to give [*sentiment, impression*]; [*plante*] to give [*ombre*]; to produce, to yield [*fruits, jus, substance*]; [*expérience, méthode*] to produce [*résultats*]; [*procédé, éclairage, maquillage*] to give [*aspect, teinte*]; **leur intervention n'a rien donné** their intervention didn't have any effect; **elle lui a donné trois fils** she gave him three sons; **mange des carottes, ça te donnera bonne mine** eat carrots, they're good for your complexion

13▸ (manifester) to show [*signes*] (**à** to); **~ des signes de faiblesse** to show signs of weakness

14▸ ○(dénoncer) to grass on○ GB, to fink on○ US, to inform on [*complice*] (**à** to)

15▸ (entreprendre) [*troupe, infanterie, police*] **~ l'assaut à qn** to attack sb; **~ la charge contre qn** to charge at sb

B *vi* **1▸** (produire) [*plante*] to produce a crop GB, to yield a crop; **le poirier va bien ~ cette année** the pear tree will produce GB *ou* yield a good crop this year

2▸ (émettre un son) [*radio, hi-fi*] to be playing; **leur téléviseur donne à fond** their television is on full blast; **~ du cor** Chasse to sound the horn

3▸ (heurter) **~ sur** *ou* **contre** [*personne, animal*] to run into; [*tête*] to hit; [*véhicule*] to hit, to run into; **~ de la tête** *or* **du front contre qch** to hit one's head against sth; **ne plus savoir où ~ de la tête** fig not to know which way to turn

4▸ (être orienté) **~ sur** *or* **dans** [*porte, chambre, fenêtre*] (d'une hauteur) to overlook, to look out over; (de plain-pied) to look onto [*mer, cour, rue*]; **~ au nord/sud** [*façade, pièce*] to face *ou* look north/south; **la cuisine donne dans le salon** the kitchen leads into the living-room; **la fenêtre donne sur la mer** the window overlooks the sea

5▸ (avoir tendance à) **~ dans** to tend toward(s); **~ dans le masochisme** [*roman, film*] to tend toward(s) masochism; [*personne*] to have masochistic tendencies; **en ce moment, il donne dans la musique baroque** at the moment, he's into○ baroque music

6▸ (se lancer) **~ dans une embuscade/un piège** to fall into an ambush/a trap

7▸ (consacrer) **~ de soi-même** *or* **de sa personne** to give of oneself; **~ de soi-même pour faire/pour qch** to devote oneself to doing/to sth

8▸ (attaquer) [*troupe, chars*] to attack, to go into action; **faire ~ la troupe** to send the troops into action

C se donner *vpr* **1▸** (se livrer) **se ~ à** to devote oneself to [*travail, cause, peinture*]; **se ~ à fond dans qch** to give one's all to sth; **se ~ à un homme** to give oneself to a man

2▸ (s'octroyer) **se ~ le temps de faire** to give oneself time to do; **se ~ les moyens de faire** to find the means to do; **pays qui se donne un nouveau président** country which is getting a new president; **il se donnait le nom de Brutus/le titre de docteur** he called himself Brutus/gave himself the title of doctor; ▸ **joie**, **temps**

3▸ (s'imposer) **se ~ pour** *or* **comme but/mission de faire** to make it one's aim/mission to do; **il se donne le détachement comme objectif** he makes it his aim to be detached; **il se donne comme objectif de perdre 15 kilos** he has set himself the target of losing 15 kilos; **se ~ pour tâche de faire** to set oneself the task of doing; **je me donne trois jours pour finir** I'll give myself three days to finish

4▸ (affecter) **se ~ pour intelligent/pacifiste** to make oneself out to be intelligent/a pacifist; **il se donne pour plus compétent qu'il n'est** he makes himself out to be more competent than he really is; **elle se donne des airs de Marilyn Monroe** she walks around as if she's Marylin Monroe; **se ~ de grands airs** to give oneself airs; **un prétentieux qui se donne des airs de savant** a pretentious man who acts as if he is a scholar; **se ~ bonne conscience** to affect a clear conscience; **se ~ une nouvelle image** to give oneself a new image; **il se donne une importance qu'il n'a pas** he acts as if he's important when he isn't

5▸ (échanger) **se ~ des coups** to exchange blows; **se ~ des baisers** to kiss one another; **se ~ rendez-vous** to arrange to meet; **se ~ le mot** to pass the word on

6▸ (être joué) [*film*] to be showing (**à** at); [*spectacle*] to be put on (**à** at); [*pièce*] to be playing (**à** at)

(Idiomes) **donnant donnant: je garde ton chat à Noël, tu gardes le mien à Pâques** fair's fair: I keep your cat at Christmas, you keep mine at Easter; **avec lui, c'est donnant donnant** he never does anything for nothing; **je te le donne en mille**○ you'll never guess

donneur, -euse /dɔnœʀ, øz/ *nm,f* **1▸** Méd donor; **2▸** Jeux dealer; **3▸** ○(dénonciateur) grass○ GB, informer; **4▸** (personne qui aime donner) **les ~s de bons conseils/d'avis** people who like to give advice/their opinion

(Composés) **~ d'ordre** Fin principal; **~ d'organe** Méd organ donor; **~ d'ouvrage** Entr employer; **~ de sang** Méd blood donor; **~ de sperme** Méd sperm donor; **~ universel** Méd universal donor; **donneuse d'ovocytes** Méd egg donor

don Quichotte /dɔ̃kiʃɔt/ *npr* Don Quixote; **jouer les dons Quichottes** to be a righter of wrongs

donquichottisme /dɔ̃kiʃɔtism/ *nm* pej quixotism péj

dont /dɔ̃/ *pron rel*

> ⚠ Lorsque la traduction de *dont* fait intervenir une préposition en anglais, deux tournures sont possibles: *c'est un enfant dont je suis fier* = he's a child I'm proud of; = he's a child of whom I am proud. La première traduction est utilisée dans la langue courante, parlée ou écrite; la seconde traduction relève de la langue soutenue, surtout écrite, et n'est pas toujours acceptable: *le livre dont tu m'as parlé* = the book you told me about

1▸ (en fonction d'objet indirect) **la jeune fille ~ on nous disait qu'elle avait 20 ans** the girl who they said was 20 *ou* who was said to be 20; **Sylvaine est quelqu'un ~ on se souvient** Sylvaine is somebody (that) you remember; **l'époque ~ je vous parle** the time I'm talking about; **l'argent ~ je dispose** the money (that) I have available, the money that is available to me; **la maladie ~ il souffre** the illness which he's suffering from

2▸ (en fonction de complément d'un adjectif) **des élèves ~ je suis satisfait** pupils I'm satisfied with, pupils with whom I am satisfied; **des renseignements ~ nous ne sommes pas certains** information which we are not sure about *ou* about which we are not sure; **dans le café ~ il est voisin** in the neighbouring[GB] café; **les vieux journaux ~ leur salon est plein** the old newspapers which their living room is full of *ou* of which their living room is full

3▸ (en fonction de complément circonstanciel) **une voix ~ elle sait admirablement se servir** a voice which she uses to wonderful effect *ou* she really knows how to use; **les méthodes ~ ils ont usé** the methods (that *ou* which) they used; **la façon** *or* **manière ~ elle s'habille** the way (in which) she dresses; **il s'est senti offensé par la façon ~ il avait été traité** he was offended by the way (that) he had been treated; **elle fait des recherches sur la manière ~ les affaires sont traitées** she is doing research on the way in which business is conducted; **j'avais oublié la façon ~ il m'avait traité** I had forgotten the way he *ou* how he had treated me; **il rentra dans la chambre ~ il était sorti cinq minutes auparavant** he came back into the room (which) he had left five minutes before; **l'arbre ~ on extrait le caoutchouc** the tree from which rubber is extracted; **la famille ~ il descend** the family from which he is descended

d

4 (en fonction de complément de nom) **un document ~ l'importance n'échappe à personne** a document the importance of which *ou* whose importance is clear to everyone; **un canapé ~ les housses sont amovibles** a sofa the covers of which *ou* whose covers are removable; **un concours ~ le lauréat gagnera...** a competition the winner of which will receive...; **une ville ~ la splendeur vous coupe le souffle** a town whose splendour takes your breath away; **une personne ~ il prétend être l'ami** a person whose friend he claims to be; **une ville ~ 50% des habitants ont plus de 55 ans** a town 50% of whose inhabitants are over 55
5 (parmi lesquels) **il y a eu plusieurs victimes ~ mon père** there were several victims, one of whom was my father; **des jeunes gens ~ plusieurs avaient les cheveux longs** young men, several of whom had long hair; **l'organisation propose diverses activités ~ le cheval, la natation et le tricot** the organization offers various activities including horse riding , swimming and knitting; **il a sélectionné quelques bouteilles ~ une pour toi** he selected a few bottles including one for you; **elle a écrit plusieurs pièces ~ la meilleure est la dernière** she has written several plays the best of which is *ou* the best being her latest one; **des boîtes ~ la plupart sont vides** boxes, most of which are empty

donzelle○ /dɔ̃zɛl/ *nf* pej pretentious young woman; **qu'est-ce que c'est que cette ~?** who does she think she is?

dopage /dɔpaʒ/ *nm* (de chevaux) doping; (d'athlète) illegal drug-taking *ou* drug use

dopant /dɔpɑ̃/ *nm* drug

dope◑ /dɔp/ *nf* dope○

doper /dɔpe/ [1]
A *vtr* 1 (administrer un dopant) to dope [*cheval, sportif*]; **je prends des vitamines pour me ~**○ **un peu** hum I take vitamins to give me a bit of a boost; 2 Fin to boost, to give [sth] a boost [*monnaie, marché, entreprise*]
B se doper○ *vpr* (se droguer) to take drugs; **se ~ aux amphétamines** to take amphetamines

Doppler /dɔplɛʀ/
A *adj* **effet ~** Doppler effect
B *nm* Méd Doppler ultrasound examination

dorade /dɔʀad/ *nf* sea bream
(Composés) **~ commune** sea bream; **~ grise** black sea bream; **~ rose** red sea bream; **~ royale** gilt-head bream

Dordogne /dɔʀdɔɲ/ ▸ p. 372, p. 721 *nprf* (rivière, département) **la ~** the Dordogne

doré, **~e** /dɔʀe/
A *pp* ▸ **dorer**
B ▸ p. 202 *pp adj* 1 (qui rappelle l'or) [*chaussures, peinture, papier*] gold (*épith*); [*bronze*] gold-coloured[GB]; [*cadre, chaise*] gilt (*épith*); **à bout ~** gold-tipped (*épith*); 2 (avec de l'or) [*coupole*] gilded; **~ à la feuille** gilded with gold leaf; **~ à l'or fin** gilded; **~ sur tranche** [*livre*] gilt-edged (*épith*); 3 (blond cuivré) [*cheveux, lumière*] golden; [*peau*] bronzed, tanned; [*pain, poulet*] golden brown; 4 (dans la richesse) [*exil*] luxurious; **jeunesse ~e** gilded youth
C *nm* gilt

dorénavant /dɔʀenavɑ̃/ *adv* 1 (au présent) from now on, henceforth; 2 (au passé) from then on, henceforth

dorer /dɔʀe/ [1]
A *vtr* 1 (couvrir d'or) to gild [*cadre*]; **~ qch à l'or fin** to gild sth with gold leaf; 2 Culin to glaze [*tourte, pâte*]; **~ qch au jaune d'œuf** to glaze sth with beaten egg; 3 (changer la couleur de) [*soleil*] to turn [sth] to gold [*feuillage, blés*]; **sa peau est dorée par le soleil** her/his skin has turned golden brown in the sun
B *vi* 1 Culin [*poulet*] to brown; **faire ~ qch** to brown sth; **laissez ~** cook until golden brown; 2 liter [*moissons, raisins*] to turn golden
C se dorer *vpr* **se ~ au soleil** to sunbathe

(Idiome) **~ la pilule à qn**○ to sugar GB *ou* sugarcoat US the pill for sb

doreur, **-euse** /dɔʀœʀ, øz/ ▸ p. 532 *nm,f* gilder

dorien, **-ienne** /dɔʀjɛ̃, ɛn/
A *adj* Géog, Antiq, Mus dorian
B *nm* Ling Doric (dialect)

dorique /dɔʀik/ *adj* [*colonne, style*] Doric

dorloter /dɔʀlɔte/ [1]
A *vtr* to pamper; **se faire ~** to be pampered (**par** by)
B se dorloter *vpr* to pamper oneself

dormant, **~e** /dɔʀmɑ̃, ɑ̃t/
A *adj* **eaux ~es** still waters; **bâti ~** Constr fixed frame
B *nm* Constr frame; **~ de porte/de fenêtre** door/window frame

dormeur, **-euse** /dɔʀmœʀ, øz/
A *adj* [*ours, poupée*] sleeping (*épith*)
B *nm,f* (personne) sleeper; **c'est un gros ~** he sleeps a lot
C *nm* Zool 1 (tourteau) edible crab; 2 (requin) nurse shark
(Composé) **~ du Groenland** Greenland shark

dormir /dɔʀmiʀ/ [30] *vi* 1 Physiol to sleep; **il dort** he's sleeping, he's asleep; **~ profondément** to sleep soundly; **~ d'un sommeil léger/lourd** to be in a light/deep sleep; **je n'ai pas dormi de la nuit** I didn't sleep (a wink) all night; **~ en chien de fusil** to sleep curled up; **~ tout habillé** to sleep in one's clothes; **avoir envie de ~** to be sleepy; **je dormirais bien un peu** I feel like a nap; **~ debout** [*animal*] to sleep standing up; [*personne*] to be asleep on one's feet; fig (être épuisé) to be dead on one's feet; **le bruit/le café m'empêche de ~** noise/coffee keeps me awake; **il n'en dort plus** he's losing sleep over it; **que ça ne t'empêche pas de ~!** don't lose any sleep over it!; **élève qui dort en classe** fig pupil who pays no attention in class; ▸ **sommeil**; 2 (être au repos) to sleep; **en hiver, toute la nature dort** in winter, the whole of nature is dormant *ou* sleeps; **la ville dormait sous les étoiles** the town slumbered *ou* lay asleep under the stars; **les manuscrits dormaient dans un tiroir** the manuscripts were gathering dust in a drawer; **des toiles de maîtres dormaient dans le grenier** old masters were gathering dust in the attic; 3 Fin [*argent*] to lie idle
(Idiomes) **ne ~ que d'un œil** to sleep with one eye open; **~ sur ses deux oreilles**, **~ tranquille** to rest easy; **~ comme un loir** *or* **une marmotte** *or* **une souche** *or* **un bienheureux** to sleep like a log; **~ à poings fermés** to be fast asleep; **la fortune vient en dormant** Prov good luck comes when you're not looking for it

dormitif, **-ive** /dɔʀmitif, iv/ *adj* lit, fig soporific

dorsal, **~e** *mpl* **-aux** /dɔʀsal, o/
A *adj* 1 (du dos) [*douleur, muscle*] back; [*vertèbre, nageoire*] dorsal; 2 Phon dorsal
B dorsale *nf* 1 Géog ridge; **~e océanique** ocean ridge; 2 Météo **~e barométrique** ridge of high pressure; 3 Phon dorsal consonant; 4 Ordinat backbone

Dorset ▸ p. 721 *nprm* **le ~** Dorset

dortoir /dɔʀtwaʀ/
A *nm* dormitory
B (-)dortoir (*in compounds*) **banlieue-/ville-~** dormitory suburb/town

dorure /dɔʀyʀ/ *nf* 1 (revêtement) gilt ₵; **un cadre plein de ~s** a heavily gilded frame; 2 (technique) gilding; **~ à la feuille** gilding with gold leaf

doryphore /dɔʀifɔʀ/ *nm* Colorado beetle

dos /do/ ▸ p. 196 *nm inv* gén (d'homme, animal, de main, vêtement, siège, page) back; (de livre) spine; (de lame) blunt edge; **être sur le ~** to be (lying) on one's back; **avoir le ~ rond** *or* **voûté** to stoop, to have round shoulders; **mal de ~** backache; **dormir/nager sur le ~** to sleep/swim on one's back; **être à plat ~** to be flat on one's back; **voir qn de ~** to see sb from behind; **au ~ de** (chèque, carte, photo, enveloppe) on the back of; **robe décolletée dans le ~** dress with a low back; **voyager à ~ d'âne/de chameau** to travel riding on a donkey/camel; **tout le matériel a été transporté à ~ d'homme/de mulet** all the equipment was carried by people/mules; **faire qch dans** *or* **derrière le ~ de qn** to do sth when sb's back is turned; **ils sont arrivés, sac au ~** they arrived, with their rucksacks on their backs; **il n'a rien sur le ~**○ he's wearing hardly anything; **dès que j'ai le ~ tourné** as soon as my back is turned; **~ à ~** lit back to back; **renvoyer deux parties ~ à ~** fig to refuse to come out in favour[GB] of either party; **tourner le ~ à qn** (position) to have one's back to sb; (mouvement) to turn one's back to sb; (par mépris) to turn one's back on sb; **tourner le ~ à qch**, **avoir le ~ tourné à qch** (position) to have one's back to sth; **depuis son licenciement, tous ses anciens collègues lui tournent le ~** fig since he/she was made redundant, all his/her former colleagues have turned their backs on him/her; **tourner le ~ au progrès/à l'avenir** to turn one's back on progress/the future; **faire le gros ~** [*chat*] to arch its back; [*personne*] to keep one's head down; ▸ **cuillère**, **laine**, **plein**, **sucre**
(Composés) **~ crawlé** back stroke; **~ nageur** Mode racer back
(Idiomes) **tomber sur le ~ de qn**○ to come down on sb like a ton of bricks○; **être sur le ~ de qn**○ to be on sb's back○; **avoir qn sur le ~**○ to have sb on one's back; **courber le ~** to bow and scrape; **mettre qch sur le ~ de qch/qn**○ to blame sth on sth/sb; **il a bon ~ le réveil/train**○**!** it's easy to blame it on the alarm-clock/train!; **j'ai bon ~** it's always me; **se mettre qn à ~**○ to get on the wrong side of sb; **je l'ai dans le ~**○**!** I'm stuck○! ; **s'enrichir sur le ~ de qn**○ to get rich at sb's expense; **passer la main dans le ~ de qn**○ to flatter sb; **faire un enfant dans le ~ à qn**○ to play a dirty trick on sb; **faire la bête à deux ~**○ to make love

dosage /dozaʒ/ *nm* 1 Chimie, Pharm (quantité) amount, proportion; (mesure) measurement; 2 (combinaison) mix; (action de mélanger) mixing; 3 fig (contrôle) controlled use; **~ de l'ironie** controlled use of irony; 4 (proportions) proportions (*pl*); **juste ~** correct proportions

dos-d'âne /dodan/ *nm inv* Aut, Transp hump; **pont en ~** humpback bridge

dose /doz/ *nf* 1 Pharm, fig dose; **~ mortelle** lethal dose; **augmenter les ~s** to increase the dose; **à petites ~s** in small doses; **à ~ homéopathique** in tiny doses; **ne pas dépasser la ~ prescrite** do not exceed the stated dose; **en avoir sa ~**○ fig to have one's fill○; 2 (quantité) amount; **avoir une bonne ~ de bêtise/d'égoïsme** not to be short on stupidity/selfishness; **forcer la ~**○ to go a bit far○; 3 (mesure) measure; **deux ~s par litre** two measures per litre[GB]
(Idiome) **en tenir une bonne ~**○ to be thick as two short planks

doser /doze/ [1] *vtr* 1 Chimie, Culin, Pharm (déterminer la quantité) to measure; (introduire une quantité) to measure out; **dosé à 100 mg** containing 100 mg (**par** per); 2 (contrôler) to use [sth] in a controlled way; **~ sa force** to use one's strength in a controlled way; **~ ses efforts** to pace oneself

dosette /dozɛt/ *nf* 1 Pharm single dose; 2 (pour poudre à laver) dosing ball

doseur, **-euse** /dozœʀ, øz/
A *adj* measuring; **verre ~** measuring glass
B *nm* measuring glass

dossard /dosaʀ/ *nm* number (worn by an athlete); **le ~ numéro 7** number 7

dossier /dosje/ *nm* 1 gén file, dossier; **~ personnel** personal file; **constituer** *or* **établir un ~ sur qn/qch** [*détective, policier*] to draw up a file on sb/sth; [*écolier, étudiant*] to do a project on sb/sth; **faire un ~ de demande de prêt/bourse** to make an application for a loan/grant; **~ médical/scolaire** medical/school records (*pl*); **~ d'inscription** Scol, Univ registration form; **sélection sur ~** selection by written application; 2) Jur (documents) file; (affaire) case; **l'avocat connaît parfaitement son ~** the lawyer is well versed in the details of the case; **verser une pièce au ~** to add information to the file; **le ~ a été confié à Agnès** the file has been handed over to Agnès; **fermer** *or* **classer le ~** to close the file *ou* case; 3) (sujet) **le ~ brûlant/épineux de la pollution** the controversial/thorny problem of pollution; **délégué chargé du ~ agricole** delegate responsible for agricultural affairs; **notre ~ sur l'alcoolisme** Presse our (special) feature on alcoholism; 4) (classeur) file, folder; 5) (de chaise, fauteuil) back

(Composé) **~ de presse** press pack

Dostoïevski /dɔstɔjɛvski/ *npr* Dostoyevsky

dot /dɔt/ *nf* 1) (de jeune fille, religieuse) dowry; **en ~** as a dowry; 2) (contribution) contribution

dotation /dɔtasjɔ̃/ *nf* 1) Fin, Admin (somme allouée) allocation; (matériel) endowment; **~ de fonctionnement** allocation for running costs; **~ en capital** capital endowment; 2) (revenu) (de chef d'État) salary; (de famille royale) annuities (*pl*)

doté, ~e /dɔte/

A *pp* ▸ **doter**

B *pp adj* 1) fig (riche) **fondation richement ~e** richly endowed foundation; **pays mal ~** poor country; 2) lit **une fille richement ~e** a girl with a large dowry

doter /dɔte/ [1]

A *vtr* 1) (accorder une somme à) **~ qn de qch** to allocate sth to sb; **le projet est doté de deux millions d'euros** the project has been allocated two million euros; 2) (fournir en équipement) **~ qn/qch de** to equip sb/sth with; **l'ordinateur est doté d'un nouveau système** the computer is equipped with a new system; 3) fig (accorder) **~ qn/qch de** to endow sb/sth with; **~ qn d'un fort pouvoir** to endow sb with great power; **elle est dotée d'un grand talent** she's endowed with great talent; **la UE est dotée d'un président** the EU has a president

B **se doter** *vpr* **se ~ de** to acquire [*revenu*]; to create, set up [*service*]

douaire /dwɛʀ/ *nm* dower

douairière /dwɛʀjɛʀ/ *nf* dowager

douane /dwan/ *nf* 1) (service) customs (+ *v sg ou pl*); **agent des ~s** customs officer; **des marchandises saisies par la ~** goods seized *ou* confiscated by (the) customs; **visite** *or* **contrôle de la ~** customs check; **zone/port sous ~** zone/port under the authority of the Customs and Excise; 2) (à la frontière) **bureau de ~** customs, customs house; **déclaration de ~** customs declaration; **attendre/se faire arrêter à la ~** to wait/to be arrested at customs; **passer (à) la ~** to go through customs; **passer des marchandises en ~** to clear goods through customs; **marchandises (entreposées) en ~** bonded goods; 3) (taxe) duty; **payer la ~, payer les droits de ~** to pay (customs) customs duty; **exempt de ~** duty-free; **soumis aux droits de ~** dutiable

douanier, -ière /dwanje, ɛʀ/

A *adj* [*formalités, barrières*] customs (*épith*)

B ▸ **p. 532** *nm* customs officer

doublage /dublaʒ/ *nm* 1) (de film, d'acteur) dubbing; **~ en français** dubbing in French; 2) (de revêtement, fil) doubling; 3) (de vêtement, cloison) lining; (de bateau) sheathing

double /dubl/

A *adj* [*quantité, somme, dose, épaisseur*] double; [*consonne, étoile*] double; **une ~ vodka** a double vodka; **mener une ~ vie** to lead a double life; **à ~ effet** dual *ou* double action (*épith*); **évaluer le ~ effet de** to evaluate the combined effect of; **outil à ~ usage** dual-purpose tool; **voiture à ~ commande** car with dual controls; **cassette ~ durée** double-play cassette; **l'avantage est ~** the advantage is twofold; **phrase à ~ sens** sentence with a double meaning; **rue à ~ sens** two-way street; **valise à ~ fond** suitcase with a false bottom; **mouchoirs ~ épaisseur** two-ply tissues GB *ou* Kleenex®; **~ hélice** Biol double helix; **~ nationalité** dual citizenship, dual nationality; **avoir le don de ~ vue** to have second sight; **faire qch en ~ exemplaire** to make a duplicate of sth

B *adv* **compter ~** to count double; **voir ~** to see double, to have double vision

C *nm* 1) (deux fois plus) double; **c'est le ~ de ce que j'ai payé!** that's double *ou* twice what I paid!; **il gagne le ~ de moi** he earns twice as much as I do, he earns double what I do; **je l'ai payé le ~ du prix normal** I paid twice the usual price for it; **30 est le ~ de 15** 30 is twice 15; **leur piscine fait le ~ de la nôtre** their swimming-pool is twice as big as ours *ou* is twice the size of ours; **il a mis le ~ de temps pour rentrer** he took twice as long *ou* double the time to come home; 2) (exemplaire supplémentaire) (de facture, document, contrat) copy; (de personne) double; **je lui ai donné un ~ des clés** I gave him a spare set of keys; **faire faire un ~ des clés** to have a spare set of keys cut; **prends ce livre, je l'ai en ~** take this book, I've got two copies of it; **j'ai échangé les images que j'avais en ~** I swapped the pictures of which I had copies *ou* duplicates; **c'était vraiment ton ~!** he/she really was your double!; 3) Sport (au tennis) doubles (*pl*); **faire un ~** to play a doubles match; **~ dames** ladies' doubles; **~ messieurs** men's doubles; **~ mixte** mixed doubles

doublé, ~e /duble/

A *pp* ▸ **doubler**

B *pp adj* 1) [*vêtement*] lined (**de** with); 2) Cin [*film*] dubbed; 3) (en plus de) **c'est un imbécile ~ d'un lâche** he's a coward as well as a fool

C *nm* 1) Sport (deux victoires successives) double; **réussir un beau ~** to pull off a fine double; 2) Équit **faire un ~** to change rein; 3) Mus double; 4) (en orfèvrerie) rolled gold, filled gold US

double-actif, -ive, *pl* **doubles-actifs** /dublaktif, iv/ *adj, nm,f* person with two jobs

double-cliquer /dublklike/ [1] *vi* Ordinat to double click (**sur** on)

double-crème, *pl* **doubles-crèmes** /dublәkʀɛm/ *nm* cream cheese

double-fenêtre, *pl* **doubles-fenêtres** /dublәfәnɛtʀ/ *nf* double window

doublement /dublәmɑ̃/

A *adv* (à double titre) in two ways; **il est ~ coupable** he's doubly guilty

B *nm* (de quantité, chiffres, d'effectifs) doubling

double peine /dublәpɛn/ *nf*: *deportation of a foreign national on completion of a prison sentence*

doubler /duble/ [1]

A *vtr* 1) (multiplier par deux) to double [*effectifs, montant, prix, capacité*]; **~ le pas** to quicken one's pace; **~ la mise** Jeux to double the stakes; fig to up the stakes; **il a doublé sa fortune en cinq ans** he doubled his fortune in five years; 2) Cout, Constr to line [*vêtement, rideau, cloison*] (**de** with); 3) (plier en deux) to fold [*sth*] in two [*feuille de papier, couverture*]; to double [*ficelle, fil*]; 4) Cin to dub [*film, acteur*]; **le film a été doublé en trois langues** the film has been dubbed into three languages; 5) Cin, Théât (pour remplacer) (scène périlleuse, plan secondaire) to stand in for [*acteur*]; (pour indisponibilité) to understudy [*acteur*]; 6) (dépasser) to pass [*véhicule*]; **il est dangereux de ~ dans les virages** it's dangerous to overtake GB *ou* pass US on bends; **'défense de ~'** 'no overtaking' GB, 'no passing' US; **~ un véhicule à droite/gauche** to overtake GB *ou* pass US a vehicle on the right/left; 7) Naut to double [*cap*]; 8) Mus to double; **~ une partie** to double a part; 9) ○(trahir) to double-cross [*personne*]

B *vi* 1) gén [*quantité, chiffre*] to double, to increase twofold; **le terrain a doublé de valeur en dix ans** the land doubled in value within ten years; 2) Belg Scol (redoubler) to repeat a year

C **se doubler** *vpr* **se ~ de qch** to be coupled with sth; **son avarice se double de malhonnêteté** his/her meanness is coupled with dishonesty, he/she is dishonest as well as being mean

doublet /dublɛ/ *nm* doublet

doublon /dublɔ̃/ *nm* 1) (monnaie) doubloon; 2) Imprim double, doublet; 3) (faisant double emploi) duplication

doublure /dublyʀ/ *nf* 1) Cout lining; **une ~ de soie** a silk lining; 2) Théât understudy; Cin (dans une scène périlleuse) double; (dans un plan secondaire) stand-in

Doubs /du/ ▸ **p. 372, p. 721** *nprm* (rivière, département) **le ~** the Doubs

douce ▸ **doux**

douce-amère ▸ **doux-amer**

douceâtre* /dusɑtʀ/ *adj* 1) (sucré) [*goût*] sickly sweet; 2) (fade) [*musique*] sickly, schmaltzy○; [*air*] vapid, insipid; [*paroles*] mawkish

doucement /dusmɑ̃/ *adv* 1) (avec mesure) [*démarrer, freiner*] gently; [*caresser, se peigner*] gently, smoothly; [*faire chauffer*] gently; **il marchait ~ pour ne pas faire craquer le plancher** he walked softly so that the floorboards wouldn't creak; **holà! ~ avec le vin!** hey! go easy on the wine!; **~! je n'ai pas dit ça!** hang on a minute! I never said that!; **~, les enfants!** (calmez-vous) calm down, children!; (faites attention) careful, children!; **ça va ~, sans plus** things are so-so○; 2) (sans bruit) quietly; **ouvrir/fermer ~ une porte** to open/shut a door quietly; **il parlait si ~ qu'on l'entendait à peine** he spoke so quietly that he could scarcely be heard; 3) (lentement) [*avancer, approcher, marcher, conduire*] slowly, quietly; **il se remet (tout) ~ de son opération** he's slowly recovering from his operation; **nous nous habituons ~ à notre nouvelle maison** we're slowly *ou* gradually getting used to our new house; 4) ○(discrètement) **ça me fait ~ rigoler** it makes me want to laugh; **un regard ~ ironique** a mildly ironic look; 5) (progressivement) gently; **la colline descend ~ vers la rivière** the hill slopes gently down to the river; **la route monte ~ vers le village** the road climbs gently toward(s) the village; **il glisse ~ vers la dépression** he's slowly sinking into depression

(Idiome) **~ les basses**○**!** calm down!

doucereux, -euse /dusʀø, øz/ *adj* pej [*manières*] smooth, unctuous; [*personne*] smooth, unctuous; [*paroles*] sugary; [*sourire*] sickly, unctuous

doucette /dusɛt/ *nf* lamb's lettuce, corn salad

doucettement○ /dusɛtmɑ̃/ *adv* quietly, gently; **tout ~** very quietly

douceur /dusœʀ/

A *nf* 1) (de matière, tissu, cheveux, peau) softness, smoothness; (de saveur, odeur) mildness; (de fruit, vin) mellowness; (de liqueur, alcool) smoothness; (de lumière, couleur) mellowness, softness; (de musique, son) softness; **la ~ de l'amour** love's sweetness; 2) (de climat, temps, soleil) mildness; **~ de vivre** relaxed rhythm of life; 3) (de visage, traits, ton, voix, gestes, paroles) gentleness; **il est d'une grande ~ avec les enfants** he's very gentle with children; **employer la ~ avec** to use the gentle approach with, to be gentle with; **prendre qn par la ~** to deal gently with sb; **avec ~** [*parler, répondre, agir*] gently; **traiter qn avec ~** to treat sb gently; 4) (de relief, paysage) softness; (de freinage) softness, smoothness; 5) (friandise) sweet GB, candy US; 6) (mot d'amour) **dire des ~s à qn** to whisper sweet nothings to sb

B **en douceur** *loc adv* [*freiner, démarrer, conduire, s'arrêter*] gently, smoothly; [*décoller, atterrir*]

d

smoothly; **le problème/malentendu a été réglé en ~** the problem/misunderstanding was sorted out smoothly; **les négociations se sont déroulées en ~** the negotiations went smoothly; **lessive/shampooing qui lave en ~** mild *ou* gentle washing powder/shampoo; **la transition s'est faite en ~** it was a smooth transition

(Idiome) **plus fait ~ que violence** Prov gentleness works better than violence

Douchanbé /duʃambe/ ▸ **p. 894** *npr* Dushanbe

douche /duʃ/

A *nf* [1] (pour se laver) shower; **prendre une ~** to have GB *ou* take US a shower; **être sous la ~** to be in the shower; [2] °(déception) letdown°; **la nouvelle a été pour moi une ~ froide** the news came as a terrible letdown to me; [3] °(averse) **on a pris une de ces ~s!** we got a real soaking!

B douches *nfpl* (local) showers

(Composés) **~ écossaise** lit alternating hot and cold shower; fig bucket of cold water; **~ vaginale** douche

doucher /duʃe/ [1]

A *vtr* [1] (laver) to give [sb] a shower [*personne*]; [2] °(calmer) to dampen [*enthousiasme*]; to cool off [*personne*]; [3] °(mouiller) [*pluie*] to soak [*personne*]; **se faire ~** to get a soaking

B se doucher *vpr* to take a shower

douchette /duʃɛt/ *nf* [1] (dans salle de bains) shower head; [2] °(pour scanner) hand-held scanner

doudou° /dudu/ *nm* baby talk cuddly blanket°, security blanket

doudoune° /dudun/

A *nf* down jacket

B doudounes *nfpl* boobs°, breasts

doué, ~e /dwe/ *adj* [1] (talentueux) gifted, talented (**en** in, at); **être ~ pour** to have a gift for [*théâtre, études*]; **être ~ pour les chiffres** to have a good head for figures; **il n'est pas très ~ pour la finance** he hasn't got much of a flair for finance; [2] (pourvu) **~ de** endowed *ou* gifted with [*qualité*]; **il est ~ d'une bonne mémoire** he's endowed with a good memory

douille /duj/ *nf* [1] (de cartouche) cartridge (case); [2] Électrotech socket; **~ volante** light-socket adaptor

douillet, -ette /dujɛ, ɛt/ *adj* [1] (sensible) pej [*personne*] oversensitive to pain (*jamais épith*); [2] (confortable) [*lit, existence*] cosy GB *ou* cozy US, comfortable; [*intérieur, appartement*] cosy GB *ou* cozy US, snug

douillettement /dujɛtmɑ̃/ *adv* [*installé, blotti*] cosily GB, cozily US, snugly

douleur /dulœʀ/ ▸ **p. 283** *nf* [1] (physique) pain; **une ~ aiguë/sourde** a sharp/dull pain; **se tordre de ~** to writhe in pain; **j'ai des ~s/une ~ dans la jambe** I've got pains/a pain in my leg, my leg hurts; **avoir des ~s dans le dos/l'oreille** to have backache/earache; **un médicament contre la ~** a painkiller; **avoir les premières ~s** to go into labour[GB]; [2] (morale) pain; (causée par un deuil) grief; **être accablé de ~** to be grief-stricken; **raviver une ancienne ~** to open an old wound; **nous avons la ~ de vous faire part du décès de** it is with great sorrow that we have to inform you of the death of

(Idiome) **comprendre sa ~** to understand the meaning of suffering

douloureusement /duluʀøzmɑ̃/ *adv* [1] (avec douleur morale) [*choquer, bouleverser*] terribly; [*insulter*] grievously; **ressentir ~ les conséquences de qch** fig to feel the painful effects of sth; **les pauvres ressentent plus ~ la crise** the poor have been hit harder by the recession; [2] (avec douleur physique) painfully

douloureux, -euse /duluʀø, øz/

A *adj* [1] (sur l'instant) [*opération, plaie*] painful; [2] (de façon continue) [*dent, tête, ventre, vieille blessure*] aching; **de temps en temps mon bras est ~** my arm aches now and again, I get a pain in my arm now and again; **redevenir ~** to start hurting *ou* to hurt again; [3] (moralement) [*spectacle, événement, problème*] distressing; [*attente, décision, question*] painful; **s'attaquer au ~ problème du chômage** to tackle the painful issue of unemployment; [4] (exprimant la douleur) [*expression, sourire*] sorrowful

B douloureuse° *nf* bill

doute /dut/

A *nm* [1] (incertitude) doubt; **laisser qn dans le ~** to leave sb in a state of uncertainty; **cela est hors de ~** it's beyond doubt; **être en proie au ~** to be beset by doubt; **le ~ m'envahit** I'm overcome by doubt; **jeter le ~ sur** to cast doubt on; **mettre qch en ~** to call sth into question [*propos, honnêteté, compétence*]; **être dans le ~** to be doubtful, to have misgivings (**au sujet de** about); **dans le ~, j'ai préféré ne rien dire** not being sure I didn't say anything; ▸ **abstenir**; [2] (soupçon) doubt; **avoir des ~s** to have doubts *ou* misgivings (**sur, au sujet de** about); **j'ai des ~s!** I have my doubts!; **un ~ subsiste** *or* **demeure à ce sujet** there is still some doubt about it; **il a exprimé** *or* **émis des ~s à propos de** he expressed some doubt about; **il fait peu de ~ que, il ne fait guère de ~ que** there's little doubt that; **il ne fait aucun ~ que, nul ~ que** there's no doubt *ou* question that; **sa culpabilité ne fait aucun ~** there's no doubt as to his/her guilt; **leur supériorité ne laisse aucun ~ sur l'issue du combat** their superiority leaves no doubt as to the outcome of the fight; [3] Philos, Relig doubt

B sans doute *loc adv* probably; **il viendra sans ~ demain, sans ~ viendra-t-il demain** he'll probably come tomorrow, no doubt he'll come tomorrow; **vous trouvez sans ~ que j'exagère** you probably think I'm exaggerating; **sans aucun ~, sans nul ~** without any doubt

douter /dute/ [1]

A *vtr* **~ que** to doubt that *ou* whether; **je doute qu'elle vienne ce soir** I doubt (whether) she'll come tonight; **je doute qu'il ait pu avoir son train** I doubt (whether) he'll have been able to catch his train; **je ne doute pas qu'il fera de son mieux** I don't doubt (but) that he'll do his best

B douter de *vtr ind* to have doubts about; **~ de l'honnêteté/la sincérité de qn** to have doubts about sb's honesty/sincerity; **~ de l'innocence de qn** to have doubts about sb's innocence; **~ de soi-même** to have feelings of self-doubt; **je n'ai jamais douté de toi/ton talent** I never doubted you/your talent; **elle l'affirme mais j'en doute** she says it's true but I have my doubts; **il doute de tout, même de l'évidence** he doubts everything, even what's obviously true; **à n'en pas ~** undoubtedly, without a doubt; **elle ne doute de rien°!** iron she's so sure of herself!

C *vi* Philos, Relig to doubt

D se douter *vpr* **se ~ de qch** to suspect sth; **se ~ que** to suspect that; **je m'en doutais!** I thought so!, I suspected as much!; **je m'en doute, je m'en serais douté!** iron (c'est évident) obviously! iron; **comme on pouvait s'en ~** as might have been expected; **qui se serait douté que...?** who would have thought that...?; **je me doute (bien) qu'il devait être furieux** I can (well) imagine that he was furious; **nous étions loin de nous ~ que** we didn't have the least idea that, we never dreamed that; **je ne me doutais pas que ça se terminerait comme ça** I never thought *ou* it never occurred to me that it would end up like that; **il aurait dû se ~ que...** he should have known that...

douteux, -euse /dutø, øz/ *adj* [1] (peu certain) [*résultat, issue, succès*] uncertain; **il est ~ qu'il ait pu s'échapper** it is unlikely that he was able to escape; [2] (ambigu) [*sens, réponse*] ambiguous; [3] (sujet à caution) [*honnêteté, innocence, renseignements*] dubious; [*sincérité, authenticité*] dubious, doubtful; [4] (suspect) [*affaire, individu, transactions, profits*] shady; [*propreté, hygiène, fraîcheur*] dubious, questionable; [*plat, viande*] dubious, suspect; **cravate d'un goût ~** tie in dubious taste; **plaisanterie d'un goût ~** joke in dubious taste

douve /duv/ *nf* [1] (fossé) (de château) moat; Agric drainage ditch; Équit water jump; [2] (de tonneau) stave; [3] Vét fluke; **~ du foie** liver fluke

Douvres /duvʀ/ ▸ **p. 894** *npr* Dover

doux, douce /du, dus/

A *adj* [1] (aux sens) [*tissu, matière, cheveux, peau*] soft; [*lumière, musique, voix, sonorité*] soft; [*liqueur, alcool, vin, cidre*] sweet; [*fromage, piment, tabac*] mild; [*shampooing*] mild; [2] (pas froid) [*climat, temps, température*] mild; **il fait ~ aujourd'hui** it's mild today; **on a eu un hiver très ~** we've had a very mild winter; [3] (pas abrupt) [*formes, relief, pente*] gentle; **la route descend en pente douce** the road slopes gently; [4] (léger) [*punition, châtiment*] mild; [5] (gentil) [*personne, animal, regard, geste, tempérament, visage, traits*] gentle; [6] liter (agréable) [*sommeil, surprise, pensée, souvenir, rêve, parfum*] pleasant; [*baisers, caresses*] sweet, gentle; **qu'il est ~ d'aller se coucher!** it's lovely to get into bed!; **qu'il est ~ d'être aimé!** how sweet it is to be loved!; [7] Écol [*technologie, énergie*] environmentally friendly

B douce *nf* **ma douce** sweetheart

(Composés) **~ dingue°** eccentric, oddball°; **~ rêveur** dreamer

(Idiomes) **filer ~°** to keep a low profile; **se la couler douce°** to take it easy; **faire qch en douce°** to do sth on the sly; **holà! tout ~! tout ~!** steady! steady!; ▸ **œil**

doux-amer, douce-amère, *mpl* **~s**, *fpl* **douces-amères** /duzamɛʀ, dusamɛʀ/

A *adj* fig [*propos*] bitter-sweet, barbed

B douce-amère *nf* bittersweet, woody nightshade

douzaine /duzɛn/ *nf* [1] (douze) dozen (*inv*); **deux ~s d'œufs/de verres** two dozen eggs/glasses; **à la ~** by the dozen; [2] (environ douze) about twelve, a dozen or so; **une ~ de jours** a couple of weeks; **il y en a à la ~** there are dozens *ou* masses of them

douze /duz/ ▸ **p. 568, p. 424, p. 222** *adj inv, pron* gén twelve

douzième /duzjɛm/ ▸ **p. 568, p. 222** *adj* twelfth

Down ▸ **p. 721** *nprm* **le comté de ~** County Down

doyen, -enne /dwajɛ̃, ɛn/ *nm,f* [1] (en âge) **~ (d'âge)** oldest person; **le ~ du pays** the country's oldest citizen; [2] (en ancienneté) the (most) senior member; [3] Relig, Univ dean

doyenné /dwajɛne/

A *nm* (dignité) deanship; (lieu) deanery

B *nf* Bot comice (pear)

DPLG /depeɛlʒe/ *adj* (*abbr* = **diplômé par le gouvernement**) **architecte ~** ≈ chartered architect GB, certified architect US

Dr (*written abbr* = **docteur**) Dr

drachme /dʀakm/ ▸ **p. 48** *nf* drachma

draconien, -ienne /dʀakɔnjɛ̃, ɛn/ *adj* [*loi, attitude*] draconian; [*mesure, punition*] draconian, drastic; [*régime, traitement*] very strict

dragage /dʀagaʒ/ *nm* (nettoyage) dredging; (fouille) dragging; **~ de mines** minesweeping

dragée /dʀaʒe/ *nf* [1] (bonbon) sugared almond, dragée; [2] (pilule) sugar-coated pill, dragée spéc; [3] Agric mixed provender

(Idiomes) **la ~ est amère** it's a bitter pill to swallow; **tenir la ~ haute à qn** to hold out on sb

dragéifier /dʀaʒeifje/ [2] *vtr* **~ qch** to coat sth with sugar; **une pilule dragéifiée** a sugar-coated pill

Les douleurs et les maladies

Où est-ce que ça vous fait mal?

où avez-vous mal?
= where does it hurt?

■ *Pour traduire* avoir mal à, *l'anglais utilise un possessif devant le nom de la partie du corps (alors que le français a un article défini), et un verbe qui peut être* hurt *ou* ache *(faire mal).* hurt *est toujours possible:*

il a mal à la jambe
= his leg hurts

sa jambe lui fait mal
= his leg hurts

il a mal au dos
= his back hurts

il a mal aux yeux
= his eyes hurt

il a mal aux oreilles
= his ears hurt

■ ache *est utilisé avec les membres, les articulations, la tête, les dents et les oreilles:*

il a mal au bras
= his arm aches

■ *On peut aussi traduire par* have a pain in*:*

il a mal à la jambe
= he has a pain in his leg

■ *Pour quelques parties du corps, l'anglais utilise un composé avec* -ache*:*

avoir mal aux dents
= to have toothache

avoir mal au dos
= to have backache

avoir mal aux oreilles
= to have earache

avoir mal au ventre
= to have stomachache

avoir mal à la tête
= to have a headache (*noter l'article indéfini*)

■ *Attention à:*

il a mal au cœur
= he feels sick

il a mal aux reins
= he has backache

qui n'affectent pas la partie du corps désignée en français.

Les accidents

■ *Là où le français a des formes pronominales* (se faire mal à *etc.*) *avec l'article défini, l'anglais utilise des verbes transitifs, avec des adjectifs possessifs:*

il s'est cassé la jambe
= he broke his leg

il s'est fait mal au pied
= he hurt his foot

■ *Noter:*

il a eu la jambe cassée
= his leg was broken

Les faiblesses chroniques

■ *Le français* avoir le X fragile *peut se traduire par* to have something wrong with one's X *ou* to have X trouble:

avoir le cœur fragile
= to have something wrong with one's heart
ou to have heart trouble

avoir les reins fragiles
= to have something wrong with one's kidneys
ou to have kidney trouble

■ *Pour certaines parties du corps (le cœur, les chevilles), on peut aussi utiliser l'adjectif* weak*:*

avoir le cœur fragile
= to have a weak heart

■ *Noter que l'anglais utilise l'article indéfini dans cette tournure.*

Les maladies

■ *L'anglais utilise tous les noms de maladie sans article:*

avoir la grippe
= to have flu

avoir un cancer
= to have cancer

avoir une hépatite
= to have hepatitis

avoir de l'asthme
= to have asthma

avoir les oreillons
= to have mumps

être au lit avec la grippe
= to be in bed with flu

guérir de la grippe
= to recover from flu

mourir du choléra
= to die of cholera

■ *Même les noms de maladies suivies d'un complément ne prennent pas toujours d'article:*

avoir un cancer du foie
= to have cancer of the liver

Mais:

avoir un ulcère à l'estomac
= to have a stomach ulcer

■ *Et attention à* a cold (*un rhume*), *qui n'est pas vraiment une maladie:*

avoir un rhume
= to have a cold

■ *L'anglais utilise moins volontiers les adjectifs dérivés des noms de maladies, si bien qu'on peut avoir:*

être asthmatique
= to have asthma
ou to be asthmatic

être épileptique
= to have epilepsy
ou to be epileptic

être rachitique
= to have rickets

■ *Noter:*

quelqu'un qui a la malaria
= someone with malaria

quelqu'un qui a un cancer
= someone with cancer

les gens qui ont le Sida
= people with Aids

■ *Les gens qui se font soigner pour une maladie sont désignés par* a X patient*:*

quelqu'un qui se fait soigner pour un cancer
= a cancer patient

Les attaques de la maladie

■ *Le français* attraper *se traduit par* to get *ou* to catch.

attraper la grippe
= to get flu
ou to catch flu

attraper une bronchite
= to get bronchitis
ou to catch bronchitis

■ *Mais* get *est utilisable aussi pour ce qui n'est pas infectieux:*

développer un ulcère à l'estomac
= to get a stomach ulcer

■ Avoir *peut se traduire par* develop *lorsqu'il s'agit de l'apparition progressive d'une maladie:*

avoir un cancer
= to develop cancer

avoir un début d'ulcère
= to develop an ulcer

■ *Pour une crise passagère, et qui peut se reproduire, on traduira* avoir un/une ... *par* to have an attack of... *ou* a bout of...*:*

avoir une crise d'asthme
= to have an asthma attack

avoir une bronchite
= to have an attack of bronchitis

avoir une crise de malaria
= to have a bout of malaria

■ *Noter aussi:*

avoir une crise d'épilepsie
= to have an epileptic fit

Les traitements

■ *Le français* contre *ne se traduit pas toujours par* against.

prendre quelque chose contre le rhume des foins
= to take something for hay fever

prendre un médicament contre la toux
= to be taking something for a cough

prescrire un médicament contre la toux
= to prescribe something for a cough

des cachets contre la malaria
= malaria tablets

se faire vacciner contre la grippe
= to have a flu injection

vacciner qn contre le tétanos
= to give sb a tetanus injection

se faire vacciner contre le choléra
= to have a cholera vaccination

un vaccin contre la grippe
= a flu vaccine ou an anti-flu vaccine

Mais noter:

prendre des médicaments contre la grippe
= to take something for flu

■ *Noter l'utilisation de la préposition anglaise* on *avec le verbe* operate*:*

se faire opérer d'un cancer
= to be operated on for cancer

le chirurgien l'a opéré d'un cancer
= the surgeon operated on him for cancer

drageon /dʀaʒɔ̃/ *nm* Hort, Agric sucker

dragon /dʀagɔ̃/ *nm* **1** (créature fabuleuse) dragon; **2** Mil, Hist dragoon; **3** (femme acariâtre) dragon; **un ~ de vertu** a dragon of virtue

dragonnade /dʀagɔnad/ *nf* dragonnade

dragonne /dʀagɔn/ *nf* gén wrist-strap; (de sabre) sabre[GB]-knot

dragonnier /dʀagɔnje/ *nm* dragon tree

d

drague /dʀag/ *nf* **1** Tech (machine) dredge; (chaland) dredger; **2** Pêche (filet) dragnet; **3** ○**la ~** chatting people up○, coming on to people○ US; (d'homosexuels) cruising○

(Composé) **~ télématique** *Minitel dating service*

draguer /dʀage/ [1] *vtr* **1** ○to chat [sb] up○ GB, to come on to○; **elle s'est fait ~ par un drôle de gars** a strange guy tried to pick her up; **aller ~ en boîte**○ [*hétérosexuel*] to go to nightclubs to pick somebody up; [*homosexuel*] to go cruising to nightclubs; **on va ~ ce soir** hum we'll go out on the make tonight○; **il ne peut pas s'empêcher de ~** he can't help being flirtatious; **2** Tech (pour nettoyer) to dredge; (pour fouiller) to drag; **~ le canal pour retrouver un corps** to drag the canal for a body; **3** Pêche to catch [sth] with a dragnet; **~ au chalut** to trawl; **4** Mil to sweep [*mines*]; Naut **l'ancre drague le fond** the ship is dragging its anchor

dragueur, **-euse** /dʀagœʀ, øz/
A ○*nm,f* **c'est un drôle de ~**○ he's a terrible flirt; **elle est assez dragueuse** she's a bit of a flirt
B *nm* (pêcheur) dragnet fisherman; (ouvrier) dredge-man; (chaland) dredger

(Composé) **~ de mines** Mil minesweeper

drain /dʀɛ̃/ *nm* **1** Tech (underground) drain; **2** Méd drain, drainage tube

drainage /dʀɛnaʒ/ *nm* **1** Tech, Agric drainage; **2** Méd draining (off); **3** fig drain; **le ~ des cerveaux vers les États-Unis** the brain drain to the United States

(Composé) **~ lymphatique** lymphatic drainage; **faire un ~ lymphatique à qn** to give sb lymphatic drainage massage

draine /dʀɛn/ *nf* mistle thrush

drainer /dʀɛne/ [1] *vtr* **1** Agric to drain [*sol*]; **2** Méd to drain [*cellules, sécrétions*]; **3** (attirer) fig [*spectacle, annonce*] to attract [*public, curieux*] (**vers** to); to siphon off [*capitaux*] (**vers** to)

draisienne /dʀɛzjɛn/ *nf* dandy-horse

draisine /dʀɛzin/ *nf* Rail track inspection (rail)car

drakkar /dʀakaʀ/ *nm* drakkar, Viking longship

dramatique /dʀamatik/
A *adj* **1** (tragique) [*problème, situation*] tragic; **ce n'est pas ~ si tu ne viens pas** it's not the end of the world if you don't come; **2** Théât, Littérat [*création, effet*] dramatic; **art ~** drama; **auteur ~** playwright; **critique/centre ~** drama critic/centre
B *nf* TV, Radio play, drama

dramatiquement /dʀamatikmɑ̃/ *adv* tragically

dramatisation /dʀamatizasjɔ̃/ *nf* dramatization

dramatiser /dʀamatize/ [1] *vtr* to dramatize; **tu dramatises toujours tout** you always dramatize everything

dramaturge /dʀamatyʀʒ/ ▸ **p. 532** *nmf* playwright

dramaturgie /dʀamatyʀʒi/ *nf* (art) dramatic art; (traité) treatise on dramatic art

drame /dʀam/ *nm* **1** (événement tragique) tragedy; **un ~ de famille** a family tragedy; **se terminer par un ~** to end in tragedy; **'~ de la jalousie'** 'crime of passion'; **tourner au ~** to take a tragic turn; **s'il part ce n'est pas un ~** if he goes it's not the end of the world; **tu ne vas pas en faire un ~!** don't make a scene about it!; **2** Théât, Cin, Littérat (genre) drama; (pièce) play; **~ en trois actes** three-act play

(Composés) **~ lyrique** Mus opera; **~ psychologique** psychological drama

drap /dʀa/ *nm* **1** (de lit) sheet; **~ de coton/soie** cotton/silk sheet; **~ de couleur** coloured[GB] sheet; **~ de dessus/dessous** top/bottom sheet; **2** Tex (tissu) woollen[GB] fabric; **un manteau en ~** a wool coat

(Composés) **~ de bain** bath sheet; **~ funéraire** pall; **~ de plage** beach towel

(Idiomes) **se mettre** *or* **fourrer**○ **dans de beaux ~s** to land oneself in a fine mess; **tu nous a mis dans de beaux ~s** a fine mess you've landed us in!

drapé, **~e** /dʀape/
A *pp* ▸ **draper**
B *pp adj* [*tissu*] draped
C *nm* Tex, Cout drape; **le ~ d'une robe** the drape of a dress

drapeau, *pl* **~x** /dʀapo/ *nm* flag; **le ~ européen** the European flag; **être sous les ~x** to be doing military service; **être appelé sous les ~x** to be called up

(Composés) **~ blanc** white flag; **~ noir** gén black flag; (de pirates) Jolly Roger; **~ tricolore** (drapeau français) tricolour[GB]

draper /dʀape/ [1]
A *vtr* (arranger) to drape [*tissu, rideau*]; (envelopper) to drape [*personne, statue*]; **un châle lui drapait les épaules** a shawl was draped around his/her shoulders; **être drapé dans son manteau** to be wrapped in one's coat
B **se draper** *vpr* **1** lit **se ~ dans** to wrap oneself in [*manteau, châle*]; **2** fig **se ~ dans sa dignité** to stand on one's dignity; **se ~ dans sa vertu** to pride oneself on one's virtue

draperie /dʀapʀi/
A *nf* **1** Art drapery; **2** Tex (fabrication) cloth manufacturing; (commerce) cloth trade
B **draperies** *nfpl* (de fenêtre) draperies; (de mur) wall-hangings

drap-housse, *pl* **draps-housses** /dʀaus/ *nm* fitted sheet

drapier, **-ière** /dʀapje, ɛʀ/ ▸ **p. 532** *nm,f* (fabricant) cloth manufacturer; (marchand) (au détail) draper; (en gros) cloth merchant

drastique /dʀastik/ *adj* fml [*mesure, condition, réduction*] drastic

dravidien, **-ienne** /dʀavidjɛ̃, ɛn/ *adj* Dravidian

drépanocytose /dʀepanositoz/ ▸ **p. 283** *nf* drepanocytosis

dressage /dʀɛsaʒ/ *nm* **1** (d'animal) training; **2** Équit (de jeune cheval) breaking in; (entraînement) schooling; (compétition) dressage; **3** (de tente) pitching; (de chapiteau, d'échafaudage) erection

dresser /dʀese/ [1]
A *vtr* **1** (faire obéir) to train [*animal*]; to break in [*cheval*]; **~ qn** to teach sb how to behave; **les enfants, on les dresse**○**!** children must be taught how to behave!; **2** (ériger) to put up, to pitch [*tente*]; to put up [*chapiteau*]; to put up, to erect [*échafaudage, monument, statue*]; **3** (lever) to raise [*tête, queue*]; **animal qui dresse les oreilles** *or* **l'oreille** animal that pricks up its ears; **~ l'oreille** fig to prick up one's ears; **4** (établir) to draw up [*carte géographique, inventaire, liste, bilan, contrat*]; to write out [*procès-verbal*]; **5** (installer) to lay, to set [*table, piège*]; to lay out [*buffet*]; **6** (préparer) Culin to garnish [*plat*]; **7** (influencer) **~ qn contre** to set sb against
B **se dresser** *vpr* **1** (se mettre droit) **le chien se dressa sur ses pattes de derrière** the dog stood up on its hind legs; **se ~ sur la pointe des pieds** to stand on tiptoe; ▸ **ergot**; **2** (s'insurger) **se ~ contre** to rebel against [*injustice*]; **3** (s'élever) [*statue, estrade, obstacle*] to stand; (dominer) [*tour, clocher*] to tower up; **la montagne se dresse à l'horizon** the mountain towers up on the horizon

dresseur, **-euse** /dʀɛsœʀ, øz/ ▸ **p. 532** *nm,f* (d'animal) trainer

dressoir /dʀɛswaʀ/ *nm* dresser

dreyfusard, **~e** /dʀɛfyzaʀ, aʀd/ *adj, nm,f* Dreyfusard

dribble /dʀibl/ *nm* dribble

dribbler /dʀible/ [1]
A *vtr* to dribble around [*joueur*]
B *vi* (au football) to dribble

dribbleur, **-euse** /dʀiblœʀ, øz/ *nm,f* (au football) dribbler

drille /dʀij/
A ○*nm* **joyeux ~** jolly fellow
B *nf* (outil) drill

dring /dʀiŋ/ *nm* aussi onomat dring; **elle entendit le ~ de la sonnette** she heard the bell ring

drisse /dʀis/ *nf* halyard

drive /dʀajv/ *nm* drive

driver¹* /dʀivœʀ/ *nm* (jockey, club) driver

driver² /dʀive/ [1]
A *vtr* to drive [*balle, cheval*]
B *vi* (en tennis) to drive; (en golf) to drive off

drogue /dʀɔg/ *nf* **1** (stupéfiant) drug; **la ~** drugs; **~ douce/dure** soft/hard drug; **la lutte contre la ~** the fight against drugs; **c'est devenu une ~** fig it has become an addiction; **2** †(remède) drug; (de charlatan) quack remedy

drogué, **~e** /dʀɔge/
A *pp* ▸ **droguer**
B *pp adj* [*personne*] on drugs (*après n*); **il a l'air complètement ~** he seems to be doped up to the eyeballs○
C *nm,f* drug-addict, junkie○

droguer /dʀɔge/ [1]
A *vtr* **1** péj [*médecin*] (avec sédatif) to dope; (en prescrivant) to dish out○ drugs to; **2** (illégalement) to dope [*animal, sportif*]; to drug [*victime*]; to doctor [*boisson*]
B **se droguer** *vpr* **1** péj (avec des médicaments) to dope oneself (**à, de** with); **2** (avec des stupéfiants) to take drugs, be on drugs; **se ~ à l'héroïne** to be on heroin

droguerie /dʀɔgʀi/ ▸ **p. 532** *nf* (magasin) hardware shop GB *ou* store US; (commerce) hardware trade

droguet /dʀɔgɛ/ *nm* drugget

droguiste /dʀɔgist/ ▸ **p. 532** *nmf* (propriétaire) owner of a hardware shop GB *ou* store US; (gérant) manager/manageress of a hardware shop GB *ou* store US

droit, **~e** /dʀwa, at/ ▸ **p. 464**
A *adj* **1** (pas courbe, pas tordu) [*ligne, route, barre, cheveux, mur, tour, nez*] straight; (pas penché) [*cône, cylindre, prisme*] right; [*écriture*] up-and-down; **le tableau n'est pas ~** the picture isn't straight; **se tenir ~** (debout) to stand up straight; (assis) to sit up straight; **tenir qch ~** to hold sth straight; **le ~ chemin** fig the straight and narrow; **s'écarter du ~ chemin** to stray from the straight and narrow; **descendre en ~e ligne de** to be a direct descendant of
2 (contraire de gauche) right; **le côté ~** the right side; **du côté ~** on the right(-hand) side
3 (honnête) [*personne*] straight, upright; [*vie*] blameless
4 (sensé) [*jugement*] sound
5 Mode [*jupe*] straight; [*veste*] single-breasted
6 Math right
B *adv* [*aller, rouler*] straight; **~ devant** straight ahead; **se diriger ~ vers** to make straight for, to make a beeline for○; **la voiture venait ~ sur nous** the car was coming straight at us; **continuez tout ~** carry straight on; **file tout ~ à la maison** go straight home; **aller ~ au but** *or* **fait** fig to go straight to the point; **aller ~ à la catastrophe** to be heading straight for disaster; **ça m'est allé ~ au cœur** fig it really touched me; **marcher ~** lit to walk straight; **marcher** *or* **filer**○ **~** to toe the line; **regarder qn ~ dans les yeux** to look sb straight in the eye; **venir tout ~ de** [*expression, citation*] to come straight out of [*auteur, œuvre*]; **je reviens tout ~ de chez elle/de l'exposition** I've come straight from her place/the exhibition
C *nm* **1** (prérogative) right; **connaître/faire valoir ses ~s** to know/assert one's rights; **avoir des ~s sur qn/qch** to have rights over sb/sth; **de quel ~ est-ce que tu me juges?** what gives you the right to judge me?; **être dans son (bon) ~, avoir le ~ pour soi** *or* **de son côté** to be within one's rights; **de (plein)**

~ by right(s); **de ~ divin** [*monarque, monarchie*] by divine right; **cela leur revient de ~** it's theirs by right; **c'est tout à fait ton ~** you have every right to do so, you're perfectly entitled to do so; **avoir ~ à** to have the right to [*liberté, nationalité*]; to be entitled to, to be eligible for [*bourse, indemnité*]; **vous avez ~ à une boisson chacun** you're allowed one drink each; **les spectateurs ont eu ~ à un beau match** the spectators were treated to a fine game; **on a eu ~ à ses souvenirs de régiment** iron he treated us to stories about his army days; **il a eu ~ à une amende** iron he got a fine; **avoir le ~ de faire** (la permission) to be allowed to do; (selon la morale, la justice) to have the right to do; **elle n'a pas le ~ de sortir le soir** she isn't allowed to go out at night; **j'ai quand même le ~ de poser une question!** iron I suppose I am allowed to ask a question?; **j'ai le ~ de savoir** I've got a right to know; **elle n'a pas le ~ de me juger/d'exiger ça de moi** she has no right to judge me/to demand that of me; **avoir le ~ de vie ou de mort sur qn** to have (the) power of life and death over sb; **il s'imagine qu'il a tous les ~s** he thinks he can do whatever he likes; **être en ~ de** to be entitled to; **on est en ~ de se demander si...** we are entitled *ou* we have every right to wonder if...; **ça te donne ~ à...** it entitles you to...; **à bon ~** [*se plaindre, protester*] with good reason; **'à qui de ~'** 'to whom it may concern'; **j'en parlerai à qui de ~**○ I'll speak to the appropriate person; **faire ~ à** to grant [*demande, requête*]

2 Jur (ensemble de lois) law; **le ~ français/anglais** French/English law; **faire son ~** to study law; **étudiant en ~** law student

3 (redevance) fee; **acquitter/percevoir un ~** to pay/receive a fee; **~ d'inscription** registration fee; **passible de ~** dutiable

4 (en boxe) right; **direct du ~** straight right; **crochet/uppercut du ~** right hook/uppercut

D **droite** *nf* **1** (opposé à gauche) **la ~e** the right; **la porte de ~e** the door on the right; **être/rouler à ~e** to be/to drive on the right; **tourner à ~e** to turn right; **tenir sa ~e** Aut to keep (to the) right; **à ta ~e, sur ta ~e** on your right; **à ~e de** to the right of; **deuxième couloir à ~e** second corridor on the right; **il ne connaît pas sa ~e de sa gauche** he can't tell (his) right from (his) left; **demander à ~e et à gauche** (partout) to ask everywhere *ou* all over the place; (à tous) to ask everybody; **être critiqué de ~e et de gauche** to be criticized from all sides *ou* by everybody

2 Pol right; **voter à ~e** to vote for the right; **de ~e** [*parti, personne, gouvernement*] right-wing; **être à** *or* **de ~e** to be right-wing

3 Math straight line

(Composés) **~ administratif** administrative law; **~ aérien** Jur air law; **~ des affaires** Jur company law GB, corporate law US; **~ d'aînesse** Jur birthright, primogeniture; **~ d'antenne** broadcasting right; **~ d'asile** Pol right of asylum; **~ au bail** right to the lease; **~ canon** Jur canon law; **~ de cité** Jur (right of) citizenship; fig acceptance; **acquérir ~ de cité** fig to gain acceptance; **avoir ~ de cité** to be accepted; **donner ~ de cité à** to accept; **~ civil** Jur civil law; **~ commercial** commercial law; **~ commun** (prisonnier) nonpolitical; **de ~ commun** [*prisonnier*] nonpolitical, ordinary; [*taux, régime*] ordinary; **~ constitutionnel** Jur constitutional law; **~ coutumier** Jur common law; **~ écrit** Jur statute law; **~ d'entrée** Comm, Fisc import duty; (pour une personne) entrance fee; **~ d'étalage** Comm, Fisc stallage; **~ fil** Cout straight grain; fig main line; **dans le ~ fil de** fig in line with; **~ fiscal** Jur tax law; **~ de grâce** Jur right of reprieve; **~ de grève** Pol right to strike; **~ immobilier** Jur property law; **~ international** Jur international law; **~ maritime** Jur maritime law; **~ de passage** Jur right of way GB, easement US; **~ pénal** Jur criminal law; **~ de port** Fisc port dues; **~ de poursuite** Jur right of action; **~ de préemption** right of pre-emption; **~ privé** Jur private law; **~ de propriété** right of possession; **~ public** Jur public law; **~ de recours** Jur right of appeal; **~ de regard** Fin right of inspection; gén **avoir ~ de regard sur** to have a say in; **~ de réponse** right of reply; **~ de rétention** lien; **~ du sang** right to citizenship by virtue of kinship; **~ social** Jur labour[GB] law; **~ du sol** right to citizenship by virtue of birth in a country; **~ de timbre** Fisc stamp duty; **~ du travail** Jur labour[GB] law; **~ d'usage** Jur customary right; **~ de veto** right of veto; **~ de visite** Jur right of access; **~ de vote** Pol right to vote; **~s d'auteur** Édition royalties; **~s civiques** Pol civil rights; **~s de douane** Comm, Fisc customs duties; **les ~s de l'homme** human rights; **~s de quai** Fisc wharfage; **~s de reproduction** reproduction rights; **tous ~s de reproduction réservés** all rights reserved; **~s de succession** Fisc inheritance tax; **~s de tirage spéciaux, DTS** Fisc special drawing rights, SDR

(Idiome) **se tenir ~ comme un i** *or* **un piquet** to hold oneself very erect *ou* upright

droitement† /dʀwatmɑ̃/ *adv* [*agir, parler, répondre*] honestly; [*juger*] soundly

droitier, -ière /dʀwatje, ɛʀ/

A *adj* **1** (qui se sert de la main droite) right-handed; **2** ○Pol right-wing

B *nm,f* **1** (qui se sert de la main droite) right-hander; **des ciseaux pour ~s** right-handed scissors; **2** ○Pol right-winger

droiture /dʀwatyʀ/ *nf* honesty, uprightness

drolatique /dʀolatik/ *adj* liter comical

drôle /dʀol/

A *adj* **1** (bizarre) funny, odd; **c'est ~ comme les gens changent** it's funny how people change; **c'est un ~ de type** he's odd; **il avait un ~ d'air** he had an odd expression; **de ~s d'histoires** odd sorts of stories; **c'est ~ de faire/que** it's odd to do/that; **c'est ~ qu'elle n'ait pas téléphoné** it's odd that she hasn't phoned; **ce qui est** *or* **ce qu'il y a de ~ c'est que** the funny thing is that; **avoir l'air/se sentir (tout) ~** to look/to feel a bit funny○; **faire (tout) ~ à qn** to give sb a funny feeling; **faire une ~ de tête** to make a bit of a face; **vous êtes ~, vous!** iron don't make me laugh!; **~ de remerciement/consolation!** some thanks/consolation!; **2** (amusant) [*histoire, spectacle, comédien*] funny, amusing; [*vie*] fun; **ça n'a rien de ~** there is nothing funny about that; **ce n'est pas ~ de faire** it's no joke doing; **3** ○(grand) **un ~ de courage/travail** a lot of courage/work; **j'ai eu** *or* **reçu une ~ d'engueulade**○! I got a real telling-off!

B †*nm* old rascal†; **mauvais ~** scoundrel†

(Composé) **~ de guerre** Hist phoney war

(Idiomes) **j'en ai entendu de ~s** I heard some funny things; **en faire voir de ~s à qn** to lead sb a merry dance

drôlement /dʀolmɑ̃/ *adv* **1** ○(très, beaucoup) really; **il est ~ énervant** he's really irritating; **c'est ~ bon** it's really good; **les prix ont ~ augmenté** the prices have really gone up; **2** (bizarrement) oddly; **s'habiller ~** to dress oddly; **regarder/sourire ~** to give an odd look/smile

drôlerie /dʀolʀi/ *nf* **avec ~** amusingly; **être d'une incroyable ~, être incroyable de ~** to be incredibly funny *ou* amusing; **régal/chef d'œuvre de ~** feast/masterpiece of comedy

drôlesse† /dʀolɛs/ *nf* pej hussy† péj

dromadaire /dʀɔmadɛʀ/ *nm* dromedary

Drôme /dʀom/ ▸ **p. 372, p. 721** *nprf* (rivière, département) **la ~** the Drôme

drop-goal, *pl* **~s** /dʀɔpgol/ *nm* (coup de pied) drop kick; (but) dropgoal

drosophile /dʀɔzɔfil/ *nf* fruit fly, drosophila spéc

dru, ~e /dʀy/

A *adj* [*cheveux, blés*] thick; [*averse*] heavy

B *adv* [*pousser*] thickly; [*tomber*] heavily

drugstore /dʀœgstɔʀ/ *nm* drugstore

druide /dʀɥid/ *nm* druid

druidesse /dʀɥidɛs/ *nf* druidess

druidique /dʀɥidik/ *adj* druidic

druidisme /dʀɥidism/ *nm* druidism

drupe /dʀyp/ *nf* drupe

dryade /dʀijad/ *nf* dryad

DS /deɛs/ *nf*: *Citroen car of the 1950s*

DST /deɛste/ *nf* (*abbr* = **Direction de la surveillance du territoire**) French counter-intelligence agency

DTS /deteɛs/ *nmpl*: *abbr* ▸ **droit**

du /dy/ ▸ **de**

dû, due, *mpl* **dus** /dy/

A *pp* ▸ **devoir**

B *pp adj* **1** (à payer) owed (*après n*), owing (*après n*), due (*après n*) (**à** to); (exigible) due (*après n*); **l'argent qui m'est ~ par les clients** the money owed to me by customers; **les primes échues dues par l'assuré** the outstanding premiums due *or* owing by the insured; **les intérêts dus** the interest due; **2** (attribuable à) **~ à** due to; **cet accident est ~ à l'imprudence** this accident is due to carelessness; **mon retard est ~ aux embouteillages** I'm late due to traffic jams; **3** (qui convient à) due (**à** to); **respect ~ à qn/qch** respect due to sb/sth; **4** Admin **en bonne et due forme** in due form

C *nm* **1** due; (cotisation) dues; **réclamer son ~** to claim one's due; **payer son ~** to pay one's dues; **2** Compta **200 euros payés, ~ 30 euros** 200 euros paid, 30 euros owing *ou* outstanding

(Idiomes) **chose promise chose due** a promise is a promise; **à chacun son ~** credit where credit is due

dual, ~e, *mpl* **duaux** /dɥal, dɥo/ *adj* [*société*] two-tier (*épith*)

dualisme /dɥalism/ *nm* **1** Philos dualism; **2** Pol **le ~ des partis** the two-party system

dualiste /dɥalist/

A *adj* dualistic

B *nmf* dualist

dualité /dɥalite/ *nf* duality

dubitatif, -ive /dybitatif, iv/ *adj* sceptical GB, skeptical US; **d'un air ~** sceptically GB, skeptically US

dubitativement /dybitativmɑ̃/ *adv* sceptically GB, skeptically US

Dublin /dyblɛ̃/ ▸ **p. 894** *npr* Dublin

dublinois, ~e /dyblinwa, az/ ▸ **p. 894** *adj* of Dublin

Dublinois, ~e /dyblinwa, az/ ▸ **p. 894** *nm,f* Dubliner

duc /dyk/ ▸ **p. 848** *nm* (titre) duke; ▸ **grand**

duché /dyʃe/ *nm* (seigneurie) dukedom; (domaine) duchy

duchesse /dyʃɛs/ *nf* **1** (titre) duchess; **la ~ de Bretagne** the Duchess of Brittany; **2** Bot **(poire) ~** Duchess pear

(Idiome) **faire sa ~**○ pej to put on airs and graces

ductile /dyktil/ *adj* ductile

ductilité /dyktilite/ *nf* ductility

duègne /dɥɛɲ/ *nf* duenna

duel /dɥɛl/ *nm* **1** (avec des armes) duel (**à** with); **se battre en ~** to fight a duel; **provoquer qn en ~** to challenge sb to a duel; **2** (en paroles) battle; **3** Ling dual

duelliste /dɥelist/ *nm* duellist[GB]

duettiste /dɥetist/ *nmf* duettist

duffel-coat, *pl* **~s** /dœfœlkot/ *nm* duffel coat

dugong /dygɔ̃(g)/ *nm* dugong

dulcinée /dylsine/ *nf* hum lady-love

Dulcinée /dylsine/ *npr* Dulcinea

dum-dum /dumdum/ *nf inv* **(balle)** ~ dumdum (bullet)
dûment* /dymɑ̃/ *adv* duly; **je vous ai ~ averti** I gave you due warning
Dumfries ▸ p. 721 *nprm* **le ~ and Galloway** Dumfries and Galloway
dumping /dœmpiŋ/ *nm* dumping; **faire du ~** to dump goods; **faire du ~ social** to practise[GB] social dumping
dune /dyn/ *nf* dune
dunette /dynɛt/ *nf* poop
Dunkerque /dœ̃kɛʀk/ ▸ p. 894 *npr* Dunkirk
dunkerquois, **~e** /dœ̃kɛʀkwa, az/ ▸ p. 894 *adj* of Dunkirk
Dunkerquois, **~e** /dœ̃kɛʀkwa, az/ ▸ p. 894 *nm,f* (natif) native of Dunkirk; (habitant) inhabitant of Dunkirk
duo /dyo, dɥo/ *nm* 1 (œuvre) duet; **un ~ pour violon** a violin duet; 2 (formation) duo; **un ~ de guitaristes** a guitar duo; **chanter en ~** to sing as a duo; 3 Théât double act GB, duo US; 4 ○(couple) pair
duodécimal, **~e**, *mpl* **-aux** /dɥodesimal, o/ *adj* duodecimal
duodénal, **~e**, *mpl* **-aux** /dɥɔdenal, o/ *adj* duodenal
duodénum /dɥɔdenɔm/ *nm* duodenum
dupe /dyp/
A *adj* **être ~** to be taken in *ou* fooled **(de** by**)**; **je ne suis pas ~** I'm not fooled by that
B *nf* dupe; **un marché de ~s** a fool's bargain
duper /dype/ [1] *vtr* to fool, to dupe; **il est facile à ~** he's very gullible
duperie /dypʀi/ *nf* trickery ₵
duplex /dyplɛks/ *nm inv* 1 (appartement) maisonette GB, duplex apartment US; 2 Télécom, TV, Radio duplex; 3 Transp (wagon) bi-level passenger carriage
duplicata* /dyplikata/ *nm inv* duplicate
duplicateur /dyplikatœʀ/ *nm* duplicator
duplication /dyplikasjɔ̃/ *nf* Tech duplication; Biol replication
duplicité /dyplisite/ *nf* duplicity; **avec ~** duplicitously
dupliquer /dyplike/ [1] *vtr* to duplicate
duquel ▸ **lequel**
dur, **~e** /dyʀ/
A *adj* 1 (difficile à entamer) [*matériau, sol, crème glacée, mine de crayon*] hard; ▸ **dent**, **détente**
2 (difficile à mâcher) [*pain, légume*] hard; [*viande*] tough
3 (rigide) [*pinceau, poil, cuir, carton*] stiff; [*brosse à dents*] hard; [*plastique*] rigid; [*ressort*] hard
4 (sans confort) [*banquette, siège, matelas*] hard
5 (malaisé à manipuler) [*fermeture, poignée, pédale*] stiff; [*direction, volant*] heavy; **~ à ouvrir/tourner** hard to open/to turn
6 (résistant) [*personne*] **~ au mal** tough; **elle est ~e à la fatigue** she doesn't tire easily; **elle est ~e à la tâche** *or* **au travail** she's a hard worker; **elle est ~e à la douleur** she can stand a lot of pain
7 (anguleux) [*profil, traits*] hard; [*dessin*] angular
8 (blessant) [*son, voix, ton, parole, lumière, couleur*] harsh; **il n'y a pas de mots assez ~s pour condamner…** there are no words harsh enough to condemn…
9 (hostile) [*visage, expression*] severe; **elle lui a jeté un regard ~** she gave him/her a severe look
10 (intransigeant) [*parents, patron*] (en général) hard; (à l'occasion) harsh; [*régime*] hard; [*faction, politique*] hardline (*épith*); **il est très ~ avec ses élèves** (comme défaut) he's very hard on his pupils; **il est ~ mais juste** (comme qualité) he's tough but fair; **la droite/gauche ~e** the hard Right/Left; ▸ **noyau**
11 (contraignant) [*loi naturelle, conditions de vie*] harsh; [*conditions de crédit, termes de sécurité*] tough
12 (éprouvant) [*métier*] gén hard (physiquement) tough; [*climat, nécessité*] harsh; [*concurrence, sport, ascension*] hard, tough; **cela a été une ~e épreuve** it was quite an ordeal; **l'hiver a été très ~ cette année** it's been a very hard winter this year; **le plus ~ sera de faire** the hardest thing will be to do; **le plus ~ est passé/reste à faire** the hardest part is over/is still to come; **il a fait le plus ~ du travail hier** he did the hardest part of the work yesterday; **c'est ~ de se lever si tôt** it's hard to get up so early; **ce fut très ~ pour lui de faire** it was very hard for him to do; **c'est la dure réalité** it's the grim reality; **les temps sont ~s** times are hard; **~**, **~**○! it's tough!
13 (difficile) [*examen, problème*] hard; **pour moi, le plus ~ c'est la syntaxe** for me, the hardest thing is syntax; **~ à** hard to; **~ à résoudre/admettre** hard to solve/admit; **il est ~ à supporter** he's heavy going
14 (sans fard) [*film, récit, reportage*] hard-hitting (*épith*)
15 (calcaire) [*eau*] hard
16 Phys [*rayons X*] hard; **les rayons ~s** hard radiation
17 Phon [*consonne*] (non palatalisée) hard; (tendue) fortis spéc
18 Naut [*mer*] choppy
B *nm,f* 1 (personne solide) tough nut○, tough cookie○; **jouer les ~s** to act tough; **c'est un ~ de ~s** he's a real tough nut○
2 Pol (partisan) hardliner
C *adv* [*travailler, frapper*] hard; **ça tape ~ aujourd'hui**○ [*soleil*] it's boiling hot today; **ça grimpe**○ **~!** it's a hell○ of a climb!; ▸ **fer**
D *nm* permanent structure; **construire en ~** to build a permanent structure; **construction en ~** permanent structure
E **à la dure** *loc adv* **j'ai élevé mes enfants à la ~e** my children were brought up the hard way
F **dures** *nfpl* **en faire voir de ~es à ses parents** to give one's parents a hard time; **en dire de ~es à qn** to say cruel things to sb
(Composé) **~ à cuire** tough nut○ *ou* cookie○
(Idiomes) **~ comme (de la) pierre** [*objet*] rock-hard (*épith*); [*cœur, personne*] as hard as nails; **être ~ d'oreille** *or* **de la feuille**◑ to be hard of hearing; **avoir la tête ~e** (obstiné) to be stubborn; (obtus) to be dense; **avoir la vie ~e** [*insectes*] to be difficult to get rid of; [*habitude, préjugé*] to die hard; **elle a la vie ~e** (pas facile) she has a hard life; (résistante) she keeps hanging on; **mener la vie ~e à qn** to give sb a hard time; **la vie est ~e** it's a hard life
durabilité /dyʀabilite/ *nf* durability
durable /dyʀabl/ *adj* 1 (stable) [*amélioration, amitié, impression, hausse, victoire*] lasting; [*fascination, attrait, intérêt*] enduring; [*déséquilibre, situation*] long-standing; [*matériau*] durable; **développement ~** sustainable development; 2 Écon [*bien, marchandise*] durable
durablement /dyʀabləmɑ̃/ *adv* [*s'installer*] on a permanent basis; [*ternir, être à l'abri*] permanently; **nuire ~ à qch** to do lasting damage to sth
duralumin® /dyʀalymɛ̃/ *nm* Duralumin®
durant /dyʀɑ̃/ *prép* 1 (exprimant une durée) for; **~ des heures/années** for hours/years; **~ ces trois dernières années** for the past three years; **~ longtemps** for a long time; **des heures/semaines ~** for hours and hours/weeks and weeks, for hours/weeks on end; **deux jours ~** for two whole days; **l'été ~** the whole summer; **plus d'une heure ~** for over an hour; **sa vie ~** throughout his/her life; **l'assistance applaudit cinq minutes ~** the audience clapped for five minutes; **il a subi, plusieurs mois ~, un traitement contre l'acné** he followed a course of treatment for acne for several months; 2 (au cours de) during; **~ l'année 1993/cette période** during the year 1993/that period; **~ la cérémonie/le match** during the ceremony/the match; **~ les trois derniers mois** during the last three months; **trois heures ~ lesquelles il n'a pas arrêté de pleuvoir** three hours during which it rained solidly
duratif, **-ive** /dyʀatif/ *adj* durative
Durban /dyʀbɑ̃/ *npr* Durban
durcir /dyʀsiʀ/ [3]
A *vtr* 1 (rendre dur) [*sécheresse, froid*] to harden [*sol, pâte*]; 2 (rendre sévère) [*maquillage*] to harden [*traits*]; 3 (radicaliser) to harden [*position*]; to intensify [*mouvement de grève*]; **~ sa politique en matière de** to take a harder line on
B *vi* [*argile*] to harden; [*ciment, colle*] to set; [*pain*] to go hard; [*artères*] to harden; **~ à l'air** [*colle*] to set in (the) air; **ciment qui durcit vite** quick-setting cement
C **se durcir** *vpr* 1 [*argile, artères*] to harden; **à ces mots, son visage se durcit** at these words, his/her face hardened; 2 (se radicaliser) [*ton, attitude*] to become harsher; [*régime*] to become harsher; [*mouvement, conflit*] to intensify
durcissement /dyʀsismɑ̃/ *nm* 1 (d'argile, artère) hardening; (de ciment, colle) setting; 2 (d'attitude, de position) hardening; (de mouvement, grève) intensification
durcisseur /dyʀsisœʀ/ *nm* hardener
durée /dyʀe/ *nf* 1 (période) (de spectacle, séjour, règne, d'études) length; (de contrat) term; (de disque, cassette) playing time; **pour** *or* **pendant (toute) la ~ de** for the duration of; **~ de travail/hebdomadaire de travail** working time/week; **~ de la semaine scolaire** school week; **séjour/contrat d'une ~ de trois mois** three-month stay/contract; **d'une ~ de trois mois, le séjour comprend un cours intensif** lasting three months, the stay includes an intensive course; **ils n'ont pas précisé la ~ du projet** they didn't specify how long the project would last; **pour/pendant une ~ limitée/déterminée/fixée** for/over a limited/specified/set period; **pour une ~ indéterminée** [*suspendu, employé*] for an unlimited period; [*fermé*] until further notice; **dépôt/contrat à ~ déterminée** fixed-term deposit/contract; **de courte ~** [*amitié, paix, reprise économique*] short-lived; [*orage, absence*] brief; [*bail, prêt*] short-term; **de longue ~** [*bail, prêt, chômage, contrat*] long-term; [*absence*] long; 2 (longévité) **~ (de vie)** life; **~ d'utilisation** useful life; **pile/ampoule longue ~** long-life battery/bulb; 3 Mus (de note) value; 4 Philos duration
durement /dyʀmɑ̃/ *adv* 1 (de façon éprouvante) **être ~ touché** (affectivement) to be deeply affected; (économiquement) to be badly hit; **gagner ~ sa vie** to earn one's living the hard way; 2 (sans aménité) [*punir, critiquer, traiter, parler, reprocher*] harshly; [*regarder*] severely; 3 (fortement) [*frapper, se cogner*] hard
dure-mère, *pl* **dures-mères** /dyʀmɛʀ/ *nf* dura mater
durer /dyʀe/ [1] *vi* 1 (avoir une durée de) to last; **~ dix jours** to last ten days; **ne ~ qu'un instant** only to last a moment; **la guerre a duré trois ans** the war lasted three years; 2 (aller) to last **(jusque** until**)**; **~ jusque vers 1930/jusqu'à lundi/leur mort** to last until about 1930/until Monday/their death; 3 (se prolonger) to go on; **~ toute la nuit** to go on all night; **~ indéfiniment** to go on forever; **~ des semaines entières** to go on for weeks on end; **la grève dure depuis trois semaines** the strike has been going on for three weeks; **cela fait un an que cela dure** it's already been going on for a year; 4 (se passer) [*conférence, festival*] to run; **~ du six au dix mai** to run from the sixth to the tenth of May; 5 (être durable) to last; **le président/ma voiture/leur bonheur n'a pas duré** the president/my car/their happiness did not last; **faire ~ ses vêtements** to make one's clothes last; **pourvu que ça dure** long may it last; **ça durera ce que ça durera** it may or may not last; 6 (se prolonger longtemps) to go on for long; **la pluie ne va pas ~** the rain will not go on for long; **ça ne peut plus ~** it can't go on any longer; **faire ~** to prolong [*réunion*]; to keep [sb] alive [*patient*]; **faire ~ le plaisir** iron to prolong the agony; ▸ **cent**

dureté /dyʀte/ *nf* 1 (fermeté) (de matériau) hardness; (de viande) toughness; **d'une grande ~** very hard; 2 (de carton, poils, pinceau, brosse) stiffness; 3 (de siège, matelas) hardness; 4 (de traits, visage) hardness; (de dessin) sharpness; 5 (d'expression, de ton, punition, paroles, métier, climat) harshness; (de regard) severity; (de tâche) hardness; **avec ~** harshly; [*regarder*] severely; [*punir, juger, traiter, répondre*] harshly; 6 (d'eau) hardness

Durham ▸ p. 721 *npr* **le comté de ~** County Durham

durillon /dyʀijɔ̃/ *nm* callus

durite /dyʀit/ *nf* radiator hose

DUT /deyte/ *nm* (*abbr* = **diplôme universitaire de technologie**) Univ *two-year diploma*

> **DUT**
>
> A qualification awarded after two years of study at an *IUT* (*Institut universitaire de technologie*). Courses are vocationally based and include a compulsory period of work experience.

duvet /dyvɛ/ *nm* 1 (plumes, poils) down; **le ~ d'oie** goosedown; 2 (sac de couchage) sleeping bag

duveté, **~e** /dyvte/ *adj* downy

duveteux, **-euse** /dyvtø, øz/ *adj* [*joue, oiseau*] downy; [*étoffe, pelage*] fluffy; [*fruit*] downy GB, fuzzy US

DVD /devede/ *nm* DVD

DVD-audio /devedeodjo/ *nm* DVD audio

DVD-Rom /devedeʀɔm/ *nm* (*abbr* = **digital versatile disc read only memory**) DVD-ROM

DVD-vidéo /devedevideo/ *nm* DVD video

dyarchie /djaʀʃi/ *nf* diarchy

Dyfed ▸ p. 721 *nprm* **le ~** Dyfed

dynamique /dinamik/

A *adj* 1 gén dynamic; [*match*] lively; 2 Phys dynamic

B *nf* 1 Psych dynamics (+ *v sg*); **~ de groupe** group dynamics; 2 (processus) process; **~ de paix/de développement** peace/development process; **~ de rassemblement** process of bringing about consensus; 3 Phys dynamics (+ *v sg*)

dynamiquement /dinamikmɑ̃/ *adv* dynamically

dynamisation /dinamizasjɔ̃/ *nf* revitalization

dynamiser /dinamize/ [1] *vtr* to make [sb/sth] more dynamic; (de nouveau) to revitalize

dynamisme /dinamism/ *nm* 1 (puissance d'action) dynamism; **être plein de ~** to be very dynamic; 2 Philos dynamism

dynamitage /dinamitaʒ/ *nm* 1 lit dynamiting; 2 fig destruction

dynamite /dinamit/ *nf* lit, fig dynamite; **bâton de ~** stick of dynamite; **à la ~** with dynamite

dynamiter /dinamite/ [1] *vtr* 1 lit to dynamite [*pont*]; 2 fig to destroy [*système*]

dynamiteur, **-euse** /dinamitœʀ, øz/ *nm,f* dynamiter

dynamo /dinamo/ *nf* dynamo

dynamo-électrique, *pl* **~s*** /dinamoelɛktʀik/ *adj* dynamoelectric

dynamographe /dinamɔgʀaf/ *nm* dynamograph

dynamomètre /dinamɔmɛtʀ/ *nm* dynamometer

dynamométrique /dinamɔmetʀik/ *adj* dynamometric

dynastie /dinasti/ *nf* dynasty

dynastique /dinastik/ *adj* dynastic

dyne /din/ *nf* dyne

dysenterie /disɑ̃tʀi/ ▸ p. 283 *nf* dysentery

dysentérique /disɑ̃teʀik/

A *adj* dysenteric

B *nmf* dysentery case

dysfonctionnement /disfɔ̃ksjɔnmɑ̃/ *nm* 1 Méd dysfunction; 2 (de système) malfunctioning

dysgraphie /disgʀafi/ *nf* dysgraphia

dyslexie /dislɛksi/ *nf* dyslexia

dyslexique /dislɛksik/ *adj, nmf* dyslexic

dysménorrhée /dismenɔʀe/ *nf* dysmenorrhoea

dyspepsie /dispɛpsi/ *nf* dyspepsia

dyspepsique /dispɛpsik/, **dyspeptique** /dispɛptik/ *adj, nmf* dyspeptic

dyspnée /dispne/ *nf* dyspnoea

dystrophie /distʀɔfi/ *nf* dystrophy

dystrophine /distʀɔfin/ *nf* dystrophin

d

Ee

e

e, **E** /ə/ *nm inv* e, E; **e dans l'a** a and e joined together

EAO /əao/ *nm: abbr* ▸ **enseignement**

eau, *pl* **~x** /o/

A *nf* **1** Chimie, gén water; **verre d'~** glass of water; **l'~ de source/du robinet** spring/tap water; **~ de pluie** rainwater ₵; **pastis/ouzo sans ~** neat pastis/ouzo; ▸ **bébé**, **bec**, **boudin**, **clair**, **goutte**, **moulin**, **pont**

2 (masse) water; **au bord de l'~** by the water; **à la surface de l' ~** on the surface of the water; **l'~ est chaude** the water is warm; **une ~ boueuse/jaunâtre** muddy/yellowish water; **avoir la tête hors de l'~** lit to have one's head out of the water; fig to keep one's head above water; **l'~ de la rivière/du lac** the water in the river/the lake; **prendre l'~** [*chaussure*] to let in water; **aller sur l'~** to float; **faire ~** to leak; **être à l'~** lit [*barque, canot*] to be launched; fig [*projet, plan*] to have gone down the drain; **être en ~** lit [*piscine, réservoir*] to be full of water; fig [*personne*] to be dripping with sweat; **mettre à l'~** to launch [*bateau*]; to push [sb] into the water [*personne*]; **mettre en ~** lit to fill with water [*piscine, réservoir*]; fig to make [sb] sweat [*personne*]; **se mettre à l'~** to get into the water; **se jeter à l'~** lit to throw oneself into the water; fig to take the plunge; **tomber à l'~** lit [*personne, objet*] to fall into the water; fig [*projet, plan*] to fall through; **nettoyer le sol à grande ~** to sluice the floor down

3 (approvisionnement) water; **avoir l'~ et l'électricité** to have water and electricity laid on GB, to be hooked up for water and electricity US; **~ courante** running water; **avoir l'~ (courante)** to have running water; **avoir l'~ froide et l'~ chaude** to have hot and cold water; **couper l'~** to turn the water off at the mains; **consommation d'~** water consumption

4 (pluie) rain; **trois centimètres d'~** three centimetres[GB] of rain

5 Minér (transparence) water; **émeraude de la plus belle ~** emerald of the first water

B **eaux** *nfpl* **1** Géog, Géol (niveau) water (*sg*); (masse) waters; **les ~x ont baissé** the water has gone down; **les ~x ont reculé** the waters have receded; **~x troubles** lit muddy waters; fig troubled waters

2 Physiol (liquide amniotique) waters; **elle perd** *or* **a perdu ses ~x** her waters have broken

3 †Méd waters; **prendre les ~x** to take the waters; ▸ **bas**, **grand**

(Composés) **~ bénite** holy water; **~ capsulée** bottled water; **~ céleste** *fungicidal spray used in vineyards*; **~ de chaux** limewater; **~ de Cologne** (eau de) cologne; **~ dentifrice** mouthwash; **~ distillée** distilled water; **~ douce** fresh water; **~ de fleur d'oranger** orange-flower water; **~ de Javel** ≈ chloride bleach; **~ de lavande** lavender water; **~ lourde** heavy water; **~ de mer** seawater; **~ minérale** mineral water; **~ minérale gazeuse** sparkling mineral water; **~ minérale naturelle** still mineral water; **~ oxygénée** hydrogen peroxide; **~ de parfum** eau de parfum; **~ piquante**○ fizzy water; **~ plate** (du robinet) plain water; (minérale) still mineral water; **~ de rose** rose water; **à l'~ de rose** [*roman, film*] sentimental, schmaltzy○ US; **~ savonneuse** soapy water; **~ de Seltz** seltzer water; **~ sucrée** sugared water; **~ de toilette** eau de toilette; **~ tonique** tonic water; **~ de vaisselle** lit washing-up water GB, dishwater; fig dishwater; **~ vive** white-water; **kayak en ~ vive** white-water canoeing; **~x de crue** floodwaters ₵; **~x de fonte** meltwater ₵; **~x et forêts** Admin forestry authority; **ingénieur des ~x et forêts** forestry officer; **~x grasses** slops; **~x internationales** international waters; **~x ménagères** domestic sewage ₵, grey water GB; **~x minérales** mineral water ₵; **~x de ruissellement** runoff ₵; **~x souterraines** underground water ₵; **~x territoriales** territorial waters; **~x thermales** thermal waters; **~x usées** wastewater ₵

(Idiomes) **mettre l'~ à la bouche de qn** to make sb's mouth water; **j'en ai l'~ à la bouche** my mouth is watering; **c'est l'~ et le feu** they are like chalk and cheese; **être de la même ~** to be of the same kidney; **ou dans ces ~x-là**○ or thereabouts; **vivre d'amour et d'~ fraîche** to live on love alone

EAU *written abbr* = **Émirats**

eau-de-vie, *pl* **eaux-de-vie** /odvi/ *nf* brandy, eau de vie; **pruneaux à l'~** prunes in brandy; **~ de prune/de framboise/de poire** plum/raspberry/pear brandy

eau-forte, *pl* **eaux-fortes** /ofɔʀt/ *nf* etching

eaux-vannes /ovan/ *nfpl* black water ₵

ébahi, **~e** /ebai/

A *pp* ▸ **ébahir**

B *pp adj* dumbfounded, astounded (**de voir** to see)

ébahir /ebaiʀ/ [3]

A *vtr* to dumbfound, astound; **elle m'ébahit par son audace** her audacity dumbfounds me

B **s'ébahir** *vpr* to be dumbfounded, astounded (**de, devant** by)

ébahissement /ebaismɑ̃/ *nm* astonishment

ébarbage /ebaʀbaʒ/ *nm* trimming

ébarber /ebaʀbe/ [1] *vtr* to trim [*métal, papier, orge*]

ébats /eba/ *nmpl* **1** (d'enfants) frolics; (de sportifs) movements; **2** euph (jeux de l'amour) (amorous) frolics

ébattre: **s'ébattre** /ebatʀ/ [61] *vpr* [*enfants*] to frolic (about); [*animaux*] to frisk about; (en éclaboussant) to splash about

ébaubi, **~e** /ebobi/

A *pp* ▸ **ébaubir**

B *pp adj* (**tout**) **~** (stupéfait) flabbergasted; (admiratif) bowled over (**devant qch** by sth)

ébaubir†: **s'ébaubir** /ebobiʀ/ [2] *vpr* to be astounded (**devant qch** by sth; **de faire** to do)

ébauche /eboʃ/ *nf* **1** (objet, sculpture) rough shape; (dessin) preliminary sketch; (roman, réforme) preliminary draft; **être encore à l'état d'~** to be still at a *ou* the rough stage; **2** fig (début) **l'~ d'une amitié** the beginnings of a friendship; **l'~ d'un sourire** a hint of a smile; **l'~ d'un geste** a half-gesture; **l'~ d'un rapprochement** the first moves towards a reconciliation; **3** (action) (de dessin) sketching out; (de sculpture) rough-hewing; (de roman, réforme) drafting

ébaucher /eboʃe/ [1]

A *vtr* to sketch out [*tableau, solution*]; to draft [*programme, roman, projet*]; to rough-hew [*statue*]; to begin [*conversation*]; **~ un sourire** to give a glimmer of a smile; **~ un geste** to half make a gesture; **il ébaucha un salut** he half saluted; **un sourire à peine ébauché** the merest hint of a smile; **une solution à peine ébauchée** the merest outline of a solution

B **s'ébaucher** *vpr* [*stratégie, solution, roman*] to begin to take shape; [*amitié*] to begin to develop; [*conversation, négociations*] to start; [*image*] to begin to form; **la reprise de l'économie s'ébauche** there are signs of a coming economic revival

ébaudir†: **s'ébaudir** /ebodiʀ/ [3] *vpr* to rejoice (**de** over)

ébène /ebɛn/ *nf* ebony; **des cheveux d'~** fig jet-black hair; ▸ **faux**

(Composés) **~ fossile** jet; **~ verte** green ebony

ébénier /ebenje/ *nm* ebony tree; ▸ **faux**

ébéniste /ebenist/ ▸ **p. 532** *nmf* cabinet-maker

ébénisterie /ebenistəʀi/ ▸ **p. 532** *nf* cabinetmaking

éberluer /ebɛʀlɥe/ [1] *vtr* [*nouvelle*] to dumbfound; [*personne*] **~ qn** to take sb aback

éblouir /ebluiʀ/ [3] *vtr* lit, fig to dazzle (**de** with); **se laisser ~ par** to be dazzled by

éblouissant, **~e** /ebluisɑ̃, ɑ̃t/ *adj* lit, fig dazzling; **~e de beauté** dazzlingly beautiful

éblouissement /ebluismɑ̃/ *nm* **1** (par une lumière vive) dazzle ₵; **2** fig dazzling experience; **le spectacle fut un ~** it was a dazzling sight; **3** (vertige) dizzy spell

ébonite /ebɔnit/ *nf* ebonite

éborgner /ebɔʀɲe/ [1]

A *vtr* **1** (blesser) **~ qn** to blind sb in one eye; hum to poke sb's eye out; **2** Agric to disbud [*arbre*]

B **s'éborgner** *vpr* to poke one's eye out

éboueur /ebuœʀ/ ▸ **p. 532** *nm* dustman GB, garbageman US, refuse collector GB Admin, sanitation worker US Admin

ébouillanter /ebujɑ̃te/ [1]

A *vtr* to scald [*personne, ustensile, volaille*]; to warm [*théière*]; to blanch [*légumes*]

B **s'ébouillanter** *vpr* to scald oneself

éboulement /ebulmɑ̃/ *nm* **1** (de mur, falaise) collapse; (de matériaux) fall; **~ (de rochers)** rockfall; **~ (de terrain)** mudslide; **2** (rochers) fallen rocks; (terre) earth from a landslide

ébouler: **s'ébouler** /ebule/ [1] *vpr* [*mur, falaise*] to collapse; [*rochers*] to fall; **faire (s')~ un mur** to cause a wall to collapse; **le terrain va s'~** there is going to be a mudslide; **les pluies torrentielles ont fait ~ le terrain** torrential rains caused a mudslide

éboulis /ebuli/ *nm inv* (rochers) mass of fallen rocks; (terre) heap of fallen earth

(Composé) **~ de gravité** scree ₵

ébourgeonner /ebuʀʒɔne/ [1] *vtr* to debud

ébouriffant○, **~e** /ebuʀifɑ̃, ɑ̃t/ *adj* (outré) outrageous; (extraordinaire) incredible

ébouriffer /ebuʀife/ [1] *vtr* **1** [*vent*] to tousle [*cheveux*]; to ruffle [*plumes, poils*]; [*personne*] to ruffle [*cheveux*]; **tu es tout ébouriffé** your hair is all tousled; **2** ○[*nouvelle, spectacle*] to astound

ébranchage /ebʀɑ̃ʃaʒ/, **ébranchement** /ebʀɑ̃ʃmɑ̃/ *nm* lopping

ébrancher /ebʀɑ̃ʃe/ [1] *vtr* to lop

ébranchoir /ebʀɑ̃ʃwaʀ/ *nm* billhook

ébranlement /ebʀɑ̃lmɑ̃/ *nm* **1** (vibration) (de vitres) rattling; (de sol, maison) shaking; **2** (choc) shock; (affaiblissement) (de santé, fortune) deterioration; (de régime, ministère) weakening; **3** (départ) departure

ébranler /ebʀɑ̃le/ [1]

A *vtr* **1** lit (faire vibrer) to rattle [*vitre*]; to shake [*maison*]; (rendre chancelant) to weaken [*construction*]; **2** (émouvoir) to shake [*personne, pays*]; (affaiblir) to weaken, undermine [*santé, régime*]; to undermine [*confiance, autorité, fortune*]; to disturb [*esprit*]; to shake [*nerfs*]; **fortement ébranlé par les critiques** badly shaken by criticism; **se laisser ~ par des larmes/prières** to let oneself be swayed by tears/entreaties; **3** (mettre en mouvement) **~ une cloche** to set a bell swinging

B **s'ébranler** *vpr* [*convoi, train*] to move off; [*cloche*] to start swinging

ébrécher /ebʀeʃe/ [14]

A *vtr* **1** to chip [*vaisselle, dent*]; to make a nick in [*lame*]; to damage [*scie*]; fig to tarnish [*réputation*]; **la lame est ébréchée** the blade is nicked; **2** (entamer) to make a hole in [*économies, patrimoine*]; **mes économies sont bien ébréchées** there's quite a dent in my savings

B **s'ébrécher** *vpr* [*vaisselle, dent*] to get chipped; [*lame*] to become nicked

ébréchure /ebʀeʃyʀ/ *nf* (de vaisselle) chip; (de lame) nick

ébriété /ebʀijete/ *nf* fml Admin intoxication; **en état d'~** in a state of intoxication, under the influence of (alcohol)

ébrouement /ebʀumɑ̃/ *nm* (de cheval) snort

ébrouer: **s'ébrouer** /ebʀue/ [1] *vpr* **1** [*cheval*] to snort; **2** [*personne, chien*] to shake oneself; [*gros oiseau*] to flap its wings; [*petit oiseau*] to flutter its wings

ébruitement /ebʀɥitmɑ̃/ *nm* disclosure

ébruiter /ebʀɥite/ [1]

A *vtr* to divulge

B **s'ébruiter** *vpr* [*nouvelle*] to get out; **il ne faut pas que ça s'ébruite** no word of this must get out

EBS /əbeɛs/ *nf* (*abbr* = **encéphalite bovine spongiforme**) BSE, bovine spongiform encephalopathy

ébullition /ebylisjɔ̃/ *nf* (de liquide) boiling; **point d'~** boiling point; **au moment de l'~** when boiling point is reached; **entrer en ~** to begin to boil; **arriver/porter à ~** to come/bring to the boil GB *ou* a boil US

(Idiome) **être en ~** [*maisonnée, foule*] to be in a fever of excitement; [*pays, cerveau*] to be in a ferment

écaillage /ekajaʒ/ *nm* **1** (de poisson) scaling; (d'huître) opening; **2** (de peinture, vernis) flaking

écaille /ekaj/ *nf* **1** (de poisson, reptile, papillon) scale; (d'huître) shell; **2** (pour peignes) tortoiseshell; (pour lunettes) **lunettes/montures en ~** horn-rimmed glasses/frames; **3** (parcelle) flake; **s'en aller en ~s** to flake off; **4** Bot (de bourgeon, cône, d'oignon) scale

(Idiome) **les ~s lui sont tombées des yeux** the scales fell from his/her eyes

écailler, **-ère** /ekaje, ɛʀ/ [1]

A ▸ **p. 532** *nm,f* oyster seller

B *vtr* **1** Culin to scale [*poisson*]; to open [*huître*]; **2** (endommager) **~ qch** [*intempéries*] to cause [sth] to flake; [*personne*] to chip [sth] off

C **s'écailler** *vpr* [*vernis, plâtre*] to flake away

écailleux, **-euse** /ekajø, øz/ *adj* **1** [*peau, poisson*] scaly; **2** [*plâtre, vernis*] (tombant) flaking; (aspect) flaky

écaillure /ekajyʀ/ *nf* **1** Zool (agencement) scaling; (ensemble) scales; **2** (de plâtre) flake

écale /ekal/ *nf* (de noix) husk

écaler /ekale/ [1] *vtr* to husk [*noix*]

écarlate /ekaʀlat/ ▸ **p. 202**

A *adj* scarlet; **il devint ~ de rage/honte** he turned scarlet with rage/shame

B *nf* scarlet

écarquiller /ekaʀkije/ [1] *vtr* **~ les yeux** to open one's eyes wide (**devant** at); **elle me regardait les yeux écarquillés** she stared at me wide-eyed; **il écarquillait les yeux pour mieux voir** he strained his eyes to see better

écart /ekaʀ/

A *nm* **1** (distance) (entre des objets) distance (**entre** between), gap (**entre** between); (entre des dates, événements) interval (**entre** between); (entre des concepts, attitudes) gap (**entre** between); (entre des versions) difference (**entre** between); **~ inflationniste/technologique** inflationary/technological gap; **un ~ d'un mètre** a one-metre[GB] gap, a gap of one metre[GB]; **~ de six mois** six-month interval, interval of six months; **creuser/réduire l'~** to widen/narrow the gap; **il y a trop d'~ entre eux (en âge)** there's too much of an age gap between them; ▸ **grand**; **2** (variation) difference; **~s de température** differences in temperature; **~s de prix** price differences, differences in prices; **~ des salaires** pay differential; **~ de dix euros/degrés** ten-euro/-degree difference, difference of ten euros/degrees; **~ par rapport à la normale/moyenne** deviation from the norm/mean; **3** (mouvement brusque) (de cheval) shy; (de voiture) swerve; **faire un ~** [*cheval*] to shy; [*voiture*] to swerve; [*piéton*] to leap aside; **4** fig (faute) lapse; **il fait des ~s de régime** he doesn't stick to his diet; **~s de langage** bad language ¢; **5** (aux cartes) discard

B **à l'écart** *loc adv* **être à l'~** to be isolated; **ils bavardaient dans le jardin, à l'~** they were talking in the garden GB *ou* yard US, off by themselves; **elle vit à l'~** she keeps herself to herself; **se tenir à l'~** (éloigné) to stand apart; (refuser de se mêler) to keep oneself to oneself; (ne pas participer) not to join in; **mettre qn à l'~** (éloigner) to push sb aside; (mettre au ban) to ostracize sb; **il ne supporte pas cette mise à l'~** he cannot bear the way he is being ostracized *ou* ignored; **prendre** *or* **entraîner qn à l'~** to take sb aside

C **à l'écart de** *loc prép* **à l'~ de la ville/route** away from the town/road; **laisser** *or* **tenir qn à l'~ de** to keep sb away from [*lieu*]; to keep sb out of [*activité*]; **se tenir à l'~ des autres** (dans l'espace) to stand apart from the others; (socialement) to refuse to join in; **rester** *or* **se tenir à l'~ du conflit/des négociations** to keep out of the conflict/the negotiations

(Composés) **~ de conduite** lapse in behaviour[GB]; **faire des ~s de conduite** to have occasional lapses; **~ de jeunesse** youthful indiscretion; **~ à la moyenne** Stat deviation from the mean

écarté, **~e** /ekaʀte/

A *pp* ▸ **écarter**

B *pp adj* **1** (espacé) [*doigts*] spread (*épith, après n*); [*bras*] wide apart (*épith, après n*); [*genoux, jambes*] apart (*épith, après n*); [*yeux*] widely set; **avoir les dents ~es** to have widely spaced teeth; **2** (isolé) [*lieu, village*] isolated, out of the way (*jamais épith*); [*sentier*] out of the way (*jamais épith*)

C ▸ **p. 469** *nm* Jeux écarté

écartèlement /ekaʀtɛlmɑ̃/ *nm* **1** fig (déchirement) **ressentir un ~ entre** to feel torn between; **2** (supplice) quartering; **condamné à l'~** condemned to be quartered; **3** Hérald quartering

écarteler /ekaʀtəle/ [17] *vtr* **1** fig (déchirer) to tear [sb] apart; **être écartelé** to be torn (**entre** between); **2** (supplicier) to quarter; **3** Hérald to quarter

écartement /ekaʀtəmɑ̃/ *nm* (distance) distance, space; **les rangées ont un ~ de 2 mètres** the rows are (set) 2 metres[GB] apart; **~ des rails** Rail gauge; **~ des essieux** Aut wheelbase

écarter /ekaʀte/ [1]

A *vtr* **1** (séparer) to move [sth] further apart [*objets*]; to open [*rideaux*]; to open, to spread [*bras, jambes*]; to spread [*doigts*]; to part [*lèvres, feuillage, buissons*]; **~ la foule pour passer** to push one's way through the crowd; **2** (éloigner) to move [sth] aside [*chaise*]; to brush [sth] aside [*mèche*]; to remove [*obstacle*]; to push [sb] aside [*personne*]; to move [sb] on [*badauds*]; **~ qch/qn de qch** lit to move sth/sb away from sth; **~ les obstacles de sa route** to remove the obstacles from one's path; **~ une branche qui gêne** to push a branch out of the way; **ce chemin nous écarte trop** this path takes us too far out of our way; **ce chemin nous écarte de la ferme** this path takes us too far from the farm; **3** fig (détourner) **~ qn de son devoir** to distract sb from his duty; **~ qn de la tentation** to keep sb out of reach of temptation; **cela nous écarte du sujet** we're getting off the point; **4** (éliminer) to dispel [*danger, soupçon*]; to remove [*tentation*]; to eliminate [*risque*]; to eliminate, to push [sb] aside fig [*concurrent*]; **tout danger est écarté** the danger is over; **5** (rejeter) to dismiss, to reject [*idée, argument, solution, candidature*]; to rule out [*possibilité*]; **~ qch des débats** to keep sth out of the discussion; **~ qn de** to exclude sb from [*groupe*]; to remove sb from [*comité, discussion*]; **~ qn du pouvoir/de la scène politique** to remove sb from power/from the political scene

B **s'écarter** *vpr* **1** (se séparer) [*foule, nuages*] to part; [*volets*] to open; **2** (s'éloigner) to move away (**de** from); **s'~ discrètement** to withdraw discreetly; **s'~ d'un bond** to leap aside; **écartez-vous, voilà l'ambulance** move out of the way, here's the ambulance; **écartez-vous les uns des autres** spread out a bit; **s'~ l'un de l'autre** [*chemins*] to diverge; **depuis le scandale, on s'écarte d'elle** since the scandal, nobody will have anything to do with her; **3** (dévier) lit, fig **s'~ de** to move away from [*trajectoire, direction, norme*]; to stray from [*chemin*]; to wander off, to stray from [*sujet*]; to diverge from [*vérité*]; **s'~ de la verticale** [*mur*] to be out of plumb; **s'~ de son devoir** to fail in one's duty

écarteur /ekaʀtœʀ/ *nm* Méd retractor

écart-type, *pl* **écarts-types** /ekaʀtip/ *nm* Stat standard deviation

ecchymose /ekimoz/ *nf* bruise, ecchymosis spéc; **couvert d'~s** badly bruised

Ecclésiaste /eklezjast/ *nprm* **(le livre de) l'~** (the Book of) Ecclesiastes

ecclésiastique /eklezjastik/

A *adj* (du clergé) ecclesiastical; [*ordres, état*] holy

B *nm* cleric, ecclesiastic†

écervelé, **~e** /esɛʀvəle/

A *adj* featherbrained, birdbrained US

B *nm,f* featherbrain, birdbrain US

ECG /œseʒe/ *nm* Méd ECG, electrocardiogram

échafaud /eʃafo/ *nm* **1** (lieu) scaffold; **monter à l'~** to mount the scaffold; **finir sur l'~** to end up on the scaffold; **2** (peine capitale) guillotine; **il risque l'~** he faces the guillotine; **condamné à l'~** condemned to be guillotined

échafaudage /eʃafodaʒ/ *nm* **1** Constr scaffolding ¢; **monter un ~** *or* **des ~s** to put up scaffolding; **2** (tas) stack; **3** fig (montage) edifice

échafauder /eʃafode/ [1]

A *vtr* **1** (élaborer) to put [sth] together [*plan, théorie*]; to build up [*fortune*]; **2** (empiler) to stack [sth] up

B *vi* Constr to put up scaffolding

e

échalas /eʃala/ *nm inv* 1 (pieu) cane; 2 ○(personne) beanpole○

(Idiome) **raide comme un ~** as stiff as a post

échalier /eʃalje/ *nm* (échelle) ladder, stile; (clôture) hurdle GB

échalote /eʃalɔt/ *nf* shallot

échancré, ~e /eʃɑ̃kʀe/

A *pp* ▸ **échancrer**

B *pp adj* 1 Cout [*robe*] low-cut; [*culotte, maillot*] cut high on the thigh (*après n*); **trop/pas assez ~** [*emmanchure*] cut too wide/too tight (*après n*); 2 (ouvert) [*chemise*] open-necked; 3 [*côte*] indented; [*feuille*] jagged

échancrer /eʃɑ̃kʀe/ [1] *vtr* 1 Cout (découper) cut away [*encolure, emmanchure*]; **~ une robe sur le devant/sous les bras** to cut a dress low at the front/under the arms; 2 (creuser) [*mer*] to indent [*côte*]

échancrure /eʃɑ̃kʀyʀ/ *nf* 1 Cout **l'~ est trop grande** (d'encolure) it's cut too low at the neck; (d'emmanchure) it's cut too wide under the arms; (de jambe) it's cut too high on the thighs; 2 (de côte) indentation; 3 Anat (d'os) notch

échange /eʃɑ̃ʒ/

A *nm* 1 gén exchange (**entre** between; **contre** for); **~ d'idées/de coups** exchange of ideas/of blows; **vifs ~s sur** heated exchanges on; **il y a eu un ~ de coups entre les supporters** blows were exchanged between the (rival) fans; **ils ne font pas l'~ dans cette boutique** they don't exchange goods in this shop; **les deux pays ont fait un ~ d'experts/de prisonniers** the two countries have exchanged experts/prisoners; **elles ont fait l'~ de leurs manteaux** they've swapped coats; **mon casque est trop petit, on fait l'~?** my helmet is too small, shall we swap?; **les philatélistes font souvent des ~s** stamp collectors often exchange stamps; **~ de partenaires** partner-swapping; 2 Écon, Comm trade ₡; **~s commerciaux** trade; **~s extérieurs** foreign trade; 3 (relations) exchange; **les ~s culturels/universitaires** cultural/university exchanges; 4 (pour un séjour linguistique) exchange; **mon fils fait/va faire un ~ en Italie** my son is/will be on an exchange in Italy; 5 Biol, Phys exchange; **~ gazeux** gaseous exchange; 6 (au tennis, tennis de table) rally; **ils ont fait un long ~** they played a long rally; **faire des ~s pour s'échauffer** to play some warm-up rallies, to warm up; 7 (aux échecs) exchange; **faire un ~** to exchange pieces

B **en échange** *loc adv* in exchange, in return; **en ~, le ministre a accordé une aide financière** in return, the minister has granted financial aid; **nous devons en ~ entretenir la maison** in return we must see to the upkeep of the house

C **en échange de** *loc prép* in exchange for, in return for; **en ~ de quoi** in exchange for which

(Composés) **~ de bons procédés** quid pro quo; **~ de créances** Fin debt swap; **~ de créances contre actifs** Fin debt equity swap; **~ de devises dues** Fin currency swap; **~ de données informatisé, EDI** Ordinat electronic data interchange, EDI; **~ financier** Fin swap; **~ de logements** Tourisme home exchange, home swap; **~ standard** replacement by a reconditioned part; **'il faut faire un ~ standard'** 'we'll have to replace it with a reconditioned part'

échangeable /eʃɑ̃ʒabl/ *adj* exchangeable

échanger /eʃɑ̃ʒe/ [13]

A *vtr* 1 gén to exchange (**contre** for); **~ des coups** to exchange blows; **nous avons échangé nos adresses** we exchanged addresses; **~ des insultes** to trade insults; **~ des remerciements** to thank each other; **elle et sa sœur échangent souvent leurs vêtements** she often swaps clothes with her sister; **'les articles ne sont ni repris ni échangés'** 'no exchanges or returns'; 2 (au tennis, ping-pong) **~ des balles** to rally

B **s'échanger** *vpr* to be exchanged

échangeur /eʃɑ̃ʒœʀ/ *nm* 1 Aut (intersection) interchange GB, grade separation US; 2 Tech exchanger

(Composés) **~ de chaleur** heat exchanger; **~ d'ions** ion exchanger

échangisme /eʃɑ̃ʒism/ *nm* practice of swapping sexual partners, partner-swapping

échangiste /eʃɑ̃ʒist/ *nmf* swapper of sexual partner, partner-swapper

échanson /eʃɑ̃sɔ̃/ *nm* cupbearer

échantillon /eʃɑ̃tijɔ̃/ *nm* (tous contextes) sample

échantillonnage /eʃɑ̃tijɔnaʒ/ *nm* 1 (prélèvement) sampling; (ensemble) selection; 2 Mus sampling

échantillonner /eʃɑ̃tijɔne/ [1] *vtr* Sci, Tech, Stat to take a sample of; Ordinat, Télécom to sample

échappatoire /eʃapatwaʀ/ *nf* way out (**à** of); **répondre par une ~** to answer evasively

échappée /eʃape/ *nf* 1 Sport break; 2 (escapade) **faire une ~ au bord de la mer** to go for a short break to the seaside; 3 (court instant) spell; **~ de beau temps** bright spell; 4 (vue) **une ~ sur la baie** a glimpse of the bay

échappement /eʃapmɑ̃/ *nm* 1 (de gaz) (dispositif) exhaust; (expulsion) release; **tuyau d'~** exhaust pipe; **rouler avec l'** *or* **en ~ libre** to drive without a silencer GB *ou* muffler US; 2 (d'horlogerie) escapement

échapper /eʃape/ [1]

A **échapper à** *vtr ind* 1 (se dérober) **~ à** (par la fuite) to get away from [*poursuivant, prédateur*]; (par la ruse) to elude [*enquêteur, chasseur*]

2 (éviter) **~ à** to escape [*mort, destruction, destin, faillite*]; (to manage) to avoid [*accident, châtiment, danger, contraintes*]; **~ à tout contrôle** not to be subject to any control; **~ à une taxation** (légalement) to be exempt from tax; (illégalement) to evade a tax; **personne n'échappe à leurs commentaires acides** no-one is spared their cutting remarks; **~ aux réunions de famille** to get out of family gatherings; **~ à l'obligation de faire** to get out of having to do; **ils s'attendent à ta visite, tu n'y échapperas pas** they're expecting you, you won't be able to get out of it

3 (se libérer de) **~ à** to escape from [*milieu social*]; to shake off [*angoisse, désespoir*]; **pour ~ aux railleries** to escape being teased; **il n'échappe pas à l'influence de sa mère** he is still under his mother's influence; **c'est l'âge où les enfants commencent à vous ~** it's the age when your children begin to grow away from you; **je sens qu'il m'échappe** [*mari, amant*] I feel that he is drifting away from me

4 (tomber) **~ à qn** [*objet*] to slip out of sb's hands; **la bouteille a failli m'~** the bottle nearly slipped out of my hands; **~ des mains de qn** [*objet*] to slip out of sb's hands

5 (être produit involontairement) **un soupir/grognement m'a échappé** I let out a sigh/groan; **une parole cynique m'a échappé** I let slip a cynical comment; **cela m'a échappé** it just slipped out

6 (intellectuellement) **~ à** to escape; **le titre m'échappe pour le moment** the title escapes me for the moment; **cela m'échappe** (trop compliqué) it's beyond me; **l'ironie de ta remarque ne m'a pas échappé** the irony of your remark did not escape me; **la gravité de la situation n'échappe à personne** the seriousness of the situation is obvious to everybody; **ces disparités n'ont pas échappé au ministre** the minister is fully aware of these disparities; **l'erreur nous a échappé** we did not spot the mistake; **rien ne t'échappe!** you don't miss a thing!

7 (défier) **~ à** to defy [*classification, logique*]; **~ à la règle** to be an exception to the rule

B **s'échapper** *vpr* 1 (s'enfuir) [*personne, animal*] to run away (**de** from); [*oiseau*] to fly away (**de** from); (d'un lieu clos) to escape (**de** from); (ne pas être pris) to get away; **faire ~ qn** to help [sb] escape [*personne*]; **faire ~ un animal** to let an animal out; **laisser ~** [*personne*] to let [sb] get away [*personne, animal*]; to let [sth] slip between one's fingers [*victoire*]; to let [sth] slip [*occasion*]

2 (se répandre) [*gaz, fumée*] to escape (**de, par** from); [*eau*] to leak (**de, par** from); **laisser ~** [*récipient, fissure, dispositif*] to let [sth] out [*vapeur, fumée*]; **laisser ~ de l'huile/du gaz/de l'eau** [*récipient*] to have an oil/a gas/a water leak

3 (partir) to get away; **s'~ pour quelques jours** to get away for a few days; **s'~ d'une pièce/réunion** to slip out of a room/meeting

4 (être produit) **laisser ~** to let [sth] fall [*larmes*]; to let out [*parole, juron, soupir, secret*]; **un faible gémissement s'échappa de ses lèvres** he/she gave a faint groan

5 Sport to break away

(Idiome) **l'~ belle** to have a narrow escape

écharde /eʃaʀd/ *nf* splinter

écharpe /eʃaʀp/ *nf* (cache-col) scarf; (d'officiel) sash; (bandage) sling; **en ~** (bras) in a sling; **prendre une voiture en ~** to hit a car sideways on GB, to sideswipe a car US

écharper /eʃaʀpe/ [1] *vtr* **~ qn/qch** to tear sb/sth to pieces; **se faire ~** to get torn to pieces

échasse /eʃɑs/ *nf* 1 (de berger) stilt; 2 (oiseau) stilt

(Idiome) **il est monté sur des ~s**○ he's got great long legs

échassier /eʃasje/ *nm* wading bird

échauder /eʃode/ [1] *vtr* 1 (décourager) to put [sb] off; **échaudé par sa première expérience, il décide de...** having had his fingers burned by his first experience, he decides...; 2 (ébouillanter) to scald

(Idiome) **chat échaudé craint l'eau froide** Prov once bitten, twice shy Prov

échauffement /eʃofmɑ̃/ *nm* 1 Sport warm-up; **exercices/séance d'~** warm-up exercises/session; 2 fig (excitation) heat (**de** of); 3 Tech (de moteur, pneu) overheating; (de sol, d'eau) warming; 4 Bot (de foin, grain, bois) fermentation

échauffer /eʃofe/ [1]

A *vtr* 1 Sport to warm up; 2 fig (animer) to stir [*imagination, esprit*]; to stir up [*personne, débat*]; 3 (rendre chaud) to overheat [*corps, liquide, pièce*]; to warm [*sol*]; 4 (produire une fermentation) to start [sth] fermenting

B **s'échauffer** *vpr* 1 Sport to warm up; 2 (s'animer) [*imagination, esprit*] to be stirred; [*personne, discussion*] to become heated; 3 (devenir chaud, rouge) [*visage*] to get hot; 4 (fermenter) to begin to ferment

(Idiome) **~ les oreilles** *or* **la bile de qn** to vex sb

échauffourée /eʃofuʀe/ *nf* brawl; Mil skirmish; **une ~ avec qn** a clash with sb

échauguette /eʃogɛt/ *nf* bartizan

èche /ɛʃ/ *nf* bait

échéance /eʃeɑ̃s/ *nf* 1 Fin, Comm (date d'exigibilité) (de dette, facture, loyer, quittance, traite) due date; (d'action, assurance, de bon) maturity date; (d'emprunt) redemption date; **payer avant l'~** to pay before the due date; **payable à (l')~** payable when due; **il attend toujours l'~ pour payer son loyer** he never pays his rent until it is due; **~ fin courant** due at the end of the month; **arriver** *or* **venir à ~** [*loyer, traite, emprunt*] to fall due; [*assurance, placement*] to mature; 2 (date d'expiration) expiry date; **arriver** *or* **venir à ~** to expire; 3 (délai) currency; **d'une ~ de 2 mois** with a currency of 2 months; **à longue/brève ~** [*bon, prévision*] long-/short-term; [*renforcer, changer*] in the long/short term; **la loi devrait être votée à**

brève ~ the law should be passed shortly; **à plus ou moins brève** ~ sooner or later; 4 (somme due) (de facture, loyer) payment; (d'emprunt, de dette) repayment; **l'~ est de 800 euros** the payment due is 800 euros; **payer ses ~s** to make one's payments; **faire face à de lourdes** ~ to have a lot of payments to make; **l'~ de fin de trimestre** the end of term payment; 5 (d'événement, de changement) date; (date limite) deadline; **l'~ de la mort** the advent of death; ~ **électorale** polling GB *ou* election day; ~ **européenne/présidentielle** European/presidential elections

échéancier /eʃeɑ̃sje/ *nm* Compta schedule of due dates; (calendrier d'échéances) schedule of repayments

échéant: **le cas échéant** /ləkazeʃeɑ̃/ *loc adv* if need be; (sur un formulaire) **cocher le cas** ~ tick GB *ou* check US where appropriate

échec /eʃɛk/
A *nm* 1 Scol, Univ failure (**à** in GB, on US); **c'est son second** ~ it's the second time he's failed; **après trois ~s** after three unsuccessful attempts; 2 (fait de ne pas atteindre son but) failure; (rémédiable) setback; ~ **personnel/commercial/scolaire** personal/commercial/academic failure; **malgré les ~s du début** despite the initial setbacks; ~ **sentimental** failed love affair; **subir un** ~ to fail; (temporairement) to suffer a setback; **courir à l'~** to be heading for failure; **se solder par un** ~ to end in failure; **voué à l'~** doomed to failure; **faire ~ à qn/aux projets de qn** to thwart sb/sb's plans; **tenir l'ennemi en** ~ to hold the enemy in check; **le virus tient toujours les chercheurs en** ~ the virus continues to defy scientists; 3 (défaite) Pol, Sport defeat; Mil reverse; **essuyer** *or* **subir un** ~ to suffer a defeat *ou* a reverse; 4 Jeux ~ **au roi** check; **faire ~ au roi** to check the king; ~ **et mat** checkmate; **faire ~ et mat** to checkmate
B ▸ **p. 469 échecs** *nmpl* **les ~s** (jeu) chess; (échiquier et pièces) chess set; (pièces) chessmen; **jouer aux ~s** to play chess; **faire une partie d'~s** to play a game of chess

échelle /eʃɛl/ *nf* 1 (pour monter, descendre) ladder; **monter à une** ~ to climb a ladder; ~ **de corde** rope ladder; ~ **coulissante** extending ladder GB, extension ladder US; ~ **double** double sided ladder; ~ **de pompier** firemen's ladder; **faire la courte ~ à qn** to give sb a leg up; 2 (de plan, maquette) scale; **plan à l'~** scale plan; **carte à l'~ de 1/10 000e** map on a 1:10,000 scale; **la carte est à l'~ de 1/10 000e** the map has a scale of 1:10,000; **carte à grande** ~ large-scale map; **carte à ~ réduite** small-scale map; 3 (système de gradation) scale; ~ **de dureté** hardness scale; ~ **de Beaufort/Richter** Beaufort/Richter scale; **tremblement de terre de force 5 sur l '~ de Richter** earthquake measuring 5 on the Richter scale; **à l'~ humaine/nationale/mondiale** on a human/national/worldwide scale; **sur une large** ~ on a large scale; 4 fig (dans un milieu social) scale, ladder; (dans une entreprise) hierarchy, ladder; **s'élever dans l'~ sociale** to rise up the social scale; ~ **des valeurs/de difficulté** scale of values/difficulty; ~ **des prix** scale of prices; ~ **des salaires** pay scale; ~ **mobile des salaires** sliding pay-scale; 5 Mus scale; 6 °(accroc à un collant) ladder

(Composés) ~ **de bibliothèque** library step; ~ **de coupée** accommodation ladder; ~ **de meunier** open staircase; ~ **de passerelle** companion ladder; ~ **de pilote** jacob's ladder; ~ **de poissons** fish ladder

échelon /eʃlɔ̃/ *nm* 1 (d'échelle) rung; 2 Admin (rang) grade; **fonctionnaire au 4e** ~ grade 4 official; **monter/descendre d'un** ~ to go up/down a grade; **sauter les ~s** to get accelerated promotion; 3 (niveau) level; **à l'~ ministériel/ de la division** at ministerial/divisional level; 4 Mil (unité) echelon

échelonnement /eʃlɔnmɑ̃/ *nm* 1 (d'objets) spacing out; 2 (de paiements) spreading out; (de congés, départs) staggering; 3 (gradation) (d'exercices) grading; (de difficultés) gradual introduction; 4 Mil deployment in echelon

échelonner /eʃlɔne/ [1]
A *vtr* 1 (espacer) to space [sth] out [*balises*]; **les poteaux sont échelonnés à 30 m d'intervalle** the posts are set 30 metres apart *ou* at 30 metre intervals; 2 (répartir) to spread [*paiements, travail*] (**sur** over); to stagger [*congés, départs*] (**sur** over); 3 (graduer) to grade [*exercices*]; to build up [*arguments*]; 4 Mil to deploy [sth] in echelon [*troupes*]
B s'échelonner *vpr* 1 [*objets, personnes*] to be positioned at intervals (**sur** over); 2 [*paiements, travaux*] to be spread (**sur** over); [*congés, départs*] to be staggered (**sur** over)

écheveau, *pl* **~x** /eʃvo/ *nm* 1 (de laine, coton) hank, skein; (de fil à broder) skein; **vendu en ~x** sold by the hank; 2 (enchevêtrement) tangle

échevelé, **~e** /eʃəvle/
A *pp* ▸ **écheveler**
B *pp adj* 1 (décoiffé) tousled; 2 fig [*rythme*] frenzied; [*romantisme*] unbridled; [*course*] mad

écheveler /eʃəvle/ [19] *vtr* ~ **qn** to ruffle sb's hair; **le vent nous échevelait** the wind was ruffling our hair

échevin /eʃ(ə)vɛ̃/ *nm* 1 Hist municipal magistrate; 2 (en Belgique) deputy burgomaster

échine /eʃin/ *nf* 1 (colonne vertébrale) spine; 2 (de porc) Culin ≈ spare rib

(Idiomes) **courber l'~ devant** to submit to; **avoir l'~ souple** to be a toady

échiner: **s'échiner** /eʃine/ [1] *vpr* **s'~ à faire** to make a great effort to do; **il s'échine au travail** he works like a dog; **je m'échine à lui dire/à le convaincre** I'm worn out telling him/trying to persuade him

échiquier /eʃikje/ *nm* 1 (aux échecs) chessboard; 2 fig (terrain) arena; 3 (motif) chequered GB *ou* checkered US pattern; **planter en** ~ to plant in a chequered GB *ou* checkered US pattern

Échiquier /eʃikje/ *nprm* **l'~** the Exchequer, the Treasury

écho /eko/ *nm* 1 (de son) aussi Ordinat, Tech, TV echo; ~ **simple/multiple/radar** single/multiple/radar echo; **effet d'~** echo effect; **il y a de l'~** there is an echo; **divulguer/répéter qch à tous les ~s** to divulge/repeat sth to all and sundry; **faire ~ à qch** to echo sth; **se faire l'~ de qch** to echo sth; 2 (réaction) response; **en** ~ in response (**à** to); **avoir/recevoir un** ~ to get/receive a response (**de** from); **trouver un** ~ *or* **des ~s** to meet with a response (**à qch** to sth; **auprès de qn, chez qn** from sb; **dans** in); **trouver un large/faible** ~ to meet with a great/faint response; **ne trouver aucun** ~ to fail to elicit any response; 3 (information) **nous n'avons eu aucun ~ des pourparlers** we have heard nothing about the talks; 4 Presse (anecdote) piece of gossip

(Composé) ~ **flottant** echo flutter

échographie /ekɔgʀafi/ *nf* scan; **passer une** ~ to have a scan, ultrasound scan spéc

échographier /ekɔgʀafje/ [2] *vtr* to scan

échographique /ekɔgʀafik/ *adj* ultrasonic

échographiste /ekɔgʀafist/ ▸ **p. 532** *nmf* ultrasound technician

échoir /eʃwaʀ/ [51]
A *vi* (loyer) to fall due; (traite) to be payable
B échoir à *vtr ind* ~ **à qn** to fall to sb's share

écholocation /ekolɔkasjɔ̃/ *nf* echolocation

échoppe /eʃɔp/ *nf* stall

échotier, -ière /ekɔtje, ɛʀ/ *nm,f* local news reporter

échouage /eʃwaʒ/ *nm* 1 (processus) beaching; 2 (situation) state of being beached; 3 (endroit) **chercher un ~ pour l'hiver** to look for a suitable place to beach the boat for the winter

échouement /eʃumɑ̃/ *nm* Naut (échouage involontaire) (processus) stranding; (situation) state of being stranded

échouer /eʃwe/ [1]
A *vtr* Naut to beach [*bateau, embarcation*]
B échouer à *vtr ind* [*personne*] to fail [*examen, épreuve*]
C *vi* 1 (ne pas réussir) [*personne, tentative*] to fail; ~ **dans une tentative/devant un obstacle** to fail in an attempt/in the face of an obstacle; ~ **face à un adversaire** to lose to an opponent; **notre équipe avait échoué en demi-finale** our team had lost in the semifinal; **faire** ~ to cause [sth] to fail [*négociations, projet, proposition*]; 2 (se retrouver) [*personne*] to end up; [*objet, dossier*] to end up; 3 Naut [*bateau*] to run aground; **un pétrolier échoué sur les récifs** an oil tanker stranded on the reef
D s'échouer *vpr* [*bateau*] to run aground (**sur** on); [*baleine*] to be beached; **la baleine s'est échouée sur la plage** the whale was stranded on the beach

échu, **~e** /eʃy/
A *pp* ▸ **échoir**
B *pp adj* expired; **payer son loyer à terme** ~ to pay one's rent in arrears

écimage /esimaʒ/ *nm* (d'arbre) pollarding; (de vigne) topping

écimer /esime/ [1] *vtr* to pollard [*arbre*]; to top [*vigne*]

éclaboussement /eklabusmɑ̃/ *nm* splash

éclabousser /eklabuse/ [1] *vtr* 1 (mouiller) to splash (**avec** with); (salir) to spatter (**de** with); ~ **une page d'encre** to spatter a page with ink, to spatter ink over a page; ~ **qn de son luxe** fig to crush sb with a display of wealth; **mur (tout) éclaboussé de sang** blood-spattered wall; 2 (infliger un dommage à) **il a été éclaboussé par ces rumeurs** his good name has been tarnished *ou* sullied by these rumoursGB

éclaboussure /eklabusyʀ/ *nf* 1 (d'eau, de boue) splash; (d'encre, de sang) spatter; 2 (sur une réputation) blot, blemish; **sa réputation a reçu quelques ~s** his reputation has been tarnished

éclair /eklɛʀ/
A *adj inv* **rencontre** ~ brief meeting; **visite** ~ flying visit; **attaque** ~ lightning strike; **guerre** ~ blitzkrieg; **repas** ~ quick meal; **il n'a fait que des passages** ~ his visits were brief
B *nm* 1 Météo flash of lightning; **il y a des ~s** there's lightning; **à** *or* **avec la vitesse de l'~** with lightning speed; **en un** ~ in a flash; **passer comme un** ~ to flash past; **traverser l'esprit comme un** ~ to flash through one's mind; **en un** ~ in the twinkling of an eye; 2 (éclat) (d'explosion) Phot flash; (de bijou) liter flash; (de regard) glint; **un ~ malicieux dans les yeux des enfants** a mischievous glint in the children's eyes; **leurs yeux lançaient des ~s de colère** their eyes were flashing with anger; 3 (de lucidité, triomphe) moment; **il a eu un ~ de génie** he had a brainwave GB *ou* brainstorm US; 4 Culin éclair

(Composé) ~ **de chaleur** sheet lightning ₵

éclairage /eklɛʀaʒ/ *nm* (manière d'éclairer) lighting; (lumière) light; ~ **direct/indirect** direct/indirect lighting; ~ **électrique** electric light; ~ **au gaz** gaslight; **faible** ~ dim light; **sous cet** ~ fig in that light

(Composé) ~ **zénithal** *natural lighting from above*

éclairagiste /eklɛʀaʒist/ ▸ **p. 532** *nm* Théât, Cin electrician; **chef** ~ gaffer

éclairant, **~e** /eklɛʀɑ̃, ɑ̃t/ *adj* [*fusée, bombe*] flare

éclaircie /eklɛʀsi/ *nf* 1 Météo (espace clair) sunny spell; (embellie) break in the weather; **'temps variable avec de belles ~s dans l'après-midi'** 'the weather will be rather unsettled with some bright intervals in the afternoon'; **2** fml fig (de situation, conflit) respite soutː **prévoir une ~ dans le climat social** to predict some respite in the social climate

éclaircir /eklɛʀsiʀ/ [3]
A *vtr* **1** (rendre moins sombre) to lighten [*couleur*]; to lighten the colour[GB] of [*cheveux*]; to clear [*teint*]; **2** (clarifier) to clarify [*situation, problème, idée*]; (élucider) to shed light on [*énigme, mystère*]; **certains points sont encore à ~** some points still need clarifying; **3** Culin to thin [*sauce*]; **4** (rendre moins épais) [*sylviculteur*] to thin [*futaie*]; [*coiffeur*] to thin [*cheveux*]
B s'éclaircir *vpr* **1** Météo [*ciel, temps, brouillard*] to clear up; **l'horizon s'éclaircit** lit the horizon is clearing; fig the outlook is getting brighter; **2** (pâlir) [*couleur, tissu*] to fade; [*teint*] to clear; [*cheveux*] to get lighter; **3** (s'élucider) [*situation, problème, mystère*] to become clearer; **4** (se clairsemer) [*foule, public*] to thin out; [*forêt, jungle*] to thin out; [*cheveux, barbe*] to thin out; **5** (rendre clair) **s'~ les cheveux avec de la camomille** to lighten one's hair with camomile; **s'~ la voix** *or* **la gorge** to clear one's throat

éclaircissant /eklɛʀsisɑ̃/
A *adj m* Cosmét **produit ~** hair lightener
B *nm* Cosmét (hair) lightener

éclaircissement /eklɛʀsismɑ̃/ *nm* (explication) explanation; (clarification) clarification ₵; **demander des ~s sur qch** to ask for an explanation of sth; **il a été suspendu de ses fonctions jusqu'à ~ de l'affaire** he was suspended from office till the matter was cleared up; **l'enquête n'a apporté aucun ~ sur l'affaire** the inquiry shed no light on the matter

éclairé, **~e** /ekleʀe/
A *pp* ▸ **éclairer**
B *pp adj* **1** [*tableau, pièce*] lit; **bien/mal ~** well-/badly-lit; **2** fig [*homme, conseil*] enlightened; [*amateur*] well-informed

éclairement /eklɛʀmɑ̃/ *nm* **1** Phys illumination; **2** Bot light

éclairer /ekleʀe/ [1]
A *vtr* **1** (donner de la lumière à) [*lampe, flamme, fenêtre*] to light [*rue, pièce*]; [*soleil, phare*] to light up [*lieu, objet*]; fig [*yeux*] to light up [*visage*]; [*bijou, col, foulard*] to set off [*vêtement*]; **le soleil n'éclaire jamais ce recoin** the sun never reaches this dark corner; **la joie/un sourire éclaira son visage** his face lit up with joy/a smile; **2** (avec une lampe, bougie etc) to give [sb] some light; (pour montrer le chemin) to light the way for; **3** (expliquer) [*remarque, commentaire*] to throw light on, clarify [*texte, pensée, situation*]; **4** (instruire) to enlighten [*personne*] (**sur** as to); **5** Mil to reconnoitre[GB] [*route, terrain*]; to reconnoitre[GB] for [*convoi, troupe*]
B *vi* [*lampe, bougie*] to give light; **bien/mal ~** to give a good/poor light; **ça éclaire peu** it doesn't give much light
C s'éclairer *vpr* **1** (s'illuminer) [*écran*] to light up; fig [*visage*] to light up (**de** with); **les rues s'éclairent à 8 h** the street lights go on at 8 o'clock; **2** (se donner de la lumière) **s'~ à l'électricité** to have electric lighting; **nous nous éclairons à la bougie** we use candles for lighting; **j'ai pris une lampe de poche pour m'~** I took a torch GB *ou* flashlight US to see my way; **3** (s'éclaircir) [*situation*] to become clearer; [*question*] to be cleared up

éclaireur, **-euse** /eklɛʀœʀ, øz/ *nm,f* **1** (en scoutisme) scout/guide GB, girl scout US; **2** Mil scout; **marcher en ~** to scout ahead; **envoyer qn en ~** to send someone on ahead; **partir en ~** to go on ahead

éclampsie /eklɑ̃psi/ ▸ **p. 283** *nf* eclampsia

éclat /ekla/ *nm* **1** (de bois, métal, roche) splinter; **des ~s de verre** splinters of glass; **un ~ d'obus** a piece of shrapnel; **des ~s d'obus** shrapnel ₵; **voler en ~s** lit, fig to shatter; **faire voler qch en ~s** lit, fig to shatter sth; **2** (de lumière, d'astre) brightness; (de phare, projecteur) glare; (de neige, diamant) sparkle; **une lumière d'un ~ insoutenable** an unbearably bright light; **briller de tout son ~** to shine brightly; **3** (de couleur, tissu) brilliance; (de fleur) brightness; (de cheveux, plumes) shine, sheen; (de métal) lustre[GB]; (du teint) radiance; (de chaussure, meuble, vernis) shine; **redonner de l'~ à** to make [sth] look like new [*tissu*]; to put the shine back into [*meuble, cheveux*]; **perdre son ~** [*couleur, tissu*] to fade; [*chevelure*] to lose its shine *ou* sheen; [*métal*] to go dull; [*teint*] to lose its glow; **4** (de visage, sourire) radiance; (de regard) sparkle; **retrouver l'~ de sa jeunesse** to recover the bloom of youth; **sans ~** [*regard*] dull; [*beauté*] lifeless; **5** (grandeur) splendour[GB]; **avec ~** [*annoncer*] dramatically; [*célébrer, fêter*] with great pomp; **manquer d'~** [*cérémonie, discours*] to lack sparkle; **sans ~** [*personnage, cérémonie, soirée*] dull; **action** *or* **coup d'~** (admirable) remarkable feat; (qui attire l'attention) grand gesture; **6** (esclandre) scene; **faire un ~** to make a scene; **cela s'est passé sans ~s** it passed off without incident
(Composés) **~ de colère** fit of anger; **~ de rire** roar of laughter; **ce fut l'~ de rire général** everybody roared with laughter; **partir d'un ~ de rire** to burst out laughing; **être réveillé par des ~s de voix** to be woken up by raised voices
(Idiome) **rire aux ~s** to roar with laughter

éclatant, **~e** /eklatɑ̃, ɑ̃t/ *adj* **1** (très brillant) [*lumière*] brilliant; [*soleil*] blazing; **un ciel ~ de lumière** a dazzlingly bright sky; **2** (vif) [*couleur, teinte, plumage*] bright; **des tissus d'un rouge/bleu ~** bright red/blue fabrics; **un drap d'un blanc ~** *or* **d'une blancheur ~e** a dazzlingly white sheet; **dents d'une blancheur ~e** sparkling white teeth; **~ de blancheur** dazzling white; **avoir une mine ~e** to be glowing with health; **3** (admirable) [*beauté, sourire*] radiant; [*gloire*] shining; [*victoire, réussite*] stunning; [*santé*] radiant; **~ de santé** glowing with health; **~ de beauté, d'une beauté ~e** radiantly beautiful; **4** (manifeste) [*preuve, démonstration, illustration*] striking; **être la manifestation ~e de** to be a striking example of; **5** (très bruyant) [*bruit, son*] deafening; [*rire, voix*] ringing

éclaté, **~e** /eklate/
A *pp* ▸ **éclater**
B *pp adj* **1** (fragmenté) gén fragmented; [*famille*] divided; **2** Art [*dessin, vue*] exploded

éclatement /eklatmɑ̃/ *nm* **1** (rupture) (de tuyau, veine) bursting; (de rate, foie) rupture; **souffrir d'un ~ de la rate** to have a ruptured spleen; **provoquer l'~ des tuyaux** to cause the pipes to burst; **2** (explosion) (d'obus, de grenade) explosion; (de pneu) blow-out; **3** (de famille, parti, communauté) break-up (**en** into); **4** (d'émeute, incident) outbreak

éclater /eklate/ [1]
A *vi* **1** (exploser) [*pneu, bulle, chaudière*] to burst; [*obus, pétard*] to explode; [*tuyau*] to burst; [*bouteille*] to shatter; **~ en mille morceaux** [*bouteille, verre*] to shatter into a thousand pieces; **faire ~** [*personne*] to burst [*bulle, ballon*]; to detonate [*bombe, grenade*]; to let off [*pétard*]; **2** (se rompre) [*canalisation, veine, abcès*] to burst; [*organe*] to rupture; **faire ~** [*gel*] to burst [*tuyau*]; **3** (retentir) [*applaudissements, rire, fusillade*] to break out; [*coup de feu*] to ring out; **un coup de tonnerre a éclaté** there was a sudden clap of thunder; **4** (être révélé) [*scandale, affaire, nouvelle*] to break; [*vérité*] to come out; [*polémique*] to break out; **faire ~ qch au grand jour** to bring sth to light; **ce groupe a éclaté sur la scène internationale en 1974** the group burst onto the international scene in 1974; **5** (survenir) [*guerre, dispute, grève, épidémie*] to break out; [*orage*] to break; [*crise*] to erupt; **6** (être exprimé) [*joie, bonheur*] to manifest itself; [*colère*] to erupt; **laisser ~ sa joie/son bonheur** to give free rein to one's joy/one's happiness; **laisser ~ sa colère/son ressentiment** to give vent to one's anger/one's resentment; **7** (se fragmenter) [*coalition, royaume*] to break up; **~ en** to break up into [*provinces*]; to split into [*tendances*]; **faire ~ un parti** to split a party; **8** (se mettre en colère) [*personne*] to lose one's temper, to blow up○; **~ en reproches contre qn** to heap reproaches on sb; **~ de rire** to burst out laughing; **~ en sanglots** to burst into tears
B s'éclater◑ *vpr* **s'~ (comme une bête)** to have a really good time

éclateur /eklatœʀ/ *nm* spark gap
(Composé) **~ de protection** surge arrester

éclectique /eklɛktik/ *adj* eclectic

éclectisme /eklɛktism/ *nm* eclecticism; **il fait preuve d'~ dans ses lectures** his tastes in reading are eclectic

éclipse /eklips/ *nf* **1** Astron eclipse; **~ de soleil/de lune** solar/lunar eclipse; **2** (interruption) eclipse; **après une longue ~** after a long period of eclipse; **sa popularité connaît une ~** his/her popularity has waned

éclipser /eklipse/ [1]
A *vtr* **1** Astron to eclipse; (occulter) to obscure; **2** (surpasser) to outshine; **elle l'éclipse complètement** she completely eclipses him
B s'éclipser○ *vpr* to slip out *ou* away

écliptique /ekliptik/ *adj, nm* ecliptic

éclisse /eklis/ *nf* **1** Rail fishplate; **2** Méd plate

éclisser /eklise/ [1] *vtr* Rail to fishplate

éclopé, **~e** /eklɔpe/
A *adj* injured
B *nm,f* **les ~s** the walking wounded (+ *v pl*); **le match a fait quelques ~s** there were a few bumps and bruises as a result of the match

éclore /eklɔʀ/ [79] *vi* **1** [*poussin, œuf*] to hatch; [*fleur*] to open (out), to bloom; **faire ~ un œuf** to incubate an egg; **2** liter [*idée*] to dawn; **le XVIIe siècle a vu ~ de grands talents** the 17th century saw the birth of some great talents

écloserie /eklozʀi/ *nf* hatchery

éclosion /eklozjɔ̃/ *nf* **1** (d'œuf) hatching; (de fleur) opening, blooming; **2** liter (de talents) birth

écluse /eklyz/ *nf* lock

éclusée /eklyze/ *nf* lockage water

écluser /eklyze/ [1] *vtr* **1** Naut to lock [sth] through [*péniche*]; (munir d'écluses) to provide [sth] with locks [*rivière*]; **2** ◑fig (boire) to knock back○ [*bouteille*]

éclusier, **-ière** /eklyzje, ɛʀ/ ▸ **p. 532** *nm,f* lock keeper

éco-audit, *pl* **~s** /ekoodit/ *nm* eco-audit

écobuage /ekɔbɥaʒ/ *nm* burning over

écobuer /ekɔbɥe/ [1] *vtr* to burn off [*champ*]

écoconception /ekokɔ̃sɛpsjɔ̃/ *nf* eco-aware design

écœurant, **~e** /ekœʀɑ̃, ɑ̃t/ *adj* **1** (physiquement) [*gâteau, odeur, liqueur*] sickly; [*plat*] over-rich; **2** (révoltant) nauseating, revolting; **~ de sentimentalité** nauseatingly sentimental; **3** (décourageant) sickening; **18 sur 20? tu es vraiment ~!** 18 out of 20? you make me sick!

écœurement /ekœʀmɑ̃/ *nm* nausea; **répéter jusqu'à l'~** to repeat [sth] ad nauseam

écœurer /ekœʀe/ [1] *vtr* **1** (physiquement) [*nourriture, odeur*] to make [sb] feel sick; **avoir une mine écœurée** to look sick; **2** (moralement) to sicken

Ecofin /ekofin/ *nm* UE (*abbr* = **Conseil des Affaires économiques et financières**) Ecofin

éco-guerrier, **-ière**, *pl* **~s**, **-ières** /ekogɛʀje, ɛʀ/ *nm,f* eco-warrior

éco-industrie, *pl* **~s** /ekoɛ̃dystʀi/ *nf* eco-industry

écolabel /ekolabɛl/ *nm* eco-label

école /ekɔl/ *nf* **1** Scol (établissement) school; **être à l'~** to be at GB *ou* in US school; **aller à l'~** to go to school; **le directeur a réuni toute l'~** the headteacher assembled the whole school; **~ de garçons/filles** boys'/girls' school; **enfants des ~s** schoolchildren; **la**

grande/petite ~ primary/nursery school; **2** (enseignement) school; **l'~ est finie** school is over; **avoir ~** to have school; **mettre un enfant à l'~** to send a child to school; **dès l'~** from the very first days at school; **quitter l'~ à 16 ans** to leave school at 16; **3** (système) education system; **réformer l'~** to reform the education system; **4** Univ **(grande) ~** *higher education institution with competitive entrance examination*; **une ~ d'ingénieurs** a Grande École of Engineering; **une ~ de commerce** a business school; **5** (source de formation) training (**de** in); **la lexicographie est une ~ de patience** lexicography is a training in patience; **être à bonne ~** to be in good hands; **être de la vieille ~** to be of the old school; **l'~ de la vie** the university of life; **6** (mouvement) school; **~ flamande/romantique** Flemish/Romantic school; **~ de pensée** school of thought; **faire ~** to gain a following

(Composés) **~ communale** local school; **~ de conduite** driving school; **~ de danse** dancing school; **~ élémentaire** primary school; **~ de gestion** Univ business school, school of business and management GB; **~ hôtelière** hotel management school; **~ d'infirmières** nursing college; **~ de journalisme** school of journalism; **~ de langues** language school; **~ libre** (système) independent education; (établissement) independent school; **~ maternelle** nursery school; **~ militaire** military academy; **~ de musique** music school; **~ normale, EN** primary teacher training college; **~ obligatoire** compulsory schooling; **~ parallèle** progressive school GB, alternative school; **~ de pilotage** flying school; **~ de police** police college GB, police academy US; **~ primaire** primary school; **~ privée** private school; **~ professionnelle** training college; **~ publique** (établissement) state school GB, public school US; (système) state education GB, public education US; **~ de secrétariat** secretarial college; **École centrale des arts et manufactures, Centrale**○ *Grande École of Engineering*; **École des chartes, les Chartes**○ *School of Palaeography and Archival Studies*; **École des Mines, les Mines**○ *Grande École of Mining Studies*; **École nationale d'administration, ENA** *Grande École of Public Management*; **École nationale des ponts et chaussées, les Ponts et chaussées**○**, les Ponts**○ *Grande École of Civil Engineering*; **École nationale supérieure des arts et métiers, les Arts et métiers**○**, les Arts**○**, ENSAM** *Grande École of Engineering*; **École normale supérieure, ENS** *Grande École preparing teachers for higher education*

> **École**
>
> The French school system has three tiers: *l'école maternelle* (from the age of two); *l'école primaire* comprising *cours préparatoire (CP), cours élémentaire 1 et 2 (CE1, CE2), cours moyen 1 et 2 (CM1, CM2)*; and *l'école secondaire* (*collège* and *lycée*). School attendance is compulsory between the ages of 6 and 16.

écolier, -ière /ekɔlje, ɛʀ/ *nm,f* schoolchild, schoolboy/schoolgirl

écolo○ /ekolo/ *nm,f* environmentalist

écologie /ekɔlɔʒi/ *nf* **1** (doctrine) environmentalism; **2** (science) ecology

écologique /ekɔlɔʒik/ *adj* **1** [*discours, équilibre, catastrophe*] environmental, ecological; **2** [*impact, intérêt, conscience*] environmental; **3** [*produit*] environment-friendly; **ce n'est pas très ~ (de faire)** it's not environmentally sound (to do)

écologisme /ekɔlɔʒism/ *nm* ecology movement, green movement

écologiste /ekɔlɔʒist/

A *adj* **1** [*candidat*] Green; **2** [*mesure*] ecological

B *nmf* **1** (partisan) environmentalist; (candidat) Green; **2** (chercheur) ecologist

écomusée /ekomyze/ *nm* ≈ open air museum

éconduire /ekɔ̃dɥiʀ/ [69] *vtr* fml to turn [sb] away

éconocroques○ /ekɔnɔkʀɔk/ *nfpl* nest egg (*sg*), savings

économat /ekɔnɔma/ *nm* **1** (local) bursar's office; **2** (charge) office of bursar

économe /ekɔnɔm/

A *adj* thrifty; **~ de son temps/ses paroles** sparing with his time/words; **il est ~ de ses mouvements** he doesn't waste energy

B ▸ **p. 532** *nmf* bursar

C *nm* Culin potato peeler

économétricien, -ienne /ekɔnɔmetʀisjɛ̃, ɛn/ ▸ **p. 532** *nm,f* econometrician

économétrie /ekɔnɔmetʀi/ *nf* econometrics (+ *v sg*)

économétrique /ekɔnɔmetʀik/ *adj* econometric

économie /ekɔnɔmi/

A *nf* **1** (de pays, région) economy; **2** (discipline) economics (+ *v sg*); **étudiant en ~** economics student; **3** (somme économisée) saving; **réaliser une ~ de 20 euros sur qch** to save 20 euros on sth; **faire l'~ de** to save the cost of [*repas, voyage*]; **l'~ de temps/de fatigue est minime** the time/energy saved is minimal; **4** (action d'économiser) economy; **par ~ elle ne sort pas** to save money she doesn't go out; **avoir le sens de l'~** to be careful with money; **5** (sobriété) economy; **s'exprimer avec une grande ~ de paroles** to express oneself succinctly; **enseigner aux acteurs une ~ de geste** to teach actors to be economical in their movements

B **économies** *nfpl* savings; **avoir des ~s** to have savings; **prendre sur ses ~s** to break *ou* to dip into one's savings; **faire des ~s** to save up; **faire des ~s d'électricité/de chauffage/de papier** to save on electricity/heating/paper; ▸ **chandelle**

(Composés) **~ dirigée** controlled economy; **~ domestique** home economics; **~ d'échelle** economy of scale; **~ d'entreprise** managerial economics; **~ libérale** = **~ de marché**; **~ de marché** free market (economy), (free) market economy; **~ de marché contrôlée** controlled market economy; **~ mixte** mixed economy; **~ parallèle** black economy; **~ planifiée** planned economy; **~ politique** political economy; **~s d'énergie** energy savings; **inciter les gens à faire des ~s d'énergie** to encourage people to save energy

(Idiome) **il n'y a pas de petites ~s** every little (bit) helps, every penny counts GB

économique /ekɔnɔmik/ *adj* **1** Écon [*politique, crise*] economic; **2** (peu coûteux) economical; **~ à l'achat/à l'entretien** cheap to buy/to maintain

économiquement /ekɔnɔmikmɑ̃/ *adv* **1** Écon economically; **un projet ~ viable** an economically viable project; **2** (pas cher) [*vivre, voyager*] cheaply

économiser /ekɔnɔmize/ [1] *vtr* **1** (épargner) to save (up) [*argent, somme*]; **~ 5 000 euros** to save up 5,000 euros; **~ ses forces** *or* **ses efforts** to pace oneself; **2** (réduire la consommation de) to save [*essence, eau, énergie*]; to save on [*chauffage*]; **3** (réduire ses dépenses) to economize; **~ sur qch** to economize on [*chauffage, nourriture*]

économiseur /ekɔnɔmizœʀ/ *nm* fuel-saving device

(Composé) **~ d'écran** Ordinat screensaver

économiste /ekɔnɔmist/ ▸ **p. 532** *nmf* economist

écope /ekɔp/ *nf* bailer

écoper /ekɔpe/ [1]

A *vtr* Naut to bail out

B **écoper**○ **de** *vtr ind* to get, to cop○ [*punition, amende*]

C *vi* to take the rap○; **je ne veux pas ~ pour les autres** I don't want to take the rap for the others

écoproduit /ekopʀɔdɥi/ *nm* environment-friendly product

écorce /ekɔʀs/ *nf* (d'arbre) bark; (de fruit) peel; (de châtaigne) skin; **enlever l'~ d'un fruit** to peel a fruit; ▸ **arbre**

(Composé) **l'~ terrestre** the earth's crust

écorcer /ekɔʀse/ [12] *vtr* to strip the bark from [*arbre*]; to peel [*fruit*]

écorché, ~e /ekɔʀʃe/

A *pp* ▸ **écorcher**

B *pp adj* **~ (vif)** hypersensitive

C *nm,f* **c'est un ~ (vif)** he's hypersensitive

D *nm* Anat écorché; Tech cutaway (diagram)

écorchement /ekɔʀʃəmɑ̃/ *nm* (d'animal) skinning

écorcher /ekɔʀʃe/ [1]

A *vtr* **1** (dépecer) to skin [*animal*]; to flay [*victime*]; **2** (blesser) (en éraflant) to graze [*visage, jambe*]; (par frottement) to chafe [*jambe*]; to gall [*cheval*]; **sa voix m'écorche les oreilles** fig her voice grates on my ears; **3** (estropier) to mispronounce [*mot*]; to murder [*chanson, langue*]; **4** ○(tromper) to fleece○ [*client*]

B **s'écorcher** *vpr* [*personne*] to graze oneself; **s'~ le genou** to graze one's knee

écorcheur, -euse /ekɔʀʃœʀ, øz/ *nm,f* **1** (d'animal) skinner; **2** ○(de client) extortionist

écorchure /ekɔʀʃyʀ/ *nf* graze

écorner /ekɔʀne/ [1] *vtr* **1** (entamer) to take the edge off [*gloire, réputation*]; to cut down, make a hole in [*capital, somme*]; **2** (abîmer) to make [sth] dog-eared GB, to dogear US [*livre*]; to chip [*pierre, meuble*]; **3** Vét to poll [*animal*]

écornifler○† /ekɔʀnifle/ [1] *vtr* to scrounge

écossais, ~e /ekɔsɛ, ɛz/ ▸ **p. 483**

A *adj* [*caractère, personne, paysage*] Scottish; [*whisky*] Scotch; [*langue*] Scots; [*jupe*] tartan

B *nm* **1** Ling (dialecte anglais) Scots; (dialecte gaélique) (Scottish) Gaelic; **2** (tissu) tartan (cloth)

Écossais, ~e /ekɔsɛ, ɛz/ *nm,f* Scotsman/Scotswoman, Scot; **les ~** the Scots

Écosse /ekɔs/ ▸ **p. 721** *nprf* Scotland

écosser /ekɔse/ [1] *vtr* to shell

écosystème /ekosistɛm/ *nm* ecosystem

écot /eko/ *nm* share; **payer son ~ (à qn)** to pay one's share (to sb)

écotaxe /ekotaks/ *nf* eco-tax, environmental tax

écotourisme /ekotuʀism/ *nm* ecotourism

écotoxique /ekotɔksik/ *adj* ecotoxic

écoulé, ~e /ekule/

A *pp* ▸ **écouler**

B *pp adj* **1** (précédent) past (*épith*); **la semaine/saison ~e** the past week/season; **2** (qui a passé) **délai** *or* **temps ~** time which has elapsed; **3** Comm (épuisé) exhausted (*jamais épith*); **les stocks sont ~s** the stocks are exhausted; **4** Comm (vendu) sold (*après n*); **la viande ~e était contaminée** the meat sold was contaminated

écoulement /ekulmɑ̃/ *nm* **1** (d'eau, air, de circulation) flow; (de temps) passing; **2** Méd discharge; **~ nasal** nasal discharge; **~ de sang** bleeding; **3** Comm distribution and sale; **4** (de billets, drogue) circulation (**de** of)

écouler /ekule/ [1]

A *vtr* **1** Comm to sell [*produit, stock*]; **2** (trafiquer) to pass [*billet, chèque, drogue*]; to fence [*butin*]

B **s'écouler** *vpr* **1** (passer) [*temps, vie*] to pass; **2** (circuler) [*eau, rivière, sang*] to flow; **3** (sortir accidentellement) [*pétrole, eau*] to escape (**de** from; **dans** into); **4** (être évacué) [*eau*] to drain away; [*air*] to flow; **s'~ de/dans qch** [*eau*] to drain out of/into sth; **5** Comm [*produit*] to move; **s'~ lentement** to move slowly

écourter /ekuʀte/ [1] *vtr* (abréger) to cut short [*visite, séjour*] (**de dix jours** by ten days); to

e

shorten, to cut down [*discours, texte*] (**de moitié** by half)

écoutant, **~e** /ekutɑ̃, ɑ̃t/ ▸ p. 532 *nm,f* listening volunteer

écoute /ekut/ *nf* 1 (fait d'écouter) **l'~ de** listening to [*poème, cassette, personne*]; **être à l'~ de qch/qn** lit to be listening to sth/sb; (être attentif à) to be (always) ready to listen to sth/sb; **vous êtes à l'~ de radio X** you're listening to radio X; **restez à l'~ (de nos programmes)** stay tuned; **être à l'~ de l'autre** to be willing to listen to other people; **à la première écoute le disque est décevant** when you first listen to the record it's disappointing; **la qualité d'~** (de réception d'un émetteur) reception; (du son) sound quality; 2 (audience) audience; **avoir une grande/faible ~** to have a large/small audience; **un taux d'~ de 15%** audience ratings of 15%; **heure de grande ~** Radio peak listening time; TV peak viewing time, prime time; **le temps moyen d'~ est de deux heures par jour** Radio the average listening time is two hours a day; TV the average viewing time is two hours a day; 3 Tech **un appareil d'~** a listening device; **centre d'~(s)** monitoring centre[GB]; **~s téléphoniques** phone-tapping ₵; **je suis sur ~(s)** my phone is being tapped; **mettre qn sur ~(s)** to tap sb's phone; 4 Naut sheet; 5 (de sanglier) ear

écouter /ekute/ [1]

A *vtr* 1 (s'appliquer à entendre) to listen to [*conversation, cassette, musique, message*]; **je n'écoutais pas** I wasn't listening; **je vous écoute** I'm listening; **écoutez, j'en ai assez** listen, I've had enough; **~ qn chanter/parler** to listen to sb singing/talking; **écoute comme elle chante bien** just listen—doesn't she sing well?; **écoute, ne sois pas ridicule!** come on, don't be ridiculous!; **~ aux portes** to eavesdrop; **allô oui, j'écoute!** hello!; 2 (accepter d'entendre) to listen to [*explications, témoignage, témoin*]; 3 (être attentif à) to pay attention to [*personne*]; **écoute(-moi)!** pay attention to what I am saying!; **écoute ce qu'elle dit!** pay attention to what she's saying !; **il sait ~ les gens** he's a good listener; 4 (tenir compte de) to listen to [*conseil, rumeur, personne*]; **écoute ton père!** do as your father says!; 5 (se laisser guider par) **~ son cœur** to follow one's own inclination; **~ sa conscience** to be guided by one's conscience; **~ son devoir** to be guided by a sense of duty; **n'écoutant que son courage, il sauta** with no thought of danger, he jumped

B s'écouter *vpr* 1 **s'~ parler** to like the sound of one's own voice; 2 (se dorloter) to cosset oneself; 3 (faire à sa guise) **si je m'écoutais** if it was up to me

écouteur /ekutœʀ/ *nm* 1 (de téléphone) earpiece; 2 (de radio, stéréo) earphones (*pl*); (plus grand) headphones (*pl*)

écoutille /ekutij/ *nf* hatch

écouvillon /ekuvijɔ̃/ *nm* (à bouteilles) bottle-brush; (à fusil) pullthrough GB, swab US; Méd swab

écouvillonnage /ekuvijɔnaʒ/ *nm* (de fusil, de bouteille) cleaning; Méd swabbing

écouvillonner /ekuvijɔne/ [1] *vtr* to clean out [*bouteille, fusil*]; Méd to swab

écrabouiller○ /ekʀabuje/ [1] *vtr* 1 (aplatir) to squash [*fruit, animal*]; to flatten [*fleurs*]; **aïe, tu m'écrabouilles les pieds!** ouch, you're treading on my feet!; **se faire ~** to be squashed○ (**par** by); 2 (vaincre) to crush○, to beat

écran /ekʀɑ̃/ *nm* 1 Cin (surface) screen; (salle) cinema GB, movie theater US; (art) cinema; **~ (de projection)** screen; **~ géant/panoramique** giant/panoramic screen; **~ perlé** beaded screen; **le grand ~** the big screen; **projection vidéo sur grand ~** video shown on the big screen; **apparaître/montrer à l'~** to appear/show on (the) screen; **porter une œuvre à l'~** to adapt a work for the cinema; **crever l'~** to have a great screen presence; **'bientôt sur vos ~s'** 'coming soon to a cinema GB *ou* theater US near you'; **le film sortira sur les ~s parisiens en mai** the film will open in Paris in May; 2 Ordinat, TV screen; Électron display; **~ de téléviseur** TV screen; **le petit ~** the small screen; **une vedette du petit ~** a TV star; 3 (pour masquer) lit, fig screen; **la haie fait ~ entre les jardins** the hedge forms a screen between the gardens GB *ou* yards US; **crème qui fait ~ aux ultraviolets** cream that screens out ultraviolet rays; **crème ~ total** sun block; ▸ **société**; 4 (pour protéger) screen; Nucl shielding; **~ de protection** protective screen; **elle me faisait ~ de son corps contre le vent** her body screened me from the wind

(Composés) **~ antibruit** soundproofing; **~ cathodique** fluorescent screen; **~ de cheminée** firescreen; **~ de contrôle** monitor; **~ à cristaux liquides** liquid crystal display, LCD; **~ à fenêtres** split screen; **~ fluorescent** = **~ cathodique**; **~ de fumée** lit screen of smoke; fig, Mil smokescreen; **~ (à) haute définition** high-resolution screen; **~ plat** flat screen; **~ pleine page** full page-display; **~ radar** radar screen; **~ solaire** Cosmét sunscreen; **~ tactile** touch screen; **~ thermique** Astronaut heat shield; **~ total** Cosmét sun block; **~ vidéo** video screen; **~ de visualisation** VDU screen

écrasant, **~e** /ekʀazɑ̃, ɑ̃t/ *adj* 1 lit [*charge, poids*] enormous; 2 fig [*chaleur*] sweltering; [*rôle, défaite, dette*] crushing; [*victoire*] resounding; [*majorité, responsabilité, supériorité*] overwhelming

écrasé, **~e** /ekʀaze/

A *pp* ▸ **écraser**

B *pp adj* 1 (abîmé, aplati) squashed; 2 (blessé) [*doigt, pied*] crushed; 3 (accablé) **~ de fatigue/douleur/remords** [*personne*] weighed down by exhaustion/grief/remorse; **~ de chaleur** [*village*] sweltering in the heat; **~ par le travail** overwhelmed by work

écrasement /ekʀazmɑ̃/ *nm* 1 (de mouvement, rébellion) crushing; 2 (réduction) **l'~ des salaires** the reduction in the level of earnings; 3 (fait d'écraser) (de personne) crushing; (de légumes) (par accident) squashing; (pour purée) mashing; 4 fig **avoir un sentiment d'~** to feel overwhelmed

écrase-merde● /ekʀazmɛʀd/ *nm inv* clodhopper○

écraser /ekʀaze/ [1]

A *vtr* 1 (blesser, tuer) [*machine, porte, pierre*] to crush [*doigt, personne*]; [*personne*] to squash [*mouche, araignée, coccinelle*]; (avec un véhicule) to run over [*piéton, chien, hérisson*]; **se faire ~** to get run over; **il a failli se faire ~** he nearly got run over; **il est mort écrasé par un rocher** he was crushed to death by a rock; **il écraserait tout le monde pour réussir** fig he would be prepared to trample everyone underfoot to succeed; 2 (endommager) [*personne*] to squash [*boîte, chapeau, fruit*]; (plus endommagé) to crush; [*éléphant, tank*] to flatten [*végétation, relief*]; 3 Culin [*personne*] to mash [*légumes, fraises*]; (faire un coulis de) to puree [*tomates, fraises*]; to crush [*grain de poivre, gousse d'ail*]; **de la banane écrasée** mashed banana; 4 (aplatir délibérément) gén to squash; **~ sa cigarette** to stub one's cigarette; **~ une larme** to wipe away a tear; 5 (presser) [*personne*] to press [*nez, visage*] (**contre** against); **~ la pédale d'accélérateur** to put one's foot down; 6 (anéantir) to crush [*révolte, complot, mouvement, adversaire*]; to thrash○ [*équipe, joueur*]; 7 (en étant meilleur, supérieur) [*personne*] to outshine; 8 (humilier) to put down [*personne*]; 9 (accabler) [*chagrin, douleur, remords, responsabilité*] to overwhelm [*personne*]; [*fatigue, sommeil, chaleur*] to overcome [*personne*]; **~ qn de travail/responsabilités** to overwhelm sb with work/responsibilities; **~ les entreprises d'impôts** to overburden firms with taxation

B s'écraser *vpr* 1 (avoir un accident) [*voiture, train*] to crash; [*automobiliste, motocycliste*] to have a crash; **s'~ contre un mur/arbre** to crash into a wall/tree; **s'~ (au sol)** [*avion, hélicoptère*] to crash (to the ground); **les insectes s'écrasent contre le pare-brise** insects splatter on the windscreen; 2 (être endommagé) [*fruit*] to get squashed; **s'~ au sol** [*bibelot*] to fall and break; 3 ○(se taire) to shut up○; **écrase(-toi)!** shut up!; 4 ○(se soumettre) to keep one's head down; **s'~ devant qn** to keep one 's head down when sb is around

écraseur○ /ekʀazœʀ/ *nm* speed merchant

écrémage /ekʀemaʒ/ *nm* 1 (de lait) skimming; 2 fig creaming off

écrémer /ekʀeme/ [14] *vtr* 1 (ôter la crème de) to skim [*lait*]; **du lait écrémé** skimmed milk; 2 (sélectionner) to cream off [*candidats*]; **~ une collection d'art** to sell the finest works in a collection

écrémeuse /ekʀemøz/ *nf* Tech separator

écrêtage /ekʀetaʒ/ *nm* Électron peak limiting

écrêter /ekʀete/ [1] *vtr* Électron to limit peaks; Tech to level [*chaussée*]

écrevisse /ekʀəvis/ *nf* crayfish GB, crawfish US

(Idiome) **rouge comme une ~** as red as a beetroot GB, as red as a beet US

écrier: **s'écrier** /ekʀije/ [2] *vpr* to exclaim; **s'~ que** to cry that

écrin /ekʀɛ̃/ *nm* 1 (boîte) case; 2 liter (environnement) setting

écrire /ekʀiʀ/ [67]

A *vtr* 1 (tracer, rédiger, communiquer) to write (**à** to; **que** that); 2 (orthographier) to spell; **savoir comment ~ un mot** to know how to spell a word

B *vi* 1 gén to write; **~ à l'encre** to write in ink; **essaie de mieux ~** try to improve your writing; **tu écris bien/mal** you've got nice/bad writing; 2 (être écrivain) **vivre en écrivant** to make a living by writing; **il écrit** he's a writer

C s'écrire *vpr* 1 (être tracé, rédigé, communiqué) to be written; **ça ne s'écrit jamais** this is never written; 2 (être orthographié) to be spelled; **Hachette s'écrit avec deux t** Hachette is spelled with two t's; **ça s'écrit comme ça se prononce** it's spelled the way it sounds

écrit, **~e** /ekʀi, it/

A *pp* ▸ **écrire**

B *pp adj* written; **langue ~e** written language; **épreuve ~e** written test; **règle non ~e** unwritten rule; **c'était ~** fig it was bound to happen; **il est ~ que je passerai mon temps dans les avions** I am doomed to spend all my time on board planes; **c'est ~ sur ton visage** it's written all over your face

C *nm* 1 (œuvre) writings (*pl*); **un ~** a piece of writing; 2 (document) document; **par ~** in writing; 3 Scol, Univ (examen) written examination; (travail) written work

(Idiome) **les paroles s'envolent, les ~s restent** (il ne faut pas s'engager par écrit) never put anything in writing; (faites promettre par écrit) get it in writing

écriteau, *pl* **~x** /ekʀito/ *nm* sign

écritoire /ekʀitwaʀ/ *nf* writing case

écriture /ekʀityʀ/

A *nf* 1 (manière) handwriting; **elle a une belle ~** she's got beautiful handwriting; 2 (type) hand; **~ anglaise/bâtarde/moulée** running/bastard/copperplate hand; 3 (texte) writing; **pages couvertes d'~** pages covered with writing; 4 Ling script; **~ hiéroglyphique/phonétique** hieroglyphic/phonetic script; 5 Littérat (activité) writing; **l'~ est ma vie** writing is my whole life; **~ automatique** automatic writing; **l'~ dramatique/littéraire** the writing of plays/literature; 6 (style) style; **une ~ classique** a classical style; 7 Compta (inscription) entry; **passer une ~** to make an entry

B écritures *nfpl* Compta accounts; **tenir les ~s** to keep the accounts

Écriture /ekʀityʀ/ *nf* Relig Scripture; **les (saintes) ~s** the Scriptures; **l'~ sainte** Holy Writ

écrivailler○ /ekʀivɑje/ [1] *vi* pej to be a hack writer, to scribble

écrivailleur○, **-euse** /ekʀivɑjœʀ, øz/ *nm,f* pej hack, scribbler†

écrivaillon○ /ekʀivɑjɔ̃/ *nm* pej hack, scribbler†

écrivain /ekʀivɛ̃/ ▸ **p. 532** *nm* writer

(Composé) **~ public** letter-writer

écrivassier○, **-ière** /ekʀivasje, ɛʀ/ *nm,f* hack, scribbler†

écrou /ekʀu/ *nm* ① Tech nut; ② Jur prison admission form

écrouelles /ekʀuɛl/ *nfpl* scrofula

écrouer /ekʀue/ [1] *vtr* Jur to commit [sb] to prison

écroulé, **~e** /ekʀule/

A *pp* ▸ **écrouler**

B *pp adj* ① *[personne]* overwhelmed; **~ de fatigue** overcome with exhaustion; **~ de rire** doubled up with laughter; ② *[maison, mur, pont]* in a state of collapse; **un mur à demi ~** a wall half in ruins

écroulement /ekʀulmɑ̃/ *nm* gén collapse; (de rêves, d'illusions) crumbling

écrouler: **s'écrouler** /ekʀule/ [1] *vpr [mur, personne, régime, fortune, théorie]* to collapse; *[espoir, espérance]* to founder; *[rêve, illusion]* to crumble; **faire ~ qch** to make sth collapse; **tout s'écroule autour d'eux** everything is collapsing around them; **tout à coup leur univers s'écroula** all of a sudden the bottom fell out of their world○, all of a sudden their world collapsed around them; **s'~ de fatigue** to collapse with exhaustion; **il était écroulé**○ **sur son lit** he was slumped on his bed; **s'~**○ **de rire** to be doubled up with laughter

écru, **~e** /ekʀy/ *adj* ① (brut) *[toile]* unbleached; *[laine]* undyed; *[soie]* raw; ② ▸ **p. 202** (couleur) ecru

ecsta○ /ɛksta/ *nf* ectasy, E○

ectomorphe /ɛktɔmɔʀf/ *nmf* ectomorph

ectoplasme /ɛktɔplasm/ *nm* ectoplasm

ECU /eky/ *nm* Hist, Fin ECU

écu /eky/ *nm* ① (en numismatique) ≈ crown; ② (bouclier) shield; ③ Hérald escutcheon; ④ Hist Fin ▸ **p. 48** (unité monétaire de la CEE) ecu

écubier /ekybje/ *nm* hawsehole

écueil /ekœj/ *nm* ① Naut reef; ② fig (danger) pitfall

écuelle /ekɥɛl/ *nf* ① (récipient) bowl; ② (contenu) bowlful

éculé, **~e** /ekyle/ *adj* ① lit **chaussure ~e** shoe with a worn-down heel; ② fig *[plaisanterie, théorie]* hackneyed, well-worn *(épith)*

écumage /ekymaʒ/ *nm* (de bouillon, confiture) skimming; (de métal) skimming, scumming

écumant, **~e** /ekymɑ̃, ɑ̃t/ *adj* foaming; **avoir la bouche ~e** to be foaming at the mouth; **être ~ de rage** to be foaming with rage

écume /ekym/ *nf* ① (sur la mer, un torrent) foam; (de bouillon, confiture) scum; (de bière, d'eau savonneuse) froth; (de métal) dross; ② (bave) foam, froth; **avoir l'~ à la bouche** to be foaming at the mouth (with rage)

(Composé) **~ de mer** Minér meerschaum

écumer /ekyme/ [1]

A *vtr* ① (enlever l'écume) to skim *[bouillon, confiture]*; to skim, deslag *[métal]*; ② fig (parcourir) to scour; **des pirates qui écument les mers** pirates who scour the seas in search of ships to plunder

B *vi* ① (se couvrir d'écume) *[mer, lac]* to foam; *[vin]* to froth; ② (baver) to foam, froth; **~ de rage** to be foaming with rage

écumeur /ekymœʀ/ *nm* **~ des mers** pirate

écumeux, **-euse** /ekymø, øz/ *adj* liter *[lac, vague]* foamy; *[bière]* frothy

écumoire /ekymwaʀ/ *nf* skimming ladle, skimmer

écureuil /ekyʀœj/ *nm* squirrel

(Composé) **~ volant** flying squirrel

écurie /ekyʀi/ *nf* ① Équit stable; **~ de course** racing stable; **mener un cheval à l'~** to lead a horse to the stable; **mettre un cheval à l'~** to stable a horse; ② Sport stable; **l'~ Ferrari** the Ferrari stable; ③ (lieu sale) pigsty

(Idiome) **sentir l'~** to know one is nearly there

écusson /ekysɔ̃/ *nm* ① Mil flash GB; ② (d'école) crest, badge; (de club, mouvement) badge; (de voiture) insignia; ③ Hérald coat of arms; **~ aux armes de la ville/famille** coat of arms of the city/family; ④ Agric (greffon) scion; **greffe en ~** shield-bud

écuyer, **-ère** /ekɥije, ɛʀ/

A ▸ **p. 532** *nm,f* ① Équit (cavalier) horseman/horsewoman; (instructeur) riding instructor; ② (dans un cirque) horserider

B *nm* Hist (gentilhomme) squire; (responsable des écuries) equerry

eczéma* /egzema/ ▸ **p. 283** *nm* eczema ₵; **~ du nourrisson** infantile eczema

eczémateux, **-euse*** /egzematø, øz/

A *adj* ① *[affection, éruption]* eczematous, of eczema *(après n)*; ② *[personne]* suffering from eczema

B *nm,f* eczema sufferer

edam /edam/ *nm* Culin Edam

edelweiss* /edɛlvɛs/ *nm inv* Bot edelweiss

éden /edɛn/ *nm* fig paradise

Éden /edɛn/ *nprm* Relig Eden; **le jardin d'~** the Garden of Eden

édénique /edenik/ *adj* ① lit edenic; ② fig heavenly

édenté, **~e** /edɑ̃te/

A *pp* ▸ **édenter**

B *pp adj [personne]* (sans dents) toothless; (avec des dents en moins) with teeth missing *(épith, après n)*; *[peigne]* with missing teeth *(épith, après n)*

C **édentés** *nmpl* Zool **les ~s** the edentates

édenter /edɑ̃te/ [1] *vtr* to break the teeth of *[peigne, scie]*

EDF /œdeɛf/ *nf* (*abbr* = **Électricité de France**) *French Electricity Company*

édicter /edikte/ [1] *vtr* to enact *[loi, statut, norme]*; to decree *[peine, règle, intention]*

édicule /edikyl/ *nm* ① (kiosque) kiosk; ② (toilettes) public convenience

édifiant, **~e** /edifjɑ̃, ɑ̃t/ *adj* ① fml (exemplaire) edifying; ② (instructif) enlightening

édification /edifikasjɔ̃/ *nf* ① (de bâtiment, pays) building, construction; ② fig (d'œuvre, de théorie) building; ③ (instruction) enlightenment; **pour votre ~** for your edification

édifice /edifis/ *nm* ① (bâtiment) building; **~ public** public building; ② fml fig (vaste ensemble organisé) structure, edifice; **l'~ social/politique** the social/political structure

édifier /edifje/ [2] *vtr* ① lit to build, to construct *[bâtiment, ville]*; ② fig to build *[empire, œuvre, théorie]*; ③ (porter à la vertu) to edify; ④ fml (renseigner) to enlighten; **cet incident nous a édifiés sur leurs véritables intentions** this incident enlightened us about *ou* on their true intentions; **je ne voulais pas y croire mais maintenant je suis édifiée** I didn't want to believe it but now I've had my eyes opened

édile /edil/ *nm* ① (conseiller municipal) town councillor[GB]; ② Antiq aedile

Édimbourg /edɛ̃buʀ/ ▸ **p. 894** *npr* Edinburgh

édit /edi/ *nm* edict

éditer /edite/ [1]

A *vtr* ① (publier) to publish *[œuvre, livre, auteur]*; to release *[cassette, disque]*; ② (présenter et annoter) to edit; ③ Ordinat to edit

B **s'éditer** *vpr [livre]* to be published; **il s'édite plus de livres qu'il y a 20 ans** more books are published now than 20 years ago

éditeur, **-trice** /editœʀ, tʀis/ ▸ **p. 532**

A *adj [maison, société]* publishing

B *nm,f* (qui présente et annote des textes) editor

C *nm* ① (de livre, photo, musique) publisher; ② Ordinat editor; **~ de liens/de textes** link/text editor

édition /edisjɔ̃/

A *nf* ① (action de publier et de diffuser) (de livre) publication; (de disque, cassette) release; (de gravure) edition; ② (texte, livre, gravure) edition; (disque, cassette) release; **une nouvelle ~ revue et augmentée** a new revised and enlarged edition; **~ critique/originale** critical/first edition; **~ de luxe** deluxe edition; ③ (de livres, revues) publishing (**de** of); (de disque, film) release (**de** of); **être chargé de l'~ d'un livre** to be responsible for publishing a book; **société d'~** publishing firm; **je travaille dans l'~** I work in publishing; ④ Presse, TV, Radio (opération de publication) editing; (tirage) edition; **~ du soir** evening edition; **l'~ de 20 heures du journal télévisé** the eight o'clock (edition of the) news; ⑤ Art, Sport **la troisième ~ du festival de Cannes** the third Cannes (film) festival; **l'~ 2012 des jeux Olympiques** the 2012 Olympic Games

B **éditions** *nfpl* **les ~s Hachette** Hachette *(sg)*

éditique /editik/ *nf* electronic publishing

édito○ /edito/ *nm* Presse editorial, leader

éditorial, **~e**, *mpl* **-iaux** /editɔʀjal, o/

A *adj [politique, service]* editorial

B *nm* Presse editorial, leader

éditorialiste /editɔʀjalist/ *nmf* Presse leader writer GB, editorialist US

édredon /edʀədɔ̃/ *nm* eiderdown

éducateur, **-trice** /edykatœʀ, tʀis/ ▸ **p. 532**

A *adj* educative

B *nm,f* **~ (spécialisé)** youth worker

éducatif, **-ive** /edykatif, iv/ *adj* educational

éducation /edykasjɔ̃/ *nf* ① (enseignement) education; **~ artistique/musicale/permanente/sexuelle** art/music/continuing/sex education; **ici, les enfants reçoivent une très bonne ~** here, children get a very good education; ② (formation de personne) education; **faire l'~ de qn** to educate sb; ③ (entraînement) training; **~ de la mémoire** memory training; **~ de la voix** vocal *ou* voice training; **~ de la volonté** development of willpower; ④ (bonnes manières) manners *(pl)*; **manquer d'~** to show a lack of manners; **avoir de l'~** to have good manners; **être sans ~** to be ill-mannered

(Composés) **Éducation Nationale**, **EN** (ministère) ministry of Education; (système) state education; **~ physique** physical education, PE GB, phys ed US; **~ surveillée** Admin state education system for young offenders

édulcorant, **~e** /edylkɔʀɑ̃, ɑ̃t/

A *adj* sweetening *(épith)*

B *nm* sweetener; **~ de synthèse** artificial sweetener

édulcorer /edylkɔʀe/ [1] *vtr* ① lit to sweeten *[boisson, mets]*; ② fig (atténuer) fml to tone down *[lettre, propos]*

éduqué, **~e** /edyke/

A *pp* ▸ **éduquer**

B *pp adj* **(bien) ~** well brought up; **mal ~** badly brought up

éduquer /edyke/ [1]

A *vtr* ① (former) to educate *[personne, peuple]*; to train *[chien]*; ② (enseigner les usages à) to bring up *[enfant]*; **~ un enfant à s'exprimer poliment** to bring up a child to speak politely; ③ (développer) to train *[oreille]*; to educate *[palais]*; **~ sa volonté** to develop one's willpower; **~ ses sens** to train one's senses

B **s'éduquer** *vpr [personne]* to get an education; **il s'est éduqué tout seul** he is self-taught

EEE /œœœ/ *nm* ▸ **espace**

EEG /əəʒe/ *nm* Méd EEG, electroencephalogram

effaçable /efasabl/ *adj* [*cassette*] erasable; [*tache*] removable

effacer○ /efas/ *nf* Can (gomme à effacer) eraser, rubber GB

effacé, **~e** /efase/
A *pp* ▸ **effacer**
B *pp adj* [*personne*] retiring, unpresuming; **il a une personnalité ~e** he's quite retiring

effacement /efasmɑ̃/ *nm* **1** (de texte, mots) deletion; **touche/commande d'~** delete key/command; **2** (de cassette, bande magnétique) erasure; **3** (d'une personne) (en général) self-effacement; (devant un rival) withdrawal

effacer /efase/ [12]
A *vtr* **1** (faire disparaître) (avec une gomme) to rub out, to erase [*mot, phrase, chiffre, dessin*]; (avec un effaceur) to remove [*mot, phrase*]; (avec un chiffon) to rub out [*mot, dessin*]; (sur un traitement de texte) to delete [*mot, paragraphe*]; to erase [*chanson, texte, film*]; **~ un nom d'une liste** to remove a name from a list; **~ toute trace de son passage** to remove every trace of one's presence; **2** (rendre propre) to erase [*bande magnétique, cassette*]; to clear [*écran, fichier*]; to wipe, to clean [*tableau noir*]; **3** (rendre moins visible) [*soleil*] to fade [*couleur*]; [*pluie*] to erase [*traces, pas*]; [*neige*] to cover (up) [*traces, pas*]; [*crème*] to remove [*rides*]; **l'usure** *or* **le temps a effacé l'inscription** the inscription has worn away with time; **4** (faire oublier) to blot out [*souvenir, image*]; to dispel [*doute, regret, méfiance*]; to remove [*différence, distinctions*]; **~ une image de sa mémoire** to blot out an image from one's mind; **rien n'efface le passé** nothing can erase the past; **le temps efface la douleur** *or* **le chagrin** time heals all wounds; **on efface tout et on recommence** lit let's rub it all out and start again; fig let's wipe the slate clean and start all over again; **5** (surpasser) to outshine; **6** (dissimuler) [*personne*] to throw back [*épaules*]; to hold in [*estomac*]; **~ le corps** to stand sideways; **7** Fin to write off [*dette, pertes*]
B **s'effacer** *vpr* **1** (avec une gomme) **ça s'efface** you can rub it out; **2** (avec le temps) [*inscription, couleur, dessin*] to fade; **mon dessin à la craie s'est effacé** my chalk drawing has got GB *ou* gotten US rubbed out; **3** (cesser) [*souvenir, image, méfiance, haine*] to fade; [*impression*] to wear off; [*doute, crainte*] to disappear; **son sourire s'effaça** her smile faded; **4** (se tourner sur le côté) [*personne*] to step *ou* move aside; **s'~ pour laisser passer qn** to step aside to let sb by; **5** (rester discret) [*personne*] to stay in the background; **s'~ devant un rival** to give way to a rival

effaceur /efasœʀ/ *nm* **(d'encre)** correction pen

effarant, **~e** /efaʀɑ̃, ɑ̃t/ *adj* astounding; **il est d'une bêtise ~e** he's astoundingly stupid

effarement /efaʀmɑ̃/ *nm* alarm; **à son grand ~** to his great alarm

effarer /efaʀe/ [1] *vtr* to alarm; **être effaré à l'idée que** to be alarmed at the idea that; **effaré de faire** alarmed to do; **effaré de/par qch** alarmed at/by sth

effaroucher /efaʀuʃe/ [1]
A *vtr* **1** (faire fuir) to frighten [sb] away *ou* off [*personne, animal*] (**en faisant** by doing; **par** with); **2** fml (inquiéter) to alarm (**en faisant** by doing; **par** with); **regard effarouché** alarmed look
B **s'effaroucher** *vpr* to take fright (**de, à** at)

effarvatte /efaʀvat/ *nf* **(rousserolle) ~** reed warbler

effectif, **-ive** /efɛktif, iv/
A *adj* (réel) [*aide, contrôle*] real; **durée effective du travail** actual time worked; **devenir ~** [*mesure, cessez-le-feu*] to come into effect; **être en recherche effective d'emploi** to be actively looking for a job
B *nm* (d'école, de classe) number of pupils, enrollment US; (d'université) number of students, enrollment US; (d'entreprise) workforce; (d'une armée) strength; **accroître/réduire les ~s d'une entreprise** to increase/reduce a company's workforce; **un ~ de 200 élèves** 200 pupils on the roll GB, an enrollment of 200 pupils US

effectivement /efɛktivmɑ̃/ *adv* **1** (en effet) indeed; **le problème est ~ complexe** the problem is indeed complex; **la police est ~ intervenue trop tard** the police did indeed intervene too late; **'vous n'étiez pas chez vous hier soir?'—'non, ~'** 'so you weren't in last night?'–'no, we weren't'; **'tu n'es pas obligé d'y aller'—'non, ~'** 'you don't have to go'–'no, you're right'; **2** (réellement) actually, really; **le cessez-le-feu n'a jamais été ~ respecté** the ceasefire was never actually observed

effectuer /efɛktɥe/ [1]
A *vtr* to do [*calcul, réparations, travail, service militaire*]; to make [*paiement, placement, changement, choix, évaluation, saut, atterrissage*]; to carry out [*transaction*]; to conduct [*sondage*]; to serve [*peine*]; **il vient d'~ une visite en Iran** he's just completed a visit to Iran; **~ le contrôle des véhicules** to check the vehicles; **~ une analyse de l'air** to analyse[GB] the air; **~ une inspection du bâtiment** to inspect the building; **~ son apprentissage** to serve an apprenticeship; **~ sa formation en Allemagne** to be trained in Germany
B **s'effectuer** *vpr* [*travail*] to be done; [*investissement, intervention*] to be made; [*transaction*] to be carried out; [*reprise économique*] to take place; **l'achèvement du projet pourrait s'~ l'an prochain** the project may be completed next year; **le ramassage des ordures s'effectuera le jeudi** the rubbish will be collected on Thursdays; **la circulation s'effectuera dans un seul sens** traffic will be one-way

efféminé, **~e** /efemine/
A *pp* ▸ **efféminer**
B *pp adj* effeminate

efféminer /efemine/ [1]
A *vtr* to emasculate [*art, peuple*]
B **s'efféminer** *vpr* to become effeminate

efférent, **~e** /efeʀɑ̃, ɑ̃t/ *adj* efferent

effervescence /efɛʀvesɑ̃s/ *nf* **1** (bouillonnement) effervescence; **2** (émoi) turmoil; **être en ~** to be in turmoil; **la nouvelle a mis la ville en ~** the news threw the whole city into turmoil; **il avait l'esprit en ~** his mind was in a ferment

effervescent, **~e** /efɛʀvesɑ̃, ɑ̃t/ *adj* **1** lit [*comprimé*] effervescent; **2** fig [*foule*] seething; [*caractère*] effervescent

effet /efɛ/
A *nm* **1** (conséquence) effect; **il y a un rapport de cause à ~ entre les deux phénomènes** there is a relation of cause and effect between the two phenomena; **~s négatifs de qch sur qch/qn** adverse *ou* ill effects of sth on sth/sb; **~s positifs de qch sur qch/qn** beneficial effects of sth on sth/sb; **subir/ressentir les ~s de qch** to suffer from/feel the effects of sth; **avoir un ~ positif/négatif/catastrophique** to have a positive/negative/disastrous effect (**sur** on); **ma remarque a eu l'~ inverse de celui que je voulais** my remark had the opposite effect from the one I intended; **n'avoir aucun ~** [*critique, suggestion, campagne*] to have no effect; [*médicament*] not to work; **leurs remarques n'ont eu aucun ~ sur moi** their remarks didn't affect me; **faire de l'~** [*médicament, traitement*] to work; [*article, commentaire*] to have some effect; **le café/l'alcool me fait beaucoup d'~** coffee/alcohol has a very strong effect on me; **avoir pour ~ de faire** to have the effect of doing; **prendre ~** [*mesure, loi*] to take effect; **sous l'~ de l'alcool** under the influence of alcohol; **sous l'~ de la dévaluation** under the impact of devaluation; **sous l'~ de la passion** in a fit of passion; **sous l'~ de la colère** in a rage
2 (impression) impression; **faire bon/mauvais ~** [*personne, comportement*] to make a good/bad impression; **être du meilleur ~** [*vêtement*] to look extremely nice; **être du plus mauvais ~** [*vêtement, remarque*] to be in the worst possible taste; **quel ~ cela te fait d'être père?** how does it feel to be a father?; **faire un drôle d'~** [*vitesse, alcool, rencontre*] to make one feel strange; **ça fait de l'~ d'arriver avec une jambe dans le plâtre** arriving with one's leg in plaster makes an impression; **faire son (petit) ~** [*bijou, décoration*] to make quite an impression; **il me fait l'~ d'un homme honnête/d'une crapule** he looks like an honest man/a crook to me; **leur réponse m'a fait l'~ d'une douche froide** their answer came as a real shock to me; **un ~ de surprise** an element of surprise; ▸ **bœuf**
3 (procédé) effect; **~ comique/de style** comic/stylistic effect; **rechercher l'~** to strive for effect; **ma blague n'a fait rire personne, j'ai raté mon ~** my joke fell flat and no-one laughed; **il ne réussit jamais ses ~s** he tries but it never comes off; **couper tous ses ~s à qn** to steal sb's thunder; **faire des ~s de jambes**○ to show a bit of leg○; **faire des ~s de manches** to wave one' s arms about theatrically
4 (but) **à cet ~** for that purpose
5 (phénomène) **l'~ Joule/Doppler** the Joule/Doppler effect; **l'~ Maastricht** the Maastricht effect
6 Sport spin; **donner de l'~ à une balle** to put spin on a ball
B **en effet** *loc adv* **soyez prudent, les routes sont en ~ très glissantes** do be careful because the roads are very slippery indeed; **les résultats sont en ~ excellents** the results are indeed excellent; **'tu n'étais pas chez toi hier soir?'—'en ~'** 'you weren't home yesterday evening?'–'no, I wasn't'; **en ~, tu avais raison** actually, you were right
C **effets** *nmpl* (vêtements) things; **rassemblez vos ~s** pack your things

(Composés) **~ de champ** field effect; **~ de commerce** commercial bill; **~ de filé** *blur that gives an impression of movement*; **~ de levier** leverage; **~ de serre** greenhouse effect; **~ spécial** special effect; **~s publics** government securities; **~s secondaires** side effects

effeuillage /efœjaʒ/ *nm* **1** Agric thinning out of leaves; **2** hum striptease

effeuiller /efœje/ [1]
A *vtr* [*personne*] to thin out the leaves of [*arbre*]; to strip the leaves off [*légume*]; [*vent*] to blow the leaves off [*arbre*]
B **s'effeuiller** *vpr* [*arbre*] to shed its leaves; [*fleur*] to shed its petals

(Idiome) **~ la marguerite** to play 'he loves me, he loves me not'

effeuilleuse○ /efœjøz/ *nf* stripper

efficace /efikas/ *adj* [*action, méthode, mesure*] effective; [*remède*] effective, efficacious fml; [*personne, machine, dispositif*] efficient

efficacement /efikasmɑ̃/ *adv* [*travailler, fonctionner*] efficiently; [*intervenir, soigner*] effectively

efficacité /efikasite/ *nf* (d'action, de méthode, mesure) effectiveness; (de remède) effectiveness, efficacy sout; (de personne, machine, dispositif) efficiency

efficience /efisjɑ̃s/ *nf* efficiency

efficient, **~e** /efisjɑ̃, ɑ̃t/ *adj* efficient

effigie /efiʒi/ *nf* **1** (représentation) effigy; **en ~** in effigy; **à l'~ de** (maillot, pancarte) emblazoned with the image of; (médaille, timbre, monnaie) bearing the image of; **un billet à l'~ de Saint-Exupéry** a banknote bearing the image of Saint-Exupéry; **2** (symbole) logo

effilé, **~e** /efile/
A *pp* ▸ **effiler**
B *pp adj* **1** [*rasoir, lame*] finely sharpened; **2** [*amandes*] flaked; **3** [*volaille*] oven-ready; **4** [*visage, silhouette, nez, forme*] slender; **5** [*linge, toile*] frayed
C *nm* Tex fringe

effiler /efile/ [1]
A *vtr* **1▸** to sharpen [*lame, pointe*]; **2▸** to thin out, taper [*cheveux*]; **3▸** to string [*haricots verts*]; **4▸** Tex to unravel [*laine*]; to fray [*coton, lin*]
B s'effiler *vpr* Tex to fray
effilochage /efilɔʃaʒ/ *nm* fraying
effilocher /efilɔʃe/ [1]
A *vtr* Tex, Tech to shred
B s'effilocher *vpr* **1▸** [*tissu, vêtement*] to fray; **2▸** [*confiance, amour*] to dwindle (away); [*relation*] to fizzle out
efflanqué, **~e** /eflɑ̃ke/ *adj* [*animal, personne*] emaciated, raw-boned
effleurage /eflœʀaʒ/ *nm* light massage
effleurement /eflœʀmɑ̃/ *nm* light touch
effleurer /eflœʀe/ [1] *vtr* **1▸** (frôler) to touch lightly, to brush (against); (égratigner) to graze; **l'idée ne m'a même pas effleuré l'esprit** fig the idea didn't even cross my mind *ou* occur to me; **le livre ne fait qu'~ la question** fig the book only skims over *ou* touches on the subject; **2▸** Tech (en peausserie) to buff
efflorescence /eflɔʀesɑ̃s/ *nf* **1▸** Chimie, Méd efflorescence; **2▸** Bot bloom
efflorescent, **~e** /eflɔʀesɑ̃, ɑ̃t/ *adj* **1▸** Chimie efflorescent; **2▸** Bot covered in bloom (*après n*); **3▸** liter [*végétation, nature*] efflorescent; [*style, mode*] flourishing
effluent /eflyɑ̃/ *nm* (eaux usées) effluent; **~s radioactifs** radioactive discharge ⊄
effluve /eflyv/ *nm* (nauséabond) unpleasant smell, effluvium; (agréable) fragrance ⊄, aroma
effondré, **~e** /efɔ̃dʀe/
A *pp* ▸ **effondrer**
B *pp adj* **1▸** lit [*toit, mur, canapé*] collapsed (*épith*); **2▸** fig [*personne*] distraught (**par** at; **de** with)
effondrement /efɔ̃dʀəmɑ̃/ *nm* **1▸** lit (de toit, pont) collapse; **2▸** Géol (de terrain) subsidence; **3▸** fig (de régime, projet, prix, d'économie) collapse; **l'~ des marchés se poursuit** the collapse in the market is continuing
effondrer: **s'effondrer** /efɔ̃dʀe/ [1] *vpr* **1▸** (s'écrouler) [*toit, personne, régime, prix, monnaie*] to collapse; [*rêve, illusion*] to crumble; [*espoir, espérance*] to flounder; [*popularité*] to fall drastically; **s'~ dans un fauteuil** to collapse into an armchair; **2▸** (nerveusement) to collapse; **s'~ en larmes** to dissolve into tears; **s'~ de chagrin** to be distraught with grief
efforcer: **s'efforcer** /efɔʀse/ [12] *vpr* to try hard (**de faire** to do), to endeavour[GB] (**de faire** to do) sout; **s'~ de comprendre** to try hard to understand
effort /efɔʀ/ *nm* **1▸** (physique, intellectuel) effort; **malgré les ~s des sauveteurs** despite all the efforts of the rescue party; **après bien des ~s** after a great deal of effort; **un bel ~** a fine effort; **un ~ de mémoire** an effort to remember; **faire un ~ d'adaptation** to make an effort to adapt, to try to adapt; **faire tous ses ~s pour faire** to make every effort to do; **fais un petit ~ d'imagination!** use a bit of imagination!; **avec mon dos, je ne peux pas faire d'~** with this back of mine, I can't do anything strenuous; **faire ~ sur soi-même** to force oneself to stay calm, to make an effort to stay calm; **après deux heures d'~s, le feu a été maîtrisé** after a two-hour struggle, the fire was brought under control; **allons, encore un petit ~!** (après échec) come on, one more try!, come on, have another go! GB, (près du bout) come on, you're almost there!; **il transpirait sous l'~ intellectuel** he was sweating as he tried to think; **triompher sans ~** to succeed effortlessly; **on n'a rien sans ~** you never get anywhere unless you try; **2▸** (subvention, aide) financial aid; (mise de fonds) investment, (financial) outlay; **faire un ~ en faveur des déshérités** to give financial aid to those in need; **consentir un ~ financier pour les écoles** to agree to financial aid for schools; **représenter un gros ~ financier** to represent a substantial outlay; **3▸** Phys (force exercée) stress; (force subie) strain
(Composés) **~ de cisaillement** Phys (exercé) shear stress; (subi) shear strain; **~ de guerre** Mil war effort; **~ de torsion** Phys torsional stress; **~ de traction** Phys tensile stress
effraction /efʀaksjɔ̃/ *nf* Jur breaking and entering; **un vol avec ~** a burglary with forced entry; **ils sont entrés dans la maison par ~** they broke into the house; **il y a eu ~** the premises have been broken into
(Composé) **~ informatique** computer hacking
effraie /efʀɛ/ *nf* Zool barn owl
effranger /efʀɑ̃ʒe/ [13]
A *vtr* to fray [sth] out
B s'effranger *vpr* [*vêtement, manches*] to fray
effrayant, **~e** /efʀɛjɑ̃, ɑ̃t/ *adj* **1▸** (qui fait peur) [*vision, laideur*] frightening; [*maigreur, pâleur*] dreadful; **il a une mine ~e** he looks dreadful; **2▸** ○(excessif) [*chaleur, prix*] terrible; **il est ~ d'égoïsme** he is frightfully selfish; **3▸** ○(extraordinaire) terrific○
effrayer /efʀeje/ [21]
A *vtr* **1▸** (faire peur à) to frighten, to scare; (alarmer) to alarm; **son insouciance m'effraie** his carelessness alarms me; **2▸** (rebuter) to put [sb] off; **les difficultés/prix l'effraient** the difficulties/prices put her off
B s'effrayer *vpr* to be frightened, to be scared (**de** by)
effréné, **~e** /efʀene/ *adj* [*course, rythme, concurrence, spéculation*] frantic, frenetic; [*ambition, luxe, gaspillage*] unbridled
effritement /efʀitmɑ̃/ *nm* lit crumbling; fig crumbling away
effriter /efʀite/ [1]
A *vtr* to crumble [*gâteau*]; to break up [*motte de terre*]
B s'effriter *vpr* **1▸** (partir en morceaux) [*pierre, plâtre*] to crumble (away); **2▸** (diminuer) [*majorité, soutien*] to crumble, to collapse; [*fréquentation, popularité*] to dwindle (away); [*monnaie*] to decline (in value), to fall
effroi /efʀwɑ/ *nm* liter dread, terror
effronté, **~e** /efʀɔ̃te/
A *adj* [*enfant*] cheeky; [*regard, mine, remarque*] cheeky; [*adulte*] (éhonté) shameless; (hardi) cheeky
B *nm,f* cheeky boy/girl
effrontément /efʀɔ̃temɑ̃/ *adv* [*sourire, répondre*] cheekily; [*mentir, flatter*] shamelessly
effronterie /efʀɔ̃tʀi/ *nf* (caractère) cheekiness, effrontery sout; (acte) cheek, effrontery sout; **avec ~** [*sourire, répondre*] cheekily; [*mentir, flatter*] shamelessly
effroyable /efʀwajabl/ *adj* [*cri, spectacle*] dreadful, horrifying; [*misère, douleur, vacarme*] dreadful, awful
effroyablement /efʀwajabləmɑ̃/ *adv* **1▸** (de manière horrible) horribly; **2▸** ○(excessivement) terribly
effusion /efyzjɔ̃/ *nf* effusion; **avec ~** [*remercier, parler*] effusively; **sans ~** [*parler, réagir*] unemotionally
(Composé) **~ de sang** bloodshed
égailler: **s'égailler** /egaje/ [1] *vpr* to disperse
égal, **~e**, *mpl* **-aux** /egal, o/
A *adj* **1▸** (identique) equal (**à** to); **plantés à intervalles égaux** planted at an equal distance from each other; **de force/d'intelligence ~e** of equal strength/intelligence, equally strong/intelligent; **à travail ~, salaire ~** equal pay for equal work; **découper un gâteau en parts ~es** to cut a cake into equal portions; **toutes choses ~es d'ailleurs** all things being equal; **à distance ~e de** equidistant from, at the same distance from; **à prix ~, je préfère celui-là** if the price is the same, I'd rather have that one; **augmentation/baisse ~e ou inférieure à 2%** rise/drop of 2% or less; **~ à lui-même, il...** true to form, he...; **2▸** (régulier) [*terrain, allée*] level; [*lumière*] even; [*teinte*] uniform; [*temps*] settled; [*pouls, respiration*] steady; **d'un pas ~** at an even pace; **avoir un tempérament ~** to be even-tempered; **3▸** (indifférent) **ça m'est ~** (je n'ai pas de préférence) I don't mind either way; (je m'en moque) I don't care, it makes no difference to me; **les privations leur sont ~es** they don't mind putting up with hardship; **il lui est complètement ~ d'être critiqué** *or* **qu'on le critique** he couldn't care less about being criticized; **c'est ~, tu aurais pu m'avertir**○ all the same, you could have warned me; **4▸** (équitable) **la partie n'est pas ~e (entre eux)** they are not evenly matched
B *nm,f* equal; **être l'~ de qn en mérite/talent** to be sb's equal in terms of merit/talent; **traiter d'~ à ~ avec qn** to deal with sb as an equal; **n'avoir point d'~, ne pas avoir son ~** to have no equal, to be the best there is; **adresse/beauté sans ~e** unrivalled[GB] *ou* unparalleled skill/beauty; **être d'une beauté sans ~e** to be supremely beautiful; **être d'une bêtise/maladresse sans ~e** to be unbelievably stupid/clumsy; **leur talent n'a d'~ que leur modestie** their talent is only equalled[GB] by their modesty; **il aime/admire l'un à l'~ de l'autre** he loves/admires them both equally; **il fera un piètre ministre, à l'~ de son prédécesseur** he'll make a poor minister, just like his predecessor
(Idiomes) **rester ~ à soi-même** to be one's usual self; **combattre à armes ~s** to be on an equal footing
égalable /egalabl/ *adj* **difficilement ~** [*beauté, bêtise*] unparalleled; [*technique*] incomparably superior
également /egalmɑ̃/ *adv* **1▸** (aussi) also, too; **il enseigne ~ l'histoire** he also teaches history, he teaches history too; **2▸** (au même degré) [*éligible, fertile*] equally; [*partager, aimer*] equally
égaler /egale/ [1] *vtr* **1▸** (atteindre) to equal [*record, vitesse*]; to be as good as [*personne*]; to be as high as [*prix*]; **~ les meilleurs** to rank with the best; **précision/technique jamais encore égalée** hitherto unequalled[GB] precision/technique; **2▸** (valoir) **rien n'égale un coucher de soleil** nothing can compare with a sunset; **leur intelligence égale leur charme** they're as clever as they're charming; **3▸** Math **trois plus trois égalent six** three plus three equals six *ou* is six
égalisateur, **-trice** /egalizatœʀ, tʀis/ *adj* [*société, loi*] equalizing; **la mesure a eu sur les prix une action égalisatrice** the move has had the effect of levelling[GB] out prices; **but ~** Sport equalizer
égalisation /egalizasjɔ̃/ *nf* **1▸** (des revenus) levelling[GB] out; **l'~ des chances** bringing about equality of opportunity; **2▸** (de surface, sol) levelling[GB] out; **3▸** Sport **le penalty a permis l'~** the penalty evened GB *ou* tied US the score; **rater l'~** to fail to score the equalizer
égaliser /egalize/ [1]
A *vtr* **1▸** (en nivelant) to level [*terrain*]; to level out [*prix, revenus, impôt*]; **~ les droits/chances** to give people equal rights/opportunities; **~ le développement économique dans les deux régions** to balance economic development in the two regions; **2▸** (en taillant) to even up the ends of [*cheveux*]; to make [sth] the same size [*planches*]
B *vi* Sport to equalize GB, to tie US
C s'égaliser *vpr* [*impôt*] to become more evenly distributed; [*chances*] to become more equal
égaliseur /egalizœʀ/ *nm* **~ graphique** Audio graphic equalizer; **~ de potentiel** Électrotech equalizer
égalitaire /egalitɛʀ/ *adj, nmf* egalitarian
égalitarisme /egalitaʀism/ *nm* egalitarianism
égalitariste /egalitaʀist/ *adj, nmf* egalitarian

e

e

égalité /egalite/ *nf* [1] (parité) gén, Pol equality; **garantir/réclamer l'~ des droits/chances** to guarantee/demand equal rights/opportunities; **~ des salaires** *or* **devant le salaire** equal pay; **il faut les traiter à ~ avec les autres pays** they must be treated on an equal footing with other countries; **les sondages mettent les deux partis à ~** the polls put the two parties neck and neck; [2] Sport **être à ~** to be level GB, to be tied US; **être à ~ de points** to be level on points; **~!** (au tennis) deuce!; [3] (uniformité) (de terrain) flatness; (de climat) temperate nature; (d'humeur) evenness; [4] Math equality

(Composé) **~ d'âme** equanimity

égard /egaʀ/
A *nm* [1] fml (considération) consideration ¢; **sans ~ pour** without regard for, without considering; **sans aucun/le moindre ~ pour** without any/the slightest regard for; **par ~ pour qn** out of consideration for sb; **avoir quelque ~ pour l'âge de qn** to have some consideration for sb's age; **avoir ~ aux souhaits/à l'âge de qn** to take sb's wishes/age into account; [2] (rapport) **à l'~ de qn** toward(s) sb; **à l'~ de qch** regarding, with regard to sth; **à cet ~** in this respect; **à aucun ~** in no respect; **à plus d'un ~** in several respects; **à tous les ~s** in all respects; **à différents** *or* **divers ~s** in various respects; **à quelques** *or* **certains ~s** in some respects; **à beaucoup d'~s** in many respects; **à bien des** *or* **maints ~s** in many respects; **eu ~ à qch** in view of sth
B égards *nmpl* (marques d'estime) **avec des ~s** with respect; **manquer d'~s envers qn** to be disrespectful toward(s) sb; **être plein d'~s envers qn** to be attentive to sb's every need

égaré, **~e** /egaʀe/
A *pp* ▸ **égarer**
B *pp adj* [1] [*voyageur, promeneur*] lost; [*animal*] stray (*épith*); [*lettre, colis*] lost, missing; [2] [*air, regard, yeux*] wild, disturbed

égarement /egaʀmɑ̃/ *nm* [1] (trouble) distraction; [2] (dérèglement) **il est revenu de ses ~s** he has seen the error of his ways; **les ~s du cœur** the caprices of the heart

égarer /egaʀe/ [1]
A *vtr* [1] (faire perdre) to lead [sb] astray [*voyageur, groupe, promeneur*]; **une fausse piste destinée à ~ les enquêteurs** a false lead intended to put the investigators off the track; [2] (perdre) to mislay [*objet*]; [3] (dévier) **ne vous laissez pas ~ par ces agitateurs** don't let these agitators lead you astray; **la colère/jalousie vous égare** you're letting your anger/jealousy get the better of you
B s'égarer *vpr* [1] (se perdre) [*personne, animal*] to get lost, to lose one's way; **des promeneurs égarés dans la forêt** walkers lost in the forest; [2] (être perdu) [*lettre, colis*] to get lost, to go missing; [3] (errer) [*esprit*] to wander; [*personne*] to ramble; **l'auteur s'égare dans des digressions interminables** the author loses his way in endless digressions

égayer /egeje/ [21]
A *vtr* to enliven [*conversation, soirée*]; to cheer [sb] up [*malade*]; to amuse [*convives, assemblée*]; to brighten [sth] up [*maison, robe*]; to lighten [*ouvrage, style*]; to brighten [*journée, vie*]
B s'égayer *vpr* [*malade*] to cheer up; [*convives*] to liven up; **s'~ aux dépens de qn** to amuse oneself at sb's expense; **s'~ à voir qch** to be amused at the sight of sth

Égée /eʒe/ ▸ **p. 579** *npr* Aegeus; **mer ~** Aegean Sea

égérie /eʒeʀi/ *nf* muse

Égérie /eʒeʀi/ *npr* Egeria

égide /eʒid/ *nf* aegis; **sous l'~ de qn/qch** under the aegis of sb/sth

églantier /eglɑ̃tje/ *nm* wild rose, dog-rose

églantine /eglɑ̃tin/ *nf* wild rose, dog-rose

églefin /egləfɛ̃/ *nm* haddock

église /egliz/ *nf* church; **~ paroissiale/abbatiale** parish/abbey church; **aller à l'~** to go to church; **se marier à l'~** to get married in church; **elle est à l'~** she is in *ou* at church; **en l'~ de Vinay/Saint-Pierre** in the church at Vinay/of St. Peter

Église /egliz/ *nf* Church; **l'~ catholique (romaine)** the (Roman) Catholic Church; **l'~ primitive** Rel the Early Church; **l'~ orthodoxe** the Orthodox Church; **les ~s réformées/protestantes** the Reformed/Protestant Churches; **homme d'~** cleric; **gens d'~** clerics

églogue /eglɔg/ *nf* eclogue

ego /ego/ *nm inv* ego

égocentrique /egosɑ̃tʀik/ *adj, nmf* egocentric

égocentrisme /egosɑ̃tʀism/ *nm* self-centredness[GB], egocentricity spéc

égocentriste /egosɑ̃tʀist/ *adj, nmf* egocentric

égoïne /egɔin/
A *adj f* **scie ~** handsaw
B *nf* handsaw

égoïsme /egɔism/ *nm* selfishness

égoïste /egɔist/
A *adj* selfish
B *nmf* selfish man/woman

égoïstement /egɔistəmɑ̃/ *adv* selfishly

égorger /egɔʀʒe/ [13] *vtr* **~ un animal/qn** to cut an animal's throat/sb's throat

égorgeur, **-euse** /egɔʀʒœʀ, øz/ *nm,f* cut-throat

égosiller: **s'égosiller** /egozije/ [1] *vpr* [1] (se fatiguer la voix) to shout oneself hoarse; **s'~ à faire** to make oneself hoarse doing; [2] (chanter fort) to sing at the top of one's voice; (crier) to yell

égotisme /egɔtism/ *nm* egotism

égotiste /egɔtist/
A *adj* egotistical
B *nmf* egotist

égout /egu/ *nm* sewer; **eaux d'~** sewage; **système d'~** sewage system

égoutier, **-ière** /egutje, ɛʀ/ ▸ **p. 532** *nm,f* sewage worker

égouttage /egutaʒ/, **égouttement** /egutmɑ̃/ *nm* (de vaisselle, riz, légumes) draining ¢; (de fromage) straining ¢; (de linge) drip-drying ¢

égoutter /egute/ [1]
A *vtr* to drain [*vaisselle, riz, légumes, frites*]; to strain [*fromage*]; to hang up [sth] to drip [*linge*]
B *vi* [*vaisselle, etc*] to drain; [*linge*] to drip
C s'égoutter *vpr* [*vaisselle, riz, légumes, fromage*] to drain; [*linge*] to drip dry

égouttoir /egutwaʀ/ *nm* draining rack GB, (dish) drainer US

égratigner /egʀatiɲe/ [1]
A *vtr* [1] (physiquement) (sur des ronces, un objet pointu) to scratch [*jambe, visage*]; (en tombant) to graze [*jambe, genou*]; to scratch [*meuble, voiture*]; [2] (moralement) to hurt [*personne*]
B s'égratigner *vpr* (sur des ronces, un objet pointu) to scratch oneself; (par frottement) to graze oneself

égratignure /egʀatiɲyʀ/ *nf* [1] (sur la peau) (avec un objet pointu) scratch; (par frottement) graze; **se sortir de qch sans une ~** lit to come out of sth without a scratch; fig to come out of sth with one's reputation unscathed; [2] (de meuble, voiture) scratch

égrènement /egʀɛnmɑ̃/ *nm* [1] Agric, Bot (de céréale, pois, épis) shelling; (de coton, lin) ginning; (de raisin, cassis, groseilles) picking off; [2] fig (de notes) succession; (d'heures) passing; **~ du chapelet** telling one's beads

égrener /egʀəne/ [16] *vtr* [1] gén, Culin to shell [*pois, épis*]; to remove the seeds from [*tomate, melon*]; **~ une grappe de raisin** to strip the grapes off the bunch; [2] Tex [*machine*] to gin [*coton*]; [3] fig to chime out [*notes, heures*]; to drone out [*chiffres, chanson*]; **la pendule égrena les douze coups de minuit** the clock chimed out the twelve strokes of midnight; **~ son chapelet** to tell one's beads; [4] Tech to smooth [sth] off [*mur, plâtre, fer*]

égreneuse /egʀənøz/ *nf* [1] Agric sheller; [2] Tex (pour coton) cotton gin; (pour lin) flax gin

égrillard, **~e** /egʀijaʀ, aʀd/ *adj* [*personne*] dirty-minded; [*air, histoire*] bawdy

Égypte /eʒipt/ ▸ **p. 333** *nprf* Egypt

égyptien, **-ienne** /eʒipsjɛ̃, ɛn/ ▸ **p. 483**, **p. 561**
A *adj* Egyptian
B *nm* Ling Egyptian
C égyptienne *nf* Imprim Egyptian (typeface)

Égyptien, **-ienne** /eʒipsjɛ̃, ɛn/ ▸ **p. 561** *nm,f* Egyptian

égyptologie /eʒiptɔlɔʒi/ *nf* Egyptology

égyptologue /eʒiptɔlɔg/ ▸ **p. 532** *nmf* Egyptologist

eh /e/ *excl* (pour attirer l'attention) hey; **~, tu me fais mal** hey, you're hurting me; **~ bien, que faites-vous?** well, what are you up to?; **~ oui** (ton résigné) so there we are; (pour insister) I'm afraid so

éhonté, **~e** /eɔ̃te/ *adj* [*menteur, mensonge*] brazen; [*demande*] shameless

eider /edɛʀ/ *nm* eider

eidétique /edetik/ *adj* eidetic

einsteinium /ɛnstɛnjɔm/ *nm* einsteinium

Éire /ɛʀ/ *npr* Éire, Republic of Ireland

éjaculateur /eʒakylatœʀ/ *nm* ejaculator; **~ précoce** premature ejaculator

éjaculation /eʒakylasjɔ̃/ *nf* ejaculation; **~ précoce** premature ejaculation

éjaculer /eʒakyle/ [1] *vi* to ejaculate

éjectable /eʒɛktabl/ *adj* **siège ~** ejector seat GB, ejection seat US

éjecter /eʒɛkte/ [1] *vtr* [1] (dans un accident) to throw [sb/sth] out, to eject; [2] °(expulser) to chuck° [sb] out [*personne*] **(de** of); **se faire ~** to get chucked° *ou* thrown out **(de** of); [3] Tech to eject

éjection /eʒɛksjɔ̃/ *nf* [1] (de pilote, fluide, cartouche) ejection; [2] °(expulsion) expulsion; **après son ~ du comité** after being kicked off° the committee; **après son ~ du club** after being thrown out of the club

élaboration /elabɔʀasjɔ̃/ *nf* [1] (de projet, stratégie) development; (de solution) working out; (de document) drafting; (de journal, brochure) putting together; [2] Bot, Physiol elaboration

élaboré, **~e** /elabɔʀe/
A *pp* ▸ **élaborer**
B *pp adj* [*cuisine, traitement*] sophisticated; péj elaborate

élaborer /elabɔʀe/ [1] *vtr* [1] (préparer) to work [sth] out, to develop [*stratégie*]; to work [sth] out, to devise [*solution, plan*]; to draw up [*document*]; to put [sth] together [*brochure*]; [2] Bot, Physiol to elaborate

élagage /elagaʒ/ *nm* [1] Agric lopping; [2] (de texte) pruning

élaguer /elage/ [1] *vtr* [1] Agric to lop [*arbre, branche*]; [2] fig to prune [*texte*]

élagueur, **-euse** /elagœʀ, øz/
A *nm,f* ▸ **p. 532** (ouvrier) pruner
B *nm* (outil) pruning hook

élan /elɑ̃/ *nm* [1] Sport (pour sauter) run up; **prendre son ~** to take a run up; **saut avec/sans ~** running/standing jump; [2] (force) lit, fig momentum; **prendre de l'~** fig [*parti, entreprise, réforme*] to gather momentum; **casser** *or* **couper l'~** to stop the momentum; **emportés par leur ~** carried away by their own momentum; **continuer sur son ~** to continue at the same pace; [3] (impulsion) impetus; **donner de l'~/un nouvel ~ à** to give impetus/fresh impetus to [*parti, entreprise, réforme*]; [4] (enthousiasme) enthusiasm; **emporté par son ~** carried along by his own enthusiasm; **dans un bel ~** with great enthusiasm; **avec ~** [*parler*] with passion; **~ patriotique** patriotic fervour[GB]; [5] (mouvement affectif) impulse; **~s passionnés/de générosité** passionate/generous impulses;

contenir ses ~s to control one's impulses; **~ de tendresse/colère** rush *ou* surge of tenderness/anger; **~ de patriotisme** surge of patriotism; **6** Zool elk; **~ du Canada** Canadian elk

élancé, **~e** /elɑ̃se/ *adj* [*personne, taille, édifice*] slender

élancement /elɑ̃smɑ̃/ *nm* **1** (douleur) shooting pain; **~s au bras** shooting pains in one's arm; **2** (aspiration) yearning

élancer /elɑ̃se/ [12]

A *vi* (faire mal à) **mon doigt m'élance** I've got a throbbing pain in my finger; **cela risque de vous ~ toute la nuit** it may continue to give you pain during the night

B s'élancer *vpr* **1** (bondir) [*personne*] to dash forward; **s'~ vers/hors de** to dash toward(s)/ out of; **s'~ à l'assaut** to launch an assault (**de** on); **2** (partir) [*coureur, voiture*] to shoot off; [*personne*] to take off; **s'~ à la conquête de l'espace** to take off to conquer space; **3** liter (se dresser) **s'~ vers le ciel** [*arbre, cathédrale*] to soar up towards the sky

élargi, **~e** /elaʀʒi/

A *pp* ▸ **élargir**

B *pp adj* [*chaussée, rue*] widened; [*format*] enlarged; [*majorité*] increased; [*accord, coopération*] extended; [*gouvernement*] expanded; **la nécessité d'une concertation ~e** the need for broader discussions

élargir /elaʀʒiʀ/ [3]

A *vtr* **1** (rendre plus large) to widen [*chaussée*]; to let [sth] out [*vêtement*]; **cette coiffure lui élargit le visage** this hairstyle makes her face look fuller; **le miroir élargit la pièce** the mirror makes the room look bigger; **2** (déformer) [*personne*] to stretch [*chaussures, pull, veste*]; **3** fig (étendre) to widen [*débat*]; to extend [*contacts, audience, droit*]; to broaden [*connaissances, idées, activités*]; to increase [*majorité, électorat*]; to expand [*moyens, secteur*]; **~ son champ d'action** to widen one's field of action; **4** Jur (libérer) to discharge, release [*détenu*]

B s'élargir *vpr* [*famille, groupe*] to expand; [*marge, écart*] to increase; [*débat, route, fleuve*] to widen; [*personne*] to fill out; [*épaules, hanches*] to become broader; [*vêtement*] to stretch; **le fossé entre eux s'élargit** the gap is widening between them

élargissement /elaʀʒismɑ̃/ *nm* **1** lit (de route) widening; **travaux d'~** carriageway widening GB, widening of the roadway US; **2** fig (de réforme) extension; (de budget, d'activités) expansion; **l'~ de la UE à d'autres pays** the enlargement of the EU to include other countries; **3** Jur discharge, release

élasticité /elastisite/ *nf* (de gaz, siège, peau, vêtement) elasticity; (de démarche) springiness; (de règlement) flexibility

élastine /elastin/ *nf* Biol elastin

élastique /elastik/

A *adj* **1** Mode [*dos, bretelle, taille*] elasticated GB, elasticized US; **2** Phys [*gaz, métal, fibre*] elastic; **une démarche ~** a springy walk; **3** [*règlement, horaire*] flexible; [*budget*] elastic; **avoir la conscience ~** to have an elastic conscience, not to be overscrupulous

B *nm* **1** (lien circulaire) rubber band; (en mercerie) elastic; **le dos est en ~** the back is elasticated GB *ou* elasticized US; **2** ▸ **p. 469** (jeu d'enfant) **jouer à l'~** to play elastics *ou* French-skipping GB; **3** ▸ **p. 469** Sport (pour sauter) bungee cord; **(faire du) saut à l'~** (to go) bungee jumping; **sauter à l'~** to do a bungee jump

(Idiome) **les lâcher avec un ~**ᴼ to be tight-fisted

élastiqué, **~e** /elastike/ *adj* Mode elasticated GB, elasticized US

élastomère /elastɔmɛʀ/ *nm* elastomer

électeur, **-trice** /elɛktœʀ, tʀis/ *nm,f* voter, elector; **les ~s de l'Ain** the electorate *ou* voters of the Ain; **carte d'~** polling card GB, voter registration card US; ▸ **grand**

> **Électeur**
>
> A French citizen is entitled to vote in all public elections, if aged 18 or above, unless declared bankrupt or subject to a temporary loss of voting right as part of a court sentence. EU citizens resident in France are also entitled to vote in European elections.

électif, **-ive** /elɛktif, iv/ *adj* [*mandat, système*] elective

élection /elɛksjɔ̃/ *nf* **1** Pol election (**à** to); **se présenter aux ~s** to stand in the elections GB, to run for office US, to run in the elections; **des ~s libres** free elections; **~ présidentielle** presidential election; **~s primaires/législatives/locales** primary/legislative/local elections; **~s générales** general election; **~ partielle** by-election GB, off-year election US; **le premier tour des ~s** the first ballot; **après son ~** after being elected; **2** (choix) choice; **mon pays d'~** my chosen country

> **Élection**
>
> Public elections are held on Sundays, with a week's delay (two weeks in the *élections présidentielles*) between first and second rounds if absolute majority is not achieved immediately. Voters, who must present their *carte d'électeur* and proof of identity, collect slips and in the privacy of the polling booth choose the slip containing the name of their preferred candidate or list and place it in an envelope and then in the polling box or *urne*.

électoral, **~e**, *mpl* **-aux** /elɛktɔʀal, o/ *adj* [*programme, réforme, calendrier, promesse*] electoral; [*affiche, dépense, période*] election (*épith*); [*victoire, défaite, campagne*] election (*épith*), electoral; **la carte ~e du pays** the electoral map of the country

électoralisme /elɛktɔʀalism/ *nm* electioneering; **faire de l'~** to engage in electioneering

électoraliste /elɛktɔʀalist/ *adj* [*opération, mesure*] electioneering

électorat /elɛktɔʀa/ *nm* (d'un pays) electorate, voters; (d'une circonscription) electorate; (groupe social, politique) voters; **l'~ traditionnel** traditional voters; **l'~ du parti** the party voters

Électre /elɛktʀ/ *npr* Electra

électricien, **-ienne** /elɛktʀisjɛ̃, ɛn/ ▸ **p. 532** *nm,f* (artisan) electrician; **ingénieur ~** electrical engineer

électricité /elɛktʀisite/ *nf* **1** Électrotech, Phys electricity; **facture d'~** electricity bill; **coupure d'~** power cut; **marcher** *or* **fonctionner à l'~** to run on electricity; **2** (excitation) tension; **il y a de l'~ dans l'air** there's tension in the air; **l'atmosphère était chargée d'~** the atmosphere was very tense

électrification /elɛktʀifikasjɔ̃/ *nf* electrification

électrifier /elɛktʀifje/ [2] *vtr* to bring electricity to [*village, maison*]; to electrify [*voie ferrée*]

électrique /elɛktʀik/ *adj* **1** Tech [*appareil, moteur, four*] electric; [*installation*] electrical; [*alimentation, réseau*] electricity (*épith*); **centrale ~** power station; **2** [*atmosphère*] electric

électriquement /elɛktʀikmɑ̃/ *adv* electrically

électrisant, **~e** /elɛktʀizɑ̃, ɑ̃t/ *adj* fig electrifying

électrisation /elɛktʀizasjɔ̃/ *nf* Phys electrification

électriser /elɛktʀize/ [1] *vtr* **1** Phys to charge [sth] with electricity [*tissu, surface, poil*]; **2** (exalter) to electrify

électroacoustique /elɛktʀoakustik/

A *adj* electroacoustic

B *nf* electroacoustics (+ *v sg*)

électro-aimant, *pl* **~s*** /elɛktʀoɛmɑ̃/ *nm* electromagnet

électrobiologie /elɛktʀobjɔlɔʒi/ *nf* electrobiology

électrocardiogramme /elɛktʀokaʀdjɔgʀam/ *nm* electrocardiogram; **faire un ~ à qn** to do an electrocardiogram on sb

électrocardiographe /elɛktʀokaʀdjɔgʀaf/ *nm* electrocardiograph

électrocardiographie /elɛktʀokaʀdjɔgʀafi/ *nf* electrocardiography

électrochimie /elɛktʀoʃimi/ *nf* electrochemistry

électrochimique /elɛktʀoʃimik/ *adj* electrochemical

électrochirurgie /elɛktʀoʃiʀyʀʒi/ *nf* electrosurgery

électrochoc /elɛktʀoʃɔk/ *nm* **1** Méd (technique) **~s** electroshock therapy (*sg*), EST; **faire des ~s à qn** to give sb EST; **2** fig (traitement de choc) shock treatment ¢

électroconvulsivothérapie /elɛktʀokɔ̃vylsivoteʀapi/ *nf* electroconvulsive therapy, ECT

électrocuter /elɛktʀɔkyte/ [1]

A *vtr* to electrocute

B s'électrocuter *vpr* (accidentellement) to be electrocuted

électrocution /elɛktʀɔkysjɔ̃/ *nf* electrocution

électrode /elɛktʀɔd/ *nf* electrode

électrodynamique /elɛktʀodinamik/

A *adj* electrodynamic

B *nf* electrodynamics (+ *v sg*)

électroencéphalogramme /elɛktʀoɑ̃sefalɔgʀam/ *nm* electroencephalogram; **faire un ~ à qn** to do an electroencephalogram on sb

électrogène /elɛktʀɔʒɛn/ *adj* **groupe ~** (electricity) generator

électroluminescent, **~e** /elɛktʀolyminɛsɑ̃, ɑ̃t/ *adj* electroluminescent

électrolyse /elɛktʀoliz/ *nf* electrolysis

électrolyser /elɛktʀolize/ [1] *vtr* to electrolyze

électrolyte /elɛktʀɔlit/ *nm* electrolyte

électrolytique /elɛktʀɔlitik/ *adj* electrolytic

électromagnétique /elɛktʀomaɲetik/ *adj* electromagnetic

électromagnétisme /elɛktʀomaɲetism/ *nm* electromagnetism

électromécanicien, **-ienne** /elɛktʀomekanisjɛ̃, ɛn/ ▸ **p. 532** *nm,f* electrical engineer

électromécanique /elɛktʀomekanik/

A *adj* electromechanical

B *nf* electromechanical engineering

électroménager, **-ère** /elɛktʀomenaʒe, ɛʀ/

A *adj* **appareil ~** electrical domestic *ou* household appliance

B *nm* **1** (appareils) electrical domestic *ou* household appliances (*pl*); **2** (industrie) electrical goods industry

électrométallurgie /elɛktʀometalyʀʒi/ *nf* electrometallurgy

électromètre /elɛktʀomɛtʀ/ *nm* electrometer

électromoteur, **-trice** /elɛktʀomɔtœʀ, tʀis/ *adj* electromotive; **force ~** electromotive force

électron /elɛktʀɔ̃/ *nm* electron

électronégatif, **-ive** /elɛktʀonegatif, iv/ *adj* electronegative

électronicien, **-ienne** /elɛktʀɔnisjɛ̃, ɛn/ ▸ **p. 532** *nm,f* electronics engineer

électronique /elɛktʀɔnik/

A *adj* **1** Électron [*circuit, composant*] electronic; **2** Phys [*microscope, télescope*] electron

B *nf* electronics (+ *v sg*); **~ grand public** consumer electronics

électroniquement /elɛktʀɔnikmɑ̃/ *adv* electronically

électronucléaire /elɛktʀonykleeʀ/ *adj* electronuclear

électro-optique, *pl* **~s** /elɛktʀoɔptik/
A *adj* electro-optic
B *nf* electron optics (+ *v sg*)

électrophone /elɛktʀɔfɔn/ *nm* record player

électropositif, -ive /elɛktʀopozitif, iv/ *adj* electropositive

électroradiologie /elɛktʀoʀadjolɔʒi/ *nf* electroradiology

électroscope /elɛktʀɔskɔp/ *nm* electroscope

électrostatique /elɛktʀostatik/
A *adj* [*décharge, champ*] electrostatic
B *nf* electrostatics (+ *v sg*)

électrotechnicien, -ienne /elɛktʀotɛknisjɛ̃, ɛn/ ▸ **p. 532** *nm,f* electrical engineer

électrotechnique /elɛktʀotɛknik/ *nf* electrical engineering; (discipline) electrotechnology

électrothérapie /elɛktʀoteʀapi/ *nf* electrotherapy

électrothermie /elɛktʀotɛʀmi/ *nf* electrothermics (+ *v sg*)

électrovanne /elɛktʀovan/ *nf* (solenoid-operated) control valve

électrum /elɛktʀɔm/ *nm* electrum

élégamment /elegamɑ̃/ *adv* [*s'habiller*] elegantly; [*se conduire*] courteously

élégance /elegɑ̃s/ *nf* **1** (qualité) elegance; **d'une grande ~** [*personne, vêtement*] extremely elegant; **avec ~** [*s'habiller*] elegantly; [*perdre*] gracefully; [*se conduire*] honourably[GB]; [*résoudre un problème*] neatly; **manquer d'~** (dans l'habillement) to lack elegance; (dans la conduite) to behave shabbily; **2** (détail raffiné) touch of elegance; **faire des ~s** to make a show of elegance

élégant, ~e /elegɑ̃, ɑ̃t/
A *adj* **1** (bien habillé) [*personne*] gén smart; (très habillé) elegant; **tu es ~ aujourd'hui** you're looking smart today; **2** (distingué) [*écriture, style*] elegant, polished; [*vêtement*] elegant, stylish; **un comportement peu ~** uncivilized behaviour[GB]; **ce n'est pas très ~ de ta part** it's not very decent of you; **3** (ingénieux) [*solution*] neat, elegant; [*manière*] ingenious
B *nm,f* dandy/elegant lady

élégiaque /eleʒjak/ *adj* elegiac

élégie /eleʒi/ *nf* elegy

élément /elemɑ̃/
A *nm* **1** (constituant) (de structure, d'ensemble) element; (d'appareil) component; (de mélange) ingredient; (de problème) element; (facteur) factor, element; **~ constitutif** essential element; **~ de surprise** element of surprise; **un ~ important de leur philosophie** an important element in their philosophy; **~ décisif** deciding factor; **l'~-clé de leur succès** the key element *ou* factor in their success; **l'~ humain** the human element *ou* factor; **l'~ violent du public** the violent element in the public; **~ moteur** (personne) driving force; **2** (de mobilier) unit; **~s de cuisine/rangement** kitchen/storage units; **3** (fait) fact; **disposer de tous les ~s** to have all the facts *ou* information; **il n'y a aucun ~ nouveau** nothing new has emerged; **4** (individu) **être un bon ~** [*élève*] to be a good pupil; [*travailleur*] to be a good worker; [*joueur*] to be a good player; **~s indésirables/rebelles** undesirable/rebel elements; **5** Tech (de pile) cell; **6** Chimie, Math, Astrol element
B **éléments** *nmpl* **1** (rudiments) **(premiers) ~s** basics; (dans un titre) elements; **2** Météo elements; **lutter contre les ~s** to struggle against the elements

(Idiome) **être** *or* **se sentir dans son ~** to be *ou* feel in one's element

élémentaire /elemɑ̃tɛʀ/ *adj* (de base) [*principe, besoin*] basic; Scol [*niveau*] elementary; (pas compliqué) elementary; **c'est ~**○**!** it's elementary!; **c'est la politesse la plus ~** it's basic *ou* elementary courtesy

éléphant /elefɑ̃/ *nm* elephant; **~ d'Asie/d'Afrique** Indian/African elephant

(Composé) **~ de mer** sea elephant, elephant seal

(Idiomes) **être comme un ~ dans un magasin de porcelaine** to be like a bull in a china shop; **avoir une mémoire d'~** never to forget a thing

éléphante /elefɑ̃t/ *nf* cow elephant

éléphanteau, *pl* **~x** /elefɑ̃to/ *nm* (elephant) calf

éléphantesque /elefɑ̃tɛsk/ *adj* elephantine, enormous

éléphantiasis /elefɑ̃tjazis/ ▸ **p. 283** *nm inv* elephantiasis

éléphantin, ~e /elefɑ̃tɛ̃, in/ *adj* Zool elephantine

élevage /elvaʒ/ *nm* **1** (de bétail) livestock farming; **un pays d'~** a livestock farming area; **~ intensif/extensif** intensive/extensive livestock farming; **faire de l'~** to breed GB *ou* raise US livestock; **produits de l'~** meat and dairy products; **2** (d'animaux spécifiés) **~ de moutons/saumons/poulets** sheep/salmon/chicken farming; **faire de l'~ de bétail/chevaux/porcs** to breed cattle/horses/pigs; **faire l'~ de moutons** to farm GB *ou* raise US sheep; **d'~** [*huîtres, poisson*] farmed; [*caille, faisan*] captive-bred; **3** (installation) farm; **un ~ de poulets/visons** a poultry/mink farm; **4** (ensemble des animaux) stock; **un ~ de taureaux/porcs** a stock of bulls/ pigs; **un ~ de visons/saumons** a stock of mink/salmon; **5** Vin **~ des vins** wine maturation

(Composé) **~ hors-sol** battery farming

élévateur, -trice /elevatœʀ, tʀis/
A *adj* **1** Tech [*dispositif*] lifting; **2** Anat [*muscle*] elevator
B *nm* **1** Tech (en manutention) elevator; **2** Anat (muscle) elevator

élévation /elevasjɔ̃/ *nf* **1** (augmentation) rise (**de** in); **l'~ du niveau de vie/du niveau des eaux** the rise in the standard of living/in the water level; **2** (noblesse) **l'~ de leurs sentiments** their fine feelings (*pl*); **l'~ de leurs idéaux** their lofty ideals (*pl*); **3** (mouvement) **l'~ de l'âme** the uplifting of the soul; **4** (promotion) elevation; **5** Archit (plan) elevation; **6** Géog **~ de terrain** rise in the ground; **7** Danse elevation; **8** Relig Elevation (of the Host)

(Composé) **Élévation de la Croix** Art Raising of the Cross

élève /elɛv/ *nmf* gén student; Scol pupil

(Composés) **~ infirmière** student nurse; **~ officier** trainee officer

élevé, ~e /elve/
A *pp* ▸ **élever**
B *pp adj* (éduqué) **enfant bien/mal ~** well brought up/badly brought up child; **ce n'est pas bien ~, c'est mal ~** it's bad manners (**de faire** to do)
C *adj* **1** Écon [*taux, niveau, prix*] high; **plus ~** higher; **moins ~** lower; **le plus ~** the highest; **le moins ~** the lowest; **coût peu ~** low cost; **2** Géog [*plateau*] high; **habiter un étage ~** to live on an upper floor; **3** (important) [*grade, rang*] high; **poste ~ dans la hiérarchie** high-level position; **4** (noble) [*sentiment*] fine; [*principes*] high; [*idéal*] lofty; [*langage*] elevated; [*conversation*] at a very high level

élever /elve/ [16]
A *vtr* **1** (construire) to put up [*barrière, barricade, mur*]; to erect [*statue*]; **~ des obstacles** fig to make things difficult; **2** (porter à un degré supérieur) to raise [*température, taux, niveau*]; to extend [*durée*]; **~ le débat** to raise the level of the debate; **~ qn/qch au rang de** to raise sb/sth to the rank of; **~ un nombre au carré/au cube** to square/to cube a number; **~ un nombre à la puissance deux** Math to raise a number to the power of two; **3** (lever) to raise [*étendard, bras*]; (soulever) to raise, to lift [*chargement*]; **4** (ennoblir) **la poésie élève l'âme** *or* **l'esprit** poetry is elevating; **5** (amplifier) **~ la voix** *or* **le ton** lit to raise one's voice; **~ la voix pour défendre qn/qch** fig to speak out on sb's behalf/in favour[GB] of sth; **~ la voix contre qch/qn** to speak out against sth/sb; **6** (formuler) to raise [*objection*]; to voice [*doutes*]; **7** (éduquer) to bring up [*enfant*]; **~ un enfant selon des principes stricts** to bring up a child according to strict principles; **~ un enfant libéralement** to give a child a liberal upbringing; **il a été mal élevé** he has been badly brought up; ▸ **coton**; **8** Agric to keep, to breed [*lapins*]; to rear [*bétail*]; to keep [*volaille, abeilles*]; **9** Vin to mature [*vin*]
B **s'élever** *vpr* **1** (augmenter) [*température, niveau, taux*] to rise; **s'~ de trois degrés** to rise (by) three degrees; **2** (atteindre) **s'~ à** [*bénéfices, investissements*] to come to; [*chiffre d'affaires*] to stand at; **les réparations se sont élevées à 1 000 euros** the repairs came to 1,000 euros; **le nombre des victimes s'élève à 112** the casualty figures stand at 112; **s'~ à 30 mètres de haut** to be 30 metres[GB] high; **3** (se hausser) to rise; **s'~ dans les airs** *or* **le ciel** [*fumée, montgolfière*] to rise up into the air; [*oiseau*] to soar into the air; **s'~ au-dessus de la barre** [*athlète*] to clear the bar; **s'~ dans la hiérarchie** to rise in the hierarchy; **s'~ au rang des grands cinéastes** to join the ranks of great film-makers; **s'~ au-dessus des intérêts particuliers** to set aside personal considerations; **4** (s'ennoblir) [*âme, esprit*] to be uplifted; **5** (se faire entendre) [*protestations, critiques, voix*] to be heard; **des doutes s'élèvent dans mon esprit** I begin to have doubts; **6** (prendre parti) **s'~ contre qch** to protest against sth; **7** (se dresser) [*clocher, statue*] to stand; **s'~ au-dessus de qch** [*clocher, falaise*] to rise above sth; **8** Agric **s'~ facilement** [*lapins*] to be easy to breed *ou* keep; [*bétail*] to be easy to rear; [*abeilles, volaille*] to be easy to keep

éleveur, -euse /elvœʀ, øz/ ▸ **p. 532**
A *nm,f* (personne) breeder; **~ de bovins/porcs/chevaux/chiens** cattle/pig/horse/dog breeder
B **éleveuse** *nf* (couveuse) brooder

elfe /ɛlf/ *nm* elf

élider /elide/ [1]
A *vtr* to elide
B **s'élider** *vpr* [*voyelle*] to elide

Élie /eli/ *npr* Elijah

éligibilité /eliʒibilite/ *nf* eligibility (**à** for election to)

éligible /eliʒibl/ *adj* eligible for office

élimé, ~e /elime/
A *pp* ▸ **élimer**
B *pp adj* threadbare

élimer /elime/ [1]
A *vtr* to wear [sth] thin [*tissu*]
B **s'élimer** *vpr* to wear thin

élimination /eliminasjɔ̃/ *nf* **1** (suppression) (d'idéologie, de possibilité) elimination; (d'adversaire) defeat; **procéder par ~s successives** to use a process of elimination; **2** Physiol elimination; **3** (de tache, produit) removal; **4** (meurtre) elimination

éliminatoire /eliminatwaʀ/
A *adj* [*question, match*] qualifying (*épith*); [*note*] eliminatory
B *nf* qualifier

éliminer /elimine/ [1]
A *vtr* **1** (écarter) to get rid of [*substance*] (**de** from); to eliminate [*candidat, équipe*]; to wipe out [*idéologie*] (**de** from); to eradicate [*maladie*] (**de** from); Scol to fail [*élève*] (**à** in); to rule out [*possibilité*]; to eliminate [*erreurs*]; **2** Physiol to eliminate [*toxines*]; **3** (ôter) to remove [*déchet, résidu*]; **4** (tuer) to eliminate, to kill [*personne*]; to get rid of [*insectes*]
B **s'éliminer** *vpr* [*produit, tache*] to come out

élingue /elɛ̃g/ *nf* sling

élire /eliʀ/ [66] *vtr* to elect [*président, maire, représentant*]; **être élu à l'unanimité** to be elected unanimously; ~ **un candidat sénateur** to elect a candidate to the Senate; ~ **qn à la présidence/au poste de trésorier/à l'Académie française** to elect sb to the presidency/to the position of treasurer/to the French Academy; **elle a été élue maire** she was elected mayor; **se faire** ~ to be elected; **être élue Miss Monde** to be voted Miss World; ~ **domicile** gén to take up residence; Jur to elect domicile

élisabéthain, ~**e** /elizabetɛ̃, ɛn/ *adj* Elizabethan

élision /elizjɔ̃/ *nf* elision

élitaire /elitɛʀ/ *adj* elitist

élite /elit/
A *nf* **1** (meilleure partie) elite; **d'**~ [*troupes, unité*] elite (*épith*), crack; [*athlète, étudiant*] high-flying (*épith*); **sujet d'**~ high-flier; **2** Imprim elite
B élites *nfpl* elite (+ *v pl*) (**de** of)

élitisme /elitism/ *nm* elitism

élitiste /elitist/ *adj* elitist

élixir /eliksiʀ/ *nm* elixir

elle /ɛl/ *pron pers f* **1** (sujet) (personne, animal familier) she; (objet, concept, animal) it; ~**s** they; ~ **a épousé mon frère** she married my brother; ~ **a deux enfants** she's got two children; ~ **est ingénieur** she's an engineer; **laisse entrer la chatte,** ~ **miaule** let the cat in, she's miaowing; ~**s sont toutes pareilles** they are all the same; **ta mère est-**~ **arrivée?** has your mother arrived?; **j'aime le jazz,** ~ **aussi** I like jazz, so does she; ~ **qui aime tant le ballet, quel dommage qu'**~ **ne soit pas là** she loves ballet so much, it's a pity she isn't here; **c'est** ~**s** (à la porte) they're here; **est-ce** ~ **qui a renversé du vin?** was she the one who spilled the wine?, was it her that spilled the wine?; **ses collègues et** ~ **étaient enchantés** she and her colleagues were delighted; ~, ~ **ne dit rien** she never says a word, she doesn't say anything; **'je n'aime pas ça!'—'**~ **non plus'** 'I don't like that!'—'she doesn't either', 'neither does she'; **ta suggestion est excellente,** ~ **va beaucoup nous aider** your suggestion is excellent, it will help us a lot; **la maison est superbe mais** ~ **est un peu isolée** the house is superb but it's a bit isolated; **j'ai vu une lionne,** ~ **était avec ses petits** I saw a lioness, she was with her cubs; **ne prends pas cette assiette,** ~ **est ébréchée** don't take that plate, it's chipped; **ton idée?** ~ **est excellente** your idea? it's excellent; **la pie vole tout ce qu'**~ **trouve** the magpie steals everything it finds; **l'heure a-t-**~ **sonné?** has the clock struck the hour?; **l'Allemagne a annoncé qu'**~ **participerait à la réunion** Germany announced that it would be taking part in the meeting; **le Portugal a signé, l'Espagne,** ~**, n'a pas encore donné son accord** Portugal has signed while Spain has not yet agreed; **2** (dans une comparaison) her; **il travaille plus qu'**~ he works more than she does *ou* than her; **je suis plus jeune qu'**~ I'm younger than she is *ou* than her; **je les vois plus souvent qu'**~ (qu'elle ne les voit) I see them more often than she does; (que je ne la vois) I see them more often than her; **3** (après une préposition) (personne, animal familier) her; (animal) it; **à cause d'/autour d'/après** ~ because of/around/after her; **un cadeau pour** ~ a present for her; **pour** ~**, c'est un fou** she thinks he's mad, in her eyes he's mad; **je ne pense plus à** ~ I don't think about her any more; **sans** ~ **je n'aurais pas survécu** I wouldn't have survived without her; **à** ~ (dans une séquence) it's her turn; **c'est à** ~ **de choisir** (son tour) it's her turn to choose; (sa responsabilité) it's up to her to choose; **des amis à** ~ friends of hers; **elle n'a pas de coin à** ~ **dans la maison** she doesn't have a room of her own in the house; **à** ~**, tu as raconté une histoire très différente** you have told her a completely different story; **le bol bleu est à** ~ the blue bowl is hers

ellébore /elebɔʀ/ *nm* hellebore

elle-même, *pl* **elles-mêmes** /ɛlmɛm/ *pron pers f* **1** (personne) herself; **elles-mêmes** themselves; **elle me l'a dit** ~ she told me herself; **elle a décidé** ~ she decided herself, she made the decision herself; **elle exclut pour** ~ **un déplacement à l'étranger** she rules out any trip abroad for herself; **en** ~ **elle se disait que** she told herself that; (au téléphone) **'Madame Dubois?'—'**~**'** 'Mrs Dubois?'—'speaking'; **2** (objet, idée, concept) itself; **elles-mêmes** themselves; **ma bague n'a pas de valeur en** ~ my ring has no value in itself; **l'œuvre constitue en** ~ **une introduction à la grammaire** the work in itself is an introduction to grammar; **les taches sont parties d'elles-mêmes** the stains came out by themselves; **en** ~ **l'idée est simple** the idea in itself is simple, the idea is simple enough in itself

elles *pron pers fpl* ▸ **elle**

ellipse /elips/ *nf* **1** Math ellipse; **2** Ling ellipsis

ellipsoïdal, ~**e**, *mpl* **-aux** /elipsɔidal, o/ *adj* ellipsoidal

ellipsoïde /elipsɔid/
A *adj* elliptic
B *nm* ellipsoid

elliptique /eliptik/ *adj* **1** Math [*orbite, forme*] elliptic; **2** Ling [*tournure, style*] elliptical

elliptiquement /eliptikmɑ̃/ *adv* elliptically

élocution /elɔkysjɔ̃/ *nf* diction; **avoir une** ~ **lente** to speak slowly; **professeur d'**~ elocution teacher; **défaut d'**~ speech impediment

éloge /elɔʒ/ *nm* **1** (louange) praise; **faire l'**~ **de qn/qch** to sing the praises of sb/sth, to sing sb/sth's praises; **faire l'**~ **du crime/de la drogue** to extol[GB] crime/drugs; **être digne d'**~**s** [*personne*] to deserve praise; [*action*] to be praiseworthy; **ne pas tarir d'**~**s (sur qn/qch)** to be full of praise (for sb/sth); **il a été couvert d'**~**s par** he was showered with praise by; **leur action ne leur a valu que des** ~**s** their action was nothing but praiseworthy; **leur action ne leur a pas valu que des** ~**s** not everybody thought their action praiseworthy; **décerner des** ~**s à qn** to commend sb; **être tout à l'**~ **de qn** to do sb great credit; **2** Littérat (discours) eulogy; **écrire l'**~ **de qn** to write a piece in praise of sb, to write a eulogy to sb sout; **prononcer l'**~ **de qn** to deliver a eulogy for sb sout; **l'**~ **de qch** a eulogy to sth
(Composé) ~ **funèbre** funeral oration

élogieusement /elɔʒjøzmɑ̃/ *adv* enthusiastically

élogieux, -ieuse /elɔʒjø, øz/ *adj* **1** (qui fait des éloges) [*personne*] full of praise; **2** (qui contient des éloges) [*article, critique, rapport*] laudatory; **parler de qch/qn en termes** ~ to talk about sth/sb in glowing terms

éloigné, ~**e** /elwaɲe/
A *pp* ▸ **éloigner**
B *pp adj* **1** (dans l'espace) distant; **dans un village** ~ **de tout** in a remote village; **dans un hameau** ~ **de 5 kilomètres** in a hamlet 5 kilometres[GB] away; **deux usines** ~**es de 5 kilomètres** two factories 5 kilometres[GB] apart; **c'est trop** ~ **pour y aller ce soir** it's too far away to go there this evening; **les maisons** ~**es du centre** houses far *ou* a long way from the centre[GB]; **ils vivent** ~**s les uns des autres** they live far apart; **2** (dans le temps) [*souvenirs*] distant; [*événement*] remote (*jamais épith*); ~ **dans le temps** distant (in time); **cela remonte à une époque bien** ~**e** this goes back to a time long past; **dans un futur peu** ~ in the not too distant future; **dans un passé peu** ~ not (so) long ago; **deux périodes** ~**es l'une de l'autre** two periods far apart in time; **3** (dans la famille) [*cousin, parent*] distant; **4** (différent) [*positions, opinions*] poles apart; **très** ~ **de la réalité** [*déclaration, reportage, estimation*] far removed from reality; **les babouins sont biologiquement plus** ~**s de l'homme que les chimpanzés** baboons are biologically further removed from man than chimpanzees; **leurs points de vue sont plus** ~**s que je ne croyais** their points of view are further apart than I thought; **5** (absent) away; **le torero s'est tenu** *or* **est resté** ~ **de l'arène pendant deux ans** the bullfighter stayed away from the arena for two years

éloignement /elwaɲmɑ̃/ *nm* **1** (dans l'espace) distance; **en raison de leur** ~**, ils ne viennent pas souvent nous voir** because they live so far away, they don't come to see us very often; **elle souffrait de l'**~ **de ses enfants** being apart from her children was painful to her; **2** (dans le temps) remoteness; **avec l'**~**, l'événement prend tout son sens** in retrospect, the full significance of the event becomes apparent; **3** (rejet, écart) **l'**~ **des personnes suspectes** the removal of suspect individuals; **son** ~ **des milieux littéraires** his lack of contact with literary circles

éloigner /elwaɲe/ [1]
A *vtr* **1** lit to move [sb/sth] away (**de** from); **éloignez les enfants/vos chaises du feu** move the children/your chairs away from the fire; ~ **les badauds** to move onlookers on; **il vaut mieux les** ~ **pour qu'ils ne se battent pas** better to separate them so (that) they won't fight; **notre déménagement nous éloigne du village** we're further away from the village now that we've moved; **vos remarques nous éloignent du sujet** your remarks have taken us off the point; **2** fig **ils font tout pour l'**~ **de moi** they are doing everything to drive us apart; **la nouvelle politique du parti a éloigné plusieurs de ses membres** the party's new policy has alienated several of its members; **elle a éloigné l'éventualité d'une dévaluation** she has dismissed the possibility of a devaluation; ~ **une menace/un danger** to remove a threat/a danger; **maintenant que le danger est éloigné** now that the danger has been removed *ou* has passed
B s'éloigner *vpr* **1** lit to move away (**de** from); **l'orage s'éloigne** the storm is moving away; **à mesure qu'ils s'éloignaient des côtes** as they moved away from the coast; **ne t'éloigne pas d'ici** don't move from here; **ne t'éloigne pas trop** don't go too far away; **il s'éloigne à pas lents/en courant** he walks away slowly/runs away; **2** fig **s'**~ **de** [*personne*] to move away from [*idéologie, ligne politique*]; to wander from, to stray from [*sujet*]; **le texte s'éloigne du schéma de base sur deux points** the text differs from the basic pattern on two points; **nos chances de réussite s'éloignent chaque jour un peu plus** our chances of success are becoming more remote by the day; **nous nous éloignons chaque année davantage de notre objectif** every year we are getting further away from our objective; **ne vous éloignez pas du sujet** keep to the point; **3** (s'estomper) [*image, souvenir*] to become blurred

élongation /elɔ̃gasjɔ̃/ *nf* **1** Méd (accidentelle) pulled muscle; (thérapeutique) traction; **se faire une** ~ **au mollet** to pull a calf muscle; **2** Astron elongation; **3** Phys displacement

éloquemment /elɔkamɑ̃/ *adv* eloquently

éloquence /elɔkɑ̃s/ *nf* eloquence ¢; **un beau morceau d'**~ a wonderful bit of eloquence; **avec** ~ eloquently; **un regard plein d'**~ an eloquent look

éloquent, ~**e** /elɔkɑ̃, ɑ̃t/ *adj* [*personne, paroles*] eloquent; **le score est** ~ the score speaks for itself

élu, ~**e** /ely/ *nm,f* **1** Pol elected representative; ~ **local/régional/national** local/regional/national representative; **un** ~ **de droite** a right-wing representative; **l'**~ **de**

e

Grenoble/de la Drôme the representative for Grenoble/the Drôme; **les ~s du second tour** the winners of the second round; **2** (personne aimée) beloved; (vainqueur) winner; **l'~ de mon cœur** the one I love; ▸ **heureux**; **3** (choisi par Dieu) elect; **les ~s** the elect (+ *v pl*)

élucidation /elysidasjɔ̃/ *nf* clarification, elucidation sout

élucider /elyside/ [1] *vtr* to solve [*crime, problème*]; to clarify [*circonstances, conditions*]; **un crime non élucidé** an unsolved crime; **dans des circonstances mal élucidées** in circumstances that remain unclear

élucubrations /elykybʀasjɔ̃/ *nfpl* rantings

élucubrer /elykybʀe/ [1] *vtr* pej to dream up [*théorie, plan*]

éluder /elyde/ [1] *vtr* to evade

Élysée /elize/ *nprm* **1** Pol **(palais de l')~** Élysée Palace; **course à l'~** race for the French presidency; **2** Mythol Elysium

> **Élysée**
>
> The *palais de l'Élysée* is the official residence of the *Président de la République*, not far from the *Champs-Élysées* in central Paris.

élyséen, -éenne /elizeɛ̃, en/ *adj* **1** Pol (du président) [*conseiller*] presidential; (du palais) [*salon*] of the Élysée; **2** Mythol Elysian

élytre /elitʀ/ *nm* elytron

elzévir /ɛlzeviʀ/ *nm* **1** Édition (livre) Elzevir; **2** Imprim (caractère) elzevir

émaciation /emasjasjɔ̃/ *nf* emaciation

émacié, ~e /emasje/
A *pp* ▸ **émacier**
B *pp adj* emaciated

émacier /emasje/ [2]
A *vtr* to emaciate
B s'émacier *vpr* to become emaciated

e-mail /imel/ *nm* email, e-mail

émail, *pl* **-aux** *ou* **~s** /emaj, o/ *nm* **1** (matière) (*pl* **-aux**) enamel; **en ~, d'~** enamel (*épith*); **2** (objet) (*pl* **-aux**) enamel; **3** Hérald (*pl* **-aux**) tincture; **4** Dent (*pl* **~s**) enamel

émaillage /emajaʒ/ *nm* enamelling[GB]

émaillé, ~e /emaje/
A *pp* ▸ **émailler**
B *pp adj* [*casserole, cuvette*] enamel (*épith*); [*tôle, fonte*] enamelled

émailler /emaje/ [1] *vtr* **1** (recouvrir d'émail) to enamel; **2** (marquer) [*erreur, incident*] to punctuate; **une descente émaillée de chutes** a descent punctuated by falls; **3** (emplir) **un discours émaillé d'allusions** a speech sprinkled with allusions; **un match émaillé de fautes** a match full of fouls

émanation /emanasjɔ̃/ *nf* **1** (effluve) emanation; **~s de gaz** gas fumes; **2** Phys emanation; **3** (organisme dérivé) offshoot; **une ~ du ministère** an offshoot of the ministry; **4** (manifestation) expression, result; **5** Relig emanation

émancipateur, -trice /emɑ̃sipatœʀ, tʀis/
A *adj* [*théorie, influence*] liberating, emancipatory sout
B *nm,f* liberator, emancipator sout

émancipation /emɑ̃sipasjɔ̃/ *nf* emancipation

émancipé, ~e /emɑ̃sipe/
A *pp* ▸ **émanciper**
B *pp adj* (sans préjugés) liberated

émanciper /emɑ̃sipe/ [1]
A *vtr* **1** (affranchir) to emancipate [*peuple, personne*]; to liberate [*colonie, pays*] **(de** from); **2** Jur to emancipate [*mineurs, enfant*]
B s'émanciper *vpr* **1** [*pays, colonie*] to gain its independence; **2** [*personne*] to become emancipated

émaner /emane/ [1]
A *vi* (s'exhaler) [*chaleur, odeur*] to emanate **(de** from)
B *v impers* **il émane d'elle un charme fou** she exudes charm

émargement /emaʀʒəmɑ̃/ *nm* signing ¢; **feuille d'~** attendance sheet

émarger /emaʀʒe/ [13]
A *vtr* **1** Imprim to trim [*page*]; **2** Admin to sign [*document, circulaire*]
B *vi* **~ à l'université** to be on the payroll of the university; **~ à 4 000 euros** to draw 4,000 euros

émasculation /emaskylasjɔ̃/ *nf* emasculation

émasculer /emaskyle/ [1] *vtr* lit, fig to emasculate

émaux ▸ **émail**

emballage /ɑ̃balaʒ/ *nm* **1** (dans du carton, plastique dur) packaging; (dans une feuille de papier, de plastique) wrapping; (dans une caisse) packing; **sous ~** [*livre, produit*] wrapped; [*vaisselle*] packed; **2** (feuille de papier, plastique) wrapping; (carton, plastique dur) packaging; **~ perdu/consigné** throw-away/refundable packaging; **3** (secteur industriel) **l'~** packaging

(Composé) **~ sous vide** vacuum packing

emballant○**, ~e** /ɑ̃balɑ̃, ɑ̃t/ *adj* exciting

emballement /ɑ̃balmɑ̃/ *nm* **1** (enthousiasme) fad **(pour** for); **2** (colère) outburst of anger; **3** Équit (de cheval) bolting; **4** (de prix, d'inflation) rapid rise; **5** Aut, Tech (de moteur) racing

emballer /ɑ̃bale/ [1]
A *vtr* **1** (dans une caisse, boîte) to pack; (envelopper) to wrap; **2** ○(enthousiasmer) **cette idée/ce voyage m'emballe** I am really taken with this idea/trip; **être emballé par** to be taken with; **3** ◑(arrêter) [*police*] to take [sb] in; **4** ○(séduire) to score with○; **5** Aut, Tech to race [*moteur*]
B s'emballer *vpr* **1** Équit [*cheval*] to bolt; **2** ○(se passionner) to get carried away **(pour** by); **ça ne m'emballe pas d'aller à Londres** I'm not too keen on going to London; **3** (s'énerver) to get worked up○; **ils ne peuvent pas parler de politique sans s'~** they can't talk politics without getting all worked up○; **4** ○Aut, Tech [*moteur*] to race; **5** (augmenter rapidement) [*prix, inflation*] to shoot up; **le dollar s'est emballé** the dollar has shot up in value

emballeur, -euse /ɑ̃balœʀ, øz/ ▸ p. 532 *nm,f* packer

embarbouillé, ~e /ɑ̃baʀbuje/ *adj* muddled

embarcadère /ɑ̃baʀkadɛʀ/ *nm* (de passagers) pier; (de marchandises) wharf

embarcation /ɑ̃baʀkasjɔ̃/ *nf* boat

embardée /ɑ̃baʀde/ *nf* (d'auto) swerve; (de bateau) yaw; **faire une ~** [*auto*] to swerve; [*bateau*] to yaw

embargo /ɑ̃baʀgo/ *nm* embargo **(contre, sur** on); **~ aérien/pétrolier** air/oil embargo; **lever l'~** to lift the embargo

embarqué, ~e /ɑ̃baʀke/
A *pp* ▸ **embarquer**
B *pp adj* [*équipement, système*] on-board

embarquement /ɑ̃baʀkəmɑ̃/ *nm* (montée à bord) boarding **(pour** for); (prise à bord) embarkation; (départ) departure **(pour** for); **formalités d'~** boarding procedures; **l'~ aura lieu dans une heure** boarding will take place in an hour; **l'~ des véhicules sera retardé** the embarkation of vehicles will be delayed; **port d'~** port of embarkation

embarquer /ɑ̃baʀke/ [1]
A *vtr* **1** Aviat, Naut (charger) [*personne*] to load [*marchandises*]; [*passager*] to take [*bagages*]; [*équipage*] to take on board [*passager*]; [*bateau, avion, compagnie*] to carry [*passager, armement*]; [*bateau, équipage*] to pick up [*naufragé*]; **valise embarquée dans la soute** suitcase loaded into the hold; **matériel embarqué à bord d'un avion/sous-marin** equipment loaded on to a plane/submarine; **l'équipage sera embarqué demain** the crew will go aboard tomorrow; **2** ○(emmener) to take [*objet, document*]; [*police*] to pick up [*malfaiteur, manifestant*]; **si tu ne veux plus de ta radio, je l'embarque** if you don't want your radio any more, I'll have it; **allez, viens, je t'embarque!** you come with me!; **n'embarque pas mon briquet!** don't take my lighter!; **~ qn dans sa voiture** to get sb into one's car; **3** ○(engager) **~ qn dans un projet** to get sb involved in a project
B *vi* (monter à bord) to board; Naut (partir en voyage) to sail **(pour** for); **à quelle heure embarques-tu?** what time do you board?; **quel jour embarques-tu?** when do you sail?; **~ à bord d'un yacht/avion** to board a yacht/plane
C s'embarquer *vpr* **1** Naut (monter à bord) to board; (partir en voyage) to sail **(pour** for); **s'~ à bord d'un bateau** to board a ship; **2** ○(se lancer) **s'~ dans des explications/des détails** to launch into an explanation/details; **s'~ dans un projet/une réforme** to embark on a project/a reform; ▸ **biscuit**

embarras /ɑ̃baʀa/ *nm inv* **1** (trouble) embarrassment; **dissimuler son ~** to hide one's embarrassment; **l'incident cause à la France un vif ~** the incident is highly embarrassing for France; **2** (gêne financière) **~ d'argent** *ou* **financiers** financial difficulties; **être/se trouver dans l'~** to be/find oneself in financial difficulties; **tirer qn d'~** to help sb out financially; **ton chèque m'a tiré d'~** your cheque GB *ou* check US helped me out; **3** (situation délicate) awkward position; **mettre** *or* **jeter qn dans l'~** to put sb in an awkward position; **tirer qn/se tirer d'~** to get sb/to get oneself out of a difficult situation; **4** (incertitude) **être dans l'~** to be in a quandary; **je conçois votre ~** I understand your dilemma; **éprouver de l'~ pour répondre/devant un problème difficile** to be at a loss for an answer/when faced with a tricky problem; **n'avoir que** *or* **avoir l'~ du choix** to be spoiled for choice GB, to have too much to choose from; **5** †(obstacle) **il craint d'être un ~ pour vous** he's afraid of being a nuisance (to you); **les ~ de la circulation** road congestion ¢, traffic jams

(Composé) **~ gastrique** Méd stomach upset

embarrassant, ~e /ɑ̃baʀasɑ̃, ɑ̃t/ *adj* **1** (gênant) [*problème, silence, choix, question*] awkward; [*situation*] embarrassing; **2** (encombrant) [*bagages*] cumbersome

embarrassé, ~e /ɑ̃baʀase/
A *pp* ▸ **embarrasser**
B *pp adj* **1** (gêné) [*personne, toux, silence*] embarrassed; **être bien ~ pour répondre/expliquer** to be at a loss for an answer/explanation; **2** (confus) [*discours, explication*] confused; **3** (encombré) [*pièce, bureau*] cluttered **(de** with); **personne ~e d'une grosse valise** person weighed down with a large suitcase; **4** Méd [*estomac*] upset

embarrasser /ɑ̃baʀase/ [1]
A *vtr* **1** (mettre mal à l'aise) [*affaire, question*] to embarrass [*personne*]; **~ le gouvernement** to embarrass the government; **~ qn par des questions indiscrètes** to embarrass sb by asking tactless questions; **leur conduite/générosité m'embarrasse** I find their behaviour[GB]/generosity embarrassing; **je ne voudrais pas vous ~** I don't want to bother you; **ça m'embarrasse de te le rappeler, mais tu me dois 50 euros** I'm sorry to have to remind you, but you owe me 50 euros; **2** (encombrer) [*objets*] to clutter (up) [*pièce, table*] **(de** with); **cette armoire m'embarrasse plutôt qu'autre chose** this wardrobe is more of a nuisance than anything else; **ces paquets t'embarrassent, donne-les moi** those parcels are awkward for you, let me take them
B s'embarrasser *vpr* **1** (s'encombrer) **s'~ de** to burden oneself with [*paquet, personne*]; **je ne veux pas m'~ d'un chien/jardin** I can't be bothered with a dog/garden; **pourquoi t'~ d'un dictionnaire?** why burden yourself with a dictionary?; **2** (se préoccuper) to worry about [*détails*]; **il ne s'embarrasse pas de**

scrupules he's not the most scrupulous of people; **s'~ de scrupules inutiles** to be over-scrupulous

embarrer /ɑ̃baʀe/ [1] Can
A *vtr* (enfermer) to lock
B **s'embarrer** *vpr* (s'enfermer) to shut oneself away

embastiller /ɑ̃bastije/ [1] *vtr* Hist to imprison

embauche /ɑ̃boʃ/ *nf* appointment GB, hiring ¢ US; **~ à l'essai** appointment GB *ou* hiring US on a trial basis; **salaire d'~** starting salary; **aides à l'~** employment incentives; **société recherche pour ~...** company seeks to recruit...; **l'~ d'un premier salarié** the taking on of *ou* the appointment of a first employee

embaucher /ɑ̃boʃe/ [1]
A *vtr* 1 (engager) to take on GB, to hire [*jeune, ouvrier*] (**comme** as); (après un stage, intérim) to take on [sb] permanently; 2 ○(pour corvée) to recruit (**pour faire** to do)
B *vi* 1 (recruter) to recruit people; 2 ○(commencer son travail) to start work (**à** at)

embauchoir /ɑ̃boʃwaʀ/ *nm* shoe-tree

embaumement /ɑ̃bommɑ̃/ *nm* embalming

embaumer /ɑ̃bome/ [1]
A *vtr* 1 (parfumer) [*odeur*] to fill [*lieu*]; 2 (sentir) to smell of [*lavande, cire*]; 3 (conserver) to embalm [*cadavre*]
B *vi* (sentir bon) [*air, jardin, fleurs*] to be fragrant; **ça embaume!** what a pleasant smell!

embaumeur, -euse /ɑ̃bomœʀ, øz/ ▸ **p. 532** *nm,f* embalmer

embellie /ɑ̃beli/ *nf* 1 Naut lull; Météo bright spell; 2 (amélioration) upturn

embellir /ɑ̃beliʀ/ [3]
A *vtr* 1 (réellement) to embellish [*lieu*]; to make [sb/sth] more attractive [*personne*]; 2 (en mentant) to embellish [*récit*]; to embroider [*vérité*]
B *vi* to become more attractive

embellissement /ɑ̃belismɑ̃/ *nm* 1 (de pièce, maison) refurbishing; **faire des travaux d'~** to carry out improvements; **l'~ du quartier a coûté très cher** smartening the area up was very expensive; 2 (élément amélioré) improvement, embellishment; 3 (inexactitude) embellishment

emberlificoté○, **~e** /ɑ̃bɛʀlifikɔte/
A *pp* ▸ **emberlificoter**
B *pp adj* [*texte*] muddled; [*situation*] confused

emberlificoter○ /ɑ̃bɛʀlifikɔte/ [1]
A *vtr* 1 (embrouiller) to entangle [*fil*]; 2 (duper) to take [sb] in○ [*personne*]; **se laisser ~** to be duped *ou* taken in○
B **s'emberlificoter** *vpr* 1 lit to get entangled (**dans** in); 2 fig to get mixed up (**dans** in); **s'~ dans des explications** to get tangled in one's explanation

embêtant, **~e** /ɑ̃bɛtɑ̃, ɑ̃t/ *adj* 1 (fâcheux) tiresome, annoying; **il m'arrive un truc ~** I've got a bit of a problem; **c'est ~ ça!** that's a real nuisance *ou* drag○!; **être dans une situation ~e** to be in an awkward position; 2 (agaçant) annoying; 3 (lassant) boring

embêté, **~e** /ɑ̃bete/
A *pp* ▸ **embêter**
B *pp adj* 1 (embarrassé) embarrassed; **il avait l'air bien ~** he looked quite embarrassed; 2 (dans une situation difficile) **être très ~** to be in real trouble *ou* in a real mess

embêtement /ɑ̃bɛtmɑ̃/ *nm* problem

embêter /ɑ̃bete/ [1]
A *vtr* 1 (contrarier) to bother; **ça m'embête de devoir faire** it's a nuisance that I have to do; **si ça ne vous embête pas** if it's not too much trouble; **ça m'embêterait de rater ça** I wouldn't like to miss that; 2 (agacer) to annoy; (importuner) to pester; **il commence à m'~ celui-là** that guy is getting on my nerves; **arrête de m'~** stop annoying me, don't bug○ me; 3 (lasser) to bore
B **s'embêter** *vpr* 1 (s'ennuyer) to get bored; 2 (s'inquiéter) to worry (**pour** about); **ne t'embête pas pour si peu** don't worry about such trifles; 3 (se compliquer la vie) **s'~ à faire** to go to all the trouble *ou* bother of doing; **je n'ai pas envie de m'~ avec un chien/une voiture** I don't want all the trouble *ou* hassle○ of a dog/car; **ne t'embête pas avec ça** don't bother with that!; **un hôtel quatre étoiles! tu ne t'embêtes pas!** a four-star hotel! you're doing all right for yourself!; **tu as fouillé ses tiroirs! tu ne t'embêtes pas!** you went through his drawers! you've got a nerve!; **tu appelles ça laver la voiture! tu ne t'embêtes pas!** that's what you call washing the car! you're not exactly straining yourself, are you?

emblaver /ɑ̃blave/ [1] *vtr* **~ un champ** to sow a field with cereals

emblavure /ɑ̃blavyʀ/ *nf* grainfield

emblée: **d'emblée** /dɑ̃ble/ *loc adv* 1 (aussitôt) [*accepter, réussir*] straightaway; [*refuser, condamner*] out of hand; [*détester*] at first sight; 2 (dès le début) from the outset

emblématique /ɑ̃blematik/ *adj* [*dessin, décoration*] emblematic; [*personnage, figure*] symbolic

emblème /ɑ̃blɛm/ *nm* emblem

embobiner /ɑ̃bɔbine/ [1] *vtr* 1 ○(tromper) to bamboozle○; **se laisser ~** to be hoodwinked *ou* bamboozled○; 2 (enrouler) to wind

emboîtable* /ɑ̃bwatabl/ *adj* which fit together (*épith, après n*)

emboîtage* /ɑ̃bwataʒ/ *nm* 1 Tech fitting-together; 2 (mise en boîte) packing (*in boxes*); 3 Édition slipcase; **sous ~** in a slipcase

emboîtement* /ɑ̃bwatmɑ̃/ *nm* 1 Tech fitting; **ardoise/tuyau à ~** interlocking slate/pipe; 2 Ling embedding

emboîter* /ɑ̃bwate/ [1]
A *vtr* to fit together [*pièces*]; **~ qch dans qch** to fit sth into sth
B **s'emboîter** *vpr* to fit (**dans** into); **les deux pièces s'emboîtent parfaitement** the two parts fit together perfectly

(Idiome) **~ le pas à qn** lit, fig to fall in behind sb

embolie /ɑ̃bɔli/ ▸ **p. 283** *nf* embolism; **~ pulmonaire/gazeuze** pulmonary/air embolism

embonpoint /ɑ̃bɔ̃pwɛ̃/ *nm* 1 (état) stoutness; 2 (ventre) bulge; **avoir de l'~** to be stout

embossage /ɑ̃bɔsaʒ/ *nm* mooring broadside on

embosser /ɑ̃bɔse/ [1] *vtr* **~ un navire** to moor a ship fore and aft

embouché, **~e** /ɑ̃buʃe/ *adj* **mal ~** (grossier) coarse; (de mauvaise humeur) in a foul mood

emboucher /ɑ̃buʃe/ [1] *vtr* Mus to raise [sth] to one's lips [*instrument*]

embouchure /ɑ̃buʃyʀ/ *nf* 1 (de rivière) mouth, embouchure spéc; 2 (d'instrument) mouthpiece, embouchure; 3 (de mors) mouthpiece; 4 (de vase, tuyau) opening

embourber /ɑ̃buʀbe/ [1]
A *vtr* to get [sth] stuck in the mud
B **s'embourber** *vpr* 1 (dans la boue) to get stuck in the mud; 2 (dans des difficultés) to get bogged down (**dans** in)

embourgeoisement /ɑ̃buʀʒwazmɑ̃/ *nm* embourgeoisement

embourgeoiser: **s'embourgeoiser** /ɑ̃buʀʒwaze/ [1] *vpr* [*personne*] to become middle-class; [*quartier*] to become gentrified

embout /ɑ̃bu/ *nm* (de canne, cigare) tip; (de tuyau, d'aspirateur) nozzle; (de pipe) mouthpiece

(Composé) **~ applicateur** nozzle

embouteillage /ɑ̃butɛjaʒ/ *nm* 1 (en ville) traffic jam; (sur autoroute) tailback; **il y a dix kilomètres d'~s** there's a ten-kilometre[GB] tailback; **l'~ du ciel** air traffic congestion; 2 (de système) bottleneck; 3 (mise en bouteilles) bottling; **usine d'~ de bière** beer-bottling factory

embouteiller /ɑ̃buteje/ [1] *vtr* 1 Transp (encombrer) to clog [*route, ciel*]; (boucher) to block [*rue*]; 2 (surcharger) to clog up [*administration, système*]; to jam [*lignes téléphoniques*]; 3 (mettre en bouteilles) to bottle

emboutir /ɑ̃butiʀ/ [3] *vtr* 1 Mécan to stamp, press [*pièce, tôle*]; **tôle emboutie** stamped sheet metal; **presse à ~** stamping press; 2 ○[*personne, véhicule*] to crash into [*véhicule, obstacle*]; **l'avant est complètement embouti** the front is completely smashed in

emboutissage /ɑ̃butisaʒ/ *nm* Mécan stamping

emboutisseur, -euse /ɑ̃butisœʀ, øz/
A ▸ **p. 532** *nm,f* (ouvrier) stamper
B **emboutisseuse** *nf* (machine) stamping press

embranchement /ɑ̃bʀɑ̃ʃmɑ̃/ *nm* 1 (point de jonction) junction; 2 (voie) (routière) side road; (ferrée) branch line; 3 Bot, Zool branch

(Composé) **~ particulier** Rail private line *ou* track

embrancher /ɑ̃bʀɑ̃ʃe/ [1]
A *vtr* to link [sth] up (**à, sur** with)
B **s'embrancher** *vpr* [*route, dérivation*] to link up (**sur** with)

embrasé, **~e** /ɑ̃bʀaze/
A *pp* ▸ **embraser**
B *pp adj* 1 (en feu) burning; 2 (illuminé) glowing

embrasement /ɑ̃bʀazmɑ̃/ *nm* 1 (incendie) blaze; 2 (illumination) dazzling illumination; 3 (agitation sociale) unrest ¢; 4 (élan) **~(s) du corps** passionate arousal; 5 (augmentation) **l'~ des prix** a surge in prices

embraser /ɑ̃bʀaze/ [1]
A *vtr* 1 (mettre le feu) to set [sth] ablaze [*bâtiment*]; 2 (agiter) to set [sth] alight [*ville, pays*]; 3 (illuminer) to set [sth] ablaze [*ciel, ville*]; 4 (emplir de passion) to set [sb] on fire [*personne*]
B **s'embraser** *vpr* 1 (prendre feu) to catch fire; 2 fig [*pays, ville*] to erupt into violence; 3 (devenir illuminé) to be set ablaze; 4 (s'emplir de passion) to burn with desire

embrassade /ɑ̃bʀasad/ *nf* kissing ¢; **leurs ~s n'en finissaient plus** they hugged and kissed for ages

embrasse /ɑ̃bʀas/ *nf* tieback

embrassement /ɑ̃bʀasmɑ̃/ *nm* liter embrace

embrasser /ɑ̃bʀase/ [1]
A *vtr* 1 (donner un baiser à) to kiss [*personne*] (**sur** on); to kiss [*joues, front*]; **~ qn à pleine bouche** to kiss sb (full) on the lips; **je t'embrasse** (en fin de lettre) lots of love; (au téléphone) lots of love, take care; **embrasse ta mère pour moi** give my love to your mother; 2 (étreindre) (entre personnalités) to embrace; (entre amis) to hug; 3 fml (choisir) to take up, to pursue [*carrière, profession*]; to embrace [*cause, religion*]; **à 20 ans il décida d'~ la carrière politique** at the age of 20 he decided to pursue a political career; 4 fml (saisir) [*recherche, étude*] to take in [*période, question*]; [*œil, regard, caméra*] to take in [*paysage*]; [*personne, auteur*] to cover [*sujet, domaine*]
B **s'embrasser** *vpr* (avec des baisers) to kiss (each other) (**sur** on); (s'étreindre) (entre personnalités) to embrace; (entre amis) to hug

(Idiome) **~ qn comme du bon pain** to hug sb warmly

embrasure /ɑ̃bʀazyʀ/ *nf* 1 Constr opening; 2 Mil embrasure

(Composés) **~ de fenêtre** window; **~ de porte** doorway

embrayage /ɑ̃bʀejaʒ/ *nm* 1 (dispositif) clutch; **~ automatique/électromagnétique/hydraulique** automatic/electromagnetic/hydraulic clutch; **sélecteur d'~ automatique** gear lever, gearshift US; **faire patiner l'~** to slip the clutch; **voiture à ~ mécanique** car equipped with a manual gearbox; **2▸** (communication entre 2 pièces) engaging; (par l'automobiliste) letting out the clutch; **3▸** (pédale) clutch pedal

embrayer /ɑ̃bReje/ [21] *vi* **1▸** Aut to engage the clutch, to let out the clutch; Tech to engage; **2▸** ○(commencer à travailler) to get cracking○; **3▸** ○(se lancer) **~ sur** *or* **avec** to launch into [*discours, chanson, sujet*]

embrigadement /ɑ̃bRigadmɑ̃/ *nm* **1▸** (enrôlement) recruitment; **2▸** Mil brigading

embrigader /ɑ̃bRigade/ [1] *vtr* **1▸** (enrôler) to recruit (**dans** into; **comme** as); **2▸** Mil to brigade

embringuer○ /ɑ̃bRɛ̃ge/ [1]
A *vtr* (dans une affaire, histoire) to drag (**dans** into); (dans un groupe, organisation) to get [sb] involved (**dans** in); **se laisser ~** to get mixed up (**dans** in)
B **s'embringuer** *vpr* (dans une affaire, situation) to get involved (**dans** in)

embrocation /ɑ̃bRɔkasjɔ̃/ *nf* embrocation

embrocher /ɑ̃bRɔʃe/ [1]
A *vtr* **1▸** Culin to put [sth] on a spit [*animal*]; to skewer [*morceau, gigot*]; **2▸** ○(transpercer) to run [sb] through [*adversaire*]
B **s'embrocher**○ *vpr* to impale oneself (**sur** on)

embrouillamini○ /ɑ̃bRujamini/ *nm* muddle

embrouille○ /ɑ̃bRuj/ *nf* shady goings-on○ (*pl*); **je n'aime pas ces ~s** I don't like these shady goings-on

embrouillement /ɑ̃bRujmɑ̃/ *nm* **1▸** (enchevêtrement) (action) tangling; (résultat) tangle; **2▸** (confusion) **l'~ des idées** muddled thinking

embrouiller /ɑ̃bRuje/ [1]
A *vtr* **1▸** (enchevêtrer) to tangle [*fils, laine*]; **2▸** (rendre confus) to confuse [*affaire, personne*]; **l'histoire est assez embrouillée** the story is rather confused; **tu m'embrouilles avec tes explications** you're confusing me with your explanations
B **s'embrouiller** *vpr* **1▸** (s'enchevêtrer) [*fils, cheveux*] to become tangled; **2▸** (devenir confus) [*idées, affaire, personne*] to become confused; **s'~ dans** to get into a muddle with [*comptes*]; to get tangled up in [*explications*]

embroussaillé, **~e** /ɑ̃bRusaje/ *adj* [*chemin, allée, jardin*] overgrown; [*cheveux, sourcils*] bushy; [*barbe*] shaggy

embrumé, **~e** /ɑ̃bRyme/ *adj* **1▸** (couvert de brume) [*temps*] misty; [*ciel, paysage*] hazy; **avoir les yeux ~s** to have misty eyes; **2▸** (troublé) [*esprit*] befuddled; [*regard*] glazed; [*voix*] hoarse

embruns /ɑ̃bRœ̃/ *nmpl* spray ₵

embryogenèse /ɑ̃bRijɔʒənɛz/ *nf* embryogenesis

embryologie /ɑ̃bRijɔlɔʒi/ *nf* Méd embryology

embryologique /ɑ̃bRijɔlɔʒik/ *adj* embryological

embryologiste /ɑ̃bRijɔlɔʒist/, **embryologue** /ɑ̃bRijɔlɔg/ ▸ **p. 532** *nmf* embryologist

embryon /ɑ̃bRijɔ̃/ *nm* **1▸** Physiol, Méd embryo; **~ congelé** frozen embryo; **2▸** fig **l'~ d'une idée/d'un projet** an embryonic idea/project; **projet à l'état d'~** project (still) in its embryonic stages

embryonnaire /ɑ̃bRijɔnɛR/ *adj* lit, fig embryonic; **projet à l'état ~** project (still) in its embryonic stages

embûche* /ɑ̃byʃ/ *nf* **1▸** (machination) trap; **dresser des ~s** to set traps; **2▸** (danger) hazard; (difficulté) pitfall; **semé** *or* **plein d'~s** lit hazardous; fig fraught with pitfalls

embuer /ɑ̃bɥe/ [1]
A *vtr* **1▸** (couvrir de buée) to mist up, to fog up US; **une vitre embuée** misted-up *ou* fogged-up US window; **2▸** (voiler) to mist; **yeux embués de larmes** eyes misty with tears
B **s'embuer** *vpr* [*vitre, écran*] to mist up, to fog up US; [*regard, yeux*] to mist over

embuscade /ɑ̃byskad/ *nf* ambush; **être en ~** to lie in ambush; **dresser** *or* **tendre une ~ à qn** to set up an ambush for sb; **tomber dans une ~** to be caught in an ambush

embusqué, **~e** /ɑ̃byske/
A *pp* ▸ **embusquer**
B *pp adj* (en embuscade) [*soldats, rebelles*] lying in ambush; [*assassin*] lying in wait
C *nm* pej (soldat de l'arrière) soldier on a cushy○ posting

embusquer /ɑ̃byske/ [1] *vtr* to place [sb] in ambush

éméché○, **~e** /emeʃe/ *adj* **être ~** to be tipsy; **être passablement ~** to be quite *ou* rather tipsy

émeraude /emRod/ ▸ **p. 202**
A *adj inv* (couleur) emerald green
B *nm* (couleur) emerald green
C *nf* Minér emerald; **un collier d'~s** an emerald necklace

émergence /emɛRʒɑ̃s/ *nf* (tous contextes) emergence

émergent, **~e** /emɛRʒɑ̃, ɑ̃t/ *adj* emergent; [*marché, pays*] emerging

émerger /emɛRʒe/ [13] *vi* **1▸** (apparaître) to emerge; **2▸** ○(se réveiller) to surface

émeri /emRi/ *nm* Minér emery; **être bouché à l'~** lit to have a ground glass stopper; fig to be as thick as two short planks GB, to be dumb

émerillon /emRijɔ̃/ *nm* **1▸** Zool merlin; **2▸** Tech swivel

émérite /emeRit/ *adj* **1▸** [*joueur, acteur*] outstanding; **2▸** Univ (titre) **professeur ~** emeritus professor

émerveillement /emɛRvɛjmɑ̃/ *nm* wonder (**devant** at; **à la vue de** at the sight of); **pousser un cri d'~** to utter a cry of wonder; **il fait l'~ de ses professeurs** his teachers are greatly impressed by him; **la nature est un ~ perpétuel** nature is an eternal source of wonder

émerveiller /emɛRveje/ [1]
A *vtr* **~ qn** to fill sb with wonder; **être émerveillé par** to marvel at, to be filled with wonder by; **il ouvrait de grands yeux émerveillés** his eyes were round with wonder
B **s'émerveiller** *vpr* **s'~ de** *or* **devant qch** to marvel at sth; **s'~ que qn fasse** to be amazed *ou* impressed that sb does; **il s'émerveillait qu'elle ait pu faire cela aussi vite** he was amazed *ou* impressed that she had been able to do it so quickly; **s'~ de tant de génie** to be amazed at *ou* by such genius; **s'~ de peu (de chose)** to be easily impressed

émétique /emetik/ *adj, nm* emetic

émetteur, **-trice** /emetœR, tRis/
A *adj* **1▸** Radio, TV broadcasting; **2▸** Fin, Postes issuing; **banque émettrice** issuing bank
B *nm* **1▸** Radio, TV transmitter; **2▸** Fin (de chèque) drawer; (d'emprunt, de carte) issuer; **3▸** Ling sender

émetteur-récepteur, *pl* **émetteurs-récepteurs** /emetœRResɛptœR/ *nm* transceiver

émettre /emɛtR/ [60]
A *vtr* **1▸** (exprimer) to express [*avis, réserve, vœu*]; to put forward [*hypothèse, recommandation, proposition*]; to raise [*objection*]; **2▸** (produire) to utter [*cri*]; to produce [*son, chaleur, lumière, vibration*]; to give off [*odeur*]; **3▸** Admin, Postes to issue [*document, emprunt, timbre, billet de banque*]; **4▸** Fin to draw [*chèque*]; to float [*emprunt*]; **5▸** Radio, TV to broadcast [*programme*]; **6▸** [*avion, bateau*] to send out [*message de détresse*]; **7▸** Phys to emit [*chaleur, radiation*]
B *vi* Radio, TV to broadcast; **~ à partir de Moscou/sur modulation de fréquence** to broadcast from Moscow/on FM

émeu /emø/ *nm* Zool emu

émeute /emøt/ *nf* riot; **tourner à l'~** to turn into a riot; **provoquer des ~s** to cause riots *ou* rioting; **~s raciales** race riots; **c'est l'~** all hell is breaking loose

émeutier, **-ière** /emøtje, ɛR/ *nm,f* rioter

émiettement /emjɛtmɑ̃/ *nm* **1▸** lit (action de réduire en miettes) crumbling; **2▸** fig (désagrégation) (de domaine, fortune) splitting up; (de forces, énergie) dissipation; (de temps) frittering away

émietter /emjete/ [1]
A *vtr* **1▸** (réduire en miettes) to crumble [*pain, biscuit, motte de terre*]; **2▸** (morceler) to split [sth] up [*domaine, territoire, fortune*]; **3▸** fml (disperser) to dissipate [*forces, activités*]; to fritter away [*temps*]
B **s'émietter** *vpr* **1▸** (tomber en miettes) [*pain, roche*] to crumble; **2▸** (perdre son unité) [*parti, pouvoir*] to crumble; **3▸** (se morceler) [*héritage*] to be split up

émigrant, **~e** /emigRɑ̃, ɑ̃t/ *nm,f* emigrant; **population d'~s** emigrant population

émigration /emigRasjɔ̃/ *nf* (de personne) emigration; **pays à forte ~** country with a high level of emigration

émigré, **~e** /emigRe/
A *pp* ▸ **émigrer**
B *pp adj* emigrant; **travailleur ~** emigrant worker
C *nm,f* gén emigrant; Hist émigré

émigrer /emigRe/ [1] *vi* **1▸** (quitter son pays) [*personne*] to emigrate (**de** from; **en, vers, à** to); **2▸** (quitter une région) [*personne*] to migrate (**en, vers** to); **3▸** Zool to migrate (**en, vers, dans** to)

émincé /emɛ̃se/ *nm* Culin émincé, thin slices (*pl*)

émincer /emɛ̃se/ [12] *vtr* to slice [sth] thinly, to cut [sth] into thin slices [*aliment*]

éminemment /eminamɑ̃/ *adv* eminently

éminence /eminɑ̃s/ *nf* **1▸** (monticule) hillock littér; **2▸** Anat protuberance

Éminence /eminɑ̃s/ *nf* Relig Eminence; **votre/son ~** Your/His Eminence

(Composé) **~ grise** éminence grise, grey GB *ou* gray US eminence

éminent, **~e** /eminɑ̃, ɑ̃t/ *adj* eminent, distinguished; **mon ~ confrère** my distinguished colleague

éminentissime /eminɑ̃tisim/ *adj* **1▸** Relig most eminent; **2▸** hum most distinguished *ou* eminent

émir /emiR/ ▸ **p. 848** *nm* emir

émirat /emiRa/ *nm* emirate

émirati, **~e** /emiRati/ ▸ **p. 561** *adj* from the United Arab Emirates

Émirati, **~e** /emiRati/ ▸ **p. 561** *nm,f* native of United Arab Emirates

Émirats /emiRa/ ▸ **p. 333** *nprmpl* **~ arabes unis, EAU** United Arab Emirates

émissaire /emisɛR/ *nm* emissary

émissif, **-ive** /emisif, iv/ *adj* emissive

émission /emisjɔ̃/ *nf* **1▸** Radio, TV programme[GB]; **~ de radio/de télévision** radio/TV programme[GB]; **~ éducative/littéraire** educational/book programme[GB]; **~ grand public** programme[GB] with universal appeal; **~ sur la France** programme[GB] about France; **2▸** Admin, Fin, Postes (de document, monnaie, timbre) issue; **3▸** Sci, Télécom emission; **4▸** Ling **~ de voix** phonation

emmagasiner /ɑ̃magazine/ [1] *vtr* **1▸** Ind, Comm (mettre en magasin) to store; **2▸** (accumuler) to stockpile [*marchandises, vivres*]; to store [*chaleur, énergie*]; to store up [*connaissances, souvenirs*]

emmailloter /ɑ̃majɔte/ [1] *vtr* to swaddle [*bébé*]; to bandage [*doigt, bras*]

emmancher /ɑ̃mɑ̃ʃe/ [1]
A *vtr* **1▸** (mettre un manche à) to fit a handle to; **2▸** ○(mettre en train) to set [sth] up [*affaire, négociation*]
B **s'emmancher**○ *vpr* [*affaire*] to start up; [*négociations*] to start; **s'~ bien/mal** to get off to a good/bad start

emmanchure /ɑ̃mɑ̃ʃyR/ *nf* armhole

emmêler /ɑ̃mele/ [1]
A *vtr* 1 (enchevêtrer) to tangle [*cheveux, fils*]; 2 (embrouiller) to confuse [*affaire*]
B **s'emmêler** *vpr* 1 (s'enchevêtrer) to get tangled up; 2 (se prendre) **s'~ les pieds dans qch** to get one's feet caught in sth; **s'~ les crayons**○ *or* **les pédales**○ *or* **les pinceaux**○ (trébucher) to trip over; (s'égarer) to get into a muddle; 3 (s'embrouiller) to get tangled up (**dans** in); **s'~ dans des explications/un raisonnement** to get tangled up in one's explanations/an argument

emménagement /ɑ̃menaʒmɑ̃/ *nm* moving in

emménager /ɑ̃menaʒe/ [13] *vi* to move in; **~ dans** to move into

emmener /ɑ̃mne/ [16] *vtr* 1 (mener) to take [*personne*] (**à, jusqu'à** to); **~ les enfants à l'école** to take the children to school; **~ promener un enfant** to take a child for a walk; **j'ai emmené ma mère chercher Anne à la gare** I took my mother to pick Anne up from the station; **je vous emmène faire des courses** I'm taking you shopping; **je vous emmène dîner au restaurant** I'm taking you to a restaurant for dinner; **~ les enfants se baigner** to take the children swimming; **~ qn voir qn** to take sb to see sb; **emmène-moi chez toi!** take me home with you!; **veux-tu que je t'emmène en voiture?** do you want a lift GB *ou* a ride US?; 2 ○(emporter) controv to take; **est-ce que tu as emmené un imperméable/de la lecture?** did you take a raincoat/something to read?; 3 (transporter) [*avion, véhicule*] to carry [*passagers*]; **le car qui les emmenait au bord de la mer** the coach that was taking *ou* carrying them to the seaside; 4 (arrêter) [*police*] to take [sb] away [*personne*]; 5 (entraîner) [*chef, capitaine*] to lead [*équipe, troupe*]

emmenthal /emɛ̃tal, emɑ̃tal/ *nm* Emmenthal

emmerdant◑, **~e** /ɑ̃mɛʀdɑ̃, ɑ̃t/ *adj* 1 (ennuyeux) [*livre, orateur*] bloody◑ GB *ou* damned○ boring; 2 (importun) [*personne, situation*] bloody◑ GB *ou* damned○ annoying; **l'~ c'est que je suis fauché**○ the annoying thing is that I'm broke○

emmerde◑ /ɑ̃mɛʀd/ *nm ou f* ▸ **emmerdement**

emmerdé◑, **~e** /ɑ̃mɛʀde/
A *pp* ▸ **emmerder**
B *pp adj* 1 (gêné) embarrassed; 2 (dans une situation difficile) in a mess○

emmerdement◑ /ɑ̃mɛʀdəmɑ̃/ *nm* problem; **n'avoir que des ~s** to be really in the shit◑; **s'attirer des ~s** to get into trouble, to get oneself in the shit◑; **faire des ~s à qn** to cause trouble for sb

emmerder◑ /ɑ̃mɛʀde/ [1]
A *vtr* 1 (importuner) to annoy, to hassle○; **m'emmerdez pas** don't hassle me; **tu m'emmerdes** you're a pain○, you're a pain in the arse● GB *ou* ass◑ US; **il ne se laisse pas ~** he doesn't let other people bug○ him; **~ le monde** to annoy everybody, to be a pain○; **se faire ~** to get hassled○; **je les emmerde** to hell○ with them, fuck them●; 2 (ennuyer) to bore [sb] to death, to bore [sb] stiff○
B **s'emmerder** *vpr* 1 (s'ennuyer) to be bored, to be bored stiff○; 2 (se compliquer la vie) **s'~ à faire** to go to the trouble *ou* bother of doing; **qu'est ce que j'ai pu m'~ avec cette voiture!** the trouble *ou* hassle○ I've had with that car!; **je n'ai pas envie de m'~ avec un chien/une voiture** I don't want all the trouble *ou* hassle○ of a dog/a car; **t'emmerde pas avec ça!** (avec la finition) don't bother with that!; (avec ce que les gens vont penser) don't waste your time worrying about that!; **un hôtel cinq étoiles, tu t'emmerdes pas!** a 5-star hotel! you're doing all right for yourself!; **tu as fouillé dans mes tiroirs, tu t'emmerdes pas!** you went through my drawers, you've got a nerve *ou* a bloody cheek○! GB; **tu appelles ça laver la voiture, tu t'emmerdes pas!** that's what you call washing the car, you're not exactly straining yourself, are you?

emmerdeur◑, **-euse** /ɑ̃mɛʀdœʀ, øz/ *nm,f* (qui dérange les autres) troublemaker; (qui agace) pain in the arse● GB *ou* ass◑ US

emmieller○ /ɑ̃mjele/ [1] *vtr* **~ qn** to get on sb's nerves

emmitoufler /ɑ̃mitufle/ [1]
A *vtr* to wrap [sb/sth] up warmly [*personne, partie du corps*]; **il était emmitouflé dans son manteau** he was wrapped up snugly in his coat
B **s'emmitoufler** *vpr* to wrap (oneself) up warmly

emmouscailler○ /ɑ̃muskaje/ [1] *vtr* to bug○, to annoy

emmurer /ɑ̃myʀe/ [1] *vtr* to wall [sb/sth] in [*personne, objet*], to immure sout

émoi /emwa/ *nm* littér agitation, turmoil; **la nouvelle a mis toute la ville en ~** the news threw the whole city into turmoil; **l'arrivée du jeune homme l'avait mise en ~** the young man's arrival had thrown her into a state of confusion

émollient, **~e** /emɔljɑ̃, ɑ̃t/
A *adj* emollient
B *nm* emollient

émoluments /emɔlymɑ̃/ *nmpl* 1 (salaire) remuneration, emoluments sout; 2 (de notaire, d'huissier, avocat) fees, emoluments sout

émondage /emɔ̃daʒ/ *nm* pruning

émonder /emɔ̃de/ [1] *vtr* 1 lit to prune, to trim [*arbre*]; 2 fig to prune [*texte, article*]

émondoir /emɔ̃dwaʀ/ *nm* pruner, pruning hook

émotif, **-ive** /emɔtif, iv/
A *adj* [*choc, réaction, caractère, personne*] emotional
B *nm,f* emotional person

émotion /emosjɔ̃/ *nf* 1 (réaction affective) emotion; (peur) fright; **rougir/trembler d'~** to blush/tremble with emotion; **la voix chargée d'~** in a choked voice; **donner des ~s à qn**○ to give sb a fright; **tu es remis de tes ~s**○**?** have you recovered from the shock?; **dans la salle d'audience, l'~ était à son comble** the atmosphere in the courtroom was extremely emotional; 2 (sensibilité) emotion

émotionné○, **~e** /emosjɔne/ *adj* controv upset; **il en est tout ~** he's all upset about it

émotionnel, **-elle** /emosjɔnɛl/ *adj* emotional

émotivité /emɔtivite/ *nf* **enfant d'une grande ~** highly emotional child

émoulu, **~e** /emuly/ *adj* **frais ~ de** fresh from

émoussé, **~e** /emuse/
A *pp* ▸ **émousser**
B *pp adj* 1 lit [*couteau, lame*] blunt; 2 fig [*curiosité, sensibilité*] blunted, dulled

émousser /emuse/ [1]
A *vtr* 1 lit to blunt [*couteau, lame*]; 2 fig to blunt, to dull [*curiosité, sensibilité*]
B **s'émousser** *vpr* 1 lit [*lame, couteau*] to become *ou* get blunt; 2 fig [*curiosité, sensibilité*] to become dulled

émoustillant, **~e** /emustijɑ̃, ɑ̃t/ *adj* titillating

émoustiller /emustije/ [1] *vtr* 1 (égayer) to exhilarate; 2 (exciter) to titillate

émouvant, **~e** /emuvɑ̃, ɑ̃t/ *adj* moving

émouvoir /emuvwaʀ/ [43]
A *vtr* (attendrir) to move; (toucher) to touch; **~ qn (jusqu')aux larmes** to move sb to tears; **votre sollicitude m'émeut** I am touched by your concern; **se laisser ~ par les larmes/prières de qn** to be swayed by sb's tears/pleas; **~ l'opinion** to cause a stir
B **s'émouvoir** *vpr* 1 (être touché) [*personne*] to be touched; **s'~ à la vue/au souvenir de** to be touched by the sight/memory of; 2 (s'inquiéter) **le gouvernement s'émeut des troubles paysans** the government is becoming concerned about the farmers' unrest; **il ne s'émeut nullement de leur retard** he's not at all worried by the fact that they are late; **il ne s'est pas ému de mes remarques** my remarks didn't bother him; **il n'y a pas de quoi s'~** there's nothing to get excited about; **l'opinion publique fut lente à s'~** there was no public outcry for quite some time; **répondre sans s'~** to reply calmly

empaillage /ɑ̃pajaʒ/ *nm* (de chaise) straw stuffing; (d'animal) stuffing

empailler /ɑ̃paje/ [1] *vtr* 1 to seat [sth] (with straw) [*chaise*]; 2 (naturaliser) to stuff [*animal*]; 3 Agric (protéger avec de la paille) to protect [sth] with straw

empailleur, **-euse** /ɑ̃pajœʀ, øz/ ▸ **p. 532** *nm* 1 (d'animaux) taxidermist; 2 (de chaise, fauteuil) chair seater

empalement /ɑ̃palmɑ̃/ *nm* impalement

empaler /ɑ̃pale/ [1]
A *vtr* to impale [*personne*]
B **s'empaler** *vpr* to be impaled

empan /ɑ̃pɑ̃/ *nm* span

empanaché, **~e** /ɑ̃panaʃe/ *adj* littér plumed

empanner /ɑ̃pane/ [1] *vi* Naut to gybe GB, to jibe US

empaquetage /ɑ̃paktaʒ/ *nm* (dans une boîte) packaging; (dans du papier, tissu etc) wrapping

empaqueter /ɑ̃pakte/ [20] *vtr* (dans une boîte) to package; (dans du papier, tissu etc) to wrap [sth] up [*objet*]

emparer: **s'emparer** /ɑ̃paʀe/ [1] *vpr* 1 (prendre) **s'~ de** [*personne, groupe*] to take over [*ville, pays, entreprise, record*]; to get hold of [*arme, camion*]; to seize [*pouvoir, personne, prétexte*]; to gain possession of [*ballon*]; to get hold of [*scandale, rumeur, micro, volant*]; 2 (envahir) **s'~ de** [*torpeur, sentiment*] to take hold of [*personne, entreprise, pays*]; **la folie s'est emparée du village** madness has taken hold of the village

empâtement /ɑ̃patmɑ̃/ *nm* 1 (de corps, visage) bloatedness; 2 (de la langue) furriness; 3 Tech (en peinture) impasto

empâter /ɑ̃pate/ [1]
A *vtr* 1 (rendre pâteux) to fur up [*langue*]; 2 (faire grossir) to thicken out [*corps*]; to make puffy [*visage*]
B **s'empâter** *vpr* [*visage*] to become puffy; [*personne*] to put on weight; [*corps*] to thicken out; **il s'est empâté avec l'âge** he has put on weight as he has got GB *ou* gotten US older

empathie /ɑ̃pati/ *nf* empathy

empathique /ɑ̃patik/ *adj* empathic

empattement /ɑ̃patmɑ̃/ *nm* 1 Tech, Aut wheelbase; 2 Constr footing; 3 Imprim serif

empêché, **~e** /ɑ̃peʃe/
A *pp* ▸ **empêcher**
B *pp adj* 1 (retenu) **le Président, ~, a dû se décommander** the President has been detained and has had to cancel; 2 fml (incapable) **je serais bien ~ de vous répondre** I would be very hard-pressed to give you an answer; **l'électeur ~ d'aller voter** the voter unable to go and vote

empêchement /ɑ̃pɛʃmɑ̃/ *nm* unforeseen difficulty; **en cas d'~** if anything should crop up, in case of unforeseen difficulties; **j'ai un ~, peux-tu reporter notre rendez-vous?** something's cropped up, can you make it another time?; **il n'a pas pu venir à cause d'un ~ de dernière minute** he couldn't come because he was unavoidably detained at the last minute

empêcher /ɑ̃peʃe/ [1]
A *vtr* to prevent, to stop; **~ un crime** to prevent a crime; **~ que la vérité ne soit révélée** to prevent *ou* stop the truth (from) being revealed; **~ qn de faire** to prevent sb from doing, to stop sb from doing; **rien ne m'empêche de partir** there's nothing to stop me (from) leaving; **rien ne vous empêche de le**

signaler there's nothing to stop you pointing it out; **rien n'empêche d'imaginer une autre solution** there's no reason why we can't think of another solution; **si tu veux partir, personne ne t'en empêche** if you want to leave, no-one's stopping you; **la pauvreté n'empêche pas la générosité** poverty does not preclude generosity; **l'un n'empêche pas l'autre** the one doesn't necessarily preclude the other; **une disposition qui empêche les fonctionnaires de faire grève** a clause that prevents civil servants from striking; **une absence de vent qui empêche le nuage toxique de se disperser** a lack of wind that keeps the toxic cloud from dispersing; **il a décidé de mettre fin à ses jours, on l'en empêche** he decided to kill himself, he was stopped; **notre handicap ne nous empêche pas de plaisanter** our disability doesn't stop us from making jokes *ou* doesn't mean we can't make jokes; **un homme empêché de rêver devient fou** a man prevented from dreaming goes mad; **l'attentat a empêché la libération des otages** the attack meant that the hostages couldn't be freed; **pour ~ toute tentative d'OPA** to stave off *ou* ward off any takeover attempt

B **s'empêcher** *vpr* **je n'ai pu m'~ de rire** I couldn't help laughing; **je n'ai pas pu m'en ~** I couldn't help it

C *v impers* **(il) n'empêche** all the same; **il n'empêche que** nonetheless, the fact remains that; **n'empêche que**○ for all that, all the same; **il est riche, ça n'empêche pas qu'il est idiot** he's rich, but he's an idiot all the same

empêcheur, -euse /ɑ̃pɛʃœʀ, øz/ *nm,f* **~ de tourner** *or* **danser en rond** spoilsport, killjoy

empeigne /ɑ̃pɛɲ/ *nf* upper

empennage /ɑ̃pɛnaʒ/ *nm* **1** Aviat empennage, tail; **2** (d'une flèche) flighting, fledging

empenner /ɑ̃pene/ [1] *vtr* to flight, to fledge

empereur /ɑ̃pʀœʀ/ ▸ **p. 848** *nm* emperor

empesage /ɑ̃pəzaʒ/ *nm* starching

empesé, ~e /ɑ̃pəze/

A *pp* ▸ **empeser**

B *pp adj* [*air, style, personne*] starchy; **avoir l'air ~** to look starchy

empeser /ɑ̃pəze/ [16] *vtr* to starch; **col empesé** starched collar

empester /ɑ̃pɛste/ [1]

A *vtr* **1** (faire sentir mauvais) to stink [sth] out GB *ou* stink up US [*endroit*]; **2** (gâter) to poison [*ambiance, atmosphère*]

B *vi* to stink, to reek; **ça empeste ici!** it stinks in here!; **ça empeste le parfum** it stinks *ou* reeks of perfume

empêtrer /ɑ̃petʀe/ [1]

A *vtr* to get [sb] mixed up (**dans** in)

B **s'empêtrer** *vpr* **1** (dans des ronces, cordages) to get entangled (**dans** in); **2** (dans des contradictions, mensonges, raisonnements, discours) to get tangled up (**dans** in); (dans des intrigues, trafics) to get mixed up (**dans** in); **je suis empêtré dans mes comptes/un problème de maths** I'm bogged down in my accounts/a maths GB *ou* math US problem

emphase /ɑ̃fɑz/ *nf* **1** (exagération) grandiloquence; **parler avec ~** to speak grandiloquently; **discours plein d'~** grandiloquent speech; **parler sans ~** to speak without affectation; **2** Ling (accent) emphasis

emphatique /ɑ̃fatik/ *adj* **1** (pompeux) grandiloquent; **2** Ling emphatic

emphatiquement /ɑ̃fatikmɑ̃/ *adv* grandiloquently

emphysème /ɑ̃fizɛm/ ▸ **p. 283** *nm* emphysema

emphytéotique /ɑ̃fiteɔtik/ *adj* **bail ~** long lease (*from 18 to 99 years*)

empiècement /ɑ̃pjɛsmɑ̃/ *nm* Cout, Mode yoke

empierrement /ɑ̃pjɛʀmɑ̃/ *nm* **1** (de route, chemin) metalling; (de voie ferrée) ballasting; **2** (couche de pierres) road metal, roadbed

empierrer /ɑ̃pjeʀe/ [1] *vtr* to metal [*chemin, route*]; to ballast [*voie ferrée*]

empiètement /ɑ̃pjɛtmɑ̃/ *nm* encroachment (**sur** on)

empiéter /ɑ̃pjete/ [14] *vtr ind* **~ sur** lit, fig to encroach upon

empiffrer○: **s'empiffrer** /ɑ̃pifʀe/ [1] *vpr* to stuff oneself (**de** with)

empilage /ɑ̃pilaʒ/ *nm* **1** (action d'empiler) stacking up; **2** (pile) stack

empile /ɑ̃pil/ *nf* Pêche trace GB, leader US

empilement /ɑ̃pilmɑ̃/ *nm* = **empilage**

empiler /ɑ̃pile/ [1]

A *vtr* **1** (mettre en pile) to pile [sth] (up), to stack [sth] (up); **2** ○(escroquer) to rip [sb] off○, to fleece○

B **s'empiler** *vpr* **1** (s'accumuler) [*vaisselle, livres*] to pile up; **2** (s'entasser) [*personnes*] to pile (**dans** into), to crowd (**dans** into)

empileur, -euse /ɑ̃pilœʀ, øz/ *nm,f* **1** (ouvrier) stacker; **2** ○(escroc) con man○, swindler

empire /ɑ̃piʀ/ *nm* **1** Pol empire; **pas pour un ~!** not for the world!; **2** (très grande entreprise) empire; **un ~ financier** a financial empire; **3** fml (ascendant) influence; **avoir de l'~ sur qn** to have influence over sb; **sous l'~ de l'alcool** under the influence of drink; **agir sous l'~ de la colère/jalousie** to act in a fit of anger/jealousy

Empire /ɑ̃piʀ/ *nm* (règne de Napoléon Ier) **l'~** the Empire; **mobilier/style ~** Empire furniture/style

(Composés) **l'~ céleste** the Celestial Empire; **l'~ du Milieu** the Middle Kingdom; **l'~ d'Orient** the Byzantine Empire; **l'~ (romain) d'Occident** the Western (Roman) Empire; **l'~ du Soleil Levant** Hist the land of the Rising Sun

empirer /ɑ̃piʀe/ [1] *vi* to get worse (**avec** with), to worsen (**avec** with); **son état a empiré** his condition has got worse *ou* has worsened; **mon état/la situation va en empirant** my condition/the situation continues to get worse; **faire ~** to make [sth] worse, to worsen

empirique /ɑ̃piʀik/ *adj* gén empirical; **de façon ~** by empirical means

empiriquement /ɑ̃piʀikmɑ̃/ *adv* empirically

empirisme /ɑ̃piʀism/ *nm* empiricism

empiriste /ɑ̃piʀist/ *adj, nmf* empiricist

emplacement /ɑ̃plasmɑ̃/ *nm* **1** (site) site; **l'~ où s'élèvera un bâtiment** the site of a future building; **ils ont trouvé un bon ~ pour leur tente** they found a good site for their tent; **2** (parking) parking space; **'~ réservé aux livraisons'** 'space reserved for delivery vehicles'

(Composé) **~ publicitaire** Pub advertising space

emplafonner○ /ɑ̃plafɔne/ [1] *vtr* to smash into

emplâtre /ɑ̃plɑtʀ/ *nm* **1** Méd, Pharm medicated plaster; **2** ○(personne) good-for-nothing○; **espèce d'~!** you good-for-nothing○!; **3** Tech, Aut patch

emplette /ɑ̃plɛt/ *nf* (achat) purchase; **faire quelques ~s** to make a few purchases; **faire l'~ de qch** to purchase sth

emplir /ɑ̃pliʀ/ [3] *vtr*, **s'emplir** *vpr* to fill (**de** with)

emploi ➡

/ɑ̃plwa/ *nm* **1** (poste de travail) job; **trouver un ~** to find a job; **retrouver un ~** to find a new job; **changer d'~** to change jobs; **créer des ~s** to create jobs; **un ~ de chauffeur** a job as a driver; **sans ~** unemployed, out of work; **2** (embauche) employment; **~ des femmes/jeunes** employment of women/young people; **favoriser/stimuler l'~** to promote/to stimulate employment; **3** (utilisation) use; **~ d'armes chimiques/de fonds** use of chemical weapons/of funds; **ne m'achète pas de gants, avec mes mouffles ça va faire double ~** don't buy me any gloves, my mittens do the job already; **TV couleur à vendre, cause double ~** colour^GB^ TV for sale, surplus to requirements; **4** Ling usage; **~ critiqué** controversial usage

(Composés) **~ d'insertion** job placement; **~ du temps** timetable

(Idiome) **avoir la tête** *or* **gueule**◐ **de l'~** to look the part

emploi-jeunes, *pl* **emplois-jeunes** /ɑ̃plwaʒœn/ *nm*: *job for the young unemployed*

employabilité /ɑ̃plwajabilite/ *nf* employability

employé, ~e /ɑ̃plwaje/ ▸ **p. 532** *nm,f* **1** (travailleur) employee; **les ~s des banques sont en grève** bank workers *ou* employees are on strike; **2** (vu par la clientèle) member of staff; **un ~ m'a dit que** a member of staff told me that; **l'~ du gaz passera lundi** the gasman will call on Monday

(Composés) **~ de banque** bank clerk; **~ de bureau** clerk; **~ aux écritures** ledger clerk; **~ de maison** domestic employee; **~ municipal** local authority employee

employer /ɑ̃plwaje/ [23]

A *vtr* **1** (avoir à son service) [*personne, entreprise*] to employ [*personne*] (**comme** as); **elle emploie quinze personnes** she employs fifteen people; **2** (embaucher) [*personne, entreprise*] to hire [*personne*] (**comme** as); **elle compte ~ une secrétaire** she plans to hire a secretary; **3** (utiliser) to use [*mot, méthode, arme, produit*]; **~ la force** to use force; **~ les grands moyens** to use drastic means; **~ son temps à faire** to spend one's time doing

B **s'employer** *vpr* **1** (être utilisé) to be used; **mot/produit qui ne s'emploie plus** word/product which is no longer used; **2** (se consacrer) **s'~ à faire** to apply oneself to doing

employeur, -euse /ɑ̃plwajœʀ, øz/ *nm,f* employer

emplumé, ~e /ɑ̃plyme/ *adj* feathered, plumed

empocher /ɑ̃pɔʃe/ [1] *vtr* to pocket

empoignade○ /ɑ̃pwaɲad/ *nf* **1** (bagarre) scrap○, fight; **2** (dispute) row

empoigne /ɑ̃pwaɲ/ *nf* **c'était la foire d'~** it was a free-for-all

empoigner /ɑ̃pwaɲe/ [1]

A *vtr* to grab (hold of), to seize (**par, au** by)

B **s'empoigner** *vpr* **1** (se battre) **s'~ avec qn** to grapple with sb; **ils se sont empoignés** they grappled with each other; **2** (se quereller) to clash

empois /ɑ̃pwa/ *nm* starch

empoisonnant○, **~e** /ɑ̃pwazɔnɑ̃, ɑ̃t/ *adj* [*personne*] (fatigant) wearing; (énervant) [*problème*] annoying

empoisonné, ~e /ɑ̃pwazɔne/

A *pp* ▸ **empoisonner**

B *pp adj* [*aliment, flèche*] poisoned (**à** with); [*atmosphère*] sour; [*relations*] sour; [*querelle*] venomous; [*mot*] barbed

empoisonnement /ɑ̃pwazɔnmɑ̃/ *nm* **1** (intoxication) poisoning ¢; **~ au gaz** gas poisoning; **les ~s sont rares** cases of poisoning are rare; **2** (crime) poisoning; **~ à l'arsenic** poisoning with arsenic; **3** (ennui) trouble ¢; **des tas d'~s** a lot of trouble

empoisonner /ɑ̃pwazɔne/ [1]

A *vtr* **1** (pour tuer) to poison [*personne, animal*]; **2** (intoxiquer) to give [sb] food poisoning [*personne*]; to poison [*sang*]; **être empoisonné par des champignons** to get food poisoning from mushrooms; **3** (polluer) to poison [*rivière, air*]; **4** fig to poison [*relation, atmosphère*]; **arrête de m'~!** stop bugging me!; **il m'empoisonne avec ses questions** he gets

➡ *voir* La recherche d'un emploi

on my nerves with his questions; **ça m'empoisonne de devoir y aller** it bothers *ou* bugs me having to go there; **~ la vie de qn** to make sb's life a misery
B **s'empoisonner** *vpr* **1** (volontairement) to poison oneself (**à** with); (accidentellement) **il s'est empoisonné avec une huître pas fraîche** he got food poisoning from eating a bad oyster; **2** ○(se rendre malheureux) **s'~ la vie** *or* **l'existence** to make one' s life a misery (**avec** with; **à faire** by doing)

empoisonneur, **-euse** /ɑ̃pwazɔnœʀ, øz/ *nm,f* **1** (criminel) poisoner; **2** ○(importun) nuisance; **quel ~!** he's such a nuisance *ou* pain○!

empoissonner /ɑ̃pwasɔne/ [1] *vtr* to stock [sth] with fish [*étang, mare*]

emporté, **~e** /ɑ̃pɔʀte/
A *pp* ▸ **emporter**
B *pp adj* **être ~**, **avoir un caractère ~** to be quick-tempered

emportement /ɑ̃pɔʀtəmɑ̃/ *nm* fit of anger; **dans mon ~ je l'ai frappé** I hit him in a fit of anger; **avec ~** angrily

emporte-pièce* /ɑ̃pɔʀtəpjɛs/ *nm inv* **1** Tech punch; **découper qch à l'~** to punch sth; **jugement/déclaration à l'~** fig rash judgment/declaration; **faire qch à l'~** fig to do sth too hastily; **2** Culin pastry cutter

emporter /ɑ̃pɔʀte/ [1]
A *vtr* **1** (prendre avec soi) [*personne*] to take [*objet, vêtement, vivres, document*]; [*vent*] to sweep away [*feuilles mortes*]; **n'oublie pas d'~ un parapluie/à manger** don't forget to take an umbrella/something to eat; **~ qch avec soi** controv to take sth with one [*objet, vêtement, vivres, document*]; **pizzas à ~** takeaway pizzas; **2** (transporter) lit [*ambulance, sauveteurs*] to take [sb] away [*blessé, cadavre*]; [*bateau, train, avion*] to carry away [*passager, fret*]; **se laisser ~ par son élan** fig to get carried away; **se laisser ~ par la colère** to let one's anger get the better of one; **se laisser ~ par son imagination** to let one's imagination run riot; **3** (arracher) [*vent, rivière*] to sweep away [*personne, maison, embarcation, arbre, pont*]; [*obus, balle*] to take [sth] off [*oreille, bras*]; **emporté par le courant** swept away by the current; **4** (causer la mort) **une leucémie l'a emporté** he died of leukaemia; **5** (conquérir) to take [*position*]; **~ l'accord de qn** to get sb's agreement; **~ l'adhésion de qn** to win sb over; **6** (voler) [*personne*] to steal [*bijoux, argenterie, tableau*]; **il est parti en emportant la caisse** he ran off with all the money; **7** (triompher) **l'~** [*équipe, candidat*] to win; [*idée, bon sens*] to prevail; **l'~ sur qn** [*équipe, candidat*] to beat sb; **l'~ sur qch** to overcome sth; **le bon sens l'a emporté** common sense prevailed; **l'~ avec 38% des suffrages/par 2 buts à 1/de 4 points** to win with 38% of the votes/by 2 goals to 1/by 4 points; **l'~ sur son adversaire avec 57% des voix** to defeat one's opponent by getting 57% of the votes; ▸ **paradis**, **tombe**
B **s'emporter** *vpr* (s'énerver) [*personne*] to lose one's temper; **il s'emporte facilement** he loses his temper easily

(Idiome) **~ la bouche**○ *or* **gueule**◐ [*épices, plat, alcool*] to take the roof off one's mouth○

empoté○, **~e** /ɑ̃pɔte/
A *adj* clumsy, awkward
B *nm,f* clumsy oaf○

empoter /ɑ̃pɔte/ [1] *vtr* to pot

empourprer /ɑ̃puʀpʀe/ [1]
A *vtr* to turn [sth] crimson [*ciel, horizon*]
B **s'empourprer** *vpr* [*horizon, ciel*] to turn crimson; [*visage, joue*] to flush (**de** with)

empoussiérer /ɑ̃pusjeʀe/ [14] *vtr* to cover [sth] with dust [*route, pièce*]

empreindre /ɑ̃pʀɛ̃dʀ/ [55]
A *vtr* **1** (marquer) to imprint; **2** (remplir de) to imbue sout (**de** with)
B **s'empreindre** *vpr* to become marked (**de** by), become imbued (**de** with); **empreint de tristesse** [*personnalité*] imbued with sadness; [*visage*] marked by sadness

empreinte /ɑ̃pʀɛ̃t/ *nf* **1** (de pas) footprint; (d'animal) track; **2** (de cachet, médaille, monnaie) impression, imprint; **~ d'une serrure** impression of a key; **3** Dent impression; **4** (marque) stamp, mark; **recevoir l'~ de son milieu social** to be stamped *ou* marked by one's social background

(Composés) **~s digitales** fingerprints; **~s génétiques** genetic fingerprints

empressé, **~e** /ɑ̃pʀese/
A *pp* ▸ **empresser**
B *pp adj* **1** (marquant la hâte) [*soins, secours*] prompt; **2** (prévenant) [*admirateur, fiancé*] attentive; **faire l'~** to ingratiate oneself (**auprès de** with)

empressement /ɑ̃pʀɛsmɑ̃/ *nm* **1** (hâte) eagerness; **montrer de l'~**, **faire preuve d'~** to show eagerness (**à faire** to do); **manifester (bien) peu d'~ à faire qch** to show (very) little eagerness to do sth; **avec ~** eagerly; **2** (prévenance) attentiveness; **manifester** *or* **montrer de l'~** to be attentive (**auprès de, à l'égard de** to, toward, towards GB)

empresser: **s'empresser** /ɑ̃pʀese/ [1] *vpr* **s'~ de faire** to hasten to do; **s'~ autour** *or* **auprès de qn** (pour voir, écouter) to gather attentively around sb; (en témoignant des prévenances) to fuss over sb

emprise /ɑ̃pʀiz/ *nf* hold, influence; **avoir de l'~ sur qn** to have a hold over sb

emprisonnement /ɑ̃pʀizɔnmɑ̃/ *nm* imprisonment; **peine d'emprisonnement** prison sentence; **une peine d'~ de 20 ans** a twenty-year prison sentence; **prononcer une peine d'~ contre qn** to sentence sb to imprisonment; **être condamné à l'~ à vie** *or* **à perpétuité** to be sentenced to life imprisonment

(Composé) **~ cellulaire** solitary confinement

emprisonner /ɑ̃pʀizɔne/ [1] *vtr* **1** (mettre en prison) to imprison (**à, dans** in); fig **être emprisonné dans** to be the prisoner of; **2** (retenir) to keep [sb] prisoner (**à, dans** in); **3** (enfermer) to clasp [*personne, main*]; [*vêtement*] to squeeze [*personne, taille*]

emprunt /ɑ̃pʀœ̃/ *nm* **1** (somme) loan; **faire un ~ auprès d'une banque** to take out a bank loan; **contracter** *or* **faire un ~ de 10 000 euros** to take out a 10,000-euro loan; **souscrire à/émettre/lancer un ~** to subscribe to/issue/float a loan; **~ à court/moyen/long terme** short-/medium-/long-term loan; **un ~ à 10% sur 15 ans** a loan at 10% (repayable) over 15 years; **accorder un ~ à** to grant a loan to; **l'~ a permis à l'État de faire** the loan has enabled the state to do; **~ public** public sector loan; **un ~ d'État** a government loan; **un ~ forcé** *or* **obligatoire** mandatory loan; **le remboursement d'un ~** repayments on a loan; **2** (action) borrowing; **financé par l'~** financed by borrowing; **d'~** [*voiture*] borrowed; [*nom*] borrowed; **3** (objet) loan; **c'est un ~ fait à un musée/une bibliothèque** it's a loan from a museum/a library; **4** (d'idée, de style, de genre) borrowing; **un ~ fait à un auteur** a borrowing from an author; **5** Ling (processus) borrowing; (élément) borrowing, loan word; **~ à** *or* **de** borrowing from

emprunté, **~e** /ɑ̃pʀœ̃te/
A *pp* ▸ **emprunter**
B *pp adj* **1** ○(embarrassé) [*air, geste, personne*] awkward; **2** (prétendu) [*gloire*] reflected

emprunter /ɑ̃pʀœ̃te/ [1] *vtr* **1** gén, Fin to borrow [*argent, objet, coutume, formule, idée*] (**à** qn from sb); **~ à 10%** to borrow at 10%; **je vais être obligé d'~** I'll have to take out a loan; **~ sur 15 ans à 10%** to take out a loan over 15 years at 10%; **2** (imiter) to imitate [*voix, manière*]; **cela emprunte toutes les apparences de la vérité** it has all the appearances of being true; **3** (prendre) to take [*route, chemin, voiture, métro*]; **~ la voix de qn** to speak through sb

emprunteur, **-euse** /ɑ̃pʀœ̃tœʀ, øz/
A *adj* [*organisme, agent*] borrowing the money (*après n*)
B *nm,f* borrower

empuantir /ɑ̃pɥɑ̃tiʀ/ [3] *vtr* to stink out GB, to stink up US

empyème /ɑ̃pjɛm/ *nm* empyema

ému, **~e** /emy/
A *pp* ▸ **émouvoir**
B *pp adj* [*personne*] (attendri) moved; (reconnaissant) touched; (intimidé) nervous; **~ par leur détresse** moved by their plight; **~ par leur générosité** touched by their generosity; **il se sent toujours un peu ~ avant d'entrer en scène** he's always a bit nervous before going on stage; **trop ~s pour exprimer leur gratitude** too overcome to express their gratitude; **une foule ~e et recueillie** a hushed emotional crowd
C *adj* [*paroles, regard*] full of emotion (*après n*); [*hommage*] warm; [*souvenir*] fond; **il garde un souvenir ~ des gâteaux de sa mère** he has fond memories of his mother's cakes; **d'une voix ~e** with a catch in his/her voice; **regrets/remerciements ~s** heartfelt regrets/thanks

émulateur /emylatœʀ/ *nm* Ordinat emulator

émulation /emylasjɔ̃/ *nf* **1** competitiveness, emulation sout; **encourager l'esprit d'~ chez** to encourage a competitive spirit in; **2** Ordinat emulation

émule /emyl/ *nmf* imitator, emulator; **être l'~ d'un grand maître** to model oneself on *ou* emulate a great master; **il a fait de nombreux ~s** many people modelled themselves on him

émuler /emyle/ [1] *vtr* Ordinat to emulate

émulsifiant, **~e** /emylsifjɑ̃, ɑ̃t/
A *adj* emulsifying
B *nm* emulsifier

émulsion /emylsjɔ̃/ *nf* emulsion

émulsionner /emylsjɔne/ [1] *vtr* **1** to emulsify [*liquide*]; **2** Phot to coat [sth] with an emulsion

en /ɑ̃/
A *prép* **1** (lieu) (où l'on est) in; (où l'on va) to; (mouvement vers l'intérieur) into; **vivre ~ France/province/ville** to live in France/the provinces/town; **voyager ~ Chine** to travel in China; **aller ~ Allemagne** to go to Germany; **monter ~ voiture** to get into a car; **aller ~ ville** to go into town; **le train va entrer ~ gare** the train is about to enter the station; **se promener ~ ville** to stroll around town
2 (temps) (époque) in; (moment déterminé) in; (en l'espace de) in; **~ hiver/1991** in winter/1991; **je prendrai mes vacances ~ septembre** I'm taking my vacation in September; **il a fait ce travail ~ dix jours** he completed the work in ten days; **~ semaine, il mange à la cantine** during the week he eats in the canteen
3 (moyens de transport) by; **voyager ~ train/avion/voiture/bateau** to travel by train *ou* rail/plane *ou* air/car/boat; **je suis venu ~ taxi** I came by taxi; **aller à Marseille ~ avion/voiture** to fly/to drive to Marseilles; **nous avons fait un tour ~ barque** we went out in a rowing-boat; **descendre la rivière ~ aviron** to row down the river
4 (manière, état) **elle était tout ~ vert/blanc** she was all in green/white; **il est toujours ~ manteau/cravate** he always wears a coat/tie; **un ouvrage ~ vers/français/trois volumes** a work in verse/French/three volumes; **elle était très ~ forme/beauté** she was looking very fit/beautiful
5 (comme) (en qualité de) as; (de la même manière que) like; **je vous parle ~ ami/connaisseur** I'm speaking (to you) as a friend/connoisseur; **j'ai eu ce livre ~ cadeau/récompense/souvenir** I was given this book as a present/prize/souvenir; **il nous considère ~ ennemis** they see us as enemies; **il me**

 en

Généralités

en, préposition et pronom, est présenté ici dans ses grandes lignes. Les expressions courantes du genre *en vitrine*, *être en colère*, *ne pas s'en faire*, *s'en aller* sont traitées respectivement dans les articles **vitrine, colère, faire, aller**; de même on trouvera les expressions avec *il y en a* avec **avoir** et les expressions avec *en être à* avec **être**.

Pour les traductions de *en*, préposition, associée à des noms de couleurs, pays, régions, et de *en*, pronom, quand il sert à exprimer des quantités, on consultera aussi les notes d'usage pertinentes. Voir la liste ▸ **p. 1948**.

La préposition

en + gérondif

La traduction sera différente selon les nuances exprimées.

La simultanéité

L'action est brève:

en ouvrant la porte, je me suis souvenue que
= as I opened the door, I remembered that

je l'ai croisé en sortant
= I met him as I was leaving

L'action dure:

prends un café en attendant
= have a cup of coffee while you're waiting

elle travaille en chantant
= she sings while she works

il sifflait en lavant sa voiture
= he was whistling while he was cleaning his car

L'antériorité

en arrivant chez moi, je leur ai téléphoné
= when I got back home (*ou* on getting back home), I telephoned them

en la voyant, il rougit
= when he saw (*ou* on seeing) her, he blushed

Le déroulement d'une action 'cadre'

en faisant les courses, peux-tu acheter le journal?
= while you're doing the shopping, can you buy the paper?

en rangeant, j'ai retrouvé la lettre
= while (*ou* as) I was tidying up, I found the letter

La manière

Il n'y a pas de traduction systématique:

l'enfant se réveilla en hurlant
= the child woke up screaming

il marchait en bombant le torse
= he was walking with his chest stuck out

Avec les verbes de mouvement, on optera pour un verbe à particule:

partir/entrer/monter/descendre en courant
= to run off/in/up/down

Le moyen

je m'en suis sorti en racontant un mensonge
= I got out of it by telling a lie

ouvrez cette caisse en soulevant le couvercle
= open this box by lifting the lid

endormir un enfant en lui chantant une berceuse
= to sing a child to sleep with a lullaby

Une explication

Dans ce cas, la traduction dépendra de la construction générée par ce qui précède:

elle a fait une erreur en acceptant ce poste
= she made a mistake in accepting the job

il a gâché sa vie en l'épousant
= he ruined his life by marrying her

il mentait en disant que c'était moi
= he was lying when he said it was me

La cause

La cause donnera lieu également à des traductions variées:

il s'est tordu le pied en tombant
= he twisted his foot when (*ou* as) he fell

il s'est étranglé en avalant
= he choked on his food

elle s'est enrouée en chantant
= she made herself hoarse with singing

La condition

tu aurais moins chaud en enlevant ta veste
= you'd be cooler (*ou* less hot) if you took your jacket off

en prenant des vitamines, tu serais plus en forme
= if you took vitamins you'd feel fitter

Le pronom

en = de lui/d'elle/d'eux/d'elles

en représente un être humain ou un animal familier:

j'en suis content
= I am pleased with him/her/them

ils aiment leurs enfants et ils en sont aimés
= they love their children and they are loved by them

j'en suis fier (*de mes enfants*)
= I'm proud of them

je connais un bon coiffeur
= I know a good hairdresser

en représente un animal, un concept, un objet:

j'en suis content
= I am pleased with it/them

je m'en souviens
= I remember it

deux ans après, on en parlait encore
= two years later, we were still talking about it

nous en sommes très peinés
= we're very upset about it

j'en suis fier
= I'm proud of it

regarde cette robe, j'en aime beaucoup la forme
= look at that dress, I like its shape (*ou* the shape of it) a lot

Mais attention, le nom ne se traduit pas toujours littéralement en anglais:

j'ai reçu la facture de téléphone; ça t'intéresserait d'en connaître le montant?
= I got the phone bill; would you like to know how much it was for?

Les locutions telles que *en voilà*, *de ... en*, *en sorte que*, *en tant que* sont sous **voilà, de, sorte, tant** etc.

en représente le lieu d'où l'on vient:

'tu as été voir ta mère?' 'oui, j'en viens'
= 'have you been to see your mother?' 'yes, I've just come from there'

il entra dans le café comme j'en sortais
= he entered the café as I was coming out

Expression de quantité

en, pronom, peut remplacer des noms dénombrables ou non-dénombrables:

'veux-tu des oranges?'
= 'would you like some oranges?'

'oui, j'en veux'
= 'yes, I'd like some'

'non, je n'en veux pas'
= 'no, I don't want any'

'veux-tu du vin?'
= 'would you like some wine?'

'oui, j'en veux'
= 'yes, I'd like some'

'non, je n'en veux pas'
= 'no, I don't want any'

il en reste encore (*des oranges*)
= there are some left
(*du vin*)
= there is some left

il n'en reste pas beaucoup (*des oranges*)
= there aren't many (of them) left
(*du vin*)
= there isn't much (of it) left

il n'en reste plus (*des oranges*)
= there aren't any left
(*du vin*)
= there isn't any left

prends-en plusieurs
= take several *ou* take a few

prends-en un peu
= take some

tu as emporté des livres?
= have you brought any books?

oui, j'en ai un passionnant
= yes, I've got one which is really good

oui, j'en ai deux
= yes, I've got two

oui, j'en ai même trop
= yes, too many in fact

il n'en a pas lu la moitié (*du roman*)
= he didn't even read half of it
(*des articles*)
= he didn't even read half of them

---

traite ~ ennemie he treats me like an enemy; **agir ~ traître/dictateur** to act like a traitor/dictator, to act in a treacherous/dictatorial way
6▸ (transformation) into; **ils se séparèrent ~ plusieurs groupes** they broke up into several groups; **traduire ~ anglais** to translate into English; **changer des euros ~ dollars** to change euros into dollars
7▸ (matière) made of; **c'est ~ quoi?** what is it made of?; **c'est ~ or/plastique** it's (made of) gold/plastic; **c'est ~ bois** it's made of wood, it's wooden; **une montre ~ or** a gold watch ; **une veste ~ laine** a woollen[GB] jacket; **le cadre est ~ alliage** the frame is alloy, it's an alloy frame
8▸ (pour indiquer une variante) **son fils, c'est lui ~ miniature** his son is just like him only smaller, his son is a smaller version of him; **je voudrais le même ~ plus grand** I'd like the same only bigger; **je voudrais la même**

~ **bleu** I'd like the same in blue
9 (indique le domaine, la discipline) in; ~ **politique/affaires il faut être rusé** in politics/business you have to be clever; **idée fondamentale ~ droit français** fundamental idea in French law; ~ **théorie, c'est exact** in theory, it's correct; **licencié ~ droit** bachelor of law; **docteur ~ médecine** doctor of medicine; **être bon ~ histoire** to be good at history
10 (mesures, dimensions) in; **compter ~ secondes/années** to count in seconds/years; **les draps se font ~ 90 et ~ 140** the sheets are available in single and double; **le mur fait trois mètres ~ hauteur et six ~ longueur** the wall is three metres[GB] high and six metres[GB] long; ~ **profondeur, il y a assez d'espace pour la bibliothèque mais pas ~ hauteur** the space is deep enough for the bookshelves but not high enough; ~ **largeur, il y a la place pour une piscine mais pas ~ longueur** widthwise, there's (enough) room for a swimming pool but not lengthwise
B *pron* 1 (le moyen) **si les abricots sont abîmés, fais-~ de la confiture** if the apricots are bruised make jam with them; **prends cette couverture et couvre-t'~** take this blanket and cover yourself with it; **il sortit son épée et l'~ transperça** he took out his sword and ran him through
2 (la cause) **ça l'a tellement bouleversé qu'il ~ est tombé malade** it distressed him so much that he fell ill GB *ou* became sick US; **il a eu un cancer et il ~ est mort** he got cancer and died; **elle a eu un accident de voiture et elle ~ est restée paralysée/infirme** she had a car accident which left her paralysed[GB]/disabled
3 ○(emphatique) **tu ~ as un beau chapeau!** what a nice hat you've got!; **eh bien! on s'~ souviendra de ce dimanche!** well, we won't forget this Sunday in a hurry!; **je n'~ veux pas de tes excuses○!** I'm not interested in your excuses; **et moi, je n'~ ai pas des soucis, peut-être!** do you think I haven't got worries too!; **j'~ connais qui seraient contents** I know some who would be pleased

EN /œɛn/ *nf* 1 *abbr* ▸ **école**; 2 *abbr* ▸ **éducation**

ENA /ena/ *nf* (*abbr* = **École nationale d'administration**) *Grande École of public management*

> **ENA**
>
> The *grande école*, based in Strasbourg, which trains the élite force of public administrators. There are about 1,500 applicants for 150 places, drawn from the graduates of a university or another *grande école*. Entry is by competitive examination or *concours*, and requires applicants to commit themselves to ten years' work for the state.

enamouré, ~**e** /ɑ̃namuʀe/
A *pp* ▸ **enamourer**
B *pp adj* [*regard*] amorous; [*mots, air*] loving

enamourer: **s'enamourer** /ɑ̃namuʀe/ [1] *vpr* to fall in love (**de** with), to become enamoured[GB] littér (**de** of)

énarque /enaʀk/ *nmf* graduate of the ENA

énarthrose /enaʀtʀoz/ *nf* ball-and-socket joint, enarthrosis spéc

en-avant /ɑ̃navɑ̃/ *nm inv* (au rugby) knock-on

encablure /ɑ̃kɑblyʀ/ *nf* Naut cable; **à quelques ~s de là** a few hundred yards away

encadré, ~**e** /ɑ̃kɑdʀe/
A *pp* ▸ **encadrer**
B *pp adj* (supervisé) supervised; **bien/mal ~** poorly/well supervised
C *nm* Imprim, Presse box; **voir (l') ~** see (the) box; ~ **publicitaire** Pub display ad

encadrement /ɑ̃kɑdʀəmɑ̃/ *nm* 1 (supervision) supervision; 2 (personnel de supervision) supervisory staff; Entr **(personnel d')~** managerial staff; Mil (officiers) officers (*pl*); 3 Mil (de tir) straddling; 4 Écon control; ~ **du crédit/des prix** credit/price control; 5 Art (mise en cadre) framing; (cadre) frame; (tableau) framed picture; 6 Archit framework

encadrer /ɑ̃kɑdʀe/ [1]
A *vtr* 1 (superviser) to supervise [*personnel, jeunes, stage, équipe*]; to train [*soldat*]; to contain [*manifestation*]; 2 (entourer) to flank [*personne*]; to frame [*visage, fenêtre, meuble*]; to surround [*vallée*]; ~ **de rouge** to outline [sth] in red; 3 Écon (contrôler) to restrict [*crédit*]; to control [*prix*]; 4 Art to frame [*tableau*]; **être à ~○** hum to be priceless○; 5 ○(percuter) [*voiture*] to crash *ou* smash○ into [*voiture, portail*]; **se faire ~** to be hit; 6 ○(supporter) to stand; **je ne peux pas l'~** I can't stand him
B **s'encadrer** *vpr* 1 (apparaître) to be framed; **s'~ dans une fenêtre** to be framed against a window; 2 ○(percuter sa voiture) to crash one's car (**dans** into)

encadreur /ɑ̃kɑdʀœʀ/ ▸ **p. 532** *nm* picture framer

encager /ɑ̃kaʒe/ [13] *vtr* to cage [*animal*]; to put [sb] behind bars [*personne*]

encagoulé, ~**e** /ɑ̃kagule/ *adj* hooded

encaissable /ɑ̃kɛsabl/ *adj* cashable

encaisse /ɑ̃kɛs/ *nf* cash in hand

encaissé, ~**e** /ɑ̃kese/
A *pp* ▸ **encaisser**
B *pp adj* [*vallée, rivière*] steep-sided; [*chemin*] cut deep into the hillside (*après n*)

encaissement /ɑ̃kɛsmɑ̃/ *nm* 1 Fin (de cotisation) collection; (de chèque) cashing; (de dividende) receipt; **frais d'~** transaction costs; 2 Géog steeply sided setting

encaisser /ɑ̃kese/ [1]
A *vtr* 1 Fin to cash [*somme, chèque*]; to clear [*facture*]; 2 ○(endurer) to take [*but, coups, défaite, situation*]; **je ne peux pas ~ ton frère** I can't stand your brother
B ○*vi* (résister) to take it; **il sait ~** he can take it
(Idiome) ~ **le coup** to take it all in one's stride

encaisseur, **-euse** /ɑ̃kɛsœʀ/ *nm,f* collector

encalminé, ~**e** /ɑ̃kalmine/ *adj* becalmed

encan: **à l'encan** /alɑ̃kɑ̃/ *loc adv* Comm **être à l'~** to be up for auction; **mettre qch à l'~** to put sth up for auction; **vendre qch à l'~** to sell sth to the highest bidder

encanaillement /ɑ̃kanajmɑ̃/ *nm* slumming ₵

encanailler: **s'encanailler** /ɑ̃kanaje/ [1] *vpr* [*personne*] to slum it; [*style, ton*] to become vulgar

encapuchonné, ~**e** /ɑ̃kapyʃɔne/ *adj* **des enfants ~s** children with their hoods pulled up

encart /ɑ̃kaʀ/ *nm* insert
(Composé) ~ **publicitaire** promotional insert

encarter /ɑ̃kaʀte/ [1] *vtr* to insert

en-cas* /ɑ̃kɑ/ *nm inv* snack

encastrable /ɑ̃kastʀabl/ *adj* [*four, réfrigérateur*] that can be built in (*épith, après n*); [*lavabo, table de cuisson*] that can be fitted GB *ou* fit US (*épith, après n*)

encastrement /ɑ̃kastʀəmɑ̃/ *nm* 1 Tech (de four) building in (**de** of); (de lavabo) fitting (**de** of); (dans le sol) sinking (**de** of); 2 Jeux **un puzzle d'~** a lift-out jigsaw puzzle

encastrer /ɑ̃kastʀe/ [1]
A *vtr* (entre éléments) to build in [*four, réfrigérateur*]; (sur un plan) to fit [*table de cuisson, lavabo*]; (en retrait) to recess; (dans sol) to sink; **four encastré** built-in oven; **une baignoire encastrée (dans le sol)** a sunken bath; **route encastrée dans la montagne** road set into the mountain; **maison encastrée entre deux immeubles** house hemmed in by *ou* between two blocks of flats GB *ou* apartment blocks US
B **s'encastrer** *vpr* [*élément*] to fit (**dans** into); **la voiture est venue s'~ sous le camion** the car crashed into the truck *ou* lorry GB

encaustique /ɑ̃kɔstik/ *nf* 1 (cire) wax polish; **passer une table à l'~** to wax-polish a table GB, to wax a table; 2 Art (procédé) encaustic painting

encaustiquer /ɑ̃kɔstike/ [1] *vtr* to wax-polish GB, to wax

enceindre /ɑ̃sɛ̃dʀ/ [55] *vtr* to encircle (**de** with); **enceint de** encircled by

enceinte /ɑ̃sɛ̃t/
A *adj f* [*femme*] pregnant; **être ~ de trois mois** to be three months pregnant; **être ~ de jumeaux** to be pregnant with twins; **vêtements pour femmes ~s** maternity clothes
B *nf* 1 (mur) surrounding wall; ~ **de fossés/haies** surrounding ditches/hedges; **mur d'~** surrounding wall; **entourer d'une ~** to surround with a wall; 2 (espace) (de prison, ambassade, palais) compound; (de tribunal, d'église) interior; (dans cérémonie, fête) enclosure; **dans l'~ même de l'aéroport** within the airport compound; **l'~ réservée aux personnages officiels** the enclosure reserved for officials; 3 Tech ~ **(acoustique)** speaker
(Idiome) **être ~ jusqu'aux yeux** *or* **dents** hum to be heavily pregnant

encens /ɑ̃sɑ̃/ *nm inv* incense ₵

encensement /ɑ̃sɑ̃smɑ̃/ *nm* fig showering ₵ of praise (**de** on)

encenser /ɑ̃sɑ̃se/ [1] *vtr* 1 Relig to cense; 2 (flatter) to sing the praises of [*personne*]; to acclaim [*œuvre*]; **le film a été encensé par la critique** the film was acclaimed by the critics

encenseur, **-euse** /ɑ̃sɑ̃sœʀ, øz/ *nm,f* 1 Relig censer-bearer; 2 (flatteur) flatterer

encensoir /ɑ̃sɑ̃swaʀ/ *nm* Relig censer
(Idiomes) **donner des coups d'~ à qn** to flatter sb; **savoir manier l'~** to be good at flattery

encéphale /ɑ̃sefal/ *nm* encephalon

encéphalique /ɑ̃sefalik/ *adj* brain, encephalic spéc

encéphalite /ɑ̃sefalit/ ▸ **p. 283** *nf* Méd encephalitis

encéphalogramme /ɑ̃sefalɔgʀam/ *nm* encephalogram; **faire un ~ à qn** to do an encephalogram on sb

encéphalomyélite /ɑ̃sefalɔmjelit/ ▸ **p. 283** *nf* ~ **myalgique** myalgic encephalomyelitis, ME

encéphalopathie /ɑ̃sefalɔpati/ *nf* encephalopathy; Vét ~ **spongiforme bovine**, **ESB** Bovine Spongiform Encephalopathy

encerclement /ɑ̃sɛʀkləmɑ̃/ *nm* surrounding, encirclement; **manœuvre d'~** encircling manoeuvre GB *ou* maneuver US

encercler /ɑ̃sɛʀkle/ [1] *vtr* 1 Mil to surround, to encircle [*ville, ennemi*]; 2 (être autour) to be gathered around; 3 (avec un trait) to circle [*chiffre, réponse*]

enchaînement* /ɑ̃ʃɛnmɑ̃/ *nm* 1 (d'événements liés entre eux) chain; ~ **des idées/erreurs** chain of ideas/mistakes; ~ **des causes et des effets** chain of cause and effect; **déclencher un ~ de** to set off a chain of; 2 (suite) sequence; ~ **de réponses/de tâches** sequence of answers/of tasks; ~ **de scènes/d'arias et de récitatifs** sequence of scenes/of arias and recitatives; 3 (coordination) coordination (**entre** between); 4 Danse, Mus, Sport transition; **travailler ses ~s** to work on smooth transitions

enchaîner* /ɑ̃ʃene/ [1]
A *vtr* 1 (attacher) to chain up [*personne, animal*]; ~ **à** to chain to; **enchaîné à la grille** chained to the railings; 2 (coordonner) to put [sth] together [*idées, mots*]; 3 Danse, Sport to link [*mouvements*]; 4 (soumettre) to enslave [*humanité, peuple*]; to shackle [*presse*]
B *vi* (poursuivre) to go on; **'alors,' enchaîna-t-il** 'so,' he went on; ~ **sur l'économie/avec une nouvelle chanson** to move on to the economy/on to a new song
C **s'enchaîner** *vpr* 1 (s'attacher) to chain one-

self (à to); **2** (être coordonné) [*plans, séquences, chapitres*] to follow on; **les plans s'enchaînent mal** the shots do not follow on very well; **à partir de là tout s'est enchaîné** everything followed on from there

enchanté, ~e /ɑ̃ʃɑ̃te/
A *pp* ▸ **enchanter**
B *pp adj* **1** (heureux) delighted (**de** with; **de faire** to do; **que** that); **~ (de faire votre connaissance)** delighted to meet you, how do you do?; **je suis ~e que tu puisses venir** I am delighted that you can come; **2** (ensorcelé) [*château, forêt*] enchanted

enchantement /ɑ̃ʃɑ̃tmɑ̃/ *nm* **1** (expérience agréable) delight; **notre séjour a été un ~** our stay was a delight; **2** (état d'âme) delight, rapture; **être dans l'~** to be delighted, to be in raptures; **3** (sortilège) enchantment, spell; **comme par ~** as if by magic

enchanter /ɑ̃ʃɑ̃te/ [1] *vtr* **1** (faire plaisir à) to delight; **la musique les enchantait** the music was a delight to their ears; **l'idée de te voir m'enchante** I'm delighted at the thought of seeing you; **leur proposition ne m'enchante guère** their offer doesn't exactly thrill me; **2** (ensorceler) to enchant, to put a spell on

enchanteur, **-teresse** /ɑ̃ʃɑ̃tœʀ, tʀɛs/
A *adj* [*voix*] charming; [*lieu*] magic (*épith*); [*beauté*] enchanting, bewitching
B *nm,f* **1** (magicien) enchanter/enchantress; **2** (personne charmante) charmer

enchâssement /ɑ̃ʃɑsmɑ̃/ *nm* **1** (de pierre précieuse) setting, mounting; **2** Ling embedding

enchâsser /ɑ̃ʃɑse/ [1] *vtr* **1** Relig to enshrine [*reliques*]; **2** (dans une monture) to set, mount [*pierre précieuse*]; **3** Ling to embed [*proposition*]

enchère /ɑ̃ʃɛʀ/
A *nf* Comm, Jeux (offre) bid; (activité) bidding; **faire une ~** to bid, to make a bid; **pousser l'~ jusqu'à trois millions** to raise the bidding to three million; **pousser les ~s jusqu'à trois millions** to push the bidding up to three million; **les ~s sont ouvertes** the bidding is open; **faire monter les ~s** lit, fig to push up the bidding
B **enchères** *nfpl* (vente) auction; **vente aux ~s** auction; **vendre qch aux ~s** to sell sth by auction

enchérir /ɑ̃ʃeʀiʀ/ [3] *vi* **1** Comm, Jeux to bid; **~ sur qn** to bid more than sb; **~ sur une offre** *or* **un prix** to make a higher bid; **~ de 50 euros** to raise the bid by 50 euros; **2** (devenir plus cher) to go up in price, to get dearer

enchérissement /ɑ̃ʃeʀismɑ̃/ *nm* **~ de la vie/du pétrole** rise in the cost of living/in oil prices; **~ des loyers** rent increases (*pl*)

enchérisseur, **-euse** /ɑ̃ʃeʀisœʀ, øz/ *nm,f* bidder

enchevêtrement /ɑ̃ʃ(ə)vɛtʀəmɑ̃/ *nm* **1** (de fils, branches, ronces) tangle; (de couloirs, ruelles, souterrains) labyrinth; **2** (de raisonnement, d'idées) muddle; **l'~ d'une intrigue** the twists and turns of a plot

enchevêtrer /ɑ̃ʃ(ə)vetʀe/ [1]
A *vtr* **1** lit to tangle [sth] up [*fils, brins de laine, pelotes*] (**dans** in); **2** fig **~ des intrigues** to weave elaborate plots; **être enchevêtré** [*phrases, intrigue*] to be muddled; [*problèmes, affaire*] to be tangled
B **s'enchevêtrer** *vpr* **1** [*branches, fils*] to tangle, to get tangled (**dans** in); **2** [*phrases, intrigue, idées*] to become muddled; **3** [*personne*] **s'~ dans** to get tangled up in

enclave /ɑ̃klav/ *nf* (tous contextes) enclave

enclavement /ɑ̃klavmɑ̃/ *nm* (situation) enclosure; (processus) enclosing ₵

enclaver /ɑ̃klave/ [1] *vtr* **1** (enclore) **une région enclavée dans les montagnes** a region enclosed by mountains; **un pays enclavé** a landlocked country; **2** (insérer) to insert

enclenchement /ɑ̃klɑ̃ʃmɑ̃/ *nm* (de mécanisme) engagement

enclencher /ɑ̃klɑ̃ʃe/ [1]
A *vtr* **1** (mettre en train) to launch, to set [sth] in motion; **le processus est maintenant enclenché** the process is now under way; **2** Mécan to set [*minuterie*]; to engage [*mécanisme*]; **laisser une vitesse enclenchée** to leave the car in gear
B **s'enclencher** *vpr* **1** (commencer) [*processus, cycle*] to get under way; **2** lit [*mécanisme*] to engage

enclin, **~e** /ɑ̃klɛ̃, in/ *adj* inclined (**à** to; **à faire** to do)

enclitique /ɑ̃klitik/ *adj* enclitic

enclore /ɑ̃klɔʀ/ [79] *vtr* [*personne, mur, clôture*] to enclose

enclos /ɑ̃klo/ *nm* gén enclosure; (pour animaux) pen

enclume /ɑ̃klym/ *nf* Tech, Anat anvil
(Idiome) **être entre l'~ et le marteau** to be between the devil and the deep blue sea

encoche /ɑ̃kɔʃ/ *nf* (entaille) notch; (de flèche) nock; **faire une ~ dans** *or* **sur qch** to make a notch in sth

encocher /ɑ̃kɔʃe/ [1] *vtr* to make a notch in [*bâton*]; to nock [*flèche*]

encodage /ɑ̃kɔdaʒ/ *nm* (tous contextes) encoding

encoder /ɑ̃kɔde/ [1] *vtr* (tous contextes) to encode

encodeur /ɑ̃kɔdœʀ/ *nm* Ordinat encoder

encoignure /ɑ̃kwaɲyʀ/ *nf* **1** (angle) corner; **2** (placard) corner cupboard; (étagère) set of corner shelves

encollage /ɑ̃kɔlaʒ/ *nm* (de papier peint) pasting; Imprim gumming

encoller /ɑ̃kɔle/ [1] *vtr* to paste [*papier peint*]; Imprim to gum

encolure /ɑ̃kɔlyʀ/ *nf* **1** ▸ **p. 827** (de vêtement) (partie échancrée) neckline; (dimension) collar size; **2** (d'animal) neck; **gagner d'une ~** Turf to win by a neck
(Composé) **~ américaine** Mode envelope neck

encombrant, **~e** /ɑ̃kɔ̃bʀɑ̃, ɑ̃t/ *adj* **1** [*meuble*] bulky; [*paquet, marchandise, valise*] cumbersome; **2** [*personne, affaire, événement*] troublesome

encombre: **sans encombre** /sɑ̃zɑ̃kɔ̃bʀ/ *loc adv* without a hitch

encombré, **~e** /ɑ̃kɔ̃bʀe/
A *pp* ▸ **encombrer**
B *pp adj* **1** [*route, croisement, trottoir, ciel*] congested (**de** with); [*place, pièce, meuble*] cluttered (**de** with); **2** Méd [*organe, voie respiratoire*] obstructed; **3** [*lignes téléphoniques*] blocked; [*standard*] jammed; **4** [*marché*] saturated (**de** with); [*profession*] overcrowded

encombrement /ɑ̃kɔ̃bʀəmɑ̃/ *nm* **1** (de la circulation) (ralentissement) traffic congestion ₵; (embouteillage) traffic jam; **2** (de standard, fréquences) jamming; **en raison de l'~ des lignes je n'ai pas pu l'avoir** because the telephone lines were blocked I could not reach him; **3** (de voies respiratoires, d'intestin) obstruction; **4** (de pièce, meuble) cluttering; (de couloir, d'escalier, allée) obstruction; (de tribunal, gare) congestion; **5** (de profession) overcrowding; (de marché) saturation; **6** (volume) bulk; **être d'un ~ réduit** to be compact

encombrer /ɑ̃kɔ̃bʀe/ [1]
A *vtr* **1** (embarrasser) [*objet, personne*] to clutter up [*pièce, meuble*]; (obstruer) [*objet, personne*] to obstruct [*route, passage, entrée, trottoir*]; **si les enfants vous encombrent** if the children are in your way; **tu m'encombres plus que tu ne me rends service** you are more of a hindrance than a help; **2** [*préoccupation, détails*] to clutter up; **~ de** to clutter up [sth] with [*mémoire, esprit*]; **3** (saturer) to jam [*standard, fréquences*]; to block [*lignes*]; to overcrowd [*profession, activité, université*]; to saturate [*marché*]
B **s'encombrer** *vpr* lit, fig to burden oneself (**de** with)

i encore

Lorsqu'il signifie *toujours*, *encore* se traduit généralement par *still* dans une phrase affirmative ou interrogative:

il était encore étudiant quand il s'est marié
= he was still a student when he got married

habite-t-elle encore ici?
= does she still live here?

pas encore se traduit par *not yet*:

elle n'était pas encore mariée quand elle a eu son premier bébé
= she wasn't yet married when she had her first baby
ou she was still unmarried when she had her first baby

il n'est pas encore rentré
= he hasn't come home yet
ou he still hasn't come home

Dans ce dernier cas, *still* marque l'étonnement ou l'exaspération, alors que *yet* indique un énoncé neutre des faits.

Des exceptions aux traductions fournies ci-dessus et les autres sens de *encore* sont traités ci-dessous.

encontre: **à l'encontre de** /alɑ̃kɔ̃tʀədə/ *loc prép* **1** (contrairement à) contrary to; **à l'~ des idées reçues, le chinois n'est pas difficile** contrary to general belief, Chinese is not a difficult language; **2** (en opposition à) counter to; **aller à l'~ des principes républicains** to run counter to republican principles; **3** (activement contre) against; **aller à l'~ de la politique gouvernementale** to go against government policy; **imposer des sanctions à l'~ d'un pays** to impose sanctions against a country; **4** (envers) toward(s)

encor‡ = **encore**

encorbellement /ɑ̃kɔʀbɛlmɑ̃/ *nm* (de fenêtre) corbel; **voûte en ~** corbelled[GB] vault; **maison à ~s** corbelled[GB] house

encorder: **s'encorder** /ɑ̃kɔʀde/ [1] *vpr* to rope up

encore /ɑ̃kɔʀ/
A *adv* **1** (toujours) still; **je m'en souviens ~** I still remember; **il n'est ~ que midi** it's only midday; **tu en es ~ là?** fig haven't you got GB *ou* gotten US beyond that by now?; **il se plaignait, ~ et toujours** he was complaining as usual; **hier soir ~ elle allait bien** only yesterday evening she was fine; **qu'il soit impoli passe ~, mais je n'accepte pas sa méchanceté** the fact that he's rude is one thing, but I won't tolerate his nastiness; **~ heureux** *ou* **une chance que je m'en sois aperçu** it's lucky that I realized
2 (toujours pas) **pas ~** not yet; **tu n'as ~ rien vu** you haven't seen anything yet; **cela ne s'est ~ jamais vu/fait** it has never been seen/done before; **je n'ai ~ jamais pu être tranquille ici** up to now, I've never had any peace here; **les abricots ne sont pas ~ mûrs** the apricots aren't ripe yet; **les abricots ne sont pas ~ assez mûrs** the apricots aren't ripe enough yet; **il n'était pas ~ célèbre à cette époque** at that time he wasn't yet famous; **le nom de son remplaçant n'est pas ~ connu** the name of his replacement is still not known; **ce n'est pas ~ de leur âge** they're not old enough yet; **on n'en est pas ~ là** we haven't got to that stage yet; **ce n'est pas ~ sûr** it still isn't definite, it's not definite yet
3 (de nouveau) again; **les prix ont ~ augmenté** prices have gone up again; **~ toi!** you again!; **elle a ~ gagné/perdu** she has won/lost again; **~ de la purée!** not mashed potatoes again!; **~!** (à un spectacle) encore!; **~ une fois** *ou* **un coup** once again, one more time; **c'est ~ une histoire d'amour** it's another

love story; **qu 'est-ce que j'ai ~ fait?** what have I done now?; **il m'en reste ~ autant à faire** I've still got as much to do again; **j'ai ~ cassé une assiette** I've broken another plate; **elle s'est ~ acheté une nouvelle robe** she has bought herself yet another new dress; **son dernier livre est ~ un roman policier** his/her last book is also a *ou* is another detective novel; **là ~, fais attention** (à cet endroit aussi) be careful there too *ou* as well; **là ~, tu dois utiliser le subjonctif** there again, you must use the subjunctive; **ici ~ on retrouve le thème de la mort** here again we find the theme of death

4 (davantage) more; **j'en veux ~** I want some more; **mange ~ un peu** have some more to eat; **mange ~ un peu d'agneau** have some more lamb; **je vais travailler ~ un peu** I'm going to do a little more work; **tu devrais ~ raccourcir ta robe** you should take your dress up a little more; **cela va ~ aggraver les choses** it's going to make things even worse; **c'est ~ mieux/pire** it's even better/worse; **~ moins/plus** even less/more; **il fait ~ plus froid que d'habitude** it's even colder than usual; **elle est ~ plus grande que moi** she's even taller than me

5 (en plus) **veux-tu ~ un gâteau?** would you like another cake?; **pendant ~ trois jours** for another three days; **tu as ~ 10 minutes** you've still got 10 minutes, you've got another 10 minutes; **on a ~ 100 km à faire** we (still) have another 100 km to do; **il me reste ~ 100 euros** I've still got 100 euros left; **que dois-je prendre ~?** what else shall I take?; **qu'est-ce qu'il te faut ~?** fig what more do you need *ou* want?; **et puis quoi ~**○**!** what next○! ; **quoi ~!** what now!; **qui ~!** who is it now!; **mais ~?** which is to say?; **que dire ~?** what else can be said?; **ou ~** or else; **vous pouvez pratiquer la natation, la plongée sous-marine ou ~ vous initier à la voile** you can swim, go scuba diving, or else learn to sail

6 (toutefois) **il ne suffit pas d'avoir de bonnes idées, ~ faut-il savoir les exprimer** it's not enough to have good ideas, one must be able to articulate them; **~ faut-il qu'elle accepte** but she still has to accept; **~, s'il voulait travailler, ce serait déjà bien** if he were at least prepared to work, it would be something; **si ~ il était généreux, cela compenserait** if he were at least generous, that would make up for a lot

7 (seulement) only, just; **il était pratiquement inconnu il y a ~ trois mois** he was practically unknown only *ou* just three months ago

B et encore *loc adv* if that; **c'est tout au plus mangeable, et ~!** it's only just edible, if that!; **en voyage, elle n'emporte que sa brosse à dents, et ~!** when she travels, she only takes her toothbrush with her, if that!

C encore que *loc conj* (bien que) even though; **~ qu'il soit jeune, il a déjà beaucoup de talent** even though he's young, he's already very talented; **ce n'est pas mal, ~ que cela pourrait être mieux** it's not bad, but it could still be better

encorner /ɑ̃kɔʀne/ [1] *vtr* to gore

encornet /ɑ̃kɔʀnɛ/ *nm* squid

encoubler /ɑ̃kuble/ [1] Helv

A *vtr* (gêner) **tu m'encoubles** you're getting under my feet

B s'encoubler *vpr* (se prendre les pieds) **s'~ dans qch** to catch one's feet in sth

encourageant, ~e /ɑ̃kuʀaʒɑ̃, ɑ̃t/ *adj* encouraging

encouragement /ɑ̃kuʀaʒmɑ̃/ *nm* encouragement ₵ (**à qch** to sth; **à faire** to do); **d'~** [*parole, cris, sourire*] of encouragement; [*geste*] encouraging; **prodiguer des ~s** to dispense encouragement

encourager /ɑ̃kuʀaʒe/ [13] *vtr* 1 (pousser) to encourage (**à faire** to do); 2 (de la voix) to cheer [sb] on [*équipe, sportif*]

encourir /ɑ̃kuʀiʀ/ [26] *vtr* fml to incur

en-cours* /ɑ̃kuʀ/ *nm inv* liabilities *pl*

encrage /ɑ̃kʀaʒ/ *nm* inking

encrassement /ɑ̃kʀasmɑ̃/ *nm* 1 (de filtre, moteur, d'artère) clogging (up); Aut (de bougie) fouling up; 2 (de vêtement, baignoire) dirtying

encrasser /ɑ̃kʀase/ [1]

A *vtr* 1 (en obstruant) to clog [sth] (up) [*filtre, moteur, artère*]; to make [sth] sooty [*cheminée*]; 2 (salir) to dirty [*vêtement, baignoire*]; Aut to foul up [*bougie*]

B s'encrasser *vpr* 1 (s'obstruer) [*filtre, moteur, artère*] to clog up; [*cheminée*] to get sooty; 2 (se salir) to get dirty; [*bougie*] to foul up

encre /ɑ̃kʀ/ *nf* ink; **~ indélébile/invisible** indelible/invisible ink; **~ d'imprimerie** printer's ink; **écrire à l'~** to write in ink

(Composés) **~ de Chine** Indian ink GB, India ink US; **~ sympathique** invisible ink

(Idiomes) **cela a fait couler beaucoup d'~** a lot of ink has been spilled over this; **c'est écrit de la même ~** this clearly comes from the same pen; **se faire un sang d'~** to be worried stiff; **il faisait une nuit d'~** it was pitch black; **c'est la bouteille à l'~**○ it's as clear as mud○

encrer /ɑ̃kʀe/ [1] *vtr* to ink

encreur /ɑ̃kʀœʀ/ *adj m* inking

encrier /ɑ̃kʀije/ *nm* (encastré) inkwell; (pot) ink pot; (plus décoratif) inkstand

encroûter○**: s'encroûter*** /ɑ̃kʀute/ [1] *vpr* [*personne*] to get in a rut; **il est complètement encroûté dans ses habitudes** he's very set in his ways

enculé●**, ~e** /ɑ̃kyle/ *nm,f* offensive arsehole● GB injur; asshole● US injur

enculer● /ɑ̃kyle/ [1] *vtr* to bugger●; **allez-vous faire ~** offensive fuck off● injur

(Idiome) **~ les mouches**● to split hairs

encuver /ɑ̃kyve/ [1] *vtr* to vat

encyclique /ɑ̃siklik/ *adj, nf* encyclical

encyclopédie /ɑ̃siklɔpedi/ *nf* encyclopedia

encyclopédique /ɑ̃siklɔpedik/ *adj* encyclopedic

encyclopédiste /ɑ̃siklɔpedist/ *nmf* encyclopedist

endémie /ɑ̃demi/ *nf* endemic

endémique /ɑ̃demik/ *adj* [*maladie*] endemic; [*chômage*] endemic, rampant

endetté, ~e /ɑ̃dete/

A *pp* ► **endetter**

B *pp adj* [*association, hôpital, personne*] in debt (*jamais épith*); [*pays, entreprise*] in debt (*jamais épith*), debtor (*épith*); **être très ~** to be heavily in debt; **être ~ de 10 millions d'euros** to be 10 million euros in debt; **être ~ auprès d'une banque** to owe money to a bank

endettement /ɑ̃dɛtmɑ̃/ *nm* debt; **~ public/extérieur/du tiers-monde** national/foreign/Third World debt; **entraîner l'~ de qn** to put sb in debt; **10 millions d'euros d'~** debts of 10 million euros; **le niveau d'~ d'une société** the level of a company's debts

endetter /ɑ̃dete/ [1]

A *vtr* to put [sb] into debt

B s'endetter *vpr* to get into debt (**auprès de** with)

endeuiller /ɑ̃dœje/ [1] *vtr* to plunge [sb] into mourning [*famille, amis*]; to cast a shadow over [*cérémonie, réunion sportive*]; **village/pays endeuillé** griefstricken village/country; **ongles endeuillés** hum dirty fingernails

endiablé, ~e /ɑ̃djable/ *adj* 1 [*rythme, valse, poursuite*] furious; 2 [*enfant*] boisterous

endiguement /ɑ̃digmɑ̃/ *nm* 1 (de cours d'eau) confinement; 2 (de manifestants) containment; 3 (de spéculation, révolte, mécontentement) curbing

endiguer /ɑ̃dige/ [1] *vtr* 1 to confine [*cours d'eau*]; 2 to contain [*manifestants, groupe*]; 3 to curb [*spéculation, mécontentement*]

endimanché, ~e /ɑ̃dimɑ̃ʃe/ *adj* in one's Sunday best (*après n*)

endive /ɑ̃div/ *nf* chicory ₵ GB, endive US; **~s au jambon** chicory wrapped in ham with a white sauce; **deux ~s** two heads of chicory; **avoir un teint d'~** hum to be as pale as a ghost

endocarde /ɑ̃dɔkaʀd/ *nm* endocardium

endocardite /ɑ̃dɔkaʀdit/ ► p. 283 *nf* endocarditis

endocarpe /ɑ̃dɔkaʀp/ *nm* endocarp

endocrine /ɑ̃dɔkʀin/ *adj* endocrine

endocrinien, -ienne /ɑ̃dɔkʀinjɛ̃, ɛn/ *adj* endocrinal

endocrinologie /ɑ̃dɔkʀinɔlɔʒi/ *nf* endocrinology

endocrinologue /ɑ̃dɔkʀinɔlɔg/, **endocrinologiste** /ɑ̃dɔkʀinɔlɔʒist/ ► p. 532 *nmf* endocrinologist

endoctrinement /ɑ̃dɔktʀinmɑ̃/ *nm* indoctrination

endoctriner /ɑ̃dɔktʀine/ [1] *vtr* to indoctrinate

endoderme /ɑ̃dɔdɛʀm/ *nm* 1 Anat endoderm; 2 Bot endodermis

endogame /ɑ̃dɔgam/ *adj* endogamous

endogamie /ɑ̃dɔgami/ *nf* endogamy

endogène /ɑ̃dɔʒɛn/ *adj* endogenous

endolori, ~e /ɑ̃dɔlɔʀi/

A *pp* ► **endolorir**

B *pp adj* aching

endolorir /ɑ̃dɔlɔʀiʀ/ [3] *vtr* to make [sb/sth] ache

endolymphe /ɑ̃dɔlɛ̃f/ *nf* endolymph

endomètre /ɑ̃dɔmɛtʀ/ *nm* endometrium

endométriose /ɑ̃dɔmetʀijoz/ ► p. 283 *nf* endometriosis

endommagement /ɑ̃dɔmaʒmɑ̃/ *nm* (action) damaging; (résultat) damage

endommager /ɑ̃dɔmaʒe/ [13] *vtr* to damage; **le bâtiment a été endommagé à 50%** 50% of the building was damaged

endomorphe /ɑ̃dɔmɔʀf/ *nmf* endomorph

endormant, ~e /ɑ̃dɔʀmɑ̃, ɑ̃t/ *adj* [*travail, film*] mind-numbing

endormi, ~e /ɑ̃dɔʀmi/

A *pp* ► **endormir**

B *pp adj* 1 Physiol [*personne, animal*] sleeping (*épith*), asleep (*jamais épith*); **enfant ~** sleeping child; **elle paraissait ~e** she seemed to be asleep; **être à moitié ~** to be half asleep; 2 fig [*village, campagne, yeux, cerveau, élève*] sleepy; [*économie, marché*] sluggish; [*public*] lethargic

C *nm,f* sleepyhead○; **bande d'~s!** you sleepyheads!

endormir /ɑ̃dɔʀmiʀ/ [30]

A *vtr* 1 (naturellement) [*personne*] to send [sb] to sleep [*enfant*]; (chimiquement) [*personne, substance*] to put [sb] to sleep [*patient*]; **~ un enfant en lui chantant une berceuse** to sing a child to sleep with a lullaby; **~ un enfant en le berçant** to lull *ou* rock a child to sleep; **le médecin/l'éther l'a endormie** the doctor/the ether put her to sleep; 2 (donner envie de dormir) [*personne, spectacle, discours*] to send [sb] to sleep [*personne*] (**avec** with); **il va nous ~ avec ses histoires** he is going to send us to sleep with his stories; 3 (tromper) to dupe [*personne, opinion, ennemi*] (**avec** with); **~ l'opposition par des promesses** to dupe the opposition with promises; **se laisser ~ dans une sécurité trompeuse** to be lulled into a false sense of security; 4 (atténuer) to lessen [*vigilance*]; to allay [*soupçon*]; to numb [*faculté*]

B s'endormir *vpr* 1 (s'assoupir) to fall asleep; (trouver le sommeil) to get to sleep; **s'~ instantanément/à son bureau/sur un livre** to fall asleep instantly/at one's desk/over a book; **je n'arrivais pas à m'~** I couldn't get to sleep; 2 (se laisser aller) to sit back; **ce n'est pas le moment de nous ~** we shouldn't sit back now; 3 (décéder) fml to pass away

endormissement /ɑ̃dɔʀmismɑ̃/ *nm* **assurer un ~ rapide** to induce sleep rapidly

endorphine /ɑ̃dɔʀfin/ *nf* endorphin
endos /ɑ̃do/ *nm inv* Fin endorsement
endoscope /ɑ̃dɔskɔp/ *nm* Méd endoscope
endoscopie /ɑ̃dɔskɔpi/ *nf* endoscopy
endoscopique /ɑ̃dɔskɔpik/ *adj* endoscopic
endosmose /ɑ̃dɔsmoz/ *nf* endosmosis
endosquelette /ɑ̃doskəlɛt/ *nm* endoskeleton
endossable /ɑ̃dosabl/ *adj* [*chèque*] endorsable; **non ~** non-endorsable
endossataire /ɑ̃dosatɛʀ/ *nmf* endorsee
endossement /ɑ̃dosmɑ̃/ *nm* Fin endorsement
endosser /ɑ̃dose/ [1] *vtr* **1** (mettre) to put on; **~ l'uniforme/la soutane** to go into the army/the church; **2** (assumer) to take on, shoulder [*responsabilité, risque*]; to shoulder [*conséquence*]; to take on [*rôle*]; to take responsibility for [*erreur, paternité*]; **3** Fin to endorse [*chèque*]; **4** (en reliure) to back [*livre*]
endosseur /ɑ̃dosœʀ/ *nm* Fin endorser
endossure /ɑ̃dosyʀ/ *nf* (en reliure) backing
endothermique /ɑ̃dɔtɛʀmik/ *adj* endothermic
endroit /ɑ̃dʀwa/
A *nm* **1** (lieu) place; **~ calme/idéal** quiet/ideal place; **au bon/mauvais ~** in the right/wrong place; **par ~s** in places; **à quel ~?** where?; **coiffeur/maire de l'~** local hairdresser/mayor; **2** (de tissu, pull) right side; **à l'~** (verticalement) the right way up; (d'un vêtement) the right way round GB *ou* around US
B **à l'endroit de** *loc prép* toward(s); **préjugé à l'~ de qn** prejudice toward(s) sb
enduire /ɑ̃dɥiʀ/ [69]
A *vtr* [*personne, machine*] to coat [*surface, objet*] (**de** with)
B **s'enduire** *vpr* **s'~ de** to put [sth] on [*crème*]; **s'~ les mains de crème** to put cream on one's hands
enduit /ɑ̃dɥi/ *nm* (pour couvrir) coating; (pour boucher) filler
(Composés) **~ de lissage** surface filler; **~ de rebouchage** filler GB, Spackle® US
endurable /ɑ̃dyʀabl/ *adj* endurable
endurance /ɑ̃dyʀɑ̃s/ *nf* **1** (de personne, sportif) stamina; **~ à** resistance to; **2** (de véhicule, moteur, mécanisme) endurance; **épreuve d'~** Aut, Équit endurance race; (pour moto) endurance event; **essai d'~** endurance test
endurant, **~e** /ɑ̃dyʀɑ̃, ɑ̃t/ *adj* [*personne, sportif*] tough, with stamina (*épith, après n*); [*moteur, véhicule*] hard-wearing
endurci, **~e** /ɑ̃dyʀsi/
A *pp* ▸ **endurcir**
B *pp adj* **1** (dur) tough; **assez ~ pour supporter qch** tough enough to endure sth; **2** (invétéré) [*fumeur, joueur, buveur*] inveterate; [*célibataire*] confirmed; [*criminel*] hardened
endurcir /ɑ̃dyʀsiʀ/ [3]
A *vtr* **1** (rendre plus robuste) [*travail, sport*] to strengthen [*corps, caractère*]; **~ qn contre** to build up sb's resistance to; **2** (rendre insensible) [*épreuve, égoïsme*] to harden
B **s'endurcir** *vpr* **1** (devenir plus robuste) [*corps, caractère*] to become stronger; **2** (devenir insensible) [*cœur, âme*] to become hardened; **s'~ contre** to become inured to
endurcissement /ɑ̃dyʀsismɑ̃/ *nm* **1** (résistance physique) resistance (**à** to); **2** liter (insensibilité) hardening
endurer /ɑ̃dyʀe/ [1] *vtr* **1** (supporter physiquement) to endure; **faire ~ qch à qn** to put sb through sth; **2** (tolérer, accepter) to put up with; **~ que qn fasse** to put up with sb doing; **c'est plus que je ne peux ~** it's more than I can bear
enduro /ɑ̃dyʀo/
A *nm* (épreuve) enduro
B *nf* (moto) trail bike GB, dirt bike US
Énée /ene/ *npr* Aeneas
Énéide /eneid/ *nprf* **l'~** the Aeneid

énergétique /enɛʀʒetik/
A *adj* **1** Écon energy (*épith*); **besoins/ressources ~s** energy requirements/resources; **politique ~** energy policy; **2** Physiol [*aliment, produit*] high-calorie (*épith*); **aliment peu ~** low-calorie food; **3** Phys energy; **bilan ~** energetics (+ *v sg*)
B *nf* Sci energetics (+ *v sg*)
énergie /enɛʀʒi/ *nf* **1** Écon energy; **consommation/production d'~** energy consumption/production; **faire des économies d'~** to save energy; **encourager les économies d'~** to encourage energy efficiency; **consommer/stocker de l'~** to consume/store energy; **crise de l'~** energy crisis; **2** Phys energy; Tech energy, power; **~ solaire** solar energy; **~ nucléaire** nuclear power *ou* energy; **~ éolienne** windpower; **~s nouvelles/renouvables** new/renewable energy sources; **3** (force) energy; **plein d'~** full of energy; **dépenser son ~ à faire** to use up one's energy doing; **avec l'~ de la jeunesse** with the energy of youth; **~ créatrice/psychique** creative/psychic energy; **avoir/trouver l'~ de faire** to have/find the energy to do; **mettre toute son ~ à faire qch** to put all one's energy *ou* energies into doing sth; **avec l'~ du désespoir** driven on by despair; **avec ~** [*travailler*] energetically; [*agir*] forcefully; [*protester*] strongly; **mobiliser toutes les ~s** to mobilize all resources
énergique /enɛʀʒik/ *adj* **1** (physiquement) [*personne, danse, geste*] energetic; [*poignée de main*] vigorous; [*visage, silhouette*] resolute; **2** fig [*politique, mesure, action*] tough; [*objection, protestation*] strong; [*refus*] firm; [*intervention, tentative*] forceful; [*style*] lively
énergiquement /enɛʀʒikmɑ̃/ *adv* [*lutter, agir*] forcefully; [*condamner, nier*] emphatically
énergisant, **~e** /enɛʀʒizɑ̃, ɑ̃t/
A *adj* [*médicament, effet, activité*] energizing; **boisson ~e** energy drink
B *nm* (stimulant) stimulant
énergumène /enɛʀgymɛn/ *nmf* **1** (personne exaltée) oddball; **2** (personne inquiétante) suspicious character
énervant, **~e** /enɛʀvɑ̃, ɑ̃t/ *adj* irritating
énervé, **~e** /enɛʀve/
A *pp* ▸ **énerver**
B *pp adj* **1** (irrité) irritated; **2** (agité) nervous, edgy°; **les bêtes sont ~es par l'orage** the thunderstorm makes the animals restless; **cet enfant est ~, il faut qu'il dorme** this child is overexcited, he needs to sleep
énervement /enɛʀvəmɑ̃/ *nm* **1** (irritation) irritation; **dans un moment d'~** in a moment of exasperation; **2** (agitation) agitation; **elle pleura d'~** she was so on edge that she cried; **il était dans un état d'~ indescriptible** (tendu) his nerves were in shreds; (en colère) he was beside himself with rage
énerver /enɛʀve/ [1]
A *vtr* **1** (agiter) to put [sb] on edge, to make [sb] nervy GB *ou* nervous; **2** (irriter) **~ qn** to get on sb's nerves, to irritate sb; **tu commences à m'~** you're beginning to get on my nerves
B **s'énerver** *vpr* to get worked up (**de qch** about sth); **ne nous énervons pas!** let's not get too worked up!; **il s'énerve pour un rien** he gets worked up over nothing
enfance /ɑ̃fɑ̃s/ *nf* **1** (période) childhood; (de garçon) boyhood; (de fille) girlhood; **la petite ~** early childhood; **2** (enfants) children (*pl*); **3** (début) dawn
(Idiomes) **retomber en ~** to lapse into second childhood; **c'est l'~ de l'art** it's child's play
enfant /ɑ̃fɑ̃/ *nmf* **1** (jeune être humain) child; (très jeune) Admin, Transp infant; **c'est une ~ terrible** lit she's an unruly child; **l'~ terrible du cinéma français** the enfant terrible of French cinema; **lorsque j'étais ~** when I was a child; **tout ~, je me suis rendu compte...** while still a child, I realized...; **c'est un grand ~** he's such a child; **faire l'~** to act like a child; **un sourire d'~** lit a child's smile; fig a childlike smile; **mes rêves d'~** my childhood dreams; **elle est restée très ~** she is still very childlike; **ce n'est pas une ~ de Marie** she's no angel; **il n'y a plus d'~s!** fig they grow up fast nowadays!; ▸ **vérité**; **2** (fils, fille) child; **~ adoptif/légitime/illégitime** adopted/legitimate/illegitimate child; **être ~ unique** to be an only child; **couple sans ~** childless couple; **c'est un couple sans ~** they have no children; **faire un ~°** (avoir) to have a child; **faire un ~ à qn°** to make sb pregnant; **ce roman, c'est son ~** that novel is her baby; **3** (terme d'affection) **mon ~** my child; **bonjour les ~s!** hello children!; **4** (marquant l'origine) child; **un ~ de l'aristocatie/du peuple/de la guerre froide** a child of the aristocracy/of the people/of the Cold War; **c'est une ~ de Nice/de la campagne** she was born and bred in Nice/in the country
(Composés) **~ de l'amour** love child; **~ bleu** blue baby; **~ de chœur** altar boy; **ce n'est pas un ~ de chœur** fig he's no angel; **~ naturel** natural child; **~ prodige** child prodigy; **~ trouvé** foundling
enfantement /ɑ̃fɑ̃tmɑ̃/ *nm* liter **1** lit childbirth; **2** fig giving birth (**de** to), bringing to fruition (**de** of)
enfanter /ɑ̃fɑ̃te/ [1] *vtr* lit, fig to give birth to; **tu enfanteras dans la douleur** in sorrow thou shalt bring forth children
enfantillage /ɑ̃fɑ̃tijaʒ/ *nm* **1** (caprice) **cesse tes ~s!** stop being childish!; **encore un ~!** he's/she's being childish again; **2** (défaut) childishness
enfantin, **~e** /ɑ̃fɑ̃tɛ̃, in/ *adj* **1** (simple) simple, easy; **c'est d'une simplicité ~e** it's child's play; **2** (d'un enfant) [*geste*] childish; **les émotions/amitiés ~es** children's emotions/friendships; **3** (pour enfant) [*classe*] infant GB, for young children; **mode ~e** children's fashion; **4** (digne d'un enfant) [*homme, sourire, style*] childish péj, childlike
enfarger: **s'enfarger** /ɑ̃faʀʒe/ [13] *vpr* Can (trébucher) **s'~ dans qch** to catch one's foot in sth; **s'~ dans sa phrase** to get one's words mixed up
enfariné, **~e** /ɑ̃faʀine/ *adj* **1** (saupoudré de farine) covered with flour; **2** (poudré) [*visage*] powdered; **un Pierrot au visage ~** a white-faced Pierrot
(Idiome) **arriver la gueule ~e◑** to come in looking like the cat that got the cream
enfer /ɑ̃fɛʀ/ *nm* **1** Relig Hell; Mythol **les ~s** Hell, the Underworld; **croire à l'~** to believe in Hell; **aller en ~** to go to Hell; **la descente aux ~s** the descent into Hell *ou* the Underworld; **~ et damnation!** hell and damnation!; **2** fig hell (**de** of); **un ~ de souffrance** a living hell; **il vit un véritable ~** his life is sheer hell; **l'~ des villes** the hell of urban life; **l'~ de la guerre/drogue** the hell of war/drug addiction; **c'est l'~° ce travail!** this work is hell°!; **vision d'~** vision of hell, hellish sight; **vitesse d'~** hellish pace; **aller/conduire à un train d'~** to go/drive hell for leather°; **il fait une chaleur d'~** it's as hot as hell°; **voiture/soirée d'~°** hell of a° car/party; **3** †(section de bibliothèque) private case collection
(Idiome) **croix de bois croix de fer, si je mens je vais en ~** ≈ cross my heart and hope to die; ▸ **paver**
enfermement /ɑ̃fɛʀməmɑ̃/ *nm* imprisonment, detention
enfermer /ɑ̃fɛʀme/ [1]
A *vtr* **1** (dans un lieu) to shut [sth] in [*animal*]; (à clé) to lock [sth] up [*argent, bijou*] (**dans** in); to lock [sb] up, to put [sb] away° [*criminel, aliéné*] (**dans** in); **garder son sac enfermé dans un tiroir** to keep one's bag locked in a drawer; **elle est bonne à ~°** she's stark raving mad°, she ought to be locked up; **2** (bloquer) **~ qn dans un rôle** to confine sb to a role; **~ qn**

dans une situation to trap sb in a situation; ~ qn dans un dilemme to put sb in a dilemma; se laisser ~ dans une position to get oneself into a corner; se laisser ~ dans un piège to get trapped; être enfermé dans une image to be a prisoner of one's image; être enfermé dans le cycle du chômage to be locked into a pattern of unemployment; 3 (contenir) ~ une théorie en une seule formule to encapsulate a theory in a single formula; ~ une notion dans un cadre contraignant to impose a restrictive framework on an idea; 4 Mil, Sport to box [sb] in [*adversaire*]; se laisser ~ to get boxed in

B **s'enfermer** *vpr* 1 gén to lock oneself in; (pour s'isoler) to shut oneself away; (accidentellement) to get locked in; il s'enferme dans sa chambre pour travailler he shuts himself in his room to work; j'ai failli m'~ dans la cave I nearly got locked in the cellar; tu ne vas pas t'~ tout l'été! I hope you're not going to spend the whole summer cooped up indoors!; ne reste pas enfermé toute la journée! don't stay cooped up indoors all day!; ça fait deux heures qu'ils sont enfermés dans le bureau à discuter they've been closeted in the study for two hours; 2 (se confiner) s'~ dans to retreat into; s'~ dans le cynisme to retreat into cynicism; s'~ dans le mutisme to remain obstinately silent; s'~ dans ses préjugés to be stubbornly prejudiced; s'~ dans ses positions to be completely intransigent; être enfermé dans ses pensées to be wrapped up in one's own thoughts

enferrer: **s'enferrer** /ɑ̃feʀe/ [1] *vpr* 1 fig to tie oneself up in knots; s'~ dans des mensonges/une déposition to get tangled up in lies/a statement; 2 lit [*personne*] to impale oneself (sur, à on); [*poisson*] to swallow the hook

enfiévré, ~e /ɑ̃fjevʀe/
A *pp* ▸ enfiévrer
B *pp adj* [*imagination*] fevered (*épith*); [*atmosphère*] feverish; [*discours*] fiery

enfiévrer /ɑ̃fjevʀe/ [14] *vtr* to excite, to stir up [*population, esprits*]

enfilade /ɑ̃filad/ *nf* 1 (de pièces) succession; (de maisons, tables) row; six pièces en ~ six rooms leading into each other; appartement en ~ interconnecting flat GB, railroad apartment US; maison en ~ interconnecting house GB, shotgun house US; prendre en ~ Mil to rake, to enfilade spéc; 2 Archit enfilade

enfiler /ɑ̃file/ [1]
A *vtr* 1 (mettre) to slip on; ~ un pull à qn to slip a pullover on sb; ~ des bracelets to slip on some bracelets; 2 to thread [*aiguille*]; ~ qch sur to thread sth onto; 3 (entrer dans) to take [*couloir, rue*]; 4 péj (dire) to spout [*phrases*]; 5 ●(forniquer avec) to screw●
B **s'enfiler** *vpr* 1 ○(avaler) to guzzle down○ [*apéritifs, gâteaux*]; fig to devour [*roman policier*]; 2 ○(faire) to get landed○ with [*corvée*]; 3 (entrer) s'~ dans [*couloir, rue*] to take

enfin /ɑ̃fɛ̃/ *adv* 1 (en dernier lieu) (dans un développement, un discours) finally; (dans une énumération) lastly; je montrerai, ~, que ces deux systèmes sont compatibles I will show, finally, that these two systems are compatible; ~ et surtout last but not least; 2 (marquant le soulagement) at last; ~ seuls! alone at last!; j'ai ~ terminé mon travail I've finished my work at last; 3 (marquant la résignation) (oh) well; ~, puisque tu y tiens oh well, as you insist; c'est triste, mais ~, on n'y peut rien it's sad but, well, we can't do anything about it; il n'a pas décoléré de la journée, ~ passons, ça ira mieux demain he's been in a temper all day, anyway, things will be better tomorrow; 4 (marquant l'impatience) for heaven's sake; vas-tu te taire, ~! for heaven's sake, can't you be quiet!; mais ~, cessez de vous disputer! for heaven's sake, stop arguing!; 5 (en d'autres termes) in short, in other words; il est intelligent, travailleur, ~ il a tout pour réussir he's intelligent, hard-working, in short he's got what it takes to succeed; il y avait mes parents, mes frères et mes cousins, ~ toute la famille my parents were there, my brothers and cousins, the whole family in fact; 6 (introduit un correctif) well, at least; il pleut tous les jours, ~ presque it rains every day, well almost; elle n'est pas mariée, ~ je crois she is not married, at least I don't think so; 7 (tout bien considéré) car ~, mais ~ after all; 8 (marquant la perplexité) (mais) ~, que signifie toute cette histoire? what on earth does it all mean?; (mais) ~, pourquoi n'est-il pas encore arrivé? why on earth isn't he here yet?; (mais) ~, c'est incroyable une aventure pareille! well *ou* why, I've never heard anything like it!

enflammé, ~e /ɑ̃flame/
A *pp* ▸ enflammer
B *pp adj* 1 lit [*forêt, objet, maison*] burning; 2 fig [*personne, déclaration, regard, baiser*] passionate; [*discours*] impassioned, fiery; ~ de burning with; 3 Méd [*gorge, blessure*] inflamed; [*front, joues*] burning (par with); 4 liter (rouge) [*joues, visage*] burning (de with); [*ciel*] ablaze (*jamais épith*), blazing

enflammer /ɑ̃flame/ [1]
A *vtr* 1 (mettre le feu à) to set fire to [*objet, matériau*]; 2 (exciter) to inflame [*opinion publique, esprit, cœur*]; to fire [*imagination*]; to fuel [*colère*]; (faire rougir) la fièvre enflammait ses joues her cheeks were burning with fever; liter le soleil couchant enflammait le ciel the sunset set the sky ablaze
B **s'enflammer** *vpr* 1 (prendre feu) [*maison, voiture, papier*] to go up in flames; [*essence, bois*] to catch fire; cela s'enflamme très facilement it catches fire very quickly; 2 (s'exciter) [*regard*] to blaze; [*esprit, imagination, cœur*] to be fired (de with; à la vue de by); [*pays, peuple*] to explode; s'~ pour qn to become passionate about sb; s'~ pour qch to get carried away by sth; M. Martin s'enflamme, expliquant que... Mr Martin gets carried away, explaining that...

enflé, ~e /ɑ̃fle/
A *pp* ▸ enfler
B *pp adj* 1 lit [*poignet, jambe*] swollen; 2 [*style*] bombastic
C ◑*nm* bastard◑

enfler /ɑ̃fle/ [1]
A *vtr* 1 fig to exaggerate [*récit, événements*]; ~ la voix to raise one's voice; 2 lit [*vent*] to swell [*voiles*]; [*crues, dégel*] to swell [*eaux, rivière*]
B *vi* 1 lit [*partie du corps*] to swell (up); [*rivière, mer*] to swell; ma cheville a beaucoup enflé my ankle has swollen (up) a lot; 2 fig [*rumeur, colère*] to spread
C **s'enfler** *vpr* [*colère*] to mount; [*voix, son*] to rise; [*rumeur*] to grow
(Idiome) avoir les chevilles qui enflent○ to be swollen headed○

enflure /ɑ̃flyʀ/ *nf* 1 Méd swelling; 2 ◑bastard◑

enfoiré●, ~e /ɑ̃fwaʀe/ *nm,f* arsehole● GB, asshole● US

enfoncé, ~e /ɑ̃fɔ̃se/
A *pp* ▸ enfoncer
B *pp adj* 1 (défoncé) [*siège, lit*] sagging; 2 (rentré) [*yeux*] deep-set; avoir les yeux ~s (dans les orbites) to have deep-set eyes; avoir la tête ~e dans les épaules to have one's shoulders hunched up

enfoncement /ɑ̃fɔ̃smɑ̃/ *nm* 1 (creux) (dans un mur) recess; (sur un terrain) dip; 2 Méd crushing ₵; ~ de la cage thoracique crushing of the rib cage; 3 Mil (déroute) collapse; 4 (enlisement) l'~ du pays dans la récession the country's slide into recession

enfoncer /ɑ̃fɔ̃se/ [12]
A *vtr* 1 (faire entrer sans outil) to push in [*piquet, bouchon, pièce de machine*]; ~ un bouchon dans une bouteille to push a cork into a bottle; enfonce bien le bouchon push the cork in tight; n'enfonce pas trop le piquet don't push the peg in too far; enfonce bien la punaise push the drawing pin in hard; ~ un poignard dans le ventre de qn to plunge a dagger into sb's stomach; ~ ses mains dans ses poches to dig one's hands into one's pockets; ~ son mouchoir dans sa poche to stuff one's handkerchief into one's pocket; ~ son chapeau jusqu'aux yeux/oreilles to pull one's hat down over one's eyes/ears; ~ une épingle dans une poupée to stick a pin into a doll; ~ son doigt to stick one's finger (dans into); ~ le coude dans les côtes de qn to elbow sb in the ribs; ~ sa tête dans un coussin to bury one's head in a cushion; 2 (faire entrer avec un outil) to knock [sth] in [*clou, piquet*]; ~ un clou/un piquet dans qch to knock a nail/a post into sth; n'enfonce pas trop le piquet don't knock the peg in too far; enfonce bien les clous knock the nails in well; 3 (faire céder) to break down [*porte, barrière*]; to break through [*lignes adverses*]; (accidentellement) to crash through [*obstacle*]; to break [*cage thoracique*]; to smash in [*aile de voiture*]; l'avant du camion est enfoncé the front of the truck *ou* lorry GB is smashed in; ~ des portes ouvertes fig to state the obvious; 4 (vaincre) to defeat [*armée, bataillon*]; to beat [*concurrent, concurrence*]; 5 (abaisser) ne m'enfonce pas davantage don't rub it in; 6 (pousser) ~ qn dans la dépression to make sb even more depressed
B *vi* (s'enliser) to sink; ~ dans le sable to sink into the sand
C **s'enfoncer** *vpr* 1 (s'enliser) s'~ dans la neige/le sable [*personne, véhicule*] to sink in the snow/the sand; on s'enfonce dans ces fauteuils! you sink right into these armchairs!; il s'enfonça dans son fauteuil he sank back into his armchair; être enfoncé dans un fauteuil (confortablement) to be settled cosily GB *ou* cozily US in an armchair; s'~ dans la récession to sink deeper and deeper into recession; s'~ dans ses pensées to become lost in thought; s'~ dans l'erreur to make error after error; 2 (couler) s'~ dans l'eau [*navire, objet*] to sink; 3 (pénétrer) les piquets s'enfoncent facilement the posts go in easily; le poignard s'enfonça dans sa chair the dagger went deep into the flesh; 4 (se mettre) s'~ une épine dans le doigt to get a thorn in one's finger; 5 (aller) s'~ dans la forêt to go into the forest; (plus loin) to go further into the forest; s'~ dans la campagne/le désert to go right out into the country/the desert; s'~ dans le brouillard to disappear into the fog; s'~ dans le lointain to disappear into the distance; s'~ dans les *or* à l'intérieur des terres to go inland; 6 (se creuser) [*chaussée, terre*] to give way; 7 ○(aggraver son cas) to make things worse for oneself
(Idiomes) ~ qch dans le crâne○ *or* la tête de qn to get sth into sb's head; enfonce-toi bien ça dans le crâne○ *or* la tête get that into your head once and for all

enfouir /ɑ̃fwiʀ/ [3]
A *vtr* 1 (enterrer) to bury [*trésor, déchets*]; 2 (dissimuler) ~ son visage dans les coussins to bury one's face in the cushions; ~ qch dans un sac/tiroir (sans soin) to shove sth into a bag/drawer; (avec soin) to tuck sth away in a bag/drawer; ~ ses mains dans ses poches to shove one's hands into one's pockets; village enfoui dans la forêt village buried in the forest
B **s'enfouir** *vpr* 1 (se blottir) s'~ sous les couvertures to burrow under the blankets; 2 (s'enterrer) to bury oneself (dans in)

enfouissement /ɑ̃fwismɑ̃/ *nm* burying (de of)

enfourcher /ɑ̃fuʀʃe/ [1] *vtr* to mount [*cheval*]; to get on [*moto, bicyclette*]

enfourner /ɑ̃fuʀne/ [1]
A *vtr* 1 (pour cuire) Culin to put [sth] in the oven [*pain, rôti*]; Tech to put [sth] in the kiln [*émaux, poterie*]; 2 ○(manger) to stuff down; 3 ○(introduire) ~ qch dans to stuff sth into

B **s'enfourner**○ *vpr* **s'~ dans/sous** to dive into/under

enfreindre /ɑ̃fʀɛ̃dʀ/ [55] *vtr* to infringe, to break

enfuir: s'enfuir /ɑ̃fɥiʀ/ [29] *vpr* **1** lit [*animal, écolier*] to run away (**de** from); [*oiseau*] to fly away; (d'un lieu clos) to escape (**de** from); **s'~ à Paris** to run off to Paris; **s'~ dans sa chambre** to rush off to one's bedroom; **s'~ vers la frontière** to make off toward(s) the border; **s'~ par les toits/par la porte de derrière** to escape over the rooftops/through the back door; **s'~ à toutes jambes** to run away as fast as one can; **2** fig [*temps, jeunesse*] to fly

enfumer /ɑ̃fyme/ [1] *vtr* **1** to fill [sth] with smoke [*pièce*]; **tu nous enfumes avec tes cigares!** you're smoking us out with your cigars!; **une pièce enfumée** a smoke-filled room; **2** Chasse to smoke [sth] out [*animal, terrier*]

engagé, ~e /ɑ̃gaʒe/
A *pp* ▸ **engager**
B *pp adj* [*écrivain, littérature*] (politically) committed
C *nm,f* enlisted man/woman
(Composé) **~ volontaire** Mil volunteer

engageant, ~e /ɑ̃gaʒɑ̃, ɑ̃t/ *adj* [*personne, manières*] welcoming; [*offre*] attractive; [*plat*] inviting, tempting; **ce n'est pas très ~ comme endroit** it's not a very inviting spot

engagement /ɑ̃gaʒmɑ̃/ *nm* **1** (promesse) commitment; **~ moral/solennel** moral/solemn commitment; **~s financiers** financial commitments; **prendre un ~** to make a commitment; **prendre l'~ de faire** to undertake to do; **l'~ pris par la direction de faire** the management's undertaking to do; **remplir ses ~s** to honour[GB] one's commitments; **ne pas honorer** *or* **respecter** *or* **tenir ses ~s** to fail to honour[GB] one's commitments; **sans ~ de votre part** Jur with no obligation on your part; **2** (participation) involvement; **mon ~ dans la politique/le projet** my involvement in politics/the project; **3** Mil (fait de s'engager) enlistment; (durée) enlistment; (combat) engagement; **un ~ de trois ans** a three-year enlistment; **4** (contrat) engagement; **avoir plusieurs ~s** [*acteur, chanteur*] to have several engagements; **5** (pendant l'accouchement) engagement
(Composés) **~ contractuel** contractual obligation; **~ à l'essai** employment on a trial basis; **~ politique** political commitment; **~ volontaire** volunteering

engager /ɑ̃gaʒe/ [13]
A *vtr* **1** (recruter) to hire [*personnel*]; to enlist [*soldat*]; to engage [*orchestre, danseur*]; **~ qn comme secrétaire** to hire sb as secretary
2 (commencer) to begin [*politique de réforme, processus*]; **~ des négociations** gén to begin negotiations; (commencer à participer à) to enter into negotiations; **c'est lui qui a engagé la conversation** he started the conversation; **nous avons engagé la conversation** we struck up a conversation; **savoir ~ la conversation avec des gens que l'on ne connaît pas** knowing how to strike up a conversation with strangers; **~ le combat** to go into combat; **~ la partie** (au football) to kick off; **~ une action judiciaire** to take legal action
3 (obliger) to commit [*personne*]; **cela ne t'engage à rien** this doesn't commit you to anything; **le fait de venir ne t'engage pas** you're not committing yourself by coming; **votre signature vous engage** your signature is binding
4 (mettre en jeu) to stake [*réputation, honneur*]; **~ sa parole** to give one's word
5 (introduire) **~ qch dans** to put sth in; **~ la clé dans la serrure** to put the key in the lock; **la clé est mal engagée** the key has gone in askew
6 (amener) **~ une voiture dans une petite route** to take a car into a country road; **~ un bateau dans un chenal** to take a boat up a channel; **la voiture était déjà engagée dans le carrefour/sur le pont** the car was already in the middle of the intersection/on the bridge; **~ son pays dans une voie difficile** to take one's country along a difficult road; **~ son pays sur la voie des réformes** to commit one's country to a programme[GB] of reform
7 Écon to lay out [*capitaux*]; **~ des dépenses** to undertake expenditure
8 (exhorter) **~ qn à faire** to urge sb to do; (conseiller) **~ qn à faire** to advise sb to do
9 Mil, Sport **~ qn dans une compétition** to enter sb for a competition; **~ des troupes dans une bataille** to commit troops to battle
10 (donner en gage) to pawn [*objet précieux*]
B **s'engager** *vpr* **1** (promettre) to promise (**à faire** to do); **elle s'est engagée à fond** she is fully committed; **avant de m'~ plus avant** before committing myself further; **s'~ à financer qch** to undertake to finance sth; **s'~ solennellement à faire** to undertake solemnly to do; **s'~ sur l'honneur à faire** to undertake on one's word of honour[GB] to do; **s'~ vis-à-vis de qn** to take on a commitment to sb
2 (entreprendre) **s'~ dans des négociations/des études/un projet** to embark on negotiations/studies/a project; **s'~ dans une lutte contre la dictature** to take up the fight against dictatorship; **s'~ dans la bataille** to go into action; **s'~ dans des dépenses** to incur expenses
3 (s'impliquer) to get involved; **s'~ dans diverses organisations politiques** to get involved in various political organizations
4 (pénétrer) **s'~ sur une route/dans un tunnel** to go into a road/a tunnel; **s'~ sur un pont** to go onto a bridge; **s'~ dans la forêt** to enter the forest; **avant de s'~ dans un carrefour** before going across an intersection; **une fois que la voiture s'est engagée sur un pont** once the car is on a bridge
5 (être amorcé) [*action judiciaire, processus, négociations*] to begin; **le combat s'engagea à l'aube** combat began at dawn; **la conversation s'engagea** we/they struck up a conversation
6 (se faire recruter) **s'~ dans l'armée/la police** to join the army/the police; **il s'est engagé** he has joined up; **s'~ comme secrétaire** to get a job as a secretary; **'engagez-vous'** Mil 'enlist today'; **s'~ dans une compétition** to enter a competition

engazonner /ɑ̃gazɔne/ [1] *vtr* to turf [*terrain, stade*]

engeance† /ɑ̃ʒɑ̃s/ *nf* pej breed; **ils sont tous de la même ~** they're all of the same breed

engelure /ɑ̃ʒlyʀ/ *nf* chilblain (**à** on); **avoir des ~s aux pieds** to have chilblains on one's feet

engendrement /ɑ̃ʒɑ̃dʀəmɑ̃/ *nm* procreation

engendrer /ɑ̃ʒɑ̃dʀe/ [1] *vtr* **1** (provoquer) to engender [*malaise, mépris*]; **2** Ling, Math to generate; **3** fml (mettre au monde) to beget‡ [*fils, enfant*]

engin /ɑ̃ʒɛ̃/ *nm* **1** (machine, objet, instrument) device; **~ de chasse/pêche** hunting/fishing device; **qu'est-ce que c'est que cet ~**○**?** what's that contraption?; **2** Constr, Transp (véhicule) vehicle; (grosse machine) piece of equipment; **~s de levage/manutention** lifting/handling equipment; **~ de terrassement** earth-moving vehicle; **3** Mil (missile) missile; (bombe) device; (véhicule) vehicle; (matériel du génie) equipment **₡**; **~s de guerre** weapons of war

englober /ɑ̃glɔbe/ [1] *vtr* to include

engloutir /ɑ̃glutiʀ/ [3] *vtr* **1** (faire disparaître) [*mer, séisme, tempête, nuit, brouillard*] to engulf, to swallow up; **2** ○(dévorer) to gulp [sth] down, to wolf [sth] (down); **3** (dépenser) [*personne, pays*] to squander [*argent, somme*]; (coûter) [*projet, affaire*] to swallow up [*argent, somme*]; **~ sa fortune dans un projet** to sink one's fortune into a project

engloutissement /ɑ̃glutismɑ̃/ *nm* swallowing up; **ils n'ont rien pu faire contre l'~ du pétrolier** they could do nothing to prevent the tanker from being swallowed up

engluer /ɑ̃glye/ [1]
A *vtr* (pour attraper) to lime [*branche, oiseau*]
B **s'engluer** *vpr* **s'~ dans qch** [*personne*] to become bogged down in sth [*détails*]

engoncé, ~e /ɑ̃gɔ̃se/ *adj* **je me sens ~ dans cette veste** I feel really restricted in this jacket; **il était ~ dans une veste trop étroite** he was squeezed into a tight jacket

engorgement /ɑ̃gɔʀʒəmɑ̃/ *nm* **1** (de canalisation) blocking (**de** of); (de route) congestion (**de** of), blocking (up) (**de** of); **un ~ du marché** a glut of products on the market; **2** Méd (d'organe) congestion (**de** of)

engorger /ɑ̃gɔʀʒe/ [13]
A *vtr* **1** (boucher) to block (up), to clog (up) [*canalisation, tuyauterie*]; **2** (bloquer) to clog up [*routes*]; **un réseau de transports engorgé** an overloaded transport system; **3** Comm to glut [*marché*]; **4** Méd to congest [*organe*]
B **s'engorger** *vpr* [*canalisation*] to be blocked (up), to be clogged (up); [*route*] to be blocked (up); [*ville, carrefour*] to be blocked (up)

engouement /ɑ̃gumɑ̃/ *nm* **ton ~ pour** your passion for [*musique rock, cinéma fantastique*]; **un ~ pour qn** an infatuation for sb; **l'~ du public pour** the general craze for

engouer: s'engouer /ɑ̃guwe/ [1] *vpr* **s'~ de qn/qch** to become infatuated with [*personne*]; to develop a passion for [*artiste, peinture, musique*]

engouffrer /ɑ̃gufʀe/ [1]
A *vtr* **1** ○(manger) to gobble up [*plat, nourriture*]; **2** (dépenser) [*personne, pays*] to sink; (coûter) [*projet, affaire*] to swallow up; **~ une fortune dans qch** to sink a fortune into sth; **3** (mettre) to stuff (**dans** into); **4** (faire disparaître) [*mer, nuit*] to engulf
B **s'engouffrer** *vpr* **1** lit (dans pièce, passage) [*vent, eau, personne*] to rush (**dans** in; **sous** under; **entre** between); (dans taxi, métro) [*personne*] to dive (**dans** into); **2** fig **s'~ dans** (pour en profiter) to rush to take advantage of; (pour combler un vide) to rush into; **s'~ dans une brèche** to take advantage of a loophole

engoulevent /ɑ̃gulvɑ̃/ *nm* nightjar

engourdi, ~e /ɑ̃guʀdi/
A *pp* ▸ **engourdir**
B *pp adj* (ankylosé, transi) [*membre, doigt*] numb (**par, de** with); (somnolent) [*personne, abeille*] drowsy; fig [*campagne, ville*] sleepy, drowsy; (hébété) [*cerveau, esprit*] dull(ed) (**par** with); **j'ai la jambe ~e** my leg has gone numb *ou* has gone to sleep

engourdir /ɑ̃guʀdiʀ/ [3]
A *vtr* **1** (rendre gourd) to make [sb/sth] numb [*personne, membre*]; **2** (endormir) to make [sb/sth] drowsy [*personne, esprit, abeille*]; to deaden [*douleur*]; **3** (hébéter) to dull [*esprit*]; **le confort/l'oisiveté engourdit** comfort/idleness makes you soft○
B **s'engourdir** *vpr* [*membre*] to go numb, to go to sleep; [*corps*] to go numb; [*cerveau, intelligence*] to grow *ou* become dull

engourdissement /ɑ̃guʀdismɑ̃/ *nm* **1** (état) (physique) numbness; (mental) (torpeur) drowsiness; (affaiblissement) dullness; **se laisser gagner par l'~** to be overcome by drowsiness; **2** (action) (du corps) numbing; (de l'esprit) dulling

engrais /ɑ̃gʀɛ/ *nm inv* (animal) manure; (chimique) fertilizer; **~ naturel** natural fertilizer; **mettre un animal à l'~** to fatten an animal

engraissage /ɑ̃gʀɛsaʒ/ *nm*, **engraissement** /ɑ̃gʀɛsmɑ̃/ *nm* (de bétail) fattening

engraisser /ɑ̃gʀese/ [1]
A *vtr* **1** (en élevage) to fatten [*bétail*]; **2** (amender)

to fertilize [*sol*]; **3** °fig (enrichir) to make [sb] rich
B *vi* (grossir) to get fat
C **s'engraisser**° *vpr* (s'enrichir) to grow fat°; **s'~ de qch** to grow fat on sth; **s'~ sur le dos de qn** to grow fat off sb's back; **s'~ aux dépens de qn** to grow fat at sb's expense

engramme /ɑ̃gʀam/ *nm* engram

engrangement /ɑ̃gʀɑ̃ʒmɑ̃/ *nm* (de récolte) gathering in (**de** of)

engranger /ɑ̃gʀɑ̃ʒe/ [13] *vtr* **1** Agric to gather in, to garner sout [*récolte*]; **2** (garder en réserve) to store [*données, information*]; to store up [*souvenirs, expérience*]; to store up [*argent*]

engrenage /ɑ̃gʀənaʒ/ *nm* **1** Mécan gears (*pl*); **l'~ ne fonctionne plus** the gears aren't working any more; **~ cylindrique/hélicoïdal/conique/à vis sans fin** epicyclic/helical/bevel/worm gear; **l'étude des ~s** the study of gearing; **2** fig (de violence, difficultés) spiral; **mettre le doigt dans l'~ (de qch), être pris dans l'~ (de qch)** to get caught up in a spiral (of sth)

engrener /ɑ̃gʀəne/ [16]
A *vtr* Agric to feed grain into [*machine*]
B *vi* Mécan **~ avec** to engage with
C **s'engrener** *vpr* Mécan to engage with each other

engrosser◑ /ɑ̃gʀose/ [1] *vtr* pej to get [sb] pregnant; **se faire ~** to get oneself pregnant

engueulade◑ /ɑ̃gœlad/ *nf* **1** (dispute) row (**avec** with; **entre** between); **2** (réprimande) **une ~** a telling off; **après trois ~s** after having been told off three times

engueuler◑ /ɑ̃gœle/ [1]
A *vtr* to tell [sb] off [*enfant*]; to give [sb] an earful° [*adulte*]; **se faire ~** to get told off (**par** by), to get an earful° (**par** from)
B **s'engueuler** *vpr* to have a row (**avec qn** with sb)
(Idiomes) **~ qn comme du poisson pourri** to tear sb off a strip°; **se faire ~ comme du poisson pourri** to be torn off a strip°

enguirlander° /ɑ̃giʀlɑ̃de/ [1]
A *vtr* to tell [sb] off [*enfant*]; to give sb an earful° [*adulte*]; **se faire ~** to get told off (**par** by), to get an earful° (**par** from)
B **s'enguirlander** *vpr* to have a row (**avec qn** with sb)

enhardir /ɑ̃aʀdiʀ/ [3]
A *vtr* [*expérience, succès*] to embolden [*personne*]; **enhardi par un premier succès/un sourire** emboldened by an initial success/a smile
B **s'enhardir** *vpr* to become bolder

enharmonique /ɑ̃naʀmɔnik/ *adj* enharmonic

énième /ɛnjɛm/ *adj* umpteenth; **pour la ~ fois** for the umpteenth time

énigmatique /enigmatik/ *adj* enigmatic; **d'un air ~** enigmatically

énigme /enigm/ *nf* **1** (mystère) enigma, mystery; **c'est une ~** it's an enigma *ou* a mystery; **découvrir la clé** *or* **le mot de l'~** fig to discover the key *ou* the answer to the mystery; **2** (devinette) riddle; **parler par ~s** to speak in riddles; **l'~ du Sphinx** the riddle of the Sphinx

enivrant, **~e** /ɑ̃nivʀɑ̃, ɑ̃t/ *adj* (tous contextes) intoxicating

enivrement /ɑ̃nivʀəmɑ̃/ *nm* intoxication

enivrer /ɑ̃nivʀe/ [1]
A *vtr* **1** [*alcool*] to intoxicate sout, make [sb] drunk; [*air, altitude, mer*] to intoxicate sout; **2** [*succès*] **~ qn** to go to sb's head; **enivré par son succès** intoxicated by his success; **se laisser ~** to get carried away
B **s'enivrer** *vpr* **1** lit (se soûler) to get intoxicated sout; **2** fig to become intoxicated with

enjambée /ɑ̃ʒɑ̃be/ *nf* stride; **avancer à grandes ~s** to stride forward; **s'éloigner à grandes ~s** to stride off; **parcourir la pièce à grandes ~s** to stride across the room; **elle a monté l'escalier en trois ~s** she bounded up the stairs in three strides

enjambement /ɑ̃ʒɑ̃bmɑ̃/ *nm* enjambement

enjamber /ɑ̃ʒɑ̃be/ [1] *vtr* **1** [*personne*] to step over [*obstacle*]; **2** [*pont*] to span [*rivière*]

enjeu, *pl* **~x** /ɑ̃ʒø/ *nm* **1** Jeux stake; **2** (ce qui est en jeu) what is at stake; **ces programmes seront l'~ de la prochaine bataille** these programmes[GB] will be the focus of the coming battle *ou* will be what is at stake in the coming battle; **l'~ dépasse maintenant le sort d'une seule personne** what is at stake now is much more than the fate of a single person; **le journaliste analyse les ~x des élections** the journalist analyses[GB] what is at stake in the elections; **3** (problème) issue; **un ~ économique/politique/commercial** an economic/a political/a commercial issue; **livre consacré aux ~x de l'intelligence artificielle** book devoted to the issues of artificial intelligence

enjoindre /ɑ̃ʒwɛ̃dʀ/ [56] *vtr* to enjoin [*prudence, silence*] (**à qn** on sb); **~ à qn de faire (qch)** to enjoin sb to do (sth)

enjôler /ɑ̃ʒole/ [1] *vtr* to beguile [*client, homme*]; **se laisser ~ par** to be taken in *ou* beguiled (**par** by)

enjôleur, **-euse** /ɑ̃ʒolœʀ, øz/
A *adj* [*sourire*] bewitching
B *nm,f* charmer

enjolivement /ɑ̃ʒɔlivmɑ̃/ *nm* fml embellishment

enjoliver /ɑ̃ʒɔlive/ [1] *vtr* to embellish

enjoliveur /ɑ̃ʒɔlivœʀ/ *nm* hubcap

enjolivure /ɑ̃ʒɔlivyʀ/ *nf* embellishment

enjoué, **~e** /ɑ̃ʒwe/ *adj* [*personne, caractère*] cheerful, jovial; [*conversation, ton*] lighthearted

enjouement /ɑ̃ʒumɑ̃/ *nm* fml gaiety, cheerfulness

enkysté, **~e** /ɑ̃kiste/ *adj* Méd encysted

enkyster: **s'enkyster** /ɑ̃kyste/ [1] *vpr* to form cysts

enlacé, **~e** /ɑ̃lase/
A *pp* ▸ **enlacer**
B *pp adj* **1** [*corps, amants*] entwined (*jamais épith*); **ils se promenaient, ~s** they were walking with their arms around each other; **2** [*fils, initiales*] interlacing

enlacement /ɑ̃lasmɑ̃/ *nm* **1** (action d'entremêler) intertwining; **un ~ de lanières** intertwined straps; **2** (fait de s'enlacer) embracing; (étreinte) embrace

enlacer /ɑ̃lase/ [12]
A *vtr* [*personne*] to embrace [*personne*]; [*serpent*] to wrap itself around [*proie*]
B **s'enlacer** *vpr* [*personnes*] to embrace; [*corps*] to intertwine

enlaidir /ɑ̃ledіʀ/ [3]
A *vtr* to spoil, to ruin [*paysage, côte*]; to make [sb] look ugly [*personne*]
B *vi* to become ugly
C **s'enlaidir** *vpr* [*personne*] to make oneself (look) ugly

enlevé, **~e** /ɑ̃lve/
A *pp* ▸ **enlever**
B *pp adj* [*morceau, rythme*] lively; **joué à un rythme ~** played at a brisk *ou* lively tempo

enlèvement /ɑ̃lɛvmɑ̃/ *nm* **1** (délit) kidnapping[GB], abduction; **l'~ d'un journaliste** the kidnapping[GB] *ou* abduction of a journalist; **quelques heures après leur ~** a few hours after they were kidnapped *ou* after their abduction; **2** (de meuble, colis) removal; (d'ordures ménagères) collection
(Composés) **l'~ des Sabines** Art, Hist the rape of the Sabine women; **l'Enlèvement au sérail** Mus The Abduction from the Seraglio

enlever /ɑ̃lve/ [16]
A *vtr* **1** (ôter) to take [sth] away, to remove [*meuble, livre, vase*]; to take [sth] down, to remove [*rideaux, tableau, tuiles*]; to take [sth] off [*vêtement, chapeau, bijou*]; to move, to remove [*véhicule*] (**de** from); **enlève tes affaires de là/les mains de tes poches/tes pieds du fauteuil** get your things out of here/your hands out of your pockets/your feet off the armchair; **2** (supprimer) to remove [*tache, vernis, peinture*] (**de** from); to remove [*pépins, tumeur, amygdales*]; **3** (priver de) to take [sb/sth] away [*personnes, objet, avantage, souci*] (**à** from); **~ à qn l'envie de faire** to put sb off doing; **~ toute signification à qch** to make sth totally meaningless; **cela n'enlève rien à leurs qualités** it doesn't take away from their good qualities in any way; **cela n'enlève rien à l'estime que j'ai pour elle** it doesn't make me think any the less of her; **la tuberculose nous l'a enlevé à 20 ans** euph tuberculosis took him from us at 20; ▸ **pain**; **4** (ravir) [*criminel*] to kidnap, to abduct [*otage*]; liter [*amant*] to carry [sb] off [*bien-aimée*]; **5** (gagner) to carry [sth] off [*coupe, prix, titre*]; to capture [*marché, place forte*]; **6** (avec brio) to give a brilliant rendering of [*morceau de musique*]
B **s'enlever** *vpr* **1** (disparaître) [*vernis, papier peint*] to come off; [*tache*] to come out; **les taches s'enlèvent plus facilement à l'eau tiède/avec du savon** stains come out more easily with warm water/with soap; **2** (être séparable) [*pièce*] to be detachable; **le miroir peut s'~** the mirror can be removed; **les pépins s'enlèvent?** do you take out *ou* remove the pips?; **la peau s'enlève?** do you peel it?; **ça s'enlève comment?** [*vêtements, parure*] how do you take *ou* get it off?; **3** (partir) **enlève-toi de là**° get off°

enlisement /ɑ̃lizmɑ̃/ *nm* **1** (lit) sinking; **2** (de négociations, conflit, débat) stalemate; (de mouvement) collapse; **l'~ d'un pays dans la guerre** a country's slide into war

enliser /ɑ̃lize/ [1]
A *vtr* to get [sth] stuck [*bateau, véhicule*] (**dans** in)
B **s'enliser** *vpr* **1** [*bateau, véhicule*] to get stuck, get bogged down (**dans** in); **2** [*enquête, négociations, conflit*] to drag on; **3** **s'~ dans** to get bogged down in, sink into; **le pays s'enlise dans la guerre civile** the country is sinking *ou* being sucked into civil war; **être enlisé dans** (conflit, difficultés) to be embroiled in

enluminer /ɑ̃lymine/ [1] *vtr* Art to illuminate

enlumineur, **-euse** /ɑ̃lyminœʀ, øz/ ▸ **p. 532** *nm,f* illuminator

enluminure /ɑ̃lyminyʀ/ *nf* Art illumination

enneigé, **~e** /ɑ̃neʒe/ *adj* [*sommet, montagne*] snowy (*épith*); [*route*] covered in snow (*après n*)

enneigement /ɑ̃nɛʒmɑ̃/ *nm* snow coverage; **bulletin d'~** snow report; **l'~ des pistes est insuffisant** there isn't enough snow on the slopes

ennemi, **~e** /ɛnmi/
A *adj* **1** Mil enemy (*épith*); **en terre ~e** in enemy territory; **pays ~s depuis des siècles** countries which have been enemies for centuries; **2** (hostile) hostile; **être ~ de qch** to be opposed to sth
B *nm,f* **1** (de personne, groupe) enemy; **~ héréditaire** traditional enemy; **se faire des ~s** to make enemies; **se faire un ~ de qn** to make an enemy of sb; **passer à l'~** to go over to the enemy; **tomber entre les mains de l'~** to fall into enemy hands; **c'est l'~ public numéro un** he is public enemy number one; **2** (de principe, d'idée) opponent; **3** (élément nocif) **la censure est l'~ de la liberté** censorship is the enemy of a free society; **l'alcool est l'~ de votre foie/santé** alcohol damages your liver/health
(Idiome) **le mieux est l'~ du bien** perfectionism can be counter-productive

ennoblir /ɑ̃nɔbliʀ/ [3] *vtr* to ennoble; **l'âge a ennobli ses traits** age has made him look more distinguished

ennui /ɑ̃nɥi/ *nm* **1** (sentiment) boredom; **tromper l'~** to escape from boredom; **c'est à**

e

mourir d'~ it's enough to bore you stiff *ou* to death; **quel ~!** what a bore!; [2] (problème) problem; **parler de ses ~s** to discuss one's problems *ou* troubles; **~s familiaux** family problems *ou* troubles; **avoir des ~s** to have problems; **j'ai des ~s avec la police** I'm in trouble with the police; **créer des ~s à qn** to make trouble for sb; **le seul ~ c'est que** the only trouble is that; **s'attirer des ~s** to run into trouble (**avec** with); **~s d'argent** money worries *ou* problems; **~s de santé** health problems; **il m'a cherché des ~s** he tried to create problems for me; **~s pulmonaires** lung problems *ou* trouble; **~s mécaniques** mechanical problems

(Idiome) **un ~ ne vient jamais seul** it never rains but it pours

e

ennuyé, **~e** /ɑ̃nɥije/
A *pp* ▸ **ennuyer**
B *pp adj* [1] (las) [*air, assistance, spectateur*] bored; **~ de tout** bored with everything; [2] (embarrassé) embarrassed; **il avait l'air bien ~** he looked quite embarrassed; **j'étais très ~ de laisser les enfants seuls** I felt awful *ou* terrible about leaving the children on their own; [3] (dans une situation difficile) **j'aurais été très ~ si je n'avais pas eu la clé** I would have been in real trouble if I hadn't had the key; [4] (à court d'argent) short (of money); **elle est un peu ~e en ce moment** she's a bit short at the moment

ennuyer /ɑ̃nɥije/ [22]
A *vtr* [1] (lasser) to bore; **mon travail/mari m'ennuie** my job/husband bores me; **ça m'ennuie à mourir** it bores me to death; **voyager m'ennuie** I find travelling[GB] boring; [2] (déranger) to bother; **est-ce que ça vous ennuierait si j'ouvrais la fenêtre?** would it bother you if I opened a window?; **excusez-moi de vous ~** I'm sorry to disturb you; **ce qui m'ennuie avec lui c'est que** what bothers me about him is that; **est-ce que ça vous ennuierait de m'accompagner?** would you mind coming with me?; **si ça ne vous ennuie pas trop** if you don't mind; [3] (irriter) to annoy; **ça m'ennuie que tu cries sans arrêt** it annoys me the way you shout all the time; [4] (harceler) to hassle○; **arrête de m'~** stop hassling me
B **s'ennuyer** *vpr* [1] (être las) to be bored; **elle s'ennuie chez elle** she is bored at home; **s'~ mortellement** to be bored stiff; **avoir l'air de s'~** to look bored; [2] (se lasser) to get bored; **je me suis franchement ennuyée** I got really bored; **s'~ à faire** to get bored doing; ▸ **rat**, **sou**; [3] (languir) **s'~ de** to miss; **elle s'ennuie de lui** she misses him

ennuyeux, **-euse** /ɑ̃nɥijø, øz/ *adj* [1] (lassant) boring; **livre/spectacle/homme ~** boring book/show/man; **c'est ~ de toujours faire la même chose** it's boring doing the same thing all the time; **~ à mourir**, **mortellement ~** deadly boring; [2] (pénible) tedious; **corvées/invitations ennuyeuses** tedious chores/social gatherings; [3] (agaçant) annoying; **l'~ c'est que** the annoying thing is that; **vous me mettez dans une situation ennuyeuse** you're putting me in an awkward position

(Idiome) **être ~ comme la pluie** to be as dull as ditchwater

énoncé /enɔ̃se/ *nm* [1] (de problème, sujet) wording (**de** of); **je n'ai pas compris l'~ de la question** I didn't understand the wording of the question; **l'~ d'une théorie** the exposition of a theory; [2] (de fait) statement (**de** of); **peu après l'~ des premiers résultats** shortly after the first results were declared; [3] Jur pronouncement (**de** of); **à l'~ du verdict, l'accusé s'est effondré** when the verdict was pronounced, the defendant broke down; [4] Ling utterance

énoncer /enɔ̃se/ [12]
A *vtr* to pronounce [*jugement*]; to set out, to state [*faits, principes*]; to expound [*théorie*]
B **s'énoncer** *vpr* **ce que l'on conçoit bien s'énonce clairement** what is well thought out can be clearly expressed

énonciatif, **-ive** /enɔ̃sjatif, iv/ *adj* Ling enunciative; **proposition énonciative** enunciative clause

énonciation /enɔ̃sjasjɔ̃/ *nf* Ling utterance

enorgueillir /ɑ̃nɔʀgœjiʀ/ [3]
A *vtr* to make [sb] proud [*personne*]
B **s'enorgueillir** *vpr* to pride oneself (**de qch** on sth), to take pride (**de qch** in sth); **s'~ de faire qch** to pride oneself on doing sth, to take pride in doing sth; **la ville s'enorgueillit de magnifiques fontaines** fig the town boasts several magnificent fountains

énorme /enɔʀm/ *adj* [1] (par la taille, la quantité) [*objet, personne, somme*] huge, enormous; [*dépense*] huge, vast; [2] (par l'intensité, l'ampleur) [*scandale, succès, effort*] tremendous; [*erreur, sottise, gaffe*] terrible; [*mensonge, histoire, prétexte*] outrageous; [*rire*] hearty; **mensonge ~** outrageous lie, real whopper○; **il a d'~s possibilités** he is terribly *ou* tremendously talented; **la différence est ~** there's a world of difference; **ça vous ferait un bien ~** it would do you a power of good; **c'est déjà ~ qu'il les voie** for him to even see them is quite something; **faire un travail ~** [*personne*] to do a tremendous amount of work

énormément /enɔʀmemɑ̃/ *adv* [*manger, boire*] a tremendous *ou* an incredible amount; [*parler, changer, apprendre*] a great deal; **il a ~ grossi/maigri** he's put on/he's lost a tremendous *ou* an incredible amount of weight; **ça s'est ~ construit** there's been a tremendous amount of building; **~ de temps/travail** a tremendous amount of time/work; **~ de gens/cigares** a tremendous number of people/cigars; **il y a ~ à faire/manger** there's a tremendous amount to do/to eat, there's loads○ to do/to eat; **il y a ~ à gagner** there's a lot *ou* a great deal to be gained; **ça compte ~** it's tremendously important; **ça m'a ~ plu** I liked it immensely; **ça l'a ~ fatigué** it made him tremendously tired; **ça a ~ progressé** it's come on a lot; **il travaille ~** he works very hard, he does a tremendous amount of work; **il gagne ~** he earns a fortune

énormité /enɔʀmite/ *nf* [1] (de chiffre, taille) hugeness; (de faute, mensonge, requête) enormity; **te rends-tu compte de l'~ de tes paroles?** fig do you realize the enormity of what you're saying?; [2] (propos aberrant) outrageous remark

enquérir: **s'enquérir** /ɑ̃keʀiʀ/ [35] *vpr* fml **s'~ de** to inquire about sth; **s'~ de ce que qn fait** to inquire what sb is doing; **s'~ de la santé de qn** to inquire *ou* ask after sb

enquête /ɑ̃kɛt/ *nf* [1] Admin, Jur inquiry, investigation (**sur** into); (pour déterminer les causes d'une mort) inquest (**sur** into); **~ de police** police investigation; **~ judiciaire** judicial inquiry; **ouvrir une ~** to open *ou* set up an investigation *ou* inquiry; **mener une ~** to lead an investigation *ou* inquiry; **l'~ suit son cours** the investigation is continuing; [2] Presse, Sociol (reportage) investigation (**sur** into); (sondage) survey (**sur** about); **~ pour sondage** sample survey; **mener une ~ auprès de la population** to carry out a survey among the population; **une ~ par téléphone** a telephone survey

(Composés) **~ administrative** public inquiry; **~ d'opinion** gén survey; (pour des élections) opinion poll; **~ parlementaire** parliamentary inquiry GB, legislative inquiry US; **~ préliminaire** preliminary investigation; **~ sociale** *investigation allowing a judge to decide on custody rights in a divorce case*

enquêter /ɑ̃kete/ [1] *vi* [*policier, gendarme*] to carry out an investigation (**sur** into), to investigate; [*expert, technicien, commission*] to hold an inquiry (**sur** into); **la police enquête sur le crime** the police are carrying out an investigation into the crime *ou* are investigating the crime

enquêteur, **-trice** /ɑ̃ketœʀ, tʀis/ ▸ **p. 532** *nm,f* [1] (de police) investigating officer; [2] (pour sondage politique) pollster; (pour sondage commercial) (market research) interviewer

enquiquinant○, **~e** /ɑ̃kikinɑ̃, ɑ̃t/ *adj* [1] (agaçant) [*bruit, changement*] annoying, irritating; **elle est ~e, celle-là!** she's a real pain○!; [2] (ennuyeux) [*travail*] boring

enquiquinement○ /ɑ̃kikinmɑ̃/ *nm* **tu parles d'un ~!** what a pain○!; **je n'ai eu que des ~s depuis mon arrivée** I've had nothing but trouble *ou* hassles since I arrived

enquiquiner○ /ɑ̃kikine/ [1]
A *vtr* **~ qn** (agacer) to get on sb's nerves, to irritate sb; (importuner) to pester sb; **ça m'enquiquine d'y aller** it's a real pain○ having to go there; **tu serais bien enquiquiné si tu perdais ta clé** you would be in a real mess if you lost your key
B **s'enquiquiner** *vpr* [1] (s'ennuyer) to be bored, to be bored stiff○; [2] (se donner du mal) **s'~ à faire** to go to the trouble *ou* bother of doing; **je me suis enquiquiné à réparer ce vélo** I went to (a heck○ of) a lot of trouble to mend this bike; **tu ne vas pas t'~ à tout refaire?** you're not going to waste your time doing everything again?

enquiquineur○, **-euse** /ɑ̃kikinœʀ, øz/ *nm,f* pain○, nuisance; **quel ~, alors!** he's such a pain!

enracinement /ɑ̃ʀasinmɑ̃/ *nm* [1] Agric, Bot taking root, rooting; [2] (de colon, peuple) settling; [3] (d'habitude, idée, de principe, parti) (processus) taking root; (situation) deep-rootedness; **cette victoire marque le début de l'~ local du parti** this victory is the sign that the party is beginning to take root locally

enraciner /ɑ̃ʀasine/ [1]
A *vtr* [1] Agric, Bot to root; **profondément/solidement enraciné** deeply/firmly rooted; [2] (installer) to establish [*colons, peuple*]; [3] (fixer dans l'esprit) to implant, entrench [*idées, préjugés, principe*]
B **s'enraciner** *vpr* [1] Agric, Bot to take root; [2] (dans lieu, pays) [*personne*] to put down roots; [*coutume, idée, préjugé, principe*] to take root; [3] (rester trop longtemps) to outstay one's welcome

enragé, **~e** /ɑ̃ʀaʒe/
A *pp* ▸ **enrager**
B *pp adj* [1] (passionné) [*chasseur, collectionneur*] fanatical; **être ~ de** to be mad about; [2] (furieux) enraged; [3] Méd, Vét rabid
C *nm,f* (passionné, révolté) fanatic

(Idiome) **manger de la vache ~e** to go through hard times

enrageant, **~e** /ɑ̃ʀaʒɑ̃, ɑ̃t/ *adj* infuriating

enrager /ɑ̃ʀaʒe/ [13] *vi* to be furious; **~ de devoir faire** to be furious at having to do; **j'enrage de voir** I'm furious to see; **faire ~ qn** (taquiner) to tease sb; (ennuyer) to annoy sb

enrayer /ɑ̃ʀeje/ [21]
A *vtr* [1] (maîtriser) to check, to stem [*épidémie, progression*]; to curb [*inflation, chômage*]; to check, to stop [*baisse, développement*]; to stop [sth] escalating [*crise, violence*]; [2] (bloquer) to jam [*revolver*]; **~ le mécanisme** lit to jam the mechanism (**de qch** of sth); fig to put a spanner GB *ou* wrench US in the works
B **s'enrayer** *vpr* lit, fig to get jammed

enrégimenter /ɑ̃ʀeʒimɑ̃te/ [1] *vtr* Mil, fig to regiment

enregistrable /ɑ̃ʀəʒistʀabl/ *adj* recordable

enregistrement /ɑ̃ʀəʒistʀəmɑ̃/ *nm* [1] Audio, Vidéo recording; **l'~ ne rend pas bien les graves** the low notes don't come out well in the recording; **l'appareil a des problèmes d'~** the machine has problems recording; [2] (de fait, plainte, données) recording; (de nouveaux membres, livres) registration; (de commande) taking down; [3] Jur, Fisc registration; **procéder à l'~ d'une société** to register a company; [4] Transp (de bagages) check-in; **on a perdu beaucoup de temps pour l'~** we wasted a lot of time checking in; **on se retrouvera à l'~** we'll meet at the check-in desk; **5** Ordinat record

enregistrer /ɑ̃ʀəʒistʀe/ [1]
A *vtr* **1** Audio, Vidéo to record [*disque, cassette*]; **ils enregistrent (un disque) à Londres** they're recording (an album) in London; **~ qch sur bande magnétique/vidéo** to tape/to videotape sth; **2** (constater) to note [*progrès, échec, signe, phénomène*]; to record [*chute, hausse, baisse*]; **3** (consigner) to make a record of [*dépenses, recettes*]; to take [*commande*]; to record [*données, température*]; to set [*record*]; **les dépenses enregistrées cette année** the expenses on record this year; **4** Admin, Jur, Fisc to register; **5** Transp to check in [*bagages*]; **faire ~ ses bagages** to have one's luggage checked in, to check one's luggage US; **6** (mémoriser) to take in; **il lit beaucoup mais enregistre peu** he reads a lot but doesn't take very much in; **très bien, c'est enregistré** *or* **j'enregistre**○ fine, I've noted that
B s'enregistrer *vpr* **1** (au magnétophone) [*personne*] to record *ou* tape oneself; **2** (à l'aéroport) to check in

enregistreur, -euse /ɑ̃ʀəʒistʀœʀ, øz/
A *adj* recording (*épith*)
B *nm* (appareil) recorder
(Composés) **~ DVD** DVD recorder; **~ de vol** flight recorder

enrhumer /ɑ̃ʀyme/ [1]
A *vtr* to give [sb] a cold [*personne*]
B s'enrhumer *vpr* to catch a cold; **s'~ facilement** to catch colds easily; **être enrhumé** to have a cold

enrichi, ~e /ɑ̃ʀiʃi/
A *pp* ▸ **enrichir**
B *pp adj* [*aliment, substance*] enriched (**en** with); **lessive formule ~e** improved formula washing-powder

enrichir /ɑ̃ʀiʃiʀ/ [3]
A *vtr* **1** (financièrement) to make [sb] rich [*personne*]; to bring wealth to [*pays*]; **2** (augmenter) to enrich, enhance [*collection, connaissances, ouvrage*] (**de** with); **le musée a enrichi sa collection de nouvelles toiles** the museum's collection has been enhanced by new paintings; **3** Tech to enrich [*aliment, uranium*]
B s'enrichir *vpr* **1** [*personne*] to become *ou* grow rich; **2** [*collection, langue, expérience, connaissances*] to be enriched (**de** with); **la nouvelle édition s'enrichit d'illustrations** illustrations have been added to the new edition
(Idiome) **qui paie ses dettes s'enrichit** Prov he who pays his debts gets richer

enrichissant, ~e /ɑ̃ʀiʃisɑ̃, ɑ̃t/ *adj* [*expérience, conversation, lecture*] rewarding; [*relation*] fulfilling

enrichissement /ɑ̃ʀiʃismɑ̃/ *nm* **1** (en argent) (de pays) enrichment; (de personne) accumulation of wealth; **2** Tech enrichment

enrobage /ɑ̃ʀɔbaʒ/ *nm*, **enrobement** /ɑ̃ʀɔbmɑ̃/ *nm* Tech coating (**de** of)

enrober /ɑ̃ʀɔbe/ [1] *vtr* **1** lit (recouvrir) to coat (**de** with); **des amandes enrobées de sucre** sugar-coated almonds; **2** fig (présenter avec ménagements) to wrap up [*nouvelle*] (**de** in)

enrochement /ɑ̃ʀɔʃmɑ̃/ *nm* rip-rap

enrôlé /ɑ̃ʀole/ *nm* recruit; **un ~ volontaire** a volunteer

enrôlement /ɑ̃ʀolmɑ̃/ *nm* (dans l'armée, la marine) enlistment (**dans** in); (dans un parti) enrolment[GB] (**dans** in); **~ forcé** impressment

enrôler /ɑ̃ʀole/ [1]
A *vtr* gén to recruit; Mil to enlist, to recruit
B s'enrôler *vpr* **s'~ dans la marine/l'armée de terre** to enrol[GB] *ou* enlist in the navy/army

enroué, ~e /ɑ̃ʀwe/ *adj* [*voix*] hoarse, husky; **je suis ~** I am hoarse, my voice is hoarse *ou* husky; **d'une voix ~e** hoarsely, huskily

enrouement /ɑ̃ʀumɑ̃/ *nm* hoarseness

enrouer /ɑ̃ʀwe/ [1]
A *vtr* to make [sb] hoarse [*personne*]
B s'enrouer *vpr* [*voix*] to go hoarse; [*chanteur, orateur*] to make oneself hoarse; **s'~ à force de crier/parler** to shout/talk oneself hoarse

enroulement /ɑ̃ʀulmɑ̃/ *nm* **1** (action de s'enrouler) winding, rolling up; **2** (disposition) curling (up); **3** Art Archit scroll, whorl; **4** Électrotech coil

enrouler /ɑ̃ʀule/ [1]
A *vtr* **1** (autour d'un axe) to wind (**autour de** round GB, around); **2** (envelopper) to wrap
B s'enrouler *vpr* **1** [*bande, fil*] to wind (**sur** onto; **autour de** round GB, around); **2** [*personne, animal*] to curl up

enrouleur /ɑ̃ʀulœʀ/ *nm* drum; **ceinture de sécurité à ~** inertia-reel safety belt

enrubanner /ɑ̃ʀybane/ [1] *vtr* **1** (pour décorer) to decorate *ou* trim [sth] with ribbon [*chapeau*]; **2** (pour attacher) to tie *ou* do [sth] up with ribbons [*paquet*]

ENS /əɛnɛs/ *nf*: *abbr* ▸ **école**

ensablement /ɑ̃sɑbləmɑ̃/ *nm* (de port, terres) silting-up; (de véhicule) sinking in the sand; (de bateau) stranding (*on a sandbank*)

ensabler /ɑ̃sɑble/ [1]
A *vtr* **1** to get [sth] stuck in the sand [*véhicule*]; to strand [sth] on a sandbank [*bateau, embarcation*]; **2** to silt up [*port, canal, cours d'eau*]; to cover [sth] with sand [*rue, terres*]
B s'ensabler *vpr* **1** [*véhicule*] to get stuck in the sand; [*bateau*] to get stranded (*on a sandbank*); **2** [*cours d'eau, port*] to silt up, get sanded up; ▸ **portugais**

ensacher /ɑ̃saʃe/ [1] *vtr* to bag, to pack [sth] into bags [*marchandises*]

ENSAM /ɛnsam/ *nf*: *abbr* ▸ **école**

ensanglanté, ~e /ɑ̃sɑ̃glɑ̃te/
A *pp* ▸ **ensanglanter**
B *pp adj* [*visage, main, corps, couteau*] bloodstained, bloody; [*blessure*] bloody; [*vêtements*] covered in blood (*jamais épith*), bloodstained

ensanglanter /ɑ̃sɑ̃glɑ̃te/ [1] *vtr* **1** (couvrir de sang) to cover [sth] with blood, to bloody [*visage, chemise*]; **2** (ravager) to bring bloodshed to [*pays, époque*]; **les émeutes qui ont ensanglanté le pays** the riots that steeped the country in blood; **une violente bagarre a ensanglanté le match** a violent scuffle brought bloodshed to the match

enseignant, ~e /ɑ̃sɛɲɑ̃, ɑ̃t/ ▸ **p. 532**
A *adj* **corps/personnel ~** teaching profession/staff; **syndicat ~** teachers' trade union; **syndicalisme/militantisme ~** trade-unionism/militancy amongst teachers
B *nm,f* Scol teacher; Univ lecturer

enseigne /ɑ̃sɛɲ/
A *nf* **1** Comm (sur magasin) (shop) sign; **~ d'un bar** ≈ pub sign GB, bar *ou* tavern sign US; **~ lumineuse** neon sign; **2** Comm (nom déposé) trade name; **3** Mil, Naut (drapeau) ensign
B à telle enseigne que *loc conj* so much so that
(Composé) **~ de vaisseau** ▸ **p. 406** (de 1ère classe) ≈ sub-lieutenant GB, ≈ lieutenant junior grade US; (de 2e classe) ≈ acting sub-lieutenant GB, ≈ ensign US
(Idiome) **nous sommes logés à la même ~** we are in the same boat

enseignement /ɑ̃sɛɲmɑ̃/ *nm* **1** (institution) education; **l'~ primaire/secondaire/supérieur** primary/secondary/higher education; **l'~ public/privé/universitaire** state GB *ou* public US/private/university education; **politique/secteur de l'~** education policy/sector; **réforme de l'~** educational reform; **2** (activité) teaching; **se consacrer à l'~** to devote oneself to teaching; **l'~ des langues vivantes** modern language teaching; **programmes/méthodes/matériaux d'~** teaching programmes[GB]/methods/materials; **carrière de l'~** teaching career; **entrer dans l'~** to enter the teaching profession; **activités/équipements d'~** educational activities/facilities; **3** (formation) instruction; **l'~ théorique/pratique** theoretical/practical instruction; **4** (cours) tuition; **l'~ individuel** individual tuition; **dispenser/recevoir un ~** to give/receive tuition; **5** (leçon) lesson; **~s d'un échec/de l'expérience** lessons drawn from failure/experience; **plein** *or* **riche d'~s** full of lessons to be learned; **tirer les ~s de** to draw a lesson from
(Composés) **~ artistique** art education; **~ assisté par ordinateur, EAO** computer-aided learning, CAL; **~ audiovisuel** audiovisual teaching; **~ par correspondance** distance learning; **~ à distance** distance learning; **~ général** mainstream education; **~ libre** denominational education; **~ ménager** Scol domestic science; **~ mixte** coeducation; **~ professionnel** vocational training *ou* education; **~ religieux** religious instruction; **~ technique** technical education

enseigner /ɑ̃seɲe/ [1]
A *vtr* **1** (faire apprendre) to teach; **~ qch à qn** to teach sth to sb, to teach sb sth; **~ la philosophie** to teach philosophy; **bien/mal enseigné** well/poorly taught; **les matières enseignées à l'école** subjects taught in school; **2** (faire comprendre) [*expérience, science, livre, personne*] to teach; **l'expérience nous enseigne que** experience teaches us that
B *vi* to teach; **~ à qn** to teach sb; **~ à Paris** to teach in Paris; **elle enseigne à des détenus** she teaches prisoners
C s'enseigner *vpr* to be taught; **le journalisme s'enseigne dans des écoles spéciales** journalism is taught in specialist schools

ensemble /ɑ̃sɑ̃bl/
A *adv* **1** (l'un avec l'autre) together; **aller ~ au cinéma** to go to the cinema GB *ou* movies US together; **mettre ~ des objets/personnes** to put objects/people together; **chantons tous ~!** let's sing all together!; **ils vont ~/bien ~** they go together/well together; **ils iraient bien ~ ces deux-là!** they'd make a fine pair, those two!; **2** (simultanément) at the same time; **ne parlez pas tous ~!** don't all speak at the same time!; **3** (à la fois) liter **tout ~** at once; **il pratique tout ~ la peinture, la gravure et la sculpture** he's a painter, engraver and sculpter at once
B *nm* **1** (éléments regroupés) group; **un ~ de personnes/dessins/faits** a group of people/drawings/facts; **l'~ des élèves de la classe** all the pupils in the class; **l'~ de l'œuvre d'un écrivain** the whole of a writer's work; **une vue/idée/politique d'~** an overall view/idea/policy; **plan d'~ d'une ville** general plan of a town; **dans l'~** by and large; **dans l'~ de** throughout; **dans son** *or* **leur ~** as a whole; **conçu comme un ~** conceived as a whole; **2** (éléments assortis) set; **un ~ de mesures** a set of measures; **un ~ de sacs de voyages** a set of travel bags; **3** (cohésion) unity, cohesion; **tableau sans ~** painting lacking cohesion; **former un bel ~** to form a harmonious whole; **4** (synchronisation) (de gestes) coordination; (de sons) unison; **sans ~** without coordination; **l'orchestre a attaqué avec un ~ parfait** the orchestra began playing in perfect unison; **avec un ~ presque parfait, tous les invités se sont rués sur le buffet** almost as one, all the guests rushed to the buffet; **un mouvement d'~** a coordinated movement; **5** Math set; **~ fini/dérivé** finite/derived set; **théorie des ~s** set theory; **6** (formation musicale) ensemble; **un ~ instrumental/vocal/à cordes** an instrumental/a vocal/a string ensemble; **7** Constr (de bureaux) complex; **~ résidentiel/hôtelier** residential/hotel complex; **~ industriel** industrial estate GB *ou* park US; **un ~ scolaire** a school block GB, a school building; ▸ **grand**; **8** Mode (avec deux pièces ou plus) outfit; (tailleur) suit; **un ~ (veste) pantalon** a trouser suit GB, a pant suit US

ensemblier /ɑ̃sɑ̃blije/ ▸ **p. 532** *nm* **1** (décorateur) interior designer; **2** Cin assistant set designer

ensemencement /ɑ̃smɑ̃smɑ̃/ *nm* Agric sowing (**de** of)

ensemencer /ɑ̃smɑ̃se/ [12] *vtr* **1** Agric to sow; **~ un champ en blé** to sow a field with corn; **2** Pêche **~ une rivière** to stock a river with young fish

enserrer /ɑ̃seʀe/ [1] *vtr* **1** (mouler) [*vêtement*] to fit tightly round [*taille, hanches, poignet*]; **une bande lui enserrait le poignet** his wrist was tightly bound in a bandage; **2** (serrer fortement) **il lui enserra la taille** he clasped her around the waist; **la pieuvre enserra sa proie** the octopus gripped its prey tightly

ensevelir /ɑ̃səvəliʀ/ [3] *vtr* **1** fml (enterrer) to bury, to inter sout; **2** (recouvrir) [*volcan, cendres, neige*] to bury; **3** (cacher) liter [*personne*] to hide; [*temps*] to enshroud sout; **faire renaître des querelles ensevelies** to revive long-buried feuds

ensevelissement /ɑ̃səvəlismɑ̃/ *nm* **1** fml (enterrement) burial; **2** (recouvrement) liter burying

ENSI /ɛnsi/ *nf* (*abbr* = **École nationale supérieure d'ingénieurs**) *Grande École of engineering*

ensilage /ɑ̃silaʒ/ *nm* **1** (fourrage) silage; **2** (processus) ensilage

ensiler /ɑ̃sile/ [1] *vtr* to ensile [*fourrage*]; to store [sth] in a silo [*grain*]

ensileuse /ɑ̃siløz/ *nf* cutter-blower

ensoleillé, **~e** /ɑ̃sɔleje/ *adj* sunny

ensoleillement /ɑ̃sɔlɛjmɑ̃/ *nm* **1** (exposition au soleil) **la pièce jouit d'un bon ~** the room gets a lot of sun; **2** Météo **l'~ moyen de la région est de 2 000 heures par an** on average the region gets 2,000 hours of sunshine a year

ensommeillé, **~e** /ɑ̃sɔmeje/ *adj* [*personne, voix*] sleepy, drowsy; **il a les yeux tout ~s** he's all sleepy-eyed, his eyes are heavy with sleep

ensorcelé, **~e** /ɑ̃sɔʀsəle/
A *pp* ▸ **ensorceler**
B *pp adj* [*maison, forêt*] enchanted

ensorceler /ɑ̃sɔʀsəle/ [19] *vtr* **1** (jeter un sort) to cast *ou* to put a spell on [*ennemi, rival*]; **2** (captiver) [*beauté, esprit, personne*] to bewitch, to enchant [*personne*]; **il a ensorcelé son auditoire** he held his audience spellbound; **il écoutait, ensorcelé** he listened, bewitched *ou* spellbound

ensorceleur, **-euse** /ɑ̃sɔʀsəlœʀ, øz/
A *adj* **1** (séduisant) [*personne, sourire*] bewitching, enchanting; **2** (magique) [*formule, philtre*] magic
B *nm,f* (personne séduisante) charmer

ensorcellement /ɑ̃sɔʀsɛlmɑ̃/ *nm* **1** (en jetant un sort) bewitchment; **2** (en séduisant) charm, enchantment

ensuite /ɑ̃sɥit/ *adv* **1** (après) then; (ultérieurement) later, subsequently; **lave-les, ~ essuie-les** wash them, then dry them; **très bien, mais ~?** fine, but then what?; **il ne me l'a dit qu'~** he only told me later *ou* subsequently; **2** (en second lieu) secondly; **d'abord c'est trop cher, ~ ça ne me plaît pas** firstly, it's too expensive, and secondly I don't even like it

ensuivre: **s'ensuivre** /ɑ̃sɥivʀ/ [19] *vpr* to follow, to ensue; **ils ont connu la guerre, et tout ce qui s'ensuit** they have lived through war and all that it entails; **jusqu'à ce que mort s'ensuive** until one is dead

entablement /ɑ̃tabləmɑ̃/ *nm* entablature

entaché, **~e** /ɑ̃taʃe/
A *pp* ▸ **entacher**
B *pp adj* Jur **acte ~ d'un vice de forme** act vitiated by a formal flaw; **~ de nullité** Jur null and void

entacher /ɑ̃taʃe/ [1] *vtr* fml to sully littér, to besmirch littér [*réputation, honneur*]; to mar [*relations, rapports*]; **l'image du parti est entachée de querelles internes** the party image is marred by internal quarrels

entaille /ɑ̃tɑj/ *nf* **1** (blessure) cut; (profonde) gash; **se faire une ~ au bras** to cut *ou* gash one's arm; **2** (sur objet) gash; (sur un angle) notch

entailler /ɑ̃tɑje/ [1]
A *vtr* to cut into [*bois*]; (profondément) to make a gash in [sth]; **le ciseau entaille le bois** the chisel cuts into the wood
B **s'entailler** *vpr* **s'~ le doigt** to cut one's finger; (légèrement) to nick one's finger; (profondément) to gash one's finger

entame /ɑ̃tam/ *nf* **1** Culin (première tranche) first slice; **2** Sport (début) start; **3** Jeux (première carte) lead

entamé, **~e** /ɑ̃tame/
A *pp* ▸ **entamer**
B *pp adj* **1** (avancé) under way; **la journée/soirée était bien ~e** the day/evening was well under way; **2** (commencé) **le sandwich était à peine ~** the sandwich had hardly been touched; **il y avait un biscuit ~ sur la table** a half-eaten biscuit GB *ou* cookie US was on the table

entamer /ɑ̃tame/ [1]
A *vtr* **1** (démarrer) to start [*activité, journée, grève*]; to initiate [*procédure, poursuites, démocratisation*]; to enter into [*collaboration, bataille, entretien*]; to open [*dialogue, réunion, négociation*]; **j'entamais ma lecture quand il a téléphoné** I was just starting to read when he phoned; **on vient juste d'~ le dessert** we've just started eating dessert; **2** (affaiblir) to undermine [*crédibilité, moral, santé*]; to shake [*détermination*]; to test [*patience*]; **~ la réputation de qn** to undermine sb's reputation; **3** (rogner) to eat into [*économies, capital*]; **4** (commencer à consommer) to cut into [*pain, rôti*]; to open [*bouteille, pot*]; **5** (entailler) to cut into [*bois, peau, os, verre*]; **6** (ronger) to eat into [*métal*]
B **s'entamer** *vpr* **je me suis entamé la joue** I've cut my cheek

entartrage /ɑ̃taʀtʀaʒ/ *nm* (de bouilloire) furring-up GB, scaling (**de** of)

entartrer /ɑ̃taʀtʀe/ [1]
A *vtr* to fur up GB, to scale up [*chaudière, tuyau*]
B **s'entartrer** *vpr* [*tuyau*] to fur up GB, to scale; [*dents*] to be covered in tartar

entassement /ɑ̃tasmɑ̃/ *nm* **1** (action) (de choses) piling up, heaping up; (de personnes) cramming together; **2** (résultat) (d'objets) pile; (plus gros) heap

entasser /ɑ̃tase/ [1]
A *vtr* **1** (empiler) to pile [*livres, vêtements*] (**dans** into; **sur** onto); **2** (amasser) to hoard [*argent, vieilleries*]; **3** (serrer) to pack, to cram [*personnes, objets*] (**dans** into); **les gens sont entassés sur les gradins** the people are tightly packed *ou* crammed on the terraces
B **s'entasser** *vpr* [*objets*] to pile up; [*personnes*] to crowd, to squeeze (**dans** into); **s'~ sur la place** to crowd into the square; **s'~ sur le quai/la plage** to crowd onto the platform/beach; **on peut s'y ~ à six** you can squeeze six in; **on s'y est entassés à six** six of us squeezed in

entendement /ɑ̃tɑ̃dmɑ̃/ *nm* understanding; **cela dépasse l'~** it's beyond belief

entendeur /ɑ̃tɑ̃dœʀ/ *nm* **à bon ~, salut!** you've been warned!

entendre /ɑ̃tɑ̃dʀ/ [6]
A *vtr* **1** (percevoir par l'ouïe) to hear [*bruit, mot*]; **~ qn pleurer, ~ qn qui pleure** to hear sb crying; **il pleure—oui, je l'entends** he is crying—yes, I can hear him; **tu n'entends pas? c'est pourtant net** can't you hear it? it's quite clear; **réussir à se faire ~** to manage to make oneself heard; **tu as entendu?** did you hear that?; **j'ai mal entendu** I didn't hear properly; **si j'ai bien entendu** if I heard correctly; **une expression qu'on entend à la campagne** an expression you hear in the country; **~ qch de ses propres oreilles** to hear sth with one's own ears; **qu'est-ce que j'entends? tu nous quittes?** what's this I hear? you're leaving (us)?; **elle entend mal** she's hard of hearing; **faire ~ un cri/gémissement** to give a cry/groan; **une explosion se fit ~** there was the sound of an explosion; **j'ai entendu dire que** I've heard (say) that; **je n'en ai jamais entendu parler** I've never heard of it; **je ne veux plus en ~ parler** I don't want to hear another word about it; **vous entendrez parler de moi!** (menace) you haven't heard the last of it!; **on n'entend plus parler de ce projet** nothing more has been heard about the project; **on n'entend plus parler de lui** his name is never mentioned any more; ▸ **mouche**
2 (prêter attention à) [*juge, police*] to hear [*témoin, témoignage*]; [*dieu*] to hear [*prières, croyant*]; **~ la messe** to attend mass; **à t'~, tout va bien** according to you, everything is fine; **raconter qch à qui veut l'~** to tell sth to anyone who'll listen; **qu'est- ce qu'il ne faut pas ~!** I've never heard such nonsense!; **elle ne veut rien ~** she won't listen; **(que) le ciel vous entende!** let's hope that's how it turns out!
3 fml (comprendre) to understand [*concept, expression*]; **je n'y entends pas grand-chose** I don't understand much about it; **'c'est confidentiel'—'j'entends bien'** 'it's confidential'—'I quite understand'; **il agit comme il l'entend** he does as he likes; **fais comme tu l'entends** do as you think best; **ne pas arriver à se faire ~** not to be able to make oneself understood; **ne pas arriver à se faire ~ de qn** not to be able to get through to sb; **elle m'a laissé** *or* **donné à** *or* **fait ~ que** she gave me to understand that; **elle a laissé ~ que** she intimated that; **ils ne l'entendent pas de la sorte** *or* **de cette oreille** they don't see it that way
4 (signifier) to mean; **qu'entends-tu par là?** what do you mean by that? ; **ce n'est pas douloureux, j'entends, pas plus qu'une piqûre** it isn't painful, I mean, no more than an injection; **le marxisme entendu comme une philosophie** marxism as a philosophy
5 fml (avoir l'intention de) **~ faire** to intend doing, to have the intention of doing; **j'entends bien rester ici** I have every intention of staying here; **j'entends qu'on fasse ce que je dis** I expect people to do what I say
B **s'entendre** *vpr* **1** (sympathiser) to get on *ou* along (**avec** with); **ils s'entendent très bien** they get on *ou* along really well; **ils ne s'entendent pas** they don't get on *ou* along; ▸ **chat**, **larron**
2 (se mettre d'accord) to agree (**sur** on); **s'~ sur une heure** to agree on a time; **on leur dit la vérité ou pas? il faudrait s'~** shall we tell them the truth or not? let's get it straight; **entendons-nous bien, personne ne doit leur dire la vérité** it goes without saying, nobody must tell them the truth
3 (être perçu par l'oreille) [*bruit*] to be heard; (soi-même) to hear oneself; (les uns les autres) to hear each other; **cela s'entendait à l'autre bout de la ville** you could hear it on the other side of town
4 (être compris) **phrase qui peut s'~ de plusieurs façons** sentence which can be taken in several different ways; **après paiement, s'entend!** after payment, of course!; **cela** *or* **il s'entend** fml (c'est évident) of course; **ce n'est pas tout à fait ça mais je m'entends** it's not exactly that, but I know what I mean
5 (être compétent) **s'y ~ en meubles anciens** to know about antiques; **s'~** *or* **s'y ~ à peindre des portraits** to be good at portraits; **pour te faire culpabiliser, elle s'y entend!** hum when it comes to making you feel guilty, she's an expert (at it) *ou* she's got it down to a fine art

entendu, **~e** /ɑ̃tɑ̃dy/
A *pp* ▸ **entendre**
B *pp adj* (décidé) **c'est une affaire ~e** it's settled; **'tu viens demain?'—'~!'** 'will you come tomorrow?'—'OK!'; **je fais ceci étant ~ que** I'm doing this on the understanding that
C *adj* (de connivence) [*clin d'œil, air*] knowing; **d'un**

air ~ with a knowing look; **avec un clin d'œil/sourire** ~ with a knowing wink/smile
D bien entendu *loc adv* of course; **elle a oublié, (comme de) bien** ~ she's forgotten, of course; **bien** ~**, personne n'a rien vu?** iron naturally, nobody saw anything?; **il est bien** ~ **qu'elle ne sait rien** of course, she knows nothing

entente /ɑ̃tɑ̃t/ *nf* **1** (bon rapport) harmony; ~ **sexuelle** sexual harmony; **l'**~ **au sein d'une famille** family harmony; **une famille où il n'y a pas d'**~ a family where people don't get on; **une bonne/mauvaise** ~ **entre deux frères** a good/bad relationship between two brothers; **la bonne** ~ **de nos deux pays** the friendly relationship between our two countries; **vivre en bonne** ~ **avec qn** to be on good terms with sb; **2** (alliance) gén, aussi Jur, Pol understanding; ~ **tacite** tacit understanding; **arriver** *or* **parvenir à une** ~ to come to an understanding; **l'**~ **franco-allemande** the understanding between France and Germany, the Franco-German entente Pol; **3** Comm, Écon (accord) arrangement; ~ **commerciale** trade arrangement; **4** (association) ~ **sportive** sports club

(Composés) **l'Entente cordiale** Hist, Pol the entente cordiale; ~ **préalable** interim agreement

l'Entente Cordiale

An agreement signed by the British and French governments in 1904 aiming to settle long-standing disputes between the two powers in territories such as Morocco, Egypt, Siam, Madagascar, the New Hebrides, West and Central Africa, and Newfoundland. It was motivated by a shared fear of Germany and in turn led to the *Triple Entente* between Britain, France and the Russian Empire in 1907. It represented a historic shift from conflict to *rapprochement* and negotiated agreements.

enter /ɑ̃te/ [1] *vtr* Agric to graft [*prunier*]

entérinement /ɑ̃teʀinmɑ̃/ *nm* ratification (**de** of)

entériner /ɑ̃teʀine/ [1] *vtr* **1** (ratifier) to ratify; **la loi/réforme entérine un état de faits** the law/reform legalizes a preexisting state of affairs; **2** (admettre) to confirm

entérique /ɑ̃teʀik/ *adj* enteric

entérite /ɑ̃teʀit/ ▸ **p. 283** *nf* Méd enteritis

(Composé) ~ **des chats** feline enteritis

entérobactérie /ɑ̃teʀobakteʀi/ *nf* enterobacterium

entérostomie /ɑ̃teʀostɔmi/ *nf* enterostomy

enterré, ~**e** /ɑ̃teʀe/
A *pp* ▸ **enterrer**
B *pp adj* **1** (sous terre) [*défunt, conduit, trésor*] buried; **mort et** ~ lit, fig dead and buried; **2** (oublié) [*querelle, histoire*] ~ **(depuis longtemps)** long-forgotten (*épith*); **cette querelle/histoire est** ~**e depuis longtemps** this is a long-forgotten quarrel/story, this quarrel/story has been long forgotten

enterrement /ɑ̃tɛʀmɑ̃/ *nm* **1** (inhumation) burial (**de** of); **2** (obsèques) funeral; **bel** ~ nice funeral; **messe d'**~ funeral mass; **faire une tête d'**~ to look gloomy; **3** (mise à l'écart) shelving; **l'**~ **du rapport Grunard** the shelving of the Grunard report; **4** (fin) death; **l'**~ **d'une illusion** the death of an illusion

enterrer /ɑ̃teʀe/ [1]
A *vtr* **1** (inhumer) to bury [*défunt*]; **être enterré vivant** to be buried alive; **être enterré dans l'intimité** to be given a quiet family funeral; **2** (mettre sous terre) to bury [*canalisation, trésor, racine*]; **3** (renoncer à) to say goodbye to [*jeunesse, ambition, idéologie*]; **4** (mettre à l'écart) to shelve [*rapport, projet*]
B s'enterrer○ *vpr* to go and hole up○; **ils sont allés s'**~ **dans un trou perdu** they went and holed up○ in the middle of nowhere

(Idiome) ~ **sa vie de garçon** to have a stag party; ▸ **hache**

entêtant, ~**e** /ɑ̃tetɑ̃, ɑ̃t/ *adj* [*odeur, parfum*] heady; [*musique*] insistent

en-tête, *pl* **en-têtes*** /ɑ̃tɛt/ *nm* **1** (de papier) heading; **papier à lettres à** ~ headed writing paper; **papier à lettres à** ~ **de l'hôtel** hotel writing paper; **2** Ordinat header-block

entêté /ɑ̃tete/
A *pp* ▸ **entêter**
B *pp adj* [*enfant, mutisme*] stubborn, obstinate

entêtement /ɑ̃tɛtmɑ̃/ *nm* stubbornness, obstinacy; **mettre de l'**~ **à réussir** to be determined to succeed; **ton** ~ **à faire** your insistence on doing

entêter: **s'entêter** /ɑ̃tete/ [1] *vpr* (se buter) to be stubborn, to dig one's heels in○; (persister) to persist (**dans qch** in sth; **à faire** in doing)

enthousiasmant, ~**e** /ɑ̃tuzjasmɑ̃, ɑ̃t/ *adj* exciting

enthousiasme /ɑ̃tuzjasm/ *nm* enthusiasm ₵ (**pour** for); **susciter l'**~ to arouse enthusiasm; **refroidir les** ~**s** to dampen enthusiasm; **le manque d'**~ **de qn** sb's lack of enthusiasm; **avec** ~ enthusiastically; **avec peu d'**~ with little enthusiasm; **sans** ~ unenthusiastically; **sans grand** ~ without much enthusiasm; **il travaille sans grand** ~ he hasn't got much enthusiasm for his work; **sans aucun** ~ with no enthusiasm at all

enthousiasmé, ~**e** /ɑ̃tuzjasme/
A *pp* ▸ **enthousiasmer**
B *pp adj* enthusiastic (**par/pour** about/over)

enthousiasmer /ɑ̃tuzjasme/ [1]
A *vtr* to fill [sb] with enthusiasm; **rien ne l'enthousiasme** he's not a very enthusiastic sort of person; **j'ai été enthousiasmé par le concert** I found the concert exciting
B s'enthousiasmer *vpr* to get enthusiastic (**pour** about)

enthousiaste /ɑ̃tuzjast/
A *adj* enthusiastic
B *nmf* enthusiast

enticher: **s'enticher** /ɑ̃tiʃe/ [1] *vpr* **s'**~ **de** to become infatuated *ou* besotted GB with [*personne*]; to become passionate about [*objet, idée, activité*]; **être entiché de** to be infatuated *ou* besotted GB with [*personne*]; to have a passion for [*objet, activité*]

entier, **-ière** /ɑ̃tje, ɛʀ/
A *adj* **1** (dans sa totalité) whole; **manger un pain** ~ to eat a whole *ou* an entire loaf; **le comité/pays (tout)** ~ the whole *ou* entire committee/country; **la France/l'Europe (tout) entière** the whole of France/Europe; **une heure/année tout entière** one whole hour/year; **il l'a avalé/fait cuire tout** ~ he swallowed/cooked it whole; **(pendant) des heures entières** for hours on end; **dans le monde** ~ (partout dans le monde) all over the world; (au monde) in the whole world; **il n'y a dans le monde** ~ **que dix tableaux de lui** there are only ten paintings by him in the whole world; **les travailleurs du monde** ~ working people all over the world; **marchandises (venues** *or* **en provenance) du monde** ~ goods from all over the world; **ils arrivent par trains/cars** ~**s** they arrive by the trainload/coachload GB *ou* busload; **acheter le champagne par caisses entières** to buy champagne by the crate; **lait** ~ full-fat milk; **2** (complet) complete; **c'est une réussite pleine et entière** it's a complete success; **donner entière satisfaction** to give complete satisfaction; **avoir l'entière responsabilité de qch** to have full responsibility for sth; **avoir une entière confiance en qn** to have every confidence in sb; **3** (inaltéré) [*objet, réputation*] intact; **le risque de guerre demeure** ~ there is still a very real risk of war; **le problème de l'information reste** ~ we have not even begun to address the information problem; **les accords laissent entières deux questions** the agreements fail to address two questions; **le mystère reste** ~ the mystery remains unsolved; **4** (sans réserve) **être tout** ~ **à son travail** to be completely absorbed in one's work; **se donner** *or* **dévouer tout** ~ **à une cause** to devote oneself wholeheartedly to a cause; **avoir un caractère** ~**, être** ~ to be thoroughgoing; **5** Vét (non castré) [*chat*] unneutered; [*cheval, bovin*] uncastrated, entire
B *nm* **1** Math (nombre) integer; **2** (totalité) **en** ~**, dans son** ~ in its entirety; **citer un passage en** ~ *or* **dans son** ~ to quote a passage in its entirety, to quote an entire passage; **traiter un problème en** ~ to deal with a problem as a whole; **écrit en** ~ **de ma main** (manuscrit) written entirely in my hand; (non manuscrit) written entirely by me; **en** ~ **recouvert de tableaux** completely covered with paintings; **tu l'as mangé en** ~**?** have you eaten all of it *ou* the whole thing?; **le pays dans son** ~ the whole *ou* entire country

entièrement /ɑ̃tjɛʀmɑ̃/ *adv* [*refaire, se consacrer*] entirely, completely; [*fini, détruit, désintéressé, gratuit, dominé*] completely, entirely; [*automatisé, équipé*] fully; **avion** ~ **français** completely French-made plane; **je suis** ~ **d'accord avec vous** I entirely agree with you; **jouer** ~ **un morceau** to play a piece of music all the way through; **je partage** ~ **vos sentiments** I feel exactly the same as you; **je partage** ~ **votre indignation/vos doutes** I share your indignation/doubts wholeheartedly; **volume** ~ **inédit** hitherto unpublished volume

entité /ɑ̃tite/ *nf* (tous contextes) entity

entoilage /ɑ̃twalaʒ/ *nm* Cout (procédé, toile) interfacing

entoiler /ɑ̃twale/ [1] *vtr* **1** Cout to put interfacing in [*vêtement*]; **2** (fixer sur une toile) to mount [sth] on canvas; **3** (relier en toile) to bind [sth] in canvas [*livre*]

entôler○ /ɑ̃tole/ [1] *vtr* to rip [sb] off○, to swindle; **se faire** ~ to get ripped off○ *ou* swindled; ~ **qn de 50 euros** to swindle sb out of 50 euros

entomologie /ɑ̃tɔmɔlɔʒi/ *nf* entomology

entomologique /ɑ̃tɔmɔlɔʒik/ *adj* entomological

entomologiste /ɑ̃tɔmɔlɔʒist/ ▸ **p. 532** *nmf* entomologist

entonner /ɑ̃tɔne/ [1] *vtr* to start singing [*chanson, air*]; to launch into [*thème, discours*]; ~ **les louanges de qn** to start singing sb's praises

entonnoir /ɑ̃tɔnwaʀ/ *nm* **1** (ustensile) funnel; **en** ~ funnel-shaped; **2** (cavité) crater

entorse /ɑ̃tɔʀs/ *nf* **1** Méd sprain; **se faire une** ~ **à la cheville/au genou** to sprain one's ankle/knee; **avoir une** ~ **au poignet** to have a sprained wrist; **2** fig (manquement) ~ **à la vérité** distortion of the truth; ~ **au règlement/à la loi/à un principe** infringement of the rule/of the law/of a principle; **faire une** ~ **au règlement** to bend *ou* stretch the rules; **il fait de nombreuses** ~**s à son régime** he is always breaking his diet

entortillement /ɑ̃tɔʀtijmɑ̃/ *nm* **1** (de fils) (processus) tangling; (résultat) tangle; **2** (de phrases, style) muddle

entortiller /ɑ̃tɔʀtije/ [1]
A *vtr* **1** (pour entourer) to wind [*ficelle, bande*] (**autour de qch** round[GB] sth); **2** (emmêler) to tangle up [*fils*]; **les fils étaient tout entortillés** the wires were all tangled up; **3** ○fig (embrouiller) to muddle up [*phrases, explications*]; **il nous a donné une version plutôt entortillée de l'affaire** he gave us a rather muddled account of the affair; **4** ○fig (embobiner) to get round[GB] [sb], to win [sb] over GB; **se faire** ~ to let oneself be won over
B s'entortiller *vpr* **1** (s'emmêler) [*fils, laine*] to get entangled (**dans** in); **2** (s'enrouler) [*plante*] to twist (**autour de** round[GB]); **3** ○fig (s'embrouiller) to get caught up (**dans** in)

entour /ɑ̃tuʀ/
A à l'entour de *loc prép* around; **à l'**~ **de la**

ville/la place around the town/square
B entours *nmpl* (environs) surroundings; **les ~s de la ville/de la ferme** the town's/farm's surroundings

entourage /ɑ̃tuʀaʒ/ *nm* (famille) family circle; (amis) circle (of friends); (conseillers, courtisans) entourage; **l'~ familial** the family circle; **l'~ présidentiel** the president's entourage; **on dit dans son ~ que** people close to him/her say that

entouré, ~e /ɑ̃tuʀe/
A *pp* ► **entourer**
B *pp adj* ① (ceint) **~ de** [*lieu*] surrounded by *ou* with; **avoir le poignet/cou ~ d'un mouchoir** to have a handkerchief around one's wrist/neck; **paquet ~ d'un ruban** parcel tied up with a ribbon; ② (populaire) [*président, femme*] popular; ③ (soutenu) **nos patients sont très ~s** our patients are well looked after; **elle a été très entourée au moment de son veuvage** everybody rallied round GB *ou* around US her when she lost her husband

entourer /ɑ̃tuʀe/ [1]
A *vtr* ① (être autour) [*bâtiments, clôture, personnes*] to surround; **des collines entourent la ville** the town is surrounded by hills; **des dangers/tentations les entouraient** they were surrounded by danger/temptations; **un châle entourait ses épaules** she had a shawl around her shoulders; **les gens/objets qui nous entourent** the people/things around us; **le monde qui nous entoure** the world around us; ② (placer autour) **~ qch de qch** to put sth around sth; **~ qn/la taille de qn de son bras** to put one's arm around sb/sb's waist; **~ qch de mystère** to shroud sth in mystery; **~ qn d'affection** to surround sb with love; **~ qn de sollicitude/soins** to lavish attention /care on sb; **~ un mot d'un cercle** to circle a word; ③ (soutenir) to rally round GB *ou* around US [*malade, veuve*]; **sa famille l'a bien entouré** his family rallied round GB *ou* around US him
B s'entourer *vpr* ① (réunir autour de soi) **s'~ d'amis/objets/de mystère** to surround oneself with friends/things/mystery; **s'~ de précautions** to take every possible precaution; **s'~ de garanties** to make sure that one has every possible guarantee; ② (se mettre) **s'~ d'une pèlerine/d'un châle** to wrap oneself (up) in a cape/shawl; **s'~ les épaules d'un châle** to put *ou* wrap a shawl around one's shoulders

entourloupe○ /ɑ̃tuʀlup/ *nf*, **entourloupette**○ /ɑ̃tuʀlupɛt/ *nf* dirty trick

entournure /ɑ̃tuʀnyʀ/ *nf* Cout armhole; **être** *or* **se sentir gêné aux ~s** fig (être mal à l'aise) to be in an awkward position; (être gêné financièrement) to feel the pinch○

entracte /ɑ̃tʀakt/ *nm* ① (au théâtre, concert) interval GB, intermission; (au cinéma) intermission; ② (divertissement) interlude
(Composé) **~ musical** musical interlude

entraide /ɑ̃tʀɛd/ *nf* mutual aid (**entre** between); **programme d'~** mutual aid programme[GB]; **groupe d'~** self-help group
(Composé) **~ judiciaire** international judicial cooperation

entraider: s'entraider /ɑ̃tʀede/ [1] *vpr* to help each other *ou* one another

entrailles /ɑ̃tʀɑj/ *nfpl* ① (d'animal) innards, entrails; ② (de mère) liter womb; ③ fig, liter (profondeurs) bowels; **découvrir les ~ d'un pays** to discover the very heart of a country

entrain /ɑ̃tʀɛ̃/ *nm* ① (de personne) spirit, go○ GB, get-up-and-go○; **quel ~!** what spirit *ou* go!; **montrer de l'~ à faire qch** to show a lot of energy in doing sth; **il a de l'~** he's got spirit *ou* go; **elle est pleine d'~** she's full of go *ou* life; **manquer d'~** to have no go; **travailler/discuter avec ~** to work/talk with gusto; **parler/danser sans ~** to talk/dance half-heartedly; **retrouver son ~** to cheer up; ② (de soirée, musique, discussion) liveliness; **être plein/manquer d'~** to be/not to be very lively; **une campagne électorale sans ~** a half-hearted electoral campaign, a lacklustre[GB] electoral campaign

entraînant, ~e* /ɑ̃tʀɛnɑ̃, ɑ̃t/ *adj* lively

entraînement* /ɑ̃tʀɛnmɑ̃/ *nm* ① (formation) (par soi-même) training; (par un maître) (de sportif, d'équipe) training, coaching; (de cheval) training; (de soldat) training; **d'~** [*match, terrain, jours, horaires*] training (*épith*); ② (habitude) practice[GB]; **avec un peu d'~, votre travail ne vous semblera plus si difficile** with a little practice[GB], your work won't seem so difficult; **avoir de l'~** to be highly trained; **un ~ à la gestion de document** training in file management; **l'~ à la lecture** reading practice[GB]; **manquer d'~** (être inexpérimenté) to lack practice[GB]; (avoir perdu l'habitude) to be out of practice[GB]; ③ (séance) training session; ④ Tech drive; **~ par courroie/chaîne** belt/chain drive

entraîner* /ɑ̃tʀene/ [1]
A *vtr* ① (provoquer) [*cause, problème, erreur*] to lead to [*expansion, mécontentement, dépenses, perturbations*]; **la récession entraîne le chômage** recession leads to unemployment; **une panne a entraîné l'arrêt de la production** a breakdown brought production to a standstill; ② (emporter) [*courant, rivière*] to carry [sth] away [*barque, épave, nageur*]; **l'avalanche a tout entraîné sur son passage** the avalanche swept away everything in its path; **il a entraîné qn/qch dans sa chute** lit, fig he dragged sb/sth down with him; ③ (conduire) to take [*personne*]; **~ qn sur la piste de danse** to take sb onto the dance floor; **~ Paul à l'écart pour lui parler** to take Paul aside to speak to him; **~ ses invités vers le buffet** to usher one's guests to the buffet; **il a entraîné son amie dans sa fugue** he took his girlfriend with him when he ran away; **~ qn à faire qch** [*personne*] to make sb do sth; [*circonstances*] to lead sb to do sth; **ce sont ses camarades qui l'ont entraîné** his friends dragged him into it; ④ fig (stimuler) to carry [sb] away [*personne, groupe*]; **ses idées novatrices ont entraîné les foules** the masses were carried away by his innovative ideas; ⑤ (former) to train, to coach [*athlète, équipe, sportif*]; to train [*cheval, soldat*]; **~ qn au combat/au saut en hauteur** to train sb for combat/for the high jump; **un cheval/joueur bien entraîné** a well-trained horse/player; ⑥ (actionner) [*mécanisme, moteur, piston*] to drive [*machine, roue, turbine*]
B s'entraîner *vpr* ① (se former) [*sportif, équipe, soldats*] to train; **il s'entraîne tous les jours à la piscine** he trains every day at the swimming pool; **s'~ au javelot/au saut en longueur** to train for the javelin/the longjump; **s'~ au maniement des armes/tir** to practise[GB] handling weapons/shooting; ② (s'exercer) to prepare oneself (**à qch** for sth); to train oneself (**à faire** to do); **il s'entraîne au débat télévisé** he's preparing himself for televised debates; **un acteur qui s'entraîne à mimer qn** an actor who is training himself to mimic sb; **il s'entraîne devant son miroir** he practises[GB] in front of his mirror; ③ (s'encourager) [*adolescents, délinquants*] to encourage each other; **des enfants qui s'entraînent à faire des bêtises** children encouraging each other to do *ou* egging each other on to do stupid things

entraîneur, -euse* /ɑ̃tʀɛnœʀ, øz/ ► p. 532
A *nm,f* Sport (de sportif, d'équipe) coach, trainer; (de cheval) trainer
B entraîneuse *nf* (dans un bar) hostess

entrapercevoir, entr'apercevoir /ɑ̃tʀapɛʀsəvwaʀ/ [5] *vtr* to catch a glimpse of [*personne, ami, phénomène*]; to glimpse [*solution, possibilité*]

entrave /ɑ̃tʀav/
A *nf* fig (gêne) hindrance (**à** to); (à la liberté) restriction (**à** of); **toute ~ à la liberté d'expression** any restriction *ou* curb on the freedom of speech; **s'exprimer sans ~** to speak freely; **plaisir/liberté sans ~** unbounded pleasure/freedom; **circulation sans ~** free-flowing traffic; **pour ~ à la liberté du culte/travail** Jur for failing to respect freedom of worship/the right to work
B entraves *nfpl* (d'animal) hobble (*sg*); (de forçat) shackles, fetters littér

entraver /ɑ̃tʀave/ [1] *vtr* ① (gêner) to hinder, to impede [*action, cours, projet, circulation*]; **~ la carrière de qn** to hinder sb in his/her career; ② (attacher) to hobble [*animal*]; to shackle, to fetter [*forçat*]; ③ ○(comprendre) **j'entrave rien** *or* **que dalle**○ I can understand bugger all◑; ④ Ling **voyelle entravée** checked vowel

entre /ɑ̃tʀ/ *prép*

> ⚠ *Entre* se traduit par *between* sauf lorsqu'il signifie *parmi* (► 4) auquel cas il se traduit généralement par *among*.
> Exemples et exceptions sont présentés dans l'article ci-dessous.
> Les expressions telles que *entre parenthèses, entre deux portes, lire entre les lignes* sont traitées respectivement sous **parenthèse, porte, lire**; de même *entre ciel et terre* se trouve sous **ciel**, *entre la vie et la mort* sous **vie** etc.

① (dans l'espace, le temps) between; **nous serons absents ~ le 10 et le 15 mai** we'll be away between 10 and 15 May *ou* from the 10th to the 15th of May; **~ midi et deux** at lunchtime; **quelque part entre Grenoble et Valence** somewhere between Grenoble and Valence; ② (pour désigner un état intermédiaire) between; **'doux ou très épicé?'—'~ les deux'** 'mild or very spicy?'—'in between'; ► **quatre**; ③ (à travers) between; **passer la main ~ les barreaux** to slip one's hand between *ou* through the bars; **le lézard s'est faufilé ~ les pierres** the lizard threaded its way through the stones; ④ (parmi) among; **~ autres** among others; **~ autres choses** among other things; **choisir ~ plusieurs solutions** to choose between *ou* from among several solutions; **c'est un exemple ~ mille** it's one example in *ou* among a thousand; **~ tous ces romans, lequel préfères-tu?** out of all these novels, which one do you like best?; **la chambre 13? pourquoi celle-ci ~ toutes?** room 13? why that one of all rooms GB *ou* the rooms US?; **beaucoup/la première/chacune d'~ elles** many/the first/each of them; **cette question est délicate ~ toutes!** this is a highly delicate matter!; **oiseau sauvage ~ tous, le lagopède...** as wild a bird as any, the grouse...; ⑤ (pour désigner un groupe de personnes) **organiser une soirée ~ amis** to organize a party among friends; **ils discutent ~ hommes** they talk as one man to another; **(soit dit) ~ nous** between you and me (and the gatepost), between ourselves; **nous sommes ~ nous, tu peux parler** (deux personnes) there's just the two of us, you can speak; (plus de deux) we're among friends, you can speak; **venez ce soir, nous en parlerons ~ nous** come this evening, we'll talk about it alone together *ou* we'll have a quiet talk together; **ceci doit rester ~ nous** this is strictly between the two of us , this mustn't go any further; ⑥ (pour marquer la distribution) between; **partagez le bénéfice ~ vous** share the profit between you; **~ son travail et l'informatique, il n'a pas le temps de sortir** what with work and his computer he doesn't have time to go out; ⑦ (pour exprimer une relation) between; **les enfants sont souvent cruels ~ eux** children are often cruel to each other; **ces motifs peuvent se combiner ~ eux** these patterns can be combined (with each other); **deux d'~ eux sont cassés** two of them are broken; **la ressemblance ~ elles est frappante** the resemblance between them is striking; **un accord a été conclu ~ deux maisons d'édition** an agreement was made between two publishing houses

entrebâillement /ɑ̃tʀəbɑjmɑ̃/ *nm* (de porte, volet, fenêtre) gap (**de** in); (de rideaux) chink (**de**

in); **dans** *or* **par l'~ de** through the gap in

entrebâiller /ɑ̃tʀəbɑje/ [1] *vtr* to half-open [*porte, fenêtre, volet, rideaux*]; **par la fenêtre entrebâillée** through the half-open window; **la porte était entrebâillée** the door was ajar

entrebâilleur /ɑ̃tʀəbɑjœʀ/ *nm* door-chain

entrechat /ɑ̃tʀəʃa/ *nm* Danse entrechat; hum skip; **faire des ~s** hum to skip *ou* hop about

entrechoquement /ɑ̃tʀəʃɔkmɑ̃/ *nm* **1** (de casseroles, vaisselle) clattering; (de verres) clinking; (de cymbales) crashing; (de cailloux, cuillères) knocking together; (de lances) clash; **2** (d'idées) clash

entrechoquer /ɑ̃tʀəʃɔke/ [1]
A *vtr* to clatter [*casseroles, vaisselle*]; to clink, to chink [*verres*]; to crash [*cymbales*]; to knock *ou* bang [sth] together [*cailloux, cuillères*]
B **s'entrechoquer** *vpr* **1** [*verres*] to clink, to chink; [*dents*] to chatter; [*casseroles*] to clatter; **2** [*projets, idées, passions*] to clash

entrecôte /ɑ̃tʀəkot/ *nf* **1** (portion) entrecôte (steak); **2** (pièce de boucherie) rib steak

entrecouper /ɑ̃tʀəkupe/ [1]
A *vtr* to punctuate (**de** by); **film entrecoupé de publicité** film interrupted by adverts; **voix entrecoupée de sanglots** voice broken with sobs; **il dit cela d'une voix entrecoupée** he spoke in a broken voice
B **s'entrecouper** *vpr* [*lignes, routes*] to intersect

entrecroisement /ɑ̃tʀəkʀwazmɑ̃/ *nm* **1** (de traits) criss-crossing, intersecting; (de fils, branches) intertwining, interlacing; **2** (motif) crisscross (pattern)

entrecroiser /ɑ̃tʀəkʀwaze/ [1]
A *vtr* to intertwine, to interlace [*fils, branches*]
B **s'entrecroiser** *vpr* (tous contextes) to intertwine

entre-déchirer: **s'entre-déchirer** /ɑ̃tʀədeʃiʀe/ [1] *vpr* littér lit to tear each other to pieces; fig to tear each other apart

entre-deux /ɑ̃tʀədø/ *nm inv* **1** Cout insert; **2** (intervalle) intervening period; **3** Sport jump ball

entre-deux-guerres /ɑ̃tʀədøgɛʀ/ *nm ou f inv* interwar period; **la génération de l'~** the interwar generation

entre-dévorer: **s'entre-dévorer** /ɑ̃tʀədevɔʀe/ [1] *vpr* fig to tear each other to pieces

entrée /ɑ̃tʀe/ *nf* **1** (point d'accès) entrance (**de** to); **à l'~** at the entrance; **l'~ du bâtiment/de la gare/du tunnel** the entrance to the building/to the station/to the tunnel; **l'hôtel a trois ~s** the hotel has three entrances; **'~'** (sur panneau de boutique, d'hôtel) 'entrance'; (sur panneau de gare, grand magasin, parking) 'way in' GB, 'entrance'; **à l'~ de la ville** on the outskirts of the town; **les ~s de Paris sont encombrées** the roads into Paris are busy; **il y a une pharmacie à l'~ de la rue** there's a chemist's where you turn into the street; **se retrouver à l'~ du bureau** to meet outside the office; **être arrêté à l'~ du territoire** to be arrested at the border
2 (d'autoroute) (entry) slip road GB, on-ramp US; **avoir un accident à l'~ de l'autoroute** to have an accident at the motorway junction GB *ou* freeway junction US
3 (vestibule) gén hall; (d'hôtel, de lieu public) lobby; (porte, grille) entry; **laisse ton manteau dans l'~** leave your coat in the hall
4 (moment initial) **trois mois après mon ~ à l'université** three months after I got to university; **depuis leur ~ dans notre entreprise** since they joined the company; **l'~ dans la récession ne date pas d'hier** the beginning of the recession was some time ago
5 (admission) **l'~ d'un pays dans une organisation** (accueil) the admission of a country to an organization; (adhésion) the entry of a country into an organization; **'~ libre'** (gratuite) 'free admission'; (publique) (dans un magasin) 'browsers welcome'; (dans un monument) 'visitors welcome'; **l'~ est gratuite** admission is free; **l'~ est payante** there's an admission charge; **refuser l'~ à qn** to refuse sb entry; **se voir refuser l'~** to be refused entry; **'~ interdite'** 'no admittance', 'no entry'
6 (place) ticket; **deux ~s gratuites** two free tickets; **nous avons fait 300 ~s** (d'exposition) we had 300 visitors; (de théâtre, ballet) we sold 300 tickets; **spectacle qui fait le plein d'~s** show that's a sell-out; **c'est 10 euros l'~** admission is 10 euros; **ticket** *or* **billet d'~** ticket
7 (arriv ée) (de personne) gén, Théât entrance; (de véhicule, marchandises) entry; **faire une ~ remarquée** to make a spectacular entrance; **faire/rater son ~** [*acteur*] to make/to miss one's entrance; **réussir son ~** [*acteur*] to enter on cue; **faire son ~ dans le monde/dans la vie professionnelle** to enter society/professional life; **à l'~ du professeur dans la classe** as *ou* when the teacher entered the classroom; **juste à l'~ de la voiture dans le virage** just as the car went into the bend; **faire une ~ discrète** to enter discreetly
8 (commencement) **à l'~ de l'hiver** at the beginning of winter; **d'~ (de jeu)** from the outset, from the very start; **dès l'~** from the outset; **d'~ de jeu, il m'a proposé un marché** he offered me a deal straight off *ou* right off
9 Culin (plat) starter
10 Électron, Électrotech, Ordinat (de donnée) input ¢
11 Ling (de dictionnaire) entry
12 Comm (marchandises) **~s** incoming goods (*in a given period*)
13 Fin (de capitaux) inflow
14 Compta (recettes) **~s** receipts

(Composés) **~ d'air** Aviat air intake; Mines intake; **~ des artistes** Théât stage door; **~ des fournisseurs** (d'hôtel, de restaurant) service *ou* trade entrance; (d'usine, entrepôt) goods entrance; **~ en matière** introduction; **ton ~ en matière a surpris** the way you began surprised people; **~ du personnel** staff entrance; **~ de service** tradesmen's entrance GB, service entrance

(Idiome) **avoir ses ~s au gouvernement/chez le ministre** to be an intimate in government circles/of the minister

entrée-sortie, *pl* **entrées-sorties** /ɑ̃tʀesɔʀti/ *nf* Ordinat input-output; **canal d'~** input-output channel

entrefaites: **sur ces entrefaites** /syʀsezɑ̃tʀəfɛt/ *loc adv* at that moment, just then

entrefer /ɑ̃tʀəfɛʀ/ *nm* air-gap

entrefilet /ɑ̃tʀəfilɛ/ *nm* Presse brief article

entregent /ɑ̃tʀəʒɑ̃/ *nm* savoir-faire sout

entr'égorger: **s'entr'égorger** /ɑ̃tʀegɔʀʒe/ [13] *vpr* lit to tear at each other's throats; fig to be at each other's throats

entrejambes /ɑ̃tʀəʒɑ̃b/ *nm inv* **1** Cout (fond) crotch; (longueur de pantalon) inside leg GB, inseam US; **2** euph (partie du corps) crotch

entre-jeu, *pl* **~x** /ɑ̃tʀəʒø/ *nm* passing play

entrelacement /ɑ̃tʀəlasmɑ̃/ *nm* **1** (processus) intertwining, interlacing; **2** (motif) crisscross; **un ~ de sentiers** a crisscross of paths

entrelacer /ɑ̃tʀəlase/ [12] *vtr*, **s'entrelacer** *vpr* to intertwine, to interlace

entrelacs /ɑ̃tʀəla/ *nm inv* tracery

entrelardé, **~e** /ɑ̃tʀəlaʀde/ *adj* **1** Culin streaked with fat; **2** fig larded (**de** with)

entrelarder /ɑ̃tʀəlaʀde/ [1] *vtr* lit, fig **~ qch de qch** to lard sth with sth

entremêler /ɑ̃tʀəmele/ [1]
A *vtr* to mix [*objets*]; to interweave [*fils*]
B **s'entremêler** *vpr* gén to be mixed; [*cheveux*] to get tangled; **une histoire où le vrai et le faux s'entremêlaient** a story in which truth and fiction were mixed; **branches entremêlées** tangled branches

entremets /ɑ̃tʀəmɛ/ *nm* dessert

entremetteur, **-euse** /ɑ̃tʀəmɛtœʀ, øz/ *nm,f* **1** (marieur) matchmaker; (proxénète) procurer/procuress; **2** (intermédiaire) go-between

entremettre: **s'entremettre** /ɑ̃tʀəmɛtʀ/ [60] *vpr* (intervenir) to act as mediator, to mediate (**dans** in; **entre** between)

entremise /ɑ̃tʀəmiz/ *nf* intervention (**auprès de** with); **sans son ~** without his intervention; **proposer son ~ dans une affaire** to offer to act as mediator in a dispute; **il l'a su par mon ~** he heard of it through me

entrepont /ɑ̃tʀəpɔ̃/ *nm* tween deck

entreposage /ɑ̃tʀəpozaʒ/ *nm* storage, storing

entreposer /ɑ̃tʀəpoze/ [1] *vtr* **1** (dans un entrepôt) to store, to put [sth] into storage; (en douane) to bond, to store [sth] in bond; **2** (chez quelqu'un) to store (**chez** at)

entrepôt /ɑ̃tʀəpo/ *nm* **1** (bâtiment) warehouse; **2** (arrière-boutique) stockroom

(Composés) **~ de douane** bonded warehouse; **~ frigorifique** cold storage plant

entreprenant, **~e** /ɑ̃tʀəpʀənɑ̃, ɑ̃t/ *adj* (hardi) enterprising; (avec les femmes) **être ~** to come on strong°, to be forward with the ladies

entreprendre /ɑ̃tʀəpʀɑ̃dʀ/ [52] *vtr* **1** (commencer) to start, to set about [*tâche*]; to start [*travaux, démarches*]; to start, to set out on [*voyage*]; to undertake, embark on [*recherches, ascension, rénovation*]; **~ de faire** (se mettre à) to set about doing; (se donner pour tâche de) to undertake to do; **~ une action en justice** Jur to institute legal proceedings; **~ la réparation/le nettoyage de qch** to set about repairing/cleaning sth; **ce diplôme permet d'~ des études supérieures** this diploma opens the way to higher education; **~ en vain de faire** to try in vain to do; **2** (adresser la parole à) **~ qn** (pour séduire) to set about seducing sb; (pour bavarder) to engage sb in conversation (**au sujet de/sur qch** about sth)

entrepreneur, **-euse** /ɑ̃tʀəpʀənœʀ, øz/ ▸ **p. 532** *nm,f* **1** Constr builder; **2** (de travaux) contractor; **~ en bâtiment** building contractor; **~ de déménagement** removal contractor GB, mover US; **~ de pompes funèbres** undertaker, mortician US; **~ de transports** haulage contractor GB, hauler US; **~ de travaux agricoles** agricultural contractor; **~ de travaux publics** civil engineering contractor; **3** (chef d'entreprise) *boss of a small firm*

entrepreneurial, **~e**, *mpl* **-iaux** /ɑ̃tʀəpʀənœʀjal, o/ *adj* entrepreneurial

entrepreneuriat /ɑ̃tʀəpʀənœʀja/ *nm* enterprise

entreprise /ɑ̃tʀəpʀiz/ *nf* **1** (société) firm, business; **~ privée/publique** private/government-owned firm; **diriger une ~** to run a business; **petites et moyennes ~s** small and medium enterprises; **~ de conseil** firm of consultants GB, consulting firm US; **~ de construction/déménagement/fabrication** building/removal GB *ou* moving US/manufacturing firm; **~ de travaux publics** civil engineering firm; **~ de pompes funèbres** undertaker's GB, funeral home US; **~ de transports routiers** haulage contractor GB, trucking company US; **~ de franchisage** franchising operation; **~ de service public** public utility company; **création d'~s** business start-ups, creation of new businesses; **la culture d'~** corporate culture; **2** (secteur) business, industry; **réhabiliter l'~** to give business a new credibility; **ce que l'~ attend de l'école** what industry hopes the schools will provide; **3** (projet) undertaking, enterprise; (risqué) venture; **se lancer dans une ~** to undertake a venture; **se livrer à une ~ de déstabilisation du gouvernement** to set out to destabilize the government; **la libre ~** free enterprise; **4** Jur **donner/mettre qch à l'~** to put sth out to tender/to invite tenders for sth

(Composés) **~ unipersonnelle à responsabilité limitée**, **EURL** company owned by a sole proprietor

e

e

entrer /ɑ̃tʀe/ [1]
A *vtr* (+ *v avoir*) **1** (transporter) (vu de l'intérieur) to bring [sth] in [*objet, marchandise*]; (vu de l'extérieur) to take [sth] in [*objet, marchandise*]; **~ qch en fraude dans un pays** to smuggle sth into a country
2 (enfoncer) to stick [*ongles, épée*] (**dans** into)
3 Ordinat to enter [*donnée, instruction*]; **~ qch en mémoire** to enter sth into the memory
4 Sport to score [*but*]
B *vi* (+ *v être*) **1** (pénétrer) gén to get in, to enter; (en allant) to go in; (en venant) to come in; (en roulant) to drive in; **je l'ai vu ~ dans la maison par la fenêtre/par la porte de derrière** I saw him get into *ou* enter the house through the window/by the back door; **la balle est entrée au-dessus de l'oreille** the bullet entered above the ear; **l'eau est entrée par une fissure** the water came in *ou* got in through a crack; **ils sont entrés en France par l'Italie** they came into France via Italy; **je suis entré dans Paris par le sud** (en voiture) I drove into Paris from the south; **ils sont entrés sur le court/notre territoire/la scène politique** they came onto the court/our territory/the political scene; **nous sommes entrés dans l'eau/la boue jusqu'aux chevilles** we sank up to our ankles in water/mud; **les marchandises entrent et sortent sans aucun contrôle** goods come and go without being checked at all; **entrez!** come in!; **'défense d'~'** (sur une porte) 'no entry'; (sur une barrière) 'no trespassing'; **je ne fais qu'~ et sortir** I can only stay a minute; **laisse-moi ~!** let me in!; **ne laisse pas/j'ai laissé le chat ~ dans la cuisine** don't let/I let the cat into the kitchen; **fais ~ le chat dans la cuisine** let the cat into the kitchen; **je vous ferai ~ par la cuisine** I'll let you in through the kitchen; **faire ~ la table par la fenêtre** (vu de l'intérieur) to bring the table in through the window; (vu de l'extérieur) to take the table in through the window; **fais-la ~** show her in; **faites ~** show him/her/them etc in
2 (tenir, s'adapter) **c'est trop gros, ça n'entrera jamais** it's too big, it'll never fit; **ça n'entre pas dans la valise** it doesn't fit in the suitcase; **la clé n'entre pas dans la serrure** the key doesn't fit *ou* won't go in the lock; **faire ~ qch dans une valise** to fit *ou* get sth into a suitcase; **je n'arrive pas à faire ~ la pièce dans la fente** I can't get the coin into the slot; **on peut faire ~ trente personnes dans la pièce** you can fit *ou* get thirty people in the room; **nous sommes entrés à dix dans la voiture** we got ten of us into the car
3 (s'intégrer, commencer) **~ dans** to enter [*débat, période*]; to join [*opposition, entreprise*]; **~ à** to enter [*école, hit-parade*]; to join [*gouvernement, parti, armée*]; to get into [*université*]; **~ en** to enter into [*pourparlers, négociations*]; **il entre en deuxième année** he's going into his second year; **il entre dans sa quarantième année** he's turned thirty-nine; **il entre dans la quarantaine** he's pushing forty; **~ dans la vie de qn** to come into sb's life; **le doute est entré dans mon esprit** I'm beginning to have doubts; **~ dans l'hiver** to enter the winter; **~ en convalescence** to start to convalesce; **n'entrons pas dans ces considérations/les détails** let's not go into those matters/the details; **faire ~ qn dans une organisation/qch dans un système** to get sb into an organization/sth into a system; **il m'a fait ~ au ministère** he got me into the ministry; **je ne sais pas comment cette idée lui est entrée dans la tête** I don't know how he/she got that idea into his/her head; **il entre dans la catégorie des...** he comes into the category of...; **expression entrée dans l'usage** expression which has come into use; **~ dans l'histoire** to go down in history; **~ dans la légende** [*personne*] to become a legend; [*fait*] to become legendary; **~ dans le capital de...** Fin to take a stake in...; **acteur qui entre dans son personnage** actor who gets into his/her character; **mesure qui entre mal dans le cadre d'une politique libérale** measure which does not fit the framework of a liberal policy; **faire ~ un mot nouveau dans le dictionnaire** to put a new word in the dictionary; **cela n'entre pas dans mes attributions** it's not part of my duties; **la question n'entre pour rien dans ma décision** the question has no bearing on my decision; **j'ai fait ~ tes dépenses dans les frais généraux** I've included your expenses in the overheads; **~ en mouvement/fusion** to begin to move/to melt; **~ dans une colère noire** *or* **une rage folle** to fly into a blind rage
4 (être un élément de) **les ingrédients qui entrent dans la recette** the ingredients which go into *ou* make up the recipe; **le carbone entre pour moitié dans ce composé** carbon makes up half (of) this compound; **leurs parts entrent pour 20% dans le capital** their shares make up 20% of the capital
C *v impers* **il entre une part de chance dans tout** a certain amount of luck goes into everything; **il n'entre pas dans mes intentions de faire** I have no intention of doing; **il n'entre pas dans mes habitudes de faire** I am not in the habit of doing

entre-rail, *pl* **~s*** /ɑ̃tʀəʀaj/ *nm* gauge

entresol /ɑ̃tʀəsɔl/ *nm* mezzanine, entresol; **à l'~** on the mezzanine

entre-temps* /ɑ̃tʀətɑ̃/ *adv* meanwhile, in the meantime

entretenir /ɑ̃tʀətniʀ/ [36]
A *vtr* **1** (garder en bon état) to look after [*tapis, intérieur, santé, vêtement*]; to maintain [*route, machine, édifice*]; **facile/difficile à ~** [*voiture*] easy/difficult to maintain; [*plante*] easy/difficult to look after; **les mots croisés entretiennent la mémoire** crosswords keep the mind active; **~ sa forme** to keep in shape;
2 (faire vivre) to support, to maintain [*famille, indigent*]; to keep [*maîtresse*]; to maintain, to keep [*armée*]; **se faire ~ par qn** (par un amant) to be kept by sb; (par des amis, parents) to live off sb; **3** (maintenir) to maintain [*équilibre, humidité*]; to keep up [*correspondance, connaissances*]; **~ les inégalités** to maintain inequality; **~ la fraîcheur dans une pièce** to keep a room cool; **~ des liens étroits avec un pays** to have close ties with a country; **~ qn dans l'erreur** to fail to put sb straight; **4** (alimenter) to keep [sth] going [*feu, conversation, rivalités*]; to keep [sth] alive [*amitié, souvenir*]; to sustain [*intérêt*]; (nourrir en soi) to cherish [*espoir, illusion*]; (chez les autres) to foster [*espoir, illusion*]; to feed [*inquiétude, manque d'assurance*]; to fuel [*tensions*]; **5** (informer) **~ qn de qch** to speak to sb about sth; **je dois vous ~ d'une affaire délicate** I must speak to you about a delicate matter
B **s'entretenir** *vpr* **1** (converser) **s'~ de qch avec qn** to discuss sth with sb, to converse about sth with sb; **ils se sont entretenus en secret** they had secret talks; **2** (être gardé en bon état) **le marbre, ça s'entretient comment?** how do you look after marble?; **s'~ facilement** [*intérieur, tissu, plante*] to be easy to look after; [*voiture, bâtiment*] to be easy to maintain

entretenu, **~e** /ɑ̃tʀətny/
A *pp* ▸ **entretenir**
B *pp adj* [*personne*] kept (*épith*); **bien/mal ~** [*intérieur, plante*] well-/badly-kept; [*voiture, bâtiment*] well-/badly-maintained

entretien /ɑ̃tʀətjɛ̃/ *nm* **1** (soins) (de maison, jardin) upkeep; (de voiture, route, d'immeuble) maintenance; (de vêtement, plante, peau) care; **frais/travaux d'~** maintenance costs/work; **assurer l'~ de** to look after [*intérieur*]; to maintain [*voiture, route, bâtiment*]; **demander beaucoup/peu d'~** [*plante, jardin, tapis*] to need a lot of/little looking after; **être d'un ~ facile** [*intérieur, jardin*] to be easy to look after; [*bâtiment, voiture*] to be easy to maintain; **et pour l'~, que me conseillez-vous?** how should I look after it?; **produit pour l'~ des fours** oven cleaner; **d'~ facile** [*tissu*] easy-care (*épith*); [*intérieur*] easy to look after; [*voiture*] easy to maintain; **2** (nettoyage) cleaning; **3** (conversation) gén discussion; Entr, Presse interview; Pol talks (*pl*), meeting; **demander un ~** to request an interview; **accorder un ~ à qn** to give sb an interview; **j'aimerais avoir un ~ avec vos parents** I'd like to speak *ou* talk to your parents; **4** (soutien financier) **assurer l'~ d'un enfant/d'une famille** to support a child/a family; **assurer l'~ d'une armée** to maintain an army; **frais d'~** living expenses; **cette somme devrait suffire à ton ~** that should be enough for your living expenses
(Composés) **~ d'appréciation** job appraisal; **~ de carrière** = **~ d'appréciation**; **~ d'embauche** job interview; **faire passer un ~ d'embauche à un candidat** to interview a candidate.

entretoise /ɑ̃tʀətwaz/ *nf* crosspiece

entre-tuer: **s'entre-tuer*** /ɑ̃tʀətɥe/ [1] *vpr* to kill each other

entrevoir /ɑ̃tʀəvwaʀ/ [46] *vtr* **1** (voir) (brièvement) to catch a glimpse of [*objet, scène, décor*]; (indistinctement) to make out [*objet, silhouette*]; **on entrevoit l'ombre de la dictature/du fascisme** fig the shadow of dictatorship/fascism lurks in the background; **2** (discerner, deviner) to glimpse [*vérité, solution, possibilité, avenir*]; (présager) to foresee, to anticipate [*difficulté, objection, aggravation, amélioration*]; **~ un espoir de paix/de redressement** to see a glimmer of hope for peace/of recovery; **commencer à ~ qch/que...** to begin to see sth/that...; **laisser ~ que** [*signe, résultat*] to indicate that, to suggest that; **laisser ~ qch** [*signe, résultat*] to point to sth

entrevue /ɑ̃tʀəvy/ *nf* (entretien) meeting; (discussion) Pol talks *pl*; **ménager une ~** to arrange a meeting (**entre** between)

entrisme /ɑ̃tʀism/ *nm* entryism, infiltration

entropie /ɑ̃tʀɔpi/ *nf* entropy

entrouvert, **~e** /ɑ̃tʀuvɛʀ/
A *pp* ▸ **entrouvrir**
B *pp adj* [*porte*] ajar (*jamais épith*), half open; [*lèvres*] parted; [*abîme*] littér gaping

entrouvrir /ɑ̃tʀuvʀiʀ/ [32]
A *vtr* [*personne*] to open [sth] a little *ou* a crack [*porte, fenêtre*]; [*musée*] to give limited access to [*collection, bibliothèque*]
B **s'entrouvrir** *vpr* gén [*porte, pays*] to half-open; [*lèvres*] to part

entuber◐ /ɑ̃tybe/ [1] *vtr* to rip [sb] off○, to swindle [*personne*]; **se faire ~** to get ripped off○ *ou* swindled; **~ qn de 50 euros** to swindle sb out of 50 euros

enturbanné, **~e** /ɑ̃tyʀbane/ *adj* [*tête*] turbaned

énucléation /enykleasjɔ̃/ *nf* enucleation

énucléer /enyklee/ [11] *vtr* to enucleate

énumératif, **-ive** /enymeʀatif, iv/ *adj* enumerative

énumération /enymeʀasjɔ̃/ *nf* **1** (action) enumeration, listing; **2** (liste) catalogue[GB]

énumérer /enymeʀe/ [14] *vtr* to enumerate, to list

énurésie /enyʀezi/ *nf* enuresis

énurétique /enyʀetik/ *adj, nm,f* enuretic

envahir /ɑ̃vaiʀ/ [3] *vtr* **1** (pénétrer dans) [*troupes, foule*] to invade; [*animal, plante*] to overrun; [*sentiment*] to assail; [*douleur, sommeil*] to overcome; [*publicité*] to pervade; [*marchandise*] to flood [*marché*]; **envahi par les fourmis** overrun with ants; **envahi par la jalousie** assailed by envy; **envahi par le sommeil** overcome by sleep; **2** (accaparer) [*personne*] to monopolize; **se laisser ~** to allow oneself to be taken over (**par** by)

envahissant, **~e** /ɑ̃vaisɑ̃, ɑ̃t/ *adj* **1** (gênant) [*personne*] intrusive; **2** (omniprésent) [*doctrine, sentiment*] pervasive; [*musique, odeur, plante*] invasive

envahissement /ɑ̃vaismɑ̃/ *nm* invasion (**de** of)

envahisseur /ɑ̃vaisœʀ/ *nm* invader; **l'~** the invader

envasement /ɑ̃vɑzmɑ̃/ *nm* silting up

envaser /ɑ̃vɑze/ [1]
A *vtr* to silt up [*estuaire, port*]
B **s'envaser** *vpr* [*estuaire, port*] to silt up; [*barque*] to get stuck in the mud

enveloppant, **~e** /ɑ̃vlɔpɑ̃, ɑ̃t/ *adj* 1 (couvrant) [*membrane*] enveloping; [*chaussure*] high-cut; [*manteau*] big and loose; 2 (enjôleur) [*manière*] ingratiating; [*voix*] wheedling

enveloppe /ɑ̃vlɔp/ *nf* 1 (de lettre) envelope; **sous ~** in an envelope; **~ timbrée pour la réponse** stamped self-addressed envelope; 2 (emballage) wrapping; (gaine) sheath; (revêtement) (souple) cover; (rigide) casing; Bot (tégument) husk; (cosse) pod; Anat (d'organe) membrane; (peau) skin; Zool (coquille, carapace) shell; **~ charnelle** *or* **mortelle** mortal coil; 3 (extérieur) exterior; **sous une ~ rude/de cynisme** beneath a rough/cynical exterior; 4 (budget) budget; **l'~ de la défense** the defence[GB] budget; 5 (commission) commission; (gratification) bonus; (indemnité de départ) golden handshake; (pot-de-vin) bribe; 6 Math envelope
(Composés) **~ autocollante** self-seal envelope; **~ par avion** Postes airmail envelope; **~ budgétaire** Écon budget; **~ électronique** Phys electron cloud; **~ à fenêtre** window envelope; **~ financière globale** Écon overall budget; **~ gommée** gummed envelope; **~ matelassée** padded envelope; **~ de pneu** Aut tyre GB *ou* tire US casing; **~ premier jour** Postes first day cover; **~ de réexpédition** Postes *envelope provided by the Post Office for forwarding mail*

enveloppé, **~e** /ɑ̃vlɔpe/ *adj* (gros) [*personne*] plump

enveloppement /ɑ̃vlɔpmɑ̃/ *nm* 1 Méd pack; 2 Mil envelopment

envelopper /ɑ̃vlɔpe/ [1]
A *vtr* 1 (recouvrir) [*personne*] to wrap [sb/sth] (up) [*personne, objet*] (**dans** in); [*housse, revêtement*] to cover [*objet*]; **enveloppe-lui le bras dans un linge humide** wrap a damp cloth around his/her arm; **je vous l'enveloppe?** Comm shall I wrap it for you?; **un manteau l'enveloppait** he/she was wrapped (up) in a coat; **le papier qui enveloppait le vase était rose** the paper around the vase was pink; 2 (encercler) [*brouillard, silence, nuit*] to envelop; [*brume*] to veil; [*mystère, secret*] to surround; **sommets enveloppés de brume** peaks shrouded in mist; **maison enveloppée par les flammes** house engulfed by flames; 3 (entourer) **~ qn de soins/tendresse** to surround sb with care/affection; **~ la baie du regard** to gaze around at the bay; **~ son offre de conditions** to hedge one's proposal around with various conditions; **meurtre enveloppé de mystère** murder shrouded in mystery
B **s'envelopper** *vpr* to wrap oneself (up); **s'~ la tête d'un turban** (le mettre) to wrap one's head in a turban; (le porter) to wear a turban; **s'~ de mystère** to shroud oneself in *ou* to surround oneself with mystery

enveloppe-réponse, *pl* **enveloppes-réponse** /ɑ̃vlɔpʀepɔ̃s/ *nf* freepost envelope GB, postpaid envelope US

envenimé, **~e** /ɑ̃vnime/
A *pp* ▸ **envenimer**
B *pp adj* 1 fig [*plume, paroles*] poisoned; [*dispute*] bitter; 2 (infecté) [*plaie*] septic

envenimer /ɑ̃vnime/ [1]
A *vtr* 1 (aviver) to inflame [*débat, dispute*]; to fan the flames of [*colère*]; to aggravate [*situation*]; **il n'a fait qu'~ les choses** he only made matters worse; 2 (infecter) **~ une plaie** to make a wound go septic
B **s'envenimer** *vpr* 1 fig [*dispute*] to worsen; [*situation*] to turn ugly; 2 [*plaie*] to go septic

envergure /ɑ̃vɛʀgyʀ/ *nf* 1 (d'ailes) wingspan; **oiseau/avion de X mètres d'~** bird/plane with a wingspan of X metres[GB]; 2 fig (de personne) stature; (de projet, d'entreprise) scale; **un politicien d'~/de son ~** a politician of stature/of his stature; **un architecte de grande ~/d'~ internationale** an architect of considerable stature/of international stature; **un projet/une entreprise de grande/petite ~** a large-/small-scale project/enterprise; **un projet d'~** a substantial project; **un projet/une œuvre d'~ internationale** a project/work of international scope; **prendre une ~ telle que...** to swell to such proportions that...; **sans ~** [*projet, débat*] limited; [*personne*] of no account

envers¹ /ɑ̃vɛʀ/ *prép* **attitude/cruauté/mansuétude ~ qn** attitude/cruelty/clemency towards GB *ou* to sb; **méfiant/méprisant ~ qn** mistrustful/scornful of sb; **exigeant/honnête/impatient ~ qn** demanding/honest/impatient with sb; **reconnaissance/fidélité ~ qn** gratitude/loyalty to sb; **méchant/cruel/clément ~ qn** spiteful/cruel/merciful to sb; **avoir des engagements ~** to have obligations towards GB *ou* to
(Idiome) **~ et contre tous/tout** in spite of everyone/everything

envers² /ɑ̃vɛʀ/
A *nm inv* (de papier, tableau) back; (de tissu, tricot) wrong side; (de vêtement) inside; (de monnaie) reverse; **l'~ des choses** *or* **du décor** fig the other side (of the picture)
B **à l'envers** *loc adv* 1 (inadéquatement) the wrong way; **prendre un problème à l'~** to go about a problem the wrong way; **faire tout à l'~** to do everything backward(s) *ou* the wrong way; **tout marche à l'~ de nos jours** everything's upside down nowadays; 2 (le haut en bas) upside down; **poser un interrupteur à l'~** to install a switch upside down; 3 (l'intérieur à l'extérieur) inside out; **mettre sa chemise à l'~** to put one's shirt on inside out; 4 (le devant derrière) back to front; **tenir des jumelles à l'~** to hold binoculars back to front; 5 (la droite à gauche) the wrong way round GB *ou* around US; **mettre ses chaussures à l'~** to put one's shoes on the wrong feet; 6 (à rebours) **passer un film à l'~** to run a film backward(s); ▸ **monde**

envi: **à l'envi** /alɑ̃vi/ *loc adv* [*répéter, souligner, rappeler*] at every possible opportunity

enviable /ɑ̃vjabl/ *adj* [*situation, sort*] enviable; **l'économie progresse à un rythme ~** the economy is improving at an enviable rate; **être dans une situation peu ~** to be in an unenviable position

envie /ɑ̃vi/ *nf* 1 gén urge (**de faire** to do); (de choses à manger) craving (**de** for); **~ folle/subite** insane/sudden urge; **l'~ m'a prise de te téléphoner** I got the urge to phone you; **des ~s de femme enceinte** the cravings of a pregnant woman; **avoir une ~ de chocolat** to have a craving for chocolate; **et s'il lui prenait l'~ de venir?** and what if he suddenly decided to come?; **avoir des ~s de meurtre** to feel like killing somebody; **'change de travail!'—'ce n'est pas l'~ qui me manque'** 'change jobs!'—'don't think I haven't thought of it!'; **avoir ~ de qch** to feel like sth; **avoir ~ de faire** (fortement) to want to do; (passagèrement) to feel like doing; **avoir ~ de vendre la maison** to want to sell the house; **avoir ~ de dormir/de faire pipi**○ to want to go to bed/to go to the loo GB *ou* the bathroom US; **il n'a qu'une ~, (c'est de) partir** all he wants is to leave; **avoir ~ de rire/pleurer/hurler** to feel like laughing/crying/screaming; **je n'ai pas du tout ~ de le rencontrer** I have absolutely no desire to meet him; **avoir ~ de vomir** to feel sick, to have a feeling of nausea; **arrête! tu me donnes ~ de vomir!** stop! you're making me feel sick!; **elle a bien ~ de faire** she would really like to do; **il a ~ que je parte** he wants me to leave; **il a ~ que les choses soient claires** he wants it to be quite clear; **mourir** *or* **crever**○ **d'~ de faire** fig to be dying○ to do; **avoir ~ de qn** (sexuellement) to want sb; **donner (l')~ à qn de faire** to make sb want to do; **le livre m'a donné ~ de voir le film** the book made me want to see the film; 2 (convoitise) envy; **regarder qch/écouter qn avec ~** to look at sth/listen to sb enviously *ou* with envy; **leur piscine fait ~ à tous leurs amis** their swimming pool is the envy of all their friends; **il te fait ~ ce jouet?** would you like that toy?; **ils me font ~ tous ces gens bronzés** all these tanned people make me envious; 3 (angiome) birthmark; (petite peau) hangnail; ▸ **pitié**, **pisser**
(Idiome) **avoir une ~ pressante** to need to go to the toilet

envier /ɑ̃vje/ [2] *vtr* to envy; **j'envie ta façon de voir** I envy you your outlook; **comme je t'envie!** how I envy you!; **elle m'envie d'être ton ami** she envies me your friendship; **des musées que le monde entier nous envie** our museums that are the envy of the world; **tu n'as rien à leur ~!** iron you're every bit as bad!

envieusement /ɑ̃vjøzmɑ̃/ *adv* enviously

envieux, **-ieuse** /ɑ̃vjø, øz/
A *adj* envious
B *nm,f* envious person; **faire des ~** to make people jealous

environ /ɑ̃viʀɔ̃/
A *adv* about; **deux ans ~** about two years; **à ~ dix mètres** about ten metres[GB] away; **~ tous les cinq ans** about every five years
B **environs** *nmpl* **une villa des ~s de Paris** a villa on the outskirts of Paris; **être des ~s** to be from the area; **les enfants des ~s** the children from this area
C **aux environs de** *loc prép* 1 (lieu) in the vicinity of; **elle habite aux ~s de Moscou** she lives in the vicinity of Moscow; 2 (moment) around; **aux ~s du 15 mai** around May 15th; 3 (quantité) in the region of; **aux ~s de mille euros** in the region of one thousand euros

environnant, **~e** /ɑ̃viʀɔnɑ̃, ɑ̃t/ *adj* surrounding

environnement /ɑ̃viʀɔnmɑ̃/ *nm* environment; **Ministère de l'~** Ministry of the Environment; **protection de l'~** protection of the environment; **un produit avec un label ~** *or* **qui respecte l'~** an environment-friendly product
(Composé) **~ graphique** Ordinat graphics environment

environnemental, **~e**, *mpl* **-aux** /ɑ̃viʀɔnmɑ̃tal, o/ *adj* environmental

environnementaliste /ɑ̃viʀɔnmɑ̃talist/ *nmf* environmentalist

environner /ɑ̃viʀɔne/ [1]
A *vtr* to surround
B **s'environner** *vpr* **s'~ de** to surround oneself with

envisageable /ɑ̃vizaʒabl/ *adj* possible; **le projet n'est pas ~ avant deux ans** the project cannot be envisaged for two years

envisager /ɑ̃vizaʒe/ [13] *vtr* 1 (projeter) to plan (**de faire** to do); 2 (imaginer) to envisage [*hypothèse, situation*]; to foresee [*problème, possibilité*]; **~ l'avenir avec sérénité** to view the future with confidence; **~ le pire** to imagine the worst; 3 (considérer) to consider; **la gestion envisagée comme un art** management as an art

envoi /ɑ̃vwa/ *nm* 1 Postes (expédition) **tous les ~s de colis sont suspendus** parcel post is suspended; **date d'~** dispatch date GB, mailing date US; **faire un ~ de** to send [*fleurs, livres*]; **date limite d'~ des dossiers d'inscription** deadline for posting GB *ou* mailing US registration forms; **frais d'~** postage; 2 (ce qui est expédié) **recevoir un ~ postal** to receive something through the post GB *ou* mail US; **nous attendons un ~ important** we're expecting a large consignment; **quelle est la nature de l'~?** what are you sending?; **nous n'acceptons pas les ~s de plus de deux kilos** we cannot accept parcels over two kilos; **3▸** (déplacement de personnes, matériel, nourriture) **demander l'~ de troupes/d'une délégation/d'une force de paix** to ask for troops/a delegation/a peace keeping force to be dispatched; **décider l'~ immédiat de vivres/d'hélicoptères** to decide to dispatch food supplies/helicopters immediately; **4▸** (lancement) **l'~ de la fusée sera reporté** the rocket launch will be postponed; **coup d'~** Sport kick-off; **donner le coup d'~ de** to kick off [*match, campagne*]; to open [*festival, fête*]; **5▸** Littérat (strophe dédicatoire) envoi; (dédicace manuscrite) inscription

(Composés) **~ de fonds** remittance of cash; **faire un ~ de fonds** to dispatch cash; **~ en nombre** bulk dispatch GB, bulk mailing US; **~ recommandé** registered post ₵ GB, registered mail ₵ US; **faire un ~ recommandé** to send something by registered post GB *ou* mail US; **~ contre remboursement** cash on delivery, COD; **faire un ~ contre remboursement** to send something COD; **~ en touche** (au football) throw

envol /ɑ̃vɔl/ *nm* **1▸** (d'oiseau) flight; (d'avion) takeoff; (d'imagination) flight; (de pensée) soaring; **prendre son ~** [*oiseau, pensée*] to take flight; [*avion*] to take off; [*adolescent*] to leave the nest; **2▸** (de tarifs) escalation; (de devise) rise; **3▸** (de région) development

envolée /ɑ̃vɔle/ *nf* **1▸** (discours) flight of fancy; **~ artistique/lyrique** artistic/lyrical flight of fancy; **les ~s des avocats** lawyers' oratory; **2▸** Fin (de monnaie, de Bourse) surge; (des prix) surge (**de** in); **3▸** (de parti) rise

envoler: **s'envoler** /ɑ̃vɔle/ [1] *vpr* **1▸** (partir) [*oiseau*] to fly off (**pour** to); [*avion*] to take off (**pour** for); [*passager*] to take off (**pour** for); **2▸** (par accident) [*papier, parapluie, chapeau*] to be blown away; **le vent a fait ~ mon chapeau** the wind blew my hat off; **mon portefeuille ne s'est tout de même pas envolé**○ my wallet didn't just disappear; **3▸** (augmenter) [*prix, loyers, cours, monnaie*] to soar; **4▸** (disparaître) [*sentiment, rêve*] to vanish; **5▸** ○(s'enfuir) [*prisonnier*] to do a runner○, to escape

envoûtant, **~e*** /ɑ̃vutɑ̃, ɑ̃t/ *adj* [*film, livre*] spellbinding; [*atmosphère, musique*] enchanting; [*sourire, beauté, charme*] bewitching

envoûtement* /ɑ̃vutmɑ̃/ *nm* (action) bewitchment; (sortilège) spell

envoûter* /ɑ̃vute/ [1] *vtr* to bewitch, to cast a spell over; **être envoûté** lit, fig to be bewitched; **il envoûtait son auditoire** fig he held the audience spellbound

envoûteur, **-euse*** /ɑ̃vutœʀ, øz/ *nm,f* sorcerer/sorceress

envoyé, **~e** /ɑ̃vwaje/

A *pp* ▸ **envoyer**

B *pp adj* **ça c'est (bien) ~**○**!** well said!

C *nm,f* (représentant) envoy; **~ du pape/extraordinaire** papal/special envoy; **être l'~ du ciel** *or* **du Seigneur** fig to be sent from God

(Composé) **~ spécial** Presse special correspondent

envoyer /ɑ̃vwaje/ [24]

A *vtr* **1▸** (expédier) to send [*lettre, marchandises, cadeau, argent, félicitations, aide*] (**à** to); **Yann vous envoie ses amitiés** Yann sends (you) his regards; **2▸** (faire déplacer) to send [*ambulance, personne, police, troupes*]; **qui vous envoie?** who sent you?; **je vous envoie un technicien** I will send you an engineer; **~ un reporter à l'étranger/un homme en prison** to send a reporter abroad/a man to jail; **on l'a envoyé étudier à Genève** he was sent off to study in Geneva; **je l'ai envoyé chercher le journal** I sent him out to get the paper; **3▸** (lancer) to throw [*balle, caillou*]; to fire [*missile, roquette*] (**sur** at); **envoie-moi le savon** throw me the soap; **il m'a envoyé un caillou** he threw a stone at me; **~ qch dans l'œil/les jambes de qn** to hit sb in the eye/the legs with sth; **~ le ballon dans les buts** to put the ball in the net; **4▸** (asséner) **~ un coup de coude à qn** (amicalement) to give sb a dig in the ribs; (agressivement) to jab sb in the ribs; **~ un coup de pied à qn** to kick sb; **~ une gifle à qn** to slap sb in the face; **il m'a envoyé son poing dans la figure** he punched me in the face; **5▸** (transmettre) to send [*message, signal*]; **~ des signaux de fumée** to send smoke signals; **6▸** Naut **envoyez!** about ship!

B **s'envoyer** *vpr* **1▸** (échanger) to exchange [*lettres, cadeaux, regards*] ; **s'~ des baisers** (par gestes) to blow each other kisses; **s'~ des clins d'œil** to wink at each other; **2▸** ○(avaler) to guzzle○ [*alcool, eau*]; to wolf down○ [*repas*]; **il s'est envoyé toute la bouteille** he guzzled down the entire bottle; **3▸** ◑(posséder sexuellement) to have it off with◑ GB, to get off with◑ US

(Idiomes) **~ qn au diable**○ to tell sb to go to hell○; **~ qn promener**○ *or* **se faire voir**◑ to send sb packing○; **tout ~ promener**○ to drop the lot○; **il ne me l'a pas envoyé dire**○ and he told me in no uncertain terms; **je ne te l'envoie pas dire**○**!** tell me about it○!; **s'~ des compliments**○ (à soi-même) to pat oneself on the back; **s'~ en l'air**◑ (forniquer) to get laid◑; (avoir un accident) to crash

envoyeur /ɑ̃vwajœʀ/ *nm* **retour à l'~** return to sender

enzyme /ɑ̃zim/ *nm ou f* enzyme

Éole /eɔl/ *npr* Aeolus

éolien, **-ienne** /eɔljɛ̃, ɛn/

A *adj* [*érosion, générateur*] wind; Géol [*dépôts*] aeolian

B **éolienne** *nf* (aeolian) windmill

Éoliennes /eɔljɛn/ ▸ **p. 435** *adj fpl* **les îles ~** the Eolian Islands

éosine /eɔzin/ *nf* eosin

épagneul /epaɲœl/ *nm* spaniel

épagneule /epaɲœl/ *nf* spaniel bitch

épais, **épaisse** /epɛ, ɛs/

A ▸ **p. 498** *adj* **1▸** (pas mince) [*tranche, couche, tissu, tapis*] thick; [*lèvres, taille, chevilles, peau d'animal*] thick; **un mur ~ de deux mètres** a wall two metres[GB] thick; **il n'est pas bien ~ ce petit**○**!** he's a skinny little fellow!; **2▸** (pas subtil) [*esprit, intelligence*] dull; [*jeu de mots, plaisanterie*] heavy-handed; [*ruse, procédé*] clumsy; **3▸** (pâteux) [*sirop, crème, sauce*] thick; **4▸** (dense) [*feuillage, buisson, chevelure*] thick; [*brume, fumée*] thick; [*ombre*] deep; **5▸** (profond) [*nuit, silence*] deep

B *adv* a lot, much; **tu en as mis trop ~** (du beurre, de la peinture) you've put too much on; **il n'y en a pas ~**○**!** there isn't much (of it)!

C **au plus épais de** *loc prép* in the midst of [*foule, mêlée*]; in the depths of [*nuit, forêt*]

épaisseur /epɛsœʀ/ *nf* **1▸** ▸ **p. 498** (dimension) thickness; **existe en plusieurs ~s** available in several thicknesses; **aérer le sol sur 10 cm d'~** to air the soil to a depth of 10 cm; **niches creusées dans l'~ du mur** niches set in the wall; **couper qch dans (le sens de) l'~** to cut sth sideways; **un mur de deux mètres d'~** a wall two metres[GB] thick; **une cloison de faible ~** a thin partition; **2▸** (densité) thickness; **dans l'~ des fourrés** in the dense thickets; **3▸** (de liquide) thickness; **4▸** (profondeur) depths (*pl*); **dans l'~ de la nuit** in the depths of night; **5▸** fig (de personnage, projet, d'intrigue) substance; **ses personnages manquent d'~** his characters lack substance; **un politicien sans ~** a dull *ou* colourless[GB] politician; **6▸** (couche) layer; **en trois ~s** in three layers

épaissir /epesiʀ/ [3]

A *vtr* **1▸** (rendre consistant) [*farine*] to thicken [*sauce*]; **2▸** (déformer) [*âge, graisse*] to thicken [*traits, taille*]; [*vêtement*] to broaden [*silhouette*]; **3▸** (obscurcir) to deepen [*mystère, incertitude*]

B *vi* **1▸** (devenir consistant) [*sauce*] to thicken; [*gelée*] to set; **faire ~ à feu doux** leave to thicken over a gentle heat; **2▸** (grossir) [*personne*] to put on weight

C **s'épaissir** *vpr* **1▸** [*sauce, liquide*] to thicken; **2▸** [*brume*] to thicken; **3▸** [*mystère*] to deepen; **4▸** [*taille, silhouette*] to thicken

épaississant, **~e** /epɛsisɑ̃, ɑ̃t/

A *adj* [*substance*] thickening

B *nm* (produit) thickener

épaississement /epesismɑ̃/ *nm* thickening

épanchement /epɑ̃ʃmɑ̃/

A *nm* Méd (de sang) effusion; **avoir un ~ de synovie** to have water on the knee

B **épanchements** *nmpl* (confidences) outpourings (*pl*)

épancher /epɑ̃ʃe/ [1]

A *vtr* to give vent to [*colère, amertume*]; to pour out [*chagrin, cœur*]

B **s'épancher** *vpr* **1▸** [*personne*] to open one's heart (**auprès de** to), to pour out one's feelings (**auprès de** to); **2▸** [*sang*] to pour out

épandage /epɑ̃daʒ/ *nm* **1▸** Agric (action) spreading; **~ de fumier** manure spreading, manuring; **2▸** Tech sewage farming; **~ par irrigation** sewage irrigation

épandre /epɑ̃dʀ/ [6] *vtr* to spread [*engrais, fumier*]

épanoui, **~e** /epanwi/

A *pp* ▸ **épanouir**

B *pp adj* **1▸** [*fleur*] in full bloom (*après n*); **2▸** [*sourire, visage*] beaming; **3▸** [*personne, personnalité*] well-adjusted; [*corps*] ample

épanouir /epanwiʀ/ [3]

A *vtr* liter **1▸** [*soleil*] to open (out) [*fleur*]; [*joie*] to light up [*visage*]; **2▸** (développer) to make [sb/sth] blossom; **la maternité l'a épanouie** motherhood made her blossom

B **s'épanouir** *vpr* **1▸** (s'ouvrir) [*fleur*] to bloom; **2▸** (s'éclairer) [*visage*] to light up; **3▸** (se développer) [*personne, amitié*] to blossom; [*affaires*] to flourish; **permettre aux gens de s'~** to enable people to fulfil[GB] their potential

épanouissant, **~e** /epanwisɑ̃, ɑ̃t/ *adj* fulfilling

épanouissement /epanwismɑ̃/ *nm* **1▸** (de fleur) blooming; **2▸** (développement) gén development; (de talent) flowering; **favoriser/défavoriser l'~ de qn/qch** to foster/to hamper the development of sb/sth

épargnant, **~e** /epaʀɲɑ̃, ɑ̃t/ *nm,f* saver; **petit ~** small saver; **en bon ~** as a careful saver

épargne /epaʀɲ/ *nf* (personnelle) savings (*pl*); **un compte (d') ~** a savings account

(Composé) **~ salariale** company saving scheme

épargner /epaʀɲe/ [1]

A *vtr* **1▸** (mettre de côté) to save [*argent*]; **~ 100 euros par semaine** to save 100 euros a week; **2▸** (ne pas affecter) to spare [*lieu, personne, institution*]; **quartier épargné par les bombardements** neighbourhood[GB] spared by the bombing; **les banques ne sont pas épargnées par l'inflation** banks are not spared by inflation; **3▸** (éviter) **~ qch à qn** to spare sb sth; **épargnez-leur vos réflexions** spare them your comments; **~ le pire à ses enfants** to spare one's children the worst; **4▸** (préserver) to save [*force, vêtement*]; **~ ses larmes** to save one's tears

B *vi* Écon, Fin to save; **ne pas assez ~** not to save enough

C **s'épargner** *vpr* to save oneself [*attente, effort*]; **il s'est épargné le désagrément d'une attente** he saved himself the trouble of having to wait

éparpillement /epaʀpijmɑ̃/ *nm* scattering; **l'~ des services administratifs** the distance between administrative departments; **l'~ de ses activités l'empêche d'accomplir quoi que ce soit** his activities are scattered over such a wide front that he gets nothing done

éparpiller /epaʀpije/ [1]

A *vtr* **1▸** lit to scatter [*personnes, feuilles*]; **famille éparpillée aux quatre coins du monde** family scattered all over the world; **2▸** fig to fail to concentrate [*forces, attention*]

B s'éparpiller *vpr* **1** [*cendres, foule*] to scatter; **2** [*personne*] to take on too much; [*conversation*] to wander

épars, **~e** /epaʀ, aʀs/ *adj* scattered

épatant○, **~e** /epatɑ̃, ɑ̃t/ *adj* marvellous[GB]; **c'est ~!** that's marvellous[GB]!; **elle est ~e dans ce rôle** she's marvellous[GB] in the role

épate○ /epat/ *nf* showing off; **à l'~** by showing off; **y aller à l'~** to get on by showing off; **faire de l'~** to show off

épaté, **~e** /epate/ *adj* **1** **il a le nez ~** he has a pug nose *ou* a flat nose; **au nez ~** flat-nosed; **2** ○(surpris) amazed (**de** by)

épatement /epatmɑ̃/ *nm* **1** (de nez) pug shape; **2** ○(surprise) amazement

épater○ /epate/ [1]

A *vtr* **1** (impressionner) to impress; **il cherche à ~ ses voisins** he's trying to impress the neighbours[GB]; **ça t'épate, hein?** surprised, aren't you?; **2** (étonner) to amaze; **ça m'épate que personne n'ait rien entendu** I'm amazed no-one heard anything

B s'épater *vpr* (s'étonner) to marvel (**de** at); **il ne s'épate de rien** nothing surprises him

épaulard /epolaʀ/ *nm* killer whale

épaule /epol/ *nf* **1** ▸ **p. 196** Anat shoulder; **large d'~s** broad-shouldered; **~ contre ~** shoulder to shoulder; **rentrer la tête dans les ~s** to hunch one's shoulders; **enfoncer une porte à coups d'~** to shoulder-charge a door; **2** Culin shoulder; **~ d'agneau** shoulder of lamb

(Idiomes) **changer son fusil d'~** to change one's tactics; **avoir la tête sur les ~s** to have one's head screwed on (tight)○

épaulé, **~e** /epole/

A *pp* ▸ **épauler**

B *pp adj* [*vêtement*] with padded shoulders

épaulé-jeté, *pl* **épaulés-jetés** /epoleʒəte/ *nm* clean-and-jerk

épaulement /epolmɑ̃/ *nm* **1** Archit, Constr shouldering wall; **2** Mil breastworks; **3** Géol escarpment

épauler /epole/ [1]

A *vtr* **1** (aider) to help, to support [*personne*]; **je ne suis pas épaulé** I don't get any support; **2** Chasse, Mil (mettre à l'épaule) to take aim with, to raise [*fusil*]; **3** Cout (rembourrer) to pad the shoulders of [*veste*]; **4** Constr to shoulder

B *vi* Chasse, Mil to take aim

épaulette /epolɛt/ *nf* **1** Cout (rembourrage) shoulder-pad; (bretelle) (shoulder-)strap; **2** Mil epaulette

épave /epav/ *nf* **1** Naut (navire entier) wreck; **2** (voiture) gén wreck; (après un accident) write-off○; (débris) bit of wreckage; **3** (personne) wreck; **4** Jur derelict

épeautre /epotʀ/ *nf* spelt wheat

épée /epe/ *nf* **1** (arme) sword; **se battre à l'~** to fight with swords; **tirer l'~** to draw one's sword; **c'est un coup d'~ dans l'eau** fig it was a complete waste of effort; **passer qn au fil de l'~** to put sb to the sword; **2** (personne) swordsman/woman; **excellente ~** excellent swordsman/woman; **3** (sport) épée fencing

(Composé) **l'~ de Damoclès** the sword of Damocles

épeire /epɛʀ/ *nf* epeira, garden spider

épéiste /epeist/ *nmf* swordsman/woman, épéeist spéc

épeler /eple/ [19] *vtr* to spell [*mot*]

épépiner /epepine/ [1] *vtr* to seed

éperdu, **~e** /epɛʀdy/ *adj* [*besoin, désir*] overwhelming; [*cri*] frantic; [*regard*] desperate; [*fuite*] headlong (*épith*); [*amour, reconnaissance*] boundless; **~ de** overcome with

éperdument /epɛʀdymɑ̃/ *adv* [*crier*] frantically; [*amoureux*] madly; **un pays ~ en quete de stabilité politique** a country desperately in search of political stability; **je me moque** *or* **me fiche**○ **~ de ce qu'il pense** I couldn't care less about what he thinks

éperlan /epɛʀlɑ̃/ *nm* smelt

éperon /epʀɔ̃/ *nm* **1** spur; **donner** *ou* **piquer des ~s** to spur on a horse; **2** (aiguillon) spur; **sous l'~ de la nécessité** under the spur of necessity; **3** (ergot) spur; **4** (ouvrage en saillie) spur; **5** (de bateau) ram

éperonner /epʀɔne/ [1] *vtr* **1** Équit to spur on [*cheval*]; **2** (aiguillonner) to spur on [*personne*]; **éperonné par la terreur** spurred on by terror; **3** Naut to ram

épervier /epɛʀvje/ *nm* **1** (oiseau) sparrowhawk; **2** (filet de pêche) cast net

éphèbe /efɛb/ *nm* **1** hum Adonis; **2** Hist ephebe

éphédrine /efedʀin/ *nf* ephedrine

éphémère /efemɛʀ/

A *adj* [*bonheur, amour*] fleeting, ephemeral; [*délice, utopie*] ephemeral; [*succès, gloire*] short-lived, ephemeral; [*produit, insecte*] short-lived; **de manière ~** fleetingly

B *nm* mayfly, ephemera spéc

éphéméride /efemeʀid/

A *nf* (calendrier) block calendar, tear-off calendar

B éphémérides *nfpl* Astron ephemerides

Éphèse /efɛz/ *npr* Ephesus

éphésien, **-ienne** /efezjɛ̃, ɛn/ *adj* Ephesian

épi /epi/ *nm* **1** Bot (de blé, d'avoine) ear; (de fleur) spike; **2** (mèche) (unmanageable) tuft of hair GB, cow-lick US; **3** Tech (jetée) groyne GB, groin US; **se garer en ~** to park at an angle to the kerb GB *ou* curb US

(Composés) **~ de faîtage** Constr finial; **~ de maïs** corn cob; **~ du vent** Naut eye of the wind

épicarpe /epikaʀp/ *nm* epicarp

épice /epis/ *nf* spice

épicé, **~e** /epise/

A *pp* ▸ **épicer**

B *pp adj* **1** Culin (parfumé) spicy; (fort) [*curry*] hot; **très ~** highly spiced, very spicy; **2** (grivois) [*anecdote*] spicy, racy

épicéa /episea/ *nm* spruce

épicène /episɛn/ *adj* epicene

épicentre /episɑ̃tʀ/ *nm* (tous contextes) epicentre

épicer /epise/ [12] *vtr* **1** Culin to spice [*plat*]; **2** fig to add spice to [*conversation*]

épicerie /episʀi/ ▸ **p. 532** *nf* **1** (boutique) grocer's (shop) GB, grocery (store) US; **à l'~** at the grocer's; **2** (commerce) grocery trade; **3** (produits) groceries

(Composé) **~ fine** delicatessen

épicier, **-ière** /episje, ɛʀ/ ▸ **p. 532** *nm,f* grocer; **chez l'~** at the grocer's

(Composé) **~ en gros** wholesale grocer

Épicure /epikyʀ/ *npr* Epicurus

épicurien, **-ienne** /epikyʀjɛ̃, ɛn/ *adj* **1** Philos Epicurean; **2** (bon vivant) epicurean

épicurisme /epikyʀism/ *nm* Epicureanism

épidémie /epidemi/ *nf* Méd, fig epidemic

épidémiologie /epidemjɔlɔʒi/ *nf* epidemiology

épidémiologique /epidemjɔlɔʒik/ *adj* epidemiological

épidémiologiste /epidemjɔlɔʒist/ *nmf* epidemiologist

épidémiosurveillance /epidemjɔsyʀvɛjɑ̃s/ *nf* epidemiological surveillance

épidémique /epidemik/ *adj* Méd epidemic

épiderme /epidɛʀm/ *nm* Anat skin, epidermis spéc, Bot epidermis; **avoir l'~ chatouilleux** fig to be touchy

épidermique /epidɛʀmik/ *adj* **1** (de l'épiderme) skin (*épith*), epidermal spéc, epidermic spéc; [*blessure*] skin-deep; [*lésion, greffe*] skin; **2** fig [*sensibilité*] extreme; **une réaction ~** a gut reaction

épididyme /epididim/ *nm* epididymis

épidural, **~e**, *mpl* **-aux** /epidyʀal, o/ *adj* epidural

épier /epje/ [2] *vtr* **1** (observer) to spy on [*personne, comportement*]; **il épie tous mes faits et gestes** he watches my every move; **2** (attendre) to be on the lookout for

épieu, *pl* **~x** /epjø/ *nm* Chasse spear

épigastre /epigastʀ/ *nm* epigastrium

épiglotte /epiglɔt/ *nf* epiglottis

épigone /epigɔn/ *nm* epigone

épigramme /epigʀam/ *nf* epigram

épigraphe /epigʀaf/ *nf* epigraph

épigraphie /epigʀafi/ *nf* epigraphy

épigraphique /epigʀafik/ *adj* epigraphical

épilation /epilasjɔ̃/ *nf* removal of unwanted hair; (à la cire) waxing

épilatoire /epilatwaʀ/ *adj* hair-removing, depilatory

épilepsie /epilɛpsi/ ▸ **p. 283** *nf* epilepsy; **crise d'~** epileptic fit

épileptique /epilɛptik/ *adj, nmf* epileptic

épiler /epile/ [1]

A *vtr* to remove unwanted hair from, to depilate; (à la cire) to wax [*jambe, visage*]; to pluck [*sourcils*]; **se faire ~ les jambes** to have one's legs waxed; **crème à ~** hair-removing cream; **pince à ~** tweezers (*pl*)

B s'épiler *vpr* **s'~ les sourcils** to pluck one's eyebrows; **s'~ le menton** to remove the hairs from one's chin

épilobe /epilɔb/ *nf* rosebay willowherb

épilogue /epilɔg/ *nm* **1** Littérat epilogue[GB]; **2** fig outcome

épiloguer /epilɔge/ [1] *vi* to go on and on (**sur** about); **inutile d'~** there's no good going on and on about it; **on a beaucoup épilogué sur...** a lot has been said about...

épinard /epinaʀ/ *nm* **1** Bot spinach ¢; **2** Culin **les ~s** spinach ¢

(Idiome) **ça met du beurre dans les ~s** it makes life that little bit easier

épine /epin/ *nf* thorn, prickle; **sans ~s** [*mûres*] thornless

(Composés) **~ blanche** Bot hawthorn; **~ dorsale** Anat spine, backbone; fig backbone; **~ noire** Bot blackthorn

(Idiome) **ôter** *or* **enlever** *or* **retirer à qn une ~ du pied** to take a weight off sb's shoulders

épinette /epinɛt/ *nf* **1** ▸ **p. 557** Mus spinet; **2** Bot spruce; **3** Can (boisson) **(bière d')~** spruce beer

(Composés) **~ blanche** Bot white spruce; **~ noire** Bot black spruce

épineux, **-euse** /epinø, øz/ *adj* [*tige*] prickly, thorny; [*problème*] thorny, tricky; [*question*] vexed; [*situation*] tricky; [*caractère*] prickly, touchy

épinglage /epɛ̃glaʒ/ *nm* pinning

épingle /epɛ̃gl/ *nf* pin

(Composés) **~ à chapeau** hatpin; **~ à cheveux** hairpin; **virage en ~ (à cheveux)** hairpin bend; **~ de cravate** tiepin; **~ neige** very fine hairpin; **~ de** *or* **à nourrice**, **~ de sûreté** safety pin

(Idiomes) **monter qch en ~** to blow sth up out of proportion; **être tiré à quatre ~s** to be immaculately dressed; **tirer son ~ du jeu** to get out while the going is good

épingler /epɛ̃gle/ [1] *vtr* **1** (fixer) to pin; **~ une affiche au mur/sur une porte** to pin a poster up on the wall/on a door; **~ ses cheveux** to pin up one's hair; **~ sa cravate** to put in a tiepin; **~ des billets** to pin banknotes GB *ou* bills US together; **2** Cout to pin; **3** (collectionner) to chalk up [*succès*]; **~ qn/qch à son palmarès** to add sb/sth to one's list of triumphs; **4** ○(prendre à parti) to take [sb] to task [*personne, groupe*]; to single out [sth] for criticism [*propos, défauts*]; **5** ○(arrêter) [*police*] to collar○; **se faire ~** to be collared

épinglette /epɛ̃glɛt/ *nf* lapel pin

épinière /epinjɛʀ/ *adj f* **moelle ~** spinal cord

épinoche /epinɔʃ/ *nf* (three-spined) stickleback

Épiphanie /epifani/ *nprf* **l'~** Epiphany, Twelfth Night; **à l'~** on Twelfth Night
épiphénomène /epifenɔmɛn/ *nm* epiphenomenon
épiphyse /epifiz/ *nf* epiphysis
épiphyte /epifit/ *adj* epiphytic
épique /epik/ *adj* epic; **poème ~** epic; **crois-moi, c'était ~**○ hum believe me, it was quite something○
épiscopal, **~e**, *mpl* **-aux** /episkɔpal, o/ *adj* episcopal
épiscopat /episkɔpa/ *nm* episcopate, episcopacy
épiscope /episkɔp/ *nm* 1 (appareil optique) episcope GB, opaque projector US; 2 Mil periscope
épisiotomie /epizjotɔmi/ *nf* episiotomy
épisode /epizɔd/ *nm* episode; **un ~ peu glorieux** a sordid episode; **roman à ~s** serialized novel
épisodique /epizɔdik/ *adj* 1 (secondaire) [*incident, rôle*] minor; 2 (intermittent) [*crises, relations*] sporadic, episodic sout; [*rôle*] occasional; **plusieurs personnages ~s traversent le roman** several characters flit in and out of the novel
épisodiquement /epizɔdikmɑ̃/ *adv* sporadically
épisser /epise/ [1] *vtr* to splice
épissoir /episwaʀ/ *nm* fid, marline spike
épissure /episyʀ/ *nf* splice
épistémologie /epistemɔlɔʒi/ *nf* epistemology
épistémologique /epistemɔlɔʒik/ *adj* epistemological
épistolaire /epistɔlɛʀ/ *adj* [*genre*] epistolary; **ils ont des relations ~s** they correspond
épistolier, **-ière** /epistɔlje, ɛʀ/ *nm,f* letter-writer
épitaphe /epitaf/ *nf* epitaph; **en ~** as an epitaph
épithélial, **~e**, *mpl* **-iaux** /epiteljal, o/ *adj* epithelial
épithélium /epiteljɔm/ *nm* epithelium
épithète /epitɛt/ *nf* 1 Ling attributive adjective; 2 (qualificatif) epithet
épitoge /epitɔʒ/ *nf* (d'avocat, de professeur) hood
épître* /epitʀ/ *nf* 1 Littérat epistle; 2 Relig Epistle; **les ~s de saint Paul** the Epistles of Saint Paul
épizootie /epizɔɔti/ *nf* epizootic
éploré, **~e** /eplɔʀe/ *adj* (affligé) grief-stricken; (en pleurs) tearful, weeping
éployé, **~e** /eplwaje/ *adj* spread (out)
épluchage /eplyʃaʒ/ *nm* 1 (de fruit, carotte) peeling; 2 Tex (de laine) picking; 3 fig (de texte) dissection
épluche-légume, *pl* **~s** /eplyʃlegym/ *nm* potato peeler
éplucher /eplyʃe/ [1] *vtr* 1 lit to peel [*fruit, légume*]; to pick [*laine*]; 2 fig to go through [sth] with a fine-tooth comb [*article, comptes*]
éplucheur /eplyʃœʀ/ *nm* Culin potato peeler
épluchure /eplyʃyʀ/ *nf* **~ de pomme/d'orange etc** piece of apple/orange etc peel; **~s** peelings
EPO /əpeo/ *nm* (*abbr* = **érythropoïétine**) erythropoietin
épointer /epwɛ̃te/ [1] *vtr* to blunt
éponge /epɔ̃ʒ/ *nf* 1 (pour nettoyer) sponge; **donner un coup d'~ à qch** to sponge sth (down); 2 (tissu) terry-towelling[GB]; 3 Zool sponge
(Composé) **~ métallique** (pan) scourer
(Idiomes) **passer l'~** to forget the past; **passer l'~ sur qch** to forget all about sth; **boire comme une ~** to drink like a fish; **jeter l'~** to throw in the towel GB *ou* sponge
éponger /epɔ̃ʒe/ [13]
A *vtr* 1 to mop up [*liquide*]; to mop [*sueur, front, surface*]; 2 to absorb [*déficit*]; to soak up [*excédent*]; to pay off [*dettes*]; **~ un retard** to make up for lost time
B s'éponger *vpr* **s'~ le front/visage** to mop one's brow/face
éponyme /epɔnim/
A *adj* eponymous
B *nm* eponym
épopée /epɔpe/ *nf* 1 Littérat epic; 2 (suite d'événements) saga
époque /epɔk/ *nf* 1 (période quelconque) time; **à l'~, à cette ~** at that time; **à l'~ où** at the time when; **à cette ~ de l'année** (présente) at this time of the year; (passée, future) at that time of the year; **l'an passé/prochain à la même ~** at the same time last/next year; **de l'~** [*objet, mode, esprit*] of the time; **un témoin/souvenir de l'~ où** a witness/memory from the time when; **d'une autre ~** from another time; **il est d'une autre ~** he belongs to another time; **c'est l'~ qui veut ça** it's a sign of the times; **il faut vivre avec son ~** one must move with the times; **l'~ est au pragmatisme** pragmatism is the order of the day; **quelle ~!** what's the world coming to!; **nous vivons une ~ moderne/formidable** iron it's a modern/an amazing world iron; **à mon/leur etc ~** in my/their etc day; **à notre ~** (aujourd'hui) these days; **la pensée/psychiatrie de notre ~** contemporary thought/psychiatry; **les grands artistes/chefs d'œuvre de notre ~** the great artists/masterpieces of our time; 2 (période historique) era; **l'~ féodale/stalinienne** the feudal/Stalinist era; **l'~ victorienne** the Victorian age; 3 (période stylistique) period; **de l'~ surréaliste** from the surrealist period; **un costume/décor d'~** (authentique) a costume from the period/an authentic setting; (imité) a period costume/setting; **d'~ Renaissance/Louis-Philippe** from the Renaissance/Louis-Philippe period; **des meubles d'~** antique furniture; **joué sur instruments d'~** played on period instruments; 4 Astron, Géol epoch
épouiller /epuje/ [1] *vtr* to delouse
époumoner: **s'époumoner**○ /epumɔne/ [1] *vpr* lit, fig to shout oneself hoarse, to shout one's head off○; (en chantant) to sing oneself hoarse
épousailles† /epuzɑj/ *nfpl* nuptials sout
épouse /epuz/ *nf* wife, spouse
épousée† /epuze/ *nf* bride
épouser /epuze/ [1] *vtr* 1 to marry, to wed [*personne*]; **~ un beau parti** to marry into money; 2 to adopt, to espouse [*cause, idée*]; 3 [*chemin*] to follow (closely) [*relief, contours*]; **une robe qui épouse les formes** a figure-hugging dress
époussetage /epustaʒ/ *nm* dusting
épousseter /epuste/ [20] *vtr* to dust
époustouflant○, **~e** /epustuflɑ̃, ɑ̃t/ *adj* amazing, incredible; [*talent*] breathtaking; **~ de courage** amazingly *ou* incredibly brave
époustoufler○ /epustufle/ [1] *vtr* to amaze, to astound; **être époustouflé de/par qch** to be flabbergasted *ou* astounded at/by sth
épouvantable /epuvɑ̃tabl/ *adj* gén dreadful, terrible; (atroce) appalling
épouvantablement /epuvɑ̃tabləmɑ̃/ *adv* terribly, dreadfully
épouvantail /epuvɑ̃taj/ *nm* 1 (à oiseaux) scarecrow; 2 ○(personne laide) fright; 3 (menace) spectre[GB]; **brandir l'~ du protectionnisme** to brandish the spectre[GB] of protectionism
épouvante /epuvɑ̃t/ *nf* (terreur) terror; (horreur) horror; **glacé d'~** paralysed[GB] with terror; **frappé d'~** terror- *ou* horror-stricken; **roman/film d'~** horror story/film; **vision d'~** terrifying vision
épouvanter /epuvɑ̃te/ [1]
A *vtr* 1 (terrifier) to terrify; 2 (horrifier) to horrify, appal[GB]
B s'épouvanter *vpr* to get frightened (**de** at)
époux /epu/
A *nm inv* husband, spouse
B *nmpl* **les ~** the (married) couple, the husband and wife; **les jeunes ~** the newly weds; **les ~ Martin** Mr and Mrs Martin
époxy /epɔksi/
A *adj inv* epoxy; **résines ~** epoxy resins
B *nf* epoxy
éprendre: **s'éprendre de** /epʀɑ̃dʀ/ [52] *vpr* to become enamoured of, to fall in love with [*personne*]; to develop a passion for [*aventure*]
épreuve /epʀœv/ *nf* 1 (moment pénible) ordeal; **une suite d'~s** a succession of ordeals; **subir de dures ~s** to go through terrible ordeals; **surmonter une ~** to get over an ordeal; **la crise économique et les ~s qu'elle a entraînées** the economic crisis and the suffering it brought with it; 2 (testant valeur, résistance) test; **mettre qch/qn à l'~** to put sth/sb to the test; **mettre à rude ~** to put [sb] to a severe test [*personne*]; to be very hard on [*voiture, chaussures*]; to tax [*patience, nerfs*]; to put a strain on [*amitié, relation*]; **soumettre qch à l'~ de qch** to subject sth to the test of sth; **l'~ de force entre** the test of strength between; **procéder à l'~ d'un appareil** to test a device; **à toute ~** [*patience, solidité*] unfailing (*épith*); **résister à l'~ du temps** to stand the test of time; **l'~ du feu** ordeal by fire; **à l'~ du feu/des balles** [*cloison, vêtement*] fire-/bullet-proof; 3 (partie d'examen) gén (part of an) examination; **~ orale** oral examination; **~ écrite** paper, written examination; **~ d'histoire/de chimie** history/chemistry examination; **une ~ obligatoire/facultative** a compulsory/an optional part of the examination; **la deuxième ~ du concours de piano** the second part of the piano competition; **~ anticipée de français** baccalaureate French paper (*taken one year before the other subjects chosen for the baccalaureate*); 4 Sport **~ d'athlétisme** athletics event; **~s sur terrain/piste** field/track events; **~s éliminatoires** heats; **~s de sélection** trials; 5 Édition, Imprim proof; **premières ~s** galley proofs; **corriger des ~s** to proof-read; 6 Cin **~s de tournage** rushes; 7 Phot proof; (estampe) proof
(Composé) **~ de vérité** acid test
épris, **~e** /epʀi, iz/
A *pp* ▸ **éprendre**
B *pp adj* 1 (amoureux) in love (**de** with), smitten†○ (**de** with); 2 (passionné) **~ d'aventure/de voyages** with a great love of adventure/of travelling[GB]; **être ~ de qch** to have a great love of sth
éprouvant, **~e** /epʀuvɑ̃, ɑ̃t/ *adj* [*attente, période, travail*] gruelling[GB]; [*bruit, climat, situation*] trying
éprouvé, **~e** /epʀuve/
A *pp* ▸ **éprouver**
B *pp adj* [*méthode, technique*] tried and tested; [*technicien*] dependable
éprouver /epʀuve/ [1] *vtr* 1 (ressentir) to feel [*regret, désir, amour*]; to have [*sensation, doute, difficulté*]; **~ une gêne à faire** to feel embarrassed to do; **~ le besoin/désir de faire** to feel the need/a desire to do; **~ de la colère contre qn** to feel angry with sb; **~ des difficultés à faire** to have difficulties in doing; **je n'éprouve aucune sympathie pour lui** I thoroughly dislike him; **~ de la jalousie** to be jealous; **~ une sensation de froid** to feel cold; **~ un sentiment d'abandon/d'impuissance** to feel abandoned/powerless; **~ du plaisir** (sexuellement) to experience pleasure; **~ du plaisir à faire** to get pleasure out of doing; **j'éprouve toujours autant de plaisir à t'écrire** I still enjoy writing to you; 2 (mettre à l'épreuve) to test [*personne, sentiment, matériel, théorie, méthode*]; **avoir recours à une technique éprouvée** to resort to a tried and tested technique; 3 (toucher) [*décès, événement*] to distress [*personne*]; [*épidémie, tempête, crise*] to hit [*population, région*]; **le sud du pays a été sévèrement éprouvé par les incendies/la crise** the

south of the country has been badly hit *ou* affected by fires/the crisis; **l'enfant a été très éprouvé par ce qu'il a vu** the child was very distressed by what he saw

éprouvette /epʀuvɛt/ *nf* (tube) test tube; (échantillon) sample; **bébé ~** test-tube baby

EPS /œpeɛs/ *nf* (*abbr* = **éducation physique et sportive**) Scol PE

epsilon* /ɛpsilɔn/ *nm inv* epsilon

épuisant, **~e** /epɥizɑ̃, ɑ̃t/ *adj* [*activité, enfant*] exhausting; [*adulte*] wearing

épuisé, **~e** /epɥize/
A *pp* ► **épuiser**
B *pp adj* **1** (fatigué) [*personne, animal*] exhausted; **être ~ nerveusement** to be emotionally drained; **2** (appauvri) [*sol*] impoverished; **3** (non disponible) [*publication, livre*] out of print; [*article*] out of stock; **notre stock est ~** we're sold out; **4** (consommé) [*stock, vivres*] exhausted

épuisement /epɥizmɑ̃/ *nm* **1** (fatigue) exhaustion; **tomber d'~** to collapse from exhaustion; **le matériel commence à donner des signes d'~** the equipment is starting to show signs of wearing out; **2** (amenuisement) exhaustion; **~ des vivres/ressources** exhaustion of supplies/resources; **jusqu'à ~ des stocks** Comm while stocks last
(Composé) **~ des sols** Agric soil impoverishment

épuiser /epɥize/ [1]
A *vtr* **1** (fatiguer) [*activité*] to exhaust, wear [sb] out; [*souci, personne*] to wear [sb] out; **2** (finir) to exhaust [*sujet, filon, mine*]; **3** (appauvrir) to impoverish [*sol*]
B **s'épuiser** *vpr* **1** (se fatiguer) [*personne*] to exhaust oneself; **s'~ à faire qch** to wear oneself out doing sth; **2** (s'amenuiser) [*réserves, ressources*] to become exhausted

épuisette /epɥizɛt/ *nf* **1** Pêche landing net; (à crevettes) shrimp net; **2** (écope) scoop

épurateur /epyʀatœʀ/ *nm* purifier

épuration /epyʀasjɔ̃/ *nf* **1** (de gaz, liquide) purification; (de pétrole) refining; (d'eaux usées) treatment; **2** (de groupe, parti) purge; **3** (de texte) expurgation; (de langue) refining; (de mœurs) cleaning up
(Composés) **~ ethnique** Pol ethnic cleansing; **~ extrarénale** Méd haemodialysis

épure /epyʀ/ *nf* Archit, Tech working drawing; Math diagram

épurer /epyʀe/ [1] *vtr* **1** Chimie to purify [*eau, gaz*]; **2** to purge [*parti*]; to clean up [*mœurs*]; to refine [*style, goût*]; to expurgate [*texte*]

équanimité /ekwanimite/ *nf* equanimity

équarrir /ekaʀiʀ/ [3] *vtr* **1** (tailler) to square (off) [*pierre, bois*]; **mal équarri** lit, fig roughhewn; **2** (découper) to quarter [*animal*]

équarrissage /ekaʀisaʒ/ *nm* **1** (de bois, pierre) squaring (off); **2** (d'animal) quartering; **cheval tout juste bon pour l'~** horse only fit for the knacker's yard GB, horse ready for the glue factory US

équarrisseur /ekaʀisœʀ/ *nm* slaughterman GB, renderer US; (de chevaux) knacker GB

équateur /ekwatœʀ/ *nm* Equator

Équateur /ekwatœʀ/ ► **p. 333** *nprm* **(la République de) l'~** Ecuador

équation /ekwasjɔ̃/ *nf* equation; **~ du premier/second degré** simple/quadratic equation; **mettre en ~** to put into an equation

équatorial, **~e**, *mpl* **-iaux** /ekwatɔʀjal, o/ *adj* equatorial

équatorien, **-ienne** /ekwatɔʀjɛ̃, ɛn/ ► **p. 561** *adj* Ecuadorian, Ecuadoran

Équatorien, **-ienne** /ekwatɔʀjɛ̃, ɛn/ ► **p. 561** *nm,f* Ecuadorian, Ecuadoran

équerre /ekɛʀ/ *nf* **1** (à dessin) set square; **en** *or* **d'~** at right angles; **double ~** T-square; **~ à coulisse** sliding callipers[GB]; **2** (support) (en T) flat T-bracket; (en L) flat angle bracket

équestre /ekɛstʀ/ *adj* equestrian; **centre ~** riding school

équeuter /ekøte/ [1] *vtr* to remove the stalk from GB, to stem US [*cerise*]; to hull GB, to stem US [*fraise*]

équidé /ekide/ *nm* equid; **les ~s** Equidae

équidistance /ekɥidistɑ̃s/ *nf* equidistance; **à ~ de** equidistant from

équidistant, **~e** /ekɥidistɑ̃, ɑ̃t/ *adj* equidistant (**de** from)

équilatéral, **~e**, *mpl* **-aux** /ekɥilateʀal, o/ *adj* equilateral

équilibrage /ekilibʀaʒ/ *nm* Mécan balancing

équilibrant, **~e** /ekilibʀɑ̃, ɑ̃t/ *adj* **régime ~** healthy diet; **shampooing ~** shampoo that restores the hair's natural pH balance

équilibre /ekilibʀ/ *nm* **1** (fait de ne pas tomber) balance; **garder/perdre l'~** to keep/to lose one's balance; **l'oreille interne est le centre de l'~** the inner ear controls balance; **être en ~ sur qch** [*objet*] to be balanced on sth; [*personne*] to balance on sth; **tenir qch en ~ (sur qch)** to balance sth (on sth); **se tenir en ~ sur un pied** to balance on one leg; **être en ~ instable sur qch** to be precariously balanced on sth; **numéro d'~** balancing act; **2** (entre deux éléments, poids) balance (**entre** between); (stabilité) stability; **l'~ des forces** Pol the balance of power; **l'~ politique/économique** political/economic stability; **l'~ de la terreur** the balance of terror; **l'~ naturel** the natural balance; **trouver un ~** [*pays, couple*] to find a balance; **être en ~** [*objets*] to be balanced; **assurer l'~ budgétaire** to balance the budget; **la préservation des grands ~s naturels** the preservation of the great ecosystems; **3** (bien-être, santé mentale) equilibrium; **manquer d'~** to be unstable; **retrouver son ~** to get back to normal; **l'~ entre vie professionnelle et vie privée** the work-life balance; **4** (bonne combinaison) (de formes, phrase, d'alimentation) balance; **5** Mécan equilibrium

équilibré, **~e** /ekilibʀe/
A *pp* ► **équilibrer**
B *pp adj* **1** [*emploi du temps, alimentation*] balanced; Fin, Mécan balanced; **le chargement est mal ~** the load is unevenly distributed; **2** [*personne, esprit*] well-balanced

équilibrer /ekilibʀe/ [1]
A *vtr* (tous contextes) to balance; **donne-moi l'autre sac, ça va m'~** give me the other bag, it'll balance out the first one; **il faut ~ son alimentation/son emploi du temps** one must have a balanced diet/schedule; **~ une façade** (en elle-même) to give balance to a façade; (avec nouvel élément) to balance a façade
B **s'équilibrer** *vpr* [*facteurs, coûts*] to balance each other

équilibriste /ekilibʀist/ *nmf* lit, fig acrobat

équille /ekij/ *nf* sand eel, (sand) lance

équin, **~e** /ekɛ̃, in/ *adj* equine; **le patrimoine ~** the national bloodstock

équinoxe /ekinɔks/ *nm* equinox; **~ de printemps/d'automne** spring/autumn GB *ou* fall US equinox; **marée d'~** equinoctial spring tide

équipage /ekipaʒ/ *nm* **1** Astronaut, Aviat, Naut crew; **2** Chasse hunt; **3** Hist (attelage) horse and carriage; **en grand ~** in state; **4** (habillement)† liter accoutrements[GB]

équipe /ekip/ *nf* **1** Sport gén team; (de rameurs) crew; **l'~ de France/d'Irlande** the French/Irish team; **former les ~s** to draw up the teams; **2** (groupe de travail) team; **une ~ de dix personnes** a team of ten people; **travailler en ~** to work as a team; **~ de secours/surveillance** rescue/surveillance team; **~ de dépannage** breakdown crew; **~ pédagogique** teaching staff; **~ de télévision** television crew; **~ de tournage** Cin film unit; **faire ~ avec qn** to team up with sb (**pour faire** to do); **l'~ dirigeante** the management team; **~ de tueurs** band of killers; **3** (de travail posté) shift; **~s successives** (successsive) shifts; **l'~ de nuit** the night shift; **travailler en ~s** to work in shifts; **4** (d'amis) team; pej bunch; **une fine ~** a fine bunch; **à eux deux/trois, ils forment une belle ~!** they make quite a pair, these two/quite a bunch, these three!

équipé, **~e** /ekipe/
A *pp* ► **équiper**
B *pp adj* **1** (aménagé) [*appartement, véhicule*] **entièrement ~** fully equipped; **salle de bains/cuisine ~e** fitted bathroom/kitchen; **2** (pourvu) equipped (**de, en qch** with sth; **pour qch** for sth; **pour faire** to do); **bien/mal ~** well-/ill-equipped
C **équipée** *nf* **1** (aventure) escapade; **une folle ~e** a wild escapade; **2** (promenade) jaunt

équipement /ekipmɑ̃/ *nm* **1** (matériel) (d'usine, de cuisine, laboratoire) equipment; (de sportif) kit, gear; **2** (installation) **~s** facilities (*pl*); **~ portuaire** port facilities; **~s scolaires/sociaux/sportifs** school/social/sports facilities; **~ hôtelier d'une station** accommodation facilities of a resort; **3** (processus) (d'armée) equipping; (de soldat, sportif) kitting out; **l'~ de la région a coûté trois millions d'euros** improving the region's facilities cost three million euros
(Composés) **~ automobile** car accessories; **~ de bord** on-board equipment; **~ électrique** (de véhicule) electrics (*pl*); (de maison) electrical fittings (*pl*); **~s collectifs** public facilities; **~s spéciaux** Aut bad weather equipment

équipementier /ekipmɑ̃tje/ *nm* equipment manufacturer

équiper /ekipe/ [1]
A *vtr* to equip [*hôpital, bureau, véhicule*] (**de** with, to); to provide, to equip [*pays, ville*] (**de** with); to kit out GB, to fit out [*personne*] (**de** with)
B **s'équiper** *vpr* to equip oneself (**de** *or* **en qch** with sth; **pour qch** for sth; **pour faire** to do)

équipier, **-ière** /ekipje, ɛʀ/ *nm,f* gén team member; (rameur, marin) crew member

équitable /ekitabl/ *adj* [*personne*] fair-minded, just; [*partage, décision*] fair, equitable

équitablement /ekitabləmɑ̃/ *adv* equitably, fairly

équitation /ekitasjɔ̃/ ► **p. 469** *nf* (horse-)riding, equitation; **faire de l'~** to go (horse-)riding GB, to go horseback riding US

équité /ekite/ *nf* equity; **en toute ~** in all fairness

équivalence /ekivalɑ̃s/ *nf* **1** (valeur identique) equivalence; **à ~ de prix** for the same *ou* equivalent price; **2** Univ **demander/obtenir une ~** to ask for/obtain recognition of one's qualifications GB, to ask for/obtain advanced standing US; **titre admis en ~** recognized qualification; **obtenir un diplôme par ~** to obtain a diploma by transfer of credits; **3** Fin **mise en ~** equity accounting

équivalent, **~e** /ekivalɑ̃, ɑ̃t/
A *adj* (égal) equivalent (**à** to); (identique) identical (**à** to); **à salaire ~** for the equivalent *or* same salary
B *nm* equivalent; **c'est l'~ d'une augmentation de salaire** it's the equivalent of *ou* it amounts to an increase in salary; **l'~ en eau de la neige** the water equivalent of snow

équivaloir /ekivalwaʀ/ [45]
A **équivaloir à** *vtr ind* to be equivalent to [*quantité*]; to amount to [*effet*]; to be tantamount to [*effet négatif*]; **ça équivaut à un refus/à refuser** it's tantamount to a refusal/to refusing
B **s'équivaloir**○ *vpr* **les deux solutions s'équivalent** there isn't much to choose between the two solutions; **ça s'équivaut!** it's six of one and half a dozen of the other

équivoque /ekivɔk/
A *adj* (ambigu) ambiguous, equivocal; (suspect) [*réputation*] dubious; [*conduite*] questionable; (licencieux) [*geste*] indecent; [*regard*] suggestive
B *nf* (ambiguïté) ambiguity; (faux-fuyant) equivoca-

tion; (malentendu) misunderstanding; **sans ~** [*réponse, condamnation, choix, soutien*] unequivocal; [*répondre, condamner, soutenir*] unequivocally; **réponse sans ~** unequivocal reply; **prêter à l'~** to be ambiguous; **lever l'~** to remove any doubt; **user d'~s** to equivocate

érable /eʀabl/ *nm* 1 (arbre) maple(-tree); **feuille/sirop d'~** maple leaf/syrup GB *ou* sirup US; 2 (bois) maple(-wood)

érablière /eʀablijɛʀ/ *nf* maple plantation

éradication /eʀadikasjɔ̃/ *nf* eradication

éradiquer /eʀadike/ [1] *vtr* to eradicate [*mal, maladie*]

érafler /eʀafle/ [1]
A *vtr* to scratch, to graze [*peau*]; to scratch [*surface*]
B **s'érafler** *vpr* to scratch *ou* graze oneself

éraflure /eʀaflyʀ/ *nf* (au bras) scratch, graze; (sur une surface) scratch

éraillé, ~e /eʀɑje/ *adj* [*voix*] rasping, croaking (*épith*)

érailler /eʀɑje/ [1]
A *vtr* to scratch [*surface*]
B **s'érailler** *vpr* [*voix*] to become hoarse

Érasme /eʀasm/ *npr* Erasmus

Érato /eʀato/ *npr* Erato

erbium /ɛʀbjɔm/ *nm* erbium

ère /ɛʀ/ *nf* 1 Hist, Géol era; **l'~ chrétienne** the Christian era; **100 ans avant notre ~** 100 years BC; **en l'an 1000 de notre ~** in the year 1000 AD; 2 (époque novatrice) age; **à l'~ industrielle/atomique** in the industrial/nuclear age

érectile /eʀɛktil/ *adj* erectile

érection /eʀɛksjɔ̃/ *nf* 1 (de statue) erection; fig setting-up, establishment; 2 Physiol erection

éreintant, ~e /eʀɛ̃tɑ̃, ɑ̃t/ *adj* exhausting, killing○

éreintement○ /eʀɛ̃tmɑ̃/ *nm* 1 (épuisement) exhaustion; 2 (critique) slating○ GB, panning○

éreinter /eʀɛ̃te/ [1]
A *vtr* 1 (fatiguer) to exhaust, to tire out; **être éreinté** to be exhausted *ou* whacked○; 2 ○(critiquer) to slate○ GB, to pan○ [*œuvre, auteur*]; **éreinté par la critique** slated by the critics
B **s'éreinter** *vpr* to wear *ou* tire oneself out; **s'~ à faire qch** to wear oneself out *ou* kill oneself○ doing sth

érésipèle† /eʀezipɛl/ *nm* = **érysipèle**

Érevan /eʀevan/ ▸ **p. 894** *npr* Yerevan, Erevan

erg /ɛʀg/ *nm* Géog, Phys erg

ergatif, -ive /ɛʀgatif, iv/
A *adj* ergative
B *nm* ergative (case)

ergométrie /ɛʀgometʀi/ *nf* measurement of muscular effort

ergonome /ɛʀgonɔm/ ▸ **p. 532** *nmf* ergonomist

ergonomie /ɛʀgonɔmi/ *nf* ergonomics (+ *v sg*)

ergonomique /ɛʀgonɔmik/ *adj* ergonomic

ergot /ɛʀgo/ *nm* 1 Zool (de coq) spur; (de chien) dewclaw; 2 Bot (de seigle) ergot; 3 Électrotech, Ordinat pin; Tech lug
(Idiome) **elle s'est dressée sur ses ~s**○ her hackles rose○

ergotage /ɛʀgɔtaʒ/ *nm* péj hair-splitting, quibbling

ergoter /ɛʀgɔte/ [1] *vi* péj to split hairs, to quibble (**sur, à propos de** about)

ergoteur, -euse /ɛʀgɔtœʀ, øz/ *nm,f* quibbler

ergothérapeute /ɛʀgoteʀapøt/ ▸ **p. 532** *nmf* occupational therapist

ergothérapie /ɛʀgoteʀapi/ *nf* ergotherapy

ergotine /ɛʀgɔtin/ *nf* ergot

ergotisme /ɛʀgɔtism/ *nm* ergotism

Érié /eʀje/ ▸ **p. 479** *npr* **le lac ~** Lake Erie

ériger /eʀiʒe/ [13]
A *vtr* 1 to erect [*statue, bâtiment*]; 2 to establish, to set up [*tribunal, société*]; **~ la paresse en vertu** to elevate laziness to a virtue; **~ qn en héros** to set sb up as a hero
B **s'ériger** *vpr* 1 **s'~ en** to set oneself up as; 2 [*bâtiment*] to be erected

ermitage /ɛʀmitaʒ/ *nm* 1 lit hermitage; 2 fig retreat

ermite /ɛʀmit/ *nm* 1 lit hermit; 2 fig recluse; **vivre en ~** fig to live the life of a recluse

éroder /eʀɔde/ [1]
A *vtr* lit, fig to erode; to erode the value of [*monnaie*]; to undermine [*argument*]
B **s'éroder** *vpr* fig to become eroded

érogène /eʀɔʒɛn/ *adj* erogenous

Eros /eʀos/ *npr* Eros

érosif, -ive /eʀozif, iv/ *adj* erosive

érosion /eʀozjɔ̃/ *nf* (tous contextes) erosion; **~ monétaire** depreciation of the currency

érotique /eʀɔtik/ *adj* erotic

érotiquement /eʀɔtikmɑ̃/ *adv* erotically

érotisation /eʀɔtizasjɔ̃/ *nf* eroticization

érotiser /eʀɔtize/ [1] *vtr* to eroticize

érotisme /eʀɔtism/ *nm* eroticism

érotomane /eʀɔtɔman/ *nmf* erotomaniac

errance /ɛʀɑ̃s/ *nf* restless wandering

errant, ~e /ɛʀɑ̃, ɑ̃t/ *adj* (par nécessité) wandering; (par choix) rootless; **chien ~** stray dog

errata* /ɛʀata/ *nm inv* errata

erratique /ɛʀatik/ *adj* 1 Méd [*douleur, grosseur*] erratic; [*fièvre*] intermittent; 2 Géol erratic

erratum /ɛʀatɔm/ *nm* erratum

errements /ɛʀmɑ̃/ *nmpl* fml transgressions; **retomber dans ses ~** to go back to one's bad old ways

errer /ɛʀe/ [1] *vi* [*personne*] to wander (**par** about); [*regard, imagination*] to wander (**sur** over); [*animal*] to roam

erreur /ɛʀœʀ/ *nf* 1 (inexactitude, idée fausse) mistake; **une grave ~** a serious mistake; **faire** *or* **commettre des ~s** to make mistakes; **~ de date/de dosage** mistake about the date/the amount; **~ de jugement/d'analyse/de méthode** error of judgment/of analysis/of method; **~ de calcul/de fait/de stratégie** calculation/factual/strategic error; **~ de traduction** translation error, mistranslation; **faire une ~ de diagnostic** to make the wrong diagnosis; **je le croyais riche mais c'était une ~** I thought he was rich but I was mistaken; **ce serait une ~ de croire...** it would be a mistake to think...; **sauf ~ ou omission** errors and omissions excepted; 2 (acte regrettable) mistake; **une ~ de jeunesse** a youthful mistake; **faire** *or* **commettre l'~ de refuser** to make the mistake of refusing; **faire** *or* **commettre une ~ en refusant** to make a mistake in refusing; 3 (confusion, fait de se tromper) **par ~** by mistake; **induire qn en ~** to mislead sb; **sauf ~ de ma part** if I'm not mistaken; **être dans l'~** to be mistaken; **vous faites ~** you are mistaken; **il y a ~** there has been a mistake; **il n'y a pas d'~ possible** there's no mistake; **'elle arrive'—'~! c'est lui'** 'here she is'—'no, you're wrong! it's him'; **il y a ~ sur la personne** fml it's a case of mistaken identity sout; **on a tous le droit à l'~** we're all entitled to make mistakes; **cette fois-ci vous n'avez plus droit à l'~** this time you've got to get it right; **le droit à l'~** the right to make mistakes; (des scientifiques) the right to error; 4 Jur error; **~ judiciaire** judicial error; **~ de droit** error of law
(Composé) **~ de syntaxe** Ordinat syntax error

erroné, ~e /ɛʀɔne/ *adj* erroneous sout, incorrect; **'code ~'** 'code not valid'

ersatz /ɛʀzats/ *nm* lit, fig ersatz, substitute; **~ de café** ersatz coffee, coffee substitute

erse /ɛʀs/
A ▸ **p. 483** *nm* Ling Erse
B *nf* Naut grommet

éructation /eʀyktasjɔ̃/ *nf* eructation

éructer /eʀykte/ [1]
A *vtr* to bawl [*injures*]
B *vi* to eructate

érudit, ~e /eʀydi, it/
A *adj* erudite, scholarly
B *nm,f* scholar, erudite person

érudition /eʀydisjɔ̃/ *nf* erudition, scholarship; **avec ~** eruditely

éruptif, -ive /eʀyptif, iv/ *adj* eruptive

éruption /eʀypsjɔ̃/ *nf* eruption; **entrer en ~** to erupt

érysipèle /eʀizipɛl/ ▸ **p. 283** *nm* erysipelas

érythème /eʀitɛm/ *nm* erythema
(Composé) **~ fessier** nappy rash GB, diaper rash US

Érythrée /eʀitʀe/ ▸ **p. 721** *nprf* Eritrea

érythréen, -éenne /eʀitʀeɛ̃, ɛn/ *adj* Eritrean

Érythréen, -éenne /eʀitʀeɛ̃, ɛn/ *nm,f* Eritrean

érythrocyte /eʀitʀɔsit/ *nm* erythrocyte

ès /ɛs/ *prép* **licence ~ lettres** ≈ arts degree, B.A. (degree); **~ qualités** Jur ex officio; **docteur ~ sciences** Doctor of Science, DSc

Ésaü /ezay/ *npr* Esau

ESB /œɛsbe/ *nf*: *abbr* ▸ **encéphalopathie**

esbigner○: **s'esbigner** /ɛzbiɲe/ [1] *vpr* to scarper○ GB, to clear off○

esbroufe○ /ɛzbʀuf/ *nf* **c'est de l'~** it's all a lot of swank○; **faire de l'~** to swank, to show off; **sans ~** discreetly, without ostentation

esbroufeur○ /ɛzbʀufœʀ/ *nm* swaggerer, swank

escabeau, *pl* **~x** /ɛskabo/ *nm* 1 (tabouret) stool; (avec marches) kitchen steps; 2 (échelle) stepladder

escadre /ɛskadʀ/ *nf* squadron

escadrille /ɛskadʀij/ *nf* squadron

escadron /ɛskadʀɔ̃/ *nm* 1 Mil company; **~ de la mort** death squad; 2 (groupe) crowd

escalade /ɛskalad/ ▸ **p. 469** *nf* 1 Sport (activité) climbing; (de montagne) ascent; **~ libre/artificielle** free/artificial climbing; **mur/tour d'~** climbing wall/tower; **faire de l'~** to go climbing; 2 (de mur, clôture) climbing; 3 Mil escalation; 4 (aggravation) escalation (**dans, de** of); 5 (augmentation) escalation (**de** in)

escalader /ɛskalade/ [1] *vtr* to scale [*mur, clôture*]; to climb [*montagne*]

escalator /ɛskalatɔʀ/ *nm* escalator®

escale /ɛskal/ *nf* 1 (arrêt) gén stopover; **je les ai rencontrés à l'~ de Rio** I met them during the stopover in Rio; **faire ~ à Rio** Naut [*navire*] to call at Rio; [*passager*] to stop off in Rio; Aviat [*avion, passager*] to stop over in Rio; **faire une ~ imprévue à Rio** Naut [*navire, passager*] to make an unscheduled stop in Rio; Aviat [*avion, passager*] to have an unscheduled stopover in Rio; **faire Londres-Rio sans ~** [*navire*] to sail London-Rio direct; [*avion*] to fly London-Rio nonstop; 2 (durée) gén stopover; **six jours d'~, une ~ de six jours** a six-day stopover; 3 (lieu) Naut port of call; Aviat stopover
(Composé) **~ technique** Aviat refuelling[GB] stop; Naut overhaul

escalier /ɛskalje/ *nm* 1 (ensemble architectural) staircase; **un ~ monumental** a monumental staircase; 2 (ensemble de marches) stairs (*pl*); **il a monté/descendu l'~** *or* **les ~s en courant** he ran up/down the stairs; **il s'est tué en tombant dans un ~** he fell down the stairs and killed himself; **nous nous sommes croisés dans l'~** we bumped into each other on the stairs
(Composés) **~ en colimaçon** spiral staircase; **~ dérobé** concealed staircase; **~ d'honneur** grand staircase; **~ mécanique** *or* **roulant** escalator; **~ de secours**

emergency staircase; ~ **de service** backstairs (*pl*), service stairs (*pl*)
(Idiome) **avoir l'esprit de l'~** always to think of the perfect retort too late

escalope /ɛskalɔp/ *nf* escalope; ~ **de veau/dinde** veal/turkey escalope

escamotable /ɛskamɔtabl/ *adj* **1** Aviat retractable; **2** [*meuble, échelle*] foldaway (*épith*)

escamotage /ɛskamɔtaʒ/ *nm* **1** (par illusionniste) **il a réussi l'~ du lapin** he succeeded in making the rabbit disappear; **2** (de roues) retraction; (de meuble) folding away; **3** (dissimulation) (de fait, preuve) cover-up; (de personne) spiriting away; **4** †(vol) pilfering

escamoter /ɛskamɔte/ [1]
A *vtr* **1** (faire disparaître à la vue) [*illusionniste*] to make [sth] disappear; **2** (replier) to retract [*roues, aérofreins*]; ~ **un lit** to fold a bed away; **3** (dissimuler) to cover up [sth]; **4** (éluder) to evade [*problème, débat*]; **5** (sauter) to skip [*mot, note, repas*]; **6** †(voler) to pilfer
B s'escamoter *vpr* [*roues, aérofreins*] to retract; [*lit, siège*] to fold away

escampette /ɛskɑ̃pɛt/ *nf* **prendre la poudre d'~**○ to scarper○ GB, to skedaddle○

escapade /ɛskapad/ *nf* escapade; (balade) jaunt; **faire une ~** (fugue) to run away; (balade) to go on a jaunt

escarbille /ɛskaʀbij/ *nf* speck of soot

escarboucle /ɛskaʀbukl/ *nf* Minér carbuncle

escarcelle‡ /ɛskaʀsɛl/ *nf* purse

escargot /ɛskaʀgo/ *nm* Zool, Culin snail; **quel ~**○**!** fig what a slow-coach○!; **avancer comme un ~** to go at a snail's pace
(Composé) ~ **de mer** winkle, periwinkle

escargotière /ɛskaʀgɔtjɛʀ/ *nf* **1** (parc) snail-farm; **2** (plat) snail (serving) dish

escarmouche /ɛskaʀmuʃ/ *nf* lit, fig skirmish

escarpé, **~e** /ɛskaʀpe/ *adj* [*chemin, pente*] steep; [*rocher*] craggy

escarpement /ɛskaʀpəmɑ̃/ *nm* (versant) steep slope, escarpment spéc; (raideur) steepness; **faille d'~** Géol fault scarp

escarpin /ɛskaʀpɛ̃/ *nm* court shoe GB, pump US

escarpolette† /ɛskaʀpɔlɛt/ *nf* (garden) swing

escarre /ɛskaʀ/ *nf* bedsore

Escaut /ɛsko/ ▸ **p. 372** *nprm* **l'~** the Scheldt

eschatologie /ɛskatɔlɔʒi/ *nf* eschatology

esche = **èche**

Eschyle /ɛʃil/ *npr* Aeschylus

escient /ɛsjɑ̃/ *nm* **à bon ~** [*agir*] wittingly, advisedly; **à mauvais ~** [*agir, parler*] ill-advisedly

esclaffer: **s'esclaffer** fml /ɛsklafe/ [1] *vpr* to guffaw, to burst out laughing

esclandre /ɛsklɑ̃dʀ/ *nm* scene, (public) outburst; **faire un ~** to make a scene

esclavage /ɛsklavaʒ/ *nm* **1** (système) slavery; (condition) slavery, bondage littér; **réduire qn en ~** to enslave sb [*individu*]; to reduce sb to slavery [*groupe*]; **tenir un peuple dans l'~** to keep a people in bondage; **2** (contrainte) tyranny (**de** of)

esclavagisme /ɛsklavaʒism/ *nm* (doctrine) pro-slavery doctrine; (système) slavery

esclavagiste /ɛsklavaʒist/
A *adj* [*politique*] pro-slavery (*épith*); [*État*] slave (*épith*)
B *nmf* pro-slaver, person in favour[GB] of slavery

esclave /ɛsklav/
A *adj* (asservi) enslaved; (servile) servile; **être ~ de la mode/l'argent/devoir** to be a slave to fashion/money/duty; **être ~ de sa parole** to be a prisoner of one's word
B *nmf* slave; **mener une vie d'~** to lead a slave's life *or* a life of slavery; **se rendre l'~ de qn** gén to make oneself into sb's slave; (par amour) to become enslaved to sb

escogriffe /ɛskɔgʀif/ *nm* **(grand) ~** (tall) lanky *ou* gangling individual, beanpole○

escomptable /ɛskɔ̃tabl/ *adj* discountable

escompte /ɛskɔ̃t/ *nm* discount; ~ **de 3%** 3% discount; ~ **de caisse/facture** cash/trade discount

escompter /ɛskɔ̃te/ [1] *vtr* **1** Fin to discount [*effet, traite*]; **2** (espérer) to anticipate, to hope for; ~ **que** to expect *ou* anticipate that; ~ **faire** to count on doing

escopette† /ɛskɔpɛt/ *nf* blunderbuss

escorte /ɛskɔʀt/ *nf* Mil, Naut escort; (suite) retinue, train; fig accompaniment; **faire ~ à qn** to escort sb; **sous bonne ~** under escort

escorter /ɛskɔʀte/ [1] *vtr* to escort

escorteur /ɛskɔʀtœʀ/ *nm* escort vessel

escouade /ɛskwad/ *nf* **1** Mil squad; **2** (groupe) gang, band

escrime /ɛskʀim/ ▸ **p. 469** *nf* fencing; **faire de l'~** to fence, to do fencing

escrimer○: **s'escrimer** /ɛskʀime/ [1] *vpr* **s'~ à faire** to knock○ *ou* wear oneself out trying to do; **s'~ sur qch** to work *ou* plug○ away at sth

escrimeur, **-euse** /ɛskʀimœʀ, øz/ *nm,f* fencer

escroc /ɛskʀo/ *nm* swindler, crook

escroquer /ɛskʀɔke/ [1] *vtr* to swindle, to rip [sb] off○; ~ **qch à qn**, ~ **qn de qch** to swindle sb out of sth; **se faire ~** to be swindled *ou* ripped off○

escroquerie /ɛskʀɔkʀi/ *nf* **1** (action) fraud, swindling; **tentative d'~** attempted fraud; **c'est de l'~!** it's a rip-off○, it's daylight robbery; **2** (résultat) swindle

escudo /ɛskudo/ ▸ **p. 48** *nm* escudo

Esculape /ɛskylap/ *npr* Aesculapius

esgourde◑ /ɛzguʀd/ *nf* lug◑ GB, ear

Ésope /ezɔp/ *npr* Aesop

ésotérique /ezɔteʀik/ *adj* [*propos*] esoteric; [*cercle*] closed

ésotérisme /ezɔteʀism/ *nm* esotericism

espace /ɛspas/
A *nm* **1** (place) space; **il manque d'~ dans son bureau** he hasn't got enough space in his office; **le canapé occupe beaucoup d'~** the sofa takes up a lot of space; **2** (lieu réservé à une activité) ~ **de loisirs/culturel** leisure/arts complex; ~ **d'accueil** reception area; **notre émission est un ~ de liberté** our programme[GB] provides a forum for free expression; **3** (sphère) arena; ~ **politique/international** political/international arena; **4** (zone) area; ~ **économique/naturel/urbain** economic/natural/urban area; ▸ **grand**; **5** (intervalle) gap; **un ~ de 5 cm** a gap of 5 cm; **6** (laps de temps) **en l'~ de** in the space of; **en l'~ de quelques minutes** in the space of a few minutes; **l'~ d'un instant** for a moment; **ils se sont aimés l'~ d'une nuit** they were lovers for a night; **7** Astron space; **la conquête de l'~** the conquest of space; ~ **interstellaire** interstellar space; **8** Math space
B *nf* Imprim space
(Composés) ~ **aérien** Jur airspace; ~ **commercial** Comm commercial space ₵; **Espace économique européen**, **EEE** European Economic Area, EEA; ~ **publicitaire** Pub advertising space ₵; ~ **vert** Écol open space; ~ **vital** living space

espacement /ɛspasmɑ̃/ *nm* **1** gén (processus) spacing out; (situation) growing infrequency; **l'~ des crises** the growing infrequency of the attacks; **2** Imprim spacing; **barre d'~** space bar

espacer /ɛspase/ [12]
A *vtr* to space [sth] out [*objets, visites, appels téléphoniques*]
B s'espacer *vpr* to become less frequent

espace-temps, *pl* **espaces-temps** /ɛspastɑ̃/ *nm* space-time (continuum)

espadon /ɛspadɔ̃/ *nm* swordfish

espadrille /ɛspadʀij/ *nf* espadrille

Espagne /ɛspaɲ/ ▸ **p. 333** *nprf* Spain
(Idiome) **bâtir des châteaux en ~** to build castles in the air

espagnol, **~e** /ɛspaɲɔl/ ▸ **p. 561**
A *adj* Spanish
B ▸ **p. 483** *nm* Ling Spanish

Espagnol, **~e** /ɛspaɲɔl/ ▸ **p. 561** *nm,f* Spaniard; **les ~s** the Spanish, the Spaniards

espagnolette /ɛspaɲɔlɛt/ *nf* continental window catch

espalier /ɛspalje/ *nm* (treillis) espalier; (mur) fruit-wall; (méthode) espalier cultivation; **arbre en ~** espalier (tree)

espar /ɛspaʀ/ *nm* Naut spar

espèce /ɛspɛs/
A *nf* **1** Biol species; **une ~ rare** a rare species; **~s animales/végétales** animal/plant species; **l'~ humaine** mankind; **2** (type) kind, sort; **des ~s de** kinds of, sorts of; **de toute ~** of every kind; **un menteur de la pire** *or* **de la plus belle ~** a liar of the worst sort; **les individus de ton ~** people of your sort; **en l'~** fml in this instance; **3** (dans description approximative) sort, kind; **il y avait des ~s de colonnes dans l'entrée** there were some kind *ou* sort of columns in the entrance; **une ~ de tasse** a sort of cup; **cela n'a aucune ~ d'intérêt/d'importance** that is of absolutely no interest/importance; ~ **d'idiot/d'imbécile!** you idiot/fool!; **cette ~ d'idiot n'a même pas...** that stupid idiot didn't even...
B espèces *nfpl* **1** Fin **en ~s** [*payer, règlements*] in cash; ▸ **sonnant**; **2** Relig **~s (eucharistiques)** species

espérance /ɛspeʀɑ̃s/
A *nf* aussi Relig hope (**de qch** of sth); **contre toute ~** against all hope; **dans l'~ de trouver une réponse**, **dans l'~ que je trouverai une réponse** in the hope of finding an answer
B espérances *nfpl* **1** (aspirations) expectations; **un résultat à la hauteur de ses ~s** a result equal to her expectations; **cela va au-delà de toutes mes ~s** it's beyond my wildest dreams; **2** †(héritage attendu) euph expectations
(Composé) ~ **de vie** life expectancy

espérantiste /ɛspeʀɑ̃tist/ *adj, nmf* Esperanto speaker, Esperantist

espéranto /ɛspeʀɑ̃to/ ▸ **p. 483** *nm* Esperanto

espérer /ɛspeʀe/ [14]
A *vtr* **1** (appeler de ses vœux) ~ **qch** to hope for sth; **il n'y a plus rien/grand-chose à ~** there's nothing left/not much left to hope for; ~ **faire** to hope to do; **j'espère avoir fait** I hope (that) I have done; ~ **que** to hope (that); **ceci, je l'espère, te conviendra** this, I hope, will suit you; **il comprendra, j'espère?** he will understand, I hope?; **'il comprendra?'—'je l'espère/j'espère bien'** 'will he understand?'—'I hope so/I should hope so'; **j'espère que oui/que non** I hope so/not; **que peut-on ~ de plus?** what more can you hope for?; **laisser ~ que** to raise hopes that; **laisser ~ une guérison rapide** to raise hopes of a rapid recovery; **2** (escompter) to expect (**de** from); **je n' en espérais pas tant** it's more than I expected; **laisser ~ qch à qn** to lead sb to expect sth; **je ne t'espérais plus** I had given up on you
B *vi* to hope; **on peut toujours ~!** iron one can always hope!; ~ **en Dieu** to trust in God

esperluette /ɛspɛʀlɥɛt/ *nf* ampersand

espiègle /ɛspjɛgl/
A *adj* [*enfant, humour*] mischievous, impish (*épith*); [*air, regard*] mischievous; **d'un air ~** mischievously
B *nmf* imp, little monkey○

espièglerie /ɛspjɛgləʀi/ *nf* **1** (caractère) mischievousness, impishness; **par ~** out of mischievousness; **2** (action, mot) prank, monkey trick

espion, **-ionne** /ɛspjɔ̃, ɔn/
A ▸ **p. 532** *nm,f* spy
B (miroir) security mirror

espionnage /ɛspjɔnaʒ/ *nm* espionage, spying; **film/roman d'~** spy film/story

(Composé) **~ industriel** industrial espionage

espionner /ɛspjɔne/ [1] *vtr* to spy on [*personne, peuple*]; **~ pour le compte de qn** to spy for sb

espionnite /ɛspjɔnit/ *nf* hum spy mania

esplanade /ɛsplanad/ *nf* esplanade

espoir /ɛspwaʀ/ *nm* 1 (fait d'espérer, sentiment) hope (**de** of); **perdre/rendre ~** to lose/rekindle hope; **reprendre ~** to feel hopeful again; **être plein d'~** to be hopeful *ou* full of hope; **une (faible) lueur d'~** a (faint) glimmer of hope; **avec l'~ de faire qch** with the hope of doing sth; **dans l'~ de faire qch/de qch** in the hope of doing sth/of sth; **dans l'~ de trouver une solution** *or* **que je trouverai une solution** in the hope of finding a solution; **dans l'~ de te lire bientôt** hoping to hear from you soon; **avoir l'~ de faire qch** to hope to do sth; **avoir bon ~ de faire qch/que** to have high hopes of doing sth/that; **avec ~** [*dire, regarder*] hopefully, in a hopeful way; **c'est sans ~** (d'une situation) it's hopeless; **je garde ~** I am still hopeful; 2 (raison d' espérer) hope; **de grands/nouveaux ~s** great/new hopes; **tu es notre seul/plus grand ~** you are our only/greatest hope; **reste-t-il un ~?** is there still hope?; **il n'y a plus d'~** there's no hope left; **il y a un ~ d'aboutir** there is some hope of success; 3 (artiste, sportif) **un grand ~ de la musique** a promising young musician; **les jeunes ~s de la musique** the young hopefuls of the music world

(Idiomes) **l'~ fait vivre** we all live in hope; **tant qu'il y a de la vie il y a de l'~** where there's life there's hope

esprit /ɛspʀi/ *nm* 1 (caractère) mind; **avoir l'~ logique/vif** to have a logical/quick mind; **avoir l'~ mal placé** *or* **tourné** to have a dirty mind; **avoir l'~ d'aventure** to be adventurous; **avoir un ~ de synthèse** to be good at synthesizing; **avoir l'~ d'à-propos** to have a ready wit; **avoir l'~ de contradiction** to be contrary; **avoir l'~ de système** to systematize things; **avoir l'~ de sacrifice** to be willing to make sacrifices

2 (cerveau) mind; **garder l'~ libre** to keep an open mind; **l'idée m'a traversé l'~** the idea crossed my mind; **mettre un doute dans l'~ de qn** to sow the seeds of doubt in sb's mind; **cela m'était totalement sorti de l'~** it completely slipped my mind; **avoir/garder qch à l'~** to have/keep sth in mind; **mettre qch dans l'~ de qn** to get sb to bear sth in mind; **mets-toi bien ça dans l'~** bear that in mind; **dans mon/leur ~ c'était facile** the way I/they saw it, it was easy; **paresse d'~** intellectual laziness; **cela m'occupe l'~** it gives me something to think about; **cela me repose l'~** I find it relaxing for the mind; **cela ne t'est jamais venu à l'~?** didn't it ever occur to you?; **se transporter en ~ en 1789** to go back mentally to 1789; **avoir l'~ dérangé** to be disturbed; **avoir l'~ ailleurs** to be miles away; ▸ **simple**

3 (humour) wit; **pétiller d'~** to sparkle with wit; **avoir de l'~** to be witty; **une réponse pleine d'~** a witty reply; **avec ~** wittily; **femme d'~** witty woman; **faire de l'~** to try to be witty; **tous deux rivalisent d'~** they're each trying to be wittier than the other

4 (humeur) mood; (disposition) spirit; (ambiance) atmosphere; **avoir l'~ chagrin** to be in a despondent mood; **je n'ai pas l'~ à rire** I'm in no mood for laughing; **dans un ~ de vengeance/confrontation/compromis** in a spirit of revenge/confrontation/compromise; **il y a un meilleur ~** the atmosphere has improved

5 (personne) individual; **un ~ prudent/rebelle/faible** a cautious/rebellious/spineless individual; **l'un des plus grands ~s de son temps** one of the greatest minds of his/her time; **~ fort** freethinker; **être un ~ libre** to be a free spirit; **calmer les ~s** to calm people down; **les ~s sont échauffés** feeling is running high

6 (caractéristique) spirit; **conserver l'~ de l'émission** to try to preserve the spirit of the programme[GB]; **dans l'~ de l'époque** *or* **du temps** in the spirit of the age; **conforme à/contraire à l'~ de l'entreprise** in accordance with/contrary to the company ethic

7 Philos, Relig spirit; **les choses de l'~** spiritual matters

8 Mythol spirit; **des ~s maléfiques** evil spirits; **un ~ bienfaisant** a kindly spirit; **croire aux ~s** to believe in ghosts; **'~ es-tu là?'** 'is there anybody there?'

9 Ling **~ doux/rude** smooth/rough breathing

(Composés) **~ d'à-propos** ready wit; **~ de caste** class consciousness; **avoir l'~ de caste** to be class conscious; **~ de club** club spirit; **avoir l'~ de club** to be clubbable; **~ de corps** solidarity, esprit de corps sout; **avoir l'~ de corps** to show solidarity; **~ d'équipe** team spirit; **avoir l'~ d'équipe** to have team spirit; **~ de famille** family solidarity; **ils ont l'~ de famille** they're a very close family; **je n'ai pas l'~ de famille** I'm not very family-oriented; **~ frappeur** poltergeist; **Esprit saint** Relig Holy Spirit *ou* Ghost; **~ de sel†** spirits of salt†; **~ de vin†** spirit of wine†

(Idiomes) **perdre ses ~s** (s'évanouir) to faint; (être très troublé) to take leave of one's senses; **retrouver** *or* **reprendre ses ~s** (après un malaise) to regain consciousness; (après une émotion) to collect one's wits; **ne pas être un pur ~** to be only flesh and blood; **les grands ~s se rencontrent** great minds think alike

esquif /ɛskif/ *nm* craft; **frêle ~** frail craft

esquille /ɛskij/ *nf* splinter (of bone)

esquimau, **-aude**, *mpl* **~x** /ɛskimo, od/

A *adj* Eskimo; **chien ~** husky

B *nm* 1 Ling Eskimo; 2 ®(glace) chocolate-covered ice lolly GB, ice-cream bar US

Esquimau, **-aude**, *mpl* **~x** /ɛskimo, od/ *nm,f* Eskimo

esquintant○, **~e** /ɛskɛ̃tɑ̃, ɑ̃t/ *adj* exhausting

esquinter○ /ɛskɛ̃te/ [1]

A *vtr* 1 (endommager) to damage; **c'est tout esquinté** it's badly damaged; 2 (blesser) to hurt; (fatiguer) to wear [sb] out; **se faire ~** (dans bagarre) to get beaten up; (dans accident) to get hurt; 3 (critiquer) to slate○ GB, to pan○ US [*spectacle*]; to slate○ GB, to trash○ US [*romancier*]

B **s'esquinter**○ *vpr* (se blesser) to hurt oneself; (se fatiguer) to wear oneself out (**à faire** doing); **s'~ le dos/les yeux** to strain one's back/one's eyes; **s'~ la santé** to ruin one's health

esquisse /ɛskis/ *nf* 1 (de dessin) sketch; 2 (de programme) outline; 3 (de sourire) hint; **l'~ d'un sourire** a hint of a smile, a suggestion of a smile

esquisser /ɛskise/ [1]

A *vtr* to sketch [*portrait*]; to outline, to sketch out [*programme*]; **~ un sourire/une révérence** to half-smile/-curtsey; **~ un geste** to make a vague gesture

B **s'esquisser** *vpr* **une solution commence à s'~** a solution is beginning to emerge *ou* is gradually taking shape

esquive /ɛskiv/ *nf* 1 Sport (mouvement) dodge; (tactique) dodging; 2 fig dodging, evasion

esquiver /ɛskive/ [1]

A *vtr* to duck, to dodge [*coup*]; to sidestep, to dodge [*question*]; to sidestep [*attaque*]; to dodge, to evade [*responsabilité*]; to dodge, to evade [*difficulté*]

B **s'esquiver** *vpr* 1 (partir) to slip away; 2 (se dérober) to shy away

essai /esɛ/

A *nm* 1 Tech (expérimentation) trial; **faire des ~s** to run trials; **le nouveau modèle est à l'~** the new model is undergoing trials; **prendre une voiture à l'~** to take a car for a run; **vol d'~** test flight; **~ en vol/au sol** flight/ground test; **~ sur route** road test; 2 Tech (analyse, expérience) test; **faire des ~s** to do tests; **le médicament est à l'~** the drug is being tested; **~ de laboratoire** laboratory test; **~ nucléaire** nuclear test; 3 (tentative) try; **un coup d'~** a try; **ce n'est pas son premier coup d'~** it's not his first try; **faire un ~** to have a try; **prendre qn à l'~** to give sb a try-out; **je serai à l'~ pendant un mois** I'll work a month on a trial basis, I'll do a month's try-out; **période d'~** try-out; 4 Littérat essay (**sur** on); **~ philosophique/politique** philosophical/political essay; 5 Sport (en athlétisme) attempt; (au rugby) try; **marquer un ~** to score a try; **transformer un ~** to convert (a try); 6 Minér (analyse) assay

B **essais** *nmpl* Courses Aut qualifying round (*sg*); **faire le meilleur temps aux ~s** to clock up the fastest time in the qualifying session

essaim /esɛ̃/ *nm* lit, fig swarm

essaimage /esɛmaʒ/ *nm* 1 lit swarming; 2 fig spreading

essaimer /eseme/ [1] *vi* 1 [*abeilles*] to swarm; 2 [*peuple*] to spread; [*entreprise*] to spread out

essayage /esɛjaʒ/ *nm* fitting; **cabine/salon d'~** changing cubicle/room

essayer /eseje/ [21]

A *vtr* 1 (tenter) to try [*sport, produit, fournisseur, restaurant*]; to try [*méthode, remède, menaces, pleurs*]; **tu devrais ~ ce shampooing** you should try this shampoo; **as-tu essayé la mairie?** have you tried the Town Hall?; **tu devrais ~ l'homéopathie** you should try homeopathy; **avec lui j'ai tout essayé** I've tried everything with him; **~ une voiture** (pour le plaisir) to try a car; (avant d'acheter) to test-drive a car; **~ sa force/son talent** to test one's strength/one's skill; 2 Tech (soumettre à des tests) [*technicien*] to test [*arme, avion, mécanisme, matériau, produit*]; [*technicien*] to run trials on [*voiture, machine*]; [*client*] to try out [*voiture, arme*]; 3 Cout, Mode to try on [*vêtement, chapeau, chaussures*]; to try [*taille, couleur*]; **acheter sans ~** to buy without trying on; **essaie la pointure au-dessous** try the next size down; 4 Minér to assay [*argent, or*]

B *vi* (tenter) to try; **on peut toujours ~** we can always try; **essaie un peu et tu vas voir!** just try it and you'll see!; **~ avec du savon/de l'alcool** to try using soap/alcohol; **~ à la poste/banque** to try the post office/bank; **~ de faire** to try to do; **n'essaie pas de tricher/m'attendrir** don't try to cheat/soften me up; **j'essaierai que tout se passe bien** I'll try to make sure everything goes all right

C **s'essayer** *vpr* **s'~ à qch** to have a go at [*sport*]; to try one's hand at [*art, littérature*]; **il s'essaie au théâtre depuis deux ans** he's been trying his hand at acting for the past two years; **s'~ à faire** to try to do; **à ta place je ne m'y essaierais pas** I wouldn't try it if I were you

essayeur, **-euse** /esɛjœʀ, øz/ ▸ **p. 532** *nm,f* 1 Cout fitter; 2 (de monnaie) assayer

essayiste /esejist/ ▸ **p. 532** *nmf* Littérat essayist

esse /ɛs/ *nf* 1 Tech (crochet) (S-shaped) hook; (goupille) linchpin; 2 (de violon) f-hole

essence /esɑ̃s/ *nf* 1 Aut petrol GB, gasoline US, gas○ US; 2 Pharm (extrait) essential oil; **~ de bergamote/d'eucalyptus** bergamot/eucalyptus (essential) oil; 3 Bot (espèce d'arbre) tree species; **~s rares** rare tree species; 4 (caractère essentiel) essence; **par ~** in essence; 5 Philos essence

(Composés) **~ à briquet** lighter fuel GB, lighter fluid US; **~ ordinaire** ≈ 2-star petrol GB, regular gasoline US; **~ de rose** attar of roses; **~ sans plomb** unleaded (petrol) GB *ou* gasoline US; **~ super** ≈ 4-star petrol GB, premium gasoline US

essentiel, **-ielle** /esɑ̃sjɛl/
A *adj* **1** (très important) essential; **cause/différence/tâche essentielle** essential cause/difference/task; **il est ~ de faire/qu'il soit là** it is essential to do/that he (should) be here; **2** (central) key (*épith*), essential; **document/point/rôle ~** key document/point/role; **3** Philos **être ~** to be an essential attribute (**à** of)
B *nm* **1** (chose principale) **c'est l'~** that's the main thing; **l'~ (c')est de faire/que tu sois avec nous** the main thing is to do/that you are with us; **oublier l'~** to forget the most important thing; **aller à l'~** to get to the heart of the matter; **2** (partie la plus importante) bulk; **l'~ de l'effort/du revenu/des voix** the bulk of the effort/income/vote; **pour l'~** mainly; **3** (objets indispensables) basics (*pl*); **n'acheter que l'~** to buy only the basics; **en voyage je n'emporte que l'~** when travelling[GB] I only ever take the bare minimum

essentiellement /esɑ̃sjɛlmɑ̃/ *adv* **1** (pour la plus grande partie) principally, mainly; **chômage ~ causé par la récession** unemployment principally *ou* mainly caused by recession; **2** (dans ses aspects les plus importants) essentially; **politique ~ conservatrice** essentially conservative policy

esseulé, **~e** /esœle/ *adj* forlorn

essieu, *pl* **~x** /esjø/ *nm* axle

Essonne /esɔn/ ▸ **p. 721** *nprf* (départment) **l'~** Essonne

essor /esɔʀ/ *nm* **1** (de commerce, technologie, tourisme, région) development; (de mode, tendance, sport) increasing popularity; **prendre son ~** [*entreprise, industrie, région*] to take off; [*personne*] fml to spread one's wings; **prendre un ~ considérable** to be undergoing quite a boom; **être en plein ~** to be booming; **connaître un nouvel ~** [*industrie, entreprise*] to be booming again; [*mode, tendance*] to make a comeback; **donner de l'~ à un projet** to give a boost to a project; **2** fml (d'oiseau) soaring; **l'oiseau/l'avion prend son ~** the bird/the plane soars into the sky; **3** (d'imagination) flight

essorage /esɔʀaʒ/ *nm* (à la main) wringing; (en machine) spin-drying; **mettre sur '~'** to put on 'spin'

essorer /esɔʀe/ [1] *vtr* (en tordant) to wring; (par centrifugation) to spin-dry [*linge*]; to spin [*salade*]

essoreuse /esɔʀøz/ *nf* (à tambour) spin-drier GB, spin-dryer US; (à rouleaux) mangle GB, wringer US

(Composé) **~ à salade** salad spinner

essoufflement /esufləmɑ̃/ *nm* **1** lit breathlessness; **2** fig loss of impetus

essouffler /esufle/ [1]
A *vtr* lit to leave [sb] breathless; **~ ses concurrents** fig to leave one's competitors behind; **être essoufflé** to be out of breath
B **s'essouffler** *vpr* lit to get breathless; fig [*économie, projet*] to run out of steam; [*auteur*] to go stale

ESST /əɛsɛste/ *nf* (*abbr* = **encéphalopathie spongiforme subaiguë transmissible**) TSE, transmissible spongiform encephalopathy

essuie /esɥi/ *nm* Belg **1** (serviette) **~ (de bain)** towel; **2** (torchon) **~ (de vaisselle)** tea towel GB, dish towel US

essuie-glace, *pl* **~s** /esɥiglas/ *nm* windscreen wiper GB, windshield wiper US

essuie-mains* /esɥimɛ̃/ *nm inv* hand towel

essuie-phares* /esɥifaʀ/ *nm inv* headlight wiper

essuie-pieds* /esɥipje/ *nm inv* doormat

essuie-tout /esɥitu/ *nm inv* (en rouleau) kitchen roll; (en feuilles) kitchen paper

essuie-verres* /esɥivɛʀ/ *nm inv* glass cloth

essuie-vitres* /esɥivitʀ/ *nm inv* = **essuie-glace**

essuyage /esɥijaʒ/ *nm* **1** (d'objet mouillé) drying, wiping; **2** (d'objet sale) wiping

essuyer /esɥije/ [22]
A *vtr* **1** (rendre sec) to dry, to wipe [*verre, mains*]; to wipe [*table*]; to dry [*enfant, chien*]; **c'est mal essuyé** it hasn't been dried properly; **~ la vaisselle** to dry up, to wipe up, to do the drying up GB; **2** (pour nettoyer) to wipe [*objet, bouche, poussière*]; **3** (éponger) to wipe up, to mop up [*liquide*]; **~ ses larmes** to wipe away one's tears; **4** (subir) to run into [*orage*]; to suffer [*défaite, pertes, affront*]; to endure [*quolibets*]; to meet with [*refus, échec, critiques*]; **pertes essuyées** losses suffered; **~ le feu de l'ennemi** to come under enemy fire; **~ un coup de feu** to be shot at
B **s'essuyer** *vpr* **1** (tout le corps) to dry oneself, to towel off US; **2** (partie du corps) (sécher) to dry; (nettoyer) to wipe; **s'~ les mains** to dry *or* to wipe one's hands

est /ɛst/ ▸ **p. 648**
A *adj inv* [*façade, versant, côte*] east; [*frontière, zone*] eastern
B *nm* **1** (point cardinal) east; **à l'~ de Paris** [*être, habiter*] east of Paris; **vers l'~** [*aller, naviguer*] east, eastward; **un vent d'~** an easterly wind; **exposé à l'~** east-facing (*épith*); **2** (région) east; **dans l'~ de la France** [*se situer, avoir lieu, habiter, voyager*] in the east of France; [*aller, se rendre*] to the east of France; **l'~ du Japon** eastern Japan; **3** Géog, Pol **l'Est** the East; **vivre dans l'Est** to live in the East; **venir de l'Est** to come from the East; **de l'Est** [*ville, accent*] eastern

estacade /ɛstakad/ *nf* Naut (brise-lames) breakwater; (appontement) landing stage; Mil Naut boom

estafette /ɛstafɛt/ *nf* **1** ®Aut van; **2** Mil dispatch rider

estafilade /ɛstafilad/ *nf* gash

est-allemand, **~e**, *mpl* **~s** /ɛstalmɑ̃, ɑ̃d/ *adj* East German

estaminet† /ɛstaminɛ/ *nm* (small) inn

estampage /ɛstɑ̃paʒ/ *nm* **faire un ~ de qch** to take an impression of sth

estampe /ɛstɑ̃p/ *nf* **1** Art (sur planche gravée) engraving; (par lithographie) print; **viens voir mes ~s japonaises!** hum come up and see my etchings! hum; **2** Tech stamp

estamper /ɛstɑ̃pe/ [1] *vtr* **1** Tech to stamp [*métal, monnaie*]; to emboss [*cuir*]; **2** °(escroquer) to rip [sb] off°, to swindle; **se faire ~** to get ripped off°; **~ qn de 50 euros** to swindle sb out of 50 euros

estampeur, **-euse** /ɛstɑ̃pœʀ, øz/ *nm,f* **1** ▸ **p. 532** (ouvrier) stamper; **2** °(escroc) swindler, shark°

estampillage /ɛstɑ̃pijaʒ/ *nm* stamping

estampille /ɛstɑ̃pij/ *nf* lit (cachet, signature) stamp; (label) trademark; fig mark

estampiller /ɛstɑ̃pije/ [1] *vtr* to stamp [*document*]; to mark [*marchandise*]

est-ce ▸ **être¹**

este /ɛst/ *adj, nm* = **estonien**

ester¹ /ɛstɛʀ/ *nm* Chimie ester

ester² /ɛste/ [1] *vi* **~ en justice** to go to court

esthète /ɛstɛt/ *nmf* aesthete

esthéticienne /ɛstetisjɛn/ ▸ **p. 532** *nf* beautician

esthétique /ɛstetik/
A *adj* [*qualité, sens*] aesthetic; [*monument, décor*] aesthetically pleasing; [*pose, geste*] graceful
B *nf* (théorie) aesthetics (+ *v sg*); (de décor) aesthetic quality; (de geste) grace

(Composé) **~ industrielle** industrial design

esthétiquement /ɛstetikmɑ̃/ *adv* aesthetically

esthétisme /ɛstetism/ *nm* aestheticism

estimable /ɛstimabl/ *adj* **1** (honorable) [*personne*] worthy, estimable sout; **2** (admirable) [*travail, résultat, effort*] laudable; **3** [*fortune*] **difficilement ~** hard to estimate

estimatif, **-ive** /ɛstimatif, iv/ *adj* [*coût*] estimated; **un devis ~** an estimate, a quote

estimation /ɛstimasjɔ̃/ *nf* **1** (de coût) estimate (**de** of); (valeur) valuation (**de** of); (de dégâts) assessment (**de** of); **2** (de distance, temps, d'efficacité) estimate (**de** of); **une ~ de croissance de 3%** an estimated growth of 3%; **3** Stat estimate (**de** of)

estime /ɛstim/
A *nf* respect, esteem; **avoir de l'~ pour qn** to have great respect *ou* esteem for sb; **il a baissé/monté dans mon ~** he has gone down/risen in my estimation *ou* esteem; **tenir qn en piètre/haute ~** to hold sb in low/high esteem; **son courage a forcé l'~ de tous** her courage has earned her everybody's respect
B **à l'estime** *loc adv* **1** Naut, Aviat [*naviguer, piloter*] by dead reckoning; **2** fig **j'ai calculé à l'~** it was guesswork, it was just an estimate

estimer /ɛstime/ [1]
A *vtr* **1** (penser) to feel (**que** that); **elle a estimé indispensable/prématuré de faire** she felt it essential/too early to do; **j'estime de mon devoir de faire** I feel *ou* consider it my duty to do; **~ nécessaire de faire** to consider *ou* deem sout it necessary to do; **ces mesures, estime l'opposition, sont insuffisantes** the opposition considers these measures to be inadequate; **2** (respecter) to think highly of [*ami, artiste*]; **3** (chiffrer) [*expert*] to value [*tableau, propriété*]; to assess [*dégâts*]; **faire ~ qch** to have sth valued; **~ qch au-dessus/au-dessous de sa valeur** to overvalue/undervalue sth; **~ qch à 500 euros** to value sth at 500 euros [*objet*]; **~ qn à sa juste valeur** to recognize sb's real worth; **~ qch à son juste prix/à sa valeur** fig to recognize the real price/the value of sth; **4** (calculer approximativement) to estimate [*distance, position, temps, nombre, coût*] (**à** at); **une vitesse estimée à 150 km/h** an estimated speed of 150 km/h; **5** (deviner) to reckon; **je l'estime beaucoup moins naïf qu'il n'en a l'air** I reckon he is far less naïve than he looks
B **s'estimer** *vpr* **estimez-vous heureux** think *ou* consider yourself lucky (**que** that); **je ne m'estime pas vraiment récompensé de mes efforts** I don't feel *ou* consider myself fairly rewarded for my efforts; **je m'estime satisfait de** I am satisfied with

estivage /ɛstivaʒ/ *nm* summer pasturing (*on high mountain slopes*)

estival, **~e**, *mpl* **-aux** /ɛstival, o/ *adj* (d'été) summer (*épith*); (évoquant l'été) summery

estivant, **~e** /ɛstivɑ̃, ɑ̃t/ *nm,f* summer visitor

estiver /ɛstive/ [1] *vtr* **~ des troupeaux** to pasture herds for the summer (*on high slopes*)

estoc /ɛstɔk/ *nm* rapier

(Idiome) **frapper d'~ et de taille** to cut and thrust

estocade /ɛstɔkad/ *nf* lit fatal sword thrust; fig final blow; **donner l'~** (dans une corrida) to deliver the death blow (**à** to)

estomac /ɛstɔma/ *nm* **1** Anat stomach; **avoir mal à l'~** to have stomach ache GB *ou* a stomachache US; **avoir l'~ bien rempli/vide** to have a full/an empty stomach; **il a été touché à l'~** he was hit in the stomach; **j'ai un poids sur l'~** my stomach feels heavy; **avoir l'~ bien accroché** to have a strong stomach; **le repas d'hier m'est resté sur l'~** yesterday's meal is lying heavy on my stomach; **son refus/ce qu'il m'a fait m'est resté sur l'~** his refusal/what he did to me left a nasty taste in my mouth; **prendre/avoir de l'~** to develop/have a paunch; **2** °fig (courage) guts° (*pl*); (culot) nerve, cheek; **il faut de l'~ pour faire ça** it takes guts to do that

(Idiome) **avoir l'~ dans les talons**° to be famished

e

estomaquer○ /ɛstɔmake/ [1] *vtr* to flabbergast, to astound; **être estomaqué** to be flabbergasted *ou* astounded

estompe /ɛstɔ̃p/ *nf* 1 (rouleau) stump; 2 (dessin) stumped drawing

estomper /ɛstɔ̃pe/ [1]
A *vtr* 1 lit to shade off, to stump spéc [*dessin*]; to shade off [*couleur, fard*]; 2 fig to blur [*paysage, formes*]; to gloss over [*détails*]; **le temps estompe les souvenirs/passions** memories/passions fade with time
B **s'estomper** *vpr* [*paysage*] to become blurred; [*couleur, haine, souvenirs*] to fade

Estonie /ɛstɔni/ ▸ **p. 333** *nprf* Estonia

estonien, -ienne /ɛstɔnjɛ̃, ɛn/ ▸ **p. 561, p. 483**
A *adj* Estonian
B *nm* Ling Estonian

Estonien, -ienne /ɛstɔnjɛ̃, ɛn/ ▸ **p. 561** *nm,f* Estonian

est-ouest /ɛstwɛst/ *adj inv* east-west; **les relations Est-Ouest** East-West relations

estouffade /ɛstufad/ *nf* estouffade, braised beef cooked with wine; **canard à l'~** braised duck

estourbir○ /ɛstuʀbiʀ/ [3] *vtr* 1 (assommer) to knock [sb] out; 2 (étonner) to stun

estrade /ɛstʀad/ *nf* platform

estragon /ɛstʀagɔ̃/ *nm* tarragon; **sauce à l'~** tarragon sauce

estrapade /ɛstʀapad/ *nf* strappado

estropié, ~e /ɛstʀɔpje/
A *pp* ▸ **estropier**
B *pp adj* crippled
C *nm,f* cripple

estropier /ɛstʀɔpje/ [2]
A *vtr* 1 lit to maim; 2 ○fig (en prononçant) to mispronounce; (en écrivant) to misspell; (en jouant) to mangle [*sonate*]
B **s'estropier** *vpr* to maim oneself

estuaire /ɛstɥɛʀ/ *nm* estuary; **l'~ de la Loire** the Loire estuary

estudiantin, ~e /ɛstydjɑ̃tɛ̃, in/ *adj* student (*épith*)

esturgeon /ɛstyʀʒɔ̃/ *nm* sturgeon

et /e/ *conj* 1 gén and; **mon père ~ ma mère** my father and mother; **~ lui ~ son frère sont alcooliques** both he and his brother are alcoholics; **une écharpe rouge et blanche** a red and white scarf; **il est grand ~ fort** he's tall and strong; **un homme grand ~ fort** a tall strong man; **une vieille femme laide ~ acariâtre** an ugly cantankerous old woman; **elle sait lire ~ écrire** she can read and write; **trois ~ deux (font) cinq** three and two makes five; **il est tombé ~ s'est cassé la jambe** he fell and broke his leg; **il n'est pas venu, ~ c'est aussi bien** he didn't come, and it's just as well; **allez chercher un docteur, ~ faites vite** go and get a doctor, and be quick about it; **~ voilà qu'il sort un couteau de sa poche!** and next thing he whips a knife out of his pocket!; **il y a expert ~ expert** (ils ne se valent pas tous) there are experts and experts; **et tu en es fier?** (exprimant la désapprobation) and you're proud of it?; **~ les enfants de rire!** liter and the children laughed; **~ moi de répondre...** liter so I replied...; **~ le pourboire (alors)?** what about the tip?; **~ si on allait au cinéma?** how *ou* what about going to the cinema?; **~ moi alors?** what about me, then?; **je ne les connais pas, ~ toi?** I don't know them, do you?; **moi j'y vais, ~ toi?** I'm going, are you? *ou* what about you?; **~ alors?, ~ après?** so what?; **je ne l'aime pas; il est laid ~ d'un, il est avare ~ de deux** I don't like him: for one thing he's ugly and for another he's stingy; **elle riait et lui pleurait** she was laughing and he was crying; 2 (dans les nombres) **vingt ~ un/trente ~ un** twenty-one/thirty-one; **trois heures ~ quart** (a) quarter past three GB, three fifteen; **huit heures ~ demie** half-past eight GB, eight thirty

ETA /œtea/ *nm* (*abbr* = **Euzkadi Ta Askatasuna**) ETA (*Basque separatist movement*)

êta /ɛta/ *nm* eta

étable /etabl/ *nf* cowshed

établi, ~e /etabli/
A *pp* ▸ **établir**
B *pp adj* 1 (solide) [*réputation, prestige*] established; **une réputation bien ~e d'humoriste** a well-established reputation as a humorist; 2 (ancré) [*usage, principe*] established; **c'est un rite désormais ~** by now it's an established custom; **il est/a été ~ que...** it has been/was established that...; **des modes de pensée fermement ~s** rigid attitudes; 3 (en place) [*pouvoir, régime*] ruling; [*ordre, autorité*] established
C *nm* 1 (table de travail) workbench; 2 Hist *Maoist intellectual working in a factory*

établir /etabliʀ/ [3]
A *vtr* 1 (fixer) to set up [*résidence, siège social*]; **~ son domicile à Londres** to set up home in London; **~ le prix (de vente) de** to price [*article*]; 2 (instituer) to establish [*règlement, hiérarchie, régime, lien, contact*]; to introduce [*impôt, sanction, discipline*]; to set up [*gouvernement*]; to set [*record, limite, norme*]; **~ une hiérarchie entre ses besoins** to put one's needs in order of priority, to prioritize one's needs; 3 (mettre en forme) to draw up [*liste, plan, bilan, budget, dossier*]; to make out [*compte, facture*]; to prepare, to draw up [*devis*]; to set up [*fiches*]; to make [*diagnostic*]; to draw [*parallèle*]; to edit [*texte, édition*]; to issue [*document*]; **~ un chèque** to make out a cheque GB *ou* check US (**à l'ordre de** to); **texte établi et annoté par...** text edited and annotated by...; **faire ~ un passeport au nom de...** to issue a passport in the name of...; 4 (assurer) to establish [*réputation, fortune, domination, influence*]; **droit établi sur la base de l'ancienneté** right based on seniority; 5 (prouver) to establish [*fait, identité, culpabilité, innocence*]; **~ que** to establish that; 6 †(pourvoir d'une situation) to settle [*enfant*]
B **s'établir** *vpr* 1 (se fixer) [*personne*] to settle (**à, en** in); [*organisme*] to set up; **s'~ (comme)** to set up (in business) as; **elle s'est établie (comme) antiquaire** she has set up (in business) as an antique dealer; **s'~ à son compte** to set up one's own business; 2 [*indice, taux, hausse*] to be set (**à** at); 3 (s'instituer) [*relations, liens*] to develop (**sur** out of); [*domination, pouvoir, préjugé*] to become established (**sur** on); **leur collaboration s'est établie sur des besoins communs** their collaboration has developed out of a common need; **le consensus s'établira sur cette question** a consensus will be established on this question

établissement /etablismɑ̃/ *nm* 1 (entreprise, organisme) gén organization, establishment; (institué) institution; (bâtiments) premises (*pl*); **il est interdit de fumer dans l'~** no smoking on the premises; **'l'~ décline toute responsabilité en matière de vol'** 'the management does not accept responsibility for theft'; 2 (ville, village) settlement; 3 (mise en place) (de relations, contacts, hiérarchie, régime) establishment; (de norme, limite) setting; (de gouvernement) formation; (de campagne) setting up; (de personne, famille, population) settlement; (d'impôt, de taxe, sanction) introduction; 4 (mise en forme) (de liste, plan, dossier) drawing up; (de texte, d'édition) editing; 5 (démonstration) **l'~ de leur culpabilité/innocence** proving they are guilty/innocent; **l'~ de leur identité** establishing their identity

(Composés) **~ de bains** bathhouse; **~ bancaire** banking institution; **~ commercial** commercial establishment; **~ de crédit** finance company; **~s dangereux, insalubres ou incommodes** Jur premises in such a state as to be prejudicial to health or constituting a nuisance; **~ d'enseignement** educational establishment; **~ d'enseignement supérieur** higher education institution; **~ financier** financial institution; **~ hospitalier** hospital; **~ industriel** plant; **~ pénitentiaire** penal institution; **~ privé** Scol private school; **~ du prix de revient** costing; **~ du prix de vente** pricing; **~ public** Admin public corporation; **~ sanitaire** = **~ de soins**; **~ scolaire** school; **~ de soins** medical establishment; **~ spécialisé** institution; **~ supérieur** = **~ d'enseignement supérieur**; **~ thermal** Méd hydrotherapy centre[GB]; **~ d'utilité publique** Admin public service corporation

étage /etaʒ/ *nm* 1 (d'immeuble) floor, storey GB, story US; **le premier ~** the first floor GB, the second floor US; **le dernier ~** the top floor; **à tous les ~s** on every floor; **à l'~ au-dessus/au-dessous** on the floor above/below; **dans les ~s** on (one of) the floors above; **grimper deux ~s** to climb two floors; **habiter/se trouver en ~** to live/be above street-level, to live/be above the ground GB *ou* first US floor; **à l'~** upstairs; **une maison sans ~** a single-storey(ed) house GB, a single-story house US; **une tour de vingt ~s** a twenty-storey tower GB, a twenty-story tower US; 2 (division) (de tour) level; (d'aqueduc, de gâteau, coiffure) tier; (de fusée) stage; **une fusée à trois ~s** a three-stage rocket; 3 (de terrain) terrace; **terrain en ~s** terraced land; 4 Bot (zone) level; **~s de végétation** levels of vegetation; 5 Géol age; 6 Minér level; 7 Électron, Tech stage

étager /etaʒe/ [13]
A *vtr* 1 lit to plant [sth] in tiers [*fleurs*]; **~ des maisons sur une pente** to build houses on terraces; 2 fig to graduate [*prix*]; to stagger [*augmentations*]; to introduce [sth] gradually [*réformes*]; **~ des réformes sur deux ans** to introduce reforms gradually over a two-year period
B **s'étager** *vpr* 1 lit [*cultures, jardins*] to rise in terraces; [*habitations*] to rise in tiers; **les rizières/maisons s'étagent jusqu'à la mer** (the) ricefields/houses slope down in terraces to the sea; 2 fig [*augmentations, réformes*] to be staggered

étagère /etaʒɛʀ/ *nf* shelf; **des ~s** (planches) shelves; (meuble) shelf unit(s)

étai /etɛ/ *nm* Constr prop; Mines strut; Naut stay

étain /etɛ̃/ *nm* 1 (métal) tin; 2 (matière) pewter; **en** *or* **d'~** pewter (*épith*); 3 (objet) piece of pewter ware; **les ~s** pewter ware

étal /etal/ *nm* 1 (de marché) stall; 2 (de boucher) butcher's block

étalage /etalaʒ/ *nm* 1 Comm (de magasin) window display; (de marché) stall; **composer un ~** (vitrine) to dress a window; (étal) to dress a stall; 2 (exhibition) display; **cet ~ de luxe est indécent** this display of luxury is indecent; **faire ~ de** to make a display of; **faire ~ de son érudition/sa richesse** to make a display of one's erudition/wealth

étalagiste /etalaʒist/ ▸ **p. 532** *nmf* (décorateur) window dresser

étale /etal/ *adj* 1 [*mer, marée, vent*] slack; 2 Naut **navire ~** ship making no headway; 3 (stable) [*situation*] stable

étalement /etalmɑ̃/ *nm* 1 (dans le temps) staggering; **l'~ des horaires** the staggering of schedules; **j'ai opté pour l'~ des remboursements de ma dette** I opted to pay off my debt by instalments[GB]; 2 (dans l'espace) **~ géographique** geographical dispersion

étaler /etale/ [1]
A *vtr* 1 (déployer) to spread out [*carte, document, drap*]; to lay [*nappe, moquette*]; to spread [*tapis*]; Culin to roll [sth] out [*pâte*]; Jeux to lay down [*cartes*]; 2 (éparpiller) to scatter [*papiers, affaires, livres*]; 3 (répandre) to spread [*beurre, pâté, colle*]; to apply [*peinture, maquillage, pommade*]; 4 (échelonner) to spread [*travaux, réformes, remboursements*] (**sur** over); to stagger [*départs, horaires, vacances*] (**sur** over); 5 (exhiber) to flaunt [*richesse, pouvoir, succès*]; to show off

Les États, les pays et les continents

■ *Les adjectifs comme* anglais *peuvent aussi qualifier des personnes (par ex.* un touriste anglais ▸ p. 561*) et des langues (par ex.* un mot anglais ▸ p. 483*.)*

Les noms de pays

■ *L'anglais n'utilise pas d'article défini devant les noms de pays et de continents, sauf pour les noms qui ont une forme de pluriel* (the United States, the Netherlands, the Philippines *etc.) et quelques rares exceptions* (the Congo, the Gambia). *En cas de doute, consulter l'article dans le dictionnaire.*

la France
= France

le Brésil
= Brazil

Cuba
= Cuba

l'Afrique
= Africa

aimer la France
= to like France

aimer l'Afrique
= to like Africa

■ *Attention: les noms qui ont une forme de pluriel se comportent en général comme des noms singuliers.*

les États-Unis sont un pays riche
= the United States is a rich country

■ *Noter que les noms de continents et de pays qui utilisent les points cardinaux ne prennent pas d'article défini non plus:*

l'Amérique du Nord
= North America

la Corée du Sud
= South Korea

À, au, aux, en

■ À, au, aux *et* en *se traduisent par* to *avec les verbes de mouvement (par ex.* aller, se rendre *etc) et par* in *avec les autres verbes (par ex.* être, habiter *etc.).*

aller au Brésil
= to go to Brazil

aller en Afrique
= to go to Africa

vivre au Brésil
= to live in Brazil

vivre en Afrique
= to live in Africa

De avec les noms de pays et de continents

■ *Les expressions françaises avec* de *se traduisent en général en anglais par l'emploi de l'adjectif. Mais voir ci-dessous quelques exceptions.*

■ *Attention: l'anglais emploie toujours la majuscule pour les adjectifs ethniques.*

l'ambassade de France
= the French embassy

les campagnes de la France
= the French countryside

le climat de la France
= the French climate

l'équipe de France
= the French team

les fleuves et rivières de France
= French rivers

l'histoire de France
= French history

Mais noter:

l'ambassadeur de France
= the French ambassador
ou the ambassador of France

la capitale de la France
= the capital of France

les peuples de l'Afrique
= the peoples of Africa

une carte de France
= a map of France

Traduction des adjectifs

l'argent français
= French money

l'armée française
= the French army

l'aviation française
= the French air force

la cuisine française
= French cooking

la douane française
= the French Customs

le gouvernement français
= the French government

la langue française
= the French language

la littérature française
= French literature

la marine française
= the French navy

le peuple français
= the French nation

la politique française
= French politics

les traditions françaises
= French traditions

la vie politique française
= French politics

une ville française
= a French town

■ *En anglais, dans quelques rares cas, on trouve aussi le nom du pays ou du continent utilisé en position d'adjectif:* the England team, the Africa question *etc. Il est préférable de ne pas imiter ces tournures.*

[*savoir, charmes*]; to parade [*misère*]; **~ au grand jour** to bring [sth] out into the open [*divergences, vie privée*]; **6** Comm (montrer) to display [*articles, marchandise*]; **7** °(faire tomber) to lay [sb] out° [*personne*]

B s'étaler *vpr* **1** (se répandre) [*beurre, peinture*] to spread; **peinture qui s'étale difficilement** paint which does not spread very well; **2** (s'échelonner) [*programme, paiement, emboutéillage*] to be spread (**sur** over); [*horaires, départs*] to be staggered (**sur** over); **3** (s'exhiber) [*richesse*] to be flaunted; **s'~ (au grand jour)** [*corruption, lâcheté*] to be plain for all to see; **une photo/un titre qui s'étale en première page d'un journal** a photo/a headline that is splashed all over the front page of a newspaper; **une affiche qui s'étale sur tous les murs de la ville** a poster that is splashed all over the walls in town; **4** (s'étendre) [*paysage*] to spread out; [*ville*] to spread out, to sprawl; **s'~ jusqu'à la mer** to spread out as far as the sea; **5** (se vautrer) [*personne*] to sprawl; (prendre de la place) [*personne*] to spread out; **s'~ sur le divan** to sprawl on the couch; **6** °(tomber) to go sprawling°; **s'~ de tout son long** to fall flat on one's face; **7** °(échouer) to fail; **s'~** *or* **se faire ~ à un examen** to fail *ou* flunk° an exam

étalon /etalɔ̃/
A *nm* **1** (cheval) stallion; **conduire un ~ à la jument** to take a stallion to serve a mare; **2** °(homme) stud°; **3** (modèle) Fin, Mes standard; fig yardstick; **~ de longueur** standard of length; **~ monétaire** monetary standard; **servir d'~ à qn** to be a role model to sb
B (-)étalon (*in compounds*) **âne(-)~** Zool stud donkey; **arbre(-)~** Hort mother-tree; **groupe(-)~** Sociol standard group; **kilogramme(-)~** Mes standard kilogram; **métal(-)~** Fin standard metal; **mètre(-)~** Mes standard metre[GB]
(Composés) **~ de change or** gold exchange standard; **~ lingot d'or** gold bullion standard

étalonnage /etalɔnaʒ/, **étalonnement** /etalɔnmɑ̃/ *nm* **1** Mes calibration; Cin, Phot calibration; **2** Psych (de test) standardization

étalonner /etalɔne/ [1] *vtr* **1** Mes (vérifier) to test; (graduer) to calibrate; Cin, Phot to calibrate; **2** Psych to standardize [*test*]

étalon-or /etalɔ̃ɔʀ/ *nm inv* gold standard

étamage /etamaʒ/ *nm* (de casserole) tinning; (de métal) tin-plating; (de glace) silvering

étambot /etɑ̃bo/ *nm* sternpost

étamer /etame/ [1] *vtr* to tin [*casserole*]; to tin-plate [*métal*]; to silver [*glace*]

étameur /etamœʀ/ ▸ p. 532 *nm* tinsmith

étamine /etamin/ *nf* **1** Bot stamen; **2** (étoffe, filtre) muslin; **passer qch à l'~** to strain sth (through muslin); **3** Cout (pour broder) aida fabric

étanche /etɑ̃ʃ/ *adj* **1** lit **~ (à l'eau)** [*montre, combinaison*] waterproof; [*tonneau, embarcation*] watertight; **~ (à l'air)** airtight; **2** fig impenetrable

étanchéité /etɑ̃ʃeite/ *nf* **~ (à l'eau)** (de montre) waterproof quality; (de citerne) watertightness; **~ (à l'air)** airtightness

étancher /etɑ̃ʃe/ [1] *vtr* **1** to staunch [*sang*]; to quench lit, fig [*soif*]; to stop up [*voie d'eau*]; **2** Tech to make [sth] watertight [*citerne*]

étançon /etɑ̃sɔ̃/ *nm* shore, prop

étançonner /etɑ̃sɔne/ [1] *vtr* to shore (up), to prop (up)

étang /etɑ̃/ *nm* pond

étant /etɑ̃/ *p prés* ▸ **être**[1], **donné C, D, entendu**

étape /etap/ *nf* **1** (lieu d'arrêt) stop, stopping place; **faire ~ à** to stop off in; **2** (section de trajet) stage; (dans une course) leg; **nous avons fait une ~ de 300 km** we travelled[GB] a distance of 300 km; **3** fig (phase) stage; (palier) step
(Idiome) **brûler les ~s** to go too far too fast

état /eta/
A *nm* **1** (condition physique) condition; **l'~ du malade s'améliore** the patient's condition is improving; **être dans un ~ stationnaire** to be in a stable condition; **en bon ~ général** in good overall condition; **être en ~ de faire**

qch to be in a fit state to do sth; **ne pas être en ~ de faire, être hors d'~ de faire** to be in no condition *ou* in no fit state to do; **mettre qn hors d'~ de faire qch** to render sb incapable of doing sth; **mettre qn hors d'~ de nuire** (légalement) to put sb out of harm's way; (physiquement) to incapacitate sb; **leur ~ de santé est excellent** their (state of) health is excellent; **être dans un triste ~°/en piteux ~°** to be in a sorry/pitiful state; **tu es dans un bel ~!** iron you're in a fine state!
[2] (condition psychique) state; **être dans un ~ d'inquiétude terrible** to be in a terrible state of anxiety; **être dans un ~ d'énervement extrême** to be in a state of extreme irritation; **elle n'est pas en ~ de le revoir** she's in no state to see him again; **je suis hors d'~ de réfléchir** I'm incapable of thinking, I'm in no state to think; **être dans un drôle d'~°** to be in a hell of a state°; **ne pas être dans son ~ normal** not to be oneself; **ne te mets pas dans des ~s pareils!** don't get into such a state!, don't get so worked up°!; **être dans un ~ second** to be in a trance
[3] (de voiture, livre, tapis) condition; **l'~ de conservation d'un livre** the condition of a book; **l'~ des routes** (conditions climatiques) road conditions; (qualité) the state of the roads; **en bon/mauvais ~** [*maison, cœur, foie*] in good/poor condition; **avoir les dents en mauvais ~** to have bad teeth; **l'~ de délabrement d'une maison** the dilapidated state of a house; **l'~ de conservation d'une momie égyptienne** the state of preservation of an Egyptian mummy; **vérifier l'~ de qch** to check sth; **mettre/maintenir qch en ~** to put/keep sth in working order; **hors d'~ de marche** [*voiture*] off the road, not running; [*appareil*] out of order; **remettre qch en ~** to mend *ou* repair sth; **remettre une maison en ~** to do up a house; **la remise en ~ d'un réseau routier/de voiture** the repair of a road network/car; **vous devez rendre la maison en l'~ lors de votre départ** you must leave the house as you found it; **les choses sont restées en l'~ depuis leur départ** nothing has been changed since they left; **j'ai laissé les choses en l'~** I left everything as it was; **à l'~ brut** [*huile, pétrole*] in its raw state; [*action, idée*] in its initial stages; **un temple à l'~ de ruines** a temple in a state of ruin; **voiture/bicyclette/ordinateur à l'~ neuf** car/bicycle/computer as good as new; **beauté à l'~ pur** unadulterated beauty; **une voiture en ~ de rouler** a roadworthy car; **un bateau en ~ de naviguer** a seaworthy ship
[4] (d'affaires, économie, de finances, pays) state; **l'~ de l'environnement/d'une entreprise** the state of the environment/a company; **le pays est dans un ~ critique** the country is in a critical state; **cet ~ de choses ne peut plus durer** this state of affairs can't go on; **dans l'~ actuel des choses** in the present state of affairs; **dans l'~ actuel de la recherche médicale** in the present state of medical research; **l'~ de tension entre le gouvernement et l'opposition** the state of tension in relations between the government and the opposition; **ce n'est encore qu'à l'~ de projet** it's still only at the planning stage
[5] Sci (de corps) state; **les ~s de la matière** the states of matter; **l'~ solide/liquide/gazeux** the solid/liquid/gaseous state; **un corps à l'~ liquide/de vapeur** a body in the liquid/vapour[GB] state; **à l'~ naissant** [*gaz*] nascent; **à l'~ pur** [*élément, héroïne*] in its pure state
[6] (situation sociale) state; (métier)† trade; **être boulanger de son ~** to be a baker by trade; **ruiné, il se rappelle son ancien ~** now that he is bankrupt, he remembers how things used to be; **choisir l'~ ecclésiastique** to choose holy orders; **être satisfait/mécontent de son ~** to be satisfied/unhappy with one's lot
[7] Sociol **l'~ civilisé** the civilized state; **naissance d'un nouvel ~ social** birth of a new social order; **des tribus qui vivent encore à l'~ sauvage** tribes still living in a primitive state
[8] Compta statement; **~ de frais** statement of expenses; **~ des comptes** financial statements; **~ financier** financial statement; **~ des ventes d'un magasin** a shop's GB *ou* store's US sales statement
[9] Jur (statut) status; **~ d'épouse/d'enfant légitime/de parent** status of a spouse/legitimate child/parent
[10] Hist (catégorie sociale) estate; **la notion de classe a remplacé celle d'~** the concept of class replaced that of estate
B faire état de *loc verbale* [1] (arguer) to cite [*document, texte, théorie, loi*]; **faire ~ du témoignage/de l'opinion de qn pour étayer une thèse** to cite sb's testimony/opinion in support of a thesis
[2] (mentionner) to mention [*conversation, entretien, découverte*]; **ne faites pas ~ de cette conversation** don't mention this conversation; **la presse a fait ~ de leur conversation** the press reported their conversation
[3] (exposer) to state [*préférences, privilèges, bénéfices*]; to air [*soupçon, idée*]
[4] (se prévaloir de) to make a point of mentioning [*succès, courage*]; **j'ai fait ~ de mes diplômes pour obtenir le travail** I made a point of mentioning my diplomas to get the job; **ils ont fait ~ des services qu'ils nous ont rendus** they made a point of mentioning the things they had done for us in the past
(Composés) **~ d'alerte** Mil state of alert; **en ~ d'alerte** on the alert; **~ d'âme** (scrupule) qualm; (sentiment) feeling; **ne pas avoir d'~s d'âme** to have no qualms; **~ de choc** Méd, Psych state of shock; **en ~ de choc** in a state of shock; **~ de choses** state of affairs; **~ civil** Admin registry office GB; (de personne) civil status; **~ de conscience** Psych state of consciousness; **~ de crise** Pol, Sociol state of crisis; **~ d'esprit** state *ou* frame of mind; **~ de fait** fact; **les ~s généraux** Hist the Estates General; **~ de grâce** Relig state of grace; **en ~ de grâce** lit in a state of grace; fig inspired; **~ de guerre** state of war; **~ des lieux** Jur inventory and statement of state of repair; fig appraisal; **faire l'~ des lieux** to draw up an inventory and statement of state of repair; **~ de nature** Sociol the state of nature; **à l'~ de nature** in the state of nature; **~ de rêve** dream state; **~ de santé** state of health; **~ de siège** state of siege; **~s de service** service record; **~ d'urgence** state of emergency; **~ de veille** waking state; ▸ **tiers**
(Idiomes) **être/se mettre dans tous ses ~s°** to be in/to get into a state°; **il se met dans tous ses ~s pour un rien** he gets all worked up° *ou* he gets into a state over nothing; **être réduit à l'~ de loque/d'esclave** to be reduced to a wreck/treated as a slave

État /eta/ ▸ **p. 333** *nm* [1] (nation) state, State; **~ démocratique/totalitaire** democratic/totalitarian state; **servir l'~** to serve the State; **les ~s baltes** the Baltic States; **la souveraineté de l'~** State sovereignty; **être** *or* **former un ~ dans l'~** to be a state within a state; **coup d'~** coup d'état; [2] (gouvernement) state, government; **le budget de l'~** the state budget; **demander une aide de l'~** to apply for state aid; **réduire les dépenses de l'~** to reduce public *ou* state spending; **un emprunt d'~** a government loan; **responsabilité de l'~** state *ou* government liability; [3] (territoire autonome) state; **les ~s fédéraux** the federal states; **les ~s Pontificaux** the Papal States; **les ~s Européens** the European States
(Composés) **~ de droit** Pol legally constituted state; **~s barbaresques** Hist Barbary States; **~ membre** UE member state; **~ voyou** rogue state; **~s ACP** UE ACP states

étatique /etatik/ *adj* [*contrôle, financement, gestion*] state; **le système ~ d'enseignement** the state education system; **un système d'économie ~** a state-controlled economic system

étatisation /etatizasjɔ̃/ *nf* state control; **on assiste à une ~ de l'économie** we're seeing the economy being brought under state control

étatiser /etatize/ [1] *vtr* to bring [sth] under state control [*entreprise, économie, secteur*]; **l'industrie étatisée** state-controlled industry

étatisme /etatism/ *nm* state control

étatiste /etatist/
A *adj* [*politique, système*] of state control (*épith, après n*), statist
B *nmf* supporter of state control, statist

état-major, *pl* **états-majors** /etamaʒɔʀ/ *nm* [1] Mil (officiers) staff (+ *v pl*); **~ de l'armée de terre/de l'air** general staff GB, army staff US/air staff; (lieu) headquarters (+ *v sg ou pl*); [2] Pol administrative staff

États-Unis /etazyni/ ▸ **p. 333** *nprmpl* **~ (d'Amérique)** United States (of America); **aller aux ~** to go to the (United) States

étau, *pl* **~x** /eto/ *nm* Tech vice GB, vise US; fig stranglehold (**autour de** on); **être pris en ~** to be caught in a vice-like GB *ou* vise-like US grip; **l'~ se resserre** the net is tightening (**autour de** around)

étayage /etɛjaʒ/ *nm* Constr shoring up, propping up (**de** of)

étayer /eteje/ [21] *vtr* [1] Constr to shore up, to prop up [*mur, plafond*]; [2] fig to support [*théorie, démonstration*] (**de, par** with); **raisonnement bien étayé** well-sustained argument

etc (*written abbr* = **et cætera**) etc

et cætera, et cetera* /ɛtseteʀa/ *loc adv* et cetera

été /ete/ ▸ **p. 769** *nm* summer; **vacances d'~** summer holidays GB *ou* vacation US; **heure d'~** summertime GB, daylight-saving time US; **~ comme hiver** summer and winter alike, all year round
(Composés) **~ indien** Indian summer; **~ de la Saint-Martin** Indian summer

éteignoir /etɛɲwaʀ/ *nm* (de bougie) snuffer

éteindre /etɛ̃dʀ/ [55]
A *vtr* [1] (faire cesser de brûler) to put out, to extinguish [*feu, cigare*]; to put out [*poêle*]; (en soufflant) to blow out [*bougie*]; (avec un éteignoir) to extinguish [*bougie*]; [2] (faire cesser d'éclairer) to switch off, to turn off [*lampe, phare*]; **~ la cuisine** to switch off the kitchen light; **le couloir est éteint** the light is (switched) off in the corridor; **éteins (la lumière)!** switch off the light!; **c'est éteint chez elle** her lights are off; **tous feux éteints** [*rouler, conduire*] without lights; [3] (faire cesser de fonctionner) to switch off, to turn off [*four, téléviseur, chauffage*]; to turn off [*gaz*]; [4] (calmer) to subdue [*colère, désir, passion*]; to quell [*ardeur*]; to dull [*éclat du regard*]; **cela l'a éteint** it has crushed him; [5] (rembourser) to extinguish [*dette*]
B s'éteindre *vpr* [1] [*cigare, feu*] to go out; [2] [*phare, radio*] to be turned *ou* switched off; (par accident) [*lumière*] to go out; [*radio*] to go off; **où s'éteint la lampe?** where do you turn the light off?; **s'~ automatiquement** to go off automatically; [3] [*pièce, fenêtre*] to go dark; [4] euph (mourir) to pass away *ou* on; [5] [*famille, nom*] to die out; [6] [*son*] to die away; [*conversation*] to tail off; [*voix*] to become lifeless; [*désir, passion, couleur*] to fade; [*colère, douleur*] to subside; **son regard s'est éteint depuis que** the light in his eyes has gone out since

éteint, **~e** /etɛ̃, ɛ̃t/
A *pp* ▸ **éteindre**
B *pp adj* [1] [*voix*] lifeless; [*regard*] dull; [*couleur*] faded; **il est ~** he is crushed; (moins grave) he has lost his sparkle; [2] [*volcan*] extinct; [*astre*] extinct, dead

étendard /etɑ̃daʀ/ *nm* standard, flag; **lever l'~ de la révolte** fig to raise the flag of rebellion; **se ranger sous l'~ de** to rally to the cause of

e

étendre /etɑ̃dʀ/ [6]
A *vtr* **1** (allonger) to stretch [*bras, jambe*]; **il a étendu les bras/jambes** he stretched his arms/legs; **2** (déployer) to spread (out) [*bâche, nappe*]; **~ du linge** (dehors) to hang out washing; (dedans) to hang up washing; **3** (coucher) to lay [sb] down [*malade, blessé*]; **~ qn (sur le carreau)**○ (blesser) to lay sb out cold○, to floor[GB] sb; (tuer) to kill sb; **~ qn d'un coup de poing**○ to knock sb out; **se faire ~ à un examen**○ to flunk○ an exam; **ils se sont fait ~ par l'équipe adverse**○ they got thrashed○ by the opposing team; **4** (diluer) to dilute, to water down [*vin, solution*]; **5** (étaler) to spread [*enduit, peinture, beurre*]; Culin to roll out [*pâte*]; **6** (accroître) to extend [*emprise, pouvoir*] (**sur** over); to extend [*mesure, allocation, aide, embargo*] (**à** to); **il faut ~ le champ de nos connaissances** we must extend our range of knowledge; **la société a étendu ses activités à de nouveaux secteurs** the company branched out into new fields
B s'étendre *vpr* **1** (occuper un espace) to stretch (**sur** over); **s'~ à perte de vue** to extend *ou* stretch as far as the eye can see; **la forêt s'étend sur 10 000 km²** the forest stretches over 10,000 square kilometres[GB]; **2** (augmenter) [*grève, épidémie, sécheresse, récession*] to spread (**à** to); [*ville*] to expand, to grow; **3** (s'appliquer) [*loi, mesure*] **s'~ à** to apply to; **4** (durer) to stretch (**sur** over), last; **la Renaissance s'étend de la fin du XVᵉ siècle au milieu du XVIᵉ siècle** the Renaissance stretched from the end of the 15th century to the middle of the 16th century; **les travaux s'étendront sur trois ans** the work will last three years; **5** (s'allonger) to lie down; **6** (s'appesantir) **s'~ sur** to dwell on [*sujet, point*]

étendu, **~e** /etɑ̃dy/
A *pp* ▸ **étendre**
B *pp adj* [*ville*] sprawling; [*région, plaine*] vast; [*vocabulaire, connaissances, dégâts*] extensive
C étendue *nf* **1** (surface) (de terrain) expanse, area; (de sable, d'eau) expanse; **de vastes ~es désertiques** large areas *ou* expanses of desert; **sur toute l'~e du pays** throughout the country; **2** (de pays, collection) size; **3** (de catastrophe, dégâts) scale, extent; (de connaissances, vocabulaire) range; (d'ignorance) depth; Mus range, compass; **4** (durée) span, length
(Composé) **~e territoriale** Assur (de contrat) territorial limits (*pl*)

éternel, **-elle** /etɛʀnɛl/
A *adj* **1** (immuable) [*débat, problème*] endless; [*amour, vérité*] eternal; [*enfant, adolescent, optimiste*] eternal; (permanent) [*cravate, sourire*] inevitable; **2** Relig [*damnation, Dieu, salut*] eternal
B *nm* eternal; **l'homme aspire à l'~** man aspires to the eternal; **l'~ féminin** the eternal feminine

Éternel /etɛʀnɛl/ *nm* Eternal; **l'~** the Lord; **grand buveur/menteur devant l'~** hum inveterate drinker/liar

éternellement /etɛʀnɛlmɑ̃/ *adv* **1** (jusqu'à la fin des temps) forever; **nous n'attendrons pas ~** we won't wait forever; **2** (continûment) permanently; **~ instable** permanently unstable; **3** (de manière répétée) perpetually, continually; **~ en retard** perpetually *ou* continually late; **4** Relig eternally; **~ vrai** eternally true

éterniser /etɛʀnize/ [1]
A *vtr* **1** (prolonger) to prolong [*discussion, conflit*]; **2** (rendre immortel) to perpetuate [*réputation*]; to immortalize [*nom*]
B s'éterniser *vpr* **1** (se prolonger) [*processus, débat, situation*] to drag on, to go on forever; **2** ○(s'attarder) to stay for ages

éternité /etɛʀnite/ *nf* **1** (durée) eternity; **pour l'~** for all eternity; **de toute ~** from time immemorial; **2** ○**cela fait une ~ que je t'attends** I've been waiting for you for ages

éternuement /etɛʀnymɑ̃/ *nm* sneeze; **le poivre provoque des ~s** pepper makes you sneeze

éternuer /etɛʀnɥe/ [1] *vi* to sneeze

étêtage /etɛtaʒ/ *nm* topping, pollarding

étêter /etete/ [1] *vtr* **1** to top, to pollard [*arbre*]; **2** to remove the head of [*clou, sardine*]

éthane /etan/ *nm* ethane

éthanol /etanɔl/ *nm* ethanol

éther /etɛʀ/ *nm* **1** Chimie ether; **2** liter (ciel) **l'~** the ether

éthéré, **~e** /eteʀe/ *adj* ethereal

éthéromane /eteʀɔman/ *nmf* ether addict

éthéromanie /eteʀɔmani/ *nf* ether addiction

éthicien, **-ienne** /etisjɛ̃, ɛn/ ▸ **p. 532** *nm,f* ethicist

Éthiopie /etjɔpi/ ▸ **p. 333** *nprf* Ethiopia

éthiopien, **-ienne** /etjɔpjɛ̃, ɛn/ ▸ **p. 561** *adj* Ethiopian

Éthiopien, **-ienne** /etjɔpjɛ̃, ɛn/ ▸ **p. 561** *nm,f* Ethiopian

éthique /etik/
A *adj* ethical
B *nf* Philos ethics (+ *v sg*); (conception morale) code of ethics; **l'~ capitaliste** the capitalist ethic

ethmoïde /ɛtmɔid/ *nm* ethmoid

ethnie /ɛtni/ *nf* ethnic group

ethnique /ɛtnik/ *adj* ethnic

ethnobiologie /ɛtnɔbjɔlɔʒi/ *nf* ethnobiology

ethnocentrisme /ɛtnɔsɑ̃tʀism/ *nm* ethnocentrism

ethnographe /ɛtnɔgʀaf/ ▸ **p. 532** *nmf* ethnographer

ethnographie /ɛtnɔgʀafi/ *nf* ethnography

ethnographique /ɛtnɔgʀafik/ *adj* ethnographic

ethnolinguistique /ɛtnɔlɛ̃gɥistik/
A *adj* ethnolinguistic
B *nf* ethnolinguistics (+ *v sg*)

ethnologie /ɛtnɔlɔʒi/ *nf* ethnology

ethnologique /ɛtnɔlɔʒik/ *adj* ethnological

ethnologue /ɛtnɔlɔg/ ▸ **p. 532** *nmf* ethnologist

éthologie /etɔlɔʒi/ *nf* ethology

éthologique /etɔlɔʒik/ *adj* ethological

éthyle /etil/ *nm* ethyl

éthylène /etilɛn/ *nm* ethylene, ethene spéc

éthylénique /etilenik/ *adj* ethylenic

éthylique /etilik/
A *adj* **1** (alcoolique) alcoholic; **coma ~** alcoholic coma; **2** Chimie **alcool ~** ethyl alcohol
B *nmf* alcoholic

éthylisme /etilism/ ▸ **p. 283** *nm* alcoholism

étiage /etjaʒ/ *nm* low-water level

étincelant, **~e** /etɛ̃slɑ̃, ɑ̃t/ *adj* **1** (lumineux) [*soleil*] blazing; [*étoile*] twinkling; [*pierreries, verre*] sparkling; [*plumage, couleur*] brilliant; **~ de propreté** sparkling clean; **2** (remarquable) [*style, esprit, conversation*] scintillating; [*personne*] brilliant; **journaliste ~ d'intelligence** brilliant journalist

étinceler /etɛ̃sle/ [19] *vi* [*astre*] to twinkle; [*soleil, pierre précieuse, métal, mer, sable*] to sparkle (**de** with); [*yeux, regard*] (de colère) to flash (**de** with); (de joie) to sparkle (**de** with); [*conversation, esprit, beauté*] to sparkle; **~ de mille feux** to sparkle with a myriad lights; **~ de gaieté/d'intelligence/d'esprit** to sparkle with merriment/intelligence/wit

étincelle /etɛ̃sɛl/ *nf* **1** (incandescence) spark; **le feu lance des ~s** the fire is throwing out sparks; **une gerbe d'~s** a shower of sparks; **~ électrique** electric spark; **2** (lueur) (sur une lame) flash; (sur un diamant) sparkle; (dans le regard) (d'humour) twinkle; (de colère) glint; **jeter des ~s** [*lame, regard, bijou*] to glitter; **3** (manifestation fugitive) **~ d'intelligence/de courage/génie** flash of intelligence/courage/genius
(Idiomes) **ça va faire des ~s**○ fig that will make sparks fly; **faire des ~s** (dans une conversation) to sparkle; (dans l'action) to do brilliantly; **ne pas faire d'~s** to fail to shine; **c'est l'~ qui a mis le feu aux poudres** fig it's what sparked off the crisis

étincellement* /etɛ̃sɛlmɑ̃/ *nm* (d'étoile) twinkling ₵; (de métal) flashing ₵; (de mer, pierreries, soleil) sparkling ₵

étiolement /etjɔlmɑ̃/ *nm* **1** Bot blanching, etiolation spéc; **2** fig, liter (d'enfant) weakening; (d'esprit) failing

étioler /etjɔle/ [1]
A *vtr* **1** Bot to blanch, to etiolate spéc [*plante*]; **2** fig (affaiblir) **la vie urbaine étiole les enfants** town life makes children sickly
B s'étioler *vpr* **1** Bot to blanch, to etiolate spéc; **2** fig (faiblir) [*enfant*] to become sickly; [*esprit, mémoire*] to fail

étiologie /etjɔlɔʒi/ *nf* etiology

étique /etik/ *adj* liter **1** lit [*animal*] emaciated; [*corps*] wasted; **2** fig [*budget*] shrunken

étiquetage /etiktaʒ/ *nm* lit, fig labelling[GB]
(Composé) **~ génétique** gene tagging

étiqueter /etikte/ [20] *vtr* **1** (mettre une étiquette à) to label; **2** (cataloguer) to label (**comme** as)

étiqueteuse /etiktøz/ *nf* gén labeller GB, labeler US; (en supermarché) price gun

étiquette /etikɛt/ *nf* **1** (à coller) label; (à attacher) tag; **porter une ~** to be labelled[GB]; **coller** *or* **mettre des ~s sur les gens** fig to label people; **candidat sans ~** fig independent candidate; **2** (protocole) etiquette; **3** Ordinat tag

étirage /etiʀaʒ/ *nm* (de métal, de verre) drawing

étirement /etiʀmɑ̃/ *nm* Sport stretching exercise

étirer /etiʀe/ [1]
A *vtr* **1** Tech to draw [*métal, verre*]; to pull [sth] into shape [*linge*]; **2** (pour détendre) to stretch; **~ les jambes** to stretch one's legs out
B s'étirer *vpr* **1** (pour se détendre) [*personne*] to stretch; **2** (se déformer) [*chandail*] to stretch; **3** fig [*procession, chemin*] to stretch out; [*journée*] to seem endless

Etna /ɛtna/ *nprm* **l'~** Mount Etna

étoffe /etɔf/ *nf* **1** (tissu) fabric; **2** fig substance; **le scénario manque d'~** the screenplay is lacking in substance; **avoir de l'~** to have what it takes; **avoir l'~ d'un grand homme** to have the makings of a great man; **il a l'~ des héros** he's of the stuff heroes are made of

étoffer /etɔfe/ [1]
A *vtr* to expand [*récit, développement*]; to flesh out [*personnage*]; **un récit bien étoffé** a well-developed story
B s'étoffer *vpr* **1** [*personne*] to put on weight; **2** [*personnage*] to flesh out

étoile /etwal/ *nf* **1** (astre) star; **ciel sans ~s** starless sky; **à la lueur des ~s** by starlight; **2** (forme) star; **en ~** [*découpage, motif*] star-shaped; **~ à cinq branches** five-pointed star; **carrefour en ~** *roundabout with more than four roads*; **3** (artiste) star; **les ~s du cinéma** film GB *ou* movie US stars; **4** Tourisme star; **hôtel quatre ~s** four-star hotel
(Composés) **l'~ du berger** the evening star; **~ de David** Relig star of David; **~ filante** shooting star; **~ jaune** Hist yellow star; **~ de mer** starfish; **~ polaire** Pole Star
(Idiomes) **être né sous une bonne/mauvaise ~** to be born under a lucky/an unlucky star; **coucher** *or* **dormir à la belle ~** to sleep out in the open

étoilé, **~e** /etwale/ *adj* **1** [*nuit, ciel*] starry; **2** [*verre, pare-brise*] crazed

étole /etɔl/ *nf* stole

étonnamment /etɔnamɑ̃/ *adv* surprisingly

étonnant, **~e** /etɔnɑ̃, ɑ̃t/ *adj* **1** (inattendu) surprising; **cela n'a rien d'~** there's nothing surprising about that; **et, chose ~e** and, surprisingly enough; **pas ~ qu'il soit malade**○ no wonder he's ill; **2** (extraordinaire) amazing;

être d'une beauté ~e to be amazingly beautiful

étonnement /etɔnmɑ̃/ *nm* surprise; **à mon grand ~, elle a accepté** to my amazement *ou* astonishment, she accepted; **j'ai appris avec ~** I was surprised to find out

étonner /etɔne/ [1]
A *vtr* to surprise; **ta réaction m'étonne** I'm surprised by your reaction; **'il viendra?'—'ça m'étonnerait (fort)'** 'will he come?'—'I'd be (very) surprised if he did'; **ça m'étonnerait qu'elle refuse** I'd be surprised if she refused; **tu m'étonneras toujours** you never cease to amaze me; **'tu vas accepter?'—'tu m'étonnes○!'** (évidemment) 'are you going to accept?'—'of course I am!'
B s'étonner *vpr* to be surprised (**que** that; **de qch** at sth); **il ne faut pas s'~ que** it should come as no surprise that; **pourquoi s'~ de voir** why should it come as a surprise to see

étouffant, **~e** /etufɑ̃, ɑ̃t/ *adj* **1** (suffocant) [*chaleur, air, été*] stifling; [*temps*] oppressive; [*pièce*] stuffy; **2** (pesant) [*régime, vie*] oppressive; **il a une mère ~e** he has an overbearing mother

étouffé, **~e** /etufe/
A *pp* ▸ **étouffer**
B *pp adj* **1** (asphyxié) suffocated; **mourir ~** (par accident) to die of suffocation; (dans la foule) to die in the crush; (par suffocation) to choke to death (**par** on); (lors d'un crime) to have been suffocated; **2** (assourdi) [*son, voix*] muffled (**par** by); **3** (retenu) [*voix, sanglot*] choked; [*rire, cri, bâillement*] suppressed; [*soupir*] discreet
C étouffée *nf* **à l'étouffée** [*légume, viande*] braised; **cuire à l'~e** to braise

étouffe-chrétien*○ /etufkʀetjɛ̃/
A *adj inv* stodgy
B *nm inv* stodge○ ₵; **un/des ~** stodge

étouffée ▸ **étouffé**

étouffement /etufmɑ̃/ *nm* **1** (répression) suppression; **2** (de concurrence, d'investissement) curbing; **3** (dissimulation) (de scandale) hushing-up; (de rapport) concealment; **4** (poids) oppression; **~ familial** family oppression; **5** (asphyxie) asphyxiation; **6** Méd (difficulté respiratoire) breathlessness; **il a été pris d'un ~** he had an attack of breathlessness

étouffer /etufe/ [1]
A *vtr* **1** (entraver) to stifle [*économie, carrière, création*]; to suppress [*protestation*]; **~ une révolte** to nip a revolt in the bud; **2** (dissimuler) to hush up [*affaire, scandale, crime*]; **3** (asphyxier) [*personne*] to suffocate [*victime*]; [*aliment*] to choke [*personne*]; [*chaleur, bâillon*] to stifle [*personne*]; [*plante, mauvaises herbes*] to choke [*plante*]; **les sanglots l'étouffaient** he/she was choked with tears; **~ qn de caresses/baisers** to smother sb with caresses/kisses; **la générosité ne les étouffe pas** they can't be accused of generosity; **4** (arrêter) to smother [*feu, incendie*]; to quell [*bagarre*]; **5** (retenir) to stifle [*bâillement*]; to hold back [*soupir, juron, cri*]; **6** (atténuer) [*tapis, porte, double vitrage*] to deaden [*son, voix*] (**sous, par** by)
B *vi* **1** (être mal à l'aise) to feel stifled; **2** (avoir chaud) to be unable to breathe; **on étouffe ici!** it's stifling here!; **~ de chaleur** to feel stifled in the heat; **3** (suffoquer) [*personne, ville*] to suffocate; **4** (mourir asphyxié) to suffocate
C s'étouffer *vpr* **1** (suffoquer) to choke; **s'~ en mangeant du pain/en avalant une arête** to choke on bread/a fishbone; **s'~ de rage/rire** to choke with rage/laughter; **2** (mourir asphyxié) to suffocate

étouffoir /etufwaʀ/ *nm* Mus damper

étoupe /etup/ *nf* (de chanvre) tow; Naut oakum

étourderie /etuʀdəʀi/ *nf* **1** (caractère irréfléchi) absent-mindedness; **faire qch par ~** to do sth through absent-mindedness; **faute d'~** careless mistake; **2** (erreur) careless mistake

étourdi, **~e** /etuʀdi/
A *pp* ▸ **étourdir**
B *pp adj* **1** [*personne*] absent-minded; **il est ~** he's absent-minded; **2** [*réponse, paroles*] unthinking
C *nm,f* scatterbrain

étourdiment /etuʀdimɑ̃/ *adv* absent-mindedly

étourdir /etuʀdiʀ/ [3]
A *vtr* **1** (assommer) to stun, to daze; **le coup de poing m'a étourdi** the punch stunned me; **je me sens étourdi** I feel stunned; **2** (fatiguer) **~ qn** [*vacarme, circulation*] to make sb's head spin; **tu m'étourdis avec ton bavardage** your constant chatter is making my head spin
B s'étourdir *vpr* **éprouver le besoin de s'~** to feel the need to escape; **s'~ de paroles** to become intoxicated with words

étourdissant, **~e** /etuʀdisɑ̃, ɑ̃t/ *adj* **1** [*bruit*] deafening; **2** [*réussite, talent*] stunning; **d'une beauté ~e** stunningly beautiful; **à une vitesse ~** at a dizzying speed

étourdissement /etuʀdismɑ̃/ *nm* **avoir un ~** (vertige) to feel dizzy; (s'évanouir) to have a blackout; **être sujet à des ~s** to suffer from dizzy spells

étourneau, *pl* **~x** /etuʀno/ *nm* **1** (oiseau) starling; **2** ○(étourdi) scatterbrain○

étrange /etʀɑ̃ʒ/
A *adj* strange; **il est ~ que** it is strange that; **trouver ~ que** to find it strange that; **il se passe des choses ~s** strange things are happening; **coïncidence ~, nous nous sommes rencontrés là** by a strange coincidence we met there; **la vie n'a rien d'~** there is nothing strange about life; **aussi ~ que cela puisse paraître** strange as it may seem; **d'autant plus ~ que** all the more strange in that; **quoi d'~ à ce que** what could possibly be strange about the fact that; **le plus ~ c'est que** the strangest part is that; **chose ~ elle n'a pas répondu** strangely enough she didn't answer
B *nm* **1** (caractère surprenant) strangeness; **l'~ est que** the strange thing is that; **2** (bizarrerie) bizarre; **penchant pour l'~** penchant for the bizarre

étrangement /etʀɑ̃ʒmɑ̃/ *adv* **1** (fort curieusement) curiously; **être ~ silencieux** to be curiously silent; **votre composition ressemble ~ à celle de mademoiselle Grunard** your essay is curiously like Miss Grunard's; **rappeler ~ qn/qch** [*livre, objet*] to be curiously reminiscent of sb/sth; **vous me rappelez ~ un ami** it's strange *ou* uncanny but you remind me of a friend; **~ le ministre reste invisible** curiously enough the minister is nowhere to be seen; **2** (remarquablement) surprisingly; **le cri des dauphins ressemble ~ à celui des bébés** the cry of dolphins is surprisingly like that of babies

étranger, **-ère** /etʀɑ̃ʒe, ɛʀ/
A *adj* **1** (d'un autre pays) [*personne, lieu, langue, capitaux, journal*] foreign; **2** (extérieur) **~ à** [*personne*] not involved in (*après n*) [*affaire, activité*]; outside (*après n*) [*groupe*]; [*fait*] with no bearing on (*après n*) [*problème*]; [*comportement*] unrelated to (*après n*) [*éthique*]; **se sentir ~** to feel like an outsider; **'entrée interdite à toute personne étrangère au service'** 'staff only'; **ta sœur n'est pas étrangère à l'affaire** your sister is not uninvolved in the matter; **3** (inconnu) [*personne, voix, théorie*] unfamiliar (**à** to); **votre visage ne m'est pas ~** I know your face; **le domaine ne m'est pas ~** I am quite familiar with the field; **la peur leur est étrangère** they know no fear
B *nm,f* **1** (d'un autre pays) foreigner; **les ~s ont besoin d'un visa** foreigners need a visa; **2** (d'un autre groupe) outsider; **on me traite en ~** I am treated as an outsider; **3** (inconnu) stranger; **un ~ rôde dehors** a stranger is prowling outside
C *nm* **1** (autres pays) **l'~** foreign countries (*pl*); **à l'~** [*aller, séjourner*] abroad; **investissements à l'~** investments abroad; **s'ouvrir sur l'~** to open up to the outside world; **2** (gens d'ailleurs) foreigners (*pl*); **l'exclusion de l'~** the exclusion of foreigners; **3** (marchandises) **acheter ~** to buy foreign goods

étrangeté /etʀɑ̃ʒte/ *nf* strangeness; **inquiétante ~** uncanniness

étranglé, **~e** /etʀɑ̃gle/
A *pp* ▸ **étrangler**
B *pp adj* **1** [*voix*] choked; [*son*] muffled; **d'une voix ~e** in a choked voice; **2** [*rue, vallée*] narrow

étranglement /etʀɑ̃gləmɑ̃/ *nm* **1** (strangulation) strangling; Méd strangulation; **2** (de voix) tightness; **3** (de vallée, route) (fait) narrowing; (endroit) narrow section; **causer un ~** to narrow; **4** (de petites entreprises, vie économique, presse) stifling

étrangler /etʀɑ̃gle/ [1]
A *vtr* **1** lit to strangle [*victime*]; **j'ai envie de les ~!** fig I feel like throttling them!; **2** (gêner) [*col, cravate*] to choke, to throttle; **3** (comprimer) to pinch in [*taille*]; **4** [*colère, émotion*] to choke [*personne*]; **étranglé par l'émotion/la colère** choked with emotion/anger; **5** (écraser) to cripple [*entreprise, économie*]; **6** (museler) to stifle [*groupe politique, presse*]
B s'étrangler *vpr* **1** (avec une corde, un foulard) to strangle oneself; **2** (ne pas pouvoir parler, respirer) to choke; **s'~ de rage/de rire** to choke with rage/laughter; **3** [*cri*] to die in one's throat; **sa voix s'étrangla** his voice caught in his throat; **4** [*vallée, route*] to narrow

étrangleur, **-euse** /etʀɑ̃glœʀ, øz/ *nm,f* strangler

étrave /etʀav/ *nf* stem

être[1] /ɛtʀ/ [7] *vi* **1** **il n'est pas jusqu'à l'Antarctique qui ne soit pollué** even the Antarctic is polluted; **il en est de Pierre comme de Paul** it is the same with Pierre as with Paul; **voilà ce qu'il en est** (présentation) this is how it is; (conclusion) that's how it is; **il n'en est rien** this isn't at all the case; **il en sera toujours ainsi** it will always be so; **il en a été de même** it was the same; **qu'en est-il de...?** what's the news on...?; **2** **je suis à vous tout de suite/dans un instant** I'll be with you right away/in a minute; **je suis à vous** I'm all yours; **être à ce qu'on fait** to have one's mind on what one is doing; **elle est toujours à se plaindre** she's always complaining; **3** **il n'est plus** euph he's no longer with us; **ce temps n'est plus** those days are gone; **ces traditions ne sont plus** these traditions are things of the past; **fût-il duc/en cristal** even if he were a duke/it were made of crystal, even were he a duke/were it made of crystal; **n'était leur grand âge** were it not for their advanced age, if it were not for their advanced age; **ne serait-ce qu'en faisant** if only by doing; **ne fût-ce que pour la soulager/qu'un instant** if only to relieve her/for a moment; **fût-ce pour des raisons humanitaires** if only on humanitarian grounds

(Idiome) **on ne peut pas ~ et avoir été** Prov you can't stay young forever

être[2] /ɛtʀ/ *nm* **1** (organisme vivant) being; **~ humain/vivant/surnaturel** human/living/supernatural being; **les ~s animés et inanimés** animate and inanimate things; **les ~s et les choses** living things and objects; **un ~ sans défense** a defenceless[GB] creature; **ces plantes sont des ~s inférieurs** these plants are inferior life-forms; **2** (personne) person; **un ~ d'exception** an exceptional person; **un ~ faible et timoré** a weak and timorous person; **les ~s qui doutent** people who doubt; **l'amitié entre deux ~s** friendship between two people; **un ~ cher** *or* **aimé** a loved one; **ce sont des ~s simples** they're simple beings *ou* souls; **son mari est un ~ sensible** her husband is a sensitive soul; **3** (nature intime) being; **de tout son ~** [*détester, souhaiter*] with one's whole being; **au fond de son ~, elle savait que** in the core of her being, she knew that; **blessé au plus profond de son ~** hurt to the core; **les ~s contradictoires qui vous habitent** the conflicting

être¹

Généralités

Dans la plupart des situations exprimant l'existence, l'identité, la localisation, la qualité, *être* sera traduit par *to be*:

je pense donc je suis
= I think therefore I am

le soleil est une étoile
= the sun is a star

j'étais chez moi
= I was at home

l'eau est froide
= the water is cold

Les locutions figées contenant *être* sont traitées sous l'entrée appropriée. Ainsi *être en train de/sur le point de/hors de soi* etc. sont respectivement sous **train**, **point**, **hors** etc.; *comme si de rien n'était* et *quoi qu'il en soit* sous **comme** et **quoi**. Selon le même principe, l'emploi facultatif de *étant* après *considérer comme* et *présenter comme* est traité sous ces verbes; *étant donné* (*que*) et *étant entendu que* sont sous **donné** et **entendu**. La plupart des autres emplois de *étant* se traduisent par *being*:

cela **(*ou ceci*)** ***étant***
= this being so

En revanche, *c'est-à-dire*, *n'est-ce pas*, *peut-être* et *soit* sont des entrées à part entière, traitées à leur place dans le dictionnaire.

Par ailleurs, on consultera utilement les notes d'usage répertoriées ▸ **p. 1948.**

être = verbe auxiliaire

De la voix passive

être auxiliaire de la voix passive se traduit par *to be*. On notera l'emploi des divers temps en anglais.

Au présent

où sont les épreuves? elles sont révisées par le traducteur
= where are the proofs? they are being revised by the translator

votre voiture est réparée
= your car has been repaired

les portes sont repeintes chaque année
= the doors are repainted every year

Au passé

les épreuves ont été révisées en juin
= the proofs were revised in June

les épreuves ont été révisées plusieurs fois
= the proofs have been revised several times

les épreuves ont été révisées bien avant ma démission
= the proofs had been revised long before I resigned

Du passé dans les temps composés

être se traduit par *to have* si le temps est également composé en anglais – ce qui est beaucoup moins fréquent qu'en français (voir ci-dessus) – sauf avec *naître*. Dans certains contextes, on peut avoir:

elles sont tombées
= they have fallen

ils se sont enfuis
= they have escaped

elle s'était vengée
= she had taken her revenge

Les verbes traduits par une construction passive ou attributive en anglais suivent les mêmes règles au passé:

se vendre
= to be sold

tous les livres se sont vendus
= all the books have been sold

s'indigner
= to be indignant

elle se serait indignée
= she would have been indignant

Noter que la forme pronominale à valeur passive est souvent mieux rendue en anglais par une forme intransitive:

les livres se sont bien vendus
= the books have sold well

être = *aller*

Lorsqu'il signifie *aller*, *être* se traduit par *to be* en anglais, mais seulement s'il est directement suivi d'un complément de lieu:

je n'ai jamais été en Chine
= I've never been to China

Suivi d'un infinitif, il se rend par *to go to*:

il a été voir son ami
= he's gone to see his friend

j'ai été manger au restaurant
= I went to eat in a restaurant

Dans le sens de *s'en aller*, on notera les tournures recherchées:

ils s'en furent au théâtre
= they went to the theatre

ils s'en furent **(*déçus*)**
= they left (disappointed)

c'est

Interrogation

est-ce, ou sa variante plus familière *c'est*, se traduit généralement par *is it*:

est-ce leur voiture?
= is it their car?

c'est grave?
= is it serious?

c'est toi ou ton frère?
= is it you or your brother?

Quand ce garde sa valeur démonstrative, l'anglais précise la référence:

est-ce clair?
= is that clear?

qui est-ce?
= who is he/she?
(*en montrant une personne*)
= who is that?

(mais, en parlant de quelqu'un qui vous appelle au téléphone, ou à quelqu'un qui frappe à la porte):

qui est-ce?
= who is it?

est-ce n'est généralement pas traduit dans les tournures emphatiques ou permettant d'éviter l'inversion du sujet en français:

est-ce que tu parles russe?
= do you speak Russian?

est-ce leur fils, ce garçon?
= is this boy their son?

qui est-ce qui l'a fait?
= who did it?

qui est-ce que tu as rencontré?
= who did you meet?

quand est-ce que tu manges?
= when do you eat?

qu'est-ce que c'est?
= what is it?
(*ou comme vu plus haut*)
= what is this/that? (*selon que l'on montre un objet proche ou éloigné*)

Néanmoins, la tournure emphatique est également possible en anglais dans certaines expressions:

qu'est-ce que j'entends?
= what's this I hear?

est-ce bien ce qu'il a voulu dire?
= is that what he really meant?

Affirmation

c'est se traduit, selon les contextes, *it is* (*it's*), *this is*, *that is* (*that's*):

c'est facile (*de critiquer*)
= it's easy
(*ce que tu me demandes, ce travail*)
= that's easy

c'est moi (*réponse à 'qui est-ce?'*)
= it's me
(*réponse à 'qui le fait?'*)
= I do
(*réponse à 'qui l'a fait?'*)
= I did
(*pour me désigner sur une photo, ou comme étant le personnage dont il est question*)
= that's me (*traduit également ça, c'est moi*)

c'est eux, ce sont eux
(*qui sont là-bas, que je montre*)
= it's them
(*qui le font*)
= they do
(*qui l'ont fait*)
= they did
(*qui arrivent*)
= here they are

ce sont mes enfants (*que je vous présente*)
= these are my children
(*qui sont là-bas*)
= they are my children

c'est cela
= that's right

c'est ça! tu crois que je vais faire le travail tout seul?
= what's this! do you think I'm going to do the work all by myself?

Lorsqu'il reprend un nom, un infinitif ou une proposition qui le précède *c'est* se traduit seulement par *is*:

réussir, c'est une question de volonté
= succeeding is a question of will-power

sortir par ce temps, c'est de la folie
= going out in this weather is sheer madness

eux, ce sont mes amis
= they are my friends

De même, lorsque *c'est que* reprend un groupe nominal ou une proposition, il se traduit simplement par *is that*:

le comique, c'est que...
= the funny thing is that...

On se reportera à l'entrée appropriée, comme **comique**, **fort** etc.

Lorsque *c'est que* sert à donner une explication il se rend généralement, et selon le temps, par *it is that*, *it was that*, mais aussi, pour insister sur l'explication, par *it is/was because*:

si j'ai fait ça, c'est que je ne pouvais pas faire autrement
= if I did that, it was because I couldn't do otherwise

☛ Voir page suivante

e

i être¹ *suite*

ce n'est pas que se traduit la plupart du temps par *it is/was not that* (la contraction est *it's not* plutôt que *it isn't*):

ce n'est pas qu'il soit bête, mais...
= it's not that he is stupid, but...

En corrélation avec un pronom relatif, *c'est* peut soit garder sa valeur de présentatif (voir plus haut) et se rendre par *that's*:

c'est le journaliste qui m'a interviewé
= that's the journalist who interviewed me

c'est le journaliste dont je te parlais
= that's the journalist I was telling you about

c'est le château où je suis né
= that's the castle where I was born

c'est ce qui me fait croire que...
= that's what makes me think that...

c'est justement ce que je disais
= that's exactly what I was saying

soit constituer une tournure emphatique qui se rend en anglais selon la nuance:

c'est de la même femme que nous parlons
= we're talking about the same woman

c'était d'en parler devant elle qui me gênait
= talking about it in front of her was what made me feel uneasy
ou what made me feel uneasy was talking about it in front of her

c'est lui/Paul qui l'a cassé
(*je le dénonce*)
= he/Paul broke it
(*je l'accuse*)
= he/Paul is the one who broke it

c'est mon frère qui l'a écrit
= it was my brother who wrote it
ou my brother's the one who wrote it

c'est de ta sœur que je parlais, pas de toi
= it was your sister I was talking about, not you

c'est cette voiture qui m'intéresse
= this is the car (that) I am interested in

c'est lui le coupable
= he is the culprit

ce sont eux les meurtriers
= they are the murderers

c'est à suivi d'un infinitif se traduit parfois par *it is* suivi de l'adjectif correspondant si cette même transformation est possible en français:

c'est à désespérer *ou* ***c'est désespérant***
= it's hopeless

mais c'est rare, et il est conseillé de se reporter à l'infinitif en question ou à l'un des autres termes obtenus à partir de transformations semblables.

c'est à ... de faire (ou parfois *à faire*) se traduira de deux manières:

c'est à Pierre/lui de choisir
(*c'est son tour*)
= it's Pierre's/his turn to choose
(*c'est sa responsabilité*)
= it's up to Pierre/to him to choose

La notion de rivalité contenue dans *c'est à qui* suivi du futur doit être rendue explicite en anglais:

c'est à qui proposera le plus de réformes
= each is trying to suggest more reforms than the other

c'était à qui des deux aurait le dernier mot
= they were each trying to get in the last word

c'était à qui trouverait le plus d'erreurs dans le texte
= they were vying with each other to find the most mistakes in the text

c'est, équivalent de *ça fait* dans le compte d'une somme, se rend par *it is*:

c'est 30 euros
= it's 30 euros

c'est combien?
= how much is it?

ce sera avec valeur modale de *ce doit être* se traduit *it must be*:

ce sera mon professeur de piano
= it must be my piano teacher

être = verbe impersonnel

il est facile de critiquer
= it is easy to criticize

il serait nécessaire de faire
= it would be necessary to do

il est des gens bizarres
= there are some strange people

il n'est pas de jour/d'heure sans qu'il se plaigne
= not a day/an hour goes by without him complaining

On se référera par ailleurs aux notes d'usage concernant l'heure et la date; voir aussi les entrées **temps** et **fois**.

il est à suivi d'un infinitif se rend différemment, selon les nuances qu'impose le contexte, par *it must be, it has to be, it should be, it can be* suivis du participe passé. Pour plus de sûreté, on se reportera à l'infinitif en question, où cette construction est généralement traitée.

il est de suivi d'un substantif ou d'un groupe nominal se rend souvent par *it is* suivi directement d'un adjectif ou d'un substantif précédé d'un déterminant (article, pronom):

il est de coutume de faire *ou* ***qu'on fasse***
= it is customary (*ou* the custom) to do

il est de notre responsabilité de faire
= it is our responsibility to do

Mais ce n'est pas une règle absolue, et il est préférable de consulter des entrées telles que **goût, règle, notoriété** etc. pour avoir des traductions adéquates. Voir également sous l'entrée pour des exemples supplémentaires.

Emplois avec *en*

en être

Certains cas sont traités sous la rubrique 'être = verbe impersonnel'; d'autres, expressions figées, le sont sous l'entrée appropriée; voir par exemple **poche** et **frais** pour *en être de sa poche/pour ses frais*. Enfin, quand l'antécédent de *en* est exprimé dans la phrase, l'expression est traitée plus bas sous *être de*:

où en étais-je?
= where was I?

je ne sais plus où j'en suis
= I'm lost

'où en es-tu de tes recherches?' 'j'en suis à mi-chemin/au début'
= 'how far have you got in your research?' 'I'm halfway through/at the beginning'

elle a eu plusieurs amants/accidents: elle en est à son quatrième
= she has had several lovers/accidents: this is her fourth

j'en suis à me demander si...
= I'm beginning to wonder whether...

j'en étais à ne pouvoir distinguer le vrai du faux
= I'd got to the point where I couldn't distinguish between truth and falsehood

être en

Suivie d'un substantif représentant un vêtement, l'expression peut être traduite *to be in*, mais on consultera l'entrée appropriée pour s'en assurer. Si l'on dit *to be in uniform* ou éventuellement *to be wearing a uniform* pour *être en uniforme*, l'anglais préfère généralement *to be wearing a suit* à *to be in a suit* pour *être en costume* (de même pour *robe, tailleur* etc.). Dans le cas d'un déguisement, on a *to be dressed up as*:

être en pirate
= to be dressed up as a pirate.

emplois avec y

j'y suis
(*je vous comprends*)
= I'm with you
(*plus général mais un peu familier*)
= I get it

je n'y suis pas (*je ne comprends pas*)
= I don't get it

vous y êtes?
(*vous comprenez?*)
= are you with me?
(*vous êtes prêt(e)?*)
= are you ready?

3 000 euros? vous n'y êtes pas!
= 3,000 euros? you're a long way out!

tu n'y es pas, c'est plus compliqué que ça
= you don't realize, it's a lot more complicated than that

Voir aussi les entrées **y**, adverbe de lieu, et **pour**.

être + prépositions

La plupart des cas (*être dans, sur, devant, pour, après, avec* etc.) sont traités sous la préposition correspondante. Ne sont retenus ici que les cas particuliers de *être à* et *être de*.

être à

Les cas où l'on peut faire l'ellipse de *être* ou le remplacer par un autre verbe sont traités sous la préposition **à**; ceux de *en être à* sous la rubrique 'en être', et ceux de *c'est à* sous la rubrique 'c'est'.

Les emplois de *être à* suivi d'un groupe nominal et signifiant 'tendre vers' sont généralement traités sous le substantif approprié, comme **temps, hausse, agonie** etc. dans les expressions *le temps est à la pluie, être à la hausse, être à l'agonie*. De même, quand *être à* signifie un état, c'est sous le substantif ou l'adjectif approprié, comme **bout, disposition, quai, vif** etc., qu'on trouvera la ou les traductions de l'expression correspondante.

Suivi d'un infinitif et signifiant *devoir être, être à* peut généralement se traduire, en observant les mêmes nuances qu'avec *devoir*, par *must be, have to be* ou *should be* suivi du participe passé du verbe anglais. Il reste conseillé de consulter l'infinitif en question, comme **plaindre, prendre** etc. On en trouve également un traitement succinct sous les rubriques 'être = verbe impersonnel' et 'c'est'.

Au sens de *appartenir à*, l'anglais utilise *to be* suivi du cas possessif quand le possesseur est un être animé ou d'un pronom possessif si celui-ci est représenté par un pronom objet. Si le cas possessif n'est pas d'usage, on utilise de préférence *to belong to*:

ce livre est à moi
= this book is mine

ce livre est à mon frère
= this book is my brother's

ces dictionnaires sont au service de traduction
= these dictionaries belong to the translation department

à qui est ce chien?
= who does this dog belong to?
ou whose dog is this?

être¹ *suite*

être de

Quand elle exprime un état ou une situation, la tournure *être de* suivie d'un substantif sans déterminant est traduite sous le substantif en question, notamment **avis**, **garde**, **service** etc. De même, certaines expressions où la présence de déterminant est variable, comme dans *être de mauvaise foi*/*d'une incroyable mauvaise foi* sont traitées sous l'entrée appropriée, en l'occurrence, **foi**; voir aussi **humeur**, **poil** etc.

La construction *être d'un*/*d'une* suivie d'un adjectif substantivé ou d'un substantif exprimant une qualité ou un défaut peut généralement être rendue par *to be so* suivi de l'adjectif correspondant en anglais, si le substantif est seul:

elle est d'un ridicule!
= she's so ridiculous!

elle est d'une prétention!
= she's so pretentious!

Si le substantif est qualifié, l'adjectif devient généralement un adverbe en anglais:

il est d'une exquise courtoisie
= he's exquisitely courteous

il est d'une incompétence rare
= he's exceptionally incompetent

Mais il n'est pas inutile de vérifier les traductions des adjectifs et substantifs à leur entrée avant d'adopter cette construction.

Au sens de *participer à*, *faire partie de*, la tournure *être de* se traduit de façon très variable (voir aussi **partie**):

il est des nôtres (*il vient avec nous*)
= he's with us
(*il est de notre clan, agit et pense comme nous*)
= he's one of us

serez-vous des nôtres?
= will you be (coming) with us?

êtes-vous des nôtres?
= are you coming with us? (ici, *coming* est nécessaire, pour éviter l'ambiguïté de *are you with us?*)

les journalistes ne sont pas du voyage
= the journalists aren't coming on the trip

les journalistes ne seront pas du voyage
= the journalists won't be coming on the trip

ils ont organisé une expédition mais je n'en étais pas
= they organized an expedition but I wasn't part of it

il y avait un congrès mais il n'en était pas
= there was a congress but he didn't take part

Suivi d'un infinitif et précédé de noms abstraits avec l'article défini (*l'idéal*, etc.) ou de superlatifs (*le plus simple*), *être de* se traduit généralement par *to be* suivi de l'infinitif avec *to*:

le plus simple serait de tout recommencer
= the simplest thing to do would be to start all over again

---

selves within you; **4▸** Philos **l'~** being

étreindre /etʀɛ̃dʀ/ [55]
A *vtr* **1▸** (serrer) to embrace, to hug [*ami*]; to clasp [*adversaire*]; to clutch [*objet*]; **2▸** fig (oppresser) to constrain; **la peur/douleur l'étreignait** he was constrained by fear/pain
B s'étreindre *vpr* [*amis, amants*] to embrace (each other)
(Idiome) **qui trop embrasse mal étreint** ≈ grasp all, lose all

étreinte /etʀɛ̃t/ *nf* **1▸** (affectueuse, amoureuse) embrace; (violente) grip; **2▸** fig grip; **l'ennemi resserrait son ~** the army was tightening its grip
(Composé) **~ fatale** Ordinat deadly embrace

étrenner /etʀene/ [1] *vtr* (porter) to wear [sth] for the first time, to christen [*vêtement*]; (utiliser) to use [sth] for the first time [*objet, voiture*]

étrennes /etʀɛn/ *nfpl* (cadeau) gift; (argent) money; (gratification) ≈ Christmas box GB, Christmas present

étrier /etʀije/ *nm* Équit, Anat, Méd stirrup; (de ski) front binding; (d'alpiniste) etrier
(Composé) **~ de frein** Aut calliper
(Idiomes) **boire le coup de l'~**○ to have one for the road○; **mettre à qn le pied à l'~** to get sb started

étrille /etʀij/ *nf* **1▸** (brosse) currycomb; **2▸** (crabe) velvet swimming crab

étriller /etʀije/ [1] *vtr* **1▸** (nettoyer) to curry [*cheval*]; **2▸** fig (critiquer) to tear to pieces; **3▸** ○Sport to thrash○; **4▸** ○(faire trop payer) to fleece○, to overcharge; **se faire ~** to be fleeced

étripage /etʀipaʒ/ *nm* **1▸** ○(tuerie) bloodbath; **2▸** (de bêtes de boucherie) gutting

étriper /etʀipe/ [1]
A *vtr* **1▸** ○fig (tuer) to slaughter [*adversaire*]; **si je l'attrape, je l'étripe!** hum if I catch him I'll skin him alive!; **se faire ~** to get one's throat cut; **2▸** (ôter les tripes à) to gut [*veau, porc*]
B s'étriper○ *vpr* to murder each other

étriqué, **~e** /etʀike/ *adj* [*veste*] skimpy; [*vie*] restricted; [*appartement*] cramped; **elle a l'air ~ dans sa robe** her dress looks skimpy; **les esprits ~s** narrow-minded people

étrivière /etʀivjɛʀ/ *nf* stirrup leather

étroit, **~e** /etʀwa, at/
A *adj* **1▸** (pas large) narrow; **c'est trop ~** it is too narrow; **il est ~ d'épaules** he has narrow shoulders; **2▸** (restreint) [*idée, conception*] narrow; [*domaine professionnel, cercle d'amis*] narrow; **avoir l'esprit ~** to be narrow-minded; **3▸** (intime) [*amitié, liens familiaux*] close (*épith*); **il y a un rapport ~ entre** there is a close link between; **être en liaison ~e avec** to be in close contact with; **travailler en ~e collaboration avec** to work closely with; **4▸** (rigoureux) **sous ~e surveillance** (de la police) under close surveillance; **au sens ~ du terme** in the narrow sense of the word; **l'~e observance du carême** the strict observance of Lent
B à l'étroit *loc adv* **nous sommes un peu à l'~** (dans un appartement, une voiture) we're a bit cramped; **être logé à l'~** to live in cramped conditions; **se sentir à l'~** (financièrement) to feel the pinch; **je me sens un peu à l'~ dans ce pantalon/ces chaussures** these trousers GB *ou* pants US/these shoes feel a bit too tight

étroitement /etʀwatmɑ̃/ *adv* [*surveiller*] closely; **les deux questions sont ~ liées** the two questions are closely linked; **il observe ~ la consigne** he keeps strictly to the rules

étroitesse /etʀwatɛs/ *nf* lit, fig narrowness; **~ d'esprit** narrow-mindedness

étron /etʀɔ̃/ *nm* excreta (*pl*), turd○

Étrurie /etʀyʀi/ *nprf* Etruria

étrusque /etʀysk/ *adj, nm* Etruscan

Étrusque /etʀysk/ *nmf* Etruscan

étude /etyd/
A *nf* **1▸** (recherche) study; (enquête) survey; **~ de la UE** study by the EU (**sur** of); **~ portant sur** study on; **~ des** *or* **sur les pesticides** study of pesticides; **~ comparative/préliminaire** comparative/preliminary study; **~ réalisée par** study carried out by; **~ de V. Rossignol** study by V. Rossignol; **l'~ a porté sur mille personnes/deux régions** the survey involved one thousand people/two regions; **2▸** (observation) study (**de** of); **attentive du phénomène/de quatre cas** close study of the phenomenon/of four cases; **3▸** (prise en considération) **(mise à l')~** consideration; **être/rester à l'~** to be/to be still under consideration; **4▸** (apprentissage) study; **l'~ des langues étrangères** the study of foreign languages; **5▸** (d'avoué, de notaire) (bureau) office; (charge) practice; **6▸** Mus étude; **~s de Chopin** Chopin's études; **~ pour piano** étude for piano; **7▸** Art study; **~ de mains** study of hands; **8▸** Scol (salle) study room GB, study hall US; (période) study period; **j'ai deux heures d'~** I've got a two-hour study period
B études *nfpl* Scol, Univ studies; **~s bibliques/théoriques/de droit** biblical/theoretical/law studies; **faire des ~s** to be a student; **continuer/abandonner ses ~s** to continue/abandon one's studies; **elle a fait de brillantes ~s** she was very successful in her studies; **faire** *or* **poursuivre des ~s de médecine/au Canada** to study medicine/in Canada; **je n'ai pas fait d'~s (supérieures)** I didn't go to university *ou* college; **~s primaires/secondaires/supérieures** primary/secondary/higher education ₵
(Composés) **~ de cas** Sociol case study; **~ épidémiologique** Méd epidemiological study; **~ de faisabilité** Écon feasibility study; **~ d'impact** Écol environmental impact assessment; **~ de marché** Entr market research ₵; **faire** *or* **réaliser une ~ de marché** to do market research (**sur** on); **~ préparatoire** Art cartoon

étudiant, **~e** /etydjɑ̃, ɑ̃t/
A *adj* student; **population/colère ~e** student population/anger
B *nm,f* student; **c'est une** *or* **elle est ~e** she is a student; **~ en droit/lettres classiques/sciences politiques** law/classics/political science student; **~ de troisième cycle** ≈ postgraduate GB *ou* graduate US student

étudié, **~e** /etydje/
A *pp* ▸ **étudier**
B *pp adj* **1▸** (méticuleux) [*coupe*] original; [*ligne*] carefully designed; [*discours*] carefully prepared; **2▸** (non spontané) [*rire, gestes, démarche*] studied

étudier /etydje/ [2]
A *vtr* **1▸** (se pencher sur) to examine [*dossier, situation, projet de loi*]; to study [*dessin, carte, plan*]; **2▸** (prendre en considération) to consider [*création, aide, généralisation*]; **~ la vente d'armements** to consider selling weapons; **3▸** (faire une recherche sur) [*personne*] to study [*animal, système, corps célestes, époque*]; [*science*] to deal with [*problème*]; **4▸** (apprendre) to study [*langue, violon*]; to learn [*leçon*]; **~ le russe/le chant** to study Russian/singing; **5▸** (observer) to study [*personne, réaction*]; **~ son adversaire** to study one's opponent; **6▸** (calculer) to calculate [*geste, effet*]; **7▸** (concevoir) to design [*nouveau moteur*]
B *vi* **1▸** (faire des études) **~ à l'école internationale/à Varsovie** to be a student at the international school/in Warsaw; **2▸** (apprendre) to be studying

étui /etɥi/ *nm* gén case; **~ à jumelles/lunettes** binocular/spectacle-case; **~ à revolver** holster

étuve /etyv/ *nf* **1▸** (bain de vapeur) steam room; fig **le grenier est une ~** the attic is like an oven; **2▸** (de désinfection) autoclave; (en microbiologie) incubator

étuvée /etyve/ *nf* **à l'~** braised; **faire cuire à l'~** to braise

étymologie /etimɔlɔʒi/ *nf* etymology

étymologique /etimɔlɔʒik/ *adj* etymological

étymologiquement /etimɔlɔʒikmɑ̃/ *adv* etymologically

étymologiste /etymɔlɔʒist/ *nmf* etymologist
étymon /etimɔ̃/ *nm* etymon
eucalyptus /økaliptys/ *nm inv* eucalyptus
eucharistie /økaʀisti/ *nf* (sacrifice) Eucharist; (pain, vin) the Sacrament
eucharistique /økaʀistik/ *adj* Eucharistic
Euclide /øklid/ *npr* Euclid
euclidien, **-ienne** /øklidjɛ̃, ɛn/ *adj* Euclidean
eudiomètre /ødjɔmɛtʀ/ *nm* eudiometer
eugénique /øʒenik/
A *adj* eugenic
B *nf* eugenics (+ *v sg*)
eugénisme /øʒenism/ *nm* eugenics (+ *v sg*)
euh○ /œ/ *excl* (embarras, hésitation) er...
eunuque /ønyk/ *nm* eunuch
euphémique /øfemik/ *adj* euphemistic
euphémiquement /øfemikmɑ̃/ *adv* euphemistically
euphémisme /øfemism/ *nm* euphemism; **par ~** euphemistically
euphonie /øfɔni/ *nf* euphony
euphonique /øfɔnik/ *adj* euphonious; **loi ~** rule of euphony
euphoniquement /øfɔnikmɑ̃/ *adv* euphoniously
euphonium /øfɔnjɔm/ *nm* euphonium
euphorbe /øfɔʀb/ *nf* euphorbia
euphorie /øfɔʀi/ *nf* euphoria
euphorique /øfɔʀik/ *adj* [*personne*] euphoric; [*marché, Bourse*] bullish
euphorisant, **~e** /øfɔʀizɑ̃, ɑ̃t/
A *adj* [*boisson*] stimulating; [*vertu, atmosphère*] uplifting; [*substance, drogue*] euphoriant
B *nm* Méd stimulant
euphoriser /øfɔʀize/ [1] *vtr* **1** [*substance*] **~ qn** to induce euphoria in sb; **2** [*nouvelle, expérience*] to elate
Euphrate /øfʀat/ ▸ **p. 372** *nprm* **l'~** the Euphrates
eurafricain, **~e** /øʀafʀikɛ̃, ɛn/ *adj* [*personne*] Eurafrican; [*entreprise*] Euro-African
Eurafricain, **~e** /øʀafʀikɛ̃, ɛn/ *nm,f* Eurafrican
eurasiatique /øʀazjatik/ *adj* Eurasian
Eurasiatique /øʀazjatik/ *nmf* Eurasian
Eurasie /øʀazi/ *nprf* Eurasia
eurasien, **-ienne** /øʀazjɛ̃, ɛn/ *adj* Eurasian
Eurasien, **-ienne** /øʀazjɛ̃, ɛn/ *nm,f* Eurasian
Euratom /øʀatɔm/ *nf* (*abbr* = **European atomic energy commission**) Euratom
Eure /œʀ/ ▸ **p. 721**
A *nprm* (département) **l'~** Evre
B ▸ **p. 372** *nprf* (rivière) **l'~** the Evre
Eure-et-Loir /œʀelwaʀ/ ▸ **p. 721** *nprm* (département) **l'~** Eure-et-Loir
eurêka /øʀeka/ *excl* eureka!
Euripide /øʀipid/ *npr* Euripides
euristique = **heuristique**
EURL /œyɛʀɛl/ *nf*: *abbr* ▸ **entreprise**
euro /øʀo/ ▸ **p. 48** *nm* euro
eurobanque /øʀobɑ̃k/ *nf* Eurobank
eurochèque /øʀoʃɛk/ *nm* Eurocheque
eurocommunisme /øʀokɔmynism/ *nm* Eurocommunism
euroconnecteur /øʀokɔnɛktœʀ/ *nm* (femelle) scart socket; (mâle) scart plug
eurocrate /øʀokʀat/ *nmf* Eurocrat
eurodéputé, **~e** /øʀodepyte/ *nm,f* Euro-MP
eurodollar /øʀodɔlaʀ/ *nm* Eurodollar
euro-émission, *pl* **~s** /øʀoemisjɔ̃/ *nf* Euro-issue
euroland(e) /øʀolɑ̃d/ *nm* Euroland
euromarché /øʀomaʀʃe/ *nm* Euromarket
euromissile /øʀomisil/ *nm* Euro missile
euro-obligation, *pl* **~s** /øʀoɔbligasjɔ̃/ *nf* Eurobond
europarlementaire /øʀopaʀləmɑ̃tɛʀ/ *nmf* Member of the European Parliament
Europe /øʀɔp/ ▸ **p. 333** *nprf* **1** Géog Europe; **l'~ de l'Est** Eastern Europe; **2** Pol UE **l'~ communautaire** the European community; **l'~ des vingt-sept** the twenty-seven members of the EU; **l'~ de 2007** Europe in 2007; **l'~ verte** Agricultural Europe; **l'~ de l'espace** the joint European space venture; **l'~ sociale** social aspects of Europe; **faire l'~** to build (the new) Europe
européanisation /øʀɔpeanizasjɔ̃/ *nf* Europeanization
européaniser /øʀɔpeanize/ [1]
A *vtr* to europeanize [*pays*]; **~ un débat** to broaden a debate to a European level
B **s'européaniser** *vpr* [*pays*] to become europeanized; [*économie*] to become adapted to a European framework
européen, **-éenne** /øʀɔpeɛ̃, ɛn/
A *adj* European
B **européennes** *nfpl* **les ~s** the European elections
Européen, **-éenne** /øʀɔpeɛ̃, ɛn/ *nm,f* **1** Géog (habitant) European; **2** Pol (partisan) pro-European
euroscepticisme /øʀosɛptisism/ *nm* Euroscepticism
eurosceptique /øʀosɛptik/ *adj, nmf* eurosceptic
Eurotunnel /øʀotynɛl/ *nm* Eurotunnel
Eurovision /øʀovizjɔ̃/ *nf* Eurovision; **en ~** through Eurovision
Eurydice /øʀidis/ *npr* Eurydice
eurythmie /øʀitmi/ *nf* eurhythmy
eustatique /østatik/ *adj* eustatic
euthanasie /øtanazi/ *nf* euthanasia
(Composé) **~ active** active euthanasia
euthanasier /øtanazje/ [1] *vtr* to put down [*animaux*]; to practise[GB] euthanasia on [*personnes*]
eutrophisation /øtʀɔfizasjɔ̃/ *nf* eutrophication
eux /ø/ *pron pers* **1** (sujet) they; **~ regardent la télévision, nous, nous lisons** they watch television, we read; **~ seuls ont le droit de parler** they alone have the right to speak; **~, ils ne disent jamais ce qu'ils pensent** they never say what they think; **ce sont ~, je les reconnais** it's them, I recognize them; **je sais que ce n'est pas ~ qui ont fait ça** I know they weren't the ones who did it, I know it wasn't them who did it; **2** (dans une comparaison) them; **je travaille plus qu'~** I work more than they do *ou* than them; **je le vois plus souvent qu'~** (qu'ils ne le voient) I see him more often than they do; (que je ne le vois) I see him more often than them *ou* than I see them; **3** (objet) **les inviter, ~, quelle idée!** invite THEM, what an idea!; **~, il faut les enfermer** they should be locked up; **4** (après une préposition) them; **à cause d'/autour d'/auprès ~** because of/around/after them; **un cadeau pour ~** a present for them; **pour ~ c'est important?** is it important to them?; **elle ne pense pas à ~** she doesn't think of them; **je n'écris à personne sauf ~** I don't write to anyone but them, I only write to them; **sans ~ nous n'aurions pas pu réussir** we could never have managed without them; **à ~, je peux dire la vérité** I can tell THEM the truth; **ce sont des amis à ~** they're friends of theirs; **ils n'ont pas encore de voiture à ~** they don't have their own car yet; **les journaux sont-ils à ~?** are the newspapers theirs?, do the newspapers belong to them?; **c'est à ~** (appartenance) it's theirs, it belongs to them; **c'est à ~ de faire la vaisselle** it's their turn to do the dishes; **c'est à ~ de choisir** (leur tour) it's their turn to choose; (leur responsabilité) it's up to them to choose; **les verres sont sur la table, certains d'entre ~ sont sales** the glasses are on the table, some of them are dirty
eux-mêmes /ømɛm/ *pron pers* themselves; **ils me l'ont dit ~** they told me themselves; **ils ont décidé ~** they decided themselves, they made the decision themselves; **après les motos et les voitures les camions ~ commencent à montrer des signes de faiblesse** after the motorbikes and the cars even the lorries are beginning to show signs of weakness; **les chiffres de 1990 enregistrent ~ une forte progression** the figures for 1990 show a marked increase as well; **les experts ~ reconnaissent que...** even the experts admit that...; **ils me l'ont dit d'~** they volunteered the information, they told me themselves; **les meubles n'ont pas de valeur en ~** the furniture has no value in itself
évacuateur, **-trice** /evakɥatœʀ, tʀis/
A *adj* [*canal*] discharge
B *nm* sluice
évacuation /evakɥasjɔ̃/ *nf* **1** (de liquide) discharge; **il y a un problème d'~ de l'eau** the water doesn't drain away; **2** (de lieu, personnes) evacuation
(Composé) **~ sanitaire** medical evacuation
évacué, **~e** /evakɥe/ *nm,f* evacuee
évacuer /evakɥe/ [1] *vtr* **1** (faire sortir) to evacuate [*personne*]; (vider) to evacuate [*lieu*]; to drain off [*eaux usées*]; **faire ~ une pièce** to evacuate a room; **2** fig to shrug off [*problème*]; **3** Méd to evacuate [*excréments*]; to eliminate [*toxines*]
évadé, **~e** /evade/ *nm,f* escapee
évader: **s'évader** /evade/ [1] *vpr* **1** (s'enfuir) to escape (**de** from); **faire ~ qn** to help sb to escape; **un prisonnier évadé** an escaped prisoner; **2** fig to get away (**de** from)
évaluable /evalɥabl/ *adj* assessable
évaluation /evalɥasjɔ̃/ *nf* **1** (de collection, bijou, maison) valuation; **faire l'~ de** to value [*bijou, maison*]; **2** (de coûts, dégâts, besoins, soins) (action) assessment; (résultat) estimate, appraisal US; **~ de l'impôt** tax assessment; **3** Entr (de personnel, employé) appraisal
évaluer /evalɥe/ [1] *vtr* **1** (estimer approximativement) to estimate [*grandeur, durée*] (**à** at); to assess [*risques, importance, coût*]; to assess [*dégâts, besoins*]; **j'évalue son chiffre d'affaires à moins de** I would put his turnover at less than; **il est difficile d'~ le montant de la dette** it is difficult to assess the total debt; **on évalue à 2 500 le nombre de victimes de l'épidémie** the epidemic has claimed an estimated 2,500 victims; **2** (déterminer la valeur de) to value, to appraise US [*meuble, patrimoine*]; **~ qch à 100 euros** to value sth at 100 euros; **faire ~ un tableau** to have a painting valued *ou* appraised US; **3** (juger) to assess [*employé, élève*]
évanescent, **~e** /evanesɑ̃, ɑ̃t/ *adj* (tous contextes) evanescent
évangélique /evɑ̃ʒelik/ *adj* **1** (conforme à l'Évangile) [*charité, vie*] Christian; **2** (de l'église réformée) Evangelical
évangélisateur, **-trice** /evɑ̃ʒelizatœʀ, tʀis/
A *adj* evangelical
B *nm,f* evangelist; (catholique) missionary
évangélisation /evɑ̃ʒelizasjɔ̃/ *nf* evangelization
évangéliser /evɑ̃ʒelize/ [1] *vtr* evangelize
évangélisme /evɑ̃ʒelism/ *nm* **1** (de l'Évangile) evangelism; **2** (de l'église réformée) Evangelicalism
évangéliste /evɑ̃ʒelist/ *nm* **1** (apôtre) Evangelist; **2** (de l'église réformée) evangelist
Évangile /evɑ̃ʒil/ *nm* (message, livre) Gospel; **les quatre ~s** the Four Gospels; **l'~ selon St Marc** the Gospel according to St Mark GB, the Gospel according to Mark; **c'est/ce n'est pas parole d'~** it's/it's not gospel (truth)
évanouir: **s'évanouir** /evanwiʀ/ [3] *vpr* **1** (perdre conscience) to faint (**de** with); **évanoui** unconscious; **2** fig (disparaître) to fade

évanouissement /evanwismɑ̃/ *nm* **1** Méd (perte de conscience) blackout, fainting fit; **2** fig (disparition) fading; **3** Télécom fading

évaporation /evapɔʀasjɔ̃/ *nf* evaporation

évaporé, **~e** /evapɔʀe/
A *pp* ▸ **évaporer**
B *adj* [*personne*] pej giddy
C *nm,f* pej birdbrain○ péj

évaporer: **s'évaporer** /evapɔʀe/ [1] *vpr* **1** Chimie, Phys [*liquide*] to evaporate; **faire ~** to evaporate; **2** ○fig (disparaître) to vanish; **il s'est évaporé dans la nature** he vanished into thin air

évasé, **~e** /evaze/
A *pp* ▸ **évaser**
B *pp adj* [*tuyau*] flared; [*verre*] bell-shaped; [*jupe, manches*] flared; **un vase de forme ~e** a widemouthed vase

évasement /evazmɑ̃/ *nm* widening out

évaser /evaze/ [1]
A *vtr* to widen [sth] at the mouth [*conduit, trou*]; Cout to flare [*vêtement*]
B **s'évaser** *vpr* [*conduit*] to open out; [*jupe*] to be flared

évasif, **-ive** /evazif, iv/ *adj* evasive; **d'un air ~** evasively

évasion /evazjɔ̃/ *nf* **1** (de détenu) escape; **tentative d'~** escape attempt; **2** fig (changement) escape; **la lecture permet l'~** reading is a chance to escape

(Composés) **~ des capitaux** flight of capital; **~ fiscale** tax avoidance

évasivement /evazivmɑ̃/ *adv* evasively

Ève /ɛv/ *nprf* Eve; **en tenue d'~** in one's birthday suit hum

(Idiome) **elle ne le connaît ni d'~ ni d'Adam** she doesn't know him from Adam

évêché /eveʃe/ *nm* **1** (territoire) diocese; **2** (résidence) bishop's palace

éveil /evɛj/ *nm* **1** (de nature, dormeur) awakening; (de vocation, d'intelligence) awakening; (d'amour) dawning; **donner l'~ (à qn)** (mettre en alerte) to arouse (sb's) suspicions; **mettre en ~** to arouse [*curiosité, méfiance*]; **être en ~** [*soupçons, jalousie*] to be aroused; **cela me tenait en ~** [*bruit, soupçons*] it kept me on the alert; **tenir les sens de qn en ~** to thrill sb's senses; **l'~ de l'adolescent à l'amour** the dawning awareness of love in an adolescent; **2** Scol **~, activités d'~** non basic subjects

(Composé) **~ musical** introduction to music

éveillé, **~e** /eveje/
A *pp* ▸ **éveiller**
B *pp adj* (alerte, intelligent) [*enfant*] bright; **elle a l'esprit ~** she's bright

éveiller /eveje/ [1]
A *vtr* **1** to arouse [*intérêt, curiosité, méfiance*]; to stimulate [*intelligence, imagination*]; **~ la conscience/le goût de qn** to awaken sb's conscience/taste; **sans ~ l'attention** without attracting attention; **qu'est-ce qui a éveillé votre vocation de médecin?** what made you want to become a doctor?; **~ un enfant à la poésie/musique** to introduce a child to poetry/music; **2** (du sommeil) to wake [*dormeur*]; **être éveillé** to be awake
B **s'éveiller** *vpr* liter **1** lit [*personne, ville*] to awake; **2** fig [*imagination, intelligence*] to start to develop; **s'~ à l'amour/à d'autres cultures** to discover love/other cultures

événement* /evɛnmɑ̃/ *nm* **1** (incident) event; (occasion) event, occasion; **pour donner de l'éclat à l'~** to give prestige to the event; **je veux assister à l'~** I'd like to be at the event; **être dépassé par les ~s** to be overwhelmed; **riche en ~s** eventful; **2** (fait marquant) event; **c'est tout un ~ quand...** it's quite an event when...; **couvrir l'~** to give coverage to the event; **l'~ de l'année** the big event of the year; **faire** *or* **créer l'~** to make the news; **3** Math, Stat outcome

événementiel, **-ielle*** /evenmɑ̃sjɛl/ *adj* factual

évent /evɑ̃/ *nm* **1** (de circuit, réservoir) vent; **2** (de cétacé) blowhole, spiracle spéc

éventail /evɑ̃taj/ *nm* **1** (objet) fan; **disposer qch en ~** to fan sth out [*cartes, photos, magasines*]; **2** (série) range; **tout un ~ de possibilités** a whole range of possibilities; **~ des prix/salaires** price/salary range

(Idiome) **avoir les doigts de pied en ~**○ to laze about

éventaire /evɑ̃tɛʀ/ *nm* (devanture) stall; (de marchand ambulant) tray

éventé **~e** /evɑ̃te/
A *pp* ▸ **éventer**
B *pp adj* [*bière, limonade*] flat; [*parfum, café, thé, moutarde*] stale; [*vin*] past its best (*jamais épith*)

éventer /evɑ̃te/ [1]
A *vtr* **1** (deviner) to discover [*secret, complot*]; (révéler) to give away [*secret*]; **le secret est éventé** the secret has come out; **2** (avec un éventail) to fan [*personne*]; **3** (aérer) to air [*drap, habits*]
B **s'éventer** *vpr* **1** (pour se rafraîchir) to fan oneself; **2** [*parfum, café, thé, moutarde*] to go stale; [*vin*] to pass its best; [*bière, limonade*] to go flat

éventration /evɑ̃tʀasjɔ̃/ *nf* (hernie) rupture

éventré, **~e** /evɑ̃tʀe/
A *pp* ▸ **éventrer**
B *pp adj* **1** [*personne*] disembowelled[GB]; [*animal*] gutted; **2** fig [*fauteuil*] burst; [*bateau*] smashed up; [*maison*] shattered

éventrer /evɑ̃tʀe/ [1]
A *vtr* **1** (blesser) [*personne*] to disembowel; [*taureau*] to gore; **2** (ouvrir) to rip [sth] open [*matelas, sac*]; to burst [sth] open [*malle*]; to force [sth] open [*coffre*]; to shatter [sth] [*mur*]
B **s'éventrer** *vpr* **1** (se blesser) [*personne*] (dans un accident) to cut one's stomach open; **2** (s'ouvrir) [*sac*] to burst open

éventreur /evɑ̃tʀœʀ/ *nm* **Jack l'~** Jack the Ripper

éventualité /evɑ̃tɥalite/ *nf* **1** (événement possible) eventuality; **parer à toute ~** to be prepared for all eventualities; **2** (hypothèse) possibility; **l'~ que** the possibility that; **dans l'~ de qch** in the event of sth

éventuel, **-elle** /evɑ̃tɥɛl/ *adj* **1** (possible) possible; **2** Jur conditional

éventuellement /evɑ̃tɥɛlmɑ̃/ *adv* possibly; **il y aura Paul et ~ Nicole** Paul will be there and possibly Nicole; **cela pourrait ~ servir** that might be useful; **~ nous prendrons le train** we could take the train; **'tu viendras?'—'~'** 'will you come?'–'I might'; **je relis et ~ je corrige** I reread and if necessary I correct

évêque /evɛk/ ▸ **p. 848** *nm* bishop (**de** of)

(Idiome) **un chien regarde bien un ~** a cat may look at a king

évertuer: **s'évertuer** /evɛʀtɥe/ [1] *vpr* to try one's best (**à faire** to do), to strive (**à faire** to do)

éviction /eviksjɔ̃/ *nf* **1** (expulsion) ousting (**de** from); **2** Jur (dépossession) eviction; **indemnité d'~** compensation for disturbance of business tenancy

(Composé) **~ scolaire** mandatory absence due to notifiable illness

évidage /evidaʒ/, **évidement** /evidmɑ̃/ *nm* hollowing-out

évidemment /evidamɑ̃/ *adv* of course

évidence /evidɑ̃s/
A *nf* (fait d'être évident) obviousness; (vérité évidente) obvious fact; **c'est d'une ~** it's so obvious; **c'est l'~ même** it's glaringly obvious; **nier l'~** to deny the obvious; **se rendre à l'~** to face the facts; **dire une ~** to state the obvious; **de toute ~** *or* **à l'~, il a oublié** obviously he has forgotten; **nier qch contre toute ~** to deny sth despite all proof to the contrary
B **en évidence** *loc* **laisser/mettre qch en ~** lit (pour être vu) to leave/put sth in an obvious *ou* a prominent place; **j'avais laissé le dossier en ~** (volontairement) I had left the file in a prominent place; (par inadvertance) I had left the file lying around; **les clés sont en ~ sur le bureau** the keys are right in the middle of the desk; **mettre en ~** fig to highlight [*importance, faiblesse, utilité*]; **l'enquête a permis de mettre en ~ le lien entre** the investigation highlighted the link between; **mets-toi (bien) en ~ près de l'entrée** stand by the entrance where you can be seen easily

évident, **~e** /evidɑ̃, ɑ̃t/ *adj* **1** gén obvious; [*progrès, aggravation*] marked (*épith*); [*preuves*] clear (*épith*); **il est ~ que** it is obvious that; **il ment, c'est ~** he's obviously lying, it is obvious that he is lying; **2** ○**ce n'est pas ~**○ (ce n'est pas si sûr) not necessarily; (ce n'est pas si facile) it's not so easy; **ce n'est pas ~ à faire**○ it's not easy to do

évider /evide/ [1] *vtr* (creuser) to hollow out [*tronc, tige*]; Culin to scoop out [*légume, fruit*]

évier /evje/ *nm* sink; **~ à un bac/deux bacs** single/double sink

évincer /evɛ̃se/ [12] *vtr* **1** (écarter) to oust [*candidat, rival*]; **2** Jur (déposséder) to evict

évitable /evitabl/ *adj* [*erreur*] avoidable; **c'était difficilement ~** it couldn't have been avoided

évitage /evitaʒ/ *nm* (déplacement) swinging; (espace) room to swing

évitement /evitmɑ̃/ *nm* **1** Tech **gare/voie d'~** siding; **2** **réaction d'~** Biol avoidance reaction; Psych avoidant response

éviter /evite/ [1]
A *vtr* **1** (esquiver) to avoid [*obstacle, piéton*]; to dodge [*balle, coup*]; **je n'ai pas pu ~ l'arbre** I couldn't avoid the tree; **2** (s'efforcer de ne pas rencontrer) to avoid [*personne*]; **depuis, elle m'évite** since then, she's been avoiding me; **3** (se soustraire à) to avoid [*problème, crise, erreur, dérapage*]; **pour ~ la contagion** to avoid being infected; **4** (s'abstenir de) **~ qch/de faire** to avoid sth/doing; **évitez le sucre** *or* **de manger du sucre** avoid sugar *ou* eating sugar; **il faut ~ que cela (ne) se reproduise** we must make sure it doesn't happen again; **5** (épargner) **~ qch à qn** to save sb sth; **pour leur ~ des ennuis** to save them trouble; **je voulais t'~ une dépense** I wanted to spare you the expense; **~ à qn de faire** to save sb (from) doing; **cela m'évitera d'y aller/de leur téléphoner** it'll save me from going there/ from phoning them; **je lis, cela m'évite de penser à eux/m'ennuyer** I read, it keeps me from thinking about them/getting bored
B *vi* Naut [*navire*] to swing at anchor
C **s'éviter** *vpr* [*personnes*] to avoid one another

évocateur, **-trice** /evɔkatœʀ, tʀis/ *adj* **1** (suggestif) [*thème, image, sensation, nom*] evocative; **un parfum ~ de souvenirs** a scent that brings back memories; **2** (significatif) [*geste, chiffre*] significant

évocation /evɔkasjɔ̃/ *nf* **1** (remémoration) (action) evocation; (résultat) reminiscence; **~ de souvenirs** bringing back memories; **2** (mention) mention (**de** of); **3** Jur *right of a higher court to summon for review a case pending before a lower court*

évolué, **~e** /evɔlɥe/
A *pp* ▸ **évoluer**
B *pp adj* **1** (éclairé) [*individu, population*] enlightened; **il n'est pas très ~**○**!** he's not very bright!; **2** (avancé) [*pays, peuple*] civilized; **3** Ordinat [*langage*] high-level (*épith*); **4** Biol [*espèces*] evolved

évoluer /evɔlɥe/ [1] *vi* **1** (progresser) [*groupe, individu, goûts*] to evolve, to change; [*idée*] to evolve; [*technique, science*] to advance, to evolve; [*situation*] to develop; **la société évolue** society is changing; **en dix ans il a beaucoup évolué** he's changed a lot in ten years; **on évolue vers une solution** we're moving toward(s) a solution; **faire ~ la situation** to bring about some change in the situation; **maladie qui évolue** progressive illness; **2** (se déplacer gracieusement) [*patineurs, danseurs, nageurs*] to glide; [*deltaplane, avion*] to wheel;

e

~ sur une piste de danse to glide about on a dance floor; **ils n'évoluent pas dans le même monde** fig they don't move in the same circles; 3 Mil to manoeuvre GB, to maneuver US

évolutif, -ive /evɔlytif, iv/ *adj* gén, Méd progressive; **une situation évolutive** a changing situation; **un appareil téléphonique** ~ telephone with potential for additional facilities

évolution /evɔlysjɔ̃/
A *nf* 1 Biol evolution; **l'~ des espèces** the evolution of species; 2 (progrès) (de pays, personne) evolution (**de** of); (de langue) development (**de** of); (de la science) advancement (**de** of); (des goûts, mœurs, mentalités) evolution (**de** of); (d'enquête, étude) progress (**de** of); **~ technologique/sociale** technological/social advancement; **~ politique** political evolution; **~ démographique** demographical change; **l'~ d'une situation** the development of a situation; **~ de carrière** career advancement; **être en pleine ~** to be undergoing rapid change; **l'~ d'une maladie** the progression of an illness; 3 (changement) change (**de** in), variation; **l'~ du pouvoir d'achat** the fluctuations in buying power; 4 Météo **situation générale et ~** general synopsis
B **évolutions** *nfpl* 1 (mouvements gracieux) **les ~s des patineurs** the skaters' gliding movements; **suivre les ~s de l'avion dans le ciel** to watch the plane wheeling overhead

évolutionnisme /evɔlysjɔnism/ *nm* evolutionism

évolutionniste /evɔlysjɔnist/
A *adj* evolutionary
B *nmf* evolutionist

évoquer /evɔke/ [1] *vtr* 1 (se remémorer) [*personne*] to recall [*passé, amis, souvenirs*]; 2 (mentionner) to mention [*problème, question*]; **le problème de la retraite sera évoqué à la réunion** the retirement issue will be brought up at the meeting; **il s'est contenté d'~ les grands thèmes du roman** he simply touched on the main themes of the novel; 3 (faire penser à) [*objet, son, image*] to bring back [*souvenir*]; to conjure up [*image*]; to be reminiscent of [*printemps, enfance*]; **cela évoque pour moi l'Asie** it makes me think of Asia; 4 (raconter) [*auteur, musicien*] to evoke [*lieu, moment*]; 5 (par magie) to invoke; 6 Jur **~ une affaire** *to summon for review a case pending before a lower court*

evzone /ɛvzɔn/ *nm* evzone

ex[1] /ɛks/ *préf* **~-actrice/champion/maire/premier ministre** former actress/champion/mayor/prime minister; **le Zaïre, ~-Congo belge** Zaïre, the former Belgian Congo

ex[2] /ɛks/
A ○*nmf inv* (ancien conjoint, concubin, compagnon) ex; (ancien membre) ex-member; **un ~ du Parti** an ex-member of the Communist Party
B *nm* 1 (*written abbr* = **exemple**) eg; 2 (*written abbr* = **exemplaire**) copy; **25 ~** 25 copies

exacerbation /ɛgzasɛʀbasjɔ̃/ *nf* exacerbation

exacerber /ɛgzasɛʀbe/ [1] *vtr* to exacerbate; **exacerbé par** exacerbated by; **une sensibilité exacerbée** an exaggerated sensitivity

exact, ~e /ɛgza(kt), akt/ *adj* 1 (juste) [*réponse, calcul*] correct; [*prévision*] accurate, correct; **est-il ~ que** is it correct *ou* true that; **'tu y étais!'—'(c'est) ~'** 'you were there!'—'that's right'; 2 (précis) [*dimension, nombre*] exact; [*circonstances, limites, conditions*] exact, precise; [*identité*] true, exact; [*reproduction*] exact; **indiquez le montant ~** give the exact amount; **tu as l'heure ~e?** do you have the exact *ou* right time?; **mesurer l'~e ampleur de la catastrophe** to assess the exact *ou* precise extent of the disaster; **pour être plus ~** to be more precise; 3 (ponctuel) punctual

exactement /ɛgzaktəmɑ̃/ *adv* gén exactly; **mesurer qch ~** to measure sth accurately; **cela m'a coûté très ~ 203 euros** it cost me exactly 203 euros

exaction /ɛgzaksjɔ̃/
A *nf* exaction
B **exactions** *nfpl* gén barbaric acts, acts of violence; (en temps de guerre) atrocities; **~s policières** police brutalities

exactitude /ɛgzaktityd/ *nf* 1 (justesse) (de réponse, calcul) correctness; (de prévision) accuracy; 2 (précision) (de définition, description, renseignement, dimension) accuracy; (de reproduction) exactness; (de montre) accuracy; **contester l'~ des faits** to deny that the facts are accurate; **avec ~** [*mesurer, raconter*] accurately; **on ne connaît pas avec ~ les circonstances de leur mort** we don't yet know the exact circumstances surrounding their death; 3 (ponctualité) punctuality; ▸ **politesse**

ex æquo /ɛgzeko/
A *adj inv* (tous contextes) equally placed
B *adv* **ils ont terminé la course ~** they finished the race joint winners; **ils sont premiers/deuxièmes ~** Sport they've tied for first/second place
C *nmf inv* Scol equally ranked candidates; Sport equally placed contestants

exagération /ɛgzaʒeʀasjɔ̃/ *nf* exaggeration; **tomber dans l'~** to start exaggerating; **il est méthodique mais sans ~** he's methodical but not excessively so

exagéré, ~e /ɛgzaʒeʀe/
A *pp* ▸ **exagérer**
B *pp adj* 1 (outré) [*détail, récit, estimation*] exaggerated; [*forme, contour*] overdone; 2 (démesuré) [*chiffre, hausse*] excessive; [*louanges, politesse*] exaggerated; [*empressement, pessimisme, sévérité, importance*] excessive; **être d'une sensibilité ~e** to be oversensitive; **il n'est pas ~ de dire que...** it is no exaggeration to say that...; **deux heures de retard, c'est un peu ~!** two hours late, that's a bit much!

exagérément /ɛgzaʒeʀemɑ̃/ *adv* [*insister, augmenter*] excessively; [*optimiste, bruyant*] unduly, excessively

exagérer /ɛgzaʒeʀe/ [14]
A *vtr* (outrer) to exaggerate; **ils ont exagéré l'importance des dégâts** they exaggerated the extent of the damage; **n'exagérons rien** let's not exaggerate; **tu exagères toujours!** you're always exaggerating; **sans ~ nous étions au moins 100** without exaggeration there were at least 100 of us
B *vi* (abuser) to go too far, to push one's luck
C **s'exagérer** *vpr* [*personne*] to overestimate; **s'~ l'importance de qch** to overestimate the importance of sth

exaltant, ~e /ɛgzaltɑ̃, ɑ̃t/ *adj* [*aventure, lecture*] thrilling; [*projet, travail, musique*] inspiring

exaltation /ɛgzaltasjɔ̃/ *nf* 1 (vive excitation) elation; **parler avec ~** to speak elatedly; 2 (intensification) (d'imagination) stimulation; (de différence, passion) heightening; 3 (glorification) liter glorification

exalté, ~e /ɛgzalte/
A *pp* ▸ **exalter**
B *pp adj* (surexcité) [*personne, foule*] elated; [*discours, esprit*] impassioned; (intensifié) [*patriotisme, sentiment*] heightened
C *nm,f* fanatic

exalter /ɛgzalte/ [1]
A *vtr* 1 (transporter) to elate, to thrill [*personne, foule*]; 2 (intensifier) to heighten [*qualité, nationalisme*]; 3 (glorifier) liter to glorify [*personne, qualité*]
B **s'exalter** *vpr* (s'enthousiasmer) [*personne*] to enthuse

examen /ɛgzamɛ̃/ *nm* 1 Scol, Univ examination, exam○; **se présenter à** *or* **passer un ~** to take *ou* to sit (for) GB an exam; **~ d'entrée/de passage/final** entrance/end-of-year/final exam○; **~ de rattrapage** retake, resit GB; 2 Méd examination; **~ médical/clinique** medical/clinical examination; **~ médical complet** full medical; **~ biologique** biological test(s); **passer des ~s** to have some tests done; **~ de la vue** eye test; 3 (de cas, document, dossier) examination; (de demande, question) consideration; (de situation) gén examination; (avant un changement) review; **à l'~** on examination; **être à l'~** *or* **en cours d'~** [*dossier, budget*] to be under review; [*question, demande*] to be under consideration; [*cas*] to be under investigation; **se livrer à l'~ de** to examine [*cas, dossier, budget, loi*]; to consider [*question, demande*]; to review [*situation*]; **sans ~** out of hand; **ne pas résister à l'~** not to stand up to scrutiny; 4 (inspection) (de lieu) inspection; (d'objet) examination; **à l'~** on examination; 5 Jur **mettre qn en ~** ≈ to interview sb under caution

(Composés) **~ blanc** mock (exam)○; **~ de conscience** gén self-examination; Relig examination of one's conscience; **faire son ~ de conscience** to examine one's conscience; **~ partiel** *university term-end exam*; **~ prénuptial** premarital health check; **~ de rattrapage** Scol, Univ resit; **~ spécial d'entrée à l'université, ESEU** *university entrance exam for students not having the baccalaureate*

examinateur, -trice /ɛgzaminatœʀ, tʀis/ *nm,f* examiner

examiner /ɛgzamine/ [1]
A *vtr* 1 (étudier) gén to examine; (pour faire des changements) to review [*situation*]; **rejeter une demande sans l'~** to dismiss a request out of hand; **~ qch de près** to have a close look at sth; **il faut ~ la situation de plus près** the situation must be looked at more closely; **~ qn de la tête aux pieds** to look sb up and down; 2 (observer) to examine [*marchandise, personne, visage*]; **~ le ciel** to scan the sky; 3 Méd to examine [*malade, blessure*]; 4 Scol, Univ to examine (**sur** on)
B **s'examiner** *vpr* to examine oneself

exanthème /ɛgzɑ̃tɛm/ *nm* exanthema

exarque /ɛgzaʀk/ *nm* Hist, Relig exarch

exaspérant, ~e /ɛgzaspeʀɑ̃, ɑ̃t/ *adj* infuriating, exasperating

exaspération /ɛgzaspeʀasjɔ̃/ *nf* 1 (d'humeur) exasperation; 2 (de besoin, douleur) intensification

exaspérer /ɛgzaspeʀe/ [14] *vtr* 1 (irriter) to exasperate, to infuriate [*personne*]; 2 (exacerber) to exacerbate [*sentiment, douleur*]; **être exaspéré** to be exasperated (**par** by)

exaucement /ɛgzosmɑ̃/ *nm* (de prière, requête) granting; (de rêve, vœu) fulfilment GB

exaucer /ɛgzose/ [12] *vtr* [*Dieu, le ciel*] to grant, to answer [*prière*]; [*personnes*] to fulfil GB, to satisfy [*désir, requête*]

ex cathedra /ɛkskatedʀa/ *adv* 1 Relig ex cathedra; 2 liter, hum dogmatically

excavateur /ɛkskavatœʀ/ *nm* Tech excavator

excavation /ɛkskavasjɔ̃/ *nf* excavation

(Composé) **~ pelvienne** Anat pelvic cavity

excavatrice /ɛkskavatʀis/ *nf* Tech excavator

excaver /ɛkskave/ [1] *vtr* to excavate

excédant, ~e /ɛksedɑ̃, ɑ̃t/ *adj* exasperating, infuriating

excédé, ~e /ɛksede/
A *pp* ▸ **excéder**
B *pp adj* [*air, ton, personne*] infuriated

excédent /ɛksedɑ̃/ *nm* surplus (**sur** over); **les ~s agricoles** agricultural surpluses; **l'~ des dépenses sur les recettes** excess of expenditure over receipts; **~ de bagages/poids** excess baggage/weight

(Composés) **~ de la balance commerciale** surplus on the trade balance; **~ de la balance des paiements** balance of payments surplus; **~ brut d'exploitation** Compta gross operating surplus; **~ budgétaire** budget surplus

excédentaire /ɛksedɑ̃tɛʀ/ *adj* [*production*] surplus (*épith*), excess (*épith*); [*personnel,* *demande, balance commerciale*] surplus (*épith*)

excéder /ɛksede/ [14] *vtr* **1** (dépasser) to exceed [*quantité, durée*] (**de** by); **le coût du projet a excédé les chiffres prévus de 13%** the cost of the project exceeded the predicted figure by 13%; **2** (agacer) to infuriate

excellemment /ɛksɛlamɑ̃/ *adv* fml splendidly, excellently

excellence /ɛksɛlɑ̃s/ *nf* excellence; **par ~** par excellence

Excellence /ɛksɛlɑ̃s/ *nf* (titre) Excellency; **Son ~, l'ambassadeur de France** His/Her Excellency, the French Ambassador

excellent, **~e** /ɛkselɑ̃, ɑ̃t/ *adj* excellent (**pour qch** for sth), very good (**pour qn** for sb); **~!** great!

exceller /ɛksele/ [1] *vi* to excel (**dans** in; **à faire** in doing)

excentré, **~e** /ɛksɑ̃tʀe/ *adj* **1** (loin du centre-ville) [*quartier*] outlying (*épith*); **l'école est (très) ~e** the school is (quite) some distance from the town centre[GB]; **2** Mécan **être ~** [*axe*] to be off-centre[GB]

excentricité /ɛksɑ̃tʀisite/ *nf* **1** (de personne, comportement) eccentricity; **2** (de lieu) remoteness; **3** Sci eccentricity

excentrique /ɛksɑ̃tʀik/
A *adj* **1** [*personne, comportement, idée*] eccentric; **2** [*quartier*] outlying; **3** [*courbe*] eccentric
B *nmf* eccentric

excentriquement /ɛksɑ̃tʀikmɑ̃/ *adv* eccentrically

excepté, **~e** /ɛksɛpte/
A *pp* ▸ **excepter**
B *pp adj* (sauf) except; **tous les jours, vendredis et samedis ~s** every day except Fridays and Saturdays; **il n'y a personne, elle ~e** there's nobody except her
C *prép* (sauf) except; **il l'a dit à tout le monde ~ à moi** he told everybody except me; **tous les enfants sont ici ~ Olga** all the children are here except Olga; **tous les jours, ~ le jeudi** every day except Thursday; **la voiture a très bien marché ~ une petite panne** the car ran very well except for *ou* apart from one small breakdown
D **excepté que** *loc conj* except that; **la journée s'est bien passée ~ qu'il a plu** the day went very well except that it rained

excepter /ɛksɛpte/ [1] *vtr* **si l'on excepte** except for, apart from; **sans ~ Paul** not forgetting Paul; **sans ~ personne** without exception

exception /ɛksɛpsjɔ̃/ *nf* **1** gén exception; **sans ~** without exception; **faire une ~** to make an exception (**pour** for); **faire ~** to be an exception; **~ à la règle** exception to the rule; **à l'~ de, ~ faite de** except for, with the exception of; **à quelques ~s près** with a few exceptions; **sauf ~** with the occasional exception; **d'~** [*personne, destin*] exceptional; [*loi, régime, tribunal*] emergency; **des mesures d'~ ont été prises** emergency measures have been taken; **c'est l'~ qui confirme la règle** it's the exception that proves the rule; **2** Jur demurrer
(Composés) **~ culturelle** *exclusion of cultural products from the Free Trade provisions of GATT*; **~ d'euthanasie** Jur *legal provision for performing euthanasia in terminal cases*; **~ d'incompétence** Jur declinatory plea; **~ de nullité** Jur plea of voidance

exceptionnel, **-elle** /ɛksɛpsjɔnɛl/ *adj* **1** (qui constitue une exception) [*congé, faveur, subvention*] exceptional; [*autorisation, dérogation*] special (*épith*); [*prix*] bargain (*épith*); [*réunion*] extraordinary (*épith*); **à titre ~** exceptionally; **2** (hors du commun) [*circonstances, intelligence, personne*] exceptional; **une année exceptionnelle** a bumper year (**pour** for); **on va parfois au restaurant, mais c'est ~** sometimes we eat at a restaurant, but very rarely

exceptionnellement /ɛksɛpsjɔnɛlmɑ̃/ *adv* **1** (à titre d'exception) exceptionally; **~, le magasin restera ouvert jusqu'à 21 heures/sera fermé cet après-midi** today only the shop GB *ou* store US will stay open until 9 o'clock/will be closed in the afternoon; **2** (remarquablement) exceptionally; **~ riche** exceptionally rich

excès /ɛksɛ/ *nm inv* **1** (surplus) excess; **ôtez l'~ de colle** remove the excess glue; **l'~ de la demande sur l'offre** excess of demand over supply; **~ de cholestérol** excess of cholesterol; **en ~** [*objets, substance*] excess (*épith*); **2** (abus) excess; **commettre des ~** to go too far; **tes ~ de boisson** your excessive drinking; **~ de table** overeating; **faire des ~ de boisson/de table** to drink/eat excessively, to overindulge in drink/food; **des ~ de langage** bad language ⊄; **à l'~, avec ~** to excess, excessively; **3** (extrême) **tomber dans l'~** to go too far; **tomber dans l'~ inverse** to go to the opposite extreme; **~ de confiance/d'optimisme/de zèle** overconfidence/overoptimism/overzealousness; **~ de prudence** excessive caution
(Composés) **~ de pouvoir** Jur ultra vires action; **commettre un ~ de pouvoir** to act ultra vires; **~ de vitesse** Jur speeding; **faire un ~ de vitesse** to break the speed limit; **on lui a retiré son permis après plusieurs ~ de vitesse** he lost his licence[GB] after being caught several times for speeding

excessif, **-ive** /ɛksesif, iv/ *adj* **1** (qui dépasse la mesure) [*enthousiasme, lenteur, retard, tarifs*] excessive; **cette boutique pratique des prix ~s** the goods in this shop GB *ou* store US are overpriced; **être d'un optimisme ~** to be over-optimistic; **sans enthousiasme ~** without too much enthusiasm; **sans générosité excessive** without being overgenerous *ou* unduly generous; **2** (qui manque de modération) [*personne, caractère, tempérament*] extreme; **il est ~** (dans ses opinions, sentiments) he is a man of extremes; (dans ses actes) he does everything to excess

excessivement /ɛksesivmɑ̃/ *adv* **1** (trop) excessively; **2** ○(extrêmement) controv extremely

exciper /ɛksipe/ [1] *vtr ind* **~ de** to plead [*bonne foi, jeunesse*]; **~ de la chose jugée** Jur to plead res judicata

excipient /ɛksipjɑ̃/ *nm* excipient

exciser /ɛksize/ [1] *vtr* **1** Méd to excise; **2** Anthrop to circumcise, remove the clitoris of

excision /ɛksizjɔ̃/ *nf* **1** Méd excision; **2** Anthrop female circumcision

excitabilité /ɛksitabilite/ *nf* Physiol excitability; **~ neuro-musculaire** neuromuscular excitability

excitable /ɛksitabl/ *adj* **1** (irritable) edgy; **2** Physiol excitable

excitant, **~e** /ɛksitɑ̃, ɑ̃t/
A *adj* **1** (stimulant) [*substance*] stimulating (*épith*); **le café est ~** coffee is a stimulant; **2** (palpitant) [*perspective, époque*] exciting; [*découverte, roman, aventure*] thrilling; **une perspective qui n'a rien d'~** a completely unexciting prospect; **3** (érotique) [*personne, vêtement, scène*] sexy
B *nm* Pharm stimulant; **prendre des ~s** to take stimulants

excitation /ɛksitasjɔ̃/ *nf* **1** (enthousiasme) excitement; **~ générale** general excitement; **2** (sexuelle) arousal; (stimulation) stimulation; **~ manuelle** manual stimulation; **3** (état) (neuronale) excitation; **4** Électron, Électrotech, Phys excitation; **5** Jur (incitation) incitement; **~ à la débauche/violence** incitement to vice/violence
(Composé) **~ psychomotrice** Psych psychomotor excitation

excité, **~e** /ɛksite/
A *pp* ▸ **exciter**
B *pp adj* **1** (déchaîné) [*foule, presse*] frenzied (*épith*), in a frenzy (*jamais épith*); [*atmosphère*] frenzied; [*personne*] (enervé) annoyed; (agité) agitated; **2** (enthousiaste) [*personne*] thrilled, excited; **~ à l'idée de partir** thrilled at the idea of leaving; **~ comme une gosse** as excited as a child; **tu n'as pas l'air très ~** you don't seem very thrilled; **3** (émoustillé) (sexuellement) [*personne, sens*] aroused; (par l'alcool) elated
C *nm,f* pej **1** (fauteur de troubles) rowdy; **une bande d'~s dans la rue** a bunch of rowdies in the street; **2** (fanatique) fanatic; **3** (nerveux) neurotic
(Idiome) **être ~ comme une puce** to be like a cat on a hot tin roof

exciter /ɛksite/ [1]
A *vtr* **1** (attiser) to stir up [*colère, haine*]; to kindle [*convoitise, désir*]; to inflame [*passions, imagination*]; to whet [*appétit*]; **2** (enthousiasmer) to thrill [*personne*]; **le jazz/la physique ne m'excite pas** jazz/physics doesn't do a lot for me; **3** (émoustiller) [*stimulus*] to arouse [*personne*]; [*alcool*] to work [sb] up [*personne, groupe*]; **4** (énerver) [*personne*] to tease [*animal*]; to get [sb] excited [*enfant*]; to provoke [*adulte*]; [*café*] to make [sb] nervy [*personne*]; [*alcool*] to excite [*personne*]; **~ qn contre** to set sb against; **5** Physiol (stimuler) to stimulate [*zone érogène, palais*]; to excite [*nerf, tissu*]
B **s'exciter** *vpr* **1** (s'enthousiasmer) to get excited; **s'~ à propos de** to rave about○ [*œuvre, personne*]; **2** (s'énerver) to get worked up (**contre qch** about sth); to get angry (**contre qn** with sb)

exclamatif, **-ive** /ɛksklamatif, iv/ *adj* exclamatory

exclamation /ɛksklamasjɔ̃/ *nf* cry, exclamation

exclamer: **s'exclamer** /ɛksklame/ [1] *vpr* **1** (s'écrier) to exclaim, to cry (**de** with); **2** (avec admiration) **s'~ sur** to exclaim over

exclu, **~e** /ɛkskly/
A *pp* ▸ **exclure**
B *pp adj* (non admis) [*personne*] excluded (**de** from); [*hypothèse*] ruled out; **il est tout à fait ~ que tu viennes** it's absolutely out of the question that you should come; **il n'est pas ~ que** it's not impossible that; **il n'est pas complètement ~ que je prenne l'avion** I haven't completely ruled out (the idea of) taking the plane; **se sentir ~** to feel left out
C *nm,f* **1** (paria) outcast; **les ~s de la croissance/du système** those excluded from economic growth/from the system; **2** (ex-membre) **les ~s du parti** those expelled from the Party

exclure /ɛksklyʀ/ [78] *vtr* **1** (ne pas inclure) to exclude [*personne*] (**de** from); to rule out [*hypothèse, possibilité*]; **nous n'excluons pas le recours à la force** we are not ruling out resorting to force; **le règlement exclut que les mineurs participent au vote** the regulations prohibit minors from participating in the vote; **2** (rejeter) to expel [*membre de groupe*] (**de** from); to oust [*dirigeant, chef*]; to send [sb] down [*étudiant*]; to cut out [*aliment*]; **~ un élève** (définitivement) to expel a pupil; (temporairement) to suspend a pupil

exclusif, **-ive** /ɛksklyzif, iv/
A *adj* **1** Presse [*interview, document*] exclusive; **2** Comm [*agent, concessionnaire*] sole; [*produit, procédé, modèle*] exclusive; **3** (d'un seul) [*droit, propriété, privilège*] exclusive (**de qch** of sth; **de faire** to do); **4** (absolu) [*personne, tempérament*] intractable; **il est ~ dans ses opinions/idées/goûts** he's very set in his opinions/ideas/tastes; **5** Philos, Math, Ling exclusive
B **exclusive** *nf* Pol (mise à l'écart) debarment; **frapper qn d'exclusive** to debar sb; **jeter** *or* **prononcer l'exclusive** to blackball

exclusion /ɛksklyzjɔ̃/
A *nf* **1** (non-admission) exclusion (**de** from); **2** (expulsion) (définitive) expulsion; (temporaire) suspension; **3** Assur exclusion
B **à l'exclusion de** *loc prép* with the exception of

exclusive ▸ **exclusif**

exclusivement /ɛksklyzivmɑ̃/ *adv* exclusively; **piscine ~ réservée aux enfants** swimming pool reserved exclusively for children; **ils auront ~ un rôle d'observateurs** they will have an exclusively observational role

exclusivité /ɛksklyzivite/ *nf* **1** (droits) Comm, Cin, Presse exclusive rights (*pl*); **acheter l'~ d'une marque** to buy the exclusive rights to a brand; **avoir l'~ de la vente/distribution de qch** to have the exclusive sales/distribution rights to sth; **obtenir l'~ de la production et de la commercialisation de qch** to obtain exclusive rights to produce and market sth; **en ~** [*montrer, vendre, publier, projeter*] exclusively; [*produit, interview, document*] exclusive; **tu n'as pas l'~ du bon goût** hum you don't have a monopoly on good taste; **2** (objet, produit) **c'est une ~ de notre entreprise** it's exclusive to our company

excommunication /ɛkskɔmynikasjɔ̃/ *nf* excommunication

excommunier /ɛkskɔmynje/ [2] *vtr* to excommunicate

excrément /ɛkskʀemɑ̃/ *nm* excrement ¢

excrémentiel, -ielle /ɛkskʀemɑ̃sjɛl/ *adj* excremental, fecal

excréter /ɛkskʀete/ [14] *vtr* to excrete, to eliminate

excréteur, -trice /ɛkskʀetœʀ, tʀis/ *adj* excretory

excrétion /ɛkskʀesjɔ̃/
A *nf* (évacuation) excretion
B **excrétions** *nfpl* excrement ¢

excroissance /ɛkskʀwasɑ̃s/ *nf* **1** Méd growth, excrescence spéc; **2** Bot outgrowth; **3** fig (de groupe) offshoot; (de quartier) outgrowth

excursion /ɛkskyʀsjɔ̃/ *nf* gén excursion, trip (**dans** in; **à** to); (en car) coach trip (**dans** in; **à** to); **une ~ de trois jours** a three-day excursion; **partir en ~, faire une ~** to go on an excursion *ou* a trip

excursionner /ɛkskyʀsjɔne/ [1] *vi* to go on an excursion; (en car) to go on a coach GB *ou* bus trip

excursionniste /ɛkskyʀsjɔnist/ *nmf* tourist

excusable /ɛkskyzabl/ *adj* excusable, forgivable

excuse /ɛkskyz/ *nf* **1** (justification) excuse; **ce n'est pas une ~ pour faire** it's no excuse for doing; **chercher une ~/des ~s** to look for an excuse/excuses; **il trouve toujours de bonnes ~s pour ne pas venir** he always manages to find an excuse for not coming; **en guise** *or* **manière d'~** by way of an excuse; **avoir [qch] pour ~** to have [sth] as an excuse; **trouver des ~s à qn** to find excuses for sb; **une ~ à qch** an excuse for sth; **sans ~** inexcusable; **2** (regret) apology; **faire** *or* **présenter des ~s à qn** to offer one's apologies to sb, to apologize to sb; **attendre/exiger des ~s (de la part de qn)** to expect/demand an apology from sb; **se confondre en ~s** to apologize profusely; **faire un geste d'~** to make an apologetic gesture; **avoir un sourire d'~** to smile apologetically, to give an apologetic smile; **une lettre d'~** a letter of apology; **mille ~s** I'm terribly sorry; **faites ~**° controv forgive me

(Composé) **~ légale** lawful excuse

excuser /ɛkskyze/ [1]
A *vtr* **1** (pardonner) to forgive [*erreur, absence*]; to pardon [*faute*]; **excusez-le!** forgive him!; **excusez-moi** excuse me, I'm sorry; **veuillez m'~, je vous prie de m'~** I'm so sorry, I do beg your pardon; **vous m'excuserez si** you will forgive me if; **je vous prie de m'~** please forgive me, I apologize; **excusez mon retard** excuse me for being late; **excusez ce désordre** I'm sorry about the mess; **excusez-moi de vous déranger** I'm sorry to disturb you; **vous êtes tout excusé** it's all right; **sa gentillesse fait ~ sa maladresse** he's so nice you forgive him for being clumsy; **2** (justifier) to excuse; **rien n'excuse la cruauté** there is no excuse for cruelty; **3** (dispenser) to excuse [*personne*] ; **demander à être excusé** to ask to be excused; **'étaient excusés'** 'apologies received from the following'; **'excusés'** (sur rapport) 'apologies'; **~ qn de qch** to excuse sb from sth
B **s'excuser** *vpr* to apologize (**auprès de** to; **de** for; **d'avoir fait** for doing); **je m'excuse d'être en retard** I'm sorry I'm late; **je m'excuse de vous déranger** I'm sorry to disturb you; **j'ai dû aller m'~ auprès du directeur** I had to go and apologize to the manager

exécrable /ɛgzekʀabl/ *adj* **1** fml (odieux) [*crime*] heinous sout; [*action, cause*] detestable; **2** (épouvantable) [*caractère, personne*] loathsome; [*humeur*] dreadful; [*journée, nourriture, temps*] dreadful, awful

exécrablement /ɛgzekʀabləmɑ̃/ *adv* fml execrably

exécration /ɛgzekʀasjɔ̃/ *nf* fml execration; **avoir qn/qch en ~** to find sb/sth abhorrent sout

exécrer /ɛgzekʀe/ [14] *vtr* fml to loathe [*personne, chose*]; to abhor sout [*chose*]

exécutable /ɛgzekytabl/ *adj* **1** (faisable) [*plan, projet, ordre*] practicable; [*tâche*] manageable; **2** Jur executable; **contrat non ~** naked *ou* nude contract

exécutant, ~e /ɛgzekytɑ̃, ɑ̃t/ *nm,f* **1** Mus performer; **orchestre de 60 ~s** 60-piece orchestra; **2** (agent) **il dit n'avoir été qu'un ~** he claims he was only obeying orders; **les ~s du meurtre** those who carried out the murder

exécuter /ɛgzekyte/ [1]
A *vtr* **1** (faire) to carry out, to accomplish [*tâche, mission*]; to carry out [*travaux, projet*]; to do [*exercice, travail, dessin, plongeon*]; to execute [*saut*]; **faire ~ des travaux** to have work done; **2** (appliquer) to carry out [*consigne, ordre, dessein, menace*]; to fulfil[GB] [*promesse*]; Comm to fill [*commande*]; Jur to fulfil[GB] [*contrat, obligation*]; to enforce [*loi, jugement*]; to implement [*traité*]; Pharm to make up [*ordonnance*]; **3** (tuer) to execute [*condamné, otage*]; to kill [*victime*]; fig to polish off° [*adversaire*]; to slate GB, to pan° [*auteur, acteur, politicien*]; to demolish [*œuvre*]; **se faire ~ par les critiques** to be slated GB *ou* panned° by the critics; **4** Mus to perform, to play [*morceau*]; **5** Ordinat to run [*programme*]; to execute [*instruction*]; **6** Jur (saisir) to distrain upon [*débiteur*]
B **s'exécuter** *vpr* (obéir) to comply; **il a fini par s'~** he eventually complied

exécuteur, -trice /ɛgzekytœʀ, tʀis/
A *nm,f* (de décision, décret) enforcer
B *nm* Hist (bourreau) **~ (des hautes œuvres)** executioner

(Composé) **~ testamentaire** Jur executor

exécutif, -ive /ɛgzekytif, ive/
A *adj* Pol executive
B *nm* executive

exécution /ɛgzekysjɔ̃/ *nf* **1** (application) (d'ordre) execution; (de menace) carrying out ¢; (de décision, plan, budget) implementation; Jur (de loi, jugement) enforcement; (d'obligation, contrat) fulfilment[GB]; Pharm (d'ordonnance) making up ¢; Fin (d'ordre) carrying out ¢; **mettre à ~** to carry out [*menace*]; to implement [*programme*]; **assez délibéré, passons à l'~** that's enough discussion, let's get on with it!; **en ~ de l'article I** Jur pursuant to section I; **en ~ de la loi** Jur in compliance with the law; **2** (réalisation) (de manœuvre, mouvement, travaux) execution; (de projet, programme) implementation; Art (de tableau) painting ¢, execution; Mus (de morceau) performance, execution; **l'~ du programme demandera deux ans** it will take two years to implement the programme[GB]; **confier l'~ des travaux de construction à une entreprise** to give the construction work to a firm; **travaux en cours d'~** work in progress; **veiller à la bonne ~ d'une tâche/commande** to see that a job is done well/an order is filled properly; **d'~ facile** [*plat*] easy to make; [*mouvement*] easy to do; [*morceau*] easy to play; **3** (mise à mort) execution; **4** Ordinat execution; **5** Jur **~ d'un débiteur** distraint of property; **faire l'objet d'une ~ forcée** to be subjected to distraints

(Composés) **~ capitale** Jur capital punishment; **~ pas à pas** Ordinat single step operation; **~ de travail** Ordinat run

exécutoire /ɛgzekytwaʀ/ *adj* Jur [*loi, jugement*] enforceable; [*organe, pouvoir*] executory; [*protocole, accord*] binding (**à l'égard de** on); **les décisions forment titre ~** the decisions shall be enforceable

exécutrice *nf* ▸ **exécuteur A**

exégèse /ɛgzeʒɛz/ *nf* (tous contextes) exegesis; **faire l'~ d'un texte** to make a detailed analysis of a text

exégète /ɛgzeʒɛt/ *nmf* gén interpreter; Antiq exegete

exemplaire /ɛgzɑ̃plɛʀ/
A *adj* **1** (modèle) [*conduite, courage*] exemplary; [*élève, mère, république*] model (*épith*); [*atterrissage*] textbook (*épith*); **de façon ~** in exemplary fashion; **avec une discrétion ~** with perfect discretion; **c'est un enfant d'une sagesse ~** he's a model child; **il a été d'une sagesse ~** he's been absolutely perfect; **la gestion de l'entreprise est ~** the firm is a model of good management; **2** (pour l'exemple) [*châtiment, peine*] intended as a warning to others (*après n*), exemplary sout; **il a été puni de façon ~** his punishment was intended as a warning to others; **infliger une peine ~ à qn** to make an example of sb
B *nm* **1** (de livre, document, journal) copy; (de gravure) print; **~ sur vélin** copy printed on vellum; **tirer un livre à 300 ~s** to print 300 copies of a book; **photocopier qch en dix ~s** to make ten photocopies of sth; **en deux/trois ~s** in duplicate/triplicate; **2** (spécimen) specimen (**de** of), example (**de** of)

(Composés) **~ avec envoi** inscribed copy; **~ gratuit** complimentary copy; **~ justificatif** voucher copy; **~ de presse** review copy; **~ témoin** Édition advance copy

exemplairement /ɛgzɑ̃plɛʀmɑ̃/ *adv* **vivre ~** to lead an exemplary life; **être puni ~** to be singled out for exemplary punishment

exemplarité /ɛgzɑ̃plaʀite/ *nf* (de peine) deterrent nature (**de** of)

exemple /ɛgzɑ̃pl/
A *nm* **1** (cas) example; **prendre un ~ au hasard** to take a random example; **le seul ~ connu** the only known example; **~ grammatical** grammatical example; **prenez l'~ du Japon** take the case of Japan, take Japan for example; **on connaît peu d'~s de ce phénomène** there are few precedents for this phenomenon; **sans ~** [*situation*] unprecedented; **2** (leçon) warning (**pour** to); **votre renvoi sera un ~ pour les autres** your dismissal will be a warning to the others; **pour l'~** as a warning to others; **en le condamnant à mort, on a voulu faire un ~** the intention in passing the death sentence was to make an example of him; **3** (image) example (**de** of); **donner l'~ du courage à qn** to set sb an example of courage; **donner le bon/mauvais ~** to set a good/bad example; **suivre l'~ de qn** to follow sb's example; **prendre ~ sur qn, prendre qn en ~** to take sb as a model; **à l'~ de qn** following in sb's footsteps; **elle est enseignante, à l'~ de sa mère** she's a teacher, like her mother; **4** (idéal) model (**de** of); **être l'~ même/l'~ de la gentillesse** to be the very model/a model of kindness; **donner** *or* **citer qn en ~** to hold sb up as an example; **se donner en ~** to set oneself up as an example
B **par exemple** *loc adv* **1** (pour illustrer) for example; **les grandes villes, par ~ Paris** large cities, Paris for example; **2** (marquant l'étonnement) **(ça) par ~!** how amazing!; **3** (marquant l'indignation) **ça par ~!** well, honestly!

exemplification /ɛɡzɑ̃plifikasjɔ̃/ *nf* exemplification

exemplifier /ɛɡzɑ̃plifje/ [2] *vtr* to exemplify

exempt, **~e** /ɛɡzɑ̃, ɑ̃t/

A *adj* **1** (dispensé) exempt (**de** from); **aucun soldat n'est ~ de corvées** no soldier is exempt from duties; **~ d'impôt** tax-free; **~ de droits de douane** duty-free; **2** (dépourvu) free (**de** from); **mon texte n'est pas ~ d'erreurs** my text is not free from mistakes; **des compliments qui n'étaient pas ~s d'ironie/de sous-entendus** compliments which were not without irony/innuendo; **3** (à l'abri) immune (**de** to); **il n'est pas ~ de ce genre de problèmes** he's not immune to this type of problem

B *nm* Hist, Mil, Relig exempt

exempté, **~e** /ɛɡzɑ̃te/ *nm,f*: *person exempt from military service*

exempter /ɛɡzɑ̃te/ [1] *vtr* **1** (dispenser) to exempt (**de** from; **de faire** from doing); **être exempté d'impôts/du premier tour** to be exempt from paying tax/playing in the first round; **2** (mettre à l'abri) to preserve (**de** from); **~ des infirmités de l'âge** to preserve from the infirmities of old age

exemption /ɛɡzɑ̃psjɔ̃/ *nf* exemption

exercé, **~e** /ɛɡzɛʀse/

A *pp* ▸ **exercer**

B *pp adj* [*main*] deft, skilled; [*oreille*] trained; [*œil*] expert, practised[GB]; [*personne*] experienced

exercer /ɛɡzɛʀse/ [12]

A *vtr* **1** (appliquer) to exercise [*autorité, droit, responsabilité*] (**sur** over); to exert [*pression, force, influence, contrôle, autorité*] (**sur** on); to have [*effet*] (**sur** on); **~ un chantage sur qn** to blackmail sb; **dans les pays où la guerre/le paludisme exerce ses ravages** in countries devastated by war/malaria; **toute discrimination exercée en raison de la nationalité** any discrimination on grounds of nationality; **~ son talent d'écrivain contre qn** to bring one's skill as a writer to bear against sb; **2** (pratiquer) to exercise [*profession*]; to practise[GB] [*métier, médecine, culte, art*]; **~ le métier de viticulteur/professeur** to work as a wine grower/teacher; **~ la profession de médecin/juriste/d'architecte** to practise[GB] as *ou* to be a doctor/lawyer/architect; **exerce-t-il un métier** *or* **une activité?** does he have a job?; **il exerce les fonctions de conseiller technique** he works as a technical adviser; **~ des fonctions consultatives** to act in an advisory capacity; **~ une activité rémunérée** to do paid work; **le voleur qui exerçait son activité sur la côte** the thief who operated on the coast; **3** (entraîner) to train, to exercise [*corps, mémoire, esprit*]; (donner de l'exercice à) to exercise [*corps, muscle*]; **~ qn au tir** *or* **à tirer** to give sb some shooting practice

B *vi* (travailler) [*travailleur, employé*] to work; [*médecin, juriste, architecte*] to practise[GB]; **il exerce en tant que conseiller** he works as an adviser

C **s'exercer** *vpr* **1** (s'entraîner) [*athlète*] to train; [*musicien*] to practise[GB]; **s'~ à la plongée** *or* **à plonger** to practise[GB] diving; **s'~ au calme/à la patience** to make an effort to stay calm/be patient; **2** (se manifester) [*qualité*] to come out; **leur ingéniosité s'exerce dans tous les domaines** their ingenuity comes out in everything they do; **3** (agir) [*influence, force*] to be exerted (**sur** on); **cette violence s'exerce contre moi** the violence is directed against me

exercice /ɛɡzɛʀsis/ *nm* **1** (d'entraînement) exercise; **faire un ~** to do an exercise; **~ de grammaire/pour violon** grammar/violin exercise; **~s de rééducation** physiotherapy exercises; **~ de prononciation/d'orthographe** pronunciation/spelling drill; **c'est un ~ de démocratie** it's an exercise in democracy; **ça ne s'apprend qu'après un long ~** it takes years of practice; **2** (activité physique) exercise; **faire de l'~** to get some exercise; **se donner de l'~** to take exercise; **3** (activité professionnelle) **avoir dix ans d'~** [*fonctionnaire*] to have been working for 10 years; [*professeur*] to have been teaching for 10 years; [*médecin, avocat*] to have been practising[GB] *ou* in practice for 10 years; **poursuivi pour ~ illégal de la médecine** prosecuted for practising[GB] medicine illegally GB *ou* without a license US; **dans l'~ de ses fonctions** [*soldat, policier*] while on duty; [*travailleur*] while at work; **on leur interdit l'~ de toute activité politique/commerciale** they are forbidden to participate in any political/business activity; **être en ~** [*fonctionnaire*] to be in office; [*médecin*] to be in practice; **en ~** [*ministre, président*] incumbent; **entrer en ~** to take up one's duties; **4** (usage) exercise (**de** of); **renoncer à l'~ du droit de réponse** to give up one's right of reply; **5** Mil (instruction) drill; **être à l'~** to be at drill; **faire faire l'~ à des recrues** to drill recruits; **6** Fin (période) **~ (financier)** financial year; **~ en cours** current year; **7** Fisc (contrôle) tax assessment by an excise officer

(Composés) **~ d'application** practical exercise; **~ budgétaire** Admin, Compta financial year; **~ comptable** Compta financial year; **~ du culte** worship; **~ d'évacuation** gén emergency evacuation exercise; (en cas d'incendie) fire drill; **~ de tir** shooting practice ₵ GB, target practice ₵; **~s structuraux** Ling structure drills

exerciseur /ɛɡzɛʀsizœʀ/ *nm* (appareil) exerciser

exergue /ɛɡzɛʀɡ/ *nm* **1** (inscription sur ouvrage) epigraph; **en ~** as an epigraph; **mettre une citation en ~ à un texte** to head a text with a quotation; **mettre une idée/un aspect en ~** to highlight an idea/an aspect; **2** (sur une médaille, une pièce de monnaie) inscription

exfoliant, **~e** /ɛksfɔljɑ̃, ɑ̃t/

A *adj* [*crème, produit*] exfoliant

B *nm* exfoliant cream

exfoliation /ɛksfɔljasjɔ̃/ *nf* exfoliation

exhalaison /ɛɡzalɛzɔ̃/ *nf* fml exhalation

exhalation /ɛɡzalasjɔ̃/ *nf* fml (expiration) exhalation; (transpiration) perspiration

exhaler /ɛɡzale/ [1] fml

A *vtr* **1** (expirer) to exhale; **2** (dégager) to exhale [*parfum*]; to give off [*relent*]; to exhale [*tristesse*]; **3** (exprimer) to give vent to [*douleur, colère*]

B **s'exhaler** *vpr* [*parfum*] to waft (**de** from)

exhaussement /ɛɡzosmɑ̃/ *nm* raising

exhausser /ɛɡzose/ [1] *vtr* to raise

exhausteur /ɛɡzostœʀ/ *nm* flavour enhancer

exhaustif, **-ive** /ɛɡzostif, iv/ *adj* [*liste, guide, synthèse*] exhaustive

exhaustivement /ɛɡzostivmɑ̃/ *adv* exhaustively

exhaustivité /ɛɡzostivite/ *nf* exhaustiveness

exhiber /ɛɡzibe/ [1]

A *vtr* to flaunt [*toilettes, richesse, objet*]; to show [*animal*]; to expose [*partie du corps*]; Jur to produce [*lettre, mandat*]

B **s'exhiber** *vpr* **1** [*exhibitionniste*] to expose oneself; **2** pej (se montrer) to flaunt oneself

exhibition /ɛɡzibisjɔ̃/ *nf* **1** (d'animaux) display; **2** Sport demonstration; **match ~** exhibition-match; **3** (étalage) (de richesse, toilettes) parade; (de sentiment) display; **4** (présentation) (de contrat) presentation, production

exhibitionnisme /ɛɡzibisjɔnism/ *nm* lit, fig exhibitionism

exhibitionniste /ɛɡzibisjɔnist/

A *adj* lit, fig exhibitionist

B *nmf* exhibitionist, flasher○

exhortation /ɛɡzɔʀtasjɔ̃/ *nf* exhortation (**à faire** to do); **~ au calme** call for calm

exhorter /ɛɡzɔʀte/ [1] *vtr* to motivate [*troupes*]; **~ qn à faire** [*personne*] to urge *ou* to exhort sb to do; [*devoir, incident*] to prompt sb to do; **~ qn au calme/à la patience** to ask sb to remain calm/patient

exhumation /ɛɡzymasjɔ̃/ *nf* **1** (de cadavre) exhumation; (de ruines) excavation; **2** (de document) unearthing; (du passé) resurrection

exhumer /ɛɡzyme/ [1] *vtr* **1** (déterrer) to exhume [*cadavre*]; to excavate [*ruines*]; **2** (tirer de l'oubli) to unearth [*document*] (**de** from); to resurrect [*souvenir, rancunes*]

exigeant, **~e** /ɛɡziʒɑ̃, ɑ̃t/ *adj* [*chef, client, patron, public*] demanding; [*parents, professeur*] strict (**sur qch** about sth); [*malade, enfant, plante*] demanding, difficult; [*tâche, métier*] demanding, exacting; [*morale*] demanding, strict; **être ~ avec** *or* **envers qn/soi-même** to demand a lot of sb/oneself; **un importateur très ~ sur la qualité** an importer with very strict standards as to *ou* on quality

exigence /ɛɡziʒɑ̃s/ *nf* **1** (demande) demand (**de qch** for sth); **~ de démocratie/justice** demand for democracy/justice; **se soumettre aux ~s de** to yield to the demands of; **2** (obligation) demand, requirement Admin; **les ~s du métier** the demands of the job; **installation qui ne répond pas aux ~s de sécurité/d'hygiène** installation which does not meet security/hygiene requirements; **'sans ~ de diplôme'** 'no formal qualifications are required'; **3** (trait de caractère) **le chef est d'une telle ~** the boss is so demanding; **elle est d'une telle ~ avec ses enfants** she demands such a lot of her children

exiger /ɛɡziʒe/ [13] *vtr* **1** (demander impérativement) [*personne*] to demand [*réponse, réformes, excuses*]; **~ l'abandon du projet/la libération d'un prisonnier** to demand that the project be abandoned/that a prisoner be released; **~ qch de qn** to demand sth of sb; **~ de qn qu'il fasse** to demand that sb do; **elle a exigé qu'il la rembourse immédiatement** she demanded that he repay her immediately; **~ que qch soit fait** *or* **se fasse** to demand that sth be done; **~ d'être payé/reconnu** to insist on being paid/recognized; **vous exigez trop d'eux** you're too demanding of them; **2** (rendre nécessaire) to require; **un projet exigeant de lourds investissements** a project requiring heavy investment; **~ des soins constants** [*malade, bébé, plante*] to require constant care; **3** (rendre obligatoire) to require; **être exigé** to be required; **comme l'exige la loi/le règlement** as required by law/the rules; **la politesse exige que vous y alliez** politeness requires you to go; **'expérience exigée'** 'experience required'; **'anglais/permis de conduire exigé'** 'English/driver's licence[GB] essential'; **'qualités exigées: sérieux, dynamisme'** 'candidates should be committed and dynamic'; **'tenue de soirée exigée'** 'black tie'

exigibilité /ɛɡziʒibilite/ *nf* (d'impôt, de traite) payability; (de dette) repayability; **la date d'~ de l'impôt** the due date for tax payments

exigible /ɛɡziʒibl/ *adj* [*impôt, traite, dette*] due (*après n*); **le paiement est ~ le 15 mai** payment is due on 15 May

exigu, **-uë*** /ɛɡziɡy/ *adj* [*pièce, logement, dimensions*] cramped; [*entrée*] narrow; [*espace*] confined; [*place de parking*] tight; [*marché financier*] restricted

exiguïté* /ɛɡziɡɥite/ *nf* smallness, pokiness péj

exil /ɛɡzil/ *nm* exile; **en ~** in exile

exilé, **~e** /ɛɡzile/ *nm,f* exile

exiler /ɛɡzile/ [1]

A *vtr* **1** (bannir) to exile; **2** (isoler) to exile; **ils se sentent exilés dans leur petite ville** they feel exiled in their small town; **3** (reléguer) to relegate; **tous mes bibelots ont été exilés au grenier** all my knick-knacks were relegated to the attic

B **s'exiler** *vpr* **1** (s'expatrier) to go into exile; **il s'est exilé à Jersey** he went into exile on Jersey; **2** (se retirer) to bury oneself; **s'~ loin du monde** to cut oneself off from the world

exinscrit /ɛɡzɛ̃skʀi/ *adj m* escribed

e

existant, **~e** /ɛgzistɑ̃, ɑ̃t/ *adj* [*tarif, pratique, législation, installations*] existing; [*besoins, produits*] current; [*capital*] actual; **non ~** nonexistent

existence /ɛgzistɑ̃s/ *nf* **1** (réalité) existence; **nier l'~ de Dieu/d'un document** to deny the existence of God/of a document; **je doute de leur ~** I doubt they exist; **l'essence et l'~** Philos essence and being; **2** (vie) life; **las de l'~** tired of life; **le parti a dix ans d'~** the party is ten years old, the party has been in existence for ten years; **assurer l'~ de qn** to provide for sb; **ne te complique pas l'~**○ don't make life difficult for yourself; **3** (mode de vie) lifestyle; **une ~ de fou** a frantic lifestyle; **changer d'~** to change one's lifestyle

existentialisme /ɛgzistɑ̃sjalism/ *nm* existentialism

existentialiste /ɛgzistɑ̃sjalist/ *adj, nmf* existentialist

existentiel, **-ielle** /ɛgzistɑ̃sjɛl/ *adj* existential

exister /ɛgziste/ [1]
A *vi* to exist; **la route existe-t-elle vraiment?** does the road really exist?; **les fantômes, ça existe?** do ghosts really exist?; **les mammouths, ça existe encore?** do mammoths still exist?; **dans ces banlieues, on existe sans vivre** in those suburbs, it's a question of existing rather than living; **je n'existe pas pour lui** *or* **à ses yeux** as far as he's concerned, I don't even exist; **ce risque existe** this is a very real risk; **le savon/la courtoisie, ça existe!** iron there's such a thing as soap/manners, you know!; **si le paradis/la justice existe** if there is such a place as heaven/such a thing as justice; **pour lui, le danger n'existe pas** for him, there's no such word as danger; **la maison existe encore/n'existe plus** the house is still standing/is no longer standing; **autrefois, l'électricité n'existait pas** in the old days, there was no such thing as electricity; **la loi existe depuis dix ans** the law has been in existence for ten years; **cette situation existe depuis six mois** this has been the situation for six months; **c'est une loi/situation qui existe depuis peu** it's a relatively new law/situation; **~ en trois tailles** [*article, produit*] to be available in three sizes; **ces plantes n'existent que dans les Alpes** these plants are found only in the Alps; **la pollution existe partout** pollution is everywhere; **les enfants me donnent une raison d'~** the children give me a reason for living
B *v impers* to be; **il existe un lieu/des lieux où…** there is a place/there are places where…; **il n'existe pas de plus belle fleur que la rose** there is no more beautiful flower than a rose; **il n'en existe pas de plus grand** it's the biggest in the world; **il n'en existe pas de meilleur** it's the best there is

ex-libris* /ɛkslibʀis/ *nm inv* ex-libris

ex nihilo /ɛksniilo/ *adv* ex nihilo

exobiologie /ɛgzobjɔlɔʒi/ *nf* astrobiology, exobiology spéc

exobiologiste /ɛgzobjɔlɔʒist/ *nmf* astrobiologist, exobiologist spéc

exocet /ɛgzɔsɛ/ *nm* Zool flying fish

Exocet /ɛgzɔsɛt/ *nm* Exocet (missile)

exocrine /ɛgzɔkʀin/ *adj* exocrine

exode /ɛgzɔd/ *nm* exodus (**vers** to); **l'Exode** Bible the Exodus; **l'~** Hist *the exodus from French cities in 1940*

(Composés) **~ des capitaux** flight of capital; **~ des cerveaux** brain drain; **~ rural** rural depopulation

Exode rural

This refers to the population drift from rural to urban areas which took place on a massive scale in the post-war decades.

exogamie /ɛgzogami/ *nf* exogamy

exogène /ɛgzɔʒɛn/ *adj* **1** (de l'extérieur) exogenous; **2** Géol exogenetic

exonération /ɛgzɔneʀasjɔ̃/ *nf* exemption (**de** from); **~ fiscale** *or* **d'impôt** tax exemption

exonérer /ɛgzɔneʀe/ [14] *vtr* to exempt [*personne, marchandise, plus-value*] (**de** from); **être exonéré d'impôt** [*personne, somme*] to be exempt from tax; **intérêts exonérés d'impôt** tax-exempt interest; **marchandises exonérées des droits de douane** duty-free goods

exoplanète /ɛgzoplanɛt/ *nf* exoplanet

exorbitant, **~e** /ɛgzɔʀbitɑ̃, ɑ̃t/ *adj* **1** (exagéré) [*prix, agios*] exorbitant; [*exigence, privilège*] outrageous; [*pouvoir*] inordinate (*épith*); **2** Jur **~ de** departing from

exorbité, **~e** /ɛgzɔʀbite/ *adj* bulging (**de** with)

exorcisation /ɛgzɔʀsizasjɔ̃/ *nf* exorcizing

exorciser /ɛgzɔʀsize/ [1] *vtr* (tous contextes) to exorcize

exorcisme /ɛgzɔʀsism/ *nm* exorcism (**à** of)

exorciste /ɛgzɔʀsist/ *nm* exorcist

exorde /ɛgzɔʀd/ *nm* introduction, exordium spéc

exosmose /ɛgzɔsmoz/ *nf* exosmosis

exosphère /ɛgzɔsfɛʀ/ *nf* exosphere

exosquelette /ɛgzoskəlɛt/ *nm* exoskeleton

exothermique /ɛgzotɛʀmik/ *adj* exothermic

exotique /ɛgzɔtik/ *adj* [*fruit, charme, coutume*] exotic; **avoir le goût de l'~** to have exotic tastes

exotisme /ɛgzɔtism/ *nm* exoticism

expansé, **~e** /ɛkspɑ̃se/ *adj* expanded

expansibilité /ɛkspɑ̃sibilite/ *nf* expansibility

expansible /ɛkspɑ̃sibl/ *adj* expansive

expansif, **-ive** /ɛkspɑ̃sif, iv/ *adj* **1** [*personne*] communicative, outgoing; **il est d'un naturel peu ~** he's not very communicative *ou* outgoing; **2** Tech expansive

expansion /ɛkspɑ̃sjɔ̃/ *nf* **1** (d'économie, de région) growth; **~ démographique** population growth; **en (pleine) ~** [*organisme, filiale, marché*] (rapidly) growing; [*activité, monnaie*] (rapidly) increasing; **secteurs en ~** growth sectors; **la ville a connu une forte ~ économique** the town has experienced marked economic growth; **2** (de corps, pays) expansion; **~ coloniale** colonial expansion; **3** (d'idées, épidémie) spread

expansionnisme /ɛkspɑ̃sjɔnism/ *nm* expansionism

expansionniste /ɛkspɑ̃sjɔnist/ *adj, nmf* expansionist

expansivité /ɛkspɑ̃sivite/ *nf* expansiveness

expatriation /ɛkspatʀijasjɔ̃/ *nf* (de personne) expatriation; **l'~ de capitaux** the transfer of capital abroad

expatrié, **~e** /ɛkspatʀije/
A *pp* ▸ **expatrier**
B *pp adj, nm,f* expatriate

expatrier /ɛkspatʀije/ [2]
A *vtr* to deport [*personne*]; to transfer [sth] abroad [*capitaux*]
B **s'expatrier** *vpr* to emigrate (**en, à** to)

expectative /ɛkspɛktativ/ *nf* **1** (attente prudente) prudent approach; **rester dans l'~** to wait and see; **nous sommes dans l'~** we'll have to wait and see; **2** (espérance) hope; **vivre dans l'~ de qch** to live in hope of sth

expectorant, **~e** /ɛkspɛktɔʀɑ̃, ɑ̃t/
A *adj* expectorant
B *nm* expectorant

expectoration /ɛkspɛktɔʀasjɔ̃/ *nf* (action) expectoration; (crachat) sputum ¢

expectorer /ɛkspɛktɔʀe/ [1] *vtr* to expectorate

expédient /ɛkspedjɑ̃/
A *adj m* **il est ~ de faire** it is expedient to do
B *nm* expedient; **user d'~s** to resort to expedients; **vivre d'~s** to live by one's wits

expédier /ɛkspedje/ [2] *vtr* **1** gén to send; (par la poste) to post GB, to mail US [*lettres, colis*]; (faire partir) to dispatch [*marchandises, commande*]; **~ qch à qn** to send sb sth, to send sth to sb; **~ qch par avion/par bateau** to send sth by air mail/by surface mail [*lettre, colis*]; **~ des marchandises par bateau** to ship goods; **~ des marchandises par train** to send goods by rail; **2** (envoyer) to send, dispatch [*personne, estafette, messager*] (**à** to); **on l'a expédié**○ **en prison pour cinq ans** he was sent to jail for five years; **ils ont expédié**○ **leurs trois enfants en colonie de vacances** they packed○ their three children off to a holiday GB *ou* summer US camp; **~**○ **qn dans l'au-delà** *or* **au cimetière** to do sb in○, to kill sb; **3** (se débarrasser de)○ to get rid of [*client, importun*]; (bâcler)○ to polish off [*travail, repas*]; **~ un procès/entretien en une heure** pej to get a trial/an interview over within one hour; **4** (régler) to deal with; **~ les affaires courantes** to deal with *ou* dispatch daily business

expéditeur, **-trice** /ɛkspeditœʀ, tʀis/
A *adj* [*bureau, gare*] of dispatch (*après n*)
B *nm,f* sender; **retour à l'~** return to sender

expéditif, **-ive** /ɛkspeditif, iv/ *adj* [*personne*] brisk, efficient; [*méthode, procédé*] cursory, expeditious sout; **un jugement ~** a hasty verdict; **une justice expéditive** summary justice

expédition /ɛkspedisjɔ̃/ *nf* **1** (action d'expédier) (de lettre, marchandises) dispatching, sending; (de renforts) sending; (par bateau) shipping; **2** (chose expédiée) gén consignment, shipment US; (par bateau) shipment; **3** Mil, Sport, Sci expedition; **~ punitive** punitive strike; **partir en ~** to set out on an expedition; **4** Jur (de jugement, d'acte notarié) authenticated copy

expéditionnaire /ɛkspedisjɔnɛʀ/
A *adj* [*corps, armée, forces*] expeditionary
B ▸ **p. 532** *nmf* **1** Comm forwarding agent; **2** Admin copyist

expéditivement /ɛkspeditivmɑ̃/ *adv* cursorily, quickly, expeditiously sout

expérience /ɛkspeʀjɑ̃s/ *nf* **1** (pratique) experience; **je le sais par ~** I know from experience; **faire une ~ malheureuse** to have an unfortunate experience; **manquer d'~** to lack experience; **~ professionnelle** work experience; **mon ~ de pilote** my experience as a pilot; **c'est une ~ que je ne renouvellerai pas** that's an experience I wouldn't want to repeat; **l'~ montre que** experience shows that; **j'ai l'~ des enfants** I've experience with children; **avoir de l'~** to be experienced; **ne pas avoir d'~** to be inexperienced; **sans ~** inexperienced; **faire l'~ de qch** to experience sth; **j'en ai fait l'~ à mes dépens** I learned that lesson at my own expense; **je le sais pour en avoir fait l'~** I know it from experience; **2** Sci (essai) experiment (**de** in); **~ réussie** successful experiment; **~ pédagogique** educational experiment; **~ en laboratoire** laboratory experiment; **~s sur les animaux** animal testing *ou* experiments; **faire une ~** to carry out an experiment

expérimental, **~e**, *mpl* **-aux** /ɛkspeʀimɑ̃tal, o/ *adj* experimental

expérimentalement /ɛkspeʀimɑ̃talmɑ̃/ *adv* experimentally

expérimentateur, **-trice** /ɛkspeʀimɑ̃tatœʀ, tʀis/ *nm,f* experimenter

expérimentation /ɛkspeʀimɑ̃tasjɔ̃/ *nf* **1** Sci (processus) testing ¢; **dix ans d'~** ten years of testing; **2** Sci (test) test; **effectuer des ~s** to carry out tests; **3** (essai) experimentation; **période d'~** period of experimentation

expérimenté, **~e** /ɛkspeʀimɑ̃te/
A *pp* ▸ **expérimenter**
B *adj* [*amant, traducteur*] experienced; **'recherchons personnes ~es pour gérer un**

restaurant' 'we're looking for experienced people to run a restaurant'

expérimenter /ɛkspeʀimɑ̃te/ [1]
A *vtr* **1** (tester) to test [*médicament*] (**sur** on); to try out [*méthode, procédé*]; **2** (éprouver) to experience [*situation*]; **je le sais pour l'avoir expérimenté** I know it from experience
B *vi* to experiment

expert, **~e** /ɛkspɛʀ, ɛʀt/
A *adj* expert (**à faire** at doing); **d'un œil ~** with an expert eye; **elle n'est pas très ~e en la matière** she's not a great expert on the subject
B ▸ **p. 532** *nm* **1** (spécialiste) expert (**en** on); **~ en informatique** computer expert; **médecin ~** Jur medical expert; **l'avis d'un ~** expert advice; **2** Assur adjuster
(Composés) **~ en assurance** loss adjuster; **~ immobilier** chartered surveyor GB, appraiser US; **~ judiciaire** expert witness; **~ maritime** average adjuster

expert-comptable, *pl* **experts-comptables** /ɛkspɛʀkɔ̃tabl/ ▸ **p. 532** *nm* ≈ chartered accountant GB, certified public accountant US

expertement /ɛkspɛʀtəmɑ̃/ *adv* expertly

expertise /ɛkspɛʀtiz/ *nf* **1** (estimation) (de bijou) valuation GB, appraisal US; (de dégâts) assessment; **rapport d'~** expert's report; **2** (compétence) expertise
(Composés) **~ judiciaire** Jur expert evidence; **~ médico-légale** expert medical evidence; **~ osseuse** Méd bone X-ray (*to determine a person's age*)

expertiser /ɛkspɛʀtize/ [1] *vtr* **1** (évaluer) to value GB, appraise US [*bijou*]; to assess [*dégâts*]; **faire ~ une bague** to have a ring valued GB *ou* appraised US; **2** (authentifier) to authenticate [*tableau*]

expiable /ɛkspjabl/ *adj* expiable

expiation /ɛkspjasjɔ̃/ *nf* atonement (**de** for), expiation (**de** of)

expiatoire /ɛkspjatwaʀ/ *adj* expiatory

expier /ɛkspje/ [2] *vtr* **1** (réparer) to atone for, expiate [*crime, faute*] (**par** with); **2** (être puni de) to pay for [*erreur*] (**par** with)

expirant, **~e** /ɛkspiʀɑ̃, ɑ̃t/ *adj* liter [*personne, flamme*] dying; [*voix*] faint

expiration /ɛkspiʀasjɔ̃/ *nf* **1** Physiol exhalation; **2** (échéance) expiry GB, expiration US; **à l'~ du contrat** when the contract expires; **venir** *or* **arriver à ~** to expire

expirer /ɛkspiʀe/ [1]
A *vtr* to exhale [*air*]
B *vi* **1** (arriver à son terme) to expire; **le contrat a expiré** the contract has expired; **2** (souffler) to breathe out; **inspirez, expirez!** breathe in, breathe out!; **3** (mourir) liter [*personne*] to expire; [*lueur*] to fade

explétif, **-ive** /ɛkspletif, iv/
A *adj* expletive
B *nm* expletive

explicable /ɛksplikabl/ *adj* explicable; **peu ~** hard to explain

explicatif, **-ive** /ɛksplikatif, iv/ *adj* **1** [*note, lettre*] explanatory; **2** Ling [*proposition*] non-restrictive

explication /ɛksplikasjɔ̃/ *nf* **1** (éclaircissement) explanation ₵ (**à, de** of); **si tu veux des ~s supplémentaires** if you need any further explanation; **demander/vouloir des ~s** to seek/demand an explanation; **je n'ai pas d'~s à vous donner** I don't have to explain; **document/lettre d'~** explanatory document/letter; **campagne d'~ sur** information campaign about; **nous avons eu une bonne ~** we've talked things through; **2** (cause) (de phénomène) explanation (**de** for); (d'attitude, de décision, panne) reason (**de** for); **3** (altercation) argument; **4** Scol (de passage) commentary; **faire l'~ d'un passage** to analyze a passage
(Composé) **~ de texte** Scol textual analysis

explicite /ɛksplisit/ *adj* [*texte, requête, mention*] specific; [*réponse*] definite; [*titre*] self-explanatory; [*film*] explicit; **être ~** [*personne*] to be forthcoming; **être peu ~** [*personne*] not to be very forthcoming; **peu** *or* **pas très ~** [*texte, chiffres, manière*] ambiguous; **accord plus ou moins ~** more or less tacit agreement

explicitement /ɛksplisitmɑ̃/ *adv* [*dire, mentionner, rejeter, condamner*] explicitly, unequivocally; [*demander, inciter, citer, autoriser*] specifically; **demander on ne peut plus ~ qch** to ask quite specifically for sth; **faire ~ référence à qch** to make specific reference to sth

expliciter /ɛksplisite/ [1] *vtr* to clarify, to explain [*propos, objectif, grandes lignes, choix, raison*]

expliquer /ɛksplike/ [1]
A *vtr* **1** (enseigner) to explain; **explique-leur comment marche le chauffage** explain to them how the heating works; **2** (donner la raison) to explain; **je vais tout t'~** I'll explain everything; **3** (être la raison) to account for; **le hasard n'explique pas tout** chance doesn't account for everything; **4** Scol to comment on, to analyze [*passage*]
B s'expliquer *vpr* **1** (comprendre) **s'~ qch** to understand sth; **je m'explique/ne m'explique pas pourquoi il a menti** I understand *ou* see/I can't understand *ou* see why he lied; **je m'explique qu'elle veuille rester** I can quite see that she might want to stay; **2** (être compréhensible) to be understandable; **leur amertume s'explique** their bitterness is understandable; **tout s'explique par le fait que les habitudes ont changé** it's understandable, because times have changed; **tout finira par s'~** everything will become clear; **la chose s'explique d'elle-même** it is self-explanatory; **3** (exposer sa pensée) **je m'explique** let me explain; **elle s'explique bien/mal** she expresses herself well/badly; **sans doute me suis-je mal expliqué** perhaps I didn't make myself clear; **expliquez-vous sur ce point** what do you mean exactly?; **4** (se justifier) to explain (oneself) (**auprès de, devant** to); **le secrétaire devra s'~ auprès du comité** the secretary will have to explain himself to the committee; **s'~ sur son retard** to explain one's late arrival; **5** (résoudre un conflit) **ils se sont expliqués** they talked things through; **allez vous ~ ailleurs** go and sort it out somewhere else; **s'~ à coups de poings** to fight it out; **s'~ à coups de revolver** to shoot it out

exploit /ɛksplwa/ *nm* **1** gén exploit, feat; (de sportif) feat, achievement; (de guerrier) exploit; **ses ~s amoureux** *or* **galants** his amorous exploits; **il est arrivé à l'heure? quel ~!** iron he arrived on time? what an achievement!; **2** Jur **~ (d'huissier de justice)** writ

exploitable /ɛksplwatabl/ *adj* exploitable

exploitant, **~e** /ɛksplwatɑ̃, ɑ̃t/ *nm,f* **1** Agric farmer; **2** Cin cinema owner GB, exhibitor US; **3** Comm manager
(Composé) **~ agricole** Agric farmer

exploitation /ɛksplwatasjɔ̃/ *nf* **1** (traitement injuste) exploitation; **2** (ferme) **~ (agricole)** farm; **petite ~ familiale** small family farm; **3** (entreprise) **~ commerciale/industrielle** business/industrial concern; **4** (mise en valeur) (de mine) working; (de gisement de charbon, de fer) mining; (de gisement, de forêt) exploitation; (de ferme, entreprise) running; (de réseau, liaison aérienne, maritime) operation; (de brevet) using; **coûts d'~** running *or* operating costs; **autorisation d'~** licence[GB] to operate; **5** (utilisation) **l'~ d'un don** making the most of a talent

exploité, **~e** /ɛksplwate/ *nm,f* exploited person; **les ~s** the exploited

exploiter /ɛksplwate/ [1] *vtr* **1** (abuser de) to exploit [*personne*]; **2** (faire valoir) to work [*mine*]; to mine [*gisement de charbon, fer*]; to exploit [*gisement, forêt, source thermale*]; to run [*entreprise*]; to operate [*réseau, liaison aérienne*]; to use [*brevet*]; **il exploite 17 hectares** he farms 17 hectares; **3** (utiliser) to make the most of [*don, renseignement, connaissances*]; péj to exploit [*crédulité, rivalités*]; **~ une situation** to capitalize on a situation

exploiteur, **-euse** /ɛksplwatœʀ, øz/ *nm,f* exploiter

explorateur, **-trice** /ɛksplɔʀatœʀ, tʀis/
A *adj* [*regard*] searching
B ▸ **p. 532** *nm,f* (personne) explorer
C *nm* Méd endoscope

exploration /ɛksplɔʀasjɔ̃/ *nf* **1** (de continent, mer, terrain) exploration; **~ spatiale** space exploration; **faire un voyage d'~** to go on a voyage of exploration *ou* discovery; **partir en ~** to go exploring; **l'~ de l'inconscient** fig the exploration of the subconscious; **2** Mines (de gisement, fonds sous-marin) exploration; **3** (de problème, question) investigation, examination; **4** Méd (d'organe) exploration

exploratoire /ɛksplɔʀatwaʀ/ *adj* exploratory

explorer /ɛksplɔʀe/ [1] *vtr* **1** (visiter) to explore [*pays, forêt*]; **2** (examiner) to explore [*thème, marché, options, domaine, inconscient*]; to investigate, to examine [*question, cause*]; (du regard) to scan [*horizon, lieu*]; (de la main) to explore [*tiroir, sac*]; **3** Méd to explore [*organe*]

exploser /ɛksploze/ [1] *vi* **1** lit [*bombe, mine, appareil*] to explode; [*véhicule, immeuble*] to blow up; **faire ~** [*personne, dispositif*] to blow up [*avion, voiture*]; to explode [*bombe, mine*]; [*gaz, court-circuit*] to cause [sth] to blow up [*immeuble*]; **2** fig [*colère, jalousie*] to explode; [*joie*] to burst forth; [*acclamations*] to ring out; **laisser ~ sa colère** to give vent to one's anger; **elle laissa ~ sa joie** she could no longer contain her joy; **faire ~ qn**○ to make sb blow up○; **le pays va ~** the country is going to explode; **3** (augmenter) [*prix*] to soar, to rocket○; [*ventes*] to boom, to rocket○; [*marché*] to boom; [*demande*] to soar

exploseur /ɛksplozœʀ/ *nm* blasting machine, exploder

explosible /ɛksplozibl/ *adj* explosive

explosif, **-ive** /ɛksplozif, iv/
A *adj* (tous contextes) explosive
B *nm* explosive; **un attentat à l'~** an attack using explosives
C explosive *nf* Ling plosive, explosive

explosion /ɛksplozjɔ̃/ *nf* **1** lit explosion; **~ nucléaire** nuclear explosion; **faire ~** to explode; **2** (de haine, colère, violence, rires) outburst, explosion; (de cris) outburst; **une ~ sociale** a social outcry; **3** (de population, fraudes, revendications) explosion (**de** of); **~ démographique** population explosion; **4** (d'art, investissement, de marché) boom (**de** in); **l'~ des prix** price explosion; **l'~ artistique/technologique** the art/technology boom

explosive ▸ **explosif A, C**

exponentiel, **-ielle** /ɛkspɔnɑ̃sjɛl/ *adj* exponential

exponentiellement /ɛkspɔnɑ̃sjɛlmɑ̃/ *adv* exponentially

export /ɛkspɔʀ/ *nm* export

exportable /ɛkspɔʀtabl/ *adj* exportable

exportateur, **-trice** /ɛkspɔʀtatœʀ, tʀis/
A *adj* [*pays*] exporting; [*marché, capacité, industrie, société*] export (*épith*); **les pays ~s de pétrole** oil-exporting countries
B ▸ **p. 532** *nm,f* exporter

exportation /ɛkspɔʀtasjɔ̃/ *nf* **1** (activité) export (**de** of); **faire l'~ de qch** to export sth; **encourager l'~** to encourage exports; **la diminution des commandes à l'~** the falling demand for exports; **une politique d'~** an export policy; **2** (marchandises) export; **les ~s de pétrole/matériel** oil/equipment exports

exporter /ɛkspɔʀte/ [1]
A *vtr* to export [*marchandises, capitaux, culture*]
B s'exporter *vpr* [*produit, mode*] to be exported; **s'~ bien/mal** to be easy/difficult to export

exposant, **~e** /ɛkspozɑ̃, ɑ̃t/
A *nm,f* exhibitor
B *nm* Math exponent

e

exposé, **~e** /ɛkspoze/
A *pp* ▸ **exposer**
B *pp adj* **1** (situé) [*maison, endroit*] exposed; **côte ~e au vent/à l'ennemi** coast exposed to the wind/to the enemy; **maison ~e au sud** south-facing house; **maison bien ~e** house with a good aspect; **2** (montré) [*tableau*] on show (*après n*); [*denrée*] on display (*après n*); **liste des œuvres ~es** list of exhibits; **3** (vulnérable) **c'est un homme très ~** he's (a man) in a very vulnerable position
C *nm* **1** (compte rendu) **~ de** account of, report on [*situation*]; **faire un** *or* **l'~ des faits** to give a statement of the facts; **2** (conférence) talk (**sur** on); exposé (**sur** on); **faire un ~** to give a talk
(Composé) **~ des motifs** Jur preamble

exposer /ɛkspoze/ [1]
A *vtr* **1** (montrer) to exhibit [*œuvre d'art*]; to display, to put [sth] on display [*marchandise*]; to expose [*condamné*]; **~ qch aux regards** *or* **à la vue de tous** to put sth on public view *ou* display; **2** (décrire) to state [*faits*]; to outline [*idée, plan*]; to list [*griefs*]; to explain [*situation*]; to expound [*argument*]; Littérat to set out [*sujet*]; Mus to introduce [*thème*]; **~ sa thèse à qn** to outline one's theory to sb; **~ ses observations sur qch** to give one's comments on sth; **3** Phot to expose; **4** (mettre en danger) to risk [*vie, réputation*]; to stake [*fortune*]; **~ un enfant** Antiq to expose a child; Jur to abandon a child; **5** (soumettre à) to expose (**à** to); **ne reste pas exposé au soleil** (conseil général) stay out of the sun; (mets-toi à l'ombre) don't stay in the sun; **'ne pas ~ à la chaleur'** 'keep away from direct heat'; **être exposé à une maladie** to be exposed to a disease
B **s'exposer** *vpr* **1** (se rendre vulnérable) to put oneself at risk; **s'~ à** to risk [*colère, rechute, mort*]; to lay oneself open to, to run the risk of [*poursuites, critiques, représailles*]; **s'~ à tout perdre** to run the risk of losing everything; **il s'est trop exposé dans cette affaire** he has been incautious in his involvement in that business, he's stuck his neck out○ too far in that business; **2** (se placer) **s'~ au soleil** to go out in the sun

exposition /ɛkspozisjɔ̃/ *nf* **1** (salon, foire) (de tableaux, photos, d'objets d'art) exhibition; (d'animaux, de plantes, marchandises) show; (d'objets à vendre) fair; **~ agricole/florale** agricultural/flower show; **~ universelle** world fair; **2** Comm (dans un magasin, centre commercial) display; **~ de blanc** household linen display; **3** (présentation) (de thèse, situation, faits) exposition; Littérat, Mus exposition; **scène d'~** expository *ou* introductory scene; **4** (orientation) aspect; **pièce avec une double ~** room with a dual aspect; **la terrasse jouit d'une bonne ~** the terrace has a pleasant aspect; **5** (soumission à un effet) aussi Phot exposure; **l'~ aux radiations/au soleil** exposure to radiation/to sunlight; **6** Jur (de condamné) exposure; **~ d'enfant** abandonment of a child

exprès[1] /ɛksprɛ/ *adv* **1** (délibérément) deliberately; **je ne l'ai pas fait ~** I didn't do it on purpose, I didn't mean to do it; **c'est fait ~** it's deliberate; **'la porte se referme toute seule'—'c'est fait ~'** 'the door shuts itself'—'that's what it's designed to do!'; **il le fait ~ pour m'embêter** he does it deliberately *or* on purpose to annoy me; **comme par un fait ~, il a plu ce jour-là** as ill-luck would have it *ou* as if on purpose, it rained that day; **comme par un fait ~ il était là aussi** as ill-luck would have it, he was there too; **2** (spécialement) specially; **elle est venue (tout) ~ pour faire** she came specially to do

exprès[2], **-esse** /ɛksprɛs/
A *adj* [*ordre, condition, clause*] express; **défense expresse d'en parler** all mention of it is expressly forbidden
B **exprès** *adj inv* Postes special delivery; **envoyer qch en** *or* **par ~** to send sth special delivery

express /ɛksprɛs/
A *adj inv* **1** Transp [*train, liaison, transports*] express; **2** (rapide) [*nettoyage*] express; [*déjeuner*] quick; **une visite ~** a flying visit
B *nm inv* **1** Rail express; **2** (café) espresso

expressément /ɛksprɛsemɑ̃/ *adv* expressly

expressif, **-ive** /ɛksprɛsif, iv/ *adj* expressive

expression /ɛksprɛsjɔ̃/ *nf* **1** gén expression; **plein d'~** [*yeux, visage*] expressive; [*chant*] full of expression; **sans ~** expressionless; **avec ~** [*réciter, chanter*] with feeling; **réduire qch à sa plus simple ~** fig to reduce sth to a minimum; **2** (groupe de mots) expression; **~ imagée** *or* **figurée** figurative expression; **~ idiomatique** idiom, idiomatic expression; **~ figée** set phrase; **~ toute faite** set phrase; péj cliché; **passez-moi l'~!** if you'll pardon the expression!; **bête au-delà de toute ~** too stupid for words; **d'~ française/anglaise** French-speaking/English-speaking
(Composé) **~ corporelle** self-expression through movement

expressionnisme /ɛksprɛsjɔnism/ *nm* expressionism

expressionniste /ɛksprɛsjɔnist/ *adj, nmf* expressionist

expressivité /ɛksprɛsivite/ *nf* expressiveness

exprimable /ɛksprimabl/ *adj* possible to express; **difficilement ~** [*sentiment, impression*] hard to express

exprimer /ɛksprime/ [1]
A *vtr* **1** (énoncer) to express [*avis, idée*]; (sans paroles) to show [*désaccord, attitude*]; (donner libre cours à) to express [*personnalité, sentiment*]; **~ qch en français** to say sth in French; **2** (dénoter) [*couleur, mot, poème*] to express; **son visage exprimait la surprise/cruauté** there was an expression of surprise/cruelty on his face; **3** (traduire) to express (**en** in); **~ un prix en dollars/euros** to give a price in dollars/euros; **~ qch en pourcentage** to give sth as a percentage; **4** (extraire) to squeeze [*liquide*] (**de** out of)
B **s'exprimer** *vpr* **1** (parler, montrer sa personnalité) to express oneself; (donner son avis) to give one's opinion (**sur** on *ou* about); **si j'ose m'~ ainsi** if I can put it this way; **je me suis mal exprimé** I haven't made myself clear; **s'~ en français** to speak in French; **s'~ par gestes** (sans parler) to use sign language; (emphatiquement) to use gestures to express oneself; **2** (être indiqué) to be represented; **s'~ par un symbole** to be represented by a symbol; **3** (se montrer) [*sentiment, état d'esprit*] to be expressed

expropriation /ɛksprɔprijasjɔ̃/ *nf* (de maison, d'immeuble) compulsory purchase, compulsory acquisition; (de terrain) expropriation, compulsory purchase; (de personne) expropriation

exproprié, **~e** /ɛksprɔprije/ *nm,f* person whose property has been expropriated

exproprier /ɛksprɔprije/ [2] *vtr* **~ qn** to put a compulsory purchase order on sb's property; **~ une maison/un terrain** to put a compulsory purchase order on a house/a piece of land

expulser /ɛkspylse/ [1] *vtr* **1** (renvoyer) to evict [*locataire*] (**de** from); to deport [*immigré*] (**de** from; **en/vers** to); to expel [*élève, diplomate, dissident, membre*] (**de** from); **2** Sport to send [sb] off [*joueur*]; **3** Physiol to expel [*calcul*]; to excrete [*déchets*]

expulsion /ɛkspylsjɔ̃/ *nf* **1** (de locataire) eviction (**de** from); (d'immigré) deportation (**de** from); (d'élève, de diplomate, dissident) expulsion (**de** from); **ordre** *or* **arrêté d'~** (d'immigré) deportation order; (de locataire) eviction order; **2** Sport sending-off (**de** from); **3** Physiol (de déchets) excretion (**de** from); (lors d'un accouchement) delivery

expurger /ɛkspyrʒe/ [13] *vtr* **1** Édition, Cin to expurgate, to bowdlerize [*texte, scénario*]; **2** Pol to purge [*parti, organisation*] (**de** of)

exquis, **~e** /ɛkski, iz/ *adj* [*parfum, nourriture, œuvre, goût*] exquisite; [*temps*] delightful; [*sourire, personne, geste*] charming; [*moue*] adorable; [*enfant*] delightful, adorable; **être d'une politesse ~e** to be exquisitely polite

exsangue /ɛgzɑ̃g/ *adj* **1** lit [*personne, blessé*] who has lost a lot of blood (*après n*); [*cadavre, organe*] bloodless; **2** (pâle) [*lèvres*] bloodless; [*mains*] white; [*visage*] ashen; **3** fig [*pays, économie*] drained; [*société, art, littérature*] lifeless; **la guerre a laissé le pays ~** the war has bled the country dry

exsudation /ɛksydasjɔ̃/ *nf* Méd, Bot exudation

exsuder /ɛksyde/ [1]
A *vtr* lit, fig to exude
B *vi* lit, fig to ooze (**de** from)

extase /ɛkstɑz/ *nf* lit, fig ecstasy; **être/tomber en ~ devant** to be in/go into ecstasy *ou* raptures over

extasier: **s'extasier** /ɛkstazje/ [2] *vpr* to go into ecstasies *ou* raptures (**devant, sur** over); **'magnifique,' s'extasia-t-elle** 'marvellous[GB]' she enthused; **regarder qn d'un air extasié** to look at sb ecstatically

extatique /ɛkstatik/ *adj* ecstatic

extenseur /ɛkstɑ̃sœr/
A *adj m* Anat [*muscle*] extensor
B *nm* **1** Sport chest-expander; **2** Anat extensor

extensibilité /ɛkstɑ̃sibilite/ *nf* extensibility

extensible /ɛkstɑ̃sibl/ *adj* **1** lit [*métal, tissu, matière*] extensible; **2** fig [*liste*] extendable

extensif, **-ive** /ɛkstɑ̃sif, iv/ *adj* **1** [*culture*] extensive; **2** [*sens*] wider; [*signification, usage*] extended

extension /ɛkstɑ̃sjɔ̃/ *nf* **1** (de bras, jambe) stretching, extension; (de muscle, cou) stretching; **faire des mouvements d'~ et de flexion** to stretch and bend; **quand votre jambe est en ~** when your leg is extended; **2** Méd extension; **3** (d'industrie) expansion; (de grève, zone, pouvoirs, loi) extension (**à** to); **prendre de l'~** [*industrie*] to expand; [*grève*] to spread *ou* extend; **et par ~, le mot signifie...** and by extension the word means...; **4** (de ressort, métal) stretching; **5** Ordinat (de fichier) file extension; (module) plug-in

exténuant, **~e** /ɛkstenɥɑ̃, ɑ̃t/ *adj* exhausting

exténuer /ɛkstenɥe/ [1]
A *vtr* to exhaust; **avoir l'air exténué** to look exhausted
B **s'exténuer** *vpr* to wear oneself out (**à faire** doing)

extérieur, **~e** /ɛksterjœr/
A *adj* **1** (hors d'un lieu) [*mur, escalier, température*] outside; [*crépi, menuiserie*] external; [*surface, poche*] outer; [*intérêts, activités*] outside; [*angle*] external; (périphérique) [*mur, boulevard*] outer; **le côté ~, la partie ~e** the outside; **échelle destinée à l'usage ~** ladder for outdoor use; **les abords ~s** the surrounding area; **les quartiers ~s** the outlying districts; **2** (hors de l'être) [*réalité*] external; [*monde*] external, outside; **3** (étranger) Écon, Pol [*commerce, déficit, relations*] external, foreign; [*politique*] foreign; **4** (d'ailleurs) [*personne, organisme, fonds*] outside, from outside (*après n*); [*cause, contrôle, pression*] external, outside; [*intervention, recrutement*] outside; **faire appel à des compétences ~es** to call in outside help; **personne ~e à un groupe** (d'ailleurs) person from outside a group; (étrangère à) person who does not belong to a group; **les pays ~s à la UE** non-EU countries; **5** (apparent) [*signe*] outward; [*joie, calme*] apparent, outward; **signe ~ de réussite** outward sign of success; **afficher un calme ~** to be outwardly calm; **leur indifférence est tout ~e** their indifference is only a

front; **aspect ~** (de personne) outward appearance; (de bâtiment) outside; **6** (sans rapport avec) **~ à qch** unrelated to sth, outside sth; **question ~e au sujet** question not related to the subject; **7** Sport [*match, victoire*] away (*épith*)
B *nm* **1** (de boîte, maison, ville, pays) outside; **peindre l'~** to paint the outside; **de l'~** [*fermé, vu, juger, observer*] from the outside; **les gens de l'~** (loin du lieu dit) people from other places; (hors d'un organisme) outsiders; **à l'~** outside, outdoors; **rouge à l'~** red on the outside; **à l'~ de la maison** outside the house; **rester à l'~ d'un conflit** to remain outside a conflict; **jeu/plante d'~** outdoor game/plant; **2** (étranger) **relations/échanges avec l'~** foreign *ou* external relations/trade; **notre image à l'~** our image abroad; **3** (monde autour de soi) outside world; **s'ouvrir sur** *or* **vers l'~** to open up to the outside world; **nouvelles de l'~** news from the outside world; **4** (apparence) exterior, appearance; **un ~ rude** a gruff exterior; **de l'~, elle n'est pas avenante** at first sight, she doesn't seem very friendly; **5** Cin outdoor location shots; **en ~** on location; **6** Sport **match joué à l'~** away match; **jouer/gagner à l'~** to play/win an away match, to play/win away; **7** (qui ne fait pas partie d'un groupe) outsider; (d'un club) nonmember

extérieurement /ɛksteʀjœʀmɑ̃/ *adv* **1** (vu du dehors) on the outside, externally; **2** (en apparence) outwardly

extériorisation /ɛksteʀjɔʀizasjɔ̃/ *nf* (d'émotion) outward expression; Psych (de sensibilité) externalization

extérioriser /ɛksteʀjɔʀize/ [1]
A *vtr* to express [*pensée*]; to show [*sentiment*]; Psych to externalize
B s'extérioriser *vpr* [*personne*] to express oneself; [*émotion*] to be expressed

extériorité /ɛksteʀjɔʀite/ *nf* exteriority

exterminateur, **-trice** /ɛkstɛʀminatœʀ, tʀis/
A *adj* [*puissance, glaive*] exterminating
B *nm,f* exterminator (**de** of)

extermination /ɛkstɛʀminasjɔ̃/ *nf* extermination (**de** of); **jusqu'à l'~ de l'ennemi** until the enemy has been wiped out; **camp d'~** death camp

exterminer /ɛkstɛʀmine/ [1] *vtr* to exterminate [*peuple, animaux*]; to wipe out [*armée, rebelles*]

externalisation /ɛkstɛʀnalizasjɔ̃/ *nf* outsourcing

externaliser /ɛkstɛʀnalize/ [1] *vtr* to outsource

externat /ɛkstɛʀna/ *nm* **1** Scol (école) day school; **elle préfère l'~** she prefers to be a day pupil *ou* a non-boarder; **2** Méd, Univ **préparer l'~** to prepare for medical school entrance exams; **faire son ~** to be a non-resident student doctor (in a hospital) GB, to be an extern US

externe /ɛkstɛʀn/
A *adj* **1** (extérieur) [*cause, problème, croissance*] external; [*face*] outside; [*partie*] exterior; **recrutement ~** outside recruitment, recruitment from outside; **2** Méd [*hémorragie, mal*] external; **à usage ~** for external application *ou* use only; **3** Math external; [*angle*] exterior
B *nmf* **1** Scol day pupil; **2** Méd, Univ **~ (des hôpitaux)** non-residential medical student GB, extern US

exterritorialité /ɛksteʀitɔʀjalite/ *nf* extraterritoriality

extincteur /ɛkstɛ̃ktœʀ/ *nm* fire extinguisher

extinction /ɛkstɛ̃ksjɔ̃/ *nf* **1** Méd **avoir une ~ de voix** to have lost one's voice; **mon ~ de voix a duré trois jours** I lost my voice for three days; **2** (d'espèce, de race) extinction; **une espèce en voie d'~** an endangered species; **3** (action d'éteindre) **après l'~ de l'incendie** after the fire was put out *ou* extinguished; **après l'~ des feux** after lights out; **4** Jur extinguishment

extirper /ɛkstiʀpe/ [1]
A *vtr* **1** ○(faire sortir) to drag [*personne*] (**de** out of, from); **2** liter (faire disparaître) to eradicate, to root out [*vice, mal*] (**de** from); **3** (arracher) to pull out [*plantes, racines, herbes*]
B s'extirper○ *vpr* [*personne*] to drag oneself (**de** out of, from)

extorquer /ɛkstɔʀke/ [1] *vtr* to extort [*argent, aveu, promesse*] (**à qn** from sb)

extorqueur, **-euse** /ɛkstɔʀkœʀ, øz/ *nm,f* **~ (de fonds)** extortionist

extorsion /ɛkstɔʀsjɔ̃/ *nf* extortion ¢; **~ de fonds** extortion (of money); **être accusé d'~ de fonds** to be accused of extorting money

extra* /ɛkstʀa/
A *adj inv* **1** ○[*film, moment etc*] fabulous○; **il est ~ ce type** he's a great guy○; **2** Comm **confiture ~** extra jam; **huile d'olive ~ vierge** extra virgin olive oil
B *nm inv* **1** (dépense imprévue) extra; **se payer un petit ~** to have a little treat; **faire un** *or* **des ~** to splash out○; **2** (travail) **faire des ~** (petits travaux) to do bits and pieces; (travail supplémentaire) to do a few extra jobs; **3** (personne) extra person

extra-atmosphérique, *pl* **~s** /ɛkstʀaatmɔsfeʀik/ *adj* **espace ~** outer space

extrabudgétaire /ɛkstʀabydʒetɛʀ/ *adj* extrabudgetary, out-of-budget (*épith*)

extracellulaire /ɛkstʀaselylɛʀ/ *adj* extracellular

extracommunautaire, *pl* **~s** /ɛkstʀakɔmynotɛʀ/ *adj* non-EU (*épith*)

extraconjugal, **~e**, *mpl* **-aux** /ɛkstʀakɔ̃ʒygal, o/ *adj* extramarital

extra-court, **~e**, *pl* **~s**, **~es** /ɛkstʀakuʀ, uʀt/ *adj* [*vêtement*] ultra-short; [*texte, film*] very short

extracteur /ɛkstʀaktœʀ/ *nm* extractor

extractible /ɛkstʀaktibl/ *adj* removable

extractif, **-ive** /ɛkstʀaktif, iv/ *adj* [*machine*] extraction (*épith*); [*industries, substances*] extractive

extraction /ɛkstʀaksjɔ̃/ *nf* **1** Mines (de minerai, pétrole, gaz) extraction; (de charbon, diamants) mining; (d'ardoise, de marbre) quarrying; **2** Méd (de balle, dent) extraction (**de** from); **3** Math extraction; **4** Chimie (d'huile, essences, hydrocarbures, de sucre) extraction; **~ par solvant** extraction using a solvent; **5** (origine) extraction sout; **être de basse/haute ~** to be of low/high birth; **être d'~ bourgeoise** to be from a middle-class background

extrader /ɛkstʀade/ [1] *vtr* to extradite [*criminel*] (**de** from; **vers** to)

extradition /ɛkstʀadisjɔ̃/ *nf* extradition; **une demande d'~** a request for extradition

extrados /ɛkstʀado(s)/ *nm inv* extrados

extra(-)fin, **~e**, *mpl* **~s*** /ɛkstʀafɛ̃, in/ *adj* [*collants*] ultra-fine; **petits pois ~s** petits pois; **haricots verts ~s** extra-fine French beans; **chocolat ~** luxury chocolate

extrafort, **~e** /ɛkstʀafɔʀ, ɔʀt/
A *adj* [*carton, moutarde*] extra-strong
B *nm* Cout binding tape

extraire /ɛkstʀɛʀ/ [58]
A *vtr* **1** (exploiter) to extract [*minerai*]; to mine [*or, houille*]; to quarry [*ardoise, marbre*]; **2** (enlever) to extract, to pull out [*dent*]; to remove [*balle, épine*] (**de** from); to extract [*substance, élément*] (**de** from); **~ un blessé d'une voiture accidentée** to free an injured man from a wrecked car; **passage extrait d'un roman** excerpt from a novel; **3** Math to extract
B s'extraire *vpr* **s'~ de** to climb out of [*fauteuil, cabine de pilotage*]; hum to struggle out of [*vêtement*]

extrait /ɛkstʀɛ/ *nm* **1** (de livre, film) extract, excerpt; (de discours) extract; **2** (substance) essence, extract; **~ de viande/de légumes** meat/vegetable extract; **3** Compta **~ de compte** abstract of accounts

(Composés) **~ (d'acte) de naissance** birth certificate; **~ (d'acte) de mariage** marriage certificate; **~ de casier judiciaire (de qn)** copy of (sb's) criminal record

extra-large, *pl* **~s** /ɛkstʀalaʀʒ/ *adj* Mode extra-large

extra-léger, **-ère**, *mpl* **~s** /ɛkstʀaleʒe, ɛʀ/ *adj* [*tissu, repas*] extra-light

extralinguistique /ɛkstʀalɛ̃gɥistik/ *adj* extralinguistic

extra-long, **-longue**, *mpl* **~s** /ɛkstʀalɔ̃, ɔ̃g/ *adj* [*cigarette*] king-size; [*vêtement*] extra-long

extralucide /ɛkstʀalysid/ *adj* clairvoyant; **être ~** to be clairvoyant, to have second sight; **voyante ~** clairvoyant

extra-muros* /ɛkstʀamyʀos/ *loc adv* fml outside town

extranéité /ɛkstʀaneite/ *nf* **1** (qualité) foreignness; **2** (statut) alien status

extranet /ɛkstʀanɛt/ *nm* extranet

extraordinaire /ɛkstʀaɔʀdinɛʀ/ *adj* **1** (qui surprend) [*question, phénomène*] extraordinary; (qui plaît et surprend) [*sensation, paysage, personne*] amazing; (admirable) [*personne, film*] remarkable; (qui plaît beaucoup) [*personne, film*] fantastic○; **d'une intelligence/laideur ~** amazingly intelligent/ugly; **avoir un talent ~** to be remarkably talented; **le film n'avait rien d'~** it wasn't a particularly stunning film; **une quantité ~ de gâteaux** a huge *ou* enormous number of cakes; **l'~ est que** the extraordinary thing is that; **et si par ~...** and if by some extraordinary twist of fate...; **c'est quand même ~! vous étiez dans la maison et vous n'avez rien entendu?** it's incredible! you were in the house and you heard nothing at all?; **2** (non prévu) [*dépenses, mesure, assemblée*] extraordinary

extraordinairement /ɛkstʀaɔʀdinɛʀmɑ̃/ *adv* amazingly, extraordinarily

extraparlementaire /ɛkstʀapaʀləmɑ̃tɛʀ/ *adj* extraparliamentary

extra-plat, **~e**, *pl* **~s**, **~es** /ɛkstʀapla, at/ *adj* [*briquet, calculatrice, montre*] slimline

extrapolation /ɛkstʀapɔlasjɔ̃/ *nf* extrapolation

extrapoler /ɛkstʀapɔle/ [1]
A *vtr* to extrapolate
B *vi* **1** (généraliser) to extrapolate (**sur** about); **~ en se basant sur qch** *or* **à partir de qch** to extrapolate from sth; **2** Math to extrapolate

extrascolaire /ɛkstʀaskɔlɛʀ/ *adj* [*activités*] extracurricular

extrasensoriel, **-ielle** /ɛkstʀasɑ̃sɔʀjɛl/ *adj* extrasensory

extraterrestre /ɛkstʀatɛʀɛstʀ/
A *adj* [*invasion*] extraterrestrial; **espace ~** outer space
B *nmf* extraterrestrial, alien

extra-utérin, **~e**, *mpl* **~s** /ɛkstʀayteʀɛ̃, in/ *adj* **grossesse ~e** ectopic pregnancy

extravagance /ɛkstʀavagɑ̃s/ *nf* **1** (de personne) eccentricity; **2** (de projet, comportement, mode, d'idées) extravagance; **tomber dans l'~** to be excessive, to go over the top○; **3** (de prix) exorbitant nature; **4** (acte) extravagance; **faire/dire des ~s** to do/say extravagant things

extravagant, **~e** /ɛkstʀavagɑ̃, ɑ̃t/
A *adj* **1** [*personne, comportement*] eccentric; **2** [*idée, projet, mode*] extravagant; **3** [*prix*] exorbitant; [*récompense, budget*] extravagant
B *nm,f* eccentric

extraversion /ɛkstʀavɛʀsjɔ̃/ *nf* extroversion

extraverti, **~e** /ɛkstʀavɛʀti/ *adj, nm,f* extrovert

extrême /ɛkstʀɛm/
A *adj* **1** (le plus distant) [*bord, limite*] very; [*bout*]

e

very, far; [*sud, nord*] far; [*partie*] furthest; [*date*] very last; **dans l'~ nord/sud du pays** in the far north/south of the country, in the northernmost/southernmost part of the country; **2** (très grand) [*précision, simplicité, courage, prudence*] extreme; [*pureté*] very great; **l'~ jeunesse du candidat** the candidate's extreme youth; **leur ~ vieillesse** their very great age; **avec une prudence ~** with extreme caution, extremely cautiously; **avec une courtoisie/un plaisir ~** with the greatest courtesy/pleasure; **d'une pureté/complexité ~** extremely pure/complex; **il fait un froid ~** it's extremely cold; **3** (immodéré) [*climat, opinion, exemple, situation, comportement*] extreme; [*décision, proposition, remède*] drastic; [*passion*] intense; **il est ~ en tout, c'est quelqu'un d'~** he always goes to extremes; **4** Pol [*parti*] extremist; [*droite, gauche*] far, extreme

B *nm* **1** (ce qui est excessif) extreme; **cet exemple fait figure d'~** this is an extreme example; **ville de tous les ~s** town of extremes; **c'est pousser la probité/logique à l'~** that's taking honesty/logic to extremes; **inquiet/courageux à l'~** extremely worried/brave; **événement médiatisé à l'~** event which was given a lot of media hype○; **limiter ses dépenses à l'~** to keep one's expenses to a bare minimum; **2** (opposé) extreme; **passer d'un ~ à l'autre** to go from one extreme to the other; **à l'~ opposé** *or* **inverse** at the other extreme; **les ~s se rejoignent** extremes meet; **3** Météo extreme; **les ~s saisonniers** seasonal extremes

C extrêmes *nmpl* **1** Pol **les ~s** (d'un parti) the extremists; (au Parlement) the far *ou* extreme right and left; **2** Math extremes

extrêmement /ɛkstʀɛmmɑ̃/ *adv* extremely

extrême-onction, *pl* **extrêmes-onctions** /ɛkstʀɛmɔ̃ksjɔ̃/ *nf* extreme unction; **donner l'~** to give extreme unction (**à** to)

Extrême-Orient /ɛkstʀɛmɔʀjɑ̃/ ▸ p. 721 *nprm* **l'~** the Far East

extrême-oriental, **~e**, *mpl* **-aux** /ɛkstʀɛmɔʀjɑ̃tal, o/ *adj* far eastern; **la concurrence ~e** competition from the Far East

extrémisme /ɛkstʀemism/ *nm* extremism; **le danger des ~s** the danger of extremism; **l'~ de droite/gauche** right/left extremism

extrémiste /ɛkstʀemist/ *adj, nmf* extremist

extrémité /ɛkstʀemite/ *nf* **1** (bout) gén end; (de tube, ligne, rue) end; (de doigt, tige, baguette) tip, end; (d'aiguille) point, end; (de mât, clocher) top; (de surface, champ, ville) edge; fig (de vie) end; **à l'~ de** at the end of [*rue*]; at the top of [*mât*]; at the edge of [*ville*]; **à l'autre ~ de l'Europe** at the other end of Europe; **aux deux ~s** at both ends; **2** (mort) **résister jusqu'à la dernière ~** [*combattant*] to fight to the last drop of blood; [*malade*] to hold out to the last; **(en) être à la dernière ~** to be on the point of death, to be close to death; **3** fig (acte désespéré) extreme; **pousser qn jusqu'à la dernière ~** to push sb to the brink; **pousser qn à une fâcheuse ~** to drive sb to extremes; **se livrer à des ~s** gén to do something extreme; (être violent) to resort to violence; **je crains qu'il ne se livre à quelque regrettable ~** I'm afraid he might do something silly; **4** Anat extremity; **avoir de petites ~s** to have small hands and feet

extrinsèque /ɛkstʀɛ̃sɛk/ *adj* extrinsic

extrudeuse /ɛkstʀydøz/ *nf* extruder

extrusion /ɛkstʀyzjɔ̃/ *nf* Ind, Tech (procédé) extrusion

exubérance /ɛgzybeʀɑ̃s/ *nf* **1** (de personne, style) exuberance; **avec ~** [*parler*] with exuberance; [*agir*] exuberantly; **2** (de forêt, végétation) luxuriance

exubérant, **~e** /ɛgzybeʀɑ̃, ɑ̃t/ *adj* **1** [*personne, gestes, joie, œuvre, style*] exuberant; [*imagination*] vivid; **2** [*forêt, végétation, nature*] luxuriant

exultation /ɛgzyltasjɔ̃/ *nf* exultation

exulter /ɛgzylte/ [1] *vi* to be exultant (**de qch** with sth), to exult (**de faire** at doing); **après sa victoire, il exultait** after his victory, he was exultant

exutoire /ɛgzytwaʀ/ *nm* **1** fig outlet; **servir d'~ à qch** to be an outlet for sth; **trouver dans le sport un ~ à son agressivité** to find an outlet for one's agressiveness in sport; **2** Tech outlet

ex-voto* /ɛksvoto/ *nm inv* thanksgiving plaque

eye-liner, *pl* **~s** /ajlajnœʀ/ *nm* eyeliner

Ézéchiel /ezekjɛl/ *npr* Ezekiel

f, **F** /ɛf/ *nm inv* **1** (lettre) f, F; **2** (appartement) **F3** 2-bedroom flat GB *ou* apartment; **3** (*written abbr* = **franc**) **50 F** 50 F

fa /fa/ *nm inv* (note) F, fa; (en solfiant) fa; **~ dièse** F sharp

FAB /fab/ *adv*: *abbr* ▸ **franco**

fable /fɑbl/ *nf* **1** (récit) tale; **~ morale/sociale/politique** moral/social/political tale; **2** Littérat fable; **3** (mensonge) tall story; **il ne cesse d'inventer des ~s** he's always telling tall stories; **je ne te raconte pas une ~** I'm not making it up

(Idiome) **être la ~ de la ville** (le sujet de conversation) to be the talk of the town; (la risée) to be a laughing stock

fabliau, *pl* **~x** /fɑblijo/ *nm* fabliau

fablier /fɑblije/ *nm* book of fables

fabricant /fabʀikɑ̃/ *nm* manufacturer

fabrication /fabʀikasjɔ̃/ *nf* **1** (action de produire) gén making; (pour le commerce) manufacture; **procédé de ~** manufacturing process; **c'est un secret de ~** Ind it's an industrial secret; (de boisson, plat) it's a secret recipe; **il y a un défaut de ~** [*tissu*] it's imperfect; [*machine*] it's faulty; **de ~ française** French-made; **de ~ artisanale** [*banc, potiche*] hand-crafted; [*chocolat*] hand-made; [*jambon*] home-cured; [*saucisse*] home-produced; **moutarde de ~ artisanale** ≈ traditional mustard; **~ en série** mass production; **pull/confiture de ma ~** sweater/jam which I made myself; **c'est de ~ maison** it's home-made; **2** pej (de fausses nouvelles) fabrication péj

(Composés) **~ assistée par ordinateur**, **FAO** computer-aided manufacturing, CAM

fabrique /fabʀik/ *nf* **1** (usine) factory; **une ~ de carrelage/pipes** a tile/pipe factory; **2** Hist Relig **la ~, le conseil de ~** *council responsible for the maintenance of a church*

fabriquer /fabʀike/ [1]

A *vtr* **1** (produire) gén to make; (industriellement) to manufacture; **produits fabriqués** manufactured goods; **'fabriqué en France'** 'made in France'; **fabriqué en usine/à la main** factory-/hand-made; **fabriqué en série** mass-produced; **fabriqué selon des méthodes artisanales** [*objet*] hand-crafted; [*moutarde*] traditional; **2** (pour tromper) to forge [*faux papiers, fausse monnaie*]; to invent [*alibi*]; **c'est une histoire fabriquée** it's a made-up story; **c'est fabriqué de toutes pièces** it's a complete fabrication; **3** ○(faire) **qu'est-ce que tu fabriques?** what are you up to?; **qu'est-ce que tu fabriques ici?** what are you doing here?

B se fabriquer *vpr* **1** (pour soi) **se ~** to make [sth] for oneself [*meuble, appareil*]; **se ~ un personnage** to create a persona for oneself; **2** Comm, Ind to be manufactured; **cela se fabrique au Japon** it's manufactured in Japan

fabulateur, **-trice** /fabylatœʀ, tʀis/ *nm,f* compulsive liar

fabulation /fabylasjɔ̃/ *nf* **1** (fable) lie, tale; **2** (mythomanie) compulsive lying

fabuler /fabyle/ [1] *vi* **1** (inventer) to make things up; **2** Psych to confabulate

fabuleusement /fabyløzmɑ̃/ *adv* fabulously

fabuleux, **-euse** /fabylø, øz/ *adj* **1** (extraordinaire) [*beauté, temps, richesse*] fabulous; [*somme*] fantastic; **j'ai eu une chance fabuleuse** I had a fantastic stroke of luck; **2** (de légende) [*animal, monstre, être*] mythical

fabuliste /fabylist/ *nmf* fabulist

fac○ /fak/ *nf* **1** (faculté) faculty; **2** (université) university; **être en ~** to be at university GB, to be in college US

façade /fasad/ *nf* **1** Archit, Constr front, façade; **avec deux chambres en ~** with two front bedrooms; **la ~ arrière** the back; **~ nord/est** north/east side; **2** (apparence) façade; **ce n'est qu'une ~** it's all a façade; **tout pour la ~!** it's all for show!

(Idiome) **se refaire la ~**◑ to put one's face on◑

face /fas/

A *nf* **1** (visage) face; **~ à ~** face to face; **(étendu) ~ contre terre** lying face downward(s); **à la ~ de qn** [*proclamer, jeter*] in sb's face; **les muscles/os de la ~** the facial muscles/bones; **le côté ~ d'une pièce** the heads side of a coin; **le côté ~ d'une médaille** the face of a medal; ▸ **pile**

2 (côté) side; **la ~ nord/antérieure/cachée** the north/front/hidden side

3 (aspect) side; **examiner un problème sous toutes ses ~s** to examine a problem from all sides; **la ~ changeante du monde** the changing face of the world; **une question à plusieurs ~s** a multifaceted question; **la nouvelle gare change la ~ du quartier** the new station changes the look of the district; **la ~ cachée de la politique** the underside of politics

4 (front) **faire ~** (résister) to face up to things; **se faire ~** (être vis-à-vis) [*personnes*] to face each other; [*objets, maisons*] to be opposite one another; (s'affronter) to confront each other; **faire ~ à** [*maison, chambre*] to face [*lieu*]; [*personne*] to face [*adversaire, défi, accusation*]; to cope with [*exigences, dépenses*]; to meet [*demande, besoin, dette*]; to measure up to [*concurrence*]; **faire ~ à l'inflation/à la sécheresse** to tackle inflation/the drought

5 Imprim (de caractère) typeface

6 Dent (de dent) surface

B de face *loc* [*photo*] fullface (*épith*); [*éclairage*] frontal; **il ne peint/photographie jamais de ~** he never paints people/takes pictures fullface; **elle est plus jolie de ~** she's prettier from the front; **je n'ai pas pu le voir de ~** I couldn't see him from the front; **les cyclistes avaient le vent de ~** the cyclists were riding into the wind; **les deux voitures se sont heurtées de ~** the two cars collided head-on; **aborder un problème de ~** to tackle a problem head-on; **prendre une loge de ~** Théât to take a box facing the stage; **je préfère être assis de ~ au cinéma** I prefer to sit in the centre seats at the cinema

C en face *loc* **il habite en ~** he lives opposite; **les gens d'en ~** the people opposite; **en ~, on peut voir une tapisserie** opposite, you see a tapestry; **en ~, les joueurs étaient mieux entraînés** the other team was better trained; **avoir le soleil en ~** to have the sun in one's eyes; **regarder la mort en ~** to look death in the face; **voir les choses en ~** to see things as they are; **je leur ai dit la vérité en ~** I told them the truth straight out; **elle n'a pas osé te le dire en ~** she didn't dare tell you to your face; **les partis/l'équipe d'en ~** the opposing parties/team; **le camp d'en ~** gén the opposite side; Pol the opposite camp

D en face de *loc prép* **1** (devant) **en ~ de l'église** opposite the church GB, across from the church; **le couple en ~ de moi** the couple opposite me; **ils étaient assis l'un en ~ de l'autre** *or* **en ~ l'un de l'autre** they were sitting opposite *ou* facing each other

2 (en présence de) **ne dis pas ça en ~ des enfants** don't say that in front of the children; **en ~ de lui, elle ne rit jamais** she never laughs in his presence; **en ~ de difficultés imprévues** faced with unexpected difficulties

3 (comparé à) compared with; **en ~ de ton frère, il paraît timide** compared with your brother, he seems shy

E face à *loc prép* **1** (devant) **parler ~ aux caméras** to speak facing the cameras; **mon lit est ~ à la fenêtre** my bed faces the window **2** (confronté à) **~ à cette situation/à l'insuffisance de crédits** in view of this situation/of the shortage of funds

(Composés) **~ de carême** sourpuss○; **~ de rat**○ rat face ○

(Idiomes) **perdre/sauver la ~** to lose/save face; **se voiler** *or* **couvrir** *or* **cacher la ~** not to face facts

face-à-face /fasafas/ *nm inv* (débat) one-to-one debate GB, one-on-one debate US; (confrontation) encounter

face-à-main, *pl* **faces-à-main** /fasamɛ̃/ *nm* lorgnette

facétie /fasesi/ *nf* **1** (plaisanterie) facetious remark; **dire des ~s** to make facetious remarks; **2** (farce) practical joke; **faire des ~s** to play tricks

facétieusement /fasesjøzmɑ̃/ *adv* mischievously

facétieux, **-ieuse** /fasesjø, øz/ *adj* [*personne, esprit, nature*] mischievous

facette /fasɛt/ *nf* lit, fig facet; **à plusieurs ~s** multifaceted; **les multiples ~s de** the many facets of

fâché, **~e** /fɑʃe/

A *pp* ▸ **fâcher**

B *pp adj* **1** (en colère) angry (**contre** with); **2** (brouillé) **être ~ avec qn** to have fallen out with sb; **être ~ avec le latin**○ hum to be no good at Latin; **3** (désolé) sorry (**de qch** about sth); **je ne suis pas ~ de son échec/de les voir partir/qu'ils partent** I'm not sorry he failed/to see them go/that they are leaving; **je suis ~ de leur départ/de vous voir triste** I'm sorry that they are leaving/to see you so sad

fâcher /fɑʃe/ [1]

A *vtr* **1** (mettre en colère) to make [sb] angry (**en faisant** by doing); (contrarier, chagriner) to upset [sb] (**en faisant** by doing); **2** (brouiller) **~ qn avec qn** to make sb fall out with sb; **~ deux amis** to make two friends fall out

B se fâcher *vpr* **1** (se mettre en colère) to get

angry (**contre qn** with sb; **à propos de qch, pour qch** about sth); (en perdant le contrôle de soi-même) to lose one's temper (**contre qn** with sb; **à propos de qch, pour qch** over sth); **arrête, ou je vais me ~** stop doing that, or I'll be cross; **2** (se brouiller) to fall out (**avec qn** with sb; **à propos de qch, pour qch** over sth)

(Idiome) **se ~ tout rouge**○ to be hopping mad○

fâcherie○ /fɑʃʀi/ *nf* falling out ₵

fâcheusement /fɑʃøzmɑ̃/ *adv* (regrettablement) unfortunately; (désagréablement) disagreeably

fâcheux, -euse /fɑʃø, øz/ liter

A *adj* **1** (néfaste) [*influence, exemple*] detrimental; **2** (malencontreux) [*retard, initiative*] unfortunate; **il est ~ qu'il soit** it is unfortunate that he is; **3** (disgracieux) [*effet*] unpleasing; **4** (affligeant) [*nouvelle, événement*] distressing
B *nm,f* irritating person

facho○ /faʃo/ *adj, nmf* fascist

facial, ~e, *mpl* **-iaux** /fasjal, o/ *adj* Anat facial

faciès /fasjɛs/ *nm inv* **1** Anthrop, Méd facies; **2** (expression) face; **~ énergique/repoussant** strong/repulsive face; **3** Bot, Géol facies; **~ marin/sableux** marine/sandy facies; **4** Archéol culture

facile /fasil/

A *adj* **1** (sans difficulté) easy; **travail/examen/argent ~** easy job/examination/money; **rien de plus ~ (que)** nothing could be easier (than); **c'est tout ce qu'il y a de ~** it's the easiest thing in the world; **assez ~** easy enough; **~ comme tout** as easy as pie; **avoir une** *or* **la vie ~** to have an easy life; **un travail ~ à faire** an easy job to do; **une erreur/comparaison ~ à faire** an easy mistake/comparison to make; **une personne ~ à vivre** an easy-going person; **il n'est pas ~ à vivre** he's not very easy-going; **~ à casser/définir/éviter** easy to break/define/avoid; **il est** *or* **c'est ~ de faire** it is easy to do; **ce n'est pas ~ de la croire** it is not easy to believe her; **c'est ~ à comprendre** it's easy to understand; **il m'est/leur est ~ de faire** it is easy for me/them to do; **il ne m'a pas été ~ de les rencontrer** it was not easy for me to meet them; **c'est ~ à dire** it's easy for you/her etc to say; **c'est plus ~ à dire qu'à faire** that's easier said than done; **2** (spontané) **avoir le rire/le verbe/la larme ~** to be quick to laugh/talk/cry; **3** (docile) [*personne, enfant, caractère*] easy-going; [*victime, bouc émissaire*] easy; **femme ~** péj loose woman; **4** (médiocre) [*idéologie, style, musique*] facile; **une plaisanterie un peu ~** a facile joke
B ○*adv* (facilement) easily; **il a soixante ans ~** he's easily sixty; **je peux y aller ~** I can go there easily

facilement /fasilmɑ̃/ *adv* **1** (sans difficultés) easily; **on ne rentre pas ~ dans le bâtiment** it's not very easy to get into the building; **elle pleure/rit très ~** she's very quick to cry/laugh; **être ~ adaptable/manipulable** [*machine, dispositif*] to be easy to adapt/manipulate; **2** ○(largement) **j'ai mis ~ deux heures pour venir/faire l'exercice** it took me a good two hours to get here/do the exercise

facilitateur, -trice /fasilitatœʀ, tʀis/ ▸ p. 532 *nm,f* facilitator

facilité /fasilite/

A *nf* **1** (absence de difficulté) (de travail, jeu) easiness; (d'acte, utilisation, entretien) ease; **la ~ avec laquelle** the ease with which; **avec ~** with ease; **d'une ~ déconcertante** surprisingly easy; **avec plus de ~ que** more easily than; **d'une grande ~ (d'utilisation)** very easy (to use); **~ d'accès** easy access; **2** (d'expression, de style) fluency; **j'envie ta ~** I envy your fluency; **avec ~** fluently; **3** (médiocrité) **tomber dans/éviter la ~** to tend to take/not to take the easy way out; **je n'aime pas la ~** I don't like the easy option; **4** (docilité) placidness; **5** (disposition) **avoir de la ~ pour qch/pour** *or* **à faire** to have a gift for sth/for doing
B facilités *nfpl* **1** (possibilités) **~s commerciales/d'importation** commercial/import opportunities; **donner/avoir toutes ~s pour faire** to afford/have every opportunity to do; **2** Fin **~s (de paiement)** easy terms; **~s de caisse/prêt** overdraft/loan facility (*sg*)

faciliter /fasilite/ [1] *vtr* to make [sth] easier (**à** for); **votre aide m'a facilité la tâche** your help made the job easier for me; **~ les choses** to make things easier

faciliteur /fasilitœʀ/ ▸ p. 532 *nm* facilitator

FACOB /fakɔb/ *nm* (*abbr* = **facultatif obligatoire**) open-cover

façon /fasɔ̃/

A *nf* **1** (manière) way; **la seule/meilleure ~ de faire** the only/best way to do; **la bonne ~ de s'y prendre** the right way to go about it; **la ~ dont tu manges, ta ~ de manger** the way you eat; **de cette ~** that way; **de plusieurs/différentes ~s** in several/various ways; **d'une autre ~** in another way, differently; **d'une ~ ou d'une autre** one way or another; **c'est une ~ comme une autre de faire** it's one way of doing; **d'une certaine ~** in a way; **de toute ~, de toutes les ~s** anyway; **de toutes les ~s possibles** in every possible way; **de la même ~** in the same way (**que** as); **à peu près de la même ~** in much the same way (**que** as); **agir de la même ~** to do the same; **de la ~ suivante** in the following way; **il a une ~ bien à lui** he's got his own particular way of doing things; **il a une drôle de ~ de voir/faire les choses** he has a funny way of looking at/doing things; **en voilà une ~ de travailler!** what a way to work!; **de telle ~ que personne n'a compris** so that nobody understood; **en aucune ~** in no way; **de ~ décisive** in a decisive way, decisively; **de ~ inattendue** in an unexpected way, unexpectedly; **à ma/ta/leur ~** my/your/their (own) way; **à la ~ de** like; **vivre à la ~ des Espagnols** to live as they do in Spain; **fabriqué de ~ artisanale** made by craftsmen; **de ~ à faire** (en vue de) in order to do; (de telle manière que) in such a way as to do; **de ~ (à ce) qu'elle fasse** so (that) she does; **de ~ qu'on puisse arriver à l'heure** so (that) we can arrive on time; **elle nous a joué un tour de sa ~** she played a trick of her own on us; **elle nous a préparé une salade de sa ~** she made us one of her special salads; **je vais leur dire ma ~ de penser** I'll tell them exactly what I think; **cette ~ de faire ne te/leur ressemble pas** that's not like you/them; **~ de parler** so to speak; **de quelle ~ est-il tombé/a-t-il procédé?** how did he fall/proceed?; ▸ **général A 2**; **2** (imitation) **un peigne ~ ivoire** an imitation ivory comb; **sac ~ sellier** saddle-stitched bag; **doublure ~ soie** silk-look lining; **3** (style) style; **spectacle ~ années 70** a 70's-style show; **~ Einstein/Hollywood** Einstein-/Hollywood-style; **4** (main-d'œuvre) **on m'a donné le tissu et j'ai payé la ~** the cloth was a present and I paid for the making-up; **c'est du tissu de bonne qualité mais la ~ est médiocre** the material is good but the garment is badly made; **travailler à ~** [*personne, atelier*] to work to order (*with supplied materials*); **'travaux à ~'** (vêtements féminins) 'dressmaking'; (vêtements masculins) 'tailoring'
B façons *nfpl* **1** (attitude) **tes ~s me déplaisent** I don't like the way you behave; **en voilà des ~s!** what a way to behave!; **2** (excès de politesse) **faire des ~s** to stand on ceremony; **ne faites pas tant de ~s** don't stand on ceremony; **sans ~(s)** [*repas*] informal; [*personne*] unpretentious; **il a accepté sans ~s** he accepted with alacrity; **non merci, sans ~s** no thank you, really

faconde /fakɔ̃d/ *nf* fml loquacity; **avoir de la ~** to be loquacious; **quelle ~!** what a talker!

façonnage /fasɔnaʒ/ *nm* **1** Ind (du bois) hewing; (de la pierre) cutting; (du cuir) sleeking; (du papier) converting; (du pétrole) processing; **contrat de ~** (industrie pétrolière) contractual processing ₵ of crude oil; **2** Imprim forwarding

façonner /fasɔne/ [1] *vtr* **1** (fabriquer) to manufacture [*outil, pièce*]; to make [*chapeau, objet artisanal*]; **2** Ind to hew [*bois*]; to cut [*pierre*]; to fashion [*argile*]; to sleek [*cuir*]; **3** (former) (par l'éducation) to shape [*personne, caractère*]; (par les épreuves) to mould GB *ou* mold US [*personne, caractère*]; **~ qn à l'obéissance** to train sb to obey

fac-similé, *pl* **~s*** /faksimile/ *nm* **1** (reproduction) facsimile; **le ~ d'une lettre** a facsimile letter; **une édition en ~** a facsimile edition; **2** Télécom facsimile, fax

facteur, -trice /faktœʀ, tʀis/ ▸ p. 532

A *nm,f* postman/postwoman, mailman/mailwoman US
B *nm* **1** (élément) factor; **~ de risque/décisif/technique/humain** risk/decisive/technical/human factor; **le ~ chance** the element of chance; **2** Math factor; **~ commun/premier** common/prime factor; **mise en ~s** factorization; **mettre en ~s** to factorize, to factor US; **3** Mus **~ d'orgues** organ builder; **~ de pianos/de cornemuses/de harpes** piano/bagpipe/harp maker

(Composé) **~ Rhésus** Rhesus factor

factice /faktis/ *adj* **1** (forcé) [*gaieté, sourire, amabilité*] forced; [*style*] contrived; **2** (imité) [*bijoux*] imitation (*épith*); [*fleur, matière, beauté*] artificial; [*bouteille, étalage*] dummy (*épith*)

facticement /faktismɑ̃/ *adv* artificially

factieux, -ieuse /faksjø, øz/

A *adj* [*personne, organisation, journal*] seditious
B *nm,f* dissident

faction /faksjɔ̃/ *nf* **1** Pol (ligue factieuse) faction; **2** Mil guard duty; **tour de ~** watch; **être de** *or* **en ~** Mil to be on guard duty; gén to keep watch; **3** Entr shift

factionnaire /faksjɔnɛʀ/ *nm* **1** (sentinelle) sentry; **2** (ouvrier) shift worker

factitif, -ive /faktitif, iv/ *adj* factitive

factoriel, -ielle /faktɔʀjɛl/

A *adj* factorial; **analyse factorielle** factor analysis
B factorielle *nf* factorial

factorisation /faktɔʀizasjɔ̃/ *nf* factorization

factoriser /faktɔʀize/ [1] *vtr* to factorize, to factor US

factotum /faktɔtɔm/ *nm* general handyman, factotum hum

factrice ▸ **facteur A**

factuel, -elle /faktɥɛl/ *adj* factual

factum /faktum/ *nm* pej lampoon

facturation /faktyʀasjɔ̃/ *nf* **1** (opération) invoicing; **2** (service) invoicing department

facture ➜▯

/faktyʀ/ *nf* **1** gén bill; (détaillée) invoice; **faire** *or* **établir une ~** to make out a bill *ou* an invoice; **~ de téléphone/d'électricité** telephone/electricity bill; **une fausse ~** a forged *ou* bogus invoice; **2** (dépense) bill; **~ pétrolière** oil bill; **3** (technique) (d'artisan) craftsmanship; (d'artiste) technique; **un fauteuil d'une belle ~** a finely crafted armchair; **4** Mus (fabrication) (d'orgues) building; (d'instruments) making; **la ~ d'une harpe/d'un piano** the making of a harp/of a piano

(Composés) **~ détaillée** Comm itemized invoice; **~ pro forma** Comm pro forma invoice

facturer /faktyʀe/ [1] *vtr* **1** (dresser une facture pour) to invoice [*marchandises*]; **2** (faire payer) to charge for; **je ne vous ai pas facturé la main-d'œuvre/le rétroviseur** I didn't charge you for the labour[GB]/for the rearview mirror

---

➜▯ *voir* Vivre dans un pays anglophone

facturette /faktyʀɛt/ *nf* credit card slip

facturier, **-ière** /faktyʀje, ɛʀ/ ▸ **p. 532**
A *nm,f* (employé) invoice clerk
B *nm* (registre) invoice book
C **facturière** *nf* (machine) invoicing machine

facultatif, **-ive** /fakyltatif, iv/ *adj* optional; **épreuve facultative** optional test; **arrêt ~** Transp request stop; **le vaccin est ~ mais recommandé pour les personnes âgées** the vaccine is not compulsory but is recommended for old people

facultativement /fakyltativmɑ̃/ *adv* optionally

faculté /fakylte/ *nf* **1** (aptitude) (sensorielle, intellectuelle) faculty; (physique) ability; **la ~ de parler** the faculty of speech; **~s mentales/intellectuelles** mental/intellectual faculties; **conserver l'usage de ses ~s jusqu'au bout** to keep one's faculties right to the end; **la ~ de marcher** the ability to walk; **avoir une grande ~ d'adaptation** to be very adaptable; **je commençais à douter de mes ~s** I was beginning to doubt the evidence of my senses; **2** (liberté) option (**de faire** of doing); **la ~ de choisir** freedom of choice; **3** Univ faculty; **4** Jur (droit) right (**de faire** to do); **5** †(corps médical) **la Faculté** doctors (*pl*)

fada○ /fada/
A *adj* crazy○ (**de** about), nuts○ (**de** about)
B *nmf* nutcase○

fadaises /fadɛz/ *nfpl* twaddle○ ¢, silly chatter ¢; **raconter des ~** to talk twaddle○

fadasse○ /fadas/ *adj* [*aliment, goût*] tasteless; [*couleur*] drab; [*cheveux*] dull; [*film, livre, personne*] dull

fade /fad/ *adj* [*aliment, goût*] tasteless, bland; [*couleur*] drab; [*blondeur*] dull; [*odeur*] sickly; [*spectacle, œuvre, personne*] dull

fadeur /fadœʀ/
A *nf* **1** (de goût) blandness; **2** (de style, conversation) dreariness
B †**fadeurs** *nfpl* empty compliments

fading /fadiŋ/ *nm* fading

fado /fado/ *nm* fado

fafiot◑ /fafjo/ *nm* banknote GB, bill US; **des ~s** dough◑, money

fagot /fago/ *nm* bundle of firewood

(Idiomes) **de derrière les ~s**○ very special; **il nous a sorti une bouteille de derrière les ~s**○ he brought out an old bottle of wine that he'd been saving for a special occasion; **il nous a sorti un projet de derrière les ~s**○ he produced a plan that he had been keeping up his sleeve; **sentir le ~** fml to smack of heresy

fagoter○ /fagɔte/ [1]
A *vtr* (habiller) to do [sb] up○
B **se fagoter** *vpr* to do oneself up○; **(être) mal fagoté** (to be) badly dressed; ▸ **as**

Fahrenheit /faʀɛnajt/ *nm inv* Fahrenheit; **70 degrés ~** 70 degrees Fahrenheit

faiblard○, **~e** /fɛblaʀ, aʀd/ *adj* pej [*personne, organisme*] weak; [*rendement, spectacle*] (pretty) poor

faible /fɛbl/
A *adj* **1** (sans force) [*malade, organe, pouls*] weak; [*structure, poutre*] weak; [*résistance, défense*] weak; [*monnaie, économie, marché*] weak; [*vue*] poor; **un enfant ~ de constitution** *or* **de ~ constitution** a child with a frail constitution; **elle est ~ des poumons** she has weak lungs; **2** (sans fermeté) [*parents, gouvernement*] weak; **il est ~ de caractère** he's got a weak character; **la chair est ~** the flesh is weak; **être ~ avec qn** to be soft with sb, to be too soft on sb; **3** (peu considérable) [*proportion, quantité, différence, progression*] small; [*coût, taux, rendement, revenu*] low; [*moyens, portée*] limited; [*avantage*] slight; [*chance*] slim; **c'était une période de ~ natalité** that was a period when the birthrate was low; **la ~ activité du secteur** the low level of activity in the sector; **à ~ vitesse** [*rouler, percuter*] at a low speed; **substance de ~ toxicité** substance with a low toxic content; **à ~ profondeur** [*être, pousser*] at a shallow depth; **de ~ profondeur** [*étang, récipient*] shallow; **il n'a qu'une ~ idée de ce qui l'attend** he has only a vague idea of what's awaiting him; **4** (sans intensité) [*bruit, voix, lueur, vibrations*] faint; [*éclairage*] dim; [*vent, pluie*] light; **une ~ lueur d'espoir** a faint glimmer of hope; **5** (de peu de valeur) [*résultat*] poor; [*score*] low; [*argument*] feeble; [*production*] weak; **un ~ niveau de qualification/formation** poor qualifications/training; **le scénario est bien ~** the script is very weak; **résultats ~s en langues** poor results in languages; **de ~ importance** [*événement, détail*] of little importance; **c'est une ~ consolation** it's small *ou* little consolation; **6** (manquant de capacités) [*élève, classe*] slow; **j'ai une classe très ~** I've got a very slow class; **elle est ~ en anglais** she's weak in English; **~ d'esprit** feeble-minded; **7** (peu évocateur) [*mot, expression*] inadequate; **c'est un imbécile et le mot est ~!** he's a fool and that's putting it mildly!; **8** Ling weak
B *nmf* (personne veule) weak-willed person; **c'est un ~** he's weak-willed
C *nm* (penchant) weakness; **avoir un ~ pour** to have a weakness for [*aliment, objet*]; to have a soft spot for [*personne*]
D **faibles** *nmpl* **les ~s** the weak (+ *v pl*); **les économiquement ~s** the economically disadvantaged

faiblement /fɛbləmɑ̃/ *adv* **1** (mollement) [*se défendre, protester, sourire*] weakly; **2** (doucement) [*frapper*] gently; [*éclairer*] dimly; [*influencer*] slightly; **3** (peu) [*développé, qualifié*] poorly; [*fréquenté*] barely; [*augmenter*] slightly

faiblesse /fɛblɛs/ *nf* **1** (manque de force) (de personne, structure) weakness; (d'infirme, de vieillard) frailty; **la ~ de l'homme face aux cataclysmes** man's weakness in the face of cataclysms; **ta ~ de constitution** your frail constitution; **la ~ de ma vue** my poor eyesight; **ses jambes tremblaient de ~** his/her legs were so weak they trembled; **le moteur donne des signes de ~** the engine shows signs of being faulty; **2** (manque de fermeté) weakness (**envers** toward, towards GB); **sans ~** [*réprimer*] ruthlessly; [*répression*] ruthless; **avoir la ~ de faire** to be weak enough to do; **mettre qn/être en position de ~** to put sb/to be in a weak position; **3** (insuffisance) inadequacy; **la ~ de nos revenus** our low level of income; **la ~ de la population dans certaines régions** the low population levels in some areas; **4** (manque d'intensité) (de voix) faintness; (d'éclairage) dimness; (de précipitations) lightness; **5** (défaut) weakness; **les ~s de sa théorie/son raisonnement** the weaknesses in his theory/his reasoning; **6** (médiocrité) weakness; **ta ~ en latin** your weakness in Latin; **la ~ de sa mémoire/pensée** the weakness of his memory/reasoning; **7** (défaillance) **avoir une ~** *or* **des ~s** to feel faint; **être pris de ~(s)** to feel faint; **8** (acte réprouvé) moment of weakness

faiblir /fɛbliʀ/ [3] *vi* **1** (perdre de sa force) [*personne, pouls*] to get weaker; **ma vue faiblit** my eyesight is failing; **2** (perdre de sa fermeté) [*personne, mouvement, monnaie*] to weaken; **devant tes pleurs il se sentit ~** he weakened *ou* felt himself weaken at the sight of your tears; **3** (baisser de niveau) [*sportif*] to flag; [*roman, intrigue, jeu*] to decline; [*mémoire*] to fail; [*attention, intérêt, envie*] to wane; [*espoir*] to fade; [*rendement, taux*] to dwindle; [*vitesse*] to slacken; **il a encore faibli en grec** his standard in Greek has declined; **quel humour, ma parole, tu faiblis!** that wasn't very funny, I think you're losing your touch!; **4** (diminuer d'intensité) [*orage, pluie, vent*] to abate; [*bruit, voix*] to grow faint; [*éclairage, ampoule*] to grow dim

faïence /fajɑ̃s/ *nf* **1** (matière) earthenware; **de** *or* **en ~** earthenware (*épith*); **l'assiette est en ~** the plate is made of earthenware; **2** (objet) piece of earthenware; **il a acheté de vieilles ~s** he bought some old earthenware

(Idiome) **se regarder en chiens de ~** to look daggers at each other

faïencerie /fajɑ̃sʀi/ ▸ **p. 532** *nf* **1** (usine) pottery; **2** (objets) glazed earthenware *ou* pottery; **3** (magasin) china shop

faïencier, **-ière** /fajɑ̃sje, ɛʀ/ ▸ **p. 532** *nm,f* potter *(who produces faience earthenware)*

faille /fɑj/ *nf* **1** Géol (cassure) fault; **ligne de ~** fault line; **2** (lacune) flaw; **sans ~** unfailing; **fidélité sans ~** unfailing loyalty; **3** (rupture) rift; **~s au sein d'un mouvement** rifts within a movement

failli, **~e** /faji/ *adj* bankrupt, failed

faillibilité /fajibilite/ *nf* fallibility

faillible /fajibl/ *adj* fallible

faillir /fajiʀ/ [28] *vi* **1** (avec un infinitif) **elle a failli mourir** she almost *ou* (very) nearly died; **j'ai failli le gifler** I almost *ou* (very) nearly slapped him; **ils ont failli rater l'avion** they almost *ou* (very) nearly missed the plane; **il a failli nous voir** he almost *ou* (very) nearly saw us; **il a failli gagner** he almost *ou* (very) nearly won; **2** liter **une vieille recette qui n'a jamais failli** an old recipe which has always been reliable; **sans ~** unfailingly; **~ à ses obligations/engagements** to fail in one's obligations/commitments; **~ à sa réputation** to fall short of one's reputation; **ne pas ~ à la tradition** to live up to the tradition; **le courage/la mémoire lui faillit** his courage/memory failed him

faillite /fajit/ *nf* **1** Comm, Jur bankruptcy; **se mettre en ~** to file for bankruptcy; **être en ~** to be bankrupt; **faire ~** to go bankrupt; **mettre qn en ~** to declare sb bankrupt; **2** (échec) failure; **la ~ d'une politique/d'un système** the failure of a policy/of a system

(Composé) **~ frauduleuse** fraudulent bankruptcy

faim /fɛ̃/ *nf* hunger (**de** for); **grève de la ~** hunger strike; **avoir ~** to be hungry; **avoir ~ de** fig to hunger for; **avoir ~ de liberté** to hunger for freedom; **avoir une ~ de loup** to be ravenous; **donner ~ à qn** to give sb an appetite; **ils ont souffert de la ~ pendant la guerre** they went hungry during the war; **manger à sa ~** to have enough to eat; **tromper sa ~** to stave off (one's) hunger; **mourir de ~** (avoir de l'appétit) to be starving; (par manque de nourriture) to die of starvation; **il est mort de ~** he died of starvation, he starved to death; **le spectacle m'a laissé sur ma ~** the show didn't live up to my expectations; **j'attendais des révélations mais je suis resté sur ma ~** I was expecting some big news but I was disappointed

faine /fɛn/ *nf* (sur l'arbre) beechnut; (tombée) **des ~s** beechmast ¢

fainéant, **~e** /feneɑ̃, ɑ̃t/
A *adj* lazy
B *nm,f* layabout○ GB, lazybones (*sg*); ▸ **roi**

fainéanter /feneɑ̃te/ [1] *vi* to laze about

fainéantise /feneɑ̃tiz/ *nf* laziness

faire /fɛʀ/ [10]
A *vtr* **1** (donner, émettre, produire) to make; **le raisin fera un vin excellent** the grapes will make *ou* produce (an) excellent wine; **cet arbre fait des fleurs/baies** this tree produces flowers/berries; **le garage ferait une belle pièce** the garage would make a nice room; **ils font un beau couple** they make a handsome couple; **il fera un bon médecin** he'll make a good doctor; **les qualités qui font un champion** the qualities which make a champion; **trois et deux font cinq** three and two make five; **ça fait deux chacun** that makes two each; **combien font 13 fois 13?** what's 13 times 13?; **œil fait yeux au pluriel** œil is yeux in the plural

f

ℹ faire

Un très grand nombre de tournures et locutions contenant ce verbe sont traitées ailleurs, généralement sous le terme qui suit *faire*, en particulier:

- les expressions décrivant les tâches domestiques, agricoles (*faire la cuisine/moisson*), les occupations manuelles (*faire du tricot/bricolage*), les activités professionnelles ou de loisir (*faire du théâtre, de la photo*), le type d'études (*faire médecine*). Pour ce qui est des jeux, sports et loisirs, voir également la note d'usage correspondante
- les locutions décrivant un mouvement, l'expression, un comportement (*faire un geste/une grimace/le pitre*)
- les expressions dans lesquelles *faire* signifie 'formuler' (*faire une promesse/offre* etc.)
- les expressions décrivant la qualité de la lumière (*il fait jour/sombre*) ou l'état du temps
- les expressions contenant une mesure (*faire 20 mètres de long/15 kilos/20°/15 kilomètres à l'heure* etc.) pour lesquelles on consultera les notes d'usage
- les expressions décrivant une démarche de l'esprit (*se faire une opinion/du souci* etc.)
- les expressions indiquant l'effet produit (*faire peur/mal/plaisir/du tort* etc., *faire cuire/sécher/tomber* etc.)
- *faire* + *venir/entrer/sortir* etc.
- les locutions telles que *faire semblant/exprès, se faire avoir* etc.
- les expressions familières (*faire un enfant* etc.)

par ailleurs, pour les expressions décrivant:

- une activité sportive (*faire du tennis/de la marche/du parapente*)
- une durée (*ça fait 15 ans*)

La consultation des notes d'usage vous fournira des traductions utiles. Voir la liste ▸ **p. 1948**. En outre, certaines entrées telles que **combien, ce, que, comment, laisser, rien, mieux, bien** etc. fourniront également des traductions utiles.

To make ou to do?

Les principales traductions de *faire* sont *to make* et *to do* mais elles ne sont pas interchangeables.

to make traduit *faire* + objet dénotant ce qui est créé, confectionné, composé, réalisé, obtenu; l'objet est le résultat de l'action:

faire son lit
= to make one's bed

faire des confitures
= to make jam

faire un discours
= to make a speech

faire une faute
= to make a mistake

faire un bénéfice
= to make a profit

je me suis fait un café
= I made myself a coffee

to do a le sens plus vague de se livrer à une activité, s'occuper à quelque chose; l'objet peut préciser la nature de l'activité:

faire de la recherche
= to do research

faire un exercice
= to do an exercise

faire son devoir
= to do one's duty

ou bien la nature de l'activité reste indéterminée:

que fait-il (dans la vie)?
= what does he do (for a living)?

qu'est-ce que tu fais ce soir?
= what are you doing tonight?

la science peut tout faire
= science can do anything

j'ai à faire
= I have things to do

ou encore le contexte suggère la nature de l'activité:

faire une pièce
= to do a room

peut vouloir dire la nettoyer, la ranger, la peindre.

Si *faire* remplace un verbe plus précis, on traduira fréquemment par celui-ci:

faire une maison
= to build a house

faire un nid
= to build a nest

faire une lettre
= to write a letter

faire une visite
= to pay a visit

faire un numéro de téléphone
= to dial a number

Les périphrases verbales sont parfois rendues par un seul verbe:

***faire voir** (= montrer)*
= to show

***faire du tissage** (= tisser)*
= to weave

Mais:

faire un peu de tissage
= to do a bit of weaving

Faire + infinitif + qn

faire + infinitif + qn, c'est-à-dire obtenir de quelqu'un qu'il agisse d'une certaine manière, se traduit selon le sens de *faire*, par:

to make sb do sth (forcer, être cause que):

fais-la lever
= make her get up

ça m'a fait rire
= it made me laugh

ça fait dormir
= it makes you sleep

to get sb to do sth (inciter):

fais-leur prendre un rendez-vous
= get them to make an appointment

to help sb to do sth (aider):

faire traverser la rue à un vieillard
= to help an old man across the street

Mais:

faire manger un bébé
= to feed a child

Dans l'exemple *ça fait dormir* on notera qu'en anglais le sujet du verbe est toujours exprimé, ce qui n'est pas le cas en français.

(se) faire faire qch (par qn) se traduit par *to have sth done* ou *made (by sb)*, ou, dans une langue plus familière, *to get sth done* ou *made (by sb)*:

(se) faire construire une maison
= to have a house built

(se) faire réparer sa voiture
= to have ou get one's car repaired

c'est la table qu'il a fait faire
= it's the table he had made

elle fait exécuter les travaux par un ami
= she's having the work done by a friend

Ne faire que

exprime soit la continuité:

il ne fait que pleuvoir
= it never stops raining
ou it rains all the time

soit la restriction:

je ne fais qu'obéir aux ordres
= I'm only obeying orders

Faire reprend un autre verbe

Dans ce cas il sera généralement traduit par *to do*:

'je peux regarder?' 'faites** ou **faites je vous en prie'
= 'may I look?' 'please do'

il souffla, comme il l'avait vu faire à son père
= he blew, as he had seen his father do

on veut que je parte, mais je n'en ferai rien
= they want me to leave, but I'll do nothing of the sort

Vous trouverez d'autres exemples ci-dessous.

2▸ fig (façonner) to shape [*période*]; **les événements qui font l'histoire** events which shape history
3▸ (étudier) to do [*licence, diplôme*]; **on a fait la Chine en géographie** we did China in geography; **~ du violon** to study *ou* play the violin; **tu as fait ton piano?** have you practised your piano?; **~ une école de commerce/les Beaux-Arts** to go to business school/art college
4▸ (préparer) to make [*sauce, soupe, thé*]; to prepare [*salade*]; **~ du poulet** to do *ou* cook a chicken; **qu'est-ce que je fais pour le déjeuner?** what shall I cook *ou* prepare for lunch?
5▸ (nettoyer) to do, to clean [*vitres*]; to clean, to polish [*chaussures*]
6▸ (proposer) Comm to do [*service, marque*]; (vendre) to do, to sell [*article*]; **ils ne font pas le petit déjeuner/les réparations** they don't do breakfast/repairs; **je fais beaucoup ce modèle en ce moment** I'm selling a lot of this particular model at the moment; **l'hôtel fait-il restaurant?** does the hotel do meals, does the hotel have a restaurant?
7▸ (cultiver, produire) Agric **~ des céréales** [*personne*] to grow *ou* do cereals; [*région*] to produce cereals
8▸ (se fournir en) **~ de l'eau** Naut, Rail to take on water; **~ (de) l'essence**○ Aut to get petrol GB *ou* gas US; **~ du bois dans la forêt** to gather wood in the forest; **~ de l'herbe pour les bêtes** to cut grass for the animals
9▸ (parcourir) to do [*distance, trajet*]; to go round [*magasins, agences*]; (visiter) to do○ [*région, ville, musées*]; **~ 200 kilomètres** to do 200 kilometres[GB]; **~ Rome-Nice en avion** to do the Rome-Nice journey by plane; **représentant qui fait○ la région parisienne** rep○ who does the Paris area; **j'ai dû ~ toute la ville/toutes les boutiques pour trouver ça** I had to go all over town/round GB *ou* around US all the shops to find this; **~ la vallée de la Loire** to do○ the Loire Valley; **~ l'Écosse** to visit Scotland; **j'ai fait tous les tiroirs mais je ne**

l'ai pas trouvé I went through all the drawers but I couldn't find it
10▸ (dans le domaine de la santé) to have [*diabète, tension, complexe*]; **~ une crise cardiaque** to have a heart attack; **~ de la fièvre**○ to have *ou* run a temperature; **~ de l'angine de poitrine** to get angina; **elle m'a encore fait une otite**○**!** she's had another ear-infection!
11▸ (demander un prix) **~ qch à 30 euros** to sell sth for 30 euros, to charge 30 euros for sth; **il me l'a fait à 500 euros** he charged me *ou* sold it to me for 500 euros
12▸ (servir de) to serve as; **ce coin fera bureau** this corner will serve as a study
13▸ (user, disposer de) to do; **que vais-je ~ des bagages/enfants?** what am I going to do with the luggage/children?; **qu'as-tu fait du billet?** what have you done with the ticket?; **pour ce qu'elle en fait!** for all she does with it/them!; **pour quoi ~?** what for?; **je n'ai que ~ de** I have no need for; **je n'en ai rien à ~** it's nothing to do with me
14▸ (avoir un effet) **~ plus de mal que de bien** to do more harm than good; **qu'as-tu fait à ta sœur?** what have you done to your sister?; **que veux-tu que j'y fasse?** what do you want me to do about it?, what am I supposed to do about it?; **le cachet ne m'a rien fait** the tablet didn't do anything, the tablet had no effect; **ça y fait** it has an effect; **leur départ ne m'a rien fait** their departure didn't affect me at all, their departure left me cold; **ça me fait quelque chose de la voir dans cet état** it upsets me to see her in that state; **ça fait quelque chose pour la grippe?** is it any good for flu?; **pour ce que ça fait!** for all the good it does!; **ça ne vous fait rien que je fume?** do you mind *ou* does it bother you if I smoke?; **ça ne fait rien à la chose** it doesn't alter *ou* change anything, it makes no difference; **qu'est-ce que ça peut bien te ~?** what is it to you?
15▸ (entraîner, causer) **~ des jaloux** to make some people jealous; **ça a fait leur fortune** it made them rich; **l'explosion a fait 12 morts** the explosion killed 12 people, the explosion left 12 people dead; **ne t'inquiète pas, ça ne fait rien!** don't worry, it doesn't matter!; **ça fait** *ou* **ce qui fait que j'ai oublié**○ as a result I forgot; **'qu'est-ce que j'ai fait?'—'tu as fait que tu as menti**○**'** 'what have I done?'–'you lied, that's what you've done'; **faites que tout se passe bien** make sure that all goes well
16▸ (transformer) to make; **l'armée en a fait un homme** the army made a man of him; **ils veulent en ~ un avocat** they want to make a lawyer of him; **elle en a fait sa confidente** she's made her her confidante; **ça a fait de lui un révolté** it turned him into a rebel, it made him a rebel; **j'en ai fait un principe** I made it a principle; **~ d'un garage un atelier** to make *ou* turn a garage into a workshop; **~ sien qch** to make sth one's own
17▸ (proclamer) **~ qn duc/général** to make sb a duke/general; **la presse l'a fait diplomate** (à tort) the press made him out to be a diplomat; **ne le fais pas pire qu'il n'est!** don't make him out to be worse than he is!, don't paint him blacker than he is!
18▸ (imiter) **~ le malade/le courageux** to pretend to be ill/brave; **~ l'ignorant** *or* **celui qui ne sait rien** to pretend not to know; **~ le dictateur** to act the dictator
19▸ (tenir le rôle de) to be; **quel plaisantin vous faites!** what a joker you are!; **vous ferez les voleurs!** Jeux you be the robbers!; **l'acteur qui fait le roi**○ Cin, Théât the actor who plays the part of the king, the actor who is the king
20▸ (dans un souhait) **mon Dieu, faites qu'il réussisse!** God, please let him succeed!; **Dieu** *or* **le ciel fasse qu'il ne leur arrive rien!** may God *ou* Heaven protect them!
21▸ ○(tromper) **il me l'a fait au baratin/chantage** he talked/blackmailed me into it; **on ne me la fait pas!** I'm not a fool!, I wasn't born yesterday!

B *vi* 1▸ (agir, procéder) to do, to act; **je n'ai pas pu ~ autrement** I couldn't do otherwise; **fais comme tu veux** do as you like; **elle peut ~ mieux** she can do better; **dans ces situations, il faut ~ vite** in that sort of situation, one must act quickly; **vas-y, mais fais vite!** go, but be quick about it!; **fais comme chez toi** lit, iron make yourself at home
2▸ (paraître) to look; **~ jeune/son âge** to look young/one's age; **ça fait bien avec du bleu** it looks nice with blue; **tes lunettes font très distingué** your glasses make you look very distinguished; **il croit que ça fait chic de dire ça** he thinks it's chic to say that
3▸ (être) to be; **il veut ~ pompier** he wants to be a fireman
4▸ (dire) to say; **'bien sûr,' fit-elle** 'of course,' she said; **le canard fait 'coin-coin'** the duck says *ou* goes 'quack'; **~ plouf/aïe etc** to go plop/ouch etc
5▸ (durer) to last; **sa robe lui a fait deux ans** her dress lasted her two years
6▸ (+ adverbe de quantité) **ça fait cher/grand/trop etc** it is expensive/big/too much etc
7▸ (pour les besoins naturels) to go; **tu as fait?** have you been?; **~ dans sa culotte** (déféquer) to dirty one's pants; (uriner) to wet one's pants; fig to wet oneself
8▸ ○**~ avec** (se contenter de) to make do with [*personne, objet, quantité*]; (supporter) to put up with [*personne, situation*]; **elle est là, et il faudra ~ avec** she's here, and we'll have to put up with her

C se faire *vpr* 1▸ (confectionner, exécuter, obtenir pour soi) **se ~ un café** to make oneself a coffee; **se ~ de l'argent/des amis** to make money/friends; **se ~ ses vêtements** to make one's own clothes; **se ~ la cuisine soi-même** to do one's own cooking; **combien se fait-il par mois?** how much does he make a month? ; **se ~ un mec**◑ to have◑ a man
2▸ (devenir) (+ adjectif attribut) to get, to become; (+ nom attribut) to become; **il se fait vieux** he's getting old; **il se fait tard** it's getting late; **sa voix se fit dure** his/her voice hardened *ou* became hard; **se ~ avocat** to become a lawyer
3▸ (se rendre) **se ~ belle/tout petit** to make oneself beautiful/very small
4▸ (s'inquiéter) **s'en ~** to worry; **il ne s'en fait pas!** (sans inquiétude) he's not the sort of person to worry about things!; (pas gêné) he's got a nerve!
5▸ (s'habituer) **se ~ à** to get used to [*lieu, situation, idée*]; **je ne m'y fais pas** I can't get used to it
6▸ (être d'usage) **ça se fait encore ici** it's still done here; **ça ne se fait pas de manger avec les doigts** it's not the done thing *ou* it's not polite to eat with one's fingers
7▸ (être à la mode) [*couleur, style*] to be in (fashion); **le tweed se fait beaucoup cette année** tweed is very much in this year; **ça ne se fait plus** it's no longer fashionable, it's out of fashion
8▸ (être produit ou accompli) **c'est ce qui se fait de mieux** it's the best there is; **le mariage s'est fait à Paris** the wedding took place in Paris; **le pont se fera bien un jour** the bridge will be built one day; **souhaitons que la paix se fasse** let's hope there'll be peace
9▸ (emploi impersonnel) **il se fit que** it (so) happened that; **il se fit un grand silence** there was complete silence; **il s'est fait un déclic dans mon esprit** something clicked in my mind; **il pourrait se ~ que je parte** I might leave; **comment se fait-il que...?** how is it that...?
10▸ (mûrir) [*fromage*] to ripen; [*vin*] to mature
11▸ ○(supporter) to put up with, to endure [*importun*]; **il faut se le ~, son copain!** his/her mate is a real pain○!
12▸ (avec infinitif) **se ~ couler un bain** to run oneself a bath; **se ~ comprendre** to make oneself understood; **se ~ agresser** to get mugged; **tu vas te ~ écraser!** you'll get run over!

faire-part* /fɛʀpaʀ/ *nm inv* announcement; **~ de naissance** birth announcement; **~ de mariage/décès** marriage/death announcement (*posted to individual*); **'cet avis tient lieu de ~'** 'individual announcements will not be posted'

faire-valoir /fɛʀvalwaʀ/ *nm inv* 1▸ Cin, Théât foil; **être le ~ de** to be a foil for; 2▸ Agric farming; **le ~ direct** farming by the owner

fair-play* /fɛʀplɛ/ controv
A *adj inv* [*personne*] sporting; **ce n'est pas très ~ de leur part** it's not very sporting of them
B *nm* **le ~** (en sport) sportsmanship, fair play; (en affaires, relations) sense of fair play; **faire preuve de ~** (en sport) to demonstrate one's sportsmanship; (en affaires) to demonstrate one's sense of fair play

faisabilité /fəzabilite/ *nf* feasibility; **étude de ~** feasability study

faisable /fəzabl/ *adj* **c'est/ce n'est pas ~** it can/can't be done

faisan /fəzɑ̃/ *nm* Zool (cock) pheasant

faisandé, **~e** /fəzɑ̃de/ *adj* 1▸ Culin gamey, high; (avarié) bad; 2▸ (corrompu) [*système, milieu*] tainted, corrupt

faisandeau, *pl* **~x** /fəzɑ̃do/ *nm* young pheasant

faisander /fəzɑ̃de/ [1]
A *vtr* to hang [*gibier*]
B se faisander *vpr* **laisser du gibier se ~** to let game hang

faisanderie /fɛzɑ̃d(ə)ʀi/ *nf* pheasantry

faisane /fəzan/ *nf* **(poule) ~** hen pheasant

faisceau, *pl* **~x** /fɛso/ *nm* 1▸ (de rayon) beam; **~ lumineux** beam of light; 2▸ (gerbe) bundle; 3▸ (ensemble) (de preuves, d'habitudes) body; (d'indices, de raisons, soupçons) array; 4▸ Anat fasciculus; **~ musculaire/nerveux** fasciculus of muscle/nerve fibres[GB]; 5▸ Mil (d'armes) stack; **formez les ~x!** stack arms!; 6▸ Antiq, Hist fasces
(Composés) **~ électronique** *or* **d'électrons** electron beam; **~ hertzien** radio link; **~ laser** laser beam; **~ de lignes** Télécom trunk group

faiseur, **-euse** /fəzœʀ, øz/ *nm,f* 1▸ (producteur) **~ de miracles** miracle-worker; **~ de rimes** rhymester péj; **c'est un ~ d'histoires** he's a fusspot; **~ de bons mots** pej punster, wag; **~ d'intrigues** pej schemer; 2▸ †(tailleur) tailor
(Composés) **~ de tours** conjuror; **faiseuse d'anges**† euph backstreet GB *ou* back-alley US abortionist

faisselle /fɛsɛl/ *nf* (récipient) strainer (*to drain the whey from curd cheese*); **du fromage en** *or* **à la ~** ≈ curd cheese

fait, **~e** /fɛ, fɛt/
A *pp* ▸ **faire**
B *pp adj* 1▸ (réalisé, accompli) [*tâche*] done; **ce qui est ~ est ~** what's done is done; **bien/mal ~** well/badly done; **il aime le travail bien ~** he likes work that is well done; **c'en est ~ de** that's the end of; **c'est bien ~**○ **(pour toi/lui/elle)!** it serves you/him/her right!; **bien ~ pour lui**○**!** serves him right!; **bien ~ pour ta gueule**◑**!** serves you bloody◑ GB *ou* damn◑ well right!
2▸ (constitué) **~ de/en** (d'un élément) made of; (composite) made up of; **mur ~ en pierre** wall made of stone; **une foule ~e de collectionneurs et d'amateurs** a crowd made up of collectors and enthusiasts; **idée/réponse toute ~e** ready-made idea/answer; **formules toutes ~es** clichés; **elle est bien ~e** she's good-looking; **elle a la taille bien ~e** she has a shapely waist; **un corps merveilleusement/mal ~** a marvellous[GB]/an ugly body; **je suis ainsi ~** that's how I am; **la vie est ainsi ~e!** life's like that!; **la vie/société est mal ~e** life/society is unfair
3▸ (adapté) **~ pour qch/pour faire** meant for

f

sth/to do; **ils ne sont pas ~s l'un pour l'autre** they're not meant for each other; **ces ciseaux ne sont pas ~s pour couper de la viande** these scissors are not meant for cutting *ou* to cut meat; **il n'est pas ~ pour travailler** hum he's not cut out for work hum; **ta remarque n'était pas ~e pour arranger les choses** your comment certainly didn't help matters
4▸ (conçu) [*programme, dispositif*] designed; **bien/mal ~** well-/badly-designed
5▸ ○(pris) done for; **la maison est cernée, nous sommes ~s!** the house is surrounded, we're done for!
6▸ (mûr) **un fromage bien ~** a ripe cheese
C *nm* **1▸** (élément de réalité, acte) fact; **le ~ d'avoir** the fact of having; **le ~ de faire/d'avoir fait** (the fact of) doing/of having done; **le ~ d'être heureux** being happy; **le ~ d'être parti/tombé** (the fact of) having left/fallen; **le ~ est là** that's the fact of the matter; **le ~ est là** *ou* **les ~s sont là, il t'a trompé** the fact (of the matter) is that he cheated you; **le ~ est que tu avais raison/que cela n'a pas marché** the fact is that you were right/that it didn't work; **le ~ même que/de faire** the very fact that/of doing; **le simple ~ de faire** the simple fact of doing, simply doing; **le ~ qu'il est** *or* **soit possible de faire** the fact that it is possible to do; **il a réussi, c'est un ~, mais...** he has succeeded, certainly, but...; **c'est un ~ que** it's a fact that; **s'appuyer sur des ~s** to rely on facts; **reconnaître les ~s** to acknowledge the facts; **s'incliner devant les ~s** to bow to the facts; **au moment des ~s** at the time of the events; **les ~s et gestes de qn** sb's movements; **les menus ~s de la vie quotidienne** the tiny details of everyday life
2▸ (ce qui est la cause) **de ce ~** because of this *ou* that; **du ~ de qch** due to sth; **du ~ même que/de faire** due to the very fact that/of doing; **du ~ que** due to the fact that; **être le ~ de qn** to be due to sb; **cette rencontre n'est pas le ~ du hasard** this encounter isn't due to chance; **par le ~ du hasard** due to chance
3▸ (événement) event; **c'est un ~ unique dans l'histoire** it's an event that's unique in history; **le film part de ~s réels** the film is based on real-life events
4▸ (sujet) point; **venons-en au ~** let's get to the point; **au ~, je te prie!** get to the point, please!; **aller droit au ~** to go straight to the point
5▸ (ce qui caractérise) **le mensonge** *or* **mentir n'est pas son ~** it isn't like him to lie; **la patience n'est pas son ~** patience isn't his strong point; **elle lui a dit son ~** she told him straight
6▸ (exploit) feat, exploit; **les hauts ~s** heroic deeds
D **au fait** /ofɛt/ *excl* by the way
E **de fait** *loc* [*situation, pouvoir, gouverneur*] de facto (*épith*); [*exister, supprimer, entraîner*] effectively; (en effet) indeed
F **en fait** *loc adv* in fact, actually; **il s'agit en ~ de son cousin/de faire** it's actually his cousin/a question of doing; **ce poste lui servait en ~ de couverture** this position actually served as a cover for him
G **en fait de** *loc prép* as regards; **en ~ de réforme/philosophie, il s'agit plutôt d'une...** it isn't so much a reform/a philosophy as a...; **en ~ de rénovation du système, ils (en) ont seulement changé quelques éléments** they haven't so much renovated the system as tinkered about at the edges
(Composés) **~ accompli** fait accompli; **mettre qn devant le ~ accompli** to present sb with a fait accompli; **~ d'actualité** news item; **~ d'armes** feat of arms; **~ divers** Presse (short) news item; **la rubrique (des) '~s divers'** the 'news in brief' column; **~ de guerre** exploit of war; **~ du prince** fiat; **~ de société** fact of life
(Idiomes) **être au ~ de** fml to be informed about; **mettre qn au ~** fml to inform sb; **être sûr de son ~** to be sure of one's facts; **prendre qn sur le ~** to catch sb in the act; ▸ **cause**

faîtage* /fɛtaʒ/ *nm* **1▸** (pièce de charpente) ridgepole; **2▸** (couverture) roofing

faîte* /fɛt/ *nm* **1▸** (sommet) (de montagne) summit; (de maison) rooftop; (d'arbre) top; **2▸** Constr (faîtage) ridgepole; **3▸** fig (apogée) pinnacle

faîtière* /fɛtjɛʀ/ *adj f* **tuile ~** ridge tile; **lucarne ~** skylight

faitout /fɛtu/ *nm* stockpot

faix† /fɛ/ *nm inv* burden

fakir /fakiʀ/ *nm* fakir

falafel /falafɛl/ *nm* falafel

falaise /falɛz/ *nf* cliff

falbalas /falbala/ *nmpl* pej **1▸** Mode frills and flounces péj; **2▸** fig frills

fallacieux, -ieuse /falasjø, øz/ *adj* [*argument*] fallacious; [*promesse, prétexte*] false; [*ressemblance*] deceptive; [*espoir*] illusory; **il est ~ de penser que** it's a fallacy to think that

falloir /falwaʀ/ [50]
A *v impers* **1▸** **il faut qch/qn** gén we need sth/sb (**pour faire** to do); (sans bénéficiaire) sth/sb is needed *ou* necessary (**pour faire** to do); **il faudrait trois voitures/trois hommes** it would need three cars/three men; **ce qu'il faut** what is needed; **ce n'est pas ce qu'il faut** this isn't what is needed *ou* what we need; **ce n'est pas l'outil qu'il faut** that's not the right tool *ou* the tool we need; **il va ~ plusieurs personnes** it will take several people; **il faut au moins deux jours/dix ans** it takes at least two days/ten years; **il faut de la patience/du courage** it takes patience/courage (**pour faire** to do); **il en faut pour qu'il se fâche** it takes a lot to make him angry; **il en faudrait plus pour m'énerver** it would take more than that to get me annoyed; **il n'en faut pas beaucoup pour te faire rire** it doesn't take much to make you laugh; **c'est plus qu'il n'en faut** it's more than enough
2▸ **il me/te/leur faut qch** I/you/they need sth; **il me/te/leur faut faire** I/you/they have to do *ou* must do; **il leur faut 20 000 euros et trois ouvriers** they need 20,000 euros and three workmen; **il m'a fallu trois heures pour finir** it took me three hours to finish; **il me faut (absolument) ce livre!** I've got to have that book!; **il vous faudra partir à 8 heures** you'll have to leave at 8 o'clock; **il m'a fallu refuser** I had to refuse; **il ne leur a pas fallu longtemps pour comprendre/finir** they soon understood/finished; **pas assez grand? qu'est-ce qu'il te faut?** not big enough? what more do you want?
3▸ **il faut faire** (nécessité) we've/you've etc got to do, we/you etc have to do; (autorité, supposition) we/you etc must do; (conseil, suggestion) we/you etc should do; (convenance, reproche) we/you etc ought to do; **il ne faut pas faire** (autorité) we/you etc mustn't do; (conseil) we/you etc shouldn't do; **il faut trouver une solution** we've got to *ou* we must find a solution; **il faut être fou/idiot pour faire** you'd have to be mad/stupid to do; **il va ~ payer** we'll have to pay up; **il faut manger des fruits** you should eat fruit; **'tu vas payer?'—'il faut bien!'** 'are you going to pay?'–'I have to!'; **il faut faire quelque chose pour elle** something has to *ou* must be done for her; **il ne faut pas la déranger** she mustn't be disturbed; **il fallait venir me voir!** you should have come to see me!; **faudrait pas me prendre pour un imbécile**○**!** do you think I'm a fool?; **'tu crois que ça marchera?'—'sais pas, faut voir**○**'** 'do you think it'll work?'–'don't know, we'll have to see'; **il faut l'entendre raconter ses histoires** you should hear him/her tell his/her stories; **qu'est-ce qu'il ne faut pas entendre!** what a lot of nonsense!; **s'il fallait croire tout ce qu'on raconte!** you can't believe everything people say!; **il faut souhaiter que tout ira bien** we'll just have to hope that everything goes well; **il faut dire que** I/you/we etc have to *ou* must say that; **il faut vous dire que** you should know that; **fallait le dire plus tôt**○**!** why didn't you say so before?; **nous ne savions pas encore, faut-il le rappeler, qu'il serait élu** it must be remembered that we didn't know then that he would be elected; **il faut le voir pour le croire** it has to be seen to be believed; **il fallait le faire** it had to be done; **faut/fallait le faire**○**!** (c'est remarquable) it takes/took a bit of doing!; (c'est stupide) would you believe it?; **puisqu'il le faut** since it has to be done; **on va opérer, il le faut** they're going to operate, they've no choice; **s'il le faut** (nécessité) if necessary; (obligation) if I/we/they etc have to; **elle n'en fait pas plus qu'il ne faut** she doesn't do any more than she has to; **il ne fallait pas!** (politesse) you shouldn't have!; **comme il faut** [*agir, se tenir*] properly; **elle est très comme il faut** she's very proper; **encore faudra-t-il trouver de l'argent** we/you/they etc will still have to find the money; **encore faut-il préciser que** it should be added that
4▸ **il faut que tu fasses** (obligation) you must do, you've got to do, you have to do; (conseil) you should do; (convenance, reproche) you ought to do; **il faut absolument qu'on trouve une solution** we've got to find a solution; **il fallait que ce soit fait** it had to be done; **pourquoi fallait-il que ce soit moi?** why did it have to be me?; **pourquoi fallait-il qu'elle arrive à ce moment-là?** why did she have to turn up just then?; **il faut qu'ils aient été retardés** there must have been some delay; **faut-il qu'elle l'aime pour le croire!** she must love him to believe him!; **je n'ai pas de nouvelles, il faut croire que tout va bien** I haven't heard anything, I just have to suppose everything's all right; **il fallait que cette sacrée**○ **voiture tombe en panne maintenant!** the damn○ car would have to (go and) break down now!; **encore faut-il qu'elle accepte** she's still got to agree; **encore fallait-il qu'elle accepte** she hadn't agreed yet; **encore faudra-t-il qu'elle accepte** she'll still have to agree; **encore faudrait-il qu'elle accepte** she'd still have to agree
B **s'en falloir** *vpr* **loin** *or* **tant s'en faut** far from it; **peu s'en faut** very nearly; **il s'en faut de beaucoup** very far from it; **elle a perdu, mais il s'en est fallu de peu** she lost, but only just; **il s'en est fallu de peu qu'il gagne** he nearly won, he came very close to winning; **il s'en est fallu de 15 secondes qu'elle gagne** she nearly won, there was only 15 seconds in it; **il s'en est fallu d'un rien** *or* **de presque rien** there was almost nothing in it
(Idiomes) **il faut ce qu'il faut!** there's no point in skimping!; **en moins de temps qu'il ne faut pour le dire** before you could say Jack Robinson

falot, ~e /falo, ɔt/
A *adj* [*personne*] insignificant
B *nm* lantern

falsifiable /falsifjabl/ *adj* forgeable

falsificateur, -trice /falsifikatœʀ, tʀis/ *nm,f* falsifier

falsification /falsifikasjɔ̃/ *nf* **1▸** (altération) (de document, comptes) falsification; (de faits, vérité) distortion, falsification; **2▸** (imitation) forging

falsifier /falsifje/ [2] *vtr* **1▸** (altérer) to falsify, to tamper with [*document, comptes, chèque*]; to distort, to falsify [*faits, histoire*]; **2▸** (contrefaire) to forge [*signature, monnaie*]

faluche /falyʃ/ *nf* Belg (pain) soda bread

falzar◐ /falzaʀ/ *nm* trousers (*pl*) GB, pants (*pl*) US

famé, ~e /fame/ *adj* **un quartier mal ~** a disreputable *ou* seedy area; **des cafés mal ~s** disreputable *ou* shady cafés; **une rue pas très bien ~e** a street of rather ill repute, a rather seedy street

famélique /famelik/ *adj* [*personne*] emaciated; [*animal*] scrawny

fameusement /famøzmɑ̃/ *adv* (rudement) remarkably; **~ bien rédigé** remarkably well edited

fameux, -euse /famø, øz/ *adj* **1** (dont on a parlé) much talked-about; **la fameuse conférence de paix** the much talked-about peace conference; **2** (connu de tous) famous; **les ~ bus londoniens à deux étages** the famous London double-deckers; **c'est le ~ soir où** it was the famous night when; **3** (véritable) real, right; **une fameuse bande de fainéants** a real bunch of lazybones; **4** (excellent) excellent; **le repas était ~** the meal was excellent; **pas ~** not great; **ma note n'est pas fameuse** my mark is not great

familial, ~e, *mpl* **-iaux** /familjal, o/
A *adj* **1** (de famille) [*repas, équilibre, budget*] family (*épith*); **la cellule ~e** the family unit; **la vie ~e** family life; **une entreprise ~e** a family business; **pour des raisons ~es** for family reasons; **2** Aut **berline ~e** estate car GB, station wagon US
B familiale *nf* Aut estate car GB, station wagon US

familiariser /familjaʀize/ [1]
A *vtr* (habituer) to familiarize (**avec** with); (initier) to introduce [sb] to [*politique, langue, science*]; **~ les enfants avec les ordinateurs** to familiarize children with computers; **~ un employé avec l'informatique** to introduce an employee to computing
B se familiariser *vpr* (s'habituer) to familiarize oneself (**avec** with); (s'initier) to gain knowledge (**avec** of); **se ~ avec son travail/environnement** to familiarize oneself with one's job/environment

familiarité /familjaʀite/ *nf* **1** (connaissance) familiarity (**avec** with); **~ avec l'art japonais/la région** familiarity with Japanese art/the area; **2** (intimité) familiarity ₵; **~ excessive** undue familiarity; **pas de ~s** don't be too familiar; **il s'est permis des ~s avec moi** he was too familiar with me

familier, -ière /familje, ɛʀ/
A *adj* **1** (connu) [*visage, paysage, nom*] familiar (**à** to); **l'auteur m'est pas ~** the author is not familiar to me; **2** Ling [*mot, tournure, style*] informal, colloquial; **3** (sans façon) [*entretien, attitude*] informal; [*personne, geste*] familiar; **être ~ avec son personnel** to be familiar with one's staff; **4** (sans gêne) pej [*personne, manières*] familiar; **5** (domestique) **animal ~** pet; **6** (informé) familiar (**de** with); **un expert ~ du projet** an expert familiar with the project; **elle est familière de la littérature russe** she is familiar with Russian literature
B *nm* **1** (ami proche) close friend (**de** of); **2** (habitué) regular; **les ~s du bar/du quartier** the regulars at the bar/in the neighbourhood[GB]

familièrement /familjɛʀmɑ̃/ *adv* **1** (communément) [*appeler, désigner*] commonly; **on l'appelait ~ Toto** he was commonly called Toto; **2** (sans façon) [*parler, se comporter*] informally; **3** (de manière inconvenante) [*parler, se comporter*] with undue familiarity

famille /famij/ *nf* **1** Sociol family; **la ~ Pons** the Pons family; **~ monoparentale/nucléaire** one-parent/nuclear family; **une ~ de musiciens** a musical family; **air de ~** family resemblance; **c'est de ~** it runs in the family; **faire partie de la ~** to be one of the family; **je pars en ~** I'm going with my family; **nous partons en ~** we're going as a family; **de ~** [*photo, album, histoire, arrangement*] family (*épith*); **ne pas avoir de ~** to have no relatives; **avoir beaucoup de ~ dans la région** to have lots of relatives in the area; **ma seule ~ est un vieil oncle** my only relative is an old uncle; **rentrer dans sa ~ tous les samedis** to go back home every Saturday; **comment va la petite ~○?** how's the family?; **un petit vin des ~s○** a nice little wine; **être de bonne ~** to come from a good family; ▸ **sept, linge**; **2** Art, Pol, Relig (communauté) body; **la ~ socialiste/surréaliste** the socialist/surrealist body; **une ~ politique** a political persuasion; **3** Biol, Bot, Zool family; **4** Ling family; **~ de langues/mots** language/word family
(Composés) **~ d'accueil** host family; **~ adoptive** adoptive family; **~ naturelle** natural family; **~ nombreuse** family with more than two children; **~ de placement** foster family; **~ reconstituée** Sociol reconstituted family

> **Famille nombreuse**
> The official term for a large family, which qualifies for special benefits, discounts, and in some cases honours, and reflects a government policy of encouraging population growth.

famine /famin/ *nf* famine; **salaire de ~** starvation wages (*pl*); **crier ~** to be starving

fan /fan/ *nmf* (admirateur) fan

fana○ /fana/
A *adj* mad keen○ GB, crazy○ (**de** about)
B *nmf* fanatic; **c'est un ~ d'informatique** he's a computer fanatic *ou* freak○; **un ~ de cinéma** a film buff

fanage /fanaʒ/ *nm* tossing, tedding spéc

fanal, *pl* **-aux** /fanal, o/ *nm* gén lamp; Naut lantern, (navigation) light; Rail headlamp, headlight

fanatique /fanatik/
A *adj* [*religieux, militant, mouvement*] fanatical; [*admiration, amour*] ardent, unbridled
B *nmf* **1** (extrémiste religieux) fanatic, fundamentalist; **2** (extrémiste politique) fanatic, extremist; **3** ○(enthousiaste) enthusiast, freak○; **c'est un ~ d'informatique** he's a computer enthusiast *ou* freak○

fanatiquement /fanatikmɑ̃/ *adv* fanatically

fanatiser /fanatize/ [1] *vtr* to fanaticize, to inflame [*peuple, masses*]; **les militants fanatisés criaient des slogans vengeurs** the fanatical militants shouted vengeful slogans

fanatisme /fanatism/ *nm* fanaticism

fan-club, *pl* **fans-clubs** /fanklœb/ *nm* fan club

fane /fan/ *nf* Agric top

faner /fane/ [1]
A *vtr* **1** (faire perdre sa fraîcheur à) [*soleil, chaleur*] to wither [*plante*]; **2** (altérer l'éclat de) [*temps, lumière*] to fade [*couleur*]; **le temps a fané son visage** time has taken the bloom from her face; **3** Agric (faire sécher) to toss, to ted spéc [*herbe*]
B *vi* **1** (se flétrir) [*fleurs, plantes*] to wither, to wilt; **2** Agric (faire les foins) to make hay
C se faner *vpr* **1** [*fleurs, plantes*] to wither, to wilt; **2** [*beauté, couleur*] to fade

faneur, -euse /fanœʀ, øz/ ▸ p. 532
A *nm,f* (personne) haymaker
B faneuse *nf* (machine) tedder

fanfare /fɑ̃faʀ/ *nf* **1** (orchestre) brass band; **la ~ municipale** the town brass band; **annoncer qch en ~** fig to trumpet sth, to give sth great publicity; **la création de nouveaux emplois a été annoncée en ~ par le gouvernement** the creation of new jobs was loudly trumpeted *ou* widely publicized by the government; **faire une entrée en ~** to make a spectacular entry; **faire une arrivée en ~** to arrive in spectacular fashion; **tous les matins les enfants nous réveillent en ~** every morning the children wake us up with a great commotion; **2** (air) fanfare

fanfaron, -onne /fɑ̃faʀɔ̃, ɔn/
A *adj* [*personne, air, comportement*] boastful, cocky○; [*politique*] arrogant
B *nm,f* boaster, swaggerer; **faire le ~** to boast, to talk big○

fanfaronnade /fɑ̃faʀɔnad/ *nf* boasting ₵

fanfaronner /fɑ̃faʀɔne/ [1] *vi* to boast

fanfreluches /fɑ̃fʀəlyʃ/ *nfpl* Mode frills and flounces

fange /fɑ̃ʒ/ *nf* mud, mire; **se complaire dans la ~** fig to wallow in the mire; **son nom a été traîné dans la ~** his name was dragged through the mud

fangeux, -euse /fɑ̃ʒø, øz/ *adj* **1** (boueux) muddy; **2** fig (dépravé) depraved

fanion /fanjɔ̃/ *nm* gén pennant

fanon /fanɔ̃/ *nm* **1** (de baleine) baleen plate; **les ~s** whalebone ₵; **2** (repli cutané) (de reptile, dindon) wattle; (de bovin, chien) dewlap; **3** (de cheval) fetlock

fantaisie /fɑ̃tezi/ *nf* **1** (qualité) imaginativeness; **être plein de ~** [*personne*] to be full of marvellous[GB] ideas; [*roman*] to be highly imaginative; [*logement*] to be unconventional; **manquer de ~** [*personne*] to be staid; [*logement*] to be conventional; [*vie*] to be dull; **2** (preuve d'originalité) **ne pouvoir se permettre aucune ~** to have to behave in a conventional way; **3** (envie soudaine) whim, fancy; **4** (humeur) fancy; **vivre selon sa ~** to do as one pleases; **5** (de peu de valeur) **s'offrir une petite ~** (objet) to buy oneself a little something, (sortie, petit voyage) to spoil oneself; **un bijou ~** a piece of costume jewellery GB *ou* jewelry US; **accessoires ~** fun accessories; **verres ~** novelty glasses; **alcool ~** *liqueur comprising spirit base and artificial flavouring*[GB]; **6** Mus fantasia, fantasy; Littérat fantasy

fantaisiste /fɑ̃tezist/
A *adj* **1** (peu fiable) [*personne, renseignement, horaires, procédé*] unreliable; [*chiffres, interprétation*] doubtful; **2** (excentrique) [*idée*] far-fetched; [*procédé*] odd; [*personne*] eccentric
B *nmf* mildly eccentric person

fantasmagorie /fɑ̃tasmagɔʀi/ *nf* phantasmagoria

fantasmagorique /fɑ̃tasmagɔʀik/ *adj* phantasmagoric, fantastical

fantasmatique /fɑ̃tasmatik/ *adj* fantastical

fantasme /fɑ̃tasm/ *nm* fantasy

fantasmer /fɑ̃tasme/ [1] *vi* to fantasize (**sur** about)

fantasque /fɑ̃task/ *adj* [*personnage, comportement*] unpredictable; [*image, récit*] fanciful

fantassin /fɑ̃tasɛ̃/ *nm* infantryman, foot-soldier; **les ~s** the infantry

fantastique /fɑ̃tastik/
A *adj* **1** (qui paraît surnaturel) [*spectacle, beauté*] fantastic; **2** (imaginaire) [*créature, personnage*] fantastic; **3** ○(formidable) fantastic○; **4** Art, Cin, Littérat [*film, récit, roman*] fantasy; **le cinéma ~** fantasy films
B *nm* Art, Cin, Littérat (genre) **le ~** fantasy

fantastiquement○ /fɑ̃tastikmɑ̃/ *adv* fantastically○

fantoche /fɑ̃tɔʃ/
A *adj* [*gouvernement, organisation*] puppet
B *nm* **1** (marionnette) puppet; **2** (individu sans personnalité) puppet, cypher GB *ou* cipher US

fantomatique /fɑ̃tɔmatik/ *adj* ghostly

fantôme /fɑ̃tom/
A *nm* **1** (spectre) ghost; **2** (souvenir obsédant) ghost, haunting memory
B (-)fantôme (*in compounds*) **cabinet-~** Pol shadow cabinet GB, ≈ minority leadership US; **image(-)~** Électron, TV ghost; **membre(-)~** Méd phantom limb; **société(-)~** Jur dummy company; **train(-)~** ghost train; **ville(-)~** ghost town

fanzine /fɑ̃zin/ *nm* fanzine

FAO /ɛfao/ *nf* **1** Écon, Pol (*abbr* = **Food and Agriculture Organization**) FAO; **2** Ordinat *abbr* ▸ **fabrication**

faon /fɑ̃/ *nm* fawn

FAQ *nf* (*written abbr* = **foire aux questions**) FAQ, frequently asked questions

faquin‡ /fakɛ̃/ *nm* wretch, scoundrel

far /faʀ/ *nm* Breton prune flan

farad /faʀad/ *nm* farad

faraday /faʀadɛ/ *nm* faraday

f

faramineux○, **-euse** /faʀaminø, øz/ *adj* [*prix, somme*] colossal, staggering; [*bêtise*] incredible

farandole /faʀɑ̃dɔl/ *nf* (danse traditionnelle) farandole; (à la fin d'une soirée) ≈ conga; **faire la ~** (traditionnelle) to dance the farandole; (à la fin d'une soirée) to dance *ou* do the conga

faraud†, **~e** /faʀo, od/
A *adj* smug, full of oneself (*jamais épith*)
B *nm,f* braggart; **faire le ~** to throw one's weight around

farce /faʀs/ *nf* [1] (tour) practical joke; **faire une ~ à qn** to play a practical joke on sb; **magasin de ~s et attrapes** joke shop GB, novelty store US; [2] (plaisanterie) joke; **ne te fâche pas, ce n'était qu'une ~** don't be cross, it was only a joke; ▸ **dindon**; [3] (bouffonnerie) farce; **la réunion n'a servi à rien, c'était une vaste ~** the meeting was useless, it was a total farce; [4] Théât (pièce) farce; (genre) farce; [5] Culin stuffing, forcemeat

farceur, **-euse** /faʀsœʀ, øz/
A *adj* [*sourire, air*] mischievous; **être ~** [*adulte*] to be a joker○; [*enfant*] to be mischievous
B *nm,f* [1] (plaisantin) practical joker; [2] (personne peu sérieuse) joker○

farcir /faʀsiʀ/ [3]
A *vtr* [1] Culin to stuff (**de** with); **chou farci** stuffed cabbage; [2] ○(surcharger) to cram (**de** with); **~ un discours de citations** to cram a speech with quotations
B **se farcir** *vpr* [1] ○(accomplir) to get stuck with○; **c'est toujours les mêmes qui se farcissent tout le travail** it's always the same people who get stuck with all the work; [2] ◑(supporter) to put up with; **je me suis farci mes beaux-parents pendant tout le week-end** I had to put up with my in-laws for the whole weekend; **ce qu'il est bavard, il faut se le ~!** he never stops talking, he's a real pain in the neck○!; [3] ○(surcharger) to cram (**de** with); **elle se farcit la tête de détails inutiles** she crams her head with useless facts; [4] ○(ingurgiter) to polish off○ [*repas, plat, bouteille*]; [5] ◑(posséder sexuellement) to have it off with◑ GB, to ball◑ US

fard /faʀ/ *nm* make-up; **sans ~** (beauté) natural; (vérité) simple; (avouer) openly

(Composés) **~ à joues** blusher; **~ à paupières** eye-shadow

(Idiome) **piquer un ~**○ to go as red as a beetroot GB, to turn as red as a beet US

farde /faʀd/ *nf* Belg (dossier) folder

fardeau, *pl* **~x** /faʀdo/ *nm* lit, fig burden; **plier sous le ~ des responsabilités** to be weighed down with the burden of responsibility

farder /faʀde/ [1]
A *vtr* [1] fig to disguise [*vérité*]; [2] lit to put make-up on [*visage*]; **visage outrageusement fardé** face caked in make-up
B **se farder** *vpr* [*acteur*] to make up; [*femme*] (tous les jours) to use make-up; (un jour) to put on make-up; **elle s'est fardé les joues** she's put blusher on her cheeks; **tu te fardes trop** you wear too much make-up

farfadet /faʀfadɛ/ *nm* elf; **des ~s** elves

farfelu○, **~e** /faʀfəly/
A *adj* [*projet, idée*] harebrained○; [*histoire*] far-fetched; [*personne*] scatty○ GB, ditsy○ US, scatterbrained○; [*spectacle*] bizarre
B *nm,f* (personne) scatterbrain○
C *nm* (style) scattiness○ GB, flightiness US

farfouiller○ /faʀfuje/ [1] *vi* to rummage around *ou* about (**dans** in)

faribole† /faʀibɔl/ *nf* piece of nonsense; **des ~s** nonsense ¢, poppycock○† ¢; **raconter des ~s** to talk poppycock○† *ou* nonsense

farine /faʀin/ *nf* flour; (aliment de nourrisson) baby cereal

(Composés) **~ d'avoine** oatmeal; **~ de blé dur** durum wheat flour; **~ complète** wholemeal flour GB, wholewheat flour; **~ de froment** wheat flour; **~ lactée** ≈ baby cereal; **~ de lin** linseed meal; **~ de maïs** cornflour GB, cornstarch US; **~ de moutarde** Méd mustard powder; **~ d'orge** barley meal; **~ d'os** Agric bone meal; **~ de poisson** Agric fish meal; **~ premier âge** baby cereal (*for babies up to six months*); **~ de seigle** rye flour

(Idiomes) **de la même ~** as bad as each other; **rouler qn dans la ~**○ to pull a fast one on sb○; **se faire rouler dans la ~**○ to be had○

fariner /faʀine/ [1] *vtr* to flour

farineux, **-euse** /faʀinø, øz/
A *adj* [1] (féculent) [*aliment*] starchy; [2] (rappelant la farine) [*aspect, goût, pommes de terre*] floury; [*fruit*] mealy; [*peau*] peeling; [3] (couvert de farine) [*pain*] floury
B *nm* starchy food ¢, farinaceous food ¢ spéc

farniente /faʀnjɛnte/ *nm* lazing about, lazing around; **faire du ~** to laze *ou* lounge about

farouche /faʀuʃ/ *adj* [1] (timide) [*enfant, animal*] timid, shy; (insociable) [*personne*] unsociable; **elle est peu ~** iron she's anything but shy; [2] (effrayant) [*regard, mine, aspect*] fierce; [*guerrier*] savage; [3] (acharné) [*ennemi, haine*] bitter; [*adversaire, résolution, opposition*] fierce; [*partisan, loyaliste*] staunch; [*ambition*] driving; [*volonté*] iron (*épith*); [4] (rude) liter [*paysage, côte*] wild

farouchement /faʀuʃmɑ̃/ *adv* [*opposé, jaloux, indépendant*] fiercely; [*défendre*] fiercely; [*refuser, s'accrocher*] doggedly; **~ anti/pro** violently anti/pro

fart /faʀt/ *nm* (ski-)wax

fartage /faʀtaʒ/ *nm* (de skis) waxing

farter /faʀte/ [1] *vtr* to wax [*skis*]

Far West /faʀwɛst/ *nprm* **le ~** the Wild West

fascicule /fasikyl/ *nm* [1] (brochure) booklet; [2] (partie d'un ouvrage) fascicle; **une encyclopédie de jardinage qui paraît en ~s** a gardening encyclopaedia which comes out in parts

fasciite /fasiit/ ▸ p. 283 *nf* fasciitis; **~ nécrosante** necrotizing fasciitis

fascinant, **~e** /fasinɑ̃, ɑ̃t/ *adj* [*personne, film*] fascinating; [*charme, musique*] spellbinding; [*beauté*] bewitching

fascination /fasinasjɔ̃/ *nf* fascination (**pour qch** with sth); **sa ~ pour les bateaux** his/her fascination with boats; **exercer une ~ sur qn** [*personne, musique*] to hold sb in one's *ou* its spell; [*télévision, mer*] to hold a fascination for sb; **éprouver une ~ pour qn/qch** to be fascinated by sb/sth

fasciner /fasine/ [1] *vtr* [1] (captiver) to fascinate; **tout ce qui touche à la mort fascine** everything about death holds a certain fascination; **il regardait, fasciné** he watched in fascination; [2] (envoûter) [*orateur, musique*] to hold [sb] spellbound; [*mer, personne*] to fascinate; **~ l'auditoire par son éloquence** to hold the audience spellbound with one's eloquence; **il restait immobile, comme fasciné** he stood still, spellbound; **se laisser ~ par l'argent/des promesses** to allow oneself to be seduced by money/promises; [3] (hypnotiser) [*regard, spectacle*] to mesmerize; [*serpent*] to hypnotize

fascisant, **~e** /faʃizɑ̃, ɑ̃t/ *adj* fascistic

fascisme /faʃism/ *nm* fascism

fasciste /faʃist/ *adj*, *nmf* fascist

faste /fast/
A *adj* (heureux) auspicious; (prospère) [*jour, année*] prosperous, fruitful
B *nm* splendour[GB], pomp; **avec ~** with pomp

fast-food* /fastfud/ *nm* [1] (établissement) fast food restaurant; [2] (alimentation) fast food

fastidieux, **-ieuse** /fastidjø, øz/ *adj* tedious, tiresome

fastoche○ /fastɔʃ/ *adj* dead easy○, easy-peasy○

fastueusement /fastyøzmɑ̃/ *adv* sumptuously, luxuriously; **il vivait ~** he lived in great luxury

fastueux, **-euse** /fastyø, øz/ *adj* [*fête, costume, décor*] sumptuous; **leur mode de vie était des plus ~** they led a life of the greatest luxury

fat, **~e** /fa, at/
A *adj* [*homme, air, manières*] conceited
B *nm* conceited man

fatal, **~e** /fatal/ *adj* [1] (inévitable) inevitable; **il était ~ que cela se produise** it was bound to happen; [2] (désastreux) fatal (**à qn/qch** to sb/sth), disastrous (**à qn/qch** for sb/sth); [3] (mortel) fatal; **le voyage lui a été/pourrait lui être ~** the journey proved/could be fatal; [4] (fatidique) [*moment, jour*] fateful; ▸ **femme**

fatalement /fatalmɑ̃/ *adv* inevitably; **~, les ventes vont chuter** sales will inevitably fall; **ça devait ~ échouer** it was bound to fail

fatalisme /fatalism/ *nm* fatalism

fataliste /fatalist/
A *adj* fatalistic
B *nmf* fatalist

fatalité /fatalite/ *nf* [1] (sort) **la ~** fate; **déjouer la ~** to cheat fate; [2] (malchance) mischance; **accident dû à la ~** accident caused by bad luck; **par quelle ~ se trouvait-il à Paris?** what twist of fate had brought him to Paris?; [3] (caractère inévitable) inevitability; **il n'y a pas de ~ de l'échec/l'affrontement** failure/confrontation is not inevitable

fatidique /fatidik/ *adj* fateful

fatigant, **~e** /fatigɑ̃, ɑ̃t/ *adj* [1] (physiquement) [*sport, voyage*] tiring; [*climat*] wearing; **mon travail est ~ pour les yeux** my job is a strain on the eyes; [2] (intellectuellement) [*travail, recherche*] arduous; [3] (ennuyeux) [*personne, conférence*] tiresome; [*film, conversation*] tedious; **tu es ~e!** you're tiresome!; **c'est ~ de t'écouter** it's tedious listening to you

fatigue /fatig/ *nf* [1] gén tiredness; **j'ai accumulé de la ~** I've become overtired; **excès de ~** overtiredness; **être mort de ~, tomber de ~** to be dead tired○; [2] Méd fatigue ¢; **~ générale/musculaire/nerveuse** general/muscular/nervous fatigue; **état/source de ~** state/source of fatigue; **trouble dû à la ~** ailment caused by fatigue; **~ visuelle** eyestrain; [3] Tech (de matériau) fatigue; (mécanique) wear and tear

fatigué, **~e** /fatige/
A *pp* ▸ **fatiguer**
B *pp adj* [1] (atteint de fatigue) [*personne, animal, jambes, yeux*] tired; **être/sembler/avoir l'air ~** to be/seem/look tired; **être ~ de naissance** hum to be born tired; **j'ai les bras/yeux ~s** my arms/eyes are tired; [2] Méd (souffrant de fatigue) [*personne*] suffering from fatigue (*après n*); [*cœur, foie*] weak; **elle a le cœur ~** she has a weak heart; [3] (las) tired (**de qch** of sth; **de faire** of doing); **elle était ~e de lui/de vivre avec lui** she was tired of him/of living with him
C *adj* [1] (montrant la fatigue) [*voix*] strained; [*visage, yeux, sourire*] weary; [2] (usé) [*vêtement, chaussure*] worn; [*moteur, voiture*] suffering from wear and tear (*après n*); [*couleur*] faded

fatiguer /fatige/ [1]
A *vtr* [1] (physiquement) to make [sb] tired [*personne*]; to strain [*yeux*]; to make [sth] tired [*jambes*]; to weaken [*estomac, cœur*]; to tire [*cheval*]; [2] (intellectuellement) [*études, travail*] to tire [sb] out [*personne*]; [3] (ennuyer) to wear [sb] out [*personne*]; **tu me fatigues avec tes questions** you wear me out with all your questions; [4] (mécaniquement) to wear out [*moteur, voiture*]; to put a strain on [*matériau, structure*]; [5] Culin to toss [*salade*]; [6] Agric to exhaust [*terre*]
B *vi* [1] ○(physiquement) [*personne*] to get tired; [*jambes, yeux*] to get tired; **depuis son opération il fatigue vite** since his operation he tires easily; [2] ○(intellectuellement) to get tired; [3] (mécaniquement) [*moteur, voiture*] to be

f

labouring[GB]; [*matériau, structure*] to show signs of strain

C se fatiguer *vpr* **1** (devenir fatigué) [*personne*] to get tired (**de** of); **mes yeux se fatiguent vite** my eyes get tired easily; **je me suis fatigué d'elle/de leurs manières/de l'art moderne** I got tired of her/of their manners/of modern art; **2** (se rendre fatigué) [*personne*] to tire oneself out; **ne te fatigue pas trop** lit, hum don't wear yourself out; **se ~ en recherches/en démarches** to wear oneself out doing research/dealing with red tape; **3** (rendre fatigué) **se ~ les yeux** to strain one's eyes; **se ~ les jambes/le cœur** to tire one's legs/heart; **4** (se donner de la peine) **se ~ à faire** to bother doing; **ne te fatigue pas à ranger, je le ferai** don't bother tidying up, I'll do it

fatma /fatma/ *nf* muslim woman

fatras /fatʀa/ *nm inv* jumble

fatuité /fatɥite/ *nf* self-conceit; **air de ~** conceited air; **avec ~** conceitedly

faubourg /fobuʀ/ *nm* **1** (banlieue ouvrière) working class area (*on the outskirts*); **gamin des ~s** working-class kid○; **2** Hist *part of a town outside its walls or former walls*

faubourien, **-ienne** /fobuʀjɛ̃, ɛn/ *adj* [*accent*] working-class Parisian (*épith*)

fauchage /foʃaʒ/ *nm* (avec une faucheuse) mowing, cutting; (à la faux) scything

fauchaison /foʃɛzɔ̃/ *nf* **1** (coupe) (avec une faucheuse) mowing, cutting; (à la faux) scything; **2** (saison) haymaking (time)

fauche /foʃ/ *nf* **1** ○(vol) petty thieving; **2** (coupe) (avec une faucheuse) mowing, cutting; (à la faux) scything

fauché, **~e** /foʃe/

A *pp* ▸ **faucher**

B ○*adj* (sans argent) broke○ (*jamais épith*), penniless

C ○*nm,f* **c'est un ~** he's always broke○

(Idiome) **être ~ comme les blés** to be flat broke○

faucher /foʃe/ [1] *vtr* **1** (couper) (avec une faucheuse) to mow, to cut; (à la faux) to scythe; **2** (abattre) [*cyclone, pluie, explosion*] to flatten [*arbres, bâtiment*]; [*véhicule, tir*] to mow down [*piéton*]; **la mort l'a fauché en pleine jeunesse** death cut him down in the prime of youth; **3** ○(voler) to pinch○ GB, to steal [*argent, place*]; **on m'a fauché mon vélo** my bike's been pinched○

faucheur, **-euse** /foʃœʀ, øz/

A *nm,f* **1** (moissonneur) reaper; **2** ○(voleur) petty thief

B *nm* (araignée) harvestman

C faucheuse *nf* (machine) mowing machine

faucheux /foʃø/ *nm inv* (araignée) harvestman

faucille /fosij/ *nf* sickle; **la ~ et le marteau** the hammer and sickle

faucon /fokɔ̃/ *nm* **1** Zool falcon, hawk US; **chasser au ~** to hawk; **2** Pol hawk

(Composés) **~ crécerelle** kestrel; **~ hobereau** hobby; **~ pèlerin** peregrine falcon

fauconneau, *pl* **~x** /fokɔno/ *nm* young falcon *ou* hawk US

fauconnerie /fokɔnʀi/ *nf* **1** (dressage) falconry; (chasse) hawking, falconry; **2** (lieu) hawk house

fauconnier /fokɔnje/ *nm* falconer

faudra /fodʀa/ ▸ **falloir**

faufil /fofil/ *nm* basting thread

faufilage /fofilaʒ/ *nm* basting

faufiler /fofile/ [1]

A *vtr* Cout to baste

B se faufiler *vpr* **1** (se frayer un chemin) **se ~ à l'intérieur** to worm one's way *ou* squeeze in; **se ~ à l'extérieur** to slip out; **se ~ entre deux voitures/personnes** [*piéton*] to squeeze between two cars/people; **les cyclistes se faufilaient entre les voitures** the cyclists were weaving in and out of the cars; **se ~ à travers** [*personne*] to thread one's way through [*foule*]; [*voiture, moto*] to thread its way through [*circulation*]; **se ~ par une ouverture étroite** to squeeze through a narrow opening; **2** (s'ajouter) [*élément, question*] to creep into; **3** (sinuer) [*route*] to snake in and out (**entre** between)

faufilure /fofilyʀ/ *nf* basting

faune /fon/

A *nm* faun

B *nf* **1** Zool wildlife, fauna; **la ~ du désert** desert wildlife *ou* fauna; **la ~ marine** marine life; **2** pej (personnes) set, crowd

faussaire /fosɛʀ/ *nmf* forger

fausse ▸ **faux A**

faussement /fosmɑ̃/ *adv* **1** (à tort) [*accuser*] falsely, wrongfully; [*appeler, penser*] wrongly; **2** (hypocritement) [*fragile, naïf*] deceptively; **un air ~ jovial** a deceptively jovial look; **attitude ~ soumise** attitude of feigned submission; **attitude ~ amicale** assumed air of friendliness

fausser /fose/ [1] *vtr* **1** (déformer) to distort [*résultat, raisonnement, réalité*]; to warp [*esprit*]; **l'amour fausse le jugement** you don't see straight when you're in love; **2** (abîmer) to distort [*mécanisme*]; to damage [*serrure*]; to bend [*clé, axe*]; to buckle [*lame*]

(Idiome) **~ compagnie à qn** to give sb the slip

fausset /fosɛ/ *nm* **1** Mus falsetto; **d'une voix de ~** in a falsetto; **2** (de tonneau) spigot

fausseté /foste/ *nf* (d'argument, de nouvelle) falseness; (de personne) duplicity, insincerity; (de sentiment) insincerity

faut /fo/ ▸ **falloir**

faute /fot/ *nf* **1** (erreur) mistake, error; **faire une ~** to make a mistake *ou* an error; **~ de grammaire/d'orthographe/de ponctuation** grammatical/spelling/punctuation mistake; **~ d'étourderie** *or* **d'inattention** careless mistake; **~ d'accord/de français** mistake in the agreement/in French; **~ de frappe/de style** keying/stylistic error; **~ d'impression** misprint; **~ de calcul** miscalculation; **~ de jugement** error of judgment; **il a fait un (parcours) sans ~** Équit he had a clear round; fig he's never put a foot wrong; ▸ **double**, **pardonner**; **2** (action coupable) gén misdemeanour[GB]; Jur civil wrong; Relig sin; **commettre une ~** gén to do something wrong; Jur to commit a civil wrong; Relig to sin; **reconnaître sa ~** *or* **ses ~s** to admit one has done wrong; **être en ~** to be at fault; **prendre qn en ~** to catch sb out; **3** (responsabilité) fault; **c'est (de) ma ~** it's my fault, I'm to blame; **à qui la ~?** whose fault is it, who's to blame?; **c'est la ~ de** *or* **à**◐ **son frère s'il est en retard** it's his brother's fault if he's late; **par la ~ de qn** because of sb; **rejeter la ~ sur qn** to lay the blame on sb; **4** (manque) **~ de** through *ou* for lack of, for want of; **~ de temps** through lack of time; **~ de preuves** for lack of evidence; **~ de garanties** in the absence of any guarantees; **~ de mieux** for want of anything better; **ce n'est pourtant pas ~ d'essayer** it's not for want of trying; **mourir ~ de soins** to die of neglect; **~ de quoi** otherwise, failing which; **~ d'avoir pu me déplacer** because I was unable to travel; **sans ~** without fail; **il ne se fait pas ~ de le leur dire** fml he has no qualms about telling them, he's not shy about telling them; ▸ **grive**; **5** Sport gén foul; (au tennis) fault; **faire une ~** to commit a foul; **siffler une ~** to blow the whistle for a foul; **faire une ~ de pied** to make a foot fault; **faire une ~ de main** to handle the ball; **faire une ~ de filet** (au volley-ball) to hit the net

(Composés) **~ contractuelle** breach of contract; **~ délictuelle** tort; **~ grave** gross misconduct; **~ lourde** gross misconduct (*leading to instant dismissal and loss of financial compensation*); **~ professionnelle** professional misconduct ₵; **commettre une ~ professionnelle** to be guilty of professional misconduct ₵; **~ de service** Admin act of negligence

fauter† /fote/ [1] *vi* to sin (**avec** with)

fauteuil /fotœj/ *nm* **1** (siège) chair; (bas, rembourré) armchair; **2** Cin, Théât (place) seat; **~ de balcon** seat in the circle; **~ d'orchestre** seat in the stalls GB, orchestra seat US; **3** fig (position, siège) seat; (présidence d'une assemblée) **le ~** the chair; **~ parlementaire** *or* **de député** seat in parliament; **~ d'académicien** seat in the French Academy; **occuper le ~ présidentiel** to be in the chair; **céder son ~ de leader** to resign as leader

(Composés) **~ à bascule** rocking chair; **~ club** (big) leather armchair; **~ crapaud** chunky armchair; **~ dentaire** dentist's chair; **~ de jardin** garden chair GB, lawn chair US; **~ de metteur en scène** director's chair; **~ relax** recliner; **~ en rotin** wicker chair; **~ roulant** wheelchair; **~ tournant** swivel chair

(Idiome) **arriver (comme) dans un ~** to romp home

fauteur, **-trice** /fotœʀ, tʀis/ *nm* pej **~ de troubles** troublemaker; **~ de guerre** warmonger

fautif, **-ive** /fotif, iv/

A *adj* **1** (coupable) [*personne*] guilty, at fault (*après n*); [*véhicule*] at fault (*après n*), in the wrong (*après n*); [*action*] culpable; **être ~** to be guilty *ou* at fault; **2** (erroné) [*mémoire, raisonnement, édition*] faulty; [*référence*] inaccurate; [*tournure*] incorrect

B *nm,f* culprit

fauve /fov/

A *adj* **1** ▸ **p. 202** [*couleur*] tawny; **2** [*odeur*] musky; **3** (Art) [*période*] Fauve

B *nm* **1** (animal féroce) wild animal; (félin) big cat; **les ~s** big cats; **ça sent le ~ dans sa chambre**○ his bedroom stinks○; **2** [*couleur*] fawn; **3** Art Fauvist, Fauve

fauverie /fovʀi/ *nf* lion house

fauvette /fovɛt/ *nf* warbler

(Composés) **~ grisette** whitethroat; **~ des jardins** garden warbler; **~ à tête noire** blackcap

fauvisme /fovism/ *nm* fauvism

faux¹, **fausse** /fo, fos/

A *adj* **1** (inexact) [*résultat, numéro, interprétation, idée*] wrong; [*impression*] false; [*raisonnement*] false; [*balance*] inaccurate; **c'est (complètement) ~** (erroné) that's (completely) wrong; (non vrai) it's (simply) not true; **il est ~ de croire** it's a mistake to think; **il est ~ de dire** it's not true to say; **avoir tout ~** hum to have it all wrong

2 (postiche) [*nez, barbe, dent, cils*] false

3 (imité) [*bois, marbre, diamant*] imitation (*épith*); (pour tromper) fake (*épith*); [*porte, tiroir, cloison*] false; **c'est du ~ Louis XV** it's reproduction Louis Quinze

4 (contrefait) [*billet*] counterfeit (*épith*), forged; [*document*] forged; [*passeport , papiers d'identité*] forged, false; **un ~ Cézanne** a fake Cézanne

5 (non authentique) (*before n*) [*science, savoir*] pseudo (*épith*); [*liberté, démocratie*] false, illusory; [*besoin*] false; [*policier, évêque*] bogus (*épith*); [*candeur, humilité*] feigned; **c'est un ~ problème/une fausse solution** it's not really a problem/solution at all; **les ~ étudiants** people falsely claiming student status; **afficher une fausse indifférence** to assume an air of indifference

6 (sans fondement) [*espoir*] false; [*certitude*] mistaken; [*soupçon, crainte*] groundless; [*réputation*] quite unfounded

7 (mensonger) [*prétexte, déclaration, promesse, accusation*] false

8 (fourbe) [*personne*] deceitful, false; [*air, regard*] deceitful, shifty

9 (ambigu) [*situation, position*] false

B *adv* **1** Mus [*jouer, chanter*] out of tune; fig **sonner ~** [*rire, gaieté, parole*] to have a hollow ring; [*discours*] to sound false

2 (incorrectement) [*raisonner*] wrongly

C à faux *loc adv* **1** (à tort) [*accuser*] falsely, wrongly

2▸ (de travers) **porter à ~** *[poutre]* to be off balance

D *nm inv* 1▸ (contraire du vrai) **le ~** what is false; **le vrai et le ~** truth and falsehood; **être dans le ~** fml to be wrong *ou* mistaken; ▸ **prêcher**

2▸ (objet, tableau) fake; (document) forgery; **~ et usage de ~** Jur forgery and use of false documents

(Composés) **fausse alerte** false alarm; **fausse blonde** dyed blonde; **fausse côte** Anat false rib; **fausse couche** Méd miscarriage; **faire une fausse couche** to have a miscarriage, to miscarry; **fausse dent** false tooth; **fausse ébène** laburnum wood; **fausse facture** Compta bogus invoice; **fausse fenêtre** blind window; **fausse joie** ill-founded joy; **faire une fausse joie à qn** to raise sb's hopes in vain; **fausse manœuvre** lit, fig false move; **fausse modestie** false modesty; **fausse monnaie** forged *ou* counterfeit currency; **fausse note** Mus wrong note; fig jarring note; **jeter une fausse note** to strike a jarring note; **se dérouler sans une fausse note** to go perfectly; **fausse nouvelle** false report; **fausse oronge** fly agaric; **fausse perle** fake *ou* artificial pearl; **fausse pierre** paste *ou* artificial stone; **fausse piste** lit, fig wrong track; **fausse pudeur** false modesty; **fausse sortie** Théât false exit; **faire une fausse sortie** to make a stage exit; **~ acacia** false acacia, locust tree; **~ ami** Ling faux ami, false friend (*foreign word which looks deceptively like a word in one's own language*); **~ bruit** false rumour[GB]; **~ buis** shrubby milkwort; **~ col** (de chemise) detachable collar; (de bière) head; **~ contact** faulty connection; **~ cul**◑ two-faced bastard◑; **~ débutant** false beginner; **~ départ** lit, fig false start; **~ derche**◑ = **~ cul**; **~ ébénier** laburnum; **~ en écriture(s)** Compta, Jur falsification ₵ of accounts; **~ frais** Compta extras, incidental expenses; **~ frère** hum false friend; **~ jeton**○ two-faced person; **c'est un ~ jeton** he's/she's two-faced; **~ jour** lit deceptive light; fig **sous un ~ jour** in a false light; **~ mouvement** false move; **~ nom** false *ou* assumed name; **~ ourlet** false hem; **~ pas** lit slip; fig (erreur) mistake; (gaffe) faux pas; **faire un ~ pas** lit to trip, stumble; **commettre un ~ pas** (erreur) to make a mistake; (gaffe) to make a faux pas; **il n'a pas commis de ~ pas** fig he hasn't put a foot wrong; **~ plafond** false ceiling; **~ pli** crease; **~ prophète** false prophet; **~ seins** falsies○; **~ serments** false declarations of love; **~ sycomore** Norway maple; **~ témoignage** Jur (déposition) false *ou* perjured evidence; (délit) perjury ₵; **faire un ~ témoignage** to commit perjury; **~ témoin** Jur lying witness, perjurer; **~ titre** Édition, Imprim half-title

faux[2] /fo/ *nf inv* Agric scythe

faux-bourdon, *pl* **~s** /foburdɔ̃/ *nm* 1▸ Zool drone; 2▸ Mus faux bourdon

faux-filet, *pl* **~s** /fofilɛ/ *nm* sirloin

faux-fuyant, *pl* **~s** /fofɥijɑ̃/ *nm* **chercher un ~** to try to evade the issue; **user de ~s** to evade the issue, to prevaricate; **après des mois de ~s** after months of prevarication; **répondre sans ~s** to give a straight answer

faux-monnayeur, *pl* **~s** /fomɔnɛjœʀ/ *nm* forger, counterfeiter

faux-semblant, *pl* **~s** /fosɑ̃blɑ̃/ *nm* **les ~s** pretence[GB] (*sg*); **entretenir les ~s** to keep up the pretence[GB]; **user de ~s** to put up a pretence[GB], to put on an act

faux-sens /fosɑ̃s/ *nm inv* mistranslation

favela* /favɛla/ *nf* favela

faveur /favœʀ/

A *nf* 1▸ (bienfait) favour[GB]; **faire/demander une ~ à qn** to do/ask sb a favour[GB]; **solliciter une ~ auprès de qn** fml to beg a favour[GB] of sb; **combler qn de (ses) ~s** to pile favours[GB] on sb; **il nous a fait la ~ d'une visite** he honoured[GB] us with a visit; **elle lui a accordé ses ~s** euph she bestowed her favours[GB] upon him; **avoir les ~s de qn, être en ~ auprès de qn** to be in favour[GB] with sb; **s'attirer les ~s de qn** to find favour[GB] with sb; **personnalité qui a la ~ du public** celebrity who is popular with the public; **obtenir qch par ~** to obtain sth as a favour[GB]; **régime** *or* **traitement de ~** preferential treatment; 2▸ (ruban) favour[GB], ribbon

B en faveur de *loc prép* 1▸ (à l'avantage de) **le jugement a été rendu en sa ~** the court decided in his/her favour[GB]; **la caissière s'est trompée en ma ~** the cashier gave me too much change; **les votes en ~ du candidat de l'opposition** the votes for the opposition candidate; 2▸ (pour aider) **des mesures en ~ des handicapés** measures to help the disabled; **les mesures en ~ de l'emploi** measures to promote employment; **intervenir en ~ de qn** to intervene on sb's behalf; 3▸ (partisan de) **être en ~ de qch** to be in favour[GB] of sth; **être en ~ de qn** to be for sb; 4▸ (en considération de) on account of; **ses torts ont été oubliés en ~ de sa compétence** his/her failings were overlooked on account of his/her efficiency

C à la faveur de *loc prép* thanks to; **il est arrivé au pouvoir à la ~ d'un coup d'État** he came to power thanks to a coup d'état; **à la ~ de la nuit** under cover of darkness

favorable /favɔʀabl/ *adj [circonstances, conditions, occasion]* favourable[GB]; **les conditions sont peu ~s à une victoire de la gauche** conditions are not favourable[GB] for a left-wing victory; **les propositions ont reçu un accueil ~** the proposals met with a favourable[GB] reception; **se montrer** *or* **se présenter sous un jour ~** to show oneself in a favourable[GB] light; **voir qch d'un œil ~** to look favourably[GB] on sth; **être ~ à** (partisan de) to be in favour[GB] of; (propice à) to be favourable[GB] to; **j'ai de lui une opinion ~** I have a good opinion of him; **avoir un préjugé ~ à l'égard de qch** to be disposed toward(s) sth

favorablement /favɔʀabləmɑ̃/ *adv* favourably[GB]

favori, **-ite** /favɔʀi, it/

A *adj* (tous contextes) favourite[GB]

B *nm,f* favourite[GB]; **c'est le ~ du professeur** he's the teacher's pet

C *nm* Turf, Sport favourite[GB]; **partir ~** to be the favourite[GB]

D favoris *nmpl* sideburns, whiskers†

favoriser /favɔʀize/ [1] *vtr* 1▸ (avantager) *[personne, groupe]* to favour[GB] *[personne, groupe]* (**par rapport à** over); **l'examinateur a favorisé un candidat** the examiner favoured[GB] one candidate over the others; **les circonstances l'ont favorisé** circumstances were in his favour[GB]; **les milieux favorisés** the privileged classes; 2▸ (encourager) to encourage; (activement) to promote; **des mesures pour ~ l'emploi** measures to promote *ou* encourage employment

favorite ▸ **favori A, B**

favoritisme /favɔʀitism/ *nm* favouritism[GB]

fax /faks/ *nm inv* (document) fax; (machine) fax machine; **envoyer qch en ~** to send sth by fax, to fax sth

faxer /fakse/ [1] *vtr* to fax

fayot○ /fajo/ *nm* 1▸ (haricot) bean; 2▸ (personne) creep○, crawler○

fayot(t)age*◑ /fajɔtaʒ/ *nm* crawling○; **c'est du ~!** that's crawling!

fayot(t)er*◑ /fajɔte/ [1] *vi* pej to creep○, to crawl○

FB (*written abbr* = **franc belge**) Hist BFr

FCP /fsepe/ *nm* (*abbr* **fonds commun de placement**) unit trust GB, mutual fund US

féal, **~e**, *mpl* **-aux** /feal, o/ *nm,f* liter loyal supporter

fébrifuge /febʀifyʒ/ *adj, nm* febrifuge, antipyretic

fébrile /febʀil/ *adj* 1▸ (nerveux) *[sentiment, geste, moment, œuvre]* feverish; *[personne, équipe]* nervous; 2▸ Méd (de fièvre) *[malade, état]* feverish

fébrilement /febʀilmɑ̃/ *adv* feverishly

fébrilité /febʀilite/ *nf* 1▸ (agitation) agitation; **après la ~ des dernières heures** after the agitation of the last few hours; **avec ~** agitatedly; 2▸ (nervosité) nervousness; **~ du marché** nervousness of the market

fécal, **~e**, *mpl* **-aux** /fekal, o/ *adj* faecal

fèces /fɛs/ *nfpl* faeces

fécond, **~e** /fekɔ̃, ɔ̃d/ *adj* 1▸ (non stérile) *[période, femme]* fertile; 2▸ (fertile) *[sol]* fertile; *[esprit, imagination]* fertile; **année ~e en incidents** *or* **rebondissements** eventful year; 3▸ (prolifique) lit, fig prolific; 4▸ (fructueux) *[période, effort, travail, idée]* fruitful

fécondable /fekɔ̃dabl/ *adj [femelle]* fertile; *[ovule]* fertilizable

fécondateur, **-trice** /fekɔ̃datœʀ, tʀis/ *adj* fertilizing

fécondation /fekɔ̃dasjɔ̃/ *nf* (de femme, femelle) impregnation; (de plante) pollination; (d'œuf, ovule, oosphère) fertilization

(Composés) **~ artificielle** artificial insemination; **~ croisée** cross-fertilization; **~ in vitro**, **FIV** in vitro fertilization, IVF

féconder /fekɔ̃de/ [1] *vtr* 1▸ (causer la reproduction) to impregnate *[femme, femelle]*; (par insémination) to inseminate *[animal]*; to pollinate *[plante]*; to fertilize *[œuf, ovule, oosphère]*; fig, liter *[semence]* to make [sth] fruitful *[terre]*; 2▸ (rendre fertile) *[fleuve]* to make [sth] fertile *[terre]*; 3▸ fig (enrichir) to enrich *[esprit]*

fécondité /fekɔ̃dite/ *nf* 1▸ (de femme, femelle) fertility; 2▸ (de sol) fertility; 3▸ fig (d'idée) potential; (d'auteur) productivity; **la ~ de son esprit** the creative capacity of his/her mind

fécule /fekyl/ *nf* starch ₵; **~ de pomme de terre** potato starch

féculent, **~e** /fekylɑ̃, ɑ̃t/

A *adj* starchy

B *nm* starch **C**, starchy food ₵; **les ~s** starches

Fed /fɛd/ *nf* **la ~** US Fin the Fed

FED /ɛfəde/ *nm*: *abbr* ▸ **fonds**

fedayin /fedajin/ *nm* fedayeen

FEDER /fedɛʀ/ *nm* UE (*abbr* = **Fonds européen de développement régional**) ERDF

fédéral, **~e**, *mpl* **-aux** /fedeʀal, o/ *adj* 1▸ Pol *[république, police, budget]* federal; 2▸ Comm, Entr, Sport *[association]* federated; **le bureau ~** the association's offices

fédéraliser /fedeʀalize/ [1] *vtr* to federalize

fédéralisme /fedeʀalism/ *nm* federalism

fédéraliste /fedeʀalist/ *adj, nmf* federalist

fédérateur, **-trice** /fedeʀatœʀ, tʀis/

A *adj* federal

B *nm,f* unifier

fédératif, **-ive** /fedeʀatif, iv/ *adj* federal

fédération /fedeʀasjɔ̃/ *nf* federation

(Composés) **Fédération de Russie** Russian Federation; **~ syndicale** trade union

fédéré, **~e** /fedeʀe/

A *pp* ▸ **fédérer**

B *adj [état, club]* federated

fédérer /fedeʀe/ [14]

A *vtr* to federate *[États]*

B se fédérer *vpr [États]* to federate; *[comités, entreprises]* to form an association

fée /fe/ *nf* fairy; **bonne/méchante ~** good/wicked fairy

(Composé) **~ du logis** perfect housewife

(Idiome) **avoir des doigts** *or* **mains de ~** to have nimble fingers

feed-back* /fidbak/ *nm inv* feedback

feeling○ /filiŋ/ *nm* feeling; **y aller au ~** to follow one's feeling

féerie* /fe(e)ʀi/ *nf* 1▸ (spectacle merveilleux) **une ~ de couleurs** an enchanting display of colours[GB]; **c'est une vraie ~** it's magical; 2▸ Cin, Théât extravaganza

féerique* /fe(e)ʀik/ *adj* [*beauté, vision*] enchanting; [*monde, paysage*] enchanted

feignant, ∼e /fɛɲɑ̃, ɑ̃t/ = **fainéant**

feindre /fɛ̃dʀ/ [55]
A *vtr* to feign [*émotion, sentiment, état, qualité, maladie*]; **∼ la colère/l'ignorance** to feign anger/ignorance; **∼ de faire/d'être** to pretend to do/to be; **∼ une panne** Aut to pretend to have broken down
B *vi* to pretend; **inutile de ∼** it's no use pretending

feint, ∼e /fɛ̃, ɛ̃t/
A *pp* ▸ **feindre**
B *pp adj* [1] [*émotion, état*] feigned, put on (*jamais épith*); [*sourire*] false; **avec une gaieté ∼e** with feigned cheerfulness; **sa colère/surprise était ∼e** his anger/surprise was put on; **son inquiétude n'est pas ∼e** his anxiety is genuine; **non ∼** genuine; [2] Archit [*fenêtre, arcade*] false
C feinte *nf* [1] (manœuvre) gén, Mil, Sport feint; (au football, rugby) dummy GB, fake US; **faire une ∼e** (au football, rugby) to dummy GB, to fake US; **faire une ∼e de passe** to make a dummy pass GB, to fake a pass US; [2] ○(attrape) trick, ruse; **faire une ∼e à qn** to trick *ou* con○ sb; [3] †(dissimulation) pretence[GB] ¢; **sans ∼e** openly

feinter /fɛ̃te/ [1]
A *vtr* [1] Sport **∼ l'adversaire** (en boxe, escrime) to feint at one's opponent; (au football, rugby) to sell one's opponent a dummy GB, to fake out one's opponent US; **∼ la passe** to make a dummy pass GB, to fake a pass US; [2] ○(tromper) to con○ [*personne*]; **on l'a feinté/il s'est fait ∼** he's been conned○ *ou* had○
B *vi* Sport (en escrime) to make a feint; (en boxe) to feint; (au football, rugby) to dummy GB, to fake US

feldspath /fɛldspat/ *nm* feldspar

fêlé, ∼e /fele/
A *pp* ▸ **fêler**
B ○*adj* (fou) cracked○ (*jamais épith*), off one's rocker○ (*jamais épith*)
C ○*nm,f* loony○; **un ∼ du ski/jazz** a ski/jazz freak○

fêler /fele/ [1]
A *vtr* lit to crack [*tasse, os*]; fig to damage [*amitié*]
B se fêler *vpr* lit [*tasse, os*] to crack; fig [*amitié*] to be damaged; **d'une voix fêlée** in a cracked voice

félicitations /felisitasjɔ̃/ *nfpl* congratulations (**pour** on; **à** to); **je leur ai adressé mes ∼** (de vive voix) I congratulated them; (par lettre, indirectement) I sent them my congratulations; **recevoir des ∼** to be congratulated; **être reçu avec les ∼ du jury** Scol, Univ to pass with distinction

félicité /felisite/
A *nf* bliss
B félicités *nfpl* liter joys

féliciter /felisite/ [1]
A *vtr* to congratulate [*personne*] (**pour qch** on sth; **à l'occasion de qch** on sth); **∼ qn d'avoir fait qch** to congratulate sb on doing sth; **je te félicite!** congratulations!; **je ne te félicite pas!** iron it's nothing to be proud of!
B se féliciter *vpr* (se réjouir) **se ∼ de qch** to be very pleased about sth; **je me félicite d'avoir été présent** I'm very pleased I was there; **je me félicite de vous l'entendre dire** I'm very pleased to hear you say it; **il se félicite que l'accord soit conclu** he is very pleased that the agreement has been made; **il a accepté et je m'en félicite** he has agreed, and I am very pleased

félidé /felide/ *nm* Zool felid; **les ∼s** felidae

félin, ∼e /felɛ̃, in/
A *adj* [1] Zool [*race*] feline; [*exposition, fichier, sida*] cat (*epith*); [2] fig [*grâce*] feline; [*yeux*] catlike
B *nm* feline; **les ∼s** felines, the cat family

fellation /felasjɔ̃/ *nf* fellatio

félon, -onne /felɔ̃, ɔn/ fml
A *adj* perfidious
B *nm,f* traitor/traitress

félonie /felɔni/ *nf* fml [1] (caractère) perfidy sout, treachery; [2] (acte) act of treachery

felouque /fəluk/ *nf* felucca

fêlure /fɛlyʀ/ *nf* crack

femelle /fəmɛl/
A *adj* [1] Biol [*hormone*] female; [2] Bot [*plante, fleur*] female; [3] Zool gén female; [*baleine, éléphant*] cow; [*moineau, perroquet*] hen; **cygne ∼** pen; **homard ∼** hen lobster; [4] Électrotech [*prise*] female; [5] Ling [*trait*] feminine
B *nf* Zool [1] (animal du sexe fécondé) female; [2] (partenaire sexuel) mate

féminin, ∼e /feminɛ̃, in/
A *adj* [1] (de la femme) [*corps, sexualité, physiologie, hormone*] female; **le sexe ∼** the female sex; **un enfant de sexe ∼** a female child; [2] (pour femmes) [*activité, magazine*] women's; [*prêt-à-porter, lingerie*] women's, ladies'; [*contraception, préservatif, emploi*] female; **le seul rôle ∼** the only female part *ou* role; [3] (composé de femmes) [*population, collègues, chœur*] female; Sport [*équipe, club*] ladies'; [*sport, judo, record*] women's; [4] (plein de féminité) [*visage, allure*] feminine; [5] Ling [*nom, rime*] feminine
B *nm* Ling feminine; **au ∼** in the feminine

féminisant, ∼e /feminizɑ̃, ɑ̃t/ *adj* feminizing

féminisation /feminizasjɔ̃/ *nf* feminization

féminiser /feminize/ [1]
A *vtr* [1] to open [sth] up to women [*profession, organisation*]; [2] to make [sth] more feminine [*vêtement*]; [3] to make [sb] more feminine [*personne*]; [4] Biol to feminize
B se féminiser *vpr* [*profession*] (s'ouvrir aux femmes) to become more open to women; (avoir moins d'hommes) to become predominantly female

féminisme /feminism/ *nm* feminism

féministe /feminist/ *adj, nmf* feminist

féminité /feminite/ *nf* femininity

femme /fam/
A *nf* [1] (adulte de sexe féminin) woman; **∼ mariée** married woman; **une voix de ∼** a woman's voice; **vêtements pour ∼s** women's *ou* ladies' clothes; **c'est la ∼ de sa vie** she's the love of his life; **c'est la ∼ de mes rêves** she's the woman of my dreams; [2] (comme archétype) woman; **métier de ∼** woman's job; **la ∼ des années 90** the woman of the '90s; **le fait d'être ∼** the fact of being a woman; **devenir ∼** to become a woman; **un métier de ∼** a woman's job; **elle fait très ∼** [*jeune fille*] she looks quite grown-up; **elle est très ∼** [*femme*] she's very feminine; **elle n'est pas ∼ à mentir** she's not a woman to lie; [3] (épouse) wife; **la ∼ du directeur** the manager's wife; **c'est sa ∼** she's his wife; **prendre ∼†** to take a wife†; **prendre qn pour ∼** to take sb to wife‡
B femme(-) (*in compounds*) **∼-écrivain** woman writer; **∼ médecin** woman *ou* lady† doctor; **∼ cadre** executive woman; **∼-prêtre** woman priest; **∼-soldat** woman soldier; **∼ enfant** little-girlish woman; **∼-objet** sex object; **femme-femme**○ very feminine woman

(Composés) **∼ d'action** woman of action; **∼ active** working woman; **∼ d'affaires** businesswoman; **∼ à barbe** (au cirque) bearded lady; **∼ battue** battered wife; **∼ de chambre** (employée d'hôtel, de maison) chambermaid; (attachée au service d'une dame) lady's maid, personal maid; **∼ de charge** housekeeper; **∼ de cœur** caring person; **∼ entretenue** kept woman; **∼ facile** pej loose woman; **∼ fatale** femme fatale; **∼ au foyer** housewife; **∼ galante** courtesan; **∼ d'intérieur** homemaker; **être très ∼ d'intérieur** to care very much about one's home; **∼ de journée** = **∼ de ménage**; **∼ de lettres** woman of letters; **∼ de mauvaise vie** loose woman; **∼ de ménage** cleaner, cleaning woman *ou* lady; **∼ du monde** well-bred lady; **∼ de petite vertu** woman of easy virtue; **∼ de service** (dans une collectivité) cleaner, cleaning lady; **∼ de tête** assertive woman

(Idiomes) **ce que ∼ veut, Dieu le veut** Prov what a woman wants, a woman gets; **souvent ∼ varie (bien fol est celui qui s'y fie)** Prov woman is fickle

femmelette /famlɛt/ *nf* wimp○, weakling

fémoral, ∼e, *mpl* **-aux** /femɔʀal, o/ *adj* femoral

fémur /femyʀ/ *nm* thighbone, femur spéc; **se casser le col du ∼** to break one's hip

FEN /fɛn/ *nf* (*abbr* = **Fédération de l'éducation nationale**) FEN (*French teachers' union*)

fenaison /fənɛzɔ̃/ *nf* (saison) haymaking time; (action) haymaking

fendant, ∼e /fɑ̃dɑ̃, ɑ̃t/
A ○*adj* hilarious
B *nm* Vin fendant (*Swiss dry white wine*)

fendard◑ /fɑ̃daʀ/
A *adj m* hilarious
B *nm* (pantalon) trousers (*pl*), pants (*pl*) US

fendiller /fɑ̃dije/ [1]
A *vtr* to chap [*peau, lèvres*]; to craze [*terre*]; to crack [*bois, meuble*]
B se fendiller *vpr* [*peau, lèvres*] to chap; [*terre*] to craze over; [*bois, meuble*] to crack; **se ∼ à la chaleur** to crack in the heat

fendre /fɑ̃dʀ/ [6]
A *vtr* [1] (couper) to chop [*bois*]; to split [*pierre*]; to slit [*tissu*]; **bûche fendue en deux** split log; **jupe fendue sur le côté** skirt slit up one side; [2] (ouvrir) (légèrement) to chap [*lèvre*]; to crack [*mur, pierre, vase*]; (profondément) to split [*lèvre*]; to split [sth] open [*crâne*]; **crâne fendu** skull split open; [3] fig (déchirer) **∼ l'âme** *or* **le cœur** to be heartbreaking; **∼ le cœur à qn** to break sb's heart; **récit à ∼ l'âme** heartbreaking story; [4] ○(traverser) **∼ l'air** to slice through the air; **∼ la foule** to push one's way through the crowd
B se fendre *vpr* [1] (se craqueler) to crack; [2] fig (se déchirer) [*cœur*] to break; [3] ○(faire un effort financier) to cough up○, to shell out○; **tu ne t'es pas fendu!** that didn't break the bank!; **se ∼ de** to manage [*sourire, discours*]; to come up with [*cadeau, brochure*]; to cough up○ [*somme d'argent*]; [4] Sport (en escrime) to lunge

(Idiomes) **∼ la bise** to run like lightning; **se ∼ la pêche**○ *or* **poire**○ *or* **gueule**◑ to split one's sides○; **avoir la bouche fendue jusqu'aux oreilles** to be grinning from ear to ear

fenestrage /fənɛstʀaʒ/ *nm* = **fenêtrage**

fenestration /fənɛstʀasjɔ̃/ *nf* [1] Archit opening; [2] Méd fenestration

fenestron /fənɛstʀɔ̃/ *nm* small window

fenêtrage /fənɛtʀaʒ/ *nm* Archit [1] (fenêtres) windows; [2] (disposition) fenestration; [3] (ornement) arcading

fenêtre /fənɛtʀ/ *nf* [1] Archit window; **place côté ∼** Rail window seat; **regarder/se pencher par la ∼** to look/lean out of the window; **être à sa ∼** to be at one's window; ▸ **faux**; [2] (d'enveloppe) window; [3] (dans un document) space; [4] Ordinat window; [5] Anat fenestra

(Composés) **∼ basculante** Archit tilt-and-turn window; **∼ à battants** Archit casement window; **∼ coulissante** Archit sliding window; **∼ à croisillons** Archit lattice window; **∼ dormante** Archit sash frame window; **∼ à guillotine** Archit sash window; **∼ de lancement** Astronaut launch window; **∼ mansardée** Archit dormer window; **∼ à meneaux** Archit mullioned window; **∼ de projection** Cin projection window; **∼ en saillie** Archit bay window; (arrondie) bow window; **∼ à tabatière** Archit skylight; **∼ de toit** roof light

(Idiome) **jeter l'argent par les ∼s** to throw money away

fenêtrer /fənɛtʀe/ [1] *vtr* Archit to make windows in [*façade*]

fenil /fənil/ *nm* hayloft

fennec /fenɛk/ *nm* fennec

f

fenouil /fənuj/ *nm* fennel

fente /fɑ̃t/ *nf* 1 (ouverture) gén slit; (pour insérer une pièce, carte, lettre) slot; (dans une vis) groove; 2 Cout gén slit; (dans un dos de veste) vent; **veste avec une ~/deux ~s dans le dos** single-vented/double-vented jacket; 3 (fissure) gén crack; (dans du bois) split; (dans une falaise) crevice; 4 ◑(vulve) slit◑, vulva

(Composé) **~ palpébrale** Anat palpebral fissure

fenugrec /fənygʀɛk/ *nm* fenugreek

féodal, ~e, *mpl* **-aux** /feɔdal, o/

A *adj* feudal

B *nm* feudal landowner

féodalisme /feɔdalism/ *nm* feudalism

féodalité /feɔdalite/ *nf* 1 Hist (caractère) feudalism; (système) feudal system; 2 Écon, Pol (fief) fiefdom

fer /fɛʀ/

A *nm* 1 Chimie iron; **objet en ~** iron object, object made of iron; **mine/minerai de ~** iron mine/ore; 2 (métal quelconque) metal; 3 fig **de ~** [*discipline, poigne, volonté*] iron; **diriger d'une main de ~** to rule with a rod of iron; **avoir une santé de ~** to have an iron constitution; 4 (objet) (de chaussure) steel tip; (pour marquer) branding iron; (de relieur) blocking tool; **marquer un animal au ~ (rouge)** to brand an animal; 5 (arme) (épée) sword; (lame) blade; **croiser le ~ avec** lit, fig to cross swords with; 6 (train) rail transport; **par ~** by rail

B **fers**† *nmpl* 1 Méd forceps; 2 (de prisonnier) irons; **mettre un prisonnier aux ~s** to clap a prisoner in irons; **être dans les ~s** lit to be in irons; fig to be in chains

(Composés) **~ (à cheval)** horseshoe; **mettre un ~ à un cheval** to shoe a horse; **en ~ à cheval** horseshoe-shaped; **~ forgé** wrought iron; **~ à friser** curling iron; **~ à gaufrer** hair crimper; **~ de lance** lit, fig spearhead; **le ~ de lance de l'industrie française** the spearhead of French industry; **~ à repasser** (domestique) iron; (pour carte de paiement) manual imprinter (*for credit card transactions*); **donner un (petit) coup de ~ à qch** to run the iron over sth; **~ (à repasser) à vapeur** steam iron; **~ à souder** soldering iron; **~ à tuyauter** goffering iron

(Idiomes) **s'imposer par le ~ et le feu** to conquer by fire and the sword; **croire dur comme ~** to believe wholeheartedly; **il faut battre le ~ pendant** *or* **tant qu'il est chaud** Prov strike while the iron is hot; **tomber les quatre ~s en l'air** to fall flat on one's back

fer-blanc, *pl* **fers-blancs** /fɛʀblɑ̃/ *nm* tinplate

ferblanterie /fɛʀblɑ̃tʀi/ ▸ **p. 532** *nf* 1 (ustensiles) tinware; 2 (secteur) tin trade; 3 (boutique) ironmonger's GB, hardware store US

ferblantier /fɛʀblɑ̃tje/ ▸ **p. 532** *nm* 1 (fabricant) tinsmith; **ouvrier ~** tinplate worker; 2 (marchand) ironmonger GB, hardware dealer US

feria /fɛʀja/ *nf* feria (*annual festival with bull-fighting in southern France*)

férié, ~e /feʀje/ *adj* **jour ~** public holiday GB, holiday US; **c'est ~ demain** tomorrow is a public holiday GB *ou* a holiday US

férir /feʀiʀ/ *vtr* **sans coup ~** meeting no resistance

ferler /fɛʀle/ [1] *vtr* Naut to furl

fermage /fɛʀmaʒ/ *nm* (mode) tenant farming; (bail) farm tenancy; (redevance) farm rent

Fermanagh ▸ **p. 721** *npr* **le comté de ~** Fermanagh

ferme /fɛʀm/

A *adj* 1 (résistant) [*chair, sol*] firm; [*blanc d'œuf, crème*] stiff; 2 (stable) [*personne*] steady; **être ~ sur ses jambes** to be steady on one's legs; 3 (assuré) [*pas, voix, attitude, écriture*] firm; [*geste, exécution, style*] confident; **avoir la ~ intention de faire** to have the firm intention of doing; **d'une main ~** [*diriger, saisir, retenir*] with a firm hand; [*écrire*] in a firm hand; **rester ~ dans l'adversité/dans ses résolutions** to be steadfast in adversity/in one's resolutions; 4 (inflexible) firm; **être** *or* **se montrer ~ avec les enfants** to be firm with the children; 5 Fin (bien orienté) [*marché, valeur, monnaie*] firm; 6 Comm, Fin (définitif) [*commande, engagement, prix, vente*] firm; 7 Jur (sans sursis) **peine de prison ~** custodial sentence; **cinq ans de prison ~, cinq ans ~**○ a five-year sentence with no remission

B *adv* 1 (sans faiblir) [*discuter, batailler*] vigorously; [*croire*] firmly; **tenir ~** to stand one's ground; **s'ennuyer ~** to be bored stiff; 2 (de façon définitive) **commander ~** to put in a firm order for [*avion, voiture*]

C *nf* 1 Agric (exploitation) farm; (maison) farmhouse; **~ collective/marine/d'élevage** collective/marine/cattle farm; **retaper une vieille ~** to do up an old farmhouse; **à la ~** [*travailler, vie, vente*] on the farm; 2 Comm, Jur (contrat) **(bail à) ~** farming lease; (domaine affermé) leasehold; **donner qch à ~** to lease sth; 3 Constr truss

(Composés) **~ école** Agric *farm attached to an agricultural college*; **~ éolienne** windfarm

(Idiomes) **attendre de pied ~** to be ready and waiting; **je les attends de pied ~** I'm ready for them

fermé, ~e /fɛʀme/

A *pp* ▸ **fermer**

B *pp adj* 1 (hermétique) **être ~ à l'art moderne** to be totally uninterested in modern art; **être ~ à la pitié** [*personne*] to have become callous; **visage ~** inscrutable face; 2 (élitiste) **cercle** *or* **club ~** exclusive club; **monde très ~** exclusive world; 3 Math [*ensemble*] closed

ferme-auberge, *pl* **fermes-auberges** /fɛʀmobɛʀʒ/ *nf* farmhouse inn (*serving home-grown produce*)

fermement /fɛʀməmɑ̃/ *adv* firmly

ferment /fɛʀmɑ̃/ *nm* lit, fig ferment

fermentation /fɛʀmɑ̃tasjɔ̃/ *nf* 1 Biol fermentation; 2 (agitation) ferment; **en ~** in ferment

fermenter /fɛʀmɑ̃te/ [1] *vi* 1 Biol to ferment; 2 (être en effervescence) to be in ferment

fermentescible /fɛʀmɑ̃tɛsibl/ *adj* fermentable

fermer /fɛʀme/ [1]

A *vtr* 1 gén to close, to shut [*porte, fenêtre, boîte, valise, tiroir, livre, parapluie*]; to close, to shut [*yeux, bouche*]; to clench [*poing*]; to draw [*rideau*]; to seal [*lettre*]; to turn off [*robinet, gaz, eau, radio*]; to switch off [*électricité*]; to do up [*vêtement, chaussure*]; to close off [*conduit, passage*]; **la porte est bien/mal fermée** the door is/is not shut properly; **~ sa chemise jusqu'au cou** to button one's shirt right up to the neck; **~ à clé** to lock up [*maison, appartement*]; to lock [*voiture, valise, tiroir*]; **~ à double tour** lit to double-lock [*maison*]; fig to lock securely [*voiture, valise*]; **~ le jeu** Sport to play a defensive game; **~ son cœur** to steel one's heart (**à** against); **une chaîne de montagnes fermait l'horizon** the horizon was bounded by a range of mountains; 2 Admin, Comm, Entr (temporairement) to close [*magasin, aéroport, accès, route, frontière*]; (définitivement) to close down [*entreprise, succursale, centrale*]; to close [*mine, compte bancaire*]; **'on ferme'** 'we're closing'; **fermé le lundi/au public** closed on Mondays/to the public; **région fermée aux étrangers** area not open to foreigners; 3 (terminer) to bring [sth] to a close [*débat, audience*]

B *vi* [*magasin, usine, théâtre*] (temporairement) to close; (définitivement) to close down; **~ bien/mal** [*porte, valise*] to close/not to close properly; **armoire qui ferme à clé** wardrobe that can be locked; **le musée ferme en août** the museum is closed in August

C **se fermer** *vpr* 1 lit [*porte*] to shut; [*fleur*] to close up; [*manteau, bracelet*] to fasten; **ma jupe se ferme sur le côté** my skirt fastens at the side; 2 fig [*personne*] to clam up; [*visage*] to harden

(Idiomes) **la ~**◑ to shut up○; **la ferme**◑**!, ferme-la**◑**!** shut up!; **~ les yeux sur** to turn a blind eye to

fermeté /fɛʀməte/ *nf* 1 (morale) firmness; **avec ~** firmly; **faire preuve de ~ à l'égard de qn** to take a firm line with sb; 2 (physique) firmness; 3 Fin (de monnaie, valeur) firmness

fermette /fɛʀmɛt/ *nf* 1 (maisonnette) farmhouse-style cottage; 2 Gén Civ (de barrage) flashboard

fermeture /fɛʀmətyʀ/ *nf* 1 gén (de magasin, bibliothèque, d'usine) (brève) closing; (longue) closure; (définitive) closing down; (de compte en banque) closing; **jour/heure de ~** closing day/time; **~ annuelle** annual closure; **~ en août/pour travaux** closed in August/for repair work; **depuis la ~ de l'usine** since the factory closed down; **'~ provisoire du pont'** 'bridge temporarily closed'; **la ~ du pont a provoqué des embouteillages** the closing of the bridge caused traffic jams; **nous sommes arrivés juste avant la ~** we arrived just before closing time; **'attention à la ~ des portes'** 'mind the doors'; **la ~ des portes est automatique** the doors close automatically; 2 Tech (dispositif) (de porte) latch; (de fenêtre, meuble) catch; (de sac à main) clasp; (de vêtement) fastening; **~ automatique** automatic locking system; **à ~ automatique** [*portes*] automatic; 3 Phon closure

(Composés) **~ à baïonnette** bayonet clutch; **~ éclair®** = **~ à glissière**; **tirer** *or* **remonter la ~ éclair de qch** to zip sth up; **~ à glissière** Cout zip GB, zipper US; **~ magnétique** Tech magnetic lock

> **Fermeture annuelle**
>
> The annual summer closure period operated by many small businesses, often lasting a calendar month.

fermier, -ière /fɛʀmje, ɛʀ/

A *adj* [*beurre, fromage*] farm (*épith*); [*poulet, œufs*] free-range (*épith*); **exploitation fermière** (activité) farming; (ferme) farm

B ▸ **p. 532** *nm,f* (agriculteur) farmer

C *nm* Comm, Jur leaseholder

D **fermière** *nf* (femme du fermier) farmer's wife

(Composé) **~ général** Hist farmer general

fermoir /fɛʀmwaʀ/ *nm* (de bijou, sac, reliure) clasp

féroce /feʀɔs/ *adj* 1 (cruel) [*animal*] ferocious; [*rire, humour, portrait, joie, répression, réquisitoire*] savage; [*personne, air*] fierce; 2 (acharné) [*bataille, concurrence*] fierce; 3 (violent) [*appétit*] voracious; [*envie, désir*] violent; ▸ **bête**

férocement /feʀɔsmɑ̃/ *adv* 1 (avec cruauté) savagely; 2 (violemment) fiercely

férocité /feʀɔsite/ *nf* 1 (d'animal) ferociousness; **avec ~** ferociously; 2 (de portrait, réplique, rire) savagery; **avec ~** savagely; 3 (de personne, regard, paroles) fierceness; **avec ~** fiercely

Féroé /feʀɔe/ ▸ **p. 435** *nprfpl* **les (îles) ~** the Faroe Islands, the Faroes

ferrage /feʀaʒ/ *nm* 1 (d'animal) shoeing; 2 (pour renforcer) reinforcing ¢ with metal

ferraillage /feʀɑjaʒ/ *nm* steel framework

ferraille /feʀɑj/ *nf* 1 (morceaux de fer) scrap iron; (morceaux de métal) scrap metal; 2 (dépôt) scrapheap; **être bon pour la ~** to be fit for the scrapheap; **mettre qch à la ~** to scrap sth; 3 ○(monnaie) small change

ferrailler /feʀɑje/ [1] *vi* 1 (se battre à l'épée) to clash swords; 2 (faire un bruit de ferraille) to clank

ferrailleur /feʀɑjœʀ/ ▸ **p. 532** *nm* 1 (récupérateur de ferraille) scrap (metal) dealer; 2 (batailleur) swashbuckler

ferrate /feʀat/ *nm* ferrate

ferré, ~e /feʀe/

A *pp* ▸ **ferrer**

B *pp adj* **1▸** (muni de ferrures) [*animal*] shoed; [*chaussure, bâton*] steel-tipped; [*roue*] rimmed with steel; [*lacet*] tagged; [*coffre*] ironbound; **2▸** Pêche hooked, struck spéc; **3▸** ○(instruit) **être ~ en** *or* **sur qch**○ to be well up on sth○; ▸ **voie**

ferrement /fɛʀmɑ̃/ *nm* (garniture) iron trim; **~ de cuivre** copper trim

ferrer /feʀe/ [1] *vtr* **1▸** to shoe [*cheval, mulet*]; (munir de ferrures) to fit steel tips to [*chaussure*]; to rim [sth] with steel [*roue*]; to tip [sth] with steel [*bâton*]; to tag [*lacet*]; to reinforce [sth] with steel [*porte*]; **2▸** Pêche to strike [*poisson*]

ferret /feʀɛ/ *nm* (de lacet) (metal) tag (*on shoelace*)

(Composé) **~ d'Espagne** Minér red haematite

ferreux, -euse /feʀø, øz/ *adj* ferrous; **métaux non ~** nonferrous metals

ferrique /feʀik/ *adj* ferric

ferrite /feʀit/ *nf* ferrite

ferro-alliage, *pl* **~s** /feʀoaljaʒ/ *nm* ferro-alloy

ferromagnétique /feʀomaɲetik/ *adj* ferromagnetic

ferronnerie /feʀɔnʀi/ *nf* **1▸** (lieu) ironworks (+ *v sg ou pl*); **atelier de ~** wrought iron workshop; **2▸** (travail) (du fer forgé) wrought iron work; (du fer) ironwork; **~ d'art** wrought iron work; **apprendre la ~** to learn to work in iron; **3▸** (ouvrage) wrought iron work **¢**; **une ~** a piece of wrought iron

ferronnier /feʀɔnje/ ▸ **p. 532** *nm* **1▸** (fabricant) iron craftsman; **~ d'art** wrought-iron craftsman; **ouvrier ~** ironworker; **2▸** (commerçant) iron work merchant

ferronnière /feʀɔnjɛʀ/ *nf* frontlet

ferroutage /fɛʀutaʒ/ *nm* Transp, Rail piggyback

ferroviaire /feʀɔvjɛʀ/ *adj* [*transport, collision, trafic*] rail; [*gare, tunnel, compagnie*] railway GB, railroad US

ferrugineux, -euse /feʀyʒinø, øz/ *adj* ferruginous

ferrure /feʀyʀ/ *nf* **1▸** (garniture métallique) (de porte, fenêtre) metal fittings (*pl*); (de meuble, coffre) metal band; **2▸** Équit (fers) shoes (*pl*)

ferry, *pl* **ferries*** /feʀi/ *nm* Transp ferry

ferry-boat*, *pl* **~s** /feʀibot/ *nm* gén ferry; (pour véhicules) (car) ferry

fertile /fɛʀtil/ *adj* **1▸** Agric [*sol, plaine*] fertile; **2▸** (riche) [*cerveau, imagination*] fertile; [*année*] productive; **année ~ en événements** eventful year; **journée ~ en émotions** day filled with emotion; **pièce ~ en surprises/bons mots** play full of surprises/witticisms; **affaire ~ en rebondissements** affair with many repercussions; **nation ~ en poètes** nation that produces many poets

fertilisable /fɛʀtilizabl/ *adj* fertilizable

fertilisant, ~e /fɛʀtilizɑ̃, ɑ̃t/

A *adj* fertilizing

B *nm* (engrais) fertilizer

fertilisation /fɛʀtilizasjɔ̃/ *nf* fertilization

fertiliser /fɛʀtilize/ [1] *vtr* to fertilize

fertilité /fɛʀtilite/ *nf* fertility; **d'une grande ~** highly fertile

féru, ~e /feʀy/ *adj* **être ~ de qch** to be very keen on sth

férule /feʀyl/ *nf* **être sous la ~ de qn** to be under sb's iron rule

fervent, ~e /fɛʀvɑ̃, ɑ̃t/

A *adj* [*croyant, prière*] fervent; [*admirateur, amour*] ardent

B *nm,f* **~ de tennis** tennis enthusiast GB, tennis buff US; **~ de musique/théâtre** music/theatre[GB] lover

ferveur /fɛʀvœʀ/ *nf* (de prière) fervour[GB]; (d'amour) ardour[GB]; **avec ~** [*prier*] fervently; [*aimer*] passionately

fesse /fɛs/ *nf* **1▸** Anat buttock; **les ~s** the buttocks, the bottom GB *ou* butt○ US; **un coup de pied aux ~s**○ a kick up the backside; **poser ses ~s**○ to park oneself○; **2▸** ◑(sexe) **la ~** tits and bums◑; **il y a de la ~**◑ **ici!** there's some sexy stuff○ here!

(Idiomes) **attention à tes ~s**○ watch your step; **avoir la police aux ~s**○ to have the police hot on one's trail; **avoir chaud aux ~s**○ to have a narrow escape○; **coûter la peau des ~s**○ to cost an arm and a leg○; **pousse tes ~s**○! shove over○! GB, scoot over○! US; **montrer ses ~s**○ to strip naked; **serrer les ~s**○ to be scared stiff; **s'occuper de ses ~s**○ to mind one's own business

fessée /fese/ *nf* smack on the bottom, spanking; **si tu n'es pas sage, tu auras une ~** if you don't behave you'll get your bottom smacked

fesser /fese/ [1] *vtr* to spank

fessier, -ière /fesje, ɛʀ/

A *adj* buttock, gluteal spéc; **muscles ~s** gluteal muscles

B *nm* **1▸** ○(fesses) backside○, behind○; **2▸** Anat (muscle) gluteus; **grand/moyen/petit ~** gluteus maximus/medius/minimus

fessu○**, ~e** /fesy/ *adj* big-bottomed, broad in the beam○ (*jamais épith*)

festif, -ive /fɛstif, iv/ *adj* festive

festin /fɛstɛ̃/ *nm* feast; **faire un ~** to have a feast

festival /fɛstival/ *nm* Danse, Mus, Théât, Cin festival; **pièce hors ~** play on the fringe; **~ de rock/du film fantastique** rock/fantasy film festival; **~ de bons mots** fig display of brilliant wit. ▸ **Avignon, Cannes**

festivalier, -ière /fɛstivalje, ɛʀ/ *nm,f* festival-goer

festivités /fɛstivite/ *nfpl* festivities

fest-noz, *pl* **festoù-nos** /fɛstnɔz, festunɔz/ *nm* fest-noz, Breton festival

festoiement /fɛstwamɑ̃/ *nm* feasting

feston /fɛstɔ̃/ *nm* **1▸** (guirlande) festoon; **2▸** Archit festoon; **3▸** Cout scallop; **col à ~s** Cout scalloped collar

festonner /fɛstɔne/ [1] *vtr* Cout to scallop [*col*]

festoyer /fɛstwaje/ [23] *vi* to feast

feta /feta/ *nf* feta

fêtard○**, ~e** /fɛtaʀ, aʀd/ *nm,f* reveller, party animal○

fête /fɛt/ *nf* **1▸** (jour chômé) public holiday GB, holiday US; **le vendredi saint, c'est ~?** is Good Friday a public holiday GB *ou* a holiday US?; **sauf dimanches et ~s** except Sundays and public holidays GB *ou* holidays US; **où passes-tu les ~s de Pâques/fin d'année?** where are you going for Easter/Christmas?; **2▸** (jour du saint patron) **c'est ma ~** it's my (saint's) name-day; **bonne ~!** happy name-day!; **ça va être ma ~**○**!** iron I'm going to cop it○!; **aujourd'hui, c'est la ~ des pompiers** today is the festival of the patron saint of firemen; **3▸** (solennité religieuse) festival; **~ païenne/chrétienne** pagan/Christian festival; **la ~ des morts** All Souls' Day; **4▸** (célébration) (day of) celebration; **les ~s du bicentenaire** the bicentenary celebrations; **5▸** (réjouissances privées) party; **donner** *or* **faire une ~** to give *ou* have a party; **faire la ~** to live it up○; **être de la ~** lit to be one of the party; **compte sur moi, je serai de la ~!** fig I'll be there!; **~ de famille** family gathering; **ambiance/air de ~** festive atmosphere/look; **l'ambiance est à la ~** the mood is festive; **toute la ville était en ~** the whole town was in holiday mood; **avoir le cœur en ~** to feel incredibly happy, to be bubbling over with joy; **c'est une ~ pour les yeux** it's a feast for the eyes; **être à la ~** fig to have a field day; **ne pas être à la ~** to be having a bad time; **6▸** (réjouissances publiques) (foire) fair; (kermesse) fête, fair; (manifestation culturelle) festival; (réjouissances officielles) celebrations (*pl*); **~ de la musique/bière** music/beer festival; **il y a la ~ au village** there's a fair in the village; **que la ~ commence!** let the festivities begin!; **~ paroissiale** parish fête; **les ~s de Carnaval** the carnival festivities; **la ~ de la moisson** the harvest festival

(Composés) **~ de bienfaisance** charity bazaar; **~ fixe** fixed feast; **~ foraine** funfair; **~ légale** public holiday GB, legal holiday US; **~ des Mères** Mothers' Day, Mothering Sunday GB; **~ mobile** movable feast; **~ des Pères** Fathers' Day; **~ des Rois (Mages)** Twelfth Night, Epiphany; **~ du travail** Labour Day, 1 May; **Fête Nationale** national holiday; (en France) Bastille Day

(Idiomes) **le chien me fait ~ quand je rentre** the dog makes a great fuss of me when I get in; **faire sa ~ à qn**○ to give sb a working over○; **ce n'est pas tous les jours la ~** Prov you have to take the rough with the smooth, life is not a bed of roses

> **Fête nationale**
>
> France's *fête nationale* is celebrated annually on the 14th July with nationwide firework displays, street parties, dancing and other local festivities. The date was chosen because of its symbolic significance, commemorating the fall of the Bastille in 1789 which signalled the end of the *Ancien Régime*.

Fête-Dieu /fɛtdjø/ *nf* Corpus Christi

fêter /fete/ [1] *vtr* to celebrate [*Noël, anniversaire, succès*]; to fete [*champion, héros, diva*]; **~s ses 20 ans** to celebrate one's twentieth birthday

fétiche /fetiʃ/

A *adj* lucky; **jour/chiffre ~** lucky day/number

B *nm* **1▸** (mascotte) mascot; **2▸** Psych, Relig fetish

fétichisme /fetiʃism/ *nm* fetishism; **avoir le ~ de qch**○ to have a thing○ about sth

fétichiste /fetiʃist/

A *adj* fetishistic

B *nmf* fetishist

fétide /fetid/ *adj* **1▸** (malodorant) [*odeur*] foul; [*lieu*] foul-smelling; **2▸** (répugnant) [*personne*] repulsive

fétidité /fetidite/ *nf* (d'odeur) foulness

fétu /fety/ *nm* **~ (de paille)** wisp of straw

(Idiome) **être emporté comme un ~** to be carried off like a straw in the wind

feu^{1}, ~e /fø/ *adj* fml late; **~ la reine, la ~e reine** the late queen

feu^{2}, *pl* **~x** /fø/

A ▸ **p. 202** *adj inv* **(de couleur) ~** flame-coloured[GB]; **rouge ~** fiery red

B *nm* **1▸** (combustion, incendie) fire; **~ de bois/brousse/forêt** wood/bush/forest fire; **~ de braises** glowing embers (*pl*); **en ~** on fire; **au ~!** fire!; **j'ai entendu (quelqu'un) crier au ~** I heard someone shout 'fire!'; **il y a le ~ à l'étable** the cowshed is on fire; **il y a eu le ~ chez elle** she's had a fire; **allumer un ~** to light a fire; **faire un** *or* **du ~** to make a fire; **prendre ~** to catch fire; **le feu a pris au sous-sol** the fire started in the basement; **le ~ a pris/ne prend pas** the fire is lit/won't light; **mettre le ~ à** to set fire to; **mettre** *or* **jeter qch au ~** to throw sth on the fire; **mise à ~** (de fusée) blast-off; **au coin du ~** [*s'asseoir, bavarder*] by the fire; [*causerie, rêverie*] fireside (*épith*)

2▸ (lumière) light; **les ~x de la ville** the lights of the city; **les ~x de la rampe** the footlights; **sous le ~ des projecteurs** lit under the glare of the spotlights; fig in the spotlight; **pleins ~x sur...** the spotlight is on...

3▸ (éclat) **briller de mille ~x** [*chandelier, diamant*] to sparkle brilliantly; **les ~x du couchant** the fiery glow of the setting sun

4▸ Aut, Aviat, Gén Civ, Naut (signal, indicateur) light; **tous ~x éteints** without lights

5▸ (à un carrefour) traffic light; **~ vert/rouge** green/red light; **~ orange** amber GB *ou* yellow US light; **prenez à droite au ~ (rouge)** turn right at the (traffic) lights; **le ~ est au vert** the lights are green; **avoir/recevoir le**

f

~ **vert de qn** fig to have/get the green light *ou* the go-ahead from sb; **donner son ~ vert à qn** fig to give sb the go-ahead
[6] Culin (de cuisinière) ring GB, burner US; (chaleur) heat; **faire cuire à ~ vif/moyen** cook over a high/medium heat; **faire cuire à petit ~** *or* **à ~ doux** cook over a gentle heat; **retirez du ~ au bout de 15 minutes** remove from the heat after 15 minutes; **j'ai oublié la soupe sur le ~** I've left the soup on the stove; **attends, j'ai quelque chose sur le ~** just a minute, I've got something cooking
[7] (allumette) **avez-vous du ~?** have you got a light?
[8] (sensation de brûlure) **épice qui met la bouche en ~** spice that burns your mouth; **elle avait les joues en ~** her cheeks were burning *ou* on fire; **pour apaiser le ~ du rasoir** to soothe shaving burn
[9] (enthousiasme) passion; **avec ~** [*parler, défendre*] with passion; **être plein de ~** [*personne*] to be full of fire; **avoir un tempérament de ~** to have a fiery temperament; **dans le ~ de la discussion/de l'action** in the heat of the discussion/of the moment; ▸ **action**
[10] (tir) **~!** Mil fire!; **~ nourri** sustained fire; **faire ~** to fire (**sur** at); **ouvrir le ~** to open fire (**sur** on); **sous le ~ de l'ennemi** under enemy fire; **coup de ~** shot; **des coups de ~ ont été tirés** shots were fired; **essuyer des coups de ~** to be shot at; **tirer un coup de ~** to shoot into the air; **échange de coups de ~** shooting incident; **le coup de ~ de midi** fig (dans un restaurant) the lunchtime rush; **être pris entre deux ~x** lit, fig to be caught in the crossfire; **sous les ~x croisés de X et de Y** lit, fig under the crossfire of X and Y; **un ~ roulant de critiques** a torrent of criticism
[11] (combat) action; **aller au ~** to go into action ; **envoyer qn au ~** to send sb into action; **baptême du ~** baptism of fire
[12] †(foyer) **un village de 30 ~x** a village of some 30 dwellings
[13] ○(pistolet) shooter○, piece○ US, gun

(Composés) **~ arrière** rear light GB, tail light US; **~ d'artifice** (spectacle) fireworks display; (un seul) firework; **tirer un ~ d'artifice** (un seul) to let off a firework; (plusieurs) to have fireworks; **~ bactérien** fire blight; **~ de Bengale** Bengal light; **~ de brouillard** fog-light; **~ de camp** campfire; **~ de cheminée** chimney fire; **~ clignotant** indicator GB, blinker US; **~ de croisement** dipped GB *ou* dimmed US headlight; **~ d'encombrement** marker lamp *ou* light; **~ follet** will-o'-the-wisp; **~ de gabarit** = **~ d'encombrement**; **~ de joie** bonfire; **~ de marche arrière** = **~ de recul**; **~ de paille** flash in the pan; **~ de recul** reversing GB *ou* backup US light; **~ de route** main-beam headlight; **passer** *or* **se mettre en ~x de route** to switch on to full beam GB, to put the high beams on; **~ de signalisation** traffic light; **~ de stationnement** sidelight GB, parking light US; **~ stop** Aut brake light, stop lamp ; **~ tricolore** = **~ de signalisation**; **~x de détresse** warning lights, hazard lamps; **~x de position** Aut sidelights GB, parking lights US; Aviat, Naut navigation lights

(Idiomes) **il n'y a pas le ~○!** there's no rush!; **jouer avec le ~** to play with fire; **faire long ~** [*projectile, projet*] to misfire; **ne pas faire long ~○** not to last long; **il n'y a vu que du ~** he fell for it; **mourir à petit ~** to die a slow death; **faire mourir qn à petit ~** to make sb die a slow death; **avoir le ~ au derrière○** *or* **aux fesses○** *or* **au cul◑** (être pressé) to be in a rush; (être salace) to be randy○; ▸ **main, lieu**

feuillage /fœjaʒ/
A *nm* [1] Bot foliage ¢, leaves (*pl*); **le ~ persistant** evergreen foliage; [2] (décor) leafage ¢; (branches coupées) cut branches (*pl*)
B **feuillages** *nmpl* leaves; **le vent dans les ~s** the wind in the leaves

feuillaison /fœjɛzɔ̃/ *nf* Bot foliation

feuillard /fœjaʀ/ *nm* [1] (de cerclage) (de colis, malle) strap; (de tonneau) hoop; [2] (en métallurgie) metal strip

feuille /fœj/ *nf* [1] (d'arbre) leaf; **~s d'eucalyptus/de peuplier/d'érable** eucalyptus/poplar/maple leaves; **~ morte** dead leaf; **descendre en ~ morte** Aviat to do a falling leaf; **être en ~s** [*arbre*] to be in leaf; **arbre à ~s persistantes** evergreen; **arbre à ~s caduques** deciduous tree; **arbre à grandes ~s** broad-leaved tree; [2] (de papier, carton) sheet; **~ de papier** sheet of paper; **~ à dessin/quadrillée** sheet of drawing/squared paper; **~ de brouillon** sheet of scrap paper GB, sheet of scratch paper US; **~ double/simple** double/single sheet (of paper); **~ de timbres** sheet of stamps; ▸ **bon**; [3] (de métal, plastique) (plaque mince) sheet; (pellicule) foil ¢; **~ d'acier/de plomb/de zinc** steel/lead/zinc sheet; **~ d'aluminium/de plastique** aluminium GB *ou* aluminum US/plastic foil; **~ d'étain** tinfoil ¢; [4] (de placage) veneer ¢; **~ d'acajou** mahogany veneer; [5] (de dorure) **~ d'or, or en ~s** gold leaf ¢; **dorer à la ~** to gild; **~ d'argent** silver leaf ¢; [6] (formulaire) form; **il y plusieurs ~s à remplir** there are several forms to fill out; [7] ○(journal) paper

(Composés) **~ blanche** blank sheet; **rendre ~ blanche à un examen** to hand in a blank exam paper; **~ de centrage** Aviat balance chart; **~ de chêne** Culin oak-leaf lettuce; **~ de chou○** (journal) rag○, newspaper; **~ de chou farcie** Culin stuffed cabbage roll; **avoir les oreilles en ~ de chou** to have cauliflower ears; **~ à cigarette** cigarette paper; **~ composée** Bot compound leaf; **~ d'errata** errata sheet; **~ d'impôts** Fisc (déclaration) tax return; (avis de débit) tax demand GB, tax statement US; **~ de maladie** Prot Soc *a form for reclaiming medical expenses from the social security office*; **~ de paie** payslip GB, pay stub US; **~ de présence** attendance sheet; **~ de programmation** Ordinat worksheet; **~ de route** Mil movement order; (pour la paix, le développement) road map; **~ de soins** = **~ de maladie**; **~ de température** temperature chart; **~ de vigne** vine leaf; Art fig leaf; **~ de vigne farcie** Culin stuffed vine leaf; **~ volante** loose sheet; **~s de passe** Imprim overs

(Idiome) **trembler comme une ~** to shake like a leaf

feuillet /fœjɛ/ *nm* [1] (feuille) leaf; (page) page; [2] Zool (poche d'estomac) omasum

(Composés) **~ détachable** tear sheet; **bloc à ~s détachables** tear-off pad; **~ embryonnaire** Biol germ layer; **~ d'errata** errata slip; **~ de garde** flyleaf; **~ intercalaire** interleaf; **~ mobile** loose leaf

feuilleté, **~e** /fœjte/
A *pp* ▸ **feuilleter**
B *pp adj* [1] Géol [*roche*] foliated; [2] Ind [*verre*] laminated; [3] Culin **pâte ~e** puff pastry
C *nm* Culin savoury[GB] pasty (*made with puff pastry*); **~s au jambon/fromage** ham/cheese pasties

feuilleter /fœjte/ [20] *vtr* [1] (passer en revue) to leaf through [*dossier, livre, album*]; [2] Culin to turn and roll [*pâte*]; [3] Ind to laminate [*verre*]

feuilleton /fœjtɔ̃/ *nm* [1] Presse, Radio, TV serial; **~ télévisé** gén TV serial; (à rebondissements) soap (opera); **publié en ~** serialized; **c'est un vrai ~** fig it's a real saga; [2] Presse (chronique) column; [3] Littérat (roman-feuilleton) serial

feuilletoniste /fœjtɔnist/ *nmf* [1] Presse columnist; [2] Littérat serial writer

feuillette /fœjɛt/ *nf* barrel (*holding 112–144 litres*)

feuillu, **~e** /fœjy/
A *adj* [1] (touffu) leafy; [2] Bot [*arbre*] broad-leaved (*épith*)
B *nm* Bot broad-leaved tree

feuillure /fœjyʀ/ *nf* (rainure) rabbet

feulement /følmɑ̃/ *nm* growl (*of a tiger*)

feuler /føle/ [1] *vi* [*tigre*] to growl

feutrage /føtʀaʒ/ *nm* [1] (fabrication) felt-making; [2] (détérioration) felting

feutre /føtʀ/ *nm* [1] (matière) felt ¢; [2] (chapeau) felt hat; [3] (stylo) felt-tip (pen)

feutré, **~e** /føtʀe/
A *pp* ▸ **feutrer**
B *pp adj* [1] [*étoffe*] (par traitement) felt (*épith*); (par détérioration) felted; [2] (étouffé) [*ambiance, lieu*] hushed; [*son*] muffled; **marcher à pas ~s** to pad along; [3] (garni de feutre) [*bureau*] felt-topped

feutrer /føtʀe/ [1]
A *vtr* [1] to felt [*poils, laine*]; [2] (détériorer) to felt [*étoffe*]; [3] (garnir) to felt [*selle*]
B *vi* [*lainage*] to become felted
C **se feutrer** *vpr* [*lainage*] to become felted

feutrine /føtʀin/ *nf* (pour vêtements) fine felt fabric; (pour ameublement, table de billard) baize

fève /fɛv/ *nf* [1] Bot, Culin broad bean; [2] Can (haricot) bean; **~s au lard** baked beans; [3] (figurine) lucky charm (*hidden in Twelfth Night cake*)

féverole* /fevʀɔl/ *nf* horse bean

févier /fevje/ *nm* Bot honey locust

février /fevʀije/ ▸ **p. 544** *nm* February

fez /fɛz/ *nm* Mode fez

FF (*written abbr* = **franc français**) FFr

FFI /ɛfɛfi/ *nfpl*: *abbr* ▸ **force**

FFL /ɛfɛfɛl/ *nfpl*: *abbr* ▸ **force**

fg *written abbr* = **faubourg 2**

fi† /fi/ *excl* pooh!

(Idiome) **faire ~ de qch** to treat sth with disdain

FIAA /ɛfiaa/ *nf*: *abbr* ▸ **fédération**

fiabiliser /fjabilize/ [1] *vtr* to make [sth] reliable

fiabilité /fjabilite/ *nf* reliability

fiable /fjabl/ *adj* [*machine, compagnie*] reliable; [*personne*] (sérieuse) reliable; (de confiance) trustworthy

fiacre /fjakʀ/ *nm* fiacre

fiançailles /fjɑ̃saj/ *nfpl* engagement (*sg*); **bague de ~** engagement ring

fiancé, **~e** /fjɑ̃se/ *nm,f* fiancé/fiancée

fiancer /fjɑ̃se/ [12]
A *vtr* (promettre)† to betroth† [*fils, fille*] (**à** to)
B **se fiancer** *vpr* to get engaged (**à** *or* **avec** to); **êtes-vous fiancé?** are you engaged?

fiasco /fjasko/ *nm* [1] (échec) fiasco; **faire ~** to fail completely; [2] (défaillance sexuelle) sexual failure

fiasque /fjask/ *nf* straw-sheathed flask

fibranne® /fibʀan/ *nf* spun viscose

fibre /fibʀ/ *nf* [1] lit fibre[GB]; **~ musculaire/nerveuse/végétale** muscle/nerve/vegetable fibre[GB]; **aliments riches en ~** high-fibre[GB] food; **~ synthétique** synthetic fibre[GB]; **~ de carbone/d'acier** carbon/steel fibre[GB]; [2] fig (sensibilité) streak; **avoir la ~ patriotique/maternelle** to have a strong patriotic/maternal streak; **jouer sur la ~ nationaliste des électeurs** to play on nationalist feeling among the voters; **il l'aimait de toutes ses ~s** he loved her with all his being

(Composés) **~ optique** fibre[GB] optics (+ *v sg*); **~ polaire** Tex fleece; **~ de verre** fibreglass[GB]

fibreux, **-euse** /fibʀø, øz/ *adj* (texture) fibrous; (consistance) sinewy

fibrillation /fibʀijasjɔ̃/ *nf* fibrillation

fibrille /fibʀij/ *nf* fibril

fibrine /fibʀin/ *nf* fibrin

fibrinogène /fibʀinɔʒɛn/ *nm* fibrinogen

fibrociment® /fibʀɔsimɑ̃/ *nm* fibrocement GB, asbestos cement US

fibromateux, **-euse** /fibʀɔmatø, øz/ *adj* fibroid

fibromatose /fibʀɔmatoz/ *nf* fibromatosis

fibrome /fibʀom/ ▸ p. 283 *nm* fibroid

fibroscope /fibʀɔskɔp/ *nm* fibrescope[GB]

fibroscopie /fibʀɔskɔpi/ *nf*: *endoscopy by fibrescope*

fibrose /fibʀoz/ ▸ **p. 283** *nf* fibrosis

ficelage /fislaʒ/ *nm* 1 (action) (de paquet) tying up; (de mains, pieds) tying; 2 (attaches) string; **le ~ n'a pas tenu** the string didn't hold

ficelé, **~e** /fisle/
A *pp* ▸ **ficeler**
B *pp adj* [*spectacle, roman*] put together; [*budget, enquête*] organized

ficeler /fisle/ [19] *vtr* to tie up [*paquet*]; to tie [*mains, pieds*]; **bien/mal ficelé** fig [*intrigue, roman*] well/badly put together; [*projet, enquête*] badly organized

(Idiome) **~ qn comme un saucisson** to truss sb up like a chicken GB, to hogtie sb US

ficelle /fisɛl/ *nf* 1 (matière) string, twine; **un morceau de ~** a piece of string; **as-tu de la ~?** have you got any string?; **réparé avec des ~s** repaired with bits of string; 2 (astuce) trick; **les ~s du métier** the tricks of the trade; **la ~ est un peu grosse** it's a bit obvious; 3 Culin (baguette mince) thin baguette

(Idiomes) **avec des bouts de ~** on a shoestring; **tirer sur la ~** to push one's luck; **tirer les ~s** (diriger) to pull the strings

fichage /fiʃaʒ/ *nm* **~ d'un groupe de personnes** establishing files on a group of people

fiche /fiʃ/
A *nf* 1 (à classer) (en carton) index card; (en papier) (petit) slip; (grand) sheet; **~ médicale** medical card; **~ pratique** card with practical hints; **~ bricolage** card with DIY hints; **~ cuisine** recipe card; **mettre qch sur ~** to put sth on file; **mettre qn sur ~** to put sb on one's files; 2 (formulaire) form; **~ d'inscription** enrolment[GB] form; 3 Électrotech (prise) plug; (broche) pin; **prise à trois ~s** three-pin plug; 4 Télécom, Ordinat plug
B ○*vtr*, **se fiche** *vpr* = **ficher A 3, 4, 5; B 2, 3, 4**

(Composés) **~ banane** Électrotech banana plug; **~ (individuelle) d'état civil** Admin *record of personal details for administrative purposes*; **~ de lecture** notes (*from a book*); **faire des ~s de lecture** to take notes; **~ de paie** payslip GB, pay stub US; **~ technique** Tech technical data sheet

ficher /fiʃe/ [1]
A *vtr* 1 (répertorier) to put [sth] on a file [*œuvre*]; to open a file on [*personne*]; **être fiché à la police** to be on police files; **avec lui je n'ai aucune chance, je suis fiché** fig, hum I haven't got a chance with him, I'm in his bad books; 2 (enfoncer) to drive [*piquet, pieu, clou*] (**dans** into); 3 ○(faire) to do; **qu'est-ce que tu fiches?** what the heck are you doing○?; **ne rien ~** to do nothing; **je n'ai rien fichu ce matin** I didn't do a thing this morning; **n'en avoir rien à ~** not to give a damn○; 4 ○(donner) **~ un coup à qn** lit to wallop sb; fig to be a real blow to sb; **~ une fessée à qn** to smack sb's bottom; **~ une gifle à qn** to clout○ sb; **~ la trouille à qn** to scare the hell out of sb○; **ça fiche mal au dents** that gives you toothache GB *ou* a toothache; **'il est rentré?'—'je t'en fiche, je ne l'ai pas revu!'** 'did he come back?'—'you must be joking, I haven't seen him since!'; **je croyais le rencontrer, mais je t'en fiche!** I thought I would meet him but nothing of the sort!; 5 ○(mettre) **~ qch quelque part** to chuck○ sth somewhere; **où est-ce qu'il a bien pu ~ mon journal?** where the hell○ has he put my newspaper?; **~ le feu à qch** to set sth on fire; **~ qch par terre** to knock sth over; **en courant il a fichu le vase par terre** he knocked the vase over as he ran past; **son arrivée a fichu la soirée par terre** *or* **en l'air** his arrival ruined the party; **~ qn dehors** *or* **à la porte** (congédier) to give sb the boot○, to can sb US; (faire sortir) to kick sb out○; **~ qn dedans** (induire en erreur) to make sb screw up○ *ou* mess up; **~ la paix à qn** to leave sb alone
B **se ficher** *vpr* 1 (se planter) [*flèche, couteau*] to stick (**dans qch** in sth); 2 ○(se mettre) **se ~ en colère** to fly off the handle○; **se ~ dedans** to screw up○; **il croyait bien faire mais il s'est fiché** *or* **fichu dedans** he thought he was doing the right thing but he screwed up○; 3 (ridiculiser) **se ~ de qn** (se moquer) to make fun of sb; (manquer de respect) to mess sb about○; **tu ne vois pas qu'il se fiche de toi?** can't you see he's messing you about○?; **le repas était excellent, ils ne se sont pas fichus de nous** the meal was excellent, they did us proud; **se ~ du monde** [*personne, autorité*] to have a hell of a nerve○; 4 ○(être indifférent) **se ~ de ce que qn fait** not to give a damn (about) what sb does○; **je me fiche de ce qu'il dit** I don't give a damn○ (about) what he says; **elle s'en fiche pas mal** she really couldn't give a damn○; ▸ **camp**

fichier /fiʃje/ *nm* 1 (liste) file; (plusieurs listes) files (*pl*); (dans une bibliothèque) index; **le ~ national de qch** the national file on sth; **~ central** central filing system; 2 (meuble) filing cabinet; (boîte) card index file; 3 Ordinat file

fichtre○ /fiʃtʀ/ *excl* goodness me!

fichtrement○† /fiʃtʀəmɑ̃/ *adv* jolly○ GB, darned○

fichu /fiʃy/
A ○*pp* ▸ **ficher A 3, 4, 5, B 2, 3, 4**
B ○*pp adj* 1 (détestable) (*before n*) [*temps*] rotten○; [*pluie*] dreadful; [*voiture, télévision*] flaming GB, damned○, blasted○ (*épith*); [*caractère*] nasty; [*métier*] rotten○; **ce ~ gamin ne veut rien apprendre** this damn○ kid just doesn't want to learn; **c'est à cause de ma ~e maladresse!** it's because I'm so damned○ clumsy!; 2 (condamné) [*personne, chaussures, vêtements, véhicule, machine*] done for; **s'il m'interroge je suis ~e** if he asks me any questions, I'm done for *ou* sunk○; **c'est ~ maintenant, c'est trop tard!** it's no good now, it's too late!; **s'il pleut c'est ~** if it rains that's the end of that; **c'est la troisième ampoule de ~e** that's the third bulb that's gone *ou* blown out US; 3 (fait) **comment c'est ~ ce truc?** how's this thing put together *ou* made?; **être bien ~** [*femme*] to be shapely; [*homme*] to be well built; [*mécanisme, dispositif*] to be well designed; [*appartement*] to be well laid out; [*vêtement*] to be well made; [*atlas, dictionnaire*] to be well laid out; **être mal ~** (malade) [*personne*] to feel lousy○; (mal conçu) [*mécanisme, dispositif*] to be badly designed; [*appartement*] to be badly laid out; [*vêtement*] to be badly cut; [*atlas, dictionnaire*] to be badly laid out; **ce logiciel est très mal ~** this software is really badly designed; 4 (considérable) **une ~e différence** a heck○ of a difference; 5 (capable) **être ~ de faire** to be quite capable of doing; **elle est ~e de réussir ses examens** she's quite capable of passing her exams; **il n'est pas ~ d'écrire une lettre** he can't even write a letter
C *nm* shawl; **avoir un ~ sur les épaules** to have a shawl around one's shoulders

fictif, **-ive** /fiktif, iv/ *adj* 1 (inventé) [*personnage, récit*] fictitious, imaginary; [*promesse, identité*] false; 2 Écon, Fin [*actif, dividende*] fictitious; [*valeur*] conventional

fiction /fiksjɔ̃/ *nf* 1 Littérat fiction; **une œuvre de ~** a work of fiction; **la réalité dépasse la ~** truth is stranger than fiction; 2 TV (genre) drama; (émission) (TV) drama; 3 (invention) fiction; **c'est encore du domaine de la ~** it still belongs to the realm of fiction; **c'est de la pure ~!** pej it's pure fiction; 4 Jur fiction

(Composés) **~ de droit** fiction of law; **~ légale** legal fiction

fictivement /fiktivmɑ̃/ *adv* [*reconstituer, représenter*] fictitiously

ficus /fikys/ *nm inv* ficus

fidèle /fidɛl/
A *adj* 1 (constant) [*personne, chien*] faithful (**à** to); **être/rester ~ à son mari/maître** to be/to remain faithful to one's husband/master; **être ~ au poste** to be always there; 2 (loyal) loyal (**à** to); **rester ~ à son entreprise** to remain loyal to one's company; 3 (identique) true (**à** to); **être/rester ~ à soi-même/sa parole** to be/to remain true to oneself/one's word; 4 (conforme) [*traduction, récit*] faithful (**à** to); 5 Mes, Sci reliable
B *nmf* 1 (compagnon) loyal supporter; **les ~s du président** the president's loyal supporters; 2 (personne constante) faithful friend; 3 Relig **les ~s** the faithful (+ *v pl*); **quelques ~s** some of the faithful

fidèlement /fidɛlmɑ̃/ *adv* 1 (avec exactitude) faithfully; **traduire/reproduire/suivre ~** to translate/reproduce/follow faithfully; 2 (avec loyauté) loyally

fidélisation /fidelizasjɔ̃/ *nf* **~ de la clientèle** *or* **des clients/des lecteurs** securing of loyal customers/a loyal readership

fidéliser /fidelize/ [1] *vtr* to secure the loyalty of [*clients, adhérents*]

fidélité /fidelite/ *nf* 1 (dans un couple) fidelity (**à** to); **~ conjugale** marital fidelity; 2 (d'ami, allié, électeur, de client) loyalty (**à** to); **~ à sa famille/au communisme** loyalty to one's family/to communism; 3 (de celui qui promet) faithfulness (**à** to); **~ à sa parole** faithfulness to one's word; 4 (de traduction, récit) accuracy; 5 Mes, Sci (de mesure) reliability

Fidji /fidʒi/ ▸ **p. 333, p. 435** *nprfpl* Fiji; **les (îles) ~** the Fiji Islands

fidjien, **-ienne** /fidʒjɛ̃, ɛn/ ▸ **p. 561** *adj* Fijian

Fidjien, **-ienne** /fidʒjɛ̃, ɛn/ ▸ **p. 561** *nm,f* Fijian

fiduciaire /fidysjɛʀ/
A *adj* [*émission, circulation*] fiduciary; **monnaie ~** fiduciary currency, paper money; **société ~** trust company
B *nmf* trustee

fief /fjɛf/ *nm* 1 Hist fief; 2 (espace) territory; (de parti) stronghold

fieffé, **~e** /fjefe/ *adj* incorrigible; **~ menteur** incorrigible liar

fiel /fjɛl/ *nm* 1 (hargne) venom; **déverser son ~ sur qn** to vent one's spleen on sb; 2 Méd bile

fielleux, **-euse** /fjɛlø, øz/ *adj* venomous

fiente /fjɑ̃t/ *nf* droppings (*pl*)

fier[1], **fière** /fjɛʀ/ *adj* 1 (satisfait) proud (**de qn/qch** of sb/sth; **de faire** to do); **tu peux être ~ de toi** lit you have every right to be proud; iron you must be very proud of yourself; **il n'y a pas de quoi être ~!** iron that's nothing to be proud of!; **je suis corse et j'en suis ~, je suis corse et ~ de l'être** I'm a Corsican and proud of it; **je suis fière qu'il ait réussi ses examens** I'm proud of the fact that he passed his exams; **je n'en suis pas peu ~** I'm quite proud of it; 2 (hautain) proud, haughty; (prétentieux) stuck-up○; **il est pas ~ (pour deux sous)**○ he's not (a bit) stuck-up○; **il est devenu ~ depuis sa promotion** he's got GB *ou* gotten US *ou* become very stuck-up○ since he was promoted; **il n'était pas si ~ à l'examen!** he wasn't so cocky○ in the exam!; 3 (noble) [*cœur, caractère, démarche, ville*] proud; **avoir fière allure** to cut a fine figure; 4 ○(remarquable) (*before n*) **~ imbécile** an incredible fool; **~ menteur** a terrible liar; **avoir un ~ culot**○ to have an incredible *ou* a fantastic nerve○; 5 (fougueux) (*before n*) [*monture*] mettlesome; ▸ **chandelle**

(Idiomes) **~ comme Artaban** *or* **un coq** *or* **un paon** proud as a peacock; **faire le ~** to be haughty

fier[2]: **se fier** /fje/ [2] *vpr* 1 (placer sa confiance en) **se ~ à** to trust [*personne, promesse*]; to go by, to trust [*apparences*]; **à qui peut-on se ~?** who can one *ou* you trust?; **ne te fie pas à ce qu'il dit** you can't go by what he says; 2 (compter sur) **se ~ à** to trust, to rely on [*personne, mémoire, instinct, instrument, calculs*];

to trust to [*chance, destin, bonne étoile*]; **le réveil marche mal, ne t'y fie pas** the alarm clock doesn't work properly, you can't rely on it

fier-à-bras, *pl* **fiers-à-bras** /fjɛʀabʀa/ *nm* braggart

fièrement /fjɛʀmɑ̃/ *adv* proudly

fiérot○, **~e** /fjeʀo, ɔt/ *adj* (prétentieux) cocky

fierté /fjɛʀte/ *nf* pride; **avoir sa ~** to have one's pride; **elle a toujours eu beaucoup de ~** she's always been very proud; **tirer ~ de qch** to take pride in sth; **ce musée fait** *or* **est la ~ de la ville** this museum is the town's pride and joy; **non sans ~** with a certain amount of pride; **avec ~** [*dire, montrer, recevoir*] proudly

fiesta○ /fjɛsta/ *nf* party; **faire la ~** to rave it up○

fièvre /fjɛvʀ/ *nf* 1 Méd (high) temperature; **avoir de la ~** to have a (high) temperature; 2 (agitation) frenzy; **~ d'achats** buying frenzy; **~ intellectuelle/médiatique/populaire** intellectual/media/popular frenzy; **dans la ~** in a frenzy; **pris de ~** caught up in a frenzy; 3 (ardeur) fervour^GB; **~ nationaliste/patriotique** nationalist/patriotic fervour^GB; 4 (passion) fever; **~ électorale/politique** election/political fever; **la ~ monte/tombe** the temperature is rising/is dropping

(Composés) **~ de cheval**○ raging fever; **~ jaune** yellow fever

fiévreusement /fjevʀøzmɑ̃/ *adv* [*chercher, préparer*] frantically; [*parler*] feverishly

fiévreux, **-euse** /fjevʀø, øz/ *adj* 1 Méd feverish; 2 (agité) frantic; 3 (passionné) feverish

FIFA /fifa/ *nf* (*abbr* = **Fédération internationale de football association**) FIFA

fifille○ /fifij/ *nf* little girl; **c'est la ~ à son papa** pej she's daddy's little girl

fifre /fifʀ/ ▸ p. 557 *nm* 1 (instrument) fife; **jouer du ~** to play the fife; 2 (personne) fife player

fifrelin† /fifʀəlɛ̃/ *nm* **~s** money ₵; **ça ne vaut pas un ~** it's not worth a brass farthing

figaro† /figaʀo/ *nm* hum barber

figé, **~e** /fiʒe/

A *pp* ▸ **figer**

B *pp adj* 1 (immobile) [*attitude, traits, personne*] frozen; [*situation, sourire*] fixed; **~ dans un rôle** locked into a role; **être/rester ~ sur place** to be/stand frozen to the spot; 2 (rigide) [*société, système politique*] fossilized; [*situation*] deadlocked; **être ~ dans ses habitudes** to be set in one's ways; 3 Ling [*expression, locution*] set

figer /fiʒe/ [13]

A *vtr* 1 (immobiliser) **la peur figeait leurs visages/traits** their faces/features were frozen with fear; 2 (solidifier) to congeal [*graisse*]; to thicken [*sauce*]; to clot [*sang*]

B **se figer** *vpr* 1 [*attitude, sourire, personne*] to freeze (**de** with); **se ~ comme une statue, se ~ sur place** to freeze; 2 (se scléroser) [*idéologie, société, personne*] to become fossilized; **se ~ dans ses habitudes** to become set in one's ways; 3 (se solidifier) [*graisse, sauce*] to congeal; [*sang*] to clot; **mon sang se figea dans mes veines** fig the blood froze in my veins

fignolage /fiɲɔlaʒ/ *nm* **c'est du ~** péj it's just fiddling about; **il ne reste plus que du ~** all we need now are a few finishing touches

fignoler /fiɲɔle/ [1]

A *vtr* 1 (terminer) to put the finishing touches to; 2 (soigner) to take great pains over

B *vi* to fiddle about

fignoleur, **-euse** /fiɲɔlœʀ, øz/ *nm,f* perfectionist

figue /fig/ *nf* fig

(Composé) **~ de Barbarie** prickly pear

figuier /figje/ *nm* fig tree

(Composé) **~ de Barbarie** prickly pear

figurant, **~e** /figyʀɑ̃, ɑ̃t/ *nm,f* 1 (acteur) Cin extra; Théât bit player; **être ~** Cin to be an extra; Théât to have a walk-on part, to be a bit player; 2 (personne secondaire) **n'être qu'un ~** to have a token role

figuratif, **-ive** /figyʀatif, iv/ *adj* [*dessin, artiste, art, peinture*] figurative, representational; **un artiste non ~** an abstract artist; **poésie figurative** emblematic *ou* figured verse

figuration /figyʀasjɔ̃/ *nf* **faire de la ~** Théât to do bit parts; Cin to be an extra; fig to have a token role

figurativement /figyʀativmɑ̃/ *adv* Art figuratively

figure /figyʀ/ *nf* 1 (visage, mine) face; **ma ~ s'allongea** my face fell; **elle changea de ~** her face fell; **jeter à la ~ de qn** to throw [sth] in sb's face [*objet, vérité, défi*]; **ils s'envoient sans cesse des injures à la ~** they're always at each other's throats; **qu'est-ce qu'il a pris dans la ~!** fig he got a real going-over○; 2 (apparence) **faire ~ d'amateur** to look like an amateur; **ne plus avoir ~ humaine** to be unrecognizable; **reprendre ~ humaine** hum to look half-human again; 3 (personnalité) figure; **les grandes ~s de l'Histoire** great historical figures; 4 (schéma, photo, dessin) figure; **~ géométrique** diagram, geometric figure; 5 Art figure; **~ équestre** equestrian figure; 6 Jeux (carte) court card

(Composés) **~ imposée** compulsory figure; **~ de proue** lit figurehead; fig key figure; **~ de rhétorique** gén figure of speech; Hist Littérat rhetorical figure; **~ de style** stylistic device; **~s libres** freestyle ₵

(Idiomes) **prendre ~** to take shape; **faire bonne ~** (faire bonne impression) to make the right impression; (réussir) to do well; **faire piètre** *or* **triste ~** (avoir l'air misérable) to look *ou* cut a sorry figure; (faire mauvaise impression) to make a bad impression

figuré, **~e** /figyʀe/

A *adj* **sens ~** figurative sense

B *nm* Ling figurative sense; **au ~, cela signifie...** in the figurative sense *ou* figuratively, this means...; **au propre comme au ~** both literally and figuratively

figurément /figyʀemɑ̃/ *adv* figuratively, metaphorically

figurer /figyʀe/ [1]

A *vtr* to represent

B *vi* [*nom, chose*] to appear; **ne pas ~ dans un rapport** not to appear in a report; **faire ~ qch dans un rapport** to include sth in a report; **un pompier figure parmi les victimes** a fireman is among the casualties; **ce plat ne figure plus au menu** this dish is no longer (included) on the menu; **cette mention ne figure plus dans le contrat** this clause is no longer in the contract

C **se figurer** *vpr* to imagine; **je me figure le travail que cela présente** I can well imagine the amount of work it involves; **s'il se figure que...** if he thinks that...; **figure-toi que j'allais justement t'appeler** as it happens *ou* funnily enough I was just about to call you; **j'avais compris, figurez-vous!** I had actually got the point!; **figure-toi que je l'ai revu dix ans après!** I saw him again ten years later, can you imagine!

figurine /figyʀin/ *nf* figurine

fil /fil/

A *nm* 1 Cout thread, cotton ₵ GB; **du ~ et une aiguille** a needle and thread; **~ d'or/d'argent** gold/silver thread; **avoir des ~s d'argent dans les cheveux** fig to have silver strands in one's hair; ▸ **avril, coudre, retordre**; 2 (fibre naturelle) yarn; (fibre artificielle, synthétique) filament; **~ cordé/mercerisé/peigné** corded/mercerized/combed yarn; **~ de polyamide** polyamide filament; 3 (câble, corde) (en fibre) string; (métallique) wire; (de pêche) line; (d'arrivée) Sport tape; 4 Électrotech, Télécom (ligne) wire; (de micro, d'appareil électrique) flex GB, cord US; (de téléphone) lead; (de combiné) flex GB, cord US; **sans ~** [*micro, téléphone*] cordless; **coup de ~**○ (phone) call; **j'ai passé/reçu dix coups de ~** I made/got ten phone calls; **passe-moi un coup de ~**○ give me a ring GB *ou* call; **il y a eu des coups de ~**○ **toute la matinée** the phone's been ringing all morning; **au bout du ~**○ on the phone; ▸ **coiffer, inventer, patte**; 5 (lin) linen ₵; 6 (enchaînement de texte, conversation) thread; **perdre le ~** to lose the thread; **perdre le ~ des événements** to lose track of events; **~ de la pensée** train of thought; 7 Culin (de haricot, céleri) string; **haricots sans ~s** stringless beans; **haricots pleins de ~s** stringy beans; 8 (d'araignée) thread; 9 (de bois) grain; **dans le ~** [*couper, graver*] with the grain; 10 (tranchant) edge; 11 (défaut dans la pierre) fissure

B **au fil de** *loc prép* **au ~ des ans/des siècles** over the years/the centuries; **une tendance qui s'est confirmée au ~ des jours/mois** a tendency which became established as the days/months went by; **au ~ des minutes qui ont suivi l'accident** in the first few minutes following the accident; **au ~ de l'enquête/de la conversation/des réunions** in the course of the investigation/of the conversation/of the meetings; **au ~ des kilomètres, le paysage change** the scenery changes as you travel along; **aller au ~ de l'eau** lit, fig to go with the flow

(Composés) **~ à âme** Tex core yarn; **~ d'Ariane** Mythol Ariadne's thread; fig vital clue; **~ à bâtir** Cout tacking thread; **~ chirurgical** Méd surgical thread; **~ conducteur** Électrotech conductor; (de roman, intrigue) thread; (d'enquête) lead; **~ de contact** Rail overhead cable; **~ continu** Tex filament yarn; **~ à coudre** Cout sewing thread; **~ à couper le beurre** Culin cheese wire; **il n'a pas inventé le ~ à couper le beurre** fig he's not very bright; **~ dentaire** Dent dental floss; **~ directeur** guiding principle; **~ discontinu** Tex staple yarn; **~ de discussion** Ordinat thread; **~ d'Écosse** Tex lisle; **~ électrique** Électrotech electric wire; **~ de fer** wire; **~ de fer barbelé** barbed wire; **~ à plomb** plumb line; **~ à repriser** darning thread; **~ de terre** earth wire GB, ground wire US; **~ à tricoter** Cout knitting yarn; **~ de la Vierge** gossamer thread

(Idiomes) **ne tenir qu'à un ~** to hang by a thread; **être mince comme un ~** to be as thin as a rake; **être sur le ~ du rasoir** to be on a knife edge; **ne plus avoir un ~ de sec**○ to be soaked to the skin○

fil-à-fil /filafil/ *nm inv* Tex pinstripe

filage /filaʒ/ *nm* 1 Tex spinning; 2 Tech extrusion; 3 Théât run through

filaire /filɛʀ/

A *adj* Ordinat wire; **représentation ~** wire drawing

B *nf* Zool filaria

filament /filamɑ̃/ *nm* 1 gén, Tex filament; **viande pleine de ~s** stringy meat; 2 Électrotech filament; **ampoule à ~** filament bulb

filamenteux, **-euse** /filamɑ̃tø, øz/ *adj* [*tissu, écorce*] filamentous

filandreux, **-euse** /filɑ̃dʀø, øz/ *adj* 1 (plein de fils) [*légume, viande*] stringy; 2 (confus) [*exposé, style, explication*] rambling; [*écrivain, orateur*] who rambles (*épith, après n*)

filant, **~e** /filɑ̃, ɑ̃t/ *adj* 1 Culin [*sauce, sirop*] runny; 2 Méd [*pouls*] thready; 3 Astron [*étoile*] shooting

filariose /filaʀjoz/ ▸ p. 283 *nf* filariasis

filasse /filas/

A *adj inv* **cheveux (blond) ~** dirty yellow hair

B *nf* (de lin, chanvre) tow

filature /filatyʀ/ *nf* 1 (usine) textile mill; **~ de coton/soie** cotton/silk mill; 2 (transformation de textiles) spinning; **la ~ de la laine** the spinning of wool; 3 (surveillance) tailing

¢; **prendre qn en ~** to shadow sb, to tail○ sb

fildeferiste /fildəfeʀist/ ▸ **p. 532** *nmf* tightrope walker

file /fil/ *nf* **1** (queue) queue GB, line US; **prenez la ~!** get in the queue! GB, join the line! US; **2** (alignement) line; **se mettre en ~** to get into line; **marcher en ~** to walk in line; **sortir/entrer en ~** to file out/in; **à la ~** (successivement) in a row; **3** (sur la chaussée) lane; **reste dans ta ~** keep in lane; **prends la ~ de gauche** take the left-hand lane; **être (garé) en double ~** to be double-parked; **se garer en double ~** to double-park

(Composés) **~ d'attente** queue GB, line US; **~ indienne** single file; **en ~ indienne** in single file

filé /file/ *nm* **1** Cin swish pan; **2** Tex spun yarn

fil-électrode, *pl* **fils-électrodes** /filelɛktʀɔd/ *nm* wire electrode

filer /file/ [1]

A *vtr* **1** (transformer en fil) Tex to spin [*laine, coton*]; Ind to draw [*métal*]; ▸ **coton, parfait**; **2** Zool [*araignée, chenille*] to spin [*toile, cocon*]; **3** (démailler) to get a run in, to ladder GB [*bas, collant*]; **4** Naut, Pêche (dérouler) to play out [*amarre, ancre, ligne*]; **~ 20 nœuds** [*navire*] to do 20 knots; **5** Mus to hold [*note*]; Théât to run straight through [*scène, pièce*]; Littérat to extend [*métaphore*]; **6** (suivre) to shadow, to tail○ [*suspect*]; **~ le train à qn**○ to be on sb's tail○; **7** ○(donner) to give [*objet, argent*]; **~ un coup à qn** to hit sb

B *vi* **1** Culin (couler) [*sirop*] to thread; [*fromage fondu*] to go stringy; **2** (se démailler) [*bas, collant*] to ladder GB, to run US; **3** Naut, Pêche (se dérouler) [*cordage*] to unwind; **laisser ~ un câble/une ligne** to play out a cable/line; **4** ○(s'éloigner) [*véhicule, animal*] to go off; [*personne*] to leave; **~ à toute allure** [*véhicule*] to speed off; [*animal*] to run off; [*personne*] to dash off; **je file, je suis en retard** I'll have to dash, I'm late; **file, et que je ne te revoie plus!** clear off○, and don't come back!; ▸ **anglais**; **5** ○(aller) to rush; **il a filé au bar/dans la maison** he rushed to the bar/into the house; **nous avons filé sur Paris** we rushed to Paris; **6** ○(disparaître) [*temps, journée*] to fly past; [*prisonnier*] to get away; **~ entre les mains** [*personne, argent, occasion*] to slip through one's fingers; **laisser ~ une occasion** to let an opportunity slip through one's fingers; **l'argent file** money doesn't last long; **les chocolats ont filé en un rien de temps** the chocolates didn't last long; ▸ **doigt**

(Idiomes) **~ comme le vent** *or* **une flèche** to go like the wind; **~ des jours heureux** to lead a happy life

filerie /filʀi/ *nf* wiring

filet /filɛ/ *nm* **1** Chasse, Pêche, Sport net; **monter au ~** to go up to the net; **envoyer le ballon au fond des ~s** to put the ball in the back of the net; **attirer** *or* **prendre qn dans ses ~s** fig to get sb in one's clutches; **coup de ~** (par la police) raid; **réussir un beau coup de ~** to carry out a very successful raid; **travailler sans ~** lit to perform without a safety net; fig to throw away the safety net, to take risks; **2** Cout, Tech, Tex (matériau) (textile) netting ¢; (métallique) mesh ¢; **~ de coton** cotton netting; **3** Culin (de viande, poisson) fillet; **~s d'anchois** anchovy fillets; **rôti de porc dans le ~** fillet of pork for roasting; **4** (flux) (d'eau) trickle; (de gaz) (léger) breath; (de fumée) wisp; **un ~ de fumée s'élevait à l'horizon** a wisp of smoke rose up on the horizon; **~ de citron/cognac** Culin dash of lemon juice/brandy; **un ~ de voix** a faint voice; **5** (trait fin) Imprim rule; Édition (sur une couverture, reliure) fillet; Art thin line; **assiette décorée d'un ~ doré** plate decorated with a thin gold line; **6** Presse (article) snippet; **7** Bot (d'étamine) filament; **8** Tech (de vis, d'écrou) thread; **9** Équit (harnais) bridle

(Composés) **~ à bagages** luggage rack; **~ de camouflage** camouflage net; **~ à cheveux** hairnet; **~ à crevettes** shrimping net; **~ de la langue** frenulum linguae; **~ mignon** Culin filet mignon; **~ à papillons** butterfly net; **~ de pêche** fishing net; **~ de protection** safety net; **~ à provisions** string bag; **~ de la verge** frenulum preputii

filetage /filtaʒ/ *nm* **1** Tech (processus) threading; **2** Tech (filet) thread; **~ mâle/femelle** external/internal thread; **~ à droite/gauche** right-/left-hand thread; **3** (de poissons) filleting; **4** (en reliure) feathering

fileté, **~e** /filte/

A *pp* ▸ **fileter**

B *pp adj* Tech [*tige, embout*] threaded

fileter /filte/ [18] *vtr* **1** Tech to thread [*vis, écrou, tige*]; **2** Ind to fillet [*poisson*]

fileur, **-euse** /filœʀ, øz/ ▸ **p. 532** *nm,f* (de laine, lin) spinner

filial, **~e**, *mpl* **-iaux** /filjal, o/

A *adj* filial

B **filiale** *nf* subsidiary; **~e commune** joint subsidiary

filiation /filjasjɔ̃/ *nf* Sociol filiation; (d'auteur, artiste) filiation; **descendre de qn par ~ directe** to be a direct descendant of sb

filière /filjɛʀ/ *nf* **1** Scol, Univ (domaine d'études) course of study; **choisir une ~ prestigieuse** to choose a highly regarded course of study; **~s générales/techniques** general/technical courses of study; **nouvelles ~s** new fields; **suivre une ~ scientifique/littéraire** to study science/arts; **2** Écon, Entr, Ind (domaine d'activité) field; (système de production) chain; **la ~ électronique** the electronics field; **créer de nouvelles ~s** to create new fields of activity; **3** (étapes de carrière) **suivre la ~ habituelle** to climb up the usual career ladder; **4** (suite de formalités) official channels (*pl*); **la ~ administrative** the official administrative channels; **5** (de la drogue) **~ (clandestine)** ring; **démanteler une ~** to smash a ring; **remonter une ~** to trace the leaders of a ring; **6** Tech (d'usinage) die; (de tréfilage) draw die; **7** Nucl reactor system; **8** Zool (d'araignée, de chenille) spinneret; **9** Géol, Mines lode; **10** Ordinat card throat

filiforme /filifɔʀm/ *adj* **1** (mince) [*personne, jambes*] spindly; [*insecte, pattes*] threadlike, filiform spéc; [*construction, sculpture*] spindly; **2** Méd [*pouls*] thready

filigrane /filigʀan/ *nm* **1** (de papier) watermark; **couronne en ~** watermarked crown; **lire en ~** fig to read between the lines; **être en ~ dans** fig to be implicit in; **apparaissent en ~ des doutes sur le verdict** one can discern doubts about the verdict; **2** (en orfèvrerie, verrerie) filigree; **à décor de ~s** [*verre, vase*] filigree

filigrané, **~e** /filigʀane/ *adj* [*papier*] watermarked

filin /filɛ̃/ *nm* Naut rope

fille /fij/ *nf* **1** (descendante) daughter; **~ adoptive** adopted daughter; **la ~ des Dupont** the Duponts' daughter; **~ de paysans/d'immigrés** daughter of peasants/of immigrants; **de mère en ~** from mother to daughter; **elle a eu une petite ~** she's had a little girl; **ma ~** gén my girl; Relig my child; ▸ **superstition**; **2** (jeune femme) girl; **une petite/grande ~** a little/big girl; **elle fait encore très petite ~** she's still very much a little girl; **faire ~** to look girlish; **être habillé en ~** to be dressed like a girl; **vêtements/jeux pour ~s** girls' clothes/games; **école de ~s** girls' school; **elle n'est pas ~ à s'en faire** she isn't one to worry; **elle est restée ~**† (célibataire) she remained a spinster; ▸ **jeune, vieux**; **3** †(prostituée) prostitute

(Composés) **~ de (bonne) famille** girl from a good family; **~ d'Ève** daughter of Eve; **~ de ferme** farm girl; **~ de joie**† prostitute; **~ à matelots**† sailors' moll; **~ mère** unmarried mother; **~ perdue**† fallen woman†; **~ publique**†, **~ des rues**† streetwalker; **~ à soldats**† soldiers' moll; **~ soumise**† prostitute; **~ spirituelle** spiritual heir

(Idiomes) **jouer les ~s de l'air**○ to vanish into thin air; **c'est bien la ~ de son père/sa mère** she's very much her father's/her mother's daughter; **la plus belle ~ du monde ne peut donner que ce qu'elle a** with the best will in the world one can only go so far

fillette /fijɛt/ *nf* **1** (petite fille) little girl; **rayon ~** Comm girlswear department; **2** ○(bouteille) half bottle

(Idiome) **chausser du 45 ~**○ to have feet like boats○

filleul /fijœl/ *nm* godson, godchild

filleule /fijœl/ *nf* goddaughter, godchild

film /film/ *nm* **1** (œuvre) film, movie US (**sur** about); **un ~ à succès** a box-office success; **tourner/réaliser un ~** to shoot/direct a film; **~ parlant** talking film, talkie○; **~ muet** silent film; **2** (déroulement d'événements) course, sequence; **le ~ des événements de l'été dernier** the course of last summer's events; **3** Cin (pellicule) film; **4** (mince couche) film; **~ protecteur** protective film

(Composés) **~ d'animation** cartoon; **~ d'aventures** adventure film; **~ à bulles** bubble-wrap; **~ catastrophe** disaster film; **~ d'épouvante** *ou* **d'horreur** horror film; **~ noir** film noir; **~ policier** detective film; **~ publicitaire** publicity film; **~s à la demande** movies-on-demand, MOD

filmé, **~e** /filme/

A *pp* ▸ **filmer**

B *pp adj* on film; **la version ~e de Hamlet** the film version of Hamlet

filmer /filme/ [1] *vtr* to film

filmique /filmik/ *adj* film (*épith*)

filmographie /filmɔgʀafi/ *nf* filmography

filmologie /filmɔlɔʒi/ *nf* film studies (*pl*)

filo /filo/ *nm* filo pastry

filon /filɔ̃/ *nm* **1** Minér vein, seam, lode; **un ~ de cuivre/d'or** a vein of copper/of gold; **exploiter un ~** lit, fig to mine a seam; **2** ○(pactole) bonanza; (travail lucratif) cushy number○; **un bon ~ pour se procurer des faux papiers** a good way of getting hold of forged papers; **avoir trouvé le bon** *or* **un ~** to be on to a good thing

filou /filu/

A *adj* **il est ~** (escroc) he's a crook; (tricheur) he's a cheat; (enfant malin) he's a rascal

B *nm* (escroc) crook; (tricheur) cheat; (enfant malin) rascal

filouter /filute/ [1] *vtr* (voler) to diddle○; (au jeu) to cheat; **~ qn de 100 euros** to diddle○ sb out of 100 euros

filouterie /filutʀi/ *nf* (acte d'escroc) fiddle○, swindle

fils /fis/ *nm inv* son; **~ indigne** unworthy son; **le ~ des Dupont** the Duponts' son; **de père en ~** from father to son; **Alexandre Dumas ~** Alexandre Dumas the younger; **Dupont ~** Entr Dupont Junior; **Dupont et ~** Entr Dupont and Son(s); **mon ~** gén my boy; Relig my son

(Composés) **~ de (bonne) famille** boy from a good family; **Fils de Dieu** Relig Son of God; **Fils prodigue** Bible Prodigal Son; **~ de pute**● son-of-a-bitch◑, SOB◑ US; **~ spirituel** spiritual heir

(Idiomes) **tel père, tel ~** Prov like father, like son Prov; **c'est bien le ~ de son père/sa mère** he's very much his father's/his mother's son

filtrage /filtʀaʒ/ *nm* **1** (d'appels téléphoniques, informations) screening; **2** (de liquide) filtering

filtrant, **~e** /filtʀɑ̃, ɑ̃t/ *adj* [*papier, corps, couche*] filter (*épith*); **produit solaire ~** sun screen; **barrage ~** selective blockade

filtrat /filtʀa/ *nm* filtrate

filtration /filtʀasjɔ̃/ *nf* Chimie filtration

f

filtre /filtʀ/ *nm* (tous contextes) filter; **~ coloré** colourᴳᴮ filter; **cigarette avec ~** filter-tip cigarette; **cigarette sans ~** untipped cigarette

(Composés) **~ à air** Aut air filter; **~ à café** Culin coffee filter; **~ à café perpétuel** permanent coffee filter; **~ à huile** Aut oil filter; **~ solaire** Cosmét sun screen

filtrer /filtʀe/ [1]

A *vtr* 1 (purifier) to filter; 2 (tamiser) to filter [*bruit, lumière*]; 3 (sélectionner) to screen [*visiteurs, appels téléphoniques, informations*]

B *vi* 1 (émerger) [*informations*] (lentement) to filter through; (malgré des précautions) to leak out; [*idée*] to filter through; **la nouvelle a filtré jusqu'aux journalistes/journaux** the news leaked out to the journalists/newspapers; 2 (s'écouler) [*liquide*] to filter through; 3 (passer) [*son, lumière*] to filter

fin¹, fine /fɛ̃, fin/

A *adj* 1 (constitué d'éléments très petits) [*sable, poudre, pluie*] fine; 2 (très mince) [*gouttelette, fil, trait de crayon, écriture*] fine; [*tranche, plaque, couche, feuille, verre*] thin; 3 (effilé) [*pinceau, aiguille, plume, pointe*] fine; 4 Comm, Culin [*petits pois, haricots verts*] quality (*épith*); **très ~s** top-quality (*épith*); 5 (délicat) [*cheville, poignet, cou, taille*] slender; [*traits*] fine; **il est très ~ de visage** he's got very fine features; 6 (ouvragé) [*orfèvrerie, broderie, bijou, dentelle*] delicate, fine; 7 (de grande qualité) [*vins, aliments, lingerie*] fine; [*plat, mets, morceau*] delicate; 8 (subtil) [*personne*] perceptive; [*esprit*] shrewd; [*allusion, interprétation*] subtle; [*plaisanterie, humour*] subtle; [*goût*] delicate, subtle; **vraiment c'est ~!** iron that's really clever! iron; **jouer au plus ~ avec qn** to try to outsmart sb; **avoir l'air ~**○ to look a fool; **tu as l'air ~**○ **avec ce chapeau!** you look a sight○ in that hat!; 9 (sensible) **avoir l'ouïe** *or* **l'oreille ~e** to have a keen sense of hearing; **avoir l'odorat** *or* **le nez ~** to have a keen sense of smell; 10 (remarquable) (*before n*) excellent; **c'est une ~e cuisinière** she's an excellent cook; **~ gourmet** gourmet; **~ connaisseur** connoisseur; **~ tireur** crack shot; **la ~e fleur des économistes/joueurs d'échecs** the top *ou* best economists/chess players; ▸ **bouche**; 11 (ultime) (*before n*) **au ~ fond de** in the remotest part of [*pays, région*]; at the very bottom of [*tiroir, armoire*]; **ils habitent au ~ fond du Massif central** they live in the remotest part of the Massif Central; **le ~ mot de l'histoire** the truth of the matter

B *adv* 1 (complètement) **être ~ prêt** to be all set; **~ soûl**○ completely drunk, sloshed○; 2 (finement) [*écrire, moudre*] finely; [*couper*] thinly

C *nm* **le ~ du ~** the ultimate (**de** in)

D **fine** *nf* (boisson) brandy

(Composés) **~ limier** super-sleuth; **~ renard** sly customer○; **~e gueule**○ gourmet; **~e lame** expert swordsman; **~e mouche** = **~ renard**; **~es herbes** mixed herbs, fines herbes

fin² /fɛ̃/ *nf* 1 (terme) end; (de séance, réunion, période) close, end; (façon dont se termine quelque chose) ending; **à la ~ de** at the end of; **~ août/septembre** at the end of August/September; **en ~ de journée/semaine/mois** at the end of the day/week/month; **à la ~ des années 70** in the late '70s; **en ~ de matinée/d'après-midi** late in the morning/afternoon; **vers** *or* **sur la ~** toward(s) the end; **en ~ de séance** (à la Bourse) at the close; **jusqu'à la ~** to the (very) end; **jusqu'à la ~ des temps** until the end of time; **toucher** *or* **tirer à sa ~** to be coming *ou* drawing to an end; **tout a une ~** everything comes to an end; **prendre ~** to come to an end; **mettre ~ à** to put an end to; **mettre ~ à ses jours** to take one's own life, to put an end to one's life; **'fin'** (dans un film, roman) 'the end'; **la ~ du monde** lit, fig the end of the world; **c'est la ~ de leurs espoirs** it's the end of their hopes; **avoir des ~s de mois difficiles** to find it hard to make ends meet at the end of the month; **la quatrième en partant de la ~** the fourth from the bottom *ou* end; **la table des matières est à la ~ du livre** the table of contents is at the back of the book; **payable ~ janvier/courant/prochain** payable at the end of January/of this month/of next month; **c'est la ~ de tout** it's the last straw; **mener qch à bonne ~** to carry sth off, to bring sth to a successful conclusion; **c'est un bon film mais je n'ai pas aimé la ~** it's a good film but I didn't like the ending; **sans ~** [*combats, discussions, guerre*] endless, never-ending; [*discuter, épiloguer, se disputer*] endlessly; **à la ~** in the end; **tu vas te taire à la ~**○**!** for God's sake, be quiet!, be quiet already○ US!; **tu m'ennuies à la ~**○**!** you're really getting on my nerves!; **chômeur en ~ de droits** *unemployed person who is no longer entitled to unemployment benefit*; **~ de siècle** pej decadent, fin-de-siècle; 2 (mort) end, death; **une ~ tragique/prématurée** a tragic/premature end *ou* death; **il ne vous entend plus, c'est la ~** he can no longer hear you, he's dying; 3 (but) end, aim, purpose; **à cette ~** to this end; **à toutes ~s utiles** for whatever purpose it may serve; **arriver** *or* **parvenir à ses ~s** to achieve one's aims; **à seule ~ de** for the sole purpose of; **ce n'est pas une ~ en soi** it's not an end in itself

(Composés) **~ de l'exercice** end of the financial year; **~ de semaine** weekend; **~ de série** Comm oddment

(Idiomes) **la ~ justifie les moyens, qui veut la ~ veut les moyens** the end justifies the means

final, ~e¹, *mpl* **-aux** /final, o/

A *adj* final; **proposition ~e** final clause

B **finale** *nf* 1 Sport final; **quart de ~e** quarter-final; **arriver en ~e** to reach the final(s); 2 Ling final; **en ~e** in final position

finale² /final/ *nm* Mus finale

finalement /finalmɑ̃/ *adv* 1 (à la fin) in the end, finally; **~, ils sont arrivés avec une heure de retard** in the end they arrived an hour late; **~ nous sommes restés à la maison** in the end we stayed at home; **ils ont ~ réussi à se mettre d'accord** they eventually managed to reach an agreement; **alors, qu'est-ce que vous avez décidé ~?** so what have you decided then?; 2 (en définitive) in fact, after all; **~ on a tout à y gagner** after all, we have everything to gain by it; **~ j'aurais dû refuser/ce n'était pas une bonne solution** as it turned out I should have refused/it wasn't a good solution

finalisation /finalizasjɔ̃/ *nf* finalization

finaliser /finalize/ [1] *vtr* to finalize [*accords*]; to complete [*transaction*]

finalisme /finalism/ *nm* Philos finalism

finaliste /finalist/ *adj, nmf* finalist

finalité /finalite/ *nf* 1 gén purpose, aim; 2 Philos finality

finançable /finɑ̃sabl/ *adj* **ce projet est/n'est pas ~** the project can/can't be financed

finance /finɑ̃s/

A *nf* 1 (activité) **la ~** finance; **la haute ~ internationale** international high finance; **la ~ new-yorkaise** New York finance; **le monde/vocabulaire de la ~** the financial world/vocabulary; **c'est un homme de ~** he's a financier; 2 (milieu) financiers (*pl*)

B **finances** *nfpl* 1 (d'État, entreprise, de ville, foyer) **les ~s** finances; **les ~s locales/publiques/privées** local/public/private finances; **gérer les ~s du pays** to manage the country's finances; **moyennant ~s** for a consideration; **les ~s sont à sec**○ funds are exhausted; **mes ~s sont à sec**○ I'm broke○; 2 ○(ministère) **les Finances** the Ministry (*sg*) of Finance

financement /finɑ̃smɑ̃/ *nm* financing ₵; **grâce à des ~s privés** thanks to private financing; **le ~ du projet ne sera pas facile** financing the project won't be easy

financer /finɑ̃se/ [12]

A *vtr* to finance [*dépenses, projet, personne*]

B ○*vi* (payer) to fork out○

financier, -ière /finɑ̃sje, ɛʀ/

A *adj* financial; **directeur/analyste ~** financial director/analyst; **crise économique et financière** economic and financial crisis; **compagnie financière** finance company

B *nm* 1 Fin financier; 2 Culin small cake (*made with ground almonds and egg whites*)

financièrement /finɑ̃sjɛʀmɑ̃/ *adv* financially

finasser○ /finase/ [1] *vi* to scheme, to use trickery

finasserie○ /finasʀi/ *nf* 1 (caractère) scheming; 2 (ruse) trick

finaud, ~e /fino, od/

A *adj* cunning, wily

B *nm,f* (homme) wily bird○; (femme) crafty minx

finauderie /finodʀi/ *nf* 1 (caractère) wiliness, craftiness; 2 (acte) crafty trick

fine ▸ **fin¹ A, D**

finement /finmɑ̃/ *adv* 1 (de façon délicate) [*ouvragé, ciselé, tissé*] finely, delicately; 2 (avec subtilité) [*faire remarquer, noter*] cleverly; **c'est ~ joué!** that's a smart *ou* shrewd move!; 3 (en petits éléments) [*hacher, couper*] finely; 4 (avec précision) [*mesurer*] accurately, precisely

finesse /finɛs/ *nf* 1 (minceur) (d'aiguille, écriture, de fil, pointe, cheveux, poudre) fineness; (de couche, papier, plaque) thinness; (de lame) keenness, sharpness; 2 (délicatesse) (d'étoffe, de broderie, bijou) delicacy; (de parfum, saveur, aliment) delicacy; (de visage, traits) fineness, delicacy; (de chevilles, poignets, taille, cou) slenderness; 3 (perspicacité) (de personne) perceptiveness; (d'analyse, de remarque) shrewdness, perceptiveness; (d'acteur, interprétation) sensitivity, finesse; 4 (acuité de vue, goût, d'ouïe, odorat) keenness, sharpness; 5 (subtilité) **les ~s d'une langue/discipline** the finer points *ou* the subtleties of a language/discipline

finette /finɛt/ *nf* brushed cotton

fini, ~e /fini/

A *pp* ▸ **finir**

B *pp adj* 1 (terminé) **être ~** to be over, to be finished; **les vacances sont ~es** the vacation is over; **~ de rire** *or* **~e la rigolade**○**, il faut travailler maintenant!** the party's over, it's time to get down to work!; **leurs problèmes sont loin d'être ~s** their troubles are far from over; **c'en est ~ de leur domination/leurs espoirs** it's the end of their rule/their hopes; **tout est ~ entre eux** it's all over *ou* finished between them; 2 (ouvragé) finished; **un vêtement bien/mal ~** a well-/badly-finished garment; **produits ~s** finished products; 3 ○(invétéré) [*menteur, canaille, alcoolique*] out-and-out, complete; 4 ○(usé) [*artiste, politicien*] finished; **en tant qu'homme politique, il est ~** he's finished as a politician; 5 Math [*ensemble, univers*] finite

C *nm* finish; **ouvrage qui manque de ~** work that lacks finish

finir /finiʀ/ [3]

A *vtr* 1 (achever) to finish (off), to complete [*travail, tâche*]; (conclure) to end [*journée, nuit, discours*] (**avec** with); **~ de faire** to finish doing; **finis tes devoirs avant d'aller jouer** finish your homework before you go off to play; **ne l'interromps pas, laisse-le ~ (son histoire)** don't interrupt him, let him finish (his story); **j'ai fini le roman** I have finished the novel; **il a fini la soirée au poste de police/dans une boîte de nuit** he ended the evening at the police station/in a night club; **~ sa vie** *or* **ses jours en prison/dans la misère** to end one's life *ou* days in prison/in poverty; **de grâce, finissez vos querelles!** please, put a stop to your quarrellingᴳᴮ!; **pour ~, je dirai que** in conclusion I'll say that; **vous n'avez pas fini de vous disputer?** for goodness sake stop arguing!; **tu n'as pas fini de m'embêter/de te plaindre?** have you quite finished annoying me/complaining?; **elle n'a**

pas fini de s'inquiéter/d'avoir des problèmes her worries/troubles are only just beginning; **tu n'as pas fini d'en entendre parler!** you haven't heard the last of it!

2▸ (consommer jusqu'au bout) to use up [*provisions, produit, shampooing, détergent*]; to finish [*plat, dessert*]; **j'ai fini le sucre, j'en rachèterai** I've used up all the sugar, I'll buy some more; **qui veut ~ le gâteau/vin?** who wants to finish the cake/wine?, who wants the last of the cake/wine?; **il finit toutes les affaires de son grand frère**○ he gets all his big brother's hand-me-downs

B *vi* 1▸ gén to finish, to end; Admin [*contrat, bail*] to run out, to expire; **le spectacle finit dans 20 minutes** the show ends *ou* finishes in 20 minutes; **tout est bien qui finit bien** all's well that ends well; **le film finit bien/mal** the film has a happy/an unhappy ending; **tu as fini avec le dictionnaire/l'agrafeuse?** have you finished with the dictionary/the stapler?; **ça va mal ~!** it'll end in tears!; **il finira mal ce garçon** that boy will come to a bad end; **le roman finit sur une note optimiste** the novel ends on an optimistic note; **le spectacle a fini par un feu d'artifice** the show ended in *ou* with a firework display; **la réunion a fini en bagarre** *or* **par une bagarre** the meeting ended in a brawl; **la route finit en piste** the road ends in a dirt track; **sa barbe finit en pointe** his beard tapers to a point; **les verbes finissant en 'er'** verbs ending in 'er'; **il finira en prison/dans l'armée/à l'hospice/dans la misère** he'll end up in prison/in the army/in the poorhouse/in poverty; **il a fini alcoolique** he ended up an alcoholic; **il a fini directeur de la société** he ended up (as) company director

2▸ **~ par faire** to end up doing; **tu vas ~ par te blesser/la vexer/être en retard** you'll end up hurting yourself/offending her/being late; **ils finiront bien par céder** they're bound to give in in the end; **il a fini par se décider/accepter/avouer** he eventually made up his mind/accepted/confessed; **il a fini par s'apercevoir de son erreur** he eventually realized that he'd made a mistake; **elle finira par lui pardonner/l'oublier** she'll forgive him/forget him in the end; **elle a fini par obtenir satisfaction** she eventually got what she wanted

3▸ **en ~ avec qch/qn** to have done with sth/sb; **on n'en finira donc jamais avec ce type**○**?** will we never have done with this guy○?; **finissons-en!** let's get it over and done with!, let's have done with it!; **fais ce qu'il te dit et qu'on en finisse** do as he says and have done with it; **il faut en ~ avec cette situation/violence** we must put an end to this situation/violence; **il veut en ~ avec la vie** he wants to end his life; **le film/l'hiver/la route n'en finit pas** the film/winter/the road seems endless *ou* never-ending; **il n'en finit pas ce feu rouge!** is this red light ever going to change?; **elle a des jambes qui n'en finissent pas** she's all legs, she's very leggy; **elle n'en finit pas de se préparer** she takes ages○ to get ready; **il n'en finit pas de rabâcher les mêmes histoires** he's forever telling the same stories; **des discussions/ problèmes à n'en plus ~** endless discussions/problems; ▸ **queue**

finish /finiʃ/ *nm* Sport finish; **il l'a emporté au ~** he won at the finishing-line *ou* -post

finissage /finisaʒ/ *nm* finishing

finissant, **~e** /finisɑ̃, ɑ̃t/ *adj* **une civilisation/une époque ~e** a civilization/an era which is drawing to an end; **à l'été ~** in the last days of the summer; **au jour ~** at twilight, as the day was drawing to a close

finisseur, **-euse** /finisœʀ, øz/ ▸ **p. 532** *nm,f* finisher

Finistère /finistɛʀ/ ▸ **p. 721** *nprm* (département) **le ~** Finistère

finition /finisjɔ̃/ *nf* (processus) finishing; (résultat) finish; **faire les ~s** to put the finishing touches (**de** to); **travaux de ~** finishing; **il faut compter deux semaines de plus pour les travaux de ~** allow two weeks extra for finishing; **un meuble aux ~s soignées** a beautifully finished piece of furniture

finlandais, **~e** /fɛ̃lɑ̃dɛ, ɛz/ ▸ **p. 561** *adj* Finnish

Finlandais, **~e** /fɛ̃lɑ̃dɛ, ɛz/ ▸ **p. 561** *nm,f* Finn

Finlande /fɛ̃lɑ̃d/ ▸ **p. 333** *nprf* Finland

finlandisation /fɛ̃lɑ̃dizasjɔ̃/ *nf* Finlandization

finnois, **~e** /finwa, az/ ▸ **p. 483**
A *adj* Finnish
B *nm* Ling Finnish

finno-ougrien, **-ienne** /finougʀijɛ̃, ɛn/
A *adj* Finno-Ugric
B *nm* Ling Finno-Ugric

FINUL /finyl/ *nf* (*abbr* = **Force intérimaire des Nations unies au Liban**) UNIFIL

fiole /fjɔl/ *nf* 1▸ (flacon) phial; 2▸ ○(tête) bonce○; **il s'est payé ma ~** he made fun at my expense

fion○ /fjɔ̃/ *nm* Helv (mot blessant) cutting remark

fioriture /fjɔʀityʀ/ *nf* 1▸ (ornement) embellishment; **sans ~s** [*meuble, pièce*] unadorned; [*écriture*] plain; [*parler, écrire*] plainly; **faire des ~s** (en écrivant, parlant) to use a flowery style; 2▸ Mus ornamentation, fioritura spéc

fioul /fjul/ *nm* fuel oil

(Composé) **~ domestique** heating oil

firmament /fiʀmamɑ̃/ *nm* 1▸ (ciel) firmament; **au ~** in the firmament; 2▸ fig **au ~ du succès** at the pinnacle of success

firme /fiʀm/ *nf* firm

fisc /fisk/ *nm* tax office

fiscal, **~e**, *mpl* **-aux** /fiskal, o/ *adj* fiscal, tax (*épith*); **l'appareil ~** the tax structure

fiscalement /fiskalmɑ̃/ *adv* fiscally

fiscalisation /fiskalizasjɔ̃/ *nf* 1▸ (imposition) taxation; 2▸ (financement par l'impôt) funding by taxation

fiscaliser /fiskalize/ [1] *vtr* 1▸ (imposer) to tax; 2▸ (financer par l'impôt) to fund [sth] by taxation

fiscaliste /fiskalist/ ▸ **p. 532** *nmf* tax specialist

fiscalité /fiskalite/ *nf* 1▸ (fait d'imposer) taxation; **la ~ directe** direct taxation; **le poids de la ~** the tax burden; 2▸ (système) tax system; **~ allemande** German tax system

fish-eye, *pl* **~s** /fiʃaj/ *nm* fish-eye lens

fissa○ /fisa/ *adv* **faire ~** to get a move on○

fissibilité /fisibilite/ *nf* fissionability, fissility

fissible /fisibl/ *adj* fissionable, fissile

fissile /fisil/ *adj* Phys, Nucl fissile, fissionable; Minér fissile

fission /fisjɔ̃/ *nf* fission; **~ nucléaire** nuclear fission

fissionner /fisjɔne/ [1] *vtr, vi* to split

fissuration /fisyʀasjɔ̃/ *nf* 1▸ Tech cracking ¢, fissuring ¢; 2▸ Méd cracking ¢

fissure /fisyʀ/ *nf* 1▸ (petite fente) crack, fissure spéc; **les ~s d'un mur** the cracks in a wall; 2▸ Anat fissure; 3▸ fig rift, division

fissurer /fisyʀe/ [1]
A *vtr* 1▸ (fendiller) to crack, to fissure spéc; 2▸ (diviser) to cause a rift in [*amitié, union*]
B **se fissurer** *vpr* 1▸ [*mur, sol*] to crack, to fissure spéc; 2▸ [*union*] to break up

fiston○ /fistɔ̃/ *nm* (tous contextes) sonny○, son

fistulaire /fistylɛʀ/ *adj* fistular

fistule /fistyl/ *nf* fistula; **~ anale** anal fistula

fistuleux, **-euse** /fistylø, øz/ *adj* fistulous

fitness /fitnɛs/ *nm* fitness training; **un club de ~** a gym, a health club

FIV /fiv/
A *nf*: *abbr* ▸ **fécondation**
B *nmpl* (*abbr* = **Fonds d'intervention pour la ville**) *urban regeneration fund*

fivete /fivɛt/ *nf* ZIFT, zygote intra-fallopian transfer

fixage /fiksaʒ/ *nm* Phot, Fin fixing; Art (en restauration) consolidation; Tex setting

fixateur, **-trice** /fiksatœʀ, tʀis/
A *adj* [*produit, liquide, bain*] fixative
B *nm* 1▸ Art, Phot (produit) fixative; (appareil) (à main) fixative sprayer; (à bouche) fixative mouth blower; 2▸ Cosmét (après une permanente) neutralizing solution; (laque) fixative; (de parfum) fixative; 3▸ Biol (pour analyse) fixative

fixatif /fiksatif/ *nm* fixative

fixation /fiksasjɔ̃/ *nf* 1▸ (mise en place) fixing; (attache) fastening; **la ~ des étagères se fait avec des vis** the shelves are fixed with screws; 2▸ (détermination) setting; **~ de la peine** Jur determination of penalty; **~ des cours** Fin fixing; 3▸ Sport (de ski) binding; **~ avant/arrière/de sécurité** front/rear/safety binding; 4▸ Physiol (d'azote, oxygène) fixation; 5▸ Bot, Zool (processus) attachment; (attache) (de plante) stem; (de mollusque) foot; 6▸ Art, Phot (de pastel, photo) fixing; 7▸ Ling fossilization; 8▸ (de population) settling; 9▸ Psych fixation; **faire une ~ à la mère** to have a mother fixation; **faire une ~ sur qch/qn** to be fixated on sth/sb

fixe /fiks/
A *adj* 1▸ (immobile) [*élément, caméra, point*] fixed; **avoir le regard** *or* **l'œil ~** to have a fixed stare; **il t'observait d'un œil ~** he was staring intently at you; 2▸ (invariable) [*revenu, prix, taux*] fixed; [*poste, personnel, résidence, couleur*] permanent; **manger à heures ~s** to eat at set times; **il recevait à heure ~** he would receive visitors at a set time; **chaque année/mois à date ~** on the same date every year/month; **poésie à forme ~** poetry in a set form
B *nm* (salaire) basic salary GB, base pay US
C *excl* Mil attention!

fixé, **~e** /fikse/
A *pp* ▸ **fixer**
B *pp adj* 1▸ (renseigné) **me voilà ~ sur ton compte** now I'm wise to you, **tu es ~ maintenant!** you've got the picture now○!; **nous ne sommes pas encore ~s sur le sort des otages** we are still uncertain about the hostages' fate; 2▸ (certain) **nous ne sommes pas encore très ~s sur ce que nous allons faire** we haven't really decided yet on what we're going to do; 3▸ (orienté) **le monde entier a les yeux ~s sur vous** the whole world is watching you; **tous les regards étaient ~s sur moi** everyone was watching me; **il avait le regard ~ sur elle** he gazed intently at her; 4▸ (installé) [*population, famille*] settled; **leur famille est ~e à Paris depuis trois générations** their family has been settled in Paris for three generations
C *nm* Art glass-picture

fixe-chaussette, *pl* **~s** /fiksʃosɛt/ *nm* suspender GB, garter US

fixement /fiksəmɑ̃/ *adv* [*regarder*] fixedly

fixer /fikse/ [1]
A *vtr* 1▸ (attacher) to fix [*objet*] (**à** to; **sur** on); **~ un miroir au mur** to fix a mirror to the wall; **~ avec des boulons/des vis/de la colle** to bolt/to screw/to stick (**sur** to); 2▸ (décider) to set [*date, prix, taux, conditions, itinéraire*]; **~ son choix sur qch/qn** to decide on sth/sb; **au jour fixé** on the appointed day; 3▸ (établir) **~ son domicile en France** to make one's home in France; **~ le siège de l'organisation à Paris** to base the organization's headquarters in Paris; 4▸ (stabiliser) to fix [*couleur, émulsion*]; to establish [*frontières, forme littéraire*]; to regulate [*orthographe, langue*]; **~ ses idées sur le papier/par écrit** to set one's ideas down on paper/in writing; **~ des dunes avec des oyats** to stabilize sand dunes with marram grass; **substance qui fixe l'azote** nitrogen-fixing substance; 5▸ (concentrer) to focus; **~ son attention/son regard sur qn/qch** to focus one's attention/one's gaze on sb/sth; 6▸ (observer) to stare at [*personne, objet, point*]; **~ qn d'un regard idiot** to stare at

sb stupidly; **qu'est-ce qu'il a à me ∼, celui-là?** what's he staring at me like that for?
B se fixer *vpr* **1** Tech (s'attacher) [*équipement, pièce*] to be attached (**à** to); **mon porte-serviettes se fixe au mur avec des ventouses/vis** my towel rail is fixed to the wall with suction cups/screws; **2** (décider) to set oneself [*but, conduite, limite, budget*]; **la tâche qu'il s'est fixée** the task that he set himself; **se ∼ comme** *or* **pour but de faire** to set oneself the goal of doing; **3** (s'installer) [*personne, population*] to settle; (se ranger) [*personne*] to settle down; **se ∼ à l'étranger** to settle abroad; **un marginal qui n'a jamais voulu se ∼** a dropout who never wanted to settle down; **4** (se figer) **se ∼ dans l'esprit/la mémoire de qn** to stick in sb's mind/memory; **les soupçons se sont fixés sur moi** suspicion fell on me; **leur système d'écriture s'est fixé dès l'antiquité** their writing system was established in ancient times; **5** Zool [*coquillage, moule*] to attach itself (**à, sur** to)

fixette○ /fiksɛt/ *nf* fix○

fixité /fiksite/ *nf* steadiness

fjord* /fjɔʀd/ *nm* fjord

flac /flak/ *excl* plop!, splash!

flaccidité /flaksidite/ *nf* flaccidity

flacon /flakɔ̃/ *nm* (bouteille) (small) bottle; (carafe) decanter; Chimie, Pharm flask
(Idiome) **qu'importe le ∼ pourvu qu'on ait l'ivresse** it's the contents that count, not the packaging

flaconnette /flakɔnɛt/ *nf* small bottle, phial

flagada○ /flagada/ *adj inv* whacked○, exhausted

flagellateur, -trice /flaʒɛlatœʀ, tʀis/ *nm,f* flagellator, scourger

flagellation /flaʒɛlasjɔ̃/ *nf* gén flogging, scourging; Relig flagellation

flagelle /flaʒɛl/ *nf* flagellum

flagellé, ∼e /flaʒɛle/ *adj, nm,f* flagellate

flageller /flaʒɛle/ [1] *vtr* **1** lit (châtier) to flog, to scourge; Relig to flagellate; **2** fig to castigate [*vice, abus*]

flageolant, ∼e /flaʒɔlɑ̃, ɑ̃t/ *adj* **1** [*jambe*] wobbly, trembling; **il était ∼ de fatigue** he was weak at the knees with tiredness; **2** [*amitié, entente*] crumbling

flageoler /flaʒɔle/ [1] *vi* **1** [*personne*] **∼ de fatigue** to feel wobbly; **avoir les jambes qui flageolent de fatigue** to be unsteady on one's legs; **∼ de peur** to be shaking in one's shoes; **∼ d'émotion** to be weak at the knees; **2** [*amitié, entente*] to crumble

flageolet /flaʒɔlɛ/ *nm* **1** (haricot) flageolet; **2** ▸ **p. 557** (flûte) flageolet

flagorner /flagɔʀne/ [1] *vtr* to fawn on, to toady to [*personne*]; to curry favour[GB] with [*groupe, public*]

flagornerie /flagɔʀnəʀi/ *nf* toadying ₵, sycophantic behaviour[GB] ₵

flagorneur, -euse /flagɔʀnœʀ, øz/
A *adj* [*personne*] toadying, sycophantic; [*discours, article*] fulsome
B *nm,f* toady, sycophant

flagrant, ∼e /flagʀɑ̃, ɑ̃t/ *adj* [*échec, déséquilibre, différence, preuve*] obvious; [*injustice, malhonnêteté, violation*] flagrant; [*mensonge, contradiction, discrimination*] blatant; [*erreur, exemple*] glaring; **il ment, c'est ∼** it's blatantly obvious that he's lying
(Composé) **∼ délit** Jur *case requiring no further collection of evidence*; **en ∼ délit** in flagrante delicto; **prendre qn en ∼ délit** to catch sb red-handed; **en ∼ délit de vol** in the act of stealing; **en ∼ délit de meurtre/d'adultère** in the act of committing murder/adultery; **prendre qn en ∼ délit de mensonge** to catch sb out in a lie

flair /flɛʀ/ *nm* **1** (odorat) nose; **avoir du ∼** to have a good nose; **2** (intuition) intuition; **avoir du ∼** to have intuition; **ton mari manque de ∼** your husband is not intuitive; **nous avons manqué de ∼ en vendant la maison** we miscalculated when we sold the house

flairer /flɛʀe/ [1] *vtr* **1** (renifler) to sniff [*objet, vêtement*]; **le chien a flairé une piste** the dog has picked up a scent; **2** (sentir) [*animal*] to scent [*gibier, personne, nourriture*]; [*personne*] to smell [*odeur*]; **3** (discerner) to sniff out [*escroquerie*]; to smell [*piège, mensonge, danger*]; **∼ que** to sense that; **∼ quelque chose de louche** to smell a rat
(Idiome) **∼ le vent** to see which way the wind is blowing, to read the wind US

flamand, ∼e /flamɑ̃, ɑ̃d/ ▸ **p. 483**
A *adj* Flemish
B *nm* Ling Flemish

Flamand, ∼e /flamɑ̃, ɑ̃d/ *nm,f* **un ∼** a Flemish man; **une ∼e** a Flemish woman; **les ∼s** the Flemish (+ *v pl*)

flamant /flamɑ̃/ *nm* flamingo
(Composé) **∼ rose** pink flamingo

flambage /flɑ̃baʒ/ *nm* **1** Culin (de volaille) singeing; (de dessert) flambéing; **2** Tex singeing; **3** Tech buckling

flambant /flɑ̃bɑ̃/ *adv* **∼ neuf/neuve** brand new; **une voiture ∼ neuve** a brand new car

flambard○ /flɑ̃baʀ/ *nm* show-off○, swank; **faire le** *or* **son ∼** to show off, to swank

flambé, ∼e /flɑ̃be/
A *pp* ▸ **flamber**
B ○*pp adj* (ruiné) [*personne*] done for○ (*jamais épith*)
C flambée *nf* **1** (feu) fire; **faire une ∼e** to light a fire; **2** (de violence, haine) flare-up; (des prix, cours) explosion; **la ∼e des prix** the explosion in prices

flambeau, *pl* **∼x** /flɑ̃bo/ *nm* **1** (torche) torch; **à la lueur des ∼x** by torchlight; **retraite aux ∼x** torchlight procession; **2** fig torch (**de** of); **le ∼ de la tradition/liberté** the torch of tradition/liberty; **reprendre le ∼** to take up the torch; **3** (chandelier) candlestick

flambée ▸ **flambé**

flambement /flɑ̃bmɑ̃/ *nm* Tech buckling

flamber /flɑ̃be/ [1]
A *vtr* **1** Culin (à la flamme) to singe [*volaille*]; (avec de l'alcool) to flame, to flambé [*banane, crêpe, omelette*]; **∼ qch à l'alcool** to flambé sth in alcohol; **2** Méd to sterilize [sth] in a flame [*aiguille, instrument chirurgical*]; **3** ○(dépenser beaucoup) to squander, to blow○ [*argent, économies*]
B *vi* **1** lit [*combustible*] to burn; [*maison*] to burn down, to go up in flames; **un feu flambait dans la cheminée** a fire was blazing in the hearth; **2** (augmenter) [*prix*] to rocket; [*cours*] to soar; **3** Constr, Tech to buckle

flambeur○, **-euse** /flɑ̃bœʀ, øz/ *nm,f* **1** (dépensier) big spender; **2** (joueur) big-time gambler

flamboiement /flɑ̃bwamɑ̃/ *nm* (de feu) blaze; **le ∼ des arbres en automne** fig the flaming colours[GB] of the trees in autumn GB *ou* the fall US

flamboyance /flɑ̃bwajɑ̃s/ *nf* flamboyance

flamboyant, ∼e /flɑ̃bwajɑ̃, ɑ̃t/
A *adj* **1** gén [*feu, lumière, soleil*] blazing; [*couleur*] flaming; [*ciel, coucher de soleil*] fiery; [*armure*] gleaming; **chevelure ∼e** flaming red hair; **2** Archit **gothique ∼** Flamboyant Gothic
B *nm* **1** Bot flame tree; **2** Archit Flamboyant (Gothic) style

flamboyer /flɑ̃bwaje/ [23] *vi* [*incendie, soleil, ciel, couleur*] to blaze; [*yeux*] gén to flash; (de colère) to blaze (**de** with); [*armure, épée*] to gleam

flamenco /flamɛnko/ *nm* gén **le ∼** the flamenco; (danse) flamenco dancing

flamiche /flamiʃ/ *nf* leek flan

flamingant, ∼e /flamɛ̃gɑ̃, ɑ̃t/
A *adj* Ling [*population, région*] Flemish-speaking
B *nm,f* **1** Ling Flemish speaker; **2** Pol Flemish nationalist

flamme /flɑm/
A *nf* **1** (feu) flame; **la ∼ s'est éteinte** the flame went out; **passer une volaille à la ∼** to singe a fowl; **2** (passion amoureuse) love; **déclarer sa ∼ à qn** to declare one's love to sb; **3** (ardeur) **parler avec ∼** to speak passionately; **discours plein de ∼** fiery speech; **la ∼ de son regard** his/her flashing eyes; **ranimer la ∼ d'une tradition** to rekindle a tradition; **4** Postes postmark caption; **5** Mil (drapeau) pennant; Mil Naut (pavillon) pennon
B flammes *nfpl* (feu) fire ₵; **en ∼s** on fire; **être la proie des ∼s** to be on fire; **être dévoré par les ∼s** to be consumed by the flames; **l'avion est tombé en ∼s** the plane went down in flames; **les ∼s de l'enfer** Relig the fires of hell
(Composés) **∼ olympique** Sport Olympic flame; **∼ du soldat inconnu** eternal flame on the tomb of the unknown soldier
(Idiomes) **descendre qn/qch en ∼s** to shoot sb/sth down; **jeter feu et ∼** [*personne*] to be raging; **être tout feu tout ∼** [*personne*] to be wildly enthusiastic

flammé, ∼e /flɑme/ *adj* Tech [*céramique*] flambé

flammèche /flamɛʃ/ *nf* spark

flan /flɑ̃/ *nm* **1** Culin (crème) ≈ custard; (tarte) custard tart GB, custard flan US; **∼ aux pruneaux** custard and prune tart GB *ou* flan US; **2** Imprim (carton) flong; (empreinte) mould GB, mold US; **3** Tech (de monnaie, médaille, disque) blank
(Idiomes) **faire qch au ∼**○ to do sth brazenly; **y aller au ∼** to bluff; **en rester comme deux ronds de ∼**○ to be dumbfounded

flanc /flɑ̃/ *nm* **1** Anat (de personne) side; (d'animal) flank, side; **se coucher sur le ∼** to lie on one's side; **le cheval battait des ∼s** the horse was panting; **être sur le ∼**○ to be exhausted, to be deadbeat○; **2** liter (entrailles) **une lance lui perça le ∼** a lance pierced his/her entrails; **porter un enfant dans son ∼** to carry a child in one's womb; **3** (de montagne, colline, coteau) side; **à ∼ de colline/montagne** on the hillside/mountainside; **4** (de navire) side, beam end; **5** Mil flank; **attaquer de ∼** to attack on the flank
(Idiomes) **se battre les ∼s**○ to strive in vain; **tirer au ∼**○ to shirk, to skive○ GB; **prêter le ∼ à la critique** to lay oneself open to criticism

flancher○ /flɑ̃ʃe/ [1] *vi* **1** (manquer de courage) to lose one's nerve; (ne plus faire face) to crack up; **il est en train de ∼** (devant une décision) he's coming round GB *ou* around US; (dans une crise) he's cracking up; **ce n'est pas le moment de ∼** this is no time to lose one's nerve; **2** (faiblir) [*cœur, moteur*] to give out; [*mémoire*] to let [sb] down; **j'ai la mémoire qui flanche** my memory lets me down *ou* is going; **j'ai les jambes qui flanchent** my legs have gone wobbly

flanchet /flɑ̃ʃɛ/ *nm* Culin flank; **un morceau dans le ∼** a piece of flank

flanc-mou○, *pl* **flancs-mous** /flɑ̃mu/ *nmf* Can waster○ GB, lazy bum○ US

Flandre /flɑ̃dʀ/ ▸ **p. 721** *nprf* **la ∼, les ∼s** Flanders (+ *v sg*)

Flandre-Occidentale /flɑ̃dʀɔksidɑ̃tal/ ▸ **p. 721** *nprf* West Flanders (+ *v sg*)

Flandre-Orientale /flɑ̃dʀɔʀjɑ̃tal/ ▸ **p. 721** *nprf* East Flanders (+ *v sg*)

flanelle /flanɛl/ *nf* flannel; **jupe de ∼** flannel skirt
(Composé) **∼ de coton** flannelette; **avoir les jambes en ∼ de coton** to feel weak at the knees

flâner /flɑne/ [1] *vi* **1** (se promener) to stroll; **∼ dans les rues/magasins** to stroll around the streets/shops GB *ou* stores US; **∼ sur les quais** to have a leisurely stroll along the embankment; **ils sont en retard, ils ont dû ∼ en route** they're late, they must have been dawdling; **2** (paresser) to loaf○ around; **il flâne toute la journée à la maison** he loafs○

around the house all day long; **il ne faut pas ~ sinon le projet sera en retard** there must be no slacking GB *ou* idling US or we'll fall behind with the project

flânerie /flɑnʀi/ *nf* 1 (promenade) stroll; 2 (inaction) lazing around; **la chaleur invite à la ~** the heat makes you lazy

flâneur, -euse /flɑnœʀ, øz/ *nm,f* 1 (promeneur) stroller; **il y avait quelques ~s** there were a few people strolling by; 2 (paresseux) loafer○, idler US

flanquer /flɑ̃ke/ [1]
A *vtr* 1 (garnir) to flank; **être flanqué de** [*personne, construction, meuble*] to be flanked by; **il est toujours flanqué de son adjoint** his assistant never leaves his side; 2 Mil to protect the flank of [*unité*]; 3 ○(mettre) to give [*coup, gifle, amende*]; **~ qch par terre** (jeter) to throw sth to the ground; (laisser tomber) to drop sth; (faire tomber) to knock sth to the ground; **~ la frousse**○ *or* **la trouille**○ **à qn** to give sb a fright, to scare sb; **~ qn dehors** *or* **à la porte** (d'un travail) to fire sb; (d'un lieu) to chuck○ sb out
B se flanquer◑ *vpr* **se ~ dans qch** [*véhicule, personne*] to run into sth; **on va se ~ dans un mur si tu continues à conduire à cette vitesse** we're going to run into a wall if you keep driving at this speed; **il s'est flanqué sous le train/par la fenêtre** he threw himself under the train/out of the window; **se ~ par terre** to fall flat on one's face

flapi○, **~e** /flapi/ *adj* fagged out○ GB, shot○ US, worn out

flaque /flak/ *nf* **~ (d'eau)** puddle; **~ d'huile/de sang** pool of oil/of blood; **ne marche pas dans les ~s** don't walk in the puddles

flash, *pl* **~es*** /flaʃ/ *nm* 1 Phot flash; **prendre une photo au ~** to take a photo with a flash; **photographie au ~** flash photography; 2 Radio, TV **~ (d'information)** (programme) news headlines (*pl*); (exceptionnel) news flash; **~ spécial** special news flash; **le ~ de 12 heures** the 12 o'clock news summary; 3 (impact de drogue) flash
(Composés) **~ automatique** Phot automatic flash; **~ électronique** Phot electronic flash; **~ publicitaire** Pub advert GB, commercial US

flash-back*, *pl* **~s** /flaʃbak/ *nm* Cin, Littérat flashback

flasher○ /flaʃe/ [1]
A *vtr* Imprim to flash print
B *vi* **~ sur qch/qn** to fall in love with sth/sb

flashmètre /flaʃmɛtʀ/ *nm* flash meter

flasque /flask/
A *adj* [*peau, chair, joues*] flabby, flaccid; [*traits*] slack
B *nm* 1 Aut flange; **~ de moyeu** hub flange; 2 Audio (de bande magnétique) flange; 3 Électrotech (de stator) end shield; 4 Mil (de canon) cheek
C *nf* (flacon) flask

flatté, ~e /flate/
A *pp* ▸ **flatter**
B *pp adj* (honoré) [*personne*] flattered; **je suis très ~ de votre présence/que vous ayez pensé à moi** I'm very flattered by your presence/that you thought of me; **il se sentait ~ dans son orgueil** his ego was flattered

flatter /flate/ [1]
A *vtr* 1 (complimenter) to flatter [*personne*]; **je ne dis pas cela pour vous ~** I'm not saying it just to flatter you; **vous me flattez, je n'en mérite pas autant** you flatter me, I don't deserve it; **~ bassement qn** to toady to sb; **sans vouloir vous ~** I say this without flattery; **il aime qu'on le flatte** he likes flattery; 2 (honorer) **leur visite a flatté tout le village** the whole village felt honoured[GB] by their visit; 3 (encourager) to encourage [*sentiment, vice*]; **~ qn dans son amour-propre** to boost sb's ego; 4 (caresser) to pat [*animal*]; 5 (être agréable) to delight [*narines, palais, regard, oreilles*]; 6 (avantager) [*photo, vêtement, éclairage*] to flatter [*personne*]
B se flatter *vpr* 1 (prétendre) **je me flatte de m'exprimer au moins de façon claire** I flatter myself that I'm at least articulate; 2 (tirer vanité) to pride oneself (**de** on; **de faire** on doing); **je me flatte d'avoir une maison très accueillante** I pride myself on having a very welcoming house

flatterie /flatʀi/ *nf* flattery ₵; **être sensible à la ~** *or* **aux ~s** to be susceptible to flattery; **de basses ~s** toadying ₵

flatteur, -euse /flatœʀ, øz/
A *adj* 1 (avantageux) [*portrait, éclairage*] flattering; [*distinction, récompense*] gratifying; **peu ~** unflattering; **l'article ne le montre pas sous un jour ~** he doesn't appear in a favourable[GB] light in the article; 2 (obséquieux) [*personne, paroles*] sycophantic; **il est très ~** he's a real toady *ou* sycophant
B *nm,f* toady, sycophant

flatulence /flatylɑ̃s/ *nf* wind ₵, flatulence ₵ spéc; **avoir des ~s** to suffer from wind *ou* flatulence

flatulent, ~e /flatylɑ̃, ɑ̃t/ *adj* flatulent

fléau, *pl* **~x** /fleo/ *nm* 1 (calamité) blight; **~ social** blight on society; **bienfait ou ~?** a blessing or a curse?; **le ~ de Dieu** the scourge of God; 2 (personne) pest; 3 Agric flail; **battre le blé au ~** to flail wheat; 4 Tech (de balance) beam
(Composé) **~ d'armes** Hist flail

fléchage /fleʃaʒ/ *nm* signposting; **le ~ d'un itinéraire** the signposting of a route

flèche /flɛʃ/ *nf* 1 (arme) arrow; **pointe de ~** arrowhead; **atteint/transpercé par une ~** hit/pierced by an arrow; **~ empoisonnée** poisoned arrow; **les ~s de l'Amour/de Cupidon** Love's/Cupid's darts; **partir/passer en** *or* **comme une ~** to shoot off/to shoot past; **monter en ~** [*fusée*] to shoot upward(s); [*prix*] to soar; ▸ **Parthe**; 2 (signe) arrow; **suivez la ~** follow the arrow; 3 (raillerie) barbed remark; **décocher une ~ contre qn/qch** to make a barbed remark about sb/sth; 4 (d'église) spire; (de grue) jib; (de charrue, charrette) beam; ▸ **avion**; 5 Tech (de dalle, poutre) deflection
(Idiome) **il fait ~ de tout bois** it's all grist to his mill

flécher /fleʃe/ [14] *vtr* to signpost

fléchette /fleʃɛt/ ▸ **p. 469** *nf* 1 (objet) dart; 2 (activité) darts (+ *v sg*); **une partie de ~s** a game of darts

fléchi, ~e /fleʃi/
A *pp* ▸ **fléchir**
B *pp adj* Ling **forme ~e** inflected form

fléchir /fleʃiʀ/ [3]
A *vtr* 1 (plier) to bend; 2 (ébranler) to sway [*personne, opinion*]; to weaken [*volonté, résistance*]
B *vi* 1 (ployer) [*poutre*] to sag, to bend; [*genoux*] to bend; [*jambes*] to give way; 2 (faiblir) [*attention*] to flag, to falter; [*courage*] to waver; [*volonté, résistance*] to weaken; [*production, demande*] to fall off; [*cours, euro*] to weaken, to fall; [*prix*] to fall, to come down; **~ de 2%** to fall by 2%; 3 (céder) [*personne, armée*] to yield; (s'adoucir) [*personne*] to relent; **se laisser ~** to relent, to let oneself be swayed; **sans ~** (stoïquement) unflinchingly; (obstinément) stubbornly

fléchissement /fleʃismɑ̃/ *nm* 1 (de bras, corps, genou) bending; 2 (de volonté, courage) weakening; 3 (fait de céder) yielding; 4 (de production, taux, croissance) fall, drop (**de** in)

fléchisseur /fleʃisœʀ/ *adj m* **(muscle) ~** flexor (muscle)

flegmatique /flɛgmatik/ *adj* phlegmatic

flegmatiquement /flɛgmatikmɑ̃/ *adv* phlegmatically

flegme /flɛgm/ *nm* 1 (placidité) phlegm, composure; **perdre son ~ habituel** to lose one's usual composure; **prendre une nouvelle avec ~** to take a piece of news phlegmatically; 2 †Méd phlegm

flémingite○ /flemɛ̃ʒit/ *nf* hum bone idleness; **il a une ~ aiguë** he's suffering from acute bone idleness

flemmard○, **~e** /flemaʀ, aʀd/
A *adj* bone idle (*jamais épith*)
B *nm,f* lazybones○ (*sg*), lazy devil○

flemmarder○ /flemaʀde/ [1] *vi* to loaf○ around; **~ au lit** to lie in

flemmardise○ /flemaʀdiz/ *nf* laziness

flemme○ /flɛm/ *nf* laziness; **j'ai la ~ de faire** I can't be bothered to do○, I'm too lazy to do; **j'ai la ~ aujourd'hui** I just can't be bothered○ today; **tirer sa ~** to laze around

fléole /fleɔl/ *nf* timothy

flet /flɛt/ *nm* flounder

flétan /fletɑ̃/ *nm* halibut
(Composé) **~ noir** black halibut

flétri, ~e /fletʀi/
A *pp* ▸ **flétrir**
B *pp adj* 1 [*fleur*] faded; [*fruit*] shrivelled[GB]; 2 [*beauté*] faded

flétrir /fletʀiʀ/ [3]
A *vtr* 1 (faner) **le temps a flétri sa beauté** her beauty has faded with time; 2 (stigmatiser) to blacken [*nom, mémoire, réputation*]; 3 (souiller) to corrupt [*enfant, innocence*]; 4 Hist (marquer au fer) to brand [*criminel*]
B se flétrir *vpr* 1 [*plante*] to wither; [*fleur*] to fade; [*fruit*] to shrivel; 2 [*beauté, visage, peau*] to fade

flétrissement /fletʀismɑ̃/ *nm* 1 liter (de peau, visage) withering; 2 Bot wilt

flétrissure /fletʀisyʀ/ *nf* (de réputation, mémoire) blot, stain (**de** on)

fleur /flœʀ/ *nf* 1 Bot gén flower; Hort bloom; **être en ~s** [*jardin*] to be full of flowers; [*camélia*] to be in bloom *ou* flowering; [*poirier, lilas*] to be in blossom; **jeune fille en ~** liter girl in the first flower of womanhood littér; **à ~s** [*tissu*] floral, flowery; [*papier peint, chemise*] flower-patterned, flowery; **chapeau à ~s** flowery hat; **prés parsemés de ~s** flowery meadows; **'ni ~s ni couronnes'** 'no flowers by request'; 2 liter (le meilleur) **la (fine) ~ de la chevalerie/des arts** the flower of chivalry/of the art world; **être/mourir dans la ~ de l'âge** to be/die in the prime of life; 3 liter (niveau) **à ~ d'eau** [*écueil, rocher*] just above the water; 4 (de cuir) grain; **côté ~** grain layer
(Composés) **~ artificielle** artificial flower; **~ des champs** wild flower; **~ composée** composite flower; **~ de farine** superfine white flour; **~ de lys** fleur-de-lis, heraldic lily; **~ d'oranger** (fleurs) orange blossom; (arôme) orange flower water; **~ de sel** Culin fine sea salt (*from salt pans*); **~ de soufre** flower of sulphur[GB]
(Idiomes) **être ~ bleue** to be starry-eyed *ou* romantic; **être belle comme une ~** to be as pretty as a picture; **avoir une sensibilité à ~ de peau** to be hypersensitive; **avoir les nerfs à ~ de peau** to be a bundle of nerves; **couvrir qn de ~s** to shower sb with compliments; **envoyer des ~s à qn**○ to pat sb on the back; **faire une ~ à qn**○ to do sb a favour[GB]; **vous ne lui avez pas fait de ~ en le nommant à ce poste**○ you haven't done him any favours[GB] in giving him that job; **arriver** *or* **s'amener**○ **comme une ~** to turn up just like that

fleurdelisé, ~e /flœʀdəlize/ *adj* 1 gén [*drapeau, étoffe, manteau*] decorated with fleurs-de-lis (*après n*); 2 Hérald flory; **contre ~** counter flory

fleurer /flœʀe/ [1] *vtr* 1 (embaumer) to be fragrant with; **~ la lavande** to be fragrant with lavender; 2 (évoquer) **~ le scandale** to smack of scandal

fleuret /flœʀɛ/ ▸ **p. 469** *nm* 1 Sport (épée) foil; (discipline) foil; **pratiquer le ~** to practise[GB] foil-play; 2 Tech (de perforatrice) drill rod
(Composés) **~ électrique** electric foil;

f

ⓘ Les fleuves et les rivières

■ *L'anglais ne distingue pas entre* fleuve *et* rivière; *dans les deux cas, c'est le mot* river *qui est utilisé, avec ou sans majuscule.*

Les noms de fleuves et de rivières

■ *L'anglais utilise toujours l'article défini devant les noms de fleuves et de rivières.*

le Nil
= the Nile

l'Amazone
= the Amazon

la Saône
= the Saône

■ *Le mot* river *est parfois utilisé, mais n'est jamais obligatoire. En anglais britannique, il est avant le nom propre, en anglais américain il est après.*

la Tamise
= the River Thames (*GB*)
ou the river Thames

le Potomac
= the Potomac River (*US*)
ou the Potomac river

De avec les noms de fleuves et de rivières

■ *Les expressions françaises avec* de *se traduisent en général par l'emploi des noms de fleuves et de rivières en position d'adjectifs.*

l'estuaire de la Tamise
= the Thames estuary

les péniches de la Tamise
= Thames barges

les industries de la Tamise
= Thames industries

Mais:

l'embouchure de la Tamise
= the mouth of the Thames

l'eau de la Seine
= the water of the Seine

un affluent du Hudson
= a tributary of the Hudson River

la source du Potomac
= the source of the Potomac

~ **moucheté** buttoned foil; **se battre à ~ moucheté** to fence with buttoned foils

fleurette /flœʀɛt/ *nf* 1 (fleur) little flower; 2 Culin **crème ~** whipping cream; 3 Culin floret

(Idiome) **conter ~† à qn** to woo† sb

fleurettiste /flœʀɛtist/ *nmf* Sport foil fencer

fleuri, **~e** /flœʀi/
A *pp* ▸ **fleurir**
B *pp adj* 1 [*champs, jardin, chemin*] full of flowers; [*arbre, buisson*] (de petites fleurs) in blossom; (de grosses fleurs) in bloom; 2 (décoré) [*table*] decorated with flowers; **leur maison est toujours très ~e** their house is always full of flowers; **les maisons ~es** houses covered in flowers; **sa tombe n'est jamais ~e** there are never any flowers on his grave; **à la boutonnière ~e** with a flower in his buttonhole; **gagnant du concours des villes ~es de France** first in the France in bloom competition; 3 (à fleurs) [*papier, robe, tissu*] flowery; 4 [*teint*] florid, ruddy; [*nez*] spotty GB, pimply; **barbe ~e** hoary beard; 5 (très orné) [*style, termes*] flowery péj

fleurir /flœʀiʀ/ [3]
A *vtr* to decorate [sth] with flowers [*balcon, maison, table*]; to put flowers on [*tombe*]; to put a flower in [*boutonnière*]
B *vi* 1 [*rosier, camelia*] to flower, to bloom; [*cerisier, lilas*] to blossom; 2 (apparaître) [*supermarchés, pavillons*] to spring up; [*affiches, graffiti*] to appear; 3 (prospérer) to thrive, to flourish; 4 (se couvrir de boutons) [*visage, menton*] to come *ou* break out in spots GB *ou* pimples

fleuriste /flœʀist/ ▸ **p. 532**
A *nmf* (commerçant) florist
B *nm* (magasin) flower shop, florist's

fleuron /flœʀɔ̃/ *nm* 1 (joyau) jewel (in the crown); **le ~ de la parfumerie française** the jewel of the French perfume industry; 2 Imprim fleuron; (en fin de chapitre) tailpiece; 3 Archit gén fleuron; (de pignon) finial; 4 Bot floret; 5 Culin fleuron

fleuve /flœv/
A *nm* 1 Géog river; **au bord d'un ~** by a river; 2 (flot de boue, lave, sang) river (**de** of); **~ de larmes** flood of tears; **~(s) humain(s)** stream of humanity
B **(-)fleuve** (*in compounds*) **discours/procès/conférence(-)~** interminable speech/trial/meeting

(Composés) **~ Bleu** Yangtze, Chang Jiang; **~ Jaune** Yellow River, Huang He; **~ Rouge** Red River, Song Koi

flexibilité /flɛksibilite/ *nf* 1 (de branche) pliability; (de lame) flexibility; (de corps) suppleness; 2 (d'économie, horaire, de personne) flexibility; **~ de l'emploi** Écon flexibility of labour[GB]; 3 Tech (de matériau, tuyau, suspension) flexibility

flexible /flɛksibl/
A *adj* 1 (souple) [*branche*] pliable; [*lame*] flexible; [*corps*] supple; 2 (adaptable) [*personne, horaire, budget*] flexible; 3 Tech [*matériau, tuyau, suspension*] flexible; 4 (docile) [*personne, caractère*] malleable
B *nm* (tuyau souple) **~ de douche** shower hose; **~ de gaz** rubber gas pipe; **~ de robinet** nozzle; **~ de cimentation** Tech cementing hose

flexion /flɛksjɔ̃/ *nf* 1 (d'objet) bending; (de bras, jambe) flexing; **ressort qui résiste à la ~** spring that doesn't bend; **muscles qui participent à la ~ de la main** muscles used for flexing the hand; 2 Ling inflection

flexionnel, **-elle** /flɛksjɔnɛl/ *adj* [*langue*] inflected; [*forme, marque*] inflectional

flexure /flɛksyʀ/ *nf* Géol fold, flexure

flibustier /flibystje/ *nm* 1 Hist (pirate) freebooter; 2 (escroc) swindler

flic○ /flik/
A *nm* pej cop○, policeman; **les ~s** the cops, the police (+ *v pl*)
B **flic flac** *nm* (*also onomat*) splash; **faire ~ flac** to go splish splash

flicage○ /flikaʒ/ *nm* (d'une ville, d'un quartier) heavy policing (**de** of); (d'élèves, employés) strict discipline (**de** of)

flicaille◐ /flikaj/ *nf* pej **la ~** the pigs○ (*pl*) péj, the police (+ *v pl*)

flingue◐ /flɛ̃g/ *nm* gun, piece○

flinguer◐ /flɛ̃ge/ [1]
A *vtr* to blow [sb] away○, to shoot; **se faire ~** to get shot
B **se flinguer** *vpr* to blow one's brains out○, to shoot oneself; **il n'y a pas de quoi se ~**○ it's not the end of the world; **il y a de quoi se ~** it's enough to make you blow your brains out○

flint /flint/ *nm* flint glass, optical flint spéc

flip /flip/ *nm* 1 ○(dépression) **être (vraiment) le ~** [*film, roman*] to be a real downer○; [*lieu*] to be creepy○; **être en plein ~**, **avoir un ~** [*drogué*] to freak out○; 2 Culin **porto ~** egg flip (*with port*)

flippant◐, **~e** /flipɑ̃, ɑ̃t/ *adj* (déprimant) [*situation, lieu, maison*] spooky○, creepy○; **tu es vraiment ~** you really freak me out○ *ou* give me the creeps○

flipper[1]* /flipœʀ/ ▸ **p. 469** *nm* Jeux (billard électrique) pinball machine; (pièce mobile) flipper; (jeu) pinball; **jouer au ~** to play pinball

flipper[2]○ /flipe/ [1] *vi* (être perturbé) to freak out○; (être déprimé) to be depressed *ou* down○; **il est complètement flippé**○ he's off his head○; **ta maison me fait ~** your house gives me the creeps○

fliquer◐ /flike/ [1] *vtr* to plant police in [*quartier, manifestation*]; to keep [sb] under surveillance [*personne*]; **un quartier très fliqué** a heavily policed district

flirt /flœʀt/ *nm* 1 (activité) flirting (**avec** with); 2 (relation) flirtation, brief romance; **un ~ d'été** a summer romance; **le ~ entre Cuba et la Chine** fig the flirtation between Cuba and China; 3 (personne) boyfriend/girlfriend; **un de mes anciens ~s** one of my old flames

flirter /flœʀte/ [1] *vi* 1 lit to flirt (**avec** with); 2 fig to get close to

FLN /ɛfɛlɛn/ *nm*: *abbr* ▸ **front**

FLNC /ɛfɛlɛnse/ *nm* (*abbr* = **Front de libération nationale corse**) *former Corsican independence movement*

FLNKS /ɛfɛlɛnkaɛs/ *nm* (*abbr* = **Front de libération nationale kanak socialiste**) *Kanak independence movement in New Caledonia*

floc /flɔk/
A *nm* Tech flock
B *excl* plop!; (plus fort) splash!

flocage /flɔkaʒ/ *nm* (uni) flocking; (avec motifs) flock printing

floche /flɔʃ/ *nf* Belg (pompon) tassel

flocon /flɔkɔ̃/ *nm* (de neige, savon) flake; (de poussière) speck; (de laine) bit; (de fumée) wisp; **la neige tombe à gros ~s** the snow is falling in big flakes

(Composés) **~ de neige** Météo snowflake; **~s d'avoine** Culin oat flakes GB, oatmeal ¢ US; **~s de pomme de terre** Culin instant mashed potato mix (*sg*)

floconneux, **-euse** /flɔkɔnø, øz/ *adj* 1 gén [*laine, nuage*] fleecy; [*neige*] powdery; 2 Chimie [*précipité*] flocculent

floculation /flɔkylasjɔ̃/ *nf* flocculation

floculer /flɔkyle/ [1] *vi* to flocculate

flonflons /flɔ̃flɔ̃/ *nmpl* 1 Mus brass band music ¢; 2 fig **il a été accueilli sous les ~** they put out the red carpet for him; **il a été reçu sans ~** there was no red carpet to greet him

flop○ /flɔp/ *nm* (échec) flop; **faire un ~** to flop

flopée○ /flɔpe/ *nf* **(toute) une ~ de gamins/livres** a whole load○ GB *ou* slew○ US of kids/books, masses (*pl*) of kids/books

floqué, **~e** /flɔke/ *adj* [*papier, tissu*] flocked

floraison /flɔʀɛzɔ̃/ *nf* 1 (de fleurs) flowering, blooming; 2 (développement) (de talents, d'idées) flowering; (de commerce, d'activités) growth, upsurge; (d'entreprises) rash

floral, **~e**, *mpl* **-aux** /flɔʀal, o/ *adj* [*exposition, composition*] flower (*épith*); [*art, feuille, organe*] floral; **parc ~** flower garden

floralies /flɔʀali/ *nfpl* flower show

flore /flɔʀ/ *nf* 1 (végétation) flora; 2 (ouvrage) flora, botanical handbook

(Composé) **~ intestinale** intestinal flora

floréal /flɔʀeal/ *nm* Floréal (*eighth month of the French revolutionary calendar*, ≈ *May*)

Florence /flɔʀɑ̃s/ ▸ **p. 894** *npr* Florence

florentin, **~e** /flɔʀɑ̃tɛ̃, in/
A ▸ **p. 894** *adj* Florentine

B *nm* Culin Florentine

Florentin, ~e /flɔʀɑ̃tɛ̃, in/ ▸ **p. 894** *nm,f* (natif) native of Florence; (habitant) inhabitant of Florence

florès /flɔʀɛs/ *nm* **faire ~** [*mot, technique, personne*] to be thriving

floriculture /flɔʀikyltyʀ/ *nf* floriculture

Floride /flɔʀid/ ▸ **p. 721** *nprf* Florida

florifère /flɔʀifɛʀ/ *adj* floriferous

florilège /flɔʀilɛʒ/ *nm* anthology

florin /flɔʀɛ̃/ ▸ **p. 48** *nm* **1** (monnaie des Pays-Bas) guilder; **2** Hist (ancienne monnaie) florin

florissant, ~e /flɔʀisɑ̃, ɑ̃t/ *adj* **1** [*activité, économie, industrie, art*] flourishing, thriving; [*ville, pays*] thriving; [*théorie*] fashionable; **2** [*teint*] ruddy; **il est d'une santé ~e** he's blooming

flot /flo/

A *nm* **1** (grande quantité) (de courrier, documents, réfugiés) flood; (de circulation, questions, visiteurs, lave) stream; (de critique) torrent; **le ~ de sa chevelure cachait ses épaules** his/her hair flowed over his/her shoulders; **2** (marée) liter tide; **3** Équit rosette; **4** ◑Can (enfant) kid○, child

B **à flot** *loc adv* **couler à ~(s)** lit, fig to flow; **être à ~** lit, fig to be buoyant; **remettre un navire à ~** to refloat a boat; **remettre qch à ~** fig to put sth back on its feet; **remettre qn à ~** fig to put sb back on their feet

C **flots** *nmpl* liter **les ~s** the billows littér, the deep (*sg*) littér

flottable /flɔtabl/ *adj* [*bois, rivière*] floatable

flottage /flɔtaʒ/ *nm* (du bois) drive

flottaison /flɔtɛzɔ̃/ *nf* Naut **~ en charge** load line; **ligne de ~** waterline

flottant, ~e /flɔtɑ̃, ɑ̃t/ *adj* **1** [*bois, ligne, mine*] floating; [*brume, nuage*] drifting; **2** [*vêtements, cheveux*] flowing

flottation /flɔtasjɔ̃/ *nf* flotation

flotte /flɔt/ *nf* **1** Aviat, Naut, Transp fleet; **une ~ de vingt bateaux/autocars** a fleet of twenty boats/coaches; **2** ○(pluie) rain; **3** ○(eau) water; **ta soupe, c'est de la ~** your soup is like dishwater; **4** (flotteur) float

(Composés) **~ aérienne** air fleet; **~ de commerce** Naut merchant navy fleet GB, merchant marine US; **~ de guerre** Mil naval fleet; **~ marchande = ~ de commerce**

flottement /flɔtmɑ̃/ *nm* **1** (indécision) wavering ₵; **il y eut un ~ dans l'assemblée** there was some wavering in the assembly; **après beaucoup de pressions, d'incertitudes et de ~s** after much pressure, uncertainty and wavering; **2** Fin (de monnaie) floating; **3** (de drapeau, vêtement) fluttering

flotter /flɔte/ [1]

A *vtr* to float [*bois, troncs*]

B *vi* **1** (sur un liquide) to float (**sur** on; **dans** in); **~ à la dérive** to drift; **2** (dans l'air) [*brume, vapeur*] to drift; [*drapeau*] to fly; **un parfum entêtant flottait dans la pièce** a heady perfume drifted through the air; **un sourire flottait sur ses lèvres** a smile hovered on his/her lips; **~ au vent** [*drapeau, fanion*] to flutter in the wind; [*cheveux*] to stream in the wind; **elle flotte dans ses vêtements** her clothes are hanging off her; **3** Fin [*monnaie*] to float

C ○*v impers* (pleuvoir) to rain; **il flotte** it's raining; **qu'est-ce qu'il flotte!** what a downpour!

flotteur /flɔtœʀ/ *nm* (de ligne, filet, d'hydravion) float; (de chasse d'eau) ballcock

(Composé) **~ de carburateur** Aut floating valve

flottille /flɔtij/ *nf* flotilla

(Composé) **~ de pêche** fishing fleet

flou, ~e /flu/

A *adj* **1** lit [*contour, photo, image*] blurred; [*coiffure, cheveux*] soft; [*vêtement, voile*] loose; **2** fig [*concept, statut, style*] vague, woolly péj; [*texte, souvenir, personnage*] vague; [*passé*] hazy

B *nm* **1** lit (de photo, contour) fuzziness; **2** fig vagueness, woolliness péj; **il règne en ce domaine un certain/le plus grand ~ juridique** the law is rather/extremely vague in this area

(Composé) **~ artistique** Cin, Phot soft focus; fig artistry

flouer /flue/ [1] *vtr* to cheat [*personne*]; **se faire ~** to be had○

flouze◑ /fluz/ *nm* dough○, money

fluctuant, ~e /flyktɥɑ̃, ɑ̃t/ *adj* [*prix, cours, opinion*] fluctuating; [*personne, temps*] fickle; **les goûts sont ~s** tastes change

fluctuation /flyktɥasjɔ̃/ *nf* fluctuation (**de** in)

fluctuer /flyktɥe/ [1] *vi* to fluctuate

fluet, -ette /flyɛ, ɛt/ *adj* [*corps, personne*] slight; [*bras, jambe*] frail; [*voix*] thin

fluide /flɥid/

A *adj* **1** (coulant) [*huile, peinture*] fluid; **rendre une peinture plus ~** to thin a paint; **2** (aisé) [*style*] fluent; [*circulation*] moving freely (*jamais épith*); [*situation*] fluid; **la circulation redevient ~** the traffic is moving freely again

B *nm* **1** Phys fluid; **2** (de médium) (psychic) powers (*pl*)

fluidifier /flɥidifje/ [2] *vtr* to thin [*sang*]; to loosen [*mucosité*]

fluidité /flɥidite/ *nf* **1** Phys fluidity; **2** (de style, diction) fluency; (de vêtement) flowing lines (*pl*)

fluo○ /flyo/

A ▸ **p. 202** *adj inv* [*couleur, vêtement*] fluorescent

B *nm* **la mode du ~** the fashion for Day-glo®

fluor /flyɔʀ/ *nm* fluorine; **dentifrice au ~** fluoride toothpaste

fluoration /flyɔʀasjɔ̃/ *nf* fluoridation

fluoré, ~e /flyɔʀe/ *adj* fluoride (*épith*); **dentifrice ~** fluoride toothpaste

fluorescéine /flyɔʀesein/ *nf* fluorescein

fluorescence /flyɔʀesɑ̃s/ *nf* fluorescence

fluorescent, ~e /flyɔʀesɑ̃, ɑ̃t/ *adj* fluorescent

fluorine /flyɔʀin/ *nf* fluorspar, fluorite US

fluorose /flyɔʀoz/ ▸ **p. 283** *nf* fluorosis

fluorure /flyɔʀyʀ/ *nm* fluoride; **~ de sodium** sodium fluoride

flush /flœʃ/ *nm* flush; **~ royal** royal flush

flûte* /flyt/ ▸ **p. 557**

A *nf* **1** Mus flute; **petite ~** piccolo; **jouer de/aimer la ~** to play/to like the flute; **2** (verre) (champagne) flute; **3** (pain) *French loaf*; **4** ○(jambe) leg

B ○*excl* damn○!, darn it○!

(Composés) **~ à bec** recorder; **~ de Pan** panpipes (*pl*); **~ traversière** (transverse) flute

flûté, ~e* /flyte/ *adj* [*voix, son*] piping (*épith*)

flûtiau, *pl* **~x*** /flytjo/ ▸ **p. 557** *nm* **1** (flûte champêtre) pipe; **2** (flûte d'enfant) penny whistle

flûtiste* /flytist/ ▸ **p. 532** *nmf* flautist, flutist US

fluvial, ~e, *mpl* **-iaux** /flyvjal, o/ *adj* [*érosion, plaine*] fluvial; [*port, bassin, embarcation, transport*] river (*épith*)

fluviomètre /flyvjɔmɛtʀ/ *nm* water level gauge

flux /fly/ *nm inv* **1** Physiol flow; **~ menstruel** menstrual flow; **2** Phys flux; **~ lumineux/magnétique** luminous/magnetic flux; **~ énergétique** energy flux; **3** Écon flow; **~ de capitaux** capital flow; **4** (marée) flood tide; **le ~ et le reflux** lit flood tide and ebb tide; fig (de foule, d'opinion) the ebb and flow; **5** (mouvement) influx; **~ migratoire/touristique** influx of immigrants/tourists; **6** Entr **production en ~ tendus** just-in-time production; **distribution en ~ tendus** just-in-time distribution; **gestion à ~ tendus** management system with posts of different contractual status

(Composés) **~ monétaires** financial flows; **~ physiques** flows of goods and services

fluxion /flyksjɔ̃/ ▸ **p. 283** *nf* **~ dentaire** Dent swelling; **~ de poitrine** Méd pleuropneumonia

FM /ɛfɛm/

A *nm* Mil (*abbr* = **fusil-mitrailleur**) MG

B *nf* Radio (*abbr* = **frequency modulation**) FM; **en ~** on FM

FMI /ɛfɛmi/ *nm*: *abbr* ▸ **fonds**

FO /ɛfo/ *nf*: *abbr* ▸ **force**

FOB /ɛfobe/ *adj inv* (*abbr* = **free on board**) FOB

foc /fɔk/ *nm* jib; ▸ **grand**

(Composés) **~ en l'air** jib topsail; **~ d'artimon** mizzen staysail

focal, ~e, *mpl* **-aux** /fɔkal, o/

A *adj* [*axe, distance, plan*] focal

B **focale** *nf* **1** (distance) focal length; **2** ○(objectif) **une ~e de 50 mm** a 50 mm lens

focalisation /fɔkalizasjɔ̃/ *nf* **1** Électron (de particules) focusing; **2** (concentration) focus; **la ~ des médias sur un événement** media focus on an event

focaliser /fɔkalize/ [1]

A *vtr* **1** Phys to focus [*rayons*]; to focalize [*faisceau d'électrons*]; **2** (concentrer) to focus [*espoirs, attention*] (**sur** on); to concentrate [*efforts*] (**sur** on); **un parti qui focalise tous les espoirs** a party on which everybody's hopes are pinned

B **se focaliser** *vpr* (se concentrer) [*aspirations, espoirs*] to be focused (**sur** on)

fœhn /føn/ *nm* föhn

foène, foëne /fwɛn/ *nf* **1** Pêche (pour petits poissons) fish-gig; (pour gros poissons) spear; **2** Ind alligator grab

(Composé) **~ de repêchage** Ind fishing grab

fœtal, ~e, *mpl* **-aux** /fetal, o/ *adj* [*développement, position*] foetal

fœtus /fetys/ *nm inv* foetus

fofolle ▸ **foufou**

foi /fwa/ *nf* **1** Relig faith; **la ~ chrétienne** the Christian faith; **avoir la ~** to be a believer; ▸ **montagne**; **2** (confiance) faith; **avoir ~ en qn/qch** to have faith in sb/sth; **perdre ~ en** to lose one's faith in; **ajouter ~ à qch** to put faith in sth; **3** (sincérité) **ma ~** upon my word; **ma ~ oui** well yes; **~ d'honnête homme**† on my word as a gentleman; **faire qch de bonne ~** *or* **en toute bonne ~** to do sth with the best intentions; **en toute bonne ~ je crois que** in all sincerity, I believe that; **je crois qu'il est de bonne ~** I think he is genuine; **bonne/mauvaise ~** Philos good/bad faith; **de bonne ~** Jur [*acquéreur, détenteur*] bona fide (*épith*); **il répondait avec une mauvaise ~ évidente** (manière) he answered with patent insincerity; **je suis stupéfait de sa mauvaise ~** (caractère) I am amazed at his insincerity; **elle est d'une incroyable mauvaise ~** she's so insincere; **il est de mauvaise ~** (en parlant) he doesn't mean a word of it; **tu es de mauvaise ~!** you know that isn't true!; **il faut vraiment être de mauvaise ~ pour nier que** you have to be pretty hypocritical to deny that; **4** (assurance) **sur la ~ de témoins** on the evidence of witnesses; **sur la ~ de documents/de ce rapport** on the strength of documents/of this report; **en ~ de quoi** in witness whereof; **qui fait** *or* **faisant ~** [*texte, signature*] authentic; **l'original fait ~** the original shall be deemed authentic; **sous la ~ du serment** under oath

(Idiomes) **voir avec les yeux de la ~** to see only what one wants to see; **sans ~ ni loi** fearing neither God nor man; **n'avoir ni ~ ni loi** to fear neither God nor man

foie /fwa/ *nm* **1** Anat liver; **avoir mal au ~** ≈ to have an upset stomach; **crise de ~** indigestion; **2** Culin liver

(Composés) **~ d'agneau** lamb's liver; **~ de génisse** beef liver; **~ gras** foie gras; **~ de porc** pig's liver; **~ de veau** calf's liver; **~s de volaille** chicken livers

(Idiomes) **se ronger les ~s**○ to worry; **avoir les ~s**○ to have the jitters○

foie-de-bœuf, *pl* **foies-de-bœuf** /fwadbœf/ *nm* Bot beefsteak fungus

foin /fwɛ̃/
A *nm* **1** Agric (herbe séchée) hay ⊄; **tas de ~** haystack; **faire les ~s** to make hay; **la saison des ~s** the haymaking season; ▸ **bête**; **2** ○(tabac sans goût) old socks○ (*pl*)
B †*excl* **~ de vos conseils/richesses!** I pour scorn on your advice/wealth!

(Composé) **~ d'artichaut** choke

(Idiomes) **avoir** *or* **mettre du ~ dans ses bottes** to be well-to-do; **faire du ~**○ (faire du bruit) to make a hell○ of a racket *ou* noise; (faire du scandale) to cause a scandal

foire /fwaʀ/ *nf* **1** Comm fair; **~ du livre** book fair; **~ aux olives/aux bestiaux** olive/cattle fair; **2** (fête foraine) fun fair; **3** ○pej (bruit, confusion) bedlam; **ce bureau est une vraie ~** it's bedlam in this office; **faire la ~**○ to live it up○; **il passe son temps à faire la ~** he spends all his time raving it up

foirer◑ /fwaʀe/ [1] *vi* **1** (échouer) [*plan, entreprise*] to be a complete disaster *ou* balls-up◑ GB *ou* ball-up◑ US; **faire ~ qch** to bungle sth; **2** (ne pas exploser) [*pétard, fusée*] to fail to go off

foireux○, **-euse** /fwaʀø, øz/
A *adj* **1** (voué à l'échec) [*coup, projet*] half-baked; **2** (raté) [*coup*] bungled; **3** (sans valeur) [*chèque, explosif*] dud; **4** (bancal) [*raisonnement*] shaky
B *nm,f* **1** (peureux) coward, chicken○; **2** (incapable) bungler

fois /fwa/
A *nf inv* **1** (avec numéral) **une ~** once; **deux ~** twice; **trois/quatre/plusieurs ~** three/four/several times; **une/deux ~ et demie** one/two and a half times; **quatre ~ trois font douze** four times three is twelve; **une seule ~** only once; **je ne l'ai vue qu'une ou deux ~/que deux ou trois ~** I only saw her once or twice/two or three times; **une nouvelle ~, une ~ de plus** once again; **une autre ~** (encore) once more; (si ça se répète) next time; (à un autre moment) another time; **l'autre ~** (à la dernière occasion) last time; (à la seconde occasion) the second time; **d'autres ~** at other times; **bien des ~, maintes ~** liter many times; **la plupart des ~** most of the time, more often than not; **tant de ~** so many times; **autant de ~ qu'il le faudra** as many times as necessary; **une (bonne) ~ pour toutes** once and for all; **il faudrait qu'il neige une bonne ~** what we need is one good fall of snow; **une à deux ~ par jour** once or twice a day; **deux ~ par an** twice a year; **deux ou trois ~ par mois** two or three times a month; **plus/moins de cinq ~ par semaine** more/less than five times a week; **plus d'une ~** more than once; **une ~ sur deux** half the time, every other time; **une ~ sur trois** every third time; **deux/trois ~ sur cinq** two/three times out of five; **neuf ~ sur dix** fig nine times out of ten; **une ~ tous les trois jours** once every three days; **pour une ~** for once; **tu l'as vexé, pour une ~ qu'il était de bonne humeur** you upset him when he was in a good mood for once; **une ~ encore** once more; **encore une ~, je ne suis pas d'accord** once again, I don't agree; **c'est la seule ~ que** it's the only time (that); **la seule ~ où je l'ai vu** the only time we met; **toutes les ~ que** every time (that); **cette ~(-ci), je réussirai** this time I'll succeed; **cette ~(-là), ça n'a pas marché** that time it didn't work; **ça va pour cette ~, mais ne recommencez pas!** it's all right this once but don't do it again!; **chaque ~** each *ou* every time; **c'est à chaque ~ la même chose!** it's the same thing every time!; **comme (à) chaque ~** as usual; **deux ~ plus petit** half as big, half the size; **deux ~ plus cher** twice as expensive; **deux ~ moins lourd** half the weight; **deux ~ moins cher** half as expensive, half the price; **par deux ~** [*frapper, tomber, essayer*] twice; **il vaut mieux le dire deux ~ plutôt qu'une** it needs saying twice; **y regarder** *or* **réfléchir à deux ~ avant de faire** to think twice before doing; **c'est dix ~ trop lourd/cher!** it's far too heavy/expensive!; **c'est trois ~ rien!** it's nothing at all!; **vous pouvez régler en trois/plusieurs ~** you can pay in three/several instalments[GB]
2 (avec ordinal) time; **une deuxième ~** a second time; **je l'ai vue une première ~** I saw her for the first time; **une dernière ~** one last time; **(à) la première/deuxième ~** the first/second time; **la prochaine ~** next time; **c'est la dernière ~** it's the last time; **les deux premières/dernières ~** the first/last two times; **les premières ~ c'est amusant** the first few times it's fun; **ce n'est pas la première ~ que** it's not the first time (that); **pour la troisième ~ de l'année** for the third time this year; **pour la énième ~** for the hundredth time; **la première/dernière ~ que je vous ai parlé** when I first/last talked to you; **la dernière ~ que je lui ai parlé** (jusqu'à ce jour) last time I spoke to him; (avant sa mort) the last time I spoke to him; **quand l'avez-vous vue pour la première ~?** when did you first see her?, when was the first time you saw her?
B **à la fois** *loc* **deux à la ~** [*prendre des objets, monter des marches*] two at a time; **porter trois valises à la ~** to carry three suitcases at the same time; **elle est à la ~ intelligente et travailleuse** she's both clever and hardworking; **il veut toujours tout faire à la ~** he always wants to do everything at the same time; **pour des raisons à la ~ culturelles, sociales et religieuses** for cultural, social and religious reasons; **ne répondez pas tous à la ~!** lit, iron don't all answer at once! lit, iron; **tout à la ~ écrivain, metteur en scène et acteur** (he's) a writer, director and actor all in one
C **des fois**○ *loc* (parfois) sometimes; **y a des ~ où** there are times○ when; **tu n'as pas vu mon chien, des ~?** you wouldn't have seen my dog, by any chance?; **des ~ que** in case; **je ne veux pas y aller, des ~ qu'on rencontre mon patron!** I don't want to go (there), in case we run into my boss!; **non mais des ~!** (indignation) well really!

(Idiomes) **il était** *or* **il y avait une ~** once upon a time there was; **je t'ai déjà dit cent** *or* **trente-six ~ de ne pas faire ça!** I've already told you a hundred *ou* a thousand times not to do that!

foison: **à foison** /afwazɔ̃/ *loc adv* aplenty; **il y a des pommes à ~** there are plenty of apples, there are apples aplenty; **il a des idées à ~** he's full of ideas

foisonnant, **~e** /fwazɔnɑ̃, ɑ̃t/ *adj* [*imagination*] teeming; [*vie*] crowded; [*activité*] hectic; [*œuvre, production*] rich in detail (*après n*); **~ de** rich in

foisonnement /fwazɔnmɑ̃/ *nm* **1** (prolifération) proliferation; (profusion) profusion; (de personnes) crowds; **un ~ de couleurs** a riot of colours[GB]; **2** (d'une substance) expansion

foisonner /fwazɔne/ [1] *vi* **1** (abonder) [*idées, erreurs*] to abound; **le gibier foisonne dans le parc** the estate is teeming with game; **les erreurs foisonnent dans le texte** the text is bristling with errors; **2** (regorger) **~ de** *or* **en** to have an abundance of; **le pays foisonne de richesses/talents** the country has an abundance of riches/talent; **le jardin foisonne de fleurs** the garden is full of flowers; **le livre foisonne d'idées/d'erreurs** the book is teeming with ideas/bristling with errors; **3** (augmenter de volume) [*substance*] to expand

fol ▸ **fou A**

folasse○ /fɔlas/
A *adj f* pej batty○, dotty○
B *nf* ninny○

folâtre /fɔlɑtʀ/ *adj* [*personne, caractère, humeur*] playful; **être d'humeur ~** to be in a playful mood

folâtrer /fɔlɑtʀe/ [1] *vi* [*personne*] to romp about; [*jeune animal*] to frisk, to frolic

foliacé, **~e** /fɔljase/ *adj* **1** Bot foliaceous; **2** Minér foliated

foliation /fɔljasjɔ̃/ *nf* (époque de l'année) foliation, leafing; (disposition) leaf arrangement

folichon○, **-onne** /fɔliʃɔ̃, ɔn/ *adj* **ne pas être ~** (médiocre) [*œuvre, résultats, santé*] to be far from brilliant; (sinistre) [*époux, vie, vacances*] not to be much fun

folie /fɔli/ *nf* **1** (démence) madness; **crise** *or* **coup de ~** brainstorm; **basculer dans la ~ meurtrière** to become a homicidal maniac; **2** (déraison) madness; **c'est de la ~ pure** it's sheer madness; **être pris de ~** to go mad GB *ou* crazy; **aimer qn/qch à la ~** to be mad GB *ou* crazy about sb/sth, to love sb/sth to distraction sout; **des spectateurs/une salle en ~** an ecstatic crowd/audience; **c'est une ~** it's just a craze; **3** (acte déraisonnable) act of folly; **cette ~ leur a coûté la vie** it was an act of folly which cost them their lives; **mes ~s de jeunesse** my youthful follies; **elle a fait une ~ en acceptant** she was mad to accept; **4** (passion) **avoir la ~ du marbre/des antiquités** to be mad GB *ou* crazy about marble/about antiques; **5** (dépense inconsidérée) extravagance; **faire une ~, faire des ~s** to be extravagant

(Composés) **~ à deux** Méd folie à deux; **~ douce** sheer madness; **c'est de la ~ douce** it's sheer madness; **~ furieuse** stark raving madness; **être pris de ~ furieuse** to go berserk; **~ des grandeurs** delusions (*pl*) of grandeur; **avoir la ~ des grandeurs** to have delusions of grandeur

folié, **~e** /fɔlje/ *adj* Bot foliate

folingue○ /fɔlɛ̃g/ *adj* nuts○, mad

folio /fɔljo/ *nm* folio

foliole /fɔljɔl/ *nf* Bot leaflet

folioter /fɔljɔte/ [1] *vtr* to foliate

folique /fɔlik/ *adj* **acide ~** folic acid

folk /fɔlk/
A *adj inv* [*festival, musique*] folk
B *nm* **le ~** folk music; **chanteur de ~** folk singer

folklo○ /fɔlklo/ *adj* [*personne*] eccentric; [*soirée*] crazy○; **ça va être ~!** it'll be some laugh○!

folklore /fɔlklɔʀ/ *nm* **1** (traditions) folklore; **2** ○(rituel) razzmatazz○; **ça fait partie du ~** it's part of the usual razzmatazz

folklorique /fɔlklɔʀik/ *adj* **1** (traditionnel) [*musique, coutume*] folk (*épith*); [*costume*] traditional; **2** ○(loufoque) [*personnage*] eccentric; [*voiture, soirée*] crazy○

folle ▸ **fou A, B, D**

follement /fɔlmɑ̃/ *adv* **s'amuser ~** to have a terrific *ou* brilliant○ GB time; **un spectacle ~ drôle** a terribly funny show; **~ amoureux** *or* **épris** infatuated, madly in love○

follet /fɔlɛ/ *adj m* **feu ~** will-o'-the-wisp; **esprit ~** flighty creature

folliculaire /fɔlikylɛʀ/ *adj* Méd [*trouble, rupture*] follicular

follicule /fɔlikyl/ *nm* Anat, Bot follicle

(Composés) **~ de De Graaf** Graafian follicle; **~ tuberculeux** Méd miliary tuberculosis

folliculine /fɔlikylin/ *nf* œstrone

folliculite /fɔlikylit/ ▸ **p. 283** *nf* folliculitis

folliculostimuline, *pl* **~s** /fɔlikylostimylin/ *nf* follicle-stimulating hormone, FSH

fomentateur, **-trice** /fɔmɑ̃tatœʀ, tʀis/ *nm,f* **~ de troubles** agitator

fomentation /fɔmɑ̃tasjɔ̃/ *nf* fomenting, fomentation

fomenter /fɔmɑ̃te/ [1] *vtr* to stir up, to foment sout [*discorde, troubles*]; to instigate [*révolte, coup d'État*]

fonçage /fɔ̃saʒ/ *nm* **1** (de moule) lining; **2** (de puits) sinking; **3** (de tonneau) bottoming

foncé, **~e** /fɔ̃se/
A *pp* ▸ **foncer**

B ► p. 202 *pp adj* [*couleur*] gén dark; [*rose, mauve*] deep; **robes vert ~** dark green dresses; **avoir la peau ~e/les cheveux ~s** to be dark-skinned/dark-haired

foncer /fɔ̃se/ [12]
A *vtr* **1** (assombrir) to make [sth] darker [*couleur*]; to make [sth] deeper [*rose, mauve*]; **2** Culin to line [*moule, plat*] (**avec** with); **3** Tech to sink [*puits*]; to bottom [*tonneau*]
B *vi* **1** °(aller très vite) [*chauffeur, voiture, coureur*] to tear along° (**vers** toward, towards GB); **fonce!** get a move on°!, put your foot down!; **il va falloir ~ pour terminer à temps** we'll have to rush to finish in time; **2** °(se précipiter) **~ vers/dans/à travers** to rush *ou* dash toward(s)/into/through; **~ sur qch/vers la sortie** to make a dash for sth/for the exit; **~ sur qn** (en attaquant) to charge at sb; **le taureau m'a foncé dessus** the bull came charging at me; **~ tête baissée dans la bagarre** to rush headlong into the fray; **~ à New York/Londres** to dash over to New York/London; **il n'est pas du genre à ~** (prudent) he's not the type to rush into things; (pas décisif) he's not the type to go for it°; **fonce!** (n'hésite pas) go for it°!; **3** (s'assombrir) [*couleur*] to darken; [*rose, mauve*] to deepen; [*tissu*] to go darker; **~ au soleil** [*lunettes*] to go darker in the sun

fonceur°, **-euse** /fɔ̃sœʀ, øz/
A *adj* [*personne*] go-getting° (*épith*), dynamic
B *nm,f* go-getter°

foncier, **-ière** /fɔ̃sje, ɛʀ/
A *adj* **1** [*impôt*] land; [*revenu*] from land (*après n*); [*politique, loi*] on land (*après n*); [*propriété, noblesse*] landed; **propriétaire ~** landowner; **2** (inhérent) intrinsic
B *nm* real estate

foncièrement /fɔ̃sjɛʀmɑ̃/ *adv* fundamentally

fonction /fɔ̃ksjɔ̃/ *nf* **1** Admin, Entr (poste) post; (activité) duties (*pl*); **prendre ses ~s, entrer en ~s** to take up one's post; **depuis votre prise de** *or* **entrée en ~s** since you took up your post; **se démettre/être démis de ses ~s** gén to resign/to be dismissed from one's post; [*membre du gouvernement*] to resign/to be dismissed from office; **dans le cadre de mes ~s** as part of my duties; **dans l'exercice de leurs ~s** while carrying out their duties; **la formation n'entre pas dans leurs ~s** training is not part of their duties; **occuper la ~ de secrétaire** to hold the position of secretary; **quitter ses ~s** to leave one's job; **être/rester en ~(s)** to be/stay in office; **logement de ~** accommodation provided with the job; **voiture de ~** company car; **occuper d'importantes ~s** to hold important office; **être appelé à de hautes ~s** to be called to high office; **2** (dépendance) **en ~ de** according to; **être ~ de** to vary according to; **réagir en ~ de cinq paramètres** to react according to five parameters; **le salaire est ~ des diplômes** the salary varies according to qualifications; **3** (rôle) function; **~ d'une machine/un produit** function of a machine/a product; **avoir pour ~ de faire** to be designed to do; **faire ~ de** to serve as; **faire ~ de dessert/levier** to serve as dessert/a lever; **4** Biol function; **les ~s hépatiques** liver functions; **la ~ crée l'organe** the organ is shaped by its function; **5** Math, Ordinat function; **~ du deuxième degré** second degree function; **~ continue/dérivée/exponentielle/périodique** continuous/derived/exponential/periodic function; **6** (secteur) profession; **~ enseignante/médicale** teaching/medical profession; **7** Tech function; **la ~ avance rapide est en panne** the fast forward function does not work; **8** Chimie function; **~ acide/base** acid/base function; **9** Ling function; **~ sujet/complément** subject/complement function; **~ connotative/dénotative** connotative/denotative function
(Composés) **~ de ~s** Math functional; **~ primitive** Ordinat primitive; **~ publique** Admin civil service; **entrer dans la ~ publique** to join the civil service

fonctionnaire /fɔ̃ksjɔnɛʀ/ ► **p. 532** *nmf* **1** (petit, moyen) civil servant; **2** (haut) government official; **haut ~** senior civil servant
(Composé) **~ international** international official

fonctionnalisme /fɔ̃ksjɔnalism/ *nm* functionalism

fonctionnalité /fɔ̃ksjɔnalite/ *nf* Ordinat functionality ₵

fonctionnariat /fɔ̃ksjɔnaʀja/ *nm* civil service

fonctionnariser /fɔ̃ksjɔnaʀize/ [1] *vtr* to make [sb/sth] work for the state [*paysans, médecine*]

fonctionnel, **-elle** /fɔ̃ksjɔnɛl/ *adj* (tous contextes) functional

fonctionnellement /fɔ̃ksjɔnɛlmɑ̃/ *adv* functionally

fonctionnement /fɔ̃ksjɔnmɑ̃/ *nm* **1** (d'institution, organe, du marché) functioning; **~ d'une entreprise/de la démocratie/du cerveau** functioning of a company/of democracy/of the brain; **~ quotidien/interne** everyday/internal functioning; **bon ~** smooth functioning; **problème de ~** functioning problem; **2** (d'équipement) working; **gêner le ~ du moteur** to impede the working of the engine; **mauvais ~** malfunction; **en ~** in service; **entrer en ~** to come into service; **après l'entrée/la remise en ~ de la chaudière** after the boiler was put/was put back into service; **être en état de ~** to be in working order

fonctionner /fɔ̃ksjɔne/ [1] *vi* to work; **~ à merveille** to work perfectly; **mal ~** not to work very well; **~ à l'essence/l'électricité** [*machine*] to run on petrol GB *ou* gas US/electricity; **~ comme un alibi** to be used as an excuse; **~ comme une société anonyme** to operate as a public company; **~ comme un système d'alarme** to serve as an alarm signal; **~ à la vodka** hum [*personne*] to live on vodka

fond /fɔ̃/
A *nm* **1** (partie inférieure) bottom; **dans le** *or* **au ~ du verre/de mon sac** in the bottom of the glass/of my bag; **au ~ du tiroir/de la vallée/de la mer** at the bottom of the drawer/of the valley/of the sea; **tout au ~ du canal** at the very bottom of the canal; **puits sans ~** fig bottomless pit; **vider les ~s de bouteilles** to empty out all the old bottles; **faire les ~s de poubelles** to go through the rubbish GB *ou* garbage US; **toucher le ~** (dans l'eau) to touch the bottom; fig to hit rock bottom; **envoyer un navire par le ~** to sink a ship; **descendre au ~ d'un puits/de la mine** to go down a well/the mine; **travailler au ~** [*mineur*] to work down the mine; **avoir dix ans de ~** [*mineur*] to have spent ten years down the mine; ► **tiroir**
2 Géog, Tech (paroi) (horizontale) bottom; (verticale) back; **le ~ de la casserole est en cuivre** the bottom of the saucepan is copper; **le ~ du placard se démonte** the back of the cupboard comes out; **valise à double ~** suitcase with a false bottom; **~ de la mer** seabed; **~ de l'océan** ocean floor; ► **grand**
3 (partie reculée) (de cour, magasin) back; (de couloir, pièce) far end; **au ~ de l'armoire** in the back of the wardrobe; **être assis tout au ~** to be sitting right at the back; **la chambre/l'étagère du ~** the back bedroom/shelf; **au ~ des bois** deep in the woods; **j'ai une arête coincée au ~ de la gorge** there's a fishbone stuck in my throat; **avancer dans le ~** (dans un bus) to move up the bus; **de ~ en comble** [*fouiller, nettoyer, refaire*] from top to bottom
4 (essence) **quel est le ~ de ta pensée?** what do you really think?; **quel est le ~ du problème?** what is the problem exactly?; **poser des questions de ~** to ask some fundamental questions; **faire des critiques de ~ sur qch** to find fundamental flaws in sth; **les problèmes de ~ sont résolus** the basic problems have been solved; **aller au ~ des choses** to get to the bottom of things; **atteindre** *or* **toucher le ~ du désespoir** to be in the depths of despair; **un ~ de vérité** an element of truth; **un débat de ~** an in-depth debate; **au ~** *or* **dans le ~, le problème est simple** the problem is simple, in fact; **dans le ~, tu as raison** you're right, really
5 Littérat (contenu) content; **le ~ et la forme** form and content; **être d'accord sur le ~** to agree on the content
6 (intérieur) **regarder qn au ~ des yeux** (avec amour) to look deep into sb's eyes; (avec suspicion) to give sb a searching look; **je vous remercie du ~ du cœur** thank you from the bottom of my heart; **au ~ de son cœur** *or* **d'elle-même, elle le sait** deep down she knows it; **tout au ~ de lui-même il regrette ses actes** deep in his heart he regrets what he did; **elle a un bon ~** she's very good at heart; **il a un mauvais ~** he's got a nasty streak
7 (arrière-plan) background; **sur ~ noir** on a black background; **sur ~ de soleil couchant** with a sunset in the background; **sur ~ de récession** against a background of recession; **~ musical** background music; **sur ~ de musique** with music playing in the background
8 (petite quantité) **donne-moi juste un ~ de porto** give me just a drop of port; **laisser un ~ de verre/de bouteille** to leave a drop in one's glass/the bottle
9 Naut (hauteur d'eau) **il n'y a pas assez de ~ pour plonger/mouiller** the water is not deep enough to dive/anchor; **il y a vingt mètres de ~** the water is twenty metres[GB] deep; **l'épave gisait par trente mètres de ~** the wreck lay thirty metres[GB] down
10 Sport **épreuve de ~** long-distance event
11 Cout (de pantalon) seat
B à fond *loc adv* **1** (complètement) **connaître son domaine à ~** [*spécialiste*] to be an expert in one's field; **s'engager à ~** to commit oneself totally; **soutenir qn/qch à ~, être à ~ pour**° **qn/qch** to support sb/sth wholeheartedly; **nettoyer la maison à ~** to give the house a thorough cleaning; **respirer à ~** to breathe deeply; **mettre la radio/le chauffage à ~** to turn the radio/the heating right up
2 °(vite) **rouler à ~** to drive at top speed; **il est arrivé à ~** he came rushing in
(Composés) **~ d'artichaut** Culin artichoke bottom; **~ blanc** Culin white stock; **~ brun** Culin brown stock; **~ d'œil** Anat back of the eye, fundus of the eye spéc; Méd (examen) ophthalmoscopic examination; **~ de robe** Mode slip; **~ de tarte** Culin pastry case; **~ de teint** Cosmét foundation GB, make-up base US; **~s marins** Géog depths of the sea
(Idiome) **user ses ~s de culotte sur le même banc** fig to be at school together

fondamental, **~e**, *mpl* **-aux** /fɔ̃damɑ̃tal, o/
A *adj* **1** (essentiel) [*droit, question, différence, élément, principe*] basic, fundamental; [*objectif, besoin, idée, raison*] basic; [*cause, changement, conflit, importance, rôle*] fundamental; [*atout*] crucial; **libertés ~es** basic liberties, fundamental freedoms; **ce qui est ~ c'est que** the essential is that; **2** Mus [*note*] fundamental; **3** Ling (vocabulaire) basic; **français/anglais ~** basic French/English
B fondamentaux *nmpl* Écon criteria for fundamental analysis

fondamentalement /fɔ̃damɑ̃talmɑ̃/ *adv* **1** (au fond) fundamentally; **être ~ optimiste/modéré/différent** to be fundamentally optimistic/moderate/different; **2** (totalement) [*s'opposer, changer*] radically; **être ~ modifié** to be radically changed

fondamentalisme /fɔ̃damɑ̃talism/ *nm* fundamentalism

fondamentaliste /fɔ̃damɑ̃talist/
A *adj* fundamentalist

B *nmf* **1** Relig fundamentalist; **2** Sci (chercheur) scientist engaged in basic research

fondant, **~e** /fɔ̃dɑ̃, ɑ̃t/
A *adj* [*neige, glace*] melting; [*poire, biscuit*] which melts in the mouth (*épith, après n*); [*viande*] tender; **bonbon ~** fondant
B *nm* **1** Culin fondant icing; (bonbon) fondant; **2** Tech flux

fondateur, **-trice** /fɔ̃datœʀ, tʀis/ *nm,f* gén founder; **groupe ~** founding group; **membre ~** founder member; **principe ~** founding principle; **mécanismes/mythes ~s** fundamental mechanisms/myths; **les pères ~s** the founding fathers; **l'acte ~ de la République** the act that founded the Republic

fondation /fɔ̃dasjɔ̃/
A *nf* (action) foundation; Jur (organisme) foundation
B **fondations** *nfpl* lit, fig foundations; **creuser les ~s de qch** to lay the foundations of sth

fondé, **~e** /fɔ̃de/
A *pp* ▸ **fonder**
B *pp adj* (légitime) [*réclamation, reproche*] justifiable; [*crainte*] well-founded; [*demande*] legitimate; **vos reproches ne sont pas ~s** your criticisms are unfounded; **mes craintes étaient tout à fait ~es** my fears were well founded; **ce que tu dis n'est pas ~** what you say has no justification; **non ~, mal ~** [*accusation*] groundless; [*confiance*] misplaced; **être ~ à faire** (moralement) to be justified in doing
(Composé) **~ de pouvoir** Jur (de personne) proxy; (de société) authorized representative; (de banque) manager

fondement /fɔ̃dmɑ̃/ *nm* **1** (bases) foundation; **jeter/saper les ~s de** to lay/undermine the foundations of; **être sans** *or* **dénué de ~** [*allégations, craintes*] to be unfounded, to be without foundation; **2** ○(fesses) hum posterior hum

fonder /fɔ̃de/ [1]
A *vtr* **1** (créer) to found [*ville, parti, journal*]; **~ une famille** *or* **un foyer** to get married; **le prix Nobel a été fondé en 1901** the Nobel prize was established in 1901; **'maison fondée en 1920'** 'established 1920'; **2** (baser) to base (**sur** on); **il a fondé sa théorie sur Hegel** he based his theory on Hegel; **ma réflexion est fondée sur des faits** my observation is based on fact; **~ ses espoirs sur qch/qn** to place one's hopes in sth/sb
B **se fonder** *vpr* **se ~ sur** [*théorie, méthode, stratégie*] to be based on; [*personne*] to go on; **je me fonde sur ce que je sais** I'm going on what I know; **sur quoi te fondes-tu?** what have you got to go on?

fonderie /fɔ̃dʀi/ *nf* **1** (atelier de moulage) foundry; **2** (moulage) casting

fondeur, **-euse** /fɔ̃dœʀ, øz/
A *nm,f* Sport cross-country skier
B *nm* ▸ **p. 532** (patron) foundry owner; (ouvrier) foundry worker, caster

fondre /fɔ̃dʀ/ [6]
A *vtr* **1** Ind (liquéfier) to melt down [*métal*]; to smelt [*minerai*]; **2** Art, Imprim, Ind (fabriquer) to cast [*statue, caractère, lingot*]; **3** (combiner) to combine [*paragraphes, groupes*] (**dans, en** into); to blend [*couleurs*]
B *vi* **1** (se liquéfier) [*neige, métal, beurre*] to melt; **viande qui fond dans la bouche** meat which melts in your mouth; **faire ~** to melt; **2** (se dissoudre) [*sucre*] to dissolve; **faire ~ dans un peu d'eau** to dissolve in a little water; **3** (baisser) [*réserve, économies*] to melt away; [*action*] to drop sharply (**de** by); ▸ **neige**; **4** (maigrir) [*personne*] to waste away; **avoir fondu de dix kilos** to have lost ten kilos; **faire ~** to help the weight come off; **5** (s'attendrir) to soften; **il fond devant sa petite-fille** his heart melts when he sees his granddaughter; **~ en larmes** *or* **pleurs** to dissolve into tears; **6** (s'abattre) fml **~ sur** [*troupe, oiseau*] to swoop down on [*lieu, troupeau*]; [*malheur*] to overwhelm [*personne, peuple*]; [*calamité*] to ravage [*lieu*]
C **se fondre** *vpr* **se ~ dans** [*personne, silhouette*] to blend in with [*obscurité, foule, peuple*]

fondrière /fɔ̃dʀijɛʀ/ *nf* pothole

fonds /fɔ̃/
A *nm inv* (collection) collection
B *nmpl* Comm, Écon, Fin (capital) funds, capital ₵; **recueillir des ~** to raise money; **manquer de ~** to be short of funds; **être en ~** to be in funds; **gérer des ~** to manage funds; **affecter des ~** to earmark funds; **mise de ~** capital outlay; **rentrer dans ses ~** to recover outlay; **disposer des ~ nécessaires** to have (available) the necessary funds; **à ~ perdus** without recovering outlay, at a loss
(Composés) **~ d'amortissement** sinking fund; **~ de bienfaisance** charity fund; **~ bloqués** frozen assets; **~ de commerce** Comm, Jur business, good will; **~ commun de placement** unit trust GB, mutual fund US; **~ d'État** government securities; **~ de garantie** guarantee fund; **~ d'investissement** (pour petits investisseurs) mutual fund; (en haute finance) private equity firm; **~ de pension** pension fund; **~ de placement** investment fund; **~ de prévoyance** provident fund; **~ propres** equity capital; **~ publics** public funds; **~ de roulement** working capital; **~ secrets** secret funds; **~ de solidarité** mutual aid fund; **~ spéciaux** special funds; **~ spéculatif** hedge fund; **~ de terre** Jur land, tenement; **Fonds de cohésion** UE Cohesion Fund; **Fonds européen de développement**, **FED** European Development Fund, EDF; **Fonds européen de la jeunesse** European Youth Federation; **Fonds monétaire international**, **FMI** International Monetary Fund, IMF; **Fonds social européen**, **FSE** European Social Fund, ESF

fondu, **~e** /fɔ̃dy/
A *pp* ▸ **fondre**
B *pp adj* [*beurre*] melted; [*métal*] molten; [*sucre*] dissolved
C ○*adj* mad, crazy○
D *nm* **1** Cin dissolve; **ouverture/fermeture en ~** fade in/out; **2** Radio fading
E **fondue** *nf* Culin gén fondue; (au fromage) (cheese) fondue
(Composés) **~ enchaîné** Cin cross fading; **~e bourguignonne** fondue bourguignonne (*meat dipped in hot oil*), meat fondue US; **~e chinoise** Chinese fondue; **~e savoyarde** cheese fondue

fongible /fɔ̃ʒibl/ *adj* fungible

fongicide /fɔ̃ʒisid/
A *adj* fungicidal
B *nm* fungicide

fongiforme /fɔ̃ʒifɔʀm/ *adj* fungiform

fontaine /fɔ̃tɛn/ *nf* gén fountain; (pour boire) drinking fountain; (source) spring; **aller chercher de l'eau/boire à la ~** to fetch water/to drink from the fountain
(Idiomes) **c'est une vraie ~**○ what a crybaby○; **il ne faut jamais dire: ~ je ne boirai pas de ton eau** Prov never say never

fontanelle /fɔ̃tanɛl/ *nf* fontanelle

fonte /fɔ̃t/ *nf* **1** (métal) cast iron; **~ émaillée** enamelled[GB] cast iron; **de** *or* **en ~** cast-iron (*épith*); **fourneau en ~** cast-iron stove; **2** (liquéfaction) (de métal) melting down; (de minerai) smelting; (de glace, neige) melting; **3** Météo (de cours d'eau, glace, neige) thawing; **4** (fabrication de cloche, statue) casting; (objet fabriqué) cast; **5** Imprim (fabrication de caractères) casting; (police de caractères) font; **6** (sacoche) (saddle) holster, saddle bag
(Composés) **~ d'aluminium** aluminium GB *ou* aluminum US cast; **~ des neiges** thaw; **à la ~ des neiges** when the snow thaws; **~ des semis** damping-off, seedling blight

fonts /fɔ̃/ *nmpl* **~ baptismaux** font (*sg*)

foot○ /fut/ *nm*: *abbr* = **football**

football /futbol/ ▸ **p. 469** *nm* football GB, soccer
(Composé) **~ américain** american football GB, football US

footballeur, **-euse** /futbolœʀ, øz/ ▸ **p. 532** *nm,f* footballer GB, football GB *ou* soccer player

footing /futiŋ/ ▸ **p. 469** *nm* **1** (activité) jogging; **2** (trajet) jog; **faire un ~** to go for a jog

for /fɔʀ/ *nm* **dans** *or* **en son ~ intérieur** in one's heart of hearts, deep down

forage /fɔʀaʒ/ *nm* **1** (de métal, roche) drilling; (de puits) sinking; **effectuer** *or* **faire des ~s** to drill; **2** Méd (d'os) drilling

forain, **-aine** /fɔʀɛ̃, ɛn/
A *adj* fairground, carnival (*épith*) US; **marchand ~** (itinerant) stallkeeper
B *nm* **1** (marchand) stallkeeper, stallholder; **2** (amuseur) travelling[GB] showman; **les ~s** fairground people, carnies○ US

forban /fɔʀbɑ̃/ *nm* Hist (pirate) pirate; fig (escroc) rogue

forçage /fɔʀsaʒ/ *nm* forcing

forçat /fɔʀsa/ *nm* (bagnard) convict; (galérien) galley slave; **vie de ~** fig life of drudgery; **c'est un travail de ~** fig it's slave labour[GB]
(Idiome) **travailler comme un ~** to work like a slave *ou* Trojan

force /fɔʀs/
A *nf* **1** (de personne) (robustesse) strength ₵; (capacités physiques) **~s** strength; **~ musculaire/morale** muscular/moral strength; **~ de caractère** strength of character; **avoir de la ~** to be strong; **ne plus avoir de ~** to have no strength left; **avoir de la ~ dans les jambes** to have strength in one's legs; **avoir/trouver/donner la ~ de faire** to have/find/give the strength to do; **je n'ai plus la ~ de marcher** I no longer have the strength to walk; **mes ~s m'abandonnent** I'm getting weak; **reprendre des ~s** to regain one's strength; **ça te donnera des ~s** it will build up your strength; **être à bout de ~s** to feel drained; **c'est au-dessus de mes ~s** it's too much for me; **de toutes ses ~s** [*lancer*] with all one's might; [*désirer*] with all one's heart; **dans la ~ de l'âge** in the prime of life; **avec ~** [*nier*] strongly; [*affirmer*] firmly; **faire ~ de rames** to pull hard on the oars; **faire ~ de voiles** to crowd on sail
2 (contrainte) force; **~ armée** armed force; **recourir à la ~** to resort to force; **être converti/emmené de ~** to be converted/taken away by force; **être marié de ~** to be forced into marriage; **faire faire qch à qn de ~** to force sb to do sth; **entrer de ~ dans un lieu** to force one's way into a place; **jouer en ~** Sport to play flat out; **par la ~ des choses** through force of circumstance; **vouloir à toute ~** to want at all costs; **~ est/m'est de faire** there is/I have no choice but to do; **coup de ~** Mil strike
3 (puissance) (de pays, groupe, secteur) strength; fig (d'expression) force; (de personne) strength; **la ~ militaire/économique du pays** the country's military/economic strength; **c'est ce qui fait leur ~** that's where their strength lies; **ils sont de même ~** *or* **de ~ égale aux échecs** they are evenly matched at chess; **être de ~ à faire** to be up to doing; **tu n'es pas de ~ à t'attaquer à lui** you're no match for him; **joueur/traducteur de première ~** top-flight *ou* top-quality player/translator; **revenir en ~, faire un retour en ~** to make a strong comeback
4 (poids) (d'argument, accusation, de conviction) force; **la ~ de l'habitude** force of habit; **avoir ~ de loi** to have the force of law
5 Phys, fig force; **~ d'attraction** force of attraction; **~ centrifuge** centrifugal force; **~s naturelles/occultes** natural/occult forces; **les ~s de marché** Écon market forces; **les ~s du mal** the forces of evil
6 (intensité) (de choc, séisme, vent) force; (de désir,

sentiment) strength; **vent de ~ 1 à 3** breeze blowing at force 1 to 3; **vent de ~ 4 à 7** wind force 4 to 7; **vent de ~ 8 à 10** force 8 to 10 gale
7 (ensemble humain) force; **~ de vente** sales force; **~ d'alternance** alternative force; **~s productives** productive forces; **~s d'opposition** opposition forces; **être/arriver en ~** to be present/to arrive in force
8 Mil (corps) force; (effectifs) **~s** forces; **~ multinationale** multinational force; **~s aériennes** air force; **~s navales** navy; **~s terrestres** army; **~s armées/intégrées/d'occupation** armed/integrated/occupying forces; **d'importantes ~s de police** large numbers of police
B †*adv* **donner ~ exemples** to give many an example; **avec ~ excuses/remerciements** with profuse apologies/thanks
C **à force de** *loc prép* **réussir à ~ de patience/travail** to succeed by dint of patience/hard work; **à ~ d'économies** *or* **d'économiser, elle a pu l'acheter** by saving very hard, she was able to buy it; **il est aphone à ~ de crier** he shouted so much (that) he lost his voice; **à ~ de frotter, tu vas le déchirer** if you keep on rubbing it, you'll tear it; **à ~○, elle l'a cassé** she ended up breaking it
(Composés) **~ d'action rapide** Mil rapid reaction force; **~ d'âme** fortitude; **~ de dissuasion** Mil deterrent force; fig deterrent; **~ de frappe** (arme nucléaire) nuclear weapons (*pl*); (groupe) strike force; **~ d'interposition** Mil peacekeeping force; **~ d'intervention** Mil task force; **~ de la nature** (real) Goliath; **~ de pénétration** Tech penetration; **~ publique** police force; **~s de l'ordre** forces of law and order; **~s vives** life blood **₵**; **Force ouvrière, FO** Pol *French trade union*; **Forces françaises de l'intérieur, FFI** Hist *Resistance forces operating in France during the Second World War*; **Forces françaises libres, FFL** Hist Free French Forces

forcé, ~e /fɔʀse/
A *pp* ▸ **forcer**
B *pp adj* **1** (contraint) [*démission, mariage, exil*] forced; (accidentel) [*baignade, douche*] unintentional; **2** (artificiel) [*gaieté, sourire, comparaison*] forced; **cours ~** Fin forced price; **3** Hort forced; **la culture ~e** forcing; **4** ○(inéluctable) **c'est ~!** there's no way around it○!; **c'est ~ qu'il/elle fasse** he's/she's bound to do

forcement /fɔʀsəmɑ̃/ *nm* forcing

forcément /fɔʀsemɑ̃/ *adv* **entraîner/devenir ~** to lead to/to become; **être ~** to be bound to be; **elle viendra ~ tôt ou tard** she is bound to come sooner or later; **pas ~** not necessarily; **j'ai été ~ surpris** obviously I was surprised; **'j'ai faim'—'~, tu n'as pas déjeuné!'** 'I'm hungry'—'well, it's hardly surprising, you had no lunch!'

forcené, ~e /fɔʀsəne/
A *adj* (acharné) [*optimisme, égoïsme*] insane; [*rythme*] furious; [*activité*] frenzied; [*individualiste*] crazed; **c'est une travailleuse ~e** she's a workaholic
B *nm,f* (enragé) maniac; (armé) crazed gunman; **crier/travailler comme un ~** to scream/work like a maniac *ou* mad thing

forceps /fɔʀsɛps/ *nm inv* forceps (*pl*); **accouchement par ~** forceps delivery

forcer /fɔʀse/ [12]
A *vtr* **1** (contraindre) to force; **nous ne voulons ~ personne** we don't want to force anybody; **~ qn à faire** to force sb to do; **~ l'ennemi à négocier** to force the enemy to negotiate; **~ qn à qch** to force sb into sth; **être forcé à l'exil** to be forced into exile; **être forcé de faire** to be forced to do; **2** (faire céder) to force [*porte, serrure*]; **le tiroir a été forcé** the drawer has been forced; **~ la porte de qn** fig to force one's way into sb's house; **3** (passer au travers) to break through [*barrière, enceinte, défense*]; to break [*blocus*]; **~ le passage** to force one's way through; **~ l'entrée** to force one's way in; **4** (imposer) to force [*négociation, décision*]; **~ l'admiration** to command admiration; **~ la victoire** to secure victory; **~ la paix** to impose a peace settlement; **5** (pousser) to force [*allure, rythme, cadence*]; to stretch [*sens*]; to contrive [*métaphore*]; to push [sth] to the limits [*talent*]; **~ la dose** *or* **note** to overdo it; **~ le ton** to raise one's voice; **~ le trait** to exaggerate; **6** (traquer) Chasse to run down [*lièvre*]; Mil to track down [*ennemi*]; **7** Agric, Hort to force [*plante*]
B **forcer sur** *vtr ind* **1** (abuser) **~ sur** to overdo [*vin, sel, couleur*]; **j'ai un peu forcé sur le rouge hier soir** I overdid the red wine a bit last night; **2** Naut **~ sur les avirons** to pull on the oars; **3** Tech **~ sur** to overtighten [*vis*]; to force [*mécanisme*]
C *vi* **1** (faire trop d'efforts) to overdo it; **j'ai trop forcé** I overdid it; **gagner sans ~** to win easily; **2** (exercer une pression) to force it; **ne force pas, tu vas le casser** don't force it or you'll break it; **appuyez/serrez sans ~** do not press/tighten too much; **3** (résister) **la porte/charnière force** the door/hinge is sticking
D **se forcer** *vpr* **1** (se contraindre) to force oneself (**à faire** to do); **il se força à sourire** he forced himself to smile; **2** (faire des efforts) **il se force pour manger** it's a real effort for him to eat
(Idiome) **~ la main à qn** to force sb's hand

forcing○ /fɔʀsiŋ/ *nm* pressure; **faire le ~** to put on the pressure (**pour faire** to do)

forcir /fɔʀsiʀ/ [3] *vi* **1** [*vent*] to become stronger; **2** [*personne*] to put on weight

forclore /fɔʀklɔʀ/ [79] *vtr* Jur **se laisser ~** to fail to make one's claim within the statutory time-limit

forclusion /fɔʀklyzjɔ̃/ *nf* Jur failure to make a claim within the statutory time-limit

forer /fɔʀe/ [1] *vtr* to drill, to bore [*métal, bois, roche*]; to sink [*puits*]

forestier, -ière /fɔʀɛstje, ɛʀ/
A *adj* **1** [*région, massif*] forested; [*espèce, chemin, paysage, ressources*] forest (*épith*); **maison forestière** forestry worker's house; **exploitation forestière** (travail) forestry; (site) forestry plantation; **industrie forestière** timber industry; **2** Culin [*escalope*] with mushrooms
B ▸ **p. 532** *nm* forestry worker, forester

foret /fɔʀɛ/ *nm* drill

forêt /fɔʀɛ/ *nf* **1** lit forest; **~ vierge/équatoriale** virgin/equatorial forest; **la ~ de Fontainebleau** the forest of Fontainebleau; **~ tropicale** rain forest; **2** fig forest; **~ d'antennes/de drapeaux** forest of aerials/of flags
(Idiome) **c'est l'arbre qui cache la ~** you can't see the wood for the trees

forêt-galerie, *pl* **forêts-galeries** /fɔʀɛgalʀi/ *nf* gallery forest

Forêt-Noire /fɔʀɛnwaʀ/ *nprf* **1** ▸ **p. 721** (région) **la ~** the Black Forest; **2** (gâteau) Black Forest gâteau GB *ou* cake

foreuse /fɔʀøz/ *nf* drill

forfaire /fɔʀfɛʀ/ [10] *vi* fml **~ à** to be false to [*promesse, honneur*]; to fail in [*devoir*]

forfait /fɔʀfɛ/ *nm* **1** Comm, Entr (prix global) fixed rate; **travailler/être payé au ~** to work for/to be paid a fixed rate; **~ hebdomadaire** weekly rate; **un ~ de 15 euros** a fixed price of 15 euros; **un ~ de 60 euros pour trois concerts/pour le festival** a 60 euro flat-rate ticket covering three concerts/for the festival; **2** Tourisme (séjour) package; **~ avion-auto** fly-drive package; **le ~ comprend le voyage et 5 nuits d'hôtel** the all-in package covers travel and 5 nights' hotel accommodation; **3** Tourisme, Transp (carte d'accès) pass; **~ skieur** ski pass; **~ ferroviaire** rail pass; **4** Télécom package; **5** Sport (d'un joueur, une équipe) withdrawal; **gagner par ~** to win by default; **déclarer ~** gén to give up; Sport to withdraw; **6** Turf forfeit; **7** Fisc **être au ~** to be taxed at a rate calculated according to estimated turnover; **8** (crime) hideous crime
(Composé) **~ journalier** Prot Soc *individual contribution to cost of state hospital care*

forfaitaire /fɔʀfɛtɛʀ/ *adj* **prix ~** contract *ou* all-inclusive price; **coût ~** inclusive cost; **tarif ~** flat fare *ou* fee; **taxe/perception ~** flat-rate tax/collection; **somme ~** lump sum; **indemnité ~** basic allowance; **amende ~** standard fine

forfaitiste /fɔʀfɛtist/ ▸ **p. 532** *nmf* Tourisme package deal broker

forfaiture /fɔʀfɛtyʀ/ *nf* **1** Jur malfeasance; **2** Hist felony

forfanterie /fɔʀfɑ̃tʀi/ *nf* **1** (caractère) boastfulness; **par ~** to show off; **2** (action) swaggering **₵**; (propos) bragging **₵**

forge /fɔʀʒ/ *nf* (atelier) forge, smithy; (feu) forge; (aciérie) ironworks (+ *v sg ou pl*)

forgé, ~e /fɔʀʒe/
A *pp* ▸ **forger**
B *pp adj* [*objet, métal*] wrought; **~ à la main** hand-wrought (*épith*); **fer ~** wrought iron; **grille en fer ~** wrought-iron gate

forger /fɔʀʒe/ [13]
A *vtr* **1** Ind to forge [*fer, fer à cheval, instrument, pièce mécanique*]; **2** (élaborer) to build [*amitié*]; to build up [*unité, entente*]; to forge [*liens, alliances*]; to form [*caractère*]; **3** (créer) to coin [*mot*]; to invent [*théorie*]; to create [*métaphore*]; **une histoire forgée de toutes pièces** a complete fabrication
B **se forger** *vpr* **se ~ des excuses/un alibi** to invent excuses/an alibi (for oneself); **se ~ un idéal** to create an ideal for oneself; **se ~ une réputation de meneur/d'incorruptible** to build up a reputation as a leader/for scrupulous honesty

forgeron /fɔʀʒəʀɔ̃/ ▸ **p. 532** *nm* blacksmith, smith; **chez le ~** at the blacksmith's *ou* smithy
(Idiome) **c'est en forgeant qu'on devient ~** Prov practice makes perfect Prov

formage /fɔʀmaʒ/ *nm* forming; **~ des métaux** metal forming
(Composés) **~ à chaud** thermoforming; **~ hydraulique** hydroforming

formalisation /fɔʀmalizasjɔ̃/ *nf* formalization

formaliser /fɔʀmalize/ [1]
A *vtr* Math to formalize
B **se formaliser** *vpr* to take offence[GB], to take exception (**de** to); **se ~ d'un rien** to be easily offended

formalisme /fɔʀmalism/ *nm* **1** (excessif) péj formality; **il est d'un ~ excessif** he is a stickler for form; **2** Art, Philos formalism

formaliste /fɔʀmalist/
A *adj* **1** péj [*personne*] formal; [*religion, droit*] formalistic; **il est très ~** he's a stickler for form; **2** Art, Philos formalist
B *nmf* formalist

formalité /fɔʀmalite/ *nf* Admin formality; **les ~s de douane** customs formalities; **remplir une ~** to comply with a formality; **les ~s à accomplir pour obtenir un visa** the necessary procedure to obtain a visa; **simplifier les ~s** to simplify procedure; **ce n'est qu'une ~** it's a mere formality; **par pure ~** as a matter of form; **sans autre ~** fig without further ado

formant /fɔʀmɑ̃/ *nm* Ling formant

format /fɔʀma/ *nm* **1** (taille) (de journal, disquette) format; (de papier, livre, photo, d'objet) size; **de grand/très grand ~** [*article, livre, cadre*] large/extra large; **2** Ordinat, Vidéo (mode d'enregistrement) format; **3** Cin gauge; **4** fig (formule) format

formatage /fɔʀmataʒ/ *nm* Ordinat formatting; **faire un ~** to format

formater /fɔʀmate/ [1] *vtr* Ordinat to format

formateur, -trice /fɔʀmatœʀ, tʀis/
A *adj* [*influence, élément, rôle*] formative
B ▸ **p. 532** *nm,f* training officer
(Composé) **~ à Internet** Internet tutor, Web tutor

f

formatif, -ive /fɔʀmatif, iv/ *adj* formative

formation /fɔʀmasjɔ̃/ *nf* **1** (instruction) (scolaire) education; (professionnelle) training (**en** in); **~ militaire** military training; **il est ingénieur de ~** he's an engineer by training; **il a reçu une ~ d'ingénieur** he was trained as an engineer; **avoir une ~ littéraire** to have an arts background; **la ~ des jeunes/maîtres** youth/teacher education; **il n'a aucune ~** he has no training; **en ~** [*stagiaire, technicien*] undergoing training (*après n*); **'~ assurée'** 'training provided'; **quelle est votre ~?** what education and training have you had?; **2** (cours) training course; **3** (de gouvernement, parti, d'équipe) forming; **il a été chargé de la ~ du gouvernement** he was asked to form the government; **la ~ de leur parti a pris deux mois** it took two months to form their party; **4** (apparition) formation; **on observe la ~ de rougeurs/d'escarres** red blotches/bedsores appear; **ils s'interrogent encore sur la ~ des planètes** they're still wondering how the planets were formed; **au moment de la ~ des glaciers** when the glaciers were (being) formed; **'trous en formation'** 'uneven carriageway'; **5** (puberté) puberty; **6** (ensemble) formation; **une ~ végétale/granitique** a formation of vegetation/of granite; **une ~ nuageuse** a cloud formation; **7** (groupe) group; **~ politique/musicale/syndicale** political/musical/trade union group; **8** Mil (détachement) detachment; (disposition) formation; **~ aérienne/de combat/en carré** aerial/combat/square formation; **~ en ligne** Aviat line formation

(Composés) **~ en alternance** sandwich course; **~ continue** adult continuing education; **~ de mots** Ling word-formation; **~ permanente** = **~ continue**; **~ professionnelle** professional training; **~ sur le tas** on-the-job training

forme /fɔʀm/

A *nf* **1** (concrète) shape; (abstraite) form; **une ~ de vie/d'intelligence** a form of life/of intelligence; **prendre ~** to take shape; **prendre la ~ de** (concrètement) to take the shape of; (abstraitement) to take the form of; **de ~ ronde** round; **une racine en ~ de corps humain** a root in the shape of a human body; **un titre en ~ de slogan** a title in the form of a slogan; **une critique en ~ de compliment** a criticism in the form *ou* guise of a compliment; **mettre qch en ~** to shape sth; **remettre qch en ~** to put sth back into shape; **donner ~ à qch** to give shape to sth; **donner une ~ légale à un texte** to give a legal form to a text; **sous ~ de** in the form of; **sous une ~ réduite** in a reduced form; **sous une autre ~** in another form; **sous des ~s différentes** in different forms; **sous ~ de tableau** in tabular form; **sous ~ d'exportations** in exports; **sous quelle ~...?** in what form...?; **juger sur la ~** to judge on form; **sans ~** shapeless; **2** (modalité) (de gouvernement, contrat, violence) form; (de paiement, recrutement) method; **dans sa ~ actuelle** in its present form; **une nouvelle ~ de pensée** a new way of thinking; **3** (procédé, condition) form; **en bonne et due ~** in due form; **pour la ~** [*protester, critiquer*] as a matter of form; **pour la bonne ~** to formalize things; **de pure ~** purely formal; **sans autre ~ de procès** fig without further *ou* more ado; **4** Ling, Littérat form; **à la ~ négative** in the negative form; **la ~ du féminin** the feminine form; **poème à ~ fixe** fixed-form poem; **5** (état général) form; **en ~** on form; **en bonne/grande ~** in good/peak form; **perdre/ne plus avoir la ~** to go off/to be off form; **très en ~** in tip-top form; **au mieux de sa ~** on top form; **être en pleine ~, tenir la ~** to be in great shape; **mettre qn en ~** to get sb fit; **remettre qn en ~** to get sb fit again; **se remettre en ~** to get fit again; **une séance de remise en ~** a fitness session; **6** Tech (de cordonnier, bottier) last; (de chapelier, modiste) block; **7** Imprim forme GB, form US

B formes *nfpl* **1** (corps humain) figure (*sg*); **elle a des ~s rondes/anguleuses/plantureuses** she has a rounded/angular/full figure; **femme aux ~s élancées** slender woman; **pull qui moule les ~s** figure-hugging sweater; **prendre des ~s** to fill out; **2** (d'objet, de bâtiment) lines; **monument aux ~s pures/modernes** monument with clean/modern lines; **3** (règles) **faire qch dans les ~s** to do sth in the correct manner; **y mettre les ~s** to be tactful; **respecter les ~s** to respect convention

formé, ~e /fɔʀme/

A *pp* ▸ **former**

B *pp adj* **1** (composé) made up (**de** of); (dessiné) formed (**de** from); **équipe ~e de chercheurs et d'étudiants** team made up of researchers and students; **le triangle ~ par les trois villes** the triangle formed by the three towns; **2** (instruit) educated; (professionnellement) trained (**à faire** to do); **3** (façonné) [*écriture, lettre, phrase*] formed; **bien ~** well-formed; **mal ~** badly-formed; **4** (mûr) [*adolescent*] who has reached sexual maturity (*épith, après n*); [*épi, fruit*] formed; [*caractère, goût*] formed

formel, -elle /fɔʀmɛl/ *adj* **1** [*intention*] express (*épith*); [*refus, démenti*] categorical, flat; [*promesse*] definite; [*ordre, interdiction*] strict; [*personne*] categorical; **donner un démenti ~ à qch** to deny sth categorically; **être ~ sur qch** [*personne*] to be definite about sth; [*loi*] to be clear *ou* explicit on sth; **il a dit 20 heures, je suis ~** he said 8 pm, I'm quite positive about it; **2** Art, Ling, Philos formal; **3** (superficiel) [*politesse*] formal; **une question purement formelle** a token question; **c'est purement ~** it's just a formality

formellement /fɔʀmɛlmɑ̃/ *adv* **1** (expressément) [*démentir*] categorically; [*interdire*] strictly; **il est ~ interdit/illégal de faire** it is strictly forbidden/illegal to do; **2** (de façon officielle) [*condamner, inculper, décider*] officially; **il a ~ mis en cause son frère** he officially implicated his brother; **l'homme a été ~ identifié** the man has been clearly identified; **3** Art, Ling, Philos formally

former /fɔʀme/ [1]

A *vtr* **1** (prendre l'aspect de) to form [*cercle, rectangle*]; **la rivière forme un coude** the river forms a bend; **2** (constituer) to form, constitute; **les personnes formant le comité** the people forming the committee; **ils forment un couple très uni** they are a very close couple; **il forme avec son partenaire une brillante équipe** he and his partner make a brilliant team; **formez des groupes de cinq** get into groups of five; **3** (réunir les éléments de, réaliser) to form; **~ un gouvernement** to form a government; **~ un train** to form a train; **~ une équipe/une commission/une association** to form a team/a commission/an association; **4** (donner une formation à) to train [*personnel*] (**à faire** to do); (éduquer) to educate [*personne, goût*]; to develop, form [*personnalité, caractère, esprit*]; to develop [*intelligence*]; to form [*opinion*]; **~ qn au traitement de texte** to train sb in word processing; **enseignement qui permet de ~ des individus responsables** teaching which produces responsible people; ▸ **jeunesse**; **5** (produire) to form [*abcès, pellicule*]; **6** (mettre en forme) to form [*lettres, phrases*]; **7** (concevoir) fml to conceive [*projet*]; **je forme le vœu que tout se passe bien** I hope that everything goes well

B se former *vpr* **1** (se créer) to form; **un caillot s'est formé dans l'artère** a clot has formed in the artery; **l'image qui se forme sur la rétine** the image that forms on the retina; **il se forme de la buée** condensation forms; **2** (être créé) to be formed; **le gouvernement s'est formé autour d'une politique commune** the government was formed around a common policy; **3** (acquérir une formation) to train, to be trained (**à** in); **se ~ à la vente/au marketing** to train in sales/in marketing; **il est allé se ~ au Japon** he went to train in Japan; **4** (s'éduquer) [*caractère, personnalité, style*] to develop; [*personne*] to educate oneself; **son style s'est formé peu à peu** his style developed gradually; **il s'est formé à l'école de la vie** he was educated in the university of life; **5** (concevoir) to form

formica® /fɔʀmika/ *nm* Formica®; **table en ~** Formica®(-topped) table

formidable /fɔʀmidabl/ *adj* **1** (considérable) [*force, puissance, croissance*] tremendous; [*recul*] considerable; [*explosion, chahut*] enormous; **2** °(épatant) [*soirée, spectacle, livre*] great°, fantastic°; [*personne*] marvellous[GB]; **être ~ de patience/gentillesse avec qn** to be wonderfully patient with sb/kind to sb; **être ~° avec qn** (généreux) to be wonderful to sb; (patient) to be wonderful with sb; **3** °(incroyable) incredible; **c'est quand même ~ qu'elle n'ait pas téléphoné!** it's incredible she hasn't phoned!; **c'est ~, il ne nous a même pas présentés!** iron terrific, he didn't even introduce us!

formidablement /fɔʀmidabləmɑ̃/ *adj* awfully; **il a ~ grossi** he's got GB *ou* gotten US awfully fat; **ça s'est ~ amélioré** there's been a tremendous improvement; **il joue ~ bien** he plays tremendously well

formique /fɔʀmik/ *adj* formic

formol /fɔʀmɔl/ *nm* formalin

Formose /fɔʀmoz/ ▸ **p. 435** *nprf* Hist Formosa

formulable /fɔʀmylabl/ *adj* that can be formulated (*après n*)

formulaire /fɔʀmylɛʀ/ *nm* **1** (imprimé) form; **~ de demande d'emploi** job application form; **~ de déclaration des revenus** tax return form; **2** (de notaire, pharmacien) formulary

formulation /fɔʀmylasjɔ̃/ *nf* (action) formulation; (chose formulée) wording, formulation; **la ~ de cette idée est difficile** it's not easy to express that idea; **je ne suis pas d'accord avec la ~** I disagree with the way it's worded *ou* formulated

formule /fɔʀmyl/ *nf* **1** (expression) expression; **la ~ est heureuse** that's well put; **~ toute faite** set phrase; **une ~ creuse** an empty formula; **2** Comm (option) option; **la ~ train-bateau n'est pas économique** the boat-train option isn't economical; **nous proposons plusieurs ~s d'hébergement** we offer several accommodation options; **3** (méthode) method; **~ de paiement** method of payment; **il a trouvé la bonne ~ pour s'enrichir** he hit on a good way of making money; **4** (conception) concept; **nouvelles ~s de vie familiale** new concepts of family life; **5** Sci formula; **6** (formulaire) form; **7** Sport Aut **~ un/deux/trois** Formula One/Two/Three; **un Grand prix de ~ un** a Formula One Grand Prix; **8** (présentation) (d'émission, de magazine) format; **l'émission a changé de ~** the programme[GB] has a new format

(Composés) **~ dentaire** Dent dental formula; **~ développée** Phys structural formula; **~ exécutoire** Jur order for enforcement; **~ incantatoire** incantation; **~ magique** (en magie) magic words; fig magic formula; **~ de politesse** gén polite phrase; (à la fin d'une lettre) letter ending

formuler /fɔʀmyle/ [1] *vtr* **1** gén to express [*sentiment, souhait, réserves, pensée*]; to put [sth] into words [*idée*]; to set out, to state [*grief, plainte*]; to draw up [*plan, contrat, acte notarié*]; to write out [*ordonnance*]; **~ une réponse** to give an answer; **2** Chimie, Math to formulate

fornication /fɔʀnikasjɔ̃/ *nf* fornication

forniquer /fɔʀnike/ [1] *vi* to fornicate

fors‡ /fɔʀ/ *prép* liter save, except

forsythia /fɔʀsisja/ *nm* forsythia

fort, ~e[1] /fɔʀ, fɔʀt/

A *adj* **1** (puissant) [*personne, pays, monnaie, économie, lunettes, médicament*] strong; **armée ~e de 10 000 hommes** 10,000-strong army; **notre compagnie est ~e de 30 appareils** Aviat our airline can boast 30 aircraft; **~ d'un chiffre d'affaires en hausse/de trois joueurs**

internationaux... boasting an increased turnover/three international players...; **~s de leur approbation/expérience...** boosted *ou* fortified by their approval/experience...; **le roi est plus ~ que la dame** Jeux a king is worth more than a queen; **trouver plus ~ que soi** to meet one's match; **s'attaquer** *or* **s'en prendre à plus ~ que soi** to take on someone bigger than oneself; ▸ **partie**
2▸ (résistant) *[carton, papier, colle]* strong
3▸ (intense) *[bruit]* loud; *[lumière]* bright; *[chaleur, activité, pression]* intense; *[crampe, douleur]* bad; *[fièvre]* high; *[sentiment, soupçon]* strong; *[crainte, colère, mécontentement]* deep; **une ~e grippe** a bad attack of flu; **avoir une ~e envie de faire** to feel a strong desire to do
4▸ (violent) *[coup, poussée, secousse]* hard; *[pluie]* heavy; *[vent]* strong
5▸ (concentré) *[café, cigarette, alcool, moutarde]* strong; *[épice, piment, curry]* hot; **un vin ~** a strong wine, a wine with a high degree of alcohol; **au sens ~ du mot** fig in the fullest sense of the word
6▸ (accusé) *[accent, personnalité, odeur, tendance, impression]* strong; *[pente]* steep
7▸ (ample) *[somme, majorité, réduction]* large; *[concentration, taux, inflation]* high; *[demande, consommation]* high, heavy; *[expansion, pénurie]* great; *[baisse, augmentation]* sharp; *[croissance]* strong; *[différence]* big; *[délégation, contingent, dose]* strong; **~e émigration/abstention** high level of emigration/abstention; **de ~e puissance** very powerful
8▸ (doué) good (**en, à** at; **pour faire** at doing); **ceux qui sont ~s en latin** those who are good at Latin; **il est ~ pour ne rien faire** iron he's good at doing nothing
9▸ (ferme) *[personne]* strong; **rester ~ dans le malheur** to remain strong in adversity; **je me fais ~ de la convaincre** I feel confident *ou* I am sure that I can convince her
10▸ (gros) *[personne]* stout; *[hanches]* broad; *[poitrine]* large; *[cuisses]* big; **être ~e de poitrine** to have a large bust
11▸ ○(exagéré) **c'est un peu ~!** that's a bit much○!; (prix) that's a bit steep○!; **le plus ~, c'est que...** (surprenant) the most amazing thing is that...; (absurde) the most ridiculous thing is that...
B *adv* **1**▸ (très) *[bon, déçu, émouvant, mécontent]* extremely; *[bien, logiquement, vite]* very; **~ recherché/demandé** very much sought after/in demand; **c'est ~ dommage** it's a great pity, it's extremely regrettable
2▸ (beaucoup) *[douter, soupçonner]* very much; **avoir ~ à faire**○ to have a lot to do; **j'ai eu ~ à faire**○ **pour le convaincre** I had a hard job convincing him
3▸ (avec force) *[frapper, tirer, pousser, frotter]* hard; *[serrer]* tight; *[respirer]* deeply; *[parler, crier]* loudly; *[sentir]* strongly; *[coller]* firmly; **souffle ~!** blow hard!; **le vent souffle ~** there's a strong wind; **parler de plus en plus ~** to speak louder and louder; **mon cœur bat trop ~** my heart is beating too fast; **le chauffage marche trop ~** the heating is turned up too high; **dire haut et ~** to say loud and clear; **y aller un peu ~**○ to go a bit too far; **y aller un peu ~ sur la moutarde/le sel** to overdo the mustard/the salt; **revenir très ~** *[coureur, équipe]* to make a strong comeback
4▸ (bien) well; **il ne va pas très ~** he's not very well; **(moi) ça ne va pas très ~** I'm not all that well○; **chez eux ça ne va pas très ~** things aren't going so well for them; **marcher ~** *[entreprise]* to do well; **faire** *or* **frapper (très) ~**○ to do (really) well; **attaquer** *or* **commencer très ~**○ to start off really well
C *nm* **1**▸ Archit, Mil (ouvrage fortifié) fort
2▸ (personne puissante) strong person; **les ~s et les faibles** the strong and the weak; ▸ **raison**
3▸ (domaine d'excellence) strong point; **les échecs ne sont pas mon ~** chess is not my strong point; **la générosité n'est pas ton ~** generosity is not your strong point
D **au plus fort de** *loc prép* **au plus ~ de l'été/de l'incendie** at the height of summer/of the fire; **au plus ~ de l'hiver** in the depths of winter; **au plus ~ de la bataille** in the thick of the fighting; **au plus ~ de la pluie** in the middle of the downpour
(Composés) **~ des halles** market porter; fig Goliath; **~ en thème**○ Scol swot○ GB, grind○ US; **~e tête** rebel
(Idiomes) **~ comme un bœuf** *or* **Turc** strong as an ox; **c'est plus ~ que moi/qu'elle** (incontrôlable) I/she just can't help it; **c'est plus ~ que l'as de pique**○ *or* **que de jouer au bouchon** that beats it all, that takes the biscuit○

forte² /fɔʀte/
A *adv* forte
B *nm inv* forte; **jouer un ~** to play forte

fortement /fɔʀtəmɑ̃/ *adv* (avec force) *[attirer, encourager, critiquer, croire]* strongly; (de façon très marquée) *[augmenter, baisser, accélérer, se détériorer]* sharply; (à un haut niveau) *[centralisé, industrialisé]* highly; (profondément) *[ébranlé, impressionné, ancré]* deeply; *[endommagé, pollué]* badly; *[handicaper]* severely; *[déplaire]* greatly; (lourdement) *[armé, investir]* heavily; **il est ~ question de démolir l'usine** demolition of the factory is being seriously considered *ou* is on the cards

forteresse /fɔʀtəʀɛs/ *nf* lit fortress, stronghold; fig stronghold
(Composé) **~ volante** Aviat flying fortress

fortiche○ /fɔʀtiʃ/
A *adj* smart, clever (**en** at)
B *nmf* brain○

fortifiant, **~e** /fɔʀtifjɑ̃, ɑ̃t/
A *adj* **1**▸ *[boisson, médicament]* fortifying; *[air]* bracing; *[séjour]* restorative; **2**▸ liter *[lecture]* uplifting
B *nm* Méd tonic

fortification /fɔʀtifikasjɔ̃/ *nf* fortification

fortifié, **~e** /fɔʀtifje/
A *pp* ▸ **fortifier**
B *pp adj* **1**▸ Mil *[site, enceinte]* fortified; **église ~e** fortified church; **2**▸ Vin *[vin]* fortified

fortifier /fɔʀtifje/ [2]
A *vtr* **1**▸ (donner de la robustesse) to strengthen *[ongles, cheveux]*; **2**▸ (donner des forces) *[repas]* to fortify; *[sport]* to make [sb] strong; *[vacances, vitamines]* to do [sb] good; **3**▸ (consolider) to reinforce *[construction]*; to strengthen *[foi, régime]*; **4**▸ Mil (défendre) to fortify *[accès, ville]*
B **se fortifier** *vpr* **1**▸ (se donner des forces) (en mangeant) to build oneself up; (en s'exerçant) to build up one's strength; **2**▸ (se consolider) *[régime]* to get stronger; *[foi]* to grow stronger

fortin /fɔʀtɛ̃/ *nm* (small) fort

fortiori ▸ **a fortiori**

fortissimo* /fɔʀtisimo/
A *adv* fortissimo
B *nm inv* (signe) fortissimo; (passage) fortissimo passage

Fortran /fɔʀtʀɑ̃/ *nm* Fortran

fortuit, **~e** /fɔʀtɥi, it/ *adj* *[rencontre]* accidental, chance (*épith*); *[incident, circonstance]* fortuitous; *[remarque, découverte]* fortuitous, chance (*épith*); *[occasion]* unexpected; **rien n'est ~** nothing happens by chance; **'toute ressemblance serait purement ~e'** 'any similarity is purely coincidental'

fortuitement /fɔʀtɥitmɑ̃/ *adv* by chance, fortuitously sout

fortune /fɔʀtyn/ *nf* **1**▸ (richesse) fortune; **~ personnelle/considérable** personal/considerable fortune; **véritable/petite ~** real/small fortune; **grandes ~s** large fortunes; **~ estimée à plus de dix millions** fortune estimated at more than ten million; **valoir une ~** to be worth a fortune; **dépenser une ~** to spend a fortune (**à faire** doing; **pour, en** on); **faire ~** to make a fortune (**dans** in; **en faisant** doing); **faire ~ en Amérique** to make one's fortune in America; **chercher ~** to seek one's fortune; **une des plus grosses ~s du Venezuela** one of Venezuela's wealthiest people; **2**▸ (chance) **(bonne) ~** good fortune; **avoir la (bonne) ~ de faire/d'avoir fait** to have the good fortune to do/to have done; **profiter de sa bonne ~** to make the most of one's good fortune; **mauvaise ~** bad luck; ▸ **audacieux**; **3**▸ (destinée) fortunes (*pl*); **~ d'un parti/club** fortunes of a party/club; **avec une ~ diverse, avec des ~s diverses** with varying fortunes; **~ d'un mot/d'un film/d'un artiste** fortunes of a word/of a film/of an artist; **4**▸ (improvisé) **de ~** makeshift; **abri de ~** makeshift shelter; ▸ **pot**
(Idiome) **faire contre mauvaise ~ bon cœur** to put on a brave face

fortuné, **~e** /fɔʀtyne/ *adj* **1**▸ (riche) wealthy, well-off; **2**▸ liter (favorisé) fortunate

forum /fɔʀɔm/ *nm* (lieu, débat) forum
(Composé) **~ de discussion** Ordinat newsgroup

fosse /fos/ *nf* **1**▸ (cavité) pit; **2**▸ (tombe) grave; **3**▸ Mines (puits) pit; **4**▸ Sport (pour le saut) sandpit; (pour le plongeon) diving pool; **5**▸ Aut (de garage) inspection pit; **6**▸ Chasse pitfall; **7**▸ Anat fossa
(Composés) **~ d'aisances** Constr earth closet; **~ d'ascenseur** Constr lift shaft GB, elevator shaft US; **~ commune** communal grave; **~ aux lions** lions' den; **~ océanique** Géog oceanic trench; **~ d'orchestre** orchestra pit; **~ de plongée** Sport diving pool; **~ à purin** Agric slurry pit; **~ septique** Constr septic tank; **~ de visite** Aut, Rail inspection pit; **~s nasales** Anat nasal passages

fossé /fose/ *nm* **1**▸ gén ditch; (de château) moat; **aller dans le** *or* **au ~** to go into the ditch; **2**▸ fig (écart) gap (**entre** between); (désaccord) rift (**entre** between); **le ~ qui sépare les riches et les pauvres s'agrandit** the gap between the rich and the poor is widening; **ça a creusé un ~ entre eux** it caused a rift between them
(Composés) **~ antichar** Mil anti-tank ditch; **~ d'effondrement** Géol rift valley; **le ~ des générations** the generation gap

fossette /fosɛt/ *nf* dimple; **avoir une ~ au menton** to have a dimple in one's chin

fossile /fɔsil/
A *adj* fossil (*épith*)
B *nm* lit, fig fossil

fossilifère /fɔsilifɛʀ/ *adj* fossil-bearing, fossiliferous spéc

fossilisation /fɔsilizasjɔ̃/ *nf* (de plante etc) fossilization; **couche favorable à la ~** fossilizing layer *ou* stratum

fossiliser /fɔsilize/ [1]
A *vtr* to fossilize
B **se fossiliser** *vpr* to fossilize

fossoyeur /fɔswajœʀ/ *nm* lit gravedigger; fig destroyer (**de** of)

fou (fol *before vowel or mute h*), **folle** /fu, fɔl/
A *adj* **1**▸ (dément) *[personne, chien]* mad; **être/devenir ~** to be/go mad; **un tueur ~** a crazed killer; **2**▸ (insensé) *[personne, idée]* mad GB, crazy; *[regard]* wild; *[soirée, spectacle, livre, histoire]* crazy; **tu n'es pas un peu ~?** are you mad *ou* crazy?; **il y a de quoi devenir ~, c'est à vous rendre ~!** it's enough to drive you mad GB *ou* crazy!; **un fol espoir** a wild hope; **réaliser ses rêves les plus ~s** to see one's wildest dreams come true; **les rumeurs les plus folles ont circulé** the craziest rumours GB were going around; **il faut être ~ pour faire ça!** you'd have to be mad *ou* crazy to do that!; **je ne suis pas assez folle pour...** I'm not crazy enough to...; **être ~ furieux**○ to be raving mad; **être ~ à lier**○ to be stark raving mad○; **entre eux c'est l'amour ~** they're madly in love; **~ de colère** mad with rage; **~ de joie** wild with joy; **~ (amoureux) de qn**, **~ d'amour pour qn** madly in love with sb, crazy about sb; **être ~ de musique/peinture** to be mad about music/painting; **3**▸ (considérable) *[gaieté, enthousiasme]* mad;

[*monde, succès*] huge; **il y avait un monde ~** there was a huge crowd; **conduire à une vitesse folle** to drive at a crazy speed; **avoir un mal ~ à faire** to find it incredibly difficult to do; **mettre un temps ~ pour faire** to take an incredibly long time to do; **ça m'a coûté un prix ~** it cost me a fortune; **dépenser/gagner un argent ~** to spend/to earn a fortune; **c'est ~ ce que le temps passe vite!** it's amazing how time flies!; [4] (incontrôlable) [*véhicule, cheval*] runaway; [*terreur*] wild; [*mèche*] stray; [*cheveux*] straggly; [*course*] headlong; **avoir** *or* **prendre le ~ rire** to have a fit of the giggles

B *nm,f* [1] (personne démente) madman/madwoman; **envoyer qn chez les ~s**○ to send sb to the nuthouse○; **courir/travailler comme un ~/une folle** to run/work like mad; **rire comme un ~**○ to laugh one's head off; [2] (personne insensée) madman/madwoman; **une folle m'a coupé la route!** some madwoman cut in in front of me!; **c'est un ~ d'art contemporain** he's mad about contemporary art; **un ~ du volant**○ a car freak○; **quelle bande de ~s!** what a bunch of lunatics!

C *nm* [1] Hist (à la cour) fool, court jester; [2] Jeux (aux échecs) bishop

D folle◑ *nf* (homosexuel) **(grande) folle** fairy○ GB injur, queen◑

(Composés) **folle avoine** Bot wild oat; **~ de Bassan** gannet; **~ de Dieu** Relig religious extremist

(Idiomes) **faire les ~s**○ to fool about; **plus on est de ~s plus on rit**○ the more the merrier; ▸ **amuser, guêpe**

foucade /fukad/ *nf* liter (caprice) whim, passing fancy

Foucault /fuko/ *npr* **courants de ~** Phys eddy currents; **pendule de ~** Phys Foucault's pendulum

foudre /fudʀ/

A *nm* [1] (tonneau) cask; [2] †hum **~ de guerre** true warrior; **il n'a rien d'un ~ de guerre** he's not exactly a great warrior

B *nf* Météo lightning; **la ~ est tombée sur le bâtiment** the building was struck by lightning; **la ~ a mis le feu aux installations** the installations were set on fire by lightning; **frappé par la ~** struck by lightning

C foudres fml *nfpl* wrath ₵; **s'attirer/affronter les ~s de qn** to incur/to face sb's wrath

(Idiomes) **coup de ~** love at first sight; **entre elle et lui ce fut un coup de ~ réciproque** it was love at first sight for both of them; **se marier sur un coup de ~** to rush into marriage; **avoir le coup de ~ pour qn/qch** to be really taken with sb/sth

foudroyant, ~e /fudʀwajɑ̃, ɑ̃t/ *adj* [*attaque, riposte, progrès*] lightning (*épith*), sudden; [*succès, révélation*] meteoric; [*regard*] furious; [*mort*] sudden; **il a été victime d'une leucémie/crise ~e** he was struck down by leukemia/a heart attack

foudroyer /fudʀwaje/ [23] *vtr* [1] (frapper) [*orage*] to strike down [*arbre*]; **il est mort foudroyé** he was struck dead by lightning; **elle le foudroya du regard** she looked daggers at him○; [2] (abattre) [*maladie*] to strike down; [*nouvelle, malheur*] to cut [sb] to the quick

fouet /fwɛ/ *nm* [1] (à lanières) whip; **faire claquer son ~** to crack one's whip; **donner dix coups de ~ à qn** to give sb ten lashes of the whip; **donner le ~ à qn** to flog sb; **coup de ~** lit whip lash; fig boost; **donner un coup de ~ à l'économie** to give the economy a boost; **le grand air m'a donné un coup de ~** the fresh air invigorated me; **la crise économique a frappé l'industrie de plein ~** the economic crisis has hit the industry very hard; **la balle l'a heurté de plein ~** the bullet struck him full-force; **les deux véhicules se sont heurtés de plein ~** the two vehicles collided head-on; [2] Culin whisk; **~ mécanique** hand whisk; [3] Naut hoisting rope

fouettard /fwɛtaʀ/ *adj m* **le père ~** ≈ the bogeyman

fouetté /fwɛte/ *nm* fouetté

fouetter /fwɛte/ [1]

A *vtr* [1] (frapper avec un fouet) to flog [*personne*]; to whip [*animal*]; **il a été fouetté jusqu'au sang** he was flogged until the blood ran; [2] (frapper) **la pluie/un vent froid leur fouettait le visage** the rain/a cold wind lashed their faces; **~ le sang** to make one's blood tingle; [3] Culin to whisk GB, to beat US; **crème fouettée** whipped cream

B *vi* [1] (battre) **la pluie fouettait contre les vitres** the rain lashed the windows; [2] ◑(sentir mauvais) to stink○; [3] ◑(avoir peur) to be scared stiff○

(Idiomes) **il n'y a pas de quoi ~ un chat** it's no big deal○; **avoir d'autres chats à ~** to have other fish to fry

foufou○, **fofolle** /fufu, fɔfɔl/

A *adj* scatterbrained

B *nm,f* scatterbrain

fougasse /fugas/ *nf*: *flat loaf*

fougère /fuʒɛʀ/ *nf* (plante) fern; (végétation) bracken ₵; **ma ~ a besoin d'être arrosée** my fern needs watering; **le sentier se perd dans les ~s** the path disappears into the bracken

fougue /fug/ *nf* enthusiasm

fougueusement /fugøzmɑ̃/ *adv* enthusiastically

fougueux, -euse /fugø, øz/ *adj* [*cheval*] spirited; [*personne, élan, déclaration*] enthusiastic

fouille /fuj/ *nf* [1] (de lieu, personne, bagages) search; **~ corporelle** body search; **~ systématique** thorough search; [2] Archéol excavation; **~ à ciel ouvert** daylight excavation; **chantier** *or* **champ de ~s** archaeological site; [3] ◑(poche) pocket

fouillé, ~e /fuje/

A *pp* ▸ **fouiller**

B *pp adj* [*travail, étude, portrait*] detailed; [*style*] elaborate

fouille-merde◑ /fujmɛʀd/ *nmf inv* shit-stirrer◑, muckraker

fouiller /fuje/ [1]

A *vtr* [1] (explorer) to search [*maison, bagage, vêtement*]; to rifle through, to search [*poches*]; to search, to rummage through [*pièce*]; (en palpant) to frisk [*personne*]; (de manière approfondie) to search [*personne*]; [2] Archéol to dig [*site*]; [3] (approfondir) to examine [sth] closely [*sujet, question*]

B *vi* (chercher) **~ dans** to rummage through [*poches, tiroir, armoire*]; to search [*mémoire*]; to sift through [*souvenirs*]; to delve into [*passé*]

C se fouiller◑ *vpr* **tu peux toujours te ~** you can go and take a running jump○ GB, you can go jump○ US

fouillis /fuji/ *nm inv* [1] (désordre) mess; **si tu voyais le ~ dans ma cuisine** if you could see the mess in my kitchen; [2] (ensemble désordonné) jumble; **~ d'idées/de souvenirs/de papiers** jumble of ideas/of memories/of papers; **~ de verdure** tangle of greenery

fouine /fwin/ *nf* [1] Zool stone marten; **visage** *or* **tête de ~** weasel face; [2] (curieux) snooper

fouiner /fwine/ [1] *vi* [1] (sans but) to forage about; [2] **~ dans** to rummage through [*objets, papiers*]; to poke one's nose into [*affaires, vie, passé*]

fouineur, -euse /fwinœʀ, øz/

A *adj* [1] (curieux) inquisitive; [2] (indiscret) pej nosey[GB] péj

B *nm,f* [1] (curieux) bargain hunter; [2] (indiscret) snooper; [3] Ordinat hacker

fouir /fwiʀ/ [3] *vtr* to root about in (**de** with)

fouisseur, -euse /fwisœʀ, øz/ *adj* [*animal*] burrowing; [*pattes*] adapted for burrowing (*après n*)

foulage /fulaʒ/ *nm* [1] Vin (du raisin) treading; [2] Tex (du tissu) milling GB, fulling US; (du cuir) tumbling; [3] Ordinat embossment

foulant○, **~e** /fulɑ̃, ɑ̃t/ *adj* tiring

foulard /fulaʀ/ *nm* scarf, headscarf

(Composé) **~ islamique** Muslim headscarf

foule /ful/ *nf* [1] (multitude de personnes) gén crowd; (menaçante) mob; **tirer dans la ~** to fire into the crowd; **se frayer un chemin dans la ~** to make one's way through the crowd; **mettre la ~ en délire** to send the crowd into a frenzy; **la ~ hostile** the hostile mob; **la ~ des acheteurs/manifestants** the crowds of shoppers/demonstrators; **il n'y a pas ~ aujourd'hui** there isn't exactly a crowd today; **il y avait ~ à la réunion** there were masses of people at the meeting; **ce groupe n'attire** *or* **ne déplace pas les ~s** this band isn't exactly a crowd-puller; **les admirateurs de l'écrivain sont venus en ~ à la conférence** the writer's admirers flocked to the conference; [2] (grand nombre) mass; **une ~ de détails/d'indices/ de questions** a mass of details/of clues/of questions; **une ~ de gens** a crowd of people; **des ~s de piétons** crowds of pedestrians; [3] †(peuple) **la ~** pej the masses (*pl*); **chercher à plaire à la ~** to seek to please the masses

foulée /fule/ *nf* (enjambée) stride; **rester** *or* **courir dans la ~ de qn** Sport to tail sb; **dans la ~ de leurs prédécesseurs/la mode punk** fig in the wake of their predecessors/punk fashion; **dans la ~ d'un événement** in the aftermath of an event; **dans la ~ il a ajouté/dit...** in the same breath, he added/said...; **dans la ~ il a...** while he was at it, he...

fouler /fule/ [1]

A *vtr* [1] Vin to tread [*raisin*]; [2] Tex to mill GB, full US [*tissu*]; to tumble [*cuir*]; [3] (marcher sur) **~ le sol de Mars** to set foot on Mars; **~ qch aux pieds** lit to trample sth underfoot; **~ aux pieds les usages/la loi** fig to ride roughshod over customs/the law

B se fouler *vpr* [1] Méd **se ~ le poignet/la cheville** to twist *ou* sprain one's wrist/ankle; **avoir la cheville foulée** to have a sprained ankle; [2] ○(se fatiguer) to strain oneself; **tu ne t'es pas foulé** you didn't kill yourself○

fouloir /fulwaʀ/ *nm* [1] (à raisin) winepress; [2] Dent plugger; [3] Ind (en métallurgie) rammer

foulon /fulɔ̃/ *nm* **terre à ~** fuller's earth

foulque /fulk/ *nf* coot

foultitude○ /fultityd/ *nf* multitude

foulure /fulyʀ/ *nf* sprain; **avoir une ~ du poignet** to have a sprained wrist

four /fuʀ/ *nm* [1] Culin (de boulanger, cuisine) oven; **mettre qch au ~** to put sth in the oven; **mettre à ~ moyen** to put in a medium oven; **cuire au ~** (viande) to roast; (gâteau, poisson) to bake; **poulet au ~** roast chicken; [2] Ind furnace; (à céramique) kiln; [3] ○Théât (échec) flop○; **faire un ~** to flop○; ▸ **moulin, petit**

(Composés) **~ à catalyse** oven with self-clean linings; **~ à chaleur tournante** fan(-assisted) oven; **~ à chaux** lime kiln; **~ crématoire** crematory (furnace); **~ électrique** electric oven; **~ à gaz** gas oven; **~ à induction** induction furnace; **~ Martin** open-hearth furnace; **~ à micro-ondes** microwave oven; **~ à pain** bread oven; **~ à pyrolyse** self-cleaning oven; **~ à réverbère** reverberatory furnace; **~ solaire** solar furnace

(Idiome) **il fait noir comme dans un ~** it's pitch dark in here

fourbe /fuʀb/

A *adj* [*caractère, individu*] deceitful

B *nmf* deceitful person

fourberie /fuʀbəʀi/ *nf* (de caractère) deceitfulness; (acte) deceit

fourbi○ /fuʀbi/ *nm* [1] (objets personnels) gear○; (de soldat) kit; [2] (désordre) shambles○ (+ *v sg*)

fourbir /fuʀbiʀ/ [3] *vtr* to burnish [*casseroles*]; **~ ses armes** lit to burnish one's weapons; fig to prepare for battle

fourbu, ~e /fuʀby/ *adj* (épuisé) exhausted; **la randonnée m'a ~** the hike has exhausted me

fourbure /furbyʀ/ *nf* Vét laminitis

fourche /fuʀʃ/ *nf* 1 (outil) (à foin) pitchfork; (de jardinier) fork; 2 (division) fork; **faire une ~** to fork; 3 (de vélo, moto) fork; 4 Belg (temps libre) spare time; ▸ **caudines**

fourcher /fuʀʃe/ [1] *vi* 1 (se diviser) [*branche, route*] to fork; [*cheveu*] to split; 2 ○(faire un lapsus) **ma/sa etc langue a fourché** it was a slip of the tongue; 3 Belg (avoir du temps libre) to have some spare time

fourchette /fuʀʃɛt/ *nf* 1 (de table) fork; **~ à gâteau/poisson** cake/fish fork; ▸ **manier**; 2 (gamme) (de prix, température, fluctuation) range; (de revenus, d'âge) bracket; **dans une ~ comprise entre 1 000 et 1 800 euros** in a price range of 1,000 to 1,800 euros; **la ~ des 25–34 ans** the 25–34 age bracket; **~ supérieure d'imposition** higher tax bracket; **~ horaire** period; 3 Zool (d'oiseau) wishbone; (de cheval) frog; 4 Aut, Mécan selector fork; 5 Jeux (aux échecs) fork; **faire une ~** to fork two pieces

(Composés) **~ du sternum** Anat suprasternal notch; **~ vulvaire** Anat fourchette

(Idiome) **avoir un bon coup de ~**○ to have a hearty appetite

fourchu, ~e /fuʀʃy/ *adj* [*langue, branche*] forked; [*sabot, pied*] cloven; [*menton*] cleft; **cheveux ~s** split ends

fourgon /fuʀgɔ̃/ *nm* 1 (camion) van; 2 Rail goods wagon GB, freight car US; **~ de tête** leading wagon GB, first car US; **~ de queue** last wagon GB, caboose US; 3 (de pompiers) (à pompe) fire engine; (à réservoir) water tender; 4 (pique-feu) poker

(Composés) **~ à bagages** luggage van GB, baggage car US; **~ à bestiaux** cattle truck; **~ cellulaire** police van GB, patrol wagon US; **~ de déménagement** removal van GB, moving van US; **~ mortuaire** hearse; **~ postal** mail van GB, mail truck US

fourgonner /fuʀgɔne/ [1]
A *vtr* to poke [*feu, poêle, four*]
B ○*vi* to rummage (**dans** in)

fourgonnette /fuʀgɔnɛt/ *nf* (small) van

fourguer◑ /fuʀge/ [1] *vtr* to flog○ (**à** to) GB, to sell [sth] off (**à** to)

fouriérisme /fuʀjeʀism/ *nm* Fourierism

fourme /fuʀm/ *nf*: *mild blue cheese*

fourmi /fuʀmi/ *nf* 1 Zool ant; **~ ailée** *or* **volante** winged *ou* flying ant; **c'est un travail de ~** it's a laborious task; **faire un travail de ~** to go through it with a fine-tooth comb; 2 (personne travailleuse) beaver; 3 (revendeur de drogue) small-time dealer

(Idiomes) **avoir des ~s dans les jambes** (avoir des picotements) to have pins and needles in one's legs; (être impatient) to have itchy feet; **travailler comme une ~** to be as busy as a bee

fourmilier /fuʀmilje/ *nm* anteater

fourmilière /fuʀmiljɛʀ/ *nf* 1 Zool ant hill; 2 fig hive of activity

(Idiome) **donner un coup de pied dans la ~** to stir up a hornets' nest

fourmillement /fuʀmijmɑ̃/ *nm* 1 (mouvement) hustle and bustle; 2 (abondance) **un ~ de gens/voitures** a mass of people/cars; **un ~ d'idées** a host of ideas; 3 (picotement) tingling sensation; **ressentir des ~s dans le bras** to have a tingling sensation in one's arm

fourmiller /fuʀmije/ [1]
A **fourmiller de** *vtr ind* [*texte, traduction*] to be chock-full of [*erreurs*]; [*musée, ville*] to be swarming with [*touristes, visiteurs*]; [*forêt, région*] to be teeming with [*animaux*]; [*ville*] to be bustling with [*activités*]
B *vi* 1 (abonder) to abound (**dans** in); **les rats fourmillent dans le quartier** the neighbourhood[GB] is swarming with rats; **livre où fourmillent les exemples** book bursting with examples; 2 (picoter) **j'ai les jambes qui fourmillent** I've got pins and needles in my legs

fournaise /fuʀnɛz/ *nf* 1 (endroit chaud) blaze; **le bureau est une vraie ~!** the office is like an oven!; **la ville est une ~ en été** the town is baking hot in summer; 2 Can (chaudière) boiler GB, furnace US

fourneau, *pl* **~x** /fuʀno/ *nm* 1 Tech furnace; 2 (de pipe) bowl; 3 (cuisinière) stove; **être/retourner à ses ~x** to be doing/to go back to the cooking; ▸ **haut**

fournée /fuʀne/ *nf* (tous contextes) batch

fourni, ~e /fuʀni/
A *pp* ▸ **fournir**
B *pp adj* (approvisionné) **bien/mal ~** [*magasin, usine*] well-/ill-stocked (**en** with); [*table*] sparsely/lavishly provided (**en** with)
C *adj* (dense) [*barbe*] bushy; [*chevelure*] thick; [*herbe*] lush; [*groupe*] large; [*emploi du temps*] busy

fournil /fuʀni(l)/ *nm* bakehouse; **faire le ~** to work in the bakehouse

fourniment○ /fuʀnimɑ̃/ *nm* clutter

fournir /fuʀniʀ/ [3]
A *vtr* 1 (donner) to supply [*dossier, équipement, secours, information, argent*]; to give [*exemple, travail*]; to provide [*excuse, énergie, service*]; to make [*contribution, paiement*]; to contribute [*effort*]; to produce [*preuve, alibi*]; **~ à qn** to supply sb with [*biens, données*]; to give [sth] to sb [*exemple*]; to provide sb with [*occasion, moyen*]; to make [sth] to sb [*contribution*]; **~ qn en** to supply sb with [*biens*]; 2 Jeux to deal [*cartes*]; to play [*as*]
B **se fournir** *vpr* (s'approvisionner) **se ~ chez** *or* **auprès de** [*personne*] to buy from; [*entreprise*] to get supplies from; **je me fournis en café chez eux** I buy my coffee from them; **la société se fournit en papeterie auprès d'un grossiste** the company gets its stationery supplies from a wholesaler

fournisseur, -euse /fuʀnisœʀ, øz/
A *adj* **pays ~** exporting country; **pays ~s d'armes** arms-exporting countries
B *nm* supplier; **premier/deuxième ~ de** largest/second-largest supplier of; **chez votre ~** from your supplier; **~ attitré** official supplier; **~s du quartier** local retailers; **~ de drogue/cocaïne** drug/cocaine dealer; **~ de la famille impériale** purveyor to the imperial family

(Composé) **~ d'accès Internet** Ordinat Internet Service Provider, ISP

fourniture /fuʀnityʀ/ *nf* 1 Comm (vente) supply ¢; **embargo sur la ~ d'armes** embargo on the supply of arms; **accord pour la ~ de** agreement for the supply of; **~s** sales; **~s chinoises de coton** Chinese sales of cotton; 2 (équipement) equipment ¢

(Composés) **~s de bureau** office stationery ¢; **~s de laboratoire** Sci, Ind laboratory equipment; **~s scolaires** Scol school stationery

fourrage /fuʀaʒ/ *nm* forage

(Composés) **~ sec** fodder; **~ ensilé** silage

fourrager, -ère [13] /fuʀaʒe, ɛʀ/
A *adj* [*betterave, plante*] fodder
B *vi* **~ dans** to rummage through [*papiers, dossiers*]; to rummage in [*tiroirs, placards*]
C **fourragère** *nf* Mil shoulder lanyard; **porter la fourragère** to wear a lanyard

fourre /fuʀ/ *nf* Helv (couverture protectrice) cover

fourré, ~e /fuʀe/
A *pp* ▸ **fourrer**
B *pp adj* 1 Culin [*bonbon, gâteau*] filled (**à** with); **~ au chocolat** with chocolate filling (*après n*); 2 Mode (de fourrure) fur-lined; (d'étoffe, de peau, foin) lined (**de, en** with); **col ~ de renard/vison** fox-/mink-lined collar; 3 ○(installé) **toujours ~ à l'église/au café** always hanging about the church/at the café; **où étais-tu ~?** where have you been hiding?
C *nm* (buisson) thicket

fourreau, *pl* **~x** /fuʀo/ *nm* 1 (d'épée) scabbard; (de parapluie) cover; **mettre l'épée au ~** to sheathe one's sword; **tirer l'épée du ~** to unsheathe one's sword; 2 (robe) sheath dress; 3 (de cheval) sheath

fourrer /fuʀe/ [1]
A *vtr* 1 ○(mettre) to stick○; **~ ses mains au fond de ses poches** to stick○ one's hands deep in one's pockets; **~ son arme dans son étui** to stick○ one's weapon into its holster; **~ sa valise sous son lit** to stick○ one's suitcase under one's bed; **~ qch dans la tête de qn** to put sth into sb's head; 2 Culin to fill [*gâteau*] (**avec, de** with); **~ une génoise avec de la crème** to fill a sponge cake with cream; 3 Mode to line [*vêtement*] (**avec, de** with)
B **se fourrer**○ *vpr* (se mettre) **se ~ dans un coin/sous une couverture** [*personne*] to get into a corner/under a blanket; **aller se ~ dans/sous** [*objet*] to get stuck in/under; **se ~ dans les jambes de qn** to get under sb's feet; **se ~ une idée dans la tête** to get an idea into one's head; **ne plus savoir où se ~** not to know where to put oneself; **se ~ dans une sale affaire** *or* **histoire** to get mixed up in a bad business

fourre-tout* /fuʀtu/
A *adj inv* 1 pej [*solution*] cover-all; **groupe ~** ragbag; 2 [*pièce, placard*] storage; **sac ~** holdall GB, carryall US
B *nm inv* 1 (trousse) pencil case; (pièce) storage room; (sac) holdall GB, carryall US; 2 (ramassis) pej hotchpotch GB, hodgepodge US

fourreur /fuʀœʀ/ ▸ **p. 532** *nm* furrier

fourrier /fuʀje/ *nm* 1 Hist Mil (du logement) harbinger; (de l'approvisionnement) quartermaster; 2 Naut purser

fourrière /fuʀjɛʀ/ *nf* (pour animaux, véhicules) pound; **mettre un chien à la ~** to put a dog in the pound; **mettre une voiture à la** *or* **en ~** to impound a car

fourrure /fuʀyʀ/ *nf* 1 Mode fur; **manteau de ~** fur coat; **fausse ~** imitation fur; 2 Zool coat; **~ du tigre** coat of the tiger

(Composé) **~ polaire** Mode fleece

fourvoiement /fuʀvwamɑ̃/ *nm* liter 1 (tromperie) deception; 2 (erreur) mistake; (méprise) blunder

fourvoyer /fuʀvwaje/ [23]
A *vtr* liter (perdre) to get [sb] lost (**dans** in); (tromper) to mislead; (par mauvais exemple) to lead [sb] astray (**dans** into)
B **se fourvoyer** *vpr* liter 1 (se perdre) to lose one's way (**dans** in); 2 (se tromper) to make a mistake; **il s'est fourvoyé dans un trafic de contrebande** he's got himself mixed up in a smuggling racket

foutaise◑ /futɛz/ *nf* (**c'est de la**) **~!** crap◑!

fouteur◑, **-euse** /futœʀ, øz/ *nm,f* **~ de merde** shit-stirrer◑, trouble-maker

foutoir◑ /futwaʀ/ *nm* (désordre) shambles○ (*sg*); (agitation) complete chaos; **comment peux-tu vivre dans ce ~?** how can you live in such a shambles○?; **c'est le ~ dans cette classe!** it's complete chaos in this classroom!

foutraque○ /futʀak/ *adj* loony○, crazy○

foutre /futʀ/ [6]
A ●*nm* (sécrétion) come●, sperm
B ◑†*excl* bugger me◑! GB, fuck●!; **~ non!** no bloody way◑! GB, no fucking way●!; **je n'en sais ~ rien!** I know fuck all about it●
C *vtr* 1 ◑(faire) to do; **qu'est-ce qu'il fout?** what the hell's he doing◑?; **ne rien ~** to do bugger all◑ GB, to do fuck all●; **qu'est-ce que ça peut ~?** what the hell does it matter◑?; **qu'est-ce que tu veux que ça me foute?** why should I give a shit about it◑?; **qu'est-ce que ça peut te/leur ~?** what the hell has it got to do with you/them○?; **n'en avoir rien à ~** not to give a damn○ *ou* shit◑; 2 ◑(donner) **~ un coup à qn** lit to wallop sb○; fig to be a real blow to sb; **sa mort nous a foutu un coup** his death was a terrible blow to us; **~ une gifle à qn** to clout○ sb; **~ un coup de pied à qn** to kick sb; **~ la trouille à qn** to scare the hell○ *ou* shit◑ out of sb; **'il t'a remercié?'—'je t'en fous oui!'** 'did he thank you?'—'you must be

f

bloody joking◑!', 'no fucking way●!'; **je leur en foutrais moi des augmentations!** they can shove◑ their pay rise GB *ou* their raise US up their backsides●!; [3] ◑(mettre) ~ **qch quelque part** to stick○ sth somewhere; **où t'as foutu les clés?** what the hell have you done with the keys○?; ~ **son nez partout** to stick one's nose into everything; ~ **la pagaille** *or* **la merde**◑ *or* **le bordel**● (déranger) to make a bloody mess◑ GB, to make a fucking mess●; (semer la zizanie) to stir things up; ~ **son pied au cul de qn**● to kick sb up the arse● GB *ou* ass○ US; ~ **son poing dans la gueule**◑ **de qn** to sock○ sb in the mouth; ~ **qn dehors** *or* **à la porte** to give sb the boot○ [*employé, élève*]; to kick sb out○ [*visiteur, immigré*]; ~ **qn en colère** *or* **rogne** to make sb as mad as hell○; ~ **le camp** [*personne*] to be off○ GB, to split○ US; [*choses*] to fall apart; **fous(-moi) le camp d'ici!** get lost○!; **tout fout le camp** everything's falling apart; **ça la fout mal** it makes a lousy○ impression; [4] ●†(posséder sexuellement) to fuck●; **aller se faire** ~ to go to hell○; **envoyer qn se faire** ~ to tell sb to go to hell○

D ●†*vi* (forniquer) to fuck●

E **se foutre**◑ *vpr* [1] (se mettre) **se ~ en colère** to fly off the handle○; **se ~ dedans** to screw up◑; **il s'est foutu dedans avec ses calculs** he screwed up in his calculations; **s'en ~ plein les poches** to rake it in○; **se ~ en l'air** (en voiture) to have an accident; (se suicider) to top oneself○; [2] (se donner) **je me foutrais des claques!** sometimes I could kick myself!; [3] (se battre) **se ~ dessus** *or* **sur la gueule**◑ to beat (the) shit◑ out of each other; [4] (ridiculiser) **se ~ de (la gueule de) qn** to take the piss out of sb◑; **il ne s'est pas foutu de toi** he really did you proud!; **se ~ du monde** [*personne, institution*] to have a bloody GB *ou* hell of a◑ US nerve; [5] (être indifférent) not to give a shit◑ **(de** about**)**; **je me fous de ce qu'il pense** I don't give a damn○ *ou* shit◑ about what he thinks; **je m'en fous** I don't give a damn○ *ou* shit◑

foutrement◑ /futʀəmɑ̃/ *adv* [*bon, intéressant*] bloody◑ GB, fucking●

foutriquet○ /futʀikɛ/ *nm* pej whippersnapper†

foutu◑, **~e** /futy/

A *pp* ▸ **foutre**

B *pp adj* [1] (mauvais) (before *n*) [*temps*] bloody awful◑ GB, damn○ US; [*idée*] bloody stupid◑ GB, damn○ US; **il a un ~ caractère!** he's got a bloody◑ GB *ou* damn○ awful temper!; **~e voiture** bloody◑ car GB, damn○ US car; [2] (condamné) **être ~** [*personne, chaussures, vêtement*] to have had it○; [*machine, mécanisme*] to be knackered◑ GB, to be shot◑ US; **s'il me trouve, je suis ~** if he finds me I've had it○; **tout n'est pas ~** it's not a complete cock-up◑ GB *ou* screw-up○ US; **ça fait un an de ~** that's a whole year wasted; [3] (fait) **il est ~ comment leur appartement?** what's their apartment like?; **être bien ~** [*personne*] to have a good body; [*appartement, dictionnaire*] to be well laid out; [*vêtement*] to be well made; **être mal ~** (laid) [*personne*] to be unattractive; (malade) [*personne*] to feel lousy○; (mal conçu) [*appartement, dictionnaire*] to be badly laid out; [*vêtement*] to be badly made; [4] (capable) **être ~ de faire** to be bloody GB *ou* totally capable of doing; **il n'est même pas ~ de répondre** he can't even bloody◑ GB *ou* fucking● answer, he can't be bothered○ to answer

(Idiome) **café bouillu café ~**○ boiled coffee is ruined coffee

fox /fɔks/ *nm inv* = **fox-terrier**

fox-hound, *pl* **~s** /fɔksawnd/ *nm* foxhound

fox-terrier, *pl* **~s** /fɔkstɛʀje/ *nm* fox terrier

foyer /fwaje/ *nm* [1] (domicile) home; **quitter/regagner le ~ conjugal** to leave/return to the conjugal home; **rester au ~** to stay at home; **fonder un ~** to get married; **rentrer dans ses ~s** to go home; **renvoyer qn dans ses ~s** Mil (exempter) to exempt sb from national service; (démobiliser) to demobilize sb; [2] Sociol (famille) household; [3] (résidence) hostel **(de, pour** for**)**; **un ~ de travailleurs/d'étudiants** a workers'/students' hostel; [4] (club) club; **~ pour personnes âgées** senior citizens' club; [5] Cin, Théât (point de rencontre) foyer; [6] (de cheminée) hearth; [7] (centre actif) (d'incendie) fire; (de résistance) pocket; (d'intrigue) hotbed; **il reste trois ~s à éteindre** three fires are still burning; [8] (centre de propagation) (d'incendie) seat; (d'épidémie) source; (de rébellion) seat; [9] Phys (point de convergence) focus; **lunettes à double/triple ~** bifocals/trifocals; [10] Math (de conique) focus

(Composés) **~ fiscal** Fisc household for tax purposes; **~ infectieux** Méd focus; **~ de placement** Prot Soc foster home; **~ réel** Phys real focus; **~ virtuel** Phys virtual focus

frac /fʀak/ *nm* morning coat

fracas /fʀaka/ *nm inv* (de chute) crash; (de vagues) roar; (de ville, bataille) din; **le ~ du tonnerre** burst(s) of thunder; **tomber avec ~** to fall with a crash; **lancer un produit à grand ~** fig to launch a product in a blaze of publicity; **renvoyé avec perte(s) et ~** summarily dismissed

fracassant, **~e** /fʀakasɑ̃, ɑ̃t/ *adj* [1] (violent) [*bruit*] deafening; [2] (sensationnel) [*entrée, déclaration, nouvelle*] sensational; [*succès, débuts*] stunning

fracasser /fʀakase/ [1]

A *vtr* to smash [*vitrine, crâne, mâchoire*]

B **se fracasser** *vpr* [*objet, véhicule*] to smash, crash **(contre** against**)**; [*vagues*] to crash **(contre, sur** against**)**

fraction /fʀaksjɔ̃/ *nf* [1] Math fraction; [2] (partie) (de terrain, somme, jour) part; (de société, jeunesse) section; (de produits, des électeurs) proportion of [*produits, électeurs*]; **en une ~ de seconde** in a split second, in a fraction of a second; **la ~ conservatrice du parti** the conservative faction of the party; **une petite/importante ~ d'électeurs** a small/sizable minority of voters; **par ~ de 5 jours** for every 5-day period; [3] Relig (du pain) breaking

fractionnaire /fʀaksjɔnɛʀ/ *adj* Math fractional

fractionnel, **-elle** /fʀaksjɔnɛl/ *adj* [*activités*] divisive

fractionnement /fʀaksjɔnmɑ̃/ *nm* [1] (division) division; (morcellement) fragmentation; **~ d'actions** Fin share split GB, stock split US; [2] (échelonnement) (d'envois) staggering; (de paiements) spreading; **autoriser le ~ sur trois ans du remboursement** to allow the repayments to be spread over three years; [3] Chimie, Biol, Méd fractionation

fractionner /fʀaksjɔne/ [1]

A *vtr* [1] (diviser) to divide up [*travail, groupe, total*]; (fragmenter) to split [*parti, opposition*]; **200 km fractionnés en 6 étapes** 200 km divided up into 6 stages; **entraînement fractionné** Sport interval training; [2] (échelonner) to stagger [*envois*]; to spread [*paiements*]

B **se fractionner** *vpr* [*parti*] to split

fractionniste /fʀaksjɔnist/

A *adj* [*activités*] divisive

B *nmf* factionalist

fracture /fʀaktyʀ/ *nf* Géol, Méd fracture; **~ du poignet** fractured wrist; **~ ouverte** compound fracture; **~ de fatigue** stress fracture

(Composé) **~ sociale** social divide

fracturer /fʀaktyʀe/ [1]

A *vtr* [1] Méd to fracture [*os*]; [2] (pour pénétrer) to break [*vitrine, porte*]; to force [*serrure, coffre*]

B **se fracturer** *vpr* **se ~ la cheville** to break one's ankle

fragile /fʀaʒil/ *adj* [1] (cassable) fragile; **attention, c'est ~!** careful, it's fragile!; **'~'** 'fragile'; [2] (faible) [*personne, constitution*] frail; [*peau, œil*] sensitive; [*estomac, foie*] delicate; [*cœur*] weak; **avoir une santé ~** to have poor health; **avoir les poumons ~** to have weak lungs; **il est ~ du foie, il a le foie ~** he has a delicate liver; [3] (instable) [*esprit, personne*] fragile

(Idiome) **~ comme du cristal** *or* **du verre** very fragile

fragiliser /fʀaʒilize/ [1] *vtr* lit, fig to weaken

fragilité /fʀaʒilite/ *nf* [1] (aptitude à se briser) fragility; [2] (de personne, constitution, santé) frailty; (de peau, d'œil) sensitivity; (d'estomac, de foie) delicateness; (de cœur) weakness; (de cheveux) brittleness; [3] (instabilité) fragility

fragment /fʀagmɑ̃/ *nm* [1] (morceau isolé) (de tasse, d'os) fragment; (de cheveu) piece; (de tissu) bit; **des ~s de conversation/chanson** snatches of conversation/song; [2] (passage d'une œuvre) passage; **~ de vie/d'histoire** slice of life/of history

fragmentaire /fʀagmɑ̃tɛʀ/ *adj* [*informations, connaissance*] patchy, fragmentary; [*vue, exposé*] sketchy; [*action, effort*] sporadic

fragmentation /fʀagmɑ̃tasjɔ̃/ *nf* [1] fig (division) division; (morcellement) splitting up; [2] lit (de pierre) fragmentation

fragmenter /fʀagmɑ̃te/ [1]

A *vtr* (casser) to break up [*substance*]; (morceler) to split up [*domaine, parti*]; to divide up [*travail*]; to break up [*vacances, texte*]; **~ une œuvre** to divide a work into sections; **avoir une vue fragmentée d'une question** to have a fragmented view of an issue

B **se fragmenter** *vpr* [*pierre*] to break **(en** into**)**; [*parti*] to split **(en** into**)**

fragrance /fʀagʀɑ̃s/ *nf* liter fragrance

frai /fʀɛ/ *nm* Zool [1] (fécondation) fertilization; (ponte) spawning; (période) spawning season; [2] (œufs) (de poisson) eggs (*pl*); (de batracien) spawn; [3] (alevins) fry

fraîche* ▸ **frais A, E**

fraîchement* /fʀɛʃmɑ̃/ *adv* [1] (récemment) [*creusé, repeint*] freshly; [*débarqué, nommé*] newly; **fleurs ~ cueillies** freshly cut flowers; [2] (sans empressement) [*recevoir*] coldly; **elle a été ~ accueillie** she was given a cool welcome; [3] ○**'comment allez-vous?'—'~'** 'how are you?'—'cold'

fraîcheur* /fʀɛʃœʀ/ *nf* [1] (température) (agréable) coolness; (plus froide) coldness; **dans la ~ d'une chambre** in the coolness of a bedroom; **donner une sensation de ~** to make [sb] feel cool; **attention à la ~ du soir!** watch out for the cold evening air!; [2] Comm, Culin (d'aliment) freshness; **perdre de sa ~** to lose its freshness; **~ garantie** guaranteed fresh; [3] (jeunesse) freshness; **pour redonner de la ~ à votre teint/au linge blanc** to put some freshness back into your skin/into your whites; **son œuvre est d'une grande ~** his work has a great freshness about it; **le spectacle manque de ~** the show is stale

fraîchir* /fʀɛʃiʀ/ [3] *vi* [1] (devenir moins chaud) [*temps*] to get cooler; [2] (devenir plus froid) [*temps*] to become colder; [3] Météo [*vent*] to freshen

frais, **fraîche*** /fʀɛ, fʀɛʃ/

A *adj* [1] (légèrement froid) [*temps, eau, nuit, endroit*] cool; (trop froid) [*nuit, eau, vent, boisson*] cold; **les soirées sont fraîches** the evenings are cold *ou* chilly; **'servir ~'** 'serve chilled'; **il fait ~ ce matin** (c'est agréable) it's cool this morning; (il fait froid) it's chilly this morning; **le fond de l'air est ~** there's a chill in the air

[2] (récent) [*nouvelles, souvenir, traces, neige*] fresh; [*peinture, colle, encre*] wet; **c'est encore très ~ dans ma mémoire** it's still very fresh in my memory; **de fraîche date** [*lettre, membre*] recent

[3] Comm, Culin [*produit, pain, poisson, œuf, lait, légumes*] fresh

[4] (jeune) [*teint, visage, peau*] fresh; [*voix*] young; **une fraîche jeune fille** a fresh-faced girl

[5] (nouveau) [*troupes, chevaux, équipe*] fresh; **apporter un peu d'air ~ à qch** to bring a

breath of fresh air to sth; **de l'argent ~** more money; ▸ **dispos**
6 (léger) [*senteur, parfum, décor, couleur*] fresh; **se sentir tout ~** to feel very fresh
7 (sans chaleur) [*accueil, ambiance*] cool
B *adv* **1** (depuis peu) **~ rasé** freshly shaved; **des fleurs fraîches cueillies** freshly-picked flowers; **du foin ~ coupé** freshly-cut hay; **un livre tout ~ paru** a newly-published book; **~ débarqués de leur village** fresh from their village
2 (froid) **il fait ~** it's cool
C *nm* **1** (fraîcheur) **se tenir au ~** to stay in the cool; **prendre le ~** to get some fresh air; **mettre qch au ~** (pour le conserver) to put sth in a cool place; (pour le refroidir) to put sth to cool; **j'ai mis le champagne au ~** I've put the champagne to cool; **'à conserver au ~'** 'store in a cool place'; **mettre qn au ~**○ (en prison) to put sb inside○
2 Météo, Naut **grand ~** moderate gale
D *nmpl* **1** gén (dépenses) expenses; **~ d'hospitalisation** hospital expenses; **~ annexes** fringe expenses; **~ d'habillement/médicaux/de justice** clothing/medical/legal expenses; **avoir de gros ~** to have some big expenses; **à peu de/grands ~** at little/great expense; **à moindres ~** at very little cost; **tous ~ payés** all expenses paid; **le voyage est aux ~ de l'entreprise** the trip is being paid for by the company; **le voyage est à vos ~** you'll have to pay for the trip yourself; **vivre aux ~ de la société** to live off society; **aux ~ de qn** fig at sb's expense; **partager les ~** to share the cost; **faire des ~** [*personne*] to spend a lot of money; [*événement, achat*] to cost a lot; **cela fait des ~ de partir en vacances** going on vacation costs a lot; **rentrer dans ses ~** to cover one's expenses; **se mettre en ~ pour qn** to put oneself out for sb; **en être pour ses ~**○ lit to have to pay; fig to get nothing for one's pains; **faire les ~ de qch** to bear the brunt of sth; **les petites entreprises font les ~ de la récession** the small companies are bearing the brunt of the recession; **arrêter les ~** fig to stop wasting one's time; ▸ **faux**
2 (coûts d'un service professionnel) fees; **~ d'agence/d'expertise** agency/consultancy fees
3 Comm (coûts d'un service commercial) charges; **~ de location/transport** hire/transport charges
4 Fin (commission) charges; **~ de courtage/change** brokerage/exchange charges
5 Compta (coûts) costs; **~ de publicité/trésorerie** advertising/finance costs; **~ fixes/variables** fixed/variable costs
6 Fisc (dépenses) expenses
E **à la fraîche** *loc adv* (le matin) in the cool of the morning; (le soir) in the cool of the evening
(Composés) **~ d'annulation** Tourisme cancellation fees; **~ bancaires** Fin bank charges; **~ déductibles** Fisc allowable expenses; **~ de déplacement** (d'employé) travel expenses; (de réparateur) call-out charge (*sg*); **~ divers** Compta miscellaneous costs; **~ d'expédition** Postes postage and packing; Transp freight; **~ d'exploitation** Compta operating costs; **~ de fonctionnement** Entr running costs; **~ de garde** Fin (de titres en dépôt) management charges; (d'enfant) (à payer) childminding fees; Fisc childminding expenses; **~ généraux** Compta overheads; **~ de gestion** Compta management costs; Fin management charges; **~ d'inscription** gén registration fees; Scol school fees GB, tuition fees US; Univ tuition fees, academic fees GB; **~ de port** Comm, Postes postage **¢**; **~ professionnels** Fisc professional expenses; **~ réels** Fisc allowable expenses; **~ de représentation** Admin, Entr (encourus) entertainment expenses; (alloués) entertainment allowance (*sg*); **~ de scolarité** Scol tuition fees, school fees GB
(Idiomes) **être ~ comme une rose** *or* **un gardon** to be as fresh as a daisy; **nous voilà ~**○**!** now we're in a fix○!

fraisage /fʀɛzaʒ/ *nm* milling (process)

fraise /fʀɛz/
A ▸ **p. 202** *adj inv* strawberry-pink
B *nf* **1** (fruit) strawberry; **2** (en boucherie) **~ de veau** calf's caul; **3** (angiome) strawberry mark; **4** Mode (collerette) ruff; **5** (outil) (pour aléser) reamer; (pour percer) countersink(-bit); (machine) (pour couper) milling-cutter; (pour forage, de dentiste) drill; **6** Zool (de dindon) wattle
(Composé) **~ des bois** wild strawberry
(Idiome) **ramener sa ~**○ to stick one's nose in○

fraiser /fʀeze/ [1] *vtr* Tech (évaser) to ream [*cylindre*]; to mill [*pièce*]; **vis à tête fraisée** countersink screw

fraiseur, -euse /fʀɛzœʀ, øz/ ▸ **p. 532**
A *nm,f* (ouvrier) cutter
B **fraiseuse** *nf* (machine) milling machine

fraisier /fʀezje/ *nm* **1** Bot strawberry plant; **2** Culin (gâteau) strawberry gateau

fraisure /fʀezyʀ/ *nf* countersink

framboise /fʀɑ̃bwaz/
A ▸ **p. 202** *adj inv* (couleur) raspberry-coloured[GB]
B *nf* **1** (fruit) raspberry; (liqueur) raspberry liqueur; **2** (angiome) strawberry mark

framboisier /fʀɑ̃bwazje/ *nm* (cultivé) raspberry cane; (sauvage) raspberry bush

franc[1], franche /fʀɑ̃, fʀɑ̃ʃ/
A *adj* **1** (honnête) [*personne*] frank, straight; [*réponse*] straight, candid; [*regard*] frank, candid; [*rire*] open, honest; [*discussion*] frank; **pour être ~** to be frank, to be perfectly honest; **je vais être ~ avec vous** I'm going to be straight with you, I'm going to give it to you straight; **il n'est pas ~** he doesn't play straight, there's something shifty about him; **jouer ~ jeu** to play fair; **2** (sans ambiguïté) (*before n*) [*victoire*] absolute, out-and-out; [*répulsion, aversion*] absolute, sheer; [*gaieté*] open, uninhibited; **il est d'une franche sottise** he's downright *ou* plain stupid; **c'est un spectacle d'une franche grossièreté** it's a downright rude show; **3** (sans mélange) [*goût, vin, couleur*] pure; **4** Comm, Jur (exempt de taxe) [*marchandises, boutique*] duty-free; **~ de port** postage paid
B *adv* **parler ~** to be perfectly frank
C ▸ **p. 48** *nm* Fin (monnaie) franc; **en ~s constants/courants** in constant/current francs; **un ~ symbolique de dommages et intérêts** Jur ≈ nominal damages; **une radio à trois ~s six sous**○ a cheap radio
(Composés) **~ belge** Belgian franc; **~ français** French franc; **~ lourd** new franc; **~ suisse** Swiss franc
(Idiomes) **être ~ du collier** to be bold; **~ comme l'or** as straight as a die, absolutely honest

franc[2], franque /fʀɑ̃, fʀɑ̃k/ *adj* Frankish

Franc, Franque /fʀɑ̃, fʀɑ̃k/ *nm,f* Frank

français, ~e /fʀɑ̃sɛ, ɛz/ ▸ **p. 561, p. 483**
A *adj* French; **à la ~e** [*modernisme, libéralisme*] French-style (*épith*)
B *nm* Ling French

Français, ~e /fʀɑ̃sɛ, ɛz/ ▸ **p. 561** *nm,f* Frenchman/Frenchwoman; **le ~ moyen** gén the average Frenchman; pej the typical Frenchman

franc-bord, *pl* **francs-bords** /fʀɑ̃bɔʀ/ *nm* Naut free board

franc-comtois, ~e, *pl* **francs-comtois, franc-comtoises** /fʀɑ̃kɔ̃twa, az/ ▸ **p. 721** *adj* from Franche-Comté

Franc-comtois, ~e, *pl* **Francs-comtois, Franc-comtoises** /fʀɑ̃kɔ̃twa, az/ ▸ **p. 721** *nprm,f* (natif) native of Franche-Comté; (habitant) inhabitant of Franche-Comté; **les ~** the people of Franche-Comté

France /fʀɑ̃s/ ▸ **p. 333** *nprf* France; Hist **la ~ libre** Free France

Francfort /fʀɑ̃kfɔʀ/ ▸ **p. 894** *npr* Frankfurt

franche ▸ **franc A**

Franche-Comté /fʀɑ̃ʃkɔ̃te/ ▸ **p. 721** *nprf* **la ~** Franche-Comté

franchement /fʀɑ̃ʃmɑ̃/ *adv* **1** (honnêtement) [*parler, s'exprimer*] openly, frankly; [*demander*] straight out; [*répondre*] candidly; [*dire*] frankly; **je lui ai demandé ~ ce qu'il comptait faire** I asked him straight out what he intended to do; **je vais vous dire ~ ce que j'en pense** I'll tell you exactly what I think; **~ non, je n'ai pas beaucoup aimé** to be frank *ou* honest I didn't like it very much; **tu avoueras ~ que tu es allé trop loin!** you must admit that you went too far!; **2** (sans hésiter) [*appuyer*] firmly; [*entrer*] boldly; **tape ~, sinon le clou ne s'enfoncera jamais** hammer hard, otherwise the nail will never go in; **servez-vous ~, il y en a assez pour tout le monde** help yourself to as much as you like, there's enough for everybody; **allez-y ~** go right ahead; **allez-y, versez ~!** go ahead, don't be afraid of pouring in too much!; **3** (complètement) really; **il m'a ~ déçu/agacé/impressionné** he really disappointed/annoyed/impressed me; **le film était ~ nul** the film was really awful; **on a ~ bien rigolé**◐ we had a really good laugh; **elle est ~ bête** she is downright *ou* plain stupid; **4** (exclamatif) really, honestly; **~! tu ne trouves pas qu'il exagère?** really *ou* honestly! don't you think he's going a bit far?

franchir /fʀɑ̃ʃiʀ/ [3] *vtr* to cross [*fossé, ligne d'arrivée, seuil, montagne, océan*]; to get over [*mur, barrière, clôture*]; to cover [*distance*]; **~ un obstacle** lit to clear an obstacle; fig to overcome an obstacle; **le perchiste a franchi les six mètres** the pole vaulter cleared six metres[GB]; **~ la barre des 10%** to pass the 10% mark; **~ un cap difficile** to get through a difficult period; **l'équipe a franchi le cap des quarts de finale** the team got past the quarterfinals; **~ le cap de la cinquantaine** to turn fifty; **l'entreprise a franchi un cap décisif en rachetant sa rivale** buying up its rival was an important turning point for the company
(Idiome) **~ le pas** to take the plunge

franchisage /fʀɑ̃ʃizaʒ/ *nm* Comm franchising

franchise /fʀɑ̃ʃiz/ *nf* **1** (qualité) (de personne, regard, d'aveu) frankness; (de ton) sincerity; **en toute ~** quite frankly; **avoir le mérite de la ~** to have the merit of being frank; **manquer de ~** to lack sincerity; **2** (exemption) exemption; **3** Assur excess GB, deductible US; **4** Comm franchise; **accorder une ~** to grant a franchise; **mettre en ~** to franchise; **magasin en ~** franchised shop; **5** Hist (de ville) charter
(Composés) **~ de bagages** Aviat baggage allowance; **~ douanière** Admin exemption from customs duties; **en ~ douanière** duty-free; **~ fiscale** Fisc tax exemption; **~ postale** (sur une enveloppe) 'postage paid'; **envoyer qch en ~ postale** to send sth post free

franchisé, ~e /fʀɑ̃ʃize/ Comm
A *adj* franchised
B *nm,f* franchisee

franchiser /fʀɑ̃ʃize/ [1] *vtr* to franchise

franchiseur /fʀɑ̃ʃizœʀ/ *nm* Comm franchiser

franchissable /fʀɑ̃ʃisabl/ *adj* [*obstacle*] surmountable; [*col*] passable; **la rivière n'est pas ~ à cette période de l'année** the river can't be crossed at this time of year

franchissement /fʀɑ̃ʃismɑ̃/ *nm* (de col, rivière, ravin, seuil) crossing **¢**; (d'obstacle, de haie) clearing **¢**; **~ de la ligne continue** Aut crossing the white line

franchouillard○, **~e** /fʀɑ̃ʃujaʀ, aʀd/ *adj* pej typically French

francilien, -ienne /fʀɑ̃siljɛ̃, ɛn/ *adj* [*personne*] from the Île-de-France; [*industrie, habitant, population*] of the Île-de-France

francisation /fʀɑ̃sizasjɔ̃/ *nf* 1▸ (de mot) gallicization; (de mode de vie) Frenchification; 2▸ Jur, Naut ~ **d'un navire** registering a ship as French

franciscain, ~**e** /fʀɑ̃siskɛ̃, ɛn/ *adj, nm,f* Franciscan

franciser /fʀɑ̃size/ [1]
A *vtr* 1▸ to Frenchify [*mode de vie*]; Ling to gallicize [*mot*]; 2▸ Jur, Naut to register [sth] as French [*navire*]
B se franciser *vpr* [*mot*] to become gallicized; [*manières, personne*] to become Frenchified

francité /fʀɑ̃site/ *nf* Frenchness

franc-jeu, *pl* **francs-jeux** /fʀɑ̃ʒø/ *nm* fair play; **faire preuve de** ~ to play fair, to show one's sense of fair play

franc-maçon, -onne, *pl* **francs-maçons, franc-maçonnes** /fʀɑ̃masɔ̃, ɔn/
A *adj* Masonic
B *nm,f* Freemason

franc-maçonnerie, *pl* ~**s** /fʀɑ̃masɔnʀi/ *nf* 1▸ (association) **la** ~ Freemasonry, the order of Freemasons; 2▸ (entente) pej back-scratching

franc-maçonnique, *pl* ~**s** /fʀɑ̃masɔnik/ *adj* Masonic

franco /fʀɑ̃ko/ *adv* 1▸ Comm ~ **de port** [*lettre, colis*] postage paid; [*livraisons*] carriage paid; 2▸ ○(sans hésiter) **y aller** ~ (explication) to go straight to the point; (action) to go right ahead

(Composés) ~ **à bord, FAB** free on board, FOB

franco-canadien, -ienne /fʀɑ̃kokanadjɛ̃, ɛn/
A *adj* French-Canadian
B *nm* Ling Canadian French

franco-français, ~**e** /fʀɑ̃kofʀɑ̃sɛ, ɛz/ *adj* Presse *ou* hum specifically French

François /fʀɑ̃swa/ *npr* Francis; **Saint** ~ **d'Assise** Saint Francis of Assisi

(Idiome) **faire à qn le coup du père** ~ to hit sb over the head

francophile /fʀɑ̃kɔfil/ *adj, nmf* Francophile

francophilie /fʀɑ̃kɔfili/ *nf* Francophilia sout, love of all things French

francophobe /fʀɑ̃kɔfɔb/ *adj, nmf* Francophobe

francophobie /fʀɑ̃kɔfɔbi/ *nf* Francophobia

francophone /fʀɑ̃kɔfɔn/
A *adj* [*pays, personne*] French-speaking; **littérature** ~ literature in the French language
B *nmf* French speaker

francophonie /fʀɑ̃kɔfɔni/ *nf* 1▸ (ensemble des francophones) French-speaking world; 2▸ (phénomène culturel) French as a world language

franco-québécois /fʀɑ̃kokebekwa/ *nm* Ling French Canadian

franc-parler /fʀɑ̃paʀle/ *nm* frankness; **avoir son** ~ to speak one's mind

franc-tireur, *pl* **francs-tireurs** /fʀɑ̃tiʀœʀ/ *nm* 1▸ (combattant) sniper; 2▸ (personne indépendante) maverick

frange /fʀɑ̃ʒ/ *nf* 1▸ (en tissu, laine) fringe; 2▸ (de cheveux) fringe GB, bangs (*pl*) US; 3▸ fig (bord) fringe; **à la** ~ on the fringe; 4▸ (minorité) fringe group; **une** ~ **de** a minority of; 5▸ (en optique) fringe; ~**s d'interférence** interference fringes

franger /fʀɑ̃ʒe/ [13] *vtr* to fringe (**de** with)

frangin○ /fʀɑ̃ʒɛ̃/ *nm* brother

frangine○ /fʀɑ̃ʒin/ *nf* sister

frangipane /fʀɑ̃ʒipan/ *nf* Culin (crème) frangipane; (gâteau) frangipane cake

franglais ➔ /fʀɑ̃glɛ/ *nm* Franglais

franque ▸ **franc²**

franquette○: **à la bonne franquette** /alabɔnfʀɑ̃kɛt/ *loc adv* **recevoir qn à la bonne** ~ to have sb round GB *ou* over for an informal meal; **c'est à la bonne** ~ it's just an informal meal

franquisme /fʀɑ̃kism/ *nm* Francoism

franquiste /fʀɑ̃kist/ *adj, nmf* Francoist

frappadingue○ /fʀapadɛ̃g/ *adj* barking mad○, bonkers○

frappant, ~**e** /fʀapɑ̃, ɑ̃t/ *adj* striking

frappe /fʀap/ *nf* 1▸ (de monnaie, médaille) (action) striking; (empreinte) stamp, impression; 2▸ (de texte) typing; **le texte est à la** ~ the text is being typed out; 3▸ Sport (de footballeur) kick; (de boxeur) punch; **ce boxeur a une** ~ **redoutable** this boxer packs a mean punch○; 4▸ ◑(voyou) **(petite)** ~ hoodlum○

(Composé) ~ **chirurgicale** Mil surgical strike

frappé, ~**e** /fʀape/
A *pp* ▸ **frapper**
B *pp adj* 1▸ (rafraîchi) [*champagne, vin blanc*] chilled; [*cocktail*] frappé, mixed with crushed ice; [*café*] iced; 2▸ ○(fou) crazy○, nuts○

frapper /fʀape/ [1]
A *vtr* 1▸ (taper sur) gén to hit, to strike; ~ **à la tête** lit to hit [sb] on the head [*personne*]; fig to strike at the leadership of [*mouvement, organisation*]; **le marteau vient** ~ **la corde du piano** the hammer strikes the piano string; **le ballon l'a frappé en plein visage** the ball hit *ou* struck him right in the face; ~ **le sol du pied** to stamp one's foot; ~ **qn à coups de matraque** to club sb; ~ **qn/qch à coups de pied** to kick sb/sth; ~ **qn/qch à coups de poing** to punch sb/sth; ~ **les trois coups** Théât *to give three knocks to signal that the curtain is about to rise*; 2▸ (asséner) to strike; ~ **un coup** (à la porte) to knock (once); (dans une bagarre) to strike a blow; ~ **fort** *or* **un grand coup** lit to hit hard; (à la porte) to knock hard; fig to pull out all the stops; **l'horloge venait de** ~ **les 12 coups de minuit** the clock had just struck midnight; 3▸ Tech to strike [*monnaie, médaille*]; 4▸ (affecter) [*chômage, épidémie, impôt*] to hit; **les cadres frappés par le chômage** the executives hit by unemployment; **les régions frappées par la crise/sécheresse** areas hit by the recession/drought; **le nouvel impôt frappe durement les classes les plus défavorisées** the new tax hits the poor very hard; **le malheur qui les frappe** the misfortune which has befallen them; **être frappé par le malheur** to be stricken by misfortune; **être frappé d'apoplexie/de paralysie** to be struck down *ou* stricken by apoplexy/by paralysis; **la maladie l'a frappé dans la force de l'âge** he was struck down by illness in the prime of life; **être frappé de mutisme** to be dumbstruck *ou* dumbfounded; **les taxes qui frappent les produits français/de luxe** duties imposed on French/luxury goods; 5▸ (marquer) to strike; **ce qui m'a frappé c'est leur arrogance** what struck me was their arrogance; **être frappé par** to be struck by; **j'ai été frappé par leur ressemblance** I was struck by how alike they were; **ce qui me frappe le plus c'est...** what strikes me most is...; **j'ai été frappé de voir/d'entendre que...** I was amazed to see/hear that...; ~ **l'imagination de qn** to catch sb's imagination; 6▸ (rafraîchir) to chill [*champagne, vin*]
B *vi* 1▸ gén to hit, to strike; ~ **du poing sur la table** to bang one's fist on the table; ~ **du pied** to stamp one's foot; ~ **sur une casserole/un tambour** to bang on a saucepan/a drum; ~ **dans ses mains** to clap one's hands; ~ **à** to knock on *ou* at [*porte, fenêtre, carreau*]; **'entrez sans** ~**'** 'come straight in'; **on a frappé** there was a knock at the door; 2▸ (sévir) to strike; **les gangsters ont encore frappé**○ the gangsters have struck again
C se frapper○ *vpr* (s'inquiéter) to get worked up○; ▸ **estoc**

frappeur /fʀapœʀ/ *adj m* **esprit** ~ poltergeist

frasque /fʀask/ *nf* escapade; **faire des** ~**s** to get up to mischief; **ses** ~**s de jeunesse** his youthful indiscretions

fraternel, -elle /fʀatɛʀnɛl/ *adj* 1▸ (entre amis) [*accueil, sourire*] fraternal; [*amitié, tendresse*] brotherly; **il est très** ~ **avec lui** he treats him just like a brother; 2▸ (entre frères) [*amour*] brotherly; [*relations*] between siblings (*après n*)

fraternellement /fʀatɛʀnɛlmɑ̃/ *adv* in a brotherly fashion

fraternisation /fʀatɛʀnizasjɔ̃/ *nf* fraternizing (**avec** with)

fraterniser /fʀatɛʀnize/ [1] *vi* to fraternize (**avec** with)

fraternité /fʀatɛʀnite/ *nf* fraternity, brotherhood

fratricide /fʀatʀisid/
A *adj* fratricidal
B *nmf* (personne) fratricide
C *nm* (crime) fratricide

fratrie /fʀatʀi/ *nf* siblings (*pl*)

fraude /fʀod/ *nf* 1▸ Jur fraud ¢; ~ **fiscale** tax fraud; ~ **électorale** vote *ou* election rigging; **passer qch/qn en** ~ to smuggle sth/sb in; **sortir qch en** ~ to smuggle sth out; **entrer** *or* **passer en** ~ (au cinéma) to slip in without paying; (dans un pays) to enter illegally; 2▸ Scol, Univ cheating ¢

frauder /fʀode/ [1]
A *vtr* to defraud [*douane, créancier*] (**de** of)
B *vi* (dans le métro) to travel without a ticket; (au cinéma) to slip in without paying; (à un examen) to cheat (**sur** over)

fraudeur, -euse /fʀodœʀ, øz/ *nm,f* gén swindler; (du fisc) tax evader; (à un examen) cheat

frauduleusement /fʀodyløzmɑ̃/ *adv* fraudulently

frauduleux, -euse /fʀodylø, øz/ *adj* fraudulent

frayer /fʀeje/ [21]
A *vtr* ~ **un passage à qn à travers la foule/un bois** to clear a path for sb through the crowd/the woods; fig ~ **le chemin** *or* **la voie à qch** to pave the way for sth; Zool [*cerf*] to fray
B *vi* 1▸ (entretenir des relations) ~ **avec** to be friendly with; **il ne fraye pas avec ces gens-là** he doesn't mix with that sort of person; 2▸ Zool [*femelle*] to spawn; [*mâle*] to fertilize the eggs
C se frayer *vpr* lit (s'ouvrir) **se** ~ **un chemin dans** *or* **à travers un champ/une salle** to make one's way across a field/a room; **se** ~ **un chemin dans** *or* **à travers la foule/forêt** to make one's way through the crowd/forest; **se** ~ **une voie à travers les pièges de la vie** to make one's way through life's pitfalls

frayeur /fʀɛjœʀ/ *nf* 1▸ (état de peur intense) fear; **il poussait des cris de** ~ he was screaming in fear; **j'ai eu un moment de** ~ I had a fright; 2▸ (une peur) fright; **donner** *or* **faire des** ~**s à qn** to give sb a fright; **j'ai eu une de ces** ~**s!** I got such a fright!

fredaine /fʀədɛn/ *nf* **faire des** ~**s** to have amorous adventures

fredonnement /fʀədɔnmɑ̃/ *nm* humming ¢

fredonner /fʀədɔne/ [1] *vtr* to hum

free-lance* /fʀilɑ̃s/ *nmf* freelance, freelancer; **travailler en** ~ to work freelance *ou* as a freelancer

freesia* /fʀezja/ *nm* freesia

freezer* /fʀizœʀ/ *nm* freezer compartment GB, icebox

frégate /fʀegat/ *nf* 1▸ Naut frigate; 2▸ Zool frigate bird

frein /fʀɛ̃/ *nm* 1▸ (de véhicule) brake; **avoir de bons** ~**s** to have good brakes; **la voiture n'a plus de** ~**s** the car's brakes are not working; **les** ~**s du véhicule ont lâché** the vehicle's brakes failed; **donner un coup de** ~ to brake hard; **des traces de coups de** ~**s** skid marks; **un violent coup de** ~ **a projeté le passager contre le pare-brise** the driver braked hard

---

➔ *voir* Difficultés de l'anglais

throwing the passenger against the windscreen; [2] (entrave) restraints (*pl*); **(être) un ~ à** (to be) a brake *ou* curb on; **mettre un ~ à** to curb [*expansion, immigration, optimisme*]; **donner un coup de ~ à** to act as a sharp brake *ou* curb on; **mettre un coup de ~ (brutal) à** to put a (sharp) brake *ou* curb on; **sans ~** [*faire, gouverner*] without restraint; [*imagination, ambition*] unbridled; [*échange, commerce*] unrestrained; [3] †(pour cheval) bit; [4] Mil muzzle brake

(Composés) **~ à main** hand brake; **serrer/desserrer le ~ à main** to put on/to take off the hand brake; **~ moteur** engine brake; **utilisez le ~ moteur** keep in low gear; **~ de parcage** parking brake; **~ à pied** foot brake; **~ de service** service break; **~ de stationnement** = **~ de parcage**; **~s à disques** disc brakes; **~s pneumatiques** air brakes; **~s à tambour** drum brakes

(Idiome) **ronger son ~** to champ at the bit

freinage /fʀɛnaʒ/ *nm* [1] (de véhicule) braking; **dispositif de ~** braking system; **la distance de ~** stopping distance; **traces de ~** skid marks; [2] (de développement, d'inflation, augmentation) slowing down

freiner /fʀene/ [1]

A *vtr* [1] (faire ralentir) to slow down [*véhicule, parachute, chute*]; [2] (gêner) to impede [*personne, avance, ennemi*]; [3] (modérer) to curb [*inflation, consommation*]; to restrain [*personne*]; **~ l'ambition/l'enthousiasme de qn** to curb sb's ambition/enthusiasm

B *vi* [1] (en voiture, moto, vélo) to brake; **la voiture a freiné trop tard** the car braked too late; **cette voiture freine bien** this car has good brakes; **~ à bloc** *or* **à fond** to slam on the brakes; [2] (à ski, sur patins) to slow down

frelaté, ~e /fʀəlate/ *adj* [1] [*alcool*] adulterated; [*goût*] unnatural; [2] [*milieu, plaisirs*] dubious

frêle /fʀɛl/ *adj* [*personne, embarcation, apparence*] frail; [*jambe, bras, cou*] weak; [*structure*] flimsy; [*voix*] thin; [*son*] faint

frelon /fʀəlɔ̃/ *nm* hornet

freluquet† /fʀəlykɛ/ *nm* little squirt○, whippersnapper†

frémir /fʀemiʀ/ [3] *vi* [1] (trembler) [*voile, feuille, aile, violon*] to quiver; [*lac*] to ripple; [*vitre*] to rattle (gently); **le vent frémit dans le feuillage** the wind is fluttering through the leaves; **le vent faisait ~ les eaux du port** the wind rippled the waters of the harbour[GB]; [2] (sous l'effet d'une émotion) [*lèvre, narine, main*] to tremble; [*personne*] (d'indignation, impatience, de colère, joie, plaisir) to quiver (**de** with); (de dégoût, d'horreur, effroi) to shudder (**de** with); **frémissant de rage/d'enthousiasme** quivering with rage/with enthusiasm; **je frémis à cette idée** I shudder at the thought; **tout mon être frémit** (d'horreur) my whole being shuddered; (de plaisir) my whole being thrilled; **ça fait ~ de penser que...** it makes you shudder to think that...; **poésie/sensibilité frémissante** vibrant poetry/sensitivity; [3] Culin [*liquide*] to start to come to the boil; **laisser ~ 10 minutes** simmer for 10 minutes; **faire cuire dans l'eau frémissante** simmer gently in water

frémissement /fʀemismɑ̃/ *nm* [1] (vibration) quiver, tremor; **le ~ du vent dans les arbres** the rustle of the wind in the trees; [2] (sous l'effet d'une émotion) (de narine, lèvre, main) trembling ₵; (de personne, corps) (dû à la joie, la colère, à l'impatience, au plaisir) quiver; (dû à l'horreur, l'effroi, au dégoût) shudder; **un ~ de terreur/joie parcourut la foule** a ripple of terror/joy ran through the crowd; **il ressentit un ~ de tout son être** (de plaisir) his whole being thrilled; (de terreur) his whole being shuddered

frênaie /fʀɛnɛ/ *nf* ash-grove

frêne /fʀɛn/ *nm* [1] (arbre) ash (tree); [2] (bois) ash (wood)

frénésie /fʀenezi/ *nf* frenzy; **avec ~** [*lutter*] frantically; [*danser*] frenziedly; [*applaudir*] wildly

frénétique /fʀenetik/ *adj* [*applaudissements*] wild; [*lutte, activité*] frenzied; [*joueur*] frenetic

frénétiquement /fʀenetikmɑ̃/ *adv* [*lutter*] frantically; [*secouer*] frenetically; [*danser*] frenziedly; [*applaudir*] wildly

fréon® /fʀeɔ̃/ *nm* Freon®

fréquemment /fʀekamɑ̃/ *adv* frequently

fréquence /fʀekɑ̃s/ *nf* [1] Phys frequency; **à ~ vocale** Télécom tone dialling; **la nuit la ~ des bus diminue** at night the buses are less frequent; [2] fig (caractère répandu) high incidence, frequency

fréquencemètre /fʀekɑ̃smɛtʀ/ *nm* frequency meter

fréquent, ~e /fʀekɑ̃, ɑ̃t/ *adj* [1] (dans le temps) [*train, événement*] frequent; **faire un usage ~ de qch** to use sth frequently; **il est ~ que cela arrive** it happens frequently; [2] (répandu) [*maladie, attitude*] common

fréquentable /fʀekɑ̃tabl/ *adj* [1] (de bonne réputation) [*personne, club*] respectable; **pas ~** [*personne*] not respectable; [*club*] disreputable; [2] (jugé digne de soi) [*personne*] whom one can associate with (*épith, après n*); [*club*] in which one can be seen (*épith, après n*); **ce ne sont pas des gens ~s** they are not the sort of people one should associate with; **ce club n'est pas ~** it's not the sort of club in which to be seen

fréquentatif, -ive /fʀekɑ̃tatif, iv/ *adj* Ling frequentative

fréquentation /fʀekɑ̃tasjɔ̃/ *nf* [1] (amis) company ₵; **avoir de bonnes/mauvaises ~s** to keep good/bad company; **je surveille les ~s de mes enfants** I keep an eye on the sort of people my children mix with; **c'est une mauvaise ~ pour toi** that's not the sort of person you should associate with; [2] (action) **la ~ de ces gens** associating with these people; **la ~ des grands auteurs** fml habitual reading of great authors; **la ~ des cafés/clubs** frequenting cafés/clubs; **la ~ de l'église/de l'école/des cours** attending church/school/classes; [3] (présence) **bonne ~ des cours** regular attendance at classes; **baisse de la ~ scolaire** drop in school attendance; **~ de l'église/des théâtres** churchgoing/theatregoing[GB]; **record de ~ des théâtres** record theatre[GB] audiences (*pl*); **la ~ des théâtres est en baisse/hausse** fewer/more people are going to the theatre[GB]

fréquenté, ~e /fʀekɑ̃te/

A *pp* ▸ **fréquenter**

B *pp adj* [*café, plage, théâtre*] popular; [*rue, carrefour*] busy; **lieu bien/mal ~** place that attracts the right/wrong sort of people; **la plage/cantine est peu ~e** not many people go to the beach/canteen

fréquenter /fʀekɑ̃te/ [1]

A *vtr* [1] (côtoyer) to associate with [*genre de personne, connaissance*]; to see [sb] frequently [*amis, famille*]; to move in [*milieu*]; **ce ne sont pas des gens à ~** they are not the sort of people one should associate with; **nous les fréquentons peu** we don't have much to do with them; **je ne veux pas que tu les fréquentes** I don't want you to have anything to do with them; **elle ne fréquente pas n'importe qui** (par sagesse) she chooses her friends carefully; (par snobisme) she doesn't go around with just anybody; **~ les grands auteurs** fml to read the works of great writers; [2] (sortir) to go out with [*jeune homme/jeune fille*]; [3] (aller à) to attend [*école, église, cours*]; to visit [*musée, site*]; to go to [*restaurant, plage*]; to frequent sout [*clubs, salons*]; **il fréquente les bars** he hangs about○ in bars; **si tu fréquentais moins les cafés** if you spent less time in cafés

B se fréquenter *vpr* [1] (se voir) [*amis*] to see one another; **nous nous fréquentons peu** we don't see a great deal of each other; [2] (sortir ensemble) [*jeune couple*] to go out together

frère /fʀɛʀ/ *nm* [1] (dans la famille) brother; **c'est mon grand/petit ~** he's my big/little brother; **Dupont et ~s** (enseigne) Dupont Brothers; **aimer qn comme un ~** to love sb like a brother; **tu es un ~ pour moi** you're like a brother to me; **~s ennemis** rivals within the same camp; [2] (relation) brother; **tous les hommes sont ~s** all men are brothers; **mes biens chers ~s** Relig my dear brethren; **nos ~s travailleurs/marins** our fellow workers/sailors; **vieux ~** old pal; **peuple** *or* **pays ~** fellow nation; ▸ **faux**; [3] Relig brother; **~ Jacques** Brother Jacques; **être élevé chez les ~s** to be educated by the brothers (*in a Catholic school*)

(Composés) **~ d'armes** brother-in-arms; **~ jumeau** twin brother; **~ lai** lay brother; **~ de lait** foster brother; **~s maçons** brother Masons

frérot○ /fʀeʀo/ *nm* kid○ brother

fresque /fʀɛsk/ *nf* [1] Art fresco; [2] fig panorama

fret /fʀɛt/ *nm* freight; **~ aérien** air freight; **avion de ~** cargo plane; **compagnie de ~** freight company

fréter /fʀete/ [14] *vtr* [1] (donner en location) to charter out; [2] (prendre en location) to charter

fréteur /fʀetœʀ/ *nm* [1] (armateur) owner; [2] (bénéficiaire) charterer

frétillant, ~e /fʀetijɑ̃, ɑ̃t/ *adj* [1] (qui s'agite) [*poisson*] wriggling; [*queue de chien*] wagging; [2] (gai) vivacious, frisky

frétillement /fʀetijmɑ̃/ *nm* [1] (de poisson) wriggling ₵; (de queue de chien) wagging ₵; [2] fig **avoir des ~s d'impatience** to be quivering with impatience

frétiller /fʀetije/ [1] *vi* [1] [*poisson*] to wriggle; **~ de la queue** [*chien*] to wag its tail; [2] fig **~ d'aise/d'impatience** to be quivering with pleasure/impatience

fretin /fʀətɛ̃/ *nm* lit, fig **(menu) ~** small fry

frette /fʀɛt/ *nf* Tech gén binder; (qui se pose à chaud) shrink ring

freudien, -ienne /fʀødjɛ̃, ɛn/ *adj, nm,f* Freudian

freudisme /fʀødism/ *nm* Freudianism

freux /fʀø/ *nm inv* Zool rook

friabilité /fʀijabilite/ *nf* friability

friable /fʀijabl/ *adj* [*roche, pâte*] crumbly; [*terre*] friable

friand, ~e /fʀijɑ̃, ɑ̃d/

A *adj* **être ~ de qch** to be very fond of sth

B *nm* Culin puff; **~ au fromage/à la viande** cheese/meat puff

friandise /fʀijɑ̃diz/ *nf* gén delicacy; (bonbon) sweet GB, candy US

Fribourg /fʀibuʀ/ *npr* [1] ▸ **p. 894** (ville) Fribourg; [2] ▸ **p. 721** (région) **le canton de ~** the canton of Fribourg

fric○ /fʀik/ *nm* dough○, money; **être bourré de ~** to be loaded○

fricandeau, *pl* **~x** /fʀikɑ̃do/ *nm* braised veal ₵

fricassée /fʀikase/ *nf* fricassee

fricative /fʀikativ/ *adj f, nf* fricative

fric-frac○, *pl* **~s*** /fʀikfʀak/ *nm* break-in

friche /fʀiʃ/ *nf* Agric waste land; **en ~** [*terre*] uncultivated, waste (*épith*)

(Composés) **~ industrielle** industrial wasteland; **~ urbaine** urban wasteland

frichti○ /fʀiʃti/ *nm* grub○

fricoter○ /fʀikɔte/ [1]

A *vtr* [1] (cuisiner) to cook up [*plat*]; [2] (manigancer) to cook up○ [*mauvais coup*]

B *vi* (flirter) **il fricote avec sa voisine** he's got something going with his neighbour[GB]; (s'acoquiner) **ils fricotent avec des gens bizarres** they hang around○ with some weird people

friction /fʀiksjɔ̃/ *nf* [1] Méd rub; [2] (désaccord) friction ₵; **il y a des ~s entre eux** there is friction between them; **entre eux tout devient cause de** ~ they turn everything into an issue; **3** Phys, Mécan friction; **force/galet de** ~ frictional force/roller; **jouet à** ~ friction-driven toy

frictionner /fʀiksjɔne/ [1]
A vtr to give a rub to [*personne*]; to rub [*pieds, tête*]
B se frictionner vpr to rub oneself down

frigidaire® /fʀiʒidɛʀ/ nm refrigerator

frigide /fʀiʒid/ adj frigid

frigidité /fʀiʒidite/ nf frigidity

frigo○ /fʀigo/ nm fridge○

frigorifié, ~e /fʀigɔʀifje/
A pp ▸ **frigorifier**
B pp adj **1** [*viandes*] frozen; **2** [*personne*] frozen

frigorifier /fʀigɔʀifje/ [2] vtr to freeze

frigorifique /fʀigɔʀifik/ adj [*vitrine, camion*] refrigerated; **machine** ~ refrigeration system

frigoriste /fʀigɔʀist/ ▸ **p. 532** nmf refrigeration specialist

frileusement /fʀiløzmɑ̃/ adv **relever son col** ~ to pull up one's collar against the cold; **se serrer** ~ **l'un contre l'autre** to huddle close together against the cold; **être emmitouflé** ~ to be muffled up against the cold

frileux, -euse /fʀilø, øz/ adj **1** (sensible au froid) sensitive to the cold; **être (très)** ~ [*personne*] to feel the cold; **relever son col d'un geste** ~ to pull up one's collar against the cold; **2** (timoré) [*attitude, politique*] cautious

frilosité /fʀilozite/ nf **être d'une grande** ~ to feel the cold a lot

frimaire /fʀimɛʀ/ nm Frimaire (*third month of the French revolutionary calendar,* ≈ *December*)

frimas /fʀima/ nmpl liter fig cold weather ₵

frime○ /fʀim/ nf **1** (pour l'épate) **pour la** ~ for show; **arrête ta** ~**!** stop showing off; **2** (simulation) pretence[GB]; **c'est de la** ~ it's all pretence[GB]

frimer○ /fʀime/ [1] vi to show off○

frimeur○**, -euse** /fʀimœʀ, øz/ nm,f show-off○

frimousse /fʀimus/ nf **1** (visage) little face; **2** Ordinat smiley

fringale○ /fʀɛ̃gal/ nf **j'ai la** ~ I'm absolutely starving○; fig **avoir une** ~ **de livres** to have an insatiable desire for books

fringant, ~e /fʀɛ̃gɑ̃, ɑ̃t/ adj [*cheval*] spirited; [*personne*] dashing; [*allure*] brisk

fringué◑**, ~e** /fʀɛ̃ge/
A pp ▸ **fringuer**
B pp adj **bien/mal** ~ well/badly turned out○

fringuer◑**: se fringuer** /fʀɛ̃ge/ [1] vpr to dress

fringues◑ /fʀɛ̃g/ nfpl gear ₵

fripe○ /fʀip/ nf secondhand clothes (*pl*)

fripé, ~e /fʀipe/
A pp ▸ **friper**
B pp adj [*tissu*] crumpled; [*visage, bébé*] wrinkled

friper /fʀipe/ [1] vtr, **se friper** vpr to crease, to crumple

friperie /fʀipʀi/ nf secondhand clothes shop GB ou store US

fripier, -ière /fʀipje, ɛʀ/ ▸ **p. 532** nm,f secondhand clothes dealer

fripon○**, -onne** /fʀipɔ̃, ɔn/
A adj [*air, yeux*] mischievous
B nm,f rascal

fripouille○ /fʀipuj/ nf **1** (escroc) crook○; **2** (affectueusement) **(petite)** ~**!** (little) monkey!

friqué◑**, ~e** /fʀike/ adj loaded○, very rich

frire /fʀiʀ/ [64]
A vtr to fry; **du poisson frit** fried fish
B vi to fry; **faire** ~ **du poisson** to deep-fry fish

frisant, ~e /fʀizɑ̃, ɑ̃t/ adj [*lumière*] slanting

frisbee® /fʀizbi/ nm frisbee®

frise /fʀiz/ nf Archit frieze

frisé, ~e /fʀize/
A pp ▸ **friser**
B pp adj [*cheveux*] curly; [*personne*] curly-haired; **être très** ~ to have very curly hair
C frisée nf (salade) curly endive, frisée
(Idiome) **être** ~ **comme un mouton** to have frizzy hair

friselis /fʀizli/ nm inv (de feuillage) gentle rustling; (de source) babbling

friser /fʀize/ [1]
A vtr **1** (boucler) to curl [*cheveux, moustache*]; ~ **qn** to curl sb's hair; **se faire** ~ to have one's hair curled; **la pluie me frise les cheveux** the rain makes my hair go curly *ou* frizzy; **2** (frôler) [*remarque, attitude*] to border on [*insolence, grossièreté*]; [*personne*] to be on the brink of [*catastrophe*]; **il frise les quarante ans** he's getting on for forty; **cela frise les 10%** it's approaching 10%
B vi [*cheveux. moustache*] to curl; [*personne*] to have curly hair
C se friser vpr **se** ~ **les cheveux** to curl one's hair

frisette○ /fʀizɛt/ nf little curl

frison, -onne /fʀizɔ̃, ɔn/
A adj Géog Frisian
B nm,f Zool Friesian
C ▸ **p. 483** nm Ling Frisian

Frison, -onne /fʀizɔ̃, ɔn/ nm,f Frisian

frisotter* /fʀizɔte/ [1]
A vtr to twiddle [*barbe*]; to twist [*foulard*]
B vi (naturellement) to be curly; (temporairement) to go curly; **la pluie fait** ~ **ses cheveux** the rain makes her hair go curly

frisquet○**, -ette** /fʀiskɛ, ɛt/ adj [*vent*] biting; [*air*] chilly; **il fait** ~ it's nippy○

frisson /fʀisɔ̃/ nm **1** (de froid, fièvre, désir, plaisir) shiver (**de** of); (de peur, d'horreur) shudder; **avoir un** ~ **de** (de froid, fièvre) to shiver with; (de désir, plaisir) to tremble with; (de peur, d'horreur) to shudder with; **j'ai des** ~**s** I keep shivering; **être saisi de** ~**s** to be seized by a fit of shivering; **fièvre accompagnée de** ~**s** fever accompanied by shivering; **grand** ~ great thrill; **2** (de feuillage) rustling; (de lac) rippling

frissonnement /fʀisɔnmɑ̃/ nm **1** (de feuillage) rustling; (de lac) rippling; **2** (de froid, fièvre, plaisir, désir) shivering (**de** of); (de peur, d'horreur) shuddering (**de** of)

frissonner /fʀisɔne/ [1] vi **1** (de fièvre, froid) to shiver (**de** with); (de peur, d'horreur) to shudder (**de** with); (de désir, plaisir, d'orgueil) to tremble (**de** with); **2** liter [*feuillage, lac*] to tremble; **3** (commencer à bouillir) [*eau, lait*] to simmer

frisure /fʀizyʀ/ nf curls (*pl*); **cheveux rebelles à toute** ~ hair which is impossible to curl

frite /fʀit/ nf **1** Culin chip GB, French fry US; **manger des** ~**s tous les jours** to eat chips GB *ou* fries US every day; **2** ◑(forme) **avoir la** ~ to be feeling great; **ne pas avoir la** ~ (physiquement) to be off colour[GB]; (moralement) to be feeling low

friterie /fʀitʀi/ nf chip shop GB, French-fries stall US

friteuse /fʀitøz/ nf chip pan GB, French fryer US
(Composé) ~ **électrique** deep fryer

friture /fʀityʀ/ nf **1** Culin (méthode) frying (**à** in); (graisse) fat; (huile) oil; (aliment) fried food; (poissons) ≈ whitebait (*pl*); **ça sent la** ~ there's a smell of frying; **2** (parasites) crackling

Fritz◑† /fʀits/ nm offensive Jerry◑† GB injur, kraut◑ injur

frivole /fʀivɔl/ adj [*existence, personne, propos*] frivolous; [*esprit*] shallow; [*querelle*] trivial

frivolement /fʀivɔlmɑ̃/ adv frivolously

frivolité /fʀivɔlite/
A nf **1** (caractère) frivolousness; **2** (chose sans importance) frivolity; **3** (dentelle) tatting
B frivolités† nfpl fancy goods

froc /fʀɔk/ nm **1** ◑(pantalon) trousers (*pl*) GB, pants (*pl*) US; **2** Relig habit
(Idiomes) **faire dans son** ~◑ to be shitting◑ oneself, to be scared shitless◑; **baisser son** ~◑ to eat humble pie; **jeter son** ~ **aux orties** to give up one's vocation

froid, ~e /fʀwa, fʀwad/
A adj **1** (à basse température) cold; **eau/nuit/région** ~**e** cold water/night/region; ▸ **vengeance**; **2** (sans chaleur) [*personne, lumière, beauté, couleur, voix, objectivité*] cold; [*accueil, manières, réponse*] cool; [*ton, rapport, mots, observateur, œil*] dispassionate; [*haine*] callous; [*monstre*] cold-blooded; [*humour*] deadpan; [*rage, colère*] controlled; **être** ~ **avec qn** to be cool toward(s) sb; **laisser** ~ to leave [sb] cold; **rester** ~ **devant** to remain unmoved by
B adv **il fait** ~ it's cold
C nm **1** (basse température) cold; **il fait un de ces** ~**s** it's freezing cold; ~ **vif** biting cold; **à l'abri du** ~ sheltered from the cold; **engourdi par le** ~ numb with cold; **sortir dans le** ~ to go out in the cold; **se protéger contre le** ~ to protect oneself against the cold; **avoir** ~ to be cold; **avoir** ~ **aux pieds** to have cold feet; **attraper** *or* **prendre** ~ to catch a cold; **mourir de** ~ lit (dehors) to die of exposure; (sous un toit) to die of cold; fig to be freezing to death; **venir du** ~ to come in from the cold; **coup de** ~ Méd chill; Météo cold snap; **être/rester au** ~ to be/to stay in the cold; **conserver au** ~ keep in a cool place; ▸ **grand, souffler**; **2** (distance) coldness; **le** ~ **de ton regard** the coldness of your stare; **il y a un certain** ~ **dans nos relations** there's a certain coolness in our relationship; **ils sont en** ~ **avec moi/la France** relations between them and me/France are strained; **jeter un** ~ to cast a chill (**dans, sur** over); **il y a eu comme un** ~ it was as if a chill had been cast over everything
D à froid loc adv **1** Tech **coulée/vulcanisation/étirage/laminage/démarrage à** ~ cold casting/vulcanization/drawing/rolling/start; **2** (sans préparation) spontaneous; **plaisanterie/provocation à** ~ spontaneous joke/provocation; **3** (sans passion) **analyse/sondage/discussion à** ~ impartial analysis/poll/discussion; **4** Méd **opérer à** ~ to perform non-critical surgery
(Composé) ~ **industriel** Ind refrigeration
(Idiomes) **battre** ~ **à qn** to cold-shoulder sb; **il fait un** ~ **de canard** *or* **de loup** it is bitterly cold; **faire** ~ **dans le cœur** to sadden one's heart; **avoir/faire** *or* **donner** ~ **dans le dos** to feel/send a shiver down the spine; **ne pas avoir** ~ **aux yeux** to be fearless; **garder la tête** ~**e** to keep a cool head

froidement /fʀwadmɑ̃/ adv **1** (sans émotion) coolly; **répondre/recevoir** ~ to answer/greet [sb] coolly; **abattre** ~ to shoot [sb] down in cold blood [*personne, animal*]; **2** (calmement) with a cool head; **regarder les choses** ~ to look at things coolly

froideur /fʀwadœʀ/ nf (d'œuvre, de sentiment, parole) coldness; (d'accueil) coolness; **avec** ~ coolly

froidure /fʀwadyʀ/ nf **1** (froid) cold; **2** Méd (gelure) frostbite

froissement /fʀwasmɑ̃/ nm **1** (de tissu, papier, feuille) (action) crumpling; (bruit) rustling; **2** Méd strain

froisser /fʀwase/ [1]
A vtr **1** lit (chiffonner) to crease, to crumple [*tissu, vêtement*]; to crumple [*papier*]; **2** ○Aut **il n'y a que de la tôle froissée** it was the car that took the knocks; **3** (blesser) to hurt [*personne, sensibilité*]; ~ **l'amour-propre de qn** to hurt sb's pride; **4** Méd to strain [*muscle, nerf*]
B se froisser vpr **1** (se chiffonner) [*tissu, vêtement, papier*] to crease; **ma robe s'est froissée** my dress is creased; **2** (s'offusquer) to be hurt (**de** by); **3** Méd to strain

frôlement /fʀolmɑ̃/ nm **1** (contact) brushing ₵; **un** ~ **suffit pour déclencher le système** you only need to go near the system to set it off; **2** (bruit) (de feuille, papier, tissu) rustling; (d'ailes) fluttering

frôler /fʀole/ [1]
A *vtr* **1** (toucher) [*personne, main, genou*] to brush; [*ballon, balle, pierre*] to graze; [*voiture, conducteur*] to scrape; **2** (passer près) [*balle, ballon, pierre, voiture*] to miss narrowly; [*personne*] to brush past [*personne*]; to brush against [*objet, mur*]; to come close to [*succès*]; to approach [*somme, taux*]; **il a frôlé la mort** he came within a hair's breadth of dying, he had a brush with death; **ses blagues frôlent le mauvais goût** his jokes border on bad taste; **l'automobiliste a frôlé les 200 km/h** the driver almost reached a speed of 200 km per hour; **il frôlait les 200 kg** it weighed close to 200 kg
B **se frôler** *vpr* **1** (se toucher) [*personne, main, genou*] to brush against each other; **2** (sans se toucher) [*objet, voiture, conducteur*] to just miss each other; [*personne*] to brush past each other; **ils se sont frôlés sans se voir** they brushed past (each other) without seeing each other

fromage /fʀɔmaʒ/ *nm* **1** cheese; **manger du ~** to eat cheese; **trois ~s** three cheeses; **~ rapé** grated cheese; **~ fondu** melted cheese; **soufflé au ~** cheese soufflé; **~ (au lait) de vache/chèvre/brebis** cow's/goat's/ewe's milk cheese; **~ à pâte molle** soft cheese; **~ à pâte cuite** hard cheese; **~ à pâte persillée** blue cheese; **~ fait/pas fait** ripe/unripe cheese; **2** ○(situation rentable) little earner○ GB; **il a trouvé un bon ~** he's found a nice little earner GB, he's hit pay dirt US; **se partager le ~** to split the profits
(Composés) **~ blanc** *or* **frais** fromage frais; **~ maigre** low-fat cheese; **~ à tartiner** cheese spread; **~ de tête** brawn GB, head cheese US
(Idiome) **faire un ~ de qch**○ to make a big deal○ out of sth

fromager, -ère /fʀɔmaʒe, ɛʀ/
A *adj* [*production*] cheese; **associations fromagères** cheese producers' associations
B ▸ **p. 532** *nm* **1** (fabricant) cheesemaker; (commerçant) cheese seller; **aller chez le ~** to go to the cheese shop; **2** Bot kapok tree

fromagerie /fʀɔmaʒʀi/ ▸ **p. 532** *nf* (fabrique) dairy; (magasin) cheese shop; (rayon) cheese counter

fromegi◑ /fʀɔmʒi/ *nm* cheese

froment /fʀɔmɑ̃/ *nm* wheat; **farine de ~** wheat flour

frometon◑ /fʀɔmtɔ̃/ *nm* cheese

fronce /fʀɔ̃s/ *nf* gather; **jupe à ~s** gathered skirt

froncement /fʀɔ̃smɑ̃/ *nm* **avoir un léger ~ de sourcils** to frown slightly

froncer /fʀɔ̃se/ [12]
A *vtr* **1** Cout to gather; **2** **~ les sourcils** to frown; **~ le nez** lit to wrinkle one's nose; fig not to be very keen
B **se froncer** *vpr* **ses sourcils se froncèrent** he/she frowned; **son nez s'est froncé** lit he/she wrinkled his/her nose; fig he/she was not very keen

fronceur /fʀɔ̃sœʀ/ *adj* **ruban ~** curtain tape

frondaison /fʀɔ̃dɛzɔ̃/ *nf* **1** liter (feuillage) foliage ¢; **2** Bot foliation

fronde /fʀɔ̃d/ *nf* **1** (arme) sling; (jouet) catapult GB, slingshot US; **2** (révolte) revolt; **vent/esprit de ~** mood/spirit of revolt; **3** Bot frond

Fronde /fʀɔ̃d/ *nprf* **la ~** the Fronde

fronder /fʀɔ̃de/ [1] *vtr* to satirize

frondeur, -euse /fʀɔ̃dœʀ, øz/
A *adj* [*personne, esprit*] rebellious; [*propos*] anti-authoritarian
B *nm* troublemaker

front /fʀɔ̃/
A *nm* **1** Anat forehead, brow littér; **avoir le ~ haut** to have a high forehead; **s'essuyer le ~** to wipe one's brow; **elle a une cicatrice sur le** *or* **au ~** she has a scar on her forehead; **relever le ~** fig to stand up for oneself; **c'est lui le coupable, c'est écrit sur son ~** he's the culprit, it's written all over his face; **2** Mil front; **être envoyé au ~** to be sent to the front; **le ~ ennemi** the enemy front; **sur le ~ social/de l'emploi** fig on the social/job front; **faire ~ commun contre l'ennemi** to stand together against the enemy; **faire ~ à qn/qch** to stand up to sb/sth; **3** (façade) façade; **4** Météo front; **~ chaud/froid** warm/cold front; **5** Pol front
B **de front** *loc adv* **aborder un problème de ~** to tackle a problem head-on; **les voitures se sont heurtées de ~** the cars collided head-on; **ils marchaient à quatre de ~** they were walking four abreast; **mener plusieurs tâches de ~** to have several tasks on the go
(Composés) **Front de libération nationale, FLN** Hist National Liberation Front, FLN; **~ de mer** seafront; **Front populaire** Hist Popular Front; **~ de taille** Mines coalface
(Idiome) **avoir le ~ de faire qch** to have the face *ou* effrontery to do sth; ▸ **sueur**

frontal, ~e, *mpl* **-aux** /fʀɔ̃tal, o/
A *adj* **1** [*attaque*] frontal; [*choc, collision*] head-on (*épith*); **lave-linge à chargement ~** front-loading washing machine; **2** Anat frontal
B *nm* **1** Anat frontal bone; **2** (en équitation) browband

frontalier, -ière /fʀɔ̃talje, ɛʀ/
A *adj* [*zone, querelle, conflit*] border (*épith*); [*travail*] cross-border (*épith*); **travailleur ~** person who works across the border
B *nmf* person living near the border

frontière /fʀɔ̃tjɛʀ/ *nf* **1** Géog, Pol frontier, border; **tracer/réviser les ~s** to draw/redraw the frontiers; **ouvrir/fermer/passer la ~** to open/close/cross the border; **à l'intérieur de nos ~s** at home; **hors de nos ~s** abroad; **leur renommée passe les ~s** they're internationally famous; **2** (limite) **~s entre les disciplines** boundaries between disciplines; **faire reculer les ~s de la connaissance** to push back the frontiers of knowledge; **au-delà des ~s du possible** beyond the realms of possibility; **ça l'a conduit aux ~s de la mort** it led him to the very brink of death
(Composé) **~ naturelle** Géog natural boundary

frontispice /fʀɔ̃tispis/ *nm* (titre) title page; (illustration) frontispiece

fronton /fʀɔ̃tɔ̃/ *nm* **1** Archit pediment; **2** (à la pelote basque) (mur) front wall; (terrain) pelota court

frottement /fʀɔtmɑ̃/ *nm* **1** (mouvement) rubbing ¢; **2** (bruit) **j'entends des ~s** I can hear something rubbing; **3** Mécan, Phys friction ¢; **réduire le ~** *or* **les ~s** to reduce friction; **coefficient/force de ~** friction coefficient/force; **résistance de ~** frictional resistance; **usure par ~** frictional wear; **4** ○(désaccord) friction ¢; **il y a du ~ entre eux** there's friction between them
(Composé) **~ pleural** Méd pleural fremitus

frotter /fʀɔte/ [1]
A *vtr* **1** (masser) to rub; **frotte-moi le dos** rub my back; **n'ayez pas peur de ~** don't be afraid to rub hard; **~ une allumette** to strike a match; **2** (nettoyer) to scrub [*peau, parquet, linge, tapis*]; to polish [*argenterie*]
B *vi* to rub (**sur** on; **contre** on, against); **mes chaussures frottent** my shoes are rubbing; **le bas de la porte frotte** the bottom of the door is scraping against the floor
C **se frotter** *vpr* **1** (se frictionner) **se ~ les yeux** to rub one's eyes; **se ~ les mains** lit, fig to rub one's hands; **2** (se nettoyer) to scrub oneself; **se ~ les mains** to scrub one's hands; **3** (se mesurer) **se ~ à** lit, fig to take on; **se ~ à plus fort que soi** to take on someone bigger than oneself
(Idiomes) **se faire ~ les oreilles**○ to have one's ears boxed; **qui s'y frotte s'y pique** if you go looking for trouble, you'll find it

frottis /fʀɔti/ *nm inv* **1** Biol smear; **se faire faire un ~ vaginal** to have a cervical smear; **2** Art scumble

frottoir /fʀɔtwaʀ/ *nm* **1** (pour allumettes) friction strip; **2** (pour parquet) scrubbing brush

froufrou /fʀufʀu/ *nm* **1** (bruissement) swishing sound; **faire du ~** to swish; **2** (ornement) frill; **une robe à ~s** a frilly dress

froufroutant, ~e /fʀufʀutɑ̃, ɑ̃t/ *adj* **1** (bruissant) swishing; **2** (avec volants) frilly

Frounzé /fʀunze/ ▸ **p. 894** *npr* Hist Frunze

froussard○**, ~e** /fʀusaʀ, aʀd/
A *adj* chicken-livered○, cowardly
B *nm,f* chicken○, coward

frousse○ /fʀus/ *nf* fright; **avoir la ~** to be scared (**de** of); **j'ai eu une de ces ~s** I had a terrible fright; **il m'a flanqué** *or* **fichu la ~** he gave me a fright

fructidor /fʀyktidɔʀ/ *nm* Fructidor (*twelfth month of the French revolutionary calendar,* ≈ *September*)

fructification /fʀyktifikasjɔ̃/ *nf* (formation des fruits) fruit formation; (ensemble des fruits) yield

fructifier /fʀyktifje/ [2] *vi* **1** [*capital*] to yield a profit; [*affaire*] to flourish; [*théorie*] to bear fruit; **faire ~ son argent** to make one's money grow; **2** [*arbre*] to bear fruit; [*terre*] to be productive

fructose /fʀyktoz/ *nm* fructose

fructueusement /fʀyktɥøzmɑ̃/ *adv* profitably

fructueux, -euse /fʀyktɥø, øz/ *adj* (fécond) [*relation, réunion*] fruitful; [*essai, carrière*] successful; [*travail*] productive; (lucratif) profitable

frugal, ~e, *mpl* **-aux** /fʀygal, o/ *adj* [*personne, repas*] frugal

frugalement /fʀygalmɑ̃/ *adv* frugally

frugalité /fʀygalite/ *nf* frugality; **avec ~** frugally

frugivore /fʀyʒivɔʀ/
A *adj* frugivorous
B *nm* fruit-eating animal

fruit /fʀɥi/ *nm* **1** gén, Culin fruit ¢; **voulez-vous un ~?** would you like some fruit?; **aimer les ~s** to like fruit; **acheter des ~s** to buy fruit; **2** Bot fruit; **la tomate est un ~** the tomato is a fruit; **3** (résultat) fruit; **récolter les ~s de ses efforts/de la victoire** to reap the fruits of one's efforts/of victory; **c'est le ~ de l'expérience** that's the fruit of experience; **le ~ de mes entrailles** the fruit of my womb; **porter ses ~s** to bear fruit; **le ~ de l'adultère** the offspring of an adulterous liaison; **4** Constr, Gén Civ (de mur, barrage, canal) batter
(Composés) **~ confit** Culin candied *ou* glacé fruit; **~ défendu** Bible forbidden fruit; **~ déguisé** Culin (avec glaçage) sugar-coated fruit; (à la pâte d'amande) marzipan fruit; **~ de la passion** Bot, Culin passion fruit; **~ sec** Culin dried fruit; (personne) disappointment; **~ tombé** Agric windfall; **~s de mer** Culin seafood ¢; **~s rafraîchis** Culin fruit salad ¢; **~s rouges** Culin soft fruit ¢ GB, berries US; **~s au sirop** Culin fruit ¢ in syrup GB *ou* sirup US; **~s de la terre** fruits of the earth

fruitarien, -ienne /fʀɥitaʀjɛ̃, ɛn/ *adj, nm,f* fruitarian

fruitarisme /fʀɥitaʀism/ *nm* fruitarianism

fruité, ~e /fʀɥite/ *adj* [*alcool, parfum*] fruity

fruiterie /fʀɥitʀi/ *nf* (magasin) greengrocer's GB, fruit seller's; (entrepôt) fruit warehouse

fruitier, -ière /fʀɥitje, ɛʀ/
A *adj* [*arbre, cargo*] fruit (*épith*)
B ▸ **p. 532** *nm,f* fruiterer GB, fruit seller US
C *nm* **1** (verger) orchard; (planté d'agrumes) grove; **2** (arbre) fruit tree; **3** (pièce) storeroom for fruit; (entrepôt) fruit warehouse; **4** (fromager) cheese maker
D **fruitière** *nf* (fromagerie) cheese dairy

frusques○ /fʀysk/ *nfpl* gear○ ¢, clothes (*pl*); **de vieilles ~** old clothes

fruste /fʀyst/ *adj* 1 *[personne, manières, apparence]* uncouth; *[langage, expression]* crude; *[art, style]* unsophisticated; 2 Tech *[médaille]* worn; *[sculpture]* weatherbeaten

frustrant, **~e** /fʀystʀɑ̃, ɑ̃t/ *adj* 1 *[situation, travail]* frustrating; *[attitude, réponse]* unsatisfactory; 2 Psych *[parent, éducateur]* repressive, frustrating spéc

frustration /fʀystʀasjɔ̃/ *nf* 1 gén, Psych frustration; **un sentiment de ~** a feeling of frustration; 2 Jur deprivation

frustré, **~e** /fʀystʀe/
A *adj* frustrated
B *nm,f* dissatisfied person

frustrer /fʀystʀe/ [1] *vtr* 1 (décevoir) **~ qn/les efforts de qn** to thwart sb/sb's efforts; **~ qn dans son attente** to disappoint sb's hopes; 2 (priver) **~ qn de qch** to deprive sb of sth; (malhonnêtement) to cheat sb (out) of sth; 3 (léser) to defraud *[créanciers]*; 4 Psych to frustrate

FS (*written abbr* = **franc suisse**) SFr

FSE /ɛfɛsə/ *nm*: *abbr* ▸ **fonds**

FTP /ɛftepe/ (*abbr* = **File Transfer Protocol**) *nm* Ordinat FTP, File Transfer Protocol

fuchsia /fyʃja/
A ▸ **p. 202** *adj inv* fuchsia (*épith*)
B *nm* fuchsia

fuchsine /fyksin/ *nf* fuchsin

fucus /fykys/ *nm inv* fucus

fuel = **fioul**

fufute○ /fyfyt/ *adj inv* sharp; **ce n'est pas ~ de ta part** that isn't very clever of you

fugace /fygas/ *adj* *[sensation, souvenir, reflet, instant, odeur]* fleeting; *[symptôme]* elusive

fugacité /fygasite/ *nf* liter (de sensation, reflet) fleetingness; (de souvenir) elusiveness; (d'odeur) evanescence; (de beauté) transience

fugitif, **-ive** /fyʒitif, iv/
A *adj* 1 (échappé) *[prisonnier]* escaped; *[esclave]* runaway (*épith*); **un criminel ~** a fugitive from justice; 2 (bref) *[sensation, pensée, ombre, espoir]* fleeting; *[plaisir, joie]* elusive; **le bonheur est ~** happiness is elusive
B *nm,f* (malfaiteur) fugitive; (prisonnier) escapee; (enfant, esclave) runaway

fugitivement /fyʒitivmɑ̃/ *adv* fleetingly

fugue /fyg/ *nf* 1 (escapade) **faire une ~** (enfant) to run away; (animal) to run off; **un enfant en ~** a runaway child; **c'est sa première ~** it's the first time he/she has run away; **elle est en ~** she has run away (**de** from); 2 Mus fugue

fuguer /fyge/ [1] *vi* *[enfant]* to run away (**de** from); *[animal]* to run off

fugueur, **-euse** /fygœʀ, øz/
A *adj* **c'est un enfant ~** this child is always running away
B *nm,f* runaway (child)

fuir /fɥiʀ/ [29]
A *vtr* 1 (quitter) to flee *[pays, ville, oppression]*; to flee from *[combats, amour]*; 2 (éviter) to escape *[hiver]*; to avoid *[responsabilité, discussion, personne]*; to steer clear of *[problème, journalistes, foule]*; to stay out of *[soleil]*; **~ les médias** to shun publicity
B *vi* 1 (partir) *[personne, soldat, capitaux]* to flee; *[animal]* to run away; **~ en Chine/à l'étranger/devant l'ennemi** to flee to China/abroad/in the face of the enemy; **~ à toutes jambes** to run for it; **faire ~** to scare [sb] off *[personne]*; **faire ~ les clients/spectateurs/investisseurs** to scare customers/spectators/investors off; **laid à faire ~** ugly as sin; 2 (suinter) *[robinet, gaz, toit, stylo]* to leak; 3 (se dérober) *[personne, regard]* to be evasive; **~ devant ses responsabilités** not to face up to one's responsibilities; 4 liter (défiler et disparaître) *[nuages]* to sail by; *[arbres]* to flash past; *[navire]* to sail into the distance; *[temps]* to fly by; *[bonheur]* to fade
C **se fuir** *vpr* (s'éviter) to avoid each other; **les deux familles se fuient** the two families avoid each other

fuite /fɥit/ *nf* 1 (mouvement) gén flight; (de fugitif) escape; **~ précipitée/éperdue** hurried/headlong flight; **protéger sa ~** to cover one's escape; **mettre qn en ~** to put sb to flight; **en ~** runaway (*épith*), on the run (*jamais épith*); **prendre la ~** *[personne]* to flee; *[fugitif]* to escape; *[voiture]* to speed off; **la ~ des cerveaux aux États-Unis** the brain drain to the US; **~ de capitaux** Fin flight of capital; **la ~ des capitaux en Suisse/hors de France** the flight of capital to Switzerland/from France; **~ en Égypte** Bible Flight into Egypt; 2 (attitude) escape (**devant** from; **dans** into); **~ devant la vie/dans le travail** escape from life/in work; **~ en avant** headlong rush (**vers** into); 3 (d'information) leak; **~s avant l'examen** leaks before the examination; **~s publiées dans la presse** leaks published in the press; 4 Tech (suintement) leak; **~ d'eau/d'huile** water/oil leak; **~ dans un tuyau** leak in a pipe; 5 liter (d'années) swift passage; (de temps) passing; (de nuages) drift

fulgurant, **~e** /fylgyʀɑ̃, ɑ̃t/ *adj* *[réflexes, attaque]* lightning (*épith*); *[réponse, ascension, progression]* dazzling; *[imagination]* brilliant; *[douleur]* searing (*épith*); **ses progrès ont été ~s** he/she has made terrific progress; **une lueur ~e** a blinding flash; **elle lui lança des regards ~s** she looked at him/her with blazing eyes

fuligineux, **-euse** /fyliʒinø, øz/ *adj* 1 *[flamme, teinte]* sooty; 2 *[propos, raisonnement]* obscure

full /ful/ *nm* full house; **un ~ aux as par les dames** three aces and two queens

fulmar /fylmaʀ/ *nm* fulmar

fulminant, **~e** /fylminɑ̃, ɑ̃t/ *adj* 1 (furieux) furious; 2 Chimie fulminating, detonating; **poudre ~e** fulminating powder

fulminate /fylminat/ *nm* fulminate; **~ de mercure** mercury fulminate

fulmination /fylminasjɔ̃/ *nf* 1 (imprécation) fulmination; **lancer des ~s contre qn/qch** to rail against sb/sth; 2 Chimie detonation; 3 Relig fulmination

fulminer /fylmine/ [1]
A *vtr* 1 (prononcer) to hurl *[insultes]* (**contre** at); to fling *[menaces]* (**contre** at); 2 Relig to fulminate (**qch contre qn** sth against sb)
B *vi* 1 (enrager) to fulminate (**contre** against); **il fulminait intérieurement** he was seething; 2 Chimie to detonate

fulminique /fylminik/ *adj* fulminic

fumage /fymaʒ/ *nm* 1 Culin smoking; 2 Agric manuring

fumant, **~e** /fymɑ̃, ɑ̃t/ *adj* 1 (dégageant de la fumée) smoking; (dégageant de la vapeur) steaming; 2 Chimie fuming; 3 ○(sensationnel) terrific○; **faire un coup ~** to pull off a real coup (**à qn** on sb); **préparer un coup ~ contre** *or* **à qn** to have a nasty surprise in store for sb

fumasse◑ /fymas/ *adj* **être ~** to be fuming

fumé, **~e** /fyme/
A *pp* ▸ **fumer**
B *pp adj* 1 Culin *[viande, poisson]* smoked; 2 (teinté) *[vitre, lunettes]* tinted; *[verre]* smoked; **des lunettes à verres ~s** tinted glasses
C *nm* Culin smoked food; **un goût de ~** a smoky taste
D **fumée** *nf* 1 (de feu) smoke; (d'usine, de pot d'échappement) **~es** fumes; **~e de cigare** cigar smoke; **les ~es des toits de la ville** smoke from the chimneys of the town; **partir** *or* **s'évanouir en ~e** fig to go up in smoke; **la ~e vous dérange?** do you mind my smoking?; 2 (vapeur) steam; **dans les ~es de l'alcool** *or* **de l'ivresse** fig in an alcoholic stupor

(Idiome) **il n'y a pas de ~e sans feu** Prov there's no smoke without fire Prov

fume-cigarette* /fymsigaʀɛt/ *nm inv* cigarette holder

fumée ▸ **fumé A, B, D**

fumer /fyme/ [1]
A *vtr* 1 *[fumeur]* to smoke; **~ la cigarette/la pipe** to smoke cigarettes/a pipe; 2 Culin to smoke *[viande, poisson]*; 3 Agric to manure *[sol]*
B *vi* 1 *[fumeur]* to smoke; 2 *[volcan, cheminée]* to smoke; *[étang, grog]* to steam; *[acide]* to give off fumes; 3 ○(être en colère) to fume○

(Idiome) **~ comme un pompier** *or* **sapeur** to smoke like a chimney

fumerie /fymʀi/ *nf* **~ (d'opium)** opium den

fumerolle* /fymʀɔl/ *nf* fumarolic gas ₵

fumet /fymɛ/ *nm* 1 Culin (de viande) aroma; (de vin) bouquet; (sauce) fumet; 2 (forte odeur) smell, odour[GB]; 3 Chasse (de gibier) scent

fumette○ /fymɛt/ *nf* dope smoking

fumeur, **-euse**[1] /fymœʀ, øz/ *nm,f* smoker; **un grand ~** a heavy smoker; **zone ~s/non ~s** smoking/non-smoking area; **compartiment non ~** non-smoking compartment

fumeux, **-euse**[2] /fymø, øz/ *adj* 1 (vague) *[théorie, propos]* woolly GB, wooly US; *[personne]* woolly-minded; 2 (produisant de la fumée) smoky; (brumeux) misty

fumier /fymje/ *nm* 1 Agric manure; **tas de ~** dunghill; 2 ◑(salaud) offensive **(espèce de) ~!** you shit◑! injur; **c'est un beau ~** he's a real shit◑

fumigateur /fymigatœʀ/ *nm* fumigator

fumigation /fymigasjɔ̃/ *nf* fumigation

fumigatoire /fymigatwaʀ/ *adj* fumigating

fumigène /fymiʒɛn/
A *adj* Mil *[grenade, pot]* smoke; Agric *[appareil, poudre]* fumigating
B *nm* Mil smoke device; Agric fumigator

fumiste /fymist/
A ○*adj* pej **être un peu ~** (peu sérieux) to be a bit of a joker○; (charlatan) to be a bit of a phoney○; (paresseux) to be a bit of a skiver○ GB *ou* laggard US
B *nm,f* 1 ○(fantaisiste) joker○; (charlatan) phoney○; (paresseux) skiver○ GB, laggard US; 2 ▸ **p. 532** (technicien) (pour cheminée) chimney specialist; (pour appareil de chauffage) stove fitter

fumisterie /fymistəʀi/ *nf* 1 ○(action peu sérieuse) joke; **c'est une/de la ~** it's a joke; 2 (profession) (pour les cheminées) chimney engineering; (pour les appareils de chauffage) stove fitting

fumivore /fymivɔʀ/ *adj* *[bougie, appareil]* smoke-absorbing; *[foyer]* smokeless

fumoir /fymwaʀ/ *nm* 1 (pour fumeurs) smoking-room; 2 (pour viandes, poissons) smokehouse

fumure /fymyʀ/ *nf* 1 (avec de l'engrais) fertilization; (avec du fumier) manuring; 2 (engrais) fertilizer; (fumier) manure

fun /fœn/ *nm* 1 (planche) funboard; 2 (sport) funboard sailing

funambule /fynɑ̃byl/ ▸ **p. 532** *nmf* tightrope walker; **un numéro de ~s** a tightrope act

funambulesque /fynɑ̃bylɛsk/ *adj* 1 (de funambule) *[art, technique]* of tightrope walking; *[souplesse, exploit]* of a tightrope walker; 2 (excentrique) *[projet, idée]* outlandish

funambulisme /fynɑ̃bylism/ *nm* tightrope walking

funèbre /fynɛbʀ/ *adj* 1 (funéraire) funeral (*épith*); **convoi/service ~** funeral procession/service; **éloge ~** funeral oration; 2 (lugubre) funereal, gloomy

funérailles /fyneʀɑj/ *nfpl* funeral; **des ~ nationales** a state funeral

funéraire /fyneʀɛʀ/ *adj* *[cérémonie, frais]* funeral; *[objet, monument]* funerary; **dalle** *or* **stèle ~** tombstone, gravestone GB

funérarium /fyneʀaʀjɔm/ *nm* funeral parlour[GB]

funeste /fynɛst/ *adj* 1 (qui est source de malheur) *[erreur, conseil]* fatal; *[décision, jour]* fateful; *[conséquence]* dire; **être ~ à qn/qch** to be fatal for sb/sth; 2 (de mort) fml *[pressentiment, signe]* of death (*épith, après n*)

funiculaire /fynikylɛʀ/ *nm* funicular

funky /fœnk(i)/ *adj, nm* funk

fur: **au fur et à mesure** /ofyʀeaməzyʀ/
A *loc adv* (régulièrement) as one goes along; **je préfère les informer au ~ et à mesure** I prefer to inform them as I go along; **au ~ et à mesure leur technique s'est améliorée** their technique improved as they went along; **passe-moi les livres, je les rangerai au ~ et à mesure** pass me the books, I'll put them away as I go along; **il inventait des explications au ~ et à mesure** he was making up explanations as he went along
B **au fur et à mesure de** *loc prép* **au ~ et à mesure de leurs besoins** as and when they need it; **vous serez payés au ~ et à mesure de l'avancement des travaux** you'll be paid as the work progresses; **la championne joue de mieux en mieux au ~ et à mesure des matchs** the champion is playing better and better with each match; **placer les gens au ~ et à mesure de leur arrivée** to seat people as and when they arrive
C **au fur et à mesure que** *loc conj* **le chemin se rétrécissait au ~ et à mesure qu'on avançait** the path grew progressively narrower as we went along; **au ~ et à mesure que les gens arrivaient** as people arrived; **au ~ et à mesure que la soirée avançait, il devenait de plus en plus animé** as the evening went on, he became more and more animated

furax○ /fyʀaks/ *adj inv* mad○, hopping mad○ (*jamais épith*); **être ~ de devoir faire qch** to be mad○ at having to do sth; **je suis ~ d'avoir dit ça** I could kick myself for saying that○

furet /fyʀɛ/ *nm* 1 Zool ferret; 2 (jeu) *children's game where one tries to find a hidden object being passed around*; 3 (de plombier) snake

furetage /fyʀtaʒ/ *nm* 1 (d'enfant, de curieux) rummaging, ferreting around; 2 Chasse ferreting

fureter /fyʀte/ [18] *vi* to rummage, to ferret around (**dans** in)

fureteur, **-euse** /fuʀtœʀ, øz/
A *adj* [*personne, air, humeur, regard*] inquisitive; [*yeux*] prying
B *nm* Can Ordinat web browser

fureur /fyʀœʀ/ *nf* 1 (colère) rage, fury; **~ aveugle/noire** blind/unholy rage; **accès/crise de ~** bout/fit of rage; **être en ~ contre qn/qch** to be in a rage with sb/about sth; **se mettre en ~ contre qn/qch** to fly into a rage with sb/sth; **exciter la ~ de qn, mettre qn en ~** to make sb furious; 2 (passion) frenzy; **avec ~** frenziedly; **s'adonner au jeu avec ~** to gamble frenziedly; **~ de vivre** lust for life; **avoir la ~ du jeu/de lire/d'écrire** to be addicted to gambling/to reading/to writing; **faire ~** to be all the rage; **ce sport fait ~ en ce moment** this sport is all the rage at the moment

furia /fyʀja/ *nf* (d'admirateurs, de manifestants) frenzy; (de joueurs, d'équipe) zeal

furibard○, **~e** /fyʀibaʀ, aʀd/ *adj* hopping mad○ (*jamais épith*)

furibond, **~e** /fyʀibɔ̃, ɔ̃d/ *adj* [*air*] incensed; [*voix, regard, yeux*] wrathful; **être ~** to be furious; **rouler des yeux ~s** to roll one's eyes in rage

furie /fyʀi/ *nf* 1 (rage) rage, fury; **mettre qn en ~** to make sb furious; **entrer en ~** to become furious, to fly into a rage; 2 (violence) fury; **taureau/vent en ~** raging bull/wind; 3 (harpie) fury

Furie /fyʀi/ *nprf* Mythol Fury; **les ~s** the Furies

furieusement /fyʀjøzmɑ̃/ *adv* 1 (violemment) [*attaquer, cogner*] furiously; [*injurier*] violently; [*répondre*] angrily; 2 ○(extrêmement) [*beau*] fantastically; [*bon, long, drôle*] incredibly; **j'ai ~ envie de dormir** I'm dying to go to sleep; **elle ressemble ~ à son père** she's incredibly like her father

furieux, **-ieuse** /fyʀjø, øz/ *adj* 1 (irrité) [*personne, geste, air, ton*] furious; [*foule, animal, cris*] angry; **jeter un regard ~ à qn** to cast a furious look at sb; **rendre qn ~** to make sb furious; **être ~ contre qn** to be furious with sb; **être ~ de qn/qch** to be infuriated by sb/sth; **être ~ de faire** to be furious at doing; **être ~ que** to be furious that; **il est ~ que je ne sois pas venu** he's furious that I didn't come; **parler sur un ton ~** to speak angrily; 2 ○(intense) [*envie*] terrible; 3 (violent) [*combats*] intense; [*tempête, vent, torrent*] raging

furioso /fyʀjozo/ *adj* furioso

furoncle /fyʀɔ̃kl/ *nm* boil, furuncle spéc

furonculose /fyʀɔ̃kyloz/ ▸ p. 283 *nf* furunculosis

furtif, **-ive** /fyʀtif, iv/ *adj* 1 (discret, rapide) furtive; **marcher d'un pas ~** to tread furtively; 2 (passager) [*soupçon, joie, émotion*] fleeting; 3 Mil (indétectable) **avion ~** stealth bomber

furtivement /fyʀtivmɑ̃/ *adv* furtively

fusain /fyzɛ̃/ *nm* 1 (arbuste) spindle tree; 2 Art (matière) charcoal, fusain spéc; (crayon) charcoal crayon; (dessin) charcoal drawing; **au ~** (dessiner) in charcoal; (dessin) charcoal (*épith*)

fuseau, *pl* **~x** /fyzo/ *nm* 1 (pour filer) spindle; **en ~** [*jambe de pantalon, muscle*] tapering; [*colonne, arbre*] spindle-shaped; **arbre taillé en ~** tree trimmed in a spindle shape; 2 (pour dentelle) lace bobbin; **dentelle au ~** bobbin-lace; 3 (pantalon) **~(x) (de ski)** ski pants (*pl*); 4 Zool spindle-shell; 5 ○(jambe) pin○, leg

(Composé) **~ horaire** time zone; **changer de ~ horaire** to change time zones

fusée /fyze/ *nf* 1 (en astronautique, pyrotechnie) rocket; **~ interplanétaire** interplanetary rocket; 2 Mil (missile) rocket, missile; (détonateur) fuse; 3 Aut stub axle

(Composés) **~ air-air** air-to-air missile; **~ antichar** antitank rocket *ou* missile; **~ asphyxiante** gas bomb; **~ de détresse** distress rocket; **~ éclairante** flare; **~ gigogne** *or* **à étages** multistage rocket; **~ intercontinentale** intercontinental (ballistic) missile; **~ mer-air** sea-to-air missile; **~ mer-mer** ship-to-ship missile; **~ porteuse** Astronaut carrier rocket; **~ de signalisation** signal rocket; **~ sol-air** surface-to-air missile

(Idiome) **partir comme une ~** to set off like a rocket

fusée-sonde, *pl* **fusées-sondes** /fyzesɔ̃d/ *nf* Astronaut probe (rocket)

fuselage /fyzlaʒ/ *nm* fuselage

fuselé, **~e** /fyzle/ *adj* [*muscle, doigt*] tapering; [*arbre, colonne, structure*] spindle-shaped

fuséologie /fyzeɔlɔʒi/ *nf* rocketry, rocket technology

fuser /fyze/ [1] *vi* 1 (retentir) to ring out; **cris qui fusent de tous côtés** shouts ringing out on every side; **les rires/insultes/critiques fusaient** laughter/insults/criticism came from all sides; **laisser ~ des injures** to call out insults; 2 (jaillir) [*objet*] to rocket; [*liquide*] to spurt out; [*lumière*] to pour; [*lueur, malice, colère*] to flash (**sur** across); 3 Tech [*cire, bougie*] to melt, to fuse; [*poudre*] to burn out

fusette /fyzɛt/ *nf* reel (of thread)

fusibilité /fyzibilite/ *nf* fusibility

fusible /fyzibl/
A *adj* fusible
B *nm* (fil, cartouche) fuse

fusiforme /fyzifɔʀm/ *adj* fusiform

fusil /fyzi/ *nm* 1 (arme) gun, shotgun; Mil rifle; **un coup de ~** lit a rifle *ou* gun shot; **dans ce restaurant c'est le coup de ~**○ fig they really sting you in that restaurant; **à portée de ~** within range; 2 (chasseur) gun; (soldat) rifle; **être un bon/mauvais ~** to be a good/bad shot; 3 (pour aiguiser) sharpening steel; 4 (allume-gaz) gas igniter

(Composés) **~ antichar** antitank gun; **~ d'assaut** assault rifle *ou* gun; **~ à canon scié** sawn-off shotgun; **~ de chasse** hunting rifle; **~ à deux coups** double-barrelled[GB] gun *ou* rifle; **~ de guerre** army rifle; **~ à harpon** harpoon gun; **~ lance-grenade** grenade rifle *ou* gun; **~ à lunette** rifle *ou* gun with telescopic sight; **~ à pompe** pump gun; **~ à répétition** repeater; **~ sous marin** speargun

(Idiome) **partir la fleur au ~** to set off without a care in the world; ▸ **chien, épaule**

fusilier /fyzi(l)je/ *nm* rifleman, fusilier; Hist fusilier

(Composés) **~ (commando) de l'air** airforce commando; **~ marin** marine; **~ mitrailleur** machinegunner

fusillade /fyzijad/ *nf* 1 (bruit) gunfire ₵; (bataille) shoot-out; **un bruit de ~** a noise of gunfire; 2 (exécution) shooting

fusiller /fyzije/ [1] *vtr* 1 (exécuter) to shoot; **~ qn pour trahison** to shoot sb for treason; **faire ~ qn** to have sb shot; 2 ○(abîmer) to wreck; 3 ○(avec un appareil photo) **~ qn** to click away at sb

(Idiome) **~ qn du regard** to give sb a withering look

fusil-mitrailleur, *pl* **fusils-mitrailleurs** /fyzimitʀajœʀ/ *nm* light machine gun

fusion /fyzjɔ̃/ *nf* 1 (liquéfaction) (de métal) melting, fusion spéc; (de glace) melting; **roche/métal en ~** molten rock/metal; 2 Biol, Nucl, Phys fusion; **~ (thermo)nucléaire** nuclear fusion; 3 Ling fusion; 4 (union) (d'entreprises, de partis, listes, professions) merger (**entre** between); (de systèmes, cultures, théories) fusion (**entre** of); (de peuples, races) mixing (**entre** of)

fusion-absorption, *pl* **fusions-absorptions** /fyzjɔ̃apsɔʀpsjɔ̃/ *nf* absorption

fusion-acquisition, *pl* **fusions-acquisitions** /fyzjɔ̃akizisjɔ̃/ *nf* merger; **des fusions-acquisitions** mergers and acquisitions, M & A

fusionnement /fyzjɔnmɑ̃/ *nm* amalgamation

fusionner /fyzjɔne/ [1] *vtr, vi* to merge

fustanelle /fystanɛl/ *nf* fustanella

fustigation /fystigasjɔ̃/ *nf* 1 (condamnation) castigation; 2 (action de battre) thrashing

fustiger /fystiʒe/ [13] *vtr* 1 (condamner) to castigate, to lambast; 2 (battre) to thrash

fût* /fy/ *nm* 1 (tonneau) cask, barrel; **mettre du vin en ~** to cask wine; (pour produits chimiques) drum; 2 (d'arbre) trunk; 3 (de colonne) shaft; 4 (de fusil) barrel casing

futaie /fytɛ/ *nf* (forêt) forest of tall trees; (bosquet) group of tall trees; (plantation) plantation of tall trees

futaille /fytɑj/ *nf* cask, barrel

futaine /fytɛn/ *nf* fustian; **vêtement de** *or* **en ~** fustian garment

futal◑ /fytal/, **fute**◑ /fyt/ *nm* trousers (*pl*) GB, pants (*pl*) US

futé, **~e** /fyte/
A *adj* [*personne, animal*] wily, crafty péj; [*sourire, réponse*] crafty; **ce n'est pas très ~** that isn't very clever
B *nm,f* **petit ~** cunning little devil

fute-fute○ /fytfyt/ = **fufute**

futile /fytil/ *adj* [*projet, prétexte, distraction*] trivial; [*personne, existence, propos*] superficial; [*cadeau*] trifling; [*tentative*] weak

futilité /fytilite/
A *nf* (insignifiance) superficiality
B **futilités** *nfpl* (paroles) banalities; (objets) trifles;

f

(actions) trivial activities; (détails) trivial details; **s'attacher à des ~s** to attach importance to trivial details

futon /fytɔ̃/ *nm* futon

futur, **~e** /fytʀ/

A *adj* [*besoin, dirigeant, étudiant, client, construction*] future; **les générations ~es** future generations; **son ~ mari** her future husband; **mon ~ mari** my husband-to-be, my future husband; **les ~s époux** the engaged couple (*sg*); **les ~es mères** expectant mothers; **cet enfant, c'est un ~ artiste/champion** that child has the makings of an artist/a champion

B †*nm,f* (fiancé) intended

C *nm* **1** (avenir) future; **le téléviseur/train du ~** the television/train of the future; **2** Ling future; **au ~** in the future (tense)

(Composés) **~ antérieur** Ling future perfect; **~ proche** Ling periphrastic future; **~ simple** Ling future tense

futurisme /fytʀism/ *nm* futurism

futuriste /fytʀist/

A *adj* **1** (ultramoderne) [*architecture, décor, voiture, vision*] futuristic; **2** Art, Littérat futurist

B *nmf* futurist

futurologie /fytyʀɔlɔʒi/ *nf* futurology

futurologue /fytyʀɔlɔg/ ▸ p. 532 *nmf* futurologist

fuyant, **~e** /fɥijɑ̃, ɑ̃t/ *adj* [*personne, électeur, public*] fickle; [*regard*] shifty; [*caractère*] slippery○; [*point, horizon*] receding; [*bonheur*] elusive; **front/profil ~** receding forehead/profile

fuyard, **~e** /fɥijaʀ, aʀd/ *nm,f* **1** (fugitif) runaway; **2** (déserteur) deserter

Gg

g

g, **G** /ʒe/ *nm inv* **1** (lettre) g, G; **2** (*written abbr* = **gramme**) **250 g** 250 g; **3** **G8** *abbr* ▸ **groupe**

gabardine /gabaʀdin/ *nf* **1** Tex gabardine; **2** (imperméable) gabardine; **un homme en ~** a man in a gabardine

gabarit /gabaʀi/ *nm* **1** (de véhicule) size; **véhicule hors ~** oversize vehicle; **2** ○(de personne) (corpulence) build; (aptitudes) calibre[GB]; **l'équipe possède un bon nombre de grands ~s** the team has quite a few hefty players; **3** Tech (modèle) template; (appareil) gauge[GB]

(Composé) **~ de chargement** Rail loading gauge

gabegie /gabʒi/ *nf* (gaspillage) waste (due to mismanagement); (désordre) muddle

gabelle /gabɛl/ *nf* gabelle, salt tax

gabelou /gablu/ *nm* **1** pej (douanier) customs officer; **2** Hist gabeller

gabier /gabje/ *nm* (sur un voilier) topman

Gabon /gabɔ̃/ ▸ **p. 333** *nprm* Gabon

gabonais, **~e** /gabɔnɛ, ɛz/ ▸ **p. 561** *adj* Gabonese

Gabonais, **~e** /gabɔnɛ, ɛz/ ▸ **p. 561** *nmf* Gabonese

gâchage /gɑʃaʒ/ *nm* Constr (de plâtre, mortier) mixing

gâche /gɑʃ/ *nf* **1** (de serrure) strike, keep; **2** (de maçon) (plasterer's) trowel

gâcher /gɑʃe/ [1] *vtr* **1** (gaspiller) to waste [*temps, occasion, nourriture*]; to throw away [*vie, talent*]; **2** (dégrader) to spoil [*réception, spectacle, plaisir*]; to ruin [*affaire*]; **3** Constr to mix [*plâtre, mortier*]

(Idiome) **~ le métier** to ruin the trade (*by undercutting prices*)

gâchette /gɑʃɛt/ *nf* **1** (d'arme) tumbler; controv (détente) trigger; **appuyer sur la ~** to pull the trigger; **avoir la ~ facile** to be trigger-happy; **2** (tireur) shot; **une fine ~** a good shot; **la meilleure ~ de l'Ouest** the fastest gun in the West; **3** (de serrure) tumbler

gâcheur, **-euse** /gɑʃœʀ, øz/ *nm,f* **1** (gaspilleur) wasteful person; (trouble-fête) spoilsport; **2** (plâtrier) plasterer's *ou* bricklayer's mate

gâchis /gɑʃi/ *nm inv* (gaspillage) waste **¢**; (pagaille) mess; **faire du ~** (gaspiller) to be wasteful; (mettre la pagaille) to create havoc

gadget /gadʒɛt/ *nm* **1** (objet inutile) gadget; **un magasin de ~s** a gadget shop; **civilisation du ~** gadget-ridden society; **2** (dispositif ingénieux) gadget; péj gimmick; **tenir du ~, n'être qu'un ~** to be just a gimmick

gadgétiser /gadʒetize/ [1] *vtr* **1** (remplir de gadgets) to equip [sth] with gadgets; **2** (banaliser) to trivialize

gadin○ /gadɛ̃/ *nm* **ramasser** *or* **prendre un ~** to fall flat on one's face

gadjo /gadʒo/ *nmf* non-Gypsy

gadoue /gadu/ *nf* **1** ○(boue) mud; **patauger dans la ~** to flounder through the mud; **2** †Agric manure

GAEC /gaɛk/ *nm* (*abbr* = **groupement agricole d'exploitation en commun**) co-operative farm with between two and ten members

gaélique /gaelik/ ▸ **p. 483** *adj, nm* Gaelic

gaffe /gaf/ *nf* **1** ○(acte) boob○ GB, blooper○ US, blunder; (parole) clanger○ GB, blooper○ US; **faire une ~** (acte) to blunder; (parole) to drop a clanger GB, to make a blooper○ US; **faire ~** to watch out; **fais ~, tu vas tomber!** watch out, you're going to fall!; **il faut faire ~** you must watch out; **j'ai pas fait ~** I wasn't paying attention; **faire ~ à** to watch out for; **fais ~ aux voitures** watch out for the cars; **fais ~ à ce que tu dis** watch what you say; **fais ~ à toi!** (menace) watch it!; (conseil) take care; **faire ~ que** to be careful that; **2** Naut boathook; **3** Pêche gaff

gaffer /gafe/ [1]
A *vtr* Pêche to gaff
B ○*vi* (en actions) to make a boob○ GB, to make a blooper○ US, to blunder; (en paroles) to drop a clanger○ GB, to make a blooper○ US

gaffeur○, **-euse** /gafœʀ, øz/
A *adj* [*personne*] blundering (*épith*); **il est ~** he's a blunderer
B *nm,f* blunderer

gag /gag/ *nm* **1** gag; **2** (incident drôle) joke; **c'était le ~!** it was hysterical!

gaga○ /gaga/
A *adj inv* (gâteux) gaga○; (débile) daft○ GB, silly; **devenir ~** to go gaga
B *nmf* dodderer○

gage /gaʒ/
A *nm* **1** (garantie) security **¢**, surety **¢**; **laisser sa montre en ~** to leave one's watch as security *ou* surety; **prêter sur ~s** to lend against surety; **mettre en ~** to pawn [sth]; **2** Jeux (pénitence) forfeit; **faire son ~** to pay one's forfeit; **3** (d'amour, de fidélité, bonne foi) pledge; **donner des ~s d'amitié à qn** to pledge friendship to sb; **ta ténacité est le ~ de ta réussite future** your tenacity is a guarantee of your future success
B **gages**† *nmpl* (salaire) wages; **être aux ~s de qn**† [*domestique*] to be in sb's service; **tueur à ~s** hired killer

gager /gaʒe/ [13] *vtr* **1** fml (supposer) **~ que** to suppose that, to wager† that; **gageons que cette mode passera très vite** it's a safe bet that the fashion won't last; **2** (mettre en gage) to pawn; **3** †Fin (garantir) to secure [*emprunt*] (**sur qch** on sth)

gageure* /gaʒyʀ/ *nf* challenge; **cela relève de la ~** it's a bit of a challenge

gagnable /gaɲabl/ *adj* winnable

gagnant, **~e** /gaɲɑ̃, ɑ̃t/
A *adj* [*billet, numéro, équipe, cheval*] winning (*épith*); **j'ai misé sur le cheval ~** I bet on the winning horse; **donner un cheval/qn ~** to tip a horse/sb to win; **faire des coups ~s** (au tennis) to hit winners; (aux échecs) to make winning moves; **jouer** *or* **partir ~** to be on to a winner; **être** *or* **sortir ~** to come out on top (**de** in)
B *nm,f* (personne) winner (**de qch** in sth); (cheval) winner, winning horse; (billet) winning ticket; **jouer le ~** Turf to back the winner; **le grand ~** the real winner

gagnant-gagnant /gaɲɑ̃gaɲɑ̃/ *adj inv* win-win (*épith*); **une négociation ~** negotiations in which everyone's a winner

gagne-pain* /gaɲpɛ̃/ *nm inv* (ce qui fait vivre) livelihood; **mes jambes sont mon ~** my legs are my livelihood

gagne-petit* /gaɲpəti/
A *adj inv* pej **être ~** to be after every penny
B *nmf inv* low-wage earner; **c'est un/une ~** he/she doesn't earn much

gagner /gaɲe/ [1]
A *vtr* **1** (remporter) to win [*compétition, prix, guerre, procès, voix*]; **~ une voiture à un concours** to win a car in a competition; **le numéro 123 gagne 500 euros** number 123 wins 500 euros; **~ aux points** to win on points; **~ d'une longueur/d'une tête** to win by a length/by a head; **pour lui, rien n'est encore gagné** fig he's not there yet, he's still got a long way to go; **c'est gagné!** lit we've done it!; iron well done!; **à tous les coups l'on gagne!** every one a winner!
2 (percevoir, mériter) to earn; **~ 3 000 euros par mois** to earn 3,000 euros a month; **~ tout juste de quoi vivre** to earn just enough to live on; **~ sa vie en faisant** to earn one's living (by) doing; **il gagne bien/très largement sa vie** he makes a good/a very good living; **ta prime, tu l'as bien gagnée** you've certainly earned your bonus; **tu as bien gagné ton repos** you've certainly earned your rest; **un repos bien gagné** a well-earned rest; **il a gagné 500 euros/une fortune sur la vente du tableau** he made 500 euros/a fortune from the sale of the picture; **les sommes gagnées au jeu** gambling gains; **c'est toujours ça de gagné!** well, that's something anyway!
3 (acquérir) to gain [*réputation, avantage*]; **~ deux points en Bourse** to gain two points on the stock market; **il a perdu une collègue mais gagné une amie** he's lost a colleague but gained a friend; **nous avons tout à ~ de cette réforme** we have everything to gain from this reform; **tu ne gagneras rien à t'obstiner** you'll gain nothing by being stubborn; **~ du temps** (atermoyer) to gain time; **~ du terrain** [*personne, armée, voiture, idées*] to gain ground (**sur** on); [*incendie*] to spread; **~ de la vitesse** to gather speed; **il a gagné de l'assurance** he has gained *ou* grown in self-confidence; **elle a gagné 5 cm en un an** she's grown 5 cm in a year; **il a gagné 9 kilos** he's put on 9 kilos; **l'équipe a gagné trois places** the team has moved up three places
4 (économiser) to save [*temps*]; **par l'autoroute on gagne une heure** going by the motorway GB *ou* freeway US saves an hour; **~ de la place en faisant** to make more room by doing
5 (attirer) to win [sb] over (**à** to); **~ qn à sa cause** to win sb over to one's cause; **il a su ~ quelques opposants** he managed to win a few dissenters over; **~ l'estime/l'amitié de qn** to win sb's esteem/friendship
6 (atteindre) [*voyageur, véhicule*] to reach, to get to [*lieu*]
7 (se propager) [*incendie, maladie, troubles, chômage*] to spread to [*lieu*]
8 (s'emparer de) [*peur, angoisse, émotion, découragement*] to overcome [*personne*]; **le rire/la fatigue me gagnait peu à peu** I was gradually overcome with laughter/fatigue; **le sommeil la gagna** sleep overcame her; **je**

sentais le froid me ~ I started to feel cold 9) (battre) to beat [*personne*] (**à** at); **gagner qn aux échecs** to beat sb at chess; **~ qn de vitesse** to outstrip sb

B *vi* 1) (réussir) to win (**à** at); **tu ne gagneras pas à ce petit jeu** you won't win at this little game; **bon, tu as gagné, on reste à la maison** all right, you win, we'll stay at home; **~ aux courses/à la roulette** to win at the races/at roulette; **le candidat qui a gagné aux élections** the candidate who won the election; **il a gagné sur ce point, mais...** he won on this point, but...
2) (tirer avantage) **ce vin gagne à être bu un peu frais** this wine is best drunk *ou* is at its best when drunk slightly chilled; **le film gagne à être vu en version originale** the film is best seen in the original version; **vous gagneriez à diversifier vos produits** it would be to your advantage to diversify; **elle gagne à être connue** she improves on acquaintance
3) (acquérir plus) to gain (**en** in); **les entreprises ont gagné en productivité** firms have improved their productivity; **vin qui gagne en arôme avec l'âge** wine whose aroma improves with age
4) (être bénéficiaire) **y ~** to come off better; **y ~ en** to gain in
5) (recouvrir) [*mer*] to encroach (**sur** on)

gagneur, **-euse** /gaɲœʀ, øz/ *nm,f* winner; **avoir un tempérament de ~** to be a born winner

gai, **~e** /gɛ/
A *adj* 1) (joyeux) [*personne, humeur*] happy, gay; [*caractère, regard*] cheerful; [*visage*] happy; [*réunion, conversation, œuvre*] light-hearted; [*couleur, papier peint*] bright, cheerful; **j'ai repeint la pièce en rose, ça fait plus ~** I've repainted the room in pink, it makes it more cheerful; 2) iron (plaisant) **c'est ~** great!; **il pleut, c'est ~** great! it's raining; **ils viennent à huit pendant cinq jours, ça va être** *or* **ça promet d'être ~!** eight of them are coming for five days, that's going to be great fun!; **ça promet d'être ~** that promises to be great fun; 3) (éméché) merry; 4) ○(homosexuel) controv gay
B ○*nm* (homosexuel) controv gay
(Composé) **~ luron** cheery fellow GB, gay blade US

gaïac /gajak/ *nm* Bot lignum vitae, guaiacum

gaiement* /gɛmɑ̃/ *adv* 1) [*marcher, partir, chanter*] cheerfully, merrily; [*décoré*] cheerfully; 2) iron happily; **allons-y ~** iron let's get on with it

gaieté* /gete/ *nf* (de personne, caractère, lieu, spectacle, d'histoire) gaiety, cheerfulness; **mettre qn en ~** to cheer sb up; **livre/histoire d'une grande ~** very cheerful book/story; **il ne l'a pas fait de ~ de cœur** he wasn't very happy about doing it; **ne crois pas que j'y vais de ~ de cœur** don't think I'm happy about going; **avec ~** gaily, cheerfully

gaillard, **~e** /gajaʀ, aʀd/
A *adj* 1) (vigoureux) [*homme*] strapping; [*air*] energetic; [*pas*] lively; **être d'humeur ~e** to be in a chirpy mood; 2) (grivois) [*chanson*] ribald
B *nm,f* strapping lad/girl; **un grand/beau ~** a tall/handsome strapping man; **viens ici, mon ~**○**!** come here, lad○ GB *ou* buddy○ US!
C *nm* 1) (lascar) sly customer○; **un drôle de ~** a crafty devil○; 2) (fils) boy
D gaillarde *nf* 1) Danse galliard; 2) Bot gaillardia
(Composés) **~ d'arrière** Naut poop; **~ d'avant** Naut (en marine ancienne) forecastle; (en marine moderne) forward superstructure

gaillardement /gajaʀdəmɑ̃/ *adv* (avec vigueur) [*avancer, suivre*] cheerfully; (avec courage) [*s'engager, foncer*] bravely

gaillardise† /gajaʀdiz/ *nf* 1) (grivoiserie) ribald remark; 2) (bonne humeur) high spirits (*pl*)

gain /gɛ̃/ *nm* 1) (argent) earnings (*pl*); **tirer un ~ médiocre de ses efforts** to get a meagre[GB] return for one's efforts; **cette maison représente les ~s de toute une vie de labeur** this house represents the fruits of a lifetime's hard work; **mes ~s au jeu** my gambling gains; 2) Fin (profit en Bourse) gain; **être en ~** [*société, action*] to be gaining (in value); **clôturer sur un ~ de 3 points** to close 3 points up; 3) (économie) saving; **c'est un ~ de temps considérable** it saves a considerable amount of time; 4) Électron, Télécom gain
(Composé) **~ de productivité** Écon productivity gains (*pl*)

gainage /gɛnaʒ/ *nm* (de fil électrique) insulation; (de tuyau) casing

gaine /gɛn/ *nf* 1) (de poignard) sheath; 2) Mode girdle; 3) Tech (de fil électrique) insulation ¢; (de tuyau) casing; 4) Bot sheath; 5) Art (socle) plinth
(Composés) **~ d'ascenseur** lift shaft GB, elevator shaft US; **~ de fumée** flue; **~ à ordures** waste disposal chute GB, garbage chute US; **~ de ventilation** ventilation duct

gainé, **~e** /gene/
A *pp* ▸ **gainer**
B *pp adj* [*jambes, poitrine*] sheathed (**de** in); [*objet*] covered; [*fil électrique*] sheathed

gaine-culotte, *pl* **gaines-culottes** /gɛnkylɔt/ *nf* panty girdle

gainer /gene/ [1] *vtr* 1) (mouler) [*robe*] to sheathe [*corps*]; 2) Tech to sheathe [*fil électrique*]

gainier /genje/ *nm* Bot Judas tree

gala /gala/ *nm* gala; **soirée/dîner de ~** gala evening/dinner; **tenue de ~** evening dress ¢

Galaad /galaad/ *npr* 1) Bible Gilead; 2) Littérat Galahad

galactique /galaktik/ *adj* galactic

galactogène /galaktɔʒɛn/ *adj, nm* galactagogue

galactomètre /galaktɔmɛtʀ/ *nm* galactometer

galactophore /galaktɔfɔʀ/ *adj* **canal ~** lactiferous duct

galactose /galaktoz/ *nm* galactose

galalithe® /galalit/ *nf* Galalith®

galamment /galamɑ̃/ *adv* gallantly

galandage /galɑ̃daʒ/ *nm* thin brick partition

galant, **~e** /galɑ̃, ɑ̃t/
A *adj* 1) (délicat envers les femmes) gallant, gentlemanly; **il est très ~** he's very gentlemanly; 2) (obligeant) **soyez ~** be a gentleman; 3) (amoureux) **elle était en ~e compagnie** she was in the company of a gentleman; **rendez-vous ~** tryst; 4) Art, Mus [*style*] galant
B †*nm* (fiancé) beau†

galanterie /galɑ̃tʀi/ *nf* 1) (courtoisie) gallantry; 2) †(liaison amoureuse) amorous intrigue†; 3) †(propos flatteur) flattering remark

galantine /galɑ̃tin/ *nf* galantine

Galapagos /galapagos/ ▸ **p. 435** *nprfpl* **les (îles) ~** the Galapagos (Islands)

galapiat○† /galapja/ *nm* rapscallion†

Galatée /galate/ *npr* Galatea

galaxie /galaksi/ *nf* galaxy

galbe /galb/ *nm* curve

galbé, **~e** /galbe/
A *pp* ▸ **galber**
B *pp adj* [*colonne*] with entasis (*épith, après n*); [*pied de meuble*] curved; **épaule bien ~e** shapely shoulder

galber /galbe/ [1] *vtr* to shape

gale /gal/ ▸ **p. 283** *nf* 1) Méd scabies ¢; **tu peux t'asseoir près de moi, je n'ai pas la ~**○ hum you can sit next to me, you won't catch anything; 2) Vét (du chien, chat) mange; (du mouton) scab; 3) Bot scab
(Idiome) **il est mauvais** *or* **méchant comme la ~** he's a nasty customer○ *ou* a nasty piece of work○ GB

galéjade /galeʒad/ *nf* tall story

galéjer /galeʒe/ [14] *vi* to spin a yarn; **tu ne vois pas qu'il galèje?** can't you see he's having you on○ GB *ou* putting you on○ US?

galène /galɛn/ *nf* galena, galenite

galère /galɛʀ/ *nf* 1) Hist (vaisseau) galley; **condamné aux ~s** (à ramer) sentenced to the galleys; (aux travaux forcés) sentenced to hard labour[GB]; 2) ○(situation pénible) hell○; **c'est la** *or* **une ~ pour trouver un boulot**○ it's hell trying to find a job; **vie de ~** dog's life; **c'est ~!** it's a real pain○!; 3) ○(situation embrouillée) mess○; **que diable est-il allé faire dans cette ~?** why on earth did he get involved in that mess?; **elle s'est embarquée dans une drôle de ~** she's got GB *ou* gotten US herself into a fine mess; **être dans la même ~** fig to be in the same boat

galérer○ /galeʀe/ [14] *vi* 1) (peiner) to have a hard time (**pour faire** doing); 2) (travailler) to slave away, to slog away○

galerie /galʀi/ *nf* 1) Archit (de maison, musée) gallery; 2) Art (magasin) gallery; (collection) collection; **~ d'art** *or* **de peinture** art gallery; **une ~ de peintures du XIXe** a collection of 19th century paintings; 3) (de mine, grotte) gallery; (de taupe) tunnel; 4) Aut (pour bagages) **~ (de toit)** roof rack; 5) (de théâtre) gallery; **amuser la ~**○ to play to the gallery; **pour épater la ~**○ (in order) to impress the crowd
(Composés) **~ marchande** shopping arcade; **Galerie des Glaces** Hall of mirrors

galérien /galeʀjɛ̃/ *nm* Hist (sur une galère) galley slave; (au bagne) convict; fig **vie de ~** dog's life; **travailler comme un ~** to slave away

galeriste /gal(ə)ʀist/ *nmf* Art gallery owner

galet /galɛ/ *nm* 1) (caillou) pebble; 2) Tech roller

galetas /galta/ *nm inv* 1) (taudis) hovel; 2) (mansarde) garret; 3) ○(grenier) attic

galette /galɛt/ *nf* 1) Culin (gâteau) plain round flat cake; (crêpe) pancake; 2) ○(argent) money, dough○
(Composé) **~ des Rois** Twelfth Night cake (*containing bean or lucky charm*)
(Idiome) **plat comme une ~** flat as a pancake

galeux, **-euse** /galø, øz/
A *adj* 1) (atteint de gale) [*personne*] with scabies (*épith, après n*); [*éruption*] scabby; [*chien*] mangy; [*mouton*] scabby; [*arbre*] covered with scab (*après n*); 2) (décrépit) [*mur*] peeling; [*bâtiment, quartier*] slummy
B *nm,f* 1) lit person with scabies; 2) ○fig scum○ ¢; **ils le traitent de ~** they call him scum○

galhauban /galobɑ̃/ *nm* backstays (*pl*)

Galice /galis/ ▸ **p. 721** *nprf* Galicia

Galicie /galisi/ *nprf* Galicia

Galien /galjɛ̃/ *npr* Galen

Galilée /galile/
A *npr* Galileo
B ▸ **p. 721** *nprf* Galilee; **mer de ~** Sea of Galilee

Galiléen, **-éenne** /galileɛ̃, ɛn/ *nm,f* Galilean

galimatias /galimatja/ *nm inv* (parlé) gibberish; (écrit) rubbish

galion /galjɔ̃/ *nm* galleon

galipette○ /galipɛt/ *nf* 1) (cabriole) somersault; **faire des ~s** to turn somersaults; 2) (ébat érotique) **faire des ~s avec qn** to fool around with sb

galle /gal/ *nf* 1) Bot gall; **~ du chêne** oak apple, oak gall; 2) Zool gall wasp

Galles /gal/ ▸ **p. 721** *nprfpl* **le pays de ~** Wales (*sg*)

gallican, **~e** /galikɑ̃, an/ *adj, nm,f* Gallican

gallicanisme /galikanism/ *nm* Gallicanism

gallicisme /galisism/ *nm* (dans une langue étrangère) gallicism; (en français) French idiom

g

gallinacé, **~e** /galinase/
A *adj* gallinaceous
B *nm* gallinacean; **les ~s** Galliformes

gallique /galik/ *adj* [1] Hist Gallic; [2] Chimie gallic

gallium /galjɔm/ *nm* gallium

gallois, **~e** /galwa, az/ ▸ **p. 483**
A *adj* Welsh
B *nm* Welsh

Gallois, **~e** /galwa, az/ *nm,f* Welshman/Welshwoman; **les ~** the Welsh

gallon /galɔ̃/ ▸ **p. 123** *nm* gallon; **~ américain** (3,785 l) US gallon; **~ canadien** *or* **impérial** (4,54 l) imperial gallon

gallo-romain, **~e** /galoʀɔmɛ̃, ɛn/ *adj* Gallo-Roman

Galloway ▸ **p. 721** *nprm* ▸ **Dumfries**

galoche /galɔʃ/ *nf* (sabot, godillot) clog; **menton en ~** protruding chin

galon /galɔ̃/ *nm* [1] Cout braid ¢; **bordé d'un ~** trimmed with braid; [2] Mil stripe; **gagner ses ~s** [*personne*] to win promotion; [*système, théorie, méthode*] to gain acceptance; **prendre du ~** [*soldat, civil*] to be promoted

galonné, **~e** /galɔne/
A *pp* ▸ **galonner**
B *pp adj* [1] Cout [*veste*] trimmed with braid; [2] Mil [*militaire*] of officer class (*épith, après n*); [*manche*] displaying the insignia of rank (*épith, après n*)
C ○*nm* slang brass hat○

galonner /galɔne/ [1] *vtr* Cout to trim with braid; **galonné d'argent** trimmed with silver braid

galop /galo/ *nm* [1] Équit gallop; **petit ~** canter; **grand ~** full gallop; **un cheval au ~** a galloping horse; **le cheval est parti au ~** the horse set off at a gallop; **se mettre au ~** to break into a gallop; **faire du ~** to gallop; **au ~!** gallop!; **s'enfuir au (triple) ~**○ [*personne*] to run off double-quick; **vas-y au ~**○**!** hurry up about it○!; [2] Danse, Mus galop
(Composés) **~ d'essai** trial run; **~ à faux** counter canter; **~ juste** true canter
(Idiome) **chassez le naturel il revient au ~** Prov what's bred in the bone will come out in the flesh Prov

galopade /galɔpad/ *nf* [1] Équit gallop; [2] ○fig (course précipitée) stampede; [3] ○(précipitation) nonstop rush; **hier ça a été la ~** yesterday was a nonstop rush; [4] (course) stampede

galopant, **~e** /galɔpɑ̃, ɑ̃t/ *adj* [*inflation*] galloping; [*prolifération, démographie*] soaring

galoper /galɔpe/ [1] *vi* [1] Équit [*cheval, cavalier*] to gallop; **ne laisse pas ~ ton imagination** fig don't let your imagination run away with you; [2] ○(en faisant du bruit) [*enfant*] to charge (around); [3] (se dépêcher) [*adulte*] to dash (around); **j'ai dû ~ toute la journée** I've had to dash around all day

galopeur, **-euse** /galɔpœʀ, øz/ *nm,f* galloper

galopin /galɔpɛ̃/ *nm* [1] (enfant) rascal; **petit ~!** you little rascal!; [2] (verre) *small glass of beer*

galure○ /galyʀ/, **galurin**○ /galyʀɛ̃/ *nm* hat

galvanique /galvanik/ *adj* [*courant*] galvanic

galvanisant, **~e** /galvanizɑ̃, ɑ̃t/ *adj* fig galvanizing

galvanisation /galvanizasjɔ̃/ *nf* [1] Tech galvanizing; [2] Physiol, fig galvanization

galvaniser /galvanize/ [1] *vtr* lit, fig to galvanize

galvanisme /galvanism/ *nm* galvanism

galvanomètre /galvanɔmɛtʀ/ *nm* galvanometer

galvanoplastie /galvanɔplasti/ *nf* (pour protéger) electroplating; (pour reproduire) electrotyping

galvanoplastique /galvanɔplastik/ *adj* galvanoplastic

galvanotype /galvanɔtip/ *nm* electrotype

galvanotypie /galvanɔtipi/ *nf* electrotyping

galvaudage /galvodaʒ/ *nm* [1] (de talent) abuse, waste; (de réputation) sullying; [2] †(musardage) loafing around

galvauder /galvode/ [1]
A *vtr* to sully [*réputation*]; to dull [*gloire*]; to abuse, to waste [*don, talent*]; to overwork [*idée, théorie, expression*]; to squander [*fortune*]; **expression galvaudée** overused *ou* hackneyed expression
B †*vi* (muser) to loaf around
C **se galvauder** *vpr* [*personne*] to cheapen oneself

gamba /gɑ̃ba, *pl* as/ *nf* large (Mediterranean) prawn

gambade /gɑ̃bad/ *nf* skip; **faire des ~s** to gambol

gambader /gɑ̃bade/ [1] *vi* [1] [*animal, enfant*] to gambol; [2] [*imagination*] to wander; **ma pensée gambadait** my mind flitted from one thing to another

gambe /gɑ̃b/ ▸ **p. 557** *nf* **viole de ~** viola da gamba

gamberge○ /gɑ̃bɛʀʒ/ *nf* hard thought

gamberger○ /gɑ̃bɛʀʒe/ [13]
A *vtr* to cook up○ [*plan*]
B *vi* to think hard

gambette○ /gɑ̃bɛt/ *nf* gam○, leg

Gambie /gɑ̃bi/ ▸ **p. 333** *nprf* **la ~** the Gambia

gambien, **-ienne** /gɑ̃bjɛ̃, ɛn/ ▸ **p. 561** *adj* Gambian

Gambien, **-ienne** /gɑ̃bjɛ̃, ɛn/ ▸ **p. 561** *nm,f* Gambian

gambiller◐ /gɑ̃bije/ [1] *vi* to jig

gambit /gɑ̃bi/ *nm* gambit

gamelle /gamɛl/ *nf* (de soldat) dixie GB, mess kit; (de campeur) billycan GB, tin dish; (d'ouvrier) lunchbox; (d'animal) dish
(Idiome) **prendre** *or* **ramasser une ~**○ (tomber, échouer) to fall flat on one's face○

gamète /gamɛt/ *nm* gamete

gamétogenèse /gametɔʒənɛz/ *nf* gametogenesis

gamin, **~e** /gamɛ̃, in/
A *adj* [*air, allure*] youthful; [*caractère, attitude*] childish
B *nm,f* kid○; **un grand ~** a big kid; **ces sales ~s** those nasty kids; **souvenir de ~** childhood memory; **~ des rues** street urchin; **quand il était tout ~** when he was still a kid

gaminerie /gaminʀi/ *nf* [1] (caractère) (d'homme) boyishness; (de femme) girlishness; [2] (action, propos) childish behaviour[GB], fooling about ¢; **je n'aime pas tes ~s** I don't like your fooling about

gamma* /gama/ *nm inv* gamma

gammaglobuline /gamaglɔbylin/ *nf* gammaglobulin

gamme /gam/ *nf* [1] Mus scale; **~ ascendante/descendante** rising/falling scale; **faire ses ~s** Mus to practise[GB] (one's) scales; **monter/descendre la ~** to go up/to go down the scale; [2] (série) range; **haut/bas/milieu de ~** top/bottom/middle of the range; **produit (de) bas de ~** (en qualité) low quality product; (en prix) cheap product; **modèle/service/projet (de) haut de ~** upmarket model/service/project; **viser le haut/bas de ~** to aim at the top/lower end of the market; **passer par toute la ~ des émotions** to experience the whole gamut of emotions

gammée /game/ *adj f* **croix ~** swastika

ganache /ganaʃ/ *nf* [1] Culin chocolate cream filling; [2] Zool (de cheval) lower jaw; [3] †(idiot) **vieille ~** old fool

Gand /gɑ̃/ ▸ **p. 894** *npr* Ghent

gandin† /gɑ̃dɛ̃/ *nm* pej dandy

gang○ /gɑ̃g/ *nm* gang

Gange /gɑ̃ʒ/ ▸ **p. 372** *nprm* **le ~** the Ganges

ganglion /gɑ̃glijɔ̃/ *nm* ganglion; **avoir des ~s**○ to have swollen glands
(Composé) **~ lymphatique** lymph node

ganglionnaire /gɑ̃glijɔnɛʀ/ *adj* ganglionic

gangrène /gɑ̃gʀɛn/ ▸ **p. 283** *nf* [1] Méd, Vét gangrene; [2] fig (corruption) canker

gangrener /gɑ̃gʀəne/ [16]
A *vtr* fig to corrupt; **milieu gangrené** corrupt environment
B **se gangrener** *vpr* [1] Méd, Vét to become gangrenous; **pied gangrené** gangrenous foot; [2] fig to become corrupt

gangreneux, **-euse*** /gɑ̃gʀɛnø, øz/ *adj* gangrenous

gangster /gɑ̃gstɛʀ/ *nm* [1] (bandit) gangster; [2] (escroc) swindler

gangstérisme○ /gɑ̃gsteʀism/ *nm* organized crime

gangue /gɑ̃g/ *nf* [1] Minér, Mines gangue; **~ de boue/cendres** coating of mud/ashes; [2] fig **extraire les idées de leur ~** to pick out the good ideas and discard the dross

ganse /gɑ̃s/ *nf* Cout braid

ganser /gɑ̃se/ [1] *vtr* to trim [sth] with braid; **gansé de blanc** trimmed with white braid

gant /gɑ̃/ *nm* glove; **~s de cuir/laine** leather/woollen[GB] gloves; **~s fourrés** fur-lined gloves
(Composés) **~ de boxe** boxing glove; **~ de caoutchouc** rubber glove; **~ de crin** massage glove; **~ de ménage** rubber glove; **~ de toilette** ≈ (face) flannel GB, wash cloth US
(Idiomes) **son tailleur lui va comme un ~** her suit fits her like a glove; **tes nouvelles fonctions te vont comme un ~** your new duties suit you down to the ground; **mettre** *or* **prendre des ~s avec qn** to handle sb with kid gloves; **elle n'a pas pris de ~s pour m'annoncer mon renvoi** she didn't pull any punches when telling me I was fired; **jeter/relever le ~** to throw down/to take up the gauntlet

ganté, **~e** /gɑ̃te/
A *pp* ▸ **ganter**
B *pp adj* [*main*] gloved; [*personne*] wearing gloves (*après n*); **~ de satin** [*main*] satin-gloved (*épith*); [*personne*] wearing satin gloves (*après n*)

gantelet /gɑ̃tlɛ/ *nm* [1] Hist Mil gauntlet; [2] (en fauconnerie) hawking glove

ganter /gɑ̃te/ [1]
A *vtr* to put gloves on [*main, personne*]
B **se ganter** *vpr* to put one's gloves on

ganterie /gɑ̃tʀi/ ▸ **p. 532** *nf* (fabrique) glove factory; (industrie) glove-making industry; (commerce) glove trade; (boutique) glove shop

gantier, **-ière** /gɑ̃tje, ɛʀ/ ▸ **p. 532** *nm,f* glover

Gap /gap/ ▸ **p. 894** *npr* Gap

gapençais, **~e** /gapɑ̃sɛ, ɛz/ ▸ **p. 894** *adj* of Gap

Gapençais, **~e** /gapɑ̃sɛ, ɛz/ ▸ **p. 894** *nm,f* (natif) native of Gap; (habitant) inhabitant of Gap

garage /gaʀaʒ/ *nm* [1] (pour se garer) garage; **rentrer sa voiture au ~** to put one's car in the garage; [2] ▸ **p. 532** (station-service) garage
(Composés) **~ d'autobus** bus depot; **~ à canots** boathouse; **~ à vélos** bicycle shed; (dans un bâtiment) bicycle storage area

garagiste /gaʀaʒist/ ▸ **p. 532** *nmf* (propriétaire) garage owner; (ouvrier) car mechanic

garance /gaʀɑ̃s/ ▸ **p. 202**
A *adj inv* bright red
B *nf* (plante, teinture) madder

garant, **~e** /gaʀɑ̃, ɑ̃t/
A *adj* **être** *or* **se porter ~ de qch/qn** to vouch for sth/sb; **je me porte ~ de leur discrétion** I can vouch for their discretion
B *nm,f* Fin, Jur, Pol guarantor; **le ~ des**

g

institutions the guarantor of the institutions; être le ~ d'un prêt to stand guarantor for a loan
C *nm* (assurance) guarantee; être le ~ de to guarantee; ta détermination est le ~ de ta popularité your determination guarantees your popularity

garanti, ~e /gaʀɑ̃ti/
A *pp* ▸ garantir
B *pp adj* 1 (protégé) with a guarantee (*épith, après n*); ma voiture d'occasion est ~e six mois my secondhand car has a six-month guarantee; 2 (certifié) guaranteed; fromage ~ pur chèvre guaranteed pure goat's milk cheese; 3 Écon (promis) guaranteed; prix/salaire ~ guaranteed price/wage; 4 ◦(certain) guaranteed; échec ~ guaranteed failure
C **garantie** *nf* 1 Comm guarantee, warranty; ~e du fabricant manufacturer's guarantee; sous ~e under guarantee; bon de ~e guarantee; 2 Fin (négociable) security ₵; (fiduciaire) guarantee; en ~e as security; ~e de la Banque de France guarantee from the Bank of France; 3 Assur cover ₵; ~e responsabilité civile third-party cover; montant des ~es sum insured; 4 (certitude) guarantee (de of); ~e de succès guarantee of success; ~e contre guarantee against; je ne vous donne aucune ~e I can't give you any guarantee; offrir toutes les ~es to give every guarantee; donner la ~e que to guarantee that; 5 Jur guarantee; ~es légales legal guarantees

garantir /gaʀɑ̃tiʀ/ [3] *vtr* 1 (promettre) to guarantee; ~ à qn qch/que to guarantee sb sth/that; je ne vous garantis rien I can't guarantee you anything; je ne garantis pas qu'elle soit là I can't guarantee that she's there; 2 (protéger) to guarantee [*sécurité, indépendance, droit*]; ~ la sécurité et la paix to guarantee peace and security; 3 (assurer) ~ qch à qn to guarantee sth to sb; ~ un emploi aux diplômés to guarantee jobs to graduates; 4 Fin to guarantee [*emprunt, investissement, paiement*]; 5 Comm to guarantee [*produit*]

garbure /gaʀbyʀ/ *nf* soup (*made with cabbage and confit of goose*)

garce◑ /gaʀs/ *nf* bitch◑, cow◑

garçon /gaʀsɔ̃/ ▸ p. 532 *nm* 1 (enfant, adolescent, fils) boy; petit ~ little boy; tu es un grand ~ maintenant you're a big boy now; 2 (jeune homme) young man, (young) fellow GB, (young) guy; un brave *or* gentil ~ a nice lad GB *ou* guy US; être beau *or* joli ~ to be good-looking, to be a handsome GB *ou* guy US; ▸ mauvais; 3 (célibataire) bachelor; rester ~ to remain single *ou* a bachelor; vieux ~ old bachelor; ▸ enterrer; 4 (serveur) waiter; 5 (employé de magasin) (shop) assistant GB, salesclerk US
(Composés) ~ d'ascenseur lift GB *ou* elevator US attendant; ~ boucher butcher's assistant; ~ de bureau office boy; ~ de cabine Naut cabin steward; ~ de café waiter; ~ coiffeur hairdresser's assistant; ~ de courses messenger; ~ d'écurie stable lad GB, stableboy; ~ d'étage floor housekeeper; ~ de ferme farmhand; ~ d'honneur best man; ~ de laboratoire laboratory assistant; ~ livreur delivery man; ~ manqué tomboy; ~ de recettes bank messenger

garçonne /gaʀsɔn/ *nf* avoir les cheveux taillés *or* être coiffée à la ~ to have an urchin cut

garçonnet /gaʀsɔnɛ/ *nm* little boy; taille/rayon ~ Comm boys' size/department

garçonnière /gaʀsɔnjɛʀ/ *nf* bachelor flat GB, bachelor apartment US

Gard /gaʀ/ ▸ p. 372, p. 721 *nprm* (rivière, département) le ~ the Gard

garde /gaʀd/ ▸ p. 532
A *nm* 1 (soldat, policier) guard; 2 (de malade) carer; (de prison) warder
B *nf* 1 (infirmière) nurse; 2 (groupe) guard; la vieille ~ fig the old guard; à moi, la ~! help! guards!; 3 (surveillance, protection) monter la ~ [*soldat*] to mount guard; monter la ~ auprès de to keep watch over [*prisonnier, malade*]; to stand guard over [*enfant, homme politique*]; placer/mettre qn sous bonne ~ to put sb under guard [*suspect, prisonnier*]; être sous la ~ de qn [*prisonnier*] to be guarded by sb; [*enfant, objet de valeur*] to be looked after by sb; Jur to be in sb's custody; elle a obtenu la ~ de ses enfants Jur she was granted custody of her children; laisser qch/un animal en ~ chez qn to leave sth/an animal to be looked after by sb; confier qch/qn à la ~ de X to leave X to look after sth/sb; assurer la ~ d'une villa to be in charge of the security of a villa; 4 (continuité de service) être de ~ [*docteur, infirmière*] to be on call; [*soldat, sentinelle*] to be on guard duty; la pharmacie de ~ the duty chemist's GB, the emergency drugstore US; 5 Sport (position de défense) guard, on-guard position; en ~! on guard!; il a une excellente ~ he has an excellent on-guard position; se mettre en ~ to square up; baisser sa ~ lit, fig to lower one's guard; être/se tenir sur ses ~s to be/to remain on one's guard; mettre qn en ~ to warn sb (à propos de about; contre against); mise en ~ warning; prendre ~ (se méfier) to watch out (à for); (se soucier) to be careful (de faire to do); sans y prendre ~ inadvertently; n'avoir ~ de faire fml to be careful not to do; 6 (d'épée) hilt; jusqu'à la ~ [*plonger, enfoncer*] up to the hilt; 7 Édition (page de) ~ endpaper
(Composés) ~ champêtre ≈ local policeman (*appointed by the municipality*); ~ du corps bodyguard; ~ du courrier Postes *postal service offering mail storage at the delivery office in one's absence*; ~ descendante Mil outgoing guard; ~ d'enfant childminder GB, day-care lady US; ~ forestier forest warden, forest ranger; ~ d'honneur guard of honour[GB]; ~ impérial Hist soldier of the Imperial Guard; ~ impériale Hist Imperial Guard; ~ montante Mil new guard, relieving guard; ~ pontifical member of the papal guard; ~ pontificale papal guard; ~ républicain member of the Republican Guard; ~ républicaine Republican Guard; ~ rouge Red Guard; ~ des Sceaux French Minister of Justice; ~ au sol Aut road clearance; ~ suisse Swiss Guard; ~ à vue Jur ≈ police custody; placer qn en ~ à vue to hold sb for questioning

Garde républicaine
A section of the *Gendarmerie nationale*, with special ceremonial, security and escort duties in connection with prestigious occasions or institutions.

Garde à vue
The process of police detention during which a person can be held for questioning for up to 48 hours without a warrant.

Garde /gaʀd/ ▸ p. 479 *npr* le lac de ~ Lake Garda

garde-à-vous /gaʀdavu/ *nm inv* (action) standing to attention; (ordre) ~ (fixe)! attention!; se mettre au ~ to stand to attention

garde-barrière, *pl* **~s** /gaʀdbaʀjɛʀ/ ▸ p. 532 *nmf* level-crossing keeper GB, gateman (*at grade crossing*) US

garde-boue* /gaʀdəbu/ *nm inv* mudguard

garde-chasse, *pl* **~s** /gaʀdəʃas/ ▸ p. 532 *nm* (de domaine public) game warden; (de domaine privé) gamekeeper

garde-chiourme* /gaʀdəʃjuʀm/ *nm inv* 1 Hist overseer; 2 (surveillant) prison warder

garde-corps /gaʀdəkɔʀ/ *nm inv* gén guardrail; Naut handrail

garde-côte, *pl* **~s** /gaʀdəkot/ *nm* (bateau) coastguard ship

garde-feu* /gaʀdəfø/ *nm inv* fire screen

garde-fou, *pl* **~s** /gaʀdəfu/ *nm* 1 (parapet) parapet; 2 fig safeguard; ériger *or* dresser un ~ contre to provide a safeguard against

garde-frontière, *pl* **gardes-frontières** /gaʀdfʀɔ̃tjɛʀ/ ▸ p. 532 *nm* (personne) border guard

garde-malade, *pl* **gardes-malades** /gaʀdmalad/ ▸ p. 532 *nmf* home nurse

garde-manger* /gaʀdmɑ̃ʒe/ *nm inv* 1 (armoire grillagée) meat safe; 2 (placard) pantry, larder

garde-meubles* /gaʀdəmœbl/ *nm inv* furniture storage warehouse; mettre qch au ~ to put sth in store *ou* storage

gardénal® /gaʀdenal/ *nm* phenobarbitone GB, phenobarbital US

gardénia /gaʀdenja/ *nm* gardenia

garde-pêche* /gaʀdəpɛʃ/ ▸ p. 532 *nm inv* (garde) water bailiff GB, game and fish warden US; (bateau) patrol boat

garder /gaʀde/ [1]
A *vtr* 1 (conserver, préserver) to keep [*argent, objet*]; to keep [sth] on [*chapeau, vêtement*]; to keep [sb] on [*employé, domestique*]; ~ qch pour soi to keep sth to oneself [*secret, critiques*]; il me garde toujours une de ses meilleures bouteilles he always keeps one of his best bottles for me; la formule a gardé tout son sens the phrase has kept all its meaning; elle m'a gardé une heure dans son bureau/au téléphone she kept me in her office/on the phone for an hour; elle a gardé ses enfants auprès d'elle she kept her children with her; gardez à votre teint toute sa fraîcheur keep your complexion fresh (en faisant by doing); pour ~ à votre collection toute sa qualité to keep your collection in good condition; un secret bien gardé a well-kept secret; ils gardent la suprématie en matière d'électronique they retain the lead in electronics; ils nous ont gentiment gardés pour la nuit/à dîner they kindly asked us to stay overnight/on for dinner; ~ le meilleur pour la fin to keep the best until last; ~ le lit to stay in bed; ~ la chambre to stay indoors; 2 (surveiller, protéger) gén [*soldat, policier, gardien*] to guard; [*personne*] to look after [*maison, enfant, animal, objet*]; qui garde votre maison/chat/fille? who's looking after your house/cat/daughter?; faire ~ ses enfants par qn to have one's children looked after by sb; parking gardé supervised *or* attended car park; l'entrepôt est/n'est pas gardé there's a/there's no security guard at the warehouse
B **se garder** *vpr* 1 (éviter) se ~ de faire to be careful not to do; il faut se ~ de conclure trop vite one should be careful not to jump to conclusions; il se garde bien de dire ce qu'il pense vraiment he's careful not to say what he really thinks; elle s'est bien gardée de répondre directement she was careful not to answer directly; ils se sont gardés de tout commentaire/d'un optimisme exagéré they were wary of making any comment/of being over-optimistic; je me garde de toute interprétation hâtive I'm wary of making any hasty interpretation; 2 (se conserver) [*aliment*] to keep; se ~ un mois to keep for a month

garderie /gaʀdəʀi/ *nf* 1 (local) day nursery; 2 (service) after-school child-minding facility

garde-robe, *pl* **~s** /gaʀdəʀɔb/ *nf* 1 (vêtements, armoire) wardrobe; 2 †(toilettes) water closet†

garde-voie, *pl* **gardes-voie** /gaʀdəvwa/ ▸ p. 532 *nm* railway line guard GB, railroad guard US

gardian /gaʀdjɑ̃/ ▸ p. 532 *nm* herdsman (*in the Camargue*)

gardien, -ienne /gaʀdjɛ̃, ɛn/ ▸ p. 532
A *nm,f* 1 (d'usine, entreprise, de locaux) security guard; (d'hôtel, de château) caretaker; (d'immeuble) caretaker GB, janitor US; (de parc, zoo, square) keeper; (de prison) warder; 2 Sport keeper;

3 (personne qui préserve) fml guardian; **l'Académie, gardienne de la langue** the Academy, guardian of the language; **se faire le ~ des traditions** to set oneself up as a guardian of tradition
B **gardienne** *nf* **gardienne (d'enfant)** fml childminder GB, day-care lady US
(Composés) **~ de but** goalkeeper; **~ de musée** museum attendant; **~ de nuit** night watchman; **~ de la paix** police officer; **~ de parking** car park attendant; **~ de phare** lighthouse keeper

gardiennage /gaʀdjɛnaʒ/ *nm* (d'immeuble) caretaking; (de bureaux, magasins, d'usines) security; (d'enfant) childminding GB, day care US; **société de ~** security firm; **faire du ~** *[vigile]* to be a security guard

gardienne ▸ **gardien**

gardienné, **~e** /gaʀdjene/ *adj* *[immeuble]* with a caretaker; *[parking]* staffed, manned

gardon /gaʀdɔ̃/ *nm* roach
(Idiome) **être frais comme un ~** to be as fresh as a daisy

gare /gaʀ/
A *nf* (railway) station; **~ d'Oxford** Oxford station; **~ de banlieue** suburban station; **être en ~** *[train]* to be in the station; **entrer en ~** *[train]* to arrive
B *excl* **1** (pour prévenir) **~ (à toi)!** watch out!; **~ à ton portefeuille/aux kilos!** watch your wallet/your weight!; **~ aux voleurs!** watch out for thieves!; **~ à l'avenir!** watch what happens in the future!; **~ à ta réputation!** mind your reputation!; **~ de ne pas te faire voler!** mind you don't get robbed!; **~ à qui ferait une erreur!** mind you don't make a mistake!; **mais ~! elle n'est pas bête** be careful! she's no fool; **2** (pour menacer) **~ à toi!** careful!, watch it○!; **~ aux tricheurs!** anyone who cheats will be in trouble!
(Composés) **~ de marchandises** goods station GB, freight station US; **~ maritime** harbour[GB] station; **~ routière** (cars) coach station GB, bus station US; (camions) truck depot; **~ de péage** Transp toll booths; **~ de triage** marshalling[GB] yard; **~ de voyageurs** passenger station
(Idiome) **sans crier ~** without any warning

garenne /gaʀɛn/
A *nm* (lapin) wild rabbit
B *nf* Chasse private hunting ground; Pêche private fishing area

garer /gaʀe/ [1]
A *vtr* **1** Transp to park *[voiture, bus, avion]*; **2** (abriter) to store *[blé, moisson]*
B **se garer** *vpr* **1** (stationner) to park; **2** (s'écarter) *[véhicule, bateau]* to pull over; *[piéton]* to move out of the way; **3** ○(se protéger) **se ~ de** to avoid *[danger, coups]*

Gargantua /gaʀgɑ̃tɥa/ *npr* Gargantua; **un appétit de ~** a gargantuan appetite

gargantuesque /gaʀgɑ̃tɥɛsk/ *adj* gargantuan

gargariser: **se gargariser** /gaʀgaʀize/ [1] *vpr* **1** Méd to gargle; **2** ○fig **se ~ de** to revel in

gargarisme /gaʀgaʀism/ *nm* (action) gargling; (solution) gargle, mouthwash; **faire des ~s d'eau salée** to gargle with salt water

gargote○ /gaʀgɔt/ *nf* cheap eating place, greasy spoon○

gargotier, **-ière** /gaʀgɔtje, ɛʀ/ *nm,f* owner of a cheap eating place

gargouille /gaʀguj/ *nf* (décoratif) gargoyle; (pour la pluie) waterspout

gargouillement /gaʀgujmɑ̃/ *nm* (d'eau) gurgling ₵; (intestinal) rumbling ₵; **j'ai des ~s** my stomach is rumbling *ou* growling US

gargouiller /gaʀguje/ [1] *vi* *[eau, fontaine]* to gurgle; *[ventre]* to rumble, to growl US

gargouillis /gaʀguji/ *nm inv* = **gargouillement**

gargoulette /gaʀgulɛt/ *nf* (earthenware) water jug GB, water pitcher US; **boire à la ~** to drink from a jug without letting one's lips touch the spout

garnement /gaʀnəmɑ̃/ *nm* brat○

garni, **~e** /gaʀni/
A *pp* ▸ **garnir**
B *pp adj* **1** (rempli) **bien ~** *[portefeuille]* full; *[réfrigérateur]* well-stocked (*épith*); *[buffet]* copious; **une assiette bien ~e** a plateful; **2** †(meublé) *[chambre]* furnished
C *nm* (chambre) bedsit GB, furnished room; (hôtel) boarding house

garnir /gaʀniʀ/ [3]
A *vtr* **1** (remplir) *[personnes, livres, objets, meubles]* to fill *[pièce]*; *[personne]* to stock *[rayons, congélateur, placards]* **(de** with); **une boîte garnie de bonbons** a box filled with sweets GB *ou* candy US; **2** (rembourrer) to stuff *[coussin, fauteuil]* **(de** with); **3** (couvrir) to line *[coffret, tiroir]* **(de qch** with sth); to cover *[siège]* **(de** with); **des sièges garnis de cuir** seats with leather upholstery; **4** Mode (orner) to trim *[robe, tissu]* **(de** with); (doubler) to line *[vêtement]* **(de** with); **5** Culin (décorer) to decorate *[dessert, gâteau, table]* **(de** with); to garnish *[viande, poisson]* **(de** with); **~ de fraises/fleurs** to decorate with strawberries/flowers; **garnissez la viande de légumes** serve the meat with vegetables
B **se garnir** *vpr* *[salle, stade]* to fill up **(de** with)

garnison /gaʀnizɔ̃/ *nf* Mil garrison; **ville de ~** garrison town; **être en ~ à Metz** to be garrisoned at Metz

garniture /gaʀnityʀ/ *nf* **1** Culin (accompagnement) side dish; (décoration) (de dessert) decoration; (de viande, poisson) garnish; (de pizza) topping; **servir avec une ~ de légumes** serve with vegetables as a side dish; **pour la ~ mettez des fraises et des framboises** decorate with strawberries and raspberries; **~ de persil** garnish of parsley; **2** Mode (sur un chapeau, une robe) trimming; **3** (dans un coffret, tiroir) lining; **une belle ~ rouge** a nice red lining; **4** Aut (sellerie) upholstery
(Composés) **~ de bureau** desk accessories (*pl*); **~ de cheminée** mantelpiece ornaments (*pl*); **~ d'embrayage** Aut clutch lining; **~ de feu** *or* **foyer** fire irons (*pl*); **~ de frein** Aut brake lining; **~ hygiénique** sanitary towel

Garonne /gaʀɔn/ ▸ p. 372, p. 721 *nprf* **la ~** the Garonne

garrigue /gaʀig/ *nf* scrubland (*in S. France*)

garrot /gaʀo/ *nm* **1** Méd tourniquet; **poser un ~ à qn** to put a tourniquet on sb; **2** Zool (de quadrupède) withers (*pl*); **le cheval mesure 1,50 m au ~** ≈ the horse is 15 hands; **3** Tech (de corde) tightening peg; **4** (instrument de supplice) garrotte

garrotter* /gaʀɔte/ [1] *vtr* **1** (lier) to tie up *[prisonnier]*; to bind *[bras, jambes]*; **2** fig (bâillonner) to muzzle, to gag *[peuple]*; to stifle *[opposition, liberté]*; **3** (supplicier) to garrotte

gars○ /ga/ *nm inv* (garçon, jeune homme) lad GB, boy; (type) guy○, bloke○ GB; **salut les ~!** hi lads GB *ou* guys○!

Gascogne /gaskɔɲ/ ▸ p. 721 *nprf* **la ~** Gascony; **le golfe de ~** the Bay of Biscay

gascon, **-onne** /gaskɔ̃, ɔn/
A *adj* Gascon
B ▸ p. 483 *nm* Ling Gascon

Gascon, **-onne** /gaskɔ̃, ɔn/ *nm,f* Gascon
(Idiome) **faire une offre de ~** to raise false hopes

gasconnade /gaskɔnad/ *nf* (histoire) boast, boastful story; (vantardise) bragging ₵; **dire des ~s** to brag

gas-oil /gazwal/ *nm* diesel (oil)

gaspacho /gaspatʃo/ *nm* gazpacho

Gaspésie /gaspezi/ ▸ p. 721 *nprf* Gaspé Peninsula

gaspillage /gaspijaʒ/ *nm* (par négligence) (action) wasting; (conséquence) waste; **quel ~!** what a waste!; **c'est du ~** it's wasteful; (par prodigalité) squandering

gaspiller /gaspije/ [1] *vtr* **1** (gâcher) to waste *[temps, argent, nourriture]*; **c'est de l'argent gaspillé** it's a waste of money; **ne gaspille pas tant** don't be so wasteful; **2** (dissiper) to squander *[forces, talent, ressources]*

gaspilleur, **-euse** /gaspijœʀ, øz/
A *adj* wasteful
B *nm,f* gén waster; (dilapidateur) squanderer; **quel ~ tu fais!** how wasteful you are!

gastéropode /gasteʀɔpɔd/ *nm* gastropod; **les ~s** Gastropoda

gastralgie /gastʀalʒi/ *nf* gastralgia

gastralgique /gastʀalʒik/ *adj* gastralgic

gastrectomie /gastʀɛktomi/ *nf* gastrectomy

gastrique /gastʀik/ *adj* gastric

gastrite /gastʀit/ ▸ p. 283 *nf* gastritis ₵

gastro-entérite, *pl* **~s*** /gastʀoɑ̃teʀit/ ▸ p. 283 *nf* gastroenteritis ₵

gastro-entérologie* /gastʀoɑ̃teʀɔlɔʒi/ *nf* gastroenterology

gastro-entérologue*, *pl* **~s** /gastʀoɑ̃teʀɔlɔg/ ▸ p. 532 *nmf* gastroenterologist

gastro-intestinal, **~e**, *mpl* **-aux** /gastʀoɛ̃tɛstinal, o/ *adj* gastrointestinal

gastronome /gastʀɔnɔm/ *nmf* gourmet, gastronome

gastronomie /gastʀɔnɔmi/ *nf* gastronomy

gastronomique /gastʀɔnɔmik/ *adj* gourmet (*épith*), gastronomic

gastroplastie /gastʀoplasti/ *nf* Méd gastroplasty, stomach stapling

gastropode /gastʀɔpɔd/ *nm* = **gastéropode**

gastroscopie /gastʀɔskɔpi/ *nf* gastroscopy

gâteau, *pl* **~x** /gɑto/
A *adj inv* *[papa, mamie]* doting
B *nm* **1** Culin cake; **~ d'anniversaire** birthday cake; **2** ○fig (butin) spoils (*pl*); **se tailler une part du ~** to take one's share of the spoils; **se partager le ~** to divide the spoils; **obtenir 5% du ~ électoral** to obtain 5% of the votes; **3** Tech (masse compacte) cake
(Composés) **~ apéritif** cocktail biscuit; **~ au chocolat** chocolate cake; **~ de cire** honeycomb; **~ marbré** marble cake; **~ de miel** = **~ de cire**; **~ de riz** rice pudding; **~ salé** = **~ apéritif**; **~ sec** biscuit GB, cookie US; **~ de semoule** semolina pudding
(Idiomes) **c'est du ~**○! it's a piece of cake○!; **c'est pas du ~**○! it's no picnic!

gâter /gɑte/ [1]
A *vtr* **1** (choyer) to spoil *[enfant, personne]*; **un enfant gâté** a spoiled child; **on a été gâtés côté temps** we've been very lucky with the weather; **il n'a pas été gâté par la nature** iron he hasn't been blessed by Nature; **2** (abîmer) to ruin, to spoil *[fruit]*; to ruin *[dent]*; to spoil *[paysage]*; **3** (gâcher) to spoil *[plaisir]*; **il est intelligent et beau, ce qui ne gâte rien** he's intelligent, and handsome into the bargain
B **se gâter** *vpr* **1** (s'abîmer) *[viande]* to go bad, to go off GB; *[fruit, dent]* to rot; **avoir les dents gâtées** to have bad teeth; **2** (se détériorer) *[situation]* to take a turn for the worse; *[temps]* to change for the worse; **ça se gâte!** fig there's going to be trouble!

gâterie /gɑtʀi/ *nf* little treat

gâteux, **-euse** /gɑtø, øz/
A *adj* (avec l'âge) senile; fig **il est ~ avec sa fille** fig he's dotty about his daughter○
B *nm,f* (personne sénile) senile person; **vieux ~**○ old dodderer○

gâtifier○ /gɑtifje/ [2] *vi* to go all soppy○ **(avec qn** with sb)

gâtisme /gɑtism/ ▸ p. 283 *nm* (sénilité) senility; **être atteint de ~** to be senile

GATT /gat/ *nm* (*abbr* = **General Agreement on Tariffs and Trade**) GATT

gauche /goʃ/ ▸ p. 464
A *adj* **1** gén *[œil, main etc]* left; **la partie/le côté**

~ **de qch** the left-hand part/side of sth; [2] (maladroit) [*personne, manières*] awkward; [*style*] clumsy; **d'un air** ~ [*demander, s'excuser*] awkwardly; [3] (déformé) [*objet en bois*] warped; [*objet en métal*] bent; [4] Math [*courbe*] skew
B *nm* (en boxe) left-hander
C *nf* [1] (côté) **la** ~ the left; **de** ~ **à droite** from left to right; **à** ~ [*être, rouler*] on the left; [*rester, aller, regarder*] to the left; [*tourner*] left; **tenir sa** ~ to keep to the left; **à** ~ **de** to the left of; **à ma/votre** ~ on my/your left; **en bas/haut à** ~ in the bottom/top left-hand corner; **de** ~ [*page, mur, trottoir, file*] left-hand; [2] Pol Left; **victoire pour la** ~ victory for the Left; **voter à** ~ to vote for the Left; **de** ~ [*gouvernement, idée, journaliste*] left-wing; **être de** *or* **à** ~ to be left-wing; **la** ~ **du parti libéral** the left wing of the liberal party

(Idiomes) **passer l'arme à** ~○ to kick the bucket○; **se lever du pied** ~○ to get out of bed on the wrong side GB, to get up on the wrong side of the bed US; **jusqu'à la** ~○ completely, thoroughly; **avoir de l'argent à** ~ to have money stashed away; **mettre de l'argent à** ~○ to put money aside

gauchement /goʃmɑ̃/ *adv* awkwardly
gaucher, **-ère** /goʃe, ɛʀ/
A *adj* left-handed
B *nm,f* left-handed person; ~ **contrarié** naturally left-handed person (*forced to write with their right hand*)
gaucherie /goʃʀi/ *nf* awkwardness; **leur** ~ **est telle que** they are so awkward that
gauchir /goʃiʀ/ [3]
A *vtr* to warp [*objet en bois*]; to bend [*objet en métal*]
B *vi* [*objet en bois*] to become warped; [*objet en métal*] to become bent
gauchisant, ~**e** /goʃizɑ̃, ɑ̃t/ *adj* [*journal, groupe*] leftish (*épith*); **être** ~ to have leftish tendencies
gauchisme /goʃism/ *nm* leftism
gauchiste /goʃist/ *adj, nmf* leftist
gaucho /goʃo/ *nm* gaucho
gaudriole /godʀijɔl/ *nf* [1] (propos) broad joke; [2] ○(débauche) debauchery
gaufrage /gofʀaʒ/ *nm* (de cuir, tissu, papier) (en relief) embossing; (pour donner un aspect froissé) crinkling
gaufre /gofʀ/ *nf* [1] Culin waffle; [2] Zool honeycomb
gaufrer /gofʀe/ [1] *vtr* (imprimer en relief) to emboss [*velours, cuir, papier*]; (donner un aspect froissé) to crinkle [*coton, papier, cuir*]; ▸ **fer**
gaufrette /gofʀɛt/ *nf* wafer
gaufrier /gofʀije/ *nm* waffle iron US
gaufrure /gofʀyʀ/ *nf* embossing ¢
gaulage /golaʒ/ *nm* **le** ~ **des noix** knocking walnuts out of the tree with a pole
gaule /gol/ *nf* [1] (pour récolter les noix) long thin pole; (de bouvier, vacher) switch; [2] (de pêcheur) fishing rod
Gaule /gol/ *nprf* Gaul
gauler /gole/ [1] *vtr* [1] Agric ~ **un noyer** to knock the nuts out of a walnut tree; [2] ○to catch; **se faire** ~ to get caught; (par la police) to get nicked○ GB *ou* nabbed○
gaullien, **-ienne** /goljɛ̃, ɛn/ *adj* **le style** ~ the de Gaulle style
gaullisme /golism/ *nm* Gaullism
gaulliste /golist/ *adj, nmf* Gaullist
gaulois, ~**e** /golwa, az/
A *adj* [1] Hist Gallic; [2] (paillard) [*histoire, propos*] bawdy
B ▸ **p. 483** *nm* Ling Gaulish
Gaulois, ~**e** /golwa, az/ *nm,f* Gaul
gauloisement /golwazmɑ̃/ *adv* bawdily
gauloiserie /golwazʀi/ *nf* [1] (plaisanterie) bawdy joke; [2] (caractère paillard) bawdiness
gausser: **se gausser** /gose/ [1] *vpr* liter (railler) to mock; (plaisanter) **vous vous gaussez!** you are joking!; **se** ~ **de** to laugh at, to mock
gavage /gavaʒ/ *nm* (des oies) force-feeding
gave /gav/ *nm* mountain stream
gaver /gave/ [1]
A *vtr* [1] (nourrir) to force-feed [*oies*]; to stuff [*sb*] with food [*personne*]; ~ **qn de gâteaux** to stuff sb with cakes; **être gavé** to be full up; [2] fig ~ **qn d'âneries** to cram sb's head with silly ideas; ~ **qn de publicité** to bombard sb with advertising
B se gaver *vpr* [1] (se nourrir) to stuff oneself (**de** with); [2] fig **se** ~ **de** to devour [*romans, émissions*]
gavotte /gavɔt/ *nf* gavotte
gavroche /gavʀɔʃ/
A *adj inv* [*air*] cheeky, sassy○ US
B *nm* street urchin
gay /gɛ/ *adj inv, nm* gay, homosexual
gaz /gaz/
A *nm inv* [1] Ind, Minér (domestique) gas; **baisser le** ~ to turn down the gas; **cuisiner au** ~ to cook with gas; **avoir le** ~ to have gas; **se chauffer au** ~ to have gas heating; **chaudière/compteur à** ~ gas boiler/meter; **cuisinière à** ~ gas stove, gas cooker GB; [2] Chimie gas; **à l'état de** ~ [*corps*] in its gaseous state; [3] ○Sport (en alpinisme) **il y a du** ~ there's a lot of space there
B *nmpl* [1] Mécan air-fuel mixture (*sg*); **mettre les** ~○ fig to step on the gas○; **rouler à pleins** ~○ to go at full throttle; **le projet marche (à) pleins** ~○ the project is firing on all cylinders○; [2] Physiol wind (*sg*); **avoir des** ~ to have wind

(Composés) ~ **asphyxiant** asphyxiating gas ¢; ~ **butane** butane gas; ~ **carbonique** carbon dioxide; ~ **de combat** poison gas ¢; ~ **d'échappement** Aut exhaust fumes (*pl*); ~ **hilarant** laughing gas; ~ **lacrymogène** teargas; ~ **des marais** marsh gas; ~ **moutarde** mustard gas; ~ **naturel** natural gas; ~ **parfait** ideal gas; ~ **propane** propane gas; ~ **rare** rare gas; ~ **sulfureux** sulphur[GB] dioxide; ~ **de ville** mains gas

(Idiome) **il y a de l'eau dans le** ~○ there's trouble brewing

Gaza /gaza/ ▸ **p. 894** *npr* Gaza; **la bande de** ~ the Gaza Strip
gazage /gazaʒ/ *nm* gassing ¢
gaze /gɑz/ *nf* gauze; **une compresse/bande de** ~ a gauze compress/bandage
gazé, ~**e** /gaze/
A *pp* ▸ **gazer**
B *pp adj* **soldat** ~ soldier who was gassed
C *nm,f* Mil gas victim
gazéification /gazeifikasjɔ̃/ *nf* [1] (de boisson) carbonation; [2] (de produit carboné) gasification
gazéifier /gazeifje/ [2] *vtr* [1] (rendre pétillant) to carbonate [*boisson*]; [2] (transformer en gaz) to gasify
gazelle /gazɛl/ *nf* gazelle; **des yeux de** ~ doe eyes
gazer /gaze/ [1]
A *vtr* (asphyxier) to gas
B ○*vi* **ça gaze?** how's things○?; **oui, ça gaze** things are fine
gazetier, **-ière** /gaztje, ɛʀ/ *nm,f* journalist
gazette /gazɛt/ *nf* [1] (journal) newspaper; hum rag; [2] (personne) gossip; **la** ~ **du quartier** the local gossip; **faire la** ~ **de** *or* **sur**○ to give the info on○
gazeux, **-euse** /gazø, øz/ *adj* [1] [*boisson*] fizzy; **eau gazeuse** (naturelle) sparkling mineral water; (gazéifiée) carbonated water; [2] Chimie, Phys gaseous
gazier, **-ière** /gazje, ɛʀ/
A *adj* gas (*épith*); **industrie gazière** gas industry
B ▸ **p. 532** *nm* (ouvrier) gas worker; (agent) gasman
gazinière /gazinjɛʀ/ *nf* gas cooker GB, gas stove
gazoduc /gazɔdyk/ *nm* gas pipeline
gazogène /gazɔʒɛn/ *nm* (générateur) gas generator
gazole /gazɔl/ *nm* diesel (oil) GB, fuel oil US
gazoline /gazɔlin/ *nf* gasoline
gazomètre /gazɔmɛtʀ/ *nm* gasometer
gazon /gazɔ̃/ *nm* [1] (herbe) grass, turf; (en plaque) turf; **une plaque de** ~ a piece of turf; [2] (pelouse) lawn; **tennis sur** ~ lawn tennis; **jouer sur** ~ to play on grass courts
gazonner /gazɔne/ [1] *vtr* to turf, to grass
gazouillement /gazujmɑ̃/ *nm* (d'oiseau) twittering ¢; (de bébé, source) babbling ¢
gazouiller /gazuje/ [1] *vi* [*oiseau*] to twitter; [*bébé, source*] to babble
gazouilleur, **-euse** /gazujœʀ, øz/ *adj* [*oiseau*] twittering; [*bébé, source*] babbling
gazouillis /gazuji/ *nm inv* = **gazouillement**
GB (*written abbr* = **Grande-Bretagne**) GB
gdb○ /ʒedebe/ *nf*: *abbr* ▸ **gueule**
GDF /ʒedeɛf/ (*abbr* = **Gaz de France**) French Gas Board
geai /ʒɛ/ *nm* jay
géant, ~**e** /ʒeɑ̃, ɑ̃t/
A *adj* [1] (démesuré) huge, enormous; [2] (de grande taille) giant; **raie** ~**e** giant ray; [3] Comm, Pub [*paquet*] jumbo; [4] ○(extraordinaire) **c'est** ~**!** it's brilliant GB *ou* great!
B *nm* lit, fig giant; ~ **de l'industrie** industrial giant
C géante *nf* giantess
gecko /ʒeko/ *nm* gecko
géhenne /ʒeɛn/ *nf* **la** ~ Gehenna
Geiger /ʒeʒɛʀ/ *npr* **compteur** ~ Geiger counter
geignard, ~**e** /ʒɛɲaʀ, aʀd/
A *adj* [*personne*] moaning; [*enfant*] whining; [*ton, musique*] wailing
B *nm,f* moaner, whiner
geignement /ʒɛɲəmɑ̃/ *nm* (plainte) moan, groan
geindre /ʒɛ̃dʀ/ [55] *vi* [*malade*] to moan, to groan; (faiblement) to whimper; [*pleurnichard*] to whine; [*mécontent*] to moan; [*violon*] to wail; [*meuble*] to creak
geisha /geʃa/ *nf* geisha (girl)
gel /ʒɛl/ *nm* [1] Météo frost; **protection contre le** ~ protection from frost; **résistant au** ~ frost-resistant; [2] Écon (blocage au niveau atteint) ~ **de** freeze on; ~ **des subventions** freeze on subsidies; ~ **des prix/salaires** price/wage freeze; ~ **des terres** set-aside; [3] Fin (immobilisation) freezing; ~ **des avoirs** freezing of assets; [4] (suspension) putting on ice; **après le** ~ **du projet, il a fallu faire** after the project had been put on ice it became necessary to do; [5] Chimie, Cosmét, Pharm gel; ~ **contraceptif** contraceptive gel; ~ **coiffant** hair gel; ~ **de silice** silica gel; [6] Tech freezing; ~ **des tuyauteries** freezing of pipes
gélatine /ʒelatin/ *nf* gelatine GB, gelatin US; ~ **en poudre/en feuilles** gelatine GB *ou* gelatin US powder/leaves
gélatineux, **-euse** /ʒelatinø, øz/ *adj* gelatinous
gelé, ~**e** /ʒəle/
A *pp* ▸ **geler**
B *pp adj* [1] (durci par le froid) [*eau, sol, personne, pied*] frozen; [2] (très froid) **j'ai les oreilles** ~**es** my ears are frozen; [3] Méd [*orteil, phalange*] frost-bitten; [4] Écon, Fin, Pol [*prix, avoirs, négociation*] frozen
C gelée *nf* [1] Culin (de fruit) jelly; (de viande, poisson) (suc naturel) gelatinous stock; (préparation) aspic; ~**e de cassis** blackcurrant jelly; **ma** ~**e n'a pas pris** my jelly has not set; **œuf/poulet en** ~**e** egg/chicken in aspic; [2] Cosmét gel; ~**e hydratante** moisturizing gel; [3] Météo frost; ~**es matinales** early morning frosts

(Composés) ~**e blanche** Météo hoarfrost; ~**e royale** Pharm royal jelly

geler /ʒəle/ [17]
A *vtr* [1] (durcir) to freeze [*eau, sol*]; [2] (endommager) to freeze [*doigt, pied*]; to nip [*plante*]; [3] (bloquer) to freeze [*salaire, prix*]; [4] (suspendre) to suspend [*projet, production,*

g

processus]; 5▸ Fin (immobiliser) to freeze [*compte, avoirs*]
B *vi* 1▸ (se solidifier) [*eau, sol*] to freeze; 2▸ (être endommagé) [*doigt, pied*] to freeze; [*plante*] to be frosted; 3▸ °(avoir froid) to be freezing; **on gèle** it's freezing; 4▸ Jeux (être loin, à cache-tampon) **tu gèles!** you're freezing!
C **se geler** *vpr* 1▸ °(avoir froid) to freeze; **se ~ les fesses**° *or* **le cul**● to freeze to death; **on se les gèle**● it's bloody◑ GB *ou* damn° US freezing; 2▸ Méd **il s'est gelé un orteil** he got frostbite in one toe
D *v impers* to freeze; **il** *or* **ça gèle** it's freezing; **il gèle à pierre fendre** it's absolutely freezing

gélifiant /ʒelifjɑ̃/ *nm* gelling agent

gélifier /ʒelifje/ [2]
A *vtr* to gel
B **se gélifier** *vpr* to gel

gélinotte /ʒelinɔt/ *nf* hazel grouse

gélose /ʒeloz/ *nf* agar-agar

gélule /ʒelyl/ *nf* capsule

Gémeaux /ʒemo/ ▸ p. 912 *nprmpl* Gemini

gémellaire /ʒemɛl(l)ɛʀ/ *adj* **grossesse ~** twin pregnancy

gémellité /ʒemelite/ *nf* (de grossesse) twinbirth; (de frères, sœurs) twinhood

gémination /ʒeminasjɔ̃/ *nf* gemination

géminé, ~e /ʒemine/
A *adj* 1▸ Biol, Bot, Ling geminate; 2▸ Archit gemelled[GB]
B **géminée** *nf* Ling geminate

gémir /ʒemiʀ/ [3] *vi* [*malade*] to moan, to groan (**de** with); (faiblement) to whimper; [*pleurnichard*] to moan; [*plancher, meuble*] to creak; (sous un poids) to groan; [*vent*] to moan; **d'une voix gémissante** in a whining voice

gémissement /ʒemismɑ̃/ *nm* (de personne) moan; (plus fort) groan (**de** of); (prolongé) moaning ₵, groaning ₵; (de plancher) creak; (prolongé) creaking ₵; (du vent) moan

gemme /ʒɛm/ *nf* 1▸ (pierre) gem, gemstone; 2▸ (résine) resin

gemmer /ʒɛme/ [1] *vtr* to tap [sth] for resin [*pin*]

gemmologie /ʒɛmɔlɔʒi/ *nf* gemmology

gémonies /ʒemɔni/ *nfpl* **vouer qn aux ~** to expose sb to public contempt

gênant, ~e /ʒɛnɑ̃, ɑ̃t/ *adj* 1▸ (incommode) [*meuble, jouet, carton*] cumbersome; [*problème, bruit*] annoying; [*odeur*] unpleasant; **j'irai à pied, ce n'est pas ~** I'll walk, it's no problem; **c'est ~ ce bureau au milieu de la pièce** this desk in the middle of the room is a nuisance; 2▸ (qui met mal à l'aise) [*question, commentaire, témoin, situation*] embarrassing; **tous ces cadeaux, c'est ~!** all these presents, it's embarrassing!; **ce qui est ~ c'est que** the embarrassing thing is that

gencive /ʒɑ̃siv/ *nf* gum; ▸ **plein**
(Idiome) **prendre un coup dans les ~s**° to be kicked in the teeth°

gendarme /ʒɑ̃daʀm/ ▸ p. 532 *nm* 1▸ Mil gendarme, French policeman; **jouer aux ~s et aux voleurs** to play cops and robbers; **la peur du ~** fig the fear of authority; **jouer les ~s du monde** fig to act the role of world policeman; 2▸ (personne autoritaire) **quel ~!** what a bossy person!; **je n'ai pas envie de faire le ~** I don't want to have to lay down the law; 3▸ (organe de surveillance) watchdog; 4▸ Zool (punaise) stinkbug; 5▸ Culin (saucisson) dried sausage
(Composés) **~ couché** road hump, sleeping policeman GB; **~ mobile** Mil member of mobile police unit

gendarmer: **se gendarmer** /ʒɑ̃daʀme/ [1] *vpr* to protest (**contre** about)

gendarmerie /ʒɑ̃daʀm(ə)ʀi/ *nf* 1▸ (bureaux) police station; 2▸ (logement) police quarters (*pl*); 3▸ (corps) **~ (nationale)** gendarmerie, French police force
(Composé) **~ mobile** Mil mobile police unit

> **Gendarmerie nationale**
> A section of the military, which provides police service outside major towns.

gendre /ʒɑ̃dʀ/ *nm* son-in-law

gène /ʒɛn/ *nm* gene

gêne /ʒɛn/ *nf* 1▸ (embarras) embarrassment; **j'ai senti une ~ dans l'assistance** I could sense that the audience was embarrassed; **éprouver de la ~** to feel embarrassed; **sans aucune** *or* **la moindre ~** without the least hint of embarrassment; **il n'y a pas de ~ à avoir** there's nothing to be embarrassed about; 2▸ (physique) discomfort; **sensation** *or* **impression de ~** feeling of discomfort; **ressentir une ~ à l'articulation du genou** to feel some discomfort in one's knee joint; **ressentir** *or* **éprouver une ~ en avalant/respirant** to have difficulty swallowing/breathing; **~ respiratoire** breathing difficulties (*pl*); 3▸ (nuisance) inconvenience; **la ~ occasionnée par la grève** the inconvenience caused by the strike; **~ visuelle/phonique** visual/sound disturbance; 4▸ (pauvreté) poverty; **vivre dans la ~** to live in poverty
(Idiome) **là où il y a de la ~ il n'y a pas de plaisir** it's a pity to spoil somebody's pleasure

gêné, ~e /ʒɛne/
A *pp* ▸ **gêner**
B *pp adj* 1▸ (mal à l'aise) [*personne, regard, silence*] embarrassed; **avoir l'air/se sentir un peu ~** to seem/to feel somewhat embarrassed; **pas ~e, elle m'est passée devant** she pushed in front of me, not in the least bit embarrassed; **il n'est pas ~ celui-là°!** he's got a hell of a° nerve!; 2▸ (engoncé) **il est ~ dans sa veste** his jacket is too tight for him; 3▸ (désargenté) short of money; **je suis un peu ~ ce mois-ci** I'm a bit short of money this month

généalogie /ʒenealɔʒi/ *nf* genealogy

généalogique /ʒenealɔʒik/ *adj* genealogical; **livres ~s** Biol genealogy books; **arbre ~** family tree

généalogiste /ʒenealɔʒist/ ▸ p. 532 *nmf* genealogist

génépi /ʒenepi/ *nm* Bot genépi; (alcool) genépi liqueur

gêner /ʒɛne/ [1]
A *vtr* 1▸ (déranger sérieusement) [*personne*] to disturb [*personne*]; (déranger par sa présence, sa conversation) [*personne*] to bother [*personne*]; **tu gênes tout le monde avec ta musique!** you're disturbing everyone with your music!; **si je te gêne je peux m'en aller** if I'm bothering you, I'll go away; **ça te gêne si j'allume?** do you mind if I switch the light on?; **cela ne me gêne pas** I don't mind (**de faire** doing); **tu crois que ça le gênerait de dire pardon?** iron do you think it'd hurt him to say sorry?; **oui je fume, et alors, ça te gêne?** yes I smoke, so what?; 2▸ (incommoder) [*fumée, bruit, lumière*] to bother; **baisse le store, le soleil me gêne** lower the blind, the sun is bothering me; 3▸ (mettre mal à l'aise) [*question, regard, personne*] to embarrass [*personne*]; **ne dis pas ça, tu me gênes!** don't say that, you're embarrassing me!; **ça me gêne d'accepter** I don't really like to accept; **si cela te gêne de les appeler, je le ferai** if you don't like to call them, I'll do it; **cela me gêne d'avoir à te le rappeler mais...** I hate to have to remind you, but...; 4▸ (entraver) [*pluie, tempête*] to disrupt [*événement*]; [*voiture*] to block [*circulation*]; [*ceinture*] to restrict [*respiration*]; [*personne*] to be in the way of [*discussion, progrès*]; [*obstacle*] to hamper [*progrès, procession*]; **la neige gênait la progression des marcheurs** the snow hampered the walkers' progress; **tu gênes la circulation garé de cette façon** you're blocking the traffic by parking like that; **~ le passage** to be in the way; **rien n'est venu ~ les négociations** nothing got in the way of the negotiations; **pousse-toi, tu me gênes** get out of my way; **les chiffres gênent la compréhension du texte** the figures make the text difficult to understand; 5▸ (faire mal) [*caillou, ceinture*] to hurt [*personne*]; **quelque chose dans ma chaussure me gêne** something in my shoe is hurting me
B **se gêner** *vpr* 1▸ (se bousculer) [*personnes*] to get in each other's way; **à trois dans la cuisine on se gêne** three people in the kitchen only get in each other's way; **on tient à quatre sans se ~** it can hold four people comfortably; 2▸ (faire des façons) **pourquoi se ~?** why hesitate?; **je ne me suis pas gênée pour le leur rappeler°** I made a point of reminding them; **je vais me ~ tiens°** iron see if I don't; **ne vous gênez pas pour moi, continuez** iron don't mind me, carry on GB *ou* continue

général, ~e, *mpl* **-aux** /ʒeneʀal, o/
A *adj* 1▸ (collectif) general; **accord/sentiment/mouvement ~** general agreement/feeling/movement; **de l'avis ~** in most people's opinion; **dans l'intérêt ~** in the public interest; **à la surprise/satisfaction ~e** to everyone's surprise/satisfaction; 2▸ (d'ensemble) general; **situation/caractéristique/réforme ~e** general situation/feature/reform; **en ~, de façon** *or* **d'une manière ~e** generally, in general; **la réunion a lieu en ~ le soir** the meeting generally takes place in the evening; **en Chine et en ~ en Asie** in China and more generally in Asia; **parler en ~** to speak in general terms; **l'humanité en ~** humankind in general; **en règle ~e** as a rule; **en règle ~e les soins sont gratuits** as a rule medical care is free
B ▸ p. 406 *nm* 1▸ Mil general; **mon ~!** general!; **le ~ Grunard** General Grunard; 2▸ Relig (supérieur) general; 3▸ Philos general; **le ~ et le particulier** the general and the particular
C **générale** *nf* 1▸ Théât dress rehearsal; 2▸ (épouse de général) general's wife
(Composés) **~ d'armée** Mil general; **~ d'armée aérienne** Mil ≈ air chief marshal GB, ≈ general US; **~ de brigade** Mil ≈ brigadier GB, ≈ brigadier general US; **~ de brigado aérienne** Mil ≈ air commodore GB, ≈ brigadier general US; **~ de corps aérien** Mil ≈ air marshal GB, ≈ lieutenant general US; **~ de corps d'armée** Mil ≈ lieutenant general; **~ de division** Mil ≈ major general; **~ de division aérienne** Mil ≈ air vice marshal GB, ≈ major general US

généralement /ʒeneʀalmɑ̃/ *adv* generally; **plus ~** more generally; **elle se lève tôt ~** she generally gets up early; **octobre est ~ doux** October is generally mild

généralisable /ʒeneʀalizabl/ *adj* which can be generalized (*épith, après n*) (**à** to apply to); **l'expérience est ~ à d'autres domaines** the experiment can be generalized to apply to other fields

généralisateur, -trice /ʒeneʀalizatœʀ, tʀis/ *adj* **propos ~s** generalizations; **principe ~** generalized principle; **avoir l'esprit ~** to tend to generalize

généralisation /ʒeneʀalizasjɔ̃/ *nf* 1▸ (systématisation) (de politique, d'impôt) general implementation; (de vaccination) widespread administration; (de langue) general use; 2▸ (déduction) generalization; **~ grossière** gross generalization; 3▸ (de maladie, grève) spread

généralisé, ~e /ʒeneʀalize/
A *pp* ▸ **généraliser**
B *pp adj* [*conflit, pessimisme, corruption*] widespread; [*processus, surproduction*] general; [*cancer*] generalized

généraliser /ʒeneʀalize/ [1]
A *vtr* to make [sth] general [*impôt, vaccination, examen*]; to put [sth] into general use [*méthode*]
B *vi* to generalize; **ne généralisez pas** do not generalize
C **se généraliser** *vpr* [*technique*] to become standard; [*impôt*] to become widely applicable; [*phénomène, grève, maladie*] to spread (**à** to)

généralissime /ʒeneʀalisim/ *nm* generalissimo

généraliste /ʒeneʀalist/
A *adj* [*chaîne, revue, ingénieur*] non-specialized; [*conception*] broad; **médecin ~** general practitioner
B ▸ **p. 532** *nmf* general practitioner, GP GB

généralité /ʒeneʀalite/ *nf* 1 (notion générale) generality; **se perdre dans les ~s** to get lost in generalities; 2 (règle générale) **devenir ~** to become general

générateur, -trice /ʒeneʀatœʀ, tʀis/
A *adj* 1 (créateur) **~ de** which generates; **être ~ de** to generate; 2 (servant à engendrer) generative; **élément ~** Math generator
B *nm* Ordinat, Tech generator
C **génératrice** *nf* Électrotech generator; Math generatrix
(Composés) **~ d'états** Ordinat report program generator; **~ isotopique** Nucl radio isotope power generator; **~ d'ozone** ozonator; **~ de vapeur** steam boiler

génératif, -ive /ʒeneʀatif, iv/ *adj* Ling generative

génération /ʒeneʀasjɔ̃/ *nf* 1 (dans une famille) generation; **de ~ en ~** from generation to generation, through the generations; **ils sont en France depuis deux ~s** they've been in France for two generations; **immigré de première/seconde ~** first-/second-generation immigrant; **la ~ de ma grand-mère** my grandmother's generation; **le fossé des ~s** the generation gap; 2 (personnes du même âge) generation; **la nouvelle ~** the new generation; **la jeune ~** the younger generation; **les peintres de leur ~** painters of their generation; **la ~ romantique/politique** the romantic/political generation; 3 (stade du progrès technique) generation; **une nouvelle ~ d'avions/d'ordinateurs** a new generation of aircraft/of computers; **ordinateur de la cinquième ~** fifth-generation computer; 4 (production d'énergie, électricité) generation; 5 Biol generation
(Composé) **~ spontanée** spontaneous generation

génératrice ▸ **générateur A, C**

générer /ʒeneʀe/ [14] *vtr* (tous contextes) to generate

généreusement /ʒeneʀøzmɑ̃/ *adv* (noblement) generously; (libéralement) liberally

généreux, -euse /ʒeneʀø, øz/ *adj* 1 (plein de largesse) generous (**envers** to); 2 (plein de grandeur d'âme) [*personne, caractère*] generous; [*idée, geste, sacrifice*] noble; 3 (copieux) [*portion*] generous; **poitrine généreuse** large bust; **une femme aux formes généreuses** a well-rounded woman; 4 (fertile) liter [*terre, sève*] fruitful; [*plaine*] bountiful littér

générique /ʒeneʀik/
A *adj* [*nom, terme, caractère, médicament*] generic
B *nm* Cin, Radio, TV 1 (liste) credits (*pl*); **le ~ de début/fin** opening/closing credits; **il n'était pas au ~** his name was not on the credits; 2 (présentation) titles (*pl*)

générosité /ʒeneʀozite/ *nf* 1 (largesse) generosity (**envers** to, towards); **un don/une personne d'une grande ~** a very generous gift/person; 2 (grandeur d'âme) generosity of spirit; **agir avec ~** to show generosity of spirit

Gênes /ʒɛn/ ▸ **p. 894** *npr* Genoa

genèse /ʒənɛz/ *nf* 1 (d'œuvre d'art, de projet, style, mythe) genesis; (d'État) birth; 2 Bible **la Genèse** Genesis

genêt /ʒənɛ/ *nm* Bot broom
(Composés) **~ à balai** broom; **~ commun** common broom; **~ d'Espagne** Spanish broom; **~ des teinturiers** dyer's greenweed

généticien, -ienne /ʒenetisjɛ̃, ɛn/ ▸ **p. 532** *nm,f* geneticist

génétique /ʒenetik/
A *adj* [*code, génie, manipulation*] genetic
B *nf* genetics (+ *v sg*)

génétiquement /ʒenetikmɑ̃/ *adv* genetically

genette /ʒənɛt/ *nf* genet

gêneur, -euse /ʒɛnœʀ, øz/ *nm,f* troublemaker

Genève /ʒənɛv/ *npr* 1 ▸ **p. 894** (ville) Geneva; 2 ▸ **p. 721** (région) **le canton de ~** the canton of Geneva

genevois, ~e /ʒənvwa, az/ ▸ **p. 894** *adj* of Geneva

Genevois, ~e /ʒənvwa, az/ ▸ **p. 894** *nm,f* (natif) native of Geneva; (habitant) inhabitant of Geneva

genévrier /ʒənevʀije/ *nm* juniper

génial, ~e, *mpl* **-iaux** /ʒenjal, o/ *adj* 1 (ayant du génie) brilliant; 2 (inspiré par le génie) [*plan, idée, conception, réalisation*] brilliant, inspired; [*invention, découverte*] brilliant; 3 ○(fantastique) [*spectacle, coupe de cheveux, livre*] brilliant GB, fantastic○, great; [*personne*] great; [*idée*] brilliant; **~!** brilliant! GB, great!; **c'est un type ~** he's a great bloke GB *ou* guy

génialement /ʒenjalmɑ̃/ *adv* brilliantly

génie /ʒeni/ *nm* 1 (aptitude) genius; **peintre/écrivain de ~** painter/writer of genius; **avoir du ~** to be a genius; **le ~ de qn** the genius of sb; **un coup de ~** a stroke of genius; **avoir un coup de ~** to have a flash of inspiration; **idée de ~** brainwave; 2 (personne) genius; **ce n'est pas un ~, leur fils** their son isn't exactly a genius; **~ du mal** evil genius; **petit ~** little genius; 3 (talent) genius; **le ~ architectural** architectural genius; **avoir le ~ du commerce** to have a great gift for business; **il a le ~ de tout embrouiller** he's a real genius at making a mess of things; 4 Mythol (esprit) spirit; (dans les contes) genie; **le ~ de la forêt** the spirit of the forest; **Aladin et le ~ de la lampe** Aladdin and the Genie of the lamp; **être le bon/mauvais ~ de qn** to be sb's guiding/evil spirit; 5 (ingénierie) engineering; 6 Mil (activité) military engineering; (personnel) **le ~** the Engineers (*pl*); **soldat/officier du ~** soldier/officer in the Engineers
(Composés) **~ chimique** chemical engineering; **~ civil** (activité) civil engineering; (personnel) civil engineers (*pl*); **~ climatique** climatic engineering; **~ cognitif** knowledge engineering; **~ génétique** genetic engineering; **~ industriel** industrial engineering; **~ rural** agricultural engineering

genièvre /ʒənjɛvʀ/ *nm* (arbuste) juniper; (baie) juniper berry; (eau-de-vie) Dutch gin

génique /ʒenik/ *adj* [*thérapie*] gene

génisse /ʒenis/ *nf* heifer; **foie de ~** beef liver

génital, ~e, *mpl* **-aux** /ʒenital, o/ *adj* [*appareil, organes*] genital

géniteur, -trice /ʒenitœʀ, tʀis/
A *nm,f* hum (parent) parent, pater/mater hum
B *nm* Zool (reproducteur) sire

génitif /ʒenitif/ *nm* Ling genitive; **au ~** in the genitive

génito-urinaire, *pl* **~s** /ʒenitoyʀinɛʀ/ *adj* genito-urinary

génocide /ʒenɔsid/ *nm* genocide

génois, ~e /ʒenwa, az/ ▸ **p. 483**
A *adj* Genoese
B *nm inv* 1 Ling Genoese; 2 Naut genoa (jib)
C **génoise** *nf* Culin ≈ sponge cake

Génois, ~e /ʒenwa, az/ *nm,f* Genoese

génome /ʒenom/ *nm* genome; **~ humain** human genome

génomique /ʒenomik/ *nf* genomics (+ *v sg*)

génothèque /ʒenɔtɛk/ *nf* gene library, gene bank

génotypage /ʒenotipaʒ/ *nm* genotyping

génotype /ʒenɔtip/ *nm* genotype

genou, *pl* **~x** /ʒ(ə)nu/ ▸ **p. 196**
A *nm* 1 (d'homme, animal) knee; **assieds-toi sur mes ~x** sit on my knee *ou* lap; **prends-la sur tes ~x** put her on your knee *ou* lap; **être dans l'eau jusqu'aux ~x, avoir de l'eau jusqu'aux ~x** to be knee-deep in water; **jupe en dessous/au-dessus du ~** skirt below/above the knee; **arriver au ~** [*jupe*] to be knee-length; [*botte*] to come up to the knee; [*pull, veste*] to come down to one's knees; **donner un coup de ~ à qn** to knee sb; **mettre (un) ~ à terre devant qn** lit to kneel down in front of sb; fig to pay homage to sb; 2 (de pantalon, collant) knee; 3 Naut, Tech knee
B **à genoux** *loc adv* **être à ~x** to be kneeling, to be on one's knees; **se mettre à ~x** gén to kneel down; (pour implorer) to go down on one's knees; **tomber à ~x** to fall to one's knees; **à ~x!** down on your knees!; **je vous le demande à ~x!** fig I'm begging you!; **être à ~x devant qn** fig to worship sb
(Idiomes) **faire du ~ à qn**○ to play footsie○ with sb; **être sur les ~x**○ [*personne*] to be on one's last legs; **mettre qn sur les ~x**○ to wear sb out

genouillère /ʒənujɛʀ/ *nf* Sport knee pad; Méd knee support *ou* bandage; Vét knee boot

genre /ʒɑ̃ʀ/ *nm* 1 (sorte) sort, kind, type (**de** of); **réparations en tout ~** *or* **tous ~s** all types of repairs; **c'est ce qu'on fait de mieux dans le ~** it's the best of its kind; **c'est le ~ macho**○ he's the macho type○; **c'est le ~ rabat-joie** he/she's a killjoy; **c'est le** *or* **elle est du ~ à arriver sans prévenir** she's the sort *ou* type who turns up without warning; **tu vois le ~!** you know the type!; **les barbus, ce n'est pas mon ~** men with beards are not my type; **les descriptions du ~ magazine féminin** women's magazine-type descriptions; **un problème du même ~** a similar kind of problem; **~ de vie** lifestyle; **elle n'est pas mal dans son ~** she's quite pretty in her way; **quelque chose dans ce ~** something like that; **un peu dans le ~ de mon frère/de ta robe** a bit like my brother/your dress; **Marianne, ce n'est pas le même ~ que sa sœur** Marianne is not at all like her sister; 2 (comportement) **ce n'est pas mon ~ de tricher** cheating is not my style, cheating is not the sort of thing I do; **c'est bien son ~** it's just like him/her; 3 (allure) **avoir mauvais ~** to look disreputable; **avoir le ~ bohème** to look the bohemian type; **elle n'est pas vraiment jolie, mais elle a un ~** she's not really pretty, but there's something about her; **pour se donner un ~** (in order) to make oneself look different; 4 Ling gender; **s'accorder en ~** to agree in gender; 5 Art, Littérat genre; **le ~ picaresque/épistolaire** the picaresque/epistolary genre; **peinture de ~** genre painting; 6 Bot, Zool genus
(Composé) **le ~ humain** mankind

gens¹ /ʒɑ̃/ *nmpl* 1 (personnes) people; **il y a des ~ qui...** there are (some) people who...; **que pensent les ~?** what do people think?; **les ~ de la ville** town *ou* city dwellers; **les ~ de la campagne** country people *ou* folk; **les ~ du coin** the local people, the locals péj; **les ~ sans histoires** ordinary people; **des tas**○ **de ~** loads of○ people; **la plupart des ~** most people; **les ~ heureux** happy people; **les vieilles ~** old people; **tous les braves ~** all good people; **toutes les mauvaises ~** all bad people; **écoutez bonnes ~‡** hark ye here, good people‡; 2 (domestiques) servants, household; (escorte) retinue (*sg*)
(Composés) **~ d'affaires** business people; **~ d'armes** men at arms; **~ de cour** courtiers; **~ d'église** clergymen; **~ d'épée** soldiers; **~ de lettres** writers; **~ de loi** lawyers; **~ de maison** servants; **~ du monde** polite society; **~ de robe** lawyers;

~ **de théâtre** actors; ~ **du voyage** travelling people.

> ⚠ When used with *gens*, the adjectives *bon, mauvais, petit, vieux, vilain* are placed before *gens* and in the feminine: *(toutes) les vieilles gens*. But the gender of *gens* itself does not change: *les bonnes gens sont heureux*. All other adjectives behave normally: *(tous) les braves gens*

gens², *pl* **gentes** /ʒɛ̃s, ʒɛ̃tɛs/ *nf* Antiq gens

gent /ʒɑ̃/ *nf*† **1** (personnes) **la ~ masculine/féminine** mankind/womankind, men *(pl)*/women *(pl)*; **2** (animaux) race

gentiane /ʒɑ̃sjan/ *nf* **1** (fleur) gentian; **2** (liqueur) gentian liqueur

gentil, **-ille** /ʒɑ̃ti, ij/
A *adj* **1** (agréable) kind, nice (**avec** to); **aide-moi, tu seras ~** give me a hand, will you?; **c'est ~, je vous remercie** that's very kind of you, thank you; **sois ~, réponds au téléphone** do me a favour^GB, answer the phone; **vous êtes trop ~** you are too kind; **avoir un mot ~ pour qn** to have a nice *ou* kind word for sb; **ce n'est pas ~ ce que tu viens de faire** what you've just done wasn't very nice; **vous seriez ~ de faire moins de bruit** would you mind making a bit less noise?; **c'est ~ de sa part** that's kind *ou* nice of him/her; **2** (obéissant) good; **3** péj **le spectacle/film était ~** the show/film was harmless enough; **c'est bien ~ tout ça, mais...** that's all very well, but...; **il est (bien) ~** he's nice enough; **4** (non négligeable) *[somme, récompense]* fair
B *nm* Hist Relig gentile

gentilhomme, *pl* **gentilshommes** /ʒɑ̃tijɔm, ʒɑ̃tizɔm/ *nm* Hist gentleman; **~ campagnard** country gentleman

gentilhommière /ʒɑ̃tijɔmjɛʀ/ *nf* country house

gentille ▸ **gentil A**

gentillesse /ʒɑ̃tijɛs/ *nf* **1** (bonté) kindness (**envers** to); **avoir la ~ de faire** to be kind enough to do; **ayez la ~ de** be kind enough to; **être d'une grande ~ avec** *or* **envers qn** to be very kind to sb; **faites-moi la ~ de...** would you do me the favour^GB of...?; **2** (action, paroles désagréables) **ils ont échangé quelques ~s** iron they exchanged insults; **dire des ~s sur qn** iron to say unpleasant things about sb

gentillet, **-ette** /ʒɑ̃tijɛ, ɛt/ *adj* **1** (agréable) **être ~** *[enfant]* to be a sweetie; **2** péj *[personne, livre, film]* nice enough

gentiment /ʒɑ̃timɑ̃/ *adv* **1** (aimablement) kindly; **se moquer ~ de qn** to tease sb playfully; **je leur ai fait ~ comprendre** in the nicest possible way I made them understand; **2** (sagement) *[travailler, jouer]* quietly

génuflexion /ʒenyflɛksjɔ̃/ *nf* genuflection; **faire une ~** to genuflect

géobiologie /ʒeobjɔlɔʒi/ *nf* geobiology

géocentrique /ʒeosɑ̃tʀik/ *adj* geocentric

géocentrisme /ʒeosɑ̃tʀism/ *nm* geocentric theory

géochimie /ʒeoʃimi/ *nf* geochemistry

géochimiste /ʒeoʃimist/ ▸ **p. 532** *nmf* geochemist

géode /ʒeɔd/ *nf* geode

géodésie /ʒeɔdezi/ *nf* geodesy

géodésique /ʒeɔdezik/ *adj, nf* geodesic

géodynamique /ʒeɔdinamik/
A *adj* geodynamic
B *nf* geodynamics (+ *v sg*)

géographe /ʒeɔgʀaf/ ▸ **p. 532** *nmf* geographer

géographie /ʒeɔgʀafi/ *nf* geography; **~ économique/humaine/physique** economic/human/physical geography

géographique /ʒeɔgʀafik/ *adj* geographical

géographiquement /ʒeɔgʀafikmɑ̃/ *adv* geographically

geôle /ʒol/ *nf* liter jail

geôlier, **-ière** /ʒolje, ɛʀ/ *nm,f* liter jailer

géologie /ʒeɔlɔʒi/ *nf* geology

géologique /ʒeɔlɔʒik/ *adj* geological

géologiquement /ʒeɔlɔʒikmɑ̃/ *adv* geologically

géologue /ʒeɔlɔg/ ▸ **p. 532** *nmf* geologist

géomagnétique /ʒeomaɲetik/ *adj* geomagnetic

géomagnétisme /ʒeomaɲetism/ *nm* geomagnetism

géomancie /ʒeomɑ̃si/ *nf* geomancy

géomarketing /ʒeomaʀketiŋ/ *nm* geomarketing

géomembrane /ʒeomɑ̃bʀan/ *nf* geomembrane

géomètre /ʒeɔmɛtʀ/
A ▸ **p. 532** *nmf* **1** Tech land surveyor; **~ expert** ≈ chartered surveyor; **2** †Math geometrician
B *nm* Zool geometrid

géométrie /ʒeɔmetʀi/ *nf* geometry; **~ analytique/descriptive/plane** analytical/descriptive/plane geometry; **~ dans l'espace** solid geometry; **à ~ variable** fig *[discours, doctrine, traitement]* infinitely variable *(épith)*

géométrique /ʒeɔmetʀik/ *adj [espace, forme, construction]* geometric; *[méthode, démonstration, précision]* geometrical

géométriquement /ʒeɔmetʀikmɑ̃/ *adv* geometrically

géomorphologie /ʒeomɔʀfɔlɔʒi/ *nf* geomorphology

géophysicien, **-ienne** /ʒeofizisjɛ̃, ɛn/ ▸ **p. 532** *nm,f* geophysicist

géophysique /ʒeofizik/
A *adj [études, prospection]* geophysical
B *nf* geophysics (+ *v sg*)

géopolitique /ʒeopɔlitik/
A *adj* geopolitical
B *nf* geopolitics (+ *v sg*)

Géorgie /ʒeɔʀʒi/ *nprf* **1** ▸ **p. 721** (État américain) Georgia; **2** ▸ **p. 333** (État indépendant) Georgia

(Composé) ~ **du Sud** (île) South Georgia

géorgien, **-ienne** /ʒeɔʀʒjɛ̃, ɛn/ ▸ **p. 561**, **p. 483**
A *adj* Georgian
B *nm* Ling Georgian

Géorgien, **-ienne** /ʒeɔʀʒjɛ̃, ɛn/ ▸ **p. 561** *nm,f* Georgian

géorgique /ʒeɔʀʒik/ *adj* georgic

géosciences /ʒeosjɑ̃s/ *nfpl* geosciences

géostationnaire /ʒeostasjɔnɛʀ/ *adj* geostationary

géosynchrone /ʒeosɛ̃kʀon/ *adj* geosynchronous

géosynclinal, *pl* **-aux** /ʒeosɛ̃klinal, o/ *nm* geosyncline

géothermie /ʒeotɛʀmi/ *nf* (énergie) geothermal power

géothermique /ʒeotɛʀmik/ *adj* geothermal; **gradient ~** geothermal gradient

géotropisme /ʒeotʀɔpism/ *nm* geotropism

gérable /ʒeʀabl/ *adj* manageable; **situation difficilement ~** a situation which is hard to handle *ou* manage

gérance /ʒeʀɑ̃s/ *nf* (fonction, exploitation, administration) management; **mettre en ~** to appoint a manager for *[magasin, société]*; to appoint a managing agent *ou* an agent for *[immeuble]*; **prendre en ~** to take over the management of *[magasin, société]*; to become managing agent of *[immeuble]*; **assurer la ~ de qch** to manage sth; **pendant leur ~** under their management

(Composés) ~ **informatique** Ordinat facilities management; ~ **libre** Comm, Entr contract management; ~ **salariée** Comm, Entr salaried management

géranium /ʒeʀanjɔm/ *nm* geranium

gérant, **~e** /ʒeʀɑ̃, ɑ̃t/ *nm,f* **1** (de magasin, commerce, d'usine) manager; (d'immeubles) (managing) agent; **'nouveau ~'** 'under new management'; **2** Presse editor

(Composés) ~ **d'affaires** Jur business *ou* financial manager; ~ **libre** Comm contract manager; ~ **de portefeuille**† Fin portfolio manager; ~ **salarié** Comm salaried manager

gerbage /ʒɛʀbaʒ/ *nm* **1** (mise en gerbes) binding; **2** (mise en piles) stacking

gerbe /ʒɛʀb/ *nf* **1** (bouquet) bouquet; (mortuaire) wreath; **une ~ de glaïeuls** a bunch of gladioli; **déposer une ~ au monument aux morts** to lay a wreath on the war memorial; **2** (d'étincelles, écume, eau) spray; **3** Agric (de blé) sheaf

gerber /ʒɛʀbe/ [1]
A *vtr* **1** (lier en gerbes) to bind *[blé]*; **2** (empiler) to stack *[fûts]*
B ◑*vi* (vomir) to puke◑, to vomit

gerbera /ʒɛʀbeʀa/ *nm* gerbera

gerbille /ʒɛʀbij/ *nf* gerbil

gerboise /ʒɛʀbwaz/ *nf* jerboa

gercer /ʒɛʀse/ [12]
A *vtr [froid, vent]* to chap *[main, lèvres, peau]*; **avoir les mains/lèvres gercées** to have chapped hands/lips
B *vi [lèvres, mains]* to become chapped; **une crème qui empêche les mains de ~** a cream which prevents the hands from becoming chapped

gerçure /ʒɛʀsyʀ/ *nf* crack; **avoir les mains pleines de ~s** to have badly chapped hands; **mettez des gants pour éviter les ~s** wear gloves to prevent chapping

gérer /ʒeʀe/ [14] *vtr* **1** (administrer) to manage *[production, temps]*; to manage, to run *[commerce, propriété]*; to run *[pays]*; **un portefeuille géré par une banque privée** a portfolio managed by a private bank; **il gère bien ses affaires** he manages his business well; **une entreprise bien gérée** a well-managed *ou* well-run company; **une entreprise mal gérée** a badly run *ou* poorly managed company; **~ une tutelle** Jur to supervise a guardianship; **2** fig (traiter) to handle *[situation, information, problème, crise]*; **mal ~ qch** to handle sth badly; **3** Ordinat to manage *[fichiers, bases de données]*

gerfaut /ʒɛʀfo/ *nm* gyrfalcon

gériatre /ʒeʀjatʀ/ ▸ **p. 532** *nmf* geriatrician

gériatrie /ʒeʀjatʀi/ *nf* **1** (discipline) geriatrics (+ *v sg*); **service de ~** geriatric ward; **2** (service) geriatric ward

gériatrique /ʒeʀjatʀik/ *adj* geriatric

germain, **~e** /ʒɛʀmɛ̃, ɛn/ *adj* **1** (dans la famille) **cousin ~** first cousin; **2** Hist Germanic

Germain, **~e** /ʒɛʀmɛ̃, ɛn/ *nm,f* Hist German

germanique /ʒɛʀmanik/ *adj, nm* Germanic

germanisant, **~e** /ʒɛʀmanizɑ̃, ɑ̃t/ *nm,f* Germanist

germaniser /ʒɛʀmanize/ [1]
A *vtr* to germanize
B **se germaniser** *vpr* to become germanized

germanisme /ʒɛʀmanism/ *nm* Ling Germanism

germaniste /ʒɛʀmanist/ *nmf* Germanist

germanophone /ʒɛʀmanɔfɔn/
A *adj* German-speaking *(épith)*; **être ~** to speak German
B *nmf* German speaker

germe /ʒɛʀm/ *nm* **1** (d'embryon, de graine) germ; (d'œuf) germinal disc; (de pomme de terre) sprout; **~ de blé** wheat germ; **~s de soja** bean sprouts; **2** (début) seed (**de** of); **contenir une crise en ~** to contain the seeds of a crisis; **on trouve cette idée/théorie en ~ dans...** we find this idea/theory in embryonic form in...

(Composé) ~ **dentaire** Dent tooth bud

germen /ʒɛʀmɛn/ *nm* germ cells *(pl)*

g

germer /ʒɛʀme/ [1] *vi* **1** fig (naître) [*idée, soupçon*] to form; **2** Bot [*blé*] to germinate; [*pomme de terre*] to sprout; **pommes de terre germées** sprouting potatoes

germicide /ʒɛʀmisid/
A *adj* germicidal
B *nm* germicide

germinal, **~e**, *mpl* **-aux** /ʒɛʀminal, o/
A *adj* Biol germinal
B *nm* Germinal (*seventh month of the French revolutionary calendar,* ≈ *April*)

germinateur, **-trice** /ʒɛʀminatœʀ, tʀis/ *adj* germinative

germinatif, **-ive** /ʒɛʀminatif, iv/ *adj* germinal

germination /ʒɛʀminasjɔ̃/ *nf* germination

germoir /ʒɛʀmwaʀ/ *nm* **1** (récipient) seed tray; (chauffé) propagator; **2** (de brasserie) malthouse

germon /ʒɛʀmɔ̃/ *nm* albacore, longfin tuna

gérondif /ʒeʀɔ̃dif/ *nm* (nom verbal latin, anglais) gerund; (adjectif verbal latin) gerundive; (forme verbale en français) gerund

gérontocratie /ʒeʀɔ̃tɔkʀasi/ *nf* gerontocracy

gérontologie /ʒeʀɔ̃tɔlɔʒi/ *nf* gerontology

gérontologique /ʒeʀɔ̃tɔlɔʒik/ *adj* gerontological

gérontologue /ʒeʀɔ̃tɔlɔg/ ▸ **p. 532** *nmf* gerontologist

Gers /ʒɛʀ/ ▸ **p. 372, p. 721** *nprm* (rivière, département) **le ~** the Gers

gésier /ʒezje/ *nm* gizzard

gésir /ʒeziʀ/ [37] *vi* fml **1** (être couché) [*personne*] to be lying; **elle gît/gisait sur son lit** she is/was lying on her bed; **2** (être abandonné) [*feuilles, vêtements*] to be lying about *ou* around; **3** fig (se trouver) [*difficulté, solution, problème*] to lie

gestaltisme /gɛstaltism/ *nm* Psych, Philos Gestalt psychology

gestation /ʒɛstasjɔ̃/ *nf* **1** Physiol gestation; **période de ~** gestation period; **2** fig (d'œuvre, de roman, crise) gestation; **un livre en ~** a book in gestation

geste /ʒɛst/
A *nm* **1** (mouvement) movement; (mouvement expressif) gesture; **un ~ brusque** a sudden movement; **il sortit un couteau de sa poche d'un ~ rapide** he whipped a knife out of his pocket; **des ~s répétitifs/désordonnés** repetitive/uncoordinated movements; **~ malheureux/maladroit** unfortunate/clumsy movement; **il nous a fait signe d'avancer d'un ~ de la main/de la tête** he waved/nodded to us to come forward; **un ~ de découragement/protestation/refus** a gesture of despondency/protest/refusal; **des ~s obscènes** obscene *or* rude gestures; **d'un ~ de la tête, il m'indiqua le balai** he indicated the broom to me with a nod of his head; **il approuva d'un ~ de la tête** he nodded his approval; **il fait beaucoup de ~s quand il parle** he waves his hands *ou* he gesticulates a lot when he speaks; **pas un ~ ou je tire!** don't move or I'll shoot!; **il n'a pas fait un ~ pour m'aider** fig he didn't make a move *ou* intervene to help me; **elle n'a qu'un ~ à faire pour le faire réintégrer** fig she only has to say the word to have him reinstated; **il pourrait faire un ~ quand même!** fig he could at least show that he cares; **joindre le ~ à la parole** to suit the action to the word; **2** (acte) gesture, act; **un ~ de bonne volonté/d'apaisement** a gesture of good will/of appeasement; **un ~ attentionné** a thoughtful gesture; **un ~ désespéré** a desperate act; **un ~ symbolique** a token gesture; **un beau ~** a noble gesture
B *nf* Hist Littérat *set of French epic poems of the Middle Ages*

gesticulation /ʒɛstikylasjɔ̃/ *nf* **1** (geste) gesticulation; **2** fig (affectation) posturing ₵

gesticuler /ʒɛstikyle/ [1] *vtr* **1** (en parlant) to gesticulate; **2** (s'agiter) to fidget

gestion /ʒɛstjɔ̃/ *nf* **1** (administration) management; **l'entreprise souffre d'une mauvaise ~** the company suffers from poor management; **une ~ saine** sound management; **durant leur ~** under their management; **~ informatisée/du temps** computerized/time management; **la ~ de son temps de travail** the management of one's working time; **la ~ de la production** production control; **2** (de situation, crise, d'information) handling; **3** (discipline) management; **faire de la ~** to do business studies, to study management; **avoir un diplôme de ~** to have a business studies *ou* a management diploma; **4** Ordinat (de fichiers, base de données) management

(Composés) **~ administrative** administration; **~ budgétaire** budgetary control; **~ contrôlée** Jur receivership; **être mis sous ~ contrôlée** [*société*] to go into receivership; **~ financière** financial management; **~ du personnel** personnel management; **~ de portefeuille** Fin portfolio management; **~ prévisionnelle** (forward) planning; **~ de la production assistée par ordinateur, GPAO** computer-aided production management; **~ des ressources humaines** human resources management; **~ des risques** risk management; **~ sociale** Admin, Pol social management; Entr industrial relations (+ *v sg*); **~ des stocks** stock control GB, inventory control US; **~ de trésorerie** corporate cash management

gestionnaire /ʒɛstjɔnɛʀ/
A *adj* Écon [*technique, organisme*] administrative
B *nmf* administrator; **avoir des qualités de ~** to be a good administrator; **un poste de ~** an administrative position (**chez** with)
C *nm* Mil administrative commandant

(Composés) **~ de fichiers** Ordinat file-management system; **~ de périphérique** Ordinat driver; **~ de portefeuille** Fin portfolio manager

gestuel, **-elle** /ʒɛstɥɛl/
A *adj* gestural; **peinture gestuelle** action painting
B gestuelle *nf* body language

geyser /ʒezɛʀ/ *nm* geyser

Ghana /gana/ ▸ **p. 333** *nprm* Ghana

ghanéen, **-éenne** /ganeɛ̃, ɛn/ ▸ **p. 561** *adj* Ghanaian

Ghanéen, **-éenne** /ganeɛ̃, ɛn/ ▸ **p. 561** *nm,f* Ghanaian

ghetto /geto/ *nm* lit, fig ghetto

ghettoïsation /gɛtoizasjɔ̃/ *nf* ghettoization

gibbeux, **-euse** /ʒibø, øz/ *adj* **1** [*forme*] liter bulging; [*dos*] humped; **2** Astron gibbous

gibbon /ʒibɔ̃/ *nm* gibbon

gibbosité /ʒibozite/ *nf* Méd kyphosis

gibecière /ʒibsjɛʀ/ *nf* Chasse gamebag; Scol satchel

gibelotte /ʒiblɔt/ *nf* gibelotte, rabbit stewed in wine

giberne /ʒibɛʀn/ *nf* Mil cartridge pouch

gibet /ʒibɛ/ *nm* gallows (*sg*); **condamner qn au ~** to sentence sb to the gallows

gibier /ʒibje/ *nm* Chasse, Culin game; **petit ~** small game; **manger du ~** to eat game; **gros ~** lit big game; fig big time criminals (*pl*); **être un ~ facile pour les escrocs** fig to be an easy target for conmen; **c'est du ~ de potence** he'll/they'll come to a bad end

(Composés) **~ d'eau** water fowl (+ *v pl*); **~ à plumes** game birds (*pl*); **~ à poil** game animals (*pl*)

giboulée /ʒibule/ *nf* shower; **les ~s de mars** ≈ April showers GB

giboyeux, **-euse** /ʒibwajø, øz/ *adj* [*région, plaine, réserve*] full of game (*après n*)

Gibraltar /ʒibʀaltaʀ/ *nprm* ▸ **p. 894** Gibraltar

gibus /ʒibys/ *nm inv* opera hat

GIC /ʒeise/ *nm: abbr* ▸ **grand**

giclée /ʒikle/ *nf* (d'eau, de sang, lait) spurt; (d'encre) squirt

gicler /ʒikle/ [1] *vi* **1** (jaillir) [*sang, eau*] to spurt (**de** from); [*jus*] to squirt (**sur** onto); **l'eau giclait du tuyau percé** water was spurting from the hole in the pipe; **le champagne m'a giclé à la figure** the champagne sprayed in my face; **la voiture a fait ~ de la boue** the car sprayed up mud; **2** ◑(partir) to split○, to piss off◑

gicleur /ʒiklœʀ/ *nm* **1** (de carburateur) jet; **2** (de lave-vaisselle) spray

(Composé) **~ de ralenti** Aut idling jet

GIE /ʒeiə/ *nm: abbr* ▸ **groupement**

gifle /ʒifl/ *nf* **1** (claque) slap in the face; **donner** *or* **coller**○ **une ~ à qn** to slap sb in the face; **donner une bonne gifle à qn** to whack sb; **flanquer**○ **une paire de ~s à qn** to clip sb around the ears○; **recevoir** *or* **prendre**○ **une paire de ~s** to get a clip around the ears○; **2** (affront) slap in the face (**pour** for)

gifler /ʒifle/ [1] *vtr* **1** (frapper) to slap [*personne*]; **~ qn du revers de la main** to slap sb with the back of one's hand; **2** (cingler) [*pluie, vent*] to lash; **la pluie me giflait le visage** the rain was lashing my face

GIG /ʒeiʒe/ *nm: abbr* ▸ **grand**

gigantesque /ʒigɑ̃tɛsk/ *adj* huge, gigantic; **de taille ~** huge, gigantic

gigantisme /ʒigɑ̃tism/ *nm* **1** (de bâtiment, ville, statue) colossal size; (de projet, spectacle, congrès) giant scale; **2** Bot, Méd gigantism

giga-octet, *pl* **~s** /ʒigaɔktɛ/ *nm* gigabyte

GIGN /ʒeiʒeɛn/ *nm* (*abbr* = **groupe d'intervention de la gendarmerie nationale**) *branch of the police specialized in cases of armed robbery, terrorism etc*

gigogne /ʒigɔɲ/ *adj* **lit ~** hideaway bed; **tables ~s** nest of tables

gigolo /ʒigɔlo/ *nm* gigolo; **faire le ~** to be a gigolo

gigot /ʒigo/ *nm* (d'agneau) leg of lamb; **tranche de ~** slice of lamb; **~ de mouton** leg of mutton; **~ de chevreuil** haunch of venison

gigoter /ʒigɔte/ [1] *vi* gén to wriggle; (nerveusement) to fidget

gigue /ʒig/ *nf* **1** Culin haunch; **une ~ de chevreuil** a haunch of venison; **2** ○(fille) **une grande ~** a great beanpole○ of a girl; **3** (air) gigue; (danse) jig; **danser la ~** to dance a jig

gilet /ʒilɛ/ *nm* **1** (en tricot) cardigan; **~ sans manches** sleeveless cardigan; **2** (en tissu, cuir) waistcoat GB, vest US

(Composés) **~ pare-balles** bulletproof vest; **~ de sauvetage** lifejacket

gin /dʒin/ *nm* gin; **~ tonic** gin and tonic

gingembre /ʒɛ̃ʒɑ̃bʀ/ *nm* ginger

gingival, **~e**, *mpl* **-aux** /ʒɛ̃ʒival, o/ *adj* gingival

gingivite /ʒɛ̃ʒivit/ ▸ **p. 283** *nf* gingivitis

ginkgo /ʒinko/ *nm* ginkgo, maidenhair tree

ginseng /ʒinsɑ̃g/ *nm* ginseng

girafe /ʒiʀaf/ *nf* **1** Zool giraffe; **avoir un cou de ~** to have a long neck; **2** ○hum (personne) beanpole○; **3** ○Cin (perche) boom

(Idiome) **peigner la ~**○ to waste one's time doing a pointless task

girafon /ʒiʀafɔ̃/ *nm* baby giraffe

girandole /ʒiʀɑ̃dɔl/ *nf* **1** (guirlande) fairy lights (*pl*); **2** (feu d'artifice, jet d'eau) girandole; **3** (chandelier) girandole

giration /ʒiʀasjɔ̃/ *nf* gyration

giratoire /ʒiʀatwaʀ/ *adj* [*mouvement*] gyratory; **carrefour** *or* **sens ~** roundabout GB, traffic circle US

girofle /ʒiʀɔfl/ *nm* clove; **un clou de ~** a clove

giroflée /ʒiʀɔfle/ *nf* wallflower

giroflier /ʒiʀɔflije/ *nm* clove (tree)

girolle* /ʒiʀɔl/ *nf* chanterelle

giron /ʒiʀɔ̃/ *nm* [1] (genoux) lap; **elle tenait l'enfant dans son ~** she was holding the child on her lap; [2] fig (environnement) bosom; **retourner dans le ~ familial** to return to the bosom of one's family; [3] Hérald gyron

gironde○ /ʒiʀɔ̃d/ *adj f* [*femme*] well-rounded

Gironde /ʒiʀɔ̃d/ ▸ **p. 721** *nprf* (estuaire, département) **la ~** the Gironde

girondin, ~e /ʒiʀɔ̃dɛ̃, in/ *adj* [1] Géog [*économie, vignoble, population*] of the Gironde (*après n*); [2] Hist [*parti, politique*] Girondist

Girondin /ʒiʀɔ̃dɛ̃/ *nm* Hist Girondist

girouette /ʒiʀwɛt/ *nf* [1] windvane; [2] fig (personne) weathercock

gisant /ʒizɑ̃/ *nm* recumbent effigy

gisement /ʒizmɑ̃/ *nm* [1] Géol, Mines deposit; **~ de pétrole exploitable** oil deposit; [2] Naut bearing

gît ▸ **gésir**

gitan, ~e /ʒitɑ̃, an/ *adj, nm,f* Gypsy

gîte* /ʒit/
A *nm* [1] (refuge) shelter; (demeure) home; **le ~ et le couvert** board and lodging GB, room and lodging US; [2] Culin (en boucherie) **~ (à la noix)** ≈ top rump; [3] (de lièvre) form
B *nf* Naut list
(Composé) **~ rural** self-catering cottage

gîter* /ʒite/ [1] *vi* Naut (pencher) to list; (être échoué) to be beached

givrage /ʒivʀaʒ/ *nm* Aviat icing; Aut freezing up

givrant /ʒivʀɑ̃/ *adj m* **brouillard ~** freezing fog

givre /ʒivʀ/ *nm* Météo (sur sol, plante) frost; (sur pare-brise, hélice) ice

givré, ~e /ʒivʀe/
A *pp* ▸ **givrer**
B *pp adj* (couvert de givre) [*vitre*] frosty; [*branche*] covered in frost; [*neige*] frozen
C *adj* [1] ○(fou) crazy; **il est ~** he's crazy *ou* bonkers○; [2] (avec du sucre) [*verre*] frosted; ▸ **citron, orange**

givrer /ʒivʀe/ [1] *vi*, **se givrer** *vpr* to frost over

glabre /glabʀ/ *adj* [1] (imberbe) beardless; (rasé) clean-shaven, smooth-shaven; [2] Bot glabrous

glaçage /glasaʒ/ *nm* [1] Imprim, Phot (de papier, photo) glazing; [2] Culin (de poisson, viande, légume) glazing; (au sucre) icing; (au blanc d'œuf) glazing

glace /glas/
A *nf* [1] (eau congelée) ice; **de ~** [*accueil*] icy; [*visage*] stony; **rompre** *or* **briser la ~** fig to break the ice; [2] (dessert) ice cream; **~ à l'eau** water ice; **au dessert il y a de la ~** there is ice cream for dessert; **~ à la fraise/à la pistache** strawberry/pistachio ice cream; **une ~ en cornet, un cornet de ~** an ice-cream cone; **~ (à l')italienne** Italian-style ice cream; **une ~ en pot, un petit pot de ~** a tub of ice cream; [3] (de viande, volaille, poisson) glaze; [4] (miroir) mirror; **~ à main/en pied** hand/full-length mirror; **se regarder dans une ~** to look (at oneself) in a mirror; **tu ferais mieux de te regarder dans une ~** fig you'd better take a long hard look at yourself; **~ sans tain** two-way mirror; [5] (panneau de verre) (plaque) sheet of glass; (de vitrine) glass; (de voiture) window
B **glaces** *nfpl* (de montagne) ice field (*sg*); (des pôles) ice sheet (*sg*); **quand les ~s fondent** when the ice melts; **navire pris dans les ~s** icebound ship; **le navire est resté pris dans les ~s** the ship remained icebound
(Idiome) **rester de ~** to remain unmoved

glacé, ~e /glase/
A *pp* ▸ **glacer**
B *pp adj* [1] (très froid) [*pluie, vent, boisson*] ice-cold, icy; [*douche*] ice-cold; [*air*] icy; **j'ai les mains ~es** my hands are frozen; **je suis ~** I'm freezing; **thé/café ~** iced tea/coffee; [2] Culin (recouvert de glaçage) [*gâteau*] iced; [*fruit*] glacé (*épith*); [3] (intimidant) [*accueil, atmosphère*] frosty, icy; [*sourire*] chilly; [*voix*] cold; [4] Tech [*photo, papier*] glossy; [5] (gelé) [*fontaine, fleuve, sol*] frozen

glacer /glase/ [12]
A *vtr* [1] (transir) to freeze [*corps, partie du corps*]; to chill [sb] to the bone [*personne*]; **~ le sang de qn** fig to make sb's blood run cold; [2] (rafraîchir) to chill [*boisson, liquide, melon, fruit*]; [3] (intimider) [*personne, regard*] to intimidate; **~ qn d'effroi** to make sb's blood run cold; **~ qn de peur** to fill sb with fear; [4] Tech to glaze [*papier, photo, poterie, peinture*]; [5] Culin to glaze [*fruit, viande, légume*]; to ice [*gâteau*]; [6] (durcir) to freeze [*eau, flaque*]
B **se glacer** *vpr* [*sourire, expression*] to freeze; **son expression se glaça en une grimace** his/her expression became fixed in a grimace; **mon sang se glaça dans mes veines** fig my blood froze

glaciaire /glasjɛʀ/
A *adj* glacial; **calotte ~** icecap
B *nm* glacial period

glacial, ~e, *mpl* **~s** *or* **-iaux** /glasjal, o/ *adj* [1] (froid) [*froid, temps, fluide*] icy; [*pluie, journée, vent*] icy, freezing cold; [2] fig (hostile) [*personne, accueil*] frosty; [*silence*] stony; [*regard*] icy; **elle est d'un abord ~** she comes over as very cold

glaciation /glasjasjɔ̃/ *nf* glaciation

glacier /glasje/ *nm* [1] Géog glacier; [2] ▸ **p. 532** (pâtissier) ice-cream maker; [3] (établissement) ice-cream parlour[GB]

glacière /glasjɛʀ/ *nf* coolbox GB, cooler, ice chest US; **c'est une vraie ~ ici** it's like a fridge in here

glaciologie /glasjɔlɔʒi/ *nf* glaciology

glaciologique /glasjɔlɔʒik/ *adj* glaciological

glaciologue /glasjɔlɔg/ ▸ **p. 532** *nmf* glaciologist

glacis /glasi/ *nm inv* [1] Géol, Mil glacis; [2] Pol block; [3] Archit glacis; [4] Art glaze

glaçon /glasɔ̃/ *nm* [1] ice cube; **vodka/jus d'orange avec des ~s** vodka/orange juice with ice; **un jus de pomme sans ~s** an apple juice with no ice *ou* without ice; [2] (dans une rivière) block of ice; (sur un toit, arbre) icicle; [3] ○pej (personne) iceberg

gladiateur /gladjatœʀ/ *nm* gladiator; **un combat de ~s** gladiatorial combat

glaïeul /glajœl/ *nm* gladiolus; **un bouquet de ~s** a bunch of gladioli

glaire /glɛʀ/ *nf* [1] Physiol mucus; **avoir des ~s** to have catarrh; [2] (blanc d'œuf) albumen
(Composé) **~ cervicale** cervical mucus

glaireux, -euse /glɛʀø, øz/ *adj* Physiol mucous

glaise /glɛz/ *nf* clay

glaiseux, -euse /glɛzø, øz/ *adj* clayey

glaive /glɛv/ *nm* double-edged sword; **le ~ et la balance** fig the sword and the scales of justice

Glamorgan ▸ **p. 721** *nprm* **le Mid/South/West ~** Mid/South/West Glamorgan

gland /glɑ̃/ *nm* [1] Bot (de chêne) acorn; [2] Anat glans; [3] (décoration) tassel

glande /glɑ̃d/ *nf* Anat gland; **~s salivaires/mammaires** salivary/mammary glands; **~ thyroïde** thyroid gland
(Idiomes) **avoir les ~s**◑ (être irrité) to be pissed off◑; (être angoissé) to be worried sick○; **foutre les ~s à qn**◑ (irriter) to piss sb off◑; (angoisser) to worry sb sick○

glander◑ /glɑ̃de/ [1] *vi* to bum around○, to piss around◑ GB; **qu'est-ce que tu glandes◑?** what are you up to?; **il glande rien ce mec**◑ that guy does bugger◑ all GB *ou* bums around○ all day US

glandeur◑**, -euse** /glɑ̃dœʀ, øz/ *nm,f* pej lazy sod○ GB, bum○ US

glandouiller◑ /glɑ̃duje/ [1] *vi* = **glander**

glandulaire /glɑ̃dylɛʀ/ *adj* Méd glandular

glaner /glane/ [1] *vtr* to glean [*renseignements, grains, champ*]

glaneur, -euse /glanœʀ, øz/ *nm,f* gleaner

glapir /glapiʀ/ [3]
A *vtr* [*personne*] to screech [*injures, protestations*]
B *vi* [1] Zool [*chiot*] to yap; [*renard*] to bark; [*grue*] to whoop; [2] ○(hurler) [*personne*] to shriek; [*haut-parleur, radio*] to blare

glapissement /glapismɑ̃/ *nm* [1] (de chiot) yapping ₵; (de renard) barking ₵; (de grue) whooping ₵; [2] (de personne) shrieking ₵; (de radio) blaring ₵

glare® /glɛʀ/ *nm* Aviat Glare®

Glaris /glaʀis/ *npr* [1] ▸ **p. 894** (ville) Glarus; [2] ▸ **p. 721** (région) **le canton de ~** the canton of Glarus

glas /gla/ *nm inv* toll, knell; **sonner le ~** lit [*personne*] to toll the bell; [*cloche*] to toll; fig to sound the death knell (**de** for)

glatir /glatiʀ/ [3] *vi* to screech

glaucome /glokom/ ▸ **p. 283** *nm* glaucoma

glauque /glok/ *adj* [*eaux, mare, lumière*] murky; [*atmosphère, rue*] squalid; [*film, ambiance*] grim

glaviot◑ /glavjo/ *nm* gob of spit○

glavioter◑ /glavjɔte/ [1] *vi* to spit

glèbe /glɛb/ *nf* liter glebe

glie /gli/ *nf* glia

gliome /glijom/ *nm* glioma

glissade /glisad/ *nf* [1] lit (jeu) slide; (dérapage) skid; **il aurait pu se casser la jambe pendant sa ~** he could have broken his leg when he slipped; **faire une ~** [*enfant*] to slide; [*joueur*] to slip; [*véhicule*] to skid; [2] fig (de prix, monnaie, cote électorale) slide; **arrêter la ~ des prix** to stop prices sliding GB *ou* from sliding

glissando /glisɑ̃do/ *nm* glissando

glissant, ~e /glisɑ̃, ɑ̃t/ *adj* [1] (où l'on dérape) slippery; **terrain ~** fig dangerous ground; [2] Fin **sur 7 jours ~s** over a 7-day period

glisse /glis/ *nf* [1] (de ski, skieur) gliding; [2] ○(ski) skiing

glissé, ~e /glise/
A *pp* ▸ **glisser**
B *pp adj* (en tricot) **maille ~e** slip stitch
C *nm* Danse sliding step

glissement /glismɑ̃/ *nm* [1] (déplacement) sliding; **les deux pièces se superposent par ~** the two parts slide over each other; [2] (évolution) (de sens) shift; (d'électorat, opinion) swing; (de prix) fall; **un ~ à droite** a swing to the right
(Composé) **~ de terrain** Géol landslide

glisser /glise/ [1]
A *vtr* [1] (mettre) to slip [*objet*] (**dans** into); **j'ai glissé la lettre dans ma poche/sous la porte** I slipped the letter into my pocket/under the door; **il a glissé l'anneau à mon doigt** he slipped the ring onto my finger; **~ un oreiller sous la tête d'un malade** to slide a pillow under a patient's head; **elle a glissé la main dans mes cheveux** she ran her fingers through my hair; [2] (introduire) to slip in [*remarque, commentaire, critique*]; **~ une anecdote dans la conversation** to slip an anecdote into the conversation; [3] (dire furtivement) **~ qch à l'oreille de qn** to whisper sth in sb's ear; [4] (en tricot) to slip [*maille*]
B *vi* [1] (être glissant) [*route, trottoir, savon*] to be slippery; **ça glisse** it's slippery; [2] (être déstabilisé) [*personne*] to slip; [*chapeau, robe, écharpe*] to slip (down); [*outil, couteau*] to slip; [*véhicule*] to skid; **~ de** to slip out of; **~ des mains de qn** [*savon, bouteille*] to slip out of sb's hands; **une tuile/le ramoneur a glissé du toit** a tile/the chimney sweep fell off the roof; [3] (se déplacer) gén to slide; (avec grâce) to glide; **descendre les escaliers en glissant sur la rampe** to slide down the bannisters; **se laisser ~ le long d'une corde/d'un mur** to slide down a rope/a wall; **un cygne/canoë glissait sur le lac** a swan/canoe was gliding over the lake; [4] (ne pas accrocher) [*piston, ski, tiroir, cloison*] to slide; **mes skis ne glissent pas** my skis are

g

sticking; **la neige glisse bien/ne glisse pas** the snow is nice and smooth/is sticking; **leur regard glissait d'un tableau à l'autre** their gaze wandered from one picture to another; **leur regard glissait sur l'assistance** they surveyed the people present; **5** (passer insensiblement) ~ **dans l'ennui** to become bored; ~ **dans le pessimisme** to sink into gloom; **l'électorat glisse à droite** there's a swing to the right among the electorate; **le parti a glissé vers le terrorisme** there has been a swing toward(s) terrorism in the party; **le roman glisse de la comédie au drame** the novel moves imperceptibly from comedy to drama; **6** (ne pas affecter) ~ **sur** [*injure, critique*] to have no effect on; **7** (ne pas approfondir) ~ **sur** to skate over [*sujet, question, passé*]

C se glisser *vpr* **1** (pénétrer) **se** ~ **dans** gén to slip into; (furtivement) to sneak into; **se** ~ **dans son lit** to slip into bed; **se** ~ **dans les draps** to slip between the sheets; **le voleur s'est glissé dans la chambre** the thief sneaked into the room; **2** (se faufiler) to slip; **se** ~ **derrière un rideau** to slip behind a curtain; **se** ~ **dans la foule** to slip through the crowd; **se** ~ **parmi les invités** to slip in among the guests; **se** ~ **parmi les badauds** to edge through the onlookers; **je me suis glissé vers la sortie/au premier rang** I slid toward(s) the exit/into the front row; **le chat s'est glissé sous la voiture** the cat crept under the car; **3** (s'insinuer) [*sentiment, erreur*] to creep into [*personne, texte*]; **l'ennui se glissa entre nous** boredom crept into our relationship

(Idiome) ~ **entre les mains** *or* **doigts de qn** [*criminel*] to slip through sb's fingers

glisser-déposer /glisedepoze/ *nm inv* drag and drop

glissière /glisjɛʀ/ *nf* Tech slide; (d'autoroute) crash barrier; **à** ~ [*porte, fenêtre*] sliding (*épith*); **fermeture à** ~ zip GB, zipper US

(Composé) ~ **de sécurité** crash barrier

global, ~**e**, *mpl* **-aux** /glɔbal, o/ *adj* [*revenu, somme, effectif*] total; [*croissance, résultat, coût, vision*] overall; [*accord, plan, solution, village*] global; [*étude*] comprehensive; ▸ **méthode**

globalement /glɔbalmɑ̃/ *adv* on the whole; **un bilan** ~ **positif** an assessment that is, on the whole, positive

globalisation /glɔbalizasjɔ̃/ *nf* globalization

globalité /glɔbalite/ *nf* **considérer qch dans sa** ~ to consider sth in its entirety

globe /glɔb/ *nm* **1** Géog (Terre) earth, globe; **stratégie à l'échelle du** ~ global strategy; **parcourir le** ~ to globe-trot; **il a voyagé aux quatre coins du** ~ he's been to all four corners of the earth; **2** (sphère en verre) (de lampe) lamp globe; (de protection) glass case; **mettre qch sous** ~ to put sth in a glass case; **3** Archit dome

(Composés) ~ **impérial** orb; ~ **oculaire** Anat eyeball; ~ **terrestre** (mappemonde) globe; (Terre) earth

globe-trotter* /glɔbtʀɔtɛʀ/ *nm* globe-trotter

globicéphale /glɔbisefal/ *nm* pilot whale

globulaire /glɔbylɛʀ/ *adj* **1** Méd corpuscular; **numération** ~ blood count; **2** (sphérique) [*corps*] spherical; [*masse*] globular

globule /glɔbyl/ *nm* Biol, gén globule, corpuscle; (du sang) blood cell

(Composés) ~ **blanc** white cell; ~ **polaire** polar body; ~ **rouge** red cell

globuleux, **-euse** /glɔbylø, øz/ *adj* [*œil*] protruding

globuline /glɔbylin/ *nf* globulin

glockenspiel /glɔkɛnʃpil/ ▸ **p. 557** *nm* glockenspiel

gloire /glwaʀ/ *nf* **1** (renom) glory, fame; **la** ~ **militaire** military glory; **la** ~ **littéraire** literary fame; **la** ~ **et la fortune** fame and fortune; **se couvrir de** ~ to cover oneself with glory; **chercher la** ~ to seek fame; **c'est ce qui a fait leur** ~ that's what made them famous; **avoir** *or* **connaître son heure de** ~ to have one's hour of glory; **2** (mérite) credit; **s'attribuer la** ~ **de qch** to take the credit for sth; **faire qch pour la** ~ to do sth (just) for the sake of it; **3** (hommage) glory, praise; ~ **à Dieu!** glory be to God, praise the Lord!; **monument à la** ~ **de qn** monument to the glory of sb; **rendre** ~ **à qn/au courage de qn** to pay tribute to sb/to sb's courage, to praise sb/sb's courage; **4** (sujet de fierté) **tirer** ~ **de qch/de faire qch** to pride oneself on sth/on doing sth; **5** (personne) celebrity; (dans le monde du spectacle) star; **les** ~**s locales** hum the local worthies○; **6** (splendeur) glory; **la** ~ **de la Grèce** the glory of Greece; **dans toute leur** ~ in all their glory; **7** Art (auréole) **le Christ en** ~ Christ in majesty

gloria /glɔʀja/ *nm inv* Relig Gloria

gloriette /glɔʀjɛt/ *nf* **1** Archit (pavillon) gazebo; **2** (tonnelle) arbour[GB]; **3** (volière) domed birdcage

glorieusement /glɔʀjøzmɑ̃/ *adv* [*combattre*] with glory; **tomber** ~ **au champ d'honneur** to fall gloriously on the field of battle; **triompher** ~ to have a great triumph

glorieux, **-ieuse** /glɔʀjø, øz/ *adj* **1** (illustre) [*temps, ancêtre, destin, exploit*] glorious; **un passé peu** ~ a far from glorious past; **2** liter (suffisant) [*air, ton*] self-satisfied

glorification /glɔʀifikasjɔ̃/ *nf* glorification

glorifier /glɔʀifje/ [2]

A *vtr* to glorify [*personne, Dieu, travail*]

B se glorifier *vpr* to glory (**de qch** in sth; **d'avoir fait** in having done), to boast (**de qch** about sth; **d'avoir fait** about having done); **il n'y a pas de quoi se** ~ that's nothing to be proud of

gloriole /glɔʀjɔl/ *nf* péj misplaced pride, vainglory littér

glose /gloz/ *nf* (annotation, développement) gloss; (note explicative) note

gloser /gloze/ [1]

A *vtr* to annotate [*texte*]

B *vi* (discourir) to ramble on (**sur** about)

glossaire /glɔsɛʀ/ *nm* glossary

glossématique /glɔsematik/ *nf* glossematics (+ *v sg*)

glossine /glɔsin/ *nf* glossina, tsetse fly

glossolalie /glɔsolali/ *nf* glossolalia

glottal, ~**e**, *mpl* **-aux** /glɔtal, o/ *adj* glottal

glotte /glɔt/ *nf* glottis; **coup de** ~ Ling glottal stop

Gloucestershire ▸ **p. 721** *nprm* **le** ~ Gloucestershire

glouglou /gluglu/ *nm* **1** ○(de liquide) gurgling sound; **faire des** ~**s** to make a gurgling sound; **2** Zool (cri du dindon) gobbling sound; **le dindon fait** ~○ the turkey goes gobble-gobble○

glouglouter /gluglute/ [1] *vi* **1** ○[*liquide*] to gurgle; **2** [*dindon*] to gobble

gloussement /glusmɑ̃/ *nm* (de poule) clucking ₵; (de personne) chuckle; **avec des** ~**s de satisfaction** with a satisfied chuckle

glousser /gluse/ [1] *vi* [*poule*] to cluck; [*personne*] to chuckle

glouton, **-onne** /glutɔ̃, ɔn/

A *adj* [*personne*] gluttonous; [*appétit*] voracious

B *nm,f* glutton

C *nm* Zool wolverine

gloutonnement /glutɔnmɑ̃/ *adv* [*manger*] greedily; [*lire*] voraciously; **avaler** ~ **un bol de soupe** to wolf down a bowl of soup

gloutonnerie /glutɔnʀi/ *nf* gluttony; **manger avec** ~ to wolf down one's food

gloxinia /glɔksinja/ *nm* gloxinia

glu /gly/ *nf* **1** Chasse bird lime; **prendre des oiseaux à la** ~ to lime birds; **2** (colle) glue

gluant, ~**e** /glyɑ̃, ɑ̃t/ *adj* **1** (collant) [*main, pâtes*] sticky; [*poisson, mur, boue*] slimy; **2** ○(obséquieux) [*personne*] slimy; **il est** ~**!** he's a creep○!

glucide /glysid/ *nm* carbohydrate; **trop de** ~**s** too much carbohydrate; **riche/pauvre en** ~**s** high/low in carbohydrates

glucose /glykoz/ *nm* glucose

glutamate /glytamat/ *nm* glutamate; ~ **de sodium** monosodium glutamate, MSG

gluten /glytɛn/ *nm* gluten; **pain au** ~ gluten bread

glutineux, **-euse** /glytinø, øz/ *adj* glutinous

glycémie /glisemi/ *nf* **taux de** ~ blood sugar level

glycérine /glisеʀin/ *nf* glycerin; **savon à la** ~ glycerin soap

glycériner /glisеʀine/ [1] *vtr* to coat [sth] with glycerin

glycérol /glisеʀɔl/ *nm* glycerol

glycérophtalique /glisеʀɔftalik/ *adj* [*résine*] alkyd; **peinture** ~ oil-based paint

glycine /glisin/ *nf* Bot wisteria

glycogène /glikɔʒɛn/ *nm* glycogen

glycol /glikɔl/ *nm* glycol

glycosurie /glikosyʀi/ *nf* glycosuria

gnangnan○ /ɲɑ̃ɲɑ̃/ *adj inv* [*personne, film, histoire*] silly

gneiss /gnɛs/ *nm inv* gneiss

gnocchi /ɲɔki/ *nm* gnocchi (+ *v sg ou pl*)

gnognotte○ /ɲɔɲɔt/ *nf* **c'est de la** ~**!** (c'est facile) it's dead easy○; **c'est pas de la** ~**!** (de bonne qualité) it's not your common or garden variety○; (difficile) it's quite a business○

gnôle○ /ɲol/ *nf* hooch○, spirits (*pl*); **un petit verre de** ~ a drop of the hard stuff○ GB, a snort○ US

gnome /gnom/ *nm* gnome

gnomique /gnɔmik/ *adj* Littérat gnomic

gnon○ /ɲɔ̃/ *nm* (bosse sur une voiture) dent; (ecchymose) bruise; **il m'a flanqué un** ~ he socked me; **prendre un** ~ [*personne, voiture*] to get hit

gnose /gnoz/ *nf* gnosis

gnosticisme /gnɔstisism/ *nm* gnosticism

gnostique /gnɔstik/ *adj, nmf* gnostic

gnou /gnu/ *nm* gnu

gnouf○ /ɲuf/ *nm* prison, nick○ GB

go /go/ ▸ **p. 469**

A *nm* Jeux go

B tout de go *loc adv* [*annoncer, dire*] straight out; **elle est entrée tout de** ~ she came straight in

Go *nm* (*written abbr* = **giga-octet**) gigabyte

GO /ʒeo/

A *nm* (*abbr* = **gentil organisateur**) (animateur) organizer

B *nfpl* Radio (*written abbr* = **grandes ondes**) LW

goal○ /gol/ *nm* Sport goalkeeper, goalie○

gobelet /gɔblɛ/ *nm* **1** (en plastique, carton) cup; (en verre) tumbler; (en métal) beaker; ~ **en carton** paper cup; **2** Jeux shaker

gobe-mouche, *pl* ~**s** /gɔbmuʃ/ *nm* **1** Zool flycatcher; **2** (personne naïve)○† sucker○

gober /gɔbe/ [1] *vtr* **1** (avaler) to suck [*œuf*]; to swallow [sth] whole [*huître*]; **2** ○(croire) to swallow, to fall for○ [*mensonge*]; ~ **le morceau** to fall for it, hook, line and sinker; **3** ○(supporter) **je ne peux pas le** ~ I can't stand him

goberger○: **se goberger** /gɔbɛʀʒe/ [13] *vpr* (se choyer) to pamper oneself; (bien manger) to indulge oneself

Gobi /gɔbi/ *nprm* **(désert de)** ~ Gobi (desert)

godailler○ /gɔdɑje/ [1] *vi* to ruck

godasse○ /gɔdas/ *nf* shoe

godelureau†, *pl* **~x** /gɔdlyʀo/ *nm* (dandy) popinjay†

godemiché /gɔdmiʃe/ *nm* dildo

goder /gɔde/ [1] *vi* (vêtement) to ruck; (papier peint) to wrinkle

godet /gɔdɛ/ *nm* **1** (gobelet) goblet; (petit récipient) pot; **on va prendre un ~○?** let's go and have a drink; **2** Cout (faux pli) ruck; (pan de jupe) gore; **jupe à ~s** gored skirt; **3** Gén Civ bucket; **4** Jeux (à dés) shaker

godiche○ /gɔdiʃ/
A *adj* silly; **avoir un air ~** to look silly
B *nf* ninny

godille /gɔdij/
A *nf* **1** Naut (aviron) steering oar; **2** Sport (à ski) wedeln; **faire (de) la ~** to wedeln
B ○**à la ~** *loc adj* péj [*système*] crummy○

godiller /gɔdije/ [1] *vi* Sport (à skis) to wedeln

godillot /gɔdijo/ *nm* **1** ○(soulier) clodhopper○; **2** †Mil (brodequin) combat boot; **3** (inconditionnel) pej yes-man, unquestioning supporter (**de** of)

goéland /gɔelɑ̃/ *nm* gull
Composés **~ argenté** herring gull; **~ cendré** common gull

goélette /gɔelɛt/ *nf* schooner

goémon /gɔemɔ̃/ *nm* (algues) wrack; Agric (engrais) seaweed fertilizer

gogo○ /gogo/
A *nm* (dupe) sucker○
B à gogo *loc adv* **vin à ~** wine galore; **de l'argent, il en a à ~** he's got loads of money

goguenard, **~e** /gɔgnaʀ, aʀd/ *adj* quietly ironic; **avoir l'air ~** to have a quietly ironic air

goguenardise /gɔgnaʀdiz/ *nf* (attitude) ironic mockery ₵

gogues◑ /gɔg/ *nmpl* (toilettes) bog◑ (*sg*) GB, can○ (*sg*) US

goguette○: **en goguette** /ɑ̃gɔgɛt/
A *loc adj* (ivre) tipsy
B *loc adv* **partir en ~** to go on a spree

goinfre /gwɛ̃fʀ/
A *adj* **être ~** to be a greedy pig○
B *nmf* greedy pig○

goinfrer○: **se goinfrer** /gwɛ̃fʀe/ [1] *vpr* to stuff oneself○ (**de** with)

goinfrerie○ /gwɛ̃fʀəʀi/ *nf* piggishness○, greed

goître /gwatʀ/ *nm* goitre[GB]

goîtreux, **-euse** /gwatʀø, øz/
A *adj* goitrous
B *nm,f* goitre[GB] sufferer

golden* /gɔldɛn/ *nf inv* Golden Delicious (apple)

golf /gɔlf/ ▸ **p. 469** *nm* **1** (sport) golf; **champion de ~** golf champion; **une leçon de ~** a golfing lesson; **jouer au ~** to play golf; **2** (terrain) golf course
Composé **~ miniature** miniature golf

golfe /gɔlf/ *nm* (grand) gulf; (petit) bay; **le ~ de Guinée/du Mexique** the Gulf of Guinea/of Mexico; **le ~ de Gascogne/du Bengale** the Bay of Biscay/of Bengal; **le ~ Persique** the Persian Gulf

Golfe /gɔlf/ ▸ **p. 721** *nprm* **le ~, la région du ~** the Gulf; **la crise du ~** the Gulf crisis

golfeur, **-euse** /gɔlfœʀ, øz/ ▸ **p. 532** *nm,f* golfer

Golgotha /gɔlgɔta/ *nprm* **le ~** Golgotha

Goliath /gɔljat/ *npr* Goliath

gombo /gɔ̃bo/ *nm* **1** (plante) okra; **2** (soupe) gombo

gomina® /gɔmina/ *nf* hair cream

gominer: **se gominer** /gɔmine/ [1] *vpr* to slick one's hair back; **cheveux gominés** slicked-back hair

gommage /gɔmaʒ/ *nm* **1** (action d'effacer) rubbing-out, erasing; **2** (action d'enduire) gumming; **3** Cosmét scrub; **se faire faire un ~ du corps/du visage** to have a body/facial scrub

gomme /gɔm/
A *nf* **1** (pour effacer) eraser, rubber GB; **2** (substance) gum; **3** (bonbon) gum drop; **4** Can (chewing-gum) **~ (à mâcher)** chewing gum; **5** Méd gumma
B à la gomme○ *loc adj* péj [*idée, personne*] pathetic, useless; [*renseignement, machine, invention*] useless; [*projet*] hopeless
Composés **~ adhésive** blu-tack®; **~ arabique** gum arabic; **~ à encre** ink eraser
Idiome **mettre (toute) la ~**○ (en voiture, à moto) to step on it○; (en avion, bateau) to give it full throttle○; (avec une radio) to turn it up full blast

gomme-gutte, *pl* **gommes-guttes** /gɔmgyt/ *nf* gamboge

gommer /gɔme/ [1] *vtr* **1** (effacer) to erase, to rub [sth] out [*mot*]; **2** (faire disparaître) to smooth out [*ride*]; to erase [*passé, frontière*]; to iron out [*différence*]; to soothe away [*fatigue*]; **3** (enduire) to gum; **papier gommé** gummed paper; **4** Cosmét to scrub [*peau*]

gomme-résine, *pl* **gommes-résines** /gɔmʀezin/ *nf* gum resin

gommeux, **-euse** /gɔmø, øz/
A *adj* **1** gén [*arbre*] gum-yielding; [*substance*] gummy, sticky; **2** Méd gummatous
B ○*nm* dandy

gommier /gɔmje/ *nm* gum tree

Gomorrhe /gɔmɔʀ/ ▸ **p. 894** *npr* Gomorrha

gonade /gɔnad/ *nf* gonade

gonadostimuline /gɔnadostimylin/ *nf* gonadotrophin

gonadotrope /gɔnadɔtʀɔp/ *adj* gonadotrophic

gonadotrophine /gɔnadɔtʀɔfin/ *nf* gonadotrophin

gond /gɔ̃/ *nm* hinge; **sortir de ses ~s** [*porte*] to come off its hinges; fig [*personne*] to fly off the handle○, **faire sortir qn de ses ~s** to make sb fly off the handle○

gondolage /gɔ̃dɔlaʒ/ *nm* (de papier) crinkling ₵; (de bois) warping ₵; (de métal) buckling ₵

gondolant○, **~e** /gɔ̃dɔlɑ̃, ɑ̃t/ *adj* (drôle) hilarious○

gondole /gɔ̃dɔl/ *nf* **1** Naut gondola; **en ~** in a gondola; **2** Comm (de supermarché) sales shelf, gondola spéc

gondolement /gɔ̃dɔlmɑ̃/ *nm* = **gondolage**

gondoler /gɔ̃dɔle/ [1]
A *vi* [*papier*] to crinkle; [*bois*] to warp; [*métal*] to buckle
B se gondoler *vpr* **1** [*papier*] to crinkle; [*bois*] to warp; [*métal*] to buckle; **2** ○(rire) to laugh

gondolier, **-ière** /gɔ̃dɔlje, ɛʀ/ ▸ **p. 532** *nm,f* gondolier

gonfalon /gɔ̃falɔ̃/ *nm* gonfalon

gonfalonnier /gɔ̃falɔnje/ *nm* gonfalonier

gonflable /gɔ̃flabl/ *adj* inflatable

gonflage /gɔ̃flaʒ/ *nm* **1** (de pneu, ballon) inflation; **station de ~** Aut air point (for pumping up tyres); **2** Cin (de film) enlarging, blowing up

gonflant, **~e** /gɔ̃flɑ̃, ɑ̃t/ *adj* **1** [*shampooing*] extra-body; **2** ◑(ennuyeux) boring; (agaçant) irritating

gonflé, **~e** /gɔ̃fle/
A *pp* ▸ **gonfler**
B *pp adj* **1** (plein d'air) [*pneu, ballon*] inflated; [*joue*] puffed out; **2** (enflé) [*bourgeon, veine, sein*] swollen (**de** with); [*ventre*] (après un repas) bloated; (de malade) swollen, distended; [*yeux, visage*] puffy, swollen; [*muscle*] bulging, flexed; [*sac*] bulging (**de** with); **yeux ~s de sommeil/de larmes** eyes heavy with sleep/swollen with tears; **éponge ~e d'eau** sponge saturated with water; **3** Aut [*moteur*] souped-up (*épith*); **voiture au moteur ~** hot rod GB, muscle car US
C *adj* **1** ○(courageux) gutsy○; **être ~** to have guts○; **c'est ~** it takes guts○; **2** ○(impudent) cheeky; **être ~** to have a nerve○; **(il est) ~, le mec**○**!** the guy's got a nerve!

gonflement /gɔ̃fləmɑ̃/ *nm* **1** (enflure) (de pied, paupière) swelling; (de ventre) distension; **2** (augmentation) (de budget, nombres) increase (**de** in); (de résultats) inflation (**de** of); **3** (de pneu) inflation; (d'éponge) saturation

gonfler /gɔ̃fle/ [1]
A *vtr* **1** (remplir d'air) (avec la bouche) to blow up [*ballon, pneu*]; to fill [*poumon*] (**de** with); to puff out [*joue*]; (avec une pompe) to inflate, to pump up [*ballon, pneu*]; **être gonflé à bloc** [*pneu*] to be fully inflated; fig [*personne*] to be raring○ to go; **le vent gonfle la voile** the wind swells *ou* fills the sail; **le vent gonfle ma chemise** the wind makes my shirt billow; **2** (faire augmenter) [*personne*] to tense, to flex [*muscle*]; [*objet*] to make [sth] bulge [*poche, sac*]; [*eau*] to saturate [*éponge*]; [*pluie*] to make [sth] swollen [*rivière*]; [*sève*] to swell [*bourgeon*]; **la limonade gonfle l'estomac** lemonade makes you feel bloated; **3** fig **la joie gonflait mon cœur** my heart was bursting with joy; **leur victoire les a gonflés d'orgueil** their victory has gone to their heads; **4** (augmenter) to increase [*bénéfices, effectifs*]; to bump up○, to push up [*prix*]; to inflate [*statistiques*]; to exaggerate [*importance*]; **5** ◑(énerver) **~ qn** to get on sb's nerves; **tu me gonfles!** you're getting on my nerves!; **6** Cin to enlarge, to blow [sth] up [*film*]; **7** Aut to soup up [*moteur, voiture*]
B *vi* **1** (enfler) [*pied, sein*] to swell (up), to get swollen; [*visage, paupière*] to swell (up), to become puffy; [*riz, bois, éponge*] to swell; [*gâteau, pâte*] Culin to rise; **laisser ~ le riz** leave the rice to swell; **2** (augmenter) [*somme, effectifs*] to increase; **faire ~ les prix** to push prices up
C se gonfler *vpr* **1** (enfler) [*voile*] to swell, to fill; [*rivière*] to become swollen; **l'éponge se gonfle (d'eau)** the sponge becomes saturated with water; **se ~ d'orgueil** fig to be full of one's own importance; **2** (augmenter) [*recette, budget, effectifs*] to increase (**de** by)

gonflette○ /gɔ̃flɛt/ *nf* pej **faire de la ~** to pump iron○, to go body-building

gonfleur /gɔ̃flœʀ/ *nm* gén, Aut (air) pump

gong /gɔ̃g/ *nm* **1** ▸ **p. 557** Mus gong; **2** Sport (en boxe) bell

goniomètre /gɔnjɔmɛtʀ/ *nm* goniometer

goniométrie /gɔnjɔmetʀi/ *nf* goniometry

goniométrique /gɔnjɔmetʀik/ *adj* goniometric

gonococcie /gɔnɔkɔksi/ *nf* gonorrhea

gonocoque /gɔnɔkɔk/ *nm* gonococcus

gonocyte /gɔnɔsit/ *nm* gonocyte

gonorrhée† /gɔnɔʀe/ ▸ **p. 283** *nf* gonorrhea

gonze◑ /gɔ̃z/ *nm* guy○, bloke○ GB

gonzesse◑ /gɔ̃zɛs/ *nf* **1** (femme) bird○ GB, chick○ US; **2** (homme) sissy○

gordien /gɔʀdjɛ̃/ *adj m* **trancher le nœud ~** to cut the Gordian knot

goret /gɔʀɛ/ *nm* **1** Zool piglet; **2** ○(enfant sale) little pig○

gorge /gɔʀʒ/ *nf* **1** ▸ **p. 196** Anat throat; **avoir mal à la ~** to have a sore throat; **couper la ~ à qn** to cut *ou* slit sb's throat; **le chien m'a sauté à la ~** the dog leaped at my throat; **rire/voix de ~** throaty laughter/voice; **l'odeur/la fumée nous a pris à la ~** the smell/the smoke got to our throats; **je suis pris à la ~, je n'ai plus un sou et je dois payer mon loyer** I'm in a fix○, I haven't got a penny and I've got to pay my rent; **tenir qn à la ~** lit to have sb by the throat; fig to have a stranglehold over sb; **des sanglots me montèrent à la ~** sobs rose in my throat; **avoir la ~ sèche** to have a dry throat; **avoir la ~ serrée** *or* **nouée** (d'émotion) to have a lump in one's throat; (de peur, trac) to have one's heart in one's mouth; **à ~ déployée, à pleine ~** [*chanter*] at the top of one's voice; [*rire*] uproariously; **je te ferai rentrer ses mots** *or* **paroles dans la ~!** I'll make you eat your words!; **ta remarque m'est restée en travers**

de la ~ I found your comment hard to swallow *ou* very hard to take; **ma question m'est restée dans la ~** I couldn't get the question out; ▸ **couteau**; 2▸ (poitrine) bosom, breast; 3▸ Géog gorge; **les ~s du Tarn/du Verdon** the gorge of the Tarn/of the Verdon; 4▸ Tech (de poulie) groove; (de serrure) tumbler; 5▸ Archit groove

(Idiomes) **faire des ~s chaudes de qn/qch** to laugh sb/sth to scorn; **rendre ~** to return ill-gotten gains

gorgé, ~e[1] /gɔʀʒe/
A *pp* ▸ **gorger**
B *pp adj* **~ de nourriture** glutted with food; **~ d'eau** [*terre*] waterlogged; [*éponge*] saturated with water (*jamais épith*); **fruit ~ de soleil** fruit bursting with sunshine

gorge-de-pigeon /gɔʀʒdəpiʒɔ̃/ *adj inv* iridescent; **soie ~** shot silk

gorgée[2] /gɔʀʒe/ *nf* gén (petite) sip; (grande) gulp; **avaler une ou deux ~s** to take a couple of swallows; **boire à petites ~s** to take little sips; **boire à grandes ~s** to drink in gulps; **boire son café à grandes/petites ~s** to gulp down/to sip one's coffee; **il a vidé son verre d'une seule ~** he emptied his glass in one gulp

gorger /gɔʀʒe/ [13]
A *vtr* to force-feed [*volaille*]; **~ qn de nourriture** to stuff○ sb with food
B **se gorger** *vpr* **se ~ de nourriture** to gorge oneself; **la terre se gorge d'eau** the soil soaks up water

gorgone /gɔʀgɔn/ *nf* 1▸ Archit (tête décorative) Gorgon's head; 2▸ Zool (poisson) gorgonian

Gorgone /gɔʀgɔn/ *npr* Mythol Gorgon; **les trois ~s** the three Gorgons

gorille /gɔʀij/ *nm* 1▸ Zool gorilla; 2▸ ○(garde du corps) bodyguard, heavy○

gosier /gozje/ *nm* throat, gullet; **ce vin (m')écorche le ~**○ hum this wine is like paint stripper; **ça m'est resté en travers du ~** it stuck in my throat

(Idiomes) **s'humecter le ~** to wet one's whistle; **chanter à plein ~** to sing at the top of one's voice

gospel /gɔspɛl/ *nm* 1▸ (style) gospel music; 2▸ (chant) gospel song

gosse○ /gɔs/
A *adj* **rester ~** to be still a kid at heart; **tu fais très ~ dans cette robe** you look like a little girl in that dress
B *nmf* (enfant) kid○, child; **sale ~** brat○; **c'est un grand ~** he is still a kid at heart; **il est beau ~** he's a good-looking fellow

Goth /go/ *nmf* Goth

gotha /gɔta/ *nm* (noblesse) aristocracy; (haute société) high society; **fréquenter le ~ politique/financier** to move in high political/financial circles; **le ~ des publicitaires** the top advertising agents (*pl*); **le ~ économique** the economic elite

gothique /gɔtik/
A *adj* Gothic
B *nm* Gothic; **le ~ flamboyant** flamboyant Gothic

gouache /gwaʃ/ *nf* 1▸ (peinture) gouache, poster paint; **peindre à la ~** to paint in gouache; 2▸ (tableau) gouache

gouaille /gwɑj/ *nf* (esprit moqueur) cheek

gouailleur, -euse /gwɑjœʀ, øz/ *adj* [*personne, sourire, humeur*] cheeky

goualante† /gwalɑ̃t/ *nf* (plaintive) song

gouape○ /gwap/ *nf* lout

goudron /gudʀɔ̃/ *nm* 1▸ (pour revêtement) tar, tarmac® GB; 2▸ Chimie tar; **'~s 12 mg'** '12 mg tar'

goudronnage /gudʀɔnaʒ/ *nm* tarring ₵

goudronné, ~e /gudʀɔne/
A *pp* ▸ **goudronner**
B *pp adj* tarmac

goudronner /gudʀɔne/ [1] *vtr* to tarmac

goudronneux, -euse /gudʀɔnø, øz/
A *adj* tarry
B **goudronneuse** *nf* (machine) tarring machine

gouffre /gufʀ/ *nm* 1▸ (fosse) chasm, abyss; **le ~ de Padirac** the caves (*pl*) of Padirac; 2▸ fig **le ~ de l'oubli** the pit of oblivion; **le pays est au bord du ~** the country is on the brink of the abyss; **leur maison est un ~** their house is a real drain on their finances

gouge /guʒ/ *nf* gouge; **tailler à la ~** to gouge out

gougère /guʒɛʀ/ *nf* gougère (*choux pastry with added cheese*)

gougnafier○ /guɲafje/ *nm* pej knucklehead○

gouille /guj/ *nf* Helv (flaque) puddle

gouine◑ /gwin/ *nf* offensive dyke◑ injur, lesbian

goujat /guʒa/ *nm* boor; **en ~, comme un ~** boorishly

goujaterie /guʒatʀi/ *nf* boorishness; **il est d'une ~ incroyable** he's incredibly boorish

goujon /guʒɔ̃/ *nm* 1▸ Zool gudgeon; 2▸ Tech (cheville) gén pin; (en bois) dowel

(Idiome) **taquiner le ~**○ to do the odd bit of fishing

goulag /gulag/ *nm* Gulag

goulasch* /gulaʃ/ *nm ou f* goulash ₵

goule /gul/ *nf* ghoul

goulée○ /gule/ *nf* (de liquide) gulp; (de nourriture) mouthful; (d'air) gulp; **d'une ~** in one gulp

goulet /gulɛ/ *nm* (de port) narrows (*pl*); (en montagne) gully

(Composé) **~ d'étranglement** bottleneck

gouleyant, ~e /gulɛjɑ̃, ɑ̃t/ *adj* [*vin*] light

goulot /gulo/ *nm* (de bouteille) neck; **boire au ~** to drink from the bottle

(Composé) **~ d'étranglement** bottleneck

goulotte /gulɔt/ *nf* Tech chute

goulu, ~e /guly/
A *adj* greedy
B *nm,f* glutton

goulûment* /gulymɑ̃/ *adv* greedily

goupil‡ /gupi(l)/ *nm* fox

goupille /gupij/ *nf* Tech pin

goupillé○**, ~e** /gupije/
A *pp* ▸ **goupiller**
B *pp adj* set up, thought up; **c'est ~ comment, ce moteur?** how does this engine work?; **bien/mal ~** [*appareil, installation*] well-/badly-designed; [*procédé*] well-/badly-thought out; **pas mal ~, cet engin!** it's pretty clever this thing!

goupiller /gupije/ [1]
A *vtr* 1▸ ○(combiner) to fix○; 2▸ Tech to pin
B **se goupiller**○ *vpr* **comment ça se goupille ton projet?** how is your plan shaping up○ *or* working out?; **ça s'est bien/mal goupillé** it turned out well/badly

goupillon /gupijɔ̃/ *nm* 1▸ (brosse) bottle brush; 2▸ Relig holy water sprinkler, aspergillum

gourance◑ /guʀɑ̃s/ *nf* mistake, boob○

gourbi /guʀbi/ *nm* 1▸ (hutte) hut; 2▸ ○(logement) hovel

gourd, ~e[1] /guʀ, guʀd/ *adj* (engourdi) [*doigt, membre*] numb

gourde[2] /guʀd/
A *adj*○ (niais) [*personne*] dumb○, gormless○ GB
B *nf* 1▸ (pour liquide) (en cuir ou écorce) gourd; (bidon, flacon) flask; 2▸ Bot gourd; 3▸ ○(sot) dope○

gourdin /guʀdɛ̃/ *nm* bludgeon, cudgel; **frapper qn à coups de ~** to bludgeon sb

gourer○**: se gourer** /guʀe/ [1] *vpr* (dans un calcul) to make a mistake; (dans une supposition) to be mistaken; **se ~ d'adresse/de jour** to get the address/the day wrong

gourgandine† /guʀgɑ̃din/ *nf* hussy†, loose woman†

gourmand, ~e /guʀmɑ̃, ɑ̃d/
A *adj* 1▸ (amateur) (de sucreries) fond of sweet things (*jamais épith*); (de nourriture) fond of good food (*jamais épith*); (glouton) greedy; **il est ~** he loves his food GB, he's into food US; **je ne suis pas ~e** I'm not that interested in food; **il est ~ (de sucreries)** he has a sweet tooth; **il est ~ de fromage/gâteaux** he can't resist cheese/cakes; **ma voiture est ~e** my car is heavy on petrol GB, my car is a gas hog○ US; 2▸ (gastronomique) **repas ~** gourmet meal; **étape ~e** good eating place; 3▸ (avide d'argent) grasping; **un courtier ~** a grasping broker; 4▸ (sensuel) [*lèvres*] sensuous; **il la regardait d'un air ~** he looked at her hungrily
B *nm,f* (amateur de nourriture) **c'est un ~** (pour les sucreries) he has a sweet tooth; (pour la nourriture) he loves his food GB, he's into food US; **petit ~!** you greedy little thing!

(Idiome) **être ~ comme une chatte** to be a real gourmet

gourmander /guʀmɑ̃de/ [1] *vtr* to berate sout, to scold; **se faire ~** to be rebuked *or* scolded

gourmandise /guʀmɑ̃diz/
A *nf* (pour les sucreries) weakness for sweet things; (pour la nourriture) weakness for good food; (défaut) greed; (péché) gluttony; **la ~ est un péché capital** gluttony is a deadly sin; **j'en reprends par ~** I shouldn't, but I can't resist it; **avec ~** [*manger, regarder*] greedily
B **gourmandises** *nfpl* (friandises) sweets GB, candies US

gourme /guʀm/ *nf* Vét strangles (+ *v sg*)

(Idiome) **jeter sa ~** to sow one's wild oats

gourmet /guʀmɛ/ *nm* gourmet; **un régal pour les ~s** a feast for the gourmet

gourmette /guʀmɛt/ *nf* 1▸ (de poignet) chain bracelet; 2▸ Équit curb chain

gourou /guʀu/ *nm* guru

gousse /gus/ *nf* Bot pod; **~ de vanille** vanilla pod; **~ d'ail** clove of garlic

gousset /gusɛ/ *nm* 1▸ (poche) fob; 2▸ (de collant) gusset; 3▸ Tech gusset; 4▸ Hérald gusset

goût* /gu/ *nm* 1▸ Physiol (sens) taste; (appréciation) palate; **agréable/désagréable au ~** pleasant-/unpleasant-tasting; **avoir le ~ exercé** to have a keen palate; **stimuler/émousser le ~** to stimulate/to dull one's sense of taste; **éduquer le ~ des enfants** to teach children to appreciate food
2▸ (saveur) taste; **avoir un ~ sucré/désagréable** to have a sweet/an unpleasant taste; **avoir un ~ de brûlé/de pêche** to taste burned/of peaches; **avoir un petit ~ de miel** to taste slightly of honey; **avoir bon/mauvais ~** to taste nice/unpleasant; **avoir un petit ~** to taste a bit strange; **laisser un (mauvais) ~ dans la bouche** to leave a nasty taste in one's mouth; **le vin a un léger ~ de bouchon** the wine tastes slightly corked; **donner du ~ à qch** to give sth flavour[GB]; **n'avoir aucun ~** to be tasteless
3▸ (discernement) taste; **avoir du ~** to have taste; **se fier à son ~** to trust to one's own taste; **avoir un ~ très sûr** to have unfailingly good taste; **avoir bon/mauvais ~** to have good/bad taste; **de bon/mauvais ~** [*décor, vêtement, plaisanterie*] in good/bad taste (*après n*); **d'un ~ douteux** [*décor, plaisanterie, scène*] in dubious taste (*après n*); **les gens de ~** people with good taste; **c'étaient des personnes de ~** they had good taste; **avec/sans ~** [*décorer*] tastefully/tastelessly; **s'habiller avec/sans ~** to be well-/badly-dressed; **sans ~ ni grâce** [*personne, visage*] plain and ordinary; **il serait de mauvais ~ de faire** it would be in bad taste to do; **avoir le bon ~ de faire** to have the decency to do; **avoir le bon ~ de ne pas faire** to have the good taste not to do; **avoir le mauvais ~ de faire** to be tactless enough to do
4▸ (gré) liking; **trop chaud à mon ~** too hot for my liking; **avoir du ~ pour la peinture** to have a liking for painting; **ne pas être du**

~ de tout le monde [*situation, réforme, proposition*] not to be to everyone's liking; [*décor, site, aliment, forme d'art*] not to be everyone's cup of tea; **je n'ai rien trouvé à mon ~ chez l'antiquaire** I didn't find anything I liked in the antique shop; **elle ne trouve pas mon fils à son ~** she doesn't like my son; **mon choix n'était pas au ~ de mon père** my father didn't approve of my choice; **je n'ai aucun ~ pour la politique** I have absolutely no interest in politics; **je n'ai plus ~ à rien** I've lost interest in things; **elle reprend ~ à la vie** she's starting to enjoy life again; **avoir le ~ du risque** to like taking risks; **avoir le ~ du détail** [*peintre, écrivain*] to like detail; [*décorateur, designer*] to pay attention to detail; **être au ~ du jour** to be trendy; to be 'in'; **se mettre au ~ du jour** to update one's image; **remettre qch au ~ du jour** to bring sth back into fashion; **il a pris ~ à la pêche/aux échecs** he got to like fishing/chess; **il semble prendre ~ à la politique** he seems to be developing a taste for politics; **faire qch par ~** to do sth for pleasure; **dans le ~ classique** in the classical style; **dans le ~ de Picasso** in the style of Picasso; **quelque chose dans** *or* **de ce ~-là**○ something a bit like that○; **je vais te faire passer le ~ de me critiquer en public**○ I'll teach you to criticize me in public

5 (préférence) taste; **je ne connais pas tes ~s** I don't know your tastes; **avoir des ~s simples/de luxe** to have simple/expensive tastes; **mes ~s littéraires/artistiques** my taste in literature/art; **il y en a pour tous les ~s** there's something to suit all tastes; **'c'est joli?'—'ça dépend des ~s!'** 'is it pretty?'—'that's a matter of taste!'; **chacun ses ~s** to each his own, there's no accounting for taste

(Idiomes) **avoir un ~ de revenez-y** [*dessert, plat*] to be moreish GB, to make you want seconds US; **avoir un ~ de trop peu** *or* **pas assez** to be on the stingy side; **tous les ~s sont dans la nature** Prov it takes all sorts to make a world Prov; **des ~s et des couleurs on ne discute pas** Prov there's no accounting for taste

goûter* /gute/ [1]

A *nm* 1 (collation, nourriture) snack (*eaten by children mid-morning or mid-afternoon*); 2 (réunion d'enfants) children's party; **~ d'anniversaire** children's birthday party

B *vtr* 1 (essayer) to taste, to try; **goûtez-moi ça!** have a taste of this!; **je peux ~?** may I taste it?; 2 (apprécier) to enjoy [*plaisir, paix, silence, solitude*]; to appreciate [*spectacle, discours, plaisanterie*]; **je goûte fort peu ce genre de plaisanterie** I don't really appreciate that kind of joke

C **goûter à** *vtr ind* 1 (essayer) **~ à** to try [*aliment, boisson*]; **il n'a pas voulu ~ à mon soufflé** he wouldn't try my soufflé; **mais tu y as à peine goûté!** but you've hardly touched it!; 2 (faire l'expérience de) **~ à** to have a taste of [*liberté, indépendance, pouvoir, plaisir*]; **~ aux joies/charmes de la campagne** to sample the joys/pleasures of the countryside

D **goûter de** *vtr ind* to have a taste of; **avoir goûté de la prison** to have had a taste of life in prison; **il va ~ de mon fouet!** he's going to get a taste of my whip!

E *vi* [*enfant*] to have one's mid-afternoon snack

goûteur, -euse[1] /gutœʀ, øz/ ▸ **p. 532** *nm,f* taster; **~ d'eau** water taster

goûteux, -euse[2]* /gutø, øz/ *adj* tasty

goutte /gut/

A *nf* 1 (de liquide) drop; **~ d'eau/de sang** drop of water/of blood; **~ de pluie** raindrop; **~ de rosée** dewdrop; **~ à ~** drop by drop; **tomber ~ à ~** to drip; **pas une ~ de sang n'a été versée** not a drop of blood was spilled; **à grosses ~s** [*pleuvoir*] heavily; [*transpirer*] profusely; **hier il est tombé quelques ~s** there were a few spots of rain yesterday; **'de la vodka?'—'juste une ~!'** 'some vodka?'—'just a drop!'; **il n'y a plus une ~ de vin dans la maison** there isn't a drop of wine left in the house; **passer entre les ~s** fig to manage to avoid trouble; **boire qch jusqu'à la dernière ~** lit, fig to drink sth to the (very) last drop; **~ de sueur** bead of sweat; 2 ○(eau-de-vie) brandy; 3 Archit gutta; 4 ▸ **p. 283** Méd gout

B **gouttes** *nfpl* Méd, Pharm drops; **~s pour le nez/pour les yeux** nose/eye drops

(Composé) **~ d'eau** (bijou) drop

(Idiomes) **se ressembler comme deux ~s d'eau** to be as alike as two peas in a pod; **c'est une ~ d'eau dans la mer** *or* **l'océan** it's a drop in the ocean; **avoir la ~ au nez** to have a runny nose; **on n'y voit ~** you can't see a thing; ▸ **vase**

goutte-à-goutte /gutagut/ *nm inv* Méd drip; **être nourri au ~** to be drip-fed; **il est au ~** he has been put on a drip

gouttelette /gutlɛt/ *nf* droplet

goutter /gute/ [1] *vi* to drip (**de** from)

goutteux, -euse /gutø, øz/ *adj* gouty

gouttière /gutjɛʀ/ *nf* 1 (de toit) gutter; (de descente) drainpipe; 2 Méd (d'immobilisation) splint

(Composés) **~ sagittale** Anat sagittal suture; **~ vertébrale** Anat vertebral groove

gouvernable /guvɛʀnabl/ *adj* **facilement/difficilement ~** easy/difficult to govern

gouvernail /guvɛʀnaj/ *nm* 1 Naut rudder; 2 fig helm; **tenir le ~** to be at the helm; **tenir le ~ d'une main ferme** to have a firm hand on the tiller; **abandonner le ~** to step down

gouvernance /guvɛʀnɑ̃s/ *nf* governance

gouvernant, ~e /guvɛʀnɑ̃, ɑ̃t/

A *adj* [*classe, parti*] ruling, governing

B **gouvernants** *nmpl* **les ~s** (gouvernement) the government; **~s et gouvernés** those who govern and those who are governed; **nos ~s** our rulers

C **gouvernante** *nf* 1 (institutrice) governess; 2 (domestique) housekeeper

gouverne /guvɛʀn/ *nf* 1 (information) **pour votre ~** for your information; 2 Aviat control surface

(Composés) **~ de direction** rudder; **~ latérale** aileron; **~ de profondeur** elevator

gouvernement /guvɛʀnəmɑ̃/ *nm* government; **faire partie du** *or* **être au ~** to be a member of the government; **le ~ Chirac** the Chirac Government; **sous un autre ~** under a different regime *ou* government

gouvernemental, ~e, *mpl* **-aux** /guvɛʀnəmɑ̃tal, o/ *adj* 1 (du gouvernement) [*arrêté, décision, politique*] government (*épith*); [*responsabilité*] governmental; **l'équipe ~e** the government; **non ~** non-governmental; 2 (au pouvoir) [*majorité, parti*] ruling; 3 (favorable au gouvernement) [*journal*] pro-government

gouverner /guvɛʀne/ [1]

A *vtr* 1 Pol to govern, to rule [*pays, peuple*]; **le parti qui gouverne** the ruling party, the party in power, the governing party; 2 (dominer) [*personne*] to control [*désir, émotion, passion, vie*]; [*argent, intérêt*] to rule [*monde, hommes*]; 3 Naut to steer [*ship*]; 4 Ling to govern

B **se gouverner** *vpr* **le droit des peuples à se ~** the right of peoples to self-government

gouvernés /guvɛʀne/ *nmpl* Pol **les ~** those who are governed

gouverneur /guvɛʀnœʀ/ *nm* governor; **~ militaire** military governor

goy, *pl* **goyim** /gɔj, gɔjim/ *nmf* goy○, gentile

goyave /gɔjav/ *nf* guava

goyavier /gɔjavje/ *nm* guava (tree)

GPAO /ʒepeao/ *nf*: *abbr* ▸ **gestion**

GPL /ʒepeɛl/ *nm* (*abbr* = **gaz de pétrole liquéfié**) LPG

GPS /ʒepeɛs/ *nm* (*abbr* = **global positioning system**) GPS

GQG /ʒekyʒe/ *nm*: *abbr* ▸ **grand**

GR /ʒeɛʀ/ *nm* long-distance footpath

Graal /gʀɑl/ *nm* Grail

grabat /gʀaba/ *nm* pallet

grabataire /gʀabatɛʀ/

A *adj* bedridden

B *nmf* bedridden invalid; **les ~s** the bedridden

grabuge○ /gʀabyʒ/ *nm* **il va y avoir du ~** (dispute) there'll be ructions GB, there'll be a ruckus○ US; (violence) there's going to be fisticuffs; **faire du ~** to raise hell○

grâce /gʀɑs/

A *nf* 1 (beauté) (de geste, personne) grace; (de paysage) charm; (de style) elegance; **sans ~** [*geste*] ungraceful; [*visage*] plain; [*personne*] lacking in charm (*jamais épith*); [*paysage*] nondescript; [*style*] inelegant; **se mouvoir avec/sans ~** to move gracefully/awkwardly; 2 (volonté) **bonne/mauvaise ~** good/bad grace; **de bonne/mauvaise ~** with (a) good/bad grace, willingly/grudgingly; **avoir la bonne ~ d'admettre que** to have the good grace to admit that; **il aurait mauvaise ~ à refuser** it would be ungracious of him to refuse; 3 (faveur) favour[GB]; **accorder une ~ à qn** to grant sb a favour[GB]; **chercher/gagner les bonnes ~s de qn** to seek/win sb's favour[GB]; **trouver ~ auprès de qn/aux yeux de qn** to find favour[GB] with sb/in sb's eyes; **faire à qn la ~ d'accepter** fml to do sb the honour[GB] of accepting; **il nous a fait la ~ d'assister à la réunion** he honoured[GB] us with his presence at the meeting; **fais-nous la ~ de te taire!** do us a favour[GB], be quiet!, please, be quiet!; **à la ~ de Dieu!** it's in God's hands!; **de ~** fml please; (avec impatience) for pity's sake; **donner le coup de ~ à qn** lit, fig to deal sb the death blow; **ce fut le coup de ~ pour lui** that was the final stroke for him; 4 (pardon) mercy; Jur (free) pardon; **demander/crier ~** to beg/cry for mercy; **solliciter/obtenir sa ~** Jur to seek/receive a pardon; **~ présidentielle/royale** Jur presidential/royal pardon; **~!** (have) mercy!; **je vous fais ~ des détails** I'll spare you the details; 5 (remerciement) liter thanks; **rendre ~(s) à qn de qch** to give thanks to sb for sth; **~ à Dieu!** thank God!; 6 Relig (bonté divine) grace; **être touché par la ~** Relig to be touched by God's grace

B **grâces** *nfpl* 1 (prière) **dire les ~s** to say grace (after a meal); 2 †(gracieusetés) hum **avec mille ~s** very graciously; **elle lui fit mille ~s pour essayer de le fléchir** she used all her charm to get round him

C **grâce à** *loc prép* **~ à** thanks to; **il s'en est tiré ~ à Dieu** fig by some miracle he was all right

Grâce /gʀɑs/

A *nf* (titre) Grace; **votre ~** your Grace

B *nprf* Mythol **les trois ~s** the three Graces

gracier /gʀasje/ [2] *vtr* to pardon, to reprieve

gracieusement /gʀasjøzmɑ̃/ *adv* 1 (gratuitement) free of charge; **un billet/cadeau vous sera ~ offert** you will be given a free ticket/gift; 2 (élégamment) [*danser*] gracefully; 3 (aimablement) [*recevoir*] graciously

gracieuseté /gʀasjøzte/ *nf* liter 1 (amabilité) graciousness; 2 (geste aimable) kindness, courtesy; (mot aimable) kind word

gracieux, -ieuse /gʀasjø, øz/ *adj* 1 (beau) [*geste, personne*] graceful; **sa gracieuse Majesté** fml his/her gracious Majesty; 2 (généreux) fml [*concours, aide*] kind, generous; 3 (avenant) [*personne, sourire*] gracious; 4 Jur [*juridiction*] inherent; [*décision*] made by exercise of the inherent jurisdiction of the court (*après n*); **recours ~** application for review

g

ℹ Les grades

■ *La liste suivante regroupe les grades des trois armes, armée de terre, marine et aviation du Royaume-Uni et des États-Unis. Pour les traductions, consulter les articles dans le dictionnaire.*

■ *En anglais comme en français, l'armée de terre et l'armée de l'air distinguent deux catégories: les officiers,* commissioned officers *(GB) ou* warrant officers *(US), à partir du grade de* Second Lieutenant/Pilot Officer, *et tous les autres, à l'exception de* Private/Aircraftman/Airman, non-commissioned officers (the NCOs, *dire* [ðɪ ensiːəʊz]:

L'armée de terre

Royaume-Uni	États-Unis
the British Army	the United States Army
Field Marshal (FM)*	General of the Army (GEN)
General (Gen)	General (GEN)
Lieutenant†-General (Lt-Gen)	Lieutenant† General (LTG)
Major-General (Maj-Gen)	Major General (MG)
Brigadier (Brig)	Brigadier General (BG)
Colonel (Col)	Colonel (COL)
Lieutenant†-Colonel (Lt-Col)	Lieutenant† Colonel (LTC)
Major (Maj)	Major (MAJ)
Captain (Capt)	Captain (CAPT)
Lieutenant† (Lieut)	First Lieutenant† (1LT)
Second Lieutenant† (2nd Lt)	Second Lieutenant† (2Lt)
	Chief Warrant Officer (CWO)
—	Warrant Officer (WO)
Regimental Sergeant Major (RSM)	Command Sergeant Major (CSM)
Company Sergeant Major (CSM)	Staff Sergeant Major (SSM)
	1st Sergeant (1 SG)
—	Master Sergeant (MSG)
	Sergeant 1st Class (SFC)
Staff Sergeant‡ (S/Sgt) *ou* Colour Sergeant‡ (C/Sgt)‡	Staff Sergeant (SSG)
Sergeant (Sgt)	Sergeant (SGT)
Corporal (Cpl)	Corporal (CPL)
Lance Corporal (L/Cpl)	Private First Class (P1C)
Private (Pte) *ou* Rifleman (Rfm) *ou* Guardsman (Gdm)‡	Private (PVT)

La marine

Royaume-Uni	États-Unis
the Royal Navy (RN)§	the United States Navy (USN)§
Admiral of the Fleet	Fleet Admiral
Admiral (Adm)*	Admiral (ADM)
Vice-Admiral (V-Adm)	Vice Admiral (VADM)
Rear-Admiral (Rear-Adm)	Rear Admiral (RADM)
Commodore (Cdre)	Commodore (CDRE)
Captain (Capt)	Captain (CAPT)
Commander (Cdr)	Commander (CDR)
Lieutenant†-Commander (Lt-Cdr)	Lieutenant† Commander (LCDR)
Lieutenant† (Lt)	Lieutenant† (LT)
Sub-Lieutenant† (Sub-Lt)	Lieutenant† Junior Grade (LTJG)
Acting Sub-Lieutenant† (Act Sub-Lt)	Ensign (ENS)
	Chief Warrant Officer (CWO)
Midshipman	Midshipman
Fleet Chief Petty Officer (FCPO)	
—	Master Chief Petty Officer (MCPO)
—	Senior Chief Petty Officer (SCPO)
Chief Petty Officer (CPO)	Chief Petty Officer (CPO)
—	Petty Officer 1st Class (PO1)
—	Petty Officer 2nd Class (PO2)
Petty Officer (PO)	Petty Officer 3rd Class (PO3)
Leading Seaman (LS)	Seaman (SN)
Able Seaman (AB)	—
Ordinary Seaman (OD)	—
Junior Seaman (JS)	Seaman Apprentice (SA)
	Seaman Recruit (SR)

L'armée de l'air

Royaume-Uni	États-Unis
the Royal Air Force¶ (RAF)	the United States Air Force (USAF)‖
Marshal of the Royal Air Force	General of the Air Force
Air Chief Marshal (ACM)*	General (GEN)
Air Marshal (AM)	Lieutenant† General (LTG)
Air Vice-Marshal (AVM)	Major General (MG)
Air Commodore (Air Cdre)	Brigadier General (BG)
Group Captain (Gp Capt)	Colonel (COL)
Wing Commander (Wing Cdr)	Lieutenant† Colonel (LTC)
Squadron Leader (Sqn Ldr)	Major (MAJ)
Flight Lieutenant† (Flt Lt)	Captain (CAPT)
Flying Officer (FO)	First Lieutenant† (1LT)
Pilot Officer (PO)	Second Lieutenant† (2LT)
Warrant Officer (WO)	—
Flight Sergeant (FS)	Chief Master Sergeant (CMSGT)
—	Senior Master Sergeant (SMSGT)
—	Master Sergeant (MSGT)
Chief Technician (Chf Tech)	Technical Sergeant (TSGT)
Sergeant (Sgt)	Staff Sergeant (SSGT)
Corporal (Cpl)	Sergeant (SGT)
Junior Technician (Jnr Tech)	—
Senior Aircraftman (SAC) *ou* Senior Aircraftwoman	—
Leading Aircraftman (LAC) *ou* Leading Aircraftwoman	Airman First Class (A1C) *ou* Airwoman First Class
Aircraftman *ou* Aircraftwoman	Airman Basic (AB)

Comment parler des militaires

■ *L'anglais emploie l'article indéfini pour les noms de grades utilisés avec les verbes* to be *(être),* to become *(devenir),* to make *(faire) etc.*

■ *Dans les expressions suivantes,* colonel *est pris comme exemple; les autres noms de grades s'utilisent de la même façon.*

il est colonel
= he is a colonel

il est colonel dans l'armée de terre
= he is a colonel in the army

devenir colonel
= to become a colonel

on l'a nommé colonel
= he was made a colonel

■ *Mais avec le verbe* to promote *ou dans l'expression* the rank of..., *l'anglais n'emploie pas l'article indéfini:*

être promu colonel
= to be promoted colonel
ou to be promoted to colonel

il a le grade de colonel
= he has the rank of colonel

■ *L'anglais n'emploie pas non plus l'article défini lorsque le grade est suivi du nom propre:*

le colonel Jones est arrivé
= Colonel Jones has arrived

Comparer:

le colonel est arrivé
= the colonel has arrived

■ *Noter que les noms de grades prennent une majuscule en anglais quand ils sont suivis d'un nom propre.*

Comment s'adresser aux militaires

■ *D'un militaire à son supérieur:*

oui, mon colonel
= yes, sir

oui, colonel
= yes, ma'am

■ *D'un militaire à son inférieur en grade:*

oui, sergent
= yes, sergeant

* *Les abréviations sont utilisées uniquement par écrit et avec les noms propres, par ex.:* Capt. Jones.

† *Noter la prononciation (GB):* [lef'tenənt], *(US):* [luː'tenənt].

‡ *Le nom varie selon le régiment.*

§ *Les abréviations* RN *et* USN *ne sont utilisées que par écrit.*

¶ *Pour* the RAF, *dire* [ðɪɑːreɪef].

‖ *L'abréviation* USAF *n'est utilisée que par écrit. Dire* the US Air Force.

gracile /gʀasil/ *adj* slender

gracilité /gʀasilite/ *nf* slenderness

Gracques /gʀak/ *nprmpl* **les ∼** the Gracchi

gradation /gʀadasjɔ̃/ *nf* **1** gén, Art, Phot gradation; **2** Ling (en rhétorique) climax; **∼ descendante** anticlimax

grade /gʀad/ ▸ **p. 406** *nm* **1** (niveau hiérarchique) rank; **nommé au ∼ de** appointed to the rank of; **de ∼ élevé** high-ranking (*épith*); **monter en ∼** to be promoted; **casser un officier de son ∼** to demote an officer to the ranks; **2** Univ (titre) degree; **∼ de docteur** doctor's degree; **3** Math (en géométrie) grade; **4** Ind (viscosité de lubrifiant) grade

(Idiome) **en prendre pour son ∼**○ to be hauled over the coals, to get a good dressing-down

gradé, **∼e** /gʀade/ *nm,f* Mil non-commissioned officer

gradient /gʀadjɑ̃/ *nm* Math, Phys gradient

gradin /gʀadɛ̃/ *nm* (de salle) tier; (d'arène) terrace; (de stade) **les ∼s** the terraces GB, the bleachers US; **en ∼s** [*terrain*] terraced

graduation /gʀadɥasjɔ̃/ *nf* (d'instrument de mesure) graduation

gradué, **∼e** /gʀadɥe/ *adj* **règle ∼e** ruler; **verre ∼** measuring cup; (avec bec verseur) measuring jug

graduel, -elle /gʀadɥɛl/
A *adj* gradual
B *nm* Relig gradual

graduellement /gʀadɥɛlmɑ̃/ *adv* gradually

graduer /gʀadɥe/ [1] *vtr* **1** gén to increase [*difficulté*]; to grade GB, to graduate US [*exercices*]; **2** Tech to graduate [*instrument*]

graff /gʀaf/ *nm* street mural (*designed with graffiti and tags*)

graffeur, -euse /gʀafœʀ, øz/ ▸ **p. 532** *nm,f* street artist (*working with graffiti and tags*)

graffiteur, -euse /gʀafitœʀ, øz/ *nm,f* graffiti artist

graffiti* /gʀafiti/ *nmpl* graffiti

graille◑ /gʀɑj/ *nf* grub○ ¢, chow○ ¢ US; **à la ~!** grub's up○!

grailler /gʀɑje/ [1]
A ◑*vtr* (manger) to eat
B *vi* Zool [*corneille*] to caw

graillon /gʀɑjɔ̃/ *nm* **1** ○(graisse frite) **ça sent le ~** it smells of stale fat; **2** ◑(crachat) gob of spit

grain /gʀɛ̃/ *nm* **1** (céréales) grain; **donner du ~ aux poules** to feed corn GB *ou* grain to the hens; **poulet nourri au ~** corn-fed GB *ou* grain-fed chicken; **2** (graine) grain; **~ de poivre** peppercorn; **poivre en ~s** Culin (whole) peppercorns (*pl*); **~ de café** coffee bean; **café en ~s** Comm coffee beans (*pl*); **~ de moutarde** mustard seed; **3** (baie) berry; **~ de cassis** blackcurrant; **~ de genièvre** juniper berry; **~ de raisin** grape; **4** (de collier, chapelet) bead (**de** of); **5** (de pollen, sel, sable) grain (**de** of); (de poussière) speck (**de** of); (de semoule, sucre) grain; **6** fig (brin) **un ~ de fantaisie/folie** a touch of fantasy/madness, **un ~ de bon sens** a scrap *ou* an ounce of common sense; **7** (texture) **le ~** the grain (**de** of); **à gros ~** coarse grained; **d'un ~ très fin** very fine-grained; **8** Météo, Naut (bourrasque) gust (of wind); (averse) squally shower; Naut squall

(Composé) **~ de beauté** beauty spot, mole

(Idiomes) **avoir un (petit) ~**○ to be a bit loony○; **mettre son ~ de sel**○ to put *ou* stick one's oar in○; **avoir du ~ à moudre** to have enough to be getting on with; ▸ **ivraie**

graine /gʀɛn/ *nf* seed; **~s** (grosses ou individuelles) seeds; (petites pour semence) seed ¢; (pour oiseaux) birdseed ¢; **monter en ~** [*légume*] to run to seed; hum [*enfant*] to shoot up; **ton fils, c'est de la mauvaise ~** your son is a bad lot○; **c'est de la ~ de voyou** they'll come to a bad end

(Idiomes) **casser la ~**○ to have a bite to eat; **prends-en de la ~**○ let that be an example to you

graineterie /gʀɛnt(ə)ʀi/ ▸ **p. 532** *nf* **1** (activité) seed trade; **2** (magasin) seedsman's shop GB, feedstore US

grainetier /gʀɛntje/ ▸ **p. 532** *nm* seedsman GB; **il est ~** he runs a feedstore US

graissage /gʀɛsaʒ/ *nm* Tech greasing, lubricating; **à ~ automatique** self-lubricating

graisse /gʀɛs/ *nf* **1** (tissu adipeux) fat; (de baleine, phoque) blubber; **2** Culin fat; **~ animale/végétale** animal/vegetable fat; **mangez moins de ~s** eat less fat; **3** (lubrifiant) grease

(Composés) **~ de porc** Culin lard; **~ de rôti** Culin dripping GB, drippings (*pl*) US

(Idiome) **secouer sa ~** to get a move on○

graisser /gʀese/ [1] *vtr* **1** (enduire) to grease [*poêle*]; to grease, to lubricate [*rouage*]; **2** (salir) to leave greasy marks on, to make [sth] greasy; **'ne graisse pas'** 'nongreasy'

(Idiome) **~ la patte à qn**○ to grease sb's palm

graisseur, -euse[1] /gʀɛsœʀ, øz/
A *adj* greasing, lubricating (*épith*)
B *nm* (ouvrier, dispositif) lubricator

graisseux, -euse[2] /gʀɛsø, øz/ *adj* gén greasy; Méd [*tissu, tumeur, bourrelet*] fatty

graminacées /gʀaminase/ *nfpl* **les ~** grasses, Graminaceae spéc

graminée /gʀamine/
A *adj f* [*plante*] grass (*épith*), graminaceous spéc
B *nf* **une ~** a grass; **les ~s** grasses, Graminaceae spéc

grammage /gʀamaʒ/ *nm* (de papier) weight

grammaire /gʀamɛʀ/ *nf* **1** Ling (science) grammar; **la ~ du japonais** Japanese grammar; **livre/cours de ~** grammar book/lesson; **faute de ~** grammatical mistake; **~ descriptive/générative/structurale** descriptive/generative/structural grammar; **2** (manuel) grammar; **une ~ latine** a Latin grammar; **une ~ du chinois** a Chinese grammar

grammairien, -ienne /gʀamɛʀjɛ̃, ɛn/ ▸ **p. 532** *nm,f* grammarian

grammatical, ~e, *mpl* **-aux** /gʀamatikal, o/ *adj* grammatical

grammaticalement /gʀamatikalmɑ̃/ *adv* grammatically

grammaticalité /gʀamatikalite/ *nf* grammaticality

gramme /gʀam/ ▸ **p. 646** *nm* gram; **il n'a pas un ~ de bon sens** he hasn't an ounce of common sense

gramophone® /gʀamɔfɔn/ *nm* gramophone

grand, ~e /gʀɑ̃, gʀɑ̃d/
A *adj* **1** (de dimensions importantes) (en hauteur) [*personne, arbre, tour, cierge*] tall; (en longueur, durée) [*bras, enjambée, promenade, voyage*] long; (en largeur) [*angle, marge*] wide; (en étendue, volume) [*lac, ville, salle, trou, édifice, paquet*] large, big; [*tas, feu*] big; (démesuré) [*pied, nez, bouche*] big; **un homme (très) ~** a (very) tall man; **un ~ homme brun, un homme ~ et brun** a tall dark man; **plus ~ que nature** larger than life; **ouvrir de ~s yeux** to open one's eyes wide
2 (nombreux, abondant) [*famille, foule*] large, big; [*fortune*] large; **~e braderie** big sale; **pas ~ monde** not many people; **faire de ~es dépenses** to spend a lot of money; **il fait ~ jour** it's broad daylight; **laver à ~e eau** to wash [sth] in plenty of running water [*légumes*]; to wash [sth] down [*sol*]; **à ~ renfort de publicité** with much publicity
3 (à un degré élevé) [*rêveur, collectionneur, travailleur, ami, ennemi, pécheur*] great; [*tricheur, joueur, lâcheur, idiot*] big; [*buveur, fumeur*] heavy; **~ amateur de ballet** great ballet lover; **c'est un ~ timide** he's very shy; **les ~s malades** very sick people; **c'est un ~ cardiaque** he has a serious heart condition
4 (important) [*découverte, migration, expédition, événement, nouvelle, honneur*] great; [*date*] important; [*rôle*] major; [*problème, décision*] big; (principal) main; **c'est un ~ jour pour elle** it's a big day for her; **une ~e partie de la maison** a large part of the house; **une ~e partie des habitants** many of the inhabitants; **la ~e majorité** the great *ou* vast majority; ▸ **scène**
5 (principal) main; **le ~ escalier** the main staircase; **le ~ problème/obstacle** the main *ou* major problem/obstacle; **les ~s axes routiers** the main *ou* trunk GB roads; **les ~s points du discours** the main points of the speech; **les ~es lignes d'une politique** the broad lines of a policy
6 (de premier plan) Écon, Pol [*pays, société, industriel, marque*] leading; **les ~es industries** the big industries
7 (brillant, remarquable) [*peintre, œuvre, civilisation, vin, cause*] great; [*cœur, âme*] noble; **c'est un ~ homme** he's a great man; **les ~s écrivains** great authors; **un ~ nom de la musique** a great musician; **un ~ monsieur du théâtre** a great gentleman of the stage; **Louis/Pierre le Grand** Louis/Peter the Great; **les ~s noms du cinéma/de la littérature indienne** the big names of the cinema/of Indian literature; **de ~e classe** [*produit*] high-class; [*exploit*] admirable; ▸ **esprit**
8 (âgé) [*frère, sœur*] elder; [*élève*] senior GB, older; (adulte) grown-up; **mon ~ frère** my elder brother; **les ~es classes** Scol the senior forms GB, the upper classes US; **quand il sera ~** when he grows up; **mes enfants sont ~s** my children are quite old; **une ~e fille comme toi!** a big girl like you!; **12 ans! tu es assez ~ pour te débrouiller** 12 years old! you're old enough to cope
9 (qualifiant une mesure) [*hauteur, longueur, distance, poids, valeur, âge*] great; [*dimensions, taille, pointure, quantité, nombre, étendue*] large; [*vitesse*] high; [*kilomètre, mois, heure*] good; **il est ~ temps que tu partes** it's high time you were off *ou* you went
10 (intense, extrême, fort) [*bonté, lâcheté, pauvreté, amitié, chagrin, faim, danger, différence, intérêt*] great; [*bruit*] great, loud; [*froid*] severe; [*chaleur*] intense; [*vent*] strong, high; [*tempête*] big, violent; **avec ~ plaisir** with great *ou* much pleasure; **dans le plus ~ secret** in great secrecy; **d'une ~e bêtise/timidité** very *ou* extremely stupid/shy; **à ma ~e honte/surprise** much to my shame/surprise; **sans ~ espoir/enthousiasme** without much hope/enthusiasm; **sans ~e importance** not very important; **il n'y a pas ~ mal à cela/à faire** there isn't much harm in that/in doing; **avoir ~ faim/soif** to be very hungry/thirsty; **avoir ~ besoin de** to be badly in need of; **ça te ferait le plus ~ bien** it would do you a world of good; **à ~s cris** loudly; ▸ **cas, remède**
11 (de rang social élevé) [*famille, nom*] great; **~e dame** great lady; **la ~e bourgeoisie** the upper middle class
12 (grandiose) [*réception*] grand; **~s projets** grand designs; **avoir ~e allure, avoir ~ air** to look very impressive
13 (emphatique) [*mot*] big; [*phrase*] high-sounding; **un ~ merci** a big thank you; **faire de ~s gestes** to wave one's arms about; **et voilà, tout de suite les ~s mots** there you go, straight off the deep end
B *nm,f* **1** (enfant) big boy/girl; Scol senior GB *ou* older pupil; **il a fait ça tout seul comme un ~** he did it all by himself like a big boy; **il fait le ménage comme un ~** he does the housework like a grown-up; **pour les ~s et les petits** for old and young alike
2 (terme d'affection) **mon ~, ma ~e** my darling
C *adv* wide; **ouvrir ~ la bouche** to open one's mouth wide; **ouvrir tout ~ les bras** to throw one's arms open; **les fenêtres sont ~(es) ouvertes** the windows are wide open; **ouvrir la porte toute ~e** to open the door wide; **ouvrir ~ ses oreilles** fig to prick up one's ears; **ouvrir tout ~ son cœur** fig to open one's heart; **les bottes chaussent ~** the boots are large-fitting; **leurs vêtements taillent ~** their clothes are cut on the large side; **voir ~** fig to think big
D *nm* (pays) big power; (entreprise) leader, big name; **les ~s de ce monde** the great and the good; Pol the world's leaders; **les cinq ~s** Pol the Big Five; **les ~s de l'automobile** the top car manufacturers; **c'est un ~ de la publicité** he's big in advertising
E en grand *loc adv* [*ouvrir*] wide, completely; **faire de l'élevage en ~** to breed animals on a large scale; **quand ils reçoivent, ils font les choses en ~** when they entertain they do things on the grand scale *or* they really go to town○

(Composés) **~ argentier** Hist royal treasurer; hum keeper of the nation's purse, Finance minister; **le ~ art** alchemy; **~ banditisme** organized crime; **~ bassin** (de piscine) main pool; Anat upper pelvis; **~ cacatois** main royal sail; **~ caniche** standard poodle; **le ~ capital** Écon big money, big investors *pl*; **~ commis de l'État** top civil servant; **~ coq de bruyère** capercaillie; **~ corbeau** raven; **~ couturier** couturier; **~ débutant** absolute beginner; **~ duc** Zool eagle owl; **~ écart** Danse, Sport splits (*sg*);

g

faire le ~ écart to do the splits; **le ~ écran** the big screen; **~ électeur** (en France) *elector who votes in the elections for the French Senate;* (aux États-Unis) presidential elector; **~ ensemble** high-density housing complex; **la vie dans les ~s ensembles** high-rise living; **~ d'Espagne** Spanish grandee; **~ foc** outer jib; **~ frais** Météo moderate gale; **~ hunier** main topsail; **~ hunier fixe** lower main topsail; **~ hunier volant** upper main topsail; **~ invalide civil**, **GIC** *civilian who is registered severely disabled;* **~ invalide de guerre**, **GIG** Prot Soc *ex-serviceman who is registered severely disabled;* **le ~ large** Naut the high seas (*pl*); **~ magasin** Comm department store; **~ maître** (aux échecs) grand master; **~ maître de l'ordre des Templiers** Hist Grand Master of the Knights Templar; **~ mât** Naut mainmast; **le ~ monde** high society; **le Grand Nord** Géog the Far North; **Grand Œuvre** Great Work; **~ officier de la Légion d'Honneur** *high-ranking officer of the Legion of Honour*[GB]; **le Grand Orient** the Grand Lodge of France; **~ panda** giant panda; **Grand Pardon** Day of Atonement; **~ patron** Méd senior consultant GB, head doctor US; **~ perroquet** Naut main topgallant sail; **~ prêtre** Relig, fig high priest; **~ prix** Courses Aut, Sport grand prix; **le ~ public** the general public; Comm **produit ~ public** consumer product; **~ quart** Naut six-hour watch; **Grand quartier général**, **GQG** Mil General Headquarters, GHQ; **~ quotidien** Presse big national daily; **~ roque** Jeux (aux échecs) castling long; **le Grand Siècle** Hist the 17th century (*in France*); **~ teint** colourfast[GB]; **~ tétras** capercaillie; **~ tourisme** Courses Aut, Aut GT, gran turismo; **le Grand Turc** the Sultan; **~ veneur** Chasse master of the hounds; **~e Armée** Hist Grande Armée (*Napoleon's army*); **~e Baie Australienne** Géog Great Australian Bight; **la ~e banlieue** the outer suburbs (*pl*); **Grande Barrière (de Corail)** Géog Great Barrier Reef; **la ~e bleue** the sea; **la ~e cuisine** Culin haute cuisine; **~e distribution** Écon volume retailing; **~ école** *higher education institution;* **la Grande Guerre** Hist the First World War; **~e gueule**○ loud mouth○; **~e hune** Naut maintop; **la ~e muette** the army; **la ~e muraille de Chine** Géog the Great Wall of China; **~e personne** grown-up, adult; **la ~e presse** Presse the popular dailies (*pl*); **~e puissance** Pol superpower; **~e roue** (de foire) big wheel GB, Ferris wheel US; **~e série** Comm mass production; **fabriqué en ~e série** mass-produced; **~e surface** Comm supermarket; **~es eaux** fountains; fig (pleurs) waterworks; **dès qu'on la gronde, ce sont les ~es eaux** the minute you tell her off, she turns on the waterworks; **~es lignes** Rail main train routes; **~es marées** spring tides; **~es ondes** Radio long wave (*sg*); **Grandes Plaines** Géog Great Plains; **les ~s blessés** the seriously injured; **~s corps de l'État** Admin senior branches of the civil service; **~s espaces** Écol open spaces; **~s fauves** Zool big cats; **~s fonds** Naut ocean depths; **les ~s froids** the cold of winter; **Grands Lacs** Géog Great Lakes; **~s singes** Zool great apes; ▸ **école, voyage**

> **Grande école**
>
> A prestigious tertiary level institution where admission is usually by competitive entrance examination or *concours*. Places are much sought after as they are widely considered to guarantee more promising career prospects than the standard university institutions. Many *grandes écoles* specialize in particular disciplines or fields of study, e.g. *ENA*, *Sciences Po*, etc.

grand-angle, *pl* **grands-angles** /gʀɑ̃tɑ̃gl, gʀɑ̃zɑ̃gl/, **grand-angulaire**, *pl* **grands-angulaires** /gʀɑ̃tɑ̃gylɛʀ, gʀɑ̃zɑ̃gylɛʀ/
A *adj* wide-angle
B *nm* wide-angle lens

grand-chantre, *pl* **grands-chantres** /gʀɑ̃ʃɑ̃tʀ/ *nm* precentor

grand-chose /gʀɑ̃ʃoz/
A *pron indéf* **pas ~** not much, not a lot; **ça ne vaut pas ~** it isn't worth much *ou* a lot; **ça ne sert pas à ~** it's not much use; **je n'ai pas vu ~ d'intéressant** I didn't see anything much of interest; **il n'y a plus ~ à faire** there isn't much *ou* a lot left to do; **'tu t'es fait mal?'—'ce n'est pas ~'** 'have you hurt yourself?'—'it's nothing much'; **on l'a puni pour pas ~** he was punished for something very minor
B *nmf inv* péj **un pas ~** a worthless individual, a useless○ character

grand-croix, *pl* **grands-croix** /gʀɑ̃kʀwɑ/
A *nm* (personne) holder of the grand cross
B *nf inv* (décoration) grand cross

grand-duc, *pl* **grands-ducs** /gʀɑ̃dyk/ ▸ **p. 848** *nm* grand duke
(Idiome) **faire la tournée des grands-ducs** to have a night on the town

grand-duché, *pl* **grands-duchés** /gʀɑ̃dyʃe/ *nm* grand duchy

Grande-Bretagne /gʀɑ̃dbʀətaɲ/ ▸ **p. 435** *nprf* Great Britain

grande-duchesse, *pl* **grandes-duchesses** /gʀɑ̃ddyʃɛs/ ▸ **p. 848** *nf* grand duchess

grandement /gʀɑ̃dmɑ̃/ *adv* **1** (largement) [*faciliter, intéresser*] greatly; [*aider, contribuer*] a great deal; [*reconnaissant*] extremely; **2** (avec faste) in style; **faire ~ les choses** to do things in style

grandeur /gʀɑ̃dœʀ/ *nf* **1** (taille) size; **être de la ~ d'un mouchoir** to be the size of a handkerchief; **être de la même ~** to be the same size; **~ nature**, **en vraie ~** [*maquette, reproduction*] full-scale (*épith*); [*peinture, portrait, statue*] life-size; **2** (énormité) scale; **3** (élévation) greatness; **la ~ de leur sacrifice** their great sacrifice; **ce fut une finale sans ~** Sport it wasn't a great *ou* memorable final; **4** (gloire, puissance) greatness; **politique de ~** politics of national greatness; **5** Astron, Math magnitude; **de première ~** Astron, fig of the first magnitude; **~ de base** Math base quantity
(Composé) **~ d'âme** generosity of spirit; **par ~ d'âme** out of generosity of spirit

Grand-Guignol /gʀɑ̃giɲɔl/ *nm* **c'est du ~** fig it's farcical; Théât **le ~** Grand Guignol theatre[GB]

grand-guignolesque, *pl* **~s** /gʀɑ̃giɲɔlɛsk/ *adj* **1** fig farcical; **2** Théât [*spectacle*] blood-and-thunder (*épith*)

grandiloquence /gʀɑ̃dilɔkɑ̃s/ *nf* pomposity, grandiloquence sout

grandiloquent, **~e** /gʀɑ̃dilɔkɑ̃, ɑ̃t/ *adj* pompous, grandiloquent sout

grandiose /gʀɑ̃djoz/ *adj* [*ruines, site, édifice, décor*] grandiose; [*proportions*] imposing; [*réussite, fête*] spectacular; [*geste, personnage*] grand

grandir /gʀɑ̃diʀ/ [3]
A *vtr* **1** (rendre plus grand) [*loupe*] to magnify; [*talons*] to make [sb] look taller; **2** (exagérer) to exaggerate [*danger, importance*]; **3** (ennoblir) **sortir grandi d'une épreuve** to come out of an ordeal with increased stature; **sa promotion ne l'a pas grandi à mes yeux** I don't think any more highly of him because he's been promoted
B *vi* **1** (en taille) [*plante, enfant*] to grow; (en âge) [*enfant*] to grow up; **~ de 20 cms** to grow 20 cms; **je te trouve bien grandi** haven't you grown; **devenir raisonnable en grandissant** to become sensible as one grows up; **~ dans l'estime de qn** fig to go up *ou* rise in sb's esteem; **2** (en nombre, importance, intensité) [*société, entreprise*] to expand; [*rumeur, inquiétude, danger, réputation, foule*] to grow; [*obscurité*] to increase; **les jours grandissent** the days are getting longer; **aller grandissant** liter [*inquiétude*] to become greater and greater; [*bruit*] to become louder and louder
C **se grandir** *vpr* lit to make oneself (look) taller

grandissant, **~e** /gʀɑ̃disɑ̃, ɑ̃t/ *adj* growing; **influence sans cesse ~e** ever-increasing influence

grandissement /gʀɑ̃dismɑ̃/ *nm* fml (de loupe) magnification

grandissime /gʀɑ̃disim/ *adj* hum tremendous

grand-livre, *pl* **grands-livres** /gʀɑ̃livʀ/ *nm* Compta ledger
(Composé) **~ de la dette publique** Fin national debt register

grand-maman, *pl* **grands-mamans** /gʀɑ̃mamɑ̃/ *nf* grandma

grand-mère, *pl* **grands-mères** /gʀɑ̃mɛʀ/ *nf* **1** (aïeule) grandmother; **2** (vieille femme) old granny○

grand-messe, *pl* **~s** /gʀɑ̃mɛs/ *nf* **1** Relig High Mass; **2** fig ritual gathering

grand-oncle, *pl* **grands-oncles** /gʀɑ̃tɔ̃kl, gʀɑ̃zɔ̃kl/ *nm* great-uncle

grand-papa, *pl* **grands-papas** /gʀɑ̃papa/ *nm* grandpa○, granddad○

grand-peine /gʀɑ̃pɛn/
A *nf* **avoir ~ à faire** to have great difficulty doing
B **à grand-peine** *loc adv* fml with great difficulty

grand-père, *pl* **grands-pères** /gʀɑ̃pɛʀ/ *nm* **1** (aïeul) grandfather; **2** ○(vieillard) old man, granddad○

grand-route, *pl* **~s** /gʀɑ̃ʀut/ *nf* main road, highroad GB

grand-rue, *pl* **~s** /gʀɑ̃ʀy/ *nf* High Street GB, Main Street US

grands-parents /gʀɑ̃paʀɑ̃/ *nmpl* grandparents

grand-tante, *pl* **grand(s)-tantes** /gʀɑ̃tɑ̃t/ *nf* great-aunt

grand-vergue, *pl* **grand(s)-vergues** /gʀɑ̃vɛʀg/ *nf* Naut main yard

grand-voile, *pl* **grand(s)-voiles** /gʀɑ̃vwal/ *nf* mainsail

grange /gʀɑ̃ʒ/ *nf* barn

granit(e) /gʀanit/ *nm* granite; **dalle de ~** granite slab

granité, **~e** /gʀanite/
A *adj* **1** (à petits grains) [*surface, cuir, papier*] grained; **2** (à gros grains) [*coton, lin*] slubbed; [*laine*] bouclé
B *nm* **1** Culin granita; **2** Tex (en coton) slubbed cotton; (en lin) slubbed linen; (en laine) bouclé wool

graniteux, **-euse** /gʀanitø, øz/ *adj* Minér granite (*épith*)

granitique /gʀanitik/ *adj* **1** Minér granite (*épith*), granitic; **2** fig [*conviction*] rock-solid

granito /gʀanito/ *nm* Constr terrazzo ₵

granivore /gʀanivɔʀ/
A *adj* granivorous
B *nm* granivorous animal

granulaire /gʀanylɛʀ/ *adj* granular

granulat /gʀanyla/ *nm* Constr ballast ₵

granulation /gʀanylasjɔ̃/ *nf* **1** (texture) granulation; **surface qui présente des ~s** surface that is grainy *ou* granular; **2** Phot graininess; **3** Tech (processus) granulation

granule /gʀanyl/
A *nm* Géol, Ind granule; Pharm granule, pellet
B *nf* Astron granule

granulé, **~e** /gʀanyle/
A *adj* [*surface*] granular
B *nm* granule

granuleux, **-euse** /gʀanylø, øz/ *adj* **1** (en granules) [*roche, neige*] granular; **2** (à petits grains) [*papier*] grained; [*peau, cuir*] grainy

granulome /gʀanylom/ *nm* granuloma

graphe /gRaf/ *nm* graph; **la théorie des ~s** graph theory

graphème /gRafɛm/ *nm* grapheme

graphie /gRafi/ *nf* Ling **1** (écriture) written form; **2** (orthographe) spelling; **~ fautive** misspelling; **~ étymologique** etymological spelling

graphique /gRafik/
A *adj* **1** Art, Math *[forme, représentation, art, œuvre]* graphic; **2** Ordinat *[écran, tablette]* graphic; *[mode, mémoire, logiciel]* graphics *(épith)*; **informatique ~** computer graphics *(pl)*
B *nm* graph; **~ à bandes** *or* **en colonnes** bar chart *ou* graph

graphiquement /gRafikmɑ̃/ *adv* graphically

graphisme /gRafism/ *nm* **1** (d'un artiste, d'une époque) style of drawing; **2** (écriture) handwriting; **3** Art, Pub (design) graphic design; (dessins, images) graphics *(pl)*; (art) graphic arts *(pl)*

graphiste /gRafist/ ▸ **p. 532** *nmf* graphic designer *ou* artist

graphite /gRafit/ *nm* graphite

graphiter /gRafite/ [1] *vtr* to graphitize; **huile/graisse graphitée** graphite oil/grease

graphiteux, -euse /gRafitø, øz/ *adj* graphitic

graphologie /gRafɔlɔʒi/ *nf* graphology

graphologique /gRafɔlɔʒik/ *adj* graphological

graphologue /gRafɔlɔg/ ▸ **p. 532** *nmf* graphologist, handwriting expert

grappe /gRap/ *nf* **1** (de fruits) bunch; (de fleurs) cluster; **~ de raisin/de groseilles** bunch of grapes/of redcurrants; **~s humaines** fig clusters of people; **2** (assemblage) **~ de ballons** bunch of balloons; **~s de saucissons/d'ail** strings of sausages/of garlic
(Idiome) **lâcher la ~ à qn**◐ to get off sb's back°, to let sb alone

grappillage /gRapijaʒ/ *nm* gleaning ¢; **faire du ~** (se renseigner) to glean information; (économiser) to make petty economies

grappiller /gRapije/ [1]
A *vtr* to pick up *[fruits, fleurs]*; to glean *[renseignements]*; **~ quelques sous à droite à gauche** to scrape together some money
B °*vi* (prendre du raisin grain par grain) to pick at the grapes

grappin /gRapɛ̃/ *nm* **1** Naut (petite ancre) grapnel; (crochet d'abordage) grappling irons *(pl)*; **2** Tech (de grue) grab
(Idiome) **mettre le ~ sur qn** to get sb into one's clutches

gras, grasse /gRa, gRas/
A *adj* **1** (contenant de la graisse) *[substance, bouillon]* fatty; *[poisson]* oily; *[fromage]* full fat; **2** (huileux) *[papier, peau, cheveux]* greasy; *[boue]* sticky, slimy; *[charbon, houille]* bituminous[GB]; **3** (dodu) plump; (gros) fat; ▸ **veau**; **4** (vulgaire) *[plaisanterie]* crude, coarse; *[rire]* coarse; **5** (abondant) liter *[salaire]* fat; *[récolte]* bumper *(épith)*; **ce n'est pas ~** it's rather meagre[GB]; **6** (riche) *[prairie]* lush; **7** Imprim *[caractère]* bold; **en (caractères) ~** in bold (type); **8** Méd *[toux]* loose, phlegmy
B *adv* **1** Culin **cuisiner ~** to use a lot of fat in cooking; **manger ~** to eat fatty foods; **2** Relig **faire ~** to eat meat; **3** °(beaucoup) **pas ~** not a lot; **il y en a pas ~ dans l'assiette**° there isn't a lot to eat; **4** Méd **tousser ~** to have a loose *ou* phlegmy cough; **5** (vulgairement) *[rire]* coarsely
C *nm* **1** (de viande) fat; ▸ **discuter**; **2** (corps huileux) grease; **taché de ~** grease-stained; **une tache de ~** a grease stain; **3** (partie charnue) (de bras, mollet) the fleshy part **(de** of**)**; **le ~ du pouce** the cushion of the thumb

gras-double /gRadubl/ *nm* tripe

grassement /gRasmɑ̃/ *adv* **1** (généreusement) *[payer, entretenir]* handsomely; *[noter]* generously; *[nourrir]* lavishly; **2** (richement) *[vivre]* off the fat of the land; **3** (vulgairement) *[rire]* coarsely

grasseyement /gRasɛjmɑ̃/ *nm* gén guttural pronunciation; Phon uvular trill

grasseyer /gRaseje/ [1] *vi* Phon to speak with an uvular R

grassouillet, -ette /gRasujɛ, ɛt/ *adj* chubby, plump

grata /gRata/ *adj* ▸ **persona**

gratifiant, ~e /gRatifjɑ̃, ɑ̃t/ *adj* gratifying; **il est ~ de voir que** it is gratifying to note that; **travail ~** rewarding job

gratification /gRatifikasjɔ̃/ *nf* **1** (satisfaction) gratification; **~ personnelle** personal gratification; **2** Entr (prime) bonus

gratifier /gRatifje/ [2] *vtr* **1** (faire bénéficier) **~ qn de qch** to give sb sth; **il a gratifié le serveur d'un pourboire princier** he gave the waiter a princely tip; **il l'a gratifié d'un bon coup de pied** he gave him a good kick; **sa voisine l'a gratifié d'un beau sourire** the girl next door favoured[GB] him with a lovely smile *ou* bestowed a lovely smile on him; **2** (satisfaire) to gratify; **se sentir gratifié** to feel gratified

gratin /gRatɛ̃/ *nm* **1** (croûte) gratin *(topping of breadcrumbs and cheese)*; **au ~** au gratin; **sole au ~** sole au gratin; **macaroni au ~** macaroni cheese GB, macaroni and cheese US; **2** (plat) gratin *(dish with a topping of breadcrumbs and cheese)*; **~ de pommes de terre** potatoes au gratin; **~ dauphinois** gratin Dauphinois *(sliced potatoes baked with cream)*; **3** °(élite) **le ~** the upper crust

gratiné, ~e /gRatine/
A *adj* **1** Culin au gratin *(après n)*; **2** °(spécial) *[personne, vêtement, style]* weird; *[problème, examen]* mind-bending°
B **gratinée** *nf* Culin onion soup au gratin

gratiner /gRatine/ [1]
A *vtr* to brown *[plat]*
B *vi* **faire ~ un plat** to brown a dish

gratis /gRatis/
A *adj inv* free; **le concert est ~** the concert is free
B *adv* free GB, for free US; **on est entrés ~ au musée** we got into the museum free GB *ou* for free US

gratitude /gRatityd/ *nf* gratitude; **manifester** *or* **exprimer sa ~ à qn** to show one's gratitude to sb; **avoir de la ~ pour qn** to be grateful to sb

gratouiller° /gRatuje/ [1] *vtr* **1** (démanger) to make [sb] itch *[personne]*; **ça me gratouille** it makes me itch; **j'ai la gorge qui me gratouille** I've got an itch in my throat; **2** (gratter) to scratch [sth] lightly *[objet]*; **3** (jouer) to strum *[guitare]*

grattage /gRataʒ/ *nm* **1** (pour modifier) (de papier, carton) scratching; (de mur, métal, bois) scraping; **obtenir un motif par ~** to scrape a pattern; **2** (pour enlever) (sur papier) scratching out; (sur mur, métal, bois) scraping off; (de case sur un coupon) scratching; **effacer un mot par ~** to scratch out a word

gratte° /gRat/ *nf* **1** (petit profit) **faire de la ~** to make a bit on the side; **2** (guitare) guitar

gratte-ciel* /gRatsjɛl/ *nm inv* sky-scraper

gratte-cul°, *pl* **~s** /gRatky/ *nm* rosehip

gratte-dos /gRatdo/ *nm inv* back-scratcher

grattement /gRatmɑ̃/ *nm* scratching ¢

gratte-papier* /gRatpapje/ *nm inv* pen-pusher GB, pencil-pusher US

gratter /gRate/ [1]
A *vtr* **1** (frotter) (légèrement) to scratch; (pour nettoyer) to scrape; (pour enlever) to scrape off *[peinture, boue]*; (pour soulager) to scratch; **peux-tu me ~ le dos?** can you scratch my back?; **ne gratte pas, ça va saigner** don't scratch, it'll bleed; **2** (démanger) *[bouton, cicatrice]* to make [sb] itch *[personne]*; **ce pull en laine me gratte** this woollen[GB] sweater itches *ou* makes me itch; **ça me gratte partout** I'm itching all over; **3** °(gagner) **il a gratté quelques euros sur l'argent des courses** he fiddled a few euros from the shopping money; **il gratte régulièrement un quart d'heure sur son temps de travail** he regularly works a quarter of an hour less than he's supposed to; **4** °(dépasser) to manage to get ahead of; **il a gratté tous ses concurrents** he managed to get ahead of all his fellow competitors
B °**gratter de** *vtr ind* **~ de la guitare** to strum the guitar
C *vi* **1** (faire un bruit) **~ à la porte** to scratch at the door; **on entendait ~ timidement au volet** there was a timid scratching at the shutter; **2** °(écrire) to scribble
D **se gratter** *vpr* *[personne, animal]* to scratch; **se ~ la tête** *[personne]* to scratch one's head
(Idiome) **il peut (toujours) se ~**° he can go and jump in the lake

grattoir /gRatwaR/ *nm* **1** (de cordonnier, menuisier, boulanger) scraper; **2** (pour semelles) shoe-scraper; **3** (de boîte d'allumettes) striking strip

grattons /gRatɔ̃/ *nmpl* pork scratchings

gratuit, ~e /gRatɥi, it/ *adj* **1** (non payant) *[place, échantillon, service]* free; *[logement]* rent-free; **numéro d'appel gratuit** Freefone number GB, toll-free number US; **entrée ~e** admission free GB, free admission; **à titre ~** free of charge; **le concert était ~** the concert was free; **2** (injustifié) *[violence, méchanceté, meurtre]* gratuitous; *[accusation]* spurious; *[exercice]* pointless; *[remarque]* uninvited; **3** (désintéressé) disinterested; **leurs compliments ne sont jamais ~s** their compliments are never entirely disinterested

gratuité /gRatɥite/ *nf* **1** (caractère non payant) **la ~ de l'enseignement** free education; **2** (caractère injustifié) unwarranted nature, gratuitous nature; **3** (caractère désintéressé) disinterested nature

gratuitement /gRatɥitmɑ̃/ *adv* **1** (gratis) free, for free; **2** (sans rétribution) *[travailler, réparer]* for nothing; **3** (sans motif) gratuitously

gravats /gRava/ *nmpl* rubble ¢

grave /gRav/
A *adj* **1** (préoccupant) *[problème, erreur, blessure, maladie, accident]* serious; **l'heure est ~** the situation is serious; **un blessé ~** a seriously injured person; **remets-toi, ce n'est pas bien ~!** cheer up, it doesn't matter!; **2** (digne) *[air, ton, visage]* grave, solemn; **3** (de basse fréquence) *[voix]* deep; *[note, registre]* low; *[son]* low-pitched **4** °(stupide) hopeless, useless
B **graves** *nmpl* (d'amplificateur) **les ~s** the bass *(sg)*; **baisse les ~s et monte les aigus** reduce the bass and increase the treble

graveleux, -euse /gRavlø, øz/ *adj* **1** (obscène) *[plaisanterie, histoire]* smutty; *[propos, conversation]* indecent; **2** (qui contient du gravier) *[terre]* gravelly; **3** (qui contient des corps durs) *[poire]* gritty

gravelot /gRavlo/ *nm* plover; **grand ~** ringed plover

gravement /gRavmɑ̃/ *adv* **1** (avec solennité) *[parler, demander, regarder]* gravely, solemnly; **2** (de façon importante) *[offenser, se tromper, blesser, endommager]* seriously; **il est ~ malade** he's seriously ill

graver /gRave/ [1] *vtr* **1** (sur la pierre, le métal etc) to engrave *[inscription, motif]* **(sur** on**)**; (sur bois) **il a gravé son nom sur l'arbre** he carved his name on the tree; **~ à l'eau-forte** to etch; **être gravé sur le front de qn** fig to be written all over sb's face; **2** fig **l'épisode est gravé à jamais dans leur mémoire** the episode is engraved on their memory forever; **3** Audio (produire) **~ un disque** to make a record **4** Ordinat to burn *[CD]*

graveur, -euse /gRavœR, øz/ ▸ **p. 532** *nm,f* Art, Tech engraver; **~ sur bois/marbre** wood/marble engraver
(Composé) **~ de CD-R** burner, CD-R burner

gravide /gRavid/ *adj* gravid

gravier /gRavje/ *nm* **1** gén, Constr, Gén Civ **du ~** gravel; **ratisser le ~** to rake the gravel; **des ~s** gravel ¢; **2** Géol pebbles *(pl)*

g

gravière /gʀavjɛʀ/ *nf* gravel pit

gravillon /gʀavijɔ̃/ *nm* [1] Constr, Gén Civ (pierres concassées) **du ~** chippings (*pl*); [2] (petits cailloux) grit ¢; **un ~** a bit of grit

gravillonner /gʀavijɔne/ [1] *vtr* to gravel [*route*]

gravillonneuse /gʀavijɔnøz/ *nf* grit spreader

gravimétrie /gʀavimetʀi/ *nf* [1] Phys gravimetry; [2] Chimie gravimetric analysis

gravir /gʀaviʀ/ [3] *vtr* to climb up [*côte, colline*]; (avec peine) to struggle up [*escaliers, étages*]; **~ les échelons de la hiérarchie** to move up through the hierarchy

gravissime /gʀavisim/ *adj* extremely serious

gravitation /gʀavitasjɔ̃/ *nf* gravitation

(Composé) **~ universelle** Phys Newton's law of gravitation

gravitationnel, -elle /gʀavitasjɔnɛl/ *adj* gravitational

gravité /gʀavite/ *nf* [1] (caractère préoccupant) (de problème, situation) seriousness, gravity; (de blessure, maladie) seriousness; **une blessure/un accident sans ~** a minor injury/accident; [2] (caractère solennel) solemnity; [3] Phys gravity; **centre de ~** centre[GB] of gravity

graviter /gʀavite/ [1] *vi* [1] Astron, Phys [*astre*] to orbit (**autour de** around); [2] fig (évoluer) **il gravite dans les cercles de la finance** he moves in financial circles; **il gravite dans l'orbite des grands de ce monde** he mixes with the rich and famous

gravure /gʀavyʀ/ *nf* [1] (procédé) **la ~** engraving; **la ~ sur bois/verre/pierre/cuivre** wood/glass/stone/copperplate engraving; [2] Art (estampe) engraving; **les ~s de Callot** Callot's engravings; [3] (reproduction) print; [4] Édition plate; [5] Audio (de disque) making

(Composés) **~ sur bois** Art (en creux) wood engraving; (en relief) woodcut; **~ en creux** intaglio; **~ sur cuivre** Art copperplate; **~ à l'eau-forte** Art etching; **~ de mode** lit fashion plate; **c'est une vraie** *or* **elle a l'air d'une ~ de mode** fig she looks like she's just stepped out of a fashion magazine

GRC /ʒeɛʀse/ *nf* Can (*abbr* = **Gendarmerie Royale du Canada**) RCMP

gré /gʀe/ *nm* [1] (convenance) **être au ~ de qn** [*qualité, objet*] to be to sb's liking; **si la chambre n'est pas à votre ~** if the room isn't to your liking; **trop fort/violent à mon ~** too strong/violent for my liking; **vous pouvez modifier le décor à votre ~** you can modify the decoration as you wish; **contre le ~ de qn** against sb's will; **nous sommes retenus contre notre ~** we're being held against our will; **de plein ~** willingly; **de mon/ton etc plein ~** of my/your etc own free will; **de bon ~** gladly; **de mauvais ~** reluctantly; **bon ~ mal ~** willy-nilly; **de ~ ou de force** one way or another; **de ~ à ~** [*transaction, vendre*] by mutual agreement; [2] fml (gratitude) **savoir ~ à qn de qch** to be grateful to sb for sth; **je lui sais ~ de ce qu'il a fait** I'm grateful to him for what he's done; [3] (hasard) **j'ai flâné au ~ de mon humeur** I strolled where the mood took me; **au ~ des circonstances** as circumstances dictate

grèbe /gʀɛb/ *nm* grebe

grec, grecque /gʀɛk/

[A] ▸ **p. 561** *adj* [1] [*île, antiquité, mythologie, art, langue*] Greek; [2] [*nez, profil*] Grecian; ▸ **calendes**

[B] ▸ **p. 483** *nm* Ling Greek; **le ~ ancien/moderne** Ancient/Modern Greek

[C] **grecque** *nf* [1] Art Greek key; [2] Culin **à la grecque** à la grecque

Grec, Grecque /gʀɛk/ ▸ **p. 561** *nm,f* Greek

Grèce /gʀɛs/ ▸ **p. 333** *nprf* Greece; **~ antique** Ancient Greece; **en ~** in Greece

gréco-latin, ~e, *mpl* **~s** /gʀekolatɛ̃, in/ *adj* Graeco-Latin

gréco-romain, ~e, *mpl* **~s** /gʀekoʀɔmɛ̃, ɛn/ *adj* Graeco-Roman; **lutte ~e** Graeco-Roman wrestling

grecque ▸ **grec**

gredin, ~e /gʀədɛ̃, in/ *nm,f* [1] hum rascal; [2] †(crapule) knave‡, scoundrel†

gréement /gʀemɑ̃/ *nm* Naut rigging ¢

gréer /gʀee/ [11] *vtr* to rig; **navire gréé en goélette** ship rigged as a schooner

greffage /gʀɛfaʒ/ *nm* grafting ¢

greffe /gʀɛf/

[A] *nm* Jur office of the Clerk of the Court

[B] *nf* [1] Méd (d'organe) transplant; (de peau) graft; **~ du cœur/des poumons** heart/lung transplant; **~ de moelle osseuse** bone-marrow transplant; [2] Agric (opération) grafting ¢; (résultat) graft; **la ~ a bien pris** the graft has taken well

greffé, ~e /gʀefe/ *nm,f* transplant patient

greffer /gʀefe/ [1]

[A] *vtr* [1] Méd to transplant [*organe*]; to graft [*tissu*]; **on lui a greffé un rein** he's had a kidney transplant; [2] Agric to graft [*rosier*]

[B] **se greffer** *vpr* **se ~ sur qch** [*événement, affaire, problème*] to come along on top of sth

greffier, -ière /gʀefje, ɛʀ/ ▸ **p. 532** *nm,f* clerk of the court GB, court clerk US

greffon /gʀɛfɔ̃/ *nm* [1] Agric graft, scion; [2] Méd (organe à greffer) transplant organ; (organe greffé) transplanted organ; (tissu greffé) graft

grégaire /gʀegɛʀ/ *adj* [*animal*] gregarious; **esprit** *or* **instinct ~** herd instinct

grégarisme /gʀegaʀism/ *nm* gregariousness

grège /gʀɛʒ/ ▸ **p. 202** *adj, nm* oatmeal

grégeois /gʀeʒwa/ *adj m inv* **feu ~** Greek fire

grégorien, -ienne /gʀegɔʀjɛ̃, ɛn/ *adj* Gregorian; **calendrier ~** Gregorian calendar; **chant ~** Gregorian chant, plainsong

grêle /gʀɛl/

[A] *adj* [1] (mince) [*silhouette*] skinny; [*jambes, arbre*] spindly; [2] (aigu) [*voix*] reedy; [*son*] thin

[B] *nf* [1] Météo hail ¢; **orage de ~** hailstorm; **il tombe de la ~** it's hailing; [2] (volée) **une ~ de balles/pierres** a hail of bullets/stones; **recevoir une ~ de coups** to be showered with blows

grêlé, ~e /gʀɛle/ *adj* [*visage, peau*] pockmarked

grêler /gʀɛle/ [1] *v impers* to hail; **il grêle** it's hailing; **il a grêlé sur les vignes** the vines were hit by hail

grêlon /gʀɛlɔ̃/ *nm* hailstone

grelot /gʀəlo/ *nm* small (spherical) bell; **coup de ~**○ (appel téléphonique) phone call; **donner un coup de ~ à qn** to give sb a bell○

(Idiome) **avoir les ~s**◑ to have got the willies○, to be scared

grelottement* /gʀəlɔtmɑ̃/ *nm* [1] (frissonnement) shivering; [2] (bruit) ringing

grelotter* /gʀəlɔte/ [1] *vi* [1] (trembler) to shiver (**de** with); **fermez la fenêtre, on grelotte ici**○**!** shut the window, we're freezing in here!; [2] (sonner) to tinkle

greluche◑ /gʀəlyʃ/ *nf* pej woman, bint◑ GB

grenache /gʀənaʃ/ *nm* grenache

grenade /gʀənad/ *nf* [1] Mil (engin) grenade; **lancer une ~** to throw a grenade; **attentat à la ~** grenade attack; [2] Mil (ornement d'uniforme) badge; [3] Bot, Culin pomegranate

(Composés) **~ défensive** fragmentation grenade; **~ fumigène** smoke grenade; **~ à fusil** rifle grenade; **~ lacrymogène** tear gas grenade; **~ à main** hand grenade; **~ à manche** stick hand grenade

Grenade /gʀənad/

[A] ▸ **p. 894** *npr* (ville d'Espagne) Granada

[B] ▸ **p. 333** *nprf* (État) **la ~** Grenada

grenadier /gʀənadje/ *nm* [1] Bot pomegranate tree; [2] Mil grenadier

grenadine /gʀənadin/ *nf* (sirop) **(sirop de) ~** grenadine; **une ~ à l'eau** water with grenadine

Grenadines /gʀənadin/ ▸ **p. 435** *nprfpl* **les ~** the Grenadines

grenaille /gʀənaj/ *nf* Tech (de métal) **~ d'acier** steel filings (*pl*); **~ de plomb** lead shot

grenat /gʀəna/ ▸ **p. 202**

[A] *adj inv* dark red

[B] *nm* [1] Minér garnet; [2] (couleur) dark red

grené, ~e /gʀəne/ *adj* [*dessin*] stippled; [*cuir*] grainy

grenier /gʀənje/ *nm* [1] Constr attic, loft; (grange) loft; **~ à foin** hay loft; **~ à grain** granary; [2] fig (région) **~ (à blé)** breadbasket, granary (**de** of)

Grenoble /gʀənɔbl/ ▸ **p. 894** *npr* Grenoble

grenoblois, ~e /gʀənɔblwa, az/ ▸ **p. 894** *adj* of Grenoble

Grenoblois, ~e /gʀənɔblwa, az/ ▸ **p. 894** *nm,f* (natif) native of Grenoble; (habitant) inhabitant of Grenoble

grenouillage○ /gʀənujaʒ/ *nm* shady manoeuvres (*pl*) GB *ou* maneuvers (*pl*) US

grenouille /gʀənuj/ *nf* frog; **cuisses de ~** frogs' legs; **les ~s coassent** frogs croak

(Composés) **~ de bénitier**○ holy Joe○; **~ rousse** Zool common frog; **~ taureau** Zool bullfrog; **~ verte** Zool edible frog

(Idiome) **manger la ~**○ to abscond with the cash

grenouillère /gʀənujɛʀ/ *nf* Mode stretch suit GB, Babygro® GB, creepers (*pl*) US

grenu, ~e /gʀəny/ *adj* [*papier, tissu, peau*] grained; [*roche*] granular

grès /gʀɛ/ *nm inv* [1] (roche) sandstone; [2] (céramique) stoneware; **un plat de** *or* **en ~** a stoneware dish; [3] (objet) piece of stoneware; **de beaux ~** beautiful stoneware ¢

gréseux, -euse /gʀezø, øz/ *adj* sandstone (*épith*)

grésil /gʀezil/ *nm* hail

grésillement /gʀezijmɑ̃/ *nm* [1] (dans un téléphone, à la radio) crackling ¢ (**dans** on); [2] (de beurre, huile) sizzling ¢ (**dans** in)

grésiller /gʀezije/ [1]

[A] *vi* [1] [*radio, téléphone*] to crackle; **ça grésille dans l'écouteur** the line is crackling; [2] [*beurre, huile*] to sizzle

[B] *v impers* to hail

gressin /gʀesɛ̃/ *nm* breadstick

grève /gʀɛv/ *nf* [1] (cessation du travail) strike; **faire** *or* **être en ~** to be on strike; **se mettre en ~** to go *ou* come out on strike; **lancer un mot d'ordre de** *or* **un appel à la ~** to call a strike; **la ~ des infirmières/des trains continue** the nurses'/rail strike continues; **mouvement de ~** industrial action; **déclencher un mouvement de ~** to take industrial action; **faire ~ par solidarité** to come out in sympathy GB, to strike in sympathy US; [2] (rivage) shore; **sur la ~** on the shore

(Composés) **~ d'avertissement** token strike; **~ de la faim** hunger strike; **entamer une ~ de la faim** to go on hunger strike; **~ générale** general strike; **~ illimitée** indefinite strike; **~ de l'impôt** refusal to pay taxes; **~ perlée** selective strike; **~ sauvage** wildcat strike; **~ de solidarité** sympathy strike; **~ surprise** lightning strike; **~ sur le tas** sit-down strike; **~ tournante** staggered strike; **~ des urnes** refusal to vote; **~ du zèle** work-to-rule; **faire une ~ du zèle** to go on a work-to-rule

grever /gʀəve/ [16] *vtr* to be a burden on [*pays, contribuable, individu*]; to put a strain on [*budget, économie*]; **l'entreprise est grevée de charges** the company has crippling overheads; **la maison est grevée d'hypothèques** the house is mortgaged to the hilt

gréviste /gʀevist/ *nmf* striker; **les mineurs/étudiants ~s** the striking miners/students

(Composé) ~ **de la faim** hunger striker

gribiche /gʀibiʃ/ *adj* **sauce ~** *mayonnaise made of a chopped hard-boiled egg, capers and herbs*

gribouillage○ /gʀibujaʒ/ *nm* **1** (dessin confus) scribble; **faire du ~** *or* **des ~s** to doodle; **2** (écriture confuse) scrawl; **ta signature est un ~** your signature is a scrawl

gribouiller /gʀibuje/ [1]
A *vtr* to scribble [*nom, adresse, notes*] (**sur** on); to scribble in [*album, cahier*]; **~ un plan** to draw a rough map
B *vi* to doodle (**sur** on)

gribouilleur, -euse /gʀibujœʀ, øz/ *nm,f* (peintre) dauber péj; (écrivain) scribbler péj

gribouillis /gʀibuji/ *nm inv* = **gribouillage**

grief /gʀijɛf/ *nm* grievance; **exposer ses ~s** to air one's grievances; **avoir un ~** *or* **des ~s contre qn** to have a grievance against sb; **je ne t'en fais pas ~** I don't hold it against you; **il nous a fait ~ de ne pas avoir agi à temps** he held it against us that we hadn't acted in time

grièvement /gʀijɛvmɑ̃/ *adv* [*blessé*] seriously; [*brûlé*] badly; [*atteint*] severely; **être ~ blessé à la jambe/tête** to sustain serious leg/head injuries; **il a ~ blessé trois personnes** he seriously injured three people

griffe /gʀif/ *nf* **1** Zool claw; **sortir/rentrer ses ~s** lit [*félin*] to show/sheathe its claws; fig [*personne*] to show/sheathe one's claws; **se faire les ~s** *or* **faire ses ~s** lit [*félin*] to sharpen its claws (**sur** on); fig [*personne*] to sharpen one's claws; **coup de ~** scratch; **donner un coup de ~ à qn** to scratch sb; **toutes ~s dehors** lit, fig ready to pounce; **entre les ~s du chat** in the cat's clutches; **tomber entre les ~s de qn** fig to fall into sb's clutches; **sortir des ~s de qn** to escape from sb's clutches; **maladie des ~s du chat** cat-scratch fever; **2** Comm (marque) label; **~ d'un grand couturier** designer label; **3** (signature) signature stamp; **apposer sa ~ sur** to stamp one's signature on; **4** fig (marque distinctive) **on reconnaît la ~ du maître** you can recognize the master's touch; **5** (en bijouterie) claw; **6** Bot (d'asperge) crown; **7** Phot **~ (de flash)** hot shoe

griffé, ~e /gʀife/
A *pp* ▸ **griffer**
B *pp adj* [*vêtements, cravate, stylo, article*] designer (*épith*); **tous mes vêtements sont ~s** I only wear designer clothes

griffer /gʀife/ [1]
A *vtr* **1** (égratigner) [*animal, personne*] to scratch [*personne, bras, jambe*]; **tu m'as griffé le doigt!** you've scratched my finger!; **~ qn au visage/à la joue** to scratch sb on the face/on the cheek; **se faire ~** to get scratched (**par** by); **2** Comm to put one's name to [*foulard, stylo*]
B se griffer *vpr* [*personne*] to scratch oneself; **se ~ au visage** to scratch one's face

griffon /gʀifɔ̃/ *nm* **1** (chien) griffon; **2** (vautour) griffon (vulture); **3** Mythol griffin; **4** (de source thermale) spring

griffonnage /gʀifɔnaʒ/ *nm* (texte mal écrit) scribble; (dessin rapide) quick sketch

griffonner /gʀifɔne/ [1] *vtr* **1** (écrire) to scrawl [*nom, adresse, lettre*]; **~ un plan** to draw a rough map; **2** (dessiner) to sketch [*caricature, portrait*] (**sur** on)

griffu, ~e /gʀify/ *adj* [*doigt, main*] clawed (*épith*)

griffure /gʀifyʀ/ *nf* scratch (**sur** on)

grignotage /gʀiɲɔtaʒ/ *nm* **1** (fait de manger) nibbling **¢**; **2** (diminution) (de libertés, salaire, capital) erosion (**de** of); (de terres, secteur) encroachment (**de** on)

grignotement /gʀiɲɔtmɑ̃/ *nm* gnawing **¢**, nibbling **¢**

grignoter /gʀiɲɔte/ [1]
A *vtr* **1** (manger un peu) [*personne, animal*] to nibble [*sandwich, noisette, biscuit*]; **tu n'as pas quelque chose à ~?** have you got anything to nibble? GB, do you have anything to snack on? US; **2** (empiéter) to encroach on [*terres, secteur*]; to conquer [*part de marché*]; **3** (entamer) to fritter away [*fortune, héritage*]; [*activité*] to encroach on [*temps libre*]; to erode [*droit*]; **4** (gagner) [*coureur, concurrent*] to gain [*secondes, avance, mètres*]; **elle a grignoté trois places au championnat** she crept up three places in the championships
B *vi* **1** Zool [*rongeur*] to gnaw, to nibble; **2** [*personne, animal*] to nibble; **il est toujours en train de ~** he's always nibbling; **elle ne mange pas, elle grignote!** she doesn't eat, she just nibbles!

grigou○ /gʀigu/ *nm* skinflint○ GB, tightwad○ US

gri-gri, *pl* **gris-gris*** /gʀigʀi/ *nm* lucky charm, talisman

gril /gʀil/ *nm* **1** (de cuisinière) grill GB, broiler US; (plaque) grill pan GB, broiler US; **viande cuite au ~** grilled meat; **2** (torture) **subir le supplice du ~** to be roasted alive; **mettre qn/être sur le ~** fig to put sb/to be on tenterhooks

grill /gʀil/ *nm* (restaurant) grillroom

grillade /gʀijad/ *nf* **manger des ~s** to eat grilled meat

(Composé) ~ **de porc** Culin shoulder chop

grillage /gʀijaʒ/ *nm* **1** (treillis) (pour clôture) wire netting; (à gros trous hexagonaux) chicken wire; (à trous fins) wire mesh; **2** (de café, noisettes) roasting; **3** Tech (de minerai) roasting

grillagé, ~e /gʀijaʒe/
A *pp* ▸ **grillager**
B *pp adj* [*enclos*] fenced with wire (*après n*); [*fenêtre, porte*] covered with wire mesh (*après n*)

grillager /gʀijaʒe/ [13] *vtr* to fit a screen to [*soupirail, fenêtre*]; to put chicken wire around [*poulailler*]; to put wire netting around [*jardin, enclos*]

grille /gʀij/ *nf* **1** (clôture) railings (*pl*); (porte) (iron) gate; (de prison) bars (*pl*); (d'évier, égout) drain; (de rape, bouche d'aération, confessionnal) grille; (de four, réfrigérateur) shelf; (de poêle, cheminée) grate; **il y a des ~s en fer forgé à toutes les fenêtres** there are wrought iron bars on all the windows; **2** (de mots croisés, d'horaires) grid; **une ~ de 10 cases** a grid of 10 squares; **3** Radio, TV (de programmes) programme[GB]; **4** (système d'interprétation) model; **5** Admin scale; **~ des salaires** salary scale; **6** Électron grid

(Composés) ~ **d'analyse** analytical grid; **~ de départ** Courses Aut starting grid; **~ de loto** lottery card

grillé, ~e /gʀije/
A *pp* ▸ **griller**
B *pp adj* **1** (cuit) [*viande, poisson, maïs*] grilled; [*tartine, pain*] toasted; [*amandes, marrons*] roasted; **2** (croustillant) [*peau, croûte*] crispy, well-browned (*épith*); **un gratin bien ~** a well-browned gratin; **3** (hors d'usage) [*moteur, résistance*] burned out; **l'ampoule est ~e** the bulb has gone *ou* blown; **4** ○(révélé) [*espion, affaire*] exposed; **je suis ~** my cover is blown

grille-pain* /gʀijpɛ̃/ *nm inv* toaster

griller /gʀije/ [1]
A *vtr* **1** Culin to grill [*viande, poisson, maïs*]; to toast [*pain*]; to roast [*amandes, marrons*]; **2** ○(fumer) to smoke [*cigarette, paquet*]; **3** (mettre hors d'usage) to burn out [*appareil électrique*]; to blow [*ampoule*]; **4** ○(ne pas respecter) to jump○, to go through [*feu rouge*]; to ignore [*stop, priorité*]; to go past [sth] without stopping [*station, gare*]; **5** ○(révéler) to give the game away about [*personne*] (**auprès de qn** to sb); **se faire ~** [*espion, indicateur*] to blow one's cover; **6** ○(dépasser) **~ un adversaire** to manage to get ahead of one's opponent
B *vi* **1** Culin to grill; **faire ~** to grill [*viande, poisson, maïs*]; to toast [*pain*]; to roast [*amandes, marrons*]; **ne rajoute pas de charbon pendant que la viande grille** don't add charcoal while the meat is grilling; **2** (être désireux) **~ de faire** to be itching to do; **~ d'impatience** to be burning with impatience; **3** [*ampoule*] to go; **l'ampoule a grillé** the bulb has gone *ou* blown

grilloir /gʀijwaʀ/ *nm* grill GB, broiler US

grillon /gʀijɔ̃/ *nm* cricket

grimaçant, ~e /gʀimasɑ̃, ɑ̃t/ *adj* grimacing

grimace /gʀimas/ *nf* **1** (expression) (de douleur, dégoût) grimace; (comique) funny face; **faire des ~s** lit to make faces; fig to be fussy; **faire une ~ à qn** to make *ou* pull a face at sb; **des ~s pour amuser les enfants** funny faces to amuse the children; **faire la ~** (devant un prix élevé) to wince; (de réticence) to make *ou* pull a face; **faire une ~ de douleur** to grimace in pain; **les ~s du beau monde parisien** the posturings of Parisian high society; ▸ **singe, soupe**; **2** Cout (faux pli) **la couture fait une ~** the stitching is puckering up the material; **3** Archéol, Archit grotesque

grimacer /gʀimase/ [12]
A *vtr* **~ un sourire** to force a smile
B *vi* **1** gén to grimace; **~ de dégoût/de dépit/de douleur/sous l'effort** to grimace in disgust/in disappointment/with pain/under the strain; **le soleil le faisait ~** he screwed up his eyes in the sun; **2** Cout [*vêtement, encolure*] to pucker up

grimacier, -ière /gʀimasje, ɛʀ/ *adj* **1** (qui fait des grimaces) [*enfant, comique*] who pulls faces a lot (*épith*) (*après n*); **2** (affecté) [*acteur, chanteur*] affected

grimage /gʀimaʒ/ *nm* **1** (action) making-up **¢**; **2** (résultat) make-up

grimer /gʀime/ [1]
A *vtr* to make [sb] up [*personne*] (**en** as); **~ qn en clown** to make sb up as a clown; **être grimé en vieillard** to be made up to look old
B se grimer *vpr* to make oneself up; **se ~ en clown** to make oneself up as a clown

grimoire /gʀimwaʀ/ *nm* **1** (livre de sorcellerie) book of magic; **2** (écrit obscur) arcane text

grimpant, ~e /gʀɛ̃pɑ, ɑ̃t/ *adj* [*plante, rosier*] climbing

grimpe○ /gʀɛ̃p/ *nf* rock climbing

grimpée /gʀɛ̃pe/ *nf* climb

grimper /gʀɛ̃pe/ [1]
A *nm* Sport **~ (à la corde)** rope-climbing **¢**
B *vtr* (gravir) to climb [*escaliers, étages, côte*]; **j'ai dû ~ six étages!** I had to climb six floors!
C *vi* **1** (escalader) **~ aux arbres** to climb up trees; **~ sur** *or* **dans un arbre** to climb a tree; **~ jusqu'à la cime de l'arbre** to climb up to the top of the tree; **~ à la corde** to climb the rope; **~ sur le mur/la scène/les genoux de qn** to climb up onto the wall/the stage/sb's knees; **grimpe sur mon dos** get on my back; **grimpe dans ton lit** get into bed; **allez! grimpe** (dans une voiture) come on! get in; **2** ○(suivre une pente raide) [*route, sentier*] to be a steep climb; **qu'est-ce que ça grimpe!** it's a steep climb!; **le chemin grimpe à travers les sapins** the path climbs up through the fir trees; **3** ○(augmenter) [*température, prix*] to climb; **~ de 13°C/30%** to climb by 13°C/30%; **la nouvelle a fait ~ les cours de l'or** the news pushed up the price of gold; **4** ○(progresser) to move up; **~ de sept places/de deux points/en première division** to go up seven places/two points/into the first division; **5** ○Sport (faire de l'escalade) to go climbing

grimpereau, *pl* **~x** /gʀɛ̃pʀo/ *nm* creeper

(Composés) ~ **des bois** tree creeper; **~ des jardins** short-toed tree creeper

grimpette○ /gʀɛ̃pɛt/ *nf* **1** (ascension raide) climb; **deux heures de ~** a two-hour climb; **2** (varappe) rock-climbing

grimpeur, -euse /gʀɛ̃pœʀ, øz/ *nm,f* (varappeur) rock-climber; (cycliste) climber

grinçant, ~e /gʀɛ̃sɑ̃, ɑ̃t/ *adj* **1** (bruyant) [*porte, serrure*] creaking; [*son, musique*] grating; **2** (acerbe) [*ton, humour, propos*] scathing; [*plaisanterie, personne*] caustic; [*rire*] nasty

g

grincement /gʀɛ̃smɑ̃/ *nm* 1 (type de bruit) (de porte, plancher, charnière) creaking ₵; (de craie) squeaking ₵; (de violon) screeching ₵; 2 (bruit) (de porte) creak; (de craie) squeak; (de violon) screech; **tes ~s de dents m'ont réveillée** the sound of you grinding your teeth woke me up; **provoquer des ~s de dents** fig to cause much gnashing of teeth

grincer /gʀɛ̃se/ [12] *vi* [*porte, charnière, branche*] to creak; [*violon*] to screech; [*craie*] to squeak; **~ des dents** lit to grind one's teeth; fig to gnash one's teeth; **faire ~ les dents à qn** [*craie, bruit*] to set sb's teeth on edge; [*décision, action*] to cause much gnashing of teeth

grincheux, **-euse** /gʀɛ̃ʃø, øz/
A *adj* grumpy GB, grouchy
B *nm,f* (old) misery GB, grouch

gringalet /gʀɛ̃galɛ/
A *adj m* [*garçon, homme*] puny
B *nm* runt

gringue○ /gʀɛ̃g/ *nm* **faire du ~ à qn** to chat sb up○ GB, to come on to sb○

griot /gʀijo/ *nm: travelling*[GB] *black African poet and musician*

griotte /gʀijɔt/ *nf* Bot, Culin morello cherry; **~s au chocolat** (morello) cherry liqueur chocolates

grippage /gʀipaʒ/ *nm* 1 (de mécanisme) seizing (up); 2 fig **provoquer un ~ de l'économie** to bring the economy to a halt

grippal, **~e**, *mpl* **-aux** /gʀipal, o/ *adj* **affection ~e**, **état ~** flu

grippe /gʀip/ ▸ p. 283 *nf* flu ₵, influenza ₵ spéc; **avoir la ~** to have flu GB, to have the flu; **vaccin contre la ~** flu vaccine

(Composés) **~ asiatique** Méd Asian flu; **~ aviaire** Méd avian flu, bird flu; **~ espagnole** Méd Spanish flu; **~ intestinale** Méd gastric flu GB, intestinal flu US

(Idiome) **prendre qn/qch en ~**○ to take a sudden dislike to sb/sth

grippé, **~e** /gʀipe/ *adj* Méd **être ~** to have flu GB, to have the flu

gripper /gʀipe/ [1]
A *vtr* Tech [*manque d'huile, rouille*] to make [sth] seize up [*piston, moteur*]
B *vi* lit [*moteur, engrenages*] to seize up; fig [*négociations, processus*] to grind to a halt; **le moteur est grippé** the engine has seized up
C se gripper *vpr* 1 lit [*moteur, mécanisme*] to seize up; 2 fig [*négociations, processus*] to grind to a halt

grippe-sou○, *pl* **~s** /gʀipsu/ *nm* skinflint○ GB, tightwad US

gris, **~e** /gʀi, iz/ ▸ p. 202
A *adj* 1 (couleur) grey GB, gray US; **~ bleu** blue-grey GB, blue-gray US; **~ métallisé** metallic grey GB *ou* gray US; 2 (morne) [*temps*] grey GB, gray US; [*banlieue, rue*] dreary; [*existence*] dull; [*pensées*] gloomy; **tout est ~ dans ma vie** I lead a dull life; **il fait ~**, **le temps est ~** it's a grey GB *ou* gray US day; 3 (ivre) tipsy
B *nm inv* 1 (couleur) grey GB, gray US; **s'habiller en ~** to wear grey GB *ou* gray US; 2 (tabac gris) cheap tobacco

(Composés) **~ acier** steel grey GB *ou* gray US; **~ anthracite** charcoal grey GB *ou* gray US; **~ ardoise** slate grey GB *ou* gray US; **~ perle** pearl grey GB *ou* gray US; **~ souris** mid-grey GB, mid-gray US; **~ tourterelle** dove grey GB *ou* gray US

(Idiomes) **faire ~e mine** to be none too pleased; **la nuit tous les chats sont ~** Prov all cats are grey GB *ou* gray US in the dark

grisaille /gʀizaj/ *nf* 1 (ennui) dullness; **sortir de la ~ quotidienne** to escape the daily grind; 2 (temps gris) greyness GB, grayness US; **dans la ~ de l'hiver** in the greyness GB *ou* grayness US of winter; 3 (couleur grisâtre) dinginess; 4 Art grisaille; **revers peint en ~** reverse painted in grisaille

grisant, **~e** /gʀizɑ̃, ɑ̃t/ *adj* 1 (exaltant) [*vitesse, vent, valse, plaisir*] exhilarating; [*succès, pouvoir, danger*] intoxicating; 2 (enivrant) [*parfum, odeur*] heady

grisâtre /gʀizɑtʀ/ ▸ p. 202 *adj* [*couleur, ciel*] greyish GB, grayish US; [*drap, linge*] dingy; [*matin, existence*] dull

grisbi◑ /gʀizbi/ *nm* dough○, money

grisé /gʀize/ ▸ p. 202 *nm* grey GB *ou* gray US tint; **en ~** greyed out

griser /gʀize/ [1]
A *vtr* 1 (exalter) [*vent, vitesse, valse, plaisir, aventure*] to exhilarate; [*succès, pouvoir, danger*] to intoxicate; **être grisé par la vitesse** to be exhilarated by speed; **se laisser ~ par le pouvoir** to let power go to one's head; 2 (enivrer) [*odeur, parfum*] to intoxicate; **être grisé par un parfum** to be intoxicated by a scent; **le vin m'a grisé** the wine has gone to my head
B se griser *vpr* **se ~ de** to get drunk on [*succès, pouvoir*]

griserie /gʀizʀi/ *nf* (exaltation) exhilaration; **la ~ du succès** the exhilaration of success

grisonnant, **~e** /gʀizɔnɑ̃, ɑ̃t/ *adj* [*cheveux, moustache*] greying GB, graying US; **il a les tempes ~es** he's greying GB *ou* graying US at the temples

grisonnement /gʀizɔnmɑ̃/ *nm* greying GB, graying US

grisonner /gʀizɔne/ [1] *vi* [*personne, chevelure, barbe*] to go grey GB, to gray US

Grisons /gʀizɔ̃/ ▸ p. 721 *nprmpl* Géog **le canton des ~**, **les ~** the canton of Graubünden; **viande des ~** dried beef (*served in thin slices*)

grisou /gʀizu/ *nm* firedamp; **coup de ~** firedamp explosion

grisoumètre /gʀizumɛtʀ/ *nm* firedamp detector

grive /gʀiv/ *nf* thrush

(Composés) **~ draine** mistle thrush; **~ musicienne** song thrush

(Idiome) **faute de ~s on mange des merles** Prov half a loaf is better than no bread Prov

grivèlerie /gʀivɛlʀi/ *nf: nonpayment of a restaurant bill*

grivois, **~e** /gʀivwa, az/ *adj* [*chanson*] bawdy; [*allusion, plaisanterie*] coarse; **être d'humeur ~e** to be in a saucy mood

grivoiserie /gʀivwazʀi/ *nf* (caractère grivois) suggestiveness; (propos grivois) suggestive remark

grizzli, **grizzly** /gʀizli/ *nm* grizzly bear

groenendael /gʀɔɛnɛndal/ *nm* Belgian sheepdog, Groenendael

Groenland /gʀɔɛnlɑ̃d/ *nprm* Greenland

groenlandais, **~e** /gʀɔɛnlɑ̃dɛ, ɛz/ *adj* Greenland (*épith*)

Groenlandais, **~e** /gʀɔɛnlɑ̃dɛ, ɛz/ *nm,f* Greenlander

grog /gʀɔg/ *nm* ≈ hot toddy

groggy /gʀɔgi/ *adj* 1 Sport (en boxe) groggy; 2 ○(drogué, fatigué) groggy; 3 ○(abasourdi) dazed

grognard /gʀɔɲaʀ/ *nm: soldier of the Old Guard of Napoleon I*

grognasse◑ /gʀɔɲas/ *nf* offensive cow◑ injur, old bag○ injur

grogne○ /gʀɔɲ/ *nf* discontent; **la ~ monte chez les commerçants** discontent is on the increase among retailers; **c'est la ~ chez les mineurs** the miners are discontented

grognement /gʀɔɲəmɑ̃/ *nm* 1 (son) (de personne) grunt; (de chien, lion) growl; **émettre un ~ de colère/mécontentement** to growl with anger/displeasure; **pousser des ~s de satisfaction/plaisir** to grunt with satisfaction/pleasure; 2 Zool (cri du cochon) grunt; (cri de l'ours) growl

grogner /gʀɔɲe/ [1]
A *vtr* to mutter [*insultes, reproches*]
B *vi* 1 (émettre un son, protester) [*personne*] lit, fig to grumble; **~ de douleur** to groan with pain; **~ de satisfaction/plaisir** to grunt with satisfaction/pleasure; 2 Zool [*cochon*] to grunt; [*ours, chien, lion*] to growl

grognon /gʀɔɲɔ̃, ɔn/
A *adj* [*adolescent, adulte*] grumpy GB, grouchy US; [*bébé*] fretful, fractious
B *nm* moaner GB, grouch US

groin /gʀwɛ̃/ *nm* snout

grolle*◑ /gʀɔl/ *nf* shoe

grommeler /gʀɔmle/ [19]
A *vtr* to mutter [*insultes, reproches*]; to murmur [*compliment*]
B *vi* 1 [*personne*] to grumble; **il a grommelé pendant tout le repas** he grumbled throughout the whole meal; **~ après** *or* **contre qch/qn** to grumble about sth/sb; 2 Zool [*sanglier*] to snort

grommellement* /gʀɔmɛlmɑ̃/ *nm* (de personne) groan; (de sanglier) snort

grondement /gʀɔ̃dmɑ̃/ *nm* (d'avalanche, de tonnerre, canon) rumble; (de torrent, vagues, machine) roar; (de chien, d'ours) growl; (de foule, d'émeutiers) angry murmur; **les ~s du moteur** the roar of the engine

gronder /gʀɔ̃de/ [1]
A *vtr* (réprimander) to tell [sb] off [*élève, enfant*]; **ses parents l'ont grondé** his parents told him off; **se faire ~ par qn** to get told off by sb
B *vi* 1 (grogner) [*chien, ours, félin*] to growl (**contre, après** at); 2 (tonner) [*tonnerre, avalanche, canons, volcan, fleuve*] to rumble; [*machine, vent*] to roar; 3 (être menaçant) [*colère, mécontentement, révolte*] to be brewing (**au sein de, chez** among)

grondin /gʀɔ̃dɛ̃/ *nm* gurnard

groom /gʀum/ *nm* 1 (valet) bellboy GB, bellhop US; 2 Tech door closer *ou* check

gros, **grosse** /gʀo, gʀos/
A *adj* (*before n*) 1 (volumineux) gén big, large; [*tête, cœur*] lit large; [*cigare*] big, fat
2 (épais) [*lèvres, genoux, chevilles*] thick; [*couverture, pull, rideau*] thick
3 (gras) [*homme, femme, enfant*] fat; [*bébé*] big; [*ventre*] fat, big; **un ~ bonhomme** a fat lump
4 (important) [*entreprise, exploitation*] big, large; [*commerçant, producteur, industriel, actionnaire, client*] big; [*contrat, investissement, marché*] big; [*dégâts*] considerable; [*dépense, héritage, somme*] big; [*récolte, cueillette*] big; **un de nos plus ~ clients/actionnaires** one of our major customers/shareholders
5 (grave) [*problème, erreur*] serious, big; [*difficulté, déception, défaut*] big, major
6 (fort) [*mensonge, surprise*] big; [*rhume*] bad; [*sanglots*] loud; [*soupir, voix*] deep; [*câlin, larmes, appétit*] big; [*pluie, chute de neige*] heavy; [*orage*] big; [*temps, mer*] rough; [*buveur, fumeur*] heavy; [*mangeur*] big; **par ~ temps** in rough weather; **avoir une grosse fièvre** to have a very high temperature; **avoir une grosse faim** to be very hungry; **d'une grosse voix** in a very serious voice; **pendant les grosses chaleurs** when the weather is at its hottest; **~ malin!** you silly fool○!; **un ~ fainéant/porc** a real lazybones/dirty pig
7 (rude) [*traits*] coarse, heavy; [*rire*] coarse; [*drap, laine*] coarse
B *nm,f* fat man/woman; **un petit ~** a small fat man; **une bonne grosse** a plump old dear; **mon ~** my old thing; **les petits payent pour les ~** fig the rich live off the backs of the poor
C *adv* 1 (en gros caractères) [*écrire*] big *ou* in big letters; **essaie d'écrire moins/plus ~** try to write smaller/bigger
2 (beaucoup) [*miser, risquer, gagner, perdre*] lit a lot of money; fig a lot; **jouer ~** lit, fig to play for high stakes; **il y a ~ à parier que...** it's a good bet that...
D *nm* 1 (plupart) **le ~ de** the majority *ou* bulk of [*spectateurs, lecteurs, passagers*]; the main body of [*manifestants, troupes, armée, expédition*]; the bulk of [*travail*]; the main part of [*effort, dépenses, revenus*]; most of [*été, hiver, saison*]; most of [*déficit*]; **le ~ de la troupe a suivi** the main body of the group followed

2 Comm wholesale trade; **de ~** [*magasin, commerce, prix*] wholesale
3 Pêche game fish; **la pêche au ~** game fishing

E en gros *loc* 1 (dans les grandes lignes) [*expliquer, raconter*] roughly; **en ~, voilà ce qui s'est passé** that's roughly what happened; **il s'agit, en ~, de savoir si...** what's roughly involved is finding out if...; **en ~ je suis d'accord avec toi** basically, I agree with you
2 Comm [*acheter, vendre*] wholesale, in bulk; [*achat, vente*] wholesale (*épith*), bulk (*épith*)
3 (en gros caractères) [*écrit, imprimé*] in big letters

F grosse *nf* 1 (copie d'acte) engrossment
2 (douze douzaines) gross

(Composés) **~ bétail** Agric large livestock; **~ bonnet**○ big wig○ GB, big shot○; **~ bras**○ strong man; **~ coup**○ a big deal; **réussir un ~ coup** to pull off a big deal; **~ cube**○ Aut, Transp big bike○ *ou* motorbike, big hog○ US; **~ cul**○ big truck; **~ gibier** Chasse big game; fig big time criminals (*pl*); **~ lard**○ fat slob○; **~ linge** heavy washing; **~ lot** Jeux first prize, jackpot; **gagner** *or* **décrocher le ~ lot** lit, fig to hit the jackpot; **~ morceau**○ (travail) big job; **s'attaquer à un ~ morceau** to tackle a big job; **~ mot** swearword; **dire des ~ mots** to use bad language, to swear; **~ œuvre** Constr shell (of a building); **nous avons fini le ~ œuvre** we've finished the shell (of the building); **~ plan** Cin close-up; **en ~ plan** in close-up; **faire un ~ plan sur** to do a close-up of; **~ plein de soupe**○ fatso○; **~ rouge**○ red plonk○ GB, cheap red wine; **~ sel** Culin coarse salt; **~ titre** Presse headline; **être en ~ titres dans les journaux** to hit the (newspaper) headlines; **grosse caisse** Mus bass drum; **grosse légume**○ = **~ bonnet**; **grosse tête**○ brain box○ GB, brain○

(Idiomes) **faire une grosse tête à qn**◑ to give sb a thick ear○ GB, to beat sb upside the head○ US; **avoir le cœur ~** to have a heavy heart; **en avoir ~ sur le cœur** *or* **la patate**○ to be very upset; **~ comme le poing** as big as my fist; **~ comme une tête d'épingle** no bigger than a pinhead; **c'est un peu ~ comme histoire!** that's a bit of a tall story!; **il dit des bêtises grosses comme lui** he says ridiculous foolish things

groseille /gʀozej/ ▸ p. 202
A *adj inv* red
B *nf* redcurrant

(Composés) **~ blanche** white currant; **~ à maquereau** gooseberry; **~ rouge** redcurrant

groseillier /gʀozeje/ *nm* redcurrant bush
(Composé) **~ à maquereau** gooseberry bush

gros-grain, *pl* **~s** /gʀogʀɛ̃/ *nm* grosgrain

Gros-Jean /gʀoʒɑ̃/ *nm* **être ~ comme devant** to be left feeling a real mug○

gros-porteur, *pl* **~s** /gʀopɔʀtœʀ/ *nm* Aviat jumbo aircraft

grosse ▸ **gros A, B, F**

grossesse /gʀosɛs/ *nf* pregnancy; **pendant la ~** during pregnancy; **au neuvième mois de sa ~** in the ninth month of her pregnancy; **~ à risques** risk pregnancy; **robe de ~** maternity dress

(Composés) **~ nerveuse** (chez une femme) phantom pregnancy GB, false pregnancy US; (chez un homme) sympathetic pregnancy; **~ extra-utérine** ectopic pregnancy

grosseur /gʀosœʀ/ *nf* 1 (volume) size; **des grêlons/un kyste de la ~ d'une orange** hailstones/a cyst the size of an orange; 2 (épaisseur) (d'aiguille) size; (de fil) thickness; 3 (bosse, kyste) lump; **avoir une ~ au sein** to have a lump in one's breast

grossier, -ière /gʀosje, ɛʀ/ *adj* 1 (impoli) [*personne, geste, plaisanterie*] rude; [*langage*] bad; **un ~ personnage** an uncouth individual; 2 (sans finesse) [*esprit, être, rire, traits, visage*] coarse; [*plaisirs*] low; [*formes*] crude; 3 (médiocre) [*copie, imitation*] crude; [*étoffe, chevelure*] coarse; [*mobilier*] basic; [*vêtements*] crudely fashioned; **nourriture grossière** coarse fare ₵; 4 (rudimentaire) [*nettoyage*] cursory; [*ébauche, idée, estimation*] rough; [*travail*] crude; 5 (flagrant) [*ignorance*] crass; [*erreur*] glaring; [*procédé, manœuvre, provocation*] crude

grossièrement /gʀosjɛʀmɑ̃/ *adv* 1 (de façon sommaire) [*évaluer, calculer*] roughly; 2 (sans soin particulier) [*réparer, construire*] crudely; **elle a ~ recollé les morceaux** she stuck the pieces crudely back together; **une pierre ~ taillée** a rough-hewn stone; 3 (avec impolitesse) [*parler, répondre*] rudely; 4 (lourdement) **se tromper ~** to be utterly mistaken

grossièreté /gʀosjɛʀte/ *nf* 1 (inconvenance) rudeness; **ils sont d'une ~!** they're so rude!; 2 (mot grossier) rude word GB, dirty word US; **dire des ~s** to use bad language GB, to talk dirty US; 3 (manque de finesse) (de jugement, d'interprétation) crudeness; (de personne, visage, traits) coarseness; 4 (caractère rudimentaire) coarseness; **travail/finition d'une grande ~** very crude work/finish

grossir /gʀosiʀ/ [3]
A *vtr* 1 (agrandir) [*lunettes, verre, microscope*] to enlarge [*image*]; 2 (faire augmenter) to increase [*effectifs*]; to boost [*nombre, liste*]; to increase, to boost [*profits*]; to add to [*troupeau*]; **~ les rangs** *or* **la foule** to swell the ranks; **dix personnes sont venues ~ la liste des adhérents** ten people came and boosted the membership list; **pour ~ nos effectifs de 50 personnes** to increase our workforce by fifty people; 3 (exagérer) to exaggerate [*incident, affaire*]; 4 (faire paraître plus gros) [*vêtement, motif*] to make [sb] look fat; 5 (rondre plus large) [*pluie, neige*] to swell [*fleuve, torrent*]
B *vi* 1 (prendre du poids) [*personne, animal*] to put on weight; **il a beaucoup grossi** he's put on a lot of weight; **~ de cinq kilos** to put on five kilos; **elle n'en mange pas, ça fait ~** she doesn't eat that, it's fattening; 2 (devenir plus grand) [*soleil, vague*] to grow; [*bosse, tumeur*] to grow; [*fleuve, torrent*] to swell; [*entreprise, groupe, cagnotte*] to grow; 3 (augmenter) [*troupeau, chiffre, effectifs*] to grow; 4 (s'intensifier) [*tempête, orage*] to get worse; [*rumeur, crise*] to grow

grossissant, ~e /gʀosisɑ̃, ɑ̃t/ *adj* 1 (en optique) [*verre*] magnifying; 2 (qui augmente) [*flot, foule*] swelling

grossissement /gʀosismɑ̃/ *nm* 1 (fait de grossir) enlargement; **un ~ anormal du foie** an abnormally enlarged liver; 2 (exagération) exaggeration; **le ~ des faits par la presse** distortion of the facts in the press; 3 (en optique) magnification

grossiste /gʀosist/ *nmf* wholesaler; **~ en matériel électrique** electrical appliances wholesaler

grosso modo /gʀosomodo/ *adv* [*représenter, coïncider, aller, être*] roughly; **~, je suis satisfaite** broadly speaking I am satisfied

grotesque /gʀɔtɛsk/
A *adj* 1 (risible) [*personne, accoutrement, coiffure*] ridiculous; [*idée, histoire*] ridiculous, grotesque; [*histoire, remarque, commentaires*] preposterous; **tout ceci est ~!** all this is preposterous!; 2 Art, Littérat grotesque; **style ~** grotesque style
B *nm* 1 (caractère risible) (d'accoutrement) ridiculous aspect; (de personne) ludicrous aspect; (d'histoire) silly nature; **être d'un ~ absolu** [*histoire, situation*] to be utterly ridiculous; [*personne*] to be absolutely ludicrous; 2 Art, Littérat **le ~** the grotesque
C grotesques *nfpl* Art (motifs) grotesques

grotte /gʀɔt/ *nf* 1 Géog cave; 2 Archit grotto

grouillant, ~e /gʀujɑ̃, ɑ̃t/ *adj* [*lieu*] swarming (**de** with); **foule ~e** swarming crowd

grouillement /gʀujmɑ̃/ *nm* (d'insectes, de vers) swarming ₵; **le ~ de la foule m'étourdissait** the swarming crowds made my head spin

grouiller /gʀuje/ [1]
A *vi* [*vers, insectes*] to swarm about; [*gens*] to mill about; **~ de** to be swarming with; **la plage grouille de monde** the beach is swarming with people; **le fromage grouille d'asticots** the cheese is crawling with maggots
B ○**se grouiller** *vpr* to get a move on○; **grouille-toi!** get a move on○!

grouillot /gʀujo/ *nm* runner

groupage /gʀupaʒ/ *nm* 1 Transp bulking; **~ de marchandises** bulking of merchandise; **envoi en ~** collective shipment; 2 Méd blood grouping

groupe /gʀup/ *nm* 1 (ensemble de personnes) group (**de** of); **un ~ de touristes/d'écoliers** a group *ou* party of tourists/of schoolchildren; **un ~ de musiciens** a group *ou* band of musicians; **travailler/voyager en ~** to work/travel in a group; **par ~s de deux** in pairs, in twos; **former un ~ autour de qn** [*badauds*] to form a group *ou* to cluster around sb; [*disciples*] to form a group around sb; 2 (ensemble d'objets) group; (plus petit) cluster (**de** of); **un ~ d'arbres** a cluster *ou* clump of trees; 3 Écon, Fin, Ind, Presse group; **~ financier** financial group

(Composés) **~ abélien** Math Abelian group; **~ d'autodéfense** vigilance committee; **~ de chasse** hunting party, hunt; **~ de choc** Mil fighter group; **~ de combat** combat unit; **~ de discussion** Ordinat newsgroup; **~ électrogène** (electricity) generator; **~ ethnique** ethnic group; **~ de mots** word group; **~ de niveau** Scol attainment-level group; **~ parlementaire** parliamentary group; **~ politique** political group; **~ de presse** newspaper group; **~ de pression** pressure group; **~ de recherches** research group; **~ de réflexion** discussion group; **~ à risque** at-risk group; **~ sanguin** blood group; **~ scolaire** school; **~ des Huit, G8** group of Eight, G8 countries (*pl*); **~ social** Sociol social group; **~ témoin** Sci control group; **~ de travail** working party

groupement /gʀupmɑ̃/ *nm* 1 (association) association, group; **un ~ de consommateurs** a consumers' group; **un ~ politique** a political grouping; 2 (classification) grouping; **le ~ d'animaux par famille** the grouping of animals by family

(Composés) **~ d'achat** ≈ buyers' cooperative; **~ agricole d'exploitation en commun** ≈ farming cooperative; **~ forestier** forest community; **~ de gendarmerie** ≈ police unit; **~ d'intérêt économique, GIE** association for developing commercial interests

grouper /gʀupe/ [1]
A *vtr* to put [sth] together [*factures, chèques*]; **~ ses achats** (dans un même magasin) to make all one's purchases in the same store; (à plusieurs acheteurs) to make a group purchase; **sauter en groupant les genoux** to jump with one's knees held against one's chest
B se grouper *vpr* 1 (physiquement) [*personnes*] to gather (**autour de** around); **groupez-vous par classes** get into your class groups; **se ~ par trois** to form groups of three; 2 (s'organiser) to form a group (**autour de** around); **groupez-vous sur les marches/dans le salon pour la photo** form a group on the stairs/in the lounge for the picture; **restez groupés** keep together, stay in a group; **en cas de fusillade, ne restez pas groupés** if there's any firing, scatter; **courir/avancer groupés** to run/march in a group

groupie /gʀupi/ *nf* groupie

groupuscule /gʀupyskyl/ *nm* (very) small group

grouse /gʀuz/ *nf* grouse

GRS /ʒeeʀɛs/ *nf*: *abbr* ▸ **gymnastique**

gruau, *pl* **~x** /gʀyo/ *nm* 1 Culin (bouillie) gruel; 2 (fleur de froment) fine wheat flour; 3 (avoine décortiquée) groats (*pl*); (céréale décortiquée) grits (*pl*)

grue /gʀy/ *nf* 1 Tech crane; **manœuvrer une ~** to operate a crane; **~ hydraulique/flottante** hydraulic/floating crane; 2 Zool crane; 3 °(prostituée) slut° péj, prostitute

(Composés) **~ cendrée** Zool common crane; **~ couronnée** Zool crowned crane

(Idiome) **faire le pied de ~**° to hang around

gruger /gʀyʒe/ [13] *vtr* to dupe [*personne, associé*]; **se faire** *or* **se laisser ~** to be duped

grume /gʀym/ *nf* 1 Ind (unbarked) log; **bois en ~** (unbarked) log; 2 Vin (grain de raisin) grape

grumeau, *pl* **~x** /gʀymo/ *nm* lump; **la pâte est pleine de ~x** the batter is all lumpy; **faire des ~x** [*personne*] to make lumps; [*sauce, mélange*] to go lumpy

grumeleux, **-euse** /gʀymlø, øz/ *adj* Culin [*sauce, mélange, pâte*] lumpy

grunge /gʀœnʒ/ *adj, nm* grunge

grutier, **-ière** /gʀytje, ɛʀ/ ▸ **p. 532** *nm,f* crane operator, crane driver

gruyère /gʀyjɛʀ/ *nm* Gruyère, Swiss cheese

GSM /ʒeɛsɛm/ *nm* (*abbr* = **groupes sytèmes mobiles**) GSM

guacamole /gwakamɔl/ *nm* guacamole

Guadeloupe /gwadlup/ ▸ **p. 721, p. 435** *nprf* **la ~** Guadeloupe

guadeloupéen, **-éenne** /gwadlupeɛ̃, ɛn/ *adj* Guadeloupian

Guadeloupéen, **-éenne** /gwadlupeɛ̃, ɛn/ *nm,f* (natif) native of Guadeloupe; (habitant) inhabitant of Guadeloupe

guano /gwano/ *nm* guano

Guatémala /gwatemala/ ▸ **p. 333** *nprm* Guatemala

guatémaltèque /gwatemaltɛk/ ▸ **p. 561** *adj* Guatemalan

Guatémaltèque /gwatemaltɛk/ ▸ **p. 561** *nmf* Guatemalan

gué /ge/ *nm* ford; **franchir un ~** to cross a ford; **passer un ruisseau à ~** to ford a stream

(Idiome) **on ne change pas de chevaux au milieu du ~** Prov you can't swap horses in midstream

guéable /geabl/ *adj* [*rivière*] fordable

guède /gɛd/ *nf* woad

guéguerre° /gegɛʀ/ *nf* gén squabble **C**; **c'est la ~ au bureau** at the office there's a lot of squabbling; **la ~ entre les partis continue** the parties are still squabbling

guelfe /gɛlf/
A *adj* Guelphic
B *nmf* Guelph

guelte /gɛlt/ *nf* commission, percentage on sales; **être payé à la ~** to be paid on commission

guenille /gənij/ *nf* rag; **en ~s** in rags

guenon /gənɔ̃/ *nf* 1 Zool female monkey; 2 °(femme) ugly woman

guépard /gepaʀ/ *nm* cheetah

guêpe /gɛp/ *nf* wasp

(Idiome) **pas folle la ~**°! I'm/you're etc not just a pretty face°!

guêpier /gepje/ *nm* 1 (nid de guêpes) wasps' nest; 2 (situation difficile) tight corner; **se fourrer**° **dans/se sortir d'un ~** to get oneself into/out of a tight corner; **dans quel ~ es-tu allé te fourrer°?** what kind of mess have you got GB *ou* gotten US yourself into?; 3 (oiseau) bee-eater

guêpière /gepjɛʀ/ *nf* basque, bodyshaper with suspenders GB *ou* garters US

guère /gɛʀ/ *adv* 1 (modifiant un adjectif) **les résultats n'étaient ~ probants/différents/meilleurs le mois suivant** the results were hardly convincing/any different/any better the following month; **les étudiants ne sont ~ optimistes/préparés** the students aren't very optimistic/really prepared; 2 (modifiant un adverbe) **et le mois suivant ça n'a ~ été mieux** and the following month it was hardly any better; **l'appareil ne coûte ~ plus de 1 000 euros** the appliance doesn't cost much more than 1,000 euros; **il ne faut ~ plus de dix minutes pour faire** it won't take much more than ten minutes to do; 3 (modifiant un verbe) **il n'a ~ mangé** he hardly ate, he ate hardly anything; **ne ~ manifester d'enthousiasme** to show hardly any enthusiasm; **la situation n'a ~ évolué** the situation has hardly changed; **on ne remarque ~ la différence** you can hardly tell the difference; **je n'ai ~ eu de mal à les convaincre** I didn't have much trouble convincing them, I hardly had any trouble convincing them; **je n'ai ~ les moyens de faire** I can barely *ou* hardly afford to do; **aujourd'hui la question n'a ~ d'importance** today the question hardly matters *ou* is hardly important; **il n'apprécie ~ ta décontraction** he doesn't much care for your casual attitude; **on ne voit ~ comment elle pourra s'en sortir** it is hard to see how she'll be able to manage; **il n'avait ~ le choix** he didn't really have a choice, he had little choice; **je n'ai ~ l'habitude de faire** I'm not really in the habit of doing; **ils ne se font ~ d'illusion sur leur avenir** they don't hold out much hope for their future; **elle n'a ~ de chances de retrouver du travail** she has little chance of finding another job; **hors contexte les chiffres n'ont ~ de sens** out of context the figures are practically meaningless; **il ne fait ~ de doute que** there is little doubt that

guéret /geʀɛ/ *nm* (jachère) fallow land ₵

guéridon /geʀidɔ̃/ *nm* pedestal table

guérilla /geʀija/ *nf* 1 (forme de combat) guerilla warfare; **~ urbaine** urban guerilla warfare; 2 (groupe) guerillas (*pl*); **~ armée** armed guerillas; **mouvement de ~** guerilla movement

guérillero* /geʀijeʀo/ *nm* guerilla

guérir /geʀiʀ/ [3]
A *vtr* 1 Méd [*médecin, traitement, cure*] to cure [*personne, maladie, fièvre*] (**de** of; **avec** with; **par** by); to heal [*blessure*]; **cela soulage mais ne guérit pas** it brings relief but it does not act as a cure; 2 fig **~ qn de** to cure sb of [*habitude, vice, timidité*]
B *vi* Méd [*personne, animal*] to recover, to get well; [*blessure*] to heal; [*entorse*] to get better; [*rhume*] to get better, to clear up; **~ de qch** to recover from sth; **je suis guéri** (de rhume, maladie bénigne) I'm better; (de maladie grave) I've made a complete recovery; fig never again!
C **se guérir** *vpr* 1 Méd [*personne*] to cure oneself; [*maladie*] to be cured; 2 fig **se ~ de** to overcome [*timidité, préjugés*]; to get rid of [*habitude*]

guérison /geʀizɔ̃/ *nf* 1 (de malade) recovery; 2 (de fracture, blessure) healing

guérissable /geʀisabl/ *adj* [*malade, maladie*] curable

guérisseur, **-euse** /geʀisœʀ, øz/ ▸ **p. 532** *nm,f* healer

guérite /geʀit/ *nf* (de sentinelle) sentry box; (de douanier, chantier) hut; (de garage, péage) booth

Guernesey /gɛʀnəzɛ/ ▸ **p. 435** *nprf* Guernsey

guerre /gɛʀ/ *nf* (conflit) war; (technique) warfare; **entrer en ~** to go to war (**contre** against); **l'entrée en ~ d'un pays** a country's entry into the war; **être en ~** to be at war (**avec** with); **état de ~** state of war; **faire la ~** to wage war (**à** against, on); **mon grand-père a fait la ~** my grandfather was *ou* fought in the war; **mourir à la ~** to die in the war; **les pays en ~** the warring nations; **entre elle et lui, c'est la ~!** it's war between those two!; **c'est la ~ ouverte entre les deux compagnies** it's open warfare between the two firms; **les deux candidats se livrent une ~ sans merci** it's out-and-out war between the two candidates, it's no holds barred between the two candidates; **faire la ~ aux retardataires/fautes d'orthographe** to wage war on latecomers/spelling mistakes; **elle lui fait la ~ pour qu'il range sa chambre** she's fighting a running battle with him to try and get him to tidy his room; **partir en ~ contre le gaspillage/les préjugés/les fraudeurs** to wage war on waste/prejudice/fare dodgers; **les enfants jouent à la ~** the children are playing at GB *ou* playing soldiers; ▸ **grand**

(Composés) **~ de Cent Ans** Hundred Years' War; **~ chimique** (conflit) chemical war; (technique) chemical warfare; **~ civile** civil war; **~ éclair** blitzkrieg, lightning war; **~ économique** economic warfare; **~ d'Espagne** Spanish Civil War; **~ des étoiles** Star Wars; **~ froide** Cold War; **~ du Golfe** Gulf War; **~ mondiale** world war; **Première/Deuxième** *or* **Seconde Guerre mondiale** World War I/II, First/Second World War; **troisième ~ mondiale** third world war; **~ de mouvement** war of movement; **~ des nerfs** war of nerves; **~ nucléaire** (conflit) nuclear war; (technique) nuclear warfare; **~ de positions** war of position; **~ psychologique** psychological warfare; **~ de 14** 1914–18 war; **~ de religion** war of religion; **~ sainte** holy war; **~ de Sécession** American Civil War; **~ totale** total war, all-out war; **~ de tranchée** trench warfare; **~ de Troie** Trojan War; **~ d'usure** war of attrition; **~ du Viêt Nam** Vietnam War; **~s puniques** Hist the Punic Wars

(Idiomes) **à la ~ comme à la ~** in time of hardship you have to make the best of things; **c'est de bonne ~** it's only fair, it's fair enough; **être sur le pied de ~** to be on a war footing; **de ~ lasse, elle renonça à le convaincre** realizing that she was fighting a losing battle, she gave up trying to convince him

guerrier, **-ière** /gɛʀje, ɛʀ/
A *adj* [*peuple, âme, air*] warlike; [*chant, exploit*] war (*épith*)
B *nm,f* warrior

guerroyer /gɛʀwaje/ [23] *vi* to wage war (**contre** against, on)

guet /gɛ/ *nm* 1 gén lookout; **faire le ~** to be on the lookout; 2 Mil watch

guet-apens, *pl* **guets-apens** /gɛtapɑ̃/ *nm* lit ambush; fig trap; **tomber dans un ~** lit to be caught in an ambush; fig to fall into a trap

guêtre /gɛtʀ/ *nf* 1 Sport leggings (*pl*); 2 Mode gaiter; ▸ **traîner**; 3 Équit boot

guetter /gete/ [1] *vtr* 1 (surveiller) to watch [*proie, malfaiteur, réaction*]; to watch out for [*signe*]; to listen for [*téléphone*]; to look out for [*facteur, ami*]; to keep an eye out for [*faute*]; **je guettais le moindre bruit** I was alert for the slightest noise; **~ la parution du journal** to be waiting for the newspaper to come out; **~ l'arrivée de l'ennemi** to lie in wait for the enemy; 2 (menacer) [*déclin, appauvrissement, danger*] to threaten [*personne, entreprise*]; **la folie le guette** he is on the brink of madness; **la fatigue guette les conducteurs** tiredness is a threat for drivers

guetteur, **-euse** /gɛtœʀ, øz/
A *nm,f* lookout
B *nm* Hist watchman

gueulante◑ /gœlɑ̃t/ *nf* **pousser sa** *or* **une ~** to kick up a real fuss°

gueulard, **~e** /gœlaʀ, aʀd/
A ◑*adj* [*bébé, supporter*] yelling (*épith*); [*musique, radio*] blaring; **qu'est-ce que tu es ~!** you never stop yelling!
B ◑*nm,f* loudmouth
C *nm* Tech (de haut-fourneau, poêle) mouth; (de chaudière) throat

gueule /gœl/ *nf* [1] ◑(visage) face; **casser la ~ à qn** to beat sb up; **balancer son poing dans la ~ de qn** to punch sb in the face; **prendre un coup en plein dans la ~** to get punched in the face; **c'est bien fait pour leur ~** (it) serves them right; **il en fait une ~** (mélancolique) he looks really down; (furieux) he looks pretty pissed off◑; **il a la ~ de l'emploi** he really looks the part; **se cogner sur la ~** to have a punch-up; ▸ **plein**; [2] ◑(bouche humaine) mouth; **(ferme) ta ~!** shut your face○ GB *ou* mouth○ US!; **vos ~s là-dedans** shut up in there; **coup de ~** outburst; **pousser un coup de ~** to kick up a real fuss○; **être** *or* **avoir une grande ~** to be a bigmouth○; **ramener sa grande ~** to put one's oar in; ▸ **fin**[1]; [3] ◑(aspect) look; **le gâteau a une drôle de ~** the cake looks weird; **avoir de la ~** to look great *ou* terrific; [4] Zool (bouche d'animal) mouth; [5] (de tunnel, four, canon) mouth; **être bourré jusqu'à la ~** *[canon]* to be loaded to the muzzle

(Composés) **~ d'amour** heart-throb○; **~ de bois, gdb**○ hangover; **avoir la ~ de bois** to have a hangover, to be hung over; **~ cassée** war veteran with severe facial injuries; **~ noire** miner, coal-face worker

(Idiomes) **faire** *or* **tirer la ~**◑ to be sulking; **il leur fait la ~** he's not talking to them; **s'en mettre plein la ~**◑ to stuff oneself *ou* one's face; **se bourrer** *or* **soûler la ~**◑ to get blind drunk; ▸ **loup**

gueule-de-loup, *pl* **gueules-de-loup** /gœldəlu/ *nf* snapdragon

gueulement◑ /gœlmɑ̃/ *nm* yell; (plus fort) bellow

gueuler◑ /gœle/ [1]
A *vtr* (crier) to yell *[insultes]*; to bawl out *[réponse]*; (chanter) to bellow out
B *vi* [1] *[personne]* (crier) to yell, to bawl; (chanter) to bawl, to howl; (protester) to kick up a real fuss; **~ de douleur** to scream with pain; **~ contre** *or* **après qn/qch** to carp *ou* bang on against sb/sth; **ça va ~** all hell will break loose◑; [2] *[animal]* to make a racket○; [3] *[radio, télévision]* to blare out; **faire ~ qch** to have sth blaring out; [4] *[couleur]* to clash

(Idiome) **~ comme un âne** *or* **putois** *or* **perdu** to scream blue GB *ou* bloody US murder○

gueules /gœl/ *nm inv* Hérald gules

gueuleton○ /gœltɔ̃/ *nm* blowout○, big meal

gueuletonner○ /gœltɔne/ [1] *vi* to have a blowout○, to have a big meal

gueux, **gueuse** /gø, gøz/
A †*nm,f* (pauvre) beggar; (personne vile) rogue
B **gueuse** *nf* Ind, Tech pig

(Idiome) **courir la gueuse**○ to go looking for a bit of skirt○

gueuze /gøz/ *nf* gueuse beer

gugusse○ /gygys/ *nm* fool, twit○; **faire le ~** to play the fool, to act the goat○ GB

gui /gi/ *nm* [1] Bot mistletoe; [2] Naut boom

(Idiome) **au ~ l'an neuf!** Happy New Year!

guibolle*○ /gibɔl/ *nf* pin○, leg

guiches† /giʃ/ *nfpl* kiss curls

guichet /giʃɛ/ *nm* [1] (comptoir vitré) window; (comptoir ouvert) (de banque) counter; (de stade, musée, gare) ticket office; (de théâtre, cinéma) box office, ticket office; **la pièce se jouera à ~s fermés** the play is sold out; [2] (dans mur, porte) grille; [3] Archit portico

(Composé) **~ automatique** automatic teller machine, ATM

guichetier, **-ière** /giʃtje, ɛʀ/ ▸ **p. 532** *nm,f* ticket clerk

guidage /gidaʒ/ *nm* [1] Aviat guidance; [2] Mécan, Mines guide

guide /gid/
A *nm* [1] (accompagnateur) guide; **~ de haute montagne** mountain guide; [2] (ouvrage) guide; **un ~ des restaurants/des étudiants** a restaurant/student guide; **~ pratique** practical guide; [3] (conseiller) guide; [4] Mécan, Tech guide
B *nf* (Catholic) guide GB, (Catholic) girl scout US
C **guides** *nfpl* Équit reins; **petites ~s** lead reins

guide-âne, *pl* **~s** /gidɑn/ *nm* [1] (pour écrire) ruled guide sheet; [2] (manuel) handbook

guide-file /gidfil/ *nm inv* queue control barrier system

guide-interprète, *pl* **guides-interprètes** /gidɛ̃tɛʀpʀɛt, gidzɛ̃tɛʀpʀɛt/ ▸ **p. 532** *nmf* tour guide and interpreter

guider /gide/ [1]
A *vtr* [1] (montrer le chemin) to show [sb] the way **(vers** to); **~ jusque** to take [sb] to, to lead [sb] to; **~ dans** *or* **à travers** to take [sb] around; **il m'a guidé dans les couloirs** he showed me the way through the corridors; **il a guidé les policiers (jusque) sur les lieux de l'accident** he took *ou* led the policemen to the scene of the accident; **le chien guide l'aveugle** the dog guides the blind man; [2] (orienter) *[étoile]* to guide; *[flair, trace]* to lead; *[panneau indicateur]* to direct; [3] (diriger) to guide *[cheval, avion, missile]*; [4] (conseiller) to guide; **~ un enfant dans ses études** to guide a child in his studies; **se laisser ~ par son instinct** to let oneself be guided by instinct
B **se guider** *vpr* **se ~ sur** to set one's course by *[soleil]*; **se ~ sur l'exemple de qn** to take sb as a model

guidon /gidɔ̃/ *nm* [1] (de bicyclette, moto) handlebars (*pl*); [2] (de pistolet) front sight; [3] (drapeau) guidon

guigne /giɲ/ *nf* (malchance) bad luck; **avoir la ~** to be dogged by bad luck

(Idiome) **se soucier** *or* **se moquer de qch/qn comme d'une ~** not to give a fig○ *ou* a toss◑ about sth/sb

guigner /giɲe/ [1] *vtr* [1] (convoiter) to have one's eye on *[place, héritage]*; [2] ○(lorgner) to eye *[personne, chose]*

guignol /giɲɔl/ *nm* [1] (spectacle de marionnettes) puppet show, ≈ Punch and Judy show; **c'est du ~** fig it's farcical, it's a complete farce; [2] péj (personne peu sérieuse) clown, joker; **faire le ~** to clown around

guignolade○ /giɲɔlad/ *nf* farce

guignolée /giɲɔle/ *nf* Can *New Year's Eve celebration*

guignolet /giɲɔlɛ/ *nm* cherry liqueur

guignon† /giɲɔ̃/ *nm* bad luck

guilde /gild/ *nf* guild

guili-guili○, *pl* **~s*** /giligili/ *nm* tickle, tickle; **faire ~ à qn** to tickle sb

guillaume /gijom/ *nm* rabbet plane

Guillaume /gijom/ *npr* **~ le Conquérant** William the Conqueror; **~ d'Orange** William of Orange; **~ Tell** William Tell

guilledou /gijdu/ *nm* **courir le ~** to go gallivanting

guillemets /gijmɛ/ *nmpl* inverted commas GB, quotation marks; **ouvrir/fermer les ~** to open/close inverted commas; **mettre qch entre ~** to put sth in inverted commas; **ton fidèle ami, entre ~** iron your, in inverted commas, faithful friend

guillemot /gijmo/ *nm* guillemot

guilleret, **-ette** /gijʀɛ, ɛt/ *adj [personne, air]* perky, jaunty

guillocher /gijɔʃe/ [1] *vtr* to ornament [sth] with guilloche

guillotine /gijɔtin/ *nf* guillotine

guillotiner /gijɔtine/ [1] *vtr* to guillotine

guimauve /gimov/ *nf* [1] Bot, Méd (marsh) mallow; Culin marshmallow; [2] (mièvrerie) slush, schmaltz○ US; **c'est de la ~** it's pure schmaltz; **film à la ~** slushy film

guimbarde /gɛ̃baʀd/ *nf* [1] ○(vieille voiture) banger GB, crate○ US; [2] Mus Jew's harp

guimpe /gɛ̃p/ *nf* [1] (chemisette) high-necked sleeveless blouse; [2] (de religieuse) wimple; [3] †(plastron) tucker

guincher○ /gɛ̃ʃe/ [1] *vi* to dance

guindé, **~e** /gɛ̃de/ *adj [personne, air]* stiff, formal; *[atmosphère]* formal; *[style]* stilted, formal

guindeau, *pl* **~x** /gɛ̃do/ *nm* gypsy; **poupée de ~** gypsy head

guinder /gɛ̃de/ [1] *vtr* [1] (rendre peu naturel) to make [sb] look stiff *[personne]*; to make [sth] (rather) awkward *[démarche, allure]*; to make [sth] stilted *[style]*; [2] Naut (hisser) to raise, to hoist

guinée /gine/ *nf* guinea

Guinée /gine/ ▸ **p. 333** *nprf* Guinea; **golfe de ~** Gulf of Guinea; **~ équatoriale** Equatorial Guinea

Guinée-Bissao /ginebisao/ ▸ **p. 333** *nprf* Guinea-Bissau

guinéen, **-éenne** /gineɛ̃, ɛn/ ▸ **p. 561** *adj* Guinean

Guinéen, **-éenne** /gineɛ̃, ɛn/ ▸ **p. 561** *nm,f* Guinean

guingois: **de guingois** /degɛ̃gwa/ *loc adv* **être de ~** *[meuble, maison]* to be lopsided; **aller de ~** to go askew

guinguette /gɛ̃gɛt/ *nf*: *small restaurant with music and dancing*

guipure /gipyʀ/ *nf* guipure (lace)

guirlande /giʀlɑ̃d/ *nf* (de fleurs, feuillage) garland; (de Noël) tinsel; (de papier) paper chain; (en plein air) bunting ₵

(Composés) **~ électrique** set *ou* string of fairy lights; **~ de marguerites** daisy chain

guise /giz/ *nf* [1] **à ma/ta etc ~** just as I/you etc wish *ou* please; **n'en faire qu'à sa ~** to do exactly as one pleases *ou* likes; **laissez-les vivre à leur ~!** let them live their own lives!; [2] **en ~ de** by way of; **recevoir un cadeau en ~ de remerciement** to receive a present by way of thanks

guitare /gitaʀ/ ▸ **p. 557** *nf* guitar

(Composés) **~ classique** classical guitar; **~ électrique** electric guitar; **~ folk** folk guitar; **~ hawaïenne** Hawaiian guitar; **~ rythmique** rhythm guitar

guitariste /gitaʀist/ ▸ **p. 532** *nmf* guitarist; **~ classique/de jazz** classical/jazz guitarist

guitoune○ /gitun/ *nf* tent

Gulf Stream /gœlfstʀim/ *nm* Gulf Stream

gus○ /gys/ *nm inv* guy○, bloke○ GB

gustatif, **-ive** /gystatif, iv/ *adj [sens, organe]* of taste; **perdre ses qualités gustatives** *[aliment]* to lose its taste

guttural, **~e**, *mpl* **-aux** /gytyʀal, o/
A *adj [voix, langue, consonne]* guttural
B **gutturale** *nf* guttural

Guyana /gɥijana/ ▸ **p. 333** *nprf* Guyana; **République de ~** Republic of Guyana

guyanais, **~e** /gɥijanɛ, ɛz/ ▸ **p. 561** *adj* Guyanese

Guyanais, **~e** /gɥijanɛ, ɛz/ ▸ **p. 561** *nm,f* Guyanese

Guyane /gɥijan/ ▸ **p. 721** *nprf* Guyana; **~ française** French Guiana; **~ hollandaise** Hist Dutch Guiana

Gwent ▸ **p. 721** *nprm* **le ~** Gwent

Gwynedd ▸ **p. 721** *nprm* **le ~** Gwynedd

gym○ /ʒim/ ▸ **p. 469** *nf* [1] Scol (éducation physique) physical education, PE, phys ed○ US; **le prof de ~** the PE teacher; [2] Sport (gymnastique) gymnastics

gymkhana /ʒimkana/ *nm* [1] (en voiture, à moto) rally; **se livrer à un ~ dans les rues de la ville** fig to go roaring through the town;

2 (à pied) lit obstacle race; fig obstacle course

gymnase /ʒimnɑz/ *nm* gymnasium

gymnaste /ʒimnast/ *nmf* gymnast

gymnastique /ʒimnastik/ ▸ p. 469 *nf* (discipline) gymnastics (+ *v sg*); (exercices) exercises (*pl*); **~ féminine/masculine** (en compétition) women's/men's gymnastics; (en amateur) gymnastics for women/men; **~ respiratoire/abdominale** breathing/stomach exercises; **je fais 20 minutes de ~ tous les matins** I exercise for 20 minutes every morning; **~ intellectuelle** *or* **de l'esprit** fig mental exercise; **faire** *or* **se livrer à toute une ~ pour attraper les verres/faire un emploi du temps** to tie oneself in knots to reach the glasses/make a timetable

(Composés) **~ aquatique** aquagym; **~ corrective** ≈ physiotherapy exercises (*pl*); **~ d'entretien** keep fit; **~ rythmique et sportive**, **GRS** eurythmics (+ *v sg*); **~ suédoise** callisthenics (+ *v sg*)

gymnique /ʒimnik/ *adj* [*exercice*] gymnastic

gymnosperme /ʒimnɔspɛʀm/ *nm* gymnosperm

gynécée /ʒinese/ *nm* gynaeceum

gynécologie /ʒinekɔlɔʒi/ *nf* gynaecology

gynécologique /ʒinekɔlɔʒik/ *adj* gynaecological

gynécologue /ʒinekɔlɔg/ ▸ p. 532 *nmf* gynaecologist

gypaète /ʒipaɛt/ *nm* bearded vulture, lammergeyer

gypse /ʒips/ *nm* gypsum

gypseux, -euse /ʒipsø, øz/ *adj* gypseous

gypsophile /ʒipsɔfil/ *nf* gypsophila

gyrocompas /ʒiʀɔkɔ̃pa/ *nm inv* gyrocompass

gyrophare /ʒiʀɔfaʀ/ *nm* flashing light, emergency rotating light

gyroscope /ʒiʀɔskɔp/ *nm* gyroscope

gyroscopique /ʒiʀɔskɔpik/ *adj* gyroscopic

gyrostat /ʒiʀɔsta/ *nm* gyrostat

g

Hh

h, **H** /aʃ/ *nm inv* 1 (lettre) h, H; **h aspiré** aspirate, aspirated h; **h muet** mute h, silent h; 2 (heure) **9 h 10** 9.10; **l'heure h** zero hour

ha /ˈa/ 1 = **ah A**; 2 (*written abbr* = **hectare**) hectare

habile /abil/ *adj* 1 (adroit) [*bricoleur, examinateur, policier, écrivain*] clever; [*avocat, diplomate, orateur*] skilful[GB]; [*politicien*] smart; [*vendeuse*] clever, skilful[GB]; **~ à qch/à faire** good at sth/at doing; **être ~ aux échecs** to be a good chess player; **être ~ de ses mains** *or* **de ses doigts** to be clever with one's hands; 2 (fait avec adresse) [*film, contrefaçon, discours, formule, accord*] clever; [*manœuvre, décision*] clever, smart; **ce n'était pas très ~ de votre part** that wasn't very clever of you; 3 Jur **être ~ à faire** to have legal capacity to do

habilement /abilmɑ̃/ *adv* (adroitement) skilfully[GB]; (intelligemment) cleverly

habileté /abilte/ *nf* 1 (adresse) (de personne) skill (**à faire** at doing); **~ à** skill at; **avec ~** skilfully[GB]; 2 (de discours, manœuvre) skilfulness[GB]

habilitation /abilitasjɔ̃/ *nf* authorization (**à faire** to do); **clause d'~** enabling clause

habilité /abilite/ *nf* Jur capacity

habiliter /abilite/ [1] *vtr* to authorize (**à faire** to do); **être habilité à faire** to be authorized to do

habillage /abijaʒ/ *nm* 1 (revêtement) (de siège, mur) covering; (d'appareil, de radiateur, tuyauterie) casing; 2 (présentation) packaging; **servir d'~** to serve as an image (**pour qch** for sth; **pour faire** to do); 3 (fait d'habiller) dressing

habillé, **~e** /abije/

A *pp* ▸ **habiller**

B *pp adj* 1 (élégant, cérémonieux) [*robe*] smart; [*dîner, soirée*] formal; **les invités étaient tous très ~s** the guests were all very dressed up; 2 (vêtu) dressed; **~ de noir** dressed in black; **~ comme un clochard** dressed like a tramp; 3 (déguisé) **~ en pirate/prêtre** dressed up as a pirate/priest

habillement /abijmɑ̃/ *nm* 1 (activité) clothing; 2 (vêtements) clothing

habiller /abije/ [1]

A *vtr* 1 (mettre des vêtements à) to dress [*personne*] (**de qch** in sth); 2 (déguiser) to dress [sb] up (**en** as); **~ un enfant en pirate** to dress a child up as a pirate; 3 (fournir en vêtements) to clothe [*enfant*]; to provide [sb] with clothing [*recrue, acteur, personnel*]; 4 (faire des vêtements pour) to clothe [*enfant, famille*]; to dress [*acteur, personnel*]; 5 (convenir) [*vêtements*] to suit [*personne*]; **un rien l'habille** she looks good in anything; 6 (revêtir) to cover [*mur, siège*] (**de** with); to encase [*appareil, radiateur, tuyauterie*]; 7 (préparer) to dress [*viande, volaille*]

B s'habiller *vpr* 1 (mettre ses vêtements) to get dressed, to dress; **il en met du temps à s'~!** he certainly takes his time getting dressed!; 2 (choisir son style) to dress; **s'~ jeune/vieux** to dress young/old; **s'~ à la dernière mode** to dress in the latest fashion; **s'~ long/court** to wear long/short clothes; **s'~ comme un mannequin** to dress like a model; 3 (se vêtir élégamment) to dress up; **s'~ pour un cocktail** to dress up for a cocktail party; 4 (se fournir en vêtements) to get one's clothes; **s'~ chez un grand couturier** to get one's clothes from a couturier; **s'~ sur mesure** to have one's clothes made to measure; **s'~ en prêt-à-porter** to buy one's clothes off the peg GB *ou* off the rack US; 5 (se travestir) to dress up (**en** as); **~ en femme/pirate** to dress up as a woman/pirate

habilleur, **-euse** /abijœʀ, øz/ ▸ **p. 532** *nm,f* dresser

habit /abi/

A *nm* 1 (de marié) (queue-de-pie) tails (*pl*), morning coat; (tenue) morning dress; **il s'est marié en ~** he got married in morning dress; 2 (déguisement) (de professionnel) outfit; (de personnage) costume; **~ de cow-boy/de pirate** cowboy/pirate outfit; **~ de Pierrot/d'Arlequin** Pierrot/Harlequin costume; 3 Relig (de moine, nonne) habit; **prendre l'~** to take the cloth; **quitter l'~** to leave the priesthood; ▸ **moine**

B habits *nmpl* (vêtements) clothes; **~s neufs** lit new clothes; fig new look

(Composés) **~ de chasse** Chasse hunting clothes; **~ de cheval** Équit riding clothes, riding habit; **~ de cour** Hist court dress; **~ ecclésiastique** Relig clerical dress; **~ de lumière** matador's costume; **~ vert** green coat (*of a member of the Académie française*); **~s du dimanche** Sunday best

habitabilité /abitabilite/ *nf* 1 (d'habitation) habitability, fitness (for habitation); 2 (de véhicule, d'ascenseur) capacity

habitable /abitabl/ *adj* 1 (pouvant être habité) habitable; **logement ~ immédiatement** accommodation ready to move into; 2 (servant à l'habitation) **surface** *or* **espace ~** living space; **150 m² ~s** 150 m² of living space

habitacle /abitakl/ *nm* 1 Aviat cockpit; Astronaut cabin; 2 Aut interior, passenger compartment; 3 Naut binnacle

habitant, **~e** /abitɑ̃, ɑ̃t/ *nm,f* 1 (personne) (de ville, pays, région) inhabitant; (de quartier, d'immeuble) resident; **nombre d'~s au km²** number of inhabitants per square kilometre[GB]; **les habitants du quartier** the local residents; **par ~** per head *ou* person; **pour 1000 ~s** for every 1,000 people; **loger chez l'~** Tourisme to stay as a paying guest; Mil to be billetted with a local family; 2 liter (personne) dweller; (animal) beast; **les ~s de l'air/de la forêt/des mers** the denizens of the air/of the forest/of the seas

habitat /abita/ *nm* 1 (milieu) habitat; 2 (mode de peuplement) settlement; **~ urbain/groupé/sédentaire** urban/grouped/fixed settlement; 3 (mode de logement) housing; **~ collectif/individuel** communal/individual housing

habitation /abitasjɔ̃/ *nf* 1 (construction) house, dwelling; **on distinguait au loin quelques ~s** we could make out a few houses *ou* dwellings in the distance; **un groupe d'~s** a group of dwellings; 2 (résidence) home; **une ~ bien située** a well-sited property; 3 (fait d'habiter) living; **immeuble d'~** block of flats GB, apartment building US

(Composés) **~ à loyer modéré**, **HLM** (appartement) ≈ council flat GB, low-rent apartment US; (immeuble) ≈ block of council flats GB, low-rent apartment building US; (maison) ≈ council house GB, low rent house US

> **Habitation à loyer modéré**
>
> A type of public housing, usually an apartment in an estate, available for a relatively low rent with an option to buy as long as the property is retained for a minimum of five years. *HLM* are built and managed either by public bodies, by the private sector supported by state loans, or by cooperatives. About 13 million people live in *HLM*.

habité, **~e** /abite/

A *pp* ▸ **habiter**

B *pp adj* 1 [*planète, zone, territoire*] inhabited; 2 Astronaut [*vol, navette*] manned; **un vol non ~** an unmanned flight

habiter /abite/ [1]

A *vtr* 1 (résider à) [*personne, animal*] to live in; **il habite une maison/Paris/la campagne** he lives in a house/in Paris/in the country; **~ une planète** to live on a planet; 2 fml [*sentiment*] to dwell in [*personne, cœur, âme*]

B *vi* 1 (résider) [*personne*] **~ à** *or* **en** to live in; **~ à Paris/à l'hôtel** to live in Paris/in a hotel; **~ en banlieue** to live in the suburbs; **~ rue Cardinet** to live in the rue Cardinet; **~ à l'étranger** to live abroad; **~ au 6 rue de la Paix** to live at 6 rue de la Paix; **~ chez ses parents** to live with one's parents; 2 fml **être habité par** to be filled with

habitude /abityd/

A *nf* 1 (manière d'agir) habit; **faire qch par ~** to do sth out of habit; **prendre/avoir de mauvaises ~s** to pick up/have bad habits; **je vais lui faire perdre l'~ d'entrer sans frapper** I'm going to get him out of the habit of entering without knocking; **avoir pour ~ de faire** to be in the habit of doing; **il avait pour ~ d'arriver sans prévenir** it was his habit to arrive unannounced; **ce n'est pas dans ses ~s d'être impoli** he is not usually impolite; **il n'est pas encore ici, ce n'est pas dans ses ~s d'être en retard** he is not here yet, it's not like him to be late; **ils ont l'~ de se coucher tôt** they usually go to bed early; **avoir ses ~s** to have got GB *ou* gotten US into a routine; **avoir ses petites ~s** to have one's own way of doing things; **ne perdons pas les bonnes ~s** let's stick to what we usually do; **comme à leur ~**, **suivant leur ~** as they usually do; 2 (fait d'être accoutumé) habit; **c'est une question d'~** it's a matter of habit *ou* of getting used to it; **avoir l'~ de qch** to be used to sth; **avoir une grande ~ de qch** to be very used to sth; **avoir l'~ de faire** to be used to doing; **l'~ de la conduite la nuit lui est venue facilement** he easily got used to night driving; **t'inquiète pas, j'ai l'~** don't worry, I'm used to it; 3 (coutume) (de pays, région) custom; (de personne, population) habit; **~s alimentaires** eating habits

B d'habitude *loc adv* usually

habitué, **~e** /abitɥe/ *nm,f* (de café, restaurant) regular (customer); (de stade, piscine, musée) regular; (ami) regular (visitor)

habituel, **-elle** /abitɥɛl/ *adj* [*heure, endroit*] usual; [*geste, réaction, défaut*] usual, customary

h

habituellement /abitɥɛlmɑ̃/ *adv* usually, generally

habituer /abitɥe/ [1]
A *vtr* **1** (accoutumer) to get [sb/sth] used (**à qn/qch** to sb/sth; **à faire** to doing); **~ son chien à coucher dehors** to get one's dog used to sleeping outside; **2** (former) to teach (**à faire** to do; **à ne pas faire** not to do); **~ un enfant à ne jamais mentir** to teach a child never to lie
B s'habituer *vpr* to get used *ou* accustomed (**à qn/qch** to sb/sth; **à faire** to doing)

hâbleur, -euse /ˈɑblœʀ, øz/
A *adj* boastful
B *nm,f* boaster; **c'est un ~** he's always boasting

hachage /ˈaʃaʒ/ *nm* gén chopping; (de viande) mincing; (plus grossièrement) chopping

hache /ˈaʃ/ *nf* axe GB, ax US; **une ~ de pierre** a stone axe GB *ou* ax US; **abattre un arbre à la ~** to fell a tree with an axe GB *ou* ax US; **donner un coup de ~ à qch** to give sth a blow with an axe GB *ou* ax US; **d'un coup de ~** with a blow of the axe GB *ou* ax US; **il a démoli la porte à coups de ~** he broke down the door with an axe GB *ou* ax US; **visage taillé à la ~** angular face; **la ~ du bourreau** the executioner's axe GB *ou* ax US
(Composés) **~ d'abordage** poleaxe; **~ d'armes** battle-axe lit; **~ de bûcheron** woodcutter's axe GB *ou* ax US; **~ de guerre** gén battle axe GB *ou* ax US; (d'indien) tomahawk
(Idiomes) **enterrer la ~ de guerre** to bury the hatchet; **déterrer la ~ de guerre** to go on the warpath

haché, ~e /ˈaʃe/
A *pp* ▸ **hacher**
B *pp adj* **1** Culin [*viande*] minced; [*oignon, persil*] chopped; **ajouter les oignons finement ~s** add the finely-chopped onion; **bifteck ~** hamburger; **viande ~e** mince meat; **2** (saccadé) [*style, phrase, discours*] disjointed
C *nm* Culin mince

hache-légumes* /ˈaʃlegym/ *nm inv* vegetable cutter

hache-paille* /ˈaʃpaj/ *nm inv* chaff cutter

hacher /ˈaʃe/ [1] *vtr* **1** (couper) to mince [*viande*]; (plus grossièrement) to chop [*viande*]; to chop [*oignon, persil*]; **~ au couteau** to chop [sth] up with a knife; **~ finement** *or* **menu** to chop finely; **hachez menu** *or* **finement les oignons** finely chop the onions; **2** (broyer) to crush [*récolte, feuille*]; to cut [sb/sth] to pieces [*personne, chair, main*]; **ils se sont fait ~ par la mitrailleuse** they were cut to pieces by the machine gun fire

hachette /ˈaʃɛt/ *nf* hatchet; **donner un coup de ~ à qch** to give sth a blow with a hatchet; **d'un coup de ~** with a blow of the hatchet

hache-viande* /ˈaʃvjɑ̃d/ *nm inv* mincer

hachis /ˈaʃi/ *nm inv* Culin **~ de viande** mince(d) meat; **~ de mouton/de porc** minced mutton/pork; **~ d'échalottes/de persil** chopped shallots/parsley
(Composé) **~ Parmentier** ≈ shepherd's pie

hachisch /ˈaʃiʃ/ *nm* hashish; **fumer du ~** to smoke hashish

hachoir /ˈaʃwaʀ/ *nm* **1** (appareil) mincer; **~ électrique** electric mincer; **~ à main** hand-operated mincer; **2** (couteau) (food) chopper, mincing knife; **3** (planche) chopping board

hachure /ˈaʃyʀ/ *nf* hatching ¢

hachurer /ˈaʃyʀe/ [1] *vtr* to hatch; **partie hachurée** hatched area

hacienda /asjɛnda/ *nf* hacienda

haddock /ˈadɔk/ *nm* smoked haddock

hadj /ˈadʒ/ *nm* **1** (personne) hajji; **2** (pèlerinage) hajj

Hadrien /adʀijɛ̃/ *npr* Hadrian

hagard, ~e /ˈagaʀ, aʀd/ *adj* [*visage, air, personne*] dazed; [*yeux*] wild

hagiographie /aʒjɔgʀafi/ *nf* hagiography

haie /ˈɛ/ *nf* **1** Bot hedge; **une ~ de cyprès** a cypress hedge; **2** Sport (en athlétisme) hurdle; Équit fence; **course de ~s** (en athlétisme) hurdle race, hurdles; Équit steeple chase; **le 110 mètres ~s** the 110 metre[GB] hurdles; **3** (rangée) (de personnes, policiers, manifestants) line; (d'objets) row; **une ~ de pieux** a row of poles; **former une ~** to make a line; **une double ~ de soldats** a double line of soldiers
(Composé) **~ vive** hedge
(Idiomes) **faire la ~, former** *or* **faire une ~ d'honneur** to form a guard of honour[GB]

haïku /ˈajku/ *nm* haiku

haillon /ˈɑjɔ̃/ *nm* rag; **vêtu de ~s** dressed in rags; **en ~s** in rags

Hainaut /ˈɛno/ ▸ **p. 721** *nprm* Hainaut

haine /ˈɛn/ *nf* hatred (**de qn** of sb; **de qch** of sth); **~ religieuse/politique** political/religious hatred; **incitation à la ~ raciale** incitement to racial hatred; **la ~ de l'envahisseur/du mensonge** hatred of the invader/of lies; **sans ~** without hatred; **s'attirer la ~ de qn** to earn oneself sb's hatred; **avoir** *or* **éprouver de la ~ pour qn** to feel hatred toward(s) sb, to hate sb; **avoir de la ~ pour qch, avoir la ~ de qch** to hate sth; **concevoir de la ~ pour qch/qn** to harbour[GB] hatred for sth/sb; **par ~ de qch** out of hatred for sth

haineusement /ˈɛnøzmɑ̃/ *adv* [*regarder, répondre, parler*] with hatred; [*saisir, jeter, frapper*] in hatred

haineux, -euse /ˈɛnø, øz/ *adj* full of hatred (*après n*)

haïr /ˈaiʀ/ [25]
A *vtr* to hate [*personne, chose*]; **se faire ~** to make oneself hated (**de** by); **~ le mensonge/la malhonnêteté** to hate lies/dishonesty; **il nous hait d'avoir choisi qn d'autre** he hates us for choosing sb else; **~ que** to hate it when; **elle hait qu'on se moque d'elle** she hates it when people make fun of her
B se haïr *vpr* **1** [*personnes, ennemis*] to hate each other; **2 je me hais de ma lâcheté/d'avoir été lâche** I hate myself for my cowardice/for being a coward

haire /ˈɛʀ/ *nf* hair shirt

haïssable /ˈaisabl/ *adj* detestable, hateful

Haïti /aiti/ ▸ **p. 333, p. 435** *nprm* Haiti; **la République d'~** the Republic of Haiti; **en ~** in Haiti

haïtien, -ienne /aisjɛ̃, ɛn/ ▸ **p. 561, p. 483**
A *adj* Haitian
B *nm* Ling Haitian

Haïtien, -ienne /aisjɛ̃, ɛn/ ▸ **p. 561** *nm,f* Haitian

halage /ˈalaʒ/ *nm* (canal barge) towing; **chemin de ~** towpath; **chevaux de ~** towhorses

halal /ˈalal/ *adj inv* halal

hâle /ˈɑl/ *nm* (sun)tan; **mon ~ n'a pas tenu** my (sun)tan didn't last

hâlé, ~e /ˈɑle/
A *pp* ▸ **hâler**
B *pp adj* (par le soleil) suntanned; (par l'air, une lampe) tanned

haleine /alɛn/ *nf* **1** (air expiré) breath; **avoir mauvaise ~** to have bad breath; **2** (respiration) breathing; **~ régulière/saccadée** regular/uneven breathing; **avoir l'~ courte** to be short of breath; **retenir son ~** to hold one's breath; **être hors d'~** to be out of breath; **à perdre ~** until one is out of breath; **courir à perdre ~** to run until one is gasping for breath; **rire à perdre ~** to laugh until one's sides ache; **reprendre ~** lit to get one's breath back; fig to have a rest; **tenir qn en ~** to hold *ou* keep sb spellbound; **un travail de longue ~** a long-drawn-out job; **3** liter (de vent) breath; (de fleur, jardin) scent

haler /ˈale/ [1] *vtr* to tow [*bateau*]; to haul in [*corde, chaîne*]

hâler /ˈɑle/ [1] *vtr* to tan

haletant, ~e /ˈaltɑ̃, ɑ̃t/ *adj* [*personne*] panting, breathless; [*animal*] panting; [*voix*] breathless; **avoir une respiration ~e** to be gasping for breath

halètement /ˈalɛtmɑ̃/ *nm* **1** (après un effort) panting ¢; (d'émotion) breathlessness ¢; **2** (de machine) puffing ¢

haleter /ˈalte/ [18] *vi* **1** [*personne*] to gasp for breath; [*animal*] to pant; **~ de** [*personne*] to be breathless with; [*animal*] to pant with; **2** [*machine*] to puff; [*poitrine*] to heave

haleur, -euse /ˈalœʀ, øz/ *nm,f* boat hauler

halieutique /aljøtik/
A *adj* halieutic, fishing
B *nf* halieutics (+ *v sg*)

halitose /alitoz/ *nf* halitosis

hall /ˈol/ *nm* entrance hall GB, lobby US; **le ~ de l'hôtel** the hotel foyer GB, the hotel lobby; **~ (de gare)** lit concourse; **on dirait un ~ de gare** pej it looks like the inside of a railway station
(Composés) **~ d'accueil** reception; **~ d'exposition** exhibition hall; **~ de montage** assembly shop

hallali /alali/ *nm* Chasse mort; **sonner l'~** to blow *ou* sound the mort

halle /ˈal/
A *nf* market hall
B halles *nfpl* covered market
(Composés) **~ aux grains** corn exchange; **~ à marchandises** goods depot; **~ aux vins** wine market

hallebarde /ˈalәbaʀd/ *nf* halberd
(Idiome) **il pleut** *or* **tombe des ~s** it's raining cats and dogs

hallebardier /ˈalbaʀdje/ *nm* halberdier

hallucinant°, **~e** /alysinɑ̃, ɑ̃t/ *adj* astounding

hallucination /alysinasjɔ̃/ *nf* hallucination; **avoir des ~s** lit to hallucinate; fig to be seeing things

hallucinatoire /alysinatwaʀ/ *adj* hallucinatory

halluciné, ~e /alysine/
A *adj* **1** (hagard) [*regard, air*] wild; **2** [*malade*] suffering from hallucinations (*après n*)
B *nm,f* **1** °(illuminé) crank; **2** person suffering from hallucinations

hallucinogène /alysinɔʒɛn/
A *adj* hallucinogenic
B *nm* hallucinogen

halo /ˈalo/ *nm* **1** (de phares, lampe) **~ de lumière** circle of light; **entouré d'un ~ de mystère** shrouded in mystery; **2** Astron halo; **3** Phot flare ¢, halation ¢ spéc; **des ~s** points of flare

halogène /alɔʒɛn/
A *adj* **1** Chimie halogenous; **2** [*lampe, éclairage*] halogen (*épith*)
B *nm* (tous contextes) halogen

halte /ˈalt/
A *nf* **1** (temps d'arrêt) stop; **faire une ~** to stop somewhere; **faire une courte ~** to stop somewhere for a little while; **2** (lieu d'arrêt) stop
B *excl* gén stop!; Mil halt!; **~-là, ça suffit comme ça!** stop it, that's enough!; **~ à la vivisection!** stop vivisection!; **nous disons ~ au terrorisme/aux spéculateurs** we are calling for an end to terrorism/to speculation

halte-garderie, *pl* **haltes-garderies** /ˈaltәgaʀdәʀi/ *nf* ≈ playgroup

haltère /altɛʀ/ *nm* (pour une main) dumbbell; (à deux mains) barbell; **faire des ~s** to do weightlifting

haltérophile /alteʀɔfil/ *nmf* weightlifter

haltérophilie /alteʀɔfili/ ▸ **p. 469** *nf* weightlifting

halva /ˈalva/ *nm* halva

hamac /ˈamak/ *nm* hammock

hamamélis /amamelis/ *nm inv* hamamelis

Hambourg /ɑ̃buʀ/ ▸ **p. 894** *npr* Hamburg

hambourgeois /ɑ̃buʀʒwa/ *nm inv* Can (hamburger) hamburger

hamburger /ɑ̃buʀgɛʀ/ *nm* hamburger (Composé) **~ à cheval** hamburger topped with an egg

hameau, *pl* **~x** /ˈamo/ *nm* hamlet

hameçon /amsɔ̃/ *nm* hook (Idiome) **mordre à l'~** to take the bait

hammam /ˈamam/ *nm* hammam, Turkish bath

hampe /ˈɑ̃p/ *nf* **1** (de drapeau, parasol) pole; (d'arme) shaft; **2** Bot scape; **3** (de lettre) vertical stroke; **4** (de bœuf) flank

Hampshire ▸ p. 721 *nprm* **le ~** Hampshire

hamster /ˈamstɛʀ/ *nm* hamster

han /ˈɑ̃/
A *nm inv* grunt
B *excl* hrumpf!

hanap /ˈanap/ *nm* hanap

hanche /ˈɑ̃ʃ/ ▸ p. 196, p. 827 *nf* **1** Anat hip; **le pistolet sur la ~** a pistol at one's hip; **avoir les mains sur les ~s** to stand with one's hands on one's hips, to stand with arms akimbo; **prothèse de la ~** hip replacement; **2** Équit haunch

hand○ /ˈɑ̃d/ *nm*: *abbr* = **handball**

handball /ˈɑ̃dbal, ˈɑ̃dbɔl/ ▸ p. 469 *nm* handball

handballeur, -euse /ˈɑ̃dbalœʀ, øz/ *nm,f* handball player

handicap /ˈɑ̃dikap/ *nm* **1** (infirmité) disability, handicap; **2** (désavantage) handicap; **c'est un ~ pour ta carrière** it's a handicap in your career; **3** Sport (de joueur) handicap; (course) handicap (race)

handicapant, ~e /ˈɑ̃dikapɑ̃, ɑ̃t/ *adj* disabling

handicapé, ~e /ˈɑ̃dikape/
A *pp* ▸ **handicaper**
B *pp adj* **1** (infirme) disabled, handicapped; **~ à vie** permanently disabled; **2** (désavantagé) **être ~** to be at a disadvantage; **3** Sport, Turf handicapped; **cheval lourdement ~** horse carrying a big handicap
C *nm,f* disabled person; **les ~s** the disabled; **~ moteur** person with motor disability

handicaper /ˈɑ̃dikape/ [1] *vtr* (tous contextes) to handicap

handisport /ɑ̃dispɔʀ/ *adj* wheelchair (*épith*); **équipe ~** team of wheelchair athletes

hangar /ˈɑ̃gaʀ/ *nm* gén (large) shed; (entrepôt) warehouse (Composés) **~ d'aviation** hangar; **~ à bateaux** boathouse

hanneton /ˈantɔ̃/ *nm* cockchafer GB, June bug US; ▸ **piquer**

Hannibal /anibal/ *npr* Hannibal

Hanoi /anɔj/ ▸ p. 894 *npr* Hanoi

Hanoukka /ˈanuka/ *nf* Hanukkah, Chanuk(k)ah

Hanovre /ˈanɔvʀ/ ▸ p. 894 *npr* Hanover

hanse /ˈɑ̃s/ *nf* Hist hansa; **la Hanse (teutonique)** the Hanseatic League

hanséatique /ˈɑ̃seatik/ *adj* Hanseatic

hanter /ˈɑ̃te/ [1] *vtr* (tous contextes) to haunt; **lieu hanté** haunted place; ▸ **dire**

hantise /ˈɑ̃tiz/ *nf* dread; **avoir la ~ de qch** to dread sth; **être seul, c'est une ~ chez moi** being alone is something I dread

happening /ˈapəniŋ/ *nm* happening

happer /ˈape/ [1] *vtr* **1** (saisir) to catch [*nourriture, insecte*]; to seize [*animal, bras*]; **~ qch au vol** to catch sth in mid-air; **2** (faucher) **être happé par** to be caught up in [*machine*]; to be hit by [*voiture, train*]; **3** (engloutir) **être happé par** to be swallowed up by [*bouche de métro, foule*]

haquenée‡ /ˈakne/ *nf* palfrey‡

hara-kiri, *pl* **~s*** /ˈaʀakiʀi/ *nm* hara-kiri; **(se) faire ~** to commit hara-kiri

harangue /ˈaʀɑ̃g/ *nf* harangue

haranguer /ˈaʀɑ̃ge/ [1] *vtr* to harangue

haras /ˈaʀa/ *nm inv* stud farm

harassant, ~e /ˈaʀasɑ̃, ɑ̃t/ *adj* exhausting

harassement /ˈaʀasmɑ̃/ *nm* fml exhaustion

harasser /ˈaʀase/ [1] *vtr* to exhaust

harcèlement /ˈaʀsɛlmɑ̃/ *nm* harassment (Composés) **~ moral** *or* **psychologique** psychological abuse; **~ sexuel** sexual harassment

harceler /ˈaʀsəle/ [17] *vtr* **1** (importuner) [*démarcheur, mendiant, journaliste*] to pester; **~ qn de questions** to pester sb with questions; **~ qn pour obtenir qch** to pester sb for sth; **harcelé par les moustiques** plagued by mosquitoes; **les remords le harcèlent** he's plagued by remorse; **2** (poursuivre) to harass [*ennemi*]

hard○ /ˈaʀd/
A *adj inv* (pornographique) hard-core (*épith*)
B *nm inv* **1** Mus hard rock; **2** (pornographie) hard porn○; **3** Ordinat *abbr* = **hardware**

harde /ˈaʀd/
A *nf* **1** (d'animaux sauvages) herd; **2** Chasse pack
B **hardes** *nfpl* liter rags

hardi, ~e /ˈaʀdi/
A *adj* **1** (intrépide, osé) bold; **2** (impudent) risqué
B *excl* **~ les gars!** go for it, lads GB *ou* guys!

hardiesse /ˈaʀdjɛs/ *nf* **1** (intrépidité, originalité) boldness; **avoir la ~ de faire** to be bold enough to do; **2** liter (impudence) brazenness; **3** (parole, action impudente) **se permettre des ~s avec qn** to take liberties with sb

hardiment /ˈaʀdimɑ̃/ *adv* **1** (avec intrépidité) boldly; **2** (impudemment) brazenly

hardware /ˈaʀdwɛʀ/ *nm* controv hardware

harem /ˈaʀɛm/ *nm* harem

hareng /ˈaʀɑ̃/ *nm* herring (Composé) **~ saur** smoked herring (Idiome) **sec comme un ~ saur** as thin as a reed; ▸ **caque**

hargne /ˈaʀɲ/ *nf* aggression; **avec ~** aggressively; **plein de ~** very aggressive

hargneusement /ˈaʀɲøzmɑ̃/ *adv* aggressively

hargneux, -euse /ˈaʀɲø, øz/ *adj* aggressive

haricot /ˈaʀiko/ *nm* **1** (plante, graine) bean; **2** Méd kidney bowl (Composés) **~ beurre** wax bean; **~ blanc** haricot bean; **~ à écosser** broad bean; **~ de Lima** butterbean; **~ mange-tout** French bean; **~ rouge** red kidney bean; **~ sec** dried bean; **~ vert** French bean (Idiomes) **c'est la fin des ~s**○ we've had it; **il me court sur le ~**◑ he gets on my nerves *ou* on my wick○ GB, he bugs me○

haridelle /ˈaʀidɛl/ *nf* (cheval) pej nag

harira /ˈaʀiʀa/ *nf*: *soup eaten during Ramadan*

harissa /ˈaʀisa/ *nf* harissa

harki /ˈaʀki/ *nm*: *Algerian soldier who fought on the French side in the war of independence*

harmonica /aʀmɔnika/ ▸ p. 557 *nm* mouth organ, harmonica

harmoniciste /aʀmɔnisist/ ▸ p. 557, p. 532 *nmf* harmonica player

harmonie /aʀmɔni/ *nf* **1** (d'entente) harmony; **en ~ avec** gén in harmony with; **mobilier en ~ avec le style des années 50** furniture in keeping with the style of the 50s; **vivre en parfaite ~ avec la nature/ses voisins** to live in perfect harmony with nature/one's neighbours[GB]; **2** Mus (connaissance des accords) harmony; (orchestre) wind band (Composés) **~ imitative** Littérat onomatopoeia; **~ vocalique** Ling vowel harmony

harmonieusement /aʀmɔnjøzmɑ̃/ *adv* harmoniously

harmonieux, -ieuse /aʀmɔnjø, øz/ *adj* **1** (agréable) [*musique, voix, style*] harmonious; **2** (en accord) [*couleurs, architecture, courbes*] harmonious; [*gestes*] graceful; [*vie, équilibre, mélange*] harmonious, happy; **former un ensemble ~** to blend harmoniously; **ils forment un couple ~** they are very well suited

harmonique /aʀmɔnik/ *adj, nm* harmonic

harmoniquement /aʀmɔnikmɑ̃/ *adv* harmonically

harmonisation /aʀmɔnizasjɔ̃/ *nf* gén harmonization; Ling vowel harmony

harmoniser /aʀmɔnize/ [1]
A *vtr* **1** (rendre harmonieux) to coordinate [*couleurs*]; **2** (rendre cohérents) to harmonize, to make [sth] consistent [*règles, positions*]; **3** Mus to harmonize
B **s'harmoniser** *vpr* **bien s'~** [*couleurs, caractères*] to go together well

harmonium /aʀmɔnjɔm/ ▸ p. 557 *nm* harmonium

harnachement /ˈaʀnaʃmɑ̃/ *nm* **1** (de cheval) (pièces) harness; (processus) harnessing; **2** ○(de personne) get-up○

harnacher /ˈaʀnaʃe/ [1] *vtr* **1** Équit to harness [*cheval*]; **2** ○(équiper) to rig out○ [*personne*]

harnais /ˈaʀnɛ/ *nm inv* **1** (d'animal) harness; **2** (d'alpiniste, de parachutiste etc) harness; **~ de sécurité** safety harness (Composé) **~ d'engrenages** Mécan train of gears (Idiome) **blanchir sous le ~** to spend one's whole life in harness

haro† /ˈaʀo/ *excl* **~ sur qn/qch** a plague† on sb/sth; **crier ~ sur qn/qch** to inveigh sb/sth, to rail against sb/sth

harpagon /aʀpagɔ̃/ *nm* liter miser, Scrooge

harpe /ˈaʀp/ ▸ p. 557 *nf* harp (Composé) **~ éolienne** aeolian harp

harpie /ˈaʀpi/ *nf* **1** Mythol harpy; **les Harpies** the Harpies; **2** (femme acariâtre) harpy; **3** (aigle) harpy eagle

harpiste /ˈaʀpist/ ▸ p. 557, p. 532 *nmf* harpist

harpon /ˈaʀpɔ̃/ *nm* harpoon; **pêcher la baleine au ~** to go whaling with harpoons

harponnage /ˈaʀpɔnaʒ/ *nm* harpooning

harponner /ˈaʀpɔne/ [1] *vtr* **1** Pêche to harpoon [*baleine*]; **2** (arrêter)○ to waylay [*badaud*]; to nab○ [*malfaiteur*]

harponneur /ˈaʀpɔnœʀ/ *nm* harpoonist

hasard /ˈazaʀ/ *nm* **1** (cause imprévisible) chance; **leur théorie n'admet pas le ~** their theory does not admit of chance; **le ~ nous a fait découvrir que...** we discovered by chance that...; **c'est le ~ qui nous a réunis** we were brought together by chance; **c'est dû au ~** it's due to chance; **rien n'a été laissé au ~** nothing was left to chance; **ce n'est pas l'effet** *or* **le fait** *or* **le fruit du ~ si...** it is no accident that...; **ce n'est pas un ~ si...** it's no accident that...; **s'en remettre au ~, compter sur le ~** to trust to luck (**pour** as regards; **pour faire** to do); **le ~ a voulu que...** as luck would have it,...; **au ~** [*choisir, marcher, tirer, désigner*] at random; **prenons un exemple au ~** let's take an example at random; **répondre au ~** to answer off the top of one's head; **j'ai dit cela au ~, sans réfléchir** I said it off the top of my head, I wasn't thinking; **au ~ de nos rencontres/discussions, j'ai découvert que** it emerged by chance from our meetings/discussions that; **au ~ de mes promenades** on my walks; **par ~** [*découvrir, rencontrer, trouver, voir*] by chance; **vous n'auriez pas vu mon stylo, par ~?** you wouldn't by any chance have seen my pen?; **si par ~** if by any chance; **tout à fait par ~** quite by chance; **par le plus grand des ~s** by sheer chance; **par un malencontreux ~** by an unfortunate accident; **par un curieux ~** by a curious coincidence; **par un heureux ~** by a stroke of luck; **quel heureux ~!** what a stroke of luck!; **c'est un ~ malheureux** it's

h

bad luck; **je m'en suis souvenu par ~** I happened to remember it; **comme par ~, il a oublié son argent** iron surprise, surprise, he's forgotten his money; **à tout ~** (par précaution) just in case; (pour une tentative) on the off chance; **les ~s de la vie** the fortunes of life; **2** †(péril) hazard; **les ~s de la guerre** the hazards of war

(Idiome) **le ~ fait bien les choses** fate is a great provider

hasarder /'azaʀde/ [1]

A *vtr* **1** (avancer) to venture [*conseil, explication, idée*]; **2** (risquer) to risk [*vie, réputation, honneur*]

B se hasarder *vpr* to venture (**à faire** to do); **se ~ dans la forêt** to venture into the forest

hasardeux, -euse /'azaʀdø, øz/ *adj* (peu sûr) risky; (dangereux) hazardous

hasch*○ /'aʃ/ *nm* drug users' slang (*abbr* = **haschisch**) hash○

haschi(s)ch* ▸ **hachisch**

hase /'ɑz/ *nf* doe-hare

hâte /'ɑt/ *nf* **1** (précipitation) haste; **montrer peu de ~ à faire** to show very little haste in doing; **en toute ~** in great haste; **sans ~** without haste; **à la ~** hastily; **un rapport rédigé à la ~** a hastily drawn up report; **dans ta ~** in your haste; **2** (impatience) **avoir ~ de faire qch** to be impatient to do sth; **j'ai ~ de partir** I'm impatient to leave; **j'ai ~ qu'elle vienne** I can't wait for her to come; **il n'a qu'une ~, c'est de partir** he has only one wish, and that's to leave

hâter /'ɑte/ [1]

A *vtr* to hasten; **le soulèvement a hâté la chute du dictateur** the uprising hastened the dictator's fall; **~ le pas** to quicken one's step *ou* pace

B se hâter *vpr* to hurry, to rush; **se ~ de faire** to rush to do, to hasten to do

(Idiome) **hâte-toi lentement** more haste, less speed

hâtif, -ive /'ɑtif, iv/ *adj* **1** (rapide) [*jugement, recrutement*] hasty, hurried; **une lecture hâtive du journal** a skim through the newspaper; **2** Agric [*variété, plante*] early

hâtivement /'ɑtivmɑ̃/ *adv* hurriedly, hastily

hauban /'obɑ̃/ *nm* **1** Naut shroud; **2** Tech (souple) stay; (rigide) brace

haubaner /'obane/ [1] *vtr* Naut, Tech to stay, brace; **pont haubané** stayed-girder bridge

hausse /'os/ *nf* **1** (augmentation) (de prix, salaires, loyer, demande) increase (**de** in); (de coût, dépenses, taux, chômage, température) rise (**de** in); **forte/légère ~ des prix** sharp/slight increase in prices; **~ saisonnière** seasonal increase; **il y a eu 10% de ~** there was a 10% increase; **une ~ de 10%/10F** a 10%/10F increase (**sur** in); **une ~ moyenne de 10%** an average increase of 10%; **être en ~** [*prix, baromètre, température*] to be rising; [*marchandise*] to be going up in price; **subir une forte ~** to rocket, to shoot up; **en ~ de 10% par rapport à 1990** up 10% compared with 1990; **revoir** *or* **réviser à la ~** to revise upward(s); **2** (en Bourse) (de monnaie, cours, valeur) rise (**de** in); **jouer à la ~** to speculate on a rise; **valeur en ~** lit, fig rising security; **la Bourse a ouvert en ~** the Stock exchange opened on the up; **pousser les valeurs à la ~** to push securities up; **être à la ~** [*devise*] to be rising; [*tendance*] to be upward(s); [*marché*] to be on the uptrend; **la tendance/le marché à la ~** the bullish trend/market; **en ~ de 10 points** up 10 points; **3** (d'arme à feu) rear sights (*pl*)

haussement /'osmɑ̃/ *nm* (d'épaules) shrug; **elle eut un ~ d'épaules** she shrugged her shoulders; **il marqua son intérêt par un ~ de sourcils** he raised his eyebrows in an interested way

hausser /'ose/ [1]

A *vtr* **1** (élever) to shrug [*épaules*]; to raise [*sourcils*]; **~ le ton** *or* **la voix** lit to raise one's voice; fig to adopt an aggressive tone; **2** (augmenter) to raise [*prix*]; to increase [*exigences, prétentions*]; **3** (surélever) to raise [*mur, maison*]

B se hausser *vpr* **se ~ au niveau de** to rise up to the level of; **se ~ sur la pointe des pieds** to stand on tiptoe

(Idiome) **se ~ du col** to pull oneself up

haussier, -ière /'osje, ɛʀ/ Fin

A *adj* [*marché*] bullish

B *nm,f* bull

haut, ~e /'o, 'ot/

A *adj* **1** ▸ **p. 498** (étendu verticalement) [*montagne, mur, talon*] high; [*arbre, monument, bâtiment*] tall; [*herbe*] long, tall; **homme de ~e taille** tall man; **un objet plus ~ que large** an object that is higher than it is wide; **un bâtiment ~ de 20 étages** a building 20 storeys GB *ou* stories US high, a 20-storey GB *ou* 20-story US building; **un mât ~ de 10 mètres** a mast ten metres[GB] high, a ten-metre[GB] mast; **plus ~/moins ~ que** higher/lower than; **l'immeuble dans lequel il habite est très ~** he lives in a block of high-rise flats GB *ou* a high-rise apartment block US; **attention, la première marche est ~e** be careful, the first step is steep

2 (situé en altitude) high; **une ~e branche** a high branch; **la partie ~e d'un bâtiment/mur/arbre** the top part of a building/wall/tree; **l'étagère la plus ~e** the top shelf; **une robe à taille ~e** a high-waisted dress

3 (dans une échelle de valeurs) [*fréquence, pression, température, prix, capacité, précision*] high; [*note, ton*] high, high-pitched; **les ~s salaires/revenus** high salaries/incomes; **parler à ~e voix** to speak loudly; **dire/lire qch à ~e voix** to say/read sth out loud; **jouer une carte plus ~e** to play a higher card; **être à ~ risque** to be very risky; **être du plus ~ ridicule** to be highly ridiculous; **au plus ~ point** immensely, intensely; **aimer qch au plus ~ point** to like sth immensely; **produit de ~e qualité** high-quality product; **avoir une ~e opinion de qn/soi-même** to have a high opinion of sb/oneself; **tenir qn en ~e estime** to hold sb in high esteem *ou* regard

4 (dans une hiérarchie) (*before n*) [*personnage, situation, poste*] high-ranking; [*clergé, magistrat*] senior; [*société, rang*] high; [*responsabilités*] big; [*dirigeant, responsable*] senior, high-ranking; **les plus ~es instances** the highest authorities; **bénéficier de ~es protections** to have friends in high places; **le ~ Comité/Conseil pour** the National Committee/Council for; **~e surveillance** close supervision

5 Géog upper; **la ~e Égypte** Upper Egypt; **le ~ Nil** the Upper Nile

6 Hist **dater de la plus ~e antiquité** to date from earliest antiquity; **le ~ Moyen Âge** the early Middle Ages

B *adv* **1** (à un niveau élevé) [*monter, s'élever, voler, sauter*] high; **voler très ~ dans le ciel** to fly high in the sky; **un personnage ~ placé** a person in a high position; **viser trop ~** to aim too high; **la lune est ~ dans le ciel** the moon is high up in the sky; **~ perché sur** perched high on; **le plus ~** the highest; **sauter le plus ~** to jump the highest; **de ~** from above

2 (dans le temps) far back; **aussi ~ qu'on remonte dans l'antiquité** however far back in history we go

3 (dans un texte) **plus ~** above; **comme indiqué plus ~** as noted above; **colle-le plus ~ sur la page** stick it higher up on the page; **voir plus ~** see above

4 (fort) loudly; **parler ~** to talk loudly; **parlez moins ~!** keep your voice down!; **parlez plus ~!** speak up!; **dire qch bien ~** to say sth loud(ly); **mettre la radio plus ~** to turn the radio up; **tout ~** out loud; **parler ~ et clair** fig to speak unambiguously; **ne dire** *or* **n'avoir jamais un mot plus ~ que l'autre** never to raise one's voice

C *nm* **1** (partie élevée) top; **le ~ du mur** the top of the wall; **le ~ du visage** the top part of the face; **le ~ du corps** the top half of the body; **dans le ~ (de)** at the top (of); **l'appartement/l'étagère du ~** the top flat/shelf; **les pièces du ~** the upstairs rooms; **sur le ~ de la colline/côte** at the top of the hill/slope; **commencer par le ~** to start at the top; **prendre qch par le ~** to get hold of the top of sth; **du ~ de** from the top of; **de** *or* **du ~ en bas** from top to bottom; **parler du ~ d'un balcon/d'une tribune** to speak from a balcony/a platform; **le ~ de son maillot de bain** the top of her swimsuit

2 (hauteur) **mesurer** *or* **faire 50 mètres de ~** to be 50 metres[GB] high; **une tour de 35 m de ~** a 35 m tower; **être à son plus ~** to be at its highest level

D en haut *loc* (à l'étage supérieur) upstairs; (à un étage supérieur) on an upper floor; (de rideau, mur, page) at the top; (le ciel, le paradis) above; **le bruit vient d'en ~** the noise is coming from above; **tout en ~** right at the top; **jusqu'en ~** up to the top, right to the top; **passer par en ~** (par la route) to take the top road; **les voleurs sont entrés par en ~** (par l'étage) the thieves got in upstairs; **ordre qui vient d'en ~** order from the top; **mettez la date en ~ de la page à droite** put the date in the top right-hand corner of the page

E hauts *nmpl* Géog heights; **les ~s de Meuse** the heights of the Meuse

F haute○ *nf* upper crust○; **fréquenter les gens de la ~e** to rub shoulders with the upper crust

(Composés) **~ en couleur** [*personnage, tableau, texte*] colourful[GB]; **~ fait** heroic deed; **~ fonctionnaire** senior civil servant; **~ lieu de centre**[GB] of *ou* for; **en ~ lieu** in high places; **une décision prise en ~ lieu** a decision taken at a high level; **~ plateau** high plateau; **~e définition** TV high definition; **télévision (à) ~e définition** high definition TV; **écran à ~e définition graphique** Ordinat screen with high resolution graphics; **~e école** lit, Équit haute école, classical equitation; **c'est un exercice de ~e école** fig it's a very advanced exercise; **~e mer** Naut open sea; **Haute Cour (de Justice)** High Court of Justice; **~es eaux** high water (*sg*); **~es sphères** high social circles; **~es terres** Géog highlands; **~es voiles** Naut upper sails; **~s fourneaux** blast furnace

(Idiomes) **marcher la tête ~e** to walk with one's head held high; **prendre** *or* **regarder** *or* **voir les choses de ~** (sans s'arrêter aux détails) to see things in broad terms; (avec sérénité) to have a detached view of things; **tomber de ~** to be dumbfounded; **regarder qn de ~ en bas** to look sb up and down; **avoir** *or* **connaître des ~s et des bas** to have one's ups and downs; **~ les mains!** hands up!; **l'emporter** *or* **gagner** *or* **vaincre ~ la main** to win hands down; **prendre qn/qch de ~** to look down one's nose at sb/sth; ▸ **cri, pavé**

hautain, ~e /'otɛ̃, ɛn/ *adj* haughty

hautainement /'otɛnmɑ̃/ *adv* littér haughtily

hautbois /'obwɑ/ ▸ **p. 557** *nm inv* **1** (instrument) oboe; **2** (instrumentiste) oboist

hautboïste /'obɔist/ ▸ **p. 557, p. 532** *nmf* oboist

haut-commissaire, *pl* **hauts-commissaires** /'okɔmisɛʀ/ *nm* Admin high commissioner

haut-commissariat, *pl* **hauts-commissariats** /'okɔmisaʀja/ *nm* Admin **1** (fonction) post of high commissioner; **2** (service) high commission

haut-de-chausse(s), *pl* **hauts-de-chausses** /'odʃos/ *nm* (knee) breeches

haut-de-forme, *pl* **hauts-de-formes** /'odfɔʀm/ *nm* top hat

haut-de-jardin, *pl* **hauts-de-jardin** /'odʒaʀdɛ̃/ *nm* first-floor flat overlooking gardens

haute-contre, *pl* **hautes-contre*** /ˈotkɔ̃tʀ/ ▸ **p. 141** *nf* Art, Mus counter tenor

Haute-Corse /ˈotkɔʀs/ ▸ **p. 721** *nprf* (département) **la ~** the Haute-Corse

haute(-)fidélité, *pl* **hautes(-)fidélités** /ˈotfidelite/ *nf* Électrotech **1** (qualité) **chaîne ~** hi-fi system; **2** (technique) ₵ **la ~** hi-fi, high fidelity

Haute-Garonne /ˈotgaʀɔn/ ▸ **p. 721** *nprf* (département) **la ~** the Haute-Garonne

Haute-Loire /ˈotlwaʀ/ ▸ **p. 721** *nprf* (département) **la ~** the Haute-Loire

Haute-Marne /ˈotmaʀn/ ▸ **p. 721** *nprf* (département) **la ~** the Haute-Marne

hautement /ˈotmɑ̃/ *adv* **1** (à un haut degré) highly; **2** (ouvertement) openly

Haute-Normandie /ˈotnɔʀmɑ̃di/ ▸ **p. 721** *nprf* **la ~** Haute-Normandie

Hautes-Alpes /ˈotzalp/ ▸ **p. 721** *nprfpl* (département) **les ~** the Hautes-Alpes

Haute-Saône /ˈotson/ ▸ **p. 721** *nprf* (département) **la ~** the Haute-Saône

Haute-Savoie /ˈotsavwa/ ▸ **p. 721** *nprf* (département) **la ~** Haute-Savoie

Hautes-Pyrénées /ˈotpiʀene/ ▸ **p. 721** *nprfpl* (département) **les ~** the Hautes-Pyrénées

hauteur /ˈotœʀ/

A *nf* **1** ▸ **p. 498** (dimension verticale) height; **une tour d'une ~ de 30 m** a tower 30 metres[GB] high; **le bâtiment a 15 m de ~** the building is 15 m high; **un mur de 3 m de ~** a 3 m wall; **tableaux suspendus à des ~s différentes** pictures hung at different heights *ou* levels; **perdre de la ~** to lose height; **prendre de la ~** lit [*avion, oiseau*] to climb, to gain height; **~ libre** *or* **maximum 5 m** Aut max headroom 5 m; **à ~ d'homme** at about the height of a person; **à ~ d'yeux** *or* **des yeux** at eye level; **2** (profondeur) (d'eau, de rivière) depth; **~ d'eau** Naut depth of water; **d'une ~ d'eau de 10 m** 10 m deep; **3** Sport **la ~**, **le saut en ~** high jump; **il est bon en ~** he's good at the high jump; **4** Cout (de robe, jupe) length; **acheter 2 ~s de tissu pour faire une robe** to buy 2 dress lengths of material; **dans le sens de la ~** length-wise; **5** (éminence) hill; **chapelle située sur une ~** chapel on a hill; **gagner les ~s** to reach high ground; **il y a encore de la neige sur les ~s** there is still some snow on the mountain tops; **habiter sur les ~s de la ville** to live in the upper part of the town; **6** Math (de triangle) altitude; (de trapèze, cylindre) height; **7** (qualité morale) nobility; **~ d'âme** nobility of spirit; **~ de conception/d'idées** lofty conception/ideas; **8** péj (arrogance) haughtiness; **parler/répondre avec ~** to speak/reply haughtily; **regard/refus plein de ~** haughty look/refusal; **9** (en acoustique) pitch; **10** Astron altitude; **prendre la ~ d'une étoile** to measure the altitude of a star

B à la hauteur *loc* **1** (au niveau) **suspendre un tableau à la ~ des autres** to hang a picture level with *ou* at the same height as the others; **arriver à la ~ de** to come up to; **raccourcir une jupe à la ~ des genoux** to shorten a dress to knee-level; **2** (à côté) **arriver à la ~ de** to draw level with; **quand son bateau est arrivé à la ~ du nôtre** when his boat drew level with ours; **un déraillement s'est produit à la ~ de Rouen** there was a derailment near Rouen; **3** fig **être à la ~** to measure up; **être à la ~ de qn** to match up to sb; **être à la ~ de sa tâche/ses responsabilités** to be up to *ou* equal to one's job/one's responsibilities; **être à la ~ des espérances/attentes de qn** to live up to sb's hopes/expectations; **être à la ~ du talent de qn** [*scénario, sujet*] to do justice to sb's talent; **l'interprétation n'était pas à la ~ de la qualité du texte** the acting didn't do justice to the quality of the text; **être à la ~ de la situation/des circonstances** to be equal to the situation/the circumstances; **4** (en valeur, quantité) **à (la) ~ de 5 000 F/10%** up to 5,000 F/10%; **contribuer à qch à ~ de 10%** to take a stake of up to 10% in sth

(Composés) **~ d'appui** Constr, Archit chest height; **à ~ d'appui** at chest height (*épith*); **~ sous plafond** height from floor to ceiling

(Idiomes) **tomber de toute sa ~** to fall headlong; **se dresser de toute sa ~** [*personne*] to draw oneself up to one's full height; [*animal*] to stand on its hind legs

Haute-Volta /ˈotvɔlta/ *nprf* Hist Upper Volta

haut-fond, *pl* **hauts-fonds** /ˈofɔ̃/ *nm* Naut shallows (*pl*)

haut(-)fourneau, *pl* **hauts(-)fourneaux** /ˈofuʀno/ *nm* Ind blast furnace

haut-le-cœur /ˈolkœʀ/ *nm inv* retching ₵, heaving ₵, gagging ₵; **avoir des ~** to retch *ou* heave, to gag; **en voyant les images nous avons eu un ~** fig the pictures turned our stomachs

haut-le-corps /ˈolkɔʀ/ *nm inv* start, jump; **avoir un ~** to start, to jump

haut-parleur, *pl* **~s*** /ˈopaʀlœʀ/ *nm* Électrotech loudspeaker

(Composés) **~ d'aigus** tweeter; **~ de graves** boomer

haut-relief, *pl* **hauts-reliefs** /ˈoʀəljɛf/ *nm* Archit, Art high relief

Haut-Rhin /ˈoʀɛ̃/ ▸ **p. 721** *nprm* (département) **le ~** the Haut-Rhin

Hauts-de-Seine /ˈodsɛn/ ▸ **p. 721** *nprmpl* (département) **les ~** Hauts-de-Seine

hauturier, **-ière** /ˈotyʀje, ɛʀ/ *adj* [*pêche*] deep-sea; [*navire*] ocean-going

havage /ˈavaʒ/ *nm* Mines cutting

havane /ˈavan/

A ▸ **p. 202** *adj inv* tobacco-brown

B *nm* **1** (tabac) Havana tobacco; **2** (cigare) Havana cigar

Havane /ˈavan/ ▸ **p. 894** *npr* **la ~** Havana

hâve /ˈɑv/ *adj* fml [*visage*] haggard, gaunt

haver /ˈave/ [1] *vtr* Mines, Tech to cut

haveuse /ˈavøz/ *nf* Mines, Tech cutting machine

havrais, **~e** /ˈɑvʀɛ, ɛz/ ▸ **p. 894** *adj* of Le Havre

Havrais, **~e** /ˈɑvʀɛ, ɛz/ ▸ **p. 894** *nm,f* (natif) native of Le Havre; (habitant) inhabitant of Le Havre

havre /ˈɑvʀ/ *nm* **1** fig haven; **~ de paix** haven of peace; **2** †(port) small port, haven

Havre /ˈɑvʀ/ ▸ **p. 894** *npr* **le ~** le Havre

havresac /ˈavʀəsak/ *nm* haversack

Hawaï /awaj/ ▸ **p. 721, p. 435** *nprf* Hawaii

hawaïen, **-ïenne** /awajɛ̃, ɛn/ *adj* Hawaiian; **éruption de type ~** Hawaiian eruption

Haye /ˈɛ/ ▸ **p. 894** *npr* **la ~** the Hague

hayon /ˈajɔ̃/ *nm* (de voiture) hatchback; (de charrette) grill

(Composé) **~ élévateur** lifting tailboard *ou* tailgate

hé /ˈe/ *excl* **~! vous là-bas!** hey, you!; **~! ~! ~! il m'a cru!** ha-ha! he believed me!

heaume /ˈom/ *nm* helmet

hebdo○ /ɛbdo/ *nm* Journ weekly magazine

hebdomadaire /ɛbdomadɛʀ/

A *adj* [*fermeture, visite, départ*] weekly; **quatre heures ~s** four hours a week

B *nm* weekly (magazine)

hébergeant, **~e** /ebɛʀʒɑ̃, ɑ̃t/ *nm,f* host (*to foreign visitor*)

hébergement /ebɛʀʒəmɑ̃/ *nm* **1** (commercial) accommodation; **il faut augmenter la capacité d'~ touristique** we have to increase the amount of tourist accommodation; **2** (social) housing; **~ d'urgence** emergency housing; **les conditions d'~ des personnes âgées** housing conditions for the elderly; **3** (de site web) hosting

héberger /ebɛʀʒe/ [13] *vtr* **1** (loger) [*personne*] to put [sb] up [*amis*]; to accommodate [*touristes*]; **2** (donner asile) [*pays*] to take in [*réfugiés*]; **3** (abriter) [*bâtiment*] to accommodate, to provide accommodation for [*touristes*]; [*refuge*] to provide shelter for [*montagnards, sans-abri*]; **4** Ordinat to host [*site*]

hébergeur /ebɛʀʒœʀ/ *nm* Ordinat host

hébété, **~e** /ebete/ *adj* [*regard*] stupid; **il la regardait d'un air ~** he stared at her stupidly; **être ~ par qch** to be stupefied by [*alcool, travail*]; **~ de fatigue/douleur** numb with fatigue/grief

hébétement* /ebɛtmɑ̃/ *nm* stupor

hébétude /ebetyd/ *nf* hebetude sout, stupor

hébraïque /ebʀaik/ *adj* [*études*] Hebrew

hébraïsant, **-ante** /ebʀaizɑ̃, ɑ̃t/ *nm,f* Hebraist

hébraïser /ebʀaize/ [1] *vtr* to Hebraize

hébraïsme /ebʀaism/ *nm* Hebraism

hébraïste /ebʀaist/ *nmf* Hebraist

hébreu, *pl* **~x** /ebʀø/ ▸ **p. 483**

A *adj m* Hebrew; **l'État ~** the State of Israel

B *nm* Ling Hebrew

(Idiome) **pour moi, c'est de l'~** it's all Greek to me

Hébreu, *pl* **~x** /ebʀø/ *nm* Hebrew; **les ~x** the Hebrews

Hébrides /ebʀid/ ▸ **p. 435** *nprfpl* **les (îles) ~** the Hebrides

HEC /aʃəse/ *nf* (*abbr* = **Hautes études commerciales**) *business school*

> **HEC**
>
> A prestigious *grande école* at Jouy-en-Josas, run by the Paris *Chambre de commerce et d'industrie. HEC* is a business and management school. ▸ **grande école**

hécatombe /ekatɔ̃b/ *nf* **1** (massacre) massacre, slaughter; **l'examen a été une ~** fig lots of people failed the exam; **2** Antiq hecatomb

hectare /ɛktaʀ/ ▸ **p. 816** *nm* hectare

hecto /ɛkto/

A *nm* (*abbr* = **hectogramme**) hectogram

B hecto(-) (*in compounds*) hecto

hectogramme /ɛktɔgʀam/ ▸ **p. 646** *nm* hectogram

hectolitre /ɛktolitʀ/ ▸ **p. 123** *nm* hectolitre[GB]

hectomètre /ɛktɔmɛtʀ/ ▸ **p. 498** *nm* hectometre[GB]

hectométrique /ɛktɔmetʀik/ *adj* **borne ~** hectometre[GB]-marker (*on a road*)

hectopascal /ɛktɔpaskal/ *nm* milibar

hédonique /edɔnik/ *adj* hedonic

hédonisme /edɔnism/ *nm* hedonism

hédoniste /edɔnist/

A *adj* hedonistic

B *nmf* hedonist

hégélianisme /egeljanism/ *nm* Hegelianism

hégélien, **-ienne** /egeljɛ̃, ɛn/ *adj, nm,f* Hegelian

hégémonie /eʒemɔni/ *nf* hegemony

hégire /eʒiʀ/ *nf* **l'~** the Hegira

hein○ /ˈɛ̃/ *excl* (pour faire répéter) what○?, sorry?, pardon me? US; **ça t'étonne, ~?** (pour savoir) that's surprised you, has it?; (pour insister) that's surprised you, hasn't it?; **tu ne m'en veux pas, ~?** you're not angry with me, are you?

hélas /ˈelas/ *excl* alas; **~! il ne me reste plus rien** sadly, I have nothing left; **j'ai, ~, perdu toute ma famille** sadly, I have lost all my family; **'va-t-elle mieux?'—'~ non!'** 'is she any better?'—'unfortunately not!'

Hélène /elɛn/ *npr* Helen; **~ de Troie** Helen of Troy

héler /ˈele/ [14]

A *vtr* to hail [*taxi*]; to hail sout, to call [*personne*]

B se héler *vpr* to call out to one another

hélianthe /eljɑ̃t/ *nm* helianthus

hélianthine /eljɑ̃tin/ *nf* methyl orange, helianthine spéc

h

hélice /elis/ *nf* **1** Naut, Aviat (screw) propeller; **2** Archit, Math, Biol helix; **3** Tech (de moulin à café) blade; (de ventilateur) blades (*pl*)

hélico○ /eliko/ *nm* chopper○, helicopter

hélicoïdal, **~e**, *mpl* **-aux** /elikɔidal, o/ *adj* **1** Math, Mécan, Tech [*mouvement, axe*] helical; [*escalier*] spiral; **2** Bot helicoid

hélicoïde /elikɔid/ *nm* helicoid

hélicon /elikɔ̃/ ▸ **p. 557** *nm* Mus helicon

hélicoptère /elikɔptɛʀ/ *nm* helicopter; **en ~** in a helicopter

(Composés) **~ armé** armed helicopter; **~ de combat** attack helicopter

héliographe /eljɔgʀaf/ *nm* heliograph

héliographie /eljɔgʀafi/ *nf* heliography

héliogravure /eljɔgʀavyʀ/ *nf* **1** (procédé) gravure printing; **2** (image) gravure

héliomarin, **~e** /eljɔmaʀɛ̃, in/ *adj* [*cure*] sun-and-seawater

héliothérapie /eljɔteʀapi/ *nf* heliotherapy, sun therapy

héliotrope /eljɔtʀɔp/ *nm* Bot, Minér heliotrope

héliport /elipɔʀ/ *nm* heliport

héliporté, **~e** /elipɔʀte/ *adj* [*troupes, unité*] helicopter-borne

hélitreuiller /elitʀœje/ [1] *vtr* to winch [sb] to safety (*by helicopter*)

hélium /eljɔm/ *nm* helium

hélix /eliks/ *nm inv* helix

hellène /ellɛn/ *adj* [*peuple, voilier*] Hellenic

Hellène /ellɛn/ *nm* Hellene

hellénique /ellenik/ *adj* Hellenic

helléniser /ellenize/ [1] *vtr* to hellenize

hellénisme /ellenism/ *nm* Hellenism

helléniste /ellenist/ *nmf* Hellenist

Helsinki /ɛlsinki/ ▸ **p. 894** *npr* Helsinki

helvète /ɛlvɛt/ *adj* Helvetian

Helvète /ɛlvɛt/ *nmf* Helvetian

Helvétie /ɛlvesi/ *nprf* Helvetia

helvétique /ɛlvetik/ *adj* Helvetic, Swiss; **la Confédération ~** Switzerland

helvétisme /ɛlvetism/ *nm* Swiss French expression

hématie /emati, emasi/ *nf* red blood cell, erythrocyte spéc

hématobiologie /ematɔbjɔlɔʒi/ *nf* haematobiology[GB]

hématocompatible /ematɔkɔ̃patibl/ *adj* haematocompatible[GB]

hématocrite /ematɔkʀit/ *nm* haematocrit[GB]

hématologie /ematɔlɔʒi/ *nf* haematology[GB]

hématologique /ematɔlɔʒik/ *adj* haematological[GB]

hématologue /ematɔlɔg/ ▸ **p. 532** *nmf* haematologist[GB]

hématome /ematom/ *nm* bruise, haematoma[GB] spéc

hémicycle /emisikl/ *nm* (de théâtre) semicircular auditorium; (salle quelconque) semicircular room; **l'~ (de l'Assemblée nationale)** the benches of the French National Assembly

hémiplégie /emipleʒi/ *nf* paralysis of one side of the body, hemiplegia spéc

hémiplégique /emipleʒik/
A *adj* hemiplegic; **être ~** to be paralysed[GB] down one side, to be a hemiplegic
B *nmf* hemiplegic

hémisphère /emisfɛʀ/ *nm* Anat, Géog hemisphere; **~ cérébral** cerebral hemisphere; **l'~ Nord/Sud** Géog the northern/southern hemisphere

hémisphérique /emisfeʀik/ *adj* hemispherical

hémistiche /emistiʃ/ *nm* (moitié de vers) hemistich; **coupe à l'~** caesura

hémoculture /emɔkyltyʀ/ *nf* haemoculture[GB]

hémodialyse /emɔdjaliz/ *nf* haemodialysis[GB]

hémoglobine /emɔglɔbin/ *nf* **1** Physiol haemoglobin[GB]; **2** ○(sang) blood

hémogramme /emɔgʀam/ *nm* haemogram[GB]

hémophile /emɔfil/
A *adj* haemophilic[GB]; **être ~** to be a haemophiliac
B *nmf* haemophiliac[GB]

hémophilie /emɔfili/ *nf* haemophilia[GB]

hémorragie /emɔʀaʒi/ *nf* **1** Méd haemorrhage[GB], bleeding ¢; **~ cérébrale** cerebral haemorrhage; **~ interne** internal bleeding; **pour arrêter l'~** to stop the bleeding; **2** (fuite) (de capitaux, devises) massive outflow; (de partisans, populations, clients) exodus; **3** (pertes humaines) massive loss of (human) life; **l'~ due à la guerre** the massive loss of life due to the war

hémorragique /emɔʀaʒik/ *adj* haemorrhagic[GB]

hémorroïdal, **~e**, *mpl* **-aux** /emɔʀɔidal, o/ *adj* **1** Méd haemorrhoidal[GB]; **2** Anat [*artère, nerf*] anorectal

hémorroïdes /emɔʀɔid/ ▸ **p. 283** *nfpl* piles, haemorrhoids[GB]; **avoir des ~** to have piles

hémostase /emɔstaz/ *nf* haemostasis[GB]

hémostatique /emɔstatik/
A *adj* haemostatic[GB]
B *nm* haemostat[GB]

henné /'ene/ *nm* henna; **se teindre les cheveux au ~** to henna one's hair

hennin /'enɛ̃/ *nm* Hist hennin

hennir /'eniʀ/ [3] *vi* [*cheval*] to neigh, to whinny

hennissement /'enismɑ̃/ *nm* neigh, whinnying ¢

hep /(h)ɛp/ *excl* hey!

héparine /epaʀin/ *nf* heparin

hépatique /epatik/
A *adj* hepatic; **insuffisance ~** liver failure, hepatic insufficiency spéc
B *nmf* person with a liver complaint
C *nf* Bot **1** (lichen) liverwort; **les ~s** Hepaticae; **2** (fleur) hepatica

hépatite /epatit/ ▸ **p. 283** *nf* hepatitis; **~ B** hepatitis B; **~ virale** viral hepatitis

hépatocyte /epatɔsit/ *nm* hepatocyte

hépatologie /epatɔlɔʒi/ *nf* hepatology

heptaèdre /ɛptaɛdʀ/ *nm* heptahedron

heptagonal, **~e**, *mpl* **-aux** /ɛptagɔnal, o/ *adj* heptagonal

heptagone /ɛptagɔn/ *nm* heptagon

heptamètre /ɛptamɛtʀ/ *nm* heptameter

heptasyllabe /ɛptasilab/
A *adj* heptasyllabic
B *nm* heptasyllable

heptathlon /ɛptatlɔ̃/ *nm* heptathlon

Héra /eʀa/ *npr* Hera

Héraclès /eʀaklɛs/ *npr* Heracles

Héraclite /eʀaklit/ *npr* Heraclitus

héraldique /eʀaldik/
A *adj* heraldic
B *nf* heraldry

héraldiste /eʀaldist/ *nmf* heraldist

Hérault /'eʀo/ ▸ **p. 372**, **p. 721** (fleuve, département) *nprm* **l'~** the Hérault

héraut /'eʀo/ *nm* **1** (annonciateur) liter harbinger; **2** Hist (officier) **~ d'armes** herald

herbacé, **~e** /ɛʀbase/ *adj* herbaceous

herbage /ɛʀbaʒ/ *nm* pasture

herbager, **-ère** /ɛʀbaʒe, ɛʀ/ *adj* **1** [*région*] with extensive pastureland (*épith, après n*); **2** [*élevage*] on pastureland (*épith, après n*)

herbe /ɛʀb/
A *nf* **1** (revêtement végétal) grass; **un brin d'~** a blade of grass; **une touffe d'~** a tuft of grass; **marcher/s'étendre sur l'~** to walk/lie on the grass; **'défense de marcher sur l'~'** 'keep off the grass'; **2** Bot (plante) **un talus de hautes ~s** a bank of tall grass; **mauvaise ~** weed; **3** Bot, Culin aromatic herb; **fines ~s** gén mixed herbs, fines herbes; (ciboulette) chives; **4** ○(marijuana) grass○, marijuana
B **en herbe** *loc adj* **1** (encore vert) [*blé, avoine*] in the blade (*après n*); **2** (jeune) [*musicien, footballeur*] budding

(Composé) **~s folles** wild grass

(Idiome) **couper l'~ sous les pieds de qn** to beat sb to it

herbeux, **-euse** /ɛʀbø, øz/ *adj* grassy

herbicide /ɛʀbisid/
A *adj* [*produit*] herbicidal
B *nm* weed killer, herbicide

herbier /ɛʀbje/ *nm* **1** (de plantes séchées) herbarium; **faire un ~** to build up a herbarium; **2** (de planches illustrées) set of plant illustrations

herbivore /ɛʀbivɔʀ/
A *adj* herbivorous
B *nm* herbivore

herborisation /ɛʀbɔʀizasjɔ̃/ *nf* **1** (cueillette) plant collecting, botanizing spéc; **2** (excursion) plant-collecting trip, botanizing trip spéc

herboriser /ɛʀbɔʀize/ [1] *vi* to collect plants, to botanize spéc

herboriste /ɛʀbɔʀist/ ▸ **p. 532** *nmf* herbalist

herboristerie /ɛʀbɔʀistəʀi/ ▸ **p. 532** *nf* **1** (vente) herb trade; **2** (boutique) herbalist's shop GB *ou* store US

herbu, **~e** /ɛʀby/ *adj* grassy

hercule /ɛʀkyl/ *nm* **c'est un ~** he's a big strong guy○; **~ de foire** strongman

Hercule /ɛʀkyl/ *npr* Hercules; **les travaux d'~** Mythol the Labours of Hercules; **c'est un travail d'~** fig it's a Herculean task

herculéen, **-éenne** /ɛʀkyleɛ̃, ɛn/ *adj* Herculean

hercynien, **-ienne** /ɛʀsinjɛ̃, ɛn/ *adj* Hercynian

hère /'ɛʀ/ *nm* liter **un pauvre ~** a poor wretch

héréditaire /eʀeditɛʀ/ *adj* Biol, Jur, Méd hereditary; **l'ennemi ~** fig the traditional enemy

héréditairement /eʀeditɛʀmɑ̃/ *adv* hereditarily

hérédité /eʀedite/ *nf* **1** Biol heredity; **2** (origines) background; **il a une ~ chargée**○ his family history is very bad; **3** Jur (de possession, charge, titre) hereditary nature; (biens)† fml estate

Hereford ▸ **p. 721** *nprm* **le ~ and Worcester** Hereford and Worcester

hérésie /eʀezi/ *nf* **1** Relig heresy; **tomber en ~** to become a heretic; **2** (opinion, théorie) heresy; hum (action) sacrilege; **une ~ scientifique** a scientific heresy; **du vin blanc avec du gibier, quelle ~!** white wine with game, that's sacrilege!

hérétique /eʀetik/
A *adj* heretical
B *nmf* heretic

hérissé, **~e** /'eʀise/
A *pp* ▸ **hérisser**
B *pp adj* [*plumes*] ruffled; **il a les cheveux ~s** (volontairement) he's got spiky hair; (involontairement) he's got hair that sticks up

hérisser /'eʀise/ [1]
A *vtr* **1** (dresser) [*oiseau*] to ruffle (up) [*plumes*]; [*hérisson, porc-épic*] to raise [*piquants*]; **le chat a hérissé ses poils** the cat's fur bristled; **le froid hérisse les poils** the cold gives you goose pimples; **fou de terreur, les cheveux hérissés sur la tête** mad with terror, his hair standing on end; **2** (garnir) **~ qch de** to spike sth with; **~ une fosse de pieux** to spike a pit with stakes; **le haut du mur est hérissé de tessons de bouteilles** the top of the wall is spiked with broken glass; **question hérissée**

de difficultés fig question fraught with difficulties; 3 ○(irriter) [*situation*] to set sb's teeth on edge○; [*personne*] to make sb cringe
B se hérisser *vpr* 1 (se dresser) [*poils, cheveux*] to stand on end; [*animal*] to bristle; 2 ○(s'irriter) to bristle○; **il se hérisse à la moindre remarque** he bristles at the slightest remark

hérisson /'eʀisɔ̃/ *nm* 1 Zool hedgehog; 2 (de ramoneur) (chimney sweep's) brush; 3 (égouttoir à bouteilles) bottle-drainer; 4 Mil (défense) hedgehog; 5 Agric toothed roller; 6 Tex porcupine roller
(Composé) ~ **de mer** sea urchin

héritage /eʀitaʒ/ *nm* 1 (biens légués) inheritance; **faire un** ~ to come into an inheritance; **il a laissé un gros** ~ **à ses enfants** he left his children a big inheritance; **une tante à** ~ a wealthy aunt; **laisser qch en** ~ to bequeath sth (**à qn** to sb); **recevoir qch en** ~ to inherit sth; **il l'a eu par** ~ he inherited it; **mes grosses mains sont un** ~ **de mon grand-père** I inherited my coarse hands from my grandfather; 2 (survivance du passé) (concret) inheritance; (abstrait) heritage, legacy; **nous sommes fiers de notre** ~ **culturel** we are proud of our cultural heritage; **l'**~ **du dictateur se fait encore sentir** the dictator's legacy can still be felt

hériter /eʀite/ [1]
A *vtr* to inherit; ~ **la couronne** to inherit the throne; ~ **qch de qn** to inherit sth from sb
B hériter de *vtr ind* 1 Jur to inherit [*argent, bien*]; **la maison dont il a hérité** the house he inherited; **ce peintre a largement hérité de l'impressionnisme** this painter has inherited a great deal from Impressionism; **nous héritons de la pagaille laissée par nos prédécesseurs** we have inherited the mess left by our predecessors; **lois/coutumes héritées du XVe siècle** laws/customs which have come down from the 15th century; 2 ○(se retrouver encombré de) to be landed with
C *vi* (être légataire) to inherit; (faire un héritage) to come into an inheritance; **qui héritera?** who will inherit?; **quand il aura hérité** when he comes into his inheritance; ~ **de qn** to receive an inheritance from sb

héritier, **-ière** /eʀitje, ɛʀ/ *nm,f* Jur heir/heiress (**de** to); **mourir sans** ~ to die without an heir; **être l'**~ **d'une grande fortune/longue tradition** to be the heir to a large fortune/long tradition; **l'**~ **spirituel de qn** sb's spiritual heir
(Composé) ~ **testamentaire** Jur legatee

hermaphrodisme /ɛʀmafʀɔdism/ *nm* hermaphroditism

hermaphrodite /ɛʀmafʀɔdit/
A *adj* (tous contextes) hermaphroditic
B *nm* hermaphrodite

herméneutique /ɛʀmenøtik/
A *adj* hermeneutic
B *nf* hermeneutics (+ *v sg*)

Hermès /ɛʀmɛs/ *npr* Hermes

hermétique /ɛʀmetik/ *adj* 1 lit (étanche) [*joint, récipient*] hermetic; [*fermeture*] (aux gaz) airtight; (aux liquides) watertight; **assurer la fermeture** ~ **de qch** to ensure that sth is hermetically sealed; 2 (impénétrable) [*frontière*] closed, sealed-off (*jamais épith*); [*milieu, société*] impenetrable; [*blocus, embargo*] solid; 3 (indéchiffrable) [*poésie, auteur*] abstruse; [*visage, expression*] inscrutable; **il est** ~ **à l'astrologie/au cricket** astrology/cricket is a closed book to him; 4 (ésotérique) [*livres, philosophie*] Hermetic

hermétiquement /ɛʀmetikmɑ̃/ *adv* 1 [*fermé, clos, scellé*] hermetically; **fermer ses frontières** ~ to seal off one's borders; 2 [*s'exprimer*] abstrusely

hermétisme /ɛʀmetism/ *nm* 1 (caractère indéchiffrable) abstruseness; 2 (occultisme) hermeticism; 3 Littérat hermeticism

hermine /ɛʀmin/ *nf* 1 (animal) stoat; 2 (fourrure) ermine; 3 Hérald ermine

herminette /ɛʀminɛt/ *nf* adze GB, adz US

herniaire /'ɛʀnjɛʀ/ *adj* hernial

hernie /'ɛʀni/ *nf* 1 Méd hernia; ~ **étranglée** strangulated hernia; ~ **hiatale** hiatus hernia; 2 (de pneu) bulge

Hérode /eʀɔd/ *npr* Herod

Hérodote /eʀɔdɔt/ *npr* Herodotus

héroï-comique, *pl* ~**s** /eʀɔikɔmik/ *adj* mock-heroic

héroïne /eʀɔin/ *nf* 1 (personnage) heroine; 2 (stupéfiant) heroin

héroïnomane /eʀɔinɔman/ *nmf* heroin addict

héroïque /eʀɔik/ *adj* [*personne, fait*] heroic; [*poème*] epic; **aux débuts** ~**s de l'aviation** in the pioneering days of aviation, in the heroic early days of aviation

héroïquement /eʀɔikmɑ̃/ *adv* heroically

héroïsme /eʀɔism/ *nm* heroism; **sortir par ce temps, c'est de l'**~**!** hum to go out in weather like this is nothing short of heroic!; **avec** ~ [*lutter, supporter*] heroically

héron /'eʀɔ̃/ *nm* heron
(Composé) ~ **cendré** grey GB *ou* gray US heron

héros /'eʀo/ *nm inv* hero; **c'est un vrai** ~ **de roman** he's like something out of a book; **mourir en** ~ to die a hero's death; **être accueilli en** ~ to be given a hero's welcome

herpès /ɛʀpɛs/ ▸ p. 283 *nm inv* herpes; ~ **de la lèvre** cold sore, herpes labialis spéc; ~ **génital** genital herpes
(Composé) ~ **circiné** ringworm

herpétique /ɛʀpetik/ *adj* herpetic

hersage /'ɛʀsaʒ/ *nm* harrowing ₵

herse /'ɛʀs/ *nf* 1 Agric harrow; 2 (grille d'entrée) portcullis; 3 Théât (éclairage) batten GB, bank of floodlights US; 4 Mil (barrage routier) caltrop barrier; 5 (sur un cours d'eau) trap

Hertfordshire ▸ p. 721 *nprm* **le** ~ Hertfordshire

hertz /(')ɛʀts/ *nm inv* hertz

hertzien, **-ienne** /ɛʀtzjɛ̃, ɛn/ *adj* [*onde*] Hertzian; [*station, système, liaison*] radio-relay

hésitant, ~**e** /ezitɑ̃, ɑ̃t/
A *adj* [*geste, dessin, défense*] hesitant; [*démarche, pas, réponse, voix*] hesitant, faltering; [*victoire*] undecided; [*démarrage*] shaky; **elle s'exprime dans un anglais** ~ she speaks in faltering English
B hésitants *nmpl* (d'un sondage) **les** ~**s** the don't knows

hésitation /ezitasjɔ̃/ *nf* 1 (indécision) indecision, hesitancy; **il a eu une seconde d'**~ he hesitated for a second; **répondre sans (la moindre)** ~ to reply without (the slightest) hesitation; 2 (signe d'incertitude) hesitation ₵; **se décider après bien des** ~**s** to make up one's mind after much hesitation; **elle a marqué une** ~ **avant de poursuivre (son discours)** she hesitated before continuing (her speech); **lever les dernières** ~**s de qn** to overcome sb's final doubts

hésiter /ezite/ [1] *vi* to hesitate (**sur** over; **devant** before); **ne pas** ~ **à** not to hesitate to; **elle n'a pas hésité une seconde** she didn't hesitate for a second; **elle n'a pas donné de réponse, elle hésite encore** she hasn't given an answer yet, she's still undecided; **il n'y a pas à** ~ it's got to be done; **j'hésite entre deux solutions** I'm not sure which solution is the best; **'alors, tu viens?'—'j'hésite'** 'are you coming?'—'I can't make up my mind'; **j'hésite sur le chemin/la décision à prendre** I'm not sure which path/decision to take; **il hésitait sur ce qu'il convenait de faire** he was not sure what to do for the best; **j'hésite entre deux films/plusieurs possibilités** I can't decide between two films/several possibilities; ~ **à venir** to be unsure whether to come (or not); **j'hésite à interrompre leur conversation** I don't like to interrupt their conversation; **les docteurs hésitent à l'opérer** the doctors are reluctant to operate on him/her; **j'ai hésité longtemps à vous écrire** I hesitated for a long time before writing to you

Hespérides /ɛspeʀid/ *nprfpl* Mythol 1 (îles) **les** ~ the Hesperides; 2 (gardiennes du jardin) **les** ~ the Hesperides; **le jardin des** ~ the Hesperides (+ *v sg*)

hétaïre /etaiʀ/ *nf* 1 Antiq hetaera; 2 †(prostituée) prostitute

hétéro○ /eteʀo/ *adj, nmf* heterosexual

hétéroclite /eteʀɔklit/ *adj* [*population, clientèle*] heterogeneous; [*œuvre*] eclectic; [*objets, matériaux*] miscellaneous

hétérodoxe /eteʀɔdɔks/ *adj* heterodox

hétérodoxie /eteʀɔdɔksi/ *nf* heterodoxy

hétérogène /eteʀɔʒɛn/ *adj* [*groupe, ensemble*] mixed, heterogeneous sout; [*nombre*] mixed; **une classe très** ~ a very mixed class

hétérogénéité /eteʀɔʒeneite/ *nf* heterogeneity

hétérogreffe /eteʀɔgʀɛf/ *nf* (d'organe) heterotransplant; (de tissu) heterograft

hétérophorie /eteʀɔfɔʀi/ *nf* heterophoria

hétérosexualité /eteʀɔsɛksɥalite/ *nf* heterosexuality

hétérosexuel, **-elle** /eteʀɔsɛksɥɛl/ *adj, nm,f* heterosexual

hétérotopie /eteʀɔtɔpi/ *nf* heterotopia, heterotopy

hétérozygote /eteʀɔzigɔt/
A *adj* heterozygous
B *nmf* heterozygote

hêtraie /'ɛtʀɛ/ *nf* beech wood

hêtre /'ɛtʀ/ *nm* 1 (arbre) beech (tree); 2 (bois) beechwood

heu /'ø/ *excl* er...

heur† /œʀ/ *nm* good fortune; **ne pas avoir l'**~ **de plaire à qn** not to have the good fortune to please sb

heure /œʀ/ ▸ p. 424, p. 836, p. 898 *nf* 1 (soixante minutes) hour; **une** ~ **avant** *or* **plus tôt** an hour before; **deux** ~**s après** *or* **plus tard** two hours later; **en une** ~ in an hour; **24** ~**s sur 24** lit, fig twenty four hours a day, round the clock; **dans l'**~ **qui a suivi** within the hour; **dans les 24** ~**s** within 24 hours; **d'**~ **en** ~ [*augmenter, empirer*] by the hour; **suivre qch** ~ **par** ~ to follow sth hour by hour; **deux** ~**s de repos/d'attente** a two-hour rest/wait; **toutes les deux** ~**s** every two hours; **il y a un train toutes les** ~**s** there's a train every hour; **après trois** ~**s d'avion** after three hours on the plane, after a three-hour flight; **être à trois** ~**s de train/d'avion de Paris** to be three hours away from Paris by train/plane; **être à trois** ~**s de marche de Paris** to be a three-hour walk from Paris; **faire trois** ~**s de bateau/d'avion** to be on the boat/plane for three hours; **faire du 60 à l'**~○, **faire 60 km à l'**~ to do 60 km per hour; **être payé à l'**~ to be paid by the hour; **gagner 40 euros de l'**~ to earn 40 euros an hour; **la semaine de 35** ~**s** the 35-hour week; **avoir deux** ~**s de chimie par semaine** to have two hours of chemistry per week; **une petite** ~ an hour at the most; **une bonne** ~ a good hour; **ça fait une** ~ **que je t'attends!** (par exagération) I've been waiting for an hour!; **nous avons parlé du projet pendant des** ~**s** we talked about the project for hours on end
2 (indication) time; **l'**~ **exacte** *or* **juste** the exact *ou* right time; **quelle** ~ **est-il?** what time is it, what's the time?; **tu as l'**~**?** have you got the time? ; **à quelle** ~**...?** (at) what time...?; **à 11** ~**s**, ~ **de Paris** at 11, Paris time; **il ne sait pas lire l'**~ he can't tell the time; **se**

h

ⓘ L'heure

Quelle heure est-il?

■ *En anglais, on donne l'heure en utilisant les prépositions* past *et* to *(ou* after *et* of *aux États-Unis). Par ex., pour 4 h 05,* five past four, five after four *(US), pour 4 h 10,* ten to five, ten of five *(US) etc. Dans un style plus officiel, on juxtapose les chiffres des heures et des minutes: par ex., pour 4 h 10,* four ten. *Dans les horaires de train etc, on utilise aussi l'horloge de vingt-quatre heures: par ex, pour 16 h 23,* sixteen twenty-three. *Dans le tableau suivant,* past *peut être remplacé par* after *(US) et* to *peut être remplacé par* of *(US).*

il est ...	it is ...	dire
4 h	4 o'clock	four o'clock *ou* four
4 h du matin	4 am	four o'clock* *ou* four am [eɪ em] *ou* four o'clock in the morning
4 h de l'après-midi	4 pm	four o'clock *ou* four pm [piː em] *ou* four o'clock in the afternoon
4 h 02	4.02	two minutes past four† *ou* four oh two
4 h 05	4.05	five past four‡ *ou* four oh five
4 h 10	4.10	ten past four *ou* four ten
quatre heures et quart	4.15	a quarter past four
4 h 15	4.15	four fifteen
4 h 20	4.20	twenty past four *ou* four twenty
4 h 23	4.23	twenty-three minutes past four *ou* four twenty-three
4 h 25	4.25	twenty-five past four *ou* four twenty-five
quatre heures et demie	4.30	half past four
4 h 30	4.30	four thirty
4 h 37	4.37	four thirty-seven
cinq heures moins vingt	4.40	twenty to five
4 h 40	4.40	four forty
cinq heures moins le quart	4.45	a quarter to five
4 h 45	4.45	four forty-five
cinq heures moins dix	4.50	ten to five
4 h 50	4.50	four fifty
cinq heures moins cinq	4.55	five to five
4 h 55	4.55	four fifty-five
17 h 00	5 pm	five o'clock in the afternoon*
17 h 15	5.15 pm	a quarter past five *ou* five fifteen
17 h 23	5.23 pm	twenty-three minutes past five *ou* five twenty-three
18 h 00	6 pm	six o'clock *ou* six [piː em]
12 h	12.00	twelve o'clock
midi	12.00	noon *ou* twelve noon
minuit	12.00	midnight *ou* twelve midnight
zéro heure *ou* 00 h 00	00.00	midnight

quelle heure est-il?
= what time is it?

il est quatre heures à ma montre
= my watch says four o'clock

pouvez-vous me donner l'heure?
= could you tell me the time?

il est quatre heures juste
= it's exactly four o'clock

il est environ quatre heures
= it's about four o'clock
ou it's about four‡

il va être quatre heures
= it's nearly four o'clock

il est presque quatre heures
= it's almost four o'clock

il est à peine plus de quatre heures
= it's just after four o'clock

il est quatre heures passées
= it's gone four‡

Quand?

à quelle heure cela est-il arrivé?
= what time did it happen?
ou what time did it happen at?

à quelle heure va-t-il venir?
= what time will he come?
ou what time will he come at?

c'est arrivé à quatre heures
= it happened at four o'clock

il viendra à quatre heures
= he's coming at four o'clock

à quatre heures dix
= at ten past four

à quatre heures et demie
= at half past four (*GB*),
at half after four (*US*)

à quatre heures précises
= at four o'clock exactly

soyez là à quatre heures pile
= be there at four o'clock on the dot

aux environs de quatre heures
= at about four o'clock

à quatre heures au plus tard
= at four o'clock at the latest

un peu après quatre heures
= shortly after four o'clock

il faut que ce soit prêt avant quatre heures
= it must be ready by four

je serai là jusqu'à quatre heures
= I'll be there until four

je ne serai pas là avant quatre heures
= I won't be there until four

de 7 h à 9 h
= from seven till nine

ouvert de 9 h à 5 h
= open from nine to five

fermé entre treize et quatorze heures
= closed from 1 to 2 pm

toutes les heures à l'heure juste
= every hour on the hour

toutes les heures à dix
= at ten past every hour

* *Lorsqu'il s'agit d'horaires de trains, d'avions etc, on peut écrire* 0400, *qui est prononcé* oh four hundred hours, *de même* sixteen hundred hours, twenty-four hundred hours *etc.*

† *Le mot* minutes *ne peut être omis qu'avec les multiples de 5.*

‡ *Dans la conversation,* o'clock *est souvent omis.*

tromper d'~ to get the time wrong; **il est 10 ~s** it's 10 (o'clock); **il est 10 ~s 20** it's 20 past 10; **il est 10 ~s moins 20** it's 20 to 10; **à 5 ~s du matin/de l'après-midi** at 5 in the morning/in the afternoon, at 5 am/pm; **à 4 ~s pile** *or* **tapantes**○ at 4 o'clock sharp *ou* on the dot; **mettre/remettre sa montre à l'~** to set/reset one's watch; **l'~ tourne** time is passing
3 (point dans le temps) time; **l'~ d'un rendez-vous/de la prière** the time of an appointment/for prayer; **il est** *or* **c'est l'~ de faire** it's time to do; **c'est l'~, il faut que j'y aille** it's time, I must go; **l'~ d'arrivée/de départ** the arrival/departure time; **~s d'ouverture/de fermeture** opening/closing times; **arriver/être à l'~** to arrive/be on time; **à l'~ convenue** at the agreed time; **'sandwiches à toute ~'** 'sandwiches available at any time'; **à une ~ indue** at an unearthly hour; **à une ~ avancée (de la nuit)** late at night; **de bonne ~** [*se lever, partir*] early; **il doit être loin à l'~ qu'il est** he must be a long way off by now; **c'est son ~** it's his/her usual time; **il ne viendra pas à l'~ qu'il est** he won't come this late; **mourir avant l'~** to die before one's time; **ton ~ viendra** your time will come; **son ~ est venue** his/her time has come; **à l'~ où je te parle** while I'm speaking to you, at this very moment; **de la première ~** [*résistant, militant*] from the very beginning; **à la première ~** at first light; **de dernière ~** [*manœuvre, décision*] last-minute; **un résistant de la dernière ~** a late convert to the resistance; **ta dernière ~ est arrivée** your time has come
4 (période, époque) time; **à l'~ actuelle, pour l'~** at the present time; **à l'~ où...** at a time when...; **à l'~ de la restructuration/détente** at a time of restructuring/détente; **à l'~ de la pause** during the break; **l'~ du déjeuner/thé/dîner** lunchtime/teatime/dinnertime; **aux ~s des repas** at mealtimes; **pendant les ~s de bureau/de classe** during office/school hours; **l'~ est à l'entreprise individuelle** the current trend is for private enterprise; **l'~ n'est pas à la polémique/l'optimisme** this is no time for controversy/optimism; **l'~ est grave** the situation is serious; **il est peintre/poète à ses ~s** he paints/writes poetry in his spare time; **c'est la bonne/la mauvaise ~** it's the right/a bad time; **à la bonne ~!** well done!
5 (ère) era; **vivre à l'~ des satellites/de l'audiovisuel** to live in the satellite/audiovisual era

(Composés) **~ d'affluence** Transp peak hour; **aux ~s d'affluence** during peak hours; **~ d'été** Admin summer time GB, daylight saving(s) time US; **~ H** Mil, fig zero hour; **~ d'hiver** Admin winter time GB, daylight saving(s) time US; **~ légale** Admin standard time; **~ locale** Admin local time; **~ de pointe** Transp rush hour; **aux ~s de pointe** during (the) rush hour; **~s canoniales** Relig canonical hours; **~s supplémentaires, ~s sup**○ Entr overtime; **faire des ~s supplémentaires** to do *ou* work overtime; ▸ **quatorze**

(Idiomes) **avant l'~, c'est pas l'~, après l'~, c'est plus l'~**○ there's no time but the right time; **vivre à cent à l'~**○ fig to be always on the go○

heureusement /œrøzmɑ̃/ *adv* **1** (par chance) fortunately (**pour** for); **~, il ne pleuvait pas** fortunately, it wasn't raining; **fort ~, on en est resté là** very fortunately, that was the end of it; **~ pour nous qu'elle ne t'a pas vu** fortunately for us she didn't see you; **~ que tu es là!** it's a good job you're here!; **~ que tu as pris ton parapluie** it's a good job you've got your umbrella; **2** (avec bonheur) fml [*réparti*] successfully; [*terminé, conclu*] nicely;

~ **situé** well-situated; **des exemples ~ choisis** well-chosen examples

heureux, **-euse** /œʀø, øz/ *adj* **1** (satisfait) [*personne, visage, enfance*] happy (**de faire** to do); **être ~ de vivre** to be happy with life; **elle a tout pour être heureuse** she has everything she needs to be happy; **je serais trop ~ de vous aider** I should *ou* would be only too happy to help you; **être ~ en ménage** to be happily married; **je suis ~ qu'il soit guéri** I am pleased (that) he is better; **très ~ de faire votre connaissance** (very) pleased to meet you; **Monsieur et Madame Bon sont ~ de vous faire part de...** Mr and Mrs Bon are pleased to announce...; **2** (satisfaisant) [*issue, fin*] happy; [*surprise*] pleasant; **3** (optimiste) [*nature, caractère*] happy; **4** (chanceux) lucky; **l'~ gagnant** the lucky winner; **je m'estime ~ d'être encore en vie** I consider myself lucky to be still alive; **encore ~ que tu sois en vie!** at least you're alive!; **c'est** *or* **il est ~ qu'il soit venu** it's lucky he came; **'il a réussi!'—'encore ~!'** 'he succeeded!'—'just as well!'; **être l'~ propriétaire de...** to be the proud owner of...; **5** (réussi) [*combinaison, idée*] happy; [*proportions*] pleasing; [*formulation*] happy, felicitous sout; **rouge et orange, ce n'est pas très ~** red with orange, that's not a very happy combination; **ce n'est pas très ~ comme choix de mots** it's an unfortunate *ou* unhappy choice of words

(Composés) **l'heureuse élue** (en amour) the lucky lady; (à un jeu) the lucky winner; **l'~ élu** (en amour) the lucky man; (à un jeu) the lucky winner; **les ~ élus** the happy *ou* chosen few; **~ événement** happy event; **attendre un ~ événement** to be expecting a baby

(Idiomes) **être ~ comme un roi** *or* **un pape** to be happy as a lark *ou* as Larry; **tu vas faire un ~/des ~** you will make somebody happy/some people happy; **~ au jeu, malheureux en amour** Prov lucky at cards, unlucky in love Prov; **pour vivre ~, vivons cachés** Prov happy are they who value their privacy

heuristique /øʀistik/
A *adj* [*approche, méthode, solution*] heuristic
B *nf* **1** (ensemble de règles) heuristics (+ *v sg*); **2** (procédure) heuristic

heurt /ˈœʀ/ *nm* **1** (friction) (différend) conflict; (accrochage) clash; **faire qch sans ~** to do sth smoothly; **leur relation ne va pas sans ~s** their relationship has its ups and downs; **2** (contraste) clash

heurté, **~e** /ˈœʀte/
A *pp* ▸ **heurter**
B *pp adj* [*style, rythme*] jerky, uneven; [*sons, couleurs, tons*] clashing

heurter /ˈœʀte/ [1]
A *vtr* **1** (cogner contre) [*objet*] to hit, strike; [*personne*] to collide with [*personne, véhicule*]; to bump into [*objet, personne à l'arrêt*]; **la voiture a heurté un piéton** the car hit *ou* struck a pedestrian; **la bicyclette a heurté le bord du trottoir** the bicycle hit the kerb GB *ou* curb US; **sa tête heurta le mur** his head hit *ou* struck the wall; **~ qn avec qch** to knock sb with sth; **~ qch avec qch** to knock against sth with sth; **il a heurté la table avec sa valise** he knocked against the table with his suitcase; **2** (cogner) **~ qch avec** *or* **contre qch** to knock sth against sth; **3** (offenser) to offend [*personne, nation, bonne conscience*]; to go against [*convenances*]; to hurt [*sentiment*]; **~ l'opinion publique** [*action*] to run counter to public opinion; [*personne*] to conflict with public opinion; **~ qn de front** to clash with sb head-on
B *vi* **~ contre** to strike; **sa tête heurta contre le mur** his head struck the wall
C se heurter *vpr* **1** (se cogner) [*véhicules, personnes*] to collide; [*verres, tasses*] to bang *ou* knock against each other; **les idées se heurtaient dans sa tête** ideas were jostling *ou* whirling about in his head; **se ~ contre** *or* **à qn/qch** to bump into sb/sth; **2** (rencontrer) **se ~ à** to come up against [*préjugé, crainte, problème*]; **se ~ à un refus** to come up against a refusal; **3** (s'affronter) [*idées , couleurs*] to clash *ou* conflict (**à** with); [*personne*] to clash (**à** with)

heurtoir /ˈœʀtwaʀ/ *nm* **1** (marteau de porte) (door) knocker; **2** Rail buffers

hévéa /evea/ *nm* rubber tree, hevea spéc

hexadécimal, **~e**, *mpl* **-aux** /ɛgzadesimal, o/
A *adj* hexadecimal
B *nm* Ordinat hexadecimal code

hexaèdre /ɛgzaɛdʀ/
A *adj* hexahedral
B *nm* hexahedron

hexaédrique /ɛgzaedʀik/ *adj* hexahedral

hexagonal, **~e**, *mpl* **-aux** /ɛgzagɔnal, o/ *adj* **1** Math hexagonal; **2** °(français) journ French

hexagone /ɛgzagɔn/ *nm* **1** Math hexagon; **2** °(France métropolitaine) journ **l'Hexagone** France

hexamètre /ɛgzamɛtʀ/
A *adj* hexametric
B *nm* hexameter

hiatale /ˈjatal/ *adj f* Méd **hernie ~** hiatus hernia

hiatus /ˈjatys/ *nm inv* **1** Anat, Phon hiatus; **2** (décalage) discrepancy (**entre** between)

hibernal, **~e**, *mpl* **-aux** /ibɛʀnal, o/ *adj* **1** Zool [*sommeil*] winter (*épith*); **2** Bot [*floraison, germination*] winter (*épith*), hibernal spéc

hibernation /ibɛʀnasjɔ̃/ *nf* Biol, Zool hibernation; **être en ~** to be in hibernation

(Composé) **~ artificielle** Méd induced hypothermia

hiberner /ibɛʀne/ [1] *vi* to hibernate

hibiscus /ibiskys/ *nm inv* hibiscus

hibou, *pl* **~x** /ˈibu/ *nm* owl

hic° /ˈik/ *nm* snag; **voilà le ~, c'est bien là le ~** there's the snag

hic et nunc /ˈikɛtnunk/ *adv* immediately

hickory /ˈikɔʀi/ *nm* hickory

hideur /ˈidœʀ/ *nf* hideousness

hideusement /ˈidøzmɑ̃/ *adv* hideously

hideux, **-euse** /ˈidø, øz/ *adj* hideous

hidjab /ˈidʒab/ *nm* hijab

hier /jɛʀ/ *adv* yesterday; **~ après-midi/matin** yesterday afternoon/morning; **~ (au) soir** last night, yesterday evening; **toute la journée d'~** all day yesterday; **~ encore, il me disait** only yesterday, he was saying to me; **il y a eu une semaine ~** a week ago yesterday; **je m'en souviens comme si c'était ~** I remember it as if it was yesterday; **l'ennemi d'~ est devenu l'allié d'aujourd'hui** yesterday's enemy has become the ally of today; **le Paris d'~** the Paris of yesterday; **chansons d'~ et d'aujourd'hui** songs of yesterday and today; **ce problème ne date pas d'~** this problem is nothing new

(Idiome) **je ne suis pas né d'~** I wasn't born yesterday

hiérarchie /ˈjeʀaʀʃi/ *nf* hierarchy

hiérarchique /ˈjeʀaʀʃik/ *adj* [*organisation, système*] hierarchical; **mon supérieur ~** my immediate superior; **mes supérieurs ~s** my superiors; **par la voie ~** through the correct channels

hiérarchiquement /ˈjeʀaʀʃikmɑ̃/ *adv* hierarchically

hiérarchisation /ˈjeʀaʀʃizasjɔ̃/ *nf* (action) organization into a hierarchy; (système) hierarchical system

hiérarchiser /ˈjeʀaʀʃize/ [1] *vtr* to organize [sth] into a hierarchy [*structure, système*]; to prioritize [*tâches*]; **~ les salaires** to establish a wages hierarchy

hiératique /jeʀatik/ *adj* hieratic

hiéroglyphe /ˈjeʀɔglif/ *nm* **1** (caractère) hieroglyph; **2** (système) **les ~s** hieroglyphics (+ *v sg*)

hiéroglyphique /ˈjeʀɔglifik/ *adj* hieroglyphic

hi-fi* /ˈifi/
A *adj inv* hi-fi; **une chaîne ~** a hi-fi system
B *nf inv* **la ~** hi-fi equipment

Highlands ▸ **p. 721** *nprm* **les ~** the Highlands

hi-han* /ˈiɑ̃/ *nm* (*also onomat*) heehaw

hi-hi /ˈii/ *excl* **1** (rire) tee-hee!; **2** (pleurs) boohoo!

hilarant, **~e** /ilaʀɑ̃, ɑ̃t/ *adj* hilarious; **gaz ~** laughing gas

hilare /ilaʀ/ *adj* **être ~** to be laughing; **un visage ~** a merry face

hilarité /ilaʀite/ *nf* mirth, hilarity; **déchaîner** *or* **déclencher l'~ générale** to cause great mirth

hile /ˈil/ *nm* **1** Bot hilum; **2** Anat hilus

Himalaya /imalaja/ ▸ **p. 721** *nm* **l'~** the Himalayas (*pl*); **dans l'~** in the Himalayas; **les forêts/montagnes de l'~** the Himalayan forests/mountains

himalayen, **-enne** /imalajɛ̃, ɛn/ *adj* Himalayan

hindi /ˈindi/ ▸ **p. 483** *adj*, *nm* Hindi

hindou, **~e** /ɛ̃du/ *adj*, *nm,f* Hindu

hindouisme /ɛ̃duism/ *nm* Hinduism

hindouiste /ɛ̃duist/ *adj*, *nmf* Hindu

hindoustani /ɛ̃dustani/ ▸ **p. 483** *nm* Hindustani

hip /ip/ ▸ **hourra**

hippie /ˈipi/ *adj*, *nmf* hippie

hippique /ipik/ *adj* [*manifestation, centre, sport*] equestrian; **concours ~** showjumping event GB, horse show US; **club** *or* **cercle ~** riding school; **journaliste ~** racing journalist

hippisme /ipism/ *nm* equestrianism

hippocampe /ipɔkɑ̃p/ *nm* **1** Zool sea horse, hippocampus spéc; **2** Anat, Mythol hippocampus

Hippocrate /ipɔkʀat/ *npr* Hippocrates; **le serment d'~** the Hippocratic oath

hippodrome /ipɔdʀom/ *nm* **1** gén racecourse GB, racetrack US; **2** Antiq hippodrome

hippogriffe /ipɔgʀif/ *nm* hippogriff

hippomobile /ipɔmɔbil/ *adj* horse-drawn

hippophagique /ipɔfaʒik/ *adj* **boucherie ~** horsemeat butcher's

hippopotame /ipɔpɔtam/ *nm* hippopotamus

hippy, *pl* **hippies*** /ˈipi/ *adj*, *nmf* hippie

hirondelle /iʀɔ̃dɛl/ *nf* **1** Zool swallow; **2** °(agent de police) policeman on a bicycle

(Composés) **~ de cheminée** common swallow GB, barn swallow US; **~ de fenêtre** house martin; **~ de mer** (common) tern; **~ de rivage** sand martin

(Idiome) **une ~ ne fait pas le printemps** Prov one swallow doesn't make a summer

hirsute /ˈiʀsyt/ *adj* **1** (peu soigné) [*personne, apparence*] dishevelled[GB], tousled; [*cheveux*] unkempt, tousled; [*barbe*] unkempt, shaggy; **2** Bot, Zool [*animaux, plantes*] hirsute

hispanique /ispanik/ ▸ **p. 483** *adj*, *nmf* Hispanic

hispanisant, **~e** /ispanizɑ̃, ɑ̃t/ *nm,f* Hispanicist

hispanisme /ispanism/ *nm* Hispanicism

hispaniste /ispanist/ *nmf* Hispanicist

hispano-américain, **~e**, *mpl* **~s** /ispanoameʀikɛ̃, ɛn/ ▸ **p. 483** *adj* Hispanic-American, Spanish-American

hispano-arabe, *pl* **~s** /ispanoaʀab/ *adj* Hispano-Arab

hispanophone /ispanofɔn/
A *adj* [*pays, groupe, personne*] Spanish-speaking
B *nmf* Spanish speaker

hisse /ˈis/ *excl* **oh ~!** heave-ho!

hisser /ˈise/ [1]
A *vtr* **1** (faire monter) to hoist [*charge, piano*]; to

hoist [sb] (up) [personne]; to hoist, to run up [voile, drapeau]; 2 fig ~ qn à la tête/au rang to push sb to the head/to the rank

B **se hisser** *vpr* 1 (monter avec effort) to heave oneself up, to haul oneself up; **se ~ sur un mur** to heave *ou* haul oneself up onto a wall; 2 fig (parvenir) to pull oneself up **(jusqu'à** to (the level of))

histamine /istamin/ *nf* histamine

histaminique /istaminik/ *adj* histaminic

histidine /istidin/ *nf* histidine

histocompatibilité /istɔkɔ̃patibilite/ *nf* histocompatibility

histogramme /istɔgʀam/ *nm* histogram

histoire /istwaʀ/ *nf* 1 (discipline) history; **aimer/enseigner/étudier l'~** to like/teach/study history; **élève qui n'est pas bon en ~** pupil who is bad at history; **l'~ de France/Chine** French/Chinese history; **l'~ de l'art/de la littérature** the history of art/of literature; **entrer dans** *or* **marquer l'~** to go down in history; **un lieu chargé d'~** a place steeped in history; **l'~ jugera** posterity will be the judge; **c'est de l'~ ancienne** (c'est sans intérêt) that's ancient history; (mieux vaut l'oublier) that was a long time ago; **la petite ~ veut que...** it is said that...; **pour la petite ~...** history has it that...; 2 (récit) story; **raconter une ~ de fantômes à qn** to tell sb a ghost story; **c'est toujours la même ~** fig it's always the same old story; **c'est une autre/une tout autre ~** it's another/quite another story; **tout ça, c'est des ~s**○! that's all fiction!; **une ~ à dormir debout** a tall story; **raconter des ~s** to tell fibs; **ne me raconte pas d'~s!** you're making it up!; **c'est une ~ de fous** (c'est incroyable) it's/it was absolutely crazy!; (sur les fous) it's a joke about mad people; **c'est l'~ de la poule et de l'œuf** it's a chicken-and-egg situation; ▸ **coudre**; 3 (aventure, affaire) **~ d'amour** love affair; **c'est sûrement une ~ d'argent/de fesses**○ there must be money/sex involved; **se disputer pour une ~ d'argent/de voiture/d'héritage** to fight over money/a car/an inheritance; **~ de famille** family matter; **le plus beau/drôle de l'~, c'est que...** the best/funniest part of it is that...; **il m'est arrivé une drôle d'~** a funny thing happened to me; 4 (difficulté, problème) **en voilà des ~s!** what a to-do!, what a fuss!; **elle fait toujours des ~s** she's always making a fuss; **il n'y a pas de quoi en faire une ~** there's no need to get worked up about it; **il nous a fait toute une ~ pour un carreau cassé** he went on○ at us in the most ridiculous way about a broken window; **c'est une femme à ~s** she's a troublemaker; **un locataire/voisin sans ~s** a perfectly good tenant/neighbour[GB]; **un brave type sans ~s** a nice straightforward chap GB, a regular guy US; **une vie sans ~s** an uneventful life; **je ne veux pas d'~s avec le propriétaire** I don't want any trouble with the landlord; **il faut toujours qu'il s'attire des ~s** he's always getting into trouble; **ça va faire des ~s avec elle si...** she'll be upset if...; **ça a été toute une ~ pour faire** it was a terrible job doing; **chercher des ~s à qn** to go on at sb; **au travail, et pas d'~s**○! get on with it, no messing about○!; 5 ○**~ de faire** just to do; **prends quelques jours de repos, ~ de te changer les idées** take a few days' rest, just to have a break from everything; **si je l'ai critiquée, c'était ~ de voir sa réaction** I only criticized her to see how she would take it; **~ de rire** *or* **s'amuser** just for fun

(Composés) **~ naturelle** Sci natural history; **~s de brigands** cock and bull stories

histologie /istɔlɔʒi/ *nf* histology

histologique /istɔlɔʒik/ *adj* histological

historié, ~e /istɔʀje/ *adj* Art historiated

historien, -ienne /istɔʀjɛ̃, ɛn/ ▸ p. 532 *nm,f* historian; **~ d'art** art historian; **se faire l'~ de qch** to give a historical account of sth

historiette /istɔʀjɛt/ *nf* little story

historiographe /istɔʀjɔgʀaf/ *nmf* historiographer

historiographie /istɔʀjɔgʀafi/ *nf* historiography

historique /istɔʀik/

A *adj* 1 (relatif au passé) historical; 2 (important) [fait, accord, discours, personnage, journée] historic; 3 Ling **passé ~** past historic; **présent ~** historic present

B *nm* Compta transactions (*in chronological order*); Ordinat history (*button*) **faire l'~ d'un mot** to trace the history of a word; **faire l'~ d'une institution** to tell the story of an institution

historiquement /istɔʀikmɑ̃/ *adv* historically

histrion /istʀijɔ̃/ *nm* 1 (mauvais acteur) ham actor; 2 Antiq (acteur comique) comic actor, histrion sout

hitlérien, -ienne /itlɛʀjɛ̃, ɛn/

A *adj* Hitlerian

B *nm,f* Hitlerite

hit-parade, *pl* **~s*** /'itpaʀad/ *nm* charts (*pl*); **premier au ~** top of the charts

hittite /'itit/ ▸ p. 483 *adj, nm* Hittite

Hittite /'itit/ *nmf* Hittite

HIV /aʃive/ *nm* (*abbr* = **Human Immunodeficiency Virus**) HIV

hiver /ivɛʀ/ ▸ p. 769 *nm* 1 (saison) winter; **en ~** in winter, in the wintertime; **~ rude/précoce** hard/early winter; **les longues soirées d'~** the long winter evenings; **au cœur de l'~, au plus fort de l'~** in the depths of winter; **été comme ~** in summer and winter alike, all year round; **il ne passera pas l'~** he won't last through the winter; 2 (année) liter winter; **il a eu 60 ~s** he's had sixty winters

hivernage /ivɛʀnaʒ/ *nm* 1 (de bétail) wintering; 2 (de navires) over wintering; 3 (saison des pluies) rainy season

hivernal, ~e, *mpl* **-aux** /ivɛʀnal, o/

A *adj* 1 (d'hiver) winter (*épith*), hibernal spéc; 2 (comme en hiver) [jour, température] wintry

B **hivernale** *nf* (course de montagne) winter ascent

hivernement /ivɛʀnəmɑ̃/ *nm* Can overwintering

hiverner /ivɛʀne/ [1]

A *vtr* Agric to winter [bétail]

B *vi* (passer l'hiver) [animaux, bateaux] to winter; [personnes] to spend the winter

HLM /aʃɛlɛm/ *nm ou f: abbr* ▸ **habitation**

ho /'o/ *excl* hey (there)!

hobereau, *pl* **~x** /'ɔbʀo/ *nm* 1 (gentilhomme) country squire; 2 (faucon) hobby

hochement /'ɔʃmɑ̃/ *nm* **~ (de tête)** (de haut en bas) nod; (de droite à gauche) shake *of head*

hochequeue /'ɔʃkø/ *nm* wagtail

hocher /'ɔʃe/ [1] *vtr* **~ la tête** (de haut en bas) to nod; (de droite à gauche) to shake one's head

hochet /'ɔʃɛ/ *nm* rattle

hockey /'ɔkɛ/ ▸ p. 469 *nm* **~ (sur glace)** ice hockey; **~ sur gazon** hockey GB, field hockey US; **jouer au ~** to play hockey

hockeyeur, -euse /'ɔkɛjœʀ, øz/ *nm,f* hockey player

hoirie /waʀi/ *nf* **avancement d'~** Jur advancement

holà /'ɔla/ *excl* 1 (pour appeler) hey (there)!; 2 (pour arrêter un animal) whoa!

(Idiome) **mettre le ~ à qch** to put an end *ou* a stop to sth

holding /'ɔldiŋ/ *nm ou f* holding company

hold-up, *pl* **~** *ou* **~s** /'ɔldœp/ *nm* hold-up **(de qch** at sth); **commettre un ~** to stage a hold-up

holistique /ɔlistik/ *adj* holistic

hollandais, ~e /'ɔlɑ̃dɛ, ɛz/ ▸ p. 483

A *adj* Dutch

B *nm* Ling Dutch

C **hollandaise** *nf* Agric Friesian (cow)

Hollandais, ~e /'ɔlɑ̃dɛ, ɛz/ ▸ p. 483, p. 561 *nm,f* Dutchman/Dutchwoman; **les ~** the Dutch

hollande /'ɔlɑ̃d/ *nm* Culin Dutch cheese

Hollande /'ɔlɑ̃d/ ▸ p. 721 *nprf* Holland

hollywoodien, -ienne /'ɔliwudjɛ̃, ɛn/ *adj* Hollywood (*épith*); **un film dans le style ~** a Hollywood-style film

holocauste /ɔlɔkost/ *nm* 1 Relig holocaust, burned offering; 2 fig (total) sacrifice; 3 (massacre) holocaust

hologramme /ɔlɔgʀam/ *nm* hologram

holographie /ɔlɔgʀafi/ *nf* holography

holographique /ɔlɔgʀafik/ *adj* holographic

holophrastique /ɔlɔfʀastik/ *adj* holophrastic

homard /'ɔmaʀ/ *nm* lobster

(Idiome) **rouge comme un ~** as red as a beetroot

homélie /ɔmeli/ *nf* homily

homéopathe /ɔmeɔpat/ ▸ p. 532 *nmf* homeopath; **médecin ~** homeopath

homéopathie /ɔmeɔpati/ *nf* homeopathy

homéopathique /ɔmeɔpatik/ *adj* [traitement, préparation, pharmacie] homeopathic; **à doses ~s** fig in small doses

homéotique /ɔmeɔtik/ *adj* homeotic

Homère /ɔmɛʀ/ *npr* Homer

homérique /ɔmeʀik/ *adj* 1 Littérat Homeric, Homerian; 2 (épique) epic, Homeric

homicide /ɔmisid/

A *adj* [folie, geste] homicidal; [intentions] homicidal, murderous

B *nmf* (personne) homicide

C *nm* (crime) homicide

(Composés) **~ par imprudence** Jur unintentional manslaughter; **~ involontaire** = **~ par imprudence**; **~ avec préméditation** Jur murder with malice aforethought, premeditated murder; **~ volontaire** Jur intentional manslaughter

hominidé /ɔminide/ *nm* hominid; **les ~s** Hominidae

hominien /ɔminjɛ̃/ *nm* hominoid; **les ~s** Hominoidae

hominisé, ~e /ɔminize/ *adj* hominized

hommage /ɔmaʒ/

A *nm* 1 (témoignage de respect) homage, tribute; **en ~ à qn** in homage *ou* tribute to sb; **rendre ~ à qn/qch** to pay tribute to sb/sth; **rendre ~ à Dieu** to pay homage to God; **c'est lui faire trop d'~ que de faire** it's making too much of him to do; 2 (don) **faire ~ de qch à qn** to present sb with sth; **'~ de l'auteur'** 'with the author's compliments'; 3 Hist homage

B **hommages** *nmpl* 1 (salutations) respects; **présenter ses ~s** to pay one's respects **(à** to); **'mes ~s, Madame'** 'my respects'; **'mes ~s à votre femme'** 'give my regards to your wife'; 2 (compliments) compliments; **elle est sensible aux ~s** she is sensitive to compliments

hommasse /ɔmas/ *adj* mannish

homme /ɔm/ *nm* 1 Anthrop **l'~** man; **l'~ primitif/de Néanderthal** primitive/Neanderthal man; ▸ **Dieu**; 2 (genre humain) **l'~** mankind; **l'avenir de l'~** the future of mankind; 3 (être humain) human being; **digne du nom d'~** fit to be called human; **la santé/les maladies de l'~** human health/diseases; **la société des ~s** human society; **trop d'~s sur la Terre** too many people on Earth; **un ~ à la mer!** Naut man overboard!; **comme un seul ~** as one; 4 (adulte de sexe masculin) man; **sois un ~** be a man; **un ~ fait** a grown man; **vélo/métier d'~** man's bicycle/job; **parler d'~ à ~** to speak man to man; 5 (sorte d'individu) **vieil/brave ~** old/good man; **~ de talent** man of talent; **~ de génie** (man of) genius; **l'~ de la réunification** the man who achieved reunification; **l'~ de la situation** the right man for the job; **c'est**

un ~ à fuir he's a man to be avoided; **voilà ton ~** (que tu cherchais) that's your man; (qui convient) he's the man for you; **être l'~ de confiance de qn** to be sb's right-hand man; **il n'est pas ~ à se venger** he's not the type of man to want revenge; **l'~ du jour** the man of the moment; [6] ○(mari, amant) man○; **c'est mon ~** he's my man○

(Composés) **~ d'action** man of action; **~ d'affaires** businessman; **~ d'armes** man-at-arms; **~ de l'art** gén expert; (médecin) doctor; **~ de barre** Naut helmsman; **~ de bien** philanthropist; **~ des bois** Anthrop wild man; **~ des cavernes** caveman; **l'~ des cavernes était un chasseur** the cavemen were hunters; **~ d'Église** man of the cloth; **~ d'épée** Mil soldier; **~ d'équipage** Naut crewman; **avec 10 ~s d'équipage** with a crew of 10; **~ d'esprit** wit; **~ d'État** Pol statesman; **~ d'expérience** man of experience; **~ à femmes** womanizer; **~ fort** Pol key man; **~ au foyer** Sociol house-husband; **~ d'honneur** man of honour[GB]; **~ de journée** Sociol day labourer[GB]; **~ de lettres** man of letters; **~ de loi** lawyer; **~ de main** hired hand; **~ de ménage** (male) cleaner; **~ de mer** seaman; **~ du monde** gentleman; **~ de l'ombre** behind-the-scenes operator; **~ de paille** front, straw man US; **~ de parole** man of his word; **~ de peine** labourer[GB]; **~ de peu** contemptible individual; **~ du peuple** man of the people; **~ de plume** writer; **~ politique** Pol politician; **~ de presse** Presse pressman; **~ de qualité†** gentleman; **~ de robe** lawyer; **l'~ de la rue** the man in the street; **~ de science** scientist; **~ de terrain** man with practical experience; Pol grass-roots politician; **~ à tout faire** handyman; **~ de troupe** Mil private; **~s en blanc** journ surgeons

(Idiome) **un ~ averti en vaut deux** Prov forewarned is forearmed

homme-grenouille, *pl* **hommes-grenouilles** /ɔmgʀənuj/ *nm* frogman

homme-orchestre, *pl* **hommes-orchestres** /ɔmɔʀkɛstʀ/ *nm* lit, fig one-man band

homme-sandwich, *pl* **hommes-sandwichs** /ɔmsɑ̃dwitʃ/ *nm* sandwich man

homo○ /omo/ *adj, nmf* homosexual

homogène /ɔmɔʒɛn/ *adj* [1] (uniforme) [*groupe, ensemble, mélange*] homogeneous; [2] (cohérent) [*équipe, gouvernement*] united, harmonious; [*base*] consistent

homogénéisation /ɔmɔʒeneizasjɔ̃/ *nf* homogenization

homogénéiser /ɔmɔʒeneize/ [1] *vtr* to homogenize [*substance, société, ensemble*]

homogénéité /ɔmɔʒeneite/ *nf* (de substance) homogeneity; (de gouvernement, d'équipe) unity, homogeneity

homographe /ɔmɔgʀaf/
A *adj* [*mots*] homographic
B *nm* homograph

homogreffe /ɔmɔgʀɛf/ *nf* (d'organe) homotransplant; (de tissu) homograft

homologation /ɔmɔlɔgasjɔ̃/ *nf* [1] Admin (de produit, d'appareil) approval; [2] Sport (de performance, record) ratification, official recognition; [3] Jur homologation fml, approval; **~ de testament** Jur probate of will

homologie /ɔmɔlɔʒi/ *nf* [1] gén similarity, homology; [2] Chimie, Math homology

homologue /ɔmɔlɔg/
A *adj* [1] gén [*grades, titres*] equivalent, homologous; [2] Sci, Math [*éléments, angles, membres*] homologous
B *nmf* [1] (personne) counterpart, opposite number; **le ministre français et son ~ britannique** the French minister and his/her British counterpart *ou* his/her opposite number in Britain; [2] Chimie (composé) homologue[GB]

homologuer /ɔmɔlɔge/ [1] *vtr* [1] Admin (déclarer conforme) to approve, to homologate sout [*produit, appareil*]; [2] Sport (enregistrer) to ratify, recognize officially [*record, performance*]; [3] Jur (valider) to confirm [*acte, contrat*]; to grant probate of [*testament*]; to approve, to authorize [*tarif*]

homonyme /ɔmɔnim/
A *adj* Ling homonymous; **dans le film ~** in the film of the same name
B *nm* [1] Ling homonym; [2] (personne) namesake

homonymie /ɔmɔnimi/ *nf* Ling homonymy

homonymique /ɔmɔnimik/ *adj* homonymic

homoparentalité /ɔmɔpaʀɑ̃talite/ *nf* Sociol *family situation in which parents are of the same sex*

homophobe /ɔmɔfɔb/
A *adj* homophobic
B *nmf* homophobe

homophobie /ɔmɔfɔbi/ *nf* homophobia

homophone /ɔmɔfɔn/
A *adj* [1] Ling homophonous; [2] Mus homophonic
B *nm* Ling homophone

homophonie /ɔmɔfɔni/ *nf* homophony

homosexualité /ɔmɔsɛksɥalite/ *nf* homosexuality

homosexuel, **~elle** /ɔmɔsɛksɥɛl/ *adj, nm,f* homosexual

homozygote /ɔmɔzigɔt/
A *adj* homozygous
B *nmf* homozygote

homuncule /ɔmɔ̃kyl/ *nm* homunculus

Honduras /ˈɔ̃dyʀas/ ▸ **p. 333** *nprm* Honduras

hondurien, **-ienne** /ˈɔ̃dyʀjɛ̃, ɛn/ ▸ **p. 561** *adj* Honduran

Hondurien, **-ienne** /ˈɔ̃dyʀjɛ̃, ɛn/ ▸ **p. 561** *nm,f* Honduran

Hongkong /ˈɔ̃gkɔ̃g/ *npr* Hong Kong

hongre /ˈɔ̃gʀ/
A *adj* gelded
B *nm* gelding

Hongrie /ˈɔ̃gʀi/ ▸ **p. 333** *nprf* Hungary

hongrois, **~e** /ˈɔ̃gʀwa, az/
A ▸ **p. 561** *adj* Hungarian
B ▸ **p. 483** *nm* Ling Hungarian

Hongrois, **~e** /ˈɔ̃gʀwa, az/ ▸ **p. 561** *nm,f* Hungarian

honnête /ɔnɛt/ *adj* [1] (intègre) [*personne*] honest; [*produit, portrait, réponse*] honest; [*élections*] fair; [2] (honorable) [*personne*] decent; [*vie*] respectable; [*intentions, moyens*] honest; [*intention*] honourable[GB]; **les ~s gens** decent people; **il s'agit d'une affaire ~** it's all above board; **c'est une proposition ~** it's a genuine offer; [3] (juste) [*arbitre, prix, marché*] fair; [4] (moyen) [*travail, salaire, repas*] reasonable; [*résultat*] fair; [5] †(poli) [*personne*] civil; [*manière*] courteous

(Composés) **~ femme†** respectable woman; **~ homme†** gentleman

honnêtement /ɔnɛtmɑ̃/ *adv* [1] (avec probité) [*gérer, dire*] honestly; [*répondre*] frankly; [*agir, se conduire*] properly, honourably[GB]; [*juger*] fairly; [*reconnaître*] freely; **gagner sa vie ~** to earn an honest living; **~, tu as tort** to be quite frank, you are wrong; **réponds-moi ~** will you give me a straight answer?; **~, tu les crois?** do you really believe them?; [2] (convenablement) [*rétribuer*] fairly; **gagner ~ sa vie** to earn a decent living; **s'acquitter ~ d'une tâche** to do a decent job; **travail ~ payé** reasonably well-paid job; [3] (avec courtoisie) courteously

honnêteté /ɔnɛtte/ *nf* [1] (probité, franchise) honesty; **avec ~** honestly; **être d'une parfaite ~** to be scrupulously honest; **avoir l'~ de faire** to be honest enough to do; [2] †(vertu) virtue; (décence, pudeur) decency

honneur /ɔnœʀ/
A *nm* [1] (fierté) honour[GB] ¢; **sens de l'~** sense of honour[GB]; **homme d'~** man of honour[GB]; **l'~ est sauf** my/our etc honour[GB] is safe; **porter atteinte à/laver l'~ de qn** to cast a slur on/to avenge sb's honour[GB]; **mettre son ~ en jeu** to put one's honour[GB] at stake; **mettre** *or* **se faire un point d'~ à faire** to make it a point of honour[GB] to do; **promettre sur l'~** to promise on one's honour[GB]; **s'être engagé sur l'~ à faire** to be honour[GB] bound to do; **sauver l'~ de qn** to uphold the honour[GB] of sb; **l'~ national** national pride; **sauver l'~** to save face; **faire appel à l'~ de qn** to appeal to sb's sense of honour[GB]; **faire ~ à sa parole/ses engagements** to honour[GB] one's word/one's commitments; **avec ~** [*servir*] honourably[GB]; **dans l'~** [*capituler, se réconcilier*] honourably[GB]; **jouer pour l'~** to play for the love of it; **combattre pour l'~** to fight as a matter of honour[GB]; **être l'~ de sa famille/son école** [*personne*] to be a credit to one's family/one's school
[2] (mérite) credit; **votre honnêteté vous fait ~** your honesty does you credit; **ces mots sont l'~ de leur auteur** these words do credit to their author; **c'est l'~ de qn d'avoir fait** it's to sb's credit that he/she etc did; **ce fut tout à leur ~ d'avoir fait** it was all credit to them that they did; **l'~ de la victoire revient à** credit for the victory is due to
[3] (privilège) honour[GB]; **avoir l'~ de faire** to have the honour[GB] of doing; **accorder/faire à qn l'~ de faire** to give/do sb the honour[GB] of doing ; **laisser à qn l'~ de faire** to let sb have the honour[GB] of doing; **c'est un ~ de faire** it's an honour[GB] to do; **c'est un grand ~ pour qn de faire** it's a great honour[GB] for sb to do; **se disputer l'~ de qch/de faire** to fight over the honour[GB] of sth/of doing; **à qui ai-je l'~?** fml to whom do I have the honour[GB] of speaking? sout; **~ au perdant!** loser goes first!; **à toi l'~!** you do the honours[GB]!; **vous me faites trop d'~** you flatter me; **j'ai l'~ de vous informer du fait que** I beg to inform you that; **j'ai l'~ de solliciter de votre bienveillance l'autorisation de faire** I would respectfully request permission to do; **d'~** [*escalier, cour*] main; ▸ **seigneur**
[4] (célébration) **être (mis) à l'~** [*personne*] to be honoured[GB]; **mettre qn à l'~** to honour[GB] sb; **être à l'** *or* **en ~** [*chose*] to be in favour[GB]; **être remis à l'~** [*tradition, usage, discipline*] to regain favour[GB]; **remise à l'~** (de tradition, mot) renewed popularity; **faire** *or* **rendre ~ à qn** to honour[GB] sb; **faire ~ à un repas** to do justice to a meal; **~ à celui/ceux qui** all praise to him/those who; **en l'~ de qn** in sb's honour[GB]; **en l'~ de qch** in honour[GB] of sth; **en quel ~○?** iron any particular reason why?; **en quel ~ êtes-vous en retard?** any particular reason why you're late?
[5] Jeux (carte haute) honour[GB]
B **honneurs** *nmpl* (distinction) honours[GB]; **rechercher/refuser les ~s** to seek/shun honours[GB]; **avec les ~s (de la guerre)** [*s'en sortir, être éliminé, partir*] honourably[GB]; **avec (tous) les ~s dus à leur rang** with all the honour[GB] due to their rank; **être accueilli avec les ~s réservés aux chefs d'État** to be received with the ceremony reserved for heads of State; **rendre les ~s à** Mil (funèbres) to pay the last honours[GB] to; (militaires) to honour[GB]; **la richesse et les ~s** wealth and glory; **faire les ~s de la maison à qn** to show sb around the house, to do sb the honours[GB] of the house†; **avoir les ~s de la presse** [*personne, événement*] to be mentioned in the press

(Composés) **~s funèbres** Mil last honours[GB]; **~s militaires** Mil military honours[GB]

(Idiomes) **en tout bien tout ~** (sans arrière-pensées) with no hidden motive; **il l'a invitée à dîner en tout bien tout ~** he invited her out to dinner with no ulterior motive; **il est venu prendre un verre, mais c'était en tout bien**

h

tout ~ he came round for a drink but that's all there was to it

honnir /ˈɔniʀ/ [3] *vtr* liter to execrate; **être honni de qn** to be execrated by sb

(Idiome) **honni soit qui mal y pense** (devise) honi soit qui mal y pense; gén evil unto him who evil thinks

honorabilité /ɔnɔʀabilite/ *nf* integrity; **d'une parfaite ~** entirely honourable[GB]

honorable /ɔnɔʀabl/ *adj* **1** (respectable) [*personne, métier, reddition*] honourable[GB]; [*compagnie, marque*] venerable; **notre très ~ président** our most honourable[GB] president; **sortie ~** honourable[GB] way out; **2** (suffisant) [*classement, score*] creditable; [*moyens financiers, nombre, proportion*] sizable; [*salaire*] decent; **une très ~ douzième place** a very creditable twelfth place; **une contribution très ~** a very sizable contribution

(Composé) **~ correspondant** (agent secret) man; **notre ~ correspondant à la Havane** our man in Havana

honorablement /ɔnɔʀabləmɑ̃/ *adv* **1** (de façon respectable) [*négocier, se retirer*] honourably[GB]; **se comporter très ~** to behave wholly honourably; **~ connu** [*famille*] highly respected; [*compagnie*] venerable; **2** (suffisamment) decently; **gagner ~ sa vie** to earn a decent living

honoraire /ɔnɔʀɛʀ/

A *adj* [*membre, président*] honorary; **professeur ~** emeritus professor; **doyen ~** dean emeritus

B **honoraires** *nmpl* (rétributions) fee (*sg*); **recevoir des ~s de mille euros** to be paid a fee of one thousand euros; **leurs ~s sont élevés** their fees are high; **note d'~s** bill

honorer /ɔnɔʀe/ [1]

A *vtr* **1** (rendre hommage) to honour[GB] [*Dieu, personne, équipe, mémoire*] (**de** with; **de faire** to do; **que** that); **~ qn de sa confiance** to honour[GB] sb with one's trust; **je suis très honoré d'être parmi vous** I feel very honoured[GB] to be among you; **(je suis) très honoré** I am most honoured[GB]; **je serais honoré de vous recevoir** I would be honoured[GB] by your visit; **2** (acquitter) to honour[GB] [*promesse, engagement, dette, échéance*]; **~ sa signature** to honour[GB] one's signature; **3** (procurer de la fierté à) [*personne*] to be a credit to [*pays, profession, parents*]; **vous honorez votre pays** you are a credit to your country; **4** (donner du mérite à) [*qualité*] to do [sb] credit [*personne*]; **votre courage vous honore** your bravery does you credit; **5** †fml, euph (posséder sexuellement) to be intimate with euph [*femme*]

B **s'honorer** *vpr* **1** (être fier) to be proud (**de qch** of sth; **de faire** of doing); **2** (s'attirer de la considération) to bring credit on oneself; **vous vous êtes honoré par votre choix** you brought credit on yourself by your choice

honorifique /ɔnɔʀifik/ *adj* [*poste, distinction, présidence, diplôme*] honorary; **être nommé président à titre ~** to be appointed honorary president; **être nommé à titre ~** to be appointed on an honorary basis

honoris causa /ɔnɔʀiskoza/ *loc adj* [*docteur*] honorary; **il est docteur ~ de l'université d'Oxford** he's an honorary doctor of the university of Oxford; **être nommé docteur ~** to be awarded an honorary doctorate

honte /ˈɔ̃t/ *nf* **1** (gêne) shame; **rougir de ~** to blush with shame; **couvrir qn de ~** to cover sb with shame; **se couvrir de ~** to be mortified; **éprouver de la ~** to feel ashamed; **avoir ~ de ce qu'on a fait/d'avoir mal agi** to be ashamed of what one has done/of having acted badly; **avoir ~ de qn/qch** to be ashamed of sb/sth; **il n'y a pas de ~ à faire** there's nothing to be ashamed of in doing; **il devrait avoir ~ de son incompétence/d'exploiter les touristes** he ought to be ashamed of his incompetence/of exploiting tourists; **faire ~ à qn** to make sb ashamed; **tu me fais ~ avec ton chapeau** I'm ashamed to be seen with you wearing that hat; **sans ~, toute ~ bue** fml shamelessly; **à ma (grande) ~** to my (great) embarrassment; **j'ai cru mourir de ~!** I could have died of embarrassment!; **n'ayez pas ~ de poser des questions** don't be embarrassed about asking questions; **avouer qch sans ~** to acknowledge sth openly; **sans fausse ~** quite openly; **2** (discrédit) disgrace; **être** *or* **faire la ~ de qn/d'un métier** to be a disgrace to sb/to a profession; **jeter la ~ sur qn/qch** to bring disgrace upon sb/sth; **quelle ~!** what a disgrace!; **c'est une ~ de voir ça** it's disgraceful to see things like that; **~ à celui/ceux qui...** shame on him/those who...; **3** (scandale) disgrace

honteusement /ˈɔ̃tøzmɑ̃/ *adv* (ignoblement) [*traiter, trahir*] shamefully; (sans honte) [*plagier, tricher*] shamelessly

honteux, **-euse** /ˈɔ̃tø, øz/ *adj* **1** (déshonorant) [*conduite, secret*] disgraceful (**de faire** to do); **de honteuses manipulations électorales** disgraceful electoral manipulations; **il est ~ que le gouvernement se comporte ainsi** it's disgraceful that the government should behave in this way; **qu'y a-t-il de ~ à voter pour X?** what is there to be ashamed of in voting for X?; **2** (gêné) [*personne*] ashamed (**de qn/qch** of sb/sth)

hop /ˈɔp/ *excl* **1** (pour stimuler) **allez ~, saute!** come on, jump!; **allez ~, on y va!** come on then, let's go!; **allez ~, dehors!** off you go out of here!; **2** (pour action rapide) presto; **c'est facile, tu appuies là et ~, c'est fait!** it's easy, just press here and presto, it's done!

hôpital, *pl* **-aux** /ɔpital, o/ *nm* hospital; **~ de campagne** field hospital; **j'ai passé une semaine à l'~** I spent a week in hospital GB *ou* in the hospital US; **aller à l'~** [*patient*] to go to hospital; [*visiteur*] to go to the hospital

(Composé) **~ de jour** outpatient clinic

(Idiome) **c'est l'~ qui se moque de la charité** it's the pot calling the kettle black

hoquet /ˈɔkɛ/ *nm* hiccup; **avoir le ~** to have hiccups; **avoir un ~ de frayeur** to gulp with fright; **le moteur eut quelques ~s puis s'arrêta** the engine sputtered then stopped

hoqueter /ˈɔkte/ [20] *vi* [*personne*] to hiccup; [*moteur*] to sputter; **~ de frayeur** to gulp with fright; **dit-elle en hoquetant** she hiccuped

Horace /ˈɔʀas/ *npr* **1** (auteur) Horace; **2** (héros) Horatius; **les ~s et les Curiaces** the Horatii and the Curiatii

horaire /ɔʀɛʀ/

A *adj* [*salaire, rendement, débit, tarif*] per hour; **une augmentation ~ de deux euros** a pay rise of two euros per hour; **tranche** *or* **plage ~** time-slot

B *nm* **1** Transp (de train, bus) timetable GB, schedule US; (d'avion, de vols) schedule; **~ d'été/d'hiver** summer/winter timetable; **être en avance sur l'~** [*train, bus, car, avion*] to be ahead of schedule; **être en retard sur l'~** [*train, bus, car, avion*] to be running late; **obtenir les ~s de train par téléphone** to find out the train times by phone; **2** (emploi du temps) timetable, schedule; **les ~s de travail** working hours; **les ~s des cours** timetable of classes *ou* lessons; **avoir un ~ chargé** to have a busy timetable *ou* schedule; **les ~s libres** *or* **à la carte** flexitime

horde /ˈɔʀd/ *nf* (de barbares, touristes) horde; (de chiens, loups) pack

(Composé) **~ primitive** Psych primal horde

horion† /ˈɔʀjɔ̃/ *nm* blow; **distribuer des ~s** to hit out

horizon /ɔʀizɔ̃/ *nm* **1** Astron horizon; **scruter l'~** to scan the horizon; **à l'~** [*être, apparaître*] on the horizon; [*disparaître, sombrer*] below the horizon; **l'~ est bouché** lit there are clouds on the horizon; fig the road ahead is not clear; **2** fig (avenir) outlook; **l'~ politique/économique est sombre** the political/economic outlook is gloomy; **des dangers/réformes se profilent à l'~** dangers/reforms are appearing on the horizon; **cet emploi m'ouvre de nouveaux ~s** this job opens up new perspectives for me; **à l'~ 2000** by the year 2000; **3** fig (univers) horizons (*pl*); **élargir son ~** to widen one's horizons; **son ~ intellectuel est limité** he has limited intellectual horizons; **changer d'~** to have a change of scene; **ils viennent d'~s très divers** they come from very varied backgrounds

(Composé) **~ artificiel** Aviat artificial horizon

horizontal, **~e**, *mpl* **-aux** /ɔʀizɔ̃tal, o/

A *adj* horizontal

B **horizontale** *nf* **1** Math(ligne) horizontal; **à l'~e** in a horizontal position; **2** °(prostituée) prostitute

horizontalement /ɔʀizɔ̃talmɑ̃/ *adv* horizontally

horizontalité /ɔʀizɔ̃talite/ *nf* horizontality

horloge /ɔʀlɔʒ/ *nf* clock; **avec la précision d'une ~** with the accuracy of a clock; **avoir la régularité d'une ~, être réglé comme une ~** to be as regular as clockwork

(Composés) **~ astronomique** Astron astronomical clock; **~ atomique** Phys atomic clock; **~ biologique** Biol biological clock; **~ interne** Biol internal clock; **~ murale** wall clock; **~ parlante** Télécom speaking clock GB, timeline US; **téléphoner à l'~ parlante** to ring the speaking clock GB, to call the time US

horloger, **-ère** /ɔʀlɔʒe, ɛʀ/

A *adj* watchmaking (*épith*)

B ▸ p. 532 *nm,f* watchmaker

(Composé) **~ bijoutier** jeweller[GB]

horlogerie /ɔʀlɔʒʀi/ ▸ p. 532 *nf* (industrie) watchmaking; (boutique) watchmaker's (shop); (produits) clocks and watches (*pl*); **pièce d'~** watch component

(Composé) **~ bijouterie** jeweller's shop GB, jewelry store US

hormis /ˈɔʀmi/ *prép* fml save sout, except (for)

hormonal, **~e**, *mpl* **-aux** /ɔʀmɔnal, o/ *adj* [*problème, activité, cycle*] hormonal; [*insuffisance, traitement*] hormone (*épith*); **mécanisme ~** endocrine system

hormone /ɔʀmɔn/ *nf* hormone; **~ de croissance** growth hormone

hormonothérapie /ɔʀmɔnoteʀapi/ *nf* hormone therapy

horodateur, **-trice** /ɔʀɔdatœʀ, tʀis/

A *adj* **horloge horodatrice** parking ticket machine

B *nm* (de stationnement) parking ticket machine

horoscope /ɔʀɔskɔp/ *nm* horoscope; **faire l'~ de qn** to cast sb's horoscope; **lire son ~** to read one's horoscope

horreur /ɔʀœʀ/ *nf* **1** (atrocité) horror; **dans toute son ~** in all its horror; **les ~s de la guerre/commises dans les camps de concentration** the horrors of war/committed in concentration camps; **2** (parole méchante) awful thing; **dire des ~s de** *or* **sur qn** to say awful things about sb; **3** (épouvante) horror; **remplir qn d'~** to fill sb with horror; **éprouver de l'~ à la vue de** to feel horror at the sight of; **faire qch/se détourner avec ~** to do sth/to turn away in horror; **être glacé/muet d'~** to be frozen/dumb with horror; **être saisi d'~** to be horror-struck; **être une ~** [*personne, chose, œuvre*] to be horrible; **quelle ~!** how horrible!; **4** (aversion) loathing; **inspirer de l'~ à qn** to inspire loathing in sb; **avoir ~ de qn/qch, avoir qn/qch en ~** to loathe sb/sth; **avoir ~ de faire** to hate doing; **il a une sainte ~ du travail/de parler en public** he absolutely loathes work/speaking in public; **les chats ont ~ de l'eau** cats hate water; **j'ai ~ qu'on me dérange** I hate being disturbed; **la nature a ~ du vide** nature abhors a vacuum; **prendre qn en ~** to begin to loathe sb; **ton attitude me fait ~** your attitude horrifies me; **le poisson cru me fait ~** I find raw fish disgusting

(Idiome) **c'est (vraiment) l'~**○ it's (really) the pits○

horrible /ɔʀibl/ *adj* 1 (abominable) [*cri, spectacle, mort, maladie*] horrible; [*temps*] filthy; [*moment, séjour*] dreadful; [*meurtre, scène, vision*] horrific; [*douleur, bruit, tâche*] terrible; [*dessein, soupçon, pensée*] horrible; [*lettre, paroles, personne*] nasty; **il fait un froid ~** it's terribly cold; 2 (répugnant) [*goût, odeur, mélange*] revolting; [*créature, sorcière*] horrid; [*nourriture*] dreadful; 3 (laid) [*visage, objet, cicatrice*] hideous

horriblement /ɔʀibləmɑ̃/ *adv* 1 (effroyablement) [*brûlé, mutilé, abîmé*] horribly; 2 (terriblement) [*dangereux, froid*] terribly

horrifiant, ~e /ɔʀifjɑ̃, ɑ̃t/ *adj* horrifying

horrifier /ɔʀifje/ [2] *vtr* to horrify; **être horrifié** to be horrified (**par** by; **de faire** at doing)

horripilant, ~e /ɔʀipilɑ̃, ɑ̃t/ *adj* exasperating; **il est d'une lenteur ~e** he's exasperatingly slow

horripiler /ɔʀipile/ [1] *vtr* to exasperate, to drive [sb] up the wall○

hors /'ɔʀ/

> ⚠ Lorsque *hors* et *hors de* sont suivis d'un nom sans article reportez-vous à ce nom. Ainsi *hors catégorie* est traité sous **catégorie** et *hors d'atteinte* sous **atteinte**. Une expression telle que *se mettre hors la loi* figure sous **loi**. *hors-la-loi* est une entrée à part.
> Les autres emplois de *hors* sont présentés dans l'article ci-dessous.

A *prép* liter apart from, save sout

B **hors de** *loc prép* (dans l'espace) (position fixe) outside; (avec mouvement) out of; fig outside; **~ d'Allemagne/de la UE** outside Germany/the EU; **il sauta ~ de son bain** he jumped out of his bath; **~ de l'histoire/des divisions politiques traditionnelles** outside History/the traditional political divide; **elle passe le plus de temps possible ~ de chez elle** she spends as much time as possible out of the house; **~ d'ici!** get out of here!; **~ de chez soi** away from home

(Composé) **~ tout** overall; **longueur ~ tout d'un édifice/wagon** overall length of a building/carriage

(Idiomes) **être ~ de soi** to be beside oneself; **il est arrivé en criant, ~ de lui** he arrived shouting, beside himself; **cela m'a mis ~ de moi** it infuriated me

hors-bord* /'ɔʀbɔʀ/

A *adj* [*moteur*] outboard

B *nm inv* powerboat, speedboat; **faire du ~** to go powerboating *ou* speedboating

hors-d'œuvre /'ɔʀdœvʀ/ *nm inv* 1 Culin starter, hors d'oeuvre; **en ~ nous avons des escargots** as a starter we have snails; **'~ variés'** 'assorted hors d'oeuvres'; 2 ○fig foretaste; **la gifle n'était qu'un ~** the slap was just for starters○

hors-jeu* /'ɔʀʒø/ *nm inv* (**pour**) **~** for offside; **la règle du ~** the offside rule; **les Marseillais ont totalisé trois ~** Marseilles was offside three times

hors-la-loi /'ɔʀlalwa/ *nm inv* outlaw

hors-média* /'ɔʀmedja/ *nm inv* below-the-line advertising

hors-piste* /'ɔʀpist/ *nm inv* off-piste skiing; **faire du ~** to go off-piste skiing

hors-série /'ɔʀseʀi/

A *adj* **un numéro ~** a special issue

B *nm* special issue; **~ sur le cinéma indien** Indian cinema special

hors-sol* /'ɔʀsɔl/ *nm inv* 1 (culture) soilless culture; 2 (élevage) industrial husbandry

hors-texte* /'ɔʀtɛkst/ *nm inv* plate

hortensia /ɔʀtɑ̃sja/ *nm* hydrangea

horticole /ɔʀtikɔl/ *adj* horticultural

horticulteur, -trice /ɔʀtikyltœʀ, tʀis/ ▸ p. 532 *nm,f* horticulturist

horticulture /ɔʀtikyltyʀ/ *nf* horticulture

hosanna /'ɔzana/ *nm* hosanna; **~ au plus haut des cieux** hosanna in the highest

hospice /ɔspis/ *nm* 1 (asile) home; **finir à l'~** to end up in the poorhouse; 2 †Relig hospice†

(Composé) **~ de vieillards** old people's home

hospitalier, -ière /ɔspitalje, ɛʀ/

A *adj* 1 Méd [*personnel, secteur*] hospital (*épith*); **centre ~** hospital; 2 (accueillant) [*atmosphère, lieu*] hospitable; 3 Relig [*ordre*] charitable; **sœur hospitalière** sister of mercy

B *nm,f* Relig member of a charitable order; (de l'ordre de St Jean) hospitaller^GB

hospitalisation /ɔspitalizasjɔ̃/ *nf* hospitalization

(Composé) **~ à domicile** Méd, Prot Soc home (medical) care

hospitaliser /ɔspitalize/ [1] *vtr* to hospitalize; **se faire ~** to be hospitalized, to go into hospital GB *ou* into the hospital US; **être hospitalisé d'urgence** to be rushed to hospital

hospitalité /ɔspitalite/ *nf* hospitality; **offrir l'~** to offer hospitality (**à** to); **être connu pour son ~** to have a reputation for hospitality; **avoir le sens de l'~** to know how to treat one's guests; **demander l'~ à qn** to ask sb for shelter

hospitalo-universitaire, *pl* **~s** /ɔspitaloynivɛʀsitɛʀ/ *adj* **centre ~** teaching hospital

hostellerie /ɔstɛlʀi/ *nf* (country) inn

hostie /ɔsti/

A *nf* Relig Host

B ◑*excl* Can damn○!

hostile /ɔstil/ *adj* hostile (**à** to)

hostilement /ɔstilmɑ̃/ *adv* with hostility

hostilité /ɔstilite/ *nf* hostility (**à** to; **à l'égard de, envers** to, toward, towards GB), **les ~s** Mil hostilities; **ouvrir/cesser/reprendre les ~s** to start/cease/resume hostilities

hosto◑ /ɔsto/ *nm* hospital

hôte /ot/

A *nm* 1 (personne qui invite) host; 2 (résident) (personne) occupant; (animal) inhabitant; 3 Biol host

B *nmf* 1 (personne invitée) guest; 2 (d'appartement) occupant; (d'hôtel) guest

(Composés) **~ de marque** distinguished guest; **~ de passage** temporary guest; **~ payant** Tourisme paying guest

hôtel ➡

/otɛl/ *nm* hotel; **~ de luxe/4 étoiles** luxury/4 star hotel; **~ borgne** seedy hotel; **descendre à l'~** to stay at a hotel; **vivre à l'~** to live in a hotel; **passer une nuit à l'~** to spend a night in a hotel

(Composés) **~ des impôts** tax office; **~ de la Monnaie** Admin (French) Mint; **~ particulier** Archit townhouse; **~ de passe** hotel used by prostitutes; **~ de tourisme** Tourisme tourist hotel; **~ des ventes** Comm saleroom; **~ de ville** Admin ≈ town hall

hôtel-club, *pl* **hôtels-clubs** /otɛlklœb/ *nm* (hotel-based) holiday club

hôtel-Dieu, *pl* **hôtels-Dieu** /otɛldjø/ *nm* main hospital

hôtelier, -ière /otəlje, ɛʀ/ ▸ p. 532

A *adj* [*groupe, industrie, chaîne*] hotel (*épith*); [*école, formation*] in hotel-management (*épith, après n*); **capacité hôtelière d'une région** total amount of hotel accommodation in an area

B *nm,f* hotelkeeper

hôtellerie /otɛlʀi/ *nf* 1 (profession) hotel business; 2 (établissement) (country) inn

hôtel-restaurant, *pl* **hôtels-restaurants** /otɛlʀɛstɔʀɑ̃/ *nm* hotel-restaurant

hôtesse /otɛs/ ▸ p. 532 *nf* 1 (professionnelle) (de société, magasin) receptionist; (d'exposition) hostess; (de train, bateau) stewardess; 2 (personne qui invite) hostess

(Composés) **~ d'accueil** receptionist; **~ de l'air** Aviat stewardess, flight attendant spéc; **~ au sol** Aviat ground attendant, ground hostess

hotte /'ɔt/ *nf* 1 (de vendangeur) basket (*carried on the back*); 2 (de cheminée) hood; 3 (de cuisinière) hood GB, range hood US

(Composés) **~ aspirante** extractor hood GB, ventilator US; **la ~ du Père Noël** Father Christmas's sack GB, Santa Claus's sack US

hottentot, ~e /'ɔtɑ̃to, ɔt/ *adj* Hottentot

Hottentot, ~e /'ɔtɑ̃to, ɔt/ *nm,f* Hottentot

hou /'u/ *excl* 1 (pour effrayer) boo!; 2 (pour appeler) hey!; **~, ~! tu viens?** hey! are you coming?; 3 (pour faire honte) tut-tut; **~, la vilaine!** oh, you/the naughty girl!

houblon /'ublɔ̃/ *nm* hop **C**

houblonnière /'ublɔnjɛʀ/ *nf* hopfield

houe /'u/ *nf* hoe

houille /'uj/ *nf* (charbon) coal; **~ maigre/grasse** lean/bituminous coal

(Composés) **~ blanche** hydroelectric power; **~ bleue** tidal power; **~ incolore** wind power; **~ d'or** solar power; **~ rouge** geothermal power

houiller, -ère /'uje, ɛʀ/

A *adj* [*gisement, industrie*] coal (*épith*); [*terrain*] coal-bearing; [*région*] coalmining

B **houillère** *nf* 1 (dépôt) coalmine; 2 (exploitation) colliery

houle /'ul/ *nf* swell; **il y a de la ~** there's a swell; **la ~ est forte** there's a heavy swell

houlette /'ulɛt/ *nf* 1 (de berger) crook; **sous la ~ de** fig under the leadership of; 2 (de jardinier) trowel; 3 †(d'évêque) crozier

houleux, -euse /'ulø, øz/ *adj* 1 [*mer*] rough; 2 [*réunion, débat*] stormy

houmous /'umus/ *nm inv* Culin houmous GB, hummus US

houppe /'up/ *nf* 1 (de cheveux) tuft; (de fils) tassel; 2 (à poudrer) powder puff

houppelande /'uplɑ̃d/ *nf* greatcoat

houppette /'upɛt/ *nf* 1 (à poudrer) powder puff; 2 (de cheveux) little tuft (of hair)

hourra /'uʀa/

A *nm* (acclamation) cheer; **accueilli sous les ~s de la foule** greeted by the cheers of the crowd; **pousser des ~s** to cheer; **pousser un ~ de joie** to give a shout of joy

B *excl* hurrah!; **hip hip hip ~!** hip hip hurrah!

houspiller /'uspije/ [1] *vtr* to scold; **se faire ~** to be scolded

housse /'us/ *nf* gén cover; (de chaise, sofa) slipcover; (de siège de voiture) seat cover; (de vêtements) garment bag; (de machine à écrire) dust cover; **mettre qch sous (une) ~** to cover sth up; **mettre une ~ à** to slipcover [*chaise, sofa*]

(Composé) **~ de couette** duvet cover, quilt cover

houx /'u/ *nm inv* holly

HS○ /'aʃɛs/ *adj* (*abbr* = **hors service**) [*machine, voiture*] on the blink○; [*personne*] knackered○ GB, shot○ US; **son travail l'a mis ~** his job has really knackered him GB, his job has tuckered○ him US

HT 1 (*written abbr* = **hors taxes**) exclusive of tax; 2 (*written abbr* = **haute tension**) HV

HTML /'aʃteɛmɛl/ *nm* (*abbr* = **HyperText Mark-up Language**) HTML

http /'aʃtetepe/ *nm* (*abbr* = **hypertext transfer protocal**) http

huard, huart /yaʀ/ *nm* Can (palmipède) loon

hublot /'yblo/ *nm* (de bateau) porthole; (d'avion) window; (de machine à laver) door

huche /'yʃ/ *nf* (coffre) chest

(Composé) **~ à pain** bread bin

hue /'y/ *excl* (pour cheval) gee up!; ▸ **dia**

huées /'ɥe/ *nfpl* booing **C**; **partir sous les ~** to be booed off; **discours interrompu par des**

➡ *voir* Correspondance anglaise

h

~ speech interrupted by booing; **sous les ~ des spectateurs/de la foule** booed by the audience/the crowd

huer /'ɥe/ [1]
A *vtr* to boo [*auteur, discours*]; **se faire ~** to be booed
B *vi* [*hibou*] to hoot

hugolien, -ienne /'ygoljɛ̃, ɛn/ *adj: of (or in the manner of) Victor Hugo*

huguenot, ~e /'ygno, ɔt/ *adj, nm,f* Huguenot

huilage /ɥilaʒ/ *nm* Tech oiling, lubrication

huile /ɥil/ *nf* **1** (substance) oil; **~ vierge/végétale** virgin/vegetable oil; **~ de première pression à froid** oil of the first pressing; **sardines à l'~** sardines in vegetable oil; **pommes à l'~** potato salad; **2** Art (tableau) oil painting; **ses ~s sont plus célèbres que ses aquarelles** his oil paintings *ou* oils are more famous than his watercolours[GB]; **3** ○(personnage important) big shot○, bigwig○
(Composés) **~ d'arachide** groundnut oil GB, peanut oil; **~ de cade** oil of cade; **~ de colza** rapeseed oil; **~ de coude** hum elbow grease; **~ essentielle** essential oil; **~ de foie de morue** cod liver oil; **~ de graissage** lubricating oil; **~ de lin** linseed oil ; **~ de maïs** corn oil; **~ pour moteur** motor oil; **~ de noix** walnut oil; **~ d'olive** olive oil; **~ de palme** palm oil; **~ de paraffine** liquid paraffin; **~ de ricin** castor oil; **~ solaire** Cosmét suntan oil; **~ de table** cooking oil; **~ de tournesol** sunflower oil
(Idiomes) **tout/ça baigne dans l'~**○ everything/it is going smoothly; **jeter** *or* **verser de l'~ sur le feu** to add fuel to the fire; **mettre de l'~ dans les rouages** to oil the wheels

huiler /ɥile/ [1] *vtr* to oil [*peau, mécanisme, poêle*]; **bien huilé** [*mécanisme, machine*] lit, fig well-oiled; [*reportage, scénario*] fig slick

huilerie /ɥilʀi/ *nf* **1** (usine) oil mill; **2** (commerce) oil trade

huileux, -euse /ɥilø, øz/ *adj* oily

huilier /ɥilje/ *nm* (oil and vinegar) cruet

huis /'ɥi/ *nm inv* **1** ‡door; **2** Jur **~ clos** closed hearing, hearing held in camera; **ordonner un ~ clos** (avant un procès) to order a hearing in camera; (pendant un procès) to clear the court; **demander/obtenir le ~ clos** to request/obtain a hearing in camera; **à ~ clos** Jur in camera; fig behind closed doors

huisserie /ɥisʀi/ *nf* (de porte) doorframe; (de fenêtre) window frame; **les ~s de la maison** the door and window frames of the house

huissier /ɥisje/ ▸ **p. 532** *nm* **1** Jur **~ (de justice)** bailiff; **2** (portier) porter; (de tribunal) usher

huit /'ɥit, but before consonant 'ɥi/ ▸ **p. 568, p. 424, p. 222**
A *adj inv* eight; **~ jours** (semaine) a week; (précisément) eight days; **téléphone-moi dans ~ jours** phone GB *ou* call me in a week *ou* in a week's time; **je pars mardi en ~** I'm leaving a week on Tuesday; **donner ses ~ jours à qn** lit, fig to give sb a week's notice
B *pron* eight
C *nm inv* **1** (numéro) eight; **2** (trajectoire) **décrire un ~** to do a figure of eight

huitain /'ɥitɛ̃/ *nm* Littérat octave

huitaine /'ɥitɛn/ *nf* **1** (semaine) about a week; **dans une ~ (de jours)** in about a week; **sous ~** within a week; **remettre qch à ~** to postpone sth for a week; **2** (environ huit) about eight

huitante /'ɥitɑ̃t/ ▸ **p. 568** *adj inv, pron* Helv eighty

huitième /'ɥitjɛm/ ▸ **p. 568, p. 222**
A *adj* eighth
B *nf* Scol *fourth year of primary school, age 9–10*
(Composés) **le ~ art** television; **~ de finale** Sport *round before the quarter finals*

huître* /ɥitʀ/ *nf* oyster
(Composés) **~ perlière** pearl oyster; **~ plate** flat oyster
(Idiome) **se fermer comme une ~** to clam up

huîtrier, -ière* /ɥitʀije, ɛʀ/
A *adj* oyster (*épith*)
B *nm* (oiseau) oystercatcher
C huîtrière *nf* (banc) oyster bed; (parc) oyster farm

hulotte /'ylɔt/ *nf* tawny owl

hululement /'ylylmɑ̃/ *nm* hooting ¢

hululer /'ylyle/ [1] *vi* to hoot

hum /'œm/ *excl* hm

humain, ~e /ymɛ̃, ɛn/
A *adj* **1** gén human; **c'est ~!** it's only human!; **sauver des vies ~es** to save lives; **pertes ~es** loss of life ¢; **marée ~e** tide of humanity; **2** (clément) [*solution, régime*] humane; [*personne*] human, understanding
B *nm* **1** (personne) human being; **2** (être terrestre) human; **3** Philos **l'~ et le divin** the human and the divine; **perdre le sens de l'~** to lose the human element
(Idiome) **l'erreur est ~e** to err is human

humainement /ymɛnmɑ̃/ *adv* **1** (pour l'être humain) [*possible, impossible*] humanly; **2** (sans cruauté) [*traiter, se comporter*] humanely

humanisation /ymanizasjɔ̃/ *nf* (de prison, conditions de vie) humanization; (de politique, régime politique) softening

humaniser /ymanize/ [1]
A *vtr* to humanize [*prison, conditions de vie, régime politique*]; to make [sb/sth] more human [*personne, ville, procédure, politique*]
B s'humaniser *vpr* [*prison, procédure, personne*] to become more human

humanisme /ymanism/ *nm* humanism

humaniste /ymanist/ *adj, nmf* humanist

humanitaire /ymanitɛʀ/ *adj* humanitarian

humanitarisme /ymanitaʀism/ *nm* humanitarianism

humanitariste /ymanitaʀist/ *adj, nmf* humanitarian

humanité /ymanite/
A *nf* **1** (genre humain) humanity; **crimes contre l'~** crimes against humanity; **2** (altruisme) humanity, humaneness; **avec ~** [*traiter*] humanely; **3** Philos, Relig humanity
B humanités† *nfpl* classics; **faire ses ~s** to study classics, to read classics GB

humanoïde /ymanɔid/ *adj, nm* humanoid

Humberside ▸ **p. 721** *nprm* **le ~** Humberside

humble /œbl/
A *adj* [*personne*] (par soi-même) unassuming; (vis-à-vis d'autres) humble; [*ton, manières*] unassuming; [*condition, travail, origine*] humble; [*maison, demeure*] modest; **votre ~ serviteur** your humble servant; **à mon ~ avis** in my humble opinion; **se faire ~ devant qn** to humble oneself before sb
B humbles *nmpl* **les ~s** the common people

humblement /œbləmɑ̃/ *adv* humbly

humecter /ymɛkte/ [1]
A *vtr* to moisten (**de, avec** with)
B s'humecter *vpr* **s'~ les lèvres** to moisten one's lips; **s'~ le gosier**○ to wet one's whistle○

humer /'yme/ [1] *vtr* **1** (inspirer) to sniff [*air*]; **2** (sentir) liter to smell [*fleur, potage*]

huméral, ~e, *mpl* **-aux** /ymeʀal, o/ *adj* humeral; **artère ~e** brachial artery

humérus /ymeʀys/ *nm inv* humerus

humeur /ymœʀ/ *nf* **1** (disposition passagère) mood; **être de bonne/mauvaise ~** to be in a good/bad mood; **être d'une ~ de chien** to be in a foul mood; **être d'~ à faire qch** to be in the mood to do sth; **je ne suis pas d'~ à écouter tes histoires** I'm in no mood to listen to your stories; **être d'~ massacrante** to be in a hell of a mood; **2** (disposition dominante) temper; **être d'~ égale** to be even-tempered; **être d'~ inégale** to be moody; **un jeune homme à l'~ chagrine** a sulky young man; **un spectacle plein de bonne ~** a very happy show; **des crises de mauvaise ~** bad moods; **elle est connue pour sa bonne ~** she's known for her good humour[GB] *ou* for being good-humoured[GB]; **3** (mauvaise disposition) **geste/mouvement d'~** bad-tempered gesture/movement; **dans un mouvement d'~** with a bad-tempered gesture; **il m'a répondu avec ~** he answered me bad-temperedly; **4** ‡Méd humour†[GB]; **les ~s** the humours[GB]
(Composés) **~ aqueuse** Physiol aqueous humour[GB]; **~ vitrée** Physiol vitreous humour[GB]

humide /ymid/ *adj* **1** (imprégné de liquide) [*linge, cheveux, maison, draps*] damp; **il avait le regard ~** his eyes were moist with tears; **2** Géog, Météo [*climat, région, air*] humid; [*saison*] rainy; **il fait froid et ~** it's cold and damp; **il fait chaud et ~, il fait une chaleur ~** it's muggy

humidificateur /ymidifikatœʀ/ *nm* humidifier

humidification /ymidifikasjɔ̃/ *nf* humidification

humidifier /ymidifje/ [2] *vtr* to dampen [*linge, papier*]; to spray [sth] (with water) [*peau, plante*]; to humidify [*air*]

humidité /ymidite/ *nf* **1** (état) dampness; **je n'aime pas l'~** I don't like dampness; **produit craignant l'~** product which should be stored in a dry place; **le livre est resté à l'~** the book has been left in a damp place; **2** (résultat) damp; **il y a de l'~ sur les murs** there's damp on the walls; **problème d'~** damp problem; **des traces d'~** damp marks; **prendre l'~** to be affected by damp; **3** Météo (d'air, de climat, de région) humidity

humiliant, ~e /ymiljɑ̃, ɑ̃t/ *adj* humiliating; **cela n'a rien d'~** there's no shame in it

humiliation /ymiljasjɔ̃/ *nf* humiliation; **essuyer une ~** to suffer a humiliation

humilier /ymilje/ [2] *vtr* to humiliate; **se sentir humilié** to feel humiliated (**par** by; **de faire** about doing)

humilité /ymilite/ *nf* **1** (de personne) humility; **en toute/avec ~** in all/with humility; **2** (de condition, tâche) humble nature

humoral, ~e, *mpl* **-aux** /ymɔʀal, o/ *adj* humoral†

humoriste /ymɔʀist/ ▸ **p. 532** *nmf* **1** (auteur) humorist; **2** (farceur) joker

humoristique /ymɔʀistik/ *adj* humorous; **dessin ~** cartoon; **dessinateur ~** cartoonist

humour /ymuʀ/ *nm* (de personne, situation) humour[GB]; **~ noir** black humour[GB]; **être plein d'~** [*film, histoire*] to be full of humour[GB]; [*personne*] to have a good sense of humour[GB]; **avoir (le sens) de l'~** to have a sense of humour[GB]; **ne pas avoir** *or* **manquer d'~** to have no sense of humour[GB]; **avec ~** humorously; **savoir faire preuve d'~** to take things well; **prendre les choses avec ~** to see the humorous side of things; **il n'a pas su apprécier l'~ de la situation** he couldn't see the funny side of it; **faire de l'~** to make jokes

humus /ymys/ *nm inv* humus

Hun /'œ̃/ *nm* Hun

hune /'yn/ *nf* Naut top; **grande ~** maintop
(Composé) **~ de misaine** foretop

hunier /'ynje/ *nm* Naut topsail; **grand ~** main topsail; **grand ~ fixe/volant** lower/upper main topsail; **petit ~** fore topsail

huppe /'yp/ *nf* **1** Zool hoopoe; **2** (crête) crest

huppé, ~e /'ype/ *adj* **1** ○(mondain) upper-crust (*épith*); **2** [*oiseau*] crested

hure /'yʀ/ *nf* **1** (tête, trophée) head; **2** Culin brawn GB, headcheese US

hurlement /'yʀləmɑ̃/ *nm* (d'animal) howl, howling ¢; (de personne) yell, howl; (de sirène) wailing ¢, blaring ¢; **pousser un ~ de douleur** to howl with pain

hurler /ˈyʀle/ [1]
A *vtr* **1** (crier) to yell [*propos, remarques*]; **'ça suffit!' hurla-t-il** 'that's enough!' he yelled; **~ des injures à qn** to shout abuse at sb; **~ à qn de faire** to yell at sb to do; **~ à qn que** to yell at sb that; **~ sa souffrance/colère** to give vent to one's misery/anger; **2** (diffuser très fort) [*télévision, radio, magnétophone*] to blare out [*chansons, discours*]
B *vi* **1** (pousser des cris) [*animaux, personnes*] to howl; **~ de rage/douleur/frayeur** to howl with rage/pain/terror; **~ de rire** to roar with laughter; **c'est à ~ de rire** it's enough to make you roar with laughter; **les gens hurlaient au scandale** people were outraged by the scandal; **quand je vois ça, ça me fait ~** it makes me want to scream when I see that; **2** (parler fort) to yell; **3** (faire du bruit) [*sirène*] to wail; [*vent, tempête*] to roar; [*télévision, radio*] to blare, to be going full blast; [*haut-parleur*] to blare, to be on full blast
(Idiomes) **~ avec les loups** to follow the crowd; **~ à la mort** to bay at the moon

hurleur, -euse /ˈyʀlœʀ, øz/
A *adj* bawling
B *nm,f* (personne) shouter
C *nm* (singe) howler monkey

hurluberlu, ~e /yʀlybɛʀly/ *nm,f* oddball○

huron, -onne /ˈyʀɔ̃, ɔn/ ► **p. 483**
A *adj* Huron
B *nm* Ling Huron

Huron, -onne /ˈyʀɔ̃, ɔn/
A *nm,f* Huron
B ► **p. 479** *npr* **le lac ~** Lake Huron

husky, *pl* **huskies** /œski/ *nm* husky

hussard /ˈysaʀ/ *nm* hussar

hussarde /ˈysaʀd/ *nf* **à la ~** roughly

hutte /ˈyt/ *nf* hut

hybridation /ibʀidasjɔ̃/ *nf* hybridization

hybride /ibʀid/
A *adj* **1** Biol hybrid; **2** [*création, construction, voiture*] hybrid; **c'est une situation ~** it's not a clear-cut situation
B *nm* hybrid

hybrider /ibʀide/ [1] *vtr* to cross, to hybridize spéc

hybridisme /ibʀidism/ *nm* hybridism

hydracide /idʀasid/ *nm* hydracid

hydratant, ~e /idʀatɑ̃, ɑ̃t/
A *adj* moisturizing
B *nm* moisturizer

hydratation /idʀatasjɔ̃/ *nf* **1** Cosmét moisturizing; **2** Physiol hydration; **3** Chimie hydration

hydrate /idʀat/ *nm* hydrate
(Composé) **~ de carbone** carbohydrate

hydrater /idʀate/ [1]
A *vtr* **1** Cosmét to moisturize [*peau*]; **2** Physiol to hydrate [*tissu, organisme*]; **3** Chimie to hydrate
B s'hydrater *vpr* **1** Physiol [*personne*] **bien s'~** to take plenty of fluids; **2** Chimie (devenir un hydrate) to undergo hydration

hydraulique /idʀolik/
A *adj* hydraulic
B *nf* hydraulics (+ *v sg*)

hydravion /idʀavjɔ̃/ *nm* seaplane, hydroplane

hydre /idʀ/ *nf* **1** Mythol Hydra; **2** fig hydra-headed monster

hydrobiologie /idʀɔbjɔlɔʒi/ *nf* hydrobiology

hydrobiologiste /idʀɔbjɔlɔʒist/ ► **p. 532** *nmf* hydrobiologist

hydrocarbure /idʀɔkaʀbyʀ/ *nm* hydrocarbon

hydrocéphale /idʀɔsefal/ *adj, nmf* hydrocephalic

hydrocéphalie /idʀɔsefali/ ► **p. 283** *nf* hydrocephalus

hydrocortisone /idʀɔkɔʀtizɔn/ *nf* hydrocortisone

hydrocution /idʀɔkysjɔ̃/ *nf* immersion hypothermia

hydrodynamique /idʀɔdinamik/
A *adj* hydrodynamic
B *nf* hydrodynamics (+ *v sg*)

hydroélectricité /idʀoelɛktʀisite/ *nf* hydroelectricity

hydroélectrique /idʀoelɛktʀik/ *adj* hydroelectric

hydrofuge /idʀɔfyʒ/ *adj* [*mastic, vernis*] water-repellent

hydrofuger /idʀɔfyʒe/ [13] *vtr* to make [sth] water-repellent

hydrogénation /idʀɔʒenasjɔ̃/ *nf* hydrogenation

hydrogène /idʀɔʒɛn/ *nm* hydrogen
(Composé) **~ lourd** Chimie deuterium

hydrogéner /idʀɔʒene/ [14] *vtr* to hydrogenate

hydroglisseur /idʀɔglisœʀ/ *nm* hydroplane

hydrographe /idʀɔgʀaf/ ► **p. 532** *nmf* hydrographer

hydrographie /idʀɔgʀafi/ *nf* hydrography

hydrographique /idʀɔgʀafik/ *adj* hydrographic

hydrologie /idʀɔlɔʒi/ *nf* hydrology

hydrologique /idʀɔlɔʒik/ *adj* hydrologic

hydrologiste /idʀɔlɔʒist/, **hydrologue** /idʀɔlɔg/ ► **p. 532** *nmf* hydrologist

hydrolyse /idʀɔliz/ *nf* hydrolysis

hydrolyser /idʀɔlize/ [1] *vtr* to hydrolyse[GB]

hydromel /idʀɔmɛl/ *nm* mead

hydromètre /idʀɔmɛtʀ/ *nm* hydrometer

hydrométrie /idʀɔmetʀi/ *nf* hydrometry

hydrométrique /idʀɔmetʀik/ *adj* hydrometric

hydrophile /idʀɔfil/ *adj* [*tissu, matière*] absorbent

hydrophobe /idʀɔfɔb/ *adj* hydrophobic

hydrophobie /idʀɔfɔbi/ *nf* hydrophobia

hydrophone /idʀɔfɔn/ *nm* hydrophone

hydropisie† /idʀɔpizi/ ► **p. 283** *nf* dropsy†

hydropneumatique /idʀɔpnømatik/ *adj* hydropneumatic

hydroptère /idʀɔptɛʀ/ *nm* hydrofoil

hydrorésistant, ~e /idʀɔʀezistɑ̃, ɑ̃t/ *adj* water resistant

hydrosoluble /idʀɔsɔlybl/ *adj* hydrosoluble

hydrosphère /idʀɔsfɛʀ/ *nf* hydrosphere

hydrostatique /idʀɔstatik/
A *adj* hydrostatic
B *nf* hydrostatics (+ *v sg*)

hydrothérapie /idʀɔteʀapi/ *nf* hydrotherapy

hydroxyde /idʀɔksid/ *nm* hydroxide

hyène /ˈjɛn/ *nf* hyena

hygiaphone® /iʒjafɔn/ *nm* grill (*perforated communication panel*)

hygiène /iʒjɛn/ *nf* **1** (pour la propreté) hygiene; **contraire à l'~** unhygienic; **par mesure d'~** for (the sake of) hygiene; **pour l'~ des cheveux** (in order) to keep hair clean; **~ scolaire/sportive** health guidelines for schools/sportspeople; **2** (comme science) hygiene; **veillez à une bonne ~ alimentaire** eat sensibly, have a healthy diet; **avoir une bonne/mauvaise ~ de vie** to have a healthy/an unhealthy lifestyle
(Composés) **~ corporelle** personal hygiene; **~ dentaire** dental hygiene; **~ féminine** feminine hygiene; **~ mentale** mental health; **~ publique** public hygiene

hygiénique /iʒjenik/ *adj* **1** (concernant la propreté) hygienic; **2** (sain) [*boisson, mode de vie*] healthy; **promenade ~** constitutional

hygiéniste /iʒjenist/ ► **p. 532** *nmf* hygienist

hygromètre /igʀɔmɛtʀ/ *nm* hygrometer

hygrométrie /igʀɔmetʀi/ *nf* hygrometry

hygrométrique /igʀɔmetʀik/ *adj* hygrometric

hygroscope /igʀɔskɔp/ *nm* hygroscope

hymen /imɛn/ *nm* **1** Anat hymen; **2** (mariage) liter nuptial bond

hyménée /imene/ *nm* liter nuptial bond

hyménoptère /imenɔptɛʀ/ *nm* hymenopteran; **les ~s** the Hymenoptera

hymne /imn/ *nm* Littérat, Mus, fig hymn; **~ à la vie** fig hymn to life
(Composé) **~ national** national anthem

hypallage /ipalaʒ/ *nm* hypallage

hyperacidité /ipɛʀasidite/ *nf* **~ gastrique** hyperacidity

hyperactif, -ive /ipɛʀaktif, iv/ *adj* hyperactive

hyperactivité /ipɛʀaktivite/ *nf* hyperactivity

hyperbare /ipɛʀbaʀ/ *adj* **caisson ~** decompression chamber

hyperbole /ipɛʀbɔl/ *nf* **1** Math hyperbola; **2** Littérat hyperbole

hyperbolique /ipɛʀbɔlik/ *adj* Littérat, Math hyperbolic

hypercalcémie /ipɛʀkalsemi/ *nf* hypercalcaemia

hypercalorique /ipɛʀkalɔʀik/ *adj* high in calories (*jamais épith*), high-calorie (*épith*)

hypercholestérolémie /ipɛʀkɔlɛsteʀɔlemi/ ► **p. 283** *nf* hypercholesterolemia

hyperclassique /ipɛʀklasik/ *adj* [*situation, réaction*] absolutely classic; **roman** *or* **pièce** *or* **film ~** great classic

hyperconnu, ~e /ipɛʀkɔny/ *adj* extremely famous

hypercorrection /ipɛʀkɔʀɛksjɔ̃/ *nf* Ling hypercorrection

hypercultivé, ~e /ipɛʀkyltive/ *adj* extremely learned

hyperdocument /ipɛʀdɔkymɑ̃/ *nm* hyperdocument

hyperdoué, ~e /ipɛʀdwe/ *adj* exceptionally gifted

hyperémotif, -ive /ipɛʀemɔtif, iv/ *adj* hyperemotional

hyperémotivité /ipɛʀemɔtivite/ *nf* over-emotional behaviour

hyperglycémie /ipɛʀglisemi/ *nf* hyperglycaemia

hyperinflation /ipɛʀɛ̃flasjɔ̃/ *nf* hyperinflation

hyperinformé, ~e /ipɛʀɛ̃fɔʀme/ *adj* very well informed

hyperkaliémie /ipɛʀkaljemi/ *nf* hyperkalaemia[GB]

hyperlien /ipɛʀljɛ̃/ *nm* hyperlink

hyperlipidémie /ipɛʀlipidemi/ *nf* hyperlipaemia

hyperluxueux, -euse /ipɛʀlyksyø, øz/ *adj* [*appartement*] superluxurious; [*voiture*] ultraluxurious

hypermarché /ipɛʀmaʀʃe/ *nm* hypermarket GB, large supermarket

hypermédia /ipɛʀmedja/ *nm* hypermedia

hypermétrope /ipɛʀmetʀɔp/ *adj* long-sighted, hyperopic spéc

hypermétropie /ipɛʀmetʀɔpi/ *nf* long-sightedness, hyperopia spéc

hypernerveux, -euse /ipɛʀnɛʀvø, øz/
A *adj* highly strung
B *nm,f* **c'est un ~** he's highly strung

hyperonyme /ipɛʀɔnim/ *nm* hypernym

hyperpuissance /ipɛʀpɥisɑ̃s/ *nf* superpower

hyperpuissant, ~e /ipɛʀpɥisɑ̃, ɑ̃t/ *adj* [*voiture, moteur*] extremely powerful

hyperrapide /ipɛʀʀapid/ *adj* [*véhicule*] ultra-high speed; **faire un travail ~**○ to work at top speed

hyperréalisme /ipɛʀʀealism/ *nm* hyperrealism

hypersécrétion /ipɛʀsekʀesjɔ̃/ *nf* hypersecretion

hypersensibilité /ipɛʀsɑ̃sibilite/ *nf* hypersensitivity (**à** to)

hypersensible /ipɛʀsɑ̃sibl/
A *adj* hypersensitive
B *nmf* hypersensitive person

hypersexué, **~e** /ipɛʀsɛksye/ *adj* oversexed

hypersonique /ipɛʀsɔnik/ *adj* hypersonic

hypersophistiqué, **~e** /ipɛʀsɔfistike/ *adj* [*personne, vêtement*] ultrasophisticated; [*théorie*] highly sophisticated

hyperspécialisé, **~e** /ipɛʀspesjalize/ *adj* highly specialized

hypertendu, **~e** /ipɛʀtɑ̃dy/
A *adj* **1** °extremely tense; **2** Méd suffering from high blood pressure *ou* hypertension spéc
B *nm,f* **1** °very tense person; **2** Méd person suffering from high blood pressure *ou* hypertension spéc

hypertenseur /ipɛʀtɑ̃sœʀ/ *nm* hypertensor

hypertensif, **-ive** /ipɛʀtɑ̃sif, iv/
A *adj* hypertensive
B *nm,f* sufferer from hypertension

hypertension /ipɛʀtɑ̃sjɔ̃/ *nf* **~ (artérielle)** high blood pressure, hypertension spéc; **avoir de l'~** to have high blood pressure

hypertexte /ipɛʀtɛkst/ *nm* hypertext

hypertextuel, **-elle** /ipɛʀtɛkstɥɛl/ *adj* hypertext

hyperthyroïdie /ipɛʀtiʀɔidi/ ▸ **p. 283** *nf* hyperthyroidism

hypertonie /ipɛʀtɔni/ *nf* hypertonia, hypertonicity

hypertonique /ipɛʀtɔnik/ *adj* hypertonic

hypertrophie /ipɛʀtʀɔfi/ *nf* **1** Méd enlargement, hypertrophy spéc; **2** (de ville, d'administration) overdevelopment

hypertrophié, **~e** /ipɛʀtʀɔfje/
A *pp* ▸ **hypertrophier**
B *pp adj* **1** Méd enlarged, hypertrophic spéc; **2** [*administration, ville, sentiment*] overdeveloped

hypertrophier /ipɛʀtʀɔfje/ [2]
A *vtr* Méd to hypertrophy
B **s'hypertrophier** *vpr* **1** Méd to hypertrophy; **2** [*administration, ville, sentiment*] to become overdeveloped

hypertrophique /ipɛʀtʀɔfik/ *adj* Méd hypertrophic

hypnose /ipnoz/ *nf* hypnosis; **être en état d'~** lit to be under hypnosis, to be in a hypnotic trance; fig to be in a hypnotic trance

hypnotique /ipnɔtik/ *adj, nm* hypnotic

hypnotiser /ipnɔtize/ [1]
A *vtr* **1** lit to hypnotize; **2** fig to hypnotize, mesmerize; **hypnotisé par cet étrange spectacle** mesmerized by this strange sight
B **s'hypnotiser** *vpr* **s'~ sur** to become obsessed by [*détail, problème*]

hypnotiseur, **-euse** /ipnɔtizœʀ, øz/ ▸ **p. 532** *nm,f* hypnotist

hypnotisme /ipnɔtism/ *nm* hypnotism

hypoallergénique /ipɔalɛʀʒenik/ *adj* hypoallergenic

hypoallergique /ipɔalɛʀʒik/ *adj* hypoallergenic

hypocagne = **hypokhâgne**

hypocalcémie /ipɔkalsemi/ *nf* hypocalcaemia[GB]

hypocalorique /ipɔkalɔʀik/ *adj* low-calorie (*épith*), low in calories (*jamais épith*)

hypocondriaque /ipɔkɔ̃dʀijak/ *adj, nmf* hypochondriac

hypocondrie /ipɔkɔ̃dʀi/ *nf* hypochondria

hypocoristique /ipɔkɔʀistik/
A *adj* hypocoristic
B *nm* hypocorism

hypocrisie /ipɔkʀizi/ *nf* hypocrisy; **être d'une grande ~** to be very hypocritical

hypocrite /ipɔkʀit/
A *adj* hypocritical
B *nmf* hypocrite

hypocritement /ipɔkʀitmɑ̃/ *adv* hypocritically

hypodermique /ipɔdɛʀmik/ *adj* hypodermic

hypoglucidique /ipɔglysidik/ *adj* [*aliment*] low-carbohydrate (*épith*)

hypoglycémie /ipɔglisemi/ *nf* hypoglycaemia

hypokaliémie /ipɔkaljemi/ *nf* hypokalaemia[GB]

hypokhâgne /ipɔkaɲ/ *nf* students' slang *first year preparatory class in humanities for entrance to École normale supérieure*

hyponyme /ipɔnim/ *nm* hyponym

hypophyse /ipɔfiz/ *nf* pituitary gland, hypophysis spéc

hyposodé, **~e** /ipɔsɔde/ *adj* low-salt (*épith*)

hypostyle /ipɔstil/ *adj* hypostyle

hypotaupe /ipɔtop/ *nf* students' slang *first year preparatory class in mathematics and science for entrance to Grandes Écoles*

hypotendu, **~e** /ipɔtɑ̃dy/ *adj* suffering from low blood pressure *ou* hypotension spéc

hypotension /ipɔtɑ̃sjɔ̃/ *nf* **~ (artérielle)** low blood pressure, hypotension spéc

hypoténuse /ipɔtenyz/ *nf* hypotenuse

hypothalamus /ipɔtalamys/ *nm inv* hypothalamus

hypothécable /ipɔtekabl/ *adj* mortgageable

hypothécaire /ipɔtekɛʀ/ *adj* mortgage (*épith*); **prêt/contrat ~** mortgage loan/deed; **inscription ~** registration of mortgage; **créancier/débiteur ~** mortgagee/mortgager

hypothèque /ipɔtɛk/ *nf* **1** mortgage; **prendre/rembourser une ~** to take out/pay off a mortgage; **prendre une ~ sur l'avenir** fig to mortgage one's future; **2** fig (doute) doubt; (danger) threat, danger; **lever l'~** (doute) to remove the doubt; (danger) to remove the threat

hypothéquer /ipɔteke/ [14] *vtr* to mortgage; fig to endanger, put [sth] at risk [*chances, objectifs*]; **~ l'avenir** fig to mortgage one's future

hypothermie /ipɔtɛʀmi/ *nf* hypothermia

hypothèse /ipɔtɛz/ *nf* hypothesis; **~ de travail** working hypothesis; **émettre l'~ que** to put forward the hypothesis that; **faire des ~s** to speculate (**sur** about); **se refuser à la moindre ~** to refuse to speculate; **dans l'~ où il serait élu** should he be elected, in the event of his being elected; **dans la pire des ~s** in the worst scenario imaginable; **écarter/retenir l'~ de l'accident** to rule out/accept the possibility of an accident

hypothétique /ipɔtetik/ *adj* hypothetical

hypothétiquement /ipɔtetikmɑ̃/ *adv* hypothetically

hypotonie /ipɔtɔni/ *nf* hypotonicity

hysope /izɔp/ *nf* hyssop

hystérectomie /isteʀɛktɔmi/ *nf* hysterectomy

hystérie /isteʀi/ *nf* hysteria; **~ collective** mass hysteria

hystérique /isteʀik/
A *adj* hysterical
B *nmf* **1** (nerveux) pej bundle of nerves; **2** Méd, Psych hysteric

hystérographie /isteʀɔgʀafi/ *nf* uterography; **passer une ~** to have a uterography

Ii

i, I /i/ *nm inv* i, I

(Idiome) **mettre les points sur les i** to dot the i's and cross the t's

IA /ia/ *nf* ▸ **intelligence**

IAD /iade/ *nf* (*abbr* = **insémination artificielle avec donneur**) AID, artificial insemination by donor

iambe /jɑ̃b/ *nm* (pied, genre) iamb, iambus; (vers, poème) iambic poem

iambique /jɑ̃bik/ *adj* iambic

IAO /iao/ *nf*: *abbr* ▸ **ingénierie**

Ibadan /ibadɑ̃/ ▸ **p. 894** *npr* Ibadan

Ibère /ibɛʀ/ *nprmf* Iberian

ibérique /ibeʀik/ *adj* Iberian; **la péninsule ~** the Iberian peninsula

ibidem /ibidɛm/ *adv* ibidem

ibis /ibis/ *nm inv* ibis

ibuprofène /ibypʀɔfɛn/ *nm* ibuprofen

Icare /ikaʀ/ *npr* Icarus

iceberg /ajsbɛʀg, isbɛʀg/ *nm* iceberg; **la partie visible de l'~** fig the tip of the iceberg; **la partie cachée de l'~** fig what lies below the tip of the iceberg

ichtyologie /iktjɔlɔʒi/ *nf* ichthyology

ichtyologique /iktjɔlɔʒik/ *adj* ichthyological

ichtyologiste /iktjɔlɔʒist/ ▸ **p. 532** *nmf* ichthyologist

ichtyose /iktjoz/ ▸ **p. 283** *nf* ichthyosis

ici /isi/ *adv* **1** (dans l'espace) here; **d'~ à là-bas** from here to there; **~ et là** here and there; **~ (tout de suite)!** (à un chien) come here!, heel!; **il faut une voiture pour venir jusqu'~** you need a car to get here; **'~ la tour de contrôle'** 'Control Tower here'; **c'est ~ que la balle a traversé la tôle** this is where the bullet came through the metal; **c'est ~ que nous descendons** this is where we get off; **c'est ~ même que les accords furent signés** it was in this very place that the agreements were signed; **par ~ la sortie** this way out; **par ~ les bonnes affaires!** good bargains this way!; **par ~! j'ai trouvé quelque chose!** come here! I've found something!; **les gens sont plutôt méfiants par ~** the people around here are a bit wary; **il y a une belle église par ~** there is a fine church near here; **les gens d'~** the locals; **allô? bonjour, ~ Grovagnard** hello? this is Grovagnard speaking; **~ Luc Pichon à Washington, à vous Paris** this is Luc Pichon in Washington, back to you in Paris; **je vois ça d'~!** I can just picture it!; **vous êtes ~ chez vous!** make yourself at home!; **2** (dans le temps) **arrêtons ~ notre conversation** let's stop the conversation (right) there; **jusqu'~** (au présent) until now; (dans le passé) until then; **d'~ peu** shortly; **d'~ demain/à l'an 2000** by tomorrow/by the year 2000; **d'~ cinq minutes/deux jours** five minutes/two days from now; **je te téléphone ce soir, d'~ là, tâche de te reposer** I'll phone you tonight, in the meantime try and rest; **d'~ là, on sera tous morts** by then, we'll all be dead; **d'~ à ce qu'il démissionne/change d'avis, il n'y a pas loin** it won't be long before he hands in his notice/changes his mind; **il l'aime bien, mais d'~ à ce qu'il l'épouse...** he likes her, but as for marrying her...

ici-bas /isibɑ/ *adv* here below; **les choses d'~** the things of this world

icône /ikon/ *nf* (tous contextes) icon

iconifier /ikonifje/ [2] *vtr* to iconify

iconiser /ikonize/ [1] *vtr* to iconify

iconoclasme /ikɔnɔklasm/ *nm* iconoclasm

iconoclaste /ikɔnɔklast/
A *adj* iconoclastic
B *nmf* iconoclast

iconographe /ikɔnɔgʀaf/ ▸ **p. 532** *nmf* Édition art editor

iconographie /ikɔnɔgʀafi/ *nf* (sur un thème) iconography; (illustrations) illustrations (*pl*)

iconographique /ikɔnɔgʀafik/ *adj* iconographic

ictère /iktɛʀ/ ▸ **p. 283** *nm* icterus

ictus /iktys/ *nm* ictus

id. *written abbr* = **idem**

Idaho /idao/ ▸ **p. 721** *nprm* Idaho

idéal, ~e, *mpl* **-aux** /ideal, o/
A *adj* (parfait, imaginaire) ideal
B *nm* **1** (modèle de perfection) ideal; **avoir un ~** to have ideals; **2** (ce qui convient) **ce n'est pas l'~** it's not ideal; **l'~ serait de partir en mai** the ideal thing would be to leave in May; **dans l'~** ideally

idéalement /idealmɑ̃/ *adv* ideally

idéalisation /idealizasjɔ̃/ *nf* idealization

idéaliser /idealize/ [1] *vtr* to idealize

idéalisme /idealism/ *nm* idealism

idéaliste /idealist/
A *adj* gén idealistic; Philos idealist
B *nmf* idealist

idée /ide/ *nf* **1** (inspiration, projet) idea (**de qch** of sth; **de faire** of doing); **quelle ~!** what an idea!; **être plein d'~s** to be full of ideas; **donner des ~s à qn** to give sb ideas; **ne jamais être à court d'~s** never to be short of ideas; **une ~ de cadeau pour qn** an idea for a present for sb; **avoir une ~** to have an idea; **être fou de joie à l'~ de/que** to be over the moon at the idea of/that; **il y a de l'~ dans ce projet** there are some good ideas in the project; **avoir de l'~** to be inventive; **avoir une ~ derrière la tête** to have something in mind; **il n'a qu'une ~ en tête, apprendre à piloter** all he can think about is learning to fly; **sortir sans manteau en hiver, quelle ~!** how stupid to go out without a coat in winter!; **2** (opinion) idea (**sur** about); (réflexion) thought; **avoir son ~ sur** to have one's own idea about; **l'histoire des ~s** the history of ideas; **j'ai ma petite ~ sur le sujet** I have my own theory about that; **avoir ~ que** to think that; **se faire une haute ~ de** to think a lot of; **se faire des ~s** to imagine things; **mettre de l'ordre dans ses ~s** (dans l'immédiat) to gather one's thoughts; (à long terme) to order one's thoughts; **avoir les ~s larges** to be broad-minded; **ça te changera les ~s** it'll take your mind off things; **changer d'~** to change one's mind; **avoir des ~s de gauche** to have left-wing tendencies; **avoir de la suite dans les ~s** (savoir ce que l'on veut) to be single-minded; iron (être entêté) not to be easily deterred; **manquer de suite dans les ~s** to lack tenacity; **faire à son ~** to do as one thinks best; **3** (aperçu) idea; **donner à qn une ~ de l'étendue de** to give sb an idea of the extent of; **as-tu une ~ du temps qu'il faut pour faire** do you have any idea how long it takes to do; **4** (esprit) **avoir dans l'~ que** to have an idea that; **avoir dans l'~ de faire** to plan to do; **il n'est venu à l'~ de personne de faire** nobody has thought of doing; **il ne leur viendrait jamais à l'~ de faire** it would never occur to them to do; **tu ne m'ôteras pas de l'~ qu'on aurait dû tourner à droite** I still think that we should have turned right; **il s'est mis dans l'~ de faire** he's taken it into his head to do; **mets-toi bien dans l'~ qu'il ne partira jamais** get it into your head that he'll never leave; **5** (représentation abstraite) idea; **l'~ de justice/du beau** the idea of justice/beauty

(Composés) **~ cadeau** gift idea; **~ fixe** idée fixe, obsession; **c'est une ~ fixe chez lui** he's got a fixation about it; **~ force** key idea; **~ de génie** brainwave○; **~ noire** dark thought; **~ reçue** idée reçue; **~ toute faite** second-hand idea

idem /idɛm/ *adv* ditto; **tu seras puni et lui ~** you'll be punished and so will he

identifiable /idɑ̃tifjabl/ *adj* identifiable

identifiant /idɑ̃tifjɑ̃/ *nm* identifier

identificateur /idɑ̃tifikatœʀ/ *nm* Ordinat identifier

identification /idɑ̃tifikasjɔ̃/ *nf* identification (**à, avec** with)

identifier /idɑ̃tifje/ [2]
A *vtr* **1** (reconnaître) to identify; **être identifié comme principal suspect** to be identified as the main suspect; **non identifié** unidentified; **2** (assimiler) to identify (**à** with; **avec** with; **et** with)
B **s'identifier** *vpr* (être comparable) to become identified (**à** with); (vouloir ressembler) to identify (**à** with)

identique /idɑ̃tik/ *adj* **1** (pareil) identical (**à** to); **2** (constant) unchanged

identiquement /idɑ̃tikmɑ̃/ *adv* identically

identitaire /idɑ̃titɛʀ/ *adj* [*crise, révolution, marqueur*] identity; [*ambivalence, confusion*] about one's identity; [*affirmation, question*] of identity

identité /idɑ̃tite/ *nf* **1** Philos identity; **~ culturelle** cultural identity; **2** (état civil) identity; **fausse ~** false identity; **~ d'emprunt** assumed identity; **(les services de) l'~ judiciaire** the French criminal records office; ▸ **relevé**; **3** (similarité) similarity; **ils se sont découvert une ~ de vues/goûts** they discovered that they had similar views/tastes; **4** Math, Psych identity

idéogramme /ideɔgʀam/ *nm* ideogram

idéographie /ideɔgʀafi/ *nf* ideography

idéographique /ideɔgʀafik/ *adj* ideographic

idéologie /ideɔlɔʒi/ *nf* ideology

idéologique /ideɔlɔʒik/ *adj* ideological

idéologue /ideɔlɔg/ *nmf* ideologist

ides /id/ *nfpl* Antiq ides; **les ~ de mars** the ides of March

IDHEC /idɛk/ *nm* (*abbr* = **Institut des hautes études cinématographiques**)

institute for advanced film studies
idiolecte /idjɔlɛkt/ *nm* idiolect
idiomatique /idjɔmatik/ *adj* idiomatic
idiome /idjom/ *nm* idiom
idiopathique /idjɔpatik/ *adj* idiopathic
idiosyncrasie /idjɔsɛ̃kʀazi/ *nf* idiosyncrasy
idiosyncratique /idjɔsɛ̃kʀatik/ *adj* idiosyncratic
idiot, **~e** /idjo, ɔt/
A *adj* **1** gén stupid; **2** †Méd idiot† (*épith*)
B *nm* **1** gén idiot; **l'~ du village** the village idiot; **faire l'~** (sans simuler) to behave like an idiot; (en simulant) to act innocent GB, to act dumb; **2** †Méd idiot†
idiotie /idjɔsi/ *nf* **1** (parole) stupid thing; **2** (ânerie) rubbish ¢ GB, garbage ¢ US; **toutes ces ~s à la radio** all this rubbish on the radio; **3** (caractère) gén stupidity; **4** †Méd idiocy†
idiotisme /idjɔtism/ *nm* Ling idiom
idoine /idwan/ *adj* suitable
idolâtre /idɔlɑtʀ/
A *adj* idolatrous
B *nmf* idolator
idolâtrer /idɔlɑtʀe/ [1] *vtr* to idolize
idolâtrie /idɔlɑtʀi/ *nf* idolatry
idole /idɔl/ *nf* idol
IDS /idees/ *nf: abbr* ▸ **initiative**
idylle /idil/ *nf* **1** (liaison) love affair (**entre** between); **vivre/nouer une ~** to live through/start a love affair; **l'~ entre les deux partis** the love affair between the two parties; **2** (poème) idyll
idyllique /idilik/ *adj* (tous contextes) idyllic
if /if/ *nm* **1** (arbre) yew; **2** (bois) yew
IFOP /ifɔp/ *nm* (*abbr* = **Institut français d'opinion publique**) French institute for opinion polls
IGF /iʒeɛf/ *nm: abbr* ▸ **impôt**
igloo* /iglu/ *nm* igloo
IGN /iʒeɛn/ *nm* (*abbr* = **Institut géographique national**) organization responsible for producing maps of France; **une carte de l'IGN** ≈ an OS map
Ignace /iɲas/ *npr* Ignatius; **saint ~ de Loyola** St Ignatius Loyola
igname /iɲam/ *nf* yam
ignare /iɲaʀ/
A *adj* ignorant
B *nmf* ignoramus
ignifugation /iɲifygasjɔ̃/ *nf* fireproofing
ignifuge /iɲifyʒ/ *adj* [*substance, produit*] fireproofing (*épith*)
ignifugeant, **~e** /iɲifyʒɑ̃, ɑ̃t/
A *adj* [*substance, produit*] fireproofing (*épith*)
B *nm* fireproofing agent
ignifuger /iɲifyʒe/ [13] *vtr* to fireproof; **un mur ignifugé** a fireproof wall
ignition /iɲisjɔ̃/ *nf* ignition
ignoble /iɲɔbl/ *adj* **1** (condamnable) [*personne, conduite, acte, procédé*] vile; **c'est un ~ individu** he's a disgusting individual; **une ~ trahison** a vile betrayal; **de façon ~** in a vile way; **être ~ avec qn** to be vile to sb; **2** (infect) [*lieu, quartier*] squalid; [*nourriture, tableau, roman*] revolting
ignoblement /iɲɔbləmɑ̃/ *adv* vilely
ignominie /iɲɔmini/ *nf* **1** (déshonneur) ignominy; **l'~ de l'exil** the ignominy of exile; **se couvrir d'~** to bring dishonour[GB] upon oneself; **2** (caractère ignoble) **l'~ de cette accusation** this ignominious accusation; **traiter qn avec ~** to treat sb abominably; **3** (acte honteux) dreadful thing; **elle a commis des ~s** she did some dreadful things; **c'est une ~!** it's an outrage!
ignominieusement /iɲɔmiɲøzmɑ̃/ *adv* ignominiously
ignominieux, **-ieuse** /iɲɔmiɲø, øz/ *adj* fml ignominious sout

ignorance /iɲɔʀɑ̃s/ *nf* **1** (état) ignorance (**en** of); **~ totale** total ignorance; **être d'une ~ crasse** to be totally ignorant; **par ~** out of ignorance; **dans l'~ de** ignorant of; **être dans l'~** to be in the dark (**de** about); **tenir qn dans l'~** to keep sb in the dark (**de** about); **2** (lacune) gap in (one's) knowledge; ▸ **superstition**
ignorant, **~e** /iɲɔʀɑ̃, ɑ̃t/
A *adj* ignorant (**de** of; **en**, **dans** in); **être ~ de tout** to know nothing about anything
B *nm,f* ignoramus; **faire l'~** to feign ignorance
ignoré, **~e** /iɲɔʀe/
A *pp* ▸ **ignorer**
B *pp adj* (inconnu) unknown (**de qn** to sb); (méprisé) ignored (**de** by); **vivre ~** to live in obscurity
ignorer /iɲɔʀe/ [1]
A *vtr* **1** (ne pas savoir) not to know; **j'ignore les détails** I don't know the details; **j'ignore comment/où/si** I don't know how/when/if; **~ tout de qch** to know nothing of *ou* about sth; **ne rien ~ de qch** to know everything about sth; **2** (ne pas connaître l'existence de) not to have heard of; **il ignore le savon** iron he's never heard of soap; **~ l'existence de** to be unaware of the existence of; **3** (ne pas tenir compte de) to ignore [*personne, règle, recherches*]; **il ignore les règles du jeu** he ignores *ou* disregards the rules of the game; **le chercheur a ignoré les récentes découvertes** the researcher has ignored recent developments; **quand il me voit il m'ignore** when he sees me he ignores me; **tu n'as qu'à l'~** just ignore him; **4** (ne pas éprouver) not to feel [*émotion, sentiment*]; **il ignorait la peur** he didn't know what fear was
B **s'ignorer** *vpr* (ne pas se connaître) **vous êtes un poète qui s'ignore** you are a poet without knowing it; **c'est un génie qui s'ignore** he's a genius but he does not know it; **un amour qui s'ignore** an unconscious love
IGP /iʒepe/ *nf* (*abbr* = **indication géographique de provenance**) PGI, protected geographical indication
IGS /iʒeɛs/ *nf: abbr* ▸ **inspection**
iguane /igwan/ *nm* iguana
iguanodon /igwanɔdɔ̃/ *nm* iguanodon
il /il/

> ⚠ *il* pronom personnel masculin représentant une personne du sexe masculin ou un animal familier mâle se traduit par *he*; lorsqu'il représente un objet, un concept, un animal non familier, *il* se traduit par *it*; *il* peut également se traduire par *she* lorsqu'il représente un navire.
> *il* pronom personnel neutre sujet d'un verbe impersonnel se traduit généralement par *it*. On se reportera au verbe.

A *pron pers m* **1** (personne, animal familier) he; **~s** they; **~ a épousé ma sœur** he married my sister; **~s sont heureux** they're happy; **as-tu vu le chat? ~ n'est pas dans sa corbeille** have you seen the cat? he's not in his basket; **sera-t-~ à la réunion?** will he be at the meeting?; **Pierre a-t-~ téléphoné?** has Pierre phoned?; **2** (objet, concept, animal) it; **~s** they; **prends le livre, ~ est sur la table** take the book, it's on the table; **regarde ce cheval, ~ est magnifique** look at this horse, it's lovely; **le Japon a annoncé qu'~ participerait à la réunion** Japan announced that it would be taking part in the meeting
B *pron pers neutre* it; **~ pleut** it's raining; **~ va pleuvoir** it's going to rain
île* /il/ *nf* island
(Composés) **~ artificielle** (pour forage) artificial island; **l'~ de Beauté** Tourisme Corsica; **~ flottante** Culin floating island; **~ de glace** Sci ice island
Île-de-France /ildəfʀɑ̃s/ ▸ **p. 721** *nprf* **l'~** Ile-de-France
Île-du-Prince-Édouard /ildypʀɛ̃sedwaʀ/ ▸ **p. 721** *nprf* Prince Edward Island

iléon /ileɔ̃/ *nm* ileum
Iliade /iljad/ *nprf* **l'~** the Iliad
iliaque /iljak/ *adj* iliac; **os ~** hip bone
îlien, **-ienne*** /iljɛ̃, ɛn/ *nm,f* islander
ilion /iljɔ̃/ *nm* ilium
Ille-et-Vilaine /ilevilɛn/ ▸ **p. 721** *nprf* (département) **l'~** Ille-et-Vilaine
illégal, **~e**, *mpl* **-aux** /ilegal, o/ *adj* (tous contextes) illegal
illégalement /ilegalmɑ̃/ *adv* illegally
illégalité /ilegalite/ *nf* **1** (caractère) illegality ¢; **agir/travailler dans l'~** to act/work illegally; **être dans l'~** to be in breach of the law, to do something illegal; **entrer dans l'~** to start acting illegally; **2** (acte illégal) breach of the law; **des ~s répétées** repeated breaches of the law
illégitime /ileʒitim/ *adj* **1** (hors mariage) [*union, amour*] illicit; [*enfant*] illegitimate; **2** (illégal) [*décision, mesure, pouvoir*] illegal; **3** (injustifié) [*revendication*] unfounded
illégitimement /ileʒitimmɑ̃/ *adv* illegitimately; **prétendre ~ à un héritage** to lay illegitimate claim to a legacy
illégitimité /ileʒitimite/ *nf* gén illegitimacy; (d'amour) illicitness; **un enfant né dans l'~** an illegitimate child
illettré, **~e** /iletʀe/ *adj, nm,f* illiterate
illettrisme /iletʀism/ *nm* illiteracy
illicite /ilisit/ *adj* [*vente, gain, amour, plaisir*] illicit; [*pratique, contrat, trafic*] unlawful
illicitement /ilisitmɑ̃/ *adv* illicitly
illico° /iliko/ *adv* straightaway, sharpish°; **~ presto**° pronto°
illimité, **~e** /ilimite/ *adj* unlimited; **disposer de crédits/pouvoirs ~s** to have unlimited funds/powers
Illinois /ilinwa/ ▸ **p. 721** *nprm* Illinois
illisibilité /ilizibilite/ *nf* illegibility
illisible /ilizibl/ *adj* **1** [*écriture, mot, document*] illegible; **2** [*œuvre, auteur*] unreadable
illisiblement /iliziblәmɑ̃/ *adv* [*écrire*] illegibly
illogique /ilɔʒik/ *adj* illogical
illogiquement /ilɔʒikmɑ̃/ *adv* illogically
illogisme /ilɔʒism/ *nm* illogicality
illumination /ilyminasjɔ̃/
A *nf* **1** (action d'éclairer) floodlighting; **l'~ du bâtiment a coûté très cher** it cost a great deal to floodlight the building; **2** (inspiration) gén flash of inspiration; Relig spiritual enlightenment ¢; **ce matin j'ai eu une ~** I had a brainwave *ou* flash of inspiration this morning
B **illuminations** *nfpl* (de ville, rue, bâtiment) illuminations; (de sapin, fête) lights
illuminé, **~e** /ilymine/
A *pp* ▸ **illuminer**
B *pp adj* **1** (éclairé) [*monument, site*] floodlit; **une place ~e par des projecteurs** a floodlit square; **2** (brillant) [*regard, visage*] radiant (**par**, **de** with); **3** (inspiré) [*poète, prédicateur*] inspired
C *nm,f* gén visionary; péj crank
illuminer /ilymine/ [1]
A *vtr* **1** (éclairer) gén to illuminate; (avec projecteurs) to floodlight; **2** (donner de l'éclat) [*sourire*] to light up [*visage*]; [*foi, passion*] to illuminate [*vie*]; [*décor, couleur*] to cheer up [*façade, site*]; **la passion illuminait leur regard** their eyes shone with passion
B **s'illuminer** *vpr* **1** (s'éclairer) [*ville, rue*] to light up; **le ciel s'illumine de feux d'artifices** the sky is lit up with fireworks; **2** (prendre de l'éclat) [*visage*] to light up (**de** with)
illusion /ilyzjɔ̃/ *nf* **1** (croyance) illusions (*pl*) (**sur** about); **elle n'a pas la moindre ~ là-dessus** she has absolutely no illusions about it; **sans ~ aucune** with no illusions at all; **être sans ~(s)** to have no illusions; **ne pas se faire d'~s** to have no illusions; **je ne me fais guère** *or* **pas trop d'~s** I don't hold out much hope; **entretenir les ~s de qn** to encourage

i Les îles

Article ou pas article?

■ *En anglais, les noms d'îles se comportent comme les noms de pays: seuls les noms pluriels prennent un article (pour les îles qui sont aussi des pays* ▸ p. 333*).*

Chypre
= Cyprus

aimer Chypre
= to like Cyprus

la Corse
= Corsica

aimer la Corse
= to like Corsica

les Baléares
= the Balearics

aimer les Baléares
= to like the Balearics

■ *Noter que certains noms d'îles sont pluriels en français mais singuliers en anglais, et ne prennent donc pas d'article.*

les îles Fidji
= Fiji

j'aime les îles Fidji
= I like Fiji

les Samoas occidentales
= Western Samoa

En, à, aux

■ En, à *et* aux *se traduisent par* to *avec les verbes de mouvement (par ex.* aller, se rendre *etc.):*

aller à Chypre
= to go to Cyprus

aller à Sainte-Hélène
= to go to St Helena

aller en Corse
= to go to Corsica

aller aux Baléares
= to go to the Balearics

■ *Avec les autres verbes (par ex.* être, habiter, *etc.),* en, à *et* aux *se traduisent normalement par* in. *Cependant, pour les toutes petites îles, on traduira par* on.

vivre en Corse
= to live in Corsica

vivre à Chypre
= to live in Cyprus

vivre aux Baléares
= to live in the Balearics

vivre à Naxos
= to live on Naxos

■ *Pour la traduction des expressions avec* de ▸ p. 333.

Avec ou sans *island*

■ *L'anglais utilise toujours les mots* island *ou* islands *dans les cas où le français utilise* île *ou* îles.

l'île de Guernesey
= the island of Guernsey

les îles Baléares
= the Balearic Islands

les Baléares
= the Balearics

■ *Noter que* isle *n'est plus utilisé que dans quelques noms d'îles, comme* the Isle of Man, the Isle of Wight, *etc.*

sb in their illusions; **se faire des ~s** to delude oneself (**sur** about); **il se donne l'~ de dominer la situation** he likes to think that he's in control of the situation; **entretenir qn dans l'~ que...** to allow sb to continue in the mistaken belief that...; **2** (apparence trompeuse) illusion; **le prestidigitateur crée des ~s** the conjurer creates illusions; **donner l'~ de la vie/de l'amour** to give the illusion of life/of love; **ses promesses ne font pas ~** his promises don't fool anyone; **il ne fera pas ~ longtemps** he won't fool people for long, people will soon see through him
(Composé) **~ d'optique** Phys optical illusion

illusionner: s'illusionner /ilyzjɔne/ [1] *vpr* to delude oneself (**sur qch/qn** about sth/sb)

illusionnisme /ilyzjɔnism/ *nm* **1** (art du prestidigitateur) conjuring; **2** Art, Pol (effet) illusionism

illusionniste /ilyzjɔnist/ ▸ p. 532 *nmf* **1** (prestidigitateur) conjurer, illusionist; **2** (politicien) illusionist

illusoire /ilyzwaʀ/ *adj* [*solution, remède, promesse, bonheur*] illusory; **il serait ~ de croire que...** it would be an illusion to believe that...

illustrateur, -trice /ilystʀatœʀ, tʀis/ ▸ p. 532 *nm,f* illustrator

illustratif, -ive /ilystʀatif, iv/ *adj* illustrative

illustration /ilystʀasjɔ̃/ *nf* **1** (exemple) illustration; **2** (image) illustration; **3** (iconographie) illustration; **un texte original enrichi par une ~ remarquable** an original text strikingly illustrated; **elle se chargera de l'~ de l'album** she will illustrate the album

illustre /ilystʀ/ *adj* (tous contextes) illustrious; **l'~ M. Guicharel** the illustrious Mr Guicharel; **un ~ inconnu** a perfect nobody
(Composé) **Illustre Compagnie** French Academy

illustré, ~e /ilystʀe/
A *pp* ▸ **illustrer**
B *pp adj* illustrated (**de** with)
C *nm* (journal) comic

illustrer /ilystʀe/ [1]
A *vtr* to illustrate (**de** with)
B s'illustrer *vpr* [*personne*] to distinguish oneself

illustrissime† /ilystʀisim/ *adj* most illustrious

îlot* /ilo/ *nm* **1** Géog (petite île) islet; **2** (espace réduit) **désert parsemé d'~s de végétation** desert scattered with isolated patches of vegetation; **un ~ de paix** a haven of peace; **3** (groupe d'habitations) block
(Composés) **~ directionnel** traffic island; **~s de Langerhans** islets of Langerhans; **~ de vente** display stand

îlotage* /ilɔtaʒ/ *nm* Admin division into neighbourhoods[GB] (*for policing*)

ilote /ilɔt/ *nmf* Antiq Helot

îlotier, -ière* /ilɔtje, ɛʀ/ ▸ p. 532 *nm,f* community police officer

ils *pron pers mpl* ▸ **il**

image /imaʒ/ *nf* **1** (reproduction) picture; **il ne sait pas lire mais il aime bien regarder les ~s** he can't read but he likes looking at the pictures; **2** Cin, TV (sur une pellicule) frame; (qualité de réglage) picture; (qualité artistique) photography; **24 ~s par seconde** 24 frames per second; **l'~ est trop sombre** the picture is too dark; **le scénario n'est pas formidable mais il y a de très belles ~** the storyline isn't great but there is some very beautiful photography; **le film contient des ~s choquantes** the film contains some shocking scenes; **nous vous présenterons quelques ~s de ce film** we'll show you an excerpt *ou* extract from the film; **l'industrie de l'~** Vidéo the video industry; Phot the photography industry; **3** (reflet) reflection, image; Phys image; **4** (représentation) picture; **leur livre donne une ~ totalement fausse de la situation/du pays** their book gives a totally false picture of the situation/country; **ils sont l'~ même du bonheur parfait** they are the picture of perfect happiness; **à l'~ de ses prédécesseurs, c'est un bureaucrate sans imagination** just like his predecessors, he's an unimaginative bureaucrat; **5** Littérat image; **il s'exprime par ~s** he expresses himself in images *ou* metaphors; **étudier les ~s d'un poème** to study the imagery of a poem; **6** Scol *reward given to pupils in the form of a small picture*
(Composés) **~ d'Épinal** lit *simplistic 19th century print of traditional French life*; fig clichéd image; **~ latente** Phot latent image; **~ de marque** (de produit) brand image; (de société) corporate image; (de politicien, personnalité) (public) image; **~ pieuse** holy picture; **~ réelle** Phys real image; **~ virtuelle** Phys virtual image

imagé, ~e /imaʒe/ *adj* [*langage, style*] colourful[GB]; **il s'exprime de façon très ~e** he speaks in a very colourful[GB] way

imagerie /imaʒʀi/ *nf* **1** (thématique) imagery; **~ populaire/romantique** popular/romantic imagery; **2** (industrie) print trade; **3** Ordinat imaging; **~ médicale** medical imaging

imagier, -ière /imaʒje, ɛʀ/ *nm,f* **1** (marchand d'images) print-seller; (fabricant) print-manufacturer; **2** (sculpteur) figurine carver

imaginable /imaʒinabl/ *adj* conceivable, imaginable

imaginaire /imaʒinɛʀ/
A *adj* **1** (inventé) [*personnage, héros*] fictitious, imaginary; [*monde, univers*] imaginary, fictional; [*problème, ennemi*] imaginary; **2** Math [*nombre, partie*] imaginary
B *nm* **1** (imagination) imagination; **l'~ collectif** the collective imagination; **être du domaine de l'~** to belong to the realms of the imagination; **2** (monde imaginé) **l'~ d'un auteur** the imaginative world of an author; **l'histoire bascule brusquement dans l'~** the story suddenly veers into make-believe

imaginatif, -ive /imaʒinatif, iv/ *adj* imaginative

imagination /imaʒinasjɔ̃/ *nf* imagination; **avoir de l'~** to have imagination, be imaginative; **manquer d'~** to lack imagination; **il a une ~ débordante** he has a very vivid *ou* fertile imagination; **cela a frappé mon ~** this caught my imagination; **faire preuve d'~** to show imagination; **un enfant plein d'~** a very imaginative child; **des chiffres qui dépassent** *or* **défient l'~** mind-boggling figures○

imaginer /imaʒine/ [1]
A *vtr* **1** (se représenter) to imagine, picture [*personne, chose, scène*]; **je l'imaginais plus grand** I imagined him to be taller; **je l'imaginais comme un héros** I imagined him as a hero; **tu n'imagines pas comme c'est douloureux/beau** you can't imagine how painful/beautiful it is; **imagine sa tête quand on lui a annoncé qu'il allait être père!** just picture his face when he was told he was going to be a father!; **on imagine difficilement qu'il puisse être élu** it's hard to believe that he will be elected; **j'imagine mal comment il pourrait gagner maintenant** I can't see how he could win now; **2** (supposer) to suppose; **imagine qu'il ne soit pas d'accord...** suppose he doesn't agree...; **3** (inventer) to devise, think up [*méthode, moyen*]; **il avait imaginé un moyen de s'enrichir rapidement** he had devised *ou* thought up a way of getting rich quickly; **que vas-tu ~?** how can you think such a thing?

B s'imaginer *vpr* 1 (se représenter) to imagine, picture *[chose, personne]*; **elle s'imaginait une plage bordée de cocotiers** she imagined *ou* pictured a beach bordered with coconut palms; **imaginez-vous qu'il est resté trois jours sans manger!** just imagine, he didn't eat for three days!; 2 (se voir) to picture oneself; **s'~ à 60 ans/au volant d'une superbe voiture** to picture oneself at 60/at the wheel of a superb car; 3 (croire) to think (**que** that); **elle s'imagine qu'elle peut réussir sans travailler** she thinks that she can succeed without doing any work

imago /imago/
A *nm* Zool imago
B *nf* Psych imago

imam /imam/ ▸ **p. 848** *nm* imam

IMAO /imao/ *nm* (*abbr* = **inhibiteur de la monoamine-oxydase**) monoamine oxidase inhibitor

imbattable /ɛ̃batabl/ *adj* (tous contextes) unbeatable (**à** at; **en** at)

imbécile /ɛ̃besil/
A *adj [personne, régime, remarque, mesure]* idiotic
B *nmf* fool; **passer pour un ~** to look a fool; **faire l'~** to play the fool; **prendre qn pour un ~** to take sb for a fool; **~!, espèce d'~!** silly fool!; **faut quand même pas prendre les gens pour des ~s!** do they think people are stupid?; **jouer les ~s** to play dumb; **un ~ heureux** a happy simpleton; **pauvre ~!** poor fool!

imbécillité* /ɛ̃besilite/ *nf* 1 (manque d'intelligence) stupidity; **avoir l'~ de faire** to be stupid enough to do; **il est d'une ~ rare** he's exceptionally stupid; 2 (manifestation de bêtise) **cesse de faire des ~s!** stop acting like an idiot!; **cesse de dire des ~s!** don't talk such nonsense!; **quelle ~!** (œuvre) what rubbish! GB, what garbage! US; (acte) what a stupid thing to do!; (propos) what nonsense!

imberbe /ɛ̃bɛʀb/ *adj* beardless

imbiber /ɛ̃bibe/ [1]
A *vtr* (imprégner) *[personne]* to soak *[chiffon, compresse, pâtisserie]* (**de** in); *[liquide]* to soak *[tissu, papier, sol]*; **imbibé d'eau** soaked in water
B s'imbiber *vpr* 1 (s'imprégner) *[tissu, papier, sol]* to become soaked (**de** with); **laisser un tissu s'~ d'encre** to let a fabric soak up ink; 2 °fig (boire) to get tanked up°

imbrication /ɛ̃bʀikasjɔ̃/ *nf* 1 (enchevêtrement) (d'objets) interlocking ¢; (de rêves, souvenirs) intermingling ¢; 2 Archit, Constr (de tuiles) overlapping ¢, imbrication spéc; 3 Ordinat interleaving

imbriqué, **~e** /ɛ̃bʀike/
A *pp* ▸ **imbriquer**
B *pp adj* 1 Archit, Constr *[tuiles, ardoises, écailles]* overlapping, imbricate spéc; 2 fig *[problèmes, questions]* interlinked

imbriquer /ɛ̃bʀike/ [1]
A *vtr* 1 (faire se chevaucher) to overlap; 2 (faire s'enchevêtrer) to interlock *[objets]*; 3 Ordinat to interleave
B s'imbriquer *vpr* 1 Archit, Constr *[tuiles, écailles, toits]* to overlap; 2 (s'enchevêtrer) *[chapitres, parties de récit]* to be interwoven; *[problèmes, questions]* to be interlinked; *[pièces]* to interlock; **tous ces problèmes s'imbriquent les uns dans les autres** these problems are all interlinked

imbroglio /ɛ̃bʀɔglijo/ *nm* 1 (situation compliquée) mess, imbroglio sout; 2 Théât (theatrical) imbroglio

imbu, **~e** /ɛ̃by/ *adj* full (**de** of); **être ~ de soi-même** *or* **de sa personne** to be full of oneself

imbuvable /ɛ̃byvabl/ *adj* 1 *[liquide]* undrinkable; 2 °*[personne, discours, spectacle]* unbearable

imitable /imitabl/ *adj* **facilement/difficilement ~** easy/difficult to imitate *(jamais épith)*

imitateur, **-trice** /imitatœʀ, tʀis/ ▸ **p. 532** *nm,f* 1 (comédien) impressionist; 2 Art imitator

imitatif, **-ive** /imitatif, iv/ *adj* imitative

imitation /imitasjɔ̃/ *nf* 1 (action d'imiter) gén imitation; (de personne) impression; **l'~ de la nature/d'un son** the imitation of nature/of a sound; **faire un numéro d'~** to do impressions; 2 Comm imitation; **une pâle ~** a pale imitation; **c'est de l'~** it's imitation; **~ or/cuir/lézard** imitation gold/leather/lizardskin; **un sac ~ crocodile** an imitation crocodile handbag; **un manteau en ~ vison** a fake mink coat; **des bijoux ~** imitation jewels

imiter /imite/ [1] *vtr* 1 (copier) to imitate *[geste, comportement, cri]*; to imitate, to copy *[maître, héros]*; to forge *[signature]*; **les enfants imitent leurs parents** children imitate their parents; **un revêtement de sol qui imite le bois** an imitation parquet flooring; 2 Théât *[personne]* to do an impression of *[acteur, personnalité]*; 3 (faire pareil) to do the same; **il part, je vais l'~** he's leaving and I'm going to do the same

immaculé, **~e** /imakyle/ *adj* immaculate
(Composé) **l'Immaculée Conception** Relig the Immaculate Conception

immanence /imanɑ̃s/ *nf* immanence

immanent, **~e** /imanɑ̃, ɑ̃t/ *adj [justice, donnée]* immanent

immangeable /ɛ̃mɑ̃ʒabl/ *adj* inedible

immanquable /ɛ̃mɑ̃kabl/ *adj [panneau, cible]* impossible to miss; *[succès]* guaranteed

immanquablement /ɛ̃mɑ̃kabləmɑ̃/ *adv* inevitably

immatérialité /imateʀjalite/ *nf* immateriality

immatériel, **-ielle** /imateʀjɛl/ *adj* 1 gén, Philos immaterial; 2 Jur intangible; **biens ~s** intangible assets

immatriculation /imatʀikylasjɔ̃/ *nf* gén, Admin registration; **d'~** *[numéro, plaque]* registration GB, license US

Immatriculation

La plaque d'immatriculation, also referred to as *la plaque minéralogique*, is the registration plate carried on a motor vehicle. The final two digits are the number of the *département* in which the owner is a resident. Each vehicle is re-registered if there is a change of owner or if the owner moves to another *département*.

immatriculer /imatʀikyle/ [1] *vtr* gén, Admin to register *[personne, société]*; to register GB *ou* license US *[véhicule]*; **se faire ~ au consulat** to register with the consulate; **faire ~ un véhicule** to have a vehicle registered GB *ou* licensed US; **le propriétaire de la voiture immatriculée 8235 NG 69** the owner of the car, registration number GB *ou* license number US 8235 NG 69

immature /imatyʀ/ *adj* immature

immaturité /imatyʀite/ *nf* immaturity

immédiat, **~e** /imedja, at/
A *adj* 1 (instantané) *[conséquence, effet, action, réaction]* immediate; **demander le retrait ~ des troupes** to ask for immediate withdrawal of troops; **décider l'envoi ~ de qn** to decide to send sb immediately; **embarquement ~** Aviat now boarding; 2 (le plus proche) *[voisin, environnement]* immediate; *[successeur]* direct; **en contact ~ avec la peau** in direct contact with the skin
B *nm* **l'~** the present; **pour l'~** for the moment; **dans l'~** for the time being

immédiatement /imedjatmɑ̃/ *adv [intervenir, partir, installer]* immediately; **~ consommable** ready to eat

immédiateté /imedjat(ə)te/ *nf* immediacy

immémorial, **~e**, *mpl* **-iaux** /imemɔʀjal, o/ *adj* immemorial; **depuis des temps immémoriaux** since time immemorial

immense /imɑ̃s/ *adj [lieu, personne, objet, main, arbre, foule, succès, difficulté, ressources]* huge; *[chagrin, douleur, regret]* immense; *[joie, plaisir, courage]* great; **l'~ majorité des gens** the vast majority of people

immensément /imɑ̃semɑ̃/ *adv* immensely

immensité /imɑ̃site/ *nf* 1 (de lieu) immensity; (de connaissances) breadth; 2 (vaste étendue) expanse; **les ~s montagneuses** the mountainous expanses

immergé, **~e** /imɛʀʒe/
A *pp* ▸ **immerger**
B *pp adj [corps, objet]* submerged; *[terres, récifs]* sunken; *[sous-marin]* submerged; **la partie ~e de l'iceberg** lit the invisible part of the iceberg

immerger /imɛʀʒe/ [13]
A *vtr* (jeter à l'eau) to immerse *[objet]*; to bury [sth] at sea *[cadavre]*; to dump [sth] in the sea *[déchets]*
B s'immerger *vpr* 1 lit *[sous-marin]* to dive; 2 fig *[personne]* to immerse oneself (**dans** in)

immérité, **~e** /imeʀite/ *adj* undeserved

immersion /imɛʀsjɔ̃/ *nf* 1 (de corps, d'objet) immersion; (de cadavre) burial at sea; (de déchets) dumping; **baptême par ~** (baptism by) immersion; 2 Géog (de terres) flooding; 3 Scol immersion (**dans** in)
(Composé) **~ totale** Scol total immersion

immettable° /ɛ̃metabl/ *adj [vêtement]* unwearable

immeuble /imœbl/
A *adj* **biens ~s** Jur (propriétés) real property (*sg*) GB, real estate (*sg*) US; Compta (actifs) real assets
B *nm* 1 (bâtiment) building; **un ~ de dix étages** a ten-floor building; 2 Jur real asset
(Composés) **~ de bureaux** Constr office block GB, office building; **~ d'habitation** Constr residential block GB, apartment building US; **~ intelligent** Constr smart building; **~ de rapport** rented property GB, rental building US

immigrant, **~e** /imigʀɑ̃, ɑ̃t/ *adj, nm,f* immigrant

immigration /imigʀasjɔ̃/ *nf* immigration; **lois sur l'~** immigration laws; **le débat sur l'~** the debate on immigration

immigré, **~e** /imigʀe/
A *adj* immigrant (*épith*); **travailleur ~** immigrant worker
B *nm,f* immigrant; **~ clandestin** illegal immigrant GB, illegal alien US

immigrer /imigʀe/ [1] *vi* to immigrate

imminence /iminɑ̃s/ *nf* imminence (**de** of); **devant l'~ de** in view of the imminence of

imminent, **~e** /iminɑ̃, ɑ̃t/ *adj [arrivée, libération, chute, accouchement]* imminent

immiscer: **s'immiscer** /imise/ [12] *vpr* to interfere (**dans** in)

immixtion /imiksjɔ̃/ *nf* interference

immobile /imɔbil/ *adj* 1 lit *[personne, animal, corps]* motionless; *[véhicule, barque]* stationary; *[feuillage, mer]* motionless; *[regard]* unwavering; **se tenir** *or* **rester ~** to keep still; 2 fig *[dogme]* fixed

immobilier, **-ière** /imɔbilje, ɛʀ/
A *adj [secteur, agent, crédit, investissement, annonce]* property GB, real-estate US; ▸ **bien**
B *nm* **l'~** property GB, real estate US; **la flambée de l'~** the steep rise in property prices GB *ou* real estate US; **l'~ de loisirs** leisure property GB, vacation property US

immobilisation /imɔbilizasjɔ̃/
A *nf* 1 lit (action) immobilization; (résultat) immobility; **la fracture exige l'~ totale du bras** the fracture requires complete immobilization of the arm; **le tribunal peut ordonner l'~ d'un véhicule** the court can order that a vehicle be immobilized; **attendre l'~ de la machine** wait until the machine has stopped; **après ~ complète du train** after the train has come to a complete stop; 2 Fin

(de capital) locking up (**de** of); **3** Jur conversion into immovables
B **immobilisations** *nfpl* Fin fixed assets
immobiliser /imɔbilize/ [1]
A *vtr* **1** (arrêter) to bring [sth] to a standstill [*véhicule*]; to stop [*machine, cheval*]; to immobilize [*armée*]; **2** (maintenir immobile) to immobilize [*personne, membre, avion, adversaire*]; **elle a été immobilisée pendant un mois** she was laid up○ *ou* immobilized for a month; **l'avion est immobilisé en bout de piste** the plane is immobilized at the end of the runway; **3** (paralyser) [*grève, crise*] to bring [sth] to a halt [*économie, situation, pays*]; **4** Fin to tie up [*capitaux*]; **5** Jur to convert [sth] into immovables [*biens*]
B **s'immobiliser** *vpr* (volontairement) [*conducteur, piéton, foule*] to stop; (involontairement) [*véhicule, personne*] to come to a halt; **la voiture s'est immobilisée sur le côté** the car came to a halt on the side of the road
immobilisme /imɔbilism/ *nm* opposition to change
immobiliste /imɔbilist/
A *adj* [*politique, discours*] which opposes change (*épith, après n*); [*personne*] who opposes change (*épith, après n*)
B *nmf* opponent of change
immobilité /imɔbilite/ *nf* gén (de personne, d'animal) immobility; (d'eau, air, de paysage, feuillage) stillness
immodéré, **~e** /imɔdeʀe/ *adj* [*besoin, goût, amour, dépenses*] excessive; [*propos, attitude*] immoderate; **faire un usage ~ de l'alcool** to abuse alcohol
immodérément /imɔdeʀemɑ̃/ *adv* immoderately
immodeste /imɔdɛst/ *adj* immodest
immolateur /imɔlatœʀ/ *nm* immolator
immolation /imɔlasjɔ̃/ *nf* immolation; **~ par le feu** immolation by fire
immoler /imɔle/ [1]
A *vtr* Relig to sacrifice, immolate sout [*victime, animal*] (**sur** on; **à** to); **~ une victime aux dieux** to sacrifice a victim to the gods
B **s'immoler** *vpr* to commit suicide as a public protest; **s'~ par le feu** to set fire to oneself
immonde /imɔ̃d/ *adj* **1** (sale) [*lieu*] filthy; [*bête*] foul; **2** (révoltant) [*personne, nourriture*] revolting
immondices /imɔ̃dis/ *nfpl* refuse ₵ GB, trash ₵ US
immoral, **~e**, *mpl* **-aux** /imɔʀal, o/ *adj* immoral
immoralement /imɔʀalmɑ̃/ *adv* immorally
immoralisme /imɔʀalism/ *nm* immoralism
immoraliste /imɔʀalist/ *adj, nmf* immoralist
immoralité /imɔʀalite/ *nf* immorality; **d'une ~ totale** totally immoral
immortaliser /imɔʀtalize/ [1]
A *vtr* to immortalize [*moment, souvenir, personne*]
B **s'immortaliser** *vpr* to achieve immortality
immortalité /imɔʀtalite/ *nf* immortality
immortel, **-elle** /imɔʀtɛl/
A *adj* [*âme, dieu, œuvre, beauté, symbole*] immortal
B *nmf* **1** ○(académicien) *member of the Académie française*; **2** Mythol Immortal
C **immortelle** *nf* Bot everlasting (flower)
(Composés) **immortelle blanche** Bot pearly everlasting; **immortelle des sables** Bot strawflower, helichrysum
immotivé, **~e** /imɔtive/ *adj* [*colère, action*] unmotivated; [*réclamation, crainte*] groundless
immuabilité /imɥabilite/ *nf* immutability
immuable /imɥabl/ *adj* [*loi, cycle, geste*] immutable; [*rituel, tradition, paysage*] unchanging; [*légende*] enduring; [*bonheur*] perpetual

immuablement /imɥabləmɑ̃/ *adv* immutably
immunisation /imynizasjɔ̃/ *nf* immunization
immuniser /imynize/ [1] *vtr* **1** Méd to immunize (**contre** against); **2** (protéger) **~ qn contre** to make sb immune to [*peur, critique*]; **être immunisé contre qch** to be immune to sth; **~ qn contre l'envie de faire qch** to cure sb of wanting to do sth
immunitaire /imynitɛʀ/ *adj* Méd immune
immunité /imynite/ *nf* immunity; **~ diplomatique/fiscale** diplomatic/tax immunity
immunodéficience /imynodefisjɑ̃s/ *nf* immunodeficiency
immunodéficient, **~e** /imynodefisjɑ̃, ɑ̃t/ *adj* immunodeficient
immunodéficit /imynodefisit/ *nm* immunodeficiency
immunodéficitaire /imynodefisitɛʀ/ *adj* immunodeficient
immunodépresseur /imynodepʀesœʀ/
A *adj* immunosuppressive
B *nm* immunosuppressant
immunodéprimé, **~e** /imynodepʀime/ *adj* immunodepressed
immunofluorescence /imynoflyɔʀɛsɑ̃s/ *nf* immunofluorescence
immunogène /imynoʒɛn/ *adj* immunogenic
immunogénétique /imynoʒenetik/ *nf* immunogenetics (+ *v pl*)
immunoglobuline /imynoglɔbylin/ *nf* immunoglobulin
immunologie /imynolɔʒi/ *nf* immunology
immunologique /imynolɔʒik/ *adj* immunological
immunologiste /imynolɔʒist/ ▸ p. 532 *nmf* immunologist
immunostimulant, **~e** /imynostimylɑ̃, ɑ̃t/ *adj, nm* immunostimulant
immunosuppression /imynosypʀesjɔ̃/ *nf* immunosuppression
immunothérapie /imynoteʀapi/ *nf* immunotherapy
immutabilité /imytabilite/ *nf* immutability
impact /ɛ̃pakt/ *nm* **1** (choc) impact; (trace) mark; **des traces d'~** marks of impact; **des ~s de balles** bullet holes; **2** (effet) impact; **avoir de l'~ sur** to have an impact on; **avoir un ~ considérable** to have a considerable impact; **sous l'~ de qch** under the impact of sth
impair, **~e** /ɛ̃pɛʀ/
A *adj* **1** Math [*nombre, numéro*] odd; [*jour, année*] odd-numbered; **2** Anat unpaired
B *nm* **1** (gaffe) indiscretion, faux pas; **commettre un ~** to make a faux pas; **2** Jeux odd numbers (*pl*); **jouer l'~** to play the odd numbers
impala /ɛ̃pala/ *nm* impala
impalpable /ɛ̃palpabl/ *adj* impalpable; [*poudre*] very fine to the touch (*jamais épith*)
imparable /ɛ̃paʀabl/ *adj* [*coup, tir, botte*] unstoppable; [*riposte*] unanswerable; [*argument, raisonnement*] irrefutable
impardonnable /ɛ̃paʀdɔnabl/ *adj* unforgivable, unpardonable; **vous êtes ~ d'avoir fait** it was unforgivable of you to do
imparfait, **~e** /ɛ̃paʀfɛ, ɛt/
A *adj* **1** (ayant des défauts) [*image, représentation, homme*] imperfect; **2** (incomplet) [*connaissance, guérison*] partial; [*travail*] unfinished; **3** Ling [*prétérit, subjonctif*] imperfect
B *nm* Ling imperfect; **l'~ de l'indicatif/subjonctif** the imperfect indicative/subjunctive
imparfaitement /ɛ̃paʀfɛtmɑ̃/ *adv* imperfectly
impartial, **~e**, *mpl* **-iaux** /ɛ̃paʀsjal, o/ *adj* impartial

impartialement /ɛ̃paʀsjalmɑ̃/ *adv* impartially
impartialité /ɛ̃paʀsjalite/ *nf* impartiality; **en toute ~ voici ce que j'en pense** from a completely impartial standpoint, this is what I think
impartir /ɛ̃paʀtiʀ/ [3] *vtr* **~ qch à qn** to allow sb sth [*temps*]; to grant sb sth [*dons, pouvoirs*]; **~ un délai à qn pour faire** to give sb a set time to do; **faire qch dans les temps impartis** to do sth within the given time; **le délai imparti à qn pour faire** the time given to sb to do
impasse /ɛ̃pas/ *nf* **1** (cul-de-sac) dead end, cul-de-sac GB; **2** (situation sans issue) deadlock; **conduire dans une ~** to lead to a deadlock; **conduire qn dans une ~** to lead sb into deadlock; **être dans l'~** *or* **dans une ~** to have reached (a) deadlock; **sortir de l'~** to break *ou* end the deadlock; **~ constitutionnelle/diplomatique** constitutional/diplomatic deadlock; **3** Scol, Univ **faire une ~** to skip parts of one's revision GB *ou* review US; **faire une ~ en histoire** to skip parts of one's history revision; **4** Jeux finesse
impassibilité /ɛ̃pasibilite/ *nf* impassivity
impassible /ɛ̃pasibl/ *adj* impassive
impassiblement /ɛ̃pasibləmɑ̃/ *adv* impassively
impatiemment /ɛ̃pasjamɑ̃/ *adv* impatiently
impatience /ɛ̃pasjɑ̃s/ *nf* impatience; **montrer des signes d'~** to show signs of impatience; **piétiner d'~** to seethe with impatience; **avec ~** impatiently; **mourir** *or* **brûler d'~ de faire** to be dying to do
impatiens /ɛ̃pasjɑ̃s/ *nf inv* Bot busy lizzie
impatient, **~e** /ɛ̃pasjɑ̃, ɑ̃t/
A *adj* impatient
B *nm,f* impatient person; **quel ~ tu fais!** you are so impatient!
C **impatiente** *nf* Bot busy lizzie
impatienter /ɛ̃pasjɑ̃te/ [1]
A *vtr* to irritate (**avec** with; **en faisant** by doing)
B **s'impatienter** *vpr* to get impatient, to lose patience; **s'~ devant qch** to get impatient with sth; **s'~ de qch** to lose patience over sth; **s'~ contre qn/qch** to get impatient with sb/about sth
impavide /ɛ̃pavid/ *adj* unperturbed; **~ devant le danger** unperturbed by the danger
impayable○ /ɛ̃pɛjabl/ *adj* [*histoire, personne*] priceless○; **elle est ~!** she's a scream○!, she's priceless○!
impayé, **~e** /ɛ̃pɛje/
A *adj* unpaid
B *nm* **les ~s** unpaid debts, outstanding debts
impeccable /ɛ̃pekabl/ *adj* **1** (soigné) [*travail, style*] perfect, faultless; [*hygiène*] impeccable; **s'exprimer dans un français ~** to speak perfect *ou* faultless French; **2** (propre) [*vêtement, tenue*] impeccable; [*appartement, maison*] spotless; [*rue, plage*] spotlessly clean; [*papiers, tapis*] in perfect condition; **il est toujours ~** he's always impeccably dressed; **3** ○(parfait) great○, perfect
impeccablement /ɛ̃pekabləmɑ̃/ *adv* [*repassé, vêtu*] impeccably; [*enveloppé, posé*] beautifully; **~ nettoyé/tenu** spotlessly clean/kept; **travail ~ fait** perfect *ou* faultless job; **il parle ~ le français** he speaks perfect *ou* faultless French
impécunieux, **-ieuse** /ɛ̃pekynjø, øz/ *adj* fml impecunious
impécuniosité /ɛ̃pekynjɔzite/ *nf* fml impecuniosity
impédance /ɛ̃pedɑ̃s/ *nf* impedance
impedimenta* /ɛ̃pedimɛnta, ɛpedimɛ̃ta/ *nmpl* impedimenta
impénétrabilité /ɛ̃penetʀabilite/ *nf* (de végétation, forteresse, texte, mystère) impenetrability; (de personne, visage, caractère) inscrutability

i

impénétrable /ɛ̃penetʀabl/ *adj* 1 [*végétation, forteresse, texte, mystère*] impenetrable (**à** to); 2 [*personne, caractère, visage*] inscrutable
Idiome **les voies du Seigneur sont ~s** God moves in mysterious ways

impénitence /ɛ̃penitɑ̃s/ *nf* impenitence

impénitent, **~e** /ɛ̃penitɑ̃, ɑ̃t/ *adj* 1 [*buveur, fumeur*] inveterate; [*célibataire*] confirmed; 2 Relig impenitent sout, unrepentant

impensable /ɛ̃pɑ̃sabl/ *adj* unthinkable, unimaginable

imper○ /ɛ̃pɛʀ/ *nm* raincoat, mac○ GB

impératif, **-ive** /ɛ̃peʀatif, iv/
A *adj* imperative; **il est ~ de trouver une solution rapide** it is imperative that a speedy solution be found
B *nm* 1 (contrainte) imperative; (de la mode) demand; (de qualité, solidarité, prévision) necessity (**de** for); (de situation) imperative (**de** of); (d'emploi du temps) constraints (**de** of); **~s économiques/budgétaires/sociaux** economic/budgetary/social imperatives; **les ~s de la concurrence/modernité** the need to be competitive/up to date; 2 Ling imperative; **~ présent/passé** present/past imperative

impérativement /ɛ̃peʀativmɑ̃/ *adv* **il faut ~ faire** it is imperative *ou* absolutely necessary to do; **répondre ~ avant le 31 janvier** replies must be received before January 31; **nous faire parvenir ~ le formulaire avant lundi** the form must reach us before Monday

impératrice /ɛ̃peʀatʀis/ *nf* empress; **l'~ Joséphine** the Empress Josephine

imperceptibilité /ɛ̃pɛʀsɛptibilite/ *nf* imperceptibility

imperceptible /ɛ̃pɛʀsɛptibl/ *adj* imperceptible (**à** to)

imperceptiblement /ɛ̃pɛʀsɛptibləmɑ̃/ *adv* imperceptibly

imperfectible /ɛ̃pɛʀfɛktibl/ *adj* that cannot be perfected (*épith, après n*)

imperfectif, **-ive** /ɛ̃pɛʀfɛktif, iv/
A *adj* imperfective
B *nm* imperfective

imperfection /ɛ̃pɛʀfɛksjɔ̃/ *nf* 1 (manque de perfection) imperfection; 2 (défaut) (de personne, travail, d'objet) imperfection, defect; (de mécanisme, machine) defect; (de caractère, personnalité, méthode) shortcoming

impérial, **~e**, *mpl* **-iaux** /ɛ̃peʀjal, o/
A *adj* imperial; **la Chine/Rome ~e** Imperial China/Rome
B **impériale** *nf* 1 Transp upper deck; **autobus à ~e** double-decker bus; 2 (barbe) imperial

impérialement /ɛ̃peʀjalmɑ̃/ *adv* imperially

impérialisme /ɛ̃peʀjalism/ *nm* imperialism

impérialiste /ɛ̃peʀjalist/ *adj, nmf* imperialist

impérieusement /ɛ̃peʀjøzmɑ̃/ *adv* 1 (autoritairement) imperiously; 2 (de façon urgente) urgently

impérieux, **-ieuse** /ɛ̃peʀjø, øz/ *adj* 1 (autoritaire) [*personne, ton, allure, voix, air*] imperious; **d'un ton ~** imperiously; 2 (urgent) [*besoin, nécessité, désir*] pressing

impérissable /ɛ̃peʀisabl/ *adj* [*denrées, œuvre, gloire*] imperishable; **le spectacle ne m'a pas laissé un souvenir ~** iron the show was not what you'd call an unforgettable experience

impéritie /ɛ̃peʀisi/ *nf* fml incompetence

imperméabilisation /ɛ̃pɛʀmeabilizasjɔ̃/ *nf* waterproofing

imperméabiliser /ɛ̃pɛʀmeabilize/ [1] *vtr* to waterproof

imperméabilité /ɛ̃pɛʀmeabilite/ *nf* 1 (de tissu, vêtement, bâche, peinture) waterproof qualities; (de sol, matière) impermeability; 2 (de personne) imperviousness (**à** to)

imperméable /ɛ̃pɛʀmeabl/
A *adj* 1 [*tissu, vêtement, bâche, peinture*] waterproof; [*sol, matière*] impermeable; 2 (insensible) impervious (**à** to); **être ~ à un argument** to be deaf *ou* impervious to an argument
B *nm* raincoat

impersonnalité /ɛ̃pɛʀsɔnalite/ *nf* 1 (caractère impersonnel) impersonality; 2 Ling impersonal form

impersonnel, **-elle** /ɛ̃pɛʀsɔnɛl/ *adj* (tous contextes) impersonal; **de façon impersonnelle** impersonally

impersonnellement /ɛ̃pɛʀsɔnɛlmɑ̃/ *adv* impersonally, dispassionately

impertinence /ɛ̃pɛʀtinɑ̃s/ *nf* 1 (caractère) impertinence; **avec ~** impertinently; 2 (parole) impertinent remark, impertinence sout

impertinent, **~e** /ɛ̃pɛʀtinɑ̃, ɑ̃t/
A *adj* impertinent (**envers qn** to sb)
B *nm,f* impertinent person; **vous n'êtes qu'une ~e!** you're extremely impertinent!

imperturbabilité /ɛ̃pɛʀtyʀbabilite/ *nf* imperturbability

imperturbable /ɛ̃pɛʀtyʀbabl/ *adj* imperturbable, unruffled; **~, José continua son histoire** quite unperturbed, José continued with the story; **rester ~** to remain unruffled (**face à, devant** in the face of)

imperturbablement /ɛ̃pɛʀtyʀbabləmɑ̃/ *adv* [*continuer, écouter*] unperturbed; [*sérieux, aimable*] invariably

impétigo /ɛ̃petigo/ ▸ p. 283 *nm* impetigo

impétrant, **~e** /ɛ̃petʀɑ̃, ɑ̃t/ *nm,f* 1 (récipiendaire) *person receiving a qualification*; 2 (candidat) controv applicant

impétueusement /ɛ̃petɥøzmɑ̃/ *adv* impetuously

impétueux, **-euse** /ɛ̃petɥø, øz/ *adj* 1 (fougueux) [*orateur*] impassioned; [*personne, caractère, jeunesse*] impetuous, hot-headed; 2 (violent) [*vent, torrent*] raging

impétuosité /ɛ̃petɥozite/ *nf* (de personnes) impetuousness; (de vent, torrent) fury

impie /ɛ̃pi/
A *adj* [*paroles, actes*] impious
B *nmf* impious person

impiété /ɛ̃pjete/ *nf* impiousness

impitoyable /ɛ̃pitwajabl/ *adj* [*personne, juge, tribunal*] merciless, pitiless (**avec** with; **envers** towards GB, to US); [*lutte, guerre, loi*] relentless; [*sélection, analyse, châtiment*] ruthless; **les critiques ont été ~s avec lui** the critics have shown him no mercy; **l'univers ~ qu'il décrit** the pitiless world that he describes

impitoyablement /ɛ̃pitwajabləmɑ̃/ *adv* mercilessly

implacabilité /ɛ̃plakabilite/ *nf* implacability, relentlessness

implacable /ɛ̃plakabl/ *adj* [*logique*] implacable; [*répression, réquisitoire, verdict*] harsh; [*négociateur, critique*] implacable

implacablement /ɛ̃plakabləmɑ̃/ *adv* [*progresser, continuer*] relentlessly; [*réprimer*] ruthlessly

implant /ɛ̃plɑ̃/ *nm* implant; **~ dentaire** dental implant

implantable /ɛ̃plɑ̃tabl/ *adj* implantable

implantation /ɛ̃plɑ̃tasjɔ̃/ *nf* 1 (mise en place) (de secte, parti, d'industrie) establishment; (d'usine, entreprise) setting up, construction; (d'appareils, équipement) installation; (de cheveux) implantation; (de personnes, groupes) settlement; **~ massive/locale/industrielle/internationale** massive/local/industrial/international development; 2 (entreprise) site; **les ~s de la firme à l'étranger** the firm's sites abroad; 3 (disposition) (de bâtiments, machines) layout; (de dents) implantation; 4 Méd implantation

implanté, **~e** /ɛ̃plɑ̃te/
A *pp* ▸ **implanter**
B *pp adj* 1 (établi) [*usine, parti, personne*] established; [*population*] settled; **l'entreprise est bien ~e en France** the firm is well established in France; **un préjugé solidement ~ chez** *or* **parmi...** a deeply rooted prejudice among...; 2 (fixé) [*racines*] established; **dents bien/mal ~es** straight/crooked teeth

implanter /ɛ̃plɑ̃te/ [1]
A *vtr* 1 (établir) to establish [*usine, entreprise, représentant*]; to build [*hypermarché, cinéma*]; to open [*agence, cafétéria*]; to install [*équipements, machines*]; to introduce [*produit, système, mode*]; to instil[GB] [*idées, préjugés*]; 2 Méd to implant [*prothèse, cheveux*]
B **s'implanter** *vpr* [*entreprise, régime*] to establish itself; [*usine*] to be built; [*parti, produit, système, mode*] to establish itself; [*personne*] to settle; [*parti, doctrine*] to gain a following; **s'~ sur un marché** to gain a foothold in a market

implication /ɛ̃plikasjɔ̃/ *nf* 1 (participation) involvement (**dans** in); **il nie toute ~ dans l'attentat à la bombe** he denies any involvement in the bombing; 2 (conséquence) implication (**sur** for); 3 (engagement personnel) commitment; 4 Math implication

implicite /ɛ̃plisit/ *adj* 1 (non formulé) implicit; **le consensus ~** the tacit consensus; 2 Ordinat default (*épith*); **affectation/option ~** default assignment/option

implicitement /ɛ̃plisitmɑ̃/ *adv* 1 (non explicitement) implicitly; **il lui a ~ apporté son soutien** he supported him tacitly; 2 Ordinat by default

impliquer /ɛ̃plike/ [1]
A *vtr* 1 (mêler) to implicate [*personne*] (**dans** in); **il a été directement impliqué dans le scandale** he was directly implicated in the scandal; 2 (faire participer) to involve [*personnel, employé*] (**dans** in); **se sentir impliqué dans un projet** to feel involved in a project; 3 (mettre en jeu) to involve [*mesure*]; **cela implique de faire** that involves doing; **cela implique qu'elle fasse** that involves her doing; **un tel projet implique de gros moyens** such a project involves a lot of money; 4 (signifier) to mean; **cela implique qu'elle le fera** this means she'll do it
B **s'impliquer** *vpr* to get involved (**dans** in)

implorant, **~e** /ɛ̃plɔʀɑ̃, ɑ̃t/ *adj* [*personne, yeux, voix*] imploring, beseeching; **d'un air ~** imploringly

imploration /ɛ̃plɔʀasjɔ̃/ *nf* liter entreaty

implorer /ɛ̃plɔʀe/ [1] *vtr* 1 (supplier) to beseech, implore [*personne, juge, dieux*] (**de faire** to do); 2 (demander) to beg for [*délai, faveur*]; **~ la clémence/le pardon de qn** to beg for sb's clemency/forgiveness; **~ l'aide de qn** to beg sb for help

imploser /ɛ̃ploze/ [1] *vi* to implode

implosif, **-ive** /ɛ̃plozif, iv/
A *adj* implosive
B **implosive** *nf* Phon implosive

implosion /ɛ̃plozjɔ̃/ *nf* 1 Tech implosion; 2 (de système, parti, groupe) collapse

implosive ▸ **implosif**

impoli, **~e** /ɛ̃pɔli/
A *adj* [*personne, geste*] rude (**envers** to), impolite (**envers** to)
B *nm,f* rude *ou* impolite person

impoliment /ɛ̃pɔlimɑ̃/ *adv* rudely, impolitely

impolitesse /ɛ̃pɔlitɛs/ *nf* 1 (conduite) rudeness, impoliteness; **avec ~** rudely; 2 (acte) **commettre de graves ~s** to behave very rudely

impondérabilité /ɛ̃pɔ̃deʀabilite/ *nf* imponderability

impondérable /ɛ̃pɔ̃deʀabl/
A *adj* imponderable
B *nm* imponderable; **il reste beaucoup d'~s** there are still many imponderables; **sauf ~s, nous partirons à 10 h** barring unforeseen

cicumstances, we shall leave at 10 o'clock

impopulaire /ɛ̃pɔpylɛʀ/ *adj* unpopular

impopularité /ɛ̃pɔpylaʀite/ *nf* unpopularity

importable /ɛ̃pɔʀtabl/ *adj* **1** Écon [*marchandise*] importable; **2** (qu'on ne peut pas porter) [*vêtement*] unwearable; [*valise, fardeau*] (encombrant) too awkward to carry; (trop lourd) too heavy to carry

importance /ɛ̃pɔʀtɑ̃s/ *nf* **1** (gravité) importance; **c'est de la plus haute** *or* **première ~** it's of the highest *ou* of the utmost importance; **c'est d'une ~ capitale/vitale** it's of immense/vital importance; **d'~ relative** of relative importance; **donner** *or* **accorder de l'~ à qch** to attach importance to sth; **attacher beaucoup/très peu d'~ à qch** to attach great/very little importance to sth; **prendre de l'~** [*événement, affaire*] to gain in importance; **sans ~** [*élément, fait, détail*] unimportant; **cela est sans ~** it's not important; **avoir de l'~** to be important; **avoir son ~** to have importance; **n'avoir aucune ~** (pas grave) to be unimportant; (pas essentiel) to make no difference; **d'~** [*fait, événement, problème*] important; **quelle ~?** what does it matter?, so what○!; **2** (taille) (de réduction, société) size; (de travail, d'effort) amount; (de massacres, dégâts) extent; **prendre de l'~** [*société, ville*] to increase in size; **ville d'~ moyenne** medium-sized town; **d'une certaine ~** sizeable; **battre** *or* **rosser○ qn d'~** to beat sb soundly; **3** (influence) importance; **prendre de l'~** [*personne*] to become more important; **pour se donner de l'~** to make oneself look important

important, **~e** /ɛ̃pɔʀtɑ̃, ɑ̃t/
A *adj* **1** (essentiel) [*rôle, discours, événement, problème*] important; **il est ~ qu'elle sache** it is important that she should know; **l'~ est de faire** what's important is to do; **peu ~** not very important; **2** (considérable) [*réduction, hausse, baisse*] significant; [*nombre, effort, écart*] considerable; [*communauté, colonie, héritage*] sizeable; [*ville, société*] large; [*retard*] lengthy; [*actionnaire*] major; **3** (influent) [*personne, poste, œuvre*] important; **avoir/prendre un air ~** to have/adopt a self-important manner
B *nm,f* **faire l'~, jouer les ~s** to act important○

importateur, **-trice** /ɛ̃pɔʀtatœʀ, tʀis/
A *adj* [*pays*] importing (*épith*); [*société*] import (*épith*); **pays ~s de pétrole/d'armes** oil-/arms-importing countries
B *nm,f* importer

importation /ɛ̃pɔʀtasjɔ̃/ *nf* **1** (introduction) importation; **d'~** [*coûts, compagnie, quotas*] import (*épith*); [*produit, article*] imported; **2** (produit) import; **~s de luxe** luxury imports

importer /ɛ̃pɔʀte/ [1]
A *vtr* to import [*marchandise, main-d'œuvre, mode*] (**de** from); to introduce [*espèce végétale*] (**de** from)
B *v impers* **1** (être important) **cela importe peu** it doesn't much matter; **ce qui importe c'est qu'elle comprenne** what matters is that she (should) understand; **peu importe** *or* **qu'importe qu'elle ne comprenne pas** it doesn't matter *ou* what does it matter if she doesn't understand; **'il pleut!'—'peu importe!'** 'it's raining!'—'never mind!'; **lequel?—n'importe** which one?—it doesn't matter; **2** (dans locutions) **n'importe quel enfant** any child; **à n'importe quel moment** at any time; **n'importe qui** anybody, anyone; **n'importe lequel** any; **n'importe où** anywhere; **viens n'importe quand** come anytime; **prends n'importe quoi** take anything; **n'importe quoi de tranchant** any sharp object; **elle dit n'importe quoi** she talks nonsense; **c'est (du) n'importe quoi** it's rubbish; **c'est fait n'importe comment** it's done any old how○; **mon père, ce n'est pas n'importe qui** my father's not just anybody

import-export /ɛ̃pɔʀɛkspɔʀ/ *nm inv* import-export trade; **faire de l'~, être dans l'~** [*personne, société*] to be in the import-export trade; **d'~** [*société*] import-export (*épith*)

importun, **~e** /ɛ̃pɔʀtœ̃, yn/
A *adj* **1** [*personne*] (gênant) troublesome; (irritant) tiresome; (indésirable) unwelcome; **un visiteur ~** an unwelcome visitor; **je ne voudrais pas être ~** I don't wish to intrude; **2** [*visite, intervention*] ill-timed; [*remarque*] ill-chosen; [*question*] awkward
B *nm,f* (visiteur) unwelcome visitor; (gêneur) tiresome individual

importuner /ɛ̃pɔʀtyne/ [1] *vtr* **1** (ennuyer) to bother (**de** with); **2** (déranger) to disturb

importunité /ɛ̃pɔʀtynite/ *nf* importunity

imposable /ɛ̃pozabl/ *adj* [*personne*] liable to tax (*après n*); [*revenu, bénéfice*] taxable; **non ~** [*personne*] not liable to tax (*après n*); [*revenu, bénéfice*] non-taxable

imposant, **~e** /ɛ̃pozɑ̃, ɑ̃t/ *adj* [*stature, monument*] imposing; [*cérémonie, œuvre*] impressive

imposé, **~e** /ɛ̃poze/
A *pp* ▸ **imposer**
B *pp adj* **1** (fixé) [*tarif, délai*] fixed; **2** (obligatoire) [*thème, travail*] set; **3** Sport [*mouvement, figure*] set

imposer /ɛ̃poze/ [1]
A *vtr* **1** (rendre obligatoire) [*personne*] to impose [*sanctions, délai*] (**à qn** on sb); to lay down [*règlement*]; [*situation*] to require [*mesures, changement*]; **~ ses amis à ses parents** to impose one's friends on one's parents; **~ que** to rule that; **on leur a imposé de faire** they were obliged *ou* forced to do; **~ le port de lunettes protectrices aux ouvriers** to make it obligatory for workers to wear protective goggles; **cela impose qu'on réfléchisse au problème** this demands that we think about the problem; **il nous a imposé sa présence** he forced his presence on us; **elle nous a imposé le silence** she made us be quiet; **2** (faire admettre) to impose [*idée, volonté, point de vue*]; to set [*style, mode*]; **cela l'a imposé comme un des meilleurs chirurgiens** this has established him as one of the best surgeons; **3** (inspirer) to command [*respect, admiration*]; **4** Fisc to tax [*personne, produit, revenu*]; **5** Imprim to impose
B **en imposer** *vtr ind* to be impressive; **elle en impose!** she's impressive!; **elle en impose par son calme/intelligence** her calm/intelligence is impressive; **elle en impose à ses élèves** she inspires respect in her pupils; **ne t'en laisse pas ~** don't let yourself be overawed (**par** by)
C **s'imposer** *vpr* **1** (être évident) [*choix, solution*] to be obvious (**à** to); (être requis) [*prudence, mesure, changement*] to be called for; **une visite au Louvre s'impose** a visit to the Louvre is a must; **s'~ comme évident** to be obvious; **2** (s'astreindre à) to impose [sth] on oneself [*horaires, habitudes alimentaires, discipline*]; **s'~ un sacrifice/des efforts démesurés** to force oneself to make a sacrifice/a huge effort; **s'~ de travailler le soir** to make it a rule to work in the evening; **3** (déranger) to impose oneself (**à qn** on sb); **je ne voudrais pas m'~** I wouldn't like to impose; **4** (se faire admettre) **il s'est imposé comme leader** he established himself as the leader; **la ville s'est imposée comme capitale culturelle** the city established itself as the cultural capital; **s'~ comme langue officielle** to come in as the official language; **s'~ dans un domaine** [*personne*] to make a name for oneself in a field; **s'~ sur un marché** [*produit, firme*] to establish itself in a market; **s'~ par son intelligence** to stand out because of one's intelligence; **s'~ comme le plus grand architecte contemporain** to be universally acknowledged as the greatest contemporary architect; **5** (pour dominer) [*personne*] to make one's presence felt; [*volonté*] to impose itself

imposition /ɛ̃pozisjɔ̃/ *nf* **1** Fisc taxation; **double ~** double taxation; **de nouvelles ~s** new forms of taxation; **2** Imprim imposition
(Composé) **~ des mains** laying on of hands

impossibilité /ɛ̃pɔsibilite/ *nf* impossibility (**de faire** of doing); **être dans l'~ de faire, se voir dans l'~ de faire** to be unable to do, to find it impossible to do; **mettre qn dans l'~ de faire** to make it impossible for sb to do; **l'~ dans laquelle il se trouvait de faire** the fact that he was unable to do; **l'~ d'une telle rencontre** the impossibility of such a meeting taking place

impossible /ɛ̃pɔsibl/
A *adj* **1** (impensable, infaisable) impossible; **~ à faire** impossible to do; **problème ~ à résoudre** problem that is impossible to solve; **il est ~ que** it is impossible *ou* not possible that; **il est ~ qu'il soit déjà arrivé** he cannot possibly have arrived yet; **il n'est pas ~ que** it is not impossible that; **il n'est pas ~ qu'il démissionne** it is not impossible that he will resign; **être ~ (à qn) de faire** to be impossible (for sb) to do; **il m'est ~ de faire** it is impossible for me to do, I cannot possibly do; **cela m'est ~** I really can't; **2** ○(insupportable) [*enfant, personne*] impossible, insufferable; (extravagant) [*goût, heure, habitude, nom*] impossible; **rendre la vie ~ à qn** to make life impossible for sb
B *nm* **l'~** the impossible; **demander l'~ (à qn)** to ask the impossible *ou* the earth (of sb); **faire** *or* **tenter l'~** to do everything one can; **les médecins ont tenté l'~ pour le sauver** the doctors did everything they could to save him; **si, par ~** if, by some remote chance *ou* by some miracle
C *excl* out of the question
(Idiomes) **à l'~ nul n'est tenu** Prov nobody can be expected to do the impossible; **~ n'est pas français** there's no such word as 'can't'

imposte /ɛ̃pɔst/ *nf* **1** (pierre) impost; **2** (de fenêtre) transom

imposteur /ɛ̃pɔstœʀ/ *nm* impostor

imposture /ɛ̃pɔstyʀ/ *nf* **1** (action de tromper) deception, imposture sout; **2** (acte de tromperie) fraud

impôt ➔▯ /ɛ̃po/
A *nm* **1** (prélèvement) tax; **payer ses ~s** to pay one's taxes; **payer 20 000 euros d'~s** to pay 20,000 euros in tax; **avant/après ~** before/after tax; **~ direct/indirect** direct/indirect tax; **~ progressif/proportionnel** progressive/proportional tax; **2** (fiscalité) **l'~** taxation
B **impôts** *nmpl* (institution) **les ~s** tax (*sg*); **réduire les ~s** to reduce tax; **payer des ~s** to pay tax
(Composés) **~ additionnel** surtax; **~ sur les bénéfices** corporation tax; **~ sur le capital** tax on capital; **~ foncier** property tax; **~ sur la fortune** wealth tax; **~ sur les grandes fortunes**, **IGF** ≈ wealth tax; **~ indiciaire** wealth-related tax; **~s locaux** local taxes; **~ sur le patrimoine** inheritance tax; **~ sur les plus-values** capital gains tax; **~ de quotité** proportional tax; **~ sur le revenu** income tax; **~ sur le revenu des personnes physiques**, **IRPP** personal income tax; **~ sur les sociétés** corporate tax, company tax; **~ de solidarité sur la fortune**, **ISF** ≈ wealth tax

Impôt sur le revenu

A tax payable on income (but not deducted at source) which may be paid in three instalments in arrears or on a monthly basis. An annual tax return (*la déclaration d'impôts*) must be completed as part of the process.

impotence /ɛ̃pɔtɑ̃s/ *nf* lack of mobility; **~ fonctionnelle** impaired mobility

➔▯ *voir* Vivre dans un pays anglophone

impotent, **~e** /ɛ̃pɔtɑ̃, ɑ̃t/
A *adj* [*vieillard*] infirm
B *nm,f* person with impaired mobility

impraticable /ɛ̃pʀatikabl/ *adj* **1** [*chemin, route*] impassable; **2** [*projet*] unworkable, impracticable

imprécation /ɛ̃pʀekasjɔ̃/ *nf* imprecation

imprécatoire /ɛ̃pʀekatwaʀ/ *adj* imprecatory

imprécis, **~e** /ɛ̃pʀesi, iz/ *adj* [*contour, forme*] vague; [*idée, concept*] hazy; [*souvenir, renseignement, date*] vague; [*tir, coup*] inaccurate; [*résultats, statistiques, mot, information*] imprecise; [*personne*] vague (**à propos de** about); **la loi est ~e à ce sujet** the law is vague on that point; **être ~ dans son raisonnement/ses attaques** to be imprecise in one's reasoning/attacks

imprécision /ɛ̃pʀesizjɔ̃/ *nf* (de connaissances) imprecision; (de données, résultats, renseignement, document, carte) vagueness; (de tir, coup) inaccuracy

imprégnation /ɛ̃pʀeɲasjɔ̃/ *nf* **1** Tech (dans du bois, tissu) impregnation; **2** Méd **~ alcoolique dans l'organisme** alcohol level in the blood; **~ en œstrogènes** oestrogen levels; **3** fig **apprendre une langue par ~** to learn a language by immersing oneself in it

imprégner /ɛ̃pʀeɲe/ [14]
A *vtr* **1** (saturer) Tech to impregnate [*tissu, bois*] (**de** with); to dye [*cuir*]; **l'humidité imprègne les murs** there is damp in the walls; **une forte odeur de tabac imprégnait leurs vêtements** their clothes smelled strongly of tobacco; **2** fig **son éducation l'a imprégné de préjugés** his upbringing riddled him with prejudices; **une doctrine imprégnée de christianisme** a doctrine heavily influenced by Christian thinking
B **s'imprégner** *vpr* [*étudiant*] to immerse oneself (**de** in)

imprenable /ɛ̃pʀənabl/ *adj* [*citadelle*] impregnable; [*vue*] magnificent and protected

impréparation /ɛ̃pʀepaʀasjɔ̃/ *nf* lack of preparation

imprésario /ɛ̃pʀesaʀjo/ ▸ **p. 532** *nm* agent, impresario

imprescriptibilité /ɛ̃pʀɛskʀiptibilite/ *nf* imprescriptibility

imprescriptible /ɛ̃pʀɛskʀiptibl/ *adj* imprescriptible

impression /ɛ̃pʀesjɔ̃/ *nf* **1** (sentiment immédiat) impression; **quelles sont vos ~s?** what are your impressions?; **ma première ~ a été que...** my first impression was that...; **échangez vos ~s** tell each other your impressions; **se fier à ses ~s** to trust one's first impressions; **2** (marque morale) impression; **faire peu/beaucoup d'~** to make little/a great impression; **faire ~** [*personne, exploit*] to make an impression; **faire bonne/mauvaise ~** to make a good/bad impression (**sur qn** on sb); **faire forte ~** to make a strong impression; **il ne m'a fait aucune ~** he didn't make any impression on me; **3** (sensation) impression; **avoir l'~ de faire** to feel one is doing; **j'ai l'~ de planer/d'étouffer/d'être surveillé** I feel I am gliding/suffocating/being watched; **j'ai comme l'~ d'avoir○...** iron I somehow feel I have...; **avoir l'~ que** to have a feeling that; **j'ai comme l'~ que○...** iron I have a vague feeling that...; **donner une ~ d'immensité/de chaleur/de satiété** to give an impression of vastness/of warmth/of satiety; **donner l'~ de faire/d'être** to give the impression of doing/being; **donner l'~ que...** to give the impression that...; **il veut donner l'~ qu'il écoute/participe** he wants to give the impression that he is listening/participating; **le film laisse une ~ de malaise** this film leaves one feeling uneasy; **ça m'a fait une drôle d'~ de les revoir** it was a strange feeling seeing them again; **4** Imprim, Tech (de textes, tissus, billets, d'affiches) printing; **faire de l'~ sur tissu** to print on fabric; **technique d'~** printing process; **défaut d'~** printing error; **~ en couleurs** colour[GB] printing; **~ typographique/offset** letterpress/offset printing; **l'ouvrage est à l'~** the book is with the printers; **faute d'~** misprint; **5** (motif imprimé) pattern; **6** Phot exposure; **temps d'~** exposure time; **7** Art, Constr primer

impressionnable /ɛ̃pʀesjɔnabl/ *adj* **1** (sensible) sensitive; (influençable) impressionable; **il est peu ~** he's not easily shocked; **2** Phot [*papier, plaque*] sensitized

impressionnant, **~e** /ɛ̃pʀesjɔnɑ̃, ɑ̃t/ *adj* **1** (remarquable) [*résultat, nombre, collection, spectacle, joueur*] impressive; [*arsenal, défi*] formidable; **être ~ de bêtise** to be amazingly stupid; **un film ~ de vérité** an amazingly realistic film; **2** (choquant) [*spectacle, image*] disturbing

impressionner /ɛ̃pʀesjɔne/ [1] *vtr* **1** (faire de l'effet) [*personne, qualité, spectacle*] to impress [*personne*]; **j'ai été très impressionné par ton travail** I was very impressed by your work; **se laisser facilement ~** to be easily impressed; **ne te laisse pas ~ par les examinateurs** don't let the examiners upset you; **le dernier candidat m'a favorablement impressionné** I was favourably[GB] impressed by the last candidate; **2** (choquer) [*spectacle, image*] to disturb [*personne*]; **3** Physiol to act on [*rétine, oreille*]; **4** Phot to expose [*pellicule*]

impressionnisme /ɛ̃pʀesjɔnism/ *nm* Impressionism

impressionniste /ɛ̃pʀesjɔnist/
A *adj* **1** Art Impressionist; **2** Littérat, Mus impressionistic
B *nmf* Impressionist

imprévisibilité /ɛ̃pʀevizibilite/ *nf* unpredictability

imprévisible /ɛ̃pʀevizibl/
A *adj* unpredictable
B *nm* **un ~** an unexpected event; **l'~** the unexpected

imprévoyance /ɛ̃pʀevwajɑ̃s/ *nf* lack of foresight

imprévoyant, **~e** /ɛ̃pʀevwajɑ̃, ɑ̃t/
A *adj* improvident
B *nm,f* improvident person

imprévu, **~e** /ɛ̃pʀevy/
A *adj* **1** (non prévu) unforeseen; **dépenses ~es** unforeseen expenses; **2** (non prévisible) unexpected; **réaction ~e** unexpected reaction
B *nm* **1** (incident) hitch; **~ de dernière minute** last-minute hitch; **sauf ~** barring accidents; **2** (choses inattendues) **l'~** the unexpected; **faire face à l'~** to cope with the unexpected; **plein d'~** [*personne, film*] quirky; [*vacances, voyage*] with a few surprises (*épith, après n*); [*métier*] never dull (*jamais épith*), which is never dull (*épith, après n*); **3** (dépense exceptionnelle) unforeseen expense

imprimable /ɛ̃pʀimabl/ *adj* printable

imprimante /ɛ̃pʀimɑ̃t/ *nf* printer
(Composés) **~ à bulle d'encre** bubble-jet printer; **~ à jet d'encre** ink-jet printer; **~ (à) laser** laser printer; **~ à marguerite** daisywheel printer; **~ matricielle** dot matrix printer

imprimatur* /ɛ̃pʀimatyʀ/ *nm inv* Relig, fig imprimatur

imprimé, **~e** /ɛ̃pʀime/
A *pp* ▸ **imprimer**
B *pp adj* Imprim, Tex [*image, papier, tissu*] printed
C *nm* **1** (formulaire) form; **~ fiscal** tax form; **2** (papier imprimé) printed matter ¢; **envoyer qch au tarif ~s** to send sth at printed paper rate; **3** (tissu) print; **un ~ à fleurs/noir et blanc** a floral/black and white print; **l'~ et l'uni** printed and plain fabrics; **de très beaux ~s** beautiful prints

imprimer /ɛ̃pʀime/ [1] *vtr* **1** Imprim to print [*texte, journaux, étiquettes, billets*]; Tex to print a design on [*tissu*]; **~ sur aluminium/papier recyclé** to print on aluminium GB *ou* aluminum US/recycled paper; **un tissu imprimé de motifs géométriques** fabric with a geometric pattern; **2** (publier) to publish [*texte, ouvrage, auteur*]; **3** (reproduire) to put [*cachet, sceau*] (**sur** on); to print [*initiales*] (**sur** on); **4** (transmettre) [*personne*] to give [*style, direction, orientation, cadence*] (**à qch/qn** to sth/sb); to transmit [*impulsion, oscillation*] (**à qch** to sth); **il a imprimé un nouveau style au débat** he gave a new style to the debate; **~ un mouvement de rotation à une roue** to start a wheel turning; **5** (laisser une empreinte) [*personne*] to leave an imprint of [*forme, dents, pied*] (**dans** in; **sur** in); **des traces de pneus imprimées dans la boue** wheel tracks imprinted in the mud; **6** (graver) [*temps, vieillesse*] to etch [*rides*]; **être imprimé dans la mémoire de qn** [*souvenir, images*] to be engraved in sb's memory; **être imprimé sur le visage de qn** [*tristesse, joie*] to be written all over sb's face

imprimerie /ɛ̃pʀimʀi/ *nf* **1** (technique) printing; **la découverte de l'~** the discovery of printing; **atelier d'~** printing shop; **2** (entreprise) printing works (+ *v sg*); (personnel) printers (*pl*), print workers (*pl*); **une ~ d'étiquettes** label-printing company; **une ~ clandestine** an underground printing press
(Composés) **~ industrielle** (secteur) trade printing; (entreprise) trade printing company; **~ de labeur** (secteur) book printing; (entreprise) book printer's (+ *v sg ou pl*); **Imprimerie nationale** government publications office

imprimeur /ɛ̃pʀimœʀ/ ▸ **p. 532** *nm* **1** (directeur) printer; **~ éditeur** printer and publisher; **2** (ouvrier) **(ouvrier) ~** print worker, printer

improbabilité /ɛ̃pʀɔbabilite/ *nf* improbability

improbable /ɛ̃pʀɔbabl/ *adj* [*rencontre, score, hypothèse, risque*] unlikely, improbable; **le score avancé est hautement ~** the results announced are highly unlikely; **il est ~ qu'il puisse venir** it is unlikely that he will be able to come

improductif, **-ive** /ɛ̃pʀɔdyktif, iv/
A *adj* **1** (qui ne produit rien) gén unproductive; Fin **capitaux ~s** idle capital; **2** Entr **le personnel ~** ancillary staff
B *nm,f* **les ~s** ancillary staff ¢

improductivité /ɛ̃pʀɔdyktivite/ *nf* unproductiveness

impromptu, **~e** /ɛ̃pʀɔ̃pty/
A *adj* impromptu
B *adv* impromptu; **arriver ~ chez un ami** to arrive at a friend's unexpectedly
C *nm* Littérat, Mus impromptu

imprononçable /ɛ̃pʀɔnɔ̃sabl/ *adj* unpronounceable

impropre /ɛ̃pʀɔpʀ/ *adj* **1** (incorrect) [*terme, tournure, usage*] incorrect; **2** (inadapté) **~ à** [*eau, produit*] unfit for [*consommation*]; [*plage*] unsafe for [*baignade*]

improprement /ɛ̃pʀɔpʀəmɑ̃/ *adv* incorrectly

impropriété /ɛ̃pʀɔpʀijete/ *nf* **1** (caractère impropre) incorrectness; **2** (mot impropre) incorrect usage

improuvable /ɛ̃pʀuvabl/ *adj* unprovable, unproveable

improvisateur, **-trice** /ɛ̃pʀɔvizatœʀ, tʀis/ *nm,f* improviser; **talent d'~** talent for improvisation

improvisation /ɛ̃pʀɔvizasjɔ̃/ *nf* **1** (prestation) improvisation; **mon discours était une ~** my speech was improvised; **2** (genre) **l'~** improvisation; **~ libre** free improvisation; **tout laisser à l'~** to improvise at the last minute

improvisé, **~e** /ɛ̃pʀɔvize/
A *pp* ▸ **improviser**
B *pp adj* **1** (non préparé) [*discours, poème, chanson*] improvised; **2** (de fortune) [*civière, pont, table*] improvised; [*repas, rencontre*] impromptu

(*épith*); [*moyens, réforme*] makeshift (*épith*); [*solution*] ad hoc; [*chauffeur, cuisinier*] stand-in

improviser /ɛ̃pʀɔvize/ [1]
A *vtr* to improvise, extemporize [*poème, sonate*]; to improvise [*chapeau, tableau, repas, discours*]; to concoct [*excuse, alibi*]; **~ un hôpital/une école** to set up a makeshift hospital/school; **~ une rencontre** to set up an impromptu meeting
B *vi* to improvise; **~ à l'orgue** to improvise on the organ; **savoir ~** to know how to improvise
C **s'improviser** *vpr* **1** (se faire) [*personne*] **s'~ cuisinier/avocat** to act as a cook/lawyer; **2** (se créer) **un camp pour réfugiés ne s'improvise pas** you can't create a refugee camp just like that

improviste: **à l'improviste** /alɛ̃pʀɔvist/ *loc adv* unexpectedly

imprudemment /ɛ̃pʀydamɑ̃/ *adv* [*parler, traverser*] carelessly; [*agir, montrer, annoncer, s'attaquer*] unwisely; [*conduire*] recklessly

imprudence /ɛ̃pʀydɑ̃s/ *nf* **1** (témérité) carelessness; **l'~ de l'automobiliste** the driver's carelessness; **avoir l'~ de faire** to be foolish enough to do; **être d'une grande ~** to be very careless; **2** (acte) **commettre une ~/des ~s** to do something foolish/foolish things; **pas d'~s surtout** make sure you don't do anything foolish

imprudent, **~e** /ɛ̃pʀydɑ̃, ɑ̃t/
A *adj* [*personne, automobiliste, parole*] careless; [*action, comportement*] rash; **il est ~ de la part de qn de faire** it is rash of sb to do
B *nm,f* foolhardy person; **les ~s** the foolhardy

impubère /ɛ̃pybɛʀ/ *adj* [*fille, garçon*] prepubescent; [*corps*] pre-pubescent

impubliable /ɛ̃pyblijabl/ *adj* unpublishable

impudemment /ɛ̃pydamɑ̃/ *adv* impudently

impudence /ɛ̃pydɑ̃s/ *nf* **1** (effronterie) impudence; **avoir l'~ de faire** to have the impudence to do; **l'~ de ton attitude/de tes paroles** the impudence of your attitude/of your language; **2** (acte) impudent behaviour[GB] ₵; (parole) impudent remark

impudent, **~e** /ɛ̃pydɑ̃, ɑ̃t/
A *adj* impudent
B *nm,f* impudent person

impudeur /ɛ̃pydœʀ/ *nf* (physique) immodesty; (de sentiments) shamelessness

impudicité /ɛ̃pydisite/ *nf* indecency

impudique /ɛ̃pydik/ *adj* [*geste, parole*] obscene; [*vêtement*] indecent; [*personne*] shameless

impudiquement /ɛ̃pydikmɑ̃/ *adv* shamelessly, brazenly

impuissance /ɛ̃pɥisɑ̃s/ *nf* **1** (incapacité) (de personne, gouvernement) impotence; **l'~ de qn face à qch** the helplessness of sb in the face of sth; **~ à faire** inability to do; **réduire qn à l'~** to render sb powerless; **2** Physiol impotence; **l'~ sexuelle** sexual impotence

impuissant, **~e** /ɛ̃pɥisɑ̃, ɑ̃t/
A *adj* **1** (inefficace) [*personne, gouvernement, police*] powerless; [*effort*] vain; **~ à faire** powerless to do; **assister ~ à qch** to watch sth helplessly; **2** Physiol impotent; **~ sexuellement** sexually impotent
B *nm* Méd impotent man

impulsif, **-ive** /ɛ̃pylsif, iv/
A *adj* impulsive
B *nm,f* impulsive person

impulsion /ɛ̃pylsjɔ̃/ *nf* **1** (force) impetus; **donner une (nouvelle) ~ à** to give fresh impetus to; **donner une ~ considérable à** to give considerable impetus to; **sous l'~ de qn** at sb's instigation; **sous l'~ de l'Allemagne/du parti/du maire** at the instigation of Germany/the party/the mayor; **sous l'~ de la psychanalyse** thanks to psychoanalysis; **2** (désir) impulse; **~ brusque** sudden impulse; **3** Psych drive; **~ morbide** morbid drive; **4** Phys (en dynamique) impulse; **5** Électron, Électrotech, Phys, Télécom pulse

impulsivité /ɛ̃pylsivite/ *nf* impulsiveness; **avec ~** impulsively

impunément /ɛ̃pynemɑ̃/ *adv* [*voler, souiller, régner, bafouer*] with impunity; **on ne joue pas ~ avec sa santé** you don't play fast and loose with your health and get away with it

impuni, **~e** /ɛ̃pyni/ *adj* [*crime, coupable*] unpunished; **rester ~** to go unpunished

impunité /ɛ̃pynite/ *nf* impunity; **bénéficier/être assuré d'une totale ~** to be granted/guaranteed immunity from prosecution; **faire qch en toute ~** to do sth with complete impunity

impur, **~e** /ɛ̃pyʀ/ *adj* **1** (immoral) [*cœur, pensées*] impure; **2** (souillé) [*eau, air*] dirty; [*sang*] tainted; **3** (mélangé) [*minerai*] impure; **4** Relig [*animal, personne*] unclean

impureté /ɛ̃pyʀte/ *nf* Cosmét impurity; **débarrasser la peau de ses ~s** to cleanse the skin of impurities

imputabilité /ɛ̃pytabilite/ *nf* Jur imputability

imputable /ɛ̃pytabl/ *adj* **1** gén [*erreur, accident, échec*] attributable (**à** to); **2** Compta [*somme, financement*] chargeable (**sur** to)

imputation /ɛ̃pytasjɔ̃/ *nf* **1** (accusation) accusation, imputation sout; **répondre à des ~s calomnieuses** to answer slanderous accusations; **2** Compta charging (**à** to)

imputer /ɛ̃pyte/ [1] *vtr* **1** (attribuer) to attribute (**à** to), to impute sout (**to** à); **plusieurs crimes lui ont été imputés** several crimes were imputed to him; **2** Compta to charge (**sur** to)

imputrescibilité /ɛ̃pytʀesibilite/ *nf* rotproof quality

imputrescible /ɛ̃pytʀesibl/ *adj* rotproof

in○ /in/ *adj inv* in○, trendy

INA /ina/ *nm* (*abbr* = **Institut national de l'audiovisuel**) *French national institute for audiovisual archives, training and research*

inabordable /inabɔʀdabl/ *adj* **1** (impossible à atteindre) [*côte, sommet*] inaccessible; [*personne, milieu*] unapproachable; **2** (très cher) [*produit, service*] prohibitively priced; [*prix, tarif*] prohibitive; **les loyers deviennent ~s** rents are becoming prohibitive; **cet hôtel est ~ pour nous/eux** this hotel is beyond our/their means

inabouti, **~e** /inabuti/ *adj* [*projet*] unfinished; [*rêve, désir*] unfulfilled

in absentia /inabsɑ̃sja/ *loc adv* in absentia

inaccentué, **~e** /inaksɑ̃tɥe/ *adj* Phon unstressed

inacceptable /inaksɛptabl/ *adj* unacceptable (**pour** to)

inaccessibilité /inaksesibilite/ *nf* inaccessibility

inaccessible /inaksesibl/ *adj* **1** (hors d'atteinte) [*lieu*] inaccessible (**à qn** to sb); [*personne*] unapproachable; **une région ~ par la route** a region that is inaccessible by road; **2** (hors de portée) [*vérité*] unattainable (**à qn** by sb); [*rêve*] impossible; **ce livre est ~ pour lui** this book is beyond him; **3** (insensible) **il est ~ à la pitié** he's incapable of pity

inaccompli, **~e** /inakɔ̃pli/
A *adj* **1** gén [*travail, projet*] unfinished; [*désir, souhait*] unfulfilled; **2** Ling imperfective
B *nm* Ling imperfective

inaccomplissement /inakɔ̃plismɑ̃/ *nm* (de désir, souhait) non-fulfilment[GB]; (de clause) nonobservance; **l'~ d'une promesse** failure to keep a promise

inaccoutumé, **~e** /inakutyme/ *adj* unusual

inachevé, **~e** /inaʃve/ *adj* unfinished

inachèvement /inaʃɛvmɑ̃/ *nm* incompleteness

inactif, **-ive** /inaktif, iv/
A *adj* **1** gén [*personne, cerveau, journée*] idle; **rester ~** to remain idle; **2** Sociol [*personne*] inactive; [*population*] non-working; **3** Fin [*capital*] idle; [*marché*] slow; [*compte*] dormant; **4** Géol [*volcan*] inactive; **5** [*substance, composé*] inactive
B *nm,f* Sociol non-worker; **les ~s** the non-working population ₵

inaction /inaksjɔ̃/ *nf* (absence d'activité) inactivity

inactiver /inaktive/ [1] *vtr* to inactivate

inactivité /inaktivite/ *nf* **1** (manque d'activité) inactivity; **~ forcée** enforced inactivity; **2** Admin, Mil inactivity; **être en ~** to be out of active service

inadaptation /inadaptasjɔ̃/ *nf* **1** gén (de loi, d'équipement) inappropriateness (**à** for); **2** Psych, Sociol maladjustment (**à** to); **~ sociale/affective** social/emotional maladjustment

inadapté, **~e** /inadapte/
A *adj* **1** Psych, Sociol [*enfant, enfance*] maladjusted; **2** (qui ne convient pas) [*méthode, moyen*] inappropriate (**à** for); [*outil*] unsuitable (**à** for); [*système, loi*] ill-adapted (**à** to); **avoir un comportement ~ à la situation** to behave inappropriately; **3** (mal préparé) [*personne*] ill-equipped (**à** for)
B *nm,f* Psych, Sociol (personne) maladjusted person; (enfant) maladjusted child; **les ~s** maladjusted people

inadéquat, **~e** /inadekwa, at/ *adj* [*système, moyen, réponse*] inadequate; [*structure, bâtiment*] unsuitable

inadéquation /inadekwasjɔ̃/ *nf* (inadaptation) unsuitability; (décalage) disparity; **l'~ entre l'offre et la demande** the discrepancy between supply and demand

inadmissibilité /inadmisibilite/ *nf* Jur (de preuve) inadmissibility

inadmissible /inadmisibl/ *adj* **1** (intolérable) [*comportement, erreur, situation*] intolerable; **2** (inacceptable) [*proposition*] unacceptable; **3** Jur [*preuve*] inadmissible

inadvertance: **par inadvertance** /paʀinadvɛʀtɑ̃s/ *loc adv* inadvertently

inaliénabilité /inaljenabilite/ *nf* Jur inalienability

inaliénable /inaljenabl/ *adj* Jur inalienable

inaltérabilité /inalteʀabilite/ *nf* **1** Tech (résistance) (de matière, substance) unalterability, resistance; (de couleur) fastness; **~ d'un matériau à l'air/à l'humidité** resistance of a material to the effects of air/damp; **2** (permanence) permanence; **l'~ de nos principes** the immutability of our principles

inaltérable /inalteʀabl/ *adj* **1** Tech (résistant) [*matériau, substance*] unalterable, non-corroding; [*couleur*] fade-resistant; **~ à** resistant to the effects of; **2** (immuable) [*ciel, air*] unchanging; [*caractère*] constant; [*principe*] immutable; [*espoir, règle, attachement*] steadfast; [*sentiment, humour*] unfailing

inaltéré, **~e** /inalteʀe/ *adj* [*métal, substance*] unaltered; [*air, ciel*] pure

inamical, **~e**, *mpl* **-aux** /inamikal, o/ *adj* unfriendly

inamovibilité /inamɔvibilite/ *nf* Admin (de personne) irremovability; (de fonction, charge) permanence

inamovible /inamɔvibl/ *adj* **1** [*fonctionnaire, magistrat*] irremovable; [*poste, charge*] for life (*après n*); **être ~** hum [*personne*] to be a permanent fixture; **2** (qu'on ne peut retirer) [*panneau, élément*] fixed; **3** (qu'on ne peut modifier) [*règle*] immutable

inanimé, **~e** /inanime/ *adj* [*matière*] inanimate; [*personne, corps*] (inconscient) unconscious; (sans vie) lifeless

inanité /inanite/ *nf* **1** (manque d'intérêt) inanity; **2** (inutilité) futility, pointlessness

inanition /inanisjɔ̃/ *nf* starvation; **mourir d'~** to die of starvation; **tomber d'~** to feel faint with hunger

inaperçu, **~e** /inapɛʀsy/ *adj* **passer ~** to go unnoticed; **ta remarque n'est pas passée ~e** your remark didn't go unnoticed

inappétence /inapetɑ̃s/ *nf* Méd, Psych inappetence

inapplicable /inaplikabl/ *adj* [*théorie, réforme*] unworkable; [*clause, traité*] unenforceable

inapplication /inaplikasjɔ̃/ *nf* **1** (d'élève) lack of application; **2** (de loi, réglementation) **~ de** failure to enforce GB, nonenforcement of US

inappliqué, **~e** /inaplike/ *adj* **1** [*élève*] lacking application (*après n*); **2** [*loi, réglementation*] unenforced

inappréciable /inapʀesjabl/ *adj* **1** (exceptionnel) [*service, soutien*] invaluable; [*avantage*] inestimable; **2** (indéfinissable) [*quantité, différence*] imperceptible

inapprochable /inapʀɔʃabl/ *adj* **1** (non disponible) unavailable; **2** (hautain) unapproachable

inapte /inapt/
A *adj* **1** gén unfit (**à** for; **à faire** to do); **2** Mil **~ (au service militaire)** unfit (for military service)
B *nmf* Mil man/woman unfit for military service; **les ~s (au service militaire)** those declared unfit for military service

inaptitude /inaptityd/ *nf* **1** gén unfitness (**à qch** for sth; **à faire** for doing); **~ à vivre en société** unfitness for living in society; **2** Mil **~ (au service militaire)** unfitness (for military service)

inarticulé, **~e** /inaʀtikyle/ *adj* inarticulate

inassimilable /inasimilabl/ *adj* **1** [*aliment*] indigestible; **2** [*personnes, groupe*] that cannot be integrated (*épith, après n*)

inassouvi, **~e** /inasuvi/ *adj* [*appétit*] insatiable; [*soif*] fig unquenchable (*épith*); [*personne, corps, chair*] unsatisfied; [*ambition, âme*] unfulfilled; [*haine*] enduring

inassouvissable /inasuvisabl/ *adj* insatiable

inassouvissement /inasuvismɑ̃/ *nm* **~ de qch** failure to satisfy sth

inattaquable /inatakabl/ *adj* **1** Mil [*forteresse, position*] unassailable; **2** (qui échappe aux critiques) [*personne, conduite, réputation*] irreproachable; **3** (irréfutable) [*argumentation, jugement*] irrefutable; [*droit*] unchallengeable; [*honnêteté*] indisputable; **4** Tech (inaltérable) [*matériau, substance*] (par la rouille) rust-proof; (par les vers) woodworm-proof; (par le temps) weatherproof

inattendu, **~e** /inatɑ̃dy/
A *adj* unexpected
B *nm* **1** (ce qui est imprévu) **l'~** the unexpected; **2** (caractère imprévisible) unexpectedness

inattentif, **-ive** /inatɑ̃tif, iv/ *adj* **1** (distrait) [*enfant*] inattentive; [*air*] distracted; **2** (indifférent) [*personne*] heedless (**à** of)

inattention /inatɑ̃sjɔ̃/ *nf* **1** (manque d'attention) inattention; **moment d'~ (de qn)** lapse of concentration (on the part of sb); **2** Scol (erreur) careless mistake; **faute** *or* **erreur d'~** careless mistake

inaudible /inodibl/ *adj* **1** (trop faible) inaudible; **2** (insupportable) unbearable

inaugural, **~e**, *mpl* **-aux** /inogyʀal, o/ *adj* **1** (d'ouverture) [*cérémonie*] inauguration; [*discours, séance*] inaugural; **2** (tout premier) [*vol, voyage*] maiden

inauguration /inogyʀasjɔ̃/ *nf* **1** (cérémonie) (de plaque, statue) unveiling; (de route, musée, bâtiment) inauguration; **cérémonie d'~** inauguration ceremony; **discours d'~** inaugural speech; **2** (ouverture) (de congrès, pont, d'exposition) opening; **3** (commencement) (de politique) launching

inaugurer /inogyʀe/ [1] *vtr* **1** (par une cérémonie) to unveil [*statue, plaque*]; to open [*autoroute, musée, école*]; **2** (ouvrir) [*personne*] to open [*congrès, débat, exposition*]; to inaugurate [*série d'articles*]; to launch [*politique*]; **3** (marquer le début) [*événement, politique*] to mark the start of [*période*]; **4** ○(utiliser pour la première fois) to christen○ [*vêtement, voiture*]

inauthentique /inotɑ̃tik/ *adj* **1** (faux) [*œuvre*] not genuine (*jamais épith*); **2** (factice) [*personne, vie*] unauthentic

inavouable /inavwabl/ *adj* shameful

inavoué, **~e** /inavwe/ *adj* [*acte, crime, vice*] unconfessed; [*objectif, raison, but*] undisclosed; [*crainte, peur*] hidden; [*amour*] undeclared

INC /iɛnse/ *nm* (*abbr* = **Institut national de la consommation**) French consumer organization

> **INC**
> A state-aided consumer organization which publishes monthly an informative magazine called *60 millions de consommateurs*.

inca /ɛ̃ka/ *adj inv* Inca

Inca /ɛ̃ka/ *nmf* Inca

incalculable /ɛ̃kalkylabl/ *adj* **1** (impossible à compter) innumerable; **un nombre ~ de fois** innumerable times; **2** (considérable) [*conséquences, risques*] incalculable

incandescence /ɛ̃kɑ̃desɑ̃s/ *nf* incandescence; **porter qch à ~** to heat sth until it's red hot

incandescent, **~e** /ɛ̃kɑ̃dɛsɑ̃, ɑ̃t/ *adj* [*filament*] incandescent; [*métal*] white-hot; [*braises, lave, magma*] glowing

incantation /ɛ̃kɑ̃tasjɔ̃/ *nf* incantation

incantatoire /ɛ̃kɑ̃tatwaʀ/ *adj* incantatory

incapable /ɛ̃kapabl/
A *adj* **1** (qui ne peut pas) (par nature) incapable (**de faire** of doing; **de qch** of sth); (temporairement) unable (**de faire** to do); **elle est ~ de méchanceté/de se concentrer** she's incapable of meanness/of concentrating; **il a été ~ de répondre à ma question** he was unable to answer my question; **2** (incompétent) incompetent; **un chef ~** an incompetent boss
B *nmf* **c'est un ~!** he's useless!; **nous sommes gouvernés par des ~s** we are governed by incompetents

Composés **~ majeur** Jur person under disability; **~ mineur** Jur person legally incapable because a minor

incapacitant, **~e** /ɛ̃kapasitɑ̃, ɑ̃t/ *adj* incapacitating

incapacité /ɛ̃kapasite/ *nf* **1** (impossibilité) inability (**à faire** to do); **être dans l'~ de faire** to be unable to do; **2** (incompétence) incompetence (**en matière de** as regards); **3** (invalidité) disability; **~ partielle/totale** partial/total disability; **~ temporaire/permanente** temporary/permanent disability; **4** Jur incapacity; **~ civile** *or* **juridique** legal incapacity; **~s électorales** *cases leading to disenfranchisement*

Composés **~ d'exercice** Jur *incapacity to exercise a right*; **~ de jouissance** Jur *incapacity to enjoy a right*; **~ de travail** Jur, Prot Soc unfitness for work

incarcération /ɛ̃kaʀseʀasjɔ̃/ *nf* imprisonment

incarcérer /ɛ̃kaʀseʀe/ [14] *vtr* to imprison, jail; **il est incarcéré depuis trois ans** he has been in prison for three years

incarnat, **~e** /ɛ̃kaʀna, at/ ▸ p. 202
A *adj* incarnadine; ▸ **trèfle**
B *nm* incarnadine

incarnation /ɛ̃kaʀnasjɔ̃/ *nf* **1** (personnification) incarnation, embodiment; **être l'~ du mal/de la bêtise** to be evil/stupidity incarnate sout *ou* personified; **2** Mythol, Relig incarnation

incarné, **~e** /ɛ̃kaʀne/
A *pp* ▸ **incarner**
B *pp adj* **1** (personnifié) incarnate (*après n*); **cet homme, c'est la bêtise/la bonté ~e** that man is stupidity/kindness itself *ou* incarnate sout; **2** Relig incarnate (*après n*); **3** [*ongle*] ingrowing

incarner /ɛ̃kaʀne/ [1]
A *vtr* **1** (représenter) [*personne*] to embody, represent; **il incarne le conservatisme/l'espoir** he represents conservatism/hope; **2** (interpréter) [*acteur*] to play, portray [*personnage*]; **3** Relig to incarnate
B **s'incarner** *vpr* **1** (être représenté) to be embodied (**dans** in); **les idéaux qui s'incarnent dans la révolution** the ideals embodied in the revolution; **toutes leurs aspirations s'incarnent dans leur nouveau président** their new president is the embodiment of *ou* embodies all their aspirations; **2** Relig to become incarnate (**dans** in); **3** lit **j'ai un ongle qui s'incarne** I have an ingrowing toenail

incartade /ɛ̃kaʀtad/ *nf* **1** (écart de conduite) misdemeanour[GB]; **il a encore fait des ~s** he's been up to mischief again; **2** Équit shy; **faire une ~** to shy

incassable /ɛ̃kasabl/ *adj* unbreakable

incendiaire /ɛ̃sɑ̃djɛʀ/
A *adj* **1** [*matières, bombe, engin*] incendiary; **2** [*déclaration, discours, éditorial*] inflammatory; **3** [*sourire*] provocative
B *nmf* arsonist

incendie /ɛ̃sɑ̃di/ *nm* fire; **un ~ s'est déclaré au premier étage** a fire broke out on the first GB *ou* second US floor; **~ de forêt** forest fire; **borne d'~** fire hydrant; **lutte contre l'~** fire-fighting

Composé **~ criminel** arson

incendié, **~e** /ɛ̃sɑ̃dje/
A *pp* ▸ **incendier**
B *pp adj* [*bâtiment*] burned-out; [*forêt*] burned; [*habitant*] made homeless by the fire (*après n*)
C *nm,f* Assur person affected by the fire

incendier /ɛ̃sɑ̃dje/ [2] *vtr* **1** (brûler) to burn down, to torch [*bâtiment*]; to burn, to torch [*véhicule, ville, forêt, récolte*]; **trois maisons ont été incendiées pendant l'émeute** three houses were burned down during the riot; **2** (mettre le feu à) to set fire to; **3** ○(réprimander) to give [sb] a rocket○ GB, to lay into○; **se faire ~** to get a rocket○ GB; **~ qn du regard** to glower at sb; **4** fig (illuminer) to set [sth] ablaze, to make [sth] blaze with light [*vitres, paysage*]

incertain, **~e** /ɛ̃sɛʀtɛ̃, ɛn/ *adj* **1** (indéterminé) [*date, durée, origine*] uncertain; [*effet*] unknown; [*contours*] blurred; [*couleur*] indeterminate; [*sourire, sentiment*] vague; **être d'une humeur ~e** to be moody; **2** (aléatoire) [*résultat, entreprise, profit*] uncertain; [*temps*] unsettled; **leur guérison demeure ~e** their recovery is not guaranteed; **période ~e** period of uncertainty; **3** (hésitant) [*personne*] uncertain; [*électeur*] undecided; [*pas, voix*] hesitant; **être ~ de qch** not to be sure about sth; **mes sentiments sont ~s** I'm not sure of my feelings

incertitude /ɛ̃sɛʀtityd/ *nf* **1** (d'avenir, de résultat, témoignage, prévision) uncertainty; **période d'~** period of uncertainty; **~ économique** economic uncertainty; **les ~s d'une situation** the uncertainties of a situation; **2** (de personne) uncertainty; **laisser qn à ses ~s** to keep sb guessing; **être/vivre dans l'~** to be/live in a state of uncertainty; **mon ~ est totale** I'm completely in the dark; **vivre dans l'~ du lendemain** to live from day to day; **être dans l'~ sur ce que l'on doit faire** not to be sure what to do

incessamment /ɛ̃sesamɑ̃/ *adv* very shortly; **~ sous peu** hum in next to no time

incessant, **~e** /ɛ̃sesɑ̃, ɑ̃t/ *adj* [*bruit, pluie, appels, querelles*] incessant; [*effort, activité*] unceasing; [*critiques*] unremitting; [*changements*] constant

incessible /ɛ̃sesibl/ Jur *adj* untransferable

inceste /ɛ̃sɛst/ *nm* incest; **commettre un ~** to commit incest

incestueux, **-euse** /ɛ̃sɛstɥø, øz/ *adj* (coupable d'inceste) incestuous; (né d'un inceste) born of an incestuous liaison; (constituant un inceste) incestuous; **amour ~** incestuous love

inchangé, **~e** /ɛ̃ʃɑ̃ʒe/ *adj* unchanged; **le cours est ~** Fin the price is unchanged

inchangeable /ɛ̃ʃɑ̃ʒabl/ *adj* unchangeable

inchantable /ɛ̃ʃɑ̃tabl/ *adj* unsingable

inchauffable /ɛ̃ʃofabl/ *adj* impossible to heat

inchavirable /ɛ̃ʃaviʀabl/ *adj* uncapsizable

inchiffrable /ɛ̃ʃifʀabl/ *adj* unquantifiable

inchoatif, **-ive** /ɛ̃kɔatif, iv/ *adj* Ling inchoative, inceptive

incidemment /ɛ̃sidamɑ̃/ *adv* 1 (au passage) in passing; 2 (par hasard) by chance

incidence /ɛ̃sidɑ̃s/ *nf* 1 (effet) impact (**sur** on); **avoir une ~ sur qch** to have an impact on sth; 2 Phys incidence; **point d'~** point of incidence; 3 Méd incidence

incident, **~e** /ɛ̃sidɑ̃, ɑ̃t/
A *adj* 1 (peu important) incidental; 2 Ling [*proposition*] parenthetical; 3 Phys [*lumière*] incident
B *nm* 1 (événement fortuit) incident; **~ diplomatique/nucléaire/de frontière** diplomatic/nuclear/border incident; **en cas d'~** if anything should happen; 2 (perturbation) **~ (de parcours)** hitch; **~ technique** technical hitch; **~ de séance** procedural hitch; **l'~ est clos** the matter is closed; 3 Jur incidental plea; **soulever un ~** to raise a point of law
C **incidente** *nf* Ling parenthetical clause

incinérable /ɛ̃sineʀabl/ *adj* incinerable

incinérateur /ɛ̃sineʀatœʀ/ *nm* 1 (pour déchets) incinerator; 2 (crématoire) cremator GB, crematory US

incinération /ɛ̃sineʀasjɔ̃/ *nf* (de déchets) incineration; (de corps) cremation

incinérer /ɛ̃sineʀe/ [14] *vtr* to burn [*bois*]; to incinerate [*déchets*]; to cremate [*corps*]; **choisir de se faire ~** to choose to be cremated

incise /ɛ̃siz/ *nf* 1 Mus phrase; 2 Ling comment clause

inciser /ɛ̃size/ [1] *vtr* to make an incision in, to incise spéc [*bois, peau*]; to lance [*abcès*]

incisif, **-ive** /ɛ̃sizif, iv/
A *adj* 1 (perçant) [*écrit, discours, critique*] incisive; [*portrait*] telling; [*regard*] piercing; 2 (coupant) [*instrument*] sharp
B **incisive** *nf* Anat, Dent incisor

incision /ɛ̃sizjɔ̃/ *nf* 1 (action) (de peau, d'écorce) incision; (d'abcès) lancing ₵; 2 (coupure) incision; **faire** *or* **pratiquer une ~ dans** to make an incision in [*peau, écorce*]; to lance [*abcès*]

incisive ▸ **incisif**

incitatif, **-ive** /ɛ̃sitatif, iv/ *adj* incentive (*épith*); **être ~** to act as an incentive; **mesure incitative**, **facteur ~** incentive

incitation /ɛ̃sitasjɔ̃/ *nf* 1 (encouragement) incentive (**à** to); 2 Jur (excitation) incitement (**à** to)

(Composé) **~ fiscale** Fin tax incentive; **~ à la débauche** incitement to moral corruption; **~ à la haine raciale** Jur incitement to racial hatred

inciter /ɛ̃site/ [1] *vtr* [*personne, situation, attitude*] to encourage (**à** to do); [*événement, décision*] to prompt (**à faire** to do); **la croissance incite à investir/incite les particuliers à investir** growth encourages investment/encourages people to invest; **la campagne de presse a incité le président à intervenir** the press campaign prompted the president to intervene; **la récession incite à la prudence** the recession is making people cautious; **~ à l'espoir/au découragement** to be hopeful/discouraging; **~ vivement** to urge; **~ qn à la haine raciale** to incite sb to racial hatred; **~ à la haine raciale** to stir up racial hatred

incivilité /ɛ̃sivilite/ *nf* fml incivility sout (**à l'égard de** to, toward, towards GB)

inclassable /ɛ̃klasabl/ *adj* unclassifiable

inclément, **~e** /ɛ̃klemɑ̃, ɑ̃t/ *adj* fml inclement sout

inclinable /ɛ̃klinabl/ *adj* [*dossier, tablette*] adjustable; [*parasol*] with tilt action (*épith, après n*); **fauteuil (à dossier) ~** reclining chair GB, recliner US

inclinaison /ɛ̃klinɛzɔ̃/ *nf* 1 (de route, pente) incline; (de mur, siège) angle; (de toit) slope; **l'~ de ton écriture** the way your writing slopes; 2 Math angle

inclination /ɛ̃klinasjɔ̃/ *nf* 1 (disposition naturelle) inclination (**à faire** to do); **avoir une ~ à faire** to be inclined to do; **suivre son ~** to follow one's natural inclinations; 2 (de la tête) nod; (du buste) bow; 3 liter (amour) inclination; **mariage d'~** love match

incliné, **~e** /ɛ̃kline/ *adj* 1 (pas horizontal) [*plateau, fonds marins*] sloping; [*toit*] steep; **le plancher est ~** the floor slopes; 2 (pas vertical) [*mur, tour*] leaning; **tenir qch ~** to hold sth at an angle

incliner /ɛ̃kline/ [1]
A *vtr* 1 (pencher) to tilt [*parasol*]; to tip up [*flacon*]; **~ le buste** to lean forward; **~ la tête** to move one's head; **~ la tête sur le côté** to put one's head on one side; **saluer qn en inclinant la tête** to greet sb with a nod; 2 fml (inciter) **cela m'incline à la confiance** this inclines me to be trusting; **ceci m'incline à penser que** this leads me to think that
B *vi* fml to be inclined (**à faire** to do); **~ à penser que** to be inclined to think that; **~ à la prudence** *or* **à être prudent** to be inclined to be cautious
C **s'incliner** *vpr* 1 (se pencher) to lean forward; (par politesse, respect) to bow; **s'~ devant qn/très bas** to bow to sb/very low; 2 (ne pas contester) **s'~ devant qch** to bow to sth, to accept sth; **s'~ devant les décisions de qn/les faits** to accept sb's decisions/the facts; **s'~ devant le règlement** to obey the rules; **je m'incline** I have to agree; 3 (s'avouer vaincu) to give in○ (**devant** to); **le gouvernement va devoir s'~** the government will have to give in○ *ou* to concede defeat; **s'~ devant une armée plus nombreuse** to give in○ to an army of superior strength, concede defeat in the face of an army of superior strength; **en finale, X s'incline devant Y** Sport in the final, X lost to Y; 4 (témoigner du respect) **s'~ devant l'érudition/le courage de qn** to admire sb's learning/courage; 5 (devenir oblique) [*moto*] to lean over

inclure /ɛ̃klyʀ/ [78] *vtr* 1 (intégrer) to include [*nom, personne*]; **nous ne pouvons vous ~ sur la liste/dans notre groupe** we can't include you on the list/in our group; 2 (comprendre) [*liste, programme, prix, forfait, réforme*] to include; 3 (joindre) to enclose [*document, argent*]; 4 (ajouter) to insert [*correction, modification, clause*]; 5 Math to include; **A inclut B** A includes B

inclus, **~e** /ɛ̃kly, yz/
A *pp* ▸ **inclure**
B *pp adj* 1 (compris) **il y avait 20 personnes, enfants ~** there were 20 people, including children; **jusqu'au second chapitre ~** up to and including chapter two; **jusqu'à jeudi ~** up to and including Thursday GB, through Thursday US; **les taxes sont ~es dans le prix** taxes are included in the price; 2 (joint) enclosed; 3 Math **B est ~ dans A** B is a subset of A

inclusif, **-ive** /ɛ̃klyzif, iv/ *adj* Ling, Philos inclusive

inclusion /ɛ̃klyzjɔ̃/ *nf* 1 gén, Ling, Math, Philos inclusion; 2 Biol (élément hétérogène) inclusion body; (technique) **~ dans la paraffine** embedding in paraffin

inclusivement /ɛ̃klyzivmɑ̃/ *adv* **jusqu'au 4 mai ~** up to and including May 4 GB, through May 4 US

incoagulable /ɛ̃kɔagylabl/ *adj* incoagulable

incoercible /ɛ̃kɔɛʀsibl/ *adj* [*rire*] irrepressible; [*angoisse, envie*] uncontrollable; **vomissements ~s du matin** morning sickness ₵

incognito /ɛ̃kɔɲito/
A *adv* incognito
B *nm* **garder l'~** to remain incognito

incohérence /ɛ̃kɔeʀɑ̃s/ *nf* 1 (manque de logique) incoherence ₵; **avec ~** incoherently; 2 (contradiction) discrepancy; **présenter des ~s** to show discrepancies

incohérent, **~e** /ɛ̃kɔeʀɑ̃, ɑ̃t/ *adj* [*propos, comportement, personne*] incoherent; [*attitude, raisonnement*] illogical; **il se montre plutôt ~ dans ses décisions** he tends to be inconsistent in his decisions

incollable /ɛ̃kɔlabl/ *adj* 1 ○(qui a réponse à tout) [*personne*] impossible to catch out (*jamais épith*); **un candidat ~** a candidate who can't be caught out; **elle est ~ en latin** you can't catch her out in Latin; 2 Culin **riz ~** easy-cook rice

incolore /ɛ̃kɔlɔʀ/ *adj* 1 (sans couleur) [*liquide, gaz, crème*] colourless[GB]; [*vernis, verre*] clear; 2 (sans originalité) colourless[GB]

incomber /ɛ̃kɔ̃be/ [1]
A *vtr ind* **~ à** [*devoir, tâche, mission, dépense*] to fall to; [*responsabilité, faute*] to lie with; **la faute en incombe à...** the fault lies with...
B *v impers* **il incombe à qn de faire** (par obligation) it is incumbent upon sb to do; (par rôle) the onus is on sb to do; Jur it rests with sb to do

incombustibilité /ɛ̃kɔ̃bystibilite/ *nf* incombustibility

incombustible /ɛ̃kɔ̃bystibl/ *adj* incombustible

incommensurabilité /ɛ̃kɔmɑ̃syʀabilite/ *nf* incommensurability

incommensurable /ɛ̃kɔmɑ̃syʀabl/ *adj* 1 (immense) [*bêtise, ignorance*] boundless; [*océan*] boundless; [*profondeur*] infinite; 2 Math incommensurable

incommensurablement /ɛ̃kɔmɑ̃syʀabləmɑ̃/ *adv* fml incommensurably sout

incommodant, **~e** /ɛ̃kɔmɔdɑ̃, ɑ̃t/ *adj* unpleasant

incommode /ɛ̃kɔmɔd/ *adj* 1 (peu pratique) [*équipement*] inconvenient; [*installation*] awkward; [*horaire*] unsatisfactory; 2 (inconfortable) [*siège, logement, position*] uncomfortable

incommodé, **~e** /ɛ̃kɔmɔde/
A *pp* ▸ **incommoder**
B *pp adj* 1 (souffrant) unwell, indisposed fml; 2 (intoxiqué) **personnes ~es** people affected

incommoder /ɛ̃kɔmɔde/ [1] *vtr* [*chaleur, bruit, fumée*] to bother; [*interruption*] to disturb; **être incommodé par des émanations de gaz** to be overcome by gas fumes

incommunicabilité /ɛ̃kɔmynikabilite/ *nf* incommunicability

incommunicable /ɛ̃kɔmynikabl/ *adj* incommunicable

incomparable /ɛ̃kɔ̃paʀabl/ *adj* [*site, mérite, artiste*] incomparable; **d'un charme ~** extremely charming

incomparablement /ɛ̃kɔ̃paʀabləmɑ̃/ *adv* **~ meilleur marché/plus agréable/moins difficile** far cheaper/more pleasant/less difficult

incompatibilité /ɛ̃kɔ̃patibilite/ *nf* gén, Sci incompatibility (**de qch et qch** of sth with sth); **il y a ~ entre leur politique et la nôtre** our policies are incompatible

(Composés) **~ de fonctions** Jur incompatibility of offices; **~ d'humeur** Jur incompatibility of temper; gén personality conflict

incompatible /ɛ̃kɔ̃patibl/ *adj* incompatible (**avec** with)

incompétence /ɛ̃kɔ̃petɑ̃s/ *nf* gén incompetence; Jur incompetency; **un employé d'une rare ~** an exceptionally incompetent employee
(Composé) **~ territoriale** Jur incompetency ratione loci

incompétent, **~e** /ɛ̃kɔ̃petɑ̃, ɑ̃t/
A *adj* incompetent; **je suis ~ en la matière** or **en ce domaine** it's not my province
B *nm,f* incompetent person

incomplet, **-ète** /ɛ̃kɔ̃plɛ, ɛt/ *adj* incomplete

incomplètement /ɛ̃kɔ̃plɛtmɑ̃/ *adv* [*guéri, résolu, utilisé*] not fully, incompletely

incomplétude /ɛ̃kɔ̃pletyd/ *nf* lack of fulfilment[GB]; **éprouver un sentiment d'~** to feel unfulfilled[GB]

incompréhensible /ɛ̃kɔ̃pʀeɑ̃sibl/ *adj* incomprehensible (**à, pour** to)

incompréhensif, **-ive** /ɛ̃kɔ̃pʀeɑ̃sif, iv/ *adj* unsympathetic

incompréhension /ɛ̃kɔ̃pʀeɑ̃sjɔ̃/ *nf* (intellectuelle) incomprehension; (affective) lack of understanding

incompressibilité /ɛ̃kɔ̃pʀɛsibilite/ *nf* 1) Phys (de matière) incompressibility; 2) Écon (de dépenses) irreducibility

incompressible /ɛ̃kɔ̃pʀɛsibl/ *adj* 1) Phys [*matière*] incompressible; 2) Compta, Écon [*dépenses, charges*] fixed; 3) Jur **peine ~** sentence without possibility of remittance

incompris, **~e** /ɛ̃kɔ̃pʀi, iz/
A *adj* **un artiste ~** an artist whose work is not understood; **il a été totalement ~ de ses contemporains** his contemporaries totally failed to understand his work
B *nm,f* misunderstood person; **c'est un ~** he has always been misunderstood

inconcevable /ɛ̃kɔ̃svabl/ *adj* inconceivable; **il est ~ que** it is inconceivable that

inconciliable /ɛ̃kɔ̃siljabl/ *adj* irreconcilable

inconditionnel, **-elle** /ɛ̃kɔ̃disjɔnɛl/
A *adj* 1) (sans conditions) [*cessez-le-feu, reddition, évacuation*] unconditional; 2) (absolu) [*soutien, appui*] unqualified; [*obéissance, soumission, responsabilité*] absolute; [*adhésion*] wholehearted; 3) (sans réserve) [*partisan, militant, amateur*] dedicated
B *nm,f* (admirateur) devoted admirer; (fanatique) fan; **je suis un ~ de Mozart** I'm absolutely mad○ about Mozart

inconditionnellement /ɛ̃kɔ̃disjɔnɛlmɑ̃/ *adv* [*soutenir, s'engager, admirer*] wholeheartedly

inconduite /ɛ̃kɔ̃dɥit/ *nf* gén misbehaviour[GB]; Jur misconduct

inconfort /ɛ̃kɔ̃fɔʀ/ *nm* 1) (matériel) lack of comfort; **vivre dans l'~** to live without one's creature comforts; 2) (intellectuel) awkwardness

inconfortable /ɛ̃kɔ̃fɔʀtabl/ *adj* 1) (sans confort) [*lieu, siège*] uncomfortable; 2) (désagréable) [*situation, position*] awkward

incongru, **~e** /ɛ̃kɔ̃gʀy/ *adj* [*comportement*] out of place (*jamais épith*); [*bruit*] odd; [*objet, situation, parole*] incongruous

incongruité /ɛ̃kɔ̃gʀɥite/ *nf* 1) (étrangeté) incongruity; 2) (acte) faux-pas; (parole) incongruous remark

inconnu, **~e** /ɛ̃kɔny/
A *adj* [*personne, causes, destination*] unknown (**de** to); [*territoires*] unexplored; **mers ~es** uncharted waters; **il est ~ des services de police** he's unknown to the police; **enfant né de père ~** child by father unknown; **~ à cette adresse** not known at this address; **votre visage ne m'est pas ~** your face is familiar; **ressentir une émotion ~e** to experience a strange feeling
B *nm,f* 1) (personne non célèbre) unknown (person); **c'est un ~ qui a reçu le prix Nobel de littérature** an unknown writer won the Nobel prize; 2) (étranger) stranger; **ne parle pas aux ~s** don't talk to strangers; **il s'est épris d'une ~e** he fell in love with a complete stranger
C *nm* **l'~** the unknown
D **inconnue** *nf* 1) Math unknown; 2) (facteur d'incertitude) unknown; **beaucoup trop d'~es** far too many unknowns

inconsciemment /ɛ̃kɔ̃sjamɑ̃/ *adv* (sans le savoir) subconsciously; (sans le vouloir) unintentionally, unconsciously

inconscience /ɛ̃kɔ̃sjɑ̃s/ *nf* 1) (absence de jugement) lack of thought; (devant un danger) foolhardiness; **rentrer seule à 2 h du matin, c'est de l'~** walking home alone at 2 o'clock in the morning is foolhardy; 2) Méd unconsciousness

inconscient, **~e** /ɛ̃kɔ̃sjɑ̃, ɑ̃t/
A *adj* 1) (sans jugement) unthinking; (devant un danger) foolhardy; **être ~ de** (par ignorance) to be unaware of; (par incompréhension) not to realize; **il faut être ~ pour rouler à cette vitesse** you have to be mad○ *ou* crazy○ to drive at that speed; 2) Méd (sans connaissance) unconscious; 3) Psych [*acte, geste*] unconscious, automatic; [*sentiment*] subconscious; [*réaction*] unconscious
B *nm,f* **c'est un ~** he's totally irresponsible
C *nm* Psych **l'~** the unconscious
(Composé) **l'~ collectif** the collective unconscious

inconséquence /ɛ̃kɔ̃sekɑ̃s/ *nf* (de raisonnement) inconsistency; (de conduite) fecklessness

inconséquent, **~e** /ɛ̃kɔ̃sekɑ̃, ɑ̃t/ *adj* [*personne, comportement, raisonnement*] inconsistent

inconsidéré, **~e** /ɛ̃kɔ̃sideʀe/ *adj* 1) (irréfléchi) [*propos, geste, action*] ill-considered; [*prêt*] ill-advised; 2) (excessif) [*usage, consommation*] excessive

inconsidérément /ɛ̃kɔ̃sideʀemɑ̃/ *adv* 1) (imprudemment) [*dire, promettre*] rashly; [*prêter*] ill-advisedly; 2) (excessivement) [*boire*] to excess; [*dépenser*] wildly

inconsistance /ɛ̃kɔ̃sistɑ̃s/ *nf* 1) (d'œuvre) lack of substance; (de personne) lack of character; 2) (de substance) thin consistency

inconsistant, **~e** /ɛ̃kɔ̃sistɑ̃, ɑ̃t/ *adj* 1) [*raisonnement, argumentation, scénario*] flimsy; [*programme*] lacking in substance (*épith*); [*personne*] characterless; 2) [*substance, mélange*] thin

inconsolable /ɛ̃kɔ̃sɔlabl/ *adj* inconsolable

inconsommable /ɛ̃kɔ̃sɔmabl/ *adj* unfit for consumption (*jamais épith*)

inconstance /ɛ̃kɔ̃stɑ̃s/ *nf* fickleness

inconstant, **~e** /ɛ̃kɔ̃stɑ̃, ɑ̃t/ *adj* fickle; **elle est ~e (en amour)** she's fickle

inconstitutionnalité /ɛ̃kɔ̃stitysjɔnalite/ *nf* unconstitutional nature

inconstitutionnel, **-elle** /ɛ̃kɔ̃stitysjɔnɛl/ *adj* unconstitutional

inconstructible /ɛ̃kɔ̃stʀyktibl/ *adj* [*terrain, zone*] where building is not permitted (*épith, après n*)

incontestabilité /ɛ̃kɔ̃tɛstabilite/ *nf* incontestability; **clause d'~** incontestability clause

incontestable /ɛ̃kɔ̃tɛstabl/ *adj* [*fait, preuve, valeur*] unquestionable, indisputable, incontestable; [*victoire*] outright (*épith*); **il est ~ que** it is indisputable that; **c'est ~!** it's indisputable!

incontestablement /ɛ̃kɔ̃tɛstabləmɑ̃/ *adv* unquestionably, indisputably

incontesté, **~e** /ɛ̃kɔ̃tɛste/ *adj* [*maître, champion*] undisputed; [*principe, droit, autorité, fait*] uncontested; [*victoire*] undisputed, outright (*épith*)

incontinence /ɛ̃kɔ̃tinɑ̃s/ *nf* Méd incontinence; **~ nocturne** bed-wetting; **~ verbale** incontrollable talkativeness, verbal diarrhoea[GB], prolixity sout

incontinent, **~e** /ɛ̃kɔ̃tinɑ̃, ɑ̃t/
A *adj* Méd incontinent
B *nm,f* Méd incontinent person
C †*adv* forthwith

incontournable /ɛ̃kɔ̃tuʀnabl/ *adj* [*question, problème*] that must be addressed (*épith, après n*); [*auteur, livre*] considered to be essential reading (*après n*); [*personne, figure*] to be reckoned with (*après n*); [*statistiques, chiffres*] that cannot be ignored (*épith, après n*)

incontrôlable /ɛ̃kɔ̃tʀolabl/ *adj* 1) (invérifiable) unverifiable; 2) (que l'on ne peut maîtriser) uncontrollable; **l'incendie est vite devenu ~** the fire quickly got out of control

incontrôlé, **~e** /ɛ̃kɔ̃tʀole/ *adj* 1) (non vérifié) [*information, affirmation*] unverified, unchecked; 2) (non maîtrisé) [*individus, actes, violence*] uncontrolled

inconvenance /ɛ̃kɔ̃vnɑ̃s/ *nf* 1) (de discours, démarche, proposition) impropriety, unseemliness; 2) (acte) impropriety

inconvenant, **~e** /ɛ̃kɔ̃vnɑ̃, ɑ̃t/ *adj* [*terme*] unsuitable; [*attitude, propos, discours*] improper, unseemly; **il serait ~ de refuser leur invitation** it would be unseemly *ou* impolite to refuse their invitation

inconvénient /ɛ̃kɔ̃venjɑ̃/ *nm* drawback, disadvantage; **les avantages et les ~s de la vie à la campagne** the advantages and the drawbacks *ou* disadvantages of living in the country; **cette situation n'est pas sans ~s** this situation is not without its drawbacks; **le seul ~ c'est que cette voiture coûte cher** the only snag about this car is that it's expensive; **si vous n'y voyez pas d'~** if you have no objection; **je ne vois pas d'~ à ce qu'il reste dîner** I see no reason why he should not stay for dinner; **y a-t-il un ~ à reporter la réunion?** is there any objection to postponing the meeting?; **il n'y a aucun ~ à reporter la réunion** the meeting can easily be postponed

inconvertibilité /ɛ̃kɔ̃vɛʀtibilite/ *nf* inconvertibility

inconvertible /ɛ̃kɔ̃vɛʀtibl/ *adj* inconvertible

incoordination /ɛ̃kɔɔʀdinasjɔ̃/ *nf* lack of coordination

incorporable /ɛ̃kɔʀpɔʀabl/ *adj* 1) [*objet, substance*] incorporable; 2) [*recrue*] recruitable

incorporalité /ɛ̃kɔʀpɔʀalite/ *nf* liter incorporeality

incorporation /ɛ̃kɔʀpɔʀasjɔ̃/ *nf* 1) Mil enlistment GB, induction US; 2) Culin blending

incorporé, **~e** /ɛ̃kɔʀpɔʀe/
A *pp* ▸ **incorporer**
B *pp adj* [*micro, antenne, cellule*] built-in

incorporel, **-elle** /ɛ̃kɔʀpɔʀɛl/ *adj* 1) Jur [*droits, biens*] intangible; 2) (immatériel) incorporeal

incorporer /ɛ̃kɔʀpɔʀe/ [1] *vtr* 1) Culin to blend (**à** into; **dans** with); **~ les œufs au mélange** blend *ou* fold the eggs into the mixture; 2) (faire entrer dans un ensemble) to incorporate [*chapitre, article, paragraphe*]; 3) Mil to enlist GB, induct US [*recrue*]

incorrect, **~e** /ɛ̃kɔʀɛkt/ *adj* 1) (comportant des fautes) [*terme, langue, style*] incorrect; [*montage, réglage*] faulty, incorrect; [*prévisions*] inaccurate; [*interprétation, raisonnement*] incorrect; 2) (inconvenant) [*conduite*] improper; [*terme*] unsuitable; [*personne*] impolite; **être ~ avec qn** to be rude *ou* impolite to sb; 3) (déloyal) [*personne, procédé*] unfair; **il a été très ~ avec son associé** he treated his associate very shabbily *ou* unfairly

incorrectement /ɛ̃kɔʀɛktəmɑ̃/ *adv* 1) (de façon défectueuse) [*écrire, s'exprimer, assembler*] incorrectly; 2) (de façon déloyale) [*se conduire, agir*] shabbily

incorrection /ɛ̃kɔʀɛksjɔ̃/ *nf* 1) (de style, langue) incorrectness; (de conduite, comportement) impropriety; **2** (faute) inaccuracy

incorrigible /ɛ̃kɔʀiʒibl/ *adj* incorrigible

incorruptibilité /ɛ̃kɔʀyptibilite/ *nf* incorruptibility

incorruptible /ɛ̃kɔʀyptibl/
A *adj* incorruptible
B *nmf* incorruptible person

incrédibilité /ɛ̃kʀedibilite/ *nf* incredibility

incrédule /ɛ̃kʀedyl/
A *adj* **1** (sceptique) [*personne*] incredulous; [*expression, air*] of disbelief (*après n*), incredulous; **2** (en matière religieuse) unbelieving (*épith*)
B *nmf* unbeliever, nonbeliever

incrédulité /ɛ̃kʀedylite/ *nf* **1** gén incredulity; **faire preuve d'∼** to be incredulous; **avec ∼** with disbelief; **un sourire d'∼** an incredulous smile; **2** Relig lack of belief

incrément /ɛ̃kʀemɑ̃/ *nm* increment

incrémentation /ɛ̃kʀemɑ̃tasjɔ̃/ *nf* incrementation

incrémenter /ɛ̃kʀemɑ̃te/ [1] *vtr* to increment

incrémentiel, -ielle /ɛ̃kʀemɑ̃sjɛl/ *adj* incremental

increvable /ɛ̃kʀəvabl/ *adj* **1** ○(inépuisable) [*personne*] tireless, indefatigable; [*appareil, voiture, moteur*] that goes on forever (*épith, après n*); **2** (qui ne peut être crevé) [*pneu*] puncture-proof

incriminer /ɛ̃kʀimine/ [1] *vtr* [*personne*] to accuse [*personne*]; [*preuve, indice*] to incriminate [*personne*]; **le journaliste/l'article incriminé** the offending journalist/article, the journalist/article in question

incrochetable /ɛ̃kʀɔʃtabl/ *adj* [*serrure*] burglar-proof

incroyable /ɛ̃kʀwajabl/ *adj* **1** (impossible ou difficile à croire) [*récit, nouvelle, information, événement, coïncidence*] incredible, unbelievable; **c'est ∼ ce qu'il a grandi!** it's incredible how he's grown!; **∼ mais vrai** strange but true; **2** (hors du commun) [*chance, courage, vitesse, beauté*] incredible, amazing; [*cruauté, paresse, bêtise*] incredible; **il est d'une intelligence/ignorance ∼** he's incredibly intelligent/ignorant; **cette fille est ∼, elle est toujours en retard!** that girl is incredible, she's always late!

incroyablement /ɛ̃kʀwajabləmɑ̃/ *adv* incredibly, unbelievably

incroyance /ɛ̃kʀwajɑ̃s/ *nf* unbelief

incroyant, ∼e /ɛ̃kʀwajɑ̃, ɑ̃t/
A *adj* unbelieving (*épith*)
B *nm,f* unbeliever, nonbeliever

incrustation /ɛ̃kʀystasjɔ̃/ *nf* **1** Art (procédé) inlaying; (résultat) inlay; **un objet orné d'∼s** an object decorated with inlay; **∼s d'or** gold inlay; **un meuble à ∼s de nacre** a piece of furniture inlaid with mother-of-pearl; **2** Géol (dépôt) encrustation; **3** Tech (dans chauffage) scale, fur GB; **4** Cout panel

(Composé) **∼s de dentelle** Cout lace panels

incruster /ɛ̃kʀyste/ [1]
A *vtr* **1** Art to inlay [*objet*] (**de** with); **incrusté de qch** inlaid with sth; **2** (couvrir d'un dépôt) [*eau, calcaire*] to scale [sth] up, to fur [sth] up [*chaudière, tuyauterie*]; **3** Cout **robe incrustée de diamants** dress encrusted with diamonds; **incrusté de dentelles** with lace panels
B s'incruster *vpr* **1** (s'agglomérer) [*caillou, coquillage*] to become embedded *ou* encrusted (**dans** in); **2** ○(s'imposer) [*personne*] to install oneself; **3** Tech [*chaudière, tuyauterie*] to get scaled up

incubateur, -trice /ɛ̃kybatœʀ, tʀis/
A *adj* incubating
B *nm* Méd incubator

incubation /ɛ̃kybasjɔ̃/ *nf* **1** (de maladie, d'œuf) incubation; **période d'∼** incubation period; **2** (de révolution, d'insurrection) hatching

incube /ɛ̃kyb/ *nm* incubus

incuber /ɛ̃kybe/ [1] *vtr* to incubate, hatch

inculpation /ɛ̃kylpasjɔ̃/ *nf* Jur charge (**de, pour** of); **être sous le coup d'une ∼** to be facing charges; **procéder à une ∼** to bring a charge; **notifier son ∼ à qn** to notify sb of the charge brought against them

inculpé, ∼e /ɛ̃kylpe/ *nm,f* ≈ accused; **faites entrer les ∼s** have the accused brought in

inculper /ɛ̃kylpe/ [1] *vtr* to charge (**de, pour** with); **être inculpé de** *or* **pour** to be charged with

inculquer /ɛ̃kylke/ [1] *vtr* to inculcate (**à** in), to instil[GB] (**à** in)

inculte /ɛ̃kylt/ *adj* **1** [*personne*] uncultivated; **2** [*terres, étendues*] uncultivated

incultivable /ɛ̃kyltivabl/ *adj* unworkable, unfarmable

inculture /ɛ̃kyltyʀ/ *nf* lack of culture

incunable /ɛ̃kynabl/
A *adj* [*ouvrage, édition*] incunabular
B *nm* incunabulum

incurabilité /ɛ̃kyʀabilite/ *nf* incurability

incurable /ɛ̃kyʀabl/
A *adj* **1** Méd [*maladie, malade*] incurable; **2** fig [*sottise, ivrogne*] incurable, hopeless; [*personne*] incurable; **il est d'une ∼ bêtise** he is incurably stupid
B *nmf* incurable

incurablement /ɛ̃kyʀabləmɑ̃/ *adv* incurably

incurie /ɛ̃kyʀi/ *nf* negligence, carelessness

incursion /ɛ̃kyʀsjɔ̃/ *nf* (tous contextes) incursion, foray; **faire une ∼ dans** to make an incursion *ou* a foray into

incurvé, ∼e /ɛ̃kyʀve/
A *pp* ▸ **incurver**
B *pp adj* curved

incurver /ɛ̃kyʀve/ [1]
A *vtr* to curve, bend
B s'incurver *vpr* to curve, bend

indatable /ɛ̃databl/ *adj* undatable

Inde /ɛ̃d/ ▸ p. 333 *nprf* India

indéboulonnable○ /ɛdebulɔnabl/ *adj* who cannot be unseated

indécelable /ɛ̃deslabl/ *adj* undetectable

indécemment /ɛ̃desamɑ̃/ *adv* indecently

indécence /ɛ̃desɑ̃s/ *nf* **1** (manque de décence) (de tenue, attitude) indecency; (de propos) impropriety; **ce luxe, quelle ∼!** such luxury is quite obscene; **2** (acte) act of indecency; (parole) obscenity

indécent, ∼e /ɛ̃desɑ̃, ɑ̃t/ *adj* **1** [*joie*] improper, indecent; **2** [*tenue, geste, propos, spectacle*] indecent; **3** [*chance, succès, luxe*] obscene, indecent; **avoir une chance ∼e** to be disgustingly lucky

indéchiffrable /ɛ̃deʃifʀabl/ *adj* **1** (indécryptable) [*code, message, écriture, document*] indecipherable; **2** (énigmatique) [*regard, personnage*] inscrutable; [*mystère*] incomprehensible

indéchirable /ɛ̃deʃiʀabl/ *adj* tear-proof

indécis, ∼e /ɛ̃desi, iz/
A *adj* **1** (ponctuellement) **il est encore ∼** he hasn't decided yet; **il est ∼ sur l'attitude à avoir** he's undecided as to what attitude he should take; **2** (de nature) [*personne, caractère, esprit*] indecisive; **3** (incertain) [*résultats, victoire, bataille*] uncertain; **4** (peu concluant) [*résultats, victoire, bataille*] inconclusive; **5** (imprécis) [*sourire*] uncertain; [*pensées, termes*] undefined, vague; [*temps*] unsettled, uncertain
B *nm,f* indecisive person; (électeur) floating voter

indécision /ɛ̃desizjɔ̃/ *nf* **1** (hésitation) indecision, uncertainty; **2** (trait de caractère) indecisiveness (**sur, quant à** about); **être dans l'∼** to be undecided

indéclinable /ɛ̃deklinabl/ *adj* indeclinable

indécodable /ɛ̃dekɔdabl/ *adj* undecodable

indécrottable○ /ɛ̃dekʀɔtabl/ *adj* (incorrigible) hopeless

indéfectible /ɛ̃defɛktibl/ *adj* [*attachement, amitié, lien*] indissoluble, indefectible; [*haine*] enduring; [*soutien*] unfailing

indéfectiblement /ɛ̃defɛktibləmɑ̃/ *adv* [*attaché*] indefectibly; [*soutenir*] unfailingly

indéfendable /ɛ̃defɑ̃dabl/ *adj* indefensible

indéfini, ∼e /ɛ̃defini/ *adj* **1** (sans limites) [*espace, nombre, temps*] indeterminate; **2** (vague) [*tristesse, mélancolie*] undefined; [*malaise*] vague; [*durée*] indeterminate, indefinite; **3** Ling [*article, mot, adjectif*] indefinite

indéfiniment /ɛ̃definimɑ̃/ *adv* indefinitely

indéfinissable /ɛ̃definisabl/ *adj* undefinable

indéformable /ɛ̃defɔʀmabl/ *adj* that will not lose its shape (*épith, après n*)

indéfrisable† /ɛ̃defʀizabl/ *nf* perm, permanent wave†

indélébile /ɛ̃delebil/ *adj* indelible

indélicat, ∼e /ɛ̃delika, at/ *adj* **1** (impoli) [*personne, propos, comportement*] indelicate, tactless; **2** (malhonnête) [*invité, employé, procédé*] dishonest

indélicatesse /ɛ̃delikatɛs/ *nf* **1** (impolitesse) indelicacy, tactlessness; **2** (malhonnêteté) dishonesty; **3** (acte malhonnête) act of dishonesty

indémaillable /ɛ̃demajabl/
A *adj* [*tissu, jersey, tricot*] run-resistant; [*bas*] run-resistant, ladderproof GB
B *nm* (tissu) run-resistant material

indémêlable /ɛ̃demɛlabl/ *adj* [*affaire, intrigue*] that cannot be untangled (*épith, après n*)

indemne /ɛ̃dɛmn/ *adj* unscathed, unharmed; **sortir ∼ d'un accident** to escape uninjured *ou* unharmed after an accident

indemnisable /ɛ̃dɛmnizabl/ *adj* [*victime*] entitled to compensation (*après n*); [*dommage*] indemnifiable

indemnisation /ɛ̃dɛmnizasjɔ̃/ *nf* **1** (paiement) indemnification; **2** (somme versée) indemnity, compensation ₵; **recevoir une ∼** to receive compensation; **10 000 euros d'∼** 10,000 euros compensation

indemniser /ɛ̃dɛmnize/ [1] *vtr* to indemnify (**de** for), to compensate (**de** for); **se faire ∼** to receive compensation

indemnité /ɛ̃dɛmnite/ *nf* **1** Jur (dédommagement) indemnity, compensation ₵; **verser des ∼s** to pay compensation; **2** Prot Soc (élément de rémunération) allowance

(Composés) **∼ de chômage** unemployment benefit; **∼ de déménagement** relocation expenses (+ *v pl*); **∼ de déplacement** travel allowance; **∼ journalière** sick pay; **∼ de licenciement** severance pay ₵, redundancy payment GB; **∼ de logement** housing allowance; **∼ parlementaire** French deputy's allowances (*pl*); **∼ de résidence** weighting allowance; **∼s de guerre** war indemnities

indémodable /ɛ̃demɔdabl/ *adj* **choisir un modèle ∼** to choose a style that won't date

indémontrable /ɛ̃demɔ̃tʀabl/ *adj* undemonstrable

indéniable /ɛ̃denjabl/ *adj* undeniable, unquestionable

indéniablement /ɛ̃denjabləmɑ̃/ *adv* undeniably, unquestionably

indentation /ɛ̃dɑ̃tasjɔ̃/ *nf* (de littoral, feuille) indentation

indépendamment /ɛ̃depɑ̃damɑ̃/
A *adv* independently
B indépendamment de *loc prép* **1** (en faisant abstraction de) regardless of; **∼ de ce qui s'est passé, vous avez des devoirs à remplir** regardless of what has happened, you have obligations to fulfil; **2** (outre) in addition to

indépendance /ɛ̃depɑ̃dɑ̃s/ *nf* independence; **elle tient à son ∼** she likes her independence; **se battre pour l'/son ∼** to fight for independence/one's independence; **∼ d'esprit** independence of mind; **∼ matérielle** financial independence

indépendant, **~e** /ɛ̃depɑ̃dɑ̃, ɑ̃t/
A *adj* 1 *[personne]* independent (**de** of); 2 *[chambre, entrée]* separate; **maison ~e** detached house
B *nm,f* 1 (travailleur) freelance, self-employed person; **travailler en ~** to work freelance, to be self-employed; 2 (candidat) independent

indépendantiste /ɛ̃depɑ̃dɑ̃tist/
A *adj [revendications]* independence (*épith*); *[mouvement, organisation]* (pro-)independence (*épith*); **être ~** to favour^GB independence
B *nmf* 1 (combattant) freedom fighter; 2 (militant) member of an independence movement

indéracinable /ɛ̃deʀasinabl/ *adj [préjugés, sentiment]* ineradicable

indéréglable /ɛ̃deʀeglabl/ *adj [mécanisme]* totally reliable

Indes† /ɛ̃d/ *nprfpl* Hist **les ~** the Indies
(Composés) **~ occidentales** Hist West Indies; **~ orientales** Hist East Indies

indescriptible /ɛ̃dɛskʀiptibl/ *adj* indescribable

indésirable /ɛ̃deziʀabl/
A *adj [personne]* undesirable; Méd **effets ~s** adverse reactions
B *nmf* undesirable

indestructibilité /ɛ̃dɛstʀyktibilite/ *nf* indestructibility

indestructible /ɛ̃dɛstʀyktibl/ *adj* 1 *[matériau, construction]* indestructible; 2 *[personne, défense]* indestructible; *[solidarité, union, amitié]* enduring

indétectable /ɛ̃detɛktabl/ *adj* undetectable

indéterminable /ɛ̃detɛʀminabl/ *adj* indeterminable

indétermination /ɛ̃detɛʀminasjɔ̃/ *nf* 1 (indécision) indecision; **être dans l'~** to be undecided; 2 (imprécision) vagueness; 3 Math indetermination

indéterminé, **~e** /ɛ̃detɛʀmine/ *adj* 1 (non établi) *[nombre, quantité]* indeterminate; *[raison, cause]* uncertain; **l'origine de l'incendie reste ~e** the cause of the fire has not yet been identified; **pour une période** *or* **durée ~e** for an indeterminate period; **la réunion est remise à une date ~e** the meeting has been postponed until a date yet to be fixed; **un nombre ~ de qch** an unspecified number of sth; 2 (hésitant) (de caractère) indecisive; (ponctuellement) undecided; **rester ~ sur** to remain undecided about; 3 Math indeterminate

index /ɛ̃dɛks/ *nm inv* 1 (table alphabétique) index; **l'Index** Hist the Index; **mettre qch/qn à l'~** to blacklist sth/sb; 2 Ordinat index; 3 ▸ **p. 196** Anat index finger, forefinger; **porter une bague à l'~** to wear a ring on one's index finger; **tenir qch entre le pouce et l'~** to hold sth between thumb and forefinger; 4 Tech pointer

indexation /ɛ̃dɛksasjɔ̃/ *nf* 1 Écon indexation, index-linking; **l'~ des salaires sur les prix** the index-linking of salaries to the inflation rate; 2 (pour classer) indexing

indexer /ɛ̃dɛkse/ [1] *vtr* 1 Écon to index-link *[salaire, pension, taux]*; **~ qch sur qch** to index sth to sth; **les salaires sont indexés sur le taux d'inflation** salaries are indexed to the inflation rate; 2 (pour classer) to index *[livre, document]*; 3 Ordinat to index

Indiana /indjana/ ▸ **p. 721** *nprm* Indiana

indic○ /ɛ̃dik/ *nm* stool pigeon○, grass○ GB, informer

indicateur, **-trice** /ɛ̃dikatœʀ, tʀis/
A *adj* **panneau** *or* **poteau ~** signpost
B *nm* 1 (délateur) informer; 2 (indice) indicator; **les principaux ~s économiques** key economic indicators; **~ de tendance** market indicator; 3 (brochure) (de rues) directory; (d'horaires) timetable; 4 Tech gauge, indicator; **~ de pression** pressure gauge; **~ de niveau d'huile** oil gauge; **~ lumineux** (warning) light; **~ de vitesse** speed indicator; **~ (de changement) de direction** Aut (direction) indicator
(Composé) **~ coloré** Chimie indicator

indicatif, **-ive** /ɛ̃dikatif, iv/
A *adj* 1 *[prix]* indicative; **à titre ~** as a rough guide; 2 Ling *[mode, forme]* indicative
B *nm* 1 Ling indicative; **à l'~** in the indicative; **le futur de l'~** the future indicative; 2 Télécom **~ (téléphonique)** dialling^GB code; **~ de département/pays** area/country code; 3 Radio, TV (d'émission) theme tune
(Composé) **~ d'appel** Radio call sign

indication /ɛ̃dikasjɔ̃/ *nf* 1 (action d'indiquer) indication; **il n'y a pas d'~ d'origine** the place of origin is not indicated; **il n'y a pas d'~ de date/lieu** no date/place is specified; **sur l'~ de qn** on sb's recommendation; 2 (renseignement) information ¢; **n'avoir aucune ~ sur qch** to have no information about sth; **fournir des ~s précises/utiles** to give precise/useful information; **ses ~s n'ont servi à rien/ont été précieuses** his information was useless/valuable; **sauf ~ contraire** unless otherwise indicated; **quelle est l'~ donnée par le cadran?** what's the reading on the dial?; 3 (instruction) instruction; **se conformer aux** *or* **suivre les ~s données** to follow the instructions provided; 4 (indice) indication; 5 (d'un médicament) **~s (thérapeutiques)** indications
(Composé) **~ scénique** stage direction

indice /ɛ̃dis/ *nm* 1 (signe apparent) sign, indication; **être l'~ de qch** to be a sign of sth; 2 (dans une enquête) clue; **les enquêteurs n'ont aucun ~** the police have no clues; **recueillir/découvrir plusieurs ~s** to collect/discover several clues; 3 Écon, Fin index; **l'~ CAC 40/Dow Jones** the CAC/Dow Jones index; 4 (évaluation) **~ de popularité** popularity rating; **l'~ d'écoute** audience ratings (*pl*); 5 Phys, Math index
(Composés) **~ composite** composite index; **~ du coût de la vie** cost of living index; **~ général** general index; **~ des matières premières** raw materials index; **~ des prix à la consommation** retail price index GB, consumer price index US; **~ de protection (solaire)** sun protection factor, SPF; **~ de traitement** Admin salary grading

indiciaire /ɛ̃disjɛʀ/ *adj* **grille ~** salary structure; **impôt ~** wealth-related tax

indicible /ɛ̃disibl/ *adj* unspeakable

indiciblement /ɛ̃disibləmɑ̃/ *adv* unspeakably

indien, **-ienne** /ɛ̃djɛ̃, ɛn/ ▸ **p. 561**
A *adj* (d'Inde) Indian; (d'Amérique) (North American) Indian, Native American; **chef ~** Indian chief
B **indienne** *nf* 1 (tissu) (printed) calico; 2 (nage) sidestroke

Indien, **-ienne** /ɛ̃djɛ̃, ɛn/
A ▸ **p. 579** *adj* **l'océan ~** the Indian Ocean
B ▸ **p. 561** *nm,f* 1 (d'Inde) Indian; 2 (d'Amérique du Nord) (North American) Indian, Native American; **les ~s Comanche/Cheyenne** the Comanche/Cheyenne Indians

indifféremment /ɛ̃difeʀamɑ̃/ *adv* 1 (sans distinction) equally; **frapper ~ tous les travailleurs** to affect all the workers equally; 2 (sans préférence) **il fume ~ la pipe ou le cigare** he is equally happy to smoke a pipe or cigars; 3 (selon les cas) **servir ~ de salon, de salle à manger ou de bureau** to be used either as a living-room, a dining-room or an office

indifférence /ɛ̃difeʀɑ̃s/ *nf* indifference (**à** to; **à l'égard de** to; **devant** to); **dans l'~ générale/quasi-générale** amidst total/more or less total indifference

indifférencié, **~e** /ɛ̃difeʀɑ̃sje/ *adj* 1 (indistinct) indistinct; 2 Biol undifferentiated

indifférent, **~e** /ɛ̃difeʀɑ̃, ɑ̃t/
A *adj* 1 (impassible) *[air, regard]* indifferent; *[personne, public]* indifferent (**à** to); **rester ~** to remain indifferent; **laisser ~** to be uninspiring; **ne pas laisser ~** to provoke strong reactions; **laisser qn ~** *[œuvre, événement, politique]* to leave sb cold; *[personne]* to make no impression on sb; **ça m'est tout à fait ~** it makes absolutely no difference to me; 2 (sans importance) *[âge, sexe]* irrelevant; **il est ~ que** it is immaterial whether
B *nm,f* 1 (impassible) detached person; 2 (personne sans opinion) apathetic person

indifférer /ɛ̃difeʀe/ [14] *vtr* 1 *[problème, politique, situation]* not to be of any concern to; **ne pas ~ qn** to be of concern to sb; 2 *[personne, œuvre]* to leave [sb] indifferent

indigence /ɛ̃diʒɑ̃s/ *nf* destitution, extreme poverty; **vivre/tomber dans l'~** to be/become destitute; **~ intellectuelle** intellectual poverty

indigène /ɛ̃diʒɛn/
A *adj* 1 Bot, Zool *[faune, flore]* indigenous; 2 *[population, coutume, langue]* (du pays) local; (d'une colonie) native
B *nmf* (natif du pays) local, native hum; (d'une colonie) native

indigéniste /ɛ̃diʒenist/ *nmf* indigenist

indigent, **~e** /ɛ̃diʒɑ̃, ɑ̃t/
A *adj* 1 (sans moyens) *[personne, famille, peuple]* destitute; 2 (insuffisant) *[imagination]* weak; *[éclairage]* poor; *[végétation]* sparse
B *nm,f* pauper; **les ~s** the destitute, the poor

indigeste /ɛ̃diʒɛst/ *adj [aliment, roman]* indigestible

indigestion /ɛ̃diʒɛstjɔ̃/ *nf* 1 Méd indigestion ¢; **avoir une ~** to have (an attack of) indigestion; **j'ai eu une ~ de fraises** I made myself sick eating strawberries; 2 fig **avoir une ~ de qch** to be fed up○ with sth; **j'ai tellement regardé la télévision que j'en ai une ~** I've watched so much television that I'm sick of it

indignation /ɛ̃diɲasjɔ̃/ *nf* indignation (**devant** at); **avec ~** indignantly

indigne /ɛ̃diɲ/ *adj* 1 (méprisable) *[conduite, procédé, attitude]* disgraceful; *[mère, fils]* bad; **c'est un père ~** he's not fit to be a father, he's a bad father; 2 (pas digne) **~ de qn** *[propos, acte]* unworthy of sb; **ce travail est ~ de lui** he's too good for that job; **il trouve le travail ~ de lui** he thinks the job is beneath him; **elle est ~ de ton amitié** she is unworthy of your friendship, she doesn't deserve your friendship; **il est ~ de représenter son pays** he's unfit to represent his country; **ce film est ~ de figurer au palmarès** this film doesn't deserve to win a prize; 3 Jur *[personne]* excluded from inheritance (*après n*)

indigné, **~e** /ɛ̃diɲe/
A *pp* ▸ **indigner**
B *pp adj* indignant (**de** at)

indigner /ɛ̃diɲe/ [1]
A *vtr* to make [sb] indignant, to outrage *[personne]*
B **s'indigner** *vpr* to be indignant (**de** about); **elle s'indigne de la situation** she's indignant about *ou* outraged by the situation; **il s'indigne de voir les injustices se perpétuer** he is outraged by the continuing injustices; **'c'est intolérable,' s'indigna-t-il** 'it's intolerable,' he exclaimed indignantly

indignité /ɛ̃diɲite/ *nf* 1 (caractère) despicableness; 2 (action) despicable act, disgraceful act
(Composés) **~ nationale** national unworthiness (*sentence passed on French collaborators involving the loss of civil liberties*); **~ successorale** Jur exclusion of an heir from the succession

indigo /ɛ̃digo/ ▸ **p. 202** *adj inv, nm* indigo

indigotier /ɛ̃digɔtje/ *nm* Bot indigo

indiqué, **~e** /ɛ̃dike/
A *pp* ▸ **indiquer**
B *pp adj* 1 (recommandé) *[traitement]* recommended; **ça n'est pas très ~** *[aliment, trajet]* it's better avoided; **le moyen tout**

~ **d'échouer** the sure way to fail; 2▸ (convenu) **à l'heure ~e** at the specified time; **au lieu ~** at the specified place

indiquer /ɛ̃dike/ [1] *vtr* 1▸ (montrer où se trouve) [*personne*] to point out, to point to [*objet, lieu*]; [*pancarte*] to show the way to [*ville, magasin*]; **il indiqua l'endroit du doigt** he pointed out the place; **le panneau indique (la direction de) Mâcon** the signpost shows which direction to take for Mâcon; **~ qch à qn** to tell sb where sth is; **pouvez-vous m'~ la banque la plus proche?** can you tell me where the nearest bank is?; **je lui ai indiqué le chemin à prendre** I told him which way to go; **~ sa place à qn** to show sb to his/her seat; 2▸ (être un indice de) to indicate (**que** that); **Is-sur-Tille, comme son nom l'indique, est au bord de la Tille** Is-sur-Tille, as its name indicates, is on the banks of the Tille; **rien n'indique que les deux affaires soient liées** there is nothing to indicate *ou* suggest that the two matters are connected; **les chiffres indiquent une légère reprise** the figures show a slight recovery; **tout indique qu'il sera élu** all the signs are that he will be elected; 3▸ (conseiller) **~ qn à qn** to give sb's name to sb; **je peux t'~ un bon médecin** I can give you the name of a good doctor; 4▸ (signaler, dire) to give [*heure, date*]; **'indiquez vos nom et adresse'** 'give your name and address'; **indique-moi ton heure d'arrivée** tell me what time you are arriving; **l'heure indiquée sur le programme est fausse** the time given on the programme[GB] is wrong; **l'auteur a omis d'~ la date de parution** the writer has not given the date of publication; **comme il l'indique dans son introduction...** as he says in his introduction...; **~ que** [*personne, communiqué*] to indicate that; **~ à qn comment faire** [*personne, notice*] to tell sb how to do; **on m'a indiqué la marche à suivre** I've been told the procedure; 5▸ (afficher) [*horloge, compteur, baromètre, panneau*] to show; **la carte n'indique que les grandes routes** the map only shows the main roads; **le montant exact n'est pas indiqué** the exact total isn't shown; **le restaurant/théâtre n'est pas indiqué** there are no signs to the restaurant/theatre; **le village est très mal/bien indiqué** the village is very badly/well signposted

indirect, **~e** /ɛ̃diʀɛkt/ *adj* [*publicité, aide, rapport, conséquence*] indirect; Jur [*héritier, ligne*] collateral; **de manière ~e** indirectly, in a roundabout way

indirectement /ɛ̃diʀɛktəmɑ̃/ *adv* indirectly; (de façon détournée) in a roundabout way, indirectly

indiscernable /ɛ̃disɛʀnabl/ *adj* imperceptible

indiscipline /ɛ̃disiplin/ *nf* lack of discipline; **faire preuve d'~** to behave in an undisciplined way

indiscipliné, **~e** /ɛ̃disipline/ *adj* undisciplined, unruly

indiscret, **-ète** /ɛ̃diskʀɛ, ɛt/

A *adj* 1▸ (trop curieux) [*question*] indiscreet; [*personne*] inquisitive; **combien gagnez-vous, si ce n'est pas ~?** how much do you earn, if you don't mind my asking?; **il y a des oreilles ~s ici** there are eavesdroppers about; **à l'abri des regards ~s** away from prying eyes; 2▸ (qui ne sait pas garder un secret) [*propos, personne*] indiscreet

B *nm,f* (bavard) indiscreet person; (curieux) inquisitive person, nosy parker°

indiscrètement /ɛ̃diskʀɛtmɑ̃/ *adv* [*révéler*] indiscreetly; [*demander*] inquisitively

indiscrétion /ɛ̃diskʀesjɔ̃/ *nf* 1▸ (curiosité) inquisitiveness; **il est d'une grande ~** he's very inquisitive; **sans ~, combien gagnez-vous?** if you don't mind my asking, how much do you earn?; 2▸ (tendance à trop parler) lack of discretion; **elle est d'une grande ~** she's very indiscreet; 3▸ (parole indiscrète) indiscreet remark; **une ~ a permis d'apprendre que** it came out that

indiscriminé, **~e** /ɛ̃diskʀimine/ *adj* indiscriminate

indiscutable /ɛ̃diskytabl/ *adj* indisputable, unquestionable

indiscutablement /ɛ̃diskytabləmɑ̃/ *adv* indisputably, unquestionably

indiscuté, **~e** /ɛ̃diskyte/ *adj* undisputed

indispensable /ɛ̃dispɑ̃sabl/

A *adj* [*équipement, employé, activité*] essential (**à** to; **pour** for); [*argent*] necessary (*épith*), essential (*jamais épith*); [*aide, élément*] essential (**à** to; **pour** for), vital (**à** to; **pour** for); [*précaution*] necessary; **un objet ~ à la survie dans le désert** an object essential for survival in the desert; **être ~ à qn** to be indispensable to sb; **se croire ~** to consider oneself indispensable; **se rendre ~** to make oneself indispensable; **c'est ~** it's essential; **il est ~ de faire** it's essential to do; **rénover le réseau routier est ~** it is essential for the road network to be renovated; **il est ~ que qn fasse** it is essential for sb to do

B *nm* **l'~** essentials (*pl*); **n'emporte que l'~** only take the essentials with you; **faire l'~** to do what is necessary

indisponibilité /ɛ̃dispɔnibilite/ *nf* unavailability

indisponible /ɛ̃dispɔnibl/ *adj* unavailable, not available (*jamais épith*)

indisposé, **~e** /ɛ̃dispoze/

A *adj* unwell, indisposed

B **indisposée** *adj f* euph **elle est ~e en ce moment** it's her time of the month

indisposer /ɛ̃dispoze/ [1] *vtr* 1▸ (agacer) to annoy; **~ les autorités/le pouvoir** to upset the authorities/the government; 2▸ (rendre légèrement malade) to upset, to make [sb] feel ill [*personne*]

indisposition /ɛ̃dispozisjɔ̃/ *nf* indisposition; **souffrir d'une légère ~** to be slightly indisposed

indissociable /ɛ̃disɔsjabl/ *adj* inseparable (de from)

indissolubilité /ɛ̃disɔlybilite/ *nf* indissolubility

indissoluble /ɛ̃disɔlybl/ *adj* indissoluble

indissolublement /ɛ̃disɔlybləmɑ̃/ *adv* indissolubly

indistinct, **~e** /ɛ̃distɛ̃, ɛ̃kt/ *adj* indistinct

indistinctement /ɛ̃distɛ̃ktəmɑ̃/ *adv* indistinctly

indium /indjɔm/ *nm* indium

individu /ɛ̃dividy/ *nm* 1▸ (personne privée) individual; **la société écrase l'~** society crushes the individual; **il s'est attaqué à l'~ plutôt qu'au parti qu'il représente** he attacked the person rather than the party he represents; **il se soucie avant tout de son ~** he's very self-centred[GB]; 2▸ (personne physique) human being, person; **dans l'organisme d'un ~** in the human body, in a person's body; 3▸ (homme suspect) individual; **un sinistre/dangereux ~** a sinister/dangerous individual *ou* character; **un ~ armé** an armed man; **l'~ l'a braqué** the man pointed a gun at him; 4▸ Sci (unité) subject; **l'étude a été réalisé sur une population de cent ~s** the study covered a group of one hundred subjects

individualisation /ɛ̃dividɥalizasjɔ̃/ *nf* individualization, adapting to individual needs; **~ de salaires** wage negotiation on an individual basis; **~ de la peine** Jur individualization of sentencing

individualisé, **~e** /ɛ̃dividɥalize/ *adj* [*enseignement, formation*] tailored to individual needs (*après n*), individualized US; [*salaire*] negotiated on an individual basis (*après n*)

individualiser /ɛ̃dividɥalize/ [1]

A *vtr* 1▸ (adapter) to tailor [sth] to individual needs, individualize US [*enseignement, horaire*]; to negotiate [sth] on an individual basis [*salaire*]; **~ une peine** Jur to make a sentence fit the individual offender; 2▸ (distinguer) [*caractère*] to individualize [*personne, être vivant*]

B **s'individualiser** *vpr* to become more individual

individualisme /ɛ̃dividɥalism/ *nm* individualism

individualiste /ɛ̃dividɥalist/

A *adj* individualistic

B *nmf* individualist

individualité /ɛ̃dividɥalite/ *nf* 1▸ (indentité) individuality; 2▸ (originalité) individuality; 3▸ (personnalité) personality

individuel, **-elle** /ɛ̃dividɥɛl/

A *adj* 1▸ (pour une personne) [*portion, sachet, sport, cours, convocation*] individual; [*entretien, douche*] private; [*chauffe-eau*] separate, private; [*voiture*] personal, private; [*chambre, cellule*] single (*épith*); **maison individuelle** (detached) house; **épreuve individuelle** Sport individual event; **assurance individuelle** Assur private insurance plan *ou* scheme GB; 2▸ (d'une seule personne) [*initiative, réussite*] individual; **nous n'aborderons pas les cas ~s** we won't discuss individual cases; **à titre ~** on an individual basis; **un problème d'ordre ~** a personal problem, a problem of a personal nature; **touriste ~** tourist not travelling[GB] in a group; 3▸ (qui concerne l'individu) [*propriété*] private; [*responsabilité*] personal

B *nm* 1▸ Philos **l'~** individual matters (*pl*); 2▸ Sport **il a obtenu de bons résultats en ~** he did well in the individual events; 3▸ Tourisme **voyage en groupe ou en ~** group or individual travel

individuellement /ɛ̃dividɥɛlmɑ̃/ *adv* individually

indivis, **~e** /ɛ̃divi, iz/ *adj* [*héritiers, propriétaires*] joint (*épith*); [*biens*] (communs) jointly-held; (non partagés) undivided; **posséder une maison en** *or* **par ~** to own a house jointly

indivisaire /ɛ̃divizɛʀ/ *nmf* joint owner

indivisément /ɛ̃divizemɑ̃/ *adv* jointly, in joint names

indivisibilité /ɛ̃divizibilite/ *nf* indivisibility

indivisible /ɛ̃divizibl/ *adj* indivisible; **une et ~** one and indivisible

indivisiblement /ɛ̃divizibləmɑ̃/ *adv* indivisibly

indivision /ɛ̃divizjɔ̃/ *nf* Jur joint ownership; **posséder qch en ~** to own sth jointly; **ils sont encore dans l'~** they have still not divided up the estate

Indochine /ɛ̃dɔʃin/ *nprf* Indochina

indochinois, **~e** /ɛ̃dɔʃinwa, az/ *adj* Indochinese

Indochinois, **~e** /ɛ̃dɔʃinwa, az/ *nm,f* Indochinese; **les ~s** the Indochinese

indocile /ɛ̃dɔsil/ *adj* [*personne*] intractable; [*enfant*] unruly

indocilité /ɛ̃dɔsilite/ *nf* (d'enfant) unruliness

indo-européen, **-éenne**, *mpl* **~s** /ɛ̃doøʀɔpeɛ̃, ɛn/

A *adj* Indo-European

B *nm* Ling Indo-European

Indo-Européen, **-éenne**, *mpl* **~s** /ɛ̃doøʀɔpeɛ̃, ɛn/ *nm,f* **les ~s** Indo-Europeans

indolence /ɛ̃dɔlɑ̃s/ *nf* (de personne) laziness, indolence sout; (d'administration) apathy, indifference

indolent, **~e** /ɛ̃dɔlɑ̃, ɑ̃t/ *adj* lazy, indolent

indolore /ɛ̃dɔlɔʀ/ *adj* painless

indomptable /ɛ̃dɔ̃tabl/ *adj* [*tempérament, peuple, courage*] indomitable; [*colère, passion*] uncontrollable, ungovernable; [*personnes*] uncontrollable; [*animaux*] untamable; **avec une énergie ~** with tireless energy

indompté, **~e** /ɛ̃dɔ̃te/ *adj* [*nation, peuple*] unsubdued, untamed; [*orgueil, tempérament*] fierce; [*courage*] dauntless

Indonésie /ɛ̃dɔnezi/ ▸ **p. 333** *nprf* Indonesia

indonésien, **-ienne** /ɛ̃dɔnezjɛ̃, ɛn/ ▸ **p. 483, p. 561**

A *adj* Indonesian
B *nm* Ling Indonesian
Indonésien, **-ienne** /ɛ̃dɔnezjɛ̃, ɛn/ ▸ p. 561 *nmf* Indonesian
Indre /ɛ̃dʀ/
A ▸ p. 721 *nprm* (département) **l'~** Indre
B ▸ p. 372 *nprf* (rivière) **l'~** the Indre
Indre-et-Loire /ɛ̃dʀelwaʀ/ ▸ p. 721 *nprm* (département) **l'~** Indre-et-Loire
indu, **~e** /ɛ̃dy/
A *adj* **1** (inconvenant) [*heure*] ungodly, unearthly; [*propos, réaction*] inappropriate, unseemly; **2** (sans fondement) [*somme, profit*] unwarranted, unjustified
B *nm* payment made in error
indubitable /ɛ̃dybitabl/ *adj* indubitable; **il nous cache quelque chose, c'est ~** he's hiding something from us, there's no doubt about it; **il est ~ que** there is no doubt that
indubitablement /ɛ̃dybitabləmɑ̃/ *adv* undoubtedly, indubitably sout; **prouver ~** to prove beyond doubt
inducteur, **-trice** /ɛ̃dyktœʀ, tʀis/
A *adj* inductive
B *nm* inductor, inductance
inductif, **-ive** /ɛ̃dyktif, iv/ *adj* inductive
induction /ɛ̃dyksjɔ̃/ *nf* (tous contextes) induction; **par ~** by induction
induire /ɛ̃dɥiʀ/ [69] *vtr* **1** (entraîner) [*événement, mesures, phénomène*] to lead to, bring about; **dans les entreprises locales, les emplois induits se chiffrent à une centaine** jobs created by local firms number about a hundred; **2** (conclure) to infer, conclude (**de qch** from sth); **j'en induis que** I infer from this that; **3** (inciter) to induce (**à faire** to do); **~ qn à mal faire** to induce sb to do wrong, to lead sb astray; **~ qn en erreur** to mislead sb; **4** Électrotech to induce [*courant*]
induit /ɛ̃dɥi/ *nm* inductor
indulgence /ɛ̃dylʒɑ̃s/ *nf* **1** (de parent, public) indulgence (**envers** to, toward, towards GB); **plein d'~** indulgent; **sans ~** [*regard*] stern; [*regarder, parler*] sternly; **2** (de jury, d'examinateur) leniency (**envers** to, toward, towards GB); **avec ~** leniently
indulgent, **~e** /ɛ̃dylʒɑ̃, ɑ̃t/ *adj* [*parent, public*] indulgent (**avec** with); [*sourire, critique*] indulgent; [*jury, examinateur*] lenient (**envers** to, toward, towards GB); **se montrer ~** [*juge*] to show leniency; [*examinateur*] to be lenient
indûment* /ɛ̃dymɑ̃/ *adv* unduly, unjustifiably
induration /ɛ̃dyʀasjɔ̃/ *nf* induration
induré, **~e** /ɛ̃dyʀe/ *adj* indurate
indurer /ɛ̃dyʀe/ [1] *vtr*, **s'indurer** *vpr* Méd to indurate
Indus /ɛ̃dys/ ▸ p. 372 *nprm* **l'~** the Indus
industrialisation /ɛ̃dystʀializasjɔ̃/ *nf* industrialization
industrialisé, **~e** /ɛ̃dystʀijalize/
A *pp* ▸ **industrialiser**
B *pp adj* **pays ~s** industrialized countries
industrialiser /ɛ̃dystʀialize/ [1]
A *vtr* to industrialize
B **s'industrialiser** *vpr* to become industrialized
industrialisme /ɛ̃dystʀialism/ *nm* industrialism
industrie /ɛ̃dystʀi/ *nf* **1** (activité) industry; **développer/relancer l'~** to develop/boost industry; **2** (secteur) industry; **~ automobile/chimique/textile/d'armement** car/chemical/textile/arms industry; **l'~ du cinéma** the film industry; **l'~ hôtelière** the hotel trade; **l'~ légère/lourde/de pointe** light/heavy/high-tech industry; **l'~ du spectacle** the entertainment industry *ou* business; **les ~s de transformation** the processing *ou* manufacturing industries; **3** (entreprise) industrial concern *ou* firm; **4** †(ingéniosité) ingenuity; **5** †(métier) trade; **exercer sa coupable ~** hum to ply one's evil trade
industriel, **-ielle** /ɛ̃dystʀijɛl/
A *adj* industrial; [*pain*] factory-made, factory-baked; **en quantité industrielle** in vast *ou* huge amounts
B *nm,f* industrialist, manufacturer; **les ~s de l'agro-alimentaire/armement/aéronautique** food/arms/aircraft manufacturers
industriellement /ɛ̃dystʀijɛlmɑ̃/ *adv* [*fabriquer, produire*] industrially; [*gérer*] on an industrial basis
industrieux, **-ieuse** /ɛ̃dystʀijø, øz/ *adj* liter industrious
inébranlable /inebʀɑ̃labl/ *adj* **1** [*personne, conviction, résolution*] unshakeable, unwavering; **rester/demeurer ~** to be/remain unshakeable *ou* unwavering; **rester ~ dans ses convictions** to stick firmly to one's convictions; **rester ~ dans l'épreuve** to stand firm in adversity; **2** [*roc, construction*] immovable, solid
inébranlablement /inebʀɑ̃labləmɑ̃/ *adv* unshakeably, unwaveringly
inéchangeable /ineʃɑ̃ʒabl/ *adj* [*marchandise, article*] that cannot be exchanged (*après n*)
inécoutable○ /inekutabl/ *adj* [*disque*] unbearable, unendurable
inédit, **~e** /inedi, it/
A *adj* **1** (jamais publié) [*livre, pièce, traduction*] (previously) unpublished; [*disque, film*] (previously) unreleased; **2** (original) [*procédé, information, spectacle, situation*] (totally) new
B *nm* **1** (ouvrage) (previously) unpublished work *ou* article; **un ~ de Diderot** a previously unpublished work by Diderot; **2** (le nouveau) **voilà de l'~** that's something completely new
inéducable /inedykabl/ *adj* **1** (impossible à éduquer) ineducable; **2** (incorrigible) incorrigible
ineffable /inefabl/ *adj* **1** (inexprimable) [*joie, bonheur, sensation*] ineffable, unutterable; **l'~ Dupont est de retour** hum the ineffable Dupont is back; **2** (ridicule) [*cravate, chapeau*] ludicrous, outrageous
ineffablement /inefabləmɑ̃/ *adv* ineffably, unutterably
ineffaçable /inefasabl/ *adj* lit, fig indelible
inefficace /inefikas/ *adj* [*traitement, médicament, mesure*] ineffective; (totalement) ineffectual; [*méthode, système, service, appareil*] inefficient; (totalement) ineffectual; [*travailleur*] (improductif) inefficient
inefficacement /inefikasmɑ̃/ *adv* **1** (sans grand succès) ineffectively; (sans aucun succès) ineffectually; **2** (de manière incompétente) inefficiently
inefficacité /inefikasite/ *nf* **1** (absence de résultats) ineffectiveness, inefficacy sout; **2** (rendement insuffisant) inefficiency
inégal, **~e**, *mpl* **-aux** /inegal, o/ *adj* **1** (dissemblable) unequal; **couper un gâteau en trois parts ~es** to cut a cake into three unequal parts; **de taille/force ~e** of unequal size/strength; **des événements d'importance ~e** events of varying importance; **2** (déséquilibré) [*lutte, partage, chances*] unequal; [*partie*] uneven; **3** (irrégulier) [*pouls, rythme*] irregular, uneven; [*production, travail*] irregular; [*chemin, surface*] uneven; **4** (variable) [*humeur, caractère*] changeable, erratic; [*auteur, œuvre, style*] uneven; **il a un jeu ~** he is an inconsistent player; **avec un bonheur ~** with mixed success
inégalable /inegalabl/ *adj* incomparable, matchless; **une danseuse ~** an incomparable dancer, a dancer without equal
inégalé, **~e** /inegale/ *adj* unequalled[GB], unrivalled[GB]
inégalement /inegalmɑ̃/ *adv* (de manière dissemblable) unequally; (de manière irrégulière) unevenly; **une œuvre ~ appréciée** a work which received a mixed reception
inégalitaire /inegalitɛʀ/ *adj* non-egalitarian
inégalité /inegalite/ *nf* **1** (disproportion) disparity (**entre** between; **de** in); **~ d'âge** disparity in age; **l'~ des ressources/moyens** the disparity in resources/means; **2** (iniquité) inequality (**devant** as regards); **les ~s sociales** social inequalities; **réduire les ~s** to reduce inequalities; **s'attaquer aux ~s** to attack *ou* fight inequality; **3** (irrégularité) (d'humeur) changeability; (de terrain, surface) unevenness; **4** Math inequality
inélégamment /inelegamɑ̃/ *adv* inelegantly
inélégance /inelegɑ̃s/ *nf* inelegance
inélégant, **~e** /inelegɑ̃, ɑ̃t/ *adj* **1** (mal habillé) inelegant; **2** (mesquin) [*procédé, comportement*] shabby
inéligibilité /ineliʒibilite/ *nf* ineligibility
inéligible /ineliʒibl/ *adj* ineligible
inéluctabilité /inelyktabilite/ *nf* inevitability, ineluctability sout
inéluctable /inelyktabl/ *adj, nm* inevitable, ineluctable sout
inéluctablement /inelyktabləmɑ̃/ *adv* inevitably
inemployable /inɑ̃plwajabl/ *adj* unusable
inemployé, **~e** /inɑ̃plwaje/ *adj* [*intelligence, capacité*] unused; [*énergie, ressources*] untapped
inénarrable /inenaʀabl/ *adj* hilarious
inentamé, **~e** /inɑ̃tame/ *adj* [*réserves, pécule*] untouched; [*énergie, confiance*] unaffected
inenvisageable /inɑ̃vizaʒabl/ *adj* inconceivable
inepte /inɛpt/ *adj* [*personne, gouvernement*] inept; [*jugement*] inane; [*film, remarque*] idiotic
ineptie /inɛpsi/ *nf* **1** (caractère inepte) inanity; **des propos d'une ~ totale** totally idiotic remarks; **2** (parole stupide) idiotic remark; (acte stupide) stupid thing
inépuisable /inepɥizabl/ *adj* **1** (très abondant) [*ressources, richesse, patience*] inexhaustible; **2** (intarissable) **il est ~ sur qch** he can talk for hours about sth
inéquation /inekwasjɔ̃/ *nf* inequation
inéquitable /inekitabl/ *adj* unfair, inequitable sout
inerte /inɛʀt/ *adj* **1** (sans réaction) [*corps, membre, personne*] inert; **2** Phys, Chimie inert; **3** (apathique) [*personne, groupe*] apathetic
inertie /inɛʀsi/ *nf* **1** Phys, Chimie inertia; **2** (passivité) apathy, inertia; **arracher qn à son ~** to force sb out of their apathy; **lutter contre l'~ administrative** to fight against administrative inertia; **l'organisation fonctionne par ~** the organization relies on its own momentum
inertiel, **-ielle** /inɛʀsjɛl/ *adj* inertial; **à guidage ~** with inertial guidance
inespéré, **~e** /inɛspeʀe/ *adj* [*victoire, score, gains*] unhoped for; **c'est une occasion ~e de faire** this is a heaven-sent opportunity to do
inesthétique /inɛstetik/ *adj* (laid) unsightly; (au niveau artistique) unaesthetic
inestimable /inɛstimabl/ *adj* [*fortune, valeur*] inestimable; [*dommages*] incalculable; [*tableau, cadeau*] priceless; [*aide, service*] invaluable
inévitable /inevitabl/
A *adj* **1** (certain) inevitable; **rendre qch ~** to make sth inevitable; **il est ~ que** it is inevitable that; **2** hum (incontournable) (*before n*) [*personne*] inevitable; **l'~ Paul était là** Paul was there, as always; **il y avait l'~ clown** there was the inevitable clown
B *nm* **l'~** the inevitable
inévitablement /inevitabləmɑ̃/ *adv* inevitably
inexact, **~e** /inegza, akt/ *adj* (pas juste) [*chiffre, analyse, information*] inaccurate; **il est ~ de**

dire que it is inaccurate to say that; **c'est ~!** that's not accurate!

inexactement /inegzaktəmɑ̃/ *adv* inaccurately

inexactitude /inegzaktityd/ *nf* 1 (caractère inexact) inaccuracy; 2 (erreur) inaccuracy; **le texte contient plusieurs ~s** the text contains several inaccuracies; 3 (manque de ponctualité) unpunctuality

inexaucé, ~e /inɛgzose/ *adj* [*souhait, vœu*] unfulfilled; [*prière*] unanswered

inexcusable /inɛkskyzabl/ *adj* [*faute, action, conduite*] inexcusable; **tu es ~** there's no excuse for it!

inexécutable /inɛgzekytabl/ *adj* [*plan, projet, programme*] impracticable, unworkable; [*ordre*] which cannot be carried out (*épith, après n*)

inexécution /inɛgzekysjɔ̃/ *nf* (de travaux, d'une tâche) non-performance; (de contrat, d'obligation) non-fulfilment[GB]; **l'~ d'un ordre peut entraîner des sanctions** failure to carry out an order can lead to sanctions

inexercé, ~e /inegzɛʀse/ *adj* [*personne, groupe, oreille*] untrained; [*main*] unpractised[GB]

inexistant, ~e /inegzistɑ̃, ɑ̃t/ *adj* 1 (absent) [*contrôle, moyens, aide*] nonexistent; **les risques ne sont pas ~s** there are certain risks; 2 pej (sans intérêt) **c'est un type complètement ~**° that guy is a complete nonentity

inexistence /inegzistɑ̃s/ *nf* 1 (de preuves, faits, contrat) nonexistence; 2 (de personne) worthlessness; 3 (d'acte juridique) quality of being void ab initio

inexorabilité /inɛgzɔʀabilite/ *nf* inexorability

inexorable /inɛgzɔʀabl/ *adj* 1 (inévitable) inexorable; **diminuer de façon ~** to be declining inexorably; 2 fml (impitoyable) [*personne, volonté*] relentless

inexorablement /inɛgzɔʀabləmɑ̃/ *adv* inexorably

inexpérience /inɛkspeʀjɑ̃s/ *nf* inexperience

inexpérimenté, ~e /inɛkspeʀimɑ̃te/ *adj* 1 (sans expérience) [*personne, personnel*] inexperienced; 2 (non testé) [*méthode, procédé*] untried, untested

inexpiable /inɛkspijabl/ *adj* inexpiable

inexpié, ~e /inɛkspje/ *adj* [*crime*] unexpiated

inexplicable /inɛksplikabl/ *adj* inexplicable

inexplicablement /inɛksplikabləmɑ̃/ *adv* inexplicably

inexpliqué, ~e /inɛksplike/ *adj* unexplained; **rester** *or* **demeurer ~** to remain unexplained

inexploitable /inɛksplwatabl/ *adj* [*mine, gisement*] unworkable; [*richesses*] unexploitable; [*renseignements, documents, découverte*] unusable

inexploité, ~e /inɛksplwate/ *adj* [*richesses, sol*] unexploited; [*ressources, marché, créneau*] untapped, unexploited; [*documents*] unused; [*talent, potentiel*] untapped

inexplorable /inɛksplɔʀabl/ *adj* unexplorable

inexploré, ~e /inɛksplɔʀe/ *adj* unexplored

inexplosible /inɛksplozibl/ *adj* inexplosive

inexpressif, -ive /inɛkspʀesif, iv/ *adj* inexpressive

inexpressivité /inɛkspʀesivite/ *nf* inexpressiveness

inexprimable /inɛkspʀimabl/ *adj* inexpressible

inexprimé, ~e /inɛkspʀime/ *adj* unspoken

inexpugnable /inɛkspyɲabl/ *adj* impregnable

inextensible /inɛkstɑ̃sibl/ *adj* non-stretch

in extenso /inɛkstɛ̃so/
A *loc adj* [*texte, discours, compte rendu*] full, complete
B *loc adv* [*publier, lire*] in full, in extenso sout

inextinguible /inɛkstɛ̃gibl/ *adj* 1 [*feu, incendie*] inextinguishable; 2 [*passion, ardeur*] inextinguishable; [*soif*] unquenchable; [*fou rire*] uncontrollable

in extremis* /inɛkstʀemis/
A *loc adj* 1 (de dernière minute) [*sauvetage, accord*] last-minute; 2 (avant la mort) [*mariage, baptême*] deathbed
B *loc adv* 1 (au dernier moment) at the last minute; **on l'a sauvée ~** she was rescued at the last minute; 2 (avant la mort) on one's deathbed, in extremis sout

inextricable /inɛkstʀikabl/ *adj* inextricable

inextricablement /inekstʀikabləmɑ̃/ *adv* inextricably

infaillibilité /ɛ̃fajibilite/ *nf* infallibility

infaillible /ɛ̃fajibl/ *adj* infallible

infailliblement /ɛ̃fajibləmɑ̃/ *adv* infallibly

infaisable /ɛ̃fəzabl/ *adj* unfeasible, impossible; **c'est difficile mais pas ~** it's difficult but not impossible

infalsifiable /ɛ̃falsifjabl/ *adj* impossible to forge

infamant, ~e /ɛ̃famɑ̃, ɑ̃t/ *adj* 1 [*accusation, propos*] defamatory sout; 2 [*acte, conduite*] infamous, dishonourable[GB]; **il est ~ de faire** it's dishonourable[GB] to do; 3 Jur **peine ~e** judicial sentence involving loss of civil rights

infâme /ɛ̃fɑm/ *adj* 1 (répugnant) [*nourriture, odeur, boisson*] revolting, disgusting; 2 (ignoble) [*individu*] despicable; [*trahison*] base; [*crime*] odious

infamie /ɛ̃fami/ *nf* 1 (caractère) infamy; 2 (acte vil) act of infamy; (calomnie) slanderous remark

infant, ~e /ɛ̃fɑ̃, ɑ̃t/ *nm,f* infante/infanta

infanterie /ɛ̃fɑ̃tʀi/ *nf* infantry; **dans l'~** in the infantry

Composé **~ de marine** *army corps serving alongside French Navy in overseas operations*

infanticide /ɛ̃fɑ̃tisid/
A *adj* [*mère, père*] infanticidal
B *nmf* (meurtrier) child killer
C *nm* (meurtre) infanticide; **commettre un ~** to commit infanticide

infantile /ɛ̃fɑ̃til/ *adj* 1 (relatif aux enfants) [*maladie*] childhood; [*mortalité*] infant; [*psychologie, protection*] child; 2 (puéril) [*personne, comportement, caprice*] infantile, childish

infantilisant, ~e /ɛ̃fɑ̃tilizɑ̃, ɑ̃t/ *adj* infantilizing

infantilisation /ɛ̃fɑ̃tilizasjɔ̃/ *nf* infantilization

infantiliser /ɛ̃fɑ̃tilize/ [1] *vtr* to encourage [sb] to behave like a child, to infantilize

infantilisme /ɛ̃fɑ̃tilism/ *nm* 1 pej childishness, infantile behaviour[GB]; **faire preuve d'~** to behave childishly; 2 Méd infantilism

infarctus /ɛ̃faʀktys/ *nm inv* ▸ p. 283 Méd (du myocarde) heart attack, myocardial infarction spéc; **faire**° *or* **avoir un ~** to have a coronary, to have a heart attack; **tu as failli me donner un ~** you nearly gave me a heart attack

infatigable /ɛ̃fatigabl/ *adj* [*personne, esprit*] tireless

infatigablement /ɛ̃fatigabləmɑ̃/ *adv* tirelessly

infatuation /ɛ̃fatɥasjɔ̃/ fml *nf* conceit, self-satisfaction

infatué, ~e /ɛ̃fatɥe/ *adj* **être ~ de sa personne** *or* **soi-même** to be full of oneself

infatuer: s'infatuer /ɛ̃fatɥe/ [1] *vpr* fml to become infatuated (**de qn** with sb)

infécond, ~e /ɛ̃fekɔ̃, ɔ̃d/ *adj* [*œuf, animal, personne*] infertile; [*terre, esprit, pensée*] barren

infécondité /ɛ̃fekɔ̃dite/ *nf* infertility

infect, ~e /ɛ̃fɛkt/ *adj* [*temps, odeur*] foul; [*plat*] revolting; [*personne, attitude, lieu*] horrible; **être ~ avec qn** to be horrible to sb

infecter /ɛ̃fɛkte/ [1]
A *vtr* 1 Méd to infect; 2 fig to poison
B **s'infecter** *vpr* to become infected, to go septic

infectieux, -ieuse /ɛ̃fɛksjø, øz/ *adj* infectious

infection /ɛ̃fɛksjɔ̃/ *nf* 1 Méd infection; 2 fig **être une ~** (sentir mauvais) to stink; (être répugnant) to be disgusting

Composé **~ nosocomiale** Med (hospital) superbug

inféodation /ɛ̃feɔdasjɔ̃/ *nf* 1 fig dependence (**à** on); 2 Hist infeudation

inféoder /ɛ̃feɔde/ [1]
A *vtr* 1 (soumettre) to pledge [*personne, groupe*] (**à** to); **être inféodé à** to be the vassal of; 2 Hist to enfeoff
B **s'inféoder** *vpr* **s'~ à** to pledge oneself to

inférence /ɛ̃feʀɑ̃s/ *nf* inference

inférer /ɛ̃feʀe/ [14] *vtr* **~ de qch que** to infer from sth that; **~ qch de qch** to infer sth from sth

inférieur, ~e /ɛ̃feʀjœʀ/
A *adj* 1 (situé en bas dans l'espace) [*mâchoire, membres, paupière, lèvre*] lower; [*niveaux, étages*] lower, bottom; **dans le coin ~ gauche** in the bottom left-hand corner; 2 (situé en bas dans une hiérarchie) [*grades, classes sociales*] lower; **les échelons ~s d'une hiérarchie** the lower echelons of a hierarchy; **on l'a rétrogradé au rang ~** he was demoted to the next rank down; **il t'est hiérarchiquement ~** he's below you in the hierarchy; 3 (en valeur) [*température, vitesse, coût, salaire, nombre*] lower (**à** than); [*taille, dimensions*] smaller (**à** than); [*durée*] shorter (**à** than); **mes notes sont ~es à la moyenne** my marks GB *ou* grades US are below average; **des coûts de production ~s à la moyenne** lower than average production costs; **le niveau de vie est très ~ à celui des pays occidentaux** the standard of living is much lower than in Western countries; **taux d'intérêt ~s à 10%** interest rates lower than 10%; **les chiffres sont ~s de 20% aux prévisions** the figures are 20% lower than predicted; **être en nombre ~** to be fewer in number; 4 (de qualité moindre) [*travail, ouvrage, qualité*] inferior (**à** to); **un objet/ouvrage de qualité ~e** an object/a work of inferior quality; **leur flotte/aviation est ~e à celle de l'ennemi** their fleet/air force is inferior to that of the enemy; **il ne t'est ~ en rien** he's in no way inferior to you; **ton adversaire t'était ~** your opponent was not as good as you; 5 Math **si a est ~ à b** if a is less than b; **x est ~ ou égal à y** x is less than or equal to y; 6 Astron inferior; 7 Biol, Bot, Géol, Zool lower
B *nm,f* inferior; **traiter qn en ~** to treat sb as an inferior

infériorité /ɛ̃feʀjɔʀite/ *nf* inferiority; **l'~ de l'aviation ennemie** the inferiority of the enemy aircraft; **leur ~ en nombre** their numerical inferiority; **complexe d'~** inferiority complex; **sentiment d'~** feeling of inferiority; **être en position d'~** to be in an inferior position

infermentescible /ɛ̃fɛʀmɑ̃tesibl/ *adj* which will not ferment (*épith, après n*)

infernal, ~e, *mpl* **-aux** /ɛ̃fɛʀnal, o/ *adj* 1 (insupportable) [*bruit, cadence, chaleur*] infernal; **cycle ~** unstoppable chain of events; 2 [*situation, circulation*] diabolical; **ce gosse est ~**° that child is a monster; 3 Mythol infernal

infertile /ɛ̃fɛʀtil/ *adj* barren, infertile

infertilité /ɛ̃fɛʀtilite/ *nf* barrenness, infertility

infestation /ɛ̃festasjɔ̃/ *nf* infestation

infester /ɛ̃fɛste/ [1] *vtr* 1 gén to infest, overrun; **infesté de rats/requins** rat-/shark-infested; **infesté de puces** flea-ridden; **jardin infesté d'orties** garden overrun with nettles; **zone infestée de mines** area littered with mines; **zone infestée de pirates** area overrun with pirates; **les vices qui infestent la société** the vices that plague society; **2** Méd, Vét to infest

infibulation /ɛ̃fibylasjɔ̃/ *nf* infibulation

infichu°, **~e** /ɛ̃fiʃy/ *adj* incapable (**de faire** of doing)

infidèle /ɛ̃fidɛl/
A *adj* **1** (inconstant) [*mari, maîtresse*] unfaithful (**à qn** to sb); [*ami*] disloyal; [*électeur*] fickle; **~ à sa parole/ses promesses** untrue to one's word/one's promise; **2** (non conforme) [*traduction, récit*] inaccurate; [*photo, témoignage*] unreliable; **3** Relig infidel
B *nmf* **1** (inconstant) unfaithful man/woman; **2** Relig infidel

infidélité /ɛ̃fidelite/ *nf* **1** (dans un couple) infidelity (**à** to); **~ conjugale** marital infidelity; **~s du mari** husband's infidelities; **faire des ~s à** to be unfaithful to; **2** (d'ami, allié, électeur, de client) (comportement) disloyalty (**à** to); (acte) act of disloyalty; **~ à une promesse** failure to fulfil[GB] a promise; **faire des ~s à qn** to be disloyal to sb; **3** (de traduction) inaccuracy

infiltration /ɛ̃filtʀasjɔ̃/ *nf* **1** (de liquide) seepage **₵**; **~s d'eau** water seepage; **il y a des ~s dans la pièce** water is seeping into the room; **2** (d'espions) infiltration (**dans** into); **3** Méd injection (**dans** into); **se faire faire des ~s de cortisone** to have cortisone injections

infiltrer /ɛ̃filtʀe/ [1]
A *vtr* to infiltrate [*organisation*]
B **s'infiltrer** *vpr* **1** [*liquide*] to seep through; [*lumière, froid*] to filter in; **le doute s'infiltra dans son esprit** he began to have doubts; **2** [*personne*] **s'~ dans** to infiltrate [*groupe, lieu*]

infime /ɛ̃fim/ *adj* (petit) tiny, minute; **chance ~** very remote chance

infini, **~e** /ɛ̃fini/
A *adj* infinite; **avec d'~es précautions** with infinite care
B *nm* Math, Phot infinity; **plus/moins l'~** plus/minus infinity; **à l'~** [*répéter, varier*] ad infinitum

infiniment /ɛ̃finimɑ̃/ *adv* **1** (énormément) immensely; **~ reconnaissant** immensely grateful; **~ plus** infinitely more; **2** Math infinitely; **~ grand** infinitely great

infinité /ɛ̃finite/ *nf* infinity; **une ~ de** an endless number of

infinitésimal, **~e**, *mpl* **-aux** /ɛ̃finitezimal-o/ *adj* infinitesimal

infinitif, **-ive** /ɛ̃finitif, iv/
A *adj* infinitive
B *nm* infinitive; **à l'~** in the infinitive; **~ de narration** historic infinitive

infirmatif, **-ive** /ɛ̃fiʀmatif, iv/ *adj* Jur invalidating; **~ de qch** invalidating sth

infirmation /ɛ̃fiʀmasjɔ̃/ *nf* quashing, invalidation

infirme /ɛ̃fiʀm/
A *adj* gén disabled; (par l'âge) infirm; **devenir ~ à la suite d'un accident** to be disabled after an accident
B *nmf* disabled person; **les ~s** the disabled; **~ moteur** physically disabled person

infirmer /ɛ̃fiʀme/ [1] *vtr* gén, Jur to invalidate; **ni confirmé, ni infirmé** neither confirmed nor denied

infirmerie /ɛ̃fiʀməʀi/ *nf* gén infirmary; (d'école) sick room; (de bateau) sick bay

infirmier /ɛ̃fiʀmje/ ▸ **p. 532** *nm* male nurse
(Composés) **~ en chef** Méd charge nurse GB, head nurse US; **~ major** Mil senior nursing officer

infirmière /ɛ̃fiʀmjɛʀ/ ▸ **p. 532** *nf* nurse; **~ diplômée d'État** state registered nurse
(Composés) **~ à domicile** Méd ≈ visiting nurse; **~ en chef** Méd (nursing) sister GB, head nurse US; **~ major** Mil senior nursing officer

infirmité /ɛ̃fiʀmite/ *nf* **1** gén disability; (de vieillesse) infirmity; **2** (imperfection) weakness

infixe /ɛ̃fiks/ *nm* Ling infix

inflammabilité /ɛ̃flamabilite/ *nf* inflammability

inflammable /ɛ̃flamabl/ *adj* **1** Chimie flammable; **~ à l'air/la chaleur** flammable in air/on heating; **2** fig [*tempérament*] inflammable

inflammation /ɛ̃flamasjɔ̃/ *nf* **1** Méd inflammation; **2** Chimie ignition

inflammatoire /ɛ̃flamatwaʀ/ *adj* Méd inflammatory

inflation /ɛ̃flasjɔ̃/ *nf* **1** Écon inflation **₵**; **taux d'~ de 3%** 3% inflation rate; **l'~ est de 3%** inflation is at 3%; **forte/faible ~** high/low inflation; **~ annuelle** annual inflation; **~ galopante/rampante** galloping/rampant inflation; **réduire/limiter l'~** to cut/curb inflation; **~ des salaires/prix** wage/price inflation; **~ du crédit/des coûts médicaux** credit/medical-costs inflation; **2** (profusion) flood; **~ des diplômes/de l'information** flood of diplomas/of information; **~ verbale** flood of words
(Composés) **~ par les coûts** Écon cost-push inflation; **~ par la demande** Écon demand-pull inflation

inflationniste /ɛ̃flasjɔnist/ *adj* [*menace, spirale, poussée*] inflationary; **tensions ~s** inflationary pressures

infléchi, **~e** /ɛ̃fleʃi/
A *pp* ▸ **infléchir**
B *pp adj* Phon [*voix, voyelle*] inflected; Bot [*branche*] inflexed

infléchir /ɛ̃fleʃiʀ/ [3]
A *vtr* **1** (assouplir) to soften [*position, politique*]; **se laisser ~** to let oneself be swayed; **2** (faire dévier) to deflect [*trajectoire*]; **3** (faire baisser) **~ la courbe des dépenses** to curb spending; **4** Phon to inflect [*voix*]
B **s'infléchir** *vpr* **1** (s'assouplir) [*position, politique*] to soften; **2** (se courber) [*tige, route*] to bend; [*poutre*] to sag; **~ à gauche** to bend to the left; **3** (dévier) [*trajectoire*] to deflect; **4** (commencer à baisser) [*courbe*] to level off; **5** Math [*courbe*] to inflect

infléchissement /ɛ̃fleʃismɑ̃/ *nm* **1** (assouplissement) softening; **2** (baisse) slight drop; **~ de 3%** slight drop of 3%; **3** (modification) shift (**de** in); **~ du marché** shift in the market

inflexibilité /ɛ̃flɛksibilite/ *nf* inflexibility

inflexible /ɛ̃flɛksibl/ *adj* inflexible

inflexiblement /ɛ̃flɛksibləmɑ̃/ *adv* inflexibly

inflexion /ɛ̃flɛksjɔ̃/ *nf* **1** (changement) change (**de, dans** in); **~ de la politique économique** change in the economic policy; **2** (baisse) slight drop (**de** in); **~ des résultats** slight drop in the results; **3** (mouvement) **~ du corps** bow; **~ de la tête** bow; **4** (vocale) inflection; **5** Math (de courbe) inflection
(Composé) **~ vocalique** vowel inflection

infliger /ɛ̃fliʒe/ [13] *vtr* **1** (faire subir) to inflict [*désagrément, défaite, mauvais traitements*] (**à** on); to deliver [*affront*] (**à** to); **~ une leçon à qn** to teach sb a lesson; **~ un camouflet à qn** to insult sb; **~ une humiliation à qn** to humiliate sb; **~ un démenti à qn** [*personne*] to refute sb; [*événement*] to prove sb wrong; **2** Jur to impose [*amende, condamnation, punition*] (**à** on); to give [*avertissement*] (**à** to)

inflorescence /ɛ̃flɔʀesɑ̃s/ *nf* inflorescence

influençable /ɛ̃flyɑ̃sabl/ *adj* impressionable

influence /ɛ̃flyɑ̃s/ *nf* **1** (effet) influence (**sur** on); **il exerce** *or* **a une bonne/mauvaise ~ sur son frère** he's a good/bad influence on his brother; **sous l'~ de** under the influence of; **avoir une ~ bénéfique/néfaste** [*facteur, phénomène*] to have a beneficial/detrimental effect (**sur** on); **sous l'~ de la colère/peur** [*être*] full of anger/fear; [*agir*] out of anger/fear; **2** (pouvoir) influence **₵**; **avoir beaucoup d'~** to have a lot of influence; **3** Art, Littérat influence (**sur** on); **l'~ de Locke sur Rousseau** the influence of Locke on Rousseau; **4** Pol (rôle) influence **₵**

influencer /ɛ̃flyɑ̃se/ [12] *vtr* to influence [*enfant, électeur, artiste, commission*]; to affect [*économie, situation*]; **leur conduite nous a favorablement influencés** we were favourably[GB] impressed by their behaviour[GB]

influent, **~e** /ɛ̃flyɑ̃, ɑ̃t/ *adj* influential

influenza /ɛ̃flyɛnza/ ▸ **p. 283** *nf* influenza

influer /ɛ̃flye/ [1] *vtr ind* **~ sur** to have an influence on; **~ négativement sur** to have a negative influence on

influx /ɛ̃fly/ *nm inv* **1** Physiol **~ nerveux** nerve impulse; **2** Astrol influence; **~ bénéfique** favourable[GB] influence

infobulle /ɛ̃fobyl/ *nf* Ordinat tooltip

infogérance /ɛ̃foʒeʀɑ̃s/ *nf* Ordinat facilities management

infographie /ɛ̃fogʀafi/ *nf* computer graphics; **~ par coordonnées/quadrillage** coordinate/roster graphics

infographiste /ɛ̃fogʀafist/ ▸ **p. 532** *nmf* computer graphics specialist

in-folio* /infɔljo/ *adj inv, nm inv* folio

infondé, **~e** /ɛ̃fɔ̃de/ *adj* unfounded

informateur, **-trice** /ɛ̃fɔʀmatœʀ, tʀis/ *nm,f* **1** gén, Ling informant; **2** (indicateur de police) informer, stool pigeon○, grass○ GB

informaticien, **-ienne** /ɛ̃fɔʀmatisjɛ̃, ɛn/
A *adj* [*ingénieur, technicien*] computer (*épith*)
B *nm,f* ▸ **p. 532** computer scientist

informatif, **-ive** /ɛ̃fɔʀmatif, iv/ *adj* informative

information /ɛ̃fɔʀmasjɔ̃/ *nf* **1** (renseignement) information **₵**; **une ~** a piece of information; **diffuser l'~ sur qch** to spread information about sth; **avoir accès à l'~** to have access to information; **ces ~s sont confidentielles** this is confidential information; **pour votre ~** for your information; **prendre des ~s sur qn/qch** to find out about sb/sth; **un voyage d'~** a fact-finding trip; **l'~ du public est insuffisante** the public is ill-informed; **réunion d'~** briefing; **2** Presse, Radio, TV (nouvelle) piece of news, news item; **les ~s** the news **₵**; **les ~s politiques/sportives** the political/sports news; **écouter/regarder les ~s** to listen to/watch the news; **les ~s télévisées** the television news; **nous venons de recevoir une ~ de dernière minute** there's some news just in; **3** Presse, Radio, TV (activité) reporting; (résultat) information; (médias) media; **de meilleurs journalistes pour une meilleure ~** better journalists for a better standard of reporting; **défendre le droit à l'~** to defend freedom of information; **les métiers de l'~** careers in the media; **contrôler l'~** to control the media; **hebdomadaire d'~** weekly newspaper; **presse d'~** newspapers; **4** Ordinat information; **théorie de l'~** information theory; **le traitement de l'~** data *ou* information processing; **unité d'~** unit of information; **5** Jur inquiry; **~ judiciaire** judicial inquiry; **ouvrir une ~** to open a judicial inquiry; **~ judiciaire contre X** judicial inquiry against person or persons unknown
(Composé) **~ génétique** Biol genetic information

informatique /ɛ̃fɔʀmatik/
A *adj* [*système, équipement*] computer; [*presse*] computing
B *nf* (science) computer science, computing; (techniques) information technology, IT

informatiquement /ɛ̃fɔʀmatikmɑ̃/ *adv* **traiter ~ des données** to process data on a computer

informatisation /ɛ̃fɔʀmatizasjɔ̃/ *nf* computerization

informatiser /ɛ̃fɔʀmatize/ [1]
A *vtr* to computerize
B **s'informatiser** *vpr* to become computerized

informe /ɛ̃fɔʀm/ *adj* [*masse, vêtement, silhouette*] shapeless; [*projet, brouillon*] rough

informé /ɛ̃fɔʀme/ *nm* Jur **pour plus ample ~** for further information; **jusqu'à plus ample ~** pending further information

informel, -elle /ɛ̃fɔʀmɛl/ *adj* informal

informer /ɛ̃fɔʀme/ [1]
A *vtr* **1** (mettre au courant) to inform [*personne, groupe*] (**de** about; **que** that); **s'il y a du nouveau, soyez gentil de m'en ~** please keep me informed if there's any news; **je vous en informerai en temps voulu** I'll inform you in due course; **le rôle de la presse est d'~** the role of the media is to inform; **il est mieux informé que moi sur le sujet** he is better informed about the subject than I am; **nous informons notre aimable clientèle que le magasin restera ouvert jusqu'à 20 heures** we wish to inform our customers that the store will stay open till 8pm; **les milieux bien informés** well-informed circles; **de source bien informée** from a reliable source; **2** Philos to inform
B *vi* Jur to hold an inquiry *ou* investigation; **~ sur un crime** to hold an inquiry into a crime; **~ contre X** to proceed against person or persons unknown
C **s'informer** *vpr* **1** (suivre l'actualité) to keep oneself informed; **avec cette station de radio, on peut s'~ vingt-quatre heures sur vingt-quatre** on this radio station, you can get news right round the clock; **2** (se mettre au courant) **s'~ de qch** to inquire about sth; **ils se sont informés de ta santé** they inquired about your health; **informez-vous des prix avant d'acheter** check the prices before you buy; **s'~ si** to check whether; **s'~ si le train est arrivé** to check whether the train has arrived; **3** (prendre des renseignements) **s'~ sur qn** to make inquiries about sb; **je me suis informé à votre sujet** I made inquiries about you

informulé, ~e /ɛ̃fɔʀmyle/ *adj* unformulated

inforoute /ɛ̃fɔʀut/ *nf* info highway

infortune /ɛ̃fɔʀtyn/ *nf* misfortune; **compagnon d'~** companion in adversity

infortuné, ~e /ɛ̃fɔʀtyne/
A *adj* ill-fated
B *nm,f* unfortunate

infos° /ɛ̃fo/ *nfpl* news (*sg*)

infra /ɛ̃fʀa/ *adv* below; **voir ~** see below

infraction /ɛ̃fʀaksjɔ̃/ *nf* Jur offence[GB]; **commettre une ~** to commit an offence[GB]; **~ à** breach of; **c'est une ~ à la loi/au règlement** it's a breach of the law/the regulations; **être en ~ avec la loi** [*personne*] to break the law; [*accord*] to be in breach of the law; **votre voiture stationne en ~** your car is illegally parked

infranchissable /ɛ̃fʀɑ̃ʃisabl/ *adj* [*obstacle*] insurmountable; [*frontière*] impassable

infrangible /ɛ̃fʀɑ̃ʒibl/ *adj* fml infrangible sout, unbreakable

infrarouge /ɛ̃fʀaʀuʒ/ *adj, nm* infrared; **missile guidé par ~** heat-seeking missile

infrason /ɛ̃fʀasɔ̃/ *nm* infrasound

infrastructure /ɛ̃fʀastʀyktyʀ/ *nf* **1** (équipements) facilities (*pl*); **~ hôtelière/médicale** hotel/medical facilities; **~s existantes/de transport/sportives** existing/transport/sports facilities; **~s routières** road infrastructure (*sg*); **2** Écon infrastructure; **3** Constr, Gén Civ substructure

infréquentable /ɛ̃fʀekɑ̃tabl/ *adj* [*lieu, personne*] unsavoury

infroissable /ɛ̃fʀwasabl/ *adj* crease-resistant

infructueux, -euse /ɛ̃fʀyktɥø, øz/ *adj* fruitless

infumable /ɛ̃fymabl/ *adj* unsmokable

infus, ~e /ɛ̃fy, yz/ *adj* **il croit qu'il a la science ~e** he thinks he knows everything

infuser /ɛ̃fyze/ [1]
A *vtr* **1** Culin to brew, to infuse [*thé*]; to infuse [*tisane*]; **2** (introduire) to infuse [*culture*] (**à** into)
B *vi* [*thé*] to brew, to infuse; [*tisane*] to infuse

infusion /ɛ̃fyzjɔ̃/ *nf* **1** (tisane) herbal tea; **~ de camomille** camomile tea; **boîte de 20 ~s** box of 20 herbal tea bags; **2** (processus) infusion

ingagnable /ɛ̃gaɲabl/ *adj* unwinnable

ingambe /ɛ̃gɑ̃b/ *adj* sprightly

ingénier: **s'ingénier** /ɛ̃ʒenje/ [2] *vpr* to do one's utmost (**à faire** to do); **il s'ingénie à me rendre la vie impossible** he does his utmost to make my life unbearable

ingénierie /ɛ̃ʒeniʀi/ *nf* engineering; **société d'~** engineering company
(Composés) **~ assistée par ordinateur, IAO** computer-aided engineering, CAE

ingénieur /ɛ̃ʒenjœʀ/ ▸ **p. 532** *nm* engineer; **~ agronome/chimiste/électricien/du son/système** agricultural/chemical/electrical/sound/systems engineer; **~ des travaux publics** civil engineer; **~ en chef/général** chief/senior engineer; **école d'~s** engineering course

ingénieur-conseil, *pl* **ingénieurs-conseils** /ɛ̃ʒenjœʀkɔ̃sɛj/ *nm* consulting engineer

ingénieusement /ɛ̃ʒenjøzmɑ̃/ *adv* ingeniously

ingénieux, -ieuse /ɛ̃ʒenjø, øz/ *adj* ingenious

ingéniosité /ɛ̃ʒenjozite/ *nf* ingenuity

ingénu, ~e /ɛ̃ʒeny/
A *adj* ingenuous
B *nm,f* **un ~** an ingenuous man; **une ~e** an ingénue

ingénuité /ɛ̃ʒenɥite/ *nf* ingenuousness; **avec ~** ingenuously; **en toute ~** in all innocence

ingénument /ɛ̃ʒenymɑ̃/ *adv* ingenuously

ingérable /ɛ̃ʒeʀabl/ *adj* unmanageable

ingérence /ɛ̃ʒeʀɑ̃s/ *nf* interference ₵ (**dans** in); **devoir/droit d'~** duty/right to interfere

ingérer /ɛ̃ʒeʀe/ [14]
A *vtr* Physiol to ingest
B **s'ingérer** *vpr* to interfere (**dans** in)

ingestion /ɛ̃ʒɛstjɔ̃/ *nf* ingestion

Ingouchie /ɛ̃guʃi/ ▸ **p. 333** *nprf* Ingush Republic

ingouvernable /ɛ̃guvɛʀnabl/ *adj* [*pays*] ungovernable

ingrat, ~e /ɛ̃gʀa, at/
A *adj* **1** (sans reconnaissance) [*personne, public, pays, mémoire*] ungrateful; **2** (sans agrément) [*œuvre*] arid; [*lieu, paysage*] unwelcoming; [*visage, physique*] unattractive; **3** (sans récompense) [*vie, métier, tâche, rôle*] unrewarding; [*terre*] unproductive
B *nm,f* ungrateful person

ingratitude /ɛ̃gʀatityd/ *nf* **1** (manque de reconnaissance) ingratitude (**envers** to; **de la part de qn** on sb's part); **faire preuve d'~** to show ingratitude, to be ungrateful; **2** (manque d'agrément) (de visage) unattractiveness; (de terre) aridity

ingrédient /ɛ̃gʀedjɑ̃/ *nm* ingredient

inguérissable /ɛ̃geʀisabl/ *adj* incurable

inguinal, ~e, *pl* **-aux** /ɛ̃gɥinal, o/ *adj* inguinal

ingurgitation /ɛ̃gyʀʒitasjɔ̃/ *nf* ingurgitation

ingurgiter /ɛ̃gyʀʒite/ [1] *vtr* **1** (avaler) to gulp down [*boisson, aliment*]; to swallow [*médicament*]; **2** (assimiler) to take in [*donnée*]; to devour [*livre*]; to learn [*programme*]

inhabilité /inabilite/ *nf* incapacity

inhabitable /inabitabl/ *adj* uninhabitable

inhabitation /inabitasjɔ̃/ *nf* non-occupancy

inhabité, ~e /inabite/ *adj* **1** (sans habitants) [*maison, région*] uninhabited; **2** Astronaut [*engin, vol*] unmanned

inhabituel, -elle /inabitɥɛl/ *adj* unusual (**de la part de** for); **très ~ de leur part** very unusual for them

inhabituellement /inabitɥɛlmɑ̃/ *adv* unusually

inhalateur /inalatœʀ/ *nm* inhaler

inhalation /inalasjɔ̃/ *nf* inhalation; **faire des ~s** to have inhalations

inhaler /inale/ [1] *vtr* to inhale

inhérence /ineʀɑ̃s/ *nf* inherence

inhérent, ~e /ineʀɑ̃, ɑ̃t/ *adj* inherent (**à** in)

inhiber /inibe/ [1] *vtr* to inhibit; **être inhibé** to be inhibited

inhibiteur, -trice /inibitœʀ, tʀis/
A *adj* [*médicament*] inhibitive; [*réaction*] inhibitory; [*facteur*] inhibiting
B *nm* inhibitor, suppressant

inhibition /inibisjɔ̃/ *nf* inhibition

inhospitalier, -ière /inɔspitalje, ɛʀ/ *adj* inhospitable

inhumain, ~e /inymɛ̃, ɛn/ *adj* inhuman

inhumanité /inymanite/ *nf* inhumanity

inhumation /inymasjɔ̃/ *nf* **1** (mise en terre) burial; **2** (cérémonie) funeral

inhumer /inyme/ [1] *vtr* to bury

inimaginable /inimaʒinabl/ *adj* **1** (impossible à imaginer) unimaginable; **2** (impossible à concevoir) unthinkable

inimitable /inimitabl/ *adj* inimitable

inimitié /inimitje/ *nf* enmity sout, animosity; **~s** feelings of animosity; **leurs choix leur ont valu des ~s** their decisions generated feelings of animosity toward(s) them

ininflammable /inɛ̃flamabl/ *adj* non-flammable

inintelligent, ~e /inɛ̃teliʒɑ̃, ɑ̃t/ *adj* unintelligent

inintelligible /inɛ̃teliʒibl/ *adj* unintelligible

inintéressant, ~e /inɛ̃teʀesɑ̃, ɑ̃t/ *adj* uninteresting; **pas ~** not without interest

ininterrompu, ~e /inɛ̃teʀɔ̃py/ *adj* **1** (continu dans le temps) [*processus*] uninterrupted; [*chute, hausse*] continuous; [*bruit, circulation*] endless; **2** (continu dans l'espace) [*procession*] unbroken

inique /inik/ *adj* iniquitous

iniquité /inikite/ *nf* iniquity

initial, ~e, *mpl* **-iaux** /inisjal, o/
A *adj* initial
B **initiale** *nf* initial; **à l'~e** in initial position (*après n*)

initialement /inisjalmɑ̃/ *adv* initially

initialisation /inisjalizasjɔ̃/ *nf* initialization

initialiser /inisjalize/ [1] *vtr* to initialize

initiateur, -trice /inisjatœʀ, tʀis/ *nm,f* **1** (de projet, mode) originator; (de publication, mobilisation) instigator; **2** (de personne) instructor

initiation /inisjasjɔ̃/ *nf* **1** (formation) introduction (**à** to); **~ à l'anglais/la gestion** introduction to English/management; **~ musicale** introduction to music; **~ sexuelle** sexual initiation; **d'~** [*cours, semaine, stage*] introductory; **2** (admission à la connaissance) initiation; **rites d'~** initiation rites

initiatique /inisjatik/ *adj* initiatory

initiative /inisjativ/ *nf* initiative; **~ de paix** peace initiative; **à l'~ de qn** on sb's initiative; **prendre l'~** to take the initiative (**de** for; **de faire** in doing); **plusieurs ~s ont été prises** several initiatives have been made; **une de leurs ~s en ce domaine a été de faire** one of their initiatives in this field was to

i

do; **faire preuve d'~** to show initiative; **avoir de l'~, avoir l'esprit d'~** to have initiative

(Composés) **~ de défense stratégique, IDS** Strategic Defense Initiative, SDI

initié, ~e /inisje/ *nm,f* **1** (formé et admis) initiate; **2** Fin insider trader

initier /inisje/ [2]

A *vtr* **1** (former) to introduce (**à** to); **2** (admettre à la connaissance) to initiate (**à** into); **3** (être à l'origine de) to initiate [*projet, réforme*]

B s'initier *vpr* **s'~ à l'escrime/au parachutisme** (to start) to learn fencing/skydiving; **s'~ à une langue** to start to learn a language; **s'~ à la photo** to learn about photography

injectable /ɛ̃ʒɛktabl/ *adj* injectable

injecter /ɛ̃ʒɛkte/ [1]

A *vtr* to inject (**dans** into); **~ qch à qn** to inject sb with sth

B s'injecter *vpr* **1** [*personne*] to inject oneself with; [*médicament*] to be injected; **2** [*œil*] to become bloodshot; **avoir les yeux injectés de sang** to have bloodshot eyes

injecteur /ɛ̃ʒɛktœʀ/ *nm* injector

injection /ɛ̃ʒɛksjɔ̃/ *nf* injection; **en ~(s)** by injection; **par ~ de** by the injection of; **~ de capitaux** *or* **crédits** injection of funds; **se faire une ~ de** to inject oneself with

injoignable /ɛ̃ʒwaɲabl/ *adj* incommunicado

injonction /ɛ̃ʒɔ̃ksjɔ̃/ *nf* injunction; **obéir aux ~s de** to comply with the injunctions of

(Composé) **~ thérapeutique** *probation order with a condition of attendance on a drug rehabilitation programme*

injouable /ɛ̃ʒwabl/ *adj* [*pièce*] unperformable; [*morceau*] unplayable

injure /ɛ̃ʒyʀ/ *nf* **1** (insulte) abuse ¢; **couvrir qn d'~s** to heap abuse on sb; **proférer des ~s** to pour out abuse; **2** (offense) injury (**à** to); **faire ~ à qn** to insult sb; **3** Jur **être inculpé d'~ à qn** to be charged with abusing sb; **4** (ravage) fml ravages (*pl*); **l'~ des ans** the ravages of time

injurier /ɛ̃ʒyʀje/ [2]

A *vtr* to swear at; **se faire ~** to be sworn at (**par** by)

B s'injurier *vpr* to swear at one another

injurieux, -ieuse /ɛ̃ʒyʀjø, øz/ *adj* [*parole, écrit*] abusive, offensive; [*attitude*] insulting

injuste /ɛ̃ʒyst/ *adj* unfair (**envers** to); **il est ~ qu'on l'ait choisi plutôt que moi** it is unfair that he should have been chosen rather than me

injustement /ɛ̃ʒystəmɑ̃/ *adv* [*accusé, condamné*] unjustly; [*méconnu, négligé*] unfairly

injustice /ɛ̃ʒystis/ *nf* **1** (caractère injuste) (d'impôt, de société) injustice; (de personne) unfairness; **2** (absence de justice) injustice; **combattre l'~** to fight injustice; **3** (acte injuste) injustice; **réparer une ~** to right a wrong; **quelle ~!** how unfair!

injustifiable /ɛ̃ʒystifjabl/ *adj* unjustifiable

injustifié, ~e /ɛ̃ʒystifje/ *adj* unjustified

inlassable /ɛ̃lasabl/ *adj* [*personne*] tireless; [*activité*] unrelenting

inlassablement /ɛ̃lasabləmɑ̃/ *adv* tirelessly

inné, ~e /inne/

A *adj* innate

B *nm* innate

innervant, ~e /inɛʀvɑ̃, ɑ̃t/ *adj* **gaz ~** nerve gas

innervation /inɛʀvasjɔ̃/ *nf* innervation

innerver /inɛʀve/ [1] *vtr* Physiol to innervate

innocemment /inɔsamɑ̃/ *adv* innocently; **pas ~** disingenuously

innocence /inɔsɑ̃s/ *nf* innocence; **en toute ~** in all innocence

innocent, ~e /inɔsɑ̃, ɑ̃t/

A *adj* innocent (**de** of); **la question n'est pas ~e** the question is not entirely innocent; **on demande une main ~e** somebody impartial is required

B *nm,f* **1** (être pur) innocent; **2** (personne non coupable) innocent person; **une ~e** an innocent woman; **faire l'~, jouer les ~s** to play the innocent

(Idiome) **aux ~s les mains pleines** fortune favours[GB] fools

innocenter /inɔsɑ̃te/ [1] *vtr* **1** Jur to prove [sb] innocent (**de** of); **être innocenté** to be proved innocent; **2** (excuser) to clear (**de** of)

innocuité /inɔkɥite/ *nf* harmlessness; **en toute ~** without any risks

innombrable /innɔ̃bʀabl/ *adj* **1** (multiple) countless; **2** (immense) [*foule, armée*] vast

innommable /innɔmabl/ *adj* **1** (ignoble) [*comportement, saleté, terreur*] unspeakable; [*plat, boisson*] revolting; **2** (indicible) [*mystère*] indefinable

innommé, ~e /innɔme/ *adj* fml undefined

innovant, ~e /inɔvɑ̃, ɑ̃t/ *adj* innovative

innovateur, -trice /inɔvatœʀ, tʀis/

A *adj* innovative

B *nm,f* innovator

innovation /inɔvasjɔ̃/ *nf* innovation (**dans, en matière de** in); **~s technologiques** technological innovations; **capacité d'~** ability to innovate

innover /inɔve/ [1] *vi* [*personne, entreprise*] to innovate (**en matière de** in); [*équipement*] to break new ground

inobservable /inɔbsɛʀvabl/ *adj* unobservable

inoccupation /inɔkypasjɔ̃/ *nf* (de personne) inactivity; (de lieu) non-occupation

inoccupé, ~e /inɔkype/ *adj* unoccupied

in-octavo* /inɔktavo/ *adj inv, nm inv* octavo

inoculable /inɔkylabl/ *adj* inoculable

inoculation /inɔkylasjɔ̃/ *nf* inoculation

inoculer /inɔkyle/ [1] *vtr* **1** (vacciner) to inoculate (**contre** against); **~ qch à qn** to inoculate sb with sth; **2** (contaminer) **~ qch à qn** to infect sb with sth [*virus, maladie, idée*]

inodore /inɔdɔʀ/ *adj* [*substance*] odourless[GB]; [*fleur*] scentless

inoffensif, -ive /inɔfɑ̃sif, iv/ *adj* harmless

inondable /inɔ̃dabl/ *adj* [*région*] liable to flooding (*après n*)

inondation /inɔ̃dasjɔ̃/ *nf* **1** (situation) flood; **les ~s de l'an dernier** last year's floods; **2** (processus) flooding

inonder /inɔ̃de/ [1]

A *vtr* **1** (submerger) [*pluie, fleuve*] to flood [*lieu*]; [*personne*] to flood [*lieu*] (**de** with); **zone inondée** flooded area; **j'ai inondé les voisins** I flooded the neighbours[GB]; **la piste est inondée d'huile** the track is flooded with oil; **2** (baigner) [*soleil, lumière*] to flood [*lieu*]; **inondé de sueur/sang** bathed in sweat/blood; **inondé de lumière** flooded with light; **les larmes lui inondaient le visage, il avait le visage inondé de larmes** his face was bathed in tears; **3** (envahir) [*commerçants, marque*] to flood [*marché*] (**de** with); to inundate [*clients*] (**de** with); [*produit*] to flood [*marché*]; [*joie*] to flood [*cœur*]; [*visiteurs*] to flood into [*lieu*]

B s'inonder *vpr* (s'asperger) **s'~ de** to douse oneself with [*parfum*]

inopérable /inɔpeʀabl/ *adj* inoperable

inopérant, ~e /inɔpeʀɑ̃, ɑ̃t/ *adj* ineffective; **caractère ~** ineffectiveness

inopiné, ~e /inɔpine/ *adj* unexpected

inopinément /inɔpinemɑ̃/ *adv* unexpectedly

inopportun, ~e /inɔpɔʀtœ̃, yn/ *adj* **1** (non souhaitable) inappropriate; **2** (mal à propos) ill-timed

inopposabilité /inɔpozabilite/ *nf* non-invocability

inopposable /inɔpozabl/ *adj* non-invocable

inorganique /inɔʀganik/ *adj* **1** Chimie inorganic; **2** Méd functional

inorganisé, ~e /inɔʀganize/ *adj* disorganized

inoubliable /inublijabl/ *adj* unforgettable

inouï, ~e /inwi/ *adj* [*événement, succès, violence*] unprecedented; [*personne*] incredible, unbelievable péj; **c'est ~** that's unheard-of; **chose ~e** something unheard of

inox /inɔks/ *nm inv* stainless steel; **casserole en ~** stainless steel pan

inoxydable /inɔksidabl/

A *adj* [*métal*] non-oxidizing; **acier ~** stainless steel

B *nm* stainless steel

inqualifiable /ɛ̃kalifjabl/ *adj* unspeakable

in-quarto* /inkwaʀto/ *adj inv, nm inv* quarto

inquiet, -iète /ɛ̃kjɛ, ɛt/

A *adj* **1** (de nature) [*caractère, personne*] anxious; **2** (alarmé) worried; **elle commence à être inquiète** she's starting to get worried; **il est ~ de ne pas avoir de leurs nouvelles** he's worried that he hasn't heard from them; **il est ~ d'avoir trouvé la porte fermée** he's worried because he found the door locked; **~ pour** worried about; **3** (empli de crainte) [*air, voix, regard, propos*] anxious, worried

B *nm,f* worrier; **c'est un (éternel) ~** he's a (perpetual) worrier

inquiétant, ~e /ɛ̃kjetɑ̃, ɑ̃t/ *adj* [*situation, nouvelle, silence*] worrying, disturbing; [*visage, regard, yeux, personnage*] frightening; **l'état du malade est ~** the state of the patient is worrying

inquiéter /ɛ̃kjete/ [14]

A *vtr* **1** (soucier) to worry; **ce que vous venez de me dire m'inquiète un peu** I find what you've just told me rather worrying; **le phénomène commence à ~ les spécialistes** specialists are beginning to be concerned about the phenomenon; **2** (demander des comptes à) [*police, douanier*] to bother, to trouble; **les douaniers ne l'ont pas inquiété** the customs officers didn't bother him; **faire qch sans être inquiété** (pour une action courte) to do sth without being disturbed; (pour une action longue) to do sth without interference; **ils ont eu deux heures pour vider le coffre sans être inquiétés** they had two hours to empty the safe without being disturbed; **pendant la guerre il a pu continuer ses activités sans être inquiété** during the war he was able to continue his activities undisturbed; **il a pu quitter le pays sans être inquiété** he was able to leave the country without any trouble; **3** (harceler) fml to harass [*pays, région*]; **4** °(mettre en difficulté) to worry, to threaten [*équipe, adversaire*]; to threaten [*hiérarchie, chef, influence*]

B s'inquiéter *vpr* **1** (s'alarmer) to worry, to get worried; **ne t'inquiète pas il a dû être retardé** don't worry, he must have been delayed; **téléphone à tes parents sinon ils vont s'~** telephone your parents otherwise they'll get *ou* be worried; **il n'est que midi, je ne m'inquiète pas** I'm not worried, it's only twelve o'clock; **je commence à m'~** I'm beginning to get worried; **il ne s'est pas inquiété** he didn't get worried; **il s'inquiète** he's worried; **s'~ de qch** to be worried about sth, to get worried about sth; **il n'y a pas de quoi s'~** there's nothing to get worried about, there's nothing to worry about; **je m'inquiète de ne pas l'avoir vu aujourd'hui** I'm worried that I haven't seen him today; **s'~ des conséquences/du danger de** to worry about the consequences/danger of; **s'~ pour** to worry about; **ne t'inquiète pas pour elle** don't worry about her; **c'est surtout pour lui que je m'inquiète** it's him in particular I'm worried about; **2** (s'enquérir) **s'~ de qch** to inquire about sth; **s'~ de savoir si/combien** to inquire (as to) whether/how much

inquiétude /ɛ̃kjetyd/ *nf* **1** (état) anxiety, concern; **être un sujet d'~** to give cause for concern *ou* anxiety; **avec ~** with concern; **être fou d'~** to be beside oneself with worry; **soyez sans ~** don't worry; **2▸** (trouble) worry; **avoir** *or* **éprouver des ~s au sujet de** to be worried *ou* concerned about; **j'ai beaucoup d'~s à ton sujet** I'm very worried *ou* concerned about you; **il n'y a pas d'~ à avoir** there's nothing to worry *ou* be concerned about; **ma seule ~** my only worry *ou* concern; **provoquer de vives ~s parmi la population** to cause real concern among the population

inquisiteur, -trice /ɛ̃kizitœʀ, tʀis/
A *adj* inquisitive
B *nm,f* inquisitor; **grand ~** Grand Inquisitor

inquisition /ɛ̃kizisjɔ̃/ *nf* inquisition

Inquisition /ɛ̃kizisjɔ̃/ *nf* Inquisition

inquisitoire /ɛ̃kisitwaʀ/ *adj* inquisitorial

inquisitorial, ~e, *pl* **-iaux** /ɛ̃kizitɔʀjal, o/ *adj* inquisitorial

inracontable /ɛ̃ʀakɔ̃tabl/ *adj* (trop compliqué) too difficult to explain (*après n*); (trop osé) unrepeatable

insaisissabilité /ɛ̃sezisabilite/ *nf* Jur privilege from seizure

insaisissable /ɛ̃sezisabl/ *adj* **1▸** [*voleur, animal, caractère, personnage*] elusive; [*nuance, image*] imperceptible; **2▸** Jur privileged from seizure

insalissable /ɛ̃salisabl/ *adj* [*tissu, surface*] stain-resistant

insalubre /ɛ̃salybʀ/ *adj* **1▸** gén [*local, lieu*] unhealthy, prejudicial to health; [*travail*] potentially health-damaging (*épith*); [*logement*] unfit for habitation (*jamais épith*); **2▸** Jur which constitutes a health hazard (*épith, après n*)

insalubrité /ɛ̃salybʀite/ *nf* (d'immeuble, ville) insalubrity sout; (de climat) unhealthiness, insalubrity sout

insanité /ɛ̃sanite/ *nf* **1▸** (propos insensé) rubbish ¢; **c'est une ~** it's rubbish; **proférer** *or* **débiter des ~s** to come out with a lot of rubbish (**sur** about); **2▸** (déraison) insanity

insatiabilité /ɛ̃sasjabilite/ *nf* insatiability

insatiable /ɛ̃sasjabl/ *adj* [*appétit, demande, curiosité, personne*] insatiable

insatiablement /ɛ̃sasjabləmɑ̃/ *adv* insatiably

insatisfaction /ɛ̃satisfaksjɔ̃/ *nf* dissatisfaction ¢ (**quant à** with)

insatisfait, ~e /ɛ̃satisfɛ, ɛt/
A *adj* [*personne*] dissatisfied (**de** with); [*désir, ambition, requête*] unsatisfied
B *nm,f* **c'est un ~** he's never satisfied

inscriptible /ɛ̃skʀiptibl/ *adj* writable

inscription /ɛ̃skʀipsjɔ̃/ *nf* **1▸** Scol enrolment[GB]; Univ registration; **l'~ d'un enfant à l'école** the enrolment of a child at school; **ils ont refusé leur ~ à l'école** they refused to enrol[GB] them at the school; **les ~s seront closes le 15 novembre** the closing-date for registration is 15 November; **~ à un concours** entrance for a competitive exam; **il y a mille nouvelles ~s par an** a thousand new students register *ou* matriculate every year; **2▸** (enregistrement) (de personne, nom, données) entering; (de société) registration; **~ au registre du commerce** business registration; **~ à un tournoi** entering for a tournament; **l'~ au club coûte 50 euros** the membership fee for the club costs 50 euros; **~ électorale/sur les listes électorales** registration as a voter/on the electoral roll; **~ à la cote** (stock exchange) listing; **demande d'~ à Wall Street** application to be listed on Wall Street; **3▸** (écriture) (élaborée) inscription; (hâtive) graffiti; **les ~s cunéiformes** cuneiform inscriptions; **~s racistes sur un mur** racist graffiti on a wall; **~ en lettres d'or** inscription in gold lettering; **panneau portant l'~ 'sortie'** sign saying 'exit'

(Composés) **~ comptable** Compta accounting entry; **~ de faux** Jur plea of forgery; **~ hypothécaire** Jur registration of mortgage; **~s administratives** Univ admissions

inscrire /ɛ̃skʀiʀ/ [67]
A *vtr* **1▸** (enregistrer) [*institution, enseignant*] to enrol[GB] [*élève*]; to register [*étudiant*]; **je l'ai inscrite à l'école du quartier/à un cours de violon** I enrolled her at the local primary school/for violin lessons; **~ qn sur une liste** to enter sb's name on a list; **~ une question à l'ordre du jour** to place an item on the agenda; **se faire ~ à** to join; **se faire ~ sur les listes électorales** to get oneself put on the electoral roll; **faites-vous ~ à la mairie pour le tournoi** put your name down at the Town Hall for the tournament; **2▸** (écrire) to write down [*nom, rendez-vous*]
B **s'inscrire** *vpr* **1▸** (faire enregistrer) Scol to enrol[GB]; Univ to register, to matriculate; **s'~ à l'université** to register at the university; **s'~ à un parti/club** to join a party/club; **s'~ à un examen** to enter for an exam; **s'~ à un tournoi** to enter (one's name) for a tournament; **s'~ au chômage** to register as unemployed; **s'~ sur les listes électorales** to get oneself put on the electoral roll; **2▸** (faire partie de) **s'~ dans le cadre de** to be in line with; **s'~ dans la logique de** to fit into the scheme of; **s'~ dans une stratégie/un plan de restructuration** to be part of a strategy/a restructuring programme[GB]; **s'~ dans une volonté de réforme** to be part and parcel of a desire for reform; **le nouveau bâtiment s'inscrit mal dans l'architecture du quartier** the new building does not fit in well with the architecture of the area; **3▸** **s'~ en faux contre qch** to dispute the validity of sth

inscrit, ~e /ɛ̃skʀi, it/
A *pp* ▸ **inscrire**
B *pp adj* **1▸** lit Scol enrolled; Univ registered; **ceux qui sont ~s à l'université** those registered at the university; **les personnes ~es sur la liste d'attente** those on the waiting list; **mon nom n'est pas ~ sur la liste** my name isn't on the list; **cette œuvre n'était pas ~e au programme** this work wasn't on the programme[GB]; **le débat ~ à l'ordre du jour** the debate on the agenda; **les personnes non ~es à l'association/au club** nonmembers of the association/of the club; **60% des électeurs ~s** 60% of registered voters; **les députés non ~s** *independent members of the French Parliament*; **2▸** fig **~ dans la mémoire/le cœur de qn** engraved in *ou* on sb's memory/heart
C *nm,f* (élève) registered student; (électeur) registered voter

insécable /ɛ̃sekabl/ *adj* indivisible

insecte /ɛ̃sɛkt/ *nm* insect

insecticide /ɛ̃sɛktisid/
A *adj* insecticidal
B *nm* insecticide

insectivore /ɛ̃sɛktivɔʀ/
A *adj* insectivorous
B *nm* insectivore

insécurité /ɛ̃sekyʀite/ *nf* insecurity ¢

INSEE /inse/ *nm* (*abbr* = **Institut national de la statistique et des études économiques**) French national institute of statistics and economic studies

> **INSEE**
> The main government statistics office which carries out surveys and compiles the monthly price index.

inséminateur, -trice /ɛ̃seminatœʀ, tʀis/
A *adj* insemination (*épith*)
B ▸ **p. 532** *nm,f* inseminator

insémination /ɛ̃seminasjɔ̃/ *nf* insemination; **~ artificielle** artificial insemination

inséminer /ɛ̃semine/ [1] *vtr* to inseminate

insensé, ~e /ɛ̃sɑ̃se/
A *adj* **1▸** (extravagant) [*pari, histoire, projet*] insane; **c'est ~!** that's insane!; **tenir des discours ~s** to talk complete nonsense; **2▸** ○(excessif) [*cohue, embouteillage, gains*] phenomenal; **j'ai un travail ~** I've got a phenomenal amount of work
B *nm,f* madman/madwoman

insensibilisation /ɛ̃sɑ̃sibilizasjɔ̃/ *nf* anaesthetization

insensibiliser /ɛ̃sɑ̃sibilize/ [1] *vtr* Méd to anaesthetize

insensibilité /ɛ̃sɑ̃sibilite/ *nf* **1▸** (absence de réaction) imperviousness, insensibility (**à** to); **~ à la douleur/au bruit/à la poésie** imperviousness to pain/to noise/to poetry; **2▸** (indifférence) insensitivity (**à** to); **~ aux malheurs d'autrui** insensitivity to the misfortunes of others

insensible /ɛ̃sɑ̃sibl/ *adj* **1▸** (sans réaction) impervious, insensible (**à** to); **~ à la douleur/au froid** impervious to pain/to the cold; **Picasso me laisse ~** Picasso leaves me cold○; **2▸** (indifférent) insensitive (**à** to); **elle n'est pas restée ~ à tes avances/souffrances** she wasn't insensitive to your advances/suffering; **3▸** (imperceptible) [*changement*] imperceptible

insensiblement /ɛ̃sɑ̃sibləmɑ̃/ *adv* imperceptibly

inséparable /ɛ̃sepaʀabl/
A *adj, nmf* [*phénomènes, personnes*] inseparable (**de** from); **ce sont des ~s** they're inseparable; **Paul et son ~ parapluie** hum Paul and his inevitable umbrella; **voilà les ~s!** hum here come the terrible twins!
B *nm* Zool (perruche) lovebird; **un couple d'~s** a pair of lovebirds

inséparablement /ɛ̃sepaʀabləmɑ̃/ *adv* inseparably

insérer /ɛ̃seʀe/ [14]
A *vtr* to insert [*encart, annonce, disquette, clé, aiguille*] (**dans** in); to incorporate [*sujet*] (**dans** into); to include [*œuvre, chapitre*] (**dans** in); to integrate [*personne, élément, institution*] (**dans** into); **bien inséré dans la société** well integrated into society; **inséré professionnellement** integrated into the workforce
B **s'insérer** *vpr* **1▸** gén [*encart, disquette*] to be inserted; [*personne*] to fit in; **s'~ dans** [*personne*] to fit into; **cette mesure s'insère dans un contexte de rigueur** this measure is to be seen in the context of austerity; **s'~ entre le volant et le siège** to squeeze in between the wheel and the seat; **2▸** [*muscle*] to be attached (**sur** to)

INSERM /insɛʀm/ *nm* (*abbr* = **Institut national de la santé et de la recherche médicale**) French national health and medical research institute

insert /ɛ̃sɛʀ/ *nm* **1▸** Cin insert (shot); **2▸** Radio, TV news flash

insertion /ɛ̃sɛʀsjɔ̃/ *nf* **1▸** (d'objet, d'annonce, de clause) insertion; **2▸** (intégration) integration; **faciliter l'~ des immigrés/des jeunes** to facilitate the integration of immigrants/of the young; **~ professionnelle/sociale** professional/social integration; **3▸** Anat, Bot (de ligament, feuille) insertion; **4▸** Jur **~ légale** publication of a legal judgment in the press

insidieusement /ɛ̃sidjøzmɑ̃/ *adv* insidiously

insidieux, -ieuse /ɛ̃sidjø, øz/ *adj* insidious

insigne /ɛ̃siɲ/
A *adj* fml [*honneur, faveur, privilège*] great, signal sout (*épith*); [*service*] distinguished; [*maladresse*] remarkable iron; **avoir l'~ honneur de faire** to have the great honour[GB] of doing
B *nm* (signe distinctif) badge; **arborer un ~** to sport a badge
C **insignes** *nmpl* (emblème) insignia (*pl*); **les ~s de la royauté** the insignia of royalty

insignifiance /ɛ̃siɲifjɑ̃s/ *nf* (de personne) insignificance; (de conversation, grief) triviality

insignifiant, ~e /ɛ̃siɲifjɑ̃, ɑ̃t/ *adj* **1▸** (sans intérêt) [*personne, personnage, détail*] insignificant; [*traits*] nondescript; **2▸** (infime) [*somme, cadeau, hausse*] insignificant

insinuant, **~e** /ɛ̃sinɥɑ̃, ɑ̃t/ *adj* [*manière, ton*] insinuating (*épith*); **propos ~s** insinuations

insinuation /ɛ̃sinɥasjɔ̃/ *nf* insinuation

insinuer /ɛ̃sinɥe/ [1]
A *vtr* [1] (suggérer) to insinuate (**que** that); [2] (introduire) to slip (**dans** into)
B s'insinuer *vpr* [*personne*] (physiquement) to slip (**dans** into); (socialement) to ingratiate oneself (**auprès de qn** with sb); [*sentiment, idée*] to creep (**dans** into); [*liquide, odeur*] to seep (**dans** into); **le doute s'insinuait en eux** *or* **dans leur esprit** doubt crept into their minds; **s'~ dans les bonnes grâces de qn** to curry favour[GB] with sb

insipide /ɛ̃sipid/ *adj* [1] (sans saveur) [*nourriture, cuisine*] insipid, tasteless; [2] (fade) [*livre, existence, bavardage*] dull; [*personne, personnage*] insipid

insipidité /ɛ̃sipidite/ *nf* insipidity

insistance /ɛ̃sistɑ̃s/ *nf* insistence; **l'~ de qn à faire** sb's insistence on doing; **avec ~** insistently; **accent d'~** emphatic accent

insistant, **~e** /ɛ̃sistɑ̃, ɑ̃t/ *adj* [*ton, regard, appel, rumeur, demande*] insistent; **se montrer ~** to be insistent; **de façon ~e** insistently, in an insistent manner

insister /ɛ̃siste/ [1] *vi* [1] (persévérer) (auprès d'une personne) to be insistent (**auprès de** with), to insist; (au téléphone, à une porte, avec machine) to keep trying; **il ne voulait pas venir avec nous, j'ai dû ~** he didn't want to come with us, I had to insist; **entendu je n'insiste pas!** OK I won't insist!; **je n'insiste pas puisque vous conduisez** I won't insist since you're driving; **~ pour parler à qn** to insist on speaking to sb; **j'ai dû ~ pour qu'il vienne** I had to press him to come; **il insiste pour être reçu** he insists on being seen; **'ça ne répond pas'—'insiste, il est peut-être dans le jardin'** 'there's no reply!'—'keep on trying, he may be in the garden GB *ou* yard US'; **inutile d'~, ils doivent être sortis** it's pointless to keep on trying, they must be out; **inutile d'~, il est têtu** there's no point in insisting, he's stubborn; **il est parti sans ~** he left without further ado; [2] (mettre l'accent) **~ sur** to stress, to lay stress on [*résultat, événement, danger, besoin*]; to put the emphasis on [*orthographe, présentation, attitude*]; **n'insistons pas sur cette question délicate** let's not dwell on this delicate question; **~ sur la nécessité de faire** to stress the need to do; [3] (repasser plusieurs fois) **~ sur** to pay particular attention to [*tache, défaut, aspérité*]

in situ /in sity/ *loc adv* in situ

insolation /ɛ̃sɔlasjɔ̃/ ▸ **p. 283** *nf* [1] (coup de soleil) sunstroke ¢; **attraper une ~** to get sunstroke; **il a eu deux ~s cet été** he's had sunstroke twice this summer; [2] (exposition) exposure to the sun, insolation spéc; Phot (de plaque, film) exposure; **une trop longue ~ est néfaste pour l'organisme** overexposure to the sun is harmful to the body; [3] Météo (ensoleillement) sunny period; **région qui jouit d'une belle ~** region which enjoys beautiful sunny weather

insolemment /ɛ̃sɔlamɑ̃/ *adv* [1] (sans respect) insolently; [2] (de façon provocante) unashamedly

insolence /ɛ̃sɔlɑ̃s/ *nf* [1] (irrespect) insolence; **une fille/réponse d'une rare ~** an exceptionally insolent girl/answer; [2] (parole) insolent remark; [3] (arrogance) arrogance

insolent, **~e** /ɛ̃sɔlɑ̃, ɑ̃t/
A *adj* [1] (irrespectueux) [*enfant, ton, attitude*] insolent, cheeky○; [2] (arrogant) [*rival, vainqueur*] arrogant; [3] (provocant) [*personne, jeunesse*] brazen; [*luxe, succès, fortune, joie*] unashamed
B *nm,f* insolent person; **l'~ m'a tiré la langue** the cheeky thing stuck his tongue out at me; **petite ~e!** cheeky girl!

insolite /ɛ̃sɔlit/ *adj, nm* unusual; **goût de l'~** taste for the unusual

insolubilité /ɛ̃sɔlybilite/ *nf* insolubility

insoluble /ɛ̃sɔlybl/ *adj* [*matière*] insoluble; [*problème, question*] insoluble

insolvabilité /ɛ̃sɔlvabilite/ *nf* insolvency

insolvable /ɛ̃sɔlvabl/ *adj* insolvent

insomniaque /ɛ̃sɔmnjak/ *adj, nmf* insomniac

insomnie /ɛ̃sɔmni/ ▸ **p. 283** *nf* [1] (maladie) insomnia ¢; **avoir des ~s** to have insomnia; [2] (nuit sans sommeil) sleepless night

insondable /ɛ̃sɔ̃dabl/ *adj* [*abîme, mystère*] unfathomable; [*tristesse, désespoir, bêtise*] immense

insonore /ɛ̃sɔnɔʀ/ *adj* [1] (qui amortit les sons) [*matériau, mur*] soundproof; [2] (qui ne produit pas de son) soundless

insonorisation /ɛ̃sɔnɔʀizasjɔ̃/ *nf* soundproofing

insonoriser /ɛ̃sɔnɔʀize/ [1] *vtr* to soundproof; **mal insonorisé** poorly soundproofed

insouciance /ɛ̃susjɑ̃s/ *nf* [1] (absence de souci) carefreeness, insouciance sout; **vivre dans l'~** to lead a carefree life; [2] (absence d'inquiétude) lack of concern (**de** for); **son ~ de l'avenir/du danger** his lack of concern for the future/for danger

insouciant, **~e** /ɛ̃susjɑ̃, ɑ̃t/
A *adj* [*personne, humeur, rire*] carefree; **il mène une existence ~e** he leads a carefree life; **~ du lendemain** without a thought for the future (*épith, après n*)
B *nm,f* happy-go-lucky person; **c'est un ~** he's happy-go-lucky

insoucieux, **-ieuse** /ɛ̃susjø, øz/ *adj* fml unconcerned (**de** by)

insoumis, **~e** /ɛ̃sumi, iz/
A *adj* (rebelle) [*contrée, peuple*] unsubdued; **soldat ~** draft dodger
B *nm,f* Mil draft dodger

insoumission /ɛ̃sumisjɔ̃/ *nf* [1] (rébellion) insubordination; [2] Mil avoidance of the draft

insoupçonnable /ɛ̃supsɔnabl/ *adj* beyond suspicion (*après n*)

insoupçonné, **~e** /ɛ̃supsɔne/ *adj* [*ressources, force, menace, difficultés*] unsuspected; [*richesses, perspectives, horizons*] undreamed of

insoutenable /ɛ̃sutnabl/ *adj* [1] (intolérable) [*violence, douleur, scène, cris*] unbearable; **un film d'une violence ~** an unbearably violent film; [2] (impossible à suivre) [*cadence, allure, concurrence*] impossible; [3] (indéfendable) [*cause, opinion, théorie*] untenable

inspecter /ɛ̃spɛkte/ [1] *vtr* to inspect

inspecteur, **-trice** /ɛ̃spɛktœʀ, tʀis/ ▸ **p. 848** *nm,f* inspector

(Composés) **~ d'académie** Scol ≈ local schools inspector; **~ en chef** head supervisor; **~ des contributions** Fisc tax inspector; **~ départemental de l'Éducation nationale** Scol ≈ regional schools inspector; **~ des finances** Fin ≈ inspector of public finances; **~ général de l'Éducation nationale** Scol ≈ national schools inspector; **~ des impôts** Fisc tax inspector; **~ de police** ≈ detective constable GB; **~ de police divisionnaire** ≈ detective chief inspector GB; **~ de police principal** ≈ detective inspector GB; **~ du travail** Admin government inspector (*concerned with health and safety and respect of labour laws*); **~ des travaux finis** hum skiver○ GB, shrinker○ US; **~ des ventes** Comm sales supervisor

inspection /ɛ̃spɛksjɔ̃/ *nf* [1] (contrôle) inspection; **ronde** *or* **tournée d'~** tour of inspection GB, inspection tour US; **~ de routine** routine inspection; **j'ai subi une ~ en règle à la douane** I was thoroughly searched by customs; **le professeur a eu trois ~s en cinq ans** the teacher has been inspected three times in five years; **faire l'~ de qch** to inspect sth; [2] (ensemble d'inspecteurs) inspectorate

(Composés) **~ académique** ≈ local schools inspectorate; **~ générale des finances** ≈ inspectorate of public finances; **~ du travail** ≈ labour[GB] inspectorate; **Inspection générale des services**, **IGS** French police complaints authority

inspectorat /ɛ̃spɛktɔʀa/ *nm* inspectorship

inspirateur, **-trice** /ɛ̃spiʀatœʀ, tʀis/
A *adj* [1] (qui donne l'inspiration) inspiring; [2] Anat [*muscles*] inspiratory
B *nm,f* [1] (d'idée, de théorie) initiator; (de complot) instigator; [2] (d'artiste, œuvre) inspiration; **elle a été ton inspiratrice** she was your inspiration, she inspired you

inspiration /ɛ̃spiʀasjɔ̃/ *nf* [1] (souffle créateur) inspiration ¢; **attendre/chercher l'~** to wait for/look for inspiration; **avoir de l'~** to have inspiration; **manquer d'~** to lack inspiration; **auteur sans ~** uninspired author; [2] (influence) inspiration; **source d'~** source of inspiration; **œuvre d'~ romantique** work of romantic inspiration; [3] (idée) inspiration; **soudain, il eut une ~** he had a sudden inspiration, he had a brainwave○; [4] Physiol inspiration; [5] Relig inspiration; **~ divine/céleste** divine/heavenly inspiration

inspiré, **~e** /ɛ̃spiʀe/
A *pp* ▸ **inspirer**
B *pp adj* [*auteur, artiste, œuvre*] inspired; **il prit un air ~ et se mit à jouer** he assumed the air of one inspired, and began to play; **être bien/mal ~ de faire** to be well-advised/ill-advised to do; **il a été mal ~ d'accepter leur invitation** he was ill-advised to accept their invitation; **~ de** based on; **un roman ~ des vieux contes populaires** a novel based on old folk tales

inspirer /ɛ̃spiʀe/ [1]
A *vtr* [1] (donner de l'inspiration à) to inspire [*personne, mouvement*]; **les paysages maritimes ont inspiré le poète** the poet was inspired by seascapes; **c'est un sujet qui ne m'inspire pas du tout** it's a subject which doesn't inspire me at all; [2] (donner envie à) to appeal to; **ça ne m'inspire pas** that doesn't appeal to me; [3] (susciter) to inspire; **~ la méfiance/le dégoût à qn** to inspire distrust/disgust in sb; **il ne m'inspire pas confiance** I don't have much confidence in him; **ce poème lui a inspiré sa plus célèbre œuvre musicale** this poem inspired his most famous piece of music; **vos remarques m'ont inspiré plusieurs réflexions** your remarks made me think of several things *ou* brought several thoughts to my mind
B *vi* (inhaler) to breathe in, to inhale sout
C s'inspirer *vpr* [1] (prendre son inspiration) **s'~ de** to draw one's inspiration from; **il s'est inspiré d'une légende populaire** he drew his inspiration from a popular legend; **la révolution s'est inspirée de ces idéaux** the revolution was inspired by these ideals; [2] (prendre exemple) **s'~ de qn** to follow sb's example, to take a leaf out of sb's book; **inspirez-vous d'elle!** follow her example!

instabilité /ɛ̃stabilite/ *nf* [1] (de situation, pays, prix) instability; (de temps) changeability; (de population) unsettled lifestyle; [2] (de personne) (emotional) instability; **~ mentale** mental instability; [3] Chimie, Phys instability

instable /ɛ̃stabl/
A *adj* [1] [*monnaie, économie, construction*] unstable; [*temps*] unsettled; [2] [*personne, caractère*] unstable; [3] Chimie, Phys unstable
B *nmf* unstable character

installateur, **-trice** /ɛ̃stalatœʀ, tʀis/ *nm,f* **~ de gaz** gas fitter; **~ de chauffage central** heating engineer

installation /ɛ̃stalasjɔ̃/
A *nf* [1] (mise en place) (de téléphone, chauffage, gaz, lave-vaisselle) installation, putting in; (de toilettes publiques, douches, canalisations) putting in; (de système de sécurité, d'équipement informatique) installation; (de table pliante, chevalet) putting up; **l'~ du bureau près de la fenêtre** putting the desk near the window; **~ gratuite** 'free installation'; [2] (appareils) system; [3] (déménagement) move; **depuis mon ~ à Paris** since I moved to Paris; **l'~ de réfugiés dans de nouveaux territoires** the settlement of refugees in new

territories; **l'~ des forains sur la place** the setting up of the fair in the square; **4** (manière d'être installé) **notre ~ est rudimentaire/temporaire** we're not properly/permanently settled; **5** (implantation) (d'usine) installation; **l'~ d'entreprises étrangères dans la région** foreign companies setting up in the area; **6** (usine) plant; **7** (professionnellement) **ton ~ à ton compte** your setting up on your own; **8** (arrivée) **dès leur ~ au pouvoir, les insurgés...** as soon as they came to power, the rebels...; **quelques jours après l'~ du nouveau gouvernement** a few days after the new government took office
B installations *nfpl* gén facilities
(Composés) **~ de chauffage** heating system; **~ électrique** electric wiring; **~ téléphonique** telephone system; **~s militaires** military installations; **~s nucléaires** nuclear sites; **~s pétrolières** oil production facilities; **~s sanitaires** sanitation ₵; **~s sidérurgiques** steelworks (+ *v sg ou pl*), steelyard (*sg*); **~s sportives** sports facilities

installé, **~e** /ɛ̃stale/
A *pp* ▸ **installer**
B *pp adj* (établi) [*personne*] living (**à** in); [*organisme, société*] based (**à** in); **être bien ~ dans un fauteuil** to be ensconced *ou* comfortably installed in an armchair; **c'est un homme ~** fig he's very nicely set up

installer /ɛ̃stale/ [1]
A *vtr* **1** (mettre en place) to install, to put in [*lave-vaisselle, évier, chauffage central*]; to put up [*table pliante, chevalet, sculptures, étagère*]; to set out [*marchandise*]; to set up [*infrastructure militaire*]; (raccorder) to connect [*gaz, téléphone, électricité*]; **faire ~ une antenne parabolique** to have a satellite dish put up *ou* installed; **~ le bureau près de la fenêtre** to put the desk near the window; **~ un chapiteau sur la place** to put up the big top on the square; **2** (aménager) to do up [*maison, local, cuisine*]; **~ une chambre dans le grenier** to make a bedroom in the attic; **3** (implanter) to set up [*usine*]; **~ son siège à Paris** to set up their headquarters in Paris; **4** (loger) to put [*invité*] (**dans** in); **~ qn dans un fauteuil** to sit sb in an armchair; **5** Admin to install [*magistrat*]; **il a été installé dans ses fonctions** he took up his duties; **~ qn à un poste** to appoint sb to a post; **~ qn au pouvoir** to put sb into power
B s'installer *vpr* **1** (devenir durable) [*régime*] to become established; [*atmosphère, morosité, récession*] to set in; **le doute s'installe dans leur esprit** they're beginning to have doubts; **2** (professionnellement) to set oneself up in business; **s'~ à son compte** to set up one's own business; **3** (pour vivre) to settle; **partir s'~ à l'étranger/en province** to go and live abroad/in the provinces; **s'~ dans une routine** to become fixed in a routine; **s'~ temporairement chez des amis** to move in temporarily with friends; **je viendrai te voir quand tu seras installé** I'll come and see you when you're settled in; **4** (se mettre à l'aise) **s'~ dans un fauteuil** to settle into an armchair; **s'~ au soleil/près de la fenêtre** to sit in the sun/by the window; **s'~ pour travailler/à son bureau** to settle down to work/at one's desk; **être bien installé dans un fauteuil** to be sitting comfortably in an armchair; **tu es bien installé?** are you sitting comfortably?; **installe-toi, j'arrive!** make yourself at home, I'm coming!; **dès qu'il est invité quelque part, il s'installe** when he is invited somewhere, he really makes himself at home; **on est mal installé sur ces chaises** these chairs are uncomfortable; **5** (être mis en place) **l'appareil s'installe facilement** the appliance is easy to install; **6** (s'implanter) **des usines étrangères vont s'~ dans la région** foreign companies are going to open factories in the area; **le musée devrait s'~ en banlieue** the museum will probably be situated in the suburbs

instamment /ɛ̃stamɑ̃/ *adv* [*prier, demander*] insistently

instance /ɛ̃stɑ̃s/ *nf* **1** Pol (autorité) authority; **les ~s internationales** international authorities; **l'~ supérieure** the higher authority; **l'~ suprême** the highest authority; **en dernière ~** in the final analysis; **les ~s d'un parti politique** the leaders of a political party; **2** (demande) entreaty; **il a accepté sur les ~s de ses amis** he accepted on the entreaties of his friends; **il m'a demandé avec ~ de venir** he pleaded with me to come; **3** Jur (action) legal proceedings (*pl*); (juridiction) level of jurisdiction; **introduire une ~** to start legal proceedings, to institute an action; **être en ~ de divorce** to be engaged in divorce proceedings; **~ supérieure** higher level; **en seconde ~** on appeal; **4** (attente) **l'affaire est en ~** the matter is pending; **courrier en ~** mail pending attention; **train en ~ de départ** train about to depart

instant, **~e** /ɛ̃stɑ̃, ɑ̃t/
A *adj* [*demande, prière, supplication*] insistent; [*besoin*] pressing
B *nm* **1** (durée brève) moment, instant; **je ne peux rester que quelques ~s** I can only stay for a moment; **un ~ de faiblesse/répit** a moment of weakness/respite; **un ~!** just a minute!; **il y a un ~** a moment ago; **je n'en ai pas douté un seul ~** I didn't doubt it for one moment; **en un ~** in an instant, in no time at all; **l'~ propice** the right moment; **à tout** *or* **chaque ~** all the time; **dans un ~** in a moment; **l'~ d'avant il était en bonne santé** a moment before he had been in perfect health; **l'~ d'après il était mort** a moment later *ou* the next minute he was dead; **ne pas perdre un ~** not to waste any time; **d'~ en ~** every minute; **par ~s** at times; **pour l'~** for the moment, for the time being; **il devrait arriver d'un ~ à l'autre** he should arrive any minute now; **2** (le présent) moment; **vivre dans l'~** to live for the present *ou* the moment; **à l'~ (même)** this instant *ou* minute; **à l'~ même où** just when; **au même ~** at that very moment *ou* minute; **de tous les ~s** [*attention, concentration*] constant

instantané, **~e** /ɛ̃stɑ̃tane/
A *adj* [*réponse, riposte, effet*] instantaneous, instant (*épith*); [*explosion, mouvement, mort*] instantaneous; [*boisson, potage, plat*] instant; [*vision, lueur, éclair*] momentary
B *nm* Phot snapshot

instantanément /ɛ̃stɑ̃tanemɑ̃/ *adv* instantly

instar: **à l'instar de** /alɛ̃stardə/ *loc prép* following the example of

instauration /ɛ̃stɔrasjɔ̃/ *nf* (d'impôts, de règles, débat, système) institution; (de régime, gouvernement) establishment

instaurer /ɛ̃stɔre/ [1]
A *vtr* to institute [*loi, taxe, contrôle, usage*]; to establish [*régime, gouvernement, dialogue, quota*]; to impose [*couvre-feu*]; **~ un climat de confiance** to create a climate of confidence
B s'instaurer *vpr* (tous contextes) to be established

instigateur, **-trice** /ɛ̃stigatœr, tris/ *nm,f* (de troubles) instigator; (de mouvement) originator

instigation /ɛ̃stigasjɔ̃/ *nf* **à l'~ de qn** at sb's instigation

instillation /ɛ̃stilasjɔ̃/ *nf* instillation

instiller /ɛ̃stile/ [1] *vtr* to instil[GB] (**dans** into; **à** into)

instinct /ɛ̃stɛ̃/ *nm* instinct; **agir à l'~** to act instinctively; **d'~** instinctively; **l'~ de conservation** the instinct of self-preservation; **~ grégaire/maternel** herd/maternal instinct

instinctif, **-ive** /ɛ̃stɛ̃ktif, iv/ *adj* [*réaction, mouvement*] instinctive; **c'est quelqu'un d'~** he/she's someone who relies on instinct

instinctivement /ɛ̃stɛ̃ktivmɑ̃/ *adv* instinctively

instituer /ɛ̃stitɥe/ [1] *vtr* **1** (créer) [*personne, gouvernement, organisme*] to institute [*organisation, politique, usage, législation*]; **2** (nommer) Relig to institute [*cardinal*]; Jur to appoint [*légataire*]; **~ qn son héritier** to appoint sb one's heir

institut /ɛ̃stity/ *nm* institute
(Composés) **~ de beauté** beauty salon *ou* parlour[GB]; **~ de crédit** Fin lending organization; **~ d'émission** Fin central bank; **Institut de France** *body representing the five French academies*; **~ médico-légal** forensic science laboratory; **~ médico-pédagogique** special school; **~ de sondage** polling organization

instituteur, **-trice** /ɛ̃stitytœr, tris/ ▸ p. 532 *nm,f* (d'école primaire) (primary school) teacher; (d'école maternelle) (nursery school) teacher

institution /ɛ̃stitysjɔ̃/
A *nf* **1** (administration) institution; **2** (établissement d'enseignement) private school; **~ de jeunes filles** private school for girls; **~ religieuse** (de jeunes filles) convent school; (de jeunes gens) school for boys (*run by a religious order*); **3** (action) institution (**de** of); **4** (établissement pour enfants, vieillards, malades) institution; **5** Jur **~ d'héritier** appointment of an heir
B institutions *nfpl* Pol institutions
(Composés) **l'~ hospitalière** hospitals (*pl*); **l'~ judiciaire** the judiciary; **l'~ militaire** the military; **l'~ policière** the police (+ *v pl*); **l'~ scolaire** schools (*pl*)

institutionnalisation /ɛ̃stitysjɔnalizasjɔ̃/ *nf* institutionalization

institutionnaliser /ɛ̃stitysjɔnalize/ [1]
A *vtr* to institutionalize [*usage, organisme, droit*]
B s'institutionnaliser *vpr* [*organisation, pratique*] to become institutionalized

institutionnel, **-elle** /ɛ̃stitysjɔnɛl/ *adj* [*système, réforme, crise*] institutional; **des investisseurs/clients ~s** institutional investors/clients; **la droite/gauche institutionnelle** the parliamentary right/left

institutrice ▸ **instituteur**

instructeur /ɛ̃stryktœr/
A *adj* **1** Jur [*magistrat, juge*] examining; **2** Mil [*sous-officier, capitaine*] drill
B *nm* gén, Mil instructor

instructif, **-ive** /ɛ̃stryktif, iv/ *adj* [*rencontre, histoire*] instructive; [*voyage, livre*] informative; [*expérience*] enlightening

instruction /ɛ̃stryksjɔ̃/
A *nf* **1** (formation) education ₵; Mil training; **l'~ de la jeunesse** the education of the young; **~ des recrues** Mil training of recruits; **2** (connaissances) education ₵; **niveau d'~ insuffisant** poor level of education; **homme sans ~** uneducated man; **manquer d'~** to be uneducated; **avoir de l'~** to be well-educated; **3** Admin (circulaire) directive; **~ ministérielle** ministerial directive; **4** Jur *preparation of a case for eventual judgment*; **5** Ordinat (énoncé) instruction; (pas de séquence) statement
B instructions *nfpl* (directives) instructions; **donner des ~s à ses employés** to give instructions to one's employees; **~s de lavage** washing instructions
(Composés) **~ civique** civics (+ *v sg*); **~ publique** Hist state education GB, public education US; **~ religieuse** religious instruction

instruire /ɛ̃strɥir/ [69]
A *vtr* **1** (former) [*personne*] to teach [*enfant, jeunesse*]; [*personne*] to train [*soldats*]; **ce film ne vise pas à ~** this film is not intended to be educational; **2** Jur **~ une affaire** to prepare a case for judgment; **le juge chargé d'~ l'affaire** the judge in charge of preparing the case for judgment; **~ contre qn** to make a case against sb; **3** fml (informer) **~ qn de qch** to inform sb of sth; **il nous a instruits de ses intentions** he informed us of his intentions
B s'instruire *vpr* **1** (apprendre) to learn; **on**

s'instruit à tout âge it's never too late to learn; **2** fml (s'informer) **s'~ de qch** to find out about sth; **il s'est instruit des intentions de ton collègue** he found out what your colleague's intentions were

instruit, **~e** /ɛ̃stʀɥi, it/
A *pp* ▸ **instruire**
B *pp adj* [*personne*] educated

instrument /ɛ̃stʀymɑ̃/ *nm* **1** (objet) instrument; **~s de chirurgie/d'optique** surgical/optical instruments; **voler/piloter aux ~s** Aviat to fly on instruments; **2** Mus instrument; **~ à cordes/à percussion/à vent** string/percussion/wind instrument; **jouer d'un ~** to play an instrument; **3** (agent) tool; (moyen) instrument; **être l'~ de qn** to be sb's tool; **être l'~ de la vengeance de qn** to be the instrument of sb's revenge; **ce rapport est un ~ de réflexion** the report is a discussion document; **des ~s idéologiques/pédagogiques/financiers** ideological/educational/financial tools; **~ de gestion** management tool
(Composés) **~ ancien** Mus period instrument; **~ de musique** musical instrument; **~s aratoires** Agric ploughing GB *ou* plowing US implements; **~s de bord** Aviat, Naut controls

instrumental, **~e**, *mpl* **-aux** /ɛ̃stʀymɑ̃tal, o/
A *adj* Mus, Ling instrumental
B *nm* Ling instrumental; **à l'~** in the instrumental

instrumentation /ɛ̃stʀymɑ̃tasjɔ̃/ *nf* Mus, Tech instrumentation

instrumenter /ɛ̃stʀymɑ̃te/ [1] *vi* **1** Jur to draw up a formal document; **2** Mus to instrument, to orchestrate

instrumentiste /ɛ̃stʀymɑ̃tist/ *nmf* **1** Mus instrumentalist; **2** Méd theatre nurse GB, scrub nurse GB, operating-room nurse US; **3** Ind instrumentation engineer

insu: **à l'insu de** /alɛ̃sydə/ *loc prép* **1** (sans le dire) **je suis parti à leur ~** I left without their knowing; **à l'~ de sa femme** without his wife *ou* wife's knowing it; **2** (sans en avoir conscience) without knowing it, without realizing it; **je me suis trahi à mon ~** I gave myself away without realizing *ou* knowing it; **ils ont été filmés à leur ~** they were filmed without (their) knowing it

insubmersible /ɛ̃sybmɛʀsibl/ *adj* unsinkable

insubordination /ɛ̃sybɔʀdinasjɔ̃/ *nf* insubordination

insubordonné, **~e** /ɛ̃sybɔʀdɔne/ *adj* gén rebellious, insubordinate sout; Mil insubordinate

insuccès /ɛ̃syksɛ/ *nm inv* failure

insuffisamment /ɛ̃syfizamɑ̃/ *adv* **1** (pas assez) insufficiently; **2** (mal) inadequately

insuffisance /ɛ̃syfizɑ̃s/ *nf* **1** (pénurie) insufficiency, shortage; **~ des ressources** insufficiency of resources; **2** (médiocrité) poor standard; **l'~ de ton travail** the poor standard of your work; **3** (déficit) shortfall; **l'~ de la production/de la demande** the shortfall in production/demand; **4** (lacune) shortcoming; **ce n'est pas à moi de pallier tes ~s** it's not for me to make up for your shortcomings; **5** Méd insufficiency; **~ cardiaque/rénale/respiratoire** cardiac/renal/respiratory insufficiency

insuffisant, **~e** /ɛ̃syfizɑ̃, ɑ̃t/
A *adj* **1** (quantitativement) [*nombre, rendement*] insufficient; **personnel ~** insufficient staff; **renforts en nombre ~** insufficient reinforcements; **2** (qualitativement) [*mesures, connaissances*] inadequate; **préparation ~e** inadequate preparation; **tes résultats en histoire sont ~s** your results in history are not good enough
B *nm,f* Méd **~ rénal/cardiaque** person suffering from renal/cardiac insufficiency

insufflation /ɛ̃syflasjɔ̃/ *nf* insufflation

insuffler /ɛ̃syfle/ [1] *vtr* **1** to instil[GB] [*espoir, dynamisme*] (**à** into); **~ la vie à qn** to breathe life into sb; **2** Méd to insufflate [*oxygène*] (**dans** into; **à** into)

insulaire /ɛ̃sylɛʀ/
A *adj* [*population, traditions*] island (*épith*); [*mentalité*] insular péj
B *nmf* islander

insularité /ɛ̃sylaʀite/ *nf* insularity

insuline /ɛ̃sylin/ *nf* insulin

insulino-dépendance, *pl* **~s** /ɛ̃sylinodepɑ̃dɑ̃s/ *nf* insulin-dependency

insulino-dépendant, **~e** /ɛ̃sylinodepɑ̃dɑ̃, ɑ̃t/ *adj* insulin-dependent

insulinothérapie /ɛ̃sylinoteʀapi/ *nf* insulin therapy

insultant, **~e** /ɛ̃syltɑ̃, ɑ̃t/ *adj* [*propos, comportement*] insulting (**pour** to); **ton attitude était ~e pour moi** I found your behaviour[GB] insulting

insulte /ɛ̃sylt/ *nf* insult; **c'est une ~ à leur mémoire/intelligence** it is an insult to their memory/intelligence; **écrire une lettre d'~s** to write an insulting letter; **des ~s racistes** racist insults, racist abuse; **dire des ~s à qn** to insult sb; **faire à qn l'~ de refuser** fml to insult sb by refusing

insulter /ɛ̃sylte/ [1]
A *vtr* **1** (injurier) to insult [*personne*]; **se faire ~** to be shouted at insultingly (**par** by); **2** (offenser) [*méfiance, attitude*] to be an insult to [*personne*]
B **s'insulter** *vpr* to exchange insults

insupportable /ɛ̃sypɔʀtabl/ *adj* unbearable

insupportablement /ɛ̃sypɔʀtabləmɑ̃/ *adv* unbearably

insupporter /ɛ̃sypɔʀte/ [1] *vtr* **elle nous/m'insupporte** we/I can't stand her

insurgé, **~e** /ɛ̃syʀʒe/
A *pp* ▸ **s'insurger**
B *pp adj, nm,f* insurgent, rebel

insurger: **s'insurger** /ɛ̃syʀʒe/ [13] *vpr* **1** (se soulever) [*population, ville*] to rise up (**contre** against); **2** (protester) [*personne, groupe*] to be up in arms (**contre** against)

insurmontable /ɛ̃syʀmɔ̃tabl/ *adj* [*problème, tâche, dette*] insurmountable; [*désaccord*] insuperable; [*timidité, aversion*] unconquerable

insurpassable /ɛ̃syʀpasabl/ *adj* unsurpassable

insurrection /ɛ̃syʀɛksjɔ̃/ *nf* **1** (de population) insurrection, uprising; **le foyer d'~** the centre[GB] of the uprising; **mouvements d'~** rebel movements; **des scènes d'~** scenes of revolt; **2** fig revolt (**contre** against)

insurrectionnel, **-elle** /ɛ̃syʀɛksjɔnɛl/ *adj* insurrectionary

intact, **~e** /ɛ̃takt/ *adj* intact (*jamais épith*); **maintenir qch ~** to keep sth intact; **rester ~** to remain intact; **leur gloire pour l'instant ~e** their glory that remains intact for the moment

intangibilité /ɛ̃tɑ̃ʒibilite/ *nf* inviolability

intangible /ɛ̃tɑ̃ʒibl/ *adj* **1** (inviolable) [*lois, principes*] inviolable; **2** (impalpable) sout [*gaz, fluides, présence*] intangible

intarissable /ɛ̃taʀisabl/ *adj* [*imagination, inspiration, bavard*] inexhaustible; [*bavardage, larmes*] endless; [*source*] never-ending; **elle est ~** she can go on forever (**sur** about)

intarissablement /ɛ̃taʀisabləmɑ̃/ *adv* endlessly

intégrable /ɛ̃tegʀabl/ *adj* **fonction ~** integrable function

intégral, **~e**, *mpl* **-aux** /ɛ̃tegʀal, o/
A *adj* **1** [*paiement, remboursement*] full, in full (*après n*); [*bronzage*] all-over (*épith*); **2** [*édition, texte, discours*] complete, unabridged; **voir un film en version ~e** to see the uncut version of a film
B **intégrale** *nf* **1** Mus **l'~e des concertos pour piano** the complete collection of piano concertos; **jouer l'~e des concertos pour piano** to perform all the piano concertos; **l'~e de Brassens** the complete Brassens collection; **2** Math integral

intégralement /ɛ̃tegʀalmɑ̃/ *adv* [*payer, citer, publier*] in full; [*refuser, rejeter*] completely

intégralité /ɛ̃tegʀalite/ *nf* **l'~ de leur salaire** their entire salary; **payer une dette dans son ~** to pay a debt in full; **payer l'~ d'une peine** to serve a full sentence; **diffuser un opéra dans son ~** to broadcast an opera in its entirety

intégrante /ɛ̃tegʀɑ̃t/ *adj f* **partie ~** integral part; **faire partie ~ de qch** to be an integral part of sth

intégration /ɛ̃tegʀasjɔ̃/ *nf* **1** gén integration (**à, dans** into); **~ sociale** integration into society; **2** ○(entrée) **il fête son ~ à Harvard** he's celebrating getting into Harvard

intègre /ɛ̃tɛgʀ/ *adj* [*personne, caractère, vie*] honest; **c'est un homme ~** he's a man of integrity

intégrer /ɛ̃tegʀe/ [14]
A *vtr* **1** (insérer) to insert, to include [*chapitres, articles*] (**à, dans** into); **2** (assimiler) to integrate [*communauté, population*] (**à, dans** into); **une architecture bien intégrée dans l'environnement** a piece of architecture which fits in well with its environment; **3** ○(entrer dans) **après sa formation, il a intégré la garde présidentielle** after his training, he joined the presidential guard; **il vient d'~ Harvard** he has just got into Harvard; **4** (inclure) [*solution, budget*] to include [*mesure, dépenses*]; **5** Math to integrate [*fonction*]
B **s'intégrer** *vpr* **1** [*population, communauté*] to integrate (**à, dans** with); **2** [*architecture, immeuble*] to fit in (**à, dans** with)

intégrisme /ɛ̃tegʀism/ *nm* fundamentalism

intégriste /ɛ̃tegʀist/ *adj, nmf* fundamentalist

intégrité /ɛ̃tegʀite/ *nf* integrity

intellect /ɛ̃telɛkt/ *nm* intellect

intellectualisation /ɛ̃telɛktɥalizasjɔ̃/ *nf* intellectualization

intellectualiser /ɛ̃telɛktɥalize/ [1] *vtr* to intellectualize

intellectualisme /ɛ̃telɛktɥalism/ *nm* intellectualism

intellectuel, **-elle** /ɛ̃telɛktɥɛl/
A *adj* [*travail, facultés, activité, supériorité*] intellectual; [*fatigue, effort*] mental; [*milieu, œuvre*] intellectual; [*goût, musique*] highbrow
B *nm,f* intellectual; **c'est un ~ de gauche** he's a left-wing intellectual

intellectuellement /ɛ̃telɛktɥɛlmɑ̃/ *adv* [*supérieur, médiocre*] intellectually; [*se fatiguer*] mentally

intelligemment /ɛ̃teliʒamɑ̃/ *adv* intelligently

intelligence /ɛ̃teliʒɑ̃s/
A *nf* **1** (aptitude, faculté) intelligence; **faire preuve d'~** to show intelligence; **~ pratique** practical intelligence; **son ~ est vive, il est d'une ~ vive** he has a sharp mind; **avec ~** intelligently; **2** (compréhension) understanding; **nécessaire à la bonne ~ du texte** necessary for a complete understanding of the text; **3** (entente) agreement; **agir d'~ avec qn** to act in agreement with sb; **être d'~ avec qn** to have a secret understanding *ou* agreement with sb; **faire des signes d'~ à qn** to make signs of complicity to sb; **être en bonne/mauvaise ~ avec qn** to be on good/bad terms with sb; **4** (personne intelligente) great intellect
B **intelligences** *nfpl* (complicité) secret relations *ou* dealings; **avoir des ~s dans la place** to have inside contacts
(Composés) **~ artificielle**, **IA** Ordinat artificial intelligence, AI

intelligent, **~e** /ɛ̃teliʒɑ̃, ɑ̃t/ *adj* [*personne*] intelligent, clever; [*choix, réponse, regard,* *comportement*] intelligent; **un être ~** an intelligent being; **ce n'est pas ~ de ta part d'avoir fait** it wasn't very clever of you to do; **c'est ~!** iron that's clever!

intelligentsia /ɛ̃teliʒɛntsja/ *nf* intelligentsia

intelligibilité /ɛ̃teliʒibilite/ *nf* intelligibility

intelligible /ɛ̃teliʒibl/ *adj* intelligible (**à** to); **de manière ~** in an intelligible way, intelligibly; **parler à haute et ~ voix** to speak loudly and clearly

intelligiblement /ɛ̃teliʒibləmɑ̃/ *adv* intelligibly

intempérance /ɛ̃tɑ̃peʀɑ̃s/ *nf* intemperance

intempérant, **~e** /ɛ̃tɑ̃peʀɑ̃, ɑ̃t/ *adj* intemperate

intempéries /ɛ̃tɑ̃peʀi/ *nfpl* bad weather ¢

intempestif, **-ive** /ɛ̃tɑ̃pɛstif, iv/ *adj* [*démarche, demande, arrivée*] untimely; [*curiosité, joie, zèle*] misplaced

intempestivement /ɛ̃tɑ̃pɛstivmɑ̃/ *adv* at an inopportune moment

intemporalité /ɛ̃tɑ̃pɔʀalite/ *nf* timelessness

intemporel, **-elle** /ɛ̃tɑ̃pɔʀɛl/ *adj* (immuable) [*vérités, principes, art*] timeless

intenable /ɛ̃t(ə)nabl/ *adj* [1] (insupportable) [*odeur, chaleur, situation*] unbearable; [2] (indiscipliné) [*personne, enfant*] difficult; [3] (indéfendable) [*théorie, raisonnement*] untenable

intendance /ɛ̃tɑ̃dɑ̃s/ *nf* [1] Scol (service) administration; (bureau, personnel) administrative offices; **il faut que l'~ suive** backup is necessary; **l'~ ne suit pas** the backup is not forthcoming; [2] Hist (charge d'intendant) intendancy

intendant, **~e** /ɛ̃tɑ̃dɑ̃, ɑ̃t/
A *nm,f* Scol bursar
B *nm* [1] Mil (général) quartermaster; (financier) paymaster; [2] (de domaine) steward; [3] Hist intendant
C **intendante** *nf* Relig Mother Superior

intense /ɛ̃tɑ̃s/ *adj* intense

intensément /ɛ̃tɑ̃semɑ̃/ *adv* intensely

intensif, **-ive** /ɛ̃tɑ̃sif, iv/
A *adj* intensive
B *nm* intensive

intensification /ɛ̃tɑ̃sifikasjɔ̃/ *nf* intensification

intensifier /ɛ̃tɑ̃sifje/ [2]
A *vtr* to intensify [*sensation, sentiment*]; to intensify, to step up [*échanges, production*]
B **s'intensifier** *vpr* to intensify

intensité /ɛ̃tɑ̃site/ *nf* [1] (force) intensity; **la tempête diminue d'~** the storm is dying down; [2] Phys (électrique) current

intensivement /ɛ̃tɑ̃sivmɑ̃/ *adv* intensively

intenter /ɛ̃tɑ̃te/ [1] *vtr* **~ un procès à qn** to sue sb; **~ une action contre qn** to bring an action against sb

intention /ɛ̃tɑ̃sjɔ̃/ *nf* intention; **agir avec les meilleures ~s du monde** to act with the best of intentions; **il n'est pas dans ses ~s de faire** he has no intention of doing; **avoir l'~ de faire** to intend to do; **c'est l'~ qui compte** it's the thought that counts; **dans l'~ de faire** with the intention of doing; **à l'~ de qn** [*déclaration, geste*] aimed at sb; [*œuvre*] intended for sb; [*fête*] in sb's honour[GB]; ▸ **paver**

intentionné, **~e** /ɛ̃tɑ̃sjɔne/ *adj* **bien/mal ~** well-/ill-intentioned

intentionnel, **-elle** /ɛ̃tɑ̃sjɔnɛl/ *adj* intentional

intentionnellement /ɛ̃tɑ̃sjɔnɛlmɑ̃/ *adv* intentionally

interactif, **-ive** /ɛ̃tɛʀaktif, iv/ *adj* interactive

interaction /ɛ̃tɛʀaksjɔ̃/ *nf* interaction
(Composés) **~ faible** Phys weak interaction; **~ forte** Phys strong interaction

interactivement /ɛ̃tɛʀaktivmɑ̃/ *adv* interactively

interactivité /ɛ̃tɛʀaktivite/ *nf* interactivity

interallemand, **~e** /ɛ̃tɛʀalmɑ̃, ɑ̃d/ *adj* between the two Germanies (*après n*)

interallié, **~e** /ɛ̃tɛʀalje/ *adj* [*état-major, force*] joint allied

interarabe /ɛ̃tɛʀaʀab/ *adj* between Arab nations (*après n*)

interarmées /ɛ̃tɛʀaʀme/ *adj inv* [*force, état-major*] joint

interarmes /ɛ̃tɛʀaʀm/ *adj inv* [*opération*] combined; [*école*] interservices (*épith*)

interbancaire /ɛ̃tɛʀbɑ̃kɛʀ/ *adj* interbank (*épith*)

interbibliothèques /ɛ̃tɛʀbiblijɔtɛk/ *adj inv* **prêt ~** interlibrary loan

intercalaire /ɛ̃tɛʀkalɛʀ/
A *adj* **feuille** *or* **feuillet ~** insert; **jour/mois ~** intercalary day/month
B *nm* (de séparation) divider

intercaler /ɛ̃tɛʀkale/ [1]
A *vtr* [1] (insérer) to insert (**dans** into; **entre** between); [2] (ajouter) to intercalate [*jour, mois*]
B **s'intercaler** *vpr* [*rendez-vous*] to fit (**entre** in between); [*feuillet, exemple*] to be inserted (**entre** between); [*personne, véhicule*] to come (**entre** in between)

intercéder /ɛ̃tɛʀsede/ [14] *vi* to intercede (**auprès de qn** with sb; **en faveur de qn** on sb's behalf)

intercellulaire /ɛ̃tɛʀselylɛʀ/ *adj* intercellular

intercepter /ɛ̃tɛʀsɛpte/ [1] *vtr* to intercept

intercepteur /ɛ̃tɛʀsɛptœʀ/ *nm* Aviat interceptor

interception /ɛ̃tɛʀsɛpsjɔ̃/ *nf* interception; **chasseur d'~** Mil Aviat interceptor

intercesseur /ɛ̃tɛʀsesœʀ/ *nm* intercessor

intercession /ɛ̃tɛʀsesjɔ̃/ *nf* intercession

interchangeabilité /ɛ̃tɛʀʃɑ̃ʒabilite/ *nf* interchangeability

interchangeable /ɛ̃tɛʀʃɑ̃ʒabl/ *adj* interchangeable

interchrétien, **-ienne** /ɛ̃tɛʀkʀetjɛ̃, ɛn/ *adj* [*affrontements*] between opposing Christian factions (*après n*)

interclasse /ɛ̃tɛʀklas/ *nm* break (between classes)

interclubs /ɛ̃tɛʀklœb/ *adj inv* interclub

intercom /ɛ̃tɛʀkɔm/ *nm* intercom

intercommunal, **~e**, *mpl* **-aux** /ɛ̃tɛʀkɔmynal, o/ *adj* [*coopération*] between local councils (*épith, après n*); [*équipement*] district (*épith*)

intercommunautaire /ɛ̃tɛʀkɔmynotɛʀ/ *adj* UE within the EC (*après n*)

intercommunication /ɛ̃tɛʀkɔmynikasjɔ̃/ *nf* intercommunication

interconnecter /ɛ̃tɛʀkɔnɛkte/ [1] *vtr* to interconnect

interconnexion /ɛ̃tɛʀkɔnɛksjɔ̃/ *nf* interconnection

intercontinental, **~e**, *mpl* **-aux** /ɛ̃tɛʀkɔ̃tinɑ̃tal, o/ *adj* [*vol, missile*] intercontinental

intercostal, **~e**, *mpl* **-aux** /ɛ̃tɛʀkɔstal, o/ *adj* [*nerf*] intercostal; [*douleur*] in the ribs (*après n*)

interdépartemental, **~e**, *mpl* **-aux** /ɛ̃tɛʀdepaʀtəmɑ̃tal, o/ *adj* [1] Entr, Univ interdepartmental; [2] Admin *involving several departments*

interdépendance /ɛ̃tɛʀdepɑ̃dɑ̃s/ *nf* interdependence

interdépendant, **~e** /ɛ̃tɛʀdepɑ̃dɑ̃, ɑ̃t/ *adj* interdependent

interdiction /ɛ̃tɛʀdiksjɔ̃/ *nf* [1] (action d'interdire) banning; **demander l'~ de qch** to ask for sth to be banned; **'~ de fumer'** 'no smoking'; **'~ de dépasser'** 'no overtaking' GB, 'no passing' US; **'~ de stationner'** 'no parking'; **il a été condamné avec ~ d'exercer sa profession** he was found guilty and banned from practising[GB]; **la décision est en contradiction avec l'~ du travail des mineurs** the decision contravenes the ban on child labour[GB]; [2] (chose interdite) ban; **maintenir/lever une ~** to maintain/lift a ban; **toutes les ~s d'importer de la viande...** all bans on meat imports...; **trois mois d'~ de sortie du territoire** a three-month ban on leaving the country; [3] (de fonctionnaire) barring from office; **fonctionnaire frappé d'~** civil servant who has been barred from holding office; [4] Jur **~ (judiciaire)** declaration of legal incompetence
(Composé) **~ de séjour** prohibition on residence

interdigital, **~e**, *mpl* **-aux** /ɛ̃tɛʀdiʒital, o/ *adj* interdigital

interdire /ɛ̃tɛʀdiʀ/ [65]
A *vtr* [1] (ne pas autoriser) to ban, to prohibit [*film, ouvrage, meeting, commerce, publicité, vente*]; to ban [*alcool, tabac*]; **~ la vente de qch** to ban the sale of sth; **la loi qui interdit le travail de nuit des femmes** the law banning nightwork for women; **~ à qn l'entrée de sa maison** to refuse sb entry to one's house; **le médecin m'a interdit les bains de soleil/l'alcool** the doctor has told me not to sunbathe/not to drink alcohol; **~ qn de parole** to forbid sb to talk; **X est interdit d'antenne/d'enseignement** X is banned from broadcasting/teaching; **~ à qn de faire**, **~ que qn fasse** to forbid sb to do; **on lui a interdit de parler** he was forbidden to talk; **la loi interdit qu'on fume dans les lieux publics** the law forbids smoking in public places; **il est interdit de parler au chauffeur/prendre des photos** it is forbidden to talk to the driver/take photos; **c'est interdit par la loi** it is forbidden by law; **il est interdit de fumer/mendier/cracher** no smoking/begging/spitting; [2] (rendre impossible) **mon état de santé m'interdit le sport/l'alcool** I can't play sports/drink alcohol on account of my health; **son manque de qualifications lui interdit tout espoir de promotion** he has no hope of promotion because he lacks qualifications; **~ à qn de faire** to prevent sb from doing; **la discrétion m'interdit d'en dire plus** discretion prevents me from saying more; **les circonstances nous interdisent tout commentaire** the circumstances prevent us from commenting; [3] (suspendre) to ban [sb] from holding office [*fonctionnaire*]
B **s'interdire** *vpr* **s'~ le chocolat** to keep off chocolate; **s'~ les sorties** to refrain from going out; **s'~ de penser** to stop oneself from thinking

interdisciplinaire /ɛ̃tɛʀdisiplinɛʀ/ *adj* [1] Scol [*cours, activité*] cross-curricular; [2] Univ interdisciplinary

interdisciplinarité /ɛ̃tɛʀdisiplinaʀite/ *nf* Univ interdisciplinarity

interdit, **~e** /ɛ̃tɛʀdi, it/
A *pp* ▸ **interdire**
B *pp adj* [1] (défendu) prohibited, forbidden; **baignade/pêche/chasse ~e** swimming/fishing/hunting prohibited; **stationnement ~** no parking; **entrée ~e** no entry *ou* admittance; **dépassement ~** no overtaking GB, no passing US; **film ~ aux moins de 13 ans** film unsuitable for children under 13; **film ~ aux moins de 18 ans** film for adults over 18 only; **être ~ de séjour** Jur to be subject to a prohibition on residence; fig to be banned (**dans** from)
C *adj* (stupéfait) dumbfounded; **être** *or* **rester ~** to be dumbfounded; **la nouvelle l'a laissé tout ~** he was really dumbfounded by the news; **Paul, tout ~, me regardait** Paul was staring at me, dumbfounded
D *nm* [1] (chose interdite) (par les lois) proscription; (par les conventions) taboo; **lever un ~** to remove a proscription; **la transgression de l'~** *or* **des ~s** breaking taboos; **braver tous les ~s** to

defy all taboos; **2** (condamnation) bar; **jeter** *or* **lancer** *or* **prononcer l'~ sur qn** to debar *ou* bar sb

(Composé) **~ alimentaire** Relig dietary restrictions (*pl*)

interentreprises /ɛ̃tɛʀɑ̃tʀəpʀiz/ *adj inv* [*rivalité*] inter-company; [*coopération*] within the business community (*après n*)

intéressant, ~e /ɛ̃teʀesɑ̃, ɑ̃t/

A *adj* **1** (qui retient l'attention) interesting (**de faire** to do; **pour qn** for sb); **il est ~ de noter que** it's interesting to note that; **2** (qui offre des ressources) interesting; **3** (avantageux) [*prix, offre, conditions, opérations*] attractive; [*affaire*] favourable[GB]; **il est plus ~ de payer au comptant qu'à crédit** it's better to pay in cash rather than by credit; **il est ~ d'acheter dans l'immobilier** property is a good buy

B *nm,f* **faire l'~** *or* **son ~** to show off

(Idiome) **être dans une situation ~e**○ to be pregnant

intéressé, ~e /ɛ̃teʀese/

A *pp* ▸ **intéresser**

B *pp adj* **1** (attiré) interested (**par** in); **il est très ~ par notre proposition** he's very interested in our proposal; **il est peu ~ par l'affaire** he has little interest in the matter; **se dire** *or* **déclarer ~ par qch** to express an interest in sth; **2** (captivé) [*public, auditoire*] attentive; **la salle semblait peu ~e** the audience didn't seem very attentive; **3** (concerné) **les parties ~es** those concerned; **toute personne ~e** all those interested (+ *v pl*); **les personnes ~es aux bénéfices** people with a share in the profits; **4** (qui vise un profit) [*personne, avis, point de vue, démarche*] self-interested (*épith*); **il est ~** he acts out of self-interest; **ses conseils étaient ~s** his advice was given out of self-interest

C *nm,f* person concerned; **les ~s** people concerned; **le principal ~** the person most directly concerned; **les principaux ~s** those most directly concerned

intéressement /ɛ̃teʀɛsmɑ̃/ *nm* Entr (système) profit-sharing; (revenu) share in the profits; **fixe plus ~** basic salary plus share in the profits; **~ des salariés** profit-sharing scheme

intéresser /ɛ̃teʀese/ [1]

A *vtr* **1** (retenir l'attention) to interest; **personne/rien ne les intéresse** they're not interested in anybody/anything; **votre projet m'intéresse** I'm interested in your project; **ça ne m'intéresse pas** I'm not interested (**de faire** in doing); **votre émission n'intéresse plus personne** nobody finds your programme[GB] interesting any more; **aujourd'hui l'environnement intéresse les gens** today people take an interest in the environment; **2** (concerner) [*problème, décision, mesures*] to concern; **l'accord intéresse une vingtaine de personnes** the agreement concerns twenty-odd people; **la protection du site intéresse tout le monde** the protection of the site is of concern to all; **3** Entr **~ les salariés aux bénéfices** to offer a profit-sharing scheme to employees

B **s'intéresser** *vpr* **s'~ à** gén to be interested in; (en s'engageant) to take an interest in; **il ne s'intéresse qu'aux femmes/insectes** he's only interested in women/insects; **de plus en plus de gens s'intéressent à l'environnement** more and more people are taking an interest in the environment

intérêt /ɛ̃teʀɛ/ *nm* **1** (attention) interest (**pour** in); **susciter** *or* **éveiller l'~ de qn** to arouse sb's interest; **porter un grand ~ à qch** to take a great interest in sth; **manifester** *or* **marquer son ~ pour qch** to express one's interest in sth; **trouver** *or* **prendre un certain ~ à faire** to find it interesting to do; **avec ~** [*lire, observer, attendre*] with interest; **2** (attrait) interest; **votre livre est d'un grand ~** *or* **présente un grand ~** your book is of great interest; **recherche digne d'~** worthwhile research; **livre plein d'~** book of exceptional interest; **sans ~** uninteresting; **n'avoir pas grand ~** not to have much to recommend it; **3** (avantage, utilité) interest; **d'~ général/public/commun** of general/public/common interest; **dans l'~ de qn/de tous** in sb's/everyone's interest; **l'~ supérieur de la nation** the supreme interest of the nation; **c'est dans votre ~ de faire** it's in your interest to do; **elle a tout ~ à faire/à ce que qch se fasse** it is in her best interest to do/that sth be done; **contraire aux ~s de qn** against sb's interests; **c'est dans ton ~** it's for your own good; **être du plus grand ~ pour qn** to concern sb in particular; **tu as ~ à faire**○ you'd be well advised to do; **quel ~ auraient-ils à faire?** what would be the point in their doing?; **y a ~**○**!** you bet○!; **je ne vois pas l'~ de cette réforme/de faire** I don't see the point of this reform/of doing; **par ~** [*agir*] out of self-interest; [*se marier*] for money; **4** Fin (de crédit) interest **¢**; **prêt sans ~s** interest-free loan; **porter ~** [*compte*] to bear interest; **porteur d'~** interest-bearing (*épith*); **payer des ~s** to pay interest; **~s simples/composés** simple/compound interest; **5** Fin (part) interest; **avoir/détenir des ~s dans une société** to have/to hold interests in a company; **des ~s dans le sucre/nickel** interests in sugar/nickel

inter-États /ɛ̃teʀeta/ *adj inv* [*relations*] interstate

interethnique /ɛ̃tɛʀetnik/ *adj* [*relations*] between ethnic communities (*après n*); [*violence, affrontements*] (entre tribus) intertribal; (entre communautés) racial

interface /ɛ̃tɛʀfas/ *nf* Ordinat, Tech interface

(Composés) **~ graphique** Ordinat graphical interface; **~ de raccordement** Ordinat attachment unit interface, AUI

interférence /ɛ̃tɛʀfeʀɑ̃s/ *nf* gén, Phys interference

interférent, ~e /ɛ̃tɛʀfeʀɑ̃, ɑ̃t/ *adj* interferential

interférer /ɛ̃tɛʀfeʀe/ [14] *vi* **1** fig to interfere (**avec** with); **les deux projets risquent d'~** the two projects might interfere with each other; **2** Phys to interfere

interféron /ɛ̃tɛʀfeʀɔ̃/ *nm* interferon

intergalactique /ɛ̃tɛʀgalaktik/ *adj* intergalactic

intergouvernemental, ~e, *mpl* **-aux** /ɛ̃tɛʀguvɛʀnəmɑ̃tal, o/ *adj* intergovernmental

intergroupe /ɛ̃tɛʀgʀup/ *nm* Pol cross-party committee

intérieur, ~e /ɛ̃teʀjœʀ/

A *adj* **1** (au-dedans) [*mur, escalier, température*] internal, interior; [*cour*] inner; [*mer*] inland; [*poche*] inside; [*frontière*] internal; **côté ~** inside; **pour l'aménagement ~ de votre maison** for the interior decoration of your house; **lire notre article en pages ~es** read our article inside; **2** (d'un pays) [*politique, marché, consommation, conflit*] domestic; [*ligne, vol, réseau*] domestic; **sur le plan ~** on the domestic front; **3** (d'une organisation) [*règlement, organisation*] internal; **4** (intime) [*vie, sentiment, nécessité, voix*] inner

B *nm* **1** (de boîte, journal, d'enveloppe, armoire) inside; (de voiture) interior; **fermé de l'~** locked from the inside; **à l'~** inside, indoors; **les enfants jouent à l'~** the children are playing inside; **à l'~ de** inside; **à l'~ des frontières/de la ville/du périmètre** inside the borders/town/perimeter; **à l'~ du régime/parti** inside the regime/party; **à l'~ des terres** inland; **2** (habitation) interior; **fière de son ~** proud of her home; **d'~** [*jeu*] indoor; **plante d'~** houseplant, indoor plant; **3** (de pays) interior; **sur la côte et à l'~ du pays** on the coast and inland; **les villes de l'~** the inland towns; **4** Sport **~ gauche/droit** inside-left/right

intérieurement /ɛ̃teʀjœʀmɑ̃/ *adv* **1** (en soi-même) [*rire, rager*] inwardly; **2** (au-dedans) verrouillé/doublé **~** bolted from the/lined on the inside

intérim /ɛ̃teʀim/ *nm* **1** (période) interim (period); **dans** *or* **pendant l'~** in the interim; **par ~** on an interim basis; **président par ~** acting president; **2** (fonction) interim duties; **assurer l'~ de** to stand in for; **3** (travail temporaire) temporary work; **société** *or* **agence d'~** gén temporary employment agency; (de secrétariat) temping agency; **travailler en ~** to do temporary work, to temp○

intérimaire /ɛ̃teʀimɛʀ/

A *adj* [*fonction, comité*] interim; [*ministre*] acting, interim; [*emploi, personnel, secrétaire*] temporary

B *nmf* gén worker from a temporary employment agency; (secrétaire) temporary secretary, temp○; (médecin, prêtre) locum GB, stand-in US

interindividuel, -elle /ɛ̃tɛʀɛ̃dividɥɛl/ *adj* interpersonal

intériorisation /ɛ̃teʀjɔʀizasjɔ̃/ *nf* internalization

intérioriser /ɛ̃teʀjɔʀize/ [1] *vtr* **1** (garder en soi) to internalize [*colère, peur, sentiment*]; **2** (intégrer) to internalize [*valeurs, règlement*]

intériorité /ɛ̃teʀjɔʀite/ *nf* interiority

interjectif, -ive /ɛ̃tɛʀʒɛktif, iv/ *adj* interjectional

interjection /ɛ̃tɛʀʒɛksjɔ̃/ *nf* **1** Ling interjection; **2** Jur lodging

interjeter /ɛ̃tɛʀʒəte/ [20] *vtr* Jur **~ appel** to lodge an appeal

interlignage /ɛ̃tɛʀliɲaʒ/ *nm* spacing

interligne /ɛ̃tɛʀliɲ/

A *nm* Imprim (espace) line space; **ajouter un mot dans l'~** to add a word between the lines; **double ~** double spacing

B *nf* Imprim lead

interligner /ɛ̃tɛʀliɲe/ [1] *vtr* (séparer) to space [*texte*]

interlocuteur, -trice /ɛ̃tɛʀlɔkytœʀ, tʀis/ *nm,f* **1** (dans une conversation) interlocutor sout; **se faire comprendre de son ~** to make oneself understood by the person one is talking to; **un ~ anonyme affirmant parler au nom de...** an anonymous caller, claiming to speak on behalf of...; **la confrontation de ses idées à celles d'un ~** debating one's ideas with someone else; **2** (dans une négociation) representative, spokesperson; **reconnaître qn comme un ~ valable** to acknowledge sb as a recognized spokesperson; **les insurgés ne peuvent être un ~ dans les négociations** the insurgents will not be allowed any representation in the negotiations; **3** (contact) **X est le seul ~** X is the only contact; **le client n'a qu'un seul ~ dans la société** the client only deals with one person in the company; **l'~ privilégié du gouvernement** the person the government prefers to deal with

interlope /ɛ̃tɛʀlɔp/ *adj* **1** (louche) [*milieu, personne*] shady; **2** (illégal) illegal

interloquer /ɛ̃tɛʀlɔke/ [1] *vtr* to take [sb] aback; **rester interloqué** to be taken aback

interlude /ɛ̃tɛʀlyd/ *nm* TV, Mus interlude

intermariage /ɛ̃tɛʀmaʀjaʒ/ *nm* intermarriage

intermède /ɛ̃tɛʀmɛd/ *nm* interlude

intermédiaire /ɛ̃tɛʀmedjɛʀ/

A *adj* [*entreprises, taux, étape, situation*] intermediate; **il n'existe pas de structure ~ entre la prison et l'hôpital psychiatrique** there's no alternative between prison and a psychiatric hospital; **avez-vous la taille/une couleur ~?** do you have a size/colour[GB] in between?

B *nmf* **1** (dans des négociations, un débat) go-between, intermediary; **jouer un rôle** *or* **servir d'~** to act as go-between (**entre** between); **2** Écon middleman

C *nm* **sans ~** [*faire, agir*] without any intermediary; [*traiter, vendre*] direct, without a middleman; **faire qch sans l'~ de qn/qch** to do sth without (the intermediary of) sb/sth; **par l'~ de** through

D intermédiaires *nmpl* Chimie intermediates

intermédiation /ɛ̃tɛʀmedjasjɔ̃/ *nf* intermediation

intermezzo /ɛ̃tɛʀmedzo/ *nm* intermezzo

interminable /ɛ̃tɛʀminabl/ *adj* **1** (qui dure longtemps) [*procès, guerre, spectacle, attente*] interminable, never-ending; **2** (qui est long) [*file, lettre, plage*] endless

interminablement /ɛ̃tɛʀminabləmɑ̃/ *adv* endlessly, interminably

interministériel, -ielle /ɛ̃tɛʀministeʀjɛl/ *adj* [*comité, commission, réunion*] interdepartmental

intermittence /ɛ̃tɛʀmitɑ̃s/ *nf* **1** **par ~** [*pleuvoir*] on and off, intermittently; [*travailler*] intermittently; **2** Méd (rémission) remission; (de cœur, pouls) irregularity

intermittent, ~e /ɛ̃tɛʀmitɑ̃, ɑ̃t/
A *adj* [*pluie, efforts, fièvre*] intermittent; [*bruit*] sporadic; [*travail*] periodic; **les travailleurs ~s** contract workers
B *nm,f* contract worker; **les ~s du spectacle** contract workers in showbusiness

intermodal, ~e, *mpl* **-aux** /ɛ̃tɛʀmɔdal, o/ *adj* **centre ~** integrated system interchange

intermoléculaire /ɛ̃tɛʀmɔlekylɛʀ/ *adj* intermolecular

intermusculaire /ɛ̃tɛʀmyskylɛʀ/ *adj* intermuscular

internat /ɛ̃tɛʀna/ *nm* **1** Scol (école) boarding school; (dortoirs) dormitories (*pl*); (élèves) boarders; **être en ~** to be at a boarding school; **2** Univ Méd (fonction) appointment as a house officer; (concours) examination for appointment as a house officer; **pendant son ~** during his/her period as a house officer

international, ~e, *mpl* **-aux** /ɛ̃tɛʀnasjɔnal, o/
A *adj* (tous contextes) international
B *nm,f* (athlète) international
C internationaux *nmpl* Sport (de tennis, golf, d'athlétisme) internationals

Internationale /ɛ̃tɛʀnasjɔnal/ *nf* **1** (groupement) International; **2** (hymne) Internationale

internationalement /ɛ̃tɛʀnasjɔnalmɑ̃/ *adv* internationally

internationalisation /ɛ̃tɛʀnasjɔnalizasjɔ̃/ *nf* internationalization

internationaliser /ɛ̃tɛʀnasjɔnalize/ [1]
A *vtr* (tous contextes) to internationalize
B s'internationaliser *vpr* to become international

internationalisme /ɛ̃tɛʀnasjɔnalism/ *nm* internationalism

internationaliste /ɛ̃tɛʀnasjɔnalist/ *adj, nmf* internationalist

internationalité /ɛ̃tɛʀnasjɔnalite/ *nf* internationality

internaute /ɛ̃tɛʀnot/ *nmf* Netsurfer

interne /ɛ̃tɛʀn/
A *adj* **1** (à l'intérieur) [*crise, règlement, document, concours*] internal; [*cours, formation*] in-house (*épith*); **~ à** within; **la crise ~ au parti** the crisis within the party; **2** Méd (dans le corps) [*paroi, organe, hémorragie*] internal; Anat [*oreille*] inner; **médecine ~** internal medicine; **à usage ~** for internal use; **3** Math, Phys internal; [*angle*] interior
B *nmf* **1** Scol boarder; **je suis ~** I'm a boarder; **2** Univ Méd house officer GB, intern US; **~ en médecine/chirurgie** house physician/surgeon

internement /ɛ̃tɛʀnəmɑ̃/ *nm* (de prisonnier, dissident) internment; (de malade mental) committal (to a psychiatric institution); **demander l'~ de qn** to request that sb be committed; **être victime d'un ~ abusif** to be wrongfully committed (to a psychiatric institution)

interner /ɛ̃tɛʀne/ [1] *vtr* Jur to intern [*prisonnier politique*]; to commit [*malade, aliéné*]; **faire ~ qn** to have sb committed; **il est bon à ~** hum he ought to be locked away in a loony bin○

Internet **➜▯▯** /ɛ̃tɛʀnɛt/ *nm* Internet

interocéanique /ɛ̃tɛʀɔseanik/ *adj* interoceanic

interosseux, -euse /ɛ̃tɛʀɔsø, øz/ *adj* interosseous

interparlementaire /ɛ̃tɛʀpaʀləmɑ̃tɛʀ/ *adj* [*comité, session*] interparliamentary GB, joint (*épith*)

interpellateur, -trice /ɛ̃tɛʀpelatœʀ, tʀis/ *nm,f* gén questioner; Pol interpellator

interpellation /ɛ̃tɛʀpelasjɔ̃/ *nf* **1** (action policière) questioning **¢**; **lors de la manifestation, il y a eu quinze ~s** at the demonstration, fifteen people were questioned by the police; **procéder à des ~s** to take people in for questioning; **2** (adresse) calling out (**de** to); **l'~ de X par Y** Y's calling out to X; **3** Pol interpellation

interpeller* /ɛ̃tɛʀpəle/ [1]
A *vtr* **1** (appeler) to call out to; (apostropher) to shout at; **2** (interroger sur place) to question; (emmener au poste) to take [sb] in for questioning; **3** Pol to interpellate
B s'interpeller *vpr* [*personnes*] (amicalement) to shout to one another; (agressivement) to shout at one another

interpénétration /ɛ̃tɛʀpenetʀasjɔ̃/ *nf* interpenetration

interpénétrer: **s'interpénétrer** /ɛ̃tɛʀpenetʀe/ [14] *vpr* [*théories, cultures, idées*] to interpenetrate

interphone® /ɛ̃tɛʀfɔn/ *nm* **1** (dans un bureau) intercom; **parler à qn par l'~** to speak to sb over the intercom; **2** (dans un immeuble) entry phone

interplanétaire /ɛ̃tɛʀplanetɛʀ/ *adj* interplanetary

Interpol /ɛ̃tɛʀpɔl/ *nm* Interpol

interpolation /ɛ̃tɛʀpɔlasjɔ̃/ *nf* interpolation

interpoler /ɛ̃tɛʀpɔle/ [1] *vtr* to interpolate

interposer /ɛ̃tɛʀpoze/ [1]
A *vtr* to interpose sout (**entre** between); **par qn/qch interposé** through the intermediary of; **il vit par personne interposée** he leads a vicarious existence
B s'interposer *vpr* to intervene (**dans** in; **pour faire** to do; **entre** between)

interposition /ɛ̃tɛʀpozisjɔ̃/ *nf* interposition; **force d'~** peacekeeping force

interprétable /ɛ̃tɛʀpʀetabl/ *adj* interpretable

interprétariat /ɛ̃tɛʀpʀetaʀja/ *nm* interpreting; **école d'~** interpreting school

interprétation /ɛ̃tɛʀpʀetasjɔ̃/ *nf* **1** (explication) interpretation (**de** of); **~ marxiste/psychanalytique** marxist/psychoanalytical interpretation; **erreur d'~** error of interpretation; **fausse** *or* **mauvaise ~** misinterpretation; **on peut donner plusieurs ~s à ce phénomène** this phenomenon can be interpreted in several ways; **2** Mus, Théât (exécution) performance; (façon de comprendre) interpretation; **3** (métier) interpreting

interprète /ɛ̃tɛʀpʀɛt/ ▸ p. 532 *nmf* **1** (traducteur) interpreter; **~ consécutif/simultané** consecutive/simultaneous interpreter; **servir d'~ à qn, faire l'~ pour qn** to act as an interpreter for sb; **2** Mus (exécutant) performer; (soliste) soloist; **3** Cin, Théât performer; **les ~s d'une pièce** the cast of a play; **4** (porte-parole) spokesperson; **se faire l'~ de qn** to act as sb's spokesperson; **soyez mon ~ auprès de lui** speak to him on my behalf; **5** (de texte) exponent; (de présage, rêve) interpreter

interpréter /ɛ̃tɛʀpʀete/ [14]
A *vtr* **1** Cin, Mus, Théât to play [*rôle, personnage*]; to sing [*chanson*]; to perform [*sonate, morceau*]; **2** (tirer une signification de) to interpret [*texte, paroles, événement, conduite*] (**comme** as); **~ le silence de qn comme un aveu** to interpret sb's silence as an admission of guilt; **ne pas savoir comment ~ qch** not to know what to make of sth; **mal ~ qch** to misinterpret sth; **~ qch en mal/en bien** to take sth the wrong/right way
B s'interpréter *vpr* to be interpreted; **l'événement/le texte peut s'~ de plusieurs façons** the event/the text can be interpreted in several ways

interpréteur /ɛ̃tɛʀpʀetœʀ/ *nm* interpreter

interprofessionnel, -elle /ɛ̃tɛʀpʀɔfesjɔnɛl/ *adj* interprofessional

interracial, ~e, *mpl* **-iaux** /ɛ̃tɛʀʀasjal, o/ *adj* interracial

interrégional, ~e, *mpl* **-aux** /ɛ̃tɛʀʀeʒjɔnal, o/ *adj* inter-regional

interrègne /ɛ̃tɛʀʀɛɲ/ *nm* interregnum

interrogateur, -trice /ɛ̃tɛʀɔgatœʀ, tʀis/
A *adj* [*regard, ton*] inquiring; **elle les a regardés d'un air ~** she looked at them inquiringly
B *nm,f* (de candidat) examiner; (de suspect) interrogator

interrogatif, -ive /ɛ̃tɛʀɔgatif, iv/ *adj* Ling [*pronom, phrase, forme*] interrogative

interrogation /ɛ̃tɛʀɔgasjɔ̃/ *nf* **1** (de témoin, soi-même) questioning (**sur** about); **2** Ling question; **~ directe/indirecte** direct/indirect question; **3** Scol test; **~ écrite/orale** written/oral test; **4** Ordinat query
(Composé) **~ à distance** Télécom remote access

interrogatoire /ɛ̃tɛʀɔgatwaʀ/ *nm* Pol, Jur (de témoin, d'accusé) cross-examination; (d'espion, otage) interrogation; **subir un ~** to undergo cross-examination; **après six heures d'~ il a avoué son crime** after six hours' interrogation, he confessed to the crime

interrogeable /ɛ̃tɛʀɔʒabl/ *adj* which can be interrogated; **répondeur ~ à distance** remote-access answering machine

interroger /ɛ̃tɛʀɔʒe/ [13]
A *vtr* **1** (questionner) [*juge, procureur*] to cross-examine [*témoin, accusé*]; [*police*] to question [*témoin*] (**sur** about); to interrogate [*espion*]; [*journaliste*] to put questions to [*personnage, politicien*] (**sur** on); **interrogé sur l'Europe, le président a déclaré...** when questioned about Europe, the president declared...; **50% des personnes interrogées** 50% of those questioned; **être interrogé comme témoin** to be called as a witness; **2** (consulter) to query [*ordinateur*]; **~ son répondeur** to check one's calls; **3** Scol [*professeur*] to test [*élève*] (**sur** on)
B s'interroger *vpr* **s'~ sur qn/qch** to wonder about sb /sth; **on s'interroge devant l'ampleur des réformes annoncées** the scope of the reforms which have been announced makes one wonder

interrompre /ɛ̃tɛʀɔ̃pʀ/ [53]
A *vtr* **1** (momentanément) [*événement, personne*] to interrupt [*émission, repas, conversation*]; to break off [*relations, dialogue*]; to disrupt [*circulation*]; to cut off [*distribution d'eau*]; [*personne*] to cease [*activité*]; **~ son repas/sa lecture pour répondre au téléphone** to stop eating/reading to answer the phone; **elle a interrompu son discours** she stopped *ou* broke off in the middle of her speech; **les employés ont interrompu le travail en signe de protestation** the employees stopped work in protest; **2** (définitivement) [*maladie, événement*] to put an end to [*carrière, études, vacances*]; Méd to stop [*traitement*]; to terminate [*grossesse*]; **3** (couper la parole à) to interrupt [*interlocuteur*]; **ne m'interromps pas tout le temps!** stop interrupting all the time!
B s'interrompre *vpr* **1** (soi-même) **s'~ dans son travail/sa lecture** to stop working/reading (**pour faire** to do); **2** (l'un l'autre) to interrupt each other; **3** (s'arrêter) [*pluie, conversation, fête*] to stop

---

➜▯▯ *voir* Le courrier électronique et l'Internet

i

interrupteur /ɛ̃teʀyptœʀ/ *nm* switch
(Composés) ~ **à bascule** toggle switch; ~ **à lames** knife switch; ~ **va-et-vient** two-way switch

interruption /ɛ̃teʀypsjɔ̃/ *nf* **1** (arrêt) break (**de** in); **après une ~ de trois mois** after a three-month break; **après l'~ des vacances d'été** after the summer break; **une ~ momentanée de l'image** TV a momentary loss of picture; **une ~ momentanée du programme** TV a break in transmission; **sans ~** [*ouvert, habité, bombardé*] continuously; **j'ai travaillé/joué sans ~ jusqu'à minuit** I worked/played nonstop until midnight; **2** (fin) ending (**de** of); **l'~ du dialogue entre** the breaking off of the dialogue[GB] between
(Composés) ~ **de prescription** Jur interruption of prescription; ~ **volontaire de grossesse**, **IVG** Méd termination of pregnancy

intersaison /ɛ̃tɛʀsɛzɔ̃/ *nf* Tourisme low season; Sport off-season

interscolaire /ɛ̃tɛʀskɔlɛʀ/ *adj* inter-school

intersection /ɛ̃tɛʀsɛksjɔ̃/ *nf* intersection

intersidéral, **~e**, *mpl* **-aux** /ɛ̃tɛʀsideʀal, o/ *adj* interstellar

interstellaire /ɛ̃tɛʀstɛllɛʀ/ *adj* [*espace, milieu*] interstellar

interstice /ɛ̃tɛʀstis/ *nm* (de plancher) crack; (de volets, stores) chink; **à travers les ~s des volets** through the chinks in the shutters

intersyndical, **~e**, *mpl* **-aux** /ɛ̃tɛʀsɛ̃dikal, o/ *adj* inter-union

intersyndicale /ɛ̃tɛʀsɛ̃dikal/ *nf* group of several unions

intertitre /ɛ̃tɛʀtitʀ/ *nm* Cin insert title

intertropical, **~e**, *mpl* **-aux** /ɛ̃tɛʀtʀɔpikal, o/ *adj* intertropical

interurbain, **~e** /ɛ̃tɛʀyʀbɛ̃, ɛn/
A *adj* **1** [*liaisons, transports*] interurban; **2** Télécom [*communications*] trunk; [*appel*] trunk, long distance
B *nm* **l'~** long distance telephone service

intervalle /ɛ̃tɛʀval/ *nm* **1** (dans l'espace) space; **planter des arbres à ~s réguliers** to plant trees at regular intervals; **2** (dans le temps) interval; **dans l'~** meanwhile, in the meantime; **3** Mus interval

intervenant, **~e** /ɛ̃tɛʀvənɑ̃, ɑ̃t/
A *nm,f* (invité) gén speaker; Radio, TV panel member; (participant) contributor
B *nm* **1** Fin (en Bourse) dealer; **2** Jur intervenor; **3** Comm acceptor
(Composé) ~ **bénévole** Jur amicus curiae, friend of the court

intervenir /ɛ̃tɛʀvəniʀ/ [36] *vi* (+ *v être*) **1** (se produire) [*changements*] to take place; [*accord*] to be reached; [*augmentation*] to occur; **2** (prendre part) [*orateur*] to speak (**dans** in); ~ **sur le marché** Fin to intervene in the market; **3** (agir en urgence) [*armée, police, pompiers*] to intervene; **le chirurgien a décidé d'~** the surgeon decided to operate; **4** (intercéder) to intercede; ~ **auprès de qn pour qn** to intercede with sb on sb's behalf; ~ **auprès de qn pour qch** to intercede with sb to try to obtain sth; ~ **comme médiateur** to play the role of mediator

intervention /ɛ̃tɛʀvɑ̃sjɔ̃/ *nf* **1** (engagement) intervention (**en faveur de** on behalf of; **auprès de** with); ~ **de l'armée/la police** military/police intervention; **2** (participation) (d'orateur) speech; (de conférencier) lecture; **l'~ du ministre à la télévision** the speech made by the minister on television; ~ **sur le marché** intervention in the market; **3** Méd (opération) operation; ~ **chirurgicale** (surgical) operation (**sur qn** on sb); **elle vient de subir une petite ~** she has just had a minor operation
(Composé) ~ **en appel** Jur appeal proceedings (*pl*)

interventionnisme /ɛ̃tɛʀvɑ̃sjɔnism/ *nm* interventionism

interventionniste /ɛ̃tɛʀvɑ̃sjɔnist/
A *adj* interventionist; **non ~** non-interventionist
B *nmf* interventionist

interversion /ɛ̃tɛʀvɛʀsjɔ̃/ *nf* (de mots, d'objets) inversion; (de rôles) reversal

intervertir /ɛ̃tɛʀvɛʀtiʀ/ [3] *vtr* to invert [*objets*]; to reverse [*rôles*]

interview /ɛ̃tɛʀvju/ *nf* interview; **dans une ~ exclusive à un magazine anglais** in an exclusive interview in an English magazine

interviewé, **~e** /ɛ̃tɛʀvjuve/ *nm,f* interviewee

interviewer /ɛ̃tɛʀvjuve/ [1] *vtr* to interview

intervieweur, **-euse** /ɛ̃tɛʀvjuvœʀ, øz/ *nm,f* interviewer

intervocalique /ɛ̃tɛʀvɔkalik/ *adj* intervocalic

intestat /ɛ̃tɛsta/ *adj, nmf* intestate

intestin /ɛ̃tɛstɛ̃/ *nm* bowel, intestine; ~ **grêle** small intestine; **gros ~** large intestine

intestinal, **~e**, *mpl* **-aux** /ɛ̃tɛstinal, o/ *adj* [*paroi, perforation*] intestinal; **avoir des problèmes intestinaux** to have bowel problems

intimation /ɛ̃timasjɔ̃/ *nf* summons (*sg*)

intime /ɛ̃tim/
A *adj* **1** (personnel) [*vie, carnet, journal*] private; [*ami, rapports, secrets*] intimate; [*hygiène, toilette*] personal; **avoir des relations ~s avec qn** to be on intimate terms with sb; **2** (entre proches) [*fête, dîner*] intimate; [*conversation*] private; [*cérémonie, mariage*] quiet; **3** (douillet) [*pièce*] cosy GB *ou* cozy US, intimate; **4** (profond) [*structure, sens*] innermost; [*connaissance*] intimate; [*conviction*] deep; **j'ai la conviction ~** *or* **l'~ conviction que...** I firmly believe that..., it is my firm conviction that...
B *nmf* close friend, intimate; **un ~ de qn** an intimate of sb; **c'est Jojo pour les ~s** my friends call me Jojo

intimé, **~e** /ɛ̃time/ *nm,f* Jur respondent

intimement /ɛ̃timmɑ̃/ *adv* intimately; **les deux problèmes sont ~ liés** the two problems are intimately connected; **je suis ~ convaincu que...** I'm absolutely convinced that...

intimer /ɛ̃time/ [1] *vtr* ~ **à qn l'ordre de faire** to order sb to do

intimidable /ɛ̃timidabl/ *adj* **être ~** to be easily intimidated

intimidant, **~e** /ɛ̃timidɑ̃, ɑ̃t/ *adj* [*situation, regard, professeur*] intimidating

intimidateur, **-trice** /ɛ̃timidatœʀ, tʀis/ *adj* intimidating

intimidation /ɛ̃timidasjɔ̃/ *nf* intimidation; **céder à des mesures d'~** to allow oneself to be intimidated; **d'~** [*manœuvre, geste, parole*] intimidatory

intimider /ɛ̃timide/ [1] *vtr* to intimidate; **se laisser ~ par qn/qch** to be intimidated by sb/sth

intimisme /ɛ̃timism/ *nm* Art intimism

intimiste /ɛ̃timist/ *adj, nmf* intimist

intimité /ɛ̃timite/ *nf* **1** (lien) intimacy; **il y avait entre eux une parfaite ~** they were on very intimate terms; **2** (privé) privacy; **dans l'~ de leur chambre** in the privacy of their bedroom; **dans la plus stricte ~** in the strictest privacy; **ils ont fêté Noël dans l'~** they had a quiet Christmas; **dans l'~ il est beaucoup plus chaleureux** in private he is much warmer; **3** (vie privée) private life; **l'~ de l'artiste** the artist's private life; **4** (de maison, pièce, cadre) cosiness; **5** (fond) depths (*pl*); **dans l'~ de votre conscience** in the depths of your conscience

intitulé /ɛ̃tityle/ *nm* title, heading
(Composé) ~ **de compte** Fin account holder's name

intituler /ɛ̃tityle/ [1]
A *vtr* to call; **j'ai intitulé mon livre...** I called my book...; **livre intitulé...** book called *ou* entitled...
B **s'intituler** *vpr* [*livre, émission*] to be called, entitled

intolérable /ɛ̃tɔleʀabl/ *adj* [*souffrance, vacarme, chaleur*] intolerable, unbearable; [*attitude*] intolerable; [*images*] deeply shocking; **de façon ~** intolerably; **pousser qch jusqu'à l'~** to push sth beyond acceptable limits; **il est ~ que** it is intolerable that

intolérance /ɛ̃tɔleʀɑ̃s/ *nf* **1** (sectarisme) intolerance; **2** Méd allergy (**à** to); ~ **solaire** allergy to the sun *ou* to sunshine

intolérant, **~e** /ɛ̃tɔleʀɑ̃, ɑ̃t/ *adj* intolerant

intonation /ɛ̃tɔnasjɔ̃/ *nf* Phon, Mus intonation; **faire une faute d'~** to get the intonation wrong; **l'~ moqueuse de ta voix** your mocking tone

intouchable /ɛ̃tuʃabl/
A *adj* [*personnage*] irreproachable
B *nmf* Relig untouchable

intox(e)○ /ɛ̃tɔks/ *nf inv* Pol disinformation; **faire de l'~** to spread disinformation

intoxication /ɛ̃tɔksikasjɔ̃/ *nf* **1** Méd poisoning; ~ **par le plomb** lead poisoning; ~ **par les champignons** poisoning caused by eating fungi; **17 ~s mortelles** 17 deaths due to poisoning; **2** (propagande) disinformation
(Composé) ~ **alimentaire** Méd food poisoning

intoxiquer /ɛ̃tɔksike/ [1]
A *vtr* **1** (empoisonner) to poison; **2** fig (abrutir) to brainwash; **être intoxiqué par la télévision** to be turned into a zombie by television
B **s'intoxiquer** *vpr* to poison oneself (**en faisant** by doing)

intracellulaire /ɛ̃tʀasɛlylɛʀ/ *adj* intracellular

intracommunautaire /ɛ̃tʀakɔmynotɛʀ/ *adj* gén intra-community; UE intra-Community

intra-conjugal, **~e**, *mpl* **-aux** /ɛ̃tʀakɔ̃ʒygal, o/ *adj* **insémination intra-conjugale** artificial insemination (*using the husband's sperm*)

intradermique /ɛ̃tʀadɛʀmik/ *adj* [*injection*] intradermal

intrados /ɛ̃tʀado(s)/ *nm inv* intrados

intraduisible /ɛ̃tʀadɥizibl/ *adj* **1** (qu'on ne peut traduire) [*expression, auteur*] untranslatable; **2** (inexprimable) [*émotion*] inexpressible

intraitable /ɛ̃tʀɛtabl/ *adj* [*concurrent, patron*] inflexible; **je serai ~ là-dessus** I will not budge on this

intra-muros /ɛ̃tʀamyʀɔs/
A *loc adj* **de Paris ~ à la grande banlieue** from the very heart of Paris to the outermost suburbs
B *loc adv* [*construire, habiter*] in *ou* within the town itself

intramusculaire /ɛ̃tʀamyskylɛʀ/ *adj* [*injection*] intramuscular

intranet /ɛ̃tʀanɛt/ *nm* intranet

intransigeance /ɛ̃tʀɑ̃ziʒɑ̃s/ *nf* intransigence; **être d'une ~ absolue** to be absolutely uncompromising *ou* intransigent

intransigeant, **~e** /ɛ̃tʀɑ̃ziʒɑ̃, ɑ̃t/ *adj* [*attitude, discours, principe*] uncompromising; [*personne*] intransigent (**sur** on); [*patriote, partisan*] staunch

intransitif, **-ive** /ɛ̃tʀɑ̃zitif, iv/
A *adj* intransitive
B *nm* intransitive verb

intransitivement /ɛ̃tʀɑ̃zitivmɑ̃/ *adv* intransitively

intransitivité /ɛ̃tʀɑ̃zitivite/ *nf* intransitivity

intransmissibilité /ɛ̃tʀɑ̃smisibilite/ *nf* Biol untransferability

intransmissible /ɛ̃tʀɑ̃smisibl/ *adj* [*maladie*] non-infectious; [*savoir*] incommunicable

intransportable /ɛ̃tʀɑ̃spɔʀtabl/ *adj* [*marchandises*] untransportable; [*blessé*] who should not be moved (*épith, après n*)

intrant /ɛ̃tʀɑ̃/ *nm* Écon input

intraoculaire /ɛ̃tʀaɔkylɛʀ/ *adj* intraocular

intra-utérin, **~e**, *mpl* **~s** /ɛ̃tʀayteʀɛ̃, in/ *adj* intra-uterine

intraveineux, **-euse** /ɛ̃tʀavenø, øz/
A *adj* intravenous
B **intraveineuse** *nf* intravenous injection

intrépide /ɛ̃tʀepid/ *adj* [*aventurier, regard, pas*] intrepid, bold; [*menteur*] barefaced (*épith*)

intrépidité /ɛ̃tʀepidite/ *nf* boldness, intrepidity; **avec ~** boldly, fearlessly

intrigant, **~e** /ɛ̃tʀigɑ̃, ɑ̃t/
A *adj* **1** (retors) scheming (*épith*); **2** (curieux) intriguing
B *nm,f* schemer

intrigue /ɛ̃tʀig/ *nf* **1** (machination) intrigue; **2** Littérat plot; **une ~ policière/amoureuse** a detective/love story

intriguer /ɛ̃tʀige/ [1] *vtr* **1** (susciter la curiosité) to intrigue; **elle m'intrigue** I find her intriguing; **2** (manœuvrer) to intrigue, scheme

intrinsèque /ɛ̃tʀɛ̃sɛk/ *adj* [*valeur, contenu*] intrinsic

intrinsèquement /ɛ̃tʀɛ̃sɛkmɑ̃/ *adv* intrinsically; **un texte/projet jugé ~ mauvais** a text/project seen as intrinsically flawed

introducteur, **-trice** /ɛ̃tʀɔdyktœʀ, tʀis/ *nm,f* **1** (personne qui présente) **servir d'~ à qn** to introduce sb (**auprès de** to); **2** (personne qui introduit) **l'~ du tabac en France** the man who introduced tobacco to France

introductif, **-ive** /ɛ̃tʀɔdyktif, iv/ *adj* [*article, exposé, texte*] introductory; [*discours, chœur, réquisitoire*] opening

introduction /ɛ̃tʀɔdyksjɔ̃/ *nf* **1** (d'objet, sonde, clé) insertion (**dans** into); **2** (de visiteur) ushering (**dans** into); **~ des visiteurs** ushering in of the guests; **3** (présentation) **il s'est chargé de mon ~ auprès du grand patron** he got me introduced to the big boss; **une lettre d'~ auprès de qn** a letter of introduction to sb; **4** (de mode, sport, produit, mesure, technique) introduction; **5** (importation) **~ de substances illicites** smuggling of illegal substances; **6** Littérat, Mus (préliminaire) introduction (**à, de** to); **l'~ d'un livre** the introduction to a book; **7** (initiation) introduction; **~ à la physique nucléaire** introduction to nuclear physics
(Composés) **~ en Bourse** Fin listing; **~ d'instance** Jur institution of legal proceedings

introduire /ɛ̃tʀɔdɥiʀ/ [69]
A *vtr* **1** (insérer) to insert [*objet*] (**dans** into); **~ une clé dans une serrure** to insert a key into a lock; **2** (faire entrer) (en grande pompe) to usher [sb] in [*invité, visiteur*]; (clandestinement) to smuggle [*personne*] (**dans** into); **3** (présenter) to introduce [*personne*]; **il m'a promis qu'il m'introduirait auprès du ministre** he promised me that he would introduce me to the minister; **4** (faire adopter) to introduce [*mesures, coutume, produit, idée*] (**dans** into); **~ une nouvelle législation** to introduce new legislation; **5** (importer illicitement) to smuggle [*produits, drogue*] (**dans** into); **6** Fin **~ (en Bourse)** to float [*titre*]
B **s'introduire** *vpr* **1** (pénétrer) [*personne, eau, fumée*] to get (**dans** into); **les cambrioleurs se sont introduits dans la maison par la lucarne** the burglars got into the house through the skylight; **s'~ dans une maison/pièce par effraction** to break into a house/room; **2** (se faire admettre) [*personne*] to gain admittance (**dans** to); **3** (être adopté) [*mode, mot, idée*] to be introduced (**dans** into)

introduit, **~e** /ɛ̃tʀɔdɥi, it/
A *pp* ▸ **introduire**
B *pp adj* **être ~ dans les milieux bancaires** to know a lot of people in banking circles; **être bien ~ auprès de qn** to have access to sb

intromission /ɛ̃tʀɔmisjɔ̃/ *nf* intromission (**dans** into)

intronisation /ɛ̃tʀɔnizasjɔ̃/ *nf* **1** (de souverain, d'évêque) enthronement; **2** (de mode, doctrine) fml establishment

introniser /ɛ̃tʀɔnize/ [1] *vtr* **1** to enthrone [*souverain, évêque*]; **2** fig, hum to establish [*personne*] (**comme** as); **3** fig, fml to establish [*mode, doctrine*]

introspectif, **-ive** /ɛ̃tʀɔspɛktif, iv/ *adj* introspective

introspection /ɛ̃tʀɔspɛksjɔ̃/ *nf* introspection

introuvable /ɛ̃tʀuvabl/ *adj* **1** (qu'on ne peut trouver) [*personne, endroit, adresse*] untraceable; [*objet*] which cannot be found (*épith, après n*); [*équilibre, compromis*] unattainable; **le voleur reste ~** the thief has still not been found; **mon portefeuille est ~** my wallet has disappeared without a trace, I can't find my wallet anywhere; **2** (rare) [*collaborateur, spécialiste*] that cannot be found (*épith, après n*); [*livre, antiquité*] unobtainable

introversion /ɛ̃tʀɔvɛʀsjɔ̃/ *nf* introversion

introverti, **~e** /ɛ̃tʀɔvɛʀti/
A *adj* introverted
B *nm,f* introvert

intrus, **~e** /ɛ̃tʀy, yz/ *nm,f* intruder; **'cherchez l'~'** Jeux 'spot the odd one out' GB, 'pick the one that doesn't fit' US

intrusion /ɛ̃tʀyzjɔ̃/ *nf* **1** (irruption) intrusion (**dans** into); **2** (ingérence) (de personne, pays) interference (**dans** in); (d'objet, idée) intrusion; **3** Géol intrusion; **d'~** [*roches, nappes*] intrusive

intubation /ɛ̃tybasjɔ̃/ *nf* intubation

intuber /ɛ̃tybe/ [1] *vtr* to intubate

intuitif, **~ive** /ɛ̃tɥitif, iv/ *adj* [*personne, esprit*] intuitive; **avoir une connaissance intuitive de qch** to have an intuitive understanding of sth

intuition /ɛ̃tɥisjɔ̃/ *nf* intuition; **avoir l'~ de/que** to have an intuition about/that; **avoir de l'~** to have intuition

intuitivement /ɛ̃tɥitivmɑ̃/ *adv* intuitively

intumescence /ɛ̃tymesɑ̃s/ *nf* intumescence

intumescent, **~e** /ɛ̃tymesɑ̃, ɑ̃t/ *adj* intumescent

inuit, **~e** /inɥit/ *adj* Inuit

Inuit, **~e** /inɥit/ *nm,f* Inuit

inusable /inyzabl/ *adj* [*pneus, chaussures*] hardwearing

inusité, **~e** /inyzite/ *adj* **1** Ling (inexistant) not used (*jamais épith*); (rare) uncommon, not in common use (*jamais épith*); **les formes du passé sont ~es** the past tense forms are not used; **2** (inhabituel) [*bruit, chaleur, démarche*] unusual

in utero /inyteʀo/ *loc adv* in utero

inutile /inytil/ *adj* **1** [*objet, développement*] useless; [*fatigue, travail, démarche, discussion*] pointless; [*crainte, prescriptions*] needless; **(il est) ~ de faire** there's no point in doing; **il est ~ que vous partiez** there's no point in your leaving; **~ de dire que** needless to say; **~ de me demander si** it's no use asking me whether; **~ de rincer** no need to rinse; **sans risques/frais ~s** without unnecessary risks/expenditure; **mes efforts sont restés ~s** my efforts were in vain; **2** [*personne, employé*] useless; **se sentir ~** to feel useless

inutilement /inytilmɑ̃/ *adv* [*se fatiguer, dramatiser, se déranger*] unnecessarily; [*s'inquiéter, souffrir*] needlessly; [*attendre, chercher, discuter, mourir*] in vain

inutilisable /inytilizabl/ *adj* unusable

inutilisé, **~e** /inytilize/ *adj* unused

inutilité /inytilite/ *nf* (d'objet, effort, de personne) uselessness; (de démarche, dépense) pointlessness

invaincu, **~e** /ɛ̃vɛ̃ky/ *adj* [*guerrier, équipe, pays*] undefeated; [*sportif, joueur*] unbeaten; [*maladie*] unconquered

invalidant, **~e** /ɛ̃validɑ̃, ɑ̃t/ *adj* disabling

invalidation /ɛ̃validasjɔ̃/ *nf* invalidation; **l'~ d'un député** the invalidation of the election of a deputy

invalide /ɛ̃valid/
A *adj* **1** Méd disabled; **un accident l'a rendu ~ à vie** an accident left him disabled for life; ▸ **grand**; **2** Jur [*contrat, acte*] invalid
B *nmf* disabled person; **les ~s** the disabled
C *nm* Mil disabled ex-serviceman
(Composés) **~ civil** Prot Soc registered disabled civilian; **~ de guerre** Prot Soc registered disabled ex-serviceman; **~ du travail** Prot Soc victim of an industrial injury

invalider /ɛ̃valide/ [1] *vtr* Jur to invalidate [*contrat, testament, élections*]

invalidité /ɛ̃validite/ *nf* **1** Méd disability; **~ permanente** permanent disability; **2** Jur invalidity

invariabilité /ɛ̃vaʀjabilite/ *nf* invariability

invariable /ɛ̃vaʀjabl/ *adj* invariable

invariablement /ɛ̃vaʀjabləmɑ̃/ *adv* invariably

invariant, **~e** /ɛ̃vaʀjɑ̃, ɑ̃t/
A *adj* invariant
B *nm* invariant

invasif, **-ive** /ɛ̃vazif, iv/ *adj* invasive

invasion /ɛ̃vazjɔ̃/ *nf* Mil, fig invasion; **l'~ de capitaux étrangers sur le marché** the invasion of the market by foreign capital

invective /ɛ̃vɛktiv/ *nf* invective ¢, abuse ¢; **se répandre en ~s** to pour out abuse (**contre** against)

invectiver /ɛ̃vɛktive/ [1]
A *vtr* to hurl abuse at
B **invectiver contre** *vtr ind* fml to rail against sout [*personne, injustice*]
C **s'invectiver** *vpr* to insult each other

invendable /ɛ̃vɑ̃dabl/ *adj* unsalable

invendu, **~e** /ɛ̃vɑ̃dy/
A *adj* [*articles, marchandises, livres*] unsold
B *nm* gén unsold item; (livre, journal) unsold copy

inventaire /ɛ̃vɑ̃tɛʀ/ *nm* **1** Comm (opération) stocktaking GB, inventory US; (liste) stocklist GB, inventory US; **faire l'~** to do the stocktaking GB, to take inventory US; **2** (de valise, garde-robe) list of contents; (de patrimoine, collection) inventory; **faire l'~ de sa valise** (dresser une liste) to make a list of the contents of one's suitcase; (vérifier le contenu) to go through one's suitcase; **faire l'~ d'une collection** to draw up an inventory of a collection; **~ à la Prévert** a catch-all list

inventer /ɛ̃vɑ̃te/ [1]
A *vtr* to invent [*machine, jeu, technique, remède*]; to devise [*moyen, subterfuge*]; to invent, make up [*excuse, raison*]; **histoire inventée** made-up story; **tu inventes** you're making it up; **je n'invente rien** every word is true; **je ne sais plus quoi ~ pour te faire plaisir**○ I can't think what else to do to make you happy
B **s'inventer** *vpr* **1** (pour soi) **il s'est inventé une enfance malheureuse** he's invented an unhappy childhood for himself; **elle s'invente toujours de bonnes raisons/des excuses** she can always find a good reason/an excuse; **2** **ça ne s'invente pas** that has to be true
(Idiome) **il n'a pas inventé la poudre**○ *or* **l'eau tiède**○ *or* **le fil à couper le beurre**○ he is not very bright

inventeur, **-trice** /ɛ̃vɑ̃tœʀ, tʀis/ ▸ **p. 532** *nm,f* **1** gén inventor; **2** Jur (découvreur d'un bien) finder

inventif, **-ive** /ɛ̃vɑ̃tif, iv/ *adj* **1** (novateur) inventive; **2** (débrouillard) resourceful

invention /ɛ̃vɑ̃sjɔ̃/ *nf* **1** (création) invention; **l'~ de la photographie** the invention of photography; **une ~ langagière/théâtrale** a linguistic/theatrical invention; **elle nous a servi un plat de son ~** she served us a dish she'd invented herself; **2** (mensonge) fabrication; **c'est de l'~ pure** it's a complete fabrication; **ce ne sont que des ~s** it's not true at all; **c'est encore une histoire de ton ~** it's just another one of your stories; **3** (imagination) ¢ inventiveness; **faire preuve d'~** to be inventive

inventivité /ɛ̃vɑ̃tivite/ *nf* inventiveness

inventorier /ɛ̃vɑ̃tɔʀje/ [2] *vtr* **1** Comm to make out a stocklist GB *ou* an inventory US of [*marchandises*]; **2** Jur to draw up an inventory of [*biens, succession*]; **3** (passer en revue) to list the contents of [*garde-robe*]; to catalogue[GB] [*bibliothèque, musée*]

invérifiable /ɛ̃veʀifjabl/ *adj* unverifiable

inverse /ɛ̃vɛʀs/

A *adj* **1** [*position, ordre, situation*] inverse; [*direction, effet, démarche*] opposite; **en raison ~ de** in inverse proportion to; **en sens ~** [*aller, repartir*] in the opposite direction; [*venir, arriver*] from the opposite direction; **attention aux voitures qui arrivent en sens ~** beware of oncoming traffic; **une voiture a heurté un camion roulant en sens ~** a car was in collision with a truck coming the opposite way; **2** Math [*élément, fonction*] inverse; **matrice ~** inverse of a matrix

B *nm* **1** gén **l'~** the opposite, the reverse; **aller à l'~ de** to be the opposite *ou* reverse of; **à l'~** conversely; **à l'~ de ce qui s'est passé l'an dernier** unlike last year; **à l'~ de ce qu'il croyait** contrary to what he thought; **c'est comme ça qu'il faut faire et non *or* pas l'~** that's how it should be done and not the other way around; **2** Math inverse

inversement /ɛ̃vɛʀsəmɑ̃/ *adv* **1** gén conversely; **et/ou ~** and/or vice-versa; **2** Math inversely; **~ proportionnel** in inverse proportion (**à** to)

inverser /ɛ̃vɛʀse/ [1]

A *vtr* **1** (intervertir) to invert [*position, termes, proposition*]; to reverse [*tendance, sens, rôles, ordre*]; **une pyramide inversée** an inverted pyramid; **position inversée** inverted position; **quelques années plus tard, la situation était inversée** several years later, it was the other way around; **image inversée** mirror image; **2** Tech to reverse [*courant électrique, mouvement*]

B s'inverser *vpr* [*tendance, rôles, rapports*] to be reversed

inverseur /ɛ̃vɛʀsœʀ/ *nm* reverser

inversion /ɛ̃vɛʀsjɔ̃/ *nf* **1** (d'éléments, de rôles, valeurs) inversion; (de tendance, processus) reversal; **2** Ling, Anat, Psych, Chimie inversion; **3** Électrotech reversal

(Composés) **~ de commande** Aviat reversal of control; **~ de relief** Géol inverted relief; **~ de température** Météo temperature inversion

invertase /ɛ̃vɛʀtɑz/ *nf* invertase

invertébré, **~e** /ɛ̃vɛʀtebʀe/

A *adj* invertebrate

B *nm* invertebrate; **les ~s** invertebrates

inverti, **~e** /ɛ̃vɛʀti/

A *adj* Chimie [*sucre*] invert

B *nm,f* invert†, homosexual

invertir /ɛ̃vɛʀtiʀ/ [3] *vtr* **1** (inverser) to invert [*termes, éléments*]; to reverse [*sens, ordre*]; **2** Électrotech to reverse [*courant*]; **3** Chimie to invert

investigateur, **-trice** /ɛ̃vɛstigatœʀ, tʀis/

A *adj* [*esprit*] inquiring

B *nm,f* investigator

investigation /ɛ̃vɛstigasjɔ̃/ *nf* investigation; **d'~** [*journalisme, méthode*] investigative

investir /ɛ̃vɛstiʀ/ [3]

A *vtr* **1** (placer) to invest [*capitaux*] (**dans** in); **~ en Bourse** to invest on the Stock Exchange; **2** (charger) to invest [*personne*] (**de** with); to invest [*ambassadeur, ministre*]; to induct [*juge, magistrat*]; **être investi d'un droit** to be invested with a right; **~ qn de sa confiance** to put one's trust in sb; **3** (se répandre dans) [*policiers*] to go into [*locaux, place*]; [*touristes, manifestants*] to take over [*lieu*]; **4** (dépenser) to invest [*énergie*] (**dans** in); **5** Psych to invest emotionally in [*personne, enfant*]; **6** (encercler) [*armée*] to besiege [*lieu*]

B s'investir *vpr* (énergiquement) to put oneself (**dans** into); (sentimentalement) to invest a lot of emotion (**dans** into)

investissement /ɛ̃vɛstismɑ̃/ *nm* **1** Fin (opération) investment (**dans** in); (somme) investment; **un ~ de 40 millions d'euros** an investment of 40 million euros, a 40 million euro investment; **d'~** [*plan, capacité, coût*] investment; [*problème, fonds*] investment; **2** (dépense de travail, temps) investment; **c'est un énorme ~ de temps** it's an enormous investment in terms of time; **3** Psych investment; **4** Mil (encerclement) investing (**de** of)

(Composés) **~ direct** Entr direct investment; **~ éthique** Fin ethical investment; **~ de portefeuille** Fin portfolio investment; **Investissement Social Responsable**, **ISR** socially responsible investment

investisseur /ɛ̃vɛstisœʀ/ *nm* investor

investiture /ɛ̃vɛstityʀ/ *nf* (de président, gouvernement) investiture; (de candidat) nomination; **d'~** [*cérémonie, discours*] investiture (*épith*)

invétéré, **~e** /ɛ̃veteʀe/ *adj* **1** (impénitent) [*buveur, voleur, tricheur*] inveterate; [*menteur*] compulsive; **2** (enraciné) [*haine, habitude, mal*] deep-rooted, deepseated

invincibilité /ɛ̃vɛ̃sibilite/ *nf* invincibility; **avoir un sentiment d'~** to feel invincible

invincible /ɛ̃vɛ̃sibl/ *adj* **1** (qui ne peut être vaincu) [*armée, pays, force, volonté*] invincible; [*joueur, sportif*] invincible, unbeatable; **2** (irréfutable) [*argumentation*] irrefutable

inviolabilité /ɛ̃vjɔlabilite/ *nf* **1** (de règle, frontière, territoire) inviolability; **~ du domicile** Jur inviolability of private property; **~ du corps humain** *principle safeguarding the rights of a dead person in relation to organ donation*; **2** (protection de diplomate) inviolability; (privilège de parlementaire) privilege of freedom from arrest; **3** (de forteresse, porte, coffre) impregnability

inviolable /ɛ̃vjɔlabl/ *adj* **1** (sacré) [*loi, secret, frontière, refuge*] inviolable; **2** (impénétrable) [*coffre, porte*] impregnable

inviolé, **~e** /ɛ̃vjɔle/ *adj* fml inviolate

invisibilité /ɛ̃vizibilite/ *nf* invisibility

invisible /ɛ̃vizibl/

A *adj* **1** (non perceptible) [*particule, pellicule, réparation, couture*] invisible; **~ à l'œil nu** invisible to the naked eye; **2** (hors de vue) **rester ~** [*personne*] not to put in an appearance; **l'orchestre restait ~** the orchestra was hidden from view; **la route était ~ depuis la maison** the road could not be seen from the house; **l'acteur est resté ~ pendant deux mois** the actor wasn't seen for two months; **3** (non disponible) [*personne*] unavailable; **4** (caché, secret) [*vestiges*] hidden; [*danger, menace*] unseen; [*exportations*] invisible

B *nm* **l'~** the invisible

invitation /ɛ̃vitasjɔ̃/ *nf* (prière, exhortation) invitation (**à** to); (document) invitation; **à *or* sur l'~ de qn** at sb's invitation; **recevoir/lancer/décliner une ~** to receive/send/decline an invitation; **accepter l'~ de qn/du gouvernement** to accept sb's/the government's invitation; **entrer sans ~** to enter without an invitation; **carte *or* carton d'~** invitation card; **lettre d'~** letter of invitation; **c'est une ~ à la révolte** it's inviting a revolt

invite /ɛ̃vit/ *nf* **1** fml (appel discret) invitation (**à** to); **à l'~ de** at the behest of sout; **2** Ordinat prompt

invité, **~e** /ɛ̃vite/ *nm,f* guest

(Composés) **~ d'honneur** guest of honour[GB]; **~ de marque** distinguished guest

inviter /ɛ̃vite/ [1]

A *vtr* **1** (prier de venir) to invite (**à** to); **il m'a invité chez lui pour le week-end/à son mariage** he invited me to his house for the weekend/to his wedding; **2** (payer) **~ qn à déjeuner/à prendre un verre** to take sb out for lunch/for a drink; **3** (engager) to invite [*personne, pays, organisme*] (**à** to; **à faire** to do); (demander) to ask [*personne, gouvernement, parti*] (**à** to; **à faire** to do); **il ne m'a même pas invité à m'asseoir** he didn't even invite *ou* ask me to sit down; **4** (inciter) [*temps, événements*] to induce [*personne*] (**à** to); [*attitude, explication*] to lead [*personne*] (**à** to); **le temps n'invite guère à la promenade** it's not particularly nice weather for a walk; **~ à la réflexion** to be thought-provoking

B s'inviter *vpr* [*personne*] to invite oneself

in vitro /invitʀo/ *loc adj, loc adv* in vitro

invivable /ɛ̃vivabl/ *adj* [*situation, relations, maison*] unbearable; [*personne, enfant*] impossible, unbearable

in vivo /invivo/ *loc adj, loc adv* in vivo

invocation /ɛ̃vɔkasjɔ̃/ *nf* invocation (**de** of)

invocatoire /ɛ̃vɔkatwaʀ/ *adj* invocatory

involontaire /ɛ̃vɔlɔ̃tɛʀ/ *adj* **1** (incontrôlé) [*réaction, geste*] involuntary; [*cri, mensonge, faute*] unintentional; **2** (par hasard) [*intermédiaire, héros, témoin*] unwitting

involontairement /ɛ̃vɔlɔ̃tɛʀmɑ̃/ *adv* (sans le vouloir) [*soupirer, crier, sourire*] involuntarily; (sans préméditation) [*blesser, casser*] unintentionally; **si je vous ai blessé, c'est bien ~** I didn't mean to hurt you

involution /ɛ̃vɔlysjɔ̃/ *nf* involution

invoquer /ɛ̃vɔke/ [1] *vtr* **1** (alléguer) to invoke [*clause, loi, circonstances, prétexte*]; **le motif invoqué** the motive adduced; **~ qn comme exemple** to cite sb as an example; **2** Relig to invoke [*Dieu, saints*]; **3** (solliciter) fml to invoke [*aide, autorité*] (**contre** against)

invraisemblable /ɛ̃vʀɛsɑ̃blabl/ *adj* **1** (non crédible) [*événement, histoire*] unlikely; [*hypothèse, aventure*] improbable; **2** °(inouï) [*vêtement, attitude, nombre*] fantastic, incredible

invraisemblance /ɛ̃vʀɛsɑ̃blɑ̃s/ *nf* **1** (caractère) unlikelihood; **2** (détail) improbability

invulnérabilité /ɛ̃vylneʀabilite/ *nf* invulnerability

invulnérable /ɛ̃vylneʀabl/ *adj* invulnerable

iode /jɔd/ *nm* iodine

ioder /jɔde/ [1] *vtr* to iodize; **eau iodée** iodized water

iodoforme /jɔdɔfɔʀm/ *nm* iodoform

ion /jɔ̃/ *nm* ion

Ionie /jɔni/ ▸ **p. 721** *nprf* Ionia

ionien, **-ienne** /jɔnjɛ̃, ɛn/

A *adj* **1** [*personne, philosophie*] Ionian; **2** [*dialecte*] Ionic

B *nm* Ling Ionic

Ionien, **-ienne** /jɔnjɛ̃, ɛn/

A ▸ **p. 435, p. 579** *adj* **îles Ioniennes** Ionian Islands; **mer Ionienne** Ionian Sea

B *nm,f* Ionian

ionique /jɔnik/

A *adj* **1** Phys [*charge, liaison, produit*] ionic; **2** Antiq, Géog [*art, philosophie, langue*] Ionic

B *nm* Archit (ordre) Ionic order

ionisateur /jɔnizatœʀ/ *nm* ionizer

ionisation /jɔnizasjɔ̃/ *nf* ionization

ioniser /jɔnize/ [1] *vtr* to ionize; **rayonnements ionisants** ionizing radiation ¢

ioniseur /jɔnizœʀ/ *nm* ionizer

ionosphère /jɔnɔsfɛʀ/ *nf* ionosphere

iota* /jɔta/ *nm inv* iota

(Idiome) **ne pas changer/bouger d'un ~** not to change/move one iota

Iowa /ajowa/ ▸ **p. 721, p. 372** *nprm* Iowa

ipéca /ipeka/ *nm* ipecac

ipso facto /ipsofakto/ *loc adv* ipso facto

IRA /iʀa/ *nf* (*abbr* = **Irish Republican Army**) IRA

Irak /iʀak/ ▸ **p. 333** *nprm* Iraq

irakien, **-ienne** /iʀakjɛ̃, ɛn/ ▸ **p. 561** *adj* Iraqi

Irakien, -ienne /iʀakjɛ̃, ɛn/ ▸ p. 561 *nm,f* Iraqi

Iran /iʀɑ̃/ ▸ p. 333 *nprm* Iran

iranien, -ienne /iʀanjɛ̃, ɛn/ ▸ p. 483, p. 561

A *adj* Iranian

B *nm* Ling Iranian

Iranien, -ienne /iʀanjɛ̃, ɛn/ ▸ p. 561 *nm,f* Iranian

irascibilité /iʀasibilite/ *nf* fml irascibility

irascible /iʀasibl/ *adj [personne]* irascible sout, quick-tempered; **avoir un caractère ~** to be quick-tempered

IRCAM /iʀkam/ *nm (abbr* = **Institut de recherche et de coordination acoustique-musique**) *institute of experimental music*

ire /iʀ/ *nf* liter ire littér, anger

iridié, ~e /iʀidje/ *adj* **platine ~** platiniridium

iridium /iʀidjɔm/ *nm* iridium

iris /iʀis/ *nm inv* 1 Bot (fleur) iris; 2 Anat (de l'œil) iris; 3 Phot (diaphragme) iris diaphragm

(Composés) **~ d'Espagne** Spanish iris; **~ fétide** stinking iris, gladdon; **~ de Florence** Florentine iris; **~ des marais** yellow flag

irisation /iʀizasjɔ̃/ *nf* iridescence ₵

irisé, ~e /iʀize/

A *pp* ▸ **iriser**

B *pp adj [pierre, verre, plumage]* iridescent

iriser /iʀize/ [1]

A *vtr [lumière, soleil]* to make [sth] iridescent *[cristal, mer]*

B s'iriser *vpr [cristal, mer, plumage]* to become iridescent

irlandais, ~e /iʀlɑ̃dɛ, ɛz/ ▸ p. 483, p. 561

A *adj* Irish

B *nm* Ling Irish

Irlandais, ~e /iʀlɑ̃dɛ, ɛz/ ▸ p. 561 *nm,f* Irishman/Irishwoman; **les ~ du Nord** the northern Irish

Irlande /iʀlɑ̃d/ ▸ p. 333 *nprf* Ireland; **la République d'~** the Republic of Ireland; **l'~ du Nord** Northern Ireland

IRM /iɛʀɛm/ *nf (abbr* = **imagerie par résonance magnétique**) MRI, magnetic resonance imaging

ironie /iʀɔni/ *nf* irony; **l'~ du sort** the irony of fate; **faire de l'~** to be ironic

ironique /iʀɔnik/ *adj* ironic

ironiquement /iʀɔnikmɑ̃/ *adv* ironically

ironiser /iʀɔnize/ [1] *vi* to be ironic (**sur** about); **'tu es déjà prête!' ironisa-t-il** 'ready so soon!' he said ironically

iroquois, ~e /iʀɔkwa, az/ ▸ p. 483

A *adj* Iroquois

B *nm* Ling Iroquois

Iroquois, ~e /iʀɔkwa, az/ *nm,f* Iroquois

IRPP /iɛʀpepe/ *nm: abbr* ▸ **impôt**

irradiation /iʀadjasjɔ̃/ *nf* 1 Nucl radiation; **tué par ~** killed by radiation; **dix morts par ~** ten deaths through *ou* from radiation; 2 Phys (émission de rayonnement) irradiation; 3 Ind irradiation; **~ alimentaire** food irradiation

irradier /iʀadje/ [2]

A *vtr* (exposer aux radiations) to irradiate *[tumeur, organe, personne]*; **déchets irradiés** radioactive waste

B *vi* (se propager) to radiate (**dans** through)

irraisonné, ~e /iʀɛzɔne/ *adj* irrational

irrationalisme /iʀasjɔnalism/ *nm* irrationalism

irrationalité /iʀasjɔnalite/ *nf* irrationality

irrationnel, -elle /iʀasjɔnɛl/

A *adj* irrational

B *nm* irrational

irrattrapable /iʀatʀapabl/ *adj* irretrievable; **retard ~** irretrievable delay

irréalisable /iʀealizabl/ *adj [entreprise, idée, rêve]* unachievable; *[projet]* unworkable

irréalisme /iʀealism/ *nm* lack of realism

irréaliste /iʀealist/ *adj* unrealistic

irréalité /iʀealite/ *nf* unreality

irrecevabilité /iʀəsəvabilite/ *nf* Jur inadmissibility

irrecevable /iʀəsəvabl/ *adj* Jur inadmissible

irréconciliable /iʀekɔ̃siljabl/ *adj* irreconcilable

irrécupérable /iʀekypeʀabl/ *adj* 1 *[objets, capital]* irrecoverable; *[meubles, voiture]* irretrievable; 2 *[personne, délinquant]* irretrievable; 3 °hum beyond redemption *(après n)*

irrécusable /iʀekyzabl/ *adj* 1 gén *[signe, preuve, vérité]* indisputable; 2 Jur *[témoin, juge, témoignage]* unimpeachable

irréductibilité /iʀedyktibilite/ *nf* littér 1 (d'opposition, de caractère) implacability; 2 Math irreducibility

irréductible /iʀedyktibl/

A *adj* 1 *[opposition, volonté]* implacable; *[personne, motivation]* indomitable; *[conflit]* relentless; 2 Math, Méd irreducible

B *nmf* diehard

irréel, -elle /iʀeɛl/

A *adj* unreal

B *nm* unreal

(Composés) **~ du passé** Ling past hypothetical condition; **~ du présent** Ling present hypothetical condition

irréfléchi, ~e /iʀefleʃi/ *adj* 1 (précipité) *[action, décision, propos]* ill-considered; 2 (étourdi) *[personne]* careless; 3 (irrationnel) *[chagrin, hostilité, peur]* irrational

irréflexion /iʀeflɛksjɔ̃/ *nf* thoughtlessness; **faire preuve d'~** to show a lack of thought

irréfutabilité /iʀefytabilite/ *nf* irrefutability

irréfutable /iʀefytabl/ *adj* irrefutable

irréfutablement /iʀefytabləmɑ̃/ *adv* irrefutably

irréfuté, ~e /iʀefyte/ *adj* unrefuted

irrégularité /iʀegylaʀite/ *nf* 1 (acte critiquable) irregularity; **des ~s ont été commises au dépouillement** irregularities took place in the counting of votes; 2 (en quantité) irregularity; **l'~ de la production** the irregular production; 3 (en qualité) irregularity, unevenness; 4 (défaut) irregularity; (de surface) unevenness; **les ~s du sol** the uneven ground; 5 Ling irregularity

irrégulier, -ière /iʀegylje, ɛʀ/ *adj* 1 (sans régularité) *[forme, visage, croissance, pouls, respiration]* irregular; *[écriture, résultats, qualité, sol]* uneven; 2 *[procédure, transaction, méthode]* irregular; *[immigré, travailleur, vente]* illegal; **immigré en situation irrégulière** illegal immigrant; **être en situation irrégulière** to be in breach of the regulations; 3 (inégal) *[élève, athlète]* whose performance is uneven *(épith, après n)*; 4 Mil *[troupe, combattant]* irregular; 5 Ling *[verbe, pluriel]* irregular

irrégulièrement /iʀegyljɛʀmɑ̃/ *adv* 1 (illégalement) illegally; 2 (sans régularité) *[découper, se conjuguer]* irregularly; *[répartir]* unevenly; *[travailler]* erratically

irréligion /iʀʀeliʒjɔ̃/ *nf* irreligion

irrémédiable /iʀ(ʀ)emedjabl/

A *adj [perte, faute]* irretrievable, irreparable; *[déclin]* irremediable sout, irreversible; *[situation]* irremediable sout, beyond remedy *(après n)*

B *nm* **il est tellement désespéré qu'il pourrait commettre l'~** he's so desperate that he might do something foolish

irrémédiablement /iʀ(ʀ)emedjabləmɑ̃/ *adv* irreparably, irremediably

irrémissible /iʀʀemisibl/ *adj* fml 1 (impardonnable) unpardonable, irremissible sout; 2 (inexorable) inexorable

irremplaçable /iʀɑ̃plasabl/ *adj* irreplaceable

irréparable /iʀʀepaʀabl/

A *adj [machine, voiture, appareil]* beyond repair *(après n)*; *[dégât, ravage]* irreparable; *[tort, faute, crime, injure]* irreparable; **votre veste/poste de radio est ~** your jacket/radio is beyond repair

B *nm* **commettre l'~** to go beyond the point of no return, to do what cannot be undone

irréparablement /iʀʀepaʀabləmɑ̃/ *adv* irreparably, irretrievably

irrépréhensible /iʀʀepʀeɑ̃sibl/ *adj* fml blameless

irrépressible /iʀepʀesibl/ *adj* 1 *[sourire, désir]* irrepressible; *[rire, larmes]* uncontrollable; 2 *[évolution, effondrement]* unstoppable

irréprochable /iʀepʀɔʃabl/ *adj [conduite, vie, employé]* irreproachable, beyond reproach *(après n)*; *[travail]* perfect, impeccable; *[goût, élégance, manières]* impeccable

irrésistible /iʀezistibl/ *adj [séducteur, charme]* irresistible; *[besoin]* compelling; *[envie, passion]* overpowering; *[essor, ascension, offensive]* irresistible, unstoppable; *[humour, personne, blague]* hilarious

irrésistiblement /iʀezistibləmɑ̃/ *adv* irresistibly

irrésolu, ~e /iʀʀezɔly/ *adj* 1 (indécis) *[personne]* indecisive, irresolute sout; 2 (sans solution) *[problème, question, énigme]* unsolved

irrésolution /iʀʀezɔlysjɔ̃/ *nf* fml indecisiveness, irresolution sout

irrespect /iʀɛspɛ/ *nm* lack of respect (**de** for), disrespect (**de** for)

irrespectueusement /iʀɛspɛktɥøzmɑ̃/ *adv* disrespectfully

irrespectueux, -euse /iʀɛspɛktɥø, øz/ *adj* disrespectful (**envers** to, toward, towards GB)

irrespirable /iʀɛspiʀabl/ *adj* 1 *[air, gaz]* unbreathable; 2 *[climat, ambiance, atmosphère]* stifling; **ouvrez les fenêtres, c'est ~ ici** open the windows, it's stifling in here

irresponsabilité /iʀɛspɔ̃sabilite/ *nf* 1 (manque de sérieux) irresponsibility; 2 Jur non-accountability

irresponsable /iʀɛspɔ̃sabl/ *adj* 1 (qui agit avec légèreté) *[personne, attitude]* irresponsible; **de façon ~** irresponsibly; 2 Jur non-accountable

irrétrécissable /iʀetʀesisabl/ *adj* (tissu) nonshrink *(épith)*, unshrinkable; *[traitement]* nonshrink *(épith)*

irrévérence /iʀʀeveʀɑ̃s/ *nf* fml 1 (manque de respect) irreverence (**envers, à l'égard de** to, toward, towards GB); **parler/agir avec ~** to speak/act irreverently; 2 (acte) irreverent act; (parole) irreverent remark

irrévérencieusement /iʀʀeveʀɑ̃sjøzmɑ̃/ *adv* fml irreverently

irrévérencieux, -ieuse /iʀʀeveʀɑ̃sjø, øz/ *adj* irreverent (**envers** to, toward, towards GB)

irréversibilité /iʀevɛʀsibilite/ *nf* irreversibility

irréversible /iʀevɛʀsibl/ *adj* 1 gén, Chimie, Phys irreversible; 2 Tech *[engrenage, mécanisme]* non-reversible; *[prise de courant, connecteur]* one-way

irrévocabilité /iʀevɔkabilite/ *nf* gén, Jur irrevocability

irrévocable /iʀevɔkabl/ *adj* irrevocable

irrévocablement /iʀevɔkabləmɑ̃/ *adv* irrevocably

irrigable /iʀigabl/ *adj* irrigable

irrigateur /iʀigatœʀ/

A *adj m* Méd irrigating

B *nm* Agric, Méd irrigator

irrigation /iʀigasjɔ̃/ *nf* 1 Agric irrigation; 2 Méd (de plaie, cavité) irrigation; (en sang) supply of blood; **une mauvaise ~ du cerveau** an insufficient blood supply to the brain

i

irriguer /iʀige/ [1] *vtr* 1 Agric to irrigate; 2 Méd to irrigate [*plaie*]; **le sang irrigue les organes** organs are supplied with blood

irritabilité /iʀitabilite/ *nf* irritability

irritable /iʀitabl/ *adj* irritable

irritant, ~**e** /iʀitɑ̃, ɑ̃t/
A *adj* 1 (agaçant) irritating, annoying; 2 Méd irritant
B *nm* Pharm, Méd irritant

irritation /iʀitasjɔ̃/ *nf* 1 (agacement) irritation, annoyance; 2 Méd (inflammation) irritation

irriter /iʀite/ [1]
A *vtr* 1 (agacer) to irritate, to annoy; **il avait l'air très irrité** he seemed very annoyed; **il est irrité par leurs jérémiades continuelles** he is irritated by their continual moaning; 2 Méd to irritate; **le frottement m'a irrité la peau** the friction irritated my skin
B **s'irriter** *vpr* 1 (s'énerver) to get annoyed (**de** about, over), to get angry (**de** about, over); 2 Méd [*organe*] to become irritated, to become inflamed

irruption /iʀypsjɔ̃/ *nf* (apparition) irruption sout; **faire** ~ **dans** to burst into, to rush into [*pièce, bâtiment, rue*]; **ils ont fait** ~ **dans le monde du rock il y a dix ans** they burst onto the rock scene ten years ago; **l'**~ **de l'informatique dans le monde du travail** the sudden emergence of computers in the workplace

Isaac /izaak/ *npr* Isaac

isabelle /izabɛl/ ▸ **p. 202** *adj inv* light buff; **cheval** ~ dun horse

Isaïe /izai/ *npr* Isaiah

isard /izaʀ/ *nm* izard

ischion /iskjɔ̃/ *nm* ischium

Isère /izɛʀ/ ▸ **p. 372, p. 721** *nprf* (rivière, département) **l'**~ the Isère

ISF /iɛsɛf/ *nm* ▸ **impôt**

Isis /izis/ *npr* Isis

islam /islam/ *nm* **l'**~ Islam

islamique /islamik/ *adj* Islamic

islamisation /islamizasjɔ̃/ *nf* Islamization

islamiser /islamize/ [1] *vtr* to Islamize

islamisme /islamism/ *nm* Islamism

islamiste /islamist/
A *adj* Islamist, Islamic
B *nmf* Islamist

islamologue /islamɔlɔg/ *nmf* Islamic scholar

islandais, ~**e** /islɑ̃dɛ, ɛz/ ▸ **p. 483, p. 561**
A *adj* Icelandic
B *nm* Ling Icelandic

Islandais, ~**e** /islɑ̃dɛ, ɛz/ ▸ **p. 561** *nm,f* Icelander

Islande /islɑ̃d/ ▸ **p. 333** *nprf* Iceland

isobare /izobaʀ/
A *adj* isobaric
B *nf* isobar

isocèle /izosɛl/ *adj* isosceles; **triangle** ~ isosceles triangle

isochrone /izokʀon/, **isochronique** /izokʀonik/ *adj* isochronal

isoclinal, ~**e**, *mpl* **-aux** /izoklinal, o/ *adj* isoclinal

isogame /izogam/ *adj* isogamous

isogamie /izogami/ *nf* isogamy

isoglosse /izoglɔs/ *nf* isogloss

isogone /izogɔn/ *adj* isogonal

isolable /izɔlabl/ *adj* isolable

isolant, ~**e** /izɔlɑ̃, ɑ̃t/
A *adj* 1 Constr, Électrotech [*matériau*] insulating; **la laine de verre est très** ~**e** fibreglass[GB] is a very good insulator; 2 Ling [*langue*] isolating
B *nm* insulating material; ~ **thermique** thermal insulator

isolateur /izɔlatœʀ/ *nm* insulator

isolation /izɔlasjɔ̃/ *nf* 1 Tech insulation; ~ **thermique** thermal insulation; ~ **acoustique** soundproofing; 2 Psych isolation

isolationnisme /izɔlasjɔnism/ *nm* isolationism

isolationniste /izɔlasjɔnist/ *adj, nmf* isolationist

isolé, ~**e** /izɔle/
A *pp* ▸ **isoler**
B *pp adj* 1 (très éloigné) [*village, région*] remote; 2 (un peu à l'écart) [*maison, arbre*] isolated (**de** from); 3 (détaché d'un ensemble) [*cas, événement, incident*] isolated; **tireur** ~ Mil lone gunman, sniper; **des tirs** ~**s** Mil sniper fire ₵; 4 (seul) isolated, lonely; (sans alliés) [*politicien, pays*] isolated
C *nm,f* 1 (personne qui agit seule) **attentats commis par des** ~**s** attacks carried out by individuals acting independently; 2 (personne délaissée) lonely person

isolement /izɔlmɑ̃/ *nm* 1 (éloignement) (de village, région) remoteness; (de maison) isolated location; 2 (absence de contacts) (de personne âgée, malade, chômeur) isolation, loneliness; (de pays, politicien) isolation; **il faut aider le pays à sortir de son** ~ **diplomatique** the country must be given help to break out of its diplomatic isolation; 3 (mise à l'écart) (de malade) isolation; (de prisonnier) solitary confinement; 4 (de gène, substance, virus) isolation; 5 Électrotech insulation

isolément /izɔlemɑ̃/ *adv* [*agir, travailler, considérer*] in isolation

isoler /izɔle/ [1]
A *vtr* 1 (priver de contacts) to isolate [*malade, politicien, dissident*] (**de** from); to put [sb] in solitary confinement [*prisonnier*]; **ses opinions extrémistes l'ont isolé de ses collègues** his radical views isolated him from *ou* set him apart from his colleagues; 2 (séparer d'un ensemble) to isolate [*gène, substance, élément*]; ~ **un problème** to isolate a problem; ~ **une citation de son contexte** to take a quote out of context; 3 Constr (contre le bruit) to soundproof [*pièce*]; (contre la chaleur, le froid) to insulate (**contre** against); 4 Électrotech to insulate; 5 Méd to cover [sth] with a dressing [*plaie*]
B **s'isoler** *vpr* [*personne, ermite*] to isolate oneself (**de** from); **il s'est isolé dans un coin pour lire une lettre** he withdrew into a corner to read a letter

isoloir /izɔlwaʀ/ *nm* voting booth

isomère /izomɛʀ/
A *adj* isomeric
B *nm* isomer

isomérie /izomeʀi/ *nf* isomerism

isométrie /izometʀi/ *nf* isometry

isométrique /izometʀik/ *adj* isometric

isomorphe /izomɔʀf/ *adj* isomorphic

isomorphisme /izomɔʀfism/ *nm* isomorphism

isoprène /izopʀɛn/ *nm* isoprene

isorel® /izɔʀɛl/ *nm* hardboard

isotherme /izotɛʀm/
A *adj* 1 (maintenant une température constante) [*camion, wagon*] thermally insulated; **boîte/seau** ~ ice box/bucket; **bouteille** ~ insulated bottle; **sac** ~ cool bag; 2 Météo, Sci isothermal
B *nf* isotherm

isotope /izotɔp/
A *adj* isotopic
B *nm* isotope

isotopique /izotɔpik/ *adj* isotopic

isotrope /izotʀɔp/ *adj* isotropic

ISR /iɛsɛʀ/ *nm: abbr* ▸ **investissement**

Israël /isʀaɛl/ ▸ **p. 333** *nprm* Israel; **en** ~ in Israel; **l'État d'**~ the State of Israel

israélien, -ienne /isʀaeljɛ̃, ɛn/ ▸ **p. 561** *adj* Israeli

Israélien, -ienne /isʀaeljɛ̃, ɛn/ ▸ **p. 561** *nm,f* Israeli

israélite /isʀaelit/
A *adj* Jewish
B *nmf* 1 Hist Israelite; 2 (juif) Jew

ℹ Les itinéraires

Comment s'y rendre

OK, you come out of the station. Go straight across the car park into Main Street. Keep straight on for several hundred yards over the first two sets of traffic lights and turn right at the third set into Grant Street. Take the third street on the left and walk down to the end – you'll find yourself facing the theatre. Go down the alleyway to the left of the theatre and you'll come out in West Street, with a bank on the right-hand corner as you reach the end. Cross over the road, going right towards a piece of open ground. The last shop before the open space is a tailor's with a coffee shop on the first floor. I'll be there with the gold and two single first-class tickets to Bali. Don't be late – I shan't wait!

issu, ~**e** /isy/
A *adj* 1 (originaire) **être** ~ **de** to come from; **il est** ~ **d'un milieu modeste** he comes from a modest background; **les jeunes** ~**s de familles pauvres** young people from poor families; 2 (résultant) **être** ~ **de** to result from; **les problèmes** ~**s de la décolonisation** problems resulting from decolonization
B **issue** *nf* 1 (sortie) exit; **toutes les** ~**es étaient bloquées** all the exits were blocked off; **'sans** ~**e'** 'no exit'; 2 (solution) solution (**à** to), way out (**à** to); **situation sans** ~**e** situation with no solution *ou* way out; **se ménager une** ~**e** to leave oneself a way out; 3 (dénouement) outcome; ~**e tragique d'une affaire** tragic outcome of a case; **l'**~**e du procès reste incertaine** the outcome of the trial remains uncertain; **à l'**~**e de** at the end of; **à l'**~**e de trois jours de pourparlers** at the close *ou* conclusion of three days of talks

(Composé) ~**e de secours** emergency exit

Istanbul /istɑ̃bul/ ▸ **p. 894** *npr* Istanbul

isthme /ism/ *nm* isthmus

isthmique /ismik/ *adj* isthmian

Istrie /istʀi/ *nprf* **l'**~ Istria

italianisant, ~**e** /italjanizɑ̃, ɑ̃t/
A *adj* [*art*] Italianate
B *nm,f* Italian scholar

italianisme /italjanism/ *nm* Italianism, Italicism

Italie /itali/ ▸ **p. 333** *nprf* Italy

italien, -ienne /italjɛ̃, ɛn/ ▸ **p. 483, p. 561**
A *adj* Italian
B *nm* Ling Italian

Italien, -ienne /italjɛ̃, ɛn/ ▸ **p. 561** *nm,f* Italian

italique /italik/
A *adj* 1 Imprim italic; 2 Hist, Ling Italic
B *nm* 1 Imprim italics (*pl*); **mettre qch en** ~**(s)** to put sth in italics, to italicize sth; 2 Ling Italic

item /itɛm/
A *adv* ditto
B *nm* item

itératif, **-ive** /iteʀatif, iv/ *adj* 1 Ling, Math, Philos iterative; 2 Jur repeated, reiterated

itération /iteʀasjɔ̃/ *nf* fml iteration

Ithaque /itak/ ▸ **p. 435** *nprf* Ithaca

itinéraire /itineʀɛʀ/ *nm* 1 (de voyage) route; (détaillé) itinerary; 2 fig career; ~ **politique/professionnel** political/professional career. ▸ **Bison Futé**

(Composés) ~ **bis** Gén Civ, Transp alternative route, holiday GB *ou* vacation US route; ~ **de délestage** relief route; ~ **de déviation** Gén Civ diversion

itinérance /itineʀɑ̃s/ *nf* Télécom roaming

itinérant, **~e** /itineʀɑ̃, ɑ̃t/ *adj* [*personnel*] travelling[GB]; [*musicien, artiste*] itinerant; [*spectacle, exposition*] touring; [*vie*] peripatetic; [*cirque*] travelling[GB]; **faire un camp ~** to go on a camping tour; **faire du tourisme ~** to go on a touring holiday GB, to go on a driving trip US

itou° /itu/ *adv* hum too; **tu t'en vas? moi ~!** you're leaving? me too!

ITT /itete/ *nf* (*abbr* = **interruption temporaire de travail**) sick leave

IUFM /iyɛfɛm/ *nm* (*abbr* = **institut universitaire de formation des maîtres**) university teacher-training faculty

> **IUFM**
>
> A teacher-training establishment, introduced in 1990, incorporating the role of the former *école normale* and providing training for *concours* for teaching qualifications like the *CAPES*. Each *IUFM* is attached to a university.

IUP /iype/ *nm* (*abbr* = **Institut universitaire professionnel**) vocational university institute

IUT /iyte/ *nm* (*abbr* = **Institut universitaire de technologie**) university institute of technology

> **IUT**
>
> A third-level institution attached to a university which offers vocationally based, post-*Baccalauréat* courses leading to the *DUT*.

Ivan /ivɑ̃/ *npr* Ivan; **~ le Terrible** Ivan the Terrible

IVG /iveʒe/ *nf* ▸ **interruption**

ivoire /ivwaʀ/ ▸ **p. 202**

A *adj inv* ivory

B *nm* **1** (d'éléphant) ivory; **en ~**, **d'~** ivory (*épith*); **2** (de dent) dentine GB, dentin US

ivoirien, **-ienne** /ivwaʀjɛ̃, ɛn/ ▸ **p. 561** *adj* of the Ivory Coast

Ivoirien, **-ienne** /ivwaʀjɛ̃, ɛn/ ▸ **p. 561** *nm,f* (natif) native of the Ivory Coast; (habitant) inhabitant of the Ivory Coast

ivoirin, **~e** /ivwaʀɛ̃, in/ ▸ **p. 202** *adj* liter ivory (*épith*)

ivraie /ivʀɛ/ *nf* rye-grass

(Idiome) **séparer le bon grain de l'~** to separate the wheat from the chaff

ivre /ivʀ/ *adj* **1** (troublé par l'alcool) intoxicated, drunk; **légèrement ~** a bit tipsy GB, slightly drunk; **~ mort** dead *ou* blind drunk; **2** (transporté) drunk (**de** with); **~ de liberté** exhilarated *ou* intoxicated by freedom; **~ de bonheur/pouvoir** drunk with happiness/power; **~ de rage/colère** wild with rage/anger

ivresse /ivʀɛs/ *nf* **1** (ébriété) drunkenness, intoxication; **en état d'~** in a state of intoxication; **conduite en état d'~** Jur driving while intoxicated, drunken driving, DWI US; **2** (exaltation) exhilaration; **~ de la victoire/du pouvoir** the exhilaration of victory/of power; ▸ **flacon**

(Composé) **~ des profondeurs** decompression sickness

ivrogne /ivʀɔɲ/ *nmf* drunkard

ivrognerie /ivʀɔɲ(ə)ʀi/ *nf* drinking

J j

j, **J** /ʒi/ *nm inv* j, J; **le jour J** D-day; **jour J moins dix** ten days from D-day

j' ▸ **je**

jabot /ʒabo/ *nm* 1 (d'oiseau, abeille) crop; 2 (ornement) jabot; **chemise à ~** shirt with a jabot

jacasse /ʒakas/ *nf* **(pie) ~** magpie

jacassement /ʒakasmɑ̃/ *nm* 1 (bavardage) chattering ₵; 2 (cri de la pie) chattering ₵

jacasser /ʒakase/ [1] *vi* 1 [*bavard*] to chatter; 2 Zool [*pie*] to chatter

jacasseur, -euse /ʒakasœʀ, øz/
A *adj* [*oiseau*] chattering; [*personne*] chattering
B *nm,f* **c'est un ~** he's always yapping away°

jachère /ʒaʃɛʀ/ *nf* (pratique, état) fallow; (terrain) fallow land ₵; **en ~** lying fallow; **laisser un champ en ~** to leave a field lying fallow

jacinthe /ʒasɛ̃t/ *nf* 1 (fleur) hyacinth; 2 †(pierre précieuse) hyacinth
(Composés) **~ des bois** bluebell; **~ d'Espagne** Bot common water hyacinth

jack /(d)ʒak/ *nm* jack plug; **prise ~** (mâle) jack plug; (femelle) jack socket

jackpot /(d)ʒakpɔt/ *nm* 1 (combinaison gagnante) jackpot; **gagner le ~** to hit the jackpot; 2 (machine) slot machine

jacobée /ʒakɔbe/ *nf* ragwort

jacobin, ~e /ʒakɔbɛ̃, in/ *adj, nm,f* 1 Hist Jacobin; 2 Pol radical

Jacobin, ~e /ʒakɔbɛ̃, in/ *nm,f* Hist Jacobin

jacobinisme /ʒakɔbinism/ *nm* 1 Hist Jacobinism; 2 Pol radicalism

jacobite /ʒakɔbit/ *adj, nmf* Jacobite

jacquard /ʒakaʀ/
A *adj inv* jacquard
B *nm* 1 (tissu) jacquard; **tricoter en ~** to knit in Jacquard; 2 (métier) Jacquard loom

jacquerie /ʒakʀi/ *nf* 1 Hist peasant revolt, jacquerie; 2 (émeute) uprising

Jacques /ʒak/
A *nm* **faire le ~** to play the fool; **jouer à ~ a dit** to have a game of Simon says
B *npr* Hist James

jacquet /ʒakɛ/ ▸ **p. 469** *nm* 1 (jeu) backgammon; 2 (tablette) backgammon board

jacquot /ʒako/ *nm* 1 Zool West African grey GB *ou* gray US parrot; 2 °baby talk (perroquet) pretty polly

jactance /ʒaktɑ̃s/ *nf* 1 (suffisance) haughtiness; **un homme plein de ~** a haughty man; 2 ◑(bavardage) chatter

jacter◑ /ʒakte/ [1] *vi* (parler) to jaw°, to talk

jacuzzi® /ʒakyzi/ *nm* jacuzzi®

jade /ʒad/ ▸ **p. 202**
A *adj* **(vert) ~** jade-green; **chemise ~** jade-green shirt
B *nm* 1 (pierre) jade; **collier/statuette de** *or* **en ~** jade necklace/statuette; 2 (couleur) jade green; 3 (objet) (piece of) jade; **un ~ chinois** a Chinese jade

jadis /ʒadis/
A †*adj inv* **dans le** *or* **au temps ~** in bygone days, in days of old; **du temps ~** of bygone days, of days gone by; **les contes du temps ~** tales of days gone by
B *adv* formerly, in the past; **~, la vie était différente** in the past, life was different; **une tapisserie aux couleurs ~ vives** a tapestry whose colours[GB] were once bright; **les institutions/mœurs de ~** the institutions/customs of long ago

jaguar /ʒagwaʀ/ *nm* Zool jaguar

jaillir /ʒajiʀ/ [3] *vi* 1 (sortir impétueusement) [*liquide, source, gaz, air*] to gush out (**de** of); [*larmes*] to flow; [*flamme, étincelle*] to shoot up (**de** from); **une lueur jaillit dans l'obscurité** a light pierced the darkness; 2 (apparaître subitement) [*personne, animal*] to spring up (**de** from); (en sortant) to spring out (**de** from); [*voiture*] to shoot out (**de** from); 3 (se produire spontanément) [*rires, cris, plaisanteries*] to burst out (**de** from); 4 (s'élever) [*clocher, immeuble, arbre*] to thrust up, tower up (**au-dessus de** above); 5 (se révéler) [*idée, preuve, vérité*] to emerge (**de** from)

jaillissement /ʒajismɑ̃/ *nm* (de liquide, source) gushing out ₵; (d'idées, de voix) outpouring

jais /ʒɛ/ *nm inv* 1 Minér (pierre) jet; **un collier de ~** a jet necklace; 2 ▸ **p. 202** (couleur) **(noir) de ~** jet-black (*épith*), jet black (*jamais épith*); **des cheveux/yeux de ~** jet-black hair/eyes

Jakarta /dʒakaʀta/ ▸ **p. 894** *npr* Jakarta

jalon /ʒalɔ̃/ *nm* 1 (point important) milestone; **être un (important) ~ dans l'histoire de l'Europe** to be a milestone in the history of Europe; **poser les ~s d'une réforme** to take the first steps toward(s) a reform; 2 (piquet) marker

jalon-mire, *pl* **jalons-mires** /ʒalɔ̃miʀ/ *nm* target rod

jalonnement /ʒalɔnmɑ̃/ *nm* marking out ₵

jalonner /ʒalɔne/ [1] *vtr* 1 (marquer) [*événement, succès, échec*] to punctuate [*vie, carrière, histoire*]; **une journée jalonnée de péripéties** a day full of incidents; 2 (border) [*objet, plante*] to line [*route, piste*]; **des platanes jalonnent la route** plane trees line the road; 3 (délimiter avec une marque) [*personne*] to mark out [*route, terrain*]

jalousement /ʒaluzmɑ̃/ *adv* 1 (avec jalousie) jealously; (avec envie) enviously; 2 (avec un soin inquiet) jealously; **garder ~ un secret** to keep a secret jealously; **veiller ~ sur qn/qch** to watch jealously over sb/sth

jalouser /ʒaluze/ [1]
A *vtr* to be jealous of [*personnes, qualités, avantages*]; **un homme très jalousé** a much envied man
B **se jalouser** *vpr* to be jealous of one another

jalousie /ʒaluzi/ *nf* 1 (sentiment) jealousy ₵ (**à l'égard de, envers** towards[GB]); **susciter des ~s chez les concurrents** to arouse jealousy among competitors; **tuer par ~** to kill out of jealousy; 2 Constr (treillis) jalousie, slatted blind; (persienne) (à lattes verticales) vertical blind; (à lattes horizontales) Venetian blind; 3 Bot (œillet) sweet william

jaloux, -ouse /ʒalu, uz/
A *adj* jealous (**de** of); **avec un soin ~** with meticulous care
B *nm,f* jealous man/woman; **faire des ~** to make people jealous
(Idiome) **être ~ comme un tigre** to be extremely jealous

jamaïcain, ~e, jamaïquain, jamaïquaine /ʒamaikɛ̃, ɛn/ ▸ **p. 561** *adj* Jamaican

Jamaïcain, ~e, Jamaïquain, Jamaïquaine /ʒamaikɛ̃, ɛn/ ▸ **p. 561** *nm,f* Jamaican

Jamaïque /ʒamaik/ ▸ **p. 333, p. 435** *nprf* Jamaica

jamais /ʒamɛ/ *adv* 1 (à aucun moment) never; **il n'écrit ~** he never writes; **n'écrit-il ~?** doesn't he ever write?; **je ne pense pas lui avoir ~ écrit** I don't think I have ever written to him; **je n'écrirai ~ plus** *or* **plus ~** I'll never write again; **ce n'est ~ assez/certain** it's never enough/certain; **~ plus!** never again!; **rien n'est ~ certain** nothing is ever certain; **elle n'est ~ contente** she's never satisfied; **sans ~ comprendre** without ever understanding; **sait-on ~?** you never know; **c'est du ~ vu!** you've never seen anything like it!; **~ de la vie!** never!; **~, au grand ~, je ne reviendrai** I shall never ever return; **c'est le moment ou ~** it's now or never; **c'est pour lui le moment ou ~ de faire** it's a case of now or never if he is to do; ▸ **tard**; 2 (à tout autre moment) ever; **plus belle que ~** prettier than ever; **plus/moins que ~** more/less than ever; **elle est heureuse comme ~** she has never been happier; **si ~ tu passes à Oxford, viens me voir** if you are ever in Oxford, come and see me; **on a ce qu'il faut si ~ il pleut** we have everything we need in case it rains; 3 (toujours) **à ~, à tout ~** forever; 4 (seulement) **ce n'est ~ que** it is only; **il ne fait ~ que son devoir** he is only doing his duty; **ça ne fait ~ qu'un problème de plus** iron it's just one more problem

jambage /ʒɑ̃baʒ/ *nm* 1 (de lettre) downstroke; 2 Constr (support) jamb

jambe /ʒɑ̃b/ *nf* 1 ▸ **p. 196** Anat, Zool leg; **avoir une ~ plus courte que l'autre** to have one leg shorter than the other; **mes ~s ne me portent plus** my legs won't carry me any further; **avoir des ~s bien faites** to have nice *ou* good legs; **avoir de bonnes ~s** to have strong *ou* sturdy legs; **avoir des ~s de 20 ans** to have the legs of a 20-year-old; **plier les ~s** (debout) to bend one's knees; (assis) to draw one's legs up; **croiser les ~s** to cross one's legs; **être assis les ~s croisées** to be sitting with one's legs crossed; **il avait les ~s écartées** his legs were wide apart; **aller** *or* **courir à toutes ~s** to run as fast as one's legs can carry one; **avoir une ~ raide** to have a stiff leg; **j'ai mal aux ~s** my legs are hurting; **j'ai les ~s lourdes** my legs feel heavy; **se retrouver/tomber les ~s en l'air** to land/fall flat on one's back; **j'ai les ~s coupées** *or* **brisées** my legs feel like lead; **j'ai les ~s comme du coton** I feel weak at the knees; **traîner la ~°** to trudge along; ▸ **plein**; 2 Tech, Cout leg
(Composés) **~ artificielle** artificial leg; **~ de bois** wooden leg; **c'est comme un emplâtre** *or* **cataplasme** *or* **cautère sur une ~ de bois** it's useless; **~ de force** Constr strut
(Idiomes) **cela me fait une belle ~°** a fat lot of good° that does me; **il ne tient plus sur ses ~s** he can hardly stand up; **couper bras et**

~s à qn to leave sb speechless; **les ~s me rentrent dans le corps, je n'ai plus de ~s** I'm on my last legs○, I'm very tired; **prendre ses ~s à son cou** to take to one's heels; **parlez-lui de mariage et il prendra les ~s à son cou** mention marriage and you won't see him for dust○; **donner des ~s à qn** to add wings to sb's heels; **avoir qn dans les ~s** to have sb under one's feet; **tenir la ~ à qn** to keep talking to sb; **faire une partie de ~s en l'air**◑ to have a roll in the hay○; **traiter qn par-dessus** *or* **par-dessous la ~** to treat sb in an offhand manner; **faire qch par-dessus** *or* **par-dessous la ~** to do sth in a slipshod manner

jambier, **-ière** /ʒɑ̃bje, ɛʀ/
A *adj* Méd, Anat **muscle ~ postérieur** posterior tibial muscle spéc
B jambière *nf* **1** (de randonneur) legging; (de joueur de hockey) pad; (de danseur) leg-warmer; **2** (de soldat) greave

jambon /ʒɑ̃bɔ̃/ *nm* **1** ham; **sandwich/omelette au ~** ham sandwich/omelette; **une tranche de ~** a slice of ham; **acheter du ~** to buy some ham; **acheter un ~** to buy a ham; **2** ○(cuisse) thigh
(Composés) **~ beurre** (buttered) ham sandwich; **~ blanc** cooked ham; **~ cru** raw ham; **~ cuit** = **~ blanc**; **~ fumé** smoked ham; **~ de Paris** = **~ blanc**; **~ de Parme** Parma ham; **~ de pays** cured ham; **~ salé** salted ham; **~ d'York** York ham

jambonneau, *pl* **~x** /ʒɑ̃bɔno/ *nm* knuckle of ham

jamboree* /ʒɑ̃bɔʀe/ *nm* jamboree

janissaire /ʒanisɛʀ/ *nm* janissary

jansénisme /ʒɑ̃senism/ *nm* Jansenism

janséniste /ʒɑ̃senist/ *adj, nmf* Jansenist

jante /ʒɑ̃t/ *nf* **1** (bord de roue) rim; **2** (roue sans pneu) wheel; **rouler sur la ~**○ to drive on a flat tyre GB *ou* tire US

janvier /ʒɑ̃vje/ ▸ **p. 544** *nm* January; **du premier ~ à la Saint-Sylvestre** from New Year's Day to New Year's Eve

japon /ʒapɔ̃/ *nm* **1** (papier) Japanese paper; **2** (porcelaine) Japanese porcelain

Japon /ʒapɔ̃/ ▸ **p. 333** *nprm* Japan

japonais, **~e** /ʒapɔnɛ, ɛz/ ▸ **p. 561, p. 483**
A *adj* Japanese
B *nm* Ling Japanese

Japonais, **~e** /ʒapɔnɛ, ɛz/ ▸ **p. 561** *nm,f* Japanese; **les ~** the Japanese

japonaiserie /ʒapɔnɛzʀi/, **japonerie** /ʒapɔnʀi/ *nf* (bibelot japonais) Japanese curio

jappement /ʒapmɑ̃/ *nm* yapping ¢; **les ~s du chien** the yapping of the dog

japper /ʒape/ [1] *vi* to yap

jaquette /ʒakɛt/ *nf* **1** Mode (de femme) jacket; (d'homme) morning coat; **2** (de livre) dust jacket; **3** Dent crown
(Idiome) **être de la ~ (flottante)**○ to be limp-wristed○

jardin /ʒaʀdɛ̃/ *nm* **1** (privé) garden GB, yard US; **faire son ~** to work in one's garden GB *ou* in the yard US; **chaise/table de ~** garden chair/table GB, patio chair/table US; **2** (parc) gardens (*pl*), park; **aller au ~** to go to the park; **le ~ des Oliviers** the Garden of Gethsemane
(Composés) **~ d'acclimatation** = **~ zoologique**; **~ d'agrément** ornamental *ou* pleasure garden; **~ anglais** landscape garden; **~ botanique** Bot botanical gardens (*pl*); **~ d'enfants** kindergarten; **~ à la française** formal garden; **~ d'hiver** winter garden; **~ japonais** Japanese garden; **~ potager** vegetable garden; **~ public** public garden; (plus grand) park; **~ secret** private domain; **~s suspendus** hanging gardens; **~ zoologique** Zool zoological gardens (*pl*)
(Idiomes) **jeter une pierre dans le ~ de qn** to make snide remarks about sb, to have a dig at sb○; **c'est une pierre dans ton ~** that was meant for you; **il faut cultiver notre ~** we must tend our patch

jardinage /ʒaʀdinaʒ/ *nm* gardening; **faire du ~** to do some gardening; **outils de ~** gardening tools

jardiner /ʒaʀdine/ [1] *vi* to do some gardening; **il aime ~** he enjoys gardening

jardinerie /ʒaʀdinʀi/ ▸ **p. 532** *nf* garden centre[GB]

jardinet /ʒaʀdinɛ/ *nm* small garden GB, small yard US

jardinier, **-ière** /ʒaʀdinje, ɛʀ/ ▸ **p. 532**
A *adj* (de jardin) garden; **plante jardinière** garden plant
B *nm,f* (personne) gardener; **outils de ~** garden tools
C jardinière *nf* **1** (plat) **jardinière (de légumes)** jardinière; **2** (bac à fleurs) jardinière; (sur un rebord de fenêtre) window-box
(Composés) **~ fleuriste** horticulturalist; **~ paysagiste** landscape gardener; **~ pépiniériste** nurseryman; **jardinière d'enfants** Scol kindergarten teacher

jargon /ʒaʀgɔ̃/ *nm* **1** (langue de métier) jargon; **~ médical/juridique/publicitaire** medical/legal/advertising jargon; **~ administratif** officialese; **~ journalistique** journalese; **2** (langage incorrect) ungrammatical language; (langue étrangère) foreign language, lingo○; (sabir) patois

jargonner /ʒaʀgɔne/ [1] *vi* **1** (parler en jargon) [*spécialiste, bureaucrate*] to talk in jargon; **2** (parler de façon inintelligible) to talk gibberish; **3** Zool [*oie*] to honk

jargonneux, **-euse** /ʒaʀgɔnø, øz/ *adj* jargon-ridden

Jarnac /ʒaʀnak/ *nprm* **coup de ~** decisive and unexpected blow; **recevoir un** *or* **le coup de ~** to be caught off guard

jarre /ʒaʀ/ *nf* (earthenware) jar

jarret /ʒaʀɛ/ *nm* **1** Anat (d'humain) ham, hollow of the knee; **avoir des ~s d'acier** to have strong legs; **2** Zool (d'animal) hock; **3** Culin **~ de veau/porc** knuckle of veal/pork

jarretelle /ʒaʀtɛl/ *nf* suspender GB, garter US

jarretière /ʒaʀtjɛʀ/ *nf* garter; **l'Ordre de la Jarretière** the Order of the Garter

jars /ʒaʀ/ *nm inv* gander

jaser /ʒaze/ [1] *vi* **1** (médire) to gossip (**sur** about); **on jase sur ses fréquentations** people are gossiping about the company he keeps; **ça fait ~** it sets people talking; **2** (jacasser) [*pie, geai, merle*] to chatter; **3** Can (bavarder) [*personne*] to chat

jaseur, **-euse** /ʒazœʀ, øz/ *nm,f* (personne médisante) gossip

jasmin /ʒasmɛ̃/ *nm* **1** (arbuste) jasmine; **2** (parfum) jasmine; **thé au ~** jasmine tea

jaspe /ʒasp/ *nm* **1** (pierre) jasper; **bijou en ~** piece of jasper jewellery GB *ou* jewelry US; **2** (objet en jaspe) jasper ornament

jaspé, **~e** /ʒaspe/ *adj* mottled

jaspiner◑ /ʒaspine/ [1] *vi* to chat

jatte /ʒat/ *nf* bowl, basin

jauge /ʒoʒ/ *nf* **1** (pour mesurer) gauge; **~ d'essence** petrol GB *ou* gas US gauge; **~ d'huile** dipstick; **2** (capacité) capacity; (de navire) tonnage

jaugeage /ʒoʒaʒ/ *nm* gauging

jauger /ʒoʒe/ [13] *vtr* **1** (évaluer) to size [sb] up [*personne*]; to get the measure of [*candidat, élève*]; to weigh [sth] up [*idée, avantage*]; to judge [*œuvre*]; **2** Tech to measure [*capacité, volume*]; **~ un réservoir** to measure the capacity of a reservoir; **3** Naut [*navire*] to have a tonnage of

jaunâtre /ʒonɑtʀ/ ▸ **p. 202** *adj* [*éclairage, tissu*] yellowish; [*teint, peau*] sallow

jaune /ʒon/ ▸ **p. 202**
A *adj* **1** (couleur) yellow; **~ orange** orangy[GB] yellow; **elle a les dents ~s** she's got yellow teeth; **il a le teint ~** he's got a sallow complexion; **2** (asiatique) [*race, continent*] East Asian
B *nm* **1** (couleur) yellow; **s'habiller en ~** to wear yellow; **2** Culin **~ (d'œuf)** (egg) yolk; **séparer les blancs des ~s** separate the whites from the yolks; **3** (briseur de grève) pej blackleg GB péj, scab péj
(Composés) **~ canari** canary yellow; **~ citron** lemon yellow; **~ moutarde** mustard yellow; **~ d'or** golden yellow; **~ paille** straw-coloured[GB]; **~ poussin** bright yellow; **~ safran** saffron yellow
(Idiome) **rire ~**○ to give a forced laugh

Jaune /ʒon/ *nmf* injur East Asian

jauni, **~e** /ʒoni/
A *pp* ▸ **jaunir**
B *pp adj* [*papier, herbe*] yellowed; **doigts ~s par la nicotine** nicotine-stained fingers

jaunir /ʒoniʀ/ [3]
A *vtr* [*soleil*] to turn [sth] yellow [*papier, herbe*]; [*thé*] to make [sth] go yellow [*dents*]; [*nicotine*] to stain [*doigts*]; **le temps a jauni les photos** the photos have gone yellow with age
B *vi* [*papier, tissu*] to go yellow

jaunisse /ʒonis/ ▸ **p. 283** *nf* Méd jaundice
(Idiome) **il va en faire une ~**○! that'll put his nose out of joint!

jaunissement /ʒonismɑ̃/ *nm* yellowing (**de** of)

java /ʒava/ *nf* **1** (danse) popular dance; **2** ◑(fête) rave-up○; **faire la ~** to rave it up○; **3** ®Ordinat Java®

Java /ʒava/ ▸ **p. 435** *nprf* Java

javanais, **~e** /ʒavanɛ, ɛz/ ▸ **p. 483**
A *adj* Javanese
B *nm* **1** Ling Javanese; **2** (jargon) *French spoken slang formed by adding 'av' in the middle of each syllable*

Javanais, **~e** /ʒavanɛ, ɛz/ ▸ **p. 561** *nm,f* Javanese

Javel /ʒavɛl/ *nf* **(eau do) ~** ≈ bleach

javeline /ʒavlin/ *nf* javelin

javelle /ʒavɛl/ *nf* Agric swath

javellisation /ʒavelizasjɔ̃/ *nf* chlorination

javelliser /ʒavelize/ [1] *vtr* to chlorinate [*eau*]; **très javellisée** heavily chlorinated

javelot /ʒavlo/ ▸ **p. 469** *nm* **1** (objet) javelin; **2** Sport (discipline) **(lancer du) ~** javelin

jazz /dʒaz/ *nm* jazz; **musique de ~** jazz (music)

jazzman, *pl* **jazzmen*** /dʒazman, mɛn/ *nm* jazz musician, jazzman

J.-C. (*written abbr* = **Jésus-Christ**) **avant ~** BC; **après ~** AD

je[1] (**j'** *before vowel or mute h*) /ʒ(ə)/ *pron pers* I; **j'aimerais bien mais ~ ne peux pas** I'd like to but I can't; **comment dirais-~?** how shall I put it?

je[2] /ʒə/ *nm* Philos **le ~** the I

jean /dʒin/ *nm* **1** (pantalon) jeans (*pl*); **ton ~ est déchiré** your jeans are ripped; **acheter un ~** to buy a pair of jeans; **2** (tissu) denim; **une chemise/un blouson en ~** a denim shirt/jacket

Jean /ʒɑ̃/ *npr* John; **saint ~ Baptiste** St John the Baptist; **saint ~ de la Croix** St John of the Cross; **saint ~ l'Évangéliste** St John the Evangelist
(Idiome) **c'est ~ qui rit et ~ qui pleure** one minute he's laughing, the next he's crying

jean-foutre*◑ /ʒɑ̃futʀ/ *nm inv* waster○, good-for-nothing

Jeanne d'Arc /ʒandaʀk/ *npr* Joan of Arc

jeannette /ʒanɛt/ *nf* **1** (pour repasser) sleeve board; **2** (en scoutisme) ≈ Brownie

jeep /dʒip/ *nf* jeep

Jéhovah /ʒeɔva/ *nm* Jehovah; **un témoin de ~** a Jehovah's witness

je-m'en-foutisme○ /ʒ(ə)mɑ̃futism/ *nm inv* couldn't-care-less attitude

je-m'en-foutiste○, *pl* **~s** /ʒ(ə)mɑ̃futist/ *nmf* person with a couldn't-care-less attitude

je-ne-sais-quoi /ʒənsɛkwa/ *nm inv* **avoir un ~** to have a certain something

jérémiades /ʒeʀemjad/ *nfpl* moaning ¢; **cesse tes ~** stop moaning

Jérémie /ʒeʀemi/ *npr* Jeremiah

Jéricho /ʒeʀiko/ ▸ **p. 894** *npr* Jericho

jéroboam /ʒeʀɔbɔam/ *nm* jeroboam

jerrican /ʒeʀikan/ *nm* five-gallon container, jerrycan

jersey /ʒɛʀzɛ/ *nm* **1** (en tricot) stocking stitch; **au point de ~** in stocking stitch; **2** Ind, Tex jersey; **jupe en ~** jersey skirt

Jersey /ʒɛʀzɛ/ ▸ **p. 435** *nprf* Jersey

jersiais, **~e** /ʒɛʀzjɛ, ɛz/ ▸ **p. 561** *adj* from Jersey

Jérusalem /ʒeʀyzalɛm/ ▸ **p. 894** *npr* Jerusalem

jésuite /ʒezɥit/
A *adj* **1** Relig [*noviciat, style*] Jesuit; **2** (hypocrite) Jesuitical
B *nm* Jesuit

jésuitique /ʒezɥitik/ *adj* Jesuitical

jésuitisme /ʒezɥitism/ *nm* Jesuitism

jésus /ʒezy/ *nm inv* **1** (statue) statue of the infant Jesus; **2** (saucisson) ≈ coarse salami; **3** Imprim **(papier) ~** ≈ super royal; **4** (terme d'affection) **mon ~** my little angel

Jésus /ʒezy/
A *npr* Jesus; **l'enfant ~** the infant Jesus GB, the Christ child; **le petit ~** baby Jesus
B ○*excl* **~ (Marie)!** Jesus!; **doux ~!** good God!

Jésus-Christ /ʒezykʀi/ *npr* Jesus Christ

jet¹ /ʒɛ/ *nm* **1** (lancer) (action) throwing ¢; (distance) throw; **les ~s de pierres peuvent être mortels** stone throwing can kill; **un ~ de 30 mètres au disque** Sport a 30-metre[GB] discus-throw; **à un ~ de pierre** a stone's throw away **(de** from); **accueilli par des ~s de pierres/d'injures** greeted with a volley of stones/of insults; **2** (jaillissement) (de liquide, vapeur) jet; (de salive) spurt; (de flammes) burst; (de lumière) flash; **~ d'eau bouillante** jet of boiling water; **~ de sable** Tech sand-blast; **premier ~** fig first sketch *ou* attempt; **du premier ~** at the first attempt; **passer au ~** to hose down [*voiture, sol*]; **à ~ continu** [*parler, écrire*] nonstop; **3** Tech (coulage) cast(ing); **d'un seul ~** [*couler*] in one piece; [*écrire*] in one go; **4** Bot, Hort (pousse) shoot

(Composé) **~ d'eau** (fontaine, jaillissement) fountain; (de tuyau) hosepipe; (de fenêtre) weathering

jet² /dʒɛt/ *nm* Aviat jet

jetable /ʒətabl/ *adj* [*briquet, rasoir, couche*] disposable

jeté, **~e** /ʒəte/
A ○*adj* (fou) crazy; **elle est complètement ~e** she's completely crazy
B *nm* **1** Danse jeté; **2** Sport (en haltérophilie) jerk; **3** (en tricot) **une maille envers, un ~** purl one, wool round needle (once)
C **jetée** *nf* **1** (sur l'eau) pier; (plus petite) jetty; **2** (d'aéroport) terminal corridor

(Composés) **~ de lit** bedspread; **~ de table** runner

jeter /ʒəte/ [20]
A *vtr* **1** (lancer) to throw [*caillou, dé*]; (avec force) to hurl, fling [*objet*]; **~ qch à qn** (pour qu'il l'attrape) to throw sth to sb; (pour faire mal, peur) to throw sth at sb; **~ un os à un chien** to throw a dog a bone; **~ une assiette à la tête de qn** to throw a plate at sb; **~ qch par terre/sur la table/en l'air** to throw sth to the ground/on the table/(up) in the air; **~ une bûche dans la cheminée** to throw a log on the fire; **~ les bras autour du cou de qn** to throw *ou* fling one's arms around sb's neck; **~ le buste en avant/la tête en arrière** to throw one's chest out/one's head back
2 (placer rapidement) to throw (**dans** into; **sur** over); (étaler) **~ une couverture sur un matelas/un blessé** to throw a blanket over a mattress/an injured person; **~ une lettre à la boîte** to drop a letter into the letter-box; **~ quelques idées sur le papier** fig to jot down a few ideas
3 (se débarrasser) to throw away *ou* out [*vieilleries, ordures*]; **~ qch à la poubelle** to throw sth out, to throw sth in the bin GB *ou* the garbage US; **être bon à ~** to be fit for the bin GB *ou* the garbage US; ▸ **froc**
4 (expédier) **~ qn dehors/par la fenêtre** to throw sb out/out of the window; **~ qn en prison** to throw sb in jail; **~ bas** to flatten [*adversaire, immeuble*]; **se faire ~**○ to get thrown out; **~ qn**○ to throw sb out
5 (émettre) to give [*cri*]; to throw [*lumière, ombre*]; to cast [*reflet*]; **~ un vif éclat** to shine brightly; **~ mille feux** to sparkle; **en ~**○ [*personne, voiture*] to be quite something○; ▸ **vu F**
6 (construire) to build [*pont*]; to forge [*lien*]; to lay [*fondations*]; **~ un pont sur un cours d'eau** to bridge a river, to throw a bridge across a river
7 (causer) to create [*confusion*] (**dans** in; **parmi** among); to cause [*consternation*]; to sow [*terreur*]; to instil[GB] [*vie*]; **~ l'émoi dans la ville** to throw the town into turmoil
8 (plonger) **~ qn dans** to throw sb into; **~ qn dans le désespoir** to throw sb into despair; **~ le pays dans le désordre** to throw the country into chaos
9 (lancer en paroles) to hurl [*insultes*] (**à qn** to sb); **'tu es fou,' jeta-t-elle** 'you must be mad,' she said; **~ quelques commentaires** (dans une discussion) to put in a few comments; **~ qch à la tête** *or* **au visage de qn** to throw sth in sb's face [*vérité, défi*]
B **se jeter** *vpr* **1** (se précipiter) [*personne*] to throw oneself; **se ~ du haut d'un pont/par la fenêtre/dans le canal** to throw oneself off a bridge/out of the window/into the canal; **se ~ aux pieds de qn/dans les bras de qn** to throw oneself at sb's feet/into sb's arms; **se ~ sur** to fall upon [*adversaire*]; to pounce on [*proie, nourriture, journal*]; **se ~ au cou de qn** to fling oneself around sb's neck; **se ~ à l'eau** lit to jump into the water; fig to take the plunge; **(aller) se ~ contre un arbre** [*conducteur, voiture*] to drive headlong into a tree; **se ~ tête baissée dans qch** to rush headlong into sth; **se ~ à la tête de qn** to throw oneself at sb; ▸ **cravate**
2 (être jetable) to be disposable
3 (être mis au rebut) to be disposed of; **où est-ce que les bouteilles se jettent?** where do the bottles *ou* empties○ go?
4 [*cours d'eau*] to flow (**dans** into)

(Idiome) **n'en jetez plus (la cour est pleine)**○ hold your horses○

jeteur, **-euse** /ʒətœʀ, øz/ *nm,f* thrower

(Composés) **~ de sort** sorcerer; **jeteuse de sort** sorceress

jeton /ʒ(ə)tɔ̃/
A *nm* **1** (pour un appareil) token; (pour un jeu de société) counter; (au casino) chip; ▸ **faux¹**; **2** ◑(coup) punch; **prendre un ~**◑ [*personne*] to get punched; [*voiture*] to get dented
B *nmpl* **avoir les ~s**◑ to be scared stiff; **donner les ~s à qn**◑ to put the wind up sb○, to scare sb shitless◑

(Composé) **~ de présence** director's fee

jet-set /dʒɛtsɛt/ *nm* jet-set

jet-ski /dʒɛtski/ ▸ **p. 469** *nm* Sport **1** (activité) jet-skiing; **2** (embarcation) jet-ski

jeu, *pl* **~x** /ʒø/ ▸ **p. 469** *nm* **1** Jeux, Sport (activité) **le ~** gén play ¢; (avec de l'argent) gambling ¢; (type) **un ~** a game; **le ~ est nécessaire au développement de l'enfant** play is necessary to a child's development; **apprendre par le ~** to learn through play; **perdre une fortune au ~** to lose a fortune in gambling; **on va faire un ~** let's play a game; **les règles du ~** the rules of the game; **ce n'était qu'un ~** it was only a game; **jouer (un) double ~** fig to play a double game; **à quel ~ joue-t-il?** fig what's his game?; **il y a une part de ~ dans leur attitude** they're never completely serious about things; **il fait ça par ~** he does it for fun; **je lui ai dit ça par ~ mais elle m'a cru** I told her that for fun but she believed me; **ils se livrent déjà au petit ~ de deviner qui le remplacera** they're already having fun trying to guess who will replace him; **ce fut un ~ (d'enfant) pour lui de résoudre cette énigme** it was child's play for him to solve this enigma; **ton avenir est en ~** your future is at stake; **entrer en ~** fig to come into the picture; **d'entrée de ~** right from the start; **se prendre** *or* **se piquer au ~** to get hooked; **il s'est pris au ~ de la politique** he got hooked on politics; **se laisser prendre au (petit) ~ de qn** to fall for sb's (little) game; **être pris** *or* **se prendre à son propre ~** to be caught at one's own game; **battre qn à son propre ~** to beat sb at his/her own game; **mettre en ~** to put [sth] into play [*ballon, balle*]; to bring [sth] into play [*éléments, facteurs, données*]; to stake [*somme, objet, titre, honneur*]; **remettre la balle en ~** to put the ball back into play; **remise en ~** (au football, après une touche) throw; (au hockey, après un but) face-off; **mettre tout en ~ pour faire** to go all out to do; **être hors ~** (au football) to be offside; **ils ont beau ~ de me critiquer** it's easy for them to criticize me
2 Jeux, Sport (manche) game; **il a gagné (par) trois ~x à deux** he won by three games to two
3 Jeux (main aux cartes) hand; **avoir un bon** *or* **beau ~** to have a good hand; **avoir du ~** to have a good hand; **montrer/cacher son ~** lit to show/conceal one's hand; fig to show/not to show one's hand
4 Comm, Jeux (matériel) (d'échecs, de dames) set; (de cartes) deck; (de société) game
5 (manière de jouer) (d'acteur) acting ¢; (de musicien) playing ¢; (de footballeur, joueur de tennis) game; **~ sobre/brillant** (d'acteur) restrained/brilliant acting; **~ défensif** *or* **fermé** defensive game; **~ d'attaque** *or* **ouvert** attacking game
6 (série) set; **~ de clés/tournevis** set of keys/screwdrivers; **~ d'épreuves** Imprim set of proofs
7 (interaction, effet) (de reflets, vagues, d'ombres) play; (de rapprochements, forces, d'alliances) interplay; **le libre ~ des associations/de l'imagination** the free play of associations/of the imagination; **effet spécial obtenu par un ~ de miroirs** special effect obtained by mirrors
8 (possibilité de mouvement) Mécan play; Anat free movement; **le ~ des pistons** the play of the pistons; **le ~ des articulations/muscles** the free movement of joints/muscles; **il n'y a pas assez de ~** there's not enough play; **il y a du** *or* **trop de ~** there's too much play; **donner du ~ à** to loosen; ▸ **chandelle**, **épingle**, **heureux**, **quille**, **vieux**, **vilain**

(Composés) **~ d'adresse** Jeux game of skill; **~ d'argent** Jeux, Turf game played for money; **jouer à des ~x d'argent** to gamble; **~ de caractères** Ordinat character set; **~ codé** Ordinat coded set; **~ de construction** Jeux (activité) construction game; (pièces) construction set; **~ d'écritures** Compta juggling ¢ the books; **grâce à un ~ d'écritures** by juggling the books; **~ éducatif** Jeux educational game; **~ d'équipe** Sport team game; **~ d'éveil** Jeux early-learning game; **~ d'extérieur** Jeux outdoor game; **~ de hasard** Jeux game of chance; **la vie est un ~ de hasard** fig life is a lottery; **~ d'initialisation** Ordinat initialization deck; **~ d'intérieur** Jeux indoor game; **~ de**

ⓘ Les jeux et les sports

Les noms de jeux et de sports

■ *En anglais, tous les noms de jeux et de sports sont singuliers.*
Ils ne prennent pas d'article défini.

le football
= football

j'aime le football
= I like football

les échecs
= chess

j'aime les échecs
= I like chess

les règles des échecs
= the rules of chess

jouer aux échecs
= to play chess

savez-vous jouer aux échecs?
= can you play chess?

faire une partie d'échecs
= to play a game of chess

faire un bridge
= to have a game of bridge

■ *Certains noms de jeux et de sports ont une forme de pluriel, mais ils se comportent tout de même comme des singuliers:* billiards, bowls, checkers, darts, dominoes, draughts *etc.*

les dominos sont un jeu facile
= dominoes is easy

le jeu de boules est pratiqué par les dames et les messieurs
= bowls is played both by men and women

Les noms des joueurs

■ *Certains noms de sportifs en anglais se forment en ajoutant -er au nom du sport.*

un footballeur
= a footballer

un golfeur
= a golfer

un coureur de 100 mètres
= a 100-metre runner

un coureur de haies
= a hurdler

■ *Mais ceci n'est pas toujours possible. Par contre, pour les sports d'équipe, on peut toujours utiliser le mot* player *précédé du nom du sport.*

un joueur de football
= a football player

un joueur de rugby
= a rugby player

■ *En cas de doute, consulter l'article dans le dictionnaire.*

■ *Pour les noms de personnes qui jouent à des jeux, on utilise la même construction avec* player.

un joueur d'échecs
= a chess player

■ *Noter que dans les exemples suivants* chess *peut être remplacé par presque tous les noms de sports et de jeux. En cas de doute, consulter l'article dans le dictionnaire.*

il joue très bien aux échecs
= he's very good at chess
ou he's a very good chess player

un champion d'échecs
= a chess champion

le champion du monde d'échecs
= the world chess champion

je ne joue pas aux échecs
= I am not a chess player
ou I don't play chess

Les événements

une partie d'échecs
= a game of chess

jouer aux échecs avec qn
= to play chess with sb

jouer aux échecs contre qn
= to play chess against sb

gagner une partie d'échecs
= to win a game of chess

battre qn aux échecs
= to beat sb at chess

perdre une partie d'échecs
= to lose a game of chess

jouer dans l'équipe d'Angleterre
= to play for England

gagner le championnat de Grande-Bretagne
= to win the British championship

j'espère que l'Angleterre va gagner
= I hope England wins

Douai a perdu 2 à zéro
= Douai lost 2 nil

Nantes 2–Lyon 0
= Nantes two, Lyons nil

il est arrivé quatrième
= he came fourth

■ De *avec les noms de jeux et de sports:*

un championnat d'échecs
= a chess championship

un club d'échecs
= a chess club

l'équipe d'Angleterre d'échecs
= the English chess team

un fan d'échecs
= a chess enthusiast

■ *L'anglais utilise la même construction dans des cas où le français a un mot différent, par ex.:*

un échiquier
= a chess board

Mais:

les règles des échecs
= the rules of chess

une partie d'échecs
= a game of chess (a chess game *est possible, mais moins fréquent*)

■ *En cas de doute, consulter l'article dans le dictionnaire.*

Activités sportives

■ *Les jeux:*

faire du tennis/rugby
= to play tennis/rugby

■ *Les arts martiaux et disciplines:*

faire du judo/de la boxe/de la gymnastique
= to do judo/boxing/gymnastics

■ *Les activités de plein air:*

faire de l'équitation/de l'aviron/du jogging
= to go riding/rowing/jogging

Les jeux de cartes

■ *Noter que dans les exemples suivants* clubs *pourrait être remplacé par* hearts, spades *ou* diamonds.

le huit de trèfle
= the eight of clubs

l'as de trèfle
= the ace of clubs

jouer le huit de trèfle
= to play the eight of clubs

l'atout est trèfle
= clubs are trumps

demander du trèfle
= to call clubs

as-tu du trèfle?
= do you have clubs?

jambes Sport footwork; **~ de massacre** Jeux ≈ coconut shy GB; fig massacre; **~ de mots** Ling pun; **~ de l'oie** Jeux ≈ snakes and ladders GB; **~ d'orgue** Mus organ stop; **~ de paume** Sport (activité) real tennis; (terrain) real tennis court; **~ de piste** Jeux treasure hunt; **~ radiophonique** Radio radio game show; **~ de rôles** Scol role playing ₵; **~ de scène** Théât stage business; **~ de société** Jeux (échecs, monopoly® etc) board game; (charades etc) party game; **~ télévisé** TV (TV) game show; **~ vidéo** Vidéo video game; **~ à XIII** Sport rugby league; **~x de grattage** Jeux scratchcards; **Jeux Olympiques**, **JO** Sport Olympic Games, Olympics; **Jeux Olympiques d'été/d'hiver** Summer/Winter Olympics

(Idiomes) **jouer le ~** to play the game; **jouer le grand ~** to pull all the stops out○; **c'est pas de** *or* **du ~○!** that's not fair!; **faire le ~ de qn** to play into sb's hands; **'faites vos ~x'** (au casino) 'faites vos jeux'; **'les ~x sont faits'** (au casino) 'les jeux sont faits'; fig 'the die is cast'

jeu-concours, *pl* **jeux-concours** /ʒøkɔ̃kuʀ/ *nm* competition; **participer à un ~** to enter a competition

jeudi /ʒødi/ ▸ p. 782 *nm* Thursday

(Composés) **~ de l'Ascension** Relig Ascension day; **~ noir** Hist Black Thursday; **~ saint** Relig Maundy Thursday

(Idiome) **ça aura lieu la semaine des quatre ~s○!** never in a month of Sundays!

jeun: **à jeun** /aʒœ̃/ *loc adv* **1▸** (l'estomac vide) [*partir, boire, fumer*] on an empty stomach; **être à ~ pour une prise de sang/opération** Méd to have had nothing to eat or drink on the day of a blood test/an operation; **soyez à ~** don't eat or drink anything; **2▸** ○(qui n'a pas bu d'alcool) sober

jeune /ʒœn/

A *adj* **1▸** (non vieux) [*personne, public, clientèle*] young; [*animal, arbre, montagne*] young; [*pays, vin*] young; [*industrie*] new; [*allure, coiffure, visage*] youthful; **il est tout ~** he's very young; **elle n'est plus très ~** she's not so young any more; **un ~ garçon/homme** a young boy/man; **une ~ femme/personne** a young woman/person; **les ~s gens** young people; **le ~ Sartre** the young Sartre; **être ~ de caractère** to be young at heart; **être ~ d'esprit** to be young in spirit; **un corps encore ~** a youthful body; **des ~s pousses** young shoots; **les ~s générations** the younger generation (*sg*); **nos ~s années** our youth; **le ~ âge** youth; **2▸** (cadet) (*avant n*) [*frère, sœur, fils, fille*] younger; **c'est mon ~ frère** he's my

j

younger brother; **leur plus ~ fille** their youngest daughter; **être plus ~ que qn** to be younger than sb; **être moins ~ que qn** to be older than sb; **Pline le Jeune** Pliny the Younger; **3▸** (nouveau dans son état) *(avant n)* [*médecin, avocat*] newly-qualified; [*chanteur, député, champion, mère, père, équipe*] new; **un ~ diplômé** a new graduate; **être ~ dans le métier** to be new to the trade; **un ~ couple** a young couple; **le ~ marié** the groom; **la ~ mariée** the bride; **les ~s mariés** the newlyweds; **4▸** (naïf) naïve; **que tu es ~!** how naïve you are!; **5▸** ○(insuffisant) **une bouteille pour six, c'est un peu ~!** one bottle between six people, that's not much!

B *nmf* young person; **c'est un ~ qui m'a répondu** a young man answered me; **les ~s** young people; **place aux ~s!** make way for the young!; **les ~s comme les vieux** young and old alike

C *adv* **s'habiller ~** to wear young styles; **se coiffer ~** to wear one's hair in a young style; **faire ~** [*personne*] to look young; **ça fait ~ de porter un jean** wearing jeans makes you look young

(Composés) **~ cadre dynamique** dynamic young executive; **~ fille** girl; **~ loup** up-and-coming executive; **~ pousse (d'entreprise)** startup (company); **~ premier** Théât, Cin romantic lead

jeûne /ʒøn/ *nm* **1▸** (privation) fasting; **pratiquer** *or* **observer le ~** to fast; **jour de ~** fast day; **2▸** (période) period of fasting

jeûner* /ʒøne/ [1] *vi* Méd, Relig to fast

jeunesse /ʒœnɛs/ *nf* **1▸** (période) youth; **dans ma ~** in my youth; **la première** *or* **prime ~** early youth; **le charme de la ~** the charms of youth; **une seconde ~** a new lease of life; **il n'a pas eu de ~** he didn't have a proper youth; **un amour de ~** an early girlfriend/boyfriend; **une erreur de ~** a youthful misdemeanour[GB]; **il n'est plus de la première ~** hum he's no longer in the first flush of youth hum; **2▸** (fait d'être jeune) youth; **la ~ des candidats** the fact that the candidates are young, the youthfulness of the candidates; **quand on a la ~, tout est possible** when you are young, everything is possible; **3▸** (comme qualité) youthfulness; **la ~ de sa voix** the youthfulness of his/her voice; **avoir un air de ~** to look young; **avoir une grande ~ d'esprit** to be young in spirit; **être plein de ~** to be full of vitality; **4▸** (les jeunes) young people *(pl)*; **la ~ ouvrière** young working people; **l'entrain de la ~** the enthusiasm of the young; **littérature/émissions pour la ~** literature/programmes[GB] for young people; **la ~ étudiante** students *(pl)*; ▸ **vieillesse**; **5▸** ○†(femme) young woman

(Composés) **~ dorée** bright young things *(pl)*, gilded youth; **~s communistes** Communist youth movement *(sg)*; **~s hitlériennes** Hist, Pol Hitler Youth; **Jeunesses musicales (de France)** *organization promoting musical activities for young people*

(Idiomes) **il faut que ~ se passe** youth must have its fling; **les voyages forment la ~** travel broadens the mind

jeunet○, **-ette** /ʒœnɛ, ɛt/
A *adj* young
B *nm,f* (garçon) young lad; (fille) young girl

jeûneur, -euse* /ʒønœʀ, øz/ *nm,f* faster

jeunot○, **-otte** /ʒœno, ɔt/
A *adj* young
B *nm* young lad

jf *nf: written abbr* = **jeune fille** *or* **femme**

jh *nm: written abbr* = **jeune homme**

jingle /dʒingəl/ *nm* Radio, TV jingle

jiu-jitsu* /ʒjyʒitsy/ ▸ **p. 469** *nm* jiu-jitsu

JO /ʒio/
A *nm: abbr* ▸ **journal**
B *nmpl: abbr* ▸ **jeu**

joaillerie /ʒɔajʀi/ *nf* **1▸** (technique) jewellery-making GB, jewelry-making US; (métier) jewellery GB *ou* jewelry US (trade); **2▸** ▸ **p. 532** (magasin) jeweller's shop GB, jewelry store US; **3▸** (articles) jewellery GB, jewelry US

joaillier*, -ière /ʒɔalje, ɛʀ/
A *adj* [*industrie*] jewellery GB, jewelry US
B ▸ **p. 532** *nm,f* jeweller

job○ /dʒɔb/ *nm* (travail) job; (petit boulot) casual job; (pour les vacances) summer job

Job /ʒɔb/ *npr* Job; **le livre de ~** the Book of Job

(Idiome) **pauvre comme ~** as poor as a church mouse

jobard○, **~e** /ʒɔbaʀ, aʀd/
A *adj* [*personne*] gullible
B *nm,f* (naïf) sucker○

jobardise○ /ʒɔbaʀdiz/ *nf* gullibility

jockey /ʒɔkɛ/ *nm* jockey

Joconde /ʒɔkɔ̃d/ *npr* **la ~** the Mona Lisa

jocrisse† /ʒɔkʀis/ *nm* ninny†

jodhpurs /ʒɔdpyʀ/ *nmpl* jodhpurs

jodler = **yodler**

joggeur, -euse /dʒɔgœʀ, øz/ *nm,f* jogger

jogging /dʒɔgiŋ/ *nm* **1▸** ▸ **p. 469** (activité) jogging; **chaussures de ~** trainers GB, running shoes; **2▸** (séance) **faire son ~ quotidien** to go for one's daily jog; **3▸** (survêtement) track suit

joie /ʒwa/
A *nf* **1▸** (bonheur) joy; **la ~ éclairait son visage** his/her face glowed with joy; **être au comble de la ~** to be overjoyed; **~ sans mélange** *or* **sans partage** pure joy; **cette enfant fait la ~ de ses parents** the child is her parents' pride and joy; **la ~ de faire** the joy *ou* pleasure of doing; **la ~ de retrouver sa maison** the joy *ou* pleasure of getting back home; **des cris de ~** cries of joy; **il y a eu des explosions de ~ dans toute la ville** the whole town erupted with joy; **c'est une ~ de le regarder** he's a joy to look at; **quelle ~!** wonderful!; **être ivre de ~** to be drunk with happiness *ou* delight; **sauter/pleurer de ~** to jump/cry for joy; **avoir de la ~ au cœur** to have a cheerful disposition; **un enfant plein de ~** a happy *ou* sunny child; **beaucoup de ~** great happiness; **faire la ~ de qn** to gladden *ou* delight sb, to make sb happy; **être en ~** to be delighted; **mettre qn en ~** to delight sb; **pour** *or* **à la plus grande ~ de qn** to sb's great delight; **être tout à la ~ de faire** to be carried away by the thrill of doing; **c'est la ~ dans les rues** happiness reigns in the streets; **'comment ça va au travail?'—'c'est pas la ~○!'** 'how are things at work?'–'not great○!'; **2▸** (plaisir) pleasure; **cela a été une ~ de vous recevoir** it has been a pleasure to have *ou* having you; **exprimer/dire sa ~ de faire** to express one's pleasure at doing; **avoir la ~ de faire** to have the pleasure of doing; **accepter qch avec ~** to accept sth with pleasure; **se faire une ~ de faire** (envisager avec plaisir) to look forward to doing; (faire avec plaisir) to be delighted to do; ▸ **faux**[1]; **3▸** (source de plaisir) pleasure, joy; **leurs seules ~s** their only pleasures

B **joies** *nfpl* (aspects agréables) (du monde, des sens) pleasures; (de l'amour, d'une activité) pleasures, joys; **goûter aux ~s de l'amour** to taste the joys of love; **s'adonner/se livrer aux ~s de qch** to devote oneself to/to give oneself over to the joys of sth

(Composé) **~ de vivre** joie de vivre, exuberance

(Idiome) **s'en donner à cœur ~** lit to enjoy oneself to the full; fig to have a field day

joignable /ʒwaɲabl/ *adj* **il n'est pas ~ en ce moment** he's not available at the moment

joindre /ʒwɛ̃dʀ/ [56]
A *vtr* **1▸** (communiquer avec) to reach, to get hold of [*personne*]; **chercher à ~ qn** to try to reach *ou* get hold of sb; **~ qn au téléphone** to get sb on the phone; **2▸** (ajouter) (dans une lettre, un paquet) to enclose [*timbre, chèque*] **(à** with); (en agrafant, fixant) to attach **(à** to); (par courrier électronique) to attach [*fichier*] **(à** to); **je joins un cadeau/livre à mon envoi** I am sending a gift/book as well; **les avantages joints à l'emploi** the advantages that come with the job; **~ sa voix au concert de protestations** to add one's voice to the chorus of protest; **3▸** (relier) [*rue, pont, passage*] to link, to join **(à** with); **~ qch à qch** to link sth with sth; **4▸** (allier) **~ qch à qch** to combine sth with sth; **~ l'intelligence à la simplicité** to combine intelligence with simplicity; **5▸** (mettre ensemble) to join, to put [sth] together [*planches, tôles*]; **~ les pieds** to put one's feet together; **~ deux objets bout à bout** to put two things end to end; **~ des plaques de métal par une soudure** to weld sheets of metal together; **6▸** Jur [*tribunal, juge*] to combine [*procès, course*]

B *vi* (coïncider) [*planche*] to fit properly; [*fenêtre, porte*] to shut *ou* close properly

C **se joindre** *vpr* **1▸** (se mêler) **se ~ à** to join [*personne, famille, groupe*]; to join with [*mouvement, groupe, parti*]; to mix with [*sentiment, émotion*]; **toute la famille se joint à moi pour vous souhaiter une bonne année** all the family join me in wishing you a happy New Year; **se ~ à la foule** to mix *ou* mingle with the crowd; **se ~ à la conversation** to join in the conversation; **2▸** (s'unir) [*lèvres*] to meet; [*mains*] to join

(Idiome) **~ les deux bouts○** to make ends meet

joint /ʒwɛ̃/ *nm* **1▸** Constr, Tech (de planches, meubles, fenêtres) joint; (de robinet) washer; (de tuyauterie) seal; (de carrelage, briques) joint; **2▸** Aut joint; **3▸** Anat joint; **4▸** ○(cigarette de drogue) joint○

(Composés) **~ de cardan** Aut cardan joint; **~ de culasse** Aut cylinder head gasket; **~ de dilatation** expansion joint; **~ d'étanchéité** seal

(Idiomes) **peux-tu me prêter un peu d'argent pour faire le ~○ (jusqu'en septembre)** could you lend me some money to tide me over (till September); **chercher/trouver le ~○** to look for/to find the answer

jointif, -ive /ʒwɛ̃tif, iv/ *adj* [*planches*] butt-jointed, edge-to-edge; [*cloison*] abutting, contiguous

jointoiement /ʒwɛ̃twamɑ̃/ *nm* Constr pointing

jointoyer /ʒwɛ̃twaje/ [23] *vtr* Constr to point

jointure /ʒwɛ̃tyʀ/ *nf* Anat, Tech joint; **la ~ du genou** the knee joint

joint-venture, *pl* **joint-ventures** /dʒɔjntvɛntʃəʀ/ controv *nm* joint venture; **signer un ~** to sign a joint-venture agreement

jojo○ /ʒoʒo/
A *adj inv* *(always neg)* nice; **il n'est pas ~ ton chapeau** your hat isn't very nice; **ce n'est pas ~ ce qu'ils lui ont fait** (moralement) what they did to him/her wasn't very nice ; (physiquement) they made a mess of him/her○
B *nm* **un affreux ~** (enfant) a horrible brat○; (drôle d'individu) a weirdo○

joker /ʒɔkɛʀ/ *nm* **1▸** (aux cartes) joker; **2▸** fig trump card; **sortir/jouer/utiliser son ~** to bring out/play/use one's trump card; **3▸** Sport (en sport d'équipe) all-round substitute; **4▸** Ordinat wild card

joli, ~e /ʒɔli/
A *adj* **1▸** (beau) [*fille, femme*] pretty; [*garçon*] handsome, good-looking; [*animal, meuble, objet*] handsome, lovely; [*vêtement, fleur, visage, trait, yeux*] pretty, lovely; [*maison, paysage, jardin, œuvre, mot, tableau*] nice, lovely; [*vase, coup de crayon*] nice, pleasing; **faire ~** to look nice, look good; **ça fait ~ ce meuble dans ta chambre** this piece of furniture looks nice in your room; **ce n'est pas ~ (de faire)** it's not nice (to do); **ce n'était pas ~ à voir** it wasn't a pretty sight; **c'est ~ de dire du mal de ses parents** iron that's a fine thing, saying nasty things about one's parents; **c'est ~ de faire cela!** that's a fine thing to do!; **c'est ~ d'avoir fait cela!** that was a fine thing to do!; **2▸** (non négligeable) [*somme, bénéfice*] nice;

[situation, profession] good; *[coup de publicité, résultat, réussite]* great; *[coup de pied, but]* great○, nice

B *nm* 1) (ce qui est intéressant) **le plus ~ c'est que** the funny *ou* funniest thing is (that); **il t'a raconté le plus ~?** did he tell you the best part?; 2) (action répréhensible) iron **c'est du ~ de voler dans les magasins** that's a fine thing to do, stealing from shops GB *ou* stores US iron

(Composé) **~ cœur** smooth talker; **faire le ~ cœur** to play Romeo

(Idiome) **être ~ à croquer** *or* **comme un cœur** to be as pretty as a picture

joliesse /ʒɔljɛs/ *nf* prettiness

joliment /ʒɔlimɑ̃/ *adv* 1) (agréablement) *[meublé, illustré, décoré]* prettily, nicely; *[dire]* nicely; **comme l'a ~ dit X** as X put it so neatly; 2) ○(remarquablement) *[content, bien]* really; *[manœuvrer]* nicely; **nous nous sommes ~ battus** we fought really hard; **il s'est fait ~ recevoir** iron he got a fine reception

Jonas /ʒɔnas/ *npr* Jonah

jonc /ʒɔ̃/ *nm* 1) (plante) rush; 2) (en bijouterie) (bague) plain band; (bracelet) plain bangle

jonchée /ʒɔ̃ʃe/ *nf* liter **une ~ de papiers couvrait le tapis** papers were strewn all over the carpet

joncher /ʒɔ̃ʃe/ [1] *vtr [papiers, vêtements, ordures]* to litter, to be strewn over *[sol, plancher etc]*; *[feuilles, pétales]* to be strewn over *[sol]*; **~ le sol de** to strew the ground with; **être jonché de** to be strewn with

jonchets /ʒɔ̃ʃɛ/ *nmpl* spillikins (+ *v sg*) GB, jackstraws (+ *v sg*)

jonction /ʒɔ̃ksjɔ̃/ *nf* 1) (point de rencontre) junction; **à la ~** at the junction; **point de ~** meeting point; 2) (action de joindre) link-up; **faire une ~ entre A et B** to link up A and B; 3) Mil link-up; **opérer une ~** *[armée, manifestants]* to link up; 4) Électrotech junction

joncture /ʒɔ̃ktyʀ/ *nf* juncture

jonglage /ʒɔ̃glaʒ/ *nm* juggling

jongler /ʒɔ̃gle/ [1] *vi* to juggle (**avec** with); **~ avec les chiffres/horaires** fig to juggle figures/timetables

jongleur, -euse /ʒɔ̃glœʀ, øz/ ▸ **p. 532** *nm,f* 1) (de cirque) juggler; 2) †(ménestrel) jongleur

jonque /ʒɔ̃k/ *nf* Naut junk

jonquille /ʒɔ̃kij/ ▸ **p. 202**

A *adj inv, nm* (couleur) daffodil yellow

B *nf* Bot daffodil

Jordanie /ʒɔʀdani/ ▸ **p. 333** *nprf* Jordan

jordanien, -ienne /ʒɔʀdanjɛ̃, ɛn/ ▸ **p. 561** *adj* Jordanian

Jordanien, -ienne /ʒɔʀdanjɛ̃, ɛn/ ▸ **p. 561** *nm,f* Jordanian

Josué /ʒozɥe/ *npr* Joshua

jouable /ʒwabl/ *adj* 1) (faisable) feasible; **le coup est** *or* **c'est ~** it's feasible; **la partie n'est pas ~ sans capitaux** it's not feasible without capital; **le pari est ~** the gamble might pay off; 2) (qu'on peut jouer) *[composition, musique, morceau]* playable; **une pièce qui n'est pas ~** a play that's impossible to stage

joual /ʒual/ ▸ **p. 483** *nm* joual

joue /ʒu/ ▸ **p. 196** *nf* 1) Anat cheek; **avoir de bonnes ~s** to have plump cheeks; **~ contre ~** cheek to cheek; **tendre** *or* **présenter l'autre ~** Bible to turn the other cheek; **~ de bœuf** Culin ox cheek; 2) Mil **en ~!** aim!; **mettre qn/qch en ~** to take aim at sb/sth; **tenir qn en ~** to train one's gun on sb; 3) Naut bow; 4) (de meuble) side panel

jouer /ʒwe/ [1]

A *vtr* 1) Jeux, Sport, Turf to play *[match, jeu, partie]*; to play *[carte, couleur, atout]*; to move *[pièce d'échecs, pion de dames]*; to back *[cheval, favori]*; to stake *[somme, argent, objet]*; to risk *[réputation, vie]*; **partie mal jouée** poorly played game; **~ carreau** to play diamonds; **~ un cheval gagnant/placé** to back a horse to win/for a place; **jouons le dîner à la courte paille** let's draw straws to see who pays for dinner; **c'est joué d'avance** it's a foregone conclusion; **tout n'est pas encore joué** the game isn't over yet; **~ le tout pour le tout** to go for broke○; ▸ **pendable**

2) Mus to play *[morceau, compositeur, disque]* (**à** on); **~ du Bach à la guitare** to play some Bach on the guitar; **concerto admirablement joué** beautifully played concerto

3) Cin, Théât *[personne]* to perform *[pièce]*; *[personne]* to play *[rôle, personnage]*; *[personne]* to act *[Shakespeare]*; *[cinéma]* to show *[film]*; *[théâtre]* to put on *[pièce]*; **l'auteur le plus joué de France** the most frequently performed playwright in France; **mon rêve est de ~ Figaro** my dream is to play Figaro; **faire ~ une pièce** to stage a play; **quel film joue-t-on au Rex?** what film is showing at the Rex?; **théâtre qui ne joue que de l'avant-garde** theatre[GB] that only puts on avant-garde plays; ▸ **fille**, **scène**

4) (incarner) **~ les imbéciles** to play dumb; **~ les innocents** *or* **l'innocent** to play the innocent; **~ le désespoir/la surprise** to pretend to be in despair/surprised; **~ les héros** to take unnecessary risks

B **jouer à** *vtr ind* to play *[tennis, échecs, roulette]*; to play with *[poupée]*; to play *[cowboy, Tarzan]*; to bet on *[courses]*; **à quoi jouez-vous?** lit what are you playing?; fig what are you playing at?; **~ à qui perd gagne** to play 'loser takes all'; **~ à la marchande/au docteur** to play shops/doctors and nurses; **~ au con**◑ to play dumb; ▸ **souris**

C **jouer de** *vtr ind* 1) Mus **~ de** to play *[instrument]*; **~ du violon/de la flûte** to play the violin/the flute

2) (se servir de) **~ de** to use *[capacité, ascendant, influence, infirmité]* (**pour faire** to do)

D *vi* 1) (s'amuser) *[enfant, animal]* to play (**avec** with); **allez ~ dehors, les enfants!** go and play outside, children!; **va faire ~ les enfants dans le parc** take the children to play in the park; **chat qui joue avec une souris** cat playing with a mouse; **on n'est pas ici pour ~!** we're not here to play games!; **c'était pour ~, ne le prenez pas mal!** I was only joking, don't be offended!

2) (pratiquer un jeu) to play; (avec de l'argent) to gamble; **~ pour de l'argent** to play for money; **il joue dans l'équipe de Bordeaux** he plays for Bordeaux; **à toi de ~!** lit your turn!; fig the ball's in your court!; **bien joué!** (au jeu) well played!; fig well done!; **~ gagnant/perdant** to be onto a winner/loser; **j'en ai assez, je ne joue plus!** I've had enough, count me out!; **arrête de ~ avec ton stylo** stop fiddling with your pen

3) (traiter à la légère) **~ avec** to gamble with *[vie, santé]*; to put [sth] on the line *[réputation]*; to play with *[sentiments]*; **ne joue pas avec mon cœur** don't play with my feelings

4) (spéculer) to gamble; **~ en Bourse** to gamble on the stock exchange; **~ gros/petit** to gamble for high/small stakes; **~ le sterling à la baisse** to sell sterling short; **~ le sterling à la hausse** to take a long position on sterling; **~ sur** to play on *[crédulité, lassitude]*; to speculate in *[valeur boursière]*; **~ sur les dissensions au sein d'un parti** to play on disagreements within a party; ▸ **tableau**

5) Cin, Mus, Théât *[acteur]* to act; *[musicien, radio, disque, musique]* to play; **~ dans un film** to act in a film; **dans quelle pièce/quel théâtre joue-t-elle?** which play/theatre[GB] is she acting in?; **~ en mesure** to play in time; **le pianiste a joué devant/pour un public réduit** the pianist played to/for a small audience

6) (produire des effets) *[lumière, flammes, vent]* to play (**sur** on; **dans** in); **une brise légère jouait dans tes cheveux/dans les branchages** a light breeze played with your hair/in the branches

7) (intervenir) *[argument, clause]* to apply; *[âge, qualification]* to matter; **cet argument ne joue pas dans ce cas** that argument doesn't apply *ou* mean much in this case; **l'âge ne joue pas dans ce métier** age doesn't matter in this job; **les questions d'argent ne jouent pas entre eux** money is not a problem in their relationship; **les considérations qui ont joué dans ma décision** the considerations that played a part in my decision; **~ en faveur de qn** to work in sb's favour[GB]; **~ comme un déclic** to serve as the trigger; **faire ~ la clé dans la serrure** to jiggle the key in the lock; **faire ~ ses relations** to make use of one's connections; **ses relations n'ont pas joué comme prévu** his/her connections didn't prove as useful as expected; **faire** *or* **laisser ~ le marché** to allow the free play of market forces

8) Mécan (être mal ajusté) to be loose; **le contrevent a joué et ne ferme plus** the shutter has worked loose and won't close any more; **l'humidité a fait ~ les boiseries** the damp has made the panelling[GB] warp

E **se jouer** *vpr* 1) Cin, Mus, Théât *[musique, air]* to be played; *[film]* to be shown; *[pièce, auteur, compositeur]* to be performed

2) Jeux, Sport *[jeu, sport]* to be played; *[partie, rencontre]* (amicalement) to be played; (avec enjeu) to be played out; **le match s'est joué sous la pluie** the match was played in the rain

3) (être en jeu) *[avenir, sort, paix]* to be at stake, to hang in the balance; **c'est l'avenir du pays qui se joue** the future of the country is at stake *ou* hangs in the balance; **le sort des réfugiés va se ~ à la conférence sur la paix** the fate of the refugees hangs on the peace conference; **le drame qui se joue dans le tiers-monde** the drama which is being played out in the Third World; **il va se ~ une partie décisive entre les deux firmes** a decisive contest is going to be played out between the two firms

4) (triompher de) **se ~ de** to make light of *[difficulté]*; to defy *[pesanteur, gravité]*; to make light work of *[obstacle]*; **il a triomphé de tous ses concurrents comme en se jouant** he triumphed over all his competitors without even trying

(Idiome) **se la ~**○ (frimer) to show off; (se prendre pour) to give oneself airs

jouet /ʒwɛ/ *nm* 1) (objet pour enfant) toy; 2) (victime) plaything; **il n'a été qu'un ~ entre les mains de cet intrigant** he was just a plaything to that schemer; **être le ~ de ses camarades** (à l'école) fml to be bullied by one's schoolmates; **être le ~ d'une illusion** to be the victim of an illusion; **être le ~ d'une hallucination** to be in the grip of an hallucination; **être le ~ des vagues/du vent** to be at the mercy of the waves/of the wind

joueur, -euse /ʒwœʀ, øz/

A *adj* 1) (qui aime s'amuser) *[enfant, animal, tempérament]* playful; 2) (qui risque de l'argent) gambling (*épith*); **être ~** to be a gambling man; **être joueuse** to be a gambling woman

B *nm,f* 1) Sport, Jeux, Mus player; **une joueuse de tennis** a woman tennis player; **un ~ de mandoline** a mandolin player; **un ~ de cornemuse** a piper; **être beau/mauvais ~** to be a good/bad *ou* poor loser; **il s'est montré beau ~** he proved himself to be a good loser; **ne sois pas si mauvaise joueuse!** don't be such a bad sport!; 2) (personne qui joue de l'argent) gambler

joufflu, ~e /ʒufly/ *adj [personne]* chubby-cheeked; *[visage]* chubby

joug /ʒu/ *nm* 1) Agric yoke; 2) (sujétion) yoke; **tomber/se trouver sous le ~ de** to come/to be under the yoke of; **secouer le ~** to cast off the shackles; 3) (de balance) beam

jouir /ʒwiʀ/ [3]

A **jouir de** *vtr ind* (bénéficier) *[personne]* to enjoy *[droit, considération, soutien, avantage]*; to enjoy the use of *[bien, concession]*; *[lieu]* to enjoy *[climat, vue]*; **~ de toutes ses facultés** to have the use of all one's faculties

B *vi* 1) ○(sexuellement) to have an orgasm; 2) ◑(méchamment) **je jouis de les voir échouer**

it gives me a kick○ to see them fail; **3▸** ◑(souffrir) to suffer agonies

jouissance /ʒwisɑ̃s/ *nf* **1▸** Jur (usage) use; **~ des installations** use of the facilities; **avoir la ~ de qch** to have the use of sth; **2▸** (plaisir) pleasure; **~ artistique** artistic pleasure; **3▸** (orgasme) orgasm

jouisseur, **-euse** /ʒwisœʀ, øz/ *nm,f* hedonist

jouissif◑, **-ive** /ʒwisif, iv/ *adj* (tous contextes) really great

joujou, *pl* **~x** /ʒuʒu/ *nm* baby talk toy; **faire ~** to play (**avec** with)

joule /ʒul/ *nm* joule

jour /ʒuʀ/ ▸ **p. 836**

A *nm* **1▸** (période de vingt-quatre heures) day; **en un ~** in one day; **dans les trois ~s** within three days; **mois de trente ~s** thirty-day month; **barbe de trois ~s** three days' growth of beard; **trois fois par ~** three times a day; **c'est à trois ~s de train** it's three days away by train; **ces derniers ~s** these last few days; **un ~ de plus ou de moins ne changera rien** one day here or there won't make any difference; **les ~s se suivent et ne se ressemblent pas** every day is different; **dans huit ~s** in a week's time, in a week; **quinze ~s** a fortnight GB; **tous les quinze ~s** every fortnight GB *ou* two weeks US; **d'un ~** [*bonheur, espoir*] fleeting; [*mode*] passing; [*reine*] for a day; **deux poussins d'un ~** two one-day old chicks; **être la vedette d'un ~** to be here today and gone tomorrow; **des ~s et des ~s** for ever and ever; **dès le premier ~** right from the start; **~ après ~** (quotidiennement) day after day; (progressivement) little by little; **vivre au ~ le ~** to live one day at a time; **gagner sa vie au ~ le ~** to scratch a living; **voir les choses au ~ le ~** to take each day as it comes; **noter ses pensées au ~ le ~** to note down one's thoughts every day; ▸ **barbe C 1**

2▸ (date) day; **ce ~-là** that day; **quel ~ sommes-nous?** what day is it today?; **elle viendra un ~** she'll come one day; **c'est mon ~ de courses** it's my shopping day; **viens un ~ où il n'y sera pas** come on a day he's out, come one day when he's out; **le ~ où je mourrai** the day I die; **un ~ ou l'autre** some day; **l'autre ~** the other day; **un de ces ~s** one of these days; **un beau ~** one fine day; **tous les ~s** every day; **de tous les ~s** everyday; **~ pour ~** to the day; **de ~ en ~** from day to day; **à ce ~** to date; **à ~** up to date; **mettre à ~** (actualiser) to bring up to date [*courrier, travail*]; to revise [*édition*]; to update [*données, application*]; (révéler) to expose, to reveal [*mystère, secret, trafic, problème*]; **mise à ~** (actualisation) (d'édition) revision; (de données, d'application) updating (**de** of); (découverte) (de secret, trafic) revelation (**de** of); **édition mise à ~** revised edition; **tenir à ~** to keep up to date; **jusqu'à ce ~** (maintenant) until now; (alors) until then; **de nos ~s** nowadays; **d'un ~ à l'autre** [*être attendu*] any day now; [*changer*] from one day to the next; **du ~ au lendemain** overnight; **nouvelle/mode du ~** latest news/fashion; **au ~ d'aujourd'hui**○ today

3▸ (du lever au coucher du soleil) day; **les ~s raccourcissent** the days are getting shorter; **pendant le ~** during the day; **nuit et ~** night and day; **tout le ~** all day; **le ~ se lève** it's getting light; **lumière du ~** daylight; **au lever** *or* **point du ~** at daybreak; **le petit ~** the early morning; **se lever avec le ~** to get up at the crack of dawn; **travailler de ~** to work days; **travail de ~** day work

4▸ (clarté) daylight; **il fait ~** it's daylight; **laisser entrer le ~** to let in the daylight; **en plein ~** in broad daylight; **faire qch au grand ~** to do sth for all to see; **se faire ~** [*vérité*] to come to light; **mettre au ~** to unearth [*vestige*]; to bring [sth] to light [*vérité*]; **jeter un ~ nouveau sur qch**, **éclairer qch d'un ~ nouveau** to shed new light on sth; ▸ **faux**[1]

5▸ (aspect) **sous ton meilleur/pire ~** at your best/worst; **je ne te connaissais pas sous ce ~** I knew nothing of that side of you; **je t'ai vu sous ton vrai ~** I saw you in your true colours; **sous un ~ avantageux** in a favourable[GB] light

6▸ fig **donner le ~ à qn** to bring sb into the world; **donner ~ à qch** to give rise to sth; **voir le ~** [*personne*] to come into the world; [*œuvre, projet*] to see the light of day; [*organisme*] to come into being; **mes ~s sont comptés** my days are numbered; **finir ses ~s à la campagne** to end one's days in the country; **des ~s difficiles** hard times; **attenter à ses ~s** to make a suicide attempt; **avoir encore de beaux ~s devant soi** to still have a future; **les beaux ~s reviennent** spring will soon be here

7▸ Constr (ouverture) gap; **~ dans un mur/entre des tuiles** gap in a wall/between tiles

8▸ Cout **~s** openwork (embroidery) ¢; **faire des ~s** to do openwork; **une bordure avec des ~s** an openwork border; **~s à fils tirés** drawn thread work; **motif à ~s** (en tricot) lacy pattern

(Composés) **~ de l'An** New Year's Day; **~ d'arrivée** day of arrival; **~ astronomique** astronomical day; **~ calendaire** calendar day; **~ de chance** lucky day; **~ de colère** day of wrath; **~ de départ** day of departure; **~ de deuil** day of mourning; **~ de deuil national** national day of mourning; **~ férié** bank holiday GB, legal holiday US; **~ de fermeture** closing day; **~ de fête** (férié) holiday; **aujourd'hui c'est ~ de fête** fig it's a great day today; **~ franc** clear day; **~ du Grand Pardon** Relig Day of Atonement; **~ J** D day; **~ du Jugement** Relig Judgment Day; **~ maigre** Relig day of abstinence (*without meat*); **~ des morts** Relig All Souls' Day; **~ ouvrable** working day; **~ de paie** payday; **~ de planche** Naut lay day; **~ de relâche** Théât closing day; **~ du Seigneur** Relig Sabbath; **~ sidéral** sidereal day; **~ solaire** solar day; **~ de souffrance** Constr opening looking on to a neighbour[GB]; **~ de travail** working day; **~ utile** lawful day

(Idiomes) **Rome ne s'est pas faite en un ~** Rome wasn't built in a day; **beau comme le ~** very good-looking; **ce n'est pas mon ~!** this isn't my day!; **être dans un bon ~** to be in a good mood; **être dans un mauvais ~** to be having an off day; **il y a des ~s avec et des ~s sans** there are good days and bad days

Jourdain /ʒuʀdɛ̃/ ▸ **p. 372** *nprm* **le ~** the River Jordan

journal, *pl* **-aux** /ʒuʀnal, o/ *nm* **1▸** Presse (quotidien) newspaper, paper; (revue) magazine; (bureaux) newspaper office; **journaux du matin/du soir** morning/evening papers; **2▸** TV, Radio news bulletin, news ¢; **le ~ de vingt heures** the eight o'clock news; **3▸** Littérat journal

(Composés) **~ de bord** Naut, Transp logbook; **~ intime** diary; **~ de mode** Presse fashion magazine; **Journal officiel**, **JO** *government publication*; **~ de rue** street newspaper (*sold by the homeless*); **~ télévisé** television news ¢

> **Journal officiel**
>
> The daily gazette in which all laws and *décrets*, information about ministerial decisions and official appointments are published.

journalier, **-ière** /ʒuʀnalje, ɛʀ/

A *adj* [*travail, taux, variation*] daily; **main-d'œuvre journalière** day labour[GB]

B *nm* day labourer[GB]

journalisme /ʒuʀnalism/ *nm* journalism; **~ sportif** sports reporting

journaliste /ʒuʀnalist/ ▸ **p. 532** *nmf* journalist; **~ de la presse écrite** journalist for the written press; **~ de la radio** radio journalist

(Composés) **~ économique** economic affairs correspondent; **~ sportif** sports correspondent

journalistique /ʒuʀnalistik/ *adj* journalistic; **en style ~** in journalese

journée /ʒuʀne/ ▸ **p. 836** *nf* **1▸** (jour) day; **belles/dures/sombres ~s** beautiful/hard/dark days; **~ de repos** day off; **~ historique** historic day; **dans la ~** during the day; **en milieu de ~** in the middle of the day; **en fin de ~** at the end of the day; **toute la ~** all day; **à longueur de ~** all day long; **tout au long de la ~** throughout the day; **une rude ~ nous attend** we're in for a hard day; **la ~ d'hier** yesterday; **toute la ~ du mardi 5 juin** throughout the day on Tuesday 5 June; **la ~ de mardi/dimanche** Tuesday/Sunday; **2▸** (période de travail) day; **faire des ~s de huit heures** to work an eight-hour day; **j'ai gagné ma ~!** iron I may as well pack up and go home!; **être payé à la ~** to be paid by the day

(Composés) **~ d'action** day of action; **~ continue** Entr continuous working day; **faire la ~ continue** to work with a short lunch break; **~ d'études** conference; **~ d'information** awareness day; **~ du patrimoine** *national heritage open day*; **~ portes ouvertes** Entr, Pub open day GB, open house US; **~ de protestation** Pol day of protest

> **Journée du patrimoine**
>
> A nationwide 'open day' celebrating French cultural heritage, during which monuments, buildings and sites of national significance normally closed to the public are open to visitors. Buildings such as the presidential and prime ministerial residences at the *Élysée* and *Matignon* respectively, as well as over 10,000 other national sites and monuments have been attracting millions of visitors every year since 1983 when the *Journée du patrimoine* was inaugurated.

journellement /ʒuʀnɛlmɑ̃/ *adv* **1▸** (tous les jours) every day; **2▸** (fréquemment) [*se voir, se produire*] all the time

joute /ʒut/ *nf* **1▸** fig (duel) jousting ¢, battle; **~ oratoire** *or* **verbale** sparring match; **2▸** Sport, Hist joust

(Composé) **~ lyonnaise** *or* **nautique** Jeux water tournament (*in which teams joust in boats*)

jouter /ʒute/ [1] *vi* (à cheval) to joust (**contre** against, with); (sur des barques) to joust (*in water tournament*)

jouteur, **-euse** /ʒutœʀ, øz/ *nm,f* (à cheval) jouster; (sur l'eau) jouster (*in water tournament*)

jouvence /ʒuvɑ̃s/ *nf* **bain** *or* **cure de ~** rejuvenating experience; **fontaine** *or* **source de ~** Fountain of Youth

jouvenceau‡, **-elle**, *mpl* **~x** /ʒuvɑ̃so, ɛl/ *nm,f* youth/maiden†

jouxter /ʒukste/ [1] *vtr* to adjoin [*bâtiment, terrain, frontière*]

jovial, **~e**, *mpl* **~s** *or* **-iaux** /ʒɔvjal, o/ *adj* [*personne, air, mine*] jovial

jovialement /ʒɔvjalmɑ̃/ *adv* jovially

jovialité /ʒɔvjalite/ *nf* joviality

joyau, *pl* **~x** /ʒwajo/ *nm* lit, fig jewel, gem; **Séville, ~ de l'Andalousie** Seville, the jewel of Andalusia; **incrusté de ~x** bejewelled[GB]

(Composé) **les ~x de la Couronne** the crown jewels

joyeusement /ʒwajøzmɑ̃/ *adv* **1▸** [*parler, raconter, crier, s'exclamer*] happily, joyfully; [*rire*] happily, merrily; [*courir*] happily; [*célébrer*] joyfully, merrily; [*sauter, bondir*] for joy; **2▸** iron happily

joyeuseté /ʒwajøzte/ *nf* joy; **et autres ~s** and other similar joys

joyeux, **-euse** /ʒwajø, øz/

A *adj* [*personne*] cheerful, cheery; [*groupe*]

merry; [*cri, rire*] joyous, merry; [*air, ton, musique*] cheerful, happy; [*regard, geste*] joyful; [*visage*] happy; [*caractère, humeur, ambiance*] cheerful; **avoir l'air ~** to look cheerful; **être tout ~** to be overjoyed; **c'est ~!** iron that's great!; **être en joyeuse compagnie** to be in merry company; **mener joyeuse vie** to live it up○
B joyeuses◑ *nfpl* balls◑
joystick /dʒɔjstik/ *nm* joystick
jubé /ʒybe/ *nm* rood screen
jubilaire /ʒybilɛʀ/ *adj* [*année*] jubilee
jubilation /ʒybilasjɔ̃/ *nf* joy, jubilation
jubilé /ʒybile/ *nm* jubilee
jubiler /ʒybile/ [1] *vi* to be jubilant, to rejoice (**de faire** to do); (avec arrogance) to gloat; **'j'ai réussi mon examen,' jubila-t-il** 'I've passed my exam,' he said jubilantly
jucher /ʒyʃe/ [1]
A *vtr* (percher) to perch (**sur** on)
B se jucher *vpr* (se percher) **se ~ sur** to perch on; **être juché sur** to be perched on
Juda /ʒyda/ *npr* Judah
judaïcité /ʒydaisite/ *nf* Jewishness
judaïque /ʒydaik/ *adj* [*loi*] Judaic; [*héritage, rites*] Jewish
judaïsme /ʒydaism/ *nm* Judaism
judaïté /ʒydaite/ *nf* Jewishness
judas /ʒyda/ *nm inv* **1** (*aussi* **Judas**) (traître) Judas; **2** (dans une porte) door viewer, peephole
Judas /ʒyda/ *npr* Bible Judas; **~ Macchabée** Judas Maccabeus
Judée /ʒyde/ ▸ p. 721 *nprf* Judaea; **arbre de ~** Judas tree
judéité /ʒydeite/ *nf* Jewishness
judéo-chrétien, -ienne, *mpl* **~s** /ʒydeokʀetjɛ̃, ɛn/ *adj* [*tradition*] Judaeo-Christian
judéo-espagnol, ~e, *mpl* **~s** /ʒydeoɛspaɲɔl/ *adj* Judaeo-Spanish
judiciaire /ʒydisjɛʀ/ *adj* [*acte, conquête, institution, erreur*] judicial; ▸ **casier, police**
judiciairement /ʒydisjɛʀmɑ̃/ *adv* judicially
judicieusement /ʒydisjøzmɑ̃/ *adv* judiciously
judicieux, -ieuse /ʒydisjø, øz/ *adj* [*personne*] of sound judgment (*épith, après n*); [*conseil, idée*] sound; [*choix*] wise, sound; [*utilisation, critique*] judicious; **il semblerait ~ de faire** it would seem wise to do
judo /ʒydo/ ▸ p. 469 *nm* judo; **faire une prise de ~ à qn** to take sb in a judo hold
judoka /ʒydoka/ *nmf* judoka
judokate /ʒydɔkat/ *nf* female judoka
juge /ʒyʒ/ *nm* **1** ▸ p. 532, p. 848 Jur judge; **elle est ~** she is a judge; **le ~ Morin** gén Judge Morin; (des juridictions supérieures) Mr *ou* Mrs Justice Morin; **oui, Monsieur le ~** yes, Your Honour[GB]; **comparaître devant le ~** to appear before the court; **être à la fois ~ et partie** to be judge and jury; **2** (de jeu, concours) judge; **3** (personne compétente) judge; **être bon/mauvais ~** to be a good/bad judge; **être son propre ~** to be one's own judge; **se faire ~ de qch** to be the judge of sth; **je te laisse ~ de la situation** you be the judge of the situation; **tu es seul ~** only you can tell
(Composés) **~ aux affaires matrimoniales** Jur *judge specializing in matrimonial affairs*; **~ de l'application des peines** Jur *judge appointed to oversee conditions of a prisoner's sentence*; **~ de chaise** Sport umpire; **~ des enfants** Jur *judge dealing in cases involving minors*; **~ de filet** Sport net cord judge; **~ d'instruction** Jur examining magistrate; **~ de ligne** Sport lines judge; **~ de paix** ≈ justice of the peace; **~ de proximité** ≈ magistrate (*dealing with petty crime and civil disputes*); **~ des référés** Jur judge in chambers; **~ de touche** Sport linesman; **~ des tutelles** Jur *judge administering the property of wards of court*

jugé: **au jugé** /oʒyʒe/ *loc adv* [*évaluer*] by guesswork; **dessiner** *or* **tracer un plan au ~** to draw a rough map; **avancer au ~** to follow one's nose; **se diriger au ~ vers/dans** to work one's way toward(s)/in; **tirer au ~** to shoot blind
jugeable /ʒyʒabl/ *adj* Jur [*affaire, personne*] subject to judgment (*après n*)
jugement /ʒyʒmɑ̃/ *nm* **1** (opinion) judgment; **erreur de ~** error of judgment; **le ~ de l'histoire** the judgment of history; **porter un ~ sur qch/qn** to pass judgment on sth/sb; **porter un ~ hâtif/négatif sur qch** to pass a hasty/negative judgment on sth; **avoir peur du** *or* **redouter le ~ de qn** to be afraid of what sb will think of one; **s'en remettre au ~ de qn** to defer to sb's judgment; **2** (aptitude) judgment; **n'avoir aucun ~** to lack judgment; **fausser le ~ de qn** to distort sb's judgment; **3** Jur (processus) judgment; (décision) (pour un crime) verdict; (pour un délit) judgment, decision; **prononcer un ~** (pour un crime) to give one's verdict; (pour un délit) to pass judgment; **passer en ~** [*affaire*] to come to court
(Composés) **~ par défaut** judgment by default; **~ de Dieu** Divine Judgment; Hist ordeal; **~ incident** interlocutory judgment; **~ de Salomon** the judgment of Solomon; **~ de valeur** value judgment; **Jugement dernier** Last Judgment
jugeote○ /ʒyʒɔt/ *nf* common sense, gumption; **manquer de ~** to have no common sense; **si tu avais un peu de ~** if you had any (common) sense
juger /ʒyʒe/ [13]
A au juger *loc adv* ▸ **jugé**
B *vtr* **1** (former une opinion sur) to judge; **~ qn sur les apparences** *or* **la mine** to judge sb by his/her appearance; **~ sur les apparences** to judge by appearances; **jugez-le d'après ses actes** judge him by what he does; **je jugerai par moi-même** I'll judge for myself; **à toi de ~ s'il faut accepter ou pas** it's up to you to judge whether to accept or not; **ce n'est pas à moi de ~** I don't think it's any of my business; **l'histoire jugera** history will judge; **2** (considérer) to consider; **~ qn intelligent** to consider sb intelligent; **~ qch dangereux/difficile** to consider sth dangerous/difficult; **~ que qch est dangereux** to consider sth dangerous *ou* that sth is dangerous; **~ dangereux que qn fasse** to consider it dangerous for sb to do; **~ bon/nécessaire de faire** to consider it a good idea/necessary to do; **un film jugé médiocre** a film considered (to be) mediocre; **ne le juge pas mal** don't think badly of him; **je t'avais mal jugé** I misjudged you; **3** Jur (examiner) to try [*affaire, personne*]; (décider) to judge [*affaire*]; to arbitrate in [*différend, litige*]; **l'affaire sera jugée demain** the case will be heard *ou* tried tomorrow; **l'affaire est jugée** Jur the case is closed; **le tribunal jugera** the court will decide; **~ en droit/fait** to make a judgment based on the statutes/facts; **4** (pour un concours) to judge [*candidats, films*]
C juger de *vtr ind* **1** (évaluer) **~ de** to assess [*niveau, valeur, capacité*]; **j'en jugerai par moi-même** I'll judge for myself; **pour autant qu'on puisse en ~** as far as one can judge; **à en ~ par tes réponses** judging by *ou* from your answers; **2** (imaginer) **jugez de ma colère** imagine my anger
D se juger *vpr* **1** (se considérer) to consider oneself; **2** Jur [*affaire*] to be heard
jugulaire /ʒygylɛʀ/
A *adj* [*veine*] jugular
B *nf* **1** (de casque, képi) chin strap; **2** Anat jugular
juguler /ʒygyle/ [1] *vtr* to stamp out [*épidémie, chômage, fléau*]; to check [*hémorragie*]; to curb [*inflation*]
juif, juive /ʒɥif, ʒɥiv/
A *adj* [*religion, communauté*] Jewish
B *nm,f* Jew; ▸ **petit**
(Composé) **le Juif errant** the Wandering Jew

juillet /ʒɥijɛ/ ▸ p. 544 *nm* July; **le 14 ~** the Fourteenth of July, Bastille day; ▸ **fête nationale**
juillettiste○ /ʒɥijetist/ *nmf* July holiday-maker GB, July vacationer US
juin /ʒɥɛ̃/ ▸ p. 544 *nm* June
juive ▸ **juif**
jujube /ʒyʒyb/ *nm* jujube
jujubier /ʒyʒybje/ *nm* jujube tree
juke-box, *pl* **~es*** /dʒukbɔks/ *nm* jukebox
julep /ʒylɛp/ *nm* julep
jules○ /ʒyl/ *nm inv* **1** hum (compagnon) boyfriend, man○; **2** †(pot de chambre) chamber pot, jerry○ GB
julien, -ienne /ʒyljɛ̃, ɛn/
A *adj* [*ère, calendrier*] Julian
B julienne *nf* **1** Culin (potage, garniture) julienne (**de** of); **légumes taillés en julienne** vegetables cut in julienne strips; **2** Zool ling; **3** Bot rocket
Juliette /ʒyljɛt/ *npr* **Roméo et ~** Romeo and Juliet
jumbo-jet, *pl* **~s** /dʒœmbodʒɛt/ *nm* jumbo, jumbo-jet
jumeau, -elle, *mpl* **~x** /ʒymo, ɛl/
A *adj* **1** Biol [*frère, sœur*] twin; [*fruits*] double; **2** [*lits*] twin; **3** Admin [*ville*] twin
B *nm,f* (personne) twin
C jumelle *nf* binoculars (*pl*); **une paire de jumelles, des jumelles** (a pair of) binoculars; **à la jumelle** through binoculars
(Composé) **jumelles de théâtre** opera glasses
jumelage /ʒymlaʒ/ *nm* (de communes, clubs) twinning
jumelé, ~e /ʒymle/
A *pp* ▸ **jumeler**
B *pp adj* [*communes, clubs*] twinned; [*billet, pari*] double; [*fenêtres, colonnes*] twin
jumeler /ʒymle/ [19] *vtr* **1** Admin to twin [*communes, clubs*] (**à** with); to combine [*expositions, événements*]; **2** Tech to double [*poutres, roues*]
jumelle ▸ **jumeau**
jument /ʒymɑ̃/ *nf* mare
(Composé) **~ de course** filly
jumper /dʒœmpœʀ/ *nm* baby bouncer
jumping /dʒœmpiŋ/ *nm* showjumping
jungle /ʒœ̃gl/ *nf* (tous contextes) jungle; **la loi de la ~** the law of the jungle
junior /ʒynjɔʀ/
A *adj inv* **1** Sport junior; **2** [*vêtements, magasin*] children's
B *nmf* junior
junkie◑ /dʒœnki/ *nmf* junkie
Junon /ʒynɔ̃/ *npr* Juno
junte /ʒœt/ *nf* junta
jupe /ʒyp/ *nf* **1** Mode skirt; **~ fendue** slit skirt; **~ droite** straight skirt; **~ plissée** pleated skirt; **2** Tech skirt; **~ de piston** piston skirt
(Composé) **~ portefeuille** wraparound skirt
(Idiome) **il est toujours dans les ~s de sa mère** he's tied to his mother's apron strings
jupe-culotte, *pl* **jupes-culottes** /ʒypkylɔt/ *nf* culottes (*pl*)
jupette /ʒypɛt/ *nf* short skirt; **~ de tennis** tennis skirt
Jupiter /ʒypitɛʀ/
A *npr* Mythol Jupiter
B *nprf* Astron Jupiter
(Idiome) **il se croit sorti de la cuisse de ~** he thinks he's God's gift to the world○
jupon /ʒypɔ̃/ *nm* petticoat; ▸ **coureur**
(Idiome) **courir le ~** to womanize
Jura /ʒyʀa/ ▸ p. 721 *nprm* (région, département) **le ~** the Jura; **le ~ suisse** the Swiss Jura
jurassien, -ienne /ʒyʀasjɛ̃, ɛn/ *adj* of the Jura (Mountains)
jurassique /ʒyʀasik/ *adj, nm* Jurassic

j

juré, **~e** /ʒyʀe/
A *pp* ▸ **jurer**
B *pp adj* **1** (assermenté) [*expert*] on oath (*après n*); [*traducteur*] sworn-in (*épith*); **2** (éternel) [*fidélité, ennemi*] sworn
C *nm* **1** Jur juror; **2** Art, Sport member of the jury

jurer /ʒyʀe/ [1]
A *vtr* **1** (promettre) to swear; (moins fort) to promise; **~ de faire** to swear to do; (moins fort) to promise to do; **~ à qn de faire** to swear to sb to do; (moins fort) to promise sb to do; **jure-moi de ne rien dire** swear you won't say anything; **jure-le!** swear!; **~ que** to swear that; **~ à qn que** to swear to sb that; **on jurerait (que c'est) de la soie** you'd swear it was silk; **faire ~ à qn de faire** to make sb swear to do; **2** ○(affirmer) **je te jure que ça fait mal** I can tell you it hurts; **ah mais je te jure!** honestly○!; **il y en a, je te jure!** honestly, some people!; ▸ **dieu**; **3** (en prêtant serment) to swear, to pledge [*fidélité, obéissance*]; to swear [*amour éternel*]; **on leur a fait ~ le secret** they were sworn to secrecy; **je (te) jure le secret sur cette affaire** I swear I'll keep this a secret; **je le jure** I swear; **~ sur la Bible/l'honneur** to swear on the Bible/one's honour[GB]; **je (le) jure sur la tête de mes enfants** *or* **de ma mère** I swear on my mother's life; **~ la mort de qn/la ruine de qch** to vow that sb will die/that sth will fail; **~ de tuer qn** to vow to kill sb
B **jurer de** *vtr ind* to swear to; **j'en jurerais** I would swear to it
C *vi* **1** (dire des jurons) to swear (**après, contre** at); ▸ **charretier**; **2** (détonner) [*couleurs*] to clash (**avec** with); [*détail, construction*] to look out of place (**avec** in); **3** (être partisan de) **ne ~ que par** to swear by
D **se jurer** *vpr* **1** (l'un l'autre) to swear [sth] to one another [*fidélité*]; **2** (à soi-même) to vow (**de faire** to do)
(Idiome) **il ne faut ~ de rien** Prov never say never

juridiction /ʒyʀidiksjɔ̃/ *nf* **1** (pouvoir) jurisdiction; **hors de/sous ma ~** outside/within my jurisdiction; **2** (tribunaux) courts (*pl*); **~ civile** civil courts; **~ militaire** military courts; **~ de droit commun** courts of common law; **~ judiciaire** courts of justice; **~ de simple police** magistrate's courts GB, police courts US; **~ administrative** administrative tribunals (*pl*)

juridictionnel, **-elle** /ʒyʀidiksjɔnɛl/ *adj* jurisdictional

juridique /ʒyʀidik/ *adj* [*statut, langue, formation*] legal; [*décision*] of the court (*après n*); **il n'y aura pas de conséquences ~s** there will be no legal consequences; **du point de vue ~** from a legal standpoint; **agir sur le plan ~** to take legal action; **vide ~** gap in the law

juridiquement /ʒyʀidikmɑ̃/ *adv* legally

jurisconsulte /ʒyʀiskɔ̃sylt/ *nm* legal adviser[GB]

jurisprudence /ʒyʀispʀydɑ̃s/ *nf* case law, precedent; **faire ~** to set a legal precedent

juriste /ʒyʀist/ ▸ **p. 532** *nmf* **1** (qui étudie le droit) jurist; **2** (qui pratique le droit) lawyer

juron /ʒyʀɔ̃/ *nm* swearword; **dire** *or* **pousser des ~s** to swear

jury /ʒyʀi/ *nm* **1** Jur jury; **président du ~** foreman of the jury; **2** Art, Sport panel of judges; **3** Univ board of examiners

jus /ʒy/ *nm inv* **1** (de fruit) juice; **~ de pomme/citron** apple/lemon juice; **2** (de viande) (qui exsude) juices (*pl*); (sauce servie) gravy; **cuire qch au ~** to cook sth in the juices from the meat; **cuire dans son ~**○ fig [*personne*] to be boiling; **laisser qn cuire** *or* **mijoter dans son ~**○ fig to let sb stew in his own juice; **3** ○(café) coffee; **prendre un ~ au comptoir** to have a coffee at the bar; **4** ○(eau de baignade) drink○, water; **se jeter/tomber au ~** to jump/fall in the water; **tous au ~!** everyone in!; **5** ○(courant électrique) juice○, electricity; **il n'y a plus de ~** the power's off; **prendre le ~** to get a shock
(Composé) **~ de chaussettes**○ pej dishwater, very weak coffee
(Idiomes) **ça vaut le ~**○ it's worth it; **c'est du 50/30 au ~** soldiers' slang only 50/30 days to demob○

jusant /ʒyzɑ̃/ *nm* ebb tide

jusqu'au-boutisme /ʒyskobutism/ *nm* gén hardline attitude; péj extremist attitude

jusqu'au-boutiste, *pl* **~s** /ʒyskobutist/
A *adj* [*politique, attitude*] gén hardline (*épith*); péj extremist
B *nmf* gén hardliner; péj extremist

jusque (**jusqu'** *before vowel*) /ʒysk/
A *prép* **1** (dans l'espace) **aller jusqu'à Paris/jusqu'en Amérique** (insistant sur la destination atteinte) to go as far as Paris/America; (insistant sur la distance parcourue) to go all the way to Paris/America; **courir jusqu'au bout du jardin** to run right down to the bottom of the garden GB *ou* the end of the yard US; **suivre qn ~ dans sa chambre** to follow sb right into his/her room; **il a marché jusqu'à moi** he walked right up to me; **la nouvelle n'était pas officiellement arrivée jusqu'à nous** the news hadn't reached us officially; **ils l'ont suivi ~ chez lui** they followed him all the way home *ou* right up to his front door; **descendre jusqu'à 100 mètres de profondeur** to go down to a depth of 100 metres[GB]; **jusqu'où comptez- vous aller?** lit, fig how far do you intend to go?
2 (dans le temps) until, till; **je t'ai attendu jusqu'à huit heures** I waited for you until *ou* till eight o'clock; **~ vers (les) dix heures** until *ou* till about ten o'clock; **ne bougez pas jusqu'à mon retour** don't move until *ou* till I get back; **jusqu'alors** until then; **jusqu'à présent** *or* **maintenant**, **jusqu'ici** (up) until now; **jusqu'à ce jour tout s'était bien passé** (up) until that day everything had gone well; **jusqu'au dernier moment** up to *ou* until *ou* till the last moment; **jusqu'à l'âge de 10 ans il n'a pas fréquenté l'école** until he was 10 (years old) he didn't go to school; **jusqu'à quand restes-tu à Oxford?** how long are you staying in Oxford?; **laisser mijoter jusqu'à évaporation complète de l'eau** leave to simmer until all the water has evaporated
3 (limite supérieure) up to; (limite inférieure) down to; **il peut soulever jusqu'à dix kilos** he can lift up to ten kilos; **cela peut coûter jusqu'à 200 euros par personne** it can cost up to 200 euros per person; **transport gratuit jusqu'à 10 ans** free transport up to the age of 10; **avoir de l'eau jusqu'aux chevilles/cuisses** to be up to one's ankles/thighs in water, to be ankle-/thigh-deep in water; **un repli du dollar qui descend jusqu'à 0,89 euros** a fall in the dollar which has gone down to 0.89 euros; **je le suivrai jusqu'au bout** fig I'll follow him all the way
4 (avec une notion d'exagération) to the point of; **pousser la cruauté jusqu'au sadisme** to carry cruelty to the point of sadism, to be so cruel as to be sadistic; **être poli jusqu'à l'obséquiosité** to be polite to the point of obsequiousness, to be so polite as to be obsequious; **il est bien trop bon, jusqu'à la bêtise** he's too nice for his own good; **jusqu'à faire** to the point *ou* extent of doing; **aller jusqu'à faire** to go so far as to do
5 (y compris) even; **l'épidémie s'est répandue ~ dans les régions les plus reculées** the epidemic spread to even the most remote regions; **jusqu'à ses amis ont refusé de lui parler** even his friends refused to speak to him; **il y avait des détritus ~ sous la table/derrière la porte** there was rubbish everywhere, even under the table/behind the door; **ils sont venus, jusqu'au dernier** every last one of them came; **il a repeint toute la pièce, jusqu'aux boutons de porte** he repainted the whole room, right down to the door knobs
B **jusqu'à ce que** *loc conj* until; **je reste toujours jusqu'à ce qu'il s'endorme** I always stay until he is asleep; **je reste jusqu'à ce qu'elle soit rétablie** I'll stay until she has recovered; **je suis resté jusqu'à ce qu'elle soit rétablie** I stayed until she had recovered

jusque-là /ʒyskəla/ *adv* **1** (dans le temps) until then, up to then; **j'attends les résultats, ~ je ne peux rien dire** I'm waiting to hear the results, until then *ou* in the meantime I have nothing to say; **c'est le plus terrible hiver qu'on ait connu ~** it's the hardest winter we've ever had *ou* anyone has ever known *ou* in living memory; **2** (dans l'espace) up to here; (plus loin) up to there; **on avait de l'eau ~** (aux genoux etc) the water was up to here; **l'eau est montée ~** (en pointant vers un objet) the water came up to there
(Idiomes) **en avoir ~ de qch/qn**○ to have had it up to here with sth/sb○, to have had just about enough of sth/sb; **en avoir ~ de faire**○ to be sick-and-tired of doing○; **j'en ai ~**○! I've had it up to here○!, I've had enough○!; **s'en mettre ~**○ to stuff one's face○

jusques liter = **jusque**

jusquiame /ʒyskjam/ *nf* henbane

justaucorps /ʒystokɔʀ/ *nm inv* **1** (pour la danse) leotard; **2** (sous-vêtement) body stocking; **3** Hist doublet

juste /ʒyst/
A *adj* **1** (impartial) [*personne*] fair
2 (équitable) [*règlement, partage*] fair; [*récompense, sanction, cause*] just; **ce n'est pas ~!** it's not fair!; **il est ~ que/de faire** it is fair that/to do; **il est ~ qu'il ait réussi** it is fair that he succeeded; **il ne serait pas ~ de tout te donner** it wouldn't be fair to give you everything; **~ retour des choses, il a été dédommagé** it was poetic justice that he got compensation; **trouver un ~ milieu** to find a happy medium; **~ ciel!** good heavens!
3 (légitime) [*colère, certitude*] righteous (*épith*); [*revendication*] legitimate; [*raison*] good; [*crainte*] justifiable; [*raisonnement, remarque, comparaison*] valid; **j'ai de ~s raisons de ne pas le croire** I have good reason not to believe him; **à ~ raison** *or* **titre** quite rightly, with good reason; **ta remarque est très ~** your remark is very valid; **dire des choses ~s** to make some valid points
4 (adéquat) right; **trouver le mot ~** to find the right word; **c'est (très) ~!** that's (quite) right!; **comme de ~ il était en retard** as one might expect *ou* as per usual, he was late
5 (exact) [*calcul, proportion, heure, analyse*] correct; **j'ai tout ~** I've got everything right; **avoir l'heure ~** to have the correct time; **connaître le ~ prix des choses** fig to know the true value of things; **apprécier qn/qch à sa ~ valeur** to appreciate sb fully/the true value of sth
6 (précis) [*instrument de mesure*] accurate; **ma montre n'est pas très ~** my watch is not very accurate
7 Mus [*piano, voix*] in tune (*jamais épith*); [*note*] true; **ton piano n'est pas ~** your piano is out of tune
8 (trop ajusté) [*vêtement, chaussure*] tight; **trop/un peu ~** too/a bit tight
9 (à la limite) **un poulet pour six c'est un peu ~** one chicken for six people is stretching it a bit; **une heure pour y aller c'est un peu ~** one hour to get there is cutting it a bit fine; **nous sommes un peu ~s en ce moment**○ money is a bit tight○ at the moment; **j'ai réussi à éviter le bus mais ça a été ~**○ I managed to avoid the bus but it was a close shave○
B *adv* **1** (sans erreur) [*chanter*] in tune; [*sonner*] true; [*deviner*] right; **elle a vu ~ dans ses prévisions** she was right in her forecasts; **viser ~** lit to aim straight; fig to hit the nail on the head
2 (précisément) just; **~ quand j'arrivais** just as

I was arriving; **c'est ~ ce qu'il me faut** that is just *or* exactly what I need; **c'est ~ avant/après la poste** it's just before/after the post office; **~ après les informations** just *ou* straight after the news; **j'ai ~ assez (d'argent)** I've got just enough (money); **~ à temps** just in time; **'tu as eu ton train?'—'oui mais tout ~'** 'did you catch your train?'—'yes, but only just'
3▸ (seulement) just; **j'en prends ~ un** I'm just taking one; **ils ont ~ eu le temps de manger** they just had time to eat
4▸ (depuis peu) **(tout)** ~ only just; **j'arrive ~** I've only just arrived; **il vient ~ de partir** he's only just left; **il a tout ~ vingt ans** he's only just twenty
5▸ (à peine) hardly; **c'est tout ~ s'il sait lire/tient debout** he can hardly read/stand
6▸ (parcimonieusement) **j'ai prévu trop/un peu ~ pour le repas** I didn't prepare enough/quite enough food; **calculer les prix au plus ~** to calculate the prices down to the last penny
C au juste *loc adv* exactly; **que s'est-il passé au ~?** what happened exactly?; **je ne sais pas au ~ combien nous serons** I don't know exactly how many of us there will be
D *nm* righteous man; **les ~s** the righteous; ▸ **sommeil**

justement /ʒystəmɑ̃/ *adv* 1▸ (précisément) precisely; **c'est ~ ce qu'il ne fallait pas dire** that's precisely what one shouldn't have said; **'pourquoi te fâcher il ne t'a rien dit'—'~!'** 'why are you getting angry he didn't say anything to you'—'precisely!'; 2▸ (à l'instant) just; **je parlais ~ de toi** I was just talking about you; **elle vient ~ de partir** as a matter of fact she's just left; **~, à ce propos je voulais te dire que** as a matter of fact, while we're on the subject, I wanted to tell you that; 3▸ (avec justesse) [*dire, répondre*] correctly; **comme l'a fort ~ souligné Nina** as Nina so correctly pointed out; 4▸ (légitimement) [*se flatter, s'inquiéter*] justifiably

justesse /ʒystɛs/
A *nf* 1▸ (pertinence) **être convaincu de la ~ d'une décision** to be sure that a decision is correct; **avec ~** [*souligner, remarquer*] correctly; 2▸ (précision) accuracy; **un tir d'une ~ remarquable** a remarkably accurate shot; **avec ~** [*analyser, prévoir, mesurer*] accurately; 3▸ Mus **le piano n'est pas d'une ~ fantastique** the piano is rather out of tune; **chanter avec ~** to sing in tune
B de justesse *loc adv* only just; **on a évité la catastrophe/bagarre de ~** we only just avoided disaster/a fight; **il a eu son avion, mais de ~** he got his plane but only just; **elle a été réélue de ~** she was reelected only by a narrow margin; **j'ai réussi mes examens de ~** I passed my exams but only just, I just scraped○ through my exams; **remporter une victoire de ~** to win a narrow victory, to win by a narrow margin; **s'en sortir de ~** to have a narrow escape

justice /ʒystis/ *nf* 1▸ (principe) justice; (équité) fairness; **par souci de ~ sociale** out of concern for social justice; **en toute ~** in all fairness; **il n'y a pas de ~!** there's no justice!; **agir avec ~** to act fairly *ou* justly; **ce n'est que ~** it is only fair *ou* right; 2▸ (application) justice; **la ~ divine** divine justice; **rendre la ~** to dispense justice; **demander/obtenir ~** to demand/obtain justice; **il faut leur rendre** *or* **faire cette ~ qu'ils sont...** one has to acknowledge that they are...; **se faire ~ (à soi-même)** (se venger) to take the law into one's own hands; (se suicider) to take one's own life; 3▸ (pouvoir) **la ~** (lois) the law; (institution) the legal system; (tribunaux) the courts (*pl*); **être livré à la ~** to be handed over to the law; **il a des ennuis** *or* **démêlés avec la ~ de son pays** he's in trouble with the law in his country; **aller en ~** to go to court; **poursuivre qn en ~** to take sb to court; **être traduit en ~** to be brought before the courts; **témoigner en ~** to give evidence in a court of law; **la ~ fonctionne mal** the legal system doesn't work properly; **intenter une action en ~ contre qn** to bring (a) legal action against sb; **passer en ~** to stand trial
(Composé) **~ militaire** Mil military law

justiciable /ʒystisjabl/
A *adj* 1▸ Jur answerable **(de** for; **de qch devant qn** to sb for sth); 2▸ (relevant de) **~ de la psychiatrie** requiring psychiatric treatment (*épith, après n*)
B *nmf* **~ d'un juge/tribunal** person under the jurisdiction of a judge/a court

justicier, **-ière** /ʒystisje, ɛʀ/
A *adj* **un bandit ~** an outlaw who rights wrongs
B *nm,f* (redresseur de torts) righter of wrongs; **se faire le ~ de qn** to right the wrongs done to sb

justifiable /ʒystifjabl/ *adj* justifiable

justificateur, **-trice** /ʒystifikatœʀ, tʀis/ *adj* justificatory

justificatif, **-ive** /ʒystifikatif, iv/
A *adj* [*facture, document*] supporting; **pièce justificative** documentary evidence ₵; **exemplaire ~** Édition voucher copy
B *nm* 1▸ gén documentary evidence ₵ **(de** of); **~ de domicile** proof of domicile; **~ de frais** receipt; 2▸ Édition voucher copy

justification /ʒystifikasjɔ̃/ *nf* 1▸ (action) justification; 2▸ (preuve) (orale) explanation; (écrite) documentary evidence; 3▸ Imprim justification; **~ à droite/gauche** right/left justification

justifié, **~e** /ʒystifje/
A *pp* ▸ **justifier**
B *pp adj* 1▸ (légitime) [*impression, inquiétude, choix*] justified; **la méfiance ~e des électeurs** the justified distrust of the electorate; **un choix non ~** an unjustified choice; 2▸ (expliqué) justified **(par** by)

justifier /ʒystifje/ [2]
A *vtr* 1▸ (rendre acceptable) to justify [*méthode, politique, thèse, décision*] **(par** by); **cela justifie qu'il parte demain** this justifies his leaving tomorrow; ▸ **moyen**; 2▸ (confirmer après coup) to vindicate; **les faits ont justifié nos craintes** our fears were justified by subsequent events; 3▸ (excuser) to vindicate [*coupable*]; to justify [*comportement, retard, absence*]; to explain [*ignorance*]; **tu essaies toujours de la ~** you are always making excuses for her; ▸ **fin²**; 4▸ Imprim to justify [*texte*]; **~ à droite/à gauche** to justify to the right/left
B justifier de *vtr ind* to give proof of [*domicile, identité*]; to have [*expérience professionnelle, connaissance*]; **le candidat devra ~ de quatre ans d'expérience** the successful candidate will have four years' experience
C se justifier *vpr* 1▸ (se disculper) (devant un tribunal) to clear oneself; (devant une personne) to make excuses; **n'essaie pas de te ~** don't try to make excuses; 2▸ (être explicable) to be justified **(par** by); **leur décision peut se ~** their decision can be justified

jute /ʒyt/ *nm* 1▸ (fibre) jute; **toile de ~** hessian; 2▸ (tissu) hessian

juter /ʒyte/ [1] *vi* [*fruit*] to ooze with juice

juteux, **-euse** /ʒytø, øz/
A *adj* 1▸ [*fruit*] juicy; 2▸ ○[*affaire, projet*] profitable, juicy○
B ○*nm* soldiers' slang adjutant

Juvénal /ʒyvenal/ *npr* Juvenal

juvénile /ʒyvenil/ *adj* [*sourire, caractère*] youthful; [*délinquance, mortalité*] juvenile; [*public*] young; [*assemblée*] of young people (*épith, après n*)

juvénilité /ʒyvenilite/ *nf* youthfulness

juxtalinéaire /ʒykstalineɛʀ/ *adj* [*traduction*] line by line (*épith*)

juxtaposer /ʒykstapoze/ [1] *vtr* to juxtapose [*termes, idées*]

juxtaposition /ʒykstapozisjɔ̃/ *nf* (de termes, d'idées) juxtaposition

j

Kk

k, K /ka/ *nm inv* k, K
kabbale /kabal/ *nf* cabala
Kaboul /kabul/ ▸ **p. 894** *npr* Kabul
kabyle /kabil/ ▸ **p. 483** *adj, nm* Kabyle
Kabyle /kabil/ *nmf* Kabyle
Kabylie /kabili/ ▸ **p. 721** *nprf* Kabylia
kafkaïen, -ïenne /kafkajɛ̃, ɛn/ *adj* 1 [*ambiance*] Kafkaesque; 2 [*études*] Kafka (*épith*)
kaiser /kezɛʀ/ *nm* Kaiser
kakatoès /kakatɔɛs/ *nm inv* cockatoo
kaki /kaki/
A ▸ **p. 202** *adj inv* khaki
B *nm* 1 Bot persimmon; 2 (couleur) khaki
kalachnikov® /kalaʃnikɔf/ *nf* Kalashnikov
Kalahari /kalaaʀi/ *nprm* **le désert du ~** the Kalahari desert
kaléidoscope /kaleidɔskɔp/ *nm* kaleidoscope
kaléidoscopique /kaleidɔskɔpik/ *adj* kaleidoscopic
kaliémie /kaljemi/ *nf* kalaemia[GB]
kamikaze /kamikaz/
A *adj* [*attentat*] suicide (*épith*); [*pilote*] kamikaze (*épith*)
B *nmf* (terroriste) suicide bomber; (pilote) kamikaze pilot
Kampala /kɑ̃pala/ ▸ **p. 894** *npr* Kampala
Kampuchéa /kɑ̃putʃea/ *nprm* Hist Kampuchea
kampuchéen, -éenne /kɑ̃putʃeɛ̃, ɛn/ *adj* Kampuchean
Kampuchéen, -éenne /kɑ̃putʃeɛ̃, ɛn/ *nm,f* Kampuchean
kanak = **canaque**
kangourou /kɑ̃guʀu/
A *adj inv* **poche ~** front pocket; **slip ~** pouch-front briefs (*pl*)
B *nm* 1 Zool kangaroo; 2 ®(sac pour bébé) baby carrier
kanji /kandʒi/ *nm inv* kanji
Kansas /kɑ̃sas/ ▸ **p. 721** *nprm* Kansas
kantien, -ienne /kɑ̃sjɛ̃, ɛn/ *adj* Kantian
kantisme /kɑ̃tism/ *nm* Kantianism
kaolin /kaɔlɛ̃/ *nm* kaolin
kapok /kapɔk/ *nm* kapok
kapokier /kapɔkje/ *nm* kapok tree
Kaposi /kapɔzi/ *npr* **sarcome de ~** Kaposi's sarcoma
kaput○ /kaput/ *adj inv* [*personne*] dog-tired○; [*objet, machine*] kaput○
karaoké /kaʀaɔke/ *nm* karaoke
karaté /kaʀate/ ▸ **p. 469** *nm* karate
karatéka /kaʀateka/ *nmf* karateka
karcher® /kaʀʃɛʀ/ *nm* pressurized water gun
karité /kaʀite/ *nm* shea; **beurre de ~** shea butter
karma /kaʀma/ *nm* karma
karst /kaʀst/ *nm* karst
karstique /kaʀstik/ *adj* karstic
kart /kaʀt/ *nm* go-kart
karting /kaʀtiŋ/ ▸ **p. 469** *nm* go-karting; **faire du ~** to go karting
kasbah /kazba/ *nf* kasbah
kasher /kaʃɛʀ/ *adj inv* kosher
Katmandou /katmɑ̃du/ ▸ **p. 894** *npr* Kat(h-)mandu
kayak /kajak/ ▸ **p. 469** *nm* kayak; **faire du ~** to go canoeing
kazakh, ~e /kazak/
A ▸ **p. 561** *adj* Kazak
B ▸ **p. 483** *nm* Kazak
Kazakh, ~e /kazak/ ▸ **p. 561** *nm,f* Kazak
Kazakhstan /kazakstɑ̃/ ▸ **p. 333** *nprm* Kazakhstan
kebab /kebab/ *nm* kebab
keffieh /kefje/ *nm* kaffiyeh
kelvin /kɛlvin/ *nm* kelvin
Kent ▸ **p. 721** *nprm* **le ~** Kent
Kentucky /kɛntyki/ ▸ **p. 721** *nprm* Kentucky
Kenya /kenja/ ▸ **p. 333** *nprm* Kenya
kenyan, ~e /kenjɑ̃, an/ ▸ **p. 561** *adj* Kenyan
Kenyan, ~e /kenjɑ̃, an/ ▸ **p. 561** *nm,f* Kenyan
képi /kepi/ *nm* kepi
kératine /keʀatin/ *nf* keratin
kératite /keʀatit/ *nf* keratitis
kératoplastie /keʀatoplasti/ *nf* keratoplasty
kératose /keʀatoz/ *nf* keratosis
kératotomie /keʀatotɔmi/ *nf* keratotomy
kermesse /kɛʀmɛs/ *nf* fête GB; **une atmosphère de ~** a jolly atmosphere
kérosène /keʀozɛn/ *nm* kerosene
ketch /kɛtʃ/ *nm* ketch
ketchup /kɛtʃœp/ *nm* ketchup, catsup US
keuf◐ /kœf/ *nm* cop○ ▸ **verlan**
keum◐ /kœm/ *nm* guy○, bloke○ ▸ **verlan**
kevlar® /kɛvlaʀ/ *nm* Kevlar®
keynésien, -ienne /kenezjɛ̃, ɛn/ *adj* Keynesian
kF *written abbr* = **kilofranc**
kg (*written abbr* = **kilogramme**) kg
KGB /kaʒebe/ *nm* Hist KGB
khâgne○ /kaɲ/ *nf* students' slang *second year preparatory class in humanities for entrance to École Normale Supérieure*
khâgneux○**, -euse** /kaɲø, øz/ *nm,f* students' slang *student in khâgne preparatory class*
khalife /kalif/ *nm* caliph
khan /kɑ̃/ *nm* khan
Khartoum /kaʀtum/ ▸ **p. 894** *npr* Khartoum
khi* /ki/ *nm inv* chi
khmer, khmère /kmɛʀ/ ▸ **p. 483**
A *adj* Khmer
B *nm* Khmer
Khmer, Khmère /kmɛʀ/ *nm,f* Khmer; **les ~s rouges** Khmer Rouge
khôl /kol/ *nm* kohl
kibboutz, *pl* **-tzim*** /kibuts, kibutsim/ *nm* kibbutz
kick /kik/ *nm* kick-start
kidnapper /kidnape/ [1] *vtr* to kidnap; **se faire ~** to be kidnapped[GB]
kidnappeur, -euse /kidnapœʀ, øz/ *nm,f* kidnapper[GB]
kidnapping /kidnapiŋ/ *nm* kidnapping[GB]
Kiev /kjɛf/ ▸ **p. 894** *npr* Kiev
kif /kif/ *nm* 1 (haschich) kif; 2 ○**c'est du ~** it's all the same
kiffer○ /kife/
A *vt* to like; **cette fille, il la kiffe grave** that girl really does it for him
B *vi* **on a trop kiffé au concert!** the concert was awesome!; **ça le fait ~** he gets a kick out of it
kif-kif*○ /kifkif/ *adj inv* **c'est ~ (bourricot)** it's all the same○
Kigali /kigali/ ▸ **p. 894** *npr* Kigali
kiki○ /kiki/ *nm* 1 (cou) **serrer le ~ de qn** to strangle sb; 2 (ami) **c'est parti, mon ~!** here we go!
kil◐ /kil/ *nm* bottle
kilim /kilim/ *nm* kilim
Kilimandjaro /kilimɑ̃dʒaʀo/ *nprm* **le (mont) ~** Mount Kilimanjaro
kilo¹ /kilo/ *préf* kilo
kilo² /kilo/ ▸ **p. 646** *nm* (*abbr* = **kilogramme**) kilo; **deux ~s de pommes** two kilos of apples; **prendre des ~s** to put on weight
kilobase /kilobaz/ *nm* kilobase
kilobit /kilobit/ *nm* kilobit
kilocalorie /kilɔkalɔʀi/ *nf* kilocalorie
kilocycle /kilɔsikl/ *nm* kilocycle
kilofranc /kilɔfʀɑ̃/ *nm* 1,000 French francs
kilogramme /kilɔgʀam/ ▸ **p. 646** *nm* kilogram
kilohertz /kilɔɛʀts/ *nm* kilohertz
kilométrage /kilɔmetʀaʒ/ *nm* (distance) ≈ mileage; **~ illimité** unlimited mileage
kilomètre /kilɔmɛtʀ/ ▸ **p. 498, p. 816, p. 898** *nm* kilometre[GB]; **50 ~s à l'heure** 50 kilometres[GB] per *ou* an hour; **coût du ~** cost per kilometre[GB]; **marcher des ~s** to walk for miles
kilomètre-heure *pl* **kilomètres-heure** /kilɔmɛtʀœʀ/ ▸ **p. 898** kilometre[GB] per hour
kilométrer /kilɔmetʀe/ [14] *vtr* ≈ to measure the mileage of [*trajet*]
kilométrique /kilɔmetʀik/ *adj* [*distance*] in kilometres[GB]; [*prix, coût*] per kilometre[GB]
kilo-octet /kilɔɔktɛ/ *nm* kilobyte
kilotonne /kilɔtɔn/ *nf* kiloton
kilovolt /kilɔvɔlt/ *nm* kilovolt
kilowatt /kilɔwat/ *nm* kilowatt
kilowattheure /kilɔwatœʀ/ *nm* kilowatt-hour
kilt /kilt/ *nm* kilt
kimono /kimɔno/ *nm* 1 Mode kimono; 2 Sport ≈ judo suit
kinase /kinɑz/ *nf* kinase
kiné○ /kine/ *nmf* physio○ GB, physical therapist US
kinésique /kinezik/ *nf* kinesics (+ *v sg*)
kinésithérapeute /kineziteʀapøt/ ▸ **p. 532** *nmf* physiotherapist GB, physical therapist US

kinésithérapie /kineziteʀapi/ *nf* physiotherapy GB, physical therapy US
kinesthésie /kinɛstezi/ *nf* kinesthesia
Kinshasa /kinʃasa/ ▸ **p. 894** *npr* Kinshasa
kiosque /kjɔsk/ *nm* **1** (à journaux) kiosk; **2** (abri de jardin) pavilion; **3** Naut (de bateau) pilot house; (de sous-marin) conning tower
(Composé) ~ **à musique** bandstand
kiosquier, **-ière** /kjɔskje, ɛʀ/ ▸ **p. 532** *nm,f* newsvendor
kippa /kipa/ *nf* skull cap, kippa
kir /kiʀ/ *nm* kir
kirghiz, **~e** /kiʀgiz/
A ▸ **p. 561** *adj* Kirghiz
B ▸ **p. 483** *nm* Kirghiz
Kirghiz, **~e** /kiʀgiz/ ▸ **p. 561** *nm,f* Kirghiz
Kirghizie /kiʀgizi/ *nprf* ▸ **Kirghizstan**
Kirghizstan /kiʀgizstɑ̃/ ▸ **p. 333** *nprm* Kirghizstan, Kirghizia
Kiribati /kiʀibati/ ▸ **p. 333** *nprm* Kiribati
kirsch /kiʀʃ/ *nm* kirsch
kit /kit/ *nm* kit; **vendu en ~** sold in kit form
(Composé) **~ mains libres conducteur** Télécom hands-free kit; **~ mains libres piéton** Télécom hands-free headset
kitchenette /kitʃənɛt/ *nf* kitchenette
kitsch /kitʃ/ *adj inv* kitsch
kiwi /kiwi/ *nm* **1** (fruit) kiwi; **2** Zool kiwi
klaxon® /klaksɔn/ *nm* (car) horn; **entendre un coup de ~** to hear a car horn; **donner un coup de ~** to hoot (one's horn) GB, to honk (the horn) US
klaxonner /klaksɔne/ [1]
A *vtr* to hoot GB, to honk US
B *vi* to hoot one's horn GB, to honk the horn US
klebs○ /klɛps/ *nm inv* mutt○, dog

kleenex® /klinɛks/ *nm inv* tissue GB, Kleenex®
kleptomane* /klɛptɔman/ *adj*, *nmf* kleptomaniac
kleptomanie* /klɛptɔmani/ *nf* kleptomania
km (*written abbr* = **kilomètre**) km
knickers /knikəʀs/ *nmpl* walking breeches GB, knickers US
knock-out* /nɔkaut/
A *adj* **1** [*boxeur*] knocked out; **2** ○ (épuisé) shattered○ GB, bushed○ US
B *nm* knock-out; **gagner par ~** to win by a knock-out
Ko (*written abbr* = **kilo-octet**) KB
KO /kao/
A *adj* (*abbr* = **knocked out**) **1** Sport KO'd○; **mettre qn ~** to KO○ sb; **2** ○(épuisé) shattered○ GB, bushed○ US
B *nm* (*abbr* = **knock-out**) KO○
koala /kɔala/ *nm* koala (bear)
Koch /kɔk/ *npr* **bacille de ~** Koch bacillus
kôhl /kol/ *nm* kohl
kola = **cola**
kolkhoze /kɔlkoz/ *nm* kolkhoz
kolkhozien, **-ienne** /kɔlkozjɛ̃, ɛn/
A *adj* kolkhoz
B *nm,f* kolkhoz worker
kopeck /kɔpɛk/ ▸ **p. 48** *nm* kopeck; **ça ne vaut pas un ~** it's not worth a penny
koran /kɔʀɑ̃/ *nm* Koran
korfbal /kɔʀfbal/ ▸ **p. 469** *nm* korfball
korrigan /kɔʀigɑ̃/ *nm* korrigan, evil spirit (*in Breton legends*)
kosovar /kɔsɔvaʀ/ ▸ **p. 561** *adj* Kosovan
Kosovar /kɔsɔvaʀ/ ▸ **p. 561** *nmf* Kosovar
Kosovo /kɔsɔvo/ ▸ **p. 333** *nprm* Kosovo
kouglof /kuglɔf/ *nm* kugelhopf

Koweït /kɔwet/ ▸ **p. 333**, **p. 894** *nprm* (pays, ville) Kuwait
koweïtien, **-ienne** /kɔwetjɛ̃, ɛn/ ▸ **p. 561** *adj* Kuwaiti
Koweïtien, **-ienne** /kɔwetjɛ̃, ɛn/ ▸ **p. 561** *nm,f* Kuwaiti
krach /kʀak/ *nm* **1** Fin crash; **~ boursier** stock market crash; **2** Écon (faillite) collapse
kraft /kʀaft/ *nm* brown paper
Kremlin /kʀɛmlɛ̃/ *nprm* **le ~** the Kremlin
kremlinologue /kʀɛmlinɔlɔg/ *nmf* Kremlinologist, Kremlin-watcher○
krill /kʀil/ *nm* krill
krypton /kʀiptɔ̃/ *nm* krypton
Kuala Lumpur /kwalalumpuʀ/ ▸ **p. 894** *npr* Kuala Lumpur
Ku Klux Klan /kukluksklɑ̃/ *nm* Ku Klux Klan
kumquat /kumkwat/ *nm* kumquat
kung-fu /kuŋfu/ ▸ **p. 469** *nm inv* kung-fu
kurde /kyʀd/ ▸ **p. 483**
A *adj* Kurdish
B *nm* Kurdish
Kurde /kyʀd/ *nmf* Kurd
Kurdistan /kyʀdistɑ̃/ ▸ **p. 721** *nprm* Kurdistan
kW (*written abbr* = **kilowatt**) kW
K-way® /kawe/ *nm* windcheater GB, windbreaker US
kWh (*written abbr* = **kilowattheure**) kWh
kyrie eleison /kiʀijeeleisɔn/ *nm* kyrie eleison
kyrielle /kiʀjɛl/ *nf* **une ~ de qch** a string of sth
kyste /kist/ *nm* cyst
kystique /kistik/ *adj* cystic

L l

l, L /ɛl/ *nm inv* [1] (lettre) l, L; [2] (*written abbr* = **litre**) **20 l** 20 l

l' ▸ **le**

la¹ *art déf, pron* ▸ **le**

la² /la/ *nm* Mus (note) A; (en solfiant) lah; **concerto en ~ majeur** concerto in A major; **donner le ~** lit to give an A; fig to set the tone

là /la/

> ⚠ Lorsque *là* est employé par opposition à *ici* il se traduit par *(over) there*: *ne le mets pas ici, mets-le là* = don't put it here, put it there; lorsque *là* signifie *ici* il se traduit par *(over) here*: *viens là* = come (over) here.
>
> Lorsque *là* est utilisé avec un sens temporel il se traduit par *then*: *et là, le téléphone a sonné* = and then the phone rang.
>
> Pour les autres emplois voir l'article ci-dessous. *celle-là, celui-là* etc sont traités en entrée à part entière suivant l'ordre alphabétique.

A *adv* [1] (désignant un lieu) (par opposition à ici) there; (ici) here; **'où es-tu?'—'je suis ~'** 'where are you?'–'I'm here'; **j'ai mal ~** it hurts here; **qui va ~?** who's there?; **il n'est pas ~ pour l'instant** he's not here at the moment; **tu étais ~ quand c'est arrivé?** were you there when it happened?; **pose-le ~** put it there; **rester ~ à ne rien faire** to hang around doing nothing; **et moi je suis ~ à attendre** and here I am, waiting; **ils sont tous ~ à crier/écrire** there they all are screaming/writing away
[2] (à ce moment) then; **tu attends que ça bouille et ~ tu mets les herbes aromatiques** you wait for it to boil and then you put the herbs in; **et ~, tout à coup, quelqu'un a crié** and then, all of a sudden, someone screamed; **à quelque temps de ~** some time later; **il n'en est pas encore ~** he hasn't yet reached that stage; **s'il en est (arrivé) ~, c'est que...** if he's reduced to that, it's because...; **d'ici ~** between now and then; **d'ici ~ j'ai le temps de voir** I've got time to decide between now and then
[3] (pour renforcer l'énoncé) **~ d'accord, j'ai eu tort** OK then, I was wrong; **alors ~ tu exagères!** now you're going too far!; **~ c'est différent** that's a different matter; **c'est ~ votre meilleur rôle** that was your best part; **c'est bien ~ ce qui me chagrine** that's precisely what's bothering me
[4] (dans cela, en cela) **je ne vois ~ rien d'anormal** I don't see anything unusual in that; **il y a ~ une contradiction** there's a contradiction there *ou* in that; **que vas-tu chercher ~?** what are you thinking of?; **que me dites-vous ~?** what are you telling me?
[5] (à ce point) **je vais m'en tenir ~** I'll leave it at that; **j'en étais ~ de mes réflexions, quand...** my thoughts had gone that far, when...; **nous n'en sommes pas ~** (près du but) we haven't gone that far; (ce n'est pas si catastrophique) we haven't reached that point yet
[6] (suivi d'une proposition relative) **c'est ~ que** (à cet endroit) that's where; (à ce moment) that's when; **c'est ~ que réside la difficulté** that's where the difficulty lies; **c'est ~ que j'ai compris** that's when I understood; **~ où** where; **~ où j'habite/il est** where I live/he is; **il veut réussir ~ où personne n'a osé se lancer** he wants to succeed where no-one has dared venture before
[7] (pour renforcer un adjectif démonstratif) **en ce temps-~** in those days; **ce jour-~** that day; **cet homme-~** that man; **ces gens-~** those people; **dans ce cas-~** in that case
[8] (précédé d'une préposition) **de ~** (de cet endroit) from there; (pour cette raison) hence; **de ~ au village** from there to the village; **de ~ mon étonnement** hence my surprise; **de ~ à penser que...** that's no reason to think that...; **elle était un peu pâle mais de ~ à appeler le docteur** she was a bit pale but that's no reason to call the doctor; **par ~** (par cet endroit) here; (dans cette direction) this way; (dans cette zone) around there; **cela se passe dans les Alpes ou quelque part par ~** it's set in the Alps or somewhere around there; **il a fallu en passer par ~** fig we had to go through it; **qu'entendez-vous par ~?** what do you mean by that?; **si tu y vas par ~** fig if you go so far as saying that

B *excl* there!; **~, tout doux!** there now, calm down!; **~, c'est fini, ne pleure plus** there, it's over, don't cry

là-bas /labɑ/ *adv* [1] (à l'endroit que l'on indique) over there; (dans un lieu non indiqué mais connu) there; ▸ **voir**; [2] (dans un autre pays) over there

label /labɛl/ *nm* [1] Comm quality-label; **~ de qualité** quality-label; [2] fig hallmark; **porter le ~ d'un parti politique** to bear the hallmark of a political party; **une émission qui a le ~ (du) service public** a programme[GB] that bears the hallmark of the national broadcasting network; [3] (maison de disques) label

labeur /labœʀ/ *nm* liter labour[GB]; **les fruits de mon ~** the fruits of my labour[GB]; **le dur ~ de votre prédécesseur** the hard work of your predecessor

labial, **~e**, *mpl* **-iaux** /labjal, o/

A *adj* labial

B **labiale** *nf* labial

labialisation /labjalizasjɔ̃/ *nf* labialization

labialiser /labjalize/ [1] *vtr* to labialize

labié, **~e** /labje/ *adj* labiate

labiodental, **~e**, *mpl* **-aux** /labjodɑ̃tal, o/

A *adj* labiodental

B **labiodentale** *nf* labiodental

labo○ /labo/ *nm* (*abbr* = **laboratoire**) lab○

laborantin, **~e** /labɔʀɑ̃tɛ̃, in/ ▸ **p. 532** *nm,f* laboratory assistant

laboratoire /labɔʀatwaʀ/

A *nm* [1] Pharm, Ind laboratory; **préparé en ~** prepared in a laboratory; **testé en ~** laboratory-tested; **de ~** [*animal, appareil*] laboratory; **essais en ~** laboratory tests; [2] fig hotbed (**de** of); **une région ~ du marketing** a dynamic marketing region; [3] Comm (de boucherie, pâtisserie) ≈ backshop

B **-laboratoire** (*in compounds*) **camion-~** mobile laboratory; **ferme-~** research farm

(Composés) **~ d'analyses médicales** medical laboratory; **~ cosmétologique** cosmetics company; **~ de langues** language laboratory; **~ orbital** skylab; **~ pharmaceutique** pharmaceutical company; **~ photographique** photo laboratory; **~ de recherches** research laboratory

laborieusement /labɔʀjøzmɑ̃/ *adv* laboriously

laborieux, **-ieuse** /labɔʀjø, øz/ *adj* [1] [*travail, tractations, processus*] arduous, laborious; [*accouchement*] difficult; [2] [*style*] laborious; [3] [*classes, couches*] working; [*victoire*] hard-won (*épith*); [4] ○**c'est ~!** it's taking long enough!; [5] †[*personne*] hardworking; **c'est ~ de leur faire faire leurs devoirs!** it's hard work getting them to do their homework!

labour /labuʀ/ *nm* [1] (travail) ploughing ⊄ GB, plowing ⊄ US; **l'époque des ~s** ploughing GB *ou* plowing US time; **cheval de ~** plough GB *ou* plow US horse; [2] (terrain) ploughed GB *ou* plowed US field

labourable /labuʀabl/ *adj* arable

labourage /labuʀaʒ/ *nm* ploughing GB, plowing US

labourer /labuʀe/ [1] *vtr* [1] Agric to plough GB, to plow US; **champs labourés** ploughed GB *ou* plowed US fields; **~ à la charrue** to work with a plough GB *ou* plow US, to plough GB, to plow US; [2] (creuser) to churn up [*sol, route*]; **les chars ont labouré la route** the tanks churned up the road; **les voyous lui ont labouré les côtes** the hooligans gave him/her a beating; [3] (écorcher) to lacerate [*peau*]; **il avait le dos labouré par les éclats d'obus** his back was lacerated by shrapnel; **visage labouré de coups de griffes** face covered in scratches

laboureur /labuʀœʀ/ ▸ **p. 532** *nm* [1] liter ploughman GB, plowman US; [2] †(cultivateur) farmer

labrador /labʀadɔʀ/ *nm* (chien) labrador

Labrador /labʀadɔʀ/ ▸ **p. 721** *nprm* Géog Labrador

labyrinthe /labiʀɛ̃t/ *nm* [1] Archit maze; [2] Mythol labyrinth; [3] fig labyrinth, maze; [4] Anat (de l'oreille interne) labyrinth

labyrinthique /labiʀɛ̃tik/ *adj* labyrinthine

lac /lak/ ▸ **p. 479** *nm* (naturel) lake; (artificiel) reservoir; **les Grands Lacs** the Great Lakes; **le ~ des cygnes** Swan Lake; **le ~ d'Annecy/Érié** Lake Annecy/Erie

(Idiome) **tomber dans le ~** to fall through

laçage /lasaʒ/ *nm* lacing (up)

lacanien, **-ienne** /lakanjɛ̃, ɛn/ *adj, nm,f* Lacanian

Lacédémone /lasedemɔn/ ▸ **p. 894** *nprf* Lacedaemon

lacer /lase/ [12] *vtr* to lace up [*chaussures, corset*]

lacération /laseʀasjɔ̃/ *nf* laceration

lacérer /laseʀe/ [14] *vtr* to lacerate [*peau, chair*]; to slash [*vêtement, tableau, affiche*]

lacet /lasɛ/ *nm* [1] (de soulier, corset) lace; **chaussures à ~s** lace-ups, lace-up shoes; **nouer ses ~s** to do up one's laces; [2] (de route) hairpin bend; **une route en ~s** a twisting road; [3] (de chasseur, braconnier) snare; **tendre un ~** to set a snare

lâchage /lɑʃaʒ/ *nm* [1] (abandon) desertion; [2] (panne) failure

Les lacs

Les noms de lacs

■ *L'anglais n'utilise pas l'article défini devant les noms de lacs. Le mot* Lake *prend une majuscule lorsqu'il est utilisé devant le nom propre.*

le lac Supérieur
= Lake Superior

le lac Victoria
= Lake Victoria

■ *Les mots* Loch *et* Lough *s'utilisent de la même façon.*

le loch Ness
= Loch Ness

le lough Erne
= Lough Erne

■ *Le* de *utilisé en français pour les lacs qui portent des noms de villes n'est pas traduit en anglais.*

le lac de Constance
= Lake Constance

le lac d'Annecy
= Lake Annecy

■ *Dans ce cas, l'anglais utilise toujours le mot* Lake. *Dans d'autres cas,* Lake *peut être omis.*

le lac Balaton
= Balaton
ou Lake Balaton

le lac Titicaca
= Titicaca
ou Lake Titicaca

■ *En cas de doute, il est toujours préférable d'employer* Lake.

lâche /lɑʃ/
A *adj* **1** (sans courage) [*personne, attitude, crime*] cowardly; **2** (distendu) [*liens, ceinture, nœud*] loose; **3** (sans rigueur) [*règlement, fonctionnement*] lax; [*style, scénario, trame*] woolly
B *nmf* coward

lâchement /lɑʃmɑ̃/ *adv* **il nous a ∼ abandonnés** he abandoned us, the coward; **ils se sont ∼ enfuis à notre arrivée** they fled like cowards on our arrival; **il a été ∼ assassiné** he was assassinated in a cowardly way

lâcher /lɑʃe/ [1]
A *nm* (de ballons, d'oiseaux) release
B *vtr* **1** (cesser de tenir) to drop [*objet*]; to let go of [*corde, branche*]; **lâchez vos armes!** drop your guns!; **ne lâche pas la corde!** don't let go of the rope!; **lâchez-moi le bras!** let go of my arm!; **lâche-moi** lit let go of me; fig○ give me a break○, leave me alone; **∼ prise** lit to lose one's grip; fig to give up; ▸ **proie**; **2** (produire) to come out with [*mot, phrase, juron, gaffe*]; to reveal [*information*]; to let out [*soupir, cri, pet, rot*]; **∼ une rafale de mitraillette** to fire a stream of bullets; **il n'a pas lâché un mot de toute la soirée** he didn't utter a word all evening; ▸ **bordée**; **3** (laisser partir) to let [sb/sth] go [*personne, animal, chariot*]; **il a lâché ses chiens** he released his dogs; **elle a lâché ses chiens sur lui** she set her dogs on him; **il ne m'a pas lâché une seconde** he didn't leave me to myself for a second; **il ne la lâche pas des yeux** *or* **du regard** he never takes his eyes off her; **4** (abandonner) to drop [*ami, associé, activité*]; **lâché par ses anciens amis** dropped by his former friends; **la peur ne la lâche plus depuis** she's been in the grip of fear ever since; **5** ○(accepter de donner, de vendre) to let [sth] go [*objet*]; **∼ de l'argent** to cough up○; **∼ qch à qn** to let sb have sth [*argent, objet*]; **6** Sport (distancer) to break away from [*concurrent*]; **il a lâché le peloton dans la montée** he broke away from the main field on the slope
C *vi* (céder) [*corde, lien, nœud*] to give way; [*freins*] to fail; [*nerfs*] to break
D se lâcher *vpr* **1** (cesser de se tenir) to let go; **2** ○(se décontracter) to let it all hang out○, to let one's hair down

lâcheté /lɑʃte/ *nf* **1** (défaut) cowardice ¢; **par ∼** out of cowardice; **2** (acte) cowardly act

lâcheur○, **-euse** /lɑʃœʀ, øz/ *nm,f* unreliable person; **tu n'es qu'un ∼!** you're totally unreliable!

lacis /lasi/ *nm inv* **un ∼ de ruelles** a maze of small streets

laconique /lakɔnik/ *adj* [*auteur, style*] laconic; [*réponse, langage*] terse

laconiquement /lakɔnikmɑ̃/ *adv* [*s'exprimer, rédiger*] laconically, concisely; [*répondre*] tersely

laconisme /lakɔnism/ *nm* (d'auteur, de style) concision; (de réponse, d'annonce) terseness

lacrymal, **∼e**, *mpl* **-aux** /lakʀimal, o/ *adj* lachrymal

lacrymogène /lakʀimɔʒɛn/ *adj* [*grenade, bombe*] teargas; **gaz ∼** teargas

lacs /la/ *nm inv* (nœud coulant) snare; **∼ d'amour** Hérald love knot

lactaire /laktɛʀ/ *nm* milk cap
(Composés) **∼ délicieux** saffron milk cap; **∼ toisonné** woolly milk cap; **∼ velouté** fleecy milk cap

lactalbumine /laktalbymin/ *nf* lactalbumin

lactarium /laktaʀjɔm/ *nm* milk bank

lactase /laktɑz/ *nf* lactase

lactation /laktasjɔ̃/ *nf* lactation

lacté, **∼e** /lakte/ *adj* **1** (qui contient du lait) [*produit, alimentation*] milk (*épith*); **2** (laiteux) [*liquide, blanc*] milky; **la voie ∼e** the Milky Way

lactifère /laktifɛʀ/ *adj* lactiferous

lactique /laktik/ *adj* lactic

lactogène /laktɔʒɛn/ *adj* lactogenic

lactose /laktoz/ *nm* lactose

lactosérum /laktoseʀɔm/ *nm* whey; **∼ en poudre** whey powder

lacunaire /lakynɛʀ/ *adj* **1** (incomplet) [*texte, connaissances*] incomplete; **2** Biol [*système, tissu*] lacunary; **3** Psych [*amnésie*] lacunar

lacune /lakyn/ *nf* **1** (d'œuvre, de manuscrit) lacuna; (d'éducation, de connaissances) gap; (de loi) gap; (d'argumentation) hole; **2** Bot lacuna; **3** Géol gap
(Composés) **∼ électronique** electron hole; **∼ réticulaire** lattice hole

lacuneux, **-euse** /lakynø, øz/ *adj* lacunary

lacustre /lakystʀ/ *adj* **cité ∼** lake dwelling

lad /lad/ *nm* stable-boy

là-dedans /lad(ə)dɑ̃/ *adv*

⚠ De même que *là* se traduit soit par *here* soit par *there*, *là-dedans*, au sens littéral, se traduit par *in here* ou *in there* suivant que l'objet dont on parle se trouve près ou non du locuteur

(près) in here; (plus loin) in there; **mets ça ∼** (près) put this in here; (plus loin) put it in there; **on étouffe ∼** (près) it's boiling in here; (plus loin) it's boiling in there!; **il y a ∼ tout un symbolisme** there's a lot of symbolism in it; **debout ∼**○**!** get up!; **et moi ∼**○ **qu'est-ce que je fais**○**?** and where do I come in?; **y en a ∼**○**!** I'm/he's etc not just a pretty face!

là-dessous /lad(ə)su/ *adv*

⚠ De même que *là* se traduit soit par *here* soit par *there*, *là-dessous* au sens littéral, se traduit par *under here* ou *under there* suivant que l'objet dont on parle se trouve près ou non du locuteur

1 (sous une surface) (près) under here; (plus loin) under there; **le dossier est ∼** (près) the file is under here; (loin) the file is under there; **2** (dans cette histoire) **il y a qch de louche**○ **∼** there's something fishy○ about all this

là-dessus /lad(ə)sy/ *adv*

⚠ De même que *là* se traduit soit par *here* soit par *there*, *là-dessus*, au sens littéral, se traduit par *on here* ou *on there* suivant que l'objet dont on parle se trouve près ou non du locuteur

1 (sur une surface) (près) on here; (plus loin) on there **pose ton livre ∼** (près) put your book on here; (plus loin) put your book on there; **2** (sur ce sujet) on it; **il a insisté ∼** he insisted on it; **nous sommes d'accord ∼** we agree; **qu'as-tu à dire ∼?** what have you got to say about it?; **il y a un bon livre ∼** there's a good book on it; **j'ai travaillé ∼ pendant deux ans** I worked on it for two years; **3** (sur ce) (quelques secondes après) with that; (quelque temps après) after that; **∼ il a raccroché** with that he hung up; **∼ elle est partie vivre en Italie** after that she went to live in Italy; **4** (sur cette impression) **nous nous sommes quittés ∼** we parted at that point

ladite ▸ **ledit**

ladre /ladʀ/
A *adj* liter [*personne*] miserly
B *nm* liter (avare) miser

ladrerie /ladʀəʀi/ *nf* liter miserliness

lagon /lagɔ̃/ *nm* lagoon

lagopède /lagɔpɛd/ *nm* grouse
(Composés) **∼ des Alpes** ptarmigan; **∼ d'Écosse** red grouse; **∼ des saules** willow grouse

Lagos /lagɔs/ ▸ **p. 894** *npr* Lagos

lagunaire /lagynɛʀ/ *adj* lagoon (*épith*)

lagune /lagyn/ *nf* lagoon

là-haut /lao/ *adv*

⚠ De même que *là* se traduit soit par *here* soit par *there*, *là-haut*, au sens littéral, se traduit par *up here* ou *up there* suivant que l'objet dont on parle se trouve près ou non du locuteur

1 (en hauteur) (près) up here; (plus loin) up there; **∼ dans le ciel** up in the sky; **il veut grimper ∼** he wants to climb up there; **de ∼** from up there; **tout ∼** (all the) way up there; **2** (à l'étage) upstairs; **3** (au paradis) in heaven

lai, **∼e** /lɛ/
A *adj* (convers) [*frère, sœur*] lay
B *nm* (poème) lay
C laie *nf* **1** (femelle du sanglier) wild sow; **2** (chemin) forest track; **3** (de tailleur de pierre) bushhammer

laïc *nm* = **laïque**

laîche /lɛʃ/ *nf* sedge

laïcisation /laisizasjɔ̃/ *nf* secularization

laïciser /laisize/ [1] *vtr* to secularize

laïcisme /laisism/ *nm* secularism

laïcité /laisite/ *nf* (concept) secularism; (nature) secularity

laid, **∼e** /lɛ, lɛd/
A *adj* **1** (pas beau) ugly; **2** (choquant) disgusting; **c'est ∼ de faire ça** it's rude to do that
B *nm* ugliness; **c'est d'un ∼!** it's hideous!

laideron /lɛdʀɔ̃/ *nm* ugly girl, plain Jane○

laideur /lɛdœʀ/ *nf* ugliness; **être d'une ∼ repoussante** to be hideously ugly; **ton chapeau est d'une ∼!** your hat is hideous!; **les ∼s de la politique** the ugly side of politics

laie ▸ **lai A, C**

lainage /lɛnaʒ/ *nm* **1** (étoffe) woollen[GB] material; **une robe de ∼** a woollen[GB] dress; **2** (vêtement) woollen[GB] garment, woolly○; **3** Comm, Ind **les ∼s** woollens[GB]; **faire le commerce des ∼s** to trade in woollens[GB]; **travailler dans les ∼s** to work in the woollen[GB] trade

laine /lɛn/ *nf* **1** (sur animal) wool; **2** (matière) wool; **de** *or* **en ∼** woollen[GB], wool (*épith*); **le**

ℹ laisser

Verbe transitif

laisser, verbe transitif, se traduit généralement par *to leave*. On trouvera la traduction des expressions comme *laisser la parole à qn, laisser qch en suspens, laisser à qn le soin de, laisser qn pour mort* etc. sous le nom ou l'adjectif. Attention, *to leave* verbe transitif ne s'utilise jamais sans complément:

laisse, si tu n'as plus faim!
= leave it if you've had enough!

laisse, c'est trop lourd pour toi!
= leave it, it's too heavy for you!

non merci, je laisse, c'est trop cher
= no thank you, I think I'll leave it, it's too expensive

Voir **A**.

laisser + sujet + infinitif

On trouvera la traduction des expressions comme *laisser voir, laisser courir, laisser à penser* etc. sous le deuxième verbe.

Lorsque *laisser* signifie *permettre* de ou *ne pas empêcher de*, on pourra le traduire par *to let*:

vous avez laissé pousser des mauvaises herbes
= you've let weeds grow

il ne laisse pas ses enfants regarder la télévision
= he doesn't let his children watch television

laisse-le pleurer/critiquer/dormir
= let him cry/criticize/sleep

ne laisse pas le chat monter sur le canapé
= don't let the cat climb on the settee

ne laisse pas brûler la sauce
= don't let the sauce burn

quand on laisse le repassage s'accumuler
= if you let the ironing mount up

Voir **B**.

se laisser + infinitif

De façon très générale, le verbe pronominal suivi d'un verbe à l'infinitif peut se traduire par *to let oneself*:

laisse-toi couler jusqu'au fond
= let yourself sink to the bottom

Quand la structure signifie plus précisément *accepter l'action d'autrui* on traduira par *to let sb do sth*:

il s'est laissé coiffer
= he let me/her etc. do his hair

il ne se laisse pas caresser
= he won't let you stroke him

Quand *se laisser* peut être remplacé par *être* on traduira par *to be*:

se laisser envahir par un sentiment de bien-être
= to be overcome by a feeling of well-being

Voir **C**.

---

manteau est en ~ it's a wool coat; **3** °(vêtement) **une (petite) ~** a woolly

(Composés) **~ en suint** unwashed wool; **~ peignée** worsted; **~ polaire** fleece; **~ à repriser** darning wool; **~ à tapisserie** tapestry wool; **~ à tricoter** knitting wool; **~ de verre** glass wool; **~ vierge** new wool GB, virgin wool US; **pure ~ vierge** pure new GB *ou* virgin US wool

(Idiome) **elle se laisse tondre** *or* **manger la ~ sur le dos** she lets people walk all over her *ou* take advantage of her

laineux, -euse /lɛnø, øz/ *adj* woolly

lainier, -ière /lɛnje, ɛʀ/
A *adj [industrie, commerce]* wool (*épith*); *[région]* wool-producing; *[race]* bred for its wool
B ▸ **p. 532** *nm,f* (commerçant) wool trader; (ouvrier) wool worker; (industriel) manufacturer in the wool industry

laïque /laik/
A *adj [école, enseignement]* nondenominational GB, public US; *[vie, loi, esprit]* secular; *[État, république]* secular; *[habit]* (de prêtre) lay; (de religieux) secular
B *nmf* layman/laywoman; **les ~s** lay people
C °*nf* (école) **la ~** ≈ the state primary school system (*in France*)

laisse /lɛs/ *nf* **1** (pour chien) lead, leash; **tenir un chien en ~** to keep a dog on a lead *ou* on the leash; **2** Géog (partie de rivage) foreshore; (limite) **~ de basse/haute mer** low-/high-water mark; **3** Littérat laisse

laissé-pour-compte, laissée-pour-compte, *mpl* **laissés-pour-compte** /lesepuʀkɔ̃t/
A *adj* **1** *[marchandise]* returned; **2** *[personne]* rejected
B *nm,f* (personne) outcast
C *nm* Comm returned goods (*pl*)

laisser /lese/ [1]
A *vtr* **1** to leave *[parapluie, pourboire, marge, trace]*; **~ qch à qn** gén to leave sb sth; (à sa mort) to leave sb sth; **~ la liberté à qn** to let sb go free; **~ la vie à qn** to spare sb's life; **il laisse une veuve et deux enfants** he leaves a wife and two children; **~ qn quelque part** (déposer) to leave sb *ou* drop sb (off) somewhere; **je te laisse** (en sortant d'un bâtiment) I must be off *ou* go; (en sortant d'une pièce, au téléphone) I must go; (en fin de lettre) I'll have to stop; **laisse tes livres et viens te balader** put your books away and come for a stroll; **partez en vacances et laissez vos problèmes** take a vacation and leave your problems behind; **laissons de côté les raisons de son départ** let's not go into why he/she left; **laissez la rue Palassou sur votre gauche** (dépasser) you'll see rue Palassou on your left
2 (confier) to leave (**à qn** with sb); **~ les clés au gardien** to leave the keys with the caretaker; **jamais je ne lui laisserais les enfants** I would never leave the children with him/her
3 (accorder) **~ qch à qn** to give sb sth *[temps, chance]*; **~ le choix à qn** to give sb the choice; (choix peu important) to let sb choose
4 (céder, prêter, ne pas retirer) **~ qch à qn** to let sb have sth; **laisse ce jouet à ton frère** let your brother have the toy; **je vous le laisse pour 100 euros** (céder) I'll let you have it for 100 euros; **je te laisse ma voiture pendant 15 jours** (ne pas prendre avec soi) I'll leave you my car for two weeks; (prêter) I'll let you have my car for two weeks, you can have my car for two weeks; **tu devrais ~ ta place à la vieille dame** you should let the old lady have your seat
5 (perdre) to lose; **~ une jambe à la guerre** to lose a leg in the war; **tu y laisseras ta santé** you'll ruin your health; **je ne veux pas y ~ ma peau**° I don't want it to kill me
6 (ne pas s'occuper de) to leave; **laisse-le, ça lui passera** ignore him, he'll get over it; **'qu'est-ce qui ne va pas?'—'rien, laisse, ce n'est pas grave'** 'what's wrong?'—'nothing really, don't worry'; **non, laisse, je te l'offre!** no, no, it's my treat!
7 (abandonner) to leave; **je te laisse à tes occupations** I'll let you get on; **laisse-le à ses rêves** let him dream
8 (maintenir) to leave; **~ un animal en liberté** to leave an animal in the wild; **je ne voulais pas le ~ dans l'ignorance** I wanted him to know
9 (rendre) to leave; **cela l'a laissé froid/sans voix** it left him cold/speechless; **~ qn perplexe** to puzzle sb; **cela me laisse sceptique** I'm sceptical
10 liter (cesser) **cela ne laisse pas d'étonner** it is a continual source of amazement
B *v aux* **~ qn/qch faire** to let sb/sth do; **~ qn parler/pleurer** to let sb speak/cry; **laisse-moi entrer/sortir/passer** let me in/out/through; **laisse-moi faire** (ne m'aide pas) let me do it; (je m'en occupe) leave it to me; **laisse-la faire!** (ne t'en mêle pas) let her get on with it!; **laisse-la faire, elle reviendra toute seule** just leave her, she'll come back of her own accord; **ils s'entretuent et on laisse faire** they're killing each other and we just sit back and do nothing; **laisse faire!** (qu'importe) so what!; **laissons faire le temps** let things run their course
C **se laisser** *vpr* **se ~ bercer par les vagues** to be lulled by the waves; **il se laisse insulter** he puts up with insults; **elle n'est pas du genre à se ~ faire** (laisser abuser) she won't be pushed around; **c'est parce que tu te laisses faire** (pas assez autoritaire) it's because you're too easy going; **il ne veut pas se ~ faire** (coiffer, laver etc) he won't let you touch him; **laisse-toi faire, c'est un bon coiffeur** leave it to him, he's a good hairdresser; **s'il veut te l'offrir, laisse-toi faire!** if he wants to buy it for you, let him do it; **se ~ aller** (tous contextes) to let oneself go; **se ~ aller au désespoir** to give in to despair; **ça se laisse manger**°**!** iron it's quite palatable iron

(Idiomes) **'c'est cher'—'c'est à prendre ou à ~'** 'it's expensive'—'take it or leave it'; **c'est cher mais c'est à prendre ou à ~** it's expensive but that is how it is; **il y a à prendre et à ~ dans ce qu'elle dit** I'd take what she says with a pinch of salt

laisser-aller /leseale/ *nm inv* **1** (dans la tenue) scruffiness; **2** (dans le travail) sloppiness

laisser-faire /lesefɛʀ/ *nm inv* laisser-faire, laissez-faire

laissez-passer /lesepase/ *nm inv* pass

lait /lɛ/ *nm* **1** (de mammifère) milk; **le ~ s'est sauvé** the milk has boiled over; **le ~ a tourné** the milk has gone sour *ou* turned; **au ~** with milk, milk (*épith*); **dessert au ~** milk pudding GB, milk dessert; **thé/café au ~** tea/coffee with milk; **frère/sœur de ~** foster brother/sister (*who has had the same wet nurse*); **2** (de végétal) milk; **~ d'amande/de coco/de soja** almond/coconut/soya milk; **3** Cosmét milk; **~ démaquillant** *or* **de toilette** cleansing milk

(Composés) **~ caillé** curd; **~ de chaux** Constr whitewash; **~ concentré non sucré** evaporated milk; **~ concentré sucré** sweetened condensed milk; **~ condensé** = **~ concentré**; **~ cru** untreated milk; **~ demi-écrémé** semiskimmed milk GB, low-fat milk US; **~ écrémé** skimmed milk GB, skim milk *ou* nonfat milk US; **~ entier** whole milk; **~ homogénéisé** homogenized milk; **~ instantané** instant dried milk; **~ longue conservation** longlife milk GB; **~ maternel** breastmilk; **~ maternisé** ≈ formula feed; **~ pasteurisé** pasteurized milk; **~ en poudre** powdered milk; **~ de poule** Culin eggnog; **~ stérilisé** sterilized milk; **~ UHT** UHT milk

(Idiome) **si on lui pressait le nez il en sortirait du ~** he's/she's still wet behind the ears

laitage /lɛtaʒ/ *nm* dairy product

laitance /lɛtɑ̃s/ *nf* Culin, Zool soft roe

laiterie /lɛtʀi/ *nf* [1] (usine) dairy; [2] (industrie) dairy industry; [3] †(crémerie) dairy

laiteux, -euse /lɛtø, øz/ *adj* [*liquide, blanc, lueur*] milky; [*teint, peau*] creamy; [*mur, peinture*] milk-white

laitier, -ière /lɛtje, ɛʀ/
A *adj* [1] [*industrie, produit*] dairy; [*production*] milk; [2] [*race, chèvre*] milk-yielding; [*vache*] milk
B ▸ p. 532 *nm,f* [1] (livreur) milkman/milkwoman; [2] †(crémier) dairyman/dairymaid
C *nm* (de fonderie) slag
D **laitière** *nf* (vache) milk cow; **c'est une bonne laitière** it's a good milker○

laiton /lɛtɔ̃/ *nm* brass

laitue /lɛty/ *nf* lettuce

laïus○ /lajys/ *nm inv* speech

laïusser○ /lajyse/ [1] *vi* to hold forth

lama /lama/ *nm* [1] (animal) llama; [2] (religieux) lama

lamaïsme /lamaism/ *nm* Lamaism

lamantin /lamɑ̃tɛ̃/ *nm* manatee

lamaserie /lamasʀi/ *nf* lamasery

lambda /lɑ̃bda/
A ○*adj inv* [*individu, lecteur*] average
B *nm inv* lambda

lambeau, *pl* **~x** /lɑ̃bo/ *nm* [1] (d'étoffe) rag; (de papier, peau, cuir) strip; (de chair) ribbon; **des vêtements en ~x** rags; **une robe en ~x** a ragged dress; **une affiche en ~x** a tattered poster; **mettre qch en ~x** to tear sth to pieces; **tomber/partir en ~x** to fall to pieces; [2] fig (de patrimoine) scraps (*pl*); **fortune qui part en ~x** fortune which is dribbling away; **des ~x de conversation** snatches of conversation

lambin○, **~e** /lɑ̃bɛ̃, in/
A *adj* slow; **elle est encore plus ~e que son frère** she's even more of a slowcoach○ GB *ou* slowpoke○ US than her brother
B *nm,f* slowcoach○ GB, slowpoke○ US

lambiner○ /lɑ̃bine/ [1] *vi* to dawdle; **cesse de ~** stop dawdling

lambourde /lɑ̃buʀd/ *nf* [1] Constr (support de parquet) floor batten; (support de solives) wall plate; [2] Hort spur

lambrequin /lɑ̃bʀəkɛ̃/ *nm* (bordure) (en tissu) valance; (en bois, métal) frieze

lambris /lɑ̃bʀi/ *nm inv* (en bois) panelling[GB] ₵; (en marbre) marble walls (*pl*); (au plafond) mouldings[GB] (*pl*); **sous les ~** fig in the corridors of power

lambrisser /lɑ̃bʀise/ [1] *vtr* (avec du bois) to panel; **pièce lambrissée** panelled[GB] room; **~ de marbre** to line with marble

lame /lam/ *nf* [1] (de couteau, scie, mixer, tournevis) blade; (de bulldozer) blade; **~ à double tranchant** double-edged blade; **visage en ~ de couteau** hatchet face; [2] (couteau) knife; (épée) sword; (personne) **une fine ~** an expert swordsman; [3] (plaque mince) (de métal, bois, etc) strip; (de store, persienne) slat; (de ressort) leaf; (de schiste) layer; (pour microscope) **~ (porte-objet)** slide; [4] (vague) breaker

(Composés) **~ de fond** lit ground swell; fig upheaval; **~ de parquet** (longue) parquet strip; (courte) parquet block; **~ de rasoir** razor blade; **coupant comme une ~ de rasoir** razor-sharp

lamé, **~e** /lame/
A *adj* lamé (*épith*)
B *nm* lamé; **en ~** lamé (*épith*)

lamelle /lamɛl/ *nf* [1] (de bois, métal) small strip; [2] Culin (de truffe, fromage) sliver; **découper en fines ~s** to slice thinly; [3] Bot (de champignon) gill; [4] (de mica) flake; [5] (pour microscope) cover glass

lamellé, **~e** /lamɛl(l)e/ *adj* [*ardoise*] foliated; [*bois*] laminated

lamellé-collé, *pl* **lamellés-collés** /lamɛlekɔle/ *nm* laminated timber ₵

lamellibranche /lamellibʀɑ̃ʃ/ *nm* bivalve; **les ~s** the Lamellibranchia

lamentable /lamɑ̃tabl/ *adj* [1] (minable) [*émission, résultat, jeu*] pathetic; **de façon ~** pathetically; [2] liter (pitoyable) [*spectacle, cri*] pitiful; [*mort, accident*] terrible; [*voix, ton*] plaintive

lamentablement /lamɑ̃tabləmɑ̃/ *adv* [*échouer*] miserably; [*pleurer*] piteously

lamentation /lamɑ̃tasjɔ̃/ *nf* [1] (plainte) wailing, lamentation sout; **le livre des Lamentations** the Book of Lamentations; **le Mur des Lamentations** the Wailing Wall; [2] (paroles plaintives) whining○ ₵; **j'en ai assez de ses ~s continuelles** I've had enough of his/her whining

lamenter: **se lamenter** /lamɑ̃te/ [1] *vpr* to moan (**sur** about); **il ne cesse de se ~** he's always moaning about something; **ça ne sert à rien de se ~** there's no point in moaning; **se ~ sur son propre sort** to feel sorry for oneself; **elle se lamente d'avoir manqué cette occasion** she bemoans sout the fact that she missed that opportunity

lamento /lamɛnto/ *nm* lament

lamifié /lamifje/ *nm* MDF, medium density fibreboard[GB]

laminage /laminaʒ/ *nm* [1] Tech (de métaux) rolling; **~ à chaud/froid** hot/cold rolling; [2] fig (de salaires, bénéfices) erosion; (de parti, personne) annihilation

laminé /lamine/ *nm* rolled-steel section

laminer /lamine/ [1] *vtr* [1] Tech to roll; **~ à chaud/froid** to hot-/cold-roll; [2] fig to erode [*bénéfice, salaire*]; to destroy [*politicien*]; to annihilate [*parti*]

lamineur, -euse /laminœʀ, øz/ *nm,f* rolling-mill worker; **cylindre ~** roller

laminoir /laminwaʀ/ *nm* rolling mill

lampadaire /lɑ̃padɛʀ/ *nm* (de salon) standard lamp GB, floor lamp US; (de rue) streetlight

lampant /lɑ̃pɑ̃/ *adj m* **pétrole ~** paraffin GB, kerosene US

lamparo /lɑ̃paʀo/ *nm* (fishing) lamp; **pêche au ~** lamp-fishing

lampe /lɑ̃p/ *nf* gén lamp, light; (ampoule) bulb; (tube électronique)† valve GB, electron tube US; **griller une ~** to blow a bulb; **la ~ a grillé** the bulb has gone

(Composés) **~ à acétylène** acetylene lamp; **~ à alcool** spirit lamp; **~ à arc** arc light *ou* lamp; **~ à bronzer** sun lamp; **~ de bureau** desk light *ou* lamp; **~ de chevet** bedside light *ou* lamp; **~ électrique** torch GB, flashlight US; **~ à essence** paraffin lamp GB, kerosene lamp US; **~ fluorescente** fluorescent light; **~ (à) halogène** halogen lamp; **~ à huile** oil lamp; **~ à incandescence** incandescent lamp; **~ à iode** quartz iodine *ou* halogen lamp; **~ de lecture** reading light *ou* lamp; **~ à pétrole** paraffin lamp GB, kerosene lamp US; **~ de poche** pocket torch GB, flashlight US; **~ solaire** = **~ à bronzer**; **~ à souder** blow lamp GB, blow torch; **~ de sûreté** safety lamp; **~ témoin** indicator light; **~ tempête** hurricane lamp; **~ à vapeur de mercure/sodium** mercury-/sodium-vapour[GB] lamp

(Idiome) **s'en mettre**○ *or* **foutre**◑ **plein la ~** to stuff oneself to the gills○

lampée○ /lɑ̃pe/ *nf* gulp

lamper /lɑ̃pe/ [1] *vtr* to gulp down [*soupe, vin*]

lampion /lɑ̃pjɔ̃/ *nm* paper lantern

(Idiome) **réclamer qch sur l'air des ~s** to chant a slogan demanding sth

lampiste /lɑ̃pist/ *nm* [1] fig subordinate; [2] ▸ p. 532 lit lamplighter; Rail lampman

(Idiome) **c'est la faute du ~** the subordinate's to blame

lampisterie† /lɑ̃pistəʀi/ *nf* lamp store

lamproie /lɑ̃pʀwa/ *nf* (de mer) sea lamprey; (d'eau douce) river lamprey

Lancashire ▸ p. 721 *nprm* **le ~** Lancashire

lance /lɑ̃s/ *nf* (de chasse, guerre) spear; (de tournoi) lance; **recevoir un coup de ~** to be hit by a spear; **désarçonné par un coup de ~** unseated by a violent thrust from a lance

(Composés) **~ d'arrosage** garden hose nozzle; **~ d'incendie** fire hose nozzle

(Idiome) **rompre une ~ avec** *or* **contre qn** to cross swords with sb

lancée /lɑ̃se/ *nf* **arrêter un coureur en pleine ~** to stop a runner in his stride; **sur sa ~** lit without slackening one's pace; fig while he/she was at it; (dans le même esprit) in the same vein; **poursuivre** *or* **continuer sur sa ~** (activité) to continue to forge ahead; (discours) to continue in the same vein

lance-flammes* /lɑ̃sflam/ *nm inv* flame-thrower

lance-fusées* /lɑ̃sfyze/ *nm inv* rocket launcher

lance-grenades* /lɑ̃sgʀənad/ *nm inv* grenade launcher

lance-harpon* /lɑ̃saʀpɔ̃/ *nm inv* **canon ~** harpoon gun

lancement /lɑ̃smɑ̃/ *nm* [1] (mise en route) (de navire, compagnie, campagne, d'offensive) launching; (de programme, processus) setting up; **le ~ des travaux a eu lieu en 1980** work began in 1980; [2] Comm (mise sur le marché) (de produit, livre, film) launch; (d'emprunt) floating; (d'acteur, écrivain) promotion; **~ publicitaire** publicity launch; [3] Tech (de missile, satellite) (processus) launching; (action) launch; **base de ~** launching site; **~ réussi** successful launch; **le ~ aura lieu à 15 h** the launch will take place at 3 pm; [4] Ind, Entr (de fabrication, travail) scheduling; [5] (action de projeter) throwing; Sport throwing; **~ du disque/javelot/marteau** throwing the discus/javelin/hammer; **~ du poids** putting the shot; [6] Constr, Tech (de pont) building

lance-missiles* /lɑ̃smisil/ *nm inv* missile launcher

lance-pierres* /lɑ̃spjɛʀ/ *nm inv* catapult

(Idiomes) **manger au ~**○ to gobble one's food; **payer qn avec un ~**○ to pay sb peanuts○

lancer /lɑ̃se/ [12]
A *nm* [1] Sport (action) throwing, (coup) throw; **aire de ~** throwing area; **le ~ du disque/javelot/marteau** throwing the discus/javelin/hammer; **le ~ du poids** putting the shot; **son troisième ~** his/her third throw
[2] Pêche **le ~, la pêche au ~** rod and reel fishing; **prendre une truite au ~** to catch a trout with a rod and reel
B *vtr* [1] (jeter) to throw [*ballon, caillou*]; (violemment) to hurl, to fling [*objet*]; Pêche to cast [*ligne*]; Sport to throw [*disque, javelot, marteau*]; **~ le poids** to put the shot; **~ qch par terre/dans l'eau/en l'air** to throw sth to the ground/in the water/(up) in the air; **~ qch à qn** (pour qu'il l 'attrape) to throw sth to sb; (pour faire peur, mal) to throw sth at sb; **lance-moi la balle** throw me the ball, throw the ball to me; **~ une assiette à la tête de qn** to throw *ou* fling a plate at sb; **il lance à 30 mètres** Sport he can throw 30 metres[GB]; **~ un coup de pied/poing à qn** to kick/punch sb; **~ ses bras en avant** to swing one's arms forward
[2] (envoyer) to launch [*satellite, fusée*]; to fire [*flèche, missile*] (**sur, à** at); to drop [*bombe*] (**sur** on); **~ ses chiens après qn/sur une piste** to set one's dogs on sb/on a trail; **~ son cheval dans la foule** to spur one's horse forward into the crowd; **~ ses troupes à l'assaut** to send one's troops into the attack; **la cathédrale lance ses flèches vers le ciel** the spires of the cathedral soar into the sky
[3] (projeter) to throw out [*fumée, flammes, lave, étincelles*]; **~ des éclairs** [*yeux*] to flash; **~ mille feux** [*bijou*] to sparkle
[4] (émettre) to give [*regard, cri*]; to sing [*note*]; to put out [*rumeur*]; to issue [*avis, ultimatum, mandat d'amener*]; to send out [*SOS, invitation*]; to float [*emprunt, idée*]; **~ une proposition au hasard** to toss out a suggestion

l

5 (proférer) to hurl [*insulte*] (**à** at); to make [*menace, accusation*] (**contre** against); to let out [*juron*]; to crack [*plaisanterie*]; **~ une bêtise** to say something silly; **~ une accusation à qn** to level an accusation at sb; **il m'a lancé que** he told me that; **lança-t-il** he said; **'à demain!' lança-t-il** 'see you tomorrow!' he called; **lança-t-il avec désinvolture** he said casually
6 (mettre en route) to launch [*navire*]; to launch [*offensive, projet, enquête, affaire, campagne publicitaire*]; Comm, Pub to launch [*produit, marque, entreprise, chanteur*]; **~ qn dans une carrière** to launch sb on a career; **c'est le film qui l'a lancé** it's the film which made his name; **~ un pays sur la voie de la démocratisation** to put a country on the road to democracy; **~ qn sur un sujet** to start *ou* set sb off on a subject
7 (faire démarrer) to start up [*engine*]; to set [sth] going [*balancier, hélice*]; (faire accélérer) to take [sth] to full speed [*véhicule*]; **~ une voiture à 150 km/h** to take a car up to 150 kph; **une fois le véhicule lancé** once the vehicle has got up speed; **le train était lancé à fond** the train was tearing along; **~ un cheval** to give a horse its head; **~ sa monture au galop** to spur one's mount into a gallop
8 Gén Civ **~ un pont sur une rivière** to bridge a river, to throw a bridge across a river
C ○*vi* (élancer) to throb; **mon doigt me lance** my finger is throbbing
D se lancer *vpr* 1 (s'engager) **se ~ dans** to launch into [*explication*]; to embark on [*opération, programme, dépenses*]; to take up [*passe-temps, informatique, cuisine*]; **se ~ dans les affaires/le surgelé** to go into business/frozen foods; **se ~ dans la lecture d'un roman** to start reading a novel; **se ~ dans des dépenses** to get involved in expense; **se ~ dans l'inconnu** to venture into the unknown
2 (sauter) to leap, to jump; (s'élancer) **se ~ dans une course** to set off on a race; **se ~ à la conquête d'un pays/du marché** to set out to conquer a country/to get the market; **se ~ dans le vide** to leap *ou* jump into space; **se ~ du toit** to jump off the roof; **se ~ sur qn** to leap at sb, to fall on sb; **lance-toi!** fig go on (then)!; **j'hésitais mais je me suis quand même lancé** I hesitated but eventually I went ahead
3 (prendre de l'élan) to get a run-up; **recule pour que je me lance** move back a bit so I can get a run at it *ou* get up some speed
4 (s'envoyer) [*personnes*] (pour attraper) to throw [sth] to each other [*ballon, objet*]; (pour faire mal) to throw [sth] at each other [*pierre, projectile*]; to exchange [*injures, insultes*]
5 (se faire connaître) [*chanteur, acteur*] to make a name for oneself
(Composé) **~ franc** (au basket) free throw

lance-roquettes* /lɑ̃sʀɔkɛt/ *nm inv* rocket launcher; **~ multiple, LRM** multiple launch rocket system, MLRS

lance-satellites* /lɑ̃ssatelit/ *nm inv* satellite launcher

lance-torpilles* /lɑ̃stɔʀpij/ *nm inv* **tube ~** torpedo tube

lancette /lɑ̃sɛt/ *nf* 1 Méd lancet; 2 Archit lancet (arch)

lanceur, -euse /lɑ̃sœʀ, øz/
A *nmf* 1 Sport thrower; **~ de disque** discus thrower; 2 (en affaires) promoter
B *nm* Astronaut **~ (spatial)** launcher

lancier /lɑ̃sje/ *nm* Mil lancer

lancinant, ~e /lɑ̃sinɑ̃, ɑ̃t/ *adj* [*douleur*] nagging (*épith*), shooting (*épith*); [*musique, rythme*] insistent; [*problème*] nagging (*épith*)

lanciner /lɑ̃sine/ [1]
A *vtr* fig (tourmenter) [*idée, remords*] to torment [*personne*]; **le doute me lancine** I've got a nagging doubt
B *vi* lit **une douleur qui lancine** a nagging pain

lançon /lɑ̃sɔ̃/ *nm* sand eel

landais, ~e /lɑ̃dɛ, ɛz/
A *adj* **poulet/berger ~** Landes chicken/shepherd; **la forêt ~e** the forest of the Landes
B *nm,f* (natif) native of the Landes region; (habitant) inhabitant of the Landes region

landau /lɑ̃do/ *nm* 1 (d'enfant) pram GB, baby carriage US; 2 (voiture à cheval) landau

lande /lɑ̃d/ *nf* moor

Landes /lɑ̃d/ ▸ **p. 721** *nprfpl* (département) **les ~** the Landes

langage /lɑ̃gaʒ/ *nm* language; **le ~ des abeilles/fleurs** the language of bees/flowers; **elle m'a tenu un tout autre ~** she said something completely different to me; **faire entendre le ~ de la raison** to speak with the voice of reason
(Composés) **~ administratif** bureaucratic language, official jargon; **~ d'assemblage** assembler language, assembly language; **~ chiffré** code; **~ journalistique** journalese; **~ machine** machine language (code); **~ objet** object language; **~ procédural** Ordinat procedural language; **~ de programmation** programming[GB] language; **~ des sourds-muets** sign language

langagier, -ière /lɑ̃gaʒje, ɛʀ/ *adj* [*activité, rapports*] linguistic; [*structure*] language (*épith*); [*habitudes*] speech (*épith*)

lange /lɑ̃ʒ/ *nm* 1 (pour emmailloter) swaddling clothes (*pl*); 2 (couche de change) nappy GB, diaper US
(Idiome) **être dans les ~s** to be in its infancy

langer /lɑ̃ʒe/ [13] *vtr* 1 (emmailloter) to wrap [sb] in swaddling clothes [*bébé*]; 2 (mettre une couche) to put a nappy GB *ou* diaper US on [*bébé*]

langoureusement /lɑ̃guʀøzmɑ̃/ *adv* [*embrasser, s'étirer*] languorously

langoureux, -euse /lɑ̃guʀø, øz/ *adj* [*yeux, voix, musique*] languorous

langouste /lɑ̃gust/ *nf* spiny lobster, rock lobster GB, crawfish GB

langoustier /lɑ̃gustje/ *nm* (filet) lobster pot; (bateau) lobster boat

langoustine /lɑ̃gustin/ *nf* langoustine, scampi

langue /lɑ̃g/ *nf* 1 Anat tongue; **avoir la ~ blanche** *or* **chargée** to have a coated *ou* furred tongue; **tirer la ~** (comme insulte) to stick out one's tongue (**à qn** at sb); (au médecin) to put out one's tongue; (avoir soif) to be dying of thirst; (avoir des problèmes d'argent) to struggle financially; **donner des coups de ~** to lick; **se passer la ~ sur les lèvres** to lick one's lips; ▸ **chat, sept**; 2 Ling (système) language; (discours) speech; **aimer les ~s** to love languages; **~ vivante** gén living language; (comme matière) modern language; **~ morte** dead language; **~ officielle/étrangère** official/foreign language; **~ artificielle/naturelle** artificial/natural language; **~ écrite/parlée** written/spoken language; **en ~ familière/populaire/soutenue** in informal/popular/formal speech; **en ~ vulgaire** in vulgar language; **professeur/centre de ~s** language teacher/centre[GB]; **la ~ de Racine** the language of Racine; **les industries de la ~** language industries; **ne pas parler la même ~** lit, fig not to speak the same language; **en ~ anglaise** in English; **être un écrivain de ~ anglaise** to write in English; **radio/journal de ~ anglaise** English-language radio/newspaper; **les pays de ~ anglaise** English-speaking countries; 3 (personne) **les ~s vont aller bon train** people will talk; **mauvaise** *or* **méchante ~** malicious gossip; **être mauvaise ~** to be a malicious gossip; **être/avoir une ~ de vipère** to be/have a wicked tongue; 4 (forme allongée) **~ de terre** spit of land; **~ de feu** liter tongue of flame littér
(Composés) **~ d'apprentissage** foreign language; **~ d'arrivée** target language; **~ de bœuf** ox tongue; **~ de bois** political cant; **~ cible** = **~ d'arrivée**; **~ de départ** source language; **~ maternelle** mother tongue; **~ d'origine** native language; **~ source** = **~ de départ**; **~ verte** slang
(Idiomes) **avoir la ~ bien pendue**○ to be very talkative; **avoir la ~ bien affilée** to have a vicious tongue; **les ~s sont bien affilées aujourd'hui** the knives are out today; **tenir sa ~** to hold one's tongue; **avoir la ~ trop longue** to be unable to keep one's mouth shut; **ça lui brûle la ~** he's dying○ to talk about it; **avoir qch sur le bout de la ~** to have sth on the tip of one's tongue; **prendre ~ avec qn** fml to make contact with sb

langue-de-chat, *pl* **langues-de-chat** /lɑ̃gdəʃa/ *nf* langue de chat (*long thin finger biscuit*)

Languedoc /lɑ̃gdɔk/ ▸ **p. 721** *nprm* **le ~** the Languedoc

languedocien, -ienne /lɑ̃gdɔsjɛ̃, ɛn/ ▸ **p. 721**
A *adj* of the Languedoc
B *nm,f* (natif) native of the Languedoc; (habitant) inhabitant of the Languedoc

Languedoc-Roussillon /lɑ̃gdɔkʀusijɔ̃/ ▸ **p. 721** *nprm* **le ~** (the) Languedoc-Roussillon

languette /lɑ̃gɛt/ *nf* 1 (de soulier) tongue; (de cartable) strap; (de fermoir) flap; (de pain, jambon) long narrow strip; **découpez en ~s** cut in strips; 2 Mus, Tech tongue

langueur /lɑ̃gœʀ/ *nf* languor; **être pris de ~** [*personne*] to be overcome with languor; [*économie*] to be torpid; **la Bourse est prise de ~** the stock market is sluggish; **des yeux pleins de ~** languid eyes

languide /lɑ̃gid/ *adj* languid

languir /lɑ̃giʀ/ [3]
A *vi* 1 (manquer d'énergie) [*personne, conversation*] to languish; [*économie*] to be sluggish; **~ dans l'incertitude/d'ennui** to languish in uncertainty/in boredom; 2 (souffrir d'attendre) **~ après qn** to pine for sb; **~ d'amour pour qn** to be pining with love for sb; **je languis de vous revoir** I'm longing to see you; **faire ~ qn** to keep sb in suspense; **ne me fais pas ~** don't keep me in suspense; 3 †liter (s'étioler) [*personne*] to languish littér; [*plante*] to wither
B se languir *vpr* to pine (**de** for)

languissant, ~e /lɑ̃gisɑ̃, ɑ̃t/ *adj* 1 (sans entrain) [*personne*] listless; [*économie, commerce*] sluggish; [*conversation, récit*] listless; 2 liter [*regard*] lovesick

lanière /lanjɛʀ/ *nf* (pour attacher) strap; (de fouet) lash; **découper en ~s** to cut up into strips

lanoline /lanɔlin/ *nf* lanolin; **savon à la ~** lanolin soap

lanterne /lɑ̃tɛʀn/ *nf* 1 (lampe) lantern; ▸ **vessie**; 2 Aut (feu de position) sidelight GB, parking light US; 3 Archit lantern; 4 ○(personne lente) slowcoach○
(Composés) **~ magique** magic lantern; **~ sourde** dark lantern; **~ vénitienne** Chinese lantern
(Idiomes) **être la ~ rouge** to bring up the rear; **notre entreprise est la ~ rouge de la région** our company is bringing up the rear in the region; **éclairer la ~ de qn** to enlighten sb (**sur qch** about sth); **à la ~!** hang 'm high!

lanterneau, *pl* **~x** /lɑ̃tɛʀno/ *nm* 1 Archit lantern; 2 (de toit de caravane) skylight

lanterner○ /lɑ̃tɛʀne/ [1] *vi* to dawdle○

lanternon /lɑ̃tɛʀnɔ̃/ *nm* Archit lantern

lanthane /lɑ̃tan/ *nm* lanthanum

Laos /laɔs/ ▸ **p. 333** *nprm* Laos

laotien, -ienne /laɔsjɛ̃, ɛn/ ▸ **p. 483, p. 561**
A *adj* Géog Laotian
B *nm* Ling Laotian

Laotien, -ienne /laɔsjɛ̃, ɛn/ ▸ **p. 561** *nm,f* Laotian

Lao-Tseu /laɔtsø/ *npr* Lao-Tzu

La Palice /lapalis/ *npr* **une vérité de ~** a truism

lapalissade /lapalisad/ *nf* truism

ℹ Les langues

■ *Les adjectifs comme* anglais *peuvent aussi qualifier des personnes:* un touriste anglais (▸ p. 561) *et des choses:* la cuisine anglaise (▸ p. 333). *Dans les expressions suivantes,* English *est pris comme exemple; les autres noms de langues s'utilisent de la même façon.*

Les noms de langues

■ *L'anglais n'utilise pas l'article défini devant les noms de langues. Noter aussi l'emploi de la majuscule, obligatoire en anglais.*

apprendre l'anglais
= to learn English

étudier l'anglais
= to study English

l'anglais est facile
= English is easy

j'aime l'anglais
= I like English

parler anglais
= to speak English

parler couramment l'anglais
= to speak good English
ou to speak English fluently

je ne parle pas très bien l'anglais
= I don't speak very good English
ou my English isn't very good

En avec les noms de langues

■ *Avec un verbe,* en anglais *se traduit par* in English*:*

dis-le en anglais
= say it in English

■ *Après un nom,* en anglais *se traduit par* in English *ou par l'adjectif* English. *Noter l'emploi de la majuscule, obligatoire pour l'adjectif et le nom.*

un livre en anglais
= a book in English *ou* an English book*

une émission en anglais
= an English-language broadcast

* *Noter que* an English book *est ambigu, tout comme* un livre français, *qui peut signifier* un livre en français *ou* un livre qui vient de France.

Mais attention:

traduire en anglais
= to translate into English

De avec les noms de langues

■ *Les expressions françaises avec* de *se traduisent en général en utilisant l'adjectif.*

un cours d'anglais
= an English class

un dictionnaire d'anglais
= an English dictionary

une leçon d'anglais
= an English lesson

un manuel d'anglais
= an English textbook

un professeur d'anglais
= an English teacher

■ *Noter que ceci peut signifier aussi* un professeur anglais. *Pour éviter l'ambiguïté, on peut dire* a teacher of English.

La traduction de l'adjectif français

l'accent anglais
= an English accent

une expression anglaise
= an English expression

la langue anglaise
= the English language

un mot anglais
= an English word

un proverbe anglais
= an English proverb

■ *L'anglais a peu d'équivalents simples des adjectifs et des noms français en* -phone.

un arabophone
= an Arabic speaker

il est arabophone
= he is an Arabic speaker

l'Afrique anglophone
= English-speaking Africa

laparoscopie /lapaʀɔskɔpi/ *nf* laparoscopy

laparotomie /lapaʀɔtɔmi/ *nf* laparotomy

lapement /lapmɑ̃/ *nm* lapping ¢

laper /lape/ [1] *vtr* to lap (up) [*soupe, lait*]

lapereau, *pl* **~x** /lapʀo/ *nm* young rabbit

lapidaire /lapidɛʀ/
A *adj* **1** fig [*commentaire, formule*] pithy; [*style*] pithy, lapidary sout; **2** lit [*inscription*] lapidary
B ▸ p. 532 *nm* (profession) lapidary

lapidation /lapidasjɔ̃/ *nf* stoning

lapider /lapide/ [1] *vtr* **1** (tuer) to stone [sb] to death [*personne*]; **être lapidé** to be stoned to death; **2** (attaquer) to throw stones at [*personne*]

lapin /lapɛ̃/ *nm* **1** (animal, viande) rabbit; **faire du ~ à la moutarde/aux olives** to cook rabbit with mustard/with olives; **le coup du ~** (coup asséné) rabbit punch; (choc en voiture) whiplash injury; **cage** *or* **cabane à ~s** lit rabbit hutch; fig○ (immeuble) tower block; **2** (fourrure) rabbit(skin); **manteau de** *or* **en ~** rabbit(skin) coat; **3** ○(terme d'affection) dear; **ça va mon (petit) ~?** how are you, dear?; ▸ **pet**
(Composés) **~ angora** angora rabbit; **~ de garenne** wild rabbit; **~ nain** dwarf rabbit
(Idiomes) **se reproduire comme des ~s**○ to breed like rabbits; **poser un ~ à qn**○ to stand sb up; **courir comme un ~** to be in great shape; **tirer qn comme un ~** to take potshots at sb; **se faire tirer comme des ~s**○ to be picked off like flies; **c'est un chaud ~**○ he's a randy devil

lapine /lapin/ *nf* doe rabbit

lapis lazuli /lapislazyli/ *nm inv* lapis lazuli

lapon, ~e /lapɔ̃, ɔn/ ▸ p. 483
A *adj* Géog Lapp
B *nm* Ling Lapp

Lapon, ~e /lapɔ̃, ɔn/ *nm,f* Lapp

Laponie /laponi/ ▸ p. 721 *nprf* **la ~** Lapland

laps /laps/ *nm inv* **~ de temps** period of time

lapsus /lapsys/ *nm inv* slip; **~ révélateur** Freudian slip

laquage /lakaʒ/ *nm* (application de vernis) lacquering; (application de peinture) application of gloss paint GB *ou* enamel US; **pour le ~ des portes, choisissez** when choosing gloss paint for your doors, use

laquais /lakɛ/ *nm inv* lackey

laque /lak/
A *nm* Art piece of lacquerware
B *nf* **1** Cosmét hairspray; **2** (résine, vernis) lacquer; (peinture) gloss paint GB, enamel US

laqué, ~e /lake/
A *pp* ▸ **laquer**
B *pp adj* **1** [*cheveux*] lacquered; [*ongles*] lacquered, varnished; **2** [*peinture*] gloss; **les portes sont ~es gris** the doors are painted with grey GB *ou* gray US gloss paint GB *ou* enamel US; **3** Culin **canard ~** Peking duck; **porc ~** roast glazed pork

laquelle /lakɛl/ *pron f, adj* ▸ **lequel**

laquer /lake/ [1]
A *vtr* to lacquer [*meuble*]; to paint [sth] in gloss GB *ou* enamel US [*porte*]
B se laquer *vpr* **se ~ les cheveux** to put hairspray on one's hair

larbin○ /laʀbɛ̃/ *nm* pej **1** (domestique) servant; fig flunkey; **2** (faible) doormat○

larcin /laʀsɛ̃/ *nm* **1** (vol) petty theft; **2** (produit du vol) spoils (*pl*)

lard /laʀ/ *nm* ≈ fat streaky bacon; **~ maigre/fumé** streaky/smoked bacon; ▸ **gros**
(Idiomes) **faire du ~**○ to pile on○ weight GB, to put on weight; **je ne savais pas si c'était du ~ ou du cochon** I didn't know what to think

larder /laʀde/ [1] *vtr* **1** Culin to lard (**de** with); **un rôti lardé** a larded joint GB *ou* roast US; **2** fig, pej **~ un texte de citations** to cram a text with quotations
(Idiome) **~ qn de coups de couteau** to stab sb repeatedly

lardoire /laʀdwaʀ/ *nf* larding-needle

lardon /laʀdɔ̃/ *nm* **1** Culin bacon cube; **frisée aux ~s** frisée lettuce with bacon cubes; **2** ○(enfant) kid○, brat○ péj, child

lares /laʀ/ *nmpl* lares

largable /laʀgabl/ *adj* [*capsule*] separable; **réservoir ~** drop tank

largage /laʀgaʒ/ *nm* **1** Mil (de bombe) dropping; (de parachutistes) drop; **2** Astronaut jettisoning

large /laʀʒ/
A *adj* **1** ▸ p. 498 (de grande dimension) [*front, épaules, hanches, paumes, nez*] broad; [*couloir, avenue, rivière, lit*] wide; [*sillon*] broad; [*manteau*] loose-fitting; [*pantalon*] loose; [*jupe, cape*] full; [*chandail*] big; [*geste, mouvement*] sweeping; [*sourire*] broad; [*courbe, détour*] long; **une caisse aussi ~ que haute** a box as wide as it is high; **faire de ~s gestes des bras** to make sweeping gestures with one's arms; **former un ~ cercle** to form a big circle; **être ~ d'épaules/de hanches** to have broad shoulders/hips; **être ~ de trois mètres** to be three metres[GB] wide; **2** (important) [*avance, bénéfice*] substantial; [*choix, gamme, public*] wide; [*concertation, coalition*] broad; [*extrait, majorité*] large; **remporter une ~ victoire** to win by a wide margin; **dans une ~ mesure, pour une ~ part** to a large extent; **au sens ~** in a broad sense; **prendre une ~ part dans qch** to take a large part in sth; **bénéficier d'un ~ soutien** to have widespread support; **3** (généreux) [*personne*] generous (**avec** to); **4** (aisé) [*vie*] comfortable; **mener une existence ~** to live very comfortably; **5** (ouvert) **avoir les idées ~s, être ~ d'idées** to be broad-minded, to be liberal; **avoir l'esprit ~, être ~ d'esprit** to be broad-minded
B *adv* **1** (généreusement) [*prévoir*] on a generous scale; [*calculer, mesurer*] on the generous side; **il vaut mieux prévoir ~** it's better to plan on a generous scale; **et quand je dis dix je suis ~**○**!** and when I say ten I'm erring on the generous side!; **trois kilos de spaghetti, tu as vu ~**○ three kilos of spaghetti, you don't

believe in skimping, do you?; 2 Mode **s'habiller** ~ to wear loose-fitting clothes; **un modèle qui chausse** ~ a wide-fitting shoe
C nm 1 (largeur) **faire quatre mètres de** ~ to be four metres[GB] wide; **un ruban de deux centimètres de** ~ a ribbon five centimetres[GB] wide; **être au** ~○ to have plenty of room; 2 Naut open sea; **gagner le** ~ to reach the open sea; **au** ~ offshore; **au** ~ **de Marseille/des côtes bretonnes** off Marseilles/the coast of Brittany; **l'air/le vent du** ~ the sea air/breeze; **prendre le** ~ Naut to sail; fig○ to make oneself scarce○; ▸ **grand**
(Idiome) **ne pas en mener** ~○ to be worried stiff○
largement /laʀʒəmɑ̃/ adv 1 (massivement) [*admis, approuvé, représenté*] widely; [*disperser, irriguer, répandre*] widely; **le rapport a été très** ~ **approuvé** the report was very widely approved; **opinion/croyance** ~ **répandue** widely held opinion/belief; **l'auteur le plus** ~ **connu à l'étranger** the author most widely known abroad; **se prononcer** ~ **en faveur de/contre qch** to pronounce oneself largely in favour[GB] of/against sth; **un auteur** ~ **méconnu** a virtually unknown author; 2 (en grande partie) largely, to a large extent; **l'amélioration est** ~ **due à la restructuration** the improvement is due to a large extent to restructuring; **être** ~ **responsable de qch** to be largely responsible for sth; 3 (nettement) **l'opposition a** ~ **remporté les élections** the opposition won the elections by a wide margin; **être** ~ **vainqueur** to win by a comfortable margin; **être** ~ **majoritaire** to have a comfortable majority; **arriver** ~ **en tête** to be a clear winner; ~ **en dessous/au-dessus de la limite** well under/over the limit; ~ **supérieur à la moyenne** well over the average; ~ **périmé** well over the date of expiry; ~ **sous-estimé** very underestimated; ~ **satisfait** very satisfied; **il dépasse** ~ **les autres** (en taille) he's much taller than the others; **couvrir** ~ **le genou** to cover one's knees comfortably; 4 (amplement) **tu as** ~ **le temps** you've got plenty of time; **'tu crois que j'ai assez d'argent?'—'~!'** 'do you think I've got enough money?'–'plenty!'; **ils ont** ~ **de quoi vivre** they've got more than enough to live on; **c'est** ~ **suffisant, cela suffit** ~ that's more than enough, that's plenty; **la croissance dépasse** ~ **nos prévisions** growth is greatly exceeding our forecasts; 5 (au moins) easily; **ma valise pesait** ~ **15 kilos** my suitcase easily weighed 15 kilos; **une chaîne en or vaudrait** ~ **le double** a gold chain would easily be worth double; 6 (généreusement) [*indemniser, subventionner, contribuer*] generously; **être** ~ **rémunéré** to be very generously paid; 7 (dans l'aisance) [*vivre*] comfortably; 8 (en grand) ~ **ouvert** [*fenêtre, porte, tiroir*] wide open; [*col, veste*] open; **ouvrir** ~ **la fenêtre** to open the window wide; **ouvrir** ~ **les portes de qch** to throw wide the gates of sth; **notre parti est** ~ **ouvert aux jeunes** our party welcomes young people
largesse /laʀʒɛs/
A nf generosity, largesse sout; **être d'une grande** ~ **avec qn** to be very generous with sb
B largesses nfpl generous gifts; **répandre ses** ~**s** to give lavishly
largeur /laʀʒœʀ/ nf 1 ▸ p. 498 (dimension) gén width, breadth; (en géométrie) breadth; **occuper toute la** ~ **de qch** to take up the full width of sth; **ce tissu existe en différentes** ~**s** this material comes in different widths; **en petite/grande** ~ in a narrow/broad width; **une lame de deux centimètres de** ~ a blade two centimetres[GB] wide; **être rayé/déchiré sur toute la** ~ to be scratched/torn right across; **dans le sens de la** ~ widthwise; 2 (ouverture) ~ **d'esprit** or **de vues** broad-mindedness; **faire preuve d'une grande** ~ **d'esprit** to show considerable broad-mindedness
(Idiome) **se faire avoir dans les grandes** ~**s**○ to be taken in hook, line and sinker○
largo /laʀgo/ adj, adv largo
largué, ~**e** /laʀge/
A pp ▸ **larguer**
B pp adj 1 ○(dépassé) (par un raisonnement) lost; (par les événements) out of touch; 2 ○(marginal) spaced out○
larguer /laʀge/ [1] vtr 1 Mil, Aviat to drop [*bombe, missile*]; to drop [*parachutiste*]; to release [*satellite, navette*]; 2 Naut to launch [*vedette*]; to unfurl [*voile*]; ~ **les amarres** lit to cast off; fig to set off; 3 ○(abandonner) to give up [*études, appartement*]; to leave [*travail*]; to chuck○, to leave [*petit ami*]; to drop [*projet*]; **se faire** ~ to get chucked (**par qn** by sb); 4 ○(dépasser) to outstrip [*concurrent*]
larme /laʀm/ nf 1 Physiol tear; **en** ~**s** in tears; **avoir les** ~**s aux yeux** to have tears in one's eyes; **au bord des** ~**s** close to tears; **le film m'a fait venir les** ~**s aux yeux** the film brought tears to my eyes; **y aller de sa (petite)** ~ to shed a little tear; **tirer des** ~**s à qn** to move sb to tears; **retenir ses** ~**s** to hold back one's tears; **il n'a pas versé une** ~ he didn't shed a tear; **fondre en** ~**s** to burst into tears; **elle a ri aux** ~**s** she laughed till she cried; **pleurer à chaudes** ~**s** to cry as though one's heart would break; **passer du rire aux** ~**s** to be laughing one minute and crying the next; **avoir la** ~ **facile** to cry at the slightest thing; **avoir la** ~ **à l'œil** to be a bit weepy; **pleurer toutes les** ~**s de son corps** to cry one's eyes out; **avoir des** ~**s dans la voix** to speak with a catch in one's voice; 2 ○(petite quantité) drop (**de** of)
(Composé) ~**s de crocodile** crocodile tears; **verser des** ~**s de crocodile** to shed crocodile tears
larmier /laʀmje/ nm dripstone
larmoiement /laʀmwamɑ̃/ nm 1 Physiol watering of the eyes; 2 (pleurnicherie) snivelling[GB]
larmoyant, ~**e** /laʀmwajɑ̃, ɑ̃t/ adj 1 (qui pleure) [*personne*] tearful; [*yeux*] full of tears (*après n*); 2 (qui veut attendrir) [*ton, voix*] whining; [*discours*] maudlin; [*personne*] snivelling[GB]
larmoyer /laʀmwaje/ [23] vi 1 Physiol [*yeux*] to water; **la fumée me fait** ~ **(les yeux)** smoke makes my eyes water; 2 (pleurnicher) to whine (**sur qch** about sth; **chez qn** to sb)
larron /laʀɔ̃/ nm 1 hum scoundrel; 2 thief; **les deux** ~**s** the two thieves
(Idiomes) **s'entendre comme** ~**s en foire** to be as thick as thieves; **l'occasion fait le** ~ Prov opportunity makes the thief
larsen /laʀsɛn/ nm **(effet)** ~ audio feedback
larvaire /laʀvɛʀ/ adj 1 fig [*état*] embryonic; 2 Zool [*phase, migration*] larval
larve /laʀv/ nf 1 Zool larva; 2 (être humain) péj (sans volonté) wimp○; (sans dignité) worm péj
larvé, ~**e** /laʀve/ adj 1 gén latent; 2 Méd atypical
laryngé, ~**e** /laʀɛ̃ʒe/ adj laryngeal
laryngectomie /laʀɛ̃ʒɛktɔmi/ nf laryngectomy
laryngien, **-ienne** /laʀɛ̃ʒjɛ̃, ɛn/ adj = **laryngé**
laryngite /laʀɛ̃ʒit/ ▸ p. 283 nf laryngitis
laryngologie /laʀɛ̃gɔlɔʒi/ nf laryngology
laryngologiste /laʀɛ̃gɔlɔʒist/ nmf, **laryngologue** /laʀɛ̃gɔlɔg/ ▸ p. 532 nmf laryngologist
laryngoscope /laʀɛ̃gɔskɔp/ nm laryngoscope
laryngoscopie /laʀɛ̃gɔskɔpi/ nf laryngoscopy
laryngotomie /laʀɛ̃gɔtɔmi/ nf laryngotomy
larynx /laʀɛ̃ks/ nm inv larynx
las, **lasse** /lɑ, lɑs/
A adj weary (**de** of); ~ **de la vie/de vivre** weary of life/of living
B las† excl alas†!
lasagnes* /lazaɲ/ nfpl lasagna ₵; **des** ~ **délicieuses** a delicious lasagna
lascar○ /laskaʀ/ nm (gaillard) fellow; (débrouillard) crafty devil; (enfant) devil
lascif, **-ive** /lasif, iv/ adj liter [*personne, pose, regard*] lascivious; [*tempérament*] lustful
lascivement /lasivmɑ̃/ adv liter lasciviously
lascivité /lasivite/ nf liter lasciviousness
laser /lazɛʀ/ nm laser; **faisceau** ~ laser beam; **imprimante à** ~ laser printer
laserothérapie /lazɛʀoteʀapi/ nf laser treatment
lassant, ~**e** /lasɑ̃, ɑ̃t/ adj 1 (ennuyeux) [*discours*] tedious; [*reproches*] tiresome; 2 (fatigant) tiring
lasser /lɑse/ [1]
A vtr (ennuyer) to bore [*personne, audience*]; (excéder) to weary [*personne, audience*]; **elle nous lasse avec ses jérémiades** she wears us out with her moaning; **ces discours commencent à les** ~ they are becoming tired of these speeches; ~ **la patience/bonne volonté de qn** to exhaust sb's patience/goodwill
B se lasser vpr 1 [*personne*] to grow tired (**de qn/qch** of sb/sth; **de faire** of doing); **sans se** ~ (infatigablement) without tiring; (patiemment) tirelessly; 2 [*patience*] to wear thin; [*enthousiasme, attention*] to flag
(Idiome) **tout passe, tout lasse, tout casse** nothing lasts forever
lassitude /lasityd/ nf weariness; **par** ~ from sheer weariness; **avec** ~ wearily
lasso /laso/ nm lasso; **prendre au** ~ to lasso
lasure /lazyʀ/ nf timber preservative
lasurer /lazyʀe/ [1] vtr to apply timber preservative to
latence /latɑ̃s/ nf latency; **période de** ~ Méd latent period; Psych latency (period); fig initial period
latent, ~**e** /latɑ̃, ɑ̃t/ adj [*danger, maladie, possibilités*] latent; [*angoisse, jalousie*] underlying; **à l'état** ~ in a latent state
latéral, ~**e**, mpl **-aux** /lateʀal, o/ adj 1 (sur le côté) [*porte, sortie*] side (*épith*); (parallèle) [*nef, tunnel*] lateral; 2 fig [*problème, objectif*] parallel; 3 Phon lateral
latéralement /lateʀalmɑ̃/ adv 1 lit (de côté) [*arriver*] from the side; (sur le côté) [*placer, s'agrandir*] sideways, laterally; 2 (indirectement) indirectly
latéralisation /lateʀalizasjɔ̃/ nf lateralization
latérite /lateʀit/ nf laterite
latex /latɛks/ nm inv latex
latin, ~**e** /latɛ̃, in/
A adj 1 Antiq [*auteurs, textes*] Latin; 2 (méditerranéen) [*tempérament*] Latin; [*culture*] Mediterranean; 3 Ling **langues** ~**es** Romance languages; 4 Relig [*église, croix, rite*] Latin
B ▸ p. 483 nm Ling Latin; ~ **de cuisine** péj dog Latin; ~ **populaire** or **vulgaire** Vulgar Latin; **bas** ~ low Latin
(Idiome) **c'est à y perdre son** ~ one can't make head or tail of it
Latin, ~**e** /latɛ̃, in/ nm,f Latin; **les** ~**s** the Latin people
latinisation /latinizasjɔ̃/ nf latinization
latiniser /latinize/ [1] vtr to latinize
latinisme /latinism/ nm Latinism
latiniste /latinist/ nmf Latinist
latinité /latinite/ nf 1 Ling (de style) latinity; 2 (de culture) Latin character; 3 (monde latin) **l'étendue de la** ~ the extent of Latin civilization
latino-américain, ~**e**, mpl ~**s** /latinoameʀikɛ̃, ɛn/ adj Latin-American
Latino-Américain, ~**e**, mpl ~**s** /latinoameʀikɛ̃, ɛn/ nm,f Latin American
latitude /latityd/
A nf 1 Astron, Géog latitude; **à 35° de** ~ **nord** at a latitude of 35° north; **par 38° de** ~ **nord** at

latitude 38° north; **2▸** (liberté) latitude; **disposer d'une grande/d'une certaine ~** to have a great deal of/a certain amount of latitude; **avoir toute ~ de faire qch** to be entirely free to do sth; **donner** *or* **laisser toute ~ à qn (pour faire qch)** to give sb a free hand (to do sth)

B latitudes *nfpl* (régions, climats) latitudes; **sous nos ~s** in these latitudes; **sous toutes les ~s** in all parts of the world

latitudinaire /latitydinɛʀ/ *adj, nmf* latitudinarian

latrines /latʀin/ *nfpl* latrines

lattage /lataʒ/ *nm* lathing

latte /lat/ *nf* **1▸** Constr (de plafond, mur) lath; (de plancher) board; **2▸** (de sommier, siège) slat; **3▸** ◑(chaussure) shoe; **coup de ~** boot up the backside○ GB, kick in the butt◑ US; **4▸** ○(ski) ski

latter /late/ [1] *vtr* to lath

lattis /lati/ *nm inv* lathing

laudanum /lodanɔm/ *nm* laudanum

laudateur, -trice /lodatœʀ, tʀis/ fml

A *adj* laudatory sout

B *nm,f* adulator

laudatif, -ive /lodatif, iv/ *adj* laudatory

lauréat, ~e /lɔʀea, at/ *nm,f* **1▸** (de compétition) winner; **~ d'un prix** prizewinner; **une ~e du prix Nobel** a Nobel prizewinner; **2▸** Scol, Univ successful candidate

laurier /lɔʀje/

A *nm* **1▸** Bot laurel; **~ commun** bay (tree); **2▸** Culin **feuille de ~** bay leaf; **ajouter du ~** add some bay leaves

B lauriers *nmpl* laurels; **se couvrir de ~s** [*soldat*] to distinguish oneself; [*écrivain*] to win many awards; [*candidat*] to perform outstandingly; **s'endormir** *or* **se reposer sur ses ~s** to rest on one's laurels

laurier-cerise, *pl* **lauriers-cerises** /lɔʀjesəʀiz/ *nm* cherry laurel

laurier-rose, *pl* **lauriers-roses** /lɔʀjeʀoz/ *nm* oleander

laurier-sauce, *pl* **lauriers-sauce** /lɔʀjesos/ *nm* **1▸** Bot bay (tree); **2▸** Culin bay leaf

laurier-tin, *pl* **lauriers-tins** /lɔʀjetɛ̃/ *nm* viburnum

lavable /lavabl/ *adj* washable; **~ en machine** machine washable

lavabo /lavabo/

A *nm* (cuvette) washbasin, washbowl

B lavabos *nmpl* euph lavatory (*sg*)

lavage /lavaʒ/ *nm* **1▸** (de linge, sol, mains) washing; (de plaie) cleaning; **le ~ des vitres** window cleaning; **2▸** (cycle de machine à laver) wash; **un ~** a wash; **après trois ~s la tache est partie** after three washes the stain disappeared; **3▸** Tech washing

(Composés) **~ de cerveau** brainwashing; **faire du ~ de cerveau à qn** to brainwash sb; **~ d'estomac** *or* **gastrique** stomach washout; **faire un ~ d'estomac à qn** to pump sb's stomach (out); **on m'a fait un ~ d'estomac** I had my stomach pumped (out)

lavallière /lavaljɛʀ/ *nf* floppy necktie

lavande /lavɑ̃d/ ▸ **p. 202**

A *adj inv* lavender; **bleu ~** lavender blue

B *nf* lavender; **essence de ~** oil of lavender

lavandière /lavɑ̃djɛʀ/ *nf* **1▸** (oiseau) wagtail; **2▸** ▸ **p. 532** (blanchisseuse) washerwoman

lavasse /lavas/

A *adj* [*couleur*] wishy-washy

B ○*nf* **c'est de la ~** (soupe, café) it tastes like dishwater

lave /lav/ *nf* lava ₵; **coulée de ~** lava flow

lavé, ~e /lave/ *adj* [*couleur*] watery; **dessin ~** wash drawing

lave-auto, *pl* **~s** /lavoto/ *nm* Can (station de lavage) car wash

lave-glace, *pl* **~s** /lavglas/ *nm* windscreen GB *ou* windshield US washer

lave-linge* /lavlɛ̃ʒ/ *nm inv* washing machine

lave-mains* /lavmɛ̃/ *nm inv* wash-hand basin

lavement /lavmɑ̃/ *nm* Méd enema; **~ baryté** barium enema; **faire un ~ à qn** to give sb an enema; **on lui a fait un ~** he was given an enema

laver /lave/ [1]

A *vtr* **1▸** (nettoyer) to wash [*vêtement, enfant, voiture*]; **~ qch à l'eau froide** to wash sth in cold water; **~ son linge** to do one's washing; **il lave et je repasse** he does the washing and I do the ironing; **~ la vaisselle** to do the dishes, to do the washing-up GB; **~ qch à grande eau** to wash sth down; **~ qch au jet** to hose sth down; **~ une surface avec une éponge** to wash a surface with a sponge; **~ qch à la brosse** to scrub sth; **~ ses carreaux** to clean one's windows; ▸ **linge**; **2▸** (désinfecter) to clean [*plaie*]; **~ son organisme** to clean out one's system; **3▸** liter [*pluie, orage*] to wash [*rue, ciel*]; **4▸** (innocenter) to clear ; **~ qn d'une accusation/d'un soupçon** to clear sb of an accusation/of a suspicion; **5▸** (venger) liter to wash away [*humiliation, péché*]; **~ qch dans le sang** [*injure, outrage*] to exact retribution in blood for sth; **6▸** Art to wash

B se laver *vpr* **1▸** (soi-même) to wash; **je vais me ~** I'm going to wash *ou* to have a wash; **se ~ la tête/les mains** to wash one's hair/one's hands; **se ~ les dents** to brush one's teeth; **se ~ d'un affront** liter to exact retribution for an insult littér; **2▸** [*tissu, vêtement*] to be washable; **se ~ à l'eau froide** to be washable in cold water; **se ~ facilement** to be easy to wash; **se ~ en machine** to be machine washable

(Idiome) **se ~ les mains de qch** to wash one's hands of sth; **je m'en lave les mains** I'm washing my hands of it

laverie /lavʀi/ *nf* **1▸** (blanchisserie) **~ (automatique)** launderette, laundromat® US; **2▸** Minér washery

lavette /lavɛt/ *nf* **1▸** (pour la vaisselle) dishcloth, dishrag US; **2▸** ○pej (personne) wimp○ péj; **3▸** Helv (de toilette) flannel GB, wash cloth US

laveur, -euse /lavœʀ, øz/ ▸ **p. 532** *nm,f* gén cleaner; **~ de carreaux/voitures** window/car cleaner

lave-vaisselle* /lavvɛsɛl/ *nm inv* dishwasher

lavis /lavi/ *nm inv* **1▸** (technique) wash; **faire un dessin au ~** to do a wash drawing; **2▸** (dessin) wash drawing

lavoir /lavwaʀ/ *nm* **1▸** (pour la lessive) wash house; **2▸** Minér washery

laxatif, -ive /laksatif, iv/

A *adj* laxative

B *nm* laxative

laxisme /laksism/ *nm* **1▸** laxity; **faire preuve de ~ à l'égard de qn** to be too lax with sb; **2▸** Relig Laxism

laxiste /laksist/

A *adj* **1▸** lax (**à l'égard de, avec** with); **2▸** Relig Laxist

B *nmf* **c'est un ~** he is lax

layette /lɛjɛt/ *nf* baby clothes (*pl*), layette; **rayon ~** babywear department

layon /lɛjɔ̃/ *nm* track

Lazare /lazaʀ/ *npr* Lazarus

lazaret /lazaʀɛ/ *nm* (dans un port) lazaret; (dans un hôpital) isolation ward

lazulite /lazylit/ *nf* lazulite

lazzi* /ladzi/ *nmpl* jeer; **être accueilli par des ~ de la foule** to be greeted by the jeers of the crowd

le, la¹ (**l'** *before vowel or mute h*), *pl* **les** /lə, la, l, lɛ/

A *art déf* **1▸** (avec complément de nom) **la jupe/fille de ma sœur** my sister's skirt/daughter; **les chapitres du livre** the chapters of the book; **la table de la cuisine** the kitchen table; **2▸** (en parlant d'une personne) **il est arrivé les mains dans les poches** he came with his hands in his pockets; **elle s'est cogné ~ bras** she banged her arm; **elle m'a pris par ~ bras** she took me by the arm; **elle a reçu une tomate dans l'œil** a tomato hit her in the eye; **3▸** (avec un nom d'espèce) **l'homme préhistorique/de Cro-Magnon** prehistoric/Cro-Magnon man; **l'araignée n'est pas un insecte** spiders are not insects, the spider isn't an insect; **les droits de l'enfant** children's rights; **elle aime les chevaux** she likes horses; **4▸** (avec un nom propre) **les Dupont** the Duponts; **les Newton, Einstein et autres génies** the Newtons, Einsteins and other geniuses; **la Marion**○ (femme) Marion; **la Fleurette** (vache, jument) old Fleurette; **Le Caravage** Caravaggio; **la Caballé** Caballé; **la Noël** Christmas; **la Saint-Michel** St. Michael's day; **~ roi Olaf** King Olaf; **j'ai acheté ~ Cézanne/la Volvo**® I bought the Cézanne/the Volvo®; **5▸** (avec un adjectif) **je prendrai la bleue/la plus foncée** I'll take the blue one/the darkest one; **~ ridicule de cette affaire** what is ridiculous about this matter; **les pauvres** the poor; **Pierre ~ Grand** Peter the Great; **6▸** (avec préposition et nombre) **arriver sur** *or* **vers les 11 heures** to arrive about 11 o'clock; **coûter dans les 20 euros** to cost about 20 euros; **il doit avoir dans la cinquantaine** he must be about fifty; **7▸** (pour donner un prix, une fréquence etc) a, an; **5 euros ~ kilo/la douzaine** 5 euros a kilo/a dozen; **trois fois la semaine/l'an** three times a week/a year; **8▸** (dans les exclamations) **l'imbécile!** the fool!; **ah, l'imbécile!** what a fool!; **la pauvre!** the poor thing!; **la méchante!** the naughty girl!; **(oh) la jolie robe!** what a pretty dress!

B *pron pers* **je ne ~/la/les comprends pas** I don't understand him/her/them

C *pron neutre* **1▸** (complément) **je ~ savais** (je suis au courant) I knew; (j'aurais dû m'en douter) I knew it; **je ne veux pas ~ savoir** I don't want to know (about it); **si je ne ~ fais pas, qui ~ fera?** if I don't do it, who will?; **je ~ croyais aussi, mais...** I thought so too, but...; **si c'est lui qui ~ dit...** if HE says so...; **tu vois, je te l'avais dit!** you see, I told you so!; **je te l'avais bien dit qu'il avait tort** I did tell you that he was wrong; **'ils auront fini demain'—'espérons-~!'** 'they'll have finished tomorrow'—'let's hope so!'; **comme tu peux bien l'imaginer, le train avait du retard** as you can well imagine, the train was late; **2▸** (attribut) **'est-elle satisfaite?'—'je ne crois pas qu'elle ~ soit'** 'is she satisfied?'—'I don't think she is' *ou* 'I don't think so'; **le jardin n'était pas entretenu, maintenant il l'est** the garden GB *ou* yard US wasn't tidy, now it is

lé /le/ *nm* **1▸** (de tissu, papier peint) width; **2▸** (de jupe) panel

LEA /ɛləa/ *nfpl* (*abbr* = **langues étrangères appliquées**) *university language course with emphasis on business and management*

leader* /lidœʀ/ *nm* Comm, Pol, Presse leader; **région/usine ~** foremost region/factory

leadership* /lidœʀʃip/ *nm* **1▸** (rôle de leader) leading role; **2▸** (suprématie) supremacy

leasing /lizin/ *nm* leasing; **en ~** on a leasing basis

lèche /lɛʃ/ *nf* **1▸** ○(flatterie) bootlicking○, apple-polishing○ US; **faire de la ~** to be a bootlicker○, to be an apple-polisher○ US; **faire de la ~ à qn** to lick sb's boots○; **2▸** Art (touche) tiny brush-stroke

lèche-bottes*○ /lɛʃbɔt/

A *nmf inv* bootlicker○, apple-polisher○ US

B *nm* bootlicking○, apple-polishing○ US; **faire du ~** to be a bootlicker○, to be an apple-polisher○ US

lèche-cul*● /lɛʃky/

A *nmf inv* arse[GB]-licker●, ass-kisser● US

B *nm* arse[GB]-licking●, ass-kissing● US; **faire du ~** to be an arse[GB]-licker●, to kiss ass● US

lèchefrite /lɛʃfʀit/ *nf* dripping pan

le

Article

le, la, les article défini se traduit par *the* (invariable) quand le nom qu'il précède est déterminé par un contexte supposé connu de l'interlocuteur:

passe-moi le sel
= pass me the salt

le déjeuner d'anniversaire
= the birthday lunch

le courage de faire
= the courage to do

Il ne se traduit pas quand ce nom exprime une généralité ou que son contexte est indéterminé:

le sel de mer
= sea salt

pendant le déjeuner
= during lunch

le courage seul ne suffit pas
= courage alone isn't enough

the se prononce /ðə/ devant consonne et h aspiré, /ðɪ/ devant voyelle et h muet (hour, honest, honour, heir), et /ðiː/ quand il est employé de manière emphatique pour indiquer l'excellence (comme **le** en français dans *c'est le poète de la liberté*).

Ne sont traités ci-dessous que les cas où l'article se traduit différemment de *the*, ou ne se traduit pas, ou se rend par une structure particulière, à l'exclusion de ceux qui sont développés dans les notes d'usage répertoriées ▸ **p. 1948**, notamment celles concernant **les jours de la semaine, les douleurs et les maladies, les jeux et les sports, les nationalités, les langues, les pays, les nombres, les titres de politesse** etc.

Dans la composition du superlatif, l'anglais ne répète pas l'article:

l'homme le plus riche du monde
= the richest man in the world

l'homme le plus intelligent du monde
= the most intelligent man in the world

Les noms de plats sur un menu ne prennent pas d'article:

le steak au poivre vert
= steak with green peppercorns

Il n'y a pas d'article après *whose*:

les enfants dont la mère...
= the children whose mother ...

L'article se traduit avec les noms d'inventions:

la charrue
= the plough

l'ordinateur
= the computer

Noter:

la Terre est ronde
= the Earth is round

sur la planète Terre
= on planet Earth

au contraire de la Terre, Mars...
= unlike Earth, Mars ...

Pronom personnel

Le pronom personnel se traduit selon le genre et le nombre de l'antécédent en anglais: *him* pour représenter une personne de sexe masculin, un animal familier mâle; *her* pour une personne de sexe féminin, un animal familier femelle, un bateau, un véhicule qu'on aime bien ou dont on parle avec ironie; *it* pour une chose, un concept, un pays, une institution, un animal; *them* pour un antécédent régissant un verbe au pluriel.

lécher /leʃe/ [14]
A *vtr* **1** (avec la langue) to lick [*cuillère, assiette*]; **lèche la crème que tu as sur les doigts** lick the cream off your fingers; **il a léché tout ce qui restait dans l'assiette/le bol** he's licked the plate/bowl clean; **2** (effleurer) [*flamme*] to lick; [*mer*] to lap against; **3** ○(peaufiner) to polish [*œuvre*]; **traduction léchée** polished translation; **4** ○**~ les vitrines** to go window-shopping
B se lécher *vpr* **se ~ les doigts** to lick one's fingers
(Idiomes) **~ les bottes**○ **de qn** to lick sb's boots○, to brown-nose sb◑ US; **~ le cul**● **à qn** to lick sb's arse● GB, to kiss sb's ass● US

lécheur○, **-euse** /leʃœʀ, øz/ *nm,f* péj boot-licker○, brown-noser◑ US

lèche-vitrines* /lɛʃvitʀin/ *nm inv* window-shopping; **faire du ~** to go window-shopping

lécithine /lesitin/ *nf* lecithin

leçon /ləsɔ̃/ *nf* **1** Scol lesson; **prendre/donner des ~s de piano** to take/give piano lessons; **la voile en 20 ~s** sailing in 20 lessons; **réciter ses ~s** to recite one's lessons; **apprendre sa ~** to learn one's lesson; **lire/expliquer une ~** to read/explain a lesson; **2** (punition, avis) lesson; **donner une (bonne) ~ à qn** to teach sb a lesson; **cela leur servira de ~** that will teach them a lesson; **cela te servira de ~** let that be a lesson to you; **elle m'a fait la ~** she lectured me; **donner des ~s de morale à qn** to preach to sb; **je n'ai de ~s à recevoir de personne** nobody is going to tell me what to do; **elle pourrait nous donner des ~s en matière de courage** she could teach us something about courage; **3** (conclusion) lesson; **tirer une ~ de qch** to draw a lesson from sth; **la ~ de la fable** the moral of the story
(Composés) **~ de choses** nature study; **~ particulière** private lesson

lecteur, **-trice** /lɛktœʀ, tʀis/
A ▸ **p. 532** *nm,f* **1** gén, Édition reader; **c'est un grand ~ de Proust** he's an avid reader of Proust; **2** Univ (language) teaching assistant
B *nm* **1** Ordinat reader; **~ optique** optical scanner *ou* reader; **~ de disquettes** disk drive; **~ de carte magnétique** card swipe; **~ de Zips®** Zip® drive; **2** (en hi-fi) player; **~ de cassettes** cassette player; **~ DVD** DVD player; **~ laser** CD player

lectorat /lɛktɔʀa/ *nm* readership

lecture /lɛktyʀ/ *nf* **1** (de livre, journal) reading; **la ~ à voix haute** reading aloud; **à la deuxième ~** on the second reading; **organiser des ~s d'œuvres théâtrales/de poésies** to organize play/poetry readings; **livre d'une ~ ardue/agréable** book which is difficult/pleasant to read *or* a difficult/good read; **faire la ~ à qn** to read to sb; **donner ~ de qch** fml to read out sth; **2** (interprétation) reading, interpretation; **une ~ marxiste/freudienne** a Marxist/Freudian reading; **3** (ce qu'on lit) reading material; **tu as pris de la ~?** have you brought something to read?; **avoir de bonnes/mauvaises ~s** (jugement de valeur) to read good/trashy books; (jugement moral) to read edifying/unsavoury[GB] books; **ce sont mes ~s préférées** it's what I like reading best, it's my favourite[GB] (kind of) reading; **4** (de musique, radiographie, graphique) reading; **~ à vue** sight-reading; **5** Pol reading; **proposition de loi adoptée en première ~** bill passed at its first reading; **6** (en hi-fi) playback; **7** Ordinat reading; **~ optique** optical scanning *ou* reading

ledit, **ladite**, *pl* **lesdits**, **lesdites** /lədi, ladit, ledi, ledit/ *adj* the aforementioned

légal, **~e**, *mpl* **-aux** /legal, o/ *adj* [*âge, définition, formalités, voies*] legal; [*activité, possession*] lawful; **monnaie ~e** legal tender; **domicile ~** official residence; **avoir une existence ~e** to be legally recognized; **dans les formes ~es** according to law; **durée ~e** (permise) period permitted by law; (prescrite) period prescribed by law

légalement /legalmɑ̃/ *adv* (selon la loi) legally; (sans enfreindre la loi) lawfully

légalisation /legalizasjɔ̃/ *nf* (pour rendre légal) legalization; (pour certifier) authentication

légaliser /legalize/ [1] *vtr* (rendre légal) to legalize; (certifier) to authenticate

légalisme /legalism/ *nm* legalism

légaliste /legalist/ *adj, nmf* legalist

légalité /legalite/ *nf* (conformité à la loi) legality; (légitimité) lawfulness; **rester dans/sortir de la ~** to remain within/transgress the law

légat /lega/ *nm* legate

légataire /legatɛʀ/ *nmf* legatee; **~ universel** sole legatee

légation /legasjɔ̃/ *nf* (en diplomatie) legation

légendaire /leʒɑ̃dɛʀ/ *adj* legendary

légende /leʒɑ̃d/ *nf* **1** (fable) legend; **entrer dans la ~** to become legendary; **entrer vivant dans la ~** to become a legend in one's own lifetime; **elle reste fidèle à sa ~** she lives up to her legendary reputation; **2** (inscription) (de médaille) legend; (d'illustration) caption; (de carte) key; **3** (mensonge) tall story

légender /leʒɑ̃de/ [1] *vtr* to caption

léger, **-ère** /leʒe, ɛʀ/
A *adj* **1** (pesant peu) light; **une valise légère à porter** a suitcase which is light to carry; **se sentir plus ~** fig to have a great weight off one's mind; **être/se sentir plus ~ de 500 euros** hum to be/feel 500 euros lighter; **2** Culin [*plat, repas, recette, cuisine*] light; **3** (souple) [*personne, danseuse*] light, nimble; [*allure, démarche*] light; [*pas*] springy; [*mouvement*] nimble; [*toucher*] Mus light; **avoir une démarche légère** to have a light step; **marcher d'un pas ~** to walk with a light *ou* springy step; **4** (faible) [*rire*] gentle; [*coup*] soft, gentle; [*caresse*] light, gentle; [*blessure, modification, progrès, baisse, hausse, faute, retard*] slight; [*douleur, crainte, condamnation*] mild; [*goût, odeur, tremblement, espoir*] faint; [*vent, pluie, brume, vapeur*] light; [*accent, bruit*] faint, slight; [*punition*] mild, lenient; [*couche, étendue, nuage*] thin; [*blessure*] minor; **l'accident a fait trois blessés ~s** three people were slightly injured in the accident; **5** (peu concentré) [*café, thé, chocolat, alcool, bière*] weak; [*parfum, vin*] light; [*tabac*] mild GB, light US; **6** (superficiel) [*action, initiative*] ill-considered; [*jugement, propos*] thoughtless, careless; [*argument, preuve*] weak, flimsy; **il est un peu ~** he doesn't really think about things; **se montrer ~** to act without thought; **7** ○(insuffisant) **c'est un peu ~** it's a bit skimpy; **8** (frivole) [*femme*] loose; [*mœurs*] loose, lax; [*mari, amant, caractère, humeur*] fickle; **9** Mil [*arme, division*] light
B *adv* [*voyager*] light; **cuisiner/manger ~** to cook/eat light meals; **hier soir j'ai mangé ~** I had a light meal last night
C à la légère *loc adv* (sans réfléchir) [*parler, agir, répondre*] without thinking; [*accuser*] rashly; **prendre qch à la légère** not to take sth seriously

légèrement /leʒɛʀmɑ̃/ *adv* **1** (faiblement) [*appuyer, bouger, agiter*] gently; [*masser, frotter,* *gratter*] gently, lightly; [*habillé, vêtu*] lightly; [*parfumer*] lightly, slightly; [*trembler, sucrer, saler, teinté*] slightly; **il est très ~ blessé** he is very slightly hurt; **il est ~ plus grand que son frère** he is slightly taller than his brother; **être habillé ~** to be dressed for warm weather; **être habillé trop ~** not to be dressed warmly enough; **2** Culin [*manger*] lightly; **3** (avec souplesse) [*marcher, courir*] lightly, nimbly; **4** (avec désinvolture) [*agir, parler, se conduire*] without thinking; **parler ~ d'une chose sérieuse** to speak nonchalantly *ou* glibly about a serious matter

légèreté /leʒɛʀte/ *nf* **1** lit lightness; **cette valise est d'une ~ incroyable** this suitcase is incredibly light; **2** Culin lightness; **donner de la ~ à qch** to make sth lighter; **3** (souplesse) (de personne, danseur) lightness, nimbleness; (d'allure, de démarche, mouvement, style) lightness; (de toucher) Mus lightness; **avec ~** lightly; **4** (faiblesse) (de rire, caresse) softness, gentleness; (de coup, voix) softness; (de douleur) mildness; (de bruit) faintness; (de punition, condamnation) leniency; (de faute, d'erreur) triviality; **5** (de café, thé, chocolat) weakness; (de vin, parfum) lightness; (de tabac) mildness GB, lightness US; **6** (superficialité) (de jugement, propos) lack of thought (**de qch** behind sth); **faire preuve de ~ dans qch** to take sth lightly; **j'ai été surpris de la ~ avec laquelle il...** I was surprised by how lightly he...; **7** (frivolité) looseness; (caractère volage) fickleness

légiférer /leʒifeʀe/ [14] *vi* **1** lit to legislate; **2** fig to lay down the law

légion /leʒjɔ̃/ *nf* **1** Hist, Mil legion; **2** (multitude) army (**de** of); **ils sont ~** they are legion

(Composés) **la Légion (étrangère)** the Foreign Legion; **la Légion d'honneur** the Legion of Honour[GB]

> **Légion d'honneur**
>
> The system of honours awarded by the state for meritorious achievement. The *Président de la République* is the *Grand maître*. The basic rank is *Chevalier*. Holders of the *Légion d'honneur* are entitled to wear a small red lapel ribbon or *une rosette*.

légionellose /leʒjɔneloz/ *nf* Méd legionnaire's disease

légionnaire /leʒjɔnɛʀ/
A *nmf* (qui a la Légion d'honneur) member of the Legion of Honour[GB]
B *nm* (romain) legionary; (de la Légion étrangère) legionnaire

législateur, -trice /leʒislatœʀ, tʀis/
A *nm,f* legislator, law-maker
B *nm* (assemblée) legislature

législatif, -ive /leʒislatif, iv/
A *adj* legislative; **élections législatives** ≈ general elections
B *nm* legislature

législation /leʒislasjɔ̃/ *nf* legislation; **~ du travail** labour[GB] legislation

législature /leʒislatyʀ/ *nf* **1** (durée) term of office; **2** (assemblée) legislature

légiste /leʒist/ *nm* jurist

légitimation /leʒitimasjɔ̃/ *nf* legitimization

légitime /leʒitim/
A *adj* **1** (selon la loi) [*enfant, droit, pouvoir*] legitimate; [*union, époux, héritier*] lawful; **2** (justifié) [*revendication, action*] legitimate; [*grief, colère*] justifiable; **il est ~ de dire/faire** one can legitimately say/do; **3** (juste) [*salaire*] fair; [*récompense*] just
B *nf*◑ **ma ~** the missus○

(Composé) **~ défense** self-defence[GB]; **agir en état de ~ défense** to act in self-defence[GB]

légitimement /leʒitimmɑ̃/ *adv* legitimately

légitimer /leʒitime/ [1] *vtr* to legitimize

légitimisme /leʒitimism/ *nm* legitimism

légitimiste /leʒitimist/ *adj, nmf* legitimist

légitimité /leʒitimite/ *nf* **1** Jur legitimacy; **2** (d'une action) lawfulness

Le Greco /ləgʀeko/ *npr* El Greco

legs /lɛg/ *nm inv* **1** Jur (de biens mobiliers) legacy; (de terres, biens immobiliers) devise; (d'effets personnels) bequest; (à un musée, une fondation) bequest; **faire un ~ à qn** to leave a legacy to sb; **2** fig legacy

léguer /lege/ [14] *vtr* **1** (par testament) to leave sth (**à qn** to sb), bequeath (**à qn** to sb) spéc; **~ qch à qn par testament** to bequeath sth to sb; **2** (transmettre) to hand down [*traditions*]; to pass on [*qualité, défaut*]; **la situation économique léguée au gouvernement** the economic situation inherited by the government

légume /legym/
A *nm* **1** lit vegetable; **~s verts** green vegetables; **~s secs** pulses; **2** ○fig, péj vegetable
B ○*nf* **grosse ~** big wig○ GB, big shot○ US

légumier, -ière /legymje, ɛʀ/
A *adj* vegetable (*épith*)
B *nm* **1** (plat) vegetable dish; **2** ▸ p. 532 (cultivateur) vegetable grower

légumineuse /legyminøz/ *nf* leguminous plant

légumiser○ /legymize/ [1] *vi* to veg○, to veg out○

Leibniz /lajbnitz/ *npr* Leibnitz

Leicestershire ▸ p. 721 *nprm* **le ~** Leicestershire

leitmotiv /lajtmɔtiv/ *nm* (tous contextes) leitmotiv; **revenir comme un ~ dans qch** to run as a leitmotiv through sth

Léman /lemɑ̃/ ▸ p. 479 *npr* **le lac ~** Lake Geneva

lemmatisation /lɛmatizasjɔ̃/ *nf* lemmatization

lemmatiser /lematize/ [1] *vtr* to lemmatize

lemme /lɛm/ *nm* lemma

lemming /lemiŋ/ *nm* lemming

lémure /lemyʀ/ *nm* Mythol shade, ghost

lémurien /lemyʀjɛ̃/ *nm* lemur; **les ~s** the Lemuridae

lendemain /lɑ̃dəmɛ̃/
A *nm* **1** (jour suivant) **le ~** the following day; **dès le ~** the (very) next day; **jusqu'au ~** until the next *ou* following day; **le ~ de l'accident** the day after the accident; **il est venu nous voir le ~ de son arrivée** he came to see us the day after he arrived; **la journée du ~** the following day; **le ~ matin/soir** the following morning/evening; **le ~ dans l'après-midi/la soirée** the next day in the afternoon/the evening; **~ de fête** day after a public holiday GB *ou* the holiday US; **du jour au ~** from one day to the next; **2** (période qui suit) **au ~ de** (in the period) after; **au ~ de la guerre** just after the war; **3** (avenir) **le ~** tomorrow, the future; **songer au ~** to think of the future; **sans ~** [*bonheur, succès*] short-lived
B **lendemains** *nmpl* **1** (issue) outcome; (conséquences) consequences; **2** (perspectives) future; **cela nous promet de beaux** *or* **d'heureux ~s** the future looks very promising *ou* bright for us; **des ~s difficiles** difficult days ahead; **promettre des ~s qui chantent** to promise a brighter future

(Idiome) **il ne faut jamais remettre au ~ ce qu'on peut faire le jour même** Prov never put off till tomorrow what you can do today

lénifiant, ~e /lenifjɑ̃, ɑ̃t/ *adj* [*médicament, remarque*] soothing

lénifier /lenifje/ [2] *vtr* to soothe

Lénine /lenin/ *npr* Lenin

Léningrad /leningʀad/ ▸ p. 894 *npr* Hist Leningrad

léninisme /leninism/ *nm* Leninism

léniniste /leninist/ *adj, nmf* Leninist

lénitif, -ive /lenitif, iv/
A *adj* lenitive
B *nm* lenitive

Lens /lɑ̃s/ ▸ p. 894 *npr* Lens

lensois, ~e /lɑ̃swa, az/ ▸ p. 894 *adj* of Lens

Lensois, ~e /lɑ̃swa, az/ ▸ p. 894 *nm,f* (natif) native of Lens; (habitant) inhabitant of Lens

lent, ~e /lɑ̃, ɑ̃t/
A *adj* slow (**dans** in); [*film, véhicule*] slow-moving; [*poison*] slow-acting; **être ~ à faire** to be slow to do *ou* in doing; **être ~ au travail** to be a slow worker; **avoir l'esprit ~** to be slow-witted
B **lente** *nf* Zool nit

lentement /lɑ̃t(ə)mɑ̃/ *adv* slowly; **progresser ~** to make slow progress

(Idiome) **qui va ~ va sûrement** Prov slowly but surely

lenteur /lɑ̃tœʀ/ *nf* slowness (**à faire** to do, in doing); **avec ~** slowly; **~ d'esprit** slow-wittedness; **les ~s de l'administration** the slowness of the administration

lenticulaire /lɑ̃tikylɛʀ/ *adj* lenticular

lentigo /lɑ̃tigo/ *nm* lentigo

lentille /lɑ̃tij/ *nf* **1** Bot, Culin lentil; **2** Méd, Tech lens; **~s cornéennes** *or* **de contact** contact lenses; **~s dures/souples** hard/soft contact lenses; **mettre ses ~s** to put in one's contact lenses

(Composés) **~ concave** concave lens; **~ convergente** convergent lens; **~ convexe** convex lens; **~ cornéenne** contact lens; **~ divergente** divergent lens; **~ d'eau** Bot duckweed; **~ réfringente** refractive lens

lentivirus /lɑ̃tiviʀys/ *nm inv* lentivirus, slow virus

léonin, ~e /leɔnɛ̃, in/ *adj* liter **1** [*aspect, chevelure*] leonine; **2** [*marché, clause*] one-sided; [*partage*] inequitable; **3** Littérat leonine

léopard /leɔpaʀ/ *nm* **1** (animal) leopard; **2** (fourrure) leopardskin; **manteau de ~** leopardskin coat

(Composé) **~ de mer** sea leopard

LEP /lɛp/ *nm*: *abbr* ▸ **lycée**

lépidoptère /lepidɔptɛʀ/ *nm* (insecte) Lepidopteran; **les ~s** lepidoptera

lépiote /lepjɔt/ *nf* parasol mushroom

lèpre /lɛpʀ/ ▸ p. 283 *nf* **1** Méd leprosy; **avoir la ~** to have leprosy; **2** (de pierre) leprous mould GB *ou* mold US

lépreux, -euse /lepʀø, øz/
A *adj* **1** Méd leprous; **2** [*pierre, mur*] flaking
B *nm,f* leper

léproserie /lepʀozʀi/ *nf* leper hospital, leprosarium spéc

lequel /ləkɛl/, **laquelle** /lakɛl/, **lesquels** *mpl*, **lesquelles** *fpl* /lekɛl/, (avec *à*) **auquel**, **auxquels** *mpl*, **auxquelles** *fpl* /okɛl/, (avec *de*) **duquel** /dykɛl/, **desquels** *mpl*, **desquelles** *fpl* /dekɛl/

> ⚠ Lorsque la traduction du verbe de la proposition relative introduite par *lequel, laquelle* etc fait intervenir une préposition en anglais trois traductions sont possibles: *le carton dans lequel tu as mis les bouteilles* = the box you put the bottles in; = the box that *ou* which you put the bottles in; = the box in which you put the bottles. Les deux premières traductions relèvent de la langue courante, parlée ou écrite; la troisième traduction sera préférée dans une langue plus soutenue, surtout écrite.
>
> La forme interrogative fonctionne de la même façon, avec seulement deux possibilités; la seconde étant préférée dans la langue écrite soutenue: *dans lequel de ces cartons as-tu mis les bouteilles?* = which of these boxes did you put the bottles in?; = in which of these boxes did you put the bottles?

A **lequel, laquelle, lesquels, lesquelles** *adj* (avec personne) who; (autres cas) which; **il m'a présenté son cousin, ~ cousin vit en Allemagne** he introduced me to his cousin, who lives in Germany; **il a acheté une voiture d'occasion, laquelle voiture est déjà en panne** he bought a second-hand car, which has already broken down; **elle a envoyé son dossier au service des inscriptions, ~ dossier a été perdu** she sent her file to the registration office, and it was lost; **auquel cas** in which case; **auquel cas il faudrait nous prévenir** in which case you'd have to contact us

B *pron rel* **1** (en fonction de sujet) (représentant une personne) who; (dans les autres cas) which; **il a donné le colis au réceptionniste, ~ me l'a remis** he gave the package to the receptionist, who gave it to me; **la voiture a percuté le mur, ~ s'est écroulé** the car hit the wall, which collapsed

2 (en fonction d'objet) (représentant une personne) whom; (dans les autres cas) which; **l'ami auquel tu as écrit** the friend to whom you wrote, the friend (who) you wrote to; **les gens contre lesquels les mesures ont été prises** the people against whom the measures were taken; **la table sur laquelle tu as posé la tasse** the table on which you put the cup, the table (which) you put the cup on; **les gens chez lesquels nous sommes allés** the people whose house we went to

C *pron inter* which; **laquelle de ces bagues préfères-tu?** which of these rings do you prefer?; **de tous ces employés, lesquels sont les plus compétents?** of all these employees, which are the most competent?; **parmi tous ses enfants, duquel est-ce qu'elle t'a le plus parlé?** out of all her children, which (one) did she tell you most about?; **auquel de tes amis as-tu écrit?** which of your friends did you write to?, to which of your friends did you write?; **auquel de ces personnages vous identifiez-vous?** with which of these characters do you identify?, which of these characters do you identify with?; **je ne sais pas laquelle de ces deux versions croire** I don't know which of these two versions to believe; **je ne sais pas à laquelle de ces annonces répondre** I don't know which of these ads I should reply to *ou* to which of these ads I should reply; **parmi ces voitures, je me demande laquelle est la plus fiable** I wonder which of these cars is the most reliable; **'j'ai vu un film de Chaplin hier'—'~?'** 'I saw a Charlie Chaplin film yesterday'—'which one?'; **'j'ai rencontré deux des frères Grovagnard ce matin'—'lesquels?'** 'I met two of the Grovagnard brothers this morning'—'which ones?'

lérot /leʀo/ *nm* garden dormouse

les ▸ **le**

lesbien, **-ienne** /lɛsbjɛ̃, ɛn/

A *adj* lesbian

B **lesbienne** *nf* lesbian

lesdites ▸ **ledit**

lesdits ▸ **ledit**

lèse-majesté* /lɛzmaʒɛste/ *nf inv* lese-majesty; **crime de ~** crime of lese-majesty

léser /leze/ [14] *vtr* **1** (causer du tort à) to wrong [*personne*]; to prejudice [*droits, intérêts*]; **la partie lésée** the injured party; **2** fig to hurt [*sentiment*]; **3** (endommager) to damage [*organe*]

lésiner /lezine/ [1] *vi* **~ sur** to skimp on [*argent, moyens, travail, ingrédient*]; to be sparing with [*compliments*]; **ne pas ~ sur** to be liberal with [*ingrédient, argent, compliments*]; **ne pas ~ sur la dépense** to spare no expense

lésion /lezjɔ̃/ *nf* Méd lesion; **~ pulmonaire** pulmonary lesion

lésionnel, **-elle** /lezjɔnɛl/ *adj* [*signe, syndrome*] of a lesion; [*maladie*] caused by a lesion

Lésotho /lezoto/ ▸ **p. 333** *nprm* Lesotho

lesquels, **lesquelles** /lekɛl/ *pron, adj* ▸ **lequel**

lessivable /lesivabl/ *adj* washable

lessivage /lesivaʒ/ *nm* **1** (de surface, mur) washing; **2** Géol leaching

lessive /lesiv/ *nf* **1** (produit) (en poudre) washing powder; (liquide) washing liquid; **2** (tâche ménagère, linge) washing; **faire la ~** to do the washing; **faire une ~ de blanc** to wash some whites; **faire deux lessives par semaine** to do two washes a week; **3** Chimie lye

lessiver /lesive/ [1] *vtr* **1** (laver) to wash [*mur, sol*]; **2** °(épuiser) **être lessivé**° hum to be washed out°; **3** Chimie to leach

lessiveuse /lesivøz/ *nf* boiler, copper GB

lest /lɛst/ *nm* **1** Naut, Aviat ballast; **jeter** *or* **lâcher du ~** lit to jettison ballast; **lâcher du ~** fig to make concessions; **2** Pêche (sur un filet) weight

lestage /lɛstaʒ/ *nm* Naut, Aviat ballasting

leste /lɛste/ *adj* **1** (souple) [*personne, animal*] agile; [*démarche, pas*] nimble; **marcher d'un pas ~** to walk nimbly; **un vieillard encore ~** a still sprightly old man; **2** (osé) [*propos, plaisanterie, réplique*] risqué

(Idiome) **avoir la main ~**° to be always ready with a slap

lestement /lɛstəmɑ̃/ *adv* (avec souplesse) [*marcher, courir, sauter*] nimbly

lester /lɛste/ [1] *vtr* **1** Naut Aviat to ballast; **2** (charger) to stuff sth (**de** with)

let /lɛt/ *nm* Sport let; **une balle ~** a let

létal, **~e**, *mpl* **-aux** /letal, o/ *adj* lethal; **dose ~e** lethal dose

léthargie /letaʀʒi/ *nf* **1** (engourdissement) (de personne) lethargy; (d'économie) sluggishness; **sortir de sa ~** to shake off one's lethargy; **tirer qn de sa ~** to shake sb out of his/her lethargy; **2** Méd lethargy

léthargique /letaʀʒik/ *adj* **1** [*personne*] lethargic; [*industrie, économie*] sluggish; **2** Méd lethargic

letton, **-onne** /lɛtɔ̃, ɔn/

A ▸ **p. 561** *adj* Latvian

B ▸ **p. 483** *nm* Ling **le ~** Latvian

Letton, **-onne** /lɛtɔ̃, ɔn/ ▸ **p. 561** *nm,f* Latvian *ou* Lett; **les ~s** the Latvians *ou* Letts

Lettonie /lɛtɔni/ ▸ **p. 333** *nprf* Latvia

lettre ➜▭ /lɛtʀ/

A *nf* **1** (signe graphique) letter; **les ~s de l'alphabet** the letters of the alphabet; **~ minuscule** small letter; **~ majuscule** *or* **capitale** capital letter; **~ d'imprimerie** block letter; **en ~s majuscules** in capital letters; **un mot de trois ~s** a three-letter word; **en toutes ~s** lit in full; **écrire la date/somme en toutes ~s** write the date/sum out in full; **c'est écrit en toutes ~s dans le rapport** fig it's down in black and white in the report; **c'est écrit en grosses ~s** it's written in big letters; **les Romains furent des urbanistes avant la ~** the Romans were city planners before they were invented; ▸ **cinq**

2 (écrit adressé) letter; **une ~ de félicitations/remerciements/condoléances** a letter of congratulations /thanks/condolence; **~ d'accompagnement** covering letter; **~ de réclamation** letter of complaint; **~ de rupture** letter ending a relationship; **une ~ de recommandation/candidature/démission** a letter of recommendation/application/ resignation; **~ anonyme/de menaces** anonymous/threatening letter; **une petite ~** a note

3 (contenu d'un texte) letter; **l'esprit et la ~ d'un texte** the spirit and the letter of a text; **à la ~, au pied de la ~** [*appliquer, suivre*] to the letter; **il prend à la ~ tout ce qu'on lui dit** he takes everything you say literally

B **lettres** *nfpl* **1** Univ, Scol (français) French; (plus général) arts GB, humanities US; **étudiant en ~s** (français) student reading French GB, student majoring in French US; (plus général) arts GB *ou* humanities US student; **faculté de ~s** arts faculty GB, school of the humanities; **être en ~s, faire des études de ~s** to do an arts degree, to study humanities US; **professeur de ~s** teacher of French (for native speakers); **docteur ès ~s** ≈ Doctor of Philosophy

2 (culture littéraire) letters; **homme/femme de ~s** man/woman of letters; **les gens de ~s** writers; **avoir des ~s** to be well read; **le monde des ~s** the literary world

(Composés) **~ de cachet** lettre de cachet; **~ de cadrage** Pol scoping document (*outlining issues for inclusion in the next budget*); **~ capitulaire** Édition decorated initial; **~ de change** bill of exchange; **~ de château** thank you letter, bread and butter letter; **~ circulaire** circular; **~ de crédit** letter of credit; **~ d'intention** letter of intention; **~ ornée** illuminated letter; **~ ouverte** open letter (**à** to); **~ recommandée** registered letter; **~ de voiture** Comm waybill, consignment note; **~s classiques** French and Latin; **~s de créance** credentials; **~s modernes** French language and literature; **~s de noblesse** letters patent of nobility; **avoir ses ~s de noblesse** fig to have an illustrious history; **gagner ses ~s de noblesse** fig to win one's spurs; **~s patentes** letters patent; **~s supérieures** *preparatory class for entrance exam for the École Normale Supérieure*

(Idiomes) **passer comme une ~ à la poste**° [*décision, réforme*] to go through smoothly *ou* without a hitch; [*excuse*] to be accepted without any questions; **un événement à graver en ~s d'or** an event to remember; **écrit en ~s de feu** written in letters of fire; **devenir ~ morte** to become a dead letter; **rester ~ morte** to go unheeded

lettré, **~e** /letʀe/

A *adj* [*personne, gens*] well-read; [*milieu*] literary

B *nm,f* man/woman of letters; **une œuvre de ~** a learned work

lettrine /letʀin/ *nf* initial letter

leu: **à la queue leu leu** /alakøløløl/ *loc adv* in single file

leucémie /løsemi/ ▸ **p. 283** *nf* leukaemia[GB]

leucémique /løsemik/

A *adj* [*personne*] suffering from leukaemia[GB]; [*cellule*] leukaemic[GB]

B *nmf* leukaemia[GB] sufferer

leucocyte /løkɔsit/ *nm* leucocyte GB, leukocyte US

leucocytose /løkɔsitoz/ ▸ **p. 283** *nf* leucocytosis[GB]

leucopoïèse /løkɔpɔjɛz/ *nf* leucopoiesis

leucorrhée /løkɔʀe/ *nf* leucorrhoea[GB]

leucose /løkoz/ *nf* leukaemia[GB]

leur, (*pl* **leurs**) /lœʀ/

> ⚠ En anglais, on ne répète pas le possessif coordonné: *leur nom et leur adresse* = their names and addresses

A *pron pers inv* them; **je ~ ai donné ton numéro de téléphone** I gave them your telephone number; **une lettre ~ a été adressée** a letter was sent to them; **promesse ~ a été faite que** they were given a promise that; **il ~ a expliqué le fonctionnement de l'appareil** he told them how the machine worked; **il ~ a fallu faire** they had to do; **on ~ a fait visiter la ville** they were shown around the town

B *adj poss mf, pl* **~s** their; **elles ressemblent à ~ père** they look like their father; **elles ont pris ~ parapluie** they took their umbrellas; **~ merveille de fille**° their adorable daughter; **~ fille à eux**° their daughter; **un de ~s amis** a friend of theirs; **ils sont partis chacun de ~ côté** they went their separate ways, each went his own way; **à ~ arrivée/départ** when they arrived/left; **pendant ~ absence** while they were away; **ils ont fait ~ mon point de vue** they've adopted my point of view

C **le leur**, **la leur**, **les leurs** *pron poss* theirs; **celui-là, c'est le ~** that's theirs; **je suis parti de mon côté, eux du ~** I went my way and

➜▭ *voir* Correspondance anglaise

they went theirs; **le ~, de jardin, est plus beau**○ their garden is nicer; **qu'ils aient chacun le ~** let them have one each; **mes idées ne sont pas les ~s** we think differently; **ils pensent d'abord aux ~s** (à leur famille) they put their own *ou* their families first; **il est des ~s** (de leur groupe) he's one of them; **ils m'ont demandé d'être des ~s** they asked me to come along; **ils vivent loin des ~s** (de leur famille) they live far away from their families; **ils ont encore fait des ~s** they've been up to mischief again!

leurre /lœʀ/ *nm* **1** (tromperie) illusion; **c'est un ~ de croire qu'elle vous aidera** you're deluding yourself if you think she'll help you; **2** Pêche, Chasse lure; **3** Mil decoy

leurrer /lœʀe/ [1]
A *vtr* **1** (tromper) to delude (**par** with; **sur** about); **se laisser ~** to let oneself be taken in; **2** (en fauconnerie) to lure [*oiseau*]
B **se leurrer** *vpr* to delude oneself (**de** with; **au sujet de** about)

levage /ləvaʒ/ *nm* **1** Tech (de charge) lifting; **appareil de ~** lifting apparatus; **puissance/vitesse/treuil de ~** lifting power/speed/winch; **2** Culin (de pâte) raising, leavening

levain /ləvɛ̃/ *nm* **1** Culin (agent de levage) leaven GB, sourdough US; **pain au/sans ~** leavened/unleavened bread; **2** Biol, Ind (agent de fermentation) starter; **~ lactique** lactic starter; **3** (force) catalyst; **le nationalisme est un ~ de haine** nationalism is a catalyst of hatred

levant /ləvɑ̃/
A *adj m* **soleil ~** rising sun; **au soleil ~** at sunrise; **pays** *or* **empire du Soleil ~** land of the Rising Sun
B *nm* east; **au ~** in the east; **du ~ au couchant** from east to west

Levant /ləvɑ̃/ *nprm* **le ~** the Levant

levantin†, **~e** /ləvɑ̃tɛ̃, in/ *adj* Levantine

levé, **~e** /ləve/
A *pp* ▸ **lever**
B *pp adj* **1** (dressé) **dit-il, les sourcils ~s** he said, with raised eyebrows; **une forêt de drapeaux et de poings ~s** a forest of flags and clenched fists; **voter à main ~e** to vote by a show of hands; **2** (hors du lit) [*personne*] up; **elle n'est pas encore ~e** she's not up yet; **elle est toujours la première ~e** she's always the first up
C *nm* Géog (relevé) survey; **faire un ~ du terrain** to do a land survey
D **levée** *nf* **1** (suppression) (d'embargo, état de siège, de sanctions, loi martiale, préavis de grève, peine) lifting (**de** of); (de siège) raising; (de mesures, quotas) suspension (**de** of); (d'immunité parlementaire) removal (**de** of); (d'anonymat, de secret, tabou) ending (**de** of); (de séance) close (**de** of); **2** Postes (de courrier) collection; **deux ~es par jours** two collections a day; **'heures des ~es'** 'collections' GB, 'collection time' US; **3** Jeux (aux cartes) trick; **faire une ~e** to take a trick; **4** Géog (remblai) levee; **~e de terre** levee of earth; **un chemin construit sur les ~es du fleuve** a path built on the levees of the river; **5** Mil (recrutement) levying; **procéder à la ~e de troupes** to levy troops

(Composés) **~e de boucliers** outcry; **provoquer** *or* **susciter une ~e de boucliers** to cause an outcry; **~e du corps** *solemn transfer of the body*; **~e d'écrou** Jur release; **~e des impôts** Fisc levying of taxes; **~e en masse** Mil mass mobilization; **~e d'option** Fin, Jur exercise of an option; **~e des scellés** Jur breaking of the seals; **procéder à la ~e des scellés** to break the seals

(Idiome) **faire qch au pied ~** to do sth off the cuff

lève-glace, *pl* **~s** /lɛvglas/ *nm* Aut **~ électrique** (option) electric windows (*pl*); (mécanisme) electric winder

lever /ləve/ [16]
A *nm* **1** (sortie du lit) **au ~, boire un jus de fruit** on getting up, drink some fruit juice; **être là au ~ des enfants** to be there when the children get up
2 Géog ▸ **levé C**
B *vtr* **1** (dresser) gén to raise [*main, doigt, bras, poing, sourcil, jambe*]; **~ la main** *or* **le doigt** (pour parler) to put up one's hand; **~ la main sur qn** (pour frapper) to raise one's hand to sb; **~ les bras au ciel** to throw up one's hands (**de** in); **~ le pied** gén to lift up one's foot; (ralentir) lit, fig to slow down; (partir)○ to clear off○; **lève les pieds quand tu marches!** pick your feet up when you walk!; **~ les yeux** *or* **la tête** (regarder) to look up (**sur, vers** at); **ne pas ~ les yeux** *or* **le nez**○ **de qch** not to look up from sth; **sans ~ les yeux** [*dire, répondre*] without looking up; [*travailler, étudier*] without a break; **~ les yeux au ciel** to raise one's eyes to heaven; **~ la patte**○ (uriner) [*chien*] to cock a leg; **il a levé la patte contre l'arbre** it cocked its leg up against the tree; **~ son cul**◑ to get off one's arse◑ GB *ou* ass◑ US; ▸ **doigt**
2 (soulever) to lift [*objet*]; to raise [*barrière*]; **~ un chargement de quelques mètres** to lift a load a few metres[GB]; **~ son verre** to raise one's glass (**à** to); **~ le rideau** Théât to raise the curtain; **~ une vitre** Aut to wind up a window; **~ les filets** Pêche to haul in the nets
3 (sortir du lit) to get [sb] up [*enfants, malade*]
4 (mettre fin à) to lift [*embargo, sanction, peine, contrôle*]; to raise [*siège*]; to dispel [*doute, malentendu, ambiguïté, mystère*]; to end [*tabou, secret, isolement, audience*]; to remove [*obstacle, difficultés, incertitude*]; to close [*séance*]
5 (collecter) to raise [*capitaux, fonds*]; to levy [*impôt*]
6 (recruter) to levy [*troupes*]
7 Fin to take up [*actions, achat à terme*]; **~ une option** to exercise an option
8 Chasse (débusquer) to flush out [*gibier, perdrix*]; **~ un lièvre** lit to start a hare; fig to open a can of worms
9 Géog **~ un plan** to carry out a survey
10 Culin (découper) **~ un filet (de poisson)** to fillet a fish; **~ une cuisse de poulet** to carve a chicken leg
11 ○(séduire) to pick up○ [*homme, femme, client*]
C *vi* **1** Culin [*pâte*] to rise
2 Agric, Hort [*semis, blé*] to come up
D **se lever** *vpr* **1** (sortir du lit) to get up; **se ~ tôt/la nuit** to get up early/in the night; **avoir du mal à se ~** to find it difficult to get up; **il faut se ~ de bonne heure**○ **pour comprendre ce qu'il dit** you need to be pretty clever○ to understand what he says; ▸ **gauche**
2 (se mettre debout) to stand up; **se ~ de sa chaise** to rise from one's chair; **il l'a aidée à se ~** he helped her to her feet; **se ~ pour applaudir** to rise to one's feet to applaud; **se ~ de table** to get up from the table; **'accusé, levez-vous!'** Jur 'the accused will stand'; **se ~ sur ses étriers** Équit to stand on one's stirrups; **'lève-toi et marche'** 'arise, take up thy bed and walk'
3 (se dresser) [*partie du corps*] to rise; **des mains se sont levées** some hands went up; **des poings se lèvent** fists are being shaken
4 (s'insurger) [*personne, peuple*] to rise up (**contre** against)
5 (apparaître) [*soleil, lune*] to rise (**sur** over); **le soleil va se ~** the sun is about to rise; **le jour se lève** it's getting light
6 Météo (s'agiter) [*vent*] to rise; [*brise*] to get up; (s'éclaircir) [*nuages, brouillard, brume*] to clear; [*temps*] to clear up
7 Théât **le rideau se lève** the curtain rises (**sur** on)

(Composés) **~ des couleurs** Mil raising of the colours[GB]; **~ du drapeau** raising of the flag; **~ du jour** daybreak; **au ~ du jour** at daybreak; **~ de rideau** (début de la représentation) curtain up; (prélude) curtain raiser; **partir au/manquer le ~ de rideau** to leave at/to miss curtain up; **en ~ de rideau, match Ali–Chang** as a curtain raiser, Ali vs Chang match; **~ du roi** Hist King's levee; **assister au ~ du roi** to be present at the King's levee; **~ du soleil** sunrise; **au ~ du soleil** at sunrise

lève-tard /lɛvtaʀ/ *nmf inv* late riser

lève-tôt /lɛvto/ *nmf inv* early riser, early bird○

lève-vitre, *pl* **~s** /lɛvvitʀ/ *nm* = **lève-glace**

levier /ləvje/ *nm* **1** Phys, Tech (de levage) lever; **utiliser un bâton comme ~** to use a stick as a lever; **soulever qch avec un ~** to lever sth up; **2** Tech (de commande) lever; **tirer sur le ~** to pull on the lever; **3** fig **le ~ des institutions européennes** the lever of European institutions; **un puissant ~ pour l'industrie** a very effective lever for industry

(Composés) **~ d'armement** Mil (de fusil) bolt handle; Phot advance lever; **~ de changement de vitesse** Aut gear lever GB, gear shift US; (de bicyclette) gear switch; **~ de commande** Aviat control stick; **être aux ~s de commande** fig to be in the driving seat; **~ de frein à main** Aut hand brake lever; **~ de vitesses** = **~ de changement de vitesse**

lévitation /levitasjɔ̃/ *nf* levitation; **être en ~** to be in a state of levitation

lévite /levit/ *nm* Levite

Lévitique /levitik/ *nm* **le ~** (the Book of) Leviticus

levraut* /ləvʀo/ *nm* leveret

lèvre /lɛvʀ/ *nf* **1** (sur le visage) lip; **~ supérieure/inférieure** upper/lower lip; **avoir le sourire aux ~s** to have a smile on one's lips; **être sur toutes les ~s** to be on everyone's lips; **du bout des ~s** (rire, manger) half-heartedly; (parler, répondre) grudgingly; ▸ **cœur**; **2** (de la vulve) labium; **les petites/grandes ~s** labia minora/majora; **3** (de faille, plaie) lip, edge

(Idiomes) **être suspendu aux ~s de qn** to hang on sb's every word; **il y a loin de la coupe aux ~s** Prov there's many a slip twixt cup and lip

levrette /ləvʀɛt/ *nf* **1** (femelle du lévrier) greyhound bitch; **2** (lévrier d'Italie) Italian greyhound; **3** ◑**en ~** doggy fashion○, from behind

lévrier /levʀije/ *nm* greyhound

(Composé) **~ afghan** Afghan hound

levure /ləvyʀ/ *nf* yeast

(Composés) **~ de bière** brewer's yeast; **~ de boulanger** baker's yeast; **~ chimique** baking powder

lexème /lɛksɛm/ *nm* lexeme

lexical, **~e**, *mpl* **-aux** /lɛksikal, o/ *adj* lexical

lexicalisation /lɛksikalizasjɔ̃/ *nf* **1** Ling lexicalization; **2** Ordinat lexicographic sort

lexicaliser /lɛksikalize/ [1]
A *vtr* **1** Ling to lexicalize; **2** Ordinat to sort
B **se lexicaliser** *vpr* Ling to become lexicalized

lexicographe /lɛksikɔgʀaf/ ▸ **p. 532** *nmf* lexicographer

lexicographie /lɛksikɔgʀafi/ *nf* lexicography

lexicographique /lɛksikɔgʀafik/ *adj* lexicographical

lexicologie /lɛksikɔlɔʒi/ *nf* lexicology

lexicologique /lɛksikɔlɔʒik/ *adj* lexicological

lexicologue /lɛksikɔlɔg/ ▸ **p. 532** *nmf* lexicologist

lexie /lɛksi/ *nf* lexical item

lexique /lɛksik/ *nm* **1** (unilingue) glossary; (bilingue) vocabulary (book); **2** Ling lexicon, lexis

lézard /lezaʀ/ *nm* **1** (animal) lizard; **2** (peau) lizard(skin); **sac en ~** lizard(skin) bag

(Composés) ~ **des murailles** wall lizard; ~ **vert** green lizard
(Idiome) **faire le ~** to bask in the sun

lézarde /lezaʀd/ *nf* lit, fig crack

lézarder /lezaʀde/ [1]
A *vtr* to crack
B °*vi* ~ **au soleil** to bask in the sun
C **se lézarder** *vpr* lit, fig to crack

liaison /ljɛzɔ̃/ *nf* [1] Transp link; ~ **aérienne/ferroviaire/maritime/routière** air/rail/sea/road link; **la ~ Calais–Douvres** the Calais–Dover line *ou* route; **la compagnie aérienne assure la ~ Paris–Washington** the airline operates flights on the Paris–Washington route; [2] Radio, Télécom ~ **radio** radio contact; **établir une ~** to establish contact; ~ **satellite/téléphonique** satellite/telephone link; **la ~ est mauvaise, je vous entends mal** the connection is bad, I can't hear you properly; **être en ~ avec qn** to be in contact with sb; [3] (contact) **assurer la ~ entre différents services** to liaise between different services; **il est resté en ~ avec ses anciens collègues** he kept in contact *ou* in touch with his former colleagues; **travailler/agir en ~ avec** to work/act in collaboration with; [4] (rapport logique) connection; **manque de ~ dans les idées** lack of connection between ideas; [5] (relation amoureuse) affair; [6] Ling, Phon liaison; **faire la ~** to make a liaison; **une ~ fautive** a wrong liaison; [7] Mus slur; [8] Culin thickening; **faire une ~** to thicken a sauce; [9] Ordinat link; [10] Chimie bond; ~ **covalente/hydrogène** covalent/hydrogen bond
(Composé) ~ **numérique à débit asymétrique** ADSL, asymetric digital subscriber line

liane /ljan/ *nf* creeper, liana

liant, ~**e** /ljɑ̃, ljɑ̃t/
A *adj* (sociable) sociable
B *nm* [1] Tech (souplesse) flexibility; [2] Constr binder; ~ **hydraulique** hydraulic binder *ou* lime

liasse /ljas/ *nf* (de billets) wad; (de lettres, papiers, documents) bundle; **mettre des billets en ~** to make (up) a wad of notes *ou* bills US

Liban /libɑ̃/ ▸ **p. 333** *nprm* Lebanon

libanais, ~**e** /libanɛ, ɛz/ ▸ **p. 561** *adj* Lebanese

Libanais, ~**e** /libanɛ, ɛz/ ▸ **p. 561** *nm,f* Lebanese

libation /libasjɔ̃/ *nf* libation (**à** to); **faire des ~s** Antiq to offer libations; fig hum to indulge in libations

libelle /libɛl/ *nm* liter lampoon; **faire** *or* **répandre des ~s contre qn** to lampoon sb

libellé /libelle/ *nm* (de jugement, lettre) wording; **je ne peux pas lire le ~ du chèque** I can't see who the cheque is made out to

libeller /libelle/ [1] *vtr* [1] Admin to draw up [*acte, contrat*]; [2] fml to word [*lettre, demande, article*]; [3] to make out [*chèque, mandat*]; ~ **un chèque à l'ordre de** to make out a cheque GB *ou* check US to; **un chèque mal libellé** a badly made out cheque GB *ou* check US

libellule /libɛlyl/ *nf* dragonfly

liber /libɛʀ/ *nm* phloem

libérable /libeʀabl/ *adj* [1] Jur **détenu ~** (à l'issue de sa peine) prisoner due for release; (par remise de peine) prisoner eligible for release; **prévenu ~** defendant to be discharged; [2] Mil [*conscrit, contingent*] to be discharged soon (*après n*)

libéral, ~**e**, *mpl* **-aux** /libeʀal, o/
A *adj* [1] (tolérant) [*personne, discipline, morale*] liberal; **il est assez ~** he's fairly liberal; [2] (favorable aux libertés) [*personne, idée, régime*] liberal; [3] Pol [*parti, gouvernement, candidat*] Liberal; [4] Écon [*économie, doctrine*] free-market (*épith*); **être partisan de l'économie ~e** to support a free-market economy; ▸ **profession**
B *nm,f* [1] Pol Liberal; [2] Écon free marketeer

libéralement /libeʀalmɑ̃/ *adv* (avec générosité) liberally

libéralisation /libeʀalizasjɔ̃/ *nf* [1] Écon, Fin liberalization; ~ **économique/financière** economic/financial liberalization; ~ **des échanges/du marché** trade/market liberalization; ~ **des transports aériens** *or* **du ciel** airline deregulation; [2] Pol liberalization; ~ **du régime/système politique** liberalization of the regime/political system; ~ **des mœurs** relaxation of moral standards

libéraliser /libeʀalize/ [1]
A *vtr* to liberalize [*commerce, économie, transports, loi, pays*]
B **se libéraliser** *vpr* [*pays, mœurs*] to become more liberal

libéralisme /libeʀalism/ *nm* liberalism

libéralité /libeʀalite/
A *nf* [1] (générosité) liberality; **avec ~** liberally; [2] Jur (donation) gift
B **libéralités** *nfpl* liter generosity ¢; **les ~s de l'État** the state's generosity; **vivre des ~s de qn** to live off sb's generosity; **dépenser sa fortune en ~s** to give one's fortune away in gifts

libérateur, **-trice** /libeʀatœʀ, tʀis/
A *adj* [*effet, pouvoir, esprit*] liberating; **dieu ~** redeemer
B *nm,f* [1] (de pays, ville, personne) liberator; [2] Relig **le Libérateur** the Redeemer

libération /libeʀasjɔ̃/ *nf* [1] (de prisonnier, d'otage) release; **exiger la ~ de tous les otages** to demand the release of all the hostages; [2] (de pays, ville, peuple) liberation; **armée/front/mouvement de ~** liberation army/front/movement; [3] (affranchissement) liberation; ~ **des esclaves** liberation of slaves; ~ **sexuelle** sexual liberation; ~ **des femmes** *or* **de la femme** women's liberation; [4] (soulagement) relief; **éprouver un sentiment de ~** to feel a sense of relief; [5] Écon (de prix) deregulation; (d'échanges) freeing; ~ **des loyers/tarifs** lifting of rent/tariff controls; ~ **des mouvements de capitaux** removal of control on capital flows; [6] Fin (d'actions, de capital) paying up; [7] Mil discharge; **attendre sa ~** to await one's discharge; [8] Phys (d'énergie) release; [9] Pharm release; **à ~ prolongée** [*médicament*] sustained-release

Libération /libeʀasjɔ̃/ *nf* Hist (de 1944) Liberation; **à la ~** at the time of the Liberation

libératoire /libeʀatwaʀ/ *adj* **clause ~** waiver clause; **paiement ~** Fisc payment in full discharge; Comm full payment; **prélèvement ~** tax deduction at standard rate

libéré, ~**e** /libeʀe/
A *pp* ▸ **libérer**
B *pp adj* [1] (émancipé) [*homme, femme*] liberated; [2] (délivré) [*pays, zone, ville*] free; [3] (disponible) [*poste, lieux*] vacant; **les locaux ~s seront modernisés** the vacant premises will be modernized; [4] (affranchi) [*personne, entreprise*] free (**de** from); ~ **d'obligations** free from obligations

libérer /libeʀe/ [14]
A *vtr* [1] (délivrer) to liberate [*pays, ville*] (**de** from); to free [*compagnon, otage*] (**de** from); [2] (relâcher) to release [*otage, détenu*] (**de** from); to free [*esclave, animal*] (**de** from); [3] (laisser partir) to allow [sb] to go [*employé, élève*]; ~ **ses élèves avant l'heure** to let one's pupils go early, to allow one's pupils to go early; [4] (affranchir) (de contraintes) to liberate [*personne, imagination*] (**de** from); (de fonctions) to relieve [*ministre, employé*] (**de** of); (de service militaire) to discharge [*soldat*] (**de** from); ~ **un associé de sa parole/ses obligations/ses dettes** to release a partner from his word/his obligations/his debts; ~ **qn de l'emprise de qn** to free sb from sb's hold; [5] (ne pas retenir) to release [*émotion, énergie*]; to give free rein to [*instinct, imagination*]; [6] (soulager) to relieve [*esprit, personne*] (**de** of); to unburden [*cœur, conscience*] (**de** of); [7] (débarrasser) to vacate [*appartement, bureau*]; to clear [*passage, trottoir*] (**de** of); **les lieux doivent être libérés avant la fin du mois** the premises must be vacated by the end of the month; ~ **la chambre avant midi** (dans un hôtel) to check out before noon; [8] (dégager) to free [*bras, main*] (**de** from); to release [*ressort, cran, mécanisme*]; [9] Écon (libéraliser) to liberalize [*économie, échanges*]; (débloquer) to deregulate [*prix*]; ~ **les loyers/tarifs** to lift rent/tariff controls; [10] Fin to pay up [*actions, capital*]; [11] Chimie, Phys (produire) to release [*gaz, énergie, électrons*]
B **se libérer** *vpr* [1] (se délivrer) [*personne*] to free oneself (**de** from); [*pays, entreprise*] to free itself (**de** from); **je me suis libéré de mes chaînes/obligations** I have freed myself from my chains/obligations; **se ~ les bras/jambes** to free one's arms/legs; **se ~ d'une dette/d'un impôt** to pay a debt/a tax; **se ~ d'une inhibition** to get rid of an inhibition; [2] (se rendre disponible) **j'essaierai de me ~ mercredi** I'll try and be free on Wednesday

Liberia /libeʀja/ ▸ **p. 333** *nprm* Liberia

libérien, **-ienne** /libeʀjɛ̃, ɛn/ ▸ **p. 561** *adj* Liberian

Libérien, **-ienne** /libeʀjɛ̃, ɛn/ ▸ **p. 561** *nm,f* Liberian

libériste /libeʀist/ *nmf* glider, gliding enthusiast

libéro /libeʀo/ *nm* Sport floater

libertaire /libɛʀtɛʀ/ *adj, nmf* libertarian

liberté /libɛʀte/ *nf* [1] (condition, état) freedom ¢; **choisir la ~** to choose freedom; **recouvrer la ~** to regain one's freedom; **amour de la ~** love of freedom; **vive la ~!** long live freedom!; **lutter pour la ~** to fight for freedom; **Statue de la ~** Statue of Liberty; **~, égalité, fraternité** Liberty, Equality, Fraternity; **élever des animaux en ~** to raise animals in a natural habitat; **espèce vivant en ~** species living wild; **être en ~** to be free; **l'assassin est toujours en ~** the killer is still at large; [2] (latitude) freedom ¢; **peu de/trop de ~** little/too much freedom; **en toute ~** with complete freedom; ~ **d'action/de mouvement/de choix** freedom of action/of movement/of choice; **donner à qn la ~ de faire** to give sb freedom to do; **avoir sa ~** to be free; **avoir toute ~ pour faire** to be quite free to do; **n'avoir aucune ~ de manœuvre** to have no room for manoeuvre GB *ou* maneuver US; **ne pas avoir une grande ~ de choix** not to have much choice; [3] (hardiesse) freedom; ~ **de ton** outspokenness; **une ~ qui frise l'impertinence** outspokenness bordering on impertinence; ~ **d'esprit** independence of mind; **s'exprimer avec une étonnante ~** to be remarkably outspoken; **prendre la ~ de faire** to take the liberty of doing; **prendre des ~s avec qn/qch** to take liberties with sb/sth; [4] (droit) freedom; ~ **de pensée/d'expression/d'opinion/de parole** freedom of thought/of expression/of opinion/of speech; **~s individuelles/fondamentales** individual/fundamental liberties; **porter atteinte aux ~s** to undermine civil liberties
(Composés) ~ **d'association** Jur, Pol freedom of association; ~ **civile** Jur civil liberty; ~ **conditionnelle** Jur parole; **mettre qn en ~ conditionnelle** Jur to release sb on parole; ~ **de conscience** Pol freedom of conscience; ~ **de l'enseignement** Jur freedom of choice in education; ~ **d'installation** Jur, UE freedom of establishment; ~ **de la presse** Pol freedom of the press; ~ **des prix** Comm, Jur free prices (*pl*); ~ **provisoire** Jur provisional release (*pending trial*); **en ~ provisoire** provisionally released; **mettre en ~ provisoire** to release provisionally; **mise en ~ provisoire** provisional release; ~ **surveillée** Jur probation; **en ~ surveillée** on probation; **mise en ~ surveillée** release on probation; **mettre en ~ surveillée** to release on probation; ~ **du travail** Jur freedom of contract; **~s publiques** Jur, Pol civil liberties; **~s syndicales** Jur, Pol trade union rights

libertin, ~**e** /libɛʀtɛ̃, in/ *adj, nm,f* libertine

libertinage /libɛʀtinaʒ/ *nm* **1** (manière) libertinage; **2** (doctrine) libertinism

libidinal, **~e**, *mpl* **-aux** /libidinal, o/ *adj* libidinal

libidineux, **-euse** /libidinø, øz/ *adj* libidinous

libido /libido/ *nf* libido

libraire /libʀɛʀ/ ▸ **p. 532** *nmf* bookseller

librairie /libʀɛʀi/ ▸ **p. 532** *nf* **1** (magasin) bookshop GB, bookstore; **~ d'art/religieuse** art/religious bookshop; **~ de livres anciens** antiquarian bookshop; **en ~** in bookshops; **dans toutes les ~s dès lundi** available in all bookshops from Monday; **2** (activité) bookselling business

librairie-papeterie, *pl* **librairies-papeteries** /libʀɛʀipapɛtʀi/ ▸ **p. 532** *nf* stationer's and bookshop GB *ou* bookstore

libre /libʀ/ *adj* **1** gén [*personne, condition, pays*] free (**de faire** to do); **être ~ de ses décisions/choix** to be free to decide/choose; **~ à toi de faire** it's up to you whether you do; **~ à elle de partir** it's up to her whether she goes or not; **être ~ de ses actes** to do as one wishes; **dans le ~ exercice de leurs fonctions** in the unrestricted discharge of their duties; **la ~ circulation des travailleurs** the free movement of labour[GB]; **2** (dénué) free (**de** from); **~ de préjugés** free from prejudice; **être ~ de soucis** to enjoy peace of mind; **~ d'hypothèque** [*propriété*] free of mortgage; **3** (direct) [*personne*] free and easy; [*manière*] free; [*allure*] easy; [*opinion*] candid; [*morale*] easygoing; **être ~ avec qn** to feel at ease with sb; **avoir une conversation très ~** to talk in a very relaxed way; **être ~ dans ses propos/son comportement** to talk/behave in an uninhibited fashion; **4** (dégagé) [*main, pouce*] free; [*route, voie*] lit, fig clear; **avoir/garder les mains ~s** lit to have/keep one's hands free; fig to be/remain a free agent; **un téléphone avec une option 'main ~'** a telephone with a hands-free facility; **5** (disponible) [*personne, chambre*] available; [*place*] empty; [*siège*] free; **'~ de suite'** (dans une annonce) [*personne, appartement à louer*] 'available immediately'; [*appartement à vendre*] 'with immediate vacant possession'; **6** (non occupé) [*WC*] vacant; **la ligne n'est pas ~** (au téléphone) the number is busy *ou* engaged GB

(Composés) **~ arbitre** Philos free will; **avoir son ~ arbitre** to be possessed of free will; **~ concurrence** Écon free competition; **~ entreprise** Écon free enterprise; **~ à l'importation** Comm, Jur free from import control; **~ jouissance** Jur free enjoyment

(Idiome) **être ~ comme l'air** to be as free as a bird

libre-échange /libʀeʃɑ̃ʒ/ *nm* free trade

libre-échangiste, *pl* **~s** /libʀeʃɑ̃ʒist/
A *adj* free trade (*épith*); **politique ~** free trade policy
B *nmf* (partisan) free-trader

librement /libʀəmɑ̃/ *adv* freely; **parler/choisir/partir/traduire ~** to speak/choose/leave/translate freely; **~ cité/adapté** loosely quoted/adapted; **parlez-moi ~** feel free to speak to me

libre(-)pensée, *pl* **libres(-)pensées** /libʀəpɑ̃se/ *nf* **1** (doctrine) free thought; **2** (groupe) freethinkers (*pl*)

libre(-)penseur, *pl* **libres(-)penseurs** /libʀəpɑ̃sœʀ/ *nm* freethinker

libre-service, *pl* **libres-services** /libʀəsɛʀvis/
A *adj inv* [*magasin, restaurant*] self-service (*épith*)
B *nm* **1** (système) **le ~** self-service; **en ~** [*magasin, restaurant*] self-service; **2** (magasin) self-service shop GB *ou* store US; (restaurant) self-service restaurant

(Composé) **~ bancaire** automatic teller

librettiste /libʀɛtist/ *nmf* librettist

libretto /libʀɛtto/ *nm* libretto

Libreville /libʀəvil/ ▸ **p. 894** *npr* Libreville

Libye /libi/ ▸ **p. 333** *nprf* Libya

libyen, **-enne** /libjɛ̃, ɛn/ ▸ **p. 561** *adj* Libyan

Libyen, **-enne** /libjɛ̃, ɛn/ ▸ **p. 561** *nm,f* Libyan

lice /lis/ *nf* lists (*pl*); **entrer en ~** to enter the lists; **depuis leur entrée en ~** since they entered the lists; **être en ~** to have entered the lists

licence /lisɑ̃s/ *nf* **1** Univ (bachelor's) degree; **~ en droit** law degree; **~ de** *or* **ès lettres** arts degree, liberal arts degree US, BA; **~ de chimie** chemistry degree, BSc GB *ou* BS US in chemistry; **préparer une ~ d'anglais** to do a degree in English; **être en ~ d'anglais** to be in the final year of an English degree; **2** Comm, Jur licence[GB]; **~ de fabrication/de vente** manufacturing/distribution licence[GB]; **~ d'importation/d'exportation** import/export licence[GB]; **~ de débit de boissons** licence for the sale of alcoholic drinks GB, liquor license US; **fabriquer qch sous ~ japonaise** to make sth under licence[GB] from a Japanese manufacturer; **produit sous ~** licensed product; **3** Sport membership card (*of a national sports association*); **avoir sa ~ de tennis** to be a member of the national tennis federation; **4** (liberté) licence[GB]; **~ orthographique** licence[GB] with regard to spelling; **~ poétique** poetic licence[GB]; **avoir toute ~ de faire** to have a free hand to do; **5** †(libertinage) licentiousness

> **Licence**
> A university degree awarded after a year's study following the *DEUG* or *DEUST*.

licencié, **~e** /lisɑ̃sje/
A *pp* ▸ **licencier**
B *pp adj* [*étudiant*] graduate (*épith*); **enseignant ~** graduate teacher GB, teacher with a college degree US
C *nm,f* **1** Univ graduate GB, college graduate US; **un ~ en droit/ès lettres** a law/an arts *ou* liberal arts US graduate; **2** Sport member (*of a sports federation*); **3** Écon **~ (économique)** redundant worker GB, laid-off worker US

licenciement /lisɑ̃simɑ̃/ *nm* (pour faute) dismissal; **~ (économique)** redundancy GB, lay-off; **une série de ~s** a round of redundancies GB, a series of lay-offs; **~ collectif** mass redundancy, mass lay-offs; **procéder au ~ de 20 personnes** to make 20 people redundant GB, to lay 20 people off

(Composé) **~ sec** enforced redundancy (*without compensation*)

licencier /lisɑ̃sje/ [2] *vtr* **1** (renvoyer) (pour raisons économiques) to make [sb] redundant GB, to lay [sb] off US; (pour faute) to dismiss GB, to let [sb] go; **les grandes entreprises licencient beaucoup** big companies are making a lot of people redundant GB *ou* are laying a lot of people off; **2** (protéger) Jur to licence[GB]

licencieux, **-ieuse** /lisɑ̃sjø, øz/ *adj* licentious

lichen /likɛn/ *nm* lichen

lichette° /liʃɛt/ *nf* **1** (de pain, viande, fromage) morsel; **2** (pour œuf à la coque) soldier° (*for egg*) GB, *finger of buttered bread eaten with a boiled egg*; **3** Belg (attache) loop

licite /lisit/ *adj* lawful

licol /likɔl/ *nm* headcollar GB, halter US

licorne /likɔʀn/ *nf* Mythol unicorn

(Composé) **~ de mer** Zool narwhal

licou† /liku/ *nm* halter

licteur /liktœʀ/ *nm* lictor

lie /li/ *nf* **1** Vin dregs (*pl*), lees (*pl*); **~ de vin** wine dregs *ou* lees; **2** fig dregs (*pl*) (**de** of)

(Idiome) **il faut boire la coupe** *or* **le calice jusqu'à la ~** you have to see it through to the bitter end

Liechtenstein /liʃtənʃtɛn/ ▸ **p. 333** *nprm* Liechtenstein

lied, *pl* **lieder** *or* **~s** /lid, lidœʀ/ *nm* lied

lie-de-vin /lidvɛ̃/ ▸ **p. 202** *adj inv* wine, wine-coloured[GB]

liège /ljɛʒ/ *nm* cork; **de** *or* **en ~** [*revêtement, panneau*] cork (*épith*); **bouchon en ~** cork

Liège /ljɛʒ/ ▸ **p. 894**, **p. 721** *npr* Liège; **la province de ~** Liège (province)

liégeois, **~e** /ljeʒwa, az/ ▸ **p. 894** *adj* of Liège; **café/chocolat ~** *iced coffee/chocolate topped with whipped cream*

Liégeois, **~e** /ljeʒwa, az/ ▸ **p. 894** *nm,f* (natif) native of Liège; (habitant) inhabitant of Liège

lien /ljɛ̃/ *nm* **1** (attache) (pour une personne) bond littér, strap; (pour un objet) gén strap; (plus fin) string; fig bond; **se libérer de ses ~s** lit, fig to free oneself of one's bonds; **ses ~s l'avaient blessé aux poignets** his wrists were injured where they had been tied; **2** (rapport) connection, link; **les deux événements n'ont aucun ~ entre eux** there is absolutely no connection *ou* link between the two events; **3** (relation) gén link, tie; (d'ordre affectif) tie, bond; **~s économiques/diplomatiques** economic/diplomatic links *ou* ties; **ses ~s avec la pègre sont bien connus** his connections *ou* links with the underworld are well-known; **~ d'amitié** ties of friendship; **~s affectifs** emotional ties *ou* bonds; **~s de parenté/du sang** family/blood ties; **il n'a aucun ~ de parenté avec elle** he's not related to her at all; **être uni par les ~s du mariage** to be joined *ou* united in marriage

lier /lje/ [2]
A *vtr* **1** (attacher) to tie [sb/sth] up [*personne, fleurs, paille*]; **~ un paquet** *or* **un colis avec de la ficelle** to tie up a parcel with string; **~ qn à un lit/arbre** to tie sb to a bed/tree; **il avait les mains liées** lit, fig his hands were tied; **être pieds et poings liés** lit, fig to be bound hand and foot, to be hogtied US; **2** (unir) to bind; **un contrat le lie à son entreprise** a contract binds him to his company; **notre avenir est lié à celui de l'Europe** our future is bound up with that of Europe; **ils sont très liés** they are very close; **être lié avec qn** to be very close to sb, to be very friendly with sb; **3** (établir un rapport) to link [*idées, événements*] (**à** to); **~ l'aide économique à des changements politiques** to link economic aid to political change; **tous ces problèmes sont liés** these problems are all linked *ou* related; **4** (commencer) **~ amitié avec qn** to strike up a friendship with sb; **~ connaissance avec qn** to make sb's acquaintance; **ils ont lié connaissance** they became acquainted; **~ conversation avec qn** to strike up a conversation with sb; **5** Constr to bind [*pierres, briques*]; **~ des briques avec du ciment** to bind bricks with cement; **6** Culin to thicken [*sauce*]; **7** Mus to slur [*notes*]
B **se lier** *vpr* [*personnes*] to make friends (**avec qn** with sb); **ils se sont liés d'amitié à l'école** they made friends at school; **il se lie difficilement** he doesn't make friends easily

(Idiome) **avoir partie liée avec qn** to be in league with sb

lierre /ljɛʀ/ *nm* ivy

liesse /ljɛs/ *nf* jubilation (**de** of); **en ~** jubilant

lieu /ljø/
A *nm* **1** (*pl* **~s**) (poisson) **~ (noir)** coley, black pollock; **2** (*pl* **~x**) (endroit) place; **un bon ~ de promenade** a good place for walking; **complément/adverbe de ~** adverbial/adverb of place; **choisir le ~ de la cérémonie** to choose where the ceremony will take place; **mettre qch en ~ sûr** to put sth in a safe place; **~ de rendez-vous** *or* **de rencontre** meeting place; **~ d'habitation/de naissance** place of residence/of birth; **~ de pèlerinage** place of pilgrimage; **~ de culte** place of worship; **~ de vente** retail outlet, point of sale; **sur le ~ de travail** in the workplace; **~ de passage** thoroughfare; **~ de l'action/du crime** scene of the action/of the crime; **sur le ~ du drame** at the scene of the tragedy;

~ **de tournage** (film) set; **en tous ~x** everywhere; **en ~ et place de qn** [*signer, agir*] on behalf of sb; **en premier ~** in the first place, firstly; **en second ~** secondly; **en dernier ~** lastly; **avoir ~** to take place; **tenir ~ de** to serve as [*réfectoire, chambre*]; **cette lettre tient ~ d'invitation** this letter is an invitation; **il y a ~ de s'inquiéter** there is cause for anxiety; **il n'y a pas ~ de s'affoler** there is no cause for panic; **s'il y a ~** if necessary; **cela n'a pas ~ d'être** it shouldn't be so; **tes critiques n'ont pas ~ d'être** there are no grounds for your criticisms; **elle a ~ d'être contente** she has cause to be happy; **donner ~ à** to cause *ou* give rise to [*scandale*]; ▸ **haut**

B **au lieu de** *loc prép* instead of

C **au lieu que** *loc conj* rather than

D **lieux** *nmpl* **1** (endroit) parts; **repérer les ~x** to have a scout around; (pour des raisons malhonnêtes) to stake out the place; **sur les ~x** [*être*] at the scene; [*arriver*] on the scene; **notre envoyé spécial est déjà sur les ~x** our special correspondent is already at the scene; **2** (habitation) premises; **visiter/quitter les ~x** to visit/leave the premises; **le maître des ~x** the master of the house

(Composés) ~ **commun** commonplace; ~ **géométrique**† locus; ~ **jaune** yellow pollock; ~ **de plaisir** euph brothel; ~ **public** public place; ~ **saint** holy place; ~ **scénique** stage; **~x d'aisances**† euph toilets

(Idiome) **n'avoir ni** *or* **être sans feu ni ~** to have neither hearth nor home†

lieue /ljø/ ▸ **p. 498** *nf* Hist league; ~ **marine** league

(Idiomes) **j'étais à cent** *or* **mille ~s d'imaginer** I never for a moment imagined; **à vingt ~ à la ronde** for miles around

lieuse /ljøz/ *nf* binder

lieutenant /ljøtnɑ̃/ ▸ **p. 406** *nm* **1** Mil (armée de terre) ≈ lieutenant GB, ≈ first lieutenant US; (armée de l'air) ≈ flying officer GB, ≈ first lieutenant US; **2** Naut first officer

(Composé) ~ **de vaisseau** lieutenant

lieutenant-colonel, *pl* **lieutenants-colonels** /ljøtnɑ̃kɔlɔnɛl/ ▸ **p. 406** *nm* (armée de terre) ≈ lieutenant-colonel; (armée de l'air) ≈ wing commander GB, ≈ lieutenant colonel US

lièvre /ljɛvʀ/ *nm* **1** Zool hare; **2** Sport pacemaker

(Idiome) **courir plusieurs ~s à la fois** to have several irons in the fire

lift /lift/ *nm* (au tennis) topspin

lifter /lifte/ [1] *vtr* to put topspin on [*balle*]; **faire un revers lifté** to do a backhand with topspin

liftier, **-ière** /liftje, ɛʀ/ ▸ **p. 532** *nm,f* lift attendant GB, elevator operator US

lifting /liftiŋ/ *nm* **1** Méd, Cosmét face-lift; **se faire faire un ~** to have a face-lift; **2** (rénovation) face-lift

ligament /ligamɑ̃/ *nm* ligament; **se déchirer un ~** to tear a ligament

ligamentaire /ligamɑ̃tɛʀ/ *adj* ligamentary

ligamenteux, **-euse** /ligamɑ̃tø, øz/ *adj* ligamentous

ligature /ligatyʀ/ *nf* **1** Méd (opération) tying; (résultat) ligature; **on lui a fait une ~ des trompes** she had her tubes tied; **2** Mus, Tech, Imprim ligature; **3** Hort tying up

ligaturer /ligatyʀe/ [1] *vtr* **1** Méd to tie, to ligature spéc; **se faire ~ les trompes** to have one's tubes tied; **2** Hort to tie up

lige /liʒ/ *adj* **1** Hist liege; **2** fml (dévoué) **être l'homme ~ de qn** to be sb's devoted supporter

lignage /liɲaʒ/ *nm* **1** (de famille) lineage; **de haut ~** of noble lineage; **2** Imprim linage

ligne /liɲ/ *nf* **1** (trait) line; ~ **blanche/continue/discontinue** Aut white/solid/broken line; ~ **de départ/d'arrivée** Sport starting/finishing line; **~s de la main** lines of the hand; ~ **de chance** line of fortune; ~ **de cœur/vie** heart/life line; ~ **de défense** line of defence[GB]; ~ **de l'horizon** the line of the horizon; ~ **courbe/brisée** curved/broken line; ~ **droite** gén straight line; (de route) straight piece of road; Courses Aut straight; **en ~ droite il y a environ 200 mètres** as the crow flies it's about 200 metres[GB]; **la dernière ~ droite avant l'arrivée** the home stretch; **papier à ~s** lined paper

2 (d'écriture) line; **écrire quelques ~s à qn** to drop sb a line; **je vous écris ces quelques ~s pour vous dire...** this is just a quick note to tell you...; **faire faire des ~s à qn** (punition) to give sb lines; **être payé à la ~** to be paid by the line; **à la ligne!** (dans une dictée) start a new paragraph

3 Transp (de bus, Aviat, Naut) (service) service; (parcours) route; (de métro, train) line; **la ~ Paris-Rome** Aviat the Paris to Rome route; Rail the Paris to Rome line; ~ **de chemin de fer** railway line; **~s secondaires/de banlieue** Rail branch/commuter lines; ~ **maritime/aérienne** sea/air route; **paquebot de ~** liner; **~s intérieures** Aviat domestic flights

4 Électrotech (câble) cable; TV (définition) line; ~ **électrique à haute tension** high-tension cable; ~ **aérienne/souterraine** overhead/underground cable

5 Télécom line; **la ~ est mauvaise** it's a bad line; **il y a quelqu'un d'autre sur la ~** we've got a crossed line; **'vous avez madame Pomier en ~'** 'Mrs Pomier is on the line for you'; **'restez en ~'** 'hold the line please'; **la ~ est coupée avec Rome** Rome is unobtainable at present; **avoir** *or* **obtenir la ~** to get through

6 (silhouette) figure; **avoir/garder la ~** to be/stay slim; **retrouver la ~** to get back one's figure; **c'est mauvais pour la ~** it's bad for the figure

7 (contour) **les ~s** (de meuble, voiture) lines; (de corps) contours; (de visage) lines; (de collines) outline (sg); **la ~ aérodynamique d'une voiture** the aerodynamic lines of a car; **la ~ bleue des Vosges** the blue line of the Vosges; **les ~s d'un paysage** the rise and fall of a landscape

8 (allure générale) (de mobilier, style, vêtement) look; **lancer une nouvelle ~** to launch a new look

9 Comm (gamme) line; **une ~ de produits de beauté** a line of beauty products

10 (idée, point) outline; **les ~s essentielles de mon programme/projet** the broad outline of my programme[GB]/project; **raconter un événement dans ses grandes ~s** to describe an event in broad outline

11 (orientation) (de parti politique) line; **les partisans de la ~ dure/modérée du parti** the party hard-liners/moderates; **la ~ politique/idéologique** the political/ideological line; **être dans la ~** to follow the party line

12 Pêche fishing line; **pêche à la ~** angling

13 (alignement) line; (rangée) row; **une ~ de poteaux/voitures** a line of posts/cars; **derrière les ~s ennemies** Mil behind the enemy lines; **la ~ des avants/arrières** (au rugby) the front/back row; (au football) the forwards/backs; **mettez-vous en ~** line up *ou* get into line; **ils sont en ~ pour le départ** they are lined up for the start; **hors ~** [*talent, acteur*] outstanding; **être en seconde ~** fig to take second place

14 Ordinat **en ~** online

15 (en généalogie) line; ~ **directe** direct line of descent; **héritier en ~ directe** direct heir

16 (de cocaïne) line

(Composés) ~ **de but** Sport goal line; ~ **de champ** Phys line of force; ~ **de coke**○ line of coke○; **se faire une ~ de coke** to do a line of coke; ~ **de conduite** line of conduct; ~ **de crédit** Fin line of credit; ~ **de crête** Géog crest line; ~ **de démarcation** boundary; Mil demarcation line; ~ **d'eau** Naut waterline; ~ **équinoxiale** Géog equator; ~ **de faille** Géol faultline; ~ **de faîte** Géog crest line; ~ **de feu** line of fire; ~ **de flottaison** Naut waterline; ~ **de flottaison en charge** load *ou* Plimsoll line; ~ **de force** Phys line of force; ~ **de fuite** vanishing line; ~ **mélodique** Mus melodic line; ~ **de mire** line of sight; ~ **de niveau** Géol line level; ~ **de partage des eaux** watershed; ~ **de tir** line of fire; ~ **de touche** Sport gén touchline; (au basket) boundary line; ~ **de visée** = ~ **de mire**

(Idiome) **être en première ~** lit, Mil to be in the front line; fig to be in the firing line; **monter en première ~** lit to go up to the front; fig to move into the attack; **entrer en ~ de compte** to be taken into account *ou* consideration; **il faut faire entrer en ~ de compte le fait que** account should be taken of the fact that; **cela ne devrait pas entrer en ~ de compte dans votre prise de décision** that shouldn't enter *ou* come into your decision

lignée /liɲe/ *nf* **1** (descendants) descendants; (famille) line of descent; **il est le dernier d'une longue ~** he's the last of a long line; **de haute ~** of noble descent; **2** (filiation spirituelle) tradition; **être dans la ~ des romantiques** to be in the Romantic tradition

ligneux, **-euse** /liɲø, øz/ *adj* woody, ligneous spéc

lignifier: **se lignifier** /liɲifje/ [2] *vpr* to lignify

lignite /liɲit/ *nm* brown coal, lignite spéc

ligoter /ligɔte/ [1] *vtr* **1** lit [*personne*] to truss [sb] up [*personne*] (**avec** with); ~ **qn à qch** to tie sb to sth; **2** fig ~ **qn** [*accord, règlement*] to bind sb; [*personne*] to tie sb's hand

ligue /lig/ *nf* league

liguer /lige/ [1]

A *vtr* ~ **qn contre** to get sb to join forces against

B **se liguer** *vpr* [*personnes*] to join forces; **se ~ avec/contre** to join forces with/against; **être ligué avec/contre** to be in league with/against

Ligurie /ligyʀi/ ▸ **p. 721** *nprf* **la ~** Liguria

lilas /lila/

A ▸ **p. 202** *adj inv* lilac

B *nm inv* lilac; **un bouquet de ~** a bunch of lilac

Lille /lil/ ▸ **p. 894** *npr* Lille

lilliputien, **-ienne** /lilipysjɛ̃, ɛn/ *adj, nm,f* Lilliputian

lillois, **~e** /lilwa, az/ ▸ **p. 894** *adj* of Lille

Lillois, **~e** /lilwa, az/ ▸ **p. 894** *nm,f* (natif) native of Lille; (habitant) inhabitant of Lille

Lima /lima/ ▸ **p. 894** *npr* Lima

limace /limas/ *nf* **1** Zool slug; **2** ◑(chemise) shirt

(Idiome) **se traîner comme une ~** to crawl along at a snail's pace

limaçon /limasɔ̃/ *nm* **1** Zool snail; **2** Anat cochlea

limage /limaʒ/ *nm* filing

limaille /limaj/ *nf* filings (*pl*)

limande /limɑ̃d/ *nf* dab; **filet de ~** fillet of dab

(Idiome) **être plate comme une ~** to be as flat as a board

limande-sole, *pl* **limandes-soles** /limɑ̃dsɔl/ *nf* lemon sole

limbe /lɛ̃b/

A *nm* Tech Astron Bot limb

B **limbes** *nmpl* Relig limbo ₵ (**de** of); **être/rester dans les ~s** to be/remain in limbo

Limbourg /lɛ̃buʀ/ ▸ **p. 721** *nprm* Limburg

lime /lim/ *nf* **1** Tech file; **à la ~** with a file; **donner un coup de ~ à qch** to file sth; **2** Bot lime; **3** Zool lima

(Composés) ~ **à bois** Tech wood file; ~ **à ongles** Cosmét nail file

limer /lime/ [1]

A *vtr* **1** (façonner) to file [*ongle, métal*]; to file

down [*clé, aspérité*]; **avoir les ongles ∼s** to have filed nails; **2** (couper) to file through [*barreau*]
B se limer *vpr* **se ∼ les ongles** to file one's nails
limier /limje/ *nm* **1** (chien) bloodhound; **2** °(détective, policier) sleuth; **un fin ∼** a super-sleuth
liminaire /liminɛʀ/ *adj* [*feuilles, texte, déclaration*] prefatory; [*étape, mesure*] preliminary
limitatif, -ive /limitatif, iv/ *adj* limiting, restrictive; **liste limitative/non limitative** closed/open list
limitation /limitasjɔ̃/ *nf* (de pouvoir, liberté) limitation, restriction; (de prix, taux d'intérêt) control ₵; **∼s budgétaires/des prix** budget/price control; **la ∼ des armements** arms control, arms limitation; **la ∼ des missiles nucléaires à 5 000** the limitation of nuclear missiles to 5,000
(Composé) **∼ de vitesse** Aut speed limit
limite /limit/ [1]
A °*adv* **tes plaisanteries sont ∼** your jokes are bordering on the offensive; **ça a été ∼ mais j'ai eu mon avion** I managed to catch my plane but it was a close thing
B *nf* **1** (ligne de séparation) border; **la ligne noire représente la ∼ entre les deux États** the black line shows the border between the two states; **2** (partie extrême) (de domaine, terrain) boundary; (de mer, forêt) edge; **les ∼s du village** the boundaries of the village; **3** (borne) aussi Math limit; **aller jusqu'à la ∼ de ses forces** to push oneself to the limit; **ma patience a des ∼s** there are limits to my patience; **connaître ses ∼s** to know one's (own) limitations; **tout de même, il y a des ∼s !** there are limits, you know!; **s'imposer des ∼s** to set oneself limits; **franchir les ∼s de la décence** to go beyond the bounds of decency; **leur générosité/bêtise est sans ∼** their generosity/stupidity knows no bounds; **leur énergie semble sans ∼** their energy seems boundless; **faire reculer les ∼s du possible** to push back the bounds of possibility; **il a montré ses ∼s dans cette affaire** his limitations became evident in this affair; **vraiment, il dépasse les ∼s!** he's really going too far!; **à la ∼, j'ai envie de démissionner** I almost feel like resigning; **à la ∼, je préférerais que tu ne viennes pas** I'd sooner you didn't come really; **à la ∼, je préférerais qu'il refuse** I'd almost prefer it if he refused; **à la ∼ je peux te prêter 100 euros** at a pinch GB *ou* in a pinch US, I can lend you 100 euros; **à la ∼ je pourrais aller le chercher à la gare** if it comes to it, I could go and pick him up at the station; **4** (bord) **à la ∼ de** on the verge of; **elle était à la ∼ de la crise de nerfs** she was on the verge of a nervous breakdown; **peinture/plaisanterie à la ∼ du mauvais goût** painting/joke bordering on bad taste; **activités à la ∼ de la légalité** activities bordering on the illegal; **un spectacle à la ∼ du supportable** an almost unbearable sight; **5** (cadre) **dans une certaine ∼** up to a point, to a certain extent; **dans la ∼ de, dans les ∼s de** within the limits of; **ils font ce qu'ils peuvent, dans la ∼ de leurs ressources** they do what they can, within the limits of their resources; **nous vous aiderons dans la ∼ de nos moyens** we will help you in as far as our means allow; **accepter des spectateurs dans la ∼ des places disponibles** to accept spectators subject to the availability of seats; **dans la ∼ du possible** as far as possible
C (-)limite (*in compounds*) **âge ∼** maximum age; **cas ∼** Méd, Psych borderline case; **date ∼** (pour une inscription) deadline, closing date; (pour remettre un travail) deadline; **date ∼ de vente** sell-by date; **hauteur/largeur/poids ∼** Transp maximum height/width/weight; **vitesse ∼** maximum speed
(Composés) **∼ d'âge** age limit; **∼ d'élasticité** yield point; **∼ de rupture** breaking point
limité, ∼e /limite/
A *pp* ▸ **limiter**
B *pp adj* (restreint) [*possibilité, conversation, ressources, intérêt*] limited; **un nombre de places ∼** a limited number of places; **il est assez ∼** he's rather limited; **le choix est ∼** there isn't much to choose from; **devoir en temps ∼** question to be answered within a set time limit
limiter /limite/ [1]
A *vtr* **1** (restreindre) to limit, to restrict [*pouvoir, dépenses, durée, nombre*] (**à** to); **limite tes recherches à un aspect particulier du problème** confine *ou* restrict your research to a particular aspect of the problem; **je limiterai mon intervention à une ou deux remarques** I'll restrict my speech to one or two remarks only; **cela limite nos possibilités** that rather limits our scope; **nous sommes limités dans le temps** our time is limited; **la vitesse est limitée à 90 km/h** the speed limit is 90 km/h; **∼ les dégâts** to minimize the damage; **2** (border) **la clôture qui limite notre propriété** the enclosure which marks the boundaries of our property; **des champs limités par des haies** fields bordered by hedges
B se limiter *vpr* **1** (se restreindre) **il ne sait pas se ∼** he doesn't know when to stop, he doesn't know when he's had enough; **se ∼ à deux verres de bière/dix cigarettes par jour** to limit oneself to two glasses of beer/ten cigarettes a day; **je me limiterai à quelques observations** I'll only make a few observations; **limitez-vous au sujet** confine yourself to the subject; **2** (se résumer) **se ∼ à** to be limited to; **l'histoire ne se limite pas à une suite de dates** history is not limited to a series of dates; **la vie ne se limite pas au travail** there's more to life than work
limiteur /limitœʀ/ *nm* limiter; **∼ de vitesse** Aut speed limiter
limitrophe /limitʀɔf/ *adj* [*pays, État, département, province*] bordering; [*ville*] border (*épith*); **les pays ∼s de la France** the countries bordering France
limogeage /limɔʒaʒ/ *nm* (en destituant) dismissal; (en déplaçant) removal
limoger /limɔʒe/ [13] *vtr* (destituer) to dismiss; (déplacer) to transfer
limon /limɔ̃/ *nm* **1** Géol silt; **2** (sur une voiture à cheval) shaft; **3** (d'escalier) stringer; **4** †Bot lemon
limonade /limɔnad/ *nf* (boisson gazeuse) lemonade GB, lemon soda US
limonadier, -ière /limɔnadje, ɛʀ/ ▸ **p. 532** *nm,f* **1** (fabricant) soft drinks manufacturer; (vendeur) soft drinks seller; **2** †(cafetier) café owner
limoneux, -euse /limɔnø, øz/ *adj* [*terre*] silty; [*eau, rivière*] silt-laden
limousin, ∼e /limuzɛ̃, in/ ▸ **p. 721**
A *adj* of Limousin
B limousine *nf* Aut limousine
Limousin, ∼e /limuzɛ̃, in/
A *nm,f* **1** (natif) native of Limousin; **2** (habitant) inhabitant of Limousin
B ▸ **p. 721** *nprm* **le ∼** Limousin
limousine ▸ **limousin**
limpide /lɛ̃pid/ *adj* **1** lit [*eau, ciel, air, cristal*] clear, limpid; **2** fig [*sentiment, souvenir*] pure; [*explication, style*] clear, lucid
limpidité /lɛ̃pidite/ *nf* **1** lit (d'eau, de ciel, cristal) clarity, limpidity littér; **2** fig (d'explication, de style) clarity, lucidity
lin /lɛ̃/ *nm* **1** (fibre, plante) flax; **2** (tissu) linen; **chemise/toile de ∼** linen shirt/cloth
linceul /lɛ̃sœl/ *nm* lit, fig shroud
Lincolnshire ▸ **p. 721** *nprm* **le ∼** Lincolnshire
linéaire /lineɛʀ/ *adj* linear
linéaments /lineamɑ̃/ *nmpl* **1** (de visage) lineaments; (d'objet) lines; **2** (ébauche) outline (*sg*)
linéarité /lineaʀite/ *nf* (d'écriture) linear quality; (d'événements) linear progression
linge /lɛ̃ʒ/ *nm* **1** (domestique) linen; **∼ sale/de couleur** dirty/coloured[GB] linen; **2** (lessive) washing; **avoir du ∼ à laver** to have some washing to do; **corde** *or* **fil à ∼** clothes line; ▸ **gros**; **3** (sous-vêtements) underwear; **changer de ∼** to change one's underwear; ▸ **petit**; **4** (torchon) cloth; **envelopper qch dans un ∼** to wrap sth up in a cloth
(Composés) **∼ de corps** underwear; **∼ de cuisine** kitchen towels (*pl*); **∼ de maison** household linen; **∼ de table** table linen; **∼ de toilette** bathroom linen
(Idiomes) **être blanc comme un ∼** to be as white as a sheet; **on doit laver son ∼ sale en famille** people shouldn't wash their dirty linen in public; **déballer son ∼ sale** to reveal one's guilty secret
lingère /lɛ̃ʒɛʀ/ *nf* **1** (personne) laundry woman; **2** (armoire) linen cupboard GB, linen closet US
lingerie /lɛ̃ʒʀi/ *nf* **1** (local) linen room; **2** (linge de corps) **∼ (féminine)** lingerie; **∼ fine** fine lingerie; **3** (industrie) lingerie industry
lingette /lɛ̃ʒɛt/ *nf* ≈ baby wipe; **∼ dépoussiérante** surface wipe; **∼ nettoyante bactéricide** antibacterial wipe
lingot /lɛ̃go/ *nm* ingot; **∼ de métal** metal ingot
(Composé) **∼ d'or** gold ingot (*weighing 1 kg*)
lingual, ∼e, *mpl* **-aux** /lɛ̃gwal, o/ *adj* lingual
lingue /lɛ̃g/ *nf* ling
linguiste /lɛ̃gɥist/ ▸ **p. 532** *nmf* linguist
linguistique /lɛ̃gɥistik/
A *adj* linguistic; **communauté ∼** speech community
B *nf* linguistics (+ *v sg*)
linguistiquement /lɛ̃gɥistikmɑ̃/ *adv* linguistically
liniment /linimɑ̃/ *nm* liniment
lino /lino/ *nm* lino GB, linoleum
linoléum /linɔleɔm/ *nm* linoleum
linon /linɔ̃/ *nm* Tex lawn
linotte /linɔt/ *nf* linnet
linotype® /linɔtip/ *nf* Linotype®
linteau, *pl* **∼x** /lɛ̃to/ *nm* lintel
lion /ljɔ̃/ *nm* lion; **la part du ∼** the lion's share; **se tailler la part du ∼** to take the lion's share
(Composé) **∼ de mer** sealion
(Idiomes) **se battre** *or* **se défendre comme un ∼** to fight like a tiger; **avoir mangé du ∼** to be full of beans° GB, to be full of pep° US; **descendre dans la fosse aux ∼s** to enter the lion's den. ▸ **cage**
Lion /ljɔ̃/ ▸ **p. 912** *nprm* Leo
lionceau, *pl* **∼x** /ljɔ̃so/ *nm* lion cub
lionne /ljɔn/ *nf* lioness
lipase /lipɑz/ *nf* lipase
lipide /lipid/ *nm* lipid
lipome /lipom/ *nm* lipoma
lipoprotéine /lipopʀotein/ *nf* lipoprotein
liposarcome /liposaʀkom/ *nm* liposarcoma
liposoluble /liposɔlybl/ *adj* liposoluble
liposome /lipɔzom/ *nm* liposome
liposuccion /lipɔsysjɔ̃/ *nf* liposuction
lippe† /lip/ *nf* bottom lip
lippu, ∼e /lipy/ *adj* [*bouche, personne*] full-lipped; [*lèvre*] full
liquéfaction /likefaksjɔ̃/ *nf* liquefaction
liquéfiable /likefjabl/ *adj* liquefiable
liquéfiant, ∼e /likefjɑ̃, ɑ̃t/ *adj* liquefacient
liquéfier /likefje/ [2]
A *vtr* to liquefy

B se liquéfier *vpr* **1** [*cire, glace, gaz*] to liquefy; **2** °(avoir peur) to turn to jelly; **3** °(avoir très chaud) to wilt

liquette° /likɛt/ *nf* shirt

liqueur /likœʀ/ *nf* **1** (boisson) liqueur; **~ de poire/framboise** pear/raspberry liqueur; **2** Pharm liquor

liquidateur, -trice /likidatœʀ, tʀis/ *nm,f* Jur liquidator, receiver; **~ judiciaire** official receiver

liquidatif, -ive /likidatif, iv/ *adj* **acte ~** act of bankruptcy; **valeur liquidative** market value

liquidation /likidasjɔ̃/ *nf* **1** Jur, Comm (d'entreprise, de bien) liquidation; (de dettes, comptes, succession) settlement, selling off; **~ judiciaire** *or* **forcée** compulsory liquidation; **~ volontaire** voluntary liquidation; **société en ~** company in liquidation; **mettre une société en ~** to put a company into liquidation *ou* receivership, to liquidate a company; **entrer en ~** to go into receivership *ou* liquidation; **~ des impôts** payment of taxes; **2** Comm (vente) clearance; **~ totale (du stock)** total clearance; **3** (de soucis, problèmes) settling; **4** °(meurtre) liquidation°; **5** Fin settlement; **~ de fin de mois** monthly settlement; **jour de ~** settlement day

liquide /likid/
A *adj* liquid; **se présenter sous forme ~** to come in liquid form; **trop ~** [*aliment, colle, sauce*] too thin; **argent ~** cash; **miel ~** clear honey
B *nm* **1** (substance) liquid; **2** (argent) cash; **payer en ~** to pay cash
C *nf* Ling liquid
(Composés) **~ correcteur** correction fluid, white-out (fluid) US; **~ de frein** brake fluid; **~ organique** body fluid; **~ de refroidissement** coolant; **~ séminal** seminal fluid

liquider /likide/ [1] *vtr* **1** Jur to settle [*comptes*]; to liquidate [*société, commerce*]; to realize [*biens*]; to liquidate, to settle [*dettes*]; **2** Comm (vendre) to clear [*marchandises, stock*]; **3** °(régler) to settle [*problèmes, querelles*]; **4** °(se débarrasser de) to liquidate° [*adversaire, témoin*]; **5** °(consommer complètement) to demolish [*plat*]; to empty [*verre*]; to clear [*assiette*]

liquidité /likidite/ *nf* **1** (caractère liquide) liquidity; **2** Fin liquidity; **des ~s** liquid assets

liquoreux, -euse /likɔʀø, øz/ *adj* [*vin*] sweet and strong; [*vapeur, odeur*] liqueur-like

lire /liʀ/ [66]
A ▸ **p. 48** *nf* lira; **payer en ~s** to pay in lire *ou* liras
B *vtr* **1** (déchiffrer) to read [*mot, journal, auteur, langue*]; **~ qch à qn** to read sth to sb; **apprendre à ~** to learn to read; **elle sait ~** she can read; **~ à voix haute** *or* **à haute voix** to read aloud; **lis la page 5** gén read page 5; (à voix haute) read out page 5; (en entier) read through page 5; **c'est un livre à ~/qu'il faut ~** it's a book worth reading/one ought to read; **~ Platon dans le texte** to read Plato in the original; **~ qch comme une critique** to interpret sth as a criticism; **un auteur/magazine qui est très lu** a widely read author/magazine; **au lieu de 'il' il fallait ~ 'elle'** for 'he' read 'she'; **'lu et approuvé'** 'read and approved'; **~ qch en diagonale** to skim through sth, scan sth; **~ sur les lèvres de qn** to lip-read what sb is saying; **dans l'espoir de vous ~ bientôt** hoping to hear from you soon; **2** Méd, Mus to read [*radiographie, musique*]; **3** (en hi-fi) aussi Ordinat to read; **4** (discerner) to read [*avenir*]; **~ les cartes/lignes de la main** to read cards/palms; **~ la haine dans les yeux/sur le visage de qn** to see hate written in sb's eyes/on sb's face; **~ dans les pensées de qn** to read sb's mind; **~ dans le cœur de qn** to see into sb's heart
(Idiomes) **~ dans le jeu de qn** to see through sb; **~ entre les lignes** to read between the lines; **~ sur le visage de qn comme dans un livre** to read sb like a book

lirette /liʀɛt/ *nf* **tapis en ~** rag rug

lis /lis/ *nm inv* lily

Lisbonne /lisbɔn/ ▸ **p. 894** *npr* Lisbon

liseré /lizʀe/ *nm*, **liséré** /lizeʀe/ *nm* (raie) edging; (ruban) piping; **un ~ de sable blanc** a strip of white sand

liseron /lizʀɔ̃/ *nm* bindweed, convolvulus

liseuse /lizøz/ *nf* **1** (veste) bed jacket; **2** (couvrant un livre) book cover; **3** (lampe) small reading lamp

lisibilité /lizibilite/ *nf* **1** (d'écriture, de lettre) legibility; **écriture d'une parfaite ~** perfectly legible handwriting; **2** (de roman, document) readability

lisible /lizibl/ *adj* **1** [*écriture, manuscrit*] legible; **2** [*auteur, roman*] readable

lisiblement /liziblәmɑ̃/ *adv* legibly

lisière /lizjɛʀ/ *nf* **1** (de bois, champ) edge; (de village) outskirts; (bord) verge; **2** Tex selvage

lissage /lisaʒ/ *nm* smoothing

lisse /lis/
A *adj* [*peau, surface, cheveux*] smooth; [*pneu*] worn
B *nf* Naut (rambarde) handrail; (de coque) ribband

lisser /lise/ [1]
A *vtr* to smooth [*cheveux*]; to stroke [*barbe, moustache*]; to smooth (out) [*vêtement, nappe*]; to smooth [*cuir*]; **l'oiseau lisse ses plumes** the bird is preening its feathers *ou* itself
B se lisser *vpr* **se ~ la barbe** to stroke one's beard; **le chat se lisse le poil** the cat is licking its fur

listage /listaʒ/ *nm* Ordinat listing

liste /list/ *nf* gén list (**de** of); Pol list (of candidates) GB, ticket US; **dresser** *or* **établir une ~** to draw up a list; **faire la ~ de** to list, to make a list of; **~ de commissions** shopping list; **venir grossir la ~ de** to swell the ranks of [*personnes*]; to add to the list of [*erreurs, problèmes*]
(Composés) **~ arborescente** Ordinat tree view; **~ d'attente** waiting list; **~ bloquée** Pol fixed list (of candidates); **~ civile** civil list; **~ de contrôle** checklist; **~ électorale** electoral roll; **être inscrit sur les ~s électorales** to be on the electoral roll, to be registered to vote; **~ de mariage** wedding list; **~ panachée** flexible list (*where voters can choose candidates from several lists*)
(Idiomes) **être sur (la) ~ rouge** to be ex-directory GB, to have an unlisted number US; **se faire mettre sur (la) ~ rouge** to go ex-directory GB, to get an unlisted number US; **être sur la ~ noire de qn** to be in sb's bad books

listel /listɛl/ *nm* **1** Archit listel, fillet; **2** (de pièce, médaille) rim; **3** (de livre) fillet

lister /liste/ [1] *vtr* to list

listériose /listeʀjoz/ ▸ **p. 283** *nf* listeriosis, listeria

listing /listiŋ/ *nm* controv listing

lit /li/ *nm* **1** (meuble) bed; **~ à une place** *or* **d'une personne** single bed; **~ à deux places** *or* **de deux personnes** double bed; **~ dur/moelleux** hard/soft bed; **aller** *or* **se mettre au ~** to go to bed; **garder le ~** to stay in bed; **être/rester/fumer au ~** to be/stay/smoke in bed; **mettre qn au ~** to put sb to bed; **tirer qn du ~** lit to drag sb out of bed; **le réveil le tira du ~** the alarm got him out of bed; **elle est pas mal au ~**◑ she's pretty good in bed°; **il voudrait bien la mettre** *or* **l'avoir dans son ~**° he would like to get her into bed; **au ~!** (à un enfant) bedtime!; **2** (structure) bed; **~ métallique/en acajou** metal/mahogany bed; **3** (literie) bed; **faire/défaire un ~** to make/unmake a bed; **le ~ était tout défait** the bedclothes were rumpled; **le ~ n'était pas défait** the bed had not been slept in; **4** (unité d'accueil) bed; **un hôtel/hôpital de 300 ~s** a 300-bed hotel/hospital; **cette station offre 2 500 ~s** there are 2,500 beds available in this resort; **5** Jur (mariage) marriage; **enfants (nés) du même/premier ~** children from the same/first marriage; **6** Culin, Géol (couche) bed; **7** Géog (de cours d'eau) bed; **la rivière est sortie de son ~** the river has overflowed its banks; **détourner un fleuve de son ~** to alter the course of a river; **8** (direction du vent) set
(Composés) **~ à baldaquin** four-poster bed; **~ bateau** sleigh bed; **~ breton** = **~ clos**; **~ de camp** camp bed GB, cot US; **~ clos** box bed; **~ de douleur** liter bed of pain; **~ empilable** stacking bed; **~ d'enfant** cot GB, crib US; **~ fluvial** Géog riverbed; **~ gigogne** hideaway bed; **~ mécanique** adjustable bed GB, hospital bed US; **~ de mort** death-bed; **~ pliant** folding bed; **~ en portefeuille** apple-pie bed; **~ de repos** day-bed; **~s superposés** bunk bed
(Idiome) **comme on fait son ~ on se couche** Prov as you make your bed so you must lie in it Prov

litanie /litani/ *nf* lit, fig litany

lit-cage, *pl* **lits-cages** /likaʒ/ *nm* folding metal cot

litchi /litʃi/ *nm* lychee, litchi

liteau, *pl* **~x** /lito/ *nm* **1** (en bois) (de toiture) batten; (d'étagère) bracket; **2** Cout, Tex (de nappe, serviette) coloured stripe

litée /lite/ *nf* litter

literie /litʀi/ *nf* bedding

lithiné, ~e /litine/
A *adj* **sels ~s** lithium salts; **eau ~e** lithia water
B lithinés *nmpl* lithium tablets

lithium /litjɔm/ *nm* lithium

litho° /lito/ *nf* litho, lithog

lithographe /litɔgʀaf/
A *adj* lithographic
B *nmf* lithographer

lithographie /litɔgʀafi/ *nf* **1** (technique) lithography; **2** (estampe) lithograph

lithographier /litɔgʀafje/ [2] *vtr* to lithograph

lithographique /litɔgʀafik/ *adj* lithographic

lithosphère /litɔsfɛʀ/ *nf* lithosphere

litière /litjɛʀ/ *nf* **1** (de vaches) litter; (de chevaux) bedding; (pour chats) cat litter, kitty litter US; **changer la ~ du chat** to change the cat litter; **changer les ~s** to muck out GB, to clean the stables; **2** (lit portatif) litter

litige /litiʒ/ *nm* dispute; **statuer sur un ~** Jur to give a ruling on a case; **saisir le tribunal d'un ~** Jur to refer a matter to the court; **point de ~** gén bone of contention; Jur point at issue; **être en ~** Jur to be involved in litigation; **les parties en ~** the litigants

litigieux, -ieuse /litiʒjø, øz/ *adj* [*affaire, point, sujet*] contentious; [*hypothèse, argument*] contentious; [*personne*] litigious

litorne /litɔʀn/ *nf* fieldfare

litote /litɔt/ *nf* gén, hum understatement; (en rhétorique) litotes; **dire qu'il n'est pas aimable, c'est une ~** to say that he is not very pleasant is an understatement *ou* is putting it mildly

litre /litʀ/ ▸ **p. 123** *nm* (mesure) litre[GB]; (bouteille) litre[GB] bottle; **être vendu au ~** to be sold by the litre[GB]

litron° /litʀɔ̃/ *nm* litre[GB] of wine

littéraire /liteʀɛʀ/
A *adj* [*œuvre, critique, prix*] literary; [*études, formation*] arts, liberal arts (*épith*) US; **elle est très ~** she is very literary
B *nm,f* (par penchant) literary person; (étudiant) arts *ou* liberal arts US student

littéral, ~e, *mpl* **-aux** /liteʀal, o/ *adj* gén literal; **arabe ~** written Arabic

littéralement /liteʀalmɑ̃/ *adv* [*signifier, traduire*] literally; [*citer*] verbatim

littérateur /liteʀatœʀ/ *nm* man of letters; péj scribbler

littératie /liteʀasi/ *nf* literacy

littérature /liteʀatyʀ/ *nf* **1** (œuvres) literature; **en ~** in literature; **2** (discipline) literature; **cours de ~ comparée** comparative literature course; **3** (métier d'écrivain) **se lancer dans la ~** to take up a writing career; **4** (documentation) literature; **il y a une abondante ~ sur le sujet** there is a wealth of literature on the subject; **5** pej (verbiage) waffle○; **tout cela n'est que ~** it's a lot of waffle○

(Composés) **~ de gare** pej pulp literature; **~ policière** detective stories; **~ de science-fiction** science-fiction

littoral, **~e**, *mpl* **-aux** /litɔʀal/

A *adj* [*navigation, eaux, ville*] coastal (*épith*); [*faune, flore*] inshore (*épith*); [*colline, topographie*] littoral (*épith*)

B *nm* coastal region, coast, littoral spéc; **~ étroit** narrow coastline; **le ~ breton** the Brittany coast

Lituanie /litɥani/ ▸ p. 333 *nprf* Lithuania

lituanien, **-ienne** /litɥanjɛ̃, ɛn/

A ▸ p. 561 *adj* Lithuanian

B ▸ p. 483 *nm* Ling Lithuanian

Lituanien, **-ienne** /litɥanjɛ̃, ɛn/ ▸ p. 561 *nm,f* Lithuanian

liturgie /lityʀʒi/ *nf* liturgy

liturgique /lityʀʒik/ *adj* liturgical

livarde /livaʀd/ *nf* sprit; **voile à ~** spritsail

livide /livid/ *adj* [*personne, visage*] deathly pale; [*pâleur*] ghastly; liter [*aube, teint, lueur*] livid

lividité /lividite/ *nf* lividness; **la ~ de l'aube** liter the livid greyness GB *ou* grayness US of dawn

living /liviŋ/ *nm* **1** (pièce) living-room; **2** (mobilier) living-room suite

living-room, *pl* **~s** /liviŋʀum/ *nm* living-room

Livourne /livuʀn/ *npr* Leghorn, Livorno

livrable /livʀabl/ *adj* [*article, marchandise, manuscrit*] which can be delivered

livraison /livʀɛzɔ̃/ *nf* **1** (de marchandise) delivery; **payable à la ~** payable on delivery; **voiture de ~** delivery van; **'~s à domicile'** (sur une annonce publicitaire) 'we do home deliveries'; **'Livraisons'** (espace réservé) 'deliveries only'; **il est venu prendre ~ de la commande** he came to pick up the order; **il faut qu'ils cessent leurs ~s d'armes aux rebelles** they must stop providing the rebels with arms; **2** (marchandises) delivery; **3** Édition, TV (partie) part, instalment

livre /livʀ/

A *nm* **1** (volume publié) book; **~ d'images/d'art** picture/art book; **~ pour enfants** children's book; **ne connaître qch que par les ~s** only to know about sth from books; **à ~ ouvert** [*traduire*] off the cuff; **religions du ~** Bible-based religions; **c'est mon ~ de chevet** lit it's my bedside reading; fig it's my bible; **2** (registre) book; Compta (account) book, ledger; **3** (volume) book; **un ouvrage en 12 ~s** a work in 12 books; **4** (industrie) **l'industrie du ~** the book industry *ou* trade GB; **les métiers du ~** trades within the book industry

B *nf* **1** ▸ p. 48 (monnaie) pound; **~ sterling** pound sterling; **~ irlandaise** Irish pound, punt; **2** ▸ p. 646 (unité de masse) (demi-kilo) half a kilo; (anglo-saxonne) pound

(Composés) **~ audio** audiobook; **~ blanc** blue book; **~ de bord** logbook; **~ de caisse** cash book; **~ de classe** = **~ scolaire**; **~ de comptes** accounts book; **~ de cuisine** cookery book, cookbook; **~ électronique** e-book; **~ de l'élève** pupil's workbook; **~ d'heures** Book of Hours; **~ de lecture** reading book, reader; **~ du maître** teacher's book; **~ de messe** missal, mass book; **~ d'or** visitors' book; **~ de poche®** paperback; **~ scolaire** schoolbook; **~ à succès** bestseller

(Idiomes) **parler comme un ~** to talk like a book; **cela c'est passé comme dans les ~s** it was like something out of a book

livre-cassette, *pl* **livres-cassettes** /livʀkasɛt/ *nm* talking book, audiobook; (pour enfants) story tape

livrée /livʀe/ *nf* (de domestique) livery; **en ~** in livery; **la ~ de la misère** fig the badge of poverty

livrer /livʀe/ [1]

A *vtr* **1** Comm to deliver [*marchandises*] (**to** à); **se faire ~ qch** to have sth delivered; **nous livrons à domicile** we do home deliveries; **~ qn** to deliver sb's order; **2** (remettre) to hand [sb] over [*personne, criminel, prisonnier*] (**à** to); (en trahissant) to betray [*complice, secret*] (**to** à); to pass [sth] on [*document, renseignement*] (**à** to); **3** (abandonner) **ils ont livré le meurtrier à la colère de la foule** they abandoned the murderer to the mob; **le pays a été livré au pillage/chaos** the country was given over to plunder/chaos; **être livré à soi-même** to be left to one's own devices; **4** (confier) **il nous livre un peu de lui-même dans ses romans** he reveals something of himself in his novels; **les volcans ne nous ont pas encore livré tous leurs secrets** volcanoes have not yet yielded all their secrets up to us

B **se livrer** *vpr* **1** (s'adonner) **se ~ à l'étude** to devote oneself to one's studies; **se ~ à la débauche** to give oneself over to vice; **se ~ à des violences** to commit acts of violence; **se ~ à un trafic de drogue** to engage in drug trafficking; **il s'est livré à des critiques acerbes contre ses ennemis** he criticized his enemies harshly; **2** (se rendre) **se ~ à** [*terroristes, bandits*] to give oneself up to, to surrender to; **3** (se confier) **se ~ à un ami** to confide in a friend; **il ne se livre pas facilement** he doesn't open up easily

(Idiomes) **~ bataille** to do battle (**à** with); **~ passage à qn** to let sb through

livresque /livʀɛsk/ *adj* **savoir** *or* **culture ~** book-learning

livret /livʀe/ *nm* **1** (livre) booklet, small book; (registre) record book; **2** (d'opéra) libretto

(Composés) **~ de caisse d'épargne** ≈ bankbook (*for a savings account*) US; **~ d'épargne logement** ≈ building society passbook GB, bankbook US; **~ de famille** family record book; **~ militaire** *service record stating obligations in case of mobilization*; **~ scolaire** school report book

> **Livret de famille**
>
> An official record of family status (births, marriages and deaths) used as proof of family links.

livreur, **-euse** ▸ p. 532 /livʀœʀ, øz/ *nm,f* delivery man/delivery woman

LMD /ɛlɛmde/ *nm* (*abbr* = **licence, master, doctorat**) *university awards by which a licence is gained with three years' study, a master after five, and a doctorat after eight*

LOA /ɛloa/ *nf: abbr* ▸ **location**

lob /lɔb/ *nm* Sport lob; **il a réussi d'excellents ~s** he lobbed magnificently

lobby, *pl* **lobbies*** /lɔbi/ *nm* lobby

lobe /lɔb/ *nm* **1** Anat, Bot, Géog, Zool lobe; **~ de l'oreille** ear lobe; **2** Archit foil

lobé, **~e** /lɔbe/ *adj* **1** Bot lobed, sinuate; **2** Archit foiled, foliated

lobectomie /lɔbɛktɔmi/ *nf* lobectomy

lobélie /lɔbeli/ *nf* lobelia

lober /lɔbe/ [1] *vtr, vi* to lob

lobotomie /lɔbɔtɔmi/ *nf* lobotomy

lobule /lɔbyl/ *nm* Anat, Bot lobule

local, **~e**, *mpl* **-aux** /lɔkal, o/

A *adj* gén [*journal, industrie, autorités*] local; [*douleur*] localized; [*averses*] localized; **contraceptif ~** *barrier method of contraception including spermicidal creams etc*; **22 heures heure ~e** 22.00 local time

B *nm* **1** (pièce quelconque) place; **ils ont un ~ pour répéter** they've got a place where they can rehearse; **les scouts ont besoin d'un ~** the scouts need a place to meet; **2** (pièce à usage déterminé) **~ (à usage) commercial** commercial premises (*pl*); **~ professionnel** *or* **d'activité** business premises (*pl*); **locaux habitables** residential units; **la réunion aura lieu dans les locaux du lycée** the meeting will take place on school premises; **les locaux de l'usine** factory premises; **dans les locaux de la gendarmerie** at the police station; **les locaux du journal** the newspaper offices

localement /lɔkalmɑ̃/ *adv* **1** (relativement à un lieu) on a local level; **2** (à certains endroits) locally; **appliquer la crème ~** apply the cream locally

localisable /lɔkalizabl(ə)/ *adj* **une douleur difficilement ~** a pain that is difficult to locate

localisation /lɔkalizasjɔ̃/ *nf* **1** (emplacement) location; **la ~ d'un navire en détresse/d'un bruit** locating a ship in distress/a noise; **2** (limitation) **la ~ d'un incendie/d'un conflit** localizing a fire/a conflict

(Composé) **~ cérébrale** localization of brain function

localiser /lɔkalize/ [1]

A *vtr* **1** (repérer) to locate [*personne, bruit*]; to locate [*fuite, panne*]; **2** (circonscrire) to localize [*incendie, maladie, conflit*]

B **se localiser** *vpr* to become localized

localité /lɔkalite/ *nf* Géog, Biol locality

locataire ➜ /lɔkatɛʀ/ *nmf* tenant; **être ~** to be renting

locatif, **-ive** /lɔkatif, iv/

A *adj* [*revenu, secteur, valeur*] rental

B *nm* **1** Ling locative; **au ~** in the locative; **2** (secteur immobilier) rental sector

location /lɔkasjɔ̃/ *nf* **1** (d'immobilier) (par le propriétaire) renting out; (par le locataire) renting ₵; **~ de terrains/logements** renting of land/accommodation; **agence de ~** rental agency; **donner** *or* **mettre en ~** to rent out, to let GB; **maison en ~** rented house; **2** (logement) rented accommodation ₵; **les ~s se font rares** rented accommodation is becoming scarce; **être en ~** to live in rented accommodation; **3** (loyer) rent; **payer la ~ tous les mois** to pay the rent monthly; **4** (de matériel) hire ₵; **~ de voitures/d'outils** car/tool hire; **véhicule de ~** hire vehicle; **contrat de ~** rental agreement; **~ de téléviseurs/vidéos** TV/video rental; **coût de ~** cost of hiring; **5** (de spectacle) reservation, booking GB; **faire les ~s** to reserve, to book GB the seats; **la ~ des places sera ouverte à partir du 3 juin** tickets will be available from 3 June; **guichet de ~** box office

(Composés) **~ avec option d'achat**, **LOA** leasing

location-vente, *pl* **locations-ventes** /lɔkasjɔ̃vɑ̃t/ *nf* **1** (d'immobilier) 100% mortgage scheme; **en ~** on a 100% mortgage; **2** (d'équipement) hire purchase; **3** (location avec option d'achat) leasing

loch /lɔk/ *nm* **1** Naut log; **2** (en Écosse) (lac) loch

loche /lɔʃ/ *nf* **1** (poisson) (d'eau douce) loach; (de mer) rockling; **2** (limace) grey GB *ou* gray US slug

lock-out* /lɔkaut/ *nm inv* lock-out; **lever le ~** to end the lock-out

locomoteur, **-trice** /lɔkɔmɔtœʀ, tʀis/ *adj* locomotive

locomotion /lɔkɔmɔsjɔ̃/ *nf* locomotion

locomotive /lɔkɔmɔtiv/ *nf* **1** Rail engine, locomotive; **~ à vapeur** steam engine; **2** fig (meneur) driving-force; (d'une mode) trendsetter; (personne, région dynamique) powerhouse; Sport pace-setter

(Idiome) **souffler comme une ~** to puff and pant

➜ *voir* Vivre dans un pays anglophone

l

locuste /lɔkyst/ *nf* locust

locuteur, **-trice** /lɔkytœʀ, tʀis/ *nm,f* speaker; **~ natif** native speaker

locution /lɔkysjɔ̃/ *nf* (grammaticale) phrase; (expression) idiom; **~ figée/adverbiale** fixed/adverbial phrase; **~ toute faite** set phrase

loden /lɔdɛn/ *nm* **1** (tissu) loden; **2** (manteau) loden coat

lœss /løs/ *nm inv* loess

lof /lɔf/ *nm* luff, windward side; **aller au ~** to luff, to sail into the wind; **virer ~ pour ~** to wear (ship)

lofer /lɔfe/ [1] *vi* to luff, to bring the ship round to windward

loft /lɔft/ *nm* loft

logarithme /lɔgaʀitm/ *nm* logarithm, log; **table de ~s** log table

logarithmique /lɔgaʀitmik/ *adj* logarithmic

loge /lɔʒ/ *nf* **1** (de gardien d'immeuble) lodge; **2** Théât (d'artiste) dressing room; (de spectateur) box; **3** (de franc-maçons) (lieu) lodge; (groupe) **Loge** Lodge; **frères de Loge** Lodge brothers; **Grande Loge** Grand Lodge; **4** Archit loggia; **5** Bot loculus; **les ~s** loculi

(Idiome) **être aux premières ~s** to be in an ideal position

logé, **~e** /lɔʒe/

A *pp* ▸ **loger**

B *pp adj* housed; **bien/mal ~** well/badly housed; **être ~, nourri, blanchi** to have bed, board and one's laundry done; **de quoi te plains-tu, tu es ~ nourri!** what are you complaining about? you have bed and board *ou* board and lodging; ▸ **enseigne**

logeable /lɔʒabl/ *adj* **1** (à grande contenance) roomy; **2** (peu encombrant) that doesn't take up much room

logement /lɔʒmɑ̃/ *nm* **1** (local d'habitation) accommodation ₵; **chercher un ~** to look for accommodation *ou* a place to live; **les ~s sont chers** accommodation is very expensive; **nous allons construire 6 000 ~s** we are going to build 6,000 houses and flats GB *ou* apartments US; **l'achat d'un ~** (appartement) buying a flat *ou* an apartment US; (maison) buying a house; **~ individuel** (appartement) flat GB, apartment US; (maison) house; **2** (fait de loger) housing; **la crise/le marché du ~** the housing crisis/market; **loi sur le ~** housing law; **3** Tech (de bille, rouleau) housing; (de pêne) guides (*pl*)

(Composés) **~ locatif** accommodation for rent; **~ social** local authority housing GB, public housing US

logement-foyer, *pl* **logements-foyers** /lɔʒmɑ̃fwaje/ *nm* sheltered accommodation

loger /lɔʒe/ [13]

A *vtr* **1** (fournir un logement permanent à) [*mairie, service social*] to house [*famille, étudiant, réfugié*]; **2** (héberger temporairement) [*personne*] to put [sb] up [*ami, stagiaire*]; [*mairie, école*] to provide accommodation for [*sinistrés, stagiaires*]; **pourrais-tu me ~ cette semaine?** could you put me up this week?; **les élèves seront logés chez l'habitant** the students will be put up with local families; **~ qn dans** to put sb up in; **on logera le stagiaire dans la petite chambre** we'll put the student in the small room; **3** (contenir) [*hôtel, pensionnat*] to have accommodation for; **4** (placer) **~ qch dans un placard** to put sth in a cupboard [*objet, livres*]; **je n'ai pas pu ~ tous mes meubles dans le salon** I couldn't fit all my furniture in the living room; **~ le ballon dans un coin du filet** to slam the ball into a corner of the net; **5** (faire pénétrer) **~ une balle dans la tête/le bras de qn** to shoot sb in the head/the arm; **~ une idée dans la tête de qn** to put an idea into sb's head

B *vi* **1** (habiter) to live; **~ à Rennes/en banlieue** to live in Rennes/in the suburbs; **~ chez qn** to live in sb's house; **~ chez un particulier** to have a room in a private house; **2** (résider temporairement) to stay; **elle ne sait pas où ~** she doesn't know where to stay; **~ à l'hôtel/en auberge de jeunesse** to stay at a hotel/at a youth hostel; **~ chez qn** to stay with sb; **~ chez l'habitant** to stay with a family

C se loger *vpr* **1** (trouver un logement) [*personne*] to find accommodation, to find a place to live; **2** (avoir un lieu d'habitation) **avec cette somme, je dois me nourrir et me ~** with that I have to pay for food and accommodation *ou* housing; **3** (se placer) **se ~ dans qch** [*ballon*] to land in sth; (en se fixant) to get stuck in sth; [*poussière, saletés*] to collect in sth; **la balle est venue se ~ dans le genou** the bullet lodged in his knee; **c'est une bactérie qui se loge dans les canalisations** it's a bacterium that establishes itself in pipes; **se ~ une balle dans la tête** to shoot oneself in the head

logeur /lɔʒœʀ/ *nm* lodger

logeuse /lɔʒøz/ *nf* (female) lodger

loggia /lɔdʒja/ *nf* loggia

logiciel, **-ielle** /lɔʒisjɛl/

A *adj* software (*épith*); **génie ~** software engineering

B *nm* **1** (ensemble de programmes) software ₵; **~ intégré/de base** integrated/system(s) software; **2** (programme) program, software package; **~ de jeux/d'application** games/application program

(Composés) **~ antivirus** antivirus software; **~ contributif** shareware; **~ de groupe** groupware; **~ libre** freeware; **~ médiateur** middleware; **~ public** freeware

logicien, **-ienne** /lɔʒisjɛ̃, ɛn/ *nm,f* logician; **raisonner en ~** to reason logically

logique /lɔʒik/

A *adj* **1** gén logical; **il n'est pas ~ avec lui-même** he is not consistent; **2** ○(compréhensible) reasonable; **ce serait ~ qu'ils soient partis** it would be reasonable for them to have left

B *nf* **1** gén logic (**de** of); **manquer de ~** to be illogical; **~ industrielle/financière** industrial/financial logic; **défier toute ~** to defy all logic; **avec ~** logically, in a logical way; **c'est dans la ~ des choses** it's in the nature of things; **~ déductive** deductive reasoning; **cela s'inscrit dans la même ~** it fits into the same scheme; **en toute ~** logically; **~ de guerre** logic of war; **2** Philos, Math, Ordinat logic

logiquement /lɔʒikmɑ̃/ *adv* logically

logis /lɔʒi/ *nm inv* liter home, dwelling; **le maître du ~** the master of the house

logisticien, **-ienne** /lɔʒistisjɛ̃, ɛn/ ▸ **p. 532** *nm,f* logistics expert

logistique /lɔʒistik/

A *adj* logistical; **soutien ~** logistical support

B *nf* logistics (+ *v sg*) (**de** of)

logithèque /lɔʒitɛk/ *nf* software library

logo /lɔgo/ *nm* (*abbr* = **logotype**) logo

logogriphe /logogʀif/ *nm* word game

logomachie /lɔgɔmaʃi/ *nf* **1** littér logomachy; **2** (verbiage) péj pompous verbosity

logopédie /logopedi/ *nf* logopedics (+ *v sg*)

logorrhée /lɔgɔʀe/ *nf* **1** Psych compulsive talking, logorrhea spéc; **2** péj verbal diarrhoea○ GB, diarrhea of the mouth US

logotype /lɔgɔtip/ *nm* logo

loguer: **se loguer** /lɔge/ [1] *vpr* Ordinat to log in *ou* on

loi /lwa/ *nf* **1** Jur (règle) law (**sur** on; **contre** against); **adopter/voter/abroger une ~** to adopt/pass/repeal a law; **obéir aux ~s** to obey the law; **être au-dessus des ~s** to be above the law; **se faire une ~ de faire** to make it a rule for oneself to do; **2** (corps de lois) **la ~** the law; **enfreindre la ~** to break the law; **respecter la ~** to respect the law; **appliquer la ~** to administer *ou* apply the law; **avoir la ~ pour soi** to have the law on one's side; **subir la ~ de qn** to be ruled by sb; **d'après la ~ française** under French law; **c'est la ~ du plus fort qui règne ici** the law of the strongest prevails here; **mettre qn/qch hors la ~** to outlaw sb/sth; **tomber sous le coup de la ~** to be *ou* constitute an offence[GB]; **faire la ~** fig to lay down the law; **3** (principe) aussi Sci law; **~s physiques/économiques** laws of physics/economics; **les ~s de la nature/gravitation** the laws of nature/gravity; **les ~s du marché** the laws of the free market; **la ~ des rendements décroissants** the law of diminishing returns; **c'est la ~ des séries** things always happen in a row; **4** (convention) rule; **les ~s de l'hospitalité** the rules of hospitality; **la ~ du milieu** the law of the underworld; **la ~ du silence** (règle de conduite) code of silence; (pour protéger) conspiracy of silence

(Composés) **~ d'amnistie** *act granting amnesty to some offenders*; **~ communautaire** UE community law; **~ de composition** Math law of composition; **~ constitutionnelle** constitutional law; **~ divine** divine law; **~ électorale** electoral law; **~ de finances** finance act GB *ou* bill US; **~ de la jungle** law of the jungle; **~ martiale** martial law; **~ de l'offre et de la demande** Écon the law of supply and demand; **~ d'orientation** framework law; **~ sur la presse** *legislation preventing monopoly of the press*; **~ de programme** Fin finance act; **~s d'exception** emergency legislation; ▸ **nécessité**

loi-cadre, *pl* **lois-cadres** /lwakadʀ/ *nf* outline law

loin /lwɛ̃/

A *adv* **1** (dans l'espace) a long way, far littér; **c'est ~** it's a long way; **c'est très ~** it's a very long way; **c'est assez ~** it's quite a long way; **c'est trop ~** it's too far; **ils doivent être déjà ~ maintenant** they must be a long way *ou* far away by now; **elle ne peut pas être bien ~** she can't be too far away *ou* off; **est-ce ~?** is it far (away)?; **ce n'est pas très ~** it's not very far (away); **il habite plus ~** he lives further *ou* farther away; **ils sont ~ derrière** they're far behind *ou* a long way behind; **aussi** *or* **si** *or* **du plus ~ que l'on regarde, on ne voit que des champs de lavande** however far you look, you can see nothing but lavender fields; **les vignes s'étendaient aussi ~ que l'on pouvait voir** the vineyards stretched as far as you *ou* the eye could see; **du plus ~ qu'il m'aperçut, il se mit à agiter les bras** as soon as he saw me, he began to wave; **voir plus ~** (dans un texte) see below; ▸ **lèvre**, **monture**, **nez**

2 (dans le temps) **tout cela est bien ~** that was all a long time ago; **comme c'est ~!** what a long time ago that was!; **aussi** *or* **du plus ~ que l'on recherche, on n'arrive pas à trouver d'où vient l'erreur** however far back we go, we can't find where the mistake originated; **aussi ~ que je me souvienne** as far back *ou* as long as I can remember; **d'aussi** *or* **du plus ~ que me me souvienne** for as long as I can remember; **les vacances sont déjà ~** the vacation is long past now, it's a long time since the vacation now ; **un événement qui remonte ~ dans le passé** an event which dates back a long way; **cela remonte à ~** it's a long time ago; **c'est encore ~ (dans l'avenir)** it's still a long way off (in the future); **l'été n'est plus très ~ maintenant** summer isn't far off now; **le temps n'est pas si ~ où...** it's not so long since...; **il est bien ~ le temps où...** it's a long time since...; **plus ~ dans le roman/film** at a later point in the novel/film

3 fig **il y a ~ d'une idée à sa réalisation** there's a wide gap between an idea and its fulfilment[GB]; **de là à dire qu'il est incompétent, il y a ~** there's a big difference between that and saying he's incompetent; **de là à dire qu'il est incompétent, il n'y a pas ~** that comes close to saying he's incompetent; **tu sembles si ~** (distant) you seem so distant; (absorbé) you seem miles away; **il n'est pas bête, ~ s'en faut!** he's not stupid, far from it!; **cela peut aller très ~** it can go very far; **ça va beaucoup plus ~** it goes much further; **il est allé trop ~** he went too far; **ce livre/film ne va pas ~** this book/film GB *ou* movie US is a bit shallow; **la décentralisation n'est pas allée très ~** decentralization didn't get very far; **votre fille est brillante, elle ira ~** your daughter is brilliant, she'll go far; **avec 500 euros par mois, on ne va pas aller ~** we won't get very far on 500 euros a month; **ils veulent aller plus ~ dans leur coopération** they want to extend their cooperation; **il ne peut pas aller plus ~ dans son soutien** he can't increase his support

B loin de *loc prép* **1** (dans l'espace) far from; **est-ce encore ~ d'ici?** is it much further *ou* farther from here?; **non ~ de** not far from
2 (dans le temps) far from; **cette époque n'est pas si ~ de nous** we're not so far from that time; **on est encore ~ d'avoir fini** we're still far from finished, we're still a long way off finishing; **nous sommes encore ~ de la fin des examens** the end of the exams is still a long way off; **il n'est pas ~ de 11 heures** it's not far off 11 o'clock; **cela ne fait pas ~ de quatre ans que je suis ici** I've been here for almost four years now
3 fig far from, a long way from; **je me sens ~ de tout cela** I feel detached from all that; **c'est très ~ de ce que j'attendais** it's not anywhere near what I expected; **elle n'est pas arrogante, ~ de là!** she's not arrogant, far from it!; **~ de moi l'idée de vous offenser** far be it from me to offend you; **~ de moi cette idée!** nothing could be further from my mind!; **bien ~ de ces discours de paix** far removed from these peace talks; **avec l'imprimante, ça fait pas ~ de 1 600 euros** if you include the printer, you're talking about 1,600 euros or thereabouts

C de loin *loc adv* **1** (d'un endroit éloigné) from a distance, from afar littér; **je l'ai vu arriver de ~** I saw him coming from a distance; **je ne vois pas très bien de ~** I can't see very well at a distance
2 fig from a distance; **vu de ~, cela n'a pas l'air très dangereux** seen from a distance, it doesn't seem very dangerous; **il voit les choses de ~** he sees things from a distance; **c'est de ~ ton meilleur roman** it's by far your best novel; **il est de ~ le premier acheteur de films français** he's far and away *ou* by far the main buyer of French films; **leur férocité a dépassé de ~ celle de...** their ferocity far surpassed that of...

D au loin *loc adv* (dans le lointain) in the distance; **tout au ~** far away in the distance

E de loin en loin *loc adv* **1** (séparé dans l'espace) **on pouvait voir des maisons de ~ en ~** you could see houses scattered here and there; **les arbres étaient plantés de ~ en ~** the trees were planted at wide intervals
2 (de temps en temps) every now and again, every now and then

(Idiome) **~ des yeux, ~ du cœur** Prov out of sight, out of mind Prov

lointain, ~e /lwɛ̃tɛ̃, ɛn/
A *adj* **1** (dans l'espace) [*terre, expédition, musique, ami*] distant; **2** (dans le temps) [*passé, civilisation, souvenir*] distant; [*avenir, échéance, objectif*] distant; **les jours ~s où...** the far-off days when...; **~e est l'époque où...** the time is far distant when...; **3** (indirect) [*ressemblance, rapport*] remote; [*cause*] indirect; [*parent, héritier*] distant; **4** (détaché) [*personne, air*] distant; **elle écoutait, le regard ~** she was listening with a faraway look in her eyes
B *nm* background; **dans le ~** [*apercevoir, entendre*] in the distance; **le regard plongé dans le ~** gazing into the distance

loir /lwaʀ/ *nm* (edible) dormouse
(Idiome) **être paresseux comme un ~** to be bone idle

Loire /lwaʀ/ ▸ **p. 372, p. 721** *nprf* (fleuve, département) **la ~** the Loire; **la vallée de la ~** the Loire valley; **les Pays de la ~** the Loire region

Loire-Atlantique /lwaʀatlɑ̃tik/ ▸ **p. 721** *nprf* (département) **la ~** the Loire-Atlantique

Loiret /lwaʀɛ/ ▸ **p. 372, p. 721** *nprm* (affluent, département) **le ~** the Loiret

Loir-et-Cher /lwaʀeʃɛʀ/ ▸ **p. 721** *nprm* (département) **le ~** the Loir-et-Cher

loisible /lwazibl/ *adj* fml permissible; **il nous est ~ de faire** we have a right to do

loisir /lwaziʀ/ *nm* **1** (temps libre) leisure ₵, spare time ₵; **pendant mes moments de ~, pendant mes ~s** in my leisure time *ou* spare time; **industrie/civilisation du ~** *or* **des ~s** leisure industry/society; **(tout) à ~** at (great) leisure; **2** (possibilité) **avoir le ~/tout ~ de faire** to have time/plenty of time to do; **donner/laisser à qn le ~ de faire** to allow/leave sb the time to do; **3** (activité) leisure activity; **~s sportifs/de plein air** sporting/outdoor activities

lolo /lolo/ *nm* **1** ○baby talk (lait) milk; **2** ◑(sein) boob○, tit◑

lombaire /lɔ̃bɛʀ/
A *adj* lumbar
B *nf* lumbar vertebra

lombalgie /lɔ̃balʒi/ *nf* lumbago

lombard, ~e /lɔ̃baʀ, aʀd/
A *adj* gén Lombard; [*architecture, écriture*] Lombardic
B ▸ **p. 483** *nm* Ling Lombard dialect

Lombardie /lɔ̃baʀdi/ ▸ **p. 721** *nf* Lombardy

lombes /lɔ̃b/ *nmpl* loins

lombric /lɔ̃bʀik/ *nm* earthworm

Lomé /lome/ ▸ **p. 894** *npr* Lomé

londonien, -ienne /lɔ̃dɔnjɛ̃, ɛn/ ▸ **p. 894** *adj* of London

Londonien, -ienne /lɔ̃dɔnjɛ̃, ɛn/ *nm,f* Londoner

Londres /lɔ̃dʀ/ ▸ **p. 894** *npr* London

long, longue /lɔ̃, lɔ̃g/ ▸ **p. 498**
A *adj* **1** (dans l'espace) [*tige, cils, patte, lettre, robe, table, distance*] long; **une chemise à manches longues** a shirt with long sleeves, a long-sleeved shirt; **des femmes en robe longue** women in long dresses; **être ~ de six mètres** to be six metres[GB] long; **un tuyau ~ de trois mètres** a pipe three metres[GB] long, a three-metre[GB] long pipe; **plus/trop ~ de deux mètres** two metres[GB] longer/too long; **au ~ cours** Naut [*voyage, navigation*] ocean; [*capitaine*] fully-licensed; **2** (dans le temps) [*moment, vie, voyage, exil, film, silence*] long; [*amitié*] long-standing; **pendant les longues soirées d'hiver** during the long winter evenings; **ta longue habitude des enfants** your great experience of children; **une traversée/entrevue longue de 40 minutes** a 40 minute crossing/interview; **être ~ à faire** [*personne*] to be slow to do; [*chose*] to take a long time to do; **il est toujours ~ à se décider** he's always slow to make up his mind; **qu'est-ce que tu es ~!** you're so slow!; **aliment ~ à cuire** food that takes a long time to cook; **être en longue maladie** to be on extended sick leave; **je ne serai pas ~** (pour aller quelque part) I won't be long; (pour un discours) I will be brief; **il guérira, mais ce sera ~** he will get better, but it's going to be a long time; **huit mois, c'est ~** eight months is a long time; **être ~ à la détente**○ to be slow on the uptake○; **il trouve le temps ~** time hangs heavy on his hands; **pendant de longues heures/années** for hours/years; **3** Ling (syllabe, voyelle) long
B *adv* **1** (beaucoup) **en dire ~/trop ~/plus ~** to say a lot/too much/more (**sur qch/qn** about sth/sb); **j'aimerais en savoir plus ~ sur elle** I'd like to know more about her; **je pourrais t'en dire ~ sur lui** I could tell you a thing or two about him; **2** Mode **s'habiller ~** to wear longer skirts
C *nm* **1** (longueur) **10 mètres de ~** 10 metres[GB] long; **un câble de six mètres de ~** a cable six metres[GB] long, a six-metre[GB] long cable; **mesurer** *or* **avoir** *or* **faire deux mètres de ~** to be two metres[GB] long; **en ~** [*découper, fendre*] lengthwise; **de ~ en large** [*marcher*] up and down; **arpenter une pièce de ~ en large** to pace up and down a room; **en ~ et en large** [*raconter*] in great detail; **en ~, en large et en travers** [*raconter*] at great length; **le ~ du mur** (en longueur) along the wall; (en hauteur) up *ou* down the wall; **tout le ~ de qch** (dans l'espace) all along sth; (dans le temps) all the way through sth; **j'ai couru tout le ~ du chemin, j'ai couru tout du ~** I ran all the way; **elle a pleuré tout le ~ du film** she cried (all the way) through the film; **tomber de tout son ~** to fall flat (on one's face); **2** Mode **le ~** long clothes (*pl*), lower hemlines (*pl*); **la mode est au ~** hemlines are down (this season); **s'habiller en ~** to wear a full-length dress
D longue *nf* **1** Ling (syllabe) long syllable; (voyelle) long vowel; **2** Jeux (aux cartes) long suit (**à** in); **3** Sport *game of boules played in the south of France*
E à la longue *loc adv* in the end, eventually; **à la longue on s'habitue** in the end you get used to it

(Composé) **~ métrage** Cin feature-length film

longanimité /lɔ̃ganimite/ *nf* (endurance) long suffering; (tolérance) forbearance

long-courrier, *pl* **~s** /lɔ̃kuʀje/ *nm* (navire) ocean-going ship; (avion) long-range aircraft

longe /lɔ̃ʒ/ *nf* **1** (de cheval) (pour attacher) tether; (pour mener) rein; **mener/faire travailler un cheval à la ~** to lead/to lunge[GB] a horse; **2** (de faucon) jess; **3** (en boucherie) loin

longer /lɔ̃ʒe/ [13] *vtr* **1** (aller le long de) [*personne, voiture, train*] to go along [*forêt, côte, enceinte*]; to follow [*rivière, canal*]; [*bateau*] to sail along [*côte*]; **2** (s'étendre le long de) [*jardin, route, chemin*] to run alongside [*lac, forêt, champ*]

longeron /lɔ̃ʒʀɔ̃/ *nm* **1** (de pont) (central) girder; **2** (de châssis) Rail sideframe; Aut side rail *ou* member; **3** Aviat (de fuselage) longeron; (d'aile) spar

longévité /lɔ̃ʒevite/ *nf* **1** (longue vie) lit, fig longevity; **l'extraordinaire ~ de la tortue** the extraordinary longevity of the tortoise; **2** (durée quelconque) (d'objet, de plante) lifespan; (d'animal, humain) life expectancy; **~ maximale** maximum lifespan

longiligne /lɔ̃ʒiliɲ/ *adj* lanky, rangy

longitude /lɔ̃ʒityd/ *nf* longitude; **à** *or* **par 30° de ~ est/ouest** at longitude 30° east/west

longitudinal, ~e, *mpl* **-aux** /lɔ̃ʒitydinal, o/ *adj* gén longitudinal; [*axe, coupe, fibres, cassure*] longitudinal, lengthwise

longitudinalement /lɔ̃ʒitydinalmɑ̃/ *adv* longitudinally, lengthwise

longtemps /lɔ̃tɑ̃/ *adv* **1** [*attendre, dormir etc*] (for) a long time; (avec négation, dans question) (for) long; **j'y ai vécu ~** I lived there for a long time; **il n'a pas mis ~, ça ne lui a pas pris ~** it didn't take him long; **il t'a fallu ~?** did it take you long?; **malade pendant ~** ill for a long time; **(pendant) ~ j'ai cru que** for a long time, I believed (that); **X, ~ détenu/ministre,...** X, who was in prison/a minister for a long time,...; **ils ne se sont pas vus pendant ~** they didn't see each other for a long time; **partir pour ~** to go away for a long time; **tu en as pour ~/encore pour ~?** (à te préparer) will you be long/much longer?; **il n'en a plus pour ~** (à vivre) he won't last much longer; **prévoir qch ~ à l'avance** to plan sth a long time ahead; **~ avant/après** long before/after; **avant ~** (d'ici peu) before long; **pas avant ~** not for a long time; **on ne le saura pas de ~** we won't know for a long time; **j'ai attendu trop ~** I waited too long; **je peux le garder plus ~?** can I keep it a bit longer?; **plus ~ que prévu** longer than anticipated; **durer assez ~** (suffisamment) to last long enough; (une longue période) to last quite a long time; **aussi ~ qu'il le faudra** as long as necessary; **on te revoit dans ~**○**?** will

ℹ Les mesures de longueur

Les unités

■ *Le système métrique est de plus en plus utilisé en Grande-Bretagne et aux États-Unis pour les mesures de longueur. Mais les anciennes mesures ont encore cours, et sont quelquefois préférées, notamment pour les distances, exprimées en miles, et non en kilomètres. Les commerçants utilisent en général les deux systèmes.*

Équivalences

1 inch	=	2,54 cm		
1 foot	=	12 inches	=	30,48 cm
1 yard	=	3 feet	=	91,44 cm
1 furlong	=	220 yards	=	201,17 m
1 mile	=	1760 yards	=	1,61 km

Pour la prononciation des nombres, voir **les nombres** ▸ **p. 568.**

dire			dire
one millimetre	1 mm	0.04 in*	*inches*
one centimetre	1 cm	0.39 in	
one metre	1 m	39.37 ins	
		3.28 ft	*feet*†
		1.09 yds	*yards*
one kilometre‡	1 km	1094 yds	
		0.62 ml	*miles*

* *Le symbole de inch est ": 4 inches = 4".*

† *Le symbole de foot et feet est ': 5 feet 4 inches = 5' 4".*

‡ *Deux prononciations possibles:* [kɪ'lɒmɪtə(r)] *ou* ['kɪləmiːtə(r)]

Pour l'écriture, noter:

– *on écrit -metre en anglais britannique, mais -meter en anglais américain;*

– *pour le système métrique, les abréviations sont les mêmes en anglais qu'en français;*

– *l'anglais utilise un point là où le français a une virgule.*

il y a 100 centimètres dans un mètre
= there are 100 centimetres in one metre

il y a douze pouces dans un pied
= there are twelve inches in one foot

il y a trois pieds dans un yard
= there are three feet in one yard

La distance

quelle distance y a-t-il entre A et B?
= what's the distance from A to B?
ou how far is it from A to B?

à quelle distance de l'église se trouve l'école?
= how far is the school from the church?

il y a 2 km
= it is 2 kilometres

il y a environ 2 km
= it is about 2 kilometres

la distance est de 2 km
= the distance is 2 kilometres

il y a 2 km entre A et B
= it is 2 kilometres from A to B

A est à 2 km de B
= A is 2 kilometres from B

■ *(Noter l'absence d'équivalent anglais de la préposition française à avant le chiffre dans le dernier exemple.)*

à peu près 2 km
= about 2 kilometres

presque 3 km
= almost 3 kilometres

plus de 2 km
= more than 2 kilometres
ou over 2 kilometres

moins de 3 km
= less than 3 kilometres
ou under 3 kilometres

A est plus loin de B que C de D
= it is further from A to B than from C to D
ou A is further away from B than C is from D

C est plus près de B que A
= C is nearer to B than A is

A est plus près de B que de C
= A is nearer to B than to C

A est aussi loin que B
= A is as far away as B

A et B sont à la même distance
= A and B are the same distance away

■ *Noter l'ordre des mots dans l'adjectif composé anglais, et l'utilisation du trait d'union. Noter aussi que kilometre, employé comme adjectif, ne prend pas la marque du pluriel.*

une promenade de 10 kilomètres
= a 10-kilometre walk

La longueur

combien mesure la corde?
= how long is the rope?

elle mesure 10 m de long
= it is 10 metres long

elle fait 10 m de long
= it is 10 metres in length

une corde d'environ 10 m de long
= a rope about 10 metres long
ou 10 metres in length

à peu près 10 m
= about 10 metres

presque 11 m
= almost 11 metres

plus de 10 m
= more than 10 metres

moins de 11 m
= less than 11 metres

A est plus long que B
= A is longer than B

B est plus court que A
= B is shorter than A

A est aussi long que B
= A is as long as B

A et B ont la même longueur
= A and B are the same length

A a la même longueur que B
= A is the same length as B

10 mètres de corde
= 10 metres of rope

6 mètres de soie
= 6 metres of silk

vendu au mètre
= sold by the metre

■ *Noter l'ordre des mots dans les adjectifs composés anglais, et l'utilisation du trait d'union. Noter aussi que metre et foot, employés comme adjectifs, ne prennent pas la marque du pluriel.*

une corde de 10 mètres
= a 10-metre rope
ou a rope 10 metres long

un python de six pieds de long
= a six-foot-long python
ou a python six feet long

☛ Voir page suivante

it be long before we see you again?; **une lettre/visite ~ attendue** a long-awaited letter/visit; **2** (avec il y a, depuis, cela fait etc) (marquant la continuité) (for) a long time, (for) long; (quand l'action est terminée) a long time ago, long ago; **il y a** *or* **cela fait ~ que je le connais, je le connais depuis ~** I've known him for a long time; **il ne travaille pas ici depuis ~, il n'y a pas ~ qu'il travaille ici** he hasn't worked *ou* been working here (for) long; **ça fait** *or* **il y a ~ que tu attends?** have you been waiting long?; **il y a** *or* **voilà** *or* **ça fait ~ qu'il n'a pas téléphoné** he hasn't phoned for ages *ou* a long time, it's (been) a long time *ou* ages since he phoned; **il n'y a plus ~ à attendre** there's not long to wait now, it won't be much longer now; **il est mort depuis ~, cela fait** *or* **il y a** *or* **voilà ~ qu'il est mort** he died a long time ago, he's been dead a long time; **il ne conduisait plus depuis ~** he had stopped driving ages ago *ou* long before then; **il n'y a pas si ~ c'était encore possible** it was still possible until quite recently

longue ▸ **long A, D, E**

longuement /lɔ̃gmɑ̃/ *adv* (pendant longtemps) [*hésiter, cuire*] for a long time; (en détail) [*expliquer, interroger*] at length; **nous avons ~ bavardé** we talked for a long time; **j'y ai ~ réfléchi** I've given it a lot of thought; **plus ~** (plus longtemps) for longer; (en plus grand détail) at greater length; **projet ~ médité** carefully considered project; **l'éclairage a été ~ travaillé** the lighting has been carefully thought out

longuet, -ette /lɔ̃gɛ, ɛt/
A ○*adj* [*film, discours*] rather lengthy; [*orateur*] long-winded
B *nm* Culin breadstick

longueur /lɔ̃gœʀ/
A *nf* **1** (dimension) length; **dans (le sens de) la ~** lengthways GB, lengthwise US; **être déchiré/fendu sur toute la ~** to be ripped/cracked right (the way) along GB *ou* along the whole length; **la maison est tout en ~** the house is (very) long and narrow; **un câble de trois mètres de ~** *or* **d'une ~ de trois mètres** a cable three metres[GB] long, a three-metre[GB] long cable; **en ~ la pièce fait sept mètres** the room is seven metres[GB] long; **d'une ~ impressionnante** incredibly long; **2** (distance entre deux concurrents) length; **gagner d'une ~/de trois ~s** to win by one length/three lengths; **avoir** *or* **posséder une ~ d'avance sur qn** Sport to be one length ahead of sb; fig to be ahead of sb; **avoir plusieurs ~s d'avance sur qn** Sport to be several lengths ahead of sb; fig to have a clear lead over sb; **3** ▸ **p. 469** Sport (en athlétisme) **la ~, le saut en ~** the long *ou* broad US jump; (en natation) length; **faire des ~s** to do *ou* swim lengths; **4** (durée) length; **traîner en ~** [*film, livre*] to go on forever
B longueurs *nfpl* (dans un film, livre, discours) overlong passages
C à longueur de *loc prép* **à ~ de journée** all day long; **à ~ d'année** all year round; **à ~ de temps** all the time; **à ~ d'émissions** programme[GB] after programme[GB]

(Composé) **~ d'onde** Phys, fig wavelength; **être sur la même ~ d'onde** to be on the same wavelength

longue-vue, *pl* **longues-vues** /lɔ̃gvy/ *nf* telescope

look○ /luk/ *nm* (allure, style) look; (image) image

looping /lupiŋ/ *nm* loop; **faire** *or* **exécuter un ~** to loop the loop; **l'avion fait un dernier ~** the plane makes a final loop

lopin /lɔpɛ̃/ *nm* **~ (de terre)** patch of land, plot (of land)

loquace /lɔkas/ *adj* talkative, loquacious; **ils ne sont pas très ~s là-dessus** they are not very communicative on the subject

Les mesures de longueur *suite*

La hauteur

La taille des personnes

combien mesure-t-il?
= how tall is he?
ou (si l'on veut obtenir un chiffre précis) what is his height?

■ *En anglais, la taille des personnes est donnée en pieds (*feet*) et en pouces (*inches*), jamais en* yards. *En gros, 1,50 m = cinq pieds, et 1,80 m = six pieds.*

il mesure 1,80 m
= he is 6 feet tall
ou he is 6 feet *ou* he is 1.80 m

il mesure 1,75 m
= he is 5 feet 10 inches
ou he is 5 feet 10 *ou* he is 1.75 m

■ *Dans la conversation courante, on utilise souvent* foot *au lieu de* feet. *On peut donc dire:* he is 5 foot 10 inches *ou* 5 foot 10.

à peu près 1,80 m
= about 6 ft

presque 1,80 m
= almost 6 ft

plus de 1,75 m
= more than 5 ft 10 ins

moins de 1,85 m
= less than 6 ft 3 ins

Pierre est plus grand que Paul
= Pierre is taller than Paul

Paul est plus petit que Pierre
= Paul is smaller than Pierre
ou Paul is shorter than Pierre

Pierre est aussi grand que Paul
= Pierre is as tall as Paul

Pierre a la même taille que Paul
= Pierre is the same height as Paul

Pierre et Paul ont la même taille
= Pierre and Paul are the same height

■ *Noter l'ordre des mots dans l'adjectif composé anglais, et l'utilisation du trait d'union. Noter également que* foot*, employé comme adjectif, ne prend pas la marque du pluriel.*

un athlète d'un mètre quatre-vingts
= a six-foot athlete

■ *On peut aussi dire* an athlete six feet tall. *De même,* a footballer over six feet in height, *etc.*

La hauteur des choses

quelle est la hauteur de la tour?
= what is the height of the tower?

combien mesure la tour?
= what is the height of the tower?

elle fait 23 mètres de haut
= it is 23 metres high

elle mesure 23 mètres de hauteur
= it is 23 metres high
ou it is 23 metres in height

elle a une hauteur de 23 m
= its height is 23 metres

une tour d'environ 25 m de haut
= a tower about 25 metres high
ou about 25 metres in height

à une hauteur de 20 mètres
= at a height of 20 metres

A est plus haut que B
= A is higher than B

B est moins haut que A
= B is lower than A

A est aussi haut que B
= A is as high as B

A et B sont de la même hauteur
= A and B are the same height

A est de la même hauteur que B
= A is the same height as B

■ *Noter l'ordre des mots dans l'adjectif composé anglais, et l'utilisation du trait d'union. Noter aussi que* metre*, employé comme adjectif, ne prend pas la marque du pluriel.*

une tour haute de 23 mètres
= a 23-metre-high tower

■ *On peut aussi dire:* a tower 23 metres high. *De même,* a mountain over 4,000 metres in height, *etc.*

à quelle altitude est l'avion?
= how high is the plane?

à quelle altitude vole l'avion?
= what height is the plane flying at?

l'avion vole à 5 000 m d'altitude
= the plane is flying at 5,000 metres

son altitude est de 5 000 m
= its altitude is 5,000 metres

à une altitude de 5 000 m
= at an altitude of 5,000 metres

La largeur

■ *L'anglais dispose de deux mots pour la largeur:* wide *mesure la distance entre deux limites (*a wide valley; *le nom est* width*), alors que* broad *décrit ce qui remplit un espace d'une certaine largeur (*a broad avenue; *le nom est* breadth*).*

■ *Les expressions suivantes utilisent* wide *et* width*, mais* broad *et* breadth *s'emploient de la même façon.*

quelle est la largeur de la rivière?
= how wide is the river?
ou what width is the river?

elle fait 7 m
= it is 7 metres

elle fait 7 m de large
= it is 7 metres wide
ou it is 7 metres in width
ou it is 7 metres across

elle fait environ 7 m de large
= it is about 7 metres wide

A est plus large que B
= A is wider than B

B est plus étroit que A
= B is narrower than A

A est aussi large que B
= A is as wide as B

A et B sont de la même largeur
= A and B are the same width

A est de la même largeur que B
= A is the same width as B

■ *Noter l'ordre des mots dans l'adjectif composé anglais, et l'utilisation du trait d'union. Noter aussi que* metre*, employé comme adjectif, ne prend pas la marque du pluriel.*

une rivière de 7 m de large
= a seven-metre-wide river

■ *On peut aussi dire:* a river seven metres wide. *De même,* a ditch two metres wide, a piece of cloth two metres in width, *etc.*

La profondeur

quelle est la profondeur du lac?
= how deep is the lake
ou what depth is the lake?
ou what is the depth of the lake?

il fait 4 m
= it is 4 metres deep

il fait 4 m de profondeur
= it is 4 metres in depth

il fait environ 4 m de profondeur
= it is about 4 metres deep

un lac de 4 mètres de profondeur
= a lake four metres deep
ou a lake four metres in depth

■ *Noter l'absence d'équivalent anglais de la préposition française de avant le chiffre dans les expressions de ce genre. Mais:*

à une profondeur de dix mètres
= at a depth of ten metres

A est plus profond que B
= A is deeper than B

B est moins profond que A
= B is shallower* than A

A est aussi profond que B
= A is as deep as B

A et B ont la même profondeur
= A and B are the same depth

A a la même profondeur que B
= A is the same depth as B

un puits de 7 m de profondeur
= a well seven metres deep

* *Noter que l'adjectif* shallow *(peu profond) n'a pas d'équivalent simple en français.*

---

loquacité /lɔkasite/ *nf* talkativeness, loquacity

loque /lɔk/
A *nf* **1** (vieux vêtement) pile of rags; **2** (personne) **~ (humaine)** (human) wreck; **je suis une vraie ~ aujourd'hui** I feel an absolute wreck today; **il est devenu une ~** he is a shadow of his former self
B loques *nfpl* (guenilles) rags; **vêtu de ~s** (dressed) in rags; **être en ~s** to be in tatters; **tomber en ~s** to fall to pieces

loquet /lɔkɛ/ *nm* latch

loqueteau, *pl* **~x** /lɔkto/ *nm* catch, (small) latch

loqueteux, **-euse** /lɔktø, øz/ *adj* fml [*vêtement, livre*] tattered; [*personne*] ragged (*épith*)

lordose /lɔʀdoz/ ▸ **p. 283** *nf* lordosis

lorgner○ /lɔʀɲe/ [1] *vtr* to eye up○ GB, to give [sb] the eye○ [*femme*]; to cast longing glances at [*bijou, gâteau*]; to have one's eye on [*héritage, titre, poste*]; **~ qch du coin de l'œil** to cast sidelong glances at sth

lorgnette /lɔʀɲɛt/ *nf* (d'opéra) opera-glasses; (de marine) spy-glass

(Idiome) **regarder** *or* **voir qch par le petit bout de la ~** to take a very blinkered *ou* simplistic view of sth

lorgnon /lɔʀɲɔ̃/ *nm* (face-à-main) lorgnette; (pince-nez) pince-nez

lori /lɔʀi/ *nm* Zool lory

loriot /lɔʀjo/ *nm* oriole
(Composé) **~ jaune** golden oriole

lorrain, **~e** /lɔʀɛ̃, ɛn/
A *adj* [*dialecte, région*] Lorraine (*épith*)
B ▸ **p. 483** *nm* Ling Lorraine dialect

Lorrain, ~**e** /lɔʀɛ̃, ɛn/
A *nm,f* inhabitant of Lorraine; **les ~s** the people of Lorraine
B **Lorraine** ▸ **p. 721** *nf* **la ~e** Lorraine

lors /lɔʀ/
A **lors de** *loc prép* **1** (pendant) during; **il a déclaré ~ d'un entretien avec un journaliste que...** he stated during an interview with a journalist that...; **~ d'un discours télévisé d'une demi-heure** during a half-hour televised speech; **2** (au moment de) at the time of; **75% des usagers se disent satisfaits contre 60% ~ de l'enquête précédente** 75% of users were satisfied compared with 60% at the time of the previous survey; **~ de ta venue, nous irons à la campagne** when you come, we'll go to the countryside
B **lors même que** *loc conj* even if; **~ même que cela se produirait** even if that were to happen, were this to happen

lorsque (**lorsqu'** before vowel or mute h) /lɔʀsk(ə)/ *conj* when.

> ⚠ *Lorsque* se traduit par *when*: *lorsque je suis allée au Portugal* = when I went to Portugal; *lorsqu'elle travaille, elle n'aime pas être dérangée* = she doesn't like to be disturbed when she's working.
> Attention, on n'utilise jamais le futur après *when*: *lorsqu'il aura terminé* = when he's finished.

losange /lɔzɑ̃ʒ/ *nm* rhomb, lozenge; **en ~** diamond-shaped; **pavage en ~s** diamond paving

losangé, ~**e** /lɔzɑ̃ʒe/ *adj* [*tissu, frise*] with a diamond pattern

lot /lo/ *nm* **1** (portion) (de succession, partage) share, portion Jur; (d'émotions, de surprises) share; (de terrain) plot; **répartir une somme en cinq ~s** to divide a sum into five shares; **j'ai eu mon ~ d'ennuis aujourd'hui** I've had my share of troubles today; **2** (à la loterie) prize; **~ de consolation** consolation prize; **gagner le gros ~** lit, fig to hit the jackpot; **3** (d'objets en vente) gén batch; (aux enchères) lot; **acheter/vendre qch par ~s** to buy/sell sth by the batch; **le ~ numéro 7** lot 7; **4** (de personnes) group; **être/se maintenir au-dessus du ~** to be/stay above the average; **se détacher du ~** to be a cut above the rest; **5** Ordinat batch; **traitement par ~s** batch processing; **6** (destin) fate, lot; **des mois de préparation pour une seule course, c'est le ~ de tout concurrent** months of preparation for a single race, that's the lot of every competitor; **la souffrance est son ~** he was born to suffer

Lot /lɔt/ ▸ **p. 372, p. 721** *nprm* (rivière, département) **le ~** the Lot

loterie /lɔtʀi/ *nf* (avec lots) raffle; (de fête foraine) tombola GB, raffle US; (à grande échelle) lottery; **jouer/gagner à la ~** to have a go○ at/to win on the lottery; **cet examen est une vraie ~** this exam is a real lottery

Lot-et-Garonne /lɔtegaʀɔn/ *nprm* (département) **le ~** the Lot-et-Garonne

Loth /lɔt/ *npr* Lot

Lothian ▸ **p. 721** *nprm* **le ~** Lothian

loti, ~**e** /lɔti/ *adj* **bien/mal ~** well/badly off; **les locataires du dernier étage sont les mieux/plus mal ~s** the top floor tenants are best/worst off; **bien/mal ~ par la nature** blessed/not blessed by nature; **me voilà bien ~e avec un patron pareil!** iron just my luck to land up with a boss like him!

lotion /losjɔ̃/ *nf* lotion; **~ après/avant rasage** after-/pre-shave (lotion); **~ pour le visage** face lotion; **~ capillaire** *or* **pour les cheveux** hair lotion

lotionner /losjɔne/ [1] *vtr* to apply lotion to, to put a lotion on

lotir /lɔtiʀ/ [3] *vtr* **1** (répartir) to share out [*biens, immeubles*]; to divide [sth] into plots *ou* lots US [*terrain*]; **terrain(s) à ~** plots *ou* lots US for sale; **2** (attribuer) to allot, apportion Jur (**qn de qch** sth to sb)

lotissement /lɔtismɑ̃/ *nm* **1** (ensemble de parcelles) housing estate GB, subdivision US; **2** (parcelle) plot, lot US; **3** (morcellement) dividing up
(Composé) **~ commercial** retail park

loto /lɔto/ ▸ **p. 469** *nm* lotto; **jouer au ~** to play lotto; **le ~ national** national lottery; **le ~ sportif** ≈ the national sport lottery
(Idiome) **avoir des yeux en boules de ~** to have goggle eyes

lotte /lɔt/ *nf* (de mer) monkfish, angler fish; (de rivière) burbot

lotus /lɔtys/ *nm inv* lotus

louable /luabl/ *adj* **1** [*intention, effort*] commendable, praiseworthy; **2** [*logement, bureau*] suitable for letting GB *ou* renting (*après n*); **difficilement ~** difficult to let GB *ou* rent

louage /luaʒ/ *nm* **~ de services** contract of employment; **voiture de ~** rented car GB, rental car US; **contrat de ~** rental agreement

louange /luɑ̃ʒ/ *nf* praise; **chanter les ~s de qn/de qch** to sing sb's/sth's praises; **à la ~ de** in praise of; **digne de ~** praiseworthy

louangeur, **-euse** /lwɑ̃ʒœʀ, øz/ *adj* laudatory

loubard○ /lubaʀ/ *nm* hooligan, delinquent youth

louche /luʃ/
A *adj* (équivoque) [*individu, affaire, passé*] shady; [*lieu*] seedy; **c'est (plutôt) ~** it's rather fishy; **il y a quelque chose de ~ dans cette affaire** *or* **histoire** there is something fishy○ about this business; **se livrer à des manœuvres plutôt ~s** to get involved in rather shady business
B *nf* **1** (ustensile) ladle; (contenu) ladleful; **2** ○(main) hand; ▸ **serrer**

loucher /luʃe/ [1] *vi* **1** Méd to squint, to have a squint; **il louche** he has a squint, he's cross-eyed; **2** ○(convoiter) **~ sur les filles/gâteaux** to eye the girls/cakes; **~ sur l'héritage/un titre** to have one's eye on the inheritance/a title

louer ➔📖 /lue/ [1]
A *vtr* **1** (donner en location) to let GB, to rent out [*maison, terrain*] (**à** to); to hire [*salle*]; to hire out GB, to rent out [*équipement, véhicule, film*] (**à** to); **'à ~'** 'for rent', 'to let' GB; **la maison est à ~** the house is for rent *ou* to let GB; **chambre à ~** room for rent, room to let GB; **~ une caravane à la semaine** to rent out a caravan GB *ou* trailer US by the week; **2** (prendre en location) to rent [*maison, terrain*] (**à** from); to hire [*salle*]; to hire GB, to rent [*équipement, véhicule, film*] (**à** from); **cherche chambre à ~** wanted, room to rent; **~ une caravane pour une semaine** to rent a caravan for a week; **3** (embaucher) to hire [*personnel*]; **~ les services** to hire the services (**de qn** of sb); **4** (réserver) to reserve [*chambre d'hôtel*]; [*théâtre*] to take a booking GB *ou* reservation for [*place*]; [*spectateur*] to reserve, to book GB [*place*]; **5** (rendre grâce à) to praise (**de, pour** for); **Dieu soit loué** thank God
B **se louer** *vpr* **1** (se donner en location) [*maison, terrain*] to be for rent, to be to let GB; (se prendre en location) [*maison*] to be rented out, to be let GB; **2** (se féliciter) liter **se ~ d'avoir fait** to congratulate oneself on doing

loueur /luœʀ/ *nm* **1** (entreprise) hire company; **~ de voitures** car hire company; **2** (bailleur) lessor

loufiat◑ /lufja/ *nm* waiter

loufoque /lufɔk/ *adj* crazy○

lougre /lugʀ/ *nm* lugger

louis /lwi/ *nm inv* Hist (monnaie) louis; **~ d'or** (gold) louis

louise-bonne, *pl* **louises-bonnes** /lwizbɔn/ *nf* louise-bonne pear

Louisiane /lwizjan/ ▸ **p. 721** *nprf* Louisiana

loukoum /lukum/ *nm* Turkish delight **C̸**

loulou /lulu/ *nm* **1** (chien) spitz; **2** ○(voyou) hooligan, delinquent youth; **3** ○(terme d'affection) pet○ GB, honey US
(Composé) **~ de Poméranie** Pomeranian

louloute○ /lulut/ *nf* **1** (fille) girl; **2** (terme d'affection) pet○ GB, honey US

loup /lu/ *nm* **1** (mammifère) wolf; **le grand méchant ~** the big bad wolf; **avoir une faim de ~** to be ravenous; **à pas de ~** stealthily; **crier au ~** lit, fig to cry wolf; **~ solitaire** lone wolf; ▸ **jeune**; **2** (poisson) **~ (de mer)** (sea) bass; **3** ○(terme d'affection) **mon petit** *or* **grand** *or* **gros ~** my pet○; **4** (masque) domino, mask; **5** Tech (défaut) flaw, defect
(Composés) **~ à crinière** maned wolf; **~ doré** jackal; **(vieux) ~ de mer** old salt, old tar
(Idiomes) **être connu comme le ~ blanc** to be known to everybody; **hurler avec les ~s** to follow the herd *ou* crowd; **se jeter dans la gueule du ~** to stick one's head in the lion's mouth; **faire entrer le ~ dans la bergerie** to let the wolf into the fold; **elle a vu le ~** hum she's lost her virginity; **les ~s ne se mangent pas entre eux** Prov (there is) honour[GB] among thieves; **la faim fait sortir le ~ du bois** Prov needs must (when the devil drives); **quand on parle du ~ (on en voit la queue** *or* **il sort du bois)** Prov speak of the devil; **l'homme est un ~ pour l'homme** Prov dog eat dog

loup-cervier, *pl* **loups-cerviers** /lusɛʀvje/ *nm* lynx

loupe /lup/ *nf* **1** (lentille) magnifying glass; **à la ~** lit with a magnifying glass; **examiner qch à la ~** lit to look at sth through a magnifying glass; fig to put sth under the microscope; **2** Bot (grosseur) burr; (bois) **~ de noyer** burr walnut; **~ d'orme** burr elm; **3** Méd (cyste) cyst; **4** (pierre) gemstone with flaws
(Composé) **~ binoculaire** low-power stereo microscope

loupé○ /lupe/ *nm* (erreur) blunder; (défaut) defect

louper○ /lupe/ [1]
A *vtr* **1** (manquer) to miss [*train, occasion, personne*]; **la prochaine fois, ils ne te louperont pas** next time they'll get you; **il n'en loupe pas une** he's always opening his big mouth; **2** (ne pas réussir) to flunk○ [*examen*]; to screw up○ [*sauce, ouvrage*]; to bungle [*entrée en scène*]; **il a loupé son coup** he botched it; **la soirée est complètement loupée** the evening is a wash-out
B *vi* **j'avais dit que ça se casserait, ça n'a pas loupé** I said it would break, and sure enough it did; **chaque fois que je m'en sers ça ne loupe pas, ça se casse** without fail, every time I use it, it breaks; **tu vas tout faire ~** you'll mess everything up, you'll screw everything up○

loup-garou, *pl* **loups-garous** /lugaʀu/ *nm* werewolf

loupiot○ /lupjo/ *nm* kid○, little boy

loupiote○ /lupjɔt/ *nf* small lamp

loupiotte○ /lupjɔt/ *nf* kid○, little girl

lourd, ~**e** /luʀ, luʀd/
A *adj* **1** (d'un poids élevé) [*personne, objet, métal*] heavy; **plus ~ que l'air** heavier than air; **~ à transporter** heavy to carry; **2** (donnant une sensation de pesanteur) [*estomac, jambe, tête, pas*] heavy; [*geste*] clumsy, ungainly; **j'ai les jambes ~es** my legs feel heavy *ou* ache; **il a la tête ~e** his head feels heavy; **j'ai les paupières ~es** my eyes feel heavy; **il a les yeux ~s de sommeil** his eyes are heavy with sleep; **avoir le pas ~, marcher d'un pas ~** to walk with a heavy step; **3** (indigeste) [*repas, aliment*] heavy; [*vin*] heady; **~ à digérer** heavy on the stomach; **4** (dense) [*protection*] heavy; [*chevelure*] thick; **5** Ind, Mil [*armement, équipement*] heavy; **6** (onéreux) [*investissement, amende, fiscalité, gestion*] heavy; **7** (grave) [*condamnation,*

➔📖 *voir* Vivre dans un pays anglophone

perte, défaite, responsabilité] heavy; [*présomption, erreur*] serious; **8** (encombrant) [*administration, structure*] unwieldy; [*effectifs*] great; **9** (massif) [*personne, animal*] ungainly; [*corps, objet, architecture, poitrine*] heavy; [*bâtiment*] squat; **10** (sans finesse) [*personne*] oafish; [*voix*] thick; [*plaisanterie*] flat; [*regard*] blunt; [*style*] clumsy, ponderous; [*odeur, parfum*] heavy; **11** (pénible) [*ciel, atmosphère, silence*] heavy; [*temps, chaleur*] muggy, sultry; **12** (chargé) (de danger, conséquences) fraught (**de** with); (de haine, menaces, sous-entendus) charged (**de** with); **ciel ~ de nuages** sky heavy with clouds; **13** (difficilement praticable) [*piste, sol, terrain*] heavy; **14** Fin (médiocre) [*marché, tendance*] sluggish

B *adv* **1** **peser ~** (être d'un poids élevé) to weigh heavy; (compter beaucoup) **peser/ne pas peser ~** to carry a lot of/not to carry very much weight (**sur** with); **2** (pour le temps) **il fait ~** it's close; **3** °(beaucoup) **pas ~** not a lot, not much; **elle n'en fait/sait pas ~** she doesn't do/know a lot *ou* much; **5 euros ça ne fait pas ~** 5 euros isn't a lot *ou* much; **10 personnes, ça ne fait pas ~** 10 people, that's not a lot; **il ne reste pas ~ de beurre** there's not much butter left

C **lourde**° *nf* (porte) door

(Idiomes) **avoir le cœur ~** to have a heavy heart; **être ~ comme du plomb** to be (as) heavy as lead; **avoir la main ~e** (avec taxes, exercices, punitions) to be heavy-handed; **avoir la main ~e avec le sel/son parfum** to overdo the salt/the perfume

lourdais, **~e** /luʀdɛ, ɛz/ ▸ **p. 894** *adj* of Lourdes

Lourdais, **~e** /luʀdɛ, ɛz/ ▸ **p. 894** *nm,f* (natif) native of Lourdes; (habitant) inhabitant of Lourdes

lourdaud, **~e** /luʀdo, od/

A *adj* [*personne*] oafish; [*esprit*] dull; [*discours*] clumsy

B *nm,f* oaf

lourde ▸ **lourd A, C**

lourdement /luʀdəmɑ̃/ *adv* **1** (fortement) heavily; **se tromper ~** to be gravely mistaken; **2** (sans finesse) **marcher/se déplacer ~** to walk/move clumsily; **insister ~** to labour[GB] the point; **insister ~ sur** to keep going on about; **elle a insisté ~ pour que je l'emmène avec moi** she pestered me to take her with me

lourder◑ /luʀde/ [1] *vtr* (congédier) to kick [sb] out°; **se faire ~** to get kicked out°

Lourdes /luʀd/ ▸ **p. 894** *npr* Lourdes

lourdeur /luʀdœʀ/ *nf* **1** (d'organisation, de secteur, réseau) complexity **¢**; **~s administratives** administrative complexity; **2** (sensation de pesanteur) heaviness; **j'ai des ~s dans les jambes** my legs feel heavy *ou* ache; **avoir des ~s d'estomac** to feel bloated; **3** (maladresse) clumsiness; **C** clumsy expression; **4** (importance) (d'imposition, investissement) burden; (de condamnation) heaviness, stiffness; **la ~ des subventions/impôts/pertes** the heavy subsidies/taxes/losses; **5** (poids élevé) weight; **6** (manque de raffinement) (de personne) oafishness; (de plaisanterie) poorness; (d'architecture) ungainliness; **7** (de temps) closeness, mugginess; (d'ambiance) heaviness; **8** (de terrain) heaviness; **9** (de marché, tendance boursière) sluggishness

lourdingue° /luʀdɛ̃g/ *adj* [*personne*] clumsy; [*film, musique*] heavy-going; [*plaisanterie*] unsubtle; [*style*] ungainly

loustic° /lustik/ *nm* pej (individu) chap, guy; (gamin) kid°; (farceur) joker péj; **drôle de ~** funny chap, weird guy; **faire le ~** to play the fool

loutre /lutʀ/ *nf* **1** (animal) otter; **2** (fourrure) otterskin; **veste en ~** otterskin jacket

(Composé) **~ de mer** sealskin

louve /luv/ *nf* she-wolf

louveteau, *pl* **~x** /luvto/ *nm* **1** Zool wolf cub; **2** (scout) (wolf) cub GB, cub scout US

louvoiement /luvwamɑ̃/ *nm* (tergiversation) hedging; (biais) manoeuvre GB, maneuver US, manoeuvring GB, maneuvring US

louvoyage /luvwajaʒ/ *nm* Naut beating to windward, tacking

louvoyer /luvwaje/ [23] *vi* **1** Naut to beat to windward, to tack; **2** (biaiser) to manoeuvre GB *ou* maneuver US; (tergiverser) to hedge

lover /lɔve/ [1]

A *vtr* to coil [*câble*]

B **se lover** *vpr* [*serpent, anguille*] to coil itself up; [*chat, personne*] to curl up

loyal, **~e**, *mpl* **-aux** /lwajal, o/ *adj* **1** (fidèle) [*ami*] true; [*serviteur*] loyal, faithful; **bons et loyaux services** good and faithful service; **2** (honnête) [*procédé, conduite*] honest; [*concurrence*] fair; **~ en affaires** straight *ou* honest in business; **à la ~e** fairly; **3** Comm [*qualité*] marketable, merchantable GB; **valeur ~e et marchande** fair market value; **bon et ~ inventaire** true and accurate inventory

(Composé) **loyaux coûts** (purchaser's) contract costs

loyalement /lwajalmɑ̃/ *adv* [*servir*] faithfully; [*se battre*] fairly; [*informer*] honestly; **accepter ~ une défaite** to accept a defeat sportingly

loyalisme /lwajalism/ *nm* loyalty

loyaliste /lwajalist/ *adj, nmf* loyalist

loyauté /lwajote/ *nf* **1** (fidélité) loyalty (**envers** to); **2** (honnêteté) (de personne, conduite) honesty; (de procédé) honesty, fairness; **manque de ~** dishonesty

loyer /lwaje/ *nm* rent; **~ mensuel de 500 euros** monthly rent of 500 euros; **les ~s sont élevés** rents are high; **hausse des ~s** rent increase

(Composé) **~ de l'argent** Écon, Fin interest rates (*pl*)

Lozère /lɔzɛʀ/ ▸ **p. 721** *nprf* (département) **la ~** Lozère

LSD /ɛlɛsde/ *nm* (*abbr* = **Lyserg Säure Diäthylamid**) LSD

Luanda /luɑ̃da/ ▸ **p. 894** *npr* Luanda

lubie /lybi/ *nf* whim; **avoir des ~s** to have whims

lubricité /lybʀisite/ *nf* (de personne) lustfulness, lechery; (de propos, conduite, gravure) lewdness

lubrifiant, **~e** /lybʀifjɑ̃, ɑ̃t/

A *adj* lubricating

B *nm* lubricant

lubrification /lybʀifikasjɔ̃/ *nf* lubrication

lubrifier /lybʀifje/ [2] *vtr* to lubricate

lubrique /lybʀik/ *adj* [*personne*] lecherous; [*œil, danse, image*] lewd

Luc /lyk/ *npr* Luke

lucane /lykan/ *nm* stag beetle

lucarne /lykaʀn/ *nf* **1** (fenêtre) (small) window; (dans un toit) skylight; (en saillie) dormer window; **2** (au football) top corner of the net

(Idiome) **tu vois ça de ta ~** that's how you see it from your end

Lucerne /lysɛʀn/ *npr* **1** ▸ **p. 894** (ville) Lucerne; **2** ▸ **p. 721** (région) **le canton de ~** the canton of Lucerne

lucide /lysid/ *adj* [*personne, politique*] clear-sighted; Méd lucid; [*esprit, intelligence*] lucid, clear; [*analyse*] lucid; **être ~ sur soi-même** to have no illusions about oneself

lucidement /lysidmɑ̃/ *adv* [*envisager, penser, juger*] clearly

lucidité /lysidite/ *nf* **1** Méd lucidity; **moments de ~** lucid moments; **il a toute sa ~** he has all his wits about him; **2** (perspicacité) (de personne) clear-headedness; (d'esprit) clarity; **raisonner avec ~** to think clearly; **il a agi en toute ~** he knew perfectly well what he was doing; **juger en toute ~** to judge without any illusion

Lucifer /lysifɛʀ/ *npr* Lucifer

luciole /lysjɔl/ *nf* firefly

lucratif, **-ive** /lykʀatif, iv/ *adj* lucrative; **assez ~** [*emploi*] fairly well-paid; [*opération*] fairly profitable

lucre /lykʀ/ *nm* pej lucre

Lucrèce /lykʀɛs/

A *nprm* Lucretius

B *nprf* Lucretia

ludiciel /lydisjɛl/ *nm* computer game

ludion /lydjɔ̃/ *nm* Cartesian devil *ou* diver

ludique /lydik/ *adj* **1** [*activité, espace*] play (*épith*); **c'est très ~** it's highly recreational; **2** Psych [*théorie, activité, fonction*] ludic

ludothèque /lydɔtɛk/ *nf* toy library

luette /lyɛt/ *nf* uvula

lueur /lɥœʀ/

A *nf* **1** (faible clarté) (faint) light (**de** of); **les ~s de la ville** the city lights; **les premières ~s de l'aube** the first light of dawn; **pas la moindre ~ d'espoir** fig not the faintest glimmer of hope; **à la ~ des étoiles/d'une bougie/d'une lampe de poche** by starlight/candlelight/torchlight GB, flashlight US; **à la ~ des événements d'hier** fig in the light of yesterday's events; **jeter une faible ~** to cast a poor light; **2** (rougeoiement) glow; **les dernières ~s d'un incendie/du soleil couchant** the dying glow of a fire/of the sunset; **3** (éclat fugitif) lit, fig gleam, flash

B **lueurs** *nfpl* (connaissances) (vague) knowledge **¢**; **apporter ses ~s sur qch** to bring one's knowledge to bear on sth; **avez-vous des ~s sur la situation?** can you throw any light on the situation?

luge /lyʒ/ ▸ **p. 469** *nf* **1** (objet) toboggan GB, sled US; **2** (sport) luge; **faire de la ~** to go tobogganing GB *ou* sledding US

lugeur, **-euse** /lyʒœʀ, øz/ *nm,f* luger

lugubre /lygybʀ/ *adj* [*paysage, pensée, maison, individu*] gloomy; [*son, chant*] mournful, lugubrious

lui /lɥi/ *pron pers*

> ⚠ Lorsqu'il représente une personne de sexe masculin ou un animal familier mâle, *lui* peut avoir plusieurs fonctions et se traduira différemment selon les cas: *lui, c'est un menteur* = HE'S a liar; *donne-lui à boire* = give him something to drink. Voir **A**.
>
> Lorsqu'il représente un objet, un concept, une plante, un animal mâle ou femelle, quel que soit le genre du mot, *lui* se traduira par *it* ou ne se traduira pas. Voir **B**.
>
> Lorsqu'll représente une personne de sexe féminin ou un animal familier femelle, *lui* = *à elle* se traduira par *her*: *je ne lui dirai rien* = I won't say anything to her. Voir **C**.

A *pron pers m* (personne, animal familier) **1** (en fonction sujet) **elle lit, ~ regarde la télévision** she's reading, HE'S watching TV; **~ et moi avons longuement discuté** he and I had a long chat; **~ seul a le droit de parler** he alone has the right to talk; **ses collègues et ~ étaient ravis** he and his colleagues were delighted; **~, il ne dit jamais ce qu'il pense** HE never says what he thinks; **c'est ~** (à la porte) it's him; **~ c'est ~ et moi c'est moi** he and I are different; **je sais que ce n'est pas ~ qui a fait ça** I know it wasn't he *ou* him who did it; **~ qui pensait avoir bien répondu à l'examinateur!** and HE was the one who thought he had given the right answer at the exam!; **l'Espagne a signé, le Portugal, ~, n'a pas encore donné son accord** Spain has signed while Portugal hasn't yet agreed; **le toit, ~, n'a pas besoin d'être réparé** the ROOF doesn't need to be repaired; **l'appartement, ~, a été vendu** the apartment was sold **2** (dans une comparaison) him; **je travaille plus que ~** I work more than him *ou* than he does; **je les vois plus souvent que ~** (qu'il ne les voit) I see them more often than he does;

(que je ne le vois) I see them more often than him *ou* than I see him; **elle est plus âgée que ~** she's older than him *ou* than he is
[3] (en fonction d'objet) **le frapper, ~, quelle idée!** hit HIM? what a thought!; **~, il faut l'enfermer** HE should be locked away
[4] (après une préposition) him; **à cause de/autour de/après ~** because of/around/after him; **un cadeau pour ~** a present for him; **pour ~ c'est important?** is it important to him?; **elle ne pense plus à ~** she doesn't think about him anymore; **je n'écris à personne sauf ~** I don't write to anyone but him, I only write to him; **sans ~, nous n'aurions pas pu réussir** we could never have managed without him; **à ~** (en jouant) his turn; **ce sont des amis à ~** they're friends of his ; **il n'a pas encore de voiture à ~** he doesn't have his own car yet; **à ~, je peux dire la vérité** I can tell HIM the truth; **la tasse verte est-elle à ~?** is the green cup his?, does the green cup belong to him?; **c'est à ~** (appartenance) it's his, it belongs to him; (séquence) it's his turn; **c'est à ~ de faire la vaisselle** it's his turn to do the dishes; **c'est à ~ de choisir** (son tour) it's his turn to choose; (sa responsabilité) it's up to him to choose
[5] (lui = à lui) **il ne ~ a pas fait mal** he didn't hurt him; **je le ~ ai donné** I gave it to him; **je ~ en veux** I bear a grudge against him; **rends-~ ses jouets** give him back his toys
B *pron pers mf* (objet, concept, animal, plante) it; **le parti/l'association lance un appel, apportez-~ votre soutien** the party/the association is launching an appeal—give it your support; **mon article était terminé puis j'ai décidé de ~ ajouter des photos** my article was finished and then I decided to include some photos; **ta plante n'est pas vigoureuse, tu devrais ~ mettre de l'engrais** your plant isn't very healthy, you should feed it *ou* give it some fertilizer
C *pron pers f* (personne, animal familier) her; **je l'ai rencontrée hier et ~ ai annoncé la nouvelle** I met her yesterday and told her the news; **rends-~ sa jupe/ses jouets** give her back her skirt/her toys; **je ne le ~ ai pas dit** I didn't tell her

lui-même /lɥimɛm/ *pron pers* [1] (personne) himself; **il me l'a dit ~** he told me himself; **il a décidé ~** he decided himself, he made the decision himself; **il exclut pour ~ un déplacement à l'étranger** he rules out any trip abroad for himself; **en ~ il se disait que** he told himself that; **'M. Greiner?'—'~'** 'Mr Greiner?'—'speaking'; [2] (objet, idée, concept) itself; **l'objet n'a pas de valeur en ~** the object has no value in itself; **le livre constitue en ~ une introduction à l'apiculture** the book in itself is an introduction to beekeeping

luire /lɥiʀ/ [69] *vi* [*soleil, surface polie*] to shine; [*braises*] to glow; **les yeux du loup luisaient dans l'obscurité** the wolf's eyes gleamed in the dark; **~ de sueur/d'humidité** to glisten with sweat/with damp; **leur regard luisait de colère** their eyes shone *ou* burned with anger

luisant, **~e** /lɥizɑ̃, ɑ̃t/
A *adj* gén [*surface polie*] shining (**de** with); [*surface mouillée*] glistening (**de** with); [*yeux*] gleaming; **yeux ~s de désir/colère** eyes burning with desire/anger; **tissu ~ d'usure** material shiny with wear
B *nm* sheen (**de** of, on)

lumbago* /lœ̃bago/ ▸ **p. 283** *nm* back pain, lumbago spéc

lumière /lymjɛʀ/
A *nf* [1] gén, Phys light; **~ naturelle/artificielle/électrique** natural/artificial/electric light; **la ~ des étoiles** starlight; **la ~ du soleil** sunlight; **la ~ du jour** daylight; **que la ~ soit!** let there be light!; **il doit être là puisqu'il y a de la ~ chez lui/dans la cuisine** he must be in because the lights are on/there's a light on in the kitchen; **il y a une ~ très particulière dans cette région** there's a very special quality to the light in this region; **le traitement de la ~ chez ce peintre** this painter's use of light; **les ~ de la ville** the city lights; **il a éteint toutes les ~s** he put all the lights out; **il lisait à la ~ d'une chandelle** he was reading by candlelight; [2] fig (éclairage) light; **la ~ de la raison** liter the light of reason; **à la ~ des récents événements** in the light of recent events; **mettre qch en ~** (mettre en évidence) to highlight sth; (révéler) to bring sth to light; **agir en pleine ~** to act openly, to be open in one's dealings; **faire (toute) la ~ sur une affaire** to bring the truth about a matter to light; [3] fig (personne éminente) leading light, luminary sout; **ce n'est pas une ~** he'll never set the world on fire; [4] Tech aperture; (d'arme à feu) touchhole; (d'outil à bois) mouth
B **lumières** *nfpl* [1] (feux d'un véhicule) lights; [2] ○(connaissances) **j'ai besoin de vos ~s** I need to pick your brains; **aider qn de ses ~s** to give sb the benefit of one's wisdom; **avoir des ~s sur qch** to have some knowledge of a subject
(Composés) **~ d'admission** intake port; **~ blanche** white light; **~ cendrée** earthshine; **~ d'échappement** exhaust port; **~ froide** cold light; **~ noire** black light

Lumières /lymjɛʀ/ *nfpl* **les ~** the Enlightenment; **les philosophes des ~** the philosophers of the Enlightenment; **le siècle des ~** the Age of Enlightenment

lumignon /lymiɲɔ̃/ *nm* [1] (lampe) (dim) lamp; [2] †(bougie) candle-end

luminaire /lyminɛʀ/ *nm* [1] (lampe) light (fitting); [2] Relig lights (*in a religious ceremony*); [3] Astrol luminary

luminance /luminɑ̃s/ *nf* luminance

lumination /lyminasjɔ̃/ *nf* Phot **indice de ~** exposure value

luminescence /lyminesɑ̃s/ *nf* luminescence

luminescent, **~e** /lyminɛsɑ̃, ɑ̃t/ *adj* luminescent

lumineusement /lyminøzmɑ̃/ *adv* [*exposer, expliquer*] clearly, lucidly

lumineux, **-euse** /lyminø, øz/ *adj* [1] (qui émet de la lumière) [*corps, point*] luminous; **cadran ~ d'une montre/d'un réveil** luminous dial of a watch/of an alarm clock; **panneau ~** electronic display (board); **enseigne lumineuse** neon sign; **faisceau ~** beam of light, light beam; **rayon ~** ray of light; **source lumineuse** source of light; [2] (clair) [*exposé, explication*] clear, lucid; **elle est d'une intelligence lumineuse** she's brilliant, she's remarkably intelligent; **une idée lumineuse** a brilliant idea, a brainwave○; [3] (radieux) [*teint, regard*] radiant

luminosité /lyminozite/ *nf* [1] gén brightness, luminosity liter; [2] Sci luminosity

lump /lœmp/ *nm* lumpfish; **œufs de ~** lumpfish roe ₡

lunaire /lynɛʀ/
A *adj* [1] (de lune) lunar; **mois/fusée ~** lunar month/rocket; **paysage ~** lunar landscape; [2] (rêveur) dreamy; **air ~** dreamy look
B *nf* Bot honesty

lunaison /lynɛzɔ̃/ *nf* lunar month, synodic month

luna-park /lynapaʀk/ *nm* luna park

lunatique /lynatik/
A *adj* moody
B *nm,f* moody person

lunch /lœ̃ʃ/ *nm* (en journée) buffet (lunch); (en soirée) buffet (supper); **~ de mariage** wedding breakfast

lundi /lœ̃di/ ▸ **p. 782** *nm* Monday; **le ~ de Pâques/de Pentecôte** Easter/Whit Monday; **le ~ noir** Black Monday

lune /lyn/ *nf* [1] (astre) moon; **pleine ~** full moon; **nuit sans ~** moonless night; **~ nouvelle** new moon; [2] (mois) month; **sept ~s** seven months; **cela fait des ~s que je ne les ai pas vus** I haven't seen them for months and months
(Composés) **~ de miel** honeymoon; **~ rousse** ≈ April moon
(Idiomes) **avoir une face de ~** to be moon-faced; **être dans la ~** to have one's head in the clouds; **avoir l'air de tomber de la ~** to look blank; **demander la ~** to cry for the moon; **promettre la ~** to promise the earth *ou* the moon; **décrocher la ~** to do the impossible; **voir la ~ en plein soleil**◑ to have a clear view of sb's arse◑ GB *ou* ass◑ US

luné○, **~e** /lyne/ *adj* **bien ~** cheerful; **mal ~** grumpy; **comment était-il ~ ce soir?** what sort of mood was he in this evening?

lunetier, **-ière** /lyntje, ɛʀ/
A *adj* [*industrie*] spectacle-making
B ▸ **p. 532** *nm* [1] Comm optician; [2] Ind spectacle-maker

lunette /lynɛt/
A *nf* [1] Archit lunette; [2] (siège de toilettes) lavatory seat
B **lunettes** *nfpl* [1] (optiques) glasses; **mettre ses ~s** to put on one's glasses; **porter des ~s** to wear glasses; **une paire de ~s** a pair of glasses; **~s cerclées de métal/d'or** steel-/gold-rimmed glasses; **~s d'écaille** horn-rimmed glasses; [2] (de protection) goggles; **~s de ski/de natation** skiing/swimming goggles
(Composés) **~ d'approche** Astron telescope; **~ arrière** Aut rear window; **~ marine** nautical telescope; **~ de visée** Mil telescopic sight; **~s noires** dark glasses; **~s de soleil** sunglasses

lunetterie /lynɛtʀi/ *nf* spectacle trade; **société de ~** optical company

lunule /lynyl/ *nf* [1] Anat half-moon, lunule spéc; [2] Math lune

lupanar /lypanaʀ/ *nm* house of ill repute

lupin /lypɛ̃/ *nm* lupin GB, lupine US

lupus /lypys/ ▸ **p. 283** *nm inv* lupus
(Composés) **~ érythémateux** lupus erythematosus; **~ vulgaire** lupus vulgaris

lurette○ /lyʀɛt/ *nf* **il y a** *or* **cela fait belle ~ qu'elle a tout dépensé** she spent it all ages○ ago; **il y a** *or* **cela fait belle ~ que je ne l'ai pas vue** it's been ages○ since I last saw her; **il n'a rien publié depuis belle ~** he has not published anything for ages○

lurex® /lyʀɛx/ *nm inv* Lurex®; **robe en ~** lurex dress

luron /lyʀɔ̃/ *nm* fellow; **gai** *or* **joyeux** *or* **sacré ~** jolly fellow

lusitanien, **-ienne** /lyzitanjɛ̃, ɛn/
A *adj* Lusitanian
B *nm* Ling Lusitanian Portuguese

Lusitanien, **-ienne** /lyzitanjɛ̃, ɛn/ *nm,f* Lusitanian

lusophone /lyzɔfɔn/ fml
A *adj* Portuguese-speaking
B *nmf* Portuguese-speaker

lustrage /lystʀaʒ/ *nm* [1] (processus) (de bois, métal, cuir) buffing; (de textile) lustring; (de voiture) polishing; [2] (résultat) sheen

lustral, **~e**, *mpl* **-aux** /lystʀal, o/ *adj* [1] (purificateur) lustral; [2] (quinquennal) lustral

lustre /lystʀ/
A *nm* [1] (au plafond) chandelier; **~ en cristal** crystal chandelier; [2] (éclat) (de surface) sheen; (de cheveux) shine; **redonner du ~ aux cheveux** to restore shine to dull hair; [3] (de lieu, d'institution) prestigious image; **donner un ~ à** to give a prestigious image to; **rendre** *or* **redonner du ~ à** to restore the prestigious image of; **donner un nouveau ~ à** to give fresh appeal to; **perdre de son ~** to become rather lacklustre; [4] (cinq années) lustrum
B **lustres** *nmpl* (longue période) a long time, ages○; **ils le savent depuis des ~s** they have known that for a long time; **on ne les a pas vus depuis des ~s** we haven't seen them for ages○

lustré, **~e** /lystʀe/
A *pp* ▸ **lustrer**
B *pp adj* **1** (naturellement) glossy; (d'usure) shiny; **2** Tex glazed

lustrer /lystʀe/ [1]
A *vtr* **1** (faire briller) to polish [*chaussure, miroir*]; to make [sth] shine [*cheveux, vêtement*]; **pâte à ~** polish; **2** Tex to glaze
B **se lustrer** *vpr* [*vêtement*] to become shiny

lustrerie /lystʀəʀi/ *nf* lighting appliance industry

lustrine /lystʀin/ *nf* **manchette de ~** cotton oversleeve

Lutèce /lytɛs/ ▸ **p. 894** *npr* Lutetia

lutécien /lytesjɛ̃/ *nm* Géol Lutetian

luth /lyt/ *nm* **1** ▸ **p. 557** Mus lute; **2** Littérat lyre; **3** Zool leatherback

luthéranisme /lyteʀanism/ *nm* lutheranism

lutherie /lytʀi/ *nf* manufacture of stringed instruments

luthérien, **-ienne** /lyteʀjɛ̃, ɛn/ *adj, nm,f* Lutheran

luthier /lytje/ ▸ **p. 532** *nm* stringed instrument maker

luthiste /lytist/ ▸ **p. 557** *nmf* lutenist

lutin /lytɛ̃/ *nm* **1** (démon) goblin; **2** (enfant) imp; **petit ~** little imp

lutiner /lytine/ [1] *vtr* liter to flirt with

lutrin /lytʀɛ̃/ *nm* (meuble) lectern; (de table) bookstand

lutte /lyt/ *nf* **1** (opposition entre personnes) conflict (**avec** with; **contre** with); (plus pénible) struggle; **~ sociale/religieuse/politique** social/religious/political conflict; **~ d'influence** power struggle; **être en ~ contre** *or* **avec qn** to be in conflict with sb; **se livrer à une ~ sans merci contre qn** to engage in a ruthless battle against sb; **2** (action énergique) fight (**pour** for; **contre** against); (plus pénible) struggle; **la ~ contre le cancer** the fight against cancer; **~ antiterroriste/antipollution/antichômage** fight against terrorism/pollution/unemployment; **~ contre le racisme** fight against racism; **être en ~** to be fighting *ou* struggling (**pour** for; **contre** against); **de haute ~** fml [*gagner, obtenir qch*] after a hard-fought struggle; **3** (antagonisme entre forces) conflict, struggle; **la ~ entre le bien et le mal** the struggle between good and evil; **4** ▸ **p. 469** Sport wrestling; **prise de ~** wrestling hold; **faire de la ~** to wrestle
(Composés) **~ armée** armed conflict; **~ biologique** biological control; **~ de classes** class war; **~ d'intérêts** conflict of interest; **~ libre** all-in wrestling; **~ pour la vie** struggle for existence

lutter /lyte/ [1] *vi* **1** (s'opposer) [*partie, peuple, pays*] to struggle; **le peuple ne doit pas cesser de ~** the people must not give up the fight; (plus pénible) the people must not give up the struggle; **~ contre qn** [*armée, autorité*] to fight against [*oppresseur, rebelles, armée*]; **2** (agir énergiquement) [*personne, groupe*] to fight (**pour qch** for sth; **pour faire** to do); **pour vivre il faut ~** you have to fight to stay alive; **~ contre** to fight [*crime, pollution, chômage*]; to fight against [*violence*]; to contend with [*intempéries, bruit*]; **aider le malade à ~ contre sa maladie** to help the sick person fight back; **~ contre l'abus d'alcool et de tabac** to combat alcohol and drug abuse; **Louis luttait contre le sommeil** Louis was fighting off sleep; **~ pour la démocratie/les droits de qn** to fight for democracy/sb's rights; **~ pour obtenir/sauvegarder qch** to fight to obtain/keep sth; **3** Sport [*adversaires*] to wrestle (**contre** against; **avec** with)

lutteur /lytœʀ/ *nm* **1** gén fighter; **avoir un tempérament de ~** to be a fighter; **2** Sport wrestler

lutteuse /lytøz/ *nf* **1** gén fighter; **2** Sport wrestler

lux /lyks/ *nm inv* lux

luxation /lyksasjɔ̃/ *nf* **1** Méd dislocation; **~ à l'épaule** dislocation of the shoulder; **2** Dent luxation
(Composé) **~ du cristallin** ectopia lentis

luxe /lyks/ *nm* luxury; **vivre dans le ~** to live in luxury; **résidence/produits/voitures de ~** luxury home/products/cars; **s'offrir** *or* **se payer le ~ de faire** (financièrement) to afford the luxury of doing; fig to give oneself the satisfaction of doing; **il peut se payer ce ~** he can afford it; **ce n'est pas du ~** it has to be done; **je l'ai nettoyé et ça n'était pas du ~** I gave it a much needed clean; **avoir des goûts de ~** to have expensive tastes; **industrie du ~** luxury goods industry; **horlogerie de ~** fine watchmaking; **épicerie de ~** delicatessen; **magasin de ~** exclusive shop; **boutique de ~** boutique

Luxembourg /lyksɑ̃buʀ/ ▸ **p. 894**, **p. 333**, **p. 721** *nprm* Luxembourg; **grand-duché de ~** Grand Duchy of Luxembourg

luxembourgeois, **~e** /lyksɑ̃buʀʒwa, az/
A *adj* **1** ▸ **p. 561** (du Luxembourg) of Luxembourg; **2** ▸ **p. 894** (de Luxembourg) Luxembourg
B ▸ **p. 483** *nm* Ling *German dialect spoken in Luxembourg*

Luxembourgeois, **~e** /lyksɑ̃buʀʒwa, az/ ▸ **p. 561** *nm,f* (natif) native of Luxembourg; (habitant) inhabitant of Luxembourg

luxer /lykse/ [1]
A *vtr* to dislocate
B **se luxer** *vpr* to dislocate; **se ~ l'épaule** to dislocate one's shoulder

luxueusement /lyksɥøzmɑ̃/ *adv* luxuriously

luxueux, **-euse** /lyksɥø, øz/ *adj* [*appartement, tapis, voiture*] luxurious; [*magazine, brochure*] glossy

luxure /lyksyʀ/ *nf* lust

luxuriance /lyksyʀjɑ̃s/ *nf* luxuriance

luxuriant, **~e** /lyksyʀjɑ̃, ɑ̃t/ *adj* luxuriant

luxurieux, **-ieuse** /lyksyʀjø, øz/ *adj* liter lustful

luzerne /lyzɛʀn/ *nf* alfalfa, lucerne GB

lycée /lise/ *nm* **1** Scol secondary school (*covering the final three years before the baccalauréat*); **~ Carnot/Voltaire** Lycée Carnot/Voltaire; **2** Philos lyceum
(Composés) **~ agricole** agricultural college; **~ (d'enseignement) professionnel**, **L(E)P** vocational school

> **Lycée**
> A school providing secondary education for the three years after *collège*. The students enter the first year or *seconde* at the age of 15/16, then *première*, and finally complete the cycle in *terminale* at age 17/18, when they sit for the *baccalauréat*. As well as those which provide a conventional academic education, there are a number of different types of *lycée* offering a more vocationally-based education. ▸ **baccalauréat**

lycéen, **-éenne** /liseɛ̃, ɛn/
A *adj* secondary school (*épith*); **vie lycéenne** secondary school life
B *nm,f* secondary school student

lycra® /likʀa/ *nm* Lycra®

lymphangite /lɛ̃fɑ̃ʒit/ *nf* lymphangitis

lymphatique /lɛ̃fatik/ *adj* **1** (nonchalant) lethargic, lymphatic sout; **2** Physiol lymphatic; **circulation/système ~** lymphatic circulation/system

lymphatisme /lɛ̃fatism/ *nm* (nonchalance) lethargy

lymphe /lɛ̃f/ *nf* lymph

lymphocyte /lɛ̃fɔsit/ *nm* lymphocyte; **~ T** T-lymphocyte

lymphocytose /lɛ̃fositoz/ *nf* lymphocytosis

lymphographie /lɛ̃foɡʀafi/ *nf* lymphography

lymphoïde /lɛ̃fɔid/ *adj* lymphoid

lynchage /lɛ̃ʃaʒ/ *nm* lynching ¢

lyncher /lɛ̃ʃe/ [1] *vtr* to lynch

lynx /lɛ̃ks/ *nm inv* lynx
(Composé) **~ roux** bobcat
(Idiome) **avoir un œil** *or* **des yeux de ~** to be lynx-eyed

Lyon /ljɔ̃/ ▸ **p. 894** *npr* Lyons

lyonnais, **~e** /ljɔnɛ, ɛz/
A ▸ **p. 894** *adj* of Lyons
B **lyonnaise** *nf* **1** Culin lyonnaise; **à la ~e** à la lyonnaise; **2** Jeux *regional game of boules*

Lyonnais, **~e** /ljɔnɛ, ɛz/ *nm,f* (natif) native of Lyons; (habitant) inhabitant of Lyons

lyophilisation /ljɔfilizasjɔ̃/ *nf* freeze-drying

lyophiliser /ljɔfilize/ [1] *vtr* to freeze-dry; **café lyophilisé** freeze-dried coffee

lyre /liʀ/ ▸ **p. 557** *nf* lyre

lyrique /liʀik/
A *adj* **1** Mus [*chant, compositeur, morceau, représentation, association*] operatic; [*chanteur, saison, monde, enregistrement*] opera; **opéra ~** lyric opera; **2** Littérat [*poésie, poète*] lyric; [*contenu, élan, simplicité*] lyrical; **être** *or* **se montrer ~** to wax lyrical (**sur** about)
B *nm* **1** Mus operatic works (*pl*); **2** Littérat (poésie) lyric poetry; (contenu) lyricism; (poète) lyric poet

lyrisme /liʀism/ *nm* **1** (contenu) lyricism; **avec ~** lyrically; **2** (poésie lyrique) lyric poetry

lys /lis/ *nm inv* lily
(Idiome) **blanc comme un ~** lily-white

lysimaque /lizimak/ *nf* loosestrife

lysine /lizin/ *nf* lysine

Mm

m, M /ɛm/ *nm inv* **1** (lettre) m, M; **2** (*written abbr* = **mètre**) **30 m** 30 m

m' ▸ **me**

M. ▸ **p. 848** (*written abbr* = **Monsieur**) Mr; **~ Bon** Mr Bon

ma ▸ **mon**

MA /ɛma/ *nf* (*abbr* = **maître auxiliaire**) *secondary teacher without tenure*

maboul◐, **~e** /mabul/
A *adj* crazy○, barmy○ GB
B *nm,f* fool, nutcase○

mac◐ /mak/ *nm* pimp, ponce◐ GB

Mac® /mak/ *nm* Ordinat Mac®; **sous ~** on a Mac

macabre /makabʀ/ *adj* macabre

macache◐ /makaʃ/ *adv* **~ (bono)** no way

macadam /makadam/ *nm* tarmac®

macadamiser /makadamize/ [1] *vtr* to tarmac

Macao /makao/ ▸ **p. 894** *npr* Macao

macaque /makak/ *nm* **1** Zool macaque; **2** ○(homme laid) ugly man

(Composé) **~ rhésus** rhesus monkey

macareux /makaʀø/ *nm inv* puffin

macaron /makaʀɔ̃/ *nm* **1** (gâteau) macaroon; **2** (insigne) lapel badge; (étiquette autocollante) sticker; **3** (natte) coiled plait GB *ou* braid US; **4** ○(coup) clout○

macaroni /makaʀɔni/ *nm* Culin macaroni ¢; **des ~s** macaroni

macaronique /makaʀɔnik/ *adj* macaronic

Maccabées /makabe/ *nprmpl* Maccabees

maccarthysme /makkaʀtism/ *nm* McCarthyism

macchabée◐ /makabe/ *nm* stiff◐, corpse

macédoine /masedwan/ *nf* (salade) macedoine, salad of cooked diced vegetables; (jardinière) mixed diced vegetables (*pl*)

(Composé) **~ de fruits** fruit salad

Macédoine /masedwan/ ▸ **p. 721** *nprf* **la ~** Macedonia

macédonien, -ienne /masedɔnjɛ̃, ɛn/ *adj* Macedonian

macération /maseʀasjɔ̃/ *nf* **1** Culin, Vin soaking, steeping; **pendant leur ~, les fruits s'imprègnent de...** while the fruit is soaking it absorbs...; **2** Relig mortification; **s'infliger des ~s** to mortify one's flesh

macérer /maseʀe/ [14]
A *vtr* Relig to mortify; **~ son corps/sa chair** to mortify the *ou* one's body/flesh
B *vi* **1** Culin, Pharm [*plante, fruit, légume*] to soak, to steep; [*viande*] to marinate; (dans du vinaigre) [*cornichon*] to pickle; **faire ~** to steep, to soak; **laisser ~ les cornichons pendant deux mois** leave gherkins to pickle for two months; **2** fig **~ dans son ignorance** to wallow in one's ignorance; **~ dans les remords** to be racked by *ou* with remorse

macfarlane /makfaʀlan/ *nm* Mode Inverness cape

Mach /mak/ *nm* Mach; **voler à ~ 2** to fly at Mach 2; **nombre de ~** Mach number

mâche /mɑʃ/ *nf* lamb's lettuce

mâchefer /mɑʃfɛʀ/ *nm* clinker

mâcher /mɑʃe/ [1] *vtr* **1** (broyer) to chew [*aliments, objet*]; **mâche avant d'avaler** chew before swallowing; **2** Tech to chew up

(Idiomes) **~ la besogne** *or* **le travail à qn** to break the back of the work for sb; **il ne mâche pas ses mots** he speaks his mind

machette /maʃɛt/ *nf* machete

machiavel /makjavɛl/ *nm* Machiavelli; **c'est un ~** he's a real Machiavelli

Machiavel /makjavɛl/ *npr* Machiavelli

machiavélique /makjavelik/ *adj* Machiavellian

machiavélisme /makjavelism/ *nm* Machiavellianism

mâchicoulis /mɑʃikuli/ *nm inv* machicolation

machin○ /maʃɛ̃/ *nm* **1** (objet dont on ne trouve pas le nom) thing, thingummy○, whatsit○; **passe-moi le ~ qui est sur la table** pass me that thingummy that's on the table; **qu'est-ce que c'est que ce ~-là?** what on earth's that?; **2** (chose) thing; **les armes! je me méfie de ces ~s-là** weapons! I steer clear of that sort of stuff; **il vaut mieux ne pas toucher à ces ~s-là** it's best to keep away from that sort of stuff; **ce sont des ~s dangereux** they're dangerous things; **vieux ~s** old things; **le seul que je possède est un vieux ~ des années 30** the only one I've got is an old 1930's job○; **un vieux ~ noir qui me descendait aux chevilles** a long black affair that came down to my ankles; **3** (personne) **vieux ~** old so-and-so○; **le pays est dirigé par de vieux ~s** the country is ruled by old fogeys○

Machin○, **~e** /maʃɛ̃, in/
A *nm,f* (pour remplacer un patronyme) what's-his-name○/what's-her-name○; **tu as vu ~?** have you seen what's-his-name?; **la mère ~e** Mrs whatsit
B **Machin(-)** (*in compounds*) **~-chose**○, **~-chouette**○, **~-truc**○ what's-his-name

machinal, ~e, *mpl* **-aux** /maʃinal, o/ *adj* [*geste, réaction*] mechanical; **jeter un coup d'œil ~** to glance absent-mindedly

machinalement /maʃinalmɑ̃/ *adv* mechanically, without thinking

machination /maʃinasjɔ̃/ *nf* plot; **des ~s** plots, machinations; **il jure qu'il est victime d'une ~** he swears he's the victim of a plot

machine /maʃin/ *nf* **1** Tech (appareil) machine; **taper une lettre à la ~** to type a letter; **coudre un ourlet à la ~** to machine-sew a hem; **lavable en ~** machine-washable; **langage ~** Ordinat machine language; **je ne suis pas une ~!** I'm not a machine!; **la civilisation de la ~** the age of the machine; **2** (moteur) engine; **salle des ~s** engine room; **faire ~ arrière** Naut to go astern; fig to back-pedal; **3** (système) machine; **la ~ sociale/administrative/économique** the social/administrative/economic machine; **4** ○(lavage) **faire deux ~s (de linge)** to do two loads of washing

(Composés) **~ agricole** agricultural machine; **~ de bureau** piece of office equipment; **~s de bureau** office equipment ¢; **~ à calculer** calculating machine; **~ à coudre** sewing machine; **~ à écrire** typewriter; **~ infernale** (engin explosif) infernal machine; (bombe) time bomb; **~ à laver** washing machine; **~ à laver la vaisselle** dishwasher; **~ à pain** bread maker; **~ à repasser** press, ironing machine; **~ simple** simple machine; **~ à sous** fruit machine GB, slot machine, one-armed bandit; **~ à traire** milking machine; **~ à tricoter** knitting machine; **~ à** *or* **de traitement de texte** word processor; **~ à vapeur** steam engine; **~ volante** flying machine

machine-outil, *pl* **machines-outils** /maʃinuti/ *nf* machine tool

machiner /maʃine/ [1] *vtr* to hatch [*complot*]; to plot [*trahison*]

machinerie /maʃinʀi/ *nf* **1** (ensemble des machines) machinery; **2** (local) gén machine room; Naut engine room; **3** Théât stage machinery

machinisme /maʃinism/ *nm* mechanization; **~ agricole** agricultural mechanization

machiniste /maʃinist/ ▸ **p. 532** *nmf* **1** Théât stagehand; Cin, TV scene shifter; **2** Transp driver

machisme /ma(t)ʃism/ *nm* (idéologie) male chauvinism; (comportement) machismo

machiste /ma(t)ʃist/
A *adj* male chauvinist
B *nm* male chauvinist

macho○ /matʃo/
A *adj* macho
B *nm* macho man

mâchoire /mɑʃwaʀ/ *nf* jaw; **~ inférieure/supérieure** lower/upper jaw; **serrer les ~s** to clench one's teeth

(Composé) **~ de frein** Aut brake shoe

(Idiome) **bâiller/rire à s'en décrocher la ~** to yawn/laugh one's head off

mâchonnement /mɑʃɔnmɑ̃/ *nm* gén chewing; Méd bruxism

mâchonner /mɑʃɔne/ [1] *vtr* to chew

mâchouiller /mɑʃuje/ [1] *vtr* to chew (on)

mâchurer /mɑʃyʀe/ [1] *vtr* **1** (barbouiller) to blotch [*papier*]; to get [sth] dirty [*habit, visage*]; **2** Imprim to blot, to blur [*feuille*]; **3** Tech (endommager) to dent; **4** (mordiller) to chew

macle /makl/ = **macre**

maçon, -onne /masɔ̃, ɔn/
A *adj* Zool [*abeille, guêpe*] mason
B *nm* **1** ▸ **p. 532** gén, Constr bricklayer; (entrepreneur) builder; (qui construit en pierre) mason; **2** (franc-maçon) Mason

Mâcon /makɔ̃/ ▸ **p. 894** *npr* Mâcon

maçonnage /masɔnaʒ/ *nm* **1** (travaux) gén building; (pose de briques) bricklaying; **2** (ouvrage) masonry-work, brickwork

mâconnais, ~e /makɔnɛ, ɛz/ ▸ **p. 894** *adj* of Mâcon

Mâconnais, ~e /makɔnɛ, ɛz/
A ▸ **p. 894** *nm,f* (natif) native of Mâcon; (habitant) inhabitant of Mâcon
B ▸ **p. 721** *nm* **le ~** the Mâcon area

maçonner /masɔne/ [1] *vtr* **1** (construire) to build; **2** (revêtir) (avec des pierres) (à l'extérieur) to face [sth] with stone; (à l'intérieur) to line [sth] with stone; (avec des briques) (à l'extérieur) to face [sth] with bricks; (à l'intérieur) to line [sth] with bricks

maçonnerie /masɔnʀi/ *nf* 1 (travaux) building; **travaux de ~** building work; **travailler dans la ~** to be in the building trade; 2 (ouvrage) masonry-work; **~ de béton** concrete masonry; **grosse ~** superstructure; **petite ~** interior building; 3 (franc-maçonnerie) Masonry

maçonnique /masɔnik/ *adj* masonic

macramé /makʀame/ *nm* macramé; **en ~** in macramé (work)

macre /makʀ/ *nf* Bot water chestnut

macreuse /makʀøz/ *nf* 1 Culin chuck (steak); 2 Zool scoter

macrobiotique /makʀɔbjɔtik/
A *adj* macrobiotic
B *nf* macrobiotics (+ *v sg*)

macrocéphale /makʀosefal/ *adj, nmf* macrocephalic

macrocéphalie /makʀosefali/ *nf* macrocephaly

macrocosme /makʀɔkɔsm/ *nm* macrocosm

macroéconomie /makʀoekɔnɔmi/ *nf* macroeconomics (+ *v sg*)

macroéconomique /makʀoekɔnɔmik/ *adj* macroeconomic

macrographie /makʀɔgʀafi/ *nf* macrography

macro-instruction /makʀoɛ̃stʀyksjɔ̃/ *nf* macro-instruction

macromolécule /makʀomɔlekyl/ *nf* macromolecule

macrophage /makʀɔfaʒ/
A *adj* macrophagic
B *nm* macrophage

macrophotographie /makʀofɔtɔgʀafi/ *nf* macrophotography

macroscopique /makʀɔskɔpik/ *adj* macroscopic

macrostructure /makʀostʀyktyʀ/ *nf* macrostructure

maculé, ~e /makyle/
A *pp* ▸ **maculer**
B *pp adj* gén [*devoir, feuille*] smudged (**de** with); **être ~ de sang/de boue** to be spattered with blood/mud

maculer /makyle/ [1] *vtr* **~ de boue** to spatter [sth] with mud [*vêtements, chaussures*]; **~ de sang** to spatter [sth] with blood [*vêtements, chaussures*]; to smudge [*devoir, feuille*] (**de** with)

Madagascar /madagaskaʀ/ ▸ **p. 333, p. 435** *nprf* Madagascar; **à ~** in Madagascar; **la République démocratique de ~** the Malagasy Republic

madame, *pl* **mesdames** /madam, medam/ ▸ **p. 848** *nf* 1 (titre donné à une inconnue) **Madame** (dans une lettre) Dear Madam; **Madame, Monsieur** Dear Sir/Madam; **bonsoir ~** good evening!; **pardon ~, pouvez-vous m'indiquer la poste?** excuse me please, could you tell me where the post office is?; **et pour ~ ce sera?** (au restaurant) and for you madam?; **occupez-vous de ~** (dans un magasin) could you attend to this lady, please?; **~! votre parapluie!** excuse me! you've forgotten your umbrella!; **mesdames et messieurs bonsoir** good evening ladies and gentlemen; 2 (titre donné à une femme dont on connaît le nom, pour l'exemple Bon) **bonjour, ~** good morning, Ms Bon *ou* Mrs Bon; **Chère Madame** (dans une lettre) Dear Ms Bon, Dear Mrs Bon; **Madame Blanc** (sur une enveloppe) Ms Blanc, Mrs Blanc; **Madame le Ministre** (en lui parlant) Minister; (dans une lettre) Dear Minister; 3 (formule de respect utilisée avec une femme dont on connaît le nom) **comment va Madame votre mère?** how is your (dear) mother?; **veuillez m'annoncer à Madame** tell madam that I am here; **Madame est servie!** dinner is served; **j'en parlerai à Madame** I'll speak to Madam about it; 4 Hist Madame.

> ⚠ L'anglais possède un équivalent féminin de monsieur, *Ms* /miz/, qui permet de faire référence à une femme dont on connaît le nom sans préciser sa situation de famille: *Ms Clarke*

madeleine /madlɛn/ *nf* madeleine

Madeleine /madlɛn/ *npr* Madeleine

(Idiome) **pleurer comme une ~** to cry one's eyes out

mademoiselle, *pl* **mesdemoiselles** /madmwazɛl, medmwazɛl/ ▸ **p. 848** *nf* 1 (titre donné à une inconnue) **Mademoiselle** (dans une lettre) Dear Madam; **bonjour, ~** good morning; **entrez, mesdemoiselles** do come in; **pardon ~, je cherche la poste** excuse me, I'm looking for the post office; **occupez-vous de ~** (dans un magasin) could you attend to this lady, please?; **et pour ~, comme d'habitude?** (au café, bar etc) will it be the usual, madam?; **mesdames, mesdemoiselles, messieurs** ladies and gentlemen; 2 (titre donné à une jeune fille dont on connaît le nom, pour l'exemple Bon) Ms Bon, Miss Bon; **Chère Mademoiselle** (dans une lettre) Dear Ms *ou* Miss Bon; **bonjour, ~** good morning Ms *ou* Miss Bon; **Mademoiselle Brun** (sur une enveloppe) Ms Brun, Miss Brun; 3 (formule de respect) **~ votre fille†** your daughter; **~ boude?** hum madam's sulking, is she? hum.

> ⚠ L'anglais possède un équivalent féminin de monsieur, *Ms* /miz/, qui permet de faire référence à une femme dont on connaît le nom sans préciser sa situation de famille: *Ms Clarke*

madère /madɛʀ/ *nm* madeira

Madère /madɛʀ/ ▸ **p. 435** *nprf* Madeira

madérisation /madeʀizasjɔ̃/ *nf* maderization

madériser /madeʀize/ [1] *vtr*, **se madériser** *vpr* to maderize

madone /madɔn/ *nf* Art madonna; **elle est belle comme une ~** she is serenely beautiful; **un visage de ~** a serenely beautiful face

Madone /madɔn/ *npr* **la ~** the Madonna

madras /madʀas/ *nm inv* 1 (tissu) madras cotton; 2 (foulard) madras headscarf

Madras /madʀas/ ▸ **p. 894** *npr* Madras

madré, ~e /madʀe/
A *adj* liter crafty
B *nm,f* liter crafty one

madrépore /madʀepɔʀ/ *nm* madrepore

Madrid /madʀid/ ▸ **p. 894** *npr* Madrid

madrier /madʀije/ *nm* beam

madrigal, *pl* **-aux** /madʀigal, o/ *nm* 1 Mus madrigal; 2 †(compliment) compliment

madrilène /madʀilɛn/ ▸ **p. 894** *adj* of Madrid

Madrilène /madʀilɛn/ *nmf* (natif) native of Madrid; (habitant) inhabitant of Madrid

maelström* /malstʀɔm/ *nm* Météo, fig maelstrom

maestria /maɛstʀija/ *nf* brilliance, panache; **avec ~** with great panache

maestro /maɛstʀo/ *nm* maestro

mafflu, ~e /mafly/ *adj* plump-cheeked

maf(f)ia* /mafja/ *nf* mafia; **la ~ de la drogue** the drugs mafia; **la Mafia** the Mafia; **un gros bonnet de la Mafia** a big wheel in the Mafia

maf(f)ieux, -ieuse /mafjø, øz/
A *adj* mafia (*épith*)
B *nm inv* mafioso

maf(f)ioso* /mafjozo/ *nm* mafioso

magasin /magazɛ̃/ *nm* 1 Comm (boutique) shop GB, store US; (plus grand) store; **grand ~** department store; **une chaîne de ~s** a chain of shops GB *ou* stores US; **en vente dans les ~s spécialisés** available in specialist shops GB *ou* stores US; **tenir/prendre un ~** to run/to open a shop GB *ou* store US; **faire les ~s** to go shopping; **~ de chaussures/d'alimentation** shoe/food shop GB *ou* store US; **~ à succursales multiples** chain of shops, chain store; **avoir qch en ~** to have sth in stock; 2 Ind store, storehouse; **mettre qch en ~** to put sth in stock; **avoir/garder en ~** to have/to keep in stock; 3 Tech (d'arme, appareil photo) magazine

(Composés) **~ des accessoires** Théât prop room; **~ d'armes** Mil armoury[GB]; Comm gunsmith's; **~ d'aubaines** Can discount store; **~ du corps** Mil regimental warehouse; **~ des décors** Théât (scene) dock; **~ diététique** health-food shop GB *ou* store US; **~ de sport** sports shop GB *ou* store US

magasinage /magazinaʒ/ *nm* 1 (action) warehousing; 2 (séjour) stocking period; **droits/frais de ~** warehousing rights/costs

magasiner /magazine/ [1] *vi* Can (faire des achats) **je n'aime pas ~** I don't like shopping; **aller ~** to go shopping

magasinier, -ière /magazinje, ɛʀ/ ▸ **p. 532** *nm,f* 1 (dans une entreprise) stock controller; 2 (gardien de dépôt) warehouse keeper, warehouseman

magazine /magazin/ *nm* Presse, Radio, TV magazine; **~ hebdomadaire** weekly magazine; **~ des inventeurs/pour les jeunes** magazine for inventors/teenagers; **~ d'information** news magazine; **~s féminins** women's magazines

magdalénien, -ienne /magdalenjɛ̃, ɛn/
A *adj* Magdalenian
B *nm* **le ~** the Magdalenian era

mage /maʒ/ *nm* magus; **les rois ~s** the Magi, the (Three) Wise Men

magenta /maʒɛ̃ta/ ▸ **p. 202** *adj, nm* magenta

Maghreb /magʀɛb/ ▸ **p. 721** *nprm* **le ~** the Maghreb

> **Maghreb**
> Collectively refers to Morocco, Algeria and Tunisia in North Africa which have been a major source of immigration to metropolitan France since the 1960s and which were previously French colonial territories.

maghrébin, ~e /magʀebɛ̃, in/ *adj* North African, Maghrebi

Maghrébin, ~e /magʀebɛ̃, in/ *nm,f* 1 (habitant) inhabitant of the Maghreb; 2 (immigré) North African

magicien, -ienne /maʒisjɛ̃, ɛn/ ▸ **p. 532** *nm,f* 1 (qui pratique la magie) magician/enchantress; **Circé la magicienne** the enchantress Circe; 2 (dans un spectacle) conjuror, magician; 3 (génie) wizard; **un ~ des mots** a wizard with words; **un ~ de l'économie** an economic wizard

magie /maʒi/ *nf* 1 (science) magic; **~ blanche/noire** white/black magic; **comme par ~** as if by magic; 2 (dans un spectacle) conjuring; 3 (effet puissant) magic (**de** of); **la ~ des mots** the magic of words

Maginot /maʒino/ *npr* **ligne ~** Maginot line

magique /maʒik/ *adj* 1 lit magic (*épith*), magical; **baguette/potion ~** magic wand/potion; **pouvoir/formule ~** magic power/words (*pl*); 2 fig [*beauté, décor*] magical

magiquement /maʒikmɑ̃/ *adv* magically

magistère /maʒistɛʀ/ *nm* 1 Relig magisterium; 2 Univ *high-level University degree combining academic coursework with work experience in industry*

magistral, ~e, *mpl* **-aux** /maʒistʀal, o/ *adj* 1 (remarquable) [*habileté, interprétation*] masterly; [*œuvre, étude, succès*] brilliant; **réussir un coup ~** to bring off a masterstroke; 2 liter [*ton*] magisterial; **cours ~** lecture; 3 hum [*correction, gifle*] tremendous; 4 Pharm [*médicament*] magistral, prescription

magistralement /maʒistʀalmɑ̃/ *adv* brilliantly

magistrat, **~e** /maʒistʀa, at/ *nm,f* **1** Jur ≈ magistrate; **~ instructeur** examining magistrate; **les ~s du siège** the judges; **2** Admin magistrate

magistrature /maʒistʀatyʀ/ *nf* **1** Jur magistracy; **2** Admin (fonction) public office; (durée de cette fonction) term *ou* tenure of office; **arriver à la ~ suprême** to reach the highest office in the land

(Composés) **la ~ assise** the judges (*pl*); **la ~ debout** the state *ou* public prosecutors (*pl*)

magma /magma/ *nm* **1** Chimie, Géol magma; **2** (mélange confus) jumble

magmatique /magmatik/ *adj* magmatic

magnanime /maɲanim/ *adj* magnanimous (**avec, envers** with, towards[GB]); **se montrer ~** to be magnanimous

magnanimement /maɲanimmɑ̃/ *adv* magnanimously

magnanimité /maɲanimite/ *nf* magnanimity (**avec, envers** with, towards[GB]); **faire preuve de ~** to show magnanimity

magnat /maɲa/ *nm* magnate, tycoon; **un ~ de la presse/du pétrole** a press/an oil magnate

magner◑: **se magner** /maɲe/ [1] *vpr* to get a move on○; **magne-toi le train**○ *or* **cul**● shift your arse● GB *ou* ass◑ US, get your ass in gear◑ US

magnésie /maɲezi/ *nf* magnesia

magnésium /maɲezjɔm/ *nm* magnesium

magnétique /maɲetik/ *adj* magnetic; **champ ~** magnetic field

magnétisable /maɲetizabl/ *adj* magnetizable

magnétisation /maɲetizasjɔ̃/ *nf* magnetization

magnétiser /maɲetize/ [1] *vtr* **1** Phys to magnetize; **2** (pour soigner) to magnetize; **3** (charmer) to hypnotize, to mesmerize

magnétiseur, **-euse** /maɲetizœʀ, øz/ ▸ **p. 532** *nm,f* (magnetic) healer

magnétisme /maɲetism/ *nm* gén magnetism; **~ terrestre** terrestrial magnetism; **le ~ de qn** sb's magnetism; **le ~ d'un discours** the magnetic power of a speech; **leur ~ sur les foules** their magnetic effect on crowds

magnétite /maɲetit/ *nf* magnetite

magnéto /maɲeto/
A ○*nm*: *abbr* = **magnétophone**
B *nf* Électrotech magneto

magnétoélectrique /maɲetoelɛktʀik/ *adj* magnetoelectric

magnétophone /maɲetɔfɔn/ *nm* (à cassette) cassette (tape) recorder; (à bande) tape recorder; **enregistrer qch au ~** to record sth, to tape sth

magnétoscope /maɲetɔskɔp/ *nm* (à cassette) video (cassette) recorder, VCR; (à bande) video (tape) recorder; **enregistrer qch au ~** to video sth

magnétoscoper /maɲetɔskɔpe/ [1] *vtr* to video, to record [sth] on video

magnétoscopique /maɲetɔskɔpik/ *adj* **enregistrement ~** video recording; **bande/image ~** video tape/image

magnétosphère /maɲetɔsfɛʀ/ *nf* magnetosphere

magnétron /maɲetʀɔ̃/ *nm* magnetron

magnificat /maɲifikat/ *nm inv* (cantique, musique) Magnificat

magnificence /maɲifisɑ̃s/ *nf* **1** (splendeur) splendour[GB]; **2** (générosité) munificence; **recevoir qn avec ~** to entertain sb lavishly; **3** fig (de style) grandeur

magnifier /maɲifje/ [2] *vtr* **1** (élever) to idealize [*souvenir, sentiment*]; **2** (célébrer) to glorify [*héroïsme, exploit*]

magnifique /maɲifik/ *adj* (très beau) splendid; (visant à éblouir) magnificent; **elle a été ~ dans ce rôle** she was splendid in the part; **il a été ~ de courage** he showed magnificent courage

magnifiquement /maɲifikmɑ̃/ *adv* gén splendidly; [*recevoir*] lavishly; **un rôle ~ interprété** a splendid interpretation of the role

magnitude /maɲityd/ *nf* **1** Astron magnitude; **2** Géol strength; **séisme de ~ 5,6** earthquake measuring 5.6 (on the Richter scale)

magnolia /maɲɔlja/ *nm* magnolia (tree)

magnum /magnɔm/ *nm* Vin magnum (bottle)

magot /mago/ *nm* **1** ○(somme d'argent) pile○ (of money); **amasser un joli ~** to make a nice pile; **2** Art magot; **3** Zool Barbary ape, magot

magouillage○ /magujaʒ/ *nm* fiddling○, cheating

magouille○ /maguj/ *nf* **1** (procédé) fiddling○; **2** (résultat) trick; **de sombres ~s** dirty tricks; **~s politiques** political skulduggery ₵; **~s financières** financial skulduggery ₵, sharp practice ₵; **~s électorales** election rigging ₵

magouiller○ /maguje/ [1] *vi* to fiddle○, to cheat

magouilleur, **-euse** /magujœʀ, øz/ *nm,f* fiddler○, cheat

magret /magʀɛ/ *nm* **~ de canard** duck breast

magyar, **~e** /magjaʀ/ *adj* Magyar

Magyar, **~e** /magjaʀ/ *nm,f* Magyar

mahara(d)jah, *pl* **~(s)*** /maaʀadʒa/ *nm* maharaja(h)

maharani, *pl* **~(s)** /maaʀani/ *nf* maharani

mah-jong, *pl* **~s*** /maʒɔ̃g/ ▸ **p. 469** *nm* mahjong

Mahomet /maɔmɛ/ *npr* Mohammed

mahométan†, **~e** /maɔmetɑ̃, an/ *adj, nm,f* Mahometan†, Mohammedan

mai /mɛ/ ▸ **p. 544** *nm* May; **le premier ~** May Day; ▸ **avril**

maie /mɛ/ *nf* dough trough (*in lidded decorative coffer*)

maïeutique /majøtik/ *nf* maieutics (+ *v sg*)

maigre /mɛgʀ/
A *adj* **1** gén thin, skinny, scrawny; Méd [*personne*] thin, underweight; [*animal, bras, jambe*] thin; **2** Culin [*jambon, viande*] lean; [*yaourt, fromage*] low-fat; **3** Relig [*aliment*] non-meat; [*repas, jour*] without meat; **4** (médiocre) [*résultat*] poor; [*talents, repas, économies*] meagre[GB]; [*espoir*] slim; [*consolation*] small, scant; [*applaudissements*] scant; [*texte, devoir*] skimpy; **5** (peu volumineux) [*filet d'eau, paquet*] thin; [*gazon*] sparse; [*chevelure*] sparse, thin; **6** Imprim **caractère ~** light type
B *nmf* thin man/woman; **c'est une fausse ~** she looks thinner than she is
C *nm* (de viande) lean

(Idiomes) **~ comme un clou** *or* **un coucou** as thin as a rake, as skinny as a rail US; **faire** *or* **manger ~** to abstain from meat

maigrelet, **-ette** /mɛgʀəlɛ, ɛt/ *adj* skinny, scrawny

maigrement /mɛgʀəmɑ̃/ *adv* [*payé, récompensé*] poorly

maigreur /mɛgʀœʀ/ *nf* **1** (de personne, partie du corps) thinness; **être d'une grande ~** to be very thin; **2** (faible quantité) meagreness[GB], scantiness

maigrichon, **-onne** /mɛgʀiʃɔ̃, ɔn/ *adj* skinny, scrawny

maigrir /mɛgʀiʀ/ [3]
A *vtr* [*vêtement, couleur*] to make [sb] look thinner; [*maladie, soucis*] to make [sb] lose weight
B *vi* to lose weight, to slim; **~ de trois kilos** to lose three kilos; **on l'a trouvé maigri** he looked as if he had lost weight; **~ des hanches/des cuisses** to lose weight around one's hips/from one's thighs; **il a maigri du visage** his face has got GB *ou* gotten US thinner; **faire ~ qn** [*exercice, régime*] to make sb lose weight; **pour ~** [*crème, exercice*] slimming GB, reducing (*épith*) US; [*cachet, pilule*] diet

mail¹ /maj/ *nm* **1** (allée) mall, avenue; **2** (jeu) pall-mall; **3** (maillet) mallet

mail² /mel/ *nm* email, e-mail

mailing /mɛliŋ/ *nm* **1** (principe) direct mail advertising; **2** (envoi) mail shot; **faire un ~** to do a mail shot; **3** (document) mailing pack

maillage /majaʒ/ *nm* **1** (de filet) mesh size; **2** (création de réseau) creation of a network; (réseau créé) network

maille /maj/ *nf* **1** (de tricot) stitch; **à fines/grosses ~s** fine-/loose-knit (*épith*); **une ~ tirée** a pulled stitch; **une ~ qui file** (en tricotant) a dropped stitch; (sur un collant) a ladder; **monter 20 ~s** to cast on 20 stitches; **2** (de filet) mesh; **passer à travers les ~s** [*poisson*] to pass through the net; [*malfaiteur*] to slip through the net; **3** (de grillage, chaînette) link; **4** Tex (tissu) knitted fabric, jersey

(Composés) **~ (à l')endroit** plain stitch; **faites deux ~s à l'endroit** knit two; **~ (à l')envers** purl stitch; **faites une ~ à l'envers** purl one; **~ glissée** slip stitch; **~ serrée** (au crochet) double crochet

(Idiome) **avoir ~ à partir avec qn/la justice** to have a brush with sb/the law

maillechort /majʃɔʀ/ *nm* nickel silver

maillet /majɛ/ *nm* **1** (marteau) mallet; **~ de croquet** croquet mallet; **2** (arme) mace

mailloche /majɔʃ/ *nf* **1** (maillet) mallet, beetle; **2** Mus beater

maillon /majɔ̃/ *nm* link; **le dernier ~ de la chaîne** the last link in the chain

maillot /majo/ *nm* **1** (sous-vêtement) vest GB, undershirt US; **2** (de sport) (sans manches) singlet; (de football, rugby) shirt; (de cyclisme) jersey

(Composés) **~ de bain** swimsuit; **un ~ une pièce/deux pièces** a one-piece/two-piece swimsuit; **~ de corps** vest GB, undershirt US; **~ jaune** (vêtement) yellow jersey; (cycliste) leader in the Tour de France

main /mɛ̃/ ▸ **p. 196** *nf* **1** Anat hand; **~ droite/gauche** right/left hand; **se laver les ~s** to wash one's hands; **marcher les ~s dans les poches** to walk with one's hands in one's pockets; **saluer qn de la ~** to wave at sb; **d'un signe de la ~ elle indiqua que...** with her hand she indicated that...; **la ~ dans la ~** lit hand in hand; fig close together; **avoir les ~s liées** lit, fig to have one's hands tied; **haut les ~s!** hands up!; **passer de ~ en ~** [*objet, livre*] to pass from hand to hand; **tenir qch à la ~** to hold sth in one's hand; **se tenir la ~** to hold hands; **avoir une brûlure à la ~** to have a burn on one's hand; **donne-moi la ~** (pour être tenue) give me your hand; (pour être serrée) let's shake hands; (pour un soutien moral) hold my hand; **demander la ~ de qn** to ask for sb's hand (in marriage); **prendre qch d'une (seule) ~** to pick sth up with one hand; **prendre qch à deux ~s** to take sth with both hands; **ramasser qch à pleines ~s** to pick up handfuls of sth; **saisir qch à pleines ~s** to take a firm hold of sth; **glisser** *or* **tomber des ~s de qn** to slip out of sb's hands; **avoir qch bien en ~(s)** lit to hold sth firmly; fig to have sth well in hand; **être adroit de ses ~s** to be good with one's hands; **si tu portes** *or* **lèves la ~ sur elle** if you lay a finger on her; **faire qch à la ~** to do sth by hand; **faire qch de ses propres ~s** to do sth with one's own hands; **fait ~** [*produit*] handmade; **cousu/tricoté ~** hand-sewn/- knitted; **à la ~** (sans machine) [*contrôler, régler*] manually; **à ~s nues** [*se battre*] with one's bare hands; **jouer du piano à quatre ~s** to play a duet on the piano; **dessiner à ~ levée** to draw freehand; **voter à ~ levée** to vote by a show of hands; **se faire faire les ~s** to have a manicure; **attaque/vol à ~ armée** armed attack/

robbery; **avoir besoin d'un coup de ~** to need a hand; **donner un coup de ~ à qn** to give sb a hand; **dix secondes montre** *or* **chronomètre en ~** ten seconds exactly; ▸ **courage, doigt, dos, uni, vilain**
[2] (personne) **une ~ secourable** a helping hand; **une ~ criminelle avait saboté** someone with criminal intentions had sabotaged
[3] (dénotant le contrôle, la possession) hand; **la ~ de Dieu/du destin** the hand of God/fate; **changer de ~s** to change hands; **avoir qch sous la ~** to have sth to hand; **c'est ce que j'avais sous la ~** it's what I had; **je n'ai rien sous la ~ pour recoudre ton bouton** I've got nothing here to sew your button back on; **cela m'est tombé sous la ~** I just happened to come across it; **mettre la ~ sur qch** (retrouver) to lay one's hand on sth; (trouver) to get one's hands on sth; **je n'arrive pas à mettre la ~ dessus** I can't lay my hands on it, I can't find it; **après être passé par les ~s de ma fille** after my daughter had had it; **je l'ai eu entre les ~s mais** I did have it but; **être entre les ~s de qn** [*pouvoir, responsabilité, entreprise*] to be in the hands of sb; **avoir/prendre qch en ~s** to have/to take sth in hand [*affaire, tâche*]; **se prendre par la ~** (soi-même) to take oneself in hand; **prendre qn par la ~** lit, fig to take sb by the hand; **être en (de) bonnes/mauvaises ~s** to be in good/not to be in good hands; **avoir la ~ haute sur** to have control over; **avoir les choses en ~** to have things in hand; **avoir qch bien en ~** to have sth well in hand; **à ne pas mettre entre toutes les ~s** [*livre*] not for general reading; **tomber entre les ~s de qn** to fall into sb's hands; **repartir avec un contrat en ~(s)** to leave with a signed contract; **elle est arrivée preuve en ~** she had concrete proof; **avoir/arriver les ~s vides** to be/arrive emptyhanded; **je le lui ai remis en ~s propres** I gave it to him/her in person; **de la ~ à la ~** [*vendre, acheter*] privately; **être payé de la ~ à la ~** to be paid cash (in hand); **de seconde ~** secondhand; **de première ~** (dans une annonce) 'one owner'; **avoir des renseignements de première ~** to have first-hand information; ▸ **innocent, velours**
[4] (origine) **peinture de la ~ de Bosch** original painting by Bosch; **écrit de la ~ du président** written by the president himself; **reconnaître la ~ d'un auteur/d'un artiste** to recognize a writer's/an artist's style; **de ma plus belle ~** (écriture) in my best handwriting
[5] (dénotant l'habileté) **avoir le coup de ~** to have the knack; **il faut d'abord se faire la ~** you have to learn how to do it first; **avoir la ~ légère** to have a light touch
[6] Zool (de primate) hand
[7] (longueur approximative) **une ~** a hand's width
[8] Imprim (de papier) quire
[9] Sport (au football) handball; **il y a ~!** handball!
[10] Jeux (cartes de chacun) hand; (tour de jeu) deal; **bonne/mauvaise ~** strong/weak hand; **perdre la ~** lit to lose the deal; fig to lose one's touch; **garder la ~** lit to keep one's hand; fig to keep one's hand in
[11] (direction) **à ~ droite/gauche** on the right/left

(Composés) **~ chaude** Jeux hot cockles (+ *v sg*); **~ courante** Constr handrail; Compta daybook

(Idiomes) **j'en mettrais ma ~ au feu** *or* **à couper** I'd swear to it; **d'une ~ de fer** [*gouverner, diriger*] with an iron rod; **il n'y est pas allé de ~ morte!** he didn't pull his punches!; **avoir la ~ leste** to be always ready with a good hiding; **laisser les ~s libres à qn** to give sb a free hand *ou* rein; **passer la ~** to step down (**à** in favour^GB of); **faire ~ basse sur** to help oneself to [*biens*]; to take over [*marché, pays*]; **en venir aux ~s** to come to blows; **avoir la ~ heureuse/malheureuse** to be lucky/unlucky; **mettre la dernière ~ à** to put the finishing touches to; **il y en a autant que sur ma ~**○ there aren't any; **ils peuvent se donner la ~** péj (deux personnes) they're both the same; (plusieurs personnes) they're all the same; **mettre la ~ aux fesses○ de qn** to feel sb up○; **que ta ~ gauche ignore ce que fait ta ~ droite** let not thy left hand know what thy right hand doeth

mainate /mɛnat/ *nm* mynah bird

main-d'œuvre, *pl* **mains-d'œuvre** /mɛ̃dœvʀ/ *nf* [1] (travailleurs) labour^GB ¢; **~ bon marché/qualifiée/immigrée** cheap/skilled/immigrant labour^GB; **~ féminine** female labour^GB; [2] (travail) labour^GB; **coût de la ~** labour^GB costs (*pl*)

Maine /mɛn/ ▸ p. 721 *nprm* Maine

Maine-et-Loire /mɛnelwaʀ/ ▸ p. 721 *nprm* (département) **le ~** Maine-et-Loire

main-forte* /mɛ̃fɔʀt/ *nf inv* **prêter ~ à qn** to come to sb's aid

mainlevée /mɛ̃lve/ *nf* **~ de saisie** replevin, restoration of goods taken in distraint; **~ d'hypothèque** release of mortgage; **~ d'opposition** withdrawal of opposition; **accorder ~ d'une saisie** to grant replevin

mainmise /mɛ̃miz/ *nf* [1] (domination) control (**sur** over); **avoir la ~ sur qch** to have control over sth; [2] Jur seizure

maint, ~e /mɛ̃, mɛ̃t/ *adj indéf* many (+ *v pl*), many a (+ *v sg*); **pour ~ lecteur** for many a reader, for many readers; **on retrouvera le même phénomène dans ~e famille** we come across the same phenomenon in many families; **j'y ai séjourné ~es fois** I've stayed there many a time, many's the time I've stayed there; **~s politiciens** many a politician; **~es et ~es fois** time and (time) again; **à ~es reprises** many times

maintenance /mɛ̃tnɑ̃s/ *nf* maintenance

maintenant /mɛ̃t(ə)nɑ̃/ *adv* [1] (à présent) now; **où allons-nous ~?** where shall we go now?; **jusqu'à ~ il venait tous les jours** up until now he came every day; **à partir de ~** from now on; **il y a ~ dix ans qu'il est mort** he's been dead ten years now; **~ que** now that; **il faut commencer dès ~** we must start straightaway; **c'est ~ qu'il faut planter vos rosiers** now is the time to plant your rose bushes; **imaginons ~ que** now let's imagine that; **il doit avoir fini ~** he must have finished by now; [2] (dans le passé) **il devait ~ finir sa thèse et trouver du travail** he now had to finish his thesis and find work; **elle a précisé qu'elle attendait ~ un moment favorable** she explained that she was now waiting for the right moment; [3] (l'époque actuelle) today; **la jeunesse de ~** the youth of today; **les mœurs de ~** today's social mores; [4] (de nos jours) nowadays; **~ les choses se font différemment** nowadays people do things differently; **c'est plus difficile ~** it's more difficult now(adays); [5] (désormais) now; **~ tu pourras utiliser ma voiture** now you can use my car; **~ il était enfin libre de faire ce qu'il voulait** at last he was free to do what he wanted; [6] (cela dit) now; **je t'ai averti, ~ tu fais ce que tu veux** I've warned you, now do what you want

maintenir /mɛ̃t(ə)niʀ/ [36]
A *vtr* [1] (faire durer) to maintain [*situation, équilibre, privilège*]; to keep [*paix, cessez-le-feu*]; to keep up [*coutumes*]; **~ l'ordre** to maintain order; **faire ~ l'ordre** to have order maintained; **ils ont maintenu le secret** they kept it secret; **~ les prix** to keep prices stable; **~ un régime** to prop up a regime; [2] (soutenir) to support [*bâtiment, mur, poitrine, cheville*]; [3] (conserver en l'état) to keep; **~ la tête hors de l'eau** to keep one's head above the water; **~ qch en équilibre** to keep *ou* hold sth balanced; **~ qch droit/debout** to keep *ou* hold sth straight/upright; **~ un assemblage avec des chevilles** to hold a structure together with pins; **~ qn en vie/ sous les verrous** to keep sb alive/under lock and key; **~ la température** to maintain the temperature; **être maintenu dans ses fonctions** to be kept on in one's post; [4] (ne pas retirer) to stand by [*décision, accusation*]; **je maintiens ce que j'ai dit** I stand by what I said; **je l'ai dit et je le maintiens** I said that and I stand by it; **~ que** to maintain that; **~ sa candidature** (pour un emploi) to go through with one's application; Pol not to withdraw one's candidacy
B **se maintenir** *vpr* [1] [*prix, pouvoir d'achat*] to remain stable; [*système politique*] to remain in force; [*monnaie*] to hold steady (**à** at); [2] (dans un lieu, état) [*personne*] to remain, to stay; **se ~ au pouvoir** to remain *ou* stay in power; **se ~ debout** to remain standing; **se ~ en bonne santé** to keep oneself in good health; [3] (ne pas se dégrader) [*malade*] to remain stable; [*personne, vieillard*] to remain in good health; **leur santé se maintient** they remain in good health; **si le temps se maintient (au beau)** if the (fine) weather holds; [4] Pol [*candidat*] **se ~ au second tour** to continue to stand GB *ou* run US in the second round

maintien /mɛ̃tjɛ̃/ *nm* [1] (d'état de fait, de privilèges) maintaining; **notre but c'est le ~ des prix** our aim is to keep prices stable; **assurer le ~ de l'ordre** to maintain order; [2] (de branchement, système) maintaining; [3] (de poitrine, chevilles) support; [4] Pol **le ~ de sa candidature est peu probable** it is unlikely that he will continue to stand GB *ou* run US; [5] (allure) deportment; **cours de ~** deportment lessons

maire /mɛʀ/ *nm* mayor

(Composé) **~ adjoint** deputy mayor

(Idiome) **passer devant Monsieur le ~** hum to get married

mairie /mɛʀi/ *nf* [1] (administration) gén town council GB *ou* hall US; (dans une grande ville) city council; **être élu à la ~ de** to be elected mayor of; [2] (bureaux) town hall

Mairie

The administrative headquarters of the *conseil municipal* and the office of the *maire*, who is the local representative of state authority, officiating at marriages and supervising local elections. The *maire*'s powers can be quite extensive, especially in the larger towns, while the position can also be held on a part-time basis. The *maire*'s office is also known as the *hôtel de ville* in larger towns.

mais¹ /mɛ/ *conj* [1] (introduisant une correction, une opposition) but; **il est intelligent ~ paresseux** he's intelligent but lazy; **elle n'arrive pas lundi ~ mardi** she's not arriving on Monday but on Tuesday, she's arriving on Tuesday, not Monday; **non seulement il est malhonnête, ~ en plus il s'en vante** not only is he dishonest but on top of that he boasts about it; **il est acteur ~ aussi écrivain** he's an actor and a writer as well; **incroyable ~ vrai** strange but true; **~ il avait pourtant dit qu'il viendrait** but he did say he would come; [2] (pour renforcer) **~ c'est de la folie!** but that's madness!; **~ c'est tout naturel!** but it's only natural!; **~ ne t'inquiète donc pas!** don't you worry about it; **~ c'est vrai, je t'assure!** but it's true, I tell you! ; **il est bête, ~ bête!** he's so incredibly stupid!; **il faisait chaud, ~ chaud!** it was so incredibly hot!; **je n'ai rien compris, ~ vraiment rien!** I understood absolutely nothing!; **'est-ce que je peux venir aussi?'—'~ oui!** *or* **bien sûr!** *or* **certainement!'** 'can I come too?'–'of course!'; [3] (marquant l'indignation, l'impatience) **~ où est-il passé?** where on earth○ has he got to?; **~ qu'est-ce qui se passe ici?** what on earth○ is going on here?; **~ vas-tu te taire!** can't you just shut up○?; **non ~ (des fois)○!** for God's sake!, really!; **non ~ quel culot!** really! what a nerve!; **non ~ des fois○! pour qui se prend-**

m

il? really! ou I ask you! who does he think he is?; **(non) ~**◑ **il commence à m'énerver celui-là!** that guy is really beginning to get on my nerves!; 4 (marquant la surprise) **~, vous pleurez!** good heavens, you're crying!; **~ alors, vous m'avez menti!** so you lied to me!; **~ je te croyais parti à l'étranger!** well! I thought you'd gone abroad!; **~ qu'est-ce qui t'a pris?** what on earth○ came over you?; 5 (comme transition) **~ j'y pense** now that I come to think of it; **~, je m'égare** but I digress; **~ dis-moi, tu le connais aussi?** so you know him too?

mais² /mɛ/ *nm* **il n'y a pas de ~ (qui tienne)** there are no buts about it

(Idiome) **il n'en pouvait ~** he couldn't take it any more

maïs /mais/ *nm inv* 1 Agric maize GB, corn US; **farine de ~** cornflour; **épi/grain de ~** ear/grain of corn; 2 Culin sweetcorn; **épi de ~** corn on the cob

maison ➡ /mɛzɔ̃/

A *adj inv* 1 (fait chez soi, comme chez soi) home-made; (fait sur place) made on the premises; **commentaire/humour ~** iron typical comment/humour[GB]; 2 (d'une entreprise) **notre formation/spécialiste ~** our very own training scheme/specialist; 3 ○(très bon) first class

B *nf* 1 (bâtisse) house; **~ individuelle** detached house; 2 (domicile familial) home; **rester à la ~** to stay at home; **quitter la ~** to leave home; **la ~ familiale** the family home; **elle tient la ~** she runs the house; **gérer le budget de la ~** to manage the household budget; **il m'a fait les honneurs de la ~** he showed me round the house; **la ~ du Seigneur** the House of the Lord; 3 (personnes habitant ensemble) house, household; (domestiques) household; **la ~ du roi** the royal household; **ami de la ~** friend of the family; **le fils de la ~** the son of the family; **faire la jeune fille de la ~** hum to do the honours[GB]; **employés** or **gens de ~** domestic staff; **c'est une ~ de fous!** it's a madhouse!; 4 (lignée) family; **descendant d'une grande ~** descendant of a great family; **~ d'Orange** House of Orange; 5 (société) firm; **il n'est pas de la ~** he's not with the firm; **avoir 15 ans de ~** to have been with the firm for 15 years; **~ d'édition/de (haute) couture** publishing/fashion house; **~ de production** production company; **la ~ Hachette** Hachette; **~ de confiance** reliable company; **'la ~ ne fait pas crédit'** 'no credit given'; **'la ~ n'accepte pas les chèques'** 'we do not take cheques[GB]'; **'la Maison du livre étranger'** the Foreign Bookshop; 6 Astrol house

(Composés) **~ d'arrêt** prison (*for offenders with sentences under two years*); **~ de campagne** house in the country; **~ centrale** prison (*for offenders with sentences over two years*); **~ close** brothel; **~ de commerce** (business) firm; **~ communale** community centre[GB]; **~ de convalescence** convalescent home; **~ de correction** institution for young offenders; **~ de la culture** ≈ community arts centre[GB]; **~ de gros** wholesalers (*pl*); **~ de jeu** gaming house; **~ de maître** manor; **~ maternelle** home for single mothers; **~ mère** (siège) headquarters (*pl*); (établissement principal) main branch; **~ normande** half-timbered house; **~ de passe** brothel; **~ de poupée** doll's GB ou doll US house; **~ de redressement** young offender's institution; **~ religieuse** convent; **~ de repos** rest home; **~ de retraite** retirement home; **~ de santé** nursing home; **~ secondaire** second ou holiday home; **~ de tolérance**† brothel; **la Maison Blanche** the White House

(Idiomes) **c'est gros comme une ~** it sticks out a mile; **avoir un pied dans la ~** to have a foot in the door; **c'est la ~ du bon Dieu** it's open house

> **la Maison des jeunes et de la culture**
>
> The *Maison des jeunes et de la culture* (*MJC*) is an organization providing community arts, sports, and leisure facilities in cities, towns, and villages all over France. It was established in its present form in 1964, founded upon a series of organizations going back to shortly after the end of the Second World War. It is managed by a central council, *La Confédération des MJC de France* (*CMJC*) which allows considerable autonomy at regional and local levels. It is based on the traditional French republican values of secularity and responsible citizenship. In recent years much of its activity has been focused on improving community relations in problem areas of towns and cities.

maisonnée /mɛzɔne/ *nf* gén household; (famille) family

maisonnette /mɛzɔnɛt/ *nf* (small) house

maistrance /mɛstʀɑ̃s/ *nf* ≈ petty officers (*pl*)

maître, -esse* /mɛtʀ, ɛs/ ▸ **p. 406**

A *adj* 1 (en contrôle) **être ~ de soi** (libre) to be one's own master; (calme) to have self-control; **être ~ de sa vie** to be one's own man/woman; **ne plus être ~ de soi** to have lost all self-control; **être ~ de ses émotions** to keep one's emotions under control; **être ~ chez soi** to be master in one's own house; **être ~ du destin de qn** to have sb's fate in one's hands; **être ~ de son (propre) destin** to be master of one's destiny; **devenir/redevenir ~ de son destin** to take/regain control of one's destiny; **être ~ de la situation** to be in control of the situation; **rester ~ de la décision** to retain control over the decision; **être ~ de son véhicule/la balle** to be in control of one's vehicle/the ball; **se rendre ~ d'une ville/d'un navire** to take over a city/a ship; ▸ **charbonnier**

2 (principal) **idée maîtresse** key idea; **~ mot** catchword; **~ ouvrage** or **œuvre maîtresse** magnum opus; **qualité maîtresse** main quality; **maîtresse branche, branche maîtresse** Bot limb; **être passé ~ dans l'art de qch/de faire** to be a past master of sth/at doing; **être ~ dans l'art du récit/de négocier** to be a master of narrative/at negotiating; **maîtresse femme** high-powered woman

B *nm,f* 1 Scol teacher; **notre maîtresse est dehors** our teacher is outside; **maîtresse!** (pour l'appeler) please, miss!

2 (de maison) master/mistress; **la maîtresse des lieux** the mistress ou lady of the house; **~s et valets** upstairs and downstairs

3 (d'animal) owner; (de chien) master; **un chat et sa maîtresse** a cat and its owner; **un chien et son ~** a dog and its master; **sans ~** ownerless

C *nm* 1 (dirigeant) **être (le) seul ~ à bord** lit, fig to be in sole command; **être le ~ du pays/de la ville** to rule the country/the city; **le ~ du Kremlin/du monde** the ruler of the Kremlin/of the world; **être ~ de faire** to be free to do; **être son propre ~** to be one's own master/mistress; **régner en ~** to reign (**sur** over); **régner en ~ absolu** to reign supreme (**sur** over); **décider en ~** to have the final say; **être le ~ du jeu** to have the upper hand; **avoir l'oreille du ~** to have the boss's ear; ▸ **serviteur**

2 (expert) **tu es un ~** you're an expert; **Hitchcock, le ~ du genre/du suspense** Hitchcock, the master of the genre/of suspense; **~ consommé/reconnu** consummate/acknowledged master; **en ~** masterfully; **joué de main de ~** played in a masterly fashion; **coup de ~** masterstroke; ▸ **grand**

3 (guide, enseignant) master; **Platon est mon seul ~** Plato is my only master

4 Art, Littérat master; **les ~s anversois/vénitiens** the Antwerp/Venetian masters; **les ~s de la littérature mondiale** the masters of world literature; **Maître de 1518/de Flémalle** Master of 1518/of Flémalle; ▸ **petit**

5 (titre) Maître; **comment allez-vous, cher ~?** how are you, dear Maître?

6 Mil, Naut (grade) ≈ chief petty officer, CPO; ▸ **premier**

7 Jeux **être ~ à carreau/pique** to hold the master card in diamonds/spades

D **maîtres** *nmpl* Scol teachers; **parents et ~s** parents and teachers; **grève des ~s** teachers' strike

E **maîtresse** *nf* 1 (amante) mistress; **avoir de nombreuses maîtresses** to have many mistresses

2 †(bien-aimée) lover†

(Composés) **~ d'armes** Sport fencing instructor; **~ auxiliaire, MA** Scol *secondary teacher without tenure*; **~ des cérémonies** master/mistress of ceremonies, MC; **~ chanteur** Mus meistersinger; **~ de chapelle** kapellmeister; **~ de chœur** choirmaster/choirmistress; **~ de conférences** Univ ≈ senior lecturer GB, associate professor US; **poste de ~ de conférences** ≈ senior lectureship GB, associate professorship US; **~ d'école**† schoolmaster†; **~ d'équipage** Chasse master of foxhounds, MFH; Naut boatswain; **~ des forges** ironmaster; **~ d'hôtel** maître d'hôtel GB, maître d' US; **~ d'internat** ≈ housemaster; **~ de manège** riding instructor; **~ de musique**† music master†/mistress†; **~ d'œuvre** Constr project manager; **~ d'ouvrage** (privé) employer; (public) contracting authority; **~ à penser** mentor; **~ de recherches** senior researcher; **maîtresse d'école** Scol schoolmistress†; **maîtresse d'internat** Scol ≈ housemistress; **maîtresse de maison** lady of the house

(Idiomes) **trouver son ~** to meet one's match; **nul ne peut servir deux ~s** a man cannot serve two masters

maître-à-danser, *pl* **maîtres-à-danser*** /mɛtʀadɑ̃se/ *nm* Tech inside calliper[GB]

maître-assistant, ~e, *mpl* **maîtres-assistants*** /mɛtʀasistɑ̃, ɑ̃t/ *nm,f* Univ ≈ senior lecturer GB, senior instructor US

maître-autel, *pl* **maîtres-autels*** /mɛtʀotɛl/ *nm* high altar

maître-chanteur, *pl* **maîtres-chanteurs*** /mɛtʀəʃɑ̃tœʀ/ *nm* blackmailer

maître-chien, *pl* **maîtres-chiens*** /mɛtʀəʃjɛ̃/ *nm* dog-handler

maître-cylindre, *pl* **maîtres-cylindres*** /mɛtʀəsilɛ̃dʀ/ *nm* Aut master cylinder

maître-nageur, *pl* **maîtres-nageurs*** /mɛtʀənaʒœʀ/ ▸ **p. 532** *nm* 1 (enseignant) swimming instructor; 2 (surveillant) (de piscine) pool attendant; (de plage) lifeguard

(Composé) **~ sauveteur** lifeguard

maîtresse* ▸ **maître A, B, E**

maîtrisable* /mɛtʀizabl/ *adj* [*problème, sentiment*] containable; **coût ~** cost which can be kept down; **effet ~** effect which can be controlled; **non ~** uncontrollable

maîtrise* /mɛtʀiz/ *nf* 1 (virtuosité) mastery **₵**; **grande ~** absolute mastery; **admirer la ~ d'un musicien** to admire the mastery of a musician; **avec ~** masterfully; 2 (connaissance approfondie) perfect command; **une ~ de la langue/du domaine** a perfect command of the language/of the field; 3 (calme) **~ (de soi)** self-control **₵**; **faire preuve d'une ~ impressionnante** to show admirable self-control; 4 (contrôle) control; **~ de l'inflation/des dépenses publiques** control of inflation/of public expenditure; **conserver la ~ d'une entreprise/des sols** to retain control of a company/of land; **la ~ de la qualité** quality control; 5 (exploitation) harnessing; **~ de l'énergie/l'atome** harnessing of energy/

➡ *voir* Vivre dans un pays anglophone

nuclear energy; **6** Mil (domination) supremacy; **avoir la ∼ aérienne/navale/terrestre** to have air/sea/land supremacy; **7** Entr (catégorie professionnelle) supervisory management; **8** Univ master's degree; **une ∼ d'anglais** a master's in English; **9** Mus (chœur) choir; (école) choir school

(Composés) **∼ de conférences** Univ ≈ senior lectureship GB, associate professorship US; **∼ d'œuvre** undertaking of a contract

maîtriser* /mɛtʀize/ [1]
A *vtr* **1** (contenir) to control [*sentiment, urbanisme, rire, dépenses, manifestation, destin*]; to get [sth] under control [*épidémie*]; to bring [sth] under control [*incendie*]; to overcome [*forcené, adversaire*]; to control [*enfant, animal*]; to hold back [*flots*]; to handle [*panne, problème*]; to stem the tide of [*immigration*]; **2** (connaître parfaitement) to master [*langue, sujet, technique*]
B se maîtriser *vpr* to have self-control; **ne plus se ∼** to have lost one's self-control

maïzena® /maizena/ *nf* cornflour

majesté /maʒɛste/ *nf* (grandeur) majesty (**de** of); **Christ en ∼** Christ in majesty; **un air de ∼** an air of dignity; **sa Majesté** His/Her Majesty

majestueusement /maʒɛstɥøzmɑ̃/ *adv* majestically

majestueux, -euse /maʒɛstɥø, øz/ *adj* [*bâtiment, avenue*] majestic; [*personne, démarche*] stately

majeur, ∼e /maʒœʀ/
A *adj* **1** Jur of age (*jamais épith*) spéc; **être ∼** to be over 18 *ou* of age spéc; **elle sera ∼e en mai** she will be 18 in May *ou* come of age in May spéc; **les étudiants ∼s** students (who are) over 18; **2** (le plus important) [*cause, défi*] main, major; (en logique) [*terme, prémisse*] major; **c'est un problème ∼** it's a major problem; **c'est le problème ∼** it's the main problem; **la ∼e partie de ma carrière** most of *ou* the major part of my career; **en ∼e partie** for the most part; **3** Mus major; **en ré ∼** in D major; **4** Jeux **tierce/quinte ∼e** tierce/quint major; **5** Relig **ordres ∼s** major orders
B *nm,f* (en âge) person over 18, major spéc
C *nm* (doigt) middle finger

Majeur /maʒœʀ/ ▸ **p. 479** *npr* **le lac ∼** Lake Maggiore

major /maʒɔʀ/ *nm* **1** Univ **sortir ∼ de sa promotion** to come first in one's year; **2** ▸ **p. 406** Mil (dans l'armée de terre, de l'air) *French rank above that of warrant officer* GB *ou chief warrant officer* US; (dans la marine) *French rank above that of fleet chief petty officer* GB *ou chief warrant officer* US

majoration /maʒɔʀasjɔ̃/ *nf* (tous contextes) increase; **une ∼ de 2%** an increase of 2%, a 2% increase; **la ∼ des cotisations** the increase in contributions

majordome /maʒɔʀdɔm/ *nm* butler, majordomo

majorer /maʒɔʀe/ [1] *vtr* to increase; **∼ une somme de 10 euros/15%** to increase a sum by 10 euros/15%

majorette /maʒɔʀɛt/ *nf* majorette

majoritaire /maʒɔʀitɛʀ/ *adj* [*parti, scrutin, système, actionnaire*] majority (*épith*); **coton/laine ∼** cotton/wool blend; **être ∼ dans une assemblée/une région** to have the majority in an assembly/a region

majoritairement /maʒɔʀitɛʀmɑ̃/ *adv* **1** (à la majorité) [*décider, choisir*] by a majority (vote); **2** (en majorité) **province ∼ catholique/socialiste** predominantly Catholic/socialist province; **les capitaux ne sont pas ∼ européens** the funds are not, for the most part, European

majorité /maʒɔʀite/ *nf* **1** (dans un vote) majority; **∼ absolue** absolute majority; **∼ relative** *or* **simple** simple majority; **avoir la ∼** to have a majority; **être élu à une forte/faible ∼** to be elected with a large/small majority; **texte adopté à la ∼ des deux-tiers** law passed with a two-thirds majority; **approuvé par une ∼ de 70% des votants** approved by a majority of 70% of the voters; **la ∼ silencieuse** the silent majority; **2** (des gens, choses) majority; **la ∼ de la population** most of the population; **la ∼ des cas** the majority of cases; **la ∼ d'entre eux sont des toxicomanes** most of them are drug-users; **la ∼ des députés a voté pour la motion** the majority of deputies voted for the motion; **ils sont en ∼** they are in the majority; **ce sont, en ∼, des enfants** they are, for the most part, children; **pays à ∼ catholique** predominantly Catholic country; **3** (parti majoritaire) **la ∼** the government; **dans les rangs de la ∼** in government ranks; **un élu de la ∼** an elected representative of the party in power

(Composé) **∼ qualifiée** Pol qualified majority

Majorque /majɔʀk/ ▸ **p. 435** *nprf* Majorca

majorquin, ∼e /majɔʀkɛ̃, in/ *adj* Majorcan

majuscule /maʒyskyl/
A *adj* (en écriture) capital; Imprim upper-case; **A ∼** capital A, upper-case A
B *nf* (en écriture) capital (letter); Imprim upper-case letter; **écrire en ∼s** to write in (block) capitals

mal, *mpl* **maux** /mal, mo/ ▸ **p. 283**
A *adj inv* **1** (répréhensible) wrong; **qu'a-t-elle fait de ∼?** what has she done wrong?; **c'est ∼ de faire** it's wrong to do
2 (mauvais) bad; **ce ne serait pas ∼ de déménager** it wouldn't be a bad idea to move out; ▸ **an**
3 ○**un film pas ∼** a rather good film; **elle est pas ∼** (physiquement) she's rather good looking; **c'est quelqu'un de pas ∼** (sous tous rapports) he's/she's really nice; **'et l'autre robe?'—'pas ∼!'** 'and the other dress?'—'it's not bad!'; **pas ∼ la robe!** what a great dress!
B *nm* **1** (peine) **sans ∼** easily; **sans trop de ∼** quite easily; **non sans ∼** not without difficulty; **avoir du ∼ à faire** to find it difficult to do; **avoir beaucoup/un peu de ∼ à faire** to find it very/a bit difficult to do; **avoir un ∼ fou**○ *or* **de chien**○ **à faire** to have a hell of a job○ doing; **se donner du ∼ pour faire qch** to go to a lot of trouble to do sth; **se donner beaucoup de ∼ pour qn/pour faire qch** to go to a great deal of trouble on sb's account/to do sth; **ne te donne pas ce ∼!** don't bother!; **donne-toi un peu de ∼!** make some effort!
2 (douleur) **faire ∼** lit, fig to hurt; **se faire ∼** to hurt oneself; **ça ne fait pas ∼** it doesn't hurt; **ça va faire ∼** lit it's going to hurt *ou* be painful; (nouvel impôt) it's going to be painful; (apprendre la vérité) it's going to be painful; (être remarquable) it's going to be big○; **j'ai ∼** it hurts; **avoir ∼ partout** to ache all over; **elle avait très ∼** she was in pain; **ma jambe me fait ∼** my leg hurts; **ces bottes me font ∼ aux pieds** these boots hurt my feet; **avoir ∼ à la tête/à l'estomac** to have a headache/a stomachache; **avoir ∼ au dos/aux dents/aux oreilles** to have backache/toothache/earache; **avoir ∼ à la gorge** to have a sore throat; **j'ai ∼ aux yeux** my eyes are sore; **j'ai ∼ au genou/au cou/au doigt** my knee/neck/finger hurts; **j'ai ∼ au cœur** I feel sick GB *ou* nauseous US; **j'ai ∼ au ventre** I have a stomach-ache; **ça me fait ∼ au ventre** lit it gives me a stomach-ache; fig○ I find it really upsetting; **j 'ai ∼ aux articulations** I have aching joints; **souffrir mille maux** to suffer the torments of the damned
3 (maladie) **∼ sans gravité** minor illness; **∼ incurable** incurable disease; **le ∼ a progressé** the disease has got GB *ou* gotten US worse; **tu vas attraper du ∼**○ you'll catch something; ▸ **remède, patience**
4 (manque) **être en ∼ de** (ne pas avoir) to be short of; (ne pas recevoir) to be lacking in; **être en ∼ d'inspiration** to be short of inspiration; **être en ∼ d'affection** to be lacking in affection
5 (dommage) **le ∼ est fait** the harm is done; **faire du ∼ à** (durablement) to harm [*personne, économie*]; (momentanément) to hurt [*personne, économie*]; **il n'y a pas de ∼** *or* **grand ∼ à cela** there's no harm in that; **il n'y a pas de ∼** (formule de politesse) there's no harm done; **une douche ne te fera pas de ∼** hum a shower wouldn't do you any harm; **ne rien faire de ∼** not to do anything wrong; **quel ∼ y a-t-il à cela?** what harm is there in that?; **mettre à ∼ qch** to damage sth; **mettre à ∼ qn** to give sb a hard time
6 (calamité) **qu'elle parte, est-ce vraiment un ∼?** is it really a bad thing that she is leaving?; **un ∼ à combattre** an evil that must be fought
7 (méchanceté) **penser à ∼** to have evil intentions; **sans songer** *or* **penser à ∼** without meaning any harm; **dire du ∼ de qn/qch** to speak ill of sb/sth; **après avoir fait le ∼ pendant des années** after years of evil-doing
8 Philos, Relig evil; **conflit entre le bien et le ∼** conflict between good and evil; **forces du ∼** forces of evil
C *adv* **1** (avec incompétence) [*fait, écrit, conçu, lire, conduire*] badly; **elle travaille ∼** her work isn't good; **elle joue ∼** (maintenant) she's playing badly; (en général) she's not a good player; **s'y prendre ∼ avec qn** to deal with sb the wrong way; **pas ∼ écrit/conçu** rather well written/designed; **pas trop ∼ écrit/conçu** quite well written/designed; ▸ **étreindre**
2 (de manière défectueuse) **∼ fonctionner/ouvrir** not to work/open properly; **fonctionner très ∼** not to work properly GB *ou* right US at all; **enfant ∼ élevé** badly brought up child; **c'est un petit ∼ élevé** he's a badly brought up little brat; **elle est ∼ en point** she's not too good; (très grave) she's in a bad way; **dire quelque chose ∼ à propos** to make an inappropriate remark
3 (difficilement) **ça s'explique ∼** it's difficult to explain; **on voit ∼ comment** it's difficult to see how; **marcher ∼** [*personne*] to walk with difficulty
4 (insuffisamment) [*éclairé*] poorly, badly; [*payé*] badly; **je t'entends ∼** I can't hear you very well; **il entend ∼** (permanent) he's slightly deaf, he doesn't hear very well; **ils mangent ∼** they don't eat very well; **je les connais ∼** I don't know them well; **∼ entretenu** neglected; **pas ∼ payé/équipé** rather well-paid/-equipped; ▸ **cordonnier**
5 (sans goût) [*s'habiller, meubler*] badly
6 (de manière erronée) [*diagnostiqué, adressé*] wrongly; **∼ m'a pris de faire ça** I should never have done that; **∼ interpréter** to misinterpret; **j'avais ∼ compris** I had misunderstood; **∼ informé** ill-informed
7 (défavorablement) **aller ∼** [*personne*] not to be well; [*affaires, vie*] to go badly; [*vêtement*] not to fit well; **'comment va-t-elle?'—'∼!'** 'how is she?'—'not very well!'; **le vert te va pas ∼**○ green rather suits you!; **aller de plus en plus ∼** [*personne*] to be getting worse; [*affaires, vie*] to get worse and worse; **se sentir ∼** (santé) not to feel well; (mal à l'aise) to feel awkward; **se trouver ∼** to faint; **être ∼** [*personne*] to feel awful; **être ∼ (assis** *or* **couché** *or* **installé)** not to be comfortable; **être au plus ∼** to be critically ill; **être ∼ remis** not to have fully recovered; **dormir/tourner/commencer ∼** to sleep/to turn out/to begin badly; **ne le prenez pas ∼** don't take it badly *ou* the wrong way; **être ∼ avec qn** to be on bad terms with sb; **se mettre ∼ avec qn** to fall out with sb; **être ∼ vu** not to be well thought of; **aller pas ∼**○ [*personne, affaires*] to be fine
8 (de manière criticable) [*se conduire*] badly; **∼ faire** to do wrong; **ils nous traitent ∼** (employeurs) they don't treat us well; **traiter ∼** (frapper) to ill-treat; **se tenir ∼** (grossièrement) to have bad manners; (voûté) to have a bad posture; **elle parle ∼** she uses bad language; **tu as ∼ agi** you shouldn't have done that; **il serait ∼ venu de faire** it would be unseemly to do; ▸ **acquis**
D ○**pas mal** *loc adv* (beaucoup) **il a pas ∼ bu** he's

m

had quite a lot to drink; **il a bu pas ~ de bière** he's drunk quite a lot of beer; **elle a pas ~ d'amis** she has quite a few friends; **il est pas ~ violent** he's rather violent; **ça a mis pas ~ de temps** it took quite a long time

(Composés) **~ de l'air** airsickness; **avoir le ~ de l'air** (ponctuellement) to feel airsick; (généralement) to suffer from airsickness; **~ blanc** whitlow; **~ de dents** toothache; **avoir des maux de dents** to have frequent toothache GB *ou* toothaches US; **~ de dos** backache ₵; **~ d'estomac** stomach-ache; **avoir des maux d'estomac** (ponctuellement) to have a stomach-ache; (souvent) to suffer from stomach-ache GB *ou* stomach-aches US; **~ de gorge** sore throat; **avoir un ~ de gorge** to have a sore throat; **avoir des maux de gorge** to get sore throats; **~ des grands ensembles** *social problems attendant on high-density housing*; **~ de mer** seasickness; **avoir le ~ de mer** (ponctuellement) to feel seasick; (généralement) to suffer from seasickness; **~ du pays** homesickness; **avoir le ~ du pays** to feel homesick; **~ du siècle** world-weariness; **~ de tête** headache; **avoir des maux de tête** (ponctuellement) to have headaches; (souvent) to suffer from *ou* get headaches; **~ des transports** motion sickness; **avoir le ~ des transports** to be prone to motion sickness

(Idiomes) **ça me ferait ~ (aux seins)**◐ (d'étonnement) I'd be amazed; (d'écœurement) it would really piss me off◐; **entre** *or* **de deux maux il faut choisir le moindre** Prov it's a matter of choosing the lesser of two evils

malabar○ /malabaʀ/ *nm* beefy bloke○ GB *ou* guy○ US

Malacca /malaka/ *npr* **presqu'île de ~** Malay peninsula

Malachie /malaki/ *npr* Bible Malachi

malachite /malakit/ *nf* malachite

malade /malad/ ▸ **p. 283**

A *adj* **1** [*personne*] ill (*épith*), sick; [*animal*] sick; [*arbre, plante*] diseased; **tomber ~** [*personne*] to fall ill *ou* sick, to get sick US; **être ~** to be ill *ou* sick; **être ~ en voiture/en bateau/en avion** to get carsick/seasick/airsick; **j'en suis ~** fig it makes me sick; **gravement/très gravement ~** seriously/critically ill; **se rendre ~** to make oneself ill *ou* sick; **ça le rend ~ rien que d'y penser** it makes him sick just to think about it; **~ de peur/jalousie** sick with fear/jealousy; **être ~ d'inquiétude** to be worried sick; **se faire porter ~** to report sick; **2** [*poumons, côlon*] diseased; [*dent*] bad; [*œil, jambe*] (par maladie) diseased; (par accident) injured; [*corps, esprit*] sick; **3** ○(fou) crazy; **être ~ (de la tête)**○ to be crazy; **4** (en mauvais état) **être ~** [*entreprise, institution, pays, objet*] to be in a bad way *ou* sorry state; **le pays est ~ de l'inflation** the country is suffering from inflation

B *nmf* gén sick man/woman; (dans un cadre médical ou hospitalier) patient; **les ~s** the sick, the patients; **son mari est un grand ~** her husband is seriously ill

(Composés) **~ imaginaire** hypochondriac; **~ mental** mentally ill person; **les ~s mentaux** the mentally ill; **c'est un ~ mental** he's mentally ill

(Idiome) **être ~ comme un chien**○ *or* **une bête**○ gén to be really ill; (vomir) to be as sick as a dog

maladie /maladi/ ▸ **p. 283** *nf* **1** (d'un malade) illness; (affection) disease; Admin sickness; **allocation ~** sickness benefit; **congé ~** sick leave; **pendant sa longue ~** during his long illness; **~s chroniques/contagieuses** chronic/contagious diseases; **~ des poumons/de peau** lung/skin disease; **~ vénérienne** venereal disease, VD; **une ~ mentale** a mental illness; **~ infantile** lit childhood disease; fig teething troubles (*pl*); **il va en faire une ~**○ **si tu oublies** fig he'll have a fit○ if you forget; **c'est une ~ de l'âme** it's a sickness of the soul; **2** (fléau) disease; **la pauvreté et la ~** poverty and disease; **3** (de végétal, d'animal) disease; **4** ○(manie) mania; **avoir la ~ du rangement** to have a mania for tidiness; **c'est une ~ chez lui** he is obsessive (about it); **c'est une ~ chez lui, il est toujours en retard** he's got a terrible habit of always turning up late

(Composés) **~ bleue** cyanosis; **~ diplomatique** diplomatic illness; **~ honteuse** Méd† venereal disease; fig shameful disease; **~ du légionnaire** legionnaire's disease; **~ orpheline** orphan disease; **~ professionnelle** occupational disease; **~ sexuellement transmissible, MST** sexually transmitted disease, STD; **~ du sommeil** sleeping sickness; **~ de la vache folle** mad cow disease

maladif, -ive /maladif, iv/ *adj* **1** [*enfant, air*] sickly; **être d'une pâleur maladive** to be unhealthily pale; **2** [*jalousie, timidité*] pathological; **être d'une jalousie maladive** to be pathologically jealous; **il a un besoin ~ de mentir** he's a pathological liar

maladresse /maladʀɛs/ *nf* **1** (manque d'adresse) clumsiness; **excusez ma ~** forgive my clumsiness; **il est d'une ~!** he's so clumsy!; **2** (manque de tact) tactlessness; **il a agi avec ~ envers elle** he was tactless to her; **3** (manque d'aisance) awkwardness; **s'exprimer avec ~** to express oneself awkwardly; **4** (erreur) (de personne) mistake; (de traduction, texte) clumsy part; **les ~s du gouvernement ont provoqué le mécontentement** mistakes by the government gave rise to discontent; **il y a des ~s de style dans ta lettre** there are infelicities of style in your letter; **5** (bévue) blunder; **commettre une ~** to make a blunder (**en faisant** by doing); **accumuler les ~s** to make one blunder after another

maladroit, ~e /maladʀwa, wat/

A *adj* **1** (malhabile) [*personne, geste, œuvre, style, traduction*] clumsy; [*écriture*] faltering; **il est très ~ de ses mains/avec un pinceau** he's very clumsy with his hands/with a brush; **2** (sans tact) [*personne, propos*] tactless; **ce fut très ~ de ta part** it was very tactless of you; **3** (qui manque d'aisance) awkward; **un garçon maigre et ~** a lanky awkward boy; **4** (qui manque de finesse) [*personne, négociations*] inept; **il est trop ~ pour convaincre** he doesn't come over very well

B *nm,f* (personne gauche) clumsy person; (gaffeur) tactless person; **ce ~ fait tout tomber sur son passage** he's so clumsy, he knocks everything over; **je ne confierais pas cette affaire à un tel ~** I wouldn't trust the deal to such an oaf

maladroitement /maladʀwatmɑ̃/ *adv* (sans adresse) clumsily; (sans tact) tactlessly; (sans aisance) awkwardly; (sans finesse) ineptly

malaga /malaga/ *nm* **1** (raisin) Malaga grape; **2** (vin) Malaga

mal-aimé, ~e, *mpl* **~s** /malɛme/

A *adj* **être ~** to be starved of affection

B *nm,f* **être le ~ des journalistes** to be unpopular with the press; **les ~s** people who are starved of affection

malais, ~e[1] /malɛ, ɛz/

A ▸ **p. 561** *adj* Malay

B ▸ **p. 483** *nm* Ling Malay

Malais, ~e /malɛ, ɛz/ ▸ **p. 561** *nm,f* Malay

malaise[2] /malɛz/ *nm* **1** Méd feeling of faintness; **avoir** *or* **prendre un ~** to feel faint; **2** (gêne) uneasiness; **il y a (comme) un ~**○ there's a bit of a problem; **3** (état de crise) unrest, malaise sout (**chez** among); **~ politique/des cadres** political/executive unrest; **~ économique** economic malaise

(Composé) **~ cardiaque** mild heart attack

malaisé, ~e /maleze/ *adj* difficult (**à faire, de faire** to do); **l'entreprise est ~e** it's a difficult undertaking

Malaisie /malɛzi/ ▸ **p. 333** *nprf* Malaysia

malandrin† /malɑ̃dʀɛ̃/ *nm* brigand†

malappris†, **~e** /malapʀi, iz/

A *adj* ill-bred

B *nm,f* lout

malaria /malaʀja/ ▸ **p. 283** *nf* malaria

malavisé, ~e /malavize/ *adj* ill-advised, unwise (**de faire** to do)

Malawi /malawi/ ▸ **p. 333** *nprm* Malawi

malawien, -ienne /malawjɛ̃, ɛn/ ▸ **p. 561** *adj* Malawian

Malawien, -ienne /malawjɛ̃, ɛn/ ▸ **p. 561** *nm,f* Malawian

malaxage /malaksaʒ/ *nm* (de beurre) creaming; (de pâte) kneading; (de béton) mixing

malaxer /malakse/ [1] *vtr* **1** (pétrir) to cream [*beurre*]; to knead [*pâte*]; **2** (mélanger) **~ qch et** *or* **avec qch** to mix sth and sth; **~ du ciment** to mix cement

malaxeur /malaksœʀ/ *nm* mixer

malbouffe○ /malbuf/ *nf* unhealthy eating

malchance /malʃɑ̃s/ *nf* bad luck, misfortune; **avoir la ~ de faire** to have the bad luck to do; **jouer de ~** to be dogged by bad luck; **par ~** as ill luck would have it

malchanceux, -euse /malʃɑ̃sø, øz/

A *adj* unlucky

B *nm,f* unlucky person

malcommode /malkɔmɔd/ *adj* inconvenient

Maldives /maldiv/ ▸ **p. 435, p. 333** *nprfpl* **les (îles) ~** the Maldives, the Maldive Islands

maldonne /maldɔn/ *nf* (aux cartes) misdeal; (malentendu) misunderstanding; **il y a ~** lit there's been a misdeal; fig there's been a misunderstanding; **faire ~** to misdeal

mâle /mɑl/

A *adj* **1** Biol [*hormone*] male; **2** Bot [*plante, fleur*] male; **3** Zool gén male; [*éléphant, baleine*] bull; [*antilope, lièvre, lapin*] buck; [*moineau, perroquet*] cock; **cygne ~** cob; **canard ~** drake; **homard ~** cock lobster; **4** Électrotech [*fiche, prise*] male; **5** (viril) [*voix, assurance*] manly

B *nm* **1** Zool (animal du sexe fécondant) male; **2** Zool (partenaire sexuel) mate; **3** hum (homme viril) **(beau) ~** he-man○

malédiction /malediksjɔ̃/

A *nf* curse; **la ~ pèse sur eux** there's a curse on them

B †*excl* curses!

maléfice /malefis/ *nm* evil spell

maléfique /malefik/ *adj* [*influence*] evil, baleful littér

malencontreusement /malɑ̃kɔ̃tʀøzmɑ̃/ *adv* [*survenir*] inopportunely; [*annoncer*] inappropriately; **j'avais ~ oublié mon chéquier** unfortunately, I had forgotten my cheque GB *ou* check US book

malencontreux, -euse /malɑ̃kɔ̃tʀø, øz/ *adj* [*erreur, remarque*] unfortunate

malentendant, ~e /malɑ̃tɑ̃dɑ̃, ɑ̃t/

A *adj* **être ~** to be hard of hearing; **elle est ~e** she's hard of hearing

B *nm,f* person who is hearing-impaired; **les ~s** the hearing-impaired

malentendu /malɑ̃tɑ̃dy/ *nm* misunderstanding; **dissiper** *or* **faire cesser un ~** to clear up a misunderstanding

mal-être /malɛtʀ/ *nm inv* malaise

malfaçon /malfasɔ̃/ *nf* defect (*caused by bad workmanship*); **il y a eu ~ dans le mur** the wall has been badly done

malfaisance /malfəzɑ̃s/ *nf* (de personne) evil disposition; (d'idéologie) harmful effect

malfaisant, ~e /malfəzɑ̃, ɑ̃t/ *adj* [*personne, génie*] evil; [*influence, idéologie*] harmful

malfaiteur /malfɛtœʀ/ *nm* criminal, malefactor sout; **association de ~s** criminal conspiracy

malformation /malfɔʀmasjɔ̃/ *nf* malformation (**de** of)

malfrat○ /malfʀa/ *nm* criminal

malgache /malgaʃ/ ▸ **p. 561, p. 483** *adj, nm* Malagasy

Malgache /malgaʃ/ ▸ p. 561 *nmf* Malagasy

malgracieux, -ieuse /malgʀasjø, øz/ *adj* unpleasant

malgré /malgʀe/

A *prép* in spite of, despite; ~ **les efforts de qn** despite sb's efforts; ~ **les apparences** in spite of appearances; ~ **le froid/le soleil** despite the cold/the sun; **elle l'a épousé ~ son âge** she married him in spite of his age; **elle est toujours belle ~ les années** she's still beautiful despite her years; **leur amitié est toujours solide ~ les années** they are still very close friends in spite of the years; ~ **le fait que** in spite of *ou* despite the fact that; **nous avons acheté la maison ~ son prix** we bought the house in spite of the price; **nous avons acheté la maison ~ son prix élevé** we bought the house although it was expensive; ~ **d'incontestables progrès** although there has been clear progress; ~ **l'absence de liens diplomatiques entre les deux pays** although the two countries have no diplomatic ties; ~ **cela**, ~ **tout** nevertheless; ~ **qn** against sb's wishes; ~ **soi** in spite of oneself; **presque ~ soi** [*accorder, signer*] against one's better judgment, reluctantly; [*aller, assister, épouser*] reluctantly

B **malgré que** *loc conj* **1** (bien que) controv even though; **2** littér ~ **qu'il en ait** in spite of his wishes to the contrary

malhabile /malabil/ *adj* clumsy

malhabilement /malabilmɑ̃/ *adv* clumsily

malheur /malœʀ/

A *nm* **1** (adversité) adversity, misfortune; **même dans le ~** even in adversity; **tomber dans le ~** to be struck by misfortune; **avoir sa part de ~** to have one's share of misfortune; **elle fait le ~ de sa famille** she brings her family nothing but unhappiness; ▸ **bonheur**; **2** (coup du sort) misfortune; (grave) tragedy; (accident) accident; **une série de ~s** a series of misfortunes; **les ~s qui l'ont frappé** the misfortunes that befell him; **le grand ~ de ma jeunesse** the great tragedy of my youth; **un ~ est si vite arrivé!** accidents can so easily happen!; **il leur arrivera ~!** something terrible will happen to them!; **tous nos petits ~s** all our little troubles; **raconter ses ~s à qn** to tell sb one's troubles; **le grand ~!** so what!; **3** (malchance) misfortune; **jouer de ~** to be dogged by misfortune; **ceux qui ont le ~ de perdre leur emploi** those who are unfortunate enough *ou* have the misfortune to lose their jobs; **j'ai eu le ~ de le leur dire** I made the mistake of telling them; **pour mon ~** unfortunately for me; **par ~ il y avait grève ce jour-là, le ~ a voulu qu'il y ait grève ce jour-là** as bad luck would have it, there was a strike that day; **si par ~ la guerre éclatait** if war should break out, which God forbid; **porter ~** to be *ou* bring bad luck; **le ~, c'est que...** the trouble is,...; **son ~, c'est qu'elle est paresseuse** her trouble is that she's lazy; ~ **à qui...** woe betide anyone who...; **ce temps de ~**○ this wretched weather

B *excl* **~! ne dis jamais ça!** for heaven's sake! don't ever say such a thing!; **(oh) ~! il nous a vus!** oh my God○, he's seen us!

(Idiomes) **il va faire un ~**○ (avoir du succès) he'll be a sensation; (être violent) he'll do something he'll regret; (faire un éclat) he'll cause a scene; **un ~ n'arrive jamais seul** Prov it never rains but it pours; **à quelque chose ~ est bon** Prov every cloud has a silver lining Prov

malheureusement /maløʀøzmɑ̃/ *adv* unfortunately

malheureux, -euse /maløʀø, øz/

A *adj* **1** (pas heureux) [*personne, visage, vie*] unhappy; (plus fort) miserable; **rendre qn ~** to make sb unhappy; **je suis ~ de ne (pas) pouvoir** I'm really unhappy that I can't; **ne prends pas cet air ~!** don't look so miserable; **si c'est pas ~**○ **de voir/d'entendre** isn't it awful to see/hear; **2** (à plaindre) [*victime*] unfortunate; **3** (marqué par la malchance) [*candidat*] unlucky (**en** in); [*coïncidence*] unfortunate; [*passion*] ill-fated; ~ **en affaires** unlucky in business; **être ~ au jeu** to be an unlucky gambler; (aux cartes) to be unlucky at cards; **4** (regrettable) [*mot, geste, choix*] unfortunate; **une initiative malheureuse** an unfortunate move; **c'est bien ~ mais c'est comme ça** it's very unfortunate but that's how it is; **c'est ~ que tu ne puisses pas venir** it's a pity *ou* shame that you can't come; **'j'ai fini!'—'ce n'est pas ~**○**!'** 'I've finished!'—'about time too!'; **5** (négligeable) [*somme*] paltry, pathetic; **pour trois ~ euros** for a paltry three euros; **seulement dix ~ visiteurs** only a pathetic ten visitors

B *nm,f* **1** (personne peu chanceuse) **le ~/la malheureuse a cru que...** the poor man/the poor woman thought that...; **il a souffert, le ~!** he really went through it, poor man!; **ne fais pas cela, malheureuse!** don't do that, for heaven's sake; **2** (personne indigente) poor person; **les ~** the needy

(Idiomes) **être ~ comme les pierres** to be as miserable as sin; **heureux au jeu, ~ en amour** Prov lucky at cards, unlucky in love Prov

malhonnête /malɔnɛt/

A *adj* **1** (indélicat) [*commerçant, politicien, conduite*] dishonest; **2** †(inconvenant) improper; **faire des propositions ~s** to make improper suggestions

B *nmf* **1** (personne indélicate) dishonest person; **2** (personne incivile) rude person

malhonnêtement /malɔnɛtmɑ̃/ *adv* dishonestly

malhonnêteté /malɔnɛtte/ *nf* (de personne, projet) dishonesty

Mali /mali/ ▸ p. 333 *nprm* Mali

malice /malis/ *nf* **1** (taquinerie) mischief; **avec** *or* **non sans ~** mischievously; **2** †(malveillance) malice; **être sans ~** to be harmless; **ne pas entendre ~ à** (propos émis) to mean no harm by; (propos perçus) to see no harm in

malicieusement /malisjøzmɑ̃/ *adv* mischievously

malicieux, -ieuse /malisjø, øz/ *adj* [*enfant, esprit, regard*] mischievous

malien, -ienne /maljɛ̃, ɛn/ ▸ p. 561 *adj* Malian

Malien, -ienne /maljɛ̃, ɛn/ ▸ p. 561 *nm,f* Malian

maligne ▸ **malin**

malignité /maliɲite/ *nf* malignancy

malin, maligne /malɛ̃, maliɲ/

A *adj* **1** (intelligent) [*personne, air, esprit*] clever; **être ~** to be clever; **il est trop ~ pour se laisser prendre** he's too clever to be taken in; **elle n'est pas bien** *or* **très maligne** she isn't very bright; **j'ai eu l'air ~!** iron I looked a right fool○ GB, I looked like a total fool!; **c'est ~**○**!** iron very clever!; **ce n'est pas (très) ~**○ **de ta part** that wasn't very clever *ou* bright of you; **bien ~ celui qui peut me dire** a prize for anyone who can tell me; **2** ○(difficile) **ce n'est pas plus ~ que ça** that's all there is to it; **ce n'est pas bien ~** it's not exactly difficult; **3** (méchant) malicious; **prendre un ~ plaisir à faire** to take malicious pleasure in doing; **l'esprit ~** the Evil One, the Devil; **4** Méd [*tumeur*] malignant

B *nm,f* **1** (personne rusée) clever person; **un petit ~**○ (enfant) a little devil○; iron smart aleck○; **regardez-moi ce gros ~**○**!** who's the bright spark○ GB *ou* the smart one US!; **faire le** *or* **son ~**○ to show off; **jouer au plus ~**○ to play the wise guy○; **2** Littérat **le Malin** Satan, the Devil

(Idiome) **à ~, ~ et demi** Prov there's always someone who will outwit you

malingre /malɛ̃gʀ/ *adj* [*personne, arbre*] sickly; [*bras*] wasted

malintentionné, ~e /malɛ̃tɑ̃sjɔne/ *adj* malicious

malle /mal/ *nf* **1** Aut ~ **(arrière)** boot GB, trunk US; **2** (coffre, valise) trunk; **faire ses ~s** to pack one's bags; **se faire la ~**○ to clear off○

malléabilité /maleabilite/ *nf* malleability

malléable /maleabl/ *adj* malleable

malle-poste, *pl* **malles-poste** /malpɔst/ *nf* mail coach

mallette /malɛt/ *nf* (d'enfant) vanity case; (pour le bureau) briefcase; (pour les voyages) overnight case

(Composé) ~ **pédagogique** information pack

mal-logé, ~e, *mpl* **~s** /mallɔʒe/ *nm,f*: *person living in substandard accommodation*

malmener /malməne/ [16] *vtr* **1** (maltraiter) to manhandle [*personne*]; **2** (mettre en difficulté) to give [sb] a rough ride [*adversaire*]; **3** (critiquer) to slate○ GB, to trash○ US [*auteur, œuvre*]; **4** [*auteur, élève*] to misuse [*langue, grammaire*]

malnutrition /malnytʀisjɔ̃/ *nf* malnutrition

malodorant, ~e /malɔdɔʀɑ̃, ɑ̃t/ *adj* foul-smelling (*épith*)

malotru, ~e /malɔtʀy/ *nm,f* boor

malouin, ~e /malwɛ̃, in/ ▸ p. 894 *adj* of Saint-Malo

Malouin, ~e /malwɛ̃, in/

A *nm,f* **1** (natif) native of Saint-Malo; **2** (habitant) inhabitant of Saint-Malo

B **Malouines** ▸ p. 435 *nprfpl* **les (îles) ~es** the Falklands, the Falkland Islands

malpoli○, **~e** /malpɔli/

A *adj* rude

B *nm,f* rude person; **c'est un ~/une ~e** he/she has bad manners

malpropre /malpʀɔpʀ/

A *adj* **1** (sale) [*personne, visage, chambre, habit*] dirty; **2** (malhonnête) [*individu, conduite, manœuvres*] unsavoury[GB]

B *nmf* (personne peu recommandable) unsavoury[GB] individual; **se faire renvoyer** *or* **jeter comme un ~** to be chucked out○

malproprement /malpʀɔpʀəmɑ̃/ *adv* [*manger*] messily; [*travailler*] sloppily

malpropreté /malpʀɔpʀəte/ *nf* **1** (saleté) dirtiness; **vivre dans la ~** to live in squalor; **2** (acte malhonnête) dirty trick○

malsain, ~e /malsɛ̃, ɛn/ *adj* lit, fig unhealthy

malséant, ~e /malseɑ̃, ɑ̃t/ *adj* unseemly

malsonnant, ~e /malsɔnɑ̃, ɑ̃t/ *adj* offensive

malt /malt/ *nm* malt; **de ~** malt (*épith*); **whisky pur ~** pure malt whisky

maltage /maltaʒ/ *nm* malting

maltais, ~e /maltɛ, ɛz/

A ▸ p. 561 *adj* Maltese

B ▸ p. 483 *nm* Ling Maltese

C **maltaise** *nf* (orange) Maltese orange

Maltais, ~e /maltɛ, ɛz/ ▸ p. 561 *nm,f* Maltese

maltase /maltɑz/ *nf* maltase

Malte /malt/ ▸ p. 435, p. 333 *nprf* **(l'île de) ~** Malta

malté, ~e /malte/ *adj* [*orge, lait*] malted; [*biscuit*] malt (*épith*); [*goût*] malty

malthusianisme /maltyzjanism/ *nm* Malthusianism; ~ **économique** Malthusian economics (+ *v sg*)

malthusien, -ienne /maltyzjɛ̃, ɛn/ *adj* Malthusian

maltose /maltoz/ *nm* maltose

maltraitance /maltʀɛtɑ̃s/ *nf* abuse; ~ **d'enfants** child abuse

maltraiter /maltʀete/ [1] *vtr* **1** (rudoyer) to mistreat [*personne, animal*]; **2** (critiquer) to slate○ GB, to trash○ US [*auteur, ouvrage, spectacle*]; **3** [*auteur, élève*] to misuse [*langue, grammaire*]

malus /malys/ *nm inv* Assur loaded premium

malveillance /malvɛjɑ̃s/ *nf* **1** (antipathie) malice; **2** (intention de nuire) malicious intent;

incendie dû à la ~ malicious arson
malveillant, **~e** /malvɛjɑ̃, ɑ̃t/
A adj [personne] malicious; [propos, regard] malicious
B nm,f malicious person
malvenu, **~e** /malvəny/ adj [propos, intervention] out of place (jamais épith); **tu es ~ de te plaindre** you're in no position to complain
malversation /malvɛʀsasjɔ̃/ nf gén malpractice ¢; Fin embezzlement ¢; **commettre des ~s** to embezzle money
malvoisie /malvwazi/ nm malmsey (wine)
malvoyant, **~e** /malvwajɑ̃, ɑ̃t/
A adj partially sighted
B nm,f partially sighted person; **les ~s** the partially sighted
maman /mɑmɑ̃/ nf mum○ GB, mom○ US, mummy○ GB, mommy○ US, mother; **les ~s peuvent venir aider** mothers can come and help
mambo /mɑ̃bo/ nm mambo
mamelle /mamɛl/ nf **1** Zool (pis) udder; (de chat, chien) teat; **2** †or pej (sein) bosom†, tit◐
mamelon /mamlɔ̃/ nm **1** Anat nipple; **2** Géog hillock, mamelon spéc
mamelouk /mamluk/ nm Mameluke
mamie /mami/ nf **1** (grand-mère) granny○, grandma○; **2** (vieille femme) pej old granny○ péj
mammaire /mamɛʀ/ adj mammary
mammectomie /mamɛktɔmi/ nf mastectomy
mammifère /mamifɛʀ/
A adj [animal] mammiferous
B nm mammal; **un ~ marin** a marine mammal
C **mammifères** nmpl (classe) mammals, Mammalia spéc
mammographie /mamɔgʀafi/ nf mammography
mammouth /mamut/ nm mammoth
mammy = **mamie**
mamours○ /mamuʀ/ nmpl display (sg) of affection; **faire des ~ à qn** to be affectionate with sb
mam'selle○, **mam'zelle**○ /mamzɛl/ nf miss
mamy = **mamie**
manade /manad/ nf herd of bulls or horses
management /manaʒmɑ̃/ nm management
manager[1] /manaʒœʀ/ nm = **manageur**
manager[2] /manaʒe/ [13] vtr to manage [entreprise, équipe, artiste]
manageur /manaʒœʀ/ ▸ **p. 532** nm manager
manant† /manɑ̃/ nm **1** Hist (paysan) peasant; **2** pej (homme grossier) boor
manche /mɑ̃ʃ/
A nm **1** (pour tenir) (d'outil, ustensile) handle; (de violon, guitare) neck; ▸ **cognée**; **2** (os) (de gigot) knuckle; (de côtelette) bone; **3** ○(maladroit) clumsy idiot; **peindre/jouer comme un ~** to be a hopeless painter/player; **il s'y est pris comme un ~** he set about it in a clumsy fashion
B nf **1** Cout sleeve; **~ courte/trois-quarts** short/three-quarter sleeve; **robe à ~s courtes/longues** short-sleeved/long-sleeved dress; **sans ~s** sleeveless; **2** Jeux, Sport round; (aux cartes) hand; (au bridge) game; (au tennis)† set; **3** ○(quête) **faire la ~** [baladin] to pass the hat round[GB]; [mendiant] to beg
(Composés) **~ à air** Naut air shaft; Météo wind sock; **~ à balai** lit broomhandle; (de sorcière) broomstick; Aviat, Ordinat joystick; (personne maigre)○ beanpole; **~ ballon** Mode puff sleeve; **~ chauve-souris** Mode batwing sleeve; **~ gigot** Mode leg-of-mutton sleeve; **~ à incendie** fire hose; **~ kimono** kimono sleeve; **~ montée** set-in sleeve; **~ raglan** raglan sleeve; **~ tailleur** tailored sleeve; **~ à vent** Naut air shaft
(Idiomes) **être** or **se mettre du côté du ~**○ to be on the winning side; **tomber sur un ~**○ to hit a snag; **avoir qn dans la ~** to have sb in one's pocket; **se faire tirer par la ~** to need coaxing; **c'est une autre paire de ~s**○ it's a different ball game○
Manche /mɑ̃ʃ/ nprf **1** ▸ **p. 579** **la ~** the (English) Channel; **le tunnel sous la ~** the Channel tunnel; **2** ▸ **p. 721** (département) **la ~** the Manche
manchette /mɑ̃ʃɛt/ nf **1** Mode (de chemise) double cuff; (de protection) oversleeve; (en dentelle) cuff; **2** Presse (titre) headline; **faire la ~** to make the headlines; **3** (coup) chop; **4** (note) marginal note; **en ~** in the margin
manchon /mɑ̃ʃɔ̃/ nm **1** Mode muff; **2** Tech (pièce cylindrique) sleeve; **3** Mil (d'arme) jacket; **4** Anat (d'articulation) sleeve
(Composés) **~ d'accouplement** Tech joint sleeve; **~ à incandescence** incandescent mantle
manchot, **-otte** /mɑ̃ʃo, ɔt/
A adj (d'un bras) one-armed; (d'une main) one-handed; **il est ~** (d'un bras) he's only got one arm; **ne pas être ~**○ to be pretty good with one's hands○
B nm,f (personne) (d'un bras) one-armed person; (d'une main) one-handed person
C nm Zool penguin
(Composés) **~ empereur** Zool emperor penguin; **~ royal** Zool king penguin
mandale◐ /mɑ̃dal/ nf clout○, slap; **filer une ~ à qn** to give sb a clout○
mandant, **~e** /mɑ̃dɑ̃, ɑ̃t/ nm Jur principal; Pol constituent
mandarin /mɑ̃daʀɛ̃/ nm **1** Hist, fig mandarin; **2** ▸ **p. 483** Ling Mandarin (Chinese)
mandarinal, **~e**, mpl **-aux** /mɑ̃daʀinal, o/ adj mandarin (épith)
mandarinat /mɑ̃daʀina/ nm **1** Hist mandarinate; **2** pej establishment
mandarine /mɑ̃daʀin/ nf mandarin orange
mandarinier /mɑ̃daʀinje/ nm mandarin tree
mandat /mɑ̃da/ nm **1** Postes money order, postal order GB; **toucher un ~** to cash a money order; **2** (fonction, charge) term of office; **~ présidentiel** presidential term of office; **exercer un** or **son ~** to be in office; **3** (pouvoir) mandate, authorization; **donner ~ à qn de faire** to authorize sb to do; **4** (en droit international) mandate; **sous ~** under mandate; **territoire sous ~** mandate, mandated territory; **être placé sous ~** to become a mandate
(Composés) **~ d'amener** summons (+ v sg); **~ d'arrêt** (arrest) warrant; **~ de comparaître** summons (+ v sg); **~ de dépôt** committal order; **~ d'expulsion** (hors d'un pays) expulsion order; (hors d'une maison) eviction order; **~ international** Jur mandate; Postes international money order; **~ de perquisition** search warrant; **~ postal** money order, postal order GB; **~ télégraphique** telegraphic money order
mandataire /mɑ̃datɛʀ/ nmf **1** Jur proxy; **2** (représentant) representative; Comm agent; **3** Ordinat proxy; **serveur ~** proxy server
mandat-carte, pl **mandats-cartes** /mɑ̃dakaʀt/ nm postal order (in the form of a postcard)
mandatement /mɑ̃datmɑ̃/ nm (paiement) payment (by money order)
mandater /mɑ̃date/ [1] vtr **1** to appoint [sb] as one's representative; (pour une mission) to give a mandate to; **dûment mandaté par ses électeurs** Pol duly elected; **2** Fin (payer) to pay [sth] by money order [somme]; (libeller) to write out a money order for [somme]
mandat-lettre, pl **mandats-lettres** /mɑ̃dalɛtʀ/ nm postal order
mandchou, **~e** /mɑ̃dʃu/
A adj Manchu
B ▸ **p. 483** nm Ling Manchu
Mandchou, **~e** /mɑ̃dʃu/ nm,f Manchu
Mandchourie /mɑ̃dʃuʀi/ ▸ **p. 721** nprf Manchuria
mandement /mɑ̃dmɑ̃/ nm **1** Relig pastoral letter; **2** Jur (ordre) executory formula
mander† /mɑ̃de/ [1] vtr **1** (convoquer) to summon [personne] (à to); **2** (informer par écrit) **~ qch à qn** to send word to sb of sth
mandibule /mɑ̃dibyl/ nf **1** Anat, Zool mandible; **2** ○(mâchoire) jaw
(Idiome) **jouer des ~s**○ to feed one's face○
mandoline /mɑ̃dɔlin/ ▸ **p. 557** nf mandolin
mandragore /mɑ̃dʀagɔʀ/ nf mandrake
mandrill /mɑ̃dʀil/ nm mandrill
mandrin /mɑ̃dʀɛ̃/ nm (de perceuse) chuck; (pour agrandir un trou) drift; (pour emboutir) punch
manducation /mɑ̃dykasjɔ̃/ nf manducation
manécanterie /manekɑ̃tʀi/ nf choir school
manège /manɛʒ/ nm **1** (de fête foraine) roundabout GB, merry-go-round; **faire un tour de ~** to have a ride on the merry-go-round; **2** Équit (centre équestre) riding school; (piste) **~ (couvert)** indoor school ou arena; **travailler en ~** to school a horse in an arena; **exercice/figure de ~** schooling exercise/movement; **3** (piste de cirque) ring; **4** Agric, Tech (pour puiser) treadmill; **5** (manœuvre habile) (little) trick, (little) game; **j'ai bien observé ton ~** I know what you are up to
mânes /man/ nmpl manes
maneton /mantɔ̃/ nm crankpin
manette /manɛt/ nf **1** gén lever; (de jeu) joystick; **~ des gaz** throttle; **à fond les ~s**○ at full throttle ou (at) full blast; **2** fig (commandes) **~s** controls; **être aux ~s** to be in control
manga /mɑ̃ga/ nf manga
manganate /mɑ̃ganat/ nm manganate
manganèse /mɑ̃ganɛz/ nm manganese
mangeable /mɑ̃ʒabl/ adj **1** (raisonnablement bon) edible; **à peine ~** barely edible; **très ~** perfectly acceptable; **2** (propre à la consommation) edible
mangeaille○ /mɑ̃ʒaj/ nf food, grub○
mange-disque, pl **~s** /mɑ̃ʒdisk/ nm toy record player
mangeoire /mɑ̃ʒwaʀ/ nf (pour chevaux, bovins) manger; (pour porcs) trough; (pour poules) feeding trough; (pour oiseaux) feeding tray
manger /mɑ̃ʒe/ [13]
A ○nm (nourriture) food; **apporter son ~** to bring one's own food
B vtr **1** (consommer) to eat [nourriture]; **~ du pain/des cerises/un poulet** to eat bread/cherries/a chicken; **il n'y a rien à ~ dans la maison** there's no food in the house; **qu'est-ce qu'on mange à midi?** what's for lunch?; **je ne vais pas te/la ~**○**!** fig I won't eat you/her○!; **on en mangerait** he/she/it is good enough to eat; ▸ **blé**, **enragé**, **grive**, **pain**, **soupe**; **2** (dépenser) [personne] to use up [capital, économies]; to go through [fortune, héritage]; [inflation] to eat away at [profits, économies]; [activité] to take up [temps, journées]; **~ l'argent de qn** [dépenses] to eat up sb's money; [personne] to go through sb's money; **3** (recouvrir) [barbe] to hide [visage]; **visage mangé par la barbe** face hidden by a beard; **4** (attaquer) [rouille, pluie, acide] to eat away [métal]; [mites] to eat [laine]; **être mangé aux rats** to be gnawed by rats; **être mangé** or **se faire ~ par les moustiques** to be eaten alive by mosquitoes; **être mangé par l'inquiétude** to be consumed with anxiety; **se faire ~ par son concurrent** to be devoured by the competition; **5** (mal articuler) **~ ses mots** not to speak clearly, to mumble
C vi (se nourrir) to eat; **~ dans une assiette/dans**

un bol to eat from *ou* off a plate/out of a bowl; **~ dans la main de qn** lit to eat out of sb's hand; **ils viendront te ~ dans la main** fig you'll have them eating out of your hand; **~ à sa faim** to eat one's fill; **donner à ~ à** to feed [*bébé, animal*]; to give [sb] something to eat [*pauvre*]; **donner** *or* **faire à ~ à** to cook for [*famille*]; **je leur ai donné des légumes à ~** I gave them some vegetables; **~ froid** (un plat refroidi) to eat [sth] cold [*soupe, quiche*]; (un repas froid) to have a cold meal; **inviter qn à ~** to invite sb for a meal; **je vous invite à ~ à midi** let me take you to lunch; **~ chinois/grec** to have a Chinese/Greek meal; **~ au restaurant** to eat out; **on mange mal ici** the food is not good here; **avoir fini de ~** to have finished one's meal

D se manger *vpr* **le gaspacho se mange froid** gazpacho is served cold; **le poulet peut se ~ avec les doigts** you can eat chicken with your fingers; ▸ **loup, vengeance**

(Idiome) **~ la consigne** *or* **commission** to forget one's orders

mange-tout* /mɑ̃ʒtu/ *nm inv* **1** (haricot) French bean; **2** (pois) mangetout GB, snow pea US

mangeur, -euse /mɑ̃ʒœʀ, øz/ *nm,f* **bon/gros ~** good/big eater

(Composés) **~ de grenouilles** (Français) frog○ injur; **mangeuse d'hommes** man-eater

manglier /mɑ̃glije/ *nm* mangrove (tree)

mangoustan /mɑ̃gustɑ̃/, **mangoustanier** /mɑ̃gustanje/ *nm* (arbre, fruit) mangosteen

mangouste /mɑ̃gust/ *nf* **1** Zool mongoose; **2** Bot mangosteen

mangrove /mɑ̃gʀɔv/ *nf* mangrove swamp

mangue /mɑ̃g/ *nf* mango

manguier /mɑ̃gje/ *nm* mango (tree)

maniabilité /manjabilite/ *nf* (de véhicule) manoeuvrability GB, maneuverability US; **outil d'une bonne ~** tool which is easy to use; **notre voiture allie la ~ à la puissance** our car is both easy to handle and powerful

maniable /manjabl/ *adj* [*objet, voiture, bateau*] easy to handle (*jamais épith*); [*format, livre*] manageable in size (*après n*); [*avion*] easy to fly (*jamais épith*); [*enfant, caractère*] amenable; **elle a un caractère peu ~** she has an intractable personality

maniaco-dépressif, -ive, *mpl* **~s*** /manjakodepʀesif, iv/ *adj, nm,f* manic-depressive

maniaque /manjak/

A *adj* **1** [*personne*] (tatillon) particular; (exigeant) fussy; (qui a des marottes) cranky; **2** [*souci, besoin*] obsessive; [*soin*] fanatical; **elle a un souci ~ de l'ordre** she is obsessive about tidiness; **3** Méd manic

B *nmf* **1** (personne excentrique) crank; (personne tatillonne) fusspot GB, fussbudget US; **2** (fanatique) fanatic; **être un ~ de l'orthographe** to be a stickler for spelling; **c'est un ~ de l'ordre** he's obsessive about tidiness; **c'est un ~ du foot**○ he's soccer mad○; **3** (détraqué) maniac; **4** Méd manic

(Composé) **~ sexuel** sex maniac

maniaquerie /manjakʀi/ *nf* **1** (caractère) fussiness; **il est d'une ~ insupportable** he's unbearably fussy; **2** (acte) **ses ~s** his/her fussy ways

manichéen, -éenne /manikeɛ̃, ɛn/

A *adj* Philos, Relig Manichean; fig dualistic; **il est très ~** fig he sees everything in black and white

B *nm,f* Manichean, Manichee

manichéisme /manikeism/ *nm* Philos, Relig Manicheism

manie /mani/ *nf* **1** (habitude) habit (**de faire** of doing); **la sale ~ de fumer au lit** the awful habit of smoking in bed; **avoir la ~ de tout garder** to be a compulsive hoarder; **c'est une vraie ~** it's an absolute obsession; **2** (marotte) quirk, idiosyncrasy; **chacun a ses (petites) ~s** we all have our little quirks *ou* funny ways; **avoir la ~ de l'ordre/la propreté** to be fanatical about tidiness/cleanliness; **3** Méd mania; **~ de la persécution** persecution mania

maniement /manimɑ̃/ *nm* **1** (manipulation) gén handling; (de machine) operation; (de langue) command; **être d'un ~ aisé** [*outil*] to be easy to handle; [*machine*] to be easy to operate; [*voiture*] to handle well; **2** (gestion) management

(Composé) **~ d'armes** Mil arms drill

manier /manje/ [2]

A *vtr* **1** (palper) to handle [*objet*]; fig to handle [*sommes, argent*]; to manage [*fonds*]; **2** (utiliser) to handle [*outil*]; to use [*langue*]; **~ l'ironie/le paradoxe** to handle irony/paradox skilfully[GB]; **~ l'aviron** to pull *ou* ply littér the oars; **~ l'épée** to wield the sword; **~ l'aiguille avec dextérité** to be skilled at needlework; **bien ~ la plume/le pinceau** fig to be a good writer/painter; **3** (diriger) to handle [*cheval, véhicule, personnes*]; **4** (pétrir) to mould GB, to mold US [*argile, cire*]

B se manier *vpr* **1 se ~ aisément** [*outil*] to be easy to handle; [*voiture*] to handle well; **2** ○= **se magner**

(Idiomes) **~ la fourchette avec entrain**○ hum to have a hearty appetite; **il sait ~ la brosse à reluire**○ he's good at buttering people up○

manière /manjɛʀ/

A *nf* **1** (façon) way; **de cette ~** (comme ceci) this way, like this; (comme cela) that way, like that; **d'une ~ ou d'une autre** in one way or another; **il n'y a pas d'autre ~** there's no other way; **d'une certaine ~** in a way; **la seule/la meilleure ~ de faire** the only/best way to do; **la bonne ~ de s'y prendre** the right way to go about it; **la ~ dont tu danses, ta ~ de danser** the way you dance; **leur ~ de vivre/penser** their way of life/thinking; **leur ~ de voir/faire les choses** their way of seeing/doing things; **leur ~ d'être** the way they are; **de toutes les ~s possibles** in every possible way; **de telle ~ que** in such a way that; **de ~ (à ce) qu'il fasse** so that he does; **de ~ à faire** so as to do; **en aucune ~** in no way; **de la même ~** [*travailler*] in the same way; [*agir*] the same way; **à ma/ta/leur ~** my/your/their (own) way; **à la ~ d'un enfant** like a child; **il nous a joué un tour à sa ~** he played a trick of his own on us; **cette ~ de faire ne te/leur ressemble pas** that's not like you/them; **de ~ décisive** decisively, in a decisive way; **de ~ inattendue** unexpectedly, in an unexpected way; **de quelle ~ peut-on faire?** how can one do?; **il nous regarde d'une drôle de ~** he's looking at us in a funny way; **de toute ~, de toutes ~s** anyway, in any case; **en ~ d'excuse/de remerciement** by way of apology/of thanks; **2** (méthode) **employer la ~ forte** to use strong-arm tactics; **il ne reste plus que la ~ forte** there's no alternative but to use force; **je ne crois pas à la ~ forte pour élever les enfants** I don't believe in the use of force when bringing up children; **utiliser la ~ douce** to use kid gloves; **3** (style) style; **à la ~ de qn/qch** in the style of sb/sth; **à la ~ américaine** in the American style; **vivre à la ~ d'un aristocrate** to live like an aristocrat; **c'est un Picasso dernière ~** this is a late Picasso *ou* an example of Picasso's later work; **c'est une ~ de savant fou** he's a bit of a mad scientist

B manières *nfpl* **1** (savoir-vivre) manners; **avoir de bonnes/mauvaises ~s** to have good/bad manners; **il n'a pas de ~s** he has no manners; **qu'est-ce que c'est que ces ~s!** what manners!; **je vais t'apprendre les bonnes ~s** I'll teach you some manners; **il connaît les belles ~s** he has exquisite manners; **en voilà des ~s!** what a way to behave!; **2** (excès de politesse) **faire des ~s** to stand on ceremony; **ne faites pas de ~s** don't stand on ceremony, you don't have to be so formal

maniéré, ~e /manjeʀe/ *adj* **1** pej [*personne, ton, style*] affected, mannered sout; **2** Art [*peintre, écrivain, genre*] mannered

maniérisme /manjeʀism/ *nm* Art mannerism

maniériste /manjeʀist/

A *adj* [*style, artiste*] manneristic

B *nmf* mannerist

manieur, -ieuse /manjœʀ, øz/ *nm,f* **c'est un grand ~ d'argent/d'hommes** he's very good at handling money/people

manif○ /manif/ *nf* (*abbr* = **manifestation**) demo○

manifestant, ~e /manifɛstɑ̃, ɑ̃t/ *nm,f* demonstrator

manifestation /manifɛstasjɔ̃/ *nf* **1** (pour protester) demonstration (**contre** against; **pour** for); (pour soutenir) rally (**en faveur de** for); **~ pour la paix** peace rally; **2** (réunion, événement) event; **~s sportives/culturelles/estivales** sporting/cultural/summer events; **3** (de maladie, phénomène) appearance; **4** (de solidarité, joie, mauvaise foi) expression; (de problème, réalité) indication; (de sentiment, désir) manifestation

(Composés) **~ silencieuse** vigil; **~ de soutien** rally (**en faveur de** for)

manifeste /manifɛst/

A *adj* obvious, manifest

B *nm* Art, Pol manifesto

manifestement /manifɛstəmɑ̃/ *adv* obviously, manifestly

manifester /manifɛste/ [1]

A *vtr* **1** (faire connaître) to show, to demonstrate [*soutien, opposition, solidarité, volonté*]; to signal, to demonstrate [*inquiétude, humeur*]; to show [*curiosité, sentiment, qualité*]; **~ son désir de faire** to signal one's desire to do; **~ sa présence** to make one's presence known (**par** by; **en faisant** by doing); **2** (indiquer) [*résultats électoraux, décision*] to reveal

B *vi* to demonstrate (**contre** against; **en faveur de** for); **appeler à ~ le 5 juin** to call a demonstration for 5 June

C se manifester *vpr* **1** (devenir apparent) [*symptôme*] to manifest itself; [*phénomène*] to appear; [*peur, maladie, inquiétude*] to show itself; **une tendance au changement se manifeste** a tendency for change can be seen; **des signes encourageants commencent à se ~** encouraging signs are becoming apparent *ou* manifest; **2** (faire signe) **il ne s'est pas encore manifesté** (en personne) there is still no sign of him; (par lettre, téléphone) we still haven't heard from him; **l'auteur des lettres anonymes s'est encore manifesté** the anonymous letter writer has been heard from again; **3** (répondre à un appel, une offre) [*candidat, témoin*] to come forward

manifold /manifɔld/ *nm* duplicate book

manigance /manigɑ̃s/ *nf* little scheme

manigancer /manigɑ̃se/ [12] *vtr* to be up to; **qu'est-ce qu'elle manigance encore?** what's she up to now?; **~ un mauvais coup** to hatch up a scheme

manille /manij/

A *nm* (cigare) Manila cigar

B *nf* **1** ▸ **p. 469** Jeux manille; **2** Naut, Tech shackle

Manille /manij/ ▸ **p. 894** *npr* Manila

manioc /manjɔk/ *nm* manioc, cassava

manipulable /manipylabl/ *adj* [*personne*] easily manipulated

manipulateur, -trice /manipylatœʀ, tʀis/

A *adj* [*démarche*] manipulative

B *nm,f* **1** ▸ **p. 532** (technicien) technician; **2** pej (provocateur) manipulator; **3** (prestidigitateur) conjurer; (de marionnettes) puppeteer

C *nm* **1** Tech manipulator; **2** Électrotech, Télécom key

(Composés) **~ de laboratoire** laboratory

technician; ~ **radio** radiographer

manipulation /manipylasjɔ̃/ *nf* **1** (d'objet, de produit) handling; **la ~ de produits dangereux** handling of dangerous chemicals; **2** (d'opinion, de personne) manipulation ¢; (de résultats, statistiques) massaging ¢; **~s politiques** political scheming ¢; **~s électorales** electoral rigging ¢; **se livrer à une ~ de la presse** to manipulate the press; **3** Méd manipulation ¢; **~ vertébrale** manipulation of the spine; **~ génétique** genetic manipulation; **4** (sur une substance) operation; Scol, Univ (expérience) experiment; **5** (prestidigitation) sleight of hand; **la ~ de marionnettes** operating puppets; **6** Télécom (de signal) keying

(Composé) **~ mentale** Jur psychological manipulation

manipule /manipyl/ *nm* Antiq, Relig maniple

manipuler /manipyle/ [1] *vtr* **1** (avec les mains) to handle [*objet, substance, véhicule*]; to manipulate [*bouton*]; **~ qch avec délicatesse** to handle sth carefully; **arrête de ~ ce vase** stop playing with that vase; **2** (utiliser) to handle [*chiffres*]; to use [*mots*]; **3** (falsifier) to massage [*données, chiffres*]; **~ les registres** Compta to cook○ GB *ou* tamper with US the books; **4** (influencer) to manipulate [*opinion, presse, personne*]; **5** Théât to operate [*marionnettes*]

Manitoba /manitɔba/ ▸ **p. 721** *nprm* Manitoba

manitou /manitu/ *nm* **1** ○fig big noise○, big wheel○; **un grand ~ de la finance** a big noise in the financial world; **2** Relig manitou

manivelle /manivɛl/ *nf* **1** (de voiture) (pour démarrer) starting handle; (pour les roues) wheel brace; **2** (de puits, treuil, store) handle; (de pédalier) pedal crank

(Idiome) **donner le premier tour de ~** Cin to start filming

manne /man/ *nf* Bot, Relig manna; fig (aubaine) windfall, godsend; **~ céleste** manna from Heaven

(Idiome) **arriver comme une ~** to be like manna from heaven, to be a godsend

mannequin /mankɛ̃/ ▸ **p. 532** *nm* **1** (de mode) model; **elle est ~ chez** she models for; **2** (de vitrine) dummy, mannequin; **3** (de couturière) tailor's dummy, mannequin; **4** (dans un musée, au cinéma) dummy; **5** (de dessinateur) mannequin, lay figure

(Idiome) **s'habiller comme un ~** to be dressed like a fashion plate

manœuvrabilité /manøvʀabilite/ *nf* manoeuvrability GB, maneuvrability US

manœuvrable /manœvʀabl/ *adj* [*véhicule, bateau*] manœuvrable GB, maneuverable US; **la voiture est ~** the car handles well

manœuvre /manœvʀ/

A ▸ **p. 532** *nm* unskilled worker

B *nf* **1** (avec véhicule) (opération) manoeuvre GB, maneuver US; (maniement) manoeuvring GB, maneuvering US; **effectuer** *or* **faire une ~** to carry out a manoeuvre GB *ou* maneuver US; **effectuer une ~ de dépassement** to overtake GB, to pass US, to perform the overtaking procedure GB; **il a fait une fausse ~ et a heurté l'arbre** he made a mistake and hit the tree; **~s précédant le décollage** taxiing before take off; **~ d'accostage** landing operation; **~ d'abordage** boarding operation; ▸ **faux**; **2** (d'appareil, de dispositif) operation; **3** (pour obtenir quelque chose) tactic, manoeuvre GB, maneuver US; **une ~ destinée à faire** a manoeuvre GB *ou* maneuver US to do; **~s électorales** electoral tactics; **~s frauduleuses** Jur deception ¢; **4** Mil manoeuvre GB, maneuver US; **faire des/partir en ~s** to be/go on manoeuvres GB *ou* maneuvers US; **grandes ~s** large-scale manoeuvres GB *ou* maneuvers US; **~ enveloppante** surrounding manoeuvre GB *ou* maneuver US; **champ** *or* **terrain de ~s** military training area; **5** Rail (mouvement) shunting GB, switching US; **6** Naut (cordage) rigging

manœuvrer /manœvʀe/ [1]

A *vtr* **1** (déplacer habilement) to manoeuvre GB, to maneuver US [*véhicule*]; **2** (actionner) to operate [*dispositif, machine*]; **3** (manipuler) to manoeuvre GB, to maneuver US [*personne, groupe*]

B *vi* to manoeuvre GB, to maneuver US; **j'ai dû ~ pour sortir la voiture** I had to carry out a tricky manoeuvre GB *ou* maneuver US to get the car out

manœuvrier, **-ière** /manœvʀije, ɛʀ/

A *adj* [*personne*] tactically skilled; [*qualités*] tactical

B *nm,f* tactician

manoir /manwaʀ/ *nm* manor (house)

manomètre /manɔmɛtʀ/ *nm* pressure gauge, manometer

manométrie /manɔmetʀi/ *nf* manometry

manométrique /manɔmetʀik/ *adj* manometric

manouche○ /manuʃ/ *nmf* gypsy

manquant, **~e** /mɑ̃kɑ̃, ɑ̃t/ *adj* missing

manque /mɑ̃k/

A *nm* **1** (insuffisance) (d'eau, imagination, hygiène, argent, de soins) lack (**de** of); (de personnel, main-d'œuvre) shortage (**de** of); **par ~ de résistance/d'intérêt/de ressources** for *ou* through lack of stamina/of interest/of resources; **quel ~ de chance** *ou* **bol**○ *ou* **pot**○**!** what bad luck!; **il voulait venir mais, ~ de chance, il est tombé malade** he wanted to come but, just his luck, he fell ill; **2** (lacune) gap; **il n'a pas fait d'études et pour pallier ce ~, il a suivi des cours du soir** he didn't go to university and, to make up for this gap in his education, he went to evening classes; **3** (privation) **ressentir un ~** to feel an emptiness; **être en ~ d'affection** to be in need of affection; **être en (état de) ~** [*drogué*] to be suffering from withdrawal symptoms; **4** Tex (de tissu, tapisserie) defect, missing pick spéc; **5** Jeux (à la roulette) manque

B **à la manque**○ *loc adj* **un héros/philosophe à la ~** a would-be hero/philosopher; **tu parles d'une idée à la ~** what a useless idea; **j'en ai marre de cette bagnole**○ **à la ~** I'm fed up with this lousy○ car

(Composé) **~ à gagner** loss of earnings

manqué, **~e** /mɑ̃ke/

A *pp* ▸ **manquer**

B *pp adj* [*essai, tentative*] failed; [*rendez-vous, occasion*] missed; [*plat, gâteau*] ruined; [*photo*] spoiled; [*roman, film*] disappointing; [*vie*] wasted

C *adj* **c'est un poète ~** (incapable) he's a failed poet; (il en a les qualités) he should have been a poet

D *nm* iced cake; **moule à ~** round cake tin

manquement /mɑ̃kmɑ̃/ *nm* **~ à la discipline/à la morale** breach of discipline/of morals; **~ au devoir** gén breach of duty; Admin, Jur dereliction of duty; **~ à une promesse** failure to keep a promise; **c'est un ~ à toutes les règles élémentaires de la courtoisie** this violates all the rules of basic courtesy

manquer /mɑ̃ke/ [1]

A *vtr* **1** (ne pas atteindre, ne pas voir) to miss [*cible, objectif, spectacle, événement*]; **la balle l'a manqué de peu** the bullet just missed him; **~ une marche** to miss a step; **une grande maison rose à la sortie du village, vous ne pouvez pas la ~** a big pink house as you come out of the village, you can't miss it; **~ l'école** to miss school; **un film à ne pas ~** a film not to be missed; **j'ai manqué le début du film** I missed the beginning of the film; **tu n'as rien manqué, le film est nul** you didn't miss anything, it's an awful film; **il n'en manque pas une**○ you can rely on him to put his foot in it

2 (être en retard pour) to miss [*train, bus, avion, personne*] (**de** by); **vous l'avez manquée de cinq minutes** you missed her/it by five minutes

3 (ne pas réussir) to spoil, to ruin [*plat, gâteau, photo*]; to botch○ [*expérience de laboratoire*]; **~ sa vie** to make a mess of one's life; **elle a manqué son solo** she made a mess of her solo; **cet événement nous a fait ~ plusieurs contrats** this incident has lost us several contracts; **~ son coup**○ to fail

4 ○(ne pas sanctionner) **la prochaine fois je ne le manquerai pas** next time I won't let him get away with it; **elle ne l'a pas manqué** she put him in his place

B **manquer à** *vtr ind* **1** (faire éprouver un sentiment d'absence) **~ à qn** to be missed by sb; **ils nous manquent** we miss them; **la Bretagne/ma tante me manque** I miss Brittany/my aunt

2 (ne pas respecter) **~ à son devoir/honneur** to fail in one's duty/honour[GB]; **~ à ses promesses** to fail to keep one's promises; **~ à sa parole** to break one's word

C **manquer de** *vtr ind* **1** (avoir en quantité insuffisante) **~ de** to lack, to be lacking in [*patience, talent, courage, imagination, ambition*]; to lack, to be short of [*argent, provisions, matériel, personnel, main-d'œuvre*]; to lack [*expérience, pratique*]; **on ne manque de rien ici** we don't want *ou* lack for anything here; **elle ne manque pas de détracteurs/prétendants** she's not short of critics/suitors, she doesn't lack critics/suitors; **le roman manque d'humour** the novel lacks humour[GB]; **ma cousine ne manque pas d'humour** my cousin's got a good sense of humour[GB]; **elle ne manque pas de charme** she's not without charm; **il ne manque pas de culot**○**!** he's got a nerve!; **la soupe manque de sel/poivre** there isn't enough salt/pepper in the soup; **ouvre la fenêtre, on manque d'air ici** open the window, it's stuffy in here; **il manque de magnésium/calcium** he has a magnesium/calcium deficiency

2 (toujours à la forme négative) **si vous passez dans la région, ne manquez pas de nous rendre visite** if you're in the area, be sure and visit us; **je ne manquerai pas de vous le faire savoir** I'll be sure to let you know; **ne manquez pas de le signaler** be sure and report it; **'remercie-le de ma part'—'je n'y manquerai pas'** 'thank him for me'—'I won't forget *ou* I most certainly shall'; **je ne manquerai pas de le leur dire** I'll be sure to tell them, I won't forget to tell them; **on ne peut ~ d'être surpris** one can't fail to be surprised; **ça ne pouvait ~ d'arriver** it was bound to happen; **et évidemment, ça n'a pas manqué**○**!** and sure enough that's what happened!

3 (faillir) **il a manqué (de) casser un carreau** he almost broke a windowpane; **elle a manqué (de) s'évanouir en le voyant** she almost fainted when she saw him

D *vi* **1** (faire défaut) **j'ai fait l'inventaire: rien ne manque** I've done the inventory and nothing is missing; **trois soldats manquaient à l'appel** three soldiers were missing at roll call; **les vivres vinrent à ~** supplies were running out; **ne fais pas cette tête, ce ne sont pas les garçons qui manquent!** don't look so downcast, there are plenty more fish in the sea!; **ce ne sont pas les occasions qui manquent** there's no lack of opportunity; **le moment venu, le courage leur manqua** when the time came, their courage failed them; **je suis tellement outré que les mots me manquent** I'm so outraged that words fail me; **les mots me manquent pour exprimer ma joie/mon dégoût** I can't find the words to express my joy/my disgust; **le temps me manque pour t'expliquer** I don't have enough time to explain to you; **ce n'est pas l'envie qui me manque de faire** it's not that I don't want to do; **le pied lui manqua** liter he/she missed his/her footing

2 (être absent) [*élève, personne*] to be absent; **cet étudiant manque très souvent** this student is very often absent

E *v impers* **il manquait deux fourchettes** two forks were missing; **il manque 100 euros dans la caisse** 100 euros are missing from the cash register; **il manque une roue à la voiture** there's a wheel missing from the car; **il lui manque un doigt** he's got a finger missing; **il lui manque un œil/bras** he's only got one eye/arm; **il leur manque 500 euros pour pouvoir acheter la voiture** they're 500 euros short of the amount they need to buy the car; **il nous manque deux joueurs pour former une équipe** we're two players short of a team; **il manque une signature à ce contrat** (il n'est pas signé) the contract isn't signed; (sur plusieurs signatures) there's a signature missing on the contract; **il manque du sel dans cette soupe** there isn't enough salt in the soup; **ça manque d'animation ici!** it's not very lively here!; **il ne manquerait plus que ça!** that would be the last straw!; **il ne manquerait plus qu'il se mette à pleuvoir** all (that) we need now is for it to start raining

F **se manquer** *vpr* **1** (soi-même) to bungle one's suicide attempt
2 (ne pas se voir) to miss each other

mansarde /mɑ̃saʀd/ *nf* (pièce) attic room

mansardé, ~**e** /mɑ̃saʀde/ *adj* [*pièce*] attic (*épith*)

mansuétude /mɑ̃sɥetyd/ *nf* indulgence

mante /mɑ̃t/ *nf* **1** Zool (insecte) mantis; **2** Mode mantle

(Composé) ~ **religieuse** Zool praying mantis; fig man-eater

manteau, *pl* ~**x** /mɑ̃to/ *nm* **1** (vêtement) coat; **2** (de brume) blanket; (de neige) blanket, mantle littér; **le ~ de la nuit** the cloak of darkness; **3** fig (masque) cloak; **4** Géol mantle; **5** Zool (de mollusque) mantle; **6** Nucl blanket; **7** Hérald mantling

(Composés) ~ **d'Arlequin** Théât proscenium arch; ~ **de cheminée** Constr mantelpiece; ~ **de pluie**† raincoat

(Idiome) **sous le** ~ illicitly

mantelet /mɑ̃tlɛ/ *nm* **1** Naut deadlight; **2** (de femme) mantelet; (de prélat) mantelletta

mantille /mɑ̃tij/ *nf* mantilla

mantisse /mɑ̃tis/ *nf* mantissa

Mantoue /mɑ̃tu/ ▸ **p. 894** *npr* Mantua

mantra /mɑ̃tʀa/ *nm* mantra

manucure /manykyʀ/ ▸ **p. 532**
A *nmf* (personne) manicurist
B *nf* (soins, technique) manicure; **se faire faire une ~** to have a manicure

manucurer /manykyʀe/ [1] *vtr* to give [sb] a manicure [*personne*]; **se faire** ~ to have a manicure; **ongles manucurés** manicured nails

manuel, **-elle** /manɥɛl/
A *adj* **1** [*activité, travailleur, habileté*] manual; **2** Tech **passer en (mode) ~, passer en fonction manuelle, passer sur ~** to switch to manual
B *nm,f* **1** (par métier) manual worker; **2** (par goût) **c'est une manuelle** she likes working with her hands; (par don) she is good with her hands
C *nm* **1** Scol textbook; ~ **de grec** Greek textbook; **2** Sci, Tech, Univ manual; ~ **de mathématiques appliquées** manual of applied mathematics

(Composés) ~ **de conversation** phrase book; ~ **d'utilisation** instruction manual; ~ **scolaire** school textbook

manuellement /manɥɛlmɑ̃/ *adv* **1** Tech (non automatiquement) [*fonctionner, régler, calculer*] manually; **2** (avec les mains) [*travailler*] with one's hands

manufacturable /manyfaktyʀabl/ *adj* manufacturable

manufacture /manyfaktyʀ/ *nf* **1** (établissement) factory; ~ **de tabacs/d'armes** tobacco/armaments factory; **2** (fabrication) manufacture

manufacturer /manyfaktyʀe/ [1] *vtr* to manufacture

manufacturier, **-ière** /manyfaktyʀje, ɛʀ/
A *adj* manufacturing
B *nm,f* manufacturer

manu militari /manymilitaʀi/ *adv* forcibly

manuscrit, ~**e** /manyskʀi, it/
A *adj* **1** (écrit à la main) [*page, lettre*] handwritten; **2** Édition, Littérat, Mus [*livre, partition*] manuscript (*épith*)
B *nm* manuscript; ~ **original/enluminé/dactylographié** original/illuminated/typed manuscript; ~ **sur vélin** manuscript on vellum

(Composé) ~**s de la Mer morte** Dead Sea Scrolls

manutention /manytɑ̃sjɔ̃/ *nf* **1** (activité) handling; **appareil de ~** handling equipment; **2** (local) warehouse

manutentionnaire /manytɑ̃sjɔnɛʀ/ ▸ **p. 532** *nm* warehouseman

manutentionner /manytɑ̃sjɔne/ [1] *vtr* to handle

maoïsme /maoism/ *nm* Maoism

maoïste /maoist/ *adj, nmf* Maoist

maori /maɔʀi/ ▸ **p. 483** *nm* Ling Maori

maous◑, **-ousse** /maus/ *adj* massive

mappemonde /mapmɔ̃d/ *nf* **1** (carte) map of the world (in two hemispheres); **2** (globe) controv globe

Maputo /mapyto/ ▸ **p. 894** *npr* Maputo

maquer◑: **se maquer** /make/ [1] *vpr* **se ~ avec qn** to shack up◑ with sb; **elle est maquée** she's shacked up◑ with somebody; (prostituée) she's working for a pimp○

maquereau, *pl* ~**x** /makʀo/ *nm* **1** Zool mackerel; ▸ **groseille**; **2** ◑(souteneur) pimp○

(Composé) ~ **espagnol** Spanish mackerel, chub mackerel

maquerelle◑ /makʀɛl/ *nf* (dans une maison close) madam

maquette /makɛt/ *nf* **1** (modèle réduit) Archit, Ind, Tech scale model; Cin model; (jouet) ~ **d'avion** model aeroplane GB *ou* airplane US; **2** (grandeur nature) Ind, Tech, Théât mock-up; **3** Art (dessin) sketch; (sculpture) maquette; **4** (de livre) dummy

(Composés) ~ **de couverture** sample cover; ~ **de mise en page** paste-up; ~ **typographique** page sample

maquettiste /maketist/ ▸ **p. 532** *nmf* Édition typographic designer

maquignon /makiɲɔ̃/ *nm* **1** lit horse dealer; **2** péj shady operator

maquignonnage /makiɲɔnaʒ/ *nm* **1** lit horse dealing; **2** péj sharp practice

maquignonner /makiɲɔne/ [1] *vtr* **1** ~ **une bête** to disguise an animal's faults prior to selling it; **2** to rig [*affaire*]

maquillage /makijaʒ/ *nm* **1** (action) making-up; (résultat) make-up; **2** (fard) make-up; **3** péj (de document, vérité) doctoring

(Composé) ~ **de théâtre** greasepaint

maquiller /makije/ [1]
A *vtr* **1** (farder) to make [sb/sth] up [*acteur, visage*]; **peu maquillé** lightly made-up; **2** (déguiser) to doctor [*document, chiffres, vérité*]; ~ **une voiture** to change a car's identity; ~ **un crime en accident** to disguise a crime as an accident
B **se maquiller** *vpr* (mettre du fard) to put make-up on; (porter du fard) to wear make-up

maquilleur, **-euse** /makijœʀ, øz/ ▸ **p. 532** *nm,f* Théât make-up artist

maquis /maki/ *nm inv* **1** Géog maquis; **2** Hist maquis; **prendre le ~** [*résistant*] to join the maquis; [*fuyard*] to go underground; **3** (dédale) labyrinth (**de** of)

maquisard, ~**e** /makizaʀ, aʀd/ *nm,f* **1** Hist maquis, member of the Resistance; **2** (guerillero) partisan

marabout /maʀabu/ *nm* **1** Zool marabou; **2** Relig marabout

maraîchage* /maʀɛʃaʒ/ *nm* market gardening GB, truck farming US

(Composés) ~ **en serre** glasshouse GB *ou* greenhouse US cultivation; ~ **sous châssis** cold-frame cultivation

maraîcher, **-ère*** /maʀɛʃe, ɛʀ/
A *adj* **produits ~s** market garden produce ¢ GB, truck ¢ US; **la culture maraîchère** market gardening GB, truck farming US; **jardin ~** market garden GB, truck farm US
B ▸ **p. 532** *nm,f* market gardener GB, truck farmer US

marais /maʀɛ/ *nm inv* **1** Géog marsh; (dans les tropiques) swamp; **2** fig quagmire

(Composé) ~ **salant** saltern

Marais /maʀɛ/ *nprm* **le ~** the Marais (*district in Paris*)

marasme /maʀasm/ *nm* **1** Écon, Pol stagnation; ~ **politique/économique** political/economic stagnation; **le ~ de la construction navale** the slump in the shipbuilding industry; **être dans le ~** *or* **en plein ~** to be in the doldrums; **2** (abattement) depression; **3** Méd failure to thrive, marasmus spéc

marasquin /maʀaskɛ̃/ *nm* maraschino

marathon /maʀatɔ̃/
A *nm* (tous contextes) marathon
B **-marathon** (*in compounds*) **session/visite-~** marathon session/visit

marathonien, **-ienne** /maʀatɔnjɛ̃, ɛn/ *nm,f* marathon runner

marâtre /maʀɑtʀ/ *nf* **1** péj (mère cruelle) cruel mother; (mère dénaturée) unnatural mother; **2** †(belle-mère) stepmother

maraud, ~**e** /maʀo, od/
A †*nm,f* péj (homme) rascal; (femme) hussy†
B **maraude** *nf* gén pilfering; Jur petty theft (*of fruit, crops*); Mil marauding; **en ~e** [*taxi*] cruising for fares (*après n*); [*voyou*] on the prowl (*jamais épith*)

maraudage /maʀodaʒ/ *nm* gén pilfering; Jur petty theft (*of fruit, crops*)

maraude ▸ **maraud**

marauder /maʀode/ [1] *vi* **1** (voler) to pilfer; Mil to maraud; ~ **dans les fermes** to pilfer from farms; **2** (être à l'affût) [*taxi*] to cruise for fares; [*voyou*] to prowl around

maraudeur, **-euse** /maʀodœʀ, øz/
A *adj* [*taxi*] cruising for fares (*après n*); [*oiseau*] thieving
B *nm,f* (voleur) petty thief; (rôdeur) prowler

marbre /maʀbʀ/ *nm* **1** (roche) marble; **2** (plaque de meuble) marble top; (statue) marble statue; **3** Aut jig; **passer une voiture au ~** to inspect a car for accident damage; **4** Imprim bed; **livre sur le ~** book at press

(Idiomes) **rester de ~** (impassible) to remain stony-faced; (insensible) to remain stonily indifferent; **garder un visage de ~** to remain stony-faced; **la nouvelle les laissa de ~** they were completely unmoved by the news; **froid comme le ~** as cold as marble

marbrer /maʀbʀe/ [1] *vtr* **1** Tech to marble [*papier, cuir*]; **2** (marquer) **le froid lui marbrait le visage** his/her face was blotchy with the cold; **peau marbrée** mottled skin; **il avait le dos marbré de coups** *or* **de bleus** his back was mottled with bruises; **pelage roux marbré de noir** red coat mottled with black

marbrerie /maʀbʀəʀi/ *nf* **1** (industrie) marble industry; (travail du marbre) marble masonry; ~ **funéraire** monumental masonry; **ouvrages de ~** marblework ¢; **2** (atelier) marble mason's workshop; ~ **funéraire** monumental mason's workshop

marbrier, **-ière** /maʀbʀije, ɛʀ/
A *adj* [*industrie*] marble
B ▸ **p. 532** *nm* (ouvrier, entrepreneur) marble mason; ~ **funéraire** monumental mason; ~ **d'art** artist in marble
C **marbrière** *nf* marble quarry

m

marbrure /maRbRyR/ *nf* (sur papier, cuir) marbling ¢; (sur la peau) blotchiness ¢; (hématomes) mottling ¢

marc /maR/ *nm* [1] (eau-de-vie) marc; **~ de raisin** grape marc; [2] (résidu de fruits) marc; [3] Jur **partager au ~ le franc** to make a pro rata division of assets

(Composés) **~ de café** coffee grounds (*pl*); **lire l'avenir dans le ~ de café** to read the future in coffee cups; **~ de pomme** pomace

marcassin /maRkasɛ̃/ *nm* young wild boar

marcassite /maRkasit/ *nf* marcasite

marchand, ~e /maRʃɑ̃, ɑ̃d/

A *adj* Comm [*produit, denrée*] marketable, salable; [*secteur, trafic, économie*] trade; **qualité ~e** marketable quality; **prix ~** market *ou* ruling price; **valeur ~e** market *ou* commercial value

B ▸ **p. 532** *nm,f* [1] (commerçant) trader; (négociant) dealer, merchant; (dans une boutique) shopkeeper; (sur un marché) stallholder; **~ d'armes/de bestiaux** arms/cattle dealer; **~ de soie/vins** silk/wine merchant; **jouer à la ~e** to play shops; [2] Hist merchant; **une nation de ~s** a trading nation

(Composés) **~ ambulant** hawker; **~ de canons** pej arms dealer; **~ de chapeaux** hatter; **~ de chaussures** shoe retailer; **~ de couleurs** ironmonger GB, hardware merchant; **~ au détail** retailer; **~ de fromage** cheesemonger GB, cheese merchant; **~ de fruits** fruiterer; **~ de glaces** ice cream vendor; **~ en gros** wholesaler, wholesale merchant *ou* dealer; **~ de journaux** (dans un magasin) newsagent; (dans la rue) newsvendor; **~ de légumes** greengrocer GB; **~ de marrons** chestnut vendor; **~ de meubles** furniture retailer; **~ de poissons** fishmonger; **~ des quatre saisons** costermonger GB, fruit and vegetable merchant; **~ de sable** fig sandman; **le ~ de sable est passé** the sandman has been; **~ à la sauvette** street vendor; **~ de sommeil**○ dosshouse○ GB *ou* pit US owner; **~ de soupe**○ (restaurateur) second-rate restaurant owner; (profiteur) money-grubber○; **~ de tabac** tobacconist GB, keeper of a smoke shop US; **~ de tableaux** art dealer; **~ de tapis** carpet salesman; **c'est un vrai ~ de tapis**○ pej he's just a petty wrangler; **ce sont des discussions de ~ de tapis**○ pej this is just petty wrangling; **~ de tissus** draper; **~ de vins** wine merchant; **~ de voyages**○ travel agent

marchandage /maRʃɑ̃daʒ/ *nm* [1] (sur le prix) haggling (**de** over); **après un long ~** after lengthy haggling; **faire du ~** to haggle; [2] (tractations) bargaining ¢, haggling péj; **des ~s politiques** political bargaining; **se livrer à un féroce ~** to engage in hard political bargaining *ou* fierce horse-trading; [3] Jur **le gouvernement veut réprimer le ~ de main-d'œuvre** the government wants to put an end to labour[GB]-only subcontracting

marchander /maRʃɑ̃de/ [1] *vtr* [1] to haggle over [*marchandise, tableau, prix*]; to haggle for [*rabais*]; **payer sans ~** to pay without haggling; [2] fig, fml **~ son accord** to give one's approval grudgingly; **~ sa peine** not to put oneself out; **il n'a pas marchandé ses éloges** he was not sparing in his praises; [3] Jur to subcontract on a labour[GB]-only basis

marchandeur, -euse /maRʃɑ̃dœR, øz/ *nm,f* [1] (personne qui marchande) haggler; [2] Jur subcontractor supplying labour[GB] only

marchandisage /maRʃɑ̃dizaʒ/ *nm* Écon merchandising

marchandise /maRʃɑ̃diz/ *nf* [1] (articles) **des ~s** goods, merchandise ¢; **exporter/transporter des ~s** to export/transport goods; **les ~s sont entreposées dans le hangar** the goods are stored in the warehouse; **100 000 euros de ~s** 100,000 euros' worth of goods; **~s en gros/au détail** wholesale/retail goods; [2] (produit) goods (*pl*); **livrer/fournir la ~** to deliver/to provide the goods; **les trafiquants ont essayé d'écouler la ~** the traffickers tried to dispose of the goods; **ce fromager a de la bonne ~** this cheese shop has good produce; **tromper** *or* **voler qn sur la ~** to swindle sb

(Idiomes) **il a essayé de nous vendre sa ~**○ he tried to win us over; **vanter** *or* **étaler sa ~**○ to parade one's wares

marchante /maRʃɑ̃t/ *adj f* **aile ~** Mil wheeling flank; fig active element

marche /maRʃ/

A *nf* [1] ▸ **p. 469** (déplacement de personne) (activité) walking; (trajet) walk; Sport walking; **faire de la ~** to go walking; **la ~ à pied** walking; **faire un peu de ~** to do some walking; **faire une petite ~** to take a short walk; **à 10 minutes de ~** 10 minutes' walk away; **ralentir/accélérer la ~** to walk slower/faster; **ta ~ est trop rapide pour les enfants** you're walking too quickly for the children; **10 km ~** Sport 10 km walk

[2] Mil, Pol (déplacement de groupe) march; **~ pour la paix/de protestation** peace/protest march; **soldats en ~** soldiers on the march; **ils ont organisé une ~ devant l'ambassade** they organized a march past the embassy; **faire ~ sur** [*soldats , manifestants, rebelles*] to march on; **se mettre en ordre de ~** Mil to get in marching formation; **en avant, ~!** Mil forward march!; **fermer la ~** to bring up the rear; **ouvrir la ~** to be at the head of the march

[3] (fonctionnement de véhicule) progress; **la ~ du train a été gênée** the progress of the train was hampered; **en ~** moving (*épith*); **prendre un bus en ~** to climb aboard a moving bus; **dans le sens contraire de la ~** facing backward(s); **dans le sens de la ~** facing forward(s)

[4] (fonctionnement de mécanisme) operation; **bonne ~** smooth operation; **en état de ~** in working order; **s'assurer de la bonne ~ d'une machine** to ensure that a machine is in good working order; **mettre en ~** to start [*machine, moteur*]; to start up [*chaudière, réacteur*]; to switch on [*téléviseur, vidéo, ordinateur*]; fig to set [sth] in motion [*réforme, projet, processus*]; **la mise en ~ du lave-vaisselle est très simple** starting the dishwasher is very simple; **la mise en ~ du réacteur a pris plus d'un an** starting up the reactor took over a year; **la remise en ~ de la chaudière** starting the boiler up again; **se mettre en ~** [*appareil, véhicule*] to start up; [*réveil, sonnerie*] to go off; [*projet, réforme, plan*] to get going; **être en ~** [*machine, moteur*] to be running; [*téléviseur, radio*] to be on

[5] (fonctionnement d'organisme) running; **bonne ~ de l'entreprise/expédition** smooth running of the company/expedition

[6] (déroulement) (d'événements) course; (de récit, d'intrigue) unfolding; **la ~ du temps/du progrès/de l'histoire** the march of time/of progress/of history; **~ à suivre** procedure (**pour faire** for doing); **la meilleure ~ à suivre pour qch** the best way of going about sth

[7] Constr (d'escalier, escabeau, de train, bus) step; **attention à la ~!** mind the step! GB, watch the step!; **cirer les ~s (de l'escalier)** to wax the stairs

[8] Mus march; **~ funèbre/nuptiale** funeral/wedding march

B marches *nfpl* (limites) marches

(Composés) **~ d'angle** Constr pie stair; **~ arrière** Aut reverse; **passer la ~ arrière** to go into reverse; **sortir en ~ arrière** to reverse out; **faire ~ arrière** fig to backpedal; **~ avant** forward; **~ forcée** Électrotech override; Mil forced march; **mettre en ~ forcée** to override; **modernisation/libéralisation à ~ forcée** fig accelerated modernization/liberalization; **~ palière** Constr landing step

(Idiome) **prendre le train en ~** (par hasard) to join halfway through; (par intérêt) to climb onto the bandwagon

marché /maRʃe/ *nm* [1] Comm market; **~ aux fleurs** flower market; **~ couvert** covered market; **~ en plein air** open-air market; **vendre/acheter ses pommes au ~** to sell/buy one's apples at the market; **les jours de ~** market days; **faire son ~** to do one's shopping at the market; **il fait les ~s de la région pour vendre son miel** he does the rounds of the markets in the area to sell his honey; **mettre qch sur le ~** to put sth on the market; **retirer qch du ~** to withdraw sth from the market; [2] Fin market; **~ boursier** stock market; **nouveau ~** new technologies exchange; **~ financier/monétaire/de l'or** financial/money/gold market; **le ~ de l'automobile/de l'art/de l'immobilier** the car/art/property market; **~ baissier/haussier** bearish/bullish market; **~ d'acheteurs/de vendeurs** buyers'/sellers' market; [3] Écon (débouché) market; (lieu) marketplace; **ouvrir un nouveau ~** to open up a new market; **pénétrer un ~** to break into a market; **un des plus grands ~s du monde** one of the largest marketplaces in the world; **~ porteur** buoyant market; [4] (arrangement) deal; **un ~ avantageux** a good deal; **conclure un ~ avec qn** to strike a deal with sb; **~ conclu!** it's a deal!; **c'est un ~ de dupes** it's a bum◑ deal, we've been had○; **bon/meilleur ~** [*produit*] cheap/cheaper; **vendre (à) meilleur ~** to sell cheaper; **par-dessus le ~**○ to top it all

(Composés) **~ des capitaux** capital market; **~ captif** captive market; **~ des changes** Fin foreign exchange market; **~ au comptant** spot market; **~ de contrats à terme** futures market; **~ de l'emploi** job market; **~ extérieur** foreign market; **~ gris** grey GB *ou* gray US market; **~ interbancaire** interbank market; **~ d'intérêt national, MIN** *government instituted wholesale food market*; **~ intérieur** (national) domestic *ou* home market; (de la UE) internal market; **~ libre** free market; **~ des matières premières** commodity market; **~ noir** black market; **acheter au ~ noir** to buy on the black market; **~ obligataire** bond market; **~ pétrolier** Fin oil market; **~ public** Admin public works contract; **~ aux puces** flea market; **~ à règlement mensuel** forward market; **~ à terme** forward market; **~ du travail** labour[GB] market; **~ unique européen** UE Single European Market; **~ des valeurs** stock market; **Marché commun** Common Market

(Idiome) **faire bon ~ de qch** to set little value on sth

marchéage /maRʃeaʒ/ *nm* marketing mix

marchepied /maRʃəpje/ *nm* [1] (de véhicule) (marche simple) step; (série de marches) steps (*pl*); [2] (escabeau) steps (*pl*); [3] fig stepping stone; **servir de ~ à qn** to be a stepping stone for sb

marcher /maRʃe/ [1] *vi* [1] (utiliser ses pieds) [*personne, animal, robot*] to walk; **il marche vite** he walks fast; **~ à travers champs** to walk across fields; **allons ~ un peu** let's go for a little walk; **~ avec des talons/chaussures plates** to wear high heels/flat shoes; [2] (poser le pied) to tread (**dans** in; **sur** on); **j'ai marché sur mes lunettes** I trod on my spectacles; **~ sur les pieds de qn** to tread on sb's toes; **tu m'as marché sur le pied** you stood on my foot; **se laisser ~ sur les pieds** fig to let oneself be walked over; **à la soirée on se marchait sur les pieds** fig the party was packed; **ne marche pas dans les flaques** don't walk in the puddles; **~ dans une flaque d'eau** to step in a puddle; **l'homme marchera sur Mars** man will walk on Mars; [3] (avancer) to go; **notre train marche vite** our train goes fast; **malgré les embouteillages, nous avons bien marché** despite the traffic jams, we've made good time; **~ vers la gloire** fig to be on the road to fame; ~ **sur les mains** [*gymnaste*] to walk on one's hands; ~ **en tête de cortège** to march at the head of the procession; ~ **sur Paris/le palais présidentiel** to march on Paris/the presidential palace; [4] (fonctionner) [*mécanisme, dispositif*] to work; [*système, réforme, procédé*] to work; **ma radio marche bien/marche mal** my radio works well/doesn't work properly; **insecticide qui ne marche pas pour les fourmis** insecticide that doesn't work on ants; **faire ~ qch** to get sth to work; **ma montre ne marche plus** my watch has stopped working; **la poste marche de mieux en mieux** the postal service is getting better and better; ~ **au gaz/à l'électricité** to run on gas/on electricity; **Ivan marche à la vodka** hum Ivan lives on vodka; **les trains/bus ne marchent pas le dimanche** the trains/buses don't run on Sundays; [5] ○(aller) ~ **(bien)**/~ **mal** [*travail, relations, examen*] to go well/not to go well; [*affaires, film, livre, élève*] to do well/not to do well; [*acteur*] to go down well/not to go down well; **comment a marché ton examen?** how did your exam go?; **comment marchent les affaires?** how is business?; [6] ○(être d'accord) to go for it; **je marche** I'll go for it; **c'est trop risqué, je ne marche pas** it's too risky, count me out; **elle marche pour cent euros par jour** she' s agreed to one hundred euros a day; **pour cent euros, ça marche** for one hundred euros, you're on; **ça marche!** (marché conclu) it's a deal!; (la commande est prise) coming up!; [7] ○(croire naïvement) to fall for it; **tu verras, elle marchera à tous les coups** you'll see, she falls for it every time; **faire ~ qn** to pull sb's leg; **je te faisais ~** I was just pulling your leg; **elle fait ~ sa mère comme elle veut** she's got her mother wrapped round her little finger; [8] ○(obéir) **faire ~ son monde** *or* **personnel** to be good at giving orders

(Idiomes) **il ne marche pas, il court**○**!** he's as gullible as they come; ~ **sur la tête de qn**○ to walk all over sb

marcheur, **-euse** /maʀʃœʀ, øz/ *nm,f* walker; **bon/mauvais ~** good/poor walker

marcottage /maʀkɔtaʒ/ *nm* Agric layering

marcotte /maʀkɔt/ *nf* Agric layer

marcotter /maʀkɔte/ [1] *vtr* Agric to layer

mardi /maʀdi/ ▸ **p. 782** *nm* Tuesday; ~ **gras** Shrove Tuesday

mare /maʀ/ *nf* [1] (étang) pond; ~ **aux canards** duck pond; [2] (grande quantité) pool (**de** of); ~ **de sang** pool of blood

marécage /maʀekaʒ/ *nm* [1] lit marsh; (sous les tropiques) swamp; [2] fig quagmire

marécageux, **-euse** /maʀekaʒø, øz/ *adj* [1] lit [*sol*] marshy; (sous les tropiques) swampy; [*faune, flore*] marsh (*épith*); [2] fig [*terrain, situation*] sticky○

maréchal, *pl* **-aux** /maʀeʃal, o/ ▸ **p. 406** *nm* ≈ field marshal GB, general of the army US

(Composés) ~ **de camp** Hist ≈ brigadier; ~ **d'Empire** marshal of the (French) Empire; ~ **de France** marshal of France; ~ **des logis** ≈ sergeant; ~ **des logis-chef** ≈ staff sergeant

maréchalat /maʀeʃala/ *nm* marshalcy, marshalship

maréchale /maʀeʃal/ *nf* marshal's wife

maréchalerie /maʀeʃalʀi/ *nf* [1] (profession) farriery, blacksmith's trade; [2] (atelier) blacksmith's workshop

maréchal-ferrant *pl* **maréchaux-ferrants** /maʀeʃalfɛʀɑ̃, maʀeʃofɛʀɑ̃/ ▸ **p. 532** *nm* farrier, blacksmith

maréchaussée /maʀeʃose/ *nf* Hist mounted police (+ *v pl*); **voilà la ~!** hum here come the police!

marée /maʀe/ *nf* [1] Géog tide; **la ~ monte/descend** the tide is coming in/is going out; **une ~ d'équinoxe** an equinoctial tide; **les grandes ~s** the spring tides; **à ~ haute/basse** at high/low tide, at high/low water; **la ~ montante/descendante** the rising/ebbing tide; **à ~ montante/descendante** when the tide comes in/goes out; **partir avec la ~** [*bateau, pêcheur*] to leave with the tide; [*temps, nuage*] to disappear as the tide goes out; **l'odeur de la ~** the smell of the sea; **sentir la ~** [*air*] to smell of the sea; [2] fig (de personnes, sentiments, d'émotions) flood; (de voitures) mass, flood; **une ~ humaine** a human tide; **une ~ d'antisémitisme** a tide of antisemitism; [3] (produits pêchés) fresh fish

(Composés) ~ **noire** oil slick; ~ **verte** aquatic weed pollution

(Idiome) **contre vents et ~s** (à l'avenir) come hell or high water; (dans le passé) against all odds

marelle /maʀɛl/ ▸ **p. 469** *nf* hopscotch; **jouer à la ~** to play hopscotch

marémoteur, **-trice** /maʀemɔtœʀ, tʀis/ *adj* tidal; **usine marémotrice** tidal power station

marengo /maʀɛ̃go/

A *adj inv* Culin **veau ~** veal Marengo

B *nm* Mode dark cloth with white flecks

marennes /maʀɛn/ *nf inv* Marennes oyster

mareyeur, **-euse** /maʀɛjœʀ, øz/ ▸ **p. 532** *nm,f* fish wholesaler

margarine /maʀgaʀin/ *nf* margarine

marge /maʀʒ/

A *nf* [1] Imprim (espace) margin; ~ **de gauche/droite/du haut/bas** left/right/top/bottom margin; **laisser/tracer une ~ de 4 cm à gauche** to leave/to rule a margin of 4 cm on the left of the page; **annoter un texte dans la** *or* **en ~** to make notes on a text in the margin; [2] (écart) leeway; **on a 10 minutes de ~ pour changer de train** we've got 10 minutes *ou* 10 minutes' leeway to change trains; **le train n'est qu'à midi, on a de la ~** the train isn't until midday, we've got plenty of leeway; **tu peux mettre ta valise, il y a de la ~** you can put your suitcase in, there's plenty of room; **se sentir en ~** to feel like an outsider; [3] (latitude) scope; **tu devrais me laisser plus de ~ d'autonomie/plus de ~ de décision** you should give *ou* allow me more autonomy/more scope for making decisions; **leur ~ d'action est faible** *or* **étroite** they have very little room for manoeuvre GB *ou* maneuver US; **ne disposer d'aucune ~ d'initiative** to have no scope to use one's initiative; [4] Comm (profit) (écart) profit margin; (pourcentage) mark-up; **avoir une faible ~** to have a small profit margin

B en marge de *loc prép* [1] (à l'écart) **vivre en ~ de la société** to live on the fringes of society; **vivre en ~ de la loi** to live outside the law; **certains pays craignent de rester en ~ de l'Europe** some countries are afraid they will remain on the periphery of Europe; [2] (parallèlement) **les chefs d'État se sont rencontrés en ~ de la conférence** the heads of state met outside the conference proper; **en ~ de la réunion, le président a déclaré à la presse** outside the meeting, the president told the press; **deux protocoles ont été signés en ~ de l'accord de septembre** two treaties were signed alongside September's agreement; **en ~ des cérémonies officielles** alongside the official celebrations

(Composés) ~ **bénéficiaire** profit margin; ~ **brute** gross profit; ~ **brute d'autofinancement**, **MBA** cash flow; ~ **commerciale** gross profit; ~ **continentale** continental shelf; ~ **d'erreur** margin of error; ~ **de fluctuation** margin of fluctuation, fluctuation band; ~ **de garantie** margin; ~ **de liberté** degree of freedom; ~ **de manœuvre** room for manoeuvre GB *ou* maneuver US; ~ **de sécurité** safety margin; ~ **de tolérance** tolerance margin

margelle /maʀʒɛl/ *nf* edge, rim (**de** of)

marger /maʀʒe/ [13] *vtr* [1] (réserver une marge) to set the margins of [*texte, page*]; ~ **à gauche de 4 centimètres** to set the left margin at 4 centimetres[GB]; [2] Imprim to feed [sth] (in) [*feuille*]; [3] Econ to make a profit

margeur /maʀʒœʀ/ *nm* Imprim (de machine à écrire) margin stop; (machine) machine feeder

marginal, **~e**, *mpl* **-aux** /maʀʒinal, o/

A *adj* [1] (secondaire) [*occupations, rôle*] marginal; [2] (non conformiste) [*artiste, métier*] fringe (*épith*); [3] (en marge de la société) on the margins of society (*après n*); [4] (dans la marge) [*note, commentaire*] in the margin (*après n*); [5] Écon, Stat marginal

B *nm,f* dropout; **les marginaux** the fringe elements of society

marginalisation /maʀʒinalizasjɔ̃/ *nf* marginalization

marginaliser /maʀʒinalize/ [1]

A *vtr* to marginalize [*politicien, communauté*]

B se marginaliser *vpr* [*communauté*] to put oneself on the fringes of society; [*artiste*] to put oneself on the fringe

marginalisme /maʀʒinalism/ *nm* Écon marginalism

marginalité /maʀʒinalite/ *nf* marginality; **vivre dans la ~** to live on the fringes of society; **le parti est sorti de la ~** the party has come in from the cold

margoulette○ /maʀgulɛt/ *nf* **se casser la ~** to come a cropper○ GB, to fall flat on one's face

margoulin○ /maʀgulɛ̃/ *nm* crook○, conman

marguerite /maʀgəʀit/ *nf* [1] (fleur) daisy; [2] (de machine à écrire) daisywheel; **imprimante à ~** daisywheel printer

(Idiome) **effeuiller la ~** to play he/she loves me, he/she loves me not

marguillier* /maʀgije/ *nm* churchwarden

mari /maʀi/ *nm* husband

mariable /maʀjabl/ *adj* marriageable

mariage /maʀjaʒ/ *nm* [1] (union) marriage; **donner sa fille en ~** to give one's daughter in marriage; **un ~ heureux** a happy marriage; **s'opposer à un ~** to oppose a marriage; **au début de leur ~** in the early days of their marriage; **il ne pense qu'au ~** marriage is all he thinks about; **fêter ses 50 ans de ~** to celebrate fifty years of marriage; **né d'un premier ~** from a previous marriage; **faire un ~ de raison** *or* **convenance** to make a marriage of convenience; **faire un ~ d'amour/argent** to marry for love/money; **faire un riche ~** to marry into money; **un enfant né hors ~** a child born out of wedlock; **c'est pour quand le ~?** when is the big day?; [2] (cérémonie) wedding; **la cérémonie du ~** the wedding ceremony; **un ~ en blanc** a white wedding; **le ~ a été célébré hier/à la mairie** the wedding took place yesterday/at the Town Hall; **leur ~ a été célébré à l'église** their marriage was followed by a church service; **cadeau de ~** wedding present; **messe de ~** nuptial mass; [3] fig (association) (de couleurs, parfums, goûts) marriage; (d'entreprises, de réseaux) merger; (de partis) alliance; (de techniques) fusion; [4] Jeux (aux cartes) marriage; **faire des ~s** to score marriages; **faire le ~ à pique** to have the King and Queen of spades

(Composés) ~ **blanc** (contrat) marriage in name only, paper marriage; (non consommé) unconsummated marriage; **faire un ~ blanc** (contractuel) to marry in name only; (ne pas le consommer) to have an unconsummated marriage; ~ **civil** register office *ou* civil wedding; **faire un ~ civil** to have a register office *ou* civil wedding; ~ **de la main gauche**† common-law marriage; **c'est un ~ de la main gauche** they're living together; ~ **morganatique** morganatic marriage; ~ **putatif** putative marriage; ~ **religieux** church wedding; **faire un ~ religieux** to have a church wedding

(Idiome) **c'est le ~ de la carpe et du lapin**○ it's a mismatch

m

marial, **~e**, *mpl* **~s** *or* **-iaux** /maʀjal, o/ *adj* Marian

Marianne /maʀjan/ *npr* Marianne

Marianne

The symbolic female figure often used to represent the French Republic. There are statues of her in public places all over France and she also appears on the standard French stamp. She is always depicted wearing the Phrygian bonnet, a pointed cap which became one of the symbols of liberty as represented by the 1789 Revolution.

Mariannes /maʀjan/ ▸ p. 333, p. 435 *nprfpl* **îles ~** Mariana Islands

Marie /maʀi/ *npr* Bible Mary

marié, **~e** /maʀje/
A *pp* ▸ **marier**
B *pp adj* [*personne, couple*] married (**à, avec** to); **être bien/mal ~** to have made a good/bad marriage
C *nm,f* **le (jeune) ~** the (bride)groom; **la (jeune) ~e** the bride; **les (jeunes) ~s** the newlyweds; **vive la ~e!** bless the bride!; **vive le ~!** bless the groom!

marie-couche-toi-là◑ /maʀikuʃtwala/ *nf inv* offensive tart○, promiscuous woman

marie-jeanne○ /maʀiʒan/ *nf* marijuana

marie-louise, *pl* **maries-louises** /maʀilwiz/ *nf* (picture) mount

marier /maʀje/ [2]
A *vtr* **1** (unir) [*maire, prêtre*] to marry [*personne*] (**à, avec** to); **ils sont mariés depuis dix ans** they've been married (for) ten years; **avoir des filles à ~** to have daughters to marry off; **on l'a mariée de force à 18 ans** she was forced into marriage when she was 18; **nous avons encore un fils à ~** we still have one unmarried son; **elle marie sa sœur samedi**○ she's going to her sister's wedding on Saturday; **je n'ai pas de compte à te rendre, on n'est pas mariés**○! I don't owe you an explanation, we're not married!; **2** ○(épouser) to marry; **il a marié la fille du boulanger**○ he married the baker's daughter; **3** (associer) to marry [*couleurs, parfums, goûts, styles, sons, langues*]; **l'écossais est facile à ~ avec les couleurs franches** tartan marries *ou* goes well with plain colours[GB]
B **se marier** *vpr* **1** [*personne*] to get married; **se ~ avec qn** to marry sb, to get married to sb; **ils se sont mariés à l'église** their marriage was followed by a church service; **2** [*tissus, couleurs*] to go well (**avec** with)

marie-salope, *pl* **maries-salopes** /maʀisalɔp/ *nf* **1** Naut hopper barge; **2** ◑(femme malpropre) slut◑

marieur, **-ieuse** /maʀjœʀ, øz/ *nm,f* matchmaker

marigot /maʀigo/ *nm* marshland

marijuana /maʀiʀwana/ *nf* marijuana

marin, **~e**[1] /maʀɛ̃, in/
A *adj* **1** (de mer) [*courant, faune*] marine (*épith*); [*air, sel, monstre*] sea (*épith*); [*prospection*] offshore (*épith*); [*bateau*] seaworthy; **2** (de marin) **pull ~** seaman's jersey; **costume ~** sailor suit
B *nm* sailor; **peuple de ~s** seafaring nation
(Composés) **~ d'eau douce** fair-weather sailor; **~ pêcheur** fisherman
(Idiome) **avoir le pied ~** to be a good sailor, not to get seasick

marina /maʀina/ *nf* marina

marinade /maʀinad/ *nf* marinade

marine[2] /maʀin/
A ▸ p. 202 *adj inv* (couleur) navy (blue)
B *nm* (soldat) marine
C *nf* **1** Mil Naut, Naut navy; **~ marchande** merchant navy; **~ de guerre** navy; **de ~** [*instrument, expression, signaux*] nautical; **2** Art seascape

mariner /maʀine/ [1]
A *vtr* gén to marinate; **harengs marinés** pickled herrings
B *vi* **1** Culin to marinate; **2** ○(attendre) to hang about○; (en prison) to stew○; **laisser** *or* **faire ~ qn** to let sb stew

maringouin /maʀɛ̃gwɛ̃/ *nm* Can mosquito

marinier /maʀinje/ ▸ p. 532 *nm* bargee GB, bargeman US

marinière /maʀinjɛʀ/ *nf* Mode smock

mariol(le)*◑ /maʀjɔl/ *nm* **c'est un ~** (rusé) he's a crafty bugger◑; (fanfaron incompétent) he thinks he's smart, he's a wise guy○ US; **faire le** *or* **son ~** to try to be smart

marionnette /maʀjɔnɛt/
A *nf* lit, fig puppet
B **marionnettes** *nfpl* puppet show (*sg*)
(Composés) **~ à fils** marionette; **~ à gaine** glove puppet

marionnettiste /maʀjɔnetist/ ▸ p. 532 *nmf* puppeteer

mariste /maʀist/ *nmf* Marist

marital, **~e**, *mpl* **-aux** /maʀital, o/ *adj* Jur **sans autorisation ~e** without the husband's permission

maritalement /maʀitalmɑ̃/ *adv* **vivre ~** to live as man and wife

maritime /maʀitim/ *adj* **1** (près de la mer) [*climat, plante*] maritime; [*région*] coastal; **2** (utilisant la mer) [*navigation, trafic, fret, nation, commerce*] maritime; [*compagnie, agent*] shipping

marivaudage /maʀivodaʒ/ *nm* **1** (badinage) gallant sophisticated banter; **2** Littérat refined affectation (*in the style of Marivaux*)

marivauder /maʀivode/ [1] *vi* (badiner) to exchange gallant sophisticated banter

marjolaine /maʀʒɔlɛn/ *nf* marjoram

mark /maʀk/ Hist ▸ p. 48 *nm* mark; **~ allemand** German mark

marketing* /maʀketiŋ/ *nm* marketing; **~ direct** direct marketing

marlin /maʀlɛ̃/ *nm* marlin

marlou◑ /maʀlu/ *nm* ponce◑ GB, pimp

marmaille○ /maʀmaj/ *nf* rabble of kids○ *ou* brats○ péj; **taisez-vous, la ~!** shut up, you rabble!

marmelade /maʀməlad/ *nf* **1** Culin stewed fruit; **~ d'abricots** stewed apricots; **2** ○(aliment trop cuit) mush; **en ~** [*aliments cuits*] cooked to a mush; [*aliments crus*] squashed into a pulp; **réduire qn en ~**○ to beat sb to a pulp○; **j'ai le dos en ~**○ my back is killing○ me
(Composé) **~ d'oranges** (orange) marmalade

marmite /maʀmit/ *nf* **1** (pour ragoût) casserole; (pour soupe) pot; **2** (contenu) potful
(Composés) **~ de géant** Géol pothole; **~ norvégienne** haybox
(Idiome) **faire bouillir la ~** to bring home the bacon

marmiton /maʀmitɔ̃/ *nm* chef's assistant

marmonnement /maʀmɔnmɑ̃/ *nm* (murmure) mumbling ₵; (ronchonnement) muttering ₵

marmonner /maʀmɔne/ [1] *vtr* to mumble [*prière, excuse*]; to mutter [*injure*]; **qu'est-ce que tu marmonnes?** what are you mumbling about?

marmoréen, **-éenne** /maʀmɔʀeɛ̃, ɛn/ *adj* **1** Géol [*roche*] marble; **2** littér [*beauté*] marble-like; [*froideur*] marmoreal

marmot○ /maʀmo/ *nm* kid○, brat○ péj
(Idiome) **croquer le ~** to hang about

marmotte /maʀmɔt/ *nf* **1** Zool marmot; **2** fig sleepyhead
(Idiome) **dormir comme une ~** to sleep like a log

marmottement /maʀmɔtmɑ̃/ *nm* (murmure) mumbling ₵; (ronchonnement) muttering ₵

marmotter /maʀmɔte/ [1] *vtr* to mumble [*prière, excuse*]; to mutter [*injure*]

marmouset /maʀmuzɛ/ *nm* **1** (figurine) grotesque figurine; **2** ○†(enfant) nipper GB, shaver US

marnage /maʀnaʒ/ *nm* **1** Agric marling; **2** Géog tidal range

marne /maʀn/ *nf* marl

Marne /maʀn/ ▸ p. 372, p. 721 *nprf* (rivière, département) **la ~** the Marne

marner /maʀne/ [1]
A *vtr* Agric to marl
B ○*vi* to slog away○; **faire ~ qn** to make sb slog

marneux, **-euse** /maʀnø, øz/ *adj* marly

marnière /maʀnjɛʀ/ *nf* marl pit

Maroc /maʀɔk/ ▸ p. 333 *nprm* Morocco

marocain, **~e** /maʀɔkɛ̃, ɛn/ ▸ p. 561 *adj* Moroccan

Marocain, **~e** /maʀɔkɛ̃, ɛn/ ▸ p. 561 *nm,f* Moroccan

maronite /maʀɔnit/ *adj, nmf* Maronite

maronner○ /maʀɔne/ [1] *vi* to moan and groan; **ça m'a fait ~** it made me cross

maroquin /maʀɔkɛ̃/ *nm* **1** (cuir) morocco (leather); **2** fig (portefeuille ministériel) **obtenir un ~** to become a minister

maroquinerie /maʀɔkinʀi/ ▸ p. 532 *nf* **1** (magasin) leather shop; **2** (art) leather craftsmanship; (industrie) leather industry; (commerce) leather trade; (articles) leather goods (*pl*)

maroquinier /maʀɔkinje/ ▸ p. 532 *nm* **1** (commerçant) trader in fine leather goods; **2** (artisan) fine leather craftsman; (fabricant) producer of fine leather goods

marotte /maʀɔt/ *nf* **1** (thème favori) pet subject, hobby horse; (occupation) pet *ou* favourite[GB] hobby; **il a la ~ des mots croisés** doing crosswords is his pet hobby; **2** (marionnette) puppet; **3** Hist (de bouffon) (fool's) bauble

marouflage /maʀuflaʒ/ *nm* marouflage

maroufle /maʀufl/ *nf* strong glue

maroufler /maʀufle/ [1] *vtr* **1** (coller) to stick, to marouflage spéc; **2** (renforcer) to back; (avec tissu) to line

marquage /maʀkaʒ/ *nm* **1** (étiquetage) gén marking; (au fer) branding; **le ~ des bêtes d'un troupeau** branding the animals in a herd; **le ~ du linge est obligatoire** clothes must have a name tag; **2** Sport marking; **le ~ d'un adversaire** marking an opponent; **3** Gén Civ (de route) road marking; **4** Ordinat highlighting ₵

marquant, **~e** /maʀkɑ̃, ɑ̃t/ *adj* [*fait, événement, moment*] memorable; [*souvenir*] lasting; [*qualité, rôle, élément*] essential; [*personne, œuvre, spectacle*] outstanding

marque /maʀk/ *nf* **1** Comm, Ind (dénomination) (de café, lessive, cosmétique) brand; (de machine à laver, matériel hi-fi, voiture, d'ordinateur) make; **quelle ~ de dentifrice me conseilles-tu?** what brand of toothpaste do you advise me to get?; **la première ~ de chaussures de sport** the top name in sport shoes; **des voitures de ~ japonaise** Japanese cars; **produits de ~** branded goods *ou* articles; **2** (trace) mark; (indice) sign; **faire une ~ sur le mur** to make a mark on the wall; **faire une ~ au couteau** to make a notch with a knife; **les ~s du bétail** the brands on cattle; **~ de pneus** skid mark; **porter les ~s du temps** to show signs of age; **on voit encore les ~s de coups** you can still see the bruises; **~s d'usure/d'érosion/de fatigue** signs of wear/of erosion/of fatigue; **~ de naissance** birthmark; **~ de doigts** fingermarks (*pl*); **~ de pas** footprint; **~ de brûlure** (sur un tissu) scorch mark; (sur la peau, le parquet) burn; **les ~s d'une richesse passée** the signs of past wealth; **3** (preuve) sign; (expression) mark; **c'est la ~ d'une grande confiance en soi** it's a sign of great self-confidence; **il l'a fait en ~ d'estime** he did it as a mark of his esteem; [4] (particularité) mark; **la ~ d'un artiste** an artist's mark; **laisser sa ~** to make one's mark; [5] (haut niveau) **invité de ~** distinguished guest, VIP; **personnage de ~** eminent person; [6] Jeux, Sport (décompte) score; **tenir la ~** to keep (the) score; **la ~ est de 2 à 1** the score is 2 to 1; **mener à la ~** to be in the lead; **prendre ses ~s** (en saut) to plan one's run-up; **à vos ~s, prêts, partez!** (au départ d'une course) on your marks, get set, go!; [7] Ling marker; **~ du pluriel** plural marker

(Composés) **~ déposée** Comm registered trademark; **~ de fabricant** *or* **fabrication** manufacturer's brand name; **~ de fabrique** trademark; **~ d'infamie** stigma

marqué, **~e** /maʀke/

A *pp* ▸ **marquer**

B *pp adj* [1] (affecté) **il a le corps ~ de traces de coups** he's bruised all over; **elle est restée ~e par la guerre** the war left its mark on her; **c'est un homme ~** he's been through the mill; **visage ~** worn face; **traits ~s** worn features; [2] (affirmé) definite; **différence ~e** definite difference; **préférence ~e** distinct preference; **elle est trop ~e à gauche** she comes over as too left-wing; **il a des opinions très ~es** he's very opinionated; **être ~ politiquement** to be known for one's political views; [3] (jalonné) marked; **une époque ~e par les conflits sociaux** a period marked by social unrest; [4] Ling marked; **non ~** unmarked

marque-page, **~s** /maʀkpaʒ/ *nm* bookmark

marquer /maʀke/ [1]

A *vtr* [1] (étiqueter) to mark [*article*]; to brand [*bétail*]; to mark out [*emplacement, limite*]; **~ des vêtements au nom d'un enfant** to put nametapes on a child's clothes; **~ d'une croix** to mark with a cross; [2] (signaler) to mark, to signal [*début, fin, rupture*]; **~ la reprise des hostilités** to mark *ou* signal the renewal of hostilities; [3] (laisser une trace sur) [*personne, coup, empreinte*] to mark [*corps, objet*]; **des taches de graisse marquent les pages** the pages are covered in greasy marks; ▸ **blanc**; [4] (influencer) [*événement, drame, œuvre*] to leave its mark on [*personne, esprit*]; **c'est quelqu'un qui m'a beaucoup marqué** he/she was a strong influence on me; **c'est un événement qui m'a beaucoup marqué** it's an event that really left its mark on me; [5] (écrire) to mark [*prix*]; to write [sth] (down), to put [sth] (down) [*renseignement*]; **j'ai oublié de ~ la date dans mon agenda** I forgot to put the date in my diary; **marquez cela sur mon compte** put it on my account; **~ les élèves absents** to mark students absent; **qu'est-ce qu'il y a de marqué?** what does it say?; [6] (indiquer) [*montre*] to say [*heure*]; [*jauge, chiffres*] to show [*pression, température*]; **l'horloge marque dix heures** the clock says ten o'clock; **le thermomètre marque 35°C** the thermometer registers *ou* says 35°C; **~ le féminin** Ling to indicate the feminine; **l'aiguille marquait 60 km/h** the speedometer was at 60 km/h; **il marquait ses propos d'un hochement de tête** he nodded emphatically as he spoke; **~ la mesure** Mus to beat time; [7] (exprimer) to show [*volonté, désapprobation, sentiment*]; **il faut ~ le coup** (célébrer) let's celebrate; (exprimer le mécontentement) we can't let it go just like that; **quand quelqu'un a mentionné son nom, il a marqué le coup** when he heard the name, it really registered; [8] (souligner) **~ une fête nationale par un défilé** to celebrate a national holiday with a parade; [9] (faire) **~ un temps (d'arrêt)** to pause; **~ un silence** to fall silent; [10] (être caractéristique de) [*idée, discours, attitude*] to be characteristic of [*personne, parti, époque*]; [11] Sport to score [*but, essai, point*]; to mark [*adversaire*]

B *vi* [1] (laisser une trace) to leave a mark (**sur** on); [2] (être important) [*homme politique, artiste*] to leave one's mark; [*événement*] to be significant; **un événement qui a marqué dans l'histoire** a significant historical event; [3] Sport to score; **il a réussi à ~** he managed to score

marqueté, **~e** /maʀkəte/ *adj* inlaid

marqueterie* /maʀkɛtʀi/ *nf* [1] (art) marquetry; (produit) inlay; **en ~** inlaid; **bois de ~** inlay, wood for marquetry; [2] fig (ensemble disparate) mosaic

marqueur, **-euse** /maʀkœʀ, øz/

A *nm,f* Jeux, Sport (de points, buts) scorer; Agric (de bétail) brander; Comm (de marchandises) marker; Mil (de tir) marker

B *nm* [1] (stylo) marker (pen); [2] Biol, Ling marker; [3] Jeux, Sport (tableau) scoreboard

C **marqueuse** *nf* (machine) labelling[GB] machine

(Composé) **~ radioactif** Chimie label

marquis, **~e** /maʀki, iz/

A *nm,f* (titre) marquis/marchioness

B **marquise** *nf* [1] (auvent) glass canopy GB, marquee US; (tente) marquee GB, tent US; [2] (bague) marquise ring; [3] (siège) ≈ Gainsborough chair; [4] Culin **~e (au chocolat)** rich chocolate mousse

marquisat /maʀkiza/ *nm* (titre, fief) marquisate

marquise ▸ **marquis A, B**

Marquises /maʀkiz/ ▸ **p. 435** *nprfpl* **les (îles) ~** the Marquesas Islands

marraine /maʀɛn/ *nf* [1] Relig (d'enfant) godmother; **être (la) ~ de qn** to be godmother to sb; [2] (d'enfant défavorisé) sponsor; [3] (de fleur) **~ d'une rose** *woman after whom a rose is named*; (de bateau) *woman who ceremonially launches a ship*; [4] (de candidat) sponsor.

> ⚠ En anglais *godmother* n'est jamais une forme d'adresse

(Composé) **~ de guerre** *soldier's wartime female penfriend*

Marrakech /maʀakɛʃ/ ▸ **p. 894** *npr* Marrakesh

marrant○, **~e** /maʀɑ̃, ɑ̃t/

A *adj* [1] (amusant) funny; **ce qu'il est ~!** he's a laugh○; **ce/il n'est pas ~** (ennuyeux) it's/he's not much fun; (austère, déprimant) it's/he's pretty grim○; (pénible) it's/he's a real pain○; [2] (bizarre) funny, odd

B *nm,f* lit, iron joker

marre○ /maʀ/ *adv* **en avoir ~** to be fed up○ **(de qch** with sth; **de faire** with doing); **je commence à en avoir plus que ~ de ce boulot** I've had just about enough of this job; **y en a ~** enough's enough; **c'est ~** that's that

marrer○: **se marrer** /maʀe/ [1] *vpr* (s'amuser) to have a great time; (rire) to have a good laugh; **il n'y a pas de quoi se ~** there's nothing to laugh about; **faire ~ qn** to make sb laugh; **qu'est-ce qui te fait ~?** what are you laughing about?

marri†, **~e** /maʀi/ *adj* saddened, grieved†

marron, **-onne** /maʀɔ̃, ɔn/

A *adj* [1] (malhonnête) [*notaire, avocat*] bent○, crooked; (non qualifié) [*courtier*] unlicensed; [*docteur*] unqualified; [2] Hist [*esclave*] runaway

B ▸ **p. 202** *adj inv* (couleur) brown; **~ clair/foncé** light/dark brown

C *nm* [1] Bot (non comestible) horse chestnut, conker GB; (châtaigne) chestnut; [2] (couleur) brown; [3] ○(coup) thump○, clout○; **il m'a filé un ~** he landed me one○

(Composés) **~ glacé** marron glacé; **~ d'Inde** horse chestnut, conker GB; **~s chauds** roast chestnuts

(Idiomes) **tirer les ~s du feu** fig (faire son profit) to reap the benefits; (être la victime) to be a cat's paw; **je suis ~**○ (dupé) I've been had○; (coincé) I'm stuck○

marronnier /maʀɔnje/ *nm* chestnut (tree)

(Composé) **~ d'Inde** horse chestnut (tree)

mars /maʀs/ ▸ **p. 544** *nm inv* March

(Idiome) **arriver comme ~ en carême** to come as sure as night follows day

Mars /maʀs/

A *npr* Mythol Mars

B *nprf* Astron Mars

marseillais, **~e** /maʀsɛjɛ, ɛz/ ▸ **p. 894** *adj* of Marseilles; **une histoire ~e** ≈ a tall story

Marseillais, **~e** /maʀsɛjɛ, ɛz/

A *nm,f* (natif) native of Marseilles; (habitant) inhabitant of Marseilles

B **Marseillaise** *nf* Marseillaise

> **La Marseillaise**
>
> The popular name of the French national anthem, composed by Claude-Joseph Rouget de Lisle in 1792. It was adopted as a marching song by a group of republican volunteers from Marseilles and marked their entry into Paris.

Marseille /maʀsɛj/ ▸ **p. 894** *npr* Marseilles

marsouin /maʀswɛ̃/ *nm* [1] Zool porpoise; [2] †soldiers' slang ≈ marine

marsupial, **~e**, *mpl* **-iaux** /maʀsypjal, o/

A *adj* marsupial

B *nm* marsupial

marte /maʀt/ *nf* = **martre**

marteau, *pl* **~x** /maʀto/

A ○*adj* cracked○

B *nm* [1] (de menuisier, commissaire-priseur, médecin, piano) hammer; (de juge, président) gavel; (de porte) knocker; (d'horloge) striker; **un coup de ~** a blow from a hammer; **donner un coup de ~ à qch** to hit sth with a hammer; **enfoncer qch à coups de ~** to hammer sth in; **casser qch à coups de ~** to take a hammer to sth; **passer sous le ~** (aux enchères) to come under the hammer; [2] Anat hammer; [3] ▸ **p. 469** Sport hammer; **lancer le ~** to throw the hammer

(Composé) **~ pneumatique** pneumatic drill; ▸ **enclume**

martel† /maʀtɛl/ *nm* **se mettre ~ en tête** to get worried **(pour** about)

martelage /maʀtəlaʒ/ *nm* (de métal) beating

martèlement /maʀtɛlmɑ̃/ *nm* [1] (bruit) hammering; (d'obus, de talons, musique) pounding; [2] (de métal) beating; [3] fig (de mots) rapping out

marteler /maʀtəle/ [17] *vtr* [1] [*forgeron, orfèvre*] to beat, to planish spéc [*métal*]; [*poings, talons, artillerie*] to pound; **cuivre martelé** beaten copper; **~ qn de ses poings** to pound away at sb with one's fists; **leurs bottes martelaient le pavé** their boots pounded on the cobbles; **cette musique me martèle le crâne**○ this music is pounding through my head; [2] (scander) to rap out [*syllabes, phrases*]; [3] (répéter) **~ qch à qn** to hammer sth into sb; **~ à qn que** to drum it into sb that

martial, **~e**, *mpl* **-iaux** /maʀsjal, o/ *adj* [*art*] martial; [*air, pas*] military

martien, **-ienne** /maʀsjɛ̃, ɛn/ *adj*, *nm,f* Martian

martinet /maʀtinɛ/ *nm* [1] Zool swift; [2] (fouet) ≈ whip; [3] Tech tilt hammer

martingale /maʀtɛ̃gal/ *nf* [1] Cout half belt; [2] Équit martingale; [3] Jeux (doublement) martingale; (système) winning system

martiniquais, **~e** /maʀtinikɛ, ɛz/ *adj* Martinique (*épith*)

Martiniquais, **~e** /maʀtinikɛ, ɛz/ *nm,f* (natif) native of Martinique; (habitant) inhabitant of Martinique

Martinique /maʀtinik/ ▸ **p. 721, p. 435** *nprf* **la ~** Martinique

martin-pêcheur, *pl* **martins-pêcheurs** /maʀtɛ̃pɛʃœʀ/ *nm* kingfisher

martre /maʀtʀ/ *nf* [1] (animal) marten; [2] (fourrure) sable; **manteau de ~** sable (coat); **pinceau de ~** sable hair brush

martyr, **~e**[1] /maʀtiʀ/

A *adj* [*héros, nation*] martyred littér; **enfant ~** battered child

B *nm,f* martyr **(d'une cause** to a cause); **être le**

m

~ **de qn** to be tormented by sb; **être le ~ de son ambition** to be a martyr to one's ambition

(Idiome) **prendre** *or* **se donner des airs de ~** to put on a martyred look

martyre² /maʀtiʀ/ *nm* (supplice) Relig, fig martyrdom; (souffrance) agony, suffering; **sa vie fut un long ~** his/her life was one of constant suffering; **c'est un ~ pour les parents** it's agonizing for the parents; **pour lui, l'inaction est un ~** for him, inactivity is sheer torture; **souffrir le ~** to suffer agony; **je souffre le ~ dans ces chaussures** these shoes are sheer torture

martyriser /maʀtiʀize/ [1] *vtr* **1** (torturer) [*personne*] to torment [*victime, animal*]; to batter [*enfant*]; **2** Relig to martyr

marxien, -ienne /maʀksjɛ̃, ɛn/ *adj* Marxian

marxisant, ~e /maʀksizɑ̃, ɑ̃t/ *adj* [*discours, livre*] Marxist oriented; **elle est (de tendance) ~e** she has Marxist leanings

marxisme /maʀksism/ *nm* Marxism

marxisme-léninisme /maʀksismleninism/ *nm* Marxism-Leninism

marxiste /maʀksist/ *adj, nm,f* Marxist

marxiste-léniniste, *pl* **marxistes-léninistes** /maʀksistleninist/ *adj, nmf* Marxist-Leninist

maryland /maʀilɑ̃d/ *nm* Maryland (tobacco)

Maryland /maʀilɑ̃d/ ▸ **p. 721** *nprm* Maryland

mas /mɑ/ *nm inv* farmhouse (*in Provence*)

mascara /maskaʀa/ *nm* mascara

mascarade /maskaʀad/ *nf* **1** (pour duper) farce; **~ de justice** travesty of justice; **2** (bal) masquerade; (défilé) fancy dress parade; (accoutrement) pej fancy dress

mascaret /maskaʀɛ/ *nm* (tidal) bore

mascarpone /maskaʀpɔn/ *nm* mascarpone

mascotte /maskɔt/ *nf* mascot

(Composé) **~ de radiateur** Aut radiator badge

masculin, ~e /maskylɛ̃, in/

A *adj* **1** Physiol [*corps, sexualité, physiologie, hormone*] male; **le sexe ~** the male sex; **un enfant de sexe ~** a male child; **2** (pour hommes) [*revue, prêt-à-porter, parfum, activité*] men's; [*contraception, préservatif, emploi*] male; **le seul rôle ~** the only male part; **3** (composé d'hommes) [*population, collègues, chœur*] male; Sport [*équipe, club, sport, judo, record*] men's; **4** (viril) [*visage, allure*] masculine; **5** Ling [*nom, rime*] masculine

B *nm* Ling masculine

masculiniser /maskylinize/ [1] *vtr* (d'aspect) to make [sb] look masculine; Biol to make [sb] masculine

masculinité /maskylinite/ *nf* **1** (qualité) masculinity; **2** (en démographie) **rapport de ~** male to female ratio

maskinongé /maskinɔ̃ʒe/ *nm* Zool muskellunge, musky○

maso○ /mazo/ (*abbr* = **masochiste**)

A *adj inv* masochistic (*épith*); **être complètement ~** to be a real sucker for punishment○

B *nm,f* masochist

masochisme /mazɔʃism/ *nm* masochism

masochiste /mazɔʃist/

A *adj* masochistic

B *nmf* masochist

masquage /maskaʒ/ *nm* masking

masque /mask/ *nm* **1** (sur le visage) mask; **il avait** *or* **portait un ~ de chien** he was wearing a dog mask; **~ de gaze** surgical mask; **~ protecteur** protective mask; **~ d'arlequin** Harlequin mask; **~ de carnaval** carnival mask; **~ d'escrime** fencing mask; **2** Cosmét face-pack; **~ antirides** anti-wrinkle face-pack; **3** Méd (aspect) look; **le ~ de la maladie** the look of ill-health; **4** (expression) expression; (pour cacher ses sentiments) appearance; **prendre un ~ tragique** to put on a tragic expression; **se couvrir du ~ de la vertu** to hide behind the appearance of virtue; **sous le ~ de qch** under the guise of sth; **5** liter (personne) masquerader, masker; **6** Ordinat mask; **~ de saisie** data capture mask; **~ d'interruptions** interrupt mask; **7** (en graphisme) contact print; **8** Électron mask

(Composés) **~ d'apiculteur** beekeeper's veil; **~ funéraire** funeral mask; **~ à gaz** gas mask; **~ de grossesse** mask of pregnancy, chloasma spéc; **~ mortuaire** death mask; **~ à oxygène** oxygen mask; **~ de plongée** diving mask; **~ purifiant** Cosmét face-pack; **~ de soudeur** face shield; **le Masque de fer** the Iron Mask; **l'homme au Masque de fer** the Man in the Iron Mask

(Idiomes) **jeter le ~** to show one's true colours[GB]; **bas les ~s!** no more pretending now; **arracher le ~ à qn** to unmask sb

masqué, ~e /maske/

A *pp* ▸ **masquer**

B *pp adj* **1** (avec un masque) masked; **il est apparu le visage ~** he appeared wearing a mask; **2** fig (dissimulé) [*défaut*] concealed; [*voix*] disguised

masquer /maske/ [1]

A *vtr* **1** (cacher) to conceal [*usure, défaut*] (**à** from); to hide [*paysage*] (**à** from); to mask [*sentiment, vérité, problème, phénomène, goût, odeur*]; **2** (couvrir) to block [*orifice, lumière*]; to cover [*lampe*]; **3** Mil to mask [*dispositif*]

B **se masquer** *vpr* (se cacher à soi-même) to hide [sth] from oneself [*vérité, sentiment*]

Massachusetts /masaʃysets/ ▸ **p. 721** *nprm* Massachusetts

massacrante /masakʀɑ̃t/ *adj f* **être d'humeur ~** to be in a foul mood

massacre /masakʀ/ *nm* **1** (tuerie) (de personnes) massacre ¢; (d'animaux) slaughter ¢; **2** ○Sport, fig massacre; **3** ○(gâchis) botch(-up); **ne peins pas ça, tu vas faire un ~**○ don't paint it, you'll make a hash○ of it; **4** Chasse (trophée) stag's antlers (*pl*); **5** Hérald attire

(Composé) **le Massacre des Innocents** Bible the Massacre of the Innocents

(Idiomes) **faire un ~**○ [*acteur, chanteur*] to be a roaring○ success; [*homme d'affaires, joueur*] to make a killing; **arrêtez le ~**○**!** stop making such a mess of things!

massacrer /masakʀe/ [1]

A *vtr* **1** (tuer) to massacre, to slaughter [*personnes*]; to slaughter [*animaux*]; **2** ○(battre à plate couture) to slaughter○, to make mincemeat of○ [*adversaire*]; **se faire ~** to be slaughtered *ou* thrashed; **3** ○(abîmer) to wreck, to ruin; (en taillant) to hack [sth] about; **4** ○(maltraiter) to make a complete mess of [*poème, musique*]; to botch [*travail, traduction*]; **il massacre le français** his French is atrocious; **5** ○(critiquer) to savage GB, to trash US [*auteur, œuvre*]

B **se massacrer** *vpr* **1** [*ennemis*] lit, fig to slaughter one another; **2** ○(se tailler, s'écorcher) **elle s'est massacré les mains dans les ronces** she cut her hands to ribbons in the brambles

massage /masaʒ/ *nm* massage; **faire un ~ à qn** to give sb a massage

(Composés) **~ cardiaque** Méd heart massage; **~ thaïlandais** Thai massage

masse /mas/ *nf* **1** (ensemble) mass; **~ rocheuse** rocky mass; **~ neigeuse/nuageuse** mass of snow/cloud; **~ d'air chaud** mass of warm air; **~ d'eau** body of water; **~ informe** shapeless mass; **une ~ humaine** a mass of humanity; **la ~ croissante des chômeurs** the swelling ranks of the unemployed (*pl*); **statue taillée dans la ~** statue hewn from the block; **homme taillé dans la ~** tall muscular man; **teinté dans la ~** mass-coloured[GB]; **2** (grande quantité) **une ~ de** a lot of; **une ~ de poussière/documents** a lot of dust/documents; **exécutions en ~** mass executions; **faire des recrutements en ~** to embark on a mass recruitment drive; **ils sont venus en ~** they came in droves; **produire qch en ~** to mass-produce sth; **production de ~** mass production; **la population a voté en ~** there was a high turnout at the election; **les manifestants ont envahi le stade en ~** the demonstrators invaded the stadium en masse; **il a des ~s**○ **d'argent/de copains/de livres** he's got masses *ou* loads○ of money/of friends/of books; **'tu as aimé ce livre?'—'pas des ~s'**○ 'did you like this book?'—'not much *ou* particularly'; **je ne le connais pas des ~s**○ I don't know him that well; **des hommes comme lui, je n'en connais pas des ~s**○ he's a rare bird; **3** (majorité) bulk; **la ~ des électeurs demeure indécise** the bulk of the electorate remains undecided; **4** (peuple) **la ~** the masses (*pl*); **~s laborieuses** working classes; **les ~s paysannes** the peasantry (+ *v sg ou pl*); **culture de ~** mass culture; **littérature de ~** popular literature; **enseignement/loisirs de ~** education/leisure activities for the masses; **moyens de communication de ~** mass media; **5** Phys mass; **~ atomique/moléculaire** atomic/molecular mass; **6** Électrotech earth GB, ground US; **mettre un fil électrique à la ~** to earth GB *ou* ground US an electric wire; **7** Art mass; **8** Pharm mass; **9** (maillet) sledgehammer; **enfoncer qch à la ~** *or* **à coups de ~** to knock sth in with a sledgehammer

(Composés) **~ d'armes** mace; **~ critique** critical mass; **~ inerte** inertial mass; **~ monétaire** money supply; **~ pesante** gravitational mass; **~ salariale** (total) wage bill; **~ spécifique** *or* **volumique** density

(Idiomes) **se noyer** *or* **fondre dans la ~** to get lost in the crowd; **(se laisser) tomber comme une ~** to collapse; **dormir comme une ~** to sleep like a log○; **être à la ~**◑ to be crackers○ GB *ou* nuts○, to be mad

masselotte /maslɔt/ *nf* **1** Mécan balance weight; **2** (en fonderie) feeder

massepain /maspɛ̃/ *nm* marzipan cake

masser /mase/ [1]

A *vtr* **1** (assembler) to assemble [*personnes*]; to mass [*troupes*]; **2** (frictionner) to massage [*membre, personne*]; **se faire ~** to have a massage; **3** (au billard) **~ la bille** to play a massé shot

B **se masser** *vpr* **1** (s'assembler) [*badauds, troupes*] to mass; **2** (frictionner) **se ~ les jambes** to massage one's legs

massette /masɛt/ *nf* **1** (de cantonnier) club hammer; (de tailleur de pierre) stonemason's hammer; **~ à embouts plastiques** plastic-tipped hammer; **2** Bot bulrush GB, cattail US

masseur, -euse /masœʀ, øz/ ▸ **p. 532**

A *nm,f* (personne) masseur/masseuse

B *nm* (appareil) massager

massicot /masiko/ *nm* **1** Imprim, Tech guillotine; **2** Minér massicot

massicoter /masikɔte/ [1] *vtr* to guillotine

massif, -ive /masif, iv/

A *adj* **1** (d'aspect lourd) [*colonne, porte*] massive, heavy; [*meuble, traits*] heavy; [*personne*] heavily built; [*silhouette*] massive; **2** (par la quantité, le nombre) [*attaque, dose, foule, publicité*] massive; [*licenciements*] mass (*épith*); **des départs ~s** a mass exodus; **3** (pur) **or/argent/noyer ~** solid gold/silver/walnut

B *nm* **1** Géog massif; **2** Hort (groupe) clump; (parterre) bed

(Composé) **le Massif central** the Massif Central

massification /masifikasjɔ̃/ *nf* **1** (banalisation) pej popularization; **2** (expansion) overall expansion

massifier /masifje/ [2] *vtr* **1** (accroître) to expand massively; **2** péj to standardize

m

[goûts, besoins]; **culture massifiée** culture for the masses

massique /masik/ adj specific

massivement /masivmɑ̃/ adv [embaucher, manifester] in great numbers; [injecter] in massive doses; [absorber] in large quantities; [voter] overwhelmingly

mass media* /masmedja/ nmpl mass media

massue /masy/ nf gén, Sport club; **coup de ~** lit blow with a club; (événement) crushing blow; (somme) staggering sum; **donner un coup de ~ à qn/qch** lit to hit sb/sth with a club; **assommer/tuer qn à coups de ~** to club sb senseless/to death; **en ~** [antennes] club-shaped

mastectomie /mastɛktɔmi/ nf mastectomy

mastère /mastɛʀ/ nm: Master's degree in France

mastic /mastik/

A ▸ p. 202 adj inv (couleur) putty-coloured[GB], cream (épith)

B nm **1** (pour vitres) putty; (pour trous) filler; (pour arbres) grafting wax; **2** (résine) mastic; **3** (erreur) transposition

masticage /mastikaʒ/ nm (de vitre) puttying; (de fente) filling

masticateur, -trice /mastikatœʀ, tʀis/ adj masticatory

mastication /mastikasjɔ̃/ nf mastication

masticatoire /mastikatwaʀ/ adj, nm masticatory

mastiquer /mastike/ [1] vtr **1** (mâcher) to chew, to masticate; **2** (boucher) to putty [vitre]; to fill in [fente]; to plug [fuite]

mastite /mastit/ ▸ p. 283 nf mastitis

mastoc○ /mastɔk/ adj inv [personne] hefty○, bulky; [objet] huge

mastodonte /mastɔdɔ̃t/ nm **1** fig (personne) colossus, hulk○; (animal) monster; (objet) huge thing; **2** Zool mastodon

mastoïde /mastɔid/ adj, nf mastoid

mastoïdite /mastɔidit/ nf mastoiditis

masturbation /mastyʀbasjɔ̃/ nf masturbation

masturber /mastyʀbe/ [1] vtr, **se masturber** vpr to masturbate

m'as-tu-vu○ /matyvy/

A adj inv showy

B nmf inv show-off

masure /mazyʀ/ nf hovel

mat, ~e /mat/

A adj **1** [peinture, ton, métal, papier] matt; **2** [peau, teint] olive (épith); **3** [son, bruit] dull; **4** Phon mellow

B nm (aux échecs) **~!** checkmate!; **échec et ~** checkmate; **faire qn ~** to put sb in checkmate; **être ~** to be in checkmate; **j'ai été ~ en sept coups** I was checkmated in seven moves

mât /mɑ/ nm **1** Naut mast; ▸ **grand**; **2** (perche, pylône) gén pole; Sport climbing pole; **~ de drapeau** flagpole

(Composés) **~ d'artimon** Naut mizzenmast; **~ de charge** Naut derrick; **~ de cocagne** greasy pole; **~ de hune** Naut topmast; **~ de misaine** Naut foremast; **~ de pavillon** Naut jackstaff; **~ de perroquet** Naut topgallant mast; **~ de signal** Rail signal post

matador /matadɔʀ/ ▸ p. 532 nm matador

matamore /matamɔʀ/ nm braggart; **faire le ~** to swagger

match /matʃ/ nm **1** Sport (jeux d'équipe) match GB, game US; (de boxe, lutte, tennis) match; **~ nul** draw GB, tie US; **faire ~ nul** to draw GB, to tie US; **2** Écon, Ind competition

(Composés) **~ aller** first leg; **~ amical** friendly match; **~ avancé** match GB ou game that has been brought forward; **~ de barrage** decider; **~ de classement** league match; **~ à domicile** home match ou game; **~ à l'extérieur** away match ou game; **~ retour** second leg, return match

maté /mate/ nm (plante, infusion) maté

matelas /matla/ nm inv **1** (de lit) mattress; **~ de laine/de mousse/à ressorts** woollen[GB]/foam-rubber/spring mattress; **2** (de feuilles, neige) (naturel) carpet; (pour s'étendre) bed

(Composés) **~ d'air** Constr air space; **~ alternant** Méd ripple mattress; **~ d'eau** water bed; **~ à langer** changing mat; **~ de plage** inflatable mattress, Lilo®; **~ pneumatique** air bed

matelassage /matlasaʒ/ nm (de porte) padding; (de siège) upholstering; (de tissu) quilting

matelassé, ~e /matlase/

A pp ▸ **matelasser**

B pp adj [tissu, vêtement] quilted; **porte ~e** (de cuir) padded door; (de tissu) baize door

C nm quilted material

matelasser /matlase/ [1] vtr **1** (rembourrer) to pad [porte]; to upholster [siège]; (doubler) to quilt [tissu, vêtement]; **2** (recouvrir) to carpet (de with)

matelassier, -ière /matlasje, ɛʀ/ ▸ p. 532 nm,f mattress maker

matelot /matlo/ ▸ p. 406 nm seaman, sailor; Mil Naut ≈ ordinary seaman GB, ≈ seaman apprentice US

(Composé) **~ breveté** or **qualifié** Naut ≈ able seaman GB, ≈ seaman US

matelotage /matlɔtaʒ/ nm ropework

matelote /matlɔt/ nf **1** Culin matelote, fish stew; **2** (danse) hornpipe

mater /mate/ [1] vtr **1** (soumettre) to put down [révolte]; to bring [sb/sth] into line [rebelles, insurgés]; to take [sb/sth] in hand [enfant, cheval]; to bring [sth] under control [incendie]; to overcome [passion, orgueil]; **je vous materai, moi**○**!** I'll show you who's boss here!; **2** ●(épier) to spy on; (lorgner) to ogle; **3** (dépolir) to give a matt finish to [métal]; to frost [verre]; **argent maté** matt silver; **4** (aux échecs) to checkmate

mâter /mɑte/ [1] vtr to mast

matérialisation /mateʀjalizasjɔ̃/ nf **1** (de projet, d'idée, espoir) realization; **2** (signalisation) marking; **3** (en spiritisme) materialization; **4** Phys materialization

matérialiser /mateʀjalize/ [1]

A vtr **1** (concrétiser) to realize [rêve]; to fulfil[GB] [espoir]; to keep [promesse]; to make [sth] happen [projet]; **des décisions qui seront matérialisées par un traité** decisions that will be embodied in a treaty; **le fleuve matérialise la frontière** the river forms the border; **2** (signaliser) to mark [route, aire]; **'chaussée non matérialisée sur 3 km'** 'no road markings for 3 km'

B **se matérialiser** vpr [projet, idée] to materialize; **ne pas se ~** to fail to materialize

matérialisme /mateʀjalism/ nm materialism

(Composés) **~ dialectique** dialectical materialism; **~ historique** historical materialism

matérialiste /mateʀjalist/

A adj **1** Philos materialist; **2** (terre à terre) [personne, préoccupations] materialistic; **être bassement ~** to be terribly materialistic

B nmf materialist

matérialité /mateʀjalite/ nf **1** (de fait, preuve, crime) reality; **2** (de l'âme) materiality

matériau, pl **~x** /mateʀjo/ nm **1** (documentation) material ₵; **~x de recherche** research material; **2** Constr material; **~x de construction** building materials

matériel, -ielle /mateʀjɛl/

A adj **1** gén [conditions, confort, biens, aide, dégât, preuve] material; [plaisirs] worldly; [sécurité] financial; [problème, moyens] practical; [obstacle] tangible, concrete; **sur le plan ~** in practical terms; **je suis dans l'impossibilité matérielle de vous aider** I really cannot help you; **il n'a pas le temps ~ de s'occuper de cela** he simply hasn't got the time to deal with that; **2** (matérialiste) materialistic; **considérations bassement matérielles** low, materialistic motives; **3** Philos [cause, univers, être, vérité, substance] material

B nm **1** (équipement) equipment; **acheter du ~** to buy equipment; **~ médical/militaire** medical/military equipment; **~ agricole** farm machinery; **~ de jardinage/bricolage** gardening/DIY tools (pl); **2** (documentation) material; **~ de propagande** propaganda material

(Composés) **~ génétique** genetic material; **~ de guerre** military hardware; **~ humain** workforce; **~ informatique** hardware; **~ pédagogique** teaching materials (pl); **~ de peinture** Art artist's materials (pl); Constr paint supplies (pl); **~ roulant** rolling stock; **~ scolaire** (de l'école) school equipment; (des élèves) stationery and writing materials (pl)

matériellement /mateʀjɛlmɑ̃/ adv **1** (physiquement) **exister ~** really to exist; **cesser ~ d'exister** no longer to have any physical existence; **c'est ~ possible** it can be done; **c'est impossible ~** it's a physical impossibility; **ne pas être ~ capable d'avoir fait** to be physically incapable of having done; **2** (financièrement) financially; **aider ~ qn** to give material assistance to sb; **ils sont ~ défavorisés** they're badly off materially speaking; **~, c'est un peu difficile** things are a bit tight○ financially

maternage /matɛʀnaʒ/ nm mothering; (excessif) mollycoddling, babying

maternel, -elle /matɛʀnɛl/

A adj **1** (d'une mère) [instinct] maternal; [amour] motherly; (comme d'une mère) [sollicitude, geste, personne] motherly; **2** (de la mère) **biens/conseils ~s** mother's property/advice; **3** (de sa propre mère) **dans l'atelier ~ il apprend à...** in his mother's workshop he learns to...; **4** (dans la famille) [ligne, tante, grand-père] maternal; **du côté ~** on the mother's ou maternal side

B **maternelle** nf Scol nursery school

maternellement /matɛʀnɛlmɑ̃/ adv in a motherly way

materner /matɛʀne/ [1] vtr to mother; (à l'excès) to mollycoddle, to baby

maternité /matɛʀnite/ nf **1** (état de mère) motherhood; **désirer la ~** to want children; **2** (grossesse) pregnancy; **de ~** [allocation, congé] maternity; **3** (établissement) maternity hospital; (service) maternity ward; **4** Art **une ~ de Raphaël** a Madonna and Child by Raphael

(Composé) **~ de substitution** surrogate motherhood

math○ /mat/ nfpl **1** = **maths**; **2** ▸ **mathématique**

mathématicien, -ienne /matematisjɛ̃, ɛn/ ▸ p. 532 nm,f mathematician

mathématique /matematik/

A adj **1** Math mathematical; **2** fig **c'est ~** (logique) it follows; (inévitable) it's bound to happen; (certain) it's a dead cert○ GB, it's dead certain

B **mathématiques** nfpl mathematics (+ v sg); **les ~s appliquées** applied maths GB ou mathematics

(Composés) **~s supérieures/spéciales, math sup**○**/spé**○ first/second year of preparation for entry to science Grandes Écoles

mathématiquement /matematikmɑ̃/ adv **1** Math [démontrer] mathematically; **2** fig (logiquement) logically; (inévitablement) **ça devait ~ arriver** it was bound to happen

matheux○**, -euse** /matø, øz/ nm,f (étudiant, spécialiste) mathematician

maths○ /mat/ nfpl (abbr = **mathématiques**) maths (+ v sg) GB, math○ (sg) US

m

matière /matjɛʀ/ *nf* [1] (substance) material; **~ inflammable** flammable material; **mes voyages me fournissent la ~ de mes romans** my travels provide me with material for my novels; [2] Biol, Chimie, Philos, Phys matter; **~ organique** organic matter; **la ~ vivante** organic matter; [3] (sujet) matter ¢; **je ne suis pas compétent en la ~** it's not my province; **en ~ littéraire/financière/commerciale** as far as literature/finance/business is concerned; **en ~ de cuisine/d'art/d'emploi** as far as cooking/art/employment is concerned; **donner** *or* **fournir ~ à plaisanterie** to make people smile; **donner ~ à des critiques** to give rise to criticism; **~ à réflexion** food for thought; **il y a là ~ à rire** it's ludicrous; **il n'y a pas là ~ à plaisanter** it's no laughing matter; **il n'y a pas là ~ à se féliciter** there's no call for complacency; [4] Scol, Univ (discipline) subject; **~ obligatoire/à option** compulsory/optional subject; **~s littéraires/scientifiques** arts/science subjects

(Composés) **~s fécales** faeces; **~s grasses** fat ¢; **fromage à 25% de ~s grasses** cheese with 25% fat content; **~ grise** grey GB *ou* gray US matter; **~ interstellaire** cosmic dust; **~ plastique** plastic; **jouets en ~ plastique** plastic toys; **les ~s plastiques** plastics; **~ première** raw material; **~s premières agricoles** agricultural raw materials

MATIF /matif/ *nm* (*abbr* = **marché à terme d'instruments financiers**) financial futures market

Matignon /matiɲɔ̃/ *nprm* Hôtel Matignon

> **Matignon**
> The *Hôtel Matignon* is the official residence and office of the prime minister, situated in the *rue de Varenne*, Paris. The term *Matignon* is effectively a synonym for the prime ministerial office.

m

matin /matɛ̃/
A *adv* [*se lever, partir*] very early
B *nm* [1] (début de la journée) morning; **la réunion est le ~** the meeting is in the morning; **travailler le ~** to work in the morning, to work mornings; **tous les samedis ~** every Saturday morning; **à demain ~!** see you tomorrow morning; **5 heures du ~** gén 5 (o'clock) in the morning; (pour un horaire) 5 am; **le ~ du 3, le 3 au ~** on the morning of the 3rd; **le ~ des événements** on the morning of the events; **au ~ il avait oublié** by morning he had forgotten; **du ~ au soir** from morning till night; **brume/promenade du ~** morning mist/walk; **de bon ~** early in the morning; **de grand ~** at daybreak; **au petit ~** in the early hours; **à prendre ~, midi et soir** Méd to be taken three times a day; [2] (matinée) morning; **par un beau ~ d'été** on a fine summer morning; [3] fig (origine) **le ~ de la vie** the springtime of life; **aux ~s de la civilisation** at the dawn of civilization

(Idiomes) **être du ~** to be a morning person; **un de ces quatre ~s** one of these days

matinal, **~e**, *mpl* **-aux** /matinal, o/ *adj* [*toilette, promenade*] morning (*épith*); [*brume, gelée*] Météo (early) morning (*épith*); **heure ~e** early hour; **il est ~** (d'habitude) he is an early riser; (aujourd'hui) he's up early

mâtiné, **~e** /mɑtine/ *adj* [1] (mélangé) **un anglais ~ de français** a mixture of English and French; **du moderne ~ de rococo** a cross between modern and rococo; [2] (de race croisée) [*animal*] crossbred; **~ de** crossed with

matinée /matine/ *nf* [1] (période) morning; **dans la ~** in the morning; **(toute) une ~ de travail** a (whole) morning's work; **en début/fin de ~** at the beginning/end of the morning; [2] Cin, Théât matinée; **nous y allons en ~** we're going to a matinée of the show; **le film/spectacle passera en ~** there'll be an afternoon showing/performance

(Composés) **~ dansante** tea dance; **~ enfantine** children's matinée

(Idiome) **faire la grasse ~** to have a lie-in GB, to sleep in

matines /matin/ *nfpl* matins

matois, **~e** /matwa, az/
A *adj* wily
B *nm,f* sly person; **c'est un fin ~** he's a sly one

maton○, **-onne** /matɔ̃, ɔn/ *nm,f* screw○ GB, prison warder

matou /matu/ *nm* tomcat

matraquage /matʀakaʒ/ *nm* [1] lit bludgeoning, batoning GB; [2] fig **~ publicitaire** (advertising) hype; **~ des prix** slashing of prices; **faire du ~ pour un produit** to plug○ a product

matraque /matʀak/ *nf* gén club; (de policier) truncheon GB, baton GB, billy US; (de malfaiteur) cosh GB, blackjack US; **recevoir un coup de ~** [*manifestant*] to be hit with a truncheon; **il m'a donné deux coups de ~** he clubbed me twice; **c'est le coup de ~**○ fig it costs a fortune

matraquer /matʀake/ [1] *vtr* [1] (assommer) [*policier*] to club; [*malfaiteur*] to cosh GB, to blackjack US; **~ l'ennemi** Mil to hammer the enemy; **~ qn avec des médicaments**○ to knock sb out with drugs; [2] (imposer) [*médias*] to bombard [*public*] (**de** with); to plug [*produit, chanson*]; [3] (critiquer) to clobber [*personne, ouvrage*]; [4] (réduire) to slash [*prix*]; [5] ○(escroquer) [*commerçant*] to rip off○ [*touriste*]; **~ les consommateurs** not to give the customer a fair deal

matriarcal, **~e**, *mpl* **-aux** /matʀijaʀkal, o/ *adj* matriarchal

matriarcat /matʀijaʀka/ *nm* matriarchy

matrice /matʀis/ *nf* [1] Math, Ordinat, Stat matrix; **~ réelle/complexe** matrix of real/complex numbers; [2] Tech (moule) die; (pour disque) matrix; [3] Admin register; [4] †Anat (utérus) womb

(Composés) **~ cadastrale** cadastre[GB]; **~ à points** Ordinat dot matrix; **~ du rôle des contributions** original of register of taxes

matricide /matʀisid/
A *adj* matricidal
B *nmf* (personne) matricide
C *nm* (crime) matricide

matriciel, **-ielle** /matʀisjɛl/ *adj* [1] Math matrix (*épith*); [2] Ordinat **imprimante matricielle** dot matrix printer; [3] Fisc *pertaining to the tax register*

matricule /matʀikyl/
A *nm* (numéro) Mil service *ou* army number; Admin reference *ou* official number
B *nf* (registre) roll, register; (extrait) entry on the roll

(Idiome) **gare à ton ~**○**!** watch out (or you'll catch it)○!

matrimonial, **~e**, *mpl*, **-iaux** /matʀimɔnjal, o/ *adj* marriage (*épith*), matrimonial; **agence ~e** marriage bureau

matrone /matʀɔn/ *nf* [1] (femme imposante) matronly woman; [2] Antiq matron

maturation /matyʀasjɔ̃/ *nf* [1] (de fruit, fromage) ripening; (du vin) maturing; (de cellule, d'abcès) maturation; [2] (d'idée) development

mature /matyʀ/ *adj* fml mature

mâture /mɑtyʀ/ *nf* masts (*pl*)

maturité /matyʀite/ *nf* gén maturity; **~ d'esprit** (psychological) maturity; **manquer de ~** to be immature; **en pleine ~** [*homme, femme*] of mature years; [*auteur*] at the height of one's powers; [*entreprise*] fully developed; **arriver** *or* **parvenir à ~** [*fruit, personne*] to reach maturity; [*entreprise*] to realize its full potential

maudire /modiʀ/ [80] *vtr* to curse

maudit, **~e** /modi, it/
A *pp* ▸ **maudire**
B *adj* [1] ○(satané) (*before n*) blasted○, damned○; [2] (rejeté) (*after n*) [*écrivain, héros*] accursed sout (**de** by); **~s soient-ils** a curse on them; **(que) ~ soit le jour qui t'a vu naître** a curse on the day you were born
C *nm,f* damned soul; **les ~s** the damned

Maudit /modi/ *nprm* **le ~** the Evil one

maugréer /mogʀee/ [11] *vi* to grumble (**contre** about)

maul /mol/ *nm* maul; **faire un ~** to ruck

maure /mɔʀ/ *adj* Moorish

Maure /mɔʀ/ *nmf* Moor

mauresque /mɔʀɛsk/ *adj* Moorish

Mauresque /mɔʀɛsk/ *nf* Moorish woman

Maurice /mɔʀis/ ▸ **p. 333, p. 435** *nprf* **l'île ~** Mauritius

mauricien, **-ienne** /mɔʀisjɛ̃, ɛn/ ▸ **p. 561** *adj* Mauritian

Mauricien, **-ienne** /mɔʀisjɛ̃, ɛn/ ▸ **p. 561** *nm,f* Mauritian

Mauritanie /mɔʀitani/ ▸ **p. 333** *nprf* Mauritania

mauritanien, **-ienne** /mɔʀitanjɛ̃, ɛn/ ▸ **p. 561** *adj* Mauritanian

Mauritanien, **-ienne** /mɔʀitanjɛ̃, ɛn/ ▸ **p. 561** *nm,f* Mauritanian

mausolée /mozɔle/ *nm* mausoleum

maussade /mosad/ *adj* [*voix, humeur*] sullen; [*temps*] dull; [*paysage, perspective, conjoncture*] bleak; [*Bourse, marché*] sluggish

maussaderie /mosadʀi/ *nf* sullenness

mauvais, **~e** /mɔvɛ, ɛz/
A *adj* [1] (d'un goût désagréable) **être ~** [*nourriture, boisson*] to be horrible; **ne pas être ~** [*nourriture, boisson*] to be quite good
[2] (de qualité inférieure) [*repas, restaurant*] poor; [*tabac, alcool, café*] cheap; [*voiture, œuvre, spectacle*] terrible; [*nourriture, hébergement, livre*] bad; [*dictionnaire, bibliothèque, lycée, enregistrement*] poor; **ne pas être ~** to be all right
[3] (mal fait) [*cuisine, travail, gestion, éducation*] poor; [*prononciation, départ*] bad
[4] (inadéquat) [*conseil, décision, définition, exemple, idée, solution, conditions de travail*] bad; [*projet*] flawed; [*renseignement*] wrong; [*éclairage, vue, mémoire, santé, hygiène, alimentation*] poor; **il ne serait pas ~ de faire** it wouldn't be a bad idea to do; **~ pour la santé** bad for one's health
[5] (inapproprié) wrong; **la ~e méthode/solution/personne/date/clé** the wrong method/solution/person/date/key
[6] (incompétent) [*auteur, équipe*] bad (**en** at); [*élève, nageur, chasseur, amant*] mediocre; [*cuisinier, travailleur, menteur*] bad; [*avocat, médecin*] incompetent; **être ~ en français** [*élève*] to be bad at French; **parler un ~ français** to speak French badly
[7] (déplaisant) [*nuit, rêve, nouvelle, journée, impression*] bad; [*situation*] difficult; [*surprise*] nasty; [*vacances*] terrible; ▸ **fortune**, **sang**
[8] (méchant) [*animal*] vicious; [*personne, sourire, remarque, ton*] nasty; **d'une ~e nature** evil-natured; **~ coup** (mauvaise action) mischief ¢; (méchanceté) dirty trick; (blessure) nasty knock; (revers) terrible blow; **préparer un ~ coup** to be up to mischief; **faire subir un ~ coup au gouvernement** to deal a terrible blow to the government; **de ~e humeur** in a bad mood (*après n*); ▸ **colère**
[9] (grave) [*fièvre, rhume*] nasty
[10] (peu lucratif) [*rendement, terre*] poor; [*salaire, pension*] low; [*récolte, saison*] bad
[11] (peu flatteur) [*cote, résultat, critique, image, opinion*] poor; [*chiffres, critique*] bad
[12] (répréhensible) [*père, fils, citoyen, comportement*] bad; [*chrétien*] poor; [*instinct*] base; [*tendance*] unfortunate; [*génie, intention, pensée*] evil; ▸ **coton**, **pli**
[13] Météo [*vent, pluie*] nasty; [*traversée, mer*] rough; **la météo est ~e** the weather forecast is bad
[14] Jeux **~e main/carte** weak hand/card; ▸ **numéro**, **pas²**
B ○*nm,f* [1] (incapable) (en classe) dunce; (en général) useless individual
[2] (méchant) brute

C *adv* **sentir ~** lit to smell; fig○ to look bad; **sentir très ~** lit, fig to stink; **ouvre la fenêtre, ça sent ~** open the window, there's a nasty smell; **la police est là, ça sent ~** the police are here, things are looking bad; **il fait ~** Météo the weather is bad
D *nm* (mauvais côté) **le bon et le ~** the good and the bad; **il y a du bon et du ~ chez chacun** there's good and bad in everyone; **il n'y a pas que du ~ dans le projet** the project isn't all bad
(Composés) **~ esprit** (personne) scoffing person; (attitude) scoffing attitude; **faire du ~ esprit** to scoff; **~ garçon** tough guy; **~ lieux** fleshpots; **~ plaisant** person with a warped sense of humour[GB]; **~ traitements** ill-treatment ¢; **faire subir des ~ traitements à qn** to ill-treat sb; **~e herbe** weed; **~e querelle** unprovoked argument; **faire une ~e querelle à qn** to pick on sb; **~es rencontres** bad company ¢; **faire de ~es rencontres** to get into bad company
(Idiome) **la trouver** *or* **l'avoir ~e**○ to be furious

mauve /mov/
A ▸ **p. 202** *adj, nm* mauve
B *nf* mallow

mauviette /movjɛt/ *nf* pej wimp○

mauvis /movi/ *nm inv* redwing

maux ▸ **mal**

max◑ /maks/
A *adv* **20 euros ~** 20 euros max○; **à 3 heures ~** by 3 at the latest
B *nm inv* **coûter un ~** to cost a packet○ GB *ou* bundle○; **prendre un ~** [*inculpé*] to get a stiff○ sentence; **tirer un ~** (d'argent) to make a bomb○ (de out of)
C **un max** *loc adv* a lot; **travailler un ~** to work flat out; **fumer un ~** to smoke like a trooper○; **s'ennuyer un ~** to be bored stiff○

maxi[1] /maksi/ *préf* **~-jupe** maxi-skirt; **~-poitrine** extra-large bust; **~ 45 tours** Audio (seven-inch) EP; **~-bouteille** Comm one-and-a-half litre[GB] bottle; **~ salle de conférences**○ extra-large conference room; **il y a un ~-choix**○ there's a huge choice

maxi[2] /maksi/
A ○*adj inv* (maximal) [*vitesse, prix, puissance*] maximum
B ○*adv* (au maximum) **travailler 15 heures ~** to work a maximum of 15 hours; **j'ai grossi de trois kilos ~** I gained three kilos at the very most

maxillaire /maksilɛʀ/
A *adj* maxillary
B *nm* jawbone, maxilla spéc; **~ inférieur/supérieur** lower/upper jawbone

maxima ▸ **a maxima, maximum**

maximal, **~e**, *mpl* **-aux** /maksimal, o/ *adj* maximum; **températures ~es** maximum temperatures

maximaliser /maksimalize/ [1] *vtr* to maximize [*avantage, profits, pertes*]

maximaliste /maksimalist/
A *adj* [*revendication, position, discours*] uncompromising; [*attitude, personne*] hard-line (*épith*)
B *nmf* hard-liner

maxime /maksim/ *nf* maxim

maximiser /maksimize/ [1] *vtr* = **maximaliser**

maximum, *pl* **~s** *ou* **maxima** /maksimɔm, maksima/
A *adj* [*température, rendement, vitesse, confort*] maximum; **11 jours, c'est le délai ~** it will take 11 days at (the) most; **cours ~ autorisé du dollar** dollar's ceiling rate
B *nm* [1] (limite supérieure) maximum; **contenir un ~ de deux grammes de sel par litre** to contain a maximum of two grams of salt per litre[GB]; **obtenir un prêt jusqu'à un ~ de...** to obtain a loan for a maximum amount of...; **un ~ de 11 jours, 11 jours (au) ~** eleven days at (the) most; **10 euros au grand ~** 10 euros at the very most; **au ~** [*travailler, développer*] to the maximum; [*réduire*] as much as possible; **détenir 20% du capital au ~** to hold no more than 20 per cent of the capital; **rouler au ~**○ to drive flat out○; **obtenir le ~ d'avantages** to get as many advantages as possible; **faire le ~** to do one's utmost; **atteindre son ~** [*bruit, forme, inflation*] to reach its peak; [*douleur*] to be at its worst; [2] Météo **~ (de température)** maximum temperature; [3] ○(grande quantité) **manger le** *or* **un ~** to stuff○ oneself; **le** *or* **un ~ de problèmes** a lot of problems; **faire un ~ de bruit** to be as noisy as possible; **gagner/coûter le** *or* **un ~** to make/cost a packet○ GB *ou* bundle○; **obtenir le** *or* **un ~** (dans une transaction) to get the best possible deal; [4] Jur maximum sentence; **requérir le ~** to recommend the maximum sentence
C **un maximum** *loc adv* a lot; **travailler un ~** to work flat out○ *ou* a lot; **fumer un ~** to smoke a lot, to smoke like a trooper○; **s'ennuyer un ~** to be bored stiff○

maya /maja/
A *adj* Mayan
B ▸ **p. 483** *nm* Ling Maya

Maya /maja/ *nmf* Maya

Mayence /majɑ̃s/ ▸ **p. 894** *npr* Mainz

Mayenne /majɛn/ ▸ **p. 372, p. 721** *nprf* (rivière, département) **la ~** Mayenne

mayonnaise /majɔnɛz/ *nf* mayonnaise; **faire de la ~** to make mayonnaise; **quand la ~ prend** when the mayonnaise begins to thicken; **poisson à la ~** fish with mayonnaise

Mayotte /majɔt/ ▸ **p. 435** *nprf* Mayotte

mazagran /mazagʀɑ̃/ *nm*: *thick goblet for coffee made of china or glass*

mazette† /mazɛt/ *excl* goodness gracious†!

mazout /mazut/ *nm* (fuel) oil; **cuve à ~** oil tank; **poêle à ~** oil stove; **chauffage au ~** oil-fired heating

mazoutage /mazutaʒ/ *nm* oil pollution

mazouter /mazute/ [1] *vtr* to cover with oil; **rivage/oiseau mazouté** shore/bird covered in oil (from a slick)

MBA /ɛmbea/ *nf*: *abbr* ▸ **marge**

m-business /ɛmbiznɛs/ *nm inv* m-business

MC /ɛmse/
A *nm*: *abbr* ▸ **maître**
B *nmpl*: *abbr* ▸ **montant**

MCJ /ɛmseʒi/ *nf* (*abbr* = **maladie de Creuzfeld-Jakob**) CJD, Creutzfeld-Jakob disease

MCM /ɛmseɛm/ *nmpl*: *abbr* ▸ **montant**

me (m' *before vowel or mute h*) /m(ə)/ *pron pers* [1] (objet) me; **il ~ déteste** he hates me; **elle a essayé de ~ frapper** she tried to hit me; **si tu m'entends, réponds** if you can hear me, answer; [2] (me = à moi) **tu ne m'as pas fait mal** you didn't hurt me; **ne ~ dis pas que tu l'as perdu** don't tell me you've lost it; **elle ~ l'a offert pour mon anniversaire** she gave it to me for my birthday; **il m'en veut** he bears a grudge against me; [3] (pronom réfléchi) myself; **je ~ déteste** I hate myself; **je ~ soigne** I look after myself; **je ~ lave (les mains)** I wash (my hands); **je vais ~ faire belle** I'm going to get dressed up; **je m'en veux** I'm angry with myself; **on m'a dit de ~ méfier** I was told to be careful

Me *written abbr* = **maître C 5**

mea culpa /meakylpa/ *excl* mea culpa!, it's my fault!

méandre /meɑ̃dʀ/
A *nm* Géog meander
B **méandres** *nmpl* fig **les ~s de l'administration** the maze of officialdom; **les ~s de ta pensée** the rambling development of your ideas

méat /mea/ *nm* [1] Anat meatus; [2] Biol **~ intercellulaire** intercellular space

mec○ /mɛk/ *nm* bloke○ GB, guy○; **beau ~** gorgeous guy; **mon ~** my man○ *ou* bloke○ GB; **un vrai ~** a real man○

mécanicien, **-ienne** /mekanisjɛ̃, ɛn/
A *adj* mechanical; **ingénieur ~** mechanical engineer
B ▸ **p. 532** *nm,f* (ouvrier) mechanic
C *nm* [1] Rail engine driver GB, (locomotive) engineer US; [2] Aviat flight engineer; [3] Naut engineer; [4] Dent dental technician
(Composé) **~ navigant** Aviat flight engineer

mécanicien-dentiste, *pl* **mécaniciens-dentistes** /mekanisjɛ̃dɑ̃tist/ ▸ **p. 532** *nmf* dental technician

mécanicisme /mekanisism/ *nm* Philos mechanism

mécanique /mekanik/
A *adj* [1] (manuel) [*hachoir, tondeuse*] hand (*épith*); [*machine à écrire*] manual; [*montre, petite voiture*] wind-up (*épith*); [*jouet, train*] clockwork (*épith*), wind-up (*épith*); [2] Mécan (doté d'une machine) mechanical; **appareil/excavatrice ~** mechanical equipment/excavator; [3] Agric, Ind (fait à la machine) machine (*épith*); **fil/tissage/séchage ~** machine yarn/weaving/drying; **traite/tonte ~** machine milking/shearing; [4] Mécan (de machine) [*ennui, panne*] mechanical; **défaillance ~** mechanical failure; **se déplacer de façon ~** to move mechanically; **pièce ~** machine part; **construction ~** mechanical engineering; **industrie ~** engineering industry; [5] Phys mechanical; **lois ~s** laws of mechanics; [6] (non chimique) **méthodes ~s de contraception** barrier methods of contraception; [7] (irréfléchi) [*geste*] mechanical, automatic; [*rire*] empty
B *nf* [1] Mécan (science) mechanics (+ *v sg*); **un génie de la ~** a mechanical genius; **un terme de ~** a mechanical term; **avoir le sens de la ~** to be mechanically-minded; **une merveille de ~** a marvel of engineering; [2] Phys mechanics (+ *v sg*); [3] (fonctionnement) mechanics (*pl*); **la ~ d'une campagne électorale** the mechanics of running a campaign; **la ~ de la gestion** the mechanics of management; [4] ○(machine) machine; **c'est une belle ~ ta moto** your motorbike is a fine machine
(Composés) **~ des fluides** fluid mechanics (+ *v sg*); **~ ondulatoire** wave mechanics (+ *v sg*); **~ quantique** quantum mechanics (+ *v sg*); **~ des sols** soil mechanics (+ *v sg*)

mécaniquement /mekanikmɑ̃/ *adv* [1] Mécan mechanically; **fabriqué ~** machine-made; [2] (sans réfléchir) [*travailler, répondre*] mechanically

mécanisation /mekanizasjɔ̃/ *nf* mechanization

mécaniser /mekanize/ [1]
A *vtr* to mechanize
B **se mécaniser** *vpr* to mechanize

mécanisme /mekanism/ *nm* [1] Mécan (organe moteur) mechanism; **le ~ est cassé/doit être remplacé** the mechanism is broken/has to be replaced; [2] (de machine, d'organe) mechanism; **le ~ de l'oreille** the mechanism of the ear; [3] (fonctionnement) mechanism; **~s financiers/des changes/du marché** financial/exchange/market mechanisms; **~ d'une négociation** mechanism of a negotiation; **le ~ de la pensée** the thought process; [4] Psych mechanism; [5] Philos (doctrine) mechanism
(Composés) **~ de défense** Psych defence[GB] mechanism; **~ d'entraînement** Mécan driving mechanism

mécaniste /mekanist/ Philos
A *adj* mechanistic
B *nmf* mechanist

mécano○ /mekano/ *nm* mechanic

mécanographe /mekanɔgʀaf/ ▸ **p. 532** *nmf* punch card operator

meccano® /mekano/ *nm* Meccano® GB, erector set US

mécénat /mesena/ *nm* [1] (artistique) patronage; **~ d'entreprise** corporate patronage; [2] (parrainage) sponsorship

mécène /mesɛn/ *nm* **1** (des arts) patron of the arts; **2** (parrain) sponsor

Mécène /mesɛn/ *npr* Maecenas

méchamment /meʃamɑ̃/ *adv* **1** (avec méchanceté) [*faire, parler, sourire*] spitefully, maliciously; [*frapper, se battre*] viciously; **traiter qn ~** to treat sb badly; **2** ○(extrêmement) [*travailler*] terribly hard; [*abîmer*] dreadfully, badly; [*étonné, bon, bien*] terribly; **ils nous en veulent ~**○ they're terribly angry with us

méchanceté /meʃɑ̃ste/ *nf* **1** (de personne) nastiness, malice, meanness; **par pure ~** out of pure spite *ou* malice; **avec ~** spitefully, nastily; **sans ~** without malice; **être d'une incroyable ~** to be vicious *ou* really nasty; **2** (de geste, propos, regard, d'acte) maliciousness, meanness; (plus fort) viciousness; **3** (acte) malicious act; (propos) malicious remark; **faire/dire des ~s** to do/to say malicious *ou* nasty things

méchant, **~e** /meʃɑ̃, ɑ̃t/

A *adj* **1** (malveillant) [*personne, regard, propos, action*] nasty, malicious, mean; **ce n'est pas une ~e femme** she's not such a bad woman; **être de ~e humeur** to be in a foul mood; **avoir l'air ~** to look mean; **être ~ avec qn** to be horrible *ou* mean to sb; **2** (dangereux) [*animal, personne*] vicious; **quand il a bu, il devient ~** he gets *ou* turns nasty when he's been drinking; **attention chien ~!** beware of the dog!; **3** (mauvais) (*before n*) [*outil, instrument*] poor quality, wretched; [*route*] dreadful; [*roman, poète, écrivain*] mediocre, second-rate; **4** (grave) (*before n*) [*grippe, affaire, blessure*] nasty, bad; **ce n'est pas bien ~** it's not very bad *ou* serious; **5** ○(extraordinaire) [*allure, voiture, succès*] fantastic○, terrific○; **une ~e tempête** a terrific storm; **une ~e averse** a heavy shower; **une ~e balafre** a nasty scar; **une ~e gueule de bois**○ a bad hangover, a hell○ of a hangover; **une ~e explosion** a hell○ of an explosion

B *nm,f* **1** (au cinéma) villain, baddy○; **2** (enfant) naughty boy/girl

mèche /mɛʃ/ *nf* **1** (de cheveux) lock; (teinte) streak; **avoir des ~s blanches** to have white streaks; **se faire faire des ~s** to have streaks put in one's hair, to have one's hair frosted US; **2** (de bougie, lampe, briquet) wick; **3** Méd packing ₵; **changer la ~** to change the packing; **4** (d'explosif, arme, de fusée) fuse; **5** (outil) (drill) bit; **une ~ de 9** a number 9 bit

(Composés) **~ folle** stray lock; **~ lente** safety fuse; **~ rebelle** wayward lock

(Idiomes) **être de ~ avec qn**○ to be in cahoots○ with sb péj, to be hand in glove with sb; **vendre la ~** to let the cat out of the bag

mécher /meʃe/ [14] *vtr* **1** Méd to pack; **2** Vin to sulphurize[GB]

méchoui /meʃwi/ *nm* (repas) North African style barbecue, lamb roast US; (viande grillée) spit-roast lamb; **faire un ~** (repas) to organize a North African style barbecue; (plus précis) to spit-roast a lamb

mécompte /mekɔ̃t/ *nm* setback

méconnaissable /mekɔnɛsabl/ *adj* (complètement) unrecognizable; (difficile à reconnaître) barely recognizable

méconnaissance /mekɔnɛsɑ̃s/ *nf* liter **1** (ignorance) (total) ignorance (**de qch** of sth), lack of knowledge (**de qch** about sth); **2** (sous-estimation) (de situation) misreading (**de** of); (de personne, mérite, travail) undervaluing (**de** of); **3** (refus de connaître) disregard (**de** of)

méconnaître* /mekɔnɛtʀ/ [73] *vtr* **1** (se méprendre sur) to misread [*situation*]; to misunderstand [*problème*]; to be mistaken about [*cause, intention*]; **~ que** to fail to understand that; **c'est le ~ que de penser qu'il en restera là** it is a mistake to think that he will stop at that; **2** (sous-estimer) to underestimate [*difficulté, portée, gravité*]; to underrate [*œuvre, talent*]; to undervalue [*qualité, importance*]; **toute tentative pour ~ l'importance de cette découverte** any attempt to play down the importance of this discovery; **3** (refuser de connaître) to flout [*loi, règlement*]; to disregard [*devoir*]; **~ les services rendus** to show no appreciation of the help given; **je ne méconnais pas que...** I am not unaware that...

méconnu, **~e** /mekɔny/

A *pp* ▸ **méconnaître**

B *pp adj* [*artiste, œuvre*] neglected; [*mérites, talent*] undervalued; [*valeur*] unrecognized

C *nm,f* **un grand ~** a neglected genius; **il joue les ~s** he claims to be misunderstood

mécontent, **~e** /mekɔ̃tɑ̃, ɑ̃t/

A *adj* **1** (pas satisfait) [*client, patron*] dissatisfied (**de** with); [*électeur*] discontented (**de** with); **je ne suis pas ~ de lui/d'avoir fini** I'm rather pleased with him/to have finished; **2** (contrarié) displeased (**que** that); (irrité) annoyed (**de** at); **3** (pas heureux) miserable, discontented (**de** with)

B *nm,f* malcontent

mécontentement /mekɔ̃tɑ̃tmɑ̃/ *nm* **1** (insatisfaction) dissatisfaction; **2** (déception) discontent; **3** (irritation) annoyance; (déplaisir) displeasure

mécontenter /mekɔ̃tɑ̃te/ [1] *vtr* **1** (irriter) to annoy; **2** (courroucer) [*décision*] to anger [*peuple*]

Mecque /mɛk/ ▸ **p. 894** *nprf* **la ~** Mecca

mécréant, **~e** /mekʀeɑ̃, ɑ̃t/ *adj, nm,f* heathen

mecton◑ /mɛktɔ̃/ *nm* pej (little) squirt○ péj

médaille /medaj/ *nf* **1** (récompense) medal; **~ d'or/d'argent/de bronze** gold/silver/bronze medal; **2** (pièce) coin; **3** (plaque d'identification) name tag; **4** (bijou) medallion

(Composés) **~ militaire** *decoration awarded for outstanding gallantry in the field*; **~ du travail** long-service medal

médaillé, **~e** /medaje/

A *pp* ▸ **médailler**

B *pp adj* [*sportif*] medal-winning (*épith*); [*animal, vin*] prize-winning (*épith*); [*soldat*] decorated (*épith*); [*reportage, journaliste*] award-winning (*épith*); **un champion plusieurs fois ~** a champion with several medals to his credit

C *nm,f* (sportif) medallist[GB]; gén person who has received a medal

médailler /medaje/ [1] *vtr* **1** Sport to award a medal to [*sportif*]; **2** Mil to decorate [*militaire*]; **se faire ~** to be decorated; **3** to award a prize to [*animal, vin*]; to make an award to [*reportage, journaliste*]

médaillon /medajɔ̃/ *nm* **1** (bijou) locket; **2** (en architecture, art décoratif) medallion; **3** Culin medallion; **4** Presse, TV **en ~** inset

Mède /mɛd/ *nmf* Mede; **les ~s** the Medes

médecin /mɛdsɛ̃/ ▸ **p. 532** *nm* doctor; **aller chez le ~** to go to the doctor's; **tu devrais voir ton ~** you should see your doctor *ou* GP; **~ spécialiste** *or* **spécialisé** specialist; **~ traitant** GP

(Composés) **~ de l'âme** *or* **des âmes** confessor; **~ assermenté** *doctor sworn under oath to administer routine medical certificates required by the civil service*; **~ acupuncteur** acupuncturist; **~ de bord** ship's doctor; **~ de campagne** country doctor; **~ de famille** family doctor; **~ de garde** duty doctor, doctor on duty; **~ homéopathe** homeopath; **~ légiste** forensic surgeon; **~ militaire** army doctor; **~ scolaire** school doctor; **~ du sport** sports doctor; **~ du travail** ≈ company medical officer

médecin-chef, *pl* **médecins-chefs** /mɛdsɛ̃ʃɛf/ ▸ **p. 532** *nm* Méd senior consultant; Mil chief medical officer

médecin-conseil, *pl* **médecins-conseils** /mɛdsɛ̃kɔ̃sɛj/ ▸ **p. 532** *nm* ≈ medical adviser

médecine /mɛdsin/ *nf* **1** (discipline) medicine; **faire des études de ~**, **faire (sa) ~** to study medicine; **~ générale/spécialisée/infantile** general/specialized/paediatric medicine; **étudiant en ~** medical student; **docteur en ~** medical doctor; **faculté de ~** faculty of medicine; **2** (profession) medicine; **exercer la ~** to practise[GB] medicine; **être inculpé d'exercice illégal de la ~** to be charged with practising[GB] medicine illegally *ou* without a license US

(Composés) **~ factuelle** evidence-based medicine, EBM; **~ homéopathique** homeopathic medicine; **~ légale** forensic medicine; **~ par les plantes** herbal medicine; **~ préventive** preventive medicine; **~ scolaire** ≈ school health service; **~ sportive** sports medicine; **~ du travail** ≈ occupational medicine; **~ vétérinaire** veterinary medicine; **~s douces** alternative medicine ₵; **~s naturelles** natural medicine ₵; **~s parallèles** alternative medicine ₵

médecine-ball, *pl* **~s** /medsinbol/ *nm* Sport medicine ball

Médée /mede/ *npr* Mythol Medea

MEDEF /medɛf/ *nm* (*abbr* = **Mouvement des entreprises de France**) French business confederation

> **MEDEF**
>
> Known until 1998 as *le CNPF* (*Conseil national du patronat francais*), *le MEDEF* is an umbrella organization representing the majority of employers' interest groups, large and small.

média /medja/

A *nm* (moyen, procédé de communication) medium

B **médias** *nmpl* **les ~s** the media

médial, **~e**, *mpl* **-iaux** /medjal, o/

A *adj* medial

B **médiale** *nf* **1** Stat median; **2** Phon medial

médian, **~e** /medjɑ̃, an/

A *adj* **1** Anat, Math, Phon, Stat median (*épith*); **2** Pol **une solution ~e** a compromise solution

B **médiane** *nf* Math, Stat median

médiante /medjɑ̃t/ *nf* mediant

médiat, **~e** /medja, at/ *adj* fml mediate sout

médiateur, **-trice** /medjatœʀ, tʀis/

A *adj* mediatory

B *nm* gén mediator; (entre le public et l'administration) ombudsman

C **médiatrice** *nf* Math perpendicular bisector

médiathécaire /medjatekɛʀ/ ▸ **p. 532** *nmf* multimedia librarian

médiathèque /medjatɛk/ *nf* multimedia library

médiation /medjasjɔ̃/ *nf* mediation; **tenter une ~** to make an attempt at mediation

médiatique /medjatik/ *adj* **1** (par les médias) [*exploitation, amplification*] by the media; **2** (dans les médias) [*succès, retentissement*] media (*épith*); **3** (attirant l'attention des médias) [*événement*] media (*épith*); **geste ~** publicity-grabbing gesture; **vedette ~** media personality; **l'aspect ~ de qch** the way sth attracts media attention; **il n'est pas très ~** he doesn't come over well on television and in the press; **4** (utilisant les médias) [*personne*] media-conscious; [*campagne électorale*] conducted through the media; **5** (des médias) **milieu ~** media (*pl*); **chef-d'œuvre ~** media success

médiatisation /medjatizasjɔ̃/ *nf* media coverage; **la ~ excessive du sport** overexposure of sport in the media

médiatiser /medjatize/ [1] *vtr* **1** Presse, TV to give [sth] publicity in the media; **~ un événement** to make an event the focus of media attention; **2** Hist, Philos to mediatize

médiator /medjatɔʀ/ *nm* plectrum

médiatrice ▸ **médiateur C**

médiature /medjatyʀ/ *nf* **1** (office) mediation; **2** (bureaux) mediation services offices

médical, **~e**, *mpl* **-aux** /medikal, o/ *adj* medical

médicalement /medikalmɑ̃/ *adv* medically

médicalisation /medikalizasjɔ̃/ *nf* **1** (fait de donner un caractère médical) medicalization; **2** (implantation de structures médicales) provision of health care

médicaliser /medikalize/ [1] *vtr* **1** (faire relever de la médecine) to medicalize [*délinquance, folie, maternité*]; **2** (doter de structures médicales) to provide [sth] with health care [*pays, région, campagne*]

médicament /medikamɑ̃/ *nm* medicine ¢, drug, remedy (**pour** for; **contre** to prevent); **mes ~s** my medicine; **un ~ très fort** a powerful drug

(Composés) **~ de confort** ≈ over-the-counter remedy; **~ orphelin** orphan drug

médicamenteux, **-euse** /medikamɑ̃tø, øz/ *adj* **1** [*produit*] medicinal; **2** [*traitement*] drug (*épith*); **3** [*eczéma, allergie*] drug-related

médicastre† /medikastʀ/ *nm* quack○

médication /medikasjɔ̃/ *nf* treatment ¢, medication ¢

médicinal, **~e**, *mpl* **-aux** /medisinal, o/ *adj* [*plante, substance*] medicinal

médico-chirurgical, **~e**, *mpl* **-aux** /medikoʃiʀyʀʒikal, o/ *adj* **centre ~**, **clinique ~e** *treatment centre*GB *with surgical facilities*

médico-légal, **~e**, *mpl* **-aux*** /medikolegal, o/ *adj* [*examen, expertise*] forensic; **certificat ~** autopsy report; **institut ~** forensic science laboratory

médico-pédagogique, *pl* **~s** /medikopedagɔʒik/ *adj* **institut ~** special school

médico-social, **~e**, *mpl* **-iaux*** /medikosɔsjal, o/ *adj* **centre ~** ≈ community health centreGB

médico-sportif, **-ive**, *pl* **~s*** /medikospɔʀtif, iv/ *adj* **centre ~** *injury treatment and fitness centre*GB *for athletes*

médiéval, **~e**, *mpl* **-aux** /medjeval, o/ *adj* medieval

médiéviste /medjevist/ *nmf* medievalist

médina /medina/ *nf* medina

Médine /medin/ ▸ **p. 894** *npr* Medina

médiocre /medjɔkʀ/

A *adj* **1** (aux capacités insuffisantes) [*personne, ouvrier*] mediocre, second-rate; [*élève, enseignant, intelligence, esprit*] below-average, mediocre; **être d'une intelligence ~** to be of mediocre *ou* below-average intelligence; **2** (de qualité insuffisante) [*travail, études, qualité, résultat*] mediocre; [*terrain, nourriture, temps*] poor; (sans valeur) [*film, œuvre*] mediocre, indifferent; [*intérêt, succès*] limited; [*vie*] humdrum; [*bonheur*] ordinary; [*carrière*] mediocre; **d'un intérêt ~**, **de ~ intérêt** of limited interest; **3** (en quantité insuffisante) [*revenu, rentabilité*] meagreGB; [*rendement, lumière, résultat*] poor; **4** (sans intensité) [*désir, plaisir, attraction, ambition*] limited; [*sentiment*] mediocre

B *nmf* [*personne*] loser, no-hoper○ GB

médiocrement /medjɔkʀəmɑ̃/ *adv* (mal) [*travailler, dessiner, payer*] rather badly; **vivre ~** to lead a humdrum life

médiocrité /medjɔkʀite/ *nf* **1** (de personne, travail, sentiment) mediocrity; **la ~ de ces élèves** the mediocre standard of these pupils; **2** (de revenus, résultats, lumière) meagrenessGB

médire /mediʀ/ [65] *vtr ind* **~ de** to speak ill of; (injustement) to malign; **réforme/personne dont on a beaucoup médit** much maligned reform/person

médisance /medizɑ̃s/ *nf* **1** (action) malicious gossip ¢; **2** (propos) **une ~** a malicious rumourGB; **des ~s** malicious gossip ¢

médisant, **~e** /medizɑ̃, ɑ̃t/

A *adj* [*personne, propos*] malicious

B *nm,f* malicious gossip *ou* person

méditatif, **-ive** /meditatif, iv/

A *adj* meditative

B *nm,f* meditative person

méditation /meditasjɔ̃/ *nf* **1** (recueillement) meditation (**sur** on); **entrer en ~** to go into meditation; **2** (pensée) **tes ~s** your thoughts *ou* meditations; **3** (titre d'un écrit) meditation

méditer /medite/ [1]

A *vtr* (projeter) to contemplate (**de faire** doing); (évaluer) to mull over [*paroles, conseil*]; **un projet longuement médité** a carefully considered project

B *vi* to meditate; **~ sur** to meditate on [*existence, Dieu*]; to ponder on *ou* over [*problème, conséquences*]

Méditerranée /mediteʀane/ ▸ **p. 579** *nprf* **la (mer) ~** the Mediterranean (Sea)

méditerranéen, **-éenne** /mediteʀaneɛ̃, ɛn/ *adj* Mediterranean

médium /medjɔm/ *nm* **1** (voyant) medium, psychic; **2** Mus middle register; **3** (en logique) middle term; **4** (pour peinture) binder; **5** (moyen de communication) medium

médius /medjys/ *nm inv* middle finger

médoc¹ /medɔk/ *nm* (vin) Médoc (wine)

médoc²○ /medɔk/ *nm* medicine

Médoc /medɔk/ *nprm* **le ~** the Médoc

médullaire /medylɛʀ/ *adj* medullary

méduse /medyz/ *nf* **1** Zool jellyfish; **2** ®(sandale) **des ~s** jelly shoes

Méduse /medyz/ *npr* Mythol Medusa

méduser /medyze/ [1] *vtr* to dumbfound; **en rester médusé** to be dumbfounded

meeting /mitiŋ/ *nm* Pol meeting, rally; Sport meeting GB, meet US

(Composé) **~ aérien** air show

méfait /mefɛ/

A *nm* gén misdemeanourGB; (plus grave) crime; (d'enfant) misdeed

B **méfaits** *nmpl* (dégâts) (de l'alcool, du tabac) detrimental effect (*sg*); (de la pollution, d'une politique) damaging effects; (de la grêle, du temps) ravages

méfiance /mefjɑ̃s/ *nf* mistrust, suspicion; **je vous recommande la ~** I suggest that you proceed with caution; **éveiller/apaiser la ~ de qn** to arouse/to allay sb's suspicions; **avoir de la ~ pour** to be wary of; **n'avoir que ~ pour** *or* **à l'égard de** to be extremely wary of; **avec ~** warily; **s'approcher avec ~** to approach warily; **faire qch sans ~** to do sth unsuspectingly; **être sans ~** (de nature) to be naïve; **~ de qn envers qn/qch** sb's wariness of sb/sth

méfiant, **~e** /mefjɑ̃, ɑ̃t/ *adj* [*personne, air, regard, attitude, parole*] suspicious, distrustful; [*police, caractère, personnalité*] wary; **elle est d'un naturel ~** she's always very wary; **regarder qn/qch d'un œil ~** to look at sb/sth suspiciously

méfier: **se méfier** /mefje/ [2] *vpr* **1** (ne pas faire confiance) **se ~ de qn/qch** not to trust sb/sth; **méfie-toi de ce qu'il dit** don't trust what he says; **il se méfie de toutes les idées modernes** he's wary of modern ideas; **ils ne se sont pas méfiés de lui** they placed too much trust in him; **sans se ~** quite trustingly; **2** (faire attention à) to be careful; **se ~ de qch** to be wary of sth; **ne pas se ~ de** not to watch out for; **tu ne t'es pas méfié et tu es tombé** you fell because you weren't being careful enough; **méfie-toi! la route est glissante** be careful! the road is slippery; **méfie-toi, tu vas recevoir une gifle** watch it! you'll get a slap; **tu aurais dû te ~** you should have been more careful; **3** ○(prendre garde) controv **se ~ que** to make sure (that); **méfiez-vous que la police ne vous retrouve pas** make sure (that) the police don't find you

méforme /mefɔʀm/ *nf* Sport lack of form

MEG /mɛg/ *nf* (*abbr* = **magnétoencéphalographie**) magnetoencephalography

méga¹ /mega/ *préf* **1** Mes, Sci mega; **mégavolt** megavolt; **2** ○(gigantesque) **~-concert** huge concert; **~-fête** colossal bash○; **~-entreprise** mega-firm

méga²○ /mega/ *adj inv* mega○

mégabase /megabaz/ *nf* megabase

mégabit /megabit/ *nm* megabit

mégacycle /megasikl/ *nm* megacycle

mégahertz /megaɛʀtz/ *nm* megahertz

mégalithe /megalit/ *nm* megalith

mégalithique /megalitik/ *adj* megalithic

mégalo○ /megalo/ *adj, nmf* megalomaniac

mégalomane /megalɔman/ *adj, nmf* megalomaniac

mégalomanie /megalɔmani/ *nf* megalomania

mégalopole /megalɔpɔl/ *nf* megalopolis

mégaoctet /megaɔktɛ/ *nm* megabyte

mégaphone /megafɔn/ *nm* **1** (avec amplificateur) loudhailer; **2** (porte-voix) megaphone

mégarde: **par mégarde** /paʀmegaʀd/ *loc adv* inadvertently

mégastore /megastɔʀ/ *nm* megastore

mégatonne /megatɔn/ *nf* megaton

mégawatt /megawat/ *nm* megawatt

mégère /meʒɛʀ/ *nf* shrew

mégisserie /meʒisʀi/ *nf* **1** (action) tanning; **2** (lieu) tannery

mégot /mego/ *nm* (de cigarette) cigarette butt *ou* end; (de cigare) stub

mégotage○ /megɔtaʒ/ *nm* cheeseparing, penny-pinching

mégoter○ /megɔte/ [1] *vi* to skimp (**sur** on); **mais tu mégotes!** you're being stingy○

méhari /meaʀi/ *nm* dromedary

méhariste /meaʀist/ *nm* **1** gén camel rider; **2** Mil *soldier of the French Camel corps*

meilleur, **~e** /mɛjœʀ/

A *adj* **1** (comparatif) better (**que** than); **cette radio a un son épouvantable, tu devrais en acheter une ~e** the sound on this radio is very bad, you should buy a better one; **en attendant des jours ~s** hoping for better days; **il n'y a pas (de) ~ berger dans toute la région** there's no better shepherd in the entire region; **jamais il n'avait mangé (de) ~e choucroute** he'd never eaten better sauerkraut; **2** (superlatif) best; **le ~ des deux** the better of the two; **c'est le ~ de l'équipe** he's the best in the team; **il se fournit chez les ~s grossistes** he buys from the best wholesalers; **ce sont les ~s amis du monde** they're the best of friends; **ta plaisanterie n'était pas du ~ goût** your joke wasn't in the best of taste; **c'est le ~ des pères** he's the best of fathers; **c'est sur terre battue qu'il est le ~** [*joueur de tennis*] he's at his best on clay; **tu ne manges pas la croûte? c'est pourtant ce qu'il y a de ~!** aren't you going to eat the crust? but it's the best bit!; **aubergiste! du vin et du ~!** innkeeper! some wine, and make it your best!; **un petit chapeau du ~ effet** a very stylish little hat; **leur disque a reçu le ~ accueil** their record was very well received; **au ~ prix** [*acheter*] at the lowest price; [*vendre*] at the highest price

B *nm,f* **le ~**, **la ~e** the best one; **ce sont toujours les ~s qui s'en vont** it's always the best ones who go first; **que le ~ gagne** may the best man win

C *adv* better; **ça sent ~ maintenant** it smells better now; **il fait ~ aujourd'hui qu'hier** the weather is better today than it was yesterday

D *nm* **mange donc la croûte, c'est le ~!** eat the crust, it's the best bit!; **donner le ~ de soi-même** to give of one's best; **pour le ~ et pour le pire** for better or for worse; **il passe le ~ de son temps à des niaiseries** he spends the best part of his time fooling around; **garder le ~ pour la fin** to keep the best bit until the end; **prendre le ~ sur qn** to get the better of sb; **et le ~ c'est que la dépanneuse est tombée en panne aussi!** and the best bit of it is that the tow truck broke down as well!

E **meilleure** *nf* **tu connais la ~e?** have you heard the best one yet?; **ça c'est la ~e!** that's the best one yet!; **j'en passe et des ~es!** that's the least of it, I could go on!

(Idiome) **tout est pour le mieux dans le ~ des mondes** all is for the best in the best of all possible worlds

méiose /mejoz/ *nf* meiosis

méjuger /meʒyʒe/ [13]
A *vtr* to misjudge
B **méjuger de** *vtr ind* **~ de** to underrate, to underestimate
C **se méjuger** *vpr* to underestimate oneself

Mékong /mekɔ̃g/ ▸ **p. 372** *nprm* Mekong (river)

mél /mel/ *nm* (message) email; (adresse) email address

mélaminé, **~e** /melamine/ *adj* laminated

mélancolie /melɑ̃kɔli/ *nf* melancholy; Méd melancholia

mélancolique /melɑ̃kɔlik/
A *adj* melancholy; Méd melancholic
B *nmf* Méd melancholic

mélancoliquement /melɑ̃kɔlikmɑ̃/ *adv* melancholically, in a melancholy fashion

Mélanésie /melanezi/ *nprf* Melanesia

mélanésien, **-ienne** /melanezjɛ̃, ɛn/
A *adj* Melanesian
B *nm* Ling Melanesian

Mélanésien, **-ienne** /melanezjɛ̃, ɛn/ *nm,f* Melanesian

mélange /melɑ̃ʒ/
A *nm* [1] (action) (de produits, peintures, couleurs, populations) mixing; (de thés, tabacs) blending; **faire** *or* **opérer un ~** to make a mixture *ou* blend; **bonheur/joie sans ~** unadulterated happiness/joy; [2] (résultat) (de thés, tabacs) blend; (de légumes, produits, d'idées) combination; (de peintures, couleurs, céréales, sentiments) mixture; **un ~ explosif** an explosive mixture; **c'est un ~ (coton et synthétique)** it's a mix (of cotton and synthetic fibres[GB])
B **mélanges** *nmpl* (recueil) miscellany (*sg*)

mélanger /melɑ̃ʒe/ [13]
A *vtr* [1] (pour former un tout) to blend [*tabacs, alcools, thés, huiles*]; to mix, to combine [*couleurs, peintures, teintes*]; to mix [*liquides*]; **~ les œufs et le sucre** to mix the eggs and the sugar together; **c'est du coton mélangé** it's a cotton mix; **~ au fouet** to beat [sth] together; [2] (associer) to put together [*styles, personnes, objets*]; **ne pas ~ le linge de couleur et le linge blanc** don't mix the coloureds GB *ou* colors US with the whites; [3] (mettre en désordre) to mix up, to jumble up; **il a mélangé les lettres et les factures** he mixed *ou* jumbled up the letters and the invoices; **~ les cartes** to shuffle (the cards); [4] (confondre) to mix up [*dates, faits, personnes, noms*]; **il mélange les prénoms de ses petits-enfants maintenant** he mixes up the names of his grandchildren now; **mais non! tu mélanges tout!** no! you're getting it all mixed up; ▸ **serviette**
B **se mélanger** *vpr* [1] (pour former un tout) [*tabacs, alcools, thés, huiles*] to blend; [*céréales*] to mix; [*couleurs, peintures, teintes*] to mix, to blend together; **l'huile se mélange mal avec le vinaigre** oil does not mix well with vinegar; [2] (en créant une confusion) [*idées, faits, chiffres, souvenirs*] to get muddled (up); **les souvenirs se mélangent dans ma tête** the memories are getting muddled (up) in my head

mélangeur /melɑ̃ʒœʀ/ *nm* Tech [1] (appareil) mixer; [2] (robinet) **(robinet) ~** mixer tap GB, mixer faucet US

mélanine /melanin/ *nf* melanin

mélanome /melanom/ *nm* melanoma

mélasse /melas/ *nf* [1] Culin (noire) black treacle GB, molasses (*pl*); [2] °(boue) muck; (brouillard) murk; (confusion) shambles° (*sg*), mess

(Idiome) **être dans la ~°** to be in a mess°

mélatonine /melatɔnin/ *nf* melatonin

Melba /mɛlba/ *adj inv* **pêche ~** peach melba

Melbourne /mɛlbuʀn/ ▸ **p. 894** *npr* Melbourne

mêlé, **~e** /mele/
A *pp* ▸ **mêler**
B *pp adj* [*éléments, public, société*] mixed; [*sons, parfums, eaux*] mingled; **~ de** mingled with; **avec une crainte ~e de respect** with mingled fear and respect; **plaisir ~ de regret** pleasure tinged with regret
C **mêlée** *nf* [1] (bataille, cohue) mêlée; **~e générale** free-for-all; **la ~e devint générale** it turned into a free-for-all; **se jeter dans la ~e** to fling oneself into the fray; [2] Sport (au rugby) scrum; **plonger dans la ~e** to dive into the scrum; **~e ordonnée** set scrum; **~e ouverte** loose scrum, ruck; **~e tournée** wheeled scrum; [3] fig (contestation) fray; **rester en dehors** *or* **au-dessus de la ~e** to keep out of the fray

mêler /mele/ [1]
A *vtr* [1] (mélanger) to mix [*produits, couleurs*]; to blend [*ingrédients, essences*]; to blend [*cultures, peuples*]; to combine [*thèmes, influences*]; **servis seuls ou mêlés à d'autres fruits** served on their own or mixed with other fruits; **~ le vrai et le faux** to mix truth and falsehood; **~ ses souvenirs de considérations générales** to mix personal memories with general observations; **~ le narratif de brèves descriptions** to intersperse the narrative with short descriptions; **~ ironie et tendresse** to combine irony and tenderness; [2] (allier en soi) **~ l'utile à l'agréable** [*séjour, activité*] to be both useful and pleasurable; **~ l'ironie à la colère** to be ironic and angry at the same time; **elle mêla ses larmes aux miennes** her tears mingled with mine; [3] (impliquer) **~ qn à** (à un scandale) to get sb involved *ou* mixed up in; (à des négociations) to involve sb in; (à une conversation) to bring sb into; **être mêlé à** (à un scandale) to be mixed up *ou* involved in; (à des négociations) to be involved in; (à une conversation) to be included in
B **se mêler** *vpr* [1] (s'unir) [*ethnies, cultures, religions*] to mix; [*odeurs, parfums, voix, eaux*] to mingle; **jazz et reggae se mêlent dans leur musique** their music is a mixture of jazz and reggae; **intelligence et naïveté se mêlent chez cet acteur** he's both intelligent and naive as an actor; **un magazine où se mêlent littérature et sciences** a magazine that covers both literature and science; [2] **se ~ à** (se joindre à) to mingle with; (être sociable) to mix with; (participer à) to join in; **se ~ à la foule** to mingle with the crowd; **ils ne se mêlent pas aux gens du village** they don't mix with the villagers; **se ~ à la conversation** to join in the conversation; **il s'est mêlé à une affaire douteuse** he got mixed up in some shady business; [3] (s'occuper) **se ~ de** to meddle in; **il se mêle de tout** he interferes *ou* meddles in everything; **mêle-toi de tes affaires°** *or* **oignons●** mind your own business; **de quoi je me mêle°!** what's it got to do with you?; **se ~ de faire** to take it upon oneself to do; **quand il se mêle de préparer le repas** when he takes it upon himself to prepare the meal; **s'il se mêle de pleuvoir** if it goes and rains (now); **il n'avait pas à se ~ de faire ça** he had no business doing that; **quand l'amour s'en mêle!** when love comes into it!

mélèze /melɛz/ *nm* larch

méli-mélo, *pl* **mélis-mélos*** /melimelo/ *nm* (mélange) hotchpotch GB, hodgepodge US; (fouillis) jumble, mess; (imbroglio) muddle

mélioratif, **-ive** /meljɔʀatif, iv/ *adj* meliorative

mélisse /melis/ *nf* lemon balm; **eau de ~** melissa *ou* balm water

mellifère /melifɛʀ/ *adj* melliferous

mélo° /melo/
A *adj* [*film, pièce*] slushy°, schmaltzy°; **feuilleton ~** Radio, TV soap (opera)
B *nm* melodrama; **c'est du pur ~** (film, pièce) it's a real tear-jerker°, it's pure schmaltz°

mélodie /melɔdi/ *nf* [1] Mus melody; (air) tune; (pièce vocale) song; [2] (de vers, poème) melodiousness

mélodieusement /melɔdjøzmɑ̃/ *adv* melodiously

mélodieux, **-ieuse** /melɔdjø, øz/ *adj* melodious

mélodique /melɔdik/ *adj* melodic

mélodramatique /melɔdʀamatik/ *adj* melodramatic

mélodrame /melɔdʀam/ *nm* melodrama

mélomane /melɔman/
A *adj* music-loving (*épith*); **être ~** to be a music lover
B *nmf* music lover

melon /məlɔ̃/ *nm* [1] Bot, Culin melon; [2] Mode **(chapeau) ~** bowler (hat) GB, derby (hat) US

(Composés) **~ d'eau** watermelon; **~ d'hiver** honeydew melon

mélopée /melɔpe/ *nf* [1] chant; [2] Hist Mus melopoeia

Melpomène /mɛlpɔmɛn/ *npr* Melpomene

MEM /mɛm/ *nf*: *abbr* ▸ **mémoire**

membrane /mɑ̃bʀan/ *nf* gén membrane; (de haut-parleur) diaphragm

membraneux, **-euse** /mɑ̃bʀanø, øz/ *adj* membranous

membre /mɑ̃bʀ/ *nm* [1] (de club, famille, parti) member; **~ fondateur/actif/honoraire/à vie** founder/active/honorary/life member; **être ~ de** to be a member of; **les ~s du gouvernement/de l'équipage** the members of the government/of the crew; **les ~s du parti/comité** the members of the party/committee, the party/committee members; **devenir ~ d'un parti/club** to join a party/club; **carte/insigne de ~** membership card/badge; **le club compte 400 ~s** the club has 400 members *or* a membership of 400; **le parti a perdu beaucoup de ~s** the party's membership has fallen considerably; **les pays ~s/non ~s** the member/nonmember countries; [2] Anat, Zool limb; **~s supérieurs** upper limbs; **~s inférieurs** lower limbs; **~ antérieur** forelimb; **~ postérieur** hind limb; [3] Math (d'équation, expression) member; **premier/deuxième ~** first *ou* left/second *ou* right member

(Composés) **~ fantôme** Méd phantom limb; **~ de phrase** Ling part of a sentence; **~ viril** Anat male member

membrure /mɑ̃bʀyʀ/ *nf* [1] Anat limbs (*pl*); [2] Constr rib; [3] Naut rib

même /mɛm/
A *adj* [1] (identique) same; **en ~ temps** at the same time; **être de la ~ grandeur** *or* **taille** to be the same size; **c'est toujours la ~ chose** it's always the same; **tu dis toujours la ~ chose** that's what you always say; **elle porte la ~ robe qu'hier/que sa sœur** she's wearing the same dress as yesterday/as her sister; **j'étais dans la ~ classe que lui** I was in the same class GB *ou* grade US as him; **être de la ~ valeur (que)** to be worth the same (as)
[2] (suprême) [*bonté, dévouement, générosité*] itself; **il est la perfection/la ponctualité ~** he's perfection/punctuality itself; **c'est l'intelligence ~** he's/she's intelligence itself
[3] (exact) **le jour ~ où** the very same day that; **à l'heure ~ où, au moment ~ où** at the very moment when; **c'est l'endroit ~ du meurtre** this is the very place where the murder took place; **les lieux ~s du meurtre/de l'accident** the (actual) scene of the murder/of the accident; **les fondements ~s de la société** the very foundations of society; **par cela ~** by this very fact; **ce sont les termes ~s qu'il a employés** those were his exact *ou* very words; **quant aux thèmes ~s à traiter** as for the precise subjects for discussion; **c'est cela ~** that's it exactly
B *adv* [1] (pour renchérir) even; **je ne m'en souviens ~ plus** I can't even remember; **on peut ~ ajouter** one might even add
[2] (précisément) very; **c'est ici ~ que je l'ai rencontré** I met him at this very place; **aujourd'hui ~** this very day; **c'est alors ~ qu'elle arriva** she arrived at that very moment

C de même *loc adv* **vous partez? nous de ~** are you leaving? so are we; **agir** *or* **faire de ~** to do the same; **il a refusé de venir et sa sœur de ~** he refused to come and so did his sister; **il a de ~ refusé de venir** he also refused to come; **il en est** *or* **va de ~ pour** the same is true of; **il n'en est plus de ~ depuis 1970** this is no longer the case since 1970; **cette remarque ne s'adresse pas qu'à lui, il en est de ~ pour vous** this comment isn't just aimed at him, the same goes for you; (de la même manière) **de ~ en France l'armée...** similarly in France, the army...

D de même que *loc conj* **de ~ que la première entreprise a fait faillite, la seconde n'a pas duré très longtemps** just as the first business went bankrupt, the second one didn't last very long either; **le prix de l'essence de ~ que celui du tabac a augmenté de 10%** the price of petrol GB *ou* gas US, as well as that of tobacco, has risen by 10%; **de ~ que son prédecesseur, il a démissionné** he resigned as did his predecessor, like his predecessor he resigned

E même si *loc conj* even if

F même que◑ *loc conj* **il roulait à toute allure, ~ qu'il a failli avoir un accident** he was going at top speed and he nearly had an accident, and all○

G *pron indéf* **le ~, la ~, les ~s** the same; **j'ai le ~** I've got the same one; **ce sont toujours les ~s qui sont punis** it's always the same ones who get punished; **le ~ que** the same as; **le groupe est le ~ qu'en 1980** the group is the same as it was in 1980; **la loi est la ~ qu'en France** the law is the same as it is in France; **ce sont les ~s qui disaient** these are the same people who said; **Smirnov, le ~ que l'on soupçonne aujourd'hui** Smirnov, the same person suspected today; **le système sera le ~ que celui de mon vieil ordinateur** the system will be the same as the one on my old computer *ou* as that on my old computer; **la qualité sera la ~ que celle de** the quality will be the same as that of; **ce sac est le ~ que celui de Pierre** this bag is the same as Pierre's

mémé○ /meme/ *nf* **1** (grand-mère) gran○, granny○; ▸ **ortie**; **2** (vieille femme) pej old granny○ péj

mêmement /mɛm(ə)mɑ̃/ *adv* fml likewise

mémento /memɛ̃to/ *nm* **1** (livre) guide; **2** †(agenda) diary GB, personal calendar US; **3** (prière) **~ des morts/vivants** prayers (*pl*) for the dead/living

mémère○ /memɛʀ/ *nf* **1** péj old granny○; **le chien-chien à sa ~** Mummy's little doggy; **2** (grand-mère) granny○

mémo○ /memo/ *nm* note

Mémo-Appel /memoapɛl/ *nm* Télécom reminder call service (*in France*)

mémoire /memwaʀ/

A *nm* **1** Admin (rapport) memo; **2** Univ (exposé) dissertation (**sur** on); **3** Jur statement of case; **4** Compta (pour coûts) memorandum

B *nf* **1** (faculté) memory; **~ auditive/visuelle** auditive/visual memory; **avoir de la ~** to have a good memory; **si j'ai bonne ~** if I remember rightly; **ne pas avoir de ~** to have a bad memory; **sa ~ la trahit souvent** her memory often lets her down; **avoir la ~ des dates/visages** to have a good memory for dates/faces; **une histoire gravée dans ma ~** a story engraved on my memory; **quand il s'agit de l'argent qu'on te doit, tu retrouves vite la ~!** hum when someone owes you money, you remember fast enough!; **mon grand-père sera toujours présent dans ma ~** I will always remember my grandfather; **des faits qui sont dans toutes les ~s** facts that everyone remembers; **ça m'est soudain revenu en ~** it suddenly came back to me; **je n'ai pas cette affaire en ~** I can't call that matter to mind; **ça m'est resté en ~** I have never forgotten it; **j'ai toujours son visage en ~** I still remember his/her face; **chacun a gardé en ~ cette image** everyone remembers that image; **citer de ~** to quote from memory; **de ~ d'homme** in living memory; **de ~ de journaliste, on n'avait jamais vu cela** no journalist could remember such a thing happening before; **la ~ collective** collective memory; **2** (souvenir) memory (**de** of); (réputation) reputation, good name (**de** of); **honorer la ~ des soldats disparus** to honour[GB] the memory of the fallen soldiers; **venger/réhabiliter la ~ de qn** to avenge/to clear sb's reputation *ou* good name; **en ~ de** to the memory of, in memory of; **d'illustre/de sinistre ~** [*personnage, fait*] illustrious/sinister; **pour ~** (à titre de rappel) for the record; (pour conserver) for reference; **je mentionne ce dossier pour ~ seulement** I mention this file for the record only; **garder un dossier pour ~** to keep a document for reference; **3** Ordinat (espace adressable) memory; (unité fonctionnelle) storage; **une ~ de 640K** a 640K memory; **la capacité de ~** the memory capacity *ou* size; **mettre des données en ~** to input data; **calculatrice/téléphone à ~** calculator/telephone with a memory

C Mémoires *nmpl* Littérat (souvenirs) memoirs

(Composés) **~ à accès direct** random access memory, RAM; **~ centrale** main storage *ou* memory; **~ dynamique** dynamic memory, DOM; **~ externe** external storage; **~ immunologique** immunological memory; **~ interne** internal memory *ou* storage; **~ de maîtrise** Univ dissertation (*which constitutes part of the French master's degree*); **~ morte, MEM** read-only memory, ROM; **~ principale = ~ centrale**; **~ tampon** buffer memory; **~ vidéo** video RAM, VRAM, video memory; **~ vive, MEV** random access memory, RAM

(Idiome) **avoir la ~ courte** to have a short memory

Mémophone /memofɔn/ *nm* Télécom public voice mail service

mémorable /memɔʀabl/ *adj* memorable

mémorandum /memɔʀɑ̃dɔm/ *nm* **1** (en diplomatie) memorandum; **2** (de choses à faire) note; (carnet) notebook; **3** Comm memo; (imprimé) order form

mémorial, **~e**, *mpl* **-iaux** /memɔʀjal, o/ *nm* **1** Archit memorial; **2** Littérat memorials (*pl*)

mémorialiste /memɔʀjalist/ *nmf* memorialist

mémorisation /memɔʀizasjɔ̃/ *nf* **1** (apprentissage) memorization; (faculté de retenir) powers (*pl*) of memory; **2** Ordinat storage

mémoriser /memɔʀize/ [1] *vtr* **1** (apprendre par cœur) to memorize [*liste*]; (retenir) to remember [*fait, noms*]; **2** Ordinat to store; **données mémorisées** stored data

menaçant, **~e** /mənasɑ̃, ɑ̃t/ *adj* [*geste, regard, ton, ombre, présence*] menacing, threatening; [*personne*] menacing; **être ~, dire des paroles ~es** [*personne*] to make threats; **se faire ~** [*personne*] to start to make threats; [*temps*] to look threatening; **le temps était ~** the weather looked threatening

menace /mənas/ *nf* threat; **~s de mort** death threats; **faire peser une ~ sur qn/qch** to pose a threat to sb/sth; **~s en l'air** idle threats; **geste de ~** menacing *ou* threatening gesture; **céder à/employer la ~** to give in to/to use threats; **obtenir de l'argent par la ~** to obtain money with menaces; **sous la ~** [*avouer, signer*] under duress; **tenir qn sous la ~ d'une révélation/d'un divorce** to threaten sb with a revelation/a divorce; **tenir qn sous la ~ d'une arme** to hold sb at gunpoint; **faire qch sous la ~ d'une arme** to do sth at gunpoint

menacer /mənase/ [12] *vtr* **1** (terroriser) to threaten [*personne*]; **~ qn d'un couteau** to threaten sb with a knife; **vous a-t-il menacé?** did he threaten you?; **2** (agiter une menace) to threaten (**de faire** to do); **~ qn d'une amende** to threaten sb with a fine; **~ qn de mort** to threaten to kill sb; **la pluie menace** rain is threatening; **3** (mettre en danger) to pose a threat to [*pays, santé*]; **être menacé** [*équilibre, économie*] to be in jeopardy; [*vie*] to be in danger; [*tranquillité*] to be threatened; [*carrière*] to be on the line; **toute la population est menacée** the entire population is at risk; **4** (risquer) **la chaudière menace d'exploser** the boiler could explode at any moment; **le retard menace d'être long** the delay threatens to be long

ménage /menaʒ/ *nm* **1** Écon, Sociol, Stat household; **une voiture par ~** one car per household; **la consommation des ~s** household consumption; **2** (couple) couple; (rapports) relationship; **vieux/jeune ~** old/young couple; **~ sans enfants** childless couple; **rien ne va plus dans leur ~** their relationship doesn't work any more; **se mettre en ~ avec qn** to set up home with sb; **ils sont** *or* **vivent en ~ depuis deux ans** they've been living together for two years; **être heureux/malheureux en ~** to get on well/badly with one's partner; **scènes de ~** domestic rows; **il est pour la paix des ~s** he doesn't want to interfere in other people's domestic quarrels; **3** (administration domestique) **tenir** *or* **conduire son ~** to look after the house; **monter son ~** to buy the household goods; **pain/saucisson de ~** ordinary bread/sausage; **4** (entretien d'intérieur) housework; **faire le ~** lit to do the cleaning; fig (dans un parti politique, une organisation) to do the cleaning up; **le ~ n'a pas été fait dans le salon** the living-room hasn't been cleaned; **faire le ~ à fond** to have a thorough clean; **faire des ~s** to do domestic cleaning work

(Composé) **~ à trois** ménage à trois

(Idiome) **faire bon ~** [*personne*] to get on well (**avec** with); [*chose*] to be compatible (**avec** with)

ménagement /menaʒmɑ̃/ *nm* **avec ~s** [*dire, annoncer, parler*] gently, **sans ~s** [*dire, annoncer, parler*] bluntly; [*jeter, pousser*] roughly, unceremoniously; **elle est fragile, traite-la avec ~** she's delicate, be gentle with her; **annoncez-leur la nouvelle avec beaucoup de ~s** break the news to them gently; **il faut le traiter avec ~(s) car il est très puissant** you need to handle him very carefully as he is very powerful; **il traite ses employés sans ~s** he treats his employees shabbily, he shows no consideration for his employees; **la police l'a embarqué sans aucun ~** the police bundled him unceremoniously *ou* roughly into the van

ménager¹ /menaʒe/ [13]

A *vtr* **1** (traiter avec précaution) to handle [sb] carefully [*collaborateur*]; to deal carefully with [*adversaire*]; to be gentle with, to treat [sb] gently [*personne âgée, malade, convalescent*]; to be careful with, to take care of [*machine, matériel*]; **ils savent ~ leurs alliés** they're careful not to upset their allies, they handle their allies carefully; **essaie de le ~, il est encore fragile** try and be gentle with him, he hasn't totally recovered yet; **~ la susceptibilité de qn** to humour[GB] sb; **tu devrais ~ ton moteur** you should be careful with your engine; **les critiques n'ont pas ménagé le cinéaste** the critics didn't spare the film director; **~ les oreilles de qn** to spare sb's ears; **~ sa santé** to look after one's health; **ménage tes poumons, arrête de fumer** give your lungs a chance: stop smoking; ▸ **chèvre**; **2** (employer avec économie) to be careful with [*vêtements, économies, ressources*]; to save [*forces*]; **elle ne nous a pas ménagé les critiques** she wasn't sparing in her criticism of us; **il ne ménage pas ses efforts** *or* **sa peine** he spares no effort; **il ménage ses paroles** he's a man of few words; **elle n'a pas ménagé ses termes** *or* **expressions** she didn't mince her words; **3** (installer) **~ un escalier dans un bâtiment** to install a staircase in a building;

m

~ un passage/une issue de secours to make an opening/an emergency exit; **~ un espace pour un meuble** to make some space for a piece of furniture; **4** (régler avec soin) to organize, to arrange [*entrevue, rencontre*]; **~ des transitions dans un texte** to make smooth transitions in a text; **~ un temps de pause entre les séquences** to allow for breaks between sequences; **je lui ménage une petite surprise dont il se souviendra** iron I'm arranging a little surprise for him that he won't forget; **l'auteur ménage ses effets** the author saves his/her best effects until the end

B se ménager *vpr* **1** (s'économiser) [*personne*] to take it easy; **vous devriez vous ~ un peu** you should take it easy, you shouldn't overexert *ou* overtax yourself; **2** (se préparer) **se ~ une issue** *or* **une porte de sortie** fig to leave oneself a way out

ménager², -ère /menaʒe, ɛʀ/

A *adj* **1** (de la maison) [*occupations, tâches*] domestic; [*ustensiles, équipement*] household, domestic; **appareils ~s** domestic appliances; **travaux ~s** housework **¢**, domestic chores; **2** †(économe) **être ~ de** to be economical with [*temps, argent*]

B ménagère *nf* **1** (personne) housewife; **2** (couverts) canteen of cutlery

ménagerie /menaʒʀi/ *nf* (de cirque, zoo) menagerie; **cette classe est une vraie ~!** this classroom is a real zoo!

mendélévium /mɛ̃delevjɔm/ *nm* mendelevium

mendélien, -ienne /mɑ̃deljɛ̃, ɛn/ *adj* Mendelian

mendiant, ~e /mɑ̃djɑ̃, ɑ̃t/

A *adj* **les ordres ~s** the mendicant orders

B *nm,f* beggar

C mendiants *nmpl* Culin *mixture of almonds, dried figs, hazelnuts and raisins*

mendicité /mɑ̃disite/ *nf* begging; **vivre de la ~** to beg for a living; **en être réduit à la ~** to be reduced to begging

mendier /mɑ̃dje/ [2]

A *vtr* to beg for; **~ qch auprès de qn** to beg sb for sth

B *vi* to beg

mendigot◐, **~e** /mɑ̃digo, ɔt/ *nm,f* beggar

mendigoter◐ /mɑ̃digɔte/ [1] *vi* to beg

meneau, *pl* **~x** /meno/ *nm* (horizontal) transom; (vertical) mullion; **une fenêtre à ~x** a mullioned window

menées /məne/ *nfpl* plotting **¢**; **déjouer les ~ de qn** to foil sb's plotting

Ménélas /menelas/ *npr* Menelaus

mener /məne/ [16]

A *vtr* **1** (accompagner) gén **~ qn quelque part** to take sb somewhere; (en voiture) to drive sb somewhere

2 (guider) to lead [*bête, enfant, convoi*]; **~ un animal par une corde** to lead an animal on a rope; **~ qn à l'échafaud** to take sb to the scaffold; **~ paître le troupeau** to lead the flock to pasture; **~ son embarcation parmi les récifs** to guide one's boat through the reef

3 (commander) to lead [*hommes, équipe, pays, délégation*]; to run [*entreprise, pays*]; **il ne se laisse pas ~ par sa grande sœur** he won't be bossed about○ *ou* around○ US by his older sister; **l'égoïsme mène le monde** the world is ruled by self-interest; **se laisser ~ par son seul intérêt** to be motivated by pure self-interest; ▸ **dur**, **nez**

4 gén, Sport (avoir l'avantage) to lead; **la France mène le championnat devant l'Allemagne par trois points** France is leading the championship three points ahead of Germany

5 (aller, faire aller) **~ à Lille/au village** [*route*] to go *ou* lead to Lille/to the village; **~ qn quelque part** [*route*] to take sb somewhere; **notre promenade nous mena jusqu'au fleuve** our walk took us as far as the river; **la voie qui mène à la démocratie** the road to democracy; ▸ **Rome**

6 (faire aboutir) **~ à** [*baisse, échec, catastrophe, découverte*] to lead to; **~ qn à conclure que** to lead sb to conclude that; **je ne vois pas où cela nous mène** I can't see where this is getting *ou* leading us; **~ droit à** gén to lead [sb/sth] straight to; **cela le mènera droit en prison** that will land him in jail; **cela mène à tout** it leads to all kinds of things; **cela ne mène à rien** it doesn't lead anywhere; **parler ne mène à rien** talking won't get you anywhere; **cette histoire peut te ~ loin** (avoir des conséquences graves) it could be a very nasty business; **50 euros, cela ne nous mènera pas loin** 50 euros, that won't get us very far; **des indices qui ne mènent nulle part** clues which don't lead anywhere; **~ qch à bien** *or* **à bonne fin** *or* **à (son) terme** to complete [sth] successfully [*projet*]; to bring [sth] to a successful conclusion [*négociation, enquête*]; to handle [sth] successfully [*opération délicate*]

7 (poursuivre) to carry out [*étude, réforme*]; to pursue [*politique*]; to run [*campagne*]; **~ une enquête** gén to hold an investigation *ou* enquiry GB; (en tant que chef) to head an investigation *ou* enquiry GB; **~ des discussions oiseuses** to engage in pointless discussion; **~ deux choses de front** to pursue two aims simultaneously; **~ une vie exemplaire/misérable** to lead a blameless/wretched existence; **~ une vie de moine** to live like a hermit; **~ sa vie comme on l'entend** to live as one pleases; **~ des combats violents** to fight furiously; **~ une offensive contre un pays** to conduct an offensive against a country; **~ une guerre sans pitié** to wage a bitter war; **~ une grève de la faim** to be on hunger strike; ▸ **bâton**

8 (tracer) **~ une ligne d'un point à un autre** to draw a line between two points

B *vi* Sport to be in the lead; **~ par trois buts à un** to lead by three goals to one

(Idiomes) **~ la danse** *or* **le jeu** to call the tune; **~ grand train** *or* **la grande vie** to live it up

ménestrel /menɛstʀɛl/ *nm* minstrel

ménétrier /menetʀije/ *nm* village fiddler

meneur, -euse /mənœʀ, øz/ *nm,f* leader; **avoir des qualités de ~** to have leadership qualities

(Composés) **~ d'hommes** leader of men; **~ de jeu** compere GB, master of ceremonies US, emcee US; **meneuse de revue** leading showgirl

menhir /meniʀ/ *nm* menhir

méninge /menɛ̃ʒ/

A *nf* Anat meninx

B méninges○ *nfpl* brains○; **se creuser les ~s** to rack one's brains

méningé, ~e /menɛ̃ʒe/ *adj* meningeal

méningite /menɛ̃ʒit/ ▸ p. 283 *nf* meningitis; **tu ne risques pas d'attraper une ~!** hum you're not exactly straining yourself!

ménisque /menisk/ *nm* meniscus

ménopause /menɔpoz/ *nf* menopause

ménopausée /menɔpoze/ *adj f* postmenopausal (*épith*)

ménorragie /menɔʀaʒi/ *nf* menorrhagia

ménorrée /menɔʀe/ *nf* menorrhea, menstrual bleeding

menotte /mənɔt/

A *nf* (petite main) tiny hand

B menottes *nfpl* handcuffs; **avoir les ~s aux poignets** to be handcuffed; **passer les ~s à qn** to handcuff sb

menotter /mənɔte/ [1] *vtr* to handcuff

mensonge /mɑ̃sɔ̃ʒ/ *nm* **1** (assertion fausse) lie; **dire des ~s/un ~ à qn** to tell sb lies/a lie; **un tissu de ~s** a tissue of lies; **un pieux ~** a white lie; **un ~ par omission** a lie by omission; **2** (principe) **le ~** lying; **avoir horreur du ~** to loathe lying

mensonger, -ère /mɑ̃sɔ̃ʒe, ɛʀ/ *adj* [*propos, accusations*] false; [*publicité*] misleading; [*campagne*] dishonest

menstruation /mɑ̃stʀyasjɔ̃/ *nf* menstruation

menstruel, -elle /mɑ̃stʀyɛl/ *adj* menstrual

menstrues /mɑ̃stʀy/ *nfpl* menses

mensualisation /mɑ̃sɥalizasjɔ̃/ *nf* **j'ai demandé la ~ de mes factures** I've arranged to pay my bills on a monthly basis; **la ~ des salaires existe depuis longtemps** salaries have been paid on a monthly basis for a long time

mensualisé, ~e /mɑ̃sɥalize/ *adj* **1** [*paiement*] monthly (*épith*); **2** [*salaire, employé*] paid monthly (*jamais épith*); **mon salaire est ~** my salary is paid monthly

mensualiser /mɑ̃sɥalize/ [1] *vtr* **1** (étaler) **~ des versements** to pay in monthly instalments[GB]; **2** (payer un mois de travail) **les salaires ont été mensualisés** wages are now paid on a monthly basis

mensualité /mɑ̃sɥalite/ *nf* **1** (versement) monthly instalment[GB]; **payer qch par ~s** to pay for sth in monthly instalments[GB], to make monthly payments for sth; **payer qch en plusieurs ~s** to pay for sth in several monthly instalments[GB]; **2** (salaire) monthly salary

mensuel, -elle /mɑ̃sɥɛl/

A *adj* monthly

B *nm* Presse monthly magazine

mensuellement /mɑ̃sɥɛlmɑ̃/ *adv* once a month, monthly

mensuration /mɑ̃syʀasjɔ̃/

A *nf* mensuration

B mensurations *nfpl* measurements

mental, ~e, *mpl* **-aux** /mɑ̃tal, o/

A *adj* [*âge, cruauté*] mental; **handicapé ~** mentally handicapped person; **malade ~** mentally ill person

B *nm* (esprit) mind

mentalement /mɑ̃talmɑ̃/ *adv* **1** (par la pensée) [*compter, se représenter, élaborer*] in one's head; **2** (sur le plan mental) mentally

mentalité /mɑ̃talite/ *nf* mentality; **belle ~!** the mentality of some people!; **la ~ des Français** the French mentality

menterie† /mɑ̃tʀi/ *nf* lie

menteur, -euse /mɑ̃tœʀ, øz/

A *adj* [*personne*] untruthful; [*propos, écrits*] full of lies (*après n*); **être ~** to be a liar

B *nm,f* liar, fibber○; **menteuse!** you liar!

menthe /mɑ̃t/ *nf* **1** (plante) mint; **à la ~** [*dentifrice*] mint (*épith*); **2** (infusion) mint tea; **3** (sirop) **~ (à l'eau)** mint cordial

(Composés) **~ aquatique** water mint; **~ des champs** wild mint; **~ poivrée** peppermint; **~ pouliot** pennyroyal; **~ verte** spearmint

menthol /mɛ̃tɔl/ *nm* menthol

mentholé, ~e /mɛ̃tɔle/ *adj* mentholated; [*bonbon, cigarette, dentifrice*] menthol (*épith*)

mention /mɑ̃sjɔ̃/ *nf* **1** (action de citer) mention; **la ~ d'un accident dans les journaux** the mention of an incident in the newspapers; **être digne de ~** to be worthy of mention; **sans ~ de** with no mention of; **faire ~ de qch** to mention sth; **ne pas faire ~ de qch** to make no mention of sth; **il a été fait ~ de cet événement plusieurs fois** this event was mentioned several times; **il n'est pas fait mention de** no mention is made of; **faire ~ de l'existence de qch** to acknowledge the existence of sth; **2** Scol, Univ **~ passable** *pass with 50 to 60%*; **~ assez bien** *pass with 60 to 70%*; **~ bien** *pass with 70 to 80%*; **~ très bien** *pass with 80% upwards*; **il a obtenu une ~ à son examen** he got a merit in his exam; **~ honorable/très honorable** (à un doctorat) with merit/distinction; **3** (indication) note; **dossier portant la ~ 'secret'** file marked 'secret'; **rayer la ~ inutile** *or* **les ~s inutiles** delete as appropriate

(Composé) **~ spéciale** Art, Cin special award (**à, pour** for)

mentionner /mɑ̃sjɔne/ [1] *vtr* to mention; **il n'a pas mentionné qch** he didn't mention sth, he made no mention of sth; **ci-dessus mentionné** mentioned above; **mentionné ci-dessous** mentioned below

mentir /mɑ̃tiʀ/ [30]
A *vi* **1** (ne pas dire la vérité) [*personne*] to lie, to tell lies (**sur** about); **~ à qn** to lie to sb, to tell sb lies; **~ par intérêt/par jeu** to lie for personal gain/for fun; **tu mens!** you're lying!; **ne mens pas!** don't tell lies!; **il ment lorsqu'il dit que** he is lying when he says that; **sans ~, le poisson était grand comme ça!** no lie, the fish was this big!; **2** (être trompeur) [*publicité, statistiques, apparences*] to be misleading; **faire ~ des prévisions/le proverbe** to give the lie to forecasts/the proverb
B se mentir *vpr* **1** (à soi-même) to fool oneself (**sur** about); **2** (l'un l'autre) to lie to one another (**sur** about)
(Idiomes) **bon sang ne saurait ~** Prov blood will tell Prov; **il ment comme il respire** he's a born liar; ▸ **arracheur**

menton /mɑ̃tɔ̃/ *nm* chin; **~ fuyant/en galoche** receding/protruding chin; **double ~** double chin; **relever** *or* **dresser le ~** to stick out one's jaw

mentonnière /mɑ̃tɔnjɛʀ/ *nf* **1** (de couvre-chef) chinstrap; **2** (de violon) chin rest; **3** (bandage) chin bandage; **4** (d'armure) chinpiece, beaver

mentor /mɑ̃tɔʀ/ *nm* mentor

menu, ~e /məny/
A *adj* **1** (petit) [*personne*] slight; [*pied*] tiny; [*taille*] slender; [*brindille, écriture*] small; [*voix*] thin; **couper en ~s morceaux** to cut into tiny pieces; **à pas ~s** with tiny steps; **2** (sans importance) [*corvées, travaux*] small; [*occupations, obligations*] trifling; [*frais, soucis, dépenses, difficultés*] minor; [*détails*] minute; [*plaisirs*] little
B *adv* [*écrire*] small; [*hacher*] finely
C *nm* **1** (liste) menu; **le ~ à 100 F/à prix fixe** the 100 F/set menu; **~ dégustation** special house menu; **le ~ du jour** today's menu; **~ gastronomique/touristique** gourmet/middle-price menu; **au ~** on the menu; **choisir au ~** to choose from the menu; **2** (repas) meal; **planifiez vos ~s** plan your meals; **3** (régime) diet; **4** (programme) programme[GB]; **au ~** on the programme[GB]; **5** Ordinat menu
D par le menu *loc adv* [*décrire, raconter*] in (great) detail
(Composés) **~ contextuel** *or* **déroulant** Ordinat drop-down *ou* pull-down menu; **~e monnaie** small change; **~ fretin** lit, fig small fry; **~ gibier** small game; **~ peuple** humble folk (+ *v pl*); **~s propos** small talk ¢

menuet /mənɥɛ/ *nm* minuet

menuiserie /mənɥizʀi/ *nf* **1** (travail du bois, profession, industrie) joinery; (discipline, passe-temps) woodwork; **un atelier de ~** a joiner's workshop; **2** (atelier) carpenter's shop; **3** (boiseries) woodwork ¢
(Composé) **~ métallique** metal doors, windows and frames (*pl*)

menuisier /mənɥizje/ ▸ **p. 532** *nm* joiner GB, finish carpenter, woodworker

Méphistophélès /mefistofelɛs/ *npr* Mephistopheles

méphistophélique /mefistofelik/ *adj* liter Mephistophelian

méphitique /mefitik/ *adj* fml foul

méplat, ~e /mepla, at/
A *adj* flat
B *nm* plane

méprendre: se méprendre /mepʀɑ̃dʀ/ [52] *vpr* fml to be mistaken (**sur** about), to be wrong (**sur** about); **elles se ressemblent tellement, c'est à s'y ~** they're so much alike, it's hard to tell them apart

mépris /mepʀi/ *nm inv* **1** (dédain) contempt, scorn (**de** for); **avoir du ~ pour qn/qch** to despise sb/sth, to scorn sb/sth; **ton/sourire de ~** contemptuous *ou* scornful tone/smile; **2** (indifférence) **~ de** contempt for [*argent, succès*]; disregard for [*danger, mort, convenances*]; **au ~ de la loi/du danger** regardless of the law/of danger

méprisable /mepʀizabl/ *adj* [*personne, action*] contemptible; (plus fort) despicable; [*somme, idée*] insignificant

méprisant, ~e /mepʀizɑ̃, ɑ̃t/ *adj* [*geste, sourire, attitude*] contemptuous, scornful; [*personne*] disdainful, scornful; **être ~ avec qn** to treat sb with contempt

méprise /mepʀiz/ *nf* mistake; **par ~** by mistake

mépriser /mepʀize/ [1] *vtr* to despise [*personne, argent*]; to scorn [*danger, conseils, offre*]; to be scornful of [*convenances, honneurs*]; to disregard [*détails, règles*]

mer /mɛʀ/ ▸ **p. 579** *nf* **1** (étendue d'eau) sea; **niveau de la ~** sea level; **une ~ d'huile** a glassy sea; **vent de ~** sea breeze; **la vie en ~** life at sea; **par voie de ~** by sea; **en pleine ~** out at sea; **être en ~** to be at sea; **prendre la ~** [*personne, bateau*] to go to sea, to put to sea; **un homme à la ~!** man overboard!; **en bord de ~** by the sea; **mettre un bateau à la ~** to launch a boat; **eau de ~** seawater; **embarquer de gros paquets de ~** to ship water; **coup de ~** breaker; **~ de sable** sea of sand; **2** (zone côtière) seaside; **aller à la ~** to go to the sea, to go to the ocean US; **la ~ me convient mieux que la montagne** I prefer the seaside to the mountains; **3** (marée) tide; **la ~ monte** the tide is coming in; **la ~ est haute/basse** the tide is high/low
(Composés) **~ Blanche** White Sea; **~ de Chine** China Sea; **~ d'Irlande** Irish Sea; **~ Morte** Dead Sea; **~ Noire** Black Sea; **~ du Nord** North Sea; **~ Rouge** Red Sea
(Idiome) **ce n'est pas la ~ à boire** it's not all that difficult

mer-air /mɛʀɛʀ/ *adj inv* [*engin, missile*] sea-to-air

mercanti /mɛʀkɑ̃ti/ *nm* pej profiteer

mercantile /mɛʀkɑ̃til/ *adj* pej mercenary pej

mercantilisme /mɛʀkɑ̃tilism/ *nm* **1** Écon mercantilism; **2** (mentalité) pej mercenary mentality; **le ~ foncier de notre société** the fundamentally mercenary nature of our society

mercaticien, -ienne /mɛʀkatisjɛ̃, ɛn/ ▸ **p. 532** *nm,f* marketing expert

mercatique /mɛʀkatik/ *nf* marketing

mercenaire /mɛʀsənɛʀ/ *adj, nmf* mercenary

mercerie /mɛʀsəʀi/ ▸ **p. 532** *nf* **1** (boutique) haberdasher's shop GB, notions store US; **2** (articles) haberdashery GB, notions (*pl*) US; **3** (activité) haberdashery trade GB, notions trade US

mercerisé, ~e /mɛʀsəʀize/ *adj* mercerized

merchandising /mɛʀtʃɑ̃dajsiŋ/ *nm* controv merchandising

merci /mɛʀsi/
A *nm* thank you; **tu leur diras un grand ~ de ma part** give them a big thank you from me; **mille ~s** thank you so much; **un grand ~ à Mia pour son aide** a big thank you to Mia for her help
B *nf* mercy; **sans ~** [*lutte*] without mercy (*après n*), merciless (*épith*); **à la ~ de qn** at sb's mercy, at the mercy of sb; **à leur ~** at their mercy; **tenir qn à sa ~** to hold sb at one's mercy; **à la ~ du temps** at the mercy of the weather; **on est toujours à la ~ d'un changement de dernière minute** you're always in danger of a last minute change
C *excl* thank you, thanks○ (**à** to; **de, pour** for; **de faire, d'avoir fait** for doing); **~ beaucoup** thank you very much; **~ d'avance** thank you in advance; **~ à tous d'être venus** thank you all for coming; **~ à vous!** (repartie) thank YOU!; **non ~** no thank you, no thanks○; **y aller seule? ~ bien!** *or* **non ~!** go alone? no thank you!; **~ pour tout** thanks○ for everything; **~ mille fois** very many thanks; **Dieu ~** thank God; **dire ~** to say thank you; **tu pourrais dire ~!** you might say thank you!; **ils sont partis sans même dire ~** they left without even saying thank you

mercier, -ière /mɛʀsje, ɛʀ/ ▸ **p. 532** *nm,f* haberdasher GB, notions seller US

mercredi /mɛʀkʀədi/
A ▸ **p. 782** *nm* (jour) Wednesday
B ○*excl* euph sugar○!
(Composé) **~ des Cendres** Ash Wednesday

mercure /mɛʀkyʀ/ *nm* **1** (élément) mercury; **thermomètre à ~** mercury thermometer; **2** ○(temps) temperature

Mercure /mɛʀkyʀ/
A *npr* Mythol Mercury
B *nprf* Astron Mercury

mercuriale /mɛʀkyʀjal/ *nf* **1** Bot mercury; **2** Comm (liste) market price list; (tarif) market price; **3** (semonce) liter rebuke

mercuriel, -ielle /mɛʀkyʀjɛl/ *adj* mercurial; **intoxication mercurielle** mercury poisoning

mercurochrome® /mɛʀkyʀokʀom/ *nm* Mercurochrome®, antiseptic

merde /mɛʀd/
A ●*nf* **1** (matière) shit◑; **j'ai marché dans la ~** I've trodden in some shit◑; **2** (étron) turd○; **une ~ de chien** a dog turd○; **3** (objet de mauvaise qualité) crap◑; **on mange de la ~ dans ce restaurant** that restaurant serves crap◑ food; **boulot de ~** crap◑ job; **il a fait un temps de ~** the weather was bloody◑ awful; **cette voiture de ~** this bloody◑ car; **4** (pagaille) mess○; **être dans la ~** to be in the shit◑; **être dans la ~ jusqu'au cou** to be in deep shit◑; **on n'est pas dans la ~ maintenant** iron we're really in the shit◑ now; **mettre** *or* **semer la ~** to stir up the shit◑
B ◑*excl* shit◑!; **dire ~ à qn** to tell sb to piss off◑; **'monsieur, je vous dis ~'** 'balls◑ to you!'; **(et) ~ pour lui** tough shit◑!; **~ alors** shit◑!; **~ (puissance treize)!** (pour porter chance) good luck!
(Idiomes) **ne pas se prendre pour une ~**● to think the sun shines out of one's arse● GB *ou* ass◑ US; **avoir un œil qui dit ~ à l'autre**◑ to be cross-eyed

merder● /mɛʀde/ [1] *vi* [*candidat, bricoleur, affaire, projet*] to screw up◑, to fuck up●; **j'ai merdé à l'examen** I screwed up in my exam; **qu'est-ce que tu merdes?** what the fuck● are you doing?

merdeux●**, -euse** /mɛʀdø, øz/
A *adj* **se sentir ~** to squirm (with embarrassment)
B *nm,f* arsehole● GB, asshole◑ US, shit◑; **un petit ~** a little shit◑

merdier● /mɛʀdje/ *nm* (situation) bloody mess◑; (désordre, fouillis) shambles (*sg*)

merdique◑ /mɛʀdik/ *adj* [*film, livre*] crappy◑; [*voiture, appareil, pays*] crap◑

mère /mɛʀ/
A *nf* **1** (génitrice) mother; **elle est ~ de trois enfants** she is the mother of three (children); **devenir ~** to become a mother; **elle est comme une ~ pour moi** she's like a mother to me; **elles sont sages-femmes de ~ en fille** they have been midwives for generations; **mariée et ~ de deux enfants** married with two children; **retourner chez sa ~** to go home to mother; **les chiots et leur ~** the puppies and their mother; **la Grèce, ~ des arts** fig Greece, mother of the arts; **2** ○(femme) **la ~ Michel** old mother Michel; **comment allez-vous, ~ Colas?** how are you, Mrs Colas?; **3** (dans un couvent) **~ supérieure** Mother Superior; **oui, ma ~** yes, Reverend Mother; **~ abbesse** abbess; **~ Teresa** Mother

Teresa; **4** Tech (moule) mould GB, mold US; ▸ **oisiveté**, **prudence**
B **(-)mère** (*in compounds*) **cellule** ~ Biol parent cell; **maison** ~ parent company; **plante** ~ Bot parent plant
(Composés) ~ **adoptive** foster mother; ~ **biologique** biological mother; ~ **célibataire** single mother; ~ **donneuse** donor mother; ~ **de famille** gén mother; (ménagère) housewife; ~ **patrie** motherland, fatherland; ~ **porteuse** Méd surrogate mother; ~ **poule** hum mother hen; ~ **du vinaigre** Chimie mother of vinegar
(Idiome) **il tuerait père et ~ pour avoir qch** he'd kill to get sth

mère-grand† /mɛʀgʀɑ̃/ *nf* grandmother

merguez /mɛʀgɛz/ *nf inv* spicy sausage

mergule /mɛʀgyl/ *nm* little auk

méridien, **-ienne** /meʀidjɛ̃, ɛn/
A *adj* **1** Astron, Géog meridian; **2** liter [*heure, ombre*] midday, noon
B *nm* **1** Géog meridian; ~ **d'origine/de Greenwich** prime/Greenwich meridian; **2** Astron meridian
C **méridienne** *nf* **1** Math meridian line; **2** Astron (en géodésie) line of triangulation points; **3** (sieste) liter siesta; **4** (lit) ≈ day bed

méridional, **~e**, *mpl* **-aux** /meʀidjɔnal, o/
A *adj* **1** (du sud de la France) [*accent, type, exagération*] Southern; **2** Géog [*versant, côte, région*] southern
B *nm,f* Southerner

meringue /məʀɛ̃g/ *nf* meringue

meringué, **~e** /məʀɛ̃ge/
A *pp* ▸ **meringuer**
B *pp adj* meringue-topped (*épith*), covered with meringue (*jamais épith*)

meringuer /məʀɛ̃ge/ [1] *vtr* to cover [sth] with meringue [*gâteau*]; to add a meringue topping to [*dessert*]

mérinos /meʀinos/ *nm inv* **1** (mouton) merino; **2** (étoffe) merino
(Idiome) **laisser pisser le ~**◑ to let things take their course

merise /məʀiz/ *nf* wild cherry

merisier /məʀizje/ *nm* **1** (arbre) wild cherry tree; **2** (bois) cherry wood

méritant, **~e** /meʀitɑ̃, ɑ̃t/ *adj* deserving

mérite /meʀit/ *nm* **1** (vertu permanente) merit; (pour un événement ponctuel) credit; **un homme de (grand) ~** a man of (great) merit; **il a au moins le ~ d'être sincère** he has the merit of being sincere, but at least he's sincere; **au ~** according to merit; **il a eu le ~ de permettre le dialogue entre les deux parties** it's to his credit that he got the two sides around the negotiating table; **ne me remerciez pas, tout le ~ revient à mon collaborateur** don't thank me, all the credit should go to my colleague; **avoir du ~ à faire qch** to deserve credit for doing sth; **tu as au moins le ~ d'avoir essayé** at least you tried; **il n'y a aucun ~ à faire** there's no merit in doing; **vous n'en avez que plus de ~** you deserve all the more credit for it; **il a eu grand ~ à faire** it was greatly to his credit that he did; **cette voiture n'est pas très belle mais elle a le ~ de rouler/d'exister** this car isn't very much to look at but at least it goes GB *ou* runs US/but it's better than nothing; **2** (qualité) merit, quality; **ce livre a ses ~s** the book has its merits; **si nombreux que soient ses ~s, il n'est pas sans défauts** however many qualities he may have, he's not without his faults; **vanter les ~s de qn/qch** to sing the praises of sb/sth; **avoir le double ~ d'être confortable et puissant** to be comfortable and powerful; **3** (décoration) **ordre (national) du Mérite** *French award for distinguished services in a public or private capacity*; **4** Relig **les ~s** the good works

mériter /meʀite/ [1]
A *vtr* [*personne, action*] to deserve [*estime, encouragements, récompense, punition*]; **il mériterait qu'on lui fasse subir le même sort** he deserves the same treatment, it would serve him right if somebody did the same to him; **tu n'as que ce que tu mérites** you've got GB *ou* gotten US what you deserve, it serves you right; **un délit qui mérite une peine très lourde** a crime that warrants *ou* deserves a very heavy penalty; **~ d'être lu** to be worth reading; **l'endroit mérite le détour** this place is worth the detour; **~ réflexion** to be worth considering; **cette théorie mérite qu'on s'y intéresse** this theory is worth studying; **il a reçu une gifle et il l'a bien méritée** he got a slap round GB *ou* in the face and it was nothing less than he deserved; **succès/repos (bien) mérité** well- deserved success/rest; **punition/récompense méritée** well-deserved punishment/reward; **sa lettre mérite une réponse** his/her letter merits a reply
B **mériter de** *vtr ind* **avoir bien mérité de la patrie** to have earned the recognition of one's countrymen
C **se mériter** *vpr* **c'est quelque chose qui se mérite** it's something that has to be earned

méritocratie /meʀitɔkʀasi/ *nf* meritocracy

méritocratique /meʀitɔkʀatik/ *adj* meritocratic

méritoire /meʀitwaʀ/ *adj* praiseworthy, commendable

merlan /mɛʀlɑ̃/ *nm* whiting
(Idiome) **faire des yeux de ~ frit à qn**○ (de surprise) to goggle at sb; (amoureusement) to look at sb with lovesick eyes

merle /mɛʀl/ *nm* blackbird; ▸ **grive**
(Composé) **le ~ blanc** (personne) the one in a million; (chose) the impossible

merlette /mɛʀlɛt/ *nf* female blackbird

merlin /mɛʀlɛ̃/ *nm* (de bûcheron) cleaver; (de boucher) poleaxe

merlu /mɛʀly/ *nm* hake

merluche /mɛʀlyʃ/ *nf* **1** (merlu) hake; **2** (morue séchée) stockfish

merluchon /mɛʀlyʃɔ̃/ *nm* small hake

mer-mer /mɛʀmɛʀ/ *adj inv* [*engin, missile*] sea-to-sea

mérou /meʀu/ *nm* grouper

mérovingien, **-ienne** /meʀovɛ̃ʒjɛ̃, ɛn/ *adj* Merovingian

Mérovingien, **-ienne** /meʀovɛ̃ʒjɛ̃, ɛn/ *nm,f* Merovingian

Merseyside ▸ **p. 721** *nprm* **le ~** Merseyside

mer-sol /mɛʀsɔl/ *adj inv* [*engin, missile*] sea-to-surface

merveille /mɛʀvɛj/
A *nf* **1** (chose admirable) marvel, wonder; **ta maison/confiture est une pure ~** your house/jam is marvellous[GB]; **les sept ~s du monde** the seven wonders of the world; **la huitième ~ du monde** the eighth wonder of the world; **il se prend pour la huitième ~ du monde** he thinks he's God's gift to humanity; **et, ~ des ~s...** and wonder of wonders...; **la ~ des ~s** the most wonderful thing in the world; **une ~ de finesse** a marvel *ou* miracle of delicacy; **faire ~** *or* **des ~s** to work wonders *ou* miracles; **2** Culin fritter
B **à merveille** *loc adv* [*jouer, cuisiner*] marvellously[GB], wonderfully; **la voiture marche à ~** the car goes like a dream; **notre plan a fonctionné à ~** our plan worked wonderfully *ou* like a dream; **se porter à ~** to be in excellent health

merveilleusement /mɛʀvɛjøzmɑ̃/ *adv* marvellously[GB], wonderfully

merveilleux, **-euse** /mɛʀvɛjø, øz/
A *adj* **1** (admirable) marvellous[GB], wonderful; **il est ~ de faire** it is marvellous *ou* wonderful to do; **2** Littérat [*conte*] fabulous
B *nm* Littérat **le ~** the fabulous

mes ▸ **mon**

mésalliance /mezaljɑ̃s/ *nf* misalliance; **faire une ~** to marry beneath one's station

mésallier: **se mésallier** /mezalje/ [2] *vpr* to marry beneath one's station

mésange /mezɑ̃ʒ/ *nf* tit
(Composés) ~ **bleue** blue tit; ~ **charbonnière** great tit; ~ **huppée** crested tit; ~ **nonnette** marsh tit

mésaventure /mezavɑ̃tyʀ/ *nf* misadventure; **les ~s d'un jeune voyageur** the misadventures of a young traveller; **connaître** *or* **avoir une ~** to have an unfortunate experience; **par ~** by some misfortune

mescaline /mɛskalin/ *nf* mescaline

mesclun /mɛsklœ̃/ *nm* mixed salad (*made of young shoots and leaves of wild plants*)

mesdames ▸ **madame**

mesdemoiselles ▸ **mademoiselle**

mésencéphale /mezɑ̃sefal/ *nm* midbrain, mesencephalon spéc

mésentente /mezɑ̃tɑ̃t/ *nf* dissension; (moins grave) disagreement

mésentère /mezɑ̃tɛʀ/ *nm* mesentery

mésestime /mezɛstim/ *nf* liter low regard

mésestimer /mezɛstime/ [1] *vtr* liter to underrate [*artiste, œuvre*]; to underestimate [*collaborateur, qualité, difficulté*]

mésintelligence /mezɛ̃teliʒɑ̃s/ *nf* liter dissension (**entre** between)

mesmérisme /mɛsmeʀism/ *nm* mesmerism

mésolithique /mezɔlitik/ *adj, nm* Mesolithic

mésomorphe /mezɔmɔʀf/ *nmf* mesomorph

méson /mezɔ̃/ *nm* meson

Mésopotamie /mezɔpɔtami/ *nprf* Mesopotamia

mésopotamien, **-ienne** /mezɔpɔtamjɛ̃, ɛn/ *adj* Mesopotamian

Mésopotamien, **-ienne** /mezɔpɔtamjɛ̃, ɛn/ *nm,f* Mesopotamian

mésosphère /mezɔsfɛʀ/ *nf* mesosphere

mésothérapie /mezoteʀapi/ *nf* mesotherapy

mésozoïque /mezozɔik/ *adj, nm* Mezozoic

mesquin, **~e** /mɛskɛ̃, in/ *adj* **1** (vil) [*personne*] mean-minded, petty-minded; [*esprit, attitude, procédé*] petty; **2** (chiche) [*personne*] mean GB, cheap○ US; [*achat, récompense*] stingy

mesquinement /mɛskinmɑ̃/ *adv* **1** (bassement) meanly; **2** (chichement) stingily

mesquinerie /mɛskinʀi/ *nf* **1** (caractère) (bassesse) meanness; (avarice) stinginess; **2** (action) mean trick; (remarque) mean remark *ou* comment

mess /mɛs/ *nm inv* Mil mess

message /mesaʒ/ *nm* gén, Ling, Ordinat, Télécom message; **transmettre/adresser un ~** to give/send a message (**à** to); **je peux laisser un ~?** can I leave a message?; **~ de paix** message of peace; **~ de détresse** SOS message; **film à ~** film with a message; **faire passer un ~** lit to pass a message (**à** to); fig to get a message across (**à** to)
(Composés) ~ **électronique** email; ~ **publicitaire** commercial; ~ **SMS** text message

messager, **-ère** /mesaʒe, ɛʀ/
A *nm,f* **1** (qui transmet) messenger; (en diplomatie) envoy; **2** (qui présage) liter herald littér
B *nm* Télécom **~ de poche** pager

messagerie /mesaʒʀi/ *nf* **1** Transp freight forwarding; **2** Télécom messaging
(Composés) ~ **électronique** electronic mail; ~ **rose** *sex chat-line via Minitel®*; ~ **vocale** voice messaging, voice mail; **~s aériennes** air freight service (*sg*); **~s maritimes** sea service (*sg*); **~s de presse** press distribution service (*sg*)

messe /mɛs/ *nf* **1** Relig mass; **aller à la ~** to go to mass; **dire la ~/une ~** to say mass/a mass; **servir la ~** to serve at mass; **2** Mus mass (**en** in)

(Composés) ~ **basse** low mass; fig **~s basses**○ whispering; **arrêtez de faire des ~s basses**○**!** stop whispering together!; **~ de minuit** midnight mass; **~ des morts** mass for the dead; **~ noire** black mass

Messeigneurs ▸ **Monseigneur**

messeoir*† /meswaʀ/ [41] *vi* fml to be unbecoming

messianique /mesjanik/ *adj* messianic

messianisme /mesjanism/ *nm* messianism

messidor /mesidɔʀ/ *nm* Messidor (*tenth month of the French revolutionary calendar, ≈ July*)

messie /mesi/ *nm* messiah; **le Messie** the Messiah

(Idiome) **attendre qn comme le Messie**○ to wait anxiously for sb

messied ▸ **messeoir**

messieurs ▸ **monsieur**

messin, **~e** /mesɛ̃, in/ ▸ **p. 894** *adj* of Metz

Messin, **~e** /mesɛ̃, in/ *nm,f* (natif) native of Metz; (habitant) inhabitant of Metz

messire‡ /mesiʀ/ *nm* my Lord

mestre /mɛstʀ/ *nm* mainmast

mesurable /məzyʀabl/ *adj* [*pression, grandeur*] measurable; **non ~** unmeasurable; **ce n'est pas ~** it can't be measured

mesurage /məzyʀaʒ/ *nm* measuring

mesure /məzyʀ/ *nf* **1** (initiative) measure; **~ économique/administrative/préventive** economic/administrative/preventive measure; **par ~ d'économie** as an economy measure, to save money; **prendre des ~s** gén to take measures; (autoritairement) to take steps; **par ~ de sécurité** as a safety precaution; **~ de faveur** favour[GB]
2 (dimension) measurement; **prendre les ~s de qch** lit to take the measurements of sth; **prendre les ~s de qn** [*couturière*] to take sb's measurements; **faire prendre ses ~s** to be measured up (for sth); **prendre la ~ de la tâche qui nous attend** to assess the scale of the task ahead; **prendre la ~ des événements politiques** to make an assessment of political events; **prendre l'exacte ~ de la concurrence** to weigh up the competition; **(fait) sur ~** [*robe, costume, chemise*] made-to-measure, custom-made US; [*chaussures*] handmade; [*maison*] custom-built; **c'est fait sur ~, c'est du sur ~** [*vêtement*] it's made to measure *ou* custom-tailored US; **le sur ~** made-to-measure *ou* custom-tailored US clothes (*pl*); **tu as un emploi sur ~** the job is tailor-made for you; **à la ~ de l'homme** [*bâtiment, architecture*] on a human scale; **emploi à la ~ de ses ambitions** job which is commensurate with one's ambition; **c'est une adversaire à ta ~** she is a match for you; **des résultats qui donnent la ~ de tes capacités** results which show your true worth; **donner toute sa ~** to show one's worth; **pour faire bonne ~** for good measure
3 (évaluation) measurement; **unité de ~** unit of measurement; **instrument** *or* **appareil de ~** measuring device; **permettre la ~ d'une distance au mètre près** [*instrument*] to allow one to measure distances to within a metre[GB]
4 (unité) measure; **le système des poids et des ~s** the weights and measures system; **une ~ de volume** a measure of volume; ▸ **deux**
5 (récipient, contenu) measure; **~ de volume** (pour liquides) liquid measure; (pour solides) dry measure; **deux ~s de lait pour une ~ d'eau** two parts milk to one of water; ▸ **deux**
6 (modération) moderation; **manquer de ~** to lack moderation; **parler avec ~** to weigh one's words; **agir avec ~** to behave in a moderate way; **sans ~** [*dépenser*] wildly; [*boire*] to excess; **une jalousie sans ~** an excessive jealousy; **garder une juste ~ en toute chose** to keep a sense of proportion in all things; **dépasser la ~** to go too far
7 Mus bar; **barre de ~** bar line GB, bar US; **~ simple** simple *ou* duple time; **~ composée** compound *ou* triple time; **c'est une ~ à trois temps** it's in three time; **battre la ~** to beat time; **jouer en ~** to play in time; **danser en ~** to dance in time to the music
8 (situation) **être en ~ de promettre/rembourser** to be in a position to promise/reimburse; **un individu en ~ de tuer** an individual capable of killing; **le malade n'est pas en ~ de vous parler** the patient cannot talk to you; **le réseau ferroviaire n'est pas en ~ de** the rail network cannot
9 (limite) **je t'aiderai, dans la ~ où je le pourrai** *or* **de mes moyens** I'll help you as much as I can; **dans la ~ du possible** as far as possible; **dans une certaine ~** to some extent; **dans quelle ~** to what extent; **dans une large ~** largely, to a large extent; **elle a raison, dans une large ~** she is largely right, to a large extent she is right; **c'est vrai, dans une large ~** it is largely true, to a large extent it is true; **dans une plus ou moins large ~** to a greater or lesser extent; **dans une moindre ~** to a lesser extent; **dans la ~ où existe déjà un tel système** insofar as such a system already exists

mesuré, **~e** /məzyʀe/
A *pp* ▸ **mesurer**
B *pp adj* [*propos*] measured; [*attitude*] moderate; **être ~ dans ses propos** to weigh one's words; **des pas ~s** measured steps

mesurer /məzyʀe/ [1] ▸ **p. 498, p. 816, p. 827**
A *vtr* **1** Mes to measure [*longueur, hauteur, quantité, objet, lieu*] (**en** in); (pour prélever une partie) to measure off [*longueur*]; to measure out [*poids, volume*]; (avant travaux) to measure up [*recoin, salle de bains*]; **~ au centimètre près** to measure to the nearest centimetre[GB]; **~ 20 centimètres de tissu** to measure off 20 centimetres[GB] of fabric; **~ 200 grammes de farine** to measure out 200 grammes[GB] of flour; **~ les fenêtres pour faire des rideaux** to measure the windows for curtains; **~ le tour de hanche/de cou de qn** to take sb's hip/neck measurement; **2** (évaluer) to measure [*productivité, écart, séquelles*] ; to assess [*difficultés, risques*]; to consider [*conséquences*]; **~ les effets de qch** to assess *ou* to measure the effects of sth; **~ sa force contre** *or* **avec qn** to pit one's strength against sb; **mal ~ la portée de qch** to miscalculate the implications of sth; **~ le succès de qch à qch** to gauge the success of sth by sth; **~ qn du regard** *or* **des yeux** to weigh sb up; **~ le désarroi de qn** to get an idea of how upset sb is; **faire ~ à qn la gravité de qch** to make sb understand the seriousness of sth; **~ ses paroles** to weigh one's words; **ne pas ~ ses propos** to speak without restraint; **3** (donner sans générosité) **~ la nourriture à qn** to mete out food stingily to sb; **le temps nous est mesuré** our time is limited; **ne pas ~ ses efforts** to try one's utmost
B *vi* **~ 20 mètres carrés** to be 20 metres[GB] square; **~ 2 mètres de large/de long** to be 2 metres[GB] wide/long; **~ 20 mètres de profondeur** to be 20 metres[GB] deep; **~ 2 mètres de haut** [*mur*] to be 2 metres[GB] high; **elle mesure 1,60 m** [*personne*] she's 1.60 m tall
C se mesurer *vpr* **1** Mes **se ~ en mètres** to be measured in metres[GB]; **2** (s'affronter) **se ~ des yeux** *ou* **du regard** to weigh one another up; **se ~ à** *or* **avec qn** to pit one's strength against sb; **se ~ à un problème** to tackle a problem

mésusage /mezyzaʒ/ *nm* fml misuse (**de** of)

mésuser /mezyze/ [1] *vtr ind* fml **~ de** to misuse [*autorité*]

métabolique /metabɔlik/ *adj* metabolic

métabolisme /metabɔlism/ *nm* metabolism

métacarpe /metakaʀp/ *nm* metacarpus

métacarpien, **-ienne** /metakaʀpjɛ̃, ɛn/
A *adj* metacarpal
B *nm* metacarpal

métadonnées /metadɔne/ *nfpl* metadata

métairie /meteʀi/ *nf* tenanted farm

métal, *pl* **-aux** /metal, o/ *nm* metal; **métaux précieux** precious metals; **pièce de** *or* **en ~** metal coin

(Composé) **~ jaune** journ gold

métalangage /metalɑ̃gaʒ/ *nm* metalanguage

métalangue /metalɑ̃g/ *nf* metalanguage

métalinguistique /metalɛ̃gɥistik/ *adj* metalinguistic

métallerie /metalʀi/ *nf* metalworking

métallifère /metalifɛʀ/ *adj* metalliferous

métallique /metalik/ *adj* **1** lit (en métal) metal (*épith*); (ressemblant au métal) metallic; **c'est ~** it's made of metal; **2** fig [*son, voix, reflet*] metallic; **le bruit ~ des clés/des couverts** the clink of keys/cutlery

métallisation /metalizasjɔ̃/ *nf* metallization

métallisé /metalize/
A *pp* ▸ **métalliser**
B *pp adj* [*vert, bleu*] metallic; **peinture ~e** paint with a metallic finish

métalliser /metalize/ [1] *vtr* to silver [*miroir*]

métallo○ /metalo/ *nm* metalworker

métallographie /metalɔgʀafi/ *nf* metallography

métallographique /metalɔgʀafik/ *adj* metallographic

métalloïde /metalɔid/ *nm* metalloid

métallurgie /metalyʀʒi/ *nf* (technique) metallurgy; (industrie) metalworking industry

métallurgique /metalyʀʒik/ *adj* metallurgical

métallurgiste /metalyʀʒist/ ▸ **p. 532** *nm* (ouvrier) metalworker; (industriel) metallurgist

métamorphique /metamɔʀfik/ *adj* metamorphic

métamorphisme /metamɔʀfism/ *nm* metamorphism

métamorphose /metamɔʀfoz/ *nf* gén complete transformation; Mythol, Zool metamorphosis (**de qch en qch** of sth into sth)

métamorphoser /metamɔʀfoze/ [1]
A *vtr* to transform completely; **je l'ai trouvée métamorphosée** I found her completely transformed; **~ qn en qch** to turn sb into sth
B se métamorphoser *vpr* to be completely transformed; **se ~ en** to metamorphose into

métaphore /metafɔʀ/ *nf* metaphor; **s'exprimer par ~s** to speak in metaphors

métaphorique /metafɔʀik/ *adj* [*sens, valeur*] metaphorical

métaphoriquement /metafɔʀikmɑ̃/ *adv* metaphorically

métaphysicien, **-ienne** /metafizisjɛ̃, ɛn/ *nm,f* metaphysician

métaphysique /metafizik/
A *adj* metaphysical
B *nf* **1** Philos metaphysics (+ *v sg*); **2** fig pej philosophizing péj

métaphysiquement /metafizikmɑ̃/ *adv* metaphysically

métapsychique /metapsiʃik/ *adj* psychic

métapsychologie /metapsikɔlɔʒi/ *nf* metapsychology

métastase /metastɑz/ *nf* metastasis

métatarse /metataʀs/ *nm* metatarsus

métatarsien, **-ienne** /metataʀsjɛ̃, ɛn/
A *adj* metatarsal
B *nm* metatarsal

métathèse /metatɛz/ *nf* metathesis

métayage /metejaʒ/ *nm* tenant farming GB, sharecropping US

métayer, **-ère** /meteje, ɛʀ/ *nm,f* tenant farmer GB, sharecropper US

m

ℹ Les métiers et les professions

Les personnes

que fait-il dans la vie?
= what does he do?
ou what's his job?

■ *Au singulier l'anglais emploie l'article indéfini devant les noms de métiers et de professions utilisés avec les verbes* to be *(être)*, to become *(devenir), etc., ou avec* as.

il est mécanicien
= he is a mechanic

elle est dentiste
= she is a dentist

elle est professeur d'histoire
= she is a history teacher

c'est un bon boucher
= he is a good butcher

il travaille comme boucher
= he works as a butcher

il est employé comme mécanicien
= he works as a mechanic

elle veut devenir architecte
= she wants to be an architect

ils sont bouchers
= they are butchers

ce sont de bons bouchers
= they are good butchers

Les lieux

■ *S'il y a un nom en anglais pour désigner la personne* (the butcher, the baker, the chemist etc.), *on peut utiliser ce nom pour désigner le lieu où elle travaille.*

aller chez le boucher
= to go to the butcher's*
ou to go to the butcher's shop†

travailler dans une boucherie
= to work at a butcher's
ou to work at a butcher's shop

acheter quelque chose chez le boucher
= to buy something at the butcher's
ou to buy something at the butcher's shop

■ *Dans les cas où le lieu ne s'appelle pas* shop *ou* store, *la première de ces deux formes est toujours possible.*

aller chez le coiffeur
= to go to the hairdresser's

■ *On peut aussi employer* surgery *pour les professions médicales ou* office *pour les architectes, les avocats, les comptables, etc.*

aller chez le médecin
= to go to the doctor's surgery (*GB*)
ou office (*US*)

aller chez l'avocat
= to go to the lawyer's office

■ *On peut, dans certains cas, utiliser le nom particulier du lieu, s'il existe* (bakery, grocery *etc.*).

aller à la boulangerie
= to go to the bakery

■ *Dans les cas où le français dit* chez le marchand de X, *on peut, en général, dire en anglais* at/to the X shop.

aller chez le marchand de poissons
= to go to the fish shop

acheter quelque chose chez le marchand de fruits
= to buy something at the fruit shop

■ *De même* shoe shop *(chaussures)*, toy shop *(jouets)*, wine shop *(vin) etc.*

* *Au lieu de* to the butcher's, *on peut aussi dire* to the butcher. *Mais la forme avec* 's *est préférable.*

† *Attention: ce qui s'appelle* shop *en anglais britannique s'appelle en général* store *en anglais américain.*

---

métazoaire /metazɔɛʀ/ *nm* metazoan

méteil /metɛj/ *nm: mixed crop of wheat and rye*

métempsycose /metɑ̃psikoz/ *nf* metempsychosis

météo /meteo/
A *adj inv* [*bulletin, carte, prévisions*] weather (*épith*)
B *nf* 1 (organisme) Met Office GB, Weather Service US; **les prévisions de la ~** the forecast from the Met Office; **que dit la ~?** what's the forecast?; 2 (prévisions) weather forecast; **dans un instant la ~** coming next, the weather

(Composé) **~ marine** shipping forecast

météore /meteɔʀ/ *nm* meteor

(Idiome) **passer comme un ~** (avoir un bref succès) to be a flash in the pan; (faire une visite éclair) to be gone in a flash

météorique /meteɔʀik/ *adj* [*impact, poussière*] meteoric; **nuage ~** swarm of meteors

météorite /meteɔʀit/ *nm or nf* meteorite

météorologie /meteɔʀɔlɔʒi/ *nf* meteorology

(Composé) **la ~ nationale** the Meteorological Office GB, Weather Service US

météorologique /meteɔʀɔlɔʒik/ *adj* [*phénomène*] meteorological; **conditions ~s** weather conditions

météorologiste /meteɔʀɔlɔʒist/, **météorologue** /meteɔʀɔlɔg/ ▸ p. 532 *nmf* meteorologist

métèque /metɛk/ *nm* offensive foreigner, wog◑ GB injur

méthadone /metadɔn/ *nf* methadon

méthane /metan/ *nm* methane

méthanier /metanje/ *nm* LPG tanker

méthanol /metanɔl/ *nm* methanol

méthode /metɔd/ *nf* 1 gén, Philos method; **~s terroristes** terrorist methods; **la ~ expérimentale/déductive** the experimental/deductive method; **le Discours de la ~** Discourse on method; **~ de gestion/fabrication** management/production method; **une ~ d'enseignement/de lecture** a teaching/reading method; **~ active** progressive method; **~ audio-visuelle** audio-visual method; **~ directe** (d'enseignement des langues) direct *ou* natural method; **~ globale** look and say method; **~ syllabique** phonics (+ *v sg*); 2 (qualité logique) **procéder avec calme et ~** to proceed calmly and methodically; **il manque de ~** he's unmethodical, he's not methodical; **avoir de la ~** to be methodical; 3 (livret d'apprentissage) (de musique) method, tutor GB; (de langues) course book GB, textbook US; **une ~ de violon** a violin method *ou* tutor; **une ~ de russe** a Russian course book *ou* textbook; 4 (approche) way; **j'ai ma ~ pour le convaincre** I've got a way of convincing him; **il n'y a pas de ~ miracle pour réussir** there is no magic formula for success

méthodique /metɔdik/ *adj* [*démonstration, vérification*] methodical; [*esprit, personne*] methodical

méthodiquement /metɔdikmɑ̃/ *adv* methodically; **procédons ~** let's take things step by step

méthodisme /metɔdism/ *nm* Methodism

méthodiste /metɔdist/ *adj, nmf* Methodist

méthodologie /metɔdɔlɔʒi/ *nf* methodology

méthodologique /metɔdɔlɔʒik/ *adj* methodological

méthyle /metil/ *nm* methyl

méthylène /metilɛn/ *nm* 1 (alcool méthylique) methyl alcohol; 2 (dérivé du méthane) methylene; ▸ **bleu**

méthylique /metilik/ *adj* **alcool ~** methyl alcohol

méticuleusement /metikyløzmɑ̃/ *adv* meticulously

méticuleux, -euse /metikylø, øz/ *adj* [*personne, soin*] meticulous; [*travail, choix*] painstaking; **il est d'une propreté méticuleuse** he's scrupulously clean

méticulosité /metikylozite/ *nf* meticulousness

métier /metje/ *nm* 1 (activité rémunérée) job; (intellectuel) profession; (manuel) trade; (artisanal) craft; **c'est mon ~ (de faire ça)!** it's my job!; **il a fait tous les ~s** he's tried his hand at everything, he's done all kinds of jobs; **choisir un ~** to decide on a job *ou* trade *ou* profession; **apprendre un ~** (manuel) to learn a trade; **ils sortent de l'école sans ~** they come out of college without any practical skills; **entrer dans le ~** (manuel) to enter the trade; **bien connaître son ~** to be good at one's job, to know one's stuff○; **il est cuisinier/coiffeur de son ~** he's a cook/hairdresser by trade; **il est chirurgien/juriste/potier de son ~** he is a surgeon/lawyer/potter by profession; **un maçon de ~** a professional mason; **terme de ~** specialized term; **les gens du ~** the professionals, people in the business; **pour faire une bonne traduction, il faut être du ~** it takes a professional translator to do a good translation; **ne t'inquiète pas, elle est du ~** don't worry, she knows what she's doing; **le ~ des armes** the army; **choisir le ~ des armes** to decide on a military career; 2 (rôle) job; **faire son ~ de reine/mère** to do one's job as queen/a mother; 3 (expérience) **avoir du ~** to be experienced; **manquer de ~** to lack experience; **avoir 20 ans de ~** to have 20 years' experience; **c'est le ~ qui rentre!** you learn by your mistakes!; **le ~ rentre?** are you getting the hang of it?; 4 (objet) loom; **~ à tisser** weaving loom; **remettre qch sur le ~** fig to rework sth

(Idiome) **faire le plus vieux ~ du monde** euph to practise[GB] the oldest profession

métis, -isse /metis/
A *adj* 1 [*famille, enfant*] mixed-race (*épith*); [*animal*] hybrid, crossbred; [*plante*] hybrid; 2 [*toile*] union (*épith*)
B *nm,f* (personne) person of mixed-race
C *nm inv* Tex cotton and linen cloth; **en ~** made of cotton and linen

métissage /metisaʒ/ *nm* (de personnes) interbreeding; (de plantes, d'animaux) crossing; **~ culturel** cultural cross-fertilization

métisser /metise/ [1] *vtr* to cross [*animal, plante*]

métonymie /metɔnimi/ *nf* metonymy

métonymique /metɔnimik/ *adj* metonymic

métrage /metʀaʒ/ *nm* 1 (de tissu) length; **un petit ~** a short length; 2 (de mur, parquet) length in metres[GB]; 3 Cin (de film) length; **court ~** short (film); **long ~** feature-length film; **moyen ~** medium-length film

mètre /mɛtʀ/ *nm* 1 ▸ **p. 498, p. 816, p. 827, p. 898, p. 903** (mesure) metre[GB]; **ça s'achète/ça se vend au ~** you buy it/it's sold by the metre[GB]; (en sport) **le 60/100/1 500 ~s** the 60/100/1,500 metres[GB]; **faire** *or* **piquer un cent**

~s○ fig to break into a run; **2** (instrument de mesure) (metre[GB]) rule GB, yardstick US; **3** Littérat metre[GB]

(Composés) ~ **carré** square metre[GB]; ~ **de couturière** tape measure; ~ **cube** cubic metre[GB]; ~ **enrouleur** retractable tape measure; ~ **étalon** standard metre[GB]; ~ **pliant** folding (metre[GB]) rule; ~ **ruban** tape measure

métré /metʀe/ *nm* **1** (de quantités) quantity surveying; **2** (mesure) measurement

métrer /metʀe/ [14] *vtr* to measure [sth] in metres[GB] [*terrain*]

métreur, -euse /metʀœʀ, øz/ ▸ p. 532 *nm,f* ~ **(vérificateur)** quantity surveyor

métrique /metʀik/

A *adj* Math, Mes metric; **système** ~ metric system

B *nf* **1** Littérat metrics (+ *v sg*); **2** Math metric theory

métrite /metʀit/ *nf* metritis

métro /metʀo/ *nm* **1** (réseau) underground GB, subway US; **prendre le** ~ to take the underground; **2** (rame) underground train GB, subway US; **j'ai raté le dernier** ~ I've missed the last underground train

(Composé) ~ **aérien** elevated railway

(Idiomes) ~, **boulot, dodo**○ the daily grind; **avoir toujours un** ~ **de retard, être toujours en retard d'un** ~ to be always the last to hear about things

métrologie /metʀɔlɔʒi/ *nf* metrology

métrologique /metʀɔlɔʒik/ *adj* metrological

métronome /metʀɔnɔm/ *nm* metronome

(Idiome) **faire qch avec la régularité d'un** ~ to do sth as regularly as clockwork

métropole /metʀɔpɔl/ *nf* **1** (capitale d'un pays) metropolis; (grande ville) major city; ~ **d'équilibre** *or* **régionale** regional capital; **2** (France métropolitaine) Metropolitan France; **travailler en** ~ to work in Metropolitan France

métropolitain, ~e /metʀɔpɔlitɛ̃, ɛn/

A *adj* **1** Transp [*réseau*] underground GB, subway US; **2** Géog [*culture, investisseur*] from Metropolitan France; **3** Relig metropolitan

B *nm,f* Géog person from Metropolitan France

C †*nm* Transp underground GB, subway US

métropolite /metʀɔpɔlit/ *nm* metropolitan

métrorragie /metʀɔʀaʒi/ *nf* metrorrhagia

métrosexuel, -elle /metʀosɛksɥɛl/ *adj, nmf* metrosexual

mets /mɛ/ *nm inv* dish, delicacy

mettable /metabl/ *adj* [*vêtement*] wearable

metteur /metœʀ/ *nm* ~ **en pages** Imprim make-up man; ~ **en scène** Cin, Théât director

mettre /mɛtʀ/ [60]

A *vtr* **1** (placer dans un endroit, une position) to put [*chose, partie du corps, personne*]; ~ **un vase sur la table/des bûches dans la cheminée/le vin au frais** to put a vase on the table/logs on the fire/the wine in a cool place; **j'ai mis ta voiture au garage** I've put your car in the garage for you; ~ **les pieds sur la table/les mains sur la tête** to put one's feet on the table/one's hands on one's head; ~ **les mains en l'air/un timbre à l'envers** to put one's hands up/a stamp on upside down; **on m'a mis devant/tout au fond** they put me at the front/right at the back; **je l'ai mise sur ses pieds** I put her on her feet; **je mets les enfants à la crèche** I send the children to a creche; **il m'a mis en bas de chez moi** he dropped me off outside my door; **on m'a mis debout** they stood me up; **nous l'avons mise à l'hôtel** we put her up at the hotel

2 (projeter involontairement) to drop [*solide*]; to spill [*liquide, poudre*]; ~ **de la confiture sur le tapis** to drop jam on the carpet; ~ **de la colle/farine partout** to spill glue/flour all over the place

3 (placer sur le corps) to put on [*vêtement, bijou, maquillage, lunettes, préservatif, serviette*]; **mets ton écharpe** put your scarf on; **je vais** ~ **du mascara** I'll put some mascara on

4 (placer dans le corps) to put in [*tampon, suppositoire, plombage*]; **on m'a mis un plombage** I had a filling

5 (porter habituellement sur le corps) to wear [*lunettes, type de vêtement, parfum*]; **dans mon école les garçons mettent des cravates** in my school boys wear ties; **je ne mets jamais de chapeau** I never wear a hat

6 (placer dans une situation, un état) ~ **qn dans une situation embarrassante** to put sb in an embarrassing situation; ~ **qn en colère/en joie** to make sb angry/happy; ~ **qn en fureur** to enrage sb; ~ **qn au désespoir** to drive sb to despair; ~ **qn de bonne/mauvaise humeur** to put sb in a good/bad mood; **tu me mets hors de moi** you infuriate me; ~ **qn à la chaîne/à la reliure** to put sb on the assembly line/on binding; ~ **qn au travail** to put sb to work; ~ **qn au piano/au latin** to start sb on the piano/on Latin; ~ **les enfants à regarder la télévision** to put the children in front of the television; **si vous nous quittez, on mettra quelqu'un d'autre** if you leave us, we'll find somebody else; ~ **le riz à cuire** to put the rice on; ~ **le linge à sécher** to put the washing out to dry

7 (classer) ~ **la famille avant tout le reste** to put one's family first; ~ **ses études au-dessus de tout** to put one's studies first; **je le mets au premier rang de tous les écrivains** I rank him the best writer of all

8 (disposer) ~ **les assiettes** to put the plates on the table; ~ **les verres/la moutarde/un cendrier** to put out the glasses/the mustard/an ashtray; ~ **les chaises/une autre chaise** to bring chairs/another chair; ~ **une nappe** to put on a tablecloth; **je t'ai mis des draps propres** I've put clean sheets on for you

9 (faire fonctionner) ~ **la radio/la télévision/le chauffage** to put the radio/the television/the heating on; ~ **les nouvelles/la deuxième chaîne** to put the news/channel 2 on; ~ **plus fort** to turn up [*appareil*]; ~ **moins fort** to turn down [*appareil*]; **mets plus/moins fort!** turn it up/down!; ~ **les essuie-glaces/les phares** to switch on *ou* put on the windscreen GB *ou* windshield US wipers/the headlights; ~ **le réveil** to set the alarm; ~ **le verrou** to bolt the door; ~ **le loquet** to latch the door

10 (installer) to put in [*chauffage, douche, téléphone, placard*]; to put up [*rideau, lustre, étagère*]; **faire** ~ **le téléphone** to have a telephone put in; **je t'ai mis une prise** I've put in a socket for you; ~ **de la moquette** to lay a carpet; **faire** ~ **de la moquette** (dans une pièce) to have a carpet laid; (dans plusieurs pièces) to have carpets laid; ~ **du carrelage** to lay tiles

11 (écrire) to put up [*inscription*]; **ils ont mis des graffiti partout/sur la colonne** they've put graffiti everywhere/on the column; **il met que tout va bien** (dans une lettre) he says *ou* writes that everything's fine; **qu'est-ce que je dois** ~? what shall I put?; ~ **au passif/au singulier** to put into the passive/into the singular; ~ **en vers** to put into verse; **je t'ai mis un mot** I've left you a note; **est-ce qu'on met un trait d'union à 'multinational'?** is there a hyphen in 'multinational'?; **il faut** ~ **un trait d'union** you must put a hyphen in; ~ **sa signature sur un document** to put one's signature to a document; **mettez votre signature ici** sign here; **mettez le pronom qui convient** (remplacez) replace with the appropriate pronoun; (bouchez les trous) insert the appropriate pronom; ~ **en musique** to set to music; ~ **en anglais** to put into English; ~ **son brouillon au propre** *or* **au net** to write out *ou* up one 's notes

12 (ajouter) to add [*ingrédient*] **(dans** to); to put [*accessoire, élément décoratif*]; ~ **du sel dans la soupe** to put some salt in the soup; ~ **un peu de piment dans un récit** to add a little spice to a story; ~ **une sonnette à son vélo/des pompons à ses pantoufles** to put a bell on one's bicycle/pompoms on one's slippers; ~ **une radio à sa voiture/une doublure à sa veste** to put a radio in one's car/a lining in one's jacket

13 (consacrer) ~ **tout son cœur dans son travail** to put one's heart into one's work; **y** ~ **du sien** to put oneself into it; ~ **toute son énergie à essayer de comprendre** to put all one's energy into trying to understand; ~ **des moyens importants au service d'une cause** to use all possible means to further a cause; ~ **de la rigueur dans sa démarche** to become more thorough in one's approach

14 (investir, dépenser) to put [*argent*] **(dans, sur** into); ~ **tout son argent dans son commerce** to put all one's money into one's business; **j'ai tout mis sur le pétrole** I've put everything into oil; **il a tout mis sur un cheval/une équipe** he's put everything on a horse/a team; **combien pouvez-vous** ~? (pour acheter) how much can you afford?; (pour contribuer) how much can you put in?

15 (prendre) [*activité*] to take [*heures, jours, années*] **(pour faire** to do); **elle a bien mis une heure** it took her easily an hour; ~ **un temps fou**○ to take ages○

16 ○(vendre) **je vous mets des tomates?** would you like some tomatoes?; **je vous en mets combien? deux, trois?** how many would you like? two, three?

17 ○(attribuer) **je vous ai mis trois sur vingt** I've given you three out of twenty

18 ○(battre) **ils nous ont mis trois à zéro** they beat us three nil GB *ou* three to nothing US; **je lui ai mis une gifle** I gave him/her a slap (across the face); **tu veux que je te mette mon poing sur la figure?** do you want my fist in your face○?; **qu'est-ce qu'il m'a mis!** what a thrashing○ he gave me!

19 ○(partir) **les** ~ to beat it○; **je dois les** ~ I'd better beat it

20 ○(dire) **mettons dix dollars/à dix heures** let's say ten dollars/at ten

21 ○(supposer) **mettons qu'il vienne, qu'est-ce que vous ferez?** supposing *ou* say he comes, what will you do?

22 ◑(ficher) **tu peux te le** ~ **où je pense** *or* **quelque part** you know where you can put○ it *ou* stick◑ it; **va te faire** ~ get stuffed◑!

B *vi* Vét, Zool ~ **bas** gén to give birth, to drop; [*vache*] to calve; [*brebis*] to lamb; [*jument*] to foal

C se mettre *vpr* **1** (se placer dans un endroit, une position) **se** ~ **devant la fenêtre** (debout) to stand in front of the window; (assis) to sit down in front of the window; (couché) to lie (down) in front of the window; **se** ~ **sur les mains** to stand on one's hands; **se** ~ **sur le dos** to lie on one's back; **se** ~ **au lit** to go to bed; **se** ~ **debout** to stand up; **se** ~ **sur ses jambes** to get to one's feet; **ne plus savoir où se** ~ not to know where to put oneself; **se** ~ **les mains sur la tête** to put one's hands on one's head; **se** ~ **les doigts dans le nez** to pick one's nose; **où est-ce que ça se met?** where does this go?

2 (projeter involontairement sur soi) to spill [sth] on oneself [*liquide, poudre*]; **se** ~ **de la confiture** to get jam on oneself; **se** ~ **de la boue sur ses chaussures/de l'encre sur le nez/une poussière dans l'œil** to get mud on one's shoes/ink on one's nose/some grit in one's eye; **s'en** ~ **partout** to get it all over oneself

3 (placer sur son corps) to put on [*vêtement, bijou, maquillage*]; **se** ~ **un foulard/un collier/du rouge à lèvres** to put on a scarf/a necklace/lipstick; **se** ~ **de la poudre sur le visage** to put some powder on one's face, to powder one's face; **je ne sais pas quoi me** ~ I don't know what to put on

4 (placer dans son corps) to put in [*suppositoire, tampon*]

5 (commencer) **se** ~ **à l'anglais/au tennis** to take up English/tennis; **se** ~ **à prendre des somnifères** to start taking sleeping pills; **ma voiture se met à avoir des problèmes** my car

is starting to go wrong; **il va se ~ à pleuvoir** it's going to start raining; **il se met à faire froid/du vent** it's starting to get cold/windy **6** (tourner) **le temps s'est mis au froid/au beau/à la pluie** the weather has turned cold/fine/to rain
7 (se lancer) **elle s'est mise à leur recherche** she started looking for them; **je me suis mis sur l'affaire** I started looking into the case
8 (se placer dans une situation, un état) **se ~ en tort** to put oneself in the wrong; **se ~ dans une situation impossible** to get (oneself) into an impossible situation; **se ~ dans une sale affaire** to get involved in some shady business; **je me mets de ton côté** I'm on your side; **je préfère me ~ bien avec lui** I prefer to get on the right side of him; **se ~ à l'aise** to make oneself comfortable; **se ~ en colère** to get angry; **se ~ nu** to take off one's clothes; **on va se ~ ensemble**○ (sous le même toit) we're going to live together; **il s'est mis avec elle**○ (de son côté) he's on her side; (sous le même toit) he's moved in with her
9 (s'habiller) **se ~ en tenue d'été** to put on summer clothes; **se ~ en arlequin** to dress up as Harlequin; **se ~ en jaune** to wear yellow
10 (se grouper) **ce n'est pas la peine de vous (y) ~ à dix** there's no need for ten of you; **ils s'y sont mis à au moins trente** there were at least thirty of them
11 ○(manger) **je m'en suis mis un maximum** I really stuffed○ myself; **s'en ~ plein la panse**○ *or* **lampe**○ *or* **gueule**● to stuff○ oneself; **qu'est-ce qu'on s'est mis!** we really stuffed○ ourselves!
12 (se battre) **qu'est-ce qu'on s'est mis!** we really laid○ into each other!

Metz /mɛ(t)s/ ▸ **p. 894** *npr* Metz

meuble /mœbl/
A *adj* [*sol*] loose
B *nm* **1** gén piece of furniture; **un ~** a piece of furniture; **des ~s** furniture; **un ~ de jardin** a piece of garden furniture; **~ hi-fi/vidéo** hi-fi/video unit; **~ de cuisine/salle de bains/rangement** kitchen/bathroom/storage unit; **2** Hérald charge
(Composé) **~ de toilette** wash stand
(Idiomes) **sauver les ~s** to salvage something; **faire partie des ~s** to be part of the furniture; **être dans ses ~s** to have a home of one's own; **s'installer dans ses ~s** to set up home GB *ou* house

meublé, ~e /mœble/
A *pp* ▸ **meubler**
B *pp adj* furnished; **chambre ~e/non ~e** furnished/unfurnished room
C *nm* furnished flat GB, furnished apartment US

meubler /mœble/ [1]
A *vtr* **1** (garnir de meubles) to furnish [*maison, pièce*] (**de, avec** with); **2** (constituer l'ameublement) **un simple lit meuble la chambre** the room is furnished only with a bed; **3** (décorer) **la plante/l'étagère meuble bien la pièce** the plant/the shelf makes the room look more cosy GB *ou* cozy US; **4** (remplir) to fill [*solitude, silence*]; **dire des banalités pour ~ la conversation** to make small talk to fill the gaps in the conversation
B **se meubler** *vpr* to furnish one's home; **ils se sont meublés en moderne/Louis XV** they bought modern/Louis XV furniture

meuf○ /mœf/ *nf* gén woman; (petite amie) girlfriend

meuglement /møgləmɑ̃/ *nm* mooing ₵

meugler /møgle/ [1] *vi* to moo

meuh /mø/ *nm* (*also onomat*) moo

meulage /mølaʒ/ *nm* grinding ₵

meule /møl/ *nf* **1** Tech (de moulin) millstone; (pour aiguiser) grindstone; Dent grinding wheel; **2** (fromage) round; **3** Agric **~ de foin** haystack; **~ de paille** rick of straw; **4** ◑bikers' slang (moto) machine◑ GB, hog◑ US

meuler /møle/ [1] *vtr* Tech to grind [*pièce métallique*]; Dent to trim [*couronne*]

meuleuse /møløz/ *nf* (electric) grinder

meulière /møljɛʀ/ *nf* **pierre ~** burrstone

meunerie /mønʀi/ *nf* **1** (industrie) flour milling (industry); **2** (corporation) millers (*pl*); **3** (profession) milling

meunier, -ière /mønje, ɛʀ/
A *adj* [*industrie*] flour-milling
B ▸ **p. 532** *nm,f* miller
C **meunière** *nf* (épouse du meunier) miller's wife; **truite/sole meunière** trout/sole meunière

Meurthe-et-Moselle /mœʀtemɔzɛl/ ▸ **p. 721** *nprf* (département) **la ~** Meurthe-et-Moselle

meurtre /mœʀtʀ/ *nm* murder

meurtrier, -ière /mœʀtʀije, ɛʀ/
A *adj* [*combats, répression*] bloody; [*explosion, accident*] fatal; [*épidémie*] deadly; [*arme*] lethal; [*folie*] murderous; [*route, carrefour*] very dangerous; **le lundi de Pâques a été très ~ sur la route** Easter Monday was a day of carnage on the roads; **les derniers séismes ont été très ~s** recent earthquakes have claimed many casualties
B *nm,f* murderer
C **meurtrière** *nf* Archit arrow slit, loophole spéc

meurtrir /mœʀtʀiʀ/ [3]
A *vtr* **1** (faire mal) to hurt; (contusionner) to bruise; **les menottes lui meurtrissent les poignets** the handcuffs are hurting his/her wrists; **j'avais le visage/corps meurtri par les coups** my face/body was bruised by the blows; **2** (endommager) to bruise [*fruit*]; to spoil [*légume*]; **3** (blesser moralement) to wound
B **se meurtrir** *vpr* to hurt oneself

meurtrissure /mœʀtʀisyʀ/ *nf* lit, fig bruise

Meuse /møz/ ▸ **p. 372, p. 721** *nprf* (fleuve, département) **la ~** the Meuse

meute /møt/ *nf* **1** Chasse pack of hounds; **lâcher la ~ sur** to set the pack on; **2** fig (groupe) pack; **arriver en ~** to come in droves; **la ~ des créanciers** the pack of creditors

MEV /mɛv/ *nf: abbr* ▸ **mémoire**

mévente /mevɑ̃t/ *nf* Comm drop in sales

mexicain, ~e /mɛksikɛ̃, ɛn/ ▸ **p. 561** *adj* Mexican

Mexicain, ~e /mɛksikɛ̃, ɛn/ ▸ **p. 561** *nm,f* Mexican

Mexico /meksiko/ ▸ **p. 894** *npr* Mexico City

Mexique /mɛksik/ ▸ **p. 333** *nprm* Mexico; **golfe du ~** Gulf of Mexico

mézigue◑ /mezig/ *pron pers* me, yours truly○, muggins○ GB

mezzanine /medzanin/ *nf* **1** Constr mezzanine; **2** Cin balcony; Théât circle GB, mezzanine US

mezza voce /medzavɔtʃe/ *loc adv* **1** Mus [*chanter*] mezza voce; **2** liter [*parler, dire*] in an undertone

mezzo /mɛdzo/ ▸ **p. 141** *nm, nf* mezzo

mezzo-soprano, *pl* **~s** /medzosɔpʀano/ ▸ **p. 141**
A *nm* (voix) mezzo-soprano
B *nf* (personne) mezzo-soprano

mezzo-tinto /mɛdzotinto/ *nm inv* mezzotint

MF /ɛmɛf/ *nf: abbr* ▸ **modulation**

Mgr ▸ **p. 848** (*written abbr* = **Monseigneur**) Mgr

mi[1] /mi/ *préf* **à la ~-mai/saison** in mid-May/season; **dès la ~-mai** as from mid-May; **~-1994** sometime in the middle of 1994; **à la ~-journée** halfway through the day; **à ~-pente** halfway up the hill; **à ~-combat/carrière/mandat** in mid-fight/career/term; **à ~-parcours** in the middle; **à la ~-séance** (à la Bourse) at mid-session; **~-chinois, ~-français** [*personne*] half Chinese, half French; [*style, objet*] part Chinese, part French; **~-homme, ~-animal** half man, half beast; **~-chrétien, ~-païen** part Christian, part pagan; **~-religieux, ~-littéraire** semireligious, semiliterary; **~-sceptique, ~-amusé** half sceptic, half amused

mi[2] /mi/ *nm inv* (note) E; (en solfiant) mi, me

miam-miam○ /mjammjam/ *excl* yum-yum○!, yummy○!

miaou /mjau/ *nm* (*also onomat*) miaow GB, meow; **faire ~** to go miaow GB *ou* meow

miasme /mjasm/ *nm* miasma

miaulement /mjolmɑ̃/ *nm* miaowing GB, meowing, mewing

miauler /mjole/ [1] *vi* to miaow GB, to meow, to mew

mi-bas /mibɑ/ *nm inv* knee sock, long sock

mica /mika/ *nm* **1** (minerai) mica; **2** (utilisé comme vitre) mica, isinglass

micacé, ~e /mikase/ *adj* **1** Minér micaceous; **2** (ressemblant à du mica) mica-like

mi-carême /mikaʀɛm/ *nf: Thursday of the third week in Lent*

micaschiste /mikaʃist/ *nm* micaschist

miche /miʃ/
A *nf* Culin round loaf; (petit pain) roll
B **miches**● *nfpl* fig (fesses) bum○ (*sg*) GB, butt○ (*sg*) US

Michel-Ange /mikɛlɑ̃ʒ/ *npr* Michelangelo

micheline /miʃlin/ *nf* small local train (*running on diesel*)

mi-chemin: **à mi-chemin** /amiʃmɛ̃/ *loc adv* lit halfway; fig halfway through; **à ~ de chez moi** halfway home; **à ~ entre qch et qch** halfway between sth and sth

micheton○ /miʃtɔ̃/ *nm* **1** (client) trick○ GB, john○ US; **2** (gogo) sucker○

Michigan /miʃigan/ ▸ **p. 479, p. 721** *nprm* Michigan; **le lac ~** Lake Michigan

mi-clos, ~e /miklo, oz/ *adj* half-closed

micmac○ /mikmak/ *nm* **1** (intrigue) shady○ goings-on (*pl*), scheming; **faire des ~s** to scheme péj, to wheel and deal○; **2** (désordre) muddle, mess○

mi-corps: **à mi-corps** /amikɔʀ/ *loc adv* up to the waist; **saisir qn à ~** to grab sb round the waist

mi-côte: **à mi-côte** /amikot/ *loc adv* (en montant) halfway up; (en descendant) halfway down

mi-course: **à mi-course** /amikuʀs/ *loc adv* Sport halfway through the race; fig halfway through

micro /mikʀo/
A *nm* **1** (microphone) microphone, mike○; **parler dans le ~** to speak into the microphone; **dire qch au ~** to say sth into the microphone; **tenir le ~** to be at the mike○; **une annonce au ~** an announcement over the microphone; **annoncer au ~ de la BBC que** to announce on the BBC that; **mettre des ~s dans une pièce** to bug a room; **2** ○(micro-ordinateur) micro○, microcomputer
B ○*nf* (micro-informatique) microcomputing
(Composé) **~ caché** bug

micro-ampère* /mikʀoɑ̃pɛʀ/ *nm* microampere

microanalyse /mikʀoanaliz/ *nf* microanalysis

microbalance /mikʀobalɑ̃s/ *nf* microbalance

microbe /mikʀɔb/ *nm* **1** gén germ, bug○, microbe spéc; **~ de la grippe** flu bug; **attraper un ~** to catch a bug; **avoir un ~ dans le sang** to have a blood infection; **2** (dans la saleté) germ; **3** Biol microbe; **4** ○offensive (petite personne) squirt○

microbien, -ienne /mikʀɔbjɛ̃, ɛn/ *adj* microbic

microbiologie /mikʀobjɔlɔʒi/ *nf* microbiology

microbiologique /mikʀobjɔlɔʒik/ *adj* microbiological

microbiologiste /mikʀobjɔlɔʒist/ ▸ **p. 532** *nmf* microbiologist

m

microbrasserie /mikʀobʀasʀi/ *nf* microbrewery
microcéphale /mikʀosefal/ *adj, nmf* microcephalic
microcéphalie /mikʀosefali/ *nf* microcephaly
microchirurgie /mikʀoʃiʀyʀʒi/ *nf* microsurgery; **~ des yeux** eye microsurgery
microcircuit /mikʀosiʀkɥi/ *nm* microcircuit
microclimat /mikʀoklima/ *nm* microclimate
microcomposant /mikʀokɔ̃pozɑ̃/ *nm* microcomponent
microcosme /mikʀɔkɔsm/ *nm* microcosm
microcosmique /mikʀɔkɔsmik/ *adj* microcosmic
microcoupure /mikʀokupyʀ/ *nf* (creux de tension) dropout; (coupure de courant) power line disturbance, PLD
micro-cravate, *pl* **micros-cravates** /mikʀokʀavat/ *nm* lapel-microphone
microcrédit /mikʀokʀedi/ *nm* microcredit
microéconomie /mikʀoekɔnɔmi/ *nf* microeconomics (+ *v sg*)
microéconomique /mikʀoekɔnɔmik/ *adj* microeconomic
micro-édition /mikʀoedisjɔ̃/ *nf* desktop publishing
microélectronique /mikʀoelɛktʀonik/ *nf* microelectronics (+ *v sg*)
micro-état /mikʀoeta/ *nm* Pol mini-state
microfibre /mikʀofibʀ/ *nf* microfibre[GB]
microfiche /mikʀɔfiʃ/ *nf* microfiche
microfilm /mikʀɔfilm/ *nm* microfilm
microfilmer /mikʀɔfilme/ [1] *vtr* to microfilm
microfossile /mikʀofɔsil/ *nm* microfossil
micrographie /mikʀɔgʀafi/ *nf* micrography
micrographique /mikʀɔgʀafik/ *adj* micrographic
micro-informatique /mikʀoɛ̃fɔʀmatik/ *nf* microcomputing
microinjection /mikʀoɛ̃ʒɛksjɔ̃/ *nf* microinjection
micromètre /mikʀɔmɛtʀ/ *nm* [1] (instrument) micrometer; [2] ▸ **p. 498** (unité) micrometre[GB]
micrométrie /mikʀɔmetʀi/ *nf* micrometry
micrométrique /mikʀɔmetʀik/ *adj* micrometric
micron /mikʀɔ̃/ ▸ **p. 498** *nm* micron
Micronésie /mikʀɔnezi/ ▸ **p. 333, p. 435** *nprf* Micronesia; **États fédérés de ~** Federated States of Micronesia
micro-ondable /mikʀoɔ̃dabl/ *adj* microwaveable
micro-onde, *pl* **~s** /mikʀoɔ̃d/
A *nf* microwave; **à ~s** microwave (*épith*)
B **micro-ondes**○ *nm inv* (four) microwave○
micro-ordinateur, *pl* **~s** /mikʀoɔʀdinatœʀ/ *nm* microcomputer
micro-organisme, *pl* **~s** /mikʀoɔʀganism/ *nm* microorganism
microphone /mikʀɔfɔn/ *nm* microphone
microphotographie /mikʀɔfɔtɔgʀafi/ *nf* [1] (technique) microphotography; [2] (image) microphotograph
microphysique /mikʀofizik/ *nf* microphysics (+ *v sg*)
micropilule /mikʀopilyl/ *nf* mini-pill
microporeux, **-euse** /mikʀopɔʀø, øz/ *adj* microporous
microprocesseur /mikʀopʀɔsesœʀ/ *nm* microprocessor; **carte à ~** smart card
microprogramme /mikʀopʀɔgʀam/ *nm* applet
microscope /mikʀɔskɔp/ *nm* microscope; **examiner qch au ~** lit to examine sth under a microscope; fig to scrutinize sth; **examen au ~** microscopic examination
(Composés) **~ électronique** electron microscope; **~ binoculaire** compound microscope; **~ monoculaire** simple microscope
microscopique /mikʀɔskɔpik/ *adj* [1] Sci microscopic; [2] (très petit) tiny, minute
microseconde /mikʀosəgɔ̃d/ *nf* microsecond
microsillon /mikʀɔsijɔ̃/ *nm* **(disque) ~** microgroove record
microsociété /mikʀosɔsjete/ *nf* microsociety
microstructure /mikʀostʀyktyʀ/ *nf* microstructure
microtraumatisme /mikʀotʀomatism/ *nm* Méd strain injury; **~s répétés** repetitive strain injury (*sg*)
micro-trottoir /mikʀotʀɔtwaʀ/ *nm inv* Radio **faire un ~** to interview the public
miction /miksjɔ̃/ *nf* micturition
mi-cuisse: **à mi-cuisse** /amikɥis/ *loc adv* above one's knees; **il avait de l'eau jusqu'à ~** the water came well above his knees; **sa jupe lui arrivait à ~** her skirt was well above her knees
mi-cuisson: **à mi-cuisson** /amikɥisɔ̃/ *loc adv* halfway through cooking
Middle West /midœlwɛst/ = **Midwest**
midi /midi/ ▸ **p. 424**
A *adj inv* midi; **chaîne ~** midi system
B *nm* [1] (heure) twelve o'clock, midday, noon; **~ un quart** *or* **et quart** (a) quarter past twelve; **~ et demi** half past twelve; **~ moins dix** ten to twelve; **il est ~ (pile)** it's (exactly) twelve o'clock, it's twelve on the dot; **la chambre doit être libérée pour ~** the room must be vacated by twelve noon; **je fais mes courses entre ~ et quatorze heures** I go shopping in my lunch hour; **il ne faut pas s'exposer en plein ~** you mustn't sunbathe in the middle of the day; **on partira vers les ~**○ we'll leave at around midday *ou* noon; ▸ **quatorze**; [2] (heure du déjeuner) lunchtime; **jeudi/samedi ~** Thursday/Saturday lunchtime; **cachets à prendre ~ et soir** tablets to be taken at lunchtime and in the evening; **on en parlera à ~** we'll talk about it at lunchtime; **on déjeune ensemble à ~?** shall we have lunch together?; **qu'est-ce qu'on mange à ~?** what are we having for lunch?; [3] (point cardinal) south; **ma maison est orientée au ~** *or* **en plein ~** my house faces south
(Idiome) **chacun voit ~ à sa porte** everybody has their own way of looking at things
Midi /midi/ ▸ **p. 721** *nprm* **le ~ (de la France)** the South (of France)
midinette /midinɛt/ *nf* feather-brained young girl, bimbo○; **elle a une âme** *or* **un cœur de ~** she's a romantic schoolgirl at heart; **elle a des goûts de ~** her tastes are those of a romantic schoolgirl; **un roman pour ~s** a sentimental *ou* slushy novel
Midi-Pyrénées /midipiʀene/ ▸ **p. 721** *nprm* **le ~** the Midi-Pyrénées
mi-distance: **à mi-distance** /amidistɑ̃s/ *loc adv* halfway; **à ~ de qch et de qch** halfway between sth and sth
Midwest /midwɛst/ ▸ **p. 721** *nprm* Middle West, Midwest; **du ~** [*accent, État*] Midwestern; **les gens du ~** the Midwesterners
mie /mi/ *nf* [1] (par opposition à la croûte) bread without the crusts; **de la ~ (de pain)** Culin fresh breadcrumbs (*pl*); **il mange la ~ et laisse toujours la croûte** he eats the bread and always leaves the crusts; [2] †liter **ma ~** my beloved
miel /mjɛl/ *nm* honey; **~ d'acacias** acacia honey; **les ~s d'importation** imported honey; **au ~** made with honey; **tes paroles sont de ~** fig your words are soothing
(Idiomes) **être tout sucre tout ~** to be as sweet *ou* nice as pie○; **faire son ~ de qch** to turn sth to one's advantage
miellé, **~e** /mjele/ *adj* [1] (contenant du miel) sweetened with honey; [2] (évoquant le miel) honey-like
mielleusement /mjɛløzmɑ̃/ *adv* unctuously
mielleux, **-euse** /mjɛlø, øz/ *adj* [*ton, paroles*] unctuous, honeyed; [*personne*] fawning
mien, **mienne** /mjɛ̃, mjɛn/
A *adj poss* **ces idées, je les ai faites miennes** I adopted these ideas; **tu seras mienne** (mon épouse) you will be mine
B **le mien**, **la mienne**, **les miens**, **les miennes** *pron poss* mine; **prends le ~** take mine; **je préfère la mienne** I prefer my own *ou* mine; **votre prix sera le ~** name your price; **les ~s** (ma famille) my family (*sg*)
miette /mjɛt/ *nf* crumb; **ramasser les ~s** to sweep up the crumbs; **donne m'en juste une ~** just give me a little bit *ou* a taste; **ne pas laisser une ~ de qch** not to leave a scrap of sth; **réduire en ~s** to smash [sth] to bits [*vase*]; to shatter [*bonheur, espoirs*]; to reduce [sth] to shreds [*théorie*]; **elle n'en perd pas une ~**○ she's taking it all in; **nous n'avons eu que les ~s** we only had the leftovers; **il ne restait que les ~s** there was virtually nothing left
mieux /mjø/
A *adj inv* better; **être ~ que** to be better than; **le ~, la ~, les ~** (de plusieurs) gén the best; (de caractère) the nicest; (d'aspect) the most attractive; **la ~ des deux** gén the better one; (d'aspect) the more attractive one; **elle est ~ en brune/sans lunettes** she looks better as a brunette/without spectacles; **quelque chose de ~** something better; **il n'y a rien de ~** there's nothing like it; **ce qu'il y a de ~** the best
B *adv* [1] (comparatif) better; **parler ~ l'anglais que ses parents** to speak English better than one's parents; **parler ~ l'anglais que l'espagnol** to speak English better than Spanish; **parler anglais comme les autres, ni ~ ni plus mal** to speak English like the others, no better and no worse; **elle parle anglais un peu/beaucoup ~ qu'avant** she speaks English slightly/much better than she did before; **tu peux faire ~** you can do better; **je ne peux pas te dire ~** that's all I can tell you; **qui dit ~?** gén any other offers?; (aux enchères) any advance on that bid?; **elle n'est pas guérie, mais elle est ~** she's not completely recovered, but she is better than she was; **tu serais ~ au lit** you'd be better off in bed; **elle va** *or* **se porte ~** she's better; **elle est ~ portante** she's in better health; **j'aime ~ rester ici** I'd rather stay here; **il vaudrait ~ rester/partir** it would be best to stay/leave; **il vaut encore ~ être en retard qu'absent** better be late than not go at all; **tu ferais ~ de partir/de leur parler** you'd better leave/speak to them, it would be best if you left/spoke to them; **~ encore** better still; **~ que jamais** better than ever; **qui ~ est** moreover; **de ~ en ~** gén better and better; **parler anglais de ~ en ~** to get better and better at (speaking) English; **aller de ~ en ~** [*malade*] to be getting stronger all the time; **tu n'as pas d'argent? de ~ en ~** iron you've no money now? that's absolutely great○! iron; **ils criaient à qui ~ ~** they were all shouting each one louder than the other; **on la critiquait à qui ~ ~** each person criticized her more harshly than the last; **c'est ~ que bien, c'est merveilleux** it's not just good, it's marvellous[GB]!; **c'est on ne peut ~** it's perfect; ▸ **deux**, **tard**
[2] (superlatif) **le ~, la ~, les ~** (de plusieurs) the best; (de deux) the better; **l'acteur le ~ payé du monde** the best-paid actor in the world; **il est le ~ payé des deux** he's the better paid one *ou* he earns more; **les ouvriers les ~ formés** the best-trained workers; **la personne la ~ habillée** the best-dressed person; **c'est ici qu'on mange le ~** this is the best place to eat; **cela s'est passé le ~ du monde** it all went fine; **je me porte le ~ du monde** I'm feeling absolutely fine; **nous nous entendons**

le ~ du monde we get on famously; **être des ~ payés** to be extremely well paid

C *nm inv* **le ~ est d'oublier/d'accepter/de refuser** the best thing *ou* course is to forget it/to accept/to refuse; **il y a un/du ~** there is an/some improvement; **s'attendre à ~** to expect better; **en attendant ~** till something better comes along; **il y a ~** it's nothing special; **il n'y a pas ~** it's the best there is; **tu ne trouveras pas ~** it's as good as you'll get; **rester ici, je ne demande pas ~** staying here suits me perfectly; **je ne demande pas ~ que de rester ici** I'm perfectly happy staying here; **j'espérais ~** it's not as good as I hoped; **faire de son ~** to do one's best; **fais pour le ~, fais au ~** do whatever is best; **tout va pour le ~** everything's fine; **cela prendra trois semaines, au ~** it'll take at least three weeks; **elle est au ~ avec sa voisine** she is on very good terms with her neighbour^GB; **elle est au ~ de sa forme** she's on GB *ou* in US top form; **c'est le même, en ~** it's the same, only better; **changer en ~** to change for the better; ▸ **ennemi**

mieux-être /mjøzɛtʀ/ *nm inv* improved well-being

mieux-vivre /mjøvivʀ/ *nm inv* improved living standards (*pl*)

mièvre /mjɛvʀ/ *adj* [*personne, charme, remarque*] vapid; [*sourire*] sickly; [*roman, tableau, musique*] soppy

mièvrerie /mjɛvʀəʀi/ *nf* [1]▸ (de personne, charme, parole, sourire) vapidity; (de roman, tableau, musique) soppiness; (de compliment, d'excuse) feebleness; [2]▸ (parole, action) **tes ~s m'agacent** your simpering ways get on my nerves

mi-figue /mifig/ *adj inv* **~ mi-raisin** [*sourire*] half-hearted; [*compliment*] ambiguous; [*remarque*] half-humourous^GB; **dire qch d'un ton ~ mi-raisin** to say sth half in jest half in earnest; **on m'a fait un accueil ~ mi-raisin** I got a mixed reception

mi-fin, *pl* **~s** /mifɛ̃/ *adj m* [*haricot, petit pois*] medium-sized

mignard, **~e** /miɲaʀ, aʀd/ *adj* aussi péj [*personne, sourire*] cute°, sweet; [*style*] twee°; [*décor*] dainty, twee°

mignardise /miɲaʀdiz/ *nf* (de personne, style) affectation; (de décor) daintiness, affectation; (de visage, sourire) sweetness

mignon, **-onne** /miɲɔ̃, ɔn/

A *adj* [1]▸ (joli) cute; [2]▸ (gentil) sweet, kind; **sois ~, va fermer la porte** be a dear and close the door

B °*nm,f* darling, love!

mignonnet, **-ette** /miɲɔnɛ, ɛt/

A *adj* pretty, cute US

B **mignonnette** *nf* [1]▸ (poivre) Culin coarse-ground pepper; [2]▸ (flacon) miniature bottle

migraine /migʀɛn/ *nf* splitting headache; (plus fort) migraine; **avoir la** *or* **une ~** to have a headache; **une forte ~** a bad attack of migraine; **donner la ~ à qn** lit to give sb migraine; fig to give sb a headache

migraineux, **-euse** /migʀɛnø, øz/

A *adj* **il est ~** he suffers from migraine

B *nm,f* migraine sufferer

migrant, **~e** /migʀɑ̃, ɑ̃t/ *adj, nm,f* migrant

migrateur, **-trice** /migʀatœʀ, tʀis/

A *adj* migratory; **cellule migratrice** migratory cell

B *nm* migratory bird, migrant

migration /migʀasjɔ̃/ *nf* [1]▸ gén, Biol, Méd, Zool (déplacement) migration; **~ saisonnière** (d'ouvriers) seasonal migration; (de vacanciers) seasonal departures (*pl*); **~ journalière** *or* **quotidienne** commuting; [2]▸ Relig transmigration

migratoire /migʀatwaʀ/ *adj* migratory

migrer /migʀe/ [1] *vi* to migrate (**à, en, vers** to)

mi-hauteur: **à mi-hauteur** /amiotœʀ/ *loc adv* (en montant) halfway up; (en descendant) halfway down

mi-jambe: **à mi-jambe** /amiʒɑ̃b/ *loc adv* (up) to one's knees; **avoir de l'eau jusqu'à ~** to be up to one's knees in water, to be knee-deep in water

mijaurée /miʒɔʀe/ *nf* **ne fais pas ta ~** don't put on such airs; **petite ~!** little madam!

mijoter /miʒɔte/ [1]

A *vtr* [1]▸ Culin to prepare [*plat*]; [2]▸ °(manigancer) to cook up; **qu'est-ce que tu mijotes encore?** what are you cooking up now?

B *vi* Culin to simmer; **laissez ~ pendant une heure** leave to simmer for one hour; **faire ~** to simmer

(Idiome) **laisser qn ~ dans son jus** to let sb stew in his/her own juice

mijoteuse® /miʒɔtøz/ *nf* slow cooker

mikado /mikado/ ▸ **p. 469** *nm* spillikins (+ *v sg*)

mil /mil/

A *adj* = **mille[1]**

B *nm* millet

milady /milɛdi/ *nf* milady

milan /milɑ̃/ *nm* Zool kite

Milan /milɑ̃/ ▸ **p. 894** *npr* Milan

milanais, **~e** /milanɛ, ɛz/ ▸ **p. 894** *adj* Milanese

Milanais, **~e** /milanɛ, ɛz/ *nm,f* Milanese

mildiou /mildju/ *nm* mildew

mile /majl, mil/ ▸ **p. 498** *nm* (1609 m) mile

milice /milis/ *nf* militia; **une ~ ouvrière** a workers' militia; **~ de quartier** local vigilante group

Milice /milis/ *nf* **la ~** the Milice (*French wartime paramilitary organization which collaborated with the Germans against the Resistance*)

milicien, **-ienne** /milisjɛ̃, ɛn/ *nm,f* [1]▸ Mil militiaman/militiawoman; [2]▸ Hist member of the Milice

milieu, *pl* **~x** /miljø/

A *nm* [1]▸ (dans l'espace) middle; **au ~** in the middle; **au ~ de** in the middle of; **au beau** *or* **en plein ~** right in the middle; **en son ~** [*percé, décoré*] in the middle; **couper qch par le ~** to cut sth down the middle; **la fenêtre du ~** the middle window, the window in the middle; **je préfère celle du ~** I prefer the one in the middle; **avoir une place en ~ de train** to be sitting halfway down the train; ▸ **nez**; [2]▸ (dans le temps) middle; **au ~ de** in the middle of, halfway through; **au ~ de la nuit** in the middle of *ou* halfway through the night; **en plein** *or* **au beau ~ du repas** right in the middle of the meal; **vers le ~ de** toward(s) the middle of, about halfway through; **j'en suis au ~** I'm halfway through; **en ~ de matinée** in the middle of the morning, mid-morning; **en ~ d'après-midi** in the middle of the afternoon, mid-afternoon; **en ~ de journée** in the middle of the day; **en ~ de semaine** mid-week; **en ~ de trimestre/d'année** in the middle of the term/of the year; **les ~x de journée sont torrides** it gets oppressively hot in the middle of the day; [3]▸ (moyen terme) middle ground; **entre l'amour et la haine, il y a un ~** there is a middle ground between love and hate; **c'est vrai ou faux, il n'y a pas de ~** it's either right or wrong, there's no in-between; [4]▸ (environnement) environment; **~ naturel/marin/tropical** natural/marine/tropical environment; **en ~ stérile** in a sterile environment; **le ~ familial** the home environment; **en ~ rural** in the country; **en ~ urbain** in a town, in towns; **en ~ hospitalier** (dans les hôpitaux) in hospitals; (dans un hôpital) in a hospital; **en ~ scolaire** (dans les écoles) in schools; (dans une école) in a school; **le ~ carcéral** prison life; [5]▸ (origine, appartenance sociale) background, milieu; (groupe) circle; **ils ne sont pas du même ~** they are from different backgrounds; **connaître des gens de tous les ~x** to know people from every walk of life; **les ~x universitaires/d'affaires/officiels** academic/business/official circles; **un ~ professionnel très conservateur** a very conservative sector; **se former en ~ professionnel** to do training in the workplace; **le ~ de l'édition** the world of publishing; **le ~ de la politique** the world of politics; **le ~** (pègre) the underworld; [6]▸ Math (de segment) midpoint

B **au milieu de** *loc prép* [1]▸ (parmi) among; **vivre au ~ des singes/de ses ennemis** to live among apes/one's enemies; **au ~ de mes papiers** among my papers; **être au ~ de ses amis** to be with one's own friends; [2]▸ (entouré de) surrounded by; **au ~ des sarcasmes/des soupçons/des odeurs de cuisine** surrounded by sarcastic remarks/suspicious attitudes/cooking smells; **travailler au ~ du bruit** to work surrounded by noise; **rester calme au ~ des difficultés** to remain calm in the midst of difficulties; **au ~ du désastre** in the midst of disaster; **vivre au ~ du désordre** to live in a mess; **au ~ des rires** amid laughter; **au ~ des applaudissements** to applause

(Composés) **~ de culture** breeding ground; **~ de terrain** (joueur) midfield player; (endroit) midfield.

militaire /militɛʀ/

A *adj* [1]▸ lit [*hôpital, autorités, honneurs, véhicule, musique*] military; [*médecin, aumônier*] army (*épith*); **école ~** military academy; **coup d'État ~** military coup; **personnel/ingénieur ~** military staff/engineer; **région ~** area under military command; **vie ~** army life; **camion ~** army truck; [2]▸ fig [*attitude, raideur*] military; [*discipline*] tight; **il est d'une exactitude ~** you could set your watch by him

B ▸ **p. 532** *nm* serviceman; **un ~ de carrière** a regular GB, a career soldier US; **être ~** to be in the army; **les ~s ont pris le pouvoir** the army *ou* military have taken power

militairement /militɛʀmɑ̃/ *adv* [1]▸ lit by military means; **zone occupée ~** military occupied zone; [2]▸ fig (efficacement) with military efficiency; péj along military lines

militant, **~e** /militɑ̃, ɑ̃t/

A *adj* militant

B *nm,f* (de syndicat, parti) active member, activist; (de cause) campaigner; **les ~s de base** the rank-and-file members

militantisme /militɑ̃tism/ *nm* political activism

militarisation /militaʀizasjɔ̃/ *nf* militarization

militariser /militaʀize/ [1]

A *vtr* to militarize; **zone militarisée** militarized zone

B **se militariser** *vpr* to become militarized

militarisme /militaʀism/ *nm* militarism

militariste /militaʀist/

A *adj* militaristic

B *nmf* militarist

militaro-industriel, **-ielle**, *pl* **~s** /militaʀoɛ̃dystʀiɛl/ *adj* military-industrial

militer /milite/ [1] *vi* [1]▸ (agir) to campaign (**pour, en faveur de** for; **contre** against); [2]▸ (être engagé) to be a political activist; [3]▸ (appartenir politiquement) **il milite au Parti communiste/dans un parti de droite** he's an active member of the Communist Party/of a right-wing party; [4]▸ (constituer un argument) **~ pour** *or* **en faveur de** to argue in favour^GB of; **~ contre** to militate against

mille[1] /mil/ ▸ **p. 568, p. 222**

A *adj inv* a thousand, one thousand; **deux/trois ~** two/three thousand; **il y avait deux à trois ~ personnes** there were between two and three thousand people

B *pron* **je les ai tous les ~** I have all one thousand of them

C *nm inv* [1]▸ Comm, Math a thousand, one thousand; **vendre qch au ~** to sell sth by the thousand; [2]▸ ▸ **p. 498, p. 898** Aviat, Naut **~ (marin)** nautical mile; [3]▸ Sport (cible) bull's eye; **mettre** *or* **taper dans le ~** lit to hit the

m

bull's-eye; fig to hit the nail on the head; **4** Édition, Presse **le roman en est à son deuxième ~** the novel has sold over one thousand copies

D **pour mille** *loc adj* Stat per thousand

(Idiomes) **tu aurais vu leur tête! ça valait ~**○**!** you should have seen their faces! it was priceless!; **je ne gagne pas des ~ et des cents** I don't earn very much; **je vous le donne en ~** you'll never guess (in a million years)

mille² /mil/ ▸ **p. 498** *nm* **1** Naut **~ (marin** *or* **nautique)** (nautical) mile; **2** Aviat (air) mile

millefeuille /milfœj/ *nm* millefeuille (*small layered cake made of puff pastry filled with custard and cream*)

millénaire /milenɛʀ/

A *adj* **1** (de mille ans) **un arbre ~** a one thousand year old tree, a tree that is one thousand years old; **deux fois ~** over two thousand years old; **2** (vieux) [*tradition, phénomène*] age-old

B *nm* **1** (période) millennium; **à l'aube du troisième ~** at the dawn of the third millennium *ou* the twenty-first century; **pendant des ~s** for thousands of years; **2** (anniversaire) millennium, millenary

millénarisme /milenaʀism/ *nm* millenarianism

millénariste /milenaʀist/ *nmf* millenarian

millénium /milenjɔm/ *nm* **1** Relig millennium; **2** liter golden age

mille-pattes* /milpat/ *nm inv* centipede, millipede

millepertuis /milpɛʀtɥi/ *nm inv* St John's wort

milleraies /milʀɛ/ *nm inv* **(velours) ~** needlecord

millésime /milezim/ *nm* **1** (de vin) vintage, year; (de monnaie, médaille) date; **un vin d'un excellent ~** a fine vintage wine; **2** Aut year of manufacture; **3** (dans une date) millennial figure

millésimé, **~e** /milezime/ *adj* [*vin*] vintage (*épith*); [*monnaie*] bearing a date (*épith, après n*); **ce vin est ~** this is a vintage wine; **une bouteille ~e** a bottle of vintage wine

millet /mijɛ/ *nm* millet

(Composé) **~ des oiseaux** birdseed, millet

milliampère /miliɑ̃pɛʀ/ *nm* milliamp

milliard /miljaʀ/ ▸ **p. 568** *nm* thousand million GB, billion; **six ~s d'euros** six billion *ou* thousand million GB euros; **il y a des ~s d'étoiles** there are billions of stars

milliardaire /miljaʀdɛʀ/ *nmf* multimillionaire, billionaire; **il est ~** he is a multimillionaire

milliardième /miljaʀdjɛm/ ▸ **p. 568** *adj* thousand millionth GB, billionth

millibar /milibaʀ/ *nm* millibar

millième /miljɛm/ ▸ **p. 568** *adj* thousandth

millier /milje/ *nm* **1** (mille) thousand; **un ~** a thousand; **2** (environ mille) about a thousand; **un ~ d'étudiants** (about) a thousand students; **des ~s de gens** thousands of people; **il y en avait des ~s, ils étaient des ~s** there were thousands of them; **par ~s** by the thousand

milligramme /miligʀam/ ▸ **p. 646** *nm* milligram

millilitre /mililitʀ/ ▸ **p. 123** *nm* millilitre[GB]

millimètre /milimɛtʀ/ ▸ **p. 498** *nm* millimetre[GB]

millimétré, **~e** /milimetʀe/ *adj* graduated in millimetres[GB]; **papier ~** graph paper

millimétrique /milimetʀik/ *adj* millimetric

million /miljɔ̃/ ▸ **p. 568** *nm* million; **trois ~s d'habitants** three million inhabitants; **des ~s de gens** millions of people; **être riche à ~s** to be worth millions; **cela va coûter des ~s** it will cost a fortune

millionième /miljɔnjɛm/ ▸ **p. 568** *adj* millionth; **au ~** to the sixth decimal place

millionnaire /miljɔnɛʀ/

A *adj* **être ~** [*entreprise, société*] to be worth millions; [*personne*] to be a millionaire

B *nmf* millionaire; **un ~ en dollars** a dollar millionaire

millivolt /milivɔlt/ *nm* millivolt

milord /milɔʀ/ *nm* (noble anglais) lord; (riche étranger) rich foreigner

mi-lourd, *pl* **~s** /miluʀ/ *nm* light heavyweight

mime /mim/ ▸ **p. 532** *nm* **1** Théât (acteur) mime artist GB, mime; (genre) mime, pantomime US; (pièce) mime; (jeu) miming; **spectacle de ~** mime show; **2** (imitateur) mimic

mimer /mime/ [1] *vtr* **1** Théât to mime; **2** (imiter) to mimic

mimétique /mimetik/ *adj* **1** [*animal*] mimetic; **2** [*comportement*] imitative; [*violence*] copycat

mimétisme /mimetism/ *nm* **1** Zool mimicry; **2** (imitation) **par ~** through unconscious imitation

mimi○ /mimi/

A *adj* (joli) cute; (gentil) sweet, kind

B *nm* (baiser) little kiss

mimique /mimik/

A *adj* **langage ~** sign language

B *nf* **1** (expression comique) funny face; **2** (gestes et expressions) expressions and gestures (*pl*); (des sourds-muets) sign language; **avoir des ~s très expressives** to make eloquent use of gestures and facial expressions

mimodrame /mimɔdʀam/ *nm* mime

mimosa /mimoza/ *nm* mimosa; ▸ **œuf**

MIN /ɛmiɛn/ *nm: abbr* ▸ **marché**

minable○ /minabl/

A *adj* **1** (médiocre) [*travail, salaire, cadeau, comportement*] pathetic, lousy; [*personne*] pathetic; [*délit*] petty; **2** (misérable) [*personne*] pathetic; [*logement, bar, vêtement*] crummy○; [*existence*] miserable

B *nmf* pej (médiocre) pathetic○ character; (raté) loser○

minage /minaʒ/ *nm* Mil mining

minaret /minaʀɛ/ *nm* minaret

minauder /minode/ [1] *vi* (dans l'allure) to mince about; (de la voix, du sourire) to simper; (faire une moue séduisante) to pout; **'non,' dit-elle en minaudant** 'no,' she simpered

minauderies /minodʀi/ *nfpl* affected mannerisms

minaudier, **-ière** /minodje, ɛʀ/ *adj* liter affected, simpering

mince /mɛ̃s/

A *adj* **1** (fin) [*personne, corps, taille, jambe*] slim, slender; [*doigt, cou, bras*] slender; [*visage, lèvre, bouche, nez*] thin; [*tranche, couche, lame, mur, filet d'eau*] thin; [*livre*] slim; [*bande de terre*] narrow; **2** (faible) [*consolation, succès*] small; [*espoir, chance, majorité*] slim; [*indice, preuve, théorie, intrigue*] tenuous; [*différence*] slight; [*volume d'affaires, revenus, pension, salaire*] meagre; **l'avantage/la distance/la tâche n'est pas ~** it's no small advantage/distance/task; **ce ne serait pas une ~ victoire** it would be no small victory; **ce n'est pas un ~ exploit** that's no mean feat; **ce n'est pas une ~ affaire** (difficile) that' s no small task; (secondaire) that's no trivial matter

B *excl* **~ (alors)!** (étonnement) wow○!; (dépit) blast○! GB, darn (it)○! US

minceur /mɛ̃sœʀ/

A *adj inv* **cuisine ~** low-calorie dishes (*pl*)

B *nf* **1** (de personne, corps, taille, jambes) slimness, slenderness; (de doigt, cou, bras) slenderness; (de visage, lèvre, bouche, nez) thinness; (de tranche, couche, lame, mur) thinness; **2** (d'indice, intrigue, de preuve) tenuousness; (de volume d'affaires, revenus) meagreness[GB]

mincir /mɛ̃siʀ/ [3] *vi* to lose weight; **beaucoup ~** to lose a lot of weight; **comment ~ sans peine** slimming without tears; **régime pour ~** (slimming) diet; **il a minci de visage** his face has got GB *ou* gotten US thinner

mine /min/

A *nf* **1** (expression) expression; (aspect) look; **avoir la ~ boudeuse** to have a sulky expression, to look sulky; **faire triste ~** to have a gloomy expression, to look gloomy; **tu en fais une ~!** why are you looking like that?; **ne fais pas cette ~!** don't look like that!; **sous sa ~ aimable, c'est quelqu'un de très dur** beneath his/her pleasant exterior, he/she is very hard; **juger les gens sur leur ~** to judge people by appearances; **faire ~ d'accepter/de ne pas comprendre** to pretend to accept/not to understand; **faire ~ de partir/frapper** to make as if to go/to hit; **elle nous a dit, ~ de rien**○, **que** she told us, casually, that; **il est doué, ~ de rien**○ it may not be obvious, but he's very clever; **~ de rien**○, **elle arrive toujours à ses fins** without being obvious about it, she always gets her way; **elle a raison, ~ de rien**○ she's right, you know; **2** (apparence) **avoir mauvaise ~** to look a bit off-colour[GB]; **avoir une sale**○ *or* **petite ~** to look a bit off-colour[GB]; **avoir une ~ resplendissante** to be glowing with health; **avoir une ~ de papier mâché** to look washed out; **avoir bonne ~** [*personne*] to look well; [*tarte, rôti*] to look appetizing; **j'aurais bonne ~!** iron I would look really stupid!; **3** (pour dessiner) lead; **crayon à ~ dure/grasse** hard/soft pencil; **4** Mines gén mine; (de charbon) gén colliery GB, mine; (puits) pit GB, mine; **~ à ciel ouvert** opencast mine; **travailler à la ~** to be a miner, to work in a mine; **l 'exploitation des ~s** mining; **une région de ~s** a coal-mining area; **~ d'or** lit, fig gold mine; **5** (source) source; **~ d'informations** fig mine of information; **une ~ d'adresses utiles** a source of useful addresses; **6** Mil mine; **sauter sur une ~** to be blown up by a mine; **~ terrestre** land mine; **~ antichar/antipersonnel** antitank/antipersonnel mine

B **mines** *nfpl* **1** (minauderies) simpering ¢; **faire des ~s** to simper; **2** Admin **les Mines** *official body responsible for regulating weights and measures and changes made to motor vehicles*; ▸ **école**

(Composés) **~ de crayon** lead; **~ de plomb** graphite ¢

(Idiome) **ne pas payer de ~**○ not to look anything special○

miner /mine/ [1] *vtr* **1** (affaiblir) to sap [*moral, énergie*]; to undermine [*santé, confiance en soi, gouvernement, parti*]; **cela me mine** it's wearing me down; (plus fort) it's eating me alive; **miné par les soucis** worn down by anxiety; **pays miné par la corruption** country undermined by corruption; **2** (creuser sous) to wear away [*bâtiment, talus*]; **3** Mil to mine; **le terrain est miné** lit the ground is mined; fig it's a minefield; **avancer en terrain miné** fig to enter a minefield

minerai /minʀɛ/ *nm* ore; **~ de fer/d'étain** iron/tin ore

minéral, **~e**, *mpl* **-aux** /mineʀal, o/

A *adj* **1** [*huile, sel, eau, règne*] mineral; [*chimie*] inorganic; **2** fig [*paysage*] barren

B *nm* mineral

minéralier /mineʀalje/

A *adj* ore (*épith*); **port/navire ~** ore terminal/carrier

B *nm* ore carrier

minéralisation /mineʀalizasjɔ̃/ *nf* mineralization

minéraliser /mineʀalize/ [1]

A *vtr* to mineralize; **eau minéralisée** mineral water

B **se minéraliser** *vpr* to mineralize

minéralogie /mineʀalɔʒi/ *nf* mineralogy

minéralogique /mineʀalɔʒik/ *adj* **1** Géol mineralogical; **2** Admin, Aut **numéro ~** registration number GB, license number US;

plaque ~ number plate GB, license plate US

minéralogiste /mineʀalɔʒist/ ▸ p. 532 *nmf* mineralogist

minerve /minɛʀv/ *nf* **1** Méd surgical collar GB, neck brace US; **2** ®Imprim small platen printer

Minerve /minɛʀv/ *npr* Minerva

minet /minɛ/ *nm* **1** (chat) pussycat; **2** ○(terme d'affection) **mon ~** my sweetie○; **3** ○(jeune dandy) pretty boy○

minette /minɛt/ *nf* **1** (chatte) pussycat lang enfantin; **2** (jeune fille) cool chick○

(Idiome) **faire ~ à qn●** to go down on sb◑

mineur, ~e /minœʀ/

A *adj* **1** Jur under 18 (*après n*); **un enfant ~** a child under the age of 18, a minor spéc; **elle est ~e** she's under 18; **2** (peu important) minor; **3** Mus minor; **en ré ~** in D minor; **en mode ~** in a minor key; **4** Relig **ordres ~s** minor orders

B *nm,f* Jur person under 18, minor spéc

C *nm* **1** ▸ p. 532 (ouvrier) miner; **~ de fond** pit worker; **2** (soldat) soldier who lays mines

D **mineure** *nf* (en logique) minor

mini¹ /mini/ *préf* mini; **~-sommet** mini-summit; **~-révolution** mini-revolution

mini² /mini/

A *adj inv* **1** ○(minuscule) tiny; **c'est ~ comme prêt/piscine** it's a tiny loan/swimming pool; **2** Mode **la mode ~** the fashion for the mini

B *nm* **1** Mode **la mode du ~** the fashion for the mini; **s'habiller en ~** to wear mini-skirts; **2** ○Ordinat minicomputer, mini○

miniature /minjatyʀ/

A *adj* [*voiture, objet*] miniature (*épith*)

B *nf* **1** gén miniature; **reproduction en ~** miniature replica; **c'est Versailles en ~** it's a miniature version of Versailles; **2** Art miniature; **3** ○(nain) offensive shrimp○

miniaturisation /minjatyʀizasjɔ̃/ *nf* miniaturization

miniaturiser /minjatyʀize/ [1] *vtr* to miniaturize

miniaturiste /minjatyʀist/ *nmf* miniaturist

minibar /minibaʀ/ *nm* minibar

mini-boom, *pl* **~s*** /minibum/ *nm* mini-boom

minibus /minibys/ *nm inv* minibus

minicassette® /minikasɛt/ *nf* mini-cassette®

minidisque /minidisk/ *nm* minidisc

minier, -ière /minje, ɛʀ/ *adj* mining

mini-golf, *pl* **~s** /minigɔlf/ ▸ p. 469 *nm* (terrain, sport) mini-golf

mini-informatique /miniɛ̃fɔʀmatik/ *nf* minicomputing

mini-jupe, *pl* **~s*** /miniʒyp/ *nf* mini-skirt

minima ▸ **a minima, minimum**

minimal, ~e, *mpl* **-aux** /minimal, o/ *adj* minimal, minimum; **les températures ~es** minimum temperatures

minimalisme /minimalism/ *nm* minimalism

minimaliste /minimalist/ *adj, nmf* minimalist

minime /minim/

A *adj* [*dégâts, différence*] trifling, negligible; [*chance*] slim, slender; [*avantage, dépenses*] minimal, negligible; [*rôle*] minor

B *nmf* **1** Sport junior (*7 to 13 years old*); **il est passé chez les ~s** he has moved up to the juniors; **2** Relig Minim

mini message /minimesaʒ/ *nm* Télécom text message, text

minimisation /minimizasjɔ̃/ *nf* minimization, playing down

minimiser /minimize/ [1] *vtr* to minimize, to play down

minimum, *pl* **~s** *ou* **minima** /minimɔm, minima/

A *adj* [*température, vitesse*] minimum; **prix/poids/âge ~** minimum price/weight/age; **un an, c'est le délai ~** it will take one year at least

B *nm* **1** (limite inférieure) minimum; **ils n'ont que le strict ~ pour vivre** they only have the bare minimum to live on; **nous essaierons de vous déranger un ~** we'll try to disturb you as little as possible; **en faire un ~** to do as little as possible; **il faut travailler un ~ si tu veux réussir** you have to do a bit of work if you want to succeed; **un ~ d'égards/de bon sens** a certain amount of respect/of common sense; **un ~ d'hygiène** a basic level of hygiene; **en un ~ de temps** in as short a time as possible; **avec un ~ d'efforts** with a minimum of effort; **prendre le ~ de risques** to take as few risks as possible; **il faut au ~ deux heures pour faire le trajet** it takes at least two hours for that journey; **au ~ 2 000 euros** 2,000 euros minimum, at least 2,000 euros; **2** Jur minimum sentence; **requérir le ~** Jur to recommend the minimum sentence

(Composés) **minima sociaux** *raft of benefit payments for those on the lowest incomes*; **~ vital** subsistence level

mini-ordinateur, *pl* **~s** /miniɔʀdinatœʀ/ *nm* minicomputer

minipilule /minipilyl/ *nf* low-dose combined pill

mini-robe /miniʀɔb/ *nf* mini-dress

miniski /miniski/ ▸ p. 469 *nm* miniski

ministère /ministɛʀ/ *nm* **1** Pol (service administratif) gén ministry; (au Royaume-Uni, aux États-Unis) department; (bâtiment) ministry; (durée des fonctions d'un ministre) ministry; (charge) ministership; **il travaille dans un ~** he works in a ministry *ou* a government department; **2** Pol (équipe gouvernementale) cabinet, government; **former un ~** to form a government *ou* cabinet; **3** Jur **le ~ public** (service) the public prosecutor's office; (magistrat) the prosecuting magistrate, the prosecution; **4** (entremise) fml **offrir** *or* **proposer son ~ pour faire** to offer to act as mediator to do; **par ~ d'avocat** through a lawyer; **5** Relig ministry

(Composés) **~ des Affaires étrangères** ministry of Foreign Affairs; **~ de l'Agriculture** ministry of Agriculture; **~ du Commerce** ministry of Trade; **~ de la Culture** ministry of Culture; **~ de la Défense nationale** ministry of Defence[GB]; **~ de l'Économie et des finances** ministry of Finance; **~ de l'Éducation nationale** ministry of Education; **~ de l'Environnement** ministry of the Environment; **~ de l'Intérieur** ministry of the Interior; **~ de la Justice** ministry of Justice; **~ de la Recherche** ministry of Research; **~ de la Santé** ministry of Health; **~ des Transports** ministry of Transport GB *ou* Transportation US; **~ du Travail** ministry of Employment

ministériel, -ielle /ministeʀjɛl/ *adj* ministerial, cabinet (*épith*)

ministrable /ministʀabl/

A *adj* [*personne*] likely to be appointed minister

B *nmf* potential candidate for minister

ministre /ministʀ/ *nmf* **1** Pol gén minister; (au Royaume-Uni) Secretary of State; (aux États-Unis) Secretary; **~ délégué** minister of state GB, under-secretary US (**auprès de** to); **~ sans portefeuille** minister without portfolio; **~ par intérim** acting minister; **les ~s** the cabinet (+ *v sg ou pl*); **Madame le** *or* **la ~** Minister GB, Madam Secretary US; **Monsieur le ~** Minister GB, Mr Secretary US; **2** (en diplomatie) (envoyé) envoy; **3** Relig minister; **~ du culte** minister of religion; ▸ **premier**

(Composés) **~ des Affaires étrangères** minister of Foreign Affairs; **~ de l'Agriculture** Agriculture minister; **~ du Commerce** minister of Trade; **~ conseiller** minister counsellor; **~ de la Culture** minister of Culture; **~ de la Défense nationale** Defence minister; **~ de l'Économie et des finances** Finance minister; **~ de l'Éducation nationale** minister for Education; **~ de l'Environnement** minister of the Environment; **~ d'État** (titre) *honorary title conferred on government minister*; (sans portefeuille) minister without portfolio; **~ de l'Intérieur** Interior minister; **~ de la Justice** minister of Justice; **~ plénipotentiaire** minister plenipotentiary; **~ de la Recherche** minister of Research; **~ résident** minister resident; **~ de la Santé** minister of Health; **~ des Transports** Transport GB *ou* Transportation US minister; **~ du Travail** minister of Employment

> **Ministre**
>
> Appointed by the *Président de la République*, on the advice of the *premier ministre*, a *ministre* heads a department of state and becomes a member of the *conseil des ministres*. The title *ministre d'État* is a recognition that the ministry is of greater than normal significance. In the *Cinquième République*, a *député* has to resign his or her seat in order to take office as a *ministre*.

Minitel® /minitɛl/ *nm* Télécom Minitel; **sur** *or* **au ~** on Minitel; **par le ~** by Minitel

> **Minitel**
>
> A computer terminal available in a variety of models to the subscribers of *France Télécom*. It gives users access to the *Télétel* network, which has a huge variety of services, payable at different rates, including the telephone directory. It can now be accessed via the Internet.

minium /minjɔm/ *nm* **1** (peinture) red lead paint; **2** Chimie minium

minivague /minivag/ *nf* soft perm; **se faire faire une ~** to have a soft perm

Minnesota /minezɔta/ ▸ p. 721 *nprm* Minnesota

minoen, -enne /minɔɛ̃, ɛn/ *adj* Minoan

minois /minwɑ/ *nm inv* fresh young face; **joli petit ~** pretty little face

minon○ /minɔ̃/ *nm* Helv (poussière) fluff ₡

minoration /minɔʀasjɔ̃/ *nf* **1** Comm (sous-estimation) (de bien, marchandise) undervaluation; (de prix) underestimation; **il y a eu ~ de la valeur réelle** the true value was underestimated; **2** (réduction) reduction; **~ de 2%** 2 percent reduction; **~ des prix** cut in prices; **~ des prix de 2%** 2 percent price cut

minorer /minɔʀe/ [1] *vtr* **1** (réduire) to reduce [*prix, taux*] (**de** by); **2** (sous-estimer) to undervalue [*biens*]; to underestimate [*montant*]

minoritaire /minɔʀitɛʀ/

A *adj* [*groupe, tendance, actionnaire*] minority (*épith*); **nous restons ~s** we are still in the minority

B *nmf* member of a minority group; **les ~s** those in the minority; **une poignée de ~s** a small minority

minorité /minɔʀite/ *nf* **1** (groupe) minority; **~ agissante/ethnique** active/ethnic minority; **être en ~** to be in the minority; **être mis en ~** to be defeated; **2** (petit nombre) minority (**de** of); **3** (d'âge) minority; **pendant sa ~** during his/her minority; **~ pénale** Jur ≈ legal infancy

(Composé) **~ de blocage** Fin blocking minority

Minorque /minɔʀk/ ▸ p. 435 *nprf* Minorca

Minotaure /minɔtɔʀ/ *npr* **le ~** the Minotaur

minoterie /minɔtʀi/ *nf* **1** (usine) flour mill; **2** (industrie) flour-milling (industry)

minotier /minɔtje/ ▸ p. 532 *nm* miller

minou /minu/ *nm* 1 (chat) pussycat lang enfantin; (pour appeler un chat) **~ ~!** puss puss○!; 2 ○(terme d'affection) **mon gros ~** my sweetie○

minoune○ /minun/ *nf* Can kiss

Minsk /minsk/ ▸ **p. 894** *npr* Minsk

minuit /minɥi/ ▸ **p. 424** *nm* midnight; **à ~** at midnight; **~ et demi** half past twelve, half past midnight; **~ moins le quart** a quarter to twelve, a quarter to midnight; **de ~** [*messe, soleil*] midnight

minus○ /minys/ *nmf inv* pej moron○; **c'est un ~** he's a moron, he's a dead loss○

minuscule /minyskyl/
A *adj* 1 (tout petit) [*chose, personne*] tiny; [*quantité*] tiny, minute; 2 (en écriture) small; Imprim lower-case; **d ~** small d, lower-case d
B *nf* (en écriture) small letter; Imprim lower-case letter

minutage /minytaʒ/ *nm* (precise) timing

minute /minyt/ ▸ **p. 424, p. 836**
A *nf* 1 (unité de temps) minute; 2 (court moment) minute, moment; **il revient dans cinq ~s** he'll be back in five *ou* a few minutes; **on ne peut se permettre une ~ d'inattention** you can't let your attention wander for a moment *ou* second; **hé! ~**○**!, ~ papillon**○**!** hang on a minute○!; **il peut arriver d'une ~ à l'autre** he may arrive any minute now *ou* at any minute; **j'en ai pour une ~** I won't be a minute; **je suis à toi dans une ~** I'll be with you in a minute; **l'angoisse monte de ~ en ~** fear is mounting by the minute; **il n'y a pas une ~ à perdre** there isn't a moment to lose; **ne pas avoir une ~ à soi** not to have a moment to oneself; **on vient de me l'apporter à la ~** it has just been brought to me this very second; **c'est pas à la ~**○ it's not desperate *ou* urgent; **à la ~ où je vous parle** just as I'm speaking to you; 3 Jur **~ d'un jugement/acte notarié** record of a decision/notarial deed; **~s d'un procès/d'une rencontre** minutes of a trial/of a meeting; 4 (unité d'angle) minute
B **(-)minute** (*in compounds*) **'clés-~'** 'keys cut while you wait'; **'nettoyage-~'** 'same day dry cleaning'
(Composés) **~ de silence** minute's silence; **la ~ de vérité** the moment of truth

minuter /minyte/ [1] *vtr* (chronométrer) to time; (prévoir) to work out the timing of; **mon temps est minuté** my time is limited; **l'opération doit être minutée à la seconde** the operation requires split-second timing

minuterie /minytʀi/ *nf* (d'éclairage) (interrupteur) time-switch; (mécanisme) automatic lighting

minuteur /minytœʀ/ *nm* (d'appareil électroménager) timer

minutie /minysi/ *nf* (de personne, travail) meticulousness; **la lexicographie exige une grande ~** lexicography requires meticulous attention to detail; **travail d'une grande ~** (à faire) very detailed work; (fait) meticulous work; **avec ~** with meticulous care

minutieusement /minysjøzmɑ̃/ *adv* (avec soin) with meticulous care; (dans le détail) in great detail

minutieux, -ieuse /minysjø, øz/ *adj* [*historien, ouvrier, soin*] meticulous; [*préparation*] careful; [*étude, description*] detailed; **travail ~** (à faire) meticulous work, work requiring meticulous care; (fait) work executed with meticulous care

miocène /mjɔsɛn/ *adj, nm* Miocene

mioche○ /mjɔʃ/ *nmf* kid○; **sale ~** horrible brat○

mirabelle /miʀabɛl/ *nf* 1 (fruit) mirabelle (*small yellow plum*); 2 (eau-de-vie) plum brandy

miracle /miʀɑkl/
A *adj inv* **un remède/une solution ~** a miracle cure/solution; **un procédé/matériau ~** a miraculous process/material; **un médicament ~** a wonder drug; **une méthode ~** a magic formula
B *nm* 1 Relig, fig miracle; **il faudrait un ~ pour qu'il guérisse** only a miracle could cure him; **à moins d'un ~ nous ne pourrons pas sauver l'entreprise** nothing short of a miracle will help us save the business; **~ économique** economic miracle; **accomplir** *or* **faire un ~** Relig to work a miracle; fig to work miracles; **tenir du ~** to be a miracle; **croire aux ~s** lit to believe in miracles; fig to live in cloud cuckoo land○; **il n'y a pas de quoi crier au ~** there's nothing miraculous about it; **un ~ de l'architecture/de la littérature** an architectural/a literary wonder; **un ~ de beauté/d'équilibre** a miracle of beauty/balance; **un ~ de la nature** a miracle of nature; **par ~** miraculously; **comme par ~** as if by magic; 2 (drame sacré) miracle play

miraculé, ~e /miʀakyle/ Relig
A *adj* [*malade, personne*] miraculously cured
B *nm,f* person on whom a miracle has been worked; **c'est un ~** he has been saved by a miracle; **les ~s de la route** people who have miraculously survived a road accident

miraculeusement /miʀakyløzmɑ̃/ *adv* miraculously

miraculeux, -euse /miʀakylø, øz/ *adj* [*guérison, vision, apparition, grotte*] miraculous; [*progrès, réussite, découverte, intervention*] miraculous; [*remède, traitement*] which works miracles *ou* wonders (*épith, après n*); [*produit*] which works wonders (*épith, après n*)

mirador /miʀadɔʀ/ *nm* 1 Mil watchtower; 2 Chasse raised hide; 3 Archit belvedere

mirage /miʀaʒ/ *nm* 1 (vision) lit, fig mirage; 2 Tech (d'œufs) candling

mi-raisin /miʀɛzɛ̃/ *adj inv* ▸ **mi-figue**

miraud○, **~e** /miʀo, od/ *adj* shortsighted; **complètement ~** blind as a bat○

mire /miʀ/ *nf* 1 TV test card GB, test pattern US; 2 (en topographie) levelling[GB] staff

mire-œufs* /miʀø/ *nm inv* candler

mirer /miʀe/ [1]
A *vtr* 1 Tech to candle [*œuf*]; 2 (dans un miroir) **~ son visage dans l'eau** to gaze at one's reflection in the water; **la ville mire ses édifices dans les canaux** the town's buildings are mirrored in its canals
B **se mirer** *vpr* liter [*personne*] to gaze at one's reflection; [*objet*] to be reflected

mirettes○ /miʀɛt/ *nfpl* peepers○, eyes; **en avoir plein les ~** to be dazzled

mirifique /miʀifik/ *adj* iron fabulous○

mirliflore† /miʀliflɔʀ/ *nm* (dandy) fop†; (fanfaron) braggart

mirliton /miʀlitɔ̃/ *nm* Mus reed pipe

miro○ = **miraud**

mirobolant○, **~e** /miʀɔbɔlɑ̃, ɑ̃t/ *adj* fabulous○

miroir /miʀwaʀ/ *nm* lit, fig mirror; **~ déformant/grossissant/de poche** distorting/magnifying/pocket mirror; **~ plan/sphérique** flat/curved mirror
(Composés) **~ aux alouettes** lit, fig lure; **la publicité, ~ aux alouettes de notre société...** advertising, a snare and a delusion in our society...; **~ de courtoisie** Aut courtesy mirror

miroitement /miʀwatmɑ̃/ *nm* liter (de vitre) sparkling ¢; (de l'eau) shimmering ¢

miroiter /miʀwate/ [1] *vi* [*objet*] to sparkle; [*eau*] to shimmer; **faire ~ qch à qn** fig to hold out the prospect of sth to sb

miroiterie /miʀwatʀi/ ▸ **p. 532** *nf* 1 (industrie) mirror industry; (commerce) mirror business; 2 (atelier) mirror factory

miroitier, -ière /miʀwatje, ɛʀ/ ▸ **p. 532** *nm,f* (vendeur) mirror dealer; (fabricant) mirror manufacturer

mironton /miʀɔ̃tɔ̃/, **miroton** /miʀɔtɔ̃/ *nm* (**bœuf**) **~** beef stew (*with onion sauce*)

mis, ~e /mi, miz/
A *pp* ▸ **mettre**
B *pp adj* 1 (vêtu) **être bien ~** to be well-dressed; **être bizarrement ~** to be oddly dressed; 2 (présentable) **un jeune homme bien ~ (de sa personne)** a presentable young man
C **mise** *nf* 1 Jeux, Turf **doubler/récupérer sa ~e** to double/recover one's stake; **une ~e de cinq euros** a five-euro bet; **perdre sa ~e** to lose one's bet; **j'ai joué toute ma ~e sur Lola** I staked everything on Lola; 2 (tenue) **~e soignée/négligée** well-groomed/sloppy appearance; **ta ~e est négligée** you're sloppily dressed
(Composés) **~e de fonds** Fin investment; **~e en plis** Cosmét set; **se faire faire une ~e en plis** to have one's hair set
(Idiomes) **être de ~e** [*comportement*] to be proper; [*remarque*] to be appropriate; **ne pas être de ~e** [*comportement, remarque*] to be out of place; **je t'ai sauvé la ~e**○ I saved your bacon○.

> ⚠ Les expressions du type *mise en boîte, mise à feu, mise à mort* sont traitées sous le deuxième élément: on se reportera à *boîte, feu, mort* etc

misaine /mizɛn/ *nf* (**voile de**) **~** foresail

misanthrope /mizɑ̃tʀɔp/
A *adj* misanthropic
B *nmf* misanthropist, misanthrope

misanthropie /mizɑ̃tʀɔpi/ *nf* misanthropy

misanthropique /mizɑ̃tʀɔpik/ *adj* misanthropic

miscible /misibl/ *adj* miscible (**à** with)

mise ▸ **mis B, C**

mise-bas, *pl* **mises-bas** /mizba/ *nf* Vét birth; **~ d'un veau** birth of a calf

miser /mize/ [1]
A *vtr* to bet [*argent*] (**sur** on)
B *vi* 1 (parier) **~ sur le 2** (au casino) to place a bet on the 2; **~ sur un cheval** Turf to put money on a horse; **~ à dix contre un** to bet ten to one; **il a misé sur le cheval gagnant** he backed the winning horse; **~ sur le mauvais cheval** lit to bet on the wrong horse; fig to make the wrong choice; ▸ **tableau**; 2 (compter) **~ sur la situation/qualité** to bank on the situation/quality; **~ sur un événement/sa chance/ses efforts** to count on an event/one's luck/one's efforts; **~ sur qn** to place all one's hopes in sb

misérabilisme /mizeʀabilism/ *nm* 1 (d'écrivain) sordid realism; 2 (d'individu) tendency to dwell on the dark side; **faire du ~** to dwell on the dark side

misérabiliste /mizeʀabilist/ *adj* [*film, spectacle*] which dwells on sordid reality (*épith, après n*); **écrivain ~** writer of sordid realism

misérable /mizeʀabl/
A *adj* 1 (très pauvre) [*personne*] destitute, poor; [*habit*] shabby; [*vie, condition, pays*] poor, wretched; [*maison, pièce*] squalid, dingy; 2 (dérisoire) [*somme, salaire*] meagre[GB]; [*affaire*] pathetic; **se battre pour un ~ croûton** to fight over a miserable piece of bread; 3 (pitoyable) [*fin, existence*] pitiful, miserable
B *nmf* 1 (indigent) pauper; **il a l'air d'un ~** he looks down and out *ou* like a pauper; 2 †(personne méprisable) scoundrel

misérablement /mizeʀabləmɑ̃/ *adv* 1 (pauvrement) wretchedly, miserably; 2 (pitoyablement) miserably, pitifully

misère /mizɛʀ/ *nf* 1 (pauvreté) (de personne) destitution, extreme poverty; (de lieu) squalor, destitution; **être dans la ~** to be destitute; **s'enfoncer dans la ~** to become totally destitute; **réduire qn à la ~** to reduce sb to poverty; **crier** *or* **pleurer ~** to bewail one's poverty, to poor-mouth○ US; 2 (détresse) misery, wretchedness; **c'est ~ que de faire** it is distressing *ou* upsetting to do; **c'est ~ que de voir ça!** it is distressing to see such things; **la ~ des temps** the hardship of the times; **quelle ~!** what a wretched pity!; **~ (de moi)!** woe is me†!; 3 (ennui) trouble, woe; **on a tous nos petites ~s** we all have

m

our little troubles *ou* problems; **faire des ~s à qn** to give sb a hard time, to be nasty to sb; 4 (somme dérisoire) pittance; **il a acheté ça pour une ~** he bought it for a pittance *ou* song; 5 Bot wandering Jew, tradescantia

(Composés) **~ intellectuelle** intellectual poverty; **~ noire** dire poverty; **~ sexuelle** sexual deprivation

miserere /mizeʀeʀe/ *nm inv* Miserere

miséreux, **-euse** /mizeʀø, øz/
A *adj* destitute, deprived
B *nm,f* destitute person; **les ~** the destitute

miséricorde /mizeʀikɔʀd/
A *nf* 1 Relig mercy; 2 Archit misericord
B *†excl* mercy†!

miséricordieux, **-ieuse** /mizeʀikɔʀdjø, øz/ *adj* merciful

misogyne /mizɔʒin/
A *adj* [*personne, propos, livre*] misogynous; **il est très ~** he's a real misogynist
B *nmf* misogynist

misogynie /mizɔʒini/ *nf* misogyny

miss* /mis/ *nf inv* 1 (reine de beauté) **Miss France** Miss France; **Miss Monde** Miss World; 2 ○(jeune fille) **ça va la ~?** how's our young lady?

missel /misɛl/ *nm* missal

missile /misil/ *nm* missile; **~ tactique/stratégique/nucléaire/balistique** tactical/strategic/nuclear/ballistic missile; **~ de moyenne/courte portée** intermediate-/short-range missile; **~ de croisière** cruise missile; **~ antichars/antiaérien** anti-tank/anti-aircraft missile; **~ embarqué à bord de navire** sea-launched cruise missile, SLCM

mission /misjɔ̃/ *nf* 1 (tâche) mission, task; **donner à qn la ~ de faire** to give sb the task of doing; **charger qn d'une ~**, **confier une ~ à qn** to entrust sb with a mission; **charger qn d'une ~ de confiance** to entrust sb with an important task; **remplir sa ~** to complete one's mission; **'~ accomplie!'** 'mission accomplished!'; **il s'est donné pour ~ de faire** he has taken upon himself to do; **j'ai pour ~ de faire** my mission is to do; 2 (fonction temporaire) mission, assignment; **~ officielle/secrète** official/secret mission *ou* assignment; **~ d'information**, **~ d'enquête** special fact-finding mission; **être envoyé en ~ auprès de qn** to be sent to sb on special assignment; **être envoyé en ~ d'étude/de contrôle/d'inspection** to be sent to make a study/a check/an inspection; 3 (groupe) mission, team; **~ d'experts/observateurs** team of experts/observers; 4 Mil (but) mission; 5 Relig (charge, organisation, bâtiment) mission; (groupe) missionary group

(Composés) **~ de bons offices** mission of mediation; **~ diplomatique** diplomatic mission; **~ de paix** peace mission

missionnaire /misjɔnɛʀ/ *adj, nmf* missionary

Mississippi /misisipi/ ▸ p. 721, p. 372 *nprm* Mississippi

missive /misiv/ *nf* missive

Missouri /misuʀi/ ▸ p. 721, p. 372 *nprm* Missouri

mistigri /mistigʀi/ *nm* 1 Jeux (valet de trèfle) mistigris; (jeu) mistigris; 2 ○(chat) pussycat○

mistoufle† /mistufl/ *nf* 1 (misère) poverty; **être dans la ~** to be hard up; 2 (méchanceté) dirty trick

mistral /mistʀal/ *nm* mistral

mitaine /mitɛn/ *nf* fingerless mitt

mitan† /mitɑ̃/ *nm* middle

mitard○ /mitaʀ/ *nm* prisoners' slang cooler○

mite /mit/ *nf* (clothes) moth; **mon pull est mangé par les** *or* **aux ~s** my jumper is all moth-eaten

(Composé) **~ du fromage** cheese mite

(Idiome) **ce n'est pas mangé aux** *or* **piqué des ~s○** that's quite something

mi-temps /mitɑ̃/
A *nm inv* 1 (emploi) part-time job; **un poste à ~** a part-time job; 2 (système) part-time work ₵; **elle travaille à ~** she works part-time; **il est serveur à ~** he's a part-time waiter
B *nf inv* Sport (arrêt) half-time; (moitié de match) half; **à la ~** at half-time; **en première/deuxième ~** in the first/second half

miter: **se miter** /mite/ [1] *vpr* [*vêtement*] to become moth-eaten; **mité** moth-eaten

miteux, **-euse** /mitø, øz/
A *adj* [*quartier, hôtel*] seedy; [*vêtements*] shabby; [*personne*] down-at-heel
B *nm,f* down-and-out

Mithridate /mitʀidat/ *npr* Mithridates

mithridatiser /mitʀidatize/ [1] *vtr* to make [sb] immune to a poison by administering frequent small doses

mitigation /mitigasjɔ̃/ *nf* mitigation

mitigé, **~e** /mitiʒe/ *adj* (incertain) [*accueil*] lukewarm; [*succès*] qualified; [*conclusions*] ambivalent; **ils ont réagi de manière ~e à la proposition** their reaction to the proposal was mixed

mitigeur /mitiʒœʀ/ *nm* mixer tap GB, mixer faucet US

mitochondrie /mitɔkɔ̃dʀi/ *nf* mitochondrion

mitogène /mitɔʒɛn/ *adj* mitogenic

mitonner /mitɔne/ [1]
A *vtr* to cook [sth] lovingly [*plat, repas*]; to prepare the ground carefully for [*projet, affaire*]
B *vi* Culin [*plat*] to cook slowly
C **se mitonner** *vpr* 1 Culin **se ~ un petit plat** to cook a nice little meal for oneself; 2 fig **se ~ un bel avenir** to carve out a nice future for oneself

mitose /mitoz/ *nf* mitosis

mitoyen, **-enne** /mitwajɛ̃, ɛn/ *adj* 1 Jur (en commun) [*cloison, haie*] dividing; [*arbre*] jointly owned; **mur ~** party wall; 2 (contigu) controv [*bâtiment*] adjoining; **la maison mitoyenne de la nôtre** the house adjoining ours

mitoyenneté /mitwajɛnte/ *nf* (copropriété) joint ownership (**de** of)

mitraillade /mitʀajad/ *nf* (coups de feu) machine gun fire; (affrontement) exchange of machine gun fire

mitraillage /mitʀajaʒ/ *nm* 1 Mil machine-gunning (**de** of); 2 fig **~ (de questions)** quick-fire questioning; **se livrer à un vrai ~** to fire a volley of questions

(Composé) **~ au sol** strafing

mitraille /mitʀaj/ *nf* 1 Mil (d'artillerie) hail of bullets; 2 ○(monnaie) small change

mitrailler /mitʀaje/ [1] *vtr* 1 Mil to machine-gun; **~ au sol** to strafe; 2 ○(bombarder) **~ qn de cailloux○** to pelt sb with stones; **~ qn de questions** to fire questions at sb; 3 ○(photographier) to take photo after photo of [*tableau, personne*]; **se faire ~ par les photographes** to be besieged by photographers

mitraillette /mitʀajɛt/ *nf* submachine gun

mitrailleur /mitʀajœʀ/ *nm* gunner

mitrailleuse /mitʀajøz/ *nf* machine gun

mitral, **~e**, *mpl* **-aux** /mitʀal, o/
A *adj* [*orifice, insuffisance, valvule*] mitral
B **mitrale** *nf* mitral valve

mitre /mitʀ/ *nf* 1 (coiffure) mitre[GB]; **recevoir** *or* **coiffer la ~** to be made a bishop; 2 Constr cowl

mitré, **~e** /mitʀe/ *adj* mitred[GB]

mitron /mitʀɔ̃/ *nm* baker's boy

mi-voix: **à mi-voix** /amivwa/ *loc adv* [*parler, chanter*] in a low voice

mixage /miksaʒ/ *nm* sound mixing; **salle** *or* **studio de ~** sound mixing studio

mixer¹ /miksɛʀ/ = **mixeur**

mixer² /mikse/ [1] *vtr* Audio to mix

mixeur /miksœʀ/ *nm* (batteur) mixer; (broyeur) blender

mixité /miksite/ *nf* gén mixing of sexes; (à l'école) coeducation; **la ~ dans les vestiaires** mixed changing rooms

mixte /mikst/ *adj* 1 (pour les deux sexes) [*école*] coeducational; [*classe, équipe sportive*] mixed; [*concours*] open to both sexes (*après n*); [*salon de coiffure*] unisex; **enseignement ~** coeducation; 2 (mélangé) [*mariage, couple*] mixed; [*économie, capital*] mixed; [*commission*] joint (*épith*); [*roche*] mixed; [*peau*] combination (*épith*); [*chaudière*] dual-system (*épith*); [*scrutin*] dual; **cuisinière ~** combined gas and electric cooker GB *ou* stove; **entreprise** *or* **société ~** joint venture

mixtion /mikstjɔ̃/ *nf* (mélange) compounding; (médicament) mixture

mixture /mikstyʀ/ *nf* 1 (plat cuisiné) concoction; 2 Pharm mixture; 3 (mélange) mishmash○ péj

MJC /ɛmʒise/ *nf*: *abbr* ▸ **maison**

MLF /ɛmɛlɛf/ *nm* (*abbr* = **mouvement de libération des femmes**) ≈ Women's Lib

Mlle ▸ p. 848 (*written abbr* = **Mademoiselle**) Ms, Miss; **~ Lévy** Ms Lévy, Miss Lévy

Mlles ▸ p. 848 (*written abbr* = **Mesdemoiselles**) Misses; **~ Huet et Lévy** Misses Huet and Lévy, Ms Huet and Ms Lévy

mm (*written abbr* = **millimètre**) mm

MM. ▸ p. 848 (*written abbr* = **Messieurs**) Messrs; **~ Brun et Bon** Messrs Brun and Bon

Mme ▸ p. 848 (*written abbr* = **Madame**) Ms, Mrs; **~ Bon** Ms Bon, Mrs Bon

Mmes ▸ p. 848 (*written abbr* = **Mesdames**) **~ Huet et Cordelle** Ms Huet and Ms Cordelle, Mrs Huet and Mrs Cordelle

MMS /ɛmɛmɛs/ *nm* (service) MMS; (message) MMS message

mnémonique /mnemɔnik/ *adj* mnemonic

mnémotechnique /mnemɔtɛknik/
A *adj* [*moyen, procédé*] mnemonic
B *nf* mnemonics (+ *v sg*)

Mo (*written abbr* = **mégaoctet**) Mb, MB

mob○ /mɔb/ *nf* (vélomoteur) moped

mobbing /mɔbiŋ/ *nm* Sociol mental harassment

mobile /mɔbil/
A *adj* 1 (non fixe) [*pièce, élément*] mobile; [*feuillet*] loose; [*fête*] movable; **échelle ~ des salaires** sliding salary scale; 2 (non sédentaire) [*personnel*] mobile; 3 (motorisé) [*antenne, unité*] mobile; 4 (non figé) [*visage, traits*] mobile
B *nm* 1 (motif) motive; **le ~ du crime** the motive for the crime; **sans ~ apparent** without any apparent motive; 2 Phys moving body; 3 Art mobile

mobilier, **-ière** /mɔbilje, ɛʀ/
A *adj* **biens ~s** movable property ₵, movables; **valeurs mobilières** securities; **plus-values mobilières** capital gains on the sale of securities
B *nm* furniture; **~ de bureau** office furniture

(Composés) **~ national** state furnishings (*pl*); **~ urbain** street furniture

mobilisable /mɔbilizabl/ *adj* 1 Mil [*militaire, réserviste*] subject to mobilization; [*civil*] subject to call-up, subject to draft US; 2 fig [*ressources*] available; [*personnes, militants*] who can be mobilized (*épith, après n*)

mobilisateur, **-trice** /mɔbilizatœʀ, tʀis/ *adj* 1 [*slogan, discours*] rousing; [*projet, activité*] stimulating; [*personne*] inspiring; 2 Mil **centre ~** mobilization centre[GB]

mobilisation /mɔbilizasjɔ̃/ *nf* 1 Mil (de militaire, réserviste) mobilization; (de civil) call-up, draft US; **décréter la ~** to order mobilization; **~ générale** lit mobilization; fig all-out effort; 2 fig (de ressources, d'hommes, esprits) mobilization; **appeler à la ~ contre** to call for mobilization against

mobiliser /mɔbilize/ [1]
A *vtr* 1 Mil to mobilize [*militaire, réserviste*]; to call up, to draft US [*civil*]; **être mobilisé** to be

put on active service GB *ou* duty US; **2** (rassembler) to mobilize, to call upon [*militants, amis*] (**pour faire** to do); **~ les travailleurs autour d'un projet/parti** to get the workers to support a project/party; **le projet a mobilisé l'attention des étudiants** the project caught the attention of the students; **3** (faire agir) to rally; **ce problème a mobilisé tous les parents** this issue rallied all the parents; **~ les énergies** to mobilize people to act; **4** fig (mettre en jeu) to mobilize [*forces, volonté*]; to summon up [*courage*]; to call on [*raison*]
B **se mobiliser** *vpr* [*militants, étudiants*] to rally, to mobilize; **se ~ autour d'un parti** to rally round a party; **se ~ autour d'un projet** to devote one's energies to a project

mobilité /mɔbilite/ *nf* **1** Sociol mobility; **~ géographique/sociale** geographical/social mobility; **2** Méd (faculté de se déplacer) mobility; **personne à ~ réduite** person with restricted mobility; **3** (caractère changeant) mobility; **4** (vivacité) liveliness, quickness

mobylette® /mɔbilɛt/ *nf* moped

mocassin /mɔkasɛ̃/ *nm* **1** (chaussure) moccasin, loafer; **2** (serpent) water moccasin

moche○ /mɔʃ/ *adj* **1** (laid) [*personne*] ugly; [*vêtement, papier peint*] ghastly; [*couleur*] awful; **le temps est ~ aujourd'hui** the weather is awful today; **2** (triste) dreadful; **3** (mesquin) [*attitude*] nasty (**avec** to); **c'est ~ de dire/faire ça** that's a nasty thing to say/do
(Idiome) **~ comme un pou** as ugly as sin

mocheté○ /mɔʃte/ *nf* **1** (caractéristique) ugliness; **il est d'une ~!** he's unbelievably ugly!; **2** (personne laide) horror

modal, **~e**, *mpl* **-aux** /mɔdal, o/
A *adj* modal
B *nm* modal verb

modalité /mɔdalite/
A *nf* Ling, Mus, Philos modality
B **modalités** *nfpl* **1** gén (conditions) terms; (façon de fonctionner) practical details; **les ~s du débat/cessez-le-feu ont été fixées** the terms of the debate/ceasefire have been fixed; **les ~s de l'opération/l'unification** the practical details of the operation/the unification process; **~s de remboursement** terms of repayment; **~s de financement** methods of funding; Scol, Univ **~s d'inscription** enrolment[GB] procedure ₵; **~s de contrôle** methods of assessment; **2** Jur clauses

modanais, **~e** /mɔdanɛ, ɛz/ ▸ **p. 894** *adj* of Modane

Modanais, **~e** /mɔdanɛ, ɛz/ *nm,f* (natif) native of Modane; (habitant) inhabitant of Modane

Modane /mɔdan/ ▸ **p. 894** *npr* Modane

mode /mɔd/
A *nm* **1** (façon) way, mode; **~ de pensée/vie** way of thinking/life; **~ de gouvernement** mode of government; **~ de transport** mode of transport GB *ou* transportation US; **~ de paiement** method of payment; **le ~ de fonctionnement de qch** the way sth operates; **traiter le sujet sur le ~ comique/poétique** to treat the subject in a comic/poetic vein; **2** Ling mood; **3** Mus, Ordinat, Philos mode
B *nf* **1** (en matière d'habillement, d'idées) fashion; **c'est la ~** it's the fashion; **c'est une ~** it's a trend; **lancer une ~** to start a trend; **une ~ passagère** a fad; **c'est passé de ~** it's gone out of fashion; **elle suit/ne suit pas la ~** she follows/ignores fashion; **s'habiller à la dernière ~** to wear the latest fashions; **la ~ des cheveux longs/mini-jupes** the fashion for long hair/mini-skirts; **la ~ est aux cheveux courts** short hair is in fashion; **c'était une ~** it was fashionable; **~ masculine/féminine** men's/women's fashion; **coupe/coloris ~** fashionable cut/colour[GB]; **à la ~** (qui fait la mode) [*vêtement, style*] fashionable, in fashion; [*thème, personnage*] in fashion; (qui suit la mode) [*vêtement, personne*] fashionable; [*jeune*] fashionable, trendy; (populaire) [*romancier*] who is in vogue (*épith, après n*); [*chanteur*] popular; **c'est très à la ~ d'être végétarien** it's very fashionable to be a vegetarian; **la ~ est à la cuisine végétarienne** vegetarian cooking is all the rage *ou* is in fashion; **2** (secteur d'activité) fashion industry; **travailler dans la ~** to work in the fashion industry *ou* business; **présentation de ~** fashion show
(Composés) **~ dialogué** Ordinat conversational mode; **~ d'emploi** (de machine) instructions (*pl*) *ou* directions (*pl*) for use; (de plat cuisiné) cooking instructions (*pl*)

modelage /mɔdlaʒ/ *nm* **1** (activité) modelling; **le ~ de la cire** wax modelling; **faire du ~** to make models; **2** (objet) model; **un ~ en cire** a wax model

modèle /mɔdɛl/
A *adj* [*employé, mari, usine, prison*] model (*épith*); [*conduite*] perfect, exemplary; **fermes ~s** model farms
B *nm* **1** (exemple) example; **suivre un ~** to follow an example; **offrir un ~ d'intégration** to be an example of integration; **servir de ~ à qn/qch** to serve as an example for sb/sth; **prendre ~ sur qn** to do as sb does/did, to do like sb; **sur le ~ américain** on the American model; **être un ~ de clarté** to be a model of clarity; **~ à suivre** (personne) somebody to look up to; **c'est un ~ à ne pas suivre** (personne) he's/she's not a good role model; **2** Comm, Ind (type) model; (taille) size; **choisir la couleur, la taille et le ~** to select the colour[GB], size and model; **le dernier ~** the latest model; **~ sport/de luxe/standard** sports/de luxe/standard model; **grand/petit ~** large-/small-size (*épith*); **~ familial** family-size (*épith*); **le grand ~ de tente, la tente grand ~** the large-size tent; **le ~ au-dessus** (en taille) the next size up; (en prix) the more expensive version; **construit sur le même ~** built to the same design; **3** Cout, Mode (création) model; (type d'article) style; **essaie ce ~** try this style; **4** (échantillon) **~ de signature** specimen signature; **compléter selon le ~** Scol do the exercise following the example; **5** ▸ **p. 532** Art, Phot (personne) model; **6** (système) model; **~ éducatif/de société** educational/social model; **sortir du ~ bureaucratique** to break out of the bureaucratic mould GB *ou* mold US; **7** Sci (structure formalisée) model; **~ économique/transformationnel** economic/transformational model; **8** (reproductible) pattern; **~ de conjugaison/déclinaison** conjugation/declension pattern; **~ de tricot** knitting pattern; **9** Ind, Tech (objet à reproduire) model
(Composés) **~ déposé** Jur registered pattern; **~ réduit** scale model; **~ réduit d'avion** model plane

modelé, **~e** /mɔdle/
A *pp* ▸ **modeler**
B *pp adj* **bien ~** [*corps, jambe*] shapely; [*visage*] finely-sculpted
C *nm* **1** Art, Géog relief; **2** (de visage, corps) contours (*pl*)

modeler /mɔdle/ [17]
A *vtr* **1** (façonner) to model [*argile, pâte*]; to model [*statue, figurine*] (**dans** in, out of); to style [*chevelure*]; to shape, to mould GB *ou* mold US [*individu, esprit, caractère*]; **l'érosion a modelé le paysage** the landscape has been shaped by erosion; **2** (copier) **~ sa conduite sur** to model one's behaviour[GB] on
B **se modeler** *vpr* to model oneself (**sur** on)

modeleur, **-euse** /mɔdlœʀ, øz/ ▸ **p. 532** *nm,f* **1** (artiste) model-maker; **2** (ouvrier) pattern maker

modélisation /mɔdelizasjɔ̃/ *nf* modelling

modéliser /mɔdelize/ [1] *vtr* to model

modélisme /mɔdelism/ *nm* modelling, model-making

modéliste /mɔdelist/ ▸ **p. 532** *nmf* **1** (de vêtements) (dress) designer; **2** (de maquettes) model-maker

modem /mɔdɛm/ *nm* modem

Modène /mɔdɛn/ ▸ **p. 894** *npr* Modena

modérateur, **-trice** /mɔdeʀatœʀ, tʀis/
A *adj* moderating (*épith*)
B *nm,f* fig (personne) moderating influence; (fonction) moderator
C *nm* Nucl moderator

modération /mɔdeʀasjɔ̃/ *nf* **1** (sens de la mesure) moderation; **avec ~** in moderation; **faire preuve de ~ dans** to show moderation in; **plein de ~** very moderate; **2** (de prix, taxe) reduction; **3** (de peine, règle) mitigation

modéré, **~e** /mɔdeʀe/
A *adj* [*personne, parti, candidat*] moderate (**dans** in); [*vent, vitesse, usage, parole*] moderate; [*prix*] reasonable; [*tempérament*] even; [*enthousiasme*] mild
B *nm,f* moderate

modérément /mɔdeʀemɑ̃/ *adv* **1** (moyennement) relatively; **2** (avec retenue) in moderation; **3** (légèrement) slightly

modérer /mɔdeʀe/ [14]
A *vtr* to curb [*dépenses, ambition, sentiments, désirs*]; to soften [*attitude, politique*]; to moderate [*propos, langage, critiques*]; to reduce [*vitesse*]; to dim [*éclat de lampe*]
B **se modérer** *vpr* to exercise self-restraint (**dans** in); **modère-toi!** show some self-restraint!

moderne /mɔdɛʀn/ *adj* (tous contextes) modern; **je n'aime pas le (mobilier) ~** I don't like modern furniture

modernisateur, **-trice** /mɔdɛʀnizatœʀ, tʀis/ *adj, nm,f* progressive

modernisation /mɔdɛʀnizasjɔ̃/ *nf* modernization

moderniser /mɔdɛʀnize/ [1]
A *vtr* to modernize [*institution, secteur, matériel*]; to update [*loi, manuel*]
B **se moderniser** *vpr* to be modernized, to be brought up to date

modernisme /mɔdɛʀnism/ *nm* **1** (goût) modernity; **2** (mouvement) modernism

moderniste /mɔdɛʀnist/
A *adj* modernistic
B *nmf* modernist

modernité /mɔdɛʀnite/ *nf* modernity

modern style /mɔdɛʀnstil/ *nm inv* Art Deco style

modeste /mɔdɛst/ *adj* **1** (peu important) [*investissement, budget, conquête, palmarès*] modest; [*facture, coût*] moderate; [*revenu, somme*] modest; **2** (sans faste) [*appartement, immeuble*] modest; **3** (socialement) [*famille, milieu*] humble; **4** (sans vanité) modest; **un homme ~ et discret** a modest and discreet man; **avoir le triomphe ~** to be modest about one's success

modestement /mɔdɛstəmɑ̃/ *adv* **1** (sans superflu) modestly, simply; **être ~ logé** to be in cheap accommodation; **être ~ vêtu** to be wearing cheap clothes; **2** (sans orgueil) modestly

modestie /mɔdɛsti/ *nf* **1** (absence d'orgueil) modesty; **fausse ~** false modesty; **2** (pauvreté) modesty

modicité /mɔdisite/ *nf* lowness; **la ~ de leurs revenus** their low income; **la ~ des prix** the low prices

modifiable /mɔdifjabl/ *adj* modifiable

modificateur, **-trice** /mɔdifikatœʀ, tʀis/
A *adj* modifying (*épith*)
B *nm* modifier
(Composé) **~ de focale** Phot converter lens

modificatif, **-ive** /mɔdifikatif, iv/
A *adj* **1** Ling modifying; **2** Admin **texte ~** amendment
B *nm* Admin amendment

modification /mɔdifikasjɔ̃/ *nf* modification; **apporter une ~ à qch** to add a modification to sth; **faire des ~s à** to modify, to make modifications to; **adopter un projet de loi sans ~/avec des ~s** to pass a bill unamended/with amendments

m

modifier /mɔdifje/ [2]
A *vtr* gén to change; Tech to alter, to modify [*moteur, système*]; Pol to amend [*projet de loi*]; Ling to modify
B **se modifier** *vpr* to change, to alter

modique /mɔdik/ *adj* [*somme, ressources*] modest

modiste /mɔdist/ ▸ p. 532 *nf* milliner

modulable /mɔdylabl/ *adj* [*format, prélèvement*] adjustable; [*salle*] multi-purpose; [*horaire*] flexible

modulaire /mɔdylɛʀ/ *adj* modular

modulateur, -trice /mɔdylatœʀ, tʀis/
A *adj* modulation (*épith*)
B *nm,f* modulator

modulation /mɔdylasjɔ̃/ *nf* **1** Phys, Radio modulation; **2** (flexibilité) flexibility; **3** (adaptation) adjustment
(Composés) **~ de fréquence, MF** frequency modulation, FM; **être sur ~ de fréquence** to be on FM; **poste à ~ de fréquence** FM radio

module /mɔdyl/ *nm* **1** (élément d'assemblage) module; (pour cuisine) unit; **2** (véhicule) module; **3** (étalon de mesure) module; **4** Math, Phys modulus; **5** Univ module
(Composé) **~ d'extension** plug-in

moduler /mɔdyle/ [1]
A *vtr* **1** to modulate [*voix, son, couleurs*]; **elle modulait une berceuse** she sweetly sang a lullaby; **2** (adapter) to adjust [*prix*]; to adapt [*politique*]; **3** Radio, Télécom to modulate
B *vi* to modulate

modus vivendi /mɔdysvivɛ̃di/ *nm inv* modus vivendi

moelle /mwal/ *nf* **1** Anat marrow; **transi jusqu'à la ~** fig frozen to the marrow; **sucer qn jusqu'à la moelle** fig to suck sb dry; **2** Culin marrow; **3** Bot pith; **4** (quintessence) marrow
(Composés) **~ épinière** spinal cord; **~ osseuse** bone marrow; **greffe de ~ osseuse** bone marrow transplant

moelleusement /mwaløzmɑ̃/ *adv* [*installé*] snugly; [*étendu*] luxuriously

moelleux, -euse /mwalø, øz/
A *adj* **1** [*tissu, tapis*] thick; [*lit, vêtement*] soft; [*nid*] cosy GB, cozy US; **2** [*vin*] mellow; [*dessert*] smooth; [*viande*] tender; **3** [*voix*] mellifluous; **4** [*ligne, touche*] fluid; [*couleur, ton*] soft; **5** † [*courbe du corps*] soft; [*formes, épaules*] softly rounded
B *nm* **1** (de tissu, voix, couleur, courbe) softness; **2** (de vin) mellowness; (de viande) tenderness; (de dessert) smoothness; **3** (de voix) mellifluousness

moellon /mwalɔ̃/ *nm* Constr stone; **~ creux** cavity block, breeze block

mœurs /mœʀ(s)/ *nfpl* **1** (usages) (d'époque, de pays, peuple) customs, mores sout; (de milieu social) lifestyle (*sg*); **les ~ de la bourgeoisie/des banlieusards** the bourgeois/suburban lifestyle; **entrer dans les ~** [*usage, pratique*] to become part of everyday life; **il faut vivre avec les ~ de son temps** you've got to move with the times; **roman/comédie de ~** Littérat novel/comedy of manners; **l'évolution des ~** the change in attitudes; **les ~ politiques** political practices; **2** (habitudes de conduite) habits; **avoir des ~ austères/simples** to have austere/simple habits, to have an austere/a simple lifestyle; **les ~ des renards** the habits of foxes; **3** (moralité) morals; **des ~ relâchées** *or* **dissolues** loose morals; **avoir des ~ irréprochables** to have the highest moral standards; **leur conduite est contraire aux bonnes ~** their behaviour[GB] is not in keeping with good moral standards; **la police des ~, les Mœurs**○ the vice squad; **une sordide affaire de ~** a sordid sex case; ▸ **adoucir**
(Idiome) **autres temps, autres ~** other days, other ways

mohair /mɔɛʀ/ *nm* mohair; **de** *or* **en ~** mohair (*épith*); **laine ~** mohair

moi¹ /mwɑ/ *pron pers* **1** (sujet) **~ qui aime tant le chocolat, je ne peux plus en manger** I, who love chocolate so much, can't eat it any more; **c'est ~** (au téléphone) it's me; **'j'ai faim'—'~ aussi'** 'I'm hungry'—'me too', 'so am I'; **'qui a cassé le vase?'—'~!/pas ~!'** 'who broke the vase?'—'I did!/I didn't!', 'me!/not me!'; **'est-ce toi qui as mon livre?'—'non, ce n'est pas ~'** 'have you got my book?'—'no, I haven't'; **'qui veut partir à pied?'—'~!'** 'who wants to go on foot?'—'me!', 'I do!'; **c'est ~ qui ai cassé la vitre** I was the one who broke the windowpane; **mes collègues et ~ sommes heureux de faire** my colleagues and I are happy to do; **~, je ne dis rien** I'm not saying anything; **mon amie et ~ avons décidé de nous marier** my girlfriend and I have decided to get married; **'je n'aime pas ça!'—'~ non plus'** 'I don't like that!'—'neither do I', 'me neither'; **2** (dans une comparaison) **il travaille plus que ~** he works more than me *ou* than I do; **elle est plus âgée que ~** she's older than me *ou* than I am; **il les voit plus souvent que ~** (que je ne les vois) he sees them more often than I do; (qu'il ne me voit) he sees them more often than me *ou* than he sees me; **3** (objet direct) me; **pince-~, je rêve** pinch me, I'm dreaming; **crois-~, ce n'est pas facile** believe me, it's not easy; **frappe-~ si tu l'oses** hit me if you dare; **4** (après une préposition) me; **à cause de/autour de/après ~** because of/around/after me; **un cadeau pour ~** a present for me; **pour ~ il est fou** personally, I think he's mad; **il ne pense pas à ~** he doesn't think of me; **elle n'écrit à personne sauf à ~** she doesn't write to anyone but me; **sans ~ ils n'auraient jamais terminé** they would never have finished without me; **passe-~ le sel** pass me the salt; **téléphone-~** phone me; **à ~** (à l'aide) help!; (à mon tour) (it's) my turn!; **des amis à ~** friends of mine; **je n'ai pas de coin à ~ dans la maison** I haven't got a room of my own in the house; **à ~, elle a raconté une histoire très différente** she told me quite a different story; **la tasse bleue est à ~** the blue cup is mine; **c'est à ~** (appartenance) it's mine, it belongs to me; (tour) it's my turn; **c'est à ~ de faire la vaisselle** it's my turn to do the dishes; **c'est à ~ de choisir** (mon tour) it's my turn to choose; (ma responsabilité) it's up to me to choose

moi² /mwɑ/ *nm* **1** Psych **le ~** the self; **2** ○**le vrai ~** the real me

moignon /mwaɲɔ̃/ *nm* stump

moi-même /mwamɛm/ *pron pers* myself; **je l'ai fait ~** I did it myself; **j'exclus pour ~ un déplacement à l'étranger** personally I have no intention of going abroad; **en ~ je me disais que ça n'avait pas d'importance** I told myself that it didn't matter; **étant ~ agriculteur** being a farmer myself

moindre /mwɛ̃dʀ/ *adj* **1** (comparatif) lesser; **événements/sociétés de ~ importance** events/companies of lesser importance; **dans une ~ mesure** to a lesser extent; **considérer qch comme un ~ mal** to consider sth as the lesser of two evils; **à ~ prix** more cheaply; **2** (superlatif) **le ~** the least (**de, des** of); **il n'y a pas le ~ doute là-dessus** there isn't the least *ou* slightest doubt about it; **c'est le ~ de mes soucis** that's the least of my worries; **la générosité n'est pas la ~ de ses qualités** generosity is not the least of his/her qualities; **c'est la ~ des choses** it's the least I could do; **ce serait la ~ des politesses de répondre à leur lettre** you could at least have the courtesy to reply to their letter; **ils n'ont pas fait la ~ remarque/le ~ effort** they didn't make the slightest remark/the slightest effort; **je n'ai pas la ~ intention de faire** I haven't the slightest intention of doing; **je n'ai pas la ~ idée de l'endroit où j'ai mis mes clés** I haven't the slightest idea where I put my keys; **je n'en ai pas la ~ idée** I haven't got the slightest idea *ou* a clue○; **de nombreux scientifiques, et non des ~s, ont critiqué l'expérience** many scientists, and highly respected ones at that, have criticized the experiment; **il cumule plusieurs fonctions dont la ~ n'est pas celle de maire** he combines various duties, not least of which is that of mayor; **dernier point à souligner et non des ~s** last but not least

moine /mwan/ *nm* **1** Relig monk; **2** Zool (phoque) monk seal; (vautour) black vulture; (macareux) puffin; **3** (chauffe-lit) bedwarmer
(Idiome) **l'habit ne fait pas le ~** Prov you can't judge a book by its cover, appearances can be deceptive

moineau, *pl* **~x** /mwano/ *nm* **1** (oiseau) sparrow; **2** ○fig (individu) **vilain ~** pej dirty crook
(Idiome) **il a une tête** *or* **cervelle de ~** he is a featherbrain

moinillon /mwanijɔ̃/ *nm* young monk

moins¹ /mwɛ̃/
A *prép* **1** (dans une soustraction) minus; **8 ~ 3 égale 5** 8 minus 3 is *ou* equals 5; **il a retrouvé sa voiture, ~ les roues** he got his car back without *ou* minus hum the wheels
2 (pour dire l'heure) to; **il est huit heures ~ dix** it's ten (minutes) to eight; **il est ~ vingt**○ it's twenty to○, it's twenty minutes to the hour; **il était ~ une**○ *or* **~ cinq**○ it was a close shave○
3 (dans une température) minus; **il faisait ~ 15 degrés** it was minus 15 (degrees)
B *adv* **1** (modifiant un verbe) (comparatif) less; (superlatif) **le ~** the least; **je lis ~ ces derniers temps** I read less these days; **ils sortent ~ maintenant qu'ils ont un enfant** they don't

---

ℹ moins¹

Généralités

La traduction en anglais de *moins* est *less*. Cependant, elle n'est utilisée que dans un nombre de cas assez restreint:

en moins de trois jours
= in less than three days

Très souvent, même quand une traduction avec *less* est possible, l'anglais a recours à d'autres moyens. Certains sont réguliers:

ma chambre est moins grande que la tienne
= my bedroom isn't as big as yours

j'ai moins d'expérience que toi
= I don't have as much experience as you (do)
ou I have less experience than you (do)

c'est moins compliqué que vous ne le croyez
= it's not as complicated as you think
ou it's less complicated than you think

D'autres ne le sont pas:

j'essaie de moins fumer
= I'm trying to cut down on my smoking
ou I'm trying to smoke less

moins de

Lorsque *moins de*, déterminant indéfini, est suivi d'un nom dénombrable, la règle voudrait que l'on traduise par *fewer* mais dans la langue parlée on utilise également *less*.

Les expressions *le moins possible*, *le moins du monde* sont traitées respectivement sous **possible** et **monde**.

On trouvera ci-contre exemples et exceptions illustrant les différentes fonctions de *moins*.

On pourra également se reporter aux notes d'usage portant notamment sur **les quantités**, l'expression de **l'âge** etc. Consulter l'index ▸ **p. 1948**.

go out as much *ou* they go out less often now that they have a child; **il importe ~ de changer le règlement que de le faire appliquer** changing the rule is less important than implementing it; **je gagne ~ qu'elle** I earn less than she does, I don't earn as much as she does; **c'est ~ un artiste qu'un bon artisan** he' s not so much an artist as a good craftsman; **c'est ~ une question d'argent qu'une question de principe** it's not so much a question of money as a question of principle; **de ~ en ~** less and less; **~ je sors, ~ j'ai envie de sortir** the less I go out, the less I feel like going out; **~ je le vois, mieux je me porte** the less I see him, the better I feel; **c'est lui qui travaille le ~ de tous** he's the one who works the least of all; **le film qui m'a le ~ plu** the film I liked the least; **ce que j'aime le ~ chez lui** what I like least about him

2▸ (modifiant un adjectif) (comparatif) less; (superlatif) **le ~, la ~, les ~** (de deux) the less; (de plus de deux) the least; **il est ~ grand/doué que son père** he's not as tall/gifted as his father; **c'est ~ facile qu'il n'y paraît** it's not as easy as it seems; **il est ~ menteur que sa sœur** he's less of a liar than his sister; **c'est ~ problématique que je ne croyais** it's less problematic *ou* less of a problem than I thought, it's not as problematic as I thought; **les jeunes et les ~ jeunes** the young and the not so young; **dans le livre il y a du bon et du ~ bon** in the book, there are bits that are good and bits that are not so good; **il n'en est pas ~ vrai que** it's nonetheless true that; **il ressemble à son frère en ~ gros** he looks like his brother, only thinner; **ce sont les employés les ~ compétents de l'entreprise** they're the least competent employees in the company; **un individu des ~ recommandables** a most unsavoury individual

3▸ (modifiant un adverbe) (comparatif) less; (superlatif) **le ~** least; **tu devrais rester ~ longtemps dans le sauna** you shouldn't stay so long in the sauna; **elle chante ~ bien qu'avant** she doesn't sing as well as she used to; **il fait ~ beau que l'an dernier** the weather isn't as good as it was last year; **c'est le ~ bien payé des deux** he's the less well-paid of the two; **le ~ souvent** (the) least often

C moins de *dét indéf* 1▸ (avec un nom dénombrable) **~ de livres/d'assiettes/d'arguments** fewer books/plates/arguments; **j'ai ~ de livres que toi** I don't have as many books as you *ou* I have fewer books than you; **mangez ~ de graisses** eat less fat; **il y a ~ de candidats** there are fewer candidates; **ils ont ~ de chances d'être élus** they are less likely to be elected; **les éditeurs publient ~ de livres** publishers are publishing fewer books; **pas ~ de** no fewer than

2▸ (avec un nom non dénombrable) **~ de sucre/vin/papier** less sugar/wine/paper; **~ de bruit/lumière** less noise/light; **il a parlé avec ~ de hargne** he spoke less aggressively; **il y a ~ de monde aujourd'hui qu'hier** there are fewer people today than there were yesterday; **pas ~ de** no less than; **c'est lui qui a le ~ d'expérience des trois** of the three he's the one with the least experience

3▸ (avec un numéral) **en ~ de trois heures** in less than three hours; **dans ~ de trois heures** in less than three hours; **le voyage a duré un peu ~ de trois heures** the journey took a bit less than *ou* just under three hours; **il est ~ de 3 heures** it's not quite 3 o'clock; **les enfants de ~ de 6 ans** children under 6; **les ~ de 20 ans** people under 20, the under-twenties; **une planche de ~ de deux m ètres de long** a plank less than two metres[GB] long; **~ de huit candidats** fewer than eight candidates; **tu ne trouveras rien à ~ de 500 euros** you won't find anything for less than 500 euros *ou* for under 500 euros; **ça m'a coûté ~ de 200 euros** it cost me less than 200 euros *ou* under 200 euros

D à moins *loc adv* **on serait furieux à ~** it's more than enough to make one angry

E à moins de *loc prép* **à ~ de partir maintenant, il n'arrivera pas à l'heure** unless he leaves now he won't get there on time; **à ~ d'un miracle il va échouer** unless there's a miracle, he's going to fail

F à moins que *loc conj* **à ~ qu'il ne veuille venir** unless he wants to come

G à tout le moins *loc adv* to say the least

H au moins *loc adv* at least; **tout au ~** at least; **il y avait au ~ 3 000 personnes** there were at least 3,000 people; **au ~, lui, il a réussi dans la vie** he, at least, succeeded in life; **tu l'as remercié, au ~?** you did thank him, didn't you?

I de moins *loc adv* **ça m'a pris deux heures de ~** it took me two hours less; **le kilo de pêches valait deux euros de ~ que la veille** a kilo of peaches cost two euros less than it had the day before; **j'ai un an de ~ que lui** I'm a year younger than he is; **il a obtenu 25% de voix de ~ que son adversaire** he got 25% fewer votes than his opponent

J du moins *loc adv* at least; **c'est du ~ ce qu'il m'a raconté** at least that's what he told me; **si du ~ tu es d'accord** that is if you agree

K en moins *loc adv* **il y avait deux fourchettes en ~ dans la boîte** there were two forks missing from the box; **il est revenu du front avec une jambe en ~/avec un doigt en ~** he came back from the front with only one leg/ with a finger missing; **c'est tout le portrait de son père, la moustache en ~** he's/she's the spitting image of his/her father without the moustache GB *ou* mustache US

L pour le moins *loc adv* to say the least; **ton attitude est pour le ~ étrange** your attitude is strange to say the least (of it)

moins² /mwɛ̃/ *nm inv* 1▸ Math minus; **le signe ~** the minus sign; 2▸ °(inconvénient) minus

(Composé) **~ que rien** *nmf* good-for-nothing, nobody

moins-disant, *pl* **~s** /mwɛ̃dizɑ̃/ *nm* lowest bidder

moins-perçu, *pl* **~s** /mwɛ̃pɛʀsy/ *nm* underpaid sum

moins-value, *pl* **~s** /mwɛ̃valy/ *nf* 1▸ (diminution de valeur) depreciation; 2▸ (déficit des recettes fiscales) shortfall

moirage /mwaʀaʒ/ *nm* 1▸ (activité) (de tissu) moiréing; (de papier, soie) watering; 2▸ (aspect) (d'un tissu) moiré; (de papier, soie) watered effect

moire /mwaʀ/ *nf* 1▸ (étoffe) moire; 2▸ (procédé) (de tissu) moiréing; (de soie) watering; 3▸ (aspect) (d'un tissu) moiré; (de la soie) watered effect; 4▸ (reflet) (de tissu, d'eau) shimmer; (de métal) glisten

moiré, **~e** /mwaʀe/

A *adj* [*tissu*] moiré; [*soie, papier*] watered; [*eau, vêtement*] shimmering; [*métal, bijou*] glistening

B *nm* 1▸ (de tissu) moiré; (de soie) watered appearance; 2▸ (de l'eau) shimmer; (de métal) glisten

moirer /mwaʀe/ [1]

A *vtr* 1▸ to moiré [*tissu*]; to water [*soie, papier*]; 2▸ littér to make [sth] shimmer [*eau*]; to make [sth] glisten [*métal, parquet*] **(de** with)

B se moirer *vpr* littér [*surface mouvante*] to shimmer; [*surface immobile*] to glisten

moirure /mwaʀyʀ/ *nf* 1▸ (de tissu) moiré ¢; 2▸ littér (d'eau) shimmering ¢; (de métal, bijou) glistening ¢

mois /mwa/ ▸ p. 18, p. 836 *nm inv* 1▸ (division de l'année) month; **le livre/disque du ~** the book/ record of the month; **le ~ dernier/prochain** last/next month; **au ~ de juin** in June; **faire un stage de six ~** to do a six-month training course; **un bébé de trois ~** a three-month-old baby; **il a trois ~** he's three months old; **elle est enceinte de trois ~** she's three months pregnant; **il a mis des ~ à s'en remettre** it took him months to recover; **gagner 2 000 euros par ~** to earn 2,000 euros a month; **il y a cinq ~ de cela** that was five months ago; **il y a un ~ qu'il travaille** he has been working for a month; **c'est dans un ~** it's in a month('s time); **à moins de deux ~ du premier tour** with the first round less than two months away; **louer au ~** to rent by the month; 2▸ (salaire) monthly salary

(Composés) **~ civil** calendar month; **~ légal** thirty days; **~ lunaire** lunar month; **~ de Marie** month of Mary; **~ solaire** solar month

(Idiome) **tous les 36 du ~**° once in a blue moon°

moïse /mɔiz/ *nm* Moses basket GB, bassinet US

Moïse /mɔiz/ *npr* Bible Moses

moisi, **~e** /mwazi/

A *pp* ▸ **moisir**

B *pp adj* [*aliment*] mouldy GB, moldy US; [*objet, plante*] mildewed; **le pâté est complètement ~** the pâté has gone completely mouldy GB *ou* moldy US

C *nm* mould GB, mold US; **odeur/goût de ~** musty smell/taste; **sentir le ~** to smell musty

moisir /mwaziʀ/ [3] *vi* 1▸ [*aliment*] to go mouldy GB *ou* moldy US; [*objet, plante*] to become mildewed; 2▸ °(stagner) [*personne*] to stagnate; [*argent, objet*] to gather dust; **bon, on va pas ~ ici**°! right, we're not going to hang around here all day!

moisissure /mwazisyʀ/ *nf* (sur des aliments, du bois) mould ¢ GB, mold ¢ US; (sur des meubles, tapis, plantes) mildew ¢; **odeur de ~** musty smell; **des murs couverts de ~s** walls covered in patches of mildew

moisson /mwasɔ̃/ *nf* 1▸ Agric (activité, produits récoltés) harvest; (époque) harvest time; **faire la ~** *or* **les ~s** to harvest; 2▸ fig haul **(de** of); **une ~ de prix** a haul of prizes

moissonner /mwasɔne/ [1] *vtr* 1▸ Agric to harvest; 2▸ fig to gather [*renseignements*]; to amass [*documents*]; to reap [*récompenses*]; to win [*distinctions, médailles*]

moissonneur, **-euse** /mwasɔnœʀ, øz/

A *nm,f* (personne) harvester

B moissonneuse *nf* (machine) reaper

moissonneuse-batteuse, *pl* **moissonneuses-batteuses** /mwasɔnøzbatøz/ *nf* combine harvester

moite /mwat/ *adj* 1▸ [*climat, chaleur*] muggy; 2▸ [*mur, objet*] damp; [*peau*] sweaty

moiteur /mwatœʀ/ *nf* (de l'air) mugginess; (de la peau) sweatiness

moitié /mwatje/ *nf* 1▸ gén half; **la ~ de qch** half of sth; **partager qch en deux ~s** to divide sth into two halves; **une ~ rouge et l'autre bleue** one half red and the other blue; **la première ~ du mois** the first half of the month; **il en a mangé plus/moins de la ~** he ate more/less than half of it *ou* them; **la ~ d'entre eux** half of them; **la peinture, c'est la ~ de ma vie** half of my life is devoted to painting; **à ~ vide/fou/convaincu** half empty/crazy/convinced; **dormir à ~**° to be half asleep; **vivre ~ à Paris, ~ à Nice** to spend half one's time in Paris and half in Nice; **dépenser ~ moins d'argent** to spend half as much money *ou* half the money; **vendre à ~ prix** to sell at half-price; **articles à ~ prix** half-price goods; **s'arrêter à la ~** to stop halfway through; **à ~ cassé** damaged; **raccourcir de ~** to shorten by half; **trop long de ~** too long by half; **c'est plus large/cher de ~** it's half as wide/expensive again; **je n'y crois qu'à ~** I don't entirely believe it; **il n'était pas qu'à ~ ivre**°! he wasn't half drunk°!; **ne pas faire les choses à ~** not to do things by halves; **il fait toujours les choses à ~** he never does anything properly; **être pour ~ dans qch** to be instrumental in sth; **partager les gains par ~** to split the profits; ▸ **pardonner**; 2▸ °(épouse) **ma ~** my better half°

moitié-moitié /mwatjemwatje/ *adv* (en proportions égales) half-and-half; **'de l'eau dans**

m

ℹ Les mois de l'année

Les noms des mois

■ *L'anglais emploie la majuscule pour les noms de mois. Les abréviations sont courantes en anglais familier écrit, par ex. dans une lettre à un ami:* I'll see you on Mon 17 Sept.

		abréviation anglaise
janvier	January	Jan
février	February	Feb
mars	March	Mar
avril	April	Apr
mai	May	May
juin	June	Jun
juillet	July	Jul
août	August	Aug
septembre	September	Sept
octobre	October	Oct
novembre	November	Nov
décembre	December	Dec

■ *Dans les expressions suivantes,* May *est pris comme exemple. Tous les autres noms de mois s'utilisent de la même façon.*

mai a été pluvieux
= May was wet

■ *L'anglais peut utiliser les noms de mois même là où le français a recours à l'expression* le mois de...

j'aime le mois de mai
= I like May

le mois de mai le plus chaud
= the warmest May

nous avons eu un beau mois de mai
= we had a lovely May

Quand?

■ *Pour l'expression de la date* ▸ **p. 222.**

nous sommes en mai
= it is May

■ *Avec les autres verbes que* be *(être), en se traduit normalement par* in.

en mai
= in May *or (littéraire)* in the month of May

je suis né en mai
= I was born in May

je te verrai en mai
= I'll see you in May

l'an prochain en mai
= in May next year

■ *Noter aussi:*

cette année-là en mai
= that May

en mai prochain
= next May

l'année dernière en mai
= last May

dans deux ans en mai
= the May after next

il y a deux ans en mai
= the May before last

tous les ans en mai
= every May

tous les deux ans en mai
= every other May

presque tous les ans en mai
= most Mays

■ *Comparer:*

un matin en mai
= one morning in May

un matin de mai
= one May morning
ou on a May morning

début mai
= in early May

au début de mai
= at the beginning of May

fin mai
= in late May

à la fin de mai
= at the end of May

à la mi-mai
= in mid-May

depuis mai
= since May

pendant tout le mois de mai
= for the whole of May
ou for the whole month of May

tout au long du mois de mai
= all through May
ou throughout May

De avec les noms de mois

■ *Les expressions françaises avec* de *se traduisent par l'emploi du nom de mois en position d'adjectif.*

les fleurs de mai
= May flowers

la pluie du mois de mai
= the May rain

le soleil de mai
= the May sunshine

le temps du mois de mai
= May weather

les soldes du mois de mai
= the May sales

---

votre pastis?'—'oui, ∼' 'do you like water in your pastis?'—'yes please, half-and-half'; **partager ∼ avec qn** (dépense, cadeau) to go halves with sb; (gains) to split the profits with sb; **partager son temps ∼ entre son travail et sa famille** to split one's time between work and family life

moka /mɔka/ *nm* 1 (café) mocha; 2 (gâteau) mocha cake

mol ▸ **mou A**

molaire /mɔlɛʀ/
A *adj* Chimie molar
B *nf* Dent molar

molasse /mɔlas/ *nf* Géol molasse

Moldau /mɔldo/ ▸ **p. 372** *nprf* Vltava

moldave /mɔldav/ ▸ **p. 483, p. 561**
A *adj* 1 Géog Moldovan; 2 Hist, Ling Moldavian
B *nm* Ling Moldavian

Moldave /mɔldav/ *nmf* 1 ▸ **p. 561** Géog Moldovan; 2 Hist Moldavian

Moldavie /mɔldavi/ *nprf* 1 ▸ **p. 333** (pays) Moldova; 2 Hist Moldavia

mole /mɔl/ *nf* Chimie mole

môle /mol/ *nm* 1 (brise-lames) breakwater; 2 (pour s'amarrer) pier, jetty
(Composé) ∼ **de débarquement** landing pier *ou* jetty

moléculaire /mɔlekylɛʀ/ *adj* molecular

molécule /mɔlekyl/ *nf* molecule

moleskine /mɔlɛskin/ *nf* 1 (imitant le cuir) imitation leather, Leatherette®; 2 (pour doublures) moleskin; 3 (de café) wall seat

molester /mɔlɛste/ [1] *vtr* to manhandle○

moleté, ∼e /mɔlte/ *adj* knurled

molette /mɔlɛt/ *nf* 1 Tech (de clé) adjusting knob; (d'instrument optique) focusing knob; (pour découper) rotary cutter; (pour graver, ciseler) roulette; 2 (de briquet) striker wheel; 3 Équit (d'éperon) rowel
(Composé) ∼ **de navigation** Télécom jog dial

molière /mɔljɛʀ/ *nm: theatrical award*

mollah /mɔla/ *nm* Relig mullah

mollard◐ /mɔlaʀ/ *nm* gob○ (of spit)

mollasse /mɔlas/
A ○*adj* pej 1 (physiquement) sluggish; 2 (moralement) soft
B *nf* Géol molasse

mollasson○, **-onne** /mɔlasɔ̃, ɔn/
A *adj* sluggish
B *nm,f* **quel ∼!** he's so slow!

molle ▸ **mou A**

mollement /mɔlmɑ̃/ *adv* 1 (paresseusement) idly, nonchalantly; 2 (faiblement) [*travailler, acquiescer*] without much enthusiasm; [*protester, soutenir*] half-heartedly; [*démentir, répondre*] rather unconvincingly; [*frapper*] gently; 3 (doucement) [*tomber*] softly; [*couler*] gently

mollesse /mɔlɛs/ *nf* 1 (caractère moelleux) softness; 2 (manque de tenue) (de chair) flabbiness; (de cheveux) limpness; (de trait du visage) weakness; 3 (apathie) (de personne, d'élève) listlessness; (de poignée de main) limpness; ∼ **d'une démarche** languid way of moving; 4 (manque d'autorité) **la ∼ d'un père envers ses enfants** a father's soft treatment of his children; **la ∼ de qn face à qn** sb's failure to stand up to sb; **il a réagi avec trop de ∼ face à la crise** he was too soft in handling the crisis; 5 (manque de conviction) (de personne, réponse) lack of conviction; (d'idéologie) laxness; (d'idée, de style) woolliness; (d'opposition, interprétation, de discours) weakness; (de reprise, croissance) sluggishness

mollet, -ette /mɔlɛ, ɛt/
A *adj* 1 [*lit*] soft; 2 [*œuf*] soft-boiled
B ▸ **p. 196** *nm* calf; **des ∼s de coq** legs like sticks; **avoir des ∼s de cycliste** to have muscular calves

molletière /mɔltjɛʀ/
A *adj f* **bande ∼** puttee
B *nf* legging

molleton /mɔltɔ̃/ *nm* 1 (en laine) flannel; (en coton) flannelette; 2 (pour table) (table) felt; (pour planche à repasser) (ironing board) cover

molletonner /mɔltɔne/ [1] *vtr* to line with fleece; **un blouson molletonné** a fleece-lined jacket

mollir /mɔliʀ/ [3] *vi* 1 (céder) [*courage*] to fail; [*autorité*] to diminish; [*enthousiasme*] to cool; [*ténacité*] to flag; [*attention*] to wander; [*résistance*] to grow weaker; [*personne*] to relent, to soften; 2 Météo [*vent*] to die down, to abate; 3 (perdre sa force) [*genou*] to give way; [*bras*] to go weak; ∼ **de peur/fatigue** [*jambe, genou*] to go weak with fear/fatigue; ∼ **sous le poids de** [*jambe, genou*] to give way beneath the weight of; [*bras*] to go weak with the weight of

mollo◐ /molo/ *adv* easy; **vas-y ∼!** take it easy!; **vas-y ∼ avec le vin!** go easy on the wine!

mollusque /mɔlysk/ *nm* 1 Zool mollusc GB, mollusk US; 2 ○(personne) drip○, wimp○

molosse /mɔlɔs/ *nm* huge dog

m

Molotov /mɔlɔtɔf/ *npr* Molotov; **cocktail ~** Molotov cocktail

Moluques /mɔlyk/ ▸ p. 435 *nprfpl* **îles ~** Moluccas

molybdène /mɔlibdɛn/ *nm* molybdenum

môme /mom/

A ○*nmf* (enfant) kid○; péj brat○

B ◑*nf* girl; **une jolie ~** a pretty girl

moment /mɔmɑ̃/ *nm* **1** (instant précis) moment; **au ~ décisif/crucial** at the decisive/crucial moment; **au dernier ~** at the last moment; **jusqu'au dernier ~** till the last moment; **à n'importe quel ~, à tout ~** at any time; **le ~ venu** (dans l'avenir) when the time comes; (dans le passé) when the time came; **il devrait arriver/ça devrait être prêt d'un ~ à l'autre** he should arrive/it should be ready any minute now; **à aucun ~ il n'a abordé le sujet** at no time did he touch on the subject; **cela a été évoqué à un ~ ou à un autre** it was mentioned at some time or other; **à un ~ donné** (quelconque) at some point; (fixé) at a given moment; **à quel ~ a-t-elle dit ça?** at what point did she say that?; **au même ~** at the same time; **sur le ~ j'ai cru qu'il plaisantait** at first *ou* to start with I thought he was joking; **à ce ~-là j'habitais à l'étranger** at that time I was living abroad; **à ce ~-là le téléphone a sonné** just then the phone rang; **à ce ~-là il vaut mieux que j'aille te chercher** in that case it's better if I come and pick you up; **au ~ de l'accident/de ta naissance** at the time of the accident/of your birth; **au ~ de sortir/poser la question il a changé d'avis** just as he was about to go out/ask the question he changed his mind; **au ~ où** gén at the time (when); **au ~ où il quittait son domicile** as he was leaving his home; **jusqu'au ~ où** until; **du ~ que** (pourvu que) as long as, provided; (puisque) since; **du ~ que tu le dis!** if you say so!; **à partir du ~ où tu es prêt** as soon as you are ready; (pourvu que) provided *ou* as long as you are ready; (puisque) since you are ready

2 (temps bref) moment; **dans un ~** in a moment; **un ~, j'ai presque fini!** just a moment, I've nearly finished!; **ça ne prendra qu'un petit ~** it'll only take a moment; **elle n'a pas un ~ à elle** she hasn't got a moment to herself; **elle a parfois des ~s de lucidité** she has moments of lucidity; **j'ai eu un ~ d'affolement** I had a moment of panic; **j'ai eu un ~ d'incertitude** I hesitated for a moment

3 (temps long) **j'en ai encore pour un ~** it'll take quite a while yet *ou* a while longer; **pour le ~** for the time being; **tu en as pour un ~ à avoir mal** you'll feel uncomfortable for quite some time; **ça va prendre un ~** it will take a while; **voilà déjà un (bon** *or* **petit) ~ que je les attends/je n'ai pas de leurs nouvelles** I've been waiting for them/I haven't heard from them for quite a while *ou* quite some time; **je ne l'ai pas vue depuis un ~** I haven't seen her for a while; **au bout d'un ~, après un ~** after a while

4 (présent) **du ~** [*ennemi, préoccupations, célébrités*] of the moment; **en ce ~** at the moment; **pour le ~** for the moment; **savoir profiter du ~ présent** to live every moment to the full

5 (période) **par ~s** at times; **c'est le ~ de la journée où** it's the time of day when; **nous avons vécu de bons ~s/des ~s difficiles ensemble** we've had some good times/difficult times together; **il y a des ~s où j'ai envie de tout laisser tomber** there are times when I want to give everything up; **les ~s forts du film** the film's highlights; **les ~s forts du match** the highlights of the match; **cela a été un ~ fort** (émouvant) it was a moment of intense emotion; **dans ses meilleurs ~s, il fait penser à Orson Welles** at his best, he reminds one of Orson Welles; **à mes ~s perdus** in my spare time; **les derniers ~s de qn** sb's last moments

6 (instant propice) **pose la question, c'est le ~** go ahead and ask, now's the time!; **ce n'est pas le ~** gén it's not the right moment; (inopportun) now is not the time; **tu aurais dû demander, c'était le ~** you should have asked, the time was right; **~ favorable** *or* **propice** right moment; **il arrive toujours au bon** iron *or* **mauvais ~!** he certainly picks his moment to call! iron; **choisir son ~ pour faire** iron to pick one's moment to do iron

7 Math moment

8 Phys momentum

(Composé) **~ psychologique** psychological moment

momentané, ~e /mɔmɑ̃tane/ *adj* [*affolement, dégoût, désaccord*] momentary; **apporter une aide ~e à qn** to give sb temporary assistance; **interruption ~e du son/de l'image** temporary loss of sound/of picture

momentanément /mɔmɑ̃tanemɑ̃/ *adv* [*arrêter, hésiter, oublier*] for a moment, momentarily

mômeries○ /momʀi/ *nfpl* childishness ₵; **arrête avec tes ~!** stop acting like a child!

momie /mɔmi/ *nf* mummy

momification /mɔmifikasjɔ̃/ *nf* mummification

momifier /mɔmifje/ [2]

A *vtr* to mummify

B **se momifier** *vpr* to mummify

mon, ma, *pl* **mes** /mɔ̃, ma, me/ *adj poss*

> ⚠ Au vocatif, on n'emploie généralement pas le possessif en anglais: *ma chérie!* = darling!; *merci, mon Père!* = thank you, Father!; *oui mon général!* yes, sir!; *mes chers amis!* = dear friends! On ne répète pas le possessif coordonné: *mon café et mon cognac* = my coffee and cognac

my; **mes chaussures** my shoes; **~ imbécile de mari**○ my stupid husband; **ma mère à moi**○ my mother; **un de mes amis** a friend of mine; **j'ai ~ idée** I have my own ideas about that; **j'ai ma migraine** I've got one of my headaches; **à ~ arrivée/départ** when I arrived/left; **pendant ~ absence** while I was away; **j'ai ~ lundi** (cette semaine) I'm off on Monday; (toutes les semaines) I have Mondays off; **je te réserve ~ lundi** I'll keep Monday free for you

monacal, ~e, *mpl* **-aux** /mɔnakal, o/ *adj* lit, fig monastic

Monaco /mɔnako/ ▸ p. 333, p. 894 *npr* Monaco

monade /mɔnad/ *nf* monad

monarchie /mɔnaʀʃi/ *nf* monarchy; **~ constitutionnelle** constitutional monarchy

monarchique /mɔnaʀʃik/ *adj* monarchical

monarchisme /mɔnaʀʃism/ *nm* monarchism

monarchiste /mɔnaʀʃist/ *adj, nmf* monarchist

monarque /mɔnaʀk/ *nm* monarch; **~ de droit divin** monarch by divine right

monastère /mɔnastɛʀ/ *nm* monastery

monastique /mɔnastik/ *adj* monastic

monceau, *pl* **~x** /mɔ̃so/ *nm* pile; **un ~ de ruines** a pile of rubble

mondain, ~e /mɔ̃dɛ̃, ɛn/

A *adj* **1** (dans la haute société) [*réception, vie*] society (*épith*); **conversation ~e** polite conversation; **2** (de la haute société) **il est très ~** he's a socialite

B *nm,f* socialite

C **mondaine**○ *nf* (brigade) vice squad

mondanités /mɔ̃danite/ *nfpl* **1** (réceptions mondaines) society events; **2** (politesses) **se faire des ~** to stand on ceremony

monde /mɔ̃d/ *nm* **1** (terre) world; **l'homme le plus grand/le plus riche du ~** the tallest/the wealthiest man in the world; **ce sont les meilleurs amis du ~** they are the best of friends; **expliquer le plus calmement/logiquement du ~ que** to explain quite calmly/logically that; **pas le moins du ~** not in the least *ou* slightest; **si vous êtes le moins du ~ soucieux** if you are (in) the least bit worried; **s'il souffrait le moins du ~** if he felt any pain at all *ou* the slightest pain; **se porter le mieux du ~** to be fine; **au ~** gén on earth, in the world; **personne/rien au ~ ne la fera changer d'avis** she won't change her mind for anybody/anything; **pour rien au ~ il ne raterait le match** he wouldn't miss the match for anything; **dans le ~ entier** all over the world; **à travers le ~** throughout the world; **aller** *or* **voyager de par le ~** liter, **parcourir le ~** to travel the world; **il irait jusqu'au bout du ~ pour la retrouver** he would go to the ends of the earth to find her again; **c'est le bout du ~!, c'est au bout du ~!** it's miles from anywhere!, it's in the back of beyond!; **mon père habite à l'autre bout du ~** my father lives halfway around the world; **ce n'est pas le bout du ~!** fig it's not such a big deal!; **comme le ~ est petit!** it's a small world!; ▸ **métier**

2 (société humaine) world; **la faim/paix dans le ~** world famine/peace; **être les premiers au ~ à faire** to be the first in the world to do; **vouloir refaire le ~** to want to change the world ; **être ouvert sur le ~** to be aware of what is going on in the world; **se retirer du ~** to withdraw from the world; **à la face du ~** for all the world to see

3 (ici-bas) **les biens de ce ~** worldly goods; **en ce bas ~** here below; **l'autre ~** the next world, the world to come; **elle n'est plus de ce ~** euph she's no longer with us euph; **quand je ne serai plus de ce ~** euph when I have departed this world; **la perfection n'est pas de ce ~** there is no such thing as perfection; **le ~ des vivants** the land of the living; **je n'étais pas encore au ~** I wasn't yet born; ▸ **grand**

4 (microcosme, section) world; **le ~ du travail/des idées** the world of work/of ideas; **le ~ arabe/médical** the Arab/medical world; **le ~ libre** the free world; **le ~ moderne** the modern world; **le ~ animal** the animal kingdom; **ils ne sont pas du même ~** (milieu) they are from different social backgrounds; **c'est un ~ à part** it's a completely different world; **cet événement marqua la fin d'un ~** this event marked the end of an era; ▸ **ancien**

5 (gens) people; **il y a du ~** (une foule) there are a lot of people; (des gens) there's someone there; **de plus en plus de ~** more and more people; **il n'y a pas grand ~** there aren't many people; **tout le ~** everybody, everyone; **voir beaucoup de ~** to have a busy social life ; **j'ai du ~ ce soir**○ I'm having people round GB *ou* over US tonight; **elle se moque** *or* **se fout**◑ **du ~!** what does she take us for?; **tout mon petit ~** my family and friends (*pl*); **réunir tout son ~** (entourage) to get everyone together

6 (bonne société) society; **sortir dans le ~** to go out into society; **le beau** *or* **grand ~** high society

7 (écart) **il y a un ~ entre** there's a world of difference between; **un ~ nous sépare, il y a un ~ entre nous** we are worlds apart

(Idiomes) **mettre un enfant au ~** to bring a child into the world; **venir au ~** to come into the world; **se faire (tout) un ~ de qch** to get all worked up about sth; **ainsi va le ~** that's the way it goes; **depuis que le ~ est** since the beginning of time; **il faut de tout pour faire un ~** Prov it takes all sorts to make a world Prov; **c'est le ~ à l'envers!** the world's turned upside down!; **c'est un ~!**○ that's a bit much!

monder /mɔ̃de/ [1] *vtr* to hull, to husk

mondial, ~e, *mpl* **-iaux** /mɔ̃djal, o/

A *adj* [*tournoi, record, congrès, littérature, économie*] world (*épith*); [*problème, succès*] worldwide; **à l'échelle ~e** on a worldwide scale; **la capitale ~e du cinéma** the cinema capital of the

m

world; **le numéro un ~ de l'édition** the world's top publishing house; **première/seconde guerre ~e** First/Second World War
B *nm* **le Mondial** the World Cup
mondialement /mɔ̃djalmɑ̃/ *adv* **être ~ connu** to be known all over the world
mondialisation /mɔ̃djalizasjɔ̃/ *nf* (de marché, sport) globalization; **la ~ d'un conflit** the worldwide spread of a conflict
mondialiser /mɔ̃djalize/ [1]
A *vtr* to globalize [*marché, échanges*]; to cause [sth] to spread worldwide [*conflit*]
B se mondialiser *vpr* to become globalized
mondialisme /mɔ̃djalism/ *nm* internationalism
mondialiste /mɔ̃djalist/ *nmf* internationalist
mondovision /mɔ̃dɔvizjɔ̃/ *nf* satellite broadcasting; **retransmettre en ~** to broadcast worldwide via satellite
monégasque /mɔnegask/ ▸ **p. 561** *adj* Monegasque
Monégasque /mɔnegask/ ▸ **p. 561** *nmf* Monegasque
monème /mɔnɛm/ *nm* moneme
monétaire /mɔnetɛʀ/ *adj* [*valeur, réserve, unité, système, stabilité*] monetary; [*marché, circulation*] money (*épith*)
monétarisme /mɔnetaʀism/ *nm* monetarism
monétariste /mɔnetaʀist/ *adj, nmf* monetarist
monétique /mɔnetik/ *nf* electronic banking
monétiser /mɔnetize/ [1] *vtr* to monetize
mongol, **~e** /mɔ̃gɔl/
A ▸ **p. 561** *adj* Géog Mongolian; **l'empire ~** Hist the Mongol Empire
B ▸ **p. 483** *nm* Ling Mongolian
Mongol, **~e** /mɔ̃gɔl/ *nm,f* ▸ **p. 561** Mongolian
Mongolie /mɔ̃gɔli/ ▸ **p. 333** *nprf* Mongolia
Mongolie-Intérieure /mɔ̃gɔliɛ̃teʀjœʀ/ ▸ **p. 721** *nprf* Inner Mongolia
mongolien, **-ienne** /mɔ̃gɔljɛ̃, ɛn/ controv
A *adj* Méd [*traits, enfant*] Down's syndrome (*épith*); **être ~** to have Down's syndrome
B *nm,f* Méd (enfant) Down's syndrome child
mongolique /mɔ̃gɔlik/ *adj* Mongolian
mongolisme /mɔ̃gɔlism/ *nm* controv Méd **le ~** Down's syndrome
moniste /mɔnist/
A *adj* monistic
B *nmf* monist
moniteur, **-trice** /mɔnitœʀ, tʀis/
A ▸ **p. 532** *nm,f* **1** (de sport, conduite) instructor; **~ de natation/d'aviation** swimming/flying instructor; **un ~ d'auto-école** a driving instructor; **2** (de colonie de vacances, centre aéré) group leader GB, counselor US; **3** Univ teaching assistant
B *nm* TV monitor; Ordinat monitor system
(Composé) **~ cardiaque** heart monitor
monitorage /mɔnitɔʀaʒ/ *nm* monitoring
monitorat /mɔnitɔʀa/ *nm* Univ (activité) tutoring; (système) tutorial system
monnaie /mɔnɛ/ *nf* **1** (unité monétaire) currency; **~ forte/faible** strong/weak currency; **ils se servent de jetons comme ~** they use tokens as currency; **fausse ~** forged *ou* counterfeit currency; ▸ **singe**; **2** (pièces et billets de faible valeur) change; **petite** *or* **menue ~** small change; **faire de la ~** to get some change; **faire de la ~ à qn** to give sb (some) change; **il est allé faire la ~ de 10 euros** he went to get change for 10 euros; **est-ce que vous pouvez me faire la ~ de 10 euros?** can you give me change for 10 euros?; **passez** *or* **envoyez la ~**°! cough up the money°!; **3** (appoint) change; **garder/rendre la ~** to keep/give the change; **elle m'a rendu la ~ sur 10 euros au lieu de 20 euros** she gave me change from 10 euros instead of 20 euros; **4** (pièce) coin; **~ d'or/d'argent** gold/silver coin; **émettre/retirer une ~** to issue/withdraw a coin; **battre ~** to mint *ou* strike coins; **frapper une ~** to strike coins *ou* a coinage; **5** (bâtiment) **l'hôtel de la Monnaie, la Monnaie** the Mint; **6** Écon (argent) money
(Composés) **~ divisionnaire** fractional currency; **~ d'échange** Écon trading currency; fig bargaining chip; **les otages ont servi de ~ d'échange** the hostages were used as a bargaining chip; **~ fiduciaire** fiduciary currency, paper money; **~ légale** legal tender; **~ métallique** coin; **~ de papier** paper money; **~ de réserve** reserve currency; **monnaie unique européen** UE Single European Currency
(Idiomes) **rendre à qn la ~ de sa pièce** to give sb a dose of his/her own medicine, to pay sb back in his/her own coin; **c'est ~ courante** it's commonplace
monnaie-du-pape, *pl* **monnaies-du-pape** /mɔnɛdypap/ *nf* Bot honesty
monnayable /mɔnɛjabl/ *adj* **1** [*bon, billet*] convertible; **2** [*diplôme, talent*] marketable
monnayer /mɔnɛje/ [21] *vtr* **1** lit to convert [sth] into cash; **2** fig to capitalize on [*talent, expérience*]; **~ qch contre qch** to exchange sth for sth; **~ son silence/accord** to exact a price for one's silence/agreement; **3** Tech to mint [*or, pièce*]
mono /mono/
A *adj inv* (*abbr* = **monophonique**) mono (*épith*)
B °*nmf*: *abbr* = **moniteur A 2**
C °*nm*: *abbr* = **monoski**
D *nf* (*abbr* = **monophonie**) mono; **en ~** in mono
monoacide /monoasid/ *adj* monoacid
monoatomique /monoatɔmik/ *adj* monatomic
monobasique /monobazik/ *adj* monobasic
monobloc /monoblɔk/ *adj inv* cast in one piece (*après n*)
monocaméral, **~e**, *mpl* **-aux** /monokameʀal, o/ *adj* unicameral
monocaméralisme /monokameʀalism/, **monocamérisme** /monokameʀism/ *nm* unicameralism
monocellulaire /mɔnosɛlylɛʀ/ *adj* **famille ~** nuclear family
monocépage /mɔnosepaʒ/ *adj, nm* single varietal
monochrome /monokʀom/ *adj, nm* monochrome
monocle /mɔnɔkl/ *nm* monocle
monoclonal, **~e**, *mpl* **-aux** /mɔnoklonal, o/ *adj* monoclonal; **anticorps ~** monoclonal antibody
monocolore /mɔnokɔlɔʀ/ *adj* monochrome
monocoque /mɔnɔkɔk/
A *adj* [*bateau*] monohull; [*voiture*] monocoque
B *nm* (bateau) monohull
monocorde /mɔnɔkɔʀd/
A *adj* [*voix, discours*] monotonous; [*instrument*] single-string (*épith*); **sur** *or* **d'un ton ~** in a monotone
B *nm* (instrument) monochord
monoculaire /mɔnokylɛʀ/ *adj* **microscope ~** simple microscope
monoculture /monokyltyʀ/ *nf* monoculture
monocycle /monosikl/ *nm* monocycle
monocylindrique /monosilɛ̃dʀik/ *adj* single-cylinder (*épith*)
monocyte /mɔnɔsit/ *nm* monocyte
monodie /mɔnɔdi/ *nf* Mus monophony; Antiq, Théât monody
monofonctionnel, **-elle** /mɔnofɔ̃ksjɔnɛl/ *adj* monofunctional
monogame /mɔnɔgam/
A *adj* monogamous
B *nmf* monogamist
monogamie /mɔnɔgami/ *nf* monogamy
monogamique /mɔnɔgamik/ *adj* monogamistic
monogramme /mɔnɔgʀam/ *nm* monogram
monographie /mɔnɔgʀafi/ *nf* monograph (**sur** on)
monographique /mɔnɔgʀafik/ *adj* [*exposition*] one-man (*épith*)
monoï /mɔnɔj/ *nm inv* coconut oil (*used in cosmetics*)
mono-industrie, *pl* **~s** /monoɛ̃dystʀi/ *nf* single industry
monokini /mɔnɔkini/ *nm* monokini
monolingue /mɔnɔlɛ̃g/ *adj* monolingual
monolinguisme /mɔnɔlɛ̃gɥism/ *nm* monolingualism
monolithe /mɔnɔlit/
A *adj* monolithic
B *nm* monolith
monolithique /mɔnɔlitik/ *adj* monolithic
monolithisme /mɔnɔlitism/ *nm* **1** (de parti) monolithic nature; **2** Archit monolithic system
monologue /mɔnɔlɔg/ *nm* monologue; **le ~ d'Hamlet** Hamlet's soliloquy
(Composé) **~ intérieur** stream of consciousness
monologuer /mɔnɔlɔge/ [1] *vi* (parler seul) to deliver a monologue; péj to hold forth
monomane /mɔnɔman/, **monomaniaque** /mɔnɔmanjak/ *nmf* monomaniac
monomanie /mɔnɔmani/ *nf* monomania
monôme /mɔnom/ *nm* **1** Math monomial; **2** (d'étudiants) *single-file, often rowdy street procession at the end of exams*
monomère /mɔnɔmɛʀ/
A *adj* monomeric
B *nm* monomer
monométallisme /mɔnɔmetalism/ *nm* monometallism
monomoteur, **-trice** /mɔnɔmɔtœʀ, tʀis/
A *adj* single-engined
B *nm* single-engined aircraft
mononucléaire /mɔnonykleɛʀ/ *adj, nm* mononuclear
mononucléose /mɔnonykleoz/ ▸ **p. 283** *nf* mononucleosis
(Composé) **~ infectieuse** glandular fever, infectious mononucleosis spéc
monoparental, **~e**, *mpl* **-aux** /mɔnopaʀɑ̃tal, o/ *adj* **famille ~e** single-parent family
monopartisme /mɔnopaʀtism/ *nm* one-party system
monophasé, **~e** /mɔnɔfaze/
A *adj* single-phase (*épith*)
B *nm* single-phase current; **en ~** single-phased
monophonie /mɔnɔfɔni/ *nf* monophony
monophonique /mɔnɔfɔnik/ *adj* monophonic
monophtongue /mɔnɔftɔ̃g/ *nf* monophthong
monoplace /mɔnɔplas/
A *nm* Aviat single-seater (aircraft)
B *nf* Aut one-seater (car)
monoplan /mɔnɔplɑ̃/ *nm* monoplane
monopole /mɔnɔpɔl/ *nm* lit, fig monopoly; **avoir le ~ de** to have a monopoly of; **exercer un ~ sur l'importation des denrées** to have a monopoly in food imports
monopolisation /mɔnɔpɔlizasjɔ̃/ *nf* monopolization
monopoliser /mɔnɔpɔlize/ [1] *vtr* (tous contextes) to monopolize
monopoliste /mɔnɔpɔlist/ *adj* [*système, économie*] monopoly (*épith*)
monopolistique /mɔnɔpɔlistik/ *adj* monopolistic

monoprix® /mɔnɔpʀi/ *nm inv* local chain store

monoprocesseur /mɔnɔpʀɔsɛsœʀ/
A *adj m* single-chip (*épith*)
B *nm* single-chip computer

monoprogrammation /mɔnɔpʀɔgʀamasjɔ̃/ *nf* monoprogramming

monorail /mɔnɔʀaj/
A *adj inv* monorail
B *nm* (voie) monorail; (wagon) monorail car

monorime /mɔnɔʀim/ *nm* monorhyme

monosémique /mɔnosemik/ *adj* monosemic

monoski /mɔnɔski/ ▸ p. 469 *nm* (ski) monoski; (sport) monoskiing

monospace /mɔnɔspas/ *nm* Aut space cruiser

monostandard /mɔnɔstɑ̃daʀ/ *adj inv* TV, Vidéo one-standard (*épith*)

monosyllabe /mɔnɔsil(l)ab/ *nm* monosyllable

monosyllabique /mɔnɔsil(l)abik/ *adj* monosyllabic

monosyllabisme /mɔnɔsil(l)abism/ *nm* monosyllabism

monothéique /mɔnɔteik/ *adj* monotheistic

monothéisme /mɔnɔteism/ *nm* monotheism

monothéiste /mɔnɔteist/
A *adj* monotheistic
B *nmf* monotheist

monothérapie /mɔnoteʀapi/ *nf* monotherapy

monotone /mɔnɔtɔn/ *adj* 1 (sans variété) monotonous; 2 Math monotone

monotonie /mɔnɔtɔni/ *nf* monotony

monotype /mɔnɔtip/
A *adj* Biol, Bot monotypic
B *nm* 1 Naut one-design boat; 2 Art, Biol monotype

monovalent, ~**e** /mɔnɔvalɑ̃, ɑ̃t/ *adj* monovalent

monoxyde /mɔnɔksid/ *nm* monoxide; ~ **de carbone** carbon monoxide

monozygote /mɔnɔzigɔt/ *adj* monozygotic

Monrovia /mɔ̃ʀɔvja/ ▸ p. 894 *npr* Monrovia

Monseigneur, *pl* **Messeigneurs** /mɔ̃sɛɲœʀ, mesɛɲœʀ/ *nm* 1 (forme d'adresse) (à un prince) Your Highness; (à un membre de la famille royale) Your Royal Highness; (à un cardinal) Your Eminence; (à un duc, archevêque) Your Grace; (à un évêque) Your Lordship, My Lord (Bishop); ~ **désire-t-il...?** would His Highness like...?; 2 (titre) ~ **le duc de Guise** His Grace, the duke of Guise

monsieur, *pl* **messieurs** /məsjø, mesjø/ ▸ p. 848 *nm* 1 (titre donné à un inconnu) **Monsieur** (dans une lettre) Dear Sir; **bonjour,** ~ good morning; **pardon** ~**, je cherche la poste** excuse me, I'm looking for the post office; ~**?** (à un guichet) can I help you, sir?; **occupez-vous de** ~ (dans un magasin) could you attend to this gentleman, please?; **et pour** ~**, une vodka comme d'habitude?** will it be the usual, sir?; **mesdames, mesdemoiselles, messieurs, bonsoir** (dans un discours) good evening ladies and gentlemen; **madame, monsieur, bonsoir** (à la radio, télévision) good evening; 2 (titre donné à un homme dont on connaît le nom, pour l'exemple Bon) **bonjour,** ~ good morning, Mr Bon; **cher Monsieur** (dans une lettre) Dear Mr Bon; **Monsieur Rosec** (sur une enveloppe) Mr Rosec; **M. Brun est en réunion** Mr Brun is in a meeting; **Monsieur le curé** Father Bon; **Monsieur le ministre** (en lui parlant) Minister; **merci Monsieur le président** (de club, d'association) thank you Mr Chairman; (de la République) thank you Mr President; **moi Monsieur!** (à un enseignant) please sir!; 3 (homme) man; **un vieux** ~ an old man; **deux messieurs m'attendaient** two men were waiting for me; **un** ~ **d'une cinquantaine d'années** a man of about fifty; **'dis bonjour au** ~**'** 'say hello to the nice man'; **le** ~ **avec la veste rouge** the man in the red jacket; **le simple/double messieurs** the men's singles/doubles; **c'était un (grand)** ~**!** he was a (true) gentleman!; 4 (formule de respect utilisée avec un homme dont on connaît le nom) **'Monsieur a sonné?'** 'you rang sir?'; **tu comprends, Monsieur a ses habitudes!** iron His Lordship is rather set in his ways you see!; 5 Hist **Monsieur, frère du roi** Monsieur, the king's brother
(Composé) ~ **Tout-le-Monde** the man in the street

monstre /mɔ̃stʀ/
A ○*adj* [*manifestation, travail, succès, banquet*] huge; [*culot, publicité*] colossal; **'soldes** ~**s'** 'mammoth sales'; **ils ont fait une publicité** ~ they did a colossal advertising campaign (**pour qch** for sth)
B *nm* 1 Mythol (être fantastique) monster; 2 Biol, Zool (être difforme) freak (of nature); 3 (animal, objet gigantesque) monster; 4 (personnage ignoble) monster; **un** ~ **froid** a cold-blooded monster; **un** ~ **d'orgueil/de paresse** a monstrously arrogant/lazy person; **un** ~ **d'ingratitude** an ungrateful wretch; 5 (enfant) monster; **petit** ~ little monster
(Composés) ~ **marin** sea monster; ~ **sacré** superstar; **un** ~ **sacré du cinéma** a giant of the cinema

monstrueusement /mɔ̃stʀyøzmɑ̃/ *adv* lit, fig [*riche, bête, intelligent*] horrendously; **il est** ~ **gros** he's a monstrous size

monstrueux, **-euse** /mɔ̃stʀyø, øz/ *adj* 1 (choquant) [*idée, crime, personne, cruauté, ingratitude*] monstrous; 2 (hideux) hideous; **il est d'une laideur monstrueuse** he's hideously ugly; 3 (énorme) [*bruit, erreur*] colossal; **d'une bêtise monstrueuse** incredibly stupid

monstruosité /mɔ̃stʀyozite/ *nf* 1 (de crime, conduite) monstrousness; 2 (acte) atrocity; (objet) monstrosity; **commettre des** ~**s** to commit atrocities; **dire des** ~**s** to say preposterous things; **cette calomnie est une** ~ this is a monstrous slander; 3 (difformité) Biol, Zool deformity

mont /mɔ̃/ *nm* 1 Géog (montagne) mountain; ▸ **promettre**; 2 Géog (suivi d'un nom propre) Mount; 3 (en chiromancie) mount
(Composés) **le** ~ **Blanc** Mont Blanc; **le** ~ **Everest** Mount Everest; **le** ~ **des Oliviers** the Mount of Olives; ~ **de Vénus** Anat mons veneris
(Idiome) **être toujours par** ~**s et par vaux** to be always on the move

montage /mɔ̃taʒ/ *nm* 1 (organisation) set-up; 2 (assemblage) (de meuble, machine, d'appareil) assembly; (de tente) putting up; Cout (de col) putting on; (de manche) setting in; **atelier/chaîne de** ~ assembly shop/line; 3 Cin (de film) editing; **table/salle de** ~ cutting table/room; 4 (de pierre précieuse) setting, mounting; **le** ~ **d'une perle sur une bague** the setting *ou* mounting of a pearl in a ring; 5 Électrotech connection; ~ **en série/en parallèle** connection in series/in parallel; 6 Imprim imposition
(Composés) ~ **financier** Fin financial set-up; ~ **photo** photomontage; **faire un** ~ **photo** to make a (photo)montage; ~ **sonore** sound montage

montagnard, ~**e** /mɔ̃taɲaʀ, aʀd/
A *adj* [*peuple, plante*] mountain (*épith*); [*coutume*] highland (*épith*); **la vie** ~**e** life in the mountains
B *nm,f* 1 (habitant) mountain dweller; **les** ~**s** mountain people; 2 (en cyclisme) climber

Montagnard /mɔ̃taɲaʀ/ *nm* Hist member of the Mountain; **les** ~**s et les Girondins** the Mountain and the Girondists

montagne /mɔ̃taɲ/ *nf* 1 (élévation) mountain; **pays de** ~**s** mountainous country; 2 (région montagneuse) **la** ~ the mountains (*pl*); **une semaine à la** *or* **en** ~ a week in the mountains; **de** ~ [*route, animal*] mountain (*épith*); **il neige en haute/basse** ~ it's snowing on the upper/lower slopes; **village situé en haute** ~ village high up in the mountains; **village de basse** ~ village in the foothills of the mountains; **station de ski de moyenne montagne** medium altitude ski resort; 3 (grande quantité) mountain (**de** of); **des** ~**s de repassage/papiers** mountains of ironing/papers
(Composés) **les** ~**s Rocheuses** the Rocky Mountains, the Rockies; ~**s russes** big dipper (*sg*) GB, roller coaster (*sg*); ~ **à vaches**○ fig easy walks (*pl*); (pour ski) easy slopes (*pl*)
(Idiomes) **se faire une** ~ **de qch** to get really worked up about sth; **faire battre des** ~**s** to stir up trouble; **la foi déplace** *or* **soulève les** ~**s** faith can move mountains; **il n'y a que les** ~**s qui ne se rencontrent pas** Prov there are none so distant that fate cannot bring them together Prov; **c'est la** ~ **qui accouche d'une souris** hum a great deal of effort leading to nothing much

Montagne /mɔ̃taɲ/ *nprf* Hist **la** ~ the Mountain

montagneux, **-euse** /mɔ̃taɲø, øz/ *adj* mountainous

Montana /mɔ̃tana/ ▸ p. 721 *nprm* **le** ~ Montana

montant, ~**e** /mɔ̃tɑ̃, ɑ̃t/
A *adj* 1 (qui monte) [*cabine, groupe*] going up (*après n*); **la voiture** ~**e a la priorité** the car going uphill has right of way GB *ou* the right of way US; 2 Naut (qui va vers l'amont) going upstream (*après n*); 3 (en pente) [*rue, chemin*] uphill; [*courbe*] rising; 4 Mode [*col*] high; [*chaussettes*] long; **chaussures** ~**es** ankle boots
B *nm* 1 (somme) sum; **un** ~ **global** a sum total; **le** ~ **des pertes/bénéfices** the total losses/profits; **le** ~ **du budget de la défense** the total defence[GB] budget; **le** ~ **du contrat** the (total) value of the contract; **d'un** *or* **pour un** ~ **de** [*chèque, déficit, épargne*] to the amount of; [*marchandises, propriété*] for a total of, amounting to; 2 (de porte, fenêtre, châssis) upright, jamb; (horizontal) transom; (d'échafaudage) pole; (d'échelle) upright; (de carrosserie) pillar
(Composés) ~ **de barrière** gatepost; ~ **de bride** Équit cheekpiece; ~ **de but** goalpost; ~ **de lit** bedpost; ~**s compensatoires (monétaires), MC(M)** (monetary) compensatory amounts

mont-blanc, *pl* **monts-blancs** /mɔ̃blɑ̃/ *nm*: *chestnut purée dessert topped with whipped cream*

mont-de-piété, *pl* **monts-de-piété** /mɔ̃dpjete/ *nm* pawnshop, pawnbroker's; **mettre qch au** ~ to pawn sth

monte /mɔ̃t/ *nf* mounting, covering; **mener une jument à la** ~ to take a mare to stud

monté, ~**e** /mɔ̃te/
A *pp* ▸ **monter**
B *pp adj* 1 ○(équipé) equipped; **être bien** ~ **en draps/linge de toilette** to have a good stock of sheets/bathroom towels; **te voilà bien** ~**e avec un mari comme ça!** iron you're in a bad way with a husband like that!; **être bien** ~◑ [*homme, animal*] to be well-hung◑ *ou* well-endowed○; 2 (à cheval) mounted
C **montée** *nf* 1 (action de grimper) (d'escalier, de route, pente, colline) climb; (de montagne) climb, ascent; **la descente est-elle moins difficile que la** ~**e?** is the climb down less difficult than the climb up?; **à la** ~**e les véhicules sont prioritaires** vehicles going uphill have right of way GB *ou* the right of way US; **'ne pas gêner la** ~**e des voyageurs'** 'do not obstruct passengers boarding'; **vous gênez la** ~**e des voyageurs ici** you're in the way of the passengers getting on; 2 (action de s'élever) (pour avion, ballon, fusée) climb, ascent; ~**e à la**

m

verticale vertical climb *ou* ascent; **l'ascenseur s'est bloqué à la ~e** the lift GB *ou* elevator US got stuck on the way up *ou* as it was going up; **3▸** (élévation de niveau) (action) rising (**de** of); (résultat) rise (**de** in); **la ~e des eaux a entraîné des dégâts importants** the rise in the water level caused considerable damage; **la ~e de la sève dans un arbre** the rising of the sap in a tree; **on observe une nette ~e des eaux de l'océan** you can see quite clearly that the sea level has risen; **une brusque ~e d'adrénaline** a surge *ou* rush of adrenaline; **4▸** Fin rise (**de** in); (de coûts, frais) increase (**de** in); **la ~e du dollar** the rise in the dollar; **la brusque ~e du prix du pétrole** the surge *ou* sudden rise in oil prices; **5▸** (progression) (de chômage) rise (**de** in); (d'opposition, de résistance, phénomène) rise (**de** of); (d'intolérance, de violence) rise, increase (**de** in); (de dangers, risques) increase (**de** in); **la ~e de la présence étrangère** the increased foreign presence; **on observe une ~e de l'inquiétude/de la colère à travers le pays** we note a mounting concern/anger throughout the country; **6▸** (pente) hill; **il y a une ~e très raide** there's a very steep hill; **une légère ~e** a slight slope; **7▸** (fait d'emmener plus haut) taking up; **la ~e des matériaux se fait encore à cheval** the materials are still taken up on horseback; **8▸** Sport **~e de Papin** Papin moves up the field; **9▸** Physiol **la ~e de lait se produit deux jours après la naissance** the milk comes in two days after birth

monte-charge* /mɔ̃tʃaʀʒ/ *nm inv* goods lift GB *ou* elevator US

montée ▸ **monté B, C**

monte-en-l'air○ /mɔ̃tɑ̃lɛʀ/ *nm inv* cat burglar

monte-meubles* /mɔ̃tmœbl/ *nm inv* hydraulic furniture lift

monténégrin, ~e /mɔ̃teneɡʀɛ̃, in/ ▸ **p. 721** *adj* Montenegrin

Monténégrin, ~e /mɔ̃teneɡʀɛ̃, in/ *nm,f* Montenegrin

Monténégro /mɔ̃teneɡʀo/ ▸ **p. 721** *nprm* Montenegro

monte-plats* /mɔ̃tpla/ *nm inv* dumbwaiter, small lift GB *ou* elevator US

monter /mɔ̃te/ [1]

A *vtr* (+ *v avoir*) **1▸** (transporter) (en haut) gén to take [sb/sth] up [*personne, objet*] (**à** to); (à l'étage) to take [sb/sth] upstairs [*personne, objet*]; (d'en bas) gén to bring [sb/sth] up [*personne, objet*] (**de** from); (de l'étage) to bring [sb/sth] upstairs [*personne, objet*]; **~ les valises au grenier** to take the suitcases up to the attic; **~ les bouteilles de la cave** to bring the bottles up from the cellar; **je peux vous ~ au village** I can take you up to the village; **monte-moi mes pantoufles** bring my slippers up (to me); **je leur ai fait ~ les valises au grenier** I made them take the suitcases up to the attic; **j'ai fait ~ le piano dans la chambre** I had the piano taken up to the bedroom; **faites -moi ~ les dossiers secrets** get the secret files brought up to me

2▸ (placer plus haut) to put [sth] up [*objet*]; to raise [*étagère*] (**de** by); **monte le store** put the blind up; **j'ai monté le vase sur l'étagère du haut** I put the vase on the top shelf; **tu peux me ~ cette valise sur l'armoire?** can you put *ou* get this suitcase up on the wardrobe for me?; **~ l'étagère d'un cran/de 20 centimètres** to raise the shelf by one notch/by 20 centimetres[GB]

3▸ (réussir à transporter) to get [sth] up [*objet*]; **impossible de ~ le piano par l'escalier/par la fenêtre** it's impossible to get the piano up the stairs/up through the window; **comment va-t-on ~ le piano?** (à l'étage) how are we going to get the piano upstairs?; (dans le camion) how are we going to get the piano in?

4▸ (parcourir) (en allant) to go up [*pente, rue, marches*]; to go up, to climb [*côte, escaliers*]; (en venant) to come up [*pente, rue, marches, escaliers*]; **je l'ai vu ~ les escaliers sur les** *or* **à genoux** I saw him go *ou* climb up the stairs on his knees; **~ la colline à bicyclette** to cycle up the hill; **je leur ai fait ~ la colline en courant** I made them run up the hill; **il m'a fait ~ les escaliers trois fois** he made me go upstairs *ou* up the stairs three times

5▸ (en valeur, intensité) to turn up [*volume, thermostat, gaz*]; Mus to raise the pitch of [*instrument*]; Art to intensify [*couleur*]; **monte un peu la radio** turn the radio up a bit; **~ un violon d'un ton** to raise the pitch of a violin by a tone

6▸ Culin to beat, to whisk [*blanc d'œuf, mayonnaise*]; **~ les blancs en neige** (dans une recette) beat *ou* whisk the egg whites until stiff; **~ une sauce** to thicken a sauce

7▸ (rendre hostile) **~ qn contre qn** to turn *ou* set sb against sb; **~ qn contre un projet** to put sb off a plan; **être monté contre qn** to have it in for sb

8▸ (chevaucher) to ride [*cheval, âne, éléphant*]; **ce cheval n'a jamais été monté** this horse has never been ridden (before)

9▸ (couvrir, saillir) to mount, to cover

10▸ (assembler) to assemble [*meuble, appareil, machine*]; to put up [*tente, échafaudage*]; to set, to mount [*pierre précieuse*]; to mount [*gravure, estampe, photo*]; Mus to string [*instrument*]; **~ un film** Cin to edit a film; **~ une page** Imprim to set (up) a page; **~ une émission** TV to edit a broadcast; **~ en parallèle** Électrotech to connect in parallel

11▸ Cout to put [sth] in [*col*]; to set [sth] in [*manche*]; **~ un manteau/une robe** to make up a coat/a dress

12▸ (organiser) to hatch [*complot*]; to mount [*attaque, opération militaire*]; to set up [*société, opération financière*]; Théât to stage, to put on [*pièce*]; **~ un spectacle** to stage *ou* put on a show; **~ une histoire de toutes pièces** to concoct *ou* fabricate a story from beginning to end

13▸ (fournir) **~ son ménage/sa maison** to set up home/house; **~ sa garde-robe** to build up one's wardrobe

B *vi* (+ *v être*) **1▸** (se déplacer) [*personne*] (en allant) gén to go up (**à** to); (à l'étage) to go upstairs; (en venant) gén to come up (**de** from); (à l'étage) to come upstairs; [*train, ascenseur, téléphérique*] (en allant) to go up; (en venant) to come up; [*avion, hélicoptère*] to climb; [*oiseau*] to fly up; [*soleil, brume*] to rise (**sur** over); [*fumée, odeur, bruit*] to come up; **reste-ici, je monte au grenier** stay here, I'm going up to the attic; **peux-tu ~ chercher mon sac?** can you go upstairs and get my bag?; **tu peux ~ m'aider à pousser l'armoire?** can you come upstairs and help me push the wardrobe?; **il est monté s'allonger** he went upstairs to lie down; **te voilà! tu es monté par l'ascenseur?** there you are! did you come up in the lift GB *ou* elevator US?; **tu es monté à pied?** gén did you walk up?; (plutôt que par l'ascenseur) did you come up on foot?; **je préfère ~ par l'escalier** I prefer to go up by the stairs; **nous sommes montés par le sentier/la route** (à pied) we walked up by the path/the road; (à cheval) we rode up by the path/the road; **il est monté au col à bicyclette/en voiture** he cycled/drove up to the pass; **il est monté vers moi en rampant** he crawled up to me; **où est l'écureuil? il a dû ~ à l'arbre** where's the squirrel? it must have gone up *ou* climbed the tree; **monte, je te suis** go on up, I'll follow you; **monte ici!** come up here!; **je suis monté en haut de la tour/au sommet de la falaise** I went up to the top of the tower/to the top of the cliff; **~ sur** [*personne*] to step onto, to get onto [*trottoir, marche*]; [*animal*] to get onto [*marche, trottoir*]; [*personne, animal*] to climb onto [*mur, tabouret*]; **il est monté sur le toit** [*enfant, chat*] he's/it's gone up onto the roof; **~ à l'échelle/l'arbre/la corde** to climb (up) the ladder/the tree/the rope; **~ à la verticale** [*ballon, alpiniste*] to climb vertically; **~ au ciel** to ascend into Heaven; **l'air chaud fait ~ les ballons/planeurs** warm air makes balloons/gliders rise; **elle m'a fait/ne m'a pas laissé ~ dans sa chambre** she had me/didn't let me go up to her bedroom; **faites-les ~** (clients, marchandises) send them up

2▸ (sur un moyen de transport) **~ dans une voiture** to get in a car; **~ dans un train/bus/avion** to get on a train/bus/plane; **~ dans un canoë/sur un bateau** to get into a canoe/on a boat; **il n'est jamais monté en avion** he's never been on a plane; **il a peur de ~ en avion** he's afraid of flying; **~ à bord** to get on board; **~ sur** to get on [*âne, cheval, bicyclette, tracteur*]; **monté sur son cheval/sur son chameau, il parcourait le pays** he travelled[GB] the country on horseback/on his camel

3▸ (s'étendre de bas en haut) [*route, voie ferrée*] to go uphill, to climb; [*terrain*] to rise; [*canalisation, ligne téléphonique*] (en allant) to go up; (en venant) to come up; **~ jusqu'à** [*chemin, muraille, escalier*] (description) to go up to; (emphase) to go up as far as; **~ jusqu'au sommet** [*route, ligne téléphonique*] to go right up to the top; **~ en lacets** [*route*] to wind its way up; **~ en pente douce** [*terrain, route*] to slope up gently; **~ en pente raide** [*terrain, route*] to climb steeply; **~ brusquement sur 200 mètres** [*pente, route*] to climb sharply for 200 metres[GB]

4▸ (atteindre) [*vêtement, liquide, neige*] to come up (**jusqu'à** to); **des chaussettes qui montent jusqu'aux genoux** socks that come up to the knees; **il avait des chaussettes qui lui montaient aux genoux** he was wearing knee socks; **l'eau nous montait jusqu'à la taille** the water came up to our waists, we were waist-deep in water; **l'eau montait sur la berge** the water came up onto the bank

5▸ (augmenter) [*niveau, baromètre, température, pression, prix, taux*] to rise, to go up (**à** to; **de** by); [*marée*] to come in; Mus [*mélodie*] to rise; **l'euro est** *or* **a monté par rapport à la livre** the euro has risen *ou* gone up against the pound; **faire ~ les cours de 2%** to push prices up by 2%; **ça va faire ~ le dollar** it'll send *ou* push the dollar up; **ça fait ~ la température** gén it raises the temperature; Méd it puts one's temperature up; **ça ne fera pas ~ leur niveau de vie** it won't raise their standard of living

6▸ (se rendre, séjourner) **~ à** *or* **sur Paris** (de province) to go up to Paris; **~ à Lyon** (du Midi) to go up to Lyons

7▸ (chevaucher) **~ (à cheval)** to ride; **~ à bicyclette/moto** to ride a bicycle/motorbike; **il ne sait pas ~ (à cheval)** he can't ride; **elle monte à cheval deux fois par semaine** she goes riding *ou* rides twice a week

8▸ Mil **~ à l'assaut** *or* **l'attaque** to mount an attack (**de** on); **~ au front** to move up to the front; **~ en ligne** to move up the line; **~ au combat** to go into battle

9▸ Jeux (aux cartes) to play a higher card; **~ à carreau/l'atout** to play a higher diamond/trump

10▸ (progresser) (dans une hiérarchie) to rise, to move up; (en notoriété) [*artiste*] to rise; **à force de ~, il deviendra directeur** he'll work his way right up to director; **c'est un jeune peintre qui monte** he's an up-and-coming *ou* a rising young painter; **~ en puissance** [*parti, politicien*] to rise

11▸ (gagner en intensité) [*colère, émotion*] to mount; [*sanglots*] to rise; [*larmes*] to well up; **le ton monta** (animation) the conversation became noisier; (énervement) the discussion became heated

12▸ (saisir) **~ à la gorge de qn** [*sanglots, cri*] to rise (up) in sb's throat; **~ à la tête de qn** [*vin, alcool, succès*] to go to sb's head; **le rouge lui est monté au front** he/she went red in the face

13▸ Aut, Tech **~ à 250 km/h** [*véhicule*] to go up to *ou* reach 250 km/h; [*automobiliste*] to go up to 250 km/h; **~ en puissance** [*moteur*] to increase in power

C se monter *vpr* **1▸** (s'élever) **se ~ à** [*dépenses, frais, facture*] to come to, to amount to; [*dette*] to amount to

m

2 (s'équiper) to get oneself set up (**en** with)

(Idiome) **se ~ la tête**○ to get worked up○

monteur, -euse /mɔ̃tœʀ, øz/ ▸ **p. 532** *nm,f* **1** Ind fitter; **~ ajusteur** fitter; **~ en chauffage** central heating engineer; **~ en lignes électriques** linesman GB, lineman US; **~ réparateur** assembler engineer; **2** Cin editor; **3** (en typographie) paste-up artist

monteur-électricien, *pl* **monteurs-électriciens** /mɔ̃tœʀelɛktʀisjɛ̃/ ▸ **p. 532** *nm* electrical fitter

monteur-mécanicien, *pl* **monteurs-mécaniciens** /mɔ̃tœʀmekanisjɛ̃/ ▸ **p. 532** *nm* fitter

Montevideo /mɔ̃tevideo/ ▸ **p. 894** *npr* Montevideo

montgolfière /mɔ̃gɔlfjɛʀ/ *nf* **1** (ballon) hot-air balloon; **2** ▸ **p. 469** (sport) (hot-air) ballooning; **faire de la ~** to go (hot-air) ballooning

monticule /mɔ̃tikyl/ *nm* **1** (butte) hillock; **2** (amas) mound (**de** of)

montmartrois, ~e /mɔ̃maʀtʀwa, az/ *adj* of Montmartre

montmorency /mɔ̃mɔʀɑ̃si/ *nf inv* (cerise) Montmorency cherry

Montpellier /mɔ̃pəlje/ ▸ **p. 894** *npr* Montpellier

montpelliérain, ~e /mɔ̃pəljeʀɛ̃, ɛn/ ▸ **p. 894** *adj* of Montpellier

Montpelliérain, ~e /mɔ̃pəljeʀɛ̃, ɛn/ *nm,f* (natif) native of Montpellier; (habitant) inhabitant of Montpellier

montrable /mɔ̃tʀabl/ *adj* [*personne*] presentable; [*images, film*] suitable for viewing (*après n*); **habillé comme ça, il n'est pas ~!** dressed like that, he's not fit to be seen!; **ces images ne sont pas ~s à des enfants** these pictures are not suitable for children

montre /mɔ̃tʀ/ *nf* **1** (objet) watch; **~ à affichage numérique** digital display watch; **~ à aiguilles** watch with hands; **~ étanche** waterproof watch; **~ à** *or* **de gousset** fob watch; **~ marine** seaman's watch; **~ de poche** pocket watch; **~ de précision** precision watch; **~ à quartz** quartz watch; **~ à remontoir** stemwinder *ou* stemwinding watch; **~ à répétition** repeater watch; **il est 5 heures à ma ~** it's 5 o'clock by my watch; **il a mis trois heures ~ en main** it took him three hours exactly; **étape** *or* **course** *or* **épreuve contre la ~** race against the clock; **2** (action de montrer) fml **faire ~ de** to show [*prudence, courage*]; to display [*esprit, habileté*]; **3** (ostentation) liter **pour la ~** (pour la décoration) for show; (pour sauver les apparences) for the sake of appearances; **4** Comm (présentation) display, show; **articles en ~** articles on display *ou* in the window

Montréal /mɔ̃ʀeal/ ▸ **p. 894** *npr* Montreal

montréalais, ~e /mɔ̃ʀealɛ, ɛz/ ▸ **p. 894** *adj* of Montreal

Montréalais, ~e /mɔ̃ʀealɛ, ɛz/ *nm,f* Montrealer

montrer /mɔ̃tʀe/ [1]

A *vtr* **1** (faire voir) to show [*objet, passeport*]; **~ qch à qn** to show sb sth, to show sth to sb; **je vais vous ~ votre chambre** I'll show you your room; **laissez-moi vous ~ la maison** let me show you around the house; **robe qui montre les épaules** off-the-shoulders dress; ▸ **patte**; **2** (faire connaître) to show [*problème, sentiments*]; to show, to reveal [*intentions, connaissances*]; **~ des signes d'impatience/de faiblesse** to show signs of impatience/of weakness; **~ que** to show that; **j'ai essayé de lui ~ qu'il se trompait** I tried to show him that he was wrong; **~ à qn comment faire/comment se servir de qch** to show sb how to do/how to use sth; **attends un peu, je vais te ~**○**!** just you wait, I'll show you○!; **elle a honte de ses parents, elle n'ose pas les ~** she's ashamed of her parents, she keeps them out of sight; **3** (indiquer) [*personne*] to point out, to show [*trace, lieu, objet*]; [*panneau, boussole*] to point to [*direction*]; [*tableau, graphique, sondage*] to show [*évolution, résultats*]; **~ qch à qn** to point sth out to sb; **~ qch du doigt** *or* **d'un geste** to point to sth, to point sth out; **~ qn du doigt** lit to point at sb; fig to point the finger at sb; **~ le chemin à qn** lit, fig to show sb the way

B se montrer *vpr* **1** (se révéler) [*personne*] to show oneself to be; [*choses*] to prove (to be); **le gouvernement s'est montré confiant** the government showed itself to be confident; **mes craintes se sont montrées vaines** my fears proved to be groundless; **elle s'est montrée à la hauteur de la situation** she showed she was up to it; **se ~ d'un pessimisme exagéré** to be overly pessimistic; **il s'est montré serviable** he was very helpful; **il faut se ~ optimiste** we must try to be optimistic; **2** (se faire voir) to show oneself; **après cela, il n'ose plus se ~** after that, he doesn't dare show his face; **elle n'osait pas se ~ avec lui** she didn't dare be seen with him; **on n'est pas obligés de rester mais il faut au moins se ~** we don't have to stay but we should at least put in an appearance; **le président est allé se ~ à Prague** the president has gone to put in an appearance in Prague; **il aime se ~ serrant la main à des gens importants** he likes to be seen shaking hands with important people; **3** (apparaître) to appear; **le soleil s'est montré entre deux averses** the sun came out between two showers

(Idiomes) **~ la porte à qn** to show sb the door; **~ le poing à qn** to shake one's fist at sb; **~ les dents** to bare one's teeth; **~ le bout de son** *or* **du nez** [*personne*] to show one's face; [*soleil*] to peep through; [*fleurs, plantes*] to poke through

montreur, -euse /mɔ̃tʀœʀ, øz/ ▸ **p. 532** *nm,f* **~ d'animaux** animal trainer; **~ de marionnettes** puppeteer; **~ d'ours** bear tamer

monture /mɔ̃tyʀ/ *nf* **1** (animal) mount; **2** Tech mount; (de lunettes) frames (*pl*); (de bague) setting

(Idiome) **qui veut aller** *or* **voyager loin ménage sa ~** Prov you have to learn to pace yourself

monument /mɔnymɑ̃/ *nm* **1** (commémoratif) monument; **un ~ à la mémoire des victimes** a monument in memory of the victims; **2** (édifice) (historic) building; **visiter les ~s de Paris** to see the sights of Paris; **3** fig **être un ~ de bêtise** [*personne*] to be monumentally stupid; **un des ~s de la peinture mondiale** a masterpiece of painting

(Composés) **~ historique** ancient monument; **classé ~ historique** listed as an ancient monument; **~ aux morts** war memorial

monumental, ~e, *mpl* **-aux** /mɔnymɑ̃tal, o/ *adj* **1** Art [*sculpture, escalier*] monumental; **2** (imposant) [*œuvre, biographie*] monumental; **3** (énorme) [*bêtise, gaffe, erreur*] monumental; **il est d'une ignorance/arrogance ~e** he's monumentally ignorant/arrogant

moquer /mɔke/ [1]

A †*vtr* (railler) to mock

B se moquer *vpr* **1** (ridiculiser) to make fun (**de** of), to laugh (**de** at); **arrête de te ~!** stop teasing *ou* poking fun!; **vous vous moquez (de moi) ou quoi?** are you making fun of me or what?; **de qui se moque-t-on?** they've got a nerve!; **2** (être indifférent) **se ~ de** not to care about; **je me moque de vos histoires** I don't care about your problems; **il se moque bien de ça** he really couldn't care less (about it); **elle s'en moque complètement** she really couldn't care less; **ils se moquent de paraître ridicules** they couldn't care less about looking ridiculous; **se ~ que** not to care if; **je me moque qu'ils viennent ou pas** I don't care if *ou* whether they come or not; ▸ **chemise**, **guigne**; **3** (tromper) **se ~ de qn** to fool sb; **se ~ des gens** to take people for fools; **ils se sont moqués de nous avec leurs promesses** they took us for a ride○

(Idiome) **je m'en ~ comme de l'an quarante**○ I don't give a damn○

moquerie /mɔkʀi/ *nf* **1** (remarque) mocking remark; **il supporte mal les ~s** he can't tolerate people making fun of him; **être en butte aux ~s** to be the target of mockery; **2** (action) mockery

moquette /mɔkɛt/ *nf* **1** (tapis) fitted carpet GB, wall-to-wall carpet US; **faire poser une** *or* **de la ~** to have a fitted carpet laid GB, to have wall-to-wall carpeting fitted; **2** Tex moquette

moquetter /mɔkete/ [1] *vtr* to carpet [*pièce*]

moqueur, -euse /mɔkœʀ, øz/

A *adj* **être ~** to be always making fun of people

B *nm* (oiseau) mockingbird

moraine /mɔʀɛn/ *nf* moraine

morainique /mɔʀenik/ *adj* morainic

moral, ~e, *mpl* **-aux** /mɔʀal, o/

A *adj* **1** (éthique) moral; **n'avoir aucun sens ~** to have no sense of right and wrong; **prendre l'engagement ~ de faire qch** to make a binding commitment to do sth; **sur le plan ~** morally; **2** (mental) [*torture, douleur*] mental; [*courage, soutien*] moral; **douleur ~e** mental anguish; **force ~e** moral fibre[GB]; **3** (conforme aux bonnes mœurs) [*œuvre, personne*] moral; [*conduite*] ethical; **le conseil qu'il t'a donné n'était pas très ~** the advice he gave you was morally dubious; **ce n'est pas très ~ d'avoir fait cela** that was not a very ethical thing to do

B *nm* **1** (disposition d'esprit) morale; **le ~ des troupes est bon/mauvais** the troops' morale is high/low; **avoir bon ~, avoir le ~** to be in good spirits; **ne pas avoir le ~** to feel down; **pour travailler ici, faut vraiment avoir le ~**○**!** you have to be crazy to work here!; **avoir le ~ à zéro** to feel very down; **remonter le ~ de qn** to raise sb's spirits *ou* morale, to cheer sb up; **il a un ~ d'acier** nothing gets him down○; **garder le ~** to keep up one's morale, to keep one's chin up○; **saper le ~ de qn** to undermine sb's morale; **2** (psychique) mind; **le ~ et le physique** mind and body; **au ~ comme au physique** mentally and physically

C morale *nf* **1** (règles de conduite) morality; **attitude contraire à la ~e** immoral attitude; **leur ~e** their moral code; **obéir à une ~e stricte** to live by a strict moral code, to have strict morals; **2** (enseignement) moral; **la ~e de tout ceci** the moral of all this; **faire la ~e à qn** to give sb a lecture; **3** Philos **la ~e** moral philosophy, ethics; **un ouvrage de ~e** a work of moral philosophy *ou* of ethics

moralement /mɔʀalmɑ̃/ *adv* **1** (conformément à la morale) morally, ethically; **être ~ responsable** to be morally responsible; **se sentir ~ obligé de faire** to feel morally obliged to do; **2** (psychiquement) psychologically

moralisant, ~e /mɔʀalizɑ̃, ɑ̃t/ *adj* [*discours, ton*] moralizing; [*fin*] moral

moralisateur, -trice /mɔʀalizatœʀ, tʀis/ *adj* [*personne, ton, discours*] moralizing, moralistic; [*histoire*] with a moral (*épith, après n*)

moralisation /mɔʀalizasjɔ̃/ *nf* (des masses) moral improvement; (de régime, presse) cleaning up

moraliser /mɔʀalize/ [1]

A *vtr* to clean up [*campagne électorale*]; to reform [*vie publique*]

B *vi* to moralize (**sur** about)

moralisme /mɔʀalism/ *nm* moralism

moraliste /mɔʀalist/

A *adj* moralistic

B *nmf* gén moralist; péj moralizer; Philos moral philosopher

moralité /mɔʀalite/ *nf* **1** (de personne, société) morals (*pl*), moral standards (*pl*); **un individu d'une ~ douteuse** an individual with dubious morals; **n'avoir aucune ~** to have no sense of right and wrong; **il n'y a plus de ~**

m

there's no sense of right and wrong any more; **quelle ~!** how immoral!; **2** (d'œuvre, action) morality; **la ~ publique** public morality; **3** (leçon) moral; **~, ne faites confiance à personne** the moral is, don't trust anybody

morasse /mɔʀas/ *nf* Imprim foundry proof

moratoire /mɔʀatwaʀ/
A *adj* **dommages-intérêts ~s** damages for delay (*in fulfilling a legal obligation*); **sentence ~** suspended judgment
B *nm* moratorium

moratorium /mɔʀatɔʀjɔm/ *nm* moratorium

morave /mɔʀav/ ▸ **p. 721** *adj* Moravian; **frères ~s** Bohemian Brethren

Morave /mɔʀav/ *nmf* Moravian

Moravie /mɔʀavi/ ▸ **p. 721** *nprf* Moravia

morbide /mɔʀbid/ *adj* morbid

morbidité /mɔʀbidite/ *nf* morbidity

morbier /mɔʀbje/ *nm* **1** (fromage) *soft Jura cheese* **2** H (horloge) grandfather clock

Morbihan /mɔʀbiɑ̃/ ▸ **p. 721** *nprm* (département) **le ~** the Morbihan

morbleu‡ /mɔʀblø/ *excl* zounds‡!

morceau, *pl* **~x** /mɔʀso/ *nm* **1** gén (d'aliment) piece, bit; (de verre) piece, fragment; (de bois) piece; (d'étoffe) piece; **être en ~x** Culin [*sucre*] to be in lumps; [*viande*] to be in cubes; (cassé) to be in pieces *ou* bits; **couper en ~x** to cut in *ou* into pieces; **casser en mille ~x** to break into a thousand pieces; **mettre qch en ~x** to break [sth] to pieces [*vase*]; to tear [sth] into pieces [*drap*]; to pull [sth] to pieces [*jouet*]; **manger un ~**○ to have a snack; **2** Culin (en boucherie) cut; **bon ~** nice cut; **bas ~** cheap cut; **~ de choix** choice cut; ▸ **gros**; **3** Mus (œuvre) piece; **~ de piano** piano piece; (partie d'œuvre) section; (partie de concert) item; **4** Littérat (extrait) extract, passage; **recueil de ~x choisis** collection of selected extracts; **le chapitre 8/cette entreprise est un gros** *or* **sacré ~**○ chapter 8/this firm is quite substantial; **5** ◑(femme) **beau** *or* **joli ~** nice bit of stuff○ GB, nice piece○

(Composé) **~ de bravoure** Littérat purple passage; fig bravura passage

(Idiomes) **emporter le ~**○ to get one's way; **lâcher** *or* **cracher le ~**○ to spill the beans; **recoller les ~x** to patch things up

morceler /mɔʀsəle/ [19] *vtr* to divide up [*héritage, terrain*] (**en** into); to split up [*pays*]

morcellement* /mɔʀsɛlmɑ̃/ *nm* **1** (action) (d'héritage, de terrain) dividing up; (de pays) splitting up; **2** (résultat) division; **le ~ des terres** the division of land into smaller units

mordant, **~e** /mɔʀdɑ̃, ɑ̃t/
A *adj* **1** (caustique) [*ironie, critique, ton*] caustic, scathing; [*personne*] scathing; **être ~** to be scathing (**à l'égard de qn/qch** about sb/sth); **avoir l'esprit ~** to have a biting wit; **2** (saisissant) [*froid*] biting
B *nm* **1** (causticité) sarcasm; **le ~ de leurs remarques/critiques** the sarcastic *ou* caustic tone of their remarks/criticisms; **avec ~** sarcastically; **2** ○(énergie de personne, d'équipe) zip○; **retrouver de son ~** to get some of one's zip○ back; **3** Chimie, Tech mordant; **4** Mus mordent

mordicus○ /mɔʀdikys/ *adv* pigheadedly○, stubbornly

mordillage /mɔʀdijaʒ/, **mordillement** /mɔʀdijmɑ̃/ *nm* nibbling ₵

mordiller /mɔʀdije/ [1] *vtr* to nibble at; (plus fort) to chew

mordoré, **~e** /mɔʀdɔʀe/ *adj* [*ton, feuillage*] golden brown; [*raisin*] gold-tinged; **d'un brun ~** golden brown

mordre /mɔʀdʀ/ [6]
A *vtr* **1** lit [*chien, personne*] to bite [*personne, animal, objet*]; [*serpent*] to bite [*animal, personne*]; **~ qn à la jambe/au bras** to bite sb on the leg/on the arm; **il m'a mordu le mollet/l'oreille** he bit me on the calf/the ear; **~ qn jusqu'au sang** to bite sb and draw blood; **~ qch à pleines dents** to sink one's teeth into sth; **~ son crayon** to chew one's pencil; **se faire ~** to get bitten (**par** by); **2** (entamer) [*lime*] to bite [*métal*]; [*acide, rouille*] to eat into [*métal, plaque*]; **3** (empiéter) [*voiture*] to go over [*ligne jaune*]
B **mordre à** *vtr ind* (saisir avec la bouche) **~ à l'appât** *or* **l'hameçon** lit, fig to take the bait; **'ça mord?'** 'are the fish biting?'
C *vi* **1** (planter ses dents) **~ dans une pomme** to bite into an apple; **2** (empiéter) **~ sur la ligne jaune** to go over the yellow line; **~ sur l'électorat de gauche** [*parti*] to encroach on Labour territory; **3** ○(croire naïvement) to fall for it○
D **se mordre** *vpr* **1** (soi-même) [*personne*] to bite oneself; **se ~ la langue** lit, fig to bite one's tongue; **2** (l'un l'autre) to bite each other

(Idiome) **s'en ~ les doigts** to kick oneself for sth

mordu, **~e** /mɔʀdy/
A ○*adj* **1** (passionné) [*personne*] **être ~ de qch** to be mad○ about sth; **2** (amoureux) [*personne*] smitten; **cette fois-ci, elle est (bien) ~e!** she's (really) smitten this time!
B ○*nm,f* fan, buff○; **pour les ~s du ski** for skiing fans *ou* buffs

more = **maure**

moresque = **mauresque**

morfal◑, **~e** /mɔʀfal/
A *adj* greedy
B *nm,f* greedyguts◑ (+ *v sg*) GB, hog○ US

morfondre: **se morfondre** /mɔʀfɔ̃dʀ/ [6] *vpr* **1** (attendre) to hang around; **se ~ à attendre** *or* **en attendant** to wait dejectedly; **2** (languir) to pine; **le pays se morfond dans la crise** fig the country is stagnating in recession

morganatique /mɔʀganatik/ *adj* **mariage ~** morganatic marriage

morgue /mɔʀg/ *nf* **1** (lieu) morgue; (dans un hôpital) mortuary; **2** (arrogance) arrogance; **avoir de la ~**, **être plein de ~** to be arrogant

moribond, **~e** /mɔʀibɔ̃, ɔ̃d/
A *adj* [*personne*] dying; [*industrie, civilisation*] moribund
B *nm,f* dying man/woman; **les ~s** the dying

moricaud, **~e** /mɔʀiko, od/
A ○*adj* swarthy
B *nm,f* offensive coloured[GB] person, wog○ injur

morigéner /mɔʀiʒene/ [14] *vtr* to reprimand; **se faire ~** to be reprimanded

morille /mɔʀij/ *nf* morel (mushroom)

morillon /mɔʀijɔ̃/ *nm* tufted duck

mormon, **~e** /mɔʀmɔ̃, ɔn/ *adj, nm,f* Mormon

mormonisme /mɔʀmɔnism/ *nm* Mormonism

morne /mɔʀn/ *adj* **1** [*personne, attitude, silence*] gloomy; [*visage*] glum; [*regard*] doleful; **2** [*paysage, lieu, existence, débat, vacances*] dreary; [*temps, journée*] dismal; **une rue ~** a drab street

mornifle○ /mɔʀnifl/ *nf* (gifle) smack, clip round the ear GB

morose /mɔʀoz/ *adj* [*personne, vieillesse, humeur*] morose; [*journée, lieu, ton, atmosphère, bilan, vie*] gloomy; [*Bourse*] bearish

morosité /mɔʀozite/ *nf* gloom; **la ~ s'est emparée du pays** the country is sunk in gloom; **se complaire dans la ~** to wallow in gloom; **~ de la Bourse** lacklustre trading

morphe /mɔʀf/ *nm* morph

Morphée /mɔʀfe/ *npr* Morpheus

(Idiome) **être dans les bras de ~** to be in the arms of Morpheus

morphématique /mɔʀfematik/ *adj* morphemic

morphème /mɔʀfɛm/ *nm* morpheme; **~ libre/lié** free/bound morpheme

morpher: **se morpher** /mɔʀfe/ [1] *vpr* to morph

morphine /mɔʀfin/ *nf* morphine

morphine-base /mɔʀfinbɑz/ *nf* morphine base

morphing /mɔʀfiŋ/ *nm* morphing

morphinisme /mɔʀfinism/ *nm* morphinism

morphinomane /mɔʀfinɔman/
A *adj* addicted to morphine (*après n*)
B *nmf* morphine addict

morphinomanie /mɔʀfinɔmani/ *nf* morphine addiction

morphologie /mɔʀfɔlɔʒi/ *nf* morphology

morphologique /mɔʀfɔlɔʒik/ *adj* morphological

morphologiquement /mɔʀfɔlɔʒikmɑ̃/ *adv* morphologically

morphométrie /mɔʀfɔmetʀi/ *nf* morphometry

morphophonologie /mɔʀfofɔnɔlɔʒi/ *nf* morphophonology

morphosyntaxe /mɔʀfosɛ̃taks/ *nf* morphosyntax

morphosyntaxique /mɔʀfosɛ̃taksik/ *adj* morphosyntactic

morpion /mɔʀpjɔ̃/ *nm* **1** ▸ **p. 469** (jeu) noughts and crosses GB, tick-tack-toe US; **faire un ~** to play (a game of) noughts and crosses GB *ou* tick-tack-toe US; **2** ◑(enfant) brat○; **3** ◑(pou) crab (louse)

mors /mɔʀ/ *nm inv* **1** Équit bit; **prendre le ~ aux dents** [*cheval*] to take the bit between its teeth; [*personne*] (colère subite) to fly off the handle○; (énergie subite) to take the bit between one's teeth; **2** Tech (d'étau, de pince) jaw; **3** Édition (de reliure) joint; **~ fendus** cracked joints

(Composés) **~ de bride** curb bit; **~ de filet** snaffle bit

morse /mɔʀs/ *nm* **1** Zool walrus; **2** Télécom **(alphabet** *or* **code) ~** Morse code

morsure /mɔʀsyʀ/ *nf* **1** (plaie) bite; **~ de chien** bite from a dog; **~ de serpent** snakebite; **2** (action) **la ~ du froid/gel** the biting cold/frost; **la ~ de l'acide** the bite of acid

mort¹ /mɔʀ/ *nf* **1** (d'être vivant) death; **~ par asphyxie/strangulation** death by asphyxiation/strangulation; **peu avant sa ~** a short time before his/her death; **mourir de ~ naturelle** to die of natural causes; **mourir de sa belle ~** to die peacefully in old age; **mourir de ~ violente** to die a violent death; **il a eu** *or* **connu une ~ paisible** he died peacefully; **souhaiter** *or* **vouloir la ~ de qn** to wish sb dead; **porter tout ça! tu veux ma ~?** hum you want me to carry all this! are you trying to kill me, or what?; **il n'y a pas eu ~ d'homme** lit there were no fatalities; **ce n'est pas la ~!** hum it won't kill you!; **avoir une ~ sur la conscience** to have somebody's death on one's conscience; **être à deux doigts de la ~** to be at death's door; **j'ai vu la ~ de près** I saw death close up; **signer son arrêt de ~** to sign one's death warrant; **trouver la ~ dans un accident** to die in an accident; **à la ~ de mon oncle** (à partir de ce moment-là) on the death of my uncle; (peu après) after my uncle died; **se battre** *or* **lutter jusqu'à la ~** to fight to the death; **jusqu'à ce que ~ s'ensuive** [*battre, torturer*] to death; **trouver la ~** liter to die; **donner la ~** liter to kill; **se donner la ~** liter to kill oneself; **être/mettre en danger de ~** to be/to put [sb] in mortal danger; **mettre qn à ~** to put sb to death; **mise à ~** (de condamné, prisonnier) killing; (de taureau) dispatch; (de système, d'entreprise) rundown; **souffrir mille ~s** to die a thousand deaths; **un engin de ~** (arme) a deadly weapon; (véhicule, invention) a deadly contraption; **à ~ le dictateur!**, **~ au dictateur!** death to the dictator!; **à ~** [*duel, lutte*] to the death; [*guerre*] ruthless; [*freiner, serrer*] like mad○; [*frapper, battre, lutter*] to death; [*blessé*] fatally; **blesser à ~** to inflict a fatal injury; **je leur en veux à ~**○ I'll never forgive them; **on est fâchés à ~**○ we'll never have anything to do with each other again; ▸ **cheval**, **souffle**;

2 (d'activité, étoile) death
(Composés) ~ **cérébrale** brain death; ~ **clinique** clinical death; ~ **subite** sudden death; ~ **subite du nourrisson** cot death GB, crib death US; **un ~ vivant** one of the living dead; **les ~s vivants** the living dead; **tu as l'air d'un ~ vivant** you look like death warmed up GB *ou* over US
(Idiomes) **être pâle comme la ~** to be as pale as death; **la ~ dans l'âme** with a heavy heart

mort², **~e** /mɔʀ, mɔʀt/
A *pp* ▸ **mourir**
B *pp adj* 1 (sans vie) dead; **être ~ de faim** fig to be starving; **je suis ~e de froid** I'm freezing to death; **il est ~ de sommeil** he's dropping with tiredness; **il était comme ~** he seemed dead; **il est ~ pour la danse** he's lost to the world of dance; **~ ou vif** dead or alive; **plus ~ que vif** half dead with fear; **bouge pas ou t'es un homme ~!** don't move or you're a dead man!; **laisser qn pour ~** to leave sb for dead; ▸ **rat**; 2 (très fatigué) half-dead; 3 (partie du corps) [*dent*] dead; **mes orteils sont comme ~s** my toes have gone numb; **avoir le regard ~** *or* **les yeux ~s** to have no spark of life in one's eyes; 4 (sans activité) dead; **le quartier est ~ le soir** the area is dead in the evening; **c'est ~ ici!** it's like a graveyard here!; **c'est une période/saison ~e pour le tourisme** it's a slack time/season for tourism; **eaux ~es** stagnant water ₵; **bras ~ d'une rivière** oxbow; 5 (disparu) [*civilisation*] dead; [*ville*] lost; **mon amour pour elle est ~** my love for her is dead; 6 ○(hors d'usage) [*appareil, batterie*] dead
C *nm,f* (défunt) dead person, dead man/woman; **faire dire une messe pour un ~** to have a mass said for somebody who has died; **les ~s** the dead; **jour** *or* **fête des ~s** Relig All Souls' Day
D *nm* 1 (victime) fatality; **il y a eu 12 ~s** there were 12 dead; **il n'y a pas eu de ~s** there were no fatalities, nobody was killed; **l'attentat n'a fait qu'un ~** the attack claimed only one life○; 2 (cadavre) body; **faire la toilette du ~** to lay out the body; **faire le ~** (être immobile) to play dead; (éviter les contacts) to lie low
(Idiomes) **ne pas y aller de main ~e** not to pull any punches; **être à la place du ~**○ (en voiture) to sit in the front passenger seat

mortadelle /mɔʀtadɛl/ *nf* mortadella
mortaise /mɔʀtɛz/ *nf* mortise
mortaiser /mɔʀteze/ [1] *vtr* to mortise
mortalité /mɔʀtalite/ *nf* mortality; **(taux de) ~** mortality rate; **la ~ infantile** infant mortality
mort-aux-rats /mɔʀoʀa/ *nf inv* rat poison
morte-eau, *pl* **mortes-eaux** /mɔʀto, mɔʀtzo/ *nf* neap(-tide); **marées de ~** neap-tides
mortel, **-elle** /mɔʀtɛl/
A *adj* 1 (qui provoque la mort) [*coup, blessure, accident, chute*] fatal; [*poison, dose, gaz*] lethal; [*venin*] deadly; [*champignon*] deadly poisonous; **c'est une maladie mortelle** it's a fatal disease; ▸ **plaie**; 2 (intense) [*froid, pâleur, silence*] deathly; [*angoisse, frayeur*] mortal; 3 (implacable) [*ennemi*] mortal; 4 (ennuyeux) [*réunion, spectacle, personne*] deadly boring; [*attente*] deadly; 5 (susceptible de mourir) [*être*] mortal
B *nm,f* liter mortal; **heureux ~s!** hum o happy mortals!
mortellement /mɔʀtɛlmɑ̃/ *adv* 1 [*blessé, atteint*] fatally; 2 [*ennuyeux*] deadly; [*pâle*] deathly
morte-saison, *pl* **mortes-saisons** /mɔʀt(ə)sɛzɔ̃/ *nf* off season
mortier /mɔʀtje/ *nm* 1 Constr mortar; 2 Mil mortar; **obus de ~** mortar shell; 3 (récipient) mortar; 4 (bonnet de magistrat) *small hat worn by French magistrates*; 5 Univ (coiffe) mortarboard
mortifère○ /mɔʀtifɛʀ/ *adj* deadly, fatal
mortifiant, **~e** /mɔʀtifjɑ̃, ɑ̃t/ *adj* mortifying
mortification /mɔʀtifikasjɔ̃/ *nf* mortification
mortifier /mɔʀtifje/ [2]
A *vtr* to mortify
B **se mortifier** *vpr* Relig to mortify oneself
mortinatalité /mɔʀtinatalite/ *nf* incidence of still births
mort-né, **~e**, *mpl* **~s** /mɔʀne/ *adj* 1 [*enfant*] stillborn; 2 [*œuvre, projet*] abortive
mortuaire /mɔʀtɥɛʀ/ *adj* [*cérémonie*] funeral; **veillée ~** wake
morue /mɔʀy/ *nf* 1 Zool cod; 2 ●(prostituée) offensive slut◑ injur
morutier, **-ière** /mɔʀytje, ɛʀ/
A *adj* cod-fishing (*épith*)
B *nm* 1 (navire) cod-fishing boat; 2 ▸ **p. 532** (pêcheur) cod fisherman
morve /mɔʀv/ *nf* 1 (sécrétion) nasal mucus, snot◑; **avoir la ~ au nez** lit to have a runny *ou* snotty nose; fig○ to be just a brat○; 2 Vét glanders (+ *v sg*)
morveux, **-euse** /mɔʀvø, øz/
A *adj* 1 [*enfant*] snotty-nosed◑ (*épith*); **se sentir ~** to feel embarrassed; 2 Vét [*cheval*] glandered
B ○*nm,f* 1 (gamin) pej guttersnipe○; 2 (prétentieux) cocky little upstart○
mosaïque /mɔzaik/
A *adj* 1 Art [*pavage, parquet*] mosaic (*épith*); 2 Relig [*loi*] Mosaic (*épith*)
B *nf* 1 (assemblage, art) mosaic; **vus d'avion, les champs formaient une ~** seen from the plane, the fields formed a patchwork; 2 Agric (maladie) mosaic (disease); **~ du tabac** tobacco mosaic
Moscou /mɔsku/ ▸ **p. 894** *npr* Moscow
moscovite /mɔskɔvit/ ▸ **p. 894** *adj* of Moscow
Moscovite /mɔskɔvit/ *nmf* Muscovite
Moselle /mɔzɛl/ ▸ **p. 372, p. 721** *nprf* (rivière, département) **la ~** Moselle
mosquée /mɔske/ *nf* mosque
mot /mo/ *nm* 1 gén word; **~ de deux syllabes** two-syllable word; **~ mal orthographié** misspelled word; **~ savant/d'argot** learned/slang word; **le poids des ~s** the force of words; **en d'autres ~s** in other words; **en quelques ~s** in a few words; **chercher ses ~s** to grope for words; **il ne parle pas un ~ d'anglais** he doesn't speak a word of English; **peser ses ~s** to weigh one's words; **jouer sur les ~s** to play on words; **~ pour ~** [*répéter, traduire, reprendre*] word for word, verbatim; **faire du ~ à ~** to translate word for word; **au sens fort du ~** in the full sense of the word; **je n'en crois pas un (traître) ~** I don't believe a word of it; **à ~s couverts** [*avouer, accuser*] in veiled terms; **au bas ~** at least; **en un ~** in a word; **explique-moi en deux ~s** tell me briefly; **pour eux, l'amitié n'est pas un vain ~** they take friendship seriously; **il n'y a pas de ~s pour décrire leur bêtise/leur comportement** their stupidity/their behaviour[GB] defies description; **il n'y a pas d'autre ~** that's the only word for it; **il est bête et le ~ est faible!** he's stupid and that's putting it mildly!; **'manger', il n'a que ce ~ à la bouche** all he can talk about is eating; ▸ **gros**
2 (paroles) word; **dire un ~ à qn** to have a word with sb; **échanger quelques ~s** to exchange a few words; **je ne veux pas entendre un ~!** I don't want to hear a word; **je n'ai pas pu leur tirer un ~** I couldn't get a word out of them; **il faut lui arracher les ~s à celui-là!** getting him to talk is like getting blood out of a stone!; **sans ~ dire, sans dire un ~** without saying a word; **ne pas souffler** *or* **piper**○ **~** not to say a word; **ne pas pouvoir placer un ~** to be unable to get a word in edgeways; **prendre qn au ~** to take sb at his/her word; **avoir le dernier ~** to have the last word; **je n'ai pas dit mon dernier ~** I haven't said my last word; **toucher**○ **un ~ de qch à qn** to have a word with sb about sth; **glisser un ~ à qn** to have a quick word with sb; **des ~s que tout cela!** it's just hot air!; **si tu as besoin de moi tu n'as qu'un ~ à dire** if you need me you've only to say the word; **sur ces ~s il sortit** with that, he left; **il ne dit jamais un ~ plus haut que l'autre** he never raises his voice; **avoir son ~ à dire** to be entitled to one's say; **viens par ici, j'ai deux ~s à te dire!** euph come here, I've got a bone to pick with you!; **pour reprendre les ~s de Marina** as Marina put it; **50 euros pour les deux c'est mon dernier ~** 50 euros the pair but that's my last offer; **avoir toujours le ~ pour rire** to be a born joker
3 (petite lettre) note; **un ~ d'excuse** Scol an excuse note; **envoyer/écrire/laisser un ~** to send/write/leave a note
4 Ordinat word
(Composés) ~ **d'auteur** Littérat literary quotation; ~ **composé** Ling compound (word); ~ **d'enfant** child's saying; ~ **d'esprit** witticism, witty remark; ~ **de la fin** closing words (*pl*); **avoir le ~ de la fin** to have the last word; ~ **grammatical** Ling function word, grammatical word; ~ **de liaison** link word; ~ **machine** machine word; ~ **d'ordre** watchword; ~ **d'ordre de grève** call for strike; ~ **d'ordre revendicatif** demand, claim; ~ **outil** = ~ **grammatical**; ~ **de passe** password; ~ **plein** Ling full word; ~ **vide** Ling prop *ou* empty word; **~s croisés** Jeux crosswords; **~s doux** sweet nothings; **susurrer des ~s doux à qn** to whisper sweet nothings
(Idiomes) **avoir** *or* **échanger des ~s avec qn** euph to have words with sb; **ne pas avoir peur des ~s** to call a spade a spade; **manger ses ~s** to mumble; **se donner** *or* **passer le ~** to pass the word around
motard, **~e** /mɔtaʀ, aʀd/
A ○*nm,f* motorcyclist, biker○
B ▸ **p. 532** *nm* (de police) police motorcyclist; (de gendarmerie) *motorcyclist in the gendarmerie*; (d'armée) army motorcyclist
mot-clé, *pl* **mots-clés** /mokle/ *nm* key word
motel /mɔtɛl/ *nm* motel
motet /mɔtɛ/ *nm* motet
moteur, **-trice** /mɔtœʀ, tʀis/
A *adj* 1 (qui entraîne) [*force, principe*] driving (*épith*); **être l'élément ~ de qch** to be the driving force behind sth; **jouer un rôle ~ dans** to play a dynamic role in; **la voiture a quatre roues motrices** the car has four-wheel drive; **les roues motrices sont à l'avant** it's a front-wheel drive (car); **les roues motrices sont ensablées** the traction wheels are stuck in the sand; 2 Méd, Physiol [*trouble, aphasie, fibre*] motor (*épith*)
B *nm* 1 lit (électrique) motor; (autre) engine; **voiture avec ~ (à l')arrière/(à l')avant** car with an engine at the back/in front; **le ~ développe** *or* **fait 500 cv** the engine is 500 hp; **un ~ (de) 8 cylindres** an 8-cylinder engine; **un véhicule à ~** a motor vehicle; **un ~ (à) 4 temps** a 4-stroke engine; **un ~ (de) 2 litres** a 2-litre[GB] engine; **un ~ poussé** *or* **gonflé**○ a souped-up engine; **une voiture avec le ~ en marche** a car with the engine running; 2 fig driving force; **être le ~ de qch** [*personne, motif*] to be the driving force behind sth
C *excl* Cin action!
D **motrice** *nf* Rail (locomotive) engine
(Composés) ~ **d'appoint** booster; ~ **asynchrone** asynchronous motor; ~ **atmosphérique** atmospheric engine; ~ **à combustion interne** internal combustion engine; ~ **diesel** diesel engine; ~ **électrique** electric motor; ~ **à explosion** internal combustion engine; ~ **hydraulique** hydraulic engine; ~ **à injection** fuel injection engine; ~ **ionique** ion engine; ~ **à réaction** jet engine; ~ **de recherche** search engine; ~ **rotatif** rotary engine; ~ **synchrone** synchronous motor;

~ **turbo** turbo engine; ~ **à vapeur** steam engine

moteur-fusée, *pl* **moteurs-fusées** /mɔtœʀfyze/ *nm* rocket engine

motif /mɔtif/ *nm* **1** (raison) grounds (*pl*) (**de** for); **il y a des ~s d'espérer/de se réjouir** there are grounds for hope/for rejoicing; **pour le même ~** on the same grounds; **être réformé pour ~s médicaux** to be exempt from military service on medical grounds; **pour un ~ d'ordre politique** on politically-related grounds; **~s de divorce** grounds for divorce; **vos récriminations sont sans ~** there are no grounds for your complaint; **2** (cause) reason (**de** for); **~s de notre retard** reasons for our lateness; **avez-vous un ~ valable?** do you have a valid reason?; **3** (motivation) motive; **les ~s sont politiques** the motives are political; **~ profond** real motive; **absence de ~** lack of motive; **sans ~ apparent** for no apparent motive; **avoir pour ~** to have as a motive; **quel que soit leur ~** whatever their motive; **4** (décoration) pattern; **à ~ floral/géométrique** with a floral/geometric pattern; **5** (thème) motif

motion /mosjɔ̃/ *nf* Jur, Pol motion; **déposer une ~** to table a motion; **faire passer une ~** to have a motion passed; **voter une ~ en faveur de/contre** to pass a motion in favour[GB] of/against

(Composé) ~ **de censure** motion of censure

> **Motion de censure**
>
> An anti-government motion in the *Assemblée nationale*, signed by at least 10% of its members, in which only votes for the motion are counted. The government must resign if the motion is carried, but if it is defeated, the same signatories cannot present another *motion de censure* in the same session of the parliament.

motivant, **~e** /mɔtivɑ̃, ɑ̃t/ *adj* [*salaire*] attractive; [*travail*] rewarding; [*raison*] worthwhile

motivation /mɔtivasjɔ̃/ *nf* **1** Psych motivation; **~ des élèves** pupils' motivation; **absence de ~** lack of motivation; **2** (raison) motive; **~s profondes** deep-seated motives; **3** Ling (caractère non arbitraire) motivation

motivé, **~e** /mɔtive/

A *pp* ▸ **motiver**

B *pp adj* **1** (enthousiaste) [*personne, équipe*] motivated (**pour** as regards; **pour faire** to do); **un étudiant peu ~** a student lacking motivation; **il est peu ~** he lacks motivation; **2** (légitime) [*exigence, retard, décision, plainte*] justifiable; **3** (avec explications) [*texte*] explanatory; **4** Ling (non arbitraire) motivated

motiver /mɔtive/ [1]

A *vtr* **1** (pousser) to motivate [*personne*] (**à faire** to do); **~ un employé par une augmentation de salaire** to give an employee the incentive of a pay rise GB *ou* a raise US; **2** (causer) [*événement, résultat*] to lead to [*décision, action*]; **motivé par** caused by

B **se motiver** *vpr* [*personne*] to motivate oneself

moto /moto/ *nf* **1** (véhicule) (motor)bike; **à ~** by motorbike; **une course de ~s** a motorcycle race; **2** (activité) motorcycling

motocross* /motokʀɔs/ ▸ **p. 469** *nm inv* motocross, scramble GB; **faire du ~** to go scrambling GB

moto-crottes○ /motokʀɔt/ *nf inv* motorized pooper-scooper○

motoculteur /motokyltœʀ/ *nm* (motorized) cultivator

motoculture /motokyltyʀ/ *nf* motorized cultivation

motocycle /motosikl/ *nm* motorcycle

motocyclette /motosiklɛt/ *nf* motorcycle

motocyclisme /motosiklism/ ▸ **p. 469** *nm* motorcycle racing; **faire du ~** to do motorcycle racing

motocycliste /motosiklist/

A *adj* [*rallye, brigade*] motorcycle (*épith*); **le sport ~** the sport of motorcycling

B *nmf* motorcyclist

motonautique /motonotik/ *adj* speedboat (*épith*)

motonautisme /motonotism/ ▸ **p. 469** *nm* speedboat racing; **faire du ~** to go speedboat racing

motoneige /motonɛʒ/ *nf* snowmobile

motopompe /motopɔ̃p/ *nf* power-driven pump

motorisation /mɔtɔʀizasjɔ̃/ *nf* motorization; **taux de ~** rate of car ownership

motoriser /mɔtɔʀize/ [1] *vtr* **1** (équiper de véhicules à moteur) to motorize; **troupes motorisées** motorized troops; **être motorisé**○ to have transport GB *ou* transportation US; **les personnes motorisées/non motorisées**○ people with transport/without transport; **2** (équiper de moteur) to motorize

motoriste /mɔtɔʀist/ ▸ **p. 532** *nmf* **1** Ind (constructeur) engine builder; **2** (mécanicien) mechanic

mot-racine, *pl* **mots-racines** /moʀasin/ *nm* root word

motrice ▸ **moteur**

motricité /mɔtʀisite/ *nf* Psych motivity

motte /mɔt/ *nf* **1** (morceau de terre) (dans un champ) **~ (de terre)** clod (of earth); (dans une pelouse) turf; **~ de gazon** clump of lawn; **2** Hort (ensemble racines et terre) rootball; **plantation en ~** ball planting; **3** (morceau de beurre) **~ (de beurre)** slab of butter; **acheter du beurre en ~** to buy butter by weight; **4** ●(pubis féminin) *female pubic region*, pussy◑

motteux /mɔtø/ *nm* wheatear

motus /motys/ *excl* **~ (et bouche cousue)** keep it under your hat

mot-valise, *pl* **mots-valises** /movaliz/ *nm* portmanteau word

mou (**mol** *before vowel or mute h*), **molle** /mu, mɔl/

A *adj* **1** (pas ferme) [*coussin, matière*] soft; [*tige, étoffe*] limp; [*choc*] dull; **2** (sans tenue) [*trait du visage*] weak; [*chair, ventre*] flabby; [*cheveux*] limp; **3** (apathique) [*personne, enfant*] listless; [*poignée de main*] limp; [*croissance, reprise économique*] sluggish; **4** (sans énergie) [*parent, professeur*] soft, overindulgent; **5** (sans conviction) péj [*version, libéralisme*] watered-down; [*discours, résistance*] feeble, weak

B *nm* **1** (personne) pej wimp○ péj; **2** (en boucherie) lights (*pl*) GB, lungs (*pl*) US; **3** (de corde) slack; **avoir du ~** to be slack; **donner du ~** to let (the rope) out a bit; **donner/laisser du ~ à qn**○ fig to give sb/to let sb have a bit of leeway

(Idiome) **bourrer le ~ à qn**◑ to have sb on○ GB, to put sb on US

mouchard, **~e** /muʃaʀ, aʀd/

A ○*nm,f* **1** (de police) informer; (en prison) grass○ GB, squealer○ péj; **2** Scol sneak○ péj

B *nm* **1** Tech (appareil) tachograph; **2** (orifice) spyhole; **3** Ordinat cookie

mouchardage○ /muʃaʀdaʒ/ *nm* **1** (pour la police) informing; **2** (en prison) grassing○ GB, squealing○; **3** Scol sneaking○

moucharder○ /muʃaʀde/ [1] *vtr* **1** (pour la police) to inform (**qn** on sb); **2** (en prison) to grass○ GB, to squeal○ (**qn** on sb); **3** Scol to sneak○, to split○ (**qn** on sb)

mouche /muʃ/ *nf* **1** (insecte) fly; **2** Mode patch, beauty spot; **3** (de cible) bull's eye; **faire ~** lit to hit the bull's eye; fig to be right on target; **4** (de fleuret) button

(Composés) ~ **artificielle** Pêche artificial fly; ~ **bleue** bluebottle; ~ **commune** *or* **domestique** housefly; **~ à merde**◑ dung fly; **~ à miel** bee; **~ verte** greenbottle; **~ du vinaigre** fruit fly

(Idiomes) **il ne ferait pas de mal à une ~** he wouldn't hurt a fly; **on entendrait une ~ voler** you could hear a pin drop; **quelle ~ les a piqués?** what's got GB *ou* gotten US into them?; **regarder voler les ~s** to stare into space; **prendre la ~** to fly off the handle; **tomber comme des ~s** to drop like flies

moucher /muʃe/ [1]

A *vtr* **1** (dégager) **~ son nez** to blow one's nose; **~ qn** lit to blow sb's nose; fig○ to put sb in his/her place; **se faire ~**○ fig to get put in one's place; **~ du sang** to blow one's nose and find blood; **2** (éteindre) to snuff (out) [*chandelle, mèche*]

B **se moucher** *vpr* to blow one's nose

(Idiome) **il ne se mouche pas du pied** *or* **du coude** (mener grand train) he lives the high life; (être prétentieux) he's full of airs and graces

moucheron /muʃʀɔ̃/ *nm* **1** (insecte) midge; **2** (personne) midget

moucheté, **~e** /muʃte/ *adj* **1** [*laine, étoffe*] flecked; [*plumage, œuf, poisson*] speckled; [*pelage*] spotted; [*cheval*] dappled; **un foulard gris ~ de rose** a grey GB *ou* gray US scarf with pink flecks; **2** [*fleuret*] buttoned

mouchetis /muʃti/ *nm inv* (textured *ou* stippled) rendering

moucheture /muʃtyʀ/ *nf* (de léopard) spot; (de tissu) fleck; (de peau, plumage) speckle

mouchoir /muʃwaʀ/ *nm* (en coton) handkerchief; (en papier) tissue GB, Kleenex®; **~ en papier** tissue; **agiter son ~** to wave one's handkerchief; **sortir** *or* **tirer son ~** to get one's handkerchief out; **à la fin du film, on tire son ~** the film's a real tear-jerker at the end

(Idiomes) **faire un nœud à son ~** to tie a knot in one's handkerchief; **grand comme un ~ de poche** [*jardin*] the size of a postage stamp; **arriver dans un ~** [*candidats, concurrents*] to have a close finish

Moudjahidin* /mudʒaidin/ *nmpl* mujaheddin, mujahedeen

moudre /mudʀ/ [77] *vtr* to grind

moue /mu/ *nf* pout; **une ~ boudeuse/de dégoût** a sulky/disgusted pout; **une ~ dubitative** a doubtful pout; **faire la ~** (bouder) to pout; (pour exprimer un doute) to pull a face; **faire la ~ devant qch** to pull a face at sth

mouette /mwɛt/ *nf* (sea) gull

(Composés) ~ **rieuse** black-headed gull; ~ **tridactyle** kittiwake

moufeter = **moufter**

mouf(f)ette /mufɛt/ *nf* skunk

moufle /mufl/ *nf* **1** Mode mitten; **2** Tech tackle block

mouflet○, **-ette** /muflɛ, ɛt/ *nm,f* kid○, child

mouflon /muflɔ̃/ *nm* mouflon

moufter◑ /mufte/ [1] *vi* to protest; **partir/accepter sans ~** to leave/to accept without turning a hair *ou* batting an eyelid; **personne n'a moufté** nobody turned a hair *ou* batted an eyelid

mouillage /mujaʒ/ *nm* **1** Naut (manœuvre) anchoring; **~ de mines** Mil minelaying; **être au ~** to lie *ou* ride at anchor; **2** Naut (emplacement) anchorage; **3** (de vin, lait) watering(-down)

mouillé, **~e** /muje/

A *pp* ▸ **mouiller**

B *pp adj* wet (**de** with)

C *adj* Ling [*consonne*] palatalized

mouiller /muje/ [1]

A *vtr* **1** (rendre humide) [*personne, pluie*] to wet [*linge, sol*]; to get [sth] wet [*vêtements, chaussures*]; **mouillez bien vos cheveux** wet your hair thoroughly; **se faire ~** to get wet; **2** (être incontinent) [*personne*] to wet [*drap, culotte*]; **3** Naut, Pêche to drop [*ancre*]; to lay [*mine*]; to cast [*ligne*]; **4** ○(compromettre) to drag [sb] into, to implicate; **5** Culin to moisten; **~ avec du lait/vin** to moisten with milk/wine; **6** Ling to palatalize [*consonne*]

B *vi* **1** Naut to anchor, to drop anchor; **2** ◑(avoir peur) to be scared stiff, to be scared; **3** ◑(être excitée) to be wet
C **se mouiller** *vpr* **1** lit (avec de l'eau) to get wet; (en urinant) [*bébé*] to wet oneself; **2** ○(s'impliquer) to stick one's neck out○; **il ne se mouille jamais** he never sticks his neck out
D ○*v impers* **ça mouille** it's raining

mouillette /mujɛt/ *nf* soldier○ GB, finger of bread eaten with a boiled egg

mouilleur /mujœʀ/ *nm* **1** (de timbres) (stamp) sponge; **2** Naut (dispositif) tumbler
(Composé) **~ de mines** minelayer

mouillure /mujyʀ/ *nf* **1** (tache humide) damp patch; **2** (de consonne) palatalization

mouise○ /mwiz/ *nf* **être dans la ~** to be in dire straits, to be stony broke○

moujik /muʒik/ *nm* muzhik

moukère◑ /mukɛʀ/ *nf* woman

moulage /mulaʒ/ *nm* **1** (fabrication de moule) moulding GB *ou* molding US (process); (fabrication d'épreuve, reproduction) casting; **faire un ~ de qch** to take a cast of sth; **2** (épreuve, objet reproduit) Art cast; (en métallurgie) casting; **3** (de verre) press moulding GB *ou* molding US; **4** (de vêtement, chaussure) moulding GB, molding US; **5** (de grains) milling
(Composés) **~ à cire perdue** lost-wax casting; **~ par injection** injection moulding GB *ou* molding US; **~ par rotation** rotational moulding GB *ou* molding US

moulant, **~e** /mulɑ̃, ɑ̃t/ *adj* [*vêtement*] skin-tight, tight-fitting

moule /mul/
A *nm* **1** Art, Ind mould GB, mold US; fig (modèle imposé) mould GB, mold US; **le ~ de l'école** the school mould GB *ou* mold US; **ils ont été coulés dans le même ~** fig they were cast in the same mould GB *ou* mold US; **être fait au ~** (aspect esthétique) to be perfectly shaped; **2** Culin (pour gâteau, pain) tin, pan US; (pour gelées) mould GB, mold US; **~ à fond amovible** loose-bottomed cake tin GB *ou* pan US
B *nf* Zool mussel; **~s (à la) marinière** Culin *mussels cooked in wine*
(Composés) **~ à brioche** brioche tin; **~ à cake** loaf tin; **~ à flan** flan dish; **~ à gaufre** Culin waffle iron; fig○ nitwit○; **~ à gâteaux** cake tin GB, cakepan US; **~ à tarte** flan dish, pie pan US

moulé, **~e** /mule/
A *pp* ▸ **mouler**
B *pp adj* **1** Ind [*pièce*] moulded GB, molded US; [*verre*] (press) moulded GB *ou* molded US; [*aluminium*] cast; **statue de plâtre ~** moulded GB *ou* molded US plaster statue; **2** (serré) **une femme ~e dans une robe de cuir/un pull** a woman in a skin-tight leather dress/a clinging sweater; **3** Culin [*pain, baguette*] baked in a (shaped) tin; **4** (bien formé) [*écriture*] copperplate (*épith*); [*lettre*] well-formed

mouler /mule/ [1] *vtr* **1** (fabriquer avec un moule) to mould GB, to mold US [*substance*]; to cast [*liquide*]; to mint [*médaille*]; **2** (prendre une empreinte) to take a cast of [*bas-relief, visage, main*]; **3** (coller à) [*vêtement*] to cling (tightly) to, to hug [*corps, buste, hanches*]; **une mini-jupe élastique qui moule les fesses** an elastic mini skirt which hugs the bottom

mouleur, **-euse** /mulœʀ, øz/ ▸ **p. 532** *nm,f* moulder GB, molder US

moulin /mulɛ̃/ *nm* **1** (édifice) mill; **2** (machine à moudre) mill; **3** ○(moteur) engine
(Composés) **~ à café** coffee grinder, coffee mill; **~ à eau** water mill; **~ à légumes** vegetable mill; **~ à paroles** chatterbox; **~ à poivre** pepper mill; **~ à prières** Relig prayer wheel; **~ à vent** windmill
(Idiomes) **apporter de l'eau au ~ de qn** to fuel sb's arguments; **on ne peut être à la fois au four et au ~** one can't be in two places at once; **on y entre comme dans un ~** one can just slip in; **se battre contre des ~s à vent** to tilt at windmills; **jeter son bonnet par-dessus les ~s** to let one's hair down

mouliné /muline/ *nm* stranded cotton

mouliner /muline/ [1] *vtr* **1** Culin to purée [*pommes de terre*]; to grind, to mill [*poivre, café*]; **2** Tex to throw; **3** Pêche to reel in

moulinet /mulinɛ/ *nm* **1** (de canne à pêche) reel; **2** (de travail) winch; **3** (mouvement) **faire des ~s avec les bras** gén to wave one's arms about; Sport to do windmills; **faire des ~s avec un bâton** to twirl a stick

moulinette® /mulinɛt/ *nf* (small) vegetable mill; **passer qch à la ~** lit to put sth through the mill; **passer qn à la ~** fig to put sb through the mill

moulinois, **~e** /mulinwa, az/ ▸ **p. 894** *adj* of Moulins

Moulinois, **~e** /mulinwa, az/ *nm,f* (natif) native of Moulins; (habitant) inhabitant of Moulins

Moulins /mulɛ̃/ ▸ **p. 894** *npr* Moulins

moult† /mult/ *adv* many

moulu, **~e** /muly/
A *pp* ▸ **moudre**
B *pp adj* lit [*café, poivre*] ground
C ○*adj* fig **~ (de fatigue)** worn out; **~ (de coups)** beaten black and blue

moulure /mulyʀ/ *nf* (ornement) moulding GB, molding US; (baguette à rainures) casing

moulurer /mulyʀe/ [1] *vtr* (orner) to decorate [sth] with mouldings GB *ou* moldings US

moumoute○ /mumut/ *nf* **1** (perruque) toupee; **2** (vêtement) sheepskin jacket

mourant, **~e** /muʀɑ̃, ɑ̃t/
A *adj* **1** (en train de mourir) [*personne, animal*] dying (**de** of); **2** (en train de disparaître) [*entreprise, politique, système*] moribund; **3** (qui décline) [*lumière*] fading; **d'une voix ~e** fig in a weak tone
B *nm,f* dying person; **les ~s** the dying (+ *v pl*)

mourir /muʀiʀ/ [34]
A *vi* (+ *v être*) **1** (cesser de vivre) [*personne, animal, plante*] to die (**de** of; **pour qn/qch** for sb/sth; **pour faire** to do); **~ jeune** to die young; **~ d'un cancer/d'une crise cardiaque** to die of cancer/of a heart attack; **~ de chagrin** to die of grief *ou* of a broken heart; **~ de faim/vieillesse** lit to die of hunger/old age; **~ de froid** lit (dehors) to die of exposure; (sous un toit) to die of cold; **je meurs de soif** fig I'm dying of thirst; **je meurs de faim** fig I'm starving; **je meurs de froid** fig I'm freezing to death; **je meurs de sommeil** fig I'm dropping with tiredness; **c'était à ~ (de rire)!** it was hilarious!; **plutôt ~ que de lui demander une faveur** I'd rather die than ask him/her a favour[GB]; **tu mourras centenaire!** you'll live to (be) a hundred!; **~ assassiné** to be murdered; **~ empoisonné** to die of poisoning; **~ étranglé** (par accident) to strangle to death; (par meurtre) to be strangled to death; **~ debout** to be active to the end; **~ au monde** [*moine, ermite*] to die to the world; **elle meurt d'amour pour lui** she's pining for him; **laisser qn ~** to let sb die (**de qch** of sth); **il s'est laissé ~ après la mort de sa femme** he gave up and died after the death of his wife; **se laisser ~ de faim** to starve oneself to death; **faire ~ qn** to kill sb; **l'auteur fait ~ le héros à la troisième page** the author kills the hero off on the third page; ▸ **champ**, **feu**; **2** (cesser d'exister) [*civilisation, tradition, entreprise*] to die; [*sentiment, amitié*] to die; **3** liter (faiblir) [*lueur, jour*] to fade away littér; [*feu, flamme*] to die down; [*son*] to die away; [*conversation*] to die away; [*vagues*] to break and fall back
B **se mourir** *vpr* liter *or* fml [*personne*] to be dying; [*civilisation, tradition*] to be dying; [*flamme, feu, braises*] to die down; [*sentiment, son, chant*] to die away; **elle se meurt d'amour pour lui** she's pining with love for him
(Idiomes) **partir c'est ~ un peu** to say goodbye is to die a little; **je ne veux pas ~ idiot** hum I want to know; **on n'en meurt pas!**, **tu n'en mourras pas!** hum it won't kill you!; **je veux bien ~** *or* **que je meure si...** I'll eat my hat if...; **plus idiot/paresseux que lui, tu meurs**○**!** they don't come any dumber/lazier!

mouroir /muʀwaʀ/ *nm* pej old people's home, twilight home péj

mouron /muʀɔ̃/ *nm* Bot pimpernel
(Composés) **~ blanc** chickweed; **~ des champs** scarlet pimpernel; **~ des oiseaux** = **~ blanc**
(Idiome) **se faire du ~**○ to worry

mouscaille◑ /muskaj/ *nf* **être dans la ~** (avoir des ennuis) to be up the creek○; (être dans la misère) to be flat broke○

mousquet /muskɛ/ *nm* musket

mousquetaire /muskətɛʀ/ *nm* musketeer; **bottes à la ~** highwayman's boots; **poignet ~** double cuff

mousqueton /muskətɔ̃/ *nm* **1** Tech snap clasp; **2** Sport (en alpinisme) carabiner; **3** Mil carbine

moussaillon○ /musajɔ̃/ *nm* ship's apprentice

moussaka /musaka/ *nf* moussaka

moussant, **~e** /musɑ̃, ɑ̃t/ *adj* [*gel*] foaming (*épith*); **non ~** [*savon, lessive*] low-lather; **ce savon est très ~** this soap gives a good lather

mousse /mus/
A *nm* Naut ship's apprentice
B *nf* **1** Bot moss; **2** (bulles) gén foam; (de savon, lessive) lather; (sur le lait, le café) froth; (sur la bière) head; **il y a de la ~ dans ta barbe** you've got foam in your beard; **il y a trop de ~ dans ma bière** my beer is too frothy; **3** Culin mousse; **~ au chocolat** chocolate mousse; **~ de saumon** salmon mousse; **~ de foie de canard** duck-liver mousse; **4** (matière) foam rubber; **matelas en ~** foam-rubber mattress; **5** Mode, Tex **bas/chaussettes en ~** stretch stockings/socks; **6** ○(verre de bière) glass of beer
(Composés) **~ carbonique** fire-fighting foam; **~ de Ceylan** Ceylon moss; **~ de Corse** worm moss; **~ d'Irlande** carrageen; **~ de nylon**® stretch nylon; **~ de platine** platinum sponge; **~ à raser** shaving foam
(Idiomes) **se faire de la ~**○ to get into a tizzy○ *ou* lather○; **pierre qui roule n'amasse pas ~** Prov a rolling stone gathers no moss Prov

mousseline /muslin/ *nf* **1** Tex (de coton) muslin; (de soie) chiffon; **2** Tech (en reliure) mull GB, crash US; **3** Culin mousse

mousser /muse/ [1] *vi* [*champagne*] to bubble; [*bière*] to foam; [*détergent, savon*] to lather; **faire ~** to work [sth] up into a lather [*savon, détergent*]
(Idiomes) **faire ~ qn**○ to praise sb; **se faire ~**○ to sing one's own praises

mousseron /musʀɔ̃/ *nm* St George's mushroom; **(faux) ~** fairy ring mushroom

mousseux, **-euse** /musø, øz/
A *adj* **1** (contenant des bulles) [*vin*] sparkling; [*bière*] fizzy; **2** (qui évoque la mousse) frothy; **des dentelles mousseuses** frothy lace
B *nm inv* Vin sparkling wine

mousson /musɔ̃/ *nf* monsoon; **~ d'hiver/été** winter/summer monsoon

moussu, **~e** /musy/ *adj* **1** Bot (couvert de mousse) [*sol, pierre, branche*] mossy; **2** (ressemblant à de la mousse) [*cheveux*] woolly

moustache /mustaʃ/
A *nf* moustache GB, mustache US; **porter la ~** *or* **des ~s** to wear *ou* have a moustache GB *ou* mustache US; **commencer à avoir de la ~** to start to get a moustache GB *ou* mustache US
B **moustaches** *nfpl* (de félin, phoque, rongeur) whiskers
(Composés) **~ en brosse** toothbrush moustache GB *ou* mustache US; **~ à la gauloise** walrus moustache GB *ou* mustache US; **~ en guidon de vélo**○ handlebar moustache GB *ou* mustache US

m

moustachu, **~e** /mustaʃy/
A *adj* [*personne*] with a moustache GB *ou* mustache (*épith, après n*) US; **il est ~** he has a moustache GB *ou* mustache US
B *nm* man with a moustache GB *ou* mustache US; **c'est un ~** he has a moustache GB *ou* mustache US

moustiquaire /mustikɛʀ/ *nf* (en tissu) mosquito net; (en métal) mosquito screen

moustique /mustik/ *nm* **1** Zool mosquito; **2** °(enfant) (little) mite°

moût* /mu/ *nm* (de raisin, pomme) must; (de houblon, d'orge) wort

moutard◐ /mutaʀ/ *nm* (enfant) kid°

moutarde /mutaʀd/
A ▸ p. 202 *adj inv* mustard
B *nf* Bot, Culin mustard; **~ forte** English mustard GB, hot mustard US; **~ de Dijon** Dijon mustard
(Composés) **~ blanche** white mustard; **~ sauvage** charlock
(Idiome) **la ~ me monte au nez°!** I'm beginning to see red!

moutardier /mutaʀdje/ *nm* (récipient) mustard pot
(Idiome) **il se prend pour le premier ~ du pape** he thinks he's the cat's whiskers

mouton /mutɔ̃/
A *nm* **1** Zool sheep; **compter les ~s** to count sheep; **2** Culin mutton; **côte de ~** mutton chop; **3** (peau) sheepskin; **veste en ~ retourné** sheepskin jacket; **4** pej (personne soumise) sheep péj; **5** °(dans une prison) grass° GB, stool pigeon
B moutons *nmpl* **1** (nuages) small fleecy clouds; **2** (petites vagues) white horses GB, whitecaps; **3** (poussière) fluff ₵
(Composés) **~ à cinq pattes** rare bird; **~ de Panurge** pej sheep; **ce sont des ~s de Panurge** they follow one another like sheep
(Idiome) **il frise comme un ~** his hair goes all frizzy; **frisé comme un ~** frizzy-haired; **revenons à nos ~s°** let's get back to the subject *ou* point

moutonnement /mutɔnmɑ̃/ *nm* **le ~ du ciel** the sky breaking up into fleecy clouds; **regarder le ~ des vagues** to watch the white horses break

moutonner /mutɔne/ [1] *vi* [*mer*] to be covered with white horses; [*ciel*] to be full of fleecy clouds

moutonneux, **-euse** /mutɔnø, øz/ *adj* [*toison*] curly, fluffy; [*chevelure*] frizzy; [*mer*] covered with white horses

moutonnier, **-ière** /mutɔnje, ɛʀ/ *adj* **1** [*élevage*] sheep (*épith*); **2** pej [*comportement*] sheeplike péj

mouture /mutyʀ/ *nf* **1** (produit moulu) grind; **mon moulin à café donne une excellente ~** my coffee grinder produces an excellent grind; **2** (processus) (pour céréales) milling; (pour café) grinding; **3** (version) version; **première ~** first version; **nouvelle ~** new version, rehash péj

mouvance /muvɑ̃s/ *nf* **1** (sphère d'influence) sphere of influence; **être dans la ~ d'un parti** to be generally affiliated with a party; **2** Hist (d'un fief) subinfeudation

mouvant, **~e** /muvɑ̃, ɑ̃t/ *adj* **1** lit (qui s'enfonce) [*sol*] unstable; **2** (qui bouge) [*groupe*] shifting; [*champ de blé*] undulating; **reflets ~s** shimmering reflections; **3** (qui évolue) [*situation, réalité, opinion*] changing; **électorat ~** floating voters (*pl*)

mouvement /muvmɑ̃/ *nm* **1** (geste) movement; **faire un ~** to move, to make a move; **il fit un ~ pour se dégager** he made a move to break away; **je ne peux pas faire un seul ~** I can't move at all; **tu es libre de tes ~s** you can come and go as you please; **~ de danse** dance movement; **~ de gymnastique** gymnastic exercise; **apprendre les ~s du crawl** to learn stroke for the front crawl; **avoir un ~ d'humeur** to show a flash of annoyance; ▸ **faux**
2 (déplacement) gén movement; Phys movement, motion; **le ~ des vagues** the movement of the waves; **~s sismiques** seismic movements; **~ de reflux** backward movement; **le ~ des bateaux à l'entrée du port** the movement of ships at the entrance to a port; **le ~ de personnel dans une entreprise** staff changes in a company; **~ de retraite** withdrawal; **accélérer le ~** to speed up; **ralentir le ~** to slow down; **se mettre en ~** to get moving; **~ ondulatoire** *or* **périodique** wave motion; **~ hélicoïdal/ascendant/absolu/fixe** helical/upward/absolute/relative motion; **~ perpétuel** perpetual motion; **le ~ d'un pendule** the movement *ou* swing of a pendulum; **la toupie décrit un ~ de rotation** the top describes a rotary motion; **mettre qch en ~, imprimer un ~ à qch** to set sth in motion
3 (animation) bustle; **il y a du ~ dans la rue** there's a lot of bustle in the street; **toute la maison était en ~** the whole household was bustling about *ou* bustling with activity; **une rue pleine de ~** a busy street; **suivre le ~** fig to follow the crowd
4 (élan) impulse, reaction; **mon premier ~ a été de me mettre en colère** my initial reaction *ou* my first impulse was to get angry; **dans un ~ de générosité** on a generous impulse; **un ~ de colère/pitié** a surge of anger/pity; **un ~ de panique** a panic reaction; **un bon ~** a kind *ou* nice gesture; **fais un bon ~, donne-moi 100 euros** do me a good turn and give me 100 euros; **agir de son propre ~** to act of one's own accord; **un ~ général de rejet** a generally hostile reaction; **un ~ de masse** a mass movement
5 (pour contester, revendiquer) action; **le ~ étudiant** the student protest movement; **~ de contestation** protest action; **~ de grève** strike, industrial action ₵; **~ de rébellion** rebel movement
6 (groupe) movement, group; **~ de jeunesse** youth movement; **~ de protection/défense de** movement for the protection/defence^GB of
7 (évolution) **le ~ des idées** the evolution of ideas; **être dans le ~** to move with the times; **vivre dans un milieu en ~** to live in a changing environment; **~ de décentralisation/démocratisation** trend toward(s) decentralization/democratization; **~ de création d'emploi** trend toward(s) job creation
8 Écon, Fin (fluctuation) fluctuation; (échange) transaction; (tendance) trend; **le ~ du marché** market fluctuations (*pl*); **~ de hausse/de baisse** upward/downward trend (de in); **un ~ de reprise** a movement toward(s) recovery; **~s financiers** financial transactions; **~ de capitaux** movement *ou* flow of capital; **~ d'un compte** turnover on an account; **~ de fonds** movement of funds
9 Littérat (de récit, poème) movement
10 Mus (partie d'une œuvre) movement
11 Mécan (de montre, d'horloge) movement; **~ d'horlogerie commandant un contact électrique** clockwork mechanism controlling an electrical contact

mouvementé, **~e** /muvmɑ̃te/ *adj* **1** [*vie, semaine*] eventful, hectic; [*réunion*] lively; [*récit, voyage*] eventful; **l'histoire ~e d'un pays** a country's turbulent history; **2** [*relief, terrain*] rough

mouvoir /muvwaʀ/ [43] fml
A *vtr* **1** (mettre en mouvement) [*personne*] to move; [*énergie, mécanisme*] to drive [*machine*]; **machine mue par l'électricité** machine driven by electricity; **2** (pousser) [*sentiment, désir, impulsion*] to drive; **il était mû par un désir puissant** he was driven by a powerful desire
B se mouvoir *vpr* [*personne, nuage, véhicule*] to move; **mes jambes ne peuvent plus se ~** I cannot move my legs any more

moxibustion /mɔksibystjɔ̃/ *nf* moxibustion

moyen, **-enne** /mwajɛ̃, ɛn/
A *adj* **1** (intermédiaire en dimension, poids) [*stature, taille, épaisseur, surface*] medium; [*ville, entreprise, légume*] medium-sized; [*fil*] of medium thickness; **ma chambre est de grandeur moyenne** my room is medium-sized; **de moyenne portée** medium-range; **de ~ calibre** of medium calibre^GB (*après n*); **le cours ~ d'un fleuve** Géog the middle reaches of a river
2 (passable) average (**en** in); **tes résultats sont assez ~s** your results are fairly average; **un élève très ~** a very average pupil; **'comment était le repas/l'hôtel?'—'~'** 'how was the meal/the hotel?'—'so-so'
3 (dans une hiérarchie) [*cadre, revenu*] middle; [*échelon*] intermediate; **les salaires ~s** (personnes) people on middle incomes
4 (ordinaire) [*citoyen, spectateur, utilisateur, lecteur*] average; **le Français ~** the average Frenchman
5 (après évaluation, calcul) [*nombre, taux, revenu, température*] average, mean
6 (de compromis) [*solution, position*] middle-of-the-road; **ils pratiquent des prix ~s** their prices are reasonable
7 Ling **voyelle moyenne** mid-vowel
B *nm* **1** (façon de procéder) means (*sg*) (**de faire** of doing), way (**de faire** of doing); **c'est le ~ le plus sûr/le moins coûteux** it's the most reliable/the least expensive means *ou* way; **c'est un ~ comme un autre** it's as good a way as any; **par tous les ~s** by every possible means; **par n'importe quel ~** by hook or by crook°; **empêcher qn de faire qch par tous les ~s** to stop sb from doing sth by fair means or foul; **consolider son autorité par tous les ~s** to use every possible means to consolidate one's authority; **tous les ~s sont bons** any means will do; **tous les ~s leur sont bons** they'll stop at nothing; **pour lui tous les ~s sont bons pour gagner de l'argent** there's nothing he wouldn't do to make money; **tous les ~s lui sont bons pour ne pas travailler** he'll/she'll do anything not to work; **employer les grands ~s** to resort to drastic measures
2 (d'action, expression, de production) means; (d'investigation, de paiement) method; **~ de communication** means of communication
3 (possibilité) way; **il y a ~ de faire** there's a way of doing; **il y a ~ de s'en sortir** there's a way out; **n'y avait-il pas ~ de faire autrement?** was there no other way to go about it?; **(il n'y a) pas ~ d'être tranquille ici** there's no peace around here; **(il n'y a) pas ~ de lui faire comprendre qu'il a tort** it's impossible to make him realize he's wrong; **lui faire admettre qu'il a tort? pas ~!** make him admit he's wrong? no chance!
4 Ling **complément de ~** adverbial phrase of means
C au moyen de *loc prép* (d'une action, d'un référendum) by means of; (d'un objet) by means of, by using
D par le moyen de *loc prép* by means of, through
E moyens *nmpl* **1** (ressources financières) means; **manquer de ~s** to lack the resources (**pour faire** to do); **faute de ~s** through lack of money; **vivre au-dessus de ses ~s** to live beyond one's means; **je n'ai pas les ~s de faire** I can't afford to do; **mes ~s ne me permettent pas de partir en vacances** I can't afford to take a vacation; **avoir de petits/grands ~s** not to be/to be very well off; **avoir les ~s°** to be well off
2 (soutien matériel) resources; **la ville a mis d'énormes ~s à notre disposition** the town put vast resources at our disposal; **je n'ai ni le temps ni les ~s de taper ce texte** I have neither the time nor the equipment to type this text; **se donner les ~s de son efficacité** to take the necessary steps to achieve efficiency; **donner à qn les ~s de faire** to give sb

the means to do; **j'ai dû y aller par mes propres ~s** I had to go (there) under my own steam○, I had to make my own way there; **se débrouiller par ses propres ~s** to manage on one's own
3 (compétences) ability; **cet élève a les ~s de réussir** this pupil has the ability to succeed *ou* do well; **il a de petits ~s** he has limited ability; **être au-dessus des ~s de qn** to be beyond sb's abilities *ou* capabilities; **être en possession de tous ses ~s** (intellectuellement) to be at the height of one's powers; (physiquement) to be at the peak of one's strength; **ne plus avoir tous ses ~s** to be no longer in full possession of one's faculties; **perdre ses ~s** to go to pieces
F moyenne *nf* 1 (norme) average; **être plus riche que la moyenne** to be better off than the average; **il est plus grand que la moyenne des hommes** he is taller than the average man; **être inférieur/supérieur à la moyenne** to be below/above (the) average; **être au-dessous/au-dessus de la moyenne** to be below/above average; **être dans la moyenne** to be average; **des résultats extrêmement faibles par rapport à la moyenne européenne** extremely poor results against *ou* compared to the European average
2 Scol (moitié de la note maximale) half marks GB, 50%; **j'ai eu tout juste la moyenne** (à un examen) I barely passed; (à un devoir) I just got half marks GB, I just got 50%
3 (après calcul) average; **la moyenne d'âge** the average age; **calculer une moyenne** to work out an average; **en moyenne** on average
4 (vitesse) average speed; **faire une moyenne de 30 km/h** to do an average speed of *ou* to average 30 kph
(Composés) **~ français** Ling Middle French; **~ de locomotion** = **~ de transport**; **~ métrage** Cin medium-length film; **~ de trésorerie** financial means; **~ de transport** means of transport GB *ou* transportation US; **moyenne arithmétique** Math arithmetic mean; **moyenne géométrique** Math geometric mean; **moyenne harmonique** Math harmonic mean; **Moyen Âge** Middle Ages (*pl*); **le bas/haut Moyen Âge** the late/early Middle Ages; **Moyen Empire** Middle Kingdom
(Idiomes) **la fin justifie les ~s** the end justifies the means; **qui veut la fin veut les ~s** Prov he who wills the end wills the means Prov

moyenâgeux, **-euse** /mwajɛnɑʒø, øz/ *adj* 1 Hist (médiéval) medieval; 2 péj (dépassé) [*idée, pratique*] antiquated, medieval

moyen-courrier, *pl* **~s** /mwajɛ̃kuʀje/ *nm* medium-haul airliner

moyennant /mwajɛnɑ̃/ *prép* for; **~ finances, vous pouvez changer de nom** for a fee *ou* a consideration, you can get your name changed; **je l'ai eu ~ finances** I paid for it; **il est sorti de prison ~ finances** he bought his way out of prison; **~ 20 euros par personne/un versement initial/rançon** for 20 euros a head/a down payment/a ransom; **~ abonnement** on payment of a subscription; **~ quelques modifications/un effort considérable** with a few adjustments/a tremendous effort; **~ quoi** (en conséquence de quoi) in view of which; (en échange de quoi) in return for which; **il va travailler samedi, ~ quoi il ne viendra pas lundi** he's going to work on Saturday, so he won't come on Monday

moyenne ▸ **moyen A, F**

moyennement /mwajɛnmɑ̃/ *adv* [*intelligent, riche, cultivé*] moderately; [*réussir, comprendre*] moderately well; [*apprécier*] to a certain extent

Moyen-Orient /mwajɛnɔʀjɑ̃/ ▸ **p. 721** *nprm* Middle East; **au ~** in the Middle East

moyeu, *pl* **~x** /mwajø/ *nm* Mécan hub; **~ d'embrayage/de roue** clutch/wheel hub

mozambicain, **-aine** /mɔzɑ̃bikɛ̃, ɛn/ ▸ **p. 561** *adj* Mozambican

Mozambicain, **-aine** /mɔzɑ̃bikɛ̃, ɛn/ ▸ **p. 561** *nm,f* Mozambican

Mozambique /mɔzɑ̃bik/ ▸ **p. 333** *nprm* Mozambique

MST /ɛmɛste/ *nf*: *abbr* ▸ **maladie**

mû*, **mue¹** ▸ **mouvoir**

mucilage /mysilaʒ/ *nm* mucilage

mucosité /mykozite/ *nf* mucus ¢

mucoviscidose /mykovisidoz/ ▸ **p. 283** *nf* cystic fibrosis

mucus /mykys/ *nm inv* mucus

mue² /my/ *nf* 1 Zool (renouvellement) (d'insecte) metamorphosis; (de serpent, lézard) sloughing of the skin; (d'oiseau, de mammifère) moulting[GB]; (de cerf) casting; 2 Zool (dépouille) (d'insecte, de serpent) slough, sloughed skin; (d'oiseau) shed feathers (*pl*); (de mammifère) shed fur; (de cerf) shed antlers (*pl*); 3 (de voix) breaking GB, changing US; **pendant sa ~ il n'osait plus chanter** while his voice was breaking GB *ou* changing US he didn't dare to sing; 4 fig (transformation) transformation

muer /mɥe/ [1]
A *vtr* liter to transform (**en** into)
B *vi* 1 Zool [*insecte*] to metamorphose; [*serpent, lézard*] to slough its skin; [*oiseau, mammifère*] to moult[GB]; [*cerf*] to cast its antlers; 2 [*voix*] to break GB, to change US; **adolescent qui mue** teenager whose voice is breaking GB *ou* changing US
C se muer *vpr* (être transformé) to be transformed (**en** into); (activement) to transform oneself (**en** into)

müesli /mysli/ *nm* muesli

muet, **-ette** /mɥɛ, ɛt/
A *adj* 1 Méd [*personne*] dumb; **sourd et ~** deaf and dumb, deaf-mute; 2 (qui refuse de parler) [*témoin, foule, presse, pouvoir*] silent (**sur, à propos de** on); **rester ~** to remain silent; **le rapport est ~ sur cette question** the report remains silent on this point; 3 (incapable de parler) speechless; **sous le choc, elle resta muette** the shock left her speechless; **~ de** (d'admiration, de terreur) speechless with; **rester ~ de** to be struck dumb with; 4 (inexprimé) [*reproche, douleur, serment, colère*] silent; 5 Cin [*cinéma, film*] silent; [*rôle*] non-speaking (*épith*); 6 Phon [*voyelle, consonne*] mute, silent; 7 (sans bruit) [*ville, cloche*] silent; 8 (sans inscription) [*carte de géographie, page*] blank; [*menu*] unpriced
B *nm,f* Méd mute; **les ~s** the dumb (+ *v pl*)
C *nm* Cin silent screen; **le passage du ~ au parlant** the transition from the silent screen to the talkies
D muette *nf* Hist **la grande muette** the army

muezzin* /mɥɛdzin/ *nm* muezzin

mufle /myfl/
A *adj* [*personne*] boorish, loutish
B *nm* 1 Zool (museau) (de ruminant) muffle; (de carnassier) muzzle; 2 (malotru) boor, lout; **comportement de ~** loutish behaviour[GB]

muflerie /myfləʀi/ *nf* boorishness

muflier /myflije/ *nm* antirrhinum

mufti /myfti/ *nm* Relig mufti

muge /myʒ/ *nm* grey GB *ou* gray US mullet

mugir /myʒiʀ/ [3] *vi* [*vache*] to low; [*taureau, bœuf*] to bellow; [*vent*] to howl, to roar; [*sirène*] to wail; [*vagues, mer, torrent*] to roar

mugissement /myʒismɑ̃/ *nm* 1 (de vache) lowing ¢; (de taureau, bœuf) bellowing ¢; **pousser des ~s** (vache) to moo; 2 (de vent) howling ¢, roaring ¢; (de sirène) wailing ¢; (de vagues) roar ¢

muguet /mygɛ/ *nm* 1 (fleur) lily of the valley; 2 ▸ **p. 283** (maladie) thrush

mulâtre /mylɑtʀ/ *adj, nm* mulatto

mulâtresse /mylɑtʀɛs/ *nf* mulatto

mule /myl/ *nf* 1 Zool female mule; 2 (pantoufle) mule; 3 (passeur de drogue) mule; **~ aveugle** unwitting drugs carrier

mulet /mylɛ/ *nm* 1 (équidé) (male) mule; 2 (poisson) grey mullet GB, mullet US; 3 Sport backup car

muletier, **-ière** /myltje, ɛʀ/
A *adj* **sentier** *or* **chemin ~** mule track
B ▸ **p. 532** *nm* muleteer, mule skinner○ US

Mulhouse /myluz/ ▸ **p. 894** *npr* Mulhouse

mulhousien, **-ienne** /myluzjɛ̃, ɛn/ ▸ **p. 894** *adj* of Mulhouse

Mulhousien, **-ienne** /myluzjɛ̃, ɛn/ *nm,f* (natif) native of Mulhouse; (habitant) inhabitant of Mulhouse

mulot /mylo/ *nm* 1 Zool fieldmouse; 2 ○ Ordinat mouse

multicarte /myltikaʀt/ *adj inv* **représentant ~** (sales) representative for several firms

multicellulaire /myltiselylɛʀ/ *adj* multicellular

multicolore /myltikɔlɔʀ/ *adj* multicoloured[GB]

multiconfessionnel, **-elle** /myltikɔ̃fɛsjɔnɛl/ *adj* multifaith

multicoque /myltikɔk/ *adj, nm* multihull

multicouche /myltikuʃ/ *adj* multi-layered

multiculturalisme /myltikyltyʀalism/ *nm* multiculturalism

multiculturel, **-elle** /myltikyltyʀɛl/ *adj* multicultural

multidimensionnel, **-elle** /myltidimɑ̃sjɔnɛl/ *adj* multidimensional

multiethnique /myltiɛtnik/ *adj* multiethnic

multiflore /myltiflɔʀ/ *adj* multiflora

multifonction /myltifɔ̃ksjɔ̃/ *adj inv* gén multipurpose; Ordinat multifunction

multiforme /myltifɔʀm/ *adj* [*aspect*] multiform; [*vie, danger*] many-sided; [*réalité*] multifaceted

multigestion /myltiʒɛstjɔ̃/ *nf* Fin multimanagement

multigrade /myltigʀad/ *adj* **huile ~** multigrade oil

multi-instrumentiste, *pl* **~s** /myltiɛ̃stʀymɑ̃tist/ *nmf* multi-instrumentalist

multilatéral, **~e**, *mpl* **-aux** /myltilateʀal, o/ *adj* multilateral

multilingue /myltilɛ̃g/ *adj* multilingual

multilinguisme /myltilɛ̃gɥism/ *nm* multilingualism

multimédia /myltimedja/ *adj* multimedia

multimilliardaire /myltimiljaʀdɛʀ/ *nmf* multimillionaire

multimillionnaire /myltimiljɔnɛʀ/ *nmf* multimillionaire

multinational, **~e**, *mpl* **-aux** /myltinasjɔnal, o/
A *adj* multinational
B multinationale *nf* multinational (company)

multipare /myltipaʀ/
A *adj* multiparous
B *nf* multipara

multipartisme /myltipaʀtism/ *nm* multiparty system

multipartite /myltipaʀtit/ *adj* 1 (multilatéral) [*réunion, traité*] multipartite; 2 (avec plusieurs partis) [*élections*] multi-party (*épith*)

multiple /myltipl/
A *adj* 1 (nombreux) [*raisons, occasions*] numerous, many; [*naissances*] multiple; **après de ~s spéculations/tergiversations** after much speculation/hesitation; **salle/appareil à usages ~s** multipurpose hall/appliance; **à choix ~** multiple-choice (*épith*); 2 (divers) [*buts, causes, facettes*] many, various; 3 Bot, Math, Phys multiple
B *nm* Art, Math multiple

multiplex /myltiplɛks/ Télécom
A *adj inv* multiplex
B *nm inv* multiplex system

multiplexe /myltiplɛks/ *nm* multiplex

multiplexeur /myltiplɛksœʀ/ *nm* Télécom multiplexer

multipliable /myltiplijabl/ *adj* multipliable

m

multiplicande /myltiplikɑ̃d/ *nm* multiplicand

multiplicateur, -trice /myltiplikatœʀ, tʀis/
A *adj* multiplying
B *nm* multiplier

multiplicatif, -ive /myltiplikatif, iv/ *adj* Ling, Math multiplying

multiplication /myltiplikasjɔ̃/ *nf* 1 (augmentation) **~ de** increase in the number of; **(le miracle de) la ~ des pains** the miracle of the loaves and fishes; 2 Math (processus) multiplication ₵; (opération) multiplication; **apprendre à faire des ~s** to learn to do multiplication; **il fait des ~s à longueur de journée** he does multiplications all day long; **faire une erreur de ~** to make a mistake in the multiplication; **ta ~ est fausse** your multiplication is wrong; 3 Mécan gear ratio; 4 Biol, Bot multiplication

multiplicité /myltiplisite/ *nf* multiplicity

multiplier /myltiplije/ [2]
A *vtr* 1 Math to multiply [*chiffre*] (**par** by); 2 (augmenter) to increase [*risques, chances, gains, rendement, fortune*]; to increase the number of [*trains, accidents*]; **~ les bénéfices par cinq/par cent** to increase profits fivefold/a hundredfold; **~ les risques d'accident par trois/dix** to make the risk of accident three/ten times more likely; 3 (faire en grand nombre) **~ les excuses/exemples** to give endless excuses/examples; **~ les visites/erreurs** to make endless visits/mistakes
B **se multiplier** *vpr* 1 (augmenter) [*succursales, villas*] to grow in number; [*incidents, arrestations*] to be on the increase; [*difficultés, obstacles*] to increase; [*contacts, disputes*] to become more frequent; 2 (se reproduire) [*animaux, microbes*] to multiply

multipolaire /myltipɔlɛʀ/ *adj* multipolar

multiprise /myltipʀiz/ *adj* **pince ~** adjustable pliers (*pl*)

multiprogrammation /myltipʀɔgʀamasjɔ̃/ *nf* Ordinat multiple programming

multipropriété /myltipʀɔpʀijete/ *nf* time-sharing; **acheter un appartement en ~** to buy a time-share in a flat GB *ou* apartment US

multiracial, ~e, *mpl* **-iaux** /myltiʀasjal, o/ *adj* multiracial

multirisque /myltiʀisk/ *adj* **assurance ~** comprehensive insurance; **(assurance) ~ habitation** comprehensive household insurance

multisalles /myltisal/
A *adj* multi-screen
B *nm inv* multi-screen cinema GB, multi-screen movie house US

multiséculaire /myltisekylɛʀ/ *adj* very ancient

multistandard /myltistɑ̃daʀ/ *adj inv* [*téléviseur, magnétoscope*] multistandard

multitâche /myltitɑʃ/ *adj* multitask (*épith*)

multithérapie /myltiteʀapi/ *nf* multitherapy, polytherapy

multitraitement /myltitʀɛtmɑ̃/ *nm* Ordinat multiprocessing

multitude /myltityd/ *nf* 1 (grand nombre) **une ~ de** (d'objets, de touristes) a mass of; (d'idées, de raisons) a lot of, many; 2 (foule de gens) multitude, throng

multivitaminé, ~e /myltivitamine/ *adj* multivitamin (*épith*)

mumuse○ /mymyz/ **faire ~** to play (**avec** with)

Munich /mynik/ ► **p. 894** *npr* Munich

munichois, ~e /mynikwa, az/
A ► **p. 894** *adj* [*personne*] from Munich; [*bière, spécialité*] Munich (*épith*)
B *nm* Hist péj *supporter of the policy of appeasement;* **les ~** *those who signed the Munich agreement*

municipal, ~e, *mpl* **-aux** /mynisipal, o/
A *adj* Admin [*conseil, conseiller*] (de petite ville) local, town (*épith*); (de grande ville) city (*épith*); [*impôt, élections, arrêté*] local; [*parc, piscine, bibliothèque*] municipal
B **municipales** *nfpl* local elections

municipalité /mynisipalite/ *nf* 1 (ville) municipality; 2 (conseil) (de petite ville) town council; (de grande ville) city council

munificence /mynifisɑ̃s/ *nf* munificence

munificent, ~e /mynifisɑ̃, ɑ̃t/ *adj* munificent

munir /myniʀ/ [3]
A *vtr* 1 to provide [*personne*] (**de** with); **~ les passagers de gilets de sauvetage** to provide passengers with lifejackets; **les enfants étaient munis de repas froids** the children had packed lunches; **muni des derniers sacrements** Relig fortified with the last rites; 2 (équiper) **~ un bâtiment d'un escalier de secours** to put a fire escape on a building; **~ une maison d'une chaudière supplémentaire** to put an extra boiler into a house; **appareil photo muni d'un flash** camera fitted with a flash; **porte munie d'un verrou** door with a bolt
B **se munir** *vpr* **il faut vous ~ de gants** (apporter) you should bring gloves; (emporter) you should take gloves; **manifestants munis de barres de fer** demonstrators carrying iron bars; **se ~ de patience** to summon up one's patience; **se ~ de courage** to pluck up one's courage

munitions /mynisjɔ̃/ *nfpl* ammunition ₵, munitions; **dépôt de ~** munitions depot

muqueux, -euse /mykø, øz/
A *adj* mucous
B **muqueuse** *nf* mucous membrane

mur /myʀ/
A *nm* 1 gén, Archit, Constr wall; **un ~ de pierre/de briques** a stone/brick wall; **il y avait des tableaux aux ~s** there were pictures (hanging) on the walls; **monter** *or* **élever un ~** to put up a wall; **~ mitoyen/de clôture/d'enceinte** party/boundary/outer wall; **les ~s de la ville** the city walls; **hors des ~s (de la ville)** lit outside the city walls, fig outside the city limits; **coller qn au ~** to put sb up against the wall and shoot him/her; **être le dos au ~** to have one's back to the wall; **rester** *or* **être entre quatre ~s** to be cooped up; **c'est à se taper** *or* **cogner la tête contre les ~s** you feel like banging your head against the wall○; **les ~s ont des oreilles** walls have ears; **faire du ~**○ (au tennis) to practise[GB] hitting a ball against the wall; **faire les pieds au ~** lit to do a handstand against the wall; fig to tie oneself up in knots; 2 (obstacle) wall; **se heurter à un ~ de silence** to come up against a wall of silence; 3 (personne froide) cold fish; **parler à un ~** to be talking to a brick wall
B **murs** *nmpl* (local) (d'entreprise) premises; (d'ambassade, de palais) confines; **le ministre est dans nos ~s aujourd'hui** the minister is with us today; **être dans ses ~s** to own one's own house

(Composés) **~ d'appui** (de soutènement) retaining wall; (parapet) parapet; **~ de l'Atlantique** Atlantic Wall; **~ de Berlin** Berlin wall; **~ portant** *or* **porteur** load-bearing wall; **~ du son** sound barrier; **franchir le ~ du son** to break the sound barrier; **~ de soutènement** retaining wall; **Mur des Lamentations** Wailing Wall

(Idiomes) **faire le ~** (s'échapper) to go over the wall; (au football) to make a wall; **mettre qn au pied du ~** to call sb's bluff; **être au pied du ~** to be up against the wall; **aller dans le ~** to be heading for disaster

mûr, ~e /myʀ/
A *adj* 1 [*fruit, blé*] ripe; 2 (intellectuellement) mature; **être ~ pour son âge** to be mature for one's age; **être ~ pour faire** to be mature enough to do; **après ~e réflexion** after careful consideration; 3 (psychologiquement) ready (**pour qch** for sth; **pour faire** to do); **il est ~ pour des aveux** he's ready to confess; **être ~ pour la démocratie/pour changer de régime** to be ready for democracy/to change regime; 4 (adulte) mature; **l'âge ~** middle age; **il a attendu l'âge ~ pour écrire** he only started writing in his later years; 5 [*affaire, situation*] at a decisive stage (*jamais épith*); 6 [*abcès, bouton*] **être ~** to have come to a head; 7 ○[*étoffe*] worn; 8 ◑(soûl) tight○
B **mûre*** *nf* (sauvage) blackberry; (du mûrier) mulberry

(Idiomes) **en voir des vertes et des pas ~es**○ to go through a lot *ou* through some hard times; **en faire voir à qn des vertes et des pas ~es**○ to put sb through hard times; **il en a dit des vertes et des pas ~es**○ (histoires osées) he told some dirty jokes; **il en a dit des vertes et des pas ~es à ton sujet**○ he said a lot of nasty things about you; **en entendre des vertes et des pas ~es**○ to hear some quite outrageous things

murage /myʀaʒ/ *nm* Archit, Constr (de fenêtre, porte) walling up

muraille /myʀɑj/ *nf* lit, fig great wall; **~ de rochers/brouillard/fumée** great wall of rocks/fog/smoke; **couleur (de) ~, gris ~** dirty grey GB *ou* gray US; **la Grande Muraille de Chine** the Great Wall of China

mural, ~e, *mpl* **-aux** /myʀal, o/ *adj* [*panneau, revêtement, carte*] wall (*épith*); [*plante*] climbing; [*four*] wall-mounted; **peinture ~e** Art mural

mûre ► **mûr**

mûrement* /myʀmɑ̃/ *adv* carefully; **~ réfléchi** [*décision, projet*] carefully thought through; **j'y ai ~ réfléchi** I thought it through very carefully

murène /myʀɛn/ *nf* moray eel

murer /myʀe/ [1]
A *vtr* to build a wall around [*champ, propriété*]; to brick up [*fenêtre, porte*]; to block off [*galerie, pièce*]; to wall [sb] up [*criminel, personne*]
B **se murer** *vpr* [*personne*] **depuis la mort de sa femme il se mure chez lui** since his wife died, he has shut himself away and stays in all the time; **se ~ dans son obstination** to dig one's heels in; **se ~ dans la solitude** to retreat into isolation

muret /myʀɛ/ *nm*, **murette** /myʀɛt/ *nf* low wall

murex /myʀɛks/ *nm inv* murex

mûrier* /myʀje/ *nm* mulberry tree

(Composés) **~ blanc** white mulberry tree; **~ noir** black mulberry tree

mûrir* /myʀiʀ/ [3]
A *vtr* 1 [*soleil*] to ripen [*fruit*]; 2 [*épreuve, temps*] to mature [*personne*]; 3 [*personne*] to develop [*projet*]
B *vi* 1 [*fruit*] to ripen; **~ au soleil** to ripen in the sun; **faire ~ des bananes** to ripen bananas; 2 [*personne*] to mature; 3 [*projet, idée*] to evolve, to mature; [*talent*] to mature; [*passion*] to develop; **laisser ~ une affaire** to leave a matter to develop; 4 [*abcès, bouton*] to come to a head; 5 [*vin*] to mature

mûrissage* /myʀisaʒ/ *nm* (de fruits) ripening

mûrissement* /myʀismɑ̃/ *nm* (de fruit) ripening; (de projet) evolution, maturing

mûrisserie* /myʀisʀi/ *nf* ripening store

murmure /myʀmyʀ/ *nm* 1 (chuchotement) murmur; **~ d'admiration/d'indignation** murmur of admiration/of protest; 2 (plainte sourde) **~s** mutterings; 3 liter (de vent) whisper; (de source) murmur, babbling; 4 (rumeur) rumour[GB]; **des ~s courent dans la ville** rumours[GB] are going around town

murmurer /myʀmyʀe/ [1]
A *vtr* 1 (chuchoter) to murmur; **~ qch à qn/à l'oreille de qn** to murmur sth to sb/into sb's ear; 2 (dire) to say; **on murmure qu'il est** he is rumoured[GB] to be; **on murmure que** it is rumoured[GB] that
B *vi* 1 (chuchoter) [*personne*] to murmur; [*vent*] to whisper; [*ruisseau, source*] to babble; 2 (se plaindre) to mutter; **obéir sans ~** to obey without a murmur; 3 (faire courir des bruits) to

ℹ Les instruments de musique

Les instruments

■ *L'anglais emploie l'article défini devant les noms d'instruments de musique, même avec le verbe* to play *(jouer).*

apprendre le piano
= to learn the piano

étudier le piano
= to study the piano

jouer du piano
= to play the piano

Les morceaux de musique

un arrangement pour piano
= an arrangement for piano *ou* a piano arrangement

une sonate pour violon
= a violin sonata

un concerto pour piano et orchestre
= a concerto for piano and orchestra

la partie pour piano
= the piano part

Les musiciens

■ *Le suffixe anglais* -ist *correspond au suffixe français* -iste.

un violoniste
= a violinist

un pianiste
= a pianist

■ *Dans les autres cas; on peut toujours dire* a X player.

un corniste
= a horn player

■ *De même,* an oboe player, a piccolo player, etc.

■ *En anglais comme en français, le nom de l'instrument est parfois utilisé pour parler des musiciens.*

les trombones
= the trombones

De avec les noms d'instruments de musique

un cours de violon
= a violin class

une leçon de violon
= a violin lesson

un professeur de violon
= a violin teacher

un solo de violon
= a violin solo

spread rumours[GB]; **on murmure à leur sujet** there are rumours[GB] about them

musaraigne /myzaʀɛɲ/ *nf* shrew

musarder /myzaʀde/ [1] *vi* to wander around

musc /mysk/ *nm* musk

muscade /myskad/ *nf* 1 Bot, Culin nutmeg; **noix ~** nutmeg; 2 (de prestidigitateur) (conjuror's) ball
(Idiome) **passez ~!** hey presto!

muscadet /myskadɛ/ *nm* (vin) Muscadet; (cépage) Muscadet grape

muscadier /myskadje/ *nm* nutmeg tree

muscardin /myskaʀdɛ̃/ *nm* (common) dormouse

muscari /myskaʀi/ *nm* grape hyacinth

muscat /myska/ *nm* 1 (raisin) muscat grape; 2 (vin) muscat

muscle /myskl/ *nm* Anat muscle; **~s striés/lisses** striated/smooth muscles; **c'est du ~**○ it's all muscle; **être tout en ~s**○ to be all muscle; **avoir du ~**○ to be strong; **faire du ~**○ to do bodybuilding

musclé, **~e** /myskle/ *adj* 1 lit muscular; 2 fig (vigoureux) [*style*] sinewy; [*musique, discours*] powerful; [*réaction*] strong; (dur) [*discours, intervention, politique, match*] tough; 3 Écon [*entreprise, économie, industrie*] competitive

muscler /myskle/ [1]
A *vtr* 1 lit **~ les bras/jambes** to develop the arm/leg muscles; **ça muscle** it develops the muscles; 2 fig to strengthen; **~ l'industrie** to make industry more competitive
B **se muscler** *vpr* 1 [*personne*] to develop one's muscles; 2 [*entreprise*] to become more competitive

musculaire /myskylɛʀ/ *adj* [*tissu, fibre*] muscle (*épith*); [*force, faiblesse*] muscular

musculation /myskylasjɔ̃/ *nf* Sport **(exercices de) ~** bodybuilding; (après une maladie) exercises to strengthen the muscles; **salle de ~** weights room

musculature /myskylatyʀ/ *nf* musculature; **avoir une ~ bien développée** to have well developed muscles

musculeux, **-euse** /myskylø, øz/ *adj* 1 [*bras, personne*] muscular; 2 Anat [*tissu*] muscle (*épith*)

musculo-squelettique /myskyloskelɛtik/ *adj* musculoskeletal

muse /myz/ *nf* 1 Littérat, Mythol Muse; **les neuf ~s** the Muses; **taquiner la ~** hum to dabble in verse; 2 (inspiration) muse

museau, *pl* **~x** /myzo/ *nm* 1 (de chien, bovin, d'ovin) muzzle; (de porc) snout; (de renard) nose; 2 ○(visage) face; **se frotter le ~** fig to kiss; 3 Culin brawn GB, head cheese US

musée /myze/ *nm* gén museum; (d'art et de peinture) art gallery GB, art museum US; **leur maison, c'est le ~ des horreurs**○ hum everything in their house is indescribably ugly; **une ville ~** a city of great historical and artistic importance
(Composés) **~ de cire** waxworks (+ *v sg ou pl*), wax museum; **~ national** national museum

> **Musée national**
>
> A museum directly under the control of the *ministre de la Culture*, for example the *Louvre* or *Musée d'Orsay* in Paris. These museums are generally closed on Tuesdays.

museler /myzəle/ [19] *vtr* lit, fig to muzzle

muselière /myzəljɛʀ/ *nf* muzzle; **mettre une ~ à un chien** to muzzle a dog

musellement* /myzɛlmɑ̃/ *nm* lit, fig muzzling

muséographie /myzeogʀafi/ *nf* museography

muséologie /myzeolɔʒi/ *nf* museology

muser /myze/ [1] *vi†* to wander around

musette /myzɛt/
A *nm ou f* Mus (air, instrument) musette; **orchestre ~** accordion band; **valse ~** waltz (to the accordion)
B *nm* 1 Mus (style) accordion music; 2 (bal) dance (*where accordion music is played*)
C *nf* 1 (sac) (de soldat) haversack; (d'ouvrier) lunchbag; 2 Zool common shrew

muséum /myzeɔm/ *nm* natural history museum

musical, **~e**, *mpl* **-aux** /myzikal, o/ *adj* [*événement*] musical; [*revue, critique*] music (*épith*); [*choix*] of music (*épith, après n*)

musicalement /myzikalmɑ̃/ *adv* musically

musicalité /myzikalite/ *nf* musicality

music-hall, *pl* **~s** *nm* /mysikol/ music hall; **artiste de ~** music hall *ou* variety artist; **spectacle de ~** variety show

musicien, **-ienne** /myzisjɛ̃, ɛn/
A *adj* musical
B ► p. 532 *nm,f* musician

musicographe /myzikɔgʀaf/ ► p. 532 *nmf* musicographer

musicographie /myzikɔgʀafi/ *nf* musicography

musicologie /myzikɔlɔʒi/ *nf* musicology

musicologue /myzikɔlɔg/ ► p. 532 *nmf* musicologist

musique /myzik/ *nf* 1 (art, notes) music; **la ~ classique/sacrée/folklorique** classical/sacred/folk music; **la ~ de film** film music; **la ~ de Bach** the music of Bach, Bach's music; **dîner en ~** to dine with soft music playing; **travailler en ~** to work with music in the background; **faire de la gymnastique en ~** to do exercises to music; **mettre en ~** to set [sth] to music [*poème, texte*]; **faire de la ~** (savoir jouer) to play an instrument; (jouer) to play; ► **adoucir**; 2 (œuvre) **une ~ triste** a sad piece of music; **une ~ pour piano** a piece of piano music; **une ~ de film** a film score; **sur une ~ de** with music by; 3 (orchestre) band; 4 (de source, mot, vent) music
(Composés) **~ d'ambiance** gén background music; péj piped music, Muzak®; **~ de chambre** chamber music; **~ de fond** background music
(Idiomes) **c'est toujours la même ~**○ it's always the same old refrain *ou* story; **connaître la ~**○ to know the score○; **je ne peux pas aller plus vite que la ~** I can't go any faster than I'm already going; **en avant la ~**○**!** off we go!; **être réglé comme du papier à ~** [*personne*] to be as regular as clockwork; [*voyage, congrès, projet*] to go very smoothly

musiquette○ /myzikɛt/ *nf* Mus bland music

musoir /myzwaʀ/ *nm* pierhead

musqué, **~e** /myske/ *adj* 1 [*parfum*] musky; [*cheveux*] musk-scented; 2 Zool **bœuf ~** musk ox; **rat ~** muskrat

mussipontain, **~e** /mysipɔ̃tɛ̃, ɛn/ ► p. 894 *adj* of Pont-à-Mousson

Mussipontain, **~e** /mysipɔ̃tɛ̃, ɛn/ *nm,f* (natif) native of Pont-à-Mousson; (habitant) inhabitant of Pont-à-Mousson

must○ /mœst/ *nm* must○, must-have○

musulman, **~e** /myzylmɑ̃, an/ *adj, nm,f* Muslim

mutabilité /mytabilite/ *nf* mutability

mutant, **~e** /mytɑ̃, ɑ̃t/ *adj, nm,f* Biol, fig mutant

mutation /mytasjɔ̃/ *nf* 1 Admin, Jur transfer; 2 (transformation) transformation; **en pleine ~** in the process of radical transformation; **une profonde ~** a total transformation; 3 Biol, Ling, Mus mutation
(Composé) **~ génétique** Biol genetic mutation

muter /myte/ [1]
A *vtr* 1 Admin to transfer [*fonctionnaire*]; 2 Vin to stop the fermentation of [*moût*]
B *vi* Biol to mutate

m

mutilateur, -trice /mytilatœʀ, tʀis/ *adj* [*arme*] mutilating
mutilation /mytilasjɔ̃/ *nf* (d'arbre, de membre, texte) mutilation; (de paysage) disfigurement
(Composé) ~ **volontaire** Mil self-inflicted injury
mutilé, ~e /mytile/ *nm,f* disabled person
(Composés) ~ **de guerre** disabled war veteran; ~ **du travail** *person disabled through an accident at work*
mutiler /mytile/ [1]
A *vtr* to mutilate [*être vivant, corps, tableau, texte*]; to disfigure [*paysage*]
B se mutiler *vpr* to inflict an injury on oneself
mutin, ~e /mytɛ̃, in/
A *adj* mischievous
B *nm* (soldat, marin) mutineer; (prisonnier) rioter
mutiné, ~e /mytine/
A *pp* ▸ **mutiner**
B *pp adj* mutinous
C *nm,f* (soldat, marin) mutineer; (prisonnier) rioter
mutiner: **se mutiner** /mytine/ [1] *vpr* [*marins, soldats*] to mutiny; [*prisonniers*] to riot
mutinerie /mytinʀi/ *nf* (de marins, soldats) mutiny; (de prisonniers) riot
mutisme /mytism/ *nm* **1** (silence) silence; **s'enfermer dans un ~ complet** to withdraw into total silence; **2** Psych mutism
mutité /mytite/ *nf* muteness, dumbness
mutualiser /mytɥalize/ [1] *vtr* to mutualize
mutualisme /mytɥalism/ *nm* mutualism
mutualiste /mytɥalist/
A *adj* mutualist
B *nmf* member of a mutual insurance company
mutualité /mytɥalite/ *nf* **1** (système) mutual insurance system; **2** (organisme) mutual insurance company
mutuel, -elle /mytɥɛl/
A *adj* mutual
B mutuelle *nf* mutual insurance company
mutuellement /mytɥɛlmɑ̃/ *adv* mutually; **s'aider ~** to help each other
myalgie /mjalʒi/ *nf* myalgia
myalgique /mjalʒik/ *adj* ▸ **encéphalomyélite**
myasthénie /mjasteni/ *nf* myasthenia
mycélium /miseljɔm/ *nm* mycelium
Mycènes /misɛn/ ▸ **p. 894** *npr* Mycenae
mycénien, -ienne /misenjɛ̃, ɛn/
A ▸ **p. 894** *adj* Mycenaean
B *nm* Ling Mycenaean
mycologie /mikɔlɔʒi/ *nf* mycology
mycologique /mikɔlɔʒik/ *adj* mycological
mycologue /mikɔlɔg/ ▸ **p. 532** *nmf* mycologist
mycoplasme /mikoplasm/ *nm* mycoplasma
mycose /mikoz/ ▸ **p. 283** *nf* mycosis
(Composés) ~ **du pied** athlete's foot; ~ **vaginale** thrush
myéline /mjelin/ *nf* myelin
myélite /mjelit/ ▸ **p. 283** *nf* myelitis
myélographie /mjelogʀafi/ *nf* myelography
myélopathie /mjelopati/ *nf* myelopathy
mygale /migal/ *nf* tarantula
myocarde /mjɔkaʀd/ *nm* myocardium
myocardiopathie /mjɔkaʀdjopati/ *nf* myocardiopathy
myocardite /mjɔkaʀdit/ *nf* myocarditis
myographie /mjɔgʀafi/ *nf* myography
myopathe /mjɔpat/ *nmf* myopathy patient
myopathie /mjɔpati/ ▸ **p. 283** *nf* myopathy
myope /mjɔp/
A *adj* short-sighted, myopic spéc
B *nmf* short-sighted person
(Idiome) ~ **comme une taupe** as blind as a bat
myopie /mjɔpi/ *nf* **1** lit short-sightedness, myopia spéc; **avoir une légère/forte ~** to be slightly/very short-sighted; **2** fig short-sightedness
myosotis /mjɔzɔtis/ *nm inv* forget-me-not
myriade /miʀjad/ *nf* liter myriad (**de** of)
myriapode /miʀjapɔd/ *nm* myriapod
myrmidon /miʀmidɔ̃/ *nm* liter pipsqueak○
myrrhe /miʀ/ *nf* myrrh
myrte /miʀt/ *nm* myrtle
myrtille /miʀtij/ *nf* bilberry, blueberry
mystère /mistɛʀ/ *nm* **1** (énigme) mystery; **ça n'a plus de ~ pour lui** it's no longer a mystery to him; **auteur/diplomate ~** mysterious author/diplomat; **'combien gagne-t-il?'—'~ (et boule de gomme○)!'** 'how much does he earn?'–'nobody knows'; **2** (fait de cacher) secrecy; **entourer qch de ~** to surround sth in secrecy; **je n'en fais pas ~** I make no secret of it; **il n'est un ~ pour personne que** it's an open secret that; **3** Relig mystery; Littérat Mystery play; **4** Antiq (rite) rite; **5** Culin ice cream (*covered with meringue and praliné*)
mystérieusement /misteʀjøzmɑ̃/ *adv* mysteriously
mystérieux, -ieuse /misteʀjø, øz/ *adj* **1** (inexplicable, étrange) [*maladie, disparition, personnage*] mysterious; **2** (qui fait des mystères) mysterious, secretive; **faire le ~** to assume an air of mystery
mysticisme /mistisism/ *nm* mysticism
mystificateur, -trice /mistifikatœʀ, tʀis/
A *adj* [*personne*] who likes playing tricks; [*lettre, coup de fil*] hoax (*épith*); [*attitude*] intended to dupe (*après n*); **faire qch dans un esprit ~** to do sth for a hoax, to do sth to trick people
B *nm,f* hoaxer
mystification /mistifikasjɔ̃/ *nf* **1** (canular) hoax; **2** (illusion) myth
mystifier /mistifje/ [2] *vtr* to hoodwink [*individu*]; to fool, to dupe [*peuple*]
mystique /mistik/
A *adj* mystical
B *nmf* mystic
C *nf* **1** (doctrine) mysticism; **2** (mystère) mystique; **3** (passion) blind belief (**de** in); **avoir la ~ révolutionnaire** to have a blind belief in revolution
mystiquement /mistikmɑ̃/ *adv* mystically
mythe /mit/ *nm* gén myth; **le ~ d'Orphée** the myth of Orpheus; **le ~ de l'alcool qui fortifie** the myth that alcohol fortifies
mythique /mitik/ *adj* mythical
mythologie /mitɔlɔʒi/ *nf* mythology
mythologique /mitɔlɔʒik/ *adj* mythological
mythomane /mitɔman/
A *adj* mythomaniac; **être un peu ~** to tend to embroider the facts
B *nmf* mythomaniac
mythomanie /mitɔmani/ *nf* mythomania
myxomatose /miksɔmatoz/ *nf* myxomatosis

Nn

n, N /ɛn/
A *nm inv* 1 n, N; 2 **nº** (*written abbr* = **numéro**) no
B N *nf* Transp (*abbr* = **nationale**) **sur la N7** on the N7

n' ▸ **ne**

na /na/ *excl* baby talk so there!

nabab /nabab/ *nm* 1 (homme riche) mogul; 2 (en Inde) nabob

nabot, **~e** /nabo, ɔt/ *nm,f* offensive dwarf injur

Nabuchodonosor /nabykɔdɔnɔzɔʀ/ *npr* Nebuchadnezzar

nacelle /nasɛl/ *nf* 1 (de ballon) gondola; 2 (de landau) carrycot GB, carrier US; 3 (d'ouvrier) cradle

nacre /nakʀ/ *nf* mother-of-pearl; **de ~** [*bouton*] mother-of-pearl; [*teint, peau*] pearly

nacré, **~e** /nakʀe/ *adj* [*vernis à ongles, peau, reflet*] pearly

nacrer /nakʀe/ [1] *vtr* 1 Tech to make [sth] pearly [*substance, surface*]; 2 (iriser) to cast a pearly sheen over

nadir /nadiʀ/ *nm* nadir

nævus, *pl* **nævi*** /nevys, nevi/ *nm* naevus

nage /naʒ/ *nf* 1 (natation) swimming; **200/400 mètres quatre ~s** Sport 200/400 metres[GB] medley; **regagner la rive à la ~** to swim back to shore; **traverser un fleuve à la ~** to swim across a river; **s'enfuir à la ~** to escape by swimming away; 2 (sueur) **être en ~** to be in a sweat; **arriver en ~** to arrive dripping with sweat; **mettre qn en ~** to bring sb out in a sweat; 3 Naut rowing; 4 Culin **à la ~** [*homard, écrevisse*] à la nage, cooked in an aromatic court-bouillon
(Composés) **~ sur le dos** backstroke; **~ indienne** sidestroke; **~ libre** Sport freestyle

nageoire /naʒwaʀ/ *nf* 1 (de poisson) fin; **~ anale/dorsale** anal/dorsal fin; **~s pectorales/pelviennes** pectoral/pelvic fins; 2 (de mammifère, reptile, d'oiseau) flipper

nager /naʒe/ [13]
A *vtr* to swim; **~ le cent mètres** to swim the hundred metres[GB]; **~ le crawl** to do the crawl
B *vi* 1 (dans l'eau) [*poisson, personne*] to swim; **~ sur le dos** to swim on one's back; **~ bien/mal** to be a good/bad swimmer; **les tomates nagent dans l'huile** the tomatoes are swimming in oil; 2 fig **~ dans le bonheur** to bask in contentment; **~ dans l'opulence** to live a life of luxury; **~ dans ses vêtements** to be lost in one's clothes; **elle nage dans sa robe** her dress is far too big for her; 3 ○(mal comprendre) to be absolutely lost; **je nage complètement en algèbre** I'm absolutely lost in algebra; 4 Naut to row
(Idiomes) **~ comme un poisson** to swim like a fish; **~ à contre-courant** fig to swim against the tide; **~ entre deux eaux** to run with the hare and hunt with the hounds

nageur, **-euse** /naʒœʀ, øz/ *nm,f* 1 Sport swimmer; 2 (rameur) oarsman/oarswoman
(Composé) **~ de combat** Mil Naut frogman

naguère /nagɛʀ/ *adv* 1 (récemment) quite recently; 2 (autrefois) controv formerly

naïade /najad/ *nf* naiad

naïf, **naïve** /naif, iv/
A *adj* 1 (sans artifice) [*personne*] artless; [*foi*] simple; (crédule) [*réponse, foi*] naïve; [*personne*] naïve, gullible; 2 Art naïve
B *nm,f* innocent, gullible fool péj
C *nm* (peintre) naïve painter

nain, **~e** /nɛ̃, nɛn/
A *adj* [*arbre, étoile*] dwarf (*épith*); [*lapin, chien*] miniature
B *nm,f* (personne) dwarf
C naine *nf* Astron (étoile) dwarf
(Composés) **~ de jardin** garden gnome; **le ~ jaune** Jeux pope Joan; **~e blanche** Astron white dwarf

Nairobi /nɛʀobi/ ▸ **p. 894** *npr* Nairobi

naissain /nɛsɛ̃/ *nm* spat

naissance /nɛsɑ̃s/ *nf* 1 (début de la vie) birth; **~ prématurée** premature birth; **date et lieu de ~** date and place of birth; **italien de ~** Italian by birth; **sourd/paralysé de ~** deaf/paralysed[GB] from birth; **c'est de ~ chez lui** he was born like that; **donner ~ à** to give birth to; **à ma/ta ~** when I was/you were born; **dès leur ~ on les pèse** as soon as they are born they're weighed; 2 (enfant qui naît) birth; **16% des ~s** 16% of births; 3 (début) (d'œuvre, de mouvement, courant, sentiment) birth; (de produit) first appearance; (de télévision, technologie) birth; (de rumeur) start; **le mouvement a pris ~ dans le milieu ouvrier** the movement sprang up in the working classes; **l'idée a donné ~ à de multiples œuvres** the idea gave rise to many works; 4 (base) **il a une cicatrice à la ~ du cou** he has a scar at the base of his neck

naissant, **~e** /nɛsɑ̃, ɑ̃t/ *adj* [*barbe, art, pays*] new; [*seins*] budding (*épith*); [*sentiment, succès*] growing

naître* /nɛtʀ/ [74] *vi* 1 (venir au monde) [*personne, animal*] to be born; **elle est née le 5 juin 92** she was born on 5 June 92; **le bébé doit ~ à la fin du mois** the baby is due at the end of the month; **elle vient de ~** she's only just been born; **les bébés qui viennent de ~** newborn babies; **l'enfant à ~** the unborn baby *ou* child; **voir qn ~** lit to see sb being born; **je l'ai vu ~** fig I have known him since he was born; **être né sourd/cardiaque** to be born deaf/with a heart condition; **être né paresseux/fatigué** to be born lazy/tired; **tous les hommes naissent libres** all men are born free; **être né de père italien/inconnu** to be born of an Italian/unknown father; **être né dans une famille de cinq enfants** to be born into a family of five children; **être né pour faire** to be born to do; **il est né pour enseigner/gouverner** he was born to teach/govern; **être né sous le signe du Lion** to be born under the sign of Leo; **Madame Masson née Roux** Mrs Masson née Roux; **il naît environ six enfants par nuit** about six children are born every night; **il n'est pas encore né celui qui me fera changer d'avis** hum there isn't a person living who could make me change my mind; 2 (commencer d'exister) [*mouvement, projet*] to be born; [*entreprise*] to come into existence; [*amour, amitié*] to spring up; [*jour*] to break; [*soupçon, doute*] to arise; **~ de** to arise out of [*fusion, désir*]; **faire ~** to give rise to [*espoir, jalousie, conflit, sourire*]; **voir ~** to see the birth of [*conflit, désenchantement, journal*]; 3 (commencer à s'intéresser) liter **~ à** to awaken to [*art, religion*]; ▸ **étoile, pluie**

naïve ▸ **naïf A, B**

naïvement /naivmɑ̃/ *adv* gén naively; (sans artifice) artlessly

naïveté /naivte/ *nf* gén naivety; (naturel) artlessness; **avoir la ~ de croire que...** to be naïve enough to believe that...; **il y a quelque ~ à penser que...** it's rather naïve to think that...

naja /naʒa/ *nm* cobra

Namibie /namibi/ ▸ **p. 333** *nprf* Namibia

namibien, **-ienne** /namibjɛ̃, ɛn/ ▸ **p. 561** *adj* Namibian

Namibien, **-ienne** /namibjɛ̃, ɛn/ ▸ **p. 561** *nm,f* Namibian

Namur /namyʀ/ ▸ **p. 894, p. 721** *npr* Namur; **la province de ~** Namur (province)

nana○ /nana/ *nf* girl, bird○ GB, chick○ US; **une chouette/super ~** a great/gorgeous girl; **sa ~** his woman○

nanan† /nanɑ̃/ *nm* **c'est du ~!** (délicieux) it's lovely!; (facile) it's a piece of cake!

nancéien, **-ienne** /nɑ̃sejɛ̃, ɛn/ ▸ **p. 894** *adj* of Nancy

Nancéien, **-ienne** /nɑ̃sejɛ̃, ɛn/ ▸ **p. 894** *nm,f* (natif) native of Nancy; (habitant) inhabitant of Nancy

Nancy /nɑ̃si/ ▸ **p. 894** *npr* Nancy

nandrolone /nɑ̃dʀɔlɔn/ *nf* nandrolone

nanisme /nanism/ *nm* dwarfism, nanism spéc

nankin /nɑ̃kɛ̃/
A ▸ **p. 202** *adj inv* light yellow
B *nm* (tissu) nankeen

Nankin /nɑ̃kɛ̃/ ▸ **p. 894** *npr* Nanking

nanomètre /nanɔmɛtʀ/ *nm* nanometre[GB]

nanoseconde /nanɔs(ə)gɔ̃d/ *nf* nanosecond

nanotechnologie /nanɔtɛknɔlɔʒi/ *nf* nanotechnology

nantais, **~e** /nɑ̃tɛ, ɛz/ ▸ **p. 894** *adj* of Nantes

Nantais, **~e** /nɑ̃tɛ, ɛz/ ▸ **p. 894** *nm,f* (natif) native of Nantes; (habitant) inhabitant of Nantes

Nantes /nɑ̃t/ ▸ **p. 894** *npr* Nantes

nanti, **~e** /nɑ̃ti/
A *adj* 1 (riche) well-off; 2 Jur [*créancier*] secured
B *nmpl* **les ~s** pej the well-off, the well-heeled○ (+ *v pl*)

nantir /nɑ̃tiʀ/ [3]
A *vtr* 1 liter (pourvoir) **~ qn de** to provide sb with [*objet*]; to award [sth] to sb [*titre, pouvoirs*]; 2 Jur to secure [*emprunt*]; to give [sb] security [*créancier*]; to pledge [*bien, valeurs*]
B se nantir *vpr* liter (se munir de) **se ~ de** to provide oneself with [*certificat, autorisation*]; to equip oneself with [*parapluie*]; **bien nanti contre la pluie** hum well protected against the rain

nantissement /nɑ̃tismɑ̃/ *nm* Jur 1 (action) pledging (**sur** of); 2 (contrat) deed of security for debt, pledge agreement; [3] (gage) collateral (security); **prêter sur ~** to lend GB *ou* loan US on collateral; **déposé** *or* **remis en ~** lodged as security *ou* collateral

napalm /napalm/ *nm* napalm; **bombe/bombardement au ~** napalm bomb/bombing

naphtaline /naftalin/ *nf* Chimie naphthalene; Comm mothballs (*pl*); **boule de ~** mothball

naphte /naft/ *nm* naphta

napoléon /napɔleɔ̃/ *nm* (pièce) napoleon

Napoléon /napɔleɔ̃/ *npr* Napoleon

napoléonien, -ienne /napɔleɔnjɛ̃, ɛn/ *adj* Napoleonic

napolitain, ~e /napɔlitɛ̃, ɛn/
A ▸ **p. 894** *adj* Neapolitan
B ▸ **p. 483** *nm* Ling the Neapolitan dialect

Napolitain, -e /napɔlitɛ̃, ɛn/ *nm,f* Neapolitan

nappage /napaʒ/ *nm* [1] (en pâtisserie) fruit glaze; [2] (action) (avec de la confiture) glazing; (avec du chocolat, de la sauce) coating

nappe /nap/ *nf* [1] (de table) tablecloth; **mets la ~** put the tablecloth on; [2] (couche) (de pétrole, gaz, d'huile) layer; (d'eau) sheet; Culin layer; **~ (d'eau) captive/libre** confined/unconfined *ou* free groundwater; **~ de mazout** oil slick; **~ de feu** sheet of flames; **~ de brouillard** (en mer) fog bank; (sur terre) layer of fog; **des ~s de brouillard** fog patches

(Composés) **~ d'autel** Relig altar cloth; **~ de charriage** Géol nappe

napper /nape/ [1] *vtr* Culin (avec de la sauce, du chocolat) to coat (**de** with); (avec de la confiture) to glaze

napperon /napʀɔ̃/ *nm* (pour couvert) place mat; (pour vase, lampe) mat

narbonnais, ~e /naʀbɔnɛ, ɛz/ ▸ **p. 894** *adj* of Narbonne

Narbonnais, ~e /naʀbɔnɛ, ɛz/ ▸ **p. 894** *nm,f* (natif) native of Narbonne; (inhabitant) inhabitant of Narbonne

Narbonne /naʀbɔn/ ▸ **p. 894** *npr* Narbonne

narcisse /naʀsis/ *nm* [1] (fleur) narcissus; [2] pej (vaniteux) narcissist

Narcisse /naʀsis/ *npr* Narcissus

narcissique /naʀsisik/ *adj* narcissistic

narcissisme /naʀsisism/ *nm* narcissism

narco-dollars /naʀkodɔlaʀ/ *nmpl* drug money

narcolepsie /naʀkɔlɛpsi/ *nf* narcolepsy

narcose /naʀkoz/ *nf* narcosis

narco-terroriste, *pl* **~s** /naʀkoteʀɔʀist/ *nmf* terrorist (*involved in or financed by drug trafficking*)

narcotique /naʀkɔtik/ *adj, nm* narcotic

narcotrafic /naʀkotʀafik/ *nmf* drugs trafficking

narco(-)trafiquant, ~e, *mpl* **~s** /naʀkotʀafikɑ̃, ɑ̃t/ *nm,f* gén drug trafficker; (à grande échelle) drug baron

narghilé /naʀgile/ *nm* hookah

narguer /naʀge/ [1] *vtr* to taunt [*personne*]; to flout [*autorité, tradition, danger*]

narguilé /naʀgile/ *nm* hookah

narine /naʀin/ *nf* nostril

narquois, ~e /naʀkwa, az/ *adj* mocking

narquoisement /naʀkwazmɑ̃/ *adv* mockingly

narrateur, -trice /naʀatœʀ, tʀis/ *nm,f* narrator

narratif, -ive /naʀatif, iv/ *adj* narrative

narration /naʀasjɔ̃/ *nf* [1] (action de raconter) narration; [2] (récit) narration, account; **interrompre sa ~** to break off one's account; [3] (en rhétorique) narration

narrer /naʀe/ [1] *vtr* liter to relate; **~ qch par le menu** to relate sth in minute detail

narthex /naʀtɛks/ *nm inv* narthex

narval /naʀval/ *nm* narwhal

nasal, ~e, *mpl* **-aux** /nazal, o/
A *adj* [1] Méd [*cloison, déformation, obstruction*] nasal; [*hémorragie, goutte*] nose; [2] Phon [*voyelle, son, voix*] nasal
B **nasale** *nf* Phon nasal

nasalisation /nazalizasjɔ̃/ *nf* Phon nasalization

nasaliser /nazalize/ [1] *vtr* Phon to nasalize

nasalité /nazalite/ *nf* Phon nasality

nase◐ /nɑz/
A *adj* [1] (fatigué) [*personne*] shattered○; [2] (en mauvais état) [*personne, objet*] useless; **mon stylo est complètement ~** my pen has had it○
B *nm* (nez) conk○, nose

naseau, *pl* **~x** /nazo/ *nm* (de cheval, vache) nostril

nasillard, ~e /nazijaʀ, aʀd/ *adj* [*voix*] nasal; [*instrument*] tinny

nasillement /nazijmɑ̃/ *nm* [1] (manière de parler) nasal twang; [2] (de radio, d'instrument) tinny sound; [3] Méd (défaut phonatoire) nasal tone; [4] (de canard) quack

nasiller /nazije/ [1] *vi* [1] [*personne*] to speak with a nasal voice; [*voix*] to have a nasal quality; [*appareil, instrument*] to make a tinny sound; [2] [*canard*] to quack

nasse /nas/ *nf* [1] Pêche keepnet; [2] fig net

natal, ~e, *mpl* **~s** /natal/ *adj* [*pays, village, terre, langue*] native

Natal /natal/ ▸ **p. 721** *nprm* Natal

nataliste /natalist/
A *adj* [*politique, propagande*] pro-birth (*épith*), designed to increase the birthrate (*après n*)
B *nmf* advocate of a higher birthrate

natalité /natalite/ *nf* birthrate; **taux de ~** birthrate

natation /natasjɔ̃/ ▸ **p. 469** *nf* swimming; **leçon de ~** swimming lesson; **concours de ~** swimming competition GB, swim meet US

natatoire /natatwaʀ/ *adj* **vessie ~** Zool air bladder

natif, -ive /natif, iv/
A *adj* (né) **~ de** native of
B *nm,f* native (**de** of)

nation /nasjɔ̃/ *nf* nation

(Composé) **les Nations unies** the United Nations

national, ~e, *mpl* **-aux** /nasjɔnal, o/
A *adj* (tous contextes) national
B **nationale** *nf* trunk road GB, ≈ A road GB, highway US
C **nationaux** *nmpl* nationals; **nationaux autrichiens/danois** Austrian/Danish nationals

nationalement /nasjɔnalmɑ̃/ *adv* nationally

nationalisable /nasjɔnalizabl/ *nf* Fin *company that could be nationalized in the near future*

nationalisation /nasjɔnalizasjɔ̃/ *nf* nationalization

nationaliser /nasjɔnalize/ [1] *vtr* to nationalize

nationalisme /nasjɔnalism/ *nm* nationalism

nationaliste /nasjɔnalist/ *adj, nmf* nationalist

nationalité /nasjɔnalite/ *nf* nationality; **~ d'origine** original nationality; **acquérir la ~ canadienne** to acquire Canadian citizenship

national-socialisme /nasjɔnalsɔsjalism/ *nm* National Socialism

national-socialiste, *pl* **nationaux-socialistes** /nasjɔnalsɔsjalist, nasjɔnosɔsjalist/ *adj, nmf* National Socialist

nativisme /nativism/ *nm* Philos nativism

nativité /nativite/ *nf* [1] Relig nativity; **la Nativité** the Nativity; [2] Art Nativity scene

natte /nat/ *nf* [1] (tresse) plait, braid US; [2] (sur le sol) mat; [3] (pain) plaited loaf

(Composé) **~ à billes de bois** bead cushion

natter /nate/ [1] *vtr* to plait

naturalisation /natyʀalizasjɔ̃/ *nf* [1] Jur naturalization; **faire une demande de ~** to apply for citizenship *ou* naturalization GB; [2] (acclimatation) introduction; [3] (taxidermie) stuffing

naturalisé, ~e /natyʀalize/
A *pp* ▸ **naturaliser**
B *pp adj* Jur naturalized; **grec ~** naturalized Greek
C *nm,f* naturalized citizen

naturaliser /natyʀalize/ [1] *vtr* [1] Jur to naturalize [*étranger*]; **se faire ~ grec** to acquire Greek nationality; **elle est naturalisée française** she's acquired French nationality; [2] (adopter) to assimilate [*mot, usage, coutume*]; [3] (acclimater) to naturalize [*espèce, plante, animal*]; [4] (empailler) to stuff [*animal*]

naturalisme /natyʀalism/ *nm* (tous contextes) naturalism

naturaliste /natyʀalist/
A *adj* Littérat, Art, Philos naturalist
B ▸ **p. 532** *nmf* [1] Littérat, Art, Philos naturalist; [2] (taxidermiste) taxidermist

nature /natyʀ/
A *adj inv* [1] (sans additif) [*yaourt, fromage blanc*] natural; [*omelette*] plain; [*thé*] black; **à consommer avec du sucre ou ~** to be eaten with sugar or on its own; [2] ○(spontané) [*personne*] natural
B *nf* [1] (forces nous gouvernant) nature; **laisser faire la ~** to let nature take its course; **les lois de la ~** the laws of nature; **la ~ fait bien les choses** the ways of nature are wonderful; **le pauvre n'a pas été aidé par la ~** nature didn't do the poor man any favours[GB]; **contre ~** against nature; [2] (environnement) nature; **une merveille de la ~** a wonder of nature; **les couleurs que l'on trouve dans la ~** the colours[GB] that are found in nature; **vivre au contact de la ~** to live close to nature; **protection** *or* **défense de la ~** protection of the environment *ou* the natural world; **une architecture bien intégrée à la ~** architecture that fits in well with the natural environment; **une ~ hostile/sauvage** a hostile/wild environment; **en pleine ~** in the heart of the countryside; **lâcher qn dans la ~** fig (en pleine campagne) to leave sb in the middle of nowhere, to let sb loose; [3] (caractère) nature; **une ~ généreuse** a generous nature; **une ~ impulsive/violente** an impulsive/a violent nature; **de ~ à faire** likely to do; **une découverte de ~ à révolutionner la technique** a discovery likely to revolutionize the world of technology; **des propositions de ~ à rassurer** proposals likely to reassure; **la vraie ~ de qn** sb's true *ou* real nature; **je n'y peux rien, c'est ma ~** I can't do anything about it, that's just the way I am; **il est anxieux de ~, il est d'une ~ anxieuse** he's nervous by nature, he's naturally nervous; **ce n'est pas dans ma ~ de m'énerver** it's not in my nature to get angry; **avoir une ~ fragile/robuste** to have a delicate/strong constitution; **cela tient à la ~ même du voyage** this is due to the very nature of the trip; **de même ~** of the same nature; **des offres de toute ~** offers of all kinds; **un déséquilibre de ~ économique et démographique** an imbalance of an economic and demographical nature; [4] (réalité) **peindre d'après ~** to paint from life; **plus grand/plus petit/plus vrai que ~** larger/smaller/more real than life; [5] (objets réels) **en ~** aussi hum [*payer, régler*] in kind; **avantages en ~** fringe benefits

(Composés) **~ humaine** human nature; **~ morte** Art still life

(Idiome) **partir** *or* **disparaître dans la ~** to vanish into thin air

naturel, -elle /natyʀɛl/
A *adj* (tous contextes) natural; **préserver l'équilibre ~** to preserve the natural balance; **constituer un frein ~ à qch** to be a natural brake to

ℹ Les nationalités

■ *Les adjectifs ethniques comme* anglais *peuvent aussi qualifier des langues (par ex. un* mot anglais ▸ **p. 483**) *et des choses (par ex.* la cuisine anglaise ▸ **p. 333**).

■ *En anglais, les noms et les adjectifs ethniques se forment de plusieurs manières. On peut distinguer cinq groupes. Noter que l'anglais emploie la majuscule dans tous les cas, pour l'adjectif et pour le nom.*

1er groupe: le nom et l'adjectif ont la même forme.

Le nom pluriel prend un s.

un Allemand
= a German
ou (s'il est nécessaire de distinguer) a German man

une Allemande
= a German
ou a German woman

les Allemands *(en général)*
= the Germans
ou Germans
ou German people

c'est un Allemand
= he's German
ou he's a German

il est allemand
= he's German

■ *Dans ce groupe:* American, Angolan, Belgian, Brazilian, Chilean, Cypriot, Czech, Egyptian, Greek, Indian, Iranian, Italian, Jamaican, Mexican, Moroccan, Norwegian, Pakistani, Russian, Thai *etc.*

2e groupe: le nom s'obtient en ajoutant le mot man *ou* woman *à l'adjectif.*

un Japonais
= a Japanese man

une Japonaise
= a Japanese woman

les Japonais *(en général)*
= the Japanese*
ou Japanese people

c'est un Japonais
= he's Japanese

il est japonais
= he's Japanese

* Japanese *est un adjectif utilisé comme nom: il prend toujours l'article défini et ne prend jamais de* s.

■ *Dans ce groupe:* Burmese, Chinese, Congolese, Lebanese, Portuguese, Sudanese, Vietnamese *etc.*

3e groupe: le nom s'obtient en ajoutant le suffixe -man *ou* -woman *à l'adjectif.*

un Anglais
= an Englishman

une Anglaise
= an Englishwoman

les Anglais *(en général)*
= the English†
ou English people

c'est un Anglais
= he's English
ou he's an Englishman

il est anglais
= he's English

† English *est un adjectif utilisé comme nom: il prend toujours l'article défini et ne prend jamais de* s.

■ *Dans ce groupe:* French, Dutch, Irish, Welsh *etc.*

4e groupe: le nom et l'adjectif sont des mots différents.
Le nom pluriel prend un s.

un Danois
= a Dane
ou a Danish man

une Danoise
= a Dane
ou a Danish woman

les Danois *(en général)*
= Danes
ou the Danes
ou Danish people

c'est un Danois
= he's Danish
ou he's a Dane

il est danois
= he's Danish

■ *Dans ce groupe:* Finn *(nom)*: Finnish *(adjectif)*; Icelander: Icelandic; Pole: Polish; Scot: Scottish; Spaniard: Spanish; Swede: Swedish; Turk: Turkish *etc.*

5e groupe: quelques cas particuliers, qui n'ont pas d'adjectif, par ex. la Nouvelle-Zélande:

un Néo-Zélandais
= a New Zealander

une Néo-Zélandaise
= a New Zealander

les Néo-Zélandais *(en général)*
= New Zealanders

c'est un Néo-Zélandais
= he's a New Zealander

il est néo-zélandais
= he's a New Zealander

■ *Quelques autres expressions permettant de parler de la nationalité de quelqu'un en anglais:*

il est né en Angleterre
= he was born in England

il vient d'Angleterre
= he comes from England

il est d'origine anglaise
= he's of English extraction

il est citoyen britannique
= he's a British citizen

il est citoyen néo-zélandais
= he's a New Zealand citizen

c'est un ressortissant britannique
= he's a British national

sth; **c'est ~ ta couleur de cheveux?** is your hair colour^GB natural?; **ça ne fait pas très ~** it doesn't look very natural; **être dans son élément ~** to be in one's natural element; **son inquiétude est bien naturelle** her concern is quite natural; **essaie de rester naturelle** try to be natural; **il est ~ de faire/que qn fasse** it's natural to do/that sb should do; **trouver ~ que qn fasse** to find it natural that sb should do; **je t'en prie, c'est tout ~!** think nothing of it, it's perfectly natural *ou* normal!
B *nm* **1** (caractère) nature, disposition; **être d'un ~ craintif/gai** to be naturally timid/cheerful; **2** (spontanéité) **j'aime le ~ des enfants** I like the way children are so natural; **il manque de ~** he's not very natural; **annoncer qch à qn avec le plus grand ~** to tell sb sth in the most natural way; **le ~ de leurs réponses/manières** their unaffected answers/manners; **3** Culin **au ~** *[riz, pâtes]* plain; *[thon]* in brine; ▸ **galop**

naturellement /natyʀɛlmɑ̃/ *adv* **1** (de nature) naturally; **un enfant ~ doué** a naturally gifted child; **2** (évidemment) naturally, of course; **~, il a plu** of course it rained

naturisme /natyʀism/ *nm* **1** (nudisme) naturism GB, nudism; **faire du ~** to be a naturist GB *ou* nudist; **2** Philos, Relig naturism; **3** Méd naturopathy

naturiste /natyʀist/
A *adj* **1** (nudiste) naturist GB, nudist; **2** Méd naturopathic
B *nmf* **1** (nudiste) naturist GB, nudist; **2** (médecin) naturopath

naturopathie /natyʀɔpati/ *nf* naturopathy

naufrage /nofʀaʒ/ *nm* shipwreck, sinking ₵; **le ~ du Titanic** the sinking of the Titanic; **faire ~** *[navire]* to be wrecked; *[marin]* to be shipwrecked; *[entreprise]* to collapse; **sauver qch du ~** to save sth from collapse *[entreprise, économie]*; **sauver qn du ~** fig to save sb from ruin; **le ~ de l'économie** the collapse of the economy

naufragé, **~e** /nofʀaʒe/
A *adj [marin, équipage]* shipwrecked; **retrouver le navire ~** to find the wreck of the ship
B *nm,f* (rescapé) survivor (of a shipwreck); (sur une île, une côte déserte) castaway

Nauru /nauʀu/ ▸ **p. 333, p. 435** *nprf* Nauru

nauséabond, **~e** /nozeabɔ̃, ɔd/ *adj* **1** lit *[odeur]* sickening, nauseating; *[substance]* foul-smelling, stinking; **2** fig sickening, nauseating

nausée /noze/ *nf* (dégoût) nausea ₵; (haut-le-cœur) bout of nausea; **donner la ~ à qn** to make sb feel sick; **avoir la ~** to feel sick GB *or* nauseous

nauséeux, **-euse** /nozeø, øz/ *adj* nauseous

nautile /notil/ *nm* nautilus

nautique /notik/ *adj [art, science]* nautical; *[sports, fête]* water *(épith)*

nautisme /notism/ *nm* (sports) water sports *(pl)*; (navigation) sailing, yachting

naval, **~e**, *mpl* **~s** /naval/ *adj* **1** Ind *[industrie, secteur]* shipbuilding; **chantier ~** shipyard; **2** Mil naval; **école ~e** naval college GB, navy academy US

navarin /navaʀɛ̃/ *nm* navarin

Navarre /navaʀ/ ▸ **p. 721** *nprf* **la ~** Navarre

navet /navɛ/ *nm* **1** (légume) turnip; **2** pej (film) rubbishy film GB, turkey° US
(Idiome) **avoir du sang de ~ (dans les veines)**° to be a weakling

navette /navɛt/ *nf* **1** Transp (véhicule) shuttle; (liaison) shuttle (service); **faire la ~ entre Paris et Dijon** *[personne]* (pour le travail) to commute between Paris and Dijon; (pour raison personnelle) to travel back and forth between Paris and Dijon; *[bus]* to operate a shuttle service between Paris and Dijon; **il y a un car qui fait la ~** there is a shuttle service; **2** Tex shuttle; **3** Jur *movement of bill between two legislative assemblies*; **4** (plante) rape; (graine) rape seed
(Composé) **~ spatiale** space shuttle

navetteur, **-euse** /navɛtœʀ, øz/ *nm,f* commuter

navigabilité /navigabilite/ *nf* **1** (de rivière) navigability; **2** (de bateau) seaworthiness; (d'avion) airworthiness

navigable /navigabl/ *adj* navigable

navigant, **~e** /navigɑ̃, ɑ̃t/
A *adj [personnel]* Naut seagoing; Aviat flying; **mécanicien ~** flight engineer
B *nm,f* **les ~s** Naut seagoing staff; Aviat air staff;

n

~s techniques flight deck; **~s commerciaux** cabin crew

navigateur, -trice /navigatœʀ, tʀis/
A *nm,f* **1** (qui guide) navigator; **2** (marin) sailor; (au long cours) navigator
B *nm* Ordinat browser
(Composé) **~ solitaire** solo yachtsman

navigation /navigasjɔ̃/ *nf* **1** Aviat, Naut (techniques) navigation; **instrument de ~** navigational instrument; **2** (trafic sur l'eau) shipping, navigation; **ouvert à la ~** open to shipping; **~ intérieure** *or* **fluviale** inland navigation; **salon de la ~** boat show; **3** (voyage) **plusieurs semaines de ~** several weeks on the water; **4** Ordinat browsing
(Composés) **~ aux instruments** Aviat instrument flying, IFR; **~ de plaisance** gén boating; (en voilier) sailing; **~ à vue** Aviat visual flying, VFR

naviguer /navige/ [1] *vi* **1** [*bateau*] to sail; **être en état de ~** to be seaworthy; **2** [*personne*] (voyager sur l'eau) to sail; **avoir beaucoup navigué** to have spent a long time on the water; **3** (guider un bateau, un avion) to navigate; **~ au compas** *or* **à la boussole** to navigate by compass; **4** (voler) to fly; **5** ○(se déplacer) to travel; **elle a beaucoup navigué** she's been around a bit; **6** Ordinat to browse

navire /naviʀ/ *nm* ship, vessel spéc
(Composés) **~ amiral** Mil flagship; **~ de commerce** merchant ship; **~ espion** spy ship; **~ de guerre** warship; **~ marchand** merchant ship
(Idiome) **les rats quittent le ~** rats leave a sinking ship

navire-citerne, *pl* **navires-citernes** /naviʀsitɛʀn/ *nm* tanker

navire-école, *pl* **navires-écoles** /naviʀekɔl/ *nm* training ship

navire-hôpital, *pl* **navires-hôpitaux** /naviʀɔpital, o/ *nm* hospital ship

navire-usine, *pl* **navires-usines** /naviʀyzin/ *nm* factory ship

navrant, ~e /navʀɑ̃, ɑ̃t/ *adj* **1** (consternant) depressing; **2** (attristant) distressing, upsetting

navré, ~e /navʀe/ *adj* **1** (dans une formule de politesse) **je suis vraiment ~ de t'avoir fait attendre** I am terribly sorry to have kept you waiting; **2** (triste, déçu) **avoir l'air ~** to look sad *ou* upset; **d'un ton ~** sadly; (en s'excusant) apologetically; **elle a pris un ton ~ pour me dire que...** she told me in apologetic tones that...

navrer /navʀe/ [1] *vtr* liter (contrarier) to upset

nazaréen, -éenne /nazaʀeɛ̃, ɛn/ *adj* Nazarene

naze◐ /naz/ = **nase**

nazi, ~e /nazi/ *adj, nm,f* Nazi

nazisme /nazism/ *nm* Nazism

NB (*written abbr* = **nota bene**) NB

NdE *written abbr* ▸ **note**

N'Djamena /dʒamena/ ▸ **p. 894** *npr* Ndjamena

NDLR *written abbr* ▸ **note**

NdT *written abbr* ▸ **note**

ne /nə/ (**n'** *before vowel or mute h*) *adv*

> ⚠ *Ne*, adverbe de négation, n'a pas d'équivalent exact en anglais.
> Généralement, la forme négative se construit avec un auxiliaire ou un verbe modal accompagné d'une négation: *je ne sais pas* = I don't know; *je ne peux pas* = I can't, I cannot; *il n'a pas répondu* = he didn't answer.
> Pour *ne* utilisé avec *pas, jamais, guère, rien, plus, aucun, personne* etc, on se reportera à l'article correspondant.
> *ne + verbe + que* est traité dans l'article ci-dessous.

je n'ai que 10 euros I've only got 10 euros; **ce n'est qu'une égratignure** it's only a scratch, it's nothing but a scratch; **il n'y avait que lui dans la salle** there was nobody but him in the room, he was the only person in the room; **tu n'avais qu'à le dire!** you only had to say so!; **si tu veux que je t'aide tu n'as qu'à le dire** if you need help you only have to tell me; **il ne mange que des nouilles** he eats nothing but noodles, he only eats noodles; **il ne pense qu'à s'amuser** he only thinks of enjoying himself, he thinks of nothing but enjoying himself; **elle ne fait que (de) se plaindre** she does nothing but complain; **il n'y a qu'elle qui comprenne** only she understands; **il n'y a que lui pour être aussi désagréable** only he can be so unpleasant; **tu n'es qu'un raté** you're nothing but a loser○; **si l'avion est trop cher, il n'a qu'à prendre le train** if flying is too expensive he can take the train

né, ~e /ne/
A *pp* ▸ **naître**
B *pp adj* **bien/mal ~** highborn/lowborn (*épith*)
C **(-)né** (*in compounds*) **musicien(-)/écrivain(-)~** born musician/writer

Néandertal /neɑ̃dɛʀtal/ *nprm* **l'homme de ~** Neanderthal man

néandertalien, -ienne /neɑ̃dɛʀtaljɛ̃, ɛn/ *adj* [*homme, fossile*] Neanderthal

néanmoins /neɑ̃mwɛ̃/ *conj, adv* nevertheless; **et ~** but nevertheless

néant /neɑ̃/ *nm* **1** Philos **le ~** nothingness; **2** (absence de valeur) emptiness; **sombrer dans le ~** to sink into oblivion; **réduire à ~** to negate, to nullify [*effet, croissance, efforts, progrès*]; to destroy [*argument*]; to reduce [sth] to ashes [*espoir, rêve*]; to wipe out [*majorité*]; **'revenus: ~'** 'income: nil'

Nebraska /nebʀaska/ ▸ **p. 721** *nprm* Nebraska

nébuleux, -euse /nebylø, øz/
A *adj* **1** (obscurci) [*ciel*] cloudy, overcast; [*masse*] nebulous; **2** (fumeux) [*idée, auteur, projet*] nebulous
B **nébuleuse** *nf* **1** Astron nebula; **2** fig amorphous grouping

nébuliseur /nebylizœʀ/ *nm* spray, atomizer

nébulosité /nebylozite/ *nf* **1** (état du ciel) nebulosity; **2** (nuage) light cloud; **3** (de concept) nebulosity, haziness

nécessaire /nesesɛʀ/
A *adj* **1** gén necessary (**à** for); **absolument/vraiment ~** absolutely/really necessary; **avoir les fonds ~s** to have the necessary funds (**pour qch** for sth; **pour faire** to do); **conditions ~s à la production/croissance/vie** conditions necessary for production/growth/life; **juger/croire ~ de faire** to deem sout/believe it necessary to do; **plus qu'il n'est ~** more than is necessary; **si ~** if necessary; **~ ou pas** whether necessary or not; **il est ~ de faire** it is necessary to do; **il n'est pas ~ de vérifier** there's no need to check, it isn't necessary to check; **est-ce bien ~?** is it really necessary?; **'faut-il réserver?'—'non, ce n'est pas ~'** 'is it necessary to book GB *ou* make a reservation?'—'no, there' s no need', 'no, it isn't necessary'; **il devient ~ de faire** it is becoming necessary to do; **il est ~ que tu y ailles** you have to go, you must go, it is necessary for you to go; **il n'est pas ~ que tu y ailles** you don't have to go, there is no need for you to go, it isn't necessary for you to go; **s'il était ~ que tu écrives** if you had *ou* needed to write, if it were necessary for you to write; **les voix ~s pour renverser le gouvernement** the votes needed in order to overthrow the government; **2** Philos necessary
B *nm* **1** (ce qui s'impose) **faire le ~** to do what is necessary *ou* what needs to be done; **as-tu fait le ~ pour les billets/pour avoir des billets?** did you see about the tickets/about getting tickets?; **j'ai fait le ~** I've seen to it, I've dealt with it; **le ~ et le superflu** what is necessary and what is superfluous; **2** (biens et services) essentials (*pl*); **manquer du plus strict ~** to lack the bare essentials; **ne prendre que le ~** to take only the essentials; **3** Philos necessary; **le ~ et le contingent** the necessary and the contingent
(Composés) **~ de couture** sewing kit; **~ à ongles** manicure set; **~ de toilette** toiletries (*pl*)

nécessairement /nesesɛʀmɑ̃/ *adv* necessarily; **le progrès n'est pas ~ un bienfait** progress is not necessarily a blessing; **'y aura-t-il des licenciements?'—'pas ~/oui, ~'** 'will there be redundancies?'—'not necessarily/yes, it is unavoidable'; **cela finit ~ mal** it inevitably goes wrong; **passe-t-on ~ par Oslo?** do you have to go via Oslo?; **il s'ensuit ~ que** it necessarily follows that

nécessité /nesesite/
A *nf* **1** (ce qui s'impose) necessity; **le téléphone est devenu une ~** the telephone has become a necessity; **~ absolue** *or* **impérative** absolute necessity; **~ urgente/impérieuse** urgent/pressing need; **~ de qch/de faire/d'être** need for sth/to do/to be; **d'où la ~ d'une coopération accrue/d'améliorer les transports publics** hence the need for closer cooperation/to improve public transport; **~ pour qn de qch/de faire** sb's need for sth/to do; **la ~ pour le parti d'une unanimité** the party's need for unanimity; **la ~ qu'il y a de lutter** the need to struggle; **je n'en vois pas la ~** I don't see that it is necessary, I don't see the need for it; **de première ~** vital; **produits/soins de première ~** vital commodities/care; **être de première ~** to be vital; **par ~** out of necessity; **par ~ de service** for internal reasons; **sans ~** unnecessarily; **être dans la ~ de faire** to have no choice but to do; ▸ **vertu**; **2** (pauvreté) need; **être dans la ~** to be in need; **3** (caractère inéluctable) necessity; **le hasard et la ~** chance and necessity
B **nécessités** *nfpl* demands; **~s économiques/de gestion** economic/management demands; **les ~ de l'heure** the particular contingencies
(Idiome) **~ fait loi** Prov necessity knows no law

nécessiter /nesesite/ [1] *vtr* to require; **~ des pouvoirs accrus/une réforme** to require more powers/reform; **la situation nécessite qu'elle intervienne** the situation calls for her intervention

nécessiteux, -euse /nesesitø, øz/
A *adj* needy; **les plus ~** the neediest
B *nm,f* needy person; **les ~** the needy

nec plus ultra /nɛkplyzyltʀa/ *nm inv* **le ~** the last word (**de** in)

nécrologie /nekʀɔlɔʒi/ *nf* **1** (liste) deaths column, obituary column; **2** (article) obituary

nécrologique /nekʀɔlɔʒik/ *adj* obituary

nécromancie /nekʀɔmɑ̃si/ *nf* necromancy

nécromancien, -ienne /nekʀɔmɑ̃sjɛ̃, ɛn/ *nm,f* necromancer

nécrophage /nekʀofaʒ/ *adj* necrophagous

nécrophile /nekʀofil/ *adj, nmf* necrophiliac

nécrophilie /nekʀofili/ *nf* necrophilia

nécropole /nekʀɔpɔl/ *nf* necropolis

nécrose /nekʀoz/ *nf* necrosis

nécroser /nekʀoze/ [1] *vtr*, **se nécroser** *vpr* to necrose

nectar /nɛktaʀ/ *nm* nectar

nectarine /nɛktaʀin/ *nf* nectarine

néerlandais, ~e /neɛʀlɑ̃dɛ, ɛz/ ▸ **p. 483, p. 561**
A *adj* Dutch
B *nm* Ling Dutch

Néerlandais, ~e /neɛʀlɑ̃dɛ, ɛz/ ▸ **p. 561** *nm,f* Dutchman/Dutchwoman; **les ~** the Dutch (+ *v pl*)

nef /nɛf/ *nf* **1** Archit nave; **les ~s latérales** the side aisles; **2** ‡(embarcation) vessel, ship

néfaste /nefast/ *adj* (nuisible) harmful (**à** to)

n

nèfle /nɛfl/ *nf* medlar
(Idiome) **des ∼s**◑**!** no way○!, not on your life○!

néflier /neflije/ *nm* medlar (tree)

négateur, **-trice** /negatœʀ, tʀis/ *adj* [*esprit*] given to challenging everything (*après n*)

négatif, **-ive** /negatif, iv/
A *adj* **1** (non positif) negative; **2** (néfaste) negative, adverse
B *adv* Aviat, Mil negative
C *nm* gén, Ling, Phot negative; **au ∼** in the negative
D **négative** *nf* **répondre par la négative** to reply in the negative; **dans la négative, nous aviserons** if not, we will think again

négation /negasjɔ̃/ *nf* **1** (action de nier) negation; **2** Ling negative

négationnisme /negasjɔnism/ *nm* revisionist ideas (*denying the Nazi Holocaust*)

négationniste /negasjɔnist/ *adj* revisionist (*denying the Nazi Holocaust*)

négative ▸ **négatif A, D**

négativement /negativmɑ̃/ *adv* [*réagir*] negatively; [*répondre*] negatively, in the negative

négativisme /negativism/ *nm* negativism

négativité /negativite/ *nf* **1** (d'attitude) negativism, negativity; **2** (de particule) negativity

négaton /negatɔ̃/ *nm* negatron

négligé, **∼e** /negliʒe/
A *pp* ▸ **négliger**
B *pp adj* [*personne, vêtement, apparence*] sloppy, scruffy○; [*cheveux, barbe*] unkempt; [*maison, intérieur*] neglected; [*travail*] careless, sloppy; [*blessure, infection*] untreated
C *nm* **1** (vêtement) negligée; **2** (état) **le ∼ de leur tenue** their sloppy way of dressing, their slovenly *ou* scruffy○ appearance

négligeable /negliʒabl/ *adj* [*quantité, somme*] negligible, insignificant; [*personne*] insignificant, unimportant; [*opinion*] which does not count (*épith, après n*); **non ∼** [*somme*] considerable; [*détail, rôle*] significant; [*atout, importance, perte*] significant, considerable

négligemment /negliʒamɑ̃/ *adv* (avec nonchalance) nonchalantly; (avec indifférence) carelessly

négligence /negliʒɑ̃s/ *nf* **1** (faute) negligence ₵; **il y aurait eu des ∼s** negligence is alleged; **∼ professionnelle** professional negligence; **2** (laisser-aller) negligence, carelessness; **être d'une grande ∼** to be very careless; **mettre** *or* **montrer de la ∼ à faire** to be negligent in doing

négligent, **∼e** /negliʒɑ̃, ɑ̃t/ *adj* [*personne, employé*] negligent, careless; [*élève, démarche*] careless; [*geste, coup d'œil*] casual

négliger /negliʒe/ [13]
A *vtr* **1** (ne pas s'occuper de) to neglect [*santé, corps, affaires, maison, travail, personne*]; to leave untreated [*affection, rhume*]; **une blessure négligée peut s'infecter** a wound which is not properly treated may become infected; **2** (ne pas tenir compte de) to ignore, to disregard [*résultat, fait, règle*]; **il n'a rien négligé pour réussir** he tried everything possible to succeed; **ne pas être à ∼** [*chiffre*] to be worth taking into account; **une offre qui n'est pas à ∼** an offer which is worth considering; **les avantages ne sont pas à ∼** there are quite *ou* very substantial advantages; **3** (omettre) **∼ de faire** to fail to do
B **se négliger** *vpr* (dans sa tenue) to let oneself go, not to take care of oneself; (pour sa santé) not to look after oneself

négoce /negɔs/ *nm* trade (**avec** with); **faire du ∼ avec** to trade with

négociabilité /negɔsjabilite/ *nf* negotiability

négociable /negɔsjabl/ *adj* negotiable

négociant, **∼e** /negɔsjɑ̃, ɑ̃t/ ▸ **p. 532** *nm,f* gén merchant; (grossiste) wholesaler; **∼ en textiles** textile merchant

négociateur, **-trice** /negɔsjatœʀ, tʀis/ *nm,f* negotiator

négociation /negɔsjasjɔ̃/ *nf* (principe) negotiation (**avec** with); (pourparlers) negotiations (*pl*) (**avec** with); **entamer des ∼s**, **entrer en ∼s** to enter into negotiations; **la table de ∼** the negotiating table

négocier /negɔsje/ [2]
A *vtr* **1** Comm, Pol to negotiate (**avec** with); **2** Sport **∼ un virage** to negotiate a bend
B *vi* to negotiate (**avec** with)
C **se négocier** *vpr* to be negotiated

nègre /nɛgʀ/
A *adj* [*art, musique*] Negro
B *nm* **1** offensive Negro injur; **2** Édition ghostwriter
(Composé) **∼ en chemise** *chocolate mousse with whipped cream piping*

négresse /negʀɛs/ *nf* offensive Negress injur

négrier /negʀije/ *nm* **1** Hist (personne) slave trader; (navire) slave ship; **2** pej slave driver

négrillon /negʀijɔ̃/ *nm* offensive piccaninny injur GB, little black Sambo injur US

négrillonne /negʀijɔn/ *nf* offensive piccaninny injur GB, little black Sambo injur US

négritude /negʀityd/ *nf* black identity, negritude

négroïde /negʀɔid/ *adj* Negroid

negro(-)spiritual, *pl* **∼s*** /negʀospiʀitɥɔl/ *nm* Negro spiritual

Néguev /negɛv/ *nprm* **le ∼** the Negev desert

neige /nɛʒ/ *nf* **1** Météo snow; **∼ fondue** (au sol) slush; (pluie) sleet; **aller à la ∼** to go skiing; **paysage de ∼** snow-covered landscape; **la ∼ tombe depuis deux heures** it's been snowing for two hours; **battre les blancs en ∼** beat the eggwhites until stiff; **blancs battus en ∼** stiffly beaten eggwhites; **2** ○(drogue) snow○, cocaine; **3** (sur une télévision) snow
(Composés) **∼ carbonique** carbon (dioxide) snow; **∼s éternelles** eternal snows
(Idiomes) **être blanc comme ∼** to be completely innocent; **fondre comme ∼ au soleil** [*fortune, objections*] to melt away

neiger /nɛʒe/ [13] *v impers* to snow; **il neige** it's snowing

neigeux, **-euse** /nɛʒø, øz/ *adj* [*cime*] snowcovered; [*temps, hiver*] snowy

nem /nɛm/ *nm* (Vietnamese) small spring roll

Némésis /nemezis/ *npr* Nemesis

néné◑ /nene/ *nm* boob◑, breast

nénette○ /nenɛt/ *nf* (jeune fille) bird◑ GB, chick○ US, girl
(Idiome) **se casser la ∼** to go to a lot of trouble

nenni‡ /nɛnni, neni/ *adv* nay‡

nénuphar* /nenyfaʀ/ *nm* waterlily

néo /neo/ *préf* neo

néo-calédonien, **-ienne**, *mpl* **∼s** /neokaledɔnjɛ̃, ɛn/ *adj* New Caledonian

Néo-Calédonien, **-ienne**, *mpl* **∼s** /neokaledɔnjɛ̃, ɛn/ *nm,f* New Caledonian

néoclassicisme /neoklasisism/ *nm* neoclassicism

néoclassique /neoklasik/ *adj* neoclassical

néocolonialisme /neokɔlɔnjalism/ *nm* neocolonialism

néocolonialiste /neokɔlɔnjalist/ *adj, nmf* neocolonialist

néodarwinisme /neodaʀwinism/ *nm* Neo-Darwinism

néo-écossais, **∼e** /neoekɔsɛ, ɛz/ *adj* Nova Scotian

Néo-Écossais, **∼e** /neoekɔsɛ, ɛz/ *nm,f* Nova Scotian

néofascisme /neofaʃism/ *nm* neofascism

néofasciste /neofaʃist/ *adj, nmf* neofascist

néogothique /neogotik/ *adj, nm* neogothic

néo-hellénique /neoelenik/ *adj* modern Greek

néo-impressionnisme /neoɛ̃pʀesjɔnism/ *nm* neoimpressionism

néolibéral, **∼e**, *mpl* **-aux** /neolibeʀal, o/ *adj* neoliberal

néolibéralisme /neolibeʀalism/ *nm* neoliberalism

néolithique /neolitik/ *adj, nm* Neolithic

néologie /neɔlɔʒi/ *nf* neology

néologique /neɔlɔʒik/ *adj* neological

néologisme /neɔlɔʒism/ *nm* neologism

néomycine /neɔmisin/ *nf* neomycin

néon /neɔ̃/ *nm* **1** (gaz) neon; **2** (appareil) neon light; (éclairage) neon lighting

néonatal, **∼e**, *mpl* **∼s** /neɔnatal/ *adj* neonatal

néonazi, **∼e** /neonazi/ *adj, nm,f* neonazi

néonazisme /neonazism/ *nm* neonazism

néophyte /neɔfit/ *nmf* neophyte

néoplasie /neɔplazi/ *nf* neoplasia

néoplasique /neɔplazik/ *adj* neoplastic

néoplatonisme /neoplatɔnism/ *nm* Neo-Platonism

néopositivisme /neopozitivism/ *nm* logical positivism

néopositiviste /neopozitivist/ *adj, nmf* logical positivist

néoprène® /neɔpʀɛn/ *nm* Neoprene®

néoréalisme /neoʀealism/ *nm* neorealism

néoréaliste /neoʀealist/ *adj, nmf* neorealist

néo-zélandais, **∼e** /neozelɑ̃dɛ, ɛz/ ▸ **p. 561** *adj* New Zealand (*épith*)

Néo-Zélandais, **∼e** /neozelɑ̃dɛ, ɛz/ ▸ **p. 561** *nm,f* New Zealander

Népal /nepal/ ▸ **p. 333** *nprm* Nepal

népalais, **∼e** /nepalɛ, ɛz/ ▸ **p. 483, p. 561**
A *adj* Nepali
B *nm* Ling Nepali

Népalais, **∼e** /nepalɛ, ɛz/ ▸ **p. 561** *nm,f* Nepali, Nepalese

néphrétique /nefʀetik/ *adj* nephritic; **coliques ∼s** renal colic ₵

néphrite /nefʀit/ ▸ **p. 283** *nf* **1** Méd nephritis; **2** Minér nephrite

néphrologie /nefʀɔlɔʒi/ *nf* nephrology

néphrologue /nefʀɔlɔg/ ▸ **p. 532** *nmf* nephrologist

népotisme /nepɔtism/ *nm* nepotism

Neptune /nɛptyn/
A *npr* Mythol Neptune
B *nprf* Astron Neptune

neptunium /nɛptynjɔm/ *nm* neptunium

néréide /neʀeid/ *nf* Zool nereis

Néréide /neʀeid/ *npr* Mythol Nereid

nerf /nɛʀ/
A *nm* **1** Anat nerve; **∼ optique/sciatique/auditif** optic/sciatic/auditory nerve; **∼ pneumogastrique** *or* **vague** vagus (nerve); **2** (vigueur) spirit, go○; **montrer que l'on a du ∼** to show one has (a bit of) spirit *ou* go○; **redonner du ∼ à qn** to put new heart into sb; **allez du ∼!** **un peu de ∼**○**!** come on, buck up○! GB, hang in there○!
B **nerfs** *nmpl* (système nerveux) nerves; **être malade des ∼s** to suffer from nerves; **avoir les ∼s solides** to have strong nerves
(Composé) **∼ de bœuf** pizzle
(Idiomes) **jouer avec les ∼s de qn** to be deliberately annoying; **ses ∼s ont lâché** he went to pieces; **avoir les ∼s à fleur de peau** to be very touchy, to have frayed nerves; **avoir les ∼s en pelote**○ *or* **en boule**○ *or* **à vif** to be really wound up; **être sur les ∼s**, **avoir ses ∼s**○ to be on edge; **vivre sur les ∼s** to live on one's nerves; **taper** *or* **porter sur les ∼s de qn** to get on sb's nerves; **être à bout de ∼s** to be at the end of one's tether *ou* rope US; **passer ses ∼s sur qn/qch**○ to take it out on sb/sth; **avoir des ∼s d'acier** to have nerves of steel; **l'argent est le ∼ de la guerre** money is the sinews of war

Néron /neʀɔ̃/ *npr* Nero

nerveusement /nɛʀvøzmɑ̃/ *adv* [1] (avec impatience) nervously; **il conduit trop ~** he's too nervous when he drives; [2] (psychologiquement) **être épuisé ~** to be suffering from nervous exhaustion; **il n'est pas solide ~** he's rather highly strung GB *ou* high-strung US; **il faut qu'il récupère ~** he needs to have a good rest and calm down

nerveux, -euse /nɛʀvø, øz/ Méd
A *adj* [1] (agité) [*personne, animal*] nervous, jumpy○; [*geste, rire*] nervous, tense; [*allure*] tense; [*toux*] nervous; **ne soyez pas si ~, tout se passera bien** don't be so nervous, it will all be fine; [2] (de nature émotive) [*personne, tempérament*] nervous, highly strung GB, high-strung US; [3] (vigoureux) [*corps, membre, main*] lean and muscular; [*moteur, voiture*] responsive; [4] (énergique) [*personne*] dynamic, full of go○; [*style, écriture, discours*] vigorous; **il n'est pas très ~** he hasn't got much go○, he isn't exactly dynamic; [5] Anat, Physiol [*cellule, centre, tissu*] nerve (*épith*); [*système, tension, excitabilité*] nervous; **lésion nerveuse** nerve damage; **être atteint de troubles ~** to be suffering from a nervous disorder; **fatigue nerveuse** nervous exhaustion; [6] Néol, Fin [*marché, Bourse*] nervous, jumpy○
B *nm,f* Méd nervous person; **c'est un grand ~** he's a very nervous type

nervi◐ /nɛʀvi/ *nm* henchman, bully-boy

nervosité /nɛʀvozite/ *nf* [1] (appréhension) nervousness; **dans un état de grande ~** in a state of extreme nervous tension, in a very nervous state; **on sentait la ~ ambiante** (dans une réunion) you could feel the apprehension in the air; (dans la foule) you could feel the unrest in the air; [2] (surexcitation) excitability; **un cheval/enfant d'une grande ~** a very excitable horse/child; [3] Aut (de moteur) liveliness, bite○; **un moteur qui manque de ~** a sluggish engine

nervure /nɛʀvyʀ/ *nf* [1] Bot, Zool nervure; [2] Archit, Édition rib; **à fines ~s** finely ribbed; [3] Cout pin tuck

nervuré, ~e /nɛʀvyʀe/ *adj* [*feuille, aile*] veined; [*voûte*] ribbed

n'est-ce pas /nɛspa/ *adv* [1] (appelant l'acquiescement) **c'est joli, ~?** it's pretty, isn't it?; **tu es d'accord, ~?** you agree, don't you?; **vous-y penserez, ~?** you'll think about it, won't you?; **~ qu'il est gentil?** isn't he nice?; [2] (pour renforcer) of course; **la question, ~, reste ouverte** the question, of course, remains open

net, nette /nɛt/
A *adj* [1] Compta, Écon, Fin (après déductions) net; **prix/salaire ~** net price/salary; **augmentation/perte nette** net increase/loss; **~ d'impôt** net of tax; **créations nettes d'emplois** net job creation; **immigration nette** net immigration; [2] (notable) [*changement, augmentation, recul*] marked; [*baisse*] sharp; [*tendance, odeur*] distinct; **ralentissement encore plus ~** even more marked slowdown; [3] (clair) [*personne, victoire, réponse, relation*] clear; [*situation*] clear-cut; **il a été très ~ à ce sujet** he was very clear on this subject; **il y a un ~ rapport entre les phénomènes** there's a clear relationship between the phenomena; **en avoir le cœur ~** to be clear in one's mind about it; [4] (distinct) [*souvenir, voix, forme*] clear; [*écriture*] neat; [*cassure, coupure*] clean; **avoir la nette impression que** to have the distinct impression that; [5] (impeccable) [*maison, vêtement*] neat; [*mains*] clean; **faire place nette** to clear everything away; [6] (irréprochable) [*personne*] clean; [*conscience*] clear; **personne pas nette** unsavoury person; [7] ○(lucide) **pas (très) ~** not quite with it○
B *adv* [*s'arrêter*] dead; [*tuer*] outright; [*refuser*] flatly; [*dire*] straight out; **refuser tout ~** to refuse point blank; **la corde a cassé ~** the rope snapped; **la clé s'est cassée ~** the key snapped in two
C *nm* [1] Compta, Écon, Fin (revenu) net income; (bénéfices) net earnings (*pl*); **augmentation de 2% en ~** net 2% increase; [2] (propre) **copie au ~** clean copy; **mettre son texte au ~** to make a clean copy of one's text; [3] (clair) **mettre les choses au ~** to set matters straight

netéconomie /nɛtekɔnɔmi/ *nf* e-economy

nétiquette /netikɛt/ *nf* netiquette

netsuké /nɛtsyke/ *nm* netsuke

nettement /nɛtmɑ̃/ *adv* [1] (indiscutablement) [*augmenter, se détériorer*] markedly; [*devancer*] clearly; [*préférer*] definitely; **~ meilleur/plus propre/moins froid** decidedly better/cleaner/warmer; **gagner ~** to be a clear winner; [2] (sans ambiguïté) [*soutenir, dire*] clearly; [*refuser*] flatly; [3] (distinctement) [*voir, sentir, séparer*] clearly; [*se souvenir*] distinctly

netteté /nɛtte/ *nf* [1] (de voix, dessin, ciel) clarity; (de trait, d'image) sharpness; **s'exprimer avec ~/avec une grande ~** to express oneself clearly/very clearly; [2] (de résultat, corrélation, d'affirmation) definite nature; (de cassure) cleanness; **indiquer avec ~ un rapport** to show a relationship clearly; [3] (de lieu) cleanness; (de travail) neatness

nettoiement /nɛtwamɑ̃/ *nm* [1] (nettoyage) cleaning ¢; **~ des rues** street cleaning; [2] (enlèvement des ordures) refuse collection GB, garbage collection US; **service de ~** cleansing department GB, sanitation department US

nettoyage /nɛtwajaʒ/ *nm* [1] (opération) cleanup; **la maison a besoin d'un bon ~** the house needs a good cleanup; **campagne de ~** cleanup campaign; **~ de printemps** spring-cleaning ¢; [2] (action) cleaning ¢; **faire le ~** to do the cleaning; **~ à sec** dry-cleaning; **entreprise de ~** cleaning contractors (*pl*); **produit de ~** cleaning product; [3] Cosmét (de la peau) cleansing ¢; **~ en profondeur** deep cleansing; [4] Mil mopping-up ¢; **opération de ~** mopping-up operation
(Composé) **~ ethnique** ethnic cleansing
(Idiome) **faire le ~ par le vide**○ to have a good clearout○

nettoyant, ~e /nɛtwajɑ̃, ɑ̃t/
A *adj* cleaning
B *nm* (produit) cleaning agent

nettoyer /netwaje/ [23]
A *vtr* [1] (rendre propre) to clean [*lieu, objet, légumes, mains, façade*]; to clean up [*jardin*]; to clean out [*rivière, conduit, oreilles*]; **donner une robe à ~** to take a dress to the cleaner's; **faire ~ qch à sec** to have sth dry-cleaned; **~ qch avec un chiffon/une éponge** to wipe/sponge sth; [2] (faire disparaître) to clean off [*tache*]; [3] (épurer) to clean up [*ville*]; [4] ○(dévaliser) to clean out○ [*appartement*]; [5] ○(ruiner) to clean out○ [*personne*]
B *vi* (faire du nettoyage) to clean; **passer sa journée à ~** to clean all day
C **se nettoyer** *vpr* [1] (soi-même) to get clean; **se ~ les mains** to clean one's hands; **se ~ les oreilles** to clean out one's ears; [2] (pouvoir être lavé) **le four/la tache se nettoie à l'eau chaude** the oven/the stain can be cleaned with hot water

nettoyeur, -euse /nɛtwajœʀ, øz/ ▸ **p. 532**
A *nm,f* (métier) cleaner; **~ de bureaux** office cleaner
B *nm* (machine) cleaner

Neuchâtel /nøʃatɛl/ *npr* [1] ▸ **p. 894** Neuchâtel; [2] ▸ **p. 721** (région) **le canton de ~** the canton of Neuchâtel

neuf[1] /nœf/ ▸ **p. 222, p. 424, p. 568**
A *adj inv, pron* nine
B *nm inv* nine; **faire la preuve par ~** Math to cast out the nines

neuf[2], **neuve** /nœf, nœv/
A *adj* new; **comme ~** as new; **tout ~** brand new; **bonheur tout ~** new-found happiness; **voir qch d'un regard ~, porter un regard ~ sur qch** to look at sth in a new light; **'état ~'** 'as new'; ▸ **sang**
B *nm inv* new; **quelque chose/rien de ~** something/nothing new; **il y a du ~** there's something new; **quoi de ~?** what's new?; **l'attrait du ~** the appeal of the new; **acheter du ~** to buy new; **être habillé de ~** to be dressed in new clothes; **refaire/remettre/repeindre qch à ~** to re-do/renovate/repaint sth completely; **donner un coup de ~ à qch** to spruce sth up; **redonner à qch le brillant** *or* **l'éclat du ~** to make sth look like new; **faire du ~ avec du vieux** to revamp things
(Idiome) **faire peau neuve** [*bâtiment*] to undergo a transformation; [*personne*] to transform one's image; [*société*] to transform its image

neurasthénie /nøʀasteni/ *nf* depression, neurasthenia†; **faire de la ~** to suffer from depression, to be depressed

neurasthénique /nøʀastenik/
A *adj* depressed; (chroniquement) depressive
B *nmf* depressive

neurobiologie /nøʀobjɔlɔʒi/ *nf* neurobiology

neurobiologique /nøʀobjɔlɔʒik/ *adj* neurobiological

neurobiologiste /nøʀobjɔlɔʒist/ ▸ **p. 532** *nmf* neurobiologist

neurochirurgical, ~e, *mpl* **-aux** /nøʀoʃiʀyʀʒikal, o/ *adj* neurosurgical

neurochirurgie /nøʀoʃiʀyʀʒi/ *nf* neurosurgery

neurochirurgien /nøʀoʃiʀyʀʒjɛ̃/ ▸ **p. 532** *nm* neurosurgeon

neurodégénératif, -ive /nøʀɔdeʒeneʀatif, iv/ *adj* neurodegenerative

neurodégénérescence /nøʀɔdeʒeneʀesɑ̃s/ *nf* neurodegeneration

neurofibromatose /nøʀɔfibʀomatoz/ *nf* neurofibromatosis, von Recklinghausen's disease

neurogène /nøʀɔʒɛn/ *adj* neurogenic

neuroleptique /nøʀolɛptik/ *adj, nm* neuroleptic

neurolinguistique /nøʀɔlɛ̃gɥistik/ *nf* neurolinguistics (+ *v sg*)

neurologie /nøʀɔlɔʒi/ *nf* neurology

neurologique /nøʀɔlɔʒik/ *adj* neurological

neurologue /nøʀɔlɔg/ ▸ **p. 532** *nmf* neurologist

neuromimétique /nøʀɔmimetik/ *adj* neural

neuromusculaire /nøʀomyskylɛʀ/ *adj* neuromuscular

neuronal, ~e, *mpl* **-aux** /nøʀɔnal, o/ *adj* [1] Méd neuronal; [2] Ordinat neural

neurone /nøʀɔn/ *nm* neurone

neuropathie /nøʀopati/ *nf* neuropathy

neuropathologie /nøʀopatɔlɔʒi/ *nf* neuropathology

neurophysiologie /nøʀofizjɔlɔʒi/ *nf* neurophysiology

neuroprotecteur, -trice /nøʀɔpʀɔtɛktœʀ, tʀis/ *adj* neuroprotective

neuropsychiatre /nøʀopsikjatʀ/ ▸ **p. 532** *nmf* neuropsychiatrist

neuropsychiatrie /nøʀopsikjatʀi/ *nf* neuropsychiatry

neuropsychiatrique /nøʀopsikjatʀik/ *adj* neuropsychiatric

neuropsychologie /nøʀopsikɔlɔʒi/ *nf* neuropsychology

neurosécrétion /nøʀɔsekʀesjɔ̃/ *nf* neurosecretion

neurotoxicité /nøʀɔtɔksisite/ *nf* neurotoxicity

neurotoxine /nøʀotɔksin/ *nf* neurotoxin

neurotoxique /nøʀɔtɔksik/ *nf* neurotoxic

neurotransmetteur /nøʀotʀɑ̃smɛtœʀ/ *nm* neurotransmitter

neurotrope /nøʀɔtʀɔp/ *adj* neurotropic

neurovégétatif, -ive /nøʀoveʒetatif, iv/ *adj* [*trouble*] vegetative; **système ~** autonomic nervous system

neutralisation /nøtʀalizasjɔ̃/ *nf* (tous contextes) neutralization

neutraliser /nøtʀalize/ [1]
A *vtr* 1▸ Chimie to neutralize [*acide, solution*]; 2▸ (amoindrir) to neutralize [*concurrent, opposition, influence*]; to neutralize [*teinte, goût*]; 3▸ (empêcher d'agir) to overpower [*personne*]; **le forcené a été neutralisé** the maniac was overpowered; 4▸ Pol to neutralize [*territoire*]
B se neutraliser *vpr* [*effets*] to cancel each other out

neutralisme /nøtʀalism/ *nm* neutralism

neutraliste /nøtʀalist/ *adj, nmf* neutralist

neutralité /nøtʀalite/ *nf* 1▸ Pol neutrality; 2▸ (d'individu, de texte) impartiality; **je préfère rester dans la ~** I prefer to remain neutral

neutre /nøtʀ/
A *adj* 1▸ gén, Chimie, Phys, Pol neutral; 2▸ Ling, Zool neuter
B *nm* Ling **le ~** the neuter

neutron /nøtʀɔ̃/ *nm* neutron

neuvaine /nœvɛn/ *nf* novena

neuvième /nœvjɛm/
A ▸ **p. 222, p. 568** *adj* ninth
B *nf* Scol *third year of primary school, age 8–9*

Nevada /nevada/ ▸ **p. 721** *nprm* Nevada

névé /neve/ *nm* névé, firn

Nevers /nəvɛʀ/ ▸ **p. 894** *npr* Nevers

neveu, *pl* **~x** /n(ə)vø/ *nm* nephew

(Idiome) **un peu mon ~**○ hum not half!, and how!

névralgie /nevʀalʒi/ *nf* neuralgia ¢; **une ~ faciale** facial neuralgia; **des ~s** attacks of neuralgia

névralgique /nevʀalʒik/ *adj* 1▸ Méd [*douleur*] neuralgic; 2▸ fig **point ~** key point

névrite /nevʀit/ ▸ **p. 283** *nf* neuritis ¢

névritique /nevʀitik/ *adj* neuritic

névropathe /nevʀɔpat/ *adj, nmf* neurotic

névrose /nevʀoz/ ▸ **p. 283** *nf* neurosis

névrosé, **~e** /nevʀoze/ *adj, nm,f* neurotic

névrotique /nevʀɔtik/ *adj* neurotic

New Delhi /njudeli/ ▸ **p. 894** *npr* New Delhi

New Hampshire /njuɑ̃pʃiʀ/ ▸ **p. 721** *nprm* New Hampshire

New Jersey /njuʒɛʀzɛ/ ▸ **p. 721** *nprm* New Jersey

new-look* /njuluk/ *adj inv, nm* New Look

newton /njutɔn/ *nm* (unité) newton

newtonien, **-ienne** /njutɔnjɛ̃, ɛn/ *adj* Newtonian

New York /njujɔʀk/ *npr* 1▸ ▸ **p. 894** (ville) New York City; 2▸ ▸ **p. 721 l'État de ~** New York (State)

new yorkais, **~e**, *mpl* **~**, *fpl* **~es** /njujɔʀkɛ, ɛz/ ▸ **p. 894** *adj* of New York

New Yorkais, **~e**, *mpl* **~**, *fpl* **~es** /njujɔʀkɛ, ɛz/ *nm,f* New Yorker

nez /ne/ ▸ **p. 196** *nm* 1▸ Anat nose; **~ droit/aquilin** *or* **en bec d'aigle** straight/aquiline nose; **~ en trompette** *or* **en pied de marmite** turned-up nose; **avoir le ~ bouché/qui coule** to have a blocked/runny nose; **respirer par le ~** to breathe through one's nose; **se boucher le ~** to hold one's nose; **tu saignes du ~** your nose is bleeding; **ça sent le parfum à plein ~**○ there's a strong smell of perfume; **regarder qn sous le ~** to stare rudely at sb; **mettre qch sous le ~ de qn**○ to put sth right under sb's nose; **mettre**○ *or* **fourrer**◑ **son ~ partout/dans qch** to poke one's nose into everything/into sth; **je n'ai pas mis le ~ dehors** I didn't set foot outside; **il fait un froid à ne pas mettre le ~ dehors** it's freezing cold; **mettre le ~ à la fenêtre** to show one's face at the window; **montrer** *or* **pointer le bout du ~** to show one's face; **lever à peine le ~** barely to look up; **ne pas lever le ~ de qch** never to lift one's head from sth; **elle travaille le ~ sur son ordinateur/sa feuille** she works hunched over her computer/her sheet of paper; **tu as le ~ dessus** it's staring you in the face; **se retrouver ~ à ~ avec qn** to find oneself face to face with sb; **avoir du ~, avoir le ~ fin** (odorat) to have a good sense of smell; (intuition) to be shrewd; **rire/fermer la porte au ~ de qn** to laugh/shut the door in sb's face; ▸ **lait, moutarde, ver**; 2▸ Aviat, Naut (partie avant) nose; 3▸ Géog (promontoire) headland; 4▸ Vin (arôme) nose

(Idiomes) **ça se voit** *or* **c'est gros comme le ~ au milieu du visage** *or* **de la figure**○ it's as plain as the nose on your face; **mener qn par le bout du ~**○ (dans un couple) to have sb under one's thumb; (plus général) to have sb wrapped round one's little finger○; **ton ~ bouge** *or* **remue** you're telling a lie; **avoir qn dans le ~**○ to have it in for sb; **avoir un coup** *or* **un verre dans le ~**○ to have had one too many○; **se manger**○ *or* **bouffer**◑ **le ~** to be at each other's throats; **ne pas voir plus loin que le bout de son ~** to see no further than the end of one's nose; **faire qch au ~ (et à la barbe) de qn** to do sth right under sb's nose; **filer** *or* **passer sous le ~ de qn** to slip through sb's fingers; **avoir le ~ creux**○ to be canny; **se casser le ~**○ (trouver porte close) to find nobody at home; (échouer) to fail, to come a cropper○

NF /ɛnɛf/ *adj, nf* (*abbr* = **norme française**) French manufacturing standard; **label ~** *label showing a product has been manufactured to standard*

ni /ni/ *conj*

> ⚠ On observe que le français et l'anglais fonctionnent de la même façon: *il ne jure ni ne se met en colère* = he doesn't swear or lose his temper; *ni il jure ni il se met en colère* = he neither swears nor loses his temper; *elle ne veut pas le voir ni lui parler* = she doesn't wish to see him or to talk to him; *elle ne veut ni le voir ni lui parler* = she neither wishes to see him nor to talk to him

il ne lui a pas offert de cadeau, ~ même envoyé de carte d'anniversaire he didn't give her a present or even send her a birthday card; **il ne pouvait pas venir chez moi ~ moi aller chez lui** he couldn't come to my house nor could I go to his house; **jamais il n'écrit ~ ne téléphone** he never writes or phones; **rien ~ personne ne le convaincra** nothing or nobody will convince him; **il est sorti sans parapluie ~ imperméable** he went out without an umbrella or a raincoat; **elle ne veut ~ ne peut changer** she doesn't want to change, nor can she; **il n'est ~ beau ~ laid** he's neither handsome nor ugly; **~ les menaces ~ les promesses ne le feront changer d'avis** neither threats nor promises will make him change his mind; **il ne parle ~ anglais, ~ allemand, ~ espagnol** he speaks neither English, nor German, nor Spanish; **il n'a ~ le temps ~ l'argent pour ce genre d'activité** he has neither the time nor the money for that sort of thing; **~ l'un ~ l'autre** neither one nor the other, neither of them; **~ elle ~ moi ne connaissons la réponse** neither she nor I know the answer; **il ne m'a dit ~ oui ~ non** he didn't say yes or no; **~ dans un sens ~ dans l'autre** in neither direction; **~ plus ~ moins** no more and no less; ▸ **foi, trompette**

(Idiomes) **faire qch ~ vu ~ connu**○ to do sth on the sly○; **c'est ~ fait ~ à faire**○ it's a botched○ job; **il n'a fait ~ une ~ deux**○ he didn't hesitate for a second

niable /njabl/ *adj* deniable; **ce qui n'est pas ~** which can't be denied, which is undeniable

Niagara /njagaʀa/ ▸ **p. 372** *nprm* Niagara; **chutes du ~** Niagara Falls

niais, **~e** /njɛ, njɛz/
A *adj* [*personne*] stupid; [*air, visage*] stupid, inane
B *nm,f* idiot, simpleton

niaisement /njɛzmɑ̃/ *adv* stupidly, inanely

niaiserie /njɛzʀi/ *nf* 1▸ (caractère) stupidity, silliness; 2▸ (propos) stupid *ou* inane remark; **débiter des ~s** to talk rubbish *ou* twaddle○

niaiseux, **-euse** /njɛzø, øz/ Can
A *adj* (stupide) moronic
B *nm,f* (imbécile) moron

Niamey /nijame/ ▸ **p. 894** *npr* Niamey

Nicaragua /nikaʀagwa/ ▸ **p. 333** *nprm* Nicaragua

nicaraguayen, **-enne** /nikaʀagwajɛ̃, ɛn/ ▸ **p. 561** *adj* Nicaraguan

Nicaraguayen, **-enne** /nikaʀagwajɛ̃, ɛn/ ▸ **p. 561** *nm,f* Nicaraguan

Nice /nis/ ▸ **p. 894** *npr* Nice

niche /niʃ/ *nf* 1▸ (de chien) kennel, doghouse US; **à la ~**○! lit go to your kennel!; fig hum make yourself scarce○!; 2▸ Archit (de statue) niche; (alcôve) recess; 3▸ ○(farce) trick; **faire des ~s à qn** to play tricks on sb; 4▸ Comm niche market

(Composé) **~ écologique** ecological niche

nichée /niʃe/ *nf* (d'oisillons, enfants) brood; (de souris) litter

nicher /niʃe/ [1]
A *vi* 1▸ Zool to nest; 2▸ ○(loger) to hang out○
B se nicher *vpr* 1▸ Zool to nest; 2▸ (se blottir) [*personne, chaumière*] to nestle (**dans** in)

nichon◑ /niʃɔ̃/ *nm* boob◑, breast

nickel /nikɛl/
A ○*adj* [*objet*] spotless; [*logement*] spick and span (*jamais épith*), spick-and-span (*épith*)
B *nm* nickel

nickelage /niklaʒ/ *nm* nickel-plating

nickeler /nikle/ [19] *vtr* to nickel, to nickel-plate; **en acier nickelé** in nickel-plated steel

niçois, **~e** /niswa, az/ ▸ **p. 894** *adj* of Nice

Niçois, **~e** /niswa, az/ ▸ **p. 894** *nm,f* (natif) native of Nice; (habitant) inhabitant of Nice

Nicosie /nikozi/ ▸ **p. 894** *npr* Nicosia

nicotine /nikɔtin/ *nf* nicotine

nid /ni/ *nm* (d'oiseaux, de fourmis, guêpes) nest; **faire son ~** to make its nest; **tomber du ~** to fall from the nest; **quitter le ~ familial** fig to leave the nest; **nous avons trouvé** *or* **surpris l'oiseau au ~** fig we caught him at home; **quand nous sommes arrivés, le ~ était vide** when we got there the bird(s) had flown

(Composés) **~ d'aigle** eyrie; **~ d'ange** snuggle suit; **~ de brigands** den of thieves; **~ d'espions** spy ring; **~ d'hirondelle** bird's nest; **potage aux ~s d'hirondelle** bird's-nest soup; **~ de mitrailleuses** machine gun nest; **~ de pie** Naut crow's nest; **~ à poussière** dust trap; **~ de résistance** pocket of resistance

nid-d'abeilles, *pl* **nids-d'abeilles** /nidabɛj/ *nm* honeycomb weave; **des torchons en ~** tea towels in honeycomb weave

nid-de-poule, *pl* **nids-de-poule** /nidpul/ *nm* pothole

nidification /nidifikasjɔ̃/ *nf* nesting, nidification spéc

nidifier /nidifje/ [2] *vi* to nest, to nidify spéc

nièce /njɛs/ *nf* niece

nielle /njɛl/
A *nm* Art niello
B *nf* Agric (maladie) smut, bunt; (plante) **~ des blés** corncockle

nieller /njelle/ [1] *vtr* Art to niello

nième /ɛnjɛm/ *adj, nmf* = **énième**

nier /nje/ [2] *vtr* to deny [*fait, existence, signature*]; to repudiate [*dette*]; **~ que** to deny that; **~ avoir fait qch** to deny doing sth; **~ à qn le droit de faire** to deny sb his/her right to do; **~ sa culpabilité** to deny one's guilt; **~ tout en bloc** to deny everything; **on ne peut ~ que** nobody can deny that; **~ un crime** to deny having committed a crime; **~ une faute** to deny having made a mistake; **~ l'évidence** to refuse to face up to the facts

nietzschéen, **-éenne** /nitʃeɛ̃, ɛn/ *adj, nm,f* Nietzschean

Nièvre /njɛvʀ/ ▸ **p. 372**, ▸ **p. 721** *nprf* (affluent, département) **la ~** the Nièvre

nigaud, **~e** /nigo, od/
A *adj* silly
B *nm,f* (silly) twit○ GB, goof○ US; **gros ~** silly billy○ GB, big goof○ US

Niger /niʒɛʀ/ ▸ **p. 333**, **p. 372** *nprm* **le ~** (pays) Niger; (fleuve) the Niger

Nigeria /niʒɛʀja/ ▸ **p. 333** *nprm* Nigeria

nigérian, **~e** /niʒɛʀjɑ̃, an/ ▸ **p. 561** *adj* Nigerian

Nigérian, **~e** /niʒɛʀjɑ̃, an/ ▸ **p. 561** *nm,f* Nigerian

nigérien, **-ienne** /niʒɛʀjɛ̃, ɛn/ ▸ **p. 561** *adj* of Niger

Nigérien, **-ienne** /niʒɛʀjɛ̃, ɛn/ ▸ **p. 561** *nm,f* (natif) native of Niger; (habitant) inhabitant of Niger

nihilisme /ni'ilism/ *nm* Nihilism

nihiliste /ni'ilist/ *adj, nmf* nihilist

Nil /nil/ ▸ **p. 372** *nprm* **le ~** the Nile

nilotique /nilɔtik/ *adj* Ling Nilotic

nimbe /nɛ̃b/ *nm* nimbus, halo

nimber /nɛ̃be/ [1] *vtr* [*soleil*] to halo (**de** with); [*brume*] to swathe

nimbo-stratus /nɛ̃bostʀatys/ *nm inv* nimbostratus

Nîmes /nim/ ▸ **p. 894** *npr* Nîmes

nîmois, **~e** /nimwa, az/ ▸ **p. 894** *adj* of Nîmes

Nîmois, **~e** /nimwa, az/ ▸ **p. 894** *nm,f* (natif) native of Nîmes; (habitant) inhabitant of Nîmes

niobium /njɔbjɔm/ *nm* niobium

nipper○: **se nipper** /nipe/ [1] *vpr* to get rigged out○ in one's Sunday best

nippes○ /nip/ *nfpl* rags○, old clothes

nippon, **-onne** /nipɔ̃, ɔn/ *adj* Japanese

Nippon, **-onne** /nipɔ̃, ɔn/ *nm,f* Japanese

nique○ /nik/ *nf* **faire la ~ à qn**○ to thumb one's nose at sb

niquer● /nike/ [1] *vtr* [1] (posséder sexuellement) to lay◑; **se faire ~** to get laid◑; [2] (tromper) **se faire ~** to be had○

nirvana /niʀvana/ *nm* nirvana

nitouche○ /nituʃ/ *nf* **sainte ~** goody-goody○

nitrate /nitʀat/ *nm* nitrate

nitré, **~e** /nitʀe/ *adj* nitric

nitreux, **-euse** /nitʀø, øz/ *adj* nitrous

nitrifier /nitʀifje/ [2] *vtr* to nitrify

nitrique /nitʀik/ *adj* nitric; **acide ~** nitric acid

nitrite /nitʀit/ *nm* nitrite

nitrobenzène /nitʀobɛ̃zɛn/ *nm* nitrobenzene

nitroglycérine /nitʀoglyseʀin/ *nf* nitroglycerine

nival, **~e**, *mpl* **-aux** /nival, o/ *adj* **régime ~** snow melt dominated flow; **rétention ~e** snow storage

niveau, *pl* **~x** /nivo/ *nm* [1] (hauteur) level; **~ de l'eau/d'huile** water/oil level; **au ~ du sol/de la chaussée** at ground/street level; **être de ~** to be level; **mettre de ~** to make [sth] level; **dix mètres au-dessus/au-dessous du ~ de la mer** ten metres[GB] above/below sea level; **être au même ~ que** to be level with; **arrivé au ~ du car** when he drew level with the coach GB *ou* bus; **l'eau nous arrivait au ~ des chevilles/genoux** the water came up to our ankles/knees; **au ~ du cou/de l'abdomen** [*blessures*] in the neck/abdominal region; **accroc au ~ du genou** tear at the knee; [2] (étage) storey GB, story US; **bâtiment sur deux ~x** two-storey GB *ou* two-story US building; [3] (degré) (d'intelligence) level; (de connaissances) standard; **~ culturel/intellectuel** cultural/intellectual level; **~ d'éducation/de formation** standard of education/of training; **~ bac**○ baccalaureate or equivalent; **'~ bac + 3'** baccalaureate or equivalent plus 3 years' higher education; **au-dessous du ~ exigé pour** below the required standard for; **~ de production/d'inflation** level of production/of inflation; **d'un bon ~** of a good standard; **mettre à ~** Ordinat to upgrade; **mise à ~** Ordinat upgrade; **remise à ~** (d'élève) recap, refresher; **remettre qn à ~** to bring sb up to the required standard; **se mettre au ~ de qn** to put oneself on the same level as sb; **de haut ~** [*équipe, athlète*] top (*épith*); [*candidat*] high-calibre[GB] (*épith*); **~ des revenus/salaires** income/wage levels (*pl*); [4] (échelon) level; **à tous les ~x** at every level; **au ~ national/européen** at national/European level; **au plus haut ~** [*discussion, intervention*] top-level (*épith*); **les négociations se dérouleront au plus haut ~** there will be negotiations at the highest level; **au ~ de la commercialisation/des investissements** controv as regards marketing/investment; [5] Ling register; **~ familier/soutenu** informal/formal register; [6] Tech (instrument) level

(Composés) **~ (à bulle d'air)** spirit level; **~ de langue** Ling register; **~ à lunette** theodolite; **~ de maçon** mason's level; **~ de rémunération** wage level; **~ social** social status; **~ sonore** Audio sound level; **~ de vie** Écon standard of living, living standards

nivelage /nivlaʒ/ *nm* [1] Gén Civ (de sol, route) levelling[GB]; [2] (égalisation) (économique) standardization; (social) levelling[GB] out

niveler /nivle/ [19] *vtr* [1] (aplatir) to level [*sol*]; to flatten [*relief*]; [2] (égaliser) to bring [sth] to the same level [*revenus*]; **~ par le bas/haut** to level down/up; **la souffrance nivelle les différences** suffering is a great leveller

niveleuse /nivløz/ *nf* grading machine

nivellement* /nivɛlmɑ̃/ *nm* [1] Gén Civ (du sol) levelling[GB]; [2] Géog (mesure) land survey; [3] (égalisation) (économique) standardization; (social) levelling[GB]-out; **~ par le bas/haut** levelling[GB] down/up

nivernais, **~e** /nivɛʀnɛ, ɛz/ ▸ **p. 721**, **p. 894** *adj* [1] (du Nivernais) of the Nevers region; [2] (de Nevers) of Nevers

Nivernais, **~e** /nivɛʀnɛ, ɛz/
A ▸ **p. 894** *nm,f* (natif) native of Nevers; (habitant) inhabitant of Nevers
B ▸ **p. 721** *nprm* **le ~** the Nevers region

nivôse /nivoz/ *nm* Nivôse (*fourth month of the French revolutionary calendar, ≈ January*)

nobélisable /nɔbelizabl/
A *adj* worthy of a Nobel prize
B *nmf* person who is worthy of a Nobel prize

nobélium /nɔbeljɔm/ *nm* nobelium

nobiliaire /nɔbiljɛʀ/
A *adj* [*titre, particule*] nobiliary; **prétention** *or* **revendication ~** claim to nobility
B *nm* (registre) peerage list

noble /nɔbl/
A *adj* [1] (aristocrate) [*personne*] of noble birth; [*famille*] aristocratic; [2] (qui a de la grandeur) [*sentiments, maintien*] noble; [*dessein, cause, tâche*] worthy, noble; **une mission ~** a worthy *ou* noble undertaking; [3] (supérieur) [*matériau*] (naturel) natural, non-synthetic; (raffiné) fine, delicate; [*filière, section*] prestige (*épith*), prestigious; [*activité, sport*] noble; **métaux ~s** precious metals; **morceaux ~s d'un animal** choice cuts of meat
B *nmf* (personne) nobleman/noblewoman; **les ~s** the nobility (*sg*)
C *nm* Hist (monnaie) noble

(Composé) **~ art** Sport noble art

noblement /nɔbləmɑ̃/ *adv* [1] (avec noblesse) nobly; [2] (avec générosité) handsomely

noblesse /nɔblɛs/ *nf* [1] (qualité morale) nobility; **agir avec ~** to act nobly; [2] Hist (aristocratie) **la (haute) ~** the nobility; **la petite ~** the gentry; **prouver sa ~** to prove one's noble birth

(Composés) **~ de Cour** Hist Court nobility; **~ d'épée** Hist old nobility; **~ de robe** Hist noblesse de robe; **~ terrienne** Hist landed gentry

(Idiome) **~ oblige** noblesse oblige

nobliau, *pl* **~x** /nɔblijo/ *nm* minor nobleman

noce /nɔs/
A *nf* [1] ○(fête) party; **faire la ~**○ fig to live it up○, to party○; **aujourd'hui je n'étais pas à la ~** fig today was no picnic; [2] (invités) wedding party
B **noces** *nfpl* wedding (*sg*); **nuit/repas de ~s** wedding night/breakfast; **en premières ~s, il a épousé...** his first wife was...; **les Noces de Cana** the Wedding at Cana, the Marriage feast at Cana; **les Noces de Figaro** the Marriage of Figaro

(Composés) **~s d'argent** silver wedding (*sg*); **~s de diamant** diamond wedding (*sg*); **~s d'or** golden wedding (*sg*)

noceur○, **-euse** /nɔsœʀ, øz/ *nm,f* party animal○

nocif, **-ive** /nɔsif, iv/ *adj* [*gaz, produit, effet*] noxious; [*théorie, thèse*] harmful

nocivité /nɔsivite/ *nf* (de gaz, produit, d'effet, influence) noxiousness (**de** of); (de théorie, thèse) harmfulness (**de** of)

noctambule /nɔktɑ̃byl/
A *adj* [*promeneur*] late-night (*épith*); **ils sont ~s** they're night owls
B *nmf* night-time reveller

noctambulisme /nɔktɑ̃bylism/ *nm* night-time revelling[GB]

nocturne /nɔktyʀn/
A *adj* [*visite, spectacle, attaque*] night (*épith*); [*oiseau, animal*] nocturnal; [*sortie, promenade, équipée*] late-night (*épith*); **la vie ~ à Londres** nightlife in London
B *nm* [1] Zool (oiseau) nocturnal bird; [2] Mus, Relig nocturne
C *nf* [1] Sport (course, match) evening fixture; **jouer un match en ~** to play a match in the evening; **une réunion en ~** an evening fixture; [2] Comm (de magasin) late-night opening

nodal, **~e**, *mpl* **-aux** /nɔdal, o/ *adj* nodal

nodosité /nɔdozite/ *nf* [1] Méd nodule; [2] Bot nodosity

nodule /nɔdyl/ *nm* nodule

noduleux, **-euse** /nɔdylø, øz/ *adj* nodular

Noé /noe/ *npr* Noah

noël /nɔɛl/ *nm* [1] (chant) Christmas carol; [2] (cadeau) **(petit) ~** Christmas present

Noël /nɔɛl/
A *nm* Christmas; **'Joyeux ~'** 'Merry Christmas', 'Happy Christmas'; **à ~** at Christmas; **on y va pour ~** we are going there for Christmas; **de ~** [*arbre, cadeau, bûche*] Christmas (*épith*); ▸ **tison**
B *nf* **la (fête de) ~** Christmas

(Composé) **~ blanc** White Christmas

nœud /nø/
A *nm* [1] (pour lier) knot; **faire un ~** to tie *ou* make a knot; **~ simple/double** single/double knot; **faire un ~ de cravate** to tie a tie; [2] (pour orner et lier) bow; **avoir des ~s rouges dans les cheveux** to have red bows *ou* ribbons in one's hair; [3] ▸ **p. 898** Naut (unité de vitesse) knot; [4] (de branche, tige, planche) knot; [5] (point essentiel) crux; [6] Littérat (de pièce, de roman, d'intrigue) core; [7] Électrotech, Astron, Math node; [8] ●(pénis) dick●, nob● GB
B **nœuds** *nmpl* liter (d'amitié, affection) bonds, ties

(Composés) **~ coulant** slipknot; **~ ferroviaire** railway junction; **~ gordien** Gordian knot; **~ papillon** bow tie; **faire un/son ~ papillon** to do up a/one's bow tie; **~ routier** road junction; **~ de vipères** nest of vipers; **~ vital** Anat vital centre[GB]; **~s marins** Naut sailors' knots

noir, **~e** /nwaʀ/ ▸ **p. 202**
A *adj* [1] (couleur) [*peinture, fumée, cheveux*] black; [*yeux*] dark; **être ~ de coups** to be black and blue; **être ~ de monde** [*rue, plage*] to be

swarming *ou* teeming with people; 2 (sale) [*mains, col*] black, filthy; **être ~ de crasse/saleté** to be black with grime/dirt; 3 (obscur) [*ruelle, cachot*] dark; **les eaux ~es d'un lac** the dark waters of a lake; **il fait ~** it's dark; 4 (d'Afrique) [*personne, race, peau, quartier*] black; **avoir du sang ~ dans les veines** to have African ancestry; 5 (bronzé) **être ~, avoir la peau ~e** to have a dark tan; 6 (catastrophique) [*époque, année*] bad, bleak; [*misère*] dire, abject; [*désespoir*] deep; [*idée*] gloomy, dark; **dans le désespoir le plus ~** in deepest despair; **tout n'est pas ~ dans sa vie/ce livre** his life/this book is not all doom and gloom; **dresser** *or* **faire un tableau ~ de la situation** to paint a very black picture of the situation; 7 (méchant) [*regard*] black; [*âme, dessein*] dark; **regarder qn d'un œil ~** to give sb a black look; **entrer** *or* **se mettre dans une colère ~e** to fly into a towering rage; 8 ○(ivre) drunk

B *nm* 1 (couleur) black; **le ~ te va bien** black suits you; **un ~ brillant/mat** a shiny/matt black; **il s'habille toujours en ~** he always wears black; **il était en ~** *or* **vêtu de ~** he was in black; **le ~ du velours sur le blanc du satin** black velvet against white satin; 2 (saleté) (tache noire) black mark; (crasse) dirt; **avoir du ~ sur le visage** to have a black mark on one's face; **avoir du ~ sous les ongles** to have dirt under one's nails; 3 (obscurité) dark; **dans le ~** in the dark; **avoir peur du ~** to be afraid of the dark; 4 Art (d'un tableau) the dark areas; 5 (clandestinité) **au ~** [*acheter, vendre*] on the black market; **travail au ~** gén work for which no earnings are declared; (deuxième emploi, non déclaré) moonlighting○; **travailler au ~** gén to work without declaring one's earnings; (deuxième emploi, non déclaré) to moonlight ○, to work on the side; **faire une réparation/des travaux au ~** to do repairs/work on the side; 6 ○(café) **un (petit) ~** an espresso

C noire *nf* Mus crotchet GB, quarter note US

(Composés) **~ d'aniline** aniline black; **~ animal** boneblack; **~ au blanc** reverse; **~ de carbone** carbon black; **~ et blanc** Phot black and white photography; **faire du ~ et blanc** to do black and white photography; **film/photographie en ~ et blanc** black and white film/photography; **le film est en ~ et blanc** the film is in black and white; **~ de fumée** lampblack

(Idiomes) **c'est écrit ~ sur blanc** it's there in black and white; **être ~ comme de l'ébène/du cirage** to be as black as ebony/boot polish; **voir tout en ~** to look on the black side (of things)

Noir, ~e /nwaʀ/ *nm,f* black (man/woman); **les ~s** the blacks, black people; **~ Américain** black American, African American

noirâtre /nwaʀɑtʀ/ ▸ p. 202 *adj* blackish

noiraud, ~e /nwaʀo, od/
A *adj* [*personne, teint, visage*] swarthy
B *nm,f* swarthy person

noirceur /nwaʀsœʀ/ *nf* 1 (d'encre) blackness; (de cheveux, nuit, d'yeux) darkness; 2 (de personne, regard, projets, d'intentions) blackness; 3 Can (obscurité) dark; **à la ~** in the dark

noircir /nwaʀsiʀ/ [3]
A *vtr* 1 (salir) [*charbon*] to make [sth] dirty; [*fumée, feu, pollution*] to blacken; [*métal*] to turn [sth] black; [*encre*] to stain [sth] black; **la carcasse noircie d'un camion** the blackened shell of a truck; **il avait le visage noirci par la suie** his face was black with soot; **~ du papier** fig to scribble away; 2 (assombrir) **~ la situation** *or* **le tableau** to paint a black picture of the situation; **~ qn** *or* **la réputation de qn** to blacken sb's name *ou* character; 3 (teindre) to darken [*cuir*]
B *vi* (devenir noir) [*banane*] to go black; [*mur*] to get dirty *ou* black; [*métal*] to tarnish; (bronzer) [*personne*] to get brown
C se noircir *vpr* [*ciel*] to darken; [*temps*] to become threatening; **se ~ le visage** to blacken one's face

noircissure /nwaʀsisyʀ/ *nf* dark smudge

noire ▸ **noir A, C**

noise /nwaz/ *nf* **chercher ~** *or* **des ~s à qn** to pick a quarrel with sb

noisetier /nwaztje/ *nm* hazel (tree)

noisette /nwazɛt/
A ▸ p. 202 *adj inv* [*couleur, yeux*] hazel; [*tissu*] light brown
B *nf* 1 Bot, Culin hazelnut; **glace à la ~** hazelnut ice cream; **chocolat aux ~s** hazelnut chocolate; 2 (morceau) small knob (**de** of)

noix /nwa/ *nf inv* 1 Bot walnut GB, English walnut US; **pain/fromage aux ~** walnut bread/cheese; **~ verte** green walnut; 2 (morceau) knob; **une ~ de beurre** a knob of butter; 3 Culin **rôti dans la ~** ≈ roast fillet of veal; **~ de coquille Saint-Jacques** white flesh of scallop; 4 ○(imbécile) nut○; **salut vieille ~!** hi there, old pal○!; **à la ~** [*histoire, artiste*] crummy○, crap◑

(Composés) **~ du Brésil** Brazil nut; **~ de cajou** cashew nut; **~ de coco** coconut; **~ de cola** kola nut; **~ de galle** oak apple, oak gall; **~ (de) muscade** nutmeg; **~ pâtissière** *tender fillet cut of veal*; **~ de pécan** pecan nut; **~ de veau** *fillet end of a leg of veal*

nolisé, ~e /nolize/ *adj* Can [*vol*] charter

nom /nɔ̃/
A *nm* 1 (désignation) name; **quel est le ~ de ces plantes?** what's the name of these plants, what are these plants called?; **digne de ce ~** worthy of the name; **une dictature qui n'ose pas dire son ~** a dictatorship masquerading as something else; **la maladie doit** *or* **emprunte son ~ à** the disease owes its name to; **la lexicographie, comme son ~ l'indique, est...** as its name implies, lexicography is...; **n'avoir de république que le ~** to be a republic in name only; **connu sous le ~ de** known as; **donner un ~ à** to name; **sans ~** péj unspeakable; **cela porte un ~: la fainéantise** there's a word for that: laziness; **~ de ~**○, **~ d'un chien**○ *or* **d'une pipe**○ hell○; **qu'est-ce que tu fais ici, ~ de ~?** what the hell are you doing here?; 2 (nom propre) name; (opposé à prénom) surname, second name; **quel est ton ~?** what's your name?; **demander/connaître le ~ de qn** to ask/know sb's name; **connaître qn de ~** to know sb by name; **mettre un ~ sur un visage** to put a name to a face; **porter le ~ de son mari** to use one's husband's surname; **quelqu'un du ~ de Grunard** somebody by the name of Grunard; **réserver au ~ de Grunard** to book GB *ou* make a reservation in the name of Grunard; **sous mon/leur ~** under my/their own name; **George Sand, de son vrai ~ Aurore Dupin** George Sand, whose real name was Aurore Dupin; **~ et prénom** full name; **(c'est) à quel ~?** under what name?; **répondre au ~ de** to answer to the name of; **~ à coucher dehors**○ impossible name; **~ à rallonge**○ *or* **tiroirs** impossibly long name; **Louis le neuvième du ~** Louis IX; **petit ~** first name; **parler en son propre ~** to speak for oneself; **rassembler les électeurs sous** *or* **sur son ~** to rally the voters behind one; **en France, le produit se vend sous le ~ de 'Calex'** in France, the product is marketed under the 'Calex' tradename; ▸ **faux**; 3 (réputation) name; **se faire un ~** to make a name for oneself (**comme, en tant que** as); **il s'est fait un ~ dans la publicité** he made his name in advertising; **vouloir laisser un ~** to want to become famous; 4 Ling (partie du discours) noun; **~ propre/commun** proper/common noun; **~ composé/féminin** compound/feminine noun
B au nom de *loc prép* 1 (en vertu de) in the name of; **au ~ de la loi/notre amour** in the name of the law/our love; **au ~ du Père, du Fils et du Saint-Esprit** in the name of the Father, of the Son and of the Holy Ghost; 2 (de la part de) on behalf of; **au ~ de tous vos collègues** on behalf of all your colleagues

(Composés) **~ de baptême** Christian name; **~ de code** code name; **~ commercial** corporate name; **~ déposé** Comm, Jur registered trademark; **~ de domaine** Ordinat domain name; **~ double** double-barrelled name GB, hyphenated name; **~ d'emprunt** pseudonym; **~ de famille** surname; **~ de guerre** nom de guerre; **~ de jeune fille** maiden name; **~ de lieu** place-name; **~ de plume** pen name, nom de plume; **~ de théâtre** stage name; **~ d'utilisateur** Ordinat user name ▸ **petit**

(Idiomes) **traiter qn de tous les ~s (d'oiseaux)** to call sb all the names under the sun; **appeler les choses par leur ~** to call a spade a spade

nomade /nɔmad/
A *adj* [*personne, vie, tribu*] nomadic; [*bureau, travailleur*] mobile
B *nmf* (du désert) nomad; **mener une vie de ~** to lead a nomadic existence

nomadisme /nɔmadism/ *nm* nomadism

no man's land /nomanslɑ̃d/ *nm inv* no-man's land

nombrable /nɔ̃bʀabl/ *adj* countable

nombre /nɔ̃bʀ/ *nm* 1 Math, Ling, Sci number; **un ~ à deux chiffres** a two-digit number; **~ positif/négatif** positive/negative number; **la théorie des ~s** number theory; **la loi des grands ~s** the law of large numbers; **s'accorder en genre et en ~** to agree in gender and number; 2 (quantité) number; **le ~ des chômeurs** the number of unemployed; **le ~ croissant/décroissant** the increasing/decreasing *ou* falling number; **un certain ~ de** some; **être égal en ~** *or* **en ~ égal** to be equal in number; **être inférieur en ~** *or* **en ~ inférieur** [*troupes, joueurs*] to be fewer in number; [*groupe*] to be smaller; **être supérieur en ~** *or* **en ~ supérieur** [*troupes, joueurs*] to be greater in number; [*groupe*] to be bigger; **nous sommes en ~ suffisant pour** there are enough of us to; **dans le ~**○ **il y aura bien quelqu'un qui me prêtera de l'argent** surely one of them will lend me some money; **ils sont du ~ de ceux qui** they are among those who; **ils étaient au ~ de 30** there were 30 of them; 3 (grande quantité) numbers (*pl*); **être écrasé** *or* **succomber sous le ~** (de personnes) to be overcome by sheer weight of numbers; (de dossiers, lettres) to be defeated by the sheer volume; **subir la loi du ~** to be overcome by sheer weight of numbers; **sans ~** [*ennemis, personnes*] countless; [*ennuis*] endless; **bon ~ de** a good many; **~ de fois** many times; 4 Bible, Relig **le Livre de Nombres/les Nombres** the Book of Numbers/Numbers

(Composés) **~ aléatoire** Ordinat random number; **~ algébrique** algebraic number; **~ atomique** atomic number; **~ d'Avogadro** Avogadro's number *ou* constant; **~ cardinal** cardinal number; **~ complexe** complex (number); **~ décimal** decimal; **~ entier** whole number; **~ entier naturel** natural number; **~ entier relatif** integer; **~ fractionnaire** fraction; **~ au hasard** = **~ aléatoire**; **~ hétérogène** mixed number; **~ imaginaire** Ordinat imaginary number; **~ impair** odd number; **~ irrationnel** irrational number; **~ de Mach** Mach (number); **~ de masse** nucleon *ou* mass number; **~ d'or** Art golden section; **~ ordinal** ordinal number; **~ pair** even number; **~ parfait** perfect number; **~ premier** prime number; **~ rationnel** rational number; **~ réel** real number

nombrer /nɔ̃bʀe/ [1] *vtr* liter to number, to count

Les nombres

Les nombres cardinaux

0	nought (*GB*) zero (*US*)*
1	one
2	two
3	three
4	four
5	five
6	six
7	seven
8	eight
9	nine
10	ten
11	eleven
12	twelve
13	thirteen
14	fourteen
15	fifteen
16	sixteen
17	seventeen
18	eighteen
19	nineteen
20	twenty
21	twenty-one
22	twenty-two
30	thirty
31	thirty-one
32	thirty-two
40	forty[†]
50	fifty
60	sixty
70	seventy
73	seventy-three
80	eighty
84	eighty-four
90	ninety
95	ninety-five
100	a hundred *ou* one hundred[‡]
101	a hundred and one (*GB*)[§] a hundred one (*US*)
111	a hundred and eleven (*GB*) a hundred eleven (*US*)
123	a hundred and twenty-three (*GB*) a hundred twenty-three (*US*)
200	two hundred

Noter que l'anglais utilise une virgule là où le français a un espace.

1,000	a thousand
1,002	a thousand and two (*GB*) a thousand two (*US*)
1,020	a thousand and twenty (*GB*) a thousand twenty (*US*)
1,200	a thousand two hundred
10,000	ten thousand
10,200	ten thousand two hundred
100,000	a hundred thousand
102,000	a hundred and two thousand (*GB*) *ou* a hundred two thousand (*US*)
1,000,000	one million
1,200,000	one million two hundred thousand
1,264,932	one million two hundred and sixty-four thousand nine hundred and thirty-two (*GB*) *ou* one million two hundred sixty-four thousand nine hundred thirty-two (*US*)
2,000,000	two million[¶]
3,000,000,000	three thousand million (*GB*) *ou* three billion[‖] (*US*)
4,000,000,000,000	four billion (*GB*) four thousand billion (*US*)

les nombres jusqu'à dix
= numbers up to ten

compter jusqu'à dix
= to count up to ten

* *En anglais, lorsqu'on énonce les chiffres un à un, on prononce en général le zéro* oh: mon numéro de poste est le 403 = my extension number is 403 (*dire* four oh three).
Pour la température, on utilise zero: il fait zéro = it's zero.
Pour les scores dans les jeux et les sports, on utilise en général nil (*GB*) zero (*US*), *sauf au tennis, où zéro se dit* love.

† *Noter que* forty *s'écrit sans* u, *alors que* fourteen *et* fourth *s'écrivent comme* four.

‡ *Les formes avec* one *s'utilisent lorsqu'on veut insister sur la précision du chiffre. Dans les autres cas, on utilise plutôt* a.

§ *Noter que* and *s'utilise en anglais britannique entre* hundred *ou* thousand *et le chiffre des dizaines ou des unités (mais pas entre* thousand *et le chiffre des centaines). Il ne s'utilise pas en anglais américain.*

¶ *Noter que* million *est invariable en anglais dans ce cas.*

‖ *Attention: un* billion *américain vaut un milliard (1 000 millions), alors qu'un* billion *britannique vaut 1 000 milliards. Le* billion *américain est de plus en plus utilisé en Grande-Bretagne.*

Les adresses, les numéros de téléphone, les dates etc.

Les adresses

	dire
29 Park Road	twenty-nine Park Road
110 Park Road	a hundred and ten Park Road (*GB*) *ou* one ten Park Road (*US*)
1021 Park Road	one oh two one Park Road (*GB*) *ou* ten twenty-one Park Road (*US*)

Les numéros de téléphone

	dire
020 7392 1011	oh two oh, seven three nine two; one oh one one *ou* ... one oh double one
1-415-243 7620	one, four one five, two four three, seven six two oh
04 78 02 75 27	oh four, seven eight, oh two, seven five, two seven

Les dates ▸ p. 222

Combien?

combien d'enfants y a-t-il?
= how many children are there?

il y a vingt-trois enfants
= there are twenty-three children

■ *Noter que l'anglais n'a pas d'équivalent du pronom français* en *dans:*

combien est-ce qu'il y en a?
= how many are there?

il y en a vingt-trois
= there are twenty-three

nous viendrons à 8
= there'll be 8 of us coming

ils sont 8
= there are 8 of them

ils étaient 10 au commencement
= there were 10 of them at the beginning

■ *L'anglais* million *s'utilise ici comme adjectif. Noter l'absence d'équivalent anglais de la préposition* de *après* million.

1 000 000 d'habitants
= 1,000,000 inhabitants (*dire* a million inhabitants *ou* one million inhabitants)

2 000 000 d'habitants
= two million inhabitants

■ *L'anglais utilise aussi les mots* hundreds, thousands, millions *etc. au pluriel, comme en français:*

j'en ai des centaines
= I've got hundreds

des milliers de livres
= thousands of books

les milliers de livres que j'ai lus
= the thousands of books I have read

des centaines et des centaines
= hundreds and hundreds

des milliers et des milliers
= thousands and thousands

■ *Pour les numéraux français en* -aine *(*dizaine, douzaine, quinzaine, vingtaine, trentaine, quarantaine, cinquantaine, soixantaine *et* centaine*) lorsqu'ils désignent une somme approximative, l'anglais utilise le chiffre avec la préposition* about *ou* around.

une dizaine de questions
= about ten questions

une quinzaine de personnes
= about fifteen people

une vingtaine
= about twenty

une centaine
= about a hundred

presque dix
= almost ten
ou nearly ten

environ dix
= about ten

environ 400 pages
= about four hundred pages

moins de dix
= less than ten

plus de dix
= more than ten

tous les dix
= all ten of them
ou all ten

ils s'y sont mis à cinq
= it took five of them
ou (*s'ils n'étaient que cinq en tout*) it took all five of them

■ *Noter l'ordre des mots dans:*

les deux autres
= the other two

les cinq prochaines semaines
= the next five weeks

mes dix derniers dollars
= my last ten dollars

Les nombres *suite*

Quel numéro? Lequel?

le volume numéro 8 de la série
= volume 8 of the series
ou the 8th volume of the series

le cheval numéro 11
= horse number 11

miser sur le 11
= to bet on number 11

le nombre 7 porte bonheur
= 7 is a lucky number

la ligne 8 du métro
= line number 8 of the underground (*GB*) *ou* subway (*US*)

la (chambre numéro) 8 est libre
= room 8 is free

le 8 de pique
= the 8 of spades

Louis XIV
= Louis the Fourteenth

Les opérations

	dire
$10 + 3 = 13$	ten and three are thirteen *ou* ten plus three make thirteen
$10 - 3 = 7$	ten minus three is seven *ou* three from ten leaves seven
$10 \times 3 = 30$	ten times three is thirty *ou* ten threes are thirty
$30 \div 3 = 10$*	thirty divided by three is ten *ou* three into thirty is ten
3^2	three squared
3^3	three cubed *ou* three to the power of three
3^4	three to the fourth *ou* three to the power of four
3^{100}	three to the hundredth *ou* three to the power of a hundred
3^n	three to the nth (dire [enθ]) *ou* three to the power of n
$\sqrt{12}$	the square root of 12
$\sqrt{25} = 5$	the square root of twenty-five is 5
$B > A$	B is greater than A
$A < B$	A is less than B

Les nombres décimaux

■ *Noter que l'anglais utilise un point* (the decimal point) *là où le français a une virgule. Zéro se traduit toujours par* zero *mais on emploie aussi* nought *et* oh *au Royaume-Uni.*

	dire
0.25	nought point two five *ou* point two five
0.05	nought point nought five *ou* point oh five
0.75	nought point seven five *ou* point seven five
3.33	three point three three
8.195	eight point one nine five
9.1567	nine point one five six seven

Les pourcentages

	dire
25%	twenty-five per cent
50%	fifty per cent
100%	a hundred per cent *ou* one hundred per cent
200%	two hundred per cent
365%	three hundred and sixty-five per cent (*GB*) *ou* three hundred sixty-five per cent (*US*)
4.25%	four point two five per cent
4.025%	four point oh two five per cent

Les fractions

	dire		**dire**
1/2	a half† *ou* one half	1/10	a tenth
1/3	a third *ou* one third	1/11	one eleventh
1/4	a quarter *ou* one quarter etc.	1/12	one twelfth (*etc.*)
		2/3	two thirds
1/5	a fifth	2/5	two fifths
1/6	a sixth	2/10	two tenths (*etc.*)
1/7	a seventh	3/4	three quarters
1/8	an eighth	5/8	five eighths
1/9	a ninth	3/10	three tenths (*etc.*)

■ *Noter l'utilisation en anglais de l'article indéfini dans les expressions suivantes:*

1 1/2	one and a half
1 1/3	one and a third
1 1/4	one and a quarter
1 1/6	one and a sixth
1 1/7	one and a seventh (etc.)
5 2/3	five and two thirds
5 3/4	five and three quarters
5 4/5	five and four fifths (etc.)
45/100	forty-five hundredths

■ *Noter que l'anglais n'utilise pas l'article défini dans:*

les deux tiers d'entre eux
= two thirds of them

■ *Mais noter l'utilisation de l'article indéfini anglais dans:*

quarante-cinq centièmes de seconde
= forty-five hundredths of a second

dix sur cent
= ten out of a hundred

Les nombres ordinaux

français	**abréviation**	**en toutes lettres anglaises**
1er	1st	first
2^e	2nd	second
3^e	3rd	third
4^e	4th	fourth
5^e	5th	fifth
6^e	6th	sixth
7^e	7th	seventh
8^e	8th	eighth
9^e	9th	ninth
10^e	10th	tenth
11^e	11th	eleventh
12^e	12th	twelfth
13^e	13th	thirteenth
20^e	20th	twentieth
21^e	21st	twenty-first
22^e	22nd	twenty-second
23^e	23rd	twenty-third
24^e	24th	twenty-fourth
30^e	30th	thirtieth
40^e	40th	fortieth
50^e	50th	fiftieth
60^e	60th	sixtieth
70^e	70th	seventieth
80^e	80th	eightieth
90^e	90th	ninetieth
99^e	99th	ninety-ninth
100^e	100th	hundredth
101^e	101st	hundred and first
102^e	102nd	hundred and second (*GB*) hundred second (*US*)
103^e	103rd	hundred and third (*GB*) hundred third (*US*)
196^e	196th	hundred and ninety-sixth (*GB*) hundred ninety-sixth (*US*)
1000e‡	1,000th	thousandth
$1\,000\,000^{e}$‡	1,000,000th	millionth

le premier
= the first
ou the first one

le quarante-deuxième
= the forty-second
ou the forty-second one

il y en a un deuxième
= there is a second one

le second des deux
= the second of the two

■ *Noter l'ordre des mots dans:*

les trois premiers
= the first three

le troisième pays le plus riche du monde
= the third richest nation in the world

les quatre derniers
= the last four

* *Noter que le signe* divisé par *est différent dans les deux langues: au* ":" *français correspond le* "÷" *anglais.*

† *Pour les fractions jusqu'à 1/10, on utilise normalement* a *(*a third*); on utilise* one *(*one third*) en mathématiques et pour les calculs précis.*

‡ *Noter que l'anglais utilise une virgule là où le français a un espace.*

nombreux, **-euse** /nɔ̃bʀø, øz/ *adj* **1** (important) [*communauté, population, collection*] large; **la foule était nombreuse** there was a large *ou* vast crowd; **2** (en grand nombre) many (*épith*); **de ~ spectateurs/accidents** many *ou* numerous spectators/accidents; **de nombreuses personnalités étaient présentes** there were many *ou* numerous personalities present; **l'usine ne sera pas mise en service avant de nombreuses années** it will be many years before the factory is put into operation; **nous étions très ~** there were a great many of us; **ils étaient peu ~** there were only a few of them, there weren't many of them; **ils étaient ~ à ignorer la date de la réunion** many of them didn't know the date of the meeting; **ils ont répondu ~ à l'appel** numerous *ou* a great many people responded to the appeal; **les clients/candidats étaient ~** there were a lot of customers/candidates; **les clients étaient peu ~** there weren't many customers; **les touristes sont de plus en plus/de moins en moins ~** there are more and more/fewer and fewer tourists; **les admirateurs étaient venus ~** crowds of fans had come; **les clients étaient moins/plus ~ qu'hier** there were fewer/more customers than yesterday; **ils arrivent toujours plus ~** they are arriving in ever greater numbers; **les touristes deviennent trop ~** the number of tourists is becoming excessive; **dans de ~ cas** in many *ou* numerous cases

nombril /nɔ̃bʀil/ *nm* navel; **se regarder le ~, contempler son ~** fig to contemplate one's navel; **elle se prend pour le ~ du monde** fig she thinks she's God's gift to mankind

nombrilisme○ /nɔ̃bʀilism/ *nm* pej (de personne) self-absorption, navel-gazing○; **faire du ~** to be completely wrapped up in oneself

nombriliste○ /nɔ̃bʀilist/ *adj* pej [*personne*] egocentric; [*politique, repli*] inward-looking

nomenclature /nɔmɑ̃klatyʀ/ *nf* **1** (ensemble de termes) nomenclature; (de dictionnaire) word list; **2** Ordinat nomenclature

n

nomenklatura /nɔmɛnklatuʀa/ *nf* nomenklatura

nominal, **~e**, *mpl* **-aux** /nɔminal, o/

A *adj* **1** Écon, Fin [*hausse, taux*] nominal; **salaire ~** money *ou* nominal wages; (avant déductions) gross salary, pay; **valeur ~e** (d'action) par value; (de monnaie) face value; **2** (par nom) **liste ~e** list of names; **appel ~** roll call; **3** Tech (indiqué) [*puissance, rendement*] rated; **4** Ling [*forme, emploi*] nominal

B *nm* Fin (d'action) par value; **action au ~ de 100 euros** share with a par value of 100 euros

nominalement /nɔminalmɑ̃/ *adv* **1** (par le nom) [*appeler*] by name; [*inviter*] personally; **2** Ling nominally

nominalisation /nɔminalizasjɔ̃/ *nf* Ling nominalization

nominaliser /nɔminalize/ [1] *vtr, vi* Ling to nominalize

nominalisme /nɔminalism/ *nm* Philos nominalism

nominatif, **-ive** /nɔminatif, iv/

A *adj* **1** (par noms) [*fichier, liste*] of names; **2** (individual) [*invitation*] personal; [*inculpation*] individual; **3** Fin [*titre, action*] registered

B *nm* Ling nominative; **au ~** in the nominative

nomination /nɔminasjɔ̃/ *nf* **1** (affectation) appointment; **~ à un poste/une commission** appointment to a post/a committee; **~ à la tête de** appointment as head of; **~ aux affaires étrangères** (comme ministre) appointment as Foreign Secretary; (comme fonctionnaire) appointment to the Foreign Affairs Office; **obtenir sa ~** to be appointed; **2** (lettre d'affectation) **attendre/recevoir sa ~** to expect/receive one's letter of appointment; **3** (sélection) controv nomination

nominativement /nɔminativmɑ̃/ *adv* by name

nominer /nɔmine/ [1] *vtr* controv to nominate

nommément /nɔmemɑ̃/ *adv* specifically by name

nommer /nɔme/ [1]

A *vtr* **1** (désigner pour une fonction) to appoint; **~ qn (au poste de) directeur** to appoint sb director; **~ qn d'office/à un poste** to appoint sb automatically/to a position; **être nommé à Paris/Berlin** to be posted to Paris/Berlin; **2** (dénommer) to name [*personne*]; to call [*chose*]; **ce qu'on nomme tanka** what is called tanka; **être nommé d'après sa grand-mère** to be named after one's grandmother; **comment l'ont-ils nommé?** what did they call him?; **le nommé Durand** the man named Durand; **nommé communément** commonly known as; **3** (citer) to name [*complice, arbre, peintre*]; **pour ne ~ personne** to name *ou* mention no names

B **se nommer** *vpr* **1** (s'appeler) to be called; **2** (donner son nom) to give one's name

non /nɔ̃/

> ⚠ En anglais la réponse *no* est généralement renforcée en reprenant le verbe utilisé pour poser la question: *'tu es déçu?'—'non'* = 'are you disappointed?' —'no, I'm not'; *'est-ce que vous aimez les concombres?'—'non'* = 'do you like cucumber?'—'no, I don't'

A *adv* **1** (marque le désaccord) no; **mais ~, je n'ai pas dit ça!** no, that's not what I said!; **'encore du café?'—'je ne dis pas ~'** 'more coffee?'—'I wouldn't say no'; **~, ~ et ~!** absolutely not!; **ah, ça ~!** definitely not!, no way○!; **alors, c'est ~?** so the answer is no?; **certes ~** not at all; **~, assurément** most certainly not; **'il était content?'—'que ~○!'** 'was he pleased?'—'not at all!'; **elle n'est pas contente, ~** she isn't at all pleased; **dire** *or* **faire ~ de la tête** to shake one's head; ▸ **oui**

2 (remplace une proposition) **je pense que ~** I don't think so, I think not; **je te dis que ~** no, I tell you; **il paraît que ~** apparently not; **cela marche? elle affirme que ~** does it work? she claims it doesn't; **tu trouves ça drôle? moi ~** do you think that's funny? I don't; **ils ont tous aidé, lui ~** everyone helped, but he didn't; **certains ont aimé, d'autres ~** some people liked it and some didn't

3 (dans une double négation) **~ sans raison** not without reason; **~ sans mal** *or* **peine** not without difficulty; **~ sans hésiter** *or* **hésitation** not without hesitation; **~ loin de** not far from; **~ moins difficile** just as difficult; **une situation ~ moins triste** an equally sad situation

4 (introduisant une rectification, nuance) **j'ai vu ~ seulement lui mais encore elle** I saw not only him but her too; **~ (pas) que je sois d'accord** not that I agree; **~ pas 200 mais 2000** 2000, not 200; **elle est assez jolie, et ~ très belle** she is quite pretty, rather than very beautiful; **devant le café, ou plutôt ~, dedans** outside the café, or rather inside

5 (dans une alternative) **qu'il soit d'accord ou ~** whether he agrees or not; **malade ou ~, je viendrai** I'll come even if I'm ill; **tu viens, oui ou ~?** are you coming or not?; **va-t-il, oui ou ~, accepter?** will he accept or not?; **plaisanterie ou ~, cela ne m'a pas plu** even if it was supposed to be a joke, I didn't like it

6 (interrogatif, exclamatif) **c'est difficile, ~?** (n'est-ce pas) it's difficult, isn't it?; **vous écrirez, ~?** you will write, won't you?; **~?** (de scepticisme) oh no?; **~!** (de surprise) no!; **sois un peu plus poli, ~ mais ○!** be a bit more polite, for heaven's sake!

7 (avec adjectif) non; **~ alcoolisé** nonalcoholic; **~ négligeable** [*atout, somme*] considerable; [*rôle*] important; **augmentation ~ prévue** unforeseen increase; **objet ~ identifié** unidentified object; **peur ~ feinte** genuine fear; **les choses ~ dites** things left unsaid; **être déclaré ~ coupable** to be found not guilty

B *nm inv* **1** (désaccord) no; **ne dire ni oui ni ~** not to give a definite answer; **répondre ~** to say no; **dire ~ à la guerre** to say 'no' to war; **un ~ catégorique** an emphatic no

2 (vote négatif) 'no' vote; **il y a eu 60 ~** (votes) there were 60 votes against *ou* 60 'no' votes; **répondez par oui ou par ~** answer yes or no; **mon ~ est définitif** no and that's final

C **non plus** *loc adv* **je ne suis pas d'accord ~ plus** I don't agree either; **il n'a pas aimé le film, moi ~ plus** he didn't like the film and neither did I, he didn't like the film and I didn't either

non-acceptation /nɔnaksɛptasjɔ̃/ *nf* nonacceptance

nonagénaire /nɔnaʒenɛʀ/

A *adj* **être ~** to be in one's nineties, to be a nonagenarian

B *nmf* nonagenarian

non-agression /nɔnagʀɛsjɔ̃/ *nf* nonaggression; **pacte de ~** nonaggression pact

non-aligné, **~e**, *mpl* **~s** /nɔnaliɲe/ *nm,f* nonaligned country

non-alignement /nɔnaliɲmɑ̃/ *nm* nonalignment

nonante /nɔnɑ̃t/ ▸ **p. 568, p. 222** *adj inv, pron* Belg, Can, Helv ninety

nonantième /nɔnɑ̃tjɛm/ *adj, nmf* Belg, Can, Helv ninetieth

non-assistance /nɔnasistɑ̃s/ *nf* **~ à personne en danger** failure to render assistance

nonce /nɔ̃s/ *nm* nuncio; **~ apostolique** *or* **du Pape** papal nuncio

nonchalamment /nɔ̃ʃalamɑ̃/ *adv* nonchalantly

nonchalance /nɔ̃ʃalɑ̃s/ *nf* nonchalance; **avec ~** nonchalantly

nonchalant, **~e** /nɔ̃ʃalɑ̃, ɑ̃t/ *adj* (personne) nonchalant; (enfant, élève) apathetic; **c'est un ~** he shows no enthusiasm for anything

nonciature /nɔ̃sjatyʀ/ *nf* **1** (charge) nunciature; **2** (résidence) Apostolic Nunciature

non-combattant, **~e** *mpl* **~s** /nɔ̃kɔ̃batɑ̃, ɑ̃t/ *nm,f* noncombatant

non-comparution /nɔ̃kɔ̃paʀysjɔ̃/ *nf* nonappearance

non-conciliation /nɔ̃kɔ̃siljasjɔ̃/ *nf* absence of agreement, failure to agree

non-conducteur /nɔ̃kɔ̃dyktœʀ/ *nm* nonconductor

non-conformisme /nɔ̃kɔ̃fɔʀmism/ *nm* nonconformism

non-conformiste, *pl* **~s** /nɔ̃kɔ̃fɔʀmist/ *nm,f* nonconformist

non-conformité /nɔ̃kɔ̃fɔʀmite/ *nf* nonconformity (to standards *ou* regulations)

non-croyant, **~e**, *mpl* **~s** /nɔ̃kʀwajɑ̃, ɑ̃t/ *nm,f* nonbeliever, unbeliever

non-discrimination /nɔ̃diskʀiminasjɔ̃/ *nf* nondiscrimination

non-dissémination /nɔ̃diseminasjɔ̃/ *nf* nonproliferation

non-dit /nɔ̃di/ *nm inv* **le ~** what is left unsaid

non-droit /nɔ̃dʀwa/ *nm* absence of legislation

non-emploi /nɔnɑ̃plwa/ *nm* unemployment

non-engagement /nɔnɑ̃gaʒmɑ̃/ *nm* noninvolvement

non-être /nɔnɛtʀ/ *nm inv* nonbeing

non-événement, *pl* **~s** /nɔnevɛnmɑ̃/ *nm* nonevent

non-exécution /nɔnɛgzekysjɔ̃/ *nf* **~ des clauses d'un contrat** failure to comply with the clauses of a contract

non-figuratif, **-ive**, *mpl* **~s** /nɔ̃figyʀatif, iv/ *nm,f* abstract artist

non-fonctionnement /nɔ̃fɔ̃ksjɔnmɑ̃/ *nm* failure to operate

non-fumeur, *pl* **~s** /nɔ̃fymœʀ/ *nm* nonsmoker; **parmi les ~s** among nonsmokers

non-gage /nɔ̃gaʒ/ *nm* **certificat de ~** *certificate of freedom from lien*

non-gréviste, *pl* **~s** /nɔ̃gʀevist/ *nmf* nonstriker

non-imposition /nɔnɛ̃pozisjɔ̃/ *nf* nontaxation

non-ingérence /nɔnɛ̃ʒeʀɑ̃s/ *nf* noninterference

non-initié, **~e**, *mpl* **~s** /nɔninisje/ *nm,f* gén layman, lay person; (dans une secte) uninitiated person; **les ~s** the uninitiated

non-inscrit, **~e**, *mpl* **~s** /nɔnɛ̃skʀi, it/ *nm,f* independent

non-interférence /nɔnɛ̃tɛʀfeʀɑ̃s/ *nf* noninterference

non-intervention /nɔnɛ̃tɛʀvɑ̃sjɔ̃/ *nf* nonintervention

non-interventionniste, *pl* **~s** /nɔnɛ̃tɛʀvɑ̃sjɔnist/ *nmf* noninterventionist

noniste /nɔnist/ *nmf* Pol no-voter *in referendums*

non-jouissance /nɔ̃ʒwisɑ̃s/ *nf* absence of rights of owner

non-lieu, *pl* **~x** /nɔ̃ljø/ *nm* Jur dismissal (of a charge); **rendre un ~** to dismiss a case (because of a lack of evidence); **il y a eu ~** the judge dismissed the case

non-moi /nɔ̃mwa/ *nm inv* nonego

nonne† /nɔn/ *nf* nun

nonnette /nɔnɛt/ *nf* Culin small iced gingerbread

nonobstant† /nɔnɔpstɑ̃/ *adv, prép* notwithstanding

non-paiement /nɔ̃pɛmɑ̃/ *nm* nonpayment

nonpareilles /nɔ̃paʀɛj/ *nfpl* Culin hundreds and thousands

non-participation /nɔ̃paʀtisipasjɔ̃/ *nf* nonparticipation

non-présentation /nɔ̃pʀezɑ̃tasjɔ̃/ *nf* **~ d'enfant** denial of access to a child

non-prolifération /nɔ̃pʀɔlifeʀasjɔ̃/ *nf* nonproliferation

non-recevoir /nɔ̃ʀəsəvwaʀ/ *nm* **fin de ~** flat refusal

non-reconduction, *pl* **~s** /nɔ̃ʀəkɔ̃dyksjɔ̃/ *nf* (de contrat, mesure) nonrenewal; (de personne) failure to reappoint

non-représentation /nɔ̃ʀəpʀezɑ̃tasjɔ̃/ *nf* **~ d'enfant** denial of access to a child

non-résident, **~e** /nɔ̃ʀezidɑ̃, ɑ̃t/ *nm,f* nonresident

non-respect /nɔ̃ʀɛspɛ/ *nm* **~ de** failure to comply with, failure to observe [*clause, contrat, accord*]; failure to respect [*personne*]

non-responsabilité /nɔ̃ʀɛspɔ̃sabilite/ *nf* nonliability

non-retour /nɔ̃ʀətuʀ/ *nm* **point de ~** point of no return

non-rétroactivité /nɔ̃ʀetʀoaktivite/ *nf* (principle of) nonretrospectiveness

non-salarié, **~e**, *mpl* **~s** /nɔ̃salaʀje/ *nm,f* non wage-earner

non-sens /nɔ̃sɑ̃s/ *nm inv* 1 (absurdité) nonsense ₵; **ce que vous dites est un ~** what you are saying is nonsense; **cette politique est un ~** this policy is nonsensical; 2 (dans une traduction) meaningless phrase

non-spécialiste, *pl* **~s** /nɔ̃spesjalist/ *nmf* layman; **pour les ~s** for the layman

non-stop /nɔ̃stɔp/ *adv* non-stop

non-syndiqué, **~e**, *mpl* **~s** /nɔ̃sɛ̃dike/ *nm,f* non union member

non-tissé, *pl* **~s** /nɔ̃tise/ *nm* Tex nonwoven cloth

non-versement /nɔ̃vɛʀsəmɑ̃/ *nm* nonpayment

non-violence /nɔ̃vjɔlɑ̃s/ *nf* nonviolence

non-violent, **~e**, *mpl* **~s** /nɔ̃vjɔlɑ̃, ɑ̃t/ *nm,f* advocate of nonviolence

non-votant, **~e**, *mpl* **~s** /nɔ̃vɔtɑ̃, ɑ̃t/ *nm,f* nonvoter

non-voyant, **~e**, *mpl* **~s** /nɔ̃vwajɑ̃, ɑ̃t/ *nm,f* visually handicapped person; **les ~s** the visually handicapped

nord /nɔʀ/ ▸ **p. 648**
A *adj inv* [*façade, versant, côte*] north; [*frontière, zone*] northern
B *nm* 1 (point cardinal) north; **au ~ de Paris** [*être, habiter*] north of Paris; **vers le ~** [*aller, naviguer*] north, northward; **vent de ~** northerly wind; **le vent du ~** the north wind; **exposé au ~** north-facing (*épith*); 2 (région) north; **dans le ~ de la France** [*se situer, avoir lieu, habiter, voyager*] in the north of France; [*aller, se rendre*] to the north of France; **le ~ de l'Europe/du Japon** northern Europe/Japan; 3 Géog, Pol **le Nord** the North; **vivre dans le Nord** to live in the North; **venir du Nord** to come from the North; **du Nord** [*ville, accent*] northern
C **Nord** *nprm* ▸ **p. 721** (région, département) **le Nord** the Nord
(Composés) **~ géographique** geographic north; **~ magnétique** magnetic north; **~ vrai** true north; **le Nord Viêt Nam** Hist North Vietnam; ▸ **grand**
(Idiome) **il ne perd pas le ~**○! he's got his head screwed on (the right way)○!

nord-africain, **~e**, *mpl* **~s** /nɔʀafʀikɛ̃, ɛn/ *adj* North African

Nord-Africain, **~e**, *mpl* **~s** /nɔʀafʀikɛ̃, ɛn/ *nm,f* North African

nord-américain, **~e**, *mpl* **~s** /nɔʀameʀikɛ̃, ɛn/ *adj* North American

Nord-Américain, **~e**, *mpl* **~s** /nɔʀameʀikɛ̃, ɛn/ *nm,f* North American

nord-coréen, **-éenne**, *mpl* **~s** /nɔʀkɔʀeɛ̃, ɛn/ ▸ **p. 561** *adj* North Korean

Nord-Coréen, **-éenne**, *mpl* **~s** /nɔʀkɔʀeɛ̃, ɛn/ ▸ **p. 561** *nm,f* North Korean

nord-est /nɔʀ(d)ɛst/ ▸ **p. 648**
A *adj inv* [*façade, versant*] northeast; [*frontière, zone*] northeastern
B *nm* northeast; **vent de ~** northeasterly wind

nordique /nɔʀdik/ *adj* Géog [*pays, population, économie*] Nordic; Ling Scandinavian, Nordic

nordiste /nɔʀdist/ *adj, nmf* Hist US Unionist

nord-ouest /nɔʀ(d)wɛst/ ▸ **p. 648**
A *adj inv* [*façade, versant*] northwest; [*frontière, zone*] northwestern
B *nm* northwest; **vent de ~** northwesterly wind

Nord-Sud /nɔʀsyd/ *adj inv* Pol [*dialogue, relations, affrontements*] North-South; **les rapports ~** North-South relations

nord-vietnamien, **-ienne**, *mpl* **~s** /nɔʀvjɛtnamjɛ̃, ɛn/ *adj* North Vietnamese

Nord-Vietnamien, **-ienne**, *mpl* **~s** /nɔʀvjɛtnamjɛ̃, ɛn/ *nm,f* Hist North Vietnamese

Norfolk ▸ **p. 721** *nprm* **le ~** Norfolk

noria /nɔʀja/ *nf* Tech noria

normal, **~e**, *mpl* **-aux** /nɔʀmal, o/
A *adj* 1 (sain) [*personne, comportement*] normal; **ne pas être dans son état ~** not to be oneself, not to be one's usual self; 2 (non exceptionnel) [*situation, événement*] normal; (habituel) [*âge, tarif*] normal; **il est ~ que** it is natural that (+ *subj*); **il n'est pas ~ que** it is not right that (+ *subj*); **trouver ~ que** to find it natural that (+ *subj*); **c'est pas ~!** it's not right!; **quoi de plus ~?** what could be more natural?; **pas de quoi, c'est ~** not at all, it's natural; 3 Math (perpendiculaire) normal (**à** to)
B **normale** *nf* 1 (moyenne) average; **une intelligence au-dessous/au-dessus de la ~e** a below-average/an above-average intelligence; **la température est au-dessous/au-dessus de la ~e** the temperature is below/above average; **inférieur de 20% à la ~e** 20% below average; **les ~es saisonnières** Météo seasonal averages; 2 (norme) norm; **retour à la ~e** return to normal; 3 Math perpendicular

Normale○ /nɔʀmal/ *nf*: *abbr* = **École normale supérieure**

normalement /nɔʀmalmɑ̃/ *adv* [*fonctionner*] normally; **~ elle devrait être là** she should be here by now

normalien, **-ienne** /nɔʀmaljɛ̃, ɛn/ *nm,f* student at an École normale supérieure

normalisateur, **-trice** /nɔʀmalizatœʀ, tʀis/
A *adj* normalizing
B *nm,f* leveller

normalisation /nɔʀmalizasjɔ̃/ *nf* 1 Pol (régularisation) normalization; **~ des relations diplomatiques** normalization of diplomatic relations; 2 Tech (standardisation) standardization

normaliser /nɔʀmalize/ [1]
A *vtr* 1 Pol (régulariser) to normalize; **~ ses relations** to normalize relations; 2 Tech (standardiser) to standardize
B **se normaliser** *vpr* 1 Pol (revenir à la normale) to get back to normal; (devenir normal) to normalize; 2 Tech (devenir standard) to be standardized

normalité /nɔʀmalite/ *nf* normality

normand, **~e** /nɔʀmɑ̃, ɑ̃d/
A ▸ **p. 721** *adj* Hist Norman
B *nm* Ling Norman (French)

Normand, **~e** /nɔʀmɑ̃, ɑ̃d/ *nm,f* 1 (de Normandie) Norman; 2 Hist (de Scandinavie) Norseman/Norsewoman
(Idiome) **une réponse de ~** a noncommittal reply

Normandie /nɔʀmɑ̃di/ ▸ **p. 721** *nprf* **la ~** Normandy; **la basse/haute ~** Lower/Upper Normandy

normatif, **-ive** /nɔʀmatif, iv/ *adj* normative, prescriptive

normativisme /nɔʀmativism/ *nm* prescriptivism

norme /nɔʀm/ *nf* 1 (règle) norm; **s'écarter de la ~** to deviate from the norm; **rester dans la ~** to remain within the norm; **revenir à la ~** to return to normal; **avoir valeur de ~** to be the norm; 2 Tech Ind Comm standard; **être conforme à la ~ européenne** to comply with European (Community) standard; **~s de sécurité** safety standards; **hors ~** lit nonstandard; **un réalisateur hors ~** fig an extraordinary film director; 3 Math norm
(Composés) **~ juridique** legal rule; **~ morale** moral standards (*pl*)

normographe /nɔʀmɔgʀaf/ *nm* stencil

noroît* /nɔʀwa/ *nm* northwester

norrois /nɔʀwa/ ▸ **p. 483** *nm* Norse; **le vieux ~** Old Norse

Northamptonshire ▸ **p. 721** *nprm* **le ~** Northamptonshire

Northumberland ▸ **p. 721** *nprm* **le ~** Northumberland

Northumbrie ▸ **p. 721** *nprf* **la ~** Northumbria

Norvège /nɔʀvɛʒ/ ▸ **p. 333** *nprf* Norway

norvégien, **-ienne** /nɔʀveʒjɛ̃, ɛn/ ▸ **p. 483**, **p. 561**
A *adj* Norwegian
B *nm* Ling Norwegian

Norvégien, **-ienne** /nɔʀveʒjɛ̃, ɛn/ ▸ **p. 561** *nm,f* Norwegian

nos ▸ **notre**

nosocomial, **~e** *adj* /nɔzɔkɔmjal, o/ Méd hospital-acquired

nosographie /nɔzɔgʀafi/ *nf* nosography

nosologie /nɔzɔlɔʒi/ *nf* nosology

nostalgie /nɔstalʒi/ *nf* nostalgia (**de** for); **avoir la ~ de son pays/de sa maison** to be homesick; **avoir** *or* **garder la ~ des années 30** to be nostalgic for the 1930's

nostalgique /nɔstalʒik/
A *adj* (mélancolique) nostalgic (**de** for); (loin de son pays) homesick
B *nmf* **les ~s des années 20** those who are nostalgic for the 1920's

nota bene /nɔtabene/ *nm inv* nota bene

notabilité /nɔtabilite/ *nf* notability

notable /nɔtabl/
A *adj* [*fait, différence*] notable; [*progrès*] significant
B *nm* notable

notablement /nɔtabləmɑ̃/ *adv* significantly

notaire /nɔtɛʀ/ ▸ **p. 532** *nm* ≈ lawyer, notary public

notamment /nɔtamɑ̃/ *adv* 1 (entre autres) notably; **la Reine était accompagnée ~ de...** the Queen was accompanied, among others, by...; 2 (plus particulièrement) in particular, more particularly

notarial, **~e**, *mpl* **-iaux** /nɔtaʀjal, o/ *adj* notarial

notariat /nɔtaʀja/ *nm* 1 (profession) profession of notary (public); **il se destine au ~** he intends to become a notary; 2 (corps) notaries public (*pl*)

notarié, **~e** /nɔtaʀje/ *adj* notarized

notation /nɔtasjɔ̃/ *nf* 1 (système) notation; **~ algébrique/chimique** algebraic/chemical notation; 2 (appréciation) (d'élève, de devoir) marking GB, grading US; (de fonctionnaire, militaire) grading; 3 (observations) observation

note /nɔt/ *nf* 1 (facture) bill, check US; **~ d'hôtel/de restaurant** hotel/restaurant bill *ou* check US; **~ d'électricité** electricity bill; **payer** *or* **régler une ~** to pay a bill GB *ou* check US; **mettez cela sur ma ~** put it on my bill; **faire la ~ de qn** to write out sb's bill; 2 Mus note; **je sais lire les ~s** I can read music; ▸ **faux**; 3 (évaluation) mark GB, grade US; **obtenir une bonne/mauvaise ~ en anglais** to get a good/bad mark GB *ou* grade US in English; **mettre** *or* **donner une bonne ~ à qn** to give sb a good mark GB *ou* grade US; **~ éliminatoire** fail mark GB; **c'est une bonne ~ pour lui** fig that's a point in his favour[GB]; **c'est une mauvaise ~ pour lui** fig that's a blot on his copybook; 4 (communication écrite) note; **~ manuscrite/officielle** handwritten/official note; 5▸ (transcription) ~s de cours (lecture) notes; **prendre des ~s** to take notes; **prendre qch en ~** to make a note of sth; **lire ses ~s** to read (from) one's notes; **prendre (bonne) ~ de qch** fig to take due note of sth; 6▸ (détail) fig note; **une ~ triste/originale** a note of sadness/originality; **cette réflexion est bien dans la ~ du personnage** that comment is typical of him; **forcer la ~** fig to overdo it; 7▸ Imprim, Édition (commentaire) note; **~ en bas de page** footnote; **~ dans la marge** note in the margin; **faire une remarque en ~** (en marge) to put a note in the margin; (en bas de page) to put an observation in a footnote

(Composés) **~ diplomatique** diplomatic note; **~ de l'éditeur, NdE** publisher's note; **~ de frais** expense account; **~ d'honoraires** (de médecin, traducteur etc) bill; **~ interne** memorandum, memo○; **~ de la rédaction, NDLR** editor's note; **~ de service** = **~ interne**; **~ du traducteur, NdT** translator's note

noter /nɔte/ [1] *vtr* 1▸ (inscrire) to note down, to make a note of [*adresse, date, renseignement*]; to write down [*idée, citation, souvenir*]; **~ une commande** to write down an order; **c'est (bien) noté?** have you got that?; 2▸ (remarquer) to notice [*changement, différence, ressemblance*]; to notice, to note [*progrès, présence, erreur*]; **ceci est à ~** this should be noted; **il me déplaît, notez (bien) que je n'ai rien à lui reprocher** I don't like him, though mind you I haven't got anything particular against him; **il faut quand même ~** it has to be said; 3▸ (évaluer) to mark GB, to grade US [*devoir, exercice*]; to give a mark GB *ou* a grade US to [*élève, étudiant*]; to grade [*employé, fonctionnaire, militaire*]; **élève bien/mal noté** pupil who got good/bad marks GB *ou* grades US; **~ sur 20** to mark GB *ou* grade US out of 20; **fonctionnaire bien/mal noté** civil servant who obtains a high/low rating in progress reports; 4▸ (marquer) to mark [*texte, passage, citation*]; **~ qch d'une croix** to mark sth with a cross; 5▸ Mus to write down, to take down [*air, notes*]

notice /nɔtis/ *nf* 1▸ (exposé) note; 2▸ (instructions) instructions (*pl*); **~ de montage** assembly instructions; **~ explicative** instructions (*pl*) (for use)

(Composés) **~ biographique** biographical information ₵; **~ nécrologique** obituary

notificatif, -ive /nɔtifikatif, iv/ *adj* notifying; **lettre notificative** letter of notification

notification /nɔtifikasjɔ̃/ *nf* gén notification; Jur notice; **avoir** *or* **recevoir ~ de** to be notified of

notifier /nɔtifje/ [2] *vtr* **~ qch à qn** gén to notify sb of sth; Jur to give sb notice of sth; **on m'a notifié mon licenciement** I was given my redundancy GB *ou* dismissal US notice; **être notifié à qn** to be made known to sb

notion /nɔsjɔ̃/ *nf* 1▸ (de danger, temps, réalité) notion; **perdre la ~ de qch** to lose all sense of sth; 2▸ (concept) notion; 3▸ (de langue, science) basic knowledge ₵; **avoir des ~s de** to have a basic knowledge of; **'Notions de botanique'** 'A Botany Primer'

notionnel, -elle /nɔsjɔnɛl/ *adj* notional

notoire /nɔtwaʀ/ *adj* [*fait, position*] well-known; [*escroc, bêtise*] notorious; [*inconduite*] Jur manifest; **il est ~ que** it's common knowledge that

notoirement /nɔtwaʀmɑ̃/ *adv* manifestly; pej notoriously pej

notoriété /nɔtɔʀjete/ *nf* 1▸ (de personne, lieu, d'œuvre) fame; (de produit) reputation; **il est de ~ (publique) que** it's common knowledge that; 2▸ (personne célèbre) celebrity

notre, *pl* **nos** /nɔtʀ, no/ *adj poss*

> ⚠ En anglais, on ne répète pas le possessif coordonné: *notre adresse et notre numéro de téléphone* = our address and phone number

our; **nos ancêtres** our ancestors; **nos enfants à nous**○ our children; **à nos âges** at our age; **nous sommes tous retournés dans ~ chambre** we all went back into our rooms; **un de nos amis** a friend of ours; **ils sont venus pendant ~ absence** they came while we were away; **~ retour s'est bien passé** we got back safely; **~ installation est provisoire** we're not permanently settled; **~ population vieillit** we have an ageing population; **c'était ~ avis à tous** we all felt the same; **c'est ~ maître à tous** he's the master of us all

nôtre /notʀ/
A *adj poss* **nous avons fait ~s ces idées** we've adopted these ideas; **cette terre est ~** this land is our land
B **le nôtre, la nôtre, les nôtres** *pron poss* ours; **un métier comme le ~** a job like ours; **leur alimentation est très différente de la ~** their diet is very different from our own; **quelle erreur était la ~** how wrong we were!; **à la ~** cheers!; **soyez des ~s!** won't you join us?; **les ~s** (notre peuple) our own people; (notre équipe) our side (*sg*); **es-tu des ~s?** are you on our side?

Nottinghamshire ▸ p. 721 *nprm* **le ~** Nottinghamshire

nouba◑ /nuba/ *nf* party; **faire la ~** to live it up○

nouer /nwe/ [1]
A *vtr* 1▸ (faire un nœud à) to tie [*lacets, ceinture en tissu, cravate*]; to tie up, to tie [sth] up [*chaussure, colis*]; **~ deux ficelles (ensemble)** to tie *ou* knot two pieces of string (together); 2▸ (attacher) **~ qch autour de qch** to tie sth round GB *ou* around US sth; **~ ses cheveux** to tie one's hair back, to tie back one's hair; 3▸ (avec les bras) **~ ses bras autour du cou/de la taille de qn** to put one's arms around sb's neck/waist; 4▸ (contracter) **l'émotion me nouait la gorge** I felt choked with emotion; **avoir la gorge nouée** to have a lump in one's throat; **avoir l'estomac noué** to have a knot in one's stomach; 5▸ (établir) to establish [*relations*] **(avec** with); to engage in [*dialogue*] **(avec** with); 6▸ Cin, Littérat, Théât to weave [*action dramatique, intrigue, machination*]
B **se nouer** *vpr* 1▸ Cin, Littérat, Théât [*intrigue*] to take shape; 2▸ [*relations diplomatiques*] to be established; [*dialogue*] to begin; 3▸ (se contracter) **ma gorge se nouait** I had a lump in my throat; **mon estomac se nouait** my stomach knotted; **tous les muscles de mon corps se nouaient** all the muscles in my body were knotted

noueux, -euse /nuø, øz/ *adj* 1▸ [*arbre, branche*] gnarled; 2▸ [*planche*] knotty; 3▸ [*doigts, mains*] gnarled

nougat /nuga/ *nm* nougat

nougatine /nugatin/ *nf* nougatine

nouille /nuj/
A ○*adj* **ce qu'il est ~!** what a drip○!
B *nf* 1▸ (pâtes alimentaires) (tagliatelle) tagliatelle ₵; (génériquement) **des ~s** noodles, pasta ₵; 2▸ ○(niais) noodle○

(Idiome) **avoir le cul bordé de ~s**◑ to be a lucky devil○ *ou* bastard◑

noumène /numɛn/ *nm* noumenon

nounou /nunu/ *nf* nanny GB, nurse

nounours○ /nunuʀs/ *nm inv* baby talk teddy bear

nourri, ~e /nuʀi/
A *pp* ▸ **nourrir**
B *pp adj* 1▸ [*tir*] heavy; [*applaudissements*] sustained; 2▸ [*conversation*] lively; [*style*] luxuriant

nourrice /nuʀis/ *nf* 1▸ (gardienne) (chez elle) childminder GB, babysitter US; (chez l'enfant) nanny, babysitter US; (qui allaite) wet nurse; **être en ~** to be with a wet nurse; 2▸ (bidon) jerrycan

(Composé) **~ sèche** dry nurse

nourricier, -ière /nuʀisje, ɛʀ/ *adj* 1▸ liter [*terre, sève*] nourishing; 2▸ †[*père*] foster

nourrir /nuʀiʀ/ [3]
A *vtr* 1▸ (fournir des aliments à) to feed [*personne, plante*] **(de** on; **avec** with); to nourish [*cuir, épiderme*]; **bien nourri** well-fed, well-nourished; **mal nourri** undernourished; **~ au sein/au biberon** to breast-/bottle-feed; **poulet nourri au maïs** corn-fed chicken; 2▸ (subvenir aux besoins de) to keep [*famille, enfant*]; to provide a living for [*région*]; **avoir cinq bouches à ~** to have five mouths to feed; **mon travail ne me nourrit pas** I don't make enough to live on; **la poésie, ça ne nourrit pas son homme** you can't make a living out of poetry; 3▸ (entretenir) to harbour^GB [*sombres desseins, espoir, crainte*]; to nurture [*projet*]; to feed [*incendie*]; to fuel [*passion, préjugés*]; to feed [*idéologie, stéréotypes*]; 4▸ (enrichir) to fuel [*discussion*]; to feed [*esprit*]; **elle fut nourrie d'histoire classique** she was brought up on classical history
B **se nourrir** *vpr* 1▸ [*personne*] to eat; [*animal, plante*] to feed; **se ~ de** [*personne*] to live on; [*animal*] to live *ou* feed on; 2▸ fig **la spéculation/le racisme se nourrit de...** speculation/racism feeds on...; **il se nourrit de rêves** he lives on dreams

nourrissant, ~e /nuʀisɑ̃, ɑ̃t/ *adj* nourishing

nourrisson /nuʀisɔ̃/ *nm* (nouveau-né) newborn baby; (enfant jusqu'à deux ans) infant

nourriture /nuʀityʀ/
A *nf* 1▸ (aliments) food; **donner de la ~ à** to feed; 2▸ (régime) diet; **une ~ adaptée à nos besoins** a diet adapted to our needs
B **nourritures** *nfpl* liter nourishment ₵; **des ~s intellectuelles** intellectual nourishment

nous¹ /nu/ *pron pers* 1▸ (sujet) we; **~ sommes en avance** we're early; **~ n'avons pas terminé** we haven't finished; **~ qui n'étions pas prêts avons dû faire** we weren't ready and we still had to do; **il sait que ce n'est pas ~ qui avons cassé la vitre** he knows that it wasn't us that broke the window, he knows that we weren't the ones who broke the window; **c'est ~ les premiers**○ we're first; 2▸ (dans une comparaison) **il travaille plus que ~** he works more than us *ou* than we do; **elles sont plus âgées que ~** they are older than us *ou* than we are; **ils les voient plus souvent que ~** (que nous ne les voyons) they see them more often than we do; (qu'ils ne nous voient) they see them more often than us *ou* than they see us; 3▸ (objet) **des policiers ~ ont arrêtés à l'entrée** some police officers stopped us at the entrance; **elle ~ déteste** she hates us; **~ entendez-vous?** can you hear us?; 4▸ (nous = à nous) **il ne ~ a pas fait mal** he didn't hurt us; **elle ne ~ a pas tout dit** she didn't tell us everything; **tu ~ en veux?** do you bear a grudge against us?; 5▸ (après une préposition) us; **à cause de/autour de/après ~** because of/around/after us; **un cadeau pour ~** a present for us; **pour ~, c'est très important** it's very important to us; **entre ~, il n'est pas très intelligent** between ourselves *ou* you and me, he isn't very intelligent; **elle n'écrit à personne sauf à ~** she doesn't write to anyone but us; **sans ~, ils n'auraient pas pu s'en sortir** they couldn't have come through without us; **à ~** (en jouant) our turn; **ce sont des amis à ~** they're friends of ours; **nous n'avons pas encore de maison à ~** we haven't got a house of our own yet; **à ~, il a raconté une histoire très différente** he told us quite a different story; **la voiture bleue est à ~** the blue car is ours; **c'est à ~** (appartenance) it's ours, it belongs to us; (séquence) (it's) our turn; **(c'est) à ~ de choisir** (notre tour) it's our turn to choose; (notre responsabilité) it's up to us to choose; 6▸ (pronom réfléchi) ourselves; **reprenons-~ et recommençons** let's pull ourselves together and start again; **nous ne ~ soignons que par les plantes** we only use herbal medicines; 7▸ (nous = nous-mêmes) ourselves; **pensons à ~** let's think of ourselves; 8▸ (de majesté, modestie) we; **dans cet ouvrage ~ avons tenté de faire** in this work we have

n

tried to do; **~ sommes arrivés à la conclusion suivante** (locuteur féminin) we arrived at the following conclusion

nous² /nu/ *nm inv* **le ~ de majesté** the royal we

nous-même, *pl* **nous-mêmes** /numɛm/ *pron pers* 1 (pluriel) ourselves; **nous avons décidé de les former ~s** we have decided to train them ourselves; **nous cherchons par ~s** we're looking ourselves; **c'est en ~s que nous devons chercher la solution** we must look within ourselves for the solution; **les animaux souffrent de la chaleur et ~s évitons de sortir au soleil** the animals are suffering from the heat and we ourselves are avoiding going out in the sun; **on s'en chargera ~s**○ we'll see to it ourselves; 2 (de majesté, modestie) **~ sommes convaincu de l'importance de la découverte** we are convinced of the importance of the discovery

nouveau (**nouvel** *before vowel or mute h*), **nouvelle**, *mpl* **~x** /nuvo, nuvɛl/

A *adj* 1 (qui remplace, succède, s'ajoute) new; **le ~ modèle/système/locataire** the new model/system/tenant; **où se trouve la nouvelle entrée?** where's the new entrance?; **c'est le ~ Nijinsky** he's the new *ou* a second Nijinsky; **se faire faire un ~ costume** (pour remplacer) to have a new suit made; (supplémentaire) to have another *ou* a new suit made; **il a subi une nouvelle opération** he's had another *ou* a new operation; **il y a eu un nouvel incident** there's been another *ou* a new *ou* a fresh incident; **faire une nouvelle tentative** to make another *ou* a new *ou* a fresh attempt; **ces ~x attentats** these new *ou* fresh attacks; **procéder à de nouvelles arrestations** to make further arrests; **nous avons de nouvelles preuves de leur culpabilité** we have further evidence of their guilt; **une nouvelle fois** once again
2 (d'apparition récente) [*mot, virus, science, ville*] new; (de la saison) [*pommes de terre, vin*] new; **tiens, tu fumes! c'est ~?** you're smoking! is this a new habit?; **c'est ~ ce manteau?** is this a new coat?; **ce genre de travail est ~ pour moi** this sort of work is new to me, I'm new to this sort of work; **tout ~** brand-new; **les ~x élus** the newly-elected members; **les ~x mariés** the newlyweds; **la nouvelle venue** the newcomer; **les ~x venus** the newcomers; ▸ **pauvre C**
3 (original) [*ligne, conception, méthode*] new, original; **voir qch sous un jour ~** to see sth in a new light; **c'est une façon très nouvelle d'aborder le problème** it's a very novel approach to the problem; **ce n'est pas ~** this is nothing new; **il n'y a rien de ~** there's nothing new
4 (novice) **être ~ dans le métier/en affaires** to be new to the job/in business

B *nm,f* 1 (à l'école) new student; **tu as vu la nouvelle?** have you seen the new student?
2 (dans une entreprise) new employee; **il y a trois ~x dans le bureau** there are three new people in the office; **je ne sais pas, je suis ~** I don't know, I'm new here
3 (à l'armée) new recruit

C *nm* 1 (rebondissement) **il y a du ~** (dans un processus) there's been a new development; (dans une situation) there's been a change; **téléphone-moi s'il y a du ~** give me a ring GB *ou* call if there is anything new (to report); **j'ai du ~ pour toi** I've got some news for you
2 (nouveauté) **il nous faut du ~** we want something new

D **nouvelle** *nf* 1 (annonce d'un événement) news ₵; **une nouvelle** gén a piece of news; Presse, TV, Radio a news item; **une bonne/mauvaise nouvelle** some good/bad news; **j'ai une grande nouvelle (à t'annoncer)** I've got some exciting news (for you); **j'ai appris deux bonnes nouvelles** I've heard two pieces of good news; **tu connais la nouvelle?** have you heard the news?; **première nouvelle**○! that's news to me!, that's the first I've heard of it!; **la nouvelle de qch** the news of [*décès, arrestation, mariage*]; **la nouvelle de sa mort nous a beaucoup peinés** we were very sad to hear about his/her death; ▸ **faux**
2 Littérat short story; **un recueil de nouvelles** a collection of short stories

E **à nouveau**, **de nouveau** *loc adv* (once) again

F **nouvelles** *nfpl* 1 (renseignements) news (*sg*); **recevoir des nouvelles de qn** (par la personne elle-même) to hear from sb; (par un intermédiaire) to hear news of sb; **il y a un mois que je suis sans nouvelles de lui** I haven't heard from him for a month; **on est sans nouvelles des prisonniers** we've had no news of the prisoners; **je prendrai de tes nouvelles** I'll hear how you're getting on; **donne-moi de tes nouvelles** let me know how you're getting on; **il m'a demandé de tes nouvelles** he asked after you; **faire prendre des nouvelles d'un malade** to send for news of a patient; **je viens aux nouvelles**○ (de ce qui s'est passé) I've come to see what's happened; (de ce qui se passe) I've come to see what's happening; **aux dernières nouvelles, il se porte bien**○ the last I heard he was doing fine; **il aura de mes nouvelles**○! he'll be hearing from me!; **goûte ce petit vin, tu m'en diras des nouvelles**○ have a taste of this wine, it's really good!
2 Presse, Radio, TV **les nouvelles** the news (*sg*); **les nouvelles sont mauvaises** the news is bad; **les nouvelles du front** news from the front

(Composés) **~ franc** Hist new franc; **~ philosophe** Philos *member of a French school of philosophy developed in the 70's*; **~ riche** nouveau riche; **~ roman** nouveau roman; **Nouveau Monde** New World; **Nouveau Réalisme** New Realism; **Nouveau Testament** New Testament; **Nouveaux pays industrialisés**, **NPI** newly industrialized countries, NIC; **Nouvel An** New Year; **fêter le Nouvel An** to celebrate the New Year; **pour le Nouvel An** for the New Year; **le Nouvel An chinois/juif** the Chinese/Jewish New Year; **nouvelle année** = **Nouvel An**; **nouvelle cuisine** Culin nouvelle cuisine; **Nouvelle Vague** Cin New Wave

(Idiomes) **tout ~ tout beau** the novelty will soon wear off; **pas de nouvelles, bonnes nouvelles!** Prov no news is good news!

Nouveau-Brunswick /nuvobʀœswik/ ▸ **p. 721** *nprm* New Brunswick

Nouveau-Mexique /nuvomɛksik/ ▸ **p. 721** *nprm* New Mexico

nouveau-né, **~e**, *mpl* **~s** /nuvone/

A *adj* [*enfant, agneau*] newborn (*épith*)

B *nm,f* newborn baby

nouveauté /nuvote/ *nf* 1 (caractère récent) newness, novelty; (originalité) novelty; **la ~ du produit/de la loi** the novelty of the product/of the law; 2 (chose nouvelle) novelty; **aimer/être à la recherche de la ~** to like/to look for novelty; **la (grande) ~, c'est que les femmes sont admises** the (great) novelty *ou* what's really new is that women are admitted; **ce n'est pas une ~!** that's nothing new!; **se défier des ~s** to be suspicious of anything new; **il s'est excusé? c'est une ~!** he apologized? that's new!; 3 (objet nouveau) gén new thing; (livre) new publication; (disque) new release; [*appareil, voiture*] new model; **~s d'automne** Mode new autumn fashions

nouvel ▸ **nouveau A**

nouvelle ▸ **nouveau A, B, D, F**

Nouvelle-Angleterre /nuvɛlɑ̃glətɛʀ/ ▸ **p. 721** *nprf* New England

Nouvelle-Calédonie /nuvɛlkaledɔni/ ▸ **p. 435** *nprf* New Caledonia

Nouvelle-Écosse /nuvɛlekɔs/ ▸ **p. 721** *nprf* Nova Scotia

Nouvelle-Galles du Sud /nuvɛlgaldysyd/ ▸ **p. 721** *nprf* **la ~** New South Wales

Nouvelle-Guinée /nuvɛlgine/ ▸ **p. 435** *nprf* New Guinea

nouvellement /nuvɛlmɑ̃/ *adv* [*publié, révisé*] recently; [*bâti*] newly; **les personnes ~ domiciliées dans la ville** people who have recently taken up residence in the town

Nouvelle-Orléans /nuvɛlɔʀleɑ̃/ ▸ **p. 894** *nprf* **la ~** New Orleans

Nouvelles-Hébrides /nuvɛlzebʀid/ *nprfpl* Hist **les ~** the New Hebrides

Nouvelle-Zélande ➡ /nuvɛlzelɑ̃d/ ▸ **p. 333, p. 435** *nprf* New Zealand

nouvelliste /nuvelist/ ▸ **p. 532** *nmf* short-story writer

nova, *pl* **novae*** /nɔva, nɔve/ *nf* nova

novateur, **-trice** /nɔvatœʀ, tʀis/

A *adj* innovative

B *nm,f* innovator, pioneer

novation /nɔvasjɔ̃/ *nf* Jur novation

novembre /nɔvɑ̃bʀ/ ▸ **p. 544** *nm* November; **le 11 ~** Armistice Day

novice /nɔvis/

A *adj* inexperienced, green

B *nmf* 1 (débutant) novice, greenhorn○; 2 Relig novice

noviciat /nɔvisja/ *nm* 1 Relig noviciate; 2 fig apprenticeship

noyade /nwajad/ *nf* (meurtre, accident) drowning ₵; **il y a eu 20 ~s** there were 20 people drowned

noyau, *pl* **~x** /nwajo/ *nm* 1 (de fruit) stone GB, pit US; **fruits à ~** stone fruit GB, fruit with pits US; **~ de prune/d'olive** plum/olive stone *ou* pit; 2 (groupe humain) core; **~ de fidèles/d'artistes** core of faithful supporters/of artists; **~x de résistance** pockets of resistance; **~x d'agitateurs** small groups of agitators; 3 (partie centrale) Astron, Biol, Nucl nucleus; Électrotech, Géol core; Constr newel; Ling (de phrase) kernel; (d'intonation) nucleus; Ordinat kernel

(Composé) **~ dur** hard core

noyautage /nwajotaʒ/ *nm* infiltration

noyauter /nwajote/ [1] *vtr* to infiltrate

noyé, **~e** /nwaje/

A *pp* ▸ **noyer B, C**

B *pp adj* 1 ○fig (perdu) **mes enfants sont (complètement) ~s en algèbre** my children are (completely) out of their depth with algebra; 2 liter (couvert) **vallée ~e dans la brume/l'obscurité** valley shrouded in mist/darkness; **visage ~ de larmes** face bathed in tears; **yeux ~s de larmes** eyes swimming with tears

C *nm,f* drowned person; **il y a eu trois ~s** three people drowned; **retrouver des ~s** to find drowned people; **repêcher un ~** to recover a drowned body

noyer /nwaje/ [23]

A *nm* 1 (arbre) walnut (tree); 2 (bois) walnut; **~ noir (d'Amérique)** black walnut; **table en ~** walnut table

B *vtr* 1 (tuer) to drown [*personne, animal*]; ▸ **poisson, rage**; 2 (inonder) to flood [*village, champ, mine*]; 3 (mettre trop de liquide) to flood [*moteur*]; to drown [*pastis, whisky*]; to douse [*feu, incendie*]; **~ son chagrin** *or* **sa peine dans l'alcool** hum to drown one's sorrows; 4 (accabler, étourdir) **~ qn sous une multitude de renseignements** to swamp sb with a mass of information; **~ qn sous un flot de paroles** to talk sb' s head off; 5 (faire disparaître) **~ une idée dans qch** to lose *ou* bury an idea in sth; **~ une révolte dans le sang** to spill blood in quashing a revolt; 6 Tech (intégrer) to embed [*armature*]; (mettre à niveau) to countersink [*vis, clou*]; **~ une poutrelle dans du béton** to embed a girder in concrete; 7 Art to blend [*couleurs*]; to merge [*contours*]

C **se noyer** *vpr* 1 (accidentellement) to drown; (volontairement) to drown oneself; **noyé en mer** drowned at sea; **mourir noyé** to die by drowning; 2 (pour oublier) **se ~ dans les**

➡ *voir* Variétés d'anglais

n

plaisirs to throw oneself into a life of mindless enjoyment; **3** (disparaître) **se ~ dans la foule** to get swallowed up in the crowd; **mes cris se sont noyés dans le brouhaha général** my shouts were drowned in the general hubbub; **quelques acteurs connus noyés dans la foule** some well-known actors lost in the crowd; **4** (être dépassé) to get bogged down (**dans** in); **se ~ dans des détails** to get bogged down in details

(Idiome) **se ~ dans un verre d'eau** to make a mountain out of a molehill

NPI /ɛnpei/ *nmpl* ▸ **nouveau**

NTIC /ɛnteise/ *nf pl* (*abbr* = **nouvelles technologies de l'information et de la communication**) ICT

NTSC /ɛnteɛsse/ *nm* TV (*abbr* = **national television system committee**) NTSC; **système ~** NTSC standard

nu, **~e** /ny/

A *adj* **1** (dévêtu) [*corps*] naked; [*partie du corps*] bare; **être ~** to be naked, to be in the nude; **être complètement** *or* **tout ~** to be completely naked, to be stark naked; **être à demi** *or* **à moitié ~** to be half-naked; **avoir la tête ~e** to be bare-headed; **avoir les jambes ~es** to have bare legs; **avoir les bras ~s** to have bare arms; **avoir les pieds ~s** to be barefoot; **être torse ~** to be stripped to the waist; **avoir les épaules ~es** to have bare shoulders; **2** (sans ornement) [*mur, pièce*] bare; (sans végétation) [*arbre, côte*] bare; (non enveloppé) [*fil électrique*] bare; (dépouillé) [*style*] unadorned; **l'épée ~e** with (a) drawn sword; **faire ~** to look *ou* seem bare; **voilà la vérité toute ~e** that is the plain truth

B *nm inv* (lettre) nu

C *nm* Art nude; **le ~** the nudes; **un ~** a nude

D **à nu** *loc adv* **être à ~** [*fil électrique*] to be bare *ou* exposed; [*personne, vice, activité*] to be exposed; **mettre à ~** to strip [*fil électrique*]; to expose [*personne, vice, activité*]; **mettre son cœur à ~** to open one's heart

E **nues** *nfpl* **les ~es** liter the heavens littér; (nuages) the clouds

(Idiomes) **tomber des ~es**○ to be flabbergasted○; **porter qn aux ~es** to praise sb to the skies

nuage /nyaʒ/ *nm* **1** Météo lit, fig cloud (**sur** over); **~s de grêle** hail clouds; **un ciel sans ~s** a cloudless sky; **un bonheur sans ~s** unclouded happiness; **de lourds ~s s'amoncellent à l'horizon** lit, fig dark clouds are gathering on the horizon; **2** (de poussière, fumée, sauterelles) cloud (**de** of); **~ de lait** dash of milk

(Idiomes) **être dans les ~s** to have one's head in the clouds; **descendre de son ~** to come back to earth

nuageux, **-euse** /nyaʒø, øz/ *adj* [*ciel, temps*] cloudy; [*système, masse*] cloud (*épith*)

nuance /nyɑ̃s/ *nf* **1** (de couleur) shade; **2** (de sens) nuance; **les ~s d'un texte/mot** the nuances of a text/word; **le roman est tout en ~s** the novel is full of subtle touches *ou* nuances; **sans ~** [*commentaire, prise de position, bilan*] clearcut; [*personnalité*] straightforward; pej unsubtle; [*affirmer, défendre*] unreservedly; **3** (différence) slight *ou* subtle difference; **apporter quelques ~s à un avis** to qualify an opinion slightly; **à quelques ~s près** apart from the odd slight difference; **à cette ~ près que** with the small reservation that; **4** Mus nuance

nuancé, **~e** /nyɑ̃se/

A *pp* ▸ **nuancer**

B *pp adj* [*avis*] qualified; **peu ~** unsubtle, black-and-white (*épith*), black and white (*jamais épith*)

nuancer /nyɑ̃se/ [12] *vtr* **1** (avec un élément nouveau) to qualify [*avis*]; to modify [*vision des choses*]; **2** (modérer) to moderate [*propos*]; **~ son jugement** to moderate one's stance

nuancier /nyɑ̃sje/ *nm* **1** (de peintures) colour[GB] chart; **2** Cosmét (de démonstration) make-up colour[GB] display chart

Nubie /nybi/ *nprf* Nubia

nubien, **-ienne** /nybjɛ̃, ɛn/ *adj* Nubian

Nubien, **-ienne** /nybjɛ̃, ɛn/ *nm,f* Nubian

nubile /nybil/ *adj* nubile

nubilité /nybilite/ *nf* nubility

nubuck /nybyk/ *nm* nubuck

nucal, **~e**, *mpl* **-aux** /nykal, o/ *adj* nuchal

nucléaire /nykleɛʀ/

A *adj* **1** Phys [*arme, centrale*] nuclear (*épith*); **2** Sociol [*famille*] nuclear

B *nm* **le ~** (énergie) nuclear energy; (technologie) nuclear technology

nucléé, **~e** /nyklee/ *adj* nucleate

nucléique /nykleik/ *adj* nucleic

nucléole /nykleɔl/ *nf* nucleolus

nucléon /nykleɔ̃/ *nm* nucleon

nudisme /nydism/ *nm* nudism

nudiste /nydist/ *nmf* nudist

nudité /nydite/ *nf* **1** (de personne) nakedness, nudity; **2** (de lieu, mur) bareness

nuée /nye/ *nf* **1** (multitude) (de moucherons) swarm (**de** of); (de photographes, d'assaillants) horde (**de** of); **2** Météo dense cloud ¢

(Composé) **~ ardente** Météo nuée ardente

nue-propriété, *pl* **nues-propriétés** /nypʀɔpʀijete/ *nf* ownership without usufruct

nues ▸ **nu E**

nuire /nɥiʀ/ [69]

A *vtr ind* **~ à** to harm [*voisin, famille*]; to be harmful *ou* prejudicial sout to [*santé, intérêts, réputation*]; to damage [*récoltes*]; to take away from [*plaisir, qualité, beauté*]; to be detrimental to [*déroulement*]; **son égoïsme lui a beaucoup nui** his selfishness has done him a lot of harm; **elle a fait cela dans l'intention de nuire** she did that maliciously

B **se nuire** *vpr* (mutuellement) to do each other a lot of harm; (à soi-même) to do oneself a lot of harm

(Idiome) **trop parler nuit** you should know when to keep your mouth shut

nuisance /nɥizɑ̃s/ *nf* nuisance ¢; **~s sonores/chimiques** noise/chemical nuisance

nuisette /nɥizɛt/ *nf* baby doll nightie

nuisible /nɥizibl/ *adj* [*déchets*] dangerous; [*influence*] harmful; **rongeur ~** dangerous rodent; **insecte ~** insect pest; **~ à** detrimental to

nuit /nɥi/ *nf* **1** (période) night; **en hiver, les ~s sont longues** in winter the nights are long; **cette ~** tonight; **en une ~** in one night; **toute la ~** all night (long); **en pleine ~** in the middle of the night; **au cœur de la ~** at dead of night; **travailler/étudier/conduire la ~** to work/study/drive at night; **après une ~ de voiture/train** after a night spent travelling[GB] in the car/train; **une ~ d'hôtel** a night in a hotel; **une chambre à 50 euros la ~** a room at 50 euros a night; **une ~ de débauche/travail** a night of debauchery/work; **il passe ses ~s à lire** he spends his nights reading; **ils ont voyagé de ~** they travelled by night; **vol/train/équipe de ~** night flight/train/shift; **ouvert toute la ~** open all night; **il n'a pas dormi de la ~** he didn't sleep a wink last night; **elle a passé une ~ d'angoisse** she spent an anxious night; **une ~ d'attente** a night of waiting; **faire une ~ complète, faire sa ~** to sleep right through the night; **ce malade ne passera pas la ~** this patient won't last (out) the night; **~ et jour** night and day; **souhaiter bonne ~ à qn** to wish sb goodnight; **2** (date) night; **la ~ dernière** last night; **dans la ~ de samedi à dimanche** during the night of Saturday to Sunday; **par une ~ d'orage/de pleine lune/d'été** on a stormy/moonlit/summer night; **3** (obscurité) **la ~ tombe** it's getting dark, night is falling; **la ~ tombe vite en décembre** night falls quickly in December; **la ~ est tombée sur la ville** night fell over the town; **avant la ~** before dark *ou* nightfall ; **à la ~ tombante** *or* **à la tombée de la ~** at nightfall; **à la ~ (tombée)** after dark *ou* nightfall; **il fait ~** it's dark; **il faisait ~ noire, il faisait une ~ d'encre** it was pitch dark; ▸ **gris**

(Composés) **~ américaine** Cin day for night; **~ blanche** sleepless night; **~ bleue** *night of terrorist bomb attacks*; **la ~ éternelle** eternal night; **~ de noces** wedding night; **la ~ des Rois** Théât Twelfth Night; **depuis la ~ des temps** since the dawn of time; **cette tradition se perd dans la ~ des temps** this tradition is lost in the mists of time

(Idiomes) **c'est le jour et la ~** they're as different as chalk and cheese; **attends demain pour donner ta réponse: la ~ porte conseil** wait till tomorrow to give your answer: sleep on it first

nuitamment /nɥitamɑ̃/ *adv* liter by night

nuitée /nɥite/ *nf* Tourisme night

nul, **nulle** /nyl/

A *adj* **1** (dépourvu d'intelligence, de valeur) [*personne, élève*] hopeless, useless; [*travail, raisonnement, étude*] worthless; [*film, roman*] trashy○; **être ~ en français/sciences/sport/dans une matière/dans un domaine** to be hopeless at French/science/sports/at a subject/in a field; **elle est complètement nulle** she's completely hopeless *ou* useless; **il est trop ~ pour ce travail** he's too useless for the job; **2** Jur (sans effet légal) [*contrat, mariage*] void; [*testament*] invalid; [*élections*] null and void; [*vote, bulletin*] spoiled; **le contrat est ~ en cas de fausse déclaration** the contract is voidable in case of false declaration; **~ et non avenu** null and void; **3** Sport, Jeux **match/score ~** (équipes à égalité) tie, draw GB; (zéro partout) nil-all draw/score; **4** (qui n'existe pas) [*différence, danger, résultat, effet*] nil (*jamais épith*); [*récolte*] non-existent; **vent ~** no wind

B *adj indéf* (aucun) [*personne, idée, valeur, endroit*] no; **nulle autre ville** no other town; **je n'ai ~ besoin de tes conseils** I've no need of your advice, I don't need your advice; **je n'ai nulle envie de partir** I've no desire to leave, I don't want to leave; **~ autre que vous ne peut m'aider** no-one else but you can help me; **sans ~ doute** without any doubt; **~ doute que ces résultats auront de graves conséquences** these results will undoubtedly have serious consequences

C ○*nm,f* idiot○; **c'est un ~** he's an idiot○ *ou* a dead loss○, he's completely useless

D *pron indéf* no one; **~ ne savait** no one knew; **les victimes, ~ n'en doute, sont des prisonniers politiques** no one is in any doubt that the victims are political prisoners; **~ n'est censé ignorer la loi** ignorance of the law is no excuse; **~ n'ignore que** everyone knows that

E **nulle part** *loc adv* nowhere; **il n'a nulle part où aller** he has nowhere to go; ▸ **impossible, prophète**

nullard○, **~e** /nylaʀ, aʀd/ *nm,f* idiot○

nullement /nylmɑ̃/ *adv* not at all; **je ne suis ~ impressionné** I'm not at all impressed; **~ effrayé, il pénétra dans la pièce** not at all frightened, he went into the room; **il n'est ~ question de faire** there's absolutely no question of doing; **n'avoir ~ l'intention de faire** to have absolutely no intention of doing; **il n'est ~ homme d'affaires** he is not a business man at all

nullité /nylite/ *nf* **1** Jur nullity; **~ d'un mariage** nullity of a marriage; **~ de droit** nullity in law; **frapper de ~** to render void; **sous peine de ~** under pain of being declared null and void; **2** (d'argument, de théorie) invalidity; (d'œuvre, de personne) worthlessness; **c'est d'une totale ~** it's absolutely awful; **il est d'une ~ totale en français** he's absolutely useless at French; **3** ○(personne incapable) nonentity

numéraire /nymeʀɛʀ/
A *adj* **espèces ~s** cash ¢
B *nm* cash; **paiement en ~** payment in cash

numéral, **~e**, *mpl* **-aux** /nymeʀal, o/ ▸ **p. 568** *adj, nm* numeral

numérateur /nymeʀatœʀ/ *nm* numerator

numération /nymeʀasjɔ̃/ *nf* Math numeration

(Composé) **~ globulaire** Méd blood count

numérique /nymeʀik/ *adj* **1▸** Tech [*enregistrement, affichage*] digital; **clavier ~** Télécom keypad; **commande ~** numerical control; **2▸** Math [*valeur*] numerical

numériquement /nymeʀikmɑ̃/ *adv* numerically

numérisation /nymeʀizasjɔ̃/ *nf* digitization, digitalization

numériser /nymeʀize/ [1] *vtr* to digitize

numériseur /nymeʀizœʀ/ *nm* digitizer

numéro /nymeʀo/ *nm* **1▸** (nombre) number; **~ de téléphone/télécopie/compte** telephone/fax/account number; **le ~ 7** number 7; **2▸** (indiquant l'importance) **le ~ deux du parti** number two in the party; **objectif ~ un** primary objective; **le ~ un français de la chimie** the number one French chemical company; **le ~ un de l'opposition** the leader of the opposition; **3▸** Presse issue; **un vieux ~** a back number *ou* issue; **suite au prochain ~** lit to be continued; fig hum watch this space; **4▸** (dans un spectacle) act; (de chant) number; **faire son ~** lit to do one's act *ou* number; **5▸** °(personne drôle) **quel ~!** what a character!

(Composés) **~ d'abonné** customer's number; **~ d'appel** telephone number; **~ d'appel gratuit** freefone number GB, toll-free number US; **~ atomique** Chimie atomic number; **~ d'ordre** (queue GB *ou* line US) number; **~ de série** serial number; **~ d'urgence** hotline; **~ vert = ~ d'appel gratuit**; **~ zéro** Presse trial issue

(Idiomes) **tirer le bon ~** to be fortunate; **tirer le mauvais ~** to be unfortunate

numérologie /nymeʀɔlɔʒi/ *nf* numerology

numérotage /nymeʀɔtaʒ/ *nm* numbering

numérotation /nymeʀɔtasjɔ̃/ *nf* numbering; **~ téléphonique** telephone numbering system; **~ abrégée** abbreviated dialling[GB]

numéroter /nymeʀɔte/ [1] *vtr* to number; **gravure numérotée** numbered print; **compte numéroté** secret bank account

numerus clausus* /nymeʀysklozys/ *nm inv* quota

numide /nymid/ *adj* Numidian

Numide /nymid/ *nmf* Numidian

Numidie /nymidi/ *nprf* Numidia

numismate /nymismat/ *nm* numismatist

numismatique /nymismatik/
A *adj* numismatic
B *nf* numismatics (+ *v sg*), numismatology

nunuche° /nynyʃ/ *adj* pej bird-brained°, silly

nu-pied, *pl* **~s** /nypje/ *nm* (sandale) (open) sandal

nu-propriétaire, **nue-propriétaire**, *mpl* **nus-propriétaires** /nypʀɔpʀijetɛʀ/ *nm,f* owner without usufruct

nuptial, **~e**, *mpl* **-iaux** /nypsjal, o/ *adj* [*messe, bénédiction*] nuptial; [*chambre*] bridal; **cérémonie ~e** wedding

nuptialité /nypsjalite/ *nf* **taux de ~** marriage rate

nuque /nyk/ *nf* nape (of the neck)

nurse /nœʀs/ *nf* nanny GB, nurse

nu-tête /nytɛt/ *adv* bareheaded

nutriment /nytʀimɑ̃/ *nm* nutriment

nutritif, **-ive** /nytʀitif, iv/ *adj* [*aliment, repas*] nutritious; [*crème*] nourishing; [*valeur*] nutritive, nutritional

nutrition /nytʀisjɔ̃/ *nf* nutrition

nutritionnel, **-elle** /nytʀisjɔnɛl/ *adj* nutritional (*épith*)

nutritionniste /nytʀisjɔnist/ ▸ **p. 532** *nmf* nutritionist

Nyassaland /njasalɑ̃d/ *nprm* Hist Nyasaland

nyctalope /niktalɔp/ *adj* [*animal*] having good night vision (*épith, après n*)

nyctalopie /niktalɔpi/ *nf* night vision

nylon® /nilɔ̃/ *nm* nylon®; **en ~** [*chemise, sous-vêtement*] nylon (*épith*); **des bas en ~** nylons, nylon stockings

nymphe /nɛ̃f/ *nf* **1▸** Mythol nymph; **2▸** Zool nymph; **3▸** Anat nympha; **les ~s** nymphae, labia minora

nymphéa /nɛ̃fea/ *nm* waterlily

nymphette /nɛ̃fɛt/ *nf* nymphet

nymphomane /nɛ̃fɔman/ *adj, nf* nymphomaniac

nymphomanie /nɛ̃fɔmani/ *nf* nymphomania

Oo

o, **O** /o/ *nm inv* o, O

ô /o/ *excl* liter o!

OAS /oaɛs/ *nf* (*abbr* = **Organisation armée secrète**) OAS (*terrorist organization opposed to Algerian independence*)

oasis /ɔazis/ *nf inv* oasis

obédience /ɔbedjɑ̃s/ *nf* persuasion; **ils sont de même ~** they are of the same persuasion; **pays d'~ catholique** a Catholic country; **elle est d'~ marxiste** she is a Marxist

obéir /ɔbeiʀ/ [3] *vtr ind* 1 (se soumettre) **~ à** to obey [*ordre, devoir, principe, règles*]; to follow [*norme, impulsion, émotion*]; to observe [*coutume*]; **~ à qn** [*soldat*] to obey sb; [*enfant, employé*] to do what one is told by sb; **ne discute pas, obéis!** don't argue, do as you're told!; **elle se fait ~ de ses enfants** her children always do as she says; **~ à une décision** to comply with a decision; **nous obéissons au moindre de ses caprices** we give in to his *ou* her slightest whim; 2 (être soumis) [*freins, véhicule*] to respond (**à** to)

(Idiome) **~ à qn au doigt et à l'œil** to obey sb slavishly

obéissance /ɔbeisɑ̃s/ *nf* obedience (**à** to); **~ passive** blind obedience

obéissant, **~e** /ɔbeisɑ̃, ɑ̃t/ *adj* obedient

obélisque /ɔbelisk/ *nm* obelisk

obérer /ɔbeʀe/ [14] *vtr* to burden [sth/sb] with debt; **~ le budget de l'État** to be a heavy drain on the country's budget; **~ l'avenir du pays** to weigh heavily on the future of the country

obèse /ɔbɛz/ *adj* obese

obésité /ɔbezite/ *nf* obesity

objecter /ɔbʒɛkte/ [1] *vtr* to object (**que** that); **~ à qn que** to object to sb that; **'c'est injuste,' objectera-t-on** some will object that it's not fair; **elle m'objecta que** she objected that; **tu as quelque chose à (m')~?** do you have any objections?; **~ un mal de tête pour refuser une invitation** to give a headache as an excuse for refusing an invitation

objecteur /ɔbʒɛktœʀ/ *nm* objector

(Composé) **~ de conscience** conscientious objector

objectif, **-ive** /ɔbʒɛktif, iv/

A *adj* objective; **tu n'es pas ~** you're not being objective

B *nm* 1 (dessein) objective; **nous avons pour ~ de faire** our objective is to do; **se donner pour ~ de faire** to set oneself the objective of doing; **se donner qch pour ~** to set oneself sth as an objective; **l'~ est double** there are two objectives; 2 Phot lens; (de microscope, jumelles, télescope) objective; **~ à focale variable** zoom lens; **braquer son ~ sur qn** to point one's camera at sb; 3 (cible) target; (position à saisir) objective

objection /ɔbʒɛksjɔ̃/ *nf* objection; **soulever des ~s** to raise objections

objectivement /ɔbʒɛktivmɑ̃/ *adv* 1 (de façon objective) objectively; 2 (évidemment) clearly

objectiver /ɔbʒɛktive/ [1] *vtr* to objectify

objectivisme /ɔbʒɛktivism/ *nm* objectivism

objectivité /ɔbʒɛktivite/ *nf* objectivity; **faire preuve d'~** to be objective; **en toute ~** objectively

objet /ɔbʒɛ/

A *nm* 1 (chose) object; **~ en bois/métal** wooden/metal object; **~ fragile/décoratif** fragile/decorative item; **~ manufacturé** manufactured article; **~s personnels** gén personal possessions; Admin personal effects; 2 (sujet) (de pensée, débat, recherches, science) subject; (de désir, haine, d'amour) object; (de désaccord) source; (d'enquête) subject, focus; **faire l'~ de** to be the subject of [*enquête, recherche, critique*]; to be subjected to [*moquerie, surveillance*]; to be the object of [*convoitise, haine, lutte, poursuite*]; **être un ~ d'admiration/de respect pour qn** to be admired/respected by sb; **le débat de ce soir a pour ~** the subject of tonight's debate is; 3 (but) purpose, object; **cette lettre a pour ~ d'attirer votre attention sur qch** the purpose of this letter is to bring sth to your attention; **la linguistique a pour ~** the purpose of linguistics is; **'~: réponse à votre lettre du…'** (en haut d'une lettre) 're: your letter of…'; **être sans ~** [*plainte*] to be groundless *ou* unfounded; [*inquiétude, angoisse*] to be groundless; 4 Ling, Philos object; 5 Jur **~ d'un litige** matter at issue; **~ d'un procès** subject of an action

B **-objet** (*in compounds*) as an object (*après n*); **la femme-~** woman as an object; **des livres-~s** books as objects

(Composés) **~ d'art** objet d'art; **~ du culte** liturgical object; **~ du délit** hum the offending object; **~ sexuel** sex object; **~s trouvés** lost property ₵; **aller aux ~s trouvés** to go to lost property GB *ou* to lost and found US; **~ volant non identifié**, **ovni** unidentified flying object, UFO

objurgations /ɔbʒyʀgasjɔ̃/ *nfpl* 1 (reproches) objurgations; 2 (prières) entreaties

oblat, **~e** /ɔbla, at/

A *nm,f* oblate

B **oblats** *nmpl* oblations

oblation /ɔblasjɔ̃/ *nf* oblation

obligataire /ɔbligatɛʀ/ Fin

A *adj* [*marché, émission, rendement*] bond; **emprunt ~** bond issue

B *nmf* bondholder

obligation /ɔbligasjɔ̃/ *nf* 1 (devoir) (professionnel, moral, familial) obligation, responsibility; (légal) obligation; (militaire) obligation, duty; **vos ~s de citoyen** your obligations as a citizen; **faire honneur à ses ~s** to honour[GB] one's obligations; **satisfaire à ses ~s** to fulfil[GB] one's obligations *ou* duties; **faire face à ses ~s** to face up to one's responsibilities; **manquer à ses ~s** to fail in one's responsibilities; **sans ~ d'achat** with no obligation to buy; **avec ~ d'achat** with the obligation to buy; **sans ~ de votre part** with no obligation; **avec ~ de faire** with the obligation to do; **ce n'est pas une ~ de les inviter lundi** you don't have to invite them on Monday; **être dans l'~ de faire** to be under an obligation to do, to be obliged to do; **se faire une ~ de faire** to feel it one's duty to do; **avoir une ~** *or* **des ~s envers qn** to feel an obligation toward(s) sb; 2 (nécessité) necessity; **se voir** *or* **trouver dans l'~ de faire** to be forced into doing; 3 Fin bond; **~ convertible** convertible bond; **~ d'État** government bond; **~ de pacotille** junk bond; **~ à taux variable** floating rate note; 4 Jur obligation; **contracter une ~ envers qn** to contract an obligation toward(s) sb; **s'aquitter d'une ~** to carry out *ou* meet an obligation; **~ alimentaire** maintenance obligation; 5 liter (devoir de reconnaissance) obligation (**envers** toward, towards GB); **avoir d'immenses ~s envers qn** to be very grateful to sb; 6 Relig **fête d'~** (holy) day of obligation; **jeûne d'~** obligatory Fast Day

(Composés) **~ de réserve** duty of confidentiality; **~ scolaire** compulsory school attendance; **~s militaires**, **OM** military service ₵; **être dégagé** *or* **libéré des ~s militaires** to have done one's military service

obligatoire /ɔbligatwaʀ/ *adj* 1 lit compulsory, obligatory; **service militaire ~** compulsory military service; **instruction ~ jusqu'à 16 ans** compulsory education up to the age of 16; **l'étude du latin n'est pas ~** Latin is not a compulsory subject; **tenue de soirée ~** evening dress is obligatory; **avoir un caractère ~** to be compulsory; 2 °(inévitable) inevitable; **c'était ~** it was inevitable, it was bound to happen

obligatoirement /ɔbligatwaʀmɑ̃/ *adv* 1 (par règlement) **une lettre doit ~ accompagner la demande** the application must be accompanied by a letter; **vous indiquerez ~ sur votre copie le nombre de mots de votre résumé** you must indicate the number of words in your summary on your paper; **sans des mesures ~ prises à l'échelle mondiale, l'humanité court à la catastrophe** it is imperative that measures be taken on a worldwide scale, otherwise humanity is heading for disaster; 2 (inévitablement) inevitably, necessarily; **cette route conduit ~ à la gare** this road leads you to the station; **il y a ~ une erreur** there must be a mistake

obligé, **~e** /ɔbliʒe/

A *pp* ▸ **obliger**

B *pp adj* 1 (contraint) **~ de faire** forced to do; **être ~ de faire** to have to do; **je suis ~ de partir** I must go now, I have to go now; **se voir ~ de faire** to be forced to do; **je suis bien ~ de vous croire** I have no choice *ou* option but to believe you; **vous n'êtes pas ~ d'accepter** you don't have to accept; **ne te crois pas ~ d'être désagréable** iron you don't have to be unpleasant; 2 (reconnaissant) **être ~ à qn de qch/d'avoir fait** to be obliged *ou* grateful to sb for sth/for doing; 3 °(fatal) inevitable; **c'était ~** it was inevitable, it was bound to happen; 4 (indispensable) essential; **un passage ~ (pour)** fig a prerequisite (for)

C *nm,f* 1 fml (personne) **être l'~ de qn** to be obliged *ou* indebted to sb; 2 Jur (débiteur) obligor; **principal ~** principal obligor

obligeamment /ɔbliʒamɑ̃/ *adv* obligingly, very kindly

obligeance /ɔbliʒɑ̃s/ *nf* **avec l'~ de qn** through sb's good offices; **avoir l'~ de faire** to be kind enough to do; **ayez l'~ de m'écouter** be so kind as to listen to me, be kind enough to listen to me

obligeant, ~e /ɔbliʒɑ̃, ɑ̃t/ *adj* [*personne*] obliging; [*manières*] pleasing; [*offre, mot*] kind

obliger /ɔbliʒe/ [13]

A *vtr* **1** (contraindre) **~ qn à faire** gén to make sb do; [*personne, police*] to force *ou* compel sb to do; [*autorité, règlement*] to make it compulsory for sb to do; [*devoir, prudence*] to compel sb to do; [*circonstance, événement*] to force sb to do; **comme la loi vous y oblige** as required by law; **rien ne t'oblige à accepter** you don't have to accept; **'tu vas l'aider?'—'bien obligé'** 'are you going to help him?'–'I've got no choice *ou* alternative'; **2** Jur [*bail, contrat, accord*] to bind [sb] legally [*personne*] (**à faire** to do); **un contrat oblige toutes les parties signataires** a contract is binding on all parties; **être obligé de faire** to be bound to do; **le bail m'oblige à réparer les dégâts** the lease makes me legally responsible for repairs; **3** (rendre service à) to oblige (**en faisant** by doing); **vous m'obligez beaucoup** I am much obliged to you; **je vous serais (très) obligé de bien vouloir faire** I should GB *ou* would be very much obliged if you would be so kind as to do

B **s'obliger** *vpr* **1** (se contraindre) **s'~ à faire** to force oneself to do, to make oneself do; **2** (s'aider) to help one another; **c'est naturel de s'~ entre amis** it's only natural for friends to help one another

(Idiome) **tradition oblige!** tradition demands it!

oblique /ɔblik/

A *adj* [*trait, rayon*] slanting; [*regard*] sidelong (*épith*); **en ~** [*avancer*] diagonally; [*poser*] crosswise; **cas ~** Ling oblique case; **muscle ~** Anat oblique muscle

B *nf* Math oblique

obliquement /ɔblikmɑ̃/ *adv* [*enfoncer, poser*] at an angle; [*déplacer*] diagonally; **regarder qn ~** to look sidelong at sb

obliquer /ɔblike/ [1] *vi* **~ vers la droite/gauche** (légèrement) to bear right/left; (nettement) to veer right/left; **~ après l'école** to turn off past the school

obliquité /ɔblikɥite/ *nf* **1** (de rayon, pluie, terrain) obliqueness; **2** Astron, Math obliquity

oblitération /ɔbliteʀasjɔ̃/ *nf* **1** Postes (action) cancelling[GB] ₵; **avec ~ du 4 juin 1991** postmarked 4 June 1991; **(cachet d')~** postmark; **2** Méd occlusion; **3** †(effacement) obliteration

(Composé) **~ premier jour** Postes first day cover

oblitérer /ɔbliteʀe/ [14] *vtr* **1** Postes to cancel, to obliterate [*timbre*]; **2** Méd to obstruct [*vaisseau*]; **3** †(effacer) to obliterate [*texte, souvenir*]

oblong, -ongue /ɔblɔ̃, ɔ̃g/ *adj* oblong

obnubiler /ɔbnybile/ [1] *vtr* **1** (obséder) to obsess [*personne*]; **obnubilé par** obsessed by; **2** (obscurcir) to cloud [*jugement, émotion*]

obole /ɔbɔl/ *nf* small donation; **apporter son ~** to make one's modest contribution (**à** to)

obscène /ɔpsɛn/ *adj* obscene

obscénité /ɔpsenite/ *nf* obscenity

obscur, ~e /ɔpskyʀ/ *adj* **1** (sans lumière) [*pièce, rue, nuit*] dark; **2** (peu connu) [*personne, lieu*] obscure; **3** (incompréhensible) [*texte, comparaison, question*] obscure; **4** (mystérieux) [*rôle, affaire, raison, lutte*] obscure; **5** (humble) [*labeur, vie*] lowly; **6** (vague) vague; **un ~ désir/sentiment** a vague desire/feeling

obscurantisme /ɔpskyʀɑ̃tism/ *nm* obscurantism

obscurantiste /ɔpskyʀɑ̃tist/ *adj, nmf* obscurantist

obscurcir /ɔpskyʀsiʀ/ [3]

A *vtr* **1** (priver de lumière) to make [sth] dark [*lieu*]; **2** (ternir) to overshadow [*relations*]; **3** (rendre confus) to blur [*situation, dessein*]; **4** (rendre hermétique) to make [sth] obscure [*texte, œuvre*]; **5** (affaiblir) [*âge*] to dim [*vue*]; [*fumée*] to obscure [*vue*]; **6** (foncer) to deepen [*couleur*]

B **s'obscurcir** *vpr* **1** (devenir sombre) [*ciel, lieu*] to darken; **2** (devenir triste) [*regard*] to become sombre[GB]; **3** (devenir confus) [*situation*] to become confused

obscurcissement /ɔpskyʀsismɑ̃/ *nm* fml **1** (de ciel) darkening; **2** (d'esprit) clouding; **3** (de vue) dimming

obscurément /ɔpskyʀemɑ̃/ *adv* **1** [*sentir*] vaguely; **2** [*vivre*] in obscurity

obscurité /ɔpskyʀite/ *nf* **1** (de lieu) darkness; **dans l'~** in the darkness; **2** (d'œuvre, de texte) obscurity; **3** (de personne, travail) obscurity; **4** (de situation) vagueness

obsédant, ~e /ɔpsedɑ̃, ɑ̃t/ *adj* [*souvenir, rêve, musique*] haunting; [*rythme*] insistent; [*problème*] nagging (*épith*)

obsédé, ~e /ɔpsede/ *nm,f* **~ (sexuel)** sex maniac; **un ~ du vélo/du ski** a cycling/ski freak

obséder /ɔpsede/ [14] *vtr* [*souvenir, rêve, peur, remords*] to haunt; [*idée, problème*] to obsess; **être obsédé par un souvenir** to be haunted by a memory; **être obsédé par un désir de vengeance** to be obsessed with a desire for revenge; **il est obsédé** he has sex on the brain○

obsèques /ɔpsɛk/ *nfpl* funeral (*sg*); **~ civiles/nationales/religieuses** civil/state/religious funeral

obséquieusement /ɔpsekjøzmɑ̃/ *adv* obsequiously

obséquieux, -ieuse /ɔpsekjø, øz/ *adj* obsequious

obséquiosité /ɔpsekjɔzite/ *nf* obsequiousness

observable /ɔpsɛʀvabl/ *adj* observable, which can be observed (*épith, après n*)

observance /ɔpsɛʀvɑ̃s/ *nf* observance; **d'étroite** *or* **de stricte ~** of strict observance

observateur, -trice /ɔpsɛʀvatœʀ, tʀis/

A *adj* observant; **avoir l'œil ~** to be very observant

B *nm,f* observer

observation /ɔpsɛʀvasjɔ̃/ *nf* **1** (fait de regarder) observation; **l'~ de la nature/des étoiles** the observation of nature/of the stars; **avion d'~** Mil reconnaissance plane; **satellite d'~** observation satellite; **satellite destiné à l'~ de la Terre** satellite for surveying the Earth; **mission d'~** Pol observer mission; **l'~ des oiseaux** bird-watching; **2** Méd (surveillance médicale) observation; **mettre qn en ~** to put sb under observation; **3** (résultat) observation; **noter ses ~s dans un carnet** to note (down) one's observations in a notebook; **4** (de règle, politique) observance; **5** (remarque) gén observation, remark; (sur un devoir) comment; **pas d'~s** no comment; **6** (reproche) reproach; **faire une ~ à qn** to reproach sb (**sur** for)

observatoire /ɔpsɛʀvatwaʀ/ *nm* **1** Astron observatory; **2** Mil observation post, lookout post; **3** (organisme) watchdog; **~ de la concurrence** competition watchdog

observer /ɔpsɛʀve/ [1]

A *vtr* **1** (regarder) to watch, to observe [*personne, mouvement, adversaire*]; to observe [*phénomène, situation*]; **se sentir observé** to feel one is being watched; **~ qch au microscope** lit to examine sth under a microscope; fig to scrutinize sth; **2** (remarquer) to notice, to observe [*chose, phénomène, réaction*]; **'la situation s'aggrave,' observa-t-il** 'the situation is worsening,' he observed; **faire ~ qch à qn** to point sth out to sb; **3** (suivre) to observe [*règle, usage, repos*]; to observe, to abide by [*trêve, traité*]; to keep, to observe [*jeûne, régime*]; to maintain [*stratégie, politique*]; to observe, to maintain [*grève*]; **~ le silence** to keep *ou* remain quiet; **~ une minute de silence** to observe a minute's silence; **4** (contrôler) to watch [*propos, manières, gestes*]

B **s'observer** *vpr* **1** (se regarder) [*personnes, armées, ennemis*] to watch each other, to observe each other; **2** (se surveiller) to keep a check on oneself; **s'~ beaucoup** to keep a close check on oneself

obsession /ɔpsɛsjɔ̃/ *nf* obsession; **avoir l'~ de la maladie/mort** to be obsessed with sickness/death

obsessionnel, -elle /ɔpsɛsjɔnɛl/ *adj* obsessional

obsidienne /ɔpsidjɛn/ *nf* obsidian

obsolescence /ɔpsɔlesɑ̃s/ *nf* obsolescence; **~ planifiée** built-in obsolescence

obsolescent, ~e /ɔpsɔlɛsɑ̃, ɑ̃t/ *adj* obsolescent

obsolète /ɔpsɔlɛt/ *adj* obsolete

obstacle /ɔpstakl/ *nm* **1** (difficulté) obstacle (**à** to); **contourner l'~** to get around the obstacle; **se heurter à un ~** to come up against an obstacle; **faire ~ aux négociations/au développement** to obstruct the negotiations/the development; **elle a fait ~ à ma promotion** she stood in the way of my promotion; **2** Équit fence

obstétrical, ~e, *mpl* **-aux** /ɔpstetʀikal, o/ *adj* obstetric

obstétricien, -ienne /ɔpstetʀisjɛ̃, ɛn/ ▸ p. 532 *nm,f* obstetrician

obstétrique /ɔpstetʀik/ *nf* obstetrics (+ *v sg*)

obstination /ɔpstinasjɔ̃/ *nf* obstinacy; **avec une incroyable ~** with amazing obstinacy; **~ à faire** stubborn insistence on doing, obstinacy in doing; **~ dans l'erreur** wrongheadedness; **avec ~** stubbornly

obstiné, ~e /ɔpstine/

A *adj* **1** (entêté) [*personne, caractère, refus*] stubborn; **2** (acharné) [*efforts, chercheur*] dogged; **3** (durable) [*toux, pluie*] persistent

B *nm,f* pigheaded person péj

obstinément /ɔpstinemɑ̃/ *adv* obstinately

obstiner: **s'obstiner** /ɔpstine/ [1] *vpr* to persist (**dans** in; **à faire** in doing); **il a tort, mais il s'obstine** he's wrong, but he persists; **s'~ à ne pas faire qch** to refuse obstinately to do sth; **s'~ dans le silence** to maintain a stubborn silence; **s'~ dans une opinion** to cling stubbornly to an opinion; **s'~ sur une question** to worry at a question

obstruction /ɔpstʀyksjɔ̃/ *nf* gén, Méd, Pol, Sport obstruction; Tech (de conduit, canalisation) blockage; **~ intestinale** obstruction of the bowels, intestinal blockage; **faire ~ à qch** to obstruct sth; **faire de l'~ parlementaire** to filibuster

obstructionnisme /ɔpstʀyksjɔnism/ *nm* obstructionism

obstructionniste /ɔpstʀyksjɔnist/ *adj, nmf* obstructionist

obstruer /ɔpstʀye/ [1]

A *vtr* to obstruct, to block [*conduit, passage*]; **un tracteur accidenté obstrue la route** an accident involving a tractor is blocking the road; **les valises obstruent le passage** the suitcases are in the way

B **s'obstruer** *vpr* to get *ou* become blocked

obtempérer /ɔptɑ̃peʀe/ [14] *vtr ind* to comply (**à** with); **refus/refuser d'~** refusal/to refuse to comply

obtenir /ɔptəniʀ/ [36]

A *vtr* to get, to obtain [*informations, prix, permission, résultat, diplôme*]; to secure [*silence*]; to get, to arrive at [*total, somme*]; **~ qch de/pour qn** to get *ou* obtain sth from/for sb; **~ de faire** to gain permission to do; **~ de qn qu'il fasse** to get sb to do; **elle a obtenu qu'il reste** she got him to stay

B **s'obtenir** *vpr* [*total, résultat*] to be arrived at, to be obtained

obtention /ɔptɑ̃sjɔ̃/ *nf* **l'~ d'un diplôme/permis** getting a diploma/licence[GB]; **l'~ d'un visa/d'une nationalité** obtaining a visa/a citizenship

obturateur, -trice /ɔptyʀatœʀ, tʀis/

A *adj* **1** Tech obturating (*épith*); **2** Anat [*membrane*] obturator (*épith*); **muscle ~ externe/interne** obturator externus/internus

B *nm* **1** Phot shutter; ~ **focal** *or* **à rideau** focal plane shutter; ~ **central** between-the-lens shutter; **2** Dent obturator; **3** Tech (clapet) stopcock; ~ **antiéruption** blowout preventer

obturation /ɔptyʀasjɔ̃/ *nf* **1** (accidentelle) blocking (up); (volontaire) stopping up; **2** (résultat) blockage; **3** Phot **vitesse d'~** shutter speed; **4** Dent filling; ~ **radiculaire** root filling GB, root canal; **faire une ~ dentaire** to fill a tooth

obturer /ɔptyʀe/ [1] *vtr* **1** gén to block (up) [*trou, conduit*]; to stop [*fuite*]; to fill in [*fissure*]; **2** Dent to fill [*cavité*]

obtus, ~**e** /ɔpty, yz/ *adj* (tous contextes) obtuse

obus /oby/ *nm inv* Mil shell; **un éclat d'~** a piece of shrapnel; **des éclats d'~** shrapnel ₵; **tirs d'~** shellfire ₵

(Composés) ~ **éclairant** star shell; ~ **explosif** high explosive shell; ~ **perforant** armour[GB]-piercing shell

obusier /ɔbyzje/ *nm* howitzer

obvier /ɔbvje/ [2] *vtr ind* fml ~ **à** to obviate sout, to guard against [*obstacle, mal, inconvénient*]

oc: **d'oc** /dɔk/ *loc adj* **langue d'~** langue d'oc (*group of southern French medieval dialects*)

OC (*written abbr* = **ondes courtes**) SW

ocarina /ɔkaʀina/ ▸ **p. 557** *nm* ocarina

occase○ /ɔkaz/ = **occasion 2, 3**

occasion /ɔkazjɔ̃/ *nf* **1** (circonstance) occasion; (moment favorable) opportunity, chance; **une ~ manquée/rêvée** a missed/undreamed-of opportunity; **à la moindre ~** at the first opportunity; **à la première ~** at the first *ou* earliest opportunity; **toute ~ leur est bonne pour faire** they'll find any excuse to do; **saisir l'~ pour faire** to seize the opportunity to do; **rater l'~** to miss one's opportunity *ou* chance; **laisser passer l'~ de faire** to miss the opportunity to do *ou* of doing; **à l'~** (si le cas se présente) some time; (parfois) occasionally; **à l'~ de** on the occasion of; **à** *ou* **en plusieurs ~s** on several occasions; **en certaines ~s** on certain occasions; **en toute ~** on all occasions; **par la même ~** at the same time; **pour l'~** for the occasion; **les grandes ~s** special occasions; **avoir/perdre** *or* **manquer l'~ de faire** to have/miss the opportunity to do *ou* the chance of doing; **être l'~ de qch** to give rise to sth, to occasion sth sout; **être l'~ de faire** to be a chance *ou* an opportunity to do; **profiter de l'~ pour faire** to take the opportunity to do; **d'~** [*héroïsme*] incidental; [*rencontre, aventure*] chance; **pour elle, toutes les ~s sont bonnes pour s'amuser** she won't miss an opportunity to have a good time; **j'ai encore raté une bonne ~ de me taire** I should have kept my mouth shut; **2** (marché) **(le marché de) l'~** the secondhand market; **une voiture/télévision d'~** a secondhand car/television; **je l'ai acheté d'~** I bought it secondhand; **3** (objet) secondhand buy; (bonne affaire) bargain; **ce n'est qu'une ~, mais elle marche bien** it's only secondhand, but it works well

occasionnel, **-elle** /ɔkazjɔnɛl/ *adj* occasional; **utiliser qch de façon occasionnelle** to use sth occasionally

occasionnellement /ɔkazjɔnɛlmɑ̃/ *adv* occasionally

occasionner /ɔkazjɔne/ [1] *vtr* to cause, to occasion sout; ~ **qch à qn** to cause sb sth

occident /ɔksidɑ̃/ *nm* **1** (direction) west; **2** (pays) **l'Occident** the West

occidental, ~**e**, *mpl* **-aux** /ɔksidɑ̃tal, o/ *adj* **1** Géog western; **2** Pol Western; **le monde ~** the Western world

Occidental, ~**e**, *mpl* **-aux** /ɔksidɑ̃tal, o/ *nm,f* Westerner

occidentaliser /ɔksidɑ̃talize/ [1]
A *vtr* to westernize
B **s'occidentaliser** *vpr* to become westernized

occipital, ~**e**, *mpl* **-aux** /ɔksipital, o/
A *adj* occipital
B *nm* occipital bone

occiput /ɔksipyt/ *nm* occiput

occire† /ɔksiʀ/ *vtr* to slay sout, to kill

occitan, ~**e** /ɔksitɑ̃, an/
A *adj* of the langue d'oc
B *nm* Ling langue d'oc

occlure /ɔklyʀ/ [78] *vtr* to occlude

occlusif, **-ive** /ɔklyzif, iv/
A *adj* stop (*épith*), occlusive
B **occlusive** *nf* stop consonant, occlusive; **occlusive sourde/sonore** voiceless/voiced occlusive

occlusion /ɔklyzjɔ̃/ *nf* **1** Méd occlusion; **2** Chimie, Dent, Météo occlusion; **3** Phon closure

(Composé) ~ **intestinale** intestinal obstruction, obstruction of the bowels

occlusive ▸ **occlusif**

occultation /ɔkyltasjɔ̃/ *nf* **1** (dissimulation) (involontaire) eclipsing, overshadowing; (volontaire) (de question) obscuring; (de vérité) concealment; **2** Astron, Tech occultation; **3** Mil blackout

occulte /ɔkylt/ *adj* **1** (relatif à l'occultisme) occult; **2** (secret) secret, clandestine

occulter /ɔkylte/ [1] *vtr* **1** fml (involontairement) to eclipse, to overshadow; (volontairement) to obscure [*sujet, question, problème*]; to conceal [*vérité, fait*]; to conceal, to mask [*inquiétude, malaise*]; **2** Astron to occult; **3** Mil to black-out

occultisme /ɔkyltism/ *nm* occultism

occultiste /ɔkyltist/ *adj, nmf* occultist

occupant, ~**e** /ɔkypɑ̃, ɑ̃t/
A *adj* [*forces, troupes*] occupying
B *nm,f* **1** gén (de maison) occupier, occupant; (de siège, véhicule) occupant; **premier ~** Jur first occupier
C *nm* Mil **l'~, les ~s** the occupying forces (*pl*)

(Composé) ~ **de bonne foi** Jur occupier (*without a lease*)

occupation /ɔkypasjɔ̃/ *nf* **1** (passe-temps, tâche) occupation; (emploi) occupation, job; **trouve-toi une ~** find yourself an occupation; **avoir de multiples ~s** to have numerous occupations; **mes ~s professionnelles** my professional activities; **2** (fait d'habiter un lieu) occupancy, occupation; **le taux d'~ des lits d'hôpital** the occupancy rate of hospital beds; **3** (pour protester) occupation; **décider l'~ des locaux** to decide to stage a sit-in; **4** Mil occupation (**de** of; **par** by); **l'armée d'~** the army of occupation; **l'Occupation** Hist the Occupation; **pendant** *or* **sous l'Occupation** during *ou* under the Occupation

occupationnel, **-elle** /ɔkypasjɔnɛl/ *adj* occupational

occupé, ~**e** /ɔkype/
A *pp* ▸ **occuper**
B *pp adj* **1** [*personne, vie*] busy; **être très ~** to be very busy; **2** [*siège*] taken; [*ligne téléphonique*] engaged GB, busy; [*toilettes*] engaged; **ça sonne ~** Télécom it's engaged GB *ou* busy; **'toutes nos lignes sont ~es, veuillez patienter'** 'all our lines are busy, please hold'; **3** Mil [*pays*] occupied

occuper /ɔkype/ [1]
A *vtr* **1** (se trouver dans) [*personne*] to live in, to occupy [*appartement, maison*]; to be in, to occupy [*douche, cellule*]; to sit in, to occupy [*siège*]; **les locataires qui occupent actuellement la villa** the tenants who live in the villa at the moment; **ça fait deux heures qu'il occupe la salle de bains** he's been in the bathroom for two hours; **il occupe les lieux depuis six mois** he's been in the premises for six months; ~ **la sixième place du classement/championnat** to be sixth in the ranking/championship
2 (remplir) [*local, meuble*] to take up, to occupy [*espace*]; [*activité*] to take up, to fill [*temps*]; **le jardin potager occupe tout mon temps/trop de place** the vegetable garden takes up all my time/too much space; **aller au cinéma pour ~ la soirée** to go to the cinema to fill the evening; **Paul/le sport occupe une grande place dans sa vie** Paul/sport plays a great part in his/her life; ~ **son temps/ses journées à faire** to spend one's time/one's days doing; **à quoi occupes-tu tes soirées?** how do you spend your evenings?
3 (donner une activité à) to occupy [*personne, esprit*]; **ça l'occupe!** it keeps him/her occupied *ou* busy!; **mes études m'occupent beaucoup** my studies keep me very busy *ou* take up a lot of my time; **le sujet qui nous occupe aujourd'hui** the matter which we are dealing with today
4 (exercer) to have [*emploi*]; to hold [*poste, fonctions*]; **ceux qui occupent des emplois précaires** those who have no job security; ~ **le fauteuil présidentiel** to be President
5 (employer) [*entreprise, secteur*] to employ [*personnes*]
6 (se rendre maître de) [*grévistes, armée*] to occupy [*lieu*]; ~ **les locaux** to stage a sit-in; **commencer à ~ le terrain** fig to have a foot in the door
B **s'occuper** *vpr* **1** (ne pas être oisif) [*personne*] to keep oneself busy *ou* occupied; **savoir s'~** to know how to keep oneself busy; **j'ai de quoi m'~** I've got plenty to do; **chercher/trouver à s'~** to look for/find sth to do
2 (prendre en charge) **s'~ de** to see to, to take care of [*dîner, billets*]; **je m'occupe de le leur faire savoir** I'll see that they are told
3 (consacrer ses efforts à) **s'~ de** to be dealing with [*dossier, question*]; **l'avocat qui s'est occupé/s'occupe de l'affaire** the lawyer who dealt/is dealing with the case; **il s'occupe de leur faire obtenir un visa** he's trying to get them a visa
4 (prodiguer des soins à) **s'~ de** to take care of [*enfant, animal, plante*]; to attend to [*client*]; **tu ne t'occupes pas assez de toi-même** you don't take enough care of yourself; **on s'occupe de vous?** are you being attended to?; Comm are you being served?; **je m'occupe de vous tout de suite** I'll be with you in a minute
5 (avoir pour emploi) **s'~ de** to be in charge of [*financement, bibliothèque*]; to work with [*handicapés, enfants*]
6 (se mêler) **s'~ des affaires des autres** to poke one's nose into other people's business○; **occupe-toi de tes affaires**○ *or* **de ce qui te regarde**○**!** mind your own business!; **de quoi je m'occupe**○**!** mind your own business!; **ne t'occupe pas de ça!, t'occupe**○**!** keep your nose out○! GB, keep your butt out○! US; **ne t'occupe pas d'elle/de ce qu'elle dit** don't take any notice of her/of what she says

occurrence /ɔkyʀɑ̃s/ *nf* **1** (cas) case, instance; **en l'~** in this case *ou* instance; **2** Ling occurrence

OCDE /osedeə/ *nf* (*abbr* = **Organisation de coopération et de développement économiques**) OECD

océan /ɔseɑ̃/ ▸ **p. 579** *nm* **1** lit ocean; **l'~ Antarctique** *or* **Austral** the Antarctic Ocean; **l'~ Arctique** the Arctic Ocean; **l'~ Atlantique** the Atlantic Ocean; **l'~ Indien** the Indian Ocean; **l'~ Pacifique** the Pacific Ocean; **2** (en France) **l'Océan** the Atlantic; **3** fig **un ~ de** a sea of

Océanie /ɔseani/ ▸ **p. 333** *nprf* **l'~** Oceania

océanien, **-ienne** /ɔseanjɛ̃, ɛn/ *adj, nm,f* Oceanian

océanique /ɔseanik/ *adj* oceanic

océanographe /ɔseanɔgʀaf/ ▸ **p. 532** *nmf* oceanographer

océanographie /ɔseanɔgʀafi/ *nf* oceanography

océanographique /ɔseanɔgʀafik/ *adj* oceanographic

océanologie /ɔseanɔlɔʒi/ *nf* oceanology

ℹ Les océans et les mers

Les noms d'océans et de mers

■ *En anglais, les mots* Ocean *et* Sea *prennent toujours une majuscule lorsqu'ils accompagnent un nom propre.*

l'océan Atlantique
= the Atlantic Ocean

la mer Baltique
= the Baltic Sea

■ Ocean *et* Sea *peuvent être omis dans la plupart des cas où* océan *et* mer *peuvent être omis en français.*

l'Atlantique
= the Atlantic

la Baltique
= the Baltic

■ *En cas de doute, consulter l'article dans le dictionnaire.*

De avec les noms d'océans et de mers

■ *Les expressions françaises avec* de *se traduisent en général par l'emploi des noms de mers et d'océans en position d'adjectifs.*

le climat de l'Atlantique
= the Atlantic climate

le climat de la mer du Nord
= the North Sea climate

une traversée de l'Atlantique
= an Atlantic crossing

une traversée de la mer du Nord
= a North Sea crossing

Noter aussi:

une croisière sur l'Atlantique
= an Atlantic cruise

une croisière en mer du Nord
= a North Sea cruise

océanologue /ɔseanɔlɔɡ/ ▸ **p. 532** *nmf* oceanologist

ocelle /ɔsɛl/ *nm* ocellus

ocelot /ɔslo/ *nm* **1** (animal) ocelot; **2** (fourrure) ocelot (fur)

ocre /ɔkʀ/ ▸ **p. 202** *adj inv, nm ou f* ochre[GB]

ocré, **~e** /ɔkʀe/ ▸ **p. 202** *adj* ochred[GB]

ocreux, **-euse** /ɔkʀø, øz/ ▸ **p. 202** *adj* ochreous[GB]

octaèdre /ɔktaɛdʀ/
A *adj* octahedral
B *nm* octahedron

octaédrique /ɔktaedʀik/ *adj* octahedral

octal, **~e**, *mpl* **-aux** /ɔktal, o/ *adj* octal

octane /ɔktan/ *nm* octane; **indice d'~** octane number *ou* rating

octante /ɔktɑ̃t/ ▸ **p. 568** *adj inv, pron* dial eighty

octave /ɔktav/ *nf* (tous contextes) octave

octet /ɔktɛt/ *nm* **1** Ordinat byte; **2** Phys octet

octobre /ɔktɔbʀ/ ▸ **p. 544** *nm* October; **en ~** in October; **à la mi-~** in mid-October; **la révolution d'~** the October Revolution

octogénaire /ɔktɔʒenɛʀ/
A *adj* **être ~** to be in one's eighties, to be an octogenarian
B *nmf* octogenarian

octogonal, **~e**, *mpl* **-aux** /ɔktɔɡonal, o/ *adj* octagonal

octogone /ɔktɔɡon/ *nm* octagon

octopode /ɔktɔpɔd/
A *adj* octopod (*épith*)
B *nm* octopod; **les ~s** the Octopoda

octosyllabe /ɔktɔsilab/
A *adj* octosyllabic
B *nm* octosyllable

octosyllabique /ɔktɔsilabik/ *adj* octosyllabic

octroi /ɔktʀwa/ *nm* **1** (fait d'accorder) granting; **les procédures/conditions d'~ de qch** the procedures/conditions for granting sth; **2** Hist octroi

octroyer /ɔktʀwaje/ [23]
A *vtr* **~ qch à qn** to grant sb sth [*pardon, temps, faveur, bourse, augmentation*]; to allocate sb sth [*budget*]
B **s'octroyer** *vpr* to allow oneself [*répit, sursis*]; to win [*victoire*]; to achieve [*succès, place*]

octuor /ɔktɥɔʀ/ *nm* (œuvre, formation) octet

oculaire /ɔkylɛʀ/
A *adj* **1** Méd **nerf moteur ~** oculomotor nerve; **avoir des troubles ~s** to have eye trouble; **2** **témoin ~** eyewitness
B *nm* ocular, eyepiece

oculiste /ɔkylist/ ▸ **p. 532** *nmf* oculist, ophthalmologist

odalisque /ɔdalisk/ *nf* odalisque

ode /ɔd/ *nf* ode (**à qn** to sb; **à qch** to sth, on sth)

odeur /ɔdœʀ/ *nf* smell (**de** of); **(bonne) ~** nice smell; **(mauvaise) ~** smell; **une ~ de gaz/de brûlé/de cigarette** a smell of gas/of burning/of cigarettes; **une ~ acide/âcre/sucrée** an acid/an acrid/a sweet smell; **l'~ d'une fleur** the scent of a flower; **dégager** *or* **avoir une bonne ~** to smell nice; **dégager** *or* **avoir une mauvaise ~** to smell; **chasser/combattre les mauvaises ~s** to get rid of/to combat unpleasant odours[GB]; **sans ~** [*crème, lotion, pommade*] fragrance-free; [*produit de nettoyage*] odourless[GB]; **les chiens retrouvent leur chemin à l'~** dogs find their way by scent; ▸ **sainteté**

(Idiome) **l'argent n'a pas d'~** money has no smell

odieusement /ɔdjøzmɑ̃/ *adv* **1** (atrocement) horribly; **2** (de façon insupportable) obnoxiously

odieux, **-ieuse** /ɔdjø, øz/ *adj* **1** (abject) [*personne, meurtre, action, mensonge*] horrible, odious; **2** (insupportable) obnoxious (**avec qn** to sb); **ta conduite a été odieuse** you were obnoxious

odontalgie /ɔdɔ̃talʒi/ *nf* odontalgia spéc, toothache

odontologie /ɔdɔ̃tɔlɔʒi/ *nf* odontology

odontostomatologie /ɔdɔ̃tɔstɔmatɔlɔʒi/ *nf* odontostomatology

odorant, **~e** /ɔdɔʀɑ̃, ɑ̃t/ *adj* **1** (exhalant une odeur) odorous littér, which has a smell (*épith*); **2** (exhalant une bonne odeur) sweet-smelling

odorat /ɔdɔʀa/ *nm* sense of smell; **l'organe de l'~** the olfactory organ

odoriférant, **~e** /ɔdɔʀifeʀɑ̃, ɑ̃t/ *adj* fragrant

odoriser /ɔdɔʀize/ [1] *vtr* to odorize

odyssée /ɔdise/ *nf* odyssey

Odyssée /ɔdise/ *nf* **l'~** the Odyssey

OEA /ɔəa/ *nf* (*abbr* = **Organisation des États américains**) OAS

OECE /ɔəsəa/ *nf* (*abbr* = **Organisation européenne de coopération économique**) OEEC

œcuménique /ekymenik/ *adj* ecumenical

œcuménisme /ekymenism/ *nm* ecumenism

œdémateux, **-euse** /edematø, øz/ *adj* oedematous

œdème /edɛm/ ▸ **p. 283** *nm* Méd oedema; **souffrir d'un ~** to suffer from oedema

(Composés) **~ pulmonaire** pulmonary oedema; **~ de Quincke** angioneurotic oedema

œdipe /edip/ *nm* Psych Oedipus complex

Œdipe /edip/ *npr* Mythol Oedipus

œil, *pl* **yeux** /œj, jø/ *nm* ▸ **p. 196** **1** Anat eye; **avoir les yeux cernés** to have shadows *ou* rings under one's eyes; **enfant aux yeux verts** child with green eyes; **avoir de bons yeux** to have good eyesight *ou* eyes; **ouvrir un ~** lit to open one eye; **ouvrir l'~** fig to keep one's eyes open; **ouvrir les yeux à qn** fig to open sb's eyes; **ouvrez grand les yeux!** open your eyes wide!; **fermer les yeux** lit to shut one's eyes; **fermer les yeux sur qch** fig to turn a blind eye to sth; **fermer les yeux à qn** (à un mort) to close sb's eyes; **faire qch les yeux fermés** (très facilement) to be able to do sth with one's eyes closed; **acheter qch les yeux fermés** (avec confiance) to buy sth with complete confidence; **je n'ai pas fermé l'~ (de la nuit)** I haven't slept a wink; **il faut l'avoir à l'~** *or* **le tenir à l'~** you have to keep an eye on him; **avoir l'~ à tout** to keep an eye on everything; **cligner des yeux** to blink; **visible à l'~ nu** visible to the naked eye; **voir qch de ses propres yeux** to see sth with one's own eyes; **cela s'est passé sous mes yeux** it happened before my very eyes; **je n'en crois pas mes yeux** I can't believe my eyes; **chercher qch des yeux** to look around for sth; **il l'a suivie des yeux** his eyes followed her; **ne regarder qch que d'un ~** to be half-watching sth; **jeter un ~ à** *or* **sur qch** to have a quick look at sth; **elle avait l'~ rivé sur la pendule** her eyes were riveted on the clock; **n'avoir d'yeux que pour qn** to have eyes only for sb; **sans lever les yeux** [*parler, répondre*] without looking up; [*travailler*] without a break; **lever les yeux vers/sur qch** to look up toward(s)/at sth; **je l'ai sous les yeux** I have it in front of me; **mes yeux sont tombés sur qch** my eyes lit *ou* fell on sth; **faire qch aux yeux de tous** to do sth in public; **les yeux dans les yeux** gazing into each other's eyes; **être agréable à l'~** to be easy on the eye○ *ou* nice to look at; **coup d'~** (regard rapide) glance; (vue) view; **jeter un coup d'~ à qch** to glance at sth; **jette un coup d'~ pour voir s'il dort** have a quick look to see if he is asleep; **cela vaut le coup d'~** it's worth seeing; **avoir le coup d'~** to have a good eye; **yeux de biche** doe eyes; **yeux de braise** sparkling dark eyes; **yeux de chat** eyes like a cat; **yeux de cochon** piggy eyes; ▸ **dent, doigt, loin, merlan, paille, taper**
2 (exprimant des sentiments) eye; **des yeux rieurs/tristes** laughing/sad eyes; **avoir l'~ fourbe** to have a shifty look; **avoir l'~ vif** to have an intelligent look in one's eye ; **elle le regardait d'un ~ amusé** she was looking at him with amusement in her eye; **d'un ~ compatissant** with a look of compassion; **d'un ~ méfiant** with a suspicious look, suspiciously; **d'un ~ inquiet** anxiously; **d'un ~ jaloux** jealously; **d'un ~ distrait** absent-mindedly; **d'un ~ attentif** attentively; **d'un ~ critique** critically; **d'un ~ froid** coldly; **regarder qch d'un ~ neuf** to see sth in a new light; **voir qch d'un ~ défavorable** *or* **d'un mauvais ~** to take a dim view of sth; **il ne voyait pas ça d'un bon ~** he took a dim view of it; **sous l'~ vigilant de** under the watchful eye of; **voir qn avec les yeux de l'amour** to look at sb with the eyes of love; **à mes yeux, il a tort** in my opinion he's wrong; **à leurs yeux, c'était un échec** in their eyes it was a failure; **voir qch d'un autre ~** to take a different view of sth
3 (boucle, trou) gén eye; (dans une porte) peephole
4 Imprim face
5 Culin (de bouillon) bead of fat; (de pomme de terre) eye
6 Météo eye
7 Hort bud. ▸ **paille, quatre**

(Composés) **~ composé** Zool compound eye; **~ électrique** electric eye; **~ à facettes** = **~ composé**; **~ magique** magic eye; **~ poché** black eye; **~ de verre** glass eye

O

(Idiomes) **mon ~**○**!** (marquant l'incrédulité) my eye○, my foot○; **à l'~**○ [*manger, être logé, voyager*] for nothing, for free○; **faire les gros yeux à qn** to glare at sb; **faire les yeux ronds** to look surprised; **manger** *or* **dévorer qch/qn des yeux** to gaze longingly at sth/sb; **faire de l'~ à qn** to make eyes at sb; **faire les yeux doux à qn** to make (sheep's) eyes at sb; **tourner de l'~**○ to faint, to keel over; **cela me sort par les yeux**○ I've had it up to here○; **elle avait les yeux qui lui sortaient de la tête** she was absolutely fuming; **il ne l'a pas fait pour tes beaux yeux**○ he didn't do it for your sake *ou* just to please you; **être tout yeux tout oreilles** to be very attentive; **avoir bon pied bon ~** to be as fit as a fiddle; **sauter aux yeux** to be obvious; **avoir l'~ américain** to have a keen eye; **avoir le mauvais ~** to be jinxed○

œil-de-bœuf, *pl* **œils-de-bœuf** /œjdəbœf/ *nm* (lucarne) bull's eye

œil-de-chat, *pl* **œils-de-chat** /œjdəʃa/ *nm* cat's eye

œil-de-perdrix, *pl* **œils-de-perdrix** /œjdəpɛʀdʀi/ *nm* Méd corn

œil-de-tigre, *pl* **œils-de-tigre** /œjdətigʀ/ *nm* tiger's-eye

œillade /œjad/ *nf* (clin d'œil) wink; (regard furtif) glance; **lancer** *or* **décocher une ~ à qn** to wink at sb

œillère /œjɛʀ/ *nf* **1** (du cheval) blinker, blinder US; **avoir** *or* **porter des ~s** fig to have a blinkered attitude, to wear blinders US; **2** (pour bain d'yeux) eyebath GB, eyecup US

œillet /œjɛ/ *nm* **1** Bot carnation; **2** (de chaussure, bâche) eyelet; (de ceinture, bracelet) hole; (pour renforcer) reinforcement, reinforcing ring; (de métal) grommet

(Composés) **~ d'Inde** Bot French marigold; **~ mignardise** Bot wild pink; **~ de poète** Bot sweet william

> **Œillets**
> are traditionally used for making funeral wreaths so it is best to avoid giving them on other occasions as they are thought to bring bad luck.

O

œilleton /œjtɔ̃/ *nm* **1** (de porte) peephole; **2** (d'instrument optique) eyepiece

œnologie /enɔlɔʒi/ *nf* oenology

œnologique /enɔlɔʒik/ *adj* oenological

œnologue /enɔlɔg/ ▸ **p. 532** *nmf* oenologist

œsophage /ezɔfaʒ/ *nm* oesophagus

œstral, **~e**, *mpl* **-aux** /ɛstʀal, o/ *adj* oestrous

œstrogène /ɛstʀɔʒɛn/
A *adj* oestrogenic
B *nm* oestrogen

œstrus /ɛstʀys/ *nm inv* oestrus

œuf /œf, *pl* ø/ *nm* **1** Zool, Culin egg; **~ de poule/de cane/de caille/d'autruche** hen's/duck's/quail's/ostrich egg; **un ~ entier** a whole egg; **un ~ de porcelaine/plâtre** a china/plaster egg; **en forme d'~** egg-shaped; **~s de cabillaud/d'esturgeon/de saumon** Culin cod's/sturgeon/salmon roe ₵; **des ~s de grenouille** frogspawn ₵; **2** ◑(imbécile) idiot○; **faire l'~** to play the fool

(Composés) **~ au bacon** egg and bacon; **~ clair** Méd unfertilized egg; **~ en chocolat** chocolate egg; **~ (en) cocotte** baked egg (*cooked in ramekin*); **~ à la coque** boiled egg; **~ dur** hard-boiled egg; **~ frais** fresh egg; **~ en gelée** egg in aspic; **~ du jour** new-laid egg; **~ à la liqueur** liqueur-filled egg; **~ mayonnaise** egg mayonnaise; **~ mimosa** egg mimosa (*chopped egg garnish*); **~ mollet** soft-boiled egg; **~ de Pâques** Easter egg; **~ au plat** *or* **sur le plat** fried egg; **~ poché** poached egg; **~ à repriser** darning egg; **~ en sucre** sugar egg; **~s brouillés** scrambled eggs; **~s à la neige** Culin floating islands

(Idiomes) **plein comme un ~** full to bursting; **étouffer qch dans l'~** to nip sth in the bud; **marcher sur des ~s** to be walking on eggs; **va te faire cuire un ~**○**!** go and take a running jump○!

œuvre /œvʀ/
A *nm* (ensemble spécifié) **l'~ sculpté de Rodin** the sculptures (*pl*) of Rodin; **l'~ peint de Michel-Ange** the paintings (*pl*) of Michelangelo; ▸ **gros**
B *nf* **1** Art, Littérat, Mus (production unique) work; (production générale) works (*pl*); **deux ~s antérieures à 1500** two works dating from before 1500; **~s complètes** complete works; **il a laissé une ~ imposante** he left an imposing body of work; **2** (besogne) work; **être à l'~** to be at work; **se mettre à l'~** to get down to work; **voir qn à l'~** to see sb in action; **mettre en ~** to implement [*programme, réforme*]; to display [*grande ingéniosité*]; **mise en ~** (de programme, stratégie) implementation; **tout mettre en ~ pour faire** to make every effort to do; **faire ~ de pacificateur** to act as a peacemaker; **faire ~ de paix** to work actively for peace; **le temps a fait son ~** time has wrought changes; **3** (résultat d'un travail) work; **être l'~ de** to be the work of; **faire ~ durable** fml to create a work of lasting significance

(Composés) **~ d'art** work of art; **~ de bienfaisance** *or* **de charité** charity; **~s mortes** Naut topsides; **~s vives** Naut quick-works, underwater parts; fig (d'entreprise) vitals; ▸ **bon**

(Idiomes) **être à pied d'~** to be ready to get down to work; **à l'~ on connaît l'ouvrier** *or* **l'artisan** Prov we judge the man by his work

œuvrer /œvʀe/ [1] *vi* fml to work; **~ pour sa libération** *or* **pour qu'il soit libéré** to work for his release

off○ /ɔf/ *adj inv* **1** Cin (hors écran) off-screen; **voix ~** voice-over; **2** (hors programme officiel) alternative; **le festival ~** the fringe festival

offensant, **~e** /ɔfɑ̃sɑ̃, ɑ̃t/ *adj* offensive (**pour, à l'égard de** to)

offense /ɔfɑ̃s/ *nf* **1** (affront) insult; **pardonner/venger une ~** to forgive/to avenge an insult; **faire ~ à qn** to offend sb; **2** Relig trespass; **'pardonnez-nous nos ~s'** 'forgive us our trespasses'

(Composé) **~ envers un chef d'État** contempt of the head of state

offensé, **~e** /ɔfɑ̃se/ *nm,f* **1** **les ~s** the injured; **2** Jur injured party

offenser /ɔfɑ̃se/ [1]
A *vtr* **1** (blesser) to offend [*personne*]; **2** Relig to offend against [*Dieu, ciel*]; **'ceux qui nous ont offensés'** 'those who trespass against us'; **3** liter to offend against [*goût, principe, justice, raison*]; to be an offence[GB] to [*sens, yeux, oreille*]; to offend [*sensibilité, délicatesse*]; to tarnish [*souvenir, réputation*]; to injure [*sentiment, honneur, amour-propre*]
B **s'offenser** *vpr* to take offence[GB] (**de qch** at sth)

offenseur /ɔfɑ̃sœʀ/ *nm* offending party

offensif, **-ive** /ɔfɑ̃sif, iv/
A *adj* Mil offensive
B **offensive** *nf* Mil, fig offensive; **lancer une offensive** Mil, fig to launch an offensive (**contre** against); **offensive de charme** charm offensive; **l'offensive du froid/de l'hiver** the onslaught of the cold/of winter

offertoire /ɔfɛʀtwaʀ/ *nm* offertory

office /ɔfis/
A *nm* **1** (rôle) **remplir son ~** to [*objet*] to fulfil[GB] its purpose, to do the job○; [*employé*] to carry out one's duty; **faire ~ de table** to serve as a table; **faire ~ d'interprète** to act as an interpreter; ▸ **bon**; **2** Admin, Jur (charge) office; **3** Relig (cérémonie) service; (prières) office; **l'~ divin** the divine office; **4** (salle) butlery
B **d'office** *loc adv* (autorité) **d'~** without consultation; **mesure appliquée d'~** measure implemented without consultation; **on m'a muté d'~ aux archives** I was transferred to records without being consulted; **nos propositions ont été rejetées d'~** our proposals were dismissed out of hand; **commis** *or* **nommé d'~** [*avocat, expert*] appointed by the court (*après n*)

(Composés) **~ culturel** *combined arts centre and tourist information office*; **~ ministériel** *office conferred for life by a public authority*; **~ du tourisme** tourist information office

officialisation /ɔfisjalizasjɔ̃/ *nf* **~ de qch** making sth official

officialiser /ɔfisjalize/ [1] *vtr* to make [sth] official

officiant /ɔfisjɑ̃/
A *adj m* officiating; **prêtre ~** officiating priest, officiant
B *nm* officiating priest, officiant

officiel, **-ielle** /ɔfisjɛl/
A *adj* gén official; **c'est la version officielle** that's the official story; **être en visite officielle** [*envoyé*] to be on an official visit; [*chef d'État*] to be on a state visit
B *nm* (fonctionnaire, organisateur) official

officiellement /ɔfisjɛlmɑ̃/ *adv* officially

officier /ɔfisje/ [2]
A *nm* officer; **~ de réserve/d'active** reserve/serving officer; **~ général/supérieur** general/field officer; **~ subalterne** subaltern; **~ des pompiers/de police** fire/police officer; **~ de liaison** liaison officer; **~ de semaine** duty officer of the week; **~ de marine** naval officer; **~ de la marine marchande** officer in the merchant navy GB *ou* merchant marine US
B *vi* Relig, hum to officiate

(Composés) **~ de l'état civil** registrar; **~ de la Légion d'honneur** officer of the Legion of Honour[GB]; **~ marinier** petty officer; **~ ministériel** *holder of an office conferred for life by a public authority*; **~ d'ordonnance** aide-de-camp; **~ de police judiciaire** law enforcement officer; **~ public** *office-holder whose statements are deemed authentic*; **~ de renseignement** intelligence officer; ▸ **grand**.

officieusement /ɔfisjøzmɑ̃/ *adv* unofficially

officieux, **-ieuse** /ɔfisjø, øz/ *adj* unofficial; **à titre ~** unofficially

officinal, **~e**, *mpl* **-aux** /ɔfisinal, o/ *adj* **1** (utilisé en pharmacie) [*herbe, plante*] officinal; **2** (inscrit dans une pharmacopée) [*remède*] official

officine /ɔfisin/ *nf* **1** (laboratoire) dispensary; (magasin) pharmacy; **2** (organisation) organization

offrande /ɔfʀɑ̃d/ *nf* offering; **en ~** as an offering; **faire l'~ de** to make an offering of

offrant /ɔfʀɑ̃/ *nm* **vendre qch au plus ~** to sell sth to the highest bidder

offre /ɔfʀ/ *nf* **1** (proposition) offer; **faire une ~** to make an offer; **~ d'achat/de vente** offer to buy/to sell; **leur ~ de dialogue/de compromis** their offer to talk/to compromise; **présenter ses ~s de service** fml to offer one's services; **'~ d'emploi'** 'situation vacant'; **répondre à une ~ d'emploi** to reply to a job advertisement; **faire paraître une ~ d'emploi** to advertise a job; **'cadres: ~s d'emploi'** 'managerial appointments'; **'locations: ~s'** 'accommodation to let' GB, 'rentals' US; **2** Écon supply; **l'équilibre entre l'~ et la demande** the balance between supply and demand; **l'excédent de l'~** surplus supply

(Composés) **~ d'achat** bid; **lancer une ~ d'achat** to launch a bid (**sur** for); **~ publique d'achat**, **OPA** takeover bid; **lancer une ~ publique d'achat** to make a takeover bid; **~ publique d'échange**, **OPE** share exchange offer; **~ publique de vente**, **OPV** public offer

offrir /ɔfʀiʀ/ [4]
A *vtr* **1** (en cadeau) **~ qch à qn** to give sth to sb, to give sb sth; **le plaisir d'~** the pleasure of giving; **c'est pour ~?** (cadeau) do you want it

gift-wrapped?; (fleurs) would you like them specially wrapped?; **objets à ~** gifts; ② (acheter) to buy (**à qn** for sb); **tu aimes ce chapeau? je te l'offre!** do you like this hat? I'll buy it for you!; **je t'offre un verre?** can I buy you a drink?; **il m'a offert le restaurant** he took me out for a meal; **c'est moi qui offre** I'm paying, it's my treat; **j'offre la tournée** it's my round; ③ (mettre à la disposition) to offer [*rôle, crédit*]; **~ qch à qn** to offer sb sth; **~ à manger/à boire à qn** to offer sb something to eat/a drink; **~ son bras/ses services à qn** to offer sb one's arm/one's services; **il a offert de nous aider** he offered to help us; **elle m'a offert de repeindre les volets** she offered to repaint the shutters for me; **'tu veux boire?'—'qu'est-ce que tu m'offres?'** 'would you like a drink?'—'what have you got?'; ④ (à titre d'échange) to offer [*récompense, somme d'argent*]; **tu m'en offres combien?** how much are you offering?; **je t'en offre 200 euros** I'll give you 200 euros for it; ⑤ (présenter) to offer, to give [*choix*]; to offer, to tender sout [*démission*]; to present [*difficultés*]; **n'avoir rien à ~** to have nothing to offer; **n'~ aucune résistance** to put up *ou* offer no resistance; **cela offre un avantage** there is one advantage; **ceci t'offrira l'occasion de faire** this will give you the opportunity to do; **~ le spectacle de la désolation** to be a sorry sight; ⑥ (exposer) **~ sa poitrine aux baïonnettes** to bare one's chest to the bayonets; **~ son visage au vent** to turn one's face up to feel the wind

B **s'offrir** *vpr* ① (se payer) **s'~** to buy oneself [*chapeau, fleurs*]; **ils ne peuvent pas s'~ une secrétaire/le théâtre** they can't afford a secretary/to go to the theatre[GB]; **je me suis offert le restaurant** I treated myself to a meal out; ② (s'accorder) **s'~ un jour de vacances** to give oneself a day off; ③ (se proposer) **s'~ comme chauffeur** to offer *ou* volunteer to drive; ④ (se présenter) [*solution*] to present itself (**à** to); **c'est une grande chance qui s'offre à toi** it's a wonderful opportunity for you; **le paysage qui s'offrait à nous était féerique** the landscape before us was magical; **s'~ en spectacle** to make an exhibition of oneself

offset /ɔfsɛt/
A *adj* offset
B *nm* offset (printing); **livre imprimé en ~** book printed by offset

offshore* /ɔfʃɔʀ/ controv
A *adj inv* ① (en mer) offshore; ② (hors lieu) [*banque*] offshore
B *nm inv* ① (exploitation pétrolière) **l'~** the offshore oil industry; ② ▸ **p. 469** Sport (activité) offshore racing; (bateau) offshore racer

offusquer /ɔfyske/ [1]
A *vtr* to offend (**en faisant** by doing)
B **s'offusquer** *vpr* to be offended (**de** by); to take offence[GB] (**de** at)

ogival, **~e**, *mpl* **-aux** /ɔʒival, o/ *adj* [*arc, voûte*] ribbed, ogival spéc; [*architecture, art*] Gothic

ogive /ɔʒiv/ *nf* ① Archit rib, ogive spéc; **croisée d'~s** intersecting ribs (*pl*); **arc d'~s** ogival arch; **voûte en ~** *or* **d'~s** diagonal rib vault, ogival vault; ② Mil nose cone

(Composé) **~ nucléaire** nuclear warhead

OGM /ɔʒeɛm/ *nm* (*abbr* = **organisme génétiquement modifié**) GMO, genetically modified organism

ogre /ɔgʀ/ *nm* ① (géant) ogre; ② (gros mangeur) big eater

(Idiomes) **manger comme un ~** to eat like a horse; **avoir un appétit d'~** to have a hearty appetite

ogresse /ɔgʀɛs/ *nf* ① (géante) ogress; ② (grosse mangeuse) big eater

oh /o/
A *nm inv* **pousser un ~ de surprise/d'indignation** to give a cry of surprise/of indignation; **pousser des ~** to cry out (**de** in)
B *excl* oh!; **~ hisse!** heave-ho!

ohé /ɔe/ *excl* hey (there)!; **~! du bateau!** ahoy there!

Ohio /ɔajo/ ▸ **p. 721, p. 372** *nprm* Ohio

ohm /om/ *nm* ohm

ohmmètre /ommɛtʀ/ *nm* ohmmeter

OHQ /oaʃky/ *nm*: *abbr* ▸ **ouvrier**

oïdium /ɔidjɔm/ *nm* Bot oidium

oie /wa/ *nf* ① Zool goose; ② ○(personne) goose

(Composés) **~ blanche** naïve young girl; **~ cendrée** Zool greylag (goose) GB, gray lag (goose) US; **~ sauvage** Zool wild goose

oignon* /ɔɲɔ̃/ *nm* ① Bot, Culin onion; **soupe/tarte à l'~** onion soup/tart; ② Bot (de fleur) bulb; **~ de tulipe** tulip bulb; ③ (montre) turnip watch, fob watch; ④ Méd bunion

(Composé) **~ grelot** pickling onion

(Idiomes) **faire qch aux petits ~s**○ to do sth with great attention to detail; **ce n'est pas tes ~s**○ it's none of your business; **occupe-toi de tes ~s**○ mind your own business

oïl: **d'oïl** /dɔjl/ *loc adj* langue d'oïl (*group of northern French medieval dialects*)

oindre /wɛ̃dʀ/ [56] *vtr* ① Relig to anoint; ② to rub [sb] with ointment [*athlète*]

oint, **ointe** /wɛ̃, wɛ̃t/
A *pp* ▸ **oindre**
B *pp adj* anointed
C *nm* **l'~ du Seigneur** the Lord's anointed

OIPC /oipese/ *nf* (*abbr* = **Organisation internationale de police criminelle**) ICPO

Oise /waz/ ▸ **p. 372, p. 721** *nprf* (rivière, département) **l'~** the Oise

oiseau, *pl* **~x** /wazo/ *nm* ① Zool bird; ② fig (type)○ oddball○; **un drôle d'~** an oddball○; ▸ **nom**

(Composés) **~ chanteur** songbird; **~ exotique** *or* **des îles** exotic bird; **~ de malheur** *or* **de mauvais augure** bird of ill omen; **~ marin** *or* **de mer** seabird; **~ de nuit** night owl; **~ de paradis** bird of paradise; **~ de passage** lit, fig bird of passage; **~ de proie** bird of prey

(Idiomes) **attention le petit ~ va sortir!** watch the birdie!; **chercher/trouver l'~ rare** to look for/find the one (person) in a million; **être comme l'~ sur la branche** to be in a precarious situation; **manger comme un ~** to eat like a bird; **petit à petit l'~ fait son nid** Prov with time and effort you achieve your goals

oiseau-lyre, *pl* **oiseaux-lyres** /wazoliʀ/ *nm* lyrebird

oiseau-mouche, *pl* **oiseaux-mouches** /wazomuʃ/ *nm* hummingbird

oiseleur /wazlœʀ/ *nm* bird-catcher

oiselier, **-ière** /wazəlje, ɛʀ/ ▸ **p. 532** *nm,f* bird-seller

oisellerie /wazɛlʀi/ *nf* (boutique) birdshop; (profession) bird-selling

oiseux, **-euse** /wazø, øz/ *adj* [*propos*] idle (*épith*); [*dispute, explication*] pointless, unnecessary

oisif, **-ive** /wazif, iv/
A *adj* [*personne, capital*] idle; **vie oisive** life of idleness; **passer des journées oisives** to idle the days away
B *nm,f* idler péj; **les ~s** the idle rich

oisillon /wazijɔ̃/ *nm* fledgling

oisiveté /wazivte/ *nf* idleness; **vivre dans l'~** to live in idleness; **perdre son temps dans l'~** to idle one's time away

(Idiome) **l'~ est (la) mère de tous les vices** Prov the devil makes work for idle hands (to do) Prov

oison /wazɔ̃/ *nm* Zool gosling

OIT /oite/ *nf* (*abbr* = **Organisation internationale du travail**) ILO

OK○ /oke/ *adj, adv* OK○, okay○

okapi /ɔkapi/ *nm* okapi

Oklahoma /ɔklaɔma/ ▸ **p. 721** *nprm* Oklahoma

okoumé /ɔkume/ *nm* (bois) gaboon (mahogany)

ola /ɔla/ *nf* Mexican wave

olé: **olé olé**○ /ɔleɔle/ *adj inv* [*plaisanterie*] naughty (*épith*); [*personne*] racy○

oléacées /ɔlease/ *nfpl* Oleaceae

oléagineux, **-euse** /ɔleaʒinø, øz/
A *adj* oleaginous
B *nm inv* oleaginous plant

oléfine /ɔlefin/ *nf* olefin(e)

oléicole /ɔleikɔl/ *adj* olive-growing

oléiculture /ɔleikyltyʀ/ *nf* olive-growing

oléine /ɔlein/ *nf* olein

oléique /ɔleik/ *adj* oleic

oléoduc /ɔleɔdyk/ *nm* (oil) pipeline

oléum /ɔleɔm/ *nm* oleum

olfactif, **-ive** /ɔlfaktif, iv/ *adj* olfactory

olfaction /ɔlfaksjɔ̃/ *nf* olfaction

olibrius○ /ɔlibʀijys/ *nm* oddball○, weirdo◑

olifant /ɔlifɑ̃/ *nm* oliphant

oligarchie /ɔligaʀʃi/ *nf* oligarchy

oligarchique /ɔligaʀʃik/ *adj* oligarchic(al)

oligarque /ɔligaʀk/ *nm* oligarch

oligocène /ɔligɔsɛn/ *adj, nm* oligocene

oligo-élément, *pl* **~s*** /ɔligoelemɑ̃/ *nm* trace element

oligopole /ɔligɔpɔl/ *nm* oligopoly

olivaie /ɔlivɛ/ *nf* olive grove

olivâtre /ɔlivɑtʀ/ ▸ **p. 202** *adj* gén olive-greenish; [*teint*] sallow

olive /ɔliv/
A ▸ **p. 202** *adj inv* olive green; **vert ~** olive green
B *nf* ① (fruit) olive; **huile d'~** olive oil; ② Électrotech (interrupteur) switch; ③ Archit bead moulding GB *ou* molding US

oliveraie /ɔlivʀɛ/ *nf* olive grove

olivette /ɔlivɛt/ *nf* ① (tomate) plum tomato; ② (raisin) olive-shaped grape

olivier /ɔlivje/ *nm* ① (arbre) olive tree; **jardin des Oliviers** Bible Garden of Gethsemane; **mont des Oliviers** Bible Mount of Olives; ② (bois) olive wood

olivine /ɔlivin/ *nf* olivine

ollaire /ɔlɛʀ/ *adj* **pierre ~** serpentine

olographe /ɔlɔgʀaf/ *adj* **testament ~** handwritten will, holograph will

OLP /oɛlpe/ *nf* (*abbr* = **Organisation de libération de la Palestine**) PLO

Olympe /ɔlɛ̃p/ *nprm* ① Géog, Mythol **l'~** Mount Olympus; ② Mythol (dieux) **les dieux de l'~** the gods of *ou* on Olympus, the Olympians

olympiade /ɔlɛ̃pjad/
A *nf* Antiq Olympiad
B **olympiades** *nfpl* Sport Olympics; **les ~ de Tokyo** the Tokyo Olympics

olympien, **-ienne** /ɔlɛ̃pjɛ̃, ɛn/ *adj* lit, fig Olympian

olympique /ɔlɛ̃pik/ *adj* Olympic

olympisme /ɔlɛ̃pism/ *nm* Olympic spirit

OM /oɛm/
A *nfpl* ▸ **obligation**
B (*written abbr* = **ondes moyennes**) MW

Oman /ɔmɑ̃/ ▸ **p. 333** *nprm* (**le Sultanat d'**)**~** (the Sultanate of) Oman

omanais, **~e** /ɔmanɛ, ɛz/ ▸ **p. 561** *adj* Omani

Omanais, **~e** /ɔmanɛ, ɛz/ ▸ **p. 561** *nm,f* Omani

ombelle /ɔ̃bɛl/ *nf* umbel

ombellifère /ɔ̃bɛllifɛʀ/
A *adj* umbelliferous
B *nf* umbellifer; **les ~s** Umbelliferae

ombilic /ɔ̃bilik/ *nm* ① Anat umbilicus, navel; ② (de bouclier) boss

O

ombilical, ~**e**, *mpl* **-aux** /ɔ̃bilikal, o/ *adj* umbilical

omble /ɔ̃bl/ *nm* Zool ~ **chevalier** char

ombrage /ɔ̃bʀaʒ/ *nm* shade ₡

(Idiomes) **faire** *or* **porter** ~ **à qn** to offend sb; **prendre** ~ **de qch** liter to take umbrage at sth

ombrager /ɔ̃bʀaʒe/ [13] *vtr* [*feuillage*] to shade; liter [*cheveux, cils*] to fringe; **route ombragée** shady road

ombrageux, **-euse** /ɔ̃bʀaʒø, øz/ *adj* [*personne*] tetchy; [*cheval*] skittish

ombre /ɔ̃bʀ/

A *nm* (poisson) grayling

B *nf* **1** (ombrage) shade; **30° à l'**~ 30° in the shade; **rester à l'**~ to stay in the shade; **à l'**~ **d'un figuier** in the shade of a fig tree; **l'arbre (nous) fait** *or* **donne de l'**~ the tree provides shade; **tu leur fais de l'**~ lit you're (standing) in their light; fig you're putting them in the shade; **à l'**~ **de qn/qch** fig (tout près) near sb/sth; (protégé par) under the protection of sb/sth; **rester dans l'**~ **de qn** to be in sb's shadow; **2** (forme portée) shadow; **faire/projeter des** ~**s sur le mur** to make/cast shadows on the wall; **avoir peur de son** ~ to be scared of one's own shadow; **suivre qn comme une** ~ to be sb's shadow; **n'être plus que** *or* **être l'**~ **de soi-même** to be the shadow of one's former self; ▸ **proie**; **3** liter (pénombre) darkness; **4** (anonymat, clandestinité) **peintres réputés ou dans l'**~ renowned or obscure painters; **laisser certains détails dans l'**~ to be deliberately vague about certain details; **agir dans l'**~ to operate behind the scenes; **rester dans l'**~ [*manipulateur*] to stay behind the scenes; [*poète*] to remain in obscurity; [*détail*] to be left vague; **combattants de l'**~ underground fighters; **5** liter (trace) hint; **une** ~ **de moustache** a hint of a moustache; **l'**~ **d'un reproche/d'un accord** a hint of reproach/of an agreement; **une** ~ **de regret/tristesse passa dans son regard** a shadow of regret/a look of sadness crossed his/her face; **sans l'**~ **d'un doute** without a shadow of a doubt; **sans l'**~ **d'une preuve** without the slightest shred of evidence; **6** Art **l'**~ (procédé) shading ₡; **faire des** ~**s** to shade; **7** (silhouette indécise) shadowy figure; **le royaume** *or* **séjour des** ~**s** the Kingdom of the Shades

(Composés) ~ **chinoise** shadow puppet; **se découper en** ~ **chinoise sur le mur** to be silhouetted against the wall; ~ **à paupières** eye shadow; ~ **portée** shadow; ~ **propre** dark side

(Idiomes) **mettre qn/être à l'**~° euph to put sb/be behind bars°; **marcher à l'**~° to keep out of the limelight; **l'homme qui tire plus vite que son** ~ the fastest gun in the West; **passer comme une** ~ to be ephemeral; **courir après une** ~ to chase rainbows; **il y a une** ~ **au tableau** there is only one thing wrong; **jeter une** ~ **au tableau** to spoil the picture fig; **la seule** ~ **au tableau** the only snag

ombrelle /ɔ̃bʀɛl/ *nf* **1** (objet) parasol, sunshade; **2** (de méduse) umbrella

ombrer /ɔ̃bʀe/ [1] *vtr* to shade in

ombreux, **-euse** /ɔ̃bʀø, øz/ *adj* shady

Ombrie /ɔ̃bʀi/ ▸ p. 721 *nprf* **l'**~ Umbria

ombrien, **-ienne** /ɔ̃bʀijɛ̃, ɛn/

A *adj* Umbrian

B ▸ p. 483 *nm* Ling Umbrian

Ombrien, **-ienne** /ɔ̃bʀijɛ̃, ɛn/ *nm,f* Umbrian

OMC /oɛmse/ *nf* ▸ **organisation**

oméga* /ɔmega/ *nm inv* omega

omelette /ɔmlɛt/ *nf* Culin omelette; ~ **au jambon/aux fines herbes** ham/herb omelette

(Composés) ~ **baveuse** runny omelette; ~ **norvégienne** baked Alaska

(Idiome) **on ne fait pas d'**~ **sans casser des œufs** Prov your can't make an omelette without breaking eggs Prov

omerta /ɔmɛʀta/ *nf* omertà

omettre /ɔmɛtʀ/ [60] *vtr* to leave out, to omit; ~ **de faire** to fail *ou* omit to do; **n'omettez pas de faire** don't fail to do; **à cause d'un mot omis** because of a word being left out; **n'omettez aucun détail** don't leave out any detail

omicron /ɔmikʀɔn/ *nm* Ling omicron

omission /ɔmisjɔ̃/ *nf* omission; **mentir par** ~ to lie by omission

omnibus /ɔmnibys/

A *adj inv* [*train*] slow, local

B *nm inv* **1** Rail slow *ou* local train; **2** Hist Transp omnibus

omnidirectionnel, **-elle** /ɔmnidiʀɛksjɔnɛl/ *adj* omnidirectional

omnipotence /ɔmnipɔtɑ̃s/ *nf* omnipotence

omnipotent, ~**e** /ɔmnipɔtɑ̃, ɑ̃t/ *adj* omnipotent, all-powerful

omnipraticien, **-ienne** /ɔmnipʀatisjɛ̃, ɛn/ ▸ p. 532 *nm,f* general practitioner, GP

omniprésence /ɔmnipʀezɑ̃s/ *nf* omnipresence

omniprésent, ~**e** /ɔmnipʀezɑ̃, ɑ̃t/ *adj* omnipresent

omniscience /ɔmnisjɑ̃s/ *nf* omniscience

omniscient, ~**e** /ɔmnisjɑ̃, ɑ̃t/ *adj* omniscient

omnisports /ɔmnispɔʀ/ *adj inv* **salle** ~ sports hall; **club** ~ (multi-)sports club

omnium /ɔmnjɔm/ *nm* **1** Sport (en cyclisme) omnium; Turf open handicap; **2** Fin holding company

omnivore /ɔmnivɔʀ/

A *adj* omnivorous

B *nmf* omnivore

omoplate /ɔmɔplat/ *nf* shoulder blade, scapula spéc

OMPI /oɛmpei/ *nf* (*abbr* = **Organisation Mondiale de la Propriété Intellectuelle**) WIPO

OMS /oɛmɛs/ *nf* (*abbr* = **Organisation mondiale de la santé**) WHO

on /ɔ̃/ *pron pers* **1** (complètement indéfini) ~ **a refait la route** the road was resurfaced; ~ **a prétendu que** it was claimed that; ~ **a affirmé des choses extraordinaires sur ce médicament** some extraordinary claims have been made for this drug; ~ **a appris que...** it came out that...; ~ **a beaucoup construit dans le centre de la ville** the centre[GB] of the town has become very built-up; **une démission dont** ~ **a beaucoup parlé** a much talked-about resignation; ~ **a arrêté le voleur** the thief was arrested; ~ **le dit très malade** he's said to be very ill; ~ **dit qu'il a une maîtresse** it's said he has a mistress; ~ **a refusé de me laisser entrer** I was refused admittance; ~ **peut le dire** you can say that; **il pleut des cordes, comme** ~ **dit** it's raining cats and dogs, as they say

2 (signifiant nous) ~ **est à cinq minutes du centre-ville** we're only five minutes away from the town centre[GB]; **mon copain et moi,** ~ **va en Afrique** my boyfriend and I are going to Africa; **à quelle heure doit-**~ **y aller?** at what time do we have to go?; **où en est-**~ **avec l'Europe?** where do we stand on Europe?; ~ **est peu de chose** death comes to us all; **au lycée** ~ **n'a pas le droit de fumer** smoking is not allowed at school; **toi et moi,** ~ **est faits pour s'entendre** we're two of a kind; ~ **en parlait avec Janet hier** I was discussing it with Janet yesterday; ~ **n'est pas des robots!** we're not robots!; **nous,** ~ **n'avait pas de bagages** we didn't have any luggage; **qu'est-ce qu'**~ **mange ce soir?** what's for tea tonight?; ~ **a tout notre temps** there's plenty of time; ~ **recherche une secrétaire de direction bilingue** bilingual personal assistant required; ~ **se serait crus en plein hiver** it felt like the depths of winter; **il y a tellement de bruit qu'**~ **ne s'entend plus** there's so much noise that you can't hear yourself think

3 (signifiant tu ou vous) **alors,** ~ **se promène?** so you're taking a stroll then?; ~ **ne peut pas tout prévoir** you can't think of everything; ~ **ne comprend rien à ce qu'il vous raconte** you can't understand a word of what he says to you; ~ **se calme!** calm down!; ~ **se dépêche!** hurry up!; **quand** ~ **veut,** ~ **peut** where there's a will, there's a way

4 (signifiant je) ~ **fait ce qu'**~ **peut!** one does what one can!; **toi,** ~ **ne t'a rien demandé** nobody asked you for your opinion; ~ **dirait que c'est de l'or** it looks like gold

5 (signifiant ils ou elles) ~ **nous prend pour des imbéciles** they must think we're stupid; ~ **ne m'a pas demandé mon avis** they didn't ask me for my opinion; **est-ce qu'**~ **nous a livré le piano?** has the piano been delivered?

6 (signifiant quelqu'un) ~ **t'appelle** someone's calling you, there's someone calling you; ~ **m'a dit de m'adresser à vous** I was told to come and see you; ~ **frappe** there's someone at the door; ~ **a sonné à la porte** the doorbell rang; **si** ~ **me demande au téléphone, dites que je ne suis pas là** if anybody phones, tell them I'm out; **que dois-je dire si** ~ **vient pendant que vous êtes sorti?** what shall I say if somebody comes while you're out?

7 (signifiant les gens) ~ **ne peut pas vivre avec 400 euros par mois** you can't live on 400 euros a month; ~ **a toujours intérêt à s'expliquer** it always pays to make oneself clear; **ce sont des choses que l'**~ **a du mal à comprendre quand elles vous arrivent** these things are hard to understand when they happen to you; **en Mongolie** ~ **boit du lait d'ânesse** in Mongolia they drink asses milk

onagre /ɔnagʀ/

A *nm* Hist Mil, Zool onager

B *nf* Bot evening primrose

onanisme /ɔnanism/ *nm* onanism

once /ɔ̃s/ *nf* **1** ▸ p. 646 Mes, fig ounce; **sans une** ~ **de méchanceté** without an ounce of malice; **2** Zool snow leopard, ounce‡

oncial, ~**e**, *mpl* **-iaux** /ɔ̃sjal, o/

A *adj* uncial

B **onciale** *nf* uncial

oncle /ɔ̃kl/ *nm* uncle; **oui, mon** ~ yes uncle; **l'**~ **Paul** Uncle Paul; ~ **d'Amérique** fig rich uncle (*often fictional*); **l'**~ **Sam** Uncle Sam

oncogène /ɔ̃kɔʒɛn/

A *adj* oncogenic

B *nm* oncogene

oncogénétique /ɔ̃kɔʒenetik/ *nf* oncogenetics (+ *v sg*)

oncologie /ɔ̃kɔlɔʒi/ *nf* oncology

oncologiste /ɔ̃kɔlɔʒist/ *nmf*, **oncologue** /ɔ̃kɔlɔg/ ▸ p. 532 *nmf* oncologist

oncques‡ /ɔ̃k/ *adv* never

onction /ɔ̃ksjɔ̃/ *nf* **1** Relig unction, anointing; **l'**~ **des malades** the anointing of the sick; **2** (onctuosité) unction; **plein d'**~ unctuous

onctueusement /ɔ̃ktɥøzmɑ̃/ *adv* unctuously

onctueux, **-euse** /ɔ̃ktɥø, øz/ *adj* **1** [*pâte, mélange*] smooth, creamy; [*couleur*] rich; **2** pej [*gestes, propos, personne*] unctuous

onctuosité /ɔ̃ktɥozite/ *nf* **1** (de pâte, mélange) smoothness, creaminess; **2** péj (de gestes, propos, personne) unctuousness

onde /ɔ̃d/ *nf* **1** (vibration) wave; ~ **lumineuse/sonore** light/sound wave; **grandes** ~**s** long wave (*sg*); **sur les** ~**s** on the air; **sur les** ~**s de la BBC** on the BBC; **2** (vague marine) wave; **3** (eau) waters (*pl*) littér

(Composés) ~ **de choc** Phys, fig shock wave; ~ **entretenue** Phys continuous wave; ~**s**

courtes Radio short wave (*sg*); **~s moyennes** Radio medium wave (*sg*)

ondée /ɔ̃de/ *nf* shower; **~s orageuses/passagères** thundery/scattered showers

ondine /ɔ̃din/ *nf* 1 Mythol undine; 2 (nageuse) female swimmer

on-dit /ɔ̃di/ *nm inv* **les ~** hearsay ¢; **ne pas se préoccuper des ~** not to worry oneself about hearsay

ondoiement /ɔ̃dwamɑ̃/ *nm* 1 (ondulation) (de collines) undulation; (de blé, d'herbes) swaying; 2 Relig baptism (*without the usual rites*)

ondoyant, **~e** /ɔ̃dwajɑ̃, ɑ̃t/ *adj* (ondulant) [*blé, chevelure*] rippling; [*corps, personne*] lithe; [*démarche*] swaying

ondoyer /ɔ̃dwaje/ [23]
A *vtr* Relig to baptize [*personne*] (*without the usual rites*)
B *vi* [*paysage, chevelure*] to undulate; [*démarche, blé*] to sway; [*flamme, rideau*] to flutter

ondulant, **~e** /ɔ̃dylɑ̃, ɑ̃t/ *adj* [*démarche*] wave-like; [*paysage*] undulating

ondulation /ɔ̃dylasjɔ̃/ *nf* 1 (mouvement) (de chevelure, musique) undulation; (de corps) swaying ¢; **~s du corps** swaying movements of the body; 2 (courbe) (de contour) curves (*pl*); (de chevelure) wave

ondulatoire /ɔ̃dylatwaʀ/ *adj* [*mouvement*] undulatory

ondulé, **~e** /ɔ̃dyle/
A *adj* [*cheveux, forme*] wavy; [*collines, terrain, chaussée*] undulating; [*carton, tôle*] corrugated
B *nm* (carton) corrugated cardboard

onduler /ɔ̃dyle/ [1]
A *vtr* to curl [*cheveux*]; **se faire ~ les cheveux** to have one's hair curled
B *vi* (ondoyer) [*colline, route*] to roll; [*herbe*] to ripple; [*chevelure*] to fall in waves; [*corps*] to sway

onduleur /ɔ̃dylœʀ/ *nm* inverter

onduleux, **-euse** /ɔ̃dylø, øz/ *adj* [*ligne, paysage*] undulating

onéreux, **-euse** /ɔneʀø, øz/ *adj* 1 (coûteux) [*dépense, impôt*] onerous, heavy; [*achat*] expensive; [*entretien, rénovation*] costly; 2 †(lourd) [*devoir*] onerous

ONG /oɛnʒe/ *nf* (*abbr* = **organisation non gouvernementale**) NGO

> **ONG**
>
> These non-governmental organizations are generally either humanitarian agencies or human rights groups, usually started up by individual initiatives. They have the following features in common: they are international in both remit and membership; they are private associative movements; they operate on a voluntary basis. Their activities range from the social, political and legal domains to the fields of science, religion and sport. The influence of human rights organizations (Amnesty International), environmental bodies (WWF), humanitarian aid concerns (*Médecins Sans Frontières*) and third-world development agencies (Oxfam) is indicative of the significant role of the *ONG* worldwide. Another major factor is the strong political independence of such international movements whose primary motivating force is the desire for world justice rather than the more localized interests of the state.

ongle /ɔ̃gl/ *nm* (de personne) nail; (de quadrupède) claw; (de rapace) talon; **~s des mains** fingernails; **~s des pieds** toenails; **se faire les ~s** to do one's nails; **avoir les ~s en deuil** to have very dirty fingernails; ▸ **rubis**

(Idiomes) **défendre qch bec et ~s** to defend sth fiercely; **jusqu'au bout des ~s** through and through

onglée /ɔ̃gle/ *nf* **avoir l'~** to have fingers numb with cold

onglet /ɔ̃glɛ/ *nm* 1 (sur un livre) (échancré) thumb cut-out; (qui déborde) tab; **avec ~s** (échancrés) with thumb-index; (qui débordent) with step index; 2 (de moulure) mitre[GB]; **tailler en ~** to mitre[GB]; **boîte à ~s** mitre[GB] box; 3 Culin *prime cut of beef*; 4 (de lame, couvercle) groove; 5 Bot (de pétale) unguis; 6 Math ungula

onguent /ɔ̃gɑ̃/ *nm* 1 Pharm ointment, salve; 2 †(parfum) unguent sout

ongulé, **~e** /ɔ̃gyle/ Zool
A *adj* ungulate
B *nm* ungulate

onirique /ɔniʀik/ *adj* (analogue au rêve) [*scène, atmosphère*] dream-like, oneiric sout; (relatif au rêve) [*symbole*] dream (*épith*)

onirisme /ɔniʀism/ *nm* 1 Art, Cin, Littérat dream-like nature; 2 Méd hallucinosis

onomasiologie /ɔnɔmazjɔlɔʒi/ *nf* onomasiology

onomastique /ɔnɔmastik/
A *adj* onomastic
B *nf* onomastics (+ *v sg*)

onomatopée /ɔnɔmatɔpe/ *nf* onomatopoeia

onomatopéique /ɔnɔmatɔpeik/ *adj* onomatopoeic

onques = **oncques**

Ontario /ɔ̃taʀjo/ ▸ **p. 721, p. 479** *nprm* Ontario; **le lac ~** Lake Ontario

ontogenèse /ɔ̃tɔʒənɛz/ *nf* ontogeny

ontologie /ɔ̃tɔlɔʒi/ *nf* ontology

ontologique /ɔ̃tɔlɔʒik/ *adj* ontological

ONU /ɔny, oɛny/ *nf* (*abbr* = **Organisation des Nations unies**) UN, UNO

onusien, **-ienne** /ɔnyzjɛ̃, ɛn/
A *adj* [*troupes*] UN (*épith*)
B *nm,f* UN official

onychophagie /ɔnikɔfaʒi/ *nf* nail-biting, onychophagia spéc

onyx /ɔniks/ *nm inv* onyx; **en ~** onyx (*épith*)

onze /ɔ̃z/ ▸ **p. 568, p. 424, p. 222** *adj inv, pron* eleven; **~ novembre** Armistice Day

(Idiome) **faire prendre à qn le bouillon d'~ heures** to poison sb

> **Onze novembre**
>
> The 11th of November commemorates Armistice Day and is a public holiday in France. Wreaths are laid at the local *monument aux morts* during Remembrance ceremonies in towns and villages all over the country.

onzième /ɔ̃zjɛm/ ▸ **p. 568, p. 222**
A *adj* eleventh; ▸ **ouvrier**
B *nf* Scol *first year of primary school, age 6–7*

oocyte /ɔɔsit/ *nm* = **ovocyte**

oogénèse /ɔɔʒenɛz/ *nf* = **ovogénèse**

oolithe /ɔɔlit/ *nf* oolite

oolithique /ɔɔlitik/ *adj* oolitic

OP /ope/ *nm*: *abbr* ▸ **ouvrier**

OPA /opea/ *nf*: *abbr* ▸ **offre**

opacification /ɔpasifikasjɔ̃/ *nf* opacification

opacifier /ɔpasifje/ [2]
A *vtr* to make [sth] opaque
B **s'opacifier** *vpr* Méd to opacify

opacité /ɔpasite/ *nf* 1 lit opacity; 2 fig (de texte) opacity, impenetrability; (de nuit) darkness; (de forêt, brouillard) impenetrability; (de montage financier) impenetrability

opale /ɔpal/ *nf* opal

opalescence /ɔpalɛsɑ̃s/ *nf* opalescence

opalescent, **~e** /ɔpalɛsɑ̃, ɑ̃t/ *adj* opalescent

opalin, **~e** /ɔpalɛ̃, in/
A *adj* opaline
B **opaline** *nf* (substance) opaline; (objet) object made of opaline

opaque /ɔpak/ *adj* 1 lit opaque; 2 fig [*texte*] opaque; [*nuit*] dark; [*forêt, brouillard*] impenetrable; [*combinaison financière, milieu*] impenetrable

op'art /ɔpaʀ/ *nm* op art

OPE /opeə/ *nf*: *abbr* ▸ **offre**

opéable○ /opeabl/ *adj* [*compagnie*] ripe for a takeover bid○ (*après n*); **une société ~** a potential takeover target

open /ɔpɛn/
A *adj inv* Sport open (*épith*); Transp [*billet*] open
B *nm* Sport open

OPEP /ɔpɛp/ *nf* (*abbr* = **Organisation des pays producteurs de pétrole**) OPEC; **un pays membre de l'~** an OPEC state

opéra /ɔpeʀa/ *nm* 1 Mus opera; **j'aime l'~** I like opera; **grand ~** grand opera; **~ rock** rock opera; 2 (bâtiment) opera house

(Composé) **~ bouffe** opéra bouffe

opérable /ɔpeʀabl/ *adj* [*malade, tumeur*] operable

opéra-comique, *pl* **opéras-comiques** /ɔpeʀakɔmik/ *nm* opéra comique

opérande /ɔpeʀɑ̃d/ *nm* operand

opérant, **~e** /ɔpeʀɑ̃, ɑ̃t/ *adj* [*remède, mesure, pression*] effective

opérateur, **-trice** /ɔpeʀatœʀ, tʀis/
A ▸ **p. 532** *nm,f* (tous contextes) operator
B *nm* 1 Ling, Math operator; 2 Télécom (exploitant) private telecommunications company

(Composés) **~ de prise de vue** cameraman; **~ radio** radio operator; **~ de saisie** keyboarder

opération /ɔpeʀasjɔ̃/ *nf* 1 Méd **~ (chirurgicale)** operation, surgery ¢; **c'était une petite/grosse ~** it was a minor/major operation; **elle a dû avoir une grosse ~** she had to undergo major surgery *ou* have a major operation; 2 Math (type de calcul) operation; (calcul) calculation; **les quatre ~s** the four basic operations; **le résultat d'une ~** the result of a calculation; **faire des ~s** (pour calculer) to do calculations; Scol to do sums; 3 (étape d'un processus) operation, process; **les diverses ~s dans la production de la soie** the various operations *ou* processes involved in silk manufacture; 4 (fonctionnement) process; **l'~ de l'esprit/de la digestion** the thought/digestive process; 5 Fin (transaction) transaction; **~ boursière/de banque** stock/banking transaction; 6 Fin (arrangement) **~ (financière)** deal; **~ immobilière** property deal; 7 (suite d'actions concrètes) gén, Mil operation; Pub campaign; **~ de police** police operation; **~ 'non à la misère'** anti-poverty campaign; **~ de prestige** prestige venture

(Composés) **~ à la baisse** bear transaction; **~ à cœur ouvert** open-heart surgery ¢; **~ au comptant** gén cash transaction; (en bourse) spot transaction; **~ escargot** *strike strategy whereby truck drivers drive deliberately slowly to obstruct traffic*; **~ à la hausse** bull transaction; **~ à terme** (Bourse des valeurs) forward transaction; (Bourse des matières premières) futures transaction; **~s de couverture** hedging ¢

opérationnel, **-elle** /ɔpeʀasjɔnɛl/ *adj* operational

opératoire /ɔpeʀatwaʀ/ *adj* 1 Méd [*technique*] surgical; [*risque*] in operating (*après n*); [*maladie*] post-operative; **les suites ~s** the aftermath ¢ of surgery; 2 (qui fonctionne) operative

opercule /ɔpɛʀkyl/ *nm* 1 Bot, Zool operculum; 2 (de hublot) deadlight; 3 (de pot) lid

opéré, **~e** /ɔpeʀe/ *nm,f* person who has had an operation

opérer /ɔpeʀe/ [14]
A *vtr* 1 Méd to operate on [*malade, organe*]; **~ qn du genou/foie** to operate on sb's knee/liver; **~ qn d'un kyste/d'une tumeur** to operate on sb to remove a cyst/a tumour[GB]; **~ qn d'un cancer à la gorge** to operate on sb for cancer of the throat; **~ qn des amygdales/**

O

de l'appendicite to remove sb's tonsils/appendix; **il faut l'~** he/she needs surgery *ou* an operation; **se faire ~** to have an operation, to have surgery; **on l'a opéré du cœur/foie** he's had a heart/liver operation; **il s'est fait ~ de l'appendicite** he's had his appendix out; **2** (effectuer) to make [*choix, changement, distinction*]; to carry out [*redistribution, restructuration*]; **3** (produire) to bring about [*changement*]; **~ des miracles** [*personne*] to work *ou* perform miracles; [*remède*] to work wonders
B *vi* **1** Méd to operate; **il faut ~** an operation is necessary; **2** (avoir un effet) [*remède, charme*] to work (**sur** on); **3** (procéder) to proceed; **comment allons-nous ~?** how are we going to proceed?, how are we going to go about it?; **leur façon d'~** the way they go about things; **4** (mener des activités) [*voleur*] to operate
C **s'opérer** *vpr* (se produire) to take place

opérette /ɔpeʀɛt/ *nf* operetta, light opera ₵; **j'aime l'~** I like light opera *ou* operettas

ophidien, -ienne /ɔfidjɛ̃, ɛn/ *adj, nm* ophidian

ophtalmie /ɔftalmi/ ▸ p. 283 *nf* ophthalmia

ophtalmique /ɔftalmik/ *adj* ophthalmic

ophtalmo○ /ɔftalmo/
A *nmf* (spécialiste) ophthalmologist
B *nf* (spécialité) ophthalmology

ophtalmologie /ɔftalmɔlɔʒi/ *nf* ophthalmology

ophtalmologique /ɔftalmɔlɔʒik/ *adj* ophthalmological

ophtalmologiste /ɔftalmɔlɔʒist/, **ophtalmologue** /ɔftalmɔlɔg/ ▸ p. 532 *nmf* ophthalmologist

ophtalmoscope /ɔftalmɔskɔp/ *nm* ophthalmoscope

ophtalmoscopie /ɔftalmɔskɔpi/ *nf* ophthalmoscopy

opiacé, ~e /ɔpjase/
A *adj* [*médicament*] opiate (*épith*); [*odeur*] of opium (*épith, après n*)
B *nm* opiate

opinel® /ɔpinɛl/ *nm* pocket knife

opiner /ɔpine/ [1] *vi* **~ du bonnet** *or* **de la tête** to nod in agreement

opiniâtre /ɔpinjɑtʀ/ *adj* [*résistance*] dogged; [*travail*] relentless; [*personne*] tenacious; [*toux*] persistent

opiniâtrement /ɔpinjɑtʀəmɑ̃/ *adv* doggedly

opiniâtreté /ɔpinjɑtʀəte/ *nf* doggedness, tenacity

opinion /ɔpinjɔ̃/ *nf* **1** (jugement, idée) opinion; **il se moque de l'~ des autres** he doesn't care what other people think; **je me fiche**○ **de votre ~** I don't give a damn○ about your opinion; **avoir bonne/mauvaise ~ de** to have a high/low opinion of; **je n'ai pas d'~ sur la question** I have no opinion on the matter; **être de l'~ que** to be of the opinion that; **mon ~ est faite** my mind is made up; **se faire une ~** to form an opinion (**de, sur** on); **'sans ~'** (dans un résultat de sondage) 'don't know'; **2** (sentiment général) **l'~ (publique)** public opinion; **braver l'~** to go against public opinion

opiomane /ɔpjɔman/ *nmf* opium addict

opiomanie /ɔpjɔmani/ *nf* opium addiction

opium /ɔpjɔm/ *nm* opium

opossum /ɔpɔsɔm/ *nm* opossum, possum○

opportun, ~e /ɔpɔʀtœ̃, yn/ *adj* [*moment*] opportune sout, appropriate; [*remarque, visite*] opportune sout; **il est ~ de faire** it's appropriate to do

opportunément /ɔpɔʀtynemɑ̃/ *adv* timely

opportunisme /ɔpɔʀtynism/ *nm* opportunism

opportuniste /ɔpɔʀtynist/
A *adj* opportunistic
B *nmf* opportunist

opportunité /ɔpɔʀtynite/ *nf* **1** (bien-fondé) appropriateness (**de qch** of sth; **de faire** of doing); **2** (occasion) controv opportunity

opposabilité /ɔpozabilite/ *nf* opposability

opposable /ɔpozabl/ *adj* **1** Anat [*pouce*] opposable (**à** to); **2** Jur [*argument, contrat*] which can be used as evidence (*après n*)

opposant, ~e /ɔpozɑ̃, ɑ̃t/
A *adj* Jur [*tiers, parties*] opposing
B *nm,f* Pol opponent (**à** of); **les ~s au régime** the opponents of the regime
C *nm* Anat opponent

opposé, ~e /ɔpoze/
A *pp* ▸ **opposer**
B *pp adj* **1** (inverse) [*direction*] opposite; **nombres/angles ~s** opposite numbers/angles; **du côté ~ de la rue** on the opposite side of the street; **aller dans le sens ~** (volontairement) to go in the opposite direction; (par erreur) to go in the wrong direction; **2** (en contradiction) [*avis, opinion*] opposite; [*partis, forces, côtés, intérêts*] opposing; [*intérêts, buts, stratégies*] conflicting; **ils maintiennent des positions ~es sur la question** they maintain conflicting positions on the matter; **les deux partis restent ~s** the two parties remain opposed to each other; **des versions diamétralement ~es** diametrically opposed versions; **ils ont des opinions ~es aux nôtres** they are of the opposite opinion to us; **3** (défavorable) opposed (**à** to); **êtes-vous ~e aux relations sexuelles avant le mariage?** are you opposed to sex before marriage?; **je ne suis pas ~ au principe** I'm not opposed to the idea
C *nm* opposite; **elle est l'~ de sa sœur** she's the opposite of her sister; **il fait toujours l'~ de ce qu'on lui dit de faire** he always does the opposite of what he's told
D **à l'opposé** *loc* **1** (contrairement à) **à l'~ de mes frères** in contrast to my brothers; **à l'~ de ce qu'on pourrait croire** contrary to what one might think; **2** (à l'inverse) on the other hand; **à l'~, il peut subvenir à ses propres besoins** on the other hand he can support himself; **3** (dans l'autre sens) **il est parti exactement à l'~** (volontairement) he went off in exactly the opposite direction; (par erreur) he went off in completely the wrong direction; **vous vous trompez, la poste est à l'~** you're wrong, the post office is the other way

opposer /ɔpoze/ [1]
A *vtr* **1** (poser en obstacle) to put up [*résistance, argument*]; **~ un refus à qn** to refuse sb; **~ son veto à qch** to veto sth; **~ un démenti à qch** to deny sth, to issue a denial to sth sout; **~ que** fml to object that; **2** (mettre en compétition) to match *ou* pit [sb] against [*personne, équipe*]; **la finale opposait deux Américains** the final was between two Americans; **un match amical opposera les élèves aux** *or* **et les professeurs** students and teachers will meet in a friendly; **3** (séparer) [*litige, problème*] to divide [*personnes*]; **tout les oppose** they're divided on everything; **ce qui les oppose** what they're divided on; **le conflit qui a opposé les deux pays** the conflict which set the two countries against each other; **4** (comparer) to compare (**à** to, with); **il serait ridicule d'~ Einstein à Newton** it would be ridiculous to set Einstein beside Newton *ou* to compare Einstein to Newton; **si l'on oppose la somme de travail fourni et le résultat** if one sets the amount of work done off against the result, if one compares the amount of work done to the result
B **s'opposer** *vpr* **1** (ne pas accepter) **s'~ à qch** (montrer son désaccord) to be opposed to sth; (désapprouver activement) to oppose sth; **ils s'opposent fermement à ce que l'usine se construise** they are strongly opposing the building of the factory; **2** (empêcher) **s'~ à** to stand in the way of [*développement, changement*]; **plus rien ne s'oppose à notre réussite** nothing stands in the way of our success; **le temps s'opposait à la marche de l'expédition** the weather hindered the progress of the expedition; **3** (contraster) to contrast (**with** à); **leur optimisme béat s'oppose aux prévisions économiques** their smug optimism contrasts with the economic forecasts; **4** (diverger) [*idées, opinions*] to conflict; [*personnes*] to disagree; [*partisans, clans*] to be divided; **deux théories s'opposent à ce sujet** two theories conflict on this matter; **5** (s'affronter) [*équipes, concurrents*] to confront each other; **les deux joueurs s'opposeront en demi-finale** the two players will confront each other in the semifinals

opposition /ɔpozisjɔ̃/ *nf* **1** (en politique) opposition; **les partis de l'~** the opposition parties; **être dans l'~** to be in the opposition; **d'~** [*député, parti*] opposition (*épith*); **journal d'~** newspaper of the opposition; **2** (désaccord) opposition; **être en ~ avec** to be in opposition to; **manifester son ~ à** to show one's opposition to; **rencontrer une faible/forte ~** to meet with little/strong opposition (**chez, de la part de** from); **faire de l'~ systématique** to put up systematic opposition; **3** (contraste) contrast (**entre** between); **~ de couleurs** contrast in colours[GB]; **par ~ à** in contrast with *ou* to; **4** Jur objection; **faire ~ à un mariage** to raise an objection to a marriage; **5** Fin stop order; **faire ~ à un chèque/paiement** to stop a cheque GB *ou* check US/payment; **6** Ling, Phon opposition; **unités en ~** units in opposition; **7** Phys opposition; **en ~ de phase** out of phase; **8** Astron opposition; **planète en ~** planet in opposition; **9** Psych opposition

oppositionnel, -elle /ɔpozisjɔnɛl/ Pol
A *adj* [*caractère, nature*] oppositional; [*groupe, membre*] opposition (*épith*)
B *nm,f* oppositionist

oppressant, ~e /ɔpʀesɑ̃, ɑ̃t/ *adj* oppressive

oppressé, ~e /ɔpʀese/
A *pp* ▸ **oppresser**
B *pp adj* **être/se sentir ~** (physiquement) to be/feel breathless; (psychiquement) to be/feel oppressed

oppresser /ɔpʀese/ [1] *vtr* to oppress; **la chaleur l'oppresse** he/she finds the heat oppressive

oppresseur /ɔpʀesœʀ/ *nm* oppressor

oppressif, -ive /ɔpʀesif, iv/ *adj* oppressive

oppression /ɔpʀesjɔ̃/ *nf* **1** (contrainte) oppression; **2** (malaise) **avoir des ~s** to feel suffocated

opprimé, ~e /ɔpʀime/
A *pp* ▸ **opprimer**
B *pp adj* [*peuple, classe*] oppressed
C *nm,f* **les ~s** the oppressed (+ *v pl*)

opprimer /ɔpʀime/ [1] *vtr* **1** to oppress [*peuple*]; **2** to stifle [*conscience*]

opprobre /ɔpʀɔbʀ/ *nm* fml **1** (déshonneur) opprobrium sout; **couvrir qn d'~, jeter l'~ sur qn** to hold sb up to public opprobrium; **2** (déchéance) disgrace; **vivre dans l'~** to live in disgrace

optatif, -ive /ɔptatif, iv/
A *adj* Ling optative
B *nm* optative

opter /ɔpte/ [1] *vi* to opt (**pour** for)

opticien, -ienne /ɔptisjɛ̃, ɛn/ ▸ p. 532 *nm,f* (dispensing) optician GB, optician US

optimal, ~e, *mpl* **-aux** /ɔptimal, o/ *adj* optimum

optimalisation /ɔptimalizasjɔ̃/ *nf* controv optimization

optimaliser /ɔptimalize/ [1] *vtr* controv to optimize

optimisation /ɔptimizasjɔ̃/ *nf* optimization

optimiser /ɔptimize/ [1] *vtr* to optimize

optimisme /ɔptimism/ *nm* optimism; **démentir l'~ des commentaires** to give the lie to the optimistic views expressed; **faire preuve d'un ~ prudent** to be cautiously optimistic; **pécher par excès d'~** to be over-optimistic; **afficher un ~ raisonnable** to appear reasonably optimistic

optimiste /ɔptimist/
A *adj* optimistic (**sur** about); **de façon ~** optimistically
B *nmf* optimist

optimum /ɔptimɔm/
A *adj [température]* optimum, optimal sout
B *nm* optimum

option /ɔpsjɔ̃/ *nf* **1** gén option (**sur** on); **abandonner une ~** to abandon an option; **le toit ouvrant est en ~** the sunroof is an optional extra *ou* an option US; **à ~** optional; **en ~** optional; **2** Fin option GB, stock option US
(Composés) **~ d'achat** Fin call (option); **~ de vente** Fin put (option)

optionnel, -elle /ɔpsjɔnɛl/ *adj* optional

optique /ɔptik/
A *adj* **1** Anat optic; **2** Phys, Tech optical
B *nf* **1** (étude, industrie) optics (+ *v sg*); **2** (point de vue) perspective; **dans cette ~** from this perspective; **changer d'~** to change one's perspective *ou* outlook; **3** (partie d'instrument) optical components (*pl*)

optométrie /ɔptɔmetʀi/ *nf* optometry

optométriste /ɔptɔmetʀist/ ▸ **p. 532** *nmf* ophthalmic optician GB, optometrist

opulence /ɔpylɑ̃s/ *nf* **1** (richesse) opulence, affluence; **2** (rondeur) ampleness

opulent, ~e /ɔpylɑ̃, ɑ̃t/ *adj* **1** *[pays]* opulent, affluent, wealthy; *[train de vie]* affluent; **2** *[poitrine, formes]* ample

opus /ɔpys/ *nm inv* opus

opuscule /ɔpyskyl/ *nm* opuscule

OPV /opeve/ *nf: abbr* ▸ **offre**

OQ /oky/ *nm: abbr* ▸ **ouvrier**

or¹ /ɔʀ/ *conj* **1** (indiquant une opposition) and yet; **il dit avoir passé la soirée au cinéma, ~ personne ne peut le confirmer** he says he spent the evening at the cinema and yet nobody can confirm it; **tu m'as dit que tu serais à la bibliothèque, ~ tu n'y étais pas** you told me you'd be at the library and you weren't there; **~ ça, jeune homme, où vous croyez-vous?** hum now then, young man, where do you think you are?; **2** (introduisant un nouvel élément) **les musées sont fermés le mardi, ~ c'était justement un mardi** museums are closed on Tuesdays, and it just so happened that it was a Tuesday; **~, ce jour-là, il était sorti sans son parapluie** now, on that particular day, he went out without his umbrella; **il a commencé à me parler du livre, ~ je l'avais lu une semaine plus tôt** he started talking about the book and as it happened I'd read it a week before; **on lui avait offert une bouteille d'alcool, ~ Grovagnard était un ancien alcoolique...** he'd been given a bottle of spirits as a present; now Grovagnard was a former alcoholic...; **tous les hommes sont mortels, ~ je suis un homme, donc je suis mortel** all men are mortal, I am a man, therefore I am mortal; **3** (pour récapituler) **~ donc, c'était la nuit et nous étions perdus** now, it was night and we were lost

or² /ɔʀ/
A ▸ **p. 202** *adj inv [couleur, peinture]* gold; *[cheveux]* golden
B *nm* **1** (métal) gold **₵**; **~ pur/fin/massif** pure/fine/solid gold; **gravé à l'~ fin** engraved in fine gold; **~ (à) 18/24 carats** 18-/24-carat gold; **~ en feuille** sheet gold; **fil d'~** gold thread; **~ en barres** gold bullion; **~ en lingots** gold ingots (*pl*); **en ~** *[dent, bague]* gold (*épith*); *[patron, mari]* marvellous[GB]; *[occasion]* golden; **avoir un cœur d'~** *or* **en ~** fig to have a heart of gold; **avoir un caractère en ~** fig to be pure gold; **tout ce qui brille n'est pas d'~** all that glitters is not gold; ▸ **poule**; **2** Archit, Art (d'encadrement, église, de dôme) gilding **₵**; **les ~s d'une icône** the gilding of an icon; **3** (couleur) **cheveux d'~** golden hair; **l'~ de tes cheveux** your golden hair; **les ~s de l'automne/des champs** the golden tints of autumn GB *ou* fall US/of the fields; **4** Hérald or
(Composés) **~ blanc** white gold; **~ bleu** blue gold, water; **~ dentaire** dental gold; **~ gris** = **~ blanc**; **~ jaune** yellow gold; **~ natif** native gold; **~ noir** black gold, oil; **~ rouge** red gold
(Idiomes) **la parole est d'argent, le silence est d'~** Prov speech is silver, silence is golden; **je ne le ferais pas pour tout l'~ du monde** I wouldn't do it for all the money in the world *ou* all the tea in China; **rouler sur l' ~, être cousu d'~** to be rolling in money; **elle parle d'~** what she says is so true!

oracle /ɔʀakl/ *nm* oracle

orage /ɔʀaʒ/ *nm* storm; **le temps est à l'~, il va y avoir de l'~, il y a de l'~ dans l'air** lit, fig there's a storm brewing; **pluie d'~** thundery shower GB, thundershower US; **temps/ciel/vent d'~** stormy weather/sky/wind; **l'~ de la passion** fig the tumult of passion
(Composés) **~ de chaleur** summer storm; **~ de grêle** hailstorm; **~ magnétique** magnetic storm

orageux, -euse /ɔʀaʒø, øz/ *adj* **1** Météo *[été]* stormy; *[temps]* thundery; **zone orageuse** storm belt; **2** (agité) *[discussion, réunion]* stormy; *[ambiance]* threatening; *[humeur]* angry

oraison /ɔʀɛzɔ̃/ *nf* prayer, orison sout
(Composé) **~ funèbre** funeral oration

oral, ~e, *mpl* **-aux** /ɔʀal, o/
A *adj* **1** (non écrit) *[tradition, interrogation, compte rendu]* oral; **transmettre un message ~** to transmit a message verbally; **2** Méd (par la bouche) **médicament administré par voie ~e** medicine to be taken orally; **3** Psych *[stade]* oral
B *nm* Scol, Univ oral (examination)
(Composé) **~ de rattrapage** resit oral (*taken by student who has failed a written exam*)

oralement /ɔʀalmɑ̃/ *adv* **1** Méd orally; **2** (pas par écrit) verbally; **communiquer des informations ~** to pass on information verbally

orange /ɔʀɑ̃ʒ/ ▸ **p. 202**
A *adj inv* orange; Transp *[feu]* amber GB, yellow US
B *nm* (couleur) orange; **passer à l'~** to go through when the light is amber GB *ou* yellow US
C *nf* (fruit) orange
(Composés) **~ givrée** orange sorbet; **~ pressée** freshly squeezed orange juice; **~ sanguine** blood orange
(Idiome) **apporter des oranges à qn** hum to visit sb in prison

orangé, ~e /ɔʀɑ̃ʒe/ ▸ **p. 202**
A *adj* orangy[GB]
B *nm* orangy[GB] colour[GB]

orangeade /ɔʀɑ̃ʒad/ *nf* orangeade

oranger /ɔʀɑ̃ʒe/ *nm* orange tree; **fleur d'~** orange blossom; **eau de fleur d'~** orange-flower water

orangeraie /ɔʀɑ̃ʒʀɛ/ *nf* orange grove

orangerie /ɔʀɑ̃ʒʀi/ *nf* orangery

orangiste /ɔʀɑ̃ʒist/ *nmf* (en Irlande) Orangeman/-woman

orang-outan, *pl* **orangs-outans** /ɔʀɑ̃utɑ̃/ *nm* orang-utang GB, orangutan US

orateur, -trice /ɔʀatœʀ, tʀis/ *nm,f* (intervenant) speaker; (tribun) orator

oratoire /ɔʀatwaʀ/
A *adj* oratorical
B *nm* Relig oratory

oratorio /ɔʀatɔʀjo/ *nm* oratorio

orbe /ɔʀb/ *nm* orb

orbital, ~e, *mpl* **-aux** /ɔʀbital, o/
A *adj* Astron *[vitesse, station]* orbital
B **orbitale** *nf* Phys orbital

orbite /ɔʀbit/ *nf* **1** Astron orbit; **en ~** in orbit; **mettre sur ~** to put [sth] into orbit *[satellite]*; fig to launch; **la mise en** *or* **sur ~** launching into orbit; **2** Anat eye-socket, orbit spéc; **il a les yeux qui sortent des orbites** lit he has bulging eyes; fig his eyes are popping out of his head; **avoir les yeux enfoncés dans les ~s** to have deep-set eyes; **3** (zone d'influence) **être/tomber dans l'~ de** to be in/to fall within the sphere of influence of; **4** Phys orbit
(Composé) **~ de transfert géostationnaire** geostationary transfer orbit

orbiter /ɔʀbite/ [1] *vi* to orbit

orbiteur /ɔʀbitœʀ/ *nm* orbiter

Orcades /ɔʀkad/ ▸ **p. 435** *nprfpl* Géog **les ~** the Orkney islands

orchestral, ~e, *mpl* **-aux** /ɔʀkɛstʀal, o/ *adj* orchestral

orchestrateur, -trice /ɔʀkɛstʀatœʀ, tʀis/ *nm,f* orchestrator

orchestration /ɔʀkɛstʀasjɔ̃/ *nf* orchestration

orchestre /ɔʀkɛstʀ/ *nm* **1** (classique) orchestra; (de bal, d'harmonie) band; **~ de jazz** jazz band; **~ symphonique** symphony orchestra; **~ de chambre/de cuivres** chamber/brass orchestra; **~ à cordes** string orchestra; **2** (fosse pour les musiciens) orchestra pit; **3** Cin, Théât (partie de la salle) orchestra stalls (*pl*) GB, orchestra US; **une place d'~** a seat in the stalls GB, an orchestra seat US

orchestrer /ɔʀkɛstʀe/ [1] *vtr* to orchestrate

orchidée /ɔʀkide/ *nf* orchid

orchis /ɔʀkis/ *nm inv* orchid
(Composés) **~ mâle** male orchid; **~ pourpre** lady orchid

orchite /ɔʀkit/ *nf* orchitis

ordalie /ɔʀdali/ *nf* Hist ordeal

ordi○ /ɔʀdi/ *nm* Ordinat PC, computer

ordinaire /ɔʀdinɛʀ/
A *adj* **1** (ni spécial, ni anormal) gén ordinary; *[qualité, modèle]* standard; *[lecteur, touriste]* average, ordinary; *[vaisselle]* everyday; *[journée]* normal, ordinary; **séance ~** ordinary session; **procédure ~** ordinary court procedure; **en temps ~** in normal times; **ça n'a rien d'~** it's pretty unusual; **journée peu ~** unusual day; **d'une bêtise/audace peu ~** incredibly stupid/daring; **2** péj (médiocre) *[vie]* humdrum (*épith*); **très ~** *[repas, vin]* very average; *[personne]* very ordinary; **3** (coutumier) *[qualité, défaut]* usual; **avec sa politesse ~** with his usual politeness
B *nm* **1** (menu habituel) **l'~** everyday fare; **2** (moyenne) **l'~** the commonplace; **sortir de l'~** *[livre, film]* to be out of the ordinary; **au-dessous/au-dessus de l'~** below/above average; **3** Relig **l'~ de la messe** the ordinary of the mass; **4** (essence) 2-star (petrol) GB, regular (gasoline) US
C **à l'ordinaire, d'ordinaire** *loc adv* usually; **plus tard que d'~** *or* **qu'à l'~** later than usual; **comme à l'~** as usual

ordinairement /ɔʀdinɛʀmɑ̃/ *adv* **1** (d'habitude) usually; **2** (normalement) normally

ordinal, ~e, *mpl* **-aux** /ɔʀdinal, o/
A *adj* ordinal
B *nm* ordinal

ordinateur /ɔʀdinatœʀ/ *nm* Ordinat computer; **travailler sur ~** to work with a computer; **~ individuel** *or* **personnel/de bureau** personal/desktop computer; **~ portatif** laptop computer; **~ de poche** palmtop computer; **~ central** mainframe; **~ frontal/dorsal** front-end/back-end computer; **conception/ingénierie assistée par ~** computer-aided design/engineering; **transactions programmées par ~** computer-programmed[GB] transactions; **création d'images par ~** computer-generated graphics; **simulation par** *or* **sur ~** computer simulation

ordination /ɔʀdinasjɔ̃/ *nf* ordination

ordinogramme /ɔʀdinɔɡʀam/ *nm* flowchart, flow diagram

ordonnance /ɔʀdɔnɑ̃s/

A †*nm ou f* Mil batman; **d'~** *[revolver]* regulation *(épith)*

B *nf* **1** (document) prescription; **faire une ~ à qn** to give sb a prescription; **délivré uniquement sur ~** only available on prescription; **on peut l'acheter sans ~** you can buy it over the counter; **médicament vendu sans ~** over-the-counter medicine; **2** (agencement) (de salle, meubles) layout; (de cérémonie, banquet) order; **3** Jur ruling

ordonnancement /ɔʀdɔnɑ̃smɑ̃/ *nm* **1** Compta order to pay; **2** (en gestion) scheduling; **3** fml (de cérémonie, phrases) order

ordonnancer /ɔʀdɔnɑ̃se/ [12] *vtr* **1** (organiser) fml to organize *[fête, cérémonie]*; to plan *[discours]*; **2** (en gestion) to schedule; **3** Compta to authorize *[paiement, dépense]*

ordonnancier /ɔʀdɔnɑ̃sje/ *nm* **1** (de médecin) prescription pad; **2** (de pharmacien) prescription book

ordonnateur, **-trice** /ɔʀdɔnatœʀ, tʀis/ *nm,f* **1** fml (organisateur) organizer; **~ des pompes funèbres** funeral director; **le grand ~ du monde** the great architect; **2** Compta *official with power to authorize payment*

ordonné, **~e** /ɔʀdɔne/

A *pp* ▸ **ordonner**

B *pp adj* **1** (rangé) *[chambre, armoire, personne]* tidy; **2** (méthodique) *[personne]* methodical; **3** (structuré) **bien ~** *[texte]* well-ordered; **4** (pas désorganisé) *[manifestation, grève]* orderly; **vie bien ~e** well-ordered life; ▸ **charité**; **5** Math ordered

C **ordonnée** *nf* Math ordinate

ordonner /ɔʀdɔne/ [1]

A *vtr* **1** (commander) gén to order; *[médecin]* to prescribe *[repos]*; **~ à qn de faire qch** to order sb to do sth; **~ que qn soit libéré** to order sb to be set free; **~ le silence à qn** to order sb to be silent; **2** (mettre en ordre) to put [sth] in order *[objets]*; to order *[paragraphes]*; **~ qch par ordre alphabétique/chronologique** to put sth in alphabetical/chronological order; **~ sa réflexion autour d'un thème principal** to organize one's ideas around a central theme; **~ un polynôme** to arrange a polynomial; **3** Relig to ordain; **il a été ordonné (prêtre)** he has been ordained

B **s'ordonner** *vpr* **s'~ facilement** *[paragraphes]* to fall into order easily; **ses idées s'ordonnent autour d'un thème principal** his/her ideas are organized around one main theme

ordre /ɔʀdʀ/ *nm* **1** (commandement) order; **donner un ~ à qn** to give sb an order; **donner à qn l'~ de faire** to give sb the order to do, to order sb to do; **recevoir l'~ de faire qch** to be given the order to do sth, to be ordered to do sth; **je n'ai d'~ à recevoir de personne** I don't take orders from anybody; **j'ai des ~s** I'm acting under orders; **agir sur ~ de qn** to act on sb's orders; **travailler sous les ~s de qn** to work under sb; **elle a 30 personnes sous ses ~s** she has 30 people (working) under her; **être aux ~s de qn** Mil to serve under sb, to be under sb's command; (employé de maison) to be in sb's service; **prendre qn à ses ~s** to take sb on; **à vos ~s!** Mil yes, sir!; hum (à un ami, parent) at your service! hum; **jusqu' à nouvel ~** until further notice

2 (disposition régulière) order; **par ~ alphabétique/chronologique** in alphabetical/chronological order; **en ~ croissant/décroissant** in ascending/descending order; **par ~ de préférence** in order of preference; **par ~ d'entrée en scène** in order of appearance; **l'~ des mots** word order; **l'~ des cérémonies** the order of ceremonies; **procédons par ~** let's do things in order; **tu dois, dans l'~, téléphoner à la gare, à l'aéroport, à l'hôtel** you've got to phone the station, the airport and the hotel, in that order; **selon un ~ strict** in strict order; **en bon ~** *[être aligné, avancer]* in an orderly fashion ; **avancer en ~ dispersé/serré** to advance in scattered/close formation; **~ de bataille** battle order

3 Ordinat command

4 (fait d'être rangé) tidiness, orderliness; (fait d'être bien organisé) order; **être en ~** *[maison, armoire]* to be tidy; *[comptes]* to be in order; **tenir une pièce en ~** to keep a room tidy; **mettre de l'~ dans** to tidy up *[pièce, placard]*; **mettre de l'~ dans ses comptes** to get one's accounts in order; **mettre de l'~ dans ses idées** to get one's ideas straight; **mettre de l'~ dans sa vie** to sort out one's life○; **mettre ses affaires en ~** (avant de mourir) to put one's affairs in order

5 (qualité) tidiness; **elle n'a pas beaucoup d'~** (rangé) she' s not very tidy; (méthodique) she's not very methodical; **mettre bon ~ à qch** to sort out sth; **remettre une pièce en ~** to put everything back where it was in a room; **remise en ~** fig rationalization

6 (comme valeur) order; **aimer l'~ et le travail sérieux** to like order and hard work

7 (état stable et normal) order; **maintenir l'~ dans sa classe** to keep order in the classroom; **rappeler qn à l'~** to reprimand sb; **tout est rentré dans l'~** gén everything is back to normal; (après des émeutes) order has been restored; **l'~ public** public order; **maintenir/rétablir l'~ (public)** to maintain/restore law and order; **troubler l'~ public** *[individu]* to cause a breach of the peace; *[groupe d'insurgés]* to disturb the peace; **le respect de l'~ établi** respect for the established order; **c'est dans l'~ des choses** it's in the nature of things; **en ~ de marche** in working order

8 (nature) nature; **un problème de cet ~** a problem of that nature; **un problème de cet ~ (de grandeur)** a problem on that scale; **c'est un problème d'~ économique** it's a problem of an economic nature; **d'~ officiel/personnel** of an official/a personal nature; **de l'~ de 30%** in *ou* of the order of 30% GB, on the order of 30% US; **~ de prix** price range; **de quel ~ de grandeur?** *[somme]* how much approximately?; **pour vous donner un ~ de grandeur** to give you a rough idea; **de premier ~** first-rate; **de second ~** second-rate; **dans le même ~ d'idées, je voudrais vous demander** talking of which, I would like to ask you; **c'est du même ~** it's the same kind of thing; **c'est d'un tout autre ~** it's a completely different kind of thing; **des préoccupations d'un tout autre ~** very different worries

9 Archit, Biol, Zool order

10 (confrérie) order; **~ de chevalerie** order of chivalry; **l'~ des médecins** the medical association; **l'~ des avocats** the lawyers' association; **être rayé de l'~** *[avocat]* to be disbarred; *[médecin]* to be struck off (the medical register) GB, to lose one's license US

11 Relig order; **~ monastique** monastic order; **entrer dans les ~s** to take (holy) orders; **l'~ des cisterciens** the Cistercian order; **l'~ des Templiers** the Knights Templar; **les ~s majeurs/mineurs** major/minor orders

12 (sous l'Ancien Régime) estate

13 Fin order; **~ d'achat/de vente** order to buy/to sell; **libellez le chèque à l'ordre de X** make the cheque GB *ou* check US payable to X; **c'est à quel ~?** who do I make it payable to?

14 Comm (commande) order; **carnet d'~s** order book

(Composés) **~ du jour** (de réunion) agenda; **être à l'~ du jour** lit to be on the agenda; fig to be talked about; **inscrire qch à l'~ du jour** to put sth on the agenda; **~ de mobilisation** Mil marching orders *(pl)*

ordure /ɔʀdyʀ/

A *nf* **1** liter (abjection) filth; **se complaire dans l'~** to wallow in filth; **2** ◑(personne méprisable) **quelle ~ ce type!** that guy's a real bastard◑!

B **ordures** *nfpl* **1** (déchets) refuse ⊄ GB, garbage ⊄ US; **les ~s ménagères** household refuse GB, household garbage US; **ramassage des ~s ménagères** collection of household refuse GB *ou* garbage US; **mettre/jeter qch aux ~s** to put/throw sth in the bin GB *ou* in the garbage US; **défense de déposer des ~s** no dumping; **tas d'~s** rubbish heap GB, pile of garbage US; **2** (grossièretés) filth ⊄; **cet article est un tissu d '~s** this article is sheer filth

ordurier, **-ière** /ɔʀdyʀje, ɛʀ/ *adj [propos, langage]* filthy; **des lettres ordurières** hate mail

orée /ɔʀe/ *nf* **1** lit edge; **2** fig start

Oregon /ɔʀeɡɔ̃/ ▸ **p. 721** *nprm* Oregon

oreillard /ɔʀɛjaʀ/ *nm* long-eared bat

oreille /ɔʀɛj/ ▸ **p. 196** *nf* **1** Anat ear; **l'~ externe/moyenne/interne** the outer/middle/inner ear; **avoir les ~s décollées** to have sticking out ears; **elle a des perles aux ~s** she is wearing pearl earrings; **dire qch à l'~ de qn, dire qch à qn dans le creux de l'~** to whisper sth in sb's ear; **dresser l'~** lit, fig to prick up one's ears; **porter la casquette sur l'~** to wear one's cap over one eye; **emmitouflé jusqu'aux ~s** all wrapped up; **rougir jusqu'aux ~s** to blush to the roots of one's hair; **tendre l'~** to strain one's ears; **entrer par une ~ et sortir par l'autre** to go in one ear and out the other; **c'est arrivé** *or* **parvenu à leurs ~s** they got to hear of it, it came to their ears; **écouter de toutes ses ~s, être tout ~s** to be all ears, to listen intently; **n'écouter que d'une ~, écouter d'une ~ distraite** to half-listen, to listen with half an ear; **ouvre-bien les ~s!** listen carefully; **il m'en a glissé** *or* **soufflé un mot à l'~** he had a word with me about it; **en avoir plein les ~s de qch** to have had an earful of sth; **arrête de crier, tu me casses les ~s** stop yelling, you're bursting my eardrums; **ne prête pas l'~ à** don't listen to; ▸ **affamé**, **dormir**, **fendre**, **puce**, **sourd**; **2** (ouïe) hearing; **avoir l' ~ fine** to have keen hearing *ou* sharp ears; **avoir de l'~** Mus to have a good ear (for music); **n'avoir pas d'~** Mus to be tone-deaf; **avoir l'~ juste** to have perfect pitch; **3** (personne) **les ~s sensibles** *or* **pudiques** people who are easily shocked; **à l'abri** *or* **loin des ~s indiscrètes** where no-one can hear; **4** (de marmite, plat) handle; (de vis, fauteuil) wing; **5** (de serviette, ballot) floppy end

(Composés) **~ d'ours** Bot bear's ear, auricula; **~s en feuille de chou** cauliflower ears

(Idiomes) **avoir l'~ basse** to look sheepish; **avoir l'~ de qn** to have sb's ear; **s'il y a une ~ qui traîne** if anybody' s listening; **tirer** *or* **frotter les ~s à qn** to tell sb off, to give sb a ticking off○ GB; **se faire tirer l'~ pour faire** to drag one's feet about doing; **montrer le bout de l'~** (être vu) *[animal]* to peep out; (se trahir) to reveal a little bit of one's true self; **les ~s ont dû te siffler** *or* **tinter** *or* **sonner** your ears must have been burning

oreiller /ɔʀeje/ *nm* pillow; **se réconcilier sur l'~** to make it up in bed

oreillette /ɔʀɛjɛt/ *nf* **1** Anat auricle; **2** Mode (de casquette) earflap

oreillons /ɔʀɛjɔ̃/ ▸ **p. 283** *nmpl* mumps; **avoir les ~** to have mumps

ores: **d'ores et déjà** /dɔʀzedeʒa/ *loc adv* already

Oreste /ɔʀɛst/ *npr* Orestes

orfèvre /ɔʀfɛvʀ/ ▸ **p. 532** *nmf* goldsmith; **être ~ en la matière** fig to be an expert in the field

orfèvrerie /ɔʀfɛvʀəʀi/ *nf* (métier) goldsmith's art; (commerce) goldsmith's and silversmith's; **article** *or* **pièce d'~** (en argent) piece of silverware; (en or) piece of gold work

orfraie /ɔʀfʀɛ/ *nf* sea eagle

(Idiome) **pousser des cris d'~** to scream blue murder

organdi /ɔʀɡɑ̃di/ *nm* organdie; **robe en ~** organdie dress

organe /ɔʀɡan/ *nm* 1 (de la vue, l'ouïe) organ; 2 (publication) organ; **~ officiel d'un parti** official organ of a party; 3 (institution) organ; **les ~s de l'État** the organs of the State; **~ consultatif/exécutif** consultative/executive body; **~ de presse** press organ; 4 Mécan system; **~s de freinage/direction** braking/ steering system (*sg*); 5 (voix) voice; 6 (instrument) instrument; **les lois sont les ~s de la justice** laws are the instruments of justice

organigramme /ɔʀɡanigʀam/ *nm* 1 Entr organization chart; 2 Ordinat flowchart

organique /ɔʀɡanik/ *adj* organic

organiquement /ɔʀɡanikmɑ̃/ *adv* organically

organisateur, -trice /ɔʀɡanizatœʀ, tʀis/
A *adj* organizing (*épith*)
B *nm,f* organizer

organisation /ɔʀɡanizasjɔ̃/ *nf* organization; **manquer d'~** to lack organization; **tu devrais faire un effort d'~** you should try to be more organized; **cette année ils ont fait un effort d'~** this year they made an effort at organizing things; **comité d'~** organizing committee

(Composés) **Organisation de coopération et de développement économiques, OCDE** UE Organization for Economic Cooperation and Development, OECD; **Organisation mondiale du commerce, OMC** World Trade Organization, WTO

organisationnel, -elle /ɔʀɡanizasjɔnɛl/ *adj* organizational

organisé, ~e /ɔʀɡanize/
A *pp* ▸ **organiser**
B *pp adj* organized; **une réunion bien/mal ~e** a well-/badly-organized meeting

organiser /ɔʀɡanize/ [1]
A *vtr* to organize
B **s'organiser** *vpr* 1 (se regrouper) [*dissidents, chômeurs, opposition*] to get organized; **s'~ en** to organize oneself into; 2 (être méthodique) to organize oneself; 3 (être mis sur pied) [*lutte, secours*] to get organized; 4 (être conçu) **le livre s'organise en 12 chapitres** the book is organized into 12 chapters; **l'histoire s'organise autour de deux thèmes principaux** the plot revolves around two main themes

organiseur /ɔʀɡanizœʀ/ *nm* organizer; **~ électronique** electronic organizer

organisme /ɔʀɡanism/ *nm* 1 (corps humain) body, organism spéc; **les défenses naturelles de l'~** the body's natural defences[GB]; 2 (être vivant) organism; **~ vivant** living organism; 3 (organisation) organization, body; **~ de surveillance** watchdog body

organiste /ɔʀɡanist/ ▸ **p. 532** *nmf* organist

orgasme /ɔʀɡasm/ *nm* orgasm; **~ clitoridien/vaginal** clitoral/vaginal orgasm; **avoir un ~** to have an orgasm

orge /ɔʀʒ/
A *nm* Culin barley; **~ perlé** pearl barley
B *nf* Agric, Bot barley

orgeat /ɔʀʒa/ *nm* **(sirop d')~** barley water

orgelet /ɔʀʒəlɛ/ *nm* stye

orgiaque /ɔʀʒjak/ *adj* orgiastic

orgie /ɔʀʒi/ *nf* lit, fig orgy; **faire une ~ de fruits** to gorge oneself on fruit

orgue /ɔʀɡ/ ▸ **p. 557**
A *nm* Mus organ; **tenir l'~** to be at the organ; **~ électronique** electronic organ
B **orgues** *nfpl* Mus organ (*sg*); **les grandes ~s de Notre-Dame** the great organ in Notre Dame

(Composés) **~ de Barbarie** barrel organ; **~s basaltiques** Géol basalt columns

orgueil /ɔʀɡœj/ *nm* pride; **l'~ national** national pride; **être l'~ de qn** to be sb's pride and joy; **pécher par ~** to be too proud; **un sursaut d'~** a flash of pride

orgueilleusement /ɔʀɡœjøzmɑ̃/ *adv* proudly

orgueilleux, -euse /ɔʀɡœjø, øz/
A *adj* gén proud; (trop) overproud
B *nm,f* overproud person; **c'est un ~** he's overproud

oriel /ɔʀjɛl/ *nm* oriel window

orient /ɔʀjɑ̃/ *nm* 1 (direction) east; 2 (pays) **l'Orient** the East; ▸ **grand**

orientable /ɔʀjɑ̃tabl/ *adj* [*miroir, bras de machine*] swivelling[GB], swivel (*épith*); [*antenne, projecteur*] adjustable

oriental, ~e, *mpl* **-aux** /ɔʀjɑ̃tal, o/ *adj* [*côte*] eastern; [*civilisation, langues, art, type*] oriental

Oriental, ~e, *mpl* **-aux** /ɔʀjɑ̃tal, o/ *nm,f* Asian; **les Orientaux** Asians

orientaliser /ɔʀjɑ̃talize/ [1]
A *vtr* to orientalize
B **s'orientaliser** *vpr* to become orientalized

orientalisme /ɔʀjɑ̃talism/ *nm* orientalism

orientaliste /ɔʀjɑ̃talist/ *adj, nmf* Orientalist

orientation /ɔʀjɑ̃tasjɔ̃/ *nf* 1 (position) (de maison) aspect; (d'antenne) angle; (de projecteur) direction; **la maison a une ~ plein sud** the house faces directly south; 2 (d'enquête, de recherche, politique) direction; **prendre une nouvelle ~** to change direction; **les ~s de l'art moderne** modern art trends; 3 Scol, Univ **l'~** (conseils) advice to students on which courses to follow; **changer d'~** to change courses; **faire une erreur d'~** to choose the wrong course; **l'~ des jeunes vers les carrières scientifiques** encouraging young people toward(s) careers in the sciences; 4 (tendance politique) leanings (*pl*); 5 (action de s'orienter) finding one's bearings; **l'~** Sport orienteering; **faire de l'~** to go orienteering; 6 Math orientation

(Composés) **~ professionnelle** (pour un emploi) careers advice; (plus général) vocational counselling *ou* guidance; **~ scolaire** curriculum counselling GB, counseling US

orienté, ~e /ɔʀjɑ̃te/
A *pp* ▸ **orienter**
B *pp adj* 1 (disposé) **maison ~e d'est en ouest** house which has an east-west aspect; **bien/ mal ~** [*maison*] in a good/bad position *ou* situation; [*phare*] shining in the right/wrong direction; **région ~e vers le tourisme et l'agriculture** region geared to tourism and farming; 2 (non objectif) [*reportage*] biased[GB], slanted; 3 Géog [*carte, plan*] showing grid north on (*après n*); Math [*vecteur, axe*] directed

orienter /ɔʀjɑ̃te/ [1]
A *vtr* 1 (positionner) to decide on the aspect of [*maison*]; to adjust [*antenne, lampe, bras de machine*] (**vers** to); **~ la maison/terrasse vers le sud** *or* **(face) au sud** to make the house/ terrace south-facing; **~ le spot vers le fond** to direct the spotlight toward(s) the back; **~ l'antenne vers l'ouest** to make the aerial face west; 2 (faire porter) to channel [*fonds publics*]; **~ qch sur qch** [*enquête, fonds publics*] to focus sth on sth; **~ la conversation sur** to bring the conversation around to; 3 (donner un sens idéologique à) to slant [*cours, conférence*]; 4 (guider) to direct [*personne*] (**vers** to); 5 Scol, Univ (conseiller) to give [sb] some career advice; **~ qn vers un spécialiste** to send sb to a specialist; **~ qn vers les sciences** to direct *ou* steer sb towards science subjects; 6 (flécher) to show grid north on [*carte, plan*]; Math to direct [*axe*]; 7 Naut to trim [*voile*]
B **s'orienter** *vpr* 1 (se repérer) to get *ou* to find one's bearings; 2 (se diriger) **s'~ vers** lit to turn toward(s); fig [*pays, mouvement*] to move toward(s); [*conversation*] to turn to; **s'~ vers les sciences/carrières scientifiques** to go in for science subjects/a career in science

orienteur, -euse /ɔʀjɑ̃tœʀ, øz/ ▸ **p. 532** *nm,f* careers adviser

orifice /ɔʀifis/ *nm* 1 Anat orifice; 2 gén (de tuyau) mouth; (de puits) opening; (de tube) neck

oriflamme /ɔʀiflam/ *nf* Hist oriflamme; (bannière d'apparat) banner

origami /ɔʀigami/ *nm* origami

origan /ɔʀigɑ̃/ *nm* oregano

originaire /ɔʀiʒinɛʀ/ *adj* 1 (provenant) [*plante, animal*] native (**de** to); **produit ~ d'Afrique** product from *ou* originating from Africa; **famille ~ d'Asie** Asian family; **il est ~ d'Afrique** he is originally from Africa; **le pays dont il est ~** his native country; 2 (d'origine) [*tare, état*] original; [*déformation*] inherent

originairement /ɔʀiʒinɛʀmɑ̃/ *adv* originally

original, ~e, *mpl* **-aux** /ɔʀiʒinal, o/
A *adj* 1 (authentique) [*document, tableau*] original; 2 (créatif) [*esprit, personnalité, œuvre, idée, décor*] original; **c'est ~ comme idée** that's an original idea; 3 (bizarre) [*personne, manières, vêtements*] eccentric
B *nm,f* (personne excentrique) eccentric, oddball○
C *nm* (œuvre primitive) original; **l'~ est au Prado** the original is in the Prado

originalement /ɔʀiʒinalmɑ̃/ *adv* 1 (de façon créative) in an original way; 2 (à l'origine) originally

originalité /ɔʀiʒinalite/ *nf* 1 (créativité) originality; **écrivain d'une grande ~** writer of great originality; **sans ~** unoriginal; 2 (aspect original) original aspect; **les ~s d'un livre** the original aspects of a book; 3 (excentricité) eccentricity

origine /ɔʀiʒin/ *nf* 1 (provenance) origin; **toutes ~s confondues** of all origins; **tradition/mot/tissu d'~ italienne** tradition/ word/fabric of Italian origin; **de toutes les ~s sociales** [*personnes*] from all walks of life; **être d'~ modeste/noble** to come from a modest/noble background; **famille d'~ modeste/noble** family of modest/noble origins; **être d'~ grecque** [*personne*] to be of Greek extraction; **être d'~ paysanne** [*personne*] to come from a farming family; 2 (commencement) origin; **l'~ de la vie/ l'univers** the origin of life/the universe; **l'histoire de la Chine des ~s à nos jours** the history of China from its origins to the present day; **l'~ des temps** the beginning of time; **dès l'~** (de projet, technique) right from the start; (du monde) from the very beginning; **à l'~** originally; **d'~** [*pays*] of origin; [*moteur, objet, vitraux*] original; 3 (source) origin; **produit d'~ végétale/animale** product of vegetable/animal origin; **conflit d'~ raciale** conflict of racial origin; **à l'~ du conflit il y a un problème frontalier** the conflict has its origins in a border dispute; **trouver** *or* **avoir son ~ dans** to have its roots in; **maladie d'~ virale** viral disease; **pollution d'~ agricole/industrielle** agricultural/ industrial pollution; 4 Math origin

originel, -elle /ɔʀiʒinɛl/ *adj* original

originellement /ɔʀiʒinɛlmɑ̃/ *adv* 1 (au début) originally; 2 (dès le début) from the start

orignal, *pl* **-aux** /ɔʀiɲal, o/ *nm* moose (*inv*)

oripeaux /ɔʀipo/ *nmpl* faded finery ₵

ORL /oɛʀɛl/
A *nmf* (*abbr* = **oto-rhino-laryngologiste**) ENT specialist
B *nf* (*abbr* = **oto-rhino-laryngologie**) ENT

orléanais, ~e /ɔʀleanɛ, ɛz/ *adj* 1 ▸ **p. 721** (de l'Orléanais) of the Orléans region; 2 ▸ **p. 894** (d'Orléans) of Orléans

Orléanais, ~e /ɔʀleanɛ, ɛz/ ▸ **p. 894**
A *nm,f* (natif) native of Orléans; (habitant) inhabitant of Orléans
B ▸ **p. 721** *nm* the Orléans region

orléaniste /ɔʀleanist/ *adj, nmf* Orleanist
Orléans /ɔʀleɑ̃/ ▸ **p. 894** *npr* Orléans
orlon® /ɔʀlɔ̃/ *nm* Orlon®
orme /ɔʀm/ *nm* 1 (arbre) elm (tree); 2 (bois) elm (wood); **en ~** in elm
ormeau, *pl* **~x** /ɔʀmo/ *nm* 1 Bot young elm tree; 2 Zool ormer GB, abalone US
Orne /ɔʀn/ ▸ **p. 372, p. 721** *nprf* (fleuve, département) **l'~** the Orne
orné, ~e /ɔʀne/
A *pp* ▸ **orner**
B *pp adj* [*style*] ornate
ornement /ɔʀnəmɑ̃/ *nm* 1 gén ornament; **jardin/arbres/plantes d'~** ornamental garden/trees/plants; 2 (de texte) embellishment; 3 Archit, Art decorative detail; **dessin d'~** decorative illustration; 4 Mus ornament, grace note
(Composé) **~s sacerdotaux** vestments
ornemental, ~e, *mpl* **-aux** /ɔʀnəmɑ̃tal, o/ *adj* ornamental
ornementation /ɔʀnəmɑ̃tasjɔ̃/ *nf* ornamentation
ornementer /ɔʀnəmɑ̃te/ [1] *vtr* to decorate (**de** with), to adorn (**de** with)
orner /ɔʀne/ [1] *vtr* 1 (décorer) [*personne*] to decorate [*maison, jardin*] (**de** with); to trim [*vêtement, chapeau*] (**de** with); 2 (embellir) [*ornement*] to adorn [*maison, jardin, vêtement, chapeau*]; [*personne*] to embellish [*style, texte*] (**de** with); **de belles gravures ornaient les murs** the walls were hung with beautiful prints
ornière /ɔʀnjɛʀ/ *nf* rut; **le chemin est plein d'~s** lit the track is full of ruts; fig the way is full of pitfalls; **sortir de l'~** fig (de la routine) to get out of a rut; (d'une situation difficile) to get out of a difficult *ou* tricky○ situation
ornithologie /ɔʀnitɔlɔʒi/ *nf* ornithology
ornithologique /ɔʀnitɔlɔʒik/ *adj* ornithological
ornithologue /ɔʀnitɔlɔg/ ▸ **p. 532** *nmf* ornithologist; **~ amateur** birdwatcher
ornithorynque /ɔʀnitɔʀɛ̃k/ *nm* (duck-billed) platypus, duckbill US
orogénèse /ɔʀɔʒenɛz/ *nf* orogeny
orogénie /ɔʀɔʒeni/ *nf* Géol, Sci orogeny
orogénique /ɔʀɔʒenik/ *adj* orogenic
orographie /ɔʀɔgʀafi/ *nf* orography
orographique /ɔʀɔgʀafik/ *adj* orographic
oronge /ɔʀɔ̃ʒ/ *nf* agaric; **fausse ~** fly agaric
orpaillage /ɔʀpajaʒ/ *nm* panning for gold
orpailleur /ɔʀpajœʀ/ ▸ **p. 532** *nm* gold panner
Orphée /ɔʀfe/ *npr* Orpheus
orphelin, ~e /ɔʀfəlɛ̃, in/
A *adj* 1 lit (de père et mère) orphan; **être ~** to be an orphan; **être ~ de père/mère** to be fatherless/motherless; 2 fig **se sentir ~** to feel abandoned
B *nm,f* orphan
(Idiome) **défendre la veuve et l'~** to defend the weak
orphelinat /ɔʀfəlina/ *nm* orphanage
orphéon /ɔʀfeɔ̃/ *nm* town band
orphie /ɔʀfi/ *nf* garfish
orphisme /ɔʀfism/ *nm* Orphism
orpin /ɔʀpɛ̃/ *nm* stonecrop
orque /ɔʀk/ *nm ou f* killer whale
ORSEC /ɔʀsɛk/ *adj* (*abbr* = **organisation des secours**) **plan ~** *official emergency measures*

> **Plan ORSEC**
> The permanent emergency evacuation and administration plans for implementation in the event of a natural disaster.

orteil /ɔʀtɛj/ ▸ **p. 196** *nm* toe; **gros ~** big toe
ORTF /ɔɛʀteɛf/ *nf* (*abbr* = **Office de la radiodiffusion-télévision française**) *former name of French broadcasting service*
orthocentre /ɔʀtɔsɑ̃tʀ/ *nm* orthocentre[GB]
orthodontie /ɔʀtɔdɔ̃ti/ *nf* orthodontics (+ *v sg*)
orthodontiste /ɔʀtɔdɔ̃tist/ ▸ **p. 532** *nmf* orthodontist
orthodoxe /ɔʀtɔdɔks/
A *adj* 1 (accepté) orthodox; **méthodes peu ~s** rather unorthodox methods; 2 Relig Orthodox
B *nmf* Relig Orthodox
orthodoxie /ɔʀtɔdɔksi/ *nf* 1 (conformisme) orthodoxy; 2 Relig **l'~** Orthodoxy
orthogénèse /ɔʀtɔʒenɛz/ *nf* orthogenesis
orthogénie /ɔʀtɔʒeni/ *nf* birth control; **centre d'~** family planning clinic
orthogonal, ~e, *mpl* **-aux** /ɔʀtɔgɔnal, o/ *adj* orthogonal
orthographe [➔] /ɔʀtɔgʀaf/ ▸ **p. 589** *nf* 1 (forme écrite) spelling; **quelle est l'~ de...?** how do you spell...?; **avoir une bonne/mauvaise ~** to be good/bad at spelling; 2 Scol (matière) spelling ₵; **être bon en ~** to be good at spelling; **avoir une bonne note en ~** to have a good mark GB *ou* grade US for spelling
orthographier /ɔʀtɔgʀafje/ [2]
A *vtr* to spell; **mot mal orthographié** misspelled word
B **s'orthographier** *vpr* to be spelled
orthographique /ɔʀtɔgʀafik/ *adj* [*règle*] spelling (*épith*), orthographic; **correcteur ~** Ordinat spellchecker
orthokératologie /ɔʀtɔkeʀatɔlɔʒi/ *nf* orthokeratology
orthonormé, ~e /ɔʀtɔnɔʀme/ *adj* orthonormal
orthopédie /ɔʀtɔpedi/ *nf* orthopedics (+ *v sg*); **~ néo-natale/dento-faciale** pediatric/dento-facial orthopedics; **service d'~** orthopedic department
orthopédique /ɔʀtɔpedik/ *adj* orthopedic
orthopédiste /ɔʀtɔpedist/ ▸ **p. 532** *nmf* 1 Méd orthopedic specialist, orthopedist; **chirurgien ~** orthopedic surgeon; 2 (fabricant d'appareils) manufacturer of orthopedic appliances
orthophonie /ɔʀtɔfɔni/ *nf* speech therapy
orthophoniste /ɔʀtɔfɔnist/ ▸ **p. 532** *nmf* speech therapist
orthoptie /ɔʀtɔpsi/ *nf* orthoptics (+ *v sg*)
orthoptiste /ɔʀtɔptist/ ▸ **p. 532** *nmf* orthoptist
ortie /ɔʀti/ *nf* (stinging) nettle; **se piquer aux ~s** to get stung in the nettles; **soupe d'~** nettle soup; ▸ **froc**
(Composé) **~ blanche** white nettle
(Idiome) **faut pas pousser pépé** *or* **mémé dans les ~s**○ that's going a bit far
ortolan /ɔʀtɔlɑ̃/ *nm* ortolan
orvet /ɔʀvɛ/ *nm* slowworm, blindworm
os /ɔs, *pl* o/
A *nm inv* 1 (élément) bone; **avoir de gros ~** to be big-boned; **en chair et en ~** in the flesh; **n'avoir que la peau sur les ~**○ to be all skin and bone; **se rompre les ~**○ to break one's neck○; **de la viande vendue avec/sans ~** meat sold on/off the bone; 2 (matière) bone; **un peigne/manche de couteau en ~** a bone comb/knife handle; **un couteau avec un manche en ~** a bone-handled knife; 3 Géol esker
B *nmpl* (restes mortuaires) **les ~** the remains
(Composés) **~ à moelle** Culin marrowbone; **~ de seiche** Zool cuttlebone
(Idiomes) **l'avoir dans l'~**◑ to be screwed◑, to be unlucky; **il y a un ~**○ there's a hitch; **jusqu'à l'~**○ completely; **donner un ~ à ronger à qn**○ to keep sb busy; **tomber sur un ~**○ to come across a snag; **être trempé jusqu'aux ~**○ to be soaked to the skin○; **s'il continue à boire ainsi, il ne va pas faire de vieux ~** (ne pas vivre longtemps) if he goes on drinking like this, he'll never make old bones; **je ne vais pas faire de vieux ~ ici** (ne pas s'éterniser) I'm not going to hang around here forever
OS /ɔɛs/ *nm*: *abbr* ▸ **ouvrier**
oscar /ɔskaʀ/ *nm* Cin Oscar; Mus, Pub award
oscariser /ɔskaʀize/ [1] *vtr* to award an Oscar to
oscillateur /ɔsilatœʀ/ *nm* oscillator
oscillation /ɔsilasjɔ̃/ *nf* 1 Phys, Télécom oscillation; 2 (balancement) (de pendule, métronome) swinging; (de navire) rocking; (du corps) swaying; 3 (variation) fluctuation; **les ~s de température** temperature fluctuations *ou* swings
oscillatoire /ɔsilatwaʀ/ *adj* oscillatory
osciller /ɔsile/ [1] *vi* 1 (se balancer) [*pendule*] to swing; [*navire*] to rock; [*foule*] to sway; [*tête*] to roll from side to side; 2 (fluctuer) [*monnaie*] to fluctuate; 3 (hésiter) to vacillate (**entre** between)
oscillogramme /ɔsilɔgʀam/ *nm* oscillogram
oscillographe /ɔsilɔgʀaf/ *nm* oscillograph
oscilloscope /ɔsilɔskɔp/ *nm* oscilloscope
osé, ~e /oze/
A *pp* ▸ **oser**
B *pp adj* 1 (licencieux) [*livre, film*] risqué; 2 (audacieux) [*comportement*] daring; [*paroles*] outspoken
oseille /ozɛj/ *nf* 1 Bot, Culin sorrel; 2 ○(argent) dough○, money; **avoir de l'~** to be rolling in it○, to be loaded○
oser /oze/ [1] *vtr* to dare; **elle ose partir** she dares leave; **je n'ose pas demander** I daren't ask, I don't dare ask; **il a osé rester** he dared to stay; **ils n'ont pas osé répondre** they dared not answer, they didn't dare answer; **elle n'osait plus leur parler** she no longer dared speak to them; **comment oses-tu demander?** how dare you ask?; **comment as-tu osé partir?** how did you dare leave?; **répète si tu l'oses!** don't you dare repeat that!; **tu n'oserais pas!** you wouldn't dare!; **je n'ose croire/espérer que** I hardly dare believe/hope that; **j'ose croire que** I'd go so far as to believe that; **j'ose espérer que** I would hope that; **j'oserais dire que** I would venture to say that; **si j'ose dire** if I may say so
oseraie /ozʀɛ/ *nf* willow bed
osier /ozje/ *nm* 1 (arbre) osier; 2 (bois) osier, wicker; **une chaise en ~** a wicker chair
Osiris /oziʀis/ *npr* Osiris
Oslo /ɔslo/ ▸ **p. 894** *npr* Oslo
osmose /ɔsmoz/ *nf* lit, fig osmosis
osmotique /ɔsmɔtik/ *adj* osmotic
osque /ɔsk/ *adj, nm* Oscan
ossature /ɔsatyʀ/ *nf* 1 Anat skeleton; **avoir une forte ~** to be big-boned; **~ du visage** bone structure; 2 Archit, Littérat, Mus, Tech framework; 3 Géol backbone
osséine /ɔsein/ *nf* ossein
osselet /ɔslɛ/ *nm* 1 Anat small bone; **~ de l'oreille** ossicle; 2 ▸ **p. 469** Jeux (pièce) jack, knucklebone; (jeu) **les ~** jacks
ossements /ɔsmɑ̃/ *nmpl* remains
ossète /ɔsɛt/
A *adj* Osset
B ▸ **p. 483** *nm* Ling Ossetic
Ossétie /ɔseti/ ▸ **p. 721** *nprf* **l'~** Ossetia; **~ du Nord/Sud** North/South Ossetian region
osseux, -euse /ɔsø, øz/ *adj* 1 [*personne, visage, charpente*] bony; 2 [*masse, croissance, système, maladie*] bone (*épith*)
ossification /ɔsifikasjɔ̃/ *nf* Biol, Méd ossification
ossifier /ɔsifje/ [2]
A *vtr* to ossify
B **s'ossifier** *vpr* Biol, Méd to ossify

[➔] *voir* Variétés d'anglais

ℹ L'orthographe et la ponctuation

L'alphabet anglais

■ *La liste suivante indique la prononciation de chaque lettre, et donne pour chacune un moyen, parmi d'autres, d'épeler clairement en cas de difficultés. Certains utilisent pour cela l'alphabet des pilotes, d'autres celui des téléphonistes présenté ci-dessous.*

A [eɪ]	A for Alpha	O [əʊ]	O for Oscar
B [biː]	B for Bravo	P [piː]	P for Papa
C [siː]	C for Charlie	Q [kjuː]	Q for Quebec
D [diː]	D for Delta	R [ɑː(r)]	R for Romeo
E [iː]	E for Echo	S [es]	S for Sierra
F [ef]	F for Foxtrot	T [tiː]	T for Tango
G [dʒiː]*	G for Golf	U [juː]	U for Uniform
H [eɪtʃ]	H for Hotel	V [viː]	V for Victor
I [aɪ]	I for India	W [ˈdʌbljuː]	W for Whiskey
J [dʒeɪ]*	J for Juliet	X [eks]	X for X-ray
K [keɪ]	K for Kilo	Y [waɪ]	Y for Yankee
L [el]	L for Lima	Z [zed] (*GB*)	Z for Zulu
M [em]	M for Mike	*ou* [ziː] (*US*)	
N [en]	N for November		

Pour épeler

A majuscule
= capital A

a minuscule
= small a

ça s'écrit avec un A majuscule
= it has got a capital A

en majuscules
= in capital letters *ou* in capitals

en minuscules
= in small letters

deux l
= double l

deux n
= double n

deux t
= double t

à (a accent grave)	= a grave	[eɪ grɑːv]
é (e accent aigu)	= e acute	[iː əˈkjuːt]
è (e accent grave)	= e grave	[iː grɑːv]
ê (e accent circonflexe)	= e circumflex	[iː ˈsɜːkəmfleks]
ë (e tréma)	= e diaeresis (*on dira parfois, plus simplement*: e with two dots)	[iː daɪˈerəsɪs]
ù (u accent grave)	= u grave	[juː grɑːv]
ç (c cédille)	= c cedilla	[siː sɪˈdɪlə]
l' (l apostrophe)	= l apostrophe	[el əˈpɒstrəfi]
d' (d apostrophe)	= d apostrophe	[diː əˈpɒstrəfi]
- (trait d'union)	= hyphen	[ˈhaɪfn]

"rase-mottes" s'écrit avec un trait d'union
= "rase-mottes" has a hyphen

Pour dicter la ponctuation

un point	.	= full stop (*GB*) *ou* period (*US*)
à la ligne		= new paragraph
virgule	,	= comma
deux points	:	= colon†
point-virgule	;	= semi-colon†
point d'exclamation	!	= exclamation mark (*GB*) *ou* exclamation point (*US*)†
point d'interrogation	?	= question mark†
ouvrez la parenthèse	(	= open brackets
fermez la parenthèse	)	= close brackets
entre parenthèses	()	= in brackets
entre crochets	[ ]	= in square brackets
tiret	-	= dash
points de suspension	...	= three dots (*GB*) *ou* suspension points (*US*)
ouvrez les guillemets	"*ou*' ‡	= open inverted commas (*GB*) *ou* open quotation marks (*US*)
fermez les guillemets	"*ou*'	= close inverted commas (*GB*) *ou* close quotation marks (*US*)
entre guillemets	"" *ou* ''	= in inverted commas (*GB*) *ou* in quotation marks (*US*) *ou* in quotes

La ponctuation des dialogues

■ *La ponctuation des dialogues n'est pas la même dans les deux langues.*

■ *En français, le dialogue commence par le signe « (maintenant souvent remplacé par un tiret, ou par "), chaque prise de parole est signalée par un tiret, le dialogue est clos par » (ou par ") et les interventions du narrateur (dit-il, remarqua-t-elle etc.) ne sont pas séparées du dialogue par un quelconque signe de ponctuation. En anglais, chaque prise de parole commence par " ou ', et se termine par " ou '. Ces mêmes signes sont utilisés avant et après chaque intervention du narrateur à l'intérieur d'une réplique. Exemple:*

"Well, I don't know," she said, "what to make of all this!"

* *Noter que les francophones confondent souvent les prononciations anglaises de* G *et de* J.

† *Noter qu'en anglais les deux points, le point-virgule, le point d'exclamation et le point d'interrogation ne sont pas précédés par un espace.*

Il a dit oui ; je ne sais pas pourquoi.
= He said he would; I don't know why.

Voici pourquoi : je n'ai pas pu !
= This is why: I could not!

‡ *Noter que les guillemets anglais (" " ou ' ') sont placés au dessus de la ligne*

osso buco* /ɔsobuko/ *nm* osso bucco
ossu, **~e** /ɔsy/ *adj* big-boned
ossuaire /ɔsɥɛʀ/ *nm* ossuary
ostéalgie /ɔstealʒi/ *nf* ostalgia
ostéite /ɔsteit/ ▸ **p. 283** *nf* osteitis
ostensible /ɔstɑ̃sibl/ *adj* obvious
ostensiblement /ɔstɑ̃sibləmɑ̃/ *adv* (manifestement) obviously; (sans se cacher) openly
ostensoir /ɔstɑ̃swaʀ/ *nm* monstrance
ostentation /ɔstɑ̃tasjɔ̃/ *nf* ostentation
ostentatoire /ɔstɑ̃tatwaʀ/ *adj* ostentatious
ostéoblaste /ɔsteoblast/ *nm* osteoblast
ostéodensitométrie /ɔsteodɑ̃sitɔmetʀi/ *nf* bone densitometry
ostéogenèse /ɔsteoʒənɛz/ *nf* osteogenesis
ostéologie /ɔsteolɔʒi/ *nf* osteology
ostéolyse /ɔsteoliz/ *nf* osteolysis
ostéomyélite /ɔsteomjelit/ ▸ **p. 283** *nf* osteomyelitis
ostéopathe /ɔsteopat/ ▸ **p. 532** *nmf* osteopath
ostéopathie /ɔsteopati/ *nf* osteopathy
ostéophyte /ɔsteofit/ *nm* osteophyte
ostéoplastie /ɔsteoplasti/ *nf* osteoplasty
ostéoporose /ɔsteopɔʀoz/ ▸ **p. 283** *nf* osteoporosis
ostéosarcome /ɔsteosaʀkom/ *nm* osteosarcoma
ostéotomie /ɔsteotɔmi/ *nf* osteotomy
ostracisme /ɔstʀasism/ *nm* ostracism; Pol **être frappé d'~** to be ostracized
ostréicole /ɔstʀeikɔl/ *adj* oyster-farming
ostréiculteur, **-trice** /ɔstʀeikyltœʀ, tʀis/ ▸ **p. 532** *nm,f* oyster farmer
ostréiculture /ɔstʀeikyltyʀ/ *nf* oyster farming, ostreiculture spéc
ostrogoth, **~e** /ɔstʀɔgo, ɔt/
A *adj* Ostrogothic
B *nm* fig barbarian
Ostrogoths /ɔstʀɔgo/ *nprmpl* Ostrogoths
otage /ɔtaʒ/ *nm* gén, Pol hostage; **être pris en ~** to be taken hostage; **prise d'~s** hostage-taking; **plusieurs prises d'~s** several instances of hostage-taking; **les grévistes tiennent les voyageurs en ~** fig the strikers are holding the passengers to ransom
OTAN /ɔtɑ̃/ *nf* (*abbr* = **Organisation du traité de l'Atlantique Nord**) NATO
otarie /ɔtaʀi/ *nf* eared seal, otary
OTASE /ɔtaz/ *nf* (*abbr* = **Organisation du traité de l'Asie du Sud-Est**) SEATO
ôter /ote/ [1]
A *vtr* **1** (se débarrasser de) to take off [*vêtement, lunettes*]; to remove [*arête, étiquette, tache*] (**de** from); **~ le couvert** to clear the table; **ôte tes pieds du fauteuil** take your feet off the chair; **cela m'ôte un poids (de la poitrine)** that's a load off my mind; **ça ôte de son amertume au thé** it makes tea less bitter; ▸ **épine**, **pain**; **2** (retirer) fml **~ qch à qn** to take sth away from sb; **~ l'appétit à qn** to take away *ou* spoil sb's appetite; **~ tout espoir à qn** to dash sb's hopes; **~ la vie à qn** to take sb's life; **~ à qn l'envie de recommencer** to cure sb of any desire to try it again; **ôtez-leur cette idée de la tête** get that idea out of their heads; **on ne m'ôtera pas de l'idée qu'ils le savaient** I'm still convinced that they knew; **ce qui ne lui ôte rien de son charme/sa saveur** which doesn't in any way detract from its charm/flavour[GB]; **3** Math (retrancher) to take [sth] (**à** away from); **4 ôté de 9, il reste 5** 9 minus *ou* less *ou* take away 4 leaves 5
B s'ôter *vpr* **1** (s'enlever) fml **s'~ qch de l'esprit** *or* **la tête** to get sth out of one's mind *ou* head; **2** (se déplacer) **ôte-toi de là!** move!
otite /ɔtit/ ▸ **p. 283** *nf* inflammation of the ear, otitis spéc; **avoir une ~** to have earache, to have otitis spéc; **~ externe/interne** inflammation of the outer/inner ear
otologie /ɔtɔlɔʒi/ *nf* otology
oto-rhino○, *pl* **~s*** /ɔtoʀino/ *nmf* (*abbr* = **oto-rhino-laryngologiste**) ENT specialist
oto-rhino-laryngologie* /ɔtoʀinolaʀɛ̃gɔlɔʒi/ *nf* ENT, otorhinolaringology
oto-rhino-laryngologiste, *pl* **~s*** /ɔtoʀinolaʀɛ̃gɔlɔʒist/ ▸ **p. 532** *nmf* ENT specialist
otorragie /ɔtɔʀaʒi/ *nf* otorrhagia
otorrhée /ɔtɔʀe/ *nf* otorrhea
otoscope /ɔtɔskɔp/ *nm* otoscope
Ottawa /ɔtawa/ ▸ **p. 894** *npr* Ottawa
ottoman, **~e** /ɔtɔmɑ̃, an/
A *adj* Hist Ottoman
B *nm* Tex ottoman
C ottomane *nf* (fauteuil) ottoman
Ottoman, **~e** /ɔtɔmɑ̃, an/ *nm,f* Ottoman
ou /u/ *conj* **1** (choix) or; **désirez-vous boire de la bière ~ (bien) du vin?** would you like to

O

drink beer or wine?; **tu pourrais lui offrir un collier, ~ (bien) une montre** you could give her a necklace, or (else) a watch; **tu entres ~ tu sors?** are you coming in or are you going out?; **est-ce que tu viens ~ pas?** are you coming or not?; **Istanbul ~ Constantinople** Istanbul or Constantinople; **tu te moques de moi ~ quoi?** are you making fun of me or what?; **donnons-nous rendez-vous à la Sorbonne, ~ plutôt non, au Panthéon** let's meet at the Sorbonne, or rather at the Pantheon; **je me contenterais d'un petit appartement ~ même d'une chambre** I would be happy with a small apartment, or even just a room; **tu peux venir me prendre chez moi, ~ alors on s'attend devant le cinéma** you can pick me up at home or else we'll meet outside the cinema; **fatigué ~ pas, il faut bien rentrer à la maison** tired or not, we have to go home; **que ça vous plaise ~ non** whether you like it or not; **je peux vous proposer du gin, du cognac ~ (encore) de la vodka** I can offer you gin, brandy or vodka; **2** (choix unique) or; **~ (bien)… ~ (bien)…** either… or…; **~ (bien) vous éteignez votre cigarette, ~ (bien) vous sortez** either you put out your cigarette or you leave the room; **~ bien il est très timide, ~ il est très impoli** he's either very shy or very rude; **de deux choses l'une, ~ il est étourdi ~ (bien) il est bête** it's one of two things, he's either absent-minded or he's stupid; **3** (évaluation) or; **il y avait trois ~ quatre cents personnes dans la salle** there were three or four hundred people in the room; **ils vont rester deux ~ trois jours** they'll stay two or three days

où /u/

A *adv inter* **1** lit where; **~ travailles-/vas-tu?** where do you work/are you going?; **je me demande/j'aimerais savoir ~…** I wonder/I'd like to know where…; **~ est-ce que tu vas?** where are you going?; **~ ça?** where's that?; **~ donc?** where on earth○?; **je l'ai perdu je ne sais ~** I've lost it somewhere or other; **elle l'a rencontré je ne sais ~** God knows where she met him; **par ~ êtes-vous passés pour venir?** which way did you come?; **pour ~ est-il parti?** where has he left for?; **vers ~ s'est-il dirigé?** which way did he go?; **je ne sais pas d'~ elle vient** I don't know where she comes from

2 fig where; **~ en étais-je?** where was I?; **~ en êtes-vous?** (à quel stade) where have you got to?; (comment ça va) how is it going?; **tu vois ~ je veux en venir?** you see what I am getting at?; **~ allons-nous?** (quelle époque!) what are things coming to!; **d'~ vient cette habitude?** where does this habit come from?; **d'~ tenez-vous que?** where did you get the idea that?

B *pron rel* **1** (locatif) where; **le quartier ~ nous habitons** the area we live in, the area in which we live; **un lieu** *or* **endroit ~ faire** a place *ou* somewhere to do; **trouver un endroit ~ dormir** to find a place *ou* somewhere to sleep; **la région d'~ ils se sont enfuis** the area from which they escaped *ou* they escaped from; **nous sommes montés jusqu'au sommet, d'~ il y a une vue magnifique** we went all the way to the summit, from where there was a magnificent view; **d'~ s'élevait de la fumée** out of which smoke was rising; **les villes par ~ nous sommes passés** the towns we passed through; **~ tu iras, j'irai** where *ou* wherever you go, I'll go; **ils sont allés ~ vous leur avez dit** they went where you told them to; **j'ai décidé de rester ~ je suis** I've decided to stay where I am; **~ qu'ils aillent/qu'elle soit** wherever they go/she is; **d'~ que vous veniez** wherever you come from

2 (abstrait) **le monde ~ j'allais pénétrer** the world (which *ou* that) I was about to enter; **le chagrin ~ elle se trouvait** the grief (which *ou* that) she was experiencing; **la misère ~ elle se trouvait** the poverty in which she was living, the poverty she was living in; **elle entre dans une famille ~ tout est différent** she's joining a family where *ou* in which everything's different; **l'école d'~ elle sort est très réputée** the school she went to is very well-known; **au train** *or* **au rythme** *or* **à l'allure ~ vont les choses** (at) the rate things are going; **le travail s'est accumulé, d'~ ce retard** there is a backlog of work, hence the delay; **d'~ l'on peut conclure que** from which we can conclude that; **d'~ leur colère** hence their anger

3 (temporel) when; **il fut un temps/je me souviens de la fois ~** there was a time/I remember the time when; **elle est à l'âge ~** she's at the age when *ou* where; **le matin ~ je l'ai rencontré** the morning I met him; **~ il se trompe, c'est lorsqu'il s'imagine que** where he goes wrong is in thinking that; **à l'instant ~ tu m'as appelé** just when you rang; **~ j'ai craqué, c'est quand on m'a refusé une augmentation** what made me flip was when they refused to give me a rise; **~ on voit le héros…** (en tête de chapitre) where we see the hero…

> **i où**
>
> *où* adverbe de lieu se traduit généralement par *where* dans les interrogations directes ou indirectes:
>
> ***où es-tu?***
> = where are you?
>
> ***sais-tu où il est?***
> = do you know where he is?
>
> Lorsque la traduction du verbe de la proposition relative introduite par *où* pronom relatif est un verbe à particule, trois traductions sont possibles:
>
> ***la ville où nous sommes passés***
> = the town we passed through
> *ou* the town that we passed through
> *ou* the town which we passed through
> *ou* the town through which we passed
>
> Les trois premières traductions sont utilisées dans la langue courante, parlée ou écrite; la quatrième traduction sera préférée dans une langue plus soutenue, surtout écrite.
>
> Pour simplifier la lecture des exemples, une seule traduction sera fournie mais il est toujours possible de générer les variantes sur les modèles donnés ci-dessus.
>
> Lorsque *où* pronom relatif a une valeur temporelle, souvent il ne se traduit pas:
>
> ***au moment où j'allais partir***
> = at the moment I was about to leave
>
> ou bien il se traduit par *when*:
>
> ***c'était l'époque où j'habitais à Oxford***
> = that was (the time) when I lived in Oxford
>
> Attention, lorsque la proposition relative est au futur en français, elle est au présent en anglais:
>
> ***le jour où elle arrivera***
> = the day she arrives
>
> ***un jour où tu auras le temps***
> = one day when you have time
>
> Pour les emplois abstraits et temporels de *où*, reportez-vous à l'article ci-dessous.

OUA /oya/ *nf* Hist (*abbr* = **Organisation de l'unité africaine**) OAU

Ouagadougou /uagadugu/ ▸ **p. 894** *npr* Ouagadougou

ouah○ /wa/ *excl* wow○!

ouailles /waj/ *nfpl* Relig flock (*sg*); **une de mes ~** one of my flock

ouais○ /wɛ/ *adv* yes, yeah○; **ah ~?** oh yeah?; **~, ~, j'arrive!** OK, OK○, I'm coming!; **~, moi je n'y crois pas** well, I don't believe it myself

ouananiche /wananiʃ/ *nf* Can landlocked salmon

ouaouaron /wawaʀɔ̃/ *nm* Can bull frog

ouate /wat/ *nf* **1** Pharm cotton wool GB, cotton US; **2** Tex wadding; **~ de cellulose** cellulose wadding; **doublé d'~** wadded

(Composés) **~ chirurgicale** Pharm surgical cotton wool GB, surgical cotton US; **~ hydrophile** Pharm cotton wool GB, absorbent cotton US

ouaté, **~e** /wate/

A *pp* ▸ **ouater**

B *pp adj* **1** Tex [*vêtement, tissu*] wadded; **2** fig [*ambiance*] cocoon-like; [*bruit, pas*] muffled

ouater /wate/ [1] *vtr* Tex to wad

ouatine /watin/ *nf* wadding, padding

ouatiné, **~e** /watine/ *adj* Tex [*doublure, robe de chambre*] quilted

oubli /ubli/ *nm* **1** (fait d'oublier) **l'~ de qch** gén forgetting sth; (de devoir) neglect of sth; **l'~ des autres** forgetting other people; **elle cherche l'~ dans la boisson** she drinks to forget; **le temps apporte l'~** time passes and men forget; **2** (omission) **c'est un simple ~** it's just an oversight; **cet ouvrage contient de regrettables ~s** there are some regrettable omissions in this work; **3** (anonymat après la mort) oblivion littér; **tirer qch/qn de l'~** to rescue sth/sb from oblivion; **tomber dans l'~** to be completely forgotten, to sink into oblivion

(Composé) **~ de soi(-même)** selflessness

oublié, **~e** /ublije/ *nm,f* **les ~s de la société** those who are overlooked by society *ou* left out in the cold

oublier /ublije/ [2]

A *vtr* **1** (ne pas se souvenir de) to forget [*nom, date, fait*]; (ne pas penser à) to forget about [*soucis, famille, incident*]; (ne pas prendre) to leave; **j'ai oublié mes clés/mon parapluie chez elle** I've left my keys/my umbrella at her house; **n'oublie pas ton parapluie** don't forget your umbrella; **quand je travaille, j'oublie l'heure** when I'm working, I forget about the time; **le plombier nous a oubliés** the plumber has forgotten us; **ah, j'oubliais, Isabelle a téléphoné** oh, I nearly forgot, Isabelle phoned; **elle a oublié ce qu'elle voulait dire** she's forgotten *ou* she can't remember what she wanted to say; **rien ne pourra me faire ~ ce moment** I shall never forget that moment, nothing can efface the memory of that moment littér; **son enthousiasme fait ~ son âge** she is so enthusiastic, you forget her age; **~ de faire/pourquoi/comment** to forget to do/why/how; **~ que** to forget that; **se faire ~** to keep a low profile, to lie low○; **2** (omettre) to leave [sth] out, to forget [*personne, détail, virgule*]; **tu oublies de dire que** you forget *ou* omit to mention that; **mon nom a été oublié de la liste** they've left my name off the list; **3** (négliger) to forget, to neglect [*devoir, ami*]

B **s'oublier** *vpr* **1** [*souvenir, fait*] to be forgotten; **ce sont des choses qui ne s'oublient pas** these things can't be forgotten, it's not the sort of thing you forget; **2** (négliger de se servir) to leave oneself out; **3** fml (perdre le sens des convenances) to forget oneself; **4** euph (faire ses besoins) [*enfant, chien*] to have an accident euph

oubliettes /ublijɛt/ *nfpl* oubliette (*sg*)

(Idiomes) **tomber dans les ~** to be forgotten; **tomber dans les ~ de l'histoire** to become a forgotten page in the history books; **mettre** *or* **jeter qch aux ~** to consign sth to oblivion

oublieux, **-ieuse** /ublijø, øz/ *adj* forgetful (**de** of)

oued /wɛd/ *nm* Géog wadi

ouest /wɛst/ ▸ **p. 648**

A *adj inv* [*façade, versant, côte*] west; [*frontière, zone*] western

B *nm* **1** (point cardinal) west; **à l'~ de Paris** [*être,* *habiter*] west of Paris; **vers l'~** [*aller, naviguer*] west, westward; **un vent d'~** a westerly wind; **exposé à l'~** west-facing (*épith*); 2▸ (région) west; **dans l'~ de la France** [*se situer, avoir lieu, habiter, voyager*] in the west of France; [*aller, se rendre*] to the west of France; **l'~ du Japon** western Japan; 3▸ Géog, Pol **l'Ouest** the West; **vivre dans l'Ouest** to live in the West; **venir de l'Ouest** to come from the West; **de l'Ouest** [*ville, accent*] western

ouest-allemand, **~e**, *mpl* **~s** /wɛstalmɑ̃, ɑ̃d/ *adj* West German

ouf /uf/
A *nm* **faire ~, pousser un ~ (de soulagement)** to breathe a sigh of relief; **pousser un grand ~** to heave a great sigh of relief; **je n'ai pas eu le temps de dire ~ de toute la matinée** (souffler) I haven't had time to turn round all morning; **je n'ai pas eu le temps de dire ~, il était déjà parti** before I could say Jack Robinson, he'd gone
B *excl* phew!

Ouganda /ugɑ̃da/ ▸ p. 333 *nprm* Uganda

ougandais, **~e** /ugɑ̃dɛ, ɛz/ ▸ p. 561 *adj* Ugandan

Ougandais, **~e** /ugɑ̃dɛ, ɛz/ ▸ p. 561 *nm,f* Ugandan

ougrien, **-ienne** /ugʀijɛ̃, ɛn/ *adj* Ling Ugric

oui /wi/

> ⚠ En anglais la réponse *yes* est généralement renforcée en reprenant le verbe utilisé pour poser la question: *are you happy? yes, I am; do you like Brahms? yes, I do*

A *adv* 1▸ (marque l'accord) yes; (dans la marine) aye, aye; (à la cérémonie du mariage) I do; **mais ~!** yes!; **~ mais** yes, but; **bien sûr que ~!** yes, of course!; **alors c'est ~?** so the answer is yes?; **~ et non** yes and no; **acceptera-t-il ~ ou non de me rencontrer?** will he agree to meet me or not?; **découvrir si ~ ou non** to discover whether or not; **êtes-vous d'accord? si ~, dites pourquoi** do you agree? if so, say why; **dire ~ à qch** (par conviction) to welcome sth; (par nécessité) to agree to sth; **~ à l'Europe** 'yes' to Europe; **j'ai dit ~ tout de suite** I said yes *ou* I agreed at once; **j'ai attendu avant de dire ~ à leur proposition** I waited before agreeing to their proposal; **ne dire ni ~ ni non** to say neither yes nor no; **répondez par ~ ou par non** answer yes or no; **faire ~ de la tête** to nod; 2▸ (renforce une constatation) yes; **un changement, ~, mais surtout une amélioration** a change, yes, but above all an improvement; **lui, prudent? un lâche, ~!** him, cautious? a coward, more like○!; **elle est radin○, ~, radin!** she's stingy, she really is stingy!; **eh ~, c'est comme ça!** well, that's just the way it is!; **eh bien ~, j'ai triché, et alors?** OK, I cheated—so what?; 3▸ (marque l'insistance) yes; **~, nous voulons la guerre** yes, we do want war; **dans un livre que j'ai lu récemment, oui, je lis des livres** in a book I read recently, because I do read books you know; **tu viens, ~?** are you coming?; **tu viens, ~ ou non?** are you coming? yes or no?; **tu viens, ~ ou merde◑?** are you coming or not, damn it◑?; **c'est bientôt fini, ~?** are you going to stop that or not?; 4▸ (marque une transition) yes; **~, tu disais?** yes, you were saying?; **'je voudrais...'—'~, vas-y, dis-le!'** 'I'd like...'—'yes *ou* well, go on, say it!'; **~, ~, tu dis ça et puis tu ne le feras pas** yeah, yeah○, that's what you say, but you won't do it; 5▸ (remplace une proposition) **je crois que ~** *or* **qu'~**○ I think so; **'il a réussi?'—'je crois que ~'** 'has he succeeded?'—'I think so'; **'ils sont partis?'—'je crains que ~'** 'have they left?'—'I'm afraid so'; **tu ne le crois pas, moi ~** you don't believe it, but I do
B *nm inv* 1▸ (accord) yes; **elle répondit d'un ~ timide** she answered with a timid yes; **le '~ mais' de M. Axel à notre proposition** Mr Axel's qualified 'yes' to our proposal; 2▸ (vote positif) 'yes' vote; **en votant ~, vous dites ~ à la démocratie** a 'yes' vote is a vote for democracy; **le '~' a recueilli 60% des suffrages** the 'yes' vote was 60%, 60% voted 'yes' *ou* in favour[GB]; **50 ~ sur 57 votants** 50 votes in favour[GB] out of 57 votes cast; **l'éclatante victoire des '~'** the sweeping victory of those in favour[GB]; **le ~ l'a emporté** the yes-vote has won

(Idiome) **pour un ~ (ou) pour un non** [*s'absenter, s'énerver*] for the slightest thing; [*changer d'avis*] at the drop of a hat

oui-da† /wida/ *adv* yes indeed

ouï-dire /widiʀ/ *nm inv* hearsay; **par ~** by hearsay

ouïe /wi/ *nf* 1▸ Physiol hearing ¢; **avoir l'~ fine** to have good hearing; **être tout ~** to be all ears; 2▸ Zool (de poisson) gill; 3▸ Mus (de violon) sound hole; 4▸ Mécan inlet; 5▸ Aviat (prise d'air) gill

ouïgour /wiguʀ/ ▸ p. 483 *adj inv, nm* Uighur

ouille /uj/
A *nm inv* ouch; **pousser un ~ de douleur** to cry out in pain
B *excl* ouch!

ouïr† /wiʀ/ [38] *vtr* to hear; **oyez bonnes gens!** oyez! oyez! oyez!; **j'ai ouï dire que** word has reached me that

ouiste /wist/ *nmf* Pol yes-voter *in referendums*

ouistiti /wistiti/ *nm* 1▸ Zool marmoset; 2▸ ○(personne) **un (drôle de) ~** a funny guy

oukase /ukɑz/ *nm* 1▸ Hist ukase; 2▸ (ordre) decree

Oulan-Bator /ulɑ̃batɔʀ/ ▸ p. 894 *npr* Ulan Bator

ouléma /ulema/ *nm* ▸ **ulema**

Oulipo /ulipo/ *nm* (*abbr* = **Ouvroir de littérature potentielle**) Workshop of Potential Literature (*French literary circle created in 1960*)

ouragan /uʀagɑ̃/ *nm* 1▸ Météo hurricane; 2▸ (tumulte) storm; **déclencher un ~** to create a storm

(Idiome) **arriver/passer comme un ~** to arrive/pass through like a hurricane

Oural /uʀal/ *nprm* 1▸ ▸ p. 721 (région) **l'~** the Urals (*pl*); **les monts ~** the Ural mountains; 2▸ ▸ p. 372 (fleuve) **l'~** the Ural

ouralo-altaïque /uʀaloaltaik/ *adj, nm* Ling Uralic-Altaic

ourdir /uʀdiʀ/ [3] *vtr* 1▸ (tramer) to hatch [*complot, conspiration*]; to weave [*intrigue*]; 2▸ Tex to warp

ourdou /uʀdu/ ▸ p. 483 *adj inv, nm* Ling Urdu

ourler /uʀle/ [1] *vtr* to hem; **mouchoir/drap ourlé** hemmed handkerchief/sheet

ourlet /uʀlɛ/ *nm* 1▸ Cout hem; **faire un ~ à** to put a hem on; **~ à festons/plat** scallop/plain hem; ▸ **faux[1]**; 2▸ Tech (de plaque, tôle) rim

(Composé) **~ de l'oreille** Anat helix

ours /uʀs/ *nm inv* 1▸ Zool bear; **chasse à l'~** bear hunting ¢; ▸ **cage**; 2▸ (personne) **il est un peu ~** he's a bit surly; 3▸ Presse ≈ masthead

(Composés) **~ blanc** Zool polar bear; **~ brun** Zool brown bear; **~ mal léché** boor; **~ de mer** Zool Northern fur seal; **~ en peluche** Jeux teddy bear; **~ polaire** = **~ blanc**

(Idiome) **vendre la peau de l'~ avant de l'avoir tué** Prov to count one's chickens before they're hatched

ourse /uʀs/ *nf* Zool she-bear

Ourse /uʀs/ *nprf* Astron **la Grande ~** the Plough GB, the Big Dipper US, Ursa Major spéc; **la Petite ~** the Little Bear GB, the Little Dipper US, Ursa Minor spéc

oursin /uʀsɛ̃/ *nm* Zool (sea) urchin

ourson /uʀsɔ̃/ *nm* Zool bear cub

oust(e) /ust/ *excl* **(allez) ~!** out!

outarde /utaʀd/ *nf* Zool gén bustard; (oie sauvage) Canada goose

outil /uti/ *nm* Tech tool; **~s de jardinage/de plombier** gardening/plumbing tools

(Composés) **~ logiciel** software tool; **~ pédagogique** teaching tool; **~ de production** production tool; **~ de travail** work tool

(Idiome) **à méchant ouvrier point de bon ~** Prov a bad workman always blames his tools

outillage /utijaʒ/ *nm* tools (*pl*); **~ agricole/industriel** farming/industrial tools

outiller /utije/ [1]
A *vtr* to equip [*personne, usine*]; **nous ne sommes pas outillés pour faire** we do not have the right tools to do
B **s'outiller** *vpr* [*personne*] to equip oneself

outilleur /utijœʀ/ ▸ p. 532 *nm* toolmaker

outrage /utʀaʒ/ *nm* insult; **faire ~ à** to be an insult to [*personne, réputation, mémoire*]; to be an affront to [*raison, morale*]

(Composés) **~ à agent** *verbal assault of a policeman*; **~ aux bonnes mœurs** affront to public decency; **~ à magistrat** contempt ¢ of court; **~ à la pudeur** indecency ¢

outragé, **~e** /utʀaʒe/
A *pp* ▸ **outrager**
B *pp adj* [*personne*] outraged; **prendre un air ~** to assume an air of outrage

outrageant, **~e** /utʀaʒɑ̃, ɑ̃t/ *adj* [*parole, comportement*] offensive

outrager /utʀaʒe/ [13] *vtr* 1▸ gén to offend [*personne*]; to be an affront to [*bonnes mœurs, morale*]; **se sentir outragé** to feel affronted; 2▸ (physiquement) to abuse [*personne*]

outrageusement /utʀaʒøzmɑ̃/ *adv* (de façon outrageuse) in an outrageous manner; (excessivement) outrageously

outrageux, **-euse** /utʀaʒø, øz/ *adj* liter outrageous

outrance /utʀɑ̃s/ *nf* 1▸ (excès) excess; **les ~s d'une comédie/d'un adolescent** the excesses of a comedy/of a teenager; **commettre une ~ de langage** to use extreme language ¢; 2▸ (caractère excessif) excessiveness; **l'~ de tes propos/ton langage** the extreme nature of your remarks/your language; **pousser la conscience professionnelle jusqu'à l'~** to take one's conscientiousness to extremes; **polémiquer/manger à ~** to argue/eat excessively; **le sport/la lecture à ~** excessive sport/reading; **investir/licencier à ~** to make too many investments/redundancies

outrancier, **-ière** /utʀɑ̃sje, ɛʀ/ *adj* [*personne, propos, caractère*] extreme

outre[1] /utʀ/
A *prép* (en plus de) in addition to; **~ les problèmes mentionnés/cette mesure** in addition to the problems mentioned/this measure; **~ (le fait) qu'il écrit, il illustre ses livres** as well as writing, he also illustrates his books; **~ (le fait) qu'elles sont illégales, ces activités ne sont pas rentables** as well as being illegal, the activities are not profitable
B *adv* **passer ~** to pay no heed; **elle sait que c'est interdit mais elle passe ~** she knows it's forbidden but she pays no heed *ou* carries on regardless; **passer ~ à** to disregard *ou* override [*loi, décision, objection*]
C **outre mesure** *loc adv* unduly; **cela ne m'inquiète/m'étonne pas ~ mesure** it doesn't worry me/surprise me unduly
D **en outre** *loc adv* in addition; **cette machine nous permettra, en ~, de faire** in addition, this machine will allow us to do

outre[2] /utʀ/ *nf* goatskin

(Idiome) **être plein comme une ~**○ to be full to bursting

outré, **~e** /utʀe/
A *pp* ▸ **outrer**
B *pp adj* 1▸ (indigné) [*personne, regards, protestations*] outraged; **être ~** to be outraged **(par, de at)**; **prendre un air ~** to look deeply offended; 2▸ (exagéré) [*compliments, propos, description*] extravagant

outre-Atlantique /utʀatlɑ̃tik/ *adv* in America; **d'~** [*presse, chanteur*] American

outrecuidance /utʀəkɥidɑ̃s/ *nf* **1** (impertinence) impertinence; **avec ~** impertinently; **2** (présomption) presumptuousness; **avec ~** presumptuously

outrecuidant, ~e /utʀəkɥidɑ̃, ɑ̃t/ *adj* **1** (impertinent) impertinent; **2** (présomptueux) presumptuous

outre-Manche /utʀəmɑ̃ʃ/ *adv* across the Channel, in Britain; **d'~** [*presse, chanteur*] British

outremer /utʀəmɛʀ/ ▸ **p. 202** *adj inv, nm* ultramarine

outre-mer /utʀəmɛʀ/ *adv* overseas

outrepasser /utʀəpase/ [1] *vtr* to exceed [*droits, fonctions, prérogatives, devoir, pouvoir*]; to overstep [*limites, ordres*]

outrer /utʀe/ [1] *vtr* **1** (indigner) to outrage; **je suis outré par leur attitude, leur attitude m'a outré** I was outraged by their attitude; **2** (exagérer) [*personne*] to exaggerate [*comportement, vérité, description*]

outre-Rhin /utʀəʀɛ̃/ *adv* across the Rhine; **la presse d'~** the German press

outre-tombe /utʀətɔ̃b/ *adv* **d'~** [*pâleur*] deathly; **une voix d'~** a voice from beyond the grave

outsider /utsajdœʀ/ *nm* (tous contextes) outsider

ouvert, ~e /uvɛʀ, ɛʀt/
A *pp* ▸ **ouvrir**
B *pp adj* **1** (non fermé) [*porte, bouche, magasin, blessure, chemise*] open; **rester ~** to stay open; **c'est ~** it's open; **grand ~** wide open; **~ au public** open to the public; **~ à la circulation/à la navigation** open to traffic/for shipping; **chemise à col ~** open-necked shirt; **(la) bouche ~e** [*rester, écouter, regarder*] gén with one's mouth open; (d'étonnement) open-mouthed; **il avait la bouche ~e** gén his mouth was open; (d'étonnement) he was open-mouthed; **avoir/garder les yeux ~s** (ne pas s'endormir) to be/stay awake; (être attentif) to have/keep one's eyes open; ▸ **porte, tombeau**; **2** (en marche) [*lumière, gaz*] on (*jamais épith*); [*robinet*] running; **laisser la lumière ~e** to leave the light on; **laisser le robinet (d'eau) ~** to leave the tap GB *ou* faucet US running; **3** (inauguré) [*saison, séance, tunnel*] open; **4** (destiné) **~ à** [*centre, service*] open to; **~ aux jeunes de 13 à 19 ans** open to teenagers; **5** (déclaré) [*guerre, conflit, hostilité*] open; **être en conflit ~ avec qn** to be in open conflict with sb; **6** (franc) [*personne, caractère, jeu, dialogue*] open; **7** (réceptif) [*personne, esprit*] open (**à** to); **être ~ aux idées nouvelles/compromis** to be open to new ideas/compromise; **à l'esprit très ~** very open-minded; **8** (épanoui) [*fleur*] open; **9** (non résolu) [*question*] open; **la question reste ~e** the question remains open; **10** (non limitatif) [*série, question, programme*] open-ended; **11** Ling, Phon [*classe, voyelle, syllabe*] open

ouvertement /uvɛʀtəmɑ̃/ *adv* gén openly; (de manière éhontée) blatantly

ouverture /uvɛʀtyʀ/ *nf* **1** (action d'ouvrir) opening; **soyez prudent à l'~ du paquet** be careful when opening the parcel; **l'~ de la porte/de mon compte n'a pas été facile** opening the door/my account was not easy; **~ du testament** Jur reading of the will; **~ d'une information judiciaire** Jur opening of a judicial investigation; **~ d'un droit** Prot Soc granting of entitlement to benefits; **2** (fait de s'ouvrir) opening; **l'~ des vannes est automatique** the opening of the sluices is automatic, the sluices open automatically; **boîte/couvercle à ~ facile** ring-pull can/top; **3** (début) opening; **à l'~** at the opening; **~ de la campagne officielle** Pol opening of the election campaign; **~ de la chasse** Chasse opening of the shooting GB *ou* hunting US season; **~ de la pêche** Pêche opening of the fishing season; **4** (inauguration) opening; **~ d'un nouvel hôtel** opening of a new hotel; **cérémonie/jour/séance d'~** opening ceremony/day/session; **dès l'~** right from the opening; **5** Admin, Comm (fonctionnement) opening; **heures d'~** opening hours; **~ au public** opening to the public; **permettre l'~ des supermarchés le dimanche** to permit Sunday trading for supermarkets; **à l'~** at opening time; **6** (occasion) opportunity; **à la première ~** at the first opportunity; **7** (mise en œuvre) opening; **~ de négociations** opening of negotiations; **8** Constr opening; (accidentel) gap; **ménager une ~** to leave an opening; **calfeutrer les ~s** to fill in the gaps; **9** (tolérance) openness (**à** to); **atmosphère/esprit d'~** atmosphere/spirit of openness; **~ aux idées nouvelles/sur le monde** openness to new ideas/to the world; **(grande) ~ d'esprit** (great) open-mindedness; **10** Pol (transparence) openness; **politique d'~** policy of openness; **11** Pol (libéralisation) opening-up; (élargissement) opening-up (**à** to); (proposition) overture (**à, en direction de** to; **de, de la part de** from); **~ à l'Ouest/à gauche** opening-up to the West/to the left; **faire des ~s aux rebelles** to make overtures to the rebels; **politique d'~** policy of opening-up; **12** Écon opening (**à** to); **~ du marché national aux transporteurs étrangers** opening of the national market to foreign carriers; **13** Mus overture; **~ de Guillaume Tell** overture to William Tell; **14** Jeux (aux cartes) opening bid; (aux échecs) opening

ouvrable /uvʀabl/ *adj* [*jour*] working; [*heure*] business; **aux heures ~s** during business hours

ouvrage /uvʀaʒ/
A *nm* **1** (travail) work; **se mettre à l'~** to get down to work; **se tuer à l'~** to work oneself to death; **~ du temps** work of time; **2** (livre) book, work; (œuvre) work; **~ de référence** reference book, work of reference; **~ collectif** joint publication; **3** Cout (objet) piece of work; **un ~ de broderie** a piece of embroidery; **4** (produit par un artisan, un ouvrier) piece of work; **~ d'ébénisterie/de mosaïque** piece of cabinet work/of mosaic work; **~ de marqueterie** piece of marquetry
B ○*nf* controv **c'est de la belle ouvrage** it's a very nice piece

(Composés) **~ d'art** Gén Civ civil engineering structure; **~ de maçonnerie** (en briques) brickwork; (en pierres) stonework, masonry; **~ militaire** fortification; **~ de soutènement** retaining work

(Idiomes) **mettre** *or* **avoir du cœur à l'~** to work with a will; **ne pas avoir le cœur à l'~** not to have one's heart in one's work

ouvragé, ~e /uvʀaʒe/ *adj* [*bois, métal*] finely wrought; **meuble trop ~** over-elaborate piece of furniture

ouvrant, ~e /uvʀɑ̃, ɑ̃t/
A *adj* **toit ~** Aut sunroof
B *nm* Constr (de porte, fenêtre) (opening) leaf

ouvré, ~e /uvʀe/ *adj* **1** (ouvragé) [*bois, bijou, linge*] finely worked; **2** Admin, Jur **jour ~** working day

ouvre-boîtes* /uvʀəbwat/ *nm inv* tin-opener GB, can-opener

ouvre-bouteilles* /uvʀəbutɛj/ *nm inv* bottle-opener

ouvreur, -euse /uvʀœʀ, øz/ ▸ **p. 532** *nm,f* **1** Cin, Théât usher/usherette; **2** Jeux (joueur qui commence) opener; **3** Sport (en rugby) stand-off half; (skieur) trailmaker

ouvrier, -ière /uvʀije, ɛʀ/
A *adj* **1** Pol, Sociol [*contestation*] of the workers (*après n*); **classe ouvrière** working class; **pavillon ~** workman's cottage; **syndicat ~** trade union; **2** Zool [*abeille, fourmi*] worker (*épith*)
B ▸ **p. 532** *nm,f* gén worker; (dans le bâtiment) workman; **~ maçon** building worker; **~ menuisier** carpenter (*employed by a builder*); **les ~s du bâtiment/des chantiers navals** the construction/shipyard workers; **avoir 50 ~s** to have a workforce of 50, to employ 50 workers; ▸ **œuvre, outil**
C **ouvrière** *nf* Zool worker

(Composés) **~ agricole** agricultural labourer; **~ hautement qualifié, OHQ** highly skilled worker; **~ professionnel, OP** highly skilled worker (*specialized in a trade*); **~ qualifié, OQ** skilled worker; **~ spécialisé, OS** unskilled worker

(Idiome) **les ~s de la onzième** *or* **dernière heure** people who arrive when the work is virtually done

ouvrir /uvʀiʀ/ [32]
A *vtr* **1** gén to open [*boîte, porte, bouteille, tiroir, huître, parachute, lettre*]; to draw back [*verrou*]; to undo [*col, chemise, fermeture à glissière*]; **~ la bouche** to open one's mouth; **ne pas ~ la bouche** (ne rien dire) not to say a word; **~ le bec**○ *or* **sa gueule**◑, **l'~**◑ to open one's trap○ *ou* gob◑ GB; **il faut toujours qu'il l'ouvre**◑ **au mauvais moment** he always opens his trap○ *ou* big mouth○ at the wrong time; **~ ses oreilles** to keep one's ears open; **~ les bras** to open one's arms; **~ les bras à qn** (accueillir) to welcome sb with open arms; **~ sa maison à qn** (accueillir) to throw one's house open to sb; **(se) faire ~ une porte** to get a door open; ▸ **grand C**
2 (commencer) to open [*débat, négociation, spectacle, cérémonie, marque, chantier*]; to initiate [*période, dialogue, processus, campagne*]; **~ la marque à la cinquième minute** to open the scoring in the fifth minute
3 (mettre en marche) to turn on [*radio, chauffage, gaz, lumière*]
4 (créer) to open [*compte, magasin, école, souscription, poste*]; to open up [*possibilité, perspective, marché, passage*]; to initiate [*cours*]; **~ une ligne de crédit** to open a line of credit; **~ un nouveau cours de gestion** to initiate a new management course; **~ la route** to open up the road; **~ une route** to build a road; **~ la route** *or* **voie à qch** to pave the way for sth
5 (élargir) to open [*capital, actionnariat, jeu politique, rangs*] (**à** to); to open up [*compétition, marché*] (**à** to); **~ le ciel européen aux compagnies américaines** to open up the European skies to American carriers; **~ ses rangs aux femmes** to welcome women into one's ranks; **~ l'esprit à qn** to open sb's mind
6 (entailler) to open [*abcès*]; to cut open [*joue*]; **~ le ventre à qn**○ (opérer) to cut sb open○
B *vi* **1** (ouvrir la porte) to open the door (**à** to); **va ~** go and open the door; **n'ouvre à personne** don't open the door to anyone; **ouvrez!** (injonction) open up!; **ouvre-moi!** let me in!; **se faire ~** to be let in
2 (fonctionner) [*magasin, service*] to open; **~ le dimanche** to open on Sundays
3 (être créé) [*magasin, service*] to be opened; **une succursale ouvrira bientôt** a branch will soon be opened
4 (déboucher) [*chambre, tunnel*] to open (**sur** onto); **~ sur le jardin** to open on to the garden GB *ou* yard US
5 Fin **la Bourse a ouvert en baisse/hausse** the exchange opened down/up
6 (aux cartes, échecs) to open
C **s'ouvrir** *vpr* **1** gén [*boîte, porte, fenêtre, tiroir, huître, parachute*] to open; (sous un souffle) [*fenêtre*] to blow open; (sous un choc) [*porte, boîte, sac*] to fly open; (inopinément) [*vêtement*] to come undone
2 (commencer) [*négociation, spectacle, chantier*] to open (**sur, avec** with); [*période, dialogue, processus*] to be initiated (**sur, avec** with); **le film s'ouvre sur un paysage** the film opens with a landscape; **le festival s'ouvrira sur un discours** the festival will open with a speech
3 (s'élargir) [*pays, économie, capital, institution*] to open up (**à, vers** to); **s'~ à l'Est/aux nouvelles technologies** to open up to the East/to new technologies
4 (se confier) to open one's heart (**à** to); **ouvrez-vous en à elle** open your heart to her about it
5 (être ouvrant) [*fenêtre, toit*] to open; **ma valise/**

jupe s'ouvre sur le côté my suitcase/skirt opens at the side
6 ○(être mis en marche) **comment est- ce que le chauffage s'ouvre?** how do you turn on the heating?; **où est-ce que la lumière s'ouvre?** where do you turn on the light?
7 (être créé) [*magasin, métro, possibilité*] to open; **un garage va s'~ ici** there's going to be a garage here
8 (créer pour soi) [*personne*] to open up [*passage*]
9 (se dérouler) [*chemin, voie, espace*] to open up; **une nouvelle voie s'ouvre devant nous** a new path is opening up before us
10 (s'épanouir) [*fleur*] to open
11 (se fendre) [*sol, cicatrice*] to open up; [*mer*] to part; **la mer s'ouvrit devant eux** the sea parted in front of them
12 (se blesser) [*personne*] to cut open [*crâne, pied*]; **il a réussi à s'~ le crâne** he managed to cut his head open; **s'~ les veines** *or* **poignets** (pour se suicider) to slash one's wrists

ouvroir /uvʀwaʀ/ *nm* 1 (cercle de dames) sewing circle; 2 (dans un couvent) workroom

ouzbek /uzbɛk/ ▸ **p. 561, p. 483** *adj, nm* Uzbek

Ouzbek /uzbɛk/ ▸ **p. 561** *nmf* Uzbek

Ouzbekistan /uzbekistɑ̃/ ▸ **p. 333** *nprm* Uzbekistan

ovaire /ɔvɛʀ/ *nm* ovary; **un kyste de** *or* **à l'~** an ovarian cyst

ovale /ɔval/
A *adj* 1 lit [*table, surface*] oval; 2 (ayant trait au rugby) rugby
B *nm* oval; **en ~** oval, oval-shaped

ovariectomie /ɔvaʀjɛktɔmi/ *nf* ovariectomy

ovarien, -ienne /ɔvaʀjɛ̃, ɛn/ *adj* ovarian

ovariotomie /ɔvaʀjɔtɔmi/ *nf* ovariotomy

ovarite /ɔvaʀit/ ▸ **p. 283** *nf* ovaritis

ovation /ɔvasjɔ̃/ *nf* 1 (applaudissements) ovation; **faire une ~ à qn** to give sb an ovation; **il a fini son discours sous les ~s de la foule** he finished his speech to wild applause from the crowd; 2 (reconnaissance) accolade; **recevoir une ~** to receive an accolade

ovationner /ɔvasjɔne/ [1] *vtr* (pour accueillir) to greet [sb/sth] with wild applause [*vedette, arrivée*]; **ils se levèrent pour ~ le candidat/spectacle** they gave the candidate/show a standing ovation

ove /ɔv/ *nm* Archit, Art ovum

overdose /ɔvəʀdoz/ *nf* lit, fig overdose; **mourir d'une** *or* **par ~** to die from an overdose; **avoir** *or* **faire une ~** to overdose; **regarder la télévision/manger du chocolat jusqu'à l'~** to overdose on television/on chocolate

overdrive /ɔvəʀdʀajv/ *nm* overdrive

Ovide /ɔvid/ *npr* Ovid

ovin, ~e /ɔvɛ̃, in/
A *adj* ovine; **la viande ~e** mutton; **les producteurs ~s** sheep farmers
B *nm* sheep; **les ~s** sheep; **les éleveurs d'~s** sheep farmers

ovipare /ɔvipaʀ/
A *adj* egg-laying, oviparous spéc
B *nm* egg-laying animal, oviparous animal spéc

ovni /ɔvni/ *nm*: *abbr* ▸ **objet**

ovocyte /ɔvɔsit/ *nm* oocyte, egg

ovogenèse /ɔvɔʒənɛz/ *nf* oogenesis

ovoïde /ɔvɔid/ *adj* egg-shaped, ovoid

ovulaire /ɔvylɛʀ/ *adj* ovular

ovulation /ɔvylasjɔ̃/ *nf* ovulation

ovule /ɔvyl/ *nm* 1 Biol, Physiol ovum; 2 Bot ovule; 3 Pharm pessary

ovuler /ɔvyle/ [1] *vi* to ovulate

oxacide /ɔksasid/ *nm* oxyacid

oxalique /ɔksalik/ *adj* **acide ~** oxalic acid

oxalis /ɔksalis/ *nm inv* wood sorrel

oxford /ɔksfɔʀd/ *nm* Tex Oxford (cloth)

Oxford /ɔksfɔʀd/ ▸ **p. 894** *npr* Oxford

oxfordien, -ienne /ɔksfɔʀdjɛ̃, ɛn/ ▸ **p. 894** *adj* of Oxford

Oxfordien, -ienne /ɔksfɔʀdjɛ̃, ɛn/ ▸ **p. 894** *nm,f* (natif) native of Oxford; (habitant) inhabitant of Oxford

Oxfordshire ▸ **p. 721** *nprm* **l'~** Oxfordshire

oxhydrique /ɔksidʀik/ *adj* oxyhydrogen (*épith*)

oxyacétylénique /ɔksiasetilenik/ *adj* oxyacetylene (*épith*)

oxydable /ɔksidabl/ *adj* [*métal*] liable to rust, oxidizable spéc

oxydant, ~e /ɔksidɑ̃, ɑ̃t/
A *adj* oxidizing
B *nm* oxidizer, oxidizing agent

oxydase /ɔksidaz/ *nf* oxidase

oxydation /ɔksidasjɔ̃/ *nf* oxidation

oxyde /ɔksid/ *nm* oxide
(Composé) **~ de carbone** carbon monoxide

oxyder /ɔkside/ [1] *vtr*, **s'oxyder** *vpr* to oxidize

oxydoréduction /ɔksidoʀedyksjɔ̃/ *nf* oxidation-reduction

oxygénation /ɔksiʒenasjɔ̃/ *nf* Méd oxygenation

oxygène /ɔksiʒɛn/ *nm* 1 Chimie oxygen; **~ liquide** liquid oxygen; **à ~** [*masque, tente*] oxygen (*épith*); 2 (air) air; **faire provision d'~** to get some fresh air; **je manque d'~ ici** I'm suffocating here

oxygéné, ~e /ɔksiʒene/
A *pp* ▸ **oxygéner**
B *pp adj* **cheveux ~s** bleached-blond hair; **eau ~e** hydrogen peroxide

oxygéner /ɔksiʒene/ [14]
A *vtr* Chimie, Méd to oxygenate
B **s'oxygéner** *vpr* to get some fresh air

oxyhémoglobine /ɔksiemɔglɔbin/ *nf* oxyhaemoglobin

oxymoron /ɔksimɔʀɔ̃/ *nm* oxymoron

oyez /ɔje/ ▸ **ouïr**

ozalid /ɔzalid/ *nm* Ozalid®

ozone /ozon/ *nf* ozone; **la couche d'~** the ozone layer

ozoniser /ɔzɔnize/ [1] *vtr* to ozonize

Pp

p, P /pe/ *nm inv* p, P

PAC /pak/ *nf* UE *abbr* ▸ **politique**

PACA /paka/ *nprf: abbr* = **Provence-Alpes-Côte d'Azur**

pacage /pakaʒ/ *nm* **1** (lieu) pasture, grazing land; **2** (action) grazing

pacager /pakaʒe/ [13]
A *vtr* (faire paître) to pasture, to graze [*bétail*]
B *vi* [*bétail*] to graze

pacemaker* /pɛsmekɛʀ/ *nm* pacemaker

pacha /paʃa/ *nm* Hist pasha
(Idiomes) **jouer les ~s**○ to expect to be waited on hand and foot; **mener une vie de ~** to live the life of Riley

pachto, pachtou /paʃto/ *nm* Ling Pashto

pachyderme /paʃidɛʀm/ *nm* **1** Zool pachyderm; **2** (personne massive) elephant; **de ~** [*physique, pas*] heavy

pacificateur, -trice /pasifikatœʀ, tʀis/
A *adj* [*action, discours*] placatory; [*rôle*] peacemaking, pacificatory littér; **la mission pacificatrice de notre grand pays** the peacemaking mission of our great country
B *nm,f* peacemaker

pacification /pasifikasjɔ̃/ *nf* Mil, Pol pacification, peacemaking; **la ~ d'une région** the re-establishment of peace in a region

pacifier /pasifje/ [2] *vtr* to establish peace in, to pacify [*pays, région*]; **il rêve d'un monde pacifié** he dreams of a world at peace

pacifique /pasifik/
A *adj* **1** [*coexistence, solution, manifestation*] peaceful; [*peuple, personne*] peaceful, peace-loving; **2** Géog Pacific
B *nmf* (personne) peace-loving person

Pacifique /pasifik/ ▸ **p. 579** *nprm* **l'océan ~, le ~** the Pacific (Ocean); **le ~ Sud** the South Pacific

pacifiquement /pasifikmɑ̃/ *adv* peacefully, pacifically littér

pacifisme /pasifism/ *nm* pacifism

pacifiste /pasifist/ *adj, nmf* pacifist

pack /pak/ *nm* **1** (lot) pack (**de** of); **2** (au rugby) pack; **3** (glaces flottantes) pack ice; **4** (de téléphone) mobile phone package

pacotille /pakɔtij/ *nf* pej **de la ~** cheap rubbish, junk○; **bijou de ~** cheap piece of jewellery GB *ou* jewelry US; **montre de ~** cheap watch; **héroïsme de ~** bogus heroism

PACS /paks/ *nm* (*abbr* = **pacte civil de solidarité**) contract of civil union

> **PACS**
>
> In force since November 1999, this new civil contract is designed to safeguard the common interests of partners living together either in mixed or in same-sex couples. The *PACS* does not apply to under 18s, to couples who are blood relatives or those already in another marriage or relationship. The *PACS* entails certain obligations on the part of the couple such as a commitment to mutual support and maintenance and shared responsibility for joint expenses. By the same token, ▸▸▸ couples have rights in the areas of accommodation, property, taxation, social security, employment and inheritance.

pacsé○**, ~e** /pakse/ *nm,f* partner in a PACS

pacser: se pacser /pakse/ [1] *vpr* to sign a PACS

pacson● /paksɔ̃/ *nm* **1** (grosse quantité) **un ~ de** a whole load○ of GB, a whole slew○ of; **2** (paquet) parcel; **3** (fortune) bundle○

pacte /pakt/ *nm* pact; **conclure un ~ avec qn/contre qch** to make a pact with sb/against sth; **~ de défense** *ou* **défensif** defence[GB] pact; **~ de non-agression** non-aggression pact; **le ~ de Varsovie** the Warsaw pact; **~ d'union sacrée** pact of sacred union
(Composé) **~ d'actionnaires** shareholders' alliance; **Pacte de stabilité et de croissance, PSC** UE Stability and Growth Pact, SGP

pactiser /paktize/ [1] *vi* to treat (**avec qn** with sb); **~ avec sa conscience** to stifle one's conscience

pactole /paktɔl/ *nm* gold mine; **ramasser** *or* **toucher le ~**○ to make a fortune *ou* mint○

paddock /padɔk/ *nm* **1** Turf paddock; **2**● (lit) bed; **aller au ~** to hit the sack○

paddy /padi/ *nm* (**riz**) **~** paddy

Padoue /padu/ ▸ **p. 894** *npr* Padua

paf /paf/
A ●*adj inv* plastered○, drunk
B *excl* wham!

PAF /paf/
A *nm: abbr* ▸ **paysage**
B *nf: abbr* ▸ **police**

pagaie /pagɛ/ *nf* paddle

pagaille○ /pagɑj/
A *nf* mess; **ils ont mis la ~ dans leur chambre** they have made a real mess in their room, they have messed up their room; **elle a mis la ~ dans mes papiers** she messed up my papers; **la grève a semé la ~ dans le pays** the strike has caused chaos throughout the country
B en pagaille *loc adv* **1** (en désordre) in a mess; **2** (à profusion) **pêcher du poisson en ~** to catch loads○ of fish

paganiser /paganize/ [1] *vtr* to paganize

paganisme /paganism/ *nm* paganism

pagaye○ = **pagaille**

pagayer /pageje/ [21] *vi* to paddle

pagayeur, -euse /pagɛjœʀ, øz/ ▸ **p. 532** *nm,f* paddler

page /paʒ/
A *nm* page (boy)
B *nf* page; **suite ~ 36** continued on page 36; **en première/dernière ~** on the front/back page; **marquer/perdre sa ~** to mark/lose one's page; **tournez la ~ SVP** please turn over; **tourner la ~** fig to turn over a new leaf; **faire la mise en ~, mettre en ~** Imprim, Presse to make up a page; **mise en ~** (résultat) layout; **les plus belles ~s de la poésie irlandaise** the finest passages of Irish poetry; **une ~ sombre de leur existence** a dark chapter in their lives; ▸ **plein**
(Composés) **~ d'accueil** Ordinat homepage; **~ de garde** endpaper; **une ~ de publicité** Radio a commercial break; **Pages Jaunes**® Yellow Pages
(Idiomes) **éprouver l'angoisse de la ~ blanche** [*écrivain*] to have writer's block; **être à la ~** to be up to date; **se mettre à la ~** to bring oneself up to date

page-écran, *pl* **pages-écrans** /paʒekʀɑ̃/ *nf* Ordinat page

pageot○ /paʒo/ *nm* bed

Paget /paʒɛ/ *npr* **maladie de ~** Paget's disease

pagination /paʒinasjɔ̃/ *nf* **1** (numérotation) pagination; **2** Ordinat paging

paginer /paʒine/ [1] *vtr* to paginate

pagne /paɲ/ *nm* **1** (en tissu) loincloth; **2** (en paille) grass skirt

pagode /pagɔd/ *nf* pagoda

paie /pɛ/ *nf* pay; **ma ~ me suffit pour vivre** I can live on my pay *ou* wages; **toucher une bonne ~** to be well paid, to get a good wage; **bulletin** *or* **fiche** *or* **feuille de ~** payslip; **livre de ~** payroll; **faire la ~ des ouvriers** to do the workers' payroll
(Idiomes) **ça fait** *or* **il y a une ~**○**!** it was ages○ ago; **ça fait une ~**○ **que je ne l'ai pas vu** it's ages○ since I've seen him

paiement /pɛmɑ̃/ *nm* payment; **faire** *or* **effectuer un ~** to make a payment; **~ comptant** *or* **en espèces** *or* **liquide** cash payment; **~ par chèque** payment by cheque GB *ou* check US; **en ~ de** in payment for [*article*]; in payment of [*facture*]; **après le ~ de leurs impôts** after they have paid their taxes; **le ~ de la dette extérieure** repayment *ou* paying off of the foreign debt

païen, -ïenne /pajɛ̃, ɛn/ *adj, nm,f* pagan

paierie /pɛʀi/ *nf* paymaster's office

paillage /pajaʒ/ *nm* **1** (d'arbre, de sol) ≈ mulching; **2** (de chaise) seat

paillard, ~e /pajaʀ, aʀd/ *adj* bawdy

paillardise /pajaʀdiz/ *nf* **1** (libertinage) bawdiness; **2** (propos) bawdy remark; (histoire) bawdy story

paillasse /pajas/
A *nm* Théât clown
B *nf* **1** (matelas) straw mattress; **2** (de laboratoire) lab bench; (d'évier) draining board
(Idiome) **se crever la ~**○ to break one's back○ (**à faire** doing)

paillasson /pajasɔ̃/ *nm* **1** (tapis) doormat; **2** (personne servile) doormat; **3** Agric matting **¢**; **4** Culin grated and sautéed potatoes (*pl*)

paille /pɑj/
A ▸ **p. 202** *adj inv* (couleur) **cheveux (couleur) ~** straw-coloured[GB] hair; **jaune ~** straw yellow
B *nf* **1** Agric straw; (de chaise) straw; **~ fraîche** fresh straw; **tapis de ~** straw mat; **un brin de ~** a wisp of straw; **~ de riz** rice straw; ▸ **bête**; **2** (pour boire) straw; **boire avec une ~** to drink through a straw; **3** Tech (défaut) flaw; **4** ○(presque rien) iron **trois ans, une ~!** three years, that's nothing at all! iron
(Composé) **~ de fer** steel wool
(Idiomes) **être sur la ~** to be penniless; **se retrouver sur la ~** to find oneself destitute; **mettre qn sur la ~** to ruin sb; **tirer à la courte**

p

~ to draw lots; **voir la ~ qu'il y a dans l'œil de son voisin mais pas la poutre dans le sien** to see the mote in one's neighbour's[GB] eye but not the beam in one's own

pailler /pɑje/ [1] *vtr* **1** Hort ≈ to mulch [*sol, arbuste*]; **2** (garnir) to put a straw seat in [*chaise*]; **chaise paillée** chair with a straw seat

pailleté, **~e** /pajte/ *adj* **1** (avec des disques brillants) sequined, spangled US; **2** (avec de la poudre brillante) [*tissu*] glittery; **cheveux ~s d'or** hair sprayed with gold; **yeux ~s d'or** eyes flecked with gold

paillette /pajɛt/ *nf* **1** (disque brillant) sequin, spangle US; **robe à ~s** a sequined *ou* spangled US dress; **2** (poudre brillante) glitter ¢; **3** (de roche) splinter; **savon en ~s** soap flakes

(Composés) **~ de sperme** sperm straw; **~s d'or** gold particles

paillis /pɑji/ *nm* Hort ≈ mulch

paillon /pɑjɔ̃/ *nm* (de bouteille) straw cover

paillote /pajɔt/ *nf* grass hut

pain /pɛ̃/ *nm* **1** (aliment) bread ¢; **le ~ frais/rassis** fresh/stale bread; **morceau/tranche de ~** piece/slice of bread; **des miettes de ~** breadcrumbs; **notre ~ quotidien** fig our daily bread; **le ~ et le vin** Relig the bread and wine; **être au ~ sec et à l'eau** to be on bread and water; **2** (miche) loaf; **un ~ rond** a round loaf; **acheter deux ~s** to buy two loaves; **un petit ~** a (bread) roll; **3** Culin **~ de légumes/viande/poisson** vegetable/meat/fish loaf; **4** (bloc) (de savon, cire) bar; (de glace) block; (de plastic, dynamite) stick; **5** ◑(coup) punch, sock○; **mettre un ~ à qn** to sock○ sb

(Composés) **~ bénit** Relig consecrated bread; **être ~ béni(t) pour qn** to be a godsend for sb; **~ bis** brown bread; **~ blanc** white bread; (miche) white loaf; **manger son ~ blanc le premier** to have it easy at the start; **~ brioché** brioche bread; (miche) brioche loaf; **~ à cacheter** bar of sealing wax; **~ de campagne** farmhouse bread; (miche) farmhouse loaf; **~ au chocolat** pastry with chocolate filling; **~ complet** wholemeal bread; (miche) wholemeal loaf; **~ dermatologique** dermatological cleansing bar; **~ d'épices** gingerbread; **~ de Gênes** Genoa cake; **~ grillé** toast; **~ au lait** milk roll; **~ au levain** sourdough bread; **~ de mie** sandwich loaf; **~ noir** rye bread; **~ perdu** French toast; **~ aux raisins** currant bun; **~ de seigle** rye bread; (miche) rye loaf; **~ sans sel** unsalted (white) bread; **~ de son** bran loaf; **~ de sucre** Culin, Géol sugar loaf; **en ~ de sucre** (crâne) egg-shaped; (montagne) sugar loaf (*épith*); **le Pain de Sucre** Géog Sugar Loaf Mountain; **~ viennois** Viennese bread; (miche) Viennese loaf

(Idiomes) **se vendre comme des petits ~s** to sell like hot cakes; **ça ne mange pas de ~**○ it doesn't cost anything; **je ne mange pas de ce ~-là** I won't have anything to do with it, I want no part of it; **enlever** *or* **ôter le ~ de la bouche à qn** to take the bread out of sb's mouth; **être bon comme du (bon) ~** to have a heart of gold; **long comme un jour sans ~** [*personne*] very tall; [*pantalon*] very long; **faire passer le goût du ~ à qn**○ to teach sb a lesson they won't forget

pair, **~e** /pɛʀ/

A *adj* [*nombre, jours, fonction*] even; **le côté des numéros ~s d'une rue** the even-numbered side of a street

B *nm* **1** (égal) peer; **être jugé/élu par ses ~s** to be judged/elected by one's peers; **c'est une cuisinière hors ~** she's an excellent cook; **elle a un mari hors ~!** she has a marvellous[GB] husband!; **aller** *or* **marcher de ~ avec qch** to go hand in hand with sth; **2** Hist, Pol peer; **3** Écon, Fin par, par value; **~ du change** par of exchange; **actions au ~** shares at par

C **au pair** *loc* **travailler au ~** to work as an au pair; **jeune fille au ~** au pair (girl); **placer sa fille au ~ chez qn** to put one's daughter to work as an au pair with sb

D **paire** *nf* pair; **donner une ~e de gifles à qn** to box sb's ears

(Idiomes) **se faire la ~e**○ to hop it○ GB, to clear out○; **les deux font la ~e!** they're two of a kind!

pairesse /pɛʀɛs/ *nf* peeress

pairie /pɛ(e)ʀi/ *nf* (dignité) peerage

paisible /pezibl/ *adj* **1** (doux) [*animal, personne, caractère*] gentle; **d'une voix ~** in a gentle voice; **2** (tranquille) [*existence, vie, quartier*] peaceful, quiet; [*personne*] calm, easy-going; [*eau*] calm, untroubled; [*sommeil*] peaceful; **les eaux ~s d'une rivière** the calm waters of a river; **il dormait d'un sommeil ~** he was sleeping peacefully

paisiblement /peziblәmɑ̃/ *adv* **1** (sans agressivité) [*manifester, défiler*] peacefully, peaceably; **2** (tranquillement) [*lire*] quietly, peacefully; [*dormir*] peacefully; **3** (sans s'inquiéter) quietly

paître* /pɛtʀ/ [74] *vi* to graze

(Idiome) **envoyer ~ qn**○ hum to send sb packing○

paix /pɛ/ *nf inv* **1** Pol, Mil peace; **en temps de ~** in peacetime, in times of peace; **œuvrer pour la ~ dans le monde** to work for world peace; **homme de ~** man of peace; **vivre en ~ avec son prochain** to live in peace with one's neighbour[GB]; **demander la ~** to sue for peace; **signer/négocier la ~** to sign/to negotiate a peace treaty; **conférence/traité/pourparlers de ~** peace conference/treaty/talks; **faire la ~ avec qn** to make peace with sb; **2** (calme intérieur) peace; **être en ~ avec soi-même** to be at peace with oneself; **la ~ de l'âme** peace of mind; **avoir la conscience** *or* **l'esprit en ~** to have peace of mind; **3** (tranquillité) peace; **avoir la ~** to have some peace; **il s'enferme dans son bureau pour avoir la ~** he shuts himself away in his office to get some peace; **laisser qn en ~** to leave sb alone, to leave sb in peace; **foutre◑ la ~ à qn** to leave sb alone; **fous-moi◑ la ~!** leave me alone!, get lost○!; **la ~!** be quiet!; **~ à ses cendres** *or* **à son âme** God rest his/her soul; **allez-en ~** go in peace; **qu'il repose en ~** may he rest in peace

(Composés) **~ armée** armed peace; **~ des braves** Mil honourable[GB] surrender; **~ éternelle** eternal rest; **~ sociale** social stability

(Idiome) **si tu veux la ~, prépare la guerre** Prov if you want peace, prepare for war

Pakistan /pakistɑ̃/ ▸ **p. 333** *nprm* Pakistan

pakistanais, **~e** /pakistanɛ, ɛz/ ▸ **p. 561** *adj* Pakistani

Pakistanais, **~e** /pakistanɛ, ɛz/ ▸ **p. 561** *nm,f* Pakistani

pal /pal/ *nm* **1** (pieu) aussi Hérald pale; **2** (supplice) impalement; **subir le supplice du ~** to undergo torture by impalement

PAL /pal/ *nm* TV (*abbr* = **phase alternation line**) PAL; **système ~** PAL standard

palabre /palabʀ/ *nm ou f* **1** (discussion) endless discussion; **perdre son temps en ~s** to waste one's time in endless discussions; **2** (assemblée) ≈ council

palabrer /palabʀe/ [1] *vi* to discuss endlessly

palace /palas/ *nm* luxury hotel

paladin /paladɛ̃/ *nm* **1** Hist paladin; **2** fig (défenseur) champion

palais /palɛ/ *nm inv* **1** Anat palate; **~ dur/mou/fendu** hard/soft/cleft palate; **2** (goût) palate; **avoir le ~ fin** to have a fine palate; **délicat au ~** delicate to the palate; **vin qui flatte le ~** wine that delights the palate; **3** Archit (de souverain, particulier) palace; **~ nationaux** *state-owned historic buildings in Paris*; **Grand Palais** *19th century exhibition centre in Paris*; **4** Jur law courts; **~ de justice** law courts; **dans le style du ~** in legal parlance

(Composés) **~ Bourbon** *seat of the French National Assembly*; **~ Brongniart** *home of the French Stock Exchange*; **~ du Luxembourg** *seat of the French Senate*; **~ des sports** sports centre[GB]

palan /palɑ̃/ *nm* hoist

palanquin /palɑ̃kɛ̃/ *nm* palanquin

palatal, **~e**, *mpl* **-aux** /palatal, o/ *adj* Phon palatal

palatalisation /palatalizasjɔ̃/ *nf* palatalization

palatalisé, **~e** /palatalize/ *adj* palatalized

palatin, **~e** /palatɛ̃, in/ *adj* **1** Anat palatine; **2** Hist [*comte, Electeur*] Palatine; **le mont Palatin** Mount Palatine

Palatinat /palatina/ *nprm* Palatinate

pale /pal/ *nf* **1** (d'hélice, de rame, roue) blade; **2** Tech (vanne) paddle

pâle /pɑl/ *adj* **1** lit [*couleur, teint, lueur*] pale; **vert/bleu ~** pale green/blue; **tu es toute ~, ça ne va pas?** you look really pale, is something wrong?; **~ de jalousie** green with envy; **être ~ comme un linge** to be as white as a sheet; **2** fig **une ~ imitation** a pale imitation; **faire ~ figure à côté de** to pale into insignificance beside

(Idiome) **se faire porter ~**○ to go sick○

palefrenier, **-ière** /palfʀәnje, ɛʀ/ *nm,f* groom

palefroi† /palfʀwa/ *nm* palfrey†

paléochrétien, **-ienne** /paleokʀetjɛ̃, ɛn/ *adj* [*art*] early Christian

paléographe /paleɔgʀaf/ ▸ **p. 532** *nmf* paleographer

paléographie /paleɔgʀafi/ *nf* paleography

paléographique /paleɔgʀafik/ *adj* paleographic

paléolithique /paleɔlitik/ *adj, nm* Paleolithic

paléomagnétisme /paleomaɲetism/ *nm* paleomagnetism

paléontologie /paleɔ̃tɔlɔʒi/ *nf* paleontology

paléontologique /paleɔ̃tɔlɔʒik/ *adj* paleontological

paléontologiste /paleɔ̃tɔlɔʒist/, **paléontologue** /paleɔ̃tɔlɔg/ ▸ **p. 532** *nmf* paleontologist

paléozoïque /paleozɔik/ *nm* Paleozoic

Palerme /palɛʀm/ ▸ **p. 894** *nprm* Palermo

paleron /palʀɔ̃/ *nm* chuck (steak)

Palestine /palɛstin/ ▸ **p. 721** *nprf* Palestine

palestinien, **-ienne** /palɛstinjɛ̃, ɛn/ ▸ **p. 721** *adj* Palestinian

Palestinien, **-ienne** /palɛstinjɛ̃, ɛn/ *nm,f* Palestinian

palet /palɛ/ *nm* **1** Sport (au hockey sur glace) puck; **2** Jeux (pierre) quoit; (jeu) quoits (+ *v sg*)

paletot /palto/ *nm* jacket

(Idiome) **tomber sur le ~ de qn**○ to lay into sb○

palette /palɛt/ *nf* **1** Art (objet, couleurs) palette; **2** fig range; **une ~ de services/d'activités** a range of services/activities; **la ~ d'un musicien/acteur** a musician's/an actor's range; **3** Culin (de porc, mouton) ≈ shoulder; **4** (plateau de chargement) pallet

(Composés) **~ flottante** floating palette; **~ de maquillage** make-up palette

palétuvier /paletyvje/ *nm* (arbre) mangrove; (bois) mangrove (wood)

pâleur /pɑlœʀ/ *nf* **1** (de ciel) paleness; **2** (de malade) pallor; **il est d'une ~ maladive** his face has a sickly pallor

pâlichon○, **-onne** /pɑliʃɔ̃, ɔn/ *adj* [*personne, teint*] peaky○ GB, peaked US; [*ciel, éclairage*] watery

palier /palje/ *nm* 1 (d'escalier) landing; **mon voisin de ~** my neighbour[GB] on the same floor; 2 fig (stade) level; (phase stable) plateau; **l'inflation a atteint un ~** inflation has reached a plateau; **avancer par ~s** to proceed by stages; 3 Sport (en plongée) **~ (de décompression)** (decompression) stage; Aviat **vol en ~** horizontal flight; 4 Mécan bearing

palière /paljɛʀ/ *adj f* **porte ~** entry door

palimpseste /palɛ̃psɛst/ *nm* palimpsest

palindrome /palɛ̃dʀom/
A *adj* palindromic
B *nm* palindrome

palinodie /palinɔdi/ *nf* 1 Antiq, Littérat palinode; 2 (rétractation) recantation

pâlir /pɑliʀ/ [3] *vi* 1 [*coloris, photo, jour*] to fade; [*ciel, soleil*] to grow pale; [*personne*] to turn pale (**de** with); **il pâlit de jour en jour** he's growing paler every day; **faire ~ qn d'envie** *or* **de jalousie** to make sb green with envy; **un succès à faire ~ les concurrents** a success that would make the competition green with envy; 2 [*souvenirs*] to fade; [*gloire, prestige*] to fade (**à côté de** beside); **son étoile pâlit** his/her star is fading

palissade /palisad/ *nf* (de jardin) fence; Mil palisade

palissandre /palisɑ̃dʀ/ *nm* (arbre) rosewood; (bois) rosewood; (couleur) the colour[GB] of rosewood

pâlissant, **~e** /pɑlisɑ̃, ɑ̃t/ *adj* [*jour, lueur*] fading

palliatif, **-ive** /paljatif, iv/
A *adj* 1 gén [*mesure*] palliative; 2 Méd [*soin*] palliative; **unité de soins ~s** (établissement) hospice; (service hospitalier) unit for terminally ill patients
B *nm* gén, Méd palliative

pallier /palje/ [2]
A *vtr* to compensate for [*problème, manque, inconvénient*]
B **pallier à** *vtr ind* controv = **pallier A**

palmarès /palmaʀɛs/ *nm inv* 1 (classement) honours[GB] list; (d'acteurs, auteurs, etc) list of award winners; (de sportifs) list of winners; **premier au ~** first in the honours list; 2 (liste de succès) (tous contextes) record of achievements; **il a trois tournois à son ~** he has three tournament wins to his credit; 3 (meilleures ventes) hit parade

palme /palm/ *nf* 1 Bot (feuille) palm leaf; (palmier) palm; **huile/sucre de ~** palm oil/sugar; 2 Sport (pour nager) flipper; 3 (décoration) Mil ≈ bar; **décoration avec ~** decoration and bar; 4 fig prize; **décerner la ~ de la politesse à qn** to award sb the prize for politeness; **remporter la ~** to take the prize

(Composés) **la ~ d'or** Cin the Palme d'or; **~s académiques** Univ *academic decoration for services to education*

palmé, **~e** /palme/ *adj* 1 Zool [*pattes, doigts*] webbed, palmate spéc; 2 Bot [*feuille*] palmate

palmer /palmɛʀ/ *nm* micrometer calliper

palmeraie /palməʀɛ/ *nf* palm grove

palmier /palmje/ *nm* 1 Bot palm (tree); 2 Culin (pâtisserie) large pastry biscuit

(Composés) **~ dattier** date palm; **~ à huile** oil palm

palmipède /palmipɛd/
A *adj* web-footed
B *nm* palmiped

palmiste /palmist/ *nm* (arec) cabbage palm; (palmier à huile) oil palm

palois, **~e** /palwa, az/ ▸ **p. 894** *adj* of Pau

Palois, **~e** /palwa, az/ *nm,f* (natif) native of Pau; (habitant) inhabitant of Pau

palombe /palɔ̃b/ *nf* wood pigeon

palonnier /palɔnje/ *nm* 1 Aviat rudder bar; Aut compensator; 2 Agric swingletree, singletree US

palot◑ /palo/ *nm* French kiss; **rouler un ~ à qn**◑ to give sb a French kiss

pâlot○, **-otte** /pɑlo, ɔt/ *adj* rather pale; **elle est un peu pâlotte ces jours-ci** she's been looking rather pale lately

palourde /paluʀd/ *nf* clam

palpable /palpabl/ *adj* [*objet, bonheur, brouillard*] palpable; [*vérité, preuve, avantage*] tangible

palpation /palpasjɔ̃/ *nf* Méd palpation

palpébral, **~e**, *mpl* **-aux** /palpebʀal, o/ *adj* Anat palpebral

palper /palpe/ [1] *vtr* 1 [*médecin*] to palpate [*partie du corps*]; [*client, aveugle*] to feel [*objet, fruit*]; 2 ○(gagner de l'argent) **~ (de l'argent)** to rake it in○

palpeur /palpœʀ/ *nm* 1 (de cuisinière électrique) heat sensor; 2 Tech sensor head

palpitant, **~e** /palpitɑ̃, ɑ̃t/
A *adj* 1 (captivant) [*histoire, vie, ambiance, journée*] thrilling; 2 [*cœur*] fluttering; [*chair, corps*] twitching; 3 (qui respire par saccades) panting (**de** with)
B ◑*nm* (cœur) ticker○, heart

palpitation /palpitasjɔ̃/ *nf* 1 Méd palpitation; **avoir des ~s** to have palpitations; 2 (de paupière, muscle) twitching; 3 liter (de lumière, de flamme, d'étoile) flickering; (de feuille, voile) fluttering; (d'eau) quivering; 4 liter (exaltation) thrill (**de** of); **~ de la vie/de l'aventure** thrill of life/adventure

palpiter /palpite/ [1] *vi* 1 (battre) [*cœur*] to beat; [*chair, corps*] to twitch; [*veine*] to pulse; 2 (avoir des mouvements convulsifs) [*cœur*] to flutter; [*paupière, tempe*] to twitch; 3 liter (frémir) [*personne, eau*] to quiver (**de** with); [*lumière, flamme*] to flicker; [*feuille, voile*] to flutter

palplanche /palplɑ̃ʃ/ *nf* Constr, Mines sheet pile, pile plank

palsambleu‡ /palsɑ̃blø/ *excl* zounds‡!

paltoquet† /paltɔkɛ/ *nm* 1 (rustre) boor; 2 (prétentieux) wise guy○

paluche◑ /palyʃ/ *nf* mitt◑, hand

paludéen, **-éenne** /palydeɛ̃, ɛn/ *adj* Méd malarial; Géog paludal

paludier, **-ière** /palydje, ɛʀ/ ▸ **p. 532** *nm,f* salt marsh worker

paludisme /palydism/ ▸ **p. 283** *nm* malaria, paludism spéc

palustre /palystʀ/ *adj* Géog paludal; Méd malarial

pâmer: **se pâmer** /pɑme/ [1] *vpr* liter **se ~ de plaisir** to swoon with pleasure; **se ~ (d'admiration) devant qch** to swoon over sth; **il se pâmait d'aise** he was pleased as Punch

pâmoison /pɑmwazɔ̃/ *nf* liter swoon; **tomber en ~ (devant qch)** to swoon (over sth)

pampa /pɑ̃pa/ *nf* pampas (+ *v sg*)

pamphlet /pɑ̃flɛ/ *nm* satirical tract

pamphlétaire /pɑ̃fletɛʀ/
A *adj* pamphleteering
B *nmf* pamphleteer

pampille /pɑ̃pij/ *nf* 1 (de lustre) drop; 2 (en bijouterie) (forme de pierre taillée) pear-shape; (pendeloque) pendant stone

pamplemousse /pɑ̃pləmus/ *nm* grapefruit

pamplemoussier /pɑ̃pləmusje/ *nm* grapefruit tree

pampre /pɑ̃pʀ/ *nm* 1 Bot vine branch (*with leaves and fruit*); 2 Archit pampre

pan /pɑ̃/ *nm* (*also onomat*) 1 (partie) (de falaise, maison) section; (de vie, problème) part; (d'obscurité, de ciel) patch; **~ de mur** section of wall; **~ de vitre** glass panel; 2 (côté) (de tour, prisme) side; **relever les ~s d'un rideau** to tie back the curtains; **~s d'un manteau** coat-tails; **à ~s coupés** with cut-off corners; 3 (bruit) (de coup de feu) bang!; (de coup de poing) thump!; (de fessée) whack!; **je vais faire ~ ~** baby talk I'll give you a smack; 4 (marquant la soudaineté) pow!; **tout allait bien, et ~! on nous a dit que...** everything was fine, and pow! we were told that...

(Composé) **~ de chemise** shirttail

pan- /pɑ̃, pan/ *préf* Pol Pan; **pan-russe** Pan-Russian; **pan-européen** Pan-European

Pan /pɑ̃/ *npr* Pan

panacée /panase/ *nf* panacea

panachage /panaʃaʒ/ *nm* Pol *voting for candidates from more than one party*

panache /panaʃ/ *nm* 1 (élégance) panache; **avec ~** with panache; 2 (plumes) plume; 3 (de fumée, d'eau) plume (**de** of)

panaché, **~e** /panaʃe/
A *pp* ▸ **panacher**
B *pp adj* [*bouquet, salade*] mixed; [*tulipe, lierre*] variegated
C *nm* (bière et limonade) shandy

panacher /panaʃe/ [1] *vtr* 1 to mix [*couleurs, fleurs, styles*]; 2 Pol **~ une liste électorale** to vote for a split ticket

panade /panad/ *nf* bread soup

(Idiome) **être dans la ~**○ to be in the soup○ *ou* in a tight corner

panafricain, **~e** /panafʀikɛ̃, ɛn/ *adj* Pan-African

panafricanisme /panafʀikanism/ *nm* Pan-Africanism

panama /panama/ *nm* (chapeau) panama (hat)

Panama /panama/ ▸ **p. 333, p. 894** *nprm* (pays) Panama; (ville) Panama City; **le canal de ~** the Panama Canal

panaméen, **-éenne** /panameɛ̃, ɛn/ ▸ **p. 561** *adj* Panamanian

Panaméen, **-éenne** /panameɛ̃, ɛn/ ▸ **p. 561** *nm,f* Panamanian

panaméricain, **~e** /panameʀikɛ̃, ɛn/ *adj* Pan-American

panaméricanisme /panameʀikanism/ *nm* Pan-Americanism

panarabe /panaʀab/ *adj* Pan-Arab

panarabisme /panaʀabism/ *nm* Pan-Arabism

panard◑ /panaʀ/ *nm* foot

panaris /panaʀi/ ▸ **p. 283** *nm inv* whitlow

pancarte /pɑ̃kaʀt/ *nf* 1 (sur un mur) notice GB, sign US; (sur un piquet) sign; 2 (dans une manifestation) placard GB, sign US

pancréas /pɑ̃kʀeas/ *nm inv* pancreas

pancréatique /pɑ̃kʀeatik/ *adj* pancreatic

pancréatite /pɑ̃kʀeatit/ ▸ **p. 283** *nf* pancreatitis

panda /pɑ̃da/ *nm* panda

Pandore /pɑ̃dɔʀ/ *npr* Pandora; **la boîte de ~** Pandora's box

panégyrique /paneʒiʀik/ *nm* panegyric

panel /panɛl/ *nm* 1 (de spécialistes) panel; 2 (échantillon) sample group

paner /pane/ [1] *vtr* to coat with *ou* in breadcrumbs

pangermanisme /pɑ̃ʒɛʀmanism/ *nm* Pan-Germanism

pangermaniste /pɑ̃ʒɛʀmanist/ *adj* Pan-German

panhellénique /panɛlenik/ *adj* Panhellenic

panhellénisme /panɛlenism/ *nm* Panhellenism

panicule /panikyl/ *nf* panicle

panier /panje/ *nm* 1 (en osier, rotin, etc) basket; (corbeille à papier) wastepaper basket; (dans lave-vaisselle) rack; **mettre** *or* **jeter au ~** lit to throw [sth] out; fig to get rid of; 2 Sport (au basket-ball) basket; **marquer** *or* **réussir un ~** to score a basket; 3 Phot (de projecteur) magazine; 4 Mode pannier; **robe à ~s** dress with panniers

(Composés) **~ à bouteilles** bottle carrier; **~ à frites** chip basket GB, French-fry basket US; **~ garni** *small basket of fine food*; **~ à linge** linen basket; **le ~ de la ménagère** Écon the housewife's shopping basket; **~ de monnaies** Écon, Fin basket of currencies; **~ à salade** (ustensile) salad shaker; ○(fourgon de

P

police) Black Maria GB, paddy wagon US
(Idiomes) **être un ~ percé**○ to spend money like water; **mettre tout le monde dans le même ~**○ to lump everybody together; **ils sont tous à mettre dans le même ~**○ they are all much of a muchness GB, they are all about the same; **mettre tous ses œufs dans le même ~**○ to put all one's eggs in one basket; **le haut** *or* **dessus du ~**○ the pick of the bunch, the cream of the crop; **mettre la main au ~ de qn**○ to feel sb's bottom; **ce bureau est un vrai ~ de crabes**○ the people in this office are always at each other's throats

panière /panjɛʀ/ *nf* large basket

panier-repas, *pl* **paniers-repas** /panjeʀəpa/ *nm* packed lunch GB, box lunch US

panifiable /panifjabl/ *adj* suitable for making bread

panification /panifikasjɔ̃/ *nf* bread-making

panifier /panifje/ [2] *vtr* to make bread from [*céréale, farine*]

panini /panini/ *nm* panini

panique /panik/
A *adj* panic; **ventes ~s** panic selling; **trouble ~** panic attack; **sensibilité ~ au bruit** panic reaction to noise; **peur ~ (de qch)** terror (of sth)
B *nf* panic; **mouvement de ~** panic; **il y eut un mouvement de ~** there was panic; **début de ~** moment of panic; **semer** *or* **jeter la ~** to spread panic; **pas de ~!** don't panic!; **être pris de ~** to panic; **provoquer la ~ chez qn** to make sb panic

paniquer○ /panike/ [1]
A *vtr* to throw [sb] into a panic
B *vi* to panic; **il a paniqué** he panicked
C **se paniquer** *vpr* to panic

panislamique /panislamik/ *adj* Pan-Islamic

panislamisme /panislamism/ *nm* Pan-Islamism

panjabi /pɑ̃ʒabi/ ▸ **p. 483** *nm* Ling Punjabi

panne /pan/ *nf* **1** (de véhicule, machine) breakdown; (de moteur, d'électricité) failure; **~ de courant** power failure; **avoir une ~** to have a breakdown; **machine/voiture en ~** broken-down machine/car; **tomber en ~** [*voiture, appareil, instrument*] to break down; fig [*artiste, écrivain*] to run out of inspiration; **la machine/voiture est (tombée) en ~** the machine/car has broken down; **tomber en ~ sèche** *or* **d'essence** to run out of petrol GB *ou* gas US; **être à la merci d'une ~** to run the risk of breaking down; **lorsque la ~ survint...** (de voiture) when the car broke down...; (d'électricité) when the power failed...; **être en ~**○ fig [*recherche, projet*] to have come to a standstill; [*idéologie, pensée*] to be in a rut; **être en ~ de**○ to be out of [*objet, main-d'œuvre*]; to have run out of [*idées, imagination*]; **2** Constr (poutre) purlin; (tuile) pantile; **3** Tex panne; **4** Culin fat; **5** Naut **mettre en ~** to heave [sth] to [*voilier*]; **6** Tech (de marteau) peen
(Idiome) **faire le coup de la ~** to pretend to break down (*so as to make advances to sb*)

panneau, *pl* **~x** /pano/ *nm* **1** (permanent) sign; (temporaire) board; (d'information) noticeboard; **il y a un ~ à l'entrée** there's a sign at the entrance; **mettre une annonce sur le ~** to put a notice on the board; **2** (élément) panel; **jupe à trois ~x** skirt made in three panels; **~ préfabriqué/en bois** prefabricated/wooden panel; **3** Art panel; **peint sur ~** painted on panel; **~ de Giotto** panel by Giotto
(Composés) **~ d'affichage** notice board GB, bulletin board; **~ de configuration** Ordinat control panel; **~ électoral** Pol election signboard (*outside polling stations*); **~ indicateur** Aut signpost; **~ publicitaire** hoarding GB, billboard; **~ de signalisation routière** road sign; **~ solaire** solar panel
(Idiome) **tomber** *or* **donner dans le ~**○ to fall for it○

panonceau, *pl* **~x** /panɔ̃so/ *nm* (permanent) sign; (temporaire) board

panoplie /panɔpli/ *nf* **1** Jeux (pour se déguiser) outfit; **une ~ de Zorro/docteur** a Zorro/doctor outfit; **2** (de professionnel) paraphernalia; **3** (ornementale) display; **4** (gamme) (d'objets usuels) array; (d'armements) arsenal; (de mesures, moyens) range; **le pays dispose d'une ~ d'armes nucléaires** the country has an arsenal of nuclear weapons; **il ont mis en œuvre toute une ~ de moyens** they have instigated a range of measures

panorama /panɔʀama/ *nm* **1** lit panorama; **2** fig (culturel) panorama; (politique, international, industriel) overview; **brosser un ~ de l'art contemporain** to paint a panorama of contemporary art

panoramique /panɔʀamik/
A *adj* **1** gén [*vue, visite, route*] panoramic; **tour/restaurant ~** tower/restaurant with a panoramic view; **2** Aut [*pare-brise*] wrap-around; **toit ouvrant ~** sunroof; **3** Cin [*écran*] wide
B *nm* Cin pan (shot); **~ horizontal/vertical** horizontal/vertical pan (shot)

panosse /panɔs/ *nf* Helv **1** (serpillière) floor cloth; **2** (chiffon) cloth

pansage /pɑ̃saʒ/ *nm* (de cheval) grooming

panse /pɑ̃s/ *nf* **1** Zool paunch; **2** ○hum (estomac) belly○; **s'en mettre plein la ~**○ to stuff one's face○; **3** (de cruche) belly

pansement /pɑ̃smɑ̃/ *nm* **1** (avec compresse) dressing; **~ (adhésif)** plaster GB, Band-Aid®; **faire un ~ à qn** to put a dressing on sb's wound; **je vais te refaire ton ~** I'm going to change your dressing; **2** (action) dressing

panser /pɑ̃se/ [1] *vtr* **1** Méd to dress [*blessure*]; to put a dressing on [*partie du corps*]; **2** fig [*temps*] to heal [*blessure morale*]; **~ ses blessures** to lick one's wounds; **3** Agric (étriller) to groom [*cheval*]; (prendre soin de) to muck out and feed [*vaches*]; to feed [*poules*]

panslavisme /pɑ̃slavism/ *nm* Pan-Slavism

panslaviste /pɑ̃slavist/
A *adj* Pan-Slavic
B *nm* Panslavist

pansu, **~e** /pɑ̃sy/ *adj* [*personne, objet*] pot-bellied

pantacourt /pɑ̃takuʀ/ *nm* cropped trousers

pantagruélique /pɑ̃tagʀyelik/ *adj* [*repas, appétit*] Pantagruelian

pantalon /pɑ̃talɔ̃/ *nm* **1** (culotte longue) trousers GB (*pl*), pants US (*pl*); **acheter un ~** to buy a pair of trousers GB *ou* pants US; **mon ~ est sale** my trousers GB *ou* pants US are dirty; **~ à pinces** peg-top trousers GB *ou* pants US; **~ en toile** canvas trousers GB *ou* pants US; **~ à revers** trousers with turn-ups GB, cuffed pants US; **~ de** *or* **en flanelle/cuir** flannel/leather trousers GB *ou* pants US; **~ de pyjama** pyjama GB *ou* pajama US bottoms; **~ de** *or* **en velours** cords (*pl*); **2** †(sous-vêtement) bloomers (*pl*)
(Composés) **~ corsaire** pedal pushers (*pl*); **~ de golf** plus-fours (*pl*)

Pantalon /pɑ̃talɔ̃/ *npr* Pantaloon

pantalonnade /pɑ̃talɔnad/ *nf* **1** Théât slapstick comedy; **2** fig play-acting ¢

pantelant, **~e** /pɑ̃tlɑ̃, ɑ̃t/ *adj* **1** (haletant) [*personne*] panting; (palpitant) [*chair*] quivering; **2** (ému) overcome (**de** with); **la nouvelle l'a laissé tout ~** he was overcome at the news

panthéisme /pɑ̃teism/ *nm* pantheism

panthéiste /pɑ̃teist/
A *adj* pantheistic
B *nmf* pantheist

panthéon /pɑ̃teɔ̃/ *nm* pantheon

panthère /pɑ̃tɛʀ/ *nf* **1** (animal) panther; **2** (fourrure) panther skin
(Composés) **~ d'Afrique** African panther; **~ noire** black panther

pantin /pɑ̃tɛ̃/ *nm* (jouet, fantoche) puppet
(Idiome) **gesticuler comme un ~** to wave one's arms around

pantographe /pɑ̃tɔgʀaf/ *nm* Tech, Rail pantograph

pantois, **~e** /pɑ̃twa, az/ *adj* flabbergasted; **rester ~** to be flabbergasted; **ça m'a laissé ~** I was flabbergasted

pantomime /pɑ̃tɔmim/ *nf* (art) mime; (spectacle) mime show; **faire la ~** fig to play it up

pantouflard○, **~e** /pɑ̃tuflaʀ, aʀd/
A *adj* **personne ~e** stay-at-home○; **qu'est-ce que tu es ~!** what a stay-at-home you are!
B *nm,f* stay-at-home

pantoufle /pɑ̃tufl/ *nf* slipper; **être en ~s** to be in one's slippers

pantoufler○ /pɑ̃tufle/ [1] *vi* [*haut fonctionnaire*] to work in the private sector

panure /panyʀ/ *nf* breadcrumbs (*pl*)

PAO /peao/ *nf* **1** *abbr* ▸ **production**; **2** *abbr* ▸ **publication**

paon /pɑ̃/ *nm* **1** Zool peacock; **une plume de ~** a peacock feather; **2** (orgueilleux) peacock; **faire le ~** to play the peacock
(Idiomes) **être fier comme un ~** to be as proud as a peacock; **se parer des plumes du ~** to take all the credit for oneself

paonne /pan/ *nf* peahen

papa /papa/ *nm* dad○, daddy○, father; **placement à la ~**○ safe investment; **jouer au ~ et à la maman** to play mummies and daddies GB, to play house; **fils** *or* **fille à ~** spoiled little rich kid○
(Composés) **~ gâteau** doting father; **~ poule** overprotective father

papal, **~e**, *mpl* **-aux** /papal, o/ *adj* papal

paparazzi /papaʀadzi/ *nm* **des ~s** paparazzi

papauté /papote/ *nf* papacy

papaye /papaj/ *nf* papaya

papayer /papaje/ *nm* papaya (tree)

pape /pap/ *nm* **1** ▸ **p. 848** Relig pope; **le ~ Jean-Paul II** Pope John Paul II; **2** fig (personne influente) high priest (**de qch** of sth)
(Idiome) **être sérieux comme un ~** to be solemn-faced

papelard, **~e** /paplaʀ, aʀd/
A *adj* liter (hypocrite) smooth
B ○*nm* (papier) paper

papelardise /paplaʀdiz/ *nf* liter smoothness

paperasse○ /papʀas/ *nf* pej **1** (papiers) bumph○ ¢ GB, documents (*pl*); **2** (activité) paperwork ¢

paperasserie○ /papʀasʀi/ *nf* paperwork

paperassier○, **-ière** /papʀasje, ɛʀ/ *adj* [*employé*] fond of red tape (*jamais épith*); [*système, organisme*] full of red tape (*jamais épith*)

papeterie* /papɛtʀi/ *nf* **1** ▸ **p. 532** (commerce) stationer's (shop), stationery shop GB *ou* store US; **2** (articles) stationery; **3** (industrie) papermaking industry; **4** (usine) paper mill

papetier, **-ière** /paptje, ɛʀ/
A *adj* papermaking
B ▸ **p. 532** *nm,f* **1** (fabricant) papermaker; **2** (commerçant) stationer

papette /papɛt/ *nf* Helv **1** (neige fondue) slush; **2** (boue) mud

papi /papi/ *nm* **1** (grand-père) granddad○, grandpa○; **2** (vieil homme) granddad○, old man

papier /papje/
A *nm* **1** (matière) paper; **du ~ blanc/de couleur** white/coloured[GB] paper; **bout/feuille/morceau de ~** scrap/sheet/piece of paper; **jeter** *or* **coucher des idées sur le ~** to get *ou* put one's ideas down on paper; **sortie sur ~** Ordinat hardcopy output; **pâte à ~** pulp; **2** (document) paper; **jeter de vieux ~s à la poubelle** to throw out some old papers; **classer/ranger des ~s** to file/sort some papers; **~s personnels** personal *ou* private

P

papers; [3] ○(article de journal) article, piece○
B **papiers** *nmpl* Admin documents, papers; **~s d'identité** (identity) papers *ou* documents; **avoir des ~s en règle** to have one's papers in order

(Composés) **~ absorbant** kitchen towel, paper towel US; **~ (d')aluminium** *or* **~ alu**○ (aluminium GB *ou* aluminum US) foil, kitchen foil; **~ d'argent** silver paper; **~ d'Arménie** incense paper; **~ par avion** airmail paper; **~ bible** India *ou* bible paper; **~ brouillon** rough paper GB, scrap paper; **~ bulle** unbleached paper; **~ buvard** blotting paper; **~ cadeau** gift wrap, wrapping paper; **~ canson®** drawing paper; **~ carbone** carbon paper; **~ chiffon** rag paper; **~ à cigarettes** cigarette paper; **fin comme du ~ à cigarettes** [*tarte, tranche*] wafer-thin; **~ collant** adhesive tape; **~ court** Fin short exchange; **~ crépon** crepe paper; **~ à dessin** drawing paper; **~ d'emballage** wrapping paper; **~ à en-tête** headed notepaper; **~ glacé** glossy *ou* shiny paper; **~ goudronné** tar paper; **~ hygiénique** toilet paper *ou* tissue; **~ Japon** Japanese paper; **~ journal** newsprint; **~ kraft** Manila paper; **~ à lettres** writing paper, notepaper; **~ libre** plain paper; **~ mâché** papier-mâché; **~ machine** typing paper; **~ millimétré** graph paper; **~ ministre** foolscap paper; **~ à musique** music paper; **être réglé comme du ~ à musique** [*vie*] to be highly regimented; **~ offset** offset paper; **~ paraffiné** wax paper; **~ peint** wallpaper; **~ pelure** onionskin (paper); **~ pH** litmus paper; **~ photographique** photographic paper; **~ de riz** rice paper; **~ de soie** tissue paper; **~ timbré** stamped paper; **~ toilette** = **~ hygiénique**; **~ sulfurisé** greaseproof paper; **~ tournesol** litmus paper; **~ tue-mouche** flypaper; **~ vélin** vellum paper; **~ vergé** laid paper; **~ de verre** sandpaper, glasspaper; **~s gras** litter ₵

(Idiomes) **être dans les petits ~s de qn** to be in sb's good books; **avoir une mine de ~ mâché** to be pasty faced, to have a pasty complexion

papier-calque, *pl* **papiers-calque** /papjekalk/ *nm* tracing paper

papier-émeri, *pl* **papiers-émeri** /papjeɛmʀi/ *nm* emery paper

papier-filtre, *pl* **papiers-filtres** /papjefiltʀ/ *nm* filter paper

papier-monnaie, *pl* **papiers-monnaies** /papjemɔnɛ/ *nm* paper money

papille /papij/ *nf* papilla

(Composé) **~s gustatives** taste buds, lingual papillae spéc

papillon /papijɔ̃/ *nm* [1] Zool butterfly; [2] ○(contravention) parking ticket; [3] Sport (brasse) **~** butterfly (stroke); **le 100 mètres ~** the 100 metres GB butterfly; **nager en ~** to swim the butterfly; [4] (personne) **ta sœur est un ~** your sister is flighty; [5] (écrou) wing nut, butterfly nut; [6] Aut (de carburation) butterfly valve

(Composés) **~ adhésif** (pour notes) self-stick note; (pour affichage) sticker; **~ de nuit** moth

(Idiome) **minute ~**○ hang on a minute○

papillonnant, **~e** /papijɔnɑ̃, ɑ̃t/ *adj* flighty

papillonner /papijɔne/ [1] *vi* [1] (voleter) to flit about (**de qch à qch** from sth to sth); [2] (être volage) to flirt incessantly

papillote /papijɔt/ *nf* [1] Culin (papier aluminium) foil parcel; (confiserie) chocolate sweet GB *ou* candy US (*wrapped in silver paper*); (sur côtelette) frill; **faire du saumon en ~** to cook salmon in a foil parcel; [2] Cosmét curlpaper; [3] Relig (dans judaïsme) lock

papillotement /papijɔtmɑ̃/ *nm* flickering ₵

papilloter /papijɔte/ [1] *vi* [*lumière*] to flicker; [*personne, yeux*] to blink; **~ des paupières** to blink

papisme /papism/ *nm* popery

papiste /papist/ *adj, nmf* papist

papotage○ /papɔtaʒ/ *nm* [1] (activité) chattering; [2] (conversation) idle chatter ₵

papoter○ /papɔte/ [1] *vi* to chatter

papou, **~e** /papu/
A ▸ **p. 561** *adj* Papuan
B ▸ **p. 483** *nm* Papuan

Papou, **~e** ▸ **p. 561** /papu/ *nm,f* Papuan

Papouasie-Nouvelle-Guinée /papwazinuvɛlgine/ ▸ **p. 333** *nprf* Papua New Guinea

papouille○ /papuj/ *nf* tickle ₵; **faire des ~s à qn** to tickle sb

paprika /papʀika/ *nm* paprika

papule /papyl/ *nf* papule

papy = **papi**

papy-boom○, *pl* **papy-booms*** /papibum/ *nm* hum *onset of retirement for the baby boom generation*

papy-boomer○, *pl* **papy-boomers** /papibumœʀ/ *nm* hum *baby boomer approaching retirement age*

papyrus /papiʀys/ *nm* Bot, Hist papyrus

pâque /pɑk/
A *nf* **la ~ juive** Passover
B **pâques** *nfpl* Easter; **(je vous souhaite de) joyeuses ~s** (I wish you a) happy Easter; **faire ses ~s** to do one's Easter duty

Pâque /pɑk/ *nf* **la ~ (juive)** Passover

paquebot /pakbo/ *nm* liner; **~ transatlantique** transatlantic liner

pâquerette /pɑkʀɛt/ *nf* daisy

(Idiome) **être au ras des ~s**○ to be very basic

Pâques /pɑk/
A *nm* Relig (fête) Easter; **les fêtes de ~** Easter; **le jour de ~** on Easter Sunday; **les vacances de ~** the Easter holidays GB *ou* vacation US; **à/pour ~** at/for Easter; **la semaine de ~** Easter week; **le lundi de ~** Easter Monday
B ▸ **p. 435** *nprf* Géog **île de ~** Easter Island

(Idiome) **faire ~ avant Carême** *or* **les Rameaux** to get pregnant before one is married

paquet /pakɛ/ *nm* [1] Comm (de sucre, lessive, riz) packet GB, package US; (de cigarettes, café) packet GB, pack US; (d'enveloppes) pack; (de bonbons) bag; **mettre en ~** to package; [2] (colis) parcel; **faire/défaire/envoyer un ~** to wrap/undo/send a parcel; ▸ **petit**; [3] (assemblage) (de vêtements, linge, billets) bundle; (de lettres) packet; **faire un ~ de journaux** to put together a bundle of newspapers; [4] ○(grande quantité) masses (*pl*); **il y avait des fraises par ~s** there were masses of strawberries; [5] ○(grosse somme) packet○ GB, bundle○ US; **gagner un ~** to make a packet○ *ou* bundle○; [6] Sport (au rugby) **~ (d'avants)** pack (of forwards); [7] Ordinat, Télécom packet; **transmission par ~s** packet transmission; [8] Pol package

(Composés) **~ d'actions** Fin block of shares; **~ de données** Ordinat data packet; **~ d'erreurs** Ordinat error burst; **~ de mer** big wave; **~ de muscles** muscleman; **~ de nerfs**○ bundle of nerves○; **~ d'os**○ bag of bones○

(Idiomes) **faire ses ~s**○ to pack one's bags; **mettre le ~**○ to pull out all the stops; **risquer le ~**○ to go for the big one○

paquetage /paktaʒ/ *nm* Mil pack

paquet-cadeau, *pl* **paquets-cadeaux** /pakɛkado/ *nm* gift-wrapped present; **est-ce que vous pouvez faire un ~?** could you gift-wrap it?

par /paʀ/
A *prép* [1] (indiquant un trajet) **entre ~ le garage/~ la porte du garage** lit come in through the garage/by the garage door; **il a pris ~ les champs** he cut across the fields; **il est entré dans la compagnie ~ la petite porte** fig he got into the company through the back door; **il est passé ~ tous les échelons** fig he worked his way up through the ranks; **pour aller à Rome, je passe ~ Milan** to get to Rome, I go via *ou* by Milan; **prends** *or* **passe ~ le chemin au lieu de passer ~ la route** take the path instead of going by the road; **elle est arrivée ~ la droite** she came from the right; **errer ~ les rues** to wander through the streets; **voyager ~ le monde** to travel all over *ou* throughout the world; **le peintre a terminé** *or* **fini ~ la cuisine** the painter did the kitchen last; [2] (indiquant un lieu) **~ endroits** in places; **~ chez moi/nous**○ where I/we come from; [3] (indiquant une circonstance) **~ le passé** in the past; **~ une belle journée d'été** on a beautiful summer's day; **~ ce froid/cette chaleur** in this cold weather/this heat; **ils sortent même ~ moins 40°C** they go outdoors even when it's minus 40°C; **~ deux/trois fois** on two/three occasions; [4] (indiquant une répartition) **~ jour/semaine/an** a day/week/year; **les conférences auront lieu un lundi ~ mois** the lectures will take place once a month on a Monday; **~ personne** *or* **habitant** per person *ou* head; **~ tête** Écon per capita; **travailler ~ petits groupes** to work in small groups; **deux ~ deux** [*travailler*] in twos; [*marcher*] two by two; **les touristes sont arrivés ~ centaines/bus entiers** tourists arrived by the hundred/the coachload; [5] (introduit un complément d'agent) by; **baignée ~ une douce lumière** bathed in soft light; **être pris ~ son travail** to be taken up with one's work; [6] (indiquant le moyen) by; **régler/payer ~ carte de crédit** to pay by credit card; [7] (indiquant la manière) by; **le vent souffle ~ rafales** the wind blows in gusts; ▸ **mont, saint**; [8] (indiquant la cause) **l'accident est arrivé ~ sa faute** it was his/her fault that the accident happened; **~ ennui/jalousie** out of boredom/jealousy; [9] (indiquant un intermédiaire) through; **tu peux me faire passer le livre ~ ta sœur** you can get the book to me via your sister
B **de par** *loc prép* fml [1] (partout dans) throughout, all over; **avoir des amis de ~ le monde** to have friends throughout *ou* all over the world; [2] (à cause de) **de ~ sa fonction** by virtue of his/her/its office; **de ~ la loi** by law

para○ /paʀa/ *nm* (*abbr* = **parachutiste**) para○

parabole /paʀabɔl/ *nf* [1] Bible parable; **~ du Semeur** parable of the Sower; [2] Math parabola; [3] (antenne) satellite dish, satellite receiver

parabolique /paʀabɔlik/ *adj* parabolic

paracentèse /paʀasɑ̃tɛz/ *nf* paracentesis

paracétamol /paʀasetamɔl/ *nm* paracetamol

parachèvement /paʀaʃɛvmɑ̃/ *nm* (bouclage) completion

parachever /paʀaʃve/ [16] *vtr* (terminer) to complete; (fignoler) to put the finishing touches to

parachutage /paʀaʃytaʒ/ *nm* [1] (de vivres, soldats) airdrop; [2] ○(nomination) **le ~ d'un enseignant** the appointment of a teacher from outside; **mon ~ en Normandie** my sudden transfer to Normandy

parachute /paʀaʃyt/ *nm* [1] (voile) parachute; **~ ventral** lap-pack parachute; **~ dorsal** back(-pack) parachute; **~ de secours** safety parachute; **sauter en ~** to make a parachute jump; **saut en ~** parachute jump; [2] (sport) parachuting; **faire du ~** to go parachuting

(Composé) **~ ascensionnel** (sport) parascending

parachuter /paʀaʃyte/ [1] *vtr* [1] Mil, Sport to parachute [*soldat, vivres*]; [2] ○(envoyer) to bring [sb] in from outside; **je n'ai pas envie d'être parachuté en Normandie** I don't want to be shunted off○ to Normandy

P

parachutisme /paʀaʃytism/ ▸ **p. 469** *nm* parachuting; **faire du ~** to go parachuting

(Composé) **~ ascensionnel** parascending

parachutiste /paʀaʃytist/ ▸ **p. 532**
A *adj* [*troupes, escadron*] parachute
B *nmf* 1▸ Sport parachutist; 2▸ Mil paratrooper

parade /paʀad/ *nf* 1▸ (défilé) Mil, Théât parade; **de ~** [*costume, uniforme*] parade (*épith*); **faire une ~** to parade; 2▸ (défense) Sport, fig parry; **chercher/trouver une ~** to look for/find a parry (**à** to; **pour faire** to do); 3▸ (étalage) parade; **une indignation/un enthousiasme de ~** a show of indignation/enthusiasm; **faire ~ de** to flaunt [*richesse, connaissances*]; 4▸ (d'animal) display; 5▸ Équit pulling up

(Composé) **~ nuptiale** mating display

parader /paʀade/ [1] *vi* pej to strut about

paradigmatique /paʀadigmatik/ *adj* paradigmatic

paradigme /paʀadigm/ *nm* paradigm

paradis /paʀadi/ *nm inv* 1▸ Relig heaven; **l'enfer et le ~** heaven and hell; **être/aller au ~** to be in/go to heaven; 2▸ (lieu idéal) paradise; **le ~ de la voile/des sportifs** a paradise for sailors/sports enthusiasts; **un petit ~ antillais** a little bit of paradise in the West Indies; **c'est le ~ sur terre** it's heavenly; **c'est un ~ perdu** it's a garden of Eden; 3▸ Théât **le ~** the gods (*pl*)

(Composés) **~ fiscal** Fisc tax haven; **~ terrestre** Bible Garden of Eden

(Idiome) **tu ne l'emporteras pas au ~** you'll live to regret it

paradisiaque /paʀadizjak/ *adj* heavenly

paradisier /paʀadizje/ *nm* bird of paradise

paradoxal, ~e, *mpl* **-aux** /paʀadɔksal, o/ *adj* paradoxical

paradoxalement /paʀadɔksalmɑ̃/ *adv* paradoxically

paradoxe /paʀadɔks/ *nm* paradox

parafe = **paraphe**

parafer = **parapher**

paraffine /paʀafin/ *nf* (liquide) paraffin GB, kerosene US; (solide) paraffin wax; **huile de ~** paraffin oil GB, kerosene US

paraffiner /paʀafine/ [1] *vtr* to paraffin

parafiscal, ~e, *mpl* **-aux** /paʀafiskal, o/ *adj* [*taxe*] parafiscal

parafiscalité /paʀafiskalite/ *nf* parafiscal funding

parages /paʀaʒ/ *nmpl* neighbourhood[GB] (*sg*); **les ~ sont peu sûrs** the neighbourhood[GB] is not very safe; **dans les ~** around; **elle est dans les ~** she is around somewhere; **j'ai perdu mon chat quelque part dans les ~** I lost my cat somewhere around here; **j'étais dans les ~, alors je suis passé** I was in the neighbourhood[GB], so I stopped by○

paragraphe /paʀagʀaf/ *nm* 1▸ (division) paragraph; 2▸ (signe typographique) section mark

Paraguay /paʀagwɛ/ ▸ **p. 333** *nprm* Paraguay

paraguayen, -enne /paʀagwejɛ̃, ɛn/ ▸ **p. 561** *adj* Paraguayan

Paraguayen, -enne /paʀagwejɛ̃, ɛn/ ▸ **p. 561** *nm,f* Paraguayan

paraître* /paʀɛtʀ/ [73]
A *nm* **le ~** appearance
B *vi* 1▸ Édition, Presse [*publication*] to come out, to be published; **revue paraissant le jeudi/chaque semaine** magazine which comes out on Thursdays/weekly; **mon livre a paru l'an dernier** my book came out *ou* was published last year; **mon livre paraîtra aux éditions Hachette** my book will be published by Hachette; **faire ~ un article** to publish an article; **un article paru dans une revue** an article which appeared in a magazine; **'à ~'** 'forthcoming titles'; **prochains ouvrages à ~ dans cette collection** coming out soon in this collection; **'vient de ~'** 'just out', 'just published'; **dans la rubrique 'vient de ~'** in the 'latest titles'; 2▸ (sembler) to appear, to seem; (avoir l'air) to look; **cela peut ~ ridicule** this may appear *ou* seem ridiculous; **il ne craint pas de ~ ridicule** he's not afraid of looking silly; **la situation paraît s'améliorer** the situation appears *ou* seems to be improving; **cette affaire me paraît louche** this business looks *ou* seems fishy to me; **aussi évident que cela puisse ~** however obvious this may appear *ou* seem (to be); 3▸ (devenir visible) [*personne, objet, véhicule, soleil*] to appear; **quand elle parut à la fenêtre** when she appeared at the window; **avec le temps, la cicatrice ne paraîtra plus** with time, the scar won't show any more; **avec un peu de maquillage, il n'en paraîtra rien** with a little make-up, it won't show at all; **elle ne laisse rien ~ de ses sentiments** she doesn' t let her feelings show at all; **sans qu'il n'y paraisse rien, elle a fini par gagner tout le monde à sa cause** without anyone realizing, she ended up winning everyone round GB *ou* over to her cause; **ce qu'ils font ~ à l'écran n'a rien à voir avec la réalité** what they show us on the screen has nothing to do with reality; 4▸ (se montrer) to appear; **~ en public** to appear in public; **il n'a pas paru à son bureau de la semaine** he hasn't shown up at his office all week; **~ à son avantage** to look one's best; **chercher à/aimer ~** to try/like to be seen in one's best light
C *v impers* **il paraît que** apparently; **il paraîtrait que** it would seem that; **il me paraît inutile de faire** it seems useless to me to do; **ce n'est peut-être pas aussi grave qu'il (n'y) paraît** it may not be as serious as it seems; **paraît-il** it seems; **il paraît qu'elle a déménagé** (information) apparently she's moved; (question) I hear she's moved; **oui, il paraît** so I hear; **il paraît que les Français adorent la musique** the French are supposed to love music; **à ce qu'il paraît** apparently

paralangage /paʀalɑ̃gaʒ/ *nm* paralanguage

paralinguistique /paʀalɛ̃gɥistik/
A *adj* paralinguistic
B *nf* paralinguistics (+ *v sg*)

paralittérature /paʀaliteʀatyʀ/ *nf* popular literature

parallactique /paʀalaktik/ *adj* parallactic

parallaxe /paʀalaks/ *nf* parallax

parallèle /paʀalɛl/
A *adj* 1▸ [*lignes, plans*] parallel (**à** to); **la rue est ~ au fleuve** the street runs parallel to the river; 2▸ (distinct) parallel; (semblable) similar; **en ~ à** (distinctement) in parallel with; (semblablement) similarly to; **organiser un concours/une manifestation ~** to organize a parallel competition/demonstration; **nos concurrents ont suivi une démarche ~** our competitors [illegible] similar steps; 3▸ (en marge) [*marché, police*] unofficial; [*médecine, éducation*] alternative; [*monde, univers*] parallel; **mener une activité ~** (comme dérivatif) to have an activity as a sideline; (en fraude) to have a sideline; 4▸ Ordinat parallel; **traitement/imprimante ~** parallel processing/printer
B *nm* 1▸ (comparaison) parallel; **établir** *or* **dresser un ~** to draw a parallel (**entre** between); **mettre deux événements en ~** to draw a parallel between two events; 2▸ Géog parallel; 3▸ Électrotech **en ~** in parallel
C *nf* Math parallel line

parallèlement /paʀalɛlmɑ̃/ *adv* 1▸ Math **~ à** parallel to; 2▸ (simultanément) at the same time (**à** as)

parallélépipède /paʀalelepipɛd/ *nm* parallelepiped

parallélépipédique /paʀalelepipedik/ *adj* parallelepipedal

parallélisme /paʀalelism/ *nm* 1▸ Math parallelism; 2▸ Aut (wheel) alignment; **vérifier le ~ (des roues)** to check the wheel alignment; 3▸ (correspondance) parallelism (**entre** between)

parallélogramme /paʀalelɔgʀam/ *nm* parallelogram

paralysé, ~e /paʀalize/
A *pp* ▸ **paralyser**
B *pp adj* paralyzed; **rester ~** to be left paralyzed; **être ~ des jambes/du côté droit** to be paralyzed in the legs/on the right side; **~ par une grève** fig paralyzed by a strike
C *nm,f* paralytic

paralyser /paʀalize/ [1] *vtr* 1▸ Méd to paralyze; 2▸ (bloquer) to paralyze [*pays, entreprise, marché*]; to bring [sth] to a halt [*production, circulation*]

paralysie /paʀalizi/ *nf* paralysis; **être frappé de ~** to be paralyzed

paralytique /paʀalitik/ *adj, nmf* paralytic

paramécie /paʀamesi/ *nf* paramecium

paramédical, ~e, *mpl* **-aux** /paʀamedikal, o/ *adj* paramedical

paramètre /paʀamɛtʀ/ *nm* parameter; **les ~s** Ordinat settings

paramétrer /paʀametʀe/ [1] *vtr* to define

paramilitaire /paʀamilitɛʀ/ *adj* paramilitary

parangon /paʀɑ̃gɔ̃/ *nm* **un ~ de vertu** a paragon of virtue

parano○ /paʀano/
A *adj, nmf* paranoiac
B *nf* paranoia

paranoïa /paʀanɔja/ *nf* paranoia

paranoïaque /paʀanɔjak/ *adj, nmf* paranoiac

paranoïde /paʀanɔid/ *adj* paranoid

paranormal, ~e, *mpl* **-aux** /paʀanɔʀmal, o/
A *adj* paranormal
B *nm* **le ~** the paranormal

parapente /paʀapɑ̃t/ ▸ **p. 469** *nm* Sport 1▸ (voile) paraglider; 2▸ (sport) paragliding

parapet /paʀapɛ/ *nm* parapet

parapharmacie /paʀafaʀmasi/ *nf* toiletries and vitamins (*pl*)

paraphe /paʀaf/ *nm* (initiales) initials (*pl*); (trait de plume) flourish; (signature) signature; **veuillez apposer votre ~** (initiales) please initial; (signature) please sign

parapher /paʀafe/ [1] *vtr* 1▸ (avec ses initiales) to initial; 2▸ (d'un trait de plume) to flourish; 3▸ fml (avec sa signature) to sign

parapheur /paʀafœʀ/ *nm* signature book

paraphrase /paʀafʀɑz/ *nf* paraphrase

paraphraser /paʀafʀɑze/ [1] *vtr* to paraphrase

paraphrastique /paʀafʀastik/ *adj* paraphrastic

paraplégie /paʀapleʒi/ *nf* paraplegia

paraplégique /paʀapleʒik/ *adj, nmf* paraplegic

parapluie /paʀaplɥi/ *nm* lit, fig umbrella; **~ nucléaire** nuclear umbrella

parapsychique /paʀapsiʃik/ *adj* parapsychological

parapsychologie /paʀapsikɔlɔʒi/ *nf* parapsychology

parapsychologue /paʀapsikɔlɔg/ *nmf* parapsychologist

parascolaire /paʀaskɔlɛʀ/ *adj* extracurricular

parasismique /paʀasismik/ *adj* **construction ~** earthquake-resistant construction

parasitage /paʀazitaʒ/ *nm* 1▸ Radio, TV interference; 2▸ (exploitation) exploitation

parasitaire /paʀazitɛʀ/ *adj* parasitic(al)

parasite /paʀazit/
A *adj* [*plante, organisme*] parasitic(al); [*idée*] intrusive; **bruits ~s** Radio, TV interference ¢
B *nm* 1▸ lit, fig parasite; 2▸ Radio, Télécom, TV **~s** (brouillage) interference ¢; (électricité statique) static ¢; **provoquer** *or* **faire des ~s dans la radio** to cause interference on the radio

parasiter /paʀazite/ [1] *vtr* 1▸ Biol, Bot, Méd, Vét to live as a parasite on [*plante, animal*];

p

2 (exploiter) to exploit; 3 Radio, TV to cause interference on [radio, télévision]

parasitique /paʀazitik/ *adj* parasitic(al)

parasitisme /paʀazitism/ *nm* parasitism

parasitose /paʀazitoz/ ▸ p. 283 *nf* parasitosis

parasol /paʀasɔl/ *nm* 1 (de plage) beach umbrella; (de café, jardin) sun umbrella; 2 †(ombrelle) parasol, sunshade

parasympathique /paʀasɛ̃patik/ *adj* parasympathetic

parataxe /paʀataks/ *nf* parataxis

parathyroïde /paʀatiʀɔid/ *nf* parathyroid gland

paratonnerre /paʀatɔnɛʀ/ *nm* lightning conductor GB, lightning rod

paratyphique /paʀatifik/ *adj* paratyphoid

paratyphoïde /paʀatifɔid/ ▸ p. 283 *nf* paratyphoid (fever)

paravalanche /paʀavalɑ̃ʃ/ *nm* avalanche shelter

paravent /paʀavɑ̃/ *nm* lit, fig screen

parbleu† /paʀblø/ *excl* good Lord!

parc /paʀk/ *nm* 1 (jardin) park; **aller se promener au ~** to go for a walk in the park; 2 (enclos) (pour enfant) playpen; (pour bestiaux) pen; **~ à moutons** sheep pen; 3 (ensemble) (d'installations) (total) number (**de** of); (de biens d'équipement) stock (**de** of); **~ automobile** (d'une entreprise) fleet of cars; (d'un pays) number of cars (on the road); **~ ferroviaire** rolling stock; **~ immobilier** housing stock

(Composés) **~ d'attractions** amusement *ou* theme park; **~ à huîtres** oyster bed; **~ de loisirs** theme park; **~ marin (naturel)** *area of sea run as a national park*; **~ national** national park; **~ naturel** nature park; **~ (naturel) régional** *national park run on a regional basis*; **~ relais** park and ride; **~ de stationnement** car park GB, parking lot US; **~ zoologique** zoological gardens (*pl*)

parcage /paʀkaʒ/ *nm* 1 (d'animaux) penning (**de** of); 2 (de voitures) parking (**de** of)

parce: **parce que** /paʀs(ə)k(ə)/ *loc conj* because; **'pourquoi est-ce que je ne peux pas aller à la plage avec eux?'—'~ que!'** 'why can't I go to the beach with them?'—'because I say so *ou* you can't!'; **'pourquoi ne lui as-tu pas téléphoné?'—'~ que!'** 'why haven't you phoned him?'—'because I haven't, that's why', 'just because!'; **il est déçu, d'abord ~ qu'il pleut, ensuite...** he's disappointed, one because it's raining and two...; **c'est ~ que j'aime le bois que je fais ce métier** I'm doing this job because I like wood; **s'il a réussi, c'est aussi ~ qu'on l'a aidé** if he succeeded, it's because he had help; **c'est bien ~ que c'est toi!** only because it's you!; **c'est justement ~ que** it's precisely because; **ce n'est pas ~ que** it's not because; **ne serait-ce que ~ que** if only because

parcellaire /paʀsɛl(l)ɛʀ/ *adj* [travail] fragmented; [connaissance] patchy; **découpage ~** division into plots

parcelle /paʀsɛl/ *nf* 1 (petit morceau) **~ de verre/plâtre** fragment of glass/plaster; **~ d'or** particle of gold; 2 (petite quantité) **une ~ de bonheur/d'autorité** a bit of happiness/of authority; **il n'y a pas une ~ de vérité là-dedans** there isn't a scrap of truth in it; 3 (portion de terrain) plot (of land)

parcellisation /paʀsɛl(l)izasjɔ̃/ *nf* (de terrain) parcelling[GB] out (**de** of); **~ du travail** division of labour[GB]

parcelliser /paʀsɛl(l)ize/ [1] *vtr* to parcel out [terrain]; to divide [opinion publique]; **~ le travail** to break down work into individual operations; **tâches/activités parcellisées** fragmented tasks/activities

parchemin /paʀʃəmɛ̃/ *nm* 1 (peau, document) parchment; 2 ○(diplôme) bit of paper○ GB, sheepskin○ US, diploma

parcheminé, **~e** /paʀʃəmine/

A *pp* ▸ **parcheminer**

B *pp adj* 1 [papier] with a parchment finish (*épith*); 2 [peau] papery; 3 [visage, main] shrivelled[GB]

parcheminer /paʀʃəmine/ [1]

A *vtr* to give a parchment finish to [papier]

B **se parcheminer** *vpr* [visage] to shrivel

par-ci /paʀsi/ *adv* **~ par-là** here and there; **un gâteau ~ un bonbon par-là** a cake here, a sweet GB *ou* candy US there

parcimonie /paʀsimɔni/ *nf* parsimony sout; **avec ~** sparingly, parsimoniously; **accorder des éloges avec ~** to be sparing with one's praise

parcimonieusement /paʀsimɔnjøzmɑ̃/ *adv* parsimoniously, sparingly

parcimonieux, **-ieuse** /paʀsimɔnjø, øz/ *adj* [personne] sparing (*jamais épith*), parsimonious sout; [répartition] stingy (*jamais épith*)

parcmètre /paʀkmɛtʀ/ *nm* parking meter

parcotrain /paʀkotʀɛ̃/ *nm* station car park

parcourir /paʀkuʀiʀ/ [26] *vtr* 1 (sillonner) to travel all over [pays, continent]; **~ la ville** to go all over town; **~ un lieu à la recherche de** to scour a place in search of; 2 (franchir) to cover [distance]; **il a parcouru à pied la route jusqu'à Berlin** he walked all the way to Berlin; **il reste un long chemin à ~** there's still a long way to go; 3 (traverser) **la chemin de fer parcourt toute la région** the railway runs right across the region; **un frisson me parcourut le dos** a shiver ran down my spine; 4 (examiner rapidement) to glance through, to skim [lettre, offres d'emploi]; to scan [horizon]; **~ un endroit des yeux** *or* **du regard** to have a quick glance around a place

parcours /paʀkuʀ/ *nm inv* 1 (trajet) (d'autobus, de personne) route; (de fleuve) course; **~ balisé** *or* **fléché** marked path; 2 Sport course; **reconnaître un ~** to go over *ou* walk a course (*before a race*); **~ de golf** round of golf; **elle a fait un excellent ~** (dans une course) she had an excellent race; 3 (cheminement) (professionnel) career; **son ~** (d'artiste) the development of his/her art; **incident de ~** hitch; **il expose le ~ personnel de l'auteur** he describes the author's personal development

(Composés) **~ du combattant** Mil assault course; fig obstacle course; **~ santé** fitness trail

par-dedans /paʀdədɑ̃/ *adv* (par l'intérieur) **tu n'as pas besoin de faire la tour de la maison, tu peux passer ~ pour aller dans le jardin** you don't need to go round the outside, you can come through the house to get to the garden GB *ou* yard US

par-dehors /paʀdəɔʀ/ *adv* (par l'extérieur) **je dois passer ~ pour aller dans ma chambre** I have to go around the outside to get to my room

par-delà /paʀdəla/ *prép* liter 1 (de l'autre côté de) beyond; **~ les montagnes/mers** beyond the mountains/seas; **j'irais ~ l'océan pour te rejoindre** I would cross the widest ocean to be by your side; 2 fig (à travers) **~ les siècles** down the centuries; **cette statue est restée intacte ~ le temps** this statue has survived the passage of time

par-derrière /paʀdɛʀjɛʀ/ *adv* 1 (par la partie postérieure) **passer ~** to go round GB *ou* to the back; **entrer ~** to come in round GB *ou* from the back; **ils m'ont attaqué ~** they attacked me from behind; 2 fig (sournoisement) behind sb's back; **critiquer/calomnier qn ~** to criticize/slander sb behind his/her back

par-dessous /paʀdəsu/

A *adv* (par en dessous) underneath; **la barrière est trop haute, passe ~** the barrier is too high, go underneath; **tu auras froid avec ta veste, mets un pull ~** you'll be cold in just your jacket, put a sweater on underneath; **la porte est fermée à clé, glisse la lettre ~** the door is locked, slide the letter underneath; **le carton n'est pas solide, prends-le ~** the cardboard box isn't very strong, take hold of it underneath *ou* by the bottom

B *prép* (sous quelque chose) underneath

pardessus /paʀdəsy/ *nm* overcoat

par-dessus /paʀdəsy/

A *adv* 1 (sur la chose en question) **tu vas avoir froid en chemise, mets un pull ~** you'll be cold in a shirt, put a sweater on; **pose ton sac dans un coin et mets ton manteau ~** put your bag in a corner and put your coat on top of it; 2 (par le dessus) **le mur n'est pas haut, passe/saute ~** the wall isn't high, climb/jump over it

B *prép* 1 (par l'espace au-dessus de quelque chose) over; **il lisait ~ mon épaule** he was reading over my shoulder; **saute ~ le ruisseau** jump over the stream; **jeter qn/qch ~ bord** Naut to throw sb/sth overboard; ▸ **tête**; 2 fig (surtout) **ce que j'aime ~ tout, c'est le soleil/être dehors/voyager** what I like best of all is the sun/being outside/travelling[GB]; **je te recommande la prudence ~ tout** I advise you to be cautious above all else

par-devant /paʀdəvɑ̃/

A *adv* 1 (par l'avant) **la porte de derrière est fermée, passe ~** the back door is locked, come round by the front; 2 fig (en face) **il te fait des sourires ~ mais dit du mal de toi dans ton dos** he's all smiles to your face but says nasty things about you behind your back

B *prép* Jur (en présence de) **~ notaire** in the presence of a notary

par-devers /paʀdəvɛʀ/ *prép* fml (en la possession de) **garder/conserver qch ~ soi** to keep sth in one's possession

pardi○ /paʀdi/ *excl* of course!

pardieu† /paʀdjø/ *excl* good Lord!

pardon /paʀdɔ̃/

A *nm* 1 (fait de pardonner) forgiveness; Relig pardon; **demander ~ à qn** (pour une faute très grave) to ask sb for forgiveness; **je te demande ~** I'm sorry; **tu lui as demandé ~?** did you apologize *ou* say you were sorry?; **accorder son ~ à qn** fml to forgive sb; ▸ **grand**; 2 (dans une formule de politesse) **~!** sorry!; **~? qu'est-ce que tu as dit?** sorry *ou* I beg your pardon? GB what did you say?; **~ madame, je cherche...** excuse me please, I'm looking for...; **~ de vous avoir interrompu** I'm sorry for interrupting you

B *excl* **ma mère est déjà grande mais alors ma sœur, ~!** if you think my mother is tall, you should see my sister!

pardonnable /paʀdɔnabl/ *adj* [faute, délit] forgivable; **ils ne sont pas ~s** it's unforgivable of them

pardonner /paʀdɔne/ [1]

A *vtr* 1 (accorder son pardon à) [personne] to forgive [faute, erreur, écart]; [Dieu] to pardon, to forgive [péché]; **~ à qn** to forgive sb; **~ qch à qn** to forgive sb sth; **~ à qn d'avoir fait** to forgive sb for doing; **je voudrais me faire ~** I'd like to be forgiven; 2 (dans une formule de politesse) **pardonnez-moi, mais je voudrais intervenir** excuse me, but I'd like to say something; **pardonne-moi ma curiosité** excuse my curiosity; **pardonne-moi de te déranger** I'm sorry if I'm disturbing you; **pardonnez-moi si je fais du bruit** excuse me if I'm being noisy

B *vi* **ne pas ~** to be fatal; **une faute pareille ça ne pardonne pas** that kind of mistake can be fatal

C **se pardonner** *vpr* [personne] to forgive oneself; **je ne me le pardonnerai jamais** I'll never forgive myself for that

(Idiome) **faute avouée est à moitié pardonnée** Prov a fault confessed is half redressed Prov

pare-balles* /paʀbal/ *adj inv* bulletproof; **gilet ~** bulletproof vest

pare-boue* /paʀbu/ *nm inv* mud flap

pare-brise* /paʀbʀiz/ *nm inv* windscreen GB, windshield US

pare-chocs* /paʀʃɔk/ *nm inv* bumper; **rouler ~ contre ~** to drive along bumper to bumper

p

pare-éclats* /paʀekla/ *nm inv* Mil traverse

pare-étincelles* /paʀetɛ̃sɛl/ *nm inv* fireguard GB, fire screen US

pare-feu* /paʀfø/ *nm inv* 1 (bande déboisée) fire-break; 2 Ordinat firewall

parégorique /paʀegɔʀik/ *adj* **élixir ~** paregoric

pareil, -eille /paʀɛj/

A *adj* 1 (semblable) similar (**à** to); **mon frère et ma sœur sont ~s** (l'un à l'autre) my brother and sister are alike; (que moi) my brother and sister are the same; **les deux chapeaux sont presque ~s** the two hats are almost identical; **ils sont tous ~s dans cette famille** they're all the same in that family; **je veux une robe pareille à la tienne** I want a dress the same as *ou* just like yours; **il est ~ à un avocat plaidant une cause perdue** he's just like a lawyer defending a lost cause; **elle est toujours pareille à elle-même** she's always the same; **c'est toujours ~ avec toi, tu compliques tout!** it's always the same with you, you just have to complicate everything!; **rien n'est plus ~** nothing is the same any more; **pour moi, c'est ~** it's all the same to me; **ce n'est pas ~ (du tout)!** it's not the same thing (at all)!; **à nul autre ~** liter without equal; **une beauté à nulle autre pareille** a beauty without equal; **'comment va-t-il aujourd'hui?'—'c'est toujours ~'** 'how is he today?'—'still the same', 'no change'; **il n'y en a pas deux ~s** [*objet, vêtement*] no two are alike; [*personne*] there's no-one quite like you/her/him; 2 (de telle nature) such; **je n'ai jamais dit une chose pareille** I never said any such thing; **je n'ai jamais rien vu de ~** I've never seen anything like it; **il n'avait jamais connu ~ bonheur** he had never known such happiness; **~ événement doit rester exceptionnel** there must be no repetition of this; **en ~ cas, dans un cas ~** in such cases; **en pareille circonstance** in similar circumstances; **tu travailles encore à une heure pareille!** you're still working at this hour!; **on ne peut rien faire par un temps ~** there's nothing to do in weather like this

B *nm,f* 1 (égal) equal; **on n'a jamais retrouvé son ~** we've never found his equal; **sa beauté est sans pareille** her beauty is without equal; **c'est un homme sans ~** he's a man without equal; **il est d'un dynamisme sans ~** he's incredibly dynamic; **il n'a pas son ~ pour semer le doute** he's second to none for spreading doubt; **on va où tu veux, pour moi c'est du ~ au même**○ we can go wherever you like, it makes no odds GB *ou* difference to me; **elle ou son mari, c'est du ~ au même**○ her or her husband, it's six of one and half-a-dozen of the other; 2 (personne semblable) **nos ~s** our fellows, our peers

C ○*adv* 1 (identiquement) the same; **faire ~** to do the same; **les deux mots s'écrivent ~** both words are written *ou* spelled the same; **ils ont fait ~ avec nous** they acted the same (way) with us; **nous étions habillées ~** we were dressed the same (way); 2 ○Can (néanmoins) all the same; **je l'ai fait ~** I did it all the same

pareillement /paʀɛjmɑ̃/ *adv* 1 (de la même manière) (in) the same way; **la question a été traitée ~ chez les deux auteurs** the question has been treated in the same way *ou* similarly by the two authors; **partisans et adversaires se félicitent ~ de la décision prise** both partisans and opponents are happy about the decision that has been reached; 2 (également) too; **vous le pensez et moi ~** you think so and so do I *ou* and me too

parement /paʀmɑ̃/ *nm* Constr, Mode facing

(Composé) **~ d'autel** Relig frontal

parenchyme /paʀɑ̃ʃim/ *nm* Anat, Bot parenchyma

parent, ~e /paʀɑ̃, ɑ̃t/

A *adj* [*conceptions, langues*] similar (**de** to); **~ à** *or* **avec** [*personne*] related to; **familles ~es** families which are related

B *nm,f* 1 relative, relation; **~ proche/éloigné** close/distant relative *ou* relation; **~s et amis** friends and relations; **ils sont ~s par alliance** they're related by marriage; **plus proche ~(e)** next of kin; 2 Zool parent

C *nm* 1 (le père ou la mère) parent; **il a un ~ étranger** he has one foreign parent; **un ~ d'élève** a (pupil's) parent; **mes ~s** my parents; **~s adoptifs** adoptive parents; **de ~s inconnus** of unknown parentage; 2 liter (ancêtres) **~s** forebears

(Composés) **~ pauvre** poor relation; **faire figure de ~ pauvre** to look like a poor relation; **~s d'élèves** (schoolchildren's) parents; **réunion de ~s d'élèves** parents' evening

parental, ~e, *mpl* **-aux** /paʀɑ̃tal, o/ parental

parentalité /paʀɑ̃talite/ *nf* parentcraft

parenté /paʀɑ̃te/ *nf* 1 (rapport) (entre personnes) blood relationship; (entre projets, histoires) connection; **l'importance des liens de ~** the importance of family ties; **il n'y a pas de lien de ~ entre eux** they are not related; 2 (parents et alliés) relations (*pl*)

parentèle /paʀɑ̃tɛl/ *nf* relations (*pl*)

parenthèse /paʀɑ̃tɛz/ *nf* 1 (digression) **je fais une ~ pour vous expliquer...** if I may just explain briefly...; **ouvrir une ~** to digress; **refermons la ~** but to come back to what we were talking about; **(soit dit) par ~** *or* **entre ~s** incidentally; 2 (signe typographique) bracket; **ouvrir/fermer la ~** to open/close brackets; **mettre qch entre ~s** lit to put sth in brackets; fig to put sth aside; 3 (épisode) interlude

paréo /paʀeo/ *nm* ≈ sarong

parer /paʀe/ [1]

A *vtr* 1 (esquiver) to ward off, to parry [*coup*]; to ward off, to fend off [*attaque, danger*]; (en boxe, escrime) to parry; Naut to steer clear of [*grain, navire*]; 2 (protéger) to protect (**contre** against); **je suis paré, j'ai ma trousse à pharmacie** I'm well prepared, I've got my first-aid kit; 3 (orner) [*objet*] to adorn [*chose, personne*]; [*personne*] to adorn, to array [*chose, personne*] (**de** with); 4 (attribuer) **~ qn/qch de qch** to attribute sth to sb/sth; 5 Naut to get [sth] ready; **~ à virer** to prepare to go about; 6 (en boucherie, peausserie) to dress

B **parer à** *vtr ind* (prévenir) to guard against; (remédier à) to deal with; **~ à toute éventualité** to be prepared for all contingencies; **~ au plus pressé** to deal with the most urgent matters first; **~ au grain** to prepare to meet a squall

C **se parer** *vpr* 1 (se protéger) to take precautions (**contre** against); 2 (se vêtir) to array oneself; **elle s'est parée de fourrures/de bijoux** she arrayed herself in furs/with jewels; 3 (être recouvert) to be bedecked (**de** with); 4 (s'attribuer) **se ~ de** to invest oneself with; **il se pare de tous les talents** he claims to be *ou* makes himself out to be very clever. ▸ **paon**

pare-soleil* /paʀsɔlɛj/ *nm inv* Aut visor

paresse /paʀɛs/ *nf* 1 (fainéantise) laziness; (dans la Bible) sloth; **par ~** out of laziness; **~ intellectuelle** *ou* **d'esprit** intellectual laziness; **être d'une ~ incorrigible** to be incorrigibly lazy; 2 (d'organe) sluggishness (**de** of); **~ intestinale** slow bowel

paresser /paʀese/ [1] *vi* to laze; **arrête de ~!** stop lazing around!

paresseusement /paʀesøzmɑ̃/ *adv* lazily

paresseux, -euse /paʀesø, øz/

A *adj* [*personne, geste, rivière*] lazy; [*organe*] sluggish; **ce qu'il est ~ pour faire le ménage!** he's so lazy about doing the housework!

B *nm,f* lazy person; **c'est une vraie paresseuse** she's really lazy

C *nm* Zool sloth

pare-vent* /paʀvɑ̃/ *nm inv* windbreak

parfaire /paʀfɛʀ/ [10] *vtr* 1 (achever) to complete, to round off [*éducation, œuvres*]; to perfect [*connaissance, technique*]; **~ sa forme** to reach a peak of *ou* top form; 2 (compléter) to make up [*somme d'argent*]

parfait, ~e /paʀfɛ, ɛt/

A *adj* 1 (insurpassable) [*personne, beauté, travail, accord*] perfect; **elle est d'une beauté ~e** she is absolutely beautiful; **pendant ma maladie il a été ~** during my illness he was wonderful; 2 (total) [*ressemblance*] exact; [*imbécile*] complete; [*discrétion, égalité*] absolute; [*ignorance*] total; 3 (typique) [*estivant, touriste*] archetypal; [*exemple*] classic

B *nm* 1 Culin parfait; **~ au chocolat** chocolate ice cream; 2 Ling (temps) perfect; 3 Relig (cathare) perfect

(Idiome) **filer le ~ amour** to spin out love's sweet dream

parfaitement /paʀfɛtmɑ̃/ *adv* 1 (à la perfection) perfectly; **elle parle ~ l'italien** she speaks Italian perfectly; 2 (absolument) [*savoir*] perfectly well; [*tolérer, admettre*] fully; [*bien, heureux, capable, simple*] perfectly; [*correct, égal*] absolutely; [*faux, incompréhensible*] totally; [*absurde, choquant*] utterly; **tout cela m'est ~ égal** it makes absolutely no difference to me; **j'ai ~ conscience de/que** I'm well aware of that; 3 (certainement) absolutely; **'tu y es allé tout seul?'—'~!'** 'you went by yourself?'—'absolutely!'

parfois /paʀfwa/ *adv* sometimes; **il est ~ difficile de se faire comprendre** it's sometimes hard to make oneself understood

parfum /paʀfœ̃/ *nm* 1 (pour se parfumer) perfume, scent; **une bouteille de ~** a bottle of perfume; 2 (senteur) (de fleur, forêt) scent; (de sels de bain) fragrance; (de vin) bouquet; (de café) aroma; (de fruit) scent, (sweet) smell; 3 (goût) flavour[GB]; **des glaces à tous les ~s** ice creams in all flavours[GB]; 4 fig **un ~ du terroir** a rural flavour[GB]; **un ~ de scandale** a whiff of scandal; **un ~ de nostalgie** a touch of nostalgia

(Idiomes) **être au ~**○ to be in the know○ (**de** about), to be hip○ (**de** to) US; **mettre qn au ~**○ to put sb in the picture, to clue sb in○

parfumé, ~e /paʀfyme/

A *pp* ▸ **parfumer**

B *pp adj* 1 [*fleur*] sweet-scented; [*thé*] flavoured[GB]; [*fruit*] fragrant; [*air, chambre*] fragrant; 2 [*mouchoir*] scented; 3 [*glace*] flavoured[GB]; **~ à la vanille** [*savon*] vanilla-scented; [*yaourt*] vanilla-flavoured[GB]

parfumer /paʀfyme/ [1]

A *vtr* 1 (embaumer) **les fleurs parfument la pièce** the room is fragrant with flowers; 2 (imprégner de parfum) to put scent on [*mouchoir*]; to put scent in [*bain*]; 3 (aromatiser) to flavour[GB] (**à** with)

B **se parfumer** *vpr* (en général) to wear perfume; (pour l'occasion) to put perfume on; **à quoi te parfumes-tu?** what perfume do you wear?

parfumerie /paʀfymʀi/ ▸ **p. 532** *nf* (boutique, industrie) perfumery; (usine) perfume factory; (secteur) perfume industry

parfumeur, -euse /paʀfymœʀ, øz/ ▸ **p. 532** *nm,f* 1 (vendeur) perfume salesman/saleswoman; 2 (fabricant) perfumer

pari /paʀi/ *nm* 1 Sport bet; (gageure) bet, wager; **un ~ de 50 euros** a 50-euro bet; **faire/tenir un ~** to make/take up a bet; **prendre des ~s sur** to take bets on; **le ~ de Pascal** Philos Pascal's wager; **~ tenu!** you're on!; **les ~s sont ouverts** lit bets are now being taken; fig it's anyone's guess; 2 (activité) betting ¢; **les ~s sont interdits** betting is prohibited; 3 (défi) gamble; **un ~ commercial** a commercial gamble; **un ~ sur l'avenir** a gamble with the future

paria /paʀja/ *nm* 1 Relig pariah; 2 (de société) outcast

parier /paʀje/ [2] *vtr* 1 (faire un pari) to bet; **tu paries?** do you want to bet?; **~ qch avec qn** to bet sb sth; **~ avec qn que** to bet sb that; **je**

te parie 10 euros/tout ce que tu veux qu'il ne sera pas élu I bet you 10 euros/anything that he won't be elected; **je (te) parie que tu ne le feras pas** I bet you won't do it; 2 Sport to bet *[argent]*; ~ **sur** to bet on, to back *[cheval, boxeur]*; ~ **qch sur** to bet sth on; ~ **gros sur un cheval** to bet heavily on a horse, to place a large bet on a horse; **on parie sur lui à quatre contre un** they are backing him at four to one; **il y a fort** *or* **gros à ~ que** it's a safe bet that, the odds are that; 3 (compter) to bank (**sur** on) *[personne, qualité, méthode]*; ~ **sur l'énergie solaire/une reprise économique** to bank on solar energy/an upturn in the economy; 4 (être sûr) to bet; **je parie qu'il a encore oublié** I bet he has forgotten again; **je l'aurais parié!** I knew it!; **j'aurais pourtant parié que c'était lui le coupable** I could have sworn he was the culprit

pariétaire /paʀjetɛʀ/ *nf* pellitory

pariétal, **~e**, *mpl* **-aux** /paʀjetal, o/
A *adj* 1 Anat parietal; 2 Archéol *[peinture]* (dans des grottes) cave *(épith)*; (sur parois rocheuses) rock *(épith)*
B *nm* parietal bone

parieur, **-ieuse** /paʀjœʀ, øz/ *nm,f* (joueur) gambler; (aux courses) better GB, bettor US, punter○ GB

parigot○, **~e** /paʀigo, ɔt/ *adj, nm,f* Parisian

Paris /paʀi/ ▸ p. 894 *npr* Paris
(Idiome) **avec des si, on mettrait ~ en bouteille** Prov ≈ if wishes were horses, beggars would ride Prov

paris-brest /paʀibʀɛst/ *nm inv: pastry with praline filling sprinkled with almonds*

parisianisme /paʀizjanism/ *nm* 1 (attitude) pej Parisian conceit; 2 Ling Parisian expression

parisien, **-ienne** /paʀizjɛ̃, ɛn/ ▸ p. 894 *adj [agglomération, accent, vie]* Parisian; *[bassin, banlieue, région]* Paris *(épith)*

Parisien, **-ienne** /paʀizjɛ̃, ɛn/ *nm,f* Parisian

paritaire /paʀitɛʀ/ *adj [commission]* joint *(épith)*

parité /paʀite/ *nf* 1 Fin, Math, Ordinat parity; **à ~** at parity; 2 (en politique) male-female parity
(Composé) ~ **du change** parity of exchange

> **Parité**
>
> The law of *parité*, passed in early 2000, stipulates that political parties should put forward an equal number of male and female candidates at all elections, from municipal to European levels. Parties failing to comply are subject to financial penalties which take the form of a reduction in their public funding. The law however only applies to *communes* with over 3500 inhabitants.

parjure /paʀʒyʀ/
A *adj [témoignage]* perjured
B *nmf* (personne) perjurer
C *nm* (faux serment) perjury ¢; **commettre un ~** to commit perjury

parjurer: **se parjurer** /paʀʒyʀe/ [1] *vpr* to perjure oneself

parka /paʀka/ *nm ou f* parka

parking /paʀkiŋ/ *nm* 1 (parc de stationnement) car park GB, parking lot US; (place de stationnement) parking space; **~ à étages** multistorey car park GB, multistory parking lot US; 2 (stationnement) controv parking; **~ interdit** no parking

Parkinson /paʀkinsɔn/ ▸ p. 283 *npr* **maladie de ~** Parkinson's disease

parkinsonien, **-ienne** /paʀkinsɔnjɛ̃, ɛn/
A *adj [symptômes]* of Parkinson's disease *(épith, après n)*
B *nm,f* man/woman suffering from Parkinson's disease

par-là /paʀla/ *adv* ▸ **par-ci**

parlant, **~e** /paʀlɑ̃, ɑ̃t/
A *adj* 1 (éloquent) *[attitude, geste]* eloquent, meaningful; *[comparaison]* vivid; *[preuve, chiffre, résultat, fait]* which speaks for itself; *[portrait]* lifelike; **les faits sont ~s** the facts speak for themselves; **ça me paraît suffisamment ~** it looks convincing enough to me; 2 (accompagné de paroles) **le cinéma ~** the talkies○ *(pl)*; **un film ~** a talkie○; **horloge ~e** speaking clock; 3 (doué de parole) *[personne]* talkative; **être très/peu ~** to be very/not very talkative
B *nm* Cin **le ~** the talkies○ *(pl)*

parlé, **~e** /paʀle/
A *pp* ▸ **parler**
B *pp adj [langue, style, français]* spoken; (familier) colloquial

Parlement /paʀləmɑ̃/ *nm* **le ~ européen/de Strasbourg/de Westminster** the European/Strasbourg/British Parliament; **au ~** *[majorité, siège, vote]* in Parliament; *[élu]* to Parliament; *[passer, présenter]* through Parliament; **voter qch au ~** to vote on sth in Parliament; **débattu/soumis au ~** discussed in/put before Parliament; **entrer au ~ européen** to go into the European Parliament

parlementaire /paʀləmɑ̃tɛʀ/
A *adj [débat, groupe, majorité, immunité]* parliamentary
B *nmf* 1 (membre du Parlement) member of Parliament; **les ~s français/européens** members of the French/European Parliament; 2 (médiateur) negotiator

parlementariste /paʀləmɑ̃taʀist/ *adj, nmf* parliamentarian

parlementer /paʀləmɑ̃te/ [1] *vi* to negotiate (**avec** with)

parler /paʀle/ [1]
A *nm* 1 (manière de s'exprimer) way of talking; (langage) speech; **elle a un ~ vulgaire** she has a common way of talking; **~ négligé/soigné** sloppy/polished speech; **un ~ vrai qui ne plaît pas à tous** an outspokenness that some people don't like
2 Ling dialect
B *vtr* 1 (savoir manier) to speak *[langue]*; **~ (l')italien** to speak Italian; ▸ **vache**
2 (discuter) **~ affaires/politique** to talk (about) business/politics; **~ littérature/cinéma** to talk books/films; **~ boulot**○ *or* **boutique**○ to talk shop○
C **parler à** *vtr ind* (s'adresser) **~ à qn** to talk *ou* speak to sb; (ne pas être brouillé avec) to be on speaking terms with sb; **j'ai à vous ~** I must talk *ou* speak to you; **il ne leur parle plus** he's no longer on speaking terms with them; **c'est ~ à un mur** it's like talking to a brick wall; **trouver à qui ~** fig to meet one's match; **moi qui vous parle, je n'aurais jamais cru ça**○! I'm telling you, I'd never have believed it!; **ça parle au cœur** it has a strong emotional appeal; **ça parle à l'imagination** it fires the imagination
D **parler de** *vtr ind* 1 (discuter) **~ de qch/qn** to talk about sth/sb; (mentionner) to mention sth/sb; **~ de tout et de rien, ~ de choses et d'autres** to talk about one thing and another; **ils parlent encore de politique** they're talking (about) politics again; **on ne parle que de ça** everybody is talking about it; **toute la ville en parle** it's the talk of the town; **faire ~ de soi** gén to get oneself talked about; (dans les médias) to make the news; **la France et l'Italie, pour ne ~ que des pays de la UE** France and Italy, to mention only EU countries; **j'ai tous les soucis, sans ~ des frais** I have all the worry, not to mention the expense; **c'est d'épidémie qu'il faut ~** we're talking about an epidemic here; **le spécialiste parle d'une opération/d'opérer** the consultant is talking of an operation/of operating; **on parle d'un gymnase/de construire un gymnase** there's talk of a gymnasium/of building a gymnasium; **on en parle** there's talk of it; **on parle d'un écologiste pour ce poste** they're talking of giving the job to an ecologist; **qui parle de vous expulser?** who said anything about throwing you out?; **~ mal de qn** to badmouth○, to speak ill of sb; **tu parles d'une aubaine**○! (admiratif, iron) talk about a bargain○!; **ta promesse/son travail, parlons-en!** iron some promise/work!; **n'en parlons plus!** (ça suffit) let's drop it; (c'est oublié, pardonné) that's the end of it; **finis-le, comme ça on n'en parle plus** finish it, then it's done; **'c'était dur?'—'n'en parlons pas**○**!'** 'was it hard?'–'unbelievable○!'
2 (traiter) *[article, film, livre]* **~ de** to be about; **de quoi ça parle**○**?** what' s it about?; **les journaux en ont parlé** it was in the papers
3 (s'entretenir) **~ de qch/qn avec qn** to talk to sb about sth/sb; **on peut ~ de tout avec eux** you can talk to them about anything; **il faut que j'en parle avec mes collègues** I must talk to my colleagues about it; **~ de qch/qn à qn** (l'entretenir de) to talk to sb about sth/sb, to tell sb about sth/sb; (lui souffler mot de) to mention sth/sb to sb; **il va ~ de toi à son chef** he'll put in a word for you with his boss; **de quoi va-t-il nous ~?** what is he going to talk to us about?; **il nous a parlé de vous** he's told us about you; **parle-moi de tes projets/amis** tell me about your plans/friends; **ne leur en parle pas** don't tell them about it, don't mention it to them; **il ne m'a jamais parlé de sa famille** he's never mentioned his family to me; **on m'a beaucoup parlé de vous** I've heard a lot about you; **ne m'en parlez pas!** don't talk to me about it!; **je ne veux pas qu'on m'en parle** I don't want to hear about it, I don't want to know; **avec le café, parlez-moi d'un bon cognac** with coffee, a good brandy is just the thing○; **la lecture? parle-lui plutôt de football!** books? he would rather hear about football GB *ou* soccer!
E *vi* 1 (articuler des mots) *[enfant, perroquet, poupée]* to talk; (d'une certaine façon) to speak, to talk; **elle a parlé à 14 mois** she started to talk at 14 months; **~ vite/fort/en russe** to speak *ou* talk fast/loudly/in Russian; **parle plus fort** speak up, speak louder; **~ du nez/avec un accent** to speak with a nasal twang/with an accent, to have a nasal twang/an accent; **~ entre ses dents** to mumble
2 (s'exprimer) to speak; **~ en public** to speak in public; **laisse-le ~** let him speak, let him have his say; **~ pour qn** (en son nom) to speak for sb; (en sa faveur) to speak up on sb's behalf; **parle pour toi!** speak for yourself!; **c'est à vous de ~** (dans débat) it's your turn to speak; (aux cartes) it's your bid; **parle, on t'écoute** come on *ou* speak up, we're listening; **écologiquement/économiquement parlant** ecologically/economically speaking; **~ sincèrement** to speak sincerely; **les faits parlent d'eux-mêmes** the facts speak for themselves; **laisser ~ son cœur** fig to speak from the heart; **~ avec les mains** hum to gesticulate a great deal, to talk with one's hands; **~ par gestes** to communicate by means of gestures; **les muets parlent par signes** the speech-impaired use sign language; **tu parles sérieusement?** are you serious?; **si l'on peut ~ ainsi** if one can put it like that; **~ en connaissance de cause** to know what one is talking about; **bien parlé!** well said!; **elle n'a qu'à ~, il obéit** he obeys her every word; **une prime? tu parles**○! a bonus? you must be joking○!; **tu parles si je viens**○! (bien sûr) you bet I'm coming○!; **faire ~ la poudre** (dans une bagarre) to start shooting; (entrer en guerre) to go to war
3 (bavarder) to talk; **~ avec qn** to talk *ou* speak to sb (**de** about); **~ pour ne rien dire** to talk for the sake of talking, to talk drivel; **~ à tort et à travers** to talk through one's hat○; **il s'écoute ~** he loves the sound of his own voice; **parlons peu et parlons bien** let's get down to business; ▸ **nuire**
4 (faire des aveux) to talk, to blab○; (dénoncer) to grass○ GB, to squeal; **faire ~ qn** to make sb talk
F **se parler** *vpr* 1 (communiquer) to talk *ou*

speak (to each other); **ils se sont parlé au téléphone** they spoke on the telephone; **on s'est parlé deux minutes** we spoke *ou* talked for a couple of minutes
2 (ne pas être brouillés) to be on speaking terms; **ils ne se parlent pas** they're not on speaking terms
3 (être utilisé) [*langue, dialecte*] to be spoken

parleur /paʀlœʀ/ *nm* speaker, talker; ▸ **beau**

parloir /paʀlwaʀ/ *nm* (d'école, hôpital) visitors' room; (de prison) visiting room; (pour avocat) interview room; (de maison, couvent) parlour[GB]; (de théâtre) greenroom; **détenu privé de ~** prisoner who is not allowed visitors

parlot(t)e○ /paʀlɔt/ *nf* chit-chat ₵

parme /paʀm/ ▸ **p. 202** *adj inv, nm* mauve

Parme /paʀm/ ▸ **p. 894** *npr* Parma; **jambon de ~** Parma ham

Parmentier /paʀmɑ̃tje/ *npr* **hachis ~** cottage pie, shepherd's pie

parmesan /paʀməzɑ̃/ *nm* Parmesan (cheese)

parmi /paʀmi/ *prép* among, amongst; **~ les invités/la population** among the guests/the population; **un exemple ~ tant d'autres** one example among many; **demain il sera ~ nous** he'll be with us tomorrow; **le plus important ~ les écrivains de ce siècle** the most important of this century's writers; **choisir ~ huit destinations** to choose from eight destinations

Parnasse /paʀnas/ *nprm* **1** Géog **le (mont) ~** (Mount) Parnassus; **2** Littérat, Mythol **le ~** Parnassus

parnassien, -ienne /paʀnasjɛ̃, ɛn/ *adj, nm,f* Parnassian

parodie /paʀɔdi/ *nf* **1** Littérat (pastiche) parody; **2** (simulacre) mockery; **une ~ de procès** a travesty of justice

parodier /paʀɔdje/ [2] *vtr* to parody

parodique /paʀɔdik/ *adj* parodic

parodontose /paʀɔdɔ̃toz/ *nf* parodontosis

paroi /paʀwa/ *nf* **1** (face interne) (de tunnel) side; (de grotte) wall; (de tube, tuyau) inner surface; **2** Constr (cloison) wall; **3** (de montagne) **~ rocheuse** rock face; **la ~ nord** the north face; **4** Anat, Bot wall; **~ utérine/abdominale** uterine/abdominal wall

paroisse /paʀwas/ *nf* parish; **curé/réunion de la ~** parish priest/meeting

paroissial, ~e, *mpl* **-iaux** /paʀwasjal, o/ *adj* parish (*épith*)

paroissien, -ienne /paʀwasjɛ̃, ɛn/ *nm,f* parishioner; **un drôle de ~**○† a strange fellow, a queer fish○

parole /paʀɔl/ *nf* **1** (faculté) speech; **les organes de la ~** the organs of speech; **être doué de ~** to have the power of speech, to be endowed with speech; **perdre/retrouver la ~** to lose/regain the power of speech, to lose/regain one's speech; **il ne lui manque que la ~** (animal) it can almost talk; **avoir la ~ facile** to have the gift of the gab○; **avoir le don de la ~** to be a good talker; ▸ **or²**; **2** (possibilité de s'exprimer) **avoir droit à la ~** to have the right to speak; **prendre la ~** to speak; **laisser la ~ à qn** to let sb speak; **tu ne me laisses jamais la ~** you never let me speak; **lorsqu'il eut la ~** when his turn came to speak; (dans un débat) when he took the floor; **temps de ~** speaking time; **et maintenant, je donne** *or* **laisse la ~ à mon collègue** and now I hand over to my colleague; **3** (mot) word; **il n'a pas dit une ~** he didn't say a word; **~s en l'air** empty words; **belles ~s** fine words; **une ~ blessante** a hurtful remark; **joindre le geste à la ~** to suit the action to the word; **si tu crois que tu vas t'en tirer avec des ~s**○**!** you're not going to talk your way out of this one!; **sur ces bonnes ~s, je m'en vais** hum on that (philosophical) note, I'm off; **en ~s, ils sont tous tolérants** to hear them talk, they all hold the broadest *ou* most liberal views; **en ~s, tout est facile** it's easy to talk; ▸ **payer**; **4** (assurance verbale) word; **reprendre/manquer à/donner sa ~** to go back on/break/give one's word; **tenir ~** to keep one's word; **il n'a qu'une ~, c'est un homme de ~** he's a man of his word; **il n'a aucune ~** you can't trust him; **je t'ai cru sur ~** I took you at your word; **~ d'honneur!** cross my heart!, I promise!; **je l'ai envoyé, ~ d'honneur!** I swear I sent it!; **je te donne ma ~ d'honneur que ce n'est pas vrai** I swear it's not true; **ma ~!** (upon) my word!; **5** (sentence, aphorisme) words (*pl*); **connaissez-vous cette ~ de Pascal?** do you know that saying of Pascal's?; **la ~ divine** the holy word of God; **prêcher la bonne ~** to spread the good word; **c'est ~ d'évangile** it's gospel truth, it's gospel○; **6** (texte) **~s** (de chanson) words, lyrics; (de dessin) words; **film sans ~s** silent film; **7** Ling speech, parole spéc; **8** Jeux **~!** pass!; **vous avez la ~** it's your bid

(Idiome) **les ~s s'envolent, les écrits restent** (faites promettre par écrit) get it in writing; (ne vous engagez pas par écrit) never put anything in writing

parolier, -ière /paʀɔlje, ɛʀ/ ▸ **p. 532** *nm,f* (de chansons) lyric writer; (d'opéra) librettist

paronyme /paʀɔnim/ *nm* paronym

paronymie /paʀɔnimi/ *nf* paronymy

paronymique /paʀɔnimik/ *adj* paronymous

parotide /paʀɔtid/ *nf* parotid (gland)

paroxysme /paʀɔksism/ *nm* **1** (plus haut degré) (de plaisir) paroxysm; (de bataille) climax; (de ridicule) height; **atteindre/être à son ~** [*douleur*] to reach/to be at its height; [*conflit, combat*] to reach/to be at its climax; **au ~ de la fureur** in a frenzy of rage; **2** Méd crisis

paroxystique /paʀɔksistik/ *adj* fml extreme, paroxysmal sout

parpaillot, ~e /paʀpajo, ɔt/ *nm,f* Protestant

parpaing /paʀpɛ̃/ *nm* **1** (en béton) breeze-block GB, cinder block US; **2** (en pierre) perpend

Parque /paʀk/ *npr* **la ~** Fate; **les trois ~s** the three Fates

parquer /paʀke/ [1] *vtr* **1** (mettre dans un parc) to pen [*bestiaux*]; **2** pej (entasser) to coop up [*personnes*]; **3** (garer) to park [*voiture*]

parquet /paʀkɛ/ *nm* **1** (plancher) parquet (floor); **~ de chêne** oak parquet; **poser du** *or* **un ~** to lay parquet; **2** Jur **le ~** ≈ the prosecution; **3** (à la Bourse) **le ~ de la Bourse** the floor of the Stock Exchange

(Composés) **~ à bâtons rompus** herringbone parquet floor; **~ de chauffe** Naut stokehold floor; **~ damier** chequered GB *ou* checkered US woodblock flooring; **~ mosaïque = ~ damier**; **~ à points de Hongrie** mitred[GB] herringbone flooring

parqueter /paʀkəte/ [20] *vtr* to lay parquet in, to parquet; **parqueté** [*pièce, salon*] with a parquet floor (*épith, après n*)

parrain /paʀɛ̃/ *nm* **1** Relig godfather; **être (le) ~ de qn** to be godfather to sb; **2** (de candidat, projet, d'enfant défavorisé, initiative) sponsor; (d'œuvre, de fondation) patron; **3** (de navire) *man who ceremonially launches a ship*; **4** (d'organisation criminelle) godfather.

> ⚠ En anglais *godfather* n'est jamais une forme d'adresse

parrainage /paʀɛnaʒ/ *nm* **1** (caution morale) (de candidat, projet) sponsorship, backing ₵; (de fondation) patronage; **2** (soutien financier) sponsorship; **sous le ~ de...** sponsored by...

parrainer /paʀene/ [1] *vtr* **1** (moralement) to be patron of [*fondation*]; to back, to sponsor [*candidature, exposition*]; **2** (financièrement) to sponsor [*émission, championnat, enfant*]

parricide /paʀisid/
A *adj* parricidal
B *nmf* (personne) parricide
C *nm* (crime) parricide

parsec /paʀsɛk/ *nm* parsec

parsemer /paʀsəme/ [16] *vtr* **1** (éparpiller) **parsemez-la de persil haché** sprinkle some chopped parsley over it; **2** liter [*étoiles*] to stud [*ciel*]; **des feuilles parsèment la pelouse** the lawn is strewn with leaves; **une pelouse parsemée de fleurs** a lawn scattered *ou* dotted with flowers; **les obstacles ont parsemé sa vie** his/her life was strewn with obstacles; **les pièges qui parsèment la route vers la victoire** the obstacles on the path to victory

parsi, ~e /paʀsi/
A *adj* Parsee
B ▸ **p. 483** *nm* Ling Parsee

part /paʀ/
A *nf* **1** (portion) (de tarte, gâteau) slice, portion; (de viande, riz) helping, portion; (d'héritage) share; **couper qch en six ~s égales** to cut sth into six equal portions; **vouloir/mériter une ~ du gâteau** fig to want/deserve a slice *ou* share of the cake; **avoir sa ~ de misères/souffrances/soucis** to have one's (fair) share of misfortunes/suffering/worries; **la ~ du pauvre** some food for the unexpected guest
2 (élément d'un tout) proportion, part; **une ~ des bénéfices/du budget** a proportion of the profits/of the budget; **une ~ non négligeable de leur revenu** a significant proportion of their income; **une grande ~ de qch** a high proportion *ou* large part of sth; **une ~ de chance/jeu/sacrifice** an element of chance/risk/sacrifice; **il y a une grande ~ de fiction/de réel dans son récit** his account is highly fictional/very much based on reality; **le hasard n'a aucune ~ là-dedans** chance has nothing to do with it; **pour une ~** to some extent; **pour une bonne** *or* **grande ~** to a large *ou* great extent; **faire la ~ de qch** to take sth into account *ou* consideration; **faire la ~ des choses** to put things in perspective; **faire la ~ belle à qch** to place *ou* put great emphasis on sth; **faire la ~ belle à qn** to give sb the best deal; **à ~ entière** [*membre, citoyen*] full (*épith*); [*science, sujet*] in its own right; **ils sont français à ~ entière** they are full French nationals; **c'est un art à ~ entière** it's an art in its own right; **participer aux travaux/discussions à ~ entière** to participate fully in the work/discussions
3 (contribution) share; **payer sa ~** to pay one's share; **chacun paie sa ~, c'est mieux** everyone pays their share, it's better that way; **faire sa ~ de travail/ménage** to do one's share of the work/housework; **prendre ~ à** to take part in [*activité, discussion, travail, conflit*]; **nous prenons ~ à votre douleur** *or* **peine** we share your grief; **il m'a fait ~ de ses projets/son inquiétude** he told me about his plans/concern; **je vous ferai ~ de mes intentions** I'll let you know my intentions; **Hélène et Roger Moulin sont heureux de vous faire ~ de la naissance de leur fille Zoé** Hélène and Roger Moulin are pleased to announce the birth of their daughter Zoé
4 (partie d'un lieu) **de toute(s) ~(s)** [*surgir, arriver*] from all sides; **être attaqué de toutes ~s** to be attacked from all sides; **de ~ et d'autre** on both sides, on either side (**de qch** of sth); **il y a une volonté de dialogue de ~ et d'autre** there is a willingness to talk on both sides; **de ~ en ~** [*traverser, transpercer*] right *ou* straight through; ▸ **autre¹ C**, **nul E**, **quelque D**
5 (point de vue) **pour ma/ta/notre ~** for my/your/our part; **il a pour sa ~ déclaré que...** for his part he declared that...; **d'une ~..., d'autre ~...** (marquant une énumération) firstly..., secondly...; (marquant une opposition) on (the) one hand... on the other hand; **d'autre ~** (de plus) moreover; **prendre qch en bonne/mauvaise ~** to take sth in good part/take sth badly
6 Fin, Écon **~ (sociale** *or* **d'intérêt)** share; **avoir des ~s dans une société** to have shares in a company; **une ~ de marché** a market share; **~ de fondateur** founder's share

P

7 Fisc *unit on which the calculation of personal tax is based*
8 Scol, Univ *unit on which the calculation of student grants is based*

B à part *loc* 1 (à l'écart) [*ranger, classer*] separately; **mettre qch à ∼** to put sth to one side; **si on met à ∼ cette partie de la population** leaving aside this section of the population; **préparez une sauce/des légumes à ∼** prepare a sauce/some vegetables separately; **prendre qn à ∼** to take sb aside *ou* to one side
2 (séparé) **une salle à ∼** a separate room; **faire lit/chambre à ∼** to sleep in separate beds/rooms
3 (différent) **être un peu à ∼** [*personne*] to be out of the ordinary; **un cas/lieu à ∼** a special case/place; **un personnage à ∼** a unique character
4 (excepté) apart from; **(mis) à ∼ ça il est charmant** apart from that he's charming; **à ∼ ça, quoi de neuf**○**?** apart from that, what's new?; **la semaine s'est bien passée à ∼ un jour de pluie** the week went well apart from one rainy day; **à ∼ que** apart from the fact that; **blague à ∼** joking aside

C de la part de *loc prép* 1 (à la place de) [*agir, écrire, téléphoner*] on behalf of; **de la ∼ de** on behalf of; **je vous souhaite bonne chance de la ∼ de toute l'équipe** on behalf of the whole team I wish you good luck; **je vous appelle de la ∼ de M. Pichon** I'm phoning on behalf of Mr Pichon
2 (venant de) **de la ∼ de qn** from sb; **il y a un message de la ∼ de ton père** there's a message from your father; **j'ai un cadeau pour toi de la ∼ de ma sœur** I've got a present for you from my sister; **donne-leur le bonjour de ma ∼** say hello to them for me; **ce n'est pas très gentil de ta ∼** that wasn't very nice of you; **sans engagement de votre ∼** with no obligation on your part; **de leur ∼, rien ne m'étonne** nothing they do surprises me; **c'est de la ∼ de qui?** (au téléphone) who's calling *ou* speaking please?

(Idiome) **faire la ∼ du feu** to cut one's losses

partage /paʀtaʒ/ *nm* 1 (découpage) dividing, sharing; **le ∼ des gains se fera entre 20 personnes** the profits will be split between *ou* shared out among 20 people; **ils ont eu des problèmes de ∼ familial** they have had family problems in dividing up the inheritance; **ils ont toujours eu le souci du ∼** they were always careful to share things out; 2 (distribution) distribution; **le ∼ des terres n'était pas équitable** the lands had not been shared out fairly; **les enfants ont fait eux-mêmes le ∼ des gâteaux** the children shared out the cakes between themselves; **le ∼ du pain** the breaking of the bread; 3 (répartition) sharing (**avec** with), division (**avec** with); **régner/gouverner sans ∼** to reign/to govern absolutely; **avec une joie sans ∼** with unadulterated delight; **une victoire sans ∼** a total victory; **le ∼ des voix** Pol the division of votes; **comment se présente le ∼ des voix entre les candidats?** how are the votes split between the candidates?; 4 (séparation) division (**en** into), partition (**en** into); **le ∼ d'un territoire en deux** the division *ou* partition of a territory into two; **un plan de ∼ d'un territoire en deux zones** a plan to divide *or* partition a territory into two zones; 5 (part) share; fig (sort) lot; **recevoir qch en ∼** to be left sth (in a will); **il a reçu la malchance en ∼** fig his lot is an unhappy one

(Composés) **∼ de poste** job sharing; **∼ proportionnel** Math proportional factorization

partagé, **∼e** /paʀtaʒe/
A *pp* ▸ **partager**
B *pp adj* 1 (divisé) [*avis, opinions, presse, syndicats*] divided (**sur** on); **les médecins restent ∼s** the doctors remain divided; 2 (ambivalent) [*réactions, sentiments*] mixed; 3 (indécis) **être ∼** [*personne*] to be torn (**entre** between); **être ∼ entre la colère et les larmes** to be torn between anger and tears; 4 (commun) [*chagrin*] shared; **leurs torts sont ∼s** they are both to blame; 5 (réciproque) [*tendresse*] mutual; **amour ∼** requited love

partageable /paʀtaʒabl/ *adj* 1 [*domaine, terres, dépenses*] that can be divided (up) (**entre** between); 2 [*sentiment, optimisme, joie*] that can be shared (in); **ton optimisme n'est guère ∼ dans les circonstances actuelles** I can hardly share your optimism in the present circumstances

partager /paʀtaʒe/ [13]
A *vtr* 1 (donner une partie de ce qui est à soi) to share [*jouets, nourriture*] (**entre** between; **avec** with); **il ne sait pas ∼** he doesn't know how to share; **les enfants doivent apprendre à ∼** children must learn to share; 2 (séparer) to divide [*pays, pièce*] (**en** into); **un rideau partage la chambre en deux** a curtain divides the bedroom into two; 3 (diviser) to divide [sth] (up), to split [*fortune, héritage, gâteau, terres, tâches*] (**entre** between, among; **en** into); **il a partagé ses biens entre ses trois enfants** he divided (up) *ou* split his belongings among his three children; **je partage mon temps entre la lecture et la musique** I divide my time between reading and music; 4 (avoir en commun) to share [*appartement, repas, goûts, avis, idées, responsabilités*]; (prendre part à) to share [*émotion, angoisse*]; **il a partagé ma vie pendant cinq ans** he shared my life for five years; **je partage ton inquiétude** I share your anxiety; **ils partagent le même goût de l'aventure** they share a love *ou* have a common love of adventure; **∼ les mêmes valeurs** to have common values, to share values; **ton optimisme n'est pas partagé** no-one shares your optimism; **je partage votre avis** I agree with you, I'm of the same opinion; 5 (communiquer) to share [*chagrin, problème, joie*] (**avec** with); **faire ∼ qch à qn** to let sb share in sth; **j'aimerais vous faire ∼ ma joie** I'd like to let you share in my happiness; **il sait nous faire ∼ ses émotions** he knows how to get his feelings across; 6 (opposer) [*problème, question*] to divide, to split [*population, politiciens, opinion publique*] (**en** into)
B se partager *vpr* 1 (se répartir) to share [*argent, travail, responsabilité*]; **les deux sociétés se partagent le marché** the two companies share the market; **les gagnants se sont partagé la somme de 10 000 euros** the winners shared the sum of 10,000 euros; **deux sujets se partagent la 'une' des journaux** two topics share the front page; 2 (être divisé) to be divided (**en** into; **entre** between); to be split (**en** into); **le mouvement se partage en deux grandes tendances** the movement is divided *ou* split into two broad tendencies; **le groupe se partage entre adeptes du théâtre et fans de télévision** the group is divided between theatre[GB] enthusiasts and TV fans; **elle partage son temps entre son travail et ses enfants** she divides her time between her job and her children; 3 (se diviser) [*frais, responsabilités, nourriture*] to be shared; [*gâteau, tarte*] to be cut (up) (**en** into); **c'est le genre de travail qui ne se partage pas** it's the kind of work that cannot be shared; 4 (se communiquer) to be shared; **c'est un bonheur qui ne se partage pas** it's the sort of happiness one cannot share; **un tel chagrin ne peut se ∼** such grief cannot be shared

partageur, **-euse** /paʀtaʒœʀ, øz/ *adj* [*personne, enfant*] **être ∼** to be good at sharing, to know how to share

partance /paʀtɑ̃s/ *nf* **en ∼** [*avion*] about to take off; [*navire*] about to sail; [*train, personne*] about to leave; **être en ∼ pour** *or* **vers** [*avion, navire, train, voyageurs*] to be bound for; **sur un navire en ∼ pour la Chine** on a ship bound for China

partant¹ /paʀtɑ̃/ *conj* liter consequently

partant², **∼e** /paʀtɑ̃, ɑ̃t/
A ○*adj* (enthousiaste) **être ∼** to be game○ (**pour faire** to do); **quand il s'agit de faire la fête elle est toujours ∼e** when it comes to living it up, she's always game
B *nm,f* 1 gén person leaving *ou* departing; **les arrivants et les ∼s** the arrivals and departures; 2 Sport, Turf starter

partenaire /paʀtənɛʀ/
A *nmf* partner; **une bonne ∼ au bridge** a good bridge partner; **qui était le ∼ d'Arletty?** Cin who played opposite Arletty?
B *nm* Fin, Pol partner; **∼ commercial/financier** trading/financial partner; **nos ∼s de la UE** our partners in the EU

(Composé) **∼s sociaux** ≈ union and management

partenariat /paʀtənaʀja/ *nm* partnership (**avec** with); **en quête de ∼** seeking partnerships

parterre /paʀtɛʀ/ *nm* 1 (de jardin) bed; **∼ de fleurs** flower bed; **∼ de bégonias** bed of begonias; 2 Théât (places) stalls (*pl*) GB, orchestra US; (spectateurs) people in the stalls GB *ou* orchestra US; **être au ∼** to be in the stalls GB, to have orchestra seats US; 3 (assemblée) panel; **devant un ∼ de journalistes** before a panel of journalists; 4 ○(sol) floor

parthe /paʀt/ *adj, nm* Parthian

Parthe /paʀt/ *nm* Parthian; **les ∼s** the Parthians

(Idiome) **décocher la flèche du ∼** to fire a Parthian *ou* parting shot

parthénogénèse /paʀtenɔʒenɛz/ *nf* parthenogenesis

parthénogénétique /paʀtenɔʒenetik/ *adj* parthenogenetic

Parthénon /paʀtenɔ̃/ *nprm* **le ∼** the Parthenon

parti, **∼e** /paʀti/
A ○*adj* (ivre) **être ∼** to be tight○; **être un peu ∼** to be tipsy○; **être complètement ∼** to be plastered○
B *nm* 1 (groupe de personnes) group; **le ∼ des mécontents** the dissatisfied
2 Pol party; **les ∼s de l'opposition** the opposition parties; **avoir la carte d'un ∼** to be a card-carrying member of a party; **le système du ∼ unique** the one-party system
3 (solution) option; **hésiter entre deux ∼s** to hesitate between two options; **prendre ∼** to commit oneself (**sur qch** on sth); **prendre ∼ pour qn** to take sb's side; **prendre ∼ contre qn** to be against sb; **prendre ∼ pour/contre qch** to be for/against sth; **prendre le ∼ de qn** to side with sb (**contre qn** against sb); **prendre le ∼ de qch** to opt for sth; **prendre le ∼ de faire** to decide to do; **il a pris le ∼ de ne rien dire** he decided not to say anything; **ne pas savoir quel ∼ prendre** not to know what to do for the best
4 †(personne à marier) suitable match; **être un beau** *or* **bon ∼** [*homme*] to be an eligible bachelor; [*homme, femme*] to be a catch○
C partie *nf* 1 (élément d'un tout) gén part; (d'une somme, d'un salaire) proportion, part; **une ∼e de la population/des électeurs** a proportion *ou* section of the population/of the voters; **une ∼e des bénéfices/salaires** a proportion of the profits/wages; **les ∼es du corps** the parts of the body; **la première/deuxième ∼e de** the first/second part of [*livre, film, spectacle*]; **un feuilleton en six ∼es** a television serial in six parts; **une bonne** *or* **grande ∼e de** a good *ou* large number of [*personnes, objets, éléments*]; a high proportion of [*masse, ensemble, ressources*]; **la majeure ∼e des gens** most people; **la majeure ∼e de la population/des cas** the majority of the population/of cases; **en ∼e** partly, in part; **en grande ∼e** to a large *ou* great extent; **pour ∼e** liter partly, in part; **tout ou ∼e de** all or part of; **se faire rembourser tout ou ∼e des frais** to have all or some of one's expenses paid; **faire ∼e de** to be part of [*groupe, processus, idéologie, pays*]; **il fait ∼e de la famille** he's one of the family;

faire ~e des premiers/derniers to be among the first/last; **cela fait ~e de leurs avantages** that's one of their advantages; **faire ~e du passé** to belong to the past; **être** *or* **faire ~e intégrante de qch** to be an integral part of sth
2 (division de l'espace) part; **dans cette ~e du monde/de l'Afrique** in this part of the world/ of Africa; **la ~e est/ouest de Jérusalem** the eastern/western part of Jerusalem
3 (division temporelle) part; **il a plu une ~e de la journée/nuit** it rained for part of the day/ night; **ça m'a occupé une bonne ~e de la matinée** it took me a good part of the morning; **il leur consacre une ~e de son temps libre** he devotes some of his free time to them; **elle passe la majeure ~e de son temps au travail/à dormir** she spends most of her time at work/sleeping
4 (profession) line (of work); **dans ma ~e** in my line (of work); **il est de la ~e** it's in his line (of work); **je ne suis pas du tout de la ~e** that's not at all in my line
5 ▸ **p. 469** Jeux, Sport game; **une ~e de poker/ de billard/d'échecs** a game of poker/of billiards/of chess; **une ~e de tennis** a game of tennis; **une ~e de cache-cache** a game of hide-and-seek; **une ~e de golf** a round of golf; **faire** *or* **jouer une ~e** to have a game; **la ~e qui se joue entre les deux pays est difficile** fig the ongoing situation between the two countries is tense; **gagner/perdre une ~e** Jeux, Sport to win/lose a game; **gagner/ perdre la ~e** fig to win/lose the day; **abandonner la ~e** Jeux, Sport to abandon the game; fig to give up (the fight); **avoir la ~e belle** *or* **facile** fig to have an easy time of it; **être de la ~e** fig to be in on it○; **je fête mes trente ans, j'espère que tu seras de la ~e** I'm having a thirtieth birthday party, I hope you can come; **nous ne pouvons pas venir à votre fête mais ce n'est que ~e remise** we can't make it to your party but maybe next time
6 (dans une négociation, un contrat) party; **les ~es en présence/conflit** the parties (involved)/ the opposing parties; **les ~es contractantes/ concernées** the contracting/interested parties; **les deux ~es ont signé un accord** the two parties signed an agreement; **les ~es belligérantes** the warring parties *ou* factions; **être ~e prenante dans qch** to be actively involved in [*conflit, contrat, négociation*]
7 Jur party; **la ~e adverse** the opposing party
8 Mus part; **la ~e de soprano/basse** the soprano/bass part
9 Math part
D parties○ *nfpl* privates○
(Composés) **~ pris** bias; **~ pris esthétique/ politique** aesthetic/political bias; **~ pris de réalisme/modernité** bias toward(s) realism/modernity; **Parti conservateur** Conservative Party; **Parti communiste, PC** Communist Party; **Parti communiste français, PCF** French Communist Party; **Parti démocrate** Democrat Party; **Parti républicain** Republican Party; **Parti socialiste, PS** Socialist Party; **Parti travailliste** Labour Party; **~e carrée**○ wife-swapping party; **~e de chasse** Chasse hunting party; **~e civile** Jur plaintiff; **l'avocat de la ~e civile** the counsel for the plaintiff; **se constituer** *or* **porter ~e civile** to take civil action; **~e du discours** Ling part of speech; **~e fine** orgy; **~e de jambes en l'air**○ legover◑ GB, screw◑; **~e de pêche** fishing trip; **~e de plaisir** fun; **tu parles d'une ~e de plaisir!** iron that's not my idea of fun!; **~es génitales** *or* **honteuses**† private parts
(Idiomes) **prendre son ~ de qch** to come to terms with sth; **tirer ~ de qch** to take advantage of [*situation, événement*]; to turn [sth] to good account [*leçon, invention*]; **faire un mauvais ~ à qn** to ill-treat sb; **avoir affaire à forte ~e** to have a tough opponent; **prendre qn à ~e** to take sb to task; ▸ **lier**

> **Partis politiques**
>
> In general, French political parties reflect a basic left/right divide. On the left, the main parties are the *parti socialiste* (*PS*) and the *parti communiste français* (*PCF*) while the principal parties on the right are the *Union pour un mouvement populaire* (*UMP*) and the *Union pour la démocratie française* (*UDF*). These two groups regularly run a joint list—as part of an electoral pact. There are in addition more extreme groupings at both ends of the political spectrum. Beyond the left/right divide generally, the ecological movement is represented by *Les Verts* and *Génération Écologie*.

partial, **~e**, *mpl* **-iaux** /paʀsjal, o/ *adj* [*personne, public, jugement*] biased[GB] (**envers** toward, towards GB, against)
partialement /paʀsjalmɑ̃/ *adv* in a biased[GB] way
partialité /paʀsjalite/ *nf* (de personne, jugement) bias; **~ envers qn** (au profit de) bias toward(s) sb; (au détriment de) bias against sb; **avec ~** in a biased[GB] way; **accuser qn de ~** to accuse sb of being biased[GB]
participant, **~e** /paʀtisipɑ̃, ɑ̃t/ *nm,f* (à un concours, une course) participant, entrant (**à** in); (à un débat, une conférence, une cérémonie) participant, person taking part (**à** in); (à un complot) person taking part, person involved (**à** in)
participatif, **-ive** /paʀtisipatif, iv/ *adj* **gestion participative** participative management; **titre ~** non-voting share (*in public sector companies*); **prêt ~** loan entitling the lender to an interest in the company
participation /paʀtisipasjɔ̃/ *nf* **1** (à une réunion, un projet, festival, soulèvement) participation (**à** in); (à un complot, attentat) involvement (**à** in); **la ~ au gala de plusieurs vedettes a attiré les photographes** the appearance of several stars at the gala attracted the photographers; **la ~ au scrutin** *or* **aux élections a été très faible** there was a very low turnout at the polls; **2** (contribution) contribution; **acceptez ma modeste ~** accept my modest contribution; **~ aux frais** (financial) contribution; **entreprise en ~ mixte** joint partnership; **3** Fin (part financière) stake, holding; **~ de 17%** 17% stake; **prendre une ~ dans une société** to take a stake in a company; **entreprise en ~** joint venture
(Composés) **~ aux bénéfices** profit-sharing; **~ majoritaire/minoritaire** majority/ minority stake; **~s croisées** reciprocal shareholding ₡
participe /paʀtisip/ *nm* Ling participle; **~ présent/passé** present/past participle
participer /paʀtisipe/ [1]
A participer à *vtr ind* **1** (prendre part) **~ à** to participate in, to take part in [*travail, réunion, soulèvement, manifestation*]; to be involved in [*crime, complot, attentat*]; **il ne participe pas assez en classe** he doesn't participate enough in class; **ce projet est immoral, je n'y participerai pas** this project is immoral, I will have no part in it; **~ à la destruction de l'environnement** to contribute to the destruction of the environment; **2** (contribuer financièrement à) **~ à** to contribute to; **~ à l'aide internationale** to contribute to international aid; **3** Écon, Entr **~ aux bénéfices** to share in the profits; **~ aux frais** to share in the cost, to contribute to the cost; **4** (partager) **~ à la joie/tristesse/douleur de qn** to share sb's joy/ sadness/pain
B participer de *vtr ind* fml **son comportement participe de la névrose** his/her behaviour is akin to *ou* has some of the characteristics of neurosis; **des idées qui participent de l'idéologie dominante** ideas which draw on the dominant ideology
participial, **~e**, *mpl* **-iaux** /paʀtisipjal, o/ *adj* Ling participial

particulariser: **se particulariser** /paʀtikylaʀize/ [1] *vpr* to be characterized (**par** by)
particularisme /paʀtikylaʀism/ *nm* distinctive identity; **~ national/régional/ religieux** distinctive national/regional/ religious identity
particularité /paʀtikylaʀite/ *nf* **1** (caractéristique) special feature; **les ~s climatiques/géologiques d'une région** the special climatic/geological features of an area; **les ~s historiques d'un pays** a country's particular historical background; **un accord qui présente la ~ d'être** an agreement that has the special feature of being; **2** (de maladie, régime politique, situation) particular nature; (de coutume) uniqueness
particule /paʀtikyl/ *nf* **1** gén, Phys particle; **2** Ling (mot) particle; (devant un patronyme) **~ (nobiliaire)** (nobiliary) particle, handle○; **nom à ~** aristocratic name (*preceded by a particle such as 'de'*)
(Composé) **~ séparable** Ling separable prefix
particulier, **-ière** /paʀtikylje, ɛʀ/
A *adj* **1** (propre) **l'entreprise a une façon particulière de procéder** the company has its own (particular) procedures; **il a ceci de ~ qu'il aime son indépendance** the thing is with him, he has to be independent; **il a une manière particulière de s'exprimer** he has a particular way of expressing himself; **2** (spécifique) [*droits, statut, privilèges, rôle*] special; [*exemple, thème, objectif*] specific; **les agriculteurs ont un régime d'imposition ~** the farmers have a special tax status; **3** (personnel) [*maison, voiture, professeur, secrétaire*] private; **je dois vous parler à titre ~** I must speak to you privately *ou* in private; **collection particulière** private collection; **4** (inhabituel) [*cas, situation, phénomène*] unusual; [*talent, jour, effort*] special; [*style, mœurs*] odd; [*accent*] distinctive, unusual; **il a examiné ce cas avec une attention particulière** he gave this case his particular attention; **un épisode très ~** a very unusual episode; **c'est quelqu'un de très ~** (admiratif) he's/she's somebody out of the ordinary; péj he's/she's weird; **'quoi de neuf?'—'rien do ~'** 'what's new?'- 'nothing in particular, nothing special'; **il a des amis assez ~s** he has some friends who are definitely different; **elle a un genre ~** she's a bit weird; **cela a un goût assez ~** it tastes weird
B en particulier *loc adv* **1** (en privé) in private; **puis-je vous voir en ~?** can I see you in private?; **2** (séparément) individually; **s'occuper de chaque cas en ~** to consider each case individually; **3** (surtout) particularly; (notamment) in particular ; **il a fait très froid, dans le nord en ~** it's been very cold, particularly in the north; **voir en ~ le chapitre 5** see chapter 5 in particular; **tous les pays sont concernés, la France en ~** all countries are concerned and France in particular
C *nm* **1** (personne) **(simple) ~** private individual; **loger chez des ~s** to stay with a family; **vente de ~ à ~** private sale; **vendre de ~ à ~** to sell privately; **2** (détail) **le ~** the particular; **du ~ au général** from the particular to the general
particulièrement /paʀtikyljɛʀmɑ̃/ *adv* **1** (hautement) [*fatigué, honteux, important*] particularly; [*intelligent*] exceptionally; [*aimer, souffrir*] really; **il est ~ désagréable aujourd'hui** he's in a particularly nasty mood today; **pas ~** not particularly; **2** (spécialement) particularly, in particular; **campagne qui vise ~ les jeunes** campaign aimed at the young in particular, campaign particularly aimed at the young; **la crise économique frappe ~ cette région** the economic crisis is hitting this area particularly hard; **plus** *or* **tout ~** more particularly; **je ne la connais pas ~** I don't know her particularly well

partie ▸ **parti A, C, D**

partiel, -ielle /paʀsjɛl/

A *adj* (non complet) [*paiement*] part (*épith*); [*montant, remboursement, destruction, accord, résultat*] partial; **une levée partielle des barrages routiers** a partial lifting of roadblocks; **des solutions très partielles** very incomplete solutions

B *nm* Univ exam based on a module

C **partielle** *nf* Pol ≈ by-election

partiellement /paʀsjɛlmɑ̃/ *adv* partially

partir /paʀtiʀ/ [30]

A *vi* **1** (quitter un lieu) [*personne*] to leave, to go; **~ sans manger** to leave *ou* go without eating; **partez devant, je vous rejoins** go on ahead, I'll catch you up; **tu pars déjà?** are you leaving already?; **~ à pied/en voiture/en avion** to leave on foot/in a car/in a plane; **est-ce qu'ils sont partis en avion ou en train?** did they fly or did they take the train?; **il est parti en ville à bicyclette** he went to town on his bicycle; **il est parti il y a cinq minutes** he left five minutes ago; **ils sont partis en Écosse en stop** (ils sont encore en voyage) they're hitchhiking to Scotland; (dans le passé) they hitchhiked to Scotland; **~ de** to leave *ou* go from [*ville, gare, aéroport*]; **de quelle gare pars-tu?** which station are you leaving *ou* going from?; **je suis partie de chez moi à 20 heures** I left my house at 8 pm; **faire ~ qn** to make sb leave; **j'espère que je ne vous fais pas ~?** I hope I'm not driving you away?; **fais ~ ce chien!** get that dog out of here!; **~ en courant/boitant/hurlant** to run off/to limp off/to go off screaming; **~ fâché** to go off in a huff°; **~ content** to go away happy; **~ avec qn** to go off with sb; **elle est partie avec un autre** she went off with another man; **~ sans laisser d'adresse** lit to go away without leaving a forwarding address; (sans laisser de traces) to disappear without trace

2 (pour une destination) to go, to leave; **~ loin/dans un pays lointain** to go far away/to a far-off country; **~ à Paris/à New York/au Mexique** to go to Paris/to New York/to Mexico; **je pars à Paris demain** I'm going to Paris tomorrow, I'm off to Paris tomorrow; **~ pour le Mexique/l'Australie** to leave for Mexico/Australia; **tu pars pour combien de temps?** how long are you going for?; **~ pour une semaine/six mois** to go for a week/six months; **est-ce que tu sais que je pars pour une semaine?** did you know I was going away for a week?; **~ en vacances** to go on holiday GB *ou* vacation US (**à** to); **nous partons en vacances dans les Vosges** we're going on holiday GB *ou* vacation to the Vosges; **~ en week-end** to go away for the weekend; **~ en week-end à Chamonix** to go to Chamonix for the weekend; **~ en voyage/expédition/croisière** to go on a trip/an expedition/a cruise; **~ à la guerre/au front** to go off to war/to the front; **~ au travail** to go to work; **~ à la pêche/chasse** to go fishing/hunting; **~ faire** to go to do; **elle est partie se reposer** she's gone for a rest; **~ en tournée** to set off on tour GB *ou* on a tour US; **~ en retraite** to retire

3 (se mettre en mouvement) [*voiture, car, train*] to leave; [*avion*] to take off; [*moteur*] to start; [*personne*] to be off, to leave; **les coureurs sont partis** the runners are off; **le train à destination de Dijon va ~** the train to Dijon is about to depart *ou* leave; **à vos marques, prêts, partez!** on your marks, get set, go!

4 (être projeté) [*flèche, balle*] to be fired; [*bouchon*] to shoot out; [*capsule*] to shoot off; [*réplique*] to slip out; **il jouait avec le fusil et le coup de feu est parti** he was playing with the gun and it went off; **la balle est partie, le blessant à l'épaule** the shot was fired, wounding him in the shoulder; **le bouchon est parti d'un seul coup** the cork suddenly shot out; **elle était tellement énervée que la gifle est partie toute seule** she was so angry that she slapped him/her before she realized what she was doing *ou* before she could stop herself

5 (commencer) [*chemin, route*] to start; **le sentier part d'ici** the path starts here; **les branches qui partent du tronc** the branches growing out from the trunk; **les avenues qui partent de la Place de l'Étoile** the avenues which radiate outwards from the Place de l'Étoile; **~ favori** [*concurrent, candidat*] to start favourite[GB] (**à une course** for a race); **~ gagnant/battu d'avance** to be the winner/loser before one has even started; **~ dernier** (dans une course) to start last; **le troisième en partant de la gauche** the third (starting) from the left; **~ de rien** to start from nothing; **c'est parti!** (si l'on donne un ordre) go!; (si l'on constate) here we go!; **et voilà, c'est parti, il pleut!** here we go, it's raining!; **être bien parti**° lit [*coureur, cheval*] to have got GB *ou* gotten US off to a good start; fig [*projet, travail, personne*] to have got GB *ou* gotten US off to a good start; **être bien parti pour gagner** lit, fig to seem all set to win; **l'entreprise a l'air bien partie** the firm seems to have got off to a good start; **être mal parti**° lit [*coureur, cheval*] to have got off to a bad start; fig [*personne, pays, projet*] to be in a bad way; **avec la récession le pays est mal parti** what with the recession the country is in a bad way; **c'est mal parti**° things don't look too good; **il faudrait qu'il fasse beau mais c'est mal parti** it would be nice if the weather was fine but it doesn't look too promising; **il a l'air parti pour réussir**° he seems to be heading for success; **le mauvais temps est parti pour durer**° it looks as if the bad weather is here to stay

6 (se fonder) **~ de qch** to start from sth; **je suis parti d'une idée/observation très simple** I started from a very simple idea/observation; **l'auteur est parti d'un fait divers pour écrire son roman** the author used a news snippet as a starting point for his novel; **~ du principe que** to work on the assumption that; **~ d'une bonne intention** *or* **d'un bon sentiment** [*idée, geste*] to be well-meant; **(en) partant de là**°... on that basis...

7 (s'enlever) [*tache, saleté*] to come out; [*émail, peinture*] to come off; [*odeur*] to go; [*bouton, écusson, décoration*] to come off; **j'ai beau frotter, ça ne part pas** no matter how hard I rub, it won't come out; **la saleté part bien/mal** the dirt's coming off nicely/won't come out; **l'étiquette est partie** the label has come off; **faire ~ une tache/un graffiti** to remove a stain/a piece of graffiti

8 (être expédié) [*colis, lettre, rapport, candidature*] to be sent (off)

9 (se lancer) **quand il est parti on ne l'arrête plus** once he starts *ou* gets going there's no stopping him; **~ dans des explications/un monologue** to launch into explanations/a monologue; **~ dans des digressions** to start digressing

10 (mourir) euph to go, to pass away euph

B **à partir de** *loc prép* **1** (dans l'espace) from; **à ~ d'ici/du feu rouge/du carrefour** from here/the traffic lights/the crossroads

2 (dans le temps) from; **à ~ de 16 heures/du 5 février** from 4 o'clock/5 February (onwards); **à ~ de maintenant** from now on; **à ~ du moment où** (sens temporel) as soon as; (sens conditionnel) as long as; **c'est possible à ~ du moment où tu résides dans le pays** it's possible as long as you are resident in the country; **à ~ de là, tout a basculé** from then on everything changed radically

3 (supérieur ou égal) from; **à ~ de 2 000 euros** from 2,000 euros; **les enfants ne sont admis qu'à ~ de huit ans** children under eight are not admitted

4 (en utilisant) from; **fabriqué à ~ de pétrole/d'un alliage** made from oil/an alloy

5 (en se basant sur) from, on the basis of; **faire une étude à ~ de statistiques** to base a study on statistics; **à ~ de cet exemple il a démontré que** using *ou* from this example he proved that; **à ~ de ces chiffres/résultats il est possible de...** on the basis of these figures/results it is possible to...; **à ~ d'un échantillon représentatif** from *ou* on the basis of a representative sample; ▸ **courir, maille, mourir**

partisan, ~e /paʀtizɑ̃, an/

A *adj* **1** (de parti pris) pej [*esprit, discours, querelle*] partisan; **2** (en faveur de) **~ de qch/de faire** in favour[GB] of sth/of doing; **un homme ~ des réformes** a man who is in favour[GB] of the reforms; **être ~ du moindre effort** (être paresseux) to be lazy; (dans une décision) to go for the easy option

B *nm,f* **1** gén supporter, partisan (**de** of); **un ~ acharné du libéralisme** a staunch supporter of liberalism; **2** Mil partisan

partitif, -ive /paʀtitif, iv/

A *adj* partitive

B *nm* partitive

partition /paʀtisjɔ̃/ *nf* **1** Mus score; **la ~ chorale/d'orchestre** the choral/orchestral score; **jouer sans ~** to play without the music; **2** (partage) partition (**de** of); **3** Math partition

partousard◐ = **partouzard**

partouse◐ = **partouze**

partouser◐ = **partouzer**

partout /paʀtu/ *adv* **1** (en tous lieux) [*sévir, traîner, chercher*] everywhere; [*avoir mal, démanger, s'enduire*] all over; **comme ~ ailleurs** like everywhere else; **un peu ~ dans le monde** more or less all over the world; **il y avait de la boue ~** there was mud all over the place; **~ sur ton passage** wherever you go; **~ où je vais** wherever I go; **2** (dans tous les domaines) **il est le premier ~** he's the best at everything; **3** Sport **trois (points/buts) ~** three all

(Idiome) **fourrer son nez ~**° to stick one's nose into everything°

partouzard◐, **~e** /paʀtuzaʀ, aʀd/ *nm,f* orgy-lover, swinger◐

partouze◐ /paʀtuz/ *nf* (sexual) orgy; **faire une ~** to have an orgy, to swing◐

partouzer◐ /paʀtuze/ [1] *vi* to take part in orgies

parturiente /paʀtyʀjɑ̃t/ *nf* parturient

parturition /paʀtyʀisjɔ̃/ *nf* parturition

parure /paʀyʀ/ *nf* **1** (toilette) finery ¢; **~ de mariée** bridal finery; **les femmes avaient mis leurs plus belles ~s** the women had dressed up in all their finery; **la nature revêtue de la ~ du printemps** littér nature arrayed in her spring finery; **2** (bijoux) set of jewels; **~ de diamants** set of diamonds; **3** (ensemble assorti) set; **~ de lit/de table** set of bed linen/table linen; **4** Tech (en boucherie, peausserie) trimming

parution /paʀysjɔ̃/ *nf* (de livre, journal, revue) publication; **à sa ~, le livre a fait scandale** when it came out *ou* was published, the book caused a scandal; **la ~ a été reportée en mars** the publication date has been put back till March; **vous en recevrez un exemplaire dès ~** you will receive an issue as soon as it is published

parvenir /paʀvəniʀ/ [36]

A **parvenir à** *vtr ind* **1** (atteindre) **~ à** to reach [*lieu, stade*]; [*lettre, nouvelle, rumeur, bruit*] to reach [*personne, groupe*]; **un fruit parvenu à maturité** a fruit which has reached maturity; **faire ~ qch à qn** (par voie postale) to send sth to sb; (par messager) to get sth to sb; **2** (au prix d'efforts) **~ à** to reach [*accord, solution, conclusion*]; to gain [*pouvoir*]; to get [*poste*]; to achieve [*équilibre*]; **~ à faire** to manage to do; **il veut ~ à ce qu'ils acceptent** he wants to get them to accept; **~ à ses fins** to achieve one's ends; **~ à son but** to achieve one's aim *ou* goal

B *vi* (réussir socialement) to succeed

parvenu, ~e /paʀvəny/

A *adj* **un homme ~** an upstart

B *nm,f* upstart

parvis /paʀvi/ *nm inv* (d'église) square; **~ de cathédrale** cathedral square; (de bâtiment) forecourt

pas[1] /pa/ *adv*

> ⚠ Dans la langue parlée ou familière, *not* utilisé avec un auxiliaire ou un modal prend parfois la forme *n't* qui est alors accolée à l'auxiliaire: *he hasn't finished, he couldn't come.* On notera que *will not* devient *won't*, que *shall not* devient *shan't* et *cannot* devient *can't*

1▸ gén **sur les 15 employés, ~ un ne parle anglais** out of the 15 employees not one speaks English; **c'est un Autrichien, ~ un Allemand** he's an Austrian, not a German; **je ne prends ~ de sucre avec mon café** I don't take sugar in coffee; **ils n'ont ~ le téléphone** they haven't got a phone; **ils n'ont ~ d'enfants/de principes** they haven't got any children/principles, they have no children/principles; **il n'y a ~ de café dans le placard** there isn't any coffee in the cupboard, there's no coffee in the cupboard; **ce n'est ~ de l'amour, c'est de la possessivité** it isn't love, it's possessiveness; **ce n'est ~ du cuir, c'est du plastique** it isn't leather, it's plastic; **ce n'est ~ un lâche** gén he isn't a coward; (pour insister) he's no coward; **ce n'est ~ un ami à moi** gén he isn't a friend of mine; (pour insister) he's no friend of mine; **ce n'est ~ une raison pour crier comme ça!** that's no reason to shout like that!; **ce n'est ~ une vie pour un gamin de son âge** it's no life for a child of his age; **ce n'est ~ un endroit pour s'arrêter** it's no place to stop; **ce n'est ~ qu'il soit désagréable, mais il est tellement ennuyeux!** it's not that he's unpleasant, but he's so boring!; **elle n'est ~ très bavarde** she's not very talkative; **il n'est ~ plus intelligent qu'un autre** he's no brighter than anybody else; **je ne pense ~** I don't think so, I think not sout; **alors, tu viens ou ~○?** so, are you coming or not?; **elle a aimé le film, mais lui ~** *or* **mais ~ lui○** she liked the film but he didn't; **ma voiture a un toit ouvrant, la leur ~** *or* **~ la leur○** gén my car has a sunroof, theirs doesn't; (pour rectifier une erreur) my car has a sunroof, not theirs; **il m'a dit de ne ~ y aller** he told me not to go there; **du pain ~ cuit** unbaked bread; **des tomates ~ mûres** unripe tomatoes; **des chaussures ~ cirées** unpolished shoes; **une radio ~ chère○** a cheap radio set; **je fouille dans ma poche... ~ de portefeuille!** I searched in my pocket... no wallet!; **~ d'augmentation pour vous, Pichon!** no raise for you, Pichon!; **non mais t'es ~ dingue○?** are you mad or what?;
2▸ (dans des expressions, exclamations) **~ du tout** not at all; **~ le moins du monde** not in the slightest *ou* in the least; **absolument ~** absolutely not; **~ vraiment** not really; **~ tellement** not much; **~ tant que ça** not all that much; **~ plus que ça** so-so○, not all that much; **~ d'histoires!** I don't want any arguments *ou* fuss about it!; **~ de chance!** hard luck!, tough luck!; **~ possible!** I can't believe it!; **~ croyable!** incredible!; **~ vrai○?** gén isn't that so?; 3▸ (n'est-ce pas) **elle est jolie la petite Pivachon, ~○?** the Pivachon girl is pretty, isn't she?; **on s'est bien amusé, ~○?** we had a good time, didn't we?; **on a bien travaillé, ~ vrai○?** we did good work, didn't we?

pas[2] /pa/ *nm inv* 1▸ (enjambée) step; **faire un grand/petit ~** to take a long/small step; **faire des petits ~** to take small steps; **faire des grands ~** to stride along; **marcher** *or* **avancer à grands ~** to stride along; **marcher** *or* **avancer à petits ~** to edge forward; **faire un ~ en avant/en arrière** to take a step forward/backward; **l'industrie a fait un grand ~ en avant** industry has taken a big step forward; **l'hiver arrive à grands ~** winter is fast approaching; **avancer à ~ de géant (dans qch)** to make giant strides (in sth); **avancer à ~ de fourmi (dans qch)** to progress at a snail's pace (in sth); **marcher à ~ de loup** *or* **de velours** to move stealthily; **marcher à ~ feutrés** to walk softly; **marcher à ~ comptés** to walk with measured steps; **faire ses premiers ~** [*enfant*] to take one's first steps; **faire ses premiers ~ dans la société mondaine** to make one's debut in society; **faire le premier ~** fig to make the first move; **suivre qn ~ à ~** to follow sb everywhere; **avancer ~ à ~ dans une enquête** to proceed step by step in an inquiry; **il n'y a qu'un ~** there's a fine line; **de là à dire qu'il s'en fiche○, il n'y a qu'un ~** there's only a fine line between that and saying he doesn't care; **j'habite à deux ~ (d'ici)** I live just a step away (from here); **le magasin est à deux ~ de chez elle** the shop is just a step away from her house; ▸ **cent**[1]
2▸ (allure) pace; **marcher d'un bon ~** to walk at a brisk pace; **allonger** *or* **hâter le ~** to quicken one's pace; **marcher d'un ~ lourd** to walk with a heavy tread; **marcher d'un ~ hésitant/gracieux** to walk hesitantly/gracefully; **se diriger vers sa voiture d'un ~ pressé** to walk hurriedly toward(s) one's car; **marcher du même ~** to walk in step; **ralentir le ~** to slow down; **marcher au ~** Mil to march; Équit to walk; **marquer le ~** Mil to mark time; **rouler** *or* **circuler au ~** to crawl (along); **'roulez au ~'** (sur panneau) 'dead slow' GB, '(very) slow' US; **mettre qn au ~** to bring sb to heel; **partir au ~ de course** to rush off, to race off; **faire qch au ~ de charge** to do sth in double-quick time; **j'y vais de ce ~** I'll do it straightaway
3▸ (bruit) footstep; **j'ai entendu un bruit de ~** I heard footsteps; **reconnaître le ~ de qn** to recognize sb's (foot)step
4▸ (trace de pied) footprint; **des ~ dans la neige/sur le sable** footprints in the snow/in the sand; **revenir** *or* **retourner sur ses ~** lit, fig to retrace one's steps, to backtrack; **marcher sur les ~ de qn** fig to follow in sb's footsteps
5▸ Danse step; **un ~ de danse** a dance step; **le ~ de valse** the waltz step; **apprendre les ~ du tango** to learn how to tango
6▸ Tech (d'une hélice) pitch; (d'un écrou, d'une vis) thread
7▸ Aut, Aviat (distance entre les sièges) seat pitch

(Composés) **~ accéléré** quick march; **~ cadencé** slow time; **marcher au ~ cadencé** to march in slow time; **~ de deux** Danse pas de deux; **~ de l'oie** goose-step; **marcher au ~ de l'oie** to goosestep; **~ de patineur** (au ski) skating; **~ de porte** doorstep; **rester sur le ~ de la porte** to stay on the doorstep; **~ redoublé** double time, quick march; **marcher au ~ redoublé** to quick march; **~ de route** walking pace; **~ de tir** Mil Sport shooting range; Astronaut launch(ing) pad; **~ de vis** Tech thread

(Idiomes) **tirer qn/se tirer d'un mauvais ~** to get sb/to get out of a tight corner; **faire** *or* **sauter le ~** to take the plunge; **céder le ~ à qn** to make way for sb; **prendre le ~ sur qch/qn** to overtake sth/sb

pascal[1], **~e**, *mpl* **~s** *or* **-aux** /paskal, o/ *adj* Relig [*week-end, fêtes*] Easter (*épith*); [*cierge, agneau*] paschal

pascal[2] /paskal/ *nm* Mes pascal

Pascal /paskal/
A *nm* Ordinat PASCAL, Pascal
B *npr* Pascal

pascalien, **-ienne** /paskaljɛ̃, ɛn/ *adj* [*pensée*] of Pascal (*après n*)

Pas-de-Calais /padkalɛ/ ▸ **p. 721** *nprm* (département) **le ~** the Pas-de-Calais

pas-de-porte /padpɔʀt/ *nm inv* (somme) key money

pashmina /paʃmina/ *nm* pashmina

passable /pasabl/ *adj* 1▸ [*exposé, film, soirée*] not bad (*jamais épith*), fairly good; [*production, résultats*] reasonable, acceptable; 2▸ Scol (notation) fair

passablement /pasabləmɑ̃/ *adv* 1▸ (considérablement) [*ivre, énervé, flou*] rather, pretty○; [*boire, s'inquiéter*] quite a lot, quite a bit○; 2▸ (moyennement) [*jouer au tennis*] reasonably well

passade /pasad/ *nf* 1▸ (engouement) fad; **une simple ~** just a passing fad; 2▸ (liaison amoureuse) brief affair

passage /pasaʒ/ *nm* 1▸ (circulation) **interdire le ~ des camions dans la ville** to ban trucks from (driving through) the town; **une rue où il y a beaucoup de ~** (piétons) a street where there are a lot of passers-by; (véhicules) a street where there's a lot of traffic; **isoler les fenêtres pour empêcher le ~ de l'air** to seal the windows to prevent draughts GB *ou* drafts US
2▸ (séjour) **ton bref ~ dans la ville a été très remarqué** your stay in the town was brief but did not go unnoticed; **lors de son ~ ici il a oublié son parapluie** when he was here he left his umbrella; **un petit ~ chez le teinturier ne lui ferait pas de mal** a visit to the dry-cleaners' wouldn't do it any harm; **après un bref ~ dans la fonction publique** after a short spell in the civil service
3▸ (visite en chemin) **attendre le ~ du boulanger** to wait for the baker's van to come; **était-ce avant ou après le ~ du facteur?** was it before or after the postman had been?; **manquer le ~ des cigognes** to miss the storks going over; **le ~ du prochain bus est à 10 heures** the next bus is at 10 o'clock; **je peux te prendre au ~** I can pick you up on the way; **il est de ~ en France/dans notre ville** he is passing through France/our town; **des voyageurs de ~** travellers who are passing through; **des hôtes de ~** short-stay guests; **elle n'a que des amants de ~** she only has casual relationships
4▸ (franchissement) **'~ interdit, voie privée'** 'no entry, private road'; **pour permettre le ~ de la lumière** in order to let the light in; **les voitures se sont garées pour laisser** *or* **céder le ~ à l'ambulance** the cars pulled over to let the ambulance go past; **on se retourne sur ton ~** you make people's heads turn as you go past; **notons au ~ que...** fig let's note in passing that...; **se servir au ~** lit (en passant) to help oneself; fig (légalement) to take a cut (of the profits); (illégalement) to pocket some of the profits; **~ en ferry/hovercraft** ferry/hovercraft crossing; **le ~ à gué du bras de mer est possible à marée basse** the sound can be forded at low tide; **la voiture a peiné lors du ~ du col** the car had a hard time crossing the pass
5▸ (à la radio, télévision, au théâtre) **c'est leur troisième ~ à l'Olympia** it's the third time they've been to the Olympia; **ton ~ sur scène/à la télévision a été très remarqué** you made a great impact on stage/on the television; **chaque ~ de votre chanson à la radio vous rapportera des droits d'auteur** you'll get royalties every time your song is played on the radio
6▸ (chemin emprunté) (par une personne) way; (par une chose) path; **prévoir le ~ du tout-à-l'égout/de câbles** to plan the route of the main sewer/of cables; **pour aller jusqu'au sommet il y a plusieurs ~s possibles** there are several possible ways of getting to the summit; **pousse-toi tu es dans mon ~** move! you're in my way!; **barrer le ~ à qn** to bar sb's way
7▸ (à une situation nouvelle) **~ (de qch) à qch** transition (from sth) to sth; **~ à la deuxième étape/la phase suivante** progression to the second stage/the next phase; **son ~ dans la classe supérieure est compromis** he/she won't be allowed to move up into the next class GB *ou* grade US; **les rites initiatiques de ~ à l'âge adulte** the rites of passage into adulthood
8▸ (petite rue) alley; (dans un bâtiment) passageway
9▸ (de roman, symphonie) passage; (de film) sequence
10▸ Équit passage

(Composés) **~ à l'acte** Psych acting out;

P

~ **clouté**† = ~ **pour piétons**; ~ **à niveau** level crossing GB, grade crossing US; ~ **obligé** prerequisite (**pour** for); ~ **pour piétons** pedestrian crossing, crosswalk US; ~ **protégé** right of way; ~ **souterrain** underground passage; (sous une rue) subway; ~ **à tabac** beating; **subir un ~ à tabac** to be beaten up; ~ **à vide** gén bad patch; (pour un acteur, artiste) unproductive period

passager, -ère /pasaʒe, ɛʀ/
A *adj* **1** (de courte durée) [*situation, crise*] temporary; [*sentiment, engouement*] passing; [*averse*] brief; [*fièvre, malaise*] slight, short-lived (*épith*); [*amours*] casual; **sa mauvaise humeur n'est que passagère** his/her bad mood won't last long; **2** (très fréquenté) [*avenue, endroit*] busy
B *nm,f* Transp passenger (**à destination de** to; **en provenance de** from)
(Composé) ~ **clandestin** stowaway

passagèrement /pasaʒɛʀmɑ̃/ *adv* temporarily

passant, ~e /pasɑ̃, ɑ̃t/
A *adj* [*rue*] busy
B *nm,f* passer-by; **quelques ~s** a few passers-by
C *nm* (anneau de ceinture, bracelet-montre) loop

passation /pasasjɔ̃/ *nf* Jur (conclusion d'acte) signing ₵; ~ **d'écriture** Compta posting of an entry; ~ **des pouvoirs** Jur, Pol transfer of power

passavant /pasavɑ̃/ *nm* **1** Jur, Comm permit; **2** Naut catwalk

passe /pɑs/
A ○*nm* **1** (passe-partout) master key; **2** (laissez-passer) pass
B *nf* **1** Sport pass; **faire une ~** to pass the ball (**à** to); **2** (de prestidigitateur, torero) pass; **3** (de magnétiseur, d'hypnotiseur) pass; **il m'a fait des ~s** he made passes over me; **4** ◑(de prostituée) trick○; **faire une ~** to turn a trick○; **le prix d'une ~** the cost of a trick; **5** (situation) **être dans une ~ difficile/une mauvaise ~** to be going through a difficult/bad patch; **être en ~ de faire** to be (well) on the way to doing; **c'est une méthode révolue ou en ~ de l'être** it's an outdated method or soon will be; **6** Naut (chenal) channel; **7** Géog (col) pass
(Composé) ~ **d'armes** Mil passage of arms; fig heated exchange

passé, ~e /pɑse/
A *pp* ▸ **passer**
B *pp adj* **1** (qui est révolu) [*années, siècles, expériences, amours*] past; **au cours des siècles ~s** in bygone centuries, in past centuries; **regretter le temps ~** to regret the past; **des vêtements ~s de mode** dated clothes; **2** (dernier en date) [*an, semaine*] last; **l'an/le mois ~** last year/month; **3** (plus de) **il était cinq heures ~es** it was past five o'clock; **il est 14 heures ~es de 3 minutes** it's 3 minutes past 2; **elle doit avoir trois ans ~s maintenant** she must be over three now; **j'ai 18 ans ~s, je fais ce que je veux!** I've turned 18 *ou* I'm over 18! I can do what I want!; **je me suis couchée à minuit ~** it was past *ou* turned midnight when I went to bed; **cela fait un mois ~ que je vous ai demandé de le faire** it was more than a month ago that I asked you to do it; **4** (usé par le temps) [*couleur, tissu*] faded
C *nm* **1** (division du temps) past; **c'est du ~ maintenant** it's all in the past now; **dans** *or* **par le ~** in the past; **rompre avec le ~** to break with the past; **2** (de civilisation, d'individu) past; **les vestiges d'un ~ prestigieux** the vestiges of a prestigious past; **que sais-tu de son ~?** what do you know about her past?; **mon ~ de syndicaliste/comédien** my past as a trade unionist/an actor; **3** Ling past (tense); **mettre ce texte au ~** put this text into the past (tense); **il parle d'elle au ~** he talks about her in the past tense
D *prép* after; ~ **10 heures, ne faites plus de bruit** after 10 o'clock don't make any noise; ~ **la poste c'est tout droit** after the post office you go straight on; ~ **8 heures il s'endort dans son fauteuil** come eight o'clock he goes to sleep in his armchair; ~ **la rivière vous serez libre** once you've crossed the river, you'll be free
(Composés) ~ **antérieur** past anterior; ~ **composé** present perfect; ~ **empiétant** Cout embroidery stitch; ~ **plat** Cout satin stitch; ~ **simple** past historic

passe-crassane* /paskʀasan/ *nf inv* Passe Crassane (*variety of pear*)

passe-droit, *pl* **~s** /pasdʀwɑ/ *nm* preferential treatment ₵; **bénéficier d'un ~** to get preferential treatment

passéisme /paseism/ *nm* pej attachment to the past; **une exposition qui sent le ~ à plein nez**○ an exhibition that smacks of nostalgia; **son discours électoral était d'un ~!** his election address really harked back to the past!

passéiste /paseist/ *adj* pej [*image, conservatisme, méthode*] old-fashioned; [*organisation, politicien, artiste, idée*] backward-looking péj

passe-lacet, *pl* **~s** /paslasɛ/ *nm* bodkin
(Idiome) **raide comme un ~** as straight *ou* stiff as a ramrod

passement /pasmɑ̃/ *nm* braid ₵

passementer /pasmɑ̃te/ [1] *vtr* to braid, to trim [sth] with braid

passementerie /pasmɑ̃tʀi/ *nf* **1** (accessoires) passementerie, trimmings (*pl*); **2** (commerce) passementerie trade

passe-montagne, *pl* **~s** /pasmɔ̃taɲ/ *nm* balaclava

passe-partout* /paspaʀtu/
A *adj inv* [*formule, réponse*] catch-all; [*vêtement*] for all occasions (*après n*); [*outil, instrument*] all-purpose
B *nm inv* (clé) master key; (scie) two-man saw

passe-passe* /paspas/ *nm inv* **tour de ~** conjuring trick; fig wangling ₵; **faire qch par des tours de ~ juridiques/statistiques** to do sth by legal/statistical wangling; **il a usé d'un remarquable tour de ~ politique** he managed a remarkable bit of political wangling

passe-plat, *pl* **~s** /paspla/ *nm* serving hatch

passepoil /paspwal/ *nm* Cout piping ₵

passepoilé, ~e /paspwale/ *adj* [*boutonnière*] piped; [*poche*] bound

passeport /paspɔʀ/ *nm* **1** Jur passport; **délivrer/renouveler un ~** to issue/to renew a passport; **être muni/détenteur d'un ~ diplomatique** to carry/to hold a diplomatic passport; **contrôle des ~s** passport control; **2** (ouverture) passport (**pour** to); ~ **pour l'emploi** passport to employment; **cette compétence leur sert de ~ professionnel** these skills are a passport to the professional world

passer /pɑse/ [1]
A *vtr* **1** (franchir) to cross [*fleuve, pont, frontière, col*]; to go through [*porte, douane*]; to get over [*haie, obstacle*]; **ils ont fait ~ la rivière au troupeau** they took the herd across the river; **il m'a fait ~ la frontière** he got me across the border
2 (faire franchir) ~ **qch à la douane** to get sth through customs; ~ **qch en fraude** *or* **contrebande** to smuggle sth; ~ **qn en fraude** (vers l'intérieur) to smuggle sb in; (vers l'extérieur) to smuggle sb out; ▸ **gauche**
3 (dépasser) to go past, to pass; **quand vous aurez passé le feu, tournez à droite** turn right after the lights; ~ **la barre des dix euros** to pass the ten euro mark; **on a passé l'heure** it's too late; **j'ai passé l'âge** I'm too old; **le malade ne passera pas la nuit** the patient won't last the night
4 (mettre) ~ **le doigt sur la table** to run one's finger over the table-top; ~ **la tête à la fenêtre** to stick one's head out of the window; **elle m'a passé le bras autour des épaules** she put her arm around my shoulders; **elle m'a passé la main dans les cheveux** she ran her fingers through my hair
5 (transmettre) to pass [*objet*] (**à** to); to pass [sth] on [*consigne, maladie*] (**à** to); (prêter)○ to lend (**à qn** to sb); (donner)○ to give (**à qn** to sb); ~ **le ballon au gardien de but** to pass the ball to the goalkeeper; **passe-moi le sel** pass me the salt; **passe le vin à ton père** pass your father the wine; **faites ~ le plat entre vous** pass the dish around; **fais ~ la bonne nouvelle à tes amis** pass the good news on to your friends; **elle a attrapé la grippe et l'a passée à son mari** she caught flu and gave it to her husband; **il m'a passé son vélo**○ (prêté) he lent me his bike; (donné) he gave me his bike; **il m'a passé son rhume** he's given me his cold
6 (au téléphone) **tu peux me ~ Chris?** can you put Chris on?; **attends, je te la passe** hold on, here she is, I'll put her on; **je vous le passe** (sur un autre poste) I'm putting you through; **pourriez-vous me ~ le poste 4834/le service de traduction?** could you put me through to extension 4834/the translation department, please?; **il est sorti, je vous passe sa secrétaire** he's out, I'll put you through to his secretary
7 (se présenter à) to take, to sit [*examen scolaire, test*]; to have [*visite médicale, entretien*]; ~ **son permis de conduire** to take one's driving test; **faire ~ un test à qn** to give sb a test; **c'est moi qui fais ~ l'oral de français aux nouveaux** I'm taking the new pupils for the French oral
8 (réussir) to pass [*examen, test*]
9 (dans le temps) to spend [*temps, jour, vie, vacances*] (**à faire** doing); ~ **une nuit à l'hôtel** to spend a night at a hotel; **nous avons passé de bons moments ensemble** we've had some good times together; **dépêche-toi, on ne va pas y ~ la nuit**○**!** hurry up, or we'll be here all night!; ~ **sa colère sur son chat/ses collègues** to take one's anger out on the cat/one's colleagues
10 (pardonner) ~ **qch à qn** to let sb get away with sth; **il ne me passe rien** he doesn't let me get away with anything; **elle leur passe tout** she lets them get away with murder; **passez-lui ses écarts de langage** excuse his/her strong language; **il passe tous ses caprices à sa fille** he indulges his daughter's every whim; **passez-moi l'expression/le terme** if you'll pardon the expression/the word
11 (omettre) to skip [*mot, page, paragraphe*]; **je vous passe les détails** I'll spare you the details; **j'en passe et des meilleures** (après énumération) and so on and so forth, I could go on
12 (utiliser) ~ **un chiffon humide sur les meubles** to go over the furniture with a damp cloth; ~ **un coup de fer sur une chemise** to give a shirt a quick press; **n'oublie pas de ~ l'aspirateur dans le salon** don't forget to hoover® GB *ou* vacuum the lounge
13 (étendre) **en passant un peu de cire, les rayures disparaîtront** if you go over it with a bit of wax, the scratches will disappear; ~ **un peu de baume sur une brûlure** to dab some ointment on a burn; ~ **une couche de peinture sur qch** to give sth a coat of paint
14 (soumettre) **passez le plat au four** put the dish in the oven; ~ **la pointe d'une aiguille à la flamme** to hold the point of a needle over a flame; ~ **le plancher à la cire** to put some wax on the floor; ~ **qch à l'eau** (pour rincer) to give sth a rinse; (pour obtenir une réaction) to soak sth briefly in water; **qu'est-ce qu'elle nous a passé**○**!** she really went for us○!; ▸ **peigne**
15 (à travers une grille) to filter [*café*]; to strain [*jus de fruit, sauce*]; to purée [*légumes*]; ~ **des légumes au moulin à légumes** to purée vegetables
16 (enfiler) to slip [sth] on [*vêtement, anneau*]; to slip into [*robe*]; **ils ont essayé de me ~ la camisole** they tried to put me in a strait-jacket
17 (faire jouer) to play [*disque, cassette audio*]; (projeter) to show [*film, diapositives, cassette*

vidéo]; (diffuser) to place [*annonce*]
18▸ (signer) to sign [*contrat*]; to enter into [*accord*]; to place [*commande*]; to pass [*loi, décret*]; **~ un marché**○ to make a deal
19▸ Compta (entrer) to enter, to post spéc [*somme, dépense*]
20▸ Aut (enclencher) to go into [*vitesse*]; **~ la troisième/la marche arrière** to go into third gear/into reverse
21▸ Jeux (renoncer à) **~ son tour** to pass
B *vi* **1▸** (parcourir son chemin) [*personne, animal, véhicule, ballon*] to go past *ou* by, to pass; **~ entre** to pass between; **regarder ~ les trains** to watch the trains go past *ou* by; **nous sommes passés devant le palais/près du lac** we went past the palace/the lake; **~ sous/sur un pont** to go under/over a bridge; **l'autobus vient juste de ~** the bus has just gone; **le facteur n'est pas encore passé** the postman hasn't been yet; **quand passe le prochain car pour Caen?** when is the next coach GB *ou* bus for Caen?; **je suis passé à côté de lui/du monument** I passed him/the monument; **nous sommes passés près de chez toi ce matin** we were near your house this morning; **~ à pied/à cheval/en voiture/à bicyclette** to walk/ride/drive/cycle past; **un avion est passé** a plane flew past overhead; **il est passé en courant/boitant** he ran/limped past; **j'ai renversé le vase en passant** I knocked over the vase as I went by; **en passant, achète du lait** buy some milk while you're out; **le ballon est passé tout près des buts** the ball narrowly missed the goal
2▸ (se trouver, s'étendre) **la route passe à côté du lac** the road runs alongside the lake; **le ruisseau passe derrière la maison** the stream runs behind the house; **ils ont fait ~ la route devant chez nous/près de l'église/derrière le village** they built the road in front of our house/near the church/behind the village; **ligne qui passe par les centres de deux cercles** line that connects the centres[GB] of two circles; **en faisant ~ une ligne par ces deux villes** drawing a line through these two towns
3▸ (faire un saut) **je ne fais que ~** I've just popped in GB *ou* dropped by for a minute; **quand je suis passé au marché** when I went down to the market; **quand je suis passé à l'école** when I dropped by the school; **quand je suis passé chez lui** when I called in to see him GB, when I dropped by his place; **~ à la banque** to call in at the bank GB, to drop by the bank; **il est passé déposer un dossier** he came to drop off a file; **il est passé quelqu'un pour toi** someone was looking for you; **je passerai un de ces jours** I'll drop by one of these days; **~ dans la matinée** [*plombier, représentant*] to call in the morning GB, to come over in the morning; **passe nous voir plus souvent!** come and see us more often!; **~ prendre qn/qch** to pick sb/sth up; **je passerai te prendre à six heures** I'll pick you up at six; **je passerai prendre le gâteau dans une heure** I'll pick up the cake in an hour
4▸ (se rendre) to go; **passez au guichet numéro 3** go to counter 3; **passons au salon** let's go into *ou* through to the lounge; **les contrebandiers sont passés en Espagne** the smugglers have crossed into Spain; **passez derrière moi, je vous montrerai le chemin** follow me, I'll show you the way; **il est passé devant moi, il m'est passé devant**○ (dans une queue) he pushed in front of me; **~ à la visite médicale** to go for a medical examination; **~ devant une commission** to come before a committee
5▸ (aller au-delà) to get through; **tu ne passeras pas, c'est trop étroit** you'll never get through, it's too narrow; **on ne peut pas ~ à cause de la neige** we can't get through because of the snow; **impossible de ~ tant il y avait de monde** you couldn't get through, there were so many people; **il est passé au rouge** he went through the red lights; **il n'a pas attendu le feu vert pour ~** he didn't wait for the lights to turn green; **il m'a fait signe de ~** he waved me on; **il a fait ~ la vieille dame devant lui** he let the old lady go first; **vas-y, ça passe!** (à un automobiliste) go on, there's plenty of room!; **laisser ~ qn** to let sb through; **laisser ~ une ambulance** to let an ambulance through; **le volet laisse ~ un peu de lumière** the shutter lets in a chink of light; **la cloison laisse ~ le bruit** the partition doesn't keep the noise out; **~ par-dessus bord** to fall overboard; **il est passé par la fenêtre** (par accident) he fell out of the window; (pour entrer) he got in through the window; **il est passé sous un train** he was run over by a train; **nous n'avons pas pu faire ~ l'armoire par la porte** we couldn't get the wardrobe through the door; **à cause des travaux, on ne peut pas ~ derrière la maison** because of the road works, we can't get round GB *ou* around US the back of the house; ▸ **caravane, casser**
6▸ (transiter) **~ par** [*personne*] lit to pass *ou* go through; fig to go through; **nous sommes passés par Édimbourg** we went via Edinburgh; **ça ira plus vite en passant par la Belgique** it'll be quicker to go via Belgium; **la manifestation passera dans cette avenue** the demonstration will come along this avenue; **~ par qn pour faire qch** to do sth through sb; **~ par de rudes épreuves** to go through the mill, to have a rough time; **~ par l'opératrice** to go through the operator; **~ par une rue** to go along a street; **~ par l'escalier de service** to use the service stairs; **nous sommes passés par une agence matrimoniale** we met through a marriage bureau; **il est passé par tous les stades de la formation** he went through the various different stages of training; **~ au bord de la faillite** to come very close to bankruptcy; **il est passé par une très bonne école** he went to a very good school; **la formation par laquelle il est passé** the training (that) he had; **il dit tout ce qui lui passe par la tête** he always says the first thing that comes into his head; **je ne sais jamais ce qui te passe par la tête** I never know what's going on in your head; **une idée m'est passée par la tête** an idea occurred to me; **mais qu'est-ce qui lui est passé par la tête?** what on earth was he/she thinking of?; **ça fait du bien par où ça passe**○**!** [*aliment, boisson*] I needed that!; **un éclair de malice passa dans ses yeux** his/her eyes gleamed with mischief, he/she had a mischievous glint in his/her eyes; **un sourire passa sur ses lèvres** he/she smiled for a second; **en passant par** including; **des reptiles à l'homme, en passant par le singe** from reptiles to man, including apes; ▸ **maire**
7▸ ○(avoir son tour) **il accuse le patron, ses collègues, le cuisinier, bref, tout le monde y passe** he's accusing the boss, his colleagues, the cook—in other words, everyone in sight; **le rock, le blues, la musique classique, tout y passe** rock, blues, classical music, you name it; **que ça te plaise ou non, il va falloir y ~** whether you like it or not, there's no alternative; **la nouvelle secrétaire va y ~ aussi** the new secretary will get it as well; **on ne peut pas faire autrement que d'en ~ par là** there is no other way around it; **je sais, j'en suis déjà passé par là** I know all about that, I've been there○
8▸ (négliger) **~ sur** to pass over [*question, défaut, erreur*]; **je préfère ~ sur ce point pour l'instant** I'd rather not dwell on that point for the moment; **il est** *or* **a passé sur les détails** he didn't go into the details; **si l'on passe sur les frais de déplacement** if we ignore the travel expenses; **passons (là-dessus)!** (injonction) let's hear no more about it!; (pardon) let's say no more about it!; **~ à côté d'une question** (volontairement) to sidestep a question; (involontairement) to miss the point; **laisser ~ qch** (délibérément) to let sth pass, to overlook sth; (par inadvertance) to let sth slip through, to overlook sth; **laisser ~ une occasion, ~ à côté d'une occasion** to miss an opportunity, to let an opportunity slip *ou* go by; **laisser ~ quelques erreurs par gentillesse** to overlook a few errors out of softheartedness; **on ne peut pas laisser ~ une telle erreur** we cannot let a mistake like that through; **le réviseur a laissé ~ plusieurs fautes** the proofreader let several mistakes slip through; **il leur laisse ~ tous leurs caprices** he indulges their every whim
9▸ (ne pas approfondir) **en passant** in passing; **notons en passant que** we should note in passing that; **en passant, il a ajouté que** in passing, he added that; **soit dit en ~** incidentally
10▸ (être admis, supporté) [*aliment, repas*] to go down; [*commentaires, discours, critiques*] to go down well (**auprès de** with); [*loi, règlement, mesure*] to get through; [*attitude, pensée, doctrine*] to be accepted; [*candidat*] to get through; **je ne me sens pas bien, ce doit être le concombre qui passe mal** I don't feel well, it must be the cucumber; **prends un peu de cognac, ça fait ~!** have a drop of brandy, it's good for the digestion; **vos critiques sont mal passées/ne sont pas passées** your criticism went down badly/didn't go down well; **ils n'ont jamais pu faire ~ leur réforme/leurs idées** they never managed to get their reform through/their ideas accepted; **que je sois critiqué, passe encore, mais calomnié, non!** criticism is one thing, but I draw the line at slander; **avec lui, la flatterie, ça ne passe pas** flattery won't work with him; **~ au premier tour** Pol to be elected in the first round; **~ dans la classe supérieure** to move up to the next year *ou* grade US; **(ça) passe pour cette fois**○ this time, I'll let it go
11▸ (se déplacer) **~ de France en Espagne** to leave France and enter Spain; **~ de la salle à manger au salon** to move from the dining room to the lounge; **~ à l'ennemi** to go over to the enemy; **~ dans le camp adverse** to go over to the other side; **~ sous contrôle de l'ONU/de l'État** to be taken over by the UN/the government; **~ sous contrôle ennemi** to fall into enemy hands; **~ de main en main** to be passed around; **~ constamment d'un sujet à l'autre** to flit from one subject to another; **~ d'un amant à un autre** to go from one lover to the next; **~ de l'opulence à la misère** to go from extreme wealth to extreme poverty; **~ de la théorie à la pratique** to put theory into practice; **leur nombre pourrait ~ à 700** their number could reach 700; **~ à un taux supérieur/inférieur** to go up to a higher rate/down to a lower rate; **faire ~ qch de 200 à 300** to increase sth from 200 to 300; **faire ~ qch de 300 à 200** to decrease sth from 300 to 200; **expression passée en proverbe** expression that has become a proverb
12▸ (être pris) **~ pour un imbécile/pour être une belle ville** to be generally thought of as stupid/as a beautiful town (**auprès de** by); **~ pour un génie** to pass as a genius; **son excentricité passe pour de l'intelligence** his/her eccentricity passes for intelligence; **il passe pour l'inventeur de l'ordinateur** he's supposed to have invented computers; **~ pour quelqu'un d'autre** to be taken for someone else; **il pourrait ~ pour un Américain** he could be taken for an American; **il veut ~ pour un grand homme** he wants to be seen as a great man; **faire ~ qn/qch pour exceptionnel/exemplaire** to make sb/sth out to be exceptional/a model of perfection; **se faire ~ pour malade** to pretend to be ill; **se faire ~ pour mort** to fake one's own death; **il se fait ~ pour mon frère** he passes himself off as my brother; **se faisant ~ pour un agent d'assurance** by passing himself off as *ou* by impersonating an insurance salesman; **il m'a fait ~ pour un imbécile** he made me look like a fool
13▸ (disparaître) [*douleur, événement*] to pass;

quand l'orage sera *or* **aura passé** lit when the storm is over; fig when the storm dies down; **ça passera** (sa mauvaise humeur) it'll pass; (ton chagrin) you'll get over it; **la première réaction passée, il a été possible de faire** once we/they calmed down it was possible to do; **nous avons dû attendre que sa colère soit passée** we had to wait for his/her anger to subside; **~ de mode** [*vêtement, style, chanson, expression*] to go out of fashion; **cette mode est vite passée** *or* **a vite passé** that fashion was short-lived; **faire ~ à qn l'envie** *or* **le goût de faire** to cure sb of the desire to do; **les sales gosses, je vais leur faire ~ l'envie** *or* **l'habitude de tirer sur ma sonnette!** those damn kids, I'll teach them to ring my bell!; **ce médicament fait ~ les maux d'estomac** this medicine relieves stomach ache; **cette mauvaise habitude te passera** it's a bad habit you'll grow out of; **ça lui passera avant que ça me reprenne**○ it won't last

14 (apparaître, être projeté, diffusé) [*artiste, groupe*] (sur une scène) to be appearing; (à la télévision, radio) to be on; [*spectacle, film*] to be on; [*cassette, musique*] to be playing; **mon ami passe à la télévision ce soir** my friend is on television tonight; **les films portugais qui passent à la télévision/au Rex/à Paris** the Portuguese films (that are) on television/on at the Rex/on in Paris

15 (être placé) **~ avant/après** (en importance) to come before/after; **la santé passe avant tout** health comes first; **il fait ~ sa famille avant ses amis** he puts his family before his friends

16 ○(disparaître) **où étais-tu (encore) passé?** where (on earth) did you get to?; **où est passé mon livre/le chat?** where has my book/the cat got to?

17 (s'écouler) [*temps*] to pass, to go by; **deux ans ont passé depuis l'événement** two years have passed since it happened; **le temps a passé, et les gens ont oublié** time has passed and people have forgotten; **je ne vois pas le temps ~** I don't know where the time goes; **le week-end a** *or* **est passé trop vite** the weekend went too quickly

18 (se mettre à) to turn to; **passons aux choses sérieuses** let's turn to serious matters; **nous pouvons ~ à l'étape suivante** we can move on to the next stage; **passons à autre chose** let's change the subject; **nous allons ~ au vote** let's vote now; **~ à l'offensive** to take the offensive

19 (être transmis) **~ de père en fils/de génération en génération/à ses héritiers** to be handed down from father to son/from generation to generation/to one's heirs; **l'expression est passée dans la langue** the expression has become part of the language; **ça finira par ~ dans les mœurs** it'll eventually become common practice; **il a fait ~ son émotion dans la salle** he transmitted his emotion to the audience

20 (être promu) to be promoted to; **il est passé général** he's been promoted to general; **elle est passée maître dans l'art de mentir** she's an accomplished liar

21 (être dépensé) [*argent, somme*] to go on *ou* in *ou* into; [*produit, matière*] to go into; **la moitié de mon salaire passe en remboursement de mes dettes** half my salary goes on paying off my debts; **toutes mes économies y sont passées**○ all my savings went into it

22 ○(mourir) **y ~** to die; **si tu continues à conduire comme ça, tu vas finir par y ~** if you keep driving like that, you'll kill yourself; **on y passera tous, mais le plus tard sera le mieux** we've all got to go sometime, the later the better

23 (se décolorer) [*teinte, tissu*] to fade; **~ au soleil** to fade in the sun

24 (filtrer) [*café*] to brew; **faire ~ la soupe** to put the soup through the vegetable mill

25 (changer de vitesse) **~ en troisième/marche arrière** to go into third/reverse; **la troisième passe mal** *or* **a du mal à ~** third gear is a bit stiff; **~ de seconde en troisième** to go from second into third

26 Jeux (au bridge, poker) to pass

C se passer *vpr* **1** (se produire) to happen; **ça s'est passé en Chine/à Pékin/le matin/au bon moment** it happened in China/in Beijing/in the morning/at the right time; **il ne se passe jamais rien dans ce village** nothing ever happens in this village; **que se passe-t-il?, qu'est-ce qui se passe?** what's happening, what's going on?; **tout se passe comme si le franc avait été dévalué** it's as if the franc was devalued

2 (être situé) to take place; **la scène se passe au Viêt Nam/dans les années trente/de nos jours** the scene is set in Vietnam/in the thirties/in the present day

3 (se dérouler) [*opération, examen, négociations*] to go; **comment s'est passée la réunion?** how did the meeting go?; **tout s'est bien passé** everything went well; **ça s'est mal passé** it didn't go well; **la réunion s'est très mal passée** the meeting went very badly; **tout s'est passé très vite** it all happened very fast; **ça va mal se ~ pour toi si tu continues!** you're going to be in trouble if you carry on GB *ou* continue doing that!; **ça ne se passera pas comme ça!** I won't leave it at that!

4 (s'écouler) [*période*] to go by, to pass; **il s'est passé deux ans depuis, deux ans se sont passés depuis** that was two years ago; **il ne se passe guère de jour (sans) qu'elle ne trouve à se plaindre** hardly a day goes by without her finding something to complain about; **attendons que ça se passe** let's wait till it's over; **nos soirées se passaient à regarder la télévision** we spent the evenings watching television; ▸ **jeunesse**

5 (se dispenser) **se ~ de** [*personne*] to do without [*objet, activité, personne*]; to go without [*repas, nourriture, sommeil*]; **nous nous sommes passés de voiture** we did without a car; **nous nous passerons de lui** we'll do without him; **je me passerais bien de tes remarques** I can do without your comments; **se ~ de commentaires** to speak for itself; **ne pas pouvoir se ~ de faire** not to be able to help oneself from doing; **se ~ des services de qn** to do without sb's services

6 (se mettre) **se ~ la langue sur les lèvres/la main dans les cheveux** to run one's tongue over one's lips/one's fingers through one's hair; **se ~ la main sur le front** to put a hand to one's forehead

7 (l'un à l'autre) **ils se sont passé des documents** they exchanged some documents; **nous nous sommes passé le virus** we caught the virus from each other

passereau, *pl* **~x** /pasʀo/ *nm* **1** gén passerine; **2** †(moineau) sparrow

passerelle /pasʀɛl/ *nf* **1** (petit pont) footbridge; **2** fig (lien) link; **jeter une ~ entre qch et qch** to provide a link between sth and sth; **classe ~** conversion course; **3** (pour embarquer) Naut gangway; Aviat (escalier) steps; (tunnel) gangway; **jeter la ~** Naut to lower the gangway; **4** Naut (pour piloter) bridge; **~ de navigation** navigation bridge

passe-temps* /pastɑ̃/ *nm inv* pastime, hobby

passe-thé* /paste/ *nm inv* tea strainer

passeur, -euse /pasœʀ, øz/ *nm,f* **1** ▸ **p. 532** Naut ferryman/ferrywoman; **2** (pour passer une frontière) smuggler; (de drogue) courier, mule○; **3** Sport passer

passe-vue, *pl* **~s** /pasvy/ *nm* slide carrier *ou* changer

passible /pasibl/ *adj* **1** Jur **~ de** [*délit*] punishable by; [*personne*] liable to; **2** Comm, Fisc **~ d'impôt** [*personne*] liable for tax; [*revenu*] taxable; **marchandises ~s de droits** dutiable goods, goods liable for duty

passif, -ive /pasif, iv/

A *adj* **1** gén [*personne*] passive (**devant, face à** in the face of); **2** **à la voix passive** Ling in the passive (voice); **3** Ordinat **mémoire passive** read-only memory, ROM

B *nm* **1** Ling passive (voice); **2** Compta Fin liabilities (*pl*), debit; **au ~ du bilan** on the debit side

(Composés) **~ couru** accruals (*pl*); **~ éventuel** contingent liability; **~ exigible** current liabilities; **~ non exigible** non-current liabilities

(Idiome) **mettre qch au ~ de qn** to count sth amongst sb's failures

passiflore /pasiflɔʀ/ *nf* passiflora, passionflower

passing-shot, *pl* **~s** /pasiŋʃɔt/ *nm* controv passing shot

passion /pasjɔ̃/ *nf* passion; **avoir une grande ~ pour** to have a great passion for; **avoir la ~ des voyages/du jeu/d'écrire** to have a passion for travel/gambling/writing; **être esclave de ses ~s** to be a slave to one's passions; **les fleurs sont ma ~** flowers are my passion; **les élections ont déchaîné les ~s** the elections have made passions run high; **aimer à la** *or* **avec ~** to love passionately; **sans ~** (objectivement) dispassionately; (sans enthousiasme) without enthusiasm; **se prendre de ~ pour qn** to become infatuated with sb; **se prendre de ~ pour qch** to develop a passion for sth

Passion /pasjɔ̃/ *nf* Passion; Relig **la ~ selon St Jean** the Passion according to St John; Mus the St John Passion

passionnant, ~e /pasjɔnɑ̃, ɑ̃t/ *adj* [*voyage, métier, découverte, match*] exciting; [*personne, dossier, information, musée*] fascinating; [*roman, film*] gripping, fascinating

passionné, ~e /pasjɔne/

A *pp* ▸ **passionner**

B *pp adj* [*amour*] passionate; [*débat, argument*] impassioned; **être ~ de** *or* **pour qch** to have a passion for sth; **un journaliste ~ d'opéra** a journalist with a passion for opera

C *nm,f* enthusiast; **c'est un ~ de tennis/calligraphie** he's a tennis/calligraphy enthusiast

passionnel, -elle /pasjɔnɛl/ *adj* [*débat*] passionate; [*sujet, langage*] emotive; [*crime*] of passion

passionnément /pasjɔnemɑ̃/ *adv* passionately

passionner /pasjɔne/ [1]

A *vtr* **1** (intéresser) to fascinate; **le débat m'a passionné** the debate fascinated me; **la botanique/littérature le passionne** he has a passion for botany/literature; **2** (rendre passionné) to inflame [*débat*]

B se passionner *vpr* (subitement) to develop a passionate interest (**pour** in); (habituellement) to have a passion (**pour** for)

passivation /pasivasjɔ̃/ *nf* passivation

passivement /pasivmɑ̃/ *adv* passively

passivité /pasivite/ *nf* passivity

passoire /paswaʀ/ *nf* (pour légumes) colander; (pour infusion) strainer; (tamis) sieve; **troué comme une ~** riddled with holes; **être une vraie ~**○ [*frontière*] to be like an open door; [*gardien de buts*] to let anything through

(Idiome) **avoir la tête comme une ~**○ to have a mind like a sieve○

pastel /pastɛl/

A *adj inv* [*teinte*] pastel; **bleu ~** pastel blue

B *nm* **1** (technique, crayon) pastel; **2** (œuvre) pastel; **3** (teinte) pastel tint *ou* tone

pastelliste /pastɛlist/ *nmf* pastellist

pastenague /pastənag/ *nf* stingray

pastèque /pastɛk/ *nf* watermelon

pasteur /pastœʀ/ ▸ **p. 532** *nm* **1** (protestant) minister; **2** (prêtre) priest; **3** (berger) shepherd; **peuple de ~s** nation of shepherds; **le Bon Pasteur** Bible the Good Shepherd

pasteurellose /pastœʀɛloz/ *nf* pasteurellosis

pasteurien, -ienne /pastœʀjɛ̃, ɛn/

A *adj* [*méthodes*] Pasteur (*épith*)

B *nm,f* researcher at the Pasteur Institute
pasteurisation /pastœrizasjɔ̃/ *nf* pasteurization
pasteuriser /pastœrize/ [1] *vtr* **1** (traiter à la chaleur) to pasteurize; **2** (expurger) to sanitize
pastiche /pastiʃ/ *nm* pastiche
pasticher /pastiʃe/ [1] *vtr* to imitate the style of [*auteur, œuvre*]; to imitate [*style*]
pasticheur, -euse /pastiʃœʀ, øz/ *nm,f* imitator
pastille /pastij/ *nf* **1** Pharm pastille, lozenge; **des ~s pour la gorge** throat lozenges; **~ contre la toux** cough drop; **2** (petit bonbon) **~ de chocolat** chocolate drop; **~ de menthe** peppermint; **3** (motif) spot; **4** (rondelle) (de tissu, caoutchouc) patch; (de plastique) disc; (d'aquarelle) pastille
Composés **~ adhésive** (round) sticker; **~ de silicium** silicon chip; **~ verte** *green windscreen disc entitling low-emission vehicles to travel during pollution alerts*
pastis /pastis/ *nm inv* **1** (boisson) pastis; **2** °(gâchis) mess
pastoral, ~e, *mpl* **-aux** /pastɔʀal, o/
A *adj* gén pastoral
B pastorale *nf* **1** Littérat, Mus pastoral; **2** Relig pastoralia (*pl*)
pastorat /pastɔʀa/ *nm* pastorate
pastoureau, *pl* **~x** /pastuʀo/ *nm* littér (berger) shepherd
pastourelle /pastuʀɛl/ *nf* **1** littér (bergère) shepherdess; **2** Littérat pastoral song
pat /pat/
A *adj inv* stalemate
B *nm* stalemate; **faire (un) ~** to end in (a) stalemate
patachon /pataʃɔ̃/ *nm* **mener une vie de ~**° to live in the fast lane
patafix® /patafiks/ *nm* blu-tak®
patagon, -onne /patagɔ̃, ɔn/ *adj* Patagonian
Patagon, -onne /patagɔ̃, ɔn/ *nm,f* Patagonian
Patagonie /patagɔni/ ▸ **p. 721** *nprf* Patagonia
pataphysique /patafizik/ Littérat
A *adj* pataphysical (*épith*)
B *nf* pataphysics
patapouf /patapuf/
A °*nm* **(gros) ~** fatso°
B *excl* baby talk splat!
pataquès /patakɛs/ *nm inv* **1** Ling incorrect liaison; **2** (discours confus) **être un ~** to be unintelligible
patata° /patata/ *excl* ▸ **patati**
patate /patat/ *nf* **1** °(pomme de terre) spud°; **2** °(idiot) blockhead, idiot; **se débrouiller comme une ~** to make a complete hash of things; **3** (plante) sweet potato
Composé **~ douce** sweet potato
Idiomes **ça m'est resté sur la ~** it left me feeling bitter; **en avoir gros sur la ~**° to be terribly upset°
patati° /patati/ *excl* **~, patata** and so on and so forth
patatras° /patatʀa/ *excl* crash°!; **et ~! le gosse**° **tombe malade** and then, bang! the kid falls ill°
pataud, ~e /pato, od/
A *adj* lumbering [*allure, personne*]; clumsy [*geste, chien*]
B *nm* oaf
pataugas® /patogas/ *nm inv* fell boots GB, canvas hiking boots
pataugeoire /patoʒwaʀ/ *nf* paddling pool GB, baby pool US
patauger /patoʒe/ [13] *vi* **1** (jouer) (dans une flaque) to splash about; (au bord de la mer) to paddle; (dans la boue) to squelch around; (piétiner) **~ dans la boue/neige** to flounder around in the mud/snow; **2** (s'embrouiller) to flounder

patch /patʃ/ *nm* Méd patch; **~ antitabac** or **à la nicotine** nicotine patch; **~ de trinitrine** nitroglycerin angina patch; **~ anti-points noirs** pore-cleansing strip
patchouli /patʃuli/ *nm* patchouli; **essence de ~** patchouli oil
patchwork /patʃwœʀk/ *nm* lit, fig patchwork; **coussin en ~** patchwork cushion
pâte /pɑt/
A *nf* **1** Culin (à tarte) pastry; (levée) dough; (à frire, crêpes) batter; ▸ **bon**; **tous les hommes sont faits de la même ~** fig all men are made the same; **2** (substance pâteuse) paste; **produit en ~** paste; **3** Tech (en céramique) paste
B pâtes *nfpl* Culin **~s (alimentaires)** gén pasta ₵
Composés **~ d'amandes** marzipan; **~ d'anchois** anchovy paste; **~ à beignets** batter; **~ briochée** brioche-style dough; **~ brisée** shortcrust pastry GB, pie crust US; **~ de coing** quince cheese; **~ à choux** choux pastry GB, cream puff pastry US; **~ dentifrice** toothpaste; **~ dure** (en céramique) hard paste; (fromage) hard cheese; **~ feuilletée** puff pastry; **~ à frire** = **~ à beignets**; **~ de fruit(s)** fruit paste; **~ à joints** gasket-seal compound; **~ à modeler** modelling[GB] clay, Plasticine®; **~ molle** (personne) pushover; (fromage) soft cheese; **~ à papier** Ind pulp; **~ sablée** riche shortcrust pastry GB, sugar crust US; **~ à tartiner** spread; **~ tendre** (en céramique) soft paste; **~ de verre** pâte-de-verre, decorative sintered glass
Idiome **mettre la main à la ~** to pitch in
pâté /pɑte/ *nm* **1** Culin pâté; **~ de foie** liver pâté; **~ en croûte** ≈ pie; **~ de gibier en croûte** game pie; **2** Constr (ensemble) block; **~ de maisons** block (of houses); **3** (tache d'encre) blot; **4** (à la plage) **~ de sable** sandpie; **faire des ~s** to make sandpies
Composé **~ de campagne** farmhouse pâté GB, *coarse pâté*
pâtée /pɑte/ *nf* **1** (nourriture) (pour un chien) food; (pour les cochons) swill; (pour la volaille) mash; **2** °(raclée, défaite) hiding; **prendre la ~** to get a hiding
patelin, ~e /patlɛ̃, in/
A †*adj* [*personne*] smooth-tongued; [*manières, voix*] oily
B °*nm* small village; **habiter dans un ~ perdu** to live at the back of beyond° GB, to live in Podunk° US
patelle /patɛl/ *nf* Zool limpet
patène /patɛn/ *nf* paten
patenôtres† /patnotʀ/ *nfpl* prayers
patent, ~e /patɑ̃, ɑ̃t/ fml
A *adj* manifest, obvious; **il est ~ que** it is patently obvious that
B patente *nf* **1** (permis) *licence*[GB] *to exercise a trade or profession*; (taxe) business rates; **payer ~e** to be duly licensed; **2** Naut **~e de santé** bill of health
patenté, ~e /patɑ̃te/ *adj* **1** (agréé) [*fournisseur, transporteur*] licensed, authorized; **2** °iron [*critique, défenseur*] established; **menteur ~** inveterate liar
pater /pateʀ/ *nm inv* **1** Relig paternoster; **dire** *or* **réciter un ~** to say a paternoster; **2** °(père) old man°, dad°
Composé **~ familias** paterfamilias
patère /pateʀ/ *nf* peg, hook
paternalisme /patɛʀnalism/ *nm* paternalism
paternaliste /patɛʀnalist/ *adj* paternalistic
paterne† /patɛʀn/ *adj* paternal
paternel, -elle /patɛʀnɛl/
A *adj* **1** (du père) paternal; **mon oncle ~** my paternal uncle; **2** (affectueux) fatherly
B *nm*° (père) old man°, dad°
paternellement /patɛʀnɛlmɑ̃/ *adv* in a fatherly way

paternité /patɛʀnite/ *nf* **1** (état de père) fatherhood; Jur paternity; **recherche de ~ naturelle** paternity suit; **2** (d'œuvre) authorship
pâteux, -euse /pɑtø, øz/ *adj* **1** [*substance*] doughy; [*bouillie*] mushy; **2** [*voix*] thick; [*discours, style*] turgid; **j'ai la bouche pâteuse** my mouth feels all furry
pathétique /patetik/
A *adj* **1** (émouvant) moving; **2** Anat pathetic
B *nm* pathos
pathétiquement /patetikmɑ̃/ *adv* touchingly
pathétisme /patetism/ *nm* pathos
pathogène /patɔʒɛn/ *adj* pathogenic
pathologie /patɔlɔʒi/ *nf* pathology; **ça relève de la ~** it's pathological
pathologique /patɔlɔʒik/ *adj* pathological
pathologiquement /patɔlɔʒikmɑ̃/ *adv* pathologically
pathologiste /patɔlɔʒist/ ▸ **p. 532** *nmf* pathologist
pathos /patos/ *nm* pathos; **faire du ~** to pile on the pathos°
patibulaire /patibylɛʀ/ *adj* [*individu*] sinister-looking; **un homme à la mine ~** a sinister-looking fellow
patiemment /pasjamɑ̃/ *adv* patiently
patience /pasjɑ̃s/ *nf* **1** (qualité) patience; **manquer de/perdre ~** to lack/lose patience; **elle n'a aucune ~** she has no patience at all; **ma ~ a des limites** there are limits to my patience; **il faut vraiment de la ~ pour le supporter** you need a lot of patience to put up with him; **avec une grande/beaucoup de ~** with great/a lot of patience; **avoir de la ~ avec** to be patient with; **être d'une ~ infinie** *or* **sans bornes** to be endlessly patient; **s'armer de** *or* **prendre ~** to be patient; **avec ~** patiently; **~, c'est presque cuit** be patient, it's almost cooked; **2** ▸ **p. 469** Jeux patience ₵ GB, solitaire ₵ US; **faire des ~s** to play patience GB *ou* solitaire US; **3** (plante) dock
Idiome **prendre son mal en ~** to resign oneself to one's fate
patient, ~e /pasjɑ̃, ɑ̃t/
A *adj* patient
B *nm,f* Méd patient
patienter /pasjɑ̃te/ [1] *vi* to wait; **puis-je vous demander de ~?** would you mind waiting?; **faire ~ qn** to make sb wait; **patientez un instant/quelques minutes** wait a moment/a few minutes
patin /patɛ̃/ *nm* **1** ▸ **p. 469** (sport) skate; **2** (pour parquet) *felt pad used for walking on parquet floors*; **3** Tech (de meuble) furniture glide; (d'hélicoptère) skid; Rail **~ (de rail)** rail foot; (de luge) runner; **4** ◑(baiser) French kiss; **rouler un ~ à qn** to give sb a French kiss
Composés **~ à glace** (chaussure) ice skate; (activité) ice-skating; **faire du ~ à glace** to go ice-skating; **~ de frein** Aut brake block; **~ en ligne** (chaussure) rollerblade; (activité) rollerblading; **~ à roulettes** (chaussure) roller skate; (activité) roller-skating; **serveuses en ~s à roulettes** waitresses on roller skates
patinage /patinaʒ/ *nm* **1** ▸ **p. 469** (sport) skating; **~ sur glace** ice-skating; **2** Tech (de roue) spinning; (d'embrayage) slipping
Composés **~ artistique** figure skating; **~ de vitesse** speed skating
patine /patin/ *nf* (naturelle) patina; (artificielle) finish, sheen; **la ~ du temps** *or* **de l'âge** the patina of age
patiner /patine/ [1]
A *vtr* (couvrir de patine) (artificiellement) to apply a finish to, to patinate spéc [*métal, meuble*]; (naturellement) to give a patina to [*bois, statue*]; **chêne/bronze patiné** oak/bronze shiny with age
B *vi* **1** Sport to skate; **2** Aut [*roue*] to spin; [*embrayage*] to slip; **la voiture patinait dans la**

boue the wheels of the car were spinning in the mud; **faire ~ l'embrayage** to slip the clutch; 3 (piétiner) [*discussion, projet*] to flounder; 4 Can (tergiverser) to skirt the issue, to hedge

C se patiner *vpr* [*bois, statue*] to acquire a patina

patinette /patinɛt/ *nf* (child's) scooter

patineur, -euse /patinœʀ, øz/ *nm,f* (sur glace, à roulettes) skater

patinoire /patinwaʀ/ *nf* ice rink; **ton parquet est une vraie ~!** your floor is like an ice rink!

patio /patjo, pasjo/ *nm* patio

pâtir /pɑtiʀ/ [3] *vi* **~ de** to suffer as a result of

pâtisserie /pɑtisʀi/ *nf* 1 ▸ p. 532 (magasin) cake shop, pâtisserie; 2 (gâteau) pastry, cake; 3 (gâteaux) **la ~** pastries (*pl*), cakes (*pl*); **faire de la ~** to do some baking; 4 (confection de gâteaux) pastry-making, cake-making; 5 (secteur) confectionery; 6 Archit decorative moulding GB *ou* molding US

(Composés) **~ industrielle** mass-produced pastries (*pl*) *ou* cakes (*pl*); **~ maison** home-made pastries (*pl*) *ou* cakes (*pl*)

pâtissier, -ière /pɑtisje, ɛʀ/ ▸ p. 532 *nm,f* 1 (commerçant) confectioner; **elle a commandé un dessert chez le ~** she ordered a dessert from the confectioner's *ou* cake shop; 2 (fabricant) (dans une boutique, usine) confectioner; (dans un restaurant, hôtel) pastry cook

pâtisson /pɑtisɔ̃/ *nm* custard marrow GB *ou* squash US

patois, ~e /patwa, az/

A *adj* [*mot*] dialect (*épith*)

B *nm inv* patois, dialect; **parler ~** to speak patois

patoisant, ~e /patwazɑ̃, ɑ̃t/

A *adj* [*région, habitant*] patois-speaking

B *nm,f* patois speaker

patraque○ /patʀak/ *adj* **être/se sentir ~** to be/to feel under the weather○

pâtre /pɑtʀ/ *nm* shepherd

patriarcal, ~e, *mpl* **-aux** /patʀijaʀkal, o/ *adj* patriarchal

patriarcat /patʀijaʀka/ *nm* 1 Relig patriarchate; 2 Sociol patriarchy

patriarche /patʀijaʀʃ/ *nm* patriarch

patricien, -ienne /patʀisjɛ̃, ɛn/ *adj, nm,f* patrician

patrie /patʀi/ *nf* 1 (pays natal) homeland, native land; (nation) country; **mourir pour/défendre sa ~** to die/to fight for one's country; 2 fig (lieu d'origine) birthplace

patrimoine /patʀimwan/ *nm* 1 Jur (de personne, famille) patrimony; (d'une entreprise) capital; **~ des ménages** household capital; **~ financier/immobilier** financial/property holdings; 2 (biens communs) heritage; **~ architectural** architectural heritage; **~ écrit** literary heritage

(Composés) **~ génétique** Biol gene pool; **~ héréditaire** Biol genetic inheritance

patrimonial, ~e, *mpl* **-iaux** /patʀimɔnjal, o/ *adj* patrimonial

patriotard○ /patʀijɔtaʀ/ *adj* pej jingoistic○

patriote /patʀijɔt/

A *adj* patriotic

B *nmf* 1 gén patriot; **en ~** patriotically; 2 Hist (en France en 1789) Patriot

patriotique /patʀijɔtik/ *adj* patriotic

patriotiquement /patʀijɔtikmɑ̃/ *adv* patriotically

patriotisme /patʀijɔtism/ *nm* patriotism

patron, -onne /patʀɔ̃, ɔn/

A *nm,f* 1 Comm, Entr (directeur, gérant) manager, boss○; (propriétaire) owner, boss○; (artisan) **être son propre ~** to be one's own boss○; **les ~s et les salariés** management and workers; 2 ○(responsable) boss○; **chez lui, c'est lui le ~**○ at home, he's the boss○; **le ~**○ **du service** the boss○ of the department; ▸ **grand**; 3 ○(conjoint) (époux) old man○; (épouse) old lady○; 4 Hist, Relig **(saint) ~** patron saint

B *nm* 1 Cout pattern; 2 (taille) large; **grand ~** extra-large; 3 Art (pochoir) stencil

(Composés) **~ d'industrie** captain of industry; **~ de pêche** skipper, master; **~ de presse** newspaper proprietor; **~ de thèse**○ thesis supervisor

patronage /patʀɔnaʒ/ *nm* 1 (soutien) patronage; **sous le ~ de** under the patronage of; 2 †(centre de loisirs) ≈ youth club; **humour/spectacle de ~** feeble humour[GB]/show

patronal, ~e, *mpl* **-aux** /patʀɔnal, o/ *adj* [*organisation, représentant*] employers'; [*cotisations*] employer

patronat /patʀɔna/ *nm* employers (*pl*)

patronne ▸ **patron**

patronner /patʀɔne/ [1] *vtr* to sponsor [*manifestation, soirée, spectacle*]

patronnesse /patʀɔnɛs/ *adj* **dame ~** Lady Bountiful

patronyme /patʀɔnim/ *nm* patronymic

patronymique /patʀɔnimik/ *adj* patronymic

patrouille /patʀuj/ *nf* (tous contextes) patrol; **~ de reconnaissance/de chasse** reconnaissance/fighter patrol; **être en ~** to be on patrol; **être/partir/aller en ~** to be/to set off/to go on patrol

patrouiller /patʀuje/ [1] *vi* to be on patrol; **~ dans la forêt** to patrol the forest

patrouilleur /patʀujœʀ/ *nm* 1 (avion) patrol plane; 2 (navire) patrol boat; 3 (soldat) soldier on patrol

patte /pat/ *nf* 1 Zool (jambe) leg; (pied) (de mammifère avec ongles ou griffes) paw; (d'oiseau) foot; **~ de devant** (jambe) foreleg; **~ de derrière** (jambe) hind leg; **donner la ~** to raise its paw; ▸ **canard, chat; retomber sur ses ~s** [*chat*] to fall on its feet; fig [*personne*] to fall on one's feet; 2 ○(jambe) leg; (pied) foot; (main) hand; **tu es toujours dans mes ~s** you are always getting under my feet; **aller à ~s** to go on foot; **marcher à quatre ~s** [*enfant, adulte*] to walk on all fours; [*bébé*] to crawl; **se mettre à quatre ~s** to get down on all fours; **traîner** *or* **tirer la ~** to limp; **en avoir plein les ~s**○ to be dead on one's feet; **avoir 100 km dans les ~s**○ to have done 100 km; **avoir les ~s sales** to have dirty hands; **bas les ~s!** (ne me touchez pas) keep your hands to yourself!; (n'y touchez pas) hands off!; 3 ○(style) hand; **on reconnaît ta ~** one can recognize your hand; 4 Tech (languette) tab; (d'attache) lug; 5 Mode (de sac) tab; (de vêtement, bonnet) flap; (de col) tab; (de chaussure) tongue; (d'épaule) epaulette; **~ de boutonnage** button flap; 6 (favori) sideburn

(Composés) **~ d'araignée** Tech oil groove; **~s d'éléphant** Mode flares; **pantalon (à) ~s d'éléphant** flared trousers GB *ou* pants US; **~ de fixation** Tech (pour cadre) mounting bracket; (pour conduit) saddle; **~ folle**○ gammy leg GB, game leg US; **~ de lapin** (porte-bonheur) rabbit's foot; (favori) sideburn; **~ de mouche** (écriture) spidery scrawl ¢; **faire des ~s de mouche** to write in a spidery scrawl; **~ de scellement** Tech swallowtail

(Idiomes) **faire ~ de velours** [*chat*] to draw in its claws; [*personne*] to switch on the charm; **lever la ~** [*chien*] to lift its leg; **tomber dans les ~s de qn** to fall into sb's clutches; **se tirer des ~s de qn** to get out of sb's clutches; **montrer ~ blanche** to prove one is acceptable; **tomber sous la ~ de qn**○ to fall under sb's dominion; **avoir un fil à la ~** to be tied down; **se tirer dans les ~s** to pull dirty tricks on each other

patte-d'oie, *pl* **pattes-d'oie** /patdwa/ *nf* 1 (ride) crow's-foot; 2 (carrefour) junction

pattemouille /patmuj/ *nf* damp cloth (*for ironing*)

pâturage /pɑtyʀaʒ/ *nm* 1 (terrain) pasture; 2 (droit) pasturage

pâture /pɑtyʀ/ *nf* (nourriture animale) feed; (terrain) pasture; **un scandale donné en ~ au public** fig a scandal used to satisfy the public's baser instincts; **être jeté en ~** fig to be thrown to the lions *ou* wolves

pâturin /pɑtyʀɛ̃/ *nm* meadow grass, poa spéc

pâturon /pɑtyʀɔ̃/ *nm* pastern

Pau /po/ ▸ **p. 894** *npr* Pau

paulinien, -ienne /polinjɛ̃, ɛn/ *adj* Relig Pauline

paulownia /polɔnja/ *nm* paulownia

paume /pom/ *nf* 1 Anat palm (of the hand); 2 Sport real tennis, court tennis US

paumé○**, ~e** /pome/

A *adj* 1 [*personne*] (perdu) lost; (inadapté) mixed up GB, out of it○ US; 2 [*endroit*] pej godforsaken, jerkwater US

B *nm,f* misfit

paumelle /pomɛl/ *nf* lift-off hinge

paumer○ /pome/ [1]

A *vtr, vi* to lose

B se paumer *vpr* to get lost

paupérisation /popeʀizasjɔ̃/ *nf* pauperization

paupériser /popeʀize/ [1] *vtr* to pauperize, to reduce to abject poverty

paupérisme /popeʀism/ *nm* pauperism

paupière /popjɛʀ/ *nf* eyelid; **~ inférieure/supérieure** lower/upper eyelid; **battre des ~s** to flutter one's eyelashes; **fermer les ~s** lit to close one's eyes; fig (mourir) to pass on *ou* away

paupiette /popjɛt/ *nf* **~ de veau** stuffed escalope of veal

pause /poz/ *nf* 1 (dans une activité) break; **faire une ~** to take a break; **~ thé/repas/pipi**○ tea/meal/toilet break; **~ de midi** lunch break; **~ publicitaire** commercial break; 2 (dans un discours) pause; **faire une ~** to pause; 3 (période calme) pause; **une ~ dans la course aux armements** a pause in the arms race; 4 Mus rest

pause-café, *pl* **pauses-café** /pozkafe/ *nf* coffee break

pause-repas, *pl* **pauses-repas** /pozʀəpɑ/ *nf* lunch break

pauvre /povʀ/

A *adj* 1 (sans ressources) [*personne, quartier, pays*] poor; **les ~s gens** the poor; 2 (déficient) [*sol, alimentation, vocabulaire*] poor; [*végétation*] sparse; [*minerai*] poor quality; [*mélange*] Aut lean; [*langue, style*] impoverished; **~ en éléments nutritifs/oxygène** poor *ou* lacking in nutrients/oxygen; **régime ~ en sucre** (insuffisant) diet lacking in sugar; (conseillé) low-sugar diet; **minerai ~ en métal** ore with a low metal content; **~ en main-d'œuvre** with a shortage of labour[GB]; 3 (malheureux) [*personne*] poor; [*sourire*] weak, sad; **~ enfant!** poor child!; **un ~ type**○ (à plaindre) a poor chap○ GB *ou* guy○ US; (incapable) a dead loss○; **~ type** *or* **imbécile**○**!** (idiot) you jerk◐!; **~ de moi!** poor me!; **c'est comme ça, ma ~ dame**○ that's the way it goes, my dear; 4 (défunt) **mon ~ mari disait...** my poor husband used to say...; **son ~ mari** her late husband

B ○*nmf* (à plaindre) **le/la ~!** poor man/woman!; (attendri) poor thing!; **ah, ma ~, si tu m'avais vu!** well, my dear, you should have seen me!

C *nm* **un ~** a poor man, a pauper†; **il y a beaucoup de ~s** there are a lot of poor people; **donner aux ~s** to give to the poor; **les nouveaux ~s** the new poor; **la technologie du ~** rudimentary technology; **plat de ~** humble dish; **~ d' esprit** half-wit

pauvrement /povʀəmɑ̃/ *adv* poorly

pauvresse† /povʀɛs/ *nf* poor wretch, pauper†

pauvret, -ette /povʀɛ, ɛt/

A *adj* [*air*] pitiful

B *nm,f* poor little thing

P

pauvreté /povʀəte/ *nf* **1** (misère) (de personne, pays) poverty; **vivre dans la ~** to live in poverty; **2** (de mobilier, vêtements) shabbiness; **3** (médiocrité) (de sol, vocabulaire, d'imagination) poverty; (de débat, programme) poor quality; (de raisonnement) thinness; **~ intellectuelle** intellectual poverty; **~ de moyens** lack of means; **~ en idées** paucity of ideas; **la ~ de la récolte** the poor harvest

(Idiome) **~ n'est pas vice** Prov poverty is no disgrace *ou* sin Prov

pavage /pavaʒ/ *nm* **1** (travail) paving; **2** (revêtement) (de cour) paving; (de route) road surface

pavane /pavan/ *nf* pavane

pavaner: **se pavaner** /pavane/ [1] *vpr* [*personne*] to strut about; [*paon*] to strut

pavé /pave/ *nm* **1** (de rue) cobblestone, sett spéc; **2** (rues) **se retrouver sur le ~** to find oneself out on the street; **battre le ~** to wear out one's shoe leather; **faire le ~** to walk the streets; **3** Presse display; **~ publicitaire** display advertisement; **4** Ordinat pad; **5** Culin (de viande, gâteau) slab; **~ au chocolat** chocolate slab cake; **6** ○(gros livre) huge tome

(Composé) **~ numérique** Ordinat numeric keypad

(Idiomes) **c'est le ~ de l'ours** ≈ it is more of a hindrance than a help; **jeter** *or* **lancer un ~ dans la mare** to set the cat among the pigeons; **sous les ~s, la plage** beneath the harsh reality lies a brighter tomorrow; **tenir le haut du ~** to head the field

paver /pave/ [1] *vtr* to lay [sth] with cobblestones *ou* setts spéc [*chaussée, route*]

(Idiome) **l'enfer est pavé de bonnes intentions** the road to hell is paved with good intentions

paveur /pavœʀ/ *nm* paver

pavillon /pavijɔ̃/ *nm* **1** (bâtiment) (maison) (detached) house; (de parc, exposition) pavilion; (d'hôpital) pavilion, wing; (d'hôtel etc) chalet GB, bungalow US; **~ de banlieue** suburban house; **le ~ de la Suisse** the Swiss pavilion; **le ~ des sidéens** the Aids ward; **2** (d'oreille) auricle, pinna; (d'instrument) bell; (de haut-parleur, phonographe) horn; **3** Naut flag; **sous ~ français** under the French flag; **~ amiral/national** admiral's/national flag; **~ de complaisance** flag of convenience; **~ de quarantaine/signalisation** quarantine/signal flag; **baisser ~** lit to lower the flag; fig to admit defeat (**devant qn** to sb); **battre ~ russe/hollandais** Naut to fly the Russian/Dutch flag; **4** Aut roof; **5** Turf enclosure, stand; **6** Relig veil; **7** Hérald pavilion

(Composés) **~ de beaupré** Naut jack; **~ de chasse** hunting lodge; **~ noir** black flag, Jolly Roger; **~ de poupe** Naut ensign

pavillonnaire /pavijɔnɛʀ/ *adj* **zone ~** residential area; **banlieue ~** suburb consisting of houses (*as opposed to high-rise buildings*)

pavlovien, -ienne /pavlɔvjɛ̃, ɛn/ *adj* Pavlovian

pavois /pavwa/ *nm inv* **1** Naut **hisser le grand ~** to dress a ship overall; **navire en grand ~** ship dressed overall; **petit ~** identification signals (*pl*); **2** Hist (bouclier) shield; **élever** *or* **hisser qn sur le ~** fig to elevate sb to heroic status

pavoiser /pavwaze/ [1]

A *vtr* to decorate [sth] with flags [*édifice, rue*]; Naut to dress [*navire*]; **rue pavoisée** street decorated with flags; **~ pour une fête** to put out the flags for a festival

B ○*vi* (exulter) to be jubilant; (chanter victoire) to crow péj; **il n'y a pas de quoi ~!** it's nothing to crow about!

pavot /pavo/ *nm* poppy; **fleur de ~** poppy flower; **graines de ~** poppy seeds

(Composé) **~ somnifère** opium poppy

payable /pɛjabl/ *adj* [*somme, dû*] payable; [*marchandise, achat*] which must be paid for (*épith, après n*); **~ en six versements** [*somme, dû*] payable in six instalments^GB; [*marchandise, achat*] that can be paid for in six instalments^GB; **~ à la livraison** payable cash on delivery; **~ à la commande** payable cash with order; **le travail est ~ d'avance** the work must be paid for in advance

payant, ~e /pɛjɑ̃, ɑ̃t/ *adj* **1** (qui paie) [*personne*] paying; **2** (qu'il faut payer) [*billet, spectacle*] for which you have to pay (*après n*), not free (*jamais épith*); **l'entrée est-elle ~e?** do you have to pay to get in?, is there a charge for admission?; **chaîne ~e** TV subscription channel; **le stationnement est ~** there is a charge for parking; **parking ~** ≈ pay and display car park; **3** (avantageux) [*affaire*] lucrative, profitable; [*mesures*] worthwhile; [*efforts, stratégie*] which pays off (*épith, après n*); **sa tactique a été ~e** his strategy paid off; **notre attente a été ~e** it was worth the wait

paye /pɛj/ = **paie**

payement /pɛjmɑ̃/ = **paiement**

payer /peje/ [21]

A *vtr* **1** (régler) to pay for [*article, billet, achat, travail, service*]; to pay, to settle [*facture, note, dette*]; to pay [*somme, impôt, intérêt, salaire*]; **combien as-tu payé le livre?** how much did you pay for the book?; **~ le gaz/téléphone** to pay the gas/phone○ bill; **elle m'a payé le loyer/une matinée de travail** she paid me the rent/for a morning's work; **~ 500 euros de loyer** to pay 500 euros in rent; **~ 200 euros de fournitures** to pay 200 euros for the materials; **il m'a payé le terrain 100 000 euros** he paid me 100,000 euros for the land; **j'ai payé le vendeur** I paid the shop assistant GB *ou* salesclerk US; **il m'a fait ~ 2 euros/la ficelle** he charged me 2 euros/for the string; **travail bien/mal payé** well-/poorly-paid job; **~ par chèque/carte de crédit** to pay by cheque GB *ou* check US/credit card; **être payé à coups de pied dans les fesses**○ *or* **avec un lance-pierres** to be paid peanuts○

2 (s'acquitter envers) to pay, to settle up with [*fournisseur, artisan*]; to pay [*employé*]; **~ l'entrepreneur** to settle up with *ou* pay the builder; **~ qn pour faire** *or* **pour qu'il fasse** to pay sb to do; **je ne suis pas payé pour ça!** that's not what I'm paid to do!; **être payé à ne rien faire** to be paid for doing nothing; **~ qn de ses services** to pay sb for their services; **avoir du mal à se faire ~** to have trouble getting paid; **être payé à l'heure/à l'année** to be paid on an hourly/annual basis; **être trop/trop peu payé** to be overpaid/underpaid; **ça ne paie pas son homme!** it's a poorly-paid job; **il est payé pour le savoir!** fig he knows that to his cost!

3 ○(offrir) **~ qch à qn** to buy sb sth; **~ un verre** *or* **à boire à qn** to buy sb a drink; **~ l'avion à qn** to pay for sb's plane ticket; **viens, je te paie le restaurant** come on, I'll treat you to a meal

4 (subir des conséquences) to pay for [*faute, imprudence*]; **~ cher sa réussite/d'avoir hésité** to pay dearly for one's success/for dithering; **tu me le paieras (cher)!** you'll pay for this!, I'll make you pay for this!; **~ de sa vie** to pay with one's life; **il a payé sa témérité de sa vie** his rashness cost him his life; **~ pour les autres** to take the rap○, to carry the can○ for the others

5 (compenser) to cover; **ça me paie mon loyer** it covers the *ou* my rent; **leur réussite la paie de tous ses sacrifices** their success makes all her sacrifices worthwhile

B *vi* **1** (récompenser) [*efforts, peine, sacrifice*] to pay off

2 (rapporter) [*profession, activité*] to pay; **c'est un métier qui paie bien** it's a job that pays well; **c'est un métier qui paie mal** it's not a job that pays well

3 ○(prêter à rire) to look funny *ou* comical; **il payait dans son imitation du patron** he did a funny imitation of the boss

C **se payer** *vpr* **1** (être payable) [*service, marchandise*] to have to be paid for; [*personne, salaire*] to have to be paid

2 ○(à soi-même) to treat oneself to [*voyage, dîner etc*]; iron to get [*rhume, mauvaise note*]; to get landed with [*travail, importun*]; **se ~ une cuite**○ to get plastered○; **se ~ qn**◑ (lui régler son compte) to give sb what for○; (coucher avec) to bed sb○, to have it off with sb◑; **se ~ un mur/arbre**○ to crash into a wall/tree; **se ~ un piéton**○ to knock down a pedestrian

3 (prendre son dû) **payez-vous sur ce billet** take what I owe you out of this note GB *ou* bill US

(Idiomes) **~ qn de promesses/belles paroles** to fob sb off with promises/fine words; **se ~ de mots** to talk a lot of hot air○; **se ~ d'illusions** to delude oneself; **se ~ du bon temps**○ to have a good time; **se ~ la tête**○ *or* **la gueule**◑ *or* **la tronche**◑ **de qn** (se moquer) to take the piss◑ out of sb, to take the mickey○ out of sb GB, to razz sb US; (duper) to take sb for a ride; **il aime sa femme et il est bien payé de retour** he loves his wife and she returns his love; **il me déteste et il est payé de retour** he hates me and the feeling's mutual; **il a payé de sa personne** it cost him dear

payeur, -euse /pɛjœʀ, øz/

A *adj* **organisme** *or* **service ~** paying authority; **officier ~** paymaster

B *nm,f* **1** (trésorier) Admin, Mil paymaster; **2** (client) payer; **mauvais ~** gén bad payer; Comm bad debtor

pays, ~e /pei, iz/

A *nm,f* (compatriote) someone from back home; **c'est ma ~e** she's from back home

B *nm* **1** (État) country; **~ industriel/riche** industrial/rich country; **les ~ lointains** distant countries; **l'Italie est le ~ du soleil** Italy is the land of sun; **dans mon ~** where I come from, in my country; ▸ **conquérir**; **2** (région) **la Bourgogne est le ~ du bon vin** Burgundy is the home of good wine; **fromage du ~** locally-produced cheese; **gens/produit du ~** local people/product; **il n'est pas du ~** he is not local; **rentrer au ~** (vu du point de départ) to go back home; (vu du point d'arrivée) to come back home; **3** (village) village; **un petit ~ des Landes** a small village in the Landes

(Composés) **~ d'accueil** host country; **~ adhérent** UE accession state; **~ de cocagne** Cockaigne; **~ hôte** host country; **~ d'origine** country of origin; **~ des rêves** dreamland; **Pays du Soleil levant** Land of the Rising Sun; **~ en (voie de) développement, PED** developing nation

(Idiomes) **voir du ~** to do some travelling^GB; **être en ~ connu** *or* **de connaissance** (dans un lieu) to be in familiar surroundings; (parmi des gens) to be among familiar faces; (sur un sujet) to be on one's home ground

paysage /peizaʒ/ *nm* **1** (site) landscape; (vue) scenery **₵**, landscape; **~ morne/industriel** bleak/industrial landscape; **~ accidenté** uneven landscape; **~s méditerranéens/de montagne** mediterranean/mountain landscapes; **~ urbain** lit, fig urban landscape GB, cityscape; **nous avons vu de magnifiques ~s** we saw some beautiful scenery; **les cheminées gâchent le ~** the chimneys spoil the view; **2** fig (milieu) scene; **le ~ politique/économique/culturel** the political/economic/cultural scene *ou* landscape; **~ universitaire/scolaire** university/educational world; **ça fait bien dans le ~ de dire qu'on est sportif** it looks good if you say that you're into sports; **3** Art (genre, tableau) landscape (painting)

(Composés) **~ audiovisuel français, PAF** French radio and TV scene

paysagé, ~e /peizaʒe/ = **paysager**

paysager, -ère /peizaʒe, ɛʀ/ *adj* **1** (relatif à l'environnement) environmental; **projet ~** environmental project; **2** (aménagé) [*jardin, parc*] landscaped; [*bureau*] open-plan

P

paysagiste /peizaʒist/ *nmf* **1** (peintre) landscape artist, landscapist; **2** ▸ **p. 532** (concepteur) **(jardinier)** ~ landscape gardener; **(architecte)** ~ landscape architect

paysan, -anne /peizɑ̃, an/
A *adj* **1** (agricole) [*classe, milieu*] farming; [*syndicat, revendications*] farmers'; **2** (de la campagne) [*monde, vie*] rural; [*allure, façons*] peasant; Hist [*vie, misère*] peasant; **3** (naturel) aussi Culin [*soupe, pain*] country
B *nm,f* ▸ **p. 532** **1** (cultivateur) ≈ small farmer; Géog peasant farmer; Hist peasant/peasant woman; **2** (campagnard) pej peasant péj

paysannat /peizana/ *nm* rural population

paysannerie /peizanʀi/ *nf* gén ≈ small farmers (*pl*); **la** ~ Géog, Hist the peasantry (+ *v sg ou pl*)

Pays-Bas /peibɑ/ ▸ **p. 333** *nprmpl* **les** ~ The Netherlands

PC /pese/ *nm* **1** Pol (*abbr* = **parti communiste**) CP, Communist Party; **2** Ordinat (*abbr* = **personal computer**) PC; **3** (*abbr* = **poste de commandement**) (dans la police) division; Mil CP

PCC (*written abbr* = **pour copie conforme**) Admin *certified true and accurate*

PCF /peseɛf/ *nm* (*abbr* = **parti communiste français**) French Communist Party

PCV /peseve/ *nm* (*abbr* = **paiement contre vérification**) reverse charge call GB, collect call US; **appelle-moi en** ~ phone me and reverse the charges, call me collect US

PDG /pedeʒe/ *nm* (*abbr* = **président-directeur général**) chairman and managing director GB, chief executive officer, CEO US

péage /peaʒ/ *nm* **1** (taxe) toll; **autoroute à** ~ toll motorway GB, toll road US; **2** (lieu) tollbooth

péagiste /peaʒist/ *nmf* toll collector

peau, ~**x** /po/ *nf* **1** Anat skin; **avoir la ~ grasse/sèche/ridée** to have greasy/dry/wrinkled skin; **avoir la ~ douce** to have soft skin; **avoir une belle** ~ to have lovely skin; **avoir une ~ de pêche** to have lovely soft skin; ~ **morte** dead skin; **avoir la ~ dure** fig to be thick-skinned; **n'avoir que la ~ sur les os** to be all skin and bone; **prendre une/deux balles dans la** ~ to be shot once/twice; ▸ **neuf², ours**; **2** (d'animal) gén skin; (pour faire du cuir) hide; (fourrure) pelt; **la ~ du porc est couverte de soies** the skin of the pig *ou* pig's skin is all covered in bristles; **veste en ~ de mouton** sheepskin jacket; **sac en ~ de porc/~ de serpent** pigskin/snakeskin bag; **ils étaient vêtus de ~x de bêtes** they were dressed in animal skins *ou* hides; **gants/veste en** *or* **de** ~ leather gloves/jacket; **3** (de fruit, légume) skin, peel; (d'orange, de citron, pamplemousse) peel **₵**; **les oranges ont une ~ épaisse** oranges have thick peel *ou* have a thick rind; **enlever la ~ d'un légume/fruit** to peel a vegetable/fruit; **4** (pellicule) (de lait, peinture) skin; **5** ○(vie) **jouer** *or* **risquer sa** ~ to risk one's life; **faire la ~ à qn** to kill sb, to bump sb off○; **sauver sa** ~ to save one's skin; **tenir à sa** ~ to value one's life; **vouloir la ~ de qn** to want sb dead; **changer de** ~ to turn over a new leaf; **craindre pour sa** ~ to fear for one's life; **tu y laisseras ta** ~ it'll kill you
(Composés) ~ **d'âne** hum diploma; ~ **de banane** lit banana skin; fig trap; ~ **de chagrin** Mode shagreen; **rétrécir comme une ~ de chagrin** to shrink away to nothing; ~ **de chamois** chamois leather, shammy (leather); ~ **d'orange** orange peel skin, cellulite; ~ **de tambour** Mus drumhead; **tendu comme une ~ de tambour** as taut as a drumskin; ~ **de vache** lit cowhide; fig○ nasty piece of work GB, shit◑
(Idiomes) ~ **de balle** *or* **de zébi**○**!** no way!, nothing doing○!; **je n'aimerais pas être dans sa** ~ I wouldn't like to be in his/her shoes; **être** *or* **se sentir bien dans sa** ~○ (dans sa tête) to feel good about oneself; (dans son corps) to feel good; **être** *or* **se sentir mal dans sa** ~○ (physiquement) to feel lousy○; (psychologiquement) not to feel good about oneself; (gêné) to feel ill-at-ease; **avoir qn dans la** ~○ to be crazy about sb; **prendre** *or* **recevoir douze balles dans la** ~○ to be shot by a firing squad

peaucier /posje/
A *adj m* **muscle** ~ orofacial muscle
B *nm* platysma

peaufinage /pofinaʒ/ *nm* fine tuning fig

peaufiner /pofine/ [1] *vtr* to refine [*politique, système*]; to put the finishing touches to [*contrat, travail, texte*]

peau-rouge, *pl* **peaux-rouges** /poʀuʒ/ *adj* Red Indian

Peau-Rouge, *pl* **Peaux-Rouges** /poʀuʒ/ *nmf* Red Indian

peausserie /posʀi/ *nf* leatherwork; **les ~s** leather goods

peaussier, -ière ▸ **p. 532** /posje, ɛʀ/ *nm,f* leather-worker

pébroc◑, **pébroque**◑ /pebʀɔk/ *nm* brolly○ GB, umbrella

pécari /pekaʀi/ *nm* **1** (animal) peccary; **2** (cuir) peccary skin; **en** ~ peccary-skin (*épith*)

peccadille /pekadij/ *nf* peccadillo

pechblende /pɛʃblɛ̃d/ *nf* pitchblende

pêche /pɛʃ/
A ▸ **p. 202** *adj inv* (couleur) peach; **murs** ~ peach walls
B *nf* **1** Bot peach; ~ **blanche** white peach; ~ **jaune** *or* **abricot** yellow peach; ~ **de vigne** vineyard peach; **2** (activité) fishing; ~ **en mer/en rivière/côtière** sea/freshwater/inshore fishing; **grande ~ (au large)** deep-sea fishing; ~ **au thon/à la truite/au saumon** tuna/trout/salmon fishing; **'~ gardée'** 'private fishing'; **aller à la** ~ lit to go fishing (à for); **aller à la ~ à la truite** to go fishing for trout; **aller à la ~ aux voix/informations** fig to angle for votes/information; **la ~ est ouverte** the fishing season is open; **3** (poissons capturés) catch; **une belle** ~ a good *ou* fine catch; **la ~ a été bonne?** lit catch anything?; fig did you find anything interesting?; **4** ○(coup) clout○; **recevoir une** ~ to get a clout; **5** ○(forme) **avoir la** ~○ to be feeling great; **ne pas avoir la** ~○ to be feeling low
(Composés) ~ **à la baleine** whaling; ~ **au chalut** trawling; ~ **à la crevette** shrimping; ~ **à la cuillère** spinning; ~ **au harpon** harpoon fishing; ~ **au lancer** casting; ~ **à la ligne** angling; ~ **miraculeuse** Relig miraculous draught of fishes; ~ **à la mouche** fly-fishing; ~ **aux moules** mussel gathering *ou* picking; ~ **à la traîne** trolling; ~ **au vif** live-bait fishing

péché /peʃe/ *nm* **1** (faute) sin; **commettre un** ~ to commit a sin; ~ **mortel/véniel** mortal/venial sin; **le ~ originel** original sin; **les septs ~s capitaux** the seven deadly sins; **le ~ de gourmandise** the sin of gluttony; **vivre dans le** ~ gén to live a sinful life; hum (vivre maritalement) to live in sin; **mourir en état de** ~ to die in a state of sin; ~ **de jeunesse** youthful indiscretion; **à tout ~ miséricorde** all sins will be forgiven; **2** (aberration) crime; **ce serait un ~ de rater ça** it would be a crime to miss that
(Composé) ~ **mignon** (little) weakness; **le chocolat, c'est mon ~ mignon** I've got a little weakness for chocolate

pécher /peʃe/ [14] *vi* **1** Relig to sin; ~ **par gourmandise/colère** to be guilty of the sin of gluttony/anger; **2** (ne pas respecter) to offend **(contre** against); ~ **contre la bienséance/le bon goût** to offend against propriety/good taste; **3** (ne pas être parfait) ~ **par ignorance/négligence** to err through ignorance/carelessness; ~ **par excès de confiance/de prudence** to be overconfident/overcareful; **le film pèche par manque de réalisme** the film falls down through a lack of realism; **le roman pèche sur un point** the novel has one major failing

pêcher /pɛʃe/ [1]
A *nm* Bot peach tree
B *vtr* **1** Pêche to go fishing for [*poissons*]; to catch [*crustacés*]; **j'ai pêché une truite** I caught a trout; ~ **la baleine/la crevette** to go whaling/shrimping; **2** ○(chercher) to get; **où est il allé ~ cet accoutrement/cette idée?** where did he get that outfit/idea from?
C *vi* to fish; ~ **à la mouche** to fly-fish; ~ **au vif** to fish with live bait; ~ **en haute mer** to go deep-sea fishing; ~ **à la ligne** to angle
(Idiome) ~ **en eau trouble** to stir up the mud

pécheresse* /peʃʀɛs/ *nf* sinner

pêcherie /pɛʃʀi/ *nf* **1** Tech (usine) fish factory; **2** (zone de pêche) fishing ground

pécheur /peʃœʀ/ *nm* sinner

pêcheur /pɛʃœʀ/ ▸ **p. 532** *nm* fisherman
(Composés) ~ **de baleines** whaler; ~ **de crevettes** shrimper; ~ **d'hommes** Relig fisher of men; ~ **à la ligne** angler; ~ **de perles** pearl diver

pécore /pekɔʀ/ *nf* pej silly goose○ péj

PECSD /peəseɛsde/ *nm* UE *abbr* ▸ **politique**

pecten /pɛktɛn/ *nm* pecten

pectine /pɛktin/ *nf* pectin

pectique /pɛktik/ *adj* pectic

pectoral, ~**e**, *mpl* **-aux** /pɛktɔʀal, o/
A *adj* **1** Anat, Zool pectoral; **2** [*sirop*] cough (*épith*)
B *nm* **1** Anat pectoral muscle; **gonfler les pectoraux** to stick out one's chest; **2** Antiq (pendentif) pectoral; (d'armure) breastplate

pectose /pɛktoz/ *nf* pectose

pécule /pekyl/ *nm* **1** (économies) savings (+ *v pl*), nest egg○; **amasser un petit** ~ to put a little money by; **2** (de militaire) gratuity; (de détenu) ~ **de libération** Jur allowance paid on release (*to prisoner*)

pécuniaire /pekynjɛʀ/ *adj* financial

pécuniairement /pekynjɛʀmɑ̃/ *adv* financially

PED /peəde/ *nm*: *abbr* ▸ **pays**

pédagogie /pedagɔʒi/ *nf* **1** (science) education, pedagogy; **2** (qualité de pédagogue) teaching skills (*pl*); **il a le sens de la** ~ he's a born teacher; **la ~ n'est pas son fort** he's not a very good teacher; **3** (méthode) teaching method

pédagogique /pedagɔʒik/ *adj* [*activité, recherche, but, valeur*] educational, pedagogic; [*système, projet*] education (*épith*); [*personnel, matériel, méthode*] teaching (*épith*), pedagogic; [*dossier, frais*] teaching (*épith*); **formation** ~ teacher training; **responsable** ~ teacher in charge; **réunion** ~ teachers' meeting

pédagogiquement /pedagɔʒikmɑ̃/ *adv* pedagogically

pédagogue /pedagɔg/
A *adj* good at explaining (*jamais épith*)
B *nmf* **1** (enseignant) teacher; **2** (spécialiste) educationalist

pédale /pedal/ *nf* **1** (de bicyclette, piano, frein) pedal; (de machine à coudre, tour) treadle; **poubelle à** ~ pedal bin GB; **auto à ~s** pedal car; **2** ◑(homosexuel) offensive queer◑ injur
(Idiomes) **perdre les ~s**○ (s'affoler) to lose one's grip; (s'embrouiller) to get muddled up; **se mélanger** *or* **s'emmêler les ~s**○ to get mixed up
(Composés) ~ **douce** Mus soft pedal; **mettre la ~ douce** fig to soft pedal; ~ **forte** loud *ou* sustaining pedal

pédaler /pedale/ [1] *vi* **1** lit to pedal; **2** fig (se dépêcher)○ to get a move on○
(Idiome) ~ **dans la choucroute**○ *or* **la semoule**○ *or* **le yaourt**○ to flounder around

pédaleur○, **-euse** /pedalœʀ, øz/ *nm,f* cyclist

pédalier /pedalje/ *nm* (de bicyclette) chain transmission; (de piano) pedals (*pl*)

P

pédalo® /pedalo/ *nm* pedalo GB, pedal boat; **faire du ~** to go out on a pedalo

pédant, **~e** /pedɑ̃, ɑ̃t/
A *adj* pedantic
B *nm,f* pedant

pédanterie /pedɑ̃tʀi/ *nf* pedantry

pédantisme /pedɑ̃tism/ *nm* pedantry

pédé◑ /pede/ *nm* offensive queer◑ injur, homosexual, gay
(Idiome) **il est ~ comme un phoque** he's queer as a coot○ GB *ou* a three-dollar bill US

pédéraste /pedeʀast/ *nm* **1** (pédophile) pederast; **2** (homosexuel) homosexual

pédérastie /pedeʀasti/ *nf* **1** (pédophilie) pederasty; **2** (homosexualité masculine) homosexuality

pédérastique /pedeʀastik/ *adj* pederastic

pédestre /pedɛstʀ/ *adj* **randonnée ~** ramble; **association/itinéraire ~** ramblers' association/route; **circuit ~** (signed) walk

pédiatre /pedjatʀ/ ▸ **p. 532** *nmf* paediatrician

pédiatrie /pedjatʀi/ *nf* paediatrics (+ *v sg*)

pedibus: **pedibus cum jambis**○ /pedibyskɔmʒɑ̃bis/ *adv* hum on foot, on *ou* by shank's pony hum

pédicule /pedikyl/ *nm* peduncle

pédicure /pedikyʀ/ ▸ **p. 532** *nmf* chiropodist GB, podiatrist US

pedigree* /pedigʀe/ *nm* pedigree; **chien à ~** pedigree dog

pédiluve /pedilyv/ *nm* footbath

pédologie /pedɔlɔʒi/ *nf* pedology

pédologique /pedɔlɔʒik/ *adj* pedological

pédologue /pedɔlɔg/ ▸ **p. 532** *nmf* pedologist

pédoncule /pedɔ̃kyl/ *nm* peduncle

pédonculé, **~e** /pedɔ̃kyle/ *adj* pedunculate

pédophile /pedɔfil/ *adj*, *nmf* paedophile

pédophilie /pedɔfili/ *nf* paedophilia

pédopsychiatre /pedopsikjatʀ/ ▸ **p. 532** *nmf* child psychiatrist

pédopsychiatrie /pedopsikjatʀi/ *nf* child psychiatry

pedzouille◑ /pɛdzuj/ *nm* pej country bumpkin○ péj GB, hick○ péj US

PEE /peœœ/ *nm*: *abbr* ▸ **plan**

peeling /piliŋ/ *nm* exfoliation

Pégase /pegaz/ *npr* Pegasus

PEGC /peəʒese/ *nmf* (*abbr* = **professeur d'enseignement général des collèges**) secondary school teacher GB, junior high school teacher US (*up to age 15*)

pègre /pɛgʀ/ *nf* **la ~** the underworld

peignage /pɛɲaʒ/ *nm* Tex combing

peigne /pɛɲ/ *nm* **1** (à cheveux) comb; **se donner un coup de ~** to run a comb through one's hair; **se faire donner un coup de ~** to have one's hair-do tidied up; **2** Tex (sur un métier) reed; (pour carder) carder; **3** Zool pecten; **4** (pour peindre) graining comb
(Composés) **~ africain** Afro comb GB, pick US; **~ à poux** fine-tooth comb (for headlice)
(Idiome) **passer qch au ~ fin** to go over *ou* through sth with a fine-tooth comb

peigné, **~e** /pɛɲe/
A *pp* ▸ **peigner**
B *pp adj* **1** Tex [*tissu*] brushed; [*fil*] combed; **2** [*cheveux*] **bien ~s** neatly combed; **mal ~s** tousled
C *nm* (tissu) brushed fabric; (ruban) **le ~** combed slivers (*pl*)
D **peignée**○ *nf* hiding○

peigne-cul◑, *pl* **~s** /pɛɲky/ *nm* pej lout péj

peigner /pɛɲe/ [1]
A *vtr* **1** to comb [*cheveux*]; **2** Tex to card
B **se peigner** *vpr* to comb one's hair
(Idiome) **~ la girafe** hum to fiddle about doing nothing GB, to do busy work US

peigneur, **-euse** /pɛɲœʀ, øz/
A ▸ **p. 532** *nm,f* (ouvrier) carder
B **peigneuse** *nf* (machine) carding machine

peignoir /pɛɲwaʀ/ *nm* **1** (déshabillé) dressing gown GB, robe US; (de boxeur) dressing gown; **~ de bain** bathrobe; **2** (chez coiffeur) cape GB, robe US

peinard○, **~e** /penaʀ, aʀd/ *adj* [*travail*] cushy○; [*endroit*] snug; **j'ai trouvé un boulot/coin ~** I've found a cushy○ job/a snug little spot; **être ~** to take things easy; **se tenir ~** [*personne*] to stay out of trouble; **en père ~** indolently

peinardement○ /penaʀdəmɑ̃/ *adv* casually

peindre /pɛ̃dʀ/ [55]
A *vtr* **1** (avec de la peinture) to paint [*mur, motif, paysage*]; **~ qch en blanc** to paint sth white; **~ qch de motifs/personnages** to paint motifs/figures on sth; **une cravate en soie peinte** a tie made of painted silk; **l'œuvre peinte de Picasso** Picasso's paintings; **2** (avec des mots) to depict [*personnage, situation, époque*] (**comme** as)
B *vi* to paint; **~ au pinceau/couteau** to paint with a brush/palette knife; **~ sur bois/soie** to paint on wood/silk
C **se peindre** *vpr* **1** [*peintre*] to paint a self-portrait; **2** [*auteur*] to depict oneself (**comme** as); **3** (apparaître) **se ~ sur qch** [*gêne, joie*] to be written on

peine /pɛn/
A *nf* **1** (chagrin) sorrow, grief; **avoir de la ~** to feel sad *ou* upset; **faire de la ~ à qn** to hurt sb; **ça me fait de la ~ de le voir si triste** it hurts me to see him so sad; **tu leur as fait de la ~ en leur disant ça** you hurt their feelings when you said that; **il faisait ~ à voir** he looked a sorry sight; **cela faisait ~ à voir** it was sad to see
2 (effort) effort, trouble; **c'est ~ perdue** it's a waste of effort; **en être pour sa ~** to waste one's time and effort; **se donner de la ~ pour faire** to go to a lot of trouble to do; **se donner** *or* **prendre la ~ de faire** to take the trouble to do; **tu pourrais réussir si seulement tu te donnais la ~ d'essayer** you could succeed if only you tried *ou* if only you made the effort; **il ne s'est même pas donné la ~ de nous prévenir** he didn't even bother to tell us; **il a quand même pris la ~ de te remercier/de venir** he still took the trouble to thank you/to come; **donnez-vous** *or* **prenez la ~ d'entrer** fml please do come in; **il n'est pas au bout de ses ~s** (dans une situation pénible) his troubles are far from over; (pour accomplir une tâche) he's still got a long way to go; **me voilà au bout de mes ~s!** (dans une situation difficile) my troubles are over now; (en finissant un travail) there, I've finished!; **se mettre en ~ pour qn** to go out of one's way for sb('s sake); **ce n'est pas la ~ de crier, je ne suis pas sourd** there's no need to shout, I'm not deaf; **ce n'est pas la ~ de te fâcher comme ça!** there's no need to get so angry!; **est-ce vraiment la ~ que je vienne?** do I really need to come?; **ce n'est pas la ~ d'aller voir ce film, il est nul** there's no point in going to see that film, it's awful; **ce n'est pas la ~ qu'il se déplace, le bureau est fermé** there's no point in him going, the office is closed; **c'était bien la ~ que je me donne tant de mal!** I went to all that trouble for nothing!; **c'est/c'était bien la ~!** what's/what was the point!; **c'était bien la ~ de venir de si loin pour trouver porte close!** what was the point of coming all this way to find nobody home!; **ça en valait vraiment la ~** it was really worth it; **ce n'est pas la ~ de faire un si long voyage pour un jour** it's not worth travelling[GB] so far just for one day; **la pièce vaut la ~ d'être vue** the play is worth seeing; **concentrez vos efforts sur ce qui en vaut la ~** concentrate on worthwhile activities; **cette idée vaut la ~ d'être soumise à qn** it's worth *ou* worthwhile submitting the idea to sb; **pour la ~** *or* **ta/votre ~** (en récompense) for your trouble; **tu m'as bien aidé, pour la ~ je t'offre à boire** you've been a great help to me, I'll buy you a drink for your trouble; ▸ **suffire**
3 (difficulté) difficulty; **sans ~** easily; **avec ~** with difficulty; **avoir** *or* **éprouver de la ~ à faire** to have difficulty doing, to find it hard to do; **j'ai eu toutes les ~s du monde à le persuader/à trouver la maison** I had the greatest difficulty (in) persuading him/(in) finding the house; **j'ai ~ à le croire** I find it hard to believe; **l'allemand/le jardinage sans ~** German/gardening without tears; **il n'est pas en ~ pour trouver du travail** he has no difficulty finding work; **être bien en ~ de faire** to be hard put to do; **il serait bien en ~ de te prêter de l'argent, il n'a pas un sou** he would be hard put to lend you any money, he doesn't have a penny
4 (punition) gén punishment; Jur penalty, sentence; **~ de prison** prison sentence; **une ~ de cinq ans de prison** a five-year prison sentence; **'défense de fumer sous ~ d'amende'** 'no smoking, offenders will be fined'; **'défense d'entrer sous ~ de poursuites'** 'trespassers will be prosecuted'; **sous ~ de mort** on pain of death; **sous ~ de décevoir** because of the risk of causing disappointment; **sous ~ de perdre de l'argent** at the risk of losing money; **pour la** *or* **ta ~** (comme punition) as punishment; **pour la ~, tu feras la vaisselle** as punishment, you'll do the dishes
B **à peine** *loc adv* hardly, barely; **tu pars déjà, il est à ~ cinq heures!** you're not leaving already? it's barely five o'clock; **il est resté à ~ une heure** he stayed (for) barely an hour; **on a à ~ de quoi finir le mois** we've barely *ou* hardly enough to get by on until the end of the month; **une allusion à ~ voilée** a thinly veiled allusion; **il gagne à ~ 5 euros de l'heure** he barely earns 5 euros an hour; **c'est à ~ si je l'ai reconnu** I hardly recognized him; **il a à ~ touché à son assiette** he hardly touched his food; **il sait à ~ lire** he can hardly read; **il tenait à ~ debout** he could hardly stand; **c'est à ~ si elle dit bonjour/répond quand on lui parle** she barely says hello/replies if you speak to her; **il exagère à ~!** he's not really exaggerating!; **à ~ était-il arrivé** *or* **il était à ~ arrivé qu'il pensait déjà à repartir** no sooner had he arrived than he was thinking of leaving again; **'je t'assure que je n'étais pas au courant'—'à ~○!'** (exprimant l'incrédulité) 'I tell you I didn't know about it'—'I don't believe it!', 'I don't buy that○!'
(Composés) **~ capitale** Jur capital punishment; **condamné à la ~ capitale** sentenced to death; **~ de cœur** heartache ℭ; **il a des ~s de cœur** his heart is aching; **~ correctionnelle** Jur penalty of two months to five years imprisonment; **~ criminelle** sentence for serious crime; **~ incompressible** Jur *prison term with no provision for remission*; **~ de mort** Jur death penalty; **~ de police** Jur penalty of one day to two months imprisonment; **~ de substitution** Jur alternative sentence

peiner /pene/ [1]
A *vtr* to sadden, to upset [*personne*]; **la nouvelle m'a beaucoup peiné** the news upset me greatly; **être/avoir l'air peiné** to be/to look sad *ou* upset; **je l'ai peiné en refusant** I hurt his feelings by refusing
B *vi* [*personne*] to struggle; [*machine, voiture*] to labour[GB]; **elle peinait sur sa dissertation** she was struggling with her essay; **le cycliste peine dans les montées** the cyclist struggles on the uphills

peintre /pɛ̃tʀ/ ▸ **p. 532** *nm* **1** (artiste, artisan) painter; **~ abstrait/figuratif/paysagiste** abstract/representational/landscape painter; **2** (auteur) portrayer; **un ~ de la vie parisienne** a portrayer of Parisian life
(Composé) **~ en bâtiment** house painter,

p

painter and decorator GB
peintre-décorateur, *pl* **peintres-décorateurs** /pɛ̃tʀdekɔʀatœʀ/ ▸ **p. 532** *nm* interior decorator
peinture /pɛ̃tyʀ/ *nf* **1** (matériau) paint; '**~ fraîche**' 'wet paint'; **~ brillante/mate** gloss/matt paint; **~ satinée** satin paint; **2** (revêtement) paintwork; **la ~ de la voiture** the car's paintwork; **les rideaux ne vont pas avec la ~** the curtains don't match the paintwork; **refaire les ~s d'une pièce** to repaint a room; **3** (art, technique) painting; **~ abstraite/figurative/murale** abstract/representational/wall painting; **~ sur toile/soie** painting on canvas/silk; **~ au couteau** painting with a palette knife; **~ au pistolet** spray painting; **la ~ flamande** Flemish painting; **investir dans la ~** to invest in paintings; **faire de la ~** to paint; **je ne peux pas le voir en ~**○ fig I can't stand the sight of him; **4** (tableau) painting; **une ~ de Van Gogh** a painting by Van Gogh; **5** (description) portrayal; **il a laissé une ~ vivante de son époque** he left a vivid portrayal of his times
(Composés) **~ acrylique** acrylic paint, emulsion (paint); **~ à l'eau** water-based paint; **~ de genre** genre painting; **~ gestuelle** action painting; **~ à l'huile** (revêtement) oil paint; (technique) painting in oils; (tableau) oil painting; **~ murale** mural
peinturlurer /pɛ̃tyʀlyʀe/ [1]
A *vtr* to daub; **~ qch de** *or* **en blanc** to daub sth with white paint; **un mur peinturluré** a wall that has been daubed with paint; **des clowns peinturlurés** clowns with their faces daubed in paint
B se peinturlurer *vpr* **se ~ le visage** [*acteur, clown*] to cake one's face in greasepaint; pej [*femme*] to cake one's face in make-up
péjoratif, **-ive** /peʒɔʀatif, iv/
A *adj* pejorative
B *nm* pejorative
péjoration /peʒɔʀasjɔ̃/ *nf* pejoration
péjorativement /peʒɔʀativmɑ̃/ *adv* pejoratively
pékin○ = **péquin**
Pékin /pekɛ̃/ ▸ **p. 894** *npr* Beijing, Peking
pékiné /pekine/ *nm* pekin
pékinois, **~e** /pekinwa, az/
A ▸ **p. 894** *adj* of Beijing, Pekinese
B ▸ **p. 483** *nm* **1** Ling Pekinese; **2** Zool Pekinese
Pékinois, **~e** /pekinwa, az/ *nm,f* (natif) native of Beijing; (habitant) inhabitant of Beijing
PEL /peəɛl/ *nm: abbr* ▸ **plan**
pelade /pəlad/ ▸ **p. 283** *nf* alopecia
pelage /pəlaʒ/ *nm* coat
pélagique /pelaʒik/ *adj* pelagic
pélargonium /pelaʀgɔnjɔm/ *nm* pelargonium
pelé, **~e** /pəle/ *adj* [*animal*] mangy; [*vêtement*] threadbare; [*colline*] bare
(Idiome) **il y avait quatre** *or* **trois ~s et un tondu** there was hardly anybody *ou* a soul
pêle-mêle* /pɛlmɛl/
A *adv* [*entasser*] higgledy-piggledy
B *nm inv* **1** (désordre) jumble; **2** (cadre) photo frame (for several photos)
peler /pəle/ [17]
A *vtr* to peel
B *vi* **1** [*peau, nez*] to peel; **2** ○(avoir froid) to freeze; **on pèle ici!** it's freezing here!; **~ de froid** to freeze
pèlerin /pɛlʀɛ̃/ *nm* **1** Relig pilgrim; **2** Zool **faucon ~** peregrine falcon; **requin ~** basking shark; **3** ○(individu) bloke○ GB, guy○ US
pèlerinage /pɛlʀinaʒ/ *nm* **1** (voyage) pilgrimage; **aller en/faire un ~ à Lourdes** to go on/to make a pilgrimage to Lourdes; **2** (lieu) place of pilgrimage
pèlerine /pɛlʀin/ *nf* cape
pélican /pelikɑ̃/ *nm* Zool pelican
pelisse /pəlis/ *nf* fur-trimmed coat, pelisse
pellagre /pelagʀ/ ▸ **p. 283** *nf* pellagra
pelle /pɛl/ *nf* **1** gén shovel; (jouet) spade; (de boulanger) peel; **à la ~**○ fig by the dozen; **2** ◑(baiser) French kiss; **rouler une ~ à qn**◑ to give sb a French kiss
(Composés) **~ à charbon** coal shovel; **~ à gâteau** cake slice; **~ mécanique** mechanical digger; **~ à poussière** dustpan; **~ à tarte** pie server
(Idiome) **ramasser une ~**○ to come a cropper○
pellet /pəlɛ, pelɛ/ *nm* pellet
pelletage /pɛltaʒ/ *nm* **le ~ du sable/de la terre** shovelling[GB] sand/earth
pelletée /pɛlte/ *nf* **1** (de sable, charbon) shovelful; **2** (grande quantité) heap (**de** of)
pelleter /pɛlte/ [20] *vtr* to shovel
pelleterie /pɛltʀi/ *nf* (préparation) fur preparation; (commerce) fur trade; (fourrures) furs (*pl*)
pelleteuse /pɛltøz/ *nf* mechanical digger
pelletier, **-ière** /pɛltje, ɛʀ/ *nm,f* furrier
pellicule /pelikyl/
A *nf* **1** Phot, Cin film; **~ couleur/noir et blanc** colour[GB]/black-and-white film; **~ vierge** unexposed film; **2** (de poussière, d'huile) film (**de** of); (de givre, glace, peinture) thin layer (**de** of)
B pellicules *nfpl* Physiol, Pharm dandruff ¢
pelliculé, **~e** /pelikyle/ *adj* [*support, reliure*] plastic-coated (*épith*)
Péloponnèse /pelɔpɔnɛz/ *nprm* Peloponnese GB, Peloponnesus
pelotage○ /p(ə)lɔtaʒ/ *nm* groping○
pelotari /p(ə)lɔtaʀi/ *nm* pelota player
pelote /p(ə)lɔt/ ▸ **p. 469** *nf* **1** Tex, Cout ball; **vendu en ~s de 50 g** sold in balls of 50 g; **2** Sport (balle) pelota ball; (jeu) pelota
(Composés) **~ basque** pelota; **~ à épingles** pin cushion
peloter /p(ə)lɔte/ [1]
A *vtr* **1** ○(caresser) to grope○ [*personne*]; **se faire ~** to be groped○; **2** Tex to wind [sth] into a ball
B se peloter○ *vpr* to grope each other○
peloteur○, **-euse** /p(ə)lɔtœʀ, øz/ *nm,f* pej groper○ péj
peloton /p(ə)lɔtɔ̃/ *nm* **1** Tex ball; **un ~ de laine/ficelle** a ball of string/wool; **2** Mil platoon; **3** (en cyclisme) pack; **se détacher du ~** to get clear of the pack; **dans le ~ de tête** Sport in the leading pack; fig [*entreprise*] up among the leaders; **être en tête de ~** to be leading the pack, to be at the front of the pack; **en queue de ~** Sport at the back of the pack; fig lagging behind
(Composés) **~ d'exécution** firing squad; **~ d'instruction** ≈ NCO training; **faire** *or* **suivre le ~** ≈ to undergo NCO training
pelotonner /p(ə)lɔtɔne/ [1]
A *vtr* Tex to wind [sth] into a ball
B se pelotonner *vpr* [*personne, chat*] (de bien-être) to snuggle up (**contre** against; **dans** in); (de peur) to huddle up (**contre** against; **dans** in)
pelouse /p(ə)luz/ *nf* **1** (gazon) lawn; '**~ interdite**' 'keep off the grass'; **2** Sport (terrain) pitch GB, field US; **3** Turf public enclosure
peluche /p(ə)lyʃ/ *nf* **1** (matière) plush; **jouet en ~** cuddly toy GB, stuffed animal US; **couverture en ~** soft blanket; **2** (jouet) cuddly toy GB, stuffed animal US; **3** (sur un lainage) fluff
pelucher /p(ə)lyʃe/ [1] *vi* [*lainage*] to become fluffy
pelucheux, **-euse** /p(ə)lyʃø, øz/ *adj* [*vêtement, tissu*] fluffy
pelure /p(ə)lyʀ/ *nf* **1** (de légume, fruit) peel ¢, piece of peel; (d'oignon) skin; **2** ○(manteau) coat
(Composé) **~ d'oignon** Vin *adj inv* (couleur) pale rosé; *nm* (vin) rosé (wine)
pelvien, **-ienne** /pɛlvjɛ̃, ɛn/ *adj* pelvic
pelvis /pɛlvis/ *nm inv* pelvis
pénal, **~e**, *mpl* **-aux** /penal, o/
A *adj* [*justice, enquête, poursuites*] criminal; ▸ **sanction**
B *nm* (voie pénale) criminal justice system; (juridiction pénale) criminal courts (*pl*); **passer au ~** to appear before a criminal court
pénalisant, **~e** /penalizɑ̃, ɑ̃t/ *adj* **des mesures ~es pour les pays les plus pauvres** measures which penalize the poorest countries
pénalisation /penalizasjɔ̃/ *nf* **1** Sport (pénalité) penalty; (action) penalizing ¢; **2** (sanction) **~ (fiscale)** taxation; **les experts prévoient une ~ des entreprises par...** observers expect companies will be penalized by...
pénaliser /penalize/ [1] *vtr* (tous contextes) to penalize
pénalité /penalite/ *nf* **1** Jur, Fin (sanction) penalty; **2** Sport penalty; **réussir une ~** (en rugby) to score a penalty goal
(Composé) **~ de retard** Comm, Fisc penalty
penalty* /penalti/ *nm* penalty; **siffler un ~** to award a penalty; **point de ~** penalty spot
pénard, **~e** = **peinard**
pénardement = **peinardement**
pénates /penat/ *nmpl* **1** ○hum (domicile) home; **regagner ses ~** to go back home; **2** Mythol (dieux) Penates; (statuettes) penates
penaud, **~e** /pəno, od/ *adj* [*personne, air*] sheepish
pence ▸ **penny**
penchant /pɑ̃ʃɑ̃/ *nm* **1** (inclination) fondness (**pour** for), penchant sout (**pour** for); (faible) weakness (**pour** for); **éprouver un doux ~ pour qn** to be fond of sb; **2** (disposition) tendency, inclination; **des ~s suicidaires/sadiques** suicidal/sadistic tendencies; **donner libre cours à ses mauvais ~s** to give way to one's baser instincts
penché, **~e** /pɑ̃ʃe/
A *pp* ▸ **pencher**
B *pp adj* (incliné) [*mur*] sloping; [*arbre, tour, colonne*] leaning; [*écriture*] slanting; **le pylône est de plus en plus ~** the pylon is leaning more and more; **être ~** [*personne*] to be bent over; [*colonne, mur, arbre*] to be leaning over; **~ à la fenêtre** leaning out of the window; **~ sur mon ouvrage** bent over my work
pencher /pɑ̃ʃe/ [1]
A *vtr* to tilt [*meuble, objet*]; to tip [sth] up [*bouteille, verre*]; **~ la tête** [*personne*] (en avant) to bend one's head forward(s); (en arrière) to lean *ou* tilt one's head back; **~ la tête sur le côté** to tilt one's head to one side; **~ le corps en avant/en arrière** to lean forward(s)/backward(s); **~ la tête** [*fleur*] to wilt
B *vi* **1** (être incliné) [*objet, tour, arbre, mur*] to lean; [*bateau*] to list; [*tableau*] to slant, to tilt; **le tableau penche un peu du côté gauche** the painting is slanting *ou* tilting a little to the left; **2** (préférer) **~ pour** to incline toward(s) [*opinion, théorie*]; to be in favour[GB] of [*solution, fermeté*]
C se pencher *vpr* **1** (s'incliner) [*personne*] to lean; (se baisser) to bend down; **se ~ en avant/en arrière/vers** to lean forward(s)/backward(s)/(over) toward(s); **se ~ à la fenêtre** to lean out of the window; '**défense de se ~ au-dehors**' 'do not lean out of GB *ou* out US the window'; **se ~ sur qn/qch** to bend over sb/sth; **2** (analyser) **se ~ sur** to look into [*problème, passé*]; **se ~ avec indulgence sur le cas de qn** to take a lenient view of sb's case
pendable /pɑ̃dabl/ *adj* **cas ~**† Jur hanging case *ou* offence[GB]; fig **c'est un cas ~** it's deplorable
(Idiome) **jouer un tour ~ à qn** to play a rotten trick on sb
pendaison /pɑ̃dɛzɔ̃/ *nf* Jur hanging
(Composé) **~ de crémaillère** housewarming (party)

pendant¹ /pɑ̃dɑ̃/
A *prép* **1** (pour exprimer une durée) for; **je t'ai attendu ~ des heures** I waited for you for hours; **~ les trois premières années** for the first three years; **~ un instant** for a moment; **~ longtemps** for a long time; **~ toute la durée des vacances** for the entire *ou* throughout the vacation; **~ tout le trajet** for the whole journey, throughout the journey; **il a été malade ~ tout le trajet** he was sick throughout the journey; **l'hôtel est seulement ouvert ~ l'été** the hotel is only open in summer *ou* during the summer; **~ combien de temps avez-vous vécu à Versailles?** how long did you live in Versailles?; **2** (au cours de) during; **ils viendront nous voir ~ l'été** they are coming to see us during *ou* in the summer; **le temps s'est refroidi ~ la nuit** it got colder during the night *ou* overnight; **avant la guerre et ~** before and during the war; **~ tout le temps où mon père était malade j'allais le voir tous les jours** all the time my father was ill I visited him every day, I visited my father every day during his illness; **~ ce temps(-là)** meanwhile; **~ ce temps, à quelques kilomètres de là** meanwhile, a few kilometres^GB away; **prendre le médicament ~ toute la durée du séjour** take the medicine throughout the whole stay
B **pendant que** *loc conj* while; **~ qu'il dort je peux travailler** while he's asleep I can work; **voyage ~ qu'il est temps** travel while you have the chance; **~ que j'y pense, ton père a téléphoné il y a une heure** while I think of it, your father called an hour ago; **~ que tu y es/nous y sommes** while you're at it/we're at it

pendant², **~e** /pɑ̃dɑ̃, ɑ̃t/
A *adj* **1** (qui pend) **être assis les jambes ~es** to be sitting with one's legs dangling; **assis sur une chaise les jambes ~es** sitting on a chair with one's legs dangling down; **l'oreille ~e** with one ear drooping; **le chien avait la langue ~e** the dog's tongue lolled *ou* was hanging out; **2** Jur, Admin (en instance) [*cas, procès*] pending (*épith*); [*question*] outstanding
B *nm* **1** (objet) **~ (d'oreille)** drop earring; **2** (équivalent) **le ~ de** the counterpart of [*personne, institution*]; **le ~ d'un vase** the matching vase; **être le ~ de, faire ~ à** to match [*objet*]; to be the counterpart of [*personne, institution*]; **se faire ~** [*objets*] to match; [*personnes, institutions*] to be counterparts; **son discours fait ~ à la déclaration de Paul** his/her speech parallels Paul's declaration

pendard†, **~e** /pɑ̃daʀ, aʀd/ *nm,f* hum rogue, scoundrel†

pendeloque /pɑ̃dlɔk/ *nf* (de bijou) pendant, drop (*on earring*); (de lustre) lustre^GB, (glass) pendant

pendentif /pɑ̃dɑ̃tif/ *nm* (bijou) pendant; Archit pendentive

penderie /pɑ̃dʀi/ *nf* (meuble) wardrobe; (local) walk-in cupboard GB *ou* closet US

pendiller /pɑ̃dije/ [1] *vi* to flap about

Pendjab /pɛndʒab/ ▸ **p. 721** *nprm* Punjab

pendouiller○ /pɑ̃duje/ [1] *vi* to dangle down

pendre /pɑ̃dʀ/ [6]
A *vtr* **1** (exécuter) to hang [*condamné*]; **~ qn haut et court** to hang sb; **va te faire ~!** go to hell○!; **qu'il aille se faire ~ ailleurs**○**!** he can go to hell○!; **je veux bien être pendu s'il rembourse ses dettes** if he pays off his debts I'll eat my hat; **2** (accrocher) to hang [*tableau, rideau*]; to hang up [*vêtement, clé, jambon*]; **~ qch à** to hang sth from [*plafond*]; to hang sth (up) on [*clou, mur*]; **~ un rideau à la fenêtre** to put up a curtain at the window
B *vi* **1** (être suspendu) [*objet, vêtement*] to hang (**à** from); [*jambe, bras*] to dangle; **des corps pendaient encore aux arbres** bodies were still hanging from the trees; **du linge pendait aux fenêtres** washing was hanging from the windows; **~ jusqu'au sol** to be hanging down to the ground; **laisser ~ ses jambes** to dangle one's legs; **2** (pendiller) [*lambeaux, mèche*] to hang down; [*joue, sein*] to sag; [*pan de jupe*] to droop; **ta jupe pend devant** your skirt is drooping at the front
C **se pendre** *vpr* **1** (se tuer) to hang oneself; **2** (s'accrocher) **se ~ à** to hang from [*branche*]; **se ~ au cou de qn** to throw one's arms around sb's neck

(Idiome) **ça te pend au (bout du) nez** you've got it coming to you

pendu, **~e** /pɑ̃dy/
A *pp* ▸ **pendre**
B *pp adj* **1** (mort) [*personne*] hanged; **2** (accroché) [*objet*] hung (**à** on), hanging (**à** from); **~ à son micro** fig clutching the microphone; **~ au bras de sa femme** clinging to his wife's arm; **être ~ aux lèvres de qn** to hang on sb's every word; **être toujours ~ au téléphone** to spend all one's time on the telephone
C *nm,f* hanged man/woman; **une haie de ~s** a line of hanging bodies
D *nm* Jeux **jouer au ~** to play hangman

(Idiome) **parler de corde dans la maison d'un ~** to make a tactless remark

pendulaire /pɑ̃dylɛʀ/ *adj* **1** [*mouvement*] pendular; **2** Rail **train ~** tilting train; **3** Transp **travailleur ~** commuter

pendule /pɑ̃dyl/
A *nm* **1** Phys pendulum; **2** (de radiesthésie) pendulum
B *nf* (horloge) clock

(Idiome) **remettre les ~s à l'heure** to set the record straight

pendulette /pɑ̃dylɛt/ *nf* small clock; **~ de voyage** travelling^GB clock

pêne /pɛn/ *nm* bolt; **~ demi-tour** sash

Pénélope /penelɔp/ *npr* Mythol, fig Penelope

pénéplaine /peneplɛn/ *nf* peneplain

pénétrabilité /penetʀabilite/ *nf* penetrability

pénétrable /penetʀabl/ *adj* **1** (qui peut être pénétré) penetrable; **2** (intelligible) understandable

pénétrant, **~e** /penetʀɑ̃, ɑ̃t/
A *adj* **1** lit [*vent, air, son, voix, bruit*] penetrating; [*pluie*] drenching; [*froid*] piercing; [*humidité*] pervasive; **2** fig (perspicace) [*personne, remarque, étude*] shrewd; [*esprit, regard*] penetrating
B **pénétrante** *nf* urban motorway GB *ou* freeway US

pénétration /penetʀasjɔ̃/ *nf* lit, fig penetration; **~ d'un marché** market penetration; **taux de ~** level of market penetration; **la ~ des eaux dans le sol** the seepage of water into the soil

pénétré, **~e** /penetʀe/
A *pp* ▸ **pénétrer**
B *pp adj* [*air, ton*] earnest, intense; **être ~ de** to be imbued with [*idée, sentiment*]; **être ~ de reconnaissance** to be full of gratitude; **être ~ de son importance** to be full of one's own importance

pénétrer /penetʀe/ [14]
A *vtr* **1** (s'infiltrer dans) [*pluie, liquide*] to soak into, to seep into [*terre, tissu*]; [*soleil, lumière*] to penetrate [*feuillage*]; **la pluie a pénétré nos vêtements** the rain soaked through our clothes; **le froid m'a pénétré jusqu'aux os** the cold went right through me; **2** (percer à jour) to fathom [*mystère, secret, intentions, pensée*]; **3** (sexuellement) to penetrate; **4** (atteindre) [*idée, mode*] to reach [*milieu, groupe*]; **5** (remplir) to fill; **son courage me pénétrait d'admiration** his/her courage filled me with admiration; **il était pénétré d'un sentiment de reconnaissance** he was filled with gratitude
B *vi* **1** (entrer) **~ dans** *or* **à l'intérieur de** [*personne, animal*] to enter, to get into [*lieu*]; [*balle, éclat d'obus*] to penetrate [*organe*]; [*armée, soldats*] to penetrate [*lignes ennemies, pays*]; [*personne*] to penetrate [*cercle, groupe, organisation*]; **~ en territoire ennemi** to enter *ou* penetrate enemy territory; **ils ont pénétré dans le bâtiment sans se faire repérer** they got into the building without anyone noticing them; **il est interdit de ~ sur le chantier** it is forbidden to enter the building site; **~ dans une maison par effraction** to break into a house; **l'auteur nous fait ~ dans l'univers des sociétés secrètes** the author takes us into the world of secret societies; **2** (s'infiltrer) **~ dans** [*lumière, froid, odeur*] to get into, to penetrate [*lieu*]; [*eau, vent, fumée*] to get into [*lieu*]; **c'est par là que le froid/l'eau pénètre** that's where the cold/the water gets in; **pour empêcher le froid de ~** to keep the cold air out; **3** (s'imprégner) **~ dans** [*crème, lotion*] to penetrate [*peau, cuir chevelu*]; [*cire, vernis*] to penetrate [*meuble, bois*]; **faire ~ la pommade en massant doucement** to rub the ointment in by massaging gently
C **se pénétrer** *vpr* **se ~ d'une idée** to get an idea firmly rooted in one's mind

pénibilité /penibilite/ *nf* strenuousness

pénible /penibl/ *adj* **1** (difficile) [*effort, impression*] painful; [*travail*] hard; [*voyage, ascension*] difficult; **c'est une situation ~ à supporter** the situation is difficult to bear; **2** (agaçant) [*personne*] tiresome; **être ~** to be tiresome *ou* a pain○; **c'est un enfant ~** he's a difficult child; **c'est ~, ces retards constants!** these constant delays are so tiresome!; **c'est ~!** it's such a pain○!

péniblement /penibləmɑ̃/ *adv* **1** (tout juste) [*atteindre, se vendre*] barely; **2** (avec peine) [*marcher, élaborer, préserver*] with difficulty

péniche /peniʃ/
A *nf* Naut barge
B ○**péniches** *nfpl* (chaussures) clodhoppers○, shoes

(Composé) **~ de débarquement** landing craft

pénicilline /penisilin/ *nf* penicillin

pénil /penil/ *nm* mons veneris

péninsulaire /penɛ̃sylɛʀ/ *adj* peninsular

péninsule /penɛ̃syl/ *nf* peninsula; **la ~ ibérique** the Iberian Peninsula

pénis /penis/ *nm inv* penis

pénitence /penitɑ̃s/ *nf* **1** Relig (peine) penance; **faire ~** to do penance; **2** (punition) punishment; **mettre qn en ~** to punish sb; **pour ta ~...** as a punishment...; **3** (gage) forfeit

pénitencier /penitɑ̃sje/ *nm* prison, penitentiary US

pénitent, **~e** /penitɑ̃, ɑ̃t/ *adj, nm,f* penitent

pénitentiaire /penitɑ̃sjɛʀ/ *adj* [*établissement, institution*] penal; [*personnel, régime, médecine*] prison (*épith*)

penne /pɛn/ *nf* **1** (d'oiseau) quill, penna spéc; **2** (de flèche) feather

Pennines /pɛnin/ *nprfpl* **les ~** the Pennines

Pennsylvanie /pɛnsilvani/ ▸ **p. 721** *nprf* Pennsylvania

penny, *pl* **pence** /peni, pɛns/ *nm* penny

pénologue /penɔlɔg/ ▸ **p. 532** *nmf* Jur penologist

pénombre /penɔ̃bʀ/ *nf* **1** (obscurité) half-light; **dans la ~** in the half-light; **2** Astron penumbra

pensable /pɑ̃sabl/ *adj* thinkable; **ce n'est pas ~** it's unthinkable

pensant, **~e** /pɑ̃sɑ̃, ɑ̃t/ *adj* thinking

pense-bête, *pl* **pense-bêtes** /pɑ̃sbɛt/ *nm* reminder, aide-mémoire

pensée /pɑ̃se/ *nf* **1** (faculté) thought; **le cerveau, siège de la ~** the brain, seat of thought; **la ~ distingue l'homme de l'animal** thought distinguishes man from animals; **2** (ce que l'on pense) thought; **être perdu dans ses ~s** to be lost in thought; **faites-nous part de vos ~s sur** *or* **à ce sujet** let us know your thoughts on this matter; **voilà une ~ très profonde!** iron how profound!; **à la**

~ **de** at the thought of; **j'enrage à la ~ qu'elle puisse être avec lui** I'm furious at the thought that she might be with him; **je frémis rien qu'à la ~ de devoir y aller** I shudder at the very thought of having to go there; **j'aimerais connaître le fond de ta ~** I'd like to know what you really think deep down; **il l'a fait dans la ~ de vous être agréable** he did it thinking that it would please you; **dire sa ~** to speak one's mind, to say what one thinks; **lire dans les ~s de qn** to read sb's mind *ou* thoughts; **il a eu une ~ pour les victimes de l'accident** he remembered the victims of the accident; **j'ai eu une ~ émue pour mes grands-parents** I thought fondly of my grandparents; **3** (esprit) mind; **venir à la ~ de qn** to come to sb's mind; **elle essayait de chasser l'image de sa ~** she was trying to get the image out of her mind; **en ~, par la ~** [*se représenter, voir*] in one's mind; **nous serons avec vous par la ~** we'll be with you in spirit; **4** (manière de penser) thinking; **~ claire/confuse** clear/muddled thinking; **5** (philosophie) thought; **la ~ moderne/grecque/marxiste** modern/Greek/Marxist thought; **la ~ de Hegel/Machiavel** the thought of Hegel/Machiavelli; **une ~ politique très pauvre** impoverished political ideas (*pl*); **6** (fleur) pansy

(Composé) **~ unique** dominant ideology

penser /pɑ̃se/ [1]

A *vtr* **1** (avoir une opinion) to think (**de** of, about); **~ du bien/du mal de qn/qch** to think well/badly *ou* ill of sb/sth; **qu'est-ce que tu en penses?** what do you think of it?; **il m'a dit ce qu'il pensait du professeur/film** he told me what he thought of the teacher/film; **je ne sais pas quoi ~ de ce livre/de lui/de la situation** I don't know what to make *ou* think of this book/of him/of the situation; **je n'en pense rien** I have no opinion about it; **dire ce que l'on pense** to say what one thinks, to speak one's mind; **qu'est-ce que tu penserais d'un week-end en Normandie?** what would you say to a weekend in Normandy?; **il ne disait rien mais n'en pensait pas moins** he said nothing but it didn't mean that he agreed

2 (croire) to think; **~ que** to think that; **je pense qu'il a raison** I think (that) he's right; **c'est bien ce que je pensais!** I thought as much!; **je (le) pense, je pense que oui** I think so; **je ne (le) pense pas, je pense que non** I don't think so; **je le pensais plus intelligent** I thought he was more intelligent than that; **je pense avoir fait du bon travail** I think I did a good job; **je n'aurais jamais pensé ça de lui** I would never have thought that of him; **il n'est pas aussi bête qu'on le pense** he's not as stupid as people think (he is); **je te le dis comme je le pense** I'm telling you (just) what I think; **quand on dit 'culture' il pense 'ennui'** to him culture spells boredom; **elle ne pense pas un mot de ce qu'elle dit** she doesn't believe a word of what she's saying; **tu penses vraiment ce que tu dis?** do you really mean what you're saying?; **tout laisse** *or* **porte à ~ que** there's every indication that; **je pense bien!** you bet○!, for sure; **vous pensez (bien) que si j'avais su ça...** you can well imagine that if I'd known that...; **vous pensez si j'étais content/furieux!** you can imagine how pleased/angry I was!; **'il s'est excusé?'—'penses-tu!'** 'did he apologize?' —'you must be joking!', 'some hope!'; **pensez donc!** just imagine!

3 (se rappeler) **pense que ça ne sera pas facile** remember that it won't be easy; **ça me fait ~ qu'il faut que je lui écrive** that reminds me that I must write to him/her

4 (avoir l'intention de) **~ faire** to be thinking of doing, to intend to do; **il pense venir demain** he's thinking of coming tomorrow, he intends to come tomorrow; **elle pense déménager bientôt** she intends to move soon; **qu'est-ce que tu penses faire maintenant?** what do you think you'll do now?, what do you intend to do now?

5 (concevoir) to think [sth] up [*appareil, dispositif, projet*]; **c'est bien pensé!** it's well thought out!; **il faut ~ l'avenir, non l'improviser** we've got to plan for the future, not improvise[GB] it

B **penser à** *vtr ind* **1** (songer) **~ à** to think of *ou* about [*personne, endroit*]; (réfléchir à) to think about [*problème, proposition, offre*]; **à quoi penses-tu?** what are you thinking about?; **je pense à elle** I'm thinking of *ou* about her; **on ne peut pas ~ à tout** you can't think of everything; **faire/dire qch sans y ~** to do/say sth without thinking; **il ne pense qu'à lui/à l'argent/à s'amuser** he only thinks of himself/about money/about enjoying himself; **il faudrait ~ à rentrer, il se fait tard** we'd better think about going back, it's getting late; **pense à ce que tu dis!** think about what you're saying!; **pensez aux conséquences/à votre carrière!** think of the consequences/of your career!; **maintenant que j'y pense** now that I (come to) think of it; **ça me rend malade rien que d'y ~** it makes me ill just thinking about it; **c'est simple, il fallait y ~** *or* **il suffisait d'y ~** it's simple, it just required some thinking; **regardez le pendule et ne pensez plus à rien** look at the pendulum and empty your mind; **sans ~ à mal** without meaning any harm; **tu n'y penses pas! c'est trop dangereux!** you can't be serious! it's too dangerous!; **n'y pensons plus!** let's forget about it!; **votre argent vous pouvez vous le mettre où je pense◑!** you can stuff your money you know where○!; **il a reçu le ballon où je pense○** the ball hit him you know where○; **il ne pense qu'à ça○!** he's got a one-track mind!

2 (se souvenir) **~ à** to remember; **pense à écrire à ton grand-père/changer l'ampoule** remember to write to your grandfather/change the lightbulb; **est-ce que tu as pensé à arroser les plantes?** did you remember to water the plants?; **pense à ton rendez-vous** remember your appointment; **pense à ce que t'a dit le docteur!** remember what the doctor told you!; **mais j'y pense, c'est ton anniversaire aujourd'hui!** now I come to think of it it's your birthday today!; **tant que j'y pense** while I think of it; **il me fait ~ à mon père** he reminds me of my father; **fais-moi ~ à acheter du beurre** remind me to buy some butter

3 (envisager) **~ à faire** to be thinking of doing; **elle pense à s'installer en France** she's thinking of moving to France

C *vi* to think; **je pense donc je suis** I think therefore I am; **avec mes films, j'essaie de faire ~ le public** in my films, I try to make people think; **façon de ~** way of thinking; **je lui ai dit ma façon de ~!** I gave him a piece of my mind!; **~ tout haut** to think out loud; **je pense comme vous** I agree with you

penseur /pɑ̃sœʀ/ *nm* thinker

pensif, -ive /pɑ̃sif, iv/ *adj* pensive, thoughtful

pension /pɑ̃sjɔ̃/ *nf* **1** (rente) pension; **2** (hôtel) boarding house; (séjour) board; **frais de ~** accommodation charges; **prendre qn en ~** to take sb as a lodger; **j'ai pris ~ chez eux pendant trois mois** I boarded with them for three months; **3** Scol (école) boarding school; (frais d'école) boarding fees (*pl*); **mettre qn en ~** to send sb to boarding school

(Composés) **~ alimentaire** Jur alimony; **~ complète** Tourisme full board; **~ de famille** Tourisme family hotel; **~ d'invalidité** Assur disability pension; Jur disablement benefit; **~ de retraite = ~ de vieillesse**; **~ de réversion** Prot Soc reversion benefit; **~ viagère** Fin life annuity; **~ de vieillesse** Prot Soc old-age pension

pensionnaire /pɑ̃sjɔnɛʀ/ *nmf* **1** (résident) (d'hôtel) resident; (de prison) inmate; **2** Scol boarder; **3** Théât resident member

pensionnat /pɑ̃sjɔna/ *nm* boarding school

pensionné, ~e /pɑ̃sjɔne/

A *pp* ▸ **pensionner**

B *pp adj* pensioned-off

C *nm,f* pensioner

pensionner /pɑ̃sjɔne/ [1] *vtr* to grant a pension to

pensivement /pɑ̃sivmɑ̃/ *adv* pensively

pensum† /pɛ̃sɔm/ *nm* (punition) imposition GB, punishment; (tâche pénible) chore; (ouvrage ennuyeux) laborious book

pentaèdre /pɛ̃taɛdʀ/

A *adj* pentahedral

B *nm* pentahedron

pentagonal, ~e, *mpl* **-aux** /pɛ̃tagɔnal, o/ *adj* pentagonal

pentagone /pɛ̃tagɔn/ *nm* pentagon

Pentagone /pɛ̃tagɔn/ *nprm* **le ~** the Pentagon

pentamètre /pɛ̃tamɛtʀ/ *nm* pentameter

pentane /pɛ̃tan/ *nm* pentane

Pentateuque /pɛ̃tatøk/ *nm* **le ~** the Pentateuch

pentathlon /pɛ̃tatlɔ̃/ *nm* pentathlon

pentatonique /pɛ̃tatɔnik/ *adj* [*gamme*] pentatonic

pente /pɑ̃t/ *nf* **1** (déclivité) slope; **~ douce/raide** gentle/steep slope; **une ~ de 10%** a gradient of 1 in 10 GB, 10% gradient US; **toit/rue en ~** sloping roof/street; **terrain en ~** sloping plot; **jardin en ~** garden on a slope; **descendre** *or* **aller en ~ douce** to slope gently down; **2** Math gradient; **3** (direction) direction; **être sur la bonne ~** to be going in the right direction; **l'économie est sur la ~ ascendante** the economy is showing an upward trend

(Idiomes) **avoir la dalle** *or* **le gosier en ~○** to drink like a fish○; **être sur la mauvaise ~**, **être sur une ~ savonneuse** [*délinquant*] to be on the slippery slope GB, to be going astray; [*entreprise, économie*] to be going downhill; **remonter la ~** to get back on one's feet

Pentecôte /pɑ̃tkot/ *nf* **1** (chrétienne) (événement) Pentecost; (période) Whitsun; **à la ~** at Whitsun; **week-end/lundi de ~** Whit weekend/Monday; **2** (juive) Pentecost

penthotal® /pɛ̃tɔtal/ *nm* Pentothal®

pentu, ~e /pɑ̃ty/ *adj* [*toit*] pitched (*épith*), sloping; [*chemin*] steep

penture /pɑ̃tyʀ/ *nf* strap hinge

pénultième /penyltjɛm/

A *adj* penultimate

B *nf* penultimate (syllable)

pénurie /penyʀi/ *nf* **1** (manque) shortage (**de** of); **~ pétrolière/alimentaire** oil/food shortage; **~ de main-d'œuvre/de talents** shortage of labour[GB]/talent; **~ de logements** housing shortage; **2** (disette) scarcity, shortage

PEP /pɛp/ *nm* (*abbr* = **plan d'épargne populaire**) *long-term savings plan*

pépé○ /pepe/ *nm* **1** (grand-père) granddad, grandpa○; **2** (vieil homme) granddad○, old man; ▸ **ortie**

pépée○ /pepe/ *nf* chick○, pretty girl

pépère○ /pepɛʀ/

A *adj* [*vie, travail*] cushy○; [*endroit*] nice

B *nm* **1** (grand-père) granddad○, grandpa○; **2** (vieillard) granddad○, old man; **3** (homme) pej fatty○ péj; (bébé) chubby little chap

pépettes◑† /pepɛt/ *nfpl* dough○ ¢, money ¢

pépie /pepi/ *nf* Vét the pip

(Idiome) **avoir la ~** [*personne*] to be parched

pépiement /pepimɑ̃/ *nm* chirping

pépier /pepje/ [2] *vi* to chirp

pépin /pepɛ̃/ *nm* **1** Bot pip; **sans ~s** seedless; **2** ○(ennui) slight problem; **avoir des ~s** to have problems; **3** ○(parapluie) brolly○ GB, umbrella

pépinière /pepinjɛʀ/ *nf* **1** Hort nursery; **2** fig breeding-ground (**de** for)

pépiniériste /pepinjeʀist/ ▸ **p. 532** *nmf* nurseryman/nurserywoman

pépite /pepit/ *nf* (d'or) nugget

(Composé) **~s de chocolat** Culin chocolate chips

péplum /peplɔm/ *nm* **1** Antiq peplos; **2** Cin historical epic

pepsine /pɛpsin/ *nf* pepsin

peptide /pɛptid/ *nm* peptide

peptique /pɛptik/ *adj* peptic

péquenaud○, **~e*** /pɛkno, od/ *nm,f* pej country bumpkin○, hick○ US

péquenot*○ = **péquenaud**

péquin○ /pekɛ̃/ *nm* **1** Mil soldiers' slang civvy○; **s'habiller en ~** to wear civvies○; **2** (individu) fellow○

perborate /pɛʀbɔʀat/ *nm* perborate

perçage /pɛʀsaʒ/ *nm* (de trou) drilling, boring; (de paroi) boring through

percale /pɛʀkal/ *nf* percale

(Composé) **~ glacée** chintz

percaline /pɛʀkalin/ *nf* percaline

perçant, **~e** /pɛʀsɑ̃, ɑ̃t/ *adj* **1** [*cri, voix*] shrill; [*regard*] piercing; **2** [*vue*] sharp

perce /pɛʀs/ *nf* **mettre en ~** to broach, to tap [*tonneau*]

percée /pɛʀse/ *nf* **1** (dans une forêt, un mur, un quartier) opening; **2** (progrès rapide) breakthrough; **3** Mil breakthrough; **4** Sport (au rugby) break

percement /pɛʀsəmɑ̃/ *nm* (de tunnel) boring; (de route) (ouverture) clearing; (construction) building; **le ~ de trois fenêtres** making three window openings

perce-neige* /pɛʀsənɛʒ/ *nm or f inv* snowdrop

perce-oreille, *pl* **~s** /pɛʀsɔʀɛj/ *nm* earwig

percepteur, **-trice** /pɛʀsɛptœʀ, tʀis/
A *adj* [*organe*] sensory
B *nm* tax inspector

perceptibilité /pɛʀsɛptibilite/ *nf* perceptibility

perceptible /pɛʀsɛptibl/ *adj* **1** [*son, nuance*] perceptible (**à** to); **2** Fisc [*somme, montant, impôt*] payable

perceptif, **-ive** /pɛʀsɛptif, iv/ *adj* **1** [*interprétation*] perceptual; **2** [*personne*] perceptive

perception /pɛʀsɛpsjɔ̃/ *nf* **1** Fisc (bureau) tax office; **2** (d'impôt) collection; **3** Psych perception

percer /pɛʀse/ [12]
A *vtr* **1** (transpercer) to pierce [*corps, surface, armure*]; (crever) to burst [*abcès, tympan*]; **se faire ~ les oreilles** to have one's ears pierced; **avoir les oreilles percées** to have pierced ears; **un cœur percé d'une flèche** a heart pierced by an arrow; **cela me perce le cœur** it breaks my heart; **~ qn de coups de couteau** to stab sb repeatedly with a knife; **il avait la poitrine percée de coups de couteau** he had knife-wounds in the chest; **2** (faire un trou dans) **~ qch, ~ un trou dans qch** gén to make a hole in [*seau, poche*]; (avec une perceuse) to drill *ou* bore a hole through [*mur, bois*]; (avec une pointe fine) to pierce a hole in [*coquille, couvercle*] ; **~ un coffre-fort** to break open a safe; **ma poche est percée** there's a hole in my pocket; **avoir des souliers percés** to have holes in one's shoes; **3** (créer une ouverture, une voie) to make [*fenêtre, porte*] (**dans** in); to build [*route, canal, tunnel*] (**dans, à travers** through); **percer le front ennemi** to break through the ennemi front lines; **un mur percé de meurtrières** a wall with loopholes in it; **4** (traverser) to pierce [*silence, air*]; to break through [*nuages*]; **une lumière perça l'obscurité** a ray of light pierced the darkness; **mes yeux avaient du mal à ~ l'obscurité** I had difficulty in making anything out in the darkness; **5** (découvrir) to penetrate [*secret, mystère*]; to uncover [*complot*]; **~ qn à jour** to see through sb; **6** Physiol **~ ses** *or* **des dents** to be teething; **il a percé une dent** he's cut a tooth
B *vi* **1** (apparaître) [*soleil, rayon*] to break through; [*plante*] to come up; [*dent*] to come through; **elle a une dent qui perce** she is cutting a tooth; **2** Mil, Sport to break through; **3** (se révéler) [*agacement, inquiétude*] to show; **laisser ~** to show [*dépit, émotion*]; **rien n'a percé de leur rencontre** nothing has emerged about their meeting; **4** (réussir) [*acteur, écrivain*] to become known, to make it○

perceuse /pɛʀsøz/ *nf* drill

(Composé) **~ à percussion** hammer drill

perceuse-visseuse, *pl* **perceuses-visseuses** /pɛʀsøzvisøz/ *nf* combined drill-screwdriver

percevable /pɛʀsəvabl/ *adj* [*taxe*] payable

percevoir /pɛʀsəvwaʀ/ [5] *vtr* **1** (recouvrer) to collect [*impôt*]; (recevoir) to receive [*pension, droits d'auteur, salaire, loyer*]; **2** Physiol (par les sens) to perceive [*couleur, odeur, bruit*]; to experience [*sensation, douleur*]; to feel [*vibration*]; **3** (par l'esprit) to appreciate [*signification, gravité*]; to become aware of, to perceive [*changement*]; **être perçu comme** to be seen as; **4** (accepter) **être bien/mal perçu** to be well/badly received

perche /pɛʀʃ/ *nf* **1** (bâton) gén pole; (de téléski) T-bar; (pour micro) (microphone) boom; **2** ○(personne) **(grande) ~** beanpole○; **3** Sport (activité) pole-vaulting; **4** (poisson) perch; **5** (de trolley bus) current collector; **6** (mesure de longueur) rod, perch

(Idiome) **tendre la ~ à qn** to throw sb a line

perché, **~e** /pɛʀʃe/
A *pp* ▸ **percher**
B *pp adj* **1** [*maison, village, antenne, girouette*] perched (**sur** on); **village haut ~ dans les montagnes** village high up in the mountains; **voix haut ~e** high-pitched voice; **2** [*personne*] perched (**sur** on); **~ sur des échasses** standing on stilts; **~e sur de hauts talons** teetering on high heels; **ma valise est ~e en haut de l'armoire** my suitcase is on top of the wardrobe

percher /pɛʀʃe/ [1]
A *vtr* **~ qch sur une étagère** to stick sth up on a shelf; **~ un enfant sur un mur** (asseoir) to perch a child on a wall; (mettre debout) to stand a child on a wall
B *vi* **1** [*oiseau*] (se poser) to perch (**sur** on); (pour la nuit) to roost (**dans** in; **sur** on); **les oiseaux qui perchent** perching birds; **2** ○[*personne*] (loger) to live; (passer la nuit) to kip○ GB, to crash○; **3** ○[*maison, lieu*] to be; **où elle perche, ta maison**○**?** where exactly is your house?
C **se percher** *vpr* [*oiseau*] to perch (**sur** on); [*personne*] (sur un mur, une échelle) to perch (**sur** on); (sur des échasses) to stand (**sur** on)

percheron, **-onne** /pɛʀʃəʀɔ̃, ɔn/
A *adj* **1** ▸ **p. 721** [*population*] of the Perche; **2** [*cheval, jument, race*] Percheron
B *nm* (cheval) Percheron

Percheron, **-onne** /pɛʀʃəʀɔ̃, ɔn/ *nm,f* (natif) native of the Perche; (habitant) inhabitant of the Perche

percheur, **-euse** /pɛʀʃœʀ, øz/ *adj* **oiseau ~** perching bird

perchiste /pɛʀʃist/ ▸ **p. 532** *nmf* **1** (sauteur) pole-vaulter; **2** Cin, Radio, TV boom operator; **3** (de télésiège) ski-lift attendant; **4** (de cirque) perch artist

perchlorate /pɛʀklɔʀat/ *nm* perchlorate

perchman, *pl* **perchmen** /pɛʀʃman, mɛn/ ▸ **p. 532** *nm* controv **1** TV, Cin, Radio boom operator; **2** (de télésiège) ski-lift attendant

perchoir /pɛʀʃwaʀ/ *nm* **1** (pour se poser) lit, fig perch; (pour la nuit) lit roost; **2** ○Pol Speaker's Chair; **au ~** in the Speaker's chair

perclus, **~e** /pɛʀkly, yz/ *adj* crippled (**de** with); fig paralyzed (**de** with)

percolateur /pɛʀkɔlatœʀ/ *nm* (espresso) coffee machine

percussion /pɛʀkysjɔ̃/ *nf* **1** Mus **~s** (instruments) percussion instruments; (dans un orchestre) percussion section; (tambours) drums; **2** Méd, Mil percussion; **3** Phys impact

percussionniste /pɛʀkysjɔnist/ *nmf* ▸ **p. 532** percussionist

percutant, **~e** /pɛʀkytɑ̃, ɑ̃t/ *adj* **1** fig [*critique, attaque*] hard-hitting; [*logique, style*] trenchant; [*portrait, démonstration*] striking; [*personne*] forceful; [*slogan*] punchy○; **2** Mus [*son*] percussive; **3** Mil percussion (*épith*)

percuter /pɛʀkyte/ [1]
A *vtr* **1** Aut [*voiture, chauffeur*] to hit; **2** Tech to strike; **3** Méd to percuss [*organe, articulation*]
B *vi* **1** **~ contre** [*véhicule*] to crash into; [*obus*] to explode against; **2** ○(comprendre) to understand, to get it○
C **se percuter** *vpr* [*véhicules*] to collide

percuteur /pɛʀkytœʀ/ *nm* (de fusil, mitrailleuse) firing pin; (de fusil de chasse) hammer

perdant, **~e** /pɛʀdɑ̃, ɑ̃t/
A *adj* [*numéro*] losing (*épith*); **être ~** (désavantagé) to have lost out; (ne pas gagner) to have lost; **partir ~** (désavantagé) to be at a disadvantage from the word go; (défaitiste) to have a defeatist attitude from the word go
B *nm,f* loser

perdition /pɛʀdisjɔ̃/ *nf* **lieu de ~** den of iniquity; **en ~** [*pays, entreprise*] in trouble (*après n*); [*navire*] in distress (*après n*); **âme en ~** damned soul

perdre /pɛʀdʀ/ [6]
A *vtr* **1** (égarer) to lose; **~ un bouton à sa chemise** to lose a button from one's shirt; **~ qch/qn de vue** lit, fig to lose sight of sth/sb
2 (ne pas conserver) to lose [*argent, ami, emploi, droit, place, tour, vue, voix*]; **~ 1 000 euros sur une vente** to lose 1,000 euros on a sale; **~ la vie/la mémoire** to lose one's life/one's memory; **~ du poids/du sang** to lose weight/blood; **je perds mes cheveux** I'm losing my hair; **j'ai quelques kilos à ~** I need to lose a few kilos; **tu n'as rien/tu as tout à ~** you've got nothing/you've got everything to lose; **~ le soutien/l'estime de qn** to lose sb's support/respect; **j'en ai perdu le sommeil/l'appétit** I've lost sleep/my appetite over it; **~ patience/courage** to lose patience/heart; **~ son calme** to lose one's temper; **il a perdu de son arrogance** he's become more humble; **~ le contrôle de son véhicule** to lose control of one's vehicle; **~ de l'importance** to become less important; **~ toute son importance** to lose all importance; **leurs actions ont perdu 9%** their shares have dropped 9%; **sans ~ le sourire, elle a continué** still smiling, she went on; ▸ **dix**
3 (se débarrasser de) to shed [*feuilles, fleurs, emplois*]; **ton chien perd ses poils** your dog is moulting GB *ou* molting US; **ton manteau perd ses poils** your coat is shedding (its) hairs
4 (voir mourir) to lose [*parents, ami*]
5 (ne pas remporter) to lose [*élections, bataille, procès*]
6 (manquer) to miss [*chance*]; **tu n'as rien perdu (en ne venant pas)** you didn't miss anything (by not coming); **tu ne les connais pas? tu n'y perds rien** don't you know them? you're not missing much; **ne pas (vouloir) ~ un mot de ce que qn dit** to hang on sb's every word
7 (gaspiller) to waste [*journée, mois, années*]; **perdre son temps** to waste one's time; **il n'y a pas de temps à ~** there's no time to lose; **tu as de l'argent à ~!** you've got money to burn!; **elle a du temps à ~** she's got nothing better to do; **sans ~ un instant** immediately; **il est venu sans ~ une minute** he didn't waste any time in coming; **venez sans ~ une minute** *ou* **un instant** come straight away
8 (ne plus suivre) to lose; **~ son chemin** *or* **sa route** to lose one's way, to get lost; **~ la trace d'une bête** to lose the trail of an animal

9 (mal retenir) **je perds mon bracelet** my bracelet is coming off; **je perds mes chaussures** my shoes are too big; **je perds mon pantalon** my trousers are coming down *ou* falling down
10 (ruiner) to bring [sb] down; **cet homme te perdra** that man will be your undoing
B *vi* 1 (être perdant) to lose; **~ aux élections** to lose the election; **j'y perds** I lose out
2 (diminuer) **~ en gentillesse/crédibilité** to be less kind/credible; **~ en anglais** to lose *ou* forget (some of) one's English
C se perdre *vpr* 1 (s'égarer) to get lost
2 (s'embrouiller) to get mixed up; **toutes ces dates, je m'y perds** all these dates, I'm all mixed up *ou* confused; **ne vous perdez pas dans des détails** don't get bogged down in details; **je me perdais dans mes explications** I was getting bogged down in my explanation
3 (être absorbé) **se ~ dans ses pensées** to be lost in thought; **se ~ dans la contemplation de qch** to gaze contemplatively at sth
4 (disparaître) (cesser d'être vu) to disappear; (cesser d'être entendu) [*cri, appel*] to be lost; **une tradition dont les origines se perdent dans la nuit des temps** a tradition whose origins are lost in the mists of time
5 (ne pas être utilisé) [*aliment, récolte*] to go to waste; **il y a des claques qui se perdent**○**!** somebody's looking for a good smack!
6 (tomber en désuétude) [*coutume, tradition*] to die out; **le sens littéral s'est perdu** the literal meaning has been lost
(Idiome) **~ la tête** *or* **la raison** *or* **l'esprit** (devenir fou) to go out of one's mind; (paniquer) to lose one's head

perdreau, *pl* **~x** /pɛʀdʀo/ *nm* 1 Zool young partridge; 2 Culin partridge

perdrix /pɛʀdʀi/ *nf inv* partridge

perdu, **~e** /pɛʀdy/
A *pp* ▸ **perdre**
B *pp adj* 1 [*bracelet, enfant, liberté, illusion*] lost; **chien ~** stray dog; **balle ~e** stray bullet; 2 [*match, élection*] lost; **tout n'est pas ~** all is not lost; **tout est ~** it's all over; **c'est ~ d'avance** it's hopeless; 3 [*journée, occasion*] wasted; **c'est un samedi de ~** that was a wasted Saturday; **c'est du temps ~** it's a waste of time; **à tes moments ~s** in your spare *ou* free time; 4 (condamné) **il est ~** (face au danger, en cas de maladie) there's no hope for him; (ruiné) he's ruined, he's had it○; **les fraisiers sont ~s** the strawberry plants have died *ou* have had it○; 5 (embrouillé) [*personne*] lost; 6 (endommagé) [*récolte, vêtement*] ruined; [*aliment*] spoiled; 7 (vague) **le regard ~ dans le vide** staring into space
C *adj* 1 (isolé) [*endroit, village*] remote, isolated; **vivre dans un coin ~** to live in a godforsaken spot; **~ au milieu de l'océan/des bois** lost in the middle of the ocean/of the woods; **maison ~e dans l'obscurité/la brume** house shrouded in darkness/mist; **salle ~e au bout d'un couloir** room tucked away at the end of a corridor; 2 (non réutilisable) disposable; (non consigné) non returnable
(Idiomes) **se lancer à corps ~ dans** to throw oneself headlong into; **ce n'est pas ~ pour tout le monde** somebody will do all right out of it; **crier/courir comme un ~** to shout/run like a madman

perdurer /pɛʀdyʀe/ [1] *vi* liter [*situation, conflit*] to continue; [*sentiment, phénomène*] to endure

père /pɛʀ/
A *nm* 1 (géniteur) father; **devenir ~** to become a father; **il est marié et ~ de deux enfants** he is married with two children; **de ~ en fils** [*transmis, passer*] from father to son; **ils sont banquiers de ~ en fils** they have been bankers for generations; **Dupont ~** Dupont senior; ▸ **avare**; 2 Zool, Biol (d'animal) gén male parent; (de cheval, d'animal domestique) sire; 3 Relig (titre) Father; **le ~ Joseph** Father Joseph; **mon ~** Father; **un ~ dominicain** a dominican friar; **un ~ jésuite** a Jesuit priest; 4 fig (inventeur) father; **le ~ fondateur** the founding father; 5 ○(monsieur) **le ~ Dupont** old○ Dupont
B pères *nmpl* (ancêtres) forefathers
(Composés) **~ abbé** abbot; **~ adoptif** adoptive father; **~ biologique** biological father; **~ blanc** White Father; **~ de famille** father; **être ~ de famille** to have a family to look after; **placement/valeur de ~ de famille** safe *ou* low-risk investment; **en bon ~ de famille** as a responsible tenant; **le ~ Noël** Father Christmas GB, Santa Claus; **~ peinard**○ easy-going bloke○ GB *ou* guy; **~ spirituel** spiritual father; **~ tranquille** mild-mannered fellow; **Père de l'Église** Church Father, Father of the Church

pérégrinations /peʀegʀinasjɔ̃/ *nfpl* peregrinations, travels

péremption /peʀɑ̃psjɔ̃/ *nf* 1 Comm **date de ~** use-by date; 2 Jur extinction

péremptoire /peʀɑ̃ptwaʀ/ *adj* 1 [*ton*] peremptory; **sur un ton ~** peremptorily; 2 [*preuve, argument*] conclusive

pérenniser /peʀenize/ [1] *vtr* 1 gén to perpetuate; 2 Admin to confirm [sb] in an appointment

pérennité /peʀenite/ *nf* liter permanence; **croire à la ~ de la paix** to believe that the peace is permanent

péréquation /peʀekwasjɔ̃/ *nf* 1 Admin (des pensions, salaires) adjustment; Fisc cross-subsidization; 2 Écon adjustment

perestroïka* /peʀɛstʀɔika/ *nf* perestroika

perfectibilité /pɛʀfɛktibilite/ *nf* perfectibility

perfectible /pɛʀfɛktibl/ *adj* perfectible

perfectif, **-ive** /pɛʀfɛktif, iv/ Ling
A *adj* perfective
B *nm* perfective

perfection /pɛʀfɛksjɔ̃/ *nf* perfection; **à la ~** to perfection; **être une ~** [*personne, chose*] to be a gem

perfectionné, **~e** /pɛʀfɛksjɔne/
A *pp* ▸ **perfectionner**
B *pp adj* [*machine, système*] advanced

perfectionnement /pɛʀfɛksjɔnmɑ̃/ *nm* improvement (**de** of); **un rapide ~ des moyens de production** a rapid improvement in the means of production

perfectionner /pɛʀfɛksjɔne/ [1]
A *vtr* to perfect [*technique, machine*]; to refine [*art*]
B se perfectionner *vpr* [*technique, outils*] to improve; **se ~ en allemand** to improve one's German

perfectionnisme /pɛʀfɛksjɔnism/ *nm* perfectionism

perfectionniste /pɛʀfɛksjɔnist/ *adj, nmf* perfectionist

perfecto® /pɛʀfɛkto/ *nm* black biker's jacket

perfide /pɛʀfid/
A *adj* liter [*personne, conseil, propos*] perfidious, treacherous; [*eaux*] treacherous; **et il ajoute, ~...** he adds, treacherously...
B *nmf* liter gén traitor; (amant) faithless lover
(Composé) **la ~ Albion** perfidious Albion

perfidement /pɛʀfidmɑ̃/ *adv* liter treacherously

perfidie /pɛʀfidi/ *nf* liter 1 (caractère) perfidy, treachery; 2 (action) treachery

perforant, **~e** /pɛʀfɔʀɑ̃, ɑ̃t/ *adj* [*instrument*] perforating; [*ulcère, lésion*] perforated; [*projectile*] armour[GB]-piercing; [*insecte, mollusque*] boring

perforateur, **-trice** /pɛʀfɔʀatœʀ, tʀis/
A *nm,f* Ordinat (employé) punch card operator
B *nm* Méd perforator
C perforatrice *nf* 1 (pour papier, carton) punch; Ordinat card punch; 2 Tech (outil) drill; (machine) drilling machine
(Composé) **~ à air comprimé** pneumatic drill

perforation /pɛʀfɔʀasjɔ̃/ *nf* 1 gén, Méd perforation; 2 Ordinat (opération) punching; (trou) punched hole

perforatrice ▸ **perforateur A, C**

perforer /pɛʀfɔʀe/ [1] *vtr* 1 (percer) gén to pierce; (de trous réguliers) to perforate; Méd to perforate; **ulcère perforé** perforated ulcer; 2 (poinçonner) to punch; **bande perforée** Ordinat punched tape; **carte perforée** Ordinat punch card

perforeuse /pɛʀfɔʀøz/ *nf* Ordinat 1 (machine) card punch; 2 ▸ **p. 532** (employée) card punch operator

performance /pɛʀfɔʀmɑ̃s/ *nf* 1 (résultat) result, performance; (record, exploit) achievement; **réaliser une belle ~** to achieve a good result; **améliorer sa ~** to improve one's performance; **c'est une véritable ~** it's a real achievement; **~ d'acteur** acting performance; 2 Écon, Fin (résultats, rendement) **~s** performance ₵; **les ~s des actions sont bonnes** the shares have performed well; 3 Tech (d'avion, de machine) performance; **voiture de haute ~** high-performance car; 4 Psych performance; **test de ~** performance test; 5 Ling performance

performant, **~e** /pɛʀfɔʀmɑ̃, ɑ̃t/ *adj* 1 Tech [*voiture*] performance (*épith*); [*personne, techniques*] efficient; [*matériel*] high-performance (*épith*); 2 Fin [*action*] performing; [*investissement*] high-return (*épith*); 3 Écon [*entreprise, société*] competitive

performatif /pɛʀfɔʀmatif/ *nm* performative

perfusion /pɛʀfyzjɔ̃/ *nm* Méd drip GB, IV US; **sous ~** on a drip GB *ou* an IV US

pergola /pɛʀgɔla/ *nf* (tonnelle) pergola

périanthe /peʀjɑ̃t/ *nm* Bot perianth

péricarde /peʀikaʀd/ *nm* pericardium

péricardite /peʀikaʀdit/ ▸ **p. 283** *nf* pericarditis

péricarpe /peʀikaʀp/ *nm* pericarp

péricliter /peʀiklite/ [1] *vi* [*affaire, économie*] to be on the decline; **son affaire a périclité** his business collapsed

péridot /peʀido/ *nm* Minér peridot

péridural, **~e**, *mpl* **-aux** /peʀidyʀal, o/
A *adj* epidural
B péridurale *nf* epidural

périf○ /peʀif/ *nm* ring road GB, beltway US

périgée /peʀiʒe/ *nm* perigee

périglaciaire /peʀiglasjɛʀ/ *adj* periglacial

Périgord /peʀigɔʀ/ ▸ **p. 721** *nprm* **le ~** Périgord

périgourdin, **~e** /peʀiguʀdɛ̃, in/ ▸ **p. 721**
A *adj* from Périgord
B *nm* Ling **le ~** the Périgord dialect

Périgourdin, **~e** /peʀiguʀdɛ̃, in/ ▸ **p. 721** *nprm,f* (natif) native of Périgord; (habitant) inhabitant of Périgord

Périgueux /peʀigø/ ▸ **p. 894** *npr* Périgueux

péril /peʀil/ *nm* liter peril littér, danger; **affronter des ~s** to confront danger; **les ~s de la mer** the perils of the sea; **il y a ~ à faire** it is dangerous to do; **au ~ de sa vie** at the risk of one's life; **à ses risques et ~s** at one's own risk; **il n'y a pas ~ en la demeure** what's the hurry?; **mettre en ~** to imperil littér [*démocratie, liberté, indépendance*]; to jeopardize [*avenir, chances*]; to threaten [*survie, patrimoine*]; to endanger [*santé, qualité*]
(Composé) **le ~ jaune** Pol the yellow peril

périlleusement /peʀijøzmɑ̃/ *adv* liter perilously littér, dangerously

périlleux, **-euse** /peʀijø, øz/ *adj* liter perilous littér, dangerous

périmé, **~e** /peʀime/
A *pp* ▸ **périmer**
B *pp adj* 1 [*passeport, billet*] out-of-date (*épith*); **son passeport est ~** his passport has expired; 2 Comm **ce produit est ~** this product has passed its use-by date; 3 (désuet) [*idée, coutume, institution*] outdated

périmer /peʀime/ [1]
A vtr to make [sth] obsolete [*idéal, théorie*]
B se périmer vpr **1** (expirer) [*billet, passeport*] to expire; **laisser ~ qch** to let sth expire; **2** (se démoder) [*idée, style, meuble*] to become dated; [*institution*] to become old-fashioned; **3** Jur [*instance*] to lapse; **laisser ~ une instance** to allow proceedings to lapse

périmètre /peʀimɛtʀ/ nm **1** Math (contour) perimeter; **2** (espace enclos) area; **à l'intérieur de ce ~** within this area *ou* zone; **dans le ~ de l'usine/l'école** on the factory/school premises; **dans un ~ de 30 km autour de la centrale nucléaire** within a 30 km radius of the nuclear power station

(Composé) **~ de sécurité** safety zone

périnatal, ~e /peʀinatal/ adj perinatal

périnatalité /peʀinatalite/ nf perinatal period; **programme de ~** perinatal programme[GB]

périnatologie /peʀinatɔlɔʒi/ nf Méd perinatology

périnéal, ~e, mpl **-aux** /peʀineal, o/ adj perineal

périnée /peʀine/ nm perineum

période /peʀjɔd/ nf **1** gén period; **pendant la ~ d'essai/de Pâques** during the trial/Easter period; **la ~ Brejnev** the Brezhnev era; **elle traverse une ~ Elvis** hum she's going through an Elvis phase; **en ~ de crise** at a time of crisis; **en ~ électorale** at election time; **on est en (pleine) ~ électorale/de crise** we are (right) in the middle of an election/a crisis; **par ~s** periodically; **2** Météo period; (plus court) spell; **3** Mil **~ (d'instruction)** training; **4** Math (de fonction) period; (de fraction) repetend; **5** Sport (de match) half

périodicité /peʀjɔdisite/ nf periodicity

périodique /peʀjɔdik/
A adj **1** Chimie, Phys periodic; **2** Presse periodical; **3** Méd [*fièvre, maladie*] recurring; **4** (hygiénique) [*protection, garniture*] sanitary; **5** Math [*fonction*] periodic; **fraction ~** recurring decimal
B nm periodical

périodiquement /peʀjɔdikmɑ̃/ adv periodically

périoste /peʀjɔst/ nm periosteum

péripatéticien, -ienne /peʀipatetisjɛ̃, ɛn/
A adj, nm,f Philos Peripatetic
B péripatéticienne nf hum streetwalker

péripétie /peʀipesi/ nf **1** (incident) incident; (événement) event; (aventure) adventure; **après maintes ~s** (incidents) after many ups and downs; (aventures) after many adventures; **les ~s de** (procès, voyage, etc) the eventful moments of; **séjour plein de** *or* **riche en ~s** eventful stay; **2** Littérat, Théât **la ~** the peripeteia; **les ~s de l'intrigue** the twists and turns of the plot

périphérie /peʀifeʀi/ nf periphery; **à la ~ de la capitale** on the periphery of the capital

périphérique /peʀifeʀik/
A adj **1** gén peripheral; (quartier) outlying (*épith*); **2** Radio **radio ~** *broadcasting station situated outside the territory to which it transmits*
B nm **1** Transp ring road GB, beltway US; **2** Ordinat peripheral; **~ d'entrée/de sortie** input/output device

périphrase /peʀifʀɑz/ nf circumlocution, periphrasis spéc

périphrastique /peʀifʀastik/ adj circumlocutory, periphrastic spéc

périple /peʀipl/ nm gén journey; (en bateau) voyage

périr /peʀiʀ/ [3] vi **1** (mourir) liter to die (**de** of); **faire ~ qn/qch** to kill sb/sth; **il a péri noyé** he was drowned, he drowned; **2** Naut [*navire*] to go down; **3** (disparaître) liter [*œuvre*] to be destroyed; [*culture, liberté, espoir, souvenir*] to perish littér; [*empire, régime*] to fall; **4** (se détériorer) [*denrées*] to perish

périscolaire /peʀiskɔlɛʀ/ adj extracurricular

périscope /peʀiskɔp/ nm periscope

périscopique /peʀiskɔpik/ adj periscopic

périssable /peʀisabl/ adj **1** Comm perishable; **denrées ~s** perishable goods; **2** fig [*œuvre*] ephemeral; [*sentiment, être*] transient

périssoire /peʀiswaʀ/ nf canoe

péristaltique /peʀistaltik/ adj peristaltic

péristaltisme /peʀistaltism/ nm peristalsis

péristyle /peʀistil/ nm peristyle

Péritel® /peʀitɛl/ nf **prise ~** (femelle) scart socket; (mâle) scart plug

péritoine /peʀitwan/ nm peritoneum

péritonite /peʀitɔnit/ ▸ p. 283 nf peritonitis

perle /pɛʀl/
A ▸ p. 202 adj inv **(gris) ~** pearl grey GB *ou* gray US
B nf **1** (d'huître) pearl; (de verre, bois, plastique) bead; **collier de ~s** string of pearls; ▸ **faux**[1]; **2** (être ou chose d'exception) gem; **c'est la ~ des maris/cuisiniers** he's a gem of a husband/cook; **~ de bon sens/d'économie** paragon of common sense/of thrift; **épouser une ~** to marry a wonderful man/woman; **ma femme de ménage est une vraie ~** my cleaning lady is a real treasure; **3**○(erreur grossière) howler○ **(de in)**; **4** liter (goutte) **~ de rosée** dewdrop; **~ de sang** drop(let) of blood; **~ de sueur** bead of sweat

(Composés) **~ de culture** cultured pearl; **~ fine** real pearl; **~ naturelle** = **~ fine**; **~ rare** fig real treasure; **chercher/trouver la ~ rare** to look for/to find someone special; **~s de bain** Cosmét bath pearls

(Idiomes) **il n'est pas ici pour enfiler des ~s** he's not here to amuse himself; **jeter des ~s aux cochons** *or* **pourceaux** to cast one's pearls before swine

perlé, ~e /pɛʀle/ adj **1** [*orge*] pearl (*épith*); [*riz*] polished; **2** Tex **coton ~** pearl cotton; [*laine*] pearlized; **3** Cout [*broderie, vêtement*] beaded; **4** fig **rire ~** rippling laugh

perler /pɛʀle/ [1] vi [*goutte, larme*] to appear; **la sueur perlait sur son front** beads of sweat stood out on his/her brow

perliculture /pɛʀlikyltyʀ/ nf pearl farming

perlier, -ière /pɛʀlje, ɛʀ/ adj pearl (*épith*)

perlimpinpin /pɛʀlɛ̃pɛ̃pɛ̃/ nm **poudre de ~** hum magical cure

perlouze◐ /pɛʀluz/ nf (perle) pearl

perm○ /pɛʀm/ nf **1** soldiers' slang = **permission 2**; **2** schoolchildren's slang = **permanence A 4**

permafrost /pɛʀmafʀɔst/ nm permafrost

permanence /pɛʀmanɑ̃s/
A nf **1** (absence d'interruption) permanence; (répétition) persistence; **2** (service) **'~ de 8 à 9 heures'** open from 8 am till 9 am; **~ téléphonique** manned line; **être de ~** to be on duty; **assurer** *or* **tenir une ~** [*personne*] to be on duty; [*député, avocat*] to hold a surgery GB, to have office hours US; **3** (local) permanently manned office; **~ du parti** party offices (*pl*); **4** Scol (salle) (private) study room GB, study hall US; (période) (private) study period
B en permanence loc adv **1** (sans interruption) permanently; **siéger en ~** to be in permanent session; **ouvert en ~** open around the clock; **2** (très fréquemment) constantly; **donner des informations en ~** [*chaîne, radio*] to give continuous *ou* round-the-clock news coverage

permanent, ~e /pɛʀmanɑ̃, ɑ̃t/
A adj **1** (qui reste en fonction) [*bureau, personnel, exposition, assemblée*] permanent; [*comité, armée*] standing (*épith*); **2** (qui se maintient) [*tension, contact, effort, danger*] constant; [*spectacle, formation*] continuous; [*invalidité, incapacité*] permanent; **cinéma ~ de 13 à 23 heures** continuous performances from 1 pm to 11 pm; **de façon ~e** [*séjourner*] permanently; [*augmenter, se succéder*] constantly; **3** Phys [*aimant, gaz*] permanent; **4** Cout [*pli, plissé*] permanent
B nm,f (employé) permanent employee; (membre) permanent member
C permanente nf perm; **~e à chaud/à froid** hot/cold perm; **faire une ~e à qn** to give sb a perm; **se faire faire une ~e** to have one's hair permed

permanenté, ~e /pɛʀmanɑ̃te/ adj permed

permanenter /pɛʀmanɑ̃te/ [1] vtr to perm [*cheveux*]; **se faire ~** to have a perm; **cheveux permanentés** permed hair

permanganate /pɛʀmɑ̃ganat/ nm permanganate

perméabilité /pɛʀmeabilite/ nf **1** (de matière) permeability (**à** to); **2** fig (de personne) susceptibility (**à** to); (de frontière, marché) openness; **à cause de la ~ des frontières** because the frontiers are easily crossed

perméable /pɛʀmeabl/ adj **1** (à l'air, l'eau) permeable (**à** to); **2** fig [*frontière*] easily crossed; [*marché*] easily penetrated; **être ~ à une influence** to be susceptible to an influence

permettre /pɛʀmɛtʀ/ [60]
A vtr **1** (donner l'autorisation) to allow; **je ne le permettrai pas** I won't allow it; **je ne permets pas qu'on dise du mal d'elle** I won't hear a word against her; **~ à qn de faire qch** to allow sb to do sth, to give sb permission to do sth; **il nous a permis de sortir ce soir** he allowed us *ou* gave us permission to go out tonight; **est-ce que vous savez s'il est permis de fumer/prendre des photos ici?** do you know if smoking is allowed here?/if you're allowed to take photos here?; **permettez-moi de vous accompagner** allow me to accompany you; **permets-moi de te dire que** let me tell you that; **permettez-moi d'ajouter que** I would like to add that; **vous permettez que j'ouvre la fenêtre/que je fume?** do you mind if I open the window/if I smoke?; **(vous) permettez! j'étais là avant!/je n'ai pas dit cela!** excuse me! I was here first!/I didn't say that!; **ça, permettez-moi d'en douter** I'm sorry, I have my doubts about that; **c'est pas permis**○ **d'être aussi pingre/hypocrite!** how can anyone be so stingy/such a hypocrite?; **il est pingre/menteur comme c'est pas permis**○ he's incredibly stingy/an incredible liar; **il est permis de se poser des questions** one is entitled to wonder; **tous les espoirs sont permis** there is every hope of success **2** (donner les moyens) **des mesures pour ~ une reprise rapide de l'économie/la création de nouveaux emplois** measures to ensure rapid economic recovery/the creation of new jobs; **ça permet une meilleure tenue de route** it ensures *ou* makes for better roadholding; **si le temps le permet** weather permitting; **dès que les circonstances le permettront** as soon as circumstances allow *ou* permit; **je viendrai si mon emploi du temps (me) le permet** I'll come if my schedule allows *ou* permits; **ce procédé permet de consommer moins d'énergie** this system makes it possible to use less energy; **~ à qn de faire** to allow *ou* enable sb to do, to give sb the opportunity to do; **ça m'a permis de travailler plus longtemps/d'économiser** it allowed *ou* enabled me *ou* gave me the opportunity to work longer/to save money; **un accord qui devrait ~ à la France d'exporter davantage** an agreement that should enable *ou* allow France to export more; **leurs moyens ne le leur permettent pas** they can't afford it; **ma santé ne me permet pas de faire du sport** my health prevents me from doing any sport; **autant qu'il est permis d'en juger** as far as one can tell
B se permettre vpr **je peux me ~ ce genre de plaisanterie avec lui** I can get away with telling him that kind of joke; **il se permet bien des choses** *or* **bien des familiarités avec elle**

P

he takes a lot of liberties with her; **puis-je me ~ une remarque?** might I say something?; **se ~ de faire** to take the liberty of doing; **il s'est permis d'entrer sans frapper/d'utiliser mon ordinateur** he took the liberty of coming in without knocking/of using my computer; **je me suis permis de lui faire la remarque/de lui dire ce que je pensais** I ventured to point it out to him/to tell him what I thought, I took the liberty of pointing it out to him/of telling him what I thought; **tu ne peux pas te ~ d'être en retard à ton rendez-vous** you can't afford to be late for your appointment; **je ne peux pas me ~ d'acheter une nouvelle voiture** I can't afford to buy a new car; **puis-je me ~ de vous offrir un verre?** would you care for a drink?; **puis-je me ~ de vous raccompagner?** fml might I be allowed to escort you home?; **'je me permets de vous écrire au sujet de...'** 'I'm writing to you about...'

permien, -ienne /pɛʀmjɛ̃, ɛn/
A *adj* Permian
B *nm* Permian

permis, ~e ➜ /pɛʀmi, iz/
A *pp* ▸ **permettre**
B *pp adj* [*limites*] permitted
C *nm inv* permit, licence GB, license US
(Composés) **~ de chasse** hunting permit; **~ de conduire** (document) driver's licence[GB]; (examen) driving test; **~ de construire** planning permission GB, building permit US; **~ de démolition** demolition consent; **~ d'inhumer** burial certificate; **~ moto** motorcycle licence[GB]; **~ de navigation** certificate of seaworthiness; **~ de pêche** fishing permit; **~ poids lourd** heavy goods vehicle licence GB, HGV licence GB, articulated-vehicle license US; **~ de port d'armes** gun licence[GB]; **~ de séjour** Jur residence permit; **~ de travail** Jur work permit

> **Permis de conduire**
>
> A driving licence can be issued to a person over the age of 18 who has passed both parts of the driving test. The first part is the theory test and consists of forty questions based on the highway code. This can be sat from the age of 16 onwards and gives the right to *conduite accompagnée*. The practical driving test has to be taken within two years of the theory test. It is compulsory to carry your driving licence and *carte grise* with you when you are driving a vehicle ▸ **conduite**

permissif, -ive /pɛʀmisif, iv/ *adj* permissive

permission /pɛʀmisjɔ̃/ *nf* **1** gén permission; **demander la ~** to ask permission; **demander à qn la ~ de faire** to ask sb's permission to do; **accorder à qn la ~ de faire** to grant sb permission to do; **je leur ai donné la ~ de le faire** I gave them permission to do it; **avec votre ~** with your permission; **avoir la ~ de faire** to have permission to do; **avoir la ~ de qn pour faire** to have sb's permission to do; **il a ma ~** he has my permission; **2** Mil leave ¢; **partir en ~** to go on leave; **avoir quelques jours de ~** to have a few days' leave; **j'ai pris une ~ de dix jours** I took ten days' leave; **les ~s sont supprimées** all leave has been cancelled[GB]
(Composé) **la ~ de minuit** permission to stay out late

permissionnaire /pɛʀmisjɔnɛʀ/ *nm* soldier on leave

permissivité /pɛʀmisivite/ *nf* permissiveness

permutabilité /pɛʀmytabilite/ *nf* Math permutability; gén interchangeability

permutable /pɛʀmytabl/ *adj* **1** gén [*élément, fonction*] interchangeable (**avec** with); [*emploi*] which can be switched (*épith, après n*) (**avec** with); [*employé*] who can be switched (*épith, après n*) (**avec** with); **2** Math permutable

permutation /pɛʀmytasjɔ̃/ *nf* **1** Jeux, Math permutation; **2** Admin, Mil (échange de poste) exchange of posts

permuter /pɛʀmyte/ [1]
A *vtr* **1** gén to switch [sth] around [*lettres, étiquettes*]; **2** Sci, Math to permute
B *vi* [*personnes*] to exchange posts (**avec** with)

pernicieusement /pɛʀnisjøzmɑ̃/ *adv* perniciously; **conseiller ~** to give pernicious advice

pernicieux, -ieuse /pɛʀnisjø, øz/ *adj* pernicious

péroné /peʀɔne/ *nm* fibula

péroniste /peʀɔnist/ *adj, nmf* Peronist

péronnelle† /peʀɔnɛl/ *nf* pej flibbertigibbet○ péj

péroraison /peʀɔʀɛzɔ̃/ *nf* **1** (conclusion) (de discours) peroration; (de cantate) finale; **2** (discours ennuyeux) pej long-winded speech

pérorer /peʀɔʀe/ [1] *vi* pej to hold forth péj

Pérou /peʀu/ ▸ **p. 333** *nprm* Peru
(Idiome) **ce n'est pas le ~** it's not a fortune

Pérouse /peʀuz/ ▸ **p. 894** *npr* Perugia

peroxyde /peʀɔksid/ *nm* peroxide; **~ d'hydrogène** hydrogen peroxide

perpendiculaire /pɛʀpɑ̃dikylɛʀ/ *adj, nf* perpendicular (**à** to)

perpendiculairement /pɛʀpɑ̃dikylɛʀmɑ̃/ *adv* **1** (à angle droit) at right angles (**à** to); **2** (verticalement) vertically

perpète○ /pɛʀpɛt/ *nf* **être condamné à ~, avoir la ~** prisoners' slang to get life○; **habiter à ~** to live miles away; **jusqu'à ~** forever and a day○

perpétration /pɛʀpetʀasjɔ̃/ *nf* perpetration

perpétrer /pɛʀpetʀe/ [14] *vtr* to perpetrate

perpette = **perpète**

perpétuation /pɛʀpetɥasjɔ̃/ *nf* perpetuation

perpétuel, -elle /pɛʀpetɥɛl/ *adj* **1** gén perpetual; **2** (à vie) [*poste, secrétaire*] permanent; **réclusion perpétuelle** life imprisonment

perpétuellement /pɛʀpetɥɛlmɑ̃/ *adv* constantly, perpetually

perpétuer /pɛʀpetɥe/ [1]
A *vtr* to perpetuate [*espèce, souvenir*]
B se perpétuer *vpr* **1** [*espèce*] to perpetuate itself; **2** [*usages, culture*] to be perpetuated

perpétuité /pɛʀpetɥite/ *nf* (durée) perpetuity; (perpétuation) perpetuation; **à ~** Jur [*réclusion*] life; Admin [*concession*] in perpetuity (*après n*)

Perpignan /pɛʀpiɲɑ̃/ ▸ **p. 894** *npr* Perpignan

perpignanais, ~e /pɛʀpiɲanɛ, ɛz/ ▸ **p. 894** *adj* of Perpignan

Perpignanais, ~e /pɛʀpiɲanɛ, ɛz/ *nm,f* (natif) native of Perpignan; (habitant) inhabitant of Perpignan

perplexe /pɛʀplɛks/ *adj* perplexed, baffled; **rendre ~** to perplex

perplexité /pɛʀplɛksite/ *nf* perplexity, confusion; **jeter qn dans la ~** to throw sb into confusion; **je suis dans une grande ~** I'm totally perplexed

perquisition /pɛʀkizisjɔ̃/ *nf* search; **effectuer une ~ au domicile de qn** to carry out a search of *ou* at sb's house

perquisitionner /pɛʀkizisjɔne/ [1]
A *vtr* to search [*maison*]
B *vi* to (carry out a) search; **la police perquisitionne à leur domicile** the police are searching their home

perron /peʀɔ̃/ *nm* flight of steps

perroquet /peʀɔkɛ/ *nm* **1** Zool parrot; **tout répéter comme un ~** to repeat everything parrot-fashion; **2** Naut topgallant sail; **petit/grand ~** fore/main topgallant sail; **3** (apéritif) *pastis with crème de menthe*; **4** (porte-manteau) hat and coat stand
(Composé) **~ de mer** (oiseau) puffin; (poisson) parrotfish

perruche /peʀyʃ/ *nf* **1** Zool budgerigar GB, budgie○ GB, parakeet US; **2** Naut mizzen topgallant sail
(Composés) **~ à collier** ring-necked parakeet; **~ ondulée** budgerigar GB, parakeet US

perruque /peʀyk/ *nf* **1** (postiche) wig; **2** Pêche tangle (*of fishing line*); **3** ◑(travail) **faire de la ~** to do one's own work on company time

perruquier /peʀykje/ ▸ **p. 532** *nm* wigmaker

pers /pɛʀ/ liter *adj m* blue-green

persan, ~e /pɛʀsɑ̃, an/
A *adj* [*chat, tapis*] Persian
B *nm* **1** ▸ **p. 483** Ling Persian; **2** Zool Persian (cat)

Persan, ~e /pɛʀsɑ̃, an/ *nm,f* Persian

perse /pɛʀs/ *adj* Persian

Perse /pɛʀs/
A *nmf* Persian
B *nprf* Hist Persia

persécuté, ~e /pɛʀsekyte/ *nm,f* **1** lit victim of persecution; **2** Psych person with a persecution complex

persécuter /pɛʀsekyte/ [1] *vtr* to persecute [*peuple, chrétiens*]; **se sentir persécuté** to feel persecuted

persécuteur, -trice /pɛʀsekytœʀ, tʀis/ *nm,f* persecutor

persécution /pɛʀsekysjɔ̃/ *nf* persecution; **manie/complexe de ~** persecution mania/complex

Persée /pɛʀse/ *npr* Perseus

persévérance /pɛʀseveʀɑ̃s/ *nf* perseverance (**à faire** in doing; **dans qch** in sth); **avec ~** with determination

persévérant, ~e /pɛʀseveʀɑ̃, ɑ̃t/ *adj* [*personne*] persevering (*épith*); **de façon ~e** with determination; **être ~ dans l'effort** to be determined in one's efforts; **tu n'es pas très ~!** you give up too easily!

persévérer /pɛʀseveʀe/ [14] *vi* **1** [*personne, équipe*] to persevere (**dans qch** in sth); **2** liter (persister) [*fièvre*] to persist

persienne /pɛʀsjɛn/ *nf* (louvred[GB]) shutter

persiflage* /pɛʀsiflaʒ/ *nm* mockery, persiflage

persifler* /pɛʀsifle/ [1] *vtr, vi* to mock

persifleur, -euse* /pɛʀsiflœʀ, øz/ liter
A *adj* [*ton, propos*] mocking
B *nm,f* disparager

persil /pɛʀsi(l)/ *nm* parsley; **~ frisé/commun** curly-leaved/common parsley; **~ haché** chopped parsley; **un brin de ~** a sprig of parsley

persillade /pɛʀsijad/ *nf* parsley and garlic garnish

persillé, ~e /pɛʀsije/ *adj* [*carottes, pommes de terre*] garnished with chopped parsley (*après n*); **fromage ~** blue cheese; **viande ~e** marbled meat

persique /pɛʀsik/ *adj* Persian; **le golfe Persique** the Persian Gulf

persistance /pɛʀsistɑ̃s/ *nf* persistence; **ta ~ à vouloir faire** your persistent attempts to do; **avec ~** persistently; **ta ~ à nier l'évidence** *or* **les faits** your persistent denial of the facts
(Composé) **~ optique** Physiol persistence of vision

persistant, ~e /pɛʀsistɑ̃, ɑ̃t/ *adj* **1** gén [*chaleur, problème, désaccord*] continuing; [*odeur, neige*] lingering; [*toux, symptôme*] persistent; **2** Bot [*calice*] persistent; **arbre à feuilles ~es** evergreen

➜ *voir* Vivre dans un pays anglophone

persister /pɛʀsiste/ [1] *vi* 1 (durer) [*symptôme, douleur*] to persist; [*mauvais temps, inflation, pénurie*] to continue; [*doute, problème*] to remain; [*odeur*] to linger; **le mauvais temps persistera sur la Bretagne** the bad weather will continue in Brittany; 2 (s'obstiner) **~ dans son erreur/sa tentative** to persist in one's error/attempt; **~ dans son refus** *or* **à refuser** to continue to refuse; **je persiste à croire que...** I still believe that...; **~ dans le mensonge** to lie persistently; **~ dans son opinion** to stick to one's opinion; **ils persistent dans leur intention de sortir par ce mauvais temps** they still insist on going out in this bad weather; **je persiste à vouloir les embaucher** I still insist on employing them

(Idiome) **il persiste et signe**○ he's sticking to his guns○

persona /pɛʀsɔna/ *nf* **~ grata/non grata** persona grata/non grata

personnage /pɛʀsɔnaʒ/ *nm* 1 (personne fictive) aussi Cin, Théât character; **les ~s d'un roman/d'une pièce** the characters in a novel/in a play; **les ~s de Zola** Zola's characters; **un rôle de ~ secondaire** the role of a secondary character; **la liste des ~s** the cast list, the dramatis personae (*pl*) Théât; **se mettre dans la peau de son ~** to get inside one's part *ou* character; 2 (personne représentée) figure; **les ~s d'une crèche de Noël** the figures in a Christmas crib GB *ou* manger; **un ~ allégorique qui représente le temps** an allegorical figure representing time; 3 (personne importante) figure; **un ~ influent** an influential figure; **un ~ important des sciences/du XXᵉ siècle** a prominent figure in science/in the 20th century; **un ~ haut placé** a high-placed person; **les ~s importants de la ville** the local dignitaries; **un ~ célèbre** a celebrity; 4 (personne curieuse) character; **c'est un drôle de ~** he's an odd character; **c'est un ~ extraordinaire/singulier** he's an amazing/a strange character; 5 (personne affectée) image; **cet air distant fait partie de son ~** this air of aloofness is part of his image; **se composer un ~** to adopt a persona

personnalisation /pɛʀsɔnalizasjɔ̃/ *nf* personalization

personnaliser /pɛʀsɔnalize/ [1] *vtr* 1 (donner une note personnelle) to add a personal touch to [*maison, uniforme*]; to customize [*voiture*]; 2 (adapter) **~ un contrat** to tailor a contract to the individual; **offre/lettre personnalisée** personal offer/letter

personnalité /pɛʀsɔnalite/ *nf* 1 Psych personality; **~ effacée** retiring personality; **forte ~** strong personality; 2 (personne influente) important person

personne¹ /pɛʀsɔn/ *pron indéf* 1 (nul) **~ n'est parfait** nobody's *ou* no-one's perfect; **~ ne te dérangera** nobody *ou* no-one will disturb you; **je n'accuse ~** I'm not accusing anybody *ou* anyone; **~ n'a vu mon stylo?** has anybody seen my pen?; **il n'y avait presque/jamais ~** there was hardly/never anybody there; **tu n'as oublié ~?** you haven't forgotten anybody, have you?; **plus ~ ne les a vus** nobody else saw them; **ni lui ni ~ n'est satisfait** neither he nor anyone else is satisfied; **je n'ai parlé à ~** I didn't talk to anybody *ou* anyone; **je n'en ai parlé à ~ d'autre que toi** I told nobody *ou* no-one but you; **~ d'autre que lui ne pourrait le faire** nobody but him could do it; **tu ne connais ~ d'autre?** don't you know anybody else?; **n'y a-t-il ~ ici qui parle l'anglais?** is there no-one here who speaks English?; **il n'y a ~?** (dans le lieu) is anybody there?; (depuis la porte) is anybody in?; **'qui a sonné/parlé?'—'~'** 'who rang/spoke?'—'no-one'; **que ~ ne sorte!** nobody leave!; **que ~ n'aille croire que** don't let anybody think that; **~ de sensé/sérieux ne ferait** no sensible/serious person would do; **ce n'est un mystère pour ~** it's no mystery; **je n'y suis pour ~** if anybody asks for me, I'm not here; **il n'y est pour ~** he's not in for anyone; **quand il s'agit de faire le ménage, il n'y a plus ~**○ when it comes to doing the housework, there's nobody around; **dès qu'on parle de travail, il n'y a plus ~**○ as soon as you mention work, everybody disappears; 2 (quiconque) anyone, anybody; **faire qch comme** *or* **mieux que ~** to do sth better than anyone *ou* anybody (else); **sans ~ pour m'aider** without anyone *ou* anybody to help me; **avant que ~ (ne) réagisse** before anyone had time to react; **~ de blessé?** anyone *ou* anybody hurt?

personne² /pɛʀsɔn/ *nf* 1 (individu) person; **la ~ de votre choix** the person of your choice; **la ~ de la réception** the person at reception; **cinquante euros par ~** fifty euros per person; **un groupe de dix ~s** a group of ten people; **les ~s concernées** those concerned; **50% des ~s interrogées** 50% of those interviewed; **un voyage pour deux ~s** a trip for two; **logement pour ~ seule** accommodation for a single person; **lit/chambre d'une ~** single bed/room; **la ~ aimée** the loved one; **une ~ âgée** an elderly person; **les ~s âgées** the elderly; **il était accompagné d'une charmante jeune ~** he was accompanied by a charming young lady; **en cas d'empoisonnement, si la ~ ne respire plus** in case of poisoning, if the person has stopped breathing; **si une ~ tombe à l'eau** if someone falls into the water; **si une ~ te demande son chemin** if anybody asks you the way; **une ~ de confiance** someone trustworthy; **toute ~ désirant des informations supplémentaires** anyone wishing further information; **il doit y avoir erreur sur la ~** it must be the wrong person *ou* a case of mistaken identity; **il y avait erreur sur la ~ de leur client** their client was a victim of mistaken identity; ► **grand**; 2 (individu en lui-même) **satisfait/content de sa (petite) ~** satisfied/pleased with oneself; **bien fait de sa ~** good-looking; **trouver un allié en la ~ de mon frère/du ministre** to find an ally in the person of my brother/of the minister; **c'est bien suffisant pour mon humble** *ou* **ma modeste ~** it's quite enough for my humble self; **le respect de/les droits de la ~ (humaine)** respect for/the rights of the individual; **la ~ et la pensée de Confucius** Confucius, the man and his thought; **j'apprécie en lui le poète, pas la ~** I like him as a poet, not as a person; **toute sa ~ inspirait le respect** his/her whole being inspired respect; **le Christ en tant que ~** Christ as a person; **le ministre en ~** the minister in person; **il s'en occupe en ~** he's dealing with it personally; **c'est la cupidité en ~** he/she is greed personified; 3 Ling person; **troisième ~ du pluriel** third person plural; **écrit à la première ~** written in the first person

(Composés) **~ à charge** Jur dependant; **~ civile** Jur artificial person; **~ déplacée** Pol displaced person; **~ morale** Jur = **~ civile**; **~ physique** Jur natural person

personnel, -elle /pɛʀsɔnɛl/

A *adj* 1 (individuel) [*ami, effets, ordinateur*] personal; [*engagement, papiers*] private; **fortune personnelle** private *ou* personal fortune; **pour son usage ~** for one's personal *ou* private use; **adresse personnelle** home *ou* private address; **c'est urgent et ~** it's urgent and confidential; **'personnelle'** (sur une lettre) 'private'; **'strictement personnelle'** (sur une lettre) 'private and confidential'; **sur le plan ~** on a personal level; 2 (original) [*style, langage*] individual; **il écrit de façon personnelle** he writes in an individual way; 3 (égoïste) [*enfant, joueur*] selfish; **avoir un jeu ~** to play a selfish game; 4 Ling [*forme, pronom, verbe*] personal; [*mode*] finite

B *nm* (d'industrie, usine) workforce; (de compagnie, d'administration) employees (*pl*), personnel; (d'hôpital, hôtel, ambassade, école) staff; **l'usine a un ~ de 40 personnes** the factory has a payroll *ou* workforce of 40; **nous manquons de ~** we are understaffed; **le ~ militaire/civil** the military/civilian personnel; **le ~ en civil/en tenue** plain-clothes/uniformed staff; **service/directeur du ~** personnel department/manager; **~ navigant/au sol** Aviat flight/ground personnel; **~ de santé des armées** army medical personnel; **~ enseignant** teaching staff; **le ~ féminin** female staff *ou* employees

personnellement /pɛʀsɔnɛlmɑ̃/ *adv* personally; **il nous a reçus ~** he received us in person

personnification /pɛʀsɔnifikasjɔ̃/ *nf* personification (**de** of)

personnifier /pɛʀsɔnifje/ [2] *vtr* to personify

perspective /pɛʀspɛktiv/ *nf* 1 Archit, Art perspective; **en ~** [*dessin*] perspective (*épith*); [*dessiner*] in perspective; 2 (vue) view; 3 (optique) perspective, angle; **dans une ~ historique/sociologique** from a historical/sociological angle; 4 (probabilité) prospect (**de** of; **de faire** of doing); **~s d'avenir/de carrière** future/career prospects (*pl*); **dans cette ~** at this prospect; **dans une ~ européenne** in terms of European prospects; **en ~** [*réjouissances, problèmes*] in prospect

(Composés) **~ aérienne** aerial perspective; **~ cavalière** isometric projection; **~ démographique** demographic projection

perspicace /pɛʀspikas/ *adj* perceptive, perspicacious

perspicacité /pɛʀspikasite/ *nf* insight, perspicacity; **manquer de ~** to lack insight

persuader /pɛʀsɥade/ [1]

A *vtr* to persuade (**de** of; **de faire** to do; **que** that); **se laisser ~** to let oneself be persuaded

B **se persuader** *vpr* to persuade oneself (**de** of; **que** that)

persuasif, -ive /pɛʀsɥazif, iv/ *adj* persuasive

persuasion /pɛʀsɥazjɔ̃/ *nf* persuasion

perte /pɛʀt/

A *nf* 1 (fait d'égarer) loss, losing; **la ~ d'une bague** losing a ring, the loss of a ring; 2 (fait de ne pouvoir garder) loss; **~ de contrôle** loss of control; **~s d'emploi** job losses; **~ de vitesse** Aviat loss of speed; **être en ~ de vitesse** lit to be losing speed; fig to be slowing down, to be running out of steam; **la ~** *or* **les ~s de poids/de mémoire** weight/memory loss; **avoir des ~s de sang** Méd to bleed; **la plaine s'étend à ~ de vue** the plain stretches as far as the eye can see; 3 Fin (somme perdue, fait de perdre) loss; **~ d'argent** financial loss; **vendre à ~** to sell at a loss; **profits et ~s** profits and losses; **subir des ~s importantes** to lose large sums of money, to sustain heavy losses; 4 (fait d'être perdant) (de match, bataille, d'élection) loss; 5 (disparition) loss; (mort) loss; **la ~ de trois avions** the loss of three aircraft; **la ~ d'un être cher** the loss of a loved one; **ce n'est pas une (grande** *or* **grosse) ~** that's not much of a loss; 6 (gaspillage) waste; **c'est une ~ de temps** it's a waste of time; **réduire les ~s de temps** to cut down on time-wasting; **~ d'énergie** (de personne) waste of energy; (de machine, d'installation) energy loss; **~ de chaleur** heat loss; **ce serait en pure ~** (inutile) it would be futile; **agir en pure ~** to do something that is a complete waste of time; **le crabe c'est bon, mais il y a de la ~** crab is nice, but there's a lot of waste; 7 (ruine) ruin; **cela causera sa ~** it will be his/her ruin; **courir** *or* **aller à sa (propre) ~** to be on the road to ruin, to be heading *ou* riding for a fall; **vouloir la ~ de qn** to try to bring about sb's downfall; **jurer la ~ de qn** to vow to bring about sb's downfall

B **pertes** *nfpl* losses; **de lourdes ~s** heavy losses; **causer des ~s en vies humaines** to take a heavy toll in human life

(Composés) **~ de connaissance** loss of consciousness, blackout; **~ sèche** Fin dead loss;

~**s blanches** vaginal discharge ¢, leucorrhea ¢ spéc; ~**s séminales** involuntary emission ¢ of semen, spermatorrhea ¢ spéc

pertinemment /pɛʀtinamɑ̃/ *adv* **1** (avec justesse) pertinently; **2** (parfaitement) [*savoir*] perfectly well

pertinence /pɛʀtinɑ̃s/ *nf* pertinence; **avec** ~ pertinently

pertinent, ~e /pɛʀtinɑ̃, ɑ̃t/ *adj* **1** (à-propos) [*question, remarque*] pertinent; **2** Ling **un trait** ~ a relevant feature

perturbant, ~e /pɛʀtyʀbɑ̃, ɑ̃t/ *adj* [*nouvelle, phénomène*] disturbing

perturbateur, -trice /pɛʀtyʀbatœʀ, tʀis/
A *adj* [*élément, rôle*] disruptive
B *nm,f* troublemaker

perturbation /pɛʀtyʀbasjɔ̃/ *nf* **1** (d'un service, du marché) disruption; **légères ~s sur les vols intérieurs** slight disruption to domestic flights; **2** Météo disturbance; **3** (agitation) (politique) upheaval; (sociale) disturbance

perturber /pɛʀtyʀbe/ [1] *vtr* **1** (dérégler) to disrupt [*trafic, marché, études*]; to interfere with [*sommeil, développement*]; **cela m'a un peu perturbé** it has unsettled me a bit; **2** (inquiéter) to perturb sout; **cela ne m'a pas perturbé** it didn't bother me; **être perturbé**○ to be very disturbed; **3** (semer le trouble) to disrupt [*réunion, ordre, cérémonie*]

péruvien, -ienne /peʀyvjɛ̃, ɛn/ ▸ **p. 561** *adj* Peruvian

Péruvien, -ienne /peʀyvjɛ̃, ɛn/ ▸ **p. 561** *nm,f* Peruvian

pervenche /pɛʀvɑ̃ʃ/
A ▸ **p. 202** *adj inv* **(bleu)** ~ periwinkle blue
B *nf* **1** (fleur) periwinkle; **2** ○(contractuelle) (female) traffic warden GB, meter maid○ US

pervers, ~e /pɛʀvɛʀ, ɛʀs/
A *adj* **1** (méchant) wicked; **2** (dépravé) perverted; **3** (négatif) [*effet, conséquence*] pernicious
B *nm,f* pervert

perversion /pɛʀvɛʀsjɔ̃/ *nf* perversion (**de** of)

perversité /pɛʀvɛʀsite/ *nf* perversity

pervertir /pɛʀvɛʀtiʀ/ [3] *vtr* to corrupt

pesage /pəzaʒ/ *nm* **1** (d'objet) weighing; **2** Sport (de sportif) weigh-in; (salle) weighing room; **3** Turf (de jockey) weigh-in; (enceinte) enclosure

pesamment /pəzamɑ̃/ *adv* [*chargé, tomber*] heavily; [*marcher, se déplacer*] with a heavy step; **monter ~ un escalier** to go upstairs with a heavy tread

pesant, ~e /pəzɑ̃, ɑ̃t/ *adj* **1** (lourd) [*objet*] heavy; [*pas, allure, démarche*] heavy; **d'un pas** ~ with a heavy step; **2** (pénible) [*hiérarchie, réglementation*] cumbersome, unwieldy; [*contrainte, obligation*] burdensome; [*atmosphère, silence*] oppressive; [*joug, mainmise, incertitude*] heavy; **3** (massif) [*architecture, monument, personne*] ungainly; **4** (ennuyeux) [*personne, écrivain*] dull, ponderous; [*style*] heavy

(Idiome) **valoir son ~ d'or** to be worth its weight in gold

pesanteur /pəzɑ̃tœʀ/ *nf* **1** (lourdeur) (de style) heaviness; (d'esprit) dullness; (de bureaucratie, d'administration, de régime) inertia ¢; **les ~s administratives** administrative inertia; **2** Phys gravity; **l'action de la ~** the pull of gravity; **défier les lois de la ~** [*acrobate*] to defy the laws of gravity

pèse-acide, *pl* ~**s** /pɛzasid/ *nm* acidimeter

pèse-alcool* /pɛzalkɔl/ *nm inv* alcoholometer

pèse-bébé, *pl* ~**s** /pɛzbebe/ *nm* baby scales (*pl*); **trois ~s** three pairs of baby scales

pèse-denrées* /pɛzdɑ̃ʀe/ *nm inv* kitchen scales (*pl*)

pesée /pəze/ ▸ **p. 646** *nf* **1** (opération) weighing; ~ **de précision** precision weighing; **de quand date votre dernière ~?** when were you last weighed?; **2** (poussée) shove; **3** (quantité) weight; **une ~ de 50 kg** a weight of 50 kg, a 50 kg weight

pèse-lettre, *pl* ~**s** /pɛzlɛtʀ/ *nm* letter scales (*pl*)

pèse-personne, *pl* ~**s** /pɛzpɛʀsɔn/ *nm* bathroom scales (*pl*); **j'ai acheté un deuxième ~ pour les enfants** I bought a second pair of bathroom scales for the children

peser /pəze/ [16] ▸ **p. 646**
A *vtr* **1** (mesurer le poids de) to weigh [*personne, objet*]; **2** (apprécier) to weigh up; ~ **le pour et le contre** to weigh up the pros and cons; ~ **ses mots** *or* **paroles** to choose one's words carefully; **tout bien pesé** all things considered
B *vi* **1** (avoir un poids) to weigh; (être lourd) to be heavy; **combien pèses-tu?** how much do you weigh?; **je pèse 70 kg** I weigh 70 kg; ~ **lourd** to weigh a lot; **cette valise pèse trop** this suitcase is too heavy; **elle ne pèse rien!** she doesn't weigh a thing!; **ça pèse des tonnes!** fig it weighs a ton!; **2** (avoir de l'importance) to carry weight; **ceux qui pèsent dans la vie publique** those who carry weight in public life; **leurs voix ne pèseront pas lourd dans la balance** their votes won't carry much weight; ~ **dans/sur une décision** to have a decisive influence in/on a decision; **3** (faire sentir son poids) ~ **sur** [*menaces, soupçons, risques, incertitudes*] to hang over [*personne, projet*]; [*impôts, charges, contraintes*] to weigh [sb/sth] down [*personne, pays*]; [*personne, décision*] to influence (greatly) [*politique, stratégie, situation*]; ~ **lourd sur** to weigh heavily on; **faire ~ un danger sur qn/un pays** to be a danger to sb/a country; **faire ~ un risque sur** to threaten; **4** (être pénible) **la solitude me/leur pèse** loneliness weighs heavily on me/them; **5** (exercer une poussée) ~ **contre/sur** to push against/ down on
C se peser *vpr* to weigh oneself

(Idiome) **envoyez, c'est pesé**○**!** off it goes

pèse-sirop, *pl* ~**s** /pɛzsiʀo/ *nm* saccharometer GB, saccharimeter US

peseta* /pezeta/ Hist ▸ **p. 48** *nf* peseta

peson /pəzɔ̃/ *nm* spring balance

pessaire /pesɛʀ/ *nm* pessary

pessimisme /pesimism/ *nm* pessimism

pessimiste /pesimist/
A *adj* pessimistic
B *nmf* pessimist

peste /pɛst/
A *nf* **1** ▸ **p. 283** Méd plague; **2** ○(personne insupportable) pest○; **espèce de petite ~!** you little pest!
B †*excl* Heavens†!; ~ **soit de...** a plague on†...

(Composé) ~ **bubonique** *or* **noire** bubonic *ou* black plague

(Idiomes) **fuir qn/qch comme la ~** to avoid sb/sth like the plague; **je me méfie de lui comme de la ~** I don't trust him an inch

pester /pɛste/ [1] *vi* to curse (**contre qch/qn** sth/sb)

pesticide /pɛstisid/
A *adj* [*produit*] pesticidal
B *nm* pesticide

pestiféré, ~e /pɛstifeʀe/
A *adj* Méd [*personne*] plague-stricken; [*lieu*] plague-infested
B *nm,f* Méd plague-stricken person; **les ~s** the plague-stricken; **il me traite comme un ~** fig he avoids me like the plague

pestilence /pɛstilɑ̃s/ *nf* stench

pestilentiel, -ielle /pɛstilɑ̃sjɛl/ *adj* pestilential

pet○ /pɛ/ *nm* fart○; **lâcher un ~** to fart○

(Idiomes) **ça ne vaut pas un ~ (de lapin)**○ it's not worth a damn○; **il a toujours un ~ de travers**○ he's always got something wrong with him

pétainiste /petenist/
A *adj* [*régime*] Pétain (*épith*); [*discours*] pro-Pétain (*épith*)
B *nmf* supporter of Maréchal Pétain

pétale /petal/ *nm* petal

pétanque /petɑ̃k/ ▸ **p. 469** *nf* petanque, boules

pétant○**, ~e** /petɑ̃, ɑ̃t/ *adj* on the dot (*après n*); **il est arrivé à midi ~/à six heures ~es** he arrived at twelve on the dot/at six on the dot

pétaradant, ~e /petaʀadɑ̃, ɑ̃t/ *adj* [*moto, moteur, machine*] sputtering, backfiring

pétarade /petaʀad/ *nf* (de moteur, véhicule) backfiring ¢

pétarader /petaʀade/ [1] *vi* [*moteur, véhicule*] (avec un bruit irrégulier) to backfire; (avec un bruit régulier) to sputter; **les karts pétaradent sur le circuit** the karts are sputtering around the circuit

pétard /petaʀ/ *nm* **1** (explosif) banger GB, firecracker US; **tirer un ~** to let off a banger; **un ~ mouillé** fig a damp squib; **2** ○(tapage) racket○; **faire du ~** (faire scandale) to make a hell of a row○; (protester) to kick up a fuss○; **être en ~** (en colère) to be hopping mad○ GB, to be real mad○ US; **3** ◑(pistolet) shooter◑; **4** ◑(derrière) bum◑ GB, ass◑ US; **5** ○(cigarette de marijuana) joint○

pétasse● /petas/ *nf* offensive tart◑ GB, slut◑ injur

pétaudière /petodjɛʀ/ *nf* bedlam; **une ~** bedlam

pet-de-nonne, *pl* **pets-de-nonne** /pɛdnɔn/ *nm* Culin fritter (*made from choux pastry*)

péter /pete/ [14]
A ○*vtr* (casser) to break, to bust○ [*appareil, circuit*]; to snap [*cordon, fil*]; ~ **la gueule à qn**◑ to beat the hell out of sb◑
B *vi* **1** ◑(lâcher un pet) to fart○; **2** ○(éclater) [*ballon, tuyau*] to burst; [*explosif*] to go off; **l'arme lui a pété à la figure** the weapon went off in his face; **faire ~ une grenade/un pétard** to let off a grenade/a banger GB *ou* firecracker US; **la situation est grave, ça va ~ d'un jour à l'autre** fig the situation is serious, it could blow up any day now; **3** (casser) [*appareil, circuit, crayon, lampe*] to break, to bust○; [*cordon, fil*] to snap; [*bouton, couture*] to burst
C se péter◑ *vpr* (se casser) [*appareil, circuit, crayon, lampe*] to break, to bust○; [*cordon, fil*] to snap; **se ~ la gueule** (avoir un accident) to get smashed up; (se soûler) to get pissed◑ GB *ou* stoned◑ US; (se droguer) to get high○; **être pété** (soûl) to be pissed GB *ou* stoned US; (drogué) to be high○

(Idiomes) **envoyer qn ~**○ to send sb packing○; ~ **le feu**○ [*personne*] to be full of beans; **ça va ~ le feu**○ there's going to be all hell let loose○; ~ **la santé**○ to be bursting with health; **vouloir ~ plus haut que son cul**◑ to be too big for one's boots; ~ **dans la soie**○ to live in the lap of luxury

pète-sec*○ /pɛtsɛk/
A *adj inv* [*ton, manières*] abrupt
B *nmf inv* pej abrupt person

péteux○**, -euse** /petø, øz/
A *adj* **1** (poltron) cowardly; **2** (prétentieux) stuck-up○
B *nm,f* **1** (poltron) coward; **2** (prétentieux) cocky (little) upstart○

pétillant, ~e /petijɑ̃, ɑ̃t/ *adj* [*vin*] sparkling; [*eau*] sparkling; [*regard, yeux*] sparkling (**de** with); [*personne*] bubbly

pétillement /petijmɑ̃/ *nm* (de champagne) fizziness; (de feu) crackling; **un ~ de malice se lisait dans ses yeux** you could see a mischievous twinkle in his/her eyes

pétiller /petije/ [1] *vi* [*champagne*] to fizz; [*bois*] to crackle; [*yeux, regard*] to sparkle (**de** with)

pétiole /petjɔl/ *nm* petiole

petiot○**, ~e** /pətjo, ɔt/
A *adj* [*enfant*] tiny
B *nm,f* (enfant) little boy/little girl

petit, ~e /p(ə)ti, it/
A *adj* **1** (en taille) [*personne, pied, objet, arbre, entre-*

prise] (objectivement) small; (subjectivement) little; **il est ~ pour son âge** he's small for his age; **les mêmes, mais en plus ~** the same ones, but smaller; **le 36, c'est trop ~** 36 is too small; **le monde est ~!** it's a small world!; **un homme de ~e taille, un homme ~** a short *ou* small man; **~ et trapu** short and stocky; **un ~ homme timide** a shy little man; **la ~e blonde, là-bas** the little blonde, over there; **une toute ~e pièce/femme** a tiny room/woman; **se faire tout ~** fig to try to make oneself inconspicuous; **c'est Versailles en plus ~** it's a miniature Versailles; ▸ **bête, doigt, lorgnette, plat, ruisseau**

2 (en longueur, durée) [*foulée, promenade, distance, paragraphe*] short; **par ~es étapes** in easy stages; ▸ **semaine**

3 (en âge) (objectivement) young; (subjectivement) little; **il est trop ~ pour comprendre** he's too young to understand; **c'est la plus ~e** she's the youngest; **je t'ai connu ~** I knew you when you were little; **mon ~ frère** my little brother; (bébé) my baby brother; **le ~ Jésus** baby Jesus; **~ garçon** little boy; **petite fille** little girl; **une ~e Française** a French girl; **le ~ nouveau** the new boy; **les ~s enfants** small *ou* young children; **c'est notre ~ dernier** he's our youngest; **~ chat** kitten; **~ chien** puppy; **~ ours/renard/lion** bear/fox/lion cub

4 (en quantité, prix, force) [*somme, appétit, majorité, volume, quantité, groupe*] small; [*mangeur, buveur*] light; [*salaire, loyer*] low; [*tape, vent, averse*] light; [*cri, rire, sourire*] little; [*goût, espoir, chance*] slight; **d'une ~e voix timide** in a timid little voice; **une ~e pluie fine** a fine drizzle; **ça a un ~ goût de cerise** it tastes slightly of cherries; **avoir une ~e santé** to have poor health; **fais un ~ effort** make an effort; **un (tout) ~ peu de sel** (just) a little salt; **un ~ sourire coquin/supérieur** a mischievous/superior little smile; ▸ **feu²**

5 (en gravité) [*inconvénient, détail, défaut, opération*] minor; [*rhume*] slight; [*égratignure, souci*] little

6 (dans une hiérarchie) [*marque, cru*] lesser known; [*situation, emploi*] modest; [*fonctionnaire, dignitaire*] low-ranking; [*poète*] minor; **les ~es routes** minor roads; **le ~ personnel** low-grade staff; **les ~es gens** ordinary people; **un ~ escroc** a small-time crook; ▸ **soldat**

7 (pour minimiser) little; **chante-nous une ~e chanson** give us a little song; **un ~ coup de rouge** a little glass of red wine; **un ~ visage triste** a sad little face; **un bon ~ vin/restaurant** a nice little wine/restaurant; **un ~ cadeau/secret** a little gift/secret; **une ~e faveur** a little favour[GB]; **de bons ~s plats** tasty dishes; **un ~ coin tranquille** a quiet spot; **envoie-moi un ~ mot** drop me a line; **passe-moi un ~ coup de fil**○ give me a ring GB *ou* call; **avoir de ~es attentions pour qn** to make a fuss of sb GB, to fuss over sb; **il faut une ~e signature ici** could I ask you to sign here, please?; **je n'ai eu que deux ~es semaines de congé!** I only had two short weeks off!; **j'en ai pour une ~e minute/heure** it won't take me a minute/more than an hour; **une ~e trentaine de personnes** under thirty people

8 (en sentiment) **mon ~ Pierre** my dear Pierre; **mon ~ papa** darling daddy; **mon ~ chéri/ange** my darling/angel; **mon ~ chou**○ *or* **poulet**○ sweetie○, honey○; **une ~e garce**◑ a bitch◑; **un ~ imbécile** an idiot; **très préoccupée de sa ~e personne** very taken up with herself; **il tient à sa ~e tranquillité** he likes a nice quiet life

9 (mesquin) [*personne, procédé*] petty, mean; (étroit) [*conception*] narrow; **les ~s esprits** small-minded people

B *nm,f* **1** (enfant) little boy/girl, child; (benjamin) **le ~** (de deux) the younger one; (de plus de deux) the youngest one; **les ~s** the children, the kids○; **pauvre ~!** poor thing!; **la ~e Martin** the Martin girl; **les ~s Martin** the Martin children; **ils ont deux ~s** they have two children; **elle a eu un ~** she's had a baby; **n'aie pas peur, mon ~** don't be afraid

2 (adulte de petite taille) small man/woman; **les ~s** small people

C *adv* **voir ~** (sous-estimer) to underestimate; (être sans ambition) to have no ambition; **chausser/tailler ~** [*chaussures, vêtements*] to be small-fitting; **~ à ~** little by little, gradually; ▸ **oiseau**

D *nm* **1** (jeune animal) **~s** young; (chats) kittens; (chiens) puppies; (loups, lions, ours) cubs, young; **le mammifère allaite ses ~s** mammals suckle their young; **la lionne et ses ~s** the lioness and her cubs *ou* young; **comment s'appelle le ~ de la chèvre?** what do you call a baby *ou* young goat?; **faire des ~s** [*chienne*] to have puppies; fig (se multiplier) [*argent*] to grow; (se briser) [*vase*] to end up in bits

2 (personne modeste) **les ~s** ordinary people; **un ~ de la finance** a minor figure in the world of finance

(Composés) **~ aigle** Zool scops owl; **~ ami** boyfriend; **~ bassin** Anat lower pelvis; (de piscine) small pool; **~ blanc** (vin) small glass of white wine; **~ bleu†** Postes telegram; **~ bois** (d'allumage) kindling; **~ cacatois** fore royal sail; **~ chef** petty tyrant; **jouer au ~ chef** to throw one's weight around○; **~ coin**○ euph (toilettes) loo○ GB, bathroom US; **aller au ~ coin** to go to the loo○ GB *ou* bathroom US; **~ commerçant** small trader; **~ commerce** small traders (*pl*); **~ crème** small espresso with milk; **~ déjeuner** breakfast; **~ endroit** = **~ coin**; **~ four** petit four; **~ hunier** Naut fore topsail; **~ juif**○ funny bone; **~ linge** underwear; **laver son ~ linge** to wash one's smalls○; **~ maître** minor master; **~ noir** coffee; **~ nom**○ (prénom) first name; **~ paquet** small packet; **~ perroquet** Naut fore topgallant sail; **~ peuple** lower classes (*pl*); **~ point** petit point; **~ pois** (garden) pea, petit pois; **~ porteur** small shareholder; **~ pot** (pour bébés) jar of baby food; **~ quart** Naut dog-watch; **~ rat (de l'Opéra)** *pupil at Paris Opéra's ballet school*; **~ roque** (aux échecs) castling short; **~ salé** streaky salted pork; **~ trot** jog trot; **~e amie** girlfriend; **~e annonce** Presse classified advertisement *ou* ad○; **~e caisse** petty cash; **~e école**○ ≈ nursery school; **~e main** seamstress (*at a top fashion house*); **~e mort** orgasm; **~e nature** weakling; **~e phrase** (memorable) saying; **~e reine** Sport cycling; **~e souris** tooth fairy; **~e vérole** smallpox; **~e voiture** toy car; **~es annonces matrimoniales** personal ads; **~es classes**○ Scol younger children; **~es et moyennes entreprises, PME** small and medium enterprises, SMEs; **~es sœurs des pauvres** Little Sisters of the Poor; **~s chevaux** Jeux ≈ ludo (*sg*); **~s métiers du passé** traditional crafts

petit-beurre, *pl* **petits-beurre** /p(ə)tibœʀ/ *nm* crisp all-butter biscuit GB *ou* cookie US

petit-bourgeois, petite-bourgeoise, *pl* **petits-bourgeois, petites-bourgeoises** /p(ə)tibuʀʒwa, p(ə)titbuʀʒwaz/ pej

A *adj* petit bourgeois péj, lower middle class

B *nm,f* lower middle class person

petit-cousin, petite-cousine, *pl* **petits-cousins, petites-cousines** /p(ə)tikuzɛ̃, p(ə)titkuzin/ *nm,f* (issu de cousin germain) first cousin once removed, second cousin; (cousin éloigné) distant relation

petite-fille, *pl* **petites-filles** /p(ə)titfij/ *nf* granddaughter

petitement /p(ə)titmɑ̃/ *adv* **1** (à l'étroit) **être logé ~** to live in cramped accommodation; **2** (chichement) [*vivre, recevoir*] in a penny-pinching way; (maigrement) **être ~ bénéficiaire** [*entreprise*] to show only a small profit; **3** (avec mesquinerie) [*penser, agir*] pettily

petite-nièce, *pl* **petites-nièces** /p(ə)titnjɛs/ *nf* great-niece

petitesse /p(ə)titɛs/ *nf* **1** (mesquinerie) pettiness; **~ d'esprit** small-mindedness; **~ de cœur** mean-spiritedness; **2** (petite taille) small size; **la ~ de notre savoir** our limited knowledge

petit-fils, *pl* **petits-fils** /p(ə)tifis/ *nm* grandson

pétition /petisjɔ̃/ *nf* petition (**contre** against; **en faveur de** in favour[GB] of); **signer/faire circuler une ~** to sign/to circulate a petition

pétitionnaire /petisjɔnɛʀ/ *nm,f* petitioner

pétitionner /petisjɔne/ [1] *vi* to petition

petit-lait /p(ə)tilɛ/ *nm* whey

(Idiome) **ça se boit comme du ~!** it slips down nicely!

petit-nègre○ /p(ə)tinɛgʀ/ *nm inv* offensive pidgin French

petit-neveu, *pl* **petits-neveux** /p(ə)tin(ə)vø/ *nm* great-nephew

petits-enfants /p(ə)tizɑ̃fɑ̃/ *nmpl* grandchildren

petit-suisse, *pl* **petits-suisses** /p(ə)tisɥis/ *nm* petit-suisse, individual fromage frais

pétochard◑, **~e** /petɔʃaʀ, aʀd/ pej *nm,f* coward, yellowbelly○

pétoche◑ /petɔʃ/ *nf* **avoir la ~** to be scared stiff○; **flanquer la ~ à qn** to scare sb stiff○

pétoire○ /petwaʀ/ *nf* (fusil) rusty old gun

peton /pətɔ̃/ *nm* baby talk tootsie lang enfantin, foot

pétoncle /petɔ̃kl/ *nm* small scallop

pétouiller○ /petuje/ [1] *vi* Helv (avoir des problèmes) [*personne*] to be struggling; [*voiture*] to run rough

Pétrarque /petʀaʀk/ *npr* Petrarch

pétrel /petʀɛl/ *nm* petrel

pétri, ~e /petʀi/

A *pp* ▸ **pétrir**

B *pp adj* **~ de** péj steeped in [*ignorance*]; puffed up with [*orgueil*]; full of [*contradictions, défauts*]

pétrifiant, ~e /petʀifjɑ̃, ɑ̃t/ *adj* petrifying

pétrification /petʀifikasjɔ̃/ *nf* lit petrification; fig fossilization[GB]

pétrifier /petʀifje/ [2]

A *vtr* **1** lit to petrify; **forêt pétrifiée** petrified forest; **2** fig to transfix; **cette nouvelle nous a pétrifiés** we were transfixed by the news

B **se pétrifier** *vpr* **1** lit to become petrified; **2** fig [*personne*] to be transfixed; [*cœur*] to harden; [*sourire*] to freeze

pétrin /petʀɛ̃/ *nm* **1** (récipient) dough trough; **~ mécanique** kneading machine; **2** ○(ennuis) fix○; **je suis dans un beau ~!** I'm in a real fix○!; **se mettre** *or* **se fourrer**○ **dans le ~** to get into a fix○; **mettre** *or* **fourrer**○/**laisser qn dans le ~** to put/leave sb in a fix○; **tirer qn du ~** to get sb out of a fix○

pétrir /petʀiʀ/ [3] *vtr* **1** Culin to knead [*pâte*]; **2** [*masseur*] to knead [*épaules, mollets*]; **3** fig to mould GB *ou* mold US [*personnalité*]

pétrochimie /petʀɔʃimi/ *nf* petrochemistry

pétrochimique /petʀɔʃimik/ *adj* petrochemical

pétrochimiste /petʀɔʃimist/ ▸ **p. 532** *nmf* petrochemist

pétrodollar /petʀɔdɔlaʀ/ *nm* petrodollar

pétrographie /petʀɔgʀafi/ *nf* petrography

pétrole /petʀɔl/ *nm* oil, petroleum spéc; **du ~** [*industrie, prix*] oil (*épith*); [*dérivés*] petroleum (*épith*); **~ brut** crude oil

pétrolette○ /petʀɔlɛt/ *nf* (vélomoteur) moped

pétroleuse /petʀɔløz/ *nf* **1** Hist (female) fire-raiser (*during the Commune*); **2** (militante) (female) activist

pétrolier, -ière /petʀɔlje, ɛʀ/

A *adj* [*producteur, prospection, embargo, compagnie*]

oil; [*produits*] petroleum; [*pays*] oil-producing; [*port*] oil-exporting
B *nm* 1 (navire) oil tanker; 2 (industriel) ▸ p. 532 oil man; (ingénieur) petroleum engineer

pétrolifère /petʀolifɛʀ/ *adj* [*roche*] oil-bearing; [*région*] oil-producing; [*gisement*] oil

pétulance /petylɑ̃s/ *nf* exuberance

pétulant, ~**e** /petylɑ̃, ɑ̃t/ *adj* exuberant

pétunia /petynja/ *nm* petunia

peu /pø/

> ⚠ Les emplois de *peu* avec *avant*, *d'ici*, *depuis*, *sous* sont traités respectivement sous chacun de ces mots.
> Il sera également utile de se reporter à la note d'usage sur les quantités ▸ **p. 691.**

A *adv* 1 (modifiant un verbe) not much; **il travaille/dort/parle ~** he doesn't work/sleep/talk much; **elle gagne assez ~** she doesn't earn very much; **elle gagne très/trop ~** she earns very/too little; **le radiateur chauffe ~** the radiator doesn't give out much heat; **je sors assez/très ~** I don't go out very much/very much at all; **je sais me contenter de ~** I'm satisfied with very little; **40 euros/un demi-litre/1,50 m, c'est (bien) ~** 40 euros/half a litre[GB]/1,50 m, that's not (very) much; **20 personnes, c'est ~** 20 people, that's not many; **dix minutes/deux mois ça fait ~** ten minutes/two months, that's not long; **deux semaines c'est trop ~** two weeks isn't long enough; **si ~ que ce soit** however little, no matter how little; **tu ne vas pas t'en faire pour si ~** you're not going to worry about such a little thing; **je ne vais pas me casser la tête pour si ~** I'm not going to rack my brains over such a little thing; **il leur en faut ~ pour pleurer/paniquer** it doesn't take much to make them cry/panic; **la catastrophe a été évitée de ~** disaster was only just avoided; **tu les as ratés de ~** you've just missed them; **il est mon aîné de ~** he's slightly older than me; **j'aime ~ sa façon de dévisager les gens** I don't much care for the way he stares at people; **ça compte** *or* **importe ~** it doesn't really matter; **la cuisine n'est pas très bonne, et c'est ~ dire** the food isn't very good to say the least; **il est aussi borné que son père et ce n'est pas ~ dire**○! he's as narrow-minded as his father and that's saying a lot!; **un homme comme on en voit** *or* **fait**○ **~** the kind of man you don't often come across; **très ~ pour moi**○! fig no thanks○!
2 (modifiant un adjectif) not very; **~ soigneux/ambitieux/fier** not very tidy/ambitious/proud; **il est très ~ jaloux** he's not at all jealous; **c'est un endroit assez ~ connu** it's a relatively little-known spot; **cet endroit trop ~ connu des touristes** this spot which is sadly little known to tourists; **pour les personnes trop ~ qualifiées** for people who haven't got enough qualifications; **ils se sentent très** *ou* **fort ~ concernés par...** they feel quite unconcerned about...; **nous étions ~ nombreux** there weren't many of us; **nous étions très/trop ~ nombreux** there were very/too few of us; **un individu ~ recommandable** a disreputable character; **elle n'est pas ~ fière** she's more than a little proud
B *pron indéf* **~ lui font confiance** few *ou* not many people trust him/her; **il a écrit beaucoup de livres, ~ lui survivront** he has written many books, few will outlive him
C **peu de** *dét indéf* 1 (avec un nom dénombrable) **~ de mots/d'occasions** few words/opportunities
2 (avec un nom non dénombrable) **~ de temps/d'espoir** little time/hope; **en ~ de temps** in next to no time; **j'ai ~ de temps pour le faire** I haven't got much time to do it; **il y a ~ de changement** there's little change; **il y a ~ de bruit** there's not much noise; **il est tombé ~ de neige/pluie cet hiver** there hasn't been much snow/rain this winter; **il a ~ de patience** he's not very patient; **c'est ~ de chose** it's not much; **cela représente ~ de chose** it stands for little; **avec ~ de chose elle a fait un repas délicieux** with very little she made a delicious meal; **on est bien ~ de chose!** we're so insignificant!; **il y a ~ de visiteurs/divergences** there are few *ou* not many visitors/differences; **très ~ de personnes sont atteintes** very few people are affected; **en ~ de mots/jours** in a few words/days; **je sais ~ de choses sur lui** I don't know much about him; **il y a ~ de chances qu'il accepte** he's unlikely to accept; **la proposition a ~ de chances d'aboutir** the proposal has little chance of getting through
D *nm* 1 (petite quantité) **le ~ de** the little [*importance, confiance, pluie, liberté*]; the few [*livres, souvenirs, amis*]; **il a oublié le ~ d'anglais qu'il savait** he's forgotten the *ou* what little English he knew; **elle s'est fait voler le ~ d'objets qu'il lui restait** she was robbed of the few things she had left; **je vais dépenser le ~ d'argent qu'il me reste** I'm going to spend the *ou* what little money I've got left; **il a voulu montrer le ~ d'importance qu'il attachait à l'affaire** he wanted to show how unimportant the matter was to him; **je leur ai dit le ~ que je savais** I told them the *ou* what little I knew; **il a dépensé le ~ qu'il lui restait** he spent what little he had left
2 (manque) **le ~ de** the lack of; **malgré le ~ d'intérêt manifesté** despite the lack of interest; **j'ai remarqué ton ~ d'enthousiasme** I've noticed your lack of enthusiasm; **ton ~ d'appétit m'inquiète** your lack of appetite is worrying me
E **un peu** *loc adv* 1 (dans une mesure faible) a little, a bit; **mange un ~** eat a little; **cela m'inquiète/m'énerve/m'ennuie un ~** it worries me/annoys me/bothers me a little *ou* a bit; **ça m'agace plus qu'un ~**○ it annoys me to say the least; **le rôti est un ~ brûlé** the roast is a bit *ou* slightly burned; **elle est un ~ médium/poète**○ she's a bit of a *ou* something of a medium/poet; **tu ne serais pas un ~ casse-cou?** you're a bit of a daredevil, aren't you?; **dors/attends/reste encore un ~** sleep/wait/stay a little longer; **'il a plu?'—'pas qu'un ~**○**!'** 'did it rain?'–'did it ever○!'; **'elle aime le fromage?'—'oui, pas qu'un ~!'** 'does she like cheese?'–'does she ever○!'
2 (modifiant un adverbe) a little, a bit; **mange un ~ plus/moins** eat a bit more/less; **parle un ~ plus fort** speak a little *ou* a bit louder; **parle un ~ moins fort** keep your voice down; **va un ~ moins/plus vite** go a bit slower/faster; **il fait un ~ moins froid qu'hier** it's a little less cold than yesterday; **il fait un ~ plus froid qu'hier** it's slightly *ou* a little colder than yesterday; **un ~ au-dessous/au-dessus de la moyenne** slightly below/above average; **elle se maquille un ~ trop** she wears a bit too much make-up; **un ~ plus de bruit/vent** a bit more noise/wind; **un ~ plus de gens/problèmes** a few more people/problems; **un ~ moins de** slightly less [*pluie, humour*]; slightly fewer [*gens, tableaux*]; **peux-tu me donner un tout petit ~ plus de carottes** can you give me just a few more carrots; **amène tes amis, un ~ plus un ~ moins tu sais...** bring your friends, another two or three people won't make much difference; **donne-moi ton linge à laver, un ~ plus un ~ moins...** give me your laundry, a bit more won't make any difference; **'il avait l'air un ~ contrarié'—'un ~ beaucoup même**○**'** 'he looked a bit annoyed'–'more than a bit'
3 (emploi stylistique) just; **arrête un ~ de faire l'idiot!** just stop behaving like an idiot!; **répète un ~ pour voir**○**!** you just try saying that again!; **vise un ~ la perruque**○**!** just look at the wig!; **réfléchis un ~** just think; **je vous demande un ~**○**!** I ask you!; **il sait un ~ de quoi il parle**○ he does know what he's talking about
4 (emploi par antiphrase) a little; **tu ne serais pas un ~ jaloux toi?** aren't you just a little jealous?; **ton histoire est un ~ tirée par les cheveux** your story is a little far-fetched to say the least; **c'est un ~ tard!** it's a bit late!; **tu exagères** *ou* **pousses**○ **un ~!** you're pushing it a bit○!
5 ○(pour renforcer une affirmation) **il est un ~ bien ton copain!** your boyfriend is a bit of all right○!; **'tu le ferais toi?'—'un ~ (que je le ferais)!'** 'would you do it?'–'I sure would○!'; **comme organisateur il se pose un ~ là!** as an organizer he's great!
F **peu à peu** *loc adv* gradually, little by little; **les nuages se dissiperont ~ à ~** the clouds will gradually clear
G **pour un peu** *loc adv* very nearly; **pour un ~ ils se seraient battus** they very nearly had a fight; **pour un ~ il m'aurait insulté!** he very nearly insulted me!
H **pour peu que** *loc conj* if; **pour ~ qu'il ait bu, il va nous raconter sa vie** if he's had anything at all to drink, he'll tell us his life story

peuchère /pøʃɛʀ/ *excl* dial poor thing!

peuh /pø/ *excl* huh!

peul, ~**e** /pøl/
A *adj* Fulani
B ▸ p. 483 *nm* Ling Fulani

Peul, ~**e** /pøl/ *nm,f* Fula

peuplade /pœplad/ *nf* small tribe

peuple /pœpl/
A *adj inv* pej [*personne*] common; [*expression, mot*] vulgar; **ça fait ~** (accent) it sounds common; (style, allure) it looks common
B *nm* 1 Pol people (+ *v sg ou pl*); **le ~ français** the French people; **les ~s opprimés** oppressed peoples; **être un élu du ~** to be elected by the people; **le ~ de droite/gauche** the right-wing/left-wing element of the population; 2 Sociol **le ~** the people (+ *v pl*); **un homme du ~** a man of the people; **le ~ des campagnes** country people (+ *v pl*); **le ~ des villes** townspeople (+ *v pl*); ▸ **petit**; 3 (foule) lots of people (*pl*); **il y a du ~ dans les rues** there are lots of people in the streets; **tu te fous**◑ **du ~** what do you think you're doing?; **que demande le ~?** what more could anyone want?
(Composé) ~ **élu** Chosen People

peuplé, ~**e** /pœple/
A *pp* ▸ **peupler**
B *pp adj* 1 (habité) [*pays, région*] populated; **un pays très/peu ~** a densely/sparsely populated country; 2 (rempli) **~ de** peopled with [*personnes, monstres*]; filled with [*rêves, souvenirs, dangers*]

peuplement /pœpləmɑ̃/ *nm* population

peupler /pœple/ [1]
A *vtr* 1 (faire occuper) to populate [*pays, région, île*] (**de** with); to stock [*bois, étang, région*] (**de** with); 2 (occuper) [*personnes, population*] to populate [*pays, région, île*]; [*animaux, plantes*] to colonize [*pays, région, île*]; [*spectateurs, délinquants, étudiants*] to fill [*salle, rue*]; 3 (remplir) [*souvenirs, rêves, visions*] to fill; **fantasmes qui peuplent l'esprit** fantasies which fill the mind
B **se peupler** *vpr* [*ville, région*] to fill up (**de** with)

peupleraie /pøplərɛ/ *nf* poplar grove

peuplier /pøplije/ *nm* poplar
(Composés) ~ **blanc** white poplar; ~ **d'Italie** Lombardy poplar

peur /pœʀ/ *nf* gén fear; (soudaine) fright, scare; **la ~ de l'inconnu/de la mort/du ridicule** fear of the unknown/of death/of ridicule; **être mort** *or* **vert de ~** to be scared to death; **être pris de** *or* **prendre ~** to take fright; **une ~ panique s'empara de lui** he was panic-stricken; **vivre dans la ~ de** to live in fear *ou* dread of; **avoir ~** to be afraid *ou* scared *ou* frightened (**de** of); **avoir ~ que** to be afraid that; **il a ~ des chiens/de son père/de sa femme/du chômage** he's afraid *ou* frightened of dogs/of his father/of his wife/of unemployment; **j'ai eu une de ces ~s!** I got such a scare!, I got *ou* had a terrible fright; **elle a ~ de prendre l'avion/mourir** she's afraid of flying/dying; **je n'ai qu'une ~, c'est qu'il pleuve** I 'm only afraid of one thing, that it will rain; **j'ai (bien) ~ qu'il ne soit trop tard!** I'm afraid it may be too late!; **j'en ai bien ~** I'm afraid so; **j'ai toujours ~ qu'il ait un accident** I'm always afraid that he'll have an accident; **il n'a ~ de rien** lit he's not afraid of anything, he's fearless; iron he knows no shame; **il veut courir le marathon sans s'être préparé? il n'a pas ~!** he wants to run the marathon without having trained? he's being very optimistic!; **il n'a pas ~ de se contredire/se ridiculiser** it doesn't seem to worry him if he contradicts himself/makes a fool of himself; **n'ayez pas ~** (ne soyez pas effrayé) don't be afraid; (ne vous inquiétez pas) don't worry; **avoir ~ pour qn** to be afraid for sb; **avoir plus de ~ que de mal** to be more frightened than hurt; **faire ~ à qn** to frighten *ou* scare sb; **il s'amuse à faire ~ aux petits enfants** he enjoys frightening *ou* scaring small children; **tu ne me fais pas ~!** I'm not afraid *ou* frightened of you!; **je ne t'ai pas entendu entrer, tu m'as fait ~** I didn't hear you coming in, you gave me a fright *ou* a scare; **le bruit a fait ~ aux biches qui se sont enfuies** the noise frightened the deer away; **être laid à faire ~** to be hideously ugly; **maigre** *or* **d'une maigreur à faire ~** terribly thin; **le travail ne nous fait pas ~** we're not afraid of hard work; **trois heures de marche ça ne me fait pas ~!** I'm not afraid of a three-hour walk!; **il est poli/généreux ça fait ~**○**!** iron he's not exactly the most polite/generous man in the world; **de** *or* **par ~ de** for fear of; **il n'a rien dit de ~ de le contrarier** he said nothing for fear of annoying him *ou* lest he annoy him sout; **il l'a tuée de ~ qu'elle ne parle** he killed her for fear that she might talk *ou* lest she talk; ▸ **bleu**

peureusement /pœʀøzmɑ̃/ *adv* fearfully

peureux, -euse /pœʀø, øz/
A *adj* fearful
B *nm,f* fearful person

peut-être /pøtɛtʀ/ *adv* perhaps, maybe; **il a ~ oublié, ~ a-t-il oublié** fml perhaps *ou* maybe he's forgotten; **il y avait ~ 200 personnes** there were maybe 200 people; **on finira dans deux ans, ~ trois** we'll finish in two, maybe *ou* possibly three years' time; **je me suis ~ mal fait comprendre** perhaps I haven't made myself clear; **tu crois ~ que je vais laisser tomber!** perhaps you think that I'm going to give (it) up!; **il faudrait ~ te dépêcher!** iron perhaps you ought to get a move on○!; **je ne sais pas lire, ~?** iron I do know how to read, you know!; **tu veux m'apprendre à conduire, ~?** iron I do know how to drive, you know!; **si tout va bien, on arrivera ~ demain** if all goes well, we may arrive tomorrow; **elle travaille ~ lentement mais avec soin** she might work slowly, but she's careful; **il est ~ bourru, mais il est serviable** he may be a bit surly, but he is helpful; **c'est ~ bien lui qui a appelé** perhaps *ou* maybe it was he who rang GB *ou* called; **~ bien que la cérémonie se fera le matin** the ceremony may well take place in the morning; **'tu viendras?'—'~ bien'** 'will you come?'—'I may well do' GB, 'I just might'; **~ bien que oui, ~ bien que non**○ maybe yes, maybe no

peyotl /pɛjɔtl/ *nm* Bot peyote

pèze○ /pɛz/ *nm* dough○, money; **il a du ~** he's loaded○

pfennig /pfɛnig/ *nm* ▸ **p. 48** pfennig

PGCD /peʒesede/ *nm* (*abbr* = **plus grand commun diviseur**) HCF, hcf

pH /peaʃ/ *nm* pH

phacochère /fakɔʃɛʀ/ *nm* warthog

phaéton /faetɔ̃/ *nm* **1** (calèche) phaeton; **2** †(cocher) coachman

phagocyte /fagɔsit/ *nm* phagocyte

phagocyter /fagɔsite/ [1] *vtr* **1** Biol to ingest by phagocytosis; **2** fig to swallow up

phagocytose /fagɔsitoz/ *nf* phagocytosis

phalange /falɑ̃ʒ/ *nf* **1** Anat phalanx; **2** liter (groupe) phalanx littér; **3** (en Espagne) Falange; (au Liban) **les ~s** the (Christian) Phalangists; **4** Antiq phalanx

phalangien, -ienne /falɑ̃ʒjɛ̃, ɛn/ *adj* phalangeal

phalangiste /falɑ̃ʒist/ *adj, nmf* (au Liban) Phalangist; (en Espagne) Falangist

phalanstère /falɑ̃stɛʀ/ *nm* phalanstery

phalarope /falaʀɔp/ *nm* phalarope

phalène /falɛn/ *nf ou m* geometer moth

phallique /falik/ *adj* phallic

phallocentrisme /falɔsɑ̃tʀism/ *nm* phallicism

phallocrate /falɔkʀat/
A *adj* male chauvinist (*épith*), phallocratic
B *nm* male chauvinist, phallocrat

phallocratie /falɔkʀasi/ *nf* male chauvinism, phallocracy

phallocratique /falɔkʀatik/ *adj* male chauvinist (*épith*), phallocratic

phalloïde /falɔid/ *adj* **amanite ~** death cap

phallus /falys/ *nm* phallus

phanérogame /faneʀɔgam/
A *adj* phanerogamic
B *nm* phanerogam

phantasme = **fantasme**

pharamineux, -euse = **faramineux**

pharaon /faʀaɔ̃/ *nm* pharaoh

pharaonien, -ienne /faʀaɔnjɛ̃, ɛn/ *adj* Pharaonic

pharaonique /faʀaɔnik/ *adj* **1** lit Pharaonic; **2** fig on a grandiose scale

phare /faʀ/
A *nm* **1** Aut headlight, headlamp; **allumer** *or* **mettre ses ~s** to switch on one's headlights; **se mettre en pleins ~s** to switch the headlights on full beam GB, to put the high beams on US; **2** Naut lighthouse; **gardien de ~** lighthouse keeper; **3** fig (guide) beacon
B **(-)phare** (*in compounds*) **film/œuvre(-)~** seminal film/work; **pays(-)~** influential country; **action/année/site(-)~** key share/year/site

(Composés) **~ antibrouillard** fog-light; **~ à iode** quartz halogen light; **~ à longue portée** high-intensity light

pharisaïsme /faʀizaism/ *nm* pharisaism

pharisien, -ienne /faʀizjɛ̃, ɛn/ *nm,f* **1** fig pharisee; **2** Antiq, Relig Pharisee

pharmaceutique /faʀmasøtik/ *adj* pharmaceutical

pharmacie /faʀmasi/ *nf* **1** ▸ **p. 532** Comm chemist's (shop) GB, drugstore US, pharmacy; **vendu exclusivement en ~** available only at the chemist's GB *ou* pharmacy US; **~ de nuit** duty chemist's GB, night pharmacy US; **~ de garde** duty chemist's GB, *pharmacy open on a Sunday or a holiday according to a rotating schedule*; **~ allopathique/homéopathique** allopathic/homeopathic pharmacy; **2** (dans un hôpital) dispensary, pharmacy; **3** (meuble) medicine cabinet; **4** (discipline) pharmacy; (science des médicaments) pharmacy; **elle est en troisième année de ~** she's in her third year studying pharmacy; **5** (produits) **la ~** medicines (*pl*); (dans un supermarché) health-care products (*pl*); Ind pharmaceuticals (*pl*); **le numéro un de la ~ en France** France's top pharmaceuticals company; **~ allopathique/homéopathique** allopathic/homeopathic remedies (*pl*)

(Composé) **~ portative** *or* **de voyage** first-aid kit

pharmacien, -ienne /faʀmasjɛ̃, ɛn/ ▸ **p. 532** *nm,f* (dans un magasin) (dispensing) chemist GB, pharmacist; (ailleurs) pharmacist

pharmacodépendance /faʀmakodepɑ̃dɑ̃s/ *nf* drug-dependence

pharmacologie /faʀmakɔlɔʒi/ *nf* pharmacology

pharmacologique /faʀmakɔlɔʒik/ *adj* pharmacological

pharmacopée /faʀmakɔpe/ *nf* pharmacopeia

pharyngal, ~e, *mpl* **-aux** /faʀɛ̃gal, o/
A *adj* Phon pharyngeal
B **pharyngale** *nf* pharyngeal

pharyngé, ~e /faʀɛ̃ʒe/ *adj* pharyngeal

pharyngien, -ienne /faʀɛ̃ʒjɛ̃, ɛn/ *adj* Anat pharyngeal

pharyngite /faʀɛ̃ʒit/ ▸ **p. 283** *nf* pharyngitis

pharynx /faʀɛ̃ks/ *nm inv* pharynx

phase /fɑz/ *nf* **1** (d'évolution) stage; **2** Astron, Chimie, Phys phase; **3** Électrotech **(conducteur de)** live wire; **en ~** in phase; **être en ~ avec qn** fig to be on sb's wavelength

phasme /fasm/ *nm* stick insect, walking stick US

Phébus /febys/ *npr* Phoebus

Phèdre /fɛdʀ/ *npr* Phaedra

Phénicie /fenisi/ *nprf* Phoenicia

phénicien, -ienne /fenisjɛ̃, ɛn/
A *adj* Phoenician
B *nm* Ling Phoenician

Phénicien, -ienne /fenisjɛ̃, ɛn/ *nm,f* Phoenician

phéniqué, ~e /fenike/ *adj* **eau ~e** phenol solution

phénix /feniks/ *nm inv* **1** Mythol phoenix; **2** †(personne) liter phoenix; **3** Bot = **phœnix**

phénobarbital /fenobaʀbital/ *nm* phenobarbitone

phénol /fenɔl/ *nm* phenol

phénoménal, ~e, *mpl* **-aux** /fenɔmenal, o/ *adj* phenomenal

phénoménalement /fenɔmenalmɑ̃/ *adv* phenomenally

phénomène /fenɔmɛn/ *nm* **1** (fait) phenomenon; **des ~s inexpliqués** unexplained phenomena; **des ~s de racisme** manifestations of racism; **le ~ Gorbatchev** the Gorbatchev phenomenon; **2** ○(original) **c'est un ~!** he/she's quite a character!; **3** (de cirque) freak; **4** Philos phenomenon

phénoménologie /fenɔmenɔlɔʒi/ *nf* phenomenology

phénoménologique /fenɔmenɔlɔʒik/ *adj* phenomenological

phénoménologue /fenɔmenɔlɔg/ *nmf* phenomenologist

phénotype /fenɔtip/ *nm* phenotype

phényle /fenil/ *nm* phenyl

phéromone /feʀɔmɔn/, **phérormone** /feʀɔʀmɔn/ *nf* pheromone

Philadelphie /filadɛlfi/ ▸ **p. 894** *npr* Philadelphia

philanthrope /filɑ̃tʀɔp/ *nmf* philanthropist

philanthropie /filɑ̃tʀɔpi/ *nf* philanthropy

philanthropique /filɑ̃tʀɔpik/ *adj* philanthropic

philatélie /filateli/ *nf* stamp collecting, philately

philatélique /filatelik/ *adj* philatelic

philatéliste /filatelist/ *nmf* stamp collector, philatelist

philharmonie /filaʀmɔni/ *nf* philharmonic society

philharmonique /filaʀmɔnik/ *adj* [*orchestre, société*] philharmonic

philhellène /filelɛn/
A *adj* philhellenic
B *nmf* philhellene

philhellénisme /filelenism/ *nm* philhellenism

Philippe /filip/ *npr* Philippe

(Composés) **~ Auguste** Philip Augustus;

P

~ **le Bel** Philip the Fair; ~ **le Bon** Philip the Good

philippin, **~e** /filipɛ̃, in/ ▸ **p. 561** *adj* Philippine (*épith*)

Philippin, **~e** /filipɛ̃, in/
A ▸ **p. 561** *nm,f* Filipino
B **Philippines** ▸ **p. 579**, **p. 333** *nprfpl* **les ~es** the Philippines; **mer des ~es** Philippine Sea

philippique /filipik/ *nf* liter philippic littér

philistin, **~e** /filistɛ̃, in/
A *adj* liter philistine
B *nm* philistine

Philistins /filistɛ̃/ *nprmpl* **les ~** the Philistines

philo○ /filo/ *nf* students' slang *abbr* = **philosophie**

philodendron /filodɛ̃dʀɔ̃/ *nm* philodendron

philologie /filɔlɔʒi/ *nf* philology

philologique /filɔlɔʒik/ *adj* philological

philologue /filɔlɔg/ ▸ **p. 532** *nmf* philologist

philosophale /filɔzɔfal/ *adj f* **la pierre ~** the philosopher's stone

philosophe /filɔzɔf/
A *adj* philosophical
B *nmf* philosopher; **prendre les choses en ~** to take things philosophically

philosopher /filɔzɔfe/ [1] *vi* to philosophize (**sur** about)

philosophie /filɔzɔfi/ *nf* **1** (doctrine) philosophy; **la ~ grecque/de Platon** Greek/Plato's philosophy; **la ~ du renoncement** the philosophy of renunciation; **prendre/supporter qch avec ~** to take/bear sth philosophically; **2** (conception) philosophy; **une nouvelle ~ des transports** a new philosophy of transport; **3** Scol, Univ (matière) philosophy; (classe)† *humanities stream in final year of secondary school*; **faire une licence de ~** to do a philosophy degree GB, to major in philosophy US; **avoir une licence de ~** to have a degree in philosophy

philosophique /filɔzɔfik/ *adj* philosophical

philosophiquement /filɔzɔfikmɑ̃/ *adv* philosophically

philtre /filtʀ/ *nm* philtre; **~ d'amour** love potion

phimosis /fimozis/ *nm inv* phimosis

phlébite /flebit/ ▸ **p. 283** *nf* phlebitis

phlébographie /flebogʀafi/ *nf* phlebography

phlébologie /flebɔlɔʒi/ *nf* vascular medicine

phlébologue /flebɔlɔg/ ▸ **p. 532** *nmf* vascular specialist

phlébotomie /flebɔtɔmi/ *nf* venesection, phlebotomy spéc

phlegmon /flɛgmɔ̃/ ▸ **p. 283** *nm* acute inflammation, phlegmon spéc (**à** of)

phlox /flɔks/ *nm inv* phlox

phlyctène /fliktɛn/ *nf* blister

Phnom Penh /pnɔmpɛn/ ▸ **p. 894** *npr* Phnom Penh

phobie /fɔbi/ *nf* gén, Psych phobia (**de** about); **avoir la ~ de qch** to have a phobia about sth

phobique /fɔbik/ *adj* phobic

phocéen, **-éenne** /fɔseɛ̃, ɛn/
A *adj* Antiq Phocean
B *nm,f* Antiq Phocean; **les ~s** journ the people of Marseilles

(Composé) **la cité phocéenne** journ Marseilles

phœnix /feniks/ *nm inv* Phœnix

phonateur, **-trice** /fɔnatœʀ, tʀis/ *adj* phonatory

phonation /fɔnasjɔ̃/ *nf* phonation

phonatoire /fɔnatwaʀ/ *adj* phonatory

phonématique /fɔnematik/
A *adj* phonemic
B *nf* phonemics (+ *v sg*)

phonème /fɔnɛm/ *nm* phoneme

phonémique /fɔnemik/
A *adj* phonemic
B *nf* phonemics (+ *v sg*)

phonéticien, **-ienne** /fɔnetisjɛ̃, ɛn/ ▸ **p. 532** *nm,f* phonetician

phonétique /fɔnetik/
A *adj* [*transcription, alphabet*] phonetic; **loi ~** sound law; **altération ~** sound change
B *nf* phonetics (+ *v sg*); **~ acoustique/articulatoire** acoustic/articulatory phonetics

phonétiquement /fɔnetikmɑ̃/ *adv* phonetically

phoniatre /fɔnjatʀ/ ▸ **p. 532** *nmf* phoniatrician

phoniatrie /fɔnjatʀi/ *nf* phoniatrics (+ *v sg*)

phonie /fɔni/ *nf* radiotelegraphy

phonique /fɔnik/ *adj* phonic

phono○ /fɔno/ *nm* gramophone GB, phonograph US

phonogramme /fɔnɔgʀam/ *nm* phonogram

phonographe /fɔnɔgʀaf/ *nm* gramophone GB, phonograph US

phonographique /fɔnɔgʀafik/ *adj* [*industrie*] record (*épith*); **œuvre ~** recorded works (*pl*)

phonologie /fɔnɔlɔʒi/ *nf* phonology

phonologique /fɔnɔlɔʒik/ *adj* phonological

phonologue /fɔnɔlɔg/ *nmf* phonologist

phonothèque /fɔnɔtɛk/ *nf* sound archive

phoque /fɔk/ *nm* Zool **1** (animal) seal; **2** (peau) sealskin; **un manteau en ~** a sealskin coat

(Idiome) **souffler comme un ~** to puff and pant

phosphatage /fɔsfataʒ/ *nm* treatment with phosphates

phosphate /fɔsfat/ *nm* phosphate; **lessive sans ~s** phosphate-free detergent

phosphaté, **~e** /fɔsfate/ *adj* **1** [*engrais*] phosphate (*épith*); **2** Culin [*bouillie, aliment*] containing calcium phosphate (*après n*)

phosphater /fɔsfate/ [1] *vtr* to apply phosphates to [*terre*]

phosphène /fɔsfɛn/ *nm* phosphene

phosphore /fɔsfɔʀ/ *nm* phosphorus

phosphoré, **~e** /fɔsfɔʀe/ *adj* phosphorous

phosphorer○ /fɔsfɔʀe/ [1] *vi* to beaver away

phosphorescence /fɔsfɔʀesɑ̃s/ *nf* phosphorescence

phosphorescent, **~e** /fɔsfɔʀesɑ̃, ɑ̃t/ *adj* phosphorescent

phosphoreux, **-euse** /fɔsfɔʀø, øz/ *adj* [*acide*] phosphorous; [*alliage*] phosphor (*épith*)

phosphorique /fɔsfɔʀik/ *adj* phosphoric

phosphure /fɔsfyʀ/ *nm* phosphide

photo /fɔto/ *nf* (*abbr* = **photographie**) **1** (technique) photo; **faire de la ~** (en amateur) to take photos; (en professionnel) to be a photographer; **2** (image) photo, photograph, picture; **faire une ~** to take a photograph *ou* picture; **~s de vacances** holiday GB *ou* vacation US photographs; **prendre qn/qch en ~** to take a photo *ou* picture of sb/sth; **être pris en ~** to be photographed; **se faire prendre en ~** to have one's photo taken

(Composés) **~ d'identité** passport photo; **~ de mode** fashion photo, fashion shot; **~ satellite** satellite picture; **~ souvenir** souvenir photograph

(Idiome) **(il) y a pas ~**○ it's clear-cut

photo- /fɔto/ *préf* Sci photo(-); **photocathode** photocathode; **phototaxie** phototaxis

photobiologie /fɔtobjɔlɔʒi/ *nf* photobiology

photochimie /fɔtoʃimi/ *nf* photochemistry

photochimique /fɔtoʃimik/ *adj* photochemical

photochromique /fɔtokʀɔmik/ *adj* photochromic, photosensitive

photocomposer /fɔtokɔ̃poze/ [1] *vtr* to filmset GB, to photocompose US

photocomposeuse /fɔtokɔ̃pozøz/ *nf* filmsetter GB, photocomposer US

photocompositeur, **-trice** /fɔtokɔ̃pozitœʀ, tʀis/ ▸ **p. 532** *nm,f* filmsetter, imagesetting specialist, photocomposition specialist

photocomposition /fɔtokɔ̃pozisjɔ̃/ *nf* film setting GB, photocomposition US

photoconducteur, **-trice** /fɔtokɔ̃dyktœʀ, tʀis/
A *adj* photoconductive
B *nm* photoconductor

photoconduction /fɔtokɔ̃dyksjɔ̃/ *nf* photoconductivity

photocopiable /fɔtokɔpjabl/ *adj* photocopiable

photocopie /fɔtokɔpi/ *nf* **1** (copie) photocopy, photostat, xerox® US; **2** (procédé) photocopying; **3** (service) (dans magasin, université) photocopying service; (dans administration) **envoyer qch à la ~** to send sth to be photocopied

photocopier /fɔtokɔpje/ [2] *vtr* to photocopy, to xerox® US

photocopieur /fɔtokɔpjœʀ/ *nm* photocopier

photocopieuse /fɔtokɔpjøz/ *nf* photocopier

photocopillage /fɔtokɔpijaʒ/ *nm* illegal photocopying

photodégradable /fɔtodegʀadabl/ *adj* photodegradable

photodissociation /fɔtodisɔsjasjɔ̃/ *nf* photodisintegration

photoélectricité /fɔtoelɛktʀisite/ *nf* photoelectricity

photoélectrique /fɔtoelɛktʀik/ *adj* [*cellule, effet*] photoelectric

photoémission /fɔtoemisjɔ̃/ *nf* photoemission

photo-finish, *pl* **photos-finish*** /fɔtofiniʃ/ *nf* **c'est la ~ qui a désigné le vrai vainqueur de la course** the winner was decided on a photofinish; **contrôler l'arrivée d'une course à la ~** to verify the result of a race by examining the photofinish

photogénique /fɔtoʒenik/ *adj* [*personne, couleur, matière*] photogenic

photographe /fɔtogʀaf/ ▸ **p. 532** *nmf* **1** (qui prend des photos) photographer; **~ de presse/de mode** press/fashion photographer; **2** (commerçant) **aller chez le ~** to go to the camera shop GB *ou* store US

(Composé) **~ de plateau** Cin stills man

photographie /fɔtogʀafi/ *nf* **1** (technique) photography; **la ~ en noir et blanc** black and white photography; **2** (image) photograph, picture; **prendre une ~** to take a photograph; **3** (aperçu représentatif) picture; **une ~ de la société contemporaine** a picture of contemporary society

(Composés) **~ aérienne** (technique) aerial photography; (cliché) aerial photograph; **~ d'art** art photography; **~ de plateau** Cin still; **~ de reportage** photojournalism

photographier /fɔtogʀafje/ [2] *vtr* **1** (prendre en photo) to photograph, to take photos *ou* a photo of [*personne, lieu, objet*]; **se faire ~** to have one's photo *ou* picture taken; **se laisser ~** to let oneself be photographed; **2** (mémoriser) to fix [sth/sb] in one's mind, to make a mental picture of [*endroit, personne*]

photographique /fɔtogʀafik/ *adj* [*art, papier, image, documents*] photographic

photographiquement /fɔtogʀafikmɑ̃/ *adv* photographically

p

photograveur /fɔtɔɡʀavœʀ/ ▸ **p. 532** *nm* photoengraver, process engraver

photogravure /fɔtɔɡʀavyʀ/ *nf* photoengraving

photo-interprétation /fɔtoɛ̃tɛʀpʀetasjɔ̃/ *nf* photo interpretation

photojournalisme /fɔtoʒuʀnalism/ ▸ **p. 532** *nm* photojournalism

photojournaliste /fɔtoʒuʀnalist/ ▸ **p. 532** *nmf* photojournalist

photolithographie /fɔtolitɔɡʀafi/ *nf* photolithography

photoluminescence /fɔtolyminesɑ̃s/ *nf* photoluminescence

photolyse /fɔtoliz/ *nf* photolysis

photomaton® /fɔtomatɔ̃/ *nm* (appareil) photo booth

photomètre /fɔtɔmɛtʀ/ *nm* photometer

photométrie /fɔtometʀi/ *nf* photometry

photométrique /fɔtometʀik/ *adj* photometric

photomontage /fɔtomɔ̃taʒ/ *nm* photomontage

photomultiplicateur /fɔtomyltiplikatœʀ/ *nm* photomultiplier

photon /fɔtɔ̃/ *nm* photon

photonique /fɔtɔnik/ *adj* photonic

photopériodique /fɔtopeʀjɔdik/ *adj* photoperiodic

photopériodisme /fɔtopeʀjɔdism/ *nm* photoperiodism

photophobie /fɔtofɔbi/ *nf* photophobia

photophore /fɔtofɔʀ/ *nm* (de mineur, spéléologue) miner's lamp; (décoratif) (decorative) candle holder

photopile /fɔtopil/ *nf* solar cell

photoreportage /fɔtoʀəpɔʀtaʒ/ *nm* photoreportage

photorésistance /fɔtoʀezistɑ̃s/ *nf* photoresistance

photosensibilisation /fɔtosɑ̃sibilizasjɔ̃/ *nf* photosensitization

photosensible /fɔtosɑ̃sibl/ *adj* photosensitive

photostat® /fɔtosta/ *nm* Photostat®

photostoppeur, **-euse** /fɔtostɔpœʀ, øz/ ▸ **p. 532** *nm,f* street photographer

photostyle /fɔtostil/ *nm* light pen

photosynthèse /fɔtosɛ̃tɛz/ *nf* photosynthesis

photothèque /fɔtotɛk/ *nf* **1** (lieu) picture library; **2** (collection) photographic collection

photothérapie /fɔtoteʀapi/ *nf* phototherapy

phototropisme /fɔtotʀɔpism/ *nm* phototropism

phototype /fɔtotip/ *nm* phototype

photovoltaïque /fɔtovɔltaik/ *adj* photovoltaic

phrase /fʀɑz/ *nf* **1** Ling (assemblage de mots) sentence; **2** (propos) phrase; **une ~ célèbre/ampoulée** a well-known/highflown phrase; **une ~ qui veut tout dire** a revealing phrase; **il eut cette ~ admirable** he came out with this wonderful phrase; **avoir une ~ malheureuse** to say the wrong thing; **faire des ~s** *or* **de grandes ~s** to use flowery words; **sans ~s** without mincing one's words; **pas de ~s** no fine phrases; **tour de ~** turn of phrase; ▸ **petit**; **3** Mus phrase

(Composé) **~ toute faite** stock phrase, set expression

phrasé /fʀɑze/ *nm* Mus phrasing

phraséologie /fʀazeɔlɔʒi/ *nf* **1** (ensemble de termes) phraseology; **2** (verbiage) verbosity

phraséologique /fʀazeɔlɔʒik/ *adj* **1** Ling phraseological; **dictionnaire ~** dictionary of idioms; **2** pej [*style*] pretentious

phraser /fʀɑze/ [1]

A *vtr* Mus [*musicien*] to phrase [*air, mouvement*]

B *vi* (faire des phrases) to be wordy

phraseur, **-euse** /fʀɑzœʀ, øz/ *nm,f* phrasemonger, phrasemaker

phrastique /fʀastik/ *adj* phrasal

phréatique /fʀeatik/ *adj* **nappe ~** ground water ₵

phrénique /fʀenik/ *adj* phrenic

phrénologie /fʀenɔlɔʒi/ *nf* phrenology

Phrygie /fʀiʒi/ *nprf* Phrygia

phrygien, **-ienne** /fʀiʒjɛ̃, ɛn/ *adj* Phrygian; **bonnet ~** Phrygian cap

phtaléine /ftalein/ *nf* phthalein

phtisie† /ftizi/ *nf* consumption, phthisis spéc

(Composé) **~ galopante** galloping consumption

phtisiologie /ftizjɔlɔʒi/ *nf* phthisiology

phtisiologue /ftizjɔlɔɡ/ ▸ **p. 532** *nmf* tuberculosis specialist, phthisiologist spéc

phtisique† /ftizik/ *adj, nmf* consumptive

phycologie /fikɔlɔʒi/ *nf* phycology

phylactère /filaktɛʀ/ *nm* **1** (de bande dessinée) speech *ou* thought bubble; **2** (de vitrail) phylactery, scroll; **3** (étui) phylactery

phylloxéra /filɔkseʀa/ *nm* (insecte, maladie) phylloxera

phylogenèse /filɔʒənɛz/ *nf* **1** (formation des espèces) phylogenesis; **2** (science) phylogeny

phylogénétique /filɔʒenetik/

A *adj* phylogenetic, phyletic

B *nf* phylogenetics (+ *v sg*)

phylum /filɔm/ *nm* phylum

physalis /fizalis/ *nm inv* Chinese lantern, physalis spéc

physicien, **-ienne** /fizisjɛ̃, ɛn/ ▸ **p. 532** *nm,f* physicist; **un ~ nucléaire** a nuclear physicist

physico-chimique, *pl* **~s*** /fizikoʃimik/ *adj* physicochemical

physico-mathématique, *pl* **~s*** /fizikomatematik/ *adj* physicomathematical

physiocrate /fizjɔkʀat/ *nmf* physiocrat

physiocratie /fizjɔkʀasi/ *nf* physiocracy

physiologie /fizjɔlɔʒi/ *nf* **1** Physiol physiology (**de** of); **2** littér (structure) anatomy (**de** of)

physiologique /fizjɔlɔʒik/ *adj* physiological

physiologiquement /fizjɔlɔʒikmɑ̃/ *adv* physiologically

physiologiste /fizjɔlɔʒist/ ▸ **p. 532** *nmf* physiologist

physionomie /fizjɔnɔmi/ *nf* (traits du visage) facial appearance, physiognomy sout; (visage) face; fig (de pays) face; (de quartier) appearance, look; **la ~ de l'Europe/de la France a beaucoup changé** the face of Europe/France has greatly changed; **~ politique d'un pays** political complexion of a country; **~ du marché** Fin state of the market

physionomiste /fizjɔnɔmist/ *nmf* **1** (amateur) **c'est un bon ~** (personne douée de mémoire) he has a good memory for faces; (personne qui sait juger) he's a good judge of faces; **2** ▸ **p. 532** (profession) *casino employee responsible for recognizing people who are banned from gaming halls*

physiopathologie /fizjɔpatɔlɔʒi/ *nf* physiopathology

physiothérapie /fizjɔteʀapi/ *nf* physiotherapy GB, physical therapy US

physique /fizik/

A *adj* physical; **pour les cyclistes, c'est une étape très ~** for cyclists, this is a stage which requires a lot of physical effort; **un acteur qui a un jeu très ~** an actor with a very physical way of acting; **le squash provoque une énorme dépense ~** squash involves an enormous expenditure of energy

B *nm* (apparence) physical appearance; (corps) physique; **avoir un ~ séduisant/banal** to look attractive/ordinary; **jouer de son ~** to play on one's good looks; **au ~** physically

C *nf* (discipline) physics (+ *v sg*); **de ~** [*livre, professeur, examen, laboratoire*] physics; **la ~ nucléaire/des particules** nuclear/particle physics

(Idiome) **avoir le ~ de l'emploi** to look the part

physiquement /fizikmɑ̃/ *adv* physically

phytobiologie /fitobjɔlɔʒi/ *nf* phytobiology

phytogéographie /fitoʒeɔɡʀafi/ *nf* phytogeography

phytohormone /fitohɔʀmon/ *nf* phytohormone

phytoparasite /fitopaʀazit/ *nm* phytoparasite

phytopathologie /fitopatɔlɔʒi/ *nf* phytopathology

phytophage /fitofaʒ/ *adj* phytophagous

phytoplancton /fitoplɑ̃ktɔ̃/ *nm* phytoplankton

phytosanitaire /fitosanitɛʀ/ *adj* phytosanitary; **produit ~** pesticide

phytothérapeute /fitoteʀapøt/ ▸ **p. 532** *nmf* herbalist

phytothérapie /fitoteʀapi/ *nf* herbal medicine

pi* /pi/ *nm inv* pi

piaf○ /pjaf/ *nm* **1** (petit oiseau) little bird; **2** (moineau) sparrow

piaffement /pjafmɑ̃/ *nm* **on entendait les ~s d'un cheval** we could hear a horse pawing the ground

piaffer /pjafe/ [1] *vi* **1** [*cheval*] to paw the ground; **2** [*personne*] to be impatient (**de faire** to do); **~ d'impatience** to be champing at the bit

piaillement /pjɑjmɑ̃/ *nm* **1** (d'oiseau) chirping ₵; **2** ○(d'enfant) squealing ₵

piailler /pjɑje/ [1] *vi* **1** [*oiseau*] to chirp; **2** ○[*personne*] to squeal

piaillerie○ /pjɑjʀi/ *nf* = **piaillement**

piailleur, **-euse** /pjɑjœʀ, øz/ *adj* [*oiseau*] chirping; [*enfant*] squealing (*épith*)

pianissimo /pjanisimo/

A *adv* **1** Mus [*jouer, chanter*] pianissimo; **2** ○very gently; **allez-y ~** easy does it!

B *nm* Mus pianissimo passage

pianiste /pjanist/ *nmf* **1** ▸ **p. 532** (professionnel) pianist; **un ~ de talent** a talented pianist; **2** (amateur) piano player

(Composé) **~ de jazz** jazz pianist

pianistique /pjanistik/ *adj* **1** (de pianiste) [*technique, qualité*] pianistic; **2** (de piano) [*musique, études*] piano

piano /pjano/

A *nm* **1** ▸ **p. 557** (instrument) piano; **jouer qch au ~** to play sth on the piano; **se mettre au ~** (s'asseoir) to sit down at the piano; (apprendre) to take up the piano; **2** (passage joué doucement) piano passage; **3** ○(fourneau de restaurant) cooker GB, stove

B *adv* **1** Mus piano; **2** ○fig (doucement) softly-softly○ GB, gently; **vas-y ~** take it easy

(Composés) **~ acoustique** acoustic piano; **~ bastringue** honky-tonk piano; **~ de concert** concert grand (piano); **~ crapaud** small baby grand; **~ demi-queue** boudoir grand GB, parlor grand US; **~ droit** upright piano; **~ électrique** electric piano; **~ mécanique** Pianola®, player piano; **~ numérique** player piano; **~ quart de queue** baby grand; **~ à queue** grand piano

pianoforte /pjanofɔʀte/ ▸ **p. 557** *nm* pianoforte

pianotage /pjanɔtaʒ/ *nm* (sur un piano) tinkling; (sur une machine à écrire, un téléphone, ordinateur) tapping; (sur une table) drumming

pianoter /pjanɔte/ [1]

A *vtr* **1** (sur un piano) to tinkle [*air, mélodie*]; **2** ○(taper) to tap in; **pianotez**○ **3615 sur**

P

votre Minitel® tap in 3615 on your Minitel®

B *vi* 1▸ (sur un piano) to tinkle; 2▸ (sur un ordinateur, une machine à écrire) to tap (**sur** at); **je pianote sur mon clavier toute la journée** I tap away at the keyboard all day long; 3▸ (sur une table) to drum

piastre /pjastʀ/ ▸ **p. 48** *nf* 1▸ gén piastre[GB]; 2▸ Can (dollar) dollar

piaule◑ /pjol/ *nf* pad○, room

piaulement /pjolmɑ̃/ *nm* 1▸ (d'oiseau) cheeping ¢; 2▸ ○(d'enfant) bawling○ ¢

piauler /pjole/ [1] *vi* 1▸ (oiseau) to cheep; 2▸ ○(enfant) to bawl○

PIB /peibe/ *nm: abbr* ▸ **produit**

pic /pik/

A *nm* 1▸ (montagne, sommet) peak; 2▸ (outil) pick; (de mineur) pickaxe[GB]; 3▸ fig (de courbe) peak; **~ de natalité** peak in the birthrate; **~ de pollution** air pollution peak; 4▸ (oiseau) woodpecker

B à pic *loc adj* [*paroi, falaise*] sheer; [*montagne, gorge, ravin*] very steep

C à pic *loc adv* 1▸ (en pente raide) **s'élever à ~** [*paroi, falaise*] to rise sheer; **tomber à ~** [*falaise*] to fall in a sheer drop; **couler à ~** [*personne, objet*] to go straight down *ou* straight to the bottom; 2▸ ○[*arriver, se trouver*] (juste à temps) in the nick of time; (au bon moment) just at the right moment

(Composés) **~ à glace** ice pick; **~ noir** Zool black woodpecker

pica /pika/ *nm* (tous contextes) pica

picador /pikadɔʀ/ *nm* picador

picaillons◑ /pikajɔ̃/ *nmpl* **des ~** dough○ ¢, money ¢

picard, ~e /pikaʀ, aʀd/ ▸ **p. 721**

A *adj* of Picardy

B *nm* Ling Picardy dialect

Picard, ~e /pikaʀ, aʀd/ ▸ **p. 721** *nm,f* (natif) native of Picardy; (habitant) inhabitant of Picardy

Picardie /pikaʀdi/ ▸ **p. 721** *nprf* **la ~** Picardy

picaresque /pikaʀɛsk/ Littérat

A *adj* [*roman, genre, héros*] picaresque

B *nm* (genre) **le ~** the picaresque

piccolo* /pikɔlo/ ▸ **p. 557** *nm* piccolo

Pic de la Mirandole /pikdəlamiʀɑ̃dɔl/ *npr* Pico della Mirandola

pichenette /piʃnɛt/ *nf* flick; **donner une ~ à qn** to give sb a flick; **enlever une poussière d'une ~** to flick off a speck of dust

pichet /piʃɛ/ *nm* 1▸ (cruche) jug GB, pitcher; 2▸ (contenu) jugful GB, pitcherful

pickpocket /pikpɔkɛt/ *nm* pickpocket

pick-up*○ /pikœp/ *nm inv* record player

picoler◑ /pikɔle/ [1] *vi* to booze○, to drink; **~ sec** *or* **dur** to be a real boozer○ *ou* pisshead◑ GB; **qu'est-ce qu'il picole◑!** what a boozer○ *ou* pisshead◑ GB!

picoleur○, -euse /pikɔlœʀ, øz/ *nm,f* boozer○, drunkard

picorer /pikɔʀe/ [1]

A *vtr* [*volaille, oiseau*] to peck at [*graines, miettes*]

B *vi* [*oiseau, poule*] to peck about, to forage; [*personne, enfant*] to nibble

picot /piko/ *nm* 1▸ Tech (dent) tooth; **entraînement à ~s** sprocket drive, tractor feed; 2▸ (pointe restant sur du bois) splinter; 3▸ (dentelle) picot; **une dentelle à ~** picot(-edged) lace

picotement /pikɔtmɑ̃/ *nm* (de peau, membres) tingling ¢; (de gorge) tickling ¢; (d'yeux) smarting ¢; **ressentir des ~s dans les bras/la gorge** to feel one's arms tingling/one's throat tickling

picoter /pikɔte/ [1]

A *vtr* 1▸ (irriter) [*fumée, gaz, vent*] to sting, to make [sth] sting [*yeux, nez*]; to tickle [*gorge*]; [*herbe*] to sting [*peau, membres*]; **le froid me picote les joues/la peau** the cold makes my cheeks/skin tingle; **le gaz me picote les yeux** the gas is stinging my eyes *ou* makes my eyes sting; **j'ai la gorge qui me picote** my throat is tickling; 2▸ (piquer) [*oiseau*] to peck [*fruit, pain*]; [*personne*] to prick [*feuille, carton*]

B *vi* [*gorge*] to tickle; [*yeux*] to sting; **j'ai la peau qui picote** my skin is prickling

picotin /pikɔtɛ̃/ *nm* 1▸ (ration) **~ d'avoine** ration of oats; 2▸ (mesure) peck

picouse◑ /pikuz/ *nf* (piqûre) jab○ GB, shot○, injection

picrate /pikʀat/ *nm* 1▸ ◑(vin) plonk○ GB, cheap wine; **un petit coup de ~** a drop of plonk; 2▸ Chimie picrate

picrique /pikʀik/ *adj* picric

pictogramme /piktɔgʀam/ *nm* pictograph, pictogram

pictographie /piktɔgʀafi/ *nf* pictography

pictographique /piktɔgʀafik/ *adj* pictographic

pictural, -e, *mpl* **-aux** /piktyʀal, o/ *adj* pictorial

pidgin /pidʒin/ *nm* pidgin

pie /pi/

A ▸ **p. 202** *adj inv* [*cheval*] **~ noir** piebald; **~ alezan** skewbald; [*vache*] black and white

B *adj f* liter **œuvre ~** charitable act; **faire œuvre ~** to be charitable

C *nf* 1▸ (oiseau) magpie; 2▸ (bovin) **la race ~ rouge** (bovins) the breed of red and white cattle; 3▸ ○(bavard) chatterbox○

(Idiomes) **être bavard comme une ~○** to be a chatterbox○; **être voleur comme une ~○** to be a thieving magpie○

Pie /pi/ *npr* Pius

pièce /pjɛs/

A *nf* 1▸ (d'habitation) room; **maison de quatre ~s** four-room(ed) house (*excluding kitchen and bathroom*); 2▸ ▸ **p. 48** (monnaie) **~ (de monnaie)** coin; **~ d'or/d'argent** gold/silver coin; **~ d'un euro** one euro coin *ou* piece; **donner** *or* **glisser la ~ à qn○** to tip sb, to give sb a tip; ▸ **monnaie**; 3▸ Théât play; Littérat, Mus piece; 4▸ (morceau) bit, piece; **en ~s** in bits; **mettre en ~s** (briser) to smash [sth] to pieces; (déchirer) to pull [sth] to pieces; fig to pull [sth/sb] to pieces; **fait d'une seule ~** made in one piece; **~ à ~** bit by bit; 5▸ (élément d'un assemblage) part; **~ de rechange** spare part; **~s de charpente** roofing timbers; **créé de toutes ~s** fig created from nothing; **c'est forgé** *or* **inventé de toutes ~s** fig it's a complete fabrication; 6▸ (pour réparer) patch; **poser une ~ sur un vêtement** to put a patch on a garment; 7▸ (document) document; **juger avec ~s à l'appui** to judge on the basis of supporting documents; **~s jointes** enclosures; **juger sur ~s** to judge on the actual evidence; 8▸ (unité, objet) piece, item; (de jeu d'échecs, puzzle) piece; **service de table de 18 ~s** 18-piece dinner service; **vendu à la ~** sold separately *ou* individually; **20 euros (la) ~** 20 euros each *ou* apiece ; **travailler à la ~** *or* **aux ~s** to do piecework; **être à la ~** *or* **aux ~s** to be on piecework; 9▸ (quantité) (d'étoffe) length; **~ de bois** piece of timber; **~ de viande** (large) piece of meat; 10▸ (parcelle) **~ de luzerne/d'avoine** field of lucerne/of oats; **~ de terre** field, piece of land; 11▸ (animal) **~ de bétail** head of cattle; Chasse, Culin, Pêche **une belle ~ (de poisson)** a handsome fish; **plusieurs ~s de poisson et de gibier** a variety of fish and game

B -pièces (*in compounds*) 1▸ (habitation) **un deux/trois-~s cuisine** a two-/three-roomed flat GB *ou* apartment US with kitchen; 2▸ (vêtement) **un (maillot/costume) deux-~s** a two-piece swimsuit/suit; **trois-~s** three-piece suit

(Composés) **~ d'artifice** firework; **~ d'artillerie** cannon; **~ de collection** collector's item; **~ à conviction** Jur exhibit; **~ d'eau** ornamental lake; (plus petit) ornamental pond; **~ détachée** spare part; **en ~s détachées** (en kit) in kit form; (démonté) dismantled; **~ d'identité** identity papers (*pl*); **vous avez une ~ d'identité?** do you have some identification?; **~ jointe** (à une lettre) attachment; (à un courriel) attachment; **~ maîtresse** (de collection) showpiece; (de plaidoyer) key element; (de politique) cornerstone; **~ montée** (gâteau) layer cake; (choux) *pyramid-shaped arrangement of cream puffs*; **~ de musée** museum piece; **~ rapportée** lit patch; **la famille et les ~s rapportées○** hum the family and all the in-laws; **~ de résistance** pièce de résistance; **~ de théâtre** play; **~ de vers** short poem; **~ de vin** cask of wine

(Idiomes) **il est tout d'une ~** he's a very straightforward man; **on n'est pas aux ~s○** we're not in a sweat-shop; **faire ~ à qn** to thwart sb

piécette /pjesɛt/ *nf* small coin

pied /pje/ *nm* 1▸ ▸ **p. 196** Anat foot; **avoir les ~s plats** to have flat feet; **avoir les ~s cambrés** to have high-arched feet *ou* high arches; **marcher avec les ~s tournés en dedans/en dehors** to be pigeon-toed/splay-footed; **être ~s nus** to have bare feet, to be barefoot(ed); **il était ~s nus dans ses chaussures** his feet were bare inside his shoes; **aimer rester (les) ~s nus** to like to go barefoot(ed); **marcher/courir (les) ~s nus** to walk about/to run around bare-foot(ed); **sauter à ~s joints** lit to jump with one's feet together; fig to jump in with both feet; **il a sauté à ~s joints dans le piège** he jumped into the trap with both feet; **coup de ~** kick; **donner un coup de ~ à qn** to kick sb; **donner un coup de ~ dans qch** to kick sth; **tuer qn à coups de ~** to kick sb to death; **casser qch à coups de ~** to kick sth to pieces; **écarter qch d'un coup de ~** to kick sth aside; **je lui ai mis mon ~ aux fesses◑/au cul●** I kicked him up the backside○/arse● GB ou ass◑ US; **à ~** gén on foot; **être à ~** to be on foot; **aller quelque part à ~** to go somewhere on foot; **promenade à ~** walk; **randonnée à ~** ramble; **être aux ~s de qn** lit, fig to be at sb's feet; **se jeter aux ~s de qn** to throw oneself at sb's feet; **son chien au ~** with his dog at his heels; **au ~!** (ordre à un chien) heel!; **bottes aux ~s** wearing boots; **ne plus pouvoir mettre un ~ devant l'autre** to be unable to go another step *ou* to put one foot in front of the other; **traîner les ~s** lit, fig to drag one's feet; **ne plus tenir sur ses ~s** to be about to keel over; **taper du ~** (de colère) to stamp one's foot; (d'impatience) to tap one's foot; **repousser qch du ~** to push sth away with one's foot; **mettre ~ à terre** (de cheval) to dismount; (de camion) to get out; (de moto, bicyclette) to dismount, to get off; **avoir le ~ alerte** to have a spring in one's step; **de la tête aux ~s, des ~s à la tête, de ~ en cap** from head to foot, from top to toe; **portrait en ~** full-length portrait; **statue en ~** standing figure; **je n'ai jamais mis les ~s chez elle** I've never set foot in her house; **avoir un ~ dans l'édition** to have a foothold in publishing; **avoir conscience de là où on met les ~s○** fig to be aware of what one is letting oneself in for

2▸ (d'animal) Zool gén foot; (de cheval) hoof; Culin trotter; **~s de porc/de mouton** pig's/sheep's trotters; **animaux sur ~**, livestock on the hoof

3▸ (de collant, chaussette) foot

4▸ (base) (de colline, falaise, d'escalier) foot, bottom; (de mât, colonne) foot, base; **habiter au ~ des montagnes** to live at the foot of the mountains; **au ~ de l'arbre** at the foot of the tree

5▸ (de meuble) (pris dans sa totalité) leg; (extrémité) foot; (de verre) stem; (de lampe) base; (d'appareil photo) gén stand; (trépied) tripod; **table à trois ~s** three-legged table; **~ de table** table-leg; **~ de lampe** lampstand; **au ~ du lit** (opposé à la tête) at the foot of the bed

6▸ (de champignon) stalk

7▸ (plant) (de céleri, salade) head; **~ de vigne** vine; **récolte sur ~** standing crop

8▸ ▸ **p. 498** Mes (anglais) foot (*0,3048 metres*[GB]); (autrefois) foot (*0,3248 metres*[GB]); ▸ **six**

9▸ Littérat (en métrique) foot

[10]▸ (niveau) **sur un ~ d'égalité** on an equal footing; **sur le même ~** on the same level

(Composés) **~ de col** collarstand; **~ à coulisse** calliper rule; **~ de lit** footboard; **~ tendre** tenderfoot

(Idiomes) **~ à ~** [*céder, se défendre*] inch by inch; **être sur ~** [*personne*] to be up and about; [*affaires*] to be up and running; **mettre qch sur ~** to set sth up; **mise sur ~** setting up; **remettre qch sur ~** [*pays, affaire*] to get sth back on its feet again; **j'ai ~** I can touch the bottom; **je n'ai plus ~** I'm out of my depth; **perdre ~** lit to go out of one's depth; fig to lose ground; **lâcher ~** to give up; **prendre ~ quelque part** to get a foothold somewhere; **ne pas mettre les ~s dehors** not to set foot outside; **avoir toujours un ~ en l'air** to be always on the go; **être à ~ d'œuvre** to be ready to get down to work; **je me suis débrouillé comme un ~**○ I've made a mess of it; **elle joue au tennis comme un ~**○ she's hopeless at tennis; **faire un ~ de nez à qn** to thumb one's nose at sb; **faire un ~ de nez à la tradition/aux conventions** to cock a snook at tradition/at conventions; **faire du ~ à qn** to play footsy with sb○; **faire des ~s et des mains pour obtenir qch** to work really hard at getting sth; **ça lui fera les ~s**○ that will teach him a lesson; **c'est le ~**○ (très bien) that's terrific○; **c'est pas le ~ aujourd'hui**○ things aren't so hot today○; **prendre son ~**○ gén to have a good time; (au lit) to have it away◑; **sortir les ~s devant** to leave feet first; **partir du bon/mauvais ~** to get off on the right/wrong foot; **mettre à ~** (mesure disciplinaire) to suspend; (mesure économique) to lay [sb] off; **lever le ~**○ (aller moins vite) to slow down; (s'arrêter) to stop

pied-à-terre /pjetatɛʀ/ *nm inv* pied-à-terre

pied-bot, *pl* **pieds-bots** /pjebo/ *nm* club-footed person

pied-d'alouette, *pl* **pieds-d'alouette** /pjedalwɛt/ *nm* larkspur

pied-de-biche, *pl* **pieds-de-biche** /pjedbiʃ/ *nm* [1]▸ (de machine à coudre) presser foot; [2]▸ (levier) crowbar; [3]▸ (arrache-clous) claw head

pied-de-coq, *pl* **pieds-de-coq** /pjedkɔk/
[A] *adj inv* [*tissu*] large houndstooth
[B] *nm* large houndstooth check

pied-de-poule, *pl* **pieds-de-poule** /pjedpul/
[A] *adj inv* houndstooth
[B] *nm* houndstooth check

piédestal, *pl* **-aux** /pjedɛstal, o/ *nm* (socle) pedestal; **placer/mettre qn sur un ~** fig to put sb on a pedestal; **descendre/tomber de son ~** fig to come down from/to fall off one's pedestal

pied-noir○, *pl* **pieds-noirs** /pjenwaʀ/
[A] *adj* [*accent*] pied-noir, of a French colonial born in Algeria
[B] *nmf* pied-noir (*French colonial born in Algeria*)

pied-plat, *pl* **pieds-plats** /pjepla/ *nm* flat-footed individual

piège /pjɛʒ/ *nm* [1]▸ (dispositif) (engin) trap; (collet) snare; (fosse) pit; **poser/tendre un ~** to set/to lay a trap; **prendre un animal au ~** to catch an animal in a trap; **être pris au ~** to be caught in a trap; **relever un ~** to check a trap; **le ~ tendu n'a pas fonctionné** the trap that had been set didn't work; **l'animal pris au ~** the trapped animal; [2]▸ (stratagème) trap; **tendre un ~ à qn** to set a trap for sb; **il s'est laissé prendre au ~** he walked into the trap; **tomber dans un ~** to fall into a trap; **être pris au ~** to get caught in a trap, to be trapped; **être pris à son propre ~** to fall into one's own trap; **le ~ s'est refermé sur lui** he was caught in the trap; [3]▸ (difficulté) pitfall; **les ~s de la traduction** gén the pitfalls of translation; (d'un texte spécifique) the pitfalls in the translation; **c'est un texte sans ~** it's a straightforward text; **la dictée comporte quelques ~s orthographiques** the dictation has some tricky spellings; **il y a un ~ dans la formulation du sujet de dissertation** there's a trap in the way the subject of the essay is formulated

(Composés) **~ à cons**◑ con○; **~ à ions** Électron ion trap GB, beam bender US; **~ à lapins** rabbit snare; **~ à loups** mantrap; **~ à oiseaux** gin trap; **~ à poux**◑ beard; **~ à rats** lit rattrap; **~ à renards** gin trap

piégé, **~e** /pjeʒe/
[A] *pp* ▸ **piéger**
[B] *pp adj* (muni d'un dispositif) [*objet, valise, sac*] booby-trapped; **une lettre ~e** a letter bomb; **un colis ~** a parcel GB *ou* package US bomb; **une voiture ~e** a car bomb; **le colis était-il ~?** was the package booby-trapped?

piégeage /pjeʒaʒ/ *nm* [1]▸ (d'animaux) trapping; [2]▸ (de valise, voiture, colis) booby-trapping (**de** of)

piéger /pjeʒe/ [15] *vtr* [1]▸ lit (capturer) gén to trap [*animal, criminel*]; (avec un collet) to snare [*animal*]; **se faire** *or* **se laisser ~** to get trapped; [2]▸ (tromper) to trick, to trap [*personne*]; **je me suis fait ~ par une question à double sens** I let myself be tricked by a double-edged question; [3]▸ (munir d'un dispositif) to booby-trap [*lettre, colis, voiture*]

pie-grièche, *pl* **pies-grièches** /pigʀijɛʃ/ *nf* shrike

pie-mère, *pl* **pies-mères** /pimɛʀ/ *nf* pia mater

piémont /pjemɔ̃/ *nm* Géog piedmont plain

Piémont /pjemɔ̃/ ▸ **p. 721** *nprm* Piedmont

piémontais, **~e** /pjemɔ̃tɛ, ɛz/ ▸ **p. 721** *adj* Piedmontese

Piémontais, **~e** /pjemɔ̃tɛ, ɛz/ *nm,f* Piedmontese

piercing /piʀsiŋ/ *nm* body piercing; **il a un ~ sur la langue** he has a tongue stud

piéride /pjeʀid/ *nf* pierid (butterfly)

(Composé) **~ du chou** cabbage white

pierraille /pjɛʀɑj/ *nf* loose stones (*pl*)

pierre /pjɛʀ/ *nf* [1]▸ (matière) stone; **un pont/mur de** *or* **en ~** a stone bridge/wall; **une maison en ~ de la région** a house in local stone; [2]▸ (morceau) stone, rock; **un mur en ~s sèches** a drystone wall; **un désert de ~s** a rocky *ou* stony wilderness; **'attention, chute de ~s'** 'beware of falling rocks'; **poser la première ~** to lay the foundation stone; fig to lay the foundations (**de** of); **être amateur de vieilles ~s** fig to be fascinated by old buildings; [3]▸ (immobilier) property GB, real-estate US; **investir dans la ~** to invest in bricks and mortar; ▸ **blanc, faux¹, jardin, mousse**

(Composés) **~ à aiguiser** whetstone; **~ angulaire** lit, fig cornerstone; **~ à bâtir** building stone; **~ à briquet** flint; **~ à chaux** limestone; **~ dure** semiprecious stone; **~ à feu** = **~ à briquet**; **~ fine** gemstone; **~ à fusil** gun flint; **~ gravée** engraved stone, intaglio spéc; **~ levée** standing stone; **~ de lune** moonstone; **~ à plâtre** gypsum; **~ ponce** pumice stone; **~ précieuse** precious stone; **~ de Rosette** Archéol Rosetta Stone; **~ de taille** dressed stone; **~ tombale** tombstone, gravestone; **~ de touche** touchstone

(Idiomes) **jeter la ~ à qn** to accuse sb; **jeter la première ~** Bible to cast the first stone (**à** at); **apporter sa ~ à qch** to make one's contribution to sth; **faire d'une ~ deux coups** to kill two birds with one stone

Pierre /pjɛʀ/ *npr* Pierre

(Composé) **~ le Grand** Peter the Great

pierreries /pjɛʀʀi/ *nfpl* gems

pierreux, **-euse** /pjɛʀø, øz/ *adj* [1]▸ [*chemin, champ*] stony (*épith*); [2]▸ [*poire*] gritty; [3]▸ Méd [*concrétion*] stony

pietà* /pjeta/ *nf inv* pietà

piétaille /pjetɑj/ *nf* [1]▸ (subalternes) **la ~** (de fonction subalterne) the underlings (*pl*) péj; (de petite condition) the riff-raff péj; [2]▸ hum (piétons) footsloggers péj; [3]▸ (infanterie) **la ~** the infantry

piété /pjete/ *nf* piety; **~ filiale** filial piety; **de ~** [*articles, livres*] devotional

piétinement /pjetinmɑ̃/ *nm* [1]▸ (mouvement) **le ~ de la foule dans les rues en fête** the crowd shuffling through the festive streets; [2]▸ (bruit) **les ~s dans le couloir** the sound of feet in the corridor; [3]▸ (de négociations, d'enquête) lack of progress

piétiner /pjetine/ [1]
[A] *vtr* [1]▸ lit to trample [sth] underfoot [*bouquet, fraisiers, drapeau*]; **~ le sol** (d'impatience, de rage) to stamp one's feet; **périr piétiné** to be trampled to death; [2]▸ fig to trample on [*droits, croyances*]
[B] *vi* [1]▸ (sur place) **~ d'impatience/de rage** to hop up and down with impatience/with fury; [2]▸ (marcher lentement) (à cause de la foule) to shuffle along; (à cause de la boue, la neige) to trudge along; **~ dans la boue** to trudge through the mud; [3]▸ (ne pas avancer) [*négociations, enquête*] to make no headway; **je piétine** I'm not getting anywhere

piétisme /pjetism/ *nm* pietism

piétiste /pjetist/ Relig
[A] *adj* pietistic
[B] *nmf* pietist

piéton, **-onne** /pjetɔ̃, ɔn/
[A] *adj* [*rue, zone, voie*] pedestrianized
[B] *nm,f* pedestrian; **passage pour ~s** pedestrian crossing

piétonnier, **-ière** /pjetɔnje, ɛʀ/ *adj* [1]▸ [*rue, zone, voie*] pedestrianized; [2]▸ [*circulation*] pedestrian (*épith*)

piétonniser /pjetɔnise/ [1] *vtr* to pedestrianize

piètre /pjɛtʀ/ *adj* [*médecin, acteur, écrivain*] very mediocre; [*santé, résultats*] very poor; [*avantage*] negligible; [*début, performance*] sorry; **c'est une ~ consolation** it's not much comfort; **avoir ~ allure** to cut a sorry figure

piètrement /pjɛtʀəmɑ̃/ *adv* badly

pieu, *pl* **~x¹** /pjø/ *nm* [1]▸ (poteau pointu) stake; **une clôture de ~x** a picket fence; [2]▸ Archit, Constr pile; [3]▸ ◑(lit) bed; **se mettre** *or* **aller au ~** to hit the hay◑ *ou* the sack◑

pieusement /pjøzmɑ̃/ *adv* [1]▸ Relig piously; [2]▸ (avec respect) devotedly; **des documents ~ conservés** documents religiously kept

pieuter◑ /pjøte/ [1]
[A] *vi* (dormir, être hébergé) to kip○ GB, to sleep
[B] **se pieuter** *vpr* to hit the hay○, to hit the sack○

pieuvre /pjœvʀ/ *nf* [1]▸ Zool octopus; [2]▸ (entreprise tentaculaire) octopus; [3]▸ (personne) **quelle ~!** he's so clingy○!

pieux², **pieuse** /pjø, øz/ *adj* [1]▸ Relig [*personne*] pious, religious; [*acte, pensée, livre, lecture*] pious; [*peinture*] religious; **croyance pieuse** religious belief; **avoir une pensée pieuse pour qn** to remember sb in one's prayers; [2]▸ liter [*devoirs*] loving; [*affection, silence*] reverent

(Composé) **~ mensonge** white lie

piézoélectricité /pjezoelɛktʀisite/ *nf* piezoelectricity

piézoélectrique /pjezoelɛktʀik/ *adj* piezoelectric

piézomètre /pjezomɛtʀ/ *nm* piezometer

pif /pif/
[A] *nm* [1]▸ ◑(nez) nose, conk○ GB, schnozzle○ US; [2]▸ ◑(flair) intuition; **j'ai eu du ~** I had a hunch○; **au ~** [*mesurer*] roughly; [*trouver*] by chance; [*décider*] just like that
[B] *excl* [1]▸ (détonation) bang!; [2]▸ (gifle) whack!

(Idiome) **avoir qn dans le ~**○ to have it in for sb○

pifer◑ /pife/ [1] *vtr* **elle ne peut pas le ~** she can't stand○ him

pifomètre◑ /pifɔmɛtʀ/ *nm* intuition; **au ~** [*mesurer*] roughly; [*décider*] just like that

pige /piʒ/ *nf* 1 Édition, Presse **travailler à la ~, faire des ~s** to do freelance work; 2 ◑(année) **avoir 40 ~s** to be 40; 3 (tige) measuring rod; 4 (longueur) length
(Idiome) **faire la ~ à qn**○ to leave sb standing, to beat sb
pigeon /piʒɔ̃/ *nm* 1 (oiseau) pigeon; 2 ◑(naïf) sucker○
(Composés) **~ d'argile** clay pigeon; **~ biset** pigeon, rock dove; **~ colombin** stock dove; **~ ramier** wood pigeon, ring dove; **~ vole** Simon says; **jouer à ~ vole** to play Simon says; **~ voyageur** carrier pigeon; **envoyer un message par ~ voyageur** to send a message by carrier pigeon *ou* pigeon post GB
pigeonnant, ~e /piʒɔnɑ̃, ɑ̃t/ *adj* [*soutien-gorge*] uplift (*épith*); [*poitrine*] with a lot of cleavage (*épith, après n*)
pigeonne /piʒɔn/ *nf* Zool hen pigeon
pigeonneau, *pl* **~x** /piʒɔno/ *nm* young pigeon
pigeonner◑ /piʒɔne/ [1] *vtr* to take [sb] for a ride○; **se faire ~** to be taken for a ride○
pigeonnier /piʒɔnje/ *nm* 1 (pour pigeons) gén pigeon house; (en haut d'un bâtiment) pigeon loft; (bâtiment circulaire) dovecote; 2 hum (appartement) garret
piger /piʒe/ [13] *vtr* 1 ○(comprendre) to understand; **tu as pigé?** did you get it?; **je ne pige rien à l'informatique** I haven't got a clue○ *ou* I'm completely clueless○ about computing; 2 (mesurer) to measure [sth] with a measuring rod [*distance*]
pigiste /piʒist/ *nmf* freelance
pigment /pigmɑ̃/ *nm* pigment
pigmentaire /pigmɑ̃tɛʀ/ *adj* pigmentary
pigmentation /pigmɑ̃tasjɔ̃/ *nf* pigmentation (**de** of)
pigmenter /pigmɑ̃te/ [1] *vtr* [*soleil, maladie*] to alter the pigmentation of [*peau*]
pigne /piɲ/ *nf* pine cone
pignon /piɲɔ̃/ *nm* 1 (de maison) gable; **une maison à ~** a gabled house; 2 (roue dentée) gearwheel, cogwheel; (petite roue) pinion; **~ de renvoi** transmission gearwheel; 3 (de pin) pine kernel
(Idiome) **avoir ~ sur rue** [*entreprise, notaire, architecte*] to be well-established
pignouf◑ /piɲuf/ *nm* pej oaf, lout
pilaf /pilaf/ *nm* pilau; **riz ~** pilau rice
pilage /pilaʒ/ *nm* (de noix, céréales) grinding; (de glace, verre) crushing; (avec un pilon) pounding
pilaire /pilɛʀ/ *adj* [*atrophie*] of the hair (*après n*); [*acné*] of the follicles
pilastre /pilastʀ/ *nm* pilaster
Pilate /pilat/ *npr* **Ponce ~** Pontius Pilate
pilchard /pilʃaʀ/ *nm* pilchard
pile /pil/
A ○*adv* 1 (brusquement) **s'arrêter ~** [*voiture, conducteur, appareil, machine*] to stop dead; **elle s'est arrêtée ~ de faire** she suddenly stopped doing; 2 (exactement) exactly; **à 10 heures et demie ~** at ten-thirty sharp *ou* on the dot○; **être ~ à l'heure** to be bang○ GB *ou* right on time; **tu tombes ~**○ (au bon moment) you've come just at the right time; (la personne qu'il faut) you're just the person I wanted to see *ou* we need; **tu es tombé ~** (en devinant) you hit the nail on the head○; **ça tombe ~** (au bon moment) that's lucky; **elle est arrivée ~ au moment où je devais partir** she turned up precisely as I was about to leave; **c'est tombé ~ dans mon assiette** it fell straight *ou* right into my plate
B *nf* 1 (tas) (désordonné) pile; (régulier) stack; 2 Électrotech **~ (électrique)** battery; **~ rechargeable** rechargeable battery; **~ longue durée/plate** long-life/flat battery; **~ alcaline** alkaline battery; **~ au cadmium** cadmium cell; **à ~s** [*jouet, réveil, perceuse*] battery-operated (*épith*); **fonctionner sur ~s et sur secteur** to work on batteries and off the mains; 3 Archit (de pont) pier; 4 (de monnaie) **le côté ~ est abîmé** the reverse side is damaged; **~ je gagne, face tu perds** tails I win, heads you lose; **jouer à ~ ou face** Jeux to play heads or tails; **ils ont joué** *or* **décidé** *or* **tiré à ~ ou face** (choix de personne) they tossed for it; (choix d'option) they decided it on the flip *ou* toss of the coin; **'comment choisir?'—'à ~ ou face'** 'how can I/we etc choose?'—'toss a coin'; **ça s'est joué à ~ ou face** it was a toss-up○; 5 Ordinat stack; 6 ○(défaite) **prendre une ~** to take a hammering○
(Composés) **~ atomique** atomic pile; **~ bouton** button battery; **~ Leclanché** Leclanché cell; **~ sèche** dry cell; **~ solaire** solar cell; **~ Volta** voltaic pile
pile-poil○ /pilpwal/ *adv* exactly; **arriver ~** to arrive bang on time○
piler /pile/ [1]
A *vtr* to grind [*noix, céréales*]; to crush [*gousse d'ail, glace*]; **verre pilé** crushed glass
B ○*vi* (s'arrêter net) [*voiture*] to pull up short, to stop suddenly; [*conducteur*] to slam on the brakes
pileux, -euse /pilø, øz/ *adj* **système ~** hair (*épith*)
pilier /pilje/ *nm* 1 Constr pillar; 2 fig (de doctrine, d'économie, institution) mainstay; (personne) (de communauté, d'église) pillar; (de parti) stalwart; (habitué)○ **~ de bar** *or* **bistrot** bar fly○; **c'est un ~ de bistrot** he's always propping up the bar; 3 (au rugby) prop forward; **jouer ~** to play prop forward; **quel ~!** what an excellent prop forward!; 4 Anat pillar
pillage /pijaʒ/ *nm* 1 (de ville, région) pillage, plundering; (de magasins) looting; 2 (des caisses de l'État) pillaging; 3 (plagiat) plagiarism
pillard, ~e /pijaʀ, aʀd/
A *adj* [*hordes, bandes*] pillaging, plundering; [*oiseaux*] thieving
B *nm,f* (de magasin) looter; (pendant une guerre) pillager, looter
piller /pije/ [1] *vtr* 1 Mil [*soldats, bandes*] to pillage [*ville, région*]; to loot [*maison, magasin*]; **~ et violer** to rape and plunder; 2 gén [*personne*] to pillage [*objets d'art*]; to plunder [*temple*]; to ransack [*maison, réfrigérateur, placard*]; [*oiseau*] to plunder [*arbre, verger*]; **~ les caisses de l'État** to plunder the treasury coffers; 3 (plagier) to plagiarize [*œuvre, auteur*]
pilleur, -euse /pijœʀ, øz/ *nm,f* (de magasin) looter; (d'église) plunderer
pilon /pilɔ̃/ *nm* 1 (outil) pestle; 2 (jambe de bois) wooden leg; 3 (de volaille) drumstick; 4 Édition pulping; **mettre qch au ~** to pulp sth
pilonnage /pilɔnaʒ/ *nm* Mil bombardment; **le ~ d'artillerie** shelling
pilonner /pilɔne/ [1] *vtr* 1 Mil to bombard; 2 (écraser) to grind, to pound [*graines, céréales*]; 3 ○Sport to give [sb] a pounding○ [*adversaire, équipe*]; to pound away at [*buts*]; 4 Édition to pulp
pilori /pilɔʀi/ *nm* Hist stocks (*pl*); **être condamné au ~** to be sentenced to the stocks; **mettre** *or* **clouer qn au ~** fig to pillory sb
pilosité /pilozite/ *nf* hairiness ¢; hum growth
pilotage /pilɔtaʒ/ *nm* 1 Aviat, Naut piloting ¢; Aut driving ¢; **un accident dû à une erreur de ~** an accident caused by pilot error; **le ~ à trois** flying with two co-pilots; 2 (gestion) (d'entreprise) running ¢; (de négociation) leading ¢; **le ~ d'une entreprise** running a company
(Composé) **~ automatique** Aviat automatic piloting system
pilote /pilɔt/
A *nm* 1 ▸ **p. 532** (conducteur) Aviat, Naut pilot; Aut driver; 2 (guide) guide; **servir de ~ à qn** to show sb around; 3 (dirigeant) Pol leader; Entr manager; 4 Ordinat driver
B (-)pilote (*in compounds*) **étude/projet(-)~** pilot study/project; **ferme/hôpital/école(-)~** experimental farm/hospital/school
(Composés) **~ automatique** automatic pilot; **~ automobile** racing driver; **~ de chasse** fighter pilot; **~ de course** = **~ automobile**; **~ d'essai** test pilot; **~ de ligne** airline pilot
piloter /pilɔte/ [1]
A *vtr* 1 (conduire) to pilot [*avion, navire*]; to drive [*voiture*]; 2 (guider) to show [sb] around [*personne*]; 3 (diriger) to run [*entreprise*]; to lead [*négociation*]
B *vi* 1 Aviat to fly; **~ à deux** to fly with dual controls; 2 Aut to drive
pilotis /pilɔti/ *nm inv* stilts (*pl*), pilotis (*pl*); **bâti sur ~** built on stilts
pilou /pilu/ *nm* cotton flannel, flannelette
pilule /pilyl/ *nf* 1 (médicament) pill; 2 (contraceptif) **~ (contraceptive)** (contraceptive) pill; **~ abortive** abortion pill; **je prends la ~** I'm on the pill
(Idiomes) **avaler la ~**○ to grin and bear it; **la ~ est dure à avaler**○ it's a bitter pill to swallow; **faire passer la ~**○ to sweeten the pill; **trouver la ~ amère**○ to find it a bitter pill to swallow; **dorer la ~ à qn** to butter sb up; **se dorer la ~**○ to sunbathe
pilulier /pilylje/ *nm* pillbox
pimbêche /pɛ̃bɛʃ/ *nf* stuck-up madam○
piment /pimɑ̃/ *nm* 1 (plante) capsicum; 2 (condiment) hot pepper; 3 (stimulation) **du ~** a bit of spice; **le risque met du ~ dans la vie** danger adds a bit of spice to life
(Composés) **~ doux** sweet pepper; **~ rouge** red hot pepper, chilli; **~ vert** hot pepper
pimenter /pimɑ̃te/ [1] *vtr* 1 Culin to put chillies[GB] in, to put chilli[GB] powder in [*plat*]; **un plat très pimenté** a very hot dish; 2 (animer) to give a bit of spice to [*situation, réunion, spectacle*]
pimpant, ~e /pɛ̃pɑ̃, ɑ̃t/ *adj* [*femme, robe, village*] spruce, smart; [*voiture, bicyclette*] smart
pimprenelle /pɛ̃pʀənɛl/ *nf* burnet
pin /pɛ̃/ *nm* pine (tree); **du bois de ~** pine; **chaise/cuisine en ~** pine chair/kitchen; **pomme de ~** pine cone
(Composés) **~ laricio** Corsican pine; **~ maritime** maritime pine; **~ d'Oregon** Oregon pine, Douglas fir; **~ parasol** *or* **pignon** stone pine; **~ sylvestre** Scots pine
pinacle /pinakl/ *nm* Archit pinnacle
(Idiomes) **porter** *or* **mettre qn au ~** to praise sb to the skies; **être/monter au ~** to be at/to reach the top
pinacothèque /pinakɔtɛk/ *nf* art gallery
pinaillage○ /pinɑjaʒ/ *nm* hairsplitting, quibbling
pinailler○ /pinɑje/ [1] *vi* to split hairs, to quibble (**sur** about)
pinailleur○**, -euse** /pinɑjœʀ, øz/
A *adj* [*personne*] pernickety○ GB, persnickety US
B *nm,f* hairsplitter, quibbler
pinard◑ /pinaʀ/ *nm* plonk○ GB, wine
pinardier○ /pinaʀdje/ *nm* 1 (bateau) wine tanker; 2 (marchand) wine merchant
pinasse /pinas/ *nf* Naut (flat-bottomed) fishing smack
pince /pɛ̃s/
A *nf* 1 (outil) (de plombier, d'électricien) pliers (*pl*), pair of pliers; (de forgeron) tongs (*pl*), pair of tongs; ▸ **serrer**, 2 Cout dart; **faire des ~s à la taille** (par style) to put darts in at the waist; (pour ajuster) to take [sth] in at the waist [*robe, pantalon*]; **faire des ~s à une veste** to put darts in a jacket; **un pantalon à ~** trousers (*pl*) GB *ou* pants (*pl*) US with a pleated waist; 3 Zool (de homard, crabe, d'écrevisse) pincer, claw; (dent de cheval) incisor; 4 (levier) crowbar
B pinces *nfpl* **aller/être à ~s**○ to be on foot; **faire 5 km à ~s** to do 5 km on foot, to walk for 5 km; **je ne peux pas te ramener, je suis à ~s** I can't give you a lift GB *ou* ride US, I'm on foot

P

(Composés) ~ **à charbon** coal tongs (*pl*); ~ **à cheveux** hair grip; ~ **coupante** wire cutters (*pl*); ~ **crocodile** crocodile clip; ~ **à dessin** bulldog clip; ~ **à épiler** tweezers; ~ **à escargot** snail tongs (*pl*); ~ **à glaçons** ice tongs (*pl*); ~ **hémostatique** haemostatic forceps; ~ **à linge** clothes peg; ~ **multiprise** adjustable pliers (*pl*); ~ **à ongles** nail clippers (*pl*); ~ **à sucre** sugar tongs (*pl*); ~ **universelle** universal pliers (*pl*); ~ **à vélo** bicycle clip

pincé, **~e** /pɛ̃se/
A *pp* ▸ **pincer**
B *pp adj* **1** (contraint) [*sourire*] tight-lipped; **prendre un air ~** to become stiff *ou* starchy; **2** (serré) [*lèvres*] thin; [*narines*] pinched
C **pincée** *nf* (de poivre, sel) pinch (**de** of)

pinceau, *pl* **~x** /pɛ̃so/ *nm* **1** (instrument) brush; (à peinture) (paint) brush; **se maquiller au ~** to apply make-up with a brush; **passer un coup de ~ sur qch**, **donner un coup de ~ à qch** to give sth a lick of paint; **2** (manière de peindre) brushwork; **3** ○(pied) foot; **4** (faisceau) ~ **de lumière** thin beam of light; ~ **lumineux** Phys pencil beam

pincée ▸ **pincé B, C**

pince-fesses*○ /pɛ̃sfɛs/ *nm inv* (fête) do○, bash○, cocktail party

pincement /pɛ̃smɑ̃/ *nm* **1** (de peau, personne) pinch; **2** (serrement) pang; **avoir un ~ de cœur** to feel a pang *ou* a twinge of sadness; **3** Mus (de corde) plucking

pince-monseigneur, *pl* **pinces-monseigneur*** /pɛ̃smɔ̃sɛɲœʀ/ *nf* (levier) jemmy GB, slim jim US

pince-nez /pɛ̃sne/ *nm inv* pince-nez

pince-oreilles* /pɛ̃sɔʀɛj/ *nm inv* earwig

pincer /pɛ̃se/ [12]
A *vtr* **1** (pour faire mal) [*personne*] to pinch; [*crabe*] to nip; **se faire ~ par un crabe** to get nipped by a crab; **2** ○(attraper) to nab○, to catch [*voleur, criminel*]; **sa mère l'a pincé○ en train de voler des chocolats dans le placard** his mother caught him stealing chocolates from the cupboard; **il s'est fait ~○ à** *or* **en train de tricher à l'examen** he got caught cheating in the exam; **se faire ~** to get nabbed○ *ou* caught; **3** (serrer) **~ les lèvres** *or* **la bouche** to purse (up) one's lips; **une veste qui pince la taille** a jacket which hugs the waist; **4** Mus to pluck [*corde, guitare*]; **5** Hort to pinch out, to pinch off [*bourgeon*]
B ○*vi* [*vent, froid*] to be nippy○; **ça pince, aujourd'hui!** it's (pretty) nippy○ today!
C **se pincer** *vpr* **1** (accidentellement) to catch oneself; **elle s'est pincée en refermant le tiroir** she caught her fingers closing the drawer; **je me suis pincé les doigts dans la porte** I caught *ou* trapped my fingers in the door; **2** (volontairement) to pinch oneself; **j'ai dû me ~ pour y croire** I had to pinch myself to make sure I wasn't dreaming; **se ~ le nez** to hold one's nose
(Idiome) **en ~ pour qn**○ to be stuck○ on sb, to be in love with sb

pince-sans-rire /pɛ̃ssɑ̃ʀiʀ/
A *adj inv* [*personne, ton*] deadpan; **être ~** to be deadpan, to have a deadpan sense of humour[GB]
B *nmf inv* **c'est un ~** he has a deadpan sense of humour[GB]

pincette /pɛ̃sɛt/ *nf* **1** (petite pince) tweezers (*pl*), pair of tweezers; **2** (de cheminée) fire tongs (*pl*), pair of fire tongs
(Idiome) **il n'est pas à prendre avec des ~s** he's like a bear with a sore head

pinçon /pɛ̃sɔ̃/ *nm* pinch-mark

Pindare /pɛ̃daʀ/ *npr* Pindar

pindarique /pɛ̃daʀik/ *adj* Pindaric

pine● /pin/ *nf* prick●, cock●, penis

pinède /pinɛd/ *nf* pine forest

pingouin /pɛ̃gwɛ̃/ *nm* auk; (manchot) controv penguin; **grand ~** great auk; **petit ~** razorbill

ping-pong*®, *pl* **~s** /piŋpɔ̃ŋ/ ▸ **p. 469** *nm* **1** (jeu) table tennis, ping-pong; **jouer au ~** to play table tennis; **raquette de ~** table tennis bat; **2** (table) table tennis table

pingre /pɛ̃gʀ/
A *adj* stingy, niggardly (**à l'égard de, envers** towards, with)
B *nmf* skinflint

pingrerie /pɛ̃gʀəʀi/ *nf* stinginess

pinotte /pinɔt/ *nf* Can **beurre de ~** peanut butter

pin-pon /pɛ̃pɔ̃/ *nm* (*also onomat*) *sound of a two-tone siren*

pin's /pins/ *nm inv* lapel badge

pinson /pɛ̃sɔ̃/ *nm* chaffinch
(Composés) ~ **des Ardennes** brambling; ~ **des neiges** snow finch; ~ **du Nord** = ~ **des Ardennes**
(Idiome) **être gai comme un ~** to be as happy as a lark

pintade /pɛ̃tad/ *nf* guinea fowl

pintadeau, *pl* **~x** /pɛ̃tado/ *nm* young guinea fowl, guinea poult spéc

pinte /pɛ̃t/ *nf* **1** ▸ **p. 123** (mesure anglo-saxonne) pint; (ancienne mesure) ≈ US quart (= 0,94 litre); **2** (récipient) pot, tankard; **3** Helv (bar) bar
(Idiome) **se payer une ~ de bon sang** (s'amuser) to have a good time; (rire) to have a good laugh

pinté, **~e** /pɛ̃te/
A *pp* ▸ **pinter**
B *pp adj* plastered○, sloshed○, drunk

pinter○ /pɛ̃te/ [1]
A *vtr* to get [sb] plastered○ *ou* drunk
B **se pinter** *vpr* **1** (s'enivrer) to get plastered○ *ou* drunk; **2** Helv (boire un verre) to have a drink

pin-up*○ /pinœp/ *nf inv* **1** (personne) glamour girl, sexy girl; **2** (photo) pin-up

pioche /pjɔʃ/ *nf* **1** (de cultivateur) mattock; (de terrassier) pickaxe; **2** Jeux stock
(Idiome) **bonne ~!** nice one○!, good choice!

piocher /pjɔʃe/ [1]
A *vtr* **1** (creuser) to dig [sth] over [*sol*]; **2** ○(potasser) to swat at○ GB, to slave away at [*matière*]; to cram for○ [*examen*]; **3** Jeux to take [sth] from the stock [*carte, domino*]
B *vi* **1** (creuser) to dig; **2** ○(potasser) to swot○ GB, to slave away○; **3** (prendre) Jeux to take [sth] from the stock [*carte, domino*]; **~ dans** to dip into [*économies, fonds*]; to dig into [*tas, porte-monnaie*]; **pioche!** (aux cartes) take a card!; (à table) help yourself, dive in○!; **~ dans la caisse** to have one's hand in the till

piolet /pjɔlɛ/ *nm* ice axe GB *ou* ax US

pion, **pionne** /pjɔ̃, pjɔn/
A ○*nm,f* Scol *student paid to supervise pupils*
B *nm* Jeux (aux échecs) pawn; (aux dames) draught GB, checker US; **n'être qu'un ~ sur l'échiquier** fig to be a mere pawn

pioncer◐ /pjɔ̃se/ [12] *vi* to sleep

pionnier, **-ière** /pjɔnje, ɛʀ/ *adj, nm,f* pioneer

pioupiou○† /pjupju/ *nm* tommy○† GB, grunt◐ US, common soldier

pipe /pip/ *nf* **1** (à fumer) pipe; **fumer la ~** to smoke a pipe; **~ de bruyère/en terre** briar/clay pipe; **2** ◐(cigarette) fag○ GB, cig○; **3** ●(fellation) blow job●; **tailler** *or* **faire une ~ à qn** to give sb a blow job
(Idiomes) **casser sa ~**○ to die, to kick the bucket○; **se fendre la ~** to laugh one's head off○

pipeau, *pl* **~x** /pipo/ *nm* **1** ▸ **p. 557** (petite flûte) (reed-)pipe; **2** (appeau) birdcall
(Idiomes) **c'est du ~**○ it's no great shakes○; **c'est pas du ~**○ it's for real○

pipelette○ /piplɛt/ *nf* **1** (bavard) gossip(monger); **2** (concierge) **la ~** the concierge

pipeline /piplin, pajplajn/ *nm* pipeline

piper /pipe/ [1] *vtr* **1** ○(dire) **ne pas ~ (mot)** not to say a word (**de** about); **2** Jeux to load [*dés*]; to mark [*cartes*]; **les dés sont pipés** lit, fig the dice are loaded

piperade /pipeʀad/ *nf* piperade, Spanish omelette

pipette /pipɛt/ *nf* pipette

pipi○ /pipi/ *nm* wee○ GB, pee○; (langage enfantin) wee-wee○; **faire ~** to have a pee; (langage enfantin) to have a wee-wee; **faire ~ dans sa culotte** to wet oneself; **j'en ai fait ~ dans ma culotte** I wet myself laughing; **c'est à faire ~ dans sa culotte** it's hilarious; **faire ~ au lit** to wet the bed; **le chat a fait ~ dans mes pantoufles** the cat has weed in my slippers
(Idiome) **c'est du ~ de chat**○ (boisson) it's gnat's piss○; (spectacle, livre) it's as dull as dishwater

pipi-room○, *pl* **~s** /pipiʀum/ *nm* loo○ GB, bathroom US

pipistrelle /pipistʀɛl/ *nf* pipistrelle

pipit /pipit/ *nm* pipit
(Composé) ~ **des prés** meadow pipit

piquage /pikaʒ/ *nm* Cout stitching; **le ~ d'une veste à la machine** the machine-stitching of a jacket

piquant, **~e** /pikɑ̃, ɑ̃t/
A *adj* **1** (acéré) [*feuilles, tige, chardon*] prickly; [*aiguille, clou*] sharp; [*barbe*] bristly; **2** (fort) [*moutarde, plat, sauce*] hot; [*odeur*] pungent; [*vin, fromage*] sharp; **3** (vif, mordant) [*froid*] biting; [*air*] sharp; **4** fig (acerbe) [*remarque, ton*] cutting, biting; **5** fig, liter (émoustillant) [*histoire, aventure*] spicy, piquant; [*charme, femme*] heady
B *nm* **1** (épine, pointe) (de feuille, tige, chardon) prickle; (d'oursin, de hérisson, cactus) spine; (de barbelés) spike, barb; **2** fig (d'histoire, aventure, de conversation) spiciness; (de situation) piquancy; **mettre** *or* **donner du ~ à la situation/conversation** to add spice to the situation/conversation; **le ~ de cette histoire** what was so piquant *ou* spicy about the story

pique /pik/
A *nf* **1** (allusion blessante) cutting remark; **envoyer des ~s à qn** to level cutting remarks at sb; **2** (arme) pike; **3** (lance de picador) lance; **recevoir des coups de ~** [*taureau*] to be stuck with a lance; **4** (à cocktail) swizzle stick
B *nm* Jeux (carte) spade; (couleur) spades (*pl*); **avoir du ~** to be holding spades; **avoir des ~s dans son jeu** to be holding spades; **jouer ~** to play spades; **neuf/roi de ~** nine/king of spades

piqué, **~e** /pike/
A *pp* ▸ **piquer**
B *pp adj* **1** Cout [*couvre-lit, couverture*] quilted; **2** (marqué) [*meuble, bois*] worm-eaten; [*linge, miroir, fruit*] spotted; [*papier, livre*] foxed; **un livre ~ de moisissures** a foxed book; **du linge tout ~ de taches de rouille** linen spotted with rust marks; **un visage ~ de taches de rousseur** a face dotted with freckles; **3** (aigre) [*vin, bière*] sour; **4** ○(fou) [*personne*] dotty○, eccentric; **5** Mus [*note, phrase*] staccato; **les trois dernières mesures sont ~es** the last three bars are to be played staccato
C ○*nm,f* (extravagant) nutcase○; **c'est une vieille ~e**○ she's an old nutcase○
D *nm* **1** (tissu) piqué; **en ~ de coton** in cotton piqué; **2** Aviat (nose)dive; **faire un ~** to do a (nose)dive, to (nose)dive; **descendre en ~** to come down in a nosedive; **(faire) une descente en ~** (to do) a nosedive; **3** Danse piqué; **exécuter un ~** to execute a piqué; **4** (de photographie) sharpness

pique-assiette*○ /pikasjɛt/ *nmf inv* sponger○, freeloader○

pique-feu* /pikfø/ *nm inv* poker

pique-fleurs* /pikflœʀ/ *nm inv* flower holder

pique-nique, *pl* **~s*** /piknik/ *nm* picnic; **aller faire un ~ à la campagne** to go for GB *ou* on a picnic in the country

pique-niquer* /piknike/ [1] *vi* to have a picnic; **aller ~ à la campagne** to go for GB *ou* on a picnic in the country

pique-niqueur, -euse, *mpl* **~s*** /piknikœʀ, øz/ *nm,f* picnicker

piquer /pike/ [1]

A *vtr* **1** (blesser) [*guêpe, scorpion, méduse, ortie*] to sting; [*moustique, puce, araignée, serpent*] to bite; [*chardon, rosier*] to prick; **le scorpion l'a piqué au bras** the scorpion stung his arm; **il s'est fait ~ par une méduse** he was *ou* got stung by a jellyfish

2 (enfoncer une pointe) [*personne, bec, aiguille*] to prick [*animal, fruit*]; **~ qn avec une aiguille** to prick sb with a needle; **~ son cheval** to spur one's horse; **~ un rôti avec une fourchette** to prick a roast with a fork; **~ un couteau dans le gâteau** to prick the cake with a knife; **~ des petits pois avec sa fourchette** to stab peas with one's fork; **~ (son cheval) des éperons** to urge one's horse on with one's spurs

3 Méd to give [sb] an injection; **~ qn à l'épaule/au bras** to give sb an injection in the shoulder/in the arm; **je me suis fait ~ contre la grippe** I've had a flu injection; **faire ~ un animal** to have an animal put down; **on a dû faire ~ le chat** we had to have the cat put down

4 Culin **~ un gigot d'ail** to stud a leg of lamb with garlic; **~ un oignon de clous de girofle** to stick an onion with cloves; **un gigot d'agneau piqué d'ail** a leg of lamb studded with garlic

5 (fixer) to stick [*épingle, peigne*] **(dans** into); (épingler) to pin [*carte, badge*] **(à** to; **sur** on); **~ des fleurs dans ses cheveux** to stick flowers in one's hair; **~ une photo au mur/une médaille sur une veste** to pin a photo to the wall/a medal on a jacket

6 (parsemer) (de trous) [*insecte, ver*] to make holes in [*bois, meuble*]; (de taches) [*moisissure, rouille*] to spot [*linge, miroir*]; to fox [*papier, livre*]

7 (irriter) [*vent, froid*] to be biting; **mon pull me pique la peau** my sweater feels scratchy; **le froid me pique le visage** the cold is making my face tingle; **la fumée me pique la gorge/les yeux** the smoke is stinging my throat/eyes; **sa gorge le pique** his throat is prickling *ou* stinging; **ses yeux la piquaient** her eyes were stinging; **ça me pique partout** I'm itchy all over

8 °(voler) to pinch° GB, to steal [*livre, idée*] **(à** from); (emprunter) to pinch° GB, to borrow [*crayon, pull*]; (choisir) to pick [*nombre, personne*]; **il a piqué cette invention à son professeur** he pinched the invention from his professor; **il pique (dans les magasins)** he's always pinching things (from shops GB *ou* stores US); **il n'arrête pas de me ~ mes fringues°** he's always pinching my clothes; **je me suis fait ~ mon sac à main** I had my handbag pinched; **~ un numéro au hasard** to pick a number at random

9 °(arrêter) [*police*] to nab°, to nick° GB [*bandit, voleur*]; (surprendre) to get [*personne*]; **il s'est fait ~ à la sortie du magasin** he was nabbed *ou* nicked GB as he left the store; **ils se sont fait ~ à tricher pendant l'examen** they got caught cheating during the exam

10 °(attraper) to catch [*maladie, virus*]

11 Cout to stitch [*tissu, vêtement*]; **~ une robe à la machine** to machine(-stitch) a dress; **est-ce que tu sais ~?** do you know how to use a sewing-machine?

12 (toucher, affecter) [*propos, attitude, personne*] to needle [*personne*]; to sting [*orgueil, fierté*]; **cette remarque m'a piquée** this remark wounded me; **~ qn au vif** to cut sb to the quick

13 (éveiller) to arouse [*curiosité, intérêt*]

14 °(commencer) **~ un fou rire** to have a fit of the giggles; **~ une crise de nerfs** to throw a fit°; **~ un cent mètres** to break into a run; **~ un galop** to break into a gallop

15 (plonger) **~ une tête (dans l'eau)** to dive (into the water)

16 Mus **~ une note** to play a note staccato

B *vi* **1** (irriter) [*barbe*] to be bristly; [*vêtement, laine*] to be scratchy ; [*gorge, yeux, nez*] to sting; **ça pique!** [*ortie, seringue*] it stings!; [*plante épineuse*] it pricks!; [*fumée*] it stings!; [*barbe*] it's bristly!; **j'ai la gorge qui pique** my throat is stinging; **tu piques ce matin** you are all bristly this morning

2 (exciter les sens) [*moutarde, sauce*] to be hot; [*vin, fromage*] to be sharp; [*boisson, soda*]° to be fizzy° GB *ou* sparkling; **c'est de l'eau qui pique** this is fizzy GB *ou* sparkling water

3 (descendre) [*oiseau*] to swoop down; [*avion*] to dive; **l'aigle piqua droit sur sa proie** the eagle swooped on its prey; **~ du nez** (s'endormir) to nod off, to doze off; (baisser la tête) to look down; (chuter) [*avion*] to go into a nose-dive; [*marché, Bourse, actions*] to take a nose-dive; [*fleur*] to droop

4 (prendre) **arrête de ~ dans le plat** stop picking (things out of the serving dish); **il y a plein de livres/vêtements dans le grenier, pique dans le tas si tu veux** there are lots of books/clothes in the attic, help yourself from the pile

5 °(s'élancer) **le taureau piqua droit sur nous** the bull came straight for us; **il piqua à travers bois pour échapper à la police** he cut across the woods to escape (from) the police

C se piquer *vpr* **1** (se blesser) to prick oneself; **se ~ avec** to prick oneself with [*aiguille*]; to prick oneself on [*clou*]; **se ~ aux ronces** to scratch oneself on the brambles; **se ~ aux orties** to get stung by nettles; ▸ **frotter**

2 (se faire une piqûre) to inject oneself; (se droguer)° to shoot up°, to inject oneself; **il se pique** he shoots up°; **je n'ai pas besoin d'infirmière, je me pique moi-même** I don't need a nurse, I do my own injections; **il se pique à l'héroïne** he injects himself *ou* shoots up° with heroin

3 (se couvrir de taches) [*miroir*] to go spotty GB, to become spotted; [*papier, livre*] to become foxed; [*confiture*] to go GB *ou* become mouldy GB *ou* moldy US; [*linge*] to become spotted; [*métal*] to become spotted (with rust); **le papier mural de la salle de bains est en train de se ~** the bathroom wallpaper is becoming mildewed

4 fml (par prétention) **se ~ de philosophie** to like to make out GB *ou* pretend one is a philosopher; **se ~ de peindre/d'écrire** to like to make out GB *ou* pretend that one is a painter/writer; **se ~ de réussir seul** to claim that one can manage on one's own

5 (se vexer) to take offence[GB] **(de** at); **elle s'est piquée de ta plaisanterie** she took offence[GB] at your joke; **il se pique facilement** he takes offence[GB] easily

(Idiomes) **quelle mouche t'a piqué°?** what's eating° you?; **~ des deux** Équit to spur on one's horse; (s'enfuir)° to beat it°; **son article n'était pas piqué des vers°** *or* **hannetons°** his/her article didn't pull any punches; **c'est une petite maison pas piquée des vers°** *ou* **hannetons°** it's a really lovely little house; **se ~ le nez°** *or* **la truffe◑** to booze°, to knock it back°

piquet /pikɛ/ *nm* **1** (pieu) stake; (très court) peg; (pour slalom) gate pole; (de parasol) pole; **2** (groupe de gens) picket; **3** (punition) **mettre un élève au ~** to make a pupil stand in the corner; **4** ▸ **p. 469** (jeu de cartes) piquet

(Composés) **~ de grève** Entr (strike) picket, picket line; **~ d'incendie** Mil fire picket; **~ de tente** tent peg

(Idiomes) **rester planté comme un ~°** to stand like a dummy; **raide comme un ~** stiff as a post

piquetage /piktaʒ/ *nm* **1** (de terrain) staking out; **2** (de roche) pecking

piqueter /pikte/ [20] *vtr* **1** (pour délimiter) to stake out, to stake [sth] out [*chemin*]; **2** (parsemer) to dot **(de** with); **piqueté de (taches de) rouille** spotted with rust; **ciel piqueté d'étoiles** sky spangled with stars

piquette /pikɛt/ *nf* **1** (vin) pej plonk° GB, cheap wine; **2** °(défaite) hammering°; **prendre une ~** to take a hammering°

piqueur, -euse /pikœʀ, øz/

A *adj* Zool [*insectes*] stinging

B ▸ **p. 532** *nm,f* **1** Cout (ouvrier) (sewing) machinist; **2** Équit head stableman/stable girl

C *nm* Tech (agent) foreman

piquier /pikje/ *nm* Hist pikeman

piqûre* /pikyʀ/ *nf* **1** (injection) injection, shot; **une ~ de pénicilline** an injection *ou* a shot of penicillin; **faire une ~ à qn** to give sb an injection; **se faire faire des ~s** to have *ou* get (a course of) injections; **2** (blessure) (d'épine, épingle) prick; (d'ortie, abeille, de scorpion) sting; (de moustique) bite; **ce sont des ~s de puces** those are flea-bites; **3** (petit trou) (dans le bois) hole; (dans le cuir) tooling; **des ~s de vers** worm holes; **des chaussures à ~s** tooled leather shoes; **4** (petite tache) (sur un miroir, du papier) spot; (sur du métal) spot, speck; (sur un livre) spot, stain; **des ~s de rouille** specks *ou* spots of rust; **des ~s de moisissure sur les pages d'un livre** mould GB *ou* mold US spots *ou* stains on the pages of a book; **5** Cout (point) stitch; (couture) stitching ₵; **découdre les ~s d'un vêtement** to unpick (the stitching of) a garment; **faire des ~s à la main/à la machine** to do hand stitching/machine stitching

(Composé) **~ de rappel** Méd booster (injection)

(Idiome) **une ~ d'amour-propre** a wound to one's pride

piranha /piʀana/ *nm* piranha

piratage /piʀataʒ/ *nm* piracy, pirating; **~ de cartes bancaires** credit card fraud; **~ de cassettes vidéo** video piracy; **~ informatique** computer hacking

pirate /piʀat/

A *adj* [*émetteur, édition, radio*] pirate (*épith*)

B *nm* Naut pirate; fig (à un enfant) **quel ~!** what a little rascal!

(Composés) **~ de l'air** hijacker, skyjacker; **~ informatique** computer hacker

pirater /piʀate/ [1] *vtr* to pirate

piraterie /piʀatʀi/ *nf* **1** (activité) piracy ₵; (acte) act of piracy; **2** (escroquerie) (activité) swindling ₵; (acte) swindle; **c'est de la ~** it's a swindle

(Composés) **~ aérienne** hijacking, skyjacking; **~ informatique** computer hacking

pire /piʀ/

A *adj* **1** (comparatif) worse **(que** than); **c'est bien ~** it's much worse; **c'est encore ~** it's even worse; **c'est dix fois ~** it's ten times as bad; **il y a bien ~ encore** there's much worse; **2** (superlatif) worst; **un escroc de la ~ espèce** a swindler of the worst kind; **il a raconté les ~s mensonges** he told the most wicked lies

B *nm,f* worst; **les ~s** the worst; **le ~ des imbéciles** the biggest fool; **le ~ des deux** the worse of the two

C *nm* **le ~** the worst; **s'attendre au ~** to expect the worst; **craindre le ~** to fear the worst; **le ~ c'est que** the worst of it all is that; **au ~** at the very worst; **le ~ est à venir** there's worse in store

(Idiome) **il n'y a ~ eau que l'eau qui dort** Prov still waters run deep Prov

Pirée /piʀe/ ▸ **p. 894** *npr* **le ~** Piraeus

piriforme /piʀifɔʀm/ *adj* pear-shaped

pirogue /piʀɔg/ *nf* dugout canoe, pirogue spéc

piroguier /piʀɔgje/ *nm* canoeist

pirouette /piʀwɛt/ *nf* **1** Danse, Équit pirouette; **faire des ~s** (danseur) to pirouette; **les ~s d'un clown** the cavortings of a clown; **2** (réponse évasive) skilful evasion; (revirement) U-turn, flip-flop° US; **s'en tirer par une ~** to dodge the question skilfully[GB]

pirouetter /piʀwɛte/ [1] *vi* **1** [*danseur*] to pirouette; **~ sur ses talons** to spin on one's

p

heels; **faire ~ qch** to spin sth around; **2** (faire volte-face) to do a U-turn, to flip-flop○ US

pis /pi/
A *adj inv* liter worse; **ce qui est ~ (encore)** what is (even) worse; **elle est laide, et, qui ~ est, méchante** she is ugly and, what is worse, she is nasty; **c'est ~ que jamais** it's worse than ever
B *adv* liter worse; **il y a ~** there's worse; **aller de mal en ~** *or* **de ~ en ~** to go from bad to worse
C *nm inv* **1** (de vache) udder; **2** liter **le ~** the worst; **le ~ est que** the worst thing is that; **en mettant** *or* **prenant les choses au ~** if the worst comes to the worst; **au ~ (aller)** at the worst
(Idiome) **dire ~ que pendre de qn** to vilify sb

pis-aller /pizale/ *nm inv* lesser evil; **considérer qn/qch comme un ~** to consider sb/sth as the lesser evil; **ces matériaux sont des ~** we'll have to make do with these materials

piscicole /pisikɔl/ *adj* fish-farming, piscicultural spéc; **l'élevage ~** fish farming
(Composé) **ferme ~** fish farm

pisciculteur, -trice /pisikyltœʀ, tʀis/ ▸ **p. 532** *nm,f* fish farmer, pisciculturist spéc

pisciculture /pisikyltyʀ/ *nf* fish farming, pisciculture spéc

pisciforme /pisifɔʀm/ *adj* fish-shaped

piscine /pisin/ *nf* swimming pool; **~ couverte** indoor swimming pool
(Composés) **~ à boules** Jeux ball pond, ball pool; **~ de désactivation** deactivation pool

piscivore /pisivɔʀ/
A *adj* fish-eating (*épith*), piscivorous spéc
B *nm* fish eater

Pise /piz/ ▸ **p. 894** *npr* Pisa

pisé /pize/ *nm* ≈ adobe

pisse◑ /pis/ *nf* piss◑
(Idiome) **c'est de la ~ de chat** *or* **d'âne** (boisson) it's gnat's piss

pisse-copie*○ /piskɔpi/ *nmf inv* pej (journaliste) hack journalist péj; (écrivain) hack writer péj

pisse-froid*○ /pisfʀwɑ/ *nm inv* cold fish

pissenlit /pisɑ̃li/ *nm* dandelion
(Idiome) **manger** *or* **sucer les ~s par la racine**○ to be pushing up the daisies○

pisser /pise/ [1]
A ◑*vtr* **~ du sang** to pass blood; **~ le sang** [*personne, nez, blessure*] to pour with blood; **mon moteur pissait l'huile** my engine was leaking oil all over the place
B *vi* **1** ◑(uriner) [*personne, animal*] to pee◑; (plus vulgaire) to piss◑; **j'ai envie de ~** I want to pee◑; **~ de rire** to piss◑ oneself laughing; **~ dans sa culotte** to wet one's pants; **rire à en ~ dans sa culotte** to wet *ou* piss◑ one's pants laughing; **~ au lit** to wet the bed; ▸ **mérinos, violon**; **2** ○(fuir) [*récipient*] to leak; **un tonneau qui pisse de partout** a cask that leaks like a sieve; **l'eau pisse de partout** water is pouring out from everywhere
(Idiomes) **il pleut comme vache qui pisse**◑ it's pissing down◑, it's pouring down○; **se regarder** *or* **s'écouter ~**◑, **ne plus se sentir ~**◑ to be full of oneself; **ça lui a pris comme une envie de ~**◑ he had a sudden urge to do it; **laisse ~**◑**!** forget it!

pissette /pisɛt/ *nf* Chimie wash bottle

pisseur○, **-euse¹** /pisœʀ, øz/
A *nm,f* lit (enfant) bedwetter
B pisseuse *nf* **1** (fillette) minx; **2** (prétentieuse) fig little madam○ GB, pretentious little twit○

pisseux○, **-euse²** /pisø, øz/ *adj* pej (sale, terne) [*mur, papier peint, couleur*] dingy; **jaune ~** dingy yellow

pisse-vinaigre*○ /pisvinɛgʀ/ *nm inv* grouser○, grouch

pissoir◑ /piswaʀ/ *nm* urinal

pissotière○ /pisɔtjɛʀ/ *nf* street urinal, pissoir US

pistache /pistaʃ/
A ▸ **p. 202** *adj inv* **(vert) ~** pistachio (green)
B *nf* pistachio; **une ~** a pistachio nut; **glace à la ~** pistachio ice cream

pistachier /pistaʃje/ *nm* pistachio tree

pistage /pistaʒ/ *nm* tracking, trailing

pistard, ~e /pistaʀ, aʀd/ *nm,f* track racer, track cyclist

piste /pist/ *nf* **1** (trace) lit, fig (d'animal, de personne, d'objet) trail; **suivre/perdre la ~ de** to follow/to lose the trail of; **être sur la ~ de** to be on the trail of; **être sur une bonne/mauvaise ~** to be on the right/wrong track; **être sur une fausse ~** to be on the wrong track; **2** (ensemble d'indices) lead; **avoir plusieurs ~s** to have several leads; **3** Sport (de stade, d'autodrome) track; (d'hippodrome) racecourse GB, racetrack US; (de danse) floor; (de patinage) rink; (de cirque) ring; (de ski) piste; (de ski de fond) trail; (pour course automobile) racetrack; **~ d'élan** (au ski) takeoff track; **~ (de ski) pour débutants** nursery slope; **skier hors ~** to go off-piste skiing; **épreuve sur ~** track event; **faire un tour de ~** to do a lap; **entrer en ~** (au cirque) to come into the ring; fig to enter the fray; **en ~!** fig get cracking○!; **être en ~** fig to be in the running; **4** (chemin) (de brousse) track; (de désert) trail; **5** Aviat runway; **~ d'envol/d'atterrissage** takeoff/landing strip *ou* runway; **6** (de disque, cassette) track; **~ sonore** sound track
(Composés) **~ artificielle** (avec neige artificielle) artificial slope; (en matière plastique) dry ski slope; **~ cavalière** bridle path, bridleway; **~ cyclable** (sur route) cycle lane; (à côté d'une route) cycle way, cycle path; (à la campagne) cycle track

pister /piste/ [1] *vtr* to trail, to track [*animal*]; **~ qn** (suivre) to trail sb; (être sur la trace de) to be on the trail of sb

pisteur, -euse /pistœʀ, øz/ ▸ **p. 532** *nm,f* member of the ski patrol

pistil /pistil/ *nm* pistil

pistole /pistɔl/ *nf* pistole

pistolet /pistɔlɛ/ *nm* **1** (arme) pistol, gun; **tirer au ~** to fire a pistol; **c'est un excellent tireur au ~** he's an excellent shot with a pistol; **2** Tech (outil) gun; **3** ○(urinal) bedbottle; **4** †fig **un drôle de ~** an odd customer; **5** Belg (petit pain) roll
(Composés) **~ à air comprimé** air gun; **~ d'alarme** alarm gun; **~ automatique** automatic gun; **~ à peinture** spray gun

pistolet-mitrailleur, *pl* **pistolets-mitrailleurs** /pistɔlemitʀajœʀ/ *nm* submachine gun

piston /pistɔ̃/ *nm* **1** Tech piston; **moteur à ~s** piston engine; **2** ○(relations) contacts (*pl*); **avoir du ~** to have connections *ou* contacts in the right places; **il a un ~ au ministère** he knows somebody *ou* he has connections in the Ministry; **il a obtenu son poste par ~** he got his job because he has connections in the right places, someone got him the job by pulling strings; **3** Mus (d'instrument) valve; **cornet à ~s** cornet

pistonner○ /pistɔne/ [1] *vtr* pej to pull strings for [*candidat*]; **elle l'a pistonné auprès du directeur/au ministère** she pulled strings for him with the director/at the Ministry; **se faire ~** to get someone to pull a few strings; **il a été pistonné** someone pulled strings for him

pistou /pistu/ *nm* (condiment) pesto

pitance† /pitɑ̃s/ *nf* fare ₵; **se contenter d'une maigre ~** to make do with meagre[GB] fare

pitchpin /pitʃpɛ̃/ *nm* pitch pine

piteusement /pitøzmɑ̃/ *adv* [*se comporter*] pathetically; [*se plaindre, gémir*] pitifully, pathetically; [*échouer*] miserably

piteux, -euse /pitø, øz/ *adj* **1** (piètre) [*résultats*] poor, pitiful; [*aspect*] sorry (*épith*); **dans un ~ état, en ~ état** in a sorry state; **avoir piteuse allure** to be a sorry sight; **2** (penaud) [*personne, air*] crestfallen; **la mine piteuse** looking crestfallen

pithécanthrope /pitekɑ̃tʀɔp/ *nm* pithecanthropus

pithiviers /pitivje/ *nm inv* (gâteau) *puff pastry with almond paste filling*

pitié /pitje/ *nf* **1** (compassion) pity; (indulgence) pity, mercy; **éprouver** *or* **avoir de la ~ pour qn** to feel pity for sb, to pity sb; **avoir ~ de qn** (plaindre) to feel sorry for sb; (se montrer charitable) to take pity on sb; **ayez ~ de nous!** (soyez bon) take *ou* have pity on us!; (épargnez-nous) have mercy on us!; **prendre qn en ~** to take pity on sb; **faire ~ à qn, inspirer de la ~ à qn** to fill sb with pity; **il me fait ~** I feel sorry for him; **il fait ~ (à voir)** he's a pitiful sight; **maigre à faire ~** pitifully thin; **ça fait ~ de voir ça** it's pitiful to see that; **ça me fait ~ de la voir dans cet état** it makes me sad to see her in that state; **c'est (grand) ~ qu'il ait abandonné** it's a (great) pity that he gave up; **sans ~** [*vainqueur*] merciless, pitiless; [*huer, critiquer*] mercilessly; [*concurrence*] ruthless; **un monde sans ~** a cruel world; **par ~, taistoi!** for pity's sake, be quiet!; **~!** (grâce) (have) mercy!; (ça suffit)○ for pity's sake!; **~ pour nos forêts/la nature!** save our forests/the environment!; **~ pour mes pauvres oreilles!** think of my poor ears!; **2** (avec mépris) pity; **sourire de ~** pitying smile; **regarder qn avec ~** to look pityingly at sb
(Idiome) **il vaut mieux faire envie que ~** Prov it's better to be envied than pitied

piton /pitɔ̃/ *nm* **1** (à crochet) hook; (à anneau) eye; **2** (d'alpinisme) piton; **3** Géog peak; **4** ○Can (touche d'ordinateur) key; (touche de téléphone) button; (interrupteur) switch; (bouton) knob; (jeton) counter

pitonner○ /pitɔne/ [1] Can
A *vtr* **~ un numéro de téléphone** to dial a number
B *vi* (sur un ordinateur) to use the keyboard; (sur une télécommande) to use the remote control; **~ sur une sonnette** to ring a bell

pitoyable /pitwajabl/ *adv* **1** (digne de pitié) pitiful; **2** (lamentable) pathetic

pitoyablement /pitwajabləmɑ̃/ *adv* **1** (de façon pitoyable) pitifully; **2** (lamentablement) [*échouer*] miserably; [*se comporter, chanter*] pathetically

pitre /pitʀ/ *nm* (tous contextes) clown, buffoon; **c'est le ~ de la classe** he's the class clown; **faire le ~** to clown around

pitrerie /pitʀəʀi/ *nf* clowning ₵

pittoresque /pitɔʀɛsk/
A *adj* [*lieu*] picturesque; [*personnage*] colourful[GB]; [*histoire, anecdote, scène*] colourful[GB]; [*expression, style, œuvre*] vivid, picturesque
B *nm* **le ~** the picturesque; **le ~ de qch** the picturesque quality of sth, the vividness of sth; **le ~ dans tout cela** the amusing thing about all that

pive /piv/ *nf* Helv (pomme de pin) pine cone

pivert /pivɛʀ/ *nm* green woodpecker

pivoine /pivwan/ *nf* peony
(Idiome) **être rouge comme une ~** to be as red as a beetroot GB *ou* a beet US

pivot /pivo/ *nm* **1** Tech pivot; **2** fig (d'économie, de gouvernement) linchpin; (de complot, d'affaire) kingpin; **société ~** key firm; **3** Sport (joueur) pivot, post; **4** Dent post and core

pivotant, ~e /pivɔtɑ̃, ɑ̃t/ *adj* [*fauteuil*] swivel; [*panneau*] pivoting; [*porte*] revolving

pivoter /pivɔte/ [1] *vi* [*personne, animal*] to pivot, turn; [*panneau, mur*] to pivot; [*porte, table*] to revolve; [*fauteuil, chaise*] to swivel; **~ sur ses talons** to turn on one's heel; **faire ~ qch** to swivel sth round[GB] [*fauteuil*]; to swing sth round GB *ou* around US [*avion*]; to set sth revolving [*porte*]

pixel /piksɛl/ *nm* pixel

pixélisé, **~e** /pikselize/ *adj* Ordinat pixelized

pizza /pidza/ *nf* pizza

pizzeria* /pidzeʀia/ ▸ **p. 532** *nf* pizzeria

pizzicato, *pl* **~s** *or* **pizzicati** /pidzikato, ti/ *nm* pizzicato

PJ /peʒi/ *nf* **1** *abbr* ▸ **police**; **2** (*written abbr* = **pièce jointe**) enc(l)

PL (*written abbr* = **poids lourd**) HGV GB, heavy truck US

placage /plakaʒ/ *nm* **1** (feuille de bois) veneer; **2** (revêtement) (en bois) veneer; (en métal) plating; (en marbre, pierre) facing; **~ en acajou** mahogany veneer; **3** Sport (technique) tackling **₵**; **un ~** a tackle

placard /plakaʀ/ *nm* **1** (meuble) cupboard; **~ à balais/de cuisine** broom/kitchen cupboard; **ranger** *or* **mettre au ~** fig (de côté) to put [sth] on ice [*projet*]; to shunt [sb] aside [*personne*]; (au rebut) to ditch [*projet*]; to pension [sb] off [*personne*]; **sortir du ~** fig to come in from the cold; **2** Pub (affiche) poster, bill; (dans un journal) **~ publicitaire** advertisement; **3** Imprim (épreuve) galley (proof); **4** °(prison) clink°; **faire un an de ~** to do a year inside°

placarder /plakaʀde/ [1] *vtr* **1** (afficher) to post, to stick [*avis, affiche, photo*]; **2** (décorer) to cover [sth] with posters [*mur*]; **placardé de** covered with

place /plas/ *nf* **1** (espace) room, space; **avoir de la ~** to have room *ou* space (**pour faire** to do); **il y a encore assez de ~ pour deux personnes/valises** there's enough room *ou* space left for two people/suitcases; **avoir la ~ de faire** to have enough room *ou* space to do; **prendre de la ~** to take up room *ou* space; **(faire) perdre/gagner de la ~** to waste/to save space; **faire de la ~** to make room *ou* space (**à qn/qch** for sb/sth; **pour faire** to do); **se faire de la ~** to make room *ou* space for oneself; **laisser de la ~** (pour une personne, un meuble) to leave enough room *ou* space; (pour un écrit) to leave enough space; **laisse-moi un peu de ~ pour leur écrire un mot** leave me a bit of space to write them a few lines

2 (emplacement, espace défini) gén place; (pour s'asseoir) seat; **chaque chose à sa ~** everything in its place; **il est resté une heure à la même ~** he stayed in the same place for an hour; **remettre qch à sa ~** to put sth back in its place; **les dictionnaires ne sont pas à la bonne/à leur ~** the dictionaries aren't in the right place/where they should be; **j'ai deux ~s pour 'Le Lac des Cygnes'** I've got two tickets for 'Swan Lake'; **il reste une ~ en première** there's one seat left in first class; **laisse ta ~ à la dame!** give the lady your seat!; **est-ce que cette ~ est libre?** is this seat free?; **une salle de 200 ~s** a 200 seat auditorium; **j'ai eu une ~ gratuite** I got a free seat; **garde-moi ma ~** (dans une file) keep my place; (dans un train, au cinéma) keep my seat; **garde-moi une ~** (dans le train, au cinéma) keep me a seat; **payer sa ~** (au cinéma, théâtre) to pay for one's ticket; Transp to pay one's fare; **payer ~ entière** (au cinéma, théâtre) to pay full price; Transp to pay full fare; **les ~s sont chères** fig (parking difficile) parking spaces are hard to find; (âpre concurrence dans l'emploi) jobs are hard to come by; **prenez ~** (sur un siège) take a seat; (chacun à son siège) take your seats; (chacun à son poste) take your places; **prendre ~** (s'asseoir) to take a seat; (s'installer) [*exposant, stand*] to set up; [*tireur, policier*] to position oneself; (s'intégrer) to take one's place; **roman qui a pris ~ parmi les plus grands** novel that has taken its place among the greatest; **sur ~** [*aller, envoyer, se rendre*] to the scene; [*arriver*] on the scene; [*être, trouver, sautiller, étudier*] on the spot; [*enquête, recherche, tournage*] on-the-spot (*épith*); **de ~ en ~** here and there; **voiture de quatre ~s** four-seater car; **divan à trois ~s** three-seater sofa; ▸ **chasse**

3 (emplacement pour se garer) parking place; **appartement avec ~ de parking** apartment with parking space; **je n'ai pas trouvé de ~ pour** *or* **où me garer** I couldn't find a parking space *ou* a place to park; **un parking de 500 ~s** a car park for 500 cars

4 (rang dans un classement, la société) place; (position dans un ordre) position; **prendre la ~ de qn** to take sb's place; **prendre** *or* **obtenir la deuxième ~** to take second place (**à** in); **il est dans les premières/dernières ~s** he's up toward(s) the top/down toward(s) the bottom; **la ~ d'un mot dans une phrase** the position of a word in a sentence; **se faire une ~ dans le monde de la finance** to carve out a place for oneself in the world of finance; **être en bonne ~ pour gagner/réussir** to be well-placed *ou* in a good position to win/succeed; **il occupe une ~ éminente** he holds a very high position (**à, dans** in); **chacun (à) sa ~** everyone should know his place; **il faut savoir rester à sa ~** you must know your place; **il n'est pas à sa ~ dans cette réception** he looks out of place at this reception; **je ne me sens pas à ma ~ dans ce milieu** I feel out of place in this environment; **remettre qn à sa ~** to put sb in his/her place; **quelle ~ faire à l'art?** what place can be afforded to art?; **avoir sa ~ dans** to deserve a place in; **il n'y a pas de ~ pour eux dans notre système** there is no place for them in our system; **avoir une ~ à part** *or* **de choix dans** to have a special place in; **tenir une grande ~/une ~ très importante dans la vie de qn** to play a large part/a very important part in sb's life; **donner** *or* **consacrer** *or* **faire une large ~ à qch** to put a lot of emphasis on sth; **la ~ croissante de l'environnement en politique** the growing emphasis on the environment in politics; **notre travail laisse peu de ~ à l'imagination** our work leaves little room for the imagination; **faire ~ à** to give way to; **~ aux jeunes** *or* **à la jeunesse!** lit, fig make way for the young!

5 (substitution) **à la ~ de** instead of, in place of; **il a mis de la vodka à la ~ du cognac** he's used vodka instead of brandy; **il y a maintenant un comité à la ~ de l'ancien directeur** there's now a committee in place of the former manager; **ils sont partis/ont été récompensés à notre ~** they went/were rewarded instead of us; **qu'aurais-tu fait à ma ~?** what would you have done in my place?; **(si j'étais) à ta ~** if I were in your position *ou* shoes; **mets-toi à leur ~** put yourself in their position *ou* shoes; **téléphone-lui toi-même, je ne peux pas le faire à ta ~!** phone him yourself, I can't do it for you!; **j'ai mis le vase à la ~ du cendrier** I put the vase where the ashtray was; **construire une école à la ~ de la gare** (où était la gare) to build a school where the station used to be; (où était prévue la gare) to build a school where the station should have been; (au lieu de) to build a school instead of a station

6 (situation définie) **en ~** [*système, structures*] in place (*après n*); [*troupes*] in position (*après n*); [*dirigeant, pouvoir, régime, parti*] ruling (*épith*); **les gens en ~** the powers that be; **nos hommes sont en ~** our men are in position; **ne plus tenir en ~** to be restless *ou* fidgety; **les enfants ne tiennent plus en ~** the children keep fidgeting; **mettre en ~** to put [sth] in place [*grillage, programme, règlement, stratégie*]; to put [sth] in *ou* into position [*satellite, troupes, équipe*]; to establish, to set up [*réseau, marché, régime, institution*]; to install [*ligne téléphonique, canalisations*]; **se mettre en ~** [*plan, politique, système, structure*] to be put in place; [*forces, troupes, police*] (être mis en position) to be put in *ou* into position; (soi-même) to position oneself; [*réseau, marché, régime*] to be established, to be set up; **mise en ~** (de grillage, système, normes, services) putting in place; (de satellite, forces, d'équipe) positioning; (de réseau, marché, régime, d'institution) establishment, setting up; (de ligne téléphonique, canalisation) installation[GB]; **remettre en ~** to put [sth] back in place; **on se retrouve sur ~** we'll meet up there; **je suis sur ~, je peux le faire** I'm on the spot, I can do it; **dépannage/inscriptions sur ~** on-the-spot repairs/registration; **ouvrage à consulter sur ~** reference book; **laisser qn sur ~** to leave sb standing

7 (dans une agglomération) square; **la ~ du village** the village square; **sur la ~ Tiananmen/Rouge** in Tiananmen/Red Square; **la ~ de la Concorde** the Place de la Concorde; **la ~ du marché** the marketplace

8 Fin market; **~ financière** financial market; **sur la ~ parisienne** *or* **de Paris** on the Paris market

9 (emploi) job; **avoir une bonne ~ chez** to have a good job with; **perdre sa ~** to lose one's job; **c'est une ~ très recherchée** *or* **demandée** it's a highly sought-after job *ou* position; **il y a des ~s à prendre** there are good job opportunities

10 (forteresse) **entrer dans la ~** to get in on the inside; **être dans la ~** to be on the inside; **être maître de la ~** lit to be in control; fig to rule the roost; **se rendre maître de la ~** to take control; **avoir un pied dans la ~** fig to have a foot in the door

(Composés) **~ d'armes** Mil parade ground; **~ assise** seat; **~ forte** Mil fortified town; **~ d'honneur** (à table) place *ou* seat of honour[GB]; **la ~ publique** the public; **intéresser la ~ publique** to interest the public; **sur la ~ publique** [*célébrer, apprendre, entendre*] in public; **mettre** *or* **porter** *or* **étaler qch sur la ~ publique** to bring sth out in the open [*information, projet*]

(Idiomes) **je ne lâcherais** *or* **donnerais pas ma ~ pour un empire** I wouldn't change places for the world *ou* for all the tea in China; **une ~ pour chaque chose et chaque chose à sa ~** Prov a place for everything and everything in its place

placé, **~e** /plase/

A *pp* ▸ **placer**

B *pp adj* **1** (situé géographiquement) **être ~** [*objet, robinet, fenêtre*] to be; [*chaise, table, statue*] to be placed; [*bâtiment, boutique*] to be situated *ou* placed; [*personne*] gén to be; (au théâtre, cinéma) to be sitting; **le magasin est ~ près de l'église** the shop GB *ou* store US is situated *ou* located near the church; **être bien/mal ~** [*objet*] to be in a good/bad position; [*bâtiment, boutique*] to be well *ou* conveniently/badly *ou* inconveniently situated; [*personne*] (à table, à une cérémonie) to have a good/bad place; (au théâtre, cinéma) to have a good/bad seat; **être mieux ~** [*objet, robinet, fenêtre*] to be in a better position; [*chaise, table, statue*] to be in a better place, to be better placed; [*bâtiment, boutique*] to be better situated; [*personne*] (à table, à une cérémonie) to have a better place; (assis) (au théâtre, cinéma) to have a better seat; **la couche de cellules ~e juste sous la peau** the layer of cells (which is) right under the skin; **être ~ face à** [*personne, siège, objet*] to be facing; **2** (situé dans une hiérarchie) **être bien/mal ~** to be well/badly placed; **être bien/mal ~ sur une liste** to have a good/bad position on the list; **les étudiants les mieux ~s** the students with the best results; **3** (dans la société, une hiérarchie) **bien/haut ~** in a good/high position (*après n*); **un ami bien ~/haut ~ dans la hiérarchie** a friend who is well placed/high up in the hierarchy; **avoir des amis haut ~s** to have friends in high places; **4** (être dans une position) **être bien/mal ~ pour faire** (pour obtenir, bénéficier, réussir) to be well/badly placed to do; (pour savoir, revendiquer, juger) to be in a (good)/in no position to do; **être mal ~ pour critiquer** to be in no position to criticize; **être particulièrement mal** *ou* **bien mal ~ pour juger** to be in absolutely no position to judge; **il est bien ~ pour le poste** he's a likely candidate for the job; **être mieux ~ pour bénéficier de** to be better placed to benefit from; **5** (fondé) **mal ~** [*orgueil, fierté*] misplaced; [*remarque, plaisanterie*] misplaced; **6** (mis) **être ~ à la tête** *or* **direction de** to be placed at the head of [*groupe, entreprise*]; **être ~ sous les ordres** *or* **le commandement de** to be placed under the orders of; **être ~ sous la direction de** [*orchestre*] to be conducted by; [*troupe de théâtre*] to be directed by; 7) Prot Soc [*enfant*] in care; 8) Turf [*cheval*] placed; **jouer un cheval ~ et gagnant** to back a horse each way GB, to back a horse across the board US; **non ~** unplaced

placebo* /plasebo/ *nm* placebo; **administrer un ~ à qn** to give a placebo to sb; **l'effet ~** the placebo effect

placement /plasmɑ̃/ *nm* 1) Fin investment; 2) (emploi) **assurer le ~ des diplômés** to ensure that the graduates find employment; **le ~ de nos étudiants est de plus en plus difficile** finding employment for our students is getting more and more difficult; 3) Prot Soc (d'enfant) fostering; **prendre en ~** to foster

(Composés) **~ (sous surveillance) électronique, PSE** electronic tagging

placenta /plasɛ̃ta/ *nm* placenta

placentaire /plasɛ̃tɛʀ/ *adj* placental

placer /plase/ [12]

A *vtr* 1) (mettre à un endroit) to put, to place [*objet*]; to seat [*personne*] (**à côté de** beside); **~ ses doigts sur le clavier** to place one's fingers on the keyboard; **le metteur en scène a placé cette scène au début du film** the director put this scene at the beginning of the film; **~ des gardes** to post guards; **~ des hommes autour d'une maison** to position men around a house; **place l'antenne dans cette direction** position the aerial in this direction; **~ sa balle** (au tennis) to place one's ball

2) (mettre dans une situation) to put, to place; **le directeur m'a placé à la tête du service informatique** the manager put me in charge of the data-processing department; **~ qn dans l'obligation de faire** to place sb under an obligation to do; **~ qn sous la protection de** to place sb under the protection of; **~ un service sous la responsabilité de qn** to make a department responsible for sb; **~ qn/être placé devant un choix difficile** to present sb/to be faced with a difficult choice

3) (procurer un emploi) to place, to find a job for; **l'école place ses élèves** the school places *ou* finds employment for its students; **~ qn comme domestique chez qn** to place sb as a servant in sb's household; **~ qn auprès de qn comme garde du corps** to place sb with sb as a bodyguard

4) Fin (investir) to invest; (mettre en dépôt) to deposit, to put; **~ une partie de ses revenus à la caisse d'épargne** to deposit *ou* put part of one's income in a savings bank

5) (attribuer) to place *ou* to put [*confiance*] (**en** in); to pin [*espoirs*] (**dans, en** on)

6) (introduire) to slip in [*remarque, anecdote*]; **je n'arrive pas à en ~ une avec elle!** I can't get a word in edgeways GB *ou* edgewise US with her!; **elle ne me laisse pas en ~ une!** she won't let me get a word in edgeways GB *ou* edgewise US!; **il s'arrange toujours pour ~ cette plaisanterie dans la conversation** he always manages to get *ou* work that joke into the conversation

7) Prot Soc to place [sb] in care [*enfant*]

8) (vendre) to place, to sell [*produit, marchandise*]

B **se placer** *vpr* 1) (à un endroit) **se ~ près de** (debout) to stand next to; (assis) to sit next to; **placez-vous au milieu** gén get in the middle; (debout) stand in the middle; (assis) sit in the middle; **se ~ autour d'une maison** [*policiers*] to position oneself around a house; **où se placent les verres?** where do the glasses go?; **sais-tu comment se placent les piles?** do you know which way round GB *ou* around US the batteries go?

2) (dans une situation) **se ~ sous la protection de qn** to place oneself under sb's protection; **se ~ sous une perspective nouvelle** to look at things from a new perspective; **ça dépend de quel point de vue on se place** it depends on your point of view; **il s'est placé comme apprenti** he found *ou* got himself an apprenticeship[GB]; **notre démarche/intervention se place dans le cadre de l'aide au tiers-monde** our action/intervention comes within the context of Third World aid

3) (dans une hiérarchie) **se ~ premier** [*coureur, cheval*] to come first; **il s'est placé dans les premiers** (en classe) he got one of the top places; (dans une course) he finished among the first

placet /plasɛ/ *nm* 1) Jur (plaintiff's) writ and statement of claim; 2) †petition

placeur, -euse /plasœʀ, øz/ ▸ p. 532 *nm,f* usher/usherette

placide /plasid/ *adj* placid, calm

placidement /plasidmɑ̃/ *adv* placidly, calmly

placidité /plasidite/ *nf* placidity, calmness

placier, -ière /plasje, ɛʀ/ ▸ p. 532 *nm,f* 1) (représentant) sales representative; 2) (sur un marché) market superintendent

placoter○ /plakɔte/ [1] *vi* Can (bavarder) to chat

plafond /plafɔ̃/

A *nm* 1) (de pièce) ceiling; (de tente, véhicule, souterrain) roof; **~ à caissons** coffered ceiling; **salle haute/basse de ~** high-/low-ceilinged room; **~ nuageux** cloud ceiling, cloud cover; ▸ **faux**[1]; 2) (limite) ceiling, limit; **~ des prix/d'importation** price/import ceiling; **~ de crédit/ressources** lending/funding limit; **fixer un nouveau ~ de production** to set a new maximum production level; **crever le ~** (dépasser la limite) to go through the ceiling; (battre les records) to break all previous records

B **(-)plafond** (*in compounds*) **niveau/vitesse(-)~** maximum level/speed

plafonnement /plafɔnmɑ̃/ *nm* 1) (action de limiter) setting a ceiling on [*salaires, forces armées*]; setting a limit on [*dépenses*]; 2) (atteinte de la limite) (de prix, salaires) ceiling (**de** on); (de dépenses) limitation (**de** of)

plafonner /plafɔne/ [1]

A *vtr* 1) Constr [*ouvrier*] to put a ceiling in [*pièce*]; [*matériau*] to form a ceiling over [*pièce*]; **la grange est plafonnée** the barn has had a ceiling put in; 2) (limiter) to put a ceiling on [*prix, salaire, production*]; **l'augmentation des salaires est plafonnée à 3%** wage increases are limited to a maximum of 3%; **loyer plafonné** protected rent; **salaire plafonné** *upper limit of salary on which contributions are payable*

B *vi* 1) (atteindre une limite) [*production, dépenses, chômage*] to reach a ceiling, to peak out (**à** at; **autour de** at about); [*élève, employé*] to reach a maximum level of attainment; (se stabiliser) [*prix, chômage*] to level off (**à** at; **autour de** at about); **la production plafonne autour de 15 tonnes par an** production remains constant at about 15 tons a year; **~ très bas** to remain at a low level; 2) Aviat **l'avion plafonne à 15 000 m** (est limité à) the plane has an absolute ceiling of 15,000 m; (culmine à) the plane has reached its ceiling of 15,000 m

plafonnier /plafɔnje/ *nm* (au plafond) flush-fitting ceiling lamp; (dans une voiture) interior light

plagal, ~e, *mpl* **-aux** /plagal, o/ *adj* plagal

plage /plaʒ/ *nf* 1) Géog (de mer, rivière, lac) beach; **~ de galets/de sable** pebble/sandy beach; **aller à la ~** to go to the beach; **sac/chaussures de ~** beach bag/shoes; 2) (zone) range; **~ de choix** range of choice; **~ de prix** price range; 3) (tranche horaire) slot; 4) (de disque) track

(Composés) **~ arrière** Aut rear window shelf; Naut quarterdeck; **~ avant** Naut forecastle, fo'c'sle; **~ horaire** Radio, TV time slot; **~ image** Vidéo video track; **~ musicale** musical interval; **~ sous-marine** bank

plagiaire /plaʒjɛʀ/ *nmf* plagiarist

plagiat /plaʒja/ *nm* plagiarism

plagier /plaʒje/ [2] *vtr* to plagiarize [*œuvre, auteur*]

plagiste /plaʒist/ ▸ p. 532 *nmf* (employé) beach attendant; (exploitant) beach manager

plaid /plɛd/ *nm* (couverture) tartan rug

plaidant, ~e /plɛdɑ̃, ɑ̃t/ *adj* Jur litigant

plaider /plede/ [1]

A *vtr* 1) (défendre) to plead [*cause, affaire*]; **~ la cause de qn** to plead sb's case; **~ la cause de qch** to put the case for sth, to plead the cause of sth; 2) (faire valoir) **~ la légitime défense** to plead self-defence[GB]; **~ l'irresponsabilité** to plead diminished responsibility; **~ coupable/non coupable** to plead guilty/not guilty

B *vi* to plead (**contre** against; **pour qn** on sb's behalf); **~ pour** *or* **en faveur de qn/qch** fig to plead for *ou* in favour[GB] of sb/sth

plaider-coupable /pledekupabl/ *nm* Jur ≈ *form of plea bargaining whereby the accused avoids a full trial in exchange for a prison sentence (maximum one year)*

plaideur, -euse /plɛdœʀ, øz/ *nm,f* Jur litigant

plaidoirie /plɛdwaʀi/ *nf* Jur plea

plaidoyer /plɛdwaje/ *nm* 1) Jur (d'avocat, de défense) speech for the defence[GB]; 2) fig (défense passionnée) plea (**en faveur de** in favour[GB] of; **contre** against)

plaie /plɛ/ *nf* 1) (blessure physique) wound; (ulcération) sore; (coupure) cut; **~ vive** open sore; 2) (blessure morale) wound; (calamité) scourge; **la ~ du chômage** the scourge of unemployment; **les sept ~s d'Égypte** Bible the seven plagues of Egypt; 3) ○(chose ou personne pénible) pain○; **cette circulation/cet enfant, quelle ~!** this traffic/that child is such a pain!

(Idiomes) **ne rêver que ~s et bosses** to be very aggressive; **~ d'argent n'est pas mortelle** Prov money isn't everything; **remuer** *or* **retourner le couteau dans la ~** to twist the knife in the wound; **mettre le doigt sur la ~** to put one's finger on the problem

plaignant, ~e /plɛɲɑ̃, ɑ̃t/

A *adj* Jur litigant

B *nm,f* Jur plaintiff, complainant

plain† /plɛ̃/ *nm* Naut high tide

plain-chant, *pl* **plains-chants** /plɛ̃ʃɑ̃/ *nm* plainchant ₵, plainsong ₵

plaindre /plɛ̃dʀ/ [54]

A *vtr* to pity, to feel sorry for [*personne, animal*]; **je te plains d'avoir à supporter cela** I feel sorry for you, having to put up with that; **elle aime se faire ~** she likes to be pitied; **il est (bien) à ~** he is (very much) to be pitied; **il n'est vraiment pas à ~** (il mérite son sort) he got what he deserved; (il a de la chance) he's got nothing to complain about

B **se plaindre** *vpr* 1) (protester) to complain; (pleurnicher) to whinge péj, to complain; **arrête donc un peu de te ~** stop complaining *ou* whingeing○; **se ~ de** to complain of [*douleurs, maux de tête*]; to complain about [*personne, temps, situation, bruit*]; **se ~ à qn** to complain to sb; **se ~ que** to complain that; **je n'ai pas à me ~ de lui, il a toujours bien fait son travail** I've no complaints about him, he's always worked well; **allez vous ~ à la direction** go and complain to the management; **celui-là, il faut toujours qu'il se plaigne!** that guy○ is forever complaining!; **je t'ai prévenu, maintenant ne viens pas te ~ s'il t'arrive quelque chose** I warned you, so don't come complaining to me if something happens to you; **c'est bien ce que tu voulais, de quoi te plains-tu?** it's what you wanted, so what are you complaining about?; **les affaires vont bien, il n'y a pas à se ~** business is going well, I can't complain *ou* I've no complaints; **il n'y a pas lieu de se ~** there's no reason to complain, there are no grounds for complaint; 2) (geindre) [*blessé, malade*] to moan

plaine /plɛn/ *nf* plain; ▸ **grand**

plain-pied: **de plain-pied** /dəplɛ̃pje/
A *loc adj* **1** (à un étage) **un bâtiment de ~** a single-storey GB *ou* single-story US building; **une maison de ~** a single-storey GB *ou* single-story US house, a bungalow GB; **l'école est de ~** the school only has one storey GB *ou* story US; **la cuisine est de ~ avec le jardin** the kitchen is at the same level as the garden GB *ou* yard US *ou* is on a level with the garden GB *ou* yard US; **2** (à égalité) **être de ~ avec qn** to be on an equal footing with sb
B *loc adv* **entrer de ~ dans le monde politique** to have an easy passage into the world of politics; **passer de ~ de la philosophie à la finance** to be equally at home discussing philosophy or finance

plainte /plɛ̃t/ *nf* **1** (réclamation) complaint; **2** (de malade, blessé) moan, groan; **la ~ de l'oiseau au soir tombé** the plaintive cry of the bird at nightfall; **la ~ du vent dans les arbres** the moaning of the wind in the trees; **la ~ des violons** the wail of the violins; **3** Jur complaint; **déposer une ~** *or* **porter ~ contre qn** to lodge a complaint against sb (**auprès de** with); **retirer une ~** to withdraw a complaint; **~ contre X** Jur complaint against person or persons unknown

plaintif, **-ive** /plɛ̃tif, iv/ *adj* [*cri, voix, ton, parole*] plaintive, doleful; [*note, musique, son*] plaintive, mournful

plaintivement /plɛ̃tivmɑ̃/ *adv* plaintively, dolefully

plaire /plɛʀ/ [59]
A **plaire à** *vtr ind* **1** (être séduisant) **elle plaît aux hommes** men find her attractive; **elle m'a plu tout de suite** I liked her straight *ou* right away; **il cherche trop à ~** he tries too hard to be liked; **à son âge elle plaît encore** she's still attractive even at her age; **il a tout pour ~** lit he is attractive in every way; iron he is not exactly God's gift; **2** (être apprécié) **mon nouveau travail me plaît** I like my new job; **la veste/maison me plaît** I like the jacket/house; **le film leur a beaucoup plu** they liked the film a lot; **il ne m'a jamais plu ce type**○ I have never liked that guy○; **si ça ne te plaît pas, c'est pareil** *or* **c'est le même prix**○ if you don't like it, that's tough○ *ou* that's too bad; **offre-leur des fleurs, ça plaît toujours** give them flowers, they're always welcome; **c'est un modèle/produit qui plaît beaucoup** it's a very popular model/product; **le spectacle a beaucoup plu** the show was very popular; **ça te plairait de partir en week-end?** would you like to go away for the week-end?; **ça ne me plaît guère de la voir sortir avec ce voyou** I don't really like her going out with that lout GB *ou* hoodlum US
B **se plaire** *vpr* **1** (à soi-même) to like oneself; **je me plais bien avec ce chapeau** I like myself in this hat; **2** (l'un l'autre) [*personnes, couple*] to like each other; **ils se sont plu tout de suite** *or* **immédiatement** they hit it off○ straight GB *ou* right away; **3** (être bien) **ils se plaisent ici/dans leur nouvelle maison** they like it here/in their new house; **cette plante/cet animal se plaît dans un environnement marécageux** this plant/this animal thrives in a marshy environment; **4** (aimer) **se ~ à faire** to enjoy doing; **il se plaît à contredire tout le monde** he enjoys contradicting everyone; **il se plaît à dire qu'il est issu du peuple** he likes to say that he's a son of the people
C *v impers* **il me plaît de penser que** I like to think that; **vous plairait-il de vous joindre à nous?** fml would you like to join us?; **comme il vous plaira** just as you like *ou* please; **s'il te plaît, s'il vous plaît** please; **il s'est acheté une montre en or, s'il vous plaît!** he bought himself a gold watch, if you please!; **plaît-il?** I beg your pardon?; **plût au ciel** *or* **à Dieu qu'il soit sain et sauf!** fml God grant he's safe and sound!; ▸ **avril**

plaisamment /plɛzamɑ̃/ *adv* **1** (de manière agréable) agreeably; **2** (d'une manière comique) amusingly

plaisance /plɛzɑ̃s/ *nf* **la (navigation de) ~** gén boating; (sur voilier) sailing; **bateau de ~** pleasure boat

plaisancier, **-ière** /plɛzɑ̃sje, ɛʀ/ *nm,f* amateur sailor

plaisant, **~e** /plɛzɑ̃, ɑ̃t/ *adj* **1** (agréable) pleasant; **2** (amusant) amusing, funny; ▸ **mauvais**

plaisanter /plɛzɑ̃te/ [1]
A *vtr* (railler) to tease [*personne*] (**sur** about)
B *vi* to joke; **elle aime ~** she likes joking; **tu plaisantes!** you're joking *ou* kidding○!; **~ sur qch/qn** to joke *ou* make jokes about sth/sb; **~ de qch** to joke *ou* make jokes about sth; **il plaisante volontiers de ses soucis** he's quite ready to make a joke of his troubles; **être d'humeur à ~** to be in the mood for jokes *ou* joking; **ce matin, je ne suis pas d'humeur à ~** I'm in no mood for joking this morning; **faire/dire qch en plaisantant** *or* **pour ~** to do/to say sth as a joke; **on ne plaisante pas avec ces choses-là** these things are no laughing matter; **il ne faut pas ~ avec sa santé** one shouldn't take chances with one's health

plaisanterie /plɛzɑ̃tʀi/ *nf* **1** (fait de plaisanter) **il ne comprend pas la ~** he can't take a joke; **aimer la ~** to be fond of a joke; **pousser trop loin la ~** to take *ou* carry the joke too far; **~ (mise) à part** joking aside; **2** (blague) joke; **une ~ de bon/mauvais goût** a joke in good/bad taste; **faire/lancer des ~s** to make/to crack jokes; **être l'objet des ~s de qn** to be a figure of fun to sb; **être en butte aux ~s de qn** to be the butt of sb's jokes; **les ~s les plus courtes sont les meilleures** the shortest jokes are the best; **la ~ a assez duré!** this has gone on long enough!; **3** (chose facile à faire) **c'est une ~** it's a piece of cake○
(Composé) **~ de corps de garde** barrack room joke

plaisantin /plɛzɑ̃tɛ̃/ *nm* **1** (blagueur) practical joker; **petit ~!** wise guy○!; **2** (fumiste) skiver○

plaisir /plɛziʀ/ *nm* **1** (sensation agréable) pleasure; **le ~ des sens/des yeux** sensual/aesthetic pleasure; **le ~ d'offrir/de lire/de jouer** the pleasure of giving/of reading/of playing; **prendre** *or* **avoir (du) ~ à faire** to enjoy doing; **prendre un malin ~ à faire** to take a wicked delight in doing; **chacun prend son ~ où il le trouve** one must take one's pleasure where one finds it; **j'ai eu le ~ de faire leur connaissance/de dîner avec eux** I had the pleasure of meeting them/of dining with them; **M. et Mme Grovagnard ont le ~ de vous faire part du mariage/de la naissance de leur fille Nicole** Mr. and Mrs. Grovagnard are pleased to announce the marriage/birth of their daughter Nicole; **de ~** [*rougir, frémir, défaillir*] with pleasure; [*cris, gémissements, frémissements*] of pleasure; **avec (grand) ~** with (great) pleasure; **j'ai appris avec ~ que** I was delighted to hear that; **gâcher le ~ de qn** to spoil sb's pleasure; **pour le ~** for pleasure; **je ne te punis pas pour le ~ mais parce que tu le mérites** I'm not punishing you for the sake of it, but because you deserve it; **à ~** [*se tourmenter, exagérer, mentir*] a lot; **tout le ~ est pour moi** the pleasure's all mine; **pour le plus grand ~ des auditeurs/du public** for the enjoyment of the listeners/of the audience; **faire ~ à qn** to please sb; **elle aime faire ~** she likes to please; **ça me ferait (très) ~ de la revoir** I would be very pleased *ou* I would be delighted to see her again; **qu'est-ce qui te/leur ferait ~?** what would you/they like?; **si ça peut te faire ~** if it'll make you happy; **je viendrai, mais c'est bien pour te faire ~** I'll come, but only because you want me to; **ça fait toujours ~!** iron isn't that nice!; **me ferez-vous le ~ d'accepter mon invitation?** fml would you do me the pleasure of accepting my invitation?; **tu vas me faire le ~ de ranger ta chambre/de me parler sur un autre ton!** you'll tidy up your room/speak to me more politely if you know what's good for you!; **faites-moi le ~ de vous taire!** would you please shut up○!; **il se fera un ~ de vous faire visiter la ville/de vous aider** he will be delighted to show you around town/to help you; **faire durer le ~** lit to make the pleasure last; iron to prolong the agony; **ce sera selon mon bon ~** that will be according to my pleasure; **car tel est notre bon ~** for such is my pleasure; **je vous/lui/leur souhaite bien du ~** iron I wish you/him/them joy of it!; **2** (source d'agrément) pleasure; **des ~ raffinés** refined pleasures; **les menus ~s de l'existence** the simple pleasures of life; **à mon âge les ~s sont rares** at my age there are few pleasures left to enjoy; **une vie de ~s** a life devoted to pleasure; **c'est un ~ que je ne me refuse jamais** it's a pleasure that I never deny myself; **les ~s charnels** the pleasures of the flesh, carnal pleasures; **les ~s défendus** forbidden pleasures; **aimer les ~s de la table** to enjoy good food; **3** (sexuel) pleasure; **donner/éprouver du ~** to give/to experience pleasure; **le ~ solitaire** masturbation

plan, **~e** /plɑ̃, plan/
A *adj* **1** gén [*surface*] flat, even
2 Math, Phys plane
B *nm* **1** (carte) (de région, ville, métro) map; (dans bâtiment, domaine, paquebot) plan, map; **je te fais un ~ pour que tu ne te perdes pas** I'll draw you a map so you won't get lost
2 Archit, Constr plan; **tirer des ~s** to draw up plans; **c'est lui qui a fait les ~s de sa maison** he drew up the plans for his house himself; **acheter/vendre une maison sur ~** to buy/sell a house on architect's plans
3 Ind, Tech (de machine, d'appareil) (schéma directeur) blueprint; (après construction) plan; **les ~s du nouvel avion de chasse** the blueprint for the new fighter plane
4 Math, Phys plane
5 (canevas) outline, framework, plan; **fais un ~ au lieu de rédiger directement** draw up a plan before you start writing; **~ détaillé** detailed plan
6 Cin, Phot (image) shot; **montage ~ par ~** shot-to-shot editing; **premier ~** foreground; **second ~** middle-distance; **au premier ~** in the foreground; **au second ~** in the middle distance; ▸ **gros**
7 (niveau) level; **mettre deux personnes sur le même ~** fig to put two people at the same level; **cette question vient au premier ~ de sa campagne électorale** this issue is at the forefront of his electoral campaign; **ce dossier est au premier ~ de l'actualité** this issue is front- page news *ou* is at the forefront of the news; **être relégué au second ~** [*personne, problème*] to be relegated to the background, to take a back seat; **de (tout) premier ~** [*personnalité*] leading (*épith*); [*œuvre*] key, major; **de second ~** second-rate; **sur le ~ politique/économique/personnel** from a political/an economic/a personal point of view, in political/economic/personal terms; **sur le ~ de l'efficacité** from the point of view of efficiency, in terms of efficiency; **au ~ régional/national** at regional/national level
8 (projet) plan, programme[GB]; **un ~ pour l'emploi** a plan for employment, an employment programme[GB]; **un ~ anti-inflation** an anti-inflation plan *ou* programme[GB]; **le gouvernement a présenté son ~ de relance économique** the government has presented its plan to boost the economy; **j'ai un ~, voilà ce qu'on va faire** I have a plan, here's what we'll do; **j'ai un bon ~**○ **pour voyager pas cher/entrer gratuitement** I know a good way of travelling[GB] cheaply/getting in free; **on se fait un ~ restaurant**○**?** shall we go out for a meal?; ▸ **comète**
(Composés) **~ d'action** plan of action; **~ américain** Cin thigh shot; **~ d'amortissement** repayment schedule

ou plan; ~ **de campagne** plan of campaign; ~ **de carrière** career plan; ~ **comptable** code of legal requirements in accounting practice; ~ **directeur** Mil battle map; Écon master plan; ~ **d'eau** man-made lake; ~ **d'ensemble** Cin long shot; ~ **d'épargne** savings plan; ~ **épargne entreprise**, **PEE** company savings plan; ~ **d'épargne logement**, **PEL** *savings scheme entitling depositor to cheap mortgage*; ~ **d'épargne retraite** top-up pension scheme; ~ **de faille** fault plane; ~ **fixe** Cin static shot; ~ **incliné** inclined plane; **en ~ incliné** sloping; ~ **de masse** overall building plan; ~ **de métro** map of the underground GB *ou* subway US; ~ **moyen** Cin medium close-up; ~ **d'occupation des sols**, **POS** land use plan; ~ **quinquennal** five-year plan; ~ **rapproché** Cin waist shot; ~ **social** Écon, Entr planned redundancy scheme GB, scheduled lay-off program US; ~ **de travail** (pour projet) working schedule; (surface) worktop; ~ **d'urbanisme** urban planning policy; ~ **de vol** flight plan

(Idiomes) **laisser qn en** ~○ to leave sb in the lurch, to leave sb high and dry; **laisser qch en** ~○ to leave sth unfinished; **il a tout laissé en ~ pour la rejoindre à Rome** he dropped everything to go and join her in Rome; **rester en** ~○ [*personne*] to be left stranded *ou* high and dry; [*projets*] to be left unfinished

planant○, ~**e** /planɑ̃, ɑ̃t/ *adj* [*drogue, musique*] mind-blowing○

planche /plɑ̃ʃ/

A *nf* **1** (pièce de bois) plank; (pour pétrir, laver etc) board; **un sol en ~s** a wooden floor; **2** (en gravure) (plaque) plate; **3** Édition, Imprim (illustration) plate; **4** (en natation) floating on one's back; **faire la** ~ to float on one's back; **5** Agric, Hort bed

B planches *nfpl* **les ~s** (de bord de mer) the boardwalk (*sg*)

(Composés) ~ **à billets** minting plate; **faire marcher la ~ à billets**○ to print money; ~ **à découper** chopping-board; (plus épaisse) butcher's block; ~ **à dessin** drawing board; ~ **à laver** washboard; ~ **à pain** breadboard; ~ **à pâtisserie** pastry board; ~ **à repasser** ironing-board; ~ **à roulettes** Sport skateboard; **faire de la ~ à roulettes** to skateboard; ~ **de salut** fig lifeline; ~ **de surf** surfboard; ~ **à voile** (engin) windsurfing board; (activité) windsurfing; **faire de la ~ à voile** to windsurf

(Idiomes) **monter sur les ~s** Théât to go on the stage, to tread the boards; **brûler les ~s** Théât to bring the house down; **avoir du pain sur la** ~○ to have one's work cut out

planche-contact, *pl* **planches-contact** /plɑ̃ʃkɔ̃takt/ *nf* Phot contact print

plancher /plɑ̃ʃe/ [1]

A *nm* **1** (sol) floor; **2** Écon, Fin (seuil inférieur) floor, minimum; **atteindre un** ~ [*prix, cours*] to bottom out; **3** Anat (paroi) floor; ~ **buccal** floor of the mouth

B (-)plancher (*in compounds*) **prix(-)~** bottom price; **cours(-)~** Fin (de monnaie) floor *ou* bottom rate; (de valeur) floor *ou* bottom price

C ○*vi* students' slang to work (**sur** on)

(Composé) **le ~ des vaches**○ land, terra firma

(Idiome) **mettre le pied au** ~○ Aut to put one's foot down on the accelerator

planchette /plɑ̃ʃɛt/ *nf* **1** (petite planche) small board; **2** (rayon) (small) shelf

planchiste /plɑ̃ʃist/ *nmf* windsurfer

plan-concave, *pl* ~**s** /plɑ̃kɔ̃kav/ *adj* plano-concave

plan-convexe, *pl* ~**s** /plɑ̃kɔ̃vɛks/ *adj* plano-convex

plancton /plɑ̃ktɔ̃/ *nm* plankton

plané, ~**e** /plane/

A *adj* **vol** ~ lit glide; **faire un vol** ~ fig to go flying, to fall

B *nm* glide

planéité /planeite/ *nf* gén levelness, flatness; (en optique) planeness

planer /plane/ [1] *vi* **1** [*avion, oiseau*] to glide (**sur** over); [*oiseau de proie*] to hover (**sur** over); [*vapeur*] to float (**sur** over), to waft (**sur** over); **2** [*tristesse, menace*] to hang (**sur** over); **laisser ~ le doute** to allow uncertainty to persist; **3** ○[*rêveur*] to have one's head in the clouds; ~ **au-dessus de** [*esprit*] to soar above; **il plane au-dessus des détails** he is above petty details; **4** ○[*drogué*] to be spaced out○, to be high○

planétaire /planetɛʀ/ *adj* Astron, Mécan, Phys planetary; fig global

planétarium /planetaʀjɔm/ *nm* planetarium

planète /planɛt/ *nf* planet

(Composés) ~ **inférieure** inferior planet; ~ **supérieure** superior planet

planétologie /planetɔlɔʒi/ *nf* planetology

planeur /planœʀ/ *nm* **1** (engin) glider; **2** ▸ **p. 469** (sport) gliding

planifiable /planifjabl/ *adj* **évolution économique** ~ economic development that can be planned

planificateur, -trice /planifikatœʀ, tʀis/

A *adj* planning

B *nm,f* planner

planification /planifikasjɔ̃/ *nf* planning

(Composé) ~ **familiale** *or* **des naissances** family planning

planifier /planifje/ [2] *vtr* to plan [*production, vacances, semaine, attaque*]; to schedule, to programme[GB] [*traitement*]; ~ **à court/long terme** to draw up a short-/long-term plan; ~ **l'économie à moyen terme** to draw up a medium-term economic plan

planimétrie /planimetʀi/ *nf* planimetry

planimétrique /planimetʀik/ *adj* planimetric

planisphère /planisfɛʀ/ *nm* planisphere

planning○ /planiŋ/ *nm* controv schedule; **respecter le** ~ to keep to schedule

(Composé) ~ **familial** family planning service

plan-plan○ /plɑ̃plɑ̃/ *adj inv* [*vie, existence*] dull, humdrum

planque○ /plɑ̃k/ *nf* **1** (cachette) (de personne) hideout; (de chose) hidey-hole○ GB, stash○ US; **2** (emploi confortable) cushy number○; **il a trouvé la** ~ he's got GB *ou* gotten US himself a cushy number

planqué○ /plɑ̃ke/ *nm* soldiers' slang skiver

planquer○ /plɑ̃ke/ [1]

A *vtr* to hide [*personne*]; to hide [sth] away [*objet*]; ~ **de l'argent** to stash money away

B se planquer *vpr* (pour ne pas être vu) to hide; (plus longtemps) to go into hiding; (pour se protéger) to hide; (par lâcheté) to skive

plan-relief, *pl* **plans-reliefs** /plɑ̃ʀəljɛf/ *nm* scale model

plan-séquence, *pl* **plans-séquences** /plɑ̃sekɑ̃s/ *nm* sequence shot

plant /plɑ̃/ *nm* **1** (plante) young plant; (plus jeune) seedling; ~ **de tomate** young tomato plant; (plus jeune) tomato seedling; **un ~ de vigne** a young vine; **des ~s de fleurs** bedding plants; **2** (plantation) (d'arbres) plantation; ~ **de légumes** vegetable patch; ~ **de fleurs** flower bed

Plantagenêt /plɑ̃taʒnɛ/ *npr* Plantagenet

plantain /plɑ̃tɛ̃/ *nm* plantain

plantaire /plɑ̃tɛʀ/ *adj* Anat plantar

plantation /plɑ̃tasjɔ̃/ *nf* **1** (propriété agricole) plantation; **2** (terrain planté) (d'arbres, de café) plantation; (de fleurs) bed; (de légumes) patch; **3** (végétaux) **mes ~s de tomates** the tomatoes I've planted; **tu as fait des ~s?** have you planted anything?; **4** (activité) planting

plante /plɑ̃t/ *nf* **1** Bot plant; ~ **carnivore/médicinale** carnivorous/medicinal plant; ~ **grimpante** climber, climbing plant; ~ **d'appartement** *or* **verte** houseplant; ~ **grasse** succulent; ~ **textile** fibre[GB] plant; ~ **de serre** lit, fig hothouse plant; ~ **annuelle** annual; ~ **vivace** perennial; **soigner par les ~s** to use herbal medicine; **2** Anat ~ **(des pieds)** sole (of the foot)

planté, ~**e** /plɑ̃te/

A *pp* ▸ **planter**

B *pp adj* **1** (enraciné) **dents bien/mal ~es** regular/uneven teeth; **avoir les cheveux ~s bas sur le front** to have a low forehead; **2** ○(debout) standing; **il était ~ devant le magasin** he was standing outside the shop; **rester ~ devant un tableau** to stand gazing at a painting; **ne reste pas ~ là, rentre!** don't just stand there, come in!; **ne reste pas ~ comme un piquet!** don't just stand there like a lemon *ou* dummy!

planter /plɑ̃te/ [1]

A *vtr* **1** Agric, Hort to plant [*rosier, pommes de terre, tomates, jardin*]; **route plantée d'arbres** tree-lined road, road lined with trees; **2** (ficher) to drive in [*pieu*]; to knock in [*clou*]; ~ **un pieu dans qch** to drive a stake into sth; ~ **un couteau/une fourchette dans** to stick a knife/a fork into; ~ **ses dents/ses griffes dans le bras de qn** to sink one's teeth/to dig one's claws into sb's arm; ~ **une flèche dans une cible** to shoot an arrow into a target; **clou mal planté** nail which has not gone in straight; ~ **un drapeau au pôle Sud** to put up a flag at the South Pole; **3** (dresser) to pitch [*tente*]; ~ **un décor** lit to put up a set; fig to set the scene; ~ **une échelle contre un mur** to stand a ladder against a wall; **bâtiment planté en rase campagne** building stuck in the middle of nowhere; **4** (mettre) to put, to stick○; ~ **la bouteille sur la table** to stick the bottle on the table; ~ **un baiser sur la joue de qn** to plant a kiss on sb's cheek; **5** ○(abandonner) ~ **là** to drop [*outil*]; to dump○, to abandon [*voiture*]; to pack in○, to chuck in○ GB [*travail*]; to walk out on, to ditch○ [*époux*]; **il m'a planté là et a sauté dans un taxi** he left me standing there and jumped into a taxi; **il a tout planté là et est parti en Inde** he dropped everything *ou* he chucked○ it all in and went off to India

B ○*vi* Ordinat to crash

C se planter *vpr* **1** Hort [*fleur, parterre*] to be planted; **se ~ au printemps** to be planted in the spring; **2** (se ficher) [*clou, pieu*] to go in; **3** [*personne*] **se ~ une épine/un clou dans le pied** to get a thorn/a nail in one's foot; **avoir une épine plantée dans le pied** to have a thorn in one's foot; **4** ○(se tenir) **aller se ~ devant qch/qn** to go and stand in front of sth/sb; **5** ○(avoir un accident) to crash; **se ~ en planeur** to crash in a glider; **se ~ en vélo** to have a bicycle accident; **6** ○(se tromper) to get it wrong; (se perdre) to get lost; **se ~ dans une addition** to get a sum all wrong; **il s'est planté en histoire** he made a mess of the history paper *ou* exam

planteur /plɑ̃tœʀ/ ▸ **p. 532** *nm* (exploitant) planter; ~ **de thé** tea planter

planteuse /plɑ̃tøz/ *nf* (machine) potato planter

plantigrade /plɑ̃tigʀad/ *adj, nm* plantigrade

plantoir /plɑ̃twaʀ/ *nm* dibble

planton /plɑ̃tɔ̃/ *nm* (sentinelle) sentry; (ordonnance) orderly; **être de** ~ to be on sentry *ou* orderly duty; **faire le** ~ fig to wait around

plantureusement /plɑ̃tyʀøzmɑ̃/ *adv* [*manger*] abundantly

plantureux, -euse /plɑ̃tyʀø, øz/ *adj* **1** [*déjeuner*] lavish; [*poitrine*] generous; [*femme*] buxom, well-endowed hum; **2** [*pays, terre*] fertile; [*année, récolte*] bumper (*épith*)

plaquage /plakaʒ/ *nm* **1** Tech (de bois) veneering; (de métal) plating; (de pierre) facing; **2** Sport (technique) tackling ¢; **un** ~ a tackle

plaque /plak/ *nf* **1** (de moisissure, d'humidité) patch; ~ **de verglas** patch of ice; **2** (sur la

P

peau) blotch; (plus grand) patch; ▸ **sclérose**; ③ (de verre, de métal) plate; (plus grand) sheet; (de marbre) slab; (plus petit) plaque; (de chocolat) slab; (au jeu) chip; (de cabinet médical, d'étude de notaire) brass plate; (de policier) badge; ④ Électron anode; ⑤ Géol (tectonic) plate

(Composés) ~ **d'accumulateur** accumulator plate; ~ **chauffante** hotplate; ~ **de cheminée** fireback; ~ **commémorative** (commemorative) plaque; ~ **dentaire** plaque; ~ **d'égout** manhole cover; ~ **de four** drip tray; ~ **de garde** guard plate; ~ **d'identité** (de soldat) ID tag; (de chien) name tag, dog tag; ~ **d'immatriculation** *or* **minéralogique** number plate GB, license plate US; ~ **à pâtisserie** baking tray; ~ **de propreté** finger plate; ~ **sensible** plate; ~ **tournante** lit turntable; fig crossroads (*sg*)

(Idiomes) **être à côté de la** ~○ (se tromper) to be completely mistaken; (être distrait) to be not with it○; **elle répond toujours à côté de la** ~○ her answers are always slightly off beam○

plaqué, ~**e** /plake/
A *pp* ▸ **plaquer**
B *pp adj* ① (recouvert) [*bijou*] plated; ~ **or** gold-plated; ~ **argent** silver-plated; ~ **acajou/noyer** with a mahogany/walnut veneer; ② (appliqué) **poche** ~**e** patch pocket
C *nm* **le** ~ (bijoux) plated jewellery GB *ou* jewelry US; (couverts) plated cutlery; (revêtement) plating; **en** ~ plated

plaqueminier /plakminje/ *nm* persimmon

plaquer /plake/ [1]
A *vtr* ① (appuyer, aplatir) ~ **qn contre qch/au sol** to pin sb against sth/to the ground; ~ **sa main sur** to put one's hand on; **le vent plaquait sa jupe contre ses cuisses** the wind made her skirt stick to her legs; ~ **une mèche sur son front** to plaster a lock of hair onto one's forehead; ② ○(rompre avec) to ditch○, to get rid of [*amant*]; (quitter) to walk out on○, leave; ~ **un emploi** to chuck in a job○ GB, to chuck a job○ US; **tout** ~ to chuck it all in○ GB, to chuck everything○ US; ③ (en rugby) to tackle; ④ (rajouter) péj to tack [*citation, commentaire*] (**sur** onto); ⑤ Tech to veneer [*meuble, bois ordinaire*]; to plate [*bijou, métal ordinaire*]; ⑥ Mus to strike [*accord*]
B se plaquer *vpr* **se** ~ **contre un mur** to flatten oneself against a wall; **se** ~ **au sol** to lie flat on the ground; **se** ~ **contre qn** to press oneself up against sb

plaquette /plakɛt/ *nf* ① Comm (de chocolat) bar; (de beurre) packet; (de pilules) ≈ blister strip; ② Tech (de métal) small plate; ③ Physiol platelet; ④ Édition (publicitaire) brochure; (en prose) pamphlet; **une** ~ **de vers** a slim volume of poetry

(Composé) ~ **de frein** brake pad

plasma /plasma/ *nm* Phys, Physiol plasma

plastic /plastik/ *nm* plastic explosive; **attentat au** ~ bomb attack

plasticage /plastikaʒ/ *nm* bomb attack (**de** on)

plasticien, **-ienne** /plastisjɛ̃, ɛn/ ▸ **p. 532** *nm,f* ① Méd plastic surgeon; ② Art visual artist

plasticité /plastisite/ *nf* ① (de matériau) plasticity; ② (d'esprit) plasticity; (de caractère) malleability

plastifiant, ~**e** /plastifjɑ̃, ɑ̃t/
A *adj* plasticizing (*épith*)
B *nm* plasticizer

plastification /plastifikasjɔ̃/ *nf* ① (de carte, document) plastic coating; ② Chimie, Tech plasticizing

plastifier /plastifje/ [2] *vtr* to coat [sth] with plastic; **carte plastifiée** plastic-coated card

plastiquage = **plasticage**

plastique /plastik/
A *adj* ① [*beauté*] formal, plastic; ② [*chirurgie, chirurgien*] plastic; ③ (malléable) plastic
B *nm* (matière) plastic; **c'est du** ~ it's plastic; **sac en** ~ plastic bag
C *nf* ① (arts) **la** ~ the plastic arts (*pl*); (sculpture) the art of sculpture; ② (esthétique) (d'objet, de statue) formal beauty; (de personne) physique

plastiquement /plastikmɑ̃/ *adv* in terms of form, visually

plastiquer /plastike/ [1] *vtr* to carry out a bomb attack on; **il s'est fait** ~ **trois fois** there have been three bomb attacks on his place

plastiqueur, **-euse** /plastikœʀ, øz/ *nm,f* terrorist, bomber

plastron /plastʀɔ̃/ *nm* ① (de chemise) shirt front; (faux) dicky○, false shirt front; (de corsage) ornamental front; ② (d'escrimeur) plastron; (d'armure) breast-plate; ③ (d'oiseau) breast-shield

plastronner /plastʀɔne/ [1]
A *vtr* to cover (**de** with)
B *vi* to be full of oneself

plasturgie /plastyʀʒi/ *nf* plastics processing

plat, ~**e** /pla, plat/
A *adj* ① (sans relief) [*fond, surface, pays, terrain*] flat; [*mer*] smooth; **un terrain parfaitement** ~ a perfectly flat plot of land; **être** ~**e**, **avoir la poitrine** ~**e** to be flat-chested; **électroencéphalogramme** ~ electroencephalograph showing a flat trace; ② (peu profond) [*chapeau*] flat; [*bateau, embarcation*] flat-bottomed; (sans épaisseur) [*caillou, paquet*] flat; [*montre, calculatrice, briquet*] slimline; [*cheveux*] limp; ③ (sans talon) [*chaussure, soulier*] flat; ▸ **couture**; ④ (fade) [*saveur, goût*] bland; [*vin*] insipid; (sans caractère) [*style, description*] lifeless; [*traduction*] flat; [*texte, discours*] dull; ⑤ (humble) **faire de** ~**es excuses à qn** to apologize abjectly to sb
B *nm* ① (pour cuire, servir) dish; ~ **de porcelaine/d'argent** china/silver dish; ② (aliments servis) dish; ~ **froid/chaud** cold/hot dish; **un** ~ **de spaghetti/viande** a dish of spaghetti/meat; **un bon petit** ~ a tasty dish; ▸ **vengeance**; ③ (partie d'un repas) course; **plusieurs** ~**s au choix** a choice of several courses; ④ (partie plate) **le** ~ **de la main** the flat of one's hand; **le** ~ **d'un couteau** the flat of a knife; ⑤ (terrain plat) flat ground; **courir sur du** ~ to run on the flat
C plate *nf* ① Naut flat-bottomed boat; ② Hist piece of plate armour[GB]
D à plat *loc adv* ① (horizontalement) [*mains, pieds*] flat; **poser** *or* **mettre qch à** ~ to lay sth down flat; **pose les livres à** ~ **sur mon bureau** lay the books down flat on my desk; **dormir à** ~ to sleep without a pillow; **à** ~ **ventre** lit flat on one's stomach; **dormir à** ~ **ventre** to sleep flat on one's stomach; **se mettre à** ~ **ventre devant qn** fig to grovel in front of sb; **tomber à** ~ [*plaisanterie, remarque*] to fall flat; ② (hors d'usage) [*pneu*] flat; [*batterie*] flat GB, dead; ③ ○(sans énergie) **être à** ~ [*personne*] to be run down; **sa maladie l'a mis à** ~ his illness really took it out of him○; ④ (en ordre) **mettre/remettre qch à** ~ [*comptes, activité, dossier*] to review sth from scratch; **une mise à** ~ **du système fiscal est envisagée** a complete review of the tax system is planned

(Composés) ~ **de côtes** top rib of beef; ~ **cuisiné** Comm ready-cooked meal; (chez soi) dish that takes time and trouble; ~ **du jour** today's special, dish of the day; ~ **à légumes** vegetable dish; ~ **de nouilles**○ pej drip○ péj; ~ **à poisson** serving dish for fish; ~ **de résistance** Culin main course; fig main item; ~ **à tarte** pie dish; ~**es côtes** Culin top rib ¢ of beef

(Idiomes) **faire un** ~○ (en natation) to do a belly flop○; **faire du** ~ **à qn**○ to chat sb up○ GB, to come on to sb○; **mettre les petits** ~**s dans les grands**○ to go to town on a meal○; **mettre les pieds dans le** ~○ to put one's foot in it; **faire tout un** ~ **de qch**○ to make a song and dance about sth○ GB, to make a big deal about sth

platane /platan/ *nm* plane tree; **rentrer dans** *or* **se payer**○ **un** ~ to crash into a tree

plat-bord, *pl* **plats-bords** /plabɔʀ/ *nm* gunwale

plate ▸ **plat A, C**

plateau, *pl* ~**x** /plato/
A *nm* ① (pour servir, porter) tray (**de** of); ② Théât stage; Cin, TV set; **et sur le** ~ **ici ce soir...** and in our panel tonight...; ③ (niveau constant) plateau; **arriver à un** ~ [*fièvre, inflation*] to level off; [*talent, capacités*] to reach a plateau; ④ Géog plateau; ⑤ (de balance) pan; (de table) top; (de tourne-disques) turntable
B plateau(-) (*in compounds*) ~**(-)télé**○ TV dinner; ~**(-)repas** meal on tray

(Composés) ~ **de chargement** loading platform; ~ **continental** continental shelf; ~ **d'embrayage** clutch disc; ~ **de frein** backplate; ~ **à fromage** (objet) cheeseboard; ~ **de fromages** (assortiment) cheeseboard; ~ **de fruits de mer** seafood platter; ~ **de pédalier** chainwheel; ~ **de tournage** film set

(Idiomes) **il faut qu'on t'apporte tout sur un** ~**?** do you expect everything to be handed to you on a plate?; **servir qch sur un** ~ **d'argent** to serve sth on a silver platter

plateau-repas, *pl* **plateaux-repas** /platoʀ(ə)pɑ/ *nm* meal tray

plate-bande, *pl* **plates-bandes*** /platbɑ̃d/ *nf* (dans un jardin) border, flower bed; **marcher sur** *or* **piétiner les plates-bandes de qn**○ fig to encroach on sb's territory

platée○ /plate/ *nf* plateful (**de** of)

plate-forme, *pl* **plates-formes*** /platfɔʀm/ *nf* ① Constr platform; ~ **d'hélicoptère** helicopter platform; **toit en** ~ flat roof; ② Transp (de bus, tramway) platform; ③ Comm (pour marchandises) skid; ④ Pol platform; **la** ~ **électorale** the party platform; ⑤ Géog platform; ⑥ Ordinat platform

(Composés) ~ **continentale** continental shelf; ~ **de forage** drilling rig; ~ **littorale** coastal shelf; ~ **pétrolière** oil rig

platement /platmɑ̃/ *adv* **s'excuser** ~ to apologize abjectly; **s'exprimer** ~ to express oneself unimaginatively *ou* in bland terms

platine /platin/ ▸ **p. 202**
A *adj inv* platinum; **blond** ~ platinum blond
B *nm* platinum
C *nf* ① (d'horloge, de serrure) plate; (de microscope) stage; (de presse) platen; ② (tourne-disques) turntable

(Composé) ~ **iridié** platiniridium

platiné, ~**e** /platine/ *adj* ① (plaqué) platinum-plated; ② (blond) [*cheveux*] platinum blond

platitude /platityd/ *nf* ① (caractère banal) (de remarque, texte) banality; (de personne) dreariness; (de style) triteness; **des remarques d'une** ~ **désolante** unbearably trite remarks; ② (propos banal) platitude; **débiter**○ **des** ~**s** to spout platitudes

Platon /platɔ̃/ *npr* Plato

platonicien, **-ienne** /platɔnisjɛ̃, ɛn/
A *adj* Platonic
B *nm,f* Platonist

platonique /platɔnik/ *adj* ① [*amour*] platonic; ② [*revendication*] token (*épith*)

platoniquement /platɔnikmɑ̃/ *adv* platonically

platonisme /platɔnism/ *nm* Platonism

plâtrage /plɑtʀaʒ/ *nm* ① Constr (action) plastering; (résultat) plasterwork, plaster; ② Agric liming

plâtras /plɑtʀa/ *nm inv* Constr rubble ¢

plâtre /plɑtʀ/ *nm* ① Constr (matériau) plaster; **les** ~**s** plasterwork ¢; **ton Brie, c'est du** ~ your Brie is like chalk; ② Méd, Art (objet) plaster cast; **on lui a mis la jambe dans le** ~ they've put his leg in plaster *ou* in a cast; ~ **de marche** walking cast

(Idiomes) **battre qn comme** ~○ to beat the

p

living daylights out of sb○; **essuyer les ~s** to put up with the initial problems

plâtrer /plɑtʀe/ [1] *vtr* **1** Constr to plaster [*mur*]; **2** Méd **~ le bras de qn** to put sb's arm in plaster *ou* in a cast; **il a la jambe plâtrée** his leg is in plaster; **se faire ~ le bras** to have one's arm put in plaster

plâtrerie /plɑtʀəʀi/ *nf* (usine) plasterworks (+ *v sg ou pl*); (travail) plastering

plâtreux, **-euse** /plɑtʀø, øz/ *adj* **1** [*mur*] plastered; fig [*teinte*] chalky; **2** Culin [*fromage*] chalky

plâtrier, **-ière** /plɑtʀije, ɛʀ/
A ▸ **p. 532** *nm,f* plasterer
B plâtrière *nf* (carrière) gypsum quarry; (four) gypsum kiln; (usine) plasterworks (+ *v sg ou pl*)

plausibilité /plozibilite/ *nf* plausibility

plausible /plozibl/ *adj* plausible

plausiblement /plozibləmɑ̃/ *adv* plausibly

Plaute /plot/ *npr* Plautus

playback* /plɛbak/ *nm inv* miming, lip syncing; **chanter en ~** to mime to a tape, to lip-sync (a song)

play-boy, *pl* **~s*** /plɛbɔj/ *nm* playboy

plèbe /plɛb/ *nf* **1** péj plebs (+ *v pl*), hoi polloi (+ *v pl*); **2** Hist plebeians (*pl*)

plébéien, **-ienne** /plebejɛ̃, ɛn/ *adj, nm,f* plebeian

plébiscitaire /plebisitɛʀ/ *adj* [*régime*] plebiscitary; **vote ~** plebiscite

plébiscite /plebisit/ *nm* plebiscite

plébisciter /plebisite/ [1] *vtr* **1** (élire) to elect [sb] with a huge majority; **se faire ~** to be elected by an overwhelming majority; **2** (approuver) to vote overwhelmingly in favour[GB] of [*personne, mesure*]; to acclaim [*mode, programme*]; **les auditeurs ont plébiscité l'émission** the programme[GB] has proved popular with the vast majority of listeners

plectre /plɛktʀ/ *nm* plectrum

pléiade /plejad/ *nf* liter (groupe) group; (de personnes remarquables) galaxy, pleiad

Pléiade /plejad/ *nprf* **1** Littérat **la ~** the Pleiad; **2** Astron Pleiad; **les ~s** the Pleiades

plein, **~e** /plɛ̃, plɛn/
A *adj* **1** (rempli) full (**de** of); **être ~ à craquer** to be full to bursting; **j'ai les mains ~es** my hands are full; **il avait les yeux ~s de larmes** his eyes were full of tears; **être ~ de vie/d'idées/de fraîcheur** to be full of life/of ideas/of freshness; **être ~ d'humour** [*personne, film, livre*] to be amusing; **des huîtres bien ~es** nice fat oysters; **une jupe ~e de taches** a skirt covered with stains; **avoir le nez ~**○ to need to blow one's nose
2 (indiquant une quantité maximale) **un ~ verre/panier/pot** a glassful/basketful/potful (**de** of); **une ~e assiette/valise/salle** a plateful/suitcaseful/roomful (**de** of); **il a une ~e cave de vin/chambre de jouets** he has a cellar full of wine/bedroom full of toys; **un ~ carton de vieux journaux** a boxful of old newspapers; **prendre** *or* **saisir qch à ~es mains** to take hold of sth with both hands [*objet massif*]; to pick up a handful of sth [*terre, sable, pièces de monnaie*]
3 (non creux) [*brique, mur, cloison*] solid; [*joues, visage*] plump; [*forme*] rounded
4 (total) [*pouvoir, accord, effet, adhésion*] full; [*succès, satisfaction, confiance*] complete; **confier** *or* **voter les ~s pouvoirs à qn** to grant sb full power; **avec le ~ accord de qn** with sb's full agreement; **avoir la ~e maîtrise/utilisation de qch** to have full control/use of sth; **~ et entier** [*accord, adhésion, responsabilité*] full; **avoir la responsabilité ~e et entière de qch** to have full responsibility for sth
5 (entier) [*jour, mois, année*] whole, full; [*lune*] full; **il faut compter un mois ~** you should allow a full month; **c'est la ~e mer** it is high tide
6 (milieu) **en ~e poitrine/tête** (right) in the middle of the chest/head; **en ~e réunion/nuit/crise** (right) in the middle of the meeting/night/crisis; **en ~e ville/forêt/campagne** (right) in the middle of the town/forest/countryside; **en ~ cœur** right in the heart; **en ~ centre-ville** right in the centre[GB] of town; **en ~ mois d'août** right in the middle of August; **en ~ jour** in broad daylight; **en ~ été** at the height of summer; **en ~ hiver** in the depths of winter; **en ~e mer** on the open sea; **être en ~e mutation** *or* **évolution** to be experiencing radical change; **être en ~e récession** to be in a deep recession
7 Zool **~e** [*femelle*] pregnant; [*vache*] in calf; [*jument*] in foal; [*truie*] in pig
8 ○(ivre) sloshed○, drunk
9 (en parlant de cuir) **reliure ~e peau** full leather binding; **un livre avec une reliure ~e peau** a fully leather-bound book; **manteau/veste ~e peau** coat/jacket made out of full skins
B *adv* **1** (exprimant une grande quantité) **avoir des billes ~ les poches** to have one's pockets full of marbles; **il a des idées ~ la tête** he's full of ideas
2 (directement) **être orienté ~ sud/nord** to face due south/north
C *nm* **1** (de réservoir) **faire le ~ de** lit to fill up with [*eau, carburant*]; fig to get a lot of [*idées, voix, visiteurs*]; **s'arrêter pour faire le ~** to stop to fill up; **j'ai fait deux ~s** *or* **deux fois le ~ pour venir ici** I took two tankfuls to get here; **le ~ s'il vous plaît** fill it up please
2 Phys **les ~s et les vides** plenums and vacuums
3 (en calligraphie) downstroke; **les ~s et les déliés** the downstrokes and upstrokes
D ○**plein de** *dét indéf* **~ de** lots of, loads○ of [*choses, argent, bises, amis*]; **tu veux des timbres? j'en ai (tout) ~** do you want any stamps? I've got loads
E à plein *loc adv* [*bénéficier, utiliser*] fully; **tourner** *or* **marcher à ~** [*machine, entreprise*] to work flat out, to work to capacity
F en plein *loc adv* **en ~ devant** right in front of; **atterrir en ~ dans le jardin/sur le toit** to land right in the middle of the garden GB *ou* yard US/on top of the roof; **l'avion s'est écrasé en ~ sur l'immeuble** the plane crashed straight into the building; **il m'est rentré en ~ dedans**○ he crashed right into me
G ○**tout plein** *loc adv* really; **gentil/mignon tout ~** really nice/sweet
(Composés) **~e page** Imprim full page; **~e propriété** Jur freehold
(Idiomes) **en avoir ~ les jambes** *or* **pattes**○ to be worn out, to be fit to drop○; **en avoir ~ le dos**○ *or* **les bottes**○ *or* **le cul**● to be fed up (to the back teeth) (**de** with); **(s')en prendre ~ les gencives**○ *or* **la gueule**● to get it in the neck○

plein-air /plɛnɛʀ/ *nm inv* Scol (outdoor) games (*pl*)

pleinement /plɛnmɑ̃/ *adv* fully; **avoir ~ conscience de qch** to be fully aware of sth

plein-emploi /plɛnɑ̃plwɑ/ *nm inv* full employment

plein-temps, *pl* **pleins-temps** /plɛ̃tɑ̃/ *nm* gén full-time job; Méd full-time consultancy

pléistocène /pleistɔsɛn/ *adj, nm* Pleistocene

plénier, **-ière** /plenje, ɛʀ/ *adj* plenary

plénipotentiaire /plenipɔtɑ̃sjɛʀ/ *adj, nm* plenipotentiary

plénitude /plenityd/ *nf* **1** (intégrité) **exercer la ~ de ses fonctions/pouvoirs** to exercise one's functions/powers to the full; **garder la ~ de ses droits** to retain all one's rights; **donner à qn la ~ de sa responsabilité** to give sb full responsibility; **2** (sensation de bien-être) bliss; **un sentiment de ~** a blissful feeling; **3** (ampleur) liter fullness, ampleness

plénum /plenɔm/ *nm* plenary meeting

pléonasme /pleɔnasm/ *nm* pleonasm

pléonastique /pleɔnastik/ *adj* pleonastic

plésiosaure /plezjɔzɔʀ/ *nm* plesiosaurus

pléthore /pletɔʀ/ *nf* (de marchandises, d'exemples) superabundance, plethora; **il y a ~ d'offres** there is a deluge *ou* plethora of offers

pléthorique /pletɔʀik/ *adj* [*quantité, trafic*] excessive; [*classe*] overcrowded; [*personnel*] surplus to requirement (*jamais épith*); **aux effectifs ~s** [*société, service*] overstaffed

pleurage /plœʀaʒ/ *nm* Tech wow

pleural, **~e**, *mpl* **-aux** /plœʀal, o/ *adj* pleural

pleurant /plœʀɑ̃/ *nm* Art mourner

pleurer /plœʀe/ [1]
A *vtr* **1** (regretter) to mourn [*mort, ami*]; to lament [*absence*]; **~ ses parents** to mourn one's parents; **~ sa jeunesse perdue** to lament one's lost youth; **~ la mort de qn** to lament the death of sb; **2** ○(économiser) **ne pas ~ sa peine/son argent** to spare no effort/expense; **elle n'a pas pleuré le beurre dans sa tarte!** she hasn't skimped on the butter in the tart!
B *vi* **1** (après une émotion) [*enfant, adulte*] to cry, to weep; **il pleure pour un rien** he cries at the slightest thing; **faire ~ qn** [*personne, histoire, film*] to make sb cry; **~ en silence/en public** to cry silently/in public; **j'en aurais pleuré!** I could have wept!; **~ de joie/rage** to cry *ou* weep with joy/rage; **~ de rire, rire à en ~** to laugh until one cries; **c'est une histoire triste/bête à ~** this story is too sad/stupid for words; **2** (involontairement) [*yeux*] to water; **la fumée/le maquillage me fait ~ (les yeux)** smoke/make-up makes my eyes water; **j'ai les yeux qui pleurent** my eyes are watering; **3** (s'affliger) **~ sur qch/qn** to shed tears over sth/sb; **arrête de ~ sur ton sort!** stop feeling sorry for yourself!; **je ne risque pas de ~ sur ton sort!** I won't shed any tears over you!; **4** ○(se plaindre) [*personne*] to whine; **aller ~ auprès de qn** to go whining to sb; **~ après qch**○ to beg for sth [*augmentation, faveur*]; **5** liter [*violon*] to sob; [*vent*] to sigh; **6** Agric [*arbre, vigne*] to exude sap
(Idiomes) **~ comme un bébé** to cry like a baby; **elle n'a que ses yeux pour ~** all she can do is cry *ou* weep

pleurésie /plœʀezi/ ▸ **p. 283** *nf* pleurisy

pleurétique /plœʀetik/ *adj, nmf* pleuritic

pleureur /plœʀœʀ/ *adj m* **saule ~** weeping willow

pleureuse /plœʀøz/ *nf* (hired) mourner

pleurnichard○, **~e** /plœʀniʃaʀ, aʀd/
A *adj* [*ton, personne*] whining
B *nm,f* cry-baby○

pleurnichement○ /plœʀniʃmɑ̃/ *nm* = **pleurnicherie**

pleurnicher○ /plœʀniʃe/ [1] *vi* to snivel○

pleurnicherie /plœʀniʃʀi/ *nf* snivelling[GB]○ ¢

pleurnicheur, **-euse** /plœʀniʃœʀ, øz/ *nm,f* péj sniveller[GB]○ péj

pleuropneumonie /plœʀɔpnømɔni/ ▸ **p. 283** *nf* pleuropneumonia

pleurote /plœʀɔt/ *nm* pleurotus

pleurs /plœʀ/ *nmpl* **1** (larmes) tears; **en ~** in tears; **2** (récriminations) outcry; **il va y avoir des ~ chez les enseignants** there will be an outcry from schoolteachers; **il y aura des ~ et des grincements de dents** there will be wailing and gnashing of teeth

pleutre /pløtʀ/ liter
A *adj* cowardly
B *nm* coward

pleutrerie /pløtʀəʀi/ *nf* liter **1** (caractère) cowardice; **2** (acte) act of cowardice

pleuvasser○ /pløvase/ [1] *v impers* to drizzle

pleuvoir /pløvwaʀ/ [39]
A *v impers* to rain; **il pleut** it's raining; **il pleut à grosses gouttes** the rain is falling in big

drops; **il pleut à torrents** *or* **à seaux** it's pouring with rain; **il pleut des cordes**○ *or* **des hallebardes** it's coming down in buckets; **il pleut à ne pas mettre un chat dehors** it's coming down in buckets; **des gâteaux comme s'il en pleuvait**○ loads of cakes○
B *vi* [*obus, coups*] to rain down; [*demandes d'emploi*] to pour in; **les compliments pleuvaient** compliments were being handed out left, right and centre[GB]; **les mauvaises nouvelles pleuvent** bad news is coming in thick and fast

pleuvoter○ /pløvɔte/ [1] *v impers* to drizzle

plèvre /plɛvʀ/ *nf* pleura

plexiglas® /plɛksiglas/ *nm* plexiglass®

plexus /plɛksys/ *nm* plexus; ~ **solaire** solar plexus

pli /pli/ *nm* [1] (ondulation) (de feuille de papier, carte routière, rideau, drap, d'éventail) fold; [2] (de jupe) pleat; (de pantalon) (trouser) crease; (de chemise, veste) crease; (involontaire) crease; **jupe à ~s** pleated skirt; **ta veste/ton pantalon fait un ~** there is a crease in your jacket/your trousers; **ta chemise/veste fait des ~s** your shirt/jacket is all creased; [3] (ligne sur la peau) (de bouche, d'yeux) line; (bourrelet) (de ventre, double-menton) fold; **le ~ de l'aine** (the fold of) the groin; [4] Géol fold; [5] Jeux (levée) trick; **faire un ~** to take a trick; [6] (lettre) letter; **un ~ urgent** an urgent letter; **sous ~ cacheté** in a sealed envelope; **sous ~ séparé** under separate cover; [7] Constr (couche de contreplaqué) veneer sheet; **panneau à trois ~s** three-ply board
(Composés) ~ **d'aisance** kick pleat; ~ **couché** flat pleat; ~ **creux** Cout box pleat
(Idiomes) **ça ne fait pas un ~**○ there's no doubt about it; **c'est un ~ à prendre** it's something you've got to get used to; **il a pris un mauvais ~** he's got into a bad habit

pliable /plijabl/ *adj* pliable, flexible

pliage /plijaʒ/ *nm* folding

pliant, **~e** /plijɑ̃, ɑ̃t/
A *adj* folding
B *nm* folding stool, campstool

plie /pli/ *nf* plaice

plié /plije/ *nm* Danse plié

plier /plije/ [2]
A *vtr* [1] (rabattre) to fold [*papier, vêtement, parapluie*]; to fold up [*chaise, table, lit, tente*]; **~ qch en deux/trois** to fold sth in two/three; [2] (courber) to bend [*tige, roseau, objet*]; **il a plié la fourchette en deux** he bent the fork in half; **je n'arrive pas à ~ le bras/les genoux** I can't bend my arm/my knees; [3] (ranger) to pack [*affaires*]; **~ bagages**○ to pack one's things and go; [4] (soumettre) to submit; **~ qn à la discipline** to subject *ou* submit sb to discipline; **~ qn à sa volonté** to bend *ou* submit sb to one's will
B *vi* [1] (ployer) [*arbre, branche, articulation*] to bend; [*paroi, planche, plancher*] to sag; **la branche plie sous le poids des fruits** the branch bends *ou* sags under the weight of fruit; **~ sous le poids des ans** to be bowed with age; [2] (céder) to give in; **faire ~ qn** to make sb give in; **~ devant la détermination de l'ennemi** to yield to the determination of the enemy; **~ sous les menaces/coups de qn** to yield to sb's threats/blows
C **se plier** *vpr* [1] (être pliant) [*chaise, mètre, parapluie*] to fold; **la table se plie facilement** the table folds (down) easily *ou* is easy to fold; [2] (se soumettre) **se ~ à** to submit to; **se ~ à la discipline** to yield *ou* submit to discipline; **se ~ au règlement** to submit to the rules; **se ~ à la volonté du plus grand nombre** to yield *ou* submit to the wishes of the majority; **se ~ à des exigences** to bow to necessity
(Idiome) **être plié (en deux** *or* **quatre)** (de rire) to be doubled up with laughter; (de douleur) to be doubled up with pain

plieuse /plijøz/ *nf* (machine) folder

Pline /plin/ *npr* **~ l'Ancien** Pliny the Elder; **~ le Jeune** Pliny the Younger

plinthe /plɛ̃t/ *nf* [1] (de mur) skirting board GB, baseboard US; [2] (de statue) plinth

pliocène /plijɔsɛn/ *adj, nm* Pliocene

plissage /plisaʒ/ *nm* pleating

plissé /plise/ *nm* pleats (*pl*); **~ soleil** sunray pleats (*pl*)

plissement /plismɑ̃/ *nm* [1] Géol **~ de terrain** fold; **~ alpin/hercynien** Géol Alpine/Hercynian orogeny; [2] (action de plisser) (des yeux) screwing up; (de peau, cou) wrinkling, puckering

plisser /plise/ [1]
A *vtr* [1] (volontairement) to fold [*papier*]; to pleat [*tissu, étoffe*]; [2] (involontairement) to crease [*vêtement*]; **ta robe est toute plissée** your dress is all creased; [3] (froncer) **~ le front** to knit one's brows; **~ le nez** to wrinkle one's nose; **~ les yeux** *or* **paupières** to screw up one's eyes; **~ la bouche** *or* **les lèvres** to purse one's lips; **une douce brise plissait la surface de l'étang** a gentle breeze ruffled the surface of the pond; [4] Géol to fold
B *vi* (faire des plis) [*bas*] to wrinkle; [*jupe, veste*] to be creased *ou* puckered
C **se plisser** *vpr* [1] (se froisser) [*vêtement, tissu*] to crease, to get creased; **ce tissu se plisse très facilement** this fabric creases very easily *ou* is very easily creased; [2] [*nez*] to wrinkle; [*bouche, lèvres*] to pucker up

pliure /plijyʀ/ *nf* (de feuille, tissu) fold; **la ~ du genou** the back of the knee; **la ~ du coude** the crook of the elbow

ploc /plɔk/, **plof** /plɔf/ *excl* plop!; **~~!** plip plop!; **ça a fait ~!** it went plop!

ploiement /plwamɑ̃/ *nm* (de jambe) bending; Géol folding

plomb /plɔ̃/ *nm* [1] (métal) lead; **de** *or* **en ~** lead (*épith*); **sans ~** [*essence*] unleaded; **chaleur/soleil de ~** fig burning heat/sun; **ciel de ~** liter leaden sky; **mer de ~** liter grey GB *ou* gray US sea; **j'ai des jambes de ~** my legs feel like lead; [2] (de chasse) **un ~** a lead pellet; **du ~** lead shot ¢; **du gros ~** buckshot ¢; [3] (fusible) fuse; **les ~s ont sauté** the fuses have blown; **faire sauter les ~s** to blow the fuses; [4] Cout piece of lead; Pêche sinker; [5] (sceau) customs seal; (sur un compteur) seal; [6] (de vitrail) lead; [7] Imprim type
(Composé) **~ de sonde** Naut lead line
(Idiomes) **avoir du ~ dans l'aile**○ to be in a bad way○; **cela va leur mettre du ~ dans la tête** *or* **cervelle**○ that will knock some sense into them; **péter les ~s**○ to lose it○

plombage /plɔ̃baʒ/ *nm* Dent filling

plombe◑ /plɔ̃b/ *nf* hour; **à trois ~s** at three o'clock

plombé, **~e** /plɔ̃be/
A *pp* ▸ **plomber**
B *pp adj* [1] [*dent*] with a filling (*épith, après n*); [2] [*essence*] leaded
C *adj* [*teint, visage*] ashen; [*couleur, ciel*] leaden

plomber /plɔ̃be/ [1]
A *vtr* [1] Dent to fill [*dent*]; [2] (sceller) to seal; [3] (pour alourdir) to weight [sth] [*filet de pêche, rideaux*]; [4] Constr to plumb
B **se plomber** *vpr* liter [*ciel*] to become leaden; [*visage*] to grow ashen

plomberie /plɔ̃bʀi/ *nf* (tuyaux, métier) plumbing

plombier /plɔ̃bje/ ▸ **p. 532** *nm* plumber

plombières /plɔ̃bjɛʀ/ *nf inv* tutti-frutti ice cream

plombier-zingueur, *pl* **plombiers-zingueurs** /plɔ̃bjezɛ̃gœʀ/ ▸ **p. 532** *nm* zinc-roofer

plombifère /plɔ̃bifɛʀ/ *adj* plumbiferous

plonge○ /plɔ̃ʒ/ *nf* washing up, dishwashing US; **faire la ~** to wash the dishes, to wash up GB; **il fait la ~ dans un restaurant** he works as a dishwasher in a restaurant

plongeant, **~e** /plɔ̃ʒɑ̃, ɑ̃t/ *adj* [*tir, décolleté*] plunging; **une vue ~e** a bird's eye view (**sur** of)

plongée /plɔ̃ʒe/ *nf* [1] ▸ **p. 469** Sport (discipline) gén (skin) diving; (avec scaphandre autonome) scuba diving; (avec tube respiratoire) snorkelling[GB]; **~ sous-marine** deep-sea diving; **faire de la ~** to go diving; **~ en apnée** diving without an aqualung; [2] Pêche, Sport, Tech (séjour sous l'eau) dive; [3] Naut (de sous-marin) dive; **effectuer une ~** to do a dive; **un sous-marin en ~** a submerged submarine; [4] Cin high-angle shot; **prendre qch en ~** to take a high-angle shot of sth

plongeoir /plɔ̃ʒwaʀ/ *nm* gén diving-board; (planche) springboard

plongeon /plɔ̃ʒɔ̃/ *nm* [1] Sport (discipline) diving; [2] Sport (de nageur, gardien de but) dive; **il a fait un magnifique ~** he did a magnificent dive; [3] (chute) fall; **la voiture a fait un ~ de 200 mètres** the car plunged *ou* plummeted 200 metres; **le dollar a fait un ~ hier à la Bourse** the dollar took a dive yesterday on the stock exchange; [4] (oiseau) diver
(Composés) **~ de haut** Sport high diving; **~ du tremplin** Sport springboard diving

plonger /plɔ̃ʒe/ [13]
A *vtr* to plunge (**dans** into); **~ des crustacés dans l'eau bouillante** to plunge shellfish into boiling water; **~ un couteau dans la poitrine de qn** to plunge a knife into sb's breast; **~ la ville dans l'obscurité** to plunge the city into darkness; **elle plongea son regard dans le mien** she stared deep into my eyes; **il a plongé la tête dans le moteur** he stuck his head into the engine; **~ qn dans le désarroi/désespoir** to throw sb into great confusion/despair; **~ le pays dans la crise/pagaille**○ to throw the country into crisis/chaos; **l'arbre plonge ses racines très profond dans le sol** the tree thrusts its roots deep into the ground
B *vi* [1] gén [*nageur, sous-marin, scaphandrier, animal, avion*] to dive (**dans** into); [*oiseau*] to swoop down (**sur** on); [*gardien de but, rugbyman*] to dive; **~ sous la table** to dive under the table; **~ dans la rivière** [*voiture*] to plunge into the river; **de ce sommet, le regard plonge vers la vallée** from this mountain top, you can get a bird's eye view of the valley; [2] (péricliter) [*affaire, commerce*] to flounder; [*action, monnaie*] to take a dive; [*élève*] to go downhill; [3] ○(se faire incarcérer) to be sent down○
C **se plonger** *vpr* [1] (s'immerger) to plunge (**dans** into); **se ~ dans l'eau** to plunge into the water; [2] (s'absorber) to bury oneself (**dans** in); **se ~ dans un roman/son travail** to bury oneself in a novel/one's work; **plongés dans leur lecture** buried in their books; **être plongé dans ses pensées** *or* **réflexions** to be deep in thought; **être plongé dans un sommeil profond** to be in a deep sleep

plongeur, **-euse** /plɔ̃ʒœʀ, øz/ ▸ **p. 532**
A *nm,f* [1] Pêche, Sport, Tech diver; [2] (laveur de vaisselle) dishwasher
B *nm* [1] Tech plunger piston; [2] (oiseau) diver

plosive /ploziv/ *nf* plosive

plot /plo/ *nm* [1] Électrotech contact; [2] (de bois) block
(Composé) **~ de départ** Sport starting block

Plotin /plɔtɛ̃/ *npr* Plotinus

plouc○ /pluk/ pej
A *adj inv* [*manières, personne*] uncouth, hick (*épith*) US; **ça fait ~ de dire ça** that's a red neck○ thing to say
B *nm* country bumpkin○

plouf /pluf/
A *nm inv* splash; **faire un ~** to go splash
B *excl* splash!

ploutocrate /plutɔkʀat/ *nm* plutocrat

ploutocratie /plutɔkʀasi/ *nf* plutocracy

ploutocratique /plutɔkʀatik/ *adj* plutocratic

ployer /plwaje/ [23] liter
A vtr to bow, to bend [*genou, branche*]; to bow [*tête*]; **il ploya les épaules** his shoulders sagged
B vi [*planche, toit*] to sag; [*branche, personne*] to bend; [*jambes, genoux*] to buckle, give way; **~ sous un fardeau** to be weighed down by a burden; **~ sous le joug** to bend under the yoke; **faire ~ qch** lit to make sth bend; **faire ~ l'ennemi** to force the enemy to yield

plucher [1] = **pelucher**

pluches /plyʃ/ *nfpl* **être de corvée de ~** to be on spud-bashing○ duty GB, to be doing KP○ US

plucheux, -euse = **pelucheux**

plug-in /plœgin/ *nm inv* plug-in

pluie /plɥi/ *nf* **1** (eau, phénomène) **la ~** rain; **sous la ~** in the rain; **sous une ~ battante/torrentielle** in driving/torrential rain; **il tombait une ~ fine** it was drizzling; **jour de ~** rainy day; **par temps de ~** when it rains, in rainy weather; **2** (averse) **après la ~** after the rain; **des ~s intermittentes/violentes/d'été** periodic/heavy/summer showers; **la saison des ~s** the rainy season, the rains; **3** (de missiles, d'injures) hail (**de** of); (d'étincelles, de cadeaux, compliments) shower (**de** of); (de lettres, d'offres) lots (**de** of); **tomber en ~** [*projectiles, étincelles*] to rain down; **jeter le riz en ~ dans le lait bouillant** sprinkle the rice into the boiling milk
(Composé) **~s acides** acid rain ₵
(Idiomes) **il n'est pas né** *or* **tombé de la dernière ~**○ he wasn't born yesterday○; **parler de la ~ et du beau temps** to make small talk; **elle fait la ~ et le beau temps dans le parti** she calls the shots○ in the party; **après la ~ le beau temps** Prov every cloud has a silver lining Prov

plumage /plymaʒ/ *nm* plumage

plumard◑ /plymaʀ/ *nm* bed; **aller au ~** to turn in○, to hit the hay○

plume /plym/
A *nf* **1** (d'oiseau) feather; **léger comme une ~** light as a feather; **soulever qch comme une ~** to pick sth up as though it were as light as a feather; **chapeau à ~s** feathered hat; **oreiller de ~s** feather pillow; **2** (pour écrire) (d'oiseau) quill (pen); (en métal) (pen) nib; **~ d'oie** goose quill; **prendre la ~ pour...** to put pen to paper to..., to take up one's pen to...; **d'un coup de ~** with a single stroke of the pen; **je lui passe la ~** I'm handing over to him/her; **écrire au fil de la ~** to write as the thoughts come into one's head; **elle a la ~ facile** words flow easily from her pen; **vivre de sa ~** to earn a living by one's pen; **prendre sa plus belle ~** to get out one's smartest notepaper; **dessin à la ~** pen-and-ink drawing
B ◑*nm* = **plumard**
(Idiomes) **perdre ses ~s**○ to lose one's hair, to go bald; **elle y a laissé** *or* **perdu des ~s**○ she did not come off unscathed; **voler dans les ~s de qn**○ to fly at sb

plumeau, *pl* **~x** /plymo/ *nm* **1** (ustensile) feather duster; **2** (touffe) tuft

plumer /plyme/ [1] *vtr* **1** to pluck [*oiseau*]; **2** ○to fleece○ [*personne*]; **se faire ~** to be ripped off○ *ou* fleeced○

plumet /plymɛ/ *nm* plume

plumetis /plymti/ *nm inv* (broderie) satin stitch; (tissu) Swiss cotton

plumette /plymɛt/ *nf* feather

plumier /plymje/ *nm* pencil box

plumitif /plymitif/ *nm* péj (employé) pen-pusher; (auteur) hack, scribbler

plupart: **la plupart** /laplypaʀ/ *nf inv* (le plus grand nombre) **la ~ des gens/maisons/oiseaux** most people/houses/birds; **dans la ~ des cas** in most cases; **pour la ~** for the most part; **la ~ des hommes présents** most of the men present; **la ~ s'en allèrent tôt** most people left early; **la ~ d'entre eux** most of them; **il a écrit des quantités d'articles mais la ~ sont sans intérêt** he wrote numerous articles, most of them devoid of interest; **la ~ du temps** most of the time, mostly

plural, **~e**, *mpl* **-aux** /plyʀal, o/ *adj* [*vote*] plural

pluralisme /plyʀalism/ *nm* pluralism

pluraliste /plyʀalist/ *adj* **1** Pol pluralist; **2** Philos pluralistic

pluralité /plyʀalite/ *nf* multiplicity, plurality

pluriannuel, **-elle** /plyʀianɥɛl/ *adj* **1** [*plante*] perennial; **2** [*plan, contrat*] long-term

pluricellulaire /plyʀiselylɛʀ/ *adj* multicellular

pluricitoyenneté /plyʀisitwajɛnte/ *nf* multiple citizenship

pluriculturel, **-elle** /plyʀikyltyʀɛl/ *adj* multicultural

pluridisciplinaire /plyʀidisiplinɛʀ/ *adj* multidisciplinary

pluridisciplinarité /plyʀidisiplinaʀite/ *nf* multidisciplinary approach

pluriel, **-elle** /plyʀjɛl/
A *adj* **1** Ling plural; **2** (formé de plusieurs éléments) composite; **la gauche plurielle** the broad Left
B *nm* plural; **au ~** in the plural; **à la troisième personne du ~** in the third person plural; **le ~ de majesté** the royal 'we'

pluriethnique /plyʀiɛtnik/ *adj* multi-ethnic

plurifonctionnalité /plyʀifɔ̃ksjɔnalite/ *nf* (de matériau) versatility; (de service) flexibility

plurifonctionnel, **-elle** /plyʀifɔ̃ksjɔnɛl/ *adj* [*salle, matériau*] multipurpose; [*service*] flexible

plurilatéral, **~e**, *mpl* **-aux** /plyʀilateʀal, o/ *adj* multilateral

plurilingue /plyʀilɛ̃g/
A *adj* multilingual
B *nmf* polyglot

plurilinguisme /plyʀilɛ̃gɥism/ *nm* multilingualism

plurinominal, *pl* **-aux** /plyʀinɔminal, o/ *adj m* **scrutin ~** plurinominal system

pluripartisme /plyʀipaʀtism/ *nm* multiparty system

plurivalent, **~e** /plyʀivalɑ̃, ɑ̃t/ *adj* polyvalent

plus¹ /ply, plys, plyz/
A *prép* **1** (dans une addition) **8 ~ 3 égale 11** 8 and 3 equals 11, 8 plus 3 equals 11; **on nous a servi du fromage, un dessert ~ du café** we were served cheese, a dessert and coffee (as well)
2 (pour exprimer une valeur) **un jour il faisait moins 5°, le lendemain ~ 10°** one day it was minus 5°, the next plus 10°
B *adv de comparaison* **1** (modifiant un verbe) (comparatif) more; (superlatif) **le ~** the most; **il mange/travaille ~ (que moi)** he eats/works more (than I do *ou* than me); **tu devrais demander ~** you should ask for more; **je ne peux pas faire ~** I can do no more, I can't do any more, I can't do more than that; **elle en sait ~ que lui sur le sujet** she knows more about the subject than he does; **c'est ~ que je ne peux supporter** it's more than I can bear; **elle l'aime ~ que tout** she loves him/her more than anything; **il est ~ à plaindre qu'autre chose** he's more to be pitied than anything else; **c'est ~ que bien** it's more than just good; **elle est ~ que jolie** she's more than just pretty; **il a fait ~ que l'embaucher, il l'a aussi formé** he did more than just hire him, he also trained him; **j'en ai ~ qu'assez** I've had more than enough; **elle mange deux fois/trois fois ~ que lui** she eats twice/three times as much as he does; **~ je gagne, ~ je dépense** the more I earn, the more I spend; **~ j'y pense, moins je comprends** the more I think about it, the less I understand; **~ ça va** as time goes on; **qui ~ est** furthermore, what's more; **c'est lui qui m'a le ~ appris** he's the one who taught me the most; **quel pays aimes-tu le ~?** which country do you like best?; **de ~ en ~** more and more; **il fume de ~ en ~** he smokes more and more
2 (modifiant un adjectif) (comparatif) more; (superlatif) most; **deux fois ~ vieux/cher** twice as old/expensive (**que** as); **trois/quatre fois ~ cher** three/four times as expensive (**que** as); **il n'est pas ~ riche que moi** he's no richer than I am *ou* than me, he isn't any richer than I am *ou* than me; **c'est le même modèle en ~ petit** it's the same model, only smaller; **il est on ne peut ~ gentil/désagréable** he's as nice/unpleasant as can be; **il est ~ ou moins fou** he's more or less insane; **il est ~ ou moins artiste** he's an artist of sorts; **la cuisine était ~ ou moins propre** the kitchen wasn't particularly clean, the kitchen was clean after a fashion; **il a été ~ ou moins poli** he wasn't particularly polite; **ils étaient ~ ou moins ivres** they were a bit drunk; **le ~ heureux des hommes** the happiest of men; **la ~ belle de toutes** the most beautiful of all; **mon vœu le ~ cher** my dearest wish; **l'arbre le ~ gros que j'aie jamais vu** the biggest tree I've ever seen; **son livre le ~ court** his shortest book; **c'est ce qu'il y a de ~ beau/important au monde** it's the most beautiful/important thing in the world; **un livre des ~ intéressants** a most interesting book; **un individu des ~ méprisables** a most despicable individual; **de ~ en ~ difficile** more and more difficult; **de ~ en ~ chaud** hotter and hotter
3 (modifiant un adverbe) (comparatif) more; (superlatif) most; **trois heures ~ tôt/tard** three hours earlier/later; **deux fois ~ longtemps** twice as long (**que** as); **trois/quatre fois ~ longtemps** three/four times as long (**que** as); **ils ne sont pas restés ~ longtemps que nous** they didn't stay any longer than we did *ou* than us; **il l'a fait ~ ou moins bien** he didn't do it very well; **de ~ en ~ loin** further and further; **~ tu te coucheras tard, ~ tu auras de mal à te lever** the later you go to bed, the harder it'll be for you to get up; **~ tu te coucheras tôt, moins tu seras fatigué** the earlier you go to bed, the less tired you'll be; **c'est moi qui y vais le ~ souvent** I go there the most often; **ça s'est passé le ~ simplement/naturellement du monde** it happened quite simply/naturally
C *adv de négation* **elle ne fume ~** she doesn't smoke any more *ou* any longer, she no longer smokes, she's given up smoking; **il n'habite ~ ici** he no longer lives here, he doesn't live here any more *ou* any longer; **le grand homme n'est ~** the great man is no more; **elle ne veut ~ le voir** she doesn't want to see him any more *ou* any longer, she no longer wants to see him; **il a décidé de ne ~ y aller** he decided to stop going there; **je ne veux ~ en entendre parler** I don't want to hear any more about it; **il n'y est ~ (jamais) retourné** he never went back there (again); **~ jamais ça!** never again!; **nous ne faisons ~ ce modèle** we no longer do this model, we don't do this model any more *ou* any longer; **il n'a ~ vingt ans** (il n'est plus très jeune) he's not twenty any more, he's no longer twenty; **nous n'avons ~ d'espoir** we've no more hope, we no longer have any hope, we've given up hoping; **~ besoin de se presser**○ there's no longer any need to hurry, there's no more need to hurry, there's no need to hurry any more; **il n'y a ~ de pain/d'œufs** there is no more bread/there are no more eggs, there isn't any bread left/there aren't any eggs left; **je ne veux ~ de vin** I don't want any more wine; **il n'y a ~ rien** there's nothing left; **~ rien ne m'intéresse** nothing interests me any more; **je ne voyais ~ rien** I could no longer see anything, I couldn't see

p

ℹ plus¹

Formation du comparatif des adjectifs et des adverbes en anglais

Deux cas peuvent se présenter:

1 Adjectifs et adverbes courts

En règle générale on ajoute '*-er*' à la fin de l'adjectif/adverbe:

plus grand
= taller

plus petit
= smaller

plus simple
= simpler

plus longtemps
= longer

plus vite
= faster

Remarques:

Pour certains mots dont l'unique voyelle est une voyelle brève, on double la consonne finale:

big → *bigger*
sad → *sadder*
dim → *dimmer*
wet → *wetter etc.*

Attention aux adjectifs en '*-y*':

sunny → *sunnier*
pretty → *prettier*
happy → *happier etc.*

2 Adjectifs et adverbes longs

On ajoute *more* devant le mot:

plus beau
= more beautiful

plus compétent
= more competent

plus intéressant
= more interesting

plus facilement
= more easily

plus sérieusement
= more seriously

Remarques:

Certains mots de deux syllabes admettent les deux formes: *simple* peut produire *simpler* ou *more simple*

handsome → *handsomer* ou *more handsome* etc.

Certains mots de deux syllabes n'admettent que la forme avec more:

callous → *more callous*
cunning → *more cunning*

Les adverbes se terminant par '*-ly*' n'admettent que la forme avec *more*:

quickly → *more quickly*
slowly → *more slowly* etc.

Formation du superlatif des adjectifs et des adverbes en anglais

Deux cas peuvent se présenter:

1 Adjectifs et adverbes courts

En règle générale on ajoute '*-(e)st*' à la fin du mot:

le plus grand
= the tallest

le plus petit
= the smallest

le plus simple
= the simplest

le plus longtemps
= the longest

le plus vite
= the fastest

Remarques:

Pour certains mots dont l'unique voyelle est une voyelle brève, on double la consonne finale:

big → *the biggest*
sad → *the saddest*
dim → *the dimmest* etc.

Attention aux adjectifs en '*-y*':

sunny → *the sunniest*
pretty → *the prettiest*
happy → *the happiest* etc.

2 Adjectifs et adverbes longs

On ajoute *the most* devant le mot:

le plus beau
= the most beautiful

le plus compétent
= the most competent

le plus intéressant
= the most interesting

le plus facilement
= the most easily

le plus sérieusement
= the most seriously

Remarques:

Certains mots de deux syllabes admettent les deux formes:

simple → *the simplest* ou *the most simple*
clever → *the cleverest* ou *the most clever* etc.

Certains mots de deux syllabes n'admettent que la forme avec *the most*:

callous → *the most callous*
cunning → *the most cunning* etc.

Les adverbes en '*-ly*' n'admettent que la forme avec *the most*:

quickly → *the most quickly*
slowly → *the most slowly* etc.

Attention: lorsque la comparaison ne porte que sur deux éléments on utilise la forme du comparatif:

le plus doué des deux
= the more gifted of the two

la voiture la plus rapide des deux
= the faster car

L'expression *le plus possible* est traitée avec **possible**.

On trouvera ci-dessous exemples et exceptions illustrant les différentes fonctions de *plus*. On trouvera également des exemples de *plus* dans les notes d'usage répertoriées **p. 1948**.

a thing any more; **il n'y a ~ personne dans la pièce** there's nobody left in the room, there's no longer anybody in the room; **il n'y a ~ aucun crayon** there aren't any pencils left, there are no more pencils; **il n'y a ~ aucun problème** there's no longer any problem; **ce n'est ~ du courage, c'est de la folie** it's no longer bravery, it's foolhardiness; **j'entre dans le garage, ~ de voiture**○! I went into the garage, the car was gone○!; **ce n'est ~ qu'une question de jours** it's only a matter of days now; **il n'y a ~ qu'une solution** there's only one solution left; **il ne restait ~ que quelques bouteilles** there were only a few bottles left, there was nothing left but a few bottles; **il n'y a ~ que lui qui puisse nous aider** only he can help us now; **~ que trois jours avant les vacances!** only three days left *ou* to go until the vacation!; **nous n'avons ~ qu'à rentrer à la maison** all we can do now is go home; **il ne me reste ~ qu'à vous remercier** it only remains for me to thank you

D plus de *dét indéf* **1** (avec un nom dénombrable) **trois/deux fois ~ de livres/verres que** three times/twice as many books/glasses as; **c'est là que j'ai vu le ~ de serpents** that's where I saw the most snakes; **c'est lui qui a le ~ de livres** he's got the most books; **le joueur qui a le ~ de chances de gagner** the player who is most likely to win; **les jeunes qui posent le ~ de problèmes** the young people who pose the most problems; **c'est le candidat qui a remporté le ~ de voix** he's the candidate who won the most votes; **~ tu mangeras de bonbons, ~ tu auras de caries** the more sweets GB *ou* candy US you eat, the more cavities you'll have; **il y en a ~ d'un qui voudrait être à sa place** quite a few people would like to be in his/her position
2 (avec un nom non dénombrable) **je n'ai pas pris ~ de crème que toi** I didn't take any more cream than you did, I took no more cream than you did; **il n'a pas ~ d'imagination que sa sœur** he has no more imagination than his sister, he hasn't got any more imagination than his sister; **trois/deux fois ~ de vin/talent** three times/twice as much wine/talent (**que** as); **le joueur qui a gagné le ~ d'argent** the player who won the most money
3 (avec un numéral) **elle ne possède pas ~ de 50 disques** she has no more than 50 records; **une foule de ~ de 10 000 personnes** a crowd of more than *ou* over 10,000 people; **il a ~ de 40 ans** he's over 40, he's more than 40 years old; **les gens de ~ de 60 ans** people over 60; **les ~ de 60 ans** the over-sixties; **il était déjà bien ~ de onze heures/midi** it was already well past *ou* after eleven o'clock/midday

E au plus *loc adv* at the most; **tout au ~** at the very most, at the outside

F de plus *loc adv* **1** (en outre) furthermore, moreover, what's more
2 (en supplément) **j'ai mangé deux pommes de ~ qu'elle** I ate two apples more than she did; **donnez-moi deux pommes de ~** give me two more apples; **ça nous a pris deux heures de ~ que la dernière fois** it took us two hours longer than last time; **j'ai besoin de deux heures de ~** I need two more hours; **il a trois ans de ~ que sa sœur** he's three years older than his sister; **une fois de ~** once more, once again; **l'augmentation représente 9% de ~ que l'année précédente** the rise is 9% more than last year

G en plus *loc* **en ~ (de cela)** on top of that; **il est arrivé en retard et en ~ (de cela) il a commencé à se plaindre** he arrived late and what' s more *ou* on top of that he started complaining; **c'est le même modèle avec le toit ouvrant en ~** it's the same model, only with a sunroof; **c'est tout le portrait de son père, la moustache en ~** he's the image of his father, only with a moustache GB *ou* mustache US; **il a reçu 100 euros en ~ de son salaire habituel** he got 100 euros on top of his usual salary; **en ~ de son métier d'ingénieur il élève des tatous** besides his job as an engineer, he breeds armadillos; **les taxes en ~** plus tax, tax not included; **il s'est passé quelque chose en ~** something else happened as well.

> *A note on pronunciation:*
> *plus/le plus* used in comparison (meaning more/the most) is pronounced [ply] before a consonant and [plyz] before a vowel. It is pronounced [plys] when at the end of a clause. In the *plus de* and *plus que* structures both [ply] and [plys] are generally used.
> *plus* used in *ne plus* (meaning no longer/not any more) is always pronounced [ply] except before a vowel, in which case it is pronounced [plyz]: *il n'habite plus ici* [plyzisi].

plus² /plys/ *nm* **1** Math plus; **le signe ~** the plus sign; **2** ○(avantage) plus○; **son expérience d'enseignant constitue un ~ pour lui** his teaching experience is a point in his favour^GB^ *ou* is a plus○

plusieurs /plyzjœʀ/
A *adj* several; **~ fois/autres** several times/others; **~ centaines de personnes** several hundred people; **il y en avait ~ centaines** there were several hundred of them; **en ~ endroits** in several places; **une ou ~ personnes** one or more people; **à ~ reprises** several times
B *pron indéf* **~ ont déjà signé** several people have already signed; **vous êtes ~ à vouloir faire** there are several of you who want to do; **ils avaient invité de nombreuses personnes, mais ~ ont refusé de venir** they had invited a lot of people but several refused to come

plus-que-parfait /plyskəpaʀfɛ/ *nm inv* pluperfect

plus-value, *pl* **~s** /plyvaly/ *nf* **1** Écon, Fin (de biens mobiliers) increase in value; (d'actif, de monnaie) appreciation; (profit à la vente) capital gain; **réaliser** *or* **dégager une ~** to make a capital gain; **être en ~** [*action*] to be up; **2** Fin (excédent) surplus; **3** (majoration) surcharge; **4** (dans le marxisme) surplus value
(Composé) **~ financière** capital gain

Plutarque /plytaʀk/ *npr* Plutarch

Pluton /plytɔ̃/
A *npr* Mythol Pluto
B *nprf* Astron Pluto

plutonium /plytɔnjɔm/ *nm* plutonium

plutôt /plyto/ *adv* **1** (de préférence) rather; **je préfère t'appeler ~ que (de) t'écrire** I'd rather phone you than write to you; **pourquoi lui ~ qu'un autre?** why him rather than anybody else?; **mangez des produits frais ~ que surgelés** eat fresh products rather than frozen ones; **prenez les cachets ~ avant les repas** take the tablets preferably before eating; **passe ~ le matin** call round GB *ou* come by US in the morning preferably; **2** (au lieu de) instead; **~ mourir (que d'accepter)!** I'd rather *ou* sooner die (than accept)!; **demande ~ à Corinne** ask Corinne instead; **prends ~ celui-là** take that one instead; **ne viens pas demain, viens ~ après-demain** don't come tomorrow, make it the day after; **j'ai ~ tendance à ne pas m'en faire/grossir** I'm more the kind not to worry/to put on weight; **il aurait ~ tendance à croire le contraire** he'd tend to think the opposite; **tout ~ que de vivre ici** anything but live here; **~ que de rêvasser, aide-moi** instead of daydreaming why don't you help me?; **3** (plus précisément) rather; **elle est blonde ou ~ châtain clair** she's got blond, or rather light brown hair; **dis ~ que tu n'as pas envie de le faire** why don't you just say that you don't want to do it?; **c'est ~ une corvée qu'un plaisir** it's a chore rather than a pleasure; **il n'est pas timide mais ~ réservé, il est ~ réservé que timide** he's more reserved than shy, he's reserved rather than shy; **4** (ayant une valeur intensive) rather; **~ agréable/décevant/gêné** rather nice/disappointing/embarrassed; **la nouvelle a été ~ bien/mal accueillie** the news went down rather well/ badly; **'tu prends des vacances cet été?'—'~ oui○!'** 'are you taking a vacation this summer?'—'too right○!', 'you bet○!'

pluvial, **~e**, *mpl* **-iaux** /plyvjal, o/ *adj* [*régime, érosion*] pluvial

pluvier /plyvje/ *nm* plover

pluvieux, **-ieuse** /plyvjø, øz/ *adj* [*année, semaine, jour*] wet, rainy; **par temps ~** in rainy weather

pluviner○ /plyvine/ [1] *v impers* to drizzle

pluviomètre /plyvjɔmɛtʀ/ *nm* rain gauge, pluviometer

pluviométrie /plyvjɔmetʀi/ *nf* pluviometry

pluviométrique /plyvjometʀik/ *adj* [*carte, courbe*] rainfall

pluviôse /plyvjoz/ *nm* Pluviôse (*fifth month of the French revolutionary calendar, ≈ February*)

pluviosité /plyvjozite/ *nf* rainfall level

PLV /peɛlve/ *nf: abbr* ▸ **publicité**

PM /peɛm/
A *nm* (*abbr* = **pistolet-mitrailleur**) submachine gun
B *nf: abbr* ▸ **préparation**

PMA /peɛma/ *nf: abbr* ▸ **procréation**

PME /peɛmə/ *nfpl: abbr* ▸ **petit**

PMI /peɛmi/ *nfpl* **1** (*abbr* = **petites et moyennes industries**) small and medium-sized industries; **2** *abbr* ▸ **protection**

PMR /peɛmɛʀ/ *nf* (*abbr* = **personne à mobilité réduite**) person with limited mobility

PMU /peɛmy/ *nm* (*abbr* = **Pari mutuel urbain**) *French state-controlled betting system*; **un ~** a betting office

PNB /peɛnbe/ *nm: abbr* ▸ **produit**

pneu /pnø/ *nm* **1** Aut tyre GB, tire US; **~ clouté** *or* **à clous** studded tyre GB *ou* tire US; **~ neige** snow tyre GB *ou* tire US; **~ tendre** slick tyre GB *ou* tire US; **2** ○*abbr* = **pneumatique B**

pneumatique /pnømatik/
A *adj* **1** Tech pneumatic; **2** (gonflable) inflatable
B *nm* **1** (message) *letter sent by pneumatic tube*; **2** † = **pneu 1**

pneumectomie /pnømɛktɔmi/ *nf* pneumonectomy

pneumoconiose /pnømokɔnjoz/ ▸ **p. 283** *nf* pneumoconiosis

pneumocoque /pnømɔkɔk/ *nm* pneumococcus

pneumogastrique /pnømɔgastʀik/
A *adj* pneumogastric
B *nm* vagus nerve

pneumologie /pnømɔlɔʒi/ *nf* chest medicine

pneumologue /pnømɔlɔg/ ▸ **p. 532** *nmf* lung specialist, chest physician

pneumonie /pnømɔni/ ▸ **p. 283** *nf* pneumonia

pneumonique /pnømɔnik/
A *adj* pneumonic
B *nmf* pneumonia patient

pneumothorax /pnømotɔʀaks/ *nm inv* pneumothorax

Pô /po/ ▸ **p. 372** *nprm* Po

pochade /pɔʃad/ *nf* **1** Art quick (colour^GB^) sketch; **2** Littérat humorous sketch

pochard○, **~e** /pɔʃaʀ, aʀd/ *nm,f* soak○, drunk

poche /pɔʃ/
A *nf* **1** (de vêtement) pocket; **une ~ de veste** a jacket pocket; **en ~** lit in one's pocket; **il est revenu le contrat en ~** fig he came back with the contract in the bag○ *ou* all sewn up○; **son diplôme en ~, il est parti aux États-Unis** armed with his diploma, he set off for the States; **il avait 200 euros en ~** lit he had 200 euros on him; fig (à sa disposition) he had 200 euros available; **je n'ai pas un sou en ~** lit I haven't got a penny on me; fig (à ma disposition) I haven't got a penny to my name; **avoir de l'argent plein les ~s**○ to be loaded○, to have plenty of money; **se remplir** *or* **s'en mettre plein les ~s**○ to line one's pockets; **faire les ~s de qn** (vider) to empty out sb's pockets; (voler) to pick sb's pocket; **une ~ pleine de pièces de monnaie** a pocket full of coins; **un couteau de ~** a pocket knife; **édition/guide de ~** pocket edition/guide; **format de ~** pocket-size (*épith*); **2** (de sac, portefeuille) pocket; **3** (sac) bag; **4** (accumulation) **~ de gaz/d'air** gas/air pocket; **~ de pus** accumulation of pus; **5** (déformation) **avoir des ~s sous les yeux** to have bags under one's eyes; **mon pantalon fait des ~s aux genoux** my trousers GB *ou* pants US are baggy at the knees; **6** Zool (de kangourou, pélican) pouch; **7** (secteur) fig Mil pocket; **~ de résistance** pocket of resistance; **~ de pauvreté** pocket of poverty; **8** Méd (appareillage) colostomy bag
B *nm* Édition, Imprim **1** (livre)○ paperback; **2** (format) pocket size; **paraître/être édité en ~** to come out/to be published in paperback
(Composés) **~ à douille** piping bag; **~ des eaux** amniotic sac; **~ de glace** ice pack; **~ passepoilée** bound pocket; **~ plaquée** patch pocket; **~ revolver** hip pocket
(Idiomes) **avoir qn dans sa ~**○ to have sb in one's pocket; **mettre qn dans sa ~**○ to get sb on one's side; **c'est dans la ~**○ it's in the bag○, it's all sewn up○; **en être de sa ~**○ to be out of pocket; **payer (qch) de sa ~**○ to pay (for sth) out of one's own pocket; **mettre la main à la ~** to put one's hand in one's pocket, to fork out○; **ne pas avoir les yeux dans sa ~**○ not to miss a thing○; **ne pas avoir sa langue dans sa ~**○ never to be at a loss for words; **mettre sa fierté** *or* **son orgueil dans sa ~**○ to swallow one's pride; **connaître un endroit comme sa ~**○ to know a place like the back of one's hand

pocher /pɔʃe/ [1]
A *vtr* **1** Culin to poach; **2** (meurtrir) **~ un œil à qn** to give sb a black eye; **se faire ~ un œil** to get a black eye
B *vi* (se déformer) [*vêtement*] (à l'arrière) to seat at the back; (aux genoux) to go baggy at the knees

pochette /pɔʃɛt/ *nf* **1** (enveloppe) (de crayons, feutres, ciseaux, compas) case; (de document) folder; **une ~ de stylos** a pen case; **une ~ de disque** a record sleeve; **une ~ d'allumettes** a book of matches; **une ~ de diapositives** a slide pack; **une ~ de serviette de table** a napkin case; **article présenté sous ~ plastique** item sold in a plastic cover; **2** Mode (mouchoir décoratif) pocket handkerchief; **3** (petit sac à main) clutch bag; (pour papiers d'identité, argent) pouch

pochette-surprise, *pl* **pochettes-surprises** /pɔʃɛtsyʀpʀiz/ *nf*: *child's novelty consisting of several small surprise items in a cone*

pocheuse /pɔʃøz/ *nf* egg poacher

pochoir /pɔʃwaʀ/ *nm* (plaque, dessin) stencil; **travailler au ~** to work with a stencil; **marquer son nom au ~** to stencil one's name; **exécuté au ~** stencilled^GB^

podagre‡ /pɔdagʀ/
A *adj* gouty, suffering from gout (*après n*)
B *nmf* gout sufferer
C *nf* gout

podium /pɔdjɔm/ *nm* gén podium; (de défilé de mannequins) catwalk GB, runway US; **monter sur le ~** to mount the podium

podologie /pɔdɔlɔʒi/ *nf* chiropody

podologue /pɔdɔlɔg/ ▸ **p. 532** *nmf* chiropodist

podomètre /pɔdɔmɛtʀ/ *nm* pedometer

podzol /pɔdzɔl/ *nm* podzol

P

Le poids

dire			dire
one gram	1 g*	= 0.35[†] oz	*ounces*
one hundred grams	100 g	= 0.22 lbs	*pounds*[‡]
		= 3.52 oz	*ounces*
one kilogram	1 kg	= 2.20 lbs	
		= 35.26 oz	
one hundred kilograms	100 kg	= 220 lbs	
		= 15.76 st[§]	*stones*
		= 1.96 cwt	*hundredweight*
One ton ou *one metric ton*		= 0.98 ton[¶]	*tons* (*GB*)
		= 1.10 tons[‖]	*tons* (*US*)

* *Pour les mesures du système métrique, les abréviations sont les mêmes en anglais qu'en français. Mais attention à* ton: *voir ci-dessous.*

† *Noter que l'anglais a un point là où le français a une virgule. Pour la prononciation des nombres, voir* **les nombres ▸ p. 568.**

‡ *Noter que la* pound *anglaise, que nous appelons couramment livre, vaut en fait 454 grammes.*

§ *Les* stones *ne sont pas utilisées aux États-Unis.*

¶ *Il n'y a pas d'abréviation pour* ton.

‖ *La tonne anglaise et la tonne américaine ne correspondent pas au même poids. Attention, car les anglophones peuvent en outre utiliser le mot* ton *pour la tonne de 1000 kilos; pour éviter cette ambiguïté, on peut dire* metric ton.

■ *Les équivalences suivantes peuvent être utiles:*

1 oz	= 28,35 g		
1 lb	= 16 ozs	= 453,60 g	
1 st	= 14 lbs	= 6,35 kg	
1 cwt	= 8 st (*GB*)	= 112 lbs (*GB*)	= 50,73 kg
		= 100 lbs (*US*)	= 45,36 kg
1 ton	= 20 cwt (*GB*)	= 1014,6 kg	
	= 20 cwt (*US*)	= 907,2 kg	

Le poids des choses

combien pèse le colis?
= what does the parcel weigh?
ou how much does the parcel weigh?

quel est son poids?
= how much does it weigh?
ou how heavy is it?
or what is its weight?

il pèse 5 kg
= it weighs 5 kilos
ou it is 5 kilos in weight

le colis fait 5 kg
= the parcel weighs 5 kilos

il fait à peu près 5 kg
= it is about 5 kilos

presque 6 kg
= almost 6 kilos

plus de 5 kg
= more than 5 kilos

moins de 6 kg
= less than 6 kilos

A est plus lourd que B
= A is heavier than B

A pèse plus lourd que B
= A weighs more than B

B est plus léger que A
= B is lighter than A

B est moins lourd que A
= B is lighter than A

A est aussi lourd que B
= A is as heavy as B

A fait le même poids que B
= A is the same weight as B

A pèse autant que B
= A is the same weight as B

A et B font le même poids
= A and B are the same weight

A et B pèsent le même poids
= A and B are the same weight

Noter:

il pèse deux kilos de trop
= it is 2 kilos overweight

six kilos de sucre
= six kilos of sugar

vendu au kilo
= sold by the kilo

■ *Noter l'ordre des mots dans l'adjectif composé anglais, et l'utilisation du trait d'union. Noter aussi que* pound *et* kilo, *employés comme adjectifs, ne prennent pas la marque du pluriel.*

une pomme de terre de 3 livres
= a 3-lb potato (*dire* a three-pound potato)

un colis de 5 kg
= a 5-kilo parcel (*dire* a five-kilo parcel)

■ *On peut aussi dire* a parcel 5 kilos in weight.

Le poids des personnes

■ *En anglais britannique, le poids des personnes est donné en* stones, *chaque* stone *valant 6,35 kilos; en anglais américain, on le donne en* pounds (*livres*), *chaque livre valant 454 grammes.*

combien pèses-tu?
= how much do you weigh?
ou what is your weight?

je pèse 63 kg 500
= I weigh 10 st (*ten stone*) (*GB*)
ou I weigh 140 lbs (*a hundred forty pounds*) (*US*)
ou I weigh 63 kgs 500

il pèse 71 kg
= he weighs 10 st 3 (*ten stone three*) (*GB*)
ou he weighs 160 lbs (*a hundred sixty pounds*) (*US*)
ou he weighs 71 kg

il pèse 82 kg
= he weighs 13 st (*thirteen stone*) (*GB*)
ou he weighs 180 lbs (*a hundred eighty pounds*) (*US*)
ou he weighs 82 kg

il fait trois kilos de trop
= he is three kilos overweight

■ *Noter l'ordre des mots dans l'adjectif composé anglais, et l'utilisation du trait d'union. Noter aussi que* stone, *employé comme adjectif, ne prend pas la marque du pluriel.*

un athlète de 125 kg
= a 20-stone athlete
ou a 125-kg athlete

poêle /pwal/
A *nm* 1 (pour chauffer) stove; **~ à bois/mazout** wood-burning/oil stove; 2 (de cercueil) pall; **tenir les cordons du ~** to be a pall-bearer
B *nf* frying pan; **passer qch à la ~** to fry sth; **œuf à la ~** fried egg
(Composé) **~ à frire** frying pan

poêlée /pwale/ *nf* **une ~ de** a whole pan of

poêler /pwale/ [1] *vtr* (dans une poêle) to fry; (dans un poêlon) to braise

poêlon /pwalɔ̃/ *nm* heavy saucepan (*earthenware or cast iron*)

poème /pɔɛm/ *nm* poem; **~ en prose** prose poem; **c'est tout un ~**○ it's quite something
(Composé) **~ symphonique** symphonic poem

poésie /pɔezi/ *nf* 1 (art) poetry; 2 (poème) poem; 3 (qualité) **la ~ de son œuvre** the poetic quality of his work

poète /pɔɛt/ *nm* 1 (auteur) poet; 2 (rêveur) poet, dreamer

poétesse† /pɔetɛs/ *nf* poetess†

poétique /pɔetik/
A *adj* [*œuvre, lieu*] poetic; [*personne*] romantic
B *nf* poetics (+ *v sg*)

poétiquement /pɔetikmɑ̃/ *adv* poetically

poétiser /pɔetize/ [1] *vtr* to poeticize

pogne◑ /pɔɲ/ *nf* mitt○, hand

pogner○ /pɔɲe/ [1] *vtr* Can to take, to get, to catch

pognon◑ /pɔɲɔ̃/ *nm* dough○, money; **être plein de ~** to be loaded○

pogrom(e)* /pogʀɔm/ *nm* pogrom

poids /pwa/ ▸ **p. 646** *nm inv* 1 Phys weight; **vaciller sous le ~ de qch** to stagger under the weight of sth; **peser de tout son ~ contre/sur qch** to put all one's weight against/on sth; **vendre au ~** to sell by the weight; **surveiller son ~** to watch one's weight; **prendre/perdre du ~** to put on/lose weight; **elle a pris un peu de ~** she's put on a bit of weight; **peser son ~** to be very heavy; **et voici deux kilos d'orange, bon ~!** here's two good kilos of oranges for you!
2 (importance) (de personne) influence, stature; (de pays, parti, d'électorat) influence; (de paroles, mots, d'arguments) weight; **le ~ de l'État dans l'économie** the influence of the state in the economy; **argument de ~** weighty argument; **donner du ~ à ses arguments** to give *ou* lend weight to one's arguments; **personne de ~** person who carries a lot of weight; **adversaire de ~** opponent to be reckoned with; **il n'y a aucune personnalité de ~ pour la remplacer** there's nobody of sufficient stature to replace her; **il n'a aucun ~ politique** he hasn't got any political stature; **peser de tout son ~ dans la balance politique** to carry great weight in the political balance; **il ne fait pas le ~ devant un adversaire aussi redoutable** he's no match for *ou* he's out of his league against such a formidable opponent; **je ne crois pas qu'il fera le ~ à ce poste** I don't think he's up to this job, I think this job is out of his league
3 (fardeau) lit weight; fig burden; **un ~ de 200 kg** a 200 kg weight; **il est capable de soulever des ~ énormes** he can lift a terrific weight; **le ~ des ans/du passé/des habitudes** the burden of the years/of the past/of habit; **le ~ des impôts** the tax burden; **être un ~ pour qn** to be a burden on sb
4 (gêne) weight; **vous m'ôtez un ~ de la conscience** you've taken a weight off my mind; **avoir un ~ sur la conscience** to have a guilty conscience; **avoir un ~ sur la poitrine** to feel as though there's a weight (pressing down) on one's chest
5 (masse métallique) (pour peser) weight; **des ~ en laiton** brass weights
6 (en athlétisme) shot; **lancer le ~** to put the

shot; **le lancer du ~** the shot put; **lanceur de ~** shot-putter
7▸ (pièce de mécanisme) weight; **remonter les ~ d'une horloge** to wind up the weights in a clock; **équilibrer les ~ d'une bascule** to balance the weights of a set of scales
(Composés) **~ atomique** atomic weight; **~ brut** gross weight; **~ coq** Sport bantamweight; **~ et haltères** Sport weightlifting ₵; **faire des ~ et haltères** to do weightlifting; **un champion de ~ et haltères** a champion weightlifter; **~ léger** Sport lightweight; **~ lourd** Sport heavyweight; Transp heavy goods vehicle GB, heavy truck; **~ mi-lourd** Sport light heavyweight; **~ mi-moyen** Sport welterweight; **~ moléculaire** molecular weight; **~ mort** Tech dead weight, dead load; fig dead weight, drag○; **~ mouche** Sport flyweight; **~ moyen** Sport middleweight; **~ net** Ind net weight; **~ net égoutté** Ind net weight drained; **~ plume** Sport featherweight; **~ spécifique** specific gravity; **~ superléger** Sport light middleweight; **~ total en charge, PTC** Transp gross weight; **~ total à vide, PTAV** Transp tare; **~ volumique** = **~ spécifique**; **~ welter** Sport welterweight
(Idiomes) **faire bon ~ bonne mesure** to be evenhanded; **avoir** or **faire deux ~ deux mesures** [*personne, institution, gouvernement*] to have double standards; **cette réglementation fait deux ~ deux mesures** these regulations show evidence of double standards

poignant, **~e** /pwaɲɑ̃, ɑ̃t/ *adj* (émouvant) poignant; (déchirant) heart-rending, harrowing

poignard /pwaɲaʀ/ *nm* dagger; **coup de ~** stab; **tué à coups de ~** stabbed to death; **coup de ~ dans le dos** lit, fig stab in the back

poignarder /pwaɲaʀde/ [1] *vtr* (blesser) to stab, to knife; (tuer) to stab [sb] to death; **~ qn dans le dos** lit, fig to stab sb in the back

poigne /pwaɲ/ *nf* (direction) firm hand; **avoir de la ~** lit to have a strong grip; fig to be firm-handed; **avoir une ~ de fer** to have an iron grip; **homme à ~** fig strong man

poignée /pwaɲe/ *nf* **1▸** lit (quantité) gén handful; (de billets) fistful; **à** or **par ~s** in handfuls; **une ~ de gens** a handful of people; **2▸** (de porte, tiroir, sac) handle; (de sabre) hilt
(Composé) **~ de main** handshake; **échanger une ~ de main** to shake hands

poignet /pwaɲɛ/ *nm* **1▸** ▸ **p. 196** Anat wrist; **au ~** on the wrist; **à la force des ~s** [*se hisser*] using the strength of one's arms; **à la force du ~** [*réussir*] by sheer hard work; **2▸** Cout cuff
(Composé) **~ mousquetaire** French cuff

poil /pwal/ *nm* **1▸** (chez l'être humain) hair; **~s superflus** unwanted hair; **arracher les ~s (blancs) de sa barbe** to pull the (white) hairs out of one's beard; **avoir le ~ blond**○ to have blond hair; **avoir du ~ aux jambes** to have hairy legs; **avoir du ~ au menton** lit to have a hairy chin; (être adulte) to be a grown man; **à ~**◑ (nu) stark naked, starkers○; **se mettre à ~**○ to strip, to strip off GB; **'à ~!'** 'get your clothes off!'; **de tout ~**○ of all kinds; **'au (petit) ~**○**!'** 'fine!'; **être au ~**○ [*objet*] to be just the ticket○; [*personne*] to be fantastic; **ça marche au ~**○ it works like a dream; **arriver** or **tomber au (quart de) ~**○ to arrive at just the right moment; **travailler au ~**○ to be a great worker; **démarrer au quart de ~**○ to start straight away; **ne plus avoir un ~ de sec**○ to be soaked to the skin; **2▸** ○(cheveux) **avoir le ~ long/ras/rare** to have long/short/thin hair; **homme au ~ ras** short-haired man; **homme au ~ rare** balding man; **3▸** (d'animal) hair; **il y a des ~s de chien sur le fauteuil** there are dog hairs on the armchair; **perdre ses ~s** to moult GB ou molt US, to shed (its) hairs; **manteau en ~ de chameau** camel hair coat; **animal à ~s** furry animal; **avoir le ~ long/court** to have long/short hair; **animal à ~ ras/long** short-/long-haired animal; **animal au ~ soyeux/gris** animal with a silky/grey coat; **caresser dans le sens du ~** lit to stroke [sb/sth] the way the fur lies; fig to butter [sb] up○; **4▸** Bot hair, down ₵; **5▸** ○(petite quantité) (d'humour, ironie) touch; (de bon sens, d'intelligence, de courage) shred; **un ~ plus grand/trop petit** a shade larger/too small; **à un ~ près** by a whisker; **il s'en est fallu d'un ~ que je fasse** I was within a whisker of doing; **il s'en est fallu d'un ~ que la balle me touche** the bullet missed me by a whisker; **6▸** Tex (de tapis) pile ₵; (de tissu) nap ₵; (de brosse, balai) bristle
(Composés) **~ à gratter** itching powder; **~s tactiles** vibrissae
(Idiomes) **être de bon/mauvais ~**○ to be in a good/bad mood; **j'ai le ~ qui se hérisse**○ my hackles rise; **hérisser le ~**○ **de qn** to put sb's back up○; **avoir un ~ dans la main**○ to be bone idle; **ne plus avoir un ~ sur le caillou**○ to be as bald as a coot○; **tomber sur le ~ de qn**○ (se fâcher contre) to have a real go at sb○; (frapper) to give sb what's coming to him/her

poilant◑, **~e** /pwalɑ̃, ɑ̃t/ *adj* killingly funny○, hilarious

poil-de-carotte /pwaldəkaʀɔt/ ▸ **p. 202** *adj inv* (couleur) [*cheveux*] ginger

poiler: **se poiler**◑ /pwale/ [1] *vpr* to laugh one's head off○

poilu, **~e** /pwaly/
A *adj* hairy
B ○*nm: French soldier in World War I*

poinçon /pwɛ̃sɔ̃/ *nm* **1▸** (pour creuser) (de brodeuse) stiletto; (de cordonnier) awl; (de menuisier) bradawl; (de graveur) burin; (d'orfèvre, de sculpteur) punch; (de scribe) stylus; **2▸** (pour marquer) die, stamp; (marque) hallmark; **3▸** (matrice) die

poinçonnage /pwɛ̃sɔnaʒ/, **poinçonnement** /pwɛ̃sɔnmɑ̃/ *nm* **1▸** (de billet) punching, clipping; **2▸** (de l'or, argent) hallmarking; (de marchandise) stamping; **3▸** Tech (de tôle) punching out

poinçonner /pwɛ̃sɔne/ [1] *vtr* **1▸** (perforer) to punch, clip [*billet*]; **2▸** (marquer) to hallmark [*or, argent*]; to stamp [*marchandise*]

poinçonneur, **-euse** /pwɛ̃sɔnœʀ, øz/
A ▸ **p. 532** *nm,f* (employé des transports) ticket-puncher; (ouvrier) punching-machine operator
B **poinçonneuse** *nf* (à billets) ticket-punch; (machine-outil) punching machine

poindre /pwɛ̃dʀ/ [56] *vi* [*jour*] to dawn, to break; [*aube*] to break; [*soleil*] to peep through; [*plante*] to peep through, to come up; [*idée, sentiment*] to dawn

poing /pwɛ̃/ *nm* fist; **coup de ~** punch; **asséner** or **flanquer**○ **un coup de ~ à qn** to punch sb; **opération** or **action coup de ~** fig (police) raid; **des images coup de ~** fig shocking images; **il a pris mon ~ dans la figure**○ I punched him in the face; **taper du ~ sur la table** lit, fig to bang one's fist on the table; **les ~s sur les hanches** with (one's) arms akimbo, with one's hands on one's hips; **montrer le ~** to shake one's fist; **lever le ~** to give the clenched-fist salute; **pieds et ~s liés** lit, fig bound hand and foot; **l'épée au ~** sword in hand
(Idiome) **dormir à ~s fermés** to sleep like a log

point /pwɛ̃/
A *nm* **1▸** (endroit) point; **un ~ précis du globe/sur une carte** a particular point on the earth/on a map; **un ~ de ravitaillement/ralliement** a staging/rallying point; **un ~ de rencontre** a meeting point; **~ de vente** (sales) outlet; **serrure 3 ~s** 3 point lock
2▸ (situation) point; Naut position; **être sur le ~ de faire** to be just about to do, to be on the point of doing; **j'étais sur le ~ de leur dire/d'abandonner/de partir** I was just about to tell them/to give up/to leave, I was on the point of telling them/giving up/leaving; **j'en suis toujours au même ~ (qu'hier/qu'il y a un an)** I'm still exactly where I was (yesterday/last year); **au ~ où j'en suis, ça n'a pas d'importance!** I've reached the point where it doesn't matter any more!; **il en est au ~ où il allume une cigarette en se levant** he's got GB ou gotten US to the stage ou point where he lights a cigarette as soon as he gets up; **faire le ~** Naut to take bearings; fig to take stock of the situation; **faire le ~ sur la situation économique/sur la recherche scientifique** fig to take stock of the economic situation/of scientific research; **faire le ~ sur la circulation (routière)/l'actualité** to give an up-to-the-minute report on the traffic news/current situation
3▸ (degré) **il m'agace/m'inquiète au plus haut ~** he annoys me/worries me intensely; **la circulation était à ce ~ bloquée que j'ai dû laisser ma voiture au bord de la route** the traffic was so bad that I had to leave my car on the side of the road; **je ne le pensais pas bête/coléreux à ce ~** I didn't think he was that stupid/quick-tempered; **'j'en aurais pleuré'—'ah bon, à ce ~?'** 'I could have cried'—'really? it was that bad?'; **je sais à quel ~ elle est triste/sensible** I know how sad/sensitive she is; **si tu savais à quel ~ il m'agace!** if you only knew how much he annoys me!; **au ~ que** to the extent that; **à tel ~ que** to such an extent that...; **douloureux/endommagé à (un) tel** or **au ~ que** so painful/badly damaged that; **la situation s'est aggravée au ~ qu'ils ont dû appeler la police** the situation became so bad that the police had to be called in; **le temps s'est rafraîchi au ~ qu'il a fallu remettre le chauffage** the weather got so cold that the heating had to be put back on; **il est têtu à un ~!** he's so incredibly stubborn!; **jusqu'à un certain ~** up to a (certain) point, to a certain extent
4▸ (question particulière) point; (dans un ordre du jour) item, point; **un programme en trois ~s** a three-point plan; **un ~ fondamental/de détail (d'un texte)** a basic/minor point (in a text); **sur ce ~** on this point; **j'aimerais revenir sur ce dernier ~** I would like to come back to that last point; **un ~ de désaccord/litige** a point of disagreement/contention; **reprendre un texte ~ par ~** to go over a text point by point; **en tout ~, en tous ~s** in every respect ou way; **une politique en tous ~s désastreuse** a policy that is disastrous in every respect; **les deux modèles sont semblables en tous ~s** the two models are alike in every respect
5▸ (marque visible) gén dot; **les villes sont marquées par un ~** towns are marked by a dot; **il y a un ~ sur le i et le j** there's a dot on the i and the j; **un ~ lumineux/rouge dans le lointain** a light/a red dot in the distance; **bientôt, le navire ne fut qu'un ~ à l'horizon** soon, the ship was a mere dot ou speck on the horizon; **un ~ de colle** a spot of glue; **un ~ de rouille** a speck of rust; **~s de graissage** lubricating points; ▸ **i**
6▸ Jeux, Sport point; **marquer/perdre des ~s** lit, fig to score/lose points; **compter les ~s** to keep (the) score; **un ~ partout!** one all!; **battre son adversaire aux ~s** to beat one's opponent on points; **remporter une victoire aux ~s** to win on points
7▸ (pour évaluer) mark GB, point US; **avoir sept ~s d'avance** to be seven marks ahead; **avoir dix ~s de retard** to be ten marks behind; **il m'a manqué trois ~s pour réussir** I failed by three marks; **enlever un ~ par faute** to take a mark off for each mistake; **obtenir** or **avoir 27 ~s sur 40** to get 27 out of 40; **être un bon ~ pour** to be a plus point for; **être un mauvais ~ pour qn/qch** to be a black mark against sb/sth
8▸ (dans un système de calcul) point; **la livre a perdu trois ~s** the pound lost three points; **le taux de chômage a augmenté de 0,8 ~s** the unemployment rate rose by 0.8 points; **le**

p

Les points cardinaux

nord	north	N
sud	south	S
est	east	E
ouest	west	W

■ *Noter que la liste des quatre points cardinaux est traditionnellement donnée dans cet ordre dans les deux langues.*

nord-est	northeast	NE
nord-ouest	northwest	NW
nord-nord-est	north northeast	NNE
est-nord-est	east northeast	ENE

etc.

■ *Dans les expressions suivantes,* nord *est pris comme exemple; les autres noms de points cardinaux s'utilisent de la même façon.*

Où?

vivre dans le Nord
= to live in the North
dans le nord de l'Écosse
= in the north of Scotland
au nord du village
= north of the village
ou to the north of the village
à 7 km au nord
= 7 kilometres north
ou 7 kilometres to the north
droit au nord
= due north
la côte nord
= the north coast
la face nord *(d'une montagne)*
= the north face
le mur nord
= the north wall
la porte nord
= the north door
passer au nord d'Oxford
= to go north of Oxford

Les mots en *-ern* et *-erner*

■ *Les mots anglais en* -ern *et* -erner *sont plus courants que les adjectifs français* septentrional, occidental, oriental *et* méridional.

une ville du Nord
= a northern town
l'accent du Nord
= a northern accent
le dialecte du Nord
= the northern dialect
l'avant-poste le plus au nord
= the most northerly outpost
ou the northernmost outpost
quelqu'un qui habite dans le Nord
= a northerner
un homme du Nord
= a northerner
les gens du Nord
= northerners

■ *Les adjectifs en* -ern *sont normalement utilisés pour désigner des régions à l'intérieur d'un pays ou d'un continent* (▸ **p. 721**).

le nord de l'Europe
= northern Europe
l'est de la France
= eastern France
le sud de la Roumanie
= southern Romania
le nord d'Israël
= northern Israel
Mais noter:
l'Asie du Sud-Est
= South-East Asia

■ *Pour les noms de pays qui utilisent les points cardinaux (Corée du Nord, Yémen du Sud), se reporter au dictionnaire.*

Dans quelle direction?

Noter les adverbes en *-ward* ou *-wards (GB)* et les adjectifs en *-ward*, utilisés pour indiquer une direction vague.

aller vers le nord
= to go north *ou* to go northward
ou to go in a northerly direction
naviguer vers le nord
= to sail north
ou to sail northward
venir du nord
= to come from the north
un mouvement vers le nord
= a northward mouvement

■ *Pour décrire le déplacement d'un objet, on peut utiliser un composé avec* -bound.

un bateau qui se dirige vers le nord
= a northbound ship
les véhicules qui se dirigent vers le nord
= northbound traffic
Noter aussi:
les véhicules qui viennent du nord
= traffic coming from the north
des fenêtres qui donnent au nord
= north-facing windows
ou windows facing north
une pente orientée au nord
= a north-facing slope
nord quart nord-est
= north by northeast

■ *Noter ces expressions servant à donner la direction des vents:*

le vent du nord
= the north wind
un vent de nord
= a northerly wind
ou a northerly
des vents dominants de nord
= prevailing north winds
le vent est au nord
= the wind is northerly
ou the wind is in the north
le vent vient du nord
= the wind is blowing from the north

---

permis à ~s *system whereby driving offender gets penalty points;* **il a perdu sept ~s dans les sondages** he's gone down seven points in the polls
9 Math point; **~ d'intersection/d'inflexion** point of intersection/of inflection
10 Ling (en ponctuation) full stop GB, period US; **mettre un ~** to put a full stop; **~ à la ligne** (dans une dictée) full stop, new paragraph; **~ final** (dans une dictée) full stop; **mettre un ~ final à qch** fig to put a stop *ou* an end to sth; **je n'irai pas, ~ final**° I'm not going, full stop GB *ou* period US!; **tu vas te coucher un ~ c'est tout**°! you're going to bed and that's final!
11 Mus dot
12 Imprim point
13 Méd (douleur) pain; **avoir un ~ à la poitrine/à l'aine** to have a pain in the chest/in the groin
14 (en couture, tricot) stitch; **faire un ~ à qch** to put a few stitches in sth; **dentelle au ~ de Venise** Venetian lace
B †*adv* not; **tu ne tueras ~** Bible thou shalt not kill; **je n'en ai ~** I don't have any; **'tu es fâché?'—'non ~!'** 'are you angry?'—'not at all'
C à point *loc adv* **venir/arriver à ~** to come/arrive just in time; **venir/arriver** *or* **tomber à ~ nommé** to come/arrive just at the right moment; **faire cuire à ~** to cook [sth] medium rare [*viande*]; **bifteck (cuit) à ~** medium rare steak; **le camembert est à ~** the camembert is ready to eat
D au point *loc adv, loc adj* **être au ~** [*système, méthode, machine*] to be well designed; [*spectacle, émission*] to be well put together; **leur système/machine/spectacle n'est pas encore très au ~** their system/machine/show still needs some working on; **le nouveau modèle est très au ~** the new model is very well designed; **le spectacle n'était pas du tout au ~** the show wasn't up to scratch; **le prototype n'est pas encore au ~** the prototype isn't quite ready yet; **ça fait des semaines qu'ils répètent mais leur numéro n'est pas encore au ~** they've been rehearsing for weeks but they still haven't got GB *ou* gotten US it quite right; **je ne suis pas au ~ pour les examens** I'm not ready for the exams; **mettre [qch] au ~** (inventer) to perfect [*théorie, système, méthode, technique*]; to work out, to devise [*accord, plan de paix, stratégie*]; to develop [*vaccin, médicament, appareil*]; (régler) to adjust [*machine, mécanisme*]; **il leur reste deux semaines pour finir de mettre leur spectacle au ~** they've got two more weeks to put the finishing touches to their show; **mettre au ~ sur qch** Phot to focus on sth; **mise au ~** Phot focus; fig (déclaration) clarifying statement; **la mise au ~ est automatique sur mon appareil** my camera has automatic focus; **faire la mise au ~** Phot to focus (**sur** on); **faire une mise au ~** fig to set the record straight (**sur** about); **mise au ~** (invention) (de théorie, système, méthode, technique) perfecting; (de médicament, vaccin) development; (réglage) (de machine, mécanisme) adjusting; Phot focus
(Composés) **~ d'acupuncture** Méd acupuncture point; **~ d'ancrage** Aut anchor; fig base; **~ d'appui** Mil base of operations; Phys fulcrum; gén support; **les piliers servent de ~ d'appui à la charpente** the roof structure is supported by the pillars; **trouver un ~ d'appui à une échelle** to find a support for a ladder; **~ arrière** Cout back stitch; **~ d'attache** base; **~ de bâti** Cout tacking stitch; **~ blanc** whitehead; **~ de blé** (en tricot) double moss stitch; **~ de boutonnière** Cout buttonhole stitch; **~ cardinal** Phys, Géog compass *ou* cardinal point; **~ de chaînette** (en broderie) chain stitch; **~ de chausson** (en broderie) herringbone stitch; **~ chaud** trouble *ou* hot spot; **les ~s chauds du globe** the world's trouble spots; **~ de chute** fig port of call; **~ commun** mutual interest; **nous avons beaucoup de ~s**

communs we have a lot in common; **ils n'ont aucun ~ commun** they have nothing in common; **~ de congestion**† Méd *slight congestion of the lung*; **~ de côtes** (en tricot) rib; **~ de côté** (douleur) stitch; (en couture) slip stitch; **avoir un ~ de côté** to have a stitch in one's side; **~ de croix** (en broderie) cross stitch; **~ de départ** lit, fig starting point; **nous revoilà à notre ~ de départ** fig we're back to square one; **~ de devant** Cout running stitch; **~ d'eau** (naturel) watering place; (robinet) water tap GB *ou* faucet US; **~ d'ébullition** boiling point; **~ d'épine** (en broderie) featherstitch; **~ d'exclamation** Ling exclamation mark; **~ faible** weak point; **~ de feston** (en broderie) blanket stitch; **~ fort** strong point; **~ de fuite** Art, Archit vanishing point; **~ de fusion** melting point; **~ G** G-spot; **~ d'interrogation** Ling question mark; **~ de jersey** (en tricot) stocking stitch; **~ du jour** daybreak; **au ~ du jour** at daybreak; **~ de liquéfaction** liquefaction point; **~ de livraison** Comm point of delivery; **~ de mire** Mil target; fig focal point; **~ mousse** (en tricot) garter stitch; **~ mort** Aut neutral; **se mettre** *or* **passer/être au ~ mort** Aut to put the car into/to be in neutral; **être au ~ mort** fig [*affaires, consommation*] to be at a standstill; [*négociations*] to be in a state of deadlock; **~ noir** (comédon) blackhead; (problème) problem; (sur la route) blackspot; **l'inflation reste le seul ~ noir** inflation is the only problem; **~ de non-retour** point of no return; **~ d'orgue** Mus pause sign; fig culmination; **~ d'ourlet** Cout hemstitch; **~ de penalty** penalty spot; **~ de piqûre** Cout back stitch; **~ de presse** Journ press briefing; **~ de repère** (spatial) landmark; (temporel, personnel) point of reference; **~ de reprise** Cout darning stitch; **~ de retraite** Prot Soc *point counting for a pension scheme*; **~ de riz** (en tricot) moss stitch; **~ de surfil** Cout whipstitch; **~ de suture** Méd stitch; **~ de tige** (en broderie) stem stitch; **~ de torsade** (en tricot) cable stitch; **~ de vue** (paysage) viewpoint; (opinion) point of view; **du ~ de vue de la direction** from the management's point of view; **du ~ de vue de l'efficacité/du sens** as far as efficiency/meaning is concerned; **d'un ~ de vue économique c'est rentable/intéressant** from a financial point of view it's profitable/attractive; **~s de suspension** suspension points

(Idiome) **être mal en ~** to be in a bad way

pointage /pwɛ̃taʒ/ *nm* **1** (vérification) gén checking; (en cochant) ticking off GB, checking off US; **faire un ~ des personnes présentes** to tick off GB *ou* check off US the names of those present; **le ~ des voix** (dans un vote) the tally of the votes; **2** Entr (en entrant) clocking on, clocking in; (en sortant) clocking off; **une feuille de ~** a time sheet; **3** (avec une arme à feu) aiming, pointing

pointe /pwɛ̃t/

A *nf* **1** (bout piquant) point; **se piquer le doigt sur la ~ d'un couteau** to cut one's finger on the point of a knife; **2** (extrémité qui s'amenuise) (de col, clocher, crayon, sein) point; (de chaussure) toe; (des cheveux) end; **en ~** pointed; **une barbe en ~** a pointed beard; **tailler un buisson en ~** to shape a bush into a point; **3** (objet pointu) (de grille) spike; (de lance, flèche) tip, point; **un casque à ~** a helmet with a spike; **4** (niveau très avancé) **de ~** [*technologie, technique*] advanced, state-of-the-art; [*domaine, secteur, industrie*] high-tech; [*formation, idées*] advanced; [*entreprise, spécialiste*] leading; **un système électronique à la ~ du progrès** a state-of-the-art electronic system; **être à la ~ de la mode** [*personne*] to be up with the latest fashion; **une entreprise à la ~ de la modernité** an extremely modern company; **5** (niveau supérieur à la moyenne) high; **une ~ de 20% sur la courbe du chômage** a 20% high on the unemployment curve; **une activité qui connaît de fortes ~s saisonnières** an activity with seasonal highs; **un enfant qui a des ~s de température de 40°** a child whose temperature shoots up to 40°C; **une vitesse de ~ de 200 km/h** a maximum *ou* top speed of 200 km/h; **il a poussé une ~ de 180 km/h** he touched a top speed of 180 km/h; **aux heures de ~** at peak time; **le métro est bondé parce que c'est l'heure de ~** the metro is packed because it's the rush hour; **évitez les heures de ~** avoid peak times; **6** (petite quantité) touch; **ajoutez une ~ d'ail/de cannelle** add a touch of garlic/of cinnamon; **une ~ d'ironie** a hint of irony; **une ~ d'accent italien** a hint of an *ou* a slight Italian accent; **7** (clou) nail; **8** (allusion désagréable) pointed *ou* barbed remark; **lancer des ~s à qn** to level cutting remarks at sb; **9** Géog (cap) **~ (de terre)** headland; **10** (foulard) (triangular) scarf; **11** (couche) (triangular) nappy; **12** Naut (de compas) pointer; **13** (outil) (pour tailler) cutter; (pour graver) metal point; **14** Danse (extrémité du chausson) point; (chausson) blocked shoe; **15** Hérald base

B **pointes** *nfpl* **1** Sport **(chaussures à) ~s** spikes; **courir avec des ~s** to run in spikes; **2** Danse **faire des ~s** to dance on points

(Composés) **~ d'asperge** asparagus tip; **~ de diamant** diamond cutter; **~ de feu** Méd ignipuncture; **~ du jour** daybreak; **~ du pied** toes (*pl*), tiptoe; **tendre la ~ du pied** to point one's toes; **marcher sur la ~ des pieds** to walk on tiptoe; **elle est entrée sur la ~ des pieds** she tiptoed in; **aborder une question sur la ~ des pieds** fig to broach a matter carefully; **~ sèche** Art metal point

(Idiome) **tailler** *or* **couper les oreilles en ~ à qn** to give sb a thick ear

pointé, **~e** /pwɛ̃te/

A *pp* ▸ **pointer[1]**

B *pp adj* Mus [*note*] dotted; **une blanche ~e** a dotted minim GB *ou* half-note US

pointeau /pwɛ̃to/ *nm* **1** Tech awl; **2** Aut needle; **3** (contrôleur) timekeeper

pointer[1] /pwɛ̃te/ [1]

A *vtr* **1** (en cochant) to tick off GB, to check off US [*noms, mots, chiffres*]; to check [*liste*]; to time [*sportif*]; **2** (diriger) to point [*arme*] **(sur qch/qn** at sth/sb); **~ un** *or* **son doigt vers qch/qn** to point at sth/sb; **~ un doigt accusateur sur qch/qn** to point an accusing finger at sth/sb; **~ sa tête par la porte/par la fenêtre** to stick one's head round the door GB *ou* in US/out of the window; **~ son museau** [*animal*] to peep out; **~ son nez**○ to show one's face; **3** (dresser en pointe) **~ ses oreilles** [*chien*] to prick up its ears

B *vi* **1** Entr [*employé*] (en arrivant) to clock in; (en sortant) to clock out; **nous ne sommes pas obligés de ~** we don't have to clock in and out; **~ à l'usine**○ to work in a factory; **2** Prot Soc **~ à l'agence pour l'emploi** to sign on at the unemployment office; **3** Sport (aux boules) *to aim at positioning a boule as close to the jack as possible*; **4** (se dresser) [*clocher, tour, arbre, antenne*] to rise up; [*seins*] to stick out; **le clocher pointait au-dessus des toits** the steeple was visible above the roofs; **~ à l'horizon** to rise up on the horizon; **5** (apparaître) [*soleil*] to come up, to rise; [*aube, jour*] to break; [*fleur, plante*] to come up; [*bourgeons*] to open; **les crocus commencent à ~** the crocuses are starting to come up; **6** Ordinat to point **(sur** at)

C ○**se pointer** *vpr* [*personne*] to turn up; **il s'est pointé en jean à la cérémonie** he turned up at the ceremony in jeans

pointer[2] /pwɛ̃tɛʀ/ *nm* (chien) pointer

pointeur, **-euse** /pwɛ̃tœʀ, øz/

A *nm,f* gén checker; Entr, Sport timekeeper; (aux boules) *player whose role is to position his own boule*

B *nm* **1** Ordinat pointer; **2** Mil gun-layer

C **pointeuse** *nf* Entr time clock

(Composé) **~ laser** laser pointer

pointillage /pwɛ̃tijaʒ/ *nm* stipple, stippling

pointillé, **~e** /pwɛ̃tije/

A *pp* ▸ **pointiller**

B *pp adj* dotted **(de** with)

C *nm* **1** (ligne) dotted line; (perforation) perforation(s); **plier suivant le ~** fold along the dotted line; **en ~** lit dotted; **message en ~** fig underlying message; **2** Art stippling; **dessin au ~** stippled drawing

pointiller /pwɛ̃tije/ [1] *vtr, vi* Art to stipple

pointilleux, **-euse** /pwɛ̃tijø, øz/ *adj* pej [*personne*] fussy **(sur** about), pernickety

pointillisme /pwɛ̃tijism/ *nm* pointillism

pointilliste /pwɛ̃tijist/ *adj, nmf* pointillist

pointu, **~e** /pwɛ̃ty/

A *adj* **1** (qui se termine en pointe) [*bout*] pointed; [*couteau, ciseaux*] with a sharp point (*épith*); [*clocher, toit, chapeau*] pointed; [*nez, menton*] pointed, sharp péj; **mes ciseaux sont ~s** my scissors have a sharp point; **des objets ~s** sharp objects; **2** (pointilleux) [*détail*] precise; [*contrôle*] close, thorough; **3** (de spécialiste) [*secteur, travail, activité*] highly specialized; [*approche, question*] precise; **4** (aigu) [*voix*] piercing; [*ton*] shrill

B *adv* **parler ~** *to sound like a Parisian to a native of the south of France*

pointure /pwɛ̃tyʀ/ ▸ **p. 827** *nf* (de gant, chaussure) size; **quelle est sa ~?, quelle ~ fait-il?** what size does he take?; **des chaussures de quelle ~?** what size shoes?

point-virgule, *pl* **points-virgules** /pwɛ̃viʀgyl/ *nm* semicolon

poire /pwaʀ/ *nf* **1** (fruit) pear; **tarte aux ~s** pear tart GB *ou* pie US; **2** (en boucherie) *cut of topside of beef used for steaks*; **3** (objet) (interrupteur) (pear-shaped) light switch; (en bijouterie) pear-shaped stone; **visage/seins en forme de ~** pear-shaped face/breasts; **4** ○(visage) face; **prendre un coup en pleine ~** to be hit right in the middle of the face; **se ficher de la ~ de qn** to take the mickey out of sb○ GB, to make fun of sb; **5** ○(personne naïve) mug○ GB, sucker○; **il a trouvé la bonne ~** he's found a real sucker○

(Composés) **~ Belle-Hélène** *stewed pear with ice cream and chocolate sauce*; **~ à injections** *or* **à lavement** bulb syringe

(Idiomes) **couper la ~ en deux** to split the difference; **parler de qch entre la ~ et le fromage** to discuss sth very casually; **garder une ~ pour la soif** to save something for a rainy day

poiré /pwaʀe/ *nm* perry

poireau, *pl* **~x** /pwaʀo/ *nm* leek; **~x (en) vinaigrette** leeks in a vinaigrette dressing; **tarte aux ~x** leek quiche

(Idiome) **faire le ~**○ to hang about○

poireauter○ /pwaʀote/ [1] *vi* to hang about○; **faire ~ qn** to keep sb hanging about○

poirée /pwaʀe/ *nf* Swiss chard

poirier /pwaʀje/ *nm* **1** (arbre) pear (tree); **2** (bois) pear

(Idiome) **faire le ~** to do a headstand

pois /pwa/ *nm inv* **1** Bot, Culin pea; **petit ~** (garden) pea, petit pois; **petit ~ à écosser** shelling pea; **une boîte de petits ~** a can of peas; **2** Mode (motif) dot; **à ~** polka dot (*épith*), spotted

(Composés) **~ cassé** split pea; **~ chiche** chickpea; **~ gourmand** *or* **mange-tout** mangetout pea GB, snow pea US; **~ sauteur** jumping bean; **~ de senteur** sweet pea; **~ de sept ans** butterbean

poiscaille○ /pwaskɑj/ *nf* fish

poison /pwazɔ̃/

A ○*nmf* (personne agaçante) pest

B *nm* lit, fig poison

poissard, **~e** /pwasaʀ, aʀd/

A *adj* (grossier) coarse

B **poissarde**‡ *nf* fishwife

poisse○ /pwas/ *nf* (malchance) rotten luck○; (chose contrariante) drag○; **quelle ~, ce temps!**

this weather is a real drag!; **porter la ~ à qn** to bring sb bad luck

poisser /pwase/ [1]
A *vtr* to make [sth] sticky
B *vi* to be sticky
(Idiome) **se faire ~**○ to get caught

poisseux, **-euse** /pwasø, øz/ *adj* [*mains, table*] sticky; [*atmosphère*] muggy; [*restaurant*] greasy

poisson /pwasɔ̃/ *nm* **1** Zool, Culin fish; **des ~s** fish *ou* fishes; **les ~s d'eau douce/de mer** freshwater/saltwater fish; **du ~ cru/surgelé** raw/frozen fish; **manger du ~** to eat fish; **2** Astrol (natif des Poissons) Pisces; **il est ~s** he is a Pisces
(Composés) **(petit) ~ d'argent** (insecte) silverfish; **~ d'avril** (exclamation) April fool; (blague) April fool's joke; **faire un ~ d'avril à qn** to make an April fool of sb; **~ cartilagineux** cartilaginous fish; **~ électrique** electric eel; **~ osseux** bony fish; **~ pané** breaded fish; (en bâtonnets) fish fingers; **~ perroquet** parrot-fish; **~ rouge** goldfish; **~ volant** flying fish
(Idiomes) **être comme un ~ dans l'eau** to be in one's element; **essayer de noyer le ~** to fudge the issue; **petit ~ deviendra grand** mighty oaks from little acorns grow; **les gros ~s mangent les petits** it is the survival of the fittest; ▸ **engueuler**

poisson-chat, *pl* **poissons-chats** /pwasɔ̃ʃa/ *nm* catfish

poisson-lune, *pl* **poissons-lunes** /pwasɔ̃lyn/ *nm* sunfish

poissonnerie /pwasɔnʀi/ ▸ **p. 532** *nf* **1** (magasin) fishmonger's (shop) GB, fish shop US; (dans supermarché) fish counter, fish market US; **2** (industrie) fish trade

poissonneux, **-euse** /pwasɔnø, øz/ *adj* [*eaux, rivière*] well stocked with fish (*après n*)

poissonnier, **-ière** /pwasɔnje, ɛʀ/ ▸ **p. 532**
A *nm,f* fishmonger GB, fish vendor US, **aller chez le ~** to go to the fishmonger's
B **poissonnière** *nf* Culin fish kettle

Poissons /pwasɔ̃/ ▸ **p. 912** *nprmpl* Pisces

poisson-scie, *pl* **poissons-scies** /pwasɔ̃si/ *nm* sawfish

poitevin, **~e** /pwatvɛ̃, in/ ▸ **p. 721** *adj* **la région ~e** the Poitou region; **le marais ~** the Poitou marshes (*pl*)

Poitevin, **~e** /pwatvɛ̃, in/ *nm,f* (natif) native of the Poitou region; (habitant) inhabitant of the Poitou region

Poitiers /pwatje/ ▸ **p. 894** *npr* Poitiers

Poitou /pwatu/ ▸ **p. 721** *nprm* **le ~** the Poitou region

Poitou-Charentes /pwatuʃaʀɑ̃t/ ▸ **p. 721** *nprm* **le ~** the Poitou-Charentes

poitrail /pwatʀaj/ *nm* chest

poitrinaire† /pwatʀinɛʀ/ *adj, nm,f* consumptive†

poitrine /pwatʀin/ ▸ **p. 196, p. 827** *nf* **1** (thorax) chest; (seins) breasts (*pl*); **sa ~ se soulevait** his/her chest was rising up; **tour de ~** (pour un homme) chest size; (pour une femme) bust size; **une belle ~** a nice bust, nice breasts; **un cri jaillit de sa ~** she uttered a cry; **se frapper la ~** fig to beat one's breast; **elle n'a pas beaucoup de ~** she is rather flat-chested; **2** Culin, Zool breast; **~ d'agneau** breast of lamb; **~ de bœuf** brisket; **~ de porc** ≈ belly of pork
(Composé) **~ fumée/salée** ≈ smoked/unsmoked streaky bacon

poivrade /pwavʀad/ *nf*: *dressing with crushed peppercorns*

poivre /pwavʀ/ *nm* pepper; **~ moulu** ground pepper; **~ en grains** whole peppercorns; **~ blanc/noir/vert** white/black/green pepper; **un steak au ~ vert** a steak with green peppercorns; **~ de Cayenne** cayenne pepper; **~ et sel** salt-and-pepper (*épith*); **il est ~ et sel** he has salt-and-pepper hair; **~ rose** pink pepper berries

poivré, **~e** /pwavʀe/
A *pp* ▸ **poivrer**
B *pp adj* [*sauce, odeur*] peppery; [*plaisanterie*] racy

poivrer /pwavʀe/ [1] *vtr* to add pepper to [*plat, sauce*]

poivrier /pwavʀije/ *nm* **1** Culin (récipient) pepper-pot GB, pepper shaker US; (moulin) pepper mill; **2** Bot (arbuste) pepper tree

poivrière /pwavʀijɛʀ/ *nf* **1** Culin (récipient) pepper pot GB, pepper shaker US; **2** (plantation) pepper plantation

poivron /pwavʀɔ̃/ *nm* sweet pepper, capsicum; **~ vert/rouge** green/red pepper; **~s farcis** stuffed peppers; **mettre du ~ dans** to put peppers in

poivrot○, **~e** /pwavʀo, ɔt/ *nm,f* drunk, drunkard

poix /pwa/ *nf inv* pitch; **~ bitumineuse** coal-tar pitch

poker /pɔkɛʀ/ ▸ **p. 469** *nm* poker; **~ de dames/valets/rois** four queens/jacks/kings; **une partie de ~** fig a game of bluff; **coup de ~** fig gamble; **tenter un coup de ~** to gamble
(Composés) **~ d'as** (jeu de dés) poker dice; **~ menteur** liar poker (*similar to liar dice*)

polaire /pɔlɛʀ/
A *adj* **1** gén (du pôle) [*faune, flore, région*] polar; (digne du pôle) [*froid, paysage*] arctic; **2** Chimie, Math polar; **3** Tex **laine** *or* **fibre ~** fleece
B *nf* **1** Math polar; **2** Tex, Costume fleece

polar○ /pɔlaʀ/ *nm* detective novel

polarisant, **~e** /pɔlaʀizɑ̃, ɑ̃t/ *adj* polarizing

polarisation /pɔlaʀizasjɔ̃/ *nf* **1** Électrotech, Phys polarization; **2** (d'attention, de sentiment) focusing, polarization

polariser /pɔlaʀize/ [1]
A *vtr* **1** Électrotech, Phys to polarize; **2** (concentrer) to focus [*attention, sentiment, débat, opinion*] (**sur** on); **toute l'attention est polarisée sur les mineurs** all attention is focused on the miners; **3** (attirer à soi) to attract [*intérêt, regards*]; to be a focus for [*soupçon*]; **pourra-t-il ~ les électeurs de gauche?** will he be able to attract left-wing voters?; **le projet polarise tous leurs efforts** all their efforts are going into the project
B **se polariser** *vpr* **1** Phys, Électrotech to polarize; **2** (se concentrer) [*attention, débat*] to focus, to concentrate (**sur, autour de** on, around); [*personne*] to focus one' s attention (**sur** on); **le débat politique se polarise sur cette question** the political debate centres[GB] *ou* focuses[GB] on *ou* around this question

polarité /pɔlaʀite/ *nf* polarity

polaroid® /pɔlaʀɔid/ *nm* Polaroid®; **une photo prise au ~** a polaroid (photo)

polder /pɔldɛʀ/ *nm* polder

pole /pol/ *adj* controv **~ position** pole position

pôle /pol/ *nm* **1** Astron, Géog, Math, Phys pole; **le ~ Nord/Sud** the North/South Pole; **~ magnétique** magnetic pole; **2** fig (centre) centre[GB] (**de qch** of sth); (tendance) pole; **un ~ d'attraction** a centre[GB] of attraction

polémique /pɔlemik/
A *adj* [*œuvre, déclaration*] polemical
B *nf* debate; **l'affaire suscite de violentes ~s** the affair has sparked off fierce debate

polémiquer /pɔlemike/ [1] *vi* to enter into a debate (**avec** with)

polémiste /pɔlemist/ *nmf* polemicist

polémologie /pɔlemɔlɔʒi/ *nf* war studies (*pl*)

polenta /pɔlɛnta/ *nf* polenta

poli, **~e** /pɔli/
A *pp* ▸ **polir**
B *pp adj* **1** (lisse) [*bois, métal, pierre*] polished; **2** (travaillé) [*style*] polished
C *adj* (courtois) [*personne*] polite (**avec qn** to sb); [*demande, refus*] polite; **trop ~ pour être honnête** too polite to be genuine
D *nm* shine; **donner du ~ à qch** to polish sth up

police /pɔlis/ *nf* **1** (force) police (+ *v pl*); **il est dans la ~** he is in the police; **voiture de ~** police car; **coopération des ~s** cooperation between police forces; **toutes les ~s du pays** every police force in the country; **2** (organisme privé) security service; **3** (maintien de l'ordre) policing; **pouvoirs de ~** powers to enforce law and order; **faire la ~** to keep order; **faire la ~ dans un quartier/une zone** to police a district/an area; **faire sa propre ~** to do one's own policing; **4** Assur **~ (d'assurance)** (contrat) (insurance) policy; (document) policy (document); **contracter une ~ d'assurance-vie** to take out life insurance *ou* a life insurance policy; **5** Imprim, Ordinat **~ (de caractères)** fonts (*pl*); **6** (tribunal) **passer en simple ~** to be tried in a police court
(Composés) **~ de l'air et des frontières, PAF** border police; **~ judiciaire, PJ** *detective division of the French police force*; **~ militaire** military police; **~ des mœurs** *or* **mondaine** vice squad; **~ montée** mounted police; **~ municipale** city police; **~ nationale** national police force; **~ parallèle** *unofficial government police*; **~ des polices** *police internal investigative body*; **~ politique** political police; **~ privée** private police force; **~ de la route** traffic police; **~ secours** ≈ emergency services (*pl*); **appeler ~ secours** to call the emergency services; **~ secrète** secret police

> **Police nationale**
> The nationally organized police service, responsible to the *ministre de l'Intérieur*, and a separate organization from the *Gendarmerie nationale*.

policer /pɔlise/ [12] *vtr* liter to civilize

polichinelle /pɔliʃinɛl/ *nm* (jouet) Punch
(Idiome) **avoir un ~ dans le tiroir**◑ to have a bun in the oven◑

Polichinelle /pɔliʃinɛl/ *npr* Punchinello

policier, **-ière** /pɔlisje, ɛʀ/
A *adj* [*surveillance, chien, régime, mesure, enquête*] police; [*film, roman*] detective
B *nm* **1** ▸ **p. 532** (personne) policeman; **femme ~** policewoman; **2** (film) detective film; (roman) detective novel

policlinique /pɔliklinik/ *nf* ≈ outpatients' clinic

poliment /pɔlimɑ̃/ *adv* politely

polio /pɔljo/
A *nmf* (*abbr* = **poliomyélitique**) person handicapped by polio
B ▸ **p. 283** *nf* (*abbr* = **poliomyélite**) polio; **vaccin contre la ~** polio vaccine

poliomyélite /pɔljomjelit/ ▸ **p. 283** *nf* poliomyelitis

poliomyélitique /pɔljomjelitik/
A *adj* handicapped by polio (*jamais épith*); [*virus*] polio (*épith*); **il est ~** he has polio
B *nmf* polio sufferer

polir /pɔliʀ/ [3] *vtr* to polish [*bois, pierre, métal*]; to polish (up) [*style*]; **se ~ les ongles** to buff one's nails

polissage /pɔlisaʒ/ *nm* polishing

polisseur, **-euse** /pɔlisœʀ, øz/
A ▸ **p. 532** *nm,f* (personne) polisher
B **polisseuse** *nf* (machine) electric polisher

polissoir /pɔliswaʀ/ *nm* **1** gén electric polisher; **2** Archéol polishing stone
(Composé) **~ à ongles** nail buffer

polisson, **-onne** /pɔlisɔ̃, ɔn/
A *adj* **1** [*enfant*] naughty; **2** (licencieux) naughty, saucy
B *nm,f* (enfant) naughty child

polissonnerie /pɔlisɔnʀi/ *nf* **1** (d'enfant) naughty trick; **des ~s** mischief ¢, naughty tricks; **2** (propos licencieux) naughty remark

P

politesse /pɔlitɛs/ *nf* politeness; **par ~** out of politeness; **le 'vous' de ~** the polite 'vous' form; **tu pourrais avoir la ~ de t'excuser** you might have the decency to apologize; **rendre la ~ à qn** to return the compliment; **échanger** *or* **se faire des ~s** to exchange pleasantries; **échanger des ~s** iron to exchange insults
(Idiomes) **l'exactitude est la ~ des rois** Prov punctuality is the hallmark of a gentleman; **brûler** *or* **griller la ~ à qn** to push in ahead of sb

politicard○ /pɔlitikaʀ/ *nm* pej political wheeler-dealer

politicien, **-ienne** /pɔlitisjɛ̃, ɛn/
A *adj* (purely) political; **politique politicienne** pej politicking
B *nm,f* politician

politico(-) /pɔlitiko/ *préf* politico; **politico-culturel** politico-cultural; **politico-économique** politico-economic; **politico-militaire** politico-military; **affaire politico-financière** financial scandal

politique /pɔlitik/
A *adj* **1** (relatif aux affaires publiques) political; **la semaine ~** the week's political developments; **2** (habile) [*concession*] tactical; [*comportement, acte*] calculating
B *nm* **1** (aspect) political aspect; **2** (personne qui s'intéresse aux affaires de l'État) politician; **3** (personne habile) **un (fin) ~** a shrewd operator
C *nf* Pol **1** (science, art) politics (+ *v sg*); **faire de la ~** (en faire son métier) to go into politics, to be in politics; (en tant que militant) to be involved in politics; (dans une discussion) to talk politics; **2** (manière de gouverner) policy; **la ~ du gouvernement en matière d'éducation** the government's education policy; **~ étrangère/intérieure/agricole/sociale** foreign/domestic/agricultural/social policy; **déclaration de ~ générale** statement of general policy; **3** (stratégie) policy; **nouvelle ~ de recrutement** new recruiting *ou* recruitment policy; **notre ~ des prix** our pricing policy
(Composés) **~ contractuelle** *contractual undertaking between the state and a private body*; **~ de la terre brûlée** scorched earth policy; **Politique Agricole Commune**, **PAC** UE Common Agricultural Policy, CAP; **Politique Européenne Commune de Sécurité et de Défense**, **PECSD** UE Common European Security and Defence Policy, CESDP
(Idiomes) **pratiquer la ~ de l'autruche** to hide one's head in the sand; **pratiquer la ~ du pire** to envisage the worst-case scenario

politique-fiction, *pl* **politiques-fictions** /pɔlitikfiksjɔ̃/ *nf* Cin, Littérat *literary or film genre describing an imaginary political future*

politiquement /pɔlitikmɑ̃/ *adv* **1** lit politically; **~ correct** politically correct; **2** (habilement) shrewdly

politisation /pɔlitizasjɔ̃/ *nf* politicization

politiser /pɔlitize/ [1]
A *vtr* to politicize
B **se politiser** *vpr* [*personne, mouvement, association, conflit*] to become politicized

politologie /pɔlitɔlɔʒi/ *nf* political science

politologue /pɔlitɔlɔg/ ▸ **p. 532** *nmf* political scientist

polka /pɔlka/ *nf* polka; **danser une ~** to do a polka

pollen /pɔl(l)ɛn/ *nm* pollen

pollinique /pɔl(l)inik/ *adj* pollen (*épith*)

pollinisateur, **-trice** /pɔl(l)inizatœʀ, tʀis/
A *adj* pollinating (*épith*)
B *nm* pollinator

pollinisation /pɔl(l)inizasjɔ̃/ *nf* pollination

polluant, **~e** /pɔl(l)ɥɑ̃, ɑ̃t/
A *adj* polluting
B *nm* pollutant

polluer /pɔl(l)ɥe/ [1] *vtr* to pollute

pollueur, **-euse** /pɔl(l)ɥœʀ, øz/
A *adj* polluting
B *nm,f* (usine) polluter, factory responsible for pollution

pollutaxe /pɔlytaks/ *nf* tax on polluters

pollution /pɔl(l)ysjɔ̃/ *nf* lit, fig pollution ⊄ (**par** caused by); **~ de l'air/l'eau** air/water pollution; **taux de ~** pollution level; **~s d'origine agricole** pollution from agricultural sources
(Composé) **~ nocturne** wet dream, nocturnal emission spéc

polo /pɔlo/ *nm* **1** (vêtement) polo shirt; **2** ▸ **p. 469** (sport) polo

polochon○ /pɔlɔʃɔ̃/ *nm* bolster; **bataille (à coups) de ~s** pillow fight

Pologne /pɔlɔɲ/ ▸ **p. 333** *nprf* Poland

polonais, **~e** /pɔlɔnɛ, ɛz/
A ▸ **p. 561** *adj* Polish
B ▸ **p. 483** *nm* Ling Polish
C **polonaise** *nf* **1** Danse, Mus polonaise; **2** Culin *pastry with meringue topping, flavoured*[GB] *with Kirsch*

Polonais, **~e** /pɔlɔnɛ, ɛz/ ▸ **p. 561** *nm,f* Pole

poltron, **-onne** /pɔltʀɔ̃, ɔn/
A *adj* cowardly
B *nm,f* coward

poltronnerie /pɔltʀɔnʀi/ *nf* cowardice

polyacide /pɔliasid/ *adj, nm* polyacid

polyacrylique /pɔliakʀilik/ *adj* polyacrylic

polyalcool /pɔlialkɔl/ *nm* polyalcohol

polyamide /pɔliamid/ *nm* polyamide; **en ~** polyamide (*épith*)

polyandre /pɔliɑ̃dʀ/ *adj* polyandrous

polyandrie /pɔliɑ̃dʀi/ *nf* polyandry

polyarthrite /pɔliaʀtʀit/ ▸ **p. 283** *nf* polyarthritis; **~ chronique évolutive** chronic polyarthritis; **~ rhumatoïde** rheumatoid polyarthritis

Polybe /pɔlib/ *npr* Polybius

polycarbonate /pɔlikaʀbɔnat/ *nm* polycarbonate

polychlorure /pɔliklɔʀyʀ/ *nm* **~ de vinyle** polyvinyl chloride, PVC

polychrome /pɔlikʀom/ *adj* polychrome

polychromie /pɔlikʀomi/ *nf* polychromy

polyclinique /pɔliklinik/ *nf* private hospital

polycop○ /pɔlikɔp/ *nm* students' slang duplicated notes (*pl*)

polycopie /pɔlikɔpi/ *nf* **1** (procédé) duplicating; **2** (feuille) duplicate copy

polycopié, **~e** /pɔlikɔpje/
A *adj* duplicated
B *nm* duplicated notes (*pl*)

polycopier /pɔlikɔpje/ [2] *vtr* to duplicate

polyculture /pɔlikyltyʀ/ *nf* mixed farming

polyèdre /pɔliɛdʀ/
A *adj* polyhedral
B *nm* polyhedron

polyédrique /pɔliedʀik/ *adj* polyhedral

polyester /pɔliɛstɛʀ/ *nm* polyester; **en ~** polyester (*épith*)

polyéthylène /pɔlietilɛn/ *nm* polythene GB, polyethylene US; **~ basse/haute densité** low-/high-density polythene *ou* polyethylene

polygame /pɔligam/
A *adj* polygamous
B *nmf* polygamist

polygamie /pɔligami/ *nf* polygamy

polyglobulie /pɔliglɔbyli/ ▸ **p. 283** *nf* polycythemia

polyglotte /pɔliglɔt/ *adj, nmf* polyglot

polygonal, **~e**, *mpl* **-aux** /pɔligɔnal, o/ *adj* polygonal

polygone /pɔligon/ *nm* **1** Math polygon; **2** Mil firing range

polygraphe /pɔligʀaf/ *nm* (appareil) polygraph

polyhandicapé, **~e** /pɔliɑ̃dikape/
A *adj* multiply handicapped
B *nm,f* multiply handicapped person; **les ~s** the multiply handicapped

polyinsaturé, **~e** /pɔliɛ̃satyʀe/ *adj* polyunsaturated

polymère /pɔlimɛʀ/ *nm* polymer

polymérisation /pɔlimeʀizasjɔ̃/ *nf* polymerization

polymériser /pɔlimeʀize/ [1] *vtr, vi* to polymerize

polymétallique /pɔlimetalik/ *adj* polymetallic

Polymnie /pɔlimni/ *npr* Polyhymnia

polymorphe /pɔlimɔʀf/ *adj* polymorphous

polymorphisme /pɔlimɔʀfism/ *nm* polymorphism

Polynésie /pɔlinezi/ ▸ **p. 721** *nprf* Polynesia

polynésien, **-ienne** /pɔlinezjɛ̃, ɛn/
A *adj* Polynesian
B *nm* Ling Polynesian

Polynésien, **-ienne** /pɔlinezjɛ̃, ɛn/ *nm,f* Polynesian

polynévrite /pɔlinevʀit/ ▸ **p. 283** *nf* polyneuritis

polynôme /pɔlinom/ *nm* polynomial

polynucléaire /pɔlinykleɛʀ/
A *adj* polynuclear
B *nm* polymorphonuclear leucocyte GB *ou* leukocyte US

polype /pɔlip/ *nm* Méd, Zool polyp

polypeptide /pɔlipɛptid/ *nm* polypeptide

polyphasé, **~e** /pɔlifaze/ *adj* polyphase (*épith*)

polyphonie /pɔlifɔni/ *nf* Mus polyphony

polyphonique /pɔlifɔnik/ *adj* Mus polyphonic

polypier /pɔlipje/ *nm* polypary

polypore /pɔlipɔʀ/ *nm* polypore, pore fungus
(Composés) **~ du bouleau** birch polyporc; **~ écailleux** scaly polypore; **~ luisant** lucid bracket

polypropylène /pɔlipʀɔpilɛn/ *nm* polypropylene

polyptyque /pɔliptik/ *nm* polyptych

polysémie /pɔlisemi/ *nf* polysemy

polysémique /pɔlisemik/ *adj* polysemous

polystyrène /pɔlistiʀɛn/ *nm* polystyrene; **~ expansé** expanded polystyrene GB, cellular polystyrene US, Styrofoam® US

polysyllabe /pɔlisil(l)ab/ *nm* polysyllable

polysyllabique /pɔlisil(l)abik/ *adj* polysyllabic

polytechnicien, **-ienne** /pɔlitɛknisjɛ̃, ɛn/ *nm,f*: *graduate of the École Polytechnique*

polytechnique /pɔlitɛknik/ *adj* polytechnic

Polytechnique /pɔlitɛknik/ *nf*: *Grande École of Science and Technology*

> **Polytechnique**
>
> One of the most prestigious of all *grandes écoles*, founded in 1794, producing an élite force of engineers who work in the industry or public administration. Students, recruited by *concours*, have the rank of reserve military officers. *X*, as the *École Polytechnique* is nicknamed, is located at Palaiseau. ▸ **grande école**

polythéisme /pɔliteism/ *nm* polytheism

polythéiste /pɔliteist/
A *adj* polytheistic
B *nmf* polytheist

polythérapie /pɔliteʀapi/ *nf* polytherapy, multi-therapy

polytransfusé, **~e** /pɔlitʀɑ̃sfyze/ *nm,f*: *person who has undergone repeated blood transfusions*

polyuréthane /pɔliyʀetan/ *nm* polyurethane

polyvalence /pɔlivalɑ̃s/ *nf* **1** (d'appareil, de

matériel) versatility; 2 (d'employé, de professeur) flexibility; 3 Chimie, Méd polyvalence

polyvalent, ~e /pɔlivalɑ̃, ɑ̃t/
A adj Chimie, Méd polyvalent; [*matériel, appareil*] multipurpose (*épith*), multifunctional; [*employé, secrétaire*] who does several jobs (*après n*); [*professeur*] teaching several subjects (*après n*); **inspecteur ~** Fisc tax inspector (*checking company tax returns*)
B nm tax inspector (*checking company tax returns*)
C **polyvalente** nf Can comprehensive school

polyvinyle /pɔlivinil/ nm polyvinyl

polyvinylique /pɔlivinilik/ adj polyvinyl (*épith*)

polyvision /pɔlivizjɔ̃/ nf multiple screen projection

Poméranie /pɔmeʀani/ ▸ p. 721 nprf Pomerania

pommade /pɔmad/ nf Méd ointment
(Idiome) **passer de la ~**° **à qn** to butter sb up°

pommader /pɔmade/ [1] vtr to put cream on

pomme /pɔm/ nf 1 (fruit) apple ▸ **trois**; 2 (d'arrosoir) rose; (de douche) shower-head; (de canne) pommel, knob; (de mât) truck; (d'escalier) knob; 3 °(benêt) mug° GB, sucker°; **ça va encore être pour ma ~** (ennui) I'm in for it again°; (tour de payer) it looks like it's my turn to pay again
(Composés) **~ d'Adam** Anat Adam's apple; **~ d'amour** tomato; (confiserie) toffee apple GB, candy apple US; **~ d'api** ≈ small apple; **~ de cajou** cashew apple; **~ cannelle** sweetsop; **~ à cidre** cider apple; **~ à couteau** eating apple; **~ à cuire** cooking apple; **~ de discorde** fig bone of contention; **~ épineuse** thorn apple; **la ~ de Newton** fig Newton's apple; **~ de pin** pine cone; **~ rose** rose apple; **~ de terre** potato; **~ de terre en robe des champs** potato boiled in its skin; **~s allumettes** potato straws GB, shoestring potatoes US; **~s chips** crisps GB, potato chips US; **~s dauphine** dauphine potatoes; **~s frites** chips GB, (French) fries; **~s à l'huile** ≈ potato salad; **~s mousseline** creamed potatoes (*with egg yolk and cream*); **~s vapeur** steamed potatoes
(Idiomes) **tomber dans les ~s**° to faint, to pass out°; **être dans les ~s**° to be out cold°, to have fainted

pommé, ~e /pɔme/ adj [*chou, laitue*] with a firm heart (*épith, après n*)

pommeau, pl **~x** /pɔmo/ nm (de canne, rampe) knob; (d'épée, de selle) pommel

pommelé, ~e /pɔmle/ adj **cheval ~** dappled horse; **cheval gris ~** dapple-grey GB ou dapple-gray US horse; **un ciel ~** a mackerel sky

pommelle /pɔmɛl/ nf filter (*over a pipe*)

pommer /pɔme/ [1] vi [*chou, salade*] to form a heart

pommeraie /pɔmʀɛ/ nf apple orchard

pommette /pɔmɛt/ ▸ p. 196 nf cheekbone; **~s saillantes** high cheekbones

pommier /pɔmje/ nm (arbre) apple tree; (bois) apple, apple-wood
(Composés) **~ du Japon** Japanese crab apple (tree); **~ sauvage** crab apple tree

Pomone /pɔmɔn/ npr Pomona

pompage /pɔ̃paʒ/ nm pumping
(Composé) **~ optique** Phys optical pumping

pompe /pɔ̃p/
A nf 1 (appareil) pump; **~ à bicyclette** bicycle pump; 2 °(chaussure) shoe; 3 (apparat) pomp; **en grande ~** with great pomp; 4 °Sport (exercice) press-up GB, push-up; **faire des ~s** to do push-ups; 5 °soldiers' slang (classe) **soldat de première ~** ≈ lance corporal; **soldat de seconde ~** private
B **pompes** nfpl Relig vanities; **les ~s de Satan** Satan's pomps
(Composés) **~ à air** air pump; **~ auxiliaire** backing pump; **~ à eau** water pump; **~ à chaleur** heat pump; **~ à essence** petrol pump GB, gas pump US; **~ à fric**° fig *drain on one's funds ou resources*; **~ à incendie** fire engine; **~ à vide** vacuum pump; **~s funèbres** (lieu) undertaker's (*sg*) GB, funeral home (*sg*) US; (entreprise) undertaker's GB, funeral director's
(Idiomes) **avoir un coup de ~** to be knackered° GB ou pooped°; **à toute ~**° at top speed, as quickly as possible; **marcher** or **être à côté de ses ~s**° not to be with it, to be away with the fairies°

Pompée /pɔ̃pe/ npr Pompey

Pompéi /pɔ̃pei/ ▸ p. 894 npr Pompeii

pompéien, -ienne /pɔ̃pejɛ̃, ɛn/ ▸ p. 894 adj Pompeian

Pompéien, -ienne /pɔ̃pejɛ̃, ɛn/ nm,f Pompeian

pomper /pɔ̃pe/ [1] vtr 1 (aspirer) to pump [*liquide, air*]; (pour vider) to pump out; (pour faire monter) to pump up; **~ de l'eau** to pump water; 2 °students' slang (copier) to copy (**sur** from), to crib (**sur** from); **il leur a pompé toutes ses idées** he cribbed all their ideas; 3 °(fatiguer) to knacker° GB, to poop°; **je suis pompé aujourd'hui** I'm knackered° GB ou pooped° today
(Idiome) **~ l'air de qn**° to get on sb's nerves

pompette° /pɔ̃pɛt/ adj tipsy°, drunk

pompeusement /pɔ̃pøzmɑ̃/ adv pompously

pompeux, -euse /pɔ̃pø, øz/ adj pompous

pompier, -ière /pɔ̃pje, ɛʀ/
A adj [*style, artiste, écrivain*] pompous
B ▸ p. 532 nm fireman, firefighter; **appeler les ~s** to call the fire brigade GB ou fire department US; **femme ~** female firefighter

> **Pompiers**
>
> The (*sapeurs*)-*pompiers* play a unique role in modern France. To all intents and purposes the equivalent of the emergency services on 999 in Britain or 911 in the US, they are the firemen who turn out when required, but also have teams of highly-trained paramedics who are constantly on call to deal with all manner of emergencies including traffic accidents. Unless there is a crime involved, people tend to call *les pompiers* on 18.

pompiste /pɔ̃pist/ ▸ p. 532 nmf petrol GB ou gas US pump attendant

pompon /pɔ̃pɔ̃/ nm (de bonnet, frange) bobble; (de pantoufle) pompom; **bonnet à ~** bobble hat
(Idiomes) **à toi le ~**°**!** iron you beat the lot!; **c'est le ~**°**!** iron that's the limit!; **remporter** or **décrocher le ~** to come top, to win first prize

pomponner /pɔ̃pɔne/ [1]
A vtr **~ un bébé** to get a baby dressed up
B **se pomponner** vpr to get dolled up; **toujours bien pomponné** always nicely turned out

ponant /pɔnɑ̃/ nm 1 (vent) west wind; 2 †(ouest) liter west

ponçage /pɔ̃saʒ/ nm 1 Tech (de bois, mur) sanding; (de cuir) smoothing; 2 (à la pierre ponce) pumicing

ponce /pɔ̃s/ nf Art (sachet) pounce bag; (morceau de feutre) pounce pad; **pierre ~** pumice stone

Ponce /pɔ̃s/ npr **~ Pilate** Pontius Pilate

poncer /pɔ̃se/ [12] vtr 1 Tech (pour décaper) to sand; 2 Art (pour reproduire) to pounce; 3 (à la pierre ponce) to pumice

ponceuse /pɔ̃søz/ nf sander; **~ à bande/vibrante** belt/orbital sander

poncho /pɔ̃ʃo/ nm poncho

poncif /pɔ̃sif/ nm 1 (banalité) cliché, commonplace; 2 Art stencil (*for pouncing*)

ponction /pɔ̃ksjɔ̃/ nf 1 Méd puncture; **~ lombaire** lumbar puncture; 2 (en argent) levy; **les ~s fiscales** tax levies

ponctionner /pɔ̃ksjɔne/ [1] vtr 1 Méd (perforer) to puncture; (extraire) to tap [*liquide*]; 2 (de l'argent) to levy [*somme*]; **~ 5 millions** to levy 5 million; **~ le budget de la Défense** to tap the Defence[GB] budget

ponctualité /pɔ̃ktɥalite/ nf 1 (exactitude) punctuality; **avec ~** punctually; 2 (minutie) liter meticulousness; **avec ~** meticulously

ponctuation ➡

/pɔ̃ktɥasjɔ̃/ nf Ling punctuation; **signes de ~** punctuation marks

ponctuel, -elle /pɔ̃ktɥɛl/ adj 1 (à l'heure) [*personne*] punctual; [*paiement*] prompt; 2 (méticuleux) meticulous; 3 (ne portant pas sur l'ensemble) [*action, opération*] (limitée) limited; (localisée) localized; (ciblée) selective; [*problème*] isolated; **débrayages ~s dans une usine** selective stoppages in a factory; 4 Ling punctual

ponctuellement /pɔ̃ktɥɛlmɑ̃/ adj 1 (à l'heure) [*arriver, répondre*] punctually; [*payer*] promptly; 2 (avec assiduité) meticulously; 3 (en ciblant) selectively

ponctuer /pɔ̃ktɥe/ [1] vtr lit, fig to punctuate (**de** with)

pondéral, ~e, mpl **-aux** /pɔ̃deʀal, o/ adj weight (*épith*)

pondérateur, -trice /pɔ̃deʀatœʀ, tʀis/ adj [*élément*] stabilizing

pondération /pɔ̃deʀasjɔ̃/ nf 1 (de personne) levelheadedness; **elle fait preuve de beaucoup de ~** she is very levelheaded; 2 (équilibrage) balancing; (équilibre) balance (**entre** between); 3 Stat (d'indice) weighting

pondéré, ~e /pɔ̃deʀe/ adj 1 [*personne, attitude*] levelheaded; 2 Stat [*indice*] weighted

pondérer /pɔ̃deʀe/ [14] vtr 1 (équilibrer) to balance; 2 Stat to weight [*indice*]

pondéreux, -euse /pɔ̃deʀø, øz/
A adj [*matière*] heavy
B nmpl **les ~** heavy goods

pondeur° /pɔ̃dœʀ/ nm péj prolific writer; **c'est un ~ d'articles** he churns out° articles

pondeuse /pɔ̃døz/
A adj f **poule ~** layer, laying hen
B nf 1 (poule) **bonne ~** good layer; 2 °(mère) pej prolific breeder

pondre /pɔ̃dʀ/ [6] vi 1 Zool to lay; **la poule ne pond pas en ce moment** the hen is not laying at the moment; **où les oiseaux/poissons pondent-ils?** where do birds/fish lay their eggs?; 2 °(produire) to produce [*poème, article*]; to churn out° péj [*poèmes, articles*]; to produce [*enfant*]; **j'ai pondu mon rapport en deux heures** I produced my report in two hours

poney /pɔnɛ/ nm pony; **faire du ~** to go pony-riding

pongé /pɔ̃ʒe/ nm pongee

pongiste /pɔ̃ʒist/ ▸ p. 469 nmf table-tennis player

pont /pɔ̃/
A nm 1 Archit, Constr bridge; **franchir un ~** to cross a bridge; 2 (liens) fig link (**avec** with), tie (**avec** with); **couper les ~s** to break off all contact; **il a coupé les ~s avec sa famille** he has broken with his family; 3 (vacances) extended weekend (*including day(s) between a public holiday and a weekend*); **faire le ~** to make a long weekend of it; **lundi je fais le ~** I'm taking Monday off; 4 Naut deck; **tout le monde sur le ~!** all hands on deck!; **~ principal/supérieur** main/upper deck; **~ avant/~ arrière** foredeck/reardeck; **bâtiment à deux ~s** two-decker; 5 Aut axle; **~ avant/arrière** front/rear axle; 6 Sport crab; **faire le ~** to do the crab; 7 Électrotech bridge (circuit)

➡ voir L'anglais efficace

B **ponts** *nmpl* ~**s (et chaussées)** highways department; ▸ **école**

(Composés) ~ **aérien** airlift; ~ **aux ânes** lit pons asinorum; fig truism; ~ **basculant** bascule bridge; ~ **de bateaux** pontoon bridge; ~ **à béquilles** portal bridge; ~ **élévateur** hydraulic ramp; ~ **d'envol** flight deck; ~ **flottant** pontoon bridge; ~ **de graissage** hydraulic ramp; ~ **levant** vertical-lift bridge; ~ **mobile** movable bridge; ~ **à péage** toll bridge; ~ **roulant** (overhead) travelling[GB] crane; ~ **suspendu** suspension bridge; ~ **thermique** thermal bridge; ~ **tournant** swing bridge; ~ **transbordeur** transporter bridge; **Pont des Soupirs** Bridge of Sighs

(Idiomes) **coucher sous les** ~**s** to sleep rough, to be a tramp; **il coulera beaucoup d'eau sous les** ~**s avant que...** it will be a long time before...; **brûler les** ~**s derrière soi** to burn one's boats *ou* bridges; **faire un** ~ **d'or à qn** to offer sb a large sum to accept a job

Pont /pɔ̃/ *nprm* Antiq **le (royaume du)** ~ Pontus

pontage /pɔ̃taʒ/ *nm* Méd bypass (operation); **faire un** ~ **à qn** to carry out *ou* to do a bypass operation on sb; **il a eu un** ~ he had a bypass operation

Pont-à-Mousson /pɔ̃tamusɔ̃/ ▸ **p. 894** *npr* Pont-à-Mousson

ponte /pɔ̃t/
A *nm*○ **1** (personnage) big shot○; **2** (au jeu) punter
B *nf* (action) laying (*of eggs*); (œufs) clutch; ~ **ovulaire** ovulation

ponter /pɔ̃te/ [1]
A *vtr* **1** Naut to deck; **2** Jeux (miser) to bet
B *vi* Jeux to punt, to play against the bank

Pont-Euxin /pɔ̃tøksɛ̃/ *nprm* Antiq **le** ~ the Euxine Sea, Pontus Euxinus

pontife /pɔ̃tif/ *nm* **1** Relig pontiff; **le souverain** ~ the pope; **2** ○(personnage important) pundit○

pontifical, ~**e**, *mpl* **-aux** /pɔ̃tifikal, o/
A *adj* [*trône, autorité, garde*] papal; [*messe, célébration*] pontifical; **la visite** ~**e** the pope's visit
B *nm* (livre) pontifical

pontificat /pɔ̃tifika/ *nm* pontificate

pontifier /pɔ̃tifje/ [2] *vi* to pontificate

pont-levis, *pl* **ponts-levis** /pɔ̃ləvi/ *nm* drawbridge

ponton /pɔ̃tɔ̃/ *nm* Naut (débarcadère) (floating) landing stage; (plate-forme) pontoon; (vieux navire) hulk

pontonnier /pɔ̃tɔnje/ *nm* Mil pontonier

pool /pul/ *nm* Écon pool

(Composé) ~ **de dactylos** Admin typing pool

pop /pɔp/ *adj inv, nm ou nf* pop

(Composé) ~ **music** pop music

pop'art /pɔpaʀ(t)/ *nm* pop art

pop-corn, *pl* ~**s*** /pɔpkɔʀn/ *nm* popcorn ₵

pope /pɔp/ *nm* pope, orthodox priest

popeline /pɔplin/ *nf* poplin; **une chemise en** ~ a poplin shirt

popote○ /pɔpɔt/
A *adj inv* péj **c'est un type du genre** ~ he's the stay-at-home type
B *nf* **1** (cuisine) cooking; **faire la** ~ to do the cooking; **2** Mil† mess; **faire la tournée des** ~**s** fig to go on a tour of inspection

popotin○ /pɔpɔtɛ̃/ *nm* bum○ GB, rear○, bottom

populace /pɔpylas/ *nf* **la** ~ the masses (*pl*); **une** ~ a rabble

populaire /pɔpylɛʀ/ *adj* **1** (ouvrier) [*quartier, banlieue*] working-class; [*littérature, art, roman*] popular; [*édition*] cheap; [*restaurant*] basic; **être d'origine** ~ to be from a working-class background; **il écrit pour un public** ~ he writes for ordinary people; **classe** ~ working class; **2** (entériné par la tradition) [*tradition*] folk; **culture** ~ folklore; **le bon sens** ~ popular wisdom; **3** (estimé) popular (**chez, parmi** with); **4** (venant du peuple) [*révolte, mouvement*] popular; [*volonté, colère, pouvoir, souveraineté*] of the people; **5** Ling (utilisé par le peuple) popular; (grossier)vulgar; **6** Géog, Pol [*république, démocratie*] people's

populairement /pɔpylɛʀmɑ̃/ *adv* popularly; ~ **appelé** popularly known as; **parler** ~ to speak commonly

popularisation /pɔpylaʀizasjɔ̃/ *nf* **1** (propagation) popularization; **2** (popularité) increasing popularity

populariser /pɔpylaʀize/ [1]
A *vtr* to popularize
B **se populariser** *vpr* to become very popular

popularité /pɔpylaʀite/ *nf* popularity (**auprès de** with, among); **avoir une grande** ~ **auprès des élèves** to be very popular with *ou* among the pupils

population /pɔpylasjɔ̃/ *nf* population; **la** ~ **du globe** the population of the world; **la** ~ **étudiante/carcérale/agricole** the student/prison/farming population; **la** ~ **locale** the local community; **l'hôpital peut recevoir une** ~ **de mille malades** the hospital can take one thousand patients; **la prison a été construite pour une** ~ **de mille prisonniers** the prison was built for one thousand inmates

(Composé) ~ **active** Sociol working population

populeux, -euse /pɔpylø, øz/ *adj* densely populated, populous

populisme /pɔpylism/ *nm* **1** Pol populism; **2** Littérat Populism (*French literary movement founded in 1929*)

populiste /pɔpylist/
A *adj* **1** Pol populist; **2** Littérat *relating to the Populism movement in French literature*
B *nmf* **1** Pol populist; **2** Littérat *adherent of Populism in French literature*

populo○ /pɔpylo/ *nm* masses (*pl*); **attirer du** ~ to pull in the crowds; **il y a du** ~ there are crowds of people

porc /pɔʀ/ *nm* **1** (animal) pig, hog US; (viande) pork; (peau) pigskin; **2** ○péj (personne) pig○

porcelaine /pɔʀsəlɛn/ *nf* **1** (matière) porcelain, china; **en** ~ porcelain *ou* china (*épith*); ~ **de Chine** china; ~ **de Sèvres/Limoges** Sèvres/Limoges china *ou* porcelain; ~ **vitreuse** vitreous china; ▸ **éléphant**; **2** (objet) piece of porcelain; **3** Zool cowrie

porcelainier, -ière /pɔʀsəlɛnje, ɛʀ/
A *adj* porcelain
B ▸ **p. 532** *nm,f* porcelain manufacturer

porcelet /pɔʀsəlɛ/ *nm* piglet

porc-épic, *pl* ~**s** /pɔʀkepik/ *nm* porcupine

porche /pɔʀʃ/ *nm* porch; **sous le** ~ in the porch

porcher /pɔʀʃe/ ▸ **p. 532** *nm* pig keeper

porcherie /pɔʀʃəʀi/ *nf* lit, fig pigsty

porcin, ~**e** /pɔʀsɛ̃, in/
A *adj* **1** Agric [*race*] porcine; **élevage** ~ pig breeding; **viande** ~**e** pork; **2** fig [*visage, yeux*] piggy, porcine; [*manières*] swinish
B *nm* pig; **les** ~**s** pigs

pore /pɔʀ/ *nm* pore; **suant la peur par tous les** ~**s** fig exuding fear

poreux, -euse /pɔʀø, øz/ *adj* porous

porion /pɔʀjɔ̃/ ▸ **p. 532** *nm* Mines foreman

porno○ /pɔʀno/
A *adj* porno○, porn○
B *nm* Cin (genre) porn○; (film) blue movie○

pornographe /pɔʀnɔgʀaf/
A *adj* pornographic
B *nmf* pornographer

pornographie /pɔʀnɔgʀafi/ *nf* pornography

pornographique /pɔʀnɔgʀafik/ *adj* pornographic

porosité /pɔʀozite/ *nf* porosity

porphyre /pɔʀfiʀ/ *nm* porphyry

porphyrique /pɔʀfiʀik/ *adj* porphyritic

port /pɔʀ/ *nm* **1** (pour accoster) harbour[GB]; (avec installations portuaires) port; ~ **naturel/artificiel** natural/artificial harbour[GB]; ~ **maritime** *or* **de mer** maritime port, seaport; ~ **fluvial** river port; ~ **de commerce** commercial *ou* trading port; ~ **industriel** industrial port; **les restaurants du** ~ the restaurants along the harbour[GB]; **flâner sur le** ~ to stroll around the harbour[GB]; **travailler au** ~ to work in *ou* at the port; **ouvriers du** ~ port workers; **entrer au** ~ to come into port; **sortir du** ~ to leave port; **entrée au** ~ entering port; **2** (ville portuaire) port; **3** (refuge) haven; **4** (fait de porter) **le** ~ **de l'uniforme** wearing uniform; ~ **illégal de décorations** wearing medals fraudulently; **le** ~ **du casque est obligatoire** helmets must be worn at all times; **le** ~ **de la barbe est interdit** beards may not be worn; ~ **d'armes** carrying arms; **5** (maintien) carriage; (démarche) bearing; **un joli** ~ **de tête** a graceful carriage of the head; **6** Transp carriage; Postes postage; ~ **dû/payé** *or* **gratuit** Transp carriage forward/paid; Postes postage due/paid; **7** Ordinat port; ~ **USB** USB port

(Composés) ~ **d'aéroglisseurs** hoverport; ~ **artificiel** Mil artificial harbour[GB]; ~ **d'attache** Naut port of registry; fig home base; ~ **autonome** autonomous port; ~ **de bras** Danse port de bras; ~ **d'entrée** port of entry; ~ **d'escale** port of call; ~ **franc** free port; ~ **militaire** naval base; ~ **de pêche** (installations) fishing harbour[GB]; (ville) fishing port; ~ **pétrolier** tanker terminal; ~ **de plaisance** marina; ~ **de salut** haven

(Idiome) **arriver à bon** ~ to arrive safe and sound

portable /pɔʀtabl/
A *adj* **1** (portatif) portable; **2** (pas trop lourd) **c'est** ~ it can be carried; **3** (mettable) [*robe, pull*] wearable; **ce n'est pas** ~ it's unwearable
B *nm* **1** (téléphone) mobile (phone); **2** (ordinateur) laptop

portage /pɔʀtaʒ/ *nm* **1** (transport à dos d'homme) porterage; **2** Naut (halage à sec) portage

(Composé) ~ **salarial** *system which allows a self-employed person to obtain the social welfare advantages of employee status*

portail /pɔʀtaj/ *nm* **1** (de parc, jardin) gate; (d'église, de temple) great door; **2** Ordinat portal

portance /pɔʀtɑ̃s/ *nf* Aviat lift

portant, ~**e** /pɔʀtɑ̃, ɑ̃t/
A *adj* **1** [*mur*] load-bearing; [*roue*] carrying; **2** [*personne*] **bien** ~ in good health; **mal** ~ in poor health; **être mieux** ~ to be in better health
B *nm* **1** Théât side strut; **2** Naut (d'aviron) rigger

(Idiome) **à bout** ~ at point-blank range

portatif, -ive /pɔʀtatif, iv/ *adj* portable; **ordinateur** ~ laptop computer

porte /pɔʀt/
A *adj* [*veine*] portal
B *nf* **1** (entrée) (de bâtiment) door; (de parc, stade, jardin) gate; **la** ~ **de derrière/devant** the back/front door; **la** ~ **du jardin** the garden gate; **devant la** ~ **de l'hôpital** outside the hospital; **je me suis garée devant la** ~ I've parked right outside; **avoir une gare à sa** ~ to have a station on one's doorstep; **Grenoble est aux** ~**s des Alpes** Grenoble is the gateway to the Alps; **aux** ~**s du désert** at the edge of the desert; **passer la** ~ to enter the house; **ouverture/fermeture des** ~**s à 18 heures** doors open/close at 6 o'clock; **ouvrir sa** ~ **à qn** to let sb in; **ouvrir la** ~ **à la critique** to invite criticism; **c'est la** ~ **ouverte à la criminalité** it's an open invitation to crime; **ouvrir/fermer ses** ~**s (au public)** [*salon, exposition, magasin*] to open/close (to the public); **l'entreprise a fermé ses** ~**s** the company has gone out of business; **la Communauté a ouvert ses** ~**s au Portugal** the Community has admitted Portugal; **mettre à la** ~ (exclure d'un cours) to throw [sb] out; (renvoyer) to expel

[*élève*]; to fire, to sack○ GB [*employé*]; **ce n'est pas la ~ à côté**○ it's quite far; **voir qn entre deux ~s** to see sb very briefly; **trouver ~ close** *or* **de bois** to find nobody in; **j'ai mis deux heures, de ~ à ~** it took me two hours (from) door to door; **2** (panneau mobile) (de maison, meuble, d'avion) door; (de jardin, parc, stade) gate; **une ~ en bois/fer** a wooden/an iron door; **se tromper de ~** lit to get the wrong door; fig to come to the wrong place; **frapper à la ~ de qn** lit, fig to knock at sb's door; **frapper à la bonne/mauvaise ~** to come to the right/wrong place; **3** (de ville fortifiée) gate; **aux ~s de la ville** at the city gates; **4** (moyen d'accès) gateway; **la ~ des honneurs** the gateway to honours[GB]; **la victoire leur ouvre la ~ de la finale** the victory clears the way to the final for them; **5** (possibilité) door; **cela ouvre/ferme bien des ~s** it opens/closes many doors; **6** (dans un aéroport) gate; **~ numéro 10** gate number 10; **7** Sport (en ski) gate; **8** (portière) door; **une voiture à deux/cinq ~s** a two-/five-door car; **9** Électron gate

(Composés) **~ basculante** up-and-over door; **~ bâtarde** medium-sized door; **~ battante** swing door; **~ coulissante** sliding door; **~ d'écluse** lock gate; **~ d'entrée** (de maison) front door; (d'église, hôpital, immeuble) main entrance; **~ pliante** folding door; **~ de service** tradesmen's entrance GB, service entrance; **~ de sortie** lit exit; fig escape route; **~ à tambour** revolving door; **~ tournante** = **~ à tambour**; **~ vitrée** glass door; **les ~s de l'Enfer** Relig the gates of Hell; **~s ouvertes** open day GB, open house US; **journée** *or* **opération ~s ouvertes à l'école** the school is organizing an open day GB *ou* open house US; **les ~s du Paradis** Relig the gates of Heaven

(Idiomes) **prendre la ~** to leave; **entrer par la petite/grande ~** to start at the bottom/top; **enfoncer une ~ ouverte** to state the obvious; **il faut qu'une ~ soit ouverte ou fermée** Prov you've got to decide one way or the other; ▸ **balayer**

porté, ~e /pɔʀte/
A *pp* ▸ **porter**
B *pp adj* **être ~ à se plaindre** to be inclined to complain; **être ~ au pessimisme** to be inclined to be pessimistic; **je suis ~ à croire que** I'm inclined to think that; **être ~ sur qch** to be keen on sth; **être ~ sur la chose** *or* **la bagatelle**† euph to like it○, to be keen on sex
C *nm* Danse porté
D portée *nf* **1** (distance) range; **arme de longue/courte/moyenne ~e** long-/short-/medium-range weapon; **être à ~e de canon** to be within firing range; **missile d'une ~e de 900 kilomètres** missile with a range of 900 kilometres[GB]; **être hors de ~e** to be out of reach; **être à la ~e de qn** to be within sb's reach; **'tenir hors de ~e des enfants'**, **'ne pas laisser à la ~e des enfants'** 'keep out of reach of children'; **être à ~e de main** *or* **à la ~e de la main** (accessible) to be within reach; (dans endroit commode) to be to hand; **je le garde à ~e de main** (accessible) I keep it where I can reach it; (dans endroit commode) I keep it to hand; **être à ~e de voix** to be within earshot; **ne pas être à ~e de voix** to be out of earshot; **2** (niveau) **c'est à ta ~e** (faisable) you can do it; (compréhensible) you're capable of understanding it; (en prix) it's within your means; **c'est à la ~e de n'importe qui** (faisable) anybody can do it; (compréhensible) anybody can understand it; (en prix) anybody can afford it; **ce n'est pas à la ~e de toutes les bourses** not everybody can afford it; **se mettre à la ~e de qn** to come down to sb's level; **3** (effet) impact; **la ~e d'une décision/des paroles de qn** the impact of a decision/of sb's words; **4** (d'animaux) litter; **une ~e de six chatons** a litter of six kittens; **5** Mus staff, stave GB; **6** (de pont, d'arc) span; **7** Mécan (surface d'appui) seat

(Composé) **~e de noyau** (en métallurgie) core print

porte-aéronefs* /pɔʀtaeʀɔnɛf/ *nm inv* aircraft carrier

porte-à-faux /pɔʀtafo/ *nm inv* **être en porte à faux** lit [*mur*] to be out of plumb; [*rocher*] to be precariously balanced; Archit [*construction*] to be cantilevered; fig [*personne*] to be in an awkward position

porte-aiguilles* /pɔʀtegɥij/ *nm inv* needlecase

porte-à-porte /pɔʀtapɔʀt/ *nm inv* Comm door-to-door selling; Pol door-to-door canvassing; **faire du ~** Comm to be a door-to-door salesperson; Pol to canvas from door to door

porte-autos* /pɔʀtɔto/ *nm inv* (wagon) car-carrier; (camion) car-transporter

porte-avions* /pɔʀtavjɔ̃/ *nm inv* aircraft carrier

porte-bagages* /pɔʀt(ə)bagaʒ/ *nm inv* (sur un vélo) carrier; (dans un train) luggage rack; (dans un avion) overhead locker; (sur un toit de voiture) roof rack

porte-bébé* /pɔʀt(ə)bebe/ *nm inv* (panier) carrycot GB, carrier US; (kangourou®) (baby) sling, baby carrier; (sac à dos) baby carrier

porte-billets* /pɔʀt(ə)bijɛ/ *nm inv* wallet

porte-bonheur* /pɔʀt(ə)bɔnœʀ/ *nm inv* lucky charm, good-luck charm; **offrir du muguet ~** to give lily-of-the-valley for good luck

porte-bouteilles* /pɔʀt(ə)butɛj/ *nm inv* (panier) bottle-carrier, bottleholder; (égouttoir) bottle-drainer

porte-cartes* /pɔʀt(ə)kaʀt/ *nm inv* (pour carte de crédit etc) card wallet; (pour carte routière *ou* d'état-major) map holder

porte-char, *pl* **~s** /pɔʀt(ə)ʃaʀ/ *nm* Mil tank transporter

porte-chéquier* /pɔʀt(ə)ʃekje/ *nm inv* cheque book GB *ou* checkbook US holder

porte-cigares* /pɔʀt(ə)sigaʀ/ *nm inv* cigar case

porte-cigarettes* /pɔʀt(ə)sigaʀɛt/ *nm inv* cigarette case

porte-clés*, porte-clefs /pɔʀt(ə)kle/ *nm inv* key ring

porte-conteneurs* /pɔʀt(ə)kɔ̃tənœʀ/ *nm inv* container ship

porte-couteau, *pl* **~x** /pɔʀt(ə)kuto/ *nm* knife rest

porte-crayons* /pɔʀt(ə)kʀɛjɔ̃/ *nm inv* pencil holder

porte-documents* /pɔʀt(ə)dɔkymɑ̃/ *nm inv* briefcase, attaché case

porte-drapeau* /pɔʀt(ə)dʀapo/ *nm inv* lit, fig standard-bearer

portée ▸ **porté B, D**

porte-étendard* /pɔʀtetɑ̃daʀ/ *nm inv* standard-bearer

portefaix*† /pɔʀt(ə)fɛ/ ▸ **p. 532** *nm inv* porter

porte-fenêtre, *pl* **portes-fenêtres** /pɔʀt(ə)fənɛtʀ/ *nf* French window

portefeuille /pɔʀtəfœj/
A *adj* **jupe/robe ~** wrap-over skirt/dress
B *nm* **1** (à billets) wallet, billfold US; **2** Pol portfolio; **avoir le ~ de la Défense** to hold the defence[GB] portfolio; **3** Fin portfolio; **un ~ d'actions** a portfolio of shares

(Idiomes) **faire un lit en ~** to make an apple pie bed; **avoir le ~ bien garni** to be well-off; **avoir toujours la main au ~** to be very generous

porte-fusible* /pɔʀt(ə)fyzibl/ *nm inv* fuse holder

porte-greffes* /pɔʀt(ə)gʀɛf/ *nm inv* stock (for graft)

porte-hélicoptères* /pɔʀtelikɔptɛʀ/ *nm inv* helicopter carrier

porte-jarretelles* /pɔʀt(ə)ʒaʀtɛl/ *nm inv* suspender belt GB, garter belt US

portemanteau, *pl* **~x** /pɔʀt(ə)mɑ̃to/ *nm* **1** (au mur) (patère) (coat) peg *ou* hook; (collectif) coat rack; (sur pied) coat stand, clothes tree US; **donne-moi ta veste, je vais la mettre au ~** give me your jacket, I'll hang it up for you; **2** (cintre) coat hanger

porte-menu, *pl* **~s** /pɔʀt(ə)məny/ *nm* menu holder

portemine /pɔʀt(ə)min/ *nm* propelling GB *ou* mechanical US pencil

porte-monnaie* /pɔʀt(ə)mɔnɛ/ *nm inv* purse GB, coin purse US; **faire appel au ~ de qn** fig to ask sb to dip into his/her pocket

porte-musique* /pɔʀt(ə)myzik/ *nm inv* music case

porte-outil* /pɔʀtuti/ *nm inv* Tech chuck

porte-parapluies* /pɔʀt(ə)paʀaplɥi/ *nm inv* umbrella stand

porte-parole* /pɔʀt(ə)paʀɔl/ *nm inv* (personne) spokesperson, spokesman/spokeswoman; (journal) mouthpiece; **se faire le ~ de** [*personne*] to act as a spokesperson for; [*journal*] to be the mouthpiece of

porte-pipes* /pɔʀt(ə)pip/ *nm inv* pipe rack

porte-plume* /pɔʀt(ə)plym/ *nm inv* penholder

porter /pɔʀte/ [1]
A *vtr* **1** (transporter) to carry [*chose, personne*]; **~ qn sur son lit** to get sb into bed; **~ qn sur son dos** to carry sb on one's back, to give sb a piggyback○; **tu ne dois rien ~** you mustn't carry anything heavy
2 (apporter) **~ qch quelque part** to take sth somewhere [*lettre, paquet*]; **~ qch à qn** to take sb sth, to bring sb sth US; **~ des messages** to run messages; **~ la bonne nouvelle** to spread the word; **~ une affaire devant les tribunaux** to bring a case to court
3 (soutenir) [*mur, chaise*] to carry, to bear [*poids*]; **mes jambes ne me portent plus** my legs are giving out; **l'eau te portera** the water will hold you up; **être porté par le vent** [*sable, papier*] to be blown along by the wind; **~ qn à bout de bras** fig to take on sb's problems; **mes parents sont lourds à ~** my parents are emotionally demanding; **~ l'espoir de millions d'hommes** to be the focus for the hopes of millions; **être porté par un mouvement d'espoir** to be carried along by a surge of optimism
4 (avoir sur soi) to wear [*robe, bijou, verres de contact*]; to have [*cheveux longs, balafre*]; to have, to wear [*barbe, moustache*]; **~ les armes** to bear arms; **~ une arme** to be armed
5 (avoir) to have [*initiales, date, titre*]; to bear [*sceau*]; **ne pas ~ de date** not to have a date, to be undated; **ne pas ~ de titre** not to have a title, to be untitled; **portant le numéro 300** with the number 300; **le document porte la mention 'secret'** the document is marked 'secret'; **ils ne portent pas le même nom** they have different names; **quel prénom porte-t-elle?** what's her first name?; **elle porte le nom de son mari** she has taken her husband's name; **le nom que je porte est celui de ma grand-mère** I'm named after my grandmother; **il porte bien son nom** the name suits him; **bien ~ son âge** to look good for one's age; **~ des traces de sang** to be bloodstained; **l'arbre ne portait plus de feuilles** the tree was bare of leaves; **portant une expression de découragement sur son visage** looking discouraged; **~ en soi une grande volonté de réussir** to be full of ambition; **cela ~ en soi quelques risques** it's inherently risky
6 (produire) to bear [*fleurs*]; **~ des fruits** lit, fig to bear fruit; **l'enfant qu'elle porte** the child she is carrying; **le roman qu'il porte en lui** his great unwritten novel
7 (amener) **~ qch à** [*situation, événement*] to bring sth to; [*personne, entreprise, administration*] to put sth up to; **cela porte la cotisation/le prix du billet d'avion/le nombre des victimes à...** this brings the subscription/the price of the plane ticket/

the death toll to...; ~ **un taux/une cotisation à** to put a rate/a subscription up to; ~ **la température de l'eau à 80°C** to heat the water to 80°C; ~ **qn au pouvoir** to bring sb to power; ~ **qn à la tête d'une entreprise** to take sb to the top of a company

8 (diriger) ~ **son regard vers** to look at; ~ **qch à sa bouche** to raise sth to one's lips; ~ **qch à son oreille** to hold sth to one's ear; ~ **la main à son chapeau** to lift one's hat; **si tu portes la main sur elle** if you lay a finger on her; ~ **de l'intérêt à qch** to be interested in sth; **l'estime/l'amour qu'elle te porte** her respect/love for you; ~ **ses efforts sur qch** to devote one's energies to sth; ~ **un jugement sur qch** to pass judgment on sth; **faire** ~ **ses accusations sur** to direct one's accusations at

9 (inscrire) ~ **qch sur un registre** to enter sth on a register; ~ **une somme au crédit de qn** to credit a sum to sb's account; **être porté disparu** to be reported missing; **se faire** ~ **malade** *or* **pâle**○ to go○ *ou* report sick; ~ **témoignage** to bear witness; ~ **plainte** to lodge a complaint

10 (inciter) ~ **qn à être méfiant** *or* **à se méfier** to make sb cautious; **tout le porte à la méfiance** everything inclines him to caution; **tout nous porte à croire que** everything leads us to believe that

11 (donner, causer) ~ **partout la mort et la destruction** to spread death and destruction; ~ **bonheur** *or* **chance** to be lucky; ~ **malheur** to be unlucky; **ça m'a porté bonheur** it brought me luck; **ça m'a porté malheur** it was unlucky; ▸ **nuit**

B **porter sur** *vtr ind* **1** (concerner) ~ **sur** [*débat, article*] to be about; [*mesure, accord*] to concern, to apply to; [*interdiction*] to apply to; **l'impôt porte sur les objets de luxe** the tax applies to luxury goods; **l'accent porte sur la deuxième syllabe** the accent is on the second syllable

2 (reposer sur) ~ **sur** [*structure*] to be resting on

3 (heurter) ~ **sur** to hit

C *vi* **une voix qui porte** a voice that carries; **des arguments qui portent** convincing arguments; **ta critique a porté** your criticism hit home; **le coup a porté** the blow hit home; ~ **contre un mur** to hit a wall; **un canon qui porte à 500 mètres** a cannon with a range of 500 metres[GB]; **les mortiers ne portent pas jusqu'ici** we are out of mortar range

D **se porter** *vpr* **1** (se sentir) **elle se porte bien/mal/mieux** [*personne*] she is well/ill/better; [*affaire*] it's going well/badly/better; **comment se porte votre femme?** how is your wife?; **je ne m'en porte pas plus mal** I'm none the worse for it; **je me porte à merveille** I'm absolutely fine

2 (être mis) [*vêtement, bijou, chapeau*] **cela se porte avec des chaussures plates** you wear it with flat shoes; **les jupes se portent juste au-dessus du genou cet hiver** skirts are being worn just above the knee this year; **cela ne se porte plus** it has gone out of fashion

3 (aller, se diriger) **se** ~ **à la rencontre de qn** (aller) to go to meet sb; (venir) to come to meet sb; **se** ~ **sur** [*soupçon*] to fall on; **le choix se porta sur le vase bleu** they/she etc chose the blue vase; **tous les regards se sont portés vers le ciel/vers lui** everyone looked toward(s) the sky/in his direction; **se** ~ **à des excès** to overindulge

4 (se propager) **se** ~ **sur** to spread to; **ça s'est porté sur les poumons** it spread to the lungs

porte-revues /pɔʀt(ə)ʀəvy/ *nm inv* magazine rack

porte-rouleau, *pl* **~x** /pɔʀtʀulo/ *nm* (de papier hygiénique) toilet roll holder; (de papier absorbant) kitchen roll holder

porte-savon* /pɔʀt(ə)savɔ̃/ *nm inv* soapdish

porte-serviettes* /pɔʀt(ə)sɛʀvjɛt/ *nm inv* towel rail

porte-skis* /pɔʀt(ə)ski/ *nm inv* ski rack

porteur, **-euse** /pɔʀtœʀ, øz/

A *adj* **1** gén **être** ~ **d'espoir** to bring hope; **être** ~ **d'un passeport grec** to hold a Greek passport; **être** ~ **d'un virus** to carry a virus; **2** Tech **mur/essieu** ~ load-bearing wall/axle; **roue porteuse** Rail carrying wheel; **3** Écon (en expansion) [*marché*] buoyant; [*métier*] booming; **4** Radio, Télécom [*courant, fréquence, onde*] carrier (*épith*); **5** Astronaut, Aviat, Mil **missile** ~ **d'une charge nucléaire** missile carrying a nuclear payload; **appareil gros** ~ jumbo aircraft; **6** Fin **être** ~ **d'intérêts** [*compte*] to bear interest; **7** Ling **être** ~ **de sens** to have a meaning; **unité porteuse de sens** meaningful unit

B *nm,f* **1** (possesseur) holder, bearer; ~ **d'une carte de crédit** credit-card holder; **les ~s de diplômes étrangers** people who hold foreign qualifications; **2** Méd carrier

C *nm* **1** ▸ **p. 532** (de bagages) porter; (coursier) messenger; **2** Fin (de chèque) bearer; ~ **d'actions** shareholder; ~ **d'obligations** bondholder; **titre/chèque au** ~ bearer security/cheque GB *ou* check US; ▸ **petit**; **3** Télécom carrier current

D **porteuse** *nf* Télécom carrier wave

(Composés) ~ **d'eau** water carrier; ~ **sain** Méd symptom-free carrier

porte-vélo* /pɔʀt(ə)velo/ *nm inv* bicycle rack

porte-verre* /pɔʀt(ə)vɛʀ/ *nm inv* (wall) glass holder

porte-voix* /pɔʀt(ə)vwa/ *nm inv* megaphone; **les mains en** ~ his/her hands cupped around his/her mouth

portier /pɔʀtje/ *nm* **1** ▸ **p. 532** (concierge) porter; ~ **de nuit** night porter; **2** ○(gardien de but) goalkeeper

(Composé) ~ **électronique** numeric keypad

portière /pɔʀtjɛʀ/ *nf* **1** Aut door; **jeter qch par la** ~ to throw sth out of the car window; **2** (tenture) portiere; **3** Mil raft

portillon /pɔʀtijɔ̃/ *nm* gate

(Idiomes) **se bousculer au** ~○ [*personnes*] to fall over each other; [*idées, événements*] to crowd in; **ça ne se bouscule pas au** ~○ people are not exactly queueing GB *ou* lining US up

portion /pɔʀsjɔ̃/ *nf* **1** Culin (part) portion; (quantité servie) helping; **2 euros la** ~ 2 euros per portion; **double** ~ **pour tout le monde!** double helpings for everyone!; **2** (dans un partage) share; **3** (partie) gén portion; (de route) stretch; (de territoire) part

(Composé) ~ **congrue** (nourriture) minute portion of food; (revenu) minimal income; **réduire qn à la** ~ **congrue** to give sb the strict minimum

portique /pɔʀtik/ *nm* **1** Archit portico; **2** Sport frame (in gym); **3** (pour enfants) climbing frame

(Composés) ~ **électronique de sécurité** Aviat anti-metal detector frame; Aut ~ **de lavage** (automatic) car-wash

porto /pɔʀto/ *nm* port

(Composé) ~ **flip** egg flip (*with port*)

Porto-Novo /pɔʀtonovo/ ▸ **p. 894** *npr* Porto Novo

portoricain, **~e** /pɔʀtoʀikɛ̃, ɛn/ ▸ **p. 561** *adj* Puerto Rican

Portoricain, **~e** /pɔʀtoʀikɛ̃, ɛn/ ▸ **p. 561** *nm,f* Puerto Rican

Porto Rico /pɔʀtoʀiko/ ▸ **p. 333, p. 435** *nprf* Puerto Rico

portrait /pɔʀtʀɛ/ *nm* **1** Art, Phot portrait; **c'est un** ~ **fidèle** it's a good likeness; **un** ~ **peu flatteur** an unflattering portrait; ~ **de famille** family portrait; **2** gén, Littérat (description) description, picture; **faire le** ~ **de qn/qch** to paint a picture of sb/sth; **3** (réplique) spitting image; **tu es tout le** ~ **de ton père** you're the spitting image of your father; **4** ○(visage) face; **s'abîmer le** ~ to smash one's face up; **se faire abîmer** *or* **rectifier le** ~ to have one's face bashed○ in *ou* smashed○ in; **se faire tirer le** ~ to have one's photo taken

portraitiste /pɔʀtʀetist/ ▸ **p. 532** *nmf* **1** Art portrait painter; **2** Phot portrait photographer

portrait-robot, *pl* **portraits-robots** /pɔʀtʀɛʀɔbo/ *nm* photofit® (picture), identikit; **le** ~ **du criminel** a photofit (picture) of the murderer; **faire le** ~ **de qn** lit to make up a photofit (picture) of sb; fig to give a profile of sb

portuaire /pɔʀtɥɛʀ/ *adj* port (*épith*)

portugais, **~e** /pɔʀtygɛ, ɛz/

A ▸ **p. 561** *adj* Portuguese

B ▸ **p. 483** *nm* Ling Portuguese

C **portugaise** *nf* (huître) common Portuguese oyster

(Idiome) **tu as les ~es ensablées**◑**?** are you deaf or what○?

Portugais, **~e** /pɔʀtygɛ, ɛz/ ▸ **p. 561** *nm,f* Portuguese

Portugal /pɔʀtygal/ ▸ **p. 333** *nprm* Portugal

POS *written abbr* ▸ **plan**

pose /poz/ *nf* **1** (mise en place) (de compteur, vitre) putting in, installation (**de** of); (de placard, serrure, dentier) fitting (**de** of); (de parquet, carrelage, moquette) laying (**de** of); (de signalisation routière) installation (**de** of); (de rideau) hanging, putting up (**de** of); Mil (de mine) laying (**de** of); **après la** ~ **du parquet nous pourrons nous installer** when the floor has been laid we can move in; **la** ~ **d'un amalgame** Dent the filling of a tooth; **2** (manière de se tenir) pose; **prendre une** ~ **provocante/solennelle** to strike a provocative/solemn pose; **3** Art pose; **garder** *or* **tenir la** ~ to keep *ou* hold the pose; **une séance de** ~ a sitting; **4** (affectation) pretention, affectation; **s'exprimer avec** ~ to speak in an affected manner; **5** Phot exposure; **temps de** ~ exposure time; **une pellicule de 24 ~s** a 24 exposure film

posé, **~e** /poze/

A *pp* ▸ **poser**

B *pp adj* [*air, personne, manière*] composed; [*geste*] controlled; [*voix*] controlled, calm; **d'une voix ~e** in a calm voice, calmly

Poséidon /pozeidɔ̃/ *npr* Poseidon

posément /pozemɑ̃/ *adv* carefully, thoughtfully; **il parlait très** ~ he weighed his words (carefully); **il a toujours agi** ~ he has always trodden carefully

posemètre /pozmɛtʀ/ *nm* Phot exposure meter, light meter

(Composé) ~ **à cellule** photocell light *ou* exposure meter

poser /poze/ [1]

A *vtr* **1** (mettre) to put down, to lay down [*livre, journal*]; to put down, to set down [*verre, tasse*]; **il a posé son verre** he put *ou* set down his glass; **pose ton manteau et assieds-toi** put your coat somewhere and sit down; **ils ont posé un échafaudage contre le mur** they've put some scaffolding up against the wall; ~ **la main sur le bras de qn** to lay *ou* place one's hand on sb's arm; **dès qu'il a posé le pied en Italie il a su qu'il y serait bien** as soon as he set foot in Italy he knew he would be happy there; **j'ai posé une lettre sur votre bureau** I've put a letter on your desk; **s'endormir dès qu'on pose la tête sur l'oreiller** to fall asleep as soon as one's head hits *ou* touches the pillow; ~ **les yeux sur qn/qch** to look at sb/sth; ~ **son regard sur qn** to look at sb; ~ **un baiser sur la joue de qn** to plant a kiss on sb's cheek; **une grande bâtisse posée au milieu d'un parc** a large mansion set in the middle of a park

2 (mettre en place) to put in, to install [*compteur, vitre*]; to install [*signalisation, radiateur*]; to fit [*serrure, dentier, prothèse*]; to lay [*carrelage, mine, pierre, câble*]; to plant [*bombe*]; to fit, to

p

lay [*moquette*]; to put up [*papier peint, tableau, rideau, cloison*]; to put up, to post [*affiches*]; to fit, to insert [*stérilet*]; to apply [*garrot*]
3▸ (établir) to assert, to postulate sout [*théorie, hypothèse*]; to lay down [*principes, règles, limites*]; **~ la supériorité de l'homme sur l'animal** to assert the superiority of human beings over animals; **le syndicat a posé un préavis de grève** the trade union has given notice of a strike; **je vais accepter leur proposition mais je vais ~ mes conditions** I'll accept their proposal but I'm going to lay down my conditions; **~ sa candidature à un poste** to apply for a job; **~ sa candidature à une élection** to stand GB *ou* run for election; **~ une addition** to write a sum down, to write down a sum; **je pose 3 et je retiens 2** I put *ou* write down (the) 3 and carry (the) 2; **~ que** to suppose that; **~ comme hypothèse que** to put forward the theory that
4▸ (soulever) to ask [*question*] (**sur, au sujet de** about); to set [*devinette*]; **la question reste posée** the question (still) remains; **~ (un) problème à qn** to pose a problem for sb; **ça ne pose aucun problème** that's no problem at all ; **ça leur pose des problèmes** that poses problems for them
5▸ Mus to place [*voix*]; **j'ai appris à ~ ma voix** I've learned to place my voice
B *vi* **1▸** Art, Phot to pose; **~ nu** to pose (in the) nude
2▸ (être affecté) to put on airs; **il fallait la voir ~ devant le ministre!** you should have seen how she put on airs in front of the minister!; **~ pour la galerie** to play to the gallery; **~ au génie méconnu** to act *ou* play the misunderstood genius
C **se poser** *vpr* **1▸** [*oiseau, insecte*] to settle, to alight (**sur** on)
2▸ [*avion*] to land, to touch down; **se ~ en catastrophe** to make an emergency landing
3▸ ○(s'asseoir) to plant oneself (**sur** on); **pose-toi quelque part et attends-moi** park○ yourself somewhere and wait for me
4▸ (s'arrêter) [*yeux, regard*] to fall (**sur** on)
5▸ (être installé) **une fenêtre se pose plus facilement à deux** it' s easier to fit *ou* install a window if there are two of you
6▸ (s'affirmer) **se ~ en qch** to claim to be sth; **se ~ en victime/exemple** to present oneself as a victim/an example; **se ~ comme le successeur** to present oneself as the successor
7▸ (se demander) **se ~ des questions** to ask oneself questions; **se ~ des questions au sujet de qn/qch** (s'interroger) to wonder about sb/sth; (douter) to have doubts about sb/sth; **se ~ la question de l'efficacité de qn/l'efficacité de qch** to wonder *ou* have doubts about sb's efficiency/the efficiency of sth; **il faut se ~ la question de savoir si le projet a des chances d'aboutir** we must ask ourselves whether this project has any chance of success; **ils vivent sans se ~ de questions** they accept things as they are
8▸ (exister) [*problème, cas, question*] to arise; **le problème se pose régulièrement** the problem arises regularly; **la question ne se pose pas** (c'est impossible) there's no question of it; (c'est évident) it goes without saying; **la question se pose aussi en termes d'argent** there is also a financial side to the question
(Idiome) **comme imbécile/hypocrite il se pose là**○**!** he's a prime example of an idiot/a hypocrite!

poseur, **-euse** /pozœʀ, øz/ ▸ **p. 532**
A ○*adj* **elle est (trop) poseuse** she's (too much of) a poser○
B *nm,f* (snob) poser○
(Composés) **~ d'affiches** billsticker, billpost; **~ de bombes** bomber, bomb planter; **~ de carrelage** tiler; **~ de moquette** carpet fitter

positif, **-ive** /pozitif, iv/
A *adj* **1▸** (affirmatif) [*réponse*] affirmative; **2▸** (constructif) [*entretien, climat*] constructive; [*évolution, effet, conséquence*] positive; **3▸** (favorable) [*critique, réaction, bilan*] favourable[GB]; [*point, image*] positive; **il a parlé de lui en termes très ~s** he spoke of him in highly favourable[GB] terms *ou* very positively; **4▸** (réaliste) [*personne, esprit, attitude*] positive; **5▸** Méd, Math, Électrotech, Phot positive
B *nm* **1▸** (résultat concret) **je veux du ~** I need something positive; **2▸** (points favorables) positive points (*pl*); **3▸** Phot positive; **4▸** Ling positive (degree)

position /pozisjɔ̃/ *nf* **1▸** (dans l'espace) position (**de** of); **la ~ géographique d'une ville** the geographical position of a town; **veuillez indiquer votre ~** Naut, Aviat please state your position; **il faut revoir la ~ des joueurs** Sport the positioning of the players has to be rethought; **en ~ horizontale/verticale** horizontally/vertically; **attention, l'échelle est en ~ instable** be careful, the ladder isn't steady; **2▸** Mil position; **bombarder les ~s ennemies** to bomb the enemy's positions; **la troupe a pris ~ sur la crête** the troop has taken up its position on the ridge; **3▸** (posture) position (**de** of); **faire l'amour dans toutes les ~s** to make love *ou* have sex in every (possible) position; **la ~ des doigts sur une guitare** the positioning of the fingers on a guitar; **rien de pire que de rester en ~ assise toute la journée** there's nothing worse than sitting down all day; **4▸** (situation) position; **placer qn dans une ~ difficile** to put sb in a difficult *ou* an awkward position; **être/se sentir en ~ de force** to be/feel oneself to be in a position of strength; **nous ne sommes pas en ~ de vous aider/d'agir** we are in no position to help you/to act; **être en ~ minoritaire/majoritaire** to be in the minority/majority; **se trouver dans une ~ délicate** to be in a tricky situation; **être en ~ dominante sur le marché** to be a market leader; **5▸** (professionnelle, sociale) position; **il occupe une ~ très en vue** he's in a very public position; **sa ~ est très enviée** his/her position is widely envied; **6▸** (au classement) place, position; **être en deuxième/troisième ~** to be in second/third place *ou* position; **7▸** (point de vue) position, stance; **maintenir/durcir sa ~** to maintain/harden one's position *ou* stance; **définir une ~ commune** to reach a common position; **~ de principe** position *ou* stance taken on principle; **adopter une ~ de principe** to make a stand on principle; **revenir sur/réviser ses ~s** to reconsider/review one's position; **prendre ~ sur un problème** to take a stand on an issue; **prise de ~** stance, stand (**sur qch** on sth); **camper** *or* **rester sur ses ~s** to stand one's ground; **8▸** Fin (bank) balance; **demander sa ~** to ask for the balance of one's account; **être en ~ créditrice/débitrice** [*compte*] to be in credit/debit; **9▸** Danse position; **première/cinquième ~** first/fifth position
(Composés) **~ acheteur** Fin bull position; **~ du missionnaire** missionary position; **~ de repli** fallback; **~ vendeur** Fin bear position

positionnement /pozisjɔnmɑ̃/ *nm* **1▸** Mécan (de pièce) positioning (**de** of); **2▸** Aviat, Mil, Naut positioning (**de** of); **3▸** Comm, Pub **le ~ d'un produit sur le marché** the positioning of a product

positionner /pozisjɔne/ [1] *vtr* **1▸** Tech, Mécan to position; **2▸** Mil, Naut, Aviat **~ qn** to establish sb's position; **3▸** Comm, Pub **~ un produit** to position a product; **4▸** Fin **~ un compte bancaire** to draw up a statement of account

positivement /pozitivmɑ̃/ *adv* [*répondre*] positively; [*réagir, juger*] favourably[GB]

positiver /pozitive/ [1] *vi* to think positive

positivisme /pozitivism/ *nm* positivism

positiviste /pozitivist/ *adj, nmf* positivist

positivité /pozitivite/ *nf* positivity

positon /pozitɔ̃/, **positron** /pozitʀɔ̃/ *nm* positron

posologie /pɔzɔlɔʒi/ *nf* dosage

possédant, **~e** /pɔsedɑ̃, ɑ̃t/
A *adj* wealthy; **les classes ~es** the rich, the wealthy
B *nm,f* **les ~s** the rich, the wealthy

possédé, **~e** /pɔsede/ *nm,f* **les ~s** the possessed; **crier/hurler/se débattre comme un ~** to shout/scream/struggle like one possessed

posséder /pɔsede/ [14]
A *vtr* **1▸** (détenir) to own, to possess sout [*propriété, œuvre d'art, voiture, fortune, armée, arme, matériel*]; to hold [*charge*]; **il possède 10% du capital** he owns 10% of the capital; **sa famille ne possède plus rien** his/her family has nothing left; **2▸** (être équipé de) to have; **cette voiture possède des sièges en cuir** this car has leather seats; **un jardin qui possède un bassin** a garden with a fish pond; **3▸** (jouir de) to have [*habileté, diplôme, connaissance, qualité, talents*]; **plante qui possède des vertus curatives** plant with healing properties; **~ un grand savoir** to be extremely knowledgeable; **4▸** (maîtriser) to speak [sth] fluently [*langue*]; to have a thorough knowledge of [*sujet, matière, technique*]; **elle possède parfaitement son métier** she is extremely skilled at her job; **il possède parfaitement son art** he is a perfect master of his art; **5▸** (sexuellement) to have, to possess sout [*femme*]; **6▸** (dominer) [*sentiment, colère, douleur*] to overwhelm; **la haine le possédait** he was overwhelmed with hatred; **un démon le possède** he is possessed by a demon; **7▸** ○(duper) to have○; **il nous a bien possédés** he really had○ us there; **se faire ~ par qn** to be had○ by sb
B **se posséder** *vpr* liter (se dominer) to control oneself; **il ne se possédait plus** he was beside himself

possesseur /pɔsesœʀ/ *nm* (de biens, d'objets) owner, possessor sout; (de véhicule) owner; (de diplôme, carte d'identité, d'actions) holder; (de secret) keeper; (de passeport) bearer
(Composé) **~ de bonne foi** Jur person in bona fide possession

possessif, **-ive** /pɔsesif, iv/
A *adj* Ling, Psych possessive
B *nm* Ling possessive

possession /pɔsesjɔ̃/ *nf* **1▸** (de maison, terres, fortune) possession, ownership; (de diplôme, drogue, d'arme) possession; **la ~ d'un passeport est obligatoire** you must have a passport; **avoir qch en sa ~** to have sth in one's possession; **tomber en la ~ de qn** [*objet*] to come into sb's possession; **entrer en** *or* **prendre ~ de qch** to take possession of sth; **prendre ~ d'un héritage** to come into one's inheritance; **être en ~ de toutes ses facultés** to be in possession of all one's faculties; **être en pleine ~ de ses moyens** to be on top form; **2▸** (maîtrise) (de langue) fluency (**de** in); (de métier, technique) mastery (**de** of); **3▸** (chose possédée) (bien) possession; (territoire) possession; **4▸** (ensorcellement) possession

possessivité /pɔsesivite/ *nf* possessiveness

possibilité /pɔsibilite/
A *nf* **1▸** (éventualité) possibility; **c'est une ~** it's a possibility; **~ de faire** possibility of doing; **~ que** possibility that; **il y a la ~ qu'il vienne** there's a possibility that he might come; **2▸** (occasion) opportunity; (solution) option; **~ d'embauche** job opportunity; **cette ~ pourrait ne pas se reproduire** the chance may never come again; **les ~s de trouver un emploi** the chances of finding a job; **évaluer toutes les ~s** to weigh up all the options; **je n'ai pas d'autre ~ que d'accepter** I have no choice *ou* option but to accept; **offrir** *or* **donner à qn la ~ de faire** to give sb the chance *ou* option of doing; **offrir à qn une grande ~ de choix** to give sb a wide range of options; **cela te laisse la ~ de rester à Oxford quelques jours supplémentaires** it gives you the chance of staying in Oxford a few more days; **se réserver la ~ de faire** to reserve the right to do

P

B possibilités *nfpl* **1** (potentiel) (de personne) abilities; (d'appareil) potential *ou* possible uses; **avoir de nombreuses ~s** [*personne, appareil*] to be versatile; **2** (moyens) resources; **dans la mesure de ses ~s** according to one's means

possible /pɔsibl/
A *adj* **1** (réalisable) possible; **si (c'est) ~** if possible; **dès que ~** as soon as possible; **un accord devrait être ~** it should be possible to come to an agreement; **la construction d'un tel bâtiment dans notre ville n'est pas ~** it is not possible to build such a building in our town; **nous avons fait tout ce qui était ~ pour les aider** we did everything possible to help them; **techniquement c'est ~** it's technically possible; **je viendrai chaque fois que cela sera ~** I'll come whenever I can; **il est toujours ~ de renoncer** it's always possible to give up; **ce n'est pas ~ autrement** there's no other way of doing it; **il ne me sera pas ~ de me déplacer aujourd'hui** I won't be able to get out today; **il ne lui sera pas ~ d'être chez vous avant midi** he won't be able to get to you before noon; **cela ne me sera pas ~ si on ne m'accorde pas plus de moyens financiers** I won't be able to do it unless I'm given more funds; **rendre qch ~** to make sth possible; **désolé, ce n'est pas ~** (refus) I'm sorry, it's just not possible; **toutes les précautions ~s** every possible precaution; **tout le courage ~** the utmost courage; **toute la volonté ~** every determination; **tous les cas ~s et imaginables** every conceivable case; **faire preuve de toute l'énergie ~ et imaginable** to be extremely energetic; **le plus cher ~** [*vendre*] at the highest possible price; **se lever le plus tôt ~** to get up as early as possible; **le plus ~ près de la gare** as close to the station as possible; **recule le plus ~** go back as far as you can; **en faire le plus/moins ~** to do as much/little as possible; **je vous souhaite un séjour le plus agréable ~** I wish you a most pleasant stay; **le plus de renseignements ~** as much information as possible; **diffuser une revue le plus largement ~** to distribute a magazine as widely as possible; **hachez le plus finement ~** chop as finely as possible; **aller le plus loin ~** to go as far away as possible *ou* as one can; **je vais retarder le plus ~ mon départ** I'm going to delay my departure as much as I can; **le plus rapidement/tôt ~** as quickly/soon as possible; **payer le moins ~** to pay as little as possible; **faire le moins de fautes ~ dans une dictée** to make as few mistakes as possible in a dictation; **essayer de faire le moins de mal ~** to try to do the least possible harm; **autant que ~** as much as possible; **limiter les déplacements autant que ~** to keep travelling down to a minimum
2 (potentiel) possible; **il n'y a pas d'erreur ~, c'est lui** it's him, without a shadow of a doubt; **il n'y a aucune erreur ~ sur l'identité du meurtrier** there can be no doubt as to the identity of the murderer; **on annonce de ~s perturbations sur les lignes aériennes** there is a possibility of disruptions to airlines; **nous avons sélectionné de ~s candidats** we have selected some potential candidates; **tout est ~** anything is possible; **(ce n'est) pas ~**° (surprise) I don't believe it; (ironie) you're joking; **est-ce ~!** iron can this be possible?, did I hear you correctly?; **il m'attend? (c'est) ~, mais il...** he's waiting for me? maybe he is, but he...; **que vous ayez des ennuis cela est fort ~, mais...** I'm sure you do have problems, but...; **ce n'est pas ~ d'être aussi bête** how can anyone be so stupid?; **ce n'est pas ~, il pleut encore** I don't believe it, it's raining again!; **'tu vas acheter une voiture?'—'~'** 'are you going to buy a car?'—'maybe'
3 °(acceptable) **pas ~** impossible, awful; (croyable) **pas ~** unbelievable; **il a une femme pas ~** his wife is impossible *ou* awful; **il a un accent pas ~** he has an atrocious accent; **être d'une lenteur pas ~** to be awfully *ou* unbelievably slow; **être d'une bêtise pas ~** to be incredibly stupid; **il a une chance pas ~** he's incredibly *ou* unbelievably lucky
B *nm* **le ~** that which is possible; **rester dans le domaine du ~** to be within the realms of possibility; **faire (tout) son ~** to do one's best; **faire (tout) son ~ pour faire** to do everything in one's power to do; **je ferai mon ~ pour venir** I'll do my best to come; **elle est bête au ~**° she's as stupid as they come

post(-) /pɔst/ *préf* post(-); **postdoctoral** postdoctoral; **postféodal** postfeudal; **postfreudien** post-Freudian; **postromantique** post-Romantic

postal, **~e**, *mpl* **-aux** /pɔstal, o/ *adj* [*train, bateau, avion*] mail; [*fourgonnette, fourgon*] post office GB, mail US; [*services*] postal

postcure /pɔstkyʀ/ *nf* aftercare

postdater /pɔstdate/ [1] *vtr* to postdate

poste /pɔst/
A *nm* **1** (fonction) (dans une entreprise) position, job; (dans la fonction publique) post; **~ d'enseignement** Scol teaching post; Univ university teaching post; **un ~ de secrétaire/comptable** a position as a secretary/an accountant; **un ~ à** *or* **de responsabilité** a position of responsibility; **supprimer dix ~s** to cut ten jobs; **suppression de ~** job cut; **trois ~s vacants** *or* **à pourvoir** three vacancies; **être en ~ à Moscou/en Russie** [*diplomate*] to be posted to Moscow/to Russia; **2** Sport position; **3** (lieu) post; **~ (de travail)** work station; **être à son ~** to be at one's post; **4** (commissariat) **~ de police** police station; **5** Radio, TV (appareil) **~ de radio** radio (set); **~ de télévision** television (set); (station de radio) (radio) station; **~ émetteur** transmitter; **6** Télécom (appareil) (tele)phone; (ligne) extension; **numéro de ~** extension number; **pourrais-je avoir le ~ 426?** could I have extension 426?; **7** Entr, Ind (période de travail) shift; **les ouvriers se relaient par ~s de huit heures** the workers do eight-hour shifts; **8** Fin, Compta item; **9** Mil post; **l'abandon de ~** abandoning one's post; **~ d'écoute/d'observation/de commandement** listening/observation/command post; **~ de garde** *or* **police** guardhouse; **il est toujours fidèle au ~** you can always rely on him, you can count on him through thick and thin
B *nf* **1** Admin (bureau) post office; **la Poste** the Post Office; **la ~** (service) the post GB, the mail US; **envoyer par la ~** to send [sth] by post GB, to mail US; **mettre qch à la ~** to post sth GB, to put sth in the post GB, to mail sth US; **la ~ marche très bien** the postal service is very good; **la Poste recrute** there are vacancies for postal workers; **privatiser la ~** to privatize postal services; **fourgonnette de la ~** post office van GB, mail truck US; ▸ **lettre**; **2** Hist, Transp mail; **cheval de ~** post horse
(Composés) **~ aérienne** airmail; **~ d'aiguillage** Rail signal box; **~ budgétaire** budget item; **~ cellulaire** cellphone; **~ de contrôle** control centre[GB]; **~ de douane** customs post; **~ d'équipage** Naut crew's quarters (*pl*); **~ à essence** filling station, gas station US; **~ à galène** Radio crystal set; **~ d'incendie** fire hydrant; **~ de lavage** carwash; **~ de péage** toll booth; **~ de pilotage** Aviat flight deck; **~ restante** poste restante GB, general delivery US; **~ de secours** first-aid post GB *ou* station; **~ de soudure** *or* **à souder** welding equipment

posté, **~e** /pɔste/
A *pp* ▸ **poster¹**
B *pp adj* [*emploi, ouvrier*] shift (*épith*); **travail ~** shift work

poste-frontière, *pl* **postes-frontières** /pɔstfʀɔ̃tjɛʀ/ *nm* frontier post, customs post

poster¹ /pɔste/ [1]
A *vtr* **1** (expédier) to post GB, to mail US [*lettre, colis*]; **2** (placer) to post, to station [*soldat, garde, policier*]; to station [*complice*]; to put [sb] in place [*espion*]
B se poster *vpr* **se ~ devant** (debout) to station oneself in front of; (assis) to sit in front of

poster² /pɔstɛʀ/ *nm* (affiche) poster

postérieur, **~e** /pɔsteʀjœʀ/
A *adj* **1** (dans le temps) [*date*] later (*épith*); [*événement, œuvre*] subsequent; **un écrivain ~ à Flaubert** a writer who came after Flaubert; **cette invention est ~e à 1960** this invention dates from after 1960; **un événement ~ à la guerre** an event which took place after the war; **2** (dans l'espace) [*partie, section*] posterior; [*pattes*] hind (*épith*); **3** Phon back
B °*nm* behind°, posterior hum; **un coup de pied au ~** lit, fig a kick up the behind°

postérieurement /pɔsteʀjœʀmɑ̃/ *adv* subsequently; **~ à** after, subsequent to sout

postériorité /pɔsteʀjɔʀite/ *nf* posteriority

postérité /pɔsteʀite/ *nf* **1** (immortalité) posterity; **passer à** *or* **entrer dans la ~** [*nom, personne*] to go down in history; [*œuvre*] to become part of the cultural heritage; **2** (lignée) descendants (*pl*); **mourir sans ~** to die without issue; **il se situe dans la ~ de Balzac** he's part of the Balzac tradition

postface /pɔstfas/ *nf* postface

post-formation /pɔstfɔʀmasjɔ̃/ *nf* continuing training

postglaciaire /pɔstglasjɛʀ/ *adj, nm* postglacial

posthume /pɔstym/ *adj* posthumous

postiche /pɔstiʃ/
A *adj* **1** (faux) [*barbe*] false; [*sentiment*] fake; **2** Art (ajouté) [*ornement, vêtement*] postiche
B *nm* (de cheveux) hairpiece; (pour un chauve) toupee; (perruque) wig; (fausse moustache) false moustache GB *ou* mustache US; (fausse barbe) false beard

postier, **-ière** /pɔstje, ɛʀ/ ▸ **p. 532** *nm,f* postal worker

postillon /pɔstijɔ̃/ *nm* **1** (de salive) drop of saliva; **lancer des ~s** to spit (saliva); **2** ▸ **p. 532** (cocher) postillion

postillonner /pɔstijɔne/ [1] *vi* to spit (saliva)

postimpressionnisme /pɔstɛ̃pʀesjɔnism/ *nm* postimpressionism

postimpressionniste /pɔstɛ̃pʀesjɔnist/ *adj, nmf* postimpressionist

postindustriel, **-lelle** /pɔstɛ̃dystʀiɛl/ *adj* postindustrial

postménopause /pɔstmenɔpoz/ *nf* postmenopause

postmodernisme /pɔstmɔdɛʀnism/ *nm* postmodernism

postmoderniste /pɔstmɔdɛʀnist/ *adj, nmf* postmodernist

postnatal, **~e**, *mpl* **~s** *ou* **-aux** /pɔstnatal, o/ *adj* postnatal; **soins postnataux** postnatal care ¢; **allocation ~e** maternity allowance

postopératoire /pɔstɔpeʀatwaʀ/ *adj* postoperative

post-partum* /pɔstpaʀtɔm/ *nm inv* postpartum period

postposer /pɔstpoze/ [1] *vtr* to place [sth] after the verb [*sujet*]; to place [sth] after the noun [*adjectif*]; **sujet/adjectif postposé** postpositive subject/adjective

postposition /pɔstpozisjɔ̃/ *nf* postposition

postprandial, **~e**, *mpl* **-iaux** /pɔstpʀɑ̃djal, o/ *adj* postprandial

postproduction /pɔstpʀɔdyksjɔ̃/ *nf* Cin postproduction

postscolaire /pɔstskɔlɛʀ/ *adj* **enseignement ~** continuing education

post-scriptum* /pɔstskʀiptɔm/ *nm inv* postscript; **en ~ à** as a postscript to

postsynchronisation /pɔstsɛ̃kʀɔnizasjɔ̃/ *nf* dubbing

postsynchroniser /pɔstsɛ̃kʀɔnize/ [1] *vtr* to dub, to add the soundtrack to

post-transfusionnel, **-elle** /pɔsttʀɑ̃sfyzjɔnɛl/ *adj* post-transfusion

post-traumatique /pɔsttʀomatik/ *adj* post-traumatic

postulant, **~e** /pɔstylɑ̃, ɑ̃t/ *nm,f* **1** gén candidate (**à** for); **~ au titre mondial** contestant for the world title; **2** Relig postulant

postulat /pɔstyla/ *nm* gén premise; Math, Philos postulate; **~ de départ** gén basic premise; Philos postulate

postuler /pɔstyle/ [1]
A *vtr* **1** (solliciter) to apply for [*emploi*] (**auprès de** to); **2** (affirmer) to postulate; **~ que** to postulate that
B *vi* to apply (**à, pour** for)

postural, **~e**, *mpl* **-aux** /pɔstyʀal, o/ *adj* postural

posture /pɔstyʀ/ *nf* (pose) posture; (situation) position; **être en mauvaise ~** to be in a difficult position

pot /po/ *nm* **1** Art, Ind (récipient, contenu) gén container; (en verre) jar; (en plastique) carton, tub; (en faïence, terre) pot; (pichet) jug; **~ de verre** glass jar; **mettre qch en ~** to put [sth] into jars [*confiture, fruits*]; to pot [*plante*]; **plante en ~** potted plant; **~ de marmelade** jar of marmalade; **~ de yaourt** (en verre) jar of yoghurt; (en plastique) carton of yoghurt; **acheter un ~ de peinture** to buy a tin of paint; **garder les ~s de confiture** to save jam jars; **réutiliser les ~s de peinture** to re-use the paint tins; **il a fallu trois ~s de peinture** it took three tins of paint; ▸ **cuiller**; **2** (de chambre) pot; (de bébé) potty; **aller sur le ~** (ponctuellement) to go on the potty; **depuis un mois il va sur le ~** he's been potty-trained for a month now; **3** ○(boisson) drink; **prendre un ~** to have a drink; **4** ○(réunion) do○ GB, drinks party; **~ d'accueil/d'adieu** welcoming/farewell party; **5** ○(chance) luck; **elle n'a pas eu de ~** she hasn't had much luck; **avoir du ~** to be lucky; **avoir un coup de ~** to have a stroke of luck; **(par un) coup de ~, la porte était ouverte** as luck would have it, the door was open; **6** (argent commun) kitty; **ramasser le ~** Jeux to win the kitty
(Composés) **~ catalytique** Aut catalytic converter; **~ de chambre** chamber pot; **~ de colle** lit pot of glue; fig○ leech; **~ à eau** water jug GB, pitcher US; **~ d'échappement** (silencieux) silencer GB, muffler US; (système) exhaust; **~ de fleurs** flowerpot, plantpot; **~ à lait** (de table) milk jug GB, creamer; (de transport) milk can; **~ au noir** Naut dead calm zone; fig deathtrap; **~ à tabac** lit tobacco jar; fig○ potbellied person
(Idiomes) **payer les ~s cassés** to pick up the pieces; **c'est le ~ de terre contre le ~ de fer** it's an unequal contest; **ce sera à la fortune du ~** you'll have to take pot luck; **découvrir le ~ aux roses** to stumble on what's been going on; **être sourd comme un ~**○ to be as deaf as a post; **tourner autour du ~** to beat about the bush; **payer plein ~**○ to pay full price; **partir** *or* **démarrer plein ~**○ to be off *ou* go off like a shot○

potable /pɔtabl/ *adj* **1** (buvable) **eau ~** drinking water; **eau non ~** not drinking water; **2** ○(passable) decent; **il n'y a pas un seul film ~** there isn't a single decent film; **à peine ~** [*hôtel, film*] tolerable

potache○ /pɔtaʃ/ *nm* schoolboy

potage /pɔtaʒ/ *nm* soup

potager, **-ère** /pɔtaʒe, ɛʀ/
A *adj* [*plante, herbe, racine*] edible; **jardin ~** kitchen garden; **culture potagère** vegetable growing ¢
B *nm* kitchen garden

potasse /pɔtas/ *nf* potash
(Composés) **~ d'Alsace** Agric muriate of potash; **~ caustique** caustic potash

potasser○ /pɔtase/ [1]
A *vtr* to mug up○ GB, to bone up on○ US [*dossier, manuel*]; to swot up○ GB, to bone up on○ US [*matière, histoire*]
B *vi* to swot○ GB, to bone up○ US

potassique /pɔtasik/ *adj* potassium (*épith*)

potassium /pɔtasjɔm/ *nm* potassium

pot-au-feu /pɔtofø/ *nm inv* **1** (plat) pot-au-feu, boiled beef (*with vegetables*); **2** (viande) boiling beef

pot-de-vin, *pl* **pots-de-vin** /podvɛ̃/ *nm* bribe, backhander○ GB; **toucher des pots-de-vin** to take bribes

pote○ /pɔt/ *nm* mate○ GB, pal○ US

poteau, *pl* **~x** /pɔto/ *nm* **1** (grand piquet) post; (au football, rugby) goalpost; **~ de départ/d'arrivée** starting/finishing post; **coiffer qn au ~** lit, fig to overtake GB *ou* pass US sb at the finishing line; **les traîtres au ~!** death to the traitors!; **avoir des jambes comme des ~x**○ to have legs like tree trunks; **2** ◑(ami) mate○ GB, pal○ US
(Composés) **~ électrique** electricity pole (*supplying domestic power lines*); **~ d'exécution** execution post; **~ indicateur** signpost; **~ télégraphique** telegraph pole

potée /pɔte/ *nf*: *boiled meat with cabbage*

potelé, **~e** /pɔtle/ *adj* chubby

potelet /pɔtlɛ/ *nm* bollard

potence /pɔtɑ̃s/ *nf* **1** (gibet) gallows; (pendaison) gallows (*sg*); **il mérite la ~** he deserves to hang; **2** (équerre) bracket; **3** (bras de levage) jib; **~ pivotante** swing jib

potencé, **~e** /pɔtɑ̃se/ *adj* Hérald potent; **croix ~e** cross potent

potentat /pɔtɑ̃ta/ *nm* potentate

potentialité /pɔtɑ̃sjalite/ *nf* **1** (virtualité) potential; **2** (possibilité) potentiality

potentiel, **-ielle** /pɔtɑ̃sjɛl/
A *adj* potential
B *nm* **1** (possibilité) potential (**de** for); **~ de production** production capacity; **2** Ling (mode) potential mood; **3** Phys potential

potentiellement /pɔtɑ̃sjɛlmɑ̃/ *adv* potentially

potentille /pɔtɑ̃tij/ *nf* potentilla

potentiomètre /pɔtɑ̃sjɔmɛtʀ/ *nm* potentiometer

poterie /pɔtʀi/ *nf* **1** (production) pottery; **cours de ~** pottery class; **2** (produit) piece of pottery; **des ~s** pottery ¢; **une ~ de Picasso** a piece of pottery by Picasso; **les ~s de Picasso** Picasso's pottery; **3** (atelier) pottery

poterne /pɔtɛʀn/ *nf* postern

potiche /pɔtiʃ/ *nf* **1** (vase) vase; **2** (en politique) pej **n'être qu'une** *or* **faire figure de ~** to be a mere puppet; **être réduit au rôle de ~** to be reduced to the role of a puppet; **3** (en société) pej **être une ~** to look decorative

potier, **-ière** /pɔtje, ɛʀ/ ▸ **p. 532** *nm,f* potter

potin○ /pɔtɛ̃/ *nm* **1** (commérage) gossip ¢; **les derniers ~s** the latest gossip; **2** (tapage) din○ ¢; **faire du ~** to make a din○

potiner○ /pɔtine/ [1] *vi* to gossip

potion /posjɔ̃/ *nf* potion; **la ~ était amère** fig it was a bitter pill to swallow
(Composé) **~ magique** lit magic potion; fig magic formula

potiron /pɔtiʀɔ̃/ *nm* pumpkin GB, winter squash US

potlatch /pɔtlatʃ/ *nm* potlatch

pot-pourri, *pl* **pots-pourris*** /popuʀi/ *nm* **1** Mus medley; **2** (pour parfumer) pot-pourri

potron-minet /pɔtʀɔ̃minɛ/ *nm inv* **dès ~** at the crack of dawn

Pott /pɔt/ *npr* **mal de ~** Pott's disease

pou, *pl* **~x** /pu/ *nm* louse; **avoir des ~x** to have lice
(Composés) **~ de corps** body louse; **~ du pubis** crab louse; **~ de tête** headlouse
(Idiomes) **chercher des ~x**○ to nitpick○; **chercher des ~x dans la tête de qn**○ to find fault with sb; **être laid** *or* **moche**○ **comme un ~** to be as ugly as sin; **être vexé comme un ~**○ to be extremely offended

pouah○ /pwa/ *excl* ugh!, yuck!

poubelle /pubɛl/
A *nf* **1** (de cuisine, salle de bains) bin GB, trash can US; (d'extérieur) dustbin GB, garbage can US; **~ à pédale/à couvercle basculant** pedal/swing-top bin GB *ou* garbage can US; **mettre** *or* **jeter qch à la ~** to throw sth away; **sortir la ~** to take the rubbish out; **faire les ~s** to go through dustbins GB *ou* trash cans US; **2** (à grande échelle) dumping ground; **~ nucléaire** nuclear dumping ground; **la ville refuse d'être une ~** the town isn't prepared to become a mere dumping ground; **aller dans les ~s de l'histoire** to be consigned to the scrap heap of history
B **(-)poubelle** (*in compounds*) **plage(-)~** toxic beach

pouce /pus/
A *nm* **1** ▸ **p. 196** (de la main) thumb; (du pied) big toe; **se faire mal au ~** to hurt one's thumb; **2** ▸ **p. 498** (unité de mesure) inch; **ne pas progresser/céder d'un ~** not to move forward/give an inch; **ne pas bouger d'un ~** not to budge an inch
B *excl* schoolchildren's slang pax! GB, truce!
(Idiomes) **se tourner** *or* **rouler les ~s** to twiddle one's thumbs; **manger/déjeuner sur le ~** to have a quick bite to eat/to have a quick bite to eat at lunchtime; **mettre les ~s**○, **dire ~** to give up; **donner un coup de ~ à qn/à qch** (au départ) to help sb/sth get started; (pour relancer) to give sb/sth a boost

Poucet /pusɛ/ *npr* **le petit ~** Hop o'my Thumb

Pouchkine /puʃkin/ *npr* Pushkin

poudingue /pudɛ̃g/ *nm* pudding stone

poudre /pudʀ/ *nf* **1** gén powder; **réduire qch en ~** to grind sth to a powder; **2** Cosmét powder; **se mettre de la ~** to put on powder; **~ libre/compacte** loose/pressed powder; **3** (explosif) **~ (à canon)** gunpowder; **un baril de ~** a barrel of gunpowder
(Composés) **~ à éternuer** sneezing powder; **~ à laver** washing powder; **~ à lever** raising agent; **~ de perlimpinpin** hum magical cure; **~ à récurer** scouring powder; **~ de riz** Cosmét rice powder
(Idiomes) **mettre le feu aux ~s** to bring things to a head; **jeter de la ~ aux yeux** to try to impress; **c'est de la ~ aux yeux** it's all a front; **se répandre comme une traînée de ~** to spread like wildfire

poudrer /pudʀe/ [1]
A *vtr* to powder; **cheveux poudrés** powdered hair
B *vi* Can [*neige*] to drift
C **se poudrer** *vpr* to powder oneself; **se ~ le visage/le nez** to powder one's face/one's nose

poudrerie /pudʀəʀi/ *nf* **1** (d'explosifs) explosives factory; **2** Can (de neige) driven snow

poudreux, **-euse** /pudʀø, øz/
A *adj* [*neige*] powdery
B **poudreuse** *nf* (neige) powdery snow; **skier dans la poudreuse** to ski in the powdery snow

poudrier /pudʀije/ *nm* powder compact

poudrière /pudʀijɛʀ/ *nf* **1** (entrepôt) powder magazine; **2** fig time bomb

poudroiement /pudʀwamɑ̃/ *nm* liter shimmer

poudroyer /pudʀwaje/ [23] *vi* liter [*neige, route*] to shimmer

pouêt-pouêt /pwɛtpwɛt/ *nm inv* (*also onomat*) honk-honk

pouf /puf/
A *nm* **1** (siège) pouffe; **2** ◑(maison de prostitution) brothel; **3** (bruit) **faire ~** to fall with a soft thud
B *excl* oopsadaisy!

p

pour¹

pour + verbe

Lorsque *pour* sert à indiquer un but il se traduit généralement par *to* devant un verbe à l'infinitif:

sortir pour acheter un journal
= to go out to buy a newspaper

pour faire des meringues, il faut des œufs
= to make meringues, you need eggs

Il peut également se traduire par *in order to*, qui est plus soutenu:

pour mettre fin aux hostilités
= in order to put an end to hostilities

Quand *pour* est suivi d'une forme négative, il se traduira par *so as not to* ou *in order not to*:

pour ne pas oublier
= so as not to forget

pour ne pas rater le train
= so as not to miss the train
ou in order not to miss the train

Lorsque *pour* relie deux actions distinctes sans relation de cause à effet, il sera traduit par *and* et le verbe conjugué normalement:

elle s'endormit pour se réveiller deux heures plus tard
= she fell asleep and woke up two hours later

Quand la deuxième action n'est pas souhaitable ou qu'une notion de hasard malheureux est sous-entendue, on traduira par *only to*:

elle s'endormit pour se réveiller deux heures plus tard
= she fell asleep only to wake up two hours later

il partit à la guerre pour se faire tuer trois jours plus tard
= he went off to war only to be killed three days later

pour + nom ou pronom

Lorsque *pour* sert à indiquer la destination au sens large il se traduit généralement par *for*:

le train pour Pau
= the train for Pau

pour vendredi
= for Friday

il travaille pour elle
= he works for her

Lorsque *pour* signifie *en ce qui concerne*, il se traduira le plus souvent par *about*:

tu te renseignes pour une assurance voiture?
= will you find out about car insurance?

tu te renseignes pour samedi?
= will you find out about Saturday?

Attention:
pour placé en début de phrase se traduira par *as regards*:

pour l'argent, rien n'est décidé
= as regards the money, nothing has been decided
ou nothing has been decided about the money

Lorsque *pour* signifie *comme*, il se traduit souvent par *as*:

je l'ai eu pour professeur
= I had him as a teacher

Attention à la présence de l'article en anglais.

Lorsque *pour* relie un terme redoublé, il se traduit parfois par *for*:

mot pour mot
= word for word

Mais ce n'est pas toujours le cas:

jour pour jour
= to the day

On se reportera au nom dans le dictionnaire.

On trouvera dans l'entrée exemples supplémentaires et exceptions.

---

pouffer /pufe/ [1] *vi* ~ **(de rire)** (une fois) to burst out laughing; (continuellement) to be in stitches○

pouf(f)iasse◑ /pufjas/ *nf* slut◑

Pouilles /puj/ ▸ **p. 721** *nprfpl* Apulia (*sg*)

pouilleux, -euse /pujø, øz/
A *adj* **1** ○(sale) seedy; **2** (couvert de poux) flea-ridden
B *nm,f* seedy character; **bande de** ~ scruffy lot

pouillot /pujo/ *nm* warbler
(Composés) ~ **siffleur** wood warbler; ~ **véloce** chiffchaff

poujadisme /puʒadism/ *nm* Poujadism (*right-wing movement of the 1950s*)

poulaga◑ /pulaga/ *nm* cop○; **la maison Poulaga** the cop shop○

poulailler /pulaje/ *nm* **1** Agric (abri) henhouse; (enclos) hen run; (oiseaux) hens (*pl*); **2** ○Théât (lieu) **le** ~ the Gods (*pl*) GB, the gallery; (spectateurs) the audience in the Gods (*pl*) GB, the gallery

poulain /pulɛ̃/ *nm* **1** Zool colt; (très jeune) foal; **2** (débutant) protégé

poulaine /pulɛn/ *nf* **1** (chaussure) piked shoe; **2** Naut (ship's) head

poularde /pulaʀd/ *nf* fattened chicken

poulbot /pulbo/ *nm* (street) urchin

poule /pul/ *nf* **1** Zool hen; ▸ **poussin**; **2** Culin boiling fowl; **3** ◑(compagne) **sa** ~ his woman○; **4** ○(terme d'affection) **ma** ~ my pet○, honey US; **5** ◑(prostituée) hooker◑, whore; **une** ~ **de luxe** a high-class hooker◑; **6** Sport (groupe d'adversaires) group; (tournoi) tournament; **7** Jeux pool, kitty
(Composés) ~ **de bruyère** greyhen GB, grayhen US; ~ **d'eau** moorhen; ~ **d'essai** Turf race for three-year olds; ~ **faisane** hen pheasant; ~ **mouillée**○ pej wimp○ péj; ~ **naine** bantam; ~ **pondeuse** laying hen; ~ **au pot** Culin chicken casserole
(Idiomes) **quand les** ~**s auront des dents** when pigs fly; **se coucher avec les** ~**s** to go to bed early; **se lever avec les** ~**s** to get up with the lark; **être comme une** ~ **qui a trouvé un couteau** to be completely nonplussed; **tuer la** ~ **pour avoir l'œuf, tuer la** ~ **aux œufs d'or** to kill the goose that lays the golden egg

poulet /pulɛ/ *nm* **1** Zool, Culin chicken; **2** ◑(policier) cop○; **3** ○(terme d'affection) **mon** ~ my pet○, honey US; **4** †(lettre) billet-doux†
(Composés) ~ **d'élevage** ≈ battery chicken; ~ **fermier** ≈ free-range chicken; ~ **de grain** corn-fed chicken
(Idiome) **et mon cul, c'est du** ~◑**?** you're pulling my leg○!

poulette /pulɛt/ *nf* **1** Zool young hen; Culin pullet; **sauce** ~ white sauce (*containing egg and lemon juice*); **2** ○(fille) bird○ GB, chick○ US; **ma** ~ (terme d'affection) my pet○, honey US

pouliche /puliʃ/ *nf* filly

poulie /puli/ *nf* pulley; ~ **étagée** stepped pulley; ~ **de tension** idler

pouliner /puline/ [1] *vi* to foal

poulinière /pulinjɛʀ/ *adj f* **jument** ~ brood mare

pouliot /puljo/ *nm* **(menthe)** ~ pennyroyal

poulpe /pulp/ *nm* octopus

pouls /pu/ *nm inv* Méd, Physiol pulse; **prendre/tâter le** ~ **de qn** lit to take/to feel sb's pulse; fig to sound sb out

poumon /pumɔ̃/ *nm* ▸ **p. 196** Anat lung; **à pleins** ~**s** [*crier*] at the top of one's voice; [*aspirer*] deeply; **avoir du** ~ to have a good pair of lungs; **les forêts sont le** ~ **de la terre** forests are the lungs of the earth
(Composé) ~ **d'acier** *or* **artificiel** iron lung
(Idiome) **cracher ses** ~**s**◑ to cough one's lungs up

poupard† /pupaʀ/ *nm* chubby baby

poupe /pup/ *nf* stern; **avoir le vent en** ~ lit, fig to have the wind in one's sails

poupée /pupe/ ▸ **p. 469** *nf* **1** (jouet) doll; **jouer à la** ~ to play dolls; **avoir un visage de** ~ to have a doll-like face; ~ **de chiffon/de cire** rag/wax doll; **2** ○(forme d'adresse) poppet GB, toots○ US; **3** ○(pansement) finger bandage
(Composés) ~ **de cabestan** capstan drum; ~ **fixe** (de tour) headstock; ~ **gonflable** inflatable doll; ~ **du loess** loess doll; ~ **mannequin** Barbie® doll; ~ **mobile** (de tour) tailstock; ~ **régionale** doll in traditional dress; ~ **de son** rag doll; ~**s gigognes** *or* **russes** set (*sg*) of Russian dolls
(Idiome) **être une vraie** ~ to be really cute

poupin, ~e /pupɛ̃, in/ *adj* chubby

poupon /pupɔ̃/ *nm* (bébé) tiny baby; (jouet) baby doll

pouponner○ /pupɔne/ [1] *vi* **1** (s'occuper d'un bébé) [*homme*] to play the doting father; [*femme*] to play the doting mother; [*couple*] to play the doting parents; **2** (être enceinte) to be pregnant

pouponnière /pupɔnjɛʀ/ *nf* children's home (*for under-threes*)

pour¹ /puʀ/ *prép* **1** (indiquant le but) to; ~ **cela, il faudra faire** to do that, you'll have to do; ~ **bien faire il faudrait partir tôt** to be really sure we should leave early; **c'était** ~ **rire** *or* **plaisanter** it was a joke; **il est seul mais il a tout fait** ~○ he's on his own, but it's entirely his own doing; ~ **que** so that; **que faire** ~ **qu'elle comprenne?** how can we get her to understand?; ~ **ainsi dire** so to speak; **quelque chose** ~ **le mal de tête/le rhume** something for headaches/colds; **c'est fait** *or* **étudié** ~○**!** (c'est sa fonction) that's what it's for; **bien sûr tu peux en manger, c'est fait** ~**!** of course you can eat some, that's what it's there for! **2** (indiquant une destination) for; **le train** ~ **Paris** (prêt à partir) the train for Paris; (plus général) the train to Paris; **l'avion** ~ **Paris** the Paris plane, the plane to Paris; **c'est le train** ~ **où?** where does this train go?; **il faut une heure pour Oloron** it's an hour to Oloron **3** (en ce qui concerne) **j'ai choisi le sujet d'étude mais** ~ **l'université je ne sais pas encore** I've decided on my subject but as regards the university I'm not sure yet *ou* but I'm not sure about the university yet; **c'est bien payé mais** ~ **la sécurité de l'emploi...** the pay is good but as regards job security *ou* as far as job security goes...; **oui, c'est** ~ **quoi?** yes, what is it?; (plus poli) yes, what can I do for you?; ~ **moi, il a tort** as far as I am concerned, he's wrong; **qu'est-il** ~ **toi, un ami?** how do you see him? as a friend? **4** (en faveur de) for; **voter** ~ **un candidat** to vote for a candidate; **120 voix** ~ **et 95 contre** 120 votes for and 95 against; **c'est** ~ **la recherche contre le cancer** it's for *ou* in aid of cancer research; **je suis ~**○ I'm in favour[GB]; **être ~ qch/faire qch** gén to be in favour[GB] of sth/doing sth; **je suis ~ que Catherine reste** I'm in favour[GB] of Catherine staying; **je suis ~ les Verts** I'm for the ecologists; **je suis ~ Paris** Sport I support Paris

5 (avec une indication de temps) for; **ce sera prêt ~ vendredi?** will it be ready for *ou* by Friday?; **~ plus tard/aujourd'hui** for later/today; **~ toujours** forever; **~ le moment** *or* **l'instant** for the moment, for the time being; **le bébé/le baptême c'est ~ quand?** when is the baby due/the christening?

6 (comme) **elle a ~ ambition d'être pilote** her ambition is to be a pilot; **elle a ~ principe de ne jamais emprunter de l'argent** it's a rule with her *ou* it's one of her principles never to borrow money; **ils ont ~ habitude de déjeuner tard** they usually have a late lunch; **n'avoir ~ toute arme qu'un bâton** to be armed only with a stick; **il n'avait qu'un pantalon ~ tout vêtement** he was wearing nothing but a pair of trousers GB *ou* pants US

7 (à la place de) for; **écrire qch ~ qch** to write sth instead of sth; **je l'ai pris ~ plus bête qu'il n'est** I thought he was more stupid than he really is; **je suis ici ~ ma collègue** I'm here in place of my colleague

8 (à son avantage) **elle avait ~ elle de savoir écouter/la patience** she had the merit of being a good listener/being patient

9 (introduisant une concession) **~ intelligent qu'il soit** intelligent though he may be; **'il te parlera du Japon'—'~ ce que ça m'intéresse!'** 'he'll talk to you about Japan'—'I can't say I'm very interested'; **~ peu qu' il y ait du monde sur la route nous serons en retard** there only has to be a bit of traffic and we'll be late; **~ autant que je sache** as far as I know

10 (marquant l'emphase) **~ être intelligente, ça elle l'est!** she really is intelligent!, intelligent she certainly is!

11 (indiquant une quantité) **j'ai mis ~ 50 euros d'essence** I've put in 50 euros' worth of petrol GB *ou* gas US; **merci ~ tout** thank you for everything; **pleurer ~ un rien** to cry over nothing; **s'inquiéter ~ un rien** to fret about nothing; **je n'y suis ~ rien** I had nothing to do with it; **ne t'inquiète pas ~ si peu** don't worry about a little thing like that; **tu y es bien ~ quelque chose si elle est malheureuse** if she's miserable, it has certainly got something to do with you; **il y est ~ beaucoup si elle est malheureuse** if she's miserable, he's largely to blame; **elle y est ~ beaucoup s'il a réussi** if he has succeeded a lot of the credit should go to her; **je n'en ai pas ~ longtemps** it won't take long; **il n'en a plus ~ longtemps** (mourant) he doesn't have long to live; **j'en ai encore ~ deux heures** it'll take another two hours; **j'en ai ~ une minute** it'll only take a minute

12 (indiquant une cause) for; **se battre ~ une femme** to fight over a woman; **être battu ~ avoir menti** to be beaten for lying; ▸ **oui**

13 (introduisant une proportion) **dix ~ cent** ten per cent; **~ 250 employés, seulement 28 sont des femmes** out of 250 employees only 28 are female; **une cuillère de vinaigre ~ quatre d'huile** one spoonful of vinegar to four of oil; **~ une large part** to a large extent

pour² /puʀ/ *nm* **le ~ et le contre** pros and cons (*pl*)

pourboire /puʀbwaʀ/ *nm* tip; **donner un ~ à qn** to tip sb; **être payé au ~** to be on tips only

pourceau, *pl* **~x** /puʀso/ *nm* 1 (cochon) swine; ▸ **confiture**, **perle**; 2 (homme) pej swine péj

pourcentage /puʀsɑ̃taʒ/ *nm* 1 Math, Stat percentage; 2 (rémunération) commission; **payer qn au ~** to pay sb by commission; **être au ~** to be on commission; 3 (profit illicite) pej cut○; **prendre un ~** to take one's cut (**sur** of); **la pratique des ~s** the practice of taking cuts

pourchasser /puʀʃase/ [1] *vtr* 1 (traquer) to hunt [*animal, criminel*]; 2 (harceler, faire des avances) to pursue

pourfendeur, **-euse** /puʀfɑ̃dœʀ, øz/ *nm,f* (de fraudes, d'injustices) scourge

pourfendre /puʀfɑ̃dʀ/ [6] *vtr* 1 (dénoncer) to lambast, to castigate sout; 2 (tuer) liter to cleave [sb] in two littér

pourlécher: **se pourlécher** *vpr* /puʀleʃe/ [14] **se ~ (les babines**○**)** to lick *ou* smack one's lips

pourparlers /puʀpaʀle/ *nmpl* talks (**entre** between); **entrer en ~ avec qn** to start talks with sb; **ouvrir des ~** to start talks; **dès l'ouverture des ~** (right) from the start of the talks; **~ de paix** peace talks; **être en ~** [*personnes*] to be engaged in talks; [*affaire*] to be under discussion

pourpier /puʀpje/ *nm* purslane

pourpoint /puʀpwɛ̃/ *nm* Hist doublet; (matelassé) pourpoint

pourpre /puʀpʀ/ ▸ **p. 202**
A *adj* crimson
B *nm* 1 (couleur) crimson; 2 Zool murex; 3 Hérald purpure
C *nf* (colorant) Tyrian purple; (étoffe, dignité) purple

(Composés) **~ impériale** Hist imperial purple; **~ rétinien** Anat visual purple

pourpré, **~e** /puʀpʀe/ ▸ **p. 202** *adj* crimson; **ciel ~** sky tinged with crimson

pourquoi¹ /puʀkwa/
A *adv, conj* 1 (dans une interrogation directe) why?; **~ est-ce qu'il répète toujours la même chose?** why does he keep repeating the same thing?; **~ ce livre?** why this book?; **dis ~ tu t'en vas sans moi?** why are you going without me?; **~ ça?** why?; **~ donc?** but why?; **~ pas** *or* **non?** why not?; **~ pas un week-end à Paris?** what *ou* how about a weekend in Paris?; **~ moi?** why me?; **~ des cris?** why all the shouting?; **~ je ris?** why am I laughing?; **~ cette prudence/tant de mystère?** why so cautious/so mysterious?; **~ est-ce que je ne t'ai pas vu?** why didn't I see you?; **~ ne pas imaginer un système différent?** why not imagine a different system?; **~ ne pas l'avoir fait plus tôt?** why didn't you/we etc do it before?; **~ as-tu décidé de partir?** why have you decided to leave?; **~ s'en priver?** why deny yourself?; 2 (dans une interrogation indirecte) why; **dis-moi ~ tu pleures** tell me why you are crying; **sans savoir ~** without knowing why; **sans savoir (ni) ~ ni comment** without knowing how or why; **va donc savoir ~!** God knows!
B **c'est pourquoi** *loc adv* that's why; **il semble que vous n'avez pas reçu ma première lettre, c'est ~ je vous adresse ci-joint une photocopie** it appears that you didn't receive my first letter, so I enclose a photocopy

pourquoi² /puʀkwa/ *nm inv* **le ~ et le comment** the why and the wherefore; **quel est le ~ de toute cette agitation?** what is the reason for all this disturbance?; **nous ne pouvons répondre à tous les ~** we cannot go into all the whys and wherefores

pourri, **~e** /puʀi/
A *pp* ▸ **pourrir**
B *pp adj* 1 (avarié) [*aliment*] rotten; [*végétal*] decayed, rotting; ▸ **engueuler**; 2 (décomposé) [*bois*] rotten; [*mur, roche*] rotten, crumbling; 3 ○(mauvais) [*temps, climat, été*] rotten○, dismal; 4 ○(de mauvaise qualité) [*appareil, objet, véhicule, système*] rotten○, lousy○; 5 (déplaisant) [*lieu, quartier, coin*] awful; 6 ○(corrompu) [*personne, mentalité*] crooked○, corrupt; [*société*] corrupt, rotten○; [*magistrat, policier*] crooked○, bent○; 7 ○(gâté) [*enfant*] spoiled rotten○ (*jamais épith*), spoiled; **être ~ de fric**○ to be filthy○ rich
C *nm* (pourriture) rotten part; **ça sent le ~** it smells rotten
D ◑*nm,f* swine◑

(Idiome) **être ~ jusqu'à l'os** to be rotten to the core

pourriel /puʀjɛl/ *nm* Ordinat spam

pourrir /puʀiʀ/ [3]
A *vtr* 1 (faire se décomposer) [*eau, humidité*] to rot [*bois*]; 2 (corrompre) [*luxe, succès*] to spoil [*personne*]; 3 ○(gâter excessivement) to spoil [sb] rotten○ [*enfant*]
B *vi* 1 (s'abîmer) [*œuf, viande*] to go bad *ou* off GB; [*fruit*] to go bad, to rot; 2 (se décomposer) to rot; 3 fig (végéter) to rot; **~ en prison** to rot in prison; 4 fig (se dégrader) [*situation, grève*] to deteriorate; **laisser ~ la situation** to let the situation deteriorate

pourrissement /puʀismɑ̃/ *nm* (de situation, conflit) deterioration

pourriture /puʀityʀ/ *nf* 1 (décomposition) rot, decay; 2 (corruption) corruption, rottenness; 3 ◑(personne) pej swine◑; 4 Agric, Bot rot

(Composés) **~ grise** Agric grey mould GB, gray mold US; **~ noble** Vin noble rot

poursuite /puʀsɥit/ *nf* 1 (action de poursuivre) pursuit (**de** of); **se lancer à la ~ de qn** to set off in pursuit of sb; **être à la ~ de** to be in pursuit of [*bonheur, idéal, passé*]; 2 (chasse) chase; **une ~ en hélicoptère** a helicopter chase; **une folle ~** a wild chase; 3 (continuation) continuation; **la ~ d'un dialogue/d'une politique/des conflits** the continuation of a dialogue[GB]/of a policy/of fighting; 4 Sport (en cyclisme) pursuit; 5 Jur **~ (judiciaire)** (judicial) proceedings (*pl*); **engager** *or* **intenter des ~s contre qn** to take proceedings against sb; **abandonner les ~s** to drop the charges; 6 Astronaut tracking; **dispositif de ~** tracking device

(Composé) **~ disciplinaire** disciplinary action

poursuiteur, **-euse** /puʀsɥitœʀ, øz/ *nm,f* Sport pursuit cyclist

poursuivant, **~e** /puʀsɥivɑ̃, ɑ̃t/ *nm,f* 1 (personne qui poursuit) pursuer; **échapper à ses ~s** to escape one's pursuers; 2 Jur (personne qui exerce des poursuites) plaintiff

poursuivre /puʀsɥivʀ/ [62]
A *vtr* 1 (traquer) to chase [*animal, personne, voiture*]; **~ qn en voiture** to chase sb in a car; **qu'est-ce que tu fais là? mais tu me poursuis!** what are you doing here? are you following me?; 2 (harceler) [*personne*] to hound [*personne*]; [*cauchemar, rêve*] to haunt [*personne*]; **~ qn de sa haine/rancune** to be consumed by hatred/resentment toward(s) sb; **~ qn de ses assiduités** liter to force one's attentions on sb; **la malchance le poursuit, il est poursuivi par la malchance** he's dogged by misfortune; **cette histoire de vol m'a longtemps poursuivie** that stealing business dogged me for a long time; **le remords le poursuit** he's haunted by feelings of remorse; 3 (rechercher) to seek (after) [*honneurs, vérité*]; to pursue [*but*]; 4 (continuer) to continue [*marche, voyage, chemin*]; to pursue [*négociations, travaux, réflexion, objectif, tâche*]; to continue [*efforts, activité, tentative, conflit*]; **~ une enquête policière** to proceed with a police enquiry; **~ la modernisation de qch** to continue modernizing sth; **~ des** *or* **ses études** to continue studying *ou* one's studies; **~ une carrière politique/scientifique** to pursue a political career/a career in science; 5 Jur **~ qn (en justice** *or* **devant les tribunaux)** (en droit civil) to sue sb; (en droit pénal) to take sb to court
B *vi* 1 (continuer) [*personne*] to continue; **poursuivez, nous vous écoutons** please continue, we're listening; **~ sur un sujet** to continue talking on a subject; 2 (persévérer) **'en progrès, poursuivez'** (sur un bulletin scolaire) 'good progress, keep it up'
C **se poursuivre** *vpr* 1 (continuer) [*négociations, tendance, conflit, voyage, réformes*] to continue; **les combats se sont poursuivis dans la nuit** fighting continued into the night; 2 (l'un l'autre) [*enfants, adultes*] to chase (after) each other

P

pourtant /puʀtɑ̃/ *adv* though; **et ~** and yet; **c'était ~ une bonne idée** and yet it was a good idea, it was a good idea though; **c'est ~ vrai** it's true though, it's true all the same; **inimaginable et ~ vrai** inconceivable yet true, inconceivable but true nevertheless; **il faudra ~ le leur dire** they'll have to be told though; **il n'est ~ pas bête** and yet he's not stupid; **ce n'est ~ pas difficile!** (and yet) it's not so difficult!; **~ il avait tout pour réussir** and yet he had everything going for him; **il avait travaillé dur et ~ il a échoué** he worked hard and yet *ou* even so he failed; **tout avait ~ bien commencé** and yet everything had got off to a good start; **des prévisions optimistes et ~ réalistes** optimistic yet realistic forecasts, forecasts which are optimistic but nevertheless realistic; **techniquement ~, le film est parfait** technically, however, the film is perfect; **techniquement, le film est ~ parfait** the film is nevertheless technically perfect; **il a été critiqué par Paul, ~ un ami de longue date** he was criticized by Paul, though *ou* and yet he was an old friend

pourtour /puʀtuʀ/ *nm* **1** (bords extérieurs) perimeter; (de cercle) circumference; **2** (région avoisinante) surrounding area; **plantes cultivées sur le ~ de la Méditerranée** plants cultivated in the areas surrounding the Mediterranean

pourvoi /puʀvwa/ *nm* appeal; **~ en cassation** appeal to the court of cassation; **~ en révision** appeal on new evidence; **~ pour vice de forme** appeal on grounds of procedural error; **~ en grâce** petition for mercy

pourvoir /puʀvwaʀ/ [40]
A *vtr* **1** (attribuer) to fill [*poste, emploi, place, siège*]; **siège/poste à ~** available seat/position; **être à ~** [*poste, bourse, siège*] to be available; **2** (doter) **~ qn de** to endow sb with [*qualité, trait, ressources*]; **~ une région en ressources** to provide a region with resources; **~ une maison en équipement** to fit out a house; **bien pourvu** (financièrement) well-off; (physiquement) well-endowed; **être pourvu de diplômes** to hold qualifications
B **pourvoir à** *vtr ind* (assurer) to provide for [*besoin, dépense, sécurité, remplacement*]; **j'y pourvoirai** I'll see to it; **Dieu y pourvoira** God will provide
C **se pourvoir** *vpr* **1** (se munir) **se ~ de** to provide oneself with [*monnaie*]; to equip oneself with [*véhicule, bottes*]; **je m'étais pourvu de mon passeport et de mon billet d'avion** I had armed myself with my passport and my plane ticket; **2** Jur (faire appel) **se ~ en** *or* **devant** to appeal to; **se ~ en cassation** *or* **devant la Cour de cassation** to appeal to the Court of cassation

pourvoyeur, **-euse** /puʀvwajœʀ, øz/ *nm,f* **1** (source) **~ de** source of [*emplois, matière première, fonds*]; **grand ~** major source; **2** (fournisseur) **~ de** purveyor of [*capital, spectacle*]; **~ de drogue** drug dealer; **~ de ragots** gossipmonger

pourvu: **pourvu que** /puʀvyk(ə)/ *loc conj* **1** (à condition que) provided (that), as long as; **2** (dans une phrase exclamative) let's hope; **~ qu'il fasse beau dimanche!** let's hope it'll be fine on Sunday!; **~ qu'il ne neige pas!** let's hope it doesn't snow!; **~ que ça dure!** let's hope it lasts!

poussah /pusa/ *nm* **1** (jouet) tumbler; **2** (homme) pej fatty péj

pousse /pus/ *nf* **1** (rejet) Bot shoot; fig offshoot; **2** (croissance) growth; **la ~ des ongles/cheveux** nail/hair growth; **3** Bot (apparition) **la ~ des bourgeons/feuilles** the sprouting of buds/leaves; **4** Vét heaves (+ *v sg*)
(Composé) **~s de bambou** Culin bamboo shoots

poussé, **~e** /puse/
A *pp* ▸ **pousser**
B *pp adj* **1** (de haut niveau) [*étude, enquête*] thorough, exhaustive; [*formation, études, technologie*] advanced; **interrogatoire ~** grilling; **2** (exagéré) **être un peu ~** [*plaisanterie*] to go a bit too far; [*comparaison, conclusion*] to be a bit forced; **3** Aut [*moteur*] modified, souped up○
C **poussée** *nf* **1** (pression, poids) (d'eau, de foule) pressure; (de vent) force; Constr, Géol, Mécan (force) thrust; **~e latérale** Mécan lateral thrust; **~e verticale de l'eau** Phys buoyancy in water; **sous la ~e de** lit beneath the pressure of; fig under the pressure of, under pressure from; **2** (bourrade) push, shove; Mil (avancée) thrust; **d'une ~e** with a push *ou* shove; **renverser/écarter qch d'une ~e** to push sth over/aside; **résister aux ~es de l'ennemi** to withstand enemy pressure; **3** Méd (accès) attack (**de** of); **~e de fièvre** sudden high temperature; **~e d'urticaire** rash; **4** (augmentation) (de prix) (sharp) rise *ou* increase (**de** in); (de racisme, violence, nationalisme) upsurge (**de** of); **~e démographique** rise in population; **la ~e du vote vert** the greens' increased share of the vote; **~e inflationniste** inflationary trend
(Composés) **~e radiculaire** Bot root pressure; **~e des terres** Constr earth pressure

pousse-café* /puskafe/ *nm inv* (after-dinner) liqueur

poussée ▸ **poussé B, C**

pousse-pousse* /puspus/ *nm inv* **1** (taxi) rickshaw; **2** (manège) swing boat

pousser /puse/ [1]
A *vtr* **1** (déplacer) to push [*brouette, vélo, meuble, personne*]; (écarter ce qui gêne) to move, to shift, to push [sth] aside [*objet*]; **tu m'as poussé!** you pushed me!; **~ une voiture en panne** to push a broken-down car; **~ le lit contre le mur/vers la gauche** to push the bed (up) against the wall/over to the left; **~ une porte** (pour la fermer) to push a door to; (pour l'ouvrir) to push a door open; **~ un verrou** to push *ou* slide a bolt home; **peux-tu ~ ta voiture? elle gêne** can you move your car? it's in the way; **pousse tes fesses**◑**!** shove over○!; **le vent pousse les nuages vers l'est** the wind is blowing *ou* pushing the clouds in an easterly direction; **le vent poussait le bateau vers la côte** the wind was driving the boat toward(s) the shore; **~ les enfants vers la sortie** to hustle the children toward(s) the exit; **~ un ballon du pied** (l'écarter) to kick a ball out of the way; (le faire avancer) to kick a ball along; **~ qn du coude** to give sb a dig *ou* to nudge sb with one's elbow; ▸ **bouchon**, **ortie**
2 (entraîner) **c'est la jalousie/l'ambition qui le pousse** he's driven by jealousy/ambition; **poussé par la pitié** stirred by pity; **poussé par le désir de les aider** prompted by a desire to help them; **c'est sa femme qui le pousse à boire** it's his wife who drives him to drink; **~ qn à faire qch** (encourager) to encourage sb to do sth; (vivement) to urge sb to do sth; (contraindre) [*faim, désespoir, haine*] to drive sb to do sth; **~ qn à la dépense** to encourage sb to spend more money; **~ à la consommation** to encourage people to buy more; (au bar) to encourage people to drink more; **son professeur le pousse (à s'orienter) vers la biologie** his teacher is encouraging him to do biology; **mes amis me poussent à accepter** my friends are urging me to accept; **~ qn au désespoir/suicide** to drive sb to despair/suicide; **c'est ce qui m'a poussé vers l'enseignement/à écrire cette lettre** that's what made me take up teaching/write this letter; **elle ne voulait pas vendre, on l'y a poussée** she didn't want to sell, she was pushed into it; **tout me pousse à croire que** everything leads me to believe that; **il n'a pas fallu le ~ beaucoup pour qu'il parle** he didn't need much prompting to talk
3 (faire travailler plus) to push [*élève*]; to keep [sb] at it [*employé*]; to ride [sth] hard [*monture*]; to drive [sth] hard [*voiture*]; to flog○ [*moteur*]; **on ne pousse pas assez les élèves** pupils are not pushed hard enough; **~ les feux** to stoke up
4 (promouvoir) to push [*produit, protégé*]
5 (porter plus avant) to pursue [*recherches, études, raisonnement*]; **si l'on pousse plus loin cette logique** if we pursue this line of reasoning (further); **c'est ~ un peu loin la modestie/la plaisanterie** that's carrying *ou* taking modesty/the joke a bit far; **~ le perfectionnisme à l'extrême** to be too much of a perfectionist; **~ le courage jusqu'à la folie** to be insanely brave; **~ la bêtise/l'abnégation/la prudence jusqu'à faire** to be stupid/self-denying/cautious enough to do; **~ son effort jusqu'aux limites de l'endurance** to push oneself to the limit
6 (émettre) to let out [*cri*]; to heave [*soupir*]; **~ un hurlement/miaulement/rugissement** to howl/miaow/roar; **~ une gueulante**○ to yell and scream○; **~ la chansonnette** *or* **romance**, **en ~ une**○ to sing a song
B *vi* **1** (croître) [*enfant, plante, barbe, ongle*] to grow; (apparaître) [*plante*] to sprout; [*dent*] to come through; fig [*immeuble, ville*] to spring up; **l'arbre a poussé de 50 cm** the tree has grown 50 cm; **les radis commencent à ~** the radishes are coming up *ou* sprouting; **sa première dent pousse** his/her first tooth is coming through, he's/she's cutting his/her first tooth; **les villes nouvelles ont poussé comme des champignons** new towns have sprung up like mushrooms; **je fais ~ des légumes** I grow vegetables; **ça fait ~ le gazon/les cheveux** it makes the grass/your hair grow; **se laisser** *or* **se faire ~ les cheveux** to grow one's hair; **se laisser** *or* **se faire ~ la barbe/moustache** to grow a beard/moustache GB *ou* mustache US; **et le bébé, ça pousse**○**?** how's your baby doing?; ▸ **aile**
2 (aller) **~ plus loin/jusqu'à la ville** to go on further/as far as the town; **on a poussé jusqu'au village suivant** we carried on as far as the next village
3 (pour accoucher, aller à la selle) to push
4 (faire pression) **le juge a poussé pour qu'on les acquitte** the judge pressed the jury for an acquittal
5 ○(exagérer) to overdo it, to go too far; **tu ne crois pas que tu pousses un peu?** don't you think you're overdoing it?; **cinq euros pièce, faut pas ~**○**!** five euros each, that's a bit steep○!
C **se pousser** *vpr* **1** (pour faire de la place) to move over
2 ○(pour réussir) to try to get on in life
(Idiomes) **à la va comme je te pousse** any old how; **se ~ du col**○ to push oneself forward, to be pushy; **~ qn au cul**● *or* **aux fesses**○ to give sb a kick up the backside○

poussette /pusɛt/ *nf* **1** (de bébé) pushchair GB, stroller US; **2** (à provisions) shopping trolley GB, cart US; **3** ○Sport little push (*when cheating in a cycle race*)

poussette-canne, *pl* **poussettes-cannes** /pusɛtkan/ *nf* buggy (*with umbrella fold action*)

pousseur /pusœʀ/ *nm* **1** Aviat booster; **2** Naut pusher tug

poussier /pusje/ *nm* coal dust

poussière /pusjɛʀ/ *nf* **1** (poudre) dust; **nuage/grain de ~** cloud/speck of dust; **~ d'or/d'amiante** gold/asbestos dust; **~ interstellaire/radioactive** cosmic/radioactive dust; **réduire en ~** to reduce to dust; **tomber en ~** lit to crumble away; fig to fall to bits; **~ d'étoiles** stardust; **2** (grain) speck of dust
(Idiomes) **10 euros/20 ans et des ~s** just over 10 euros/20 years; **mordre la ~** to bite the dust

poussiéreux, **-euse** /pusjeʀø, øz/ *adj* **1** lit [*local, chaussures, route*] dusty; **2** fig pej [*idée, bureaucratie*] outdated, fossilized

poussif, **-ive** /pusif, iv/ *adj* **1** [*personne, véhicule*] wheezy; [*cheval*] broken-winded; **2** [*allure*] labouring[GB]; **une vieille voiture à**

l'allure poussive an old car that wheezes along; 3 [récit] laboured[GB]

poussin /pusɛ̃/ nm 1 Zool chick; 2 Culin poussin GB, spring chicken; 3 ○(terme d'affection) **mon ~** my poppet○ GB, honey(bunch)○ US; 4 Sport player under the age of 11; **les ~s** the under-elevens

(Idiome) **une poule n'y retrouverait pas ses ~s** it's a real mess

poussine /pusin/ nf Sport girl under the age of 11; **les ~s** the under-elevens

poussivement /pusivmɑ̃/ adv wheezily

poussoir /puswaʀ/ nm 1 (bouton) (push) button; 2 Mécan pushrod, tappet

poutre /putʀ/ nf 1 Constr (en bois, béton) beam; (en métal) girder; **~s apparentes** exposed beams; **plafond à ~s apparentes** timbered ceiling with exposed beams; ▸ **paille**; 2 Sport beam; **exercices à la ~** exercises on the beam

(Composé) **~ maîtresse** (en bois) main beam; (en métal) main girder

poutrelle /putʀɛl/ nf girder

poutzer /putse/ [1] vtr Helv (astiquer) to shine up

pouvoir¹ /puvwaʀ/ [49]

> ⚠ *Can* et *may* qui peuvent traduire le verbe *pouvoir* ne s'emploient ni à l'infinitif, ni au futur

A v aux 1 (être capable de) to be able to; **peux-tu soulever cette boîte?** can you lift this box?; **nous espérons ~ partir cette année** we hope to be able to go away this year; **dès que je pourrai** as soon as I can; **il ne pourra pas venir** he won't be able to come; **je suis content que vous ayez pu venir** I'm glad you could come; **il ne pouvait pas cacher son irritation** he couldn't conceal his annoyance; **il pourrait mieux faire** he could do better; **elle aurait pu le faire** she could have done it; **tu peux/pourrais bien me rendre ce service** you can/could at least do this for me; **tu ne pouvais pas me le dire tout de suite!** why couldn't you have told me ou didn't you tell me that right away?; **on ne pourrait mieux dire** that's very well put; **je n'en peux plus** (épuisement, exaspération) I've had it○; (satiété) I'm full○; ▸ **vieillesse**

2 (être autorisé à) to be allowed to; **les élèves ne peuvent pas quitter l'établissement sans autorisation** pupils can't ou may not ou are not allowed to leave the school without permission; **est-ce que je peux me servir de ta voiture?** can I use your car?; **puis-je m'asseoir?** may I sit down?; **est-ce qu'on peut fumer ici?** is smoking allowed here?; **nous ne pouvons tout de même pas les laisser faire** we can't just stand by and do nothing; **tu peux toujours essayer** you can ou could always try; **on peut dire que** it can be said that; **après ce qui est arrivé on peut se poser des questions** after what happened questions are bound to be asked

3 (avoir le choix de) **on peut écrire clef ou clé** the word can be written clef or clé; **on peut ne pas faire l'accord** the agreement is optional; **il ne peut pas ne pas accepter** he has no option but to accept; **il peut être malade après tout ce qu'il a mangé** after the amount he ate it's no wonder that he is ill

4 (avoir l'obligeance de) **pourriez-vous me tenir la porte s'il vous plaît?** can ou could you hold the door (open) for me please?; **si tu pouvais garder la petite, je sortirais un peu** if you could keep an eye on the baby, I could go out for a while; **peux-tu me dire quelle heure il est s'il te plaît?** could you tell me the time please?

5 (être susceptible de) **tout peut arriver** anything could happen; **cela pourrait arriver à n'importe qui** it could happen to anybody; **il ne peut pas ne pas gagner** he's bound to win; **où peut-il bien être?** where can he be?; **où pouvait-il bien être?** where could he be?; **que peut-il bien faire?** what can he be doing?; **tout le monde peut se tromper** anyone can make a mistake; **puisse cette nouvelle année exaucer vos vœux les plus chers** wishing you everything you could want for the new year; **puisse-t-il revenir sur sa décision** we can only hope that he goes back on his decision; **puissiez-vous dire vrai** let us hope you are right; **rien ne pourra l'arrêter** nothing can stop him/her; **qu'est-ce que cela peut (bien) te faire?** what business is it of yours?; **il peut toujours espérer** there's no harm in wishing ou hoping; **s'il croit que je vais payer ses dettes il peut toujours attendre** if he thinks I'm going to pay his debts he's got another think coming; **elle pouvait mentir, il l'aimait toujours** no matter how much she lied, he still loved her; **qu'est-ce qu'il peut y avoir comme monde!** what a crowd there is!; **qu'est-ce qu'il peut faire froid ici!** it's so cold here!; **ce qu'il peut être grand!** how tall he is!; **peux-tu être bête!** how silly you can be!

B vtr **que puis-je pour vous?** what can I do for you?; **je ne peux rien pour vous/contre eux** there's nothing I can do for you/about them; **je n'y peux rien** I can't do anything about it, there's nothing I can do about it; **je fais ce que je peux** I'm doing my best; **'je sais que c'est difficile mais qu'y puis-je?'—'vous pouvez beaucoup'** 'I know it's hard, but what can I do?'—'plenty'

C v impers **il peut faire très froid en janvier** it can get very cold in January; **il pourrait arriver que je parte** I could ou might leave; **il pouvait être 10 heures** it was probably about 10 o'clock; **il peut neiger comme il peut faire beau** it might snow or it might be fine; **c'est inimaginable ce qu'il a pu pleuvoir!** you can't imagine ou wouldn't believe how much it rained!; **ce qu'il peut pleuvoir en ce moment!** it's raining really hard at the moment

D **il se peut** vpr impers **il se peut que les prix augmentent en juin** prices may ou might rise in June; **il se peut** or **pourrait que j'accepte leur offre** I may ou might accept their offer; **se peut-il qu'il m'ait oublié?** can he really have forgotten me?; **se peut-il que vous ayez fait cela?** how could you do such a thing?; **'est-ce que tu viendras ce soir?'—'cela se peut'** 'are you coming this evening?'—'I may do'; **cela se pourrait bien** very possibly so; **il** or **cela se pourrait (bien) qu'il soit fâché** he might (well) be angry; **ça ne se peut pas**○ it's impossible

E **on ne peut plus** loc adv **il est on ne peut plus timide** he is as shy as can be; **c'est on ne peut mieux** it couldn't be better; **il travaille on ne peut plus sérieusement** you couldn't ask for a more conscientious worker; **il est on ne peut plus désagréable** he's thoroughly unpleasant

(Idiomes) **qui peut le plus peut le moins** if you can do something complicated, you can do something simple; **autant que faire se peut** as far as possible

pouvoir² /puvwaʀ/ nm 1 (puissance) power; **~s surnaturels** supernatural powers; **~ blanchissant d'un détergent** whitening power of a detergent; **~ d'évocation d'un mot** evocative power of a word; 2 (faculté) ability; **avoir un remarquable ~ d'adaptation** to be remarkably adaptable; **avoir le ~ de faire** to be able to do; 3 (ascendant) power (sur over); **le ~ de qn sur qn** sb's power over sb; **il la tient en son ~** he's got her in his power; 4 (autorité) power, authority; **n'avoir aucun ~ sur qn** to have no power over sb; **je n'ai pas le ~ de décider** it's not up to me to decide; **il n'est pas en mon ~ de prendre une telle décision** I'm not the one who decides; 5 Pol power; **~ absolu/royal** absolute/royal power; **après 15 ans de ~** after 15 years in power; **avoir le ~** to be in power; **exercer le ~** to exercise power; **prendre le ~** to take power; **arriver au ~** to come to power; **se maintenir au ~** to stay in power; **séparation des ~s** separation of powers; **en vertu des ~s qui nous sont conférés** by reason of ou in exercise of the powers invested in us; **avoir tous ~s** to have ou exercise all powers; **donner tous ~ à qn** to give sb full powers, to confer full powers on sb; **les pleins ~s** full powers; **le ~ en place** the government in power; 6 Admin, Jur power; **déléguer ses ~s à qn** to delegate powers to sb; **~ par-devant notaire** power of attorney; **donner ~ à qn** to give sb a proxy

(Composés) **~ d'achat** purchasing power; **~ calorifique** calorific value; **~ exécutif** executive power; **le ~ judiciaire** (corps) the judiciary; **~ législatif** legislative power; **~ séparateur** Phys resolving power; **~ spirituel** spiritual power; **~ temporel** temporal power; **les ~s constitués** the powers that be; **~s exceptionnels** emergency powers; **~s publics** authorities

pouzzolane /puzɔlan/ nf pozzuolana

Powys ▸ p. 721 nprm **le ~** Powys

PPCM /pepeseɛm/ nm (abbr = **plus petit commun multiple**) LCM, lcm

PQ◐ /peky/ nm toilet paper; **rouleau de ~** loo roll GB, roll of toilet paper

PR /peɛʀ/ nm (abbr = **parti républicain**) *French Republican Party*

practice /pʀaktis/ nm (au golf) driving range

præsidium /pʀezidjɔm/ nm presidium

(Composé) **~ du Soviet suprême** Presidium of the Supreme Soviet

pragmatique /pʀagmatik/

A adj pragmatic

B nf pragmatics (+ v sg)

pragmatisme /pʀagmatism/ nm pragmatism

pragmatiste /pʀagmatist/ adj, nmf pragmatist

Prague /pʀag/ ▸ p. 894 npr Prague

praire /pʀɛʀ/ nf clam

prairial /pʀɛʀjal/ nm Prairial (*ninth month in the French Revolutionary calendar, ≈ June*)

prairie /pʀeʀi/ nf gén meadow; (aux États-Unis) **la ~** the prairie(s)

pralin /pʀalɛ̃/ nm Culin praline

praline /pʀalin/ nf 1 (amande) sugared GB ou sugar-coated US almond; 2 ◐(balle) slug○, bullet; 3 Belg (chocolat) chocolate

praliné, ~e /pʀaline/

A adj 1 (enrobé de sucre) sugared GB, sugar-coated US; 2 [dessert, crème] praline (épith)

B nm (mélange, arôme, bonbon) praline

praliner /pʀaline/ [1] vtr Culin to flavour[GB] [sth] with praline

praséodyme /pʀazeɔdim/ nm praseodymium

praticable /pʀatikabl/

A adj 1 (où l'on peut passer) [chemin, route, sentier] passable, practicable, negotiable; **avec la neige les routes ne sont pas ~s** the roads are not passable due to snow; **à peine** or **difficilement ~** [chemin] scarcely passable; 2 (réalisable) [sport] that can be played (après n); [analyse] practicable sout

B nm 1 Cin platform; 2 Théât working scenery, practicable scenery spéc; 3 Sport (en gymnastique) *space used for floor exercises*

praticien, -ienne /pʀatisjɛ̃, ɛn/ nm,f 1 Méd general practitioner, GP; **demandez à votre ~** ask your GP; **les ~s hospitaliers** hospital doctors; 2 (personne de métier) practitioner

pratiquant, ~e /pʀatikɑ̃, ɑ̃t/

A adj Relig [personne, catholique] practising[GB]; **il n'est pas ~** he doesn't practise[GB] (his religion); **être très ~** to be very devout; **musulman non ~** non-practising[GB] Muslim

B nm,f Relig (catholique) practising[GB] Catholic; (musulman) practising[GB] Muslim; (juif) practising[GB] Jew

pratique /pʀatik/

A adj 1 (commode) [appareil, objet] handy, prac-

P

tical; [*endroit, itinéraire*] convenient; [*technique, vêtement, meuble*] practical; **c'est ~ ce tissu, ça ne se repasse pas** this material is practical, you don't have to iron it; **voir le côté ~ des choses** to see the practical side of things; **2** (utile) [*manuel, renseignement, conseil, moyen*] practical; **3** (non théorique) [*application, exercice, mesure*] practical; **quelles sont vos connaissances ~s dans ce domaine?** how much practical experience do you have in the field?; **4** (concret) [*problème, détail, raison*] practical; **en termes ~s** in practical terms; **5** (pragmatique) [*personne*] practical; **avoir le sens** *or* **l'esprit ~** to be practical; **n'avoir aucun sens** *or* **esprit ~** to be totally impractical

B *nf* **1** (exercice d'une activité) **inciter les jeunes à la ~ d'un sport** to encourage young people to play a sport; **la ~ des arts martiaux est très répandue** many people practise[GB] martial arts; **la ~ des langues vivantes** speaking foreign languages; **cela nécessite de longues heures de ~** it takes hours of practice; **avoir une bonne ~ de l'anglais** to have a good working knowledge of English; **la ~ religieuse** religious observance; **2** (expérience) practical experience; **manquer de ~** to lack practical experience; **avoir une longue ~ de la médecine** to have many years of experience in medicine; **avoir la ~ des affaires** to have practical business experience; **3** (application de principes) practice; **la théorie et la ~** theory and practice; **mettre qch en ~** to put sth into practice; **dans la ~, en ~** in practice; **4** (habitude) practice; **une ~ courante/frauduleuse/déloyale** a common/fraudulent/disloyal practice; **certaines ~s culturelles/funéraires** certain cultural/funerary practices; **les ~s religieuses** religious practices; **les bonnes ~s** good practice

pratiquement /pʀatikmɑ̃/ *adv* **1** (en pratique) in practice; **2** (quasiment) practically, virtually; **elle a ~ tout essayé** she's tried practically *ou* virtually everything; **~ jamais** hardly ever; **elles n'ont ~ pas évolué** they have hardly evolved at all

pratiquer /pʀatike/ [1]

A *vtr* **1** (exercer régulièrement) to play [*tennis, squash, basket*]; to do [*athlétisme, canoë, tir à l'arc, yoga*]; **~ l'équitation/l'aviron/le ski/l'escalade** to ride/row/ski/climb; to take part in [*activité, discipline*]; to practise[GB] [*langue*]; **~ la médecine** to practise[GB] medicine; **il ne pratique plus** he doesn't practise[GB] any more; **il est croyant mais ne pratique pas** he believes in God but doesn't practise[GB] his faith; **2** (mettre à exécution) to use [*méthode, chantage*]; to pursue [*politique*]; to charge [*taux d'intérêt*]; **toutes les entreprises pratiquent cette stratégie** all companies use *ou* follow this strategy; **~ la concertation/l'ouverture** to pursue a policy of consultation/openness; **ils pratiquent des tarifs très compétitifs** they offer very competitive rates; **3** (effectuer) to carry out [*examen, greffe, transfusion*]; to administer [*soins*]; to make [*passage, trou*]; to clear [*chemin*]; to carry out [*expulsion*]; **~ un sentier dans un taillis** to clear a path through a thicket; **4** fml (lire régulièrement) **~ Sartre** to read a lot of Sartre

B se pratiquer *vpr* (être en usage) [*tennis, football, billard*] to be played; [*technique, politique, stratégie*] to be used; [*prix, tarif*] to be charged; **c'est un sport qui se pratique beaucoup** it's a very popular sport; **le volley-ball se pratique essentiellement en salle** volley-ball is mainly played indoors; **ici le ski/l'équitation/l'aviron se pratique toute l'année** here people can go skiing/riding/rowing throughout the year

praxis /pʀaksis/ *nf inv* praxis

Praxitèle /pʀaksitel/ *npr* Praxiteles

pré¹ /pʀe/ *préf* pre(-); **préclassique** preclassical; **préindustriel** preindustrial; **prévictorien** pre-Victorian; **précommande** advance order; **précontrat** advance contract; **préaccord** preliminary agreement

pré² /pʀe/ *nm* **1** Agric meadow; **2** (terrain de duel) duelling[GB] ground; **aller sur le ~** lit to fight a duel; fig to do battle

(Composé) **~ carré** preserve, reserved area

préadolescent, ~e /pʀeadɔlesɑ̃, ɑ̃t/
A *adj* preteenage
B *nm,f* preteenager

pré-affranchi, ~e /pʀeafʀɑ̃ʃi/ *adj* postage-paid

préalable /pʀealabl/
A *adj* (qui précède) [*permission, avis*] prior; (qui prépare) [*entretien, étude*] preliminary; **sans avis ~** without prior notice; **~ à** preceding; **les entretiens ~s aux négociations** the talks preceding the negotiations; **poser des conditions ~s à une nomination** to lay down certain preconditions for an appointment
B *nm* (condition) precondition (**à** for, of); (préliminaire) preliminary; **en ~ à** (avant) prior to; (en préliminaire) as a preliminary to; **poser qch en** *or* **comme ~** to lay sth down as a precondition *ou* prior condition
C au préalable *loc adv* first, beforehand

préalablement /pʀealabləmɑ̃/ *adv* beforehand; **~ à toute décision** prior to *ou* before any decision; **coupez en petits dés les légumes ~ épluchés** dice the previously peeled vegetables

Préalpes /pʀealp/ *nprfpl* Pre-Alps

préalpin, ~e /pʀealpɛ̃, in/ *adj* of the Pre-Alps

préambule /pʀeɑ̃byl/ *nm* **1** (introduction) preamble; **2** (avertissement) forewarning; **sans ~** with no forewarning

préamplificateur /pʀeɑ̃plifikatœʀ/ *nm* preamplifier, preamp○

préapprentissage /pʀeapʀɑ̃tisaʒ/ *nm* Scol work experience; **je suis en ~** I'm on a work experience programme[GB]

préau, *pl* **~x** /pʀeo/ *nm* (d'école) covered playground; (de prison) exercise yard; (d'hôpital, de cloître) inner courtyard

préavis /pʀeavi/ *nm inv* notice; **sans ~** without notice; **un ~ d'un mois, un mois de ~** a month's notice; **~ de licenciement** dismissal notice; **déposer un ~ de grève** to give notice of strike action

prébende /pʀebɑ̃d/ *nf* **1** (revenu) liter income derived from a sinecure; **2** Relig prebend

prébendé, ~e /pʀebɑ̃de/ *adj* prebendal

prébendier /pʀebɑ̃dje/ *nm* prebendary

précaire /pʀekɛʀ/ *adj* **1** [*existence, position, bonheur*] precarious; [*emploi*] insecure; [*construction, structure*] flimsy; **le travail ~** casual work; **2** Jur [*possession*] precarious; **détention (d'un bien à titre) ~** precarious holding (of a property); **location/occupant à titre ~** precarious tenancy/occupier

précairement /pʀekɛʀmɑ̃/ *adv* liter, Jur precariously

précambrien, -ienne /pʀekɑ̃bʀijɛ̃, ɛn/
A *adj* Precambrian
B *nm* **le ~** the Precambrian (era)

précancéreux, -euse /pʀekɑ̃seʀø, øz/ *adj* precancerous

précarisation /pʀekaʀizasjɔ̃/ *nf* **~ de l'emploi** casualization of labour[GB]; **la ~ des salariés gagne du terrain** the habit of using casual labour[GB] is increasing

précariser /pʀekaʀize/ [1]
A *vtr* **~ l'emploi** to casualize labour[GB]; **~ la situation de qn** to make sb's position insecure
B se précariser *vpr* [*emploi*] to become insecure

précarité /pʀekaʀite/ *nf* gén, Jur precariousness; **la ~ de l'emploi** job insecurity; **prime de ~** *bonus given to temporary staff as compensation for lack of job security*

précaution /pʀekosjɔ̃/ *nf* **1** (mesure) precaution; **~s d'hygiène** hygiene precautions; **prendre la ~ de faire** to take the precaution of doing; **les ~s d'emploi d'un médicament** the precautions to be taken in using a medicine; **prendre ses ~s** gén to take precautions; euph (en allant aux toilettes) to go to the toilet just in case; euph (avec un contraceptif) to take precautions euph; **prendre toutes ses ~s** (pour garder un secret, mener une enquête) to take every precaution; **sans aucune/la moindre ~** without any/the slightest precaution; **manipuler un objet avec mille** *or* **d'infinies ~s** to handle an object extremely carefully; **s'entourer de ~s** to take a great number of precautions; **2** (prévoyance) caution; **sans ~** without caution; **avec ~** (attention) with caution; (méfiance) cautiously; **par ~** as a precaution; **par mesure de ~** as a precautionary measure; **pour plus de ~** as an added precaution; **faire des achats de ~** to stockpile; **un stock de ~** a stockpile

(Composé) **~s oratoires** carefully chosen words

(Idiome) **deux ~s valent mieux qu'une** Prov better safe than sorry Prov

précautionneusement /pʀekosjɔnøzmɑ̃/ *adv* [*poser, manipuler*] very carefully; [*avancer, marcher*] (avec attention) with caution; (avec méfiance) cautiously

précautionneux, -euse /pʀekosjɔnø, øz/ *adj* fml careful

précédemment /pʀesedamɑ̃/ *adv* previously, before

précédent, ~e /pʀesedɑ̃, ɑ̃t/
A *adj* previous; **la fois ~e** the time before, on the previous occasion
B *nm,f* **le ~** the previous one
C *nm* (fait antérieur) precedent; **créer un ~** to create a precedent; **sans ~** without precedent, unprecedented

précéder /pʀesede/ [14] *vtr* **1** (dans un groupe en mouvement) [*personne, groupe*] to go in front of, to precede; [*véhicule*] to be in front of, to precede; **la voiture/l'homme qui me précédait** the car/the man in front of me; **il était dans la voiture qui précédait** he was in the car in front; **2** (dans un lieu) **il m'avait précédé de cinq minutes** he'd got there five minutes ahead of me; **il est arrivé vite mais on l'avait précédé** he arrived quickly but someone had got there first; **3** (être placé avant) [*paragraphe, mot, chapitre*] to precede; **dans le paragraphe qui précède** in the above *ou* preceding paragraph; **ne tenez pas compte de ce qui précède** ignore the above; **4** (se produire avant) [*événement, période, mois, crise*] to lead up to, to precede; [*film*] to precede; **les six mois qui précédèrent la guerre/leur mort** the six months leading up to the war/their death; **le mois précédant Noël** the month before Christmas; **la semaine qui a précédé votre départ** the week before you left; **les générations qui nous ont précédés** the generations that came before us; **faire ~ une opération d'un traitement** to administer a course of treatment before an operation; **5** (dans un classement, une hiérarchie) to be higher than, to come higher than; **Pierre précède Paul au classement** Pierre comes before Paul in the ranking; **Tours précède Grenoble de trois points** Tours is three points ahead of Grenoble

précepte /pʀesɛpt/ *nm* precept

précepteur, -trice /pʀesɛptœʀ, tʀis/ ▸ p. 532 *nm,f* (private) tutor

préceptorat /pʀesɛptɔʀa/ *nm* **1** (état, titre) tutorship; **2** (méthode d'enseignement) (private) tutoring

préchauffage /pʀeʃofaʒ/ *nm* (d'aliments, de feu) preheating; (de moteur) warming up; (de goudron, pièce à souder) heating up

préchauffer /pʀeʃofe/ [1] *vtr* to preheat [*aliment*]; to warm up [*moteur*]; to heat [*goudron, pièce à souder*]

prêche /pʀɛʃ/ *nm* sermon

prêcher /pʀeʃe/ [1]
A *vtr* **1** Relig to preach [*Évangile*]; **~ la bonne parole** to spread the Word; **2** (recommander)

P

to advocate [*patience, modération*]; **elle prêche l'impossible** she is advocating the impossible; **~ la patience à qn** to urge sb to be patient
B *vi* to preach
(Idiomes) **~ le faux pour savoir le vrai** to tell a lie in order to get at the truth; **~ pour son saint** *or* **sa paroisse** to promote one's own cause

prêcheur, **-euse** /pʀɛʃœʀ, øz/
A *adj* pej preachy○ péj
B *nm,f* preacher

prêchi-prêcha* /pʀɛʃipʀɛʃa/ *nm inv* pej sermonizing

précieuse ▸ **précieux**

précieusement /pʀesjøzmɑ̃/ *adv* **1** [*garder, conserver*] carefully; [*graver*] minutely; **2** [*parler*] in an affected manner

précieux, **-ieuse** /pʀesjø, øz/
A *adj* **1** (coûteux) [*pierre, métal, livre*] precious; [*meuble*] valuable; **chaque minute est précieuse** every moment is precious; **2** (utile) [*information*] very useful; [*collaborateur*] valued; **vous m'avez été d'un ~ secours** you've helped me immeasurably; **votre aide m'a été précieuse** your help was most valuable; **3** (chéri) [*amitié, droit, qualité*] precious; [*ami*] very dear; **4** (affecté) [*style, langage, geste*] precious; **5** Littérat [*littérature, salon*] précieuse
B **précieuse** *nf* (femme) précieuse

préciosité /pʀesjozite/ *nf* preciosity

précipice /pʀesipis/ *nm* precipice; **être au bord du ~** fig [*pays, compagnie*] to be on the brink of collapse

précipitamment /pʀesipitamɑ̃/ *adv* [*partir, s'enfuir*] hurriedly; **il nous a quittés ~** he left us in a hurry; **rentrer** *or* **revenir ~** to rush back; **se lever ~** to leap to one's feet

précipitation /pʀesipitasjɔ̃/
A *nf* **1** (hâte) haste; **la ~ de leur départ nous a surpris** their hasty departure surprised us; **dans ma ~** in my haste; **il faut se garder de toute ~** we mustn't rush things; **avec ~** hurriedly; **sans ~** unhurriedly; **sans grande ~** with no great haste; **2** Chimie precipitation
B **précipitations** *nfpl* Météo rainfall ¢, precipitation ¢ spéc

précipité, **~e** /pʀesipite/
A *pp* ▸ **précipiter**
B *pp adj* **1** (rapide) [*course, pas, respiration, rythme*] rapid, fast; [*battement du cœur, mouvement*] rapid; **des coups ~s à la porte** an impatient knocking at the door; **2** (hâtif) [*décision, départ, retour, diagnostic*] hasty, precipitate; **un jugement ~** a snap judgment
C *nm* Chimie precipitate

précipiter /pʀesipite/ [1]
A *vtr* **1** (jeter) **~ qn d'un balcon** to push sb off a balcony; **~ qn par la fenêtre** to push sb out of the window; **~ qn dans le vide** (du haut d'un bâtiment, palier) to push sb off; (du haut d'une falaise) to push sb over; (par la fenêtre) to push sb out; **~ qn dans l'escalier** to push sb down the stairs; **~ qn contre** to throw sb against; **le vent l'a précipité contre l'arbre** the wind blew him against the tree; **2** fig (plonger) **~ qn dans le désarroi** to throw sb into confusion; **~ qn/un pays dans le chaos** to throw sb's life/a country into chaos; **~ qn dans le malheur** *or* **la misère** to plunge sb into hardship; **3** (hâter) to hasten [*départ, décision, réforme*]; to precipitate [*révolte, événement*]; **~ le vote d'une loi** to speed up the passage of a bill; **mieux vaut ne pas ~ les choses** it is better not to rush things; **4** Chimie to precipitate [*solution*]
B *vi* Chimie to precipitate
C **se précipiter** *vpr* **1** (se jeter) **il s'est précipité dans le vide** he jumped off; **se ~ du haut d'un immeuble** to jump off *ou* throw oneself off the top of a building; **se ~ du haut d'une falaise** to jump off *ou* throw oneself over the edge of a cliff; **2** (se ruer) to rush; **se ~ à la porte/fenêtre** to rush to the door/window; **en le voyant tomber, je me suis précipité** when I saw him fall, I rushed over; **se ~ au secours de qn** to rush to sb's aid, to rush to help sb; **se ~ dans les bras de qn** to throw oneself into sb's arms; **se ~ sur** [*personne*] to rush at, to throw oneself on [*personne*]; [*animal*] to rush at [*personne*]; to rush for [*objet*]; fig to pounce on [*idée, théorie*]; **se ~ sur les soldes/sur les bonnes affaires** to rush to the sales/for bargains; **se ~ vers qn** to rush toward(s) sb; **se ~ pour faire** to rush to do; **3** (se dépêcher) to rush, to hurry; **pas la peine de se ~**○ no point in rushing *ou* hurrying; **4** (affluer) [*spectateurs, clients, candidats*] to pour in; [*investisseurs*] to come running; **les clients ne se précipitent pas** customers are not exactly pouring in; **5** (s'accélérer) [*action, événement*] to move faster; **les choses se précipitent à l'Est** things are moving faster in the East

précis, **~e** /pʀesi, iz/
A *adj* **1** (bien défini) [*programme, critère, motif, réglementation*] specific; [*idée, engagement, date*] definite; [*moment*] particular; **dans le cas ~ de** in the specific case of; **à ce moment ~ de l'année** at this particular time of year; **aucune date ~e n'a été fixée** no definite date has been fixed *ou* set; **2** (exact) [*personne, geste, langue, travail, horaire, réponse*] precise; [*chiffre, donnée, calcul*] accurate; [*souvenir*] clear; [*endroit, moment*] exact; **à douze centimètres, pour être ~** twelve centimetres[GB] away, to be precise; **adresse ~e** exact address; **à l'endroit ~ où** at the exact place where; **au moment ~ où** at the exact time when; **à deux heures ~es** at exactly two o'clock; **3** (de précision) [*instrument de mesure*] accurate; **une montre très ~e** a very accurate watch
B *nm inv* Édition handbook

précisément /pʀesizemɑ̃/ *adv* **1** (justement) precisely; **c'est ~ ce que je pense** that's precisely what I think; **2** (avec précision) precisely; **impossible de le dater plus ~** impossible to date it more precisely; **3** (pour être précis) **à la page 6 plus ~** on page 6 to be more precise; **l'Europe et plus ~ la France** Europe and more precisely France

préciser /pʀesize/ [1]
A *vtr* **1** (ajouter) [*personne, rapport*] to add (**que** that); **il a précisé que son pays était déçu** he added that his country was disappointed; **a-t-il précisé** he added; **faut-il le** *or* **est-il besoin de ~** needless to say; **2** (faire état de) [*personne, communiqué*] to state (**que** that); **~ ses intentions** to state one's intentions; **précise le gouvernement** the government states; **3** (indiquer avec précision) to specify [*lieu, date, nombre*]; **~ si/pourquoi/comment** to specify whether/why/how; **pouvez-vous ~?** could you be more specific?; **lieu/moment/nombre non précisé** unspecified place/time/number; **4** (rendre plus précis) to clarify [*idées, programme*]
B **se préciser** *vpr* **1** (se concrétiser) [*danger, avenir, menace*] to become clearer; [*projet, mariage, voyage*] to take shape; **mon départ se précise** all the arrangements have been made for my departure; **2** (devenir apparent) [*forme, réalité*] to become clear

précision /pʀesizjɔ̃/ *nf* **1** (minutie) precision; **doser/ciseler avec ~** to measure out/chisel with precision; **~ du détail** detailed precision; **2** Mes, Sci (justesse) accuracy; **avec une ~ d'un millimètre** with an accuracy to within one millimetre[GB]; **se révéler d'une grande ~** to prove to be very accurate; **avec ~** accurately; **localiser avec ~** to pinpoint; **mesurer avec ~** to measure accurately; **instrument de ~** precision instrument; **3** (détail) detail; **apporter quelques ~s** to give a few details (**sur** about); **sans autres ~s** without further details; **ils n'ont pas donné de ~s sur la réunion** they didn't provide any details about the meeting; **pour plus de ~ contacter** for further details please contact

précité, **~e** /pʀesite/ *adj* aforementioned (*épith*), mentioned previously (*après n*)

précoce /pʀekɔs/ *adj* **1** (mûr avant l'âge) [*enfant, intelligence, sexualité*] precocious; **2** (en avance) [*légume, saison, diagnostic, vision, dépistage*] early (*épith*); **3** (prématuré) [*rides, sénilité, démence*] premature

précocement /pʀekɔsmɑ̃/ *adv* **1** (très tôt) early; **2** (trop tôt) prematurely

précocité /pʀekɔsite/ *nf* **1** (d'enfant, intelligence) precociousness, precocity sout; **2** (d'action) **la ~ du dépistage** early detection; **3** (de fruit, saison) earliness

précolombien, **-ienne** /pʀekɔlɔ̃bjɛ̃, ɛn/ *adj* pre-Columbian

précombustion /pʀekɔ̃bystjɔ̃/ *nf* precombustion

précompte /pʀekɔ̃t/ *nm* deduction; **~ de l'impôt** deduction of tax at source

précompter /pʀekɔ̃te/ [1] *vtr* to deduct [*cotisation*] (**sur** from)

préconception /pʀekɔ̃sɛpsjɔ̃/ *nf* preconception

préconçu, **~e** /pʀekɔ̃sy/ *adj* preconceived; **avoir des idées ~es** to have preconceived ideas

préconisation /pʀekɔnizasjɔ̃/ *nf* **1** (de traitement) recommendation; **2** Relig preconization

préconiser /pʀekɔnize/ [1] *vtr* **1** (conseiller) to recommend [*méthode, solution*]; (prôner) to advocate [*doctrine, jeûne*]; **~ que nous fassions** to recommend that we should do; **il préconise d'intervenir militairement** he recommends military intervention; **2** Relig to preconize [*évêque*]

préconscient, **~e** /pʀekɔ̃sjɑ̃, ɑ̃t/
A *adj* preconscious
B *nm* preconscious

précontraint, **~e** /pʀekɔ̃tʀɛ̃, ɛ̃t/
A *adj* [*béton, poutre*] prestressed
B *nm* prestressed concrete

précuit, **~e** /pʀekɥi, it/ *adj* precooked

précurseur /pʀekyʀsœʀ/
A *adj m* precursory fml; **signes ~s de l'orage** signs that herald a storm
B *nm* (dans un domaine) pioneer; **~ de** [*discipline*] forerunner of; [*personne*] precursor of

prédateur, **-trice** /pʀedatœʀ, tʀis/
A *adj* predatory
B *nm* **1** gén predator; **2** (homme préhistorique) hunter-gatherer

prédation /pʀedasjɔ̃/ *nf* **1** (par les animaux) predation; **2** (de l'homme préhistorique) hunting and gathering

prédécesseur /pʀedesesœʀ/ *nm* predecessor

prédécoupé, **~e** /pʀedekupe/ *adj* pre-cut; **poulet ~** (cuit) ready-carved chicken; (cru) jointed chicken

prédélinquant, **~e** /pʀedelɛ̃kɑ̃, ɑ̃t/ *nm,f*: *young person likely to become an offender*

prédestination /pʀedɛstinasjɔ̃/ *nf* littér, Relig predestination

prédestiné, **~e** /pʀedɛstine/
A *pp* ▸ **prédestiner**
B *pp adj* [*nom, prénom*] appropriate; **être ~ à qch** to be predestined for sth

prédestiner /pʀedɛstine/ [1] *vtr* to predestine; **~ qn à qch/à faire** to predestine sb for sth/to do

prédétermination /pʀedetɛʀminasjɔ̃/ *nf* predetermination

prédéterminer /pʀedetɛʀmine/ [1] *vtr* to predetermine

prédicant† /pʀedikɑ̃/ *nm* preacher

prédicat /pʀedika/ *nm* predicate

prédicateur, **-trice** /pʀedikatœʀ, tʀis/ *nm,f* preacher

prédicatif, **-ive** /pʀedikatif, iv/ *adj* predicative

prédication /pʀedikasjɔ̃/ *nf* **1** Ling, Philos predication; **2** Relig (fait de prêcher) preaching; (sermon) sermon

prédictif, -ive /pʀediktif, iv/ *adj* predictive

prédiction /pʀediksjɔ̃/ *nf* prediction

prédigéré, ~e /pʀediʒeʀe/ *adj* predigested

prédilection /pʀedilɛksjɔ̃/ *nf* predilection (**pour** for), liking (**pour** for); **de ~** favourite[GB] (*épith*)

prédire /pʀediʀ/ [65] *vtr* **1** (par divination) to predict [*avenir*]; **~ qch à qn** to predict sth for sb; **il m'a prédit que je ferais** he predicted that I would do; **2** (par réflexion) to predict

prédisposer /pʀedispoze/ [1] *vtr* to predispose (**à** to)

prédisposition /pʀedispozisjɔ̃/ *nf* predisposition (**à faire** to do); **~ au diabète** predisposition to diabetes; **montrer des ~s pour la musique** to show a talent for music

prédominance /pʀedɔminɑ̃s/ *nf* predominance (**sur** over)

prédominant, ~e /pʀedɔminɑ̃, ɑ̃t/ *adj* predominant

prédominer /pʀedɔmine/ [1] *vi* to predominate (**sur** over); **ce qui prédomine à mes yeux, c'est...** what strikes me most is...

préélectoral, ~e, *mpl* **-aux** /pʀeelɛktɔʀal, o/ *adj* pre-election (*épith*)

préemballé, ~e /pʀeɑ̃bale/ *adj* prepacked

prééminence /pʀeeminɑ̃s/ *nf* preeminence (**sur** over)

prééminent, ~e /pʀeeminɑ̃, ɑ̃t/ *adj* preeminent

préemption /pʀeɑ̃psjɔ̃/ *nf* preemption; **droit de ~** pre-emptive right

préencollé, ~e /pʀeɑ̃kɔle/ *adj* [*enveloppe*] gummed; [*papier peint*] prepasted; [*carreau, affiche*] self-adhesive

préenregistrer /pʀeɑ̃ʀəʒistʀe/ [1] *vtr* to prerecord; **cassette préenregistrée** prerecorded tape *ou* cassette

préétablir /pʀeetabliʀ/ [3] *vtr* to preestablish

préexistant, ~e /pʀeɛgzistɑ̃, ɑ̃t/ *adj* preexisting

préexistence /pʀeɛgzistɑ̃s/ *nf* preexistence

préexister /pʀeɛgziste/ [1] *vi* to pre-exist; **~ à qch** to predate sth

préfabrication /pʀefabʀikasjɔ̃/ *nf* prefabrication

préfabriqué, ~e /pʀefabʀike/
A *adj* prefabricated; **baraquement ~** prefabricated building, terrapin
B *nm* **1** (matériau) prefabricated material; **2** (maison) prefabricated house, prefab○; (bâtiment) prefabricated building, prefab○

préface /pʀefas/ *nf* preface; **~ d'un livre** preface to a book; **~ de Paul George** preface by Paul George

préfacer /pʀefase/ [12] *vtr* to write a *ou* the preface to; **ouvrage préfacé par** book with a preface by

préfacier, -ière /pʀefasje, ɛʀ/ *nm,f* preface writer

préfectoral, ~e, *mpl* **-aux** /pʀefɛktɔʀal, o/ *adj* [*niveau, autorisation*] prefectorial; [*administration, locaux*] prefectural; **mouvement ~** prefectural reshuffle

préfecture /pʀefɛktyʀ/ *nf* **1** Admin prefecture; **2** (chef-lieu) *main city of a department*; **3** Mil Naut **~ maritime** naval prefecture
(Composé) **~ de police** *police headquarters in some large French cities*

préférable /pʀefeʀabl/ *adj* preferable; **il est ~ que** it is preferable *ou* better that; **il est ~ que tu n'y ailles pas** it is preferable *ou* better that you don't go; **il est/serait ~ de faire** it is/would be preferable *ou* better to do; **~ à** preferable to; **la déception est ~ à l'incertitude** disappointment is preferable to uncertainty

préféré, ~e /pʀefeʀe/
A *pp* ▸ **préférer**
B *pp adj, nm,f* favourite[GB]

préférence /pʀefeʀɑ̃s/ *nf* preference; **avoir une ~ (marquée) pour qn/qch** to have a (clear) preference for sb/sth; **ne pas avoir de ~** to have no preference; **donner la ~ à qn/qch** to give preference to sb/sth; **de ~** preferably; **achète cette marque de ~** if you can, buy this brand; **par ordre de ~** in order of preference

préférentiel, -ielle /pʀefeʀɑ̃sjɛl/ *adj* preferential; **bénéficier d'un tarif ~** to obtain a preferential rate

préférer /pʀefeʀe/ [14] *vtr* to prefer; **~ Pierre à Paul** to prefer Pierre to Paul; **~ le jazz à la musique classique** to prefer jazz to classical music; **~ faire** to prefer to do *ou* doing; **je préfère téléphoner plutôt qu'écrire** I prefer phoning to writing; **je préfère que tu viennes plus tard** I would rather you came later, I would prefer it if you came later; **(c'est) comme tu préfères** (it's) as you prefer *ou* wish; **j'aurais préféré ne jamais l'apprendre** I wish I'd never heard it

préfet /pʀefɛ/ *nm* **1** Admin prefect; **~ de police** prefect of police, police chief; **~ maritime** post admiral; **~ apostolique** prefect apostolic; **~ de région** regional prefect; **2** Scol (dans un établissement privé) prefect; **~ des études** prefect of studies; **3** ▸ **p. 532** Belg Scol headmaster

préfète /pʀefɛt/ *nf* **1** (femme du préfet) prefect's wife; **2** Belg Scol headmistress

préfiguration /pʀefigyʀasjɔ̃/ *nf* prefiguration (**de** of)

préfigurer /pʀefigyʀe/ [1] *vtr* to prefigure

préfixation /pʀefiksasjɔ̃/ *nf* prefixation

préfixe /pʀefiks/ *nm* prefix

préfixer /pʀefikse/ [1] *vtr* **1** Ling to prefix; **2** Jur to prearrange

préfourrière /pʀefuʀjɛʀ/ *nf* holding pound for clamped vehicles

préglaciaire /pʀeglasjɛʀ/ *adj* preglacial

préhenseur /pʀeɑ̃sœʀ/ *adj m* prehensile

préhensile /pʀeɑ̃sil/ *adj* prehensile

préhension /pʀeɑ̃sjɔ̃/ *nf* prehension, grasping

préhistoire /pʀeistwaʀ/ *nf* prehistory

préhistorique /pʀeistɔʀik/ *adj* lit, fig prehistoric

préimplantatoire /pʀeɛ̃plɑ̃tatwaʀ/ *adj* pre-implantation

préindustriel, -ielle /pʀeɛ̃dystʀijɛl/ *adj* [*société*] pre-industrial

préinscription /pʀeɛ̃skʀipsjɔ̃/ *nf* preregistration, advanced registration

pré-installé, ~e /pʀeɛ̃stale/ *adj* preinstalled

préjudice /pʀeʒydis/ *nm* harm **¢**, damage **¢**; **un grave ~** serious harm *ou* damage; **~ financier** financial loss; **~ matériel** material loss; **~ moral** moral wrong; **causer un ~ à qn** to harm sb, to cause harm to sb; **porter ~ à qn** to harm sb, to cause harm to sb; **porter ~ à qch** gén to damage sth, to be detrimental to sth; Jur to be prejudicial to sth; **subir un ~** to suffer harm; **au ~ de qn** to the detriment of sb; **il a vendu l'affaire au ~ de ses frères** he sold the business to the detriment of his brothers; **sans ~ de** Jur without prejudice to; **il a été condamné à 500 euros d'amende, sans ~ des dommages et intérêts** he was ordered to pay 500 euros without prejudice to damages

préjudiciable /pʀeʒydisjabl/ *adj* prejudicial, detrimental (**à** to)

préjugé /pʀeʒyʒe/ *nm* prejudice; **~ de classe/race** class/racial prejudice; **il est plein de ~s** he's very prejudiced; **~(s) en faveur de qn** bias (*sg*) in favour[GB] of sb; **avoir un ~ en défaveur de** *or* **contre qn/qch** to have a prejudice against sb/sth; **bénéficier d'un ~ favorable auprès de** *or* **de la part de qn** to be looked on favourably[GB] by sb

préjuger /pʀeʒyʒe/ [13]
A *vtr* to prejudge
B **préjuger de** *vtr ind* to prejudge; **nous ne pouvons ~ de l'avenir** we can't tell what the future holds

prélasser: **se prélasser** /pʀelase/ [1] *vpr* to lounge; **elle se prélassait dans son lit** she was lounging in her bed; **se ~ au soleil** to laze in the sun

prélat /pʀela/ *nm* prelate

prélature /pʀelatyʀ/ *nf* prelacy

prélavage /pʀelavaʒ/ *nm* prewash; **~ inutile** do not prewash

prélaver /pʀelave/ [1] *vtr* to prewash

prêle /pʀɛl/ *nf* Bot horsetail, equisetum

prélèvement /pʀelɛvmɑ̃/ *nm* **1** Géol, Méd, Sci (action) sampling; **faire** *or* **effectuer un ~ de sang** to take a blood sample; **le ~ doit se faire le matin** the sample should be taken in the morning; **2** (échantillon) sample; **3** Fin (opération) debiting; **faire** *or* **effectuer un ~ bancaire de 100 euros** to make a debit of 100 euros; **faire faire un ~ sur son compte** to have money debited from one's account; **4** Fin (somme) debit; **5** Fin, Fisc deduction
(Composés) **~ automatique** direct debit; **~ exceptionnel** exceptional levy; **~ fiscal** deduction of tax; **~ forfaitaire** deduction of tax at the basic rate; **~ libératoire** tax withholding with full discharge; **~ social** social security contributions (*pl*); **~ à la source** deduction at source; **~s obligatoires** tax and social security deductions

prélever /pʀelve/ [16] *vtr* **1** Méd, Sci, Géol (pour une analyse) to take a sample of [*sang, moelle, eau*] (**de** from); (pour une greffe) to remove [*organe*]; **~ un échantillon de** to take a sample of; **2** Fin (sur un compte bancaire) to debit (**sur** from); **3** Fisc to deduct [*cotisation, impôt*] (**sur** from); **4** (prendre) to take [*argent, pourcentage*] (**sur** from); to remove [*pièce, matériel*] (**sur** from)

préliminaire /pʀeliminɛʀ/
A *adj* preliminary (**à** to)
B **préliminaires** *nmpl* preliminaries

prélude /pʀelyd/ *nm* **1** Mus prelude; **2** fig prelude; **en ~ à** as a prelude to

préluder /pʀelyde/ [1]
A **préluder à** *vtr ind* to be a prelude to
B *vi* Mus to warm up

prémâché○, ~e /pʀemaʃe/ *adj* fig dumbed-down○

prématuré, ~e /pʀematyʀe/
A *adj* premature; **il serait ~ de faire** it would be premature to do
B *nm,f* premature baby

prématurément /pʀematyʀemɑ̃/ *adv* [*naître, vieillir*] prematurely

prémédication /pʀemedikasjɔ̃/ *nf* premedication

préméditation /pʀemeditasjɔ̃/ *nf* premeditation; **avec/sans ~** [*agir*] with/without premeditation; [*crime*] premeditated/unpremeditated

préméditer /pʀemedite/ [1] *vtr* to premeditate [*coup, meurtre*]; **~ de faire** to plan to do

prémenstruel, -elle /pʀemɑ̃stʀyɛl/ *adj* premenstrual

prémices /pʀemis/ *nfpl* liter beginnings

premier, -ière /pʀəmje, ɛʀ/ ▸ **p. 222, p. 568**
A *adj* **1** (qui commence une série) [*habitant, emploi, automobile, symptôme*] first; **Adam fut le ~ homme** Adam was the first man; **c'est la première fois que je viens ici** this is the first time I've been here; **la première et la dernière fois** the first and last time; **les ~s temps de** the initial period of; **(dans) les ~s temps tout allait bien** at first things went well
2 (qui précède dans l'espace) [*porte, rue, visage, carrefour*] first; **les trois premières rues** the first three streets; **les premières marches (de l'escalier)** the first few steps

P

3 (dans une série) [*numéro, chapitre, mot, candidat*] first; **première personne du singulier/du pluriel** first person singular/plural; **le ~ janvier/juin** the first of January/of June; **article ~ du code pénal** first article of the penal code; **'livre ~'** 'book one'; **Napoléon Ier** Napoleon I *ou* the First; **Elisabeth Ire** Elizabeth I *ou* the First
4 (par sa supériorité) [*artiste, écrivain, producteur, puissance*] leading; [*élève, étudiant*] top; **le ~ producteur mondial de vin** the world's leading wine producer; **être ~** [*élève, étudiant*] to be top; [*coureur*] to be first; **il est ~ en physique** he's top in physics; **terminer** *or* **arriver ~** [*coureur*] to come first; **une affaire de première importance/urgence** a matter of the utmost importance/urgency; **article de première nécessité** an absolutely essential item
5 (par son infériorité) [*billet, ticket, place*] cheapest; **nos ~s prix** *or* **tarifs** (pour voyages) our cheapest holidays GB *ou* package tours US; (pour billets) our cheapest tickets
6 (originel) [*impression*] first, initial; [*vivacité, éclat*] initial; [*aspect*] original; **recouvrer sa santé première** to recover one's health
7 (essentiel) [*qualité*] prime; [*objectif*] primary, basic; [*conséquence*] primary, main
8 Philos [*terme, notion, proposition, donnée*] basic, fundamental; [*vérité, principe*] first

B *nm,f* 1 (qui se présente d'abord) first; **vous êtes le ~ à me le dire** you are the first to tell me; **il est toujours le ~ à se plaindre** he's always the first to complain; **sortir le ~** to go out first; **arriver le ~, arriver les ~s** to arrive first; **les ~s arrivés seront les ~s servis** first come, first served
2 (dans une énumération) first; **je préfère le ~** I prefer the first one; **le ~ de mes fils** (sur deux fils) my elder son; (sur plus de deux fils) my eldest son
3 (dans un classement) **arriver le ~** [*coureur*] to come first; **être le ~ de la classe** [*élève*] to be top of the class; **il est le ~ en latin** he's top in Latin

C *nm* 1 (dans un bâtiment) first floor GB, second floor US; **monter/descendre au ~** to go up/to go down to the first GB *ou* second US floor; **habiter au ~** to live on the first GB *ou* second US floor
2 (jour du mois) first; **être payé tous les ~s du mois** to be paid on the first of every month; **le ~ de l'an** New Year's Day
3 (arrondissement) first arrondissement; **habiter dans le ~** to live in the first arrondissement
4 (dans une charade) first; **mon ~ est** my first is

D **en premier** *loc adv* **faire qch en ~** to do sth first; **faire passer son travail en ~** to put one's work first; **recourir à l'arme nucléaire en ~** to resort to nuclear weapons in the first instance; **citons en ~ le livre de notre collègue** first of all there's our colleague's book; **il faut en ~ baisser l'impôt sur les bénéfices** first of all it is necessary to reduce taxes on profits

E **première** *nf* 1 (événement important, exploit) first; **première mondiale** world first
2 Théât, Cin première
3 Scol Univ *sixth year of secondary school, age 16–17*
4 Aut first (gear); **être en première** to be in first (gear); **passer la première** to go into first (gear); **rouler en première** to drive in first (gear)
5 ○Rail, Aviat first class; **voyager en première** to travel first class; **un billet de première** a first-class ticket
6 (couturière dirigeant un atelier) head seamstress
7 (en alpinisme) first ascent; **~ solitaire** first solo-ascent
8 (dans une chaussure) insole

F **de première**○ *loc adj* first-rate; **c'est de première** it's first-class *ou* first-rate

(Composés) **~ âge** [*produits, vêtements*] for babies up to six months (*après n*); **~ clerc** chief clerk; **~ communiant** boy making his first communion; **~ de cordée** leader; **~ danseur** leading dancer; **~ jet** first *ou* rough draft; **~ maître*** *intermediate rank between chief petty officer and fleet chief petty officer* GB, ≈ master chief petty officer US; **~ ministre** prime minister; **~ secrétaire** (d'un parti, organisme) first secretary; **~ venu** just anybody; **elle s'est jetée dans les bras du ~ venu** she threw herself into the arms of the first man to come along; **~ violon** Mus first violin, leader; **première classe** Mil ≈ private; **première communiante** Relig girl making her first communion; **première communion** Relig first communion; **première épreuve** Imprim first proof; **première nouvelle!** that's the first I've heard about it; **~s secours** first aid ₵

> **Premier ministre**
>
> The chief minister of the government, appointed by the *Président de la République* and responsible for the overall management of government affairs.

premièrement /pʀəmjɛʀmɑ̃/ *adv* 1 (dans une énumération) firstly, first; 2 (introduisant une objection) for a start, for one thing, to begin with; **~ je n'étais pas à Paris à cette époque** for a start I was not in Paris at that time

premier-né, première-née, *mpl* **premiers-nés**, *fpl* **premières-nées** /pʀəmjene, pʀəmjɛʀne/ *nm,f* 1 (premier enfant) first born; **le ~ de leurs enfants était un garçon** their first born was a son; 2 (première production) first

prémisse /pʀemis/ *nf* premise, premiss GB

prémolaire /pʀemɔlɛʀ/ *nf* premolar

prémonition /pʀemɔnisjɔ̃/ *nf* premonition; **avoir la ~ d'un drame** to have a premonition of tragedy

prémonitoire /pʀemɔnitwaʀ/ *adj* premonitory

prémunir /pʀemyniʀ/ [3]
A *vtr* (protéger) to protect (**contre** against)
B **se prémunir** *vpr* to protect oneself (**contre** against, from)

prenant, ~e /pʀənɑ̃, ɑ̃t/ *adj* 1 (captivant) [*intrigue, spectacle*] fascinating; [*voix*] captivating; (absorbant) [*travail, métier*] absorbing; 2 Zool [*queue*] prehensile

prénatal, ~e, *mpl* **~s** *ou* **-aux** /pʀenatal, o/ *adj* [*chirurgie*] prenatal; [*surveillance*] antenatal; **un examen ~** an antenatal○

prendre /pʀɑ̃dʀ/ [52]
A *vtr* 1 (saisir) to take; **~ un vase sur l'étagère/dans le placard** to take a vase off the shelf/out of the cupboard; **~ le bras de son mari** to take one's husband's arm; **~ qn par la taille** (des deux mains) to take sb by the waist; (d'un bras) to put one's arm around sb's waist; **puis-je ~ votre manteau?** may I take your coat?; **prenez donc une chaise** do have *ou* take a seat; ▸ **clique, courage, jambe**
2 (se donner, acquérir) **~ un air/une expression** to put on an air/an expression; **~ le nom de son mari** to take one's husband's name; **~ une identité** to assume an identity; **~ un accent** (involontairement) to pick up an accent; (volontairement) to put on an accent; **~ une habitude** to develop *ou* pick up a habit; **~ une voix grave** to adopt a solemn tone; **~ un rôle** to assume a role; **ta remarque prend tout son sens** you comment begins to make sense; **~ une nuance** to take on a particular nuance
3 (dérober) to take; **~ de l'argent dans la caisse/à ses parents** to take money from the till GB *ou* cash register/from one's parents; **on m'a pris tous mes bijoux** I had all my jewellery GB *ou* jewelry US stolen; **il m'a pris ma petite amie** he stole my girlfriend; **la guerre leur a pris deux fils** they lost two sons in the war; **la guerre leur a pris tout ce qui leur était cher** the war robbed them of all they held most dear
4 (apporter) to bring; **n'oublie pas de ~ des bottes** don't forget to bring boots; **je n'ai pas pris assez d'argent** I haven't brought enough money
5 (emporter) to take; **j'ai pris ton parapluie** I took your umbrella; **ne prends rien sans demander** don't take anything without asking; **prends ton écharpe, il fait froid** take your scarf, it's cold
6 (retirer) **~ de l'argent au distributeur** to get some money out of the cash dispenser; **~ de l'eau au puits** to get water from the well; **~ quelques livres à la bibliothèque** to get a few books out of the library
7 (consommer) to have [*boisson, aliment, repas*]; to take [*médicament, drogue*]; **vous prendrez bien quelque chose/un peu de gâteau?** won't you have something to eat or drink/some cake?; **je vais ~ du poisson** I'll have fish; **mais tu n'as rien pris!** you've hardly taken any!; **aller ~ un café/une bière** to go for a coffee/a beer; **je prends des calmants depuis la guerre** I've been on tranquillizers[GB] since the war; **le médecin me fait ~ des antibiotiques** the doctor has put me on antibiotics; **je ne prends jamais d'alcool/de drogue** I never touch alcohol/take drugs
8 (s'accorder) to take; **~ un congé** to take a vacation; **je vais ~ mon mercredi**○ I'm going to take Wednesday off; ▸ **temps**
9 (choisir) to take [*objet*]; to choose [*sujet, question*]; **~ la rouge/le moins cher des deux/la chambre double** to take the red one/the cheaper one/the double room; **j'ai pris la question sur Zola** I chose the question on Zola; **la romancière a pris comme sujet une histoire vraie** the writer based her novel on a true story; **~ qn pour époux/épouse** to take sb to be one's husband/wife
10 (faire payer) to charge; **elle prend combien de l'heure/pour une coupe?** how much does she charge an hour/for a cut?; **on m'a pris très cher** I was charged a lot; **il prend 15% au passage** he takes a cut of 15%
11 (nécessiter) to take [*temps*]; (user) to take up [*espace, temps*]; **le voyage m'a pris moins de deux heures** the trip took me less than two hours; **tes livres prennent trop de place** your books take up too much room; **mes enfants me prennent tout mon temps/toute mon énergie** my children take up all my time/all my energy
12 (acheter, réserver, louer) to get [*aliments, essence, place*]; **prends aussi du jambon** get some ham too; **j'ai pris deux places pour ce soir** I've got two tickets for tonight; **~ une chambre en ville** to get a room in town; **j'en prendrai un kilo** I'll have a kilo
13 (embaucher) (durablement) to take [sb] on [*employé, assistant, apprenti*]; (pour une mission) to engage [*personne*]; **ils ne m'ont pas pris** they didn't take me on; **~ qn comme nourrice** to take sb on as a nanny; **~ un avocat/guide** to engage a lawyer/guide; **être pris chez** *or* **par Hachette** to get a job with Hachette; **~ une maîtresse** to take a mistress
14 (accueillir) to take; **ils ont pris la petite chez eux** they took the little girl in; **l'école n'a pas voulu la ~** the school wouldn't take her; **ce train ne prend pas de voyageurs** this train doesn't take passengers; **~ un client** [*taxi*] to pick up a customer; [*prostituée*] to pick up a client; [*coiffeur*] to take a customer; **~ un patient** [*médecin*] to see a patient; **~ un nouveau patient** [*médecin, dentiste*] to take on a new patient; **~ un élève** [*professeur*] to take on a student
15 (ramasser au passage) to pick up [*personne, pain, clé, journal, ticket*]; **je passe te ~ à midi** I'll come and pick you up at 12; **~ un auto-stoppeur** to pick up a hitchhiker; **~ les enfants à l'école** to collect the children from school
16 (emmener) to take [*personne*]; **je prends les enfants cet après-midi** I'll take the children this afternoon; **je peux te ~** (en voiture) I can give you a lift
17 (attraper) to catch [*personne, animal*]; **elle s'est fait ~ en train de voler** she got caught

stealing; ~ **un papillon avec ses doigts** to pick up a butterfly; ~ **un papillon entre ses mains** to cup a butterfly in one's hands; **je vous y prends**○**!** caught you!; **on ne m'y prendra plus**○**!** I won't be taken in○ again!; **se laisser ~ par un attrape-nigauds/une histoire** to fall for a trick/a story; **je ne me suis pas laissé ~** (tromper) I wasn't going to be taken in○; **se laisser ~ dans une bagarre** to get drawn into a fight; **se faire ~ par l'ennemi** to be captured by the enemy; ~ **un poisson** to catch a fish; ▸ **flagrant, sac, taureau, vinaigre**

18 (assaillir) **une douleur le prit** he felt a sudden pain; **qu'est-ce qui te prend**○**?** what's the matter with you?; **ça te/leur prend souvent**○**?** are you/they often like this?; **ça te prend souvent de gueuler**○ **comme ça?** do you often yell○ like that?

19 (captiver) to involve [*spectateur, lecteur*]; **être pris par un livre/film** to be involved in a book/film

20 (subir) to get [*gifle, coup de soleil, décharge, contravention*]; to catch [*rhume*]; **j'ai pris le marteau sur le pied** the hammer hit me on the foot; **qu'est-ce qu'ils ont pris**○**!** (coups, défaite) what a beating○ they got!; (reproches) what a telling-off○ they got!; ~ **une quinte de toux** to have a coughing fit

21 Transp (utiliser) to take [*autobus, métro, train, ferry, autoroute*]; ~ **le train/la voiture/l'avion** to take the train/the car/the plane; ~ **le** *or* **un taxi** to take a taxi; **il a pris l'avion pour aller à Bruxelles** he went to Brussels by air; **je ne prends plus la voiture pour aller à Paris** I've given up driving to Paris; **s'il fait beau, je prendrai la bicyclette** if the weather's nice, I'll cycle; **en général je prends mon vélo pour aller travailler** I usually cycle to work

22 (envisager) to take; **prenons par exemple Nina** take Nina, for example; **si je prends une langue comme le chinois/un pays comme la Chine** if we take a language like Chinese/a country like China; **à tout ~** all in all

23 (considérer) to take; **ne le prends pas mal** don't take it the wrong way; **il a plutôt bien pris ta remarque** he took your comment rather well; **il me prend pour un imbécile** he takes me for a fool; **pour qui me prends-tu?** (grossière erreur) what do you take me for?; (manque de respect) who do you think you're talking to?; **tu me prends pour ton esclave?** I'm not your slave, you know!; **excusez-moi, je vous ai pris pour quelqu'un d'autre** I'm sorry, I thought you were someone else; ▸ **argent, canard, vessie**

24 (traiter) to handle; **il est très gentil quand on sait le ~** he's very nice when you know how to handle him; **savoir ~ son enfant** to know how to handle one's child; **on ne sait jamais par où la ~**○ you never know how to handle her

25 (mesurer) to take [*mensurations, température, tension, pouls*]; **je vais ~ votre pointure** let me measure your foot

26 (noter) to take down; **je vais ~ votre adresse** let me just take down your address; **il s'est enfui mais j'ai pris le numéro de sa voiture** he drove off but I took down his registration GB *ou* license US number

27 (apprendre) ~ **que** to get the idea (that); **où a-t-il pris qu'ils allaient divorcer?** where did he get the idea they were going to get divorced?

28 (accepter) to take; ~ **les cartes de crédit** to take credit cards; **il a refusé de ~ l'argent** he refused to take the money; **il faut ~ les gens comme ils sont** you must take people as you find them; ~ **les choses comme elles sont** to take things as they come; **à 1 500, je prends, mais pas plus** at 1,500, I'll take it, but that's my best offer

29 (endosser) to take over [*direction, pouvoir*]; to assume [*contrôle, poste*]; **je prends ça sur moi** I'll see to it; ~ **sur soi de faire** to take it upon oneself to do, to undertake to do; **elle a pris sur elle de leur parler/de leur cacher la vérité** she took it upon herself to talk to them/to hide the truth from them; **je prends sur moi tes dépenses** I'll cover your expenses

30 (accumuler) to put on [*poids*]; to gain [*avance*]; ~ **trois minutes (d'avance)** to gain three minutes; ~ **des forces** to build up one's strength

31 (contracter) to take on [*bail*]; to take [*emploi*]

32 (défier) to take [sb] on [*concurrent*]; **je prends le gagnant/le perdant** I'll take on the winner/the loser

33 (conquérir) Mil to take, to seize [*ville, forteresse*]; to capture [*navire, tank*]; Jeux to take [*pièce, carte*]

34 (posséder sexuellement) to take [*femme*]

B *vi* 1 (aller) ~ **à gauche/vers le nord** to go left/north; **prenez tout droit** keep straight on; ~ **à travers champs** to strike out GB *ou* head off across the fields; ~ **au plus court** to take the shortest route; ~ **par le littoral** to follow the coast

2 (s'enflammer) [*feu, bois, mèche*] to catch; [*incendie*] to break out

3 (se solidifier) [*gelée, flan, glace, ciment, plâtre, colle*] to set; [*blancs d'œufs*] to stiffen; [*mayonnaise*] to thicken

4 (réussir) [*grève, innovation*] to be a success; [*idée, mode*] to catch on; [*teinture, bouture, vaccination, greffe*] to take; [*leçon*] to sink in

5 (prélever) ~ **sur ses économies pour entretenir un neveu** to draw on one's savings to support a nephew; ~ **sur son temps libre pour traduire un roman** to translate a novel in one's spare time

6 (se contraindre) ~ **sur soi** to take a hold on oneself; ~ **sur soi pour faire** to make oneself do; ~ **sur soi pour ne pas faire** to keep oneself from doing; **j'ai pris sur moi pour les écouter** I made myself listen to them; **j'ai pris sur moi pour ne pas les insulter** I kept myself from insulting them

7 ○(être cru) **ça ne prend pas!** it won't wash○ *ou* work!; **ton explication ne prendra pas avec moi** that explanation won't wash with me○

8 ○(subir) ~ **pour qn** to take the rap○ for sb; **c'est toujours moi qui prends!** I'm always the one who gets it in the neck○!; **tu vas ~!** you'll catch it○!; **il en a pris pour 20 ans** he got 20 years

C **se prendre** *vpr* 1 (devoir être saisi, consommé, mesuré) **un marteau se prend par le manche** you hold a hammer by the handle; **les pâtes ne se prennent pas avec les doigts** you don't eat pasta with your fingers; **en Chine le thé se prend sans sucre** in China they don't put sugar in their tea; **la vitamine C se prend de préférence le matin** vitamin C is best taken in the morning; **la température se prend le matin** your temperature should be taken in the morning

2 (pouvoir être acquis, conquis, utilisé, attrapé) **les mauvaises habitudes se prennent vite** bad habits are easily picked up; **le roi ne se prend jamais** (aux échecs) the king can't be taken; **un avion ne se prend pas sans réservation** you can't take a plane without making reservation

3 (s'attraper) **se ~ le pied gauche avec la main droite** to take one's left foot in one's right hand; **certains singes se prennent aux arbres avec leur queue** some monkeys can swing from trees by their tails

4 (se tenir l'un l'autre) **se ~ par la taille** to hold each other around the waist

5 (se coincer) **se ~ les doigts dans la porte** to catch one's fingers in the door; **mon écharpe s'est prise dans les rayons** my scarf got caught in the spokes

6 ○(recevoir) **il s'est pris quinze jours de prison/une gifle** he got two weeks in prison/ a smack in the face; **tu vas te ~ l'étagère sur la tête** the shelf is going to come down on your head; **je me suis pris une averse** I got caught in a shower

7 (commencer) **se ~ à faire** to find oneself doing; **elle s'est prise à aimer** she found herself falling in love; **se ~ de sympathie pour qn** to take to sb

8 (se considérer) **elle se prend pour un génie** she thinks she's a genius; **il se prend pour James Dean** he fancies himself as James Dean; **pour qui est-ce que tu te prends?** who do you think you are?; ▸ **Dieu**

9 (agresser) **s'en ~ à qn** (par des reproches ou des coups) to set about sb; (pour passer sa colère) to take it out on sb; **s'en ~ à qch** (habituellement) to carry on about sth; (à l'occasion) to lay into sth

10 (se comporter) **savoir s'y ~ avec** to have a way with [*enfants, femmes, vieux*]; to know how to handle [*employés, élèves*]

11 (agir) **il faut s'y ~ à l'avance pour avoir des places** you have to book ahead to get seats; **tu t'y es pris trop tard** you left it too late (**pour faire** to do); **il s'y est pris à plusieurs fois** he tried several times; **ils s'y sont pris à trois contre lui** it was three against one; **on s'y est pris à trois pour faire** it took the three of us to do; **regarde comment elle s'y prend** look how she's doing it; **elle s'y prend bien/mal** she sets *ou* goes about it the right/wrong way; **j'aime bien ta façon de t'y ~** I like the way you go about it; **comment vas-tu t'y ~?** how will you go about it?; **comment vas-tu t'y ~ pour les convaincre?** how will you go about convincing them?

(Idiomes) **c'est toujours ça de pris**○ that's something at least; **il y a à ~ et à laisser** it's like the curate's egg; **c'est à ~ ou à laisser** take it or leave it; **tel est pris qui croyait ~** the tables are turned; **bien m'en a pris**○ it was a good job○; **mal m'en a pris**○ it was a mistake

preneur, -euse /pʀənœʀ, øz/ *nm,f* Comm (acheteur) taker; **les ~s étaient nombreux** there were plenty of takers; **il n'y a pas ~** there are no takers (**pour** for); **trouver ~** [*article*] to attract a buyer; [*personne*] to find a buyer (**pour** for); **ne pas trouver ~** [*article*] to remain unsold; **je suis ~** (acheteur) I'll take it; (intéressé par la proposition) count me in; (intéressé par un plat) I'd love some

(Composés) ~ **à bail** lessee; ~ **d'otages** hostage taker; ~ **de son** sound recordist

prénom /pʀenɔ̃/ *nm* gén first name, christian name GB; Admin forename, given name; **deuxième ~** middle name; ~ **usuel** name by which one is known

(Idiome) **se faire un ~** hum to become the famous child of a famous parent

prénommé, ~e /pʀenɔme/

A *pp* ▸ **prénommer**

B *pp adj* **un ~ Jules** somebody called Jules; **la ~e Isabelle** the girl known as Isabelle

C *nm,f* Jur **le ~** the aforementioned

prénommer /pʀenɔme/ [1]

A *vtr* to name, to call; **un garçon prénommé Olivier** a boy named Olivier; **M. Martin, prénommé Henri** Mr Martin, first name Henri; **comment l'ont-ils prénommé?** what did they call him?

B **se prénommer** *vpr* to be called

prénotion /pʀenosjɔ̃/ *nf* foreknowledge ¢

prénuptial, ~e, *pl* **-iaux** /pʀenypsjal, o/ *adj* [*examen*] pre-marriage

préoccupant, ~e /pʀeɔkypɑ̃, ɑ̃t/ *adj* [*situation, événement, pensées*] worrying; **son état de santé est ~** his/her condition is giving cause for concern

préoccupation /pʀeɔkypasjɔ̃/ *nf* (souci) worry, concern; (pensée dominante) concern; **de graves ~s** serious problems *ou* concerns; **c'est l'une de nos ~s majeures** *or* **essentielles** this is one of our major *ou* main concerns

préoccupé, ~e /pʀeɔkype/

A *pp* ▸ **préoccuper**

B *pp adj* (soucieux) preoccupied; **il a l'air très ~ en ce moment** he seems very preoccupied *ou* he's got a lot on his mind at the moment;

être ~ par qch to be concerned about sth; **il semble peu ~ par les problèmes de l'entreprise** he seems to have little concern for the company's problems

préoccuper /pReɔkype/ [1]
A *vtr* 1 (inquiéter) to worry; **qu'est-ce qui te préoccupe?** what's worrying you?; **ma santé le préoccupe** he's been worried about my health; 2 (occuper) to concern; **la question qui nous préoccupe** the question which concerns us
B se préoccuper *vpr* **se ~ de** to be concerned about [*problème, situation*]; to think about [*avenir, opinion*]; **agir sans se ~ des autres** to act without thinking about other people; **il ne s'est pas préoccupé de savoir si cela m'arrangeait** he didn't think to ask if it would suit me; **la ville se préoccupe surtout de tourisme** the town's main concern is tourism; **se ~ de sa petite personne** to think only of oneself, to be self-centred[GB]

préolympique /pReɔlɛ̃pik/ *adj* pre-Olympic

préopératoire /pReɔpeRatwaR/ *adj* preoperative

prépa○ /pRepa/ *nf* students' slang *preparatory classes for entrance to the Grandes Écoles*

> **Prépa**
>
> refers to an intensive two-year post-*baccalauréat* course of study, usually provided in a *lycée* and working towards the competitive entrance examinations or *concours* by which candidates are selected for admission to a *grande école*.
> ▸ **grande école**

préparateur, -trice /pRepaRatœR, tRis/ ▸ **p. 532** *nm,f* (dans un laboratoire) laboratory assistant; (dans une pharmacie) **~ en pharmacie** pharmacist's assistant

préparatifs /pRepaRatif/ *nmpl* preparations (**de** for)

préparation /pRepaRasjɔ̃/ *nf* 1 (mise au point) preparation; **en ~** [*livre, film, spectacle, loi*] in preparation; **ceci exige un long travail de ~** this requires lengthy preparation; 2 (résultat) preparation; **~ pharmaceutique/chimique** pharmaceutical/chemical preparation; 3 Scol homework, prep○ GB; **faire une ~ de français/latin** to prepare one's French/Latin homework; 4 Tech (de peaux, laines) dressing

(Composés) **~ militaire, PM** *training course prior to military service*

préparatoire /pRepaRatwaR/ *adj* [*réunion, entretien, phase*] preliminary; [*travail*] preparatory, preliminary

préparer /pRepaRe/ [1]
A *vtr* 1 (apprêter) to prepare [*affaires, chambre, cours, loi, discours, plat, surprise*] (**pour** for); to get [sth] ready [*vêtements, outils, dossier, documents*] (**pour** for); to prepare, to plan [*réunion, campagne électorale, spectacle*]; to plan [*vacances, avenir*]; to prepare for [*rentrée, transition*]; to draw up [*projet*]; to hatch [*complot*]; to prepare, to lay [*piège*]; **il est en train de ~ le dîner** he's getting dinner ready, he's fixing dinner US; **~ le terrain** fig to prepare the ground; **il est en train de ~ un mauvais coup** he's cooking something up○; **il prépare un livre/un disque pour l'année prochaine** he's working on a book to be published/a record to be released next year; **tu me prépareras mon costume pour demain?** would you get my suit ready for tomorrow?; **des plats préparés** ready-to-eat meals; **je me demande ce que l'avenir nous prépare** I wonder what the future has in store for us; **il a l'air bizarre en ce moment, je me demande ce qu'il nous prépare** he's been acting oddly recently, I wonder what he's up to; **toutes ces grèves, ça nous prépare une belle pagaille**○! with all these strikes we're in for complete chaos!; **il nous prépare une bonne grippe**○ he's coming down with the flu; **~ ses effets** [*comédien, orateur*] to time one's effects
2 (mettre en condition) to prepare [*personne, pays, économie*] (**à** for); **~ qn à un examen** to prepare sb for an exam; **~ qn à une épreuve sportive** to coach sb for a (sports) competition; **être bien/mal préparé à qch** to be well-/ill-prepared for sth; **l'éducation devrait ~ à la vie** education should be a preparation for life; **essaie de la ~ avant de lui annoncer la nouvelle** try and break the news to her gently; **~ qn à faire** to prepare sb to do; **ses parents ne l'ont pas préparé à affronter le monde extérieur** his parents did not prepare him for the world
3 Scol, Univ to prepare for, to study for [*examen, concours*]; **il prépare une école d'ingénieurs** he's studying for the engineering school entrance examinations
4 Tech to dress [*laine, cuir*]
5 Culin to dress [*poisson, volaille*]
B se préparer *vpr* 1 (s'apprêter) [*personne*] to get ready (**pour qch** for sth; **à faire** to do); **je me préparais à sortir quand le téléphone a sonné** I was just getting ready to go out when the phone rang; **l'armée se prépare à envahir le pays voisin** the army is getting ready *ou* gearing up○ to invade the neighbouring[GB] country
2 (se mettre en condition) to prepare (**à** for); **l'athlète s'est préparé pour la course** the athlete prepared for *ou* trained for the race; **se ~ pour un examen** to prepare for *ou* study for an exam; **se ~ à qch/à faire qch** to prepare for sth/to do sth; **se ~ au pire** to prepare for the worst; **je ne m'étais pas préparé à cette éventualité** I was not prepared for this to happen; **prépare-toi à recevoir une mauvaise nouvelle** prepare yourself for some bad news; **la population se prépare à passer un rude hiver** the people are preparing for a harsh winter
3 (être imminent) [*orage, malheurs*] to be brewing; [*changements*] to be in the offing; **un remaniement ministériel se prépare** a cabinet reshuffle is in the offing; **un coup d'État se prépare dans le pays** a coup d'état is imminent in the country; **il se prépare quelque chose de louche** something fishy○ is going on
4 (faire pour soi) **se ~ une tasse de thé/de la soupe** to make *ou* fix US oneself a cup of tea/some soup

prépayé, ~e /pRepeje/ *adj* prepaid

prépondérance /pRepɔ̃deRɑ̃s/ *nf* predominance (**sur** over); **acquérir/avoir la ~** to gain/to have predominance; **à ~ étrangère** predominantly foreign

prépondérant, ~e /pRepɔ̃deRɑ̃, ɑ̃t/ *adj* predominant; **jouer un rôle ~** to play a predominant role; **la voix du président est ~e** the chairman has the casting vote

préposé, ~e /pRepoze/ *nm,f* 1 gén official; **~ à qch** official responsible for sth; **~ aux écritures** clerk; **~ des douanes** customs official; **~ au vestiaire** cloakroom attendant; **~ aux toilettes** lavatory attendant; 2 (facteur) postman/postwoman

préposer /pRepoze/ [1] *vtr* **~ qn à qch/faire qch** to assign sb to sth/to do sth

prépositif, -ive /pRepozitif, iv/ *adj* prepositional

préposition /pRepozisjɔ̃/ *nf* preposition

prépositionnel, -elle /pRepozisjɔnɛl/ *adj* prepositional

prépositivement /pRepozitivmɑ̃/ *adv* prepositionally

préprofessionnel, -elle /pRepRɔfesjɔnɛl/ *adj* vocational; **enseignement ~** vocational training; **classes préprofessionnelles** vocational classes

préprogrammé, ~e /pRepRɔgRame/ *adj* Ordinat **ordinateur ~** stored memory computer

prépuce /pRepys/ *nm* foreskin, prepuce spéc

préraphaélisme /pReRafaelism/ *nm* Pre-Raphaelitism

préraphaélite /pReRafaelit/ *adj, nmf* Pre-Raphaelite

prérecruter /pReRəkRyte/ [1] *vtr* to make a pre-graduation job offer to [*étudiant*]

préréglage /pReReglaʒ/ *nm* pre-setting

prérempli, ~e /pReRɑ̃pli/ *adj* Admin pre-completed

prérentrée /pReRɑ̃tRe/ *nf* Scol *preparatory day for teachers before school year begins*

préretraite /pReRətRɛt/ *nf* 1 (situation) early retirement; **être en ~** to have taken early retirement; **être mis en ~** to be asked to take early retirement; 2 (allocation) early retirement pension

préretraité, ~e /pReRətRete/ *nm,f*: *person who has taken early retirement*; **ce sont des ~s** they've taken early retirement

prérévolutionnaire /pReRevɔlysjɔnɛR/ *adj* prerevolutionary

prérogative /pReRɔgativ/ *nf* 1 (avantage) prerogative (**de faire** to do); **~ de qn/qch sur** primacy of sb/sth over; **s'arroger des ~s** to claim prerogatives; 2 (don) liter gift

préromantique /pReRɔmɑ̃tik/ *adj, nmf* pre-Romantic

préromantisme /pReRɔmɑ̃tism/ *nm* pre-Romanticism

près /pRɛ/
A *adv* 1 (non loin dans l'espace) close; **la ville est tout ~** it's no distance to the town, the town is close by; **ce n'est pas tout ~** it's quite a way; **c'est plus ~ qu'on ne pense** it's closer than you'd think; **se raser de ~** to have a close shave
2 (non loin dans le temps) **les vacances sont tout ~ maintenant** the vacation is nearly here *ou* upon us
3 fig **cela pèse 10 kg, à quelques grammes ~** it weighs 10 kg, give or take a few grams; **ce roman est plutôt bon, à quelques détails ~** this novel is quite good, apart from the odd detail; **à ceci** *or* **cela ~ que** except that; **il m'a remboursé au centime ~** he paid me back to the very last penny; **à une minute ~, j'avais mon train/je battais mon record** I was within a minute of catching my train/breaking my record; **à une voix ~, le projet aurait été adopté** the project would have been adopted but for one vote; **gagner/perdre à deux voix ~** to win/lose by two votes; **elles sont semblables, à la couleur ~** they're the same but for the colour[GB]; **prends ton temps, on n'est pas à cinq minutes ~** take your time, five minutes won't make any difference; **ils ne sont plus à un vol ~** one more theft won't make any difference to them; **je ne suis pas à un paquet de cigarettes ~** what does the odd packet of cigarettes matter?; **précis au millimètre ~** accurate to within a millimetre[GB]; **à une exception ~** with only one exception; **à quelques exceptions ~** with a few rare exceptions
B près de *loc prép* 1 (dans l'espace) near; **j'aimerais être ~ de toi** I'd like to be with you; **elle habite ~ d'ici** she lives nearby *ou* near here; **être ~ du but** fig to be close to achieving one's goal; **la balle est passée très ~ du cœur** the bullet just missed the heart; **~ d'elle, un enfant jouait** a child was playing near her *ou* beside her; **elle est ~ de lui** (à ses côtés) she's with him
2 (dans le temps) near, nearly; **il est ~ de l'âge de la retraite** he's near retirement age; **il est ~ de minuit** it's nearly midnight; **elle est ~ de la cinquantaine** she's nearly fifty; **on est ~ des vacances maintenant** the holidays are nearly here *ou* upon us; **être ~ de faire** to be about to do; **je ne suis pas ~ de recommencer/d'y retourner** I'm not about to do that again/to go back there again; **être ~ de partir/sombrer** to be about to leave/sink; **le jour est ~ de se lever** dawn is about to break; **je suis ~ de penser/croire que** I

P

almost think/believe that; **être ~ de réussir/de refuser/d'accepter** to be about to succeed/to refuse/to accept, to be on the point of succeeding/of refusing/of accepting; **ils étaient ~ de la victoire** they were close to victory; **le problème n'est pas ~ d'être résolu** the problem is nowhere near solved

3 (par les idées, les sentiments) close; **elle a toujours été très ~ de sa mère** she has always been very close to her mother; **ils sont très ~ l'un de l'autre** they are very close; **vivre ~ de la nature** to live close to nature

4 (presque) nearly, almost; **cela coûte ~ de 1 000 euros** it costs nearly *ou* almost 1,000 euros; **il a cessé de fumer pendant ~ de 20 ans** he didn't smoke for nearly 20 years; **cela a nécessité ~ d'un an de travail** it involved nearly a year's work; **le chômage touche ~ de 3 millions de personnes** unemployment affects nearly *ou* almost 3 million people; **une toile de ~ de 2 m sur 3** a canvas measuring almost 2 m by 3; **cela fait ~ d'un mois que j'attends** I've been waiting close to *ou* for nearly a month

C de près *loc adv* closely; **regarder de plus ~** to take a closer look; **regarder/examiner qch de ~** to look at/to examine sth closely; **observer/suivre qn de ~** to observe/to follow sb closely; **surveiller qn/qch de ~** to keep a close eye on sb/sth; **le coup de fusil a été tiré de très ~** the shot was fired at close range; **voir de ~** to see clearly close up; **vu de ~, cela rassemble à...** seen from close quarters, it looks like...; **les examens/concurrents se suivent de ~** the exams/competitors are close together; **les explosions se succèdèrent de ~** the explosions came in close succession; **être lié de ~ à qch** to be closely linked with sth; **s'intéresser de ~ à qch** to take a close interest in sth; **frôler de ~ la catastrophe** to come close to disaster; **ne pas y regarder de trop ~** not to look too closely; **voir la mort de ~** to look death in the face, to come close to death; **à y regarder de plus ~** on closer examination

D à peu près *loc adv* (presque) **la rue est à peu ~ vide** the street is practically *ou* virtually empty; **cela coûte à peu ~ 200 euros** it costs about *ou* around 200 euros; **il y a à peu ~ une heure qu'il est parti** he left about an hour ago, it's about an hour since he left; **un groupe d'à peu ~ 50 personnes** a group of about *ou* some 50 people; **je pense à peu ~ comme toi** I think more or less the same as you; **à peu ~ de la même façon** in much the same way; **à peu ~ semblables** pretty much the same; **cela désigne à peu ~ n'importe quoi** it refers to just about anything; **c'est à peu ~ tout** that's about the size of it; **c'est à peu ~ tout ce qu'on sait sur cette affaire** that's just about all we know about this matter

présage /pʀezaʒ/ *nm* **1** (signe) omen; **~ de malheur** omen of doom; **oiseau de mauvais ~** bird of ill omen; **~ de mort** omen of death; **heureux ~** happy omen; **bon/mauvais ~** good/bad omen; **2** (signe avant-coureur) harbinger; **~ de** harbinger of; **c'est le ~ d'une brillante carrière** it's the harbinger of a brilliant career; **ce coup de téléphone est le ~ d'une catastrophe** this phone call is the harbinger of a disaster; **3** (prédiction) prediction

présager /pʀezaʒe/ [13] *vtr* (annoncer) [*événement, nouvelle*] to presage; (prévoir) [*personne*] to predict; **laisser ~** to suggest (**à** to); **cela ne présage rien de bon** this does not bode well

pré-salé, *pl* **prés-salés** /pʀesale/ *nm* **1** (animal) salt-meadow sheep; **2** (viande) salt-meadow lamb

presbyte /pʀɛsbit/

A *adj* longsighted GB, farsighted US, presbyopic spéc

B *nmf* longsighted person GB, farsighted person US, presbyopic spéc; **c'est un ~** he's longsighted GB *ou* farsighted US

presbytère /pʀɛsbitɛʀ/ *nm* presbytery

presbytérianisme /pʀɛsbiteʀjanism/ *nm* Presbyterianism

presbytérien, **-ienne** /pʀɛsbiteʀjɛ̃, ɛn/

A *adj* Presbyterian; **il est ~** he's a Presbyterian

B *nm,f* Presbyterian

presbytie /pʀɛsbisi/ *nf* longsightedness GB, farsightedness US, presbyopia spéc

prescience /pʀesjɑ̃s/ *nf* liter **1** (connaissance de l'avenir) foresight, prescience; **2** (intuition) premonition; **3** Relig prescience

prescient, **~e** /pʀesjɑ̃, ɑ̃t/ *adj* prescient

préscientifique /pʀesjɑ̃tifik/ *adj* prescientific

préscolaire /pʀeskɔlɛʀ/ *adj* preschool

préscolarisation /pʀeskɔlaʀizasjɔ̃/ *nf* preschool education

préscolariser /pʀeskɔlaʀize/ [1] *vtr* to send [sb] to nursery school [*enfant*]

prescripteur, **-trice** /pʀɛskʀiptœʀ, tʀis/ *nm,f* prescriber

prescriptible /pʀɛskʀiptibl/ *adj* [*dette, droit*] subject to limitation of action by lapse of time; [*peine, crime*] time-barred

prescription /pʀɛskʀipsjɔ̃/ *nf* **1** Méd prescription; (sur un emballage) **'se conformer aux ~s du médecin'** 'to be taken in accordance with doctor's instructions'; **2** (ordre) prescript; **3** Jur (de droit) prescription; (de peine, crime) limitation of action by lapse of time; (de dette) barring by lapse of time; **délai de ~** period of limitation

prescrire /pʀɛskʀiʀ/ [67]

A *vtr* **1** Méd to prescribe [*médicament, repos*] (**à qn** for sb); **'ne pas dépasser la dose prescrite'** (sur un emballage) 'do not exceed stated dose'; **2** (imposer) to stipulate; **au jour prescrit** on the day stipulated; **à la date prescrite** on the date stipulated; **ce que l'honneur prescrit** what honour[GB] dictates; **3** (requérir) [*circonstance, événement*] to call for; **4** Jur to subject [sth] to limitation by lapse of time [*peine, crime, dette, droit*]

B se prescrire *vpr* **1** Jur [*crime, peine, dette*] to be subject to limitation by lapse of time; **2** Méd to be prescribed

préséance /pʀeseɑ̃s/ *nf* precedence; **avoir la ~ sur qn** to take precedence over sb

présélecteur /pʀeselɛktœʀ/ *nm* **1** Aut preselector; **2** Tech preset device

présélection /pʀeselɛksjɔ̃/ *nf* **1** (de personnes, livres) shortlisting; **être admis** *or* **retenu en ~** to be shortlisted; **2** Tech presetting; **bouton de ~** preset button; **boîte de vitesses à ~** Aut preselector gearbox

présélectionner /pʀeselɛksjɔne/ [1] *vtr* **1** to shortlist [*personnes, livres*]; **2** Tech to preselect [*vitesse*]; TV, Radio to preset

présence /pʀezɑ̃s/

A *nf* **1** (de personne) presence; (au bureau, à l'usine) attendance; **elle nous a honorés de sa ~** she honoured[GB] us with her presence; **il ignore ta ~** he doesn't know you are here; **il fait de la ~, c'est tout** he's present and not much else; **il me suffit de faire de la ~** I just need to turn up; **fuir/éviter la ~ de qn** to shun/to avoid sb; **trois mois de ~ dans l'entreprise sont nécessaires** it is necessary to have been with the company for three months; **en ~ du maire/d'un avocat** in the presence of the mayor/of a lawyer; **il l'a fait en ma ~/hors de ma ~** he did it in my presence/while I wasn't there; **en ~ d'un acide il se produit une réaction** a reaction occurs when an acid is present; **en ~ d'une foule énorme** in front of a huge crowd; **en ~ de la reine** in the presence of the Queen; **les forces en ~ dans le conflit** the forces involved in the conflict; **en ~ d'un tel désastre** faced with such a disaster; **les parties en ~** Jur the litigants, the opposing parties; **mettre deux personnes en ~** to bring two people together *ou* face to face; **2** (de pays) presence; **la ~ française en Afrique** the French presence in Africa; **3** (de substance, phénomène, d'industrie) presence (**dans** in); **4** Relig **la ~ réelle** real presence; **5** (être animé) **sentir une ~** to feel a presence; **il a besoin d'une ~** he needs company; **6** (personnalité) presence; **avoir beaucoup de ~ (sur scène)** to have great stage presence; **7** (influence d'auteur) liter influence

(Composé) **~ d'esprit** presence of mind

présent, **~e** /pʀezɑ̃, ɑ̃t/

A *adj* **1** (sur les lieux) [*personne*] present; **j'étais ~ quand cela est arrivé** I was present *ou* there when it happened; **les personnes ~es** those present; **les personnes ici ~es** the persons here present sout; **M. Glénat, ici ~** Mr Glénat, who is here with us; **être ~ à une cérémonie** to be present at *ou* to attend a ceremony; **il était ~ aux obsèques** he was present at *ou* he attended the funeral; **il ne sera pas ~ à l'audience** Jur he will not appear in court; **'~!'** (à l'école) 'here!', 'present!'; **j'étais ~ en pensée** *or* **par le cœur** I was there in spirit; **aux prochaines élections le nouveau parti sera ~** fig at the next elections the new party will be represented; **pour aller au cinéma il est toujours ~!** fig he's always ready to go to the cinema GB *ou* movies US!; **2** (existant) present; **la violence est ~e à toutes les pages** violence is present on every page; **la faim est toujours ~e dans cette partie du monde** there's still hunger in that part of the world; **la société, ~e depuis peu dans ce secteur** the company, which has recently moved into this sector; **avoir ~ à l'esprit** to have [sth] in mind [*conseil*]; to have [sth] fresh in one's mind [*souvenir*]; **le souvenir toujours ~ de** the ever present memory of; **gardez** *or* **ayez bien ~ à l'esprit que** bear in mind that; **3** (actif) actively involved; **être très ~ dans une organisation** to be actively involved in an organization; **la société reste très ~e sur le marché** the company is still very active on the market; **ma mère a toujours été très ~e** (dans ma vie) my mother has always been there for me; **un acteur/un chanteur très ~ sur scène** an actor/a singer with a strong stage presence; **4** (actuel) [*moment, situation, état*] present; **ne penser qu'au moment ~** not to look beyond the present; **le 5 du mois ~** on the 5th instant GB *ou* of this month; **faire qch dans la minute ~e** to do sth instantly; **5** (en cause) present; **la ~e déclaration** the present statement; **par la ~e lettre** by the present (letter), hereby Jur; **6** Ling [*temps, participe*] present

B *nm,f* (personne) **il n'y avait que 10 ~s** there were only 10 people present; **la liste des ~s** the list of those present

C *nm* **1** (période) **le ~** the present; **pour le ~** for the moment *ou* present; **2** Ling (temps) present (tense); **le verbe est au ~ du subjonctif** the verb is in the present subjunctive; **3** (cadeau) gift, present; **faire ~ de qch à qn** to present sb with sth

D présente *nf* (lettre) **par la ~e** hereby; **joint à la ~e** herewith

E à présent *loc adv* (en ce moment) at present; (maintenant) now; **d'à ~** of today; **à ~ que** now that

présentable /pʀezɑ̃tabl/ *adj* [*personne, tenue*] presentable; **ce devoir n'est pas ~** this is a very untidy piece of work

présentateur, **-trice** /pʀezɑ̃tatœʀ, tʀis/ ▸ p. 532 *nm,f* Radio, TV (de spectacle, d'émission) presenter, anchor; **le ~ (du journal)** the newsreader GB, the newscaster US

présentation /pʀezɑ̃tasjɔ̃/ *nf* **1** (d'ami, de conférencier) gén introduction; (à un souverain, la cour) presentation; **faire les ~s** to make the introductions; **2** (apparence) appearance; **'excellente ~ exigée'** 'smart appearance required'; **3** (arrangement) (de plat, devoir, d'idées) presentation; (de magazine, lettre) presentation, layout; (de produits) display, presentation; **4** (manifestation, spectacle) show, showing; **~ des collections d'hiver** Mode showing of the winter collections; **~ de mode** fashion

P

show; 5 (d'émission, de journal, jeu) presentation; **il est chargé de la ~ d'une nouvelle émission à la télévision** he's to be the presenter of a new television programme; 6 (de carte, ticket, bagage) production, showing; (de pièces justificatives) production, presentation; Fin (de chèque) presentation; **sur ~ de** on production of; 7 (exposé) presentation; **lundi aura lieu la ~ du budget à l'Assemblée nationale** on Monday the budget will be presented to the National Assembly; 8 Relig **la Présentation de la Vierge/l'Enfant Jésus** Presentation of the Virgin/the Child; **fête de la Présentation de Jésus** Candlemas; 9 Méd (de bébé) presentation; **~ par le siège** breech presentation

(Composé) **~ du numéro** Télécom caller display function

présente ▸ **présent A, B, D**

présentement /pʀezɑ̃tmɑ̃/ *adv* at present GB, at the moment GB, presently US

présenter /pʀezɑ̃te/ [1]

A *vtr* 1 (faire connaître) to introduce (**à** to); (de manière officielle) to present (**à qn** to sb); **~ un conférencier à l'auditoire** to introduce a speaker to the audience; **permettez-moi de vous ~ mon collègue** fml may I introduce my colleague?; **je vous présente mon fils** this is my son, may I introduce my son?; **on vous a présentés?** have you been introduced?; **il l'a présentée comme sa secrétaire** he introduced her as his secretary; **il n'est pas nécessaire de vous ~ Pierre** Pierre needs no introduction from me; **être présenté au roi/à la cour** to be presented to the king/at court 2 (montrer) to show [*ticket, carte, menu*]; **~ une troupe à** to parade troops before; **'présentez armes!'** 'present arms!' 3 (proposer au public) to present [*spectacle, vedette, rétrospective, collection*]; Radio, TV to present [*journal, émission*]; Comm to display [*marchandises*] 4 (soumettre) to present [*chèque, facture, addition*]; to submit [*devis, rapport, thèse*]; to table [*motion*]; to introduce [*proposition, projet de loi*]; **~ qn à** to put sb forward for [*poste, élection*]; to enter sb for [*examen, concours*]; **~ une liste pour les élections** to put forward a list (of candidates) for the elections; **~ une proposition à un comité** to put a proposal to a committee; **~ sa candidature à un poste** to apply *ou* put in an application for a job; **~ un enfant au baptême** to have a child christened 5 (exposer) to present [*situation, faits, budget, conclusions*]; to expound, to present [*théorie*]; to present, to set out [*idée*]; to set out [*objections, point de vue*]; **rapport mal/bien présenté** badly-/well-presented report; **~ qn comme (étant) un monstre** to portray sb as a monster; **être présenté comme miraculeux** to be described as miraculous; **être présenté comme un modèle** to be held up as a model; **être présenté comme une simple mesure provisoire** to be described as just a temporary measure; **~ la victoire comme acquise** to speak of victory as already won; **comment allez-vous leur ~ l'affaire?** how are you going to put the matter to them?; **~ une affaire devant les tribunaux** to take a case to court; **~ la note** *or* **l'addition** to present the bill GB *ou* check US 6 (exprimer) to offer [*condoléances*] (**à** to); **~ des excuses** to apologize (**à** to) 7 (comporter) to involve, to present [*risque, difficulté*]; to show [*différences, signe, trace*]; to show, to present [*symptôme*]; to offer [*avantage*]; to have [*aspect, particularité, défaut*]; **un coffret qui présente des incrustations de nacre** a box set with mother of pearl; **~ un grand intérêt/peu d'intérêt** to be of great interest/of little interest 8 (orienter) **~ son visage au soleil** to turn one's face to the sun; **~ le flanc à l'ennemi** to turn the flank to the enemy; **~ les voiles au vent** to set the sails into the wind

B *vi* **~ bien** to have a smart appearance; **~ mal** to be badly turned out

C se présenter *vpr* 1 (paraître) to appear; (aller) to go; (venir) to come; **tu ne peux pas te ~ dans cette tenue** you can't appear dressed like that; **se ~ à l'audience** Jur to appear in court; **en arrivant, il faut se ~ à la réception** when you arrive you must go *ou* report to reception; **personne ne s'est présenté** nobody came *ou* appeared *ou* turned up°; **présentez-vous à 10 heures** come at 10; **quand il s'est présenté chez le directeur** when he presented himself sout at the manager's office; **on ne se présente pas chez les gens à minuit** you don't call on people at midnight; **comment oses-tu te ~ chez moi?** how dare you show your face at my house?; **'ne pas écrire, se ~'** 'please apply in person' 2 (se faire connaître) to introduce oneself (**à** to); **je me présente, Jacques Roux** may I introduce myself? Jacques Roux; **il s'est présenté (à moi) comme (un) employé de la banque** he introduced himself (to me) as a bank employee; **se ~ comme le** *or* **en libérateur du pays** to make oneself out to be the country's saviour 3 (se porter candidat) **se ~ à** to take [*examen, concours*]; to stand for [*élections*]; **se ~ aux élections présidentielles** to stand in the presidential elections, to run for president US; **en 1988 il ne s'est pas présenté** in 1988 he didn't stand; **se ~ sur la même liste que** to stand GB *ou* run US alongside sb; **se ~ pour un emploi** to put in *ou* apply for a post 4 (survenir) [*occasion, difficulté, problème*] to arise, to present itself; [*solution*] to emerge; **peu d'occasions se sont présentées** there were few opportunities; **lire/manger tout ce qui se présente** to read/eat anything that comes along; **les difficultés qui se présentent à nous** the difficulties with which we are faced *ou* confronted; **les possibilités qui se présentent à nous** the possibilities available to us; **cette idée s'était présentée à mon esprit** the idea had crossed my mind; **un spectacle étonnant se présenta à mes yeux** an amazing sight met my eyes 5 (exister) [*médicament, produit*] **se ~ en, se ~ sous forme de** to come in the form of; **se ~ sous forme de cachets/en granulés** to come *ou* be available in tablet form/in the form of granules 6 (s'annoncer) **l'affaire se présente bien/mal** things are looking good/bad; **comment se présente la situation sur le front?** what is the situation at the front? 7 Méd **comment se présente l'enfant?** how is the baby presenting?; **le bébé se présente par le siège** the baby is in the breech position

présentoir /pʀezɑ̃twaʀ/ *nm* (meuble) display stand *ou* unit; (rayon) display shelf; **~ à tourniquet** rotating display rack; **~ de caisse** check-out display

présérie /pʀeseʀi/ *nf* test batch

préservateur, -trice /pʀezɛʀvatœʀ, tʀis/ *nm* Chimie, Ind preservative; **sans ~** preservative-free

préservatif /pʀezɛʀvatif/ *nm* condom; **~ féminin** female condom

préservation /pʀezɛʀvasjɔ̃/ *nf* (de personne, d'environnement) protection; (de bâtiment, site) preservation, conservation; (de pouvoir, d'État) preservation; **la ~ de la nature** nature conservation

préserver /pʀezɛʀve/ [1]

A *vtr* to preserve [*tradition, unité, patrimoine, jeunesse, paix*] (**de** from, against); to protect [*intérêt, droit, emploi, environnement, corps*] (**de** from, against)

B se préserver *vpr* **se ~ de** to protect oneself against [*intempéries*]

(Idiome) **jamais je ne l'épouserai, Dieu** *or* **le ciel m'en préserve!** God forbid I should ever marry him/her!

présidence /pʀezidɑ̃s/ *nf* 1 (fonction) (d'État, association, de club, syndicat) presidency; (d'entreprise, de parti, commission, jury, tribunal, cour) chairmanship; (d'université) vice-chancellorship GB, presidency US; **exercer la ~** Pol to hold the presidency; Entr to hold the chairmanship; **votre candidature à la ~ de la République** your candidacy for the presidency of the Republic; **candidat à la ~** Pol presidential candidate; **être candidat à la ~** Pol to stand GB *ou* run US for presidency; 2 (résidence) presidential palace; (bureaux) presidential offices (*pl*)

(Composé) **~ du Parlement Européen** presidency of the European Parliament; **~ par rotation** UE revolving presidency

président /pʀezidɑ̃/ ▸ **p. 848** *nm* (d'État, association, club, syndicat) president; (d'entreprise, de conseil d'administration) chairman; (de parti, commission) chairperson; (de jury d'examen ou de prix) chairman; (d'université) vice-chancellor GB, president US; **'Ducostar, ~!'** Pol 'Ducostar for president!'; **Monsieur le Président** Pol Mr President; Entr Mr Chairman; Jur Your Honour[GB]; **Madame le Président** fml Pol Madam President; Entr Madam Chairman; Jur Your Honour[GB]

(Composés) **~ de l'Assemblée nationale** Pol Speaker of the National Assembly; **~ de la Commission Européenne** President of the European Commission; **~ du Conseil** Hist head of government (*during the Third and Fourth Republics in France*); **~ du Parlement européen** Speaker of the European Parliament; **~ de la République** President of the Republic; **~ de séance** (à une réunion) chair, chairperson; **~ du Sénat** Pol Speaker of the Senate

> **Président de la République**
>
> The president is the head of state and is elected for a term of 5 years. In the terms of the constitution of the *Cinquième République*, the president plays a strong executive role in the governing of the country.

président-directeur, *pl* **présidents-directeurs** /pʀezidɑ̃diʀɛktœʀ/ *nm* **~ général** chairman and managing director GB, chief executive officer US

présidente /pʀezidɑ̃t/ ▸ **p. 848** *nf* 1 (d'État, de club, syndicat) president; (d'une assemblée législative) speaker; (de parti, commission) chair, chairwoman; (d'entreprise, de conseil d'administration) chairman; 2 (épouse du chef d'État) First Lady

présidentiable /pʀezidɑ̃sjabl/

A *adj* [*ministre, chef de parti*] who is a potential presidential candidate (*épith, après n*)

B *nmf* presidential hopeful

présidentialisme /pʀezidɑ̃sjalism/ *nm* presidentialism

présidentiel, -ielle /pʀezidɑ̃sjɛl/

A *adj* presidential; **l'entourage ~** the president's entourage

B présidentielles *nfpl* presidential election

présider /pʀezide/ [1]

A *vtr* 1 (diriger) to chair [*commission, débat, jury d'examen*]; 2 (être président de) to be the president of [*club, association*]; to be the chairman/chairwoman of [*entreprise, parti, conseil d'administration*]; Jur to preside over [*cour*]; to be the vice-chancellor GB *ou* president US of [*université*]; 3 (être à l'honneur) **~ un dîner** to be the guest of honour[GB] at a dinner

B présider à *vtr ind* 1 (régir) fml **~ à** [*astre, divinité, règle*] to govern [*destinées, naissances, guerre*]; to oversee [*évolution*]; 2 †(superviser) **~ à** [*personne*] to preside over [*réunion, cérémonie, préparatifs*]

présidium = **præsidium**

présignalisation /pʀesiɲalizasjɔ̃/ *nf* **triangle de ~** warning triangle

présocratique /pʀesɔkʀatik/

A *adj* pre-Socratic

B nm pre-Socratic (philosopher)

présomptif, -ive /pʀezɔ̃ptif, iv/ *adj* **héritier ~** heir apparent

présomption /pʀezɔ̃psjɔ̃/ *nf* **1** Jur presumption (**de** of); **condamner qn sur de simples ~s** to condemn sb on presumptive grounds alone; **~ d'innocence/de paternité** presumption of innocence/of paternity; **2** (supposition) assumption; **3** (prétention) presumption; **être plein de ~** to be full of presumption, to be presumptuous

présomptueusement /pʀezɔ̃ptɥøzmɑ̃/ *adv* presumptuously

présomptueux, -euse /pʀezɔ̃ptɥø, øz/
A *adj* [*personne, air*] arrogant; [*action, propos*] presumptuous; **il serait ~ de dire** it would be presumptuous to say
B *nm,f* presumptuous person

présonorisation /pʀesɔnɔʀizasjɔ̃/ *nf* Cin, TV playback

presque /pʀɛsk/ *adv* **nous sommes ~ arrivés** we're almost *ou* nearly there; **~ tout le monde/chaque semaine** almost everybody/every week; **~ la moitié** almost half; **~ toujours** almost always; **la ~ totalité des étudiants** almost all the students; **il y a trois ans ~ jour pour jour** it's nearly three years to the day; **la même histoire ou ~** the same story or almost the same; **tout le monde ou ~** everybody or almost everybody; **il n'y avait personne ou ~, il n'y avait ~ personne** there was hardly anyone there; **c'était le bonheur ou ~** it was as close to happiness as one can get; **il ne reste ~ rien** there's hardly anything left; **cela n'arrive ~ jamais** it hardly ever happens; **il n'a ~ pas plu** it hardly rained at all; **il ne neige ~ plus** it has almost stopped snowing; **elle n'a rien mangé ou ~** she ate hardly anything; **il ne se passe ~ pas de jour sans que qch arrive** hardly a day goes by without something happening

presqu'île* /pʀɛskil/ *nf* peninsula

pressage /pʀesaʒ/ *nm* pressing

pressant, ~e /pʀesɑ̃, ɑ̃t/ *adj* [*besoin, demande, invitation, danger, problème*] pressing; [*appel*] urgent; [*vendeur*] insistent; **demander qch de manière ~e** to press for sth

presse /pʀɛs/
A *nf* **1** (journaux) press; (journalistes) press; (magazines) magazines (*pl*); **~ écrite/économique** written/economic press; **article de ~** press article; **présenter à** *or* **devant la ~** to present to the press; **convoquer la ~** to summon the press; **~ automobile/féminine/du cœur** motoring GB *ou* car US/women's/romantic magazines; **avoir bonne/mauvaise ~** to be well/not well thought of (**auprès** among); **que dit la ~?** what do the papers say?; ▸ **grand**; **2** (machine à presser) press; **~ hydraulique/de 100 tonnes** hydraulic/100-ton press; **~ à la main/à vis/mécanique** hand/screw/power press; **~ à relier/à emboutir** holding/stamping press; **3** (machine à imprimer) press; **~ à cylindres** *or* **rotative** cylinder press; **~ à bras** hand press; **~ à platine** platen press; **mettre sous ~** to send [sth] off to press; **être mis sous ~** to go to press; **'sous ~'** 'in preparation'; **4** (hâte) **dans les moments de ~** when things get busy
B presses *nfpl* (maison d'édition) press (*sg*)

> **Presse**
>
> Also referred to as *le quatrième pouvoir*, the press plays a central role in French cultural life. The best-known and most respected French newspaper is *Le Monde*, which provides in-depth coverage of national and international news and is unusual in that it publishes virtually no photographs. National newspapers reflect the main political trends in public life (*Le Figaro* is associated with the right whereas *Libération* is a left-wing publication etc.). There are also several large-circulation regional newspapers (e.g. *Ouest-France*) as well as specialist publications like *L'équipe*, the sports daily. France publishes more than 15,000 weekly and monthly magazines. The main French press agency is *l'Agence France Presse* (*AFP*).

pressé, ~e /pʀese/
A *pp* ▸ **presser**
B *pp adj* **1** (qui n'a pas le temps) [*personne, client, visiteur, automobiliste*] impatient; [*pas, air*] hurried; **être/avoir l'air ~** to be/look in a hurry; **avoir l'air bien ~** to seem to be in a great hurry; **les gens ~s dans la rue** people rushing about in the street; **2** (désireux) **~ de faire** keen to do; **peu ~ de prendre des risques** in no great hurry to take (any) risks; **3** (urgent) [*affaire*] urgent; **elle n'a rien eu de plus ~ que de faire** she couldn't wait to do; **aller** *or* **parer au plus ~** to do the most urgent thing(s) first

presse-agrumes* /pʀesagʀym/ *nm inv* (électrique) juice extractor GB, juicer US; (manuel) fruit squeezer GB, juicer US

presse-ail /pʀesaj/ *nm inv* garlic press

presse-bouton* /pʀesbutɔ̃/ *adj inv* **guerre ~** push-button warfare; **usine ~** fully automated factory

presse-citron* /pʀessitʀɔ̃/ *nm inv* lemon squeezer

presse-étoupe* /pʀesetup/ *nm inv* Tech gland

pressentiment /pʀesɑ̃timɑ̃/ *nm* premonition; **avoir le ~ de/que** to have a premonition about/that; **mes ~s se confirment** it's all turning out as I expected; **j'ai été pris d'un ~** I had a premonition

pressentir /pʀesɑ̃tiʀ/ [30] *vtr* **1** (deviner) to have a premonition about [*malheur, changement*]; **~ que** to have a premonition that; **2** fml (sonder) **~ qn pour un emploi** to approach sb about a job; **la seule personne pressentie** the only person who was approached

presse-papiers* /pʀespapje/ *nm inv* paperweight

presse-purée* /pʀespyʀe/ *nm inv* potato masher

presser /pʀese/ [1]
A *vtr* **1** (inciter) **~ qn de faire** to urge sb to do; **2** (harceler) [*personne*] to press [*personne, débiteur*]; [*armée*] to harry [*ennemi*]; **cessez de me ~** stop pestering me; **~ qn de questions** to ply sb with questions; **3** (tourmenter) [*faim, nécessité*] to drive [sb] on [*personne*]; **4** (hâter) to increase [*cadence, rythme*]; **~ le pas** *or* **mouvement** to hurry; **~ son départ** to hurry one's departure; **qu'est-ce qui vous presse tant?** what's the hurry?; **5** (appuyer sur) to press [*bouton*]; **~ qch contre** *or* **sur** to press sth against; **6** (serrer) to squeeze [*main, bras, objet*]; **~ qn dans ses bras/contre sa poitrine** to clasp sb in one's arms/to one's chest; **7** (comprimer) to squeeze [*orange, éponge, peau*]; to press [*raisin*]; **8** Tech to press [*disque*]
B *vi* (être urgent) [*affaire, temps*] to be pressing; [*travail, tâche*] to be urgent; **le temps presse** time is running out; **rien ne presse** there's no hurry *ou* rush
C se presser *vpr* **1** (se serrer) **se ~ sur** *or* **contre** to press oneself against; **se ~ autour de qn/qch** to press around sb/sth; **2** (se hâter) to hurry up; **se ~ de faire** to hurry up and do; **presse-toi de terminer** hurry up and finish; **pressons, pressons**○**!** get a move on○!; **presse-toi un peu** get a move on; **3** (être en nombre) [*foule*] to throng; (aller en nombre) [*foule*] to flock (**à, dans, sur, vers** to); **on ne se presse pas cette année dans les cinémas** people aren't flocking to the cinemas GB *ou* movies US this year

presse-raquette* /pʀesʀakɛt/ *nm inv* racket press

pressing /pʀesiŋ/ ▸ p. 532 *nm* (teinturerie) dry-cleaner's; **porter sa veste au ~** to take one's jacket to the dry-cleaner's; **touche/fonction ~** vertical steam control/function

pression /pʀesjɔ̃/ *nf* **1** (force physique) pressure; **régler la ~** to adjust the pressure; **~ atmosphérique** atmospheric pressure; **hautes/basses ~s** high/low pressure ¢; **~ d'huile/des pneus** oil/tyre GB *ou* tire US pressure; **~ artérielle** blood pressure; **sous ~** (sans compression) under pressure; (avec compression) pressurized; **eau sous haute ~** water under high pressure; **2** (contrainte) pressure ¢; **travailler sous ~** to work under pressure; **être sous ~** to be under pressure; **céder aux ~s** to give in to (the) pressure; **être soumis à des ~s** to come under pressure; **faire l'objet de ~s** to be put under pressure; **faire ~** *or* **exercer des ~s sur qn/qch** to put pressure on sb/sth; **ils ont fait ~ sur lui pour qu'il signe** they pressurized him into signing; **~ sur le patronat/les prix** pressure on (the) employers/prices; **multiplier les ~s sur** to increase (the) pressure on; **~ à la hausse/baisse** upward/downward pressure; **forte ~** intense pressure; **~ démographique/inflationniste** population/inflationary pressure; **~ des partis/étudiants** pressure from the parties/students; **sous la ~ populaire** under pressure from the public; **~ fiscale** tax burden; **3** (action d'appuyer) pressure; **~ de la main** manual pressure; **exercer une (légère) ~ avec la main** to press (gently) with one's hand; **à la moindre ~** under the slightest pressure; **faire ~ sur** [*objet, os*] to be pushing *ou* pressing against; **4** Cout (bouton) press stud GB, popper GB, snap (fastener); **5** ○(bière) **une ~, un demi ~** ≈ a half (of draught GB *ou* draft US beer)

pressoir /pʀeswaʀ/ *nm* **1** (bâtiment) pressing shed; **2** (machine) press; **~ à vin/olives** wine/olive press

pressurer /pʀesyʀe/ [1] *vtr* **1** Agric (presser) to press; **2** ○(exploiter) to milk○
(Idiomes) **se ~ le cerveau**○ to rack one's brain(s)○; **~ qn comme un citron**○ to squeeze sb dry○

pressurisation /pʀesyʀizasjɔ̃/ *nf* pressurization

pressuriser /pʀesyʀize/ [1] *vtr* to pressurize

prestance /pʀestɑ̃s/ *nf* presence, bearing; **avoir une belle ~, avoir beaucoup de ~** to have a confident bearing *ou* manner

prestataire /pʀestatɛʀ/ *nm* **1** Comm **~ de service** (service) contractor, service provider; **2** (bénéficiaire de prestations) recipient (*of a state benefit*)

prestation /pʀestasjɔ̃/ *nf* **1** Admin (aide) benefit; **avoir droit à des ~s** to be entitled to benefits; **~ financière** financial benefit; **2** Mil allowance (*paid to servicemen*); **3** (prêt, fourniture) provision; **~ de capitaux** provision of capital; **~ de service** (provision of a) service; **société de ~s de services** contractor; **4** (service) service; **hôtel qui offre de bonnes ~s** hotel providing various services; **5** (de personne) controv performance; **il a fait une bonne ~** he gave a good performance; **~ télévisée** televised appearance
(Composés) **~ de serment** swearing-in; **la ~ de serment du président aura lieu lundi** the President will be sworn in on Monday; **~s familiales** *benefits available to families with children*; **~s en nature** benefits in kind; **~s de sécurité sociale** welfare payments

preste /pʀɛst/ *adj* liter [*mouvement*] nimble; [*réplique*] prompt

prestement /pʀestəmɑ̃/ *adv* liter [*agir, répliquer*] promptly; [*se mouvoir*] nimbly

prestidigitateur, -trice /pʀestidiʒitatœʀ, tʀis/ ▸ p. 532 *nm,f* conjurer

prestidigitation /pʀestidiʒitasjɔ̃/ *nf* conjuring; **c'est de la ~** fig it's (like) magic

P

prestige /pʀɛstiʒ/ *nm* gén prestige; **être sensible au ~ de l'uniforme** to be susceptible to the glamour of a uniform; **de ~** [*manifestation, réalisation*] prestige; [*voiture*] luxury

prestigieux, -ieuse /pʀɛstiʒjø, øz/ *adj* prestigious

prestissimo /pʀɛstisimo/ *adv, nm* prestissimo

presto /pʀɛsto/
A *adv* **1** Mus presto; **2** °quickly; ▸ **illico**
B *nm* Mus presto

présumer /pʀezyme/ [1]
A *vtr* to presume, to assume (**que** that); **présumé innocent** presumed innocent; **auteur présumé** presumed author; **le père présumé** the putative father; **le présumé coupable/terroriste** the alleged culprit/terrorist
B présumer de *vtr ind* **(trop) ~ de ses forces/possibilités** to overestimate one's strength/capabilities

présupposé /pʀesypoze/ *nm* presupposition

présupposer /pʀesypoze/ [1] *vtr* to presuppose

présupposition /pʀesypozisjɔ̃/ *nf* presupposition

présure /pʀezyʀ/ *nf* rennet

prêt, ~e /pʀɛ, pʀɛt/
A *adj* **1** (préparé) ready (**à, pour** for; **à faire, pour faire** to do); **~ à l'emploi** ready for use; **le pays n'est pas ~ pour l'indépendance** the country isn't ready for independence; **être fin ~** [*personne*] to be all set; **tout est fin ~ pour la réception/l'arrivée des invités** everything is ready for the reception/the guests' arrival; **se tenir ~** to be ready (**à faire** to do); **2** (disposé) **être ~ à faire** to be ready *ou* prepared to do; **ils sont ~s à faire grève si nécessaire** they are ready *ou* prepared to go on strike if necessary; **il est toujours ~ à rendre service** he's always ready *ou* willing to oblige; **il est ~ à tout pour atteindre son but** he will stop at nothing *ou* he will do anything to get what he wants; **il est ~ à toutes les bassesses pour de l'argent** he will do anything *ou* he will stoop to anything for money
B *nm* **1** (action) lending; **le service de ~ de la bibliothèque** the library loans service; **2** (somme) loan; Mil soldier's pay; **demander un ~** to apply for a loan; **obtenir un ~** to secure a loan; **un ~ de 20 000 euros** a 20,000 euro loan; **un ~ à 10%** a loan at 10%, a 10% loan

(Composés) **~ bancaire** bank loan; **~ à la consommation** consumer loan; **~ sur gage** (activité) pawnbroking; (somme) collateral loan; **~ d'honneur** loan on trust; **~ personnel** personal loan; **~ relais** bridging loan

prêt-à-monter, *pl* **prêts-à-monter** /pʀɛtamɔ̃te/ *nm* kit, flat-pack; **bureau en ~** flat-packed desk

prêt-à-penser°, *pl* **prêts-à-penser** /pʀɛtapɑ̃se/ *nm* off-the-peg ideas (*pl*)

prêt-à-porter /pʀɛtapɔʀte/ *nm* **1** (vêtements) ready-to-wear, ready-to-wear clothes (*pl*); **acheter du ~** to buy clothes off the peg GB *ou* rack US; **2** (secteur) ready-to-wear

prêt-à-poster, *pl* **prêts-à-poster** /pʀɛtapɔste/ *nm* postage-paid packaging

prêté /pʀete/ *nm* **c'est un ~ pour un rendu** it's tit for tat

prétendant, ~e /pʀetɑ̃dɑ̃, ɑ̃t/
A *nm,f* **1** (à un titre, poste) candidate (**à** for); **2** (royal) pretender; **~ au trône** pretender to the throne
B *nm* (soupirant) suitor

prétendre /pʀetɑ̃dʀ/ [6]
A *vtr* **1** (affirmer) to claim (**que** that); **il prétend tout ignorer de cette affaire** he claims to know nothing about the matter; **à ce qu'il prétend** according to him; **aussi belle qu'on le prétend** as beautiful as they say; **on le prétend très spirituel** he is said to be very witty; **2** (s'attendre à) to expect; **~ être obéi** to expect to be obeyed; **il ne prétend pas rivaliser avec les favoris** he does not expect to keep up with the favourites[GB]
B prétendre à *vtr ind* **~ à des indemnités** to claim damages; **~ aux honneurs** to aspire to honours[GB]; **~ à un poste/salaire** to seek a job/salary
C se prétendre *vpr* **elle se prétend indisposée/offensée** she claims she is indisposed/offended; **il se prétend artiste/médecin** he makes out he is an artist/a doctor

prétendu, ~e /pʀetɑ̃dy/
A *adj* [*coupable, terroriste, voleur*] alleged; [*démocratie, égalité, crise*] alleged, so-called; [*médecin, policier, expert, artiste*] would-be; **la ~e reprise de l'économie** the alleged *ou* so-called economic upturn
B †*nm,f* intended†

prétendument /pʀetɑ̃dymɑ̃/ *adv* supposedly, allegedly

prête-nom, *pl* **~s** /pʀɛtnɔ̃/ *nm* frontman, man of straw

prétentaine† /pʀetɑ̃tɛn/ *nf* **courir la ~** to go gallivanting

prétentieusement /pʀetɑ̃sjøzmɑ̃/ *adv* pretentiously

prétentieux, -ieuse /pʀetɑ̃sjø, øz/
A *adj* [*personne, ton, style*] pretentious
B *nm,f* pretentious person; **petit ~** pretentious little idiot

prétention /pʀetɑ̃sjɔ̃/
A *nf* **1** (vanité) pretentiousness, conceit; **être plein de ~** to be very pretentious *ou* conceited; **être sans ~** to be unpretentious *ou* unassuming; **2** (revendication) claim; **avoir des ~s sur** *or* **à qch** to have a claim to sth; **renoncer à ses ~s** to renounce one's claims; **3** (présomption) **avoir une ~ à l'intelligence/à l'élégance** to have pretentions to intelligence/elegance; **avoir la ~ de faire** to claim to do; **il a la ~ de pouvoir faire** he claims he can do
B prétentions *nfpl* (salaire demandé) **quelles sont vos ~s?** what salary are you asking for?; **avoir des ~s acceptables/excessives** to ask for a reasonable/an excessive salary; **indiquez vos ~s** state salary required

prêter /pʀete/ [1]
A *vtr* **1** (fournir un bien matériel) to lend [*argent, objet*] (**à qn** to sb); **~ à 10%** Fin to lend (money) at 10%; **peux-tu me rendre le livre que je t'ai prêté?** can you give me back the book I lent you?; **~ sur gages** to loan against security; **des toiles prêtées par le Louvre à un musée américain** paintings on loan from the Louvre to an American museum; **des toiles prêtées au Louvre par un musée américain** paintings on loan to the Louvre from an American museum; **2** (accorder) **~ son aide à qn** to give sb some help; **~ son appui/assistance à qn** to give *ou* lend sb one's support/assistance; **~ attention à** to pay attention to; **ils ont prêté leur concours à cette entreprise** they lent their support to this venture; **~ la main à qn** to lend sb a hand; **~ l'oreille** to listen, to lend an ear hum; **~ serment** to take an oath; **~ son nom à** to lend one's name to, to allow one's name to be used by; **si Dieu me prête vie** if God spares me; ▸ **flanc**; **3** (attribuer) **~ qch à qn** to attribute *ou* ascribe sth to sb [*intention, desseins, propos, vertus*]; **les intentions que l'on prête au président** the president's supposed intentions; **on lui prête des qualités qu'il n'a pas** qualities are attributed *ou* ascribed to him which he does not have; **on me prête des propos que je n'ai jamais tenus** I'm credited with remarks I never made; **on prête à l'entreprise l'intention de se réimplanter à l'étranger** it is said that the company intends to relocate abroad
B prêter à *vtr ind* **~ à** to give rise to, to cause; **déclaration qui prête à confusion** statement that gives rise to *ou* causes confusion; **sujet qui prête à l'inquiétude** issue which is cause for concern; **conduite qui prête à la critique** behaviour[GB] that is open to *ou* invites criticism; **son attitude prête à rire** his/her attitude is laughable *ou* ridiculous; **tout prête à croire** *or* **penser que la crise est finie** all the indications would suggest that the recession is over
C *vi* Tech [*cuir, tissu*] to stretch
D se prêter *vpr* **1** (consentir) **se ~ à** to take part in [*machination, manœuvre, arrangement, jeu*]; **jamais je ne me prêterai à ce genre de manigances!** I would never have anything to do with that kind of skulduggery°!; **2** (convenir) **se ~ à** to lend itself to; **le roman se prête à une interprétation psychanalytique/une adaptation cinématographique** the novel lends itself to a psychoanalytic interpretation/a film adaptation; **le lieu ne se prêtait pas à une déclaration d'amour** the surroundings were ill-suited to *ou* did not lend themselves to a declaration of love; **3** (donner) **se ~ assistance** [*personnes*] to assist one another; **se ~ une assistance mutuelle** [*pays*] to provide mutual assistance to one another

prétérit /pʀeteʀit/ *nm* preterite; **au ~** in the preterite

prétérition /pʀeteʀisjɔ̃/ *nf* paralipsis

préteur /pʀetœʀ/ *nm* Antiq praetor

prêteur, -euse /pʀɛtœʀ, øz/
A *adj* **il n'est pas ~** he doesn't like lending his things, he's very possessive about his belongings
B ▸ **p. 532** *nm,f* lender

(Composé) **~ sur gages** pawnbroker

prétexte /pʀetɛkst/ *nm* excuse, pretext; **un bon/mauvais ~** a good/poor excuse (**pour faire** for doing); **c'est un ~ pour s'esquiver** it's just an excuse for getting away; **il a saisi le premier ~ venu pour refuser** he gave the first excuse that came into his head to refuse; **être le ~ de qch** to be used as an excuse for sth; **tout est ~ à sortir** any excuse will do to go out; **sous ~ de faire** on the pretext of doing; **sous (le) ~ que** on the pretext that; **donner qch comme ~, prendre ~ de qch** to use sth as a pretext *ou* an excuse (**pour faire** to do, for doing); **donner à qn un ~, servir de ~ à qn** to give sb an excuse (**pour faire** to do, for doing); **servir de ~ à qch** to be an excuse for sth; **sous aucun ~** on no account; **n'y allez sous aucun ~** on no account are you to go; **n'ouvrez la porte sous aucun ~** don't open the door on any account

prétexter /pʀetɛkste/ [1]
A *vtr* to use [sth] as an excuse, to plead; **il a prétexté un rendez-vous urgent pour s'éclipser** he pleaded an urgent engagement in order to get away; **prétextant qu'il était trop vieux/qu'il faisait froid** using his age/the cold as an excuse
B prétexter de *vtr ind* **~ de qch pour faire** to use sth as an excuse for doing

prétimbré, ~e /pʀetɛ̃bʀe/ *adj* postage-paid

prétoire /pʀetwaʀ/ *nm* **1** Jur courtroom; **2** Antiq (tribunal) praetorium

Prétoria /pʀetɔʀja/ ▸ **p. 894** *npr* Pretoria

prétorien, -ienne /pʀetɔʀjɛ̃, ɛn/
A *adj* praetorian
B *nm* Antiq praetorian

prétraiter /pʀetʀete/ [1] *vtr* to pretreat; **bois prétraité** pretreated wood

prêtre /pʀɛtʀ/ *nm* priest; ▸ **grand**

prêtre-ouvrier, *pl* **prêtres-ouvriers** /pʀɛtʀuvʀije, pʀɛtʀəzuvʀije/ *nm* worker priest

prêtresse /pʀɛtʀɛs/ *nf* priestess

prêtrise /pʀɛtʀiz/ *nf* priesthood

preuve /pʀœv/ *nf* **1** (argument) proof ₵; **une ~** a piece of evidence; **~ légale/mathématique/incontournable** legal/mathematical/incontrovertible proof; **~ probante** conclusive proof; **apporter la ~ de/que** to offer proof of/that; **ne pas avoir de ~(s)** to have no proof; **demander/fournir des ~s** to ask for/to provide proof; **fournir une autre ~** to provide further proof; **être la ~ supplémentaire de** to be further proof of; **~ d'achat/de propriété** proof of purchase/of ownership; **sur ~ d'identité** upon proof of identity; **par manque de ~** for lack of proof; **la meilleure ~ c'est que** the most compelling proof is that; **la ~ est faite de/que** now there is proof of/that; **pour ~ de** as proof of; **~ en main** with concrete proof; **renverser la charge de la ~** to reverse the onus of proof; **faire la ~ de** to show proof of; **donner la ~ que** to prove that; **faire ses ~s** [*personne*] to prove oneself; [*chose*] to prove itself; **jusqu'à ~ du contraire** until proved otherwise; **il a rougi, ~ qu'il t'aime** he blushed which proves that he loves you; **il t'aime, la ~ en est qu'il a rougi** he loves you, otherwise he would not have blushed; **il doit être malade, la ~, c'est qu'il n'a pas mangé** he must be ill, the fact that he has not eaten proves it; 2 (expression) demonstration; **~ d'amour** demonstration of love; **être la ~ vivante de** to be living proof of; **faire ~ de** to show; **faire ~ que** to show that; **~ de bonne volonté (de la part de)** goodwill gesture (from)

(Composé) **~ par l'absurde** Sci reductio ad absurdum

preux‡ /pʀø/
A *adj m inv* valiant
B *nm inv* valiant knight

prévaloir /pʀevalwaʀ/ [45]
A *vi* to prevail (**sur** over; **contre** against); **faire ~ la vérité** to make truth prevail; **faire ~ son point de vue** to gain acceptance for one's point of view
B **se prévaloir** *vpr* 1 (se fonder) **se ~ d'un règlement/précédent** to cite a rule/precedent (**auprès de qn** to sb; **pour faire** as grounds for doing); **se ~ de son ancienneté** to claim seniority (**pour faire** to do); 2 (tirer vanité) **se ~ de** to boast [*succès, expérience, diplômes*]

prévaricateur, -trice /pʀevaʀikatœʀ, tʀis/ fml or Jur
A *adj* corrupt
B *nm,f* corrupt official

prévarication /pʀevaʀikasjɔ̃/ *nf* Jur breach of trust

prévariquer /pʀevaʀike/ [1] *vi* Jur to fail in one's duty

prévenance /pʀevnɑ̃s/ *nf* consideration (**envers, à l'égard de** toward, towards GB); **manquer de ~** to show a lack of consideration; **être plein de ~** to be extremely considerate

prévenant, ~e /pʀevnɑ̃, ɑ̃t/ *adj* considerate (**envers, à l'égard de** toward, towards GB)

prévenir /pʀevniʀ/ [36] *vtr* 1 (informer) to tell (**de** about; **que** that); **prévenez-nous de votre visite** tell us when you're coming; **partir sans ~** to leave without telling anybody; **arriver sans ~** to arrive without warning; 2 (téléphoner à) to call [*médecin, police*]; **prévenez la police** call the police; 3 (donner un avertissement) to warn (**de** about; **que** that); **je te préviens, si tu fais ça je m'en vais!** I warn you, if you do that I'm off!; **~ la population des risques d'explosion** to warn the population about the risk of explosion; **je vous aurai prévenu!** I have warned you!; 4 (éviter) to prevent [*catastrophe, maladie*]; 5 (aller au devant de) to anticipate [*désir*]; **elle prévient leurs moindres désirs** she anticipates their every wish

(Idiome) **mieux vaut ~ que guérir** prevention is better than cure

préventif, -ive /pʀevɑ̃tif, iv/
A *adj* [*action, pouvoir, traitement*] preventive; **à titre ~** as a preventive measure
B ○**préventive** *nf* Jur custody

prévention /pʀevɑ̃sjɔ̃/ *nf* 1 (action préventive) prevention; **~ de la délinquance/des incendies/du sida** crime/fire/Aids prevention; **~ de la carie dentaire/des accidents du travail** prevention of tooth decay/of accidents at work; **méthodes/campagne/opération de ~** prevention methods/campaign/plan; **faire de la ~** to take preventive action; 2 fml (préjugé) prejudice (**contre** against); 3 Jur (détention préventive) detention on suspicion; (temps de détention préventive) remand in custody

(Composé) **Prévention routière** Admin *French national road safety organization*

préventive ▸ **préventif**

préventivement /pʀevɑ̃tivmɑ̃/ *adv* as a precautionary measure; **agir ~** to take preventive action

prévenu, ~e /pʀevny/
A *adj* Jur **être ~ de** to be accused of
B *nm,f* Jur defendant

préverbe /pʀevɛʀb/ *nm* (verb) prefix

prévisibilité /pʀevizibilite/ *nf* predictability

prévisible /pʀevizibl/ *adj* [*développement, événement*] foreseeable, predictable; [*chiffre, réaction, personne*] predictable; **leur échec était ~** their failure was predictable; **un accident difficilement ~** an accident which could hardly have been foreseen

prévision /pʀevizjɔ̃/ *nf* 1 (action de prévoir) forecasting; **la ~ du temps** weather forecasting; **~ économique** economic forecasting; **la ~ de la demande** the forecasting of demand; **faire des ~s** to make forecasts; **en ~ de** in anticipation of; 2 (ce qu'on prévoit) gén prediction; Compta, Écon, Fin, Entr forecast; **les chiffres confirment les ~s** the figures confirm the forecasts; **les ~s de croissance pour 1995** (economic) growth forecasts for 1995; **les résultats vont au-delà de toutes nos ~s** the results go beyond all our expectations; **~s météorologiques** weather forecast (*sg*)

prévisionnel, -elle /pʀevizjɔnɛl/ *adj* projected; **comptes ~s** projected accounts

prévisionniste /pʀevizjɔnist/ ▸ **p. 532** *nmf* (economic) forecaster

prévoir /pʀevwaʀ/ [42] *vtr* 1 (annoncer comme probable) to predict [*changement, amélioration, augmentation, arrivée, inflation*]; to foresee [*événement, échec, victoire*]; to anticipate [*conséquence, réaction*]; to forecast [*résultat, temps*]; **qui pouvait ~ ce qui se passerait?** who could have foreseen what would happen?; **nous ne pouvions pas ~ qu'il démissionnerait** we couldn't anticipate that he would resign; **la participation au vote a été moins forte que prévue** the turn-out has been lower than anticipated; **rien ne laissait ~ un tel résultat** there was no prior indication of such a result; **c'était à ~!** that was predictable!
2 Jur (envisager) [*loi, texte, règlement*] to make provision for, to provide for [*cas, infraction, possibilité*]; [*personne, législateur*] to make provision for, to allow for [*cas, infraction, possibilité*]; **le texte ne prévoit rien en cas de litige** the text makes no provision in case of litigation; **les cas prévus par la loi** cases provided for by the law
3 (fixer dans le temps) to plan [*réunion, rendez-vous, assemblée*] (**pour** for); to set the date for [*rentrée, déménagement*] (**pour** for); **la réunion prévue (pour) le 17 avril** the meeting planned for 17 April; **rendez-vous comme prévu le 17** meeting on the 17th as planned *ou* arranged; **le début des travaux est prévu pour le 20 mai** the work is scheduled to start on 20 May
4 (planifier) [*architecte, organisateur, concepteur, éditeur*] to plan [*pièce, construction, édition*]; [*propriétaire, client*] to plan to have [*pièce*]; **l'architecte prévoit deux escaliers de secours** the architect is planning two emergency staircases; **nous prévoyons deux chambres d'amis** we plan to have two spare rooms; **il n'a pas prévu de sortie de secours** he didn't make provision for an emergency exit; **nous devons ~ une salle de conférence** we must make provision for a conference room; **être prévu** to be planned; **ce n'était pas prévu!** that wasn't meant to happen!; **le (petit) dernier n'était pas prévu** the youngest wasn't planned; **rien n'est prévu pour l'année prochaine** there's no plan for next year; **une salle a été prévue pour les fumeurs** provision has been made for a smoking room; **rien n'a été prévu pour les enfants** no provision has been made for the children; **nous prévoyons la construction d'une usine** we're planning to build a factory; **nous prévoyons la visite de Venise** we're planning to visit Venice; **~ de faire** to plan to do; **il prévoit de rentrer le 17 avril** he plans to come back on 17 April; **ils ont prévu de privatiser** they have made plans to privatize; **je dois ~ un repas pour 30 personnes** I have to organize a meal for 30 people; **l'accord prévu entre les deux compagnies** the projected agreement between the two companies; **un plan de réorganisation prévoyant 500 suppressions d'emploi** a reorganization plan which entails the projected loss of 500 jobs; **remplissez le formulaire prévu à cet effet** fill in the appropriate form; **tout a été prévu pour qch/pour faire** all the arrangements have been made for sth/to do; **la salle a été prévue pour 100 personnes** the room has been designed for 100 people; **'~ deux jours pour le trajet'** 'allow two days to get there'; **les travaux n'ont pas été terminés dans les délais prévus** the work was not completed within the allotted time *ou* the deadline
5 (se munir de) **~ qch** to make sure one takes sth [*vêtement, parapluie*]; **~ le repas de midi** to bring a packed lunch
6 (s'attendre à) [*organisateur, hôte, gouvernement*] to expect [*personne*]; to expect, to anticipate [*postes d'emploi, pénurie, grève*]
7 (allouer) to allow [*somme d'argent*]; [*touriste, client*] to allow [*temps, durée*]; [*réparateur, déménageur, organisateur*] (fixer) to assign [*durée*]

prévôt /pʀevo/ *nm* 1 ▸ **p. 848** Hist, Relig provost; 2 Mil ≈ provost marshal

prévôté /pʀevote/ *nf* 1 Hist (juridiction) provosty; (fonction) provostship; 2 Mil military police; 3 Relig provostship

prévoyance /pʀevwajɑ̃s/ *nf* foresight; **manque de ~** lack of foresight

prévoyant, ~e /pʀevwajɑ̃, ɑ̃t/ *adj* far-sighted; **être ~** to be far-sighted, to think ahead

Priam /pʀijam/ *npr* Priam

priapisme /pʀijapism/ *nm* priapism

prie-Dieu /pʀidjø/ *nm inv* prie-dieu

prier /pʀije/ [2]
A *vtr* 1 (demander à) **~ qn de faire** to ask sb to do; **je l'ai prié de sortir** I asked him to leave; **je vous prie d'excuser mon retard** I'm so sorry I'm late; **je vous prie de vous taire** will you kindly be quiet; **il a vite accepté, je vous prie de le croire**○! he accepted quick enough, believe me!; **être prié de faire** (ordre) to be requested to do; (requête) to be kindly requested to do; (invitation) to be invited to do; **vous êtes priés de vous abstenir de fumer** you are kindly requested to refrain from smoking; **vous êtes prié d'assister à l'inauguration** you are invited to attend the opening; **pouvez-vous me passer le sel, je vous prie** would you mind passing the salt, please?; **pas d'histoires, je vous prie!** no nonsense, please!; **je vous en prie, laissez-nous** please, leave us alone; **'puis-je entrer?'—'je vous en prie'** 'may I come in?'—'please do!'; **je vous en prie, ce n'est rien** don't mention it, it's nothing; **je vous en prie(, après vous)** after you; **elle ne s'est pas fait ~** she didn't have to be asked twice; **il aime se faire ~** he likes to be coaxed; **il a accepté sans se faire ~** he accepted without hesitation; 2 Relig to pray to [*Dieu, saint*]; **~ que** to pray that; **prions que tout aille bien** let's keep our fingers crossed○

p

B *vi* Relig to pray; ~ **pour qn/qch** to pray for sb/sth; ~ **pour la paix** to pray for peace; ~ **pour que la paix revienne** to pray for peace to be restored; ~ **sur la tombe de qn** to pray at sb's grave

prière /pʀijɛʀ/
A *nm* Édition ~ **d'insérer** review slip
B *nf* **1** Relig prayer; **lieu de** ~ place of prayer; **appeler les fidèles à la** ~ to call the faithful to prayer; **une journée placée sous le signe de la** ~ a day of prayer; **être absorbé dans sa** ~ to be absorbed in prayer *ou* one's prayers; **faire sa** ~ *or* **ses** ~**s** to say one's prayers; **conduire la** ~ to lead the prayers; **la** ~ **du soir** evening prayers (*pl*); **2** (demande) request; (plus insistant) plea, entreaty; **céder à la** ~ **de qn** to give in to sb's request, to yield to sb's plea *ou* entreaty; ~ **de fermer la porte** please close the door; ~ **de ne pas fumer** no smoking please; ~ **de ne pas se pencher à la portière** do not lean out of the window

prieur /pʀijœʀ/ *nm* **(père)** ~ prior

prieuré /pʀijœʀe/ *nm* (couvent) priory; (église) priory church; (maison du prieur) prior's house, priory

prima donna* /pʀimadɔna/ *nf inv* prima donna

primaire /pʀimɛʀ/
A *adj* **1** (par opposition à secondaire) primary; **2** (simpliste) [*personne*] limited, of limited outlook (*après n*); [*réaction*] kneejerk○ (*épith*), simplistic; [*raisonnement, anticommunisme, opinion*] simplistic; **3** Jur **délinquant** ~ first offender
B *nm* **1** Scol **le** ~ primary education; **2** Écon **le** ~ the primary sector; **3** Géol **le** ~ the palaeozoic era
C *nf* Pol (élection) primary

primal, ~**e**, *pl* **-aux** /pʀimal, o/ *adj* primal; **cri** ~ primal scream

primat /pʀima/ *nm* **1** (archevêque) primate; **2** (primauté) primacy

primate /pʀimat/ *nm* **1** Zool primate; **les** ~**s** the primates; **2** (homme grossier) pej ape○ péj

primauté /pʀimote/ *nf* **1** (supériorité de fait) primacy, supremacy (**sur** over); **2** (autorité) primacy

prime /pʀim/
A *adj* **1** (premier) **de** ~ **abord** at first, initially; **de** ~ **abord, je l'ai trouvé antipathique** at first, I disliked him; **dans sa** ~ **jeunesse** in the first flush of youth, in the early days of his/her youth; **la** ~ **enfance** early childhood; **2** Math prime; **A** ~ A prime
B *nf* **1** (récompense) bonus; **en** ~ **avec votre abonnement, recevez ce magnifique réveil** as a free gift to new subscribers, we're offering this fabulous alarm clock; **financer de telles émissions, c'est donner une** ~ **à la bêtise** giving financial backing to programmes[GB] like that amounts to actively encouraging idiocy; **et en** ~ **il a reçu un coup de pied aux fesses** and, for good measure, he got a kick in the backside; **2** (indemnité) allowance; **3** (subvention) subsidy; **4** Assur, Fin premium; **faire** ~ to rise; **5** (en escrime) prime

(Composés) ~ **d'ancienneté** seniority bonus; ~ **à la construction** building subsidy; ~ **de déménagement** removal allowance GB, relocation allowance; ~ **à l'embauche** recruitment premium; ~ **d'encouragement** incentive bonus; ~ **d'équipement** development subsidy; ~ **à l'exportation** export subsidy; ~ **de fin d'année** Christmas bonus; ~ **de licenciement** redundancy payment GB, severance pay; ~ **de précarité** *allowance to compensate for insecurity of employment*; ~ **de rendement** productivity bonus; ~ **de risque** danger money; ~ **de transport** transport allowance GB, transportation allowance US; ~ **de vie chère** cost-of-living allowance

primer /pʀime/ [1]
A *vtr* **1** (l'emporter sur) to take precedence over, to prevail over; **chez cet auteur, l'émotion prime la réflexion** in this author's work emotion prevails over thought; **2** (récompenser) to award a prize to [*œuvre, animal*]; **ce chien a été primé** this dog won a prize; **bête primée** prize-winning animal; **film primé** award-winning film; **ce film a été primé** this film won an award
B **primer sur** *vtr ind* controv = **primer A 1**
C *vi* (dominer) **dans ce sorbet, c'est le citron qui prime** lemon is the dominant flavour[GB] in this sorbet; **chez lui, c'est l'imagination qui prime** with him, imagination is all-important *ou* is of prime importance; **c'est la quantité qui prime** it's quantity that matters most *ou* that takes priority

primesautier, **-ière** /pʀimsotje, ɛʀ/ *adj* impulsive

primeur /pʀimœʀ/
A *nf* **1** (nouveauté) **avoir la** ~ **de qch** (apprendre) to be the first to hear sth; (bénéficier de) to be the first to benefit from sth; **c'est une grande nouvelle dont je te réserve la** ~ it's a great piece of news and you are the first to hear it; **2** Comm **légumes de** ~ new season's vegetables; **vin (de)** ~ new season's wine
B **primeurs** *nfpl* early fruit and vegetables, early produce ₵; **marchand de** ~**s** greengrocer (*specializing in early produce*)

primevère /pʀimvɛʀ/ *nf* primrose

primipare /pʀimipaʀ/
A *adj* primiparous
B *nf* primipara

primitif, **-ive** /pʀimitif, iv/
A *adj* **1** (d'origine) [*budget, différence*] initial; [*projet, état*] original; **2** Anthrop [*société, art*] primitive; **tout ce qui est** ~ **et sauvage** all that is primitive and savage; **3** (peu évolué) [*plante, animal, langue*] primitive; **4** (rudimentaire) [*outil, moyen, méthode*] primitive; **5** (simpliste) [*personne*] primitive; [*raisonnement*] crude; **6** Math [*fonction*] primitive; **7** Phys [*couleur*] primary; **8** Ling [*temps*] basic
B *nm,f* **1** †Anthrop [*personne*] primitive; **2** (personne fruste) uncouth person
C *nm* Art **les** ~**s italiens/flamands** Italian/Flemish Primitives
D **primitive** *nf* Math primitive

primitivement /pʀimitivmɑ̃/ *adv* originally, initially

primo /pʀimo/ *adv* firstly

primoaccédant, **-ante** /pʀimoaksedɑ̃, ɑ̃t/ *adj, nm,f* first-time buyer

primodélinquant, ~**e** /pʀimodelɛ̃kɑ̃, ɑ̃t/ *nm,f* first offender

primogéniture /pʀimoʒenityʀ/ *nf* primogeniture

primo-infection, *pl* ~**s** /pʀimoɛ̃fɛksjɔ̃/ *nf* primary infection

primordial, ~**e**, *mpl* **-iaux** /pʀimɔʀdjal, o/ *adj* **1** (essentiel) essential, vital; **2** †(origine) primordial, primitive

prince /pʀɛ̃s/ *nm* **1** ▸ **p. 848** (membre d'une famille souveraine) prince; **le** ~ **de Monaco/Galles** the Prince of Monaco/Wales; **le** ~ **Charles** Prince Charles; **2** (numéro un) king; **le** ~ **de la mode** the king of fashion

(Composés) **le** ~ **charmant** Prince Charming; ~ **consort** prince consort; ~ **de l'Église** prince of the Church; ~ **héritier** crown prince; ~ **du sang** royal prince; **le** ~ **des Ténèbres** the Prince of Darkness

(Idiomes) **vivre comme un** ~ *or* **en** ~ to live like a king; **vêtu comme un** ~ dressed like a prince; **être** *or* **se montrer bon** ~ to be magnanimous

prince-de-galles /pʀɛ̃sdəgal/
A *adj inv* prince-of-wales check; **tissu** ~ cloth with a prince-of-wales check
B *nm inv* prince-of-wales check

princeps /pʀɛ̃sɛps/ *adj inv* **édition** ~ first printed edition, editio princeps

princesse /pʀɛ̃sɛs/ *nf* **1** ▸ **p. 848** (titre) princess; **la** ~ **de Monaco** the Princess of Monaco; **la** ~ **Anne** Princess Anne; **2** (en couture) **ligne** ~ princess line; **une robe** ~ a princess-line dress

(Idiomes) **aux frais de la** ~ (de l'État) at the taxpayer's expense; (d'une société) at the company's expense; (d'une personne) at sb's expense; **faire sa** ~○ to give oneself airs

princier, **-ière** /pʀɛ̃sje, ɛʀ/ *adj* [*titre, goûts, somme*] princely; [*luxe*] dazzling

princièrement /pʀɛ̃sjɛʀmɑ̃/ *adv* [*recevoir, être logé*] in grand style

principal, ~**e**, *mpl* **-aux** /pʀɛ̃sipal, o/
A *adj* **1** (le plus important) [*facteur, danger, souci*] main; [*tâche, objection, autorité*] principal; **c'est l'œuvre** ~**e de l'auteur** it's the author's major work; **2** (de tête) [*pays, rôle, personnage*] leading; **les principaux pays industrialisés** the leading industrial countries; **3** Admin [*commissaire, inspecteur, clerc*] chief; **4** Ling [*proposition*] main
B *nm* **1** (l'essentiel) **le** ~ the main thing; **c'est le** ~ that's the main thing; **le** ~ **c'est qu'il soit sain et sauf** the main thing is that he is safe and sound; **2** Scol principal; **3** Fin principal
C **principale** *nf* **1** Ling main clause; **2** Scol principal

principalement /pʀɛ̃sipalmɑ̃/ *adv* mainly

principat /pʀɛ̃sipa/ *nm* reign

principauté /pʀɛ̃sipote/ *nf* principality

principe /pʀɛ̃sip/
A *nm* **1** (règle) principle; **avoir des** ~**s** to have principles; **par** ~ on principle; **pour le** ~ as a matter of principle; **c'est une question de** ~ it's a matter of principle; **objection de** ~ objection on the grounds of principle; ~ **de non-ingérence** principle of noninterference; **il a pour** ~ **de ne jamais emprunter d'argent** he never borrows money as a matter of principle; **accord de** ~ provisional agreement; **2** (hypothèse) assumption; **partir du** ~ **que, poser comme** ~ **que** to work on the assumption that; **3** (concept) principle; **ils ont accepté le** ~ **d'une conférence de paix** they have accepted the principle of a peace conference; **quel est le** ~ **de la machine à vapeur** how does a steam engine work?, what's the principle behind the steam engine?; **selon quel** ~ **cette machine fonctionne-t-elle?** on what principle does this machine work?; **les** ~**s d'une science/d'un art** (rudiments) the rudiments of a science/an art; **4** Chimie, Pharm principle; **les** ~**s actifs contenus dans un médicament** the active principles of a medicine; **5** (origine) principle; **Dieu comme** ~ **de toute chose** God as the principle behind all things; **remonter au** ~ **des choses** to go back to first principles
B **en principe** *loc adv* **1** (habituellement) as a rule; **en** ~ **je rentre chez moi vers 18 heures** as a rule I get home at around six o'clock; **2** (en théorie) in theory; **en** ~ **on part vendredi** in theory we're leaving on Friday

(Composés) ~ **d'Archimède** Phys Archimedes' principle; ~ **de causalité** Philos causality; ~ **d'exclusion de Pauli** Nucl, Phys Pauli exclusion principle; ~ **de plaisir** Psych pleasure principle; ~ **de réalité** Psych reality principle

printanier, **-ière** /pʀɛ̃tanje, ɛʀ/ *adj* [*fleur, soleil*] spring (*épith*); [*journée, temps, tenue, couleur*] springlike

printemps /pʀɛ̃tɑ̃/ ▸ **p. 769** *nm inv* **1** (saison) spring; **au** ~ **de la vie** fig in the springtime of life; **le** ~ **de Prague** the Prague spring; **2** ○hum (an) **mes 60** ~ my 60 summers

prion /pʀijɔ̃/ *nm* prion

priori ▸ **a priori**

prioritaire /pʀijɔʀitɛʀ/ *adj* **1** [*dossier, projet*] priority (*épith*); **être** ~ to have priority; **2** [*voiture, chauffeur*] with right GB *ou* the right US of way (*épith, après n*); **être** ~, **être sur une route** ~ to have right GB *ou* the right US of way

priorité /pRijɔRite/ *nf* 1 (importance) priority; **donner la ~ à qch** to give priority to sth; **en ~** (avant le reste) first; (par-dessus tout) first and foremost; **venir en ~** to come first; **penser en ~ à soi** to put oneself first; **en ~, ils ont besoin de médicaments** first and foremost they need medicines; **nous nous en occuperons en ~** we'll make it a priority; **le projet a ~/prend la ~ sur tout le reste** the project has/takes precedence over everything else; 2 (fait plus important) priority; **être une ~ absolue, être la ~ numéro un** to be the top priority; 3 (en voiture) priority, right of way; **avoir ~** to have right GB *ou* the right US of way (**sur** over); **laisser/refuser la ~ à un véhicule** to give way/to refuse to give way to a vehicle; **~ à droite** priority to the right

> **Priorité à droite**
>
> Except at roundabouts, and unless there are other indications or regulations in force, drivers must always give way to traffic approaching from the right.

pris, **~e** /pRi, pRiz/
A *pp* ▸ **prendre**
B *pp adj* 1 (occupé) busy; **nous sommes très ~ cette semaine** we're very busy this week; **si vous n'êtes pas ~** if you're not doing anything; **je suis ~** (pour l'instant) I'm busy; (pour la période qui vient) I've got something on; **ma journée est ~e** I'm busy all day; **j'ai les mains ~es** I've got my hands full; **les places sont toutes ~es** all the seats are taken
2 (vendu) sold; **tout a été ~ en une heure** everything was sold in one hour; **toutes les places sont ~es** it's sold out
3 (gelé) frozen; **les eaux du lac sont ~es** the lake is frozen
4 (encombré) [*nez*] stuffed up; [*bronches*] congested; **j'ai la gorge ~e** I'm hoarse
5 (affecté) **~ de** overcome with [*inquiétude, remords, envie*]; **~ de panique** panic-stricken; **être ~ de fièvre** to have a temperature; **être ~ de regrets/terreur/désespoir** to be full of *ou* overcome with regret/terror/despair; **être ~ de nausées** to feel sick GB *ou* nauseous US; **~ de boisson** under the influence
C **prise** *nf* 1 Mil (capture) capture; (assaut) storming; **la ~e de Monastir** the capture of Monastir; **la ~e de la Bastille** the storming of the Bastille
2 Jeux (aux échecs) **être en ~e** [*pièce*] to be threatened
3 Chasse, Pêche (au filet, piège) catching ₵; **~e d'une panthère au filet** catching a panther in a net; **une belle ~e** (pêche sportive) a fine catch; (pêche commerciale) a fine haul
4 Sport (au judo, catch) hold; **se dégager d'une ~e** to break a hold
5 (point permettant de saisir) hold; **avoir du mal à trouver une ~e** to have trouble finding a hold; **n'offrir aucune ~e** lit (pour la main) to have no handholds; (pour le pied) to have no footholds; fig [*personne*] to be impossible to pin down; **avoir ~e sur qn** to have a hold over sb; **avoir ~e sur qch** to have leverage on sth; **donner** *or* **laisser ~e à** [*personne*] to lay oneself open to; **être en ~e** Aut [*moteur, conducteur*] to be in gear; **être en ~e (directe) avec qch** [*personne*] to be in (close) touch with sth; **être en ~e avec l'actualité** [*journal*] to have its finger on the pulse of events
6 (absorption) **la ~e d'alcool est déconseillée pendant le traitement** do not take alcohol during the course of treatment; **à ingérer en trois ~es quotidiennes** to be taken three times daily
7 (solidification) setting ₵
8 Électrotech (femelle) socket GB, outlet US; (mâle) plug; **~e multiple** (domino) (multiplug) adaptor; (sur une rallonge) trailing socket; **~e triple** (domino) three-way adaptor; (sur une rallonge) three-way trailing socket
9 Électron (femelle) jack; (mâle) plug

(Composés) **~e d'air** gén air inlet; Aviat air intake; **~e d'antenne** Radio, TV (femelle) aerial socket; (mâle) aerial plug; **~e d'armes** Mil military parade; **~e d'assaut** Mil storming ₵; **~e de bec**○ row○, argument; **~e en charge** Prot Soc granting₵ of benefits; Transp (dans un taxi) minimum fare; **~e en compte** consideration (**de** of); **~e de conscience** realization; **~e de contact** initial contact; **~e de contrôle** Fin takeover; **~e de corps** Jur arrest; **~e de courant** Électrotech (femelle) socket GB, outlet US; **~e de décision** decision-making ₵; **~e d'eau** Constr water supply point; **~e de guerre** Mil spoils (*pl*) of war; **~e de fonctions** (de président) inauguration; (d'employé) first day at work; **~e d'otages** Mil hostage-taking ₵; **~e de participation** Fin acquisition of a stake (**dans** in); **~e de pouvoir** Pol takeover; **~e de position** Pol stand; **~e de sang** Méd blood test; **faire une ~e de sang à qn** to take a blood sample from sb; **~e de son** Cin, Radio, TV sound recording ₵; **~e de terre** Électrotech earth GB, ground US; **~e de vue** Cin, Vidéo shooting ₵; Phot shot; **~ de tête**○ nightmare; **quelle ~ de tête ce jeu/ce mec!** this game/that bloke does my head in!

(Idiomes) **être aux ~es avec des difficultés** to be grappling with difficulties; **être aux ~es avec ses concurrents** to be doing battle with one's competitors

priser /pRize/ [1] *vtr* 1 liter (apprécier) to hold [sth] in esteem [*œuvre, qualité*]; **il prise fort/peu ce genre de divertissement** this kind of entertainment is very much/is not to his taste; **chanteur très prisé du public** singer very popular with the public; **animal prisé pour sa fourrure** animal prized for its fur; 2 (aspirer par le nez) to snort [*drogue*]; **~ (du tabac)** to take snuff

prismatique /pRismatik/ *adj* prismatic

prisme /pRism/ *nm* prism; **voir (les choses) à travers un ~** fig to see through a distorting lens

prison /pRizɔ̃/ *nf* lit, fig prison; **punissable d'une peine de ~** punishable by a prison sentence; **envoyer qn/aller en ~** to send sb/to go to prison; **elle a fait de la ~** she has been in prison; **elle a fait trois ans de ~** she spent three years in prison; **depuis leur entrée en ~** since they went into prison; **sortir de ~** to get out of prison; **à leur sortie de ~** (demain) when they get out of prison; **tirer** *or* **sortir qn de ~** to get sb out of prison; **mettre/jeter qn en ~** to put/to throw sb in prison; **mise en ~** imprisonment; **condamné à trois ans de ~** sentenced to three years' imprisonment;
▸ **aimable**

prisonnier, **-ière** /pRizɔnje, ɛR/
A *adj* **il est ~** he is a prisoner; **les soldats ~s** soldiers taken prisoner; **être ~ de** to be held prisoner by [*personne, groupe*]; to be a prisoner of [*éducation, croyance*]; **je me sentais prisonnière** I felt like a prisoner; **ma main était prisonnière** my hand was trapped
B *nm,f* lit, fig prisoner; **faire un ~** to take a prisoner; **ils ne font pas de ~s** they don't take prisoners; **faire qn ~** to take sb prisoner; **on l'a** *or* **il a été fait ~** he was taken prisoner; **retenir qn ~** to hold sb prisoner

(Composés) **~ de guerre** Mil prisoner of war, POW; **~ d'opinion** Pol prisoner of conscience; **~ politique** Pol political prisoner

privatif, **-ive** /pRivatif, iv/ *adj* 1 (privé) [*jardin, terrasse*] private; 2 Jur (qui prive) privatory sout; **peine privative de liberté** custodial sentence; 3 Ling [*particule, préfixe, suffixe*] privative

privation /pRivasjɔ̃/ *nf* 1 (suppression) (de droit, liberté) deprivation, forfeiture; (de salaire) suspension; 2 (manque) want, privation sout; **souffrir de ~s** to suffer want; **mener une vie** *or* **vivre de ~s** to live a life of privation; **s'imposer des ~s** to make sacrifices; **économiser à force** *or* **au prix de dures ~s** to scrimp

(Composé) **~ des droits civiques** Jur forfeiture of civil rights

privatisation /pRivatizasjɔ̃/ *nf* privatization; **~ partielle** partial privatization

privatiser /pRivatize/ [1] *vtr* to privatize

privautés /pRivote/ *nfpl* fml liberties; **se permettre des ~ avec qn** to take liberties with sb

privé, **~e** /pRive/
A *pp* ▸ **priver**
B *pp adj* **~ de** deprived of; **une région peu à peu ~e d'arbres/d'eau** an area gradually deprived of trees/of water; **~ de tout** deprived of everything; **un style ~ d'humour/d'imagination** a humourless[GB]/an unimaginative style; **je suis resté ~ de téléphone pendant deux jours** I had to do without a phone for two days; **tu seras ~ de dessert!** you'll go without dessert!
C *adj* 1 (non étatique) [*secteur, investisseur, compagnie, intérêt*] private; 2 (non destiné au public) [*lieu, projection, collection*] private; 3 (non officiel) [*visite, entretien, consultation, source*] unofficial; [*accord, déclaration*] unofficial; [*clientèle, détective, dîner*] private; **à titre ~** unofficially; **en visite à Londres à titre ~** on an unofficial visit to London; **chez lui, l'homme ~ est tout différent du personnage officiel** his private face is very different from his public one; 4 (personnel) [*vie, correspondance, affaire*] private; **se mêler de la vie ~e des autres** to meddle in other people's private lives
D *nm* 1 (secteur) Écon, Pol private sector; **dans le ~** [*travailler, exercer*] in the private sector; 2 Scol **le ~** private schools (*pl*); **aller dans le ~** [*élève*] to go to a private school; 3 (activité) **dans le ~, le maire est directeur d'une société** apart from his official position, the mayor is a company director; **dans le ~ il est très sympathique** as a person he's really nice; **en ~** (seul à seul) in private; (non officiellement) off the record; **puis-je vous parler en ~?** may I speak to you in private?; **le porte-parole a déclaré en ~ que** off the record, the spokesman announced that; 4 ○(détective) private eye○, private detective

priver /pRive/ [1]
A *vtr* 1 (déposséder) **~ qn de** to deprive sb of; **sa mort nous prive d'un grand homme** his death deprives us of a great man; **son attaque l'a privée de la parole/de l'usage d'un bras** she lost the power of speech/the use of an arm after her stroke; 2 (interdire à) **~ qn de** to deprive sb of; **~ qn de nourriture** to deprive sb of food; **~ qn de télévision/de sorties** to forbid sb to watch TV/to go out; 3 (faire manquer) **la seule chose qui me prive** the only thing I miss; **cela me prive de ne pas (pouvoir) faire** I miss being able to do; **cela me priverait beaucoup de ne plus aller au théâtre** I would really miss going to the theatre[GB]; **elle a arrêté de fumer, mais ça ne la prive pas** she has given up GB *ou* quit US smoking, but she doesn't miss it; **~ qn/qch de** to deprive sb/sth of; **~ qn du plaisir de faire** to deprive sb of the pleasure of doing; **~ une région d'eau** to deprive an area of water; **l'orage nous a privés d'électricité** we had no electricity because of the thunderstorm; **ça ne te prive pas beaucoup de ne pas pouvoir te laver!** hum it's no hardship for you, not being able to wash!; **si ça ne vous prive pas, pourriez-vous me prêter votre voiture?** could you lend me your car if you don't need it?; **tu peux prendre ces revues, cela ne me privera pas** you can take these magazines, I don't need them
B **se priver** *vpr* 1 (s'abstenir) **se ~ pour ses enfants** to go without for the sake of one's children; **pourquoi se ~?** why stint ourselves?; **se ~ de qch/de faire** to go *ou* do without sth/doing; **se ~ de cinéma** to do without visits to the cinema GB *ou* movies US; **c'est gratuit, j'aurais tort de m'en ~!** it's free, I'd be a fool not to take it!; **elle ne se privera pas du plaisir de le raconter à tout le monde** she won't be able to resist telling everyone about it; **eh bien, tu ne te prives de rien!** hum you

P

certainly don't believe in stinting yourself!; 2 (se refuser, perdre) **se ~ de** to lose, to give up; **en faisant cela, ils se privent d'un moyen de contrôle** by doing this, they're losing *ou* they are giving up one means of control; 3 (se défaire) **se ~ de** to do without [*personne*]; to dispense with [*services*]; 4 (se retenir) **se ~ de faire** to hesitate to do; **elle ne s'est pas privée de leur dire les choses en face** she didn't hesitate to tell them a few home truths; **il y avait beaucoup à critiquer dans ce projet, et il ne s'en est pas privé** there was a lot to criticize in that project, and criticize it he did

privilège /pʀivilɛʒ/ *nm* privilege; **le ~ de l'âge** the privilege of age; **l'abolition des ~s** the abolition of privileges; **avoir le ~ de faire** to have the privilege of doing; **c'est un ~ de faire** it's a privilege to do; **c'est un ~ de le connaître** I am honoured[GB] to know him; **j'ai le triste ~ de devoir annoncer que** it is my sad duty to announce that; **avoir le triste ~ d'être toujours dernier** hum to have the misfortune of always being last

privilégié, ~e /pʀivileʒje/
A *pp* ▸ **privilégier**
B *pp adj* 1 (avantagé) [*personne, quartiers*] privileged; 2 (chanceux) fortunate; **être ~ par le sort** to be blessed by fortune; 3 (exceptionnel) [*moment, liens*] special; [*traitement*] preferential; [*position, conditions de travail*] privileged; 4 (préféré) [*mode d'expression, cible*] preferred
C *nm,f* 1 Hist **un ~** a privileged member of society; **les ~s** the privileged classes; 2 (favorisé) **un ~** a privileged person; **les ~s** the privileged; **les quelques ~s qui ont pu assister au concert** the privileged few who were able to go to the concert

privilégier /pʀivileʒje/ [2] *vtr* 1 (favoriser) to favour[GB] [*personne, organisme*]; **~ qn sur qn d'autre** to give sb an advantage over sb else; 2 (donner priorité à) to give priority to [*question sociale, objectif*]; **~ qch sur qch d'autre** to give more importance to sth than to sth else; 3 Hist to privilege, to bestow privileges on [*groupe social*]

prix /pʀi/ *nm inv* 1 (coût) price; **~ d'achat/de vente** purchase/selling price; **~ de détail/de gros** retail/wholesale price; **~ fixe** set price; **~ affiché/conseillé/demandé** posted/recommended/asking price; **~ de revient** cost price; **vendre à** *or* **au ~ coûtant** to sell at cost price; **au prix où sont les appartements nous ne pourrons jamais acheter** at the price apartments are we'll never be able to buy anything; **~ à la production/à la consommation** producer/consumer price; **~ de sortie d'usine** factory(-gate) price; **c'est à quel ~?** how much is it?; **ton ~ sera le mien** name your price; **c'est mon dernier ~** that's my final offer; **tu me fais un ~ (d'ami)?** can you do GB *ou* make US me a special price○?; **qu'il soit d'accord ou pas, c'est le même ~**○**!** fig it doesn't matter whether he agrees or not!; **trouver qch dans mes ~** (fourchette de prix) to find sth within my price-range; (dans mes moyens) to find sth I can afford; **meubles anciens vendus au ~ fort** antiques sold at a premium (price); **acheter une maison au ~ fort** to buy a house when prices are at their highest; **à bon ~** [*vendre*] at a good price; **de ~** expensive; **hors de ~** extremely expensive; **cela n'a pas de ~** it's priceless; **acheter qch à ~ d'or** to pay a small fortune for sth; **c'est joli, mais j'y ai mis le ~** it's pretty, but I paid a lot for it; **si tu veux de la soie, il faut être prêt à y mettre le ~** if you want silk, you have to be prepared to pay for it; **mettre qch à ~ à 50 euros** [*commissaire-priseur*] to start the bidding at 50 euros; **mettre à ~ la tête de qn** to put a price on sb's head; 2 (coût en efforts, sacrifices) price; **le ~ de la réussite** the price of success; **à tout ~** at all costs; **je ne le ferai à aucun ~** I will not do it at any price; **au ~ de nombreux sacrifices** by dint of much sacrifice; 3 (valeur affective, morale) price; **son amitié n'a pas de ~ pour moi** his/her friendship is very precious to me; **j'attache beaucoup de ~ à son amitié** I value his/her friendship greatly; **cela donne du ~ à ta visite** it makes your visit all the more precious; **apprécier l'amabilité de qn à son juste ~** to appreciate sb's kindness fully; 4 (honneur, récompense) prize; **obtenir le premier/deuxième ~** to win first/second prize; **il n'a pas eu de ~** he didn't get a prize; **~ de consolation** consolation prize; **~ d'encouragement** special *ou* consolation prize; **obtenir le premier ~ d'interprétation** to get the award for best actor; **le ~ Nobel** (récompense) the Nobel prize; (personne) the Nobel prize-winner; **c'est le premier ~ du concours Chopin** (personne) he/she won first prize in the Chopin competition; **lire le ~ Goncourt** to read the book which won the Prix Goncourt; 5 Turf race; ▸ **grand**
(Composés) **~ d'appel** loss leader; **~ d'excellence** *prize for top academic achievement*; **~ de retrait** reserve price
(Idiome) **au ~ où sont les choses** *or* **où est le beurre**○**!** prices being what they are!

pro /pʀo/ *nmf* (*abbr* = **professionnel**) pro○

pro- /pʀo/ *préf* Pol pro(-); **~-européen** pro-European

probabilisme /pʀɔbabilism/ *nm* probabilism

probabiliste /pʀɔbabilist/
A *adj* probabilistic
B *nmf* probabilist

probabilité /pʀɔbabilite/ *nf* 1 (d'événement, accident) probability, likelihood; **selon toute ~** in all probability; 2 Math probability ₵; **les ~s** probability theory; **calcul des ~s** calculation of probability

probable /pʀɔbabl/ *adj* 1 (vraisemblable) [*événement, cause, hypothèse*] probable, likely; **c'est peu/fort ~** it's not very probable *ou* likely/highly probable *ou* likely; **il est ~ qu'il viendra** it is probable that he will come; **il est peu/fort peu ~ qu'il vienne** it's rather/highly unlikely that he will come; 2 (prévisible) likely; **Berg est le vainqueur ~** Berg is likely to win

probablement /pʀɔbabləmɑ̃/ *adv* probably

probant, ~e /pʀɔbɑ̃, ɑ̃t/ *adj* [*argument, démonstration*] convincing; [*force, preuve*] conclusive; **une pièce ~e** a piece of conclusive evidence; **en forme ~e** Jur duly certified

probation /pʀɔbasjɔ̃/ *nf* 1 Jur probation; **pendant sa ~** while on probation; 2 Relig probation; **année de ~** probationary year

probatoire /pʀɔbatwaʀ/ *adj* **examen ~** assessment test; **épreuve ~** aptitude test; **stage ~** probation period; **délai ~** Jur probation

probe /pʀɔb/ *adj* liter upright, honest

probité /pʀɔbite/ *nf* integrity, probity

problématique /pʀɔblematik/
A *adj* [*situation*] problematic; [*chances*] doubtful; [*issue, dénouement*] in doubt (*jamais épith*); [*succès*] unlikely (*jamais épith*); **sa libération apparaît comme ~** his/her release seems to be in doubt
B *nf* problems (*pl*), issues (*pl*); **la ~ contemporaine** contemporary issues; **la ~ de l'identité** the problems of identity

problème /pʀɔblɛm/ *nm* (difficulté) problem; (sujet) issue; **~ d'algèbre** algebra problem; **le ~ du chômage** the problem of unemployment; **c'est tout un ~** it's a big problem; **ça pose un ~** it is a problem; **sans ~!, pas de ~!** no problem!; **~ moral** moral issue; **peau à ~s** problem skin

procédé /pʀɔsede/ *nm* 1 (méthode) technique; **mettre au point/améliorer un ~** to develop/refine a technique; **~ de lyophilisation/fabrication** freeze-drying/manufacturing technique; **~ révolutionnaire/chirurgical** revolutionary/surgical technique; **~ destiné à faire** technique for doing; 2 (manière d'agir) practice[GB]; **~ scandaleux** appalling practice; **je suis choqué par le ~** I am shocked by such a practice; **se livrer à des ~s odieux** to engage in despicable practices; **échange de bons ~s** exchange of courtesies; 3 Littérat device; **~ littéraire/rhétorique** literary/rhetorical device

procéder /pʀɔsede/ [14]
A **procéder à** *vtr ind* (se livrer) **~ à** to carry out [*analyse, vérification, sondage*]; to undertake [*réforme, création d'emplois*]; **~ à des opérations financières** to carry out financial transactions; **~ à un tirage au sort/un vote** to hold a draw/a vote; **~ à l'arrestation de qn** to arrest sb; **~ à des arrestations** to make arrests
B **procéder de** *vtr ind* (relever) **~ de** to be a product of; **imagination qui procède d'un esprit pervers** imagination which is the product of a perverted mind; **évaluation qui procède de l'intuition** assessment which is a product of intuition
C *vi* (agir) to go about things; **~ par ordre** to go about things methodically; **comment allez-vous ~?** how are you going to go about it?; **~ par élimination** to use a process of elimination

procédural, ~e, *mpl* **-aux** /pʀɔsedyʀal, o/ *adj* procedural

procédure /pʀɔsedyʀ/ *nf* 1 (action judiciaire) proceedings (*pl*); **engager une ~ contre** to take *ou* institute proceedings against; **entamer une ~** to start proceedings; **~ judiciaire/disciplinaire** legal/disciplinary proceedings; **~ d'extradition/en diffamation/de divorce** extradition/defamation/divorce proceedings; 2 (méthode) procedure; **~ d'obtention du permis de conduire** procedure for obtaining a driving licence; **quelle est la ~ à suivre?** what's the procedure?; **réformer la ~** Jur to reform the procedure; **~ prescrite** Jur prescribed procedure; **~ judiciaire/disciplinaire** judicial/disciplinary procedure
(Composé) **~ d'atterrissage** Aviat approach procedure

procédurier, -ière /pʀɔsedyʀje, ɛʀ/
A *adj* [*personne*] litigious
B *nm,f* litigious person

procès /pʀɔsɛ/ *nm inv* 1 Jur (pénal) trial (**contre** against); **~ d'un criminel de guerre** trial of a war criminal; **~ pour corruption/meurtre** trial for corruption/murder; **~ pour incitation à la violence** trial for incitement to violence; 2 Jur (civil) lawsuit, case; **gagner/perdre son ~** to win/lose one's lawsuit *ou* case; **être en ~ avec qn** to be involved in a lawsuit with sb; **intenter un ~ à qn** to take sb to court, to sue sb; **menacer qn de ~** to threaten to take sb to court; 3 (critique) indictment; **mauvais ~** unjustified indictment; **~ d'une institution/d'une personne** indictment of an institution/of a person; **faire le ~ de qch/qn** to put sth/sb in the dock; **faire un mauvais ~ à qn** to accuse sb unjustly; **faire un ~ d'intention à qn** to judge sb on mere intent; 4 Ling process
(Composé) **~ de sorcière** witch trial
(Idiome) **sans autre forme de ~** without further ado

processeur /pʀɔsesœʀ/ *nm* Ordinat processor

procession /pʀɔsesjɔ̃/ *nf* 1 (file) procession; **~ de chameaux/prisonniers** procession of camels/prisoners; 2 (défilé) stream; **~ de créanciers/clients** stream of creditors/customers; 3 Relig procession

processionnaire /pʀɔsesjɔnɛʀ/ *adj* **chenille ~** processionary caterpillar

processus /pʀɔsesys/ *nm* 1 gén process; **~ de fabrication** manufacturing process; 2 Anat process; 3 Méd (évolution) evolution

procès-verbal, *pl* **-aux** /pʀɔsɛvɛʀbal, o/ *nm* 1 (compte rendu) (de réunion) minutes (*pl*); (d'interrogatoire) transcript; 2 Jur statement of offence[GB]; **dresser un ~ à qn** to give sb a ticket, to book sb GB; **3** (amende) controv fine; **avoir un ~** to get a ticket

prochain, ~e /pʀɔʃɛ̃, ɛn/
A *adj* **1** (suivant) next; **l'an/le mois ~** next year/month; **en juin ~** next June; **le 15 juin ~** next June 15th; **au printemps ~** next spring; **dans les ~es heures** in the next few hours; **au cours des jours ~s, dans les jours ~s** in the next few days; **la ~e fois** next time; **la ~e fois que tu fais cela** (the) next time you do that; **ce sera pour une ~e fois** some other time, then!; **il n'y aura pas de ~e fois** there won't be a next time; **à la ~e**○! see you!; **je descends à la ~e** (dans le train, métro) I'm getting off at the next station; **j'ai acheté une voiture noire, la ~e sera rouge** I've bought a black car, my next one will be red; **vous êtes le ~ sur la liste** you're next on the list; **2** (imminent) [*publication, promulgation*] forthcoming; [*réunion, sommet*] coming, forthcoming; [*mort, retour, départ, guerre, crise*] imminent, impending (*épith*); **un jour ~** one day soon; **3** Philos [*cause*] immediate
B *nm* gén fellow man; Relig neighbour[GB]; **tu aimeras ton ~ comme toi-même** thou shalt love thy neighbour[GB] as thyself

prochainement /pʀɔʃɛnmɑ̃/ *adv* soon, shortly; **'~ sur vos écrans'** 'coming soon to a cinema GB *ou* theater US near you'

proche /pʀɔʃ/
A *adj* **1** (dans l'espace) [*bâtiment, maison, rue*] nearby (*épith*); **~ de** close to, near; **c'est tout ~** it's very close; **dans une maison toute ~** in a nearby house; **le plus ~** the nearest; **c'est notre plus ~ voisin** he's our nearest neighbour[GB]; **ce n'est pas très ~** it's quite a way (off); **assez ~** not far away; **un village assez ~** a village not far away; **les bureaux sont très ~s les uns des autres** the desks are very close together; **2** (dans le futur) [*moment, départ, événement*] imminent; [*souvenir*] real, vivid; **la nuit est ~** it'll soon be dark; **le temps est ~ où** the time will soon come when; **la victoire est ~** victory is at hand; **la mort est ~** death is imminent; **être ~ de la mort** to be near *ou* close to death; **la fin est ~** the end is (drawing) near; **3** (récent) [*événement*] recent; **c'est encore trop ~** it's still too recent; **4** (voisin) [*chiffres, valeurs, taux*] similar; [*langues*] closely related; [*sens, idées, théories, résultats, partis*] similar; **ces deux mots sont de sens très ~s** these two words mean much the same; **~ de** [*chiffre, valeur, taux, inflation, langue*] close to; [*idée, théorie*] close *ou* similar to; [*résultat, conclusion, parti, mouvement*] similar to; [*attitude, comportement*] verging on; **une ignorance ~ de la bêtise** ignorance bordering *ou* verging on stupidity; **5** (sur le plan affectif) [*personnes*] close (**de** to); Admin (sur un formulaire) **(plus) ~ parent** next of kin
B de proche en proche *loc adv* little by little, gradually
C *nm* (parent) close relative; (ami) close friend; (collègue, associé) close associate; **un ~ du président** a close aide to the president; **mes ~s** my nearest and dearest

Proche-Orient /pʀɔʃɔʀjɑ̃/ *nprm* **le ~** the Near East

proclamation /pʀɔklamasjɔ̃/ *nf* (action, texte) proclamation, declaration; **la ~ de l'état d'urgence/des résultats** the proclamation of the state of emergency/the results

proclamer /pʀɔklame/ [1]
A *vtr* **1** (reconnaître officiellement) to proclaim [*souveraineté, état d'urgence*]; **il a été proclamé roi** he was proclaimed king; **2** (annoncer) [*personne*] to declare [*confiance, intention, conviction*]; to proclaim [*innocence*]; [*affiche, document*] to proclaim [*liberté, souveraineté*]
B se proclamer *vpr* [*personne*] to proclaim oneself [*roi, chef*]

proconsul /pʀɔkɔ̃syl/ *nm* proconsul

procrastination /pʀɔkʀastinasjɔ̃/ *nf* fml procrastination

procréateur, -trice /pʀɔkʀeatœʀ, tʀis/
A *adj* liter procreative
B *nm,f* procreator

procréation /pʀɔkʀeasjɔ̃/ *nf* procreation
(Composés) **~ artificielle** artificial reproduction; **~ médicalement assistée, PMA** assisted reproduction

procréer /pʀɔkʀee/ [11] *vi* to procreate; **être en âge de ~** to be of childbearing age

procuration /pʀɔkyʀasjɔ̃/ *nf* **1** (pouvoir) power of attorney; (pour une élection) proxy; **par ~** [*voter*] by proxy; [*vivre*] vicariously; **2** (formulaire) power of attorney; (pour une élection) proxy form; **donner une ~ à qn** gén to give sb power of attorney; (pour une élection) to appoint sb proxy

procurer /pʀɔkyʀe/ [1]
A *vtr* **1** (être la cause de) to bring [*plaisir, sensation*]; to give [*argent, avantages*]; **~ qch à qn** to give sb sth; **2** (fournir) [*personne*] **~ qch à qn** to get sb sth
B se procurer *vpr* (obtenir) to obtain; (acheter) to buy

procureur /pʀɔkyʀœʀ/ *nm* prosecutor
(Composés) **~ général** public prosecutor; **~ de la République** state prosecutor

prodigalité /pʀɔdigalite/ *nf* **1** (propension) extravagance; **2** (abondance) liter abundance (**de** of); **3** (dépenses) extravagance

prodige /pʀɔdiʒ/ *nm* **1** (génie) prodigy; **guitariste ~** guitar prodigy; **enfant ~** child prodigy; **2** (exploit) feat; **réussir le ~ de faire** to achieve the remarkable feat of doing; **faire des ~s** to work wonders; **tenir du ~** to be a miracle; **~ technique** technical miracle

prodigieusement /pʀɔdiʒjøzmɑ̃/ *adv* prodigiously

prodigieux, -ieuse /pʀɔdiʒjø, øz/ *adj* [*intelligence, mémoire, quantité*] prodigious; [*personne*] wonderful; **d'une bêtise prodigieuse** prodigiously stupid

prodigue /pʀɔdig/
A *adj* **1** (gaspilleur) extravagant; **2** (libéral) **être ~ de conseils** to be free with advice; **être ~ de promesses** to be good at making promises; **être ~ de compliments/de son argent** to be lavish with one's praise/one's money; **être ~ de son temps/ses efforts** to be generous with one's time/one's efforts; **il est peu ~ de compliments** he's not one to give praise; **3** Relig **l'enfant** *or* **le fils ~** the prodigal son
B *nmf* spendthrift

prodiguer /pʀɔdige/ [1] *vtr* **1** (distribuer sans compter) to lavish [*attentions, affection, soins, compliments*] (**à** on); to make lots of [*promesses*] (**à** to); to give lots of [*conseils, encouragements*] (**à** to); **~ des excuses à qn** to apologize profusely to sb; **~ ses efforts** to spare no effort; **malgré les efforts prodigués par l'équipe** despite the team's heroic effort; **2** (donner) to give [*soins*] (**à** to); **pendant qu'il prodiguait ses soins aux blessés** while he was attending to the wounded; **~ des soins adéquats aux malades** to care adequately for the patients

producteur, -trice /pʀɔdyktœʀ, tʀis/
A *adj* **une région productrice de thé/café** tea-/coffee-growing area; **un pays ~ de viande** a meat-producing country; **pays ~ de pétrole/charbon** oil-/coal-producing country
B *nm,f* **1** Écon (de matériel, pétrole, d'objet, énergie) producer; (de plante, céréale, café, coton) grower, producer; **ce pays est un ~ agricole** this country is an agricultural producer; **du ~ au consommateur** from the producer to the consumer; **2** ▸ **p. 532** Cin, TV (personne) producer; (société) production company; **un ~ de radio/télévision** a radio/television producer; **un ~ réalisateur** a producer and director

productible /pʀɔdyktibl/ *adj* that can be produced (*épith, après n*)

productif, -ive /pʀɔdyktif, iv/
A *adj* [*travail, réunion, journée*] productive; [*investissement, capital*] profitable; **capital ~ d'intérêts** interest-bearing capital; **placement ~** high-yield *ou* profitable investment; **actions productives d'un dividende de...** shares yielding a dividend of...
B *nm* Ind **les ~s** people working in production

production /pʀɔdyksjɔ̃/ *nf* **1** (fait de produire) (de marchandise, produit agricole, d'objet) production; (d'électricité) production, generation; (d'énergie) generation; **mise en ~** putting into production; **la ~ du nouveau modèle débutera le mois prochain** the new model will go into production next month; **arrêter la ~ d'un modèle** to stop producing a model; **la ~ d'anticorps/d'enzymes par l'organisme** the production of antibodies/of enzymes by the body; **2** (produits) gén products (*pl*), goods (*pl*); (produits agricoles) produce; **3** (quantités produites) (de produits agricoles, matières premières) production; (de produits manufacturés, d'énergie) output, production; **la ~ de café a chuté** coffee production has fallen; **augmenter la ~ de pétrole** to increase oil production; **la ~ de notre entreprise s'élève à 5 millions de machines par an** our firm's output is 5 million machines per year; **le pays exporte 30% de sa ~ agricole** the country exports 30% of its agricultural production; **chiffres de la ~** production figures; **4** (dans une entreprise) (service de) **la ~** production; **directeur de la ~** production manager; **il est à la ~ maintenant** he is in production now; **5** Cin, TV (processus, film) production; **directeur de ~** production manager; **~ à grand spectacle** spectacular; **6** (d'écrivain, auteur) (ouvrage) work; (ensemble de l'œuvre) works (*pl*), output; **~ littéraire** literary output; **toute la ~ d'un auteur** an author's complete works; **la ~ dramatique du XIXe siècle** 19th-century drama; **7** (présentation) Jur, Admin presentation; **sur ~ de votre carte** on presentation of your card
(Composés) **~ assistée par ordinateur, PAO** computer-aided manufacturing, CAM

productique /pʀɔdyktik/ *nf* industrial automation

productivité /pʀɔdyktivite/ *nf* Ind, Fin productivity; **avoir une faible ~** to show low productivity

produire /pʀɔdɥiʀ/ [69]
A *vtr* **1** (fabriquer) to produce [*marchandise, objet, pétrole*]; to produce, to generate [*électricité, énergie, chaleur, fumée, gaz*]; **cette usine produit peu** this factory has a low output; **2** Agric (cultiver) to produce, to grow [*céréales, café, coton*]; (donner) [*arbre, terre*] to yield; [*région, pays*] to produce [*vin, blé, maïs*]; **cet arbre ne produit plus** this tree no longer bears fruit; **3** (causer, provoquer) to produce, to have [*effet, résultat*]; to produce, to bring about [*changement*]; to create, to make [*impression*]; to cause, to create [*sensation, émotion*]; **ces mesures mettront du temps à ~ leurs effets** it will be some time before the effects of these measures are felt; **~ une bonne/mauvaise impression** to create a good/bad impression; **4** Cin, Radio, Théât, TV to produce [*film, pièce, disque, émission*]; **5** (créer) to produce [*œuvre, tableau*]; to produce, to make [*logiciel*]; **un artiste/écrivain qui produit beaucoup** a prolific artist/writer; **6** (donner naissance à) [*pays, système, époque*] to produce [*génie, scientifique*]; **un club qui produit d'excellents athlètes** a club that turns out *ou* produces great athletes; **7** Fin (rapporter) to bring in [*argent, richesse*]; to yield [*intérêt*]; **faire ~ qch** to make sth yield a return; **8** Admin, Jur (montrer) to produce [*papier d'identité, certificat*]; to produce, to bring [sb] forward [*témoin*]
B se produire *vpr* **1** (survenir) [*catastrophe, changement*] to occur, to happen; **cela se produit souvent** that happens a lot; **2** (donner un spectacle) [*groupe, chanteur*] to perform

produit /pʀɔdɥi/ *nm* **1** (article) product; **des ~s** gén goods, products; Agric produce ₵; **~ végétal/alimentaire/surgelé/pharmaceutique** vegetable/food/frozen/pharmaceutical

p

product; ~**s alimentaires** foodstuffs; ~**s agricoles** agricultural *ou* farm produce; ~**s laitiers/pétroliers** dairy/petroleum products; **2** Fin (revenu) income; (bénéfice) profit; **vivre du ~ de son travail** to live on the income from one's work; **vivre du ~ de sa terre** to live off the land; **vivre du ~ de ses investissements** to live on the income from one's investments; **vivre du ~ de ses biens** to live on the income from one's property; **le ~ de la vente** the proceeds (*pl*) of the sale; **3** (résultat) (de recherche) result; (d 'activité, état, de hasard) product; **c'est le ~ de ton imagination** it's a figment of your imagination; **c'est un pur ~ des médias** he's/she's a media creation; **c'est un pur ~ des années 90** he's/she's very much a product of the 90s; **4** Biol, Chimie, Phys product; **un ~ chimique** a chemical; **~ de combustion** product of combustion; **~ de décomposition** product of decomposition; **~ de substitution** product of substitution; **~ de fission/fissile** fission/fissile product; **5** Math product; **le ~ de deux nombres** the product of two numbers

(Composés) **~ d'assurance** insurance product; **~ de base** (aliment) staple food; **~ de beauté** beauty product; **~ chimique** chemical; **~ de consommation courante** consumer product; **~ de contraste** Méd contrast medium; **~ dérivé** by-product; **~ d'entretien** cleaning product, household product; **~ d'épargne** savings product; **~ financier** financial product; **~ fini** finished product; **~ intérieur brut, PIB** gross domestic product, GDP; **~ de luxe** luxury product; **~ manufacturé** manufactured product; **~ de marque** Comm branded article; **~ national brut, PNB** gross national product, GNP; **~ de substitution** substitute

proéminence /pʀɔeminɑ̃s/ *nf* **1** (saillie) protuberance; **2** (aspect saillant) prominence

proéminent, **~e** /pʀɔeminɑ̃, ɑ̃t/ *adj* proeminent

prof○ /pʀɔf/ *nmf*: *abbr* = **professeur 1**

profanateur, **-trice** /pʀɔfanatœʀ, tʀis/
A *adj* [*acte*] sacrilegious
B *nm,f* profaner

profanation /pʀɔfanasjɔ̃/ *nf* (de temple, tombe) desecration; (de sentiment, mémoire, beauté) defilement; (de famille, d'institution) debasement

profane /pʀɔfan/
A *adj* **1** (non religieux) [*fête, art, littérature*] secular; **amour ~** profane love; **2** (non initié) **être ~ en la matière** to know nothing about the subject, to be a layman
B *nmf* **1** (non-initié) layman/laywoman; **2** Relig nonbeliever
C *nm* **le ~ et le sacré** the sacred and the profane

profaner /pʀɔfane/ [1] *vtr* to desecrate [*temple, tombe*]; to defile [*sentiment, mémoire, nom, beauté*]; to debase [*famille, institution*]; to violate [*innocence*]

proférer /pʀɔfeʀe/ [14] *vtr* to hurl [*insultes, obscénités*]; to make [*menaces*] (**contre** against)

professer /pʀɔfese/ [1] *vtr* **1** (déclarer) to declare [*admiration, amour*]; to state, to profess [*opinion*]; to profess [*théorie, idée*]; **il dit le contraire de ce qu'il professait hier** he is saying the opposite of what he professed yesterday; **~ que** to declare *ou* profess that; **2** †(enseigner) to teach [*matière*]

professeur /pʀɔfesœʀ/ ▸ **p. 532** *nm* **1** (enseignant) (de collège, lycée) teacher; (dans l'enseignement supérieur) teacher, lecturer GB, professor US; (titulaire) professor; **elle est ~ d'histoire** (dans un collège, un lycée) she's a history teacher; (dans une université) she teaches history; **le ~ remplaçant** the supply GB *ou* substitute US teacher; **2** ▸ **p. 848** (titre) Méd, Univ professor; **le ~ Nimbus** Professor Nimbus

(Composés) **~ des écoles** primary school teacher; **~ émérite** *or* **honoraire** Univ emeritus professor; **~ principal** Scol form GB *ou* homeroom US teacher

profession /pʀɔfesjɔ̃/ *nf* **1** (métier) occupation; **quelle est votre ~?** what's your occupation?; **embrasser la ~ médicale** to join *ou* enter the medical profession; **ceux qui décident d'embrasser la ~ d'enseignant** those who decide to join the teaching profession; **exercer la ~ d'infirmière** to be a nurse by profession; **sans ~** gén unemployed; (femme au foyer) housewife; **il est bibliothécaire de ~** he's a librarian by profession; **2** (corporation) profession; **appeler la ~ à cesser le travail** to call on those who work in the profession to stop work; **3** (déclaration publique) declaration, profession; **faire ~ de libéralisme/d'anarchisme** to profess one's liberalism/anarchism; **il a fait ~ de défendre cette cause** he professed to defend this cause

(Composés) **~ de foi** gén declaration of faith; Relig *solemn declaration of faith made at the age of 11*; **~ libérale** profession

professionnalisation /pʀɔfesjɔnalizasjɔ̃/ *nf* professionalization

professionnalisé, **~e** /pʀɔfesjɔnalize/
A *pp* ▸ **professionnaliser**
B *pp adj* **1** Mil [*régiment, unité*] professional; **2** Scol, Univ [*formation, institut*] vocational

professionnaliser /pʀɔfesjɔnalize/ [1]
A *vtr* to professionalize
B se professionnaliser *vpr* to become professionalized

professionnalisme /pʀɔfesjɔnalism/ *nm* **1** (qualité) professionalism; **2** (statut) **après dix ans de ~** after ten years as a professional

professionnel, **-elle** /pʀɔfesjɔnɛl/
A *adj* **1** (relatif au métier) [*qualification, catégorie, objectif, prétention, réussite*] professional; [*vie, milieu*] working (*épith*), professional; [*maladie*] occupational; [*enseignement, baccalauréat, formation*] vocational; [*exposition, salon*] trade; **j'ai eu de la chance dans le domaine** *or* **sur le plan ~** I've been lucky in my professional life; **pour raisons professionnelles** for work *ou* professional reasons; **revendications professionnelles** workers' demands; **jargon ~** specialist jargon; **l'avenir ~** career prospects (*pl*); **avoir une activité professionnelle** to have an occupation, to be in work; **en dehors de mes activités professionnelles** outside my work; **il s'occupe de leur réinsertion professionnelle** he's responsible for finding them jobs; **local à usage ~** business premises (*pl*); **2** (non amateur) [*joueur, club, statut, danseur*] professional; **tricheur ~** hum professional cheat; **acteur/sportif non ~** amateur *ou* nonprofessional actor/sportsman
B *nm,f* **1** (spécialiste d'un métier) professional; **le salon est réservé aux ~s** the show is restricted to people in the trade; **un ~ du cinéma** a professional film-maker; **un ~ du bâtiment** a person working in the building trade; **les ~s de la santé** health professionals; **c'est du travail de ~** lit, fig it's a professional job; **2** (non-amateur) professional; **passer ~** to turn professional
C professionnelle○ *nf* (prostituée) prostitute, pro○

professionnellement /pʀɔfesjɔnɛlmɑ̃/ *adv* professionally

professoral, **~e**, *mpl* **-aux** /pʀɔfesɔʀal, o/ *adj* **1** (dogmatique) [*ton, orateur*] professorial; **2** (relatif aux professeurs) **le corps ~** (la profession) the teaching profession; (d'un établissement) the teaching staff

professorat /pʀɔfesɔʀa/ *nm* teaching; **choisir le ~** to opt for teaching

profil /pʀɔfil/ *nm* **1** (contour physique) profile; (coupe verticale) profile, cross profile; **être de ~** to be in profile; **se mettre de ~** to position oneself in profile; **garder/adopter un ~ bas** to keep/adopt a low profile; **2** (qualifications) **vous avez le ~ requis pour ce poste** you have the right qualifications for the job; '**~ exigé**' 'qualifications required'; **3** Psych profile; **avoir un ~ de gagnant/patron/ministre** to have the profile of a winner/boss/minister

(Composé) **~ grec** Greek profile

profilage /pʀɔfilaʒ/ *nm* profiling

profilé, **~e** /pʀɔfile/
A *pp* ▸ **profiler**
B *pp adj* [*pièce*] profiled; [*aile, voile*] streamlined
C *nm* profile; **~ aluminium/plastique** aluminium GB *ou* aluminum US/plastic profile

profiler /pʀɔfile/ [1]
A *vtr* **1** Tech to profile [*pièce, aile*]; **2** (représenter en profil) to draw a section of [*édifice*]; **3** (présenter) **la tour profile sa silhouette dans le ciel** the tower is silhouetted *ou* outlined against the sky
B se profiler *vpr* [*forme, relief*] to stand out (**contre, sur** against); [*danger, candidat, problème, changements*] to emerge; [*événements*] to approach

profit /pʀɔfi/ *nm* **1** (avantage) benefit, advantage; **faire qch avec ~** to benefit from doing sth; **vous consulterez ce guide avec ~** you'll find this guide very useful; **il a appliqué avec ~ les nouvelles méthodes** he's made good use of the new methods; **tirer ~ de** to make the most of, to take advantage of; **il a tiré ~ de mes conseils** he put my advice to good use; **il n'a pas su tirer ~ de ce qui lui est arrivé il y a deux ans** he didn't learn from what happened to him two years ago; **faire son ~ de qch** to use sth to one's advantage, to make use of sth; **faire du ~**○ [*nourriture*] to go a long way; [*objet, appareil*] to be good value; **ce manteau m'a fait du ~**○ I've had a lot of wear out of this coat; **être d'un grand ~ à qn** to be of great benefit *ou* value to sb, to benefit sb greatly; **ce stage linguistique leur a été d'un grand ~** that language course has been of great benefit *ou* value to them, they got a lot out of that language course; **pour le plus grand ~ de** to the great benefit of; **trouver (son) ~ à faire** to find it to one's advantage to do; **s'il le fait c'est qu'il y trouve son ~** he's doing it because he gets something out of it; **organiser un concert au ~ des handicapés/de la recherche sur le cancer** to organize a concert in aid of the handicapped/of cancer research; **accusé d'espionnage au ~ d'un pays étranger** accused of spying for a foreign country; **la réforme s'est faite au ~ des grands propriétaires** the reform benefited land owners; **abandonner le charbon au ~ du nucléaire** to drop coal in favour[GB] of nuclear energy; **le candidat de la majorité a perdu des voix au ~ des écologistes** the ruling party's candidate lost votes to the ecologists; **tourner au ~ de qn** to work in sb's favour[GB]; **mettre à ~** to make the most of, to take advantage of [*temps libre, stage*]; to turn [*sth*] to good account *ou* to one's advantage [*situation*]; to make good use of [*idée, découverte, résultat*]; **2** Écon (gains) profit; **dégager des ~s, faire des ~s** to make a profit; **réaliser 10 millions de ~** to make a profit of 10 million; **~s illicites/illimités** illicit/unlimited profits; **~s pétroliers** oil revenues; **être une source de ~ pour** to be a source of wealth for

(Idiome) **il n'y a pas de petits ~s** Prov look after the pennies and the pounds will look after themselves Prov GB, a penny saved is a penny earned Prov GB, a dollar is a dollar US

profitable /pʀɔfitabl/ *adj* **1** (utile) beneficial, profitable (**à** to); **son départ n'est ~ à personne** his/her leaving doesn't make things better for anybody; **2** (rentable) profitable

profiter /pʀɔfite/ [1]
A profiter à *vtr ind* **1** (être utile) **~ à qn** [*leçon, expérience, conseil, affaire, circonstances*] to benefit sb, to be of benefit to sb; **ça profite toujours aux mêmes** it's always the same people who reap the benefit; **à qui profite le crime?** who benefits by *ou* from the crime?; **2** (faire grossir) **~ à qn** [*aliment*] to make sb put on

p

weight; **la nourriture ne lui profite pas** he doesn't get the benefit of his food
B profiter de *vtr ind* **1** (tirer avantage) **~ de** to use, to make the most of [*avantage*]; to make the most of, to take advantage of [*privilège, occasion, situation*]; to take advantage of [*visite, faiblesse, vente*]; **~ de qn** to take advantage of sb; **profite bien de tes vacances!** have a good holiday!; **j'ai profité de mon passage à Paris pour visiter le Louvre** I took the opportunity of visiting the Louvre when I was in Paris; **j'ai profité de ce qu'il était là pour lui demander de m'aider** since he was there I took the opportunity of asking him to help me; **il a profité de ce que je ne regardais pas pour voler les documents** he took advantage of the fact that I was not looking to steal the documents; **~ de l'obscurité pour s'enfuir** to flee under cover of darkness; **2** (tirer agrément) **~ de qch** to make the most of sth, to enjoy sth; **la vie est courte, profitez-en** life is short, make the most of it *ou* live it to the full; **les enfants ont profité de leurs vacances** the children got a lot out of their holidays GB *ou* vacation US; **~ de qn**○ to make the most of being with sb; **j'étais tellement occupé que je n'ai pas pu ~ de mes petits-enfants** I was so busy that I didn't have time to enjoy (being with) my grandchildren
C ○*vi* (se fortifier) [*personne, enfant, animal*] to grow; [*plante, arbre*] to thrive, to grow

profiterole /pʀɔfitʀɔl/ *nf* profiterole; **~s au chocolat** chocolate profiteroles

profiteur, -euse /pʀɔfitœʀ, øz/ *nm,f* profiteer

profond, ~e /pʀɔfɔ̃, ɔ̃d/
A *adj* **1** ▸ **p. 498** lit deep; **~ de 10 mètres** 10 metres[GB] deep; **au plus ~ de** lit, fig in the depths of; **au plus ~ de la nuit** in the dead of night; **peu ~** shallow; **2** (intense) [*joie, désespoir*] overwhelming; [*ennui*] acute; [*soupir*] heavy; [*sentiment, tristesse, chagrin, amour*] deep, profound; [*bleu*] deep; [*sommeil*] deep; **3** (très grand) [*signification, cause, changement, désaccord*] profound; [*intérêt*] keen; [*foi*] deep; [*mépris, ignorance*] profound; [*silence*] deep; **4** (pénétrant) [*esprit, réflexion, remarque*] profound; [*regard*] penetrating; **c'est ~ ce que tu dis** what you say is profound; **5** (réfléchi) [*personne*] deep; **6** (provincial) **la France ~e** provincial France; **l'Amérique ~e** small-town America
B *adv* deeply, deep down; **creuser ~** to dig deeply

profondément /pʀɔfɔ̃demɑ̃/ *adv* **1** (loin) [*creuser, pénétrer, s'enfoncer*] deeply; **2** (intensément) [*dormir, respirer, éprouver, aimer*] deeply; [*souffrir*] greatly; [*détester, haïr*] utterly, completely; [*convaincu*] utterly; [*marqué, affecté*] profoundly; [*choqué, ému, vexé*] deeply; **s'ennuyer ~** to be profoundly bored

profondeur /pʀɔfɔ̃dœʀ/
A *nf* **1** ▸ **p. 498** lit (de mer, trou) depth; **avoir une ~ de 3 mètres** to be 3 metres deep *ou* in depth; **creuser à 2 mètres de ~** to dig 2 metres down; **en ~** [*analyse, réforme, réflexion*] in-depth (*épith*); **étudier/analyser qch en ~** to study/analyse[GB] sth in depth; **travail en ~** thorough work; **2** (d'armoire, étagères) depth; **3** (de sentiment, d'amour) depth
B profondeurs *nfpl* liter **~s de la mer/d'une forêt** the depths of the sea/of a forest; **les ~s de l'âme** the (innermost) depths of the soul
(Composé) **~ de champ** Phot depth of field

pro forma /pʀofɔʀma/ *loc adj inv* **facture ~** pro forma invoice

profus, ~e /pʀɔfy, yz/ *adj* liter abundant

profusément /pʀɔfyzemɑ̃/ *adv* profusely

profusion /pʀɔfyzjɔ̃/ *nf* (de détails, chiffres, couleurs) profusion; (de nourriture, boisson) abundance; **avoir tout à ~** to have everything in abundance

progéniture /pʀɔʒenityʀ/ *nf* progeny

progestatif /pʀɔʒɛstatif/ *nm* progestin, progestogen

progestérone /pʀɔʒɛsteʀɔn/ *nf* progesterone

progiciel /pʀɔʒisjɛl/ *nm* software package

programmable /pʀɔgʀamabl/ *adj* programmable

programmateur, -trice /pʀɔgʀamatœʀ, tʀis/
A ▸ **p. 532** *nm,f* Radio, TV programme[GB] planner
B *nm* gén timer; (de machine à laver) programme[GB] selector

programmation /pʀɔgʀamasjɔ̃/ *nf* **1** Ordinat programming; **2** Radio, TV (diffusion) programming; **3** Radio, TV (planification) programme[GB] planning

programme /pʀɔgʀam/ *nm* **1** Radio, Théât, TV, Cin programme[GB]; **ce n'est pas au ~** lit it's not on the programme[GB]; fig that wasn't planned; **changement de ~** lit change in the *ou* of programme[GB]; fig change of plan; **2** (emploi du temps) programme[GB]; **le ~ de la journée** the programme[GB] for the day; **avoir un ~ très chargé** to have a very busy schedule; **quel est le ~ des réjouissances aujourd'hui?** hum what delights are in store (for us) today?; **3** (projet) (d'action) plan; (de travail) programme[GB]; **~ électoral** electoral programme[GB] *ou* platform; **~ de gouvernement** government programme[GB] *ou* platform; **c'est tout un ~!** hum that'll take some doing!; **4** Scol, Univ syllabus; **le ~ d'histoire** the History syllabus; **le ~ de première année** the first-year syllabus; **au ~** on the syllabus; **5** Ordinat program; **~ d'exploitation/de compilation** operating/compiling program; **~ machine/d'assemblage** computer/assembly program

programmer /pʀɔgʀame/ [1] *vtr* **1** (prévoir) to schedule, to bill [*émission*]; to plan [*travail, vacances, visite*]; **il a bien programmé son coup!** that was well planned!; **2** Ordinat to program [*ordinateur, données*]

programmeur, -euse /pʀɔgʀamœʀ, øz/ ▸ **p. 532** *nm,f* (computer) programmer

progrès /pʀɔgʀɛ/ *nm inv* **1** (pas en avant) (de personne) progress ¢; (de recherche, technique, science) progress ¢, advance; (d'enquête, affaire, de négociation) progress ¢; **marquer un ~ dans le domaine technique** to mark an advance in the field of technology; **les ~ de la médecine/de l'informatique** advances in medicine/in computer technology; **faire des ~** to make progress; **être en ~** [*personne*] to be making progress; [*résultats*] to be improving; **être en net/en léger ~** to be making clear/slight progress; **il y a du ~**○**!** things are improving!; **2** (résultat chiffré) increase; **afficher un ~ de 2%** to show an increase of 2%; **être en ~ de 10%** to be up by 10%; **3** (concept) **le ~** progress; **on n'arrête pas le ~!** iron that's progress for you!; **4** (progression) (de maladie) progression; (d'homme politique) progress; (d'armée) advance

progresser /pʀɔgʀese/ [1] *vi* **1** (atteindre un niveau supérieur) [*taux, indice, bénéfice, résultat, inflation, salaires*] to rise, to go up; [*emploi, chômage*] to rise; [*pouvoir d'achat, budget*] to increase; [*économie, marché, Bourse*] to improve; [*entreprise*] to make progress; [*homme politique*] to make gains; **nos ventes ont bien progressé ce mois-ci** there has been a marked increase in our sales this month; **la mortalité infantile ne progresse plus** infant mortality is no longer rising; **~ de 3%/3 points** [*exportations, production, nombre, taux*] to rise by 3%/3 points; [*candidat, parti*] to gain 3%/3 points; **l'euro a progressé de 3% par rapport à la lire** the euro has risen by 3% against the lira; **2** (dans son développement) [*enquête, affaire, négociations*] to make progress *ou* headway; [*relations*] to improve; [*réformes, analyse, pays, ville*] to make progress, to develop; [*science, technologie*] to progress; [*connaissances*] to increase; **le dossier des otages progresse** progress is being made in the hostage issue; **l'enquête ne progresse plus** the inquiry is no longer making progress; **3** (gagner du terrain) [*marcheur, alpiniste, anticyclone, dépression*] to make progress; [*ennemi, adversaire, armée*] to move forward; **~ de 200 m/3 km** [*personne, véhicule*] to advance by 200 m/3 km; **son livre continue de ~ dans les ventes** his/her book continues to move up the best seller list; **~ dans sa carrière** [*personne*] to progress in one's career; **4** (se propager) [*maladie, épidémie*] to spread; [*idéologie*] to gain ground; [*criminalité, délinquance, toxicomanie*] to be on the increase; **5** (s'améliorer) [*élève, sportif, équipe*] to make progress, to improve; **l'équipe a beaucoup progressé** the team has made a lot of progress; **~ dans un domaine** to make progress in a field

progressif, -ive /pʀɔgʀesif, iv/ *adj* **1** gén progressive; **2** Fin, Fisc [*impôt, taux*] progressive; **3** Ling continuous, progressive

progression /pʀɔgʀɛsjɔ̃/ *nf* **1** (avancée) (de marcheur, d'alpiniste) progress (**dans** in; **vers** toward, towards GB); (d'ennemi, orage, de cyclone) advance; **2** (propagation) (d'épidémie, idéologie) spread; (de criminalité, délinquance) increase; **3** (obtention de résultats supérieurs) (de taux, résultats, dépenses) increase; (de pouvoir d'achat, salaires) increase; (de chômage, d'inflation) increase; (de candidat, parti) progress, progression; **on enregistre une ~ annuelle de 5%** an annual increase of 5% is recorded; **rien ne peut arrêter la ~ du parti** nothing can stop the party's progress; **être en ~** [*résultat*] to be up; [*tendance*] to be increasing; **les ventes sont en ~ constante** sales are increasing steadily; **leur chiffre d'affaires est en ~ de 10%** their turnover is up by 10%; **en termes de ~** in terms of growth; **4** Math progression; **~ arithmétique/géométrique** arithmetic/geometric progression; **5** Mus progression

progressiste /pʀɔgʀesist/ *adj, nmf* progressive

progressivement /pʀɔgʀesivmɑ̃/ *adv* progressively

progressivité /pʀɔgʀesivite/ *nf* progressiveness

prohibé, ~e /pʀɔibe/
A *pp* ▸ **prohiber**
B *pp adj* [*marchandise, substance, arme*] prohibited; [*commerce, action*] illegal; **port d'arme ~** illegal possession of a firearm

prohiber /pʀɔibe/ [1] *vtr* to prohibit

prohibitif, -ive /pʀɔibitif, iv/ *adj* **1** (excessif) [*prix, taxe*] prohibitive; **2** (qui interdit) [*loi, système*] prohibition (*épith*)

prohibition /pʀɔibisjɔ̃/ *nf* prohibition (**de** of); **loi de ~** prohibition law

prohibitionnisme /pʀɔibisjɔnism/ *nm* prohibitionism

prohibitionniste /pʀɔibisjɔnist/ *adj, nmf* prohibitionist

proie /pʀwa/ *nf* lit, fig prey; **l'aigle s'est abattu sur sa ~** the eagle swooped down on its prey; **sa générosité en fait une ~ facile pour les parasites** his/her generosity makes him/her an easy prey for scroungers; **il a été la ~ des journaux à scandale quand il a divorcé** he fell prey to *ou* was hounded by the gutter press when he got divorced; **toute la région est la ~ des promoteurs immobiliers** the whole area has fallen prey to property salesmen GB *ou* real estate developers US; **le bâtiment était la ~ des flammes** the building was in flames; **être en ~ au doute** to be prey to doubt, to be beset by doubts; **être en ~ à l'angoisse/aux remords/au désespoir** to be racked by anguish/remorse/despair; **être en ~ à la maladie** to be stricken by illness; **pays en ~ à une grave crise économique/la guerre civile** country in the grip of a serious economic crisis/civil war; **entreprise en ~ à des difficultés insurmontables** company beset *ou* plagued by overwhelming difficulties
(Idiome) **lâcher la ~ pour l'ombre** to give up what one has already got to go chasing after shadows

projecteur /pʀɔʒɛktœʀ/ *nm* **1** (pour éclairer) (de DCA, mirador) searchlight; (spot) spotlight; (de véhicule) headlight; (de stade) floodlight; **être sous les ~s** fig to be in the spotlight; **2** (pour projeter) Cin, Tech projector; **~ de cinéma/de diapositives** film/slide projector; **~ réflecteur** overhead projector

projectif, **-ive** /pʀɔʒɛktif, iv/ *adj* projective

projectile /pʀɔʒɛktil/ *nm* **1** gén missile, projectile; **2** (balle, obus) projectile

projection /pʀɔʒɛksjɔ̃/ *nf* **1** (processus) **l'éruption commença par une ~ de cendres** the eruption began with a discharge *ou* emission of ashes; **nettoyer qch par ~ de sable** to sandblast sth; **2** (éclaboussures) **le cuisinier a reçu des ~s d'huile bouillante** the cook got spattered with scalding oil; **il y avait des ~s de boue sur toute la voiture** there was mud spattered all over the car; **3** Cin (fait de projeter) projection; (séance) showing; **salle de ~** screening room; **cabine de ~** projection room; **appareil de ~** projector; **4** Math, Psych projection (**sur** onto); **5** (prévision) forecast

(Composé) **~s volcaniques** volcanic emissions

projectionniste /pʀɔʒɛksjɔnist/ ▸ **p. 532** *nmf* projectionist

projet /pʀɔʒɛ/ *nm* **1** (plan) plan; **faire** *or* **former/concevoir un ~** to form/to conceive a plan; **faire des ~s d'avenir** to make plans for the future; **réaliser un ~** to carry out a plan; **vous avez des ~s pour l'été?** do you have any plans for the summer?; **en ~, à l'état de ~** at the planning stage, on the drawing board; **espérons que ces réformes/améliorations ne resteront pas à l'état de ~** let us hope that these reforms/improvements get past the planning stage *ou* drawing board; **j'ai un film et un roman en ~** I'm planning a film and a novel; **2** (entreprise en cours) project; **le ~ prend du retard** the project is falling behind schedule; **~ de dictionnaire/chaîne de télévision/navette spatiale** dictionary/TV channel/space shuttle project; **~ d'investissement** investment project *ou* scheme; **3** (esquisse) (de roman, contrat) (rough) draft; **4** Archit (plan d'exécution) execution plan *ou* drawing

(Composés) **~ de budget** budget proposal; **~ de contrat** draft contract; **~ de loi** (government) bill; **~ de réforme** Pol reform bill

projeter /pʀɔʒte/ [20] *vtr* **1** (lancer) **en nous doublant, le camion a projeté des gravillons sur notre voiture** when it passed us the truck threw some gravel up against the car; **~ du sable sur des bâtiments pour les nettoyer** to sandblast buildings; **le geyser projetait des gerbes d'eau** the geyser was spouting jets of water; **le volcan projetait de la fumée** the volcano was belching smoke; **~ du vitriol au visage de qn** to throw acid in sb's face; **le choc l'a projeté par terre/par-dessus bord/hors de son véhicule** the shock sent him hurtling to the ground/overboard/out of his vehicle; **le feu/chalumeau projette des étincelles** the fire/blowtorch throws out sparks; **2** (jeter) to cast [*ombre, reflet*] (**sur** on); **3** Cin, Phot to show, to project [*film, diapositives*] (**sur** on); **un documentaire sera projeté** a documentary will be shown; **4** (prévoir) to plan [*voyage, vacances, mariage*]; **je projette de faire le tour du monde** I'm planning to go round the world; **5** Math, Psych to project (**sur** onto)

projeteur /pʀɔʒtœʀ/ ▸ **p. 532** *nm* design technician

prolapsus /pʀɔlapsys/ *nm* prolapse

prolégomènes /pʀɔlegɔmɛn/ *nmpl* prolegomena

prolepse /pʀɔlɛps/ *nf* prolepsis

prolétaire /pʀɔletɛʀ/
A *adj* proletarian
B *nmf* proletarian; **'~s de tous les pays, unissez-vous!'** 'workers of the world, unite!'

prolétariat /pʀɔletaʀja/ *nm* proletariat

prolétarien, **-ienne** /pʀɔletaʀjɛ̃, ɛn/ *adj* proletarian

prolétarisation /pʀɔletaʀizasjɔ̃/ *nf* proletarianization

prolétariser /pʀɔletaʀize/ [1] *vtr* proletarianize

prolifération /pʀɔlifeʀasjɔ̃/ *nf* proliferation; **~ cellulaire** cell proliferation

proliférer /pʀɔlifeʀe/ [14] *vi* to proliferate

prolifique /pʀɔlifik/ *adj* prolific

prolixe /pʀɔliks/ *adj* verbose, prolix

prolixité /pʀɔliksite/ *nf* prolixity

prolo○ /pʀɔlo/
A *adj* [*vêtement, style*] modest; péj cheap and nasty; **ça fait ~** that's a bit common
B *nmf* pleb○, prole

prologue /pʀɔlɔg/ *nm* gén prologue; (course de compétition) time trial

prolongateur /pʀɔlɔ̃gatœʀ/ *nm* extension cable GB, extension cord US

prolongation /pʀɔlɔ̃gasjɔ̃/ *nf* **1** (de trêve, bataille) continuation; (de congé, spectacle) extension; **2** Sport extra time; **jouer les ~s** to go into extra time GB, to play overtime US

prolonge /pʀɔlɔ̃ʒ/ *nf* **1** (véhicule) **~ (d'artillerie)** gun carriage; **2** (corde) rope (*for a gun carriage*)

prolongé, **~e** /pʀɔlɔ̃ʒe/
A *pp* ▸ **prolonger**
B *pp adj* [*effort*] sustained; [*arrêt*] lengthy; [*séjour*] extended; [*week-end*] long; [*exposition*] prolonged, extended; **c'est un adolescent ~** he's an overgrown teenager, he's still a teenager at heart; **'pas d'utilisation ~e sans avis médical'** (sur des médicaments) 'if symptoms persist, consult your doctor'

prolongement /pʀɔlɔ̃ʒmɑ̃/ *nm* **1** (agrandissement) extension; **le ~ d'une voie ferrée** the extension of a railway; **2** (direction) **la rue Berthollet se trouve dans le ~ de la rue de la Glacière** Rue de la Glacière becomes Rue Berthollet; **3** (suite) outcome, consequence; **la guerre a été le ~ logique de la crise** war was the inevitable outcome *ou* consequence of the crisis; **une affaire aux ~s multiples** a case with wide-ranging repercussions

prolonger /pʀɔlɔ̃ʒe/ [13]
A *vtr* **1** (faire durer) to extend, to prolong [*vacances, séjour, voyage, promenade*] (**de** by); to prolong [*débat, séance, vie*] (**de** by); to continue [*traitement*] (**de** for); **2** (agrandir) to extend [*route, voie ferrée, ligne électrique, clôture*] (**de** by; **jusqu'à** as far as); **3** (être le prolongement de) to be an extension of; **le nouveau bâtiment prolonge l'ancien** the new building is an extension of the old one; **la nouvelle bretelle prolonge l'autoroute jusqu'à Clermont-Ferrand** the new motorway GB *ou* freeway US link brings the motorway GB *ou* freeway US right up to Clermont-Ferrand
B **se prolonger** *vpr* **1** (dans le temps) (durer) [*maladie, symptôme, effet*] to persist, to last; [*situation*] to go on, to last; [*spectacle, réunion, discussion*] to go on, to continue (**jusqu'à** until); (déborder) to overrun (**de** by); **2** (dans l'espace) **se ~ jusqu'à** [*chemin, route, voie ferrée, mur, clôture*] to go as far as, to extend as far as; **l'artiste se prolonge dans ses œuvres** fig the artist lives on in his/her works

promenade /pʀɔmnad/ *nf* **1** (sortie) (à pied) walk; (à cheval, moto) ride; (à bicyclette) (bike-) ride; (voiture) drive, ride; (en bateau) gén ride (in a boat); **partir en/faire une/être en ~** to go for a/to go out for a/to be out for a walk *ou* ride *ou* drive; **2** (lieu aménagé) gén walkway; (en bord de mer) promenade; **la Promenade des Anglais à Nice** the Promenade des Anglais in Nice

promener /pʀɔmne/ [16]
A *vtr* **1** (faire sortir) to take [sb] out [*enfant, personne*]; to take [sth] out for a walk, to walk [*chien, animal*]; (faire visiter) to show [sb] around [*personne, visiteur*]; **il est sorti ~ le chien** he's taken the dog out for a walk; **nous l'avons promené partout** we took him all over the place; **va chez le boulanger, ça te promènera** go to the baker's, it'll get you out; **il m'a promené dans toute l'usine avant de trouver le bon service** he dragged me around the whole factory before finding the right department; **le pianiste promenait ses mains sur le clavier** the pianist's fingers flowed over the keyboard; **2** (transporter) to lug○ [*valise, sac, pancarte, objet encombrant*]; to carry [*objet, parapluie, sac à main, carnet*]; **à 13 ans il promène encore son ours en peluche** he's 13, but he still carries his teddy bear around with him; **il promène sa tristesse/son ennui partout** he carries his misery/his boredom around with him wherever he goes; **~ son regard** *or* **œil sur qn/qch** to cast an eye over sb/sth; **~ une loupe sur qch** to look over sth with a magnifying glass
B **se promener** *vpr* **1** (pour se distraire) (à pied) to go for a walk; (en voiture) to go for a drive; (en bateau) to go out in a boat; (à bicyclette, à cheval) to go for a ride; **nous sommes allés nous ~ dans la vieille ville** we went for a walk around the old town; **ils sont partis se ~ dans les bois** they've gone (off) for a walk in the woods; **le dossier s'est promené dans toute l'usine** the file did the rounds of the factory

promeneur, **-euse** /pʀɔmnœʀ, øz/ *nm,f* (randonneur) walker; **quelques ~s attardés se trouvaient encore dans le parc** a few people were still out taking a stroll *ou* walk in the park, there were still a few people in the park taking a stroll *ou* walk

promenoir /pʀɔm(ə)nwaʀ/ *nm* (de couvent, prison, collège) covered walk(way); (de théâtre) gallery

promesse /pʀɔmɛs/ *nf* **1** (engagement) promise; **faire une ~ à qn** to make sb a promise, to give sb one's word; **faire de grandes ~s** to make grand promises; **avoir la ~ de qn** to have sb's word; **tenir ses ~s** to keep one's promises; **ne pas tenir ses ~s** to break one's promises; **manquer à sa ~** to break one's promise *ou* word; **fausses ~s** empty promises; **~ de mariage** promise of marriage; **faire la ~ à qn que** to promise sb that, to give sb one's word that; **2** Jur, Comm **honorer ses ~s** to honour[GB] one's commitments; **~ de vente/d'achat** agreement to sell/to buy; **3** (espérance) promise; **être plein de ~s** [*personne, auteur, athlète*] to be full of promise, to have great promise; **un magnifique coucher de soleil qui est la ~ de beau temps** a beautiful sunset which promises fine weather to come

(Composé) **~ en l'air** *or* **de Gascon** *or* **d'ivrogne** empty *ou* idle promise

Prométhée /pʀɔmete/ *npr* Prometheus

prométhium /pʀɔmetjɔm/ *nm* promethium

prometteur, **-euse** /pʀɔmɛtœʀ, øz/ *adj* promising

promettre /pʀɔmɛtʀ/ [60]
A *vtr* **1** (s'engager à donner) **~ qch à qn** to promise sb sth; **ils ont promis beaucoup pour être réélus** they promised great things in order to get re-elected; **'pourrais-tu le faire pour demain?'—'je ne (te) promets rien'** 'could you do it by tomorrow?'—'I can't promise anything'; **~ son cœur/son amour/sa main à qn** to pledge one's heart/one's love/one's hand to sb; **~ fidélité (à qn)** to pledge fidelity (to sb); **~ le secret** to promise to keep a secret; **promets-moi d'être prudent sur la route** promise you'll drive carefully; **'promets-moi de n'en parler à personne'—'je te le promets'** 'promise me (that) you won't tell anybody about it'—'I promise!'; **je te promets que tu le paieras cher** you'll pay for that, I promise you ; **je te promets qu'il le**

regrettera he'll regret it, I guarantee you; **2** (annoncer) **une soirée qui promet bien des surprises** an evening that holds a few surprises in store; **voilà qui nous promet de nombreux débats télévisés** it looks as though we'll be getting a lot of televised debates; **cette grève nous promet une belle pagaille** this strike is guaranteed to cause chaos; **ses diplômes lui promettent un bel avenir** his/her diplomas guarantee him/her a fine future; **la journée promet d'être chaude** it promises to be a hot day; **un débat/match qui promet d'être intéressant** a debate/match that promises to be interesting; **3** (destiner) **ce jeune cadre est promis à un bel avenir** this young executive has a fine future ahead of him

B *vi* **1** (avoir de l'avenir) to show promise; **un jeune musicien qui promet** a promising young musician; **un film qui promet** a film which sounds (as though it should be) interesting; **2** °iron (présager des ennuis) **cet enfant promet** that child is going to be a handful; **ça promet!** that's going to be fun!; **ça promet pour l'hiver** winter's got GB *ou* gotten US off to a good start

C **se promettre** *vpr* **1** (à soi-même) to promise oneself [*plaisir, voyage*]; **se ~ du bon temps** to decide to have a bit of fun; **2** (être résolu) **se ~ de faire** to resolve to do; **il s'est promis de ne plus la revoir** he has resolved *ou* made up his mind not to see her again; **3** (l'un l'autre) [*personnes, couple*] **se ~ de faire** to promise each other to do; **ils se sont promis fidélité** they have promised to be faithful to each other; **ils se sont promis de ne plus se quitter** they (have) vowed never to be parted

(Idiome) **~ monts et merveilles** *or* **la lune (à qn)** to promise (sb) the moon *ou* the earth

promis†, **~e** /pʀɔmi, iz/ *nm,f* betrothed†

promiscuité /pʀɔmiskɥite/ *nf* (dans un dortoir, une cellule) lack of privacy; (dans le métro, un bidonville) overcrowding

promo° /pʀɔmo/ *nf*: *abbr* = **promotion 2, 4**

promontoire /pʀɔmɔ̃twaʀ/ *nm* promontory

promoteur, **-trice** /pʀɔmɔtœʀ, tʀis/ *nm,f* **1** ▸ **p. 532** Constr property developer; **2** (de théorie, d'idée) instigator; (de mouvement, d'exposition) promoter; **3** Chimie promoter

promotion /pʀɔmosjɔ̃/ *nf* **1** (avancement) promotion (**à** to); (personnes promues) promotion list; **2** Comm (special) offer; **en ~** on (special) offer; **faire des ~s** to have (special) offers; **3** (développement) promotion; **assurer la ~ de** to promote; **4** Univ *year group of students admitted to higher education institutes* GB, class US; **il est sorti major de sa ~** he graduated first in his year

(Composé) **~ sociale** further (vocational) education

promotionnel, **-elle** /pʀɔmosjɔnɛl/ *adj* promotional; **grande vente promotionnelle** big promotion GB, big sale US; **prix ~** special offer

promouvoir /pʀɔmuvwaʀ/ [43] *vtr* **1** (faire la promotion de) to promote [*produit, idée, action, paix, investissement*]; **2** (dans la hiérarchie) to promote; **~ qn (au rang de) sergent** to promote sb (to the rank of) sergeant; **3** (honorifiquement) to elevate; **~ qn héros national** to elevate sb to the status of national hero

prompt, **~e** /pʀɔ̃, pʀɔ̃t/ *adj* [*action, réaction, intervention*] prompt; [*geste, coup d'œil*] swift; [*repartie, esprit*] ready; [*retournement, départ*] sudden; **avoir l'esprit ~** to have a ready *ou* quick wit; **meilleurs vœux de ~ rétablissement** best wishes for a speedy recovery; **être ~ à agir/réagir** to act/react swiftly; **être ~ à la riposte** *or* **à riposter** to be always ready with a reply; **avoir la répartie ~e** to be quick at repartee; **avoir le geste ~/la main ~e** to be quick to act/to strike

promptement /pʀɔ̃təmɑ̃/ *adv* (sans délai) [*expédier, répondre, remplacer, licencier*] promptly; [*réagir, intervenir*] swiftly; (vite) [*juger, comprendre, décider*] quickly

prompteur /pʀɔ̃ptœʀ/ *nm* autocue GB, Teleprompter® US

promptitude /pʀɔ̃tityd/ *nf* (de réponse, réaction) promptness; (de décision) rapidity; (de guérison) speed; (de geste) swiftness; (de départ, changement) suddenness; **leur ~ à réagir/accepter** their prompt reaction/acceptance; **leur ~ à croire/pardonner** their readiness to believe/to forgive

promulgation /pʀɔmylgasjɔ̃/ *nf* promulgation

promulguer /pʀɔmylge/ [1] *vtr* to promulgate

prône /pʀon/ *nm* prone

prôner /pʀone/ [1] *vtr* to advocate, to extol the virtues of

pronom /pʀɔnɔ̃/ *nm* pronoun; **~ réfléchi/complément** reflexive/object pronoun

pronominal, **~e**, *mpl* **-aux** /pʀɔnɔminal, o/ *adj* pronominal; **verbe ~** reflexive *ou* pronominal verb

pronominalement /pʀɔnɔminalmɑ̃/ *adv* pronominally; **verbe employé ~** verb used reflexively *ou* pronominally

prononçable /pʀɔnɔ̃sabl/ *adj* pronounceable; **c'est difficilement ~** it's difficult to pronounce

prononcé, **~e** /pʀɔnɔ̃se/

A *pp* ▸ **prononcer**

B *pp adj* [*accent*] strong, pronounced; [*saveur, odeur*] strong; [*rides*] marked; **avoir un goût ~ pour** to be particularly fond of

C *nm* pronouncement

prononcer /pʀɔnɔ̃se/ [12]

A *vtr* **1** Phon to pronounce [*son, mot*]; **un mot souvent mal prononcé** a word which is often mispronounced *ou* pronounced wrongly; **2** (proférer) to mention [*nom*]; to say [*mot, phrase*]; **sans ~ une parole** without saying *ou* uttering a word; **3** (dire publiquement) to deliver [*discours, allocution*]; **~ ses vœux** Relig to take one's vows; **4** (déclarer) to pronounce [*peine de mort*]; to pass [*mesure d'expulsion*]; **~ la dissolution du parlement** to dissolve parliament; **~ le divorce** to grant a divorce; **~ un non-lieu en faveur de qn** to nonsuit sb

B *vi* Jur to make known a decision

C **se prononcer** *vpr* **1** Phon to be pronounced; **la lettre ne se prononce pas** you don't pronounce the letter, the letter isn't pronounced; **2** (faire connaître un avis, une décision) **se ~ contre qch** to declare oneself against sth, to come down against sth; **se ~ en faveur de** *or* **pour qch** to declare oneself in favour[GB] of sth, to come down in favour[GB] of sth; **se ~ sur qch** to give one's opinion on sth, to pronounce on sth sout; **il ne s'est pas encore prononcé** he hasn't yet given his opinion, he has yet to pronounce sout

prononciation /pʀɔnɔ̃sjasjɔ̃/ *nf* **1** Phon pronunciation; **faire des fautes** *or* **des erreurs de ~** to make pronunciation errors *ou* mistakes; **il a une bonne/mauvaise ~** his pronunciation is good/bad; **la mauvaise ~ du mot 'province'** the mispronunciation of the word 'province'; ▸ **défaut**; **2** Jur pronouncement

pronostic /pʀɔnɔstik/ *nm* **1** (sportif, financier) forecast; **faire des ~s** to make forecasts; **2** (dans un conflit) prediction; **3** (médical) prognosis

pronostiquer /pʀɔnɔstike/ [1] *vtr* **1** Sport, Turf to forecast [*résultat*]; **2** (prévoir) to herald [*défaite, victoire, taux de chômage*]

pronostiqueur, **-euse** /pʀɔnɔstikœʀ, øz/ *nm,f* tipster

pronunciamiento /pʀɔnunsjamjɛnto/ *nm* army coup

propagande /pʀɔpagɑ̃d/ *nf* propaganda; **~ électorale** election propaganda; **film/affiche de ~** propaganda film/poster; **faire de la ~ pour** to campaign for [*cause*]; to plug, to push [*produit*]

propagandiste /pʀɔpagɑ̃dist/ *nmf* propagandist

propagateur, **-trice** /pʀɔpagatœʀ, tʀis/ *nm,f* proponent; **~ de mauvaises nouvelles** spreader of bad news

propagation /pʀɔpagasjɔ̃/ *nf* **1** (d'incendie, de nouvelle, maladie) spread (**de** of); **2** Phys (de son, d'onde) propagation (**de** of); **3** (d'espèce) propagation (**de** of)

propager /pʀɔpaʒe/ [13]

A *vtr* **1** to spread [*rumeur, haine, idée, maladie*]; **2** to propagate [*espèce*]; **3** Phys to propagate [*onde, son*]

B **se propager** *vpr* **1** gén to spread; **2** Phys to propagate

propane /pʀɔpan/ *nm* propane

propanier /pʀɔpanje/ *nm* propane tanker

propédeutique /pʀɔpedøtik/ *nf*: *formerly, first year at university in arts and science faculties*

propène /pʀɔpɛn/ *nm* propene

propension /pʀɔpɑ̃sjɔ̃/ *nf* propensity (**à qch** for sth; **à faire** to do)

propergol® /pʀɔpɛʀgɔl/ *nm* (rocket) propellant

prophète, **prophétesse** /pʀɔfɛt, pʀɔfetɛs/ *nm,f* prophet/prophetess; **~ de malheur** prophet of doom GB, doomsayer US; ▸ **faux¹**

(Idiome) **nul n'est ~ en son pays** Prov no-one is a prophet in his own land Prov

prophétie /pʀɔfesi/ *nf* prophecy

prophétique /pʀɔfetik/ *adj* prophetic

prophétiquement /pʀɔfetikmɑ̃/ *adv* prophetically

prophétiser /pʀɔfetize/ [1] *vtr* to prophesy

prophylactique /pʀɔfilaktik/ *adj* prophylactic

prophylaxie /pʀɔfilaksi/ *nf* prophylaxis

propice /pʀɔpis/ *adj* favourable (**à** for), propitious (**à** for); **peu ~** scarcely propitious; **trouver le moment ~** to find the right moment (**à qch** for sth; **pour faire qch** to do sth)

propitiation /pʀɔpisjasjɔ̃/ *nf* propitiation

propitiatoire /pʀɔpisjatwaʀ/ *adj* propitiatory

proportion /pʀɔpɔʀsjɔ̃/ *nf* **1** (quantité relative) proportion; **une ~ croissante/relative de femmes** a growing/relative proportion of women; **une ~ de 10 chômeurs pour 35 salariés** 10 unemployed workers for every 35 in work; **dans une ~ de cinq contre un** in a ratio of five to one; **en ~ de** in proportion to; **dépenses en ~ du revenu** spending in proportion to income; **en ~, ils sont mieux payés** they are proportionately better paid; **c'est calculé en ~** it is calculated proportionately; **2** (équilibre) proportion; **être sans ~ avec** to be out of (all) proportion to; **être hors de ~ avec** to be out of proportion to; **il n'y a aucune ~ entre l'incident et sa mauvaise humeur** the bad temper he showed was out of all proportion to the incident; **ramener le débat à de plus justes ~s** to put things back in perspective; **cela a pris de telles ~s que** it has become so serious that; **la criminalité a augmenté dans des ~s considérables/inquiétantes** crime has increased considerably/alarmingly; **toutes ~s gardées** relatively speaking; **3** Art, Archit proportion; **armoire de belles ~s** well-proportioned wardrobe

proportionnalité /pʀɔpɔʀsjɔnalite/ *nf* proportionality; **~ de l'impôt** proportional taxation

proportionné, **~e** /pʀɔpɔʀsjɔne/

A *pp* ▸ **proportionner**

B *pp adj* **bien/mal ~** [*personne, bâtiment*] well-/badly-proportioned

proportionnel, **-elle** /pʀɔpɔʀsjɔnɛl/

A *adj* (tous contextes) proportional (**à** to); **être**

P

directement/inversement ~ à qch to be directly/inversely proportional to sth; **prime proportionnelle au rendement** productivity bonus

B proportionnelle *nf* Pol proportional representation

proportionnellement /pʀɔpɔʀsjɔnɛlmɑ̃/ *adv* proportionately; **augmenter les salaires ~ au rendement** to raise salaries in proportion to output

proportionner /pʀɔpɔʀsjɔne/ [1] *vtr* **~ qch à qch** to make sth proportional to sth; **être proportionné à qch** [*impôt, récompense*] to be proportional *ou* proportionate to sth

propos /pʀɔpo/

A *nm inv* **1** (sujet) **à ~, je...** by the way, I...; **à ~ de votre travail** about *ou* regarding your work; **'je voudrais te parler'—'à quel ~?'** *or* **'à ~ de quoi?'** 'I would like to speak to you'—'what about?'; **à ~ de qui?** about who?; **à ~ de tout** about everything; **à ~ de rien** about nothing in particular; **il dit ça à ~ de tout et de rien** he says that about everything; **à ce ~, je voudrais...** in this connection, I would like...; **à ~** [*arriver, parler*] at the right moment *ou* time; **mal à ~** [*arriver, parler*] at (just) the wrong moment *ou* time; **être hors de ~** [*commentaire*] to be inopportune; **à tout ~** constantly; **juger à ~ de faire qch** to see fit to do sth; ▸ **à-propos**; **2** (projet) fml intention; **avoir le ferme ~ de** to have the firm intention of; **faire qch de ~ délibéré** to do sth deliberately *ou* on purpose

B *nmpl* comments; **tenir des ~ grossiers** to make vulgar comments; **'~ recueillis par J. Brun'** 'interview by J. Brun'

proposer /pʀɔpoze/ [1]

A *vtr* **1** (suggérer) to suggest [*réunion, débat, solution, promenade*]; **je propose qu'on aille se promener** I suggest we take a walk; ▸ **Dieu**; **2** (offrir) to offer [*aide, argent*] (**à qn** to sb); Tourisme, Pub to offer [*stage, excursion*]; **on m'a proposé un poste intéressant** I've been offered an interesting job; **'que veux-tu manger?'—'qu'est-ce que tu me proposes?'** 'what would you like to eat?'—'what is there?'; **'nous vous proposons de dîner aux chandelles'** 'enjoy a candlelight supper'; **je te propose de travailler avec nous** why don't you come and work with us?; **~ un bébé à l'adoption** to put a child up for adoption; **3** (soumettre) to put forward [*solution, mesure*]; to propose [*stratégie, projet*]; **~ la candidature de qn** to put sb's name forward as a candidate; **4** (à un examen) to set [*sujet, question*]; **5** to present [*loi*]

B se proposer *vpr* **1** (être volontaire) **se ~ pour faire** to offer to do; **se ~ pour peindre la cuisine** to offer to paint the kitchen; **je me suis proposé comme cuisinier** I offered to do the cooking; **2** (avoir l'intention) **se ~ de** to intend to [*étudier, voyager*]

proposition /pʀɔpozisjɔ̃/

A *nf* **1** (suggestion) suggestion; **2** (offre) offer, proposal; **faire des ~s concrètes** to make concrete proposals; **~ technique/commerciale** technical/business proposal; **3** (soumis à l'approbation) proposal; **sur (la) ~ du maire** at the mayor's instigation; **~ de loi** ≈ bill; **4** Philos proposition; **5** Ling clause; **~ principale/subordonnée/relative** main/subordinate/relative clause

B *nfpl* **faire des ~s à qn** to proposition sb

propositionnel, -elle /pʀɔpozisjɔnɛl/ *adj* propositional

propre /pʀɔpʀ/

A *adj* **1** (hygiénique, sans souillure, nettoyé) [*personne, objet*] clean; (qui ne salit pas) [*travail, manipulation*] clean; (qui ne pollue pas) clean; **tu n'as pas les mains ~s!** your hands aren't clean!; **je n'ai plus rien de ~ à me mettre** I haven't got anything clean to wear; **la menuiserie est plus ~ que la plomberie** carpentry is not such a dirty job as plumbing; **une voiture ~** lit a clean car; fig a car which runs on unleaded petrol GB *ou* gas US; **nous voilà ~s!** fig, iron we're in a fine mess now!; ▸ **sou**

2 (soigné, soigneux) tidy, neat

3 (moral) [*personne, vie*] decent; [*affaire*] honest; **des affaires pas très ~s** unsavoury[GB] business (+ *v sg*)

4 (personnel) **ma ~ voiture** my own car; **il n'y a que ses ~s recherches qui l'intéressent** he's/she's only interested in his/her own research; **ce sont tes ~s paroles** (rapport) you said so yourself; (insistance) those were your very words; **de mes ~s yeux** with my own eyes

5 (spécifique) of one's own; **avoir son style ~** to have a style of one's own; **il manque de personnalité ~** he doesn't have a personality of his own; **chaque pays a des lois qui lui sont ~s** each country has its own particular laws *ou* has laws of its own; **pour des raisons qui leur sont ~s** for reasons of their own

6 (approprié) [*terme, expression*] right, proper

7 (continent) [*bébé*] toilet-trained; [*animal*] housetrained GB, housebroken US

B propre à *loc adj* **1** (spécifique) **~ à qch/qn** peculiar to sth/sb; **faculté/maladie ~ aux êtres humains** faculty/illness peculiar to human beings; **terme/style ~ au jargon administratif** terms/style peculiar to bureaucracy

2 (capable de) **~ à faire** (résultat attendu) likely to do; (résultat étonnant) liable to do; **trouver les arguments ~s à convaincre/~s à convaincre les plus sceptiques** to find arguments which are likely to convince/liable to convince even the most sceptical GB *ou* skeptical US; **les mesures ~s à limiter le chômage** measures to curb unemployment; **il n'est ~ à rien** he's a good-for-nothing

3 (adapté) **~ à qch** appropriate for; **prendre les dispositions ~s à la sécurité des passagers** to take appropriate measures to ensure passengers' safety; **produit déclaré ~ à la consommation** product fit for consumption

C *nm* **1** (ce qui est nettoyé) **ça sent le ~** it smells nice and clean

2 (copie, texte) fair copy; **mettre qch au ~** to make a fair copy of sth; **relire un rapport avant sa mise au ~** to reread a report before making a fair copy of it

3 (ce qui est moral) **c'est du ~!** iron that's very nice!

4 (ce qui est spécifique) **être le ~ de** to be peculiar to; **le rire est le ~ de l'homme** laughter is peculiar to humans; **le ~ de cette nouvelle technologie est de faire** what is peculiar to this new technology is that it does; **c'est le ~ de la jeunesse que d'être insouciante** lightheartedness is a peculiarly youthful quality; **la maison leur appartient en ~** they are the sole owners of the house; **disposer en ~ d'un ordinateur** to have one's own individual computer; **les titres détenus en ~ par la banque** the securities held solely by the bank

(Idiome) **bon à tout, ~ à rien** Prov Jack of all trades (and master of none) Prov

proprement /pʀɔpʀəmɑ̃/ *adv* **1** (au sens strict) purely; **les institutions ~ financières** purely financial institutions; **à ~ parler** strictly speaking; **~ dit** (sans considérations annexes) as such (*après n*); (au sens restreint) in the strict sense of the word (*après n*); **quant au procès/au village ~ dit** as for the trial/the village itself *ou* proper; **la psychiatrie/physique ~ dite** psychiatry/physics proper; **2** (absolument) [*honteux, insupportable, scandaleux*] absolutely; **3** (véritablement) really; **c'est ~ de la bassesse** that's really low; **il s'est ~ moqué de toi** he made a proper fool of you; **4** (littéralement) literally; **l'air est devenu ~ irrespirable** the air has become literally unbreathable; **5** (spécifiquement) specifically; **une question ~ européenne** a specifically European issue; **une maladie ~ infantile** a disease of childhood; **6** (comme il faut) well and truly; **le professeur l'a ~ remis à sa place** he was well and truly put in his place by the teacher; **7** (avec soin) [*écrire, s'habiller, vêtu*] neatly; **faire son travail** *or* **travailler ~** to do a neat job; **il tient son cahier très ~** he keeps his exercise book very neat; **mange ~!** eat cleanly!; **8** (honnêtement) [*gagner sa vie*] honestly; [*vivre, se comporter, agir*] decently

propret, -ette /pʀɔpʀɛ, ɛt/ *adj* neat and tidy

propreté /pʀɔpʀəte/ *nf* **1** (absence de souillure) cleanliness; **il n'est pas très regardant sur la ~** he isn't very fussy about cleanliness; **d'une ~ douteuse** not very clean; **d'une ~ éblouissante** sparkling clean; **veiller à la ~ d'un bâtiment** to make sure *ou* see to it that a building is kept clean; **en parfait état de ~** perfectly clean; **habituer un chat à la ~** to housetrain GB *ou* housebreak US a cat; **avec ~** [*manger*] cleanly; [*repeindre*] neatly; **2** (honnêteté) honesty; **on l'estime pour sa ~ morale** he's/she's respected for his/her scrupulousness

propriétaire ➡

/pʀɔpʀijetɛʀ/ *nmf* **1** (de terres, bien, d'immeubles, objet) owner; (d'hôtel, de restaurant, journal, commerce) proprietor, owner; **un petit ~** a small-scale property owner; **dans ce pays, il y a plus de ~s que de locataires** in this country there are more homeowners than tenants; **ils sont ~s de leur maison** they own their own house; **faire le tour du ~** to look round GB *ou* around US the house; **faire faire le tour du ~ à qn** to show sb round GB *ou* around US the house; **2** (de propriété louée) landlord/landlady, owner; **mon ~ a encore augmenté mon loyer** my landlord has put up the rent again

(Composés) **~ foncier** landowner; **~ indivis** joint owner; **~ terrien** = **~ foncier**

propriété /pʀɔpʀijete/ *nf* **1** (droit) ownership, property; **l'abolition de la ~ privée** the abolition of private ownership; **certificat de ~** certificate of ownership; **posséder qch en toute ~** to be the sole *ou* exclusive owner of sth, to have sole ownership of sth; **2** (biens possédés) property; **être la ~ de qn** to be the property of sb; **toutes ces richesses sont la ~ d'un seul individu** all this wealth is the property of one person; **ces véhicules sont la ~ de la compagnie** these vehicles are company property; **3** (bien immobilier) gén property; (domaine) estate, property; (maison) house, property; **4** (caractéristique) property; **une plante aux ~s anti-inflammatoires** a plant with anti-inflammatory properties; **5** (exactitude) aptness

(Composés) **~ artistique et littéraire** intellectual property right, copyright; **~ bâtie** developed property; **~ commune** joint ownership; **~ foncière** landed estate; **~ immobilière** real estate, realty; **~ industrielle** patent rights (*pl*); **~ mobilière** movable property; **~ non bâtie** undeveloped property; **~ privée** private property; **~ publique** public property

proprio° /pʀɔpʀio/ *nmf* landlord/landlady

propulser /pʀɔpylse/ [1]

A *vtr* **1** (faire mouvoir) [*moteur*] to propel [*véhicule, projectile*]; **2** (promouvoir) to propel [*personne*]; **3** °(déplacer violemment) to hurl [*personne, objet*]

B se propulser° *vpr* to propel oneself°

propulseur /pʀɔpylsœʀ/

A *adj m* [*mécanisme, engin*] propellent, propelling (*épith*)

B *nm* **1** Tech propelling device; (moteur) engine; **~ (de fusée)** (rocket) engine; **2** (produit chimique) propellant

(Composés) **~ à hélice** propeller; **~ à réaction** jet engine

➡ *voir* Vivre dans un pays anglophone

P

propulsif, -ive /pʀɔpylsif, iv/ *adj* propulsive

propulsion /pʀɔpylsjɔ̃/ *nf* propulsion; **~ par réaction** jet propulsion; **à ~ nucléaire** nuclear-powered

propylène /pʀɔpilɛn/ *nm* propylene

prorata* /pʀɔʀata/ *nm inv* proportion; **au ~ de** in proportion to, proportionally to; **distribuer les dividendes au ~** to distribute the dividends pro rata

prorogatif, -ive /pʀɔʀɔgatif, iv/ *adj* [*décret, mesure*] of prolongation (*après n*)

prorogation /pʀɔʀɔgasjɔ̃/ *nf* **1** (de délai, durée) extension; (d'échéance) deferment; (de bail, passeport) renewal; **2** (de session, d'assemblée) adjournment

proroger /pʀɔʀɔʒe/ [13] *vtr* **1** (reculer) to defer [*date, échéance*]; (prolonger) to renew [*contrat, passeport*]; (rallonger) to extend [*validité, délai*]; **2** (suspendre) to adjourn [*assemblée*]

prosaïque /pʀɔzaik/ *adj* [*existence, personnage*] prosaic

prosaïquement /pʀɔzaikmɑ̃/ *adv* prosaically

prosaïsme /pʀɔzaism/ *nm* mundaneness; **le ~ du quotidien** the mundaneness of the everyday

prosateur /pʀɔzatœʀ/ *nm* prose writer

proscription /pʀɔskʀipsjɔ̃/ *nf* **1** (interdiction) proscription; **2** Pol (exil) banishment; **frapper qn de ~** to impose banishment on sb

proscrire /pʀɔskʀiʀ/ [67] *vtr* **1** (interdire) to ban [*œuvres, alcool, féculents*]; **2** Pol (bannir) to banish [*personne*]

proscrit, ~e /pʀɔskʀi, it/

A *pp* ▸ **proscrire**

B *pp adj* banned

C *nm,f* outlaw; **une vie de ~** the life of an outlaw

prose /pʀoz/ *nf* **1** (forme littéraire) prose; **poème en ~** prose poem; **2** hum (style personnel) prose style; (texte) masterpiece

prosélyte /pʀɔzelit/ *nmf* proselyte

prosélytisme /pʀɔzelitism/ *nm* proselytizing; **faire du ~ politique/féministe** to try to convert people to one's politics/to feminism

prosodie /pʀɔzɔdi/ *nf* prosody

prosodique /pʀɔzɔdik/ *adj* prosodic

prosopopée /pʀɔzɔpɔpe/ *nf* prosopopoeia

prospect /pʀɔspɛ(kt)/ *nm* **1** (en urbanisme) *minimum legal distance between two buildings*; **2** Comm prospective buyer

prospecter /pʀɔspɛkte/ [1] *vtr* **1** Comm (pour vendre) to canvass [*région, clientèle*]; **2** (pour trouver) to prospect; **~ un sol pour y trouver du pétrole** to prospect for oil in an area of ground; **3** (examiner) to scrutinize [*fichier*]; **~ les petites annonces** to search through *ou* trawl the small ads

prospecteur, -trice /pʀɔspɛktœʀ, tʀis/ *nm,f* **1** Comm canvasser; **2** (de terrain) prospector; **3** (d'idées) explorer

prospecteur-placier, *pl* **prospecteurs-placiers** /pʀɔspɛktœʀplasje/ ▸ **p. 532** *nm* ≈ employment officer

prospectif, -ive /pʀɔspɛktif, iv/

A *adj* long-term

B prospective *nf* futurology

prospection /pʀɔspɛksjɔ̃/ *nf* **1** Comm (de clientèle, région) canvassing; **2** Géol prospecting

prospective ▸ **prospectif**

prospectus /pʀɔspɛktys/ *nm inv* leaflet

prospère /pʀɔspɛʀ/ *adj* [*société, personne*] thriving; [*année, saison*] prosperous

prospérer /pʀɔspeʀe/ [14] *vi* [*entreprise, plante, personne*] to thrive

prospérité /pʀɔspeʀite/ *nf* prosperity; **en pleine ~** (fortune) prosperous; (santé) in flourishing health

prostaglandine /pʀɔstaglɑ̃din/ *nf* prostaglandin

prostate /pʀɔstat/ *nf* prostate (gland)

prostatectomie /pʀɔstatɛktɔmi/ *nf* prostatectomy

prostatique /pʀɔstatik/

A *adj* (de la prostate) prostatic; (concernant la prostate) prostate (*épith*)

B *nm* prostate patient

prostatite /pʀɔstatit/ ▸ **p. 283** *nf* prostatitis

prosternation /pʀɔstɛʀnasjɔ̃/ *nf* **1** lit prostration (**devant** before); **2** fig self-abasement (**devant** in front of)

prosternement /pʀɔstɛʀnəmɑ̃/ *nm* **1** (attitude) prostrate position; **2** (action) prostration (**devant** before)

prosterner: **se prosterner** /pʀɔstɛʀne/ [1] *vpr* **1** lit to prostrate oneself (**devant** before); **être prosterné devant l'autel** to be prostrate before the altar; **2** fig to grovel (**devant** to)

prostitué /pʀɔstitɥe/ ▸ **p. 532** *nm* male prostitute GB, prostitute US

prostituée /pʀɔstitɥe/ ▸ **p. 532** *nf* prostitute

prostituer /pʀɔstitɥe/ [1]

A *vtr* **1** lit to send [sb] out to work as a prostitute; **2** fig to prostitute [*talent*]

B se prostituer *vpr* lit, fig to prostitute oneself

prostitution /pʀɔstitysjɔ̃/ *nf* lit, fig prostitution

prostration /pʀɔstʀasjɔ̃/ *nf* Méd, Relig prostration; **un état de ~** a state of shock

prostré, ~e /pʀɔstʀe/ *adj* gén prostrate; Méd prostrated

protagoniste /pʀɔtagɔnist/ *nmf* protagonist

protecteur, -trice /pʀɔtɛktœʀ, tʀis/

A *adj* **1** (qui protège) protective; **crème protectrice** protective cream; **sous l'œil ~ de leur père** under the protective gaze of their father; **une mère trop protectrice** an overprotective mother; **2** (supérieur) [*ton, air*] patronizing

B *nm,f* protector; **~ de la nature** protector of nature; **~ des arts** patron of the arts

C *nm* Hist protector

protection /pʀɔtɛksjɔ̃/ *nf* **1** (action de protéger) protection (**contre** against); **~ de l'environnement** protection of the environment; **~ électrique/thermique** electric/thermal protection; **assurer la ~ de qn** to ensure sb's protection; **être sous la ~ de qn** to be under sb's protection; **être sous la ~ de la police** to be under police protection; **être sous la ~ de la loi** to be protected by the law; **être sous haute ~** to be under tight security; **de ~** [*écran, lunettes, grille, mesures*] protective; [*zone, système, indice*] protection; **l'indice de ~ d'une crème solaire** the protection factor of a sun cream; **2** (dispositif qui protège) protective device; **3** (appui) **bénéficier de ~s** to have friends in high places

(Composés) **~ civile** civil defence[GB]; **~ féminine** sanitary protection; **~ maternelle et infantile, PMI** ≈ mother and infant welfare; **~ rapprochée** bodyguard; **~ sociale** social welfare system; **~ solaire** Cosmét sun cream

protectionnisme /pʀɔtɛksjɔnism/ *nm* protectionism; **~ d'État** state protectionism

protectionniste /pʀɔtɛksjɔnist/ *adj, nmf* protectionist

protectorat /pʀɔtɛktɔʀa/ *nm* protectorate

protégé, ~e /pʀɔteʒe/ *nm,f* protégé

protège-cahier, *pl* **~s** /pʀɔtɛʒkaje/ *nm* exercise-book cover

protège-dents* /pʀɔtɛʒdɑ̃/ *nm inv* Sport gumshield

protège-matelas /pʀɔtɛʒmatla/ *nm inv* mattress cover

protège-poignet, *pl* **~s** /pʀɔtɛʒpwaɲɛ/ *nm* wrist guard

protéger /pʀɔteʒe/ [15]

A *vtr* **1** (préserver) to protect [*espèce, frontière, droit*] (**contre** against; **de** from); **se sentir protégé** to feel protected; **le vaccin protège pour dix ans** the vaccine provides protection for ten years; **2** (favoriser) to encourage, to promote [*art, sport, artisanat*]

B se protéger *vpr* to protect oneself (**de** from; **contre** against)

protège-slip, *pl* **~s** /pʀɔtɛʒslip/ *nm* pantyliner

protège-tibia, *pl* **~s** /pʀɔtɛʒtibja/ *nm* shinpad, shinguard

protéide /pʀɔteid/ *nm* protein

protéiforme /pʀɔteifɔʀm/ *adj* protean

protéine /pʀɔtein/ *nf* protein

protéique /pʀɔteik/ *adj* protein (*épith*), proteinic spéc

protestable /pʀɔtɛstabl/ *adj* Jur liable to protest (*après n*)

protestant, ~e /pʀɔtɛstɑ̃, ɑ̃t/ *adj, nm,f* Protestant

protestantisme /pʀɔtɛstɑ̃tism/ *nm* Protestantism

protestataire /pʀɔtɛstatɛʀ/

A *adj* [*personne*] protesting (*épith*); [*défilé, mouvement, parti, vote*] protest (*épith*)

B *nmf* protester

protestation /pʀɔtɛstasjɔ̃/ *nf* **1** (réclamation) protest (**contre** against); **en signe de ~** as a (mark of) protest; **paroles/gestes de ~** words/gestures of protest; **2** liter (assurance) protestation; **~s d'amitié** protestations of friendship; **3** Jur protesting

protester /pʀɔtɛste/ [1]

A *vtr* Jur to protest [*effet, billet*]

B protester de *vtr ind* **~ de son innocence** to protest one's innocence

C *vi* to protest (**contre** against; **auprès de** to)

protêt /pʀɔtɛ/ *nm* protest; **~ faute de paiement** protest on nonpayment; **~ faute d'acceptation** protest on nonacceptance

prothèse /pʀɔtɛz/ *nf* **1** Méd (appareil) gén prosthesis spéc; (membre artificiel) artificial limb; (dentier) dentures (*pl*), false teeth (*pl*); **~ auditive** hearing aid; **~ de la hanche** hip replacement; **2** (technique, spécialisation) prosthetics (+ *v sg*); Dent prosthodontics (+ *v sg*)

prothésiste /pʀɔtezist/ ▸ **p. 532** *nmf* gén prosthetist; **~ dentaire** prosthodontist

prothrombine /pʀɔtʀɔ̃bin/ *nf* prothrombin

protide /pʀɔtid/ *nm* protein

protocolaire /pʀɔtɔkɔlɛʀ/ *adj* (cérémonieux) formal; (officiel) official; **question ~** question of protocol; **de façon peu ~** unceremoniously

protocole /pʀɔtɔkɔl/ *nm* **1** (cérémonial) formalities (*pl*); (d'État) protocol; **sans ~** gén informally; hum unceremoniously; **2** Pol (accord) protocol; **~ d'accord** draft agreement; **3** (méthode) gén procedure; (liste de conventions) style guide; **4** Ordinat protocol; **~ WAP** WAP

protohistoire /pʀɔtoistwaʀ/ *nf* protohistory

proton /pʀɔtɔ̃/ *nm* proton

protonthérapie /pʀɔtɔ̃teʀapi/ *nf* proton therapy

protoplasme /pʀɔtɔplasm/ *nm* protoplasm

protoplasmique /pʀɔtɔplasmik/ *adj* protoplasmic

prototype /pʀɔtɔtip/ *nm* prototype

protoxyde /pʀɔtɔksid/ *nm* protoxide; **~ d'azote** nitrous oxide

protozoaire /pʀɔtɔzɔɛʀ/ *nm* protozoan

protubérance /pʀɔtybeʀɑ̃s/ *nf* gén bump, protuberance sout; Anat protuberance spéc; **~s solaires** solar prominences

protubérant, ~e /pʀɔtybeʀɑ̃, ɑ̃t/ *adj* gén protruding, protuberant sout; [*estomac*] bulging; [*yeux*] protruding, bulging

p

prou /pʀu/ *adv* **peu ou ~** more or less

proue /pʀu/ *nf* prow, bow(s)

prouesse /pʀuɛs/ *nf* lit feat; iron exploit; **faire** *or* **réaliser une ~** to perform a feat

prout○ /pʀut/ *nm* fart○; **faire un ~** to fart○, to break wind

prouvable /pʀuvabl/ *adj* provable

prouver /pʀuve/ [1]

A *vtr* **1** (établir la réalité de) to prove; **ton hypothèse reste à ~** your hypothesis is yet to be proved; **il faudrait qu'il accepte, et ça n'est pas prouvé**○ he has to accept and there's no guarantee that he will; **~ par l'absurde** to prove by reductio ad absurdum; **~ à qn que** to prove to sb that; **~ qch à qn** to prove sth to sb; **2** (indiquer) to show; **tout prouve qu'il est sincère** everything shows that he's sincere; **3** (exprimer) to demonstrate [*sentiment*]

B se prouver *vpr* **1** (à soi-même) **elle cherche à se ~ qu'elle a raison** she's trying to prove to herself that she's right; **2** (être démontré) **un axiome ne se prouve pas** an axiom cannot be proved; **3** (l'un l'autre) **ils se sont prouvé qu'ils s'aimaient** they demonstrated their love for one another

(Idiome) **n'avoir plus rien à ~** to have proved oneself

provenance /pʀɔvnɑ̃s/ *nf* origin; **indiquer la ~ des marchandises** to indicate the country of origin of the goods; **un bateau de ~ inconnue** a boat whose country of origin is unknown; **en ~ de** [*marchandise, personne, menace*] from; **le train 217 en ~ de Roanne à destination de Grenoble** train number 217 from Roanne to Grenoble

provençal, **~e**, *mpl* **-aux** /pʀɔvɑ̃sal, o/

A ▸ **p. 721** *adj* Provençal; **à la ~e** Culin (à la) Provençale

B ▸ **p. 483** *nm* Ling Provençal

Provençal, **~e**, *mpl* **-aux** /pʀɔvɑ̃sal, o/ *nm,f* Provençal

Provence /pʀɔvɑ̃s/ ▸ **p. 721** *nprf* **la ~** Provence

Provence-Alpes-Côte d'Azur /pʀɔvɑ̃salpkotdazyʀ/ ▸ **p. 721** *nprf* **la région ~** Provence-Alpes-Côte d'Azur

provende /pʀɔvɑ̃d/ *nf* feed

provenir /pʀɔvniʀ/ [36] *vi* **1** [*marchandise, importation, capitaux, profit*] to come (**de** from); **les tableaux proviennent de collections privées** the paintings come from private collections; **la viande provenant de France** meat from France; **2** [*situation, déséquilibre*] to stem (**de** from)

proverbe /pʀɔvɛʀb/ *nm* proverb; **le livre des Proverbes** Bible the Book of Proverbs; **comme dit le ~** as the saying goes; **passer en ~** to become proverbial

proverbial, **~e**, *mpl* **-iaux** /pʀɔvɛʀbjal, o/ *adj* proverbial

proverbialement /pʀɔvɛʀbjalmɑ̃/ *adv* proverbially

providence /pʀɔvidɑ̃s/

A *nf* **1** salvation; **être la ~ de qn** to be sb's salvation; **2** Relig providence

B (-)providence (*in compounds*) **État-~** welfare state; **remède-~** heaven-sent remedy

Providence /pʀɔvidɑ̃s/ *nf* Providence

providentiel, **-ielle** /pʀɔvidɑ̃sjɛl/ *adj* providential

providentiellement /pʀɔvidɑ̃sjɛlmɑ̃/ *adv* providentially

province /pʀɔvɛ̃s/ *nf* **1** (région) province; **2** (pays hormis la capitale) **la ~** the provinces (*pl*); **vivre/s'installer en ~** to live/settle in the provinces; **ville de ~** provincial town; **elle sort de sa ~, elle arrive du fond de sa ~** pej she's up from the country

(Composés) **Provinces Maritimes** Maritime Provinces; **Provinces des Prairies** Prairie Provinces

provincial, **~e**, *mpl* **-iaux** /pʀɔvɛ̃sjal, o/

A *adj* provincial

B *nm,f* provincial; **les provinciaux** people from the provinces

C *nm* Relig provincial

provincialisme /pʀɔvɛ̃sjalism/ *nm* provincialism

proviseur /pʀɔvizœʀ/ *nm* headteacher GB *ou* principal US (*of a lycée*)

provision /pʀɔvizjɔ̃/

A *nf* **1** (de nourriture, conserves, bois, papier) stock, supply; (d'eau) supply; **faire ~ de qch** to stock up with sth, to lay in a stock *ou* supplies of sth; **faire ~ d'énergie** [*personne*] to build up a reserve of energy; **2** Comm, Fin (acompte) deposit; (sur un compte en banque) credit (balance); **3** Jur (arrhes) retainer, retaining fee

B provisions *nfpl* shopping **¢**; **faire ses ~s, aller aux ~s**○ to go shopping; **sac à ~s** shopping bag; **placard à ~s** food cupboard

provisionnel, **-elle** /pʀɔvizjɔnɛl/ *adj* provisional

provisoire /pʀɔvizwaʀ/

A *adj* [*accord, bilan, gouvernement, jugement*] provisional; [*solution, mesure*] provisional, temporary; [*construction, installation, situation*] temporary; **à titre ~** on a temporary basis

B *nm* **s'installer dans le ~** to become settled in a temporary situation; **c'est du ~ qui dure** it's a case of the temporary become permanent

provisoirement /pʀɔvizwaʀmɑ̃/ *adv* provisionally

provitamine /pʀɔvitamin/ *nf* provitamin

provocant, **~e** /pʀɔvɔkɑ̃, ɑ̃t/ *adj* provocative

provocateur, **-trice** /pʀɔvɔkatœʀ, tʀis/

A *adj* provocative

B *nm,f* agitator, agent provocateur sout

provocation /pʀɔvɔkasjɔ̃/ *nf* provocation (**à l'égard de** to); **c'est de la ~!** he's/she's etc just being provocative!; **faire de la ~** to be provocative

provoquer /pʀɔvɔke/ [1] *vtr* **1** (causer) to cause [*accident, explosion, dégâts, mort*]; to arouse [*intérêt, curiosité*]; to provoke [*réaction, gaieté, colère*]; to trigger off [*discussion*]; to prompt [*explications, aveux*]; **~ une rencontre entre** to set up a meeting between; **2** (défier) to provoke; **~ qn en duel** to challenge sb to a duel; **3** (déclencher) **~ l'accouchement** to induce labour; **4** (exciter sexuellement) to arouse

proxénète /pʀɔksenɛt/ *nm* procurer

proxénétisme /pʀɔksenetism/ *nm* procuring sout; **inculpé de ~** Jur charged with living off immoral earnings

proximité /pʀɔksimite/ *nf* **1** (voisinage) nearness, proximity; **à ~** nearby, close by; **un commerce** *or* **magasin de ~** a corner shop GB, a convenience store US; **le commerce de ~** corner shops (*pl*) GB, convenience stores (*pl*) US; **à ~ de** near, close to; **2** (imminence) imminence; **à cause de la ~ de Noël** because it is so close to Christmas

prude /pʀyd/

A *adj* prudish

B *nf* prude

prudemment /pʀydamɑ̃/ *adv* [*conduire, observer*] carefully; [*réagir, admettre, progresser, avancer, attendre*] cautiously

prudence /pʀydɑ̃s/ *nf* caution, prudence fml; **donner des conseils de ~** to advise caution; **faire preuve de ~** to show caution; **inciter à la ~** to call for caution; **~ verbale** verbal caution; **avec ~** [*avancer, parler, réagir*] cautiously; [*manier, utiliser*] with caution; **avec la plus grande ~** with the greatest caution; **par ~** as a precaution; **redoubler de ~** to be doubly careful; **manquer de ~** to be imprudent; **automobilistes, ~!** drivers, beware!

(Idiome) **~ est mère de sûreté** Prov better safe than sorry Prov

prudent, **~e** /pʀydɑ̃, ɑ̃t/ *adj* **1** (soucieux de sa sécurité) careful; **on n'est jamais trop ~** you can't be too careful; **ce n'est pas ~ de faire** it isn't safe to do; **2** (réservé) [*candidat, attitude, déclaration*] cautious (**dans** in; **sur** on, about); **se montrer ~ dans son analyse/ses prévisions** to appear cautious in one's analysis/one's forecasts; **il faut être ~** one must be cautious; **3** (sage) wise; **il serait ~ de réserver/d'arriver tôt** it would be wise to book/to arrive early; **juger ~ de ne pas accepter/de ne rien dire** to think it wise not to accept/not to say anything; **tu as raison, c'est plus ~** you're right, it's wiser

pruderie /pʀydʀi/ *nf* prudishness, prudery

prud'homal, **~e**, *mpl* **-aux*** /pʀydɔmal, o/ *adj* of an industrial tribunal (*après n*) GB, of a labor relations board (*après n*) US

prud'homme* /pʀydɔm/ *nm* ≈ member of an industrial tribunal GB *ou* of a labor relations board US; **Conseil des ~s** ≈ industrial tribunal GB, labor relations board US

prudhommesque /pʀydɔmɛsk/ *adj* pompous

prune /pʀyn/

A ▸ **p. 202** *adj inv* plum-coloured[GB]

B *nf* (fruit) plum; (eau-de-vie) plum brandy

(Idiomes) **des ~s**○**!** no way○!; **pour des ~s**○ for nothing

pruneau, *pl* **~x** /pʀyno/ *nm* **1** (fruit) prune; **2** ○(balle) slug○, bullet

prunelle /pʀynɛl/ *nf* **1** (fruit) sloe; **2** (liqueur) ≈ sloe gin; **3** Anat pupil; **4** (œil) eye

(Idiomes) **jouer de la ~** to give come-hither looks; **j'y tiens comme à la ~ de mes yeux** it's the apple of my eye

prunellier* /pʀynelje/ *nm* blackthorn

prunier /pʀynje/ *nm* plum (tree)

(Idiome) **secouer qn comme un ~** to shake sb until their teeth rattle

prunus /pʀynys/ *nm* prunus

prurigineux, **-euse** /pʀyʀiʒinø, øz/ *adj* pruriginous

prurigo /pʀyʀigo/ ▸ **p. 283** *nm* prurigo

prurit /pʀyʀit/ *nm* pruritus

Prusse /pʀys/ Hist *nprf* Prussia

(Idiome) **travailler pour le roi de ~** to work for nothing

prussien, **-ienne** /pʀysjɛ̃, ɛn/

A *adj* Prussian

B *nm* (soldat) Prussian

prussique† /pʀysik/ *adj* [*acide*] prussic

prytanée /pʀitane/ *nm* Mil *school reserved for children of the military*

PS /peɛs/ *nm* **1** Pol *abbr* ▸ **parti**; **2** (*written abbr* = **post-scriptum**) PS

psalmiste /psalmist/ *nm* psalmist

psalmodie /psalmɔdi/ *nf* **1** Relig psalmody; **2** fig, littér chanting

psalmodier /psalmɔdje/ [2]

A *vtr* to chant [*texte*]

B *vi* **1** Relig (réciter) to say psalms; (chanter) to chant psalms; **2** gén to chant

psaume /psom/ *nm* psalm; **le livre des Psaumes** Bible the Book of Psalms

psautier /psotje/ *nm* Psalter

PSC /peɛsse/ *nm* UE *abbr* ▸ **pacte**

PSE /peɛsœ/ *nm*: *abbr* ▸ **placement**

pseudo- /psødo/ *préf* pseudo; **~-scientifique** pseudo-scientific; **~-philosophique** pseudo-philosophical; **~-équilibre** so-called balance; **~-savant** self-styled scientist

pseudonyme /psødɔnim/ *nm* pseudonym; **sous un ~** under a pseudonym; **sous le ~ d'Ajar** under the pseudonym Ajar

psi* /psi/ *nm inv* psi

psitt /psit/ *excl* psst!

psittacisme /psitasism/ *nm* parrotry

psittacose /psitakoz/ ▸ **p. 283** *nf* psittacosis

psoriasis /psɔʀjazis/ ▸ **p. 283** *nm inv* psoriasis

psy○ /psi/ *nmf* (*abbr* = **psychanalyste**) shrink○, psychoanalyst

psychanalyse /psikanaliz/ *nf* psychoanalysis; **faire une ~** to have psychoanalysis, to be in (psycho)analysis; (d'une œuvre) psychoanalytical criticism

psychanalyser /psikanalize/ [1] *vtr* to psychoanalyse[GB] [*personne*]; to make a psychoanalytical study of [*texte*]; **se faire ~** to get oneself psychoanalysed[GB]

psychanalyste /psikanalist/ ▸ **p. 532** *nmf* psychoanalyst

psychanalytique /psikanalitik/ *adj* psychoanalytic(al)

psyché /psiʃe/ *nf* [1] (miroir) cheval glass; [2] Psych psyche

Psyché /psiʃe/ *npr* Psyche

psychédélique /psikedelik/ *adj* psychedelic

psychédélisme /psikedelism/ *nm* [1] Méd psychedelic state; [2] (phénomène) psychedelia

psychiatre /psikjatʀ/ ▸ **p. 532** *nmf* psychiatrist

psychiatrie /psikjatʀi/ *nf* psychiatry; **le service de ~** the psychiatric department

psychiatrique /psikjatʀik/ *adj* psychiatric

psychique /psiʃik/ *adj* [*activité, troubles*] mental

psychisme /psiʃism/ *nm* psyche

psycho○ /psiko/ *nf* psychology; **il a fait ~** he studied psychology

psychoactif, -ive /psikoaktif, iv/ *adj* psychoactive

psychoaffectif, -ive /psikoafɛktif, iv/ *adj* psycho-emotional

psychoclinicien, -ienne /psikoklinisjɛ̃, ɛn/ ▸ **p. 532** *nm,f* clinical psychologist

psychodrame /psikodʀam/ *nm* [1] Psych psychodrama; [2] (drame) drama

psychogène /psikɔʒɛn/ *adj* psychogenic

psycholinguistique /psikolɛ̃gɥistik/ *nf* psycholinguistics (+ *v sg*)

psychologie /psikɔlɔʒi/ *nf* [1] (discipline) psychology; **~ du développement/sociale** developmental/social psychology; **licence de ~** degree in psychology; [2] (intuition) (psychological) insight; [3] (mentalité) psychology

psychologique /psikɔlɔʒik/ *adj* psychological; **c'est ~!** it's all in the mind!, it's psychological!

psychologiquement /psikɔlɔʒikmɑ̃/ *adv* psychologically

psychologue /psikɔlɔg/
A *adj* **il n'est pas très ~** he's not much of a psychologist
B ▸ **p. 532** *nmf* psychologist

psychométrie /psikometʀi/ *nf* psychometrics (+ *v sg*)

psychométrique /psikometʀik/ *adj* psychometric

psychomoteur, -trice /psikomɔtœʀ, tʀis/ *adj* psychomotor

psychopathe /psikɔpat/ *nmf* [1] (atteint de psychopathie) psychopath; [2] †(malade mental) mentally ill person

psychopathie /psikɔpati/ *nf* psychopathy

psychopathologie /psikopatɔlɔʒi/ *nf* psychopathology

psychopédagogie /psikopedagɔʒi/ *nf* educational psychology

psychophysiologie /psikofizjɔlɔʒi/ *nf* psychophysiology

psychoprophylactique /psikopʀɔfilaktik/ *adj* **accouchement ~** natural childbirth

psychose /psikoz/ *nf* [1] Méd, Psych psychosis; [2] gén (obsession) **~ du cambriolage/de la guerre** obsessive fear of robbery/of war; **~ collective** mass panic

psychosensoriel, -ielle /psikosɑ̃sɔʀjɛl/ *adj* psychosensory

psychosocial, ~e, *mpl* **-iaux** /psikosɔsjal, o/ *adj* psychosocial

psychosociologie /psikosɔsjɔlɔʒi/ *nf* psychosociology

psychosociologue /psikosɔsjɔlɔg/ ▸ **p. 532** *nmf* social psychologist

psychosomatique /psikosɔmatik/
A *adj* psychosomatic
B *nf* psychosomatic medicine

psychostimulant, ~e /psikostimylɑ̃, ɑ̃t/ *adj* psychostimulant

psychotechnicien, -ienne /psikotɛknisjɛ̃, ɛn/ ▸ **p. 532** *nm,f* psychotechnician

psychotechnique /psikotɛknik/
A *adj* [*tests*] psychotechnic(al)
B *nf* psychotechnics (+ *v sg*)

psychothérapeute /psikoteʀapøt/ ▸ **p. 532** *nmf* psychotherapist

psychothérapie /psikoteʀapi/ *nf* psychotherapy; **faire une ~** to be in *ou* have (psycho)therapy

psychothérapique /psikoteʀapik/ *adj* psychotherapeutic

psychotique /psikɔtik/ *adj, nmf* psychotic

psychotonique /psikɔtonik/ *adj* psychotonic

psychotraumatologie /psikotʀomatɔlɔʒi/ *nf* trauma counselling[GB]

psychotrope /psikɔtʀɔp/
A *adj* [*médicament*] psychotropic, psychoactive
B *nm* psychotropic drug

PTAV *written abbr* ▸ **poids**

PTC *written abbr* ▸ **poids**

ptérodactyle /pteʀɔdaktil/ *nm* pterodactyl

Ptolémée /ptɔleme/ *npr* Ptolemy

ptôse /ptoz/ *nf* ptosis; **des ~s** ptoses

ptôsis /ptozis/ *nm inv* ptosis

PTT /petete/ *nfpl* (*abbr* = **Administration des postes et télécommunications et de la télédiffusion**) *former French postal and telecommunications service*

ptyaline /ptialin/ *nf* ptyalin

ptyalisme /ptialism/ *nm* Méd ptyalism

puant, ~e /pɥɑ̃, ɑ̃t/ *adj* [1] lit [*bêtes*] stinking; [*fromage*] smelly; [2] ○fig, péj (déplaisant) **un type ~** an incredibly arrogant guy○; **~ de fierté** disgustingly proud

puanteur /pɥɑ̃tœʀ/ *nf* stench

pub¹ /pœb/ *nm* pub

pub²○ /pyb/ *nf*: *abbr* ▸ **publicité**

pubère /pybɛʀ/ *adj* pubescent

puberté /pybɛʀte/ *nf* puberty; **à la ~** at puberty

pubescent, ~e /pybɛsɑ̃, ɑ̃t/ *adj* pubescent

pubien, -ienne /pybjɛ̃, ɛn/ *adj* pubic

pubis /pybis/ *nm inv* (région) pubes; (os) pubis

publiable /pyblijabl/ *adj* publishable

public, -ique /pyblik/
A *adj* [*lieu, vente, argent*] public; [*école, enseignement*] state (*épith*) GB, public US; [*entreprise, chaîne*] state-owned (*épith*); **rendre qch ~** to make sth public; **la dette publique** the national debt; **hôpital ~** state-run hospital; **les cours sont ~s** the lectures are open to the public; **en audience publique** in open court; **homme** *or* **personnage ~** public figure; **femme** *or* **fille publique** prostitute
B *nm* [1] (tout le monde) public; **en ~** in public; **ouvert au ~** open to the public; **'interdit au ~'** 'no admittance'; **'avis au ~'** 'public notice'; **porter qch à la connaissance du ~** to make sth public; ▸ **grand**; [2] (de spectacle, conférence, d'émission) audience; (de manifestation sportive) spectators (+ *v pl*); **s'adresser à un ~ jeune/un large ~** to be directed at a young audience/a wide audience; **il lui faut un ~** he/she has to have an audience; **être bon ~** to be easily pleased; **être mauvais ~** to be hard to please; **tous ~s** for all ages; **on entendait des rires dans le ~** there was laughter in the audience; [3] (lecteurs) readership; [4] (adeptes) **avoir un ~** to have a following; **elle ne veut pas décevoir son ~** she doesn't want to disappoint her fans *ou* public; [5] Écon **le ~** the public sector

publicain /pyblikɛ̃/ *nm* Antiq publican

publication /pyblikasjɔ̃/ *nf* [1] (parution) publication; **date de ~** date of publication, publication date; **suspendre sa ~** [*périodique*] to suspend publication; **la ~ du livre est prévue pour mai** the book is due to be published *ou* to come out in May; [2] (ouvrage) publication; **~s universitaires/obscènes** academic/obscene publications
(Composés) **~ assistée par ordinateur, PAO** desktop publishing, DTP; **~ des bans (de mariage)** publishing the banns

publiciste /pyblisist/
A ▸ **p. 532** *nmf* (personne) advertising executive, adman○; **elle est ~** she's in advertising
B *nm* (entreprise) advertising agency

publicitaire /pyblisitɛʀ/
A *adj* [*campagne, budget*] advertising; [*objet, vente, voiture, jeu*] promotional; **cadeau ~** free gift
B ▸ **p. 532** *nmf* (personne) advertising executive; **il est ~** he's in advertising
C *nm* (société) advertising agency

publicité /pyblisite/ *nf* [1] (activité, profession) advertising; **il travaille dans la ~** he's in advertising; **faire de la ~ pour un produit** to advertise a product; **service (de) ~** advertising department; **coup de ~** publicity stunt; **c'était un beau coup de ~** it was good publicity; [2] (annonce) Presse advertisement, advert GB, ad; Cin, Radio, TV commercial, advertisement, advert GB, ad; **passer une ~ à la télévision/radio** to run an advert GB *ou* ad on television/the radio; [3] (diffusion) publicity; **donner** *or* **faire de la ~ à qn/qch** to give sb/sth publicity; **faire une mauvaise ~ à qn/qch** to give sb/sth a bad press
(Composés) **~ comparative** comparative advertising; **~ des débats** open debate; **~ directe** direct mail advertising; **~ institutionnelle** corporate advertising; **~ sur les lieux de vente, PLV** point-of-sale advertising; **~ mensongère** misleading advertising; **~ des prix** publishing of prices; **~ rédactionnelle** advertising feature GB, reading notice US

publier /pyblije/ [2] *vtr* to publish [*livre, revue, auteur*]; to issue *ou* release [*communiqué*]; **~ les bans** Admin to publish the banns; **se faire ~** to get published

publiphone® /pyblifɔn/ *nm* public telephone, payphone; **~ à pièces/carte** coin-/card-operated phone

publipostage /pyblipɔstaʒ/ *nm* [1] (principe) direct mail advertising; [2] (opération) mail shot; [3] (documents) mailing pack

publiquement /pyblikmɑ̃/ *adv* publicly

publireportage /pybliʀəpɔʀtaʒ/ *nm* advertorial

puce /pys/
A ▸ **p. 202** *adj inv* puce
B *nf* [1] Zool flea; [2] (terme d'affection) **ma ~**○ my pet○, honey○ US; [3] ▸ **p. 469** Jeux **jeu de ~** tiddlywinks (+ *v sg*); [4] Ordinat (silicon) chip
(Composés) **~ d'eau** water flea; **~ de sable** sand flea
(Idiomes) **ça m'a mis la ~ à l'oreille** that set me thinking; **se secouer les ~s**○ to stir one's stumps○ GB, to get the lead out○ US; **secoue-toi les ~s!** get a move on○!; **secouer les ~s à qn**○ (gronder) to give sb a good ticking off○ GB, to bawl sb out○

puceau○, *pl* **~x** /pyso/
A *adj m* **il est encore ~** he's still a virgin
B *nm* virgin

pucelage○ /pyslaʒ/ *nm* virginity

pucelle /pysɛl/
A ○adj f **être ~** to be a virgin
B ‡nf virgin, maid†; **la Pucelle (d'Orléans)** the Maid of Orleans

puceron /pysʀɔ̃/ nm aphid

pucier● /pysje/ nm bed

pudding* /pudiŋ/ nm heavy fruit sponge

pudeur /pydœʀ/ nf **1** (relative au corps) sense of modesty; **n'avoir aucune ~** to have no sense of modesty ou no shame; **blesser/offenser la ~ de qn** to offend sb's sense of decency; **outrage public à la ~** indecent exposure; **sans ~** shamelessly; **2** (relative aux sentiments) (considération) decency; (retenue) sense of propriety; **ayez la ~ de vous taire** have the decency to keep quiet; **par ~ elle ne pleura pas** her sense of propriety stopped her from crying

pudibond, **~e** /pydibɔ̃, ɔ̃d/ adj prudish

pudibonderie /pydibɔ̃dʀi/ nf prudishness

pudicité /pydisite/ nf liter modesty

pudique /pydik/ adj modest, self-conscious; (discret) discreet

pudiquement /pydikmɑ̃/ adv **1** (chastement) modestly; **2** (par timidité ou discrétion) discreetly; **3** (en termes pudiques) discreetly

puer /pɥe/ [1]
A vtr to stink of [essence, gaz]; **il pue le parvenu** he has upstart written all over him; **ça pue l'hypocrisie** it reeks of hypocrisy
B vi to stink; **il puait des pieds** his feet stank

puéricultrice /pɥeʀikyltʀis/ ► p. 532 nf pediatric nurse

puériculture /pɥeʀikyltyʀ/ nf childcare

puéril, **~e** /pɥeʀil/ adj [conduite, réaction] childish; [attitude, activité] puerile

puérilement /pɥeʀilmɑ̃/ adv [réagir] childishly; [juger] in a puerile manner

puérilité /pɥeʀilite/ nf (de conduite) childishness; (d'attitude) puerility

puerpéral, **~e**, mpl **-aux** /pɥɛʀpeʀal, o/ adj puerperal; **fièvre ~e** puerperal fever

pugilat /pyʒila/ nm lit fist fight; fig open combat

pugiliste /pyʒilist/ nm pugilist

pugnace /pygnas/ adj fml pugnacious

pugnacité /pygnasite/ nf fml pugnacity

puîné, **~e**‡* /pɥine/
A adj younger
B nm,f younger brother/sister

puis /pɥi/ adv **1** (ensuite) then; **aller à Paris ~ à Milan** to go to Paris then to Milan; **et ~ il est parti** and then he left; **et ~?** then what?; **des pommes, des poires et ~ des pêches** apples, pears and peaches; **et ~ quoi encore**○! what(ever) next?; **2** (d'ailleurs) **et ~ je m'en fiche**○! anyway, I don't care!; **et ~ c'est facile de critiquer** anyway, it's easy to criticize; **il va être en colère? et ~ (après)?** he's going to be angry? so what?; **tu vas ranger ta chambre et ~ c'est tout!** you'll go and tidy your room and that's the end of the matter

puisard /pɥizaʀ/ nm (égout) soakaway GB, sink hole US

puisatier /pɥizatje/ ► p. 532 nm well-digger

puiser /pɥize/ [1] vtr lit, fig **puiser qch dans qch** to draw sth from sth; **~ à pleines mains dans qch** to draw heavily on sth; **~ dans ses économies/réserves** to draw on one's savings/reserves; **~ dans son porte-monnaie** to put one's hand in one's purse; **~ ses informations aux meilleures sources** to get one's information from the best sources

puisque (**puisqu'** before vowel or mute h) /pɥisk(ə)/ conj **1** (attendu que) since; **~ c'est comme ça, je m'en vais** since it's like that I'm going; **puisqu'il pleut je reste ici** since ou as it's raining, I'm staying here; **2** (dans une phrase exclamative) **mais ~ je te dis que c'est impossible** but I'm telling you it's impossible; **mais puisqu'il te dit qu'il a peur** but he did tell you he's frightened

puissance /pɥisɑ̃s/
A nf **1** Phys, Électrotech power; **la ~ d'un moteur** the power of an engine; **un amplificateur d'une ~ de 60 watts** a 60-watt amplifier; **une bombe d'une forte ~** a very powerful bomb; **mon aspirateur n'a pas assez de ~** my vacuum cleaner isn't powerful enough; **2** (intensité) (de lumière) intensity; (de son) volume; **régler la ~ d'une radio/lampe halogène** to adjust the volume on a radio/the intensity of a halogen lamp; **3** Math power; **dix ~ trois** ten to the power (of) three; **élever un nombre à la ~ neuf** to raise a number to the power (of) nine; **4** (pouvoir) power; **fonder** or **asseoir sa ~ sur qch** to build one's power on sth; **volonté de ~** will to power; **assassin/héros en ~** potential killer/hero; **5** (capacité) power; **la ~ militaire/nucléaire d'un pays** the military/nuclear power of a country; **leur ~ industrielle est supérieure à la nôtre** their industrial power is superior to ours; **ta ~ de concentration/d'imagination** your powers (pl) of concentration/imagination; **il a une ~ de travail remarquable** his capacity for work is remarkable; **6** (vigueur) power, strength; **7** (pays) power; **la première ~ nucléaire/commerciale du monde** the foremost nuclear/commercial power in the world; **une ~ étrangère** a foreign power; **une ancienne ~ coloniale** a former colonial power; **une grande ~** a superpower; **le sommet des grandes ~s** the great powers summit
B **puissances** nfpl Relig **les ~s** the powers; **les ~s occultes** the occult powers; **les ~s infernales** or **des ténèbres** the powers of darkness; **les ~s célestes** the heavenly powers
(Composés) **~ administrative** Aut engine rating; **~ effective** effective power; **~ de feu** firepower; **~ fiscale** = **~ administrative**; **~ au frein** Aut brake horsepower; **~ nominale** Aut nominal horsepower; **~s d'argent** financial powers

puissant, **~e** /pɥisɑ̃, ɑ̃t/
A adj **1** Tech [moteur, véhicule, ordinateur, bombe, freins] powerful; **2** (intense) [voix] powerful; [sentiment, émotion] strong; [parfum, arôme] hum powerful; **3** (fort) [personne, animal, épaules, mâchoires, mouvement] powerful; **un ~ athlète** a powerful athlete; **4** (influent) [personne, pays, syndicat, secteur] powerful; **un organisme très ~** a very powerful organization; **5** (efficace) [antidote, détergent] powerful
B **puissants** nmpl **les ~s** the powerful, the mighty

puits /pɥi/ nm inv **1** (d'eau) well; **~ de pétrole** oil well; **2** (conduit) shaft
(Composés) **~ d'aération** Mines ventilation shaft; **~ d'ascenseur** Constr lift GB ou elevator US shaft; **~ d'érudition** fount of knowledge; **~ de mine** mine shaft; **~ perdu** soakaway GB, sink hole US; **~ de science** = **~ d'érudition**

pull○ /pyl/ nm (abbr = **pull-over**) jumper GB, sweater, pullover

pullman /pylman/ nm Pullman

pull-over, pl **~s*** /pylɔvɛʀ/ nm jumper GB, sweater, pullover

pullulement /pylylmɑ̃/ nm **1** (multiplication) proliferation; **2** (grand nombre) (d'insectes, de gens) swarm; (de fautes, problèmes) multitude

pulluler /pylyle/ [1] vi **1** (se multiplier) to proliferate; **depuis dix ans les romans de mauvaise qualité pullulent** for the last ten years there has been an abundance of poor quality novels; **2** (grouiller) **les touristes/insectes pullulent dans la région** the area is swarming with tourists/insects; **les poissons pullulent dans la rivière** the river is teeming with fish; **les erreurs pullulent dans le texte** the text abounds with mistakes

pulmonaire /pylmɔnɛʀ/
A adj [maladie, infection] lung (épith), pulmonary spéc; [artère, veine] pulmonary
B nf Bot lungwort

pulpe /pylp/ nf **1** (de fruit) pulp; (de pomme de terre) flesh; **2** Anat (de doigt) fleshy part; (de dent) pulp; **3** (pâte à papier) pulp; **réduire en ~** to pulp

pulpeux, **-euse** /pylpø, øz/ adj [corps, lèvres] luscious; [fruit] pulpy

pulsar /pylsaʀ/ nm pulsar

pulsation /pylsasjɔ̃/ nf **1** Méd, Physiol (fait de battre) beating ¢, pulsation spéc; (battement) beat; **~s cardiaques** (rythme) heartbeat (sg); (battement) heartbeats; **2** Électrotech, Phys pulse

pulser /pylse/ [1] vtr to blow [air]; **chauffage à air pulsé** hot air heating

pulsion /pylsjɔ̃/ nf impulse, urge; **des ~s violentes** violent impulses ou urges; **~ de mort** death wish, death instinct spéc; **acheter par ~** to be an impulse buyer

pulvérisable /pylveʀizabl/ adj [liquide] sprayable; [matériau] pulverable

pulvérisateur /pylveʀizatœʀ/ nm gén spray; Agric sprayer

pulvérisation /pylveʀizasjɔ̃/ nf **1** (de liquide) spraying; **'utiliser en ~s nasales'** 'for use as nasal spray'; **2** (de matériau) pulverization[GB]; **3** (d'investissements, de responsabilités) breaking up

pulvériser /pylveʀize/ [1]
A vtr **1** (projeter) to spray [liquide]; **2** (broyer) to pulverize [solide]; **3** (anéantir) to pulverize [bâtiment, ennemi]; to demolish○ [argument]; **4** (battre) Sport to shatter○ [record]
B **se pulvériser** vpr [matériau] to crumble (into powder)

pulvériseur /pylveʀizœʀ/ nm disc harrow

pulvérulent, **~e** /pylveʀylɑ̃, ɑ̃t/ adj pulverulent

puma /pyma/ nm puma

punaise /pynɛz/
A nf **1** (pointe) drawing pin GB, thumbtack US; **2** Zool bug; **3** ○(femme méchante) pej bitchy woman; **c'est une vraie ~** she's really bitchy
B ○excl (de surprise) blimey○! GB, gee○! US; (de dépit) heck○!
(Composés) **~ des bois** stink bug; **~ des lits** bedbug; **~ de sacristie** pej churchy woman

punaiser○ /pyneze/ [1] vtr to pin ou tack US [sth] up

punch¹* /pɔ̃ʃ/ nm (boisson) punch; **boire du ~** to drink punch

punch² /pœnʃ/ nm **1** (de boxeur) punch; **avoir du ~** to pack quite a punch; **2** (énergie) energy; (dynamisme) drive; **manquer de ~** [slogan, film] to lack punch; [personne] to lack drive; **avoir du ~** [slogan, discours] to be punchy○; [personne] to have drive

puncheur /pœnʃœʀ/ nm **c'est un ~** lit he has a powerful punch; fig○ he's a (real) go-getter○

punching-ball, pl **~s** /pœnʃiŋbol/ nm punchball GB, punching bag US

punique /pynik/ adj Punic

punir /pyniʀ/ [3] vtr gén, Jur, Scol to punish [criminel, crime]; **tu ne sors pas, tu es puni** you're not going out, you're being punished; **toute la classe est punie** the whole class is being punished; **être puni pour vol** to be punished for stealing; **il a été puni de sa paresse** he has been punished for his laziness; **je voulais qu'il ait des regrets mais c'est moi qui suis puni** I wanted him to feel sorry but it is me who is being punished

punissable /pynisabl/ adj punishable (**de** by)

punitif, **-ive** /pynitif, iv/ adj punitive; **expédition punitive** punitive strike

punition /pynisjɔ̃/ nf **1** (châtiment) punishment; **~ collective** collective punishment; **comme ~** or **pour ta ~ tu feras** as a punishment you will do; **donner** or **infliger une ~ à qn** to punish sb; **avoir une ~** to be punished; **2** (tâche) **il n'a pas fait sa ~** he hasn't done

P

the task he was given as punishment

punk /pœ̃k/ *adj*, *nmf* punk

punkette○ /pœ̃kɛt/ *nf* punkette, female punk

pupille /pypij/

A *nmf* (mineur sous tutelle) ward

B *nf* Anat pupil

(Composés) ~ **de l'État** child in care; ~ **de la Nation** war orphan

pupitre /pypitʀ/ *nm* **1** (tableau de commande) control panel; Ordinat console; **2** (de musicien) music stand; (de piano) music rest; **qui est au ~?** who's conducting?; **l'orchestre de la Scala de Milan avec, au ~, Arturo Toscanini** the orchestra of La Scala in Milan conducted by Arturo Toscanini; **3** (bureau) desk; **4** (d'orateur) lectern

pupitreur, **-euse** /pypitʀœʀ, øz/ ▸ **p. 532** *nm,f* Ordinat system operator

pur, **~e** /pyʀ/

A *adj* **1** (sans mélange) [*substance, laine, héroïne, race*] pure; (non dilué) [*whisky, pastis*] straight; **c'est de l'or ~** it's pure gold; **un métal à l'état ~** metal in its pure state; **boire son vin ~** to drink one's wine undiluted; **une confiture ~ sucre** a jam with no artificial sweetening; **une confiture ~ fruit** a real fruit jam; **fromages ~ chèvre/vache** pure goat's/cow's milk cheese; **~ porc** [*saucisson*] pure pork (*épith*); **2** (non altéré) [*eau, air*] pure; [*diamant*] flawless; [*ciel*] clear; [*son, voix*] pure, clear; **respirer l'air ~** to breathe the pure air; **3** (sans fioritures) [*ligne, style*] pure; [*beauté*] unsullied; **4** (total) [*méchanceté, fantasme, vérité*] pure; [*coïncidence, plaisir, ignorance, folie, inconscience*] sheer; **c'est du ~ masochisme** it's sheer *ou* pure masochism; **en ~e perte** to no avail; **de ~e forme** token (*épith*); **question/propos de ~e forme** token question/words; **~ et simple** [*mensonge, refus, ignorance, élimination*] outright; **on envisage le retrait ~ et simple des troupes** they simply envisage the withdrawal of the troops; **c'est de la paresse/fiction ~e et simple** it's laziness/fiction, pure and simple; **~ et dur** hardline; **le militarisme ~ et dur** hardline militarism; **un militant ~ et dur** a hardline militant; **5** (théorique) [*sciences, recherche, mathématiques*] pure; **6** (d'origine) [*tradition*] true; **dans la ~e tradition populaire** in the true popular tradition; **un ~ produit de qch** lit, fig a typical product of sth; **un Parisien de ~e souche** a Parisian born and bred; **à l'état ~** [*génie, bêtise*] sheer; **c'est de la bêtise à l'état ~** it's sheer stupidity; **7** (sans défaut moral) [*personne, cœur*] pure

B *nm,f* **1** (personne irréprochable) virtuous person; **2** (fidèle à un parti) hardliner; **les ~s et durs** the hardliners

purée /pyʀe/

A *nf* Culin (de fruits, légumes) purée; (aliment trop cuit) pej mush; **~ (de pommes de terre)** mashed potatoes (*pl*); **~ de marrons/tomates** chestnut/tomato purée; **~ de carottes et de pommes de terre** purée of carrots and potatoes

B ○*excl* heck○!

(Composés) ~ **en flocons** instant mash GB, instant mashed potatoes (*pl*); ~ **de pois** (brouillard) pea souper GB, fog

(Idiome) **être dans la ~**○ to be in a mess

purement /pyʀmɑ̃/ *adv* purely; **~ et simplement** purely and simply

pureté /pyʀte/ *nf* (de diamant, son, d'eau) purity; (de sentiment, personne) purity; (de forme, style) purity; **la ~ du style roman** the purity of the Roman style; **la ~ de l'air** the purity of the air

purgatif, **-ive** /pyʀgatif, iv/

A *adj* purgative

B *nm* purgative

purgatoire /pyʀgatwaʀ/ *nm* Relig **le ~** purgatory; **faire son ~** fig to do one's penance; **cet enfant, c'est mon ~** fig this child was sent to try me

purge /pyʀʒ/ *nf* **1** Méd purgative; **2** Pol purge; **3** Tech (de radiateur, freins) bleeding; (de tuyau) draining; **4** Jur redemption

purger /pyʀʒe/ [13]

A *vtr* **1** Méd to purge; **2** Tech to bleed [*radiateur, freins*]; to drain [*tuyau*]; to purify [*métal*]; **3** liter (débarrasser) to purge (**de** of); **4** Jur to serve [*peine*]; to redeem [*hypothèque*]

B **se purger** *vpr* [*personne*] to take a purgative

purgeur /pyʀʒœʀ/ *nm* (de radiateur, tuyauterie) bleed valve; (de locomotive à vapeur) purge *ou* drain valve

purifiant, **~e** /pyʀifjɑ̃, ɑ̃t/ *adj* [*air*] purifying; [*crème, lotion*] cleansing

purificateur, **-trice** /pyʀifikatœʀ, tʀis/

A *adj* [*rite, cérémonie*] purificatory

B *nm* **~ d'atmosphère** *or* **d'air** air purifier

purification /pyʀifikasjɔ̃/ *nf* purification; **La Purification** the Purification

(Composé) ~ **ethnique** ethnic cleansing

purifier /pyʀifje/ [2]

A *vtr* **1** gén to purify [*eau, air, sang*]; to cleanse [*peau*]; to purify [*langage*]; **2** (moralement) liter to purify [*personne, esprit*]

B **se purifier** *vpr* [*organisme, métal*] to purify itself; [*personne*] to cleanse oneself

purin /pyʀɛ̃/ *nm* slurry

purisme /pyʀism/ *nm* purism

puriste /pyʀist/ *nmf* purist

puritain, **~e** /pyʀitɛ̃, ɛn/

A *adj* (austère) puritanical; Relig Puritan

B *nm,f* (rigoriste) puritan; Hist Relig Puritan

puritanisme /pyʀitanism/ *nm* puritanism

purpura /pyʀpyʀa/ *nm* purpura

purpurin, **~e** /pyʀpyʀɛ̃, in/ ▸ **p. 202** *adj* crimson

pur-sang /pyʀsɑ̃/ *nm inv* thoroughbred, purebred

purulence /pyʀylɑ̃s/ *nf* purulence

purulent, **~e** /pyʀylɑ̃, ɑ̃t/ *adj* purulent

pus /py/ *nm* pus

pusillanime /pyzilanim/ *adj* pusillanimous

pusillanimité /pyzilanimite/ *nf* pusillanimity

pustule /pystyl/ *nf* pustule

pustuleux, **-euse** /pystylø, øz/ *adj* pustular

putain● /pytɛ̃/

A *nf* **1** (prostituée) offensive whore, hooker◑ injur; (femme facile) slag● injur GB, slut◑; **2** (juron) **~ de voiture/stylo** fucking● car/pen

B *excl* fuck●!, fucking hell●!

putatif, **-ive** /pytatif, iv/ *adj* Jur [*enfant, père*] putative

pute● /pyt/ *nf* **1** (prostituée) whore, hooker◑; (femme facile) slag● GB, slut◑; **faire la ~** lit to be a prostitute; fig to prostitute oneself; **2** fig (personne méchante) shit◑

putois /pytwa/ *nm inv* **1** (animal) polecat; **2** (fourrure) skunk (fur)

(Idiome) **crier comme un ~** to scream one's head off

putréfaction /pytʀefaksjɔ̃/ *nf* putrefaction; **odeur de ~** smell of rotting; **cadavre en état de ~** putrefying corpse

putréfier: **se putréfier** /pytʀefje/ [2] *vpr* [*cadavre*] to putrefy; [*viande*] to rot

putrescence /pytʀesɑ̃s/ *nf* putrescence sout

putrescent, **~e** /pytʀesɑ̃, ɑ̃t/ *adj* [*chair*] putrescent sout; [*matière*] rotting

putrescible /pytʀesibl/ *adj* putrescible sout

putride /pytʀid/ *adj* lit, fig putrid

putridité /pytʀidite/ *nf* (de matière) putridity; (d'écrit) foulness

putsch* /putʃ/ *nm inv* putsch

putschiste /putʃist/

A *adj* [*officier*] involved in the putsch (*après n*)

B *nmf* **les ~s** those involved in the putsch

Puy-de-Dôme /pɥiddom/ ▸ **p. 721** *nprm* (département) **le ~** the Puy-de-Dôme

puzzle /pœzl, pyzl/ *nm* Jeux jigsaw puzzle; fig jigsaw; **un ~ de 2 000 pièces** a 2,000-piece jigsaw puzzle; **reconstituer un ~** to piece a jigsaw together

PV○ /peve/ *nm inv* (*abbr* = **procès-verbal**) gén fine; (pour stationnement illégal) parking ticket; (pour excès de vitesse) speeding ticket; **payer ses ~** to pay one's fines; **attraper un ~** to get a ticket; **avoir un ~ pour stationnement illégal/excès de vitesse** to get a parking/speeding ticket

PVC /pevese/ *nm* (*abbr* = **chlorure de polyvinyle**) PVC; **tuyaux en ~** PVC pipes

pygargue /pigaʀg/ *nm* sea eagle

Pygmalion /pigmaljɔ̃/ *npr* Pygmalion; **il a été leur ~** he made them

pygmée /pigme/ *nmf* pygmy

pyjama /piʒama/ *nm* pyjamas (*pl*) GB, pajamas (*pl*) US, pair of pyjamas GB *ou* pajamas US; **se mettre en ~** to put on one's pyjamas GB *ou* pajamas US; **sortir en ~** to go out in one's pyjamas GB *ou* pajamas US

pylône /pilon/ *nm* Électrotech pylon; Radio, TV mast; Archit (de temple) pylon; (de pont) tower

pylore /pilɔʀ/ *nm* pylorus

pylorique /pilɔʀik/ *adj* pyloric

pyorrhée /pjɔʀe/ *nf* pyorrhea

pyramidal, **~e**, *mpl* **-aux** /piʀamidal, o/ *adj* **1** lit [*construction*] pyramid-shaped, pyramidal; fig [*hiérarchie*] pyramid (*épith*); **2** Anat pyramidal

pyramide /piʀamid/ *nf* **1** lit, fig pyramid; **~ des âges** age pyramid; **2** (système financier) pyramid investment scheme

pyrénéen, **-éenne** /piʀeneɛ̃, ɛn/ ▸ **p. 721** *adj* Pyrenean

Pyrénéen, **-éenne** /piʀeneɛ̃, ɛn/ *nm,f* Pyrenean

Pyrénées /piʀene/ ▸ **p. 721** *nprfpl* **les ~** the Pyrenees

Pyrénées-Atlantiques /piʀeneatlɑ̃tik/ ▸ **p. 721** *nprfpl* (département) **les ~** the Pyrénées-Atlantiques

Pyrénées-Orientales /piʀeneɔʀjɑ̃tal/ ▸ **p. 721** *nprfpl* (département) **les ~** the Pyrénées-Orientales

pyrex® /piʀɛks/ *nm inv* Pyrex®; **en ~** Pyrex (*épith*)

pyrite /piʀit/ *nf* (iron) pyrites, fool's gold

pyrographe /piʀɔgʀaf/ *nm* heated point (*for pokerwork*)

pyrograver /piʀɔgʀave/ [1] *vtr* **~ un dessin** to make a design in pokerwork

pyrograveur, **-euse** /piʀɔgʀavœʀ, øz/ ▸ **p. 532** *nm,f* pokerwork artist

pyrogravure /piʀɔgʀavyʀ/ *nf* pokerwork

pyrolyse /piʀɔliz/ *nf* pyrolysis; **four à ~** self-cleaning oven

pyromane /piʀɔman/ *nmf* **1** Jur arsonist; **2** Psych pyromaniac

pyromanie /piʀɔmani/ *nf* pyromania

pyromètre /piʀɔmɛtʀ/ *nm* pyrometer; **~ optique** optical pyrometer

pyrométrie /piʀɔmetʀi/ *nf* pyrometry

pyrométrique /piʀɔmetʀik/ *adj* [*cône*] pyrometric; **canne/sonde ~** pyrometer rod/probe

pyrotechnicien, **-ienne** /piʀɔtɛknisjɛ̃, ɛn/ ▸ **p. 532** *nm,f* pyrotechnist

pyrotechnie /piʀɔtɛkni/ *nf* pyrotechnics (+ *v sg*)

p

pyrotechnique /piʀotɛknik/ *adj* pyrotechnic

Pyrrhon /piʀɔ̃/ *npr* Pyrrho

pyrrhonien, -ienne /piʀɔnjɛ̃, ɛn/
A *adj* Pyrrhonian
B *nm,f* Pyrrhonist

Pyrrhus /piʀys/ *npr* Pyrrhus; **victoire à la ~** Pyrrhic victory

Pythagore /pitagɔʀ/ *npr* Pythagoras; **théorème de ~** Pythagoras' theorem, Pythagorean theorem US; **table de ~** multiplication table

pythagoricien, -ienne /pitagɔʀisjɛ̃, ɛn/ *adj, nm,f* Pythagorean

pythagorisme /pitagɔʀism/ *nm* Pythagoreanism

pythie /piti/ *nf* **la ~** Pythia

python /pitɔ̃/ *nm* python
(Composés) **~ réticulé** reticulated python; **~ royal** royal python; **~ vert** green python

pythonisse /pitɔnis/ *nf* pythoness

pyxide /piksid/ *nf* Archéol, Bot pyxis

p

q, **Q** /ky/ *nm inv* q, Q
Qatar /kataʀ/ ▸ **p. 333** *nprm* Qatar
qatari, **~e** /kataʀi/ ▸ **p. 561** *adj* Qatari
Qatari, **~e** /kataʀi/ ▸ **p. 561** *nm,f* Qatari
qcm /kyseɛm/ *nm* (*abbr* = **questionnaire à choix multiple**) multiple-choice questionnaire, mcq
QG /kyʒe/ *nm*: *abbr* ▸ **quartier**
QHS /kyaʃɛs/ *nm*: *abbr* ▸ **quartier**
QI /kyi/ *nm* (*abbr* = **quotient intellectuel**) IQ
qsp (*written abbr* = **quantité suffisante pour**) qs
QSR /kyɛsɛʀ/ *nm* (*abbr* = **quartier de sécurité renforcée**) high-security wing
qu' ▸ **que**
quad /kwad/ *nm* **1** (véhicule) quad bike; **2** (activité) ▸ **p. 469** quad biking
quadra○ /kwadʀa/ *nmf* forty-something○
quadragénaire /kwadʀaʒenɛʀ/
A *adj* **être ~** to be in one's forties
B *nmf* person in his/her forties
quadragésime /kwadʀaʒezim/ *nf* Quadragesima
quadrangle /kwadʀɑ̃gl/ *nm* quadrangle
quadrangulaire /kwadʀɑ̃gylɛʀ/ *adj* **1** Math quadrangular; **2** fig four-way
quadrant /kadʀɑ̃/ *nm* quadrant
quadrature /kadʀatyʀ/ *nf* quadrature
(Idiome) **c'est la ~ du cercle** it's like squaring the circle
quadrette /kadʀɛt/ *nf* team of four boules players
quadriceps /kwadʀisɛps/ *nm inv* quadriceps
quadrichromie /kwadʀikʀomi/ *nf* four-colour[GB] printing process; **imprimer en ~** to print in four colours[GB]
quadriennal, **~e**, *mpl* **-aux** /kwadʀijɛnal, o/ *adj* **1** (de quatre ans) [*plan*] four-year (*épith*); **2** (tous les quatre ans) quadrennial
quadrijumeaux /kwadʀiʒymo/ *adj mpl* quadrigeminal
quadrilatéral, **~e**, *mpl* **-aux** /kwadʀilateʀal, o/ *adj* quadrilateral
quadrilatère /kwadʀilatɛʀ/ *nm* quadrilateral
quadrillage /kadʀijaʒ/ *nm* **1** (de papier) cross-ruling; **2** (occupation) **le ~ de la ville par l'armée** the taking of control of the town by the army; **le ~ du terrain** Mil the chequering GB *ou* checkering US of the terrain
quadrille /kadʀij/ *nm* quadrille
quadrillé, **~e** /kadʀije/
A *pp* ▸ **quadriller**
B *pp adj* [*papier*] squared; **une feuille ~e** a sheet of squared paper
quadriller /kadʀije/ [1] *vtr* **1** (occuper) [*armée*] to take control of [*ville, secteur*]; [*police*] to spread one's net over [*ville, région*]; **2** (faire des carrés sur) to cross-rule [*papier*]
quadrimoteur /k(w)adʀimɔtœʀ/
A *adj* four-engined
B *nm* four-engined plane
quadriparti, **~e** /k(w)adʀipaʀti/ *adj* = **quadripartite**
quadripartite /k(w)adʀipaʀtit/ *adj* quadripartite
quadriphonie /kwadʀifɔni/ *nf* quadraphony; **en ~** in quadraphonic sound
quadriphonique /kwadʀifɔnik/ *adj* quadraphonic
quadriréacteur /k(w)adʀiʀeaktœʀ/ *nm* four-engined jet plane
quadrisyllabe /k(w)adʀisillab/ *nm* (vers) four-syllable line; (mot) four-syllable word
quadrisyllabique /k(w)adʀisillabik/ *adj* [*vers*] four-syllable (*épith*)
quadrithérapie /k(w)adʀiteʀapi/ *nf* Méd quadruple therapy
quadrumane /k(w)adʀyman/
A *adj* [*animal*] quadrumanous
B *nm* quadrumane; **les ~s** Quadrumana
quadrupède /k(w)adʀypɛd/ *adj, nm* quadruped
quadruple /kwadʀypl/
A *adj* [*nombre, rangée, somme*] quadruple; **~ champion de France** four times champion of France, quadruple champion of France; **il a un salaire ~ du mien** his salary is four times mine, he earns four times as much as I do; **l'objectif est ~** the aims are fourfold; **en ~ exemplaire** in four copies
B *nm* **le ~ de cette quantité** four times this amount, quadruple this amount; **le nombre des sans-abri est le ~ d'il y a 20 ans** the number of homeless people is four times what it was twenty years ago
quadruplé, **~e** /kwadʀyple/ *nm,f* quadruplet, quad
quadruplement /kwadʀypləmɑ̃/ *nm* quadrupling (**de** of)
quadrupler /kwadʀyple/ [1]
A *vtr* to quadruple
B *vi* to quadruple, to increase fourfold
quai /kɛ/ *nm* **1** Naut quay; **le navire est à ~** the ship has docked; **2** (berge aménagée) bank; **se promener sur les ~s de la Seine** to walk along the banks of the Seine; **3** (de gare, métro) platform; **attends-moi sur le ~** wait for me on the platform
(Composés) **~ de débarquement** Naut unloading dock; **~ d'embarquement** Naut loading dock; **Quai des Orfèvres** Paris police HQ; **Quai d'Orsay** French Foreign Office
quaker, **quakeresse** /kwɛkœʀ, kwɛkəʀɛs/ *nm,f* Quaker/Quakeress
quakerisme /kwɛkəʀism/ *nm* Quakerism
qualifiable /kalifjabl/ *adj* Sport [*équipe, joueur*] able to qualify (*jamais épith*)
qualificatif, **-ive** /kalifikatif, iv/
A *adj* **1** Ling [*adjectif*] qualifying; **2** Sport [*épreuve*] qualifying
B *nm* **1** Ling qualifier; **2** gén term; **il a employé des ~s peu flatteurs à mon égard** he described me in rather unflattering terms
qualification /kalifikasjɔ̃/ *nf* **1** Sport qualification (**pour** for); **un match de ~** a qualifying match *ou* game; **2** gén (compétence pratique) skills (*pl*); (diplôme) qualification; **la ~ des ouvriers s'est élevée** the level of skills among workers has risen; **on demande de hautes ~s pour cet emploi** you need good qualifications for this job; **être sans ~** to be unskilled; **3** Jur determination of the proper law
qualifié, **~e** /kalifje/
A *pp* ▸ **qualifier**
B *pp adj* **1** (compétent) [*personnel, main-d'œuvre, salarié*] skilled; (diplômé) qualified; **les jeunes non ~s** (sans diplôme) young people without qualifications; (sans compétences) young people without skills; **2** (demandant des compétences) [*emploi, poste*] skilled; **3** Jur [*vol*] aggravated
qualifier /kalifje/ [2]
A *vtr* **1** (caractériser) to describe [*personne, situation, méthode*]; **~ qn/qch de qch** to describe sb/sth as sth; **elle qualifie son œuvre de moderne** she describes her work as modern; **je ne peux ~ votre conduite!** your conduct defies description!; **comment ~ sa conduite?** how can we describe his/her behaviour[GB]?; **2** (donner la compétence à) [*travail*] to qualify [*personne*] (**pour** for); **je ne suis pas qualifiée pour vous répondre** I'm not qualified to give you an answer; **3** Sport [*victoire, but*] to qualify [*équipe, sportif*] (**pour** for); **l'équipe/la joueuse est qualifiée pour la finale** the team/player has qualified for the final; **4** Ling [*adjectif*] to qualify [*nom*]
B **se qualifier** *vpr* [*joueur, pays*] to qualify (**pour** for); **ils se sont facilement qualifiés** they qualified easily
qualitatif, **-ive** /kalitatif, iv/ *adj* [*étude, enquête*] qualitative; **contrôle ~** quality control; **sur le plan ~, en termes ~s** in terms of quality
qualitativement /kalitativmɑ̃/ *adv* qualitatively
qualité /kalite/ *nf* **1** (valeur) quality; **du cuir de bonne/mauvaise/meilleure ~** good/poor/better quality leather; **de ~** [*produit, spectacle, médecine, matériel*] quality (*épith*); **être de ~** to be of good quality; **de première ~** of the highest quality; **~ de la vie** quality of life; **2** (aptitude) quality; **avoir beaucoup de ~s** to have many qualities; **la franchise n'est pas sa ~ première** frankness isn't his greatest quality; **avoir les ~s requises** to have the necessary qualities; **avoir des ~s de dirigeant** to have leadership qualities; **ses ~s de gestionnaire** his skills as an administrator; **3** Entr, Ind quality; **système/audit de ~** quality system/audit; **gestion/assurance/maîtrise de la ~** quality management/assurance/control; **certificat de ~** certificate of quality; **service ~** quality department; **4** (statut) status; (fonction) position; **la ~ de citoyen/réfugié** the status of citizen/refugee; **sa ~ de directeur l'autorise à faire** his position as manager allows him to do; **avoir ~ pour faire** to be entitled to do; **en (sa) ~ de représentant** in his capacity as representative; **nom, prénom et ~** surname, first name and occupation; **ès ~s** ex officio; **5** (sorte) quality; **nous avons plusieurs ~s de champagne/papier** we have several qualities of champagne/paper
(Composé) **~ de l'air** Écol air quality
qualiticien, **-ienne** /kalitisjɛ̃, ɛn/ ▸ **p. 532** *nm,f* quality controller

quand /kɑ̃, kɑ̃t/

> ⚠ When traduisant *quand* conjonction ne peut pas être suivi du futur: *quand il aura terminé* = when he has finished; *quand je serai guérie, j'irai te voir* = when I'm better, I'll come and see you

A *conj* **1** (lorsque) when; ~ **il arrivera, vous lui annoncerez la nouvelle** when he gets here, you can tell him the news; **appelez-moi** ~ **la voiture sera prête** call me when the car is ready; ~ **il arriva sur place, il comprit** when he got there, he understood; ~ **il prend son poste en 1980, la situation est déjà catastrophique** when he took up his post in 1980, the situation was already catastrophic; ~ **il termine son repas, nous partons** when he has finished his meal, we're going; **tu auras ton dessert** ~ **tu auras fini ta viande** you'll have your dessert when you have finished your meat; ~ **il est fatigué et qu'il boit** when he is tired and he drinks; **cela date de** ~ **j'étais étudiante** it goes back to when I was a student, it goes back to my student days; **emporte une pomme pour** ~ **tu auras faim**○ take an apple with you in case you get hungry
2 (valeur exclamative) ~ **je pense que ma fille va avoir dix ans!** to think that my daughter's almost ten (years old)!; ~ **je vous le disais!** I told you so!
3 (toutes les fois que) whenever; ~ **elle doit prendre l'avion elle est toujours très nerveuse** whenever she has to fly she gets nervous; ~ **il pleut plus de trois jours la cave est inondée** whenever it rains for more than three days, the cellar floods; ~ **il se mettait en colère, tout le monde tremblait** everybody shook with fear whenever he got angry; ~ **il s'agit de boire un verre, il ne dit jamais non** when he's offered a drink, he never refuses it; **son attitude change** ~ **il s'agit de son fils** his attitude changes when it comes to his son; **savoir sévir** ~ **il faut** to be strict when necessary
4 (alors que) fml when; **pourquoi partir** ~ **tout nous incite à rester?** why leave when there's every reason to stay?; **tu oses te plaindre** ~ **des gens meurent de faim!** you dare to complain when there are people starving!; **elle l'a laissé tomber** ~ **elle aurait dû l'aider** she let him down when she should have helped him
5 (même si) fml even if; ~ **(bien même) la terre s'écroulerait, il continuerait à dormir** even if the earth opened up, he'd carry on GB *ou* keep on sleeping; **'tu ne vas pas faire ça?'—'et** ~ **bien même?'** 'you're not going to do that?'–'what if I do?'
B *adv* when; ~ **arrive-t-il/viendras-tu?** when does he arrive/will you come?; ~ **est-ce que tu reviens?, tu reviens** ~○**?** when are you coming back?; **je ne sais pas** ~ **elle arrivera** I don't know when she'll get here; **depuis** ~ **habitez-vous ici?** how long have you been living here?; **ça date de** ~ **cette histoire?** when did all this happen?; **de** ~ **date votre dernière réunion?** when was your last meeting?; **de** ~ **est la lettre?** what is the date on the letter?; **je me demande pour** ~ **est prévue la publication du dictionnaire** I wonder when the dictionary is due to be published?; **c'est prévu pour** ~**?** when is it scheduled for?; **c'est pour** ~ **le bébé?** when is the baby due?; **à** ~ **la semaine de 30 heures?** when will we have the 30-hour week?
C **quand même** *loc adv* **ils étaient occupés mais ils nous ont** ~ **même rendu visite** they were busy but even so they came to visit us; **ils ne veulent pas de moi, mais j'irai** ~ **même!** they don't want me, but I'll go all the same; **elle est** ~ **même bête d'avoir fait ça!** it's really stupid of her to have done that!; ~ **même, tu as vu ça?** really, did you see that?; ~ **même, tu exagères!** (tu n'es pas objectif) come on, you're exaggerating!; (tu vas trop loin) come on, that's going too far!; **tu ne vas pas faire ça** ~ **même?** you're not going to do that, are you?

quant: **quant à** /kɑ̃ta/ *loc prép* **1** (pour ce qui est de) as for; ~ **à vous/lui/Paul** as for you/him/Paul; **la France,** ~ **à elle, n'a pas pris position** as for France, it did not take a stand; ~ **au dîner/aux enfants, rien ne presse** as for dinner/the children, there's no hurry; ~ **à partir/me marier, jamais!** as for leaving/getting married, never!; ~ **à dire que** as for saying that; ~ **à moi, j'en suis sûr** personally *ou* as for me, I'm sure of it; **2** (au sujet de) about, concerning; **elle ne m'a rien dit** ~ **à l'heure de la réunion** she didn't say anything to me about what time the meeting would be *ou* concerning the time of the meeting; **il est très discret** ~ **à sa vie sentimentale** he is very discreet about *ou* when it comes to his love life

quanta* *nmpl* ▸ **quantum**

quant-à-soi /kɑ̃taswa/ *nm inv* dignity; **rester sur son** ~ to remain aloof

quantième /kɑ̃tjɛm/ *nm* Admin **préciser le** ~ **du mois** to specify which day of the month

quantifiable /kɑ̃tifjabl/ *adj* quantifiable

quantificateur /kɑ̃tifikatœʀ/ *nm* quantifier

quantification /kɑ̃tifikasjɔ̃/ *nf* quantification

quantifier /kɑ̃tifje/ [2] *vtr* **1** Écon, Math to quantify; **2** Phys to quantize

quantifieur /kɑ̃tifjœʀ/ *nm* quantifier

quantique /kɑ̃tik/ *adj* Phys quantum

quantitatif, -ive /kɑ̃titatif, iv/ *adj* quantitative

quantitativement /kɑ̃titativmɑ̃/ *adv* quantitatively

quantité /kɑ̃tite/ ▸ **p. 691** *nf* **1** (mesure) quantity (**de** of), amount (**de** of); **de grosses** ~**s** huge quantities; **en grande/petite** ~ in large/small quantities; **faire qch en** ~**s industrielles** Ind to mass-produce sth; hum to make vast quantities of sth; ~ **négligeable** lit, fig negligible quantity; **2** (grand nombre) **des** ~**s de** hosts *ou* scores of [*personnes*]; masses○ *ou* a lot of [*choses*]; **(une)** ~ **de** masses○ *ou* a lot of [*choses*]; **il y avait une** ~ **de gens incroyable** there was an incredible number of people; **en** ~ [*du pain, du vin*] in large amounts; [*des livres*] in large numbers; **il y a des fruits en** ~ **au marché** there is plenty *ou* an abundance of fruit at the market; **3** Sci, Ling, Mus quantity

quantum, *pl* **quanta*** /k(w)ɑ̃tɔm, k(w)ɑ̃tɑ/ *nm* quantum

quarantaine /kaʀɑ̃tɛn/ *nf* **1** (environ quarante) about forty; **une** ~ **de lits** about forty beds; **2** (âge) **il a la** ~ he's in his forties; **elle approche la** ~ she's getting on for forty; ▸ **cinquantaine**; **3** Méd (isolement) quarantine; **être en** ~ lit to be in quarantine; fig to be ostracized, to have been sent to Coventry GB; **mettre qn en** ~ lit to quarantine sb; fig to ostracize sb, to send sb to Coventry GB

quarante /kaʀɑ̃t/ ▸ **p. 568, p. 222** *adj inv, pron* forty; ▸ **moquer**

quarante-cinq /kaʀɑ̃tsɛ̃k/ ▸ **p. 568, p. 222** *adj inv, pron* forty-five
(Composé) ~ **tours** Mus single

quarantenaire /kaʀɑ̃tnɛʀ/ *adj* **1** (de quarante ans) forty-year (*épith*); **2** Méd quarantine (*épith*)

quarantième /kaʀɑ̃tjɛm/ ▸ **p. 568** *adj* fortieth

quark /kwaʀk/ *nm* quark

quart /kaʀ/ ▸ **p. 424** *nm* **1** (quatrième partie) quarter (**de** of); **un** ~ **d'heure** lit a quarter of an hour; **faire passer un mauvais** ~ **d'heure à qn** to give sb a hard time; **un kilo un** ~ a kilo and a quarter; **un** ~ **de siècle** a quarter century; **un** ~ **de poulet/fromage** a quarter chicken/cheese; **il possède les trois** ~**s du capital** he owns three quarters of the capital; **les trois** ~**s du temps** most of the time; **les trois** ~**s des gens** most people; **un portrait de trois** ~**s** Art a portrait in three-quarter profile; **se tenir de trois** ~**s** to stand three quarters on; **2** (bouteille) a quarter-litre[GB] bottle (**de** of); (pichet) a quarter-litre[GB] pitcher (**de** of); **3** (gobelet) beaker (of a quarter-litre[GB] capacity); **4** Naut watch; **être de** ~ to be on watch; **rendre/prendre le** ~ to hand over the/go on watch
(Composés) ~ **de cercle** quadrant; ~ **de queue** baby grand (piano); ~ **de soupir** semiquaver rest; ~ **de ton** quarter tone; ~ **de tour** lit a 90° *ou* ninety-degree turn; **faites un** ~ **de tour (sur vous-même)** turn 90° *ou* ninety degrees; **faire qch au** ~ **de tour** fig to do sth immediately; ▸ **petit, grand**

quart-de-rond, *pl* **quarts-de-rond** /kaʀdəʀɔ̃/ *nm* ovolo, quarter round

quarte /kaʀt/ *nf* **1** Mus fourth; **2** Sport (en escrime) quarte; **3** Jeux (aux cartes) quart

quarté /kaʀte/ *nm*: *betting based on forecasting the first four horses in a race*

quarteron /kaʀtəʀɔ̃/ *nm* (petit nombre) pej handful (**de** of)

quartette /kwaʀtɛt/ *nm* jazz quartet

quartier /kaʀtje/ *nm* **1** (partie d'une ville) area, district; (zone administrative) district; (zone ethnique) quarter; **un** ~ **populaire/commerçant/résidentiel** a working-class/shopping/residential area *ou* district; **le** ~ **des affaires** the business area *ou* district; **dans mon** ~ in my area; **le plan du** ~ a map of the area; **le** ~ **arabe/indien** the Arab/Indian quarter; **les beaux** ~**s** fashionable districts; **de** ~ [*commerçant, médecin, cinéma*] local; **la vie de** ~ local community life; **les gens du** ~ the locals; **êtes-vous du** ~**?** are you from around here?; **2** (portion) quarter; **un** ~ **de pommes** an apple quarter; **un** ~ **de bœuf** a quarter of beef; **un** ~ **d'orange** an orange segment; **3** Astron quarter; **premier/dernier** ~ **de la lune** the moon's first/last quarter; **4** (de noblesse) quarter; **huit** ~**s de noblesse** eight quarters of nobility; **avoir ses** ~**s de noblesse** to be of noble lineage; **5** Mil ~**s** quarters; **être consigné dans ses** ~**s** to be confined to quarters; **prendre ses** ~**s d'hiver/d'été** Mil to go into winter/summer quarters; fig to go to one's winter/summer residence; **avoir** ~ **libre** Mil to be off duty; fig to have time off *ou* free time
(Composés) ~ **général, QG** Mil, fig headquarters, HQ; ~ **de haute sécurité, QHS** Admin maximum security wing; **Quartier Latin** Quartier Latin; ~ **de selle** Équit saddle flap
(Idiome) **ne pas faire de** ~ to show no mercy, to give no quarter†

> **Quartier Latin**
> The original university area in central Paris on the left bank of the Seine.

quartier-maître, *pl* **quartiers-maîtres*** /kaʀtjemɛtʀ/ *nm* leading seaman GB, petty officer third class US

quart-monde /kaʀmɔ̃d/ *nm inv* underclass

quarto /kwaʀto/ *adv* fourthly

quartz /kwaʀts/ *nm* quartz; **à** ~ quartz (*épith*); **montre/pendule à** ~ quartz watch/clock

quartzite /kwaʀtsit/ *nm* quartzite

quasar /kazaʀ/ *nm* quasar

quasi /kazi/
A *adv* almost; ~ **immédiat/parfait** almost immediate/perfect; **le projet a été accueilli avec un enthousiasme** ~ **général** the project met with almost universal enthusiasm
B *nm* Culin ~ **(de veau)** fillet of veal
C **quasi-** (*in compounds*) ~**-monopole/indifférence** virtual monopoly/indifference; ~**-certitude** near certainty; **la** ~**-totalité de**

q

ℹ Les quantités

Dénombrables ou indénombrables?

■ *L'anglais, comme le français, distingue deux catégories de noms: ceux qui désignent des éléments pouvant se compter par unités, se dénombrer (les dénombrables), comme les pommes, les chaises etc., et ceux qui désignent des éléments toujours à l'état de masse, indénombrable en éléments séparés (les indénombrables), comme le lait ou le sable.*

■ *Comment distinguer un dénombrable d'un indénombrable? Précédés de «assez de», un dénombrable se met au pluriel (assez de pommes) et un indénombrable se met au singulier (assez de lait)* **(recette pour francophones uniquement)**. *«beaucoup», «peu» et «moins» exigent, en anglais, des traductions différentes, selon qu'ils spécifient un nom dénombrable, ou un nom indénombrable.*

		pour les dénombrables	pour les indénombrables
beaucoup de	=	a lot of *ou* lots of *ou* many*	a lot of *ou* lots of *ou* much*
peu	=	few *ou* not many	little *ou* not much
plus	=	more	more
moins	=	fewer *ou (familier)* less	less
assez	=	enough	enough

* *Attention:* not many *et* not much *s'emploient couramment, mais* many *et* much *sont peu utilisés à la forme affirmative.*

Les noms dénombrables

combien y a-t-il de pommes?
= how many apples are there?

il y a beaucoup de pommes
= there are lots of apples

■ *Noter l'absence d'équivalent anglais du français en dans les expressions suivantes:*

combien y en a-t-il ?
= how many are there?

il y en a beaucoup
= there are a lot

il n'y en a pas beaucoup
= there aren't many

il y en a deux kilos
= there are two kilos (*on peut aussi dire, dans la conversation,* there's two kilos)

il y en a vingt
= there are twenty

j'en ai vingt
= I've got twenty

A a plus de pommes que B
= A has got more apples than B

■ *Noter l'ordre des mots dans:*

quelques pommes de plus
= a few more apples

quelques personnes de plus
= a few more people

A a moins de pommes que B
= A doesn't have as many apples as B

beaucoup moins de pommes
= far fewer apples
ou not nearly as many apples

Les noms indénombrables

combien y a-t-il de lait?
= how much milk is there?

il y a beaucoup de lait
= there is a lot of milk

■ *Noter l'absence d'équivalent anglais du français en dans les expressions suivantes.*

combien y en a-t-il?
= how much is there?

il y en a beaucoup
= there is a lot

il n'y en a pas beaucoup
= there isn't much
ou there's only a little

j'en ai deux kilos
= I've got two kilos

A a plus de lait que B
= A has got more milk than B

beaucoup plus de lait
= much more milk

un peu plus de lait
= a little more milk

A a moins de lait que B
= A has got less milk than B

beaucoup moins de lait
= much less milk *ou* far less milk

un peu moins de lait
= a little less milk

Quantités relatives

combien y en a-t-il par kilo?
= how many are there to the kilo?

il y en a dix par kilo
= there are ten to the kilo

il y en a cinq pour deux euros
= you get five for two euros

■ *Pour toutes les expressions utilisées pour donner un prix par unité de mesure (longueur, poids etc.), l'anglais utilise l'article indéfini là où le français utilise l'article défini.*

combien coûte le litre?
= how much does it cost a litre?
ou how much does a litre cost?

trois euros le litre
= three euros a litre

combien coûte le kilo de pommes?
= how much do apples cost a kilo?
ou how much does a kilo of apples cost?

trois euros le kilo
= three euros a kilo

elles sont à deux euros le kilo
= they are two euros a kilo

combien coûte le mètre?
= how much does it cost a metre?

dix livres le mètre
= £10 a metre

Mais noter:

la voiture fait huit litres aux cent
= the car does 35 miles to the gallon†

combien y a-t-il de verres par bouteille?
= how many glasses are there to the bottle?

il y a six verres par bouteille
= there are six glasses to the bottle

† *En anglais, on compte la consommation d'une voiture en mesurant non pas le nombre de litres nécessaires pour parcourir 100 kilomètres, mais la distance parcourue (en miles) avec 4,54 litres (un gallon) de carburant (mpg).*
Pour convertir la consommation exprimée en litres aux 100km en mpg (miles per gallon) et vice versa il suffit de diviser 280 par le chiffre connu.

almost all of; **à la ~-unanimité** almost unanimously

quasiment○ /kazimɑ̃/ *adv* practically

Quasimodo /kazimodo/
A *npr* Littérat Quasimodo
B *nf* Relig Low Sunday

quaternaire /kwatɛʀnɛʀ/
A *adj* **1** Géol Quaternary; **2** Chimie quaternary
B *nm* Géol Quaternary

quatorze /katɔʀz/ ▸ **p. 568, p. 424, p. 222** *adj inv, pron* fourteen
(Idiomes) **chercher midi à ~ heures** to complicate matters; **c'est reparti comme en 14!** here we go again!

quatorzième /katɔʀzjɛm/ ▸ **p. 568, p. 222** *adj* fourteenth

quatrain /katʀɛ̃/ *nm* quatrain

quatre /katʀ/ ▸ **p. 568, p. 424, p. 222** *adj inv, pron, nm inv* four; ▸ **saigner, jeudi**
(Idiomes) **dire à qn ses ~ vérités** to tell sb a few home truths; **faire les ~ volontés de qn** to give in to sb's every whim; **être tiré à ~ épingles** to be dressed up to the nines○; **manger comme ~** to eat like a horse; **ne pas y aller par ~ chemins** not to beat about the bush; **ils se sont dispersés aux ~ vents** they scattered to the four winds; **je vais leur parler entre ~ yeux** *or* **quat'zyeux**○ I'm going to talk to them face to face; **monter/descendre (un escalier) ~ à ~** to go up/down the stairs four at a time; **être entre ~ planches** to be six feet under

quatre-cent-vingt-et-un /katsɑ̃vɛ̃teœ̃/ *nm inv: game of dice*

quatre-épices /katʀepis/ *nm inv* allspice

quatre-heures /katʀœʀ/ *nm inv* afternoon snack (*for children*)

quatre-mâts /katʀəma/ *nm inv* four-master

quatre-quarts /kat(ʀə)kaʀ/ *nm inv* pound cake

quatre-quatre /katʀkatʀ/ *nm inv* four-wheel drive, four-by-four, 4x4

quatre-vingt(s) /katʀəvɛ̃/ ▸ **p. 568, p. 222** *adj, pron* eighty

quatre-vingt-dix /katʀəvɛ̃dis/ ▸ **p. 568, p. 222** *adj inv, pron* ninety

quatre-vingt-dixième /katʀəvɛ̃dizjɛm/ ▸ **p. 568** *adj* ninetieth

quatre-vingtième /katʀəvɛ̃tjɛm/ ▸ **p. 568** *adj* eightieth

quatrième /katʀijɛm/ ▸ **p. 568, p. 222**
A *adj* fourth; **voulez-vous faire le ~?** (aux cartes) will you make a fourth?
B *nf* **1** Scol *third year of secondary school, age 13–14*; **2** Aut fourth gear; **passer en ~** to change *ou* go into fourth gear
(Composé) **le ~ âge** very old people
(Idiome) **faire qch en ~ vitesse**○ to do sth in double quick time○

quatrillion /katʀiljɔ̃/ ▸ **p. 568** *nm* quadrillion GB, septillion US

quatuor /kwatɥɔʀ/ *nm* (œuvre, formation) quartet; **un ~ à cordes** a string quartet

que (**qu'** *before vowel or mute h*) /kə/
A *conj* **1** (reprenant une autre conjonction) **comme tu ne veux pas venir et ~ tu ne veux pas dire pourquoi** since you refuse to come and (since you) refuse to say why; **si vous venez et ~ vous avez le temps** if you come and (if you) have the time

ℹ que

que conjonction de subordination se traduit généralement par *that*:

elle a dit qu'elle le ferait
= she said that she would do it

il est important qu'ils se rendent compte que ce n'est pas simple
= it's important that they should realize that it's not simple

On notera que *that* est souvent omis:

je pense qu'il devrait changer de métier
= I think he should change jobs

Quand *que* suit un verbe exprimant un souhait, une volonté, l'anglais utilise un infinitif:

je voudrais que tu ranges ta chambre
= I'd like you to tidy your room

elle veut qu'il fasse un stage de formation
= she wants him to do a training course

On trouvera ci-dessous quelques exemples supplémentaires mais on pourra toujours se reporter aux verbes, adjectifs et substantifs qui peuvent être suivis de *que*, comme **montrer, comprendre, apparaître, certain, évident, idée** etc. De même les locutions *ainsi que, alors que, bien que* sont traitées respectivement à **ainsi, alors, bien.** Pour les emplois de *que* avec *ne, plus, moins* etc. on se reportera à **ne, plus, moins** etc. Voir **A.**

que pronom relatif se traduit différemment selon qu'il a pour antécédent un nom de personne:

l'homme que je vois
= the man that I can see *ou* the man I can see
ou the man who I can see
ou the man whom I can see

les amis que j'ai invités
= the friends that I've invited
ou the friends I've invited
ou the friends who I have invited
ou the friends whom I have invited

(dans les deux cas ci-dessus la traduction avec *whom* appartient au registre de la langue écrite);

ou un nom de chose, concept, animal:

le chien que je vois
= the dog that I can see
ou the dog I can see
ou the dog which I can see

l'invitation que j'ai reçue
= the invitation that I received
ou the invitation I received
ou the invitation which I received

Voir **C** ci-dessous.

2▸ je crains ~ tu (ne) fasses une bêtise I'm worried (that) you might do something silly; **le fait qu'il se soit enfui prouve sa culpabilité** the fact that he has run away is proof of his guilt; **qu'il soit le meilleur, nous nous en sommes déjà rendu compte** we were already well aware that he's the best; **taisez- vous ~ j'entende ce qu'il dit** stop talking so (that) I can hear what he's saying; **approche, ~ je te regarde** come closer so I can look at you; **qu'il pleuve et toute la récolte est détruite** if it rains the harvest will be ruined; **~ vous le vouliez ou non, ~ cela vous plaise ou non** whether you like it or not; **il voudrait faire échouer le projet qu'il ne s'y prendrait pas autrement** if he wanted to ruin the project he couldn't have chosen a better way to do it; **il l'aurait fait qu'il ne voudrait pas l'admettre** even if he did do it he wouldn't admit it; **il n'était pas sitôt parti qu'elle appela la police** no sooner had he left than she called the police; **vous dormiez encore ~ j'avais déjà fait une longue promenade** you were still asleep, while I had already been for a long walk; **j'avais déjà lu 10 pages qu'il n'avait toujours pas commencé** I had already read 10 pages while he hadn't even started; **il ne se passe pas de jour qu'il ne pleuve** not a day goes by without rain *ou* when it doesn't rain; **~ tout le monde sorte!** everyone must leave!; **qu'on veuille bien m'excuser mais...** you must excuse me but...; **qu'il se taise!** I wish he would be quiet!; **que n'êtes vous-arrivés hier soir!** fml if only you'd arrived last night!; **~ ceux qui n'ont pas compris le disent** let anyone who hasn't understood say so; **qu'on le pende!** hang him!; **qu'il crève**◐**!** let him rot○!, he can rot○!; **~ j'aille le voir!** you expect me to go and see him!; **~ je leur prête ma voiture!** you expect me to lend them my car!; **~ je sache** as far as I know
3▸ ◐(à la place de l'inversion du sujet) **et alors? ~ je lui ai dit** so? I said to him; **approche! qu'il m'a dit** come closer! he says to me○

B *pron inter* what; **~ fais-tu ?** what are you doing?; **~ dire?** what can you *ou* one say?; **~ faire?** (maintenant) what shall I do?, what am I to do?; (au passé) what could I do?, what was I to do?; **~ veux-tu pour ton anniversaire?** what do you want for your birthday?; **qu'est-ce que tu en penses?** what do you think?; **je ne sais ~ dire** I don't know what to say; **je ne sais pas ce qu'il a dit** I don't know what he said; **~ sont ces traces?** what are those tracks?; **qu'est-ce que c'est que ça?** what's that?; **qu'importe?** what does it matter?

C *pron rel* **1▸** (ayant un nom de personne pour antécédent) **Pierre, ~ je n'avais pas vu depuis 20 ans, est venu me voir hier** Pierre, whom I had not seen for 20 years, came to see me yesterday; **c'est la plus belle femme ~ j'aie jamais vue** she's the most beautiful woman (that) I've ever seen
2▸ (ayant un nom de chose ou d'animal pour antécédent) **je n'aime pas la voiture ~ tu as achetée** I don't like the car (that) you've bought; **le livre qu'il a écrit juste après la guerre** the book that he wrote just after the war; **les photos ~ vous regardez ont été prises à Rome** the photographs that *ou* which you are looking at were taken in Rome; **c'est la plus belle fleur ~ j'aie jamais vue** it's the most beautiful flower (that) I've ever seen
3▸ (employé comme attribut) that; **la vieille dame qu'elle est devenue** the old lady that she has become; **énervé qu'il était il n'a pu terminer son discours** he was so worked up that he couldn't finish his speech; **de petite fille sage qu'elle était elle est devenue une petite peste** she's changed from the good little girl that she was into a real pest; **bête ~ je suis** fool that I am; **stupide ~ tu es!** you silly thing!

D *adv* **~ vous êtes jolie!** how pretty you are!; **~ c'est difficile/ennuyeux** how difficult/boring it is; **~ c'est joli** it's so pretty; **ce ~ vous êtes jolie!** you're so pretty!; **~ de monde/d'eau** what a lot of people/water; **qu'avait-il besoin de faire?** why did he have to do?; **~ ne le disais-tu plus tôt?** fml why didn't you say so earlier?; **'vous ne leur en avez pas parlé?'—'oh ~ si!'** 'haven't you spoken to them about it?'—'oh yes I have!'; **~ non!** definitely not!; **'tu en as besoin?'—'~ oui!'** 'do you need it'—'indeed I do!'; **c'était une époque turbulente ~ le XVIe siècle** what a turbulent period the 16th century was.

Québec /kebɛk/
A▸ p. 721 *nprm* **le ~** Quebec
B▸ p. 894 *npr* Quebec

québécois, ~e /kebekwa, az/
A▸ p. 721, p. 894 *adj* of Quebec
B▸ p. 483 *nm* Ling Canadian French

Québécois, ~e /kebekwa, az/ ▸ p. 721, p. 894 *nm,f* **1▸** (du Québec) (natif) native of (the province of) Quebec; (habitant) inhabitant of (the province of) Quebec; **2▸** (de Québec) (natif) native of Quebec; (habitant) inhabitant of Quebec

quechua /ketʃwa/ ▸ p. 483
A *adj* Quechuan (*épith*)
B *nm* Ling Quechua

quel, quelle /kɛl/
A *dét inter* **~s sont les pays membres de l'UE?** what are the member countries of the EU?; **je me demande quelle est la meilleure solution** I wonder what the best solution is; **de ces deux médicaments, ~ est le plus efficace?** which of these two medicines is more effective?; **de tous les employés, ~ est le plus compétent?** of all the employees, who is the most competent?

B *adj inter* **dans ~s pays as-tu vécu?** what countries have you lived in?; **~s peintres appartenaient à cette école?** what *ou* which painters belonged to this school?; **de ~ étage a-t-il sauté?** which floor did he jump from?; **de quelle couleur est ta voiture?** what colour^GB^ is your car?; **quelle heure est-il?** what time is it?; **à quelle heure le film commence-t-il?** (at) what time does the film start?; **mais ~ monstre êtes-vous donc?** what kind of monster are you?; **~ âge as-tu?** how old are you?; **si tu savais à ~ point il m'agace!** if you only knew how much he irritates me!; **tu as remarqué avec quelle méchanceté elle lui a répondu?** did you notice how snappily she answered him?; **tout le monde sait avec ~ courage vous avez accompli votre mission** everybody knows how bravely you carried out your mission

C *adj excl* what; **~ imbécile!** what an idiot!; **~ homme!** what a man!; **quelle idée bizarre!** what a weird idea!; **quelle coïncidence!** what a coincidence!; **~ bonheur (que) de les voir enfin réunis!** how delightful it is to see them together again at last!; **quelle horreur!** how dreadful!

D *adj rel* **j'accepte votre proposition, ~s qu'en soient les risques** I accept your offer whatever the risks may be; **quelles qu'aient pu être tes raisons, tu n'aurais jamais dû faire cela** whatever your reasons may have been you should never have done that; **quelle que soit la route que l'on prenne** whatever *ou* whichever road we take; **~ que soit l'hôtel où ils sont descendus** whatever *ou* whichever hotel they are staying at; **~ que soit le vainqueur** whoever the winner may be; **~ que soit l'endroit où il se sont arrêtés** wherever they stopped; **quelle que soit mon admiration pour lui** however much I admire him, much as I admire him

quelconque /kɛlkɔ̃k/
A *adj* (ordinaire) [*personne*] ordinary, nondescript; [*livre, acteur*] poor, second-rate; [*restaurant, hôtel, produit, vin*] second-rate; [*endroit, intérieur, décor*] characterless, dull; (qui manque de charme) [*personne*] ordinary-looking, plain-looking; **j'ai trouvé le film très ~** I thought the film was very poor

B *adj indéf* (n'importe lequel) any; **je doute qu'il y ait un ~ rapport entre les deux événements** I doubt that there's any link between the two events; **si tu as un problème ~, n'hésite pas à me prévenir** if you have any problem whatsoever, don't hesitate to tell me; **si pour une raison ~ il ne pouvait pas venir** if for some reason or other he couldn't come, if for any reason he couldn't come; **sous un prétexte ~** on some pretext or other; **si le livre avait un intérêt ~, je te le prêterais** if the book was in any way interesting, I would lend it to you; **est-ce que vous avez une ~ idée de combien ça peut coûter?** have you got any idea how much it costs?

quelle ▸ **quel**

ℹ quel

quel déterminant interrogatif se traduit généralement par *who* lorsque la question porte sur des personnes:

quel est ce jeune homme?
= who is that young man?

et par *what* dans les autres cas:

quelle est la capitale du Togo?
= what is the capital of Togo?

Toutefois lorsque la question porte sur un nombre de possibilités que l'on sait restreint, on utilisera *which*:

quel est le musicien français qui a composé 'le Boléro'?
= what French musician composed the 'Bolero'?

mais:

quel est le musicien français qui a composé 'le Boléro'? Debussy, Ravel ou Poulenc?
= which French musician composed 'the Bolero'? Debussy, Ravel or Poulenc?

On remarquera par ailleurs que l'inversion du sujet dans les propositions interrogatives indirectes en français n'est pas reproduite en anglais:

je me demande quel est son avis sur la question
= I wonder what his opinion on the matter is

quel adjectif interrogatif se traduit soit par *what* lorsque le contexte est vague et les possibilités infinies:

quel musicien vas-tu écouter?
= what musician are you going to listen to?

soit par *which* lorsque le contexte est spécifique et le nombre de possibilités limité:

dans quel tiroir as-tu mis la lettre?
= which drawer did you put the letter in?

On remarquera qu'en anglais, lorsque la question comporte une préposition, plusieurs cas sont possibles:

dans quel pays habite-t-elle?
= what country does she live in?
ou in what country does she live?

La première traduction est utilisée dans la langue courante, parlée ou écrite. La deuxième sera préférée dans une langue plus soutenue, surtout écrite. Voir **B** ci-contre.

Les autres fonctions de *quel* sont traitées ci-contre en **C** et **D**.

Par ailleurs certains emplois de *quel* sont traités dans les notes d'usage, notamment celles concernant **l'âge, l'heure** etc. ▸ **p. 1948**.

ℹ quelque

Remarques à propos de *quelque chose*

Dans les phrases affirmatives, *quelque chose* se traduit par *something*:

quelque chose m'a frappé
= something struck me

j'ai vu quelque chose qui va te plaire
= I saw something that you will like

Dans les phrases interrogatives et conditionnelles, l'anglais fait une distinction entre une vraie question dont la réponse peut être *oui* ou *non* ou une vraie supposition:

avez-vous quelque chose à ajouter?
= have you got anything to add?

si tu vois quelque chose de louche
= if you see anything suspicious

si quelque chose leur arrivait
= if anything happened to them

et une supposition formulée sous forme de question:

tu fais une drôle de tête, tu as quelque chose à dire?
= you don't look too pleased, have you got something to say?

ou de suggestion:

si tu as vu quelque chose que tu aimerais pour ton anniversaire
= if you have seen something that you'd like for your birthday

si quelque chose te déplaît, dis-le
= if there's something you don't like, say so.

Voir exemples supplémentaires et exceptions ci-dessous.

quelque /kɛlk/
A *adj indéf* **1** (au singulier) (dans les phrases affirmatives) some; (dans les phrases interrogatives) any; **nous avons eu ~ difficulté à nous comprendre** we had some difficulty in understanding each other; **j'ai eu ~ peine à le convaincre** I had some trouble persuading him; **il sera probablement allé voir ~ ami** he's probably gone to see some friend of his; **il trouvera bien ~ autre moyen d'y parvenir** he's sure to find some other way of managing it; **il y a ~ temps** some time ago; **depuis ~ temps il est déprimé** for some time he has been depressed; **il y aurait ~ contradiction à dire que** it would be somewhat contradictory to say that; **si pour ~ raison que ce soit tu ne pouvais pas venir** if for whatever reason you were unable to come; **~ décision que tu prennes** whatever decision you come to; **de ~ côté que nous allions** whichever way we go
2 (au pluriel) (dans les phrases affirmatives) some, a few; (dans les phrases interrogatives) any; **~s jours/chaises/étudiants** some *ou* a few days/chairs/students; **je voudrais ajouter ~s mots** I'd like to add a few words; **~s instants** a few moments; **la police a dispersé les ~s manifestants qui restaient** the police dispersed the few remaining demonstrators; **est-ce qu'il vous reste ~s cartons?** do you have any boxes left?; **ça dure trois heures et ~s** it lasts over three hours
B *adv* **1** (environ) **les ~ deux mille spectateurs** the two thousand odd spectators, the two thousand or so spectators; **il y a ~ 20 ans de cela** it was about 20 years ago; **ça lui a coûté ~ 300 euros** it cost him about 300 euros; **ils étaient ~ deux cents hommes** they numbered some two hundred men
2 (si) however; **~ compétents qu'ils soient** however competent they may be; **~ admirable que soit son attitude** however admirable his attitude may be
C quelque chose *pron indéf inv* (affirmatives) something; **vous mangerez/boirez bien ~ chose?** you'll eat/drink something won't you?; **vous avez fait tomber ~ chose** you've knocked something over; **elle lui a offert un petit ~ chose** she gave him a little something; **il faut faire ~ chose!** we've got to do something!; **il y a ~ chose qui ne va pas** something's wrong; **~ chose me dit que** something tells me that; **ils y sont pour ~ chose** they've got something to do with it; **il se passe ~ chose** there's something going on; **il leur est peut-être arrivé ~ chose** maybe something's happened to them; **elle est restée ~ chose comme trois heures** she stayed for something like *ou* for about three hours; **il me reste ~ chose comme 200 euros** I've got about 200 euros left; **~ chose d'autre** something else; **~ chose de mieux/de moins cher** something better/cheaper; **il m'a dit ~ chose d'incroyable** he told me something amazing; **il y a ~ chose d'inquiétant chez elle, elle a ~ chose d'inquiétant** there's something strange about her; **il y aurait ~ chose d'absurde à refuser sa proposition** it would be ridiculous to turn down his offer; **il boit, c'est ~ chose d'inimaginable!** he drinks such a lot, it's unbelievable!; **il a ~ chose de son grand-père** he's got a look of his grandfather about him; **faire ~ chose à qn** [*événement, substance*] to have an effect on sb; **il y a ~ chose comme vent aujourd'hui**○**!** there's quite a wind blowing today!; **il y avait ~ chose comme monde en ville**○ there was quite a crowd in town; **c'est ~ chose! tu es toujours en retard!** for crying out loud! you're always late; **en ce temps-là, être instituteur, c'était ~ chose** in those days it was quite something to be a primary school teacher; **leur faire ranger leur chambre, c'est ~ chose!** getting them to tidy their room is quite an operation!; **c'est déjà ~ chose!** that's something at least!; **ça me dit ~ chose** it reminds me of something, it rings a bell
D quelque part *loc adv* somewhere; **ils sont ~ part en Autriche** they're somewhere in Austria; **il lui a mis son pied ~ part**○ euph he gave him a kick in the behind; **tu n'aurais pas vu mes clés ~ part?** you haven't seen my keys anywhere, have you?
E quelque peu *loc adv* somewhat; **ma remarque l'a ~ peu décontenancé** he was somewhat taken aback by my remark; **il était ~ peu surpris/gêné** he was somewhat surprised/embarrassed; **il a accepté après avoir ~ peu hésité** he accepted after some hesitation

quelquefois /kɛlkəfwa/ *adv* sometimes

quelques-uns, -unes /kɛlkəzœ̃, yn/ *pron indéf pl* some, a few; **la plupart des tableaux ont brûlé mais ils ont réussi à en sauver ~** most of the paintings were burned but they managed to save some *ou* a few; **parmi tous les soldats, seuls ~ ont survécu** of all the soldiers, only a few survived; **l'artiste présentera quelques-unes de ses œuvres** the artist will present some *ou* a few of his/her works

quelqu'un /kɛlkœ̃/ *pron indéf* **1** (dans les phrases affirmatives) someone, somebody; **~ d'autre** somebody else, someone else; **c'est ~ de très doué/de compétent** he/she is very gifted/competent; **un jour, il deviendra ~** one day, he'll be somebody; **cette fille-là, c'est ~!** that girl isn't just anybody; **2** (dans les phrases interrogatives et conditionnelles) **il y a ~?** is there anybody here?; **le téléphone sonne, est-ce que ~ pourrait répondre?** the telephone is ringing, could somebody answer?; **si ~ téléphone pendant mon absence** if anybody phones while I'm out

quémander /kemɑ̃de/ [1] *vtr* to beg; **~ qch auprès de qn** to beg sth from sb, to beg sb for sth

quémandeur, -euse /kemɑ̃dœʀ, øz/ *nm,f* pej scrounger○ péj

qu'en-dira-t-on /kɑ̃diʀatɔ̃/ *nm inv* gossip; **je me moque du ~** I don't care what people say; **sans souci du ~** heedless of what people might say

quenelle /kənɛl/ *nf*: *dumpling made of flour and egg, flavoured*[GB] *with meat or fish*

quenotte○ /kənɔt/ *nf* baby talk toothy-peg○ GB lang enfantin, tooth

q

quelqu'un

Dans les phrases affirmatives, *quelqu'un* se traduit par *someone* ou *somebody*:

quelqu'un m'a dit qu'elle était malade
= someone told me she was ill

j'ai rencontré quelqu'un qui te connaissait
= I met someone who knew you

Dans les phrases interrogatives et conditionnelles, l'anglais fait une distinction entre une vraie question dont la réponse peut être *oui* ou *non* ou une vraie supposition:

est-ce que quelqu'un parle grec?
= does anybody speak Greek?

est-ce que quelqu'un a vu mes clés?
= has anybody seen my keys?

est-ce que quelqu'un connaît la réponse?
= does anyone know the answer?

si quelqu'un téléphone, dites que je serai absent jusqu'à demain
= if anyone calls, say that I'll be away until tomorrow

si quelqu'un touche à mon ordinateur, il sera puni
= if anyone touches my computer, they'll be punished

et une supposition, un soupçon formulé sous forme de question:

est-ce que quelqu'un a touché à mon ordinateur?
= has somebody been playing with my computer?

est-ce que quelqu'un t'a donné la réponse?
= did someone give you the answer?

ou bien une requête ou une offre polie:

est-ce que quelqu'un pourrait fermer la fenêtre?
= could somebody close the window?

est-ce que quelqu'un veut encore du gâteau?
= would somebody like another piece of cake?

si quelqu'un voulait bien ouvrir la porte au chien
= if someone would please let the dog in

Dans les deux derniers cas, la réponse attendue est *oui*.

Voir exemples supplémentaires et exceptions dans l'entrée **quelqu'un.**

quenouille /kənuj/ *nf* distaff
(Idiome) **tomber en ~** to die out

quéquette○ /kekɛt/ *nf* baby talk willy○ GB, weenie○ US

querelle /kəʀɛl/ *nf* **1** (dispute) quarrel (**entre** between); (chamaillerie) squabble; **~ de famille** family quarrel; **chercher ~ à qn** to pick a quarrel with sb; **~s intestines** internal squabbling; **2** (débat) dispute; **la ~ sur les nationalisations** the dispute over nationalization
(Composés) **~ d'Allemand** quarrel about nothing; **~ d'amoureux** lovers' tiff; **~ de clocher** parish-pump quarrel

quereller /kəʀele/ [1]
A †*vtr* (gronder) to tell [sb] off
B se quereller *vpr* to quarrel (**à propos de, au sujet de** about, over)

querelleur, -euse /kəʀɛlœʀ, øz/ *adj* quarrelsome

quérir† /keʀiʀ/ [35] *vtr* liter **aller ~ qn/qch** to fetch sb/sth; **envoyer ~ qn/qch** to send for sb/sth

questeur /kɛstœʀ/ *nm* **1** Antiq quaestor; **2** Admin *member of a parliamentary assembly responsible for internal finances and administration*

question /kɛstjɔ̃/ *nf* **1** (interrogation) question (**sur** about); **répondre à/poser une ~** to answer/ask a question; **répondre à la ~ de qn** to answer sb's question; **poser une ~ à qn** to ask sb a question; **c'est une très bonne ~ et je vous remercie de l'avoir posée** it's a very good question and I am very glad you asked; **les ~s posées à l'examen** the questions asked in the exam; **cette** *or* **quelle ~!** what a question!; **je ne me suis jamais posé la ~** I've never really thought about it; **je me posais justement la ~** I was just wondering about that; **je ne sais pas, pose-leur la ~** I don't know, ask them; **je me pose des ~s sur** I'm wondering about; **sans se poser de ~s** unthinkingly
2 (sujet) matter, question; (ensemble de problèmes) issue, question; **c'est une ~ de temps/goût/bon sens** it's a matter *ou* question of time/taste /common sense; **~ d'habitude!** it's a matter of habit; **c'est une ~ de vie ou de mort** it's a matter of life and death; **il en fait une ~ de principe** he's making an issue of it; **la ~ (du) nucléaire/de la drogue** the nuclear/drug issue *ou* question; **la ~ n'est pas de savoir qui/comment/si** the question is not who/how/whether; **en ~** (dont il s'agit) in question; (qui pose problème) at issue; **(re)mettre en ~** (réexaminer) to reappraise; (repenser) to reassess; **remise en ~** (réexamen) reappraisal; (critique) reassessment; **se remettre en ~** to take a new look at oneself; **là n'est pas la ~, la ~ n'est pas là** that's not the point; **les ~s à l'ordre du jour** the items on the agenda; **il est bien ~ de ça!** iron of course! iron; **il est ~ d'elle dans l'article** she's mentioned in the article; **il est ~ qu'il prenne sa retraite** there's some talk of him retiring; **un film où il est ~ de l'environnement** a film about the environment; **ce dont il est ~ dans mon article** what my article is about; **de quoi sera-t-il ~ dans votre livre?** what will your book be about?; **il n'est pas ~ que tu partes** (à un invité) you can't possibly leave; **il est hors de ~ d'accepter/que vous acceptiez** to accept/for you to accept is out of the question; **c'est tout à fait hors de ~!** that's absolutely out of the question!; **pas ~!** no way○!
3 ○(pour ce qui est de) **~ argent/santé, ça va** where money/health is concerned, things are OK; **la maison est jolie, mais ~ quartier...** the house is pretty, but as for the area...
4 Hist (torture) question; **soumettre qn à la ~** to put sb to the question
(Composés) **~ de confiance** Pol vote of confidence; **poser la ~ de confiance** to call for a vote of confidence; **~ écrite** Pol written question (*by French deputy to minister*); **~ fermée** yes/no question; **~ orale** Pol oral question (*written by French deputy to minister, who answers orally*); **~ orale avec/sans débat** oral question with/without subsequent debate (*with other deputies*); **~ orientée** leading question; **~ ouverte** open-ended question; **~ piège** trick question; **~ préalable** Pol preliminary question; **~ subsidiaire** tiebreaker; **~s d'actualité**† Pol = **~s au gouvernement**; **~s au gouvernement** Pol questions to ministers in parliament
(Idiome) **faire les ~s et les réponses** to do all the talking

questionnaire /kɛstjɔnɛʀ/ *nm* questionnaire

questionnement /kɛstjɔnmɑ̃/ *nm* questioning ⊄

questionner /kɛstjɔne/ [1] *vtr* to question

questure /kɛstyʀ/ *nf* **1** Antiq quaestorship; **2** Admin *financial and administrative duties in a parliamentary assembly*

quête /kɛt/ *nf* **1** (d'aumônes) collection; **faire la ~** (à l'église) to take the collection; [*saltimbanque*] to pass the hat round GB *ou* around US; (pour une œuvre) to collect for charity; **2** (recherche) search (**de** for); **sa ~ de justice** his search for justice; **en ~ de nouvelles** in search of news; **être/se mettre en ~ de qch** to be/go looking for sth; **la ~ du Graal** liter the quest for the Holy Grail

quêter /kete/ [1]
A *vtr* to look for, to seek [*approbation, pitié, soutien*]; to try to get [*sourire*]; to fish for [*compliment*]; to canvass for [*suffrages*]
B *vi* (à l'église) to take the collection; (pour une cause) **~ pour une œuvre/pour les réfugiés** to collect for a charity/for the refugees

quêteur, -euse /kɛtœʀ, øz/ *nm,f* collector

quetsche /kwɛtʃ/ *nf* (sweet purple) plum

queue /kø/ *nf* **1** Zool tail; **2** Bot (de feuille, fleur) stem; (de cerise, pomme) stalk GB, stem US; (de fraise) hull; **3** (manche) (de casserole, poêle) handle; **4** (de billard) cue; **5** (partie terminale) (d'animal, avion, de cerf-volant) tail; (de cortège, procession) tail(-end); (de train) rear, back; **les wagons de ~** the rear carriages GB *ou* cars US; **monter en ~ de train** to get on at the rear *ou* back of the train; **6** (dans un classement) **~ de classe** bottom of the class; **ce pays est en ~ des pays industrialisés** this country is lagging behind other industrialized nations, this country is at the bottom of the league of industrialized nations ; **ils arrivent en ~ de peloton des grandes entreprises européennes** they come at the bottom of the league table of European companies; **7** (file d'attente) queue GB, line US; **faire la ~** to stand in a queue GB, to stand in line US; **se mettre à la ~** to join the queue GB, to get in line US; **à la ~!** go to the back of the queue GB *ou* line US; **il y avait 200 mètres de ~** there was a 200-metre[GB] queue GB *ou* line US; **j'ai fait deux heures de ~** I queued GB *or* stood in line US for two hours; **8** Mode (traîne) train; **9** ●(pénis) cock●, prick●
(Idiomes) **une histoire sans ~ ni tête** a cock and bull story; **ce film n'a ni ~ ni tête** you can't make head or tail of this film; **la ~ basse** *or* **entre les jambes**○ with one's tail between one's legs; **il n'y en avait pas la ~ d'un(e)**○ there were none to be seen, there wasn't a trace of one; **faire une ~ de poisson à qn** Aut to cut in front of sb; **finir** *or* **se terminer en ~ de poisson** to fizzle out, to peter out

queue-d'aronde, *pl* **queues-d'aronde** /kødaʀɔ̃d/ *nf* dovetail; **assemblage à ~** dovetailing

queue-de-cheval, *pl* **queues-de-cheval** /kødʃəval/ *nf* ponytail; **elle se fait une ~** she puts her hair in a ponytail

queue-de-morue, *pl* **queues-de-morue** /kødmɔʀy/ *nf* paintbrush

queue-de-pie○, *pl* **queues-de-pie** /kødpi/ *nf* tails (*pl*), tailcoat

queue-de-rat, *pl* **queues-de-rat** /kødʀa/ *nf* rat-tail file

queuter○ /køte/ [1] *vi* (échouer) to fail

queux† /kø/ *nm inv* **maître ~** chef

qui /ki/
A *pron inter* (fonction sujet) who; (fonction complément) whom; **~ a fait ça?** who did that?; **~ ça?** who's that?; **~ va là?** who goes there?; **~ veut-elle voir?** who does she want to speak to?; **à ~ sont ces chaussures?** whose shoes are these?; **de ~ est ce roman?** who is this novel by?; **faites-moi savoir ~ vous désirez rencontrer** let me know who you wish to meet; **dis-moi à ~ tu penses** tell me who you are thinking about; **dites-moi avec ~ vous voulez un rendez-vous** tell me who you want an appointment with; **sais-tu à ~ sont ces lunettes?** do you know whose glasses these are?
B *pron rel* **1** (fonction sujet) (l'antécédent est un nom de personne) who; (autres cas) that, which; **le gouvernement qui a été formé par** the government (which was) formed by; **le chien, qui m'avait reconnu, s'approcha de moi** the dog,

qui

qui, pronom interrogatif sujet, se traduit par who:

qui est-ce?
= who is it?

qui a cassé la vitre?
= who broke the window?

qui vous a reçu?
= who met you?

qui, pronom interrogatif dans des fonctions autres que sujet, se traduit par *who* ou *whom*:

qui avez-vous rencontré?
= who did you meet?
ou whom did you meet?

qui vas-tu inviter?
= who are you going to invite?
ou whom are you going to invite?

La traduction avec *whom* appartient au registre de la langue écrite.

Lorsque le pronom interrogatif est utilisé avec une préposition, deux cas sont possibles:

avec qui voulez-vous un rendez-vous?
= who do you want an appointment with?
ou with whom do you want an appointment?

pour qui as-tu acheté cette montre?
= who did you buy that watch for?
ou for whom did you buy that watch?

Voir la remarque ci-dessus concernant *whom*. Voir exemples supplémentaires et exceptions en **A** dans l'entrée.

qui, pronom relatif sujet, se traduit par *who* lorsqu'il remplace un nom de personne:

je remercie ceux qui m'ont aidé
= my thanks to those who helped me

j'ai rencontré Pierre qui m'a parlé de toi
= I met Pierre who talked to me about you

et par *that* ou *which* (ce dernier étant plus spécifique à l'anglais britannique) dans la plupart des autres cas:

le vase qui était sur la table
= the vase that (*ou* which) was on the table

une idée qui n'était pas mauvaise
= an idea that (*ou* which) wasn't bad

un chien qui avait l'air affamé
= a dog that (*ou* which) looked hungry

Voir exemples supplémentaires et exceptions en **B1**.

qui, pronom relatif ayant une fonction autre que sujet et remplaçant un nom de personne, se traduit par *that*, *who* ou *whom*, cette dernière traduction étant du domaine de la langue écrite:

un ami en qui je peux avoir confiance
= a friend that I can trust
ou a friend who I can trust
ou a friend whom I can trust
ou (*le pronom relatif peut parfois s'omettre en anglais*)
a friend I can trust

which recognized me, came up to me; **lui ~ s'intéresse aux armes à feu devrait aimer cette exposition** since he is so interested in firearms he should enjoy this exhibition; **toi qui pensais faire des économies!** you were the one who thought you were going to save money!; **celui ~ a pris le livre aurait pu le dire** whoever took the book could have said so; **ceux ~ n'ont pas fini pourront revenir demain** those who haven't finished can come back tomorrow; **que ceux ~ ne sont pas d'accord lèvent le doigt** let anyone who doesn't agree raise their hand; **il y a quelqu'un ~ veut vous parler** there's someone here who wants to speak to you; **est-ce vous ~ venez d'appeler?** was it you who called just now?; **un homme apparut ~ portait un chapeau** a man appeared, wearing a hat
2▸ (fonction autre que sujet) **invitez ~ vous voulez** invite whoever *ou* anyone you like; **viens avec ~ tu veux** come with whoever you want; **j'ai vu ~ tu sais** I saw you know who; **c'est à ~ des deux criera le plus fort** each (one) is trying to shout louder than the other; **quelqu'un en ~ j'ai confiance** someone I trust; **quelqu'un sans ~ on ne peut rien (faire)** someone without whom one can do nothing; **ce ~ me plaît chez lui c'est son sens de l'humour** what I like about him is his sense of humour[GB]; **je suis allé à la poste ce ~ m'a pris un quart d'heure** I went to the post office which took me a quarter of an hour
3▸ ~ que vous soyez whoever you are; **~ que ce soit** whoever it is, anybody; **je n'ai jamais frappé ~ que ce soit** I've never hit anybody; **~ que ce soit ~ a fait cela** whoever (it was who) did that; **~ que ce soit, je ne suis pas là** I'm not here for anybody
4▸ fml **les enfants étaient déguisés ~ en indien, ~ en pirate, ~ en prince** the children were dressed up, one as an Indian, one as a pirate, one as a prince

quia: **à quia** /akɥija/ *loc adv* liter **être (réduit) à ~** to be left speechless

quiche /kiʃ/ *nf* quiche, flan
(Composé) **~ lorraine** egg and bacon quiche

quick /kwik/ *nm* tennis quick®, macadam

quiconque /kikɔ̃k/
A *pron rel* whoever, anyone who; **une brochure sera envoyée à ~ en fera la demande** a brochure will be sent to whoever requests one *ou* anyone who requests one; **le règlement interdit à ~ de fumer dans le bâtiment** the regulations forbid smoking in the building; **~ refusera d'obéir sera sanctionné** whoever refuses *ou* anyone who refuses to obey will be punished
B *pron indéf* anyone, anybody; **il le fait mieux que ~** he does it better than anybody (else)

quidam○ /kidam/ *nm* hum individual

quiet†, quiète /kjɛ, ɛt/ *adj* calm

quiétisme /kjetism/ *nm* Quietism

quiétiste /kjetist/ *adj, nmf* Quietist

quiétude /kjetyd/ *nf* tranquillity[GB] (**de** of); **travailler en toute ~** to work undisturbed; **partez en toute ~, je m'occupe des chats** don't worry about a thing, I'll look after the cats while you're away

quignon /kiɲɔ̃/ *nm* crusty end (of a loaf)

quille /kij/ *nf* **1▸** ▸ p. 469 (objet) skittle; **jouer aux ~s** to play skittles; **2▸** Naut keel; **3▸** ○soldiers' slang end of military service; **4▸** ○(jambe) leg
(Idiome) **être reçu comme un chien dans un jeu de ~s** to be given a very unfriendly welcome

quincaillerie* /kɛ̃kajʀi/ *nf* **1▸** (magasin) hardware shop GB *ou* store US, ironmonger's GB; **2▸** (articles) hardware; (industrie) hardware business; **3▸** ○(bijoux) junk jewellery GB *ou* jewelry US

quincaillier, -ère /kɛ̃kaje, ɛʀ/ ▸ p. 532 *nm,f* owner of a hardware shop GB *ou* store US, ironmonger GB

quinconce /kɛ̃kɔ̃s/ *nm* **en ~** [*arbres, boutons*] in staggered rows

quinine /kinin/ *nf* quinine

quinqua○ /kɛ̃ka/ *nmf* fifty-something○

quinquagénaire /kɛ̃kaʒenɛʀ/
A *adj* **être ~** to be in one's fifties
B *nmf* person in his/her fifties

quinquagésime /kɛ̃kaʒezim/ *nf* Quinquagesima

quinquennal, ~e, *mpl* **-aux** /kɛ̃kenal, o/ *adj* **1▸** (de cinq ans) [*plan*] five-year (*épith*); **2▸** (tous les cinq ans) five-yearly (*épith*)

quinquennat /kɛ̃kena/ *nm* **1▸** (plan) five-year plan; **2▸** (mandat) five-year mandate, five-year term

quinquet /kɛ̃kɛ/ *nm* **1▸** (lampe) oil lamp; **2▸** †(œil) eye; **ouvre tes ~s** open your peepers○ *ou* eyes

quinquina /kɛ̃kina/ *nm* Bot **1▸** (arbre) cinchona; **2▸** (écorce) cinchona-bark; **3▸** (vin) *wine flavoured*[GB] *with cinchona bark*

quintal, *pl* **-aux** /kɛ̃tal, o/ ▸ p. 646 *nm* quintal, one hundred kilos

quinte /kɛ̃t/ *nf* **1▸** Mus fifth; **2▸** Jeux (aux cartes) quint; **~ royale** royal flush; **3▸** Sport (en escrime) quinte; **4▸** Méd **une ~ (de toux)** a coughing fit

Quinte-Curce /kɥɛ̃tkyʀs/ *npr* Curtius

quintessence /kɛ̃tesɑ̃s/ *nf* aussi Philos quintessence (**de** of)

quintette /kɛ̃tɛt/ *nm* (œuvre, formation) quintet; **~ à cordes** string quintet

quintillion /k(ɥ)ɛ̃tiljɔ̃/ ▸ p. 568 *nm* quintillion GB, nonillion US

quintuple /kɛ̃typl/
A *adj* [*nombre, rangée*] quintuple; **une somme ~ d'une autre** an amount five times more than another; **en ~ exemplaire** in five copies
B *nm* **le ~ de cette quantité** five times the amount; **leur mise leur a rapporté le ~** they got five times their bet back

quintuplé, ~e /kɛ̃typle/ *nm,f* quintuplet, quin GB, quint US

quintupler /kɛ̃typle/ [1]
A *vtr* to quintuple
B *vi* to quintuple, to increase fivefold

quinzaine /kɛ̃zɛn/ *nf* **1▸** (environ quinze) about fifteen; ▸ **cinquantaine 1**; **2▸** (deux semaines) fortnight GB, two weeks; **la première/deuxième ~ de mars** the first/second half of March; **~ commerciale** two-week sale; **~ littéraire** two-week book promotion; **~ tchèque/anglaise** two-week promotion of Czech/English goods

quinze /kɛ̃z/ ▸ p. 568, p. 424, p. 222
A *adj inv* fifteen; **~ jours** two weeks, a fortnight GB; **téléphone-moi dans ~ jours** call me in two weeks *ou* a fortnight GB; **je pars mardi en ~** I'm leaving two weeks on GB *ou* from US Tuesday; **tous les ~ jours** every fortnight GB *ou* two weeks
B *pron* fifteen

quinzième /kɛ̃zjɛm/ ▸ p. 568, p. 222 *adj* fifteenth

quinzomadaire○ /kɛ̃zomadɛʀ/ *nm* fortnightly magazine

quiproquo /kipʀɔko/ *nm* (sur des personnes) case of mistaken identity; (sur choses) misunderstanding

Quito /kito/ ▸ p. 894 *npr* Quito

quittance /kitɑ̃s/ *nf* (reçu) receipt; (facture) bill; **~ de loyer/d'électricité** rent/electricity receipt

quitte /kit/
A *adj* **1▸** (sans dette) **nous sommes ~s, je suis ~ avec lui** lit, fig we're quits; **tenir qn ~ d'une dette/promesse** to release sb from a debt/promise; **2▸ en être ~ pour la peur/un rhume** to get off with a fright/a cold; **il en est ~ à bon compte** he has got off lightly
B **quitte à** *loc prép* **1▸** (au risque de) **nous voulons un barrage, ~ à inonder quelques fermes** we want a dam even if it means flooding a few farms; **j'ai décidé de vendre ma voiture, ~ à en racheter une plus tard** I've

q

decided to sell my car, I can always buy another one later; **2** (tant qu'à) **~ à aller à Londres, autant** *or* **il vaut mieux** *or* **au moins que ce soit pour quelques jours** if you're going to London anyway, you might as well go for a few days; **~ à se mettre en grève, au moins que ce soit pour de bon** if you're going to go on strike, you might as well do it properly

(Composé) **~ ou double** it's double or quits; **jouer à ~ ou double** to play double or quits

quitter /kite/ [1]

A *vtr* **1** (sortir de) [*personne*] to leave [*endroit, pays, ville, bureau, chaussée*]; **il a quitté son domicile à 8 h** he left his house at 8; **elle ne quitte plus sa chambre/son lit** she doesn't leave her bedroom/bed any more; **~ l'école à 16 ans** to leave school at 16; **il faut ~ la nationale 7 à Valence** you have to come off the nationale 7 at Valence; **2** (se séparer de) [*personne*] to leave [*personne, famille*]; **il nous a quittés vers 22 h** he left us at about 10 pm; **sa femme l'a quitté il y a un an** his wife left him a year ago; **il faut que je vous quitte, j'ai une réunion** I must go now, I have a meeting; **3** (abandonner) [*personne*] to leave [*travail, poste*]; to leave [*service, parti, organisation, entreprise*]; **j'ai quitté mon emploi de serveur** I left my job as a waiter; **~ le confort de qch** to leave the comforts of sth; **~ le monde des affaires** to leave the world of business; **~ l'enseignement** to give up teaching; **~ la politique** to retire from *ou* to give up politics; **~ la scène** fig [*acteur*] to give up acting; **tout en cuisinant, elle ne quittait pas ses enfants des yeux** while cooking, she didn't let the children out of her sight; **il ne l'a pas quittée des yeux de tout le repas** he didn't take his eyes off her throughout the meal; **ne quittez pas** (au téléphone) hold the line, please; **4** (déménager) [*personne*] to leave [*lieu*]; [*entreprise*] to move from [*rue*]; to move out of [*bâtiment*]; **l'ambassade quitte la place Vendôme** the embassy is moving from the place Vendôme; **5** (laisser en mourant) euph **un grand homme nous a quittés** a great man has passed away euph; **quand je vous aurai quittés...** when I've gone...; **6** (enlever) [*personne*] to take off [*vêtement, chapeau*]; **~ le deuil** to come out of mourning; **7** Ordinat to quit [*application, programme*]

B se quitter *vpr* (se séparer) [*personnes*] to part; **nous nous sommes quittés bons amis/très fâchés** we parted the best of friends/on angry terms; **ils ne se quittent plus** they're inseparable now. ► **navire**

quitus /kitys/ *nm inv* auditor's certificate of correct record

(Composé) **~ fiscal** ≈ tax certificate

qui-vive /kiviv/

A *nm inv* **être sur le ~** to be on the alert

B *excl* Mil **~?** who goes there?

quoi /kwa/

A *pron inter* **1** (dans une interrogation directe) what; **~? je n'ai pas entendu** what? I didn't hear; **à ~ penses-tu?** what are you thinking about?; **avec ~ peut-on abattre ce mur?** what can we knock this wall down with?; **à ~ bon?** what's the point?; **à ~ bon recommencer?** what's the point of starting again?; **en ~ suis-je responsable?** in what way *ou* how am I responsible?; **par ~ voulez-vous commencer?** (à table) what would you like to start with?; (tâche, travail) where would you like to start?; **pour ~ faire?** what for?; **je veux bien le rencontrer mais pour lui dire ~?** I don't mind meeting him but what shall I say to him?; **~ de neuf?** what's new?; **~ encore?** what now?; **~ de plus beau/difficile (que...)?** what could be more beautiful/difficult (than...)?; **de ~ (de ~)**○**?** what?; **~ d'étonnant si leurs enfants sont comme ça** it's hardly surprising that their children are like that; **c'est ~ ça là-bas**○**?** what's that over there?; **~ d'autre?** what else?

B *pron rel* **1** **il n'y a rien sur ~ vous puissiez fonder vos accusations** there's nothing on which you can base your accusations; **voilà sur ~ je fonde mes accusations** that's what I base my accusations on; **il prétend tout savoir, ce en ~ il se trompe** he claims he knows everything, which is where he's wrong; **il se moque de tout ce en ~ elle croit** he laughs at everything she believes in; **ce en ~ il avait raison** and he was quite right; **ce à ~ vous pensez** what you are thinking about; **à ~ il a répondu** to which he replied; **après ~ ils sont partis** after which they left; **ce contre ~ ils se battent** what they are fighting against; **de ~ nous pouvons conclure que** from this we can conclude that; **(il n'y a) pas de ~!** (formule de politesse) think nothing of it, my pleasure, don't mention it; **il n'y a pas de ~ se fâcher/crier** there's no reason to get angry/to shout; **il n'a (même) pas de ~ s'acheter un livre** he hasn't (even) got enough money to buy a book; **emporte de ~ lire** take something to read with you; **il a de ~**○ (de l'argent) he's got plenty of money; **il a de ~ être satisfait** he's got good reason to be satisfied; **'tu ne devrais pas t'inquiéter'—'il y a de ~'** 'you shouldn't worry'—'I've got good reason'; **dis-moi à ~ tu penses** tell me what you are thinking about; **dis-nous avec ~ tu as payé cette voiture** tell us how you paid for this car **2** **~ qu'elle puisse en dire** whatever she may say; **~ qu'il ait pu faire dans sa jeunesse** whatever he may have done in his youth; **~ qu'il arrive** whatever happens; **si je peux faire ~ que ce soit pour vous aider** if I can do anything to help you; **je ne m'étonne plus de ~ que ce soit** nothing surprises me any more; **~ que ce soit, dis-le-moi** whatever it is, tell me; **~ que ce soit qu'il ait dit** whatever he said; **~ qu'il en soit** be that as it may; **~ qu'il en ait** fml in spite of his wishes to the contrary

C *excl* what; **alors, ~!** what then!; **ou ~!** or what!; **tu rentres ou ~!** so, are you coming in, or what?; **il est prétentieux, stupide, agaçant, pas du tout intéressant ~!** he's pretentious, stupid, irritating, in short he's pretty uninteresting

quoique (**quoiqu'** *before vowel or mute h*) /kwak(ə)/ *conj* although, though; **nous sommes mieux ici qu'à Paris, ~** we're better off here than in Paris, but then (again); **quoiqu'il soit malade, il travaille beaucoup** although he's ill GB *ou* sick US, he's doing a lot of work; **~ pauvre, elle est généreuse** although she's poor she is generous, she's generous although *ou* though poor; **il joue un rôle important, ~ discret** he plays an important, though discreet, role; **j'irai avec toi..., ~, c'est assez loin** I'll come with you...it's quite a long way though

quolibet /kɔlibɛ/ *nm* gibe GB, jibe US

quorum /kɔʀɔm/ *nm* quorum

quota /kɔta/ *nm* quota (**sur** on); **~ d'exportation/de production** export/production quota; **les ~s laitiers** milk quotas

quote-part, *pl* **quotes-parts*** /kɔtpaʀ/ *nf* share; **payer sa ~** to pay one's share

quotidien, -ienne /kɔtidjɛ̃, ɛn/

A *adj* (de chaque jour) daily; (ordinaire) everyday (*épith*); **les dépenses/tâches quotidiennes** daily expenses/tasks; **un problème de la vie quotidienne** an everyday problem; **le temps de travail ~** the working day

B *nm* **1** Presse daily (paper); **un grand ~ national** a national daily; **2** (vie quotidienne) everyday life; **'L'Inde au ~'** 'everyday life in India'; **vivre le racisme/la pauvreté au ~** to experience racism/poverty everyday

quotidiennement /kɔtidjɛnmɑ̃/ *adv* every day, daily; **les transactions sont effectuées ~** transactions are carried out every day

quotidienneté /kɔtidjɛnte/ *nf* everyday nature (**de** of)

quotient /kɔsjɑ̃/ *nm* Math quotient

(Composés) **~ électoral** Pol electoral quota; **~ familial** Fisc dependents' allowance (*in assessing tax liability*); **~ intellectuel** intelligence quotient; **~ respiratoire** respiratory quotient

quotité /kɔtite/ *nf* share; **~ disponible** disposable share of estate

QWERTY /kwɛʀti/ *adj inv* **clavier ~** QWERTY keyboard

Rr

r, **R** /ɛʀ/ *nm inv* r, R; **rouler les ~** Phon to roll one's r's; **les mois en ~** the months with an 'r' in them

rab○ /ʀab/ *nm* ① (ce qui est en trop) extra; **en ~** extra (*épith*); **il y a du ~** there's some extra; **il y a du ~ de viande, il y a de la viande en ~** there's some extra meat; **qui veut du ~?** who wants a bit extra?; **j'ai eu 10 minutes de ~ pour le faire** I got an extra 10 minutes to do it; **faire du ~** (au travail) to do extra hours; (à l'armée) to serve extra time; ② (portion supplémentaire) seconds; **demander/prendre du ~** to ask for/to have seconds

rabâchage /ʀabɑʃaʒ/ *nm* (d'orateur) harping (on) péj; (d'élève) repetition; **il fait du ~** [*orateur*] he goes over and over the same old thing; [*élève*] he learns by repetition

rabâcher /ʀabɑʃe/ [1]
A *vtr* to keep repeating [*histoires, faits*]
B *vi* to keep harping (on); **il passe son temps à ~** he's always harping on

rabâcheur, **-euse** /ʀabɑʃœʀ, øz/ péj
A *adj* **il est un peu ~** he tends to repeat himself
B *nm,f* repetitive bore péj

rabais /ʀabɛ/ *nm inv* (réduction) discount; **obtenir un ~ de 20%/100 euros sur qch** to get a 20%/100 euros discount on sth; **accorder un ~ à qn sur l'achat de qch** to give sb a discount on sth; **au ~** [*achat, vente*] at a discount; [*matériel, vêtements*] cheap; [*travail*] badly paid; [*formation, culture*] on the cheap (*après n*) GB, bargain-basement (*épith*) US; [*chef, acteur*] third-rate; **vendre qch au ~** to sell sth at a discount; **acheter qch au ~** to buy sth cheap; **travailler au ~** to work for low wages

rabaisser /ʀabese/ [1]
A *vtr* ① to lower [*prétentions*]; to belittle [*mérite, valeur*]; to belittle [*personne*]; **~ l'orgueil de qn** to humble sb's pride; ② to reduce [*taux*]
B **se rabaisser** *vpr* (en paroles) to belittle oneself; (par son comportement) to demean oneself (**devant qn** before sb)

rabane /ʀaban/ *nf* raffia matting

rabat /ʀaba/ *nm* ① (de sac, meuble, poche) flap; ② (de magistrat, religieux) bands (*pl*); ③ = **rabattage**

Rabat /ʀaba/ ▸ **p. 894** *npr* Rabat

rabat-joie* /ʀabaʒwa/
A *adj inv* **être ~** to be a killjoy
B *nmf inv* killjoy

rabattable /ʀabatabl/ *adj* [*siège, banquette*] folding (*épith*)

rabattage /ʀabataʒ/ *nm* beating

rabatteur, **-euse** /ʀabatœʀ, øz/ *nm,f* ① Chasse beater; ② (de clients) pej tout○

rabattre /ʀabatʀ/ [61]
A *vtr* ① (refermer) [*personne*] to shut [*capot, couvercle*]; to fold [*tablette*]; to put up [*strapontin*]; [*vent*] to blow [sth] back [*volet*]; ② (plier) to turn [sth] down [*col*]; to take in [*coutures*]; to take up [*ourlet*]; to turn [sth] back [*couverture*]; to turn [sth] down [*drap*] (**sur** over); ③ (faire descendre) [*personne*] to pull [sth] down [*chapeau, visière, jupe*] (**sur** over); [*vent*] to beat [sth] down [*fumée*] (**sur** over); [*joueur*] to smash [*balle*]; **le chapeau rabattu jusqu'aux yeux** his/her hat pulled down over his/her eyes; **d'un geste elle a rabattu sa jupe sur ses genoux** she quickly pulled her skirt down over her knees; **~ l'orgueil de qn** to wound sb's pride; **~ les prétentions de qn** to thwart sb's ambitions; **~ la prétention de qn** to cut sb down to size; ④ (retrancher) to knock [sth] off [*pourcentage, somme*]; **~ 10%/20 euros sur qch** to knock 10%/20 euros off sth; **il n'a rien voulu ~** he wouldn't knock anything off; ⑤ Chasse [*personne, chien*] to beat [*gibier*]; ⑥ (racoler) to tout for○ [*clientèle*]; **~ des clients/électeurs** to tout for custom/votes; ⑦ (en tricot) to cast off [*maille*]; ⑧ Hort to cut back [*plante*]
B **se rabattre** *vpr* ① (se refermer) [*capot, couvercle*] to shut; [*tablette*] to fold up; [*volet*] to bang to; **le siège se rabat automatiquement** the seat goes back automatically; **se ~ brutalement** [*couvercle, capot*] to come down suddenly; ② (se plier) [*couverture, drap*] to fold down; **le col peut se ~** the collar can be turned down; ③ (s'incliner) [*chapeau, visière*] to be pulled down; ④ (rentrer dans sa file) [*automobiliste, véhicule*] to pull back in; ⑤ (s'accommoder) **se ~ sur** (faute de mieux) to make do with; (après réflexion) to settle for; **j'ai dû me ~ sur le modèle le moins cher** I had to make do with the cheapest model; **n'étant pas assez bon en mathématiques, ils s'est rabattu sur l'archéologie** not being good enough at mathematics, he settled for archeology

rabbin /ʀabɛ̃/ ▸ **p. 848** *nm* rabbi; **grand ~** chief rabbi

rabbinat /ʀabina/ *nm* rabbinate

rabbinique /ʀabinik/ *adj* rabbinical

rabelaisien, **-ienne** /ʀablezjɛ̃, ɛn/ *adj* Rabelaisian

rabibocher○ /ʀabibɔʃe/ [1]
A *vtr* **~ Pierre avec Paul** to bring Pierre and Paul together
B **se rabibocher** *vpr* to make up

rabiot○ /ʀabjo/ *nm* extra; **faire du ~** [*soldat*] to serve extra time; [*employé*] to do extra hours

rabioter○ /ʀabjɔte/ [1]
A *vtr* (obtenir) to wangle○ [*temps*]; **~ une portion** to get an extra portion
B *vi* to skimp○; **restaurateur qui rabiote sur la quantité** restaurateur who skimps on portions

rabique /ʀabik/ *adj* rabies (*épith*)

râble /ʀɑbl/ *nm* (de lapin, lièvre) saddle
(Idiome) **ils nous sont tombés sur le ~**○ they laid into us○

râblé, **~e** /ʀɑble/ *adj* ① [*animal*] sturdy; ② [*personne*] stocky

rabot /ʀabo/ *nm* plane

rabotage /ʀabɔtaʒ/ *nm* planing (down)

raboter /ʀabɔte/ [1] *vtr* ① Tech to plane; ② (érafler) to scrape

raboteur /ʀabɔtœʀ/ *nm* planer

raboteux, **-euse** /ʀabɔtø, øz/
A *adj* ① [*planche, terrain*] rough; ② [*style*] unpolished
B **raboteuse** *nf* (machine) planing machine, planer

rabougri, **~e** /ʀabugʀi/ *adj* [*arbre, tronc*] stunted; [*fruit*] shrunken; [*enfant, adulte*] shrivelled[GB] up; [*vieillard*] wizened

rabougrir /ʀabugʀiʀ/ [3]
A *vtr* [*froid, sécheresse*] to stunt [*plantes*]
B **se rabougrir** *vpr* [*plante*] to become stunted; [*vieillard*] to become wizened

rabougrissement /ʀabugʀismɑ̃/ *nm* ① (de plante) stunting; ② (de personne) wizening

rabouter /ʀabute/ [1] *vtr* to join [sth] (end to end) [*planches*]; to splice [*cordages, bandes*]

rabrouer /ʀabʀue/ [1] *vtr* to snub; **se faire ~ par qn** to be snubbed by sb

racaille /ʀakɑj/ *nf* scum

raccommodage /ʀakɔmɔdaʒ/ *nm* ① (réparation) (de vêtements, filets) mending; (de chaussettes, bas) darning; (résultat) repair; ② ○(réconciliation) reconciliation

raccommoder /ʀakɔmɔde/ [1]
A *vtr* ① (réparer) to mend [*chaussettes, filet*]; to darn [*chaussettes, bas*]; ② ○(réconcilier) to reconcile [*personnes*]; **~ X avec Y** to patch things up between X and Y○
B ○**se raccommoder** *vpr* (se réconcilier) to make it up○ (**avec** with); **ils se sont finalement raccommodés** they made it up in the end

raccommodeur, **-euse** /ʀakɔmɔdœʀ, øz/ ▸ **p. 532** *nm,f* repairer of linen; **~ de faïences et de porcelaines** repairer of pottery

raccompagner /ʀakɔ̃paɲe/ [1] *vtr* (à pied) to walk [sb] (back) home; (en voiture) to drive [sb] (back) home

raccord /ʀakɔʀ/ *nm* ① (de planche, papier peint) join; **faire un ~** (en posant du papier peint) to line up the pattern; ② (retouche) (en peinture) touch-up; ③ (transition) (de texte) connecting passage; (dans un film) link shot; ④ Tech joint

raccordement /ʀakɔʀdəmɑ̃/ *nm* ① (activité) (de route, voie ferrée) linking; Télécom connecting, hookup US; (de tubes) joining; **demander le ~ au réseau** Télécom to apply to have the phone connected *ou* hooked up US; ② (jonction) (de route) link road; (de voie ferrée) loop line; Télécom connection, hookup US; (de tubes) joint

raccorder /ʀakɔʀde/ [1]
A *vtr* ① gén to connect (**à** to); to link together [*chapitres, parties*]; to join up [*motifs de papier peint*]; ② Télécom (par câble) to connect, to hook up US; (par satellite) to link up; ③ Cin to link [sth] together [*scènes, plans*]
B **se raccorder** *vpr* gén to be connected (**à** to); (par satellite) to be linked up; [*chapitres, scènes*] to be linked (together)

raccourci /ʀakuʀsi/ *nm* ① (chemin) shortcut; **prendre un ~** to take a shortcut; ② (version abrégée) summary; (image réductrice) **c'est un peu un ~** it's a bit simplistic; **en ~** in short; ③ (en peinture) foreshortening; **Christ en ~** foreshortened figure of Christ
(Composé) **~ clavier** Ordinat hot key, keyboard shortcut
(Idiomes) **taper sur qn à bras ~s**○ lit to hit sb very hard; **tomber sur qn à bras ~s**○ fig to lay into sb○

raccourcir /ʀakuʀsiʀ/ [3]
A *vtr* to shorten, to reduce [*trajet, temps imparti*];

r

to shorten, to take up *[pantalon, jupe]* (**de** by); to cut *[texte, discours]*; **~ un texte de dix lignes** to cut ten lines out of a text; **ça raccourcit le trajet de dix kilomètres** it shortens the journey by ten kilometres[GB], it knocks ten kilometres[GB] off the journey; **~ sa visite d'une semaine** to cut one's visit short by one week; **prenons cette route, ça va nous ~**○ let's take that road, it'll get us there quicker

B *vi* *[vêtement]* (au lavage) to shrink (**de** by); (avec la mode) to get shorter; *[jours]* to get shorter (**de** by), to draw in

raccourcissement /ʀakuʀsismɑ̃/ *nm* **1** (de vêtement) (au lavage) shrinking; (par un couturier) shortening; **2** (de distance, délai) shortening

raccrocher /ʀakʀɔʃe/ [1]

A *vtr* **1** (remettre) to hang [sth] back up *[rideaux, manteau, tableau etc]* (**à, sur** on); **2** Télécom **~ le combiné** *or* **le téléphone** to put the telephone down; **elle avait mal raccroché (le téléphone)** she hadn't replaced the receiver properly; **3** ○Sport (en boxe) **~ les gants** lit, fig to hang up one's gloves; **4** (rattacher) to re-attach (**à** to); **~ un collier** to do up *ou* fasten a necklace again; **5** (solliciter) to pull in *[passants]*; **~ le client** *[vendeur]* to tout for custom, to drum up business○; *[prostituée]* to solicit; **6** ○(reprendre) to rescue *[affaire]*

B *vi* **1** Télécom to hang up; **~ au nez de qn**○ to hang up on sb; **2** ○Sport to give up competition

C se raccrocher *vpr* **se ~ à** lit to grab hold of *[bras, rebord]*; fig to cling on to *[personne, prétexte]*; **il se raccroche à n'importe quoi** he's clutching at straws

race /ʀas/ *nf* **1** (d'êtres humains) race; **2** Zool breed; **cheval de ~** thoroughbred (horse); **chien de ~** pedigree (dog); **les ~s bovines/canines** (the) breeds of cattle/dog; **3** (espèce) controv species; **la ~ bovine** the bovine species; **la ~ humaine** the human race; **4** ○(catégorie de personnes) race; **une ~ guerrière** a race of warriors; **sale ~!** offensive rotten○ lot! injur; **5** littér (lignée) line; **la ~ de David** the line of David; **être le dernier de sa ~** to be the last of one's line

(Idiomes) **avoir de la ~** to have breeding; **bon chien chasse de ~** Prov like father like son Prov

racé, **~e** /ʀase/ *adj* **1** *[personne]* distinguished; **2** *[cheval]* thoroughbred; *[chien]* pedigree (*épith*); **3** *[objet]* of classically elegant lines

rachat /ʀaʃa/ *nm* **1** (d'objet vendu) buying back, buyback; Jur **vente avec faculté de ~** sale with option of repurchase; **2** (de société) buyout; **3** (d'actions) repurchase; **4** (de dette, rente) redemption; **5** (de prisonnier) ransoming; **6** (pardon) fml redemption

(Composés) **~ d'entreprise par l'encadrement** management buyout, MBO; **~ d'entreprise par les salariés, RES** employee buyout

rachetable /ʀaʃtabl/ *adj* *[objet]* repurchasable; *[dette, erreur, péché]* redeemable

racheter /ʀaʃte/ [18]

A *vtr* **1** (récupérer un objet vendu) to buy [sth] back; **2** (acheter encore) **je vais ~ du vin/une bouteille/deux bouteilles** I'll buy some more wine/another bottle/two more bottles; **3** (pour renouveler) **mes draps sont usés, il faut que j'en rachète** my sheets are worn out, I'll have to buy new ones; **4** (acheter) **je rachète votre voiture 500 euros** I'll buy your car off you for 500 euros; **5** (effectuer une opération commerciale) to buy out *[société, usine]*; to buy up *[ensemble d'actions]*; **6** (pour se dégager) to redeem *[dette, rente]*; **7** (contre rançon) to redeem *[esclave]*; to ransom *[otage]*; **8** Relig *[pécheur]* to atone for *[faute, péché]* (**par** by); *[Dieu]* to redeem *[humanité]* (**par** through); **9** (compenser) *[personne]* to make amends for *[impolitesse]*; *[qualité]* to make up for, to compensate for *[défaut]*; **il n'y en a pas un pour ~ l'autre** they're as bad as each other; **10** Scol *[examinateur]* to mark up *[candidat, copie]*

B se racheter *vpr* to redeem oneself (**par** through); **se ~ aux yeux de qn** to redeem oneself in sb's eyes

rachianesthésie /ʀaʃianɛstezi/ *nf* rachianaesthesia

rachidien, -ienne /ʀaʃidjɛ̃, ɛn/ *adj* spinal, rachidian spéc

rachis /ʀaʃi/ *nm inv* Anat rachis; Bot (d'épi) rachis; Zool (de plume) shaft

rachitique /ʀaʃitik/ *adj* **1** Méd *[personne]* rachitic spéc; **il est ~** he suffers from rickets; **2** fig *[animal, plante]* scrawny

rachitisme /ʀaʃitism/ *nm* rickets (+ *v sg*), rachitis spéc

racial, **~e**, *mpl* **-iaux** /ʀasjal, o/ *adj* racial; **émeutes ~es** race riots; **relations ~es** race relations

racine /ʀasin/

A *nf* **1** Bot root; **prendre ~** lit, fig to take root; **2** (source) root; **être à la ~ de** to be at the root of; **prendre** *or* **attaquer le mal à la ~** to strike at the root of the problem; **3** Anat root; **rougir jusqu'à la ~ des cheveux** to blush to the roots of one's hair; **4** Math root; **~ carrée/cubique** square/cube root; **5** Ling root

B racines *nfpl* (de personne) roots; **il n'a de ~s nulle part** he hasn't got any roots; **une croyance qui a de profondes ~s** a deep-rooted belief

(Composé) **~ comestible** root vegetable

racinette /ʀasinɛt/ *nf* Can root beer

racinien, -ienne /ʀasinjɛ̃, ɛn/ *adj* Racinian

racisme /ʀasism/ *nm* **1** (doctrine) racism; **2** (discrimination) prejudice; **~ anti-étudiants** prejudice against students

raciste /ʀasist/ *adj, nmf* racist

rack /ʀak/ *nm* (de chaîne hi-fi) system stand

racket /ʀakɛt/ *nm* (organisation) extortion racket; (activité) racketeering; **c'est du ~!** it's extortion!; **le ~ des commerçants** the extortion of money from shopkeepers

racketter /ʀakɛte/ [1] *vtr* to extort money from, to shake [sb] down◑ US; **se faire ~** to be the victim of extortion

racketteur /ʀakɛtœʀ/ *nm* racketeer

raclage /ʀɑklaʒ/ *nm* scraping

raclée○ /ʀɑkle/ *nf* (tous contextes) hiding○; **recevoir une ~** to get a hiding; **flanquer une ~ à qn** to give sb a hiding

raclement /ʀɑkləmɑ̃/ *nm* (action, bruit) scraping; **elle entendit un ~ de gorge** she heard somebody clearing their throat

racler /ʀɑkle/ [1]

A *vtr* **1** (nettoyer) to scrape [sth] clean *[plat, assiette]*; ▸ **tiroir**; **2** (enlever) to scrape off *[vernis, rouille]*; **~ la boue de ses semelles** to scrape the mud off the soles of one's shoes; **3** (frotter) *[pneu]* to scrape against *[trottoir]*; **~ le gosier** *[vin]* to be rough on the throat; **4** pej (jouer) to scrape away at péj

B se racler *vpr* **se ~ la gorge** to clear one's throat

raclette /ʀɑklɛt/ *nf* **1** Culin raclette (*Swiss cheese dish*); **(fromage à) ~** raclette cheese; **2** (petit racloir) scraper

racloir /ʀɑklwaʀ/ *nm* scraper

raclure /ʀɑklyʀ/

A ◑*nf* (racaille) louse○, despicable person

B raclures *nfpl* (de bois) shavings

racolage /ʀakɔlaʒ/ *nm* **1** (d'électeurs, de partisans) touting (**de** for); **le ~ publicitaire** canvassing; **2** (par prostituée) soliciting (**de** for); **se livrer au ~ sur la voie publique** to solicit in a street

racoler /ʀakɔle/ [1] *vtr* **1** *[politicien]* to tout for *[électeurs]*; (pour un spectacle) to tout for, to bark for○ *[passants]*; **2** *[prostituée]* to solicit for *[clients]*; **elle racole en voiture** she solicits in a car

racoleur, **-euse** /ʀakɔlœʀ, øz/

A *adj* *[affiche]* eye-catching; *[slogan à la radio]* catchy; *[regard, sourire]* enticing

B *nm* (pour des élections, un parti) canvasser; (pour un spectacle, un commerce) tout, barker

C racoleuse *nf* streetwalker

racontable /ʀakɔ̃tabl/ *adj* **histoire pas/à peine ~** a story which is not/hardly repeatable

racontar○ /ʀakɔ̃taʀ/ *nm* piece of idle gossip; **des ~s** idle gossip

raconter /ʀakɔ̃te/ [1]

A *vtr* **1** (relater) *[personne]* to tell *[histoire]*; *[film, livre]* to tell *[histoire]*; to describe *[fait, épisode]*; to recount *[bataille]*; to describe *[rencontre, amitié, vie]*; **~ en détail** to describe in detail; **alors! raconte!** tell me all about it then!; **après l'accident les témoins racontent** after the accident, witnesses describe how it happened; **la pièce raconte l'histoire d'une femme** the play tells the story of a woman; **ne nous raconte pas ta vie** don't tell us your life-story; **raconte-nous ce qui s'est passé** tell us what happened; **~ à qn comment/pourquoi/où** to tell sb how/why/where; **il leur a raconté comment il s'était échappé** he told them how he had escaped; **il raconte bien/mal** he's a good/bad storyteller; **je suis tombée en panne, je te raconte pas**○! my car broke down, I'll spare you the details!; **tu racontes n'importe quoi!** you're talking nonsense!; **2** (prétendre) to say; **~ que** to say that; **on raconte que** it is said that; **il nous a raconté qu'il s'était perdu** he told us that he had got GB *ou* gotten US lost; **tu sais ce qu'on raconte sur toi?** do you know what people are saying about you?; **qu'est-ce que tu racontes?** what are you talking about?; **on raconte beaucoup de sottises à son sujet** a lot of silly things are said about him/her; **3** (dépeindre) liter *[personne]* to describe *[époque, mœurs, pays]*

B se raconter *vpr* (parler de soi) to talk about oneself

raconteur, **-euse** /ʀakɔ̃tœʀ, øz/ *nm,f* storyteller

racornir /ʀakɔʀniʀ/ [3]

A *vtr* **1** (durcir) to harden *[peau]*; to stiffen *[cuir]*; fig to harden *[personne, cœur]*; **mains que le travail manuel a racornies** hands horny with manual work; **2** (rabougrir) *[âge]* to wizen *[personne]*; *[sécheresse]* to shrivel *[plante]*

B se racornir *vpr* **1** (devenir dur) *[peau]* to harden; fig *[personne, cœur]* to harden; *[cuir]* to stiffen; **2** (se rabougrir) *[plante]* to shrivel; *[personne]* to grow wizened

racornissement /ʀakɔʀnismɑ̃/ *nm* **1** (du cuir) stiffening; **2** (de plante) shrivelling[GB]

rad /ʀad/ *nm* **1** Math (*written abbr* = **radian**) rad; **2** †Phys rad

radar /ʀadaʀ/ *nm* radar; **au ~** by radar; **effectuer des contrôles ~** to carry out radar speed checks; **marcher au ~**○ fig to be on autopilot

radariste /ʀadaʀist/ ▸ **p. 532** *nmf* radar operator

rade /ʀad/ *nf* roads (*pl*); **en ~ de Toulon** in Toulon roads; **mouiller en ~** to lie at anchor (*in a roadstead*)

(Idiomes) **laisser qn en ~**○ to leave sb stranded; **rester en ~**○ *[personne]* to be left stranded; *[projet]* to be shelved

radeau, *pl* **~x** /ʀado/ *nm* **1** (embarcation) raft; **2** (train de bois) (timber) raft

(Composé) **~ pneumatique** rubber dinghy

radial, **~e**, *mpl* **-iaux** /ʀadjal, o/

A *adj* **1** *[pneu, carcasse]* radial(-ply); **2** *[vitesse]* radial, line-of-sight (*épith*); **3** *[nerf, artère]* radial

B *nm* (nerf) radial nerve; (muscle) radial muscle

C radiale *nf* **1** Aut (route) radial road; **2** Anat (artère) radial artery; (veine) radial vein

radian /ʀadjɑ̃/ *nm* radian

radiant, **~e** /ʀadjɑ̃, ɑ̃t/
A *adj* (tous contextes) radiant
B *nm* radiant

radiateur /ʀadjatœʀ/ *nm* (de chauffage central, voiture) radiator
(Composés) **~ à convection** convector heater; **~ électrique** electric heater; **~ soufflant** fan heater

radiation /ʀadjasjɔ̃/ *nf* **1** Phys radiation; **2** (de personne) gén expulsion; (de médecin) striking off from the register GB, loss of the license to practice medicine US; (d'avocat) disbarring; **après leur ~ du comité** after their expulsion from the committee; **après leur ~ du club** after the withdrawal of their club membership; **la faute de Me Nadaud a entraîné sa ~ (du barreau)** Mr Nadaud was disbarred for malpractice

radical, **~e**, *mpl* **-aux** /ʀadikal, o/
A *adj* **1** [*méthode, solution, changement*] radical; [*mesure, remède*] drastic; **2** Pol [*parti, député*] radical; **3** Bot, Math radical
B *nm,f* **1** Pol (personne) radical; **2** Ling, Chimie radical; **3** Math root sign

radicalement /ʀadikalmɑ̃/ *adv* [*opposé, différent*] radically; [*nouveau*] completely; [*efficace*] extremely; [*changer*] radically; [*détruire*] completely

radicalisation /ʀadikalizasjɔ̃/ *nf* **1** (de parti, régime, d'attitude) toughening; **2** (de réformes, changements) stepping up

radicaliser /ʀadikalize/ [1]
A *vtr* **1** [*syndicat, parti*] to toughen [*attitude*]; to harden [*politique*]; to step up [*revendications*]; **2** [*répression*] to cause [sb] to become more radical
B **se radicaliser** *vpr* **1** [*personne, groupe*] to become more radical; **2** [*attitude, exigences*] to toughen; [*politique*] to harden

radicalisme /ʀadikalism/ *nm* radicalism

radical-socialisme /ʀadikalsɔsjalism/ *nm* radical socialism

radicelle /ʀadisɛl/ *nf* rootlet

radiculaire /ʀadikylɛʀ/ *adj* radicular

radicule /ʀadikyl/ *nf* radicle

radiculite /ʀadikylit/ *nf* radiculitis

radié, **~e** /ʀadje/
A *pp* ▸ **radier**
B *pp adj* Bot rayed

radier /ʀadje/ [2] *vtr* **~ qn d'une liste** to remove sb from a list; **~ un nom d'une liste** to cross a name off a list; **~ un médecin** to strike off a doctor GB, to take away a doctor's license US; **~ un avocat** to disbar a lawyer

radiesthésie /ʀadjɛstezi/ *nf* dowsing

radiesthésiste /ʀadjɛstezist/ ▸ **p. 532** *nmf* dowser

radieux, **-ieuse** /ʀadjø, øz/ *adj* **1** (éclatant) [*soleil*] dazzling; **2** (ensoleillé) [*temps, matinée*] glorious; **3** (heureux) [*visage, air, sourire*] radiant; [*personne*] radiant with joy; [*souvenir*] glorious; **4** (prometteur) [*avenir*] glorious

radin○, **~e** /ʀadɛ̃, in/
A *adj* stingy○; **elle est très ~(e)** she's very stingy
B *nm,f* skinflint○, cheapskate◑

radiner◑ /ʀadine/ [1] *vtr*, **se radiner**◑ *vpr* to turn up○

radinerie○ /ʀadinʀi/ *nf* stinginess○

radio /ʀadjo/
A *adj inv* [*équipement, contact, signal*] radio
B ▸ **p. 532** *nm* (opérateur) radio operator
C *nf* **1** (appareil) radio; **2** (radiodiffusion) radio; **un poste de ~** a radio; **écouter qn/qch à la ~** to listen to sb/sth on the radio; **il travaille à la ~** he works in the radio; **3** (station) radio (station); **4** (radiotéléphonie) (d'un avion, d'un bateau) radio; **5** Méd (radiographie) X-ray; **passer une ~ des poumons** to have a chest X-ray; **à la ~ on peut voir...** on the X-ray you can see...
(Composés) **~ libre** independent local radio station; **~ locale** local radio (station); **~ pirate** pirate radio (station)

> **Radio**
>
> There are three types of radio station in France: public stations such as *France Inter, France Culture, France info, FIP, Radio Bleue*, are run by *Radio France*, a state-owned organization; commercial stations (*Europe 1, RTL, Radio Monte Carlo*) which are financed by advertising and which broadcast from border areas; and privately-owned local stations (originally known as *radios libres*) which began to develop following a change in broadcasting laws in 1982. There are now more than 2,000 private stations such as *NRJ, Europe 2* and *Fun*.

radioactif, **-ive** /ʀadjoaktif, iv/ *adj* radioactive; **déchets ~s** radioactive waste ¢

radioactivité /ʀadjoaktivite/ *nf* radioactivity

radioalignement /ʀadjoaliɲmɑ̃/ *nm* radio navigation system

radioamateur /ʀadjoamatœʀ/ *nm* radio ham

radioastronome /ʀadjoastʀɔnɔm/ *nm* radio astronomer

radioastronomie /ʀadjoastʀɔnɔmi/ *nf* radio astronomy

radiobalisage /ʀadjobalizaʒ/ *nm* radio beacon signalling[GB]

radiobalise /ʀadjobaliz/ *nf* radio beacon

radiobiologie /ʀadjobjɔlɔʒi/ *nf* radiobiology

radiocarbone /ʀadjokaʀbɔn/ *nm* radiocarbon

radiocassette /ʀadjokasɛt/ *nm ou f* (lecteur) radio cassette player; (enregistreur) radio cassette recorder

radiocobalt /ʀadjokɔbalt/ *nm* radiocobalt

radiocommande /ʀadjokɔmɑ̃d/ *nf* radio control

radiocommunication /ʀadjokɔmynikasjɔ̃/ *nf* radiocommunication

radiocompas /ʀadjokɔ̃pa/ *nm inv* radio compass

radioconducteur /ʀadjokɔ̃dyktœʀ/ *nm* radioconductor

radiodiagnostic /ʀadjodjagnɔstik/ *nm* Méd X-ray diagnosis

radiodiffuser /ʀadjodifyze/ [1] *vtr* to broadcast; **journal radiodiffusé** news broadcast; **publicité radiodiffusée** radio commercial

radiodiffusion /ʀadjodifyzjɔ̃/ *nf* broadcasting; **de ~** radio (*épith*)

radioélectricien, **-ienne** /ʀadjoelɛktʀisjɛ̃, ɛn/ ▸ **p. 532** *nm,f* radio engineer

radioélectricité /ʀadjoelɛktʀisite/ *nf* radio engineering

radioélectrique /ʀadjoelɛktʀik/ *adj* radio (*épith*)

radioélément /ʀadjoelemɑ̃/ *nm* radioelement

radiofréquence /ʀadjofʀekɑ̃s/ *nf* radio frequency

radiogalaxie /ʀadjogalaksi/ *nf* radio galaxy

radiogoniomètre /ʀadjogɔnjɔmɛtʀ/ *nm* Télécom radiogoniometer; Aviat, Naut radio direction finder

radiogoniométrie /ʀadjogɔnjɔmetʀi/ *nf* Télécom radiogoniometry; Aviat, Naut radio direction finding

radiogramme /ʀadjɔgʀam/ *nm* radiotelegram

radiographie /ʀadjɔgʀafi/ *nf* **1** (procédé) radiography, X-ray photography; **2** (cliché) X-ray (photograph)

radiographier /ʀadjɔgʀafje/ [2] *vtr* to X-ray

radiographique /ʀadjɔgʀafik/ *adj* X-ray

radioguidage /ʀadjogidaʒ/ *nm* Aviat, Naut radio control; **~ des automobilistes** traffic information service

radioguider /ʀadjogide/ [1] *vtr* to control by radio; **fusée radioguidée** radio-controlled rocket

radio-isotope, *pl* **~s** /ʀadjoizotɔp/ *nm* radioisotope

radiologie /ʀadjɔlɔʒi/ *nf* radiology

radiologique /ʀadiɔlɔʒik/ *adj* radiological

radiologiste /ʀadjɔlɔʒist/, **radiologue** /ʀadjɔlɔg/ ▸ **p. 532** *nmf* radiologist

radiomessageur /ʀadjomesaʒœʀ/ *nm* pager

radiomètre /ʀadjomɛtʀ/ *nm* radiometer

radionavigateur /ʀadjonavigatœʀ/ *nm* radio officer

radionavigation /ʀadjonavigasjɔ̃/ *nf* radio navigation

radiophare /ʀadjofaʀ/ *nm* radio beacon

radiophonie /ʀadjofɔni/ *nf* radiotelephony

radiophonique /ʀadjofɔnik/ *adj* [*programme, production*] radio (*épith*); **techniques ~s** (radio) broadcasting techniques

radioprotection /ʀadjopʀɔtɛksjɔ̃/ *nf* Nucl radiation hygiene

radioreportage /ʀadjoʀəpɔʀtaʒ/ *nm* radio report

radioreporter /ʀadjoʀəpɔʀtɛʀ/ ▸ **p. 532** *nm* radio reporter

radio-réveil, *pl* **radios-réveils** /ʀadjoʀevɛj/ *nm* clock radio

radioscopie /ʀadjɔskɔpi/ *nf* fluoroscopy

radioscopique /ʀadjɔskɔpik/ *adj* fluoroscopic

radiosondage /ʀadjosɔ̃daʒ/ *nm* Météo radiosonde investigation

radiosonde /ʀadjosɔ̃d/ *nf* Météo radiosonde

radiosource /ʀadjosuʀs/ *nf* radio source

radio-taxi, *pl* **~s*** /ʀadjotaksi/ *nm* radio taxi

radiotechnique /ʀadjotɛknik/
A *adj* radiotechnological
B *nf* radio technology

radiotélégraphie /ʀadjotelegʀafi/ *nf* radiotelegraphy

radiotélégraphiste /ʀadjotelegʀafist/ ▸ **p. 532** *nmf* radiotelegraphist

radiotéléphone /ʀadjotelefɔn/ *nm* radiotelephone

radiotéléphonie /ʀadjotelefɔni/ *nf* radiotelephony

radiotélescope /ʀadjoteleskɔp/ *nm* radio telescope

radiotélévisé, **~e** /ʀadjotelevize/ *adj* broadcast (simultaneously) on radio and television

radiothérapeute /ʀadjoteʀapøt/ ▸ **p. 532** *nmf* radiotherapist

radiothérapie /ʀadjoteʀapi/ *nf* radiotherapy

radis /ʀadi/ *nm inv* radish
(Composé) **~ noir** black radish
(Idiome) **je n'ai plus un ~**○ I haven't got a penny

radium /ʀadjɔm/ *nm* radium

radiumthérapie /ʀadjɔmteʀapi/ *nf* radium therapy

radius /ʀadjys/ *nm inv* radius

radjah /ʀadʒa/ *nm* rajah

radôme /ʀadom/ *nm* Aviat radome

radon /ʀadɔ̃/ *nm* radon

radotage /ʀadɔtaʒ/ *nm* drivel ¢

radoter /ʀadɔte/ [1]
A *vtr* to tell [sth] again and again
B *vi* (parler beaucoup) to ramble (on); (se répéter) to repeat oneself; (dire des bêtises) to talk drivel○

radoteur, **-euse** /ʀadɔtœʀ, øz/ *nm,f* driveller[GB]

radoub /ʀadu/ *nm* graving; **navire au ~** ship in dry dock
(Composé) **bassin de ~** dry dock, graving dock

r

radouber /Radube/ [1] *vtr* to grave [*navire*]; to mend [*filet*]

radoucir /RadusiR/ [3]
A *vtr* to soften [*voix*]; to soften up [*personne*]; to improve [*humeur*]; to make milder [*temps*]
B **se radoucir** *vpr* [*voix*] to become softer; [*personne*] to soften up; [*humeur*] to improve; [*temps*] to turn milder

radoucissement /Radusismɑ̃/ *nm* (de la voix) softening; (d'humeur) improvement (**de** in); **le ~ de son caractère est dû à l'influence de sa femme** he has mellowed under his wife's influence; **la météo annonce un ~** the weather forecast says the weather's turning milder

rafale /Rafal/ *nf* **1** (de vent, pluie) gust; (de neige) flurry; **vent qui souffle en ~s** gusty wind; **2** (de mitraillette) burst; **tir en ~s** firing in bursts

raffermir /RafɛRmiR/ [3]
A *vtr* **1** lit [*lotion, crème*] to tone [*épiderme*]; [*sport*] to tone up, to firm up [*musculature*]; [*eau froide*] to firm (up) [*tissus*]; **2** fig [*personne*] to strengthen [*autorité, position*]; [*mesure*] to steady [*marché, cours boursier*]
B **se raffermir** *vpr* [*tissus, chairs, peau*] to become firmer; [*voix*] to steady; [*cours boursier*] to become steady; [*sol*] to harden

raffermissement /RafɛRmismɑ̃/ *nm* **1** lit (de peau) (naturel) firming up; (avec crème, lotion) toning; **2** fig (de monnaie, taux) steadying; (d'autorité) strengthening; **le ~ e l'euro vis-à-vis du mark** the steadying of the euro against the deutschmark

raffinage /Rafinaʒ/ *nm* refining; **~ du pétrole** oil refining

raffiné, ~e /Rafine/
A *pp* ▸ **raffiner**
B *pp adj* [*personne, civilisation*] refined; [*cuisine*] sophisticated; **personne ~e dans ses goûts** person of refined tastes; **un type**○ **pas très ~** a rather uncouth character; **un mets ~** a delicacy

raffinement /Rafinmɑ̃/ *nm* **1** (de personne, civilisation) refinement; **faire preuve de ~ dans ses manières** to have refined manners; **2** (de décor, d'habillement) sophistication (**de** of); **3** (détail) refinement; **~s de style** stylistic refinements

raffiner /Rafine/ [1]
A *vtr* to refine; **sucre raffiné/non raffiné** refined/unrefined sugar
B *vi* to be fastidious (**sur** about); **~ sur la toilette** to be fastidious about one's appearance

raffinerie /RafinRi/ *nf* refinery; **~ de pétrole** oil refinery

raffineur, -euse /RafinœR, øz/ ▸ p. 532 *nm,f* refiner

raffoler○ /Rafɔle/ [1] *vtr ind* **~ de** to be crazy○ about

raffut○ /Rafy/ *nm* **1** (bruit) racket○; **faire un ~ de tous les diables** to make one hell○ of a racket; **2** (scandale) stink○; **faire du ~** to raise a stink

rafiot○ /Rafjo/ *nm* boat, (old) tub○

rafistolage○ /Rafistɔlaʒ/ *nm* **1** (action) patching up; **2** (réparation) makeshift repair; fig stop-gap solution

rafistoler○ /Rafistɔle/ [1] *vtr* to patch up

rafle /Rɑfl/ *nf* **1** (opération policière) raid; (arrestation massive) roundup; **effectuer** *or* **faire une ~** to carry out a raid (**dans, chez** on); **2** (d'objets) clean sweep; **faire une ~** to make a clean sweep (**sur** of)

rafler○ /Rɑfle/ [1] *vtr* **1** (emporter) to make off with, to swipe○ [*bijoux, gâteaux, provisions*]; **2** (obtenir) to walk off with [*médaille, récompense*]; to snap up [*contrat, marché*]

rafraîchir* /RafRɛʃiR/ [3]
A *vtr* **1** (refroidir) [*pluie*] to cool [*atmosphère*]; [*glaçons*] to chill [*eau*]; **bois un verre d'eau, ça te rafraîchira** have a glass of water, it'll refresh you *ou* it'll cool you down; **le thé glacé/l'air frais te rafraîchira** the iced tea/the fresh air will cool you down; **2** (rénover) [*personne*] to restore [*tableau*]; to give a fresh coat of paint to [*mur, maison*]; **~ la mémoire de qn** to refresh sb's memory; **je me suis fait ~ la frange** I had my fringe GB *ou* bangs US trimmed
B *vi* **mettez la salade de fruits à ~** put the fruit salad to chill
C **se rafraîchir** *vpr* [*temps, atmosphère*] to become *ou* get cooler; [*personne*] to refresh oneself

rafraîchissant, ~e* /RafRɛʃisɑ̃, ɑ̃t/ *adj* refreshing

rafraîchissement* /RafRɛʃismɑ̃/ *nm* **1** Météo drop in temperature; **2** (boisson) refreshment

ragaillardir /RagajaRdiR/ [3] *vtr* to cheer [sb] up [*personne*]; **je me sens (tout) ragaillardi** I feel much brighter

rage /Raʒ/ *nf* **1** Méd, Vét rabies ¢; **être atteint de la ~** to have rabies; **vaccin contre la ~** rabies vaccine; **2** (fureur) rage; **être en ~ contre qn/qch** to be furious with sb/about sth; **être pris d'une ~ aveugle/meurtrière/impuissante** to go into a blind/murderous/helpless rage; **être fou de ~** to be in a mad rage; **être ivre de ~** to be beside oneself with rage; **étouffer/écumer de ~** to choke/foam with rage; **se mettre** *or* **entrer dans une ~ folle** to fly into a rage; **serrer les poings de ~** to clench one's fists with rage; **avoir la ~ au cœur** *ou* **au ventre** to (inwardly) seethe with rage; **accepter qch la ~ au cœur** to accept sth while inwardly seething (with rage); **mettre qn en ~** to make sb's blood boil; **faire ~** [*maladie, concurrence, spéculation*] to be rife; [*épidémie, incendie, tempête, bataille*] to rage; **3** (passion) passion; **la ~ du jeu** a passion for gambling; **la ~ de réussir/de gagner** a passion for success/for winning; **il s'entraîne/travaille avec ~** he trains/works with passionate dedication

(Composés) **~ de dents** raging toothache; **~ furieuse** furious rabies; **~ paralytique** dumb rabies

(Idiome) **qui veut noyer son chien l'accuse de la ~** give a dog a bad name and hang him

rageant, ~e /Raʒɑ̃, ɑ̃t/ *adj* infuriating; **c'est ~** it's infuriating (**de faire** to do)

rager /Raʒe/ [13] *vi* (enrager) to rage; (être en rage) to be in a rage; **faire ~ qn** to make sb's blood boil

rageur, -euse /RaʒœR, øz/ *adj* furious

rageusement /Raʒøzmɑ̃/ *adv* **1** [*s'écrier*] furiously; [*écrire*] (avec colère) angrily; **2** ○(sans relâche) furiously

raglan /Raglɑ̃/ *adj inv, nm* raglan

ragondin /Ragɔ̃dɛ̃/ *nm* **1** (animal) coypu; **2** (fourrure) coypu, nutria

ragot○ /Rago/ *nm* malicious gossip ¢; **faire circuler des ~s** to spread malicious gossip

ragoût* /Ragu/ *nm* stew, ragout; **~ de poisson** fish; **viande en ~** meat stew

ragoûtant, ~e* /Ragutɑ̃, ɑ̃t/ *adj* **peu** *or* **pas très ~** [*cuisine, mets*] rather unappetizing; [*affaire*] rather unsavoury[GB]; [*tâche, travail*] rather unappealing

ragtime /Ragtajm/ *nm* ragtime

rahat-loukoum, *pl* **~s** /Raatlukum/ *nm* piece of Turkish delight; **des ~s** Turkish delight

rai /Rɛ/ *nm* **~ de lumière** ray of light

raï /Raj/ *nm*: *music from the Maghreb with Western influences*

raid /Rɛd/ *nm* **1** Mil raid; **~ aérien** air raid; **2** Sport (à pied, ski, VTT) trek; **faire un ~ en traîneau à chien** to go dog-sleigh trekking, to go mushing US; **3** Fin raid (**sur** on); **~ boursier** raid on the stock exchange; **lancer un ~ sur** to mount a raid on

raide /Rɛd/
A *adj* **1** (sans souplesse) [*personne*] stiff; [*dos, jambe, col*] stiff; [*allure, attitude*] stiff; [*cheveux*] straight; [*fil, corde*] taut; **marcher d'un pas ~** to walk stiffly; **2** (à pic) [*pente, escalier*] steep; **3** ○(exagéré) **elle est ~ celle-là!** that's completely out of order; **je trouve ça un peu ~** that's a bit out of order○; **4** ○(fauché) broke○; **5** ○(âpre) [*boisson*] rough; **6** ○(scabreux) [*plaisanterie, scène*] racy; **7** ◑(soûl) plastered○, blind drunk○; **8** †(inflexible) liter inflexible
B *adv* **1** (abruptement) [*monter, descendre*] steeply; **côte/escalier qui monte ~** steep slope/staircase; **2** ○(brutalement) **tomber ~ mort** to drop dead

(Idiomes) **être/se tenir ~ comme un piquet** to be/stand stiff as a ramrod; **tomber ~** to be flabbergasted

raider /RɛdɛR/ *nm* controv (personne) raider; (compagnie) corporate raider

raideur /RɛdœR/ *nf* **1** (de jambe, dos) stiffness; **avec ~** [*marcher, saluer*] stiffly; [*répondre, acquiescer*] stiffly; **2** (de caractère, principes) inflexibility; **3** (de pente, d'escalier) steepness

raidillon /Rɛdijɔ̃/ *nm* steep path

raidir /RɛdiR/ [3]
A *vtr* **1** lit to tighten [*cordage*]; to stiffen [*tissu*]; to tense [*bras, corps*]; **2** fig to harden [*attitude*]
B **se raidir** *vpr* **1** lit [*cordage*] to get tighter; [*bras, corps*] to tense up; [*tissu*] to stiffen; **les membres raidis par le froid** limbs stiffened by the cold; **2** fig [*attitude, mouvement*] to harden; **se ~ contre la douleur** to brace oneself against pain

raidissement /Rɛdismɑ̃/ *nm* (de muscle, corps) stiffening; (d'attitude) hardening

raidisseur /RɛdisœR/ *nm* **1** Tech (pour tendre) stretcher; **2** Constr, Naut stiffener

raie /Rɛ/ *nf* **1** (dans coiffure) parting GB, part US; **se faire la ~ au milieu/sur le côté** to part one's hair in the middle/on the side; **2** (ligne) line; (griffure) scratch; **la ~ des fesses**○ hum the cleavage of the buttocks; **3** (rayure) stripe; **tissu à ~s** striped material; **4** (poisson) skate

(Composés) **~ d'absorption** Phys absorption line; **~ blanche** Zool white skate; **~ bouclée** thornback ray; **~ électrique** Zool electric ray; **~ d'émission** Phys emission line; **~ miroir** Zool brown ray

raifort /RɛfɔR/ *nm* horseradish; **sauce au ~** horseradish sauce

rail /Rɑj/ *nm* **1** Rail (barre) rail, track; **sortir des ~s** lit to leave the track GB, to jump the track US; **être sur les ~s** fig [*projet*] to be on course; **remettre qch sur les ~s** fig to put sth back on the rails GB *ou* on (the) track [*projet*]; **2** (moyen de transport) rail; **transport par ~** rail transport; **3** (de tringle, porte) rail

(Composé) **~ de sécurité** crash barrier

railler /Rɑje/ [1]
A *vtr* to make fun of; **ils ont raillé leur camarade sur son accent** they made fun of their friend's accent
B **se railler** *vpr* **se ~ de** to make fun of

raillerie /RɑjRi/ *nf* **1** (attitude) mockery ¢; **dire qch sur le ton de la ~** to say sth in a mocking tone; **2** (propos) mocking remark; **être l'objet de ~s** to be a laughing stock; **être l'objet des ~s de qn** to be the butt of sb's jokes; **être l'objet de cruelles ~s** to be the butt of cruel jokes

railleur, -euse /RɑjœR, øz/
A *adj* mocking
B *nm,f* mocker

rail-route /RɑjRut/ *adj inv* road-rail

rainer /Rene/ [1] *vtr* to groove

rainette /Rɛnɛt/ *nf* tree frog

rainurage /RenyRaʒ/ *nm* **1** (action) grooving; **2** (surface) grooved surface

rainure /RenyR/ *nf* groove

rainurer /RenyRe/ [1] *vtr* to groove

rais = **rai**

raisin /Rɛzɛ̃/ *nm* **1** (fruit) grapes (*pl*); **~ blanc/noir** white/black grapes; **manger du ~** to eat grapes; **une grappe de ~** a bunch of grapes;

r

un grain de ~ a grape; 2▸ (variété) grape; **cette région produit un ~ sucré** this region produces a sweet grape; 3▸ (format) ≈ royal (*format 50 x 65 cm*)

(Composés) **~ de table** dessert grapes (*pl*); **~s de Corinthe** currants; **~s de Malaga** Malaga raisins; **~s secs** raisins; **~s de Smyrne** sultanas

raisiné /ʀɛzine/ *nm* preserve made from grape juice and various fruits

raison /ʀɛzɔ̃/ *nf* 1▸ (motif) reason; **n'avoir aucune ~ de** to have no reason to; **non sans quelque ~** not without reason; **pour la bonne/la simple ~ que** for the very good/the simple reason that; **pour ~(s) de santé** for health reasons; **pour des ~s économiques/humanitaires/politiques** for economic/humanitarian/political reasons; **pour des ~s d'économie/d'hygiène** for reasons of economy/of hygiene; **on ne sait pour quelle ~** for unknown reasons; **il y a une ~ à cela** there's a reason for that; **avoir toutes les ~s de penser/d'être inquiet** to have every reason to believe/be worried; **avoir de bonnes ~s de penser/soupçonner que** to have good reasons for believing/suspecting that; **~ d'agir** reason for action; **~ d'accepter/d'acheter/d'emprunter/d'interdire** reason for accepting/buying/borrowing /prohibiting; **~ de plus pour faire/ne pas faire** all the more reason to do/not to do; **en ~ d'une panne/d'un désaccord/de la situation** owing to a breakdown/a disagreement/the situation; **à plus forte ~** even more so, especially; **à juste ~** quite rightly; **avec ~** justifiably; **comme de ~** as one might expect; **~ d'inquiétude/d'optimisme** cause for alarm/for optimism; **~ d'espoir** grounds (*pl*) for hope; **se rendre aux ~s de qn** to yield to sb's arguments; 2▸ (opposé à tort) **avoir ~** to be right; **ne pas avoir entièrement ~** not to be completely right; **avoir un peu/mille fois ~** to be partly/absolutely right; **à** *or* **avec ~** rightly; **donner (entièrement) ~ à qn** to agree with sb (completely); **obtenir ~** to obtain satisfaction; 3▸ (rationalité) reason ₵; **contraire à la ~** contrary to reason; **la folie l'a emporté sur la ~** madness got the better of reason; **se rendre à la ~** to see reason; **faire entendre ~ à qn** to make sb see reason; **il ne veut pas entendre ~** he won't see reason; **ramener qn à la ~** to bring sb to his/her senses; **perdre la ~** to lose one's mind; **en appeler à la ~** to appeal to people's common sense; **ne plus avoir toute sa ~** to be no longer in full possession of one's faculties; **il faut se faire une ~** you just have to resign yourself to it; **elle s'est fait une ~** she resigned herself to it; **se faire une ~ de qch** to resign oneself to sth; **conforme à la ~** rational; **plus que de ~** more than is sensible; **avoir ~ de qn/qch** to get the better of sb/sth; ▸ **rime**; 4▸ Math (rapport) ratio; **~ d'une progression** ratio of a progression; **à ~ de** at the rate of; **trente films à ~ de trois films par jour** thirty films at the rate of three films a day; **en ~ directe/inverse de** in direct/inverse proportion to

(Composés) **~ d'État** Pol reasons (*pl*) of State; **~ d'être** Philos raison d'être; (de vivre) reason for living; **n'avoir plus de ~ d'être** to be no longer justified; **n'avoir aucune ~ d'être** to have no justification; **avoir sa ~ d'être** to have its justification; **~ sociale** Jur company *ou* corporate name

(Idiomes) **la ~ du plus fort est toujours la meilleure** Prov might is right Prov; **il nous faut ~ garder** we must keep a cool head

raisonnable /ʀɛzɔnabl/ *adj* 1▸ (pas trop élevé) [*prix, distance*] reasonable; [*consommation, natalité*] moderate; **ils vendent des voitures à des prix ~s** the cars they sell are reasonably priced, they sell cars at reasonable prices; 2▸ (mesuré) [*personne, objectif*] reasonable; [*politique, enthousiasme*] moderate; 3▸ (sensé) [*personne, idée, solution*] sensible; **sortir avec de la fièvre, est-ce bien ~?** is it really sensible to go out when you're running a temperature?; **à ce prix, est-ce bien ~?** is it sensible at that price?; **il est/n'est pas ~ de faire** it is/isn't sensible to do; **les délais paraissent ~s** the deadlines seem reasonable; 4▸ Philos (doué de raison) rational; **un être ~** a rational being

raisonnablement /ʀɛzɔnabləmɑ̃/ *adv* 1▸ (légitimement) [*supposer, exiger*] reasonably; **être ~ inquiet** to be justifiably anxious; 2▸ (rationnellement) [*consentir, expliquer*] reasonably; **on peut ~ penser que** it is reasonable to think that; 3▸ (assez) [*précis, propre, confiant*] reasonably; 4▸ (modérément) [*boire, fumer*] in moderation; [*travailler*] at a reasonable pace; 5▸ (avec sagacité) [*gérer, parler*] sensibly

raisonné, **~e** /ʀɛzɔne/
A *pp* ▸ **raisonner**
B *pp adj* 1▸ (prudent) [*optimisme, attitude, déclaration*] cautious; [*décision*] carefully thought out; [*expansion, politique*] moderate; 2▸ (contrôlé) [*passion*] controlled[GB]; [*enthousiasme*] measured; 3▸ (sensé) [*gestion, stratégie*] sensible; 4▸ (rationnel) **grammaire ~e** analytical grammar; **histoire/biographie ~e** critical history/biography

raisonnement /ʀɛzɔnmɑ̃/ *nm* 1▸ (suite d'arguments) reasoning ₵ (**sur** about); **un ~ confus/solide** confused/sound reasoning; **les lacunes de ton ~** the gaps in your reasoning; **suivre le ~ de qn** to follow sb's reasoning; **tous les ~s sous-jacents** all the underlying reasoning; **faire le même ~ pour** to apply the same reasoning to; **selon le même ~** by the same argument; **faire le ~ que** to argue that; **il tient le ~ suivant** his argument is as follows; **je ne tiens pas le même ~** I have a different way of reasoning; **tu ne feras jamais rien avec ce genre de ~** you won't get anywhere with that sort of thinking; 2▸ (opération de la pensée) reasoning; **~ logique/analogique/pratique** logical/analogical/practical reasoning; **mode/forme/méthode de ~** way/form/method of reasoning; **fondé sur le ~** based on reason; 3▸ (type de pensée) thinking; **~ économique/politique** economic/political thinking

(Composé) **~ par l'absurde** reductio ad absurdum

raisonner /ʀɛzɔne/ [1]
A *vtr* to reason with [*personne*]; to rationalize [*sentiment*]; **essayer de ~ ses enfants** to try to reason with one's children; **~ sa peur** to rationalize one's fear; **se laisser ~** to let oneself be talked round GB *ou* persuaded
B *vi* 1▸ (penser) to think; **~ juste/faux** to think correctly/incorrectly; **~ à court terme** to think in the short term; **~ en termes économiques** to think in economic terms; **~ sur** to consider; **~ sur l'histoire/un problème** to consider history/a problem; 2▸ (réfléchir soigneusement) to think carefully; **~ avant d'agir** to think carefully before acting
C **se raisonner** *vpr* 1▸ (être raisonnable) [*personne*] to reason with oneself; 2▸ (être contrôlé) [*sentiment*] to be subject to reason

raisonneur, **-euse** /ʀɛzɔnœʀ, øz/
A *adj* [*personne, air, esprit*] argumentative
B *nm,f* 1▸ (par habitude) quibbler; 2▸ (rigoureux) reasoner

rajeunir /ʀaʒœniʀ/ [3]
A *vtr* 1▸ (physiquement) to make [sb] look younger; (moralement) to make [sb] feel younger; **cette cure en montagne m'a rajeuni de dix ans** my health cure in the mountains has made me feel ten years younger; **sa nouvelle coiffure la rajeunit d'au moins cinq ans** her new hairstyle makes her look at least five years younger *ou* takes at least five years off her; 2▸ (attribuer un âge moindre à) **~ qn** to make sb out to be younger; **les journaux l'ont rajeuni de cinq ans** the papers have made him out to be five years younger (than he is); **40 ans! vous me rajeunissez, c'est gentil!** 40! you're giving me the benefit of a few years, that's nice of you!; **déjà grand-père! cela ne me rajeunit pas!** a grandfather already! it doesn't make me feel any younger; **votre fils a déjà 25 ans! cela ne nous rajeunit pas** your son is 25! we're not getting any younger; 3▸ (rendre plus moderne) to give a new look to, to brighten up [*bâtiment, fauteuil*]; to modernize [*secteur économique, organisation*]; to update, to modernize [*installation, équipement*]; to update, to bring [sth] up to date [*livre, guide, règlement*]; 4▸ (abaisser la moyenne d'âge) to bring *ou* inject new blood into [*parti, corps de métier*]; to bring down the average age of [*population*]
B *vi* 1▸ (moralement) [*personne*] to feel younger; 2▸ (physiquement) [*personne*] to look younger; 3▸ (redevenir plus gai) [*quartier*] to become a lot livelier; 4▸ (retrouver l'éclat du neuf) [*meuble, matière*] to look as good as new
C **se rajeunir** *vpr* 1▸ (essayer de paraître plus jeune) to make oneself look younger; 2▸ (se dire plus jeune) to make oneself out to be younger (than one is)

rajeunissant, **~e** /ʀaʒœnisɑ̃, ɑ̃t/ *adj* rejuvenating

rajeunissement /ʀaʒœnismɑ̃/ *nm* 1▸ (de groupe, population) **on assiste à un ~ du corps enseignant** these days teachers are getting younger; **nous avons enregistré un ~ de la population** we see that the population is getting younger; 2▸ (d'entreprise) modernization; (de bâtiment) modernization, renovation; (d'équipement) modernization, updating; (de livre, manuel, règlements) updating; 3▸ (de personnes) rejuvenation; **cure de ~** rejuvenating treatment

rajout /ʀaʒu/ *nm* addition

rajouter /ʀaʒute/ [1] *vtr* to add (**à** to); **~ du beurre/des légumes** to add some more butter/vegetables; **~ un paragraphe** to add a paragraph; **en ~** (mentir) to exaggerate; (en faire trop) to overdo it

rajustement /ʀaʒystəmɑ̃/ *nm* = **réajustement**

rajuster /ʀaʒyste/ [1]
A *vtr* to straighten [*chapeau, vêtement*]; to push [sth] back up [*lunettes*]; **~ sa coiffure** to tidy one's hair
B **se rajuster** *vpr* to straighten one's clothes

râlant°, **~e** /ʀɑlɑ̃, ɑ̃t/ *adj* infuriating; **c'est ~ qu'il pleuve** it's infuriating that it's raining

râle /ʀɑl/ *nm* 1▸ (bruit pulmonaire) rale; 2▸ (de mourant, blessé) groan; 3▸ Zool rail

(Composés) **~ d'eau** Zool water rail; **~ des genêts** Zool corncrake; **~ de la mort** death rattle

ralenti, **~e** /ʀalɑ̃ti/
A *pp* ▸ **ralentir**
B *pp adj* [*geste, rythme, croissance*] slower
C *nm* 1▸ Cin slow motion; **scène/chute (filmée) au ~** scene/fall (filmed) in slow motion; **tourner au ~** to shoot [sth] in slow motion; 2▸ (pas à pleine capacité) **fonctionner au ~** [*machine, entreprise*] to be just ticking over; [*personne*] to be running at half-speed; **avancer au ~** [*automobiliste, circulation*] to crawl along; **vivre au ~** to live at a slow pace; 3▸ Aut idle; **tourner au ~** [*moteur*] to be ticking over GB, to idle; **moteur qui tient bien le ~** engine that ticks over GB *ou* idles well

ralentir /ʀalɑ̃tiʀ/ [3] *vtr, vi*, **se ralentir** *vpr* to slow down

ralentissement /ʀalɑ̃tismɑ̃/ *nm* 1▸ (processus) slowing down; **~ de l'activité économique** slowdown in *ou* slowing down of the economy; **on assiste à un ~ de la croissance du travail temporaire** there is a slowdown in the growth of temporary work; 2▸ (sur les routes) tailback

ralentisseur /ʀalɑ̃tisœʀ/ *nm* 1▸ (système de freins) engine brake; 2▸ (sur la chaussée) sleeping policeman GB, speed ramp

râler /ʀɑle/ [1] *vi* 1▸ °(protester) to moan° (**contre** about); **qu'est-ce que tu as encore à**

r

~? what are you moaning about now?; **ça me fait ~** it annoys *ou* bugs○ me; [2] (gémir) [*mourant, blessé*] to groan

râleur○, **-euse** /ʀɑlœʀ, øz/
A *adj* **qu'est-ce que tu peux être ~!** what a moaner○ you are!; **c'est un type assez ~** he's a bit of a moaner
B *nm,f* moaner○

ralingue /ʀalɛ̃g/ *nf* bolt rope

ralliement /ʀalimɑ̃/ *nm* rallying (**de qn à qch** of sb to sth); **de ~** [*cri, point, signe*] rallying

rallier /ʀalje/ [2]
A *vtr* [1] (rassembler) to rally [*troupes, navires*]; [2] (convaincre) to rally [*partisans*]; to win over [*opposants*] (**à** to); **solution qui rallie tous les suffrages** solution that has unanimous support; **~ qn à qch** to win sb over to sth; **~ qn à sa cause** to win sb over; [3] (adhérer) to rejoin [*groupe, parti*]; [4] (rejoindre) [*militaire*] to rejoin [*poste*]; [*diplomate, fonctionnaire*] to take up [*poste*]; **~ le bord** [*marin*] to rejoin (one's) ship; **~ la terre** [*navire*] to make landfall
B se rallier *vpr* [1] (faire cause commune) **se ~ à** to rally to [*républicains*]; to join [*parti*]; [2] (être favorable) **se ~ à** to come round to [*avis, opinion*]; **elle s'est ralliée à notre cause** she was won over; [3] [*troupes, navires*] to rally

rallonge /ʀalɔ̃ʒ/ *nf* [1] (de fil électrique) extension cord, extension lead GB; (de table) leaf; **table à ~s** extending table; **discours à ~**○ interminable speech; **nom à ~(s)**○ double-barrelled name GB, hyphenated name; [2] ○(d'argent) additional sum; (à une subvention) additional grant; (de temps) extension; **obtenir une ~ de 500 euros/d'une semaine de congé** to get an extra 500 euros/week off

rallonger /ʀalɔ̃ʒe/ [13]
A *vtr* [1] (en longueur, durée) to extend [*fil, table, période*]; to make [sth] longer [*paragraphe*]; **~ une jupe** (par l'ourlet) to let a skirt down; **~ qch de 2 mètres** to make sth 2 metres[GB] longer; **~ son séjour d'une semaine** to extend one's stay by a week; [2] ○(en argent) **~ la paie de 100 euros** to increase wages by 100 euros
B *vi* **les jours rallongent** the days are getting longer *ou* drawing out
C se rallonger *vpr* to lie down again

rallumer /ʀalyme/ [1]
A *vtr* [1] to relight [*feu, pipe*]; **~ la lumière** to put the light on again; [2] (raviver) to rekindle [*querelles, passions*]; [3] (faire reprendre) to trigger off again [*lutte, guerre*]
B se rallumer *vpr* [1] [*incendie*] to flare up again; **les lumières se sont rallumées** the lights went on again; [2] fig [*querelles, passions*] to be rekindled; [*lutte, guerre*] to flare up again

rallye /ʀali/ *nm* [1] Sport (car) rally; [2] (réunion mondaine) party

RAM /ʀam/ *nf* (*abbr* = **random access memory**) RAM

ramadan /ʀamadɑ̃/ *nm* Ramadan; **faire le ~** to keep Ramadan

ramage /ʀamaʒ/
A *nm* liter (d'oiseau) song
B ramages *nmpl* (motif) foliage pattern; **à ~s** with a foliage pattern

ramassage /ʀamasaʒ/ *nm* [1] (action de prendre par terre) (de coquillages, cailloux, d'œufs) collecting; (de champignons) picking; (de fruits, feuilles mortes, débris) picking up; [2] (fait de collecter) (de cahiers, copies) taking in, collection; (d'ordures ménagères, de vieux journaux) collection; (d'enfants) collection GB, picking up; **le ~ des ordures ménagères s'effectue deux fois par semaine** household rubbish GB *ou* garbage US is collected twice a week; **car de ~** (pour employés) work bus; (scolaire) school bus

ramassé, **~e** /ʀamase/
A *pp* ▸ **ramasser**
B *pp adj* [1] (trapu) stocky, squat; [2] (recroquevillé) (pour se protéger) huddled up; (accroupi) crouched, crouching; **être ~ sur soi-même** to be hunched up; **être ~ en chien de fusil** to be curled up; [3] (concis) [*style, formule, expression*] concise, condensed

ramasse-miettes* /ʀamasmjɛt/ *nm inv* crumb collector, silent butler US

ramasse-monnaie* /ʀamasmɔnɛ/ *nm inv* change tray

ramasse-poussière* /ʀamaspusjɛʀ/ *nm inv* dust trap

ramasser /ʀamase/ [1]
A *vtr* [1] (prendre par terre) to collect [*bois, coquillages, œufs*]; to pick up [*cailloux, crayon, prunes*]; to dig up [*pommes de terre*]; to pick up [*paille, foin*]; **~ à la pelle** lit to shovel [sth] up [*sable, terre*]; fig (en grande quantité) to get bucketfuls of [*argent*]; [2] (collecter) Scol to take [sth] in, to collect [*cahiers, devoirs, livres*]; to collect [*ordures ménagères, vieux journaux*]; to collect GB, to pick up [*enfants, écoliers*]; [3] (rassembler) to pick up, to collect up [*objets, jouets*]; to pick up [*feuilles mortes, débris*]; [4] ○(relever) to pick up [*enfant, vieillard, ivrogne*]; **~ qn dans le ruisseau** fig péj to pick sb up out of the gutter; [5] (recueillir) to collect GB, to take in [*personne, animal, chien perdu*]; [6] ○(arrêter) [*police*] to nick○ sb; **se faire ~ dans une rafle** to get picked up in a (police) raid; [7] ○(attraper) to get [*réprimande, gifle, mois de prison*]; to catch [*rhume*]; **~ un coup** to get hit; **se faire ~** to get a telling-off; [8] (réunir en une masse) to gather up [*jupe*]; **~ ses cheveux en un chignon** to put up one's hair in a chignon; [9] (gagner) to scoop up [*prix*]; [10] (condenser) to condense [*récit*] (**en** into)
B se ramasser *vpr* [1] (se replier) to huddle up, to shrink into oneself; (se pelotonner) to curl up; [2] ○(tomber) [*personne*] to fall over *ou* down; [3] ○(échouer) to come a cropper○

(Idiomes) **~ une bûche**○ *or* **un gadin**○ to come a cropper○; **se faire ~ à un examen**○ to fail *ou* flunk○ US an exam; **~ ses forces** to muster one's strength

ramasseur, **-euse** /ʀamasœʀ, øz/ *nm,f* **~ de champignons** mushroom picker; (au tennis) **~ de balles** ball boy

ramasseuse-presse, *pl* **ramasseuses-presses** /ʀamasøzpʀɛs/ *nf* baler

ramassis /ʀamasi/ *nm inv* péj (de vauriens) bunch; (d'idées, objets) jumble

ramassoire /ʀamaswaʀ/ *nf* Helv (pelle à poussière) dustpan

rambarde /ʀɑ̃baʀd/ *nf* guardrail

ramdam◑ /ʀamdam/ *nm* [1] lit racket○, noise; [2] fig fuss; **faire du ~** [*personne*] to kick up *ou* make a fuss; [*affaire*] to cause an uproar

rame /ʀam/ *nf* [1] Naut oar; **la traversée de l'Atlantique à la ~** the crossing of the Atlantic in a rowing boat; [2] (de papier) ream; [3] (métro, train) train; **une ~ de métro** a metro train; [4] Agric stake; [5] Tex tenter

(Idiome) **il n'en fiche pas une ~**○ he doesn't do a stroke○

rameau, *pl* **~x** /ʀamo/ *nm* gén branch; Bot branch, bough littér; **~ d'olivier** olive branch

Rameaux /ʀamo/ *nmpl* **les ~, le dimanche des ~** Palm Sunday

ramée /ʀame/ *nf* liter leafy branches

ramenard◑, **~e** /ʀamnaʀ, aʀd/ *adj* boastful (*épith*)

ramener /ʀamne/ [16]
A *vtr* [1] (réduire) **~ l'inflation à 5%** to reduce inflation to 5 per cent; **~ les impôts au-dessous de 30%** to reduce taxation to below 30 per cent; **~ qch de 10%/20 personnes/30 euros à** to reduce sth from 10%/20 people/30 euros to; **~ la semaine de travail de 39 à 32 heures** to reduce the working week from 39 to 32 hours; **~ qch à de justes proportions** *or* **à sa juste mesure** to get sth into proportion; [2] (faire revenir) **~ qn/qch à** to bring sb/sth back to; **~ qn à la réalité** to bring sb back to reality; **~ qn à l'obéissance** to bring sb back into line; **~ les prix à leur niveau antérieur** to restore prices to their previous levels; **~ l'ordre/la paix/le calme** to restore order/peace/calm; **~ qn à de bons** *or* **meilleurs sentiments** to put sb into a better frame of mind; **~ qn sur terre** to bring sb down to earth; **~ qn à la vie** *or* **à soi** to bring sb round; **~ qn à la raison** to bring sb to his/her senses; **~ toujours tout à soi** always to relate everything to oneself; [3] (reconduire) to take [sb/sth] back; **~ qn à la maison** to take sb home; **l'avion qui les ramenait s'est écrasé** the plane which was taking them back crashed; **~ un malade à l'hôpital** to take a patient back to hospital; **~ qn en voiture** to give sb a lift GB *ou* ride US home; **~ un fugitif en prison** to take an escapee back to prison; [4] (faire rentrer) to bring [sb/sth] back; **j'attends qu'on ramène ma sœur/voiture** I'm waiting for my sister/car to be brought back; **~ qn sur la Terre** to bring sb back to Earth; [5] (rapporter) to bring back [*pain, souvenir, photos, maladie*] (**de** from); to return [*objet prêté*]; to win [*médaille, titre*]; **~ un cadeau de Paris** to bring back a gift from Paris; **~ des livres à la bibliothèque** to return books to the library; **~ qch dans ses bagages** fig to bring back sth from one's trip [*accord, expérience*]; [6] (déplacer) **~ les genoux vers le menton** draw your knees up to your chin; **~ la farine des bords vers le centre** draw the flour into the centre[GB] from around the edge; **~ ses cheveux en arrière/sur le côté** (avec un peigne) to comb one's hair back/to the side; (avec la main) to sweep one's hair back/to the side; **~ son manteau sur ses genoux** to pull one's coat over one's knees; **~ sa couverture sur son menton** to pull one's blanket up to one's chin
B se ramener *vpr* [1] (être réductible) **se ~ à** to come down to, to boil down to; **se ~ à une question d'argent** to come *ou* boil down to a question of money; [2] ○(venir) to come over; (revenir) to come back; **ramène-toi!** come over here!

(Idiome) **la ~**○ (intervenir intempestivement) to stick one's oar in○; (se vanter avec ostentation) to show off○

ramequin /ʀamkɛ̃/ *nm* ramekin

ramer /ʀame/ [1]
A *vtr* Agric to stake
B *vi* [1] Naut to row; [2] ○(travailler dur) to work like a dog○

ramette /ʀamɛt/ *nf* ream

rameur, **-euse** /ʀamœʀ, øz/
A *nm,f* gén rower; Sport oarsman/oarswoman
B *nm* Sport (appareil) rowing machine

rameuter /ʀamøte/ [1]
A *vtr* to round up
B se rameuter *vpr* to regroup

rami /ʀami/ ▸ **p. 469** *nm* Jeux rummy

ramie /ʀami/ *nf* Bot, Tex ramie

ramier /ʀamje/
A *adj* **pigeon ~** woodpigeon
B *nm* woodpigeon

ramification /ʀamifikasjɔ̃/ *nf* [1] (d'organisation) **les ~s d'une société secrète** the network of a secret society; **une société ayant de nombreuses ~s en Europe** a company with several offshoots in Europe; [2] (d'histoire, de complot) ramification; [3] (subdivision) subdivision; [4] Bot ramification

ramifier: **se ramifier** /ʀamifje/ [2] *vpr* [1] lit [*tronc, tige, nerf, veine*] to branch (**en** into); [*branche*] to divide (**en** into); [2] fig [*secte, société*] to be divided into branches; **famille très ramifiée** family with many branches; **problème très ramifié** problem with many ramifications

ramille /ʀamij/ *nf* small branches (*pl*)

ramolli, **~e** /ʀamɔli/ *adj* [1] [*substance*] (devenu mou) soft; (rendu mou) softened; [2] ○[*personne*] (avachi) limp; (apathique) spineless; (gâteux) soft in the head; **il est complètement ~**

r

(gâteux) he's completely gaga○; **avoir le cerveau ~**○ péj to be soft in the head

ramollir /ʀamɔliʀ/ [3]
A *vtr* **1** (rendre mou) to soften [*matière*]; **2** (affaiblir) to make [sb] soft [*personne*]; to weaken [*volonté*]
B **se ramollir** *vpr* **1** [*matière*] to become soft, soften; **2** ○[*personne*] (s'avachir) to grow soft; (devenir gâteux) to go soft in the head○

ramollissement /ʀamɔlismɑ̃/ *nm* lit, fig softening; **~ cérébral** *or* **du cerveau** softening of the brain

ramollo○ /ʀamɔlo/
A *adj* (gâteux) doddery; (mou) spineless○
B *nmf* (vieillard) dodderer; (mou) wet rag○

ramonage /ʀamɔnaʒ/ *nm* **1** (de cheminées) chimney-sweeping; **entreprise de ~** chimney sweeps (*pl*); **les frais de ~** the cost of having the chimneys swept; **2** (en alpinisme) (action) chimney-climbing; (technique) laybacking

ramoner /ʀamɔne/ [1] *vtr* **1** to sweep [*cheminée*]; **2** (en alpinisme) to back up

ramoneur /ʀamɔnœʀ/ ▸ p. 532 *nm* chimney sweep

rampant, **~e** /ʀɑ̃pɑ̃, ɑ̃t/
A *adj* **1** [*animal, insecte*] crawling; [*tige*] prostrate; [*plante*] creeping; **2** (servile) [*manières, personne*] grovelling[GB]; **3** (insidieux) [*idéologie, mal, inflation*] creeping; **4** ○Aviat **personnel ~** ground staff; **5** Archit [*arc, voûte*] rampant; **6** Hérald rampant (*après n*)
B *nm* **1** ○Aviat member of the ground staff; **les ~s** the ground staff; **2** (de pignon, fronton) sloping end; **toit à deux ~s** saddleback roof GB, saddle roof US

rampe /ʀɑ̃p/ *nf* **1** (d'escalier) (sur balustres) banister; (fixée au mur) hand-rail; **2** (plan incliné) ramp; (côte) Rail incline; **3** Théât **la ~** the footlights
(Composés) **~ d'accès** (d'autoroute) sliproad GB, entrance ramp US; (de bâtiment) ramp; **~ d'arrosage** irrigation line; **~ de balisage** runway lights (*pl*), ramp; **~ de chargement** loading ramp; **~ d'embarquement** embarcation ramp; **~ de lancement** launchpad
(Idiomes) **passer la ~** Théât (dialogue) to work; (plaisanterie) to come off; **tenir bon la ~**○ to hold out; **lâcher la ~**○ to kick the bucket○

ramper /ʀɑ̃pe/ [1] *vi* **1** [*reptile, personne*] to crawl; [*chat, fauve*] to creep; **s'approcher/s'éloigner en rampant** to crawl near/away; **2** [*plante*] to creep; **3** fig (s'humilier) to grovel (**devant** to)

ramure /ʀamyʀ/ *nf* **1** (d'arbre) branches (*pl*); **2** ¢ (de cerf) antlers (*pl*)

rancard◑ /ʀɑ̃kaʀ/ *nm* **1** (rendez-vous) appointment; (amoureux) date; **avoir un ~ avec qn** to have an appointment *ou* a date with sb; **2** (renseignement) tip

rancarder○ /ʀɑ̃kaʀde/ [1] *vtr* to arrange to meet

rancart /ʀɑ̃kaʀ/ *nm* **1** ○**mettre au ~** to scrap [*objet, projet*]; to ditch [*personne*]; **bon à mettre au ~** ready for the scrap heap; **2** ◑ = **rancard**

rance /ʀɑ̃s/
A *adj* [*odeur, graisse*] rancid
B *nm* **odeur/goût de ~** rancid smell/taste; **sentir le ~** to smell rancid

ranch /ʀɑ̃tʃ/ *nm* ranch

ranci, **~e** /ʀɑ̃si/
A *pp* ▸ **rancir**
B *pp adj* [*graisse*] rancid

rancir /ʀɑ̃siʀ/ [3] *vi* [*huile, graisse*] to go rancid

rancœur /ʀɑ̃kœʀ/ *nf* **1** (grief) resentment ¢ (**envers qn, contre qn** against sb); **éprouver de la ~ contre qn** to be full of resentment against sb; **accumuler des ~s** to store up resentment; **2** (amertume) rancour[GB]

rançon /ʀɑ̃sɔ̃/ *nf* **1** (somme d'argent) ransom; **moyennant ~** for a ransom; **mettre qn à ~** to hold sb to ransom GB *ou* for ransom US; **2** (contrepartie) **la ~ de qch** the price you have to pay for sth; **la ~ de la gloire/du succès** the price of fame/of success; **la ~ du péché** the wages of sin

rançonner /ʀɑ̃sɔne/ [1] *vtr* **1** (exiger de l'argent de) [*brigand*] to rob [*voyageurs*]; [*racketteur*] to extort money from [*commerçants*]; **2** ○(exploiter) to fleece○ [*client, contribuable*]; **3** †(demander une rançon à) **~ un otage/navire** to hold a hostage/ship to ransom

rançonneur, **-euse** /ʀɑ̃sɔnœʀ, øz/ *nm,f* (brigand) robber; (exploiteur) extortionist

rancune /ʀɑ̃kyn/ *nf* **1** (sentiment) resentment ¢; **avoir de la ~ contre qn** to bear a grudge against sb; **sans ~!** no hard feelings; **2** (grief) grudge; **entretenir des ~s** to bear grudges; **garder ~ à qn d'avoir fait qch** to bear a grudge against sb for having done sth

rancunier, **-ière** /ʀɑ̃kynje, ɛʀ/ *adj* **être ~** to be a person who holds grudges

rand /ʀɑ̃d/ ▸ p. 48 *nm* rand

randonnée /ʀɑ̃dɔne/ *nf* **1** (activité) (à pied) walking; (plus pénible) hiking; (de plusieurs jours) backpacking; **la ~ à cheval** pony-trekking; **~ à ski** off-piste skiing; **2** (promenade) (à pied) walk; (plus pénible) hike; **~ équestre** pony trek; **faire une ~** (à pied) to go walking; (à cheval) to go pony-trekking; (à skis) to go off-piste skiing; **ils sont en ~ en Espagne** (en voiture) they are touring Spain by car; **3** (trajet) (pour marcheurs) walk; (pour cavaliers) trail; (pour automobilistes) scenic route for motorists; **une ~ classique** (à pied) a well-known walk

randonneur, **-euse** /ʀɑ̃dɔnœʀ, øz/
A *nm,f* (personne) (à pied) hiker, rambler GB; (à bicyclette) (touring) cyclist
B **randonneuse** *nf* (bicyclette) mountain bike

rang /ʀɑ̃/ *nm* **1** (rangée) (de personnes, chaises, légumes) row; (de collier) strand; **les enfants étaient en ~s** the children were in rows; **mettre les enfants en ~s** to make the children line up; **se mettre en ~s** [*enfants*] to get into (a) line; **(mettez-vous) en ~s deux par deux/trois par trois** line up in twos/threes; **Paul est au premier/dernier ~** Paul is in the first/last row; **2** Mil rank; **placer des soldats sur deux ~s** to draw up soldiers in two ranks; **silence dans les ~s!** silence in the ranks!; **les ~s d'une armée** the rank and file, the ranks; **rompre les ~s** (sur ordre) to fall out; (sans ordre) to break ranks; **servir dans le ~** to serve in the ranks; **sortir du ~** Mil, fig to rise *ou* come up through the ranks; **serrer les ~s** Mil to close ranks; Scol [*élèves*] to crowd together; fig (être solidaires) to close ranks; **ramener qn dans le ~** fig to bring sb into line, to make sb toe the line; **rentrer dans le ~** lit to fall into line; fig to toe the line; **rejoindre les ~s de l'opposition** fig to join the ranks of the opposition; **venir grossir les ~s des mécontents** fig to swell the ranks of the discontented; **3** (place) **arriver au 20e ~ mondial des exportations de café** to rank 20th in the world for coffee exports; **être au 5e ~ mondial des exportateurs de coton** to be the 5th largest exporter of cotton in the world; **ce problème vient au premier/dernier ~ des préoccupations du gouvernement** the problem is at the top/bottom of the government's list of priorities ; **reléguer qn/qch au ~ de** to relegate sb/sth to the rank of; **être sur les ~s pour un poste** to be in the running for a job; **acteur/auteur de second ~** second-rate actor/author; **4** (ordre) order; **par ~ d'ancienneté/de taille** in order of seniority/of height; **5** (dans une hiérarchie) rank; **~ inférieur**, **~ subalterne** lower rank; **avoir ~ de** to have the rank of; **accéder au ~ de** to rise to *ou* to attain the rank of; **élevé au ~ de** promoted to the rank of; **fonction de très haut ~** high-ranking post; **ne fréquenter que des personnes de son ~** to mix only with people of one's own station; **garder** *or* **tenir son ~** to behave in a way appropriate to one's position; **mettre sur le même ~ que** to put in the same class as; **6** (au tricot) row; **un ~ à l'endroit/l'envers** one row knit/purl

rangé, **~e** /ʀɑ̃ʒe/
A *pp* ▸ **ranger**[1]
B *pp adj* (de bonne conduite) [*vie*] orderly; [*personne*] well-behaved
C **rangée** *nf* (de maisons, d'arbres) row, line; (de sièges, spectateurs, soldats, d'élèves) row; **la première ~e vous pouvez sortir** Scol the first row can leave

rangement /ʀɑ̃ʒmɑ̃/ *nm* **1** (action) (de dossier, pièce) tidying up; (dans un meuble) putting away; **le ~ du garage m'a pris toute la journée** it took me the whole day to tidy up the garage; **c'est un maniaque du ~** he's obsessively tidy; **2** (meuble, espace) storage space ¢; **meuble/espace de ~** storage unit/space; **boîte de ~** storage box

ranger[1] /ʀɑ̃ʒe/ [13]
A *vtr* **1** (remettre à sa place) to put away; **range les ciseaux!** put the scissors away!; **avant de partir range tes jouets** before leaving put away your toys; **~ un livre sur une étagère** to put a book back on a shelf; **le dossier était mal rangé** the file had been put in the wrong place; **où as-tu rangé ma veste?** where did you put my jacket?; **où ranges-tu tes verres?** where do you keep the glasses?; **~ les produits dangereux hors de la portée des enfants** keep (all) dangerous products out of the reach of children; **~ sa voiture au garage** to put one's car in the garage; **2** (ordonner) (par classement) to arrange; (en ligne) to line up; **~ qch dans l'ordre alphabétique/chronologique** to put *ou* arrange sth in alphabetical/chronological order; **~ des élèves par deux/trois par trois** to line pupils up in pairs/threes; **3** (situer) **~ un poète parmi les romantiques** to consider a poet as one of the Romantics; **on le range dans le camp des marxistes** he is regarded as a marxist; **~ qn dans la catégorie des imbéciles** to consider sb an idiot; **~ un animal dans la catégorie des mammifères** to class an animal as a mammal; **~ qn de son côté** to win sb over to one's side; **4** (mettre en ordre) to tidy [*maison, pièce, meuble*]; **il passe son temps à ~** he spends his time tidying up; **tout est bien rangé ici** everything is nice and tidy here; **ton bureau est toujours parfaitement rangé** your desk is always perfectly tidy
B **se ranger** *vpr* **1** (se mettre en rang) [*soldats, prisonniers*] to line up, to get in line; [*élèves, enfants*] to line up, to form a line; **se ~ derrière qn** lit, fig to line up behind sb; **2** (se mettre sur le côté) [*véhicule, conducteur*] to pull over; [*cycliste*] to pull in; [*piéton*] to step aside, to make way; **3** (se garer) [*véhicule, conducteur*] to park; **se ~ à quai** [*navire*] to dock; **4** (se placer) **se ~ parmi** *or* **au côté de** to side with; **se ~ sous l'autorité de qn** to abide by sb's authority; **se ~ à l'avis** *or* **l'opinion de qn** to go along with sb; **5** (être mis à sa place) [*vaisselle, livres*] to be kept; **où se rangent les assiettes?** where are the plates kept?; **un couteau ça se range!** there's a place for knives!; **6** (s'assagir) to settle down; **avec l'âge il a fini par se ~** he has settled down with age

ranger[2] /ʀɑ̃dʒɛʀ/ *nm* **1** (soldat américain) ranger; **2** (chaussure) heavy-duty boot, Doc Marten® boot GB, stogie US

Rangoun /ʀɑ̃gun/ ▸ p. 894 *npr* Rangoon

ranimation /ʀanimasjɔ̃/ *nf* = **réanimation**

ranimer /ʀanime/ [1]
A *vtr* **1** (faire reprendre conscience à) to resuscitate [*personne*]; **2** (revigorer) [*air, promenade*] to revive [*personne*]; **3** (raviver) to rekindle [*feu, ardeur, espoir, débat*]; to stir up [*querelle, inquiétude*]; to restore [*confiance*]; to revive [*marché financier, région*]; to liven up [*conversation*]
B **se ranimer** *vpr* **1** (reprendre conscience) to come round, to regain consciousness; **2** (se raviver) [*feu*] to flare up; [*ardeur, flamme, débat*]

r

to be rekindled; [*conversation*] to liven up

RAO /ɛʀao/ *nf: abbr* ▸ **recherche**

raout† /ʀaut/ *nm* rout‡, reception

rap /ʀap/ *nm* Mus rap

rapace /ʀapas/

A *adj* [*personne*] rapacious

B *nm* Zool bird of prey

rapacité /ʀapasite/ *nf* **1** (d'animal) ferocity; **2** (de marchand) rapacity, greed; **marchander avec ~** to haggle ferociously

râpage /ʀɑpaʒ/ *nm* (de carotte, fromage) grating; (de bois, métal) rasping; (de pierre) grinding

rapatrié, ~e /ʀapatʀije/ *nm,f* repatriate (**de** from); **les ~s d'Afrique du Nord** *people who returned to France after the Algerian war*

rapatriement /ʀapatʀimɑ̃/ *nm* repatriation

rapatrier /ʀapatʀije/ [2] *vtr* to repatriate [*exilés, fonds*]

râpe /ʀɑp/ *nf* **1** Culin grater; **2** Tech rasp

(Composé) **~ à fromage** cheese grater

râpé, ~e /ʀɑpe/

A *pp* ▸ **râper**

B *pp adj* [*carotte, fromage*] grated; [*vêtement*] worn

C ◑*adj* (loupé) **c'est ~** it's off○

D *nm* Culin grated cheese

râper /ʀɑpe/ [1] *vtr* to grate [*fromage, carotte*]; to rasp [*bois*]; to grind [*pierre, tabac*]; **~ le gosier**○ fig to be rough on the throat

rapetassage○ /ʀap(ə)tasaʒ/ *nm* patching up

rapetasser○ /ʀap(ə)tase/ [1] *vtr* to patch up [*vêtement, soulier*]

rapetissement /ʀap(ə)tismɑ̃/ *nm* diminishing size

rapetisser /ʀap(ə)tise/ [1]

A *vtr* lit **la distance/ce miroir rapetisse les objets** distance/this mirror makes things look smaller

B *vi* [*jours*] to get shorter, to draw in; [*vêtement*] to shrink; [*personne*] to shrink, to get shorter

C se rapetisser *vpr* [*vieillard*] to shrink, to get shorter

râpeux, -euse /ʀɑpø, øz/ *adj* [*langue, vin*] rough; [*voix*] rasping

Raphaël /ʀafaɛl/ *npr* Raphael

raphia /ʀafja/ *nm* **1** (fibre) raffia; **une natte en ~** a raffia mat; **un brin de ~** a piece of raffia; **2** (arbre) raffia palm

rapiat○ /ʀapja/

A *adj* (avare) stingy○, mean, cheap○ US

B *nmf* skinflint○, cheapskate○

rapide /ʀapid/

A *adj* **1** (qui se déplace très vite) fast; **le plus ~** the fastest; **le moins ~** the slowest; **être ~ à la course** to be a fast runner; **2** (qui coule vite) [*rivière, eau*] fast-flowing; [*courant*] strong; **3** (fortement incliné) [*pente, descente*] steep; **4** (fait en peu de temps) [*progrès, développement, disparition, transformation, vieillissement*] rapid; [*moyen, victoire*] quick; [*livraison, succès, amélioration, aggravation*] quick, rapid; [*réaction, intervention*] quick, swift; [*réponse, décision*] prompt; [*service*] quick, speedy; **jeter un coup d'œil ~ à sa montre** to take a quick look at *ou* to glance at one's watch; **une ~ montée du chômage** a rapid rise in unemployment; **avec une machine c'est ~** with a machine it's quick; **je vais y aller en avion, c'est plus ~** I'm going by plane *ou* I'm flying, it's quicker; **5** (au rythme soutenu) [*mouvement, geste*] quick; [*allure*] quick, rapid; [*course*] fast; [*rythme, respiration, pouls*] fast, rapid; [*musique, danse*] fast; **sa respiration était ~, il avait une respiration ~** he was breathing rapidly; **il a un pouls trop ~** his pulse is too fast; **6** (qui agit vite) [*personne, esprit*] quick; **à effet ~** [*médicament, substance*] quick-acting, fast-acting

B *nmf* **être un ~** (pour penser, comprendre) to be a quick thinker; (pour agir) to have quick reactions

C *nm* **1** (cours d'eau) rapids (*pl*); **descendre un ~** to shoot the rapids; **2** Rail express; **le ~ Paris-Maubeuge** the Paris-Maubeuge express

(Idiome) **être ~ comme l'éclair** to be as quick as lightning

rapidement /ʀapidmɑ̃/ *adv* rapidly, quickly; [*livrer*] quickly; [*intervenir, réagir*] quickly, swiftly; [*jouer*] Mus fast

rapidité /ʀapidite/ *nf* **1** (promptitude) speed; **la ~ avec laquelle il a réagi m'a surpris** his quick reaction surprised me; **la ~ de son coup d'œil/geste** his quick glance/movement; **2** (concision) littér (de style, narration) briskness

(Idiome) **réagir avec la ~ de l'éclair** to react with lightning speed

rapiéçage /ʀapjesaʒ/, **rapiècement** /ʀapjɛsmɑ̃/ *nm* **1** (action) patching; **2** (pièce) patch

rapiécer /ʀapjese/ [14] *vtr* to patch

rapière /ʀapjɛʀ/ *nf* rapier

rapine /ʀapin/ *nf* littér **1** (action) plundering; **2** (butin) plunder; **vivre de ~s** to live by plundering

rapiner /ʀapine/ [1] *vi* littér to plunder; Mil to pillage

raplapla○ /ʀaplapla/ *adj inv* (fatigué) worn out, wiped out○ (*jamais épith*)

rappel /ʀapɛl/ *nm* **1** (remise en mémoire) reminder (**de** of; **à** to); **~ utile/douloureux du passé** useful/grim reminder of the past; **~ historique** historical reminder; **2** (avis de facturation) reminder; **lettre de ~** reminder; **recevoir/envoyer un ~** to receive/to send a reminder; **'dernier ~'** 'final reminder'; **~ d'impôts** tax reminder; **3** (salaire différé) back pay; (impôt restitué) **~ (d'impôt)** tax refund; **recevoir deux mois de ~** to get two months' back pay; **4** (appel à revenir) (d'ambassadeur) recall; (de réservistes) call-up; (d'acteurs) Théât curtain call; **recevoir son ~** *or* **sa feuille de ~** [*soldat*] to get one's call-up papers; **avoir trois ~s** [*acteur*] to take three curtain calls; **~ à l'ordre/à la décence/au devoir** call to order/to decency/to duty; **battre** *or* **sonner le ~** lit, fig to call to arms; **5** Méd (de vaccination) booster; **6** Art (répétition de couleur, motif) repeat; **7** Sport (en alpinisme) abseiling ₵, rappel spéc; **descendre en ~** to abseil, to rappel spéc; **8** Naut righting ₵; **se mettre au ~, faire du ~** to sit out

rappelé, ~e /ʀaple/ *nm,f* Mil recalled reservist

rappeler /ʀaple/ [19]

A *vtr* **1** (remettre en mémoire) to remind [sb] of; **~ l'importance de** to remind people of the importance of; **~ qch à qn** to remind sb of sth; **~ leurs devoirs aux enseignants** to remind teachers of their duties; **~ à qn que** to remind sb that; **~ que** to remind (sb) that; **nous rappelons qu'il est interdit de fumer** may we remind you that smoking is prohibited; **~ le souvenir de qn** to evoke the memory of sb; **~ le souvenir d'un événement** to recall an event; **livre/exposition rappelant la vie de Proust** book/exhibition recalling Proust's life; **rappelez-moi au bon souvenir de** remember me to; **il en a profité pour ~ au bon souvenir des sénateurs la crise précédente/que** he took the opportunity to remind the senators of the preceding crisis/that; **2** (dire) to say; **comme le rappelait hier le premier ministre** as the Prime Minister said yesterday; **a-t-il rappelé** he said; **rappelons-le** let's not forget; **3** (évoquer par ressemblance) to remind [sb] of; **vous me rappelez votre sœur** you remind me of your sister; **4** (par téléphone) to call back; **il demande que tu le rappelles** he would like you to call him back; **veuillez ~ plus tard** please call back later; **5** (appeler à revenir) to call [sb] back [*personne*]; Mil, Pol to recall [*ambassadeur, réserviste*]; to recall [*produit*]; Théât to call back [*acteur*]; **être rappelé à Dieu** to pass away; **~ qn à l'ordre** to call sb to order; **~ qn au devoir** to remind sb of his/her duty; **~ qn à l'obéissance** to bring sb to heel

B se rappeler *vpr* **1** (se souvenir de) to remember [*fait, mot, visage*]; **se ~ avoir vu/lu** to remember seeing/reading; **se ~ comment/pourquoi** to remember how/why; **se ~ que** to remember that; **2** (se manifester) **se ~ au bon souvenir de qn** *or* **à l'attention de qn** [*personne*] to send one's regards to sb; **se ~ au bon souvenir de** iron [*réalité*] to come vividly back to sb's mind

rappeur, -euse /ʀapœʀ, øz/ ▸ **p. 532** *nm,f* rapper, rap artist

rappliquer○ /ʀaplike/ [1] *vi* (arriver) to turn up○; (revenir) to come back

rapport ➡ /ʀapɔʀ/

A *nm* **1** (lien) connection, link; **faire/établir le ~ entre** to make/to establish the connection *ou* link between; **avoir ~ à qch** to have something to do with sth; **être sans ~ avec** to bear no relation to; **n'avoir aucun ~ avec** to have nothing to do with, to have no connection with; **les deux événements sont sans ~ (entre eux)** the two events are unrelated *ou* unconnected; **il y a un ~ étroit entre ces deux phénomènes** there is a close connection between the two phenomena; **je ne vois pas le ~!** I don't see the connection!; **il n'y a aucun ~ de parenté entre eux** they're not related; **un emploi/salaire en ~ avec mes qualifications** a job/salary appropriate to *ou* that matches my qualifications; **un emploi en ~ avec tes goûts** a job suited to *ou* that matches your interests; **il faut que la peine soit en ~ avec le délit** the punishment must fit the crime; **~ de cause à effet** relation of cause and effect; **~ à**◑ about, concerning; **je viens vous voir ~ à mon augmentation** I'm coming to see you about my rise GB *ou* raise US

2 (relations) **~s** relations; **~ amicaux** *or* **d'amitié** friendly relations; **avoir** *or* **entretenir de bons/mauvais ~s avec qn** to be on good/bad terms with sb; **les ~s entre les deux pays sont tendus/amicaux** relations between the two countries are strained/friendly; **il a des ~s difficiles avec sa mère** he has a difficult relationship with his mother; **avoir des ~s**○ euph to have intercourse *ou* sex

3 (contact) **être en ~ avec qn** to be in touch with sb; **nous sommes en ~ avec d'autres entreprises** we have dealings with other companies; **se mettre en ~ avec qn** to get in touch with sb; **mettre des gens en ~** to put people in touch with each other

4 (point de vue) **sous le ~ de** from the point of view of; **sous ce ~** in this respect; **sous tous les ~s** in every respect; **il est bien sous tous (les) ~s** he's a decent person in every way *ou* respect

5 (compte rendu) report; **~ officiel** official report; **~ de police/commission d'enquête** police/select committee report; **~ confidentiel** confidential report; **rédiger un ~** to draw up a report

6 Mil daily briefing (*with roll-call*)

7 (rendement) return, yield; (de pari) **les ~s** the winnings (**de** on); **investissement d' un bon ~** investment that offers a good return *or* yield; **produire un ~ de 4%** to produce a return *ou* yield of 4%; **immeuble de ~** block of flats GB *ou* apartment block US that is rented out; **être en plein ~** [*arbres, terres*] to be in full yield

8 Math, Tech ratio; **dans un ~ de 1 à 10** in a ratio of 1 to 10; **le ~ hommes/femmes est de trois contre un** the ratio of men to women is three to one; **bon/mauvais ~ qualité prix** good/poor value for money; **changer de ~** Aut, Mécan to change gear

B par rapport à *loc prép* **1** (comparé à) compared with, in comparison with; **le chômage a augmenté par ~ à l'an dernier** unemployment increased compared with last year; **il est généreux/petit par ~ à son frère** he's generous/small compared with his brother;

➡ *voir* Variétés d'anglais

r

par ~ au dollar against the dollar
2 (en fonction de) **le nombre de voitures par ~ au nombre d'habitants** the number of cars in relation to the number of inhabitants; **un angle de 40° par ~ à la verticale** an angle of 40° to the vertical; **un changement par ~ à la position habituelle du parti** a change from the usual party line
3 (vis-à-vis de) with regard to, toward(s); **notre position par ~ à ce problème** our position with regard to this problem; **l'attitude de la population par ~ à l'immigration** people's attitude toward(s) immigration
(Composés) **~ d'engrenage** Aut, Mécan gear ratio; **~ d'étape** interim report; **~ de force** (équilibre) balance of power; (lutte) power struggle; **ils veulent créer un ~ de force en leur faveur** they want to tilt the balance of power in their favour[GB]; **je rêve d'une relation sans ~ de force** I dream of a relationship free of any power struggle; **~s sexuels** sexual relations

rapportage○ /RapɔRtaʒ/ *nm* tale-telling

rapporter /RapɔRte/ [1]
A *vtr* 1 (remettre en place) (ici) to bring back; (là-bas) to take back; (rendre) (ici) to bring back (**à** to), to return (**à** to); (là-bas) to take back (**à** to), to return (**à** to); **as-tu rapporté le livre à la bibliothèque?** did you take back *ou* return the book to the library?; **rapporte-moi mes disques dès que possible** bring back my records as soon as possible; **je vous rapporte votre sac à main** I've brought back your handbag; **chien dressé à ~ le gibier** dog trained to retrieve game; 2 (prendre avec soi) to bring back [*objet, cadeau, nouvelle*] (**à** to, **de** from); **il nous a rapporté des cadeaux de son voyage** he brought us back presents from his trip; **est-ce que vous rapportez de bonnes nouvelles?** have you brought back good news?; 3 (procurer un bénéfice) to bring in [*somme, revenu*] (**à** to); **la vente de la maison leur a rapporté beaucoup d'argent** they made a lot of money on the sale of the house, the sale of the house brought them a lot of money; **les actions rapportent 10%** the shares yield *ou* return 10%; **mes vignobles/terres me rapportent beaucoup d'argent** my vineyards/lands bring me in a good income *ou* a lot of money; **leurs investissements leur rapportent beaucoup d'argent** their investments give them a high return on their money; **ça ne rapporte rien** it doesn't pay; **qu'est-ce que ça va te ~ sinon des ennuis?** what can you gain from it except trouble?; 4 (ajouter) to add; Cout to sew [sth] on [*poche, pièce*]; 5 (relater) to report (**à** to); (citer) to quote [*bon mot*]; **je ne fais que ~ ses propos** I'm only reporting what he said; **on m'a rapporté que** I was told that; **la légende rapporte que** legend has it that; 6 (rattacher) to relate to; **si on rapporte les événements au contexte de l'époque** if you put the events in the context of the period; **~ qch à sa cause** to relate sth to its cause; **il rapporte tout à sa petite personne** he brings everything back to himself; 7 (convertir) **~ les mesures à l'échelle qui convient** to bring the measurements into scale; 8 ○(moucharder) Scol **ce n'est pas beau de ~ ce qu'ont fait tes petits camarades** it's not nice to tell on your friends; 9 Math **~ un angle** to plot an angle; 10 Jur to rescind, to revoke [*décret, mesure, acte*]; to cancel [*nomination*]; to reverse [*décision*]
B *vi* 1 (procurer un bénéfice) to bring in money, to be lucrative; **un métier/investissement qui rapporte** a lucrative job/investment; **ça rapporte beaucoup** it's lucrative; **ça rapporte peu** it's not very lucrative; 2 ○(moucharder) to tell tales
C **se rapporter** *vpr* 1 (être en relation avec) **se ~ à** to relate to, to bear a relation to; **votre réponse ne se rapporte pas à la question posée** your answer does not relate to *ou* is not relevant to the question asked; **tout ce qui se rapporte à ce chanteur la passionne** she's mad about everything that's got to do with this singer; **le pronom se rapporte au nom** Ling the pronoun is related to the noun; 2 (faire confiance à) **s'en ~ à** to rely on; **je m'en rapporte à vous/à votre jugement** I rely on you/on your judgment

rapporteur, -euse /RapɔRtœR, øz/
A ○*adj* **ce qu'il peut être ~ ce gamin!** that kid is a regular little telltale GB *ou* tattletale US!
B *nm,f* 1 Pol reporter; 2 ○(mouchard) telltale GB *ou* tattletale US
C *nm* Math protractor

rapprendre /RapRɑ̃dR/ [52] *vtr* = **réapprendre**

rapproché, ~e /RapRɔʃe/
A *pp* ▸ **rapprocher**
B *pp adj* 1 (dans l'espace) close together; **il a les yeux ~s** his eyes are set close together, his eyes are close-set; **elle a les sourcils ~s** her eyebrows are close together; 2 (dans le temps) close together; **les jours de livraison sont plus ~s** delivery days are closer together; **il a eu deux crises d'asthme ~es** he had two asthma attacks close together; **à intervalles ~s** in quick succession; **deux coups de fusil ~s** two gunshots in quick succession

rapprochement /RapRɔʃmɑ̃/ *nm* 1 (entente) rapprochement Pol; **il n'y a pas eu de ~ entre leurs positions** they have failed to narrow the gap between their positions; **le groupe né du ~ entre la firme Dubois et la société Laforêt** the group formed from the links established between the Dubois firm and the Laforêt company; 2 (comparaison) connection; **ton ~ est inattendu** the connection you make is surprising; **faire** *or* **établir un ~** to make *ou* establish a connection (**entre** between; **avec** with); **je n'avais pas fait le ~** I hadn't seen *ou* made the connection

rapprocher /RapRɔʃe/ [1]
A *vtr* 1 (rendre plus proche) to move [sth] closer [*objet*] (**de** to); **peux-tu ~ la lampe, je n'y vois rien** can you move the lamp a bit closer, I can't see a thing; **si tu n'y vois rien, rapproche la lampe** if you can't see, move the lamp closer; **rapproche la chaise du mur** move the chair closer to the wall; **le courant nous rapproche de la côte** the current is taking us toward(s) the coast; **le prolongement de la ligne va me ~ de mon travail** the extension of the line will take me closer to my work; **il faut ~ les électrodes pour que l'étincelle se produise** the electrodes must be moved closer together in order to produce a spark; **j'ai dû ~ mon fauteuil de la fenêtre** I had to move my armchair closer to the window; **rapproche les deux vases** move the two vases closer together; **les jumelles rapprochent les objets** fig binoculars make objects seem closer *ou* nearer; 2 (dans le temps) to bring [sth] forward(s) [*date, rendez-vous*] (**de** to); **ils veulent ~ la date des négociations** they want to bring the date of the negotiations forward; **cette date nous rapproche trop des élections** this date brings us too close to the elections; 3 (disposer à l'entente) to bring [sb] (closer) together [*personnes*]; **leur passion pour la musique les rapproche** they are drawn together by their passion for music; **ses épreuves l'ont rapprochée des pauvres** her hardships have brought her closer to the poor; **ils ont réussi à ~ les deux pays** they managed to improve relations between the two countries; 4 (réunir) to bring together [*personnes*]; **activité/club rapprochant des gens d'horizons très différents** activity/club which brings together people from very different walks of life; 5 (pour comparer) to compare; **la situation est à ~ de ce qui s'est passé en 1951** the situation can be compared to what happened in 1951; 6 (apparenter) **ses caractéristiques le rapprochent plus des mammifères** its characteristics make it closer to the mammals
B **se rapprocher** *vpr* 1 (devenir plus proche) to get closer, to get nearer (**de** to); **l'avion/l'orage/l'ennemi se rapproche** the plane/the storm/the enemy is getting closer; **j'ai choisi ce travail pour me ~ d'elle** I chose this job so that I could be nearer to her; 2 (améliorer des relations) to get closer (**de** to); **ils n'ont rien fait pour se ~ de nous** they did nothing to get closer to us; **il semble que les deux pays se rapprochent** relations between the two countries seem to be improving; 3 (s'apparenter) **se ~ de** (processus) to get close to; (état) to be close to; **leurs peintures se rapprochent des fresques antiques** their paintings are similar to ancient frescoes; **le chimpanzé se rapproche plus de l'homme que du babouin** the chimpanzee is more closely related to man than to the baboon

rapprovisionnement /RapRɔvizjɔnmɑ̃/ *nm* = **réapprovisionnement**

rapprovisionner /RapRɔvizjɔne/ [1] *vtr* = **réapprovisionner**

rapsode = **rhapsode**

rapsodie = **rhapsodie**

rapt /Rapt/ *nm* 1 (enlèvement) kidnapping[GB], abduction; 2 Phys, Nucl pick-up

raquer○ /Rake/ [1] *vi* (payer) to cough up○, pay up

raquette /Rakɛt/ *nf* 1 (de tennis, badminton) racket; (de tennis de table) bat GB, paddle US; 2 (joueur) player; **c'est une fine ~** he's a good player; 3 (pour marcher dans la neige) snowshoe; 4 Bot prickly pear

rare /RɑR/ *adj* 1 (peu commun) [*personne, objet, animal, plante*] rare; [*matière première, denrée, main-d'œuvre, produit*] scarce; [*minerai*] rare, scarce; **être l'un des ~s qui** to be one of the few (people) who; 2 (peu fréquent) [*cas, mot, maladie*] rare; [*moment*] rare; [*visites*] infrequent; [*occasion*] rare, unusual; [*emploi, utilisation*] unusual, uncommon; [*voyages, trains*] infrequent; [*voitures, passants, clients, amis*] few; **les clients sont ~s à cette époque-ci de l'année** we have very few customers at this time of year; **devenir** *or* **se faire ~** [*argent, produit, denrée*] to be *ou* become scarce; **vous vous faites ~ ces temps-ci** you are not around much these days; **il se fait de plus en plus ~ dans le village** he comes to the village less and less (frequently); **quelques ~s visiteurs** a few occasional visitors; **~s étaient ceux qui faisaient** there were few who did; **il est ~ de faire** it is unusual to do; **il n'est pas ~ de faire** it isn't uncommon *ou* unusual to do; **il est ~ qu'il vienne en train** it's unusual for him to come by train; **il n'est pas ~ qu'il reste pour dîner** it's not unusual for him to stay for dinner; **cela n'a rien de ~** there's nothing unusual about it; **à de ~s exceptions près** with few exceptions; 3 (exceptionnel) [*qualité, beauté, talent*] rare; [*maîtrise, intelligence, énergie, courage*] exceptional; [*bêtise, impudence, inconséquence*] singular; **combat d'une ~ violence** exceptionally violent fight *ou* fighting; **être d'une bêtise ~** *or* **d'une ~ bêtise** to be singularly *ou* exceptionally stupid; **être d'une intelligence ~** to be exceptionally intelligent; **il est l'exemple ~ de** he is a rare example of; 4 (clairsemé) [*cheveux, barbe, végétation*] sparse; [*air*] thin

raréfaction /RɑRefaksjɔ̃/ *nf* (de gaz, d'air) rarefaction; (pénurie) growing shortage

raréfiable /RɑRefjabl/ *adj* rarefiable

raréfier /RɑRefje/ [2]
A *vtr* 1 (rendre moins dense) to rarefy [*air, gaz*]; 2 (rendre rare) to make [sth] rare
B **se raréfier** *vpr* [*air*] to become thinner; [*gaz, atmosphère*] to rarefy; [*nourriture, denrée, argent*] to become scarce; [*espèce animale, végétale*] to become rare

rarement /RɑRmɑ̃/ *adv* rarely, seldom

rareté /RɑRte/ *nf* 1 (d'argent, de crédit, denrées) shortage, scarcity; (d'édition, de médaille, mot) rarity; (d'offre, de demande) shortage; **édition d'une grande ~** very rare edition; **la ~ des visiteurs** the small number of visitors; 2 (de phénomène, d'événement) rarity; (de lettres, d'appels) infrequency; **être d'une grande ~** [*objet*] to be very rare; [*action*] to be very infrequent

rarissime /ʀɑʀisim/ *adj* extremely rare; **les occasions sont ∼s** opportunities are few and far between

ras, ∼e /ʀɑ, ʀɑz/
A *adj* **1** (naturellement court) [*poils, pelage*] short; [*végétation*] low-growing; **à poil ∼** [*animal, fourrure*] short-haired; **2** (coupé court) [*barbe*] short; [*gazon*] cut short (*après n*); [*étoffe, tapis*] short-piled; **en ∼e campagne** in (the) open country; **3** [*mesure*] level; **une cuillère à café ∼e de levure** a level teaspoonful of baking powder; **plein/remplir à ∼ bord** filled/to fill to the brim (**de** with)
B *adv* short; **coupé ∼** [*cheveux, barbe, gazon*] cut short (*après n*); **couper qch (à) ∼** to cut sth very short [*cheveux, gazon*]
C au ras de *loc prép* **au ∼ de l'eau/des arbres** at water/tree level; **au ∼ de la terre** *or* **du sol** lit at ground level; **couper une plante au ∼ du sol** to cut a plant down to ground level
(Idiomes) **être à ∼ de terre** *or* **du sol** *or* **des pâquerettes**○ [*propos, idées, débat*] to be rather basic; **faire table ∼e de** to make a clean sweep of; **en avoir ∼ le bol**○ *or* **cul**● to be fed up○ (**de qn/qch** with sb/sth)

RAS /ɛʀaɛs/ (*abbr* = **rien à signaler**) nothing to report

rasade /ʀazad/ *nf* (dans un verre) glassful; (au goulot) swig○

rasage /ʀɑzaʒ/ *nm* **1** (action) shaving; **2** (résultat) shave; **∼ de près** close shave

rasant, ∼e /ʀɑzɑ̃, ɑ̃t/ *adj* **1** (frôlant) [*lumière, rayon*] oblique; [*tir, balle*] grazing; [*vol*] low; **2** ○(ennuyeux) boring

rascasse /ʀaskas/ *nf* scorpion fish

ras-de-cou /ʀɑdku/, **ras-du-cou** /ʀɑdy-ku/ *nm inv* **1** (pull) crew-neck sweater; **2** (collier) choker

rasé, ∼e /ʀɑze/
A *pp* ▸ **raser**
B *pp adj* **1** [*poil, cheveux, tête*] shaven; [*menton*] clean-shaven; [*jambe*] shaved; **il a les cheveux ∼s** he's had his hair shaved off; **être bien/mal ∼** to be well/badly shaven; **être ∼ de près/de frais** to be close/freshly shaven; **2** (détruit) Mil razed to the ground; Constr [*bâtiment, quartier*] demolished

rase-mottes* /ʀɑzmɔt/ *nm inv* **le (vol en) ∼** hedgehopping, low flying; **faire du ∼, voler en ∼** to fly low

raser /ʀɑze/ [1]
A *vtr* **1** to shave [*personne, tête, joue, jambe*] (**à** with); to shave off [*barbe, cheveux, moustache*]; **ce rasoir rase bien/mal** this razor shaves well/badly; **∼ de près** to give [sb] a close shave; **se faire ∼** to get shaved; **crème/mousse à ∼** shaving cream/foam; **2** (abattre) Constr to demolish [*bâtiment, quartier*]; Mil to raze [sth] to the ground [*fortification, ville, quartier*]; **3** (effleurer) [*projectile*] to graze; [*avion, oiseau*] to skim; **4** ○(ennuyer) to bore [sb] stiff○
B se raser *vpr* **1** to shave (**à** with); **se ∼ les jambes** to shave one's legs; **se ∼ de près** to give oneself a close shave; **se ∼ la barbe/moustache** to shave off one's beard/moustache GB *ou* mustache US; **2** ○(s'ennuyer) to be bored stiff○
(Idiomes) **demain on rase gratis!** and pigs will fly!; **∼ les murs** to hug the walls

raseur○, **-euse** /ʀɑzœʀ, øz/
A *adj* [*personne*] boring
B *nm,f* bore; **quel ∼!** what a bore he is!

rasibus○ /ʀɑzibys/ *adv* short

ras-le-bol○ /ʀɑlbɔl/ *nm inv* discontent; **le ∼ étudiant** student discontent

rasoir /ʀɑzwaʀ/
A ○*adj* [*personne, situation, film*] boring
B *nm* (objet) **∼ mécanique** razor; **∼ électrique** electric shaver; **∼ à main** cut-throat GB *ou* straight US razor; **∼ mécanique** *or* **de sûreté** safety razor; **∼ jetable** disposable razor; **∼ à pile(s)** battery shaver; **∼ rechargeable** (mécanique) razor with replacement blades; (électrique) rechargeable shaver; **lame de ∼** razor blade; **une coupure de ∼** a nick with a razor; **∼ à deux lames** twin-blade razor; **coupe au ∼** razor cut; **il lui a tranché la gorge d'un coup de ∼** he cut his/her throat with a razor; **il l'a tuée d'un coup de ∼** he killed her with a razor; ▸ **lame**

Raspoutine /ʀasputin/ *npr* Rasputin

rassasier /ʀasazje/ [2]
A *vtr* [*nourriture*] to fill [sb] up; [*personne*] to stuff (**de** with); **ce repas m'a vraiment rassasié** the meal has really filled me up; **être rassasié** (de nourriture) to have eaten one's fill (**de** of), to be replete (**de** with); **être rassasié de** to have had one's fill of [*spectacle, activité*]
B se rassasier *vpr* to eat one's fill (**de** of)

rassemblement /ʀasɑ̃bləmɑ̃/ *nm* **1** (manifestation) rally; (attroupement) gathering; (plus organisé) meeting; **2** (fait de se rassembler) gathering; **∼ devant l'hôtel à cinq heures** meet in front of the hotel at five; **∼!** Mil fall in!; **sonner le ∼** Mil, hum to sound the rallying call; **3** (fait de rassembler) gathering together; **4** (union) uniting; **travailler au ∼ des électeurs** to work on uniting voters

rassembler /ʀasɑ̃ble/ [1]
A *vtr* **1** (pour former un groupe) to gather [sb] together [*personnes*]; (pour mettre en contact) to bring [sb] together [*personnes*]; Mil to muster, assemble [*troupes*]; to round up [*moutons, troupeau*]; **∼ des personnes dans une pièce/autour d'une estrade** to gather people in a room/around a platform; **2** (autour d'une cause commune) to unite [*citoyens, nation*]; **3** (réunir) to gather [sth] together [*effets personnels, documents*]; to gather, collect [*informations, preuves*]; **∼ des poèmes en un seul volume** to collect poems together in one volume; **∼ ses forces/son courage** to summon up one's strength/one's courage (**pour faire** to do); **∼ ses idées** to collect one's thoughts
B se rassembler *vpr* gén [*personnes*] to gather; (dans un but précis) to assemble; **se ∼ autour de qn** to gather around sb; **tous les villageois rassemblés** all the assembled villagers

rassembleur /ʀasɑ̃blœʀ/ *nm* rallying point

rasseoir* /ʀaswaʀ/ [41]
A *vtr* to sit [sb] down again [*personne debout*]; to sit [sb] up again [*personne couchée*]
B se rasseoir *vpr* to sit down (again); **faire ∼ qn** to make sb sit down (again)

rasséréné /ʀaseʀene/
A *pp* ▸ **rasséréner**
B *pp adj* reassured

rasséréner /ʀaseʀene/ [14]
A *vtr* to reassure, to calm [sb] down [*personne*]
B se rasséréner *vpr* [*personne*] to calm down; [*visage*] to clear

rassir /ʀasiʀ/ [3] *vi*, **se rassir** *vpr* [*pain, gâteau*] to go stale

rassis, ∼e /ʀasi, iz/
A *pp* **1** ▸ **rassir**; **2** ▸ **rasseoir**
B *pp adj* [*pain, gâteau*] stale

rassortiment /ʀasɔʀtimɑ̃/ *nm* = **réassortiment**

rassortir /ʀasɔʀtiʀ/ [19] *vtr* = **réassortir**

rassurant, ∼e /ʀasyʀɑ̃, ɑ̃t/ *adj* reassuring; **en compagnie d'un individu peu ∼** with a dubious individual

rassurer /ʀasyʀe/ [1]
A *vtr* to reassure; **∼ qn** to reassure sb, to put sb's mind at rest; **∼ qn sur qch** to put sb's mind at rest about sth
B se rassurer *vpr* to reassure oneself; **rassure-toi, tout va bien maintenant** don't worry, everything's all right now; **que l'on se rassure** set your mind at rest; **'ce n'est pas grave,' rassure Jean** 'it's no real problem,' John said reassuringly; **je suis rassuré de te savoir guéri** I'm relieved to hear you're better; **je n'étais pas très rassuré** (à un examen) I wasn't exactly confident; (devant un danger) it was quite frightening

rasta○ /ʀasta/ *adj, nm* Rasta○

rastafari /ʀastafaʀi/ *adj inv, nm* Rastafarian

rastaquouère○ /ʀastakwɛʀ/ *nm* pej flashy foreigner péj

rat /ʀa/ *nm* **1** Zool rat; ▸ **navire**; **2** (terme d'affection) **mon petit ∼**○ my little darling; ▸ **petit**; **3** péj skinflint, cheapskate; **quel ∼**○**!** (avare) he is so tight-fisted
(Composés) **∼ d'Amérique** Zool muskrat; **∼ de bibliothèque** bookworm; **∼ des bois** Zool wood rat; **∼ des champs** Zool field mouse; **∼ d'eau** Zool water rat; **∼ d'égout** Zool brown rat, sewer rat; **∼ d'hôtel** sneak thief; **∼ musqué** = **∼ d'Amérique**; **∼ palmiste** Zool African ground squirrel
(Idiomes) **on est fait comme des ∼s**○ we're caught like rats in a trap; **s'ennuyer comme un ∼ mort**○ to be bored stiff○; **à bon chat bon ∼** Prov you/they etc have met your/their etc match

rata†○ /ʀata/ *nm* soldiers' slang grub○

ratafia /ʀatafja/ *nm* (liqueur) ratafia (*liqueur*)

ratage○ /ʀataʒ/ *nm* failure, disaster○; **après ces ∼s en série** after this series of failures *ou* disasters

ratatiné, ∼e /ʀatatine/
A *pp* ▸ **ratatiner**
B *pp adj* [*carotte, poire*] shrivelled[GB]; [*visage, personne*] wizened

ratatiner /ʀatatine/ [1]
A ○*vtr* to kill, to bump [sb] off; **se faire ∼** to get bumped off
B se ratatiner *vpr* **1** [*carotte, poire*] to shrivel; **2** [*visage, personne*] to become wizened

ratatouille /ʀatatuj/ *nf* **1** Culin ratatouille; **2** ○(en sport, au jeu) thrashing○; **prendre une ∼** to be thrashed○

rate /ʀat/ *nf* **1** Zool female rat; **2** Anat spleen
(Idiomes) **se dilater la ∼**○ to kill oneself laughing○; **ne pas se fouler la ∼**○ not to strain oneself○

raté, ∼e /ʀate/
A *pp* ▸ **rater**
B *pp adj* **1** (pas réussi) [*acteur, politicien, peintre*] failed; **une vie ∼e** a wasted life; **mon dîner était ∼** my dinner party was a disaster; **des photos ∼es** photos that didn't come out; **la dernière photo est ∼e** the last photo didn't come out; **2** [*occasion*] missed
C *nm,f* (personne) failure
D *nm* Mil **avoir un ∼** [*arme*] to fail to fire
E ratés *nmpl* **1** fig (de négociations, système) hiccups; **2** Aut **avoir des ∼s** [*voiture, moteur*] to backfire, to misfire GB

râteau, *pl* **∼x** /ʀɑto/ *nm* rake

râtelier /ʀɑtəlje/ *nm* **1** Agric hayrack; **2** ○(dentier) false teeth (*pl*)
(Composés) **∼ d'armes** gun rack; **∼ à pipes** pipe rack
(Idiome) **manger à tous les ∼s** to run with the hare and hunt with the hounds

rater /ʀate/ [1]
A *vtr* **1** (ne pas réussir) to fail, to flunk○ US [*examen*]; **j'ai raté ma vie/ma carrière** my life/my career is a failure; **j'ai raté mon gâteau/ma photo** my cake/my photo is a failure; **je rate toujours les gâteaux** my cakes are never a success; **∼ un saut en hauteur** to fail a high-jump; **elle a raté son coup**○ she has failed; **2** (ne pas être présent pour) to miss [*train, début de film, rendez-vous*]; **∼ son train de cinq minutes** to miss the train by five minutes; **3** (ne pas atteindre, ne pas voir) to miss [*cible, objectif, marche, personne*]; **il n'en rate pas une**○ he can be relied upon to put his foot in it○; **4** ○(ne pas sanctionner) **la prochaine fois je ne le raterai pas** next time I won't let him get away with it; **elle ne l'a pas raté**○ fig she put him in his place○
B *vi* **1** [*plan, opération*] to fail, flop○; **il dit toujours des bêtises, ça ne rate jamais**○ he can be relied upon to say something stupid; **ça va tout faire ∼**○ it'll spoil everything; **2** [*arme*] to misfire
C se rater *vpr* **1** (soi-même) to bungle one's

suicide attempt; [2] (ne pas se voir) **nous nous sommes ratés** we missed each other

ratiboiser◑ /ʀatibwaze/ [1] *vtr* (voler) to clean [sb] out; **~ qch à qn** to pinch sth from sb○; **être complètement ratibois**é to be cleaned out○

raticide /ʀatisid/ *nm* rat poison

ratier /ʀatje/ *nm* Zool ratter

ratière /ʀatjɛʀ/ *nf* rat trap

ratification /ʀatifikasjɔ̃/ *nf* (action) ratification (**de** of; **par** by); (document) instrument of ratification

ratifier /ʀatifje/ [2] *vtr* [1] Jur, Admin to ratify [*traité, contrat*]; [2] (confirmer) liter to confirm [*projet, propos*]

ratine /ʀatin/ *nf* ratine

ratio /ʀasjo/ *nm* ratio

ratiocination /ʀasjɔsinasjɔ̃/ *nf* liter endless cogitation

ratiociner /ʀasjɔsine/ [1] *vi* liter to cogitate endlessly (**sur** about)

ration /ʀasjɔ̃/ *nf* [1] (portion) ration; **une ~ alimentaire** a daily food ration; **une ~ de pain/riz par personne** a ration of bread/rice to each person; **une ~ de foin** a hay ration; [2] Physiol diet; **une ~ de croissance** a healthy diet for a growing child; [3] fig share (**de** of)

rationalisation /ʀasjɔnalizasjɔ̃/ *nf* rationalization

rationaliser /ʀasjɔnalize/ [1] *vtr* to rationalize

rationalisme /ʀasjɔnalism/ *nm* rationalism

rationaliste /ʀasjɔnalist/ *adj, nmf* rationalist

rationalité /ʀasjɔnalite/ *nf* rationality

rationnel, -elle /ʀasjɔnɛl/

A *adj* rational

B *nm* [1] Math rational number; [2] Philos **le ~** the rational

rationnellement /ʀasjɔnɛlmɑ̃/ *adv* rationally

rationnement /ʀasjɔnmɑ̃/ *nm* rationing ¢; **~ d'eau** water rationing; **malgré les ~s** despite rationing; **ticket/carte de ~** ration coupon/card

rationner /ʀasjɔne/ [1]

A *vtr* Écon to ration [*essence*]; to impose rationing on [*population*]; **~ la population en eau** to impose water rationing on the population; **je te rationne le chocolat** I'm rationing your chocolate supply

B **se rationner** *vpr* to cut down (**en** on)

ratissage /ʀatisaʒ/ *nm* [1] (de jardin) raking; [2] (fouille) search; **procéder au ~ d'une région** to carry out a search of an area, to comb an area

ratisser /ʀatise/ [1] *vtr* [1] (égaliser) to rake over [*jardin, allée*]; (enlever) to rake up [*feuilles mortes*]; [2] (fouiller) to comb [*quartier, région*]; **~ large** to cast one's net wide

raton /ʀatɔ̃/ *nm* [1] Zool young rat; [2] ◑(Maghrébin) *offensive term applied to North Africans living in France*

(Composé) **~ laveur** racoon

raton(n)ade /ʀatɔnad/ *nf* racial attack (*on Arabs or other minorities*)

RATP /ɛʀatepe/ *nf* (*abbr* = **Régie autonome des transports parisiens**) *Paris public transport system*

> **RATP**
>
> The Paris public transport authority with a monopoly over the provision of bus, *métro* and tram services. It is jointly responsible with the SNCF for running the *RER*.

rattachement /ʀataʃmɑ̃/ *nm* [1] (de territoire) unification (**à** with); [2] Admin (de personne) **demander son ~ à** to ask to be posted to

rattacher /ʀataʃe/ [1]

A *vtr* [1] (faire dépendre) to attach [*service, région*] (**à** to); to link [*devise*] (**à** to); to post [*employé*] (**à** to); **il est rattaché au directeur des ventes** he reports to the sales director; [2] (associer) to associate [*œuvre, artiste*] (**à** with); [3] (attacher de nouveau) to retie [*lacets, poignets*]; to fasten [sth] again [*ceinture de sécurité, collier*]; to re-attach [*wagon, remorque*]; **~ un chien** to tie a dog up again; (avec une chaîne) to chain a dog up again; [4] (affectivement) **plus rien ne la rattache à Lyon/à ses parents** she no longer has any ties with Lyons/her parents; **c'est ce qui me rattache à la vie** it's what keeps me alive

B **se rattacher** *vpr* [1] [*œuvre, artiste*] to be linked (**à** to); [*thème, problème*] to relate (**à** to); [2] [*passager*] to fasten one's seat belt again

rattrapable /ʀatʀapabl/ *adj* [1] (réparable) [*dommage, perte*] recoverable; [*erreur, gaffe*] redeemable; [*tache*] removable; [*sauce*] which can be rescued (*épith*); [*maille*] which can be picked up (*épith*); [2] Admin, Entr (pouvant être travaillé ultérieurement) [*heure, journée*] which can be made up (*épith, après n*); (pouvant être conservé pour plus tard) [*congé*] which can be held over (*épith, après n*)

rattrapage /ʀatʀapaʒ/ *nm* [1] Comm, Écon (remise à jour) adjustment; (avec effet rétroactif) retroactive adjustment; **~ des salaires/prix** adjustment of wage rates/prices; **~ du déséquilibre** adjustment of the imbalance; **~ des salaires pour l'année en cours** retroactive adjustment of wage rates for the current year; [2] Fin (remontée) recovery; (hausse technique) **~ de cours** overdue increase in prices; [3] (de retard) catching up ¢ (**de** with); **~ des pays développés** catching up with developed countries; **opération/processus de ~** catching-up exercise/process; [4] Scol **cours/classe de ~** remedial lesson/class

rattraper /ʀatʀape/ [1]

A *vtr* [1] (rejoindre) to catch up with [*concurrent, passant, niveau*]; **~ son adversaire/le reste de la classe** to catch up with one's opponent/the rest of the class; **il a été rattrapé par la gloire/son passé/son âge** fame/his past/his age has caught up with him; [2] (capturer) to catch [*fugitif, animal*]; [3] (compenser) to make up for [*absence, temps perdu, déficit, différence*]; to make up [*points, arriérés, temps de retard, distance*] (**on** sur); **~ son retard** to catch up; **~ son retard sur qn** to catch up with sb; **~ du sommeil/du courrier en retard** to catch up on one's sleep/one's correspondence; [4] (réparer) to make good [*dommage, omission*]; to put right [*problème, tort, erreur*]; to smooth over [*paroles, gaffe verbale*]; to get over [*inconvénient*]; to save [*situation*]; to rescue [*sauce*]; to pick up [*maille*]; **~ le coup**○ to put things right; [5] (saisir) to catch [*objet*]; **~ le vase in extremis** to catch the vase at the last second; [6] ○Scol, Univ (permettre de passer) to let [sb] through, to let [sb] pass [*élève, étudiant*]

B **se rattraper** *vpr* [1] (se faire pardonner) to redeem oneself (**auprès de qn** with sb); **se ~ de ses erreurs** to make up for one's mistakes; [2] (compenser son désavantage) to make up for it; **elle se rattrape en travaillant deux fois plus** she makes up for it by working twice as hard; [3] Scol (atteindre le niveau requis) to catch up; **il faudra te ~ avant la fin de l'année** you'll have to catch up before the end of the year; [4] (compenser une perte) to make up one's losses (**avec** on); (compenser le temps perdu) to make up for lost time; (compenser ce qu'on n'a pas mangé) to make up for it; **se ~ sur le dessert** to make up for it by eating a big dessert; [5] (éviter une catastrophe) **se ~ de justesse** to stop oneself just in time; **se ~ à une branche** to save oneself by holding onto a branch

rature /ʀatyʀ/ *nf* crossing-out; **sans ~s ni surcharges** without deletions or alterations

raturer /ʀatyʀe/ [1] *vtr* [1] (barrer) to cross out [*mot, phrase*]; **deux mots raturés** two words crossed out; [2] (corriger) to correct [*texte*]

rauque /ʀok/ *adj* [*voix*] (naturellement) husky; (momentanément) hoarse; [*cri*] harsh

ravage /ʀavaʒ/ *nm* **les ~s de la guerre/du temps** the ravages of war/time; **faire des ~s** [*troupes, incendie, pollution*] to wreak havoc; [*épidémie*] to take a terrible toll; **l'ampleur des ~s** the extent of the damage; **tu vas faire des ~s avec ta mini-jupe** hum you'll knock them dead in that mini-skirt

ravagé○**, ~e** /ʀavaʒe/ *adj* (fou) crazy

ravager /ʀavaʒe/ [13] *vtr* [1] [*incendie, guerre, insectes*] to devastate, to ravage; [2] [*maladie, alcool*] to ravage [*personne, visage*]; [*chagrin*] to tear [sb] apart; [*passions*] to consume

ravageur, -euse /ʀavaʒœʀ, øz/ *adj* [1] [*désir, passion*] all-consuming; [*humour*] destructive; [*mèche, sourire*] stunning; [2] [*insecte, animal*] destructive; [*incendie*] devastating

ravalement /ʀavalmɑ̃/ *nm* [1] (de façades en pierre, brique) cleaning; (de façades crépies) refacing; **entreprise de ~** firm specializing in renovating façades; **faire le ~ d'un bâtiment** to renovate the façade of a building; [2] fig (amélioration) facelift; **faire un ~ de façade**◑ hum to do a repair job○ on one's face○

ravaler /ʀavale/ [1]

A *vtr* [1] Constr to clean [*façade en pierre, brique*]; to reface [*façade crépie*]; to renovate [*bâtiment*]; [2] fig to give [sth] a facelift [*image*]; [3] to swallow [*colère, indignation*]; **~ ses larmes** to hold back one's tears; **~ ses reproches** to keep one's criticisms to oneself; **faire ~ ses paroles à qn** to make sb eat his/her words; [4] (déprécier) **~ qch au rang de** to reduce sth to the level of

B **se ravaler** *vpr* [1] (s'avilir) **se ~ au rang de...** to reduce oneself to the level of...; [2] **se ~ la façade**◑ hum to do a repair job○ on one's face○

ravaudage /ʀavodaʒ/ *nm* (d'habits) mending; (de chaussettes) darning

ravauder /ʀavode/ [1] *vtr* to mend [*chemise*]; to darn [*chaussette, pull*]

rave[1] /ʀav/ *nf* turnip

rave[2] /ʀɛv/ *nf* rave party

ravenelle /ʀavnɛl/ *nf* wallflower

Ravenne /ʀavɛn/ ▸ **p. 894** *npr* Ravenna

rave-party○ /ʀɛvpaʀti/ *nm* rave○, rave-up○

raveur○**, -euse** /ʀevœʀ, øz/ *nm,f* raver○

ravi, ~e /ʀavi/

A *pp* ▸ **ravir**

B *pp adj* delighted (**de** with); (plus fort) thrilled (**de** with); **je suis ~ de mon séjour/mon cadeau/ma nouvelle voiture** I'm delighted with my stay/my present/my new car; **~ de faire** delighted to do; **~ de vous avoir rencontré** delighted to have met you; **avoir un air ~** to look delighted *ou* thrilled

ravier /ʀavje/ *nm* small dish (*for hors d'oeuvres*)

ravigotant, ~e /ʀavigɔtɑ̃, ɑ̃t/ *adj* invigorating

ravigote /ʀavigɔt/ *nf*: *highly-seasoned sauce with herbs and shallots*

ravigoter○ /ʀavigɔte/ [1] *vtr* [*air frais*] to invigorate; [*alcool, boisson*] to perk [sb/sth] up; **la pluie a ravigoté mes plantes** the rain made my flowers perk up

ravin /ʀavɛ̃/ *nm* ravine

ravine /ʀavin/ *nf* gully

ravinement /ʀavinmɑ̃/ *nm* [1] (érosion) gully erosion; [2] (sillons) gullies (*pl*)

raviner /ʀavine/ [1] *vtr* [1] (creuser) to furrow [*sol, terrain*]; **collines ravinées** hillsides full of ravines; [2] (marquer) to line [*visage*]

ravioli /ʀavjɔli/ *nm* ravioli ¢; **un ~** a piece of ravioli

ravir /ʀaviʀ/ [3] *vtr* [1] (plaire beaucoup) to delight; **elle est belle à ~** she's ravishing; **le bleu lui va à ~** blue really suits him/her; [2] fml (dérober) to abduct [*personne*]; to steal [*bien*]; **~ qch à qn** to rob sb of sth; **~ la première place à qn** to rob sb of first place

raviser: **se raviser** /ʀavize/ [1] *vpr* to change one's mind

r

ravissant, **~e** /ʀavisɑ̃, ɑ̃t/ *adj* beautiful, delightful

ravissement /ʀavismɑ̃/ *nm* **1** (enchantement) rapture; **écouter avec ~** to listen with rapture; **manger qch avec ~** to eat sth with great delight; **2** (rapt) abduction

ravisseur, **-euse** /ʀavisœʀ, øz/ *nm,f* kidnapper[GB], abductor

ravitaillement /ʀavitajmɑ̃/ *nm* **1** (activité) (en vivres) provision of fresh supplies (**de qn** to sb; **en qch** of sth); **le ~ en eau/en essence** the provision of supplies of water/of fuel; **aller au ~** to go and stock up; **~ en vol** Aviat in-flight refuelling[GB]; **2** (vivres) supplies (*pl*)

ravitailler /ʀavitaje/ [1]
A *vtr* (en vivres) to provide [sb] with fresh supplies [*armée, ville*] (**en qch** of sth); (en carburant) to refuel [*avion, navire*]; **~ une troupe en eau/carburant** to provide a unit with supplies of water/fuel; **~ en vol** to refuel in flight
B **se ravitailler** *vpr* (en vivres) to obtain fresh supplies (**en qch** of sth)

ravitailleur /ʀavitajœʀ/ *nm* **1** (en carburant) (avion) tanker aircraft; (camion) bowser; **2** (navire) submarine mother-ship

raviver /ʀavive/ [1] *vtr* [*personne*] to rekindle [*feu*]; [*produit*] to revive [*couleur*]; [*événement*] to rekindle [*colère, chagrin, passion, désir*]; to bring back [*mémoire, souvenir*]; to revive [*querelle, hostilité, malentendu*]; **~ une douleur** (physique) to bring the pain back; (mentale) to re-open an old wound

ravoir /ʀavwaʀ/ *vtr* **1** (avoir à nouveau) **~ qn/qch** to get sb/sth back; **elle va ~ ses enfants** (après un divorce) she's going to get her children back; **2** °(remettre à neuf) **je n'arrive pas à ~ cette chemise** I can't get this shirt clean; **~ une casserole** to get a saucepan clean again

rayé, **~e** /ʀeje/
A *pp* ▸ **rayer**
B *pp adj* [*tissu, pull*] striped; **canapé ~ blanc et jaune** sofa with white and yellow stripes

rayer /ʀeje/ [21] *vtr* **1** (barrer) to cross [sth] out [*mot, phrase*]; '**~ la mention inutile**' 'delete whichever does not apply'; **~ qch/qn d'une liste** to cross sth/sb's name off a list; **2** (supprimer) **~ qch de sa conscience** to blot sth out from one's mind; **la ville a été rayée de la carte** the town was wiped off the map; **3** (abîmer) to scratch [*meuble, disque*]; **4** Mil **~ le canon d'une arme** to rifle a gun barrel

rayon /ʀɛjɔ̃/ *nm* **1** Math radius; **un ~ de 10 cm** a radius of 10 cm; **tracer un cercle de ~ r** draw a circle with radius r; **2** (limite) radius; **dans un ~ de 10 km** within a 10 km radius; **~ d'action** lit range; fig sphere of activity *ou* activities; **~ d'action d'une arme** range of action of a weapon; **avion à grand ~ d'action** long-range aircraft; **3** (de lumière, lune) ray; **les ~s du soleil, les ~s solaires** the sun's rays; **un ~ de soleil** lit a ray of sunlight; fig (personne) a ray of sunshine; **ma fille c'est mon ~ de soleil** my daughter is the light of my life; **j'ai profité qu'il y avait un ~ de soleil pour sortir** I took advantage of a moment's sunshine to go out; **4** Méd, Phys (radiation) radiation **₵**, ray; **les ~s X** X-rays; **les ~s alpha/bêta/gamma/ultraviolets/infrarouges** alpha/beta/gamma/ultraviolet/infrared rays; **~ laser** laser beam; **être traité** *or* **soigné aux ~s** to undergo radiation treatment; **avoir une série de ~s°** to undergo a course of radiation treatment; **passer un objet aux ~s (X)** to X-ray an object; **5** (de roue) spoke; **6** (étagère) shelf; **~ de bibliothèque** (book)shelf; **7** Comm (dans un grand magasin) department; (dans un petit magasin) section; **aller voir au ~ alimentation** to try the food section *ou* department; **au ~ (des) jouets** in the toy department; **avoir des chemises en ~** to have shirts out on the shelves; **tous nos modèles sont en ~s** all our styles are on display; **la littérature de second ~** top-shelf magazines; **8** (domaine) **c'est mon ~** (responsabilité) that's my department°; **ce n'est pas mon ~** (affaire) that's not my concern; (compétence) it's *ou* that's not (really) my line; **il en connaît un ~ à ce sujet** he knows a lot about it; **9** Zool **un ~ (de ruche)** a honeycomb

(Composés) **~ de braquage** Aut turning circle; **~ cathodique** cathode ray; **~s cosmiques** Astron cosmic rays; **~ lumineux** light ray, ray of light; **~ de la mort** death ray; **~ terrestre** radius of the Earth; **~ vert** green flash; **~ visuel** visual ray

rayonnage /ʀɛjɔnaʒ/ *nm* shelves (*pl*)

rayonnant, **~e** /ʀɛjɔnɑ̃, ɑ̃t/ *adj* **1** (radieux) [*air, personne, beauté, joie*] radiant; [*sourire*] beaming; [*visage*] shining; **~ de** [*personne*] glowing *ou* radiant with; [*visage*] shining *ou* radiant with; **2** Phys (qui produit des radiations) [*chaleur, lumière, énergie*] radiant; **3** (disposé en rayons) [*décor*] that radiates outwards; **chapelles ~es** radiating chapels; **gothique ~** High Gothic

rayonne /ʀɛjɔn/ *nf* rayon

rayonnement /ʀɛjɔnmɑ̃/ *nm* **1** Phys (radiation) radiation; **~ solaire** solar radiation; **~ radio-actif** radiation, radioactivity; **le ~ de la Terre** the Earth's radiation; **2** (éclat) radiance; **un ~ de joie/bonheur illuminait son visage** his/her face was shining with joy/happiness; **3** (prestige) fig (de pays, civilisation, personne, pensée) influence; **le ~ mondial/européen d'un pays** a country's influence in the world/in Europe

(Composé) **~ thermique** thermal radiation

rayonner /ʀɛjɔne/ [1] *vi* **1** (se propager) [*lumière, chaleur*] to radiate (**de** from); **une chaleur qui rayonne** (a) radiant heat; **2** (émettre de la lumière) liter [*astre, étoile*] to shine (forth); [*mer*] to glisten, sparkle; **~ de mille feux** fig [*mer, paillettes*] to shimmer; [*diamants*] to flash; **3** (resplendir) [*personne*] to glow (**de** with); **4** (manifester son influence) [*personne, penseur, œuvre*] to be an influence (**sur** on; **dans** throughout); [*ville, pays, cité*] to exert its influence, to hold sway (**sur** over; **dans** throughout); [*circulation*] to extend (**sur** over; **dans** throughout); [*grâce*] to shine forth (**sur** over); **5** (se déplacer) [*militaires, véhicule militaire*] to patrol; [*personnes, touristes*] to tour around; [*véhicule*] to tour; **nous avons rayonné dans toute la région** from our base we toured around the region; **6** (être disposé en rayons) [*avenues, allées, lignes*] to radiate out (**de** from); **7** (se manifester dans toutes les directions) [*douleurs*] to spread; **j'ai une douleur ici et elle rayonne dans tout le côté** I've got a pain here, and it spreads all down my side

rayure /ʀɛjyʀ/ *nf* **1** (motif) stripe; **à ~s** striped; **à ~s blanches et jaunes** with white and yellow stripes; **2** (éraflure) scratch; **3** (d'arme) groove

raz-de-marée /ʀɑdmaʀe/ *nm inv* lit, fig tidal wave; **~ électoral** electoral landslide

razzia /ʀazja/ *nf* raid; **faire une ~ dans le réfrigérateur** to raid the fridge

RDA /ɛʀdea/ *nprf* (*abbr* = **République démocratique allemande**) Hist German Democratic Republic, GDR

rdc *written abbr* = **rez-de-chaussée**

RDS /ɛʀdeɛs/ *nm* ▸ **remboursement**

re: **et re°** /ɛʀə/ *loc excl* here we go again!

ré /ʀe/ *nm inv* (note) D; (en solfiant) re

réabonnement /ʀeabɔnmɑ̃/ *nm* Presse subscription renewal; Transp, Théât season ticket renewal

réabonner /ʀeabɔne/ [1]
A *vtr* Presse **~ qn à une revue** to renew sb's subscription to a magazine
B **se réabonner** *vpr* Presse to renew one's subscription; Théât to renew one's season ticket

réac° /ʀeak/ *adj, nmf* reactionary

réaccoutumer /ʀeakutyme/ [1]
A *vtr* **~ qn à qch** to get sb used to sth again
B **se réaccoutumer** *vpr* **se ~ à qch** to get used to sth again

réactance /ʀeaktɑ̃s/ *nf* **bobine de ~** reactor

réacteur /ʀeaktœʀ/ *nm* **1** Nucl **~ (nucléaire)** (nuclear) reactor; **2** Aviat jet engine; **3** Chimie reactor

réactif, **-ive** /ʀeaktif, iv/
A *adj* reactive; **papier ~** reagent paper, test paper
B *nm* reagent

réaction /ʀeaksjɔ̃/ *nf* **1** (en paroles, actions) reaction (**à** to; **contre** against); (plus posé, réfléchi) response; **en ~ à** in reaction to; **accepter sans ~** to accept with no reaction; **il est demeuré sans ~** he didn't react; **sans ~** [*moteur, instrument*] unresponsive; **la ~ naturelle est de...** the natural reaction is to...; **sa ~ à la question fut de...** he responded to the question by...; **cela va provoquer des ~s** people are bound to react; **cela va susciter de vives ~s auprès du public** it will provoke a strong public reaction; **il a eu une ~ inattendue** his reaction was surprising; **2** Chimie, Méd, Phys reaction; Mécan (de machine) response; **~ en chaîne** lit, fig chain reaction; **moteur à ~** jet engine; **avion à ~** jet aircraft; **3** (mouvement d'idées) reaction; **4** Psych response; **~ de défense** defence[GB] response

(Composés) **~ officielle** Pol official response; **~ de rejet** Psych rejection response; fig negative response

réactionnaire /ʀeaksjɔnɛʀ/ *adj, nmf* reactionary

réactivation /ʀeaktivasjɔ̃/ *nf* (d'appareil) reactivation; (de négociations) relaunching

réactiver /ʀeaktive/ [1] *vtr* to rekindle [*feu*]; to reactivate [*appareil*]; to relaunch [*négociations*]; to increase [*emploi*]; to revive [*contacts, économie*]

réactivité /ʀeaktivite/ *nf* reactivity

réactualisation /ʀeaktɥalizasjɔ̃/ *nf* gén updating; (de débat) relaunch

réactualiser /ʀeaktɥalize/ [1] *vtr* gén to update; to relaunch [*débat*]

réadaptation /ʀeadaptasjɔ̃/ *nf* readjustment

réadapter /ʀeadapte/ [1]
A *vtr* **~ qn à qch** to help sb to readjust to sth
B **se réadapter** *vpr* to readjust (**à qch** to sth)

réadmettre /ʀeadmɛtʀ/ [60] *vtr* to readmit [*élève, étudiant*]

réadmission /ʀeadmisjɔ̃/ *nf* readmission

réaffectation /ʀeafɛktasjɔ̃/ *nf* **1** (de personnes) redeployment; **2** (de fonds) transfer

réaffecter /ʀeafɛkte/ [1] *vtr* to redeploy [*personne*] (**à** to); to transfer [*subvention*]

réaffirmer /ʀeafiʀme/ [1] *vtr* to reaffirm (**que** that), to reassert (**que** that)

réagir /ʀeaʒiʀ/ [3] *vi* **1** [*personne, groupe*] to react (**à** to; **contre** against); (de façon plus posée, réfléchie) to respond (**à** to); **~ de façon exagérée** to overreact; **2** (avoir des répercussions) **~ sur** to have an effect on; **3** Chimie to react (**à** to)

réajustement /ʀeaʒystəmɑ̃/ *nm* readjustment (**de** of)

réajuster /ʀeaʒyste/ [1] *vtr* to readjust [*salaire, prévision*]

réalignement /ʀealiɲəmɑ̃/ *nm* Fin, Pol realignment

réaligner /ʀealiɲe/ [1] *vtr* Fin, Pol to realign

réalisable /ʀealizabl/ *adj* **1** [*projet*] feasible; [*innovation*] workable; **ce n'est pas ~** [*étude*] it can't be carried out; **2** Fin realizable

réalisateur, **-trice** /ʀealizatœʀ, tʀis/ ▸ **p. 532** *nm,f* Radio, TV, Cin director

réalisation /ʀealizasjɔ̃/ *nf* **1** (de rêve, d'ambition) (action, résultat) fulfilment[GB]; **2** (d'étude, de sondage) carrying out; **conception et ~** [*de meuble, satellite, hôtel*] design and construction; **se lancer dans la ~ d'un projet** to become involved in a project; **projet en**

r

cours de ~ project in progress; **amener un projet jusqu'à sa ~** (après sa conception) to get a project underway; (terminer) to bring a project to completion; 3 (ce qui est réalisé) achievement; **les ~s d'entreprises régionales** achievements of local firms; **des ~s mieux adaptées à notre région** construction projects more suited to our region; 4 TV, Radio, Cin production; (film) film

réaliser /ʀealize/ [1]
A *vtr* 1 (rendre réel) to fulfil^GB [*rêve, ambition, promesses*]; to achieve [*équilibre, idéal, exploit*]; **~ des économies** to save money; **~ une vente/des bénéfices** to make a sale/a profit; **pour ~ un bon score** to achieve a good score; **elle a réalisé un exploit en faisant** it was no mean feat to do; **pour que chacun puisse ~ son potentiel** so that everyone can realize his/her potential; 2 (exécuter, fabriquer) to make [*maquette, meuble*]; to carry out [*sondage, projet, tâche*]; 3 Radio, TV, Cin to direct; 4 (se rendre compte de) controv to realize (**que** that); 5 Fin to realize [*bien*]
B se réaliser *vpr* 1 (devenir réel) [*rêve*] to come true; [*promesses, prédictions*] to be fulfilled^GB; 2 (s'épanouir) **se ~ (dans qch)** to find fulfilment^GB (in sth)

réalisme /ʀealism/ *nm* realism; **~ magique** magical *ou* magic realism

réaliste /ʀealist/
A *adj* 1 [*personne, approche*] realistic; 2 Art realist
B *nmf* realist

réalité /ʀealite/ *nf* 1 (réel) **la ~** reality; **en ~** in reality; **dans la ~, c'est impossible** in practice, it's impossible; **cela fait partie de notre ~ quotidienne** it's part of our everyday life; 2 (caractère réel) **la ~ du problème/du marché** the real nature of the problem/of the market; **la ~ américaine** the realities of American life; 3 (fait réel) reality; **devenir (une) ~** [*rêve, projet*] to become (a) reality; **c'est déjà une ~** [*nouvelle autoroute, chômage*] it is already a reality; **les ~s économiques** economic realities; **tenir compte des ~s** to take the facts into consideration; **être confronté aux ~s** to come face to face with reality
(Composé) **~ virtuelle** virtual reality

réaménagement /ʀeamenaʒmɑ̃/ *nm* 1 (de site, ville) redevelopment; **coûts/plans de ~** redevelopment costs/plans; 2 (de pièce, maison) rearrangement

réaménager /ʀeamenaʒe/ [13] *vtr* to redevelop [*site, ville*]; to rearrange [*pièce, maison*]

réamorcer /ʀeamɔʀse/ [12] *vtr* to reboot

réanimateur, -trice /ʀeanimatœʀ, tʀis/ *nm,f* member of an intensive care team

réanimation /ʀeanimasjɔ̃/ *nf* 1 (service) intensive care; **service de ~** intensive care unit; **être en ~** to be in intensive care; 2 (technique) resuscitation

réanimer /ʀeanime/ [1] *vtr* = **ranimer**

réapparaître* /ʀeapaʀɛtʀ/ [73] *vi* [*soleil, mot*] to reappear; [*phénomène, maladie*] to recur; **~ en public** to reappear in public; **~ après une longue absence** to return *ou* reappear after a long absence

réapparition /ʀeapaʀisjɔ̃/ *nf* (de maladie, symptôme) recurrence; (de personne) reappearance; **la ~ des criquets** the return of locusts; **faire une ~** to reappear; **après plusieurs mois de pénurie le beurre a fait sa ~ dans les magasins** after several months of shortages butter is back on sale in the shops

réapprendre /ʀeapʀɑ̃dʀ/ [52] *vtr* to learn [sth] again; **~ à faire** to learn (how) to do again

réapprentissage /ʀeapʀɑ̃tisaʒ/ *nm* **le ~ de qch** relearning sth; **cela demande un long ~** it takes a long time to relearn

réapprovisionnement /ʀeapʀɔvizjɔnmɑ̃/ *nm* 1 (en vivres, munitions) renewal of supplies; (en carburant) refuelling^GB; 2 (de magasin) restocking

réapprovisionner /ʀeapʀɔvizjɔne/ [1]
A *vtr* to restock [*magasin*]; **~ qn en qch** to provide sb with fresh supplies of sth
B se réapprovisionner *vpr* to stock up (**en** on)

réargenter /ʀeaʀʒɑ̃te/ [1] *vtr* to replate [*couverts*]

réarmement /ʀeaʀməmɑ̃/ *nm* 1 (de pays) rearmament; **une politique de ~** a policy of rearmament; **~ moral** moral rearmament; 2 (de navire) refit

réarmer /ʀeaʀme/ [1]
A *vtr* 1 (munir d'armes) to rearm; 2 (mettre en ordre de marche) to reload [*fusil, appareil photo*]; 3 Naut (équiper) to refit [*navire*]
B *vi* to rearm [*pays, groupe*]

réarrangement /ʀeaʀɑ̃ʒmɑ̃/ *nm* rearrangement; **réaction de ~** rearrangement reaction

réarranger /ʀeaʀɑ̃ʒe/ [13] *vtr* to rearrange

réassignation /ʀeasiɲasjɔ̃/ *nf* resummons (*sg*)

réassigner /ʀeasiɲe/ [1] *vtr* gén to reassign [*mission*]; Jur to resummon

réassort /ʀeasɔʀ/ *nm* 1 (activité) restocking; 2 (marchandise) new *ou* fresh stock

réassortiment /ʀeasɔʀtimɑ̃/ *nm* (de stock) replacement; (de marchandises) restocking

réassortir /ʀeasɔʀtiʀ/ [3]
A *vtr* 1 to match up [*tissu*] (**avec** with); 2 Comm to replace [*stock*]
B se réassortir *vpr* to stock up (**en** on)

réassurance /ʀeasyʀɑ̃s/ *nf* reinsurance

réassurer /ʀeasyʀe/ [1]
A *vtr* to reinsure
B se réassurer *vpr* to reinsure oneself (**à** with)

rebaisser /ʀ(ə)bese/ [1]
A *vtr* 1 (une fois) to lower [*rideau*]; 2 (à nouveau) to turn [sth] down again [*chauffage*]; to reduce [sth] a second time [*prix*]
B *vi* [*prix, température*] to go down again, to drop again

rebaptiser /ʀ(ə)batize/ [1] *vtr* to rechristen [*personne*]; to rename, to rechristen [*rue, parti, ville*]

rébarbatif, -ive /ʀebaʀbatif, iv/ *adj* [*travail, activité*] offputting; [*visage, apparence*] forbidding, rebarbative sout

rebâtir /ʀ(ə)bɑtiʀ/ [3] *vtr* to rebuild

rebattre /ʀ(ə)batʀ/ [61] *vtr* to reshuffle [*cartes de jeu*]
(Idiome) **~ les oreilles de qn avec une histoire** to go on (and on) about something

rebattu, ~e /ʀ(ə)baty/
A *pp* ▸ **rebattre**
B *pp adj* [*sujet, thème*] hackneyed
(Idiome) **avoir les oreilles ~es de qch** to be tired of hearing about sth

rebec /ʀəbɛk/ ▸ **p. 557** *nm* rebec

Rébecca /ʀebɛka/ *npr* Rebecca

rebelle /ʀəbɛl/
A *adj* 1 Mil, Pol [*forces, chef, soldat*] rebel (*épith*); 2 (refusant l'autorité) [*fils, artiste*] rebellious; **être ~ à** to be resistant to [*compromis*]; to have a mental block about [*musique, langues étrangères*]; **être ~ à la discipline** to be intractable; 3 [*mèche*] unruly; [*tache*] stubborn; 4 Méd resistant
B *nmf* rebel

rebeller: se rebeller /ʀəbɛle/ [1] *vpr* to rebel (**contre** against)

rébellion /ʀebɛljɔ̃/ *nf* 1 (action) rebellion; **entrer en ~** to rebel (**contre** against); 2 (personnes) **la ~** the rebels (*pl*)

rebelote○ /ʀəbəlɔt/ *excl* here we go again!

rebiffer○**: se rebiffer** /ʀ(ə)bife/ [1] *vpr* to rebel; **se ~ contre un règlement idiot** to rebel against a stupid rule; **se ~ contre qn** to refuse to take any more from sb

rebiquer○ /ʀ(ə)bike/ [1] *vi* [*mèche de cheveux, col*] to stick up

reblanchir /ʀ(ə)blɑ̃ʃiʀ/ [3] *vtr* **~ un mur/une façade** to whitewash a wall/a façade again

reblochon /ʀəblɔʃɔ̃/ *nm* Culin *soft cheese made with cow's milk*

reboisement /ʀ(ə)bwazmɑ̃/ *nm* reafforestation, reforestation

reboiser /ʀ(ə)bwaze/ [1] *vtr* to reafforest, to reforest

rebond /ʀ(ə)bɔ̃/ *nm* 1 (de balle) bounce; **frapper la balle au ~** to hit the ball on the rebound; 2 (ressaisissement) recovery (**de** of); (augmentation) increase (**de** in); **un ~ des cours** a sudden recovery of share *ou* stock prices

rebondi, ~e /ʀ(ə)bɔ̃di/ *adj* 1 [*vase, cruche, forme*] round, rounded; [*joue*] chubby; [*visage*] plump; [*ventre*] fat; [*poitrine*] ample; [*fesses, hanches*] generously proportioned; [*cuisse, muscle*] bulging; **enfant aux joues ~es** chubby-cheeked child; **femme aux formes ~es** generously proportioned woman; **homme au ventre ~** portly man; 2 fig [*portefeuille*] bulging

rebondir /ʀ(ə)bɔ̃diʀ/ [3] *vi* 1 [*balle*] to bounce, to rebound; [*rayon, son, onde*] to bounce (**contre, sur** off); **fais ~ la balle par terre/contre le mur** bounce the ball on the ground/against the wall; 2 (repartir) [*conversation, polémique*] to start up again; [*économie, pays*] to pick up; [*procès, intrigue*] to take a new turn; **débat qui n'en finit pas de ~** debate which won't die down; **faire ~** to start [sth] up again [*conversation, débat*]; to give a new twist to [*procès*]

rebondissement /ʀ(ə)bɔ̃dismɑ̃/ *nm* (de polémique) sudden revival (**de** of); (de procès, d'affaire) new development (**de** in); **les ~s de l'intrigue** the twists and turns of the plot; **feuilleton à ~s** action-packed soap opera

rebord /ʀ(ə)bɔʀ/ *nm* 1 (partie en saillie) ledge; 2 (bord surélevé) gén raised edge; (d'objet rond) rim; 3 (bord arrondi) lip; 4 (bord) edge
(Composés) **~ de cheminée** mantelpiece; **~ de fenêtre** windowsill; (plus large) (window) ledge

reborder /ʀ(ə)bɔʀde/ [1] *vtr* (au lit) to tuck [sb] in *ou* up again

reboucher /ʀ(ə)buʃe/ [1]
A *vtr* (avec un bouchon de liège) to recork [*bouteille*]; (avec un bouchon en verre) to replace the stopper of [*flacon*]; (avec un capuchon) to put the cap back on [*stylo*]; to put the top back on [*tube de dentifrice*]; **~ un trou** to fill (up) a hole again
B se reboucher *vpr* [*lavabo, tuyauterie*] to clog up again; [*artère, canal*] to block up again

rebours: à rebours /aʀ(ə)buʀ/
A *loc adv* 1 (à l'envers) [*compter, marcher*] backward(s); **prendre l'ennemi à ~** to attack the enemy from the rear; **caresser un chat à ~** to stroke a cat the wrong way; **brosser une étoffe à ~** to brush a cloth against the nap; **prendre qn à ~** to rub sb up the wrong way; 2 (de travers) **comprendre à ~** to misunderstand, to get the wrong end of the stick○ GB
B à rebours de *loc prép* **à ~ de la tendance actuelle, cette entreprise se porte très bien** contrary to the current trend, this business is doing very well; **aller à ~ de** to go against [*mode, tendance*]; ▸ **compte**

rebouteux○**, -euse** /ʀ(ə)butø, øz/ ▸ **p. 532** *nm,f* bonesetter

reboutonner /ʀ(ə)butɔne/ [1]
A *vtr* to button [sth] up again
B se reboutonner *vpr* to do up one's buttons back up again

rebroussement /ʀəbʀusmɑ̃/ *nm* **gare de ~** dead-end GB *ou* stub-end US station

rebrousse-poil: à rebrousse-poil /aʀ(ə)bʀuspwal/ *loc adv* the wrong way; **caresser un chat à ~** to stroke a cat's fur the wrong way; **brosser à ~** to brush [sth] the wrong

r

way [*manteau*]; to brush [sth] against the pile [*tapis*]; to brush [sth] against the nap [*velours*]; **prendre qn à ~** fig to rub sb up the wrong way

rebrousser /ʀ(ə)bʀuse/ [1] *vtr* [*personne*] to brush [sth] the wrong way [*poil*]; **le vent rebroussait sa crinière** the wind swept back its mane; **~ chemin** to turn back

rebuffade /ʀ(ə)byfad/ *nf* fml rebuff

rébus /ʀebys/ *nm inv* Jeux rebus; **déchiffrer un ~** to solve a rebus

rebut /ʀ(ə)by/ *nm* 1 lit (déchet) rubbish ₵; **il ne reste que le ~** there is nothing left but rubbish; **essayer de réduire les ~s d'une production** to try to cut down waste in production; **bon pour le ~** fit *ou* ready for the scrapheap; **des matériaux** *or* **objets de ~** junk ₵; **mettre qch/qn au ~** to throw sth/sb on the scrapheap; **le ~ de la société** fig the dregs of society; 2 Postes dead mail

rebutant, **~e** /ʀ(ə)bytɑ̃, ɑ̃t/ *adj* [*travail, exercice, démarche*] unpleasant

rebuter /ʀ(ə)byte/ [1] *vtr* 1 (dégoûter) [*travail, activité*] to disgust; [*personne*] to repel; **son apparence/il me rebute** his appearance/he repels me; 2 (décourager) [*obstacle, difficulté*] to put off; **rien ne la rebute** nothing puts her off

recacheter /ʀ(ə)kaʃte/ [20] *vtr* to reseal

recalcification /ʀ(ə)kalsifikasjɔ̃/ *nf* increased calcification

récalcitrant, **~e** /ʀekalsitʀɑ̃, ɑ̃t/ *adj* recalcitrant

recaler /ʀ(ə)kale/ [1]
A *vtr* 1 ○Scol, Univ to fail [*candidat*]; **être recalé à une épreuve** to fail a test; 2 Aut **~ (le moteur)** to stall (the engine) again
B *vi* to stall again

recapitaliser /ʀəkapitalize/ [1] *vtr* to recapitalize

récapitulatif, **-ive** /ʀekapitylatif, iv/
A *adj* **tableau ~** summary table
B *nm* (texte) summary of the main points

récapitulation /ʀekapitylasjɔ̃/ *nf* summing up, recap○; **faire une ~ de qch** to sum up sth

récapituler /ʀekapityle/ [1] *vtr* to sum up, to recapitulate

recarreler /ʀ(ə)kaʀle/ [19] *vtr* to retile

recaser○ /ʀ(ə)kaze/ [1]
A *vtr* 1 (dans un emploi) to find another job for [*personne*]; 2 (remarier) **~ un ami** to find a friend a new wife
B se recaser○ *vpr* 1 (dans un emploi) to find another job; 2 (se remarier) [*femme*] to find a new husband; [*homme*] to find a new wife

recauser /ʀ(ə)koze/ [1] *vtr ind* **~ de qch avec** *or* **à**○ **qn** to talk to sb about sth again

recéder /ʀ(ə)sede/ [14] *vtr* 1 (rétrocéder) to give sth back again; 2 (revendre) **~ qch à qn** to let sb have sth back

recel /ʀəsɛl/ *nm* (d'objets volés) (fait d'accepter) receiving stolen goods; (fait de garder) being in possession of stolen goods; **~ de malfaiteur** concealment of a criminal

receler* /ʀəsle, ʀsəle/ [17] *vtr* 1 Jur to conceal [*criminel*]; (accepter) to receive [*marchandise*]; (garder) to possess [*marchandise*]; 2 (contenir) to contain; **~ un trésor** to contain hidden treasure

receleur, **-euse*** /ʀəslœʀ, ʀsəlœʀ, øz/ *nm,f* (qui accepte) receiver of stolen goods, fence○; (qui garde) possessor of stolen goods

récemment /ʀesamɑ̃/ *adv* recently; **tout ~** very recently

recensement /ʀ(ə)sɑ̃smɑ̃/ *nm* 1 Sociol census; **faire un ~** to take a census; 2 (inventaire) inventory; **le ~ des ressources pétrolières** an inventory of oil resources

recenser /ʀ(ə)sɑ̃se/ [1] *vtr* 1 Sociol to take a census of [*population*]; 2 (inventorier) to list [*objets, problèmes*]; to draw up an inventory of [*armes, arsenaux*]

récent, **~e** /ʀesɑ̃, ɑ̃t/ *adj* [*incident, nouvelle, découverte*] recent; [*maison*] new, newly built; **son livre le plus ~** his/her latest book

recentrage /ʀəsɑ̃tʀaʒ/ *nm* refocusing

recentrer /ʀəsɑ̃tʀe/ [1]
A *vtr* to refocus
B se recentrer *vpr* to refocus

récépissé /ʀesepise/ *nm* receipt; **~ de demande de carte de séjour** receipt acknowledging an application for a resident's permit

réceptacle /ʀesɛptakl/ *nm* 1 (récepteur) **c'est le ~ des eaux fluviales** it receives the fluvial waters; **le ~ des immondices de la ville** the town tip; 2 Géog catchment basin; 3 Bot receptacle; 4 (récipient) container

(Composé) **~ à verre** bottle bank

récepteur, **-trice** /ʀesɛptœʀ, tʀis/
A *adj* receiving; **poste ~** receiver
B *nm* 1 Biol receptor; 2 Radio, TV (appareil) receiver

réceptif, **-ive** /ʀesɛptif, iv/ *adj* receptive (**à** to)

réception /ʀesɛpsjɔ̃/ *nf* 1 (réunion) reception; **donner une ~** to hold a reception; **donner une petite ~** to give a party; **salle de ~** reception room, function room; 2 (manière d'accueillir) reception, welcome; **une ~ glaciale/courtoise** an icy/a polite reception; **une ~ chaleureuse** a warm welcome; 3 (fait d'être admis) **la ~ d'un écrivain à l'Académie française** the induction of a writer into the Académie française; **discours de ~** welcoming speech; 4 (bureau d'accueil) reception; **demander à la ~** ask at reception *ou* at the reception desk; 5 (de courrier, marchandises) receipt; **~ d'une lettre/d'un colis** receipt of a letter/of a parcel; **il faut payer dès ~ de la facture** payment is due on receipt of the bill; **s'occuper de la ~ des marchandises** to take delivery of the goods; 6 Radio, TV (de signaux, d'ondes) reception; 7 Sport (après un saut) landing; (de ballon) catching

(Composé) **~ des travaux** Constr official acceptance of work (*upon completion and after checking*)

réceptionnaire /ʀesɛpsjɔnɛʀ/ ▸ **p. 532** *nmf* 1 Comm receiving clerk; 2 (dans un hôtel) chief receptionist GB, head receptionist US

réceptionner /ʀesɛpsjɔne/ [1]
A *vtr* 1 Comm **~ des marchandises** to take delivery of goods; 2 (accueillir) to welcome [*personne, voyageur*]; 3 Sport to catch, to field [*ballon*]
B se réceptionner *vpr* to land; **il s'est mal réceptionné et s'est cassé la cheville** he landed badly and broke his ankle

réceptionniste /ʀesɛpsjɔnist/ ▸ **p. 532** *nmf* receptionist

réceptivité /ʀesɛptivite/ *nf* 1 gén receptivity; 2 Méd sensitivity (**à** to)

récessif, **-ive** /ʀesesif, iv/ *adj* recessive

récession /ʀesesjɔ̃/ *nf* Écon, Astron recession; **une phase de ~** a recessionary period

récessionniste /ʀesesjɔnist/ *adj* recessionary

récessivité /ʀesesivite/ *nf* recessiveness

recette /ʀ(ə)sɛt/ *nf* 1 Culin **~ (de cuisine)** recipe; **tu me donneras la ~ du gâteau?** will you give me the recipe for the cake?; **livre de ~s** recipe book; 2 (méthode) formula, recipe; **il n'y a pas de ~ pour faire fortune/pour être heureux** there's no (magic) formula for making a fortune/for happiness; 3 Pharm formula; 4 Comm (argent encaissé) takings (*pl*); **aujourd'hui la ~ a été bonne** the takings have been good today; **faire ~** lit to bring in money; fig to be a success; 5 Compta (rentrée d'argent) **les ~s** receipts; **les ~s et (les) dépenses** receipts and expenses; 6 Fisc (bureau) tax collector's office, revenue office; (recouvrement) collection; 7 Tech (de matériel, d'équipement) acceptance; 8 Mines landing; **~ du jour/du fond** top/bottom landing

(Composés) **~s publicitaires** Pub advertising revenue ₵; **~s publiques** Fisc tax revenue ₵

recevabilité /ʀəsvabilite, ʀ(ə)səvabilite/ *nf* admissibility

recevable /ʀəsvabl, ʀ(ə)səvabl/ *adj* 1 gén [*excuse, offre*] acceptable; 2 Jur [*demande, appel, pourvoi*] admissible

receveur, **-euse** /ʀəs(ə)vœʀ, øz/ *nm,f* 1 ▸ **p. 532** (d'autobus, de tramway) conductor; 2 Méd recipient; **~ universel** universal recipient

(Composés) **~ des contributions** tax collector, tax officer; **~ municipal** rate collector; **~ des postes** postmaster

recevoir /ʀəsvwaʀ, ʀ(ə)səvwaʀ/ [5]
A *vtr* 1 (être le destinataire de) to receive, to get [*lettre, argent, appel téléphonique, compliment, récompense, conseil, ordre, autorisation, formation, blessure*] (**de** from); **nous avons bien reçu votre lettre** we acknowledge receipt of your letter; **~ une gifle** to get a slap; **~ un coup de pied/coup de poing dans le ventre** to get kicked/punched in the stomach; **~ une fessée** to get a spanking; **il a reçu le ballon dans le visage** he was hit in the face by the ball; **il a reçu une tuile/un caillou sur la tête** he got hit *ou* struck on the head by a tile/a stone; **j'ai reçu le marteau sur le pied** the hammer landed on my foot; **je n'ai pas de leçons à ~ de cet imbécile** I'm not going to be lectured by that idiot; **je n'ai d'ordre à ~ de personne** I don't take orders from anyone; **la mesure a reçu un accueil favorable de la part des enseignants** the measure met with approval from teachers; **je n'ai reçu aucun encouragement de sa part** he/she gave me no encouragement at all; **~ les ordres** Relig to take holy orders
2 (accueillir) to welcome, to receive [*amis, invités*]; (de façon officielle) (brièvement) to receive [*ministre, ambassadeur, délégation*]; (plus longuement) to play host to [*ministre, ambassadeur, délégation*]; **être bien/mal reçu** [*proposition*] to be well/badly received; [*invités*] to get a good/bad reception; **il nous a très gentiment reçus dans sa villa** he very kindly welcomed us into his villa; **~ qn froidement** to give sb a cold reception; **je vous remercie de nous avoir si bien reçus** thank you for giving us such a warm welcome *ou* for being so welcoming; **demain nous les recevons à dîner** tomorrow we're having them to dinner; **on a reçu mon frère pour les vacances** we had my brother staying with us for the holidays GB *ou* vacation US; **ils reçoivent beaucoup** they do a lot of entertaining, they entertain a lot; **ils reçoivent très peu** they don't do a lot of entertaining; **ces gens-là ne savent pas ~!** those people don't know how to entertain!; **le délégué syndical a été reçu par le ministre** the union representative was received by the minister; **Laval reçoit Caen** Sport Laval is playing host to Caen; **il va se faire ~**○ he's going to get it○
3 (pour consultation) to see [*patients, clients*]; **il reçoit uniquement sur rendez-vous** he only sees people by appointment; **elle reçoit entre 14 et 17 heures** she's available for consultation between 2 and 5 pm; **le directeur va vous ~ dans son bureau** the manager will see you in his office
4 Radio, TV (capter) to receive [*signal, ondes*]; **on reçoit mal cette chaîne** we get bad reception on that channel; **je vous reçois cinq sur cinq** Radio I'm receiving you loud and clear; **reçu!** Roger!
5 (contenir) [*hôtel, refuge*] to accommodate [*personne*]; [*salle de spectacle, stade*] to hold [*spectateurs*]
6 (recueillir) to get [*soleil, pluie*]; **cette région reçoit 500 millimètres de pluie par an** this region gets 500 millimetres[GB] of rain a year; **la pièce ne reçoit jamais le soleil** the room never gets the sun; **le fleuve reçoit plusieurs affluents** several tributaries flow into the river; **des bassins reçoivent l'eau de pluie**

r

pools collect the rainwater
7 Scol, Univ (admettre) to pass [*élève, candidat*]; **être reçu à un examen** to pass an exam; **il a été reçu premier/second au concours** he came first/second in the examination; **il a été reçu à l'Académie française** he was admitted to the Académie française
B **se recevoir** *vpr* (après un saut, une chute) to land; **il s'est reçu sur les mains** he landed on his hands; **il s'est mal reçu et s'est cassé le poignet** he landed badly and broke his wrist

rechange: **de rechange** /dəʀ(ə)ʃɑ̃ʒ/ *loc adj* [*pièce*] spare; [*solution*] alternative; **c'est ma chemise de ~** it's my spare shirt; **j'ai pris une chemise de ~** I have a change of shirt

rechanger /ʀ(ə)ʃɑ̃ʒe/ [13]
A *vtr* to change [sth] again; **~ qch de place** to move sth again
B **rechanger de** *vtr ind* **~ d'avis/de coiffure** to change one's mind/one's hairstyle again; **~ de place** to change places again
C **se rechanger** *vpr* to change one's clothes again

rechapage /ʀ(ə)ʃapaʒ/ *nm* remoulding GB, retreading

rechaper /ʀ(ə)ʃape/ [1] *vtr* to remould GB, retread; **pneu rechapé** remould GB, retread

réchapper /ʀeʃape/ [1]
A **réchapper de** *vtr ind* to come through [*maladie, accident*]; **personne n'en a** *or* **est réchappé** nobody came through it alive
B **se réchapper** *vpr* to escape again

recharge /ʀ(ə)ʃaʀʒ/ *nf* **1** (de briquet, stylo) refill; (d'arme) reload; **2** (processus) recharging; **mettre une batterie en ~** to recharge a battery

rechargeable /ʀ(ə)ʃaʀʒabl/ *adj* [*briquet, stylo*] refillable; [*pile, appareil ménager*] rechargeable

rechargement /ʀ(ə)ʃaʀʒəmɑ̃/ *nm* **1** (de camion) reloading; **2** (de batterie) recharging; **3** (de route) remetalling[GB]; (de voie ferrée) reballasting

recharger /ʀ(ə)ʃaʀʒe/ [13]
A *vtr* **1** (avec cargaison) to reload [*véhicule*]; **2** (regarnir) to reload [*arme, appareil photo*]; to refill [*stylo, briquet*]; **3** Électrotech to recharge [*batterie, pile*]; **4** Constr to remetal [*route*]; to reballast [*voie ferrée*]
B **se recharger** *vpr* **1** (qualité) [*batterie, pile*] to be rechargeable; [*stylo, briquet*] to be refillable; **2** (processus) [*batterie, pile*] to recharge

réchaud /ʀeʃo/ *nm* stove
(Composés) **~ à alcool** spirit stove; **~ électrique** electric ring GB, hotplate; **~ à gaz** (d'appartement) gas ring; (de camping) camping stove

réchauffage /ʀeʃofaʒ/ *nm* reheating

réchauffé, **~e** /ʀeʃofe/
A *pp* ▸ **réchauffer**
B *pp adj* **1** (rebattu) [*histoire, plaisanterie*] hackneyed; **2** °(pas frileux) **il est drôlement ~ pour être en chemise par ce froid** he can't feel the cold if he's only wearing a shirt in this chilly weather
C *nm* **ça sent le ~, c'est du ~** there's nothing new about it, it's old hat

réchauffement /ʀeʃofmɑ̃/ *nm* warming (up); **le ~ de la planète** global warming; **la météo annonce un prochain ~** according to the weather forecast it's going to warm up *ou* get warmer soon; **le ~ des relations entre les deux pays** fig the improvement in relations between the two countries

réchauffer /ʀeʃofe/ [1]
A *vtr* **1** Culin to reheat, to heat [sth] up [*plat, nourriture*]; **2** (rendre chaud) to warm up [*personne, pieds*]; to heat up, to warm up [*pièce*]; **une bonne promenade, ça réchauffe!** a good walk warms you up!; **le soleil a réchauffé l'eau de la piscine** the sun warmed up *ou* heated up the water in the swimming pool; **les effluents ont réchauffé les eaux du fleuve** the effluent raised the temperature of the water in the river; ▸ **serpent**; **3** (détendre) **ses plaisanteries ont réchauffé l'atmosphère** his/her jokes livened up the atmosphere
B *vi* Culin **le plat réchauffe** the dish is being heated up; **faire ~ qch** to heat sth up, reheat sth; **elle a mis le ragoût à ~** she's heating up the stew
C **se réchauffer** *vpr* **1** (soi-même) [*personne*] to warm oneself up; **se ~ les mains/pieds** to warm one's hands/feet; **2** (pour soi) **il s'est réchauffé un reste de soupe** he heated up some left-over soup for himself; **3** (devenir chaud) [*temps*] to warm up; **ça se réchauffe depuis deux jours** the weather's started to warm up in the last couple of days; **les eaux du lac se sont réchauffées à cause de la pollution** the temperature of the water in the lake has risen because of pollution
(Idiome) **ça m'a réchauffé le cœur** it warmed my heart

réchauffeur /ʀeʃofœʀ/ *nm* heater

rechausser /ʀ(ə)ʃose/ [1]
A *vtr* **1** (chausser de nouveau) **~ un enfant** to put a child's shoes back on; **~ ses skis** to put one's skis on again; **2** Agric to earth [sth] up again; Constr to line the foot of
B **se rechausser** *vpr* to put one's shoes back on

rêche /ʀɛʃ/ *adj* [*mains, tissu*] rough

recherche /ʀ(ə)ʃɛʀʃ/ *nf* **1** (étude) research **¢**; **la ~ et le développement** research and development; **~ fondamentale/appliquée** basic/applied research; **~ scientifique/militaire/spatiale** scientific/military/space research; **fonds pour la ~** research funds; **être/travailler dans la ~** to be/to work in research; **faire des ~s en biologie/sur le cancer/pour améliorer un produit** to do research in biology/into cancer/into improving a product; **2** (fouille) search; **après deux heures de ~** after a two-hour search; **tout le monde a participé aux ~s** everyone took part in the search; **les ~s pour retrouver l'enfant n'ont rien donné** the search for the child drew a blank; **la ~ d'un livre/d'un criminel** the search for a book/for a criminal; **la ~ de vos renseignements lui a pris deux heures** he spent two hours searching for the information you wanted; **à la ~ de qn/qch** in search of sb/sth; **être à la ~ de** to be looking for, to be in search of; **aller** *or* **partir** *or* **se mettre à la ~ de** to go looking for, to go in search of; **ils sont à la ~ d'un logement** they're looking for somewhere to live; **être à la ~ d'un emploi** to be looking for a job, to be job-hunting; **se mettre à la ~ d'un emploi** to go job-hunting; **travailler à la ~ d'une solution** to work on finding a solution; **3** (volonté d'atteindre) **~ de** pursuit of; **être à la ~ d'un bonheur idéal** to be in pursuit of ideal happiness; **4** (soin) (raffinement) meticulousness; (affectation) pej affectation; **avec ~** [*habillé, décoré, écrit*] with meticulous care; **sans ~** (non affecté) without affectation; (négligé) carelessly; **il y a trop de ~ dans votre style/votre tenue** you are too fastidious about your style/your dress
(Composés) **~ assistée par ordinateur**, **RAO** computer-aided retrieval, CAR; **~ dichotomique** Ordinat binary *ou* dichotomizing search; **~ d'emploi** job-hunting; **c'est sa première ~ d'emploi** he's looking for his first job; **~ opérationnelle** operations *ou* operational research; **~ de paternité** Jur establishment of paternity; **action en ~ de paternité** paternity suit

recherché, **~e** /ʀ(ə)ʃɛʀʃe/
A *pp* ▸ **rechercher**
B *pp adj* **1** (rare) sought-after (**pour** for); **un livre/fruit très ~** a highly *ou* much sought-after book/fruit; **2** (demandé) in demand (*après n*); **un mannequin très ~** a model very much in demand; **3** (soigné) [*toilette*] meticulous; péj affected; [*style, écrit, expression*] original, inventive; péj recherché; [*décor*] meticulously arranged (*épith*); **4** (visé) [*but, objectif, effet*] intended; **ce n'était pas le but ~** that wasn't the object of the exercise

rechercher /ʀ(ə)ʃɛʀʃe/ [1] *vtr* **1** (tâcher de trouver) to search out [*objet convoité*]; to look for [*objet égaré*]; to look for [*logement, emploi, explication*]; Ordinat to search for [*donnée*]; **collectionneur qui recherche un livre rare** collector searching out *ou* trying to track down a rare book; **~ un terme dans une banque de données** to search a data bank for a term; **~ les causes d'un accident/d'un phénomène** to look into the causes of an accident/of a phenomenon; **il est recherché pour meurtre/par la police/dans le monde entier** he's wanted for murder/by the police/the world over; **'recherchons vendeuse qualifiée'** 'qualified sales assistant GB *ou* clerk US required'; **2** (tâcher d'obtenir) to seek [*sécurité, bonheur, paix*] (**auprès de qn** with sb); to seek, to look for [*alliances, alliés, soutien*]; to fish for [*compliments*]

rechigner /ʀ(ə)ʃiɲe/ [1]
A **rechigner à** *vtr ind* **~ à qch/à faire** to balk at sth/at doing; **elle ne rechigne pas à la tâche** she's not afraid of hard work
B *vi* to grumble; **sans ~** without grumbling *ou* a murmur; **en rechignant** grudgingly, with a bad grace

rechristianiser /ʀ(ə)kʀistjanize/ [1] *vtr* to rechristianize

rechute /ʀ(ə)ʃyt/ *nf* **1** Méd, fig relapse; **faire une ~** to have a relapse; **2** Écon (de monnaie, ventes) new fall (**de in**)

rechuter /ʀ(ə)ʃyte/ [1] *vi* **1** Méd to have a relapse; fig to relapse (**dans** into); **2** Écon [*prix, monnaie*] to fall again, drop again; [*ventes*] to fall off again

récidivant, **~e** /ʀesidivɑ̃, ɑ̃t/ *adj* Méd recurring

récidive /ʀesidiv/ *nf* **1** Jur second offence[GB]; **en cas de ~** in the event of a second offence[GB]; **la ~ entraîne une aggravation des peines** sentences are stiffer for a second offence[GB]; **il est accusé de vol avec ~** he has been charged with a second offence[GB] of theft; **2** fig repetition; **3** Méd recurrence

récidiver /ʀesidive/ [1] *vi* **1** Jur (la première fois) to commit a second offence[GB]; (plusieurs fois) to commit subsequent offences; **2** (recommencer) fml to do it again; **il récidive dans ses accusations** he's gone back to making his accusations; **il avait arrêté de boire mais maintenant il a récidivé** he had given up drinking but now he has slipped back into his old ways; **3** Méd to recur

récidiviste /ʀesidivist/ *nmf* **1** Jur (au second délit) second offender, recidivist; (après plusieurs délits) habitual offender, repeater US, recidivist; **2** fig backslider

récidivité /ʀesidivite/ *nf* Méd tendency to recur, recurring nature

récif /ʀesif/ *nm* reef; **~ corallien** coral reef; **~ frangeant** fringing reef

récif-barrière, *pl* **récifs-barrières** /ʀesifbaʀjɛʀ/ *nm* barrier reef

récipiendaire /ʀesipjɑ̃dɛʀ/ *nmf* recipient (*of a diploma or medal*); (dans académie) member elect

récipient /ʀesipjɑ̃/ *nm* container (**à** for)

réciprocité /ʀesipʀɔsite/ *nf* reciprocity; **à titre de ~** in return

réciproque /ʀesipʀɔk/
A *adj* **1** gén [*aide, accord*] reciprocal, mutual; [*sentiment, confiance*] mutual; **je ne peux pas le supporter et c'est ~** I can't stand him and the feeling's mutual; **2** Ling, Math reciprocal; **3** Philos (en logique) converse
B *nf* **1** gén reverse; **la ~ est vraie** the reverse is true; **ne vous attendez pas à la ~ de sa part** don't expect anything from him in return; **il fallait s'attendre à la ~** you should have known he'd pay you back for it; **2** Math reciprocal; **3** Philos (en logique) converse

réciproquement /ʀesipʀɔkmɑ̃/ *adv* **se respecter ~** to respect one another; **et ~** and

r

vice versa; **j'ai mis l'armoire à la place du lit et ~** I put the wardrobe where the bed was and vice versa

récit /ʀesi/ *nm* 1 (narration) story; (genre) narrative; **un ~ d'aventures** an adventure story; **le ~ de mes aventures** the account of my adventures; **faire le ~ de** to give an account of; 2 Théât narrative monologue; 3 (d'orgue) récit

récital /ʀesital/ *nm* recital; **~ de piano/chansons** piano/song recital; **donner des ~s** to give recitals

récitant, **~e** /ʀesitɑ̃, ɑ̃t/
A *adj* solo
B *nm,f* narrator

récitatif /ʀesitatif/ *nm* recitative

récitation /ʀesitasjɔ̃/ *nf* 1 (texte littéraire) **apprendre une ~** to learn a text (off) by heart; 2 (matière) **être fort en ~** to be good at reciting (texts off by heart); 3 (action de réciter) reciting

réciter /ʀesite/ [1] *vtr* 1 lit to recite [*leçon, poème, prière*]; **faire ~ qch à qn** to make sb recite sth; 2 fig, pej to trot out° [*raisons, faits*] péj

réclamation /ʀeklamasjɔ̃/ *nf* 1 (plainte) complaint; **~ injustifiée** unjustified complaint; **lettre de ~** letter of complaint; **faire/déposer/recevoir une ~** to make/lodge/receive a complaint; **service des ~s** customer complaints department; 2 (demande) claim (**de** for); **sur ~** on request

(Composé) **~ d'état** Jur claim to ownership

réclame /ʀeklam/ *nf* 1 (réputation) publicity; **faire une bonne/mauvaise ~ à qn/qch** to be good/bad publicity for sb/sth; 2 †Pub (annonce) advertisement; (activité) advertising; **faire de la ~** to advertise (**pour** for); **'en ~'** 'on offer' GB, 'on sale' US

réclamer /ʀeklame/ [1]
A *vtr* 1 (demander) to ask for [*personne, chose, argent*]; to call for [*réforme, aide, silence, enquête*]; to beg [*indulgence*]; to claim [*dû, indemnité*]; to demand [*justice, augmentation*]; **~ de l'argent à qn** to ask sb for money; **~ des indemnités à qn** to claim damages from sb; **~ que** to demand that (+ *subj*); **~ qu'elle s'en aille** to demand that she go; **~ la parole** gén to ask to speak; (dans un débat) to ask to take the floor; **se voir ~ qch** to be asked for sth; **~ à cor et à cri** to clamour[GB] for; 2 (en pleurant) [*bébé*] to cry for [*biberon, mère*]; 3 (nécessiter) to require [*qualité*]; **travail qui réclame de l'attention** work that requires attention
B *vi* 1 (se plaindre) to complain; **il n'arrête pas de ~** he keeps complaining
C **se réclamer** *vpr* 1 (s'affirmer) **se ~ de** [*parti*] to be an expression of [*démocratie*]; [*organisation, personne*] to claim to be representative of [*parti, organisme, religion*]; 2 (se fonder sur) [*personne*] to claim to follow [*principe, idéologie, personne*]; **se ~ de ses ancêtres** to involve the memory of one's ancestors; 3 (se prévaloir) **se ~ de qn** to use sb's name; **il s'est réclamé de mon père pour se faire inviter** he used my father's name to get himself invited

reclassement /ʀəklasmɑ̃/ *nm* 1 (de dossiers) reclassifying; 2 (d'employé) redeployment (**dans** to); 3 (de salaires) regrading

reclasser /ʀəklase/ [1]
A *vtr* 1 (classer de nouveau) to reclassify [*dossiers*]; 2 (affecter à un nouveau poste) to redeploy (**dans** to); 3 (réajuster le salaire de) to regrade
B **se reclasser** *vpr* to find new employment (**dans** in)

reclus, **~e** /ʀəkly, yz/
A *adj* [*personne, existence*] reclusive; **vivre ~** to live as a recluse; **elle passe ses journées, ~e dans sa maison** she spends her days shut up in her house
B *nm,f* recluse

réclusion /ʀeklyzjɔ̃/ *nf* 1 Jur imprisonment; **~ à perpétuité** *or* **à vie** life sentence; **condamné à dix ans de ~ (criminelle)** sentenced to ten years' imprisonment; 2 Relig reclusion

réclusionnaire /ʀeklyzjɔnɛʀ/ *nmf* convict

recoiffer /ʀ(ə)kwafe/ [1]
A *vtr* **~ qn** to tidy sb's hair
B **se recoiffer** *vpr* to tidy one's hair

recoin /ʀəkwɛ̃/ *nm* lit corner; fig recess; **tous les coins et les ~s** every nook and cranny, every corner

recoller /ʀ(ə)kɔle/ [1]
A *vtr* 1 (coller de nouveau) **~ les morceaux d'un vase** to stick the pieces of a vase together again; **~ une enveloppe** to reseal an envelope; 2 °(remettre) **ils l'ont rattrapé et recollé en prison** they caught him and put him back in jail; **il lui a recollé un coup de poing** he punched him/her again
B **recoller à**° *vtr ind* **~ à** to catch up with; **le cycliste a réussi à ~ au groupe de tête** the cyclist managed to catch up with the leaders

récoltant, **~e** /ʀekɔltɑ̃, ɑ̃t/ *adj* **propriétaire ~** (wine) producer

récolte /ʀekɔlt/ *nf* 1 Agric (activité) harvest; (produits récoltés) crop, harvest; **la date de la ~ varie** the date of the harvest varies; **nous avons fait trois ~s cette année** we've had three crops this year; **400 tonnes de ~ ont été perdues** 400 tonnes of the crop was lost; **la ~ de maïs/raisins est excellente** the corn/grape crop is excellent; 2 fig (collecte) collection; (fruits de la collecte) (argent) takings (*pl*); (documents) crop

récolter /ʀekɔlte/ [1] *vtr* 1 Agric to harvest [*maïs, raisin*]; to dig up [*pommes de terre*]; 2 (ramasser) [*abeille*] to collect [*pollen*]; [*personne*] to win [*voix, points*]; to collect [*somme d'argent, informations*]; to reap [*avantage*]; **~**° **des mauvaises notes** to get bad marks; **à l'aider, je n'ai récolté que des ennuis** I got nothing but trouble in return for helping him; **~ les fruits de son travail** *ou* **ses efforts** to reap the fruits of one's labour[GB]; ▸ **semer**

recommandable /ʀəkɔmɑ̃dabl/ *adj* commendable; **un individu peu ~** a disreputable individual; **il est peu ~** he's a disreputable character

recommandation /ʀəkɔmɑ̃dasjɔ̃/ *nf* 1 (conseil) aussi Jur Pol recommendation; **faire des ~s à qn** to make recommendations to sb; **voir un film sur les ~s de qn** to see a film on sb's recommendation; 2 (parrainage) recommendation; **lettre de ~** letter of recommendation, reference; **sur la ~ de qn** on the recommendation of sb; **avoir une ~ de qn** to be recommended by sb; 3 Postes registration

recommandé, **~e** /ʀəkɔmɑ̃de/
A *pp* ▸ **recommander**
B *pp adj* 1 Postes [*colis, lettre*] registered; **sous pli ~** by registered post GB *ou* mail; 2 **il est ~ de faire** it is advisable to do, you are advised to do; **il est ~ de boire un litre et demi par jour** you are advised to drink one and a half litres a day; **il est ~ à la population d'être vigilante** the public is advised to be vigilant
C *nm* (lettre) registered letter; (colis) registered parcel; **envoyer qch en ~** to send sth by registered post GB *ou* mail

recommander /ʀəkɔmɑ̃de/ [1]
A *vtr* 1 (conseiller fortement) to advise; **~ la prudence à qn**, **~ à qn d'être prudent** to advise sb to be cautious; **~ à qn la plus grande discrétion** to advise sb to be extremely discreet; **je recommande la prudence** I would advise caution; **~ à qn de ne rien dire** to advise sb not to say anything; **les précautions recommandées par...** precautions recommended by...; **la vaccination est recommandée pour les séjours en Afrique** vaccination is recommended for visits to Africa; **ce n'est pas très recommandé** it is not really advisable; 2 (formuler un avis) [*président, organisme international*] to recommend (**qch à qn** sth to sb); 3 (signaler pour sa qualité) to recommend [*film, médecin, méthode*] (**à qn** to sb); **les restaurants recommandés par ce guide** the restaurants recommended by *ou* in this guide; **le chef vous recommande de boire un vin de Cahors avec ce plat** the chef recommends a Cahors wine with this dish; 4 (parrainer) to recommend (**à, auprès de** to); **on l'a recommandé?** was he recommended?; 5 Postes to send [sth] by registered post GB *ou* mail; 6 Relig **~ son âme à Dieu** to commend one's soul to God
B **se recommander** *vpr* 1 (invoquer l'appui de) **se ~ de qn** to use sb's name; 2 (demander l'aide de) **se ~ à Dieu** to commend oneself to God; 3 fml (se faire estimer) **se ~ par** [*personne, lieu*] to be well known for

recommencement /ʀəkɔmɑ̃smɑ̃/ *nm* **le ~ d'un exercice** starting an exercise again; **le ~ d'un traitement** the resumption of treatment; **la vie n'est qu'une suite de ~s** life is just a series of new beginnings; **l'histoire est un éternel ~** history is constantly repeating itself

recommencer /ʀəkɔmɑ̃se/ [12]
A *vtr* 1 (complètement) to start [sth] again [*rapport, tâche*]; **il faut tout ~, tout est à ~** the whole thing will have to be done again; **~ qch à zéro** to start sth again from scratch; **~ depuis le début** to start [sth] again from the beginning; 2 (après une pause) to start [sth] again [*traitement, travail*]; **~ à travailler/à vivre** to start working/living again; **on recommence les cours en octobre** classes start again *ou* resume in October; 3 (faire à nouveau) to do [sth] again [*rapport, action*]; to rewrite [*letter*]; **recommence!** do it again!; **promettre de ne jamais ~** to promise never to do it again; **je ne recommencerai plus** I'll never do it again; **et ne recommence plus!** don't you ever do that again!
B *vi* to start again, to begin again; **le bruit recommence** the noise is starting again; **mon mal de tête recommence** my headache's coming back; **il recommence à neiger** it is starting to snow again; **l'année universitaire recommence en octobre** the academic year starts again in October

récompense /ʀekɔ̃pɑ̃s/ *nf* (matérielle ou morale) reward; (honorifique) award; **en ~** as a reward (**de** for)

récompenser /ʀekɔ̃pɑ̃se/ [1] *vtr* to reward (**de** for; **par** with); **elle a été récompensée d'avoir persévéré** her perseverance was rewarded

recomposer /ʀ(ə)kɔ̃poze/ [1]
A *vtr* gén to reconstruct [*scène*]; Imprim to reset [*page*]; TV to reconstitute [*image*]; **famille recomposée** reconstituted family; Télécom **~ un numéro** to dial a number again
B **se recomposer** *vpr* to re-form

recomposition /ʀ(ə)kɔ̃pozisjɔ̃/ *nf* gén reconstruction; Imprim resetting; TV reconstitution

recompter /ʀ(ə)kɔ̃te/ [1] *vtr* **~ son argent** to count one's money again; **~ une addition** to add up a bill GB *ou* check US again

réconciliateur, **-trice** /ʀekɔ̃siljatœʀ, tʀis/
A *adj* reconciliatory
B *nm,f* peacemaker

réconciliation /ʀekɔ̃siljasjɔ̃/ *nf* aussi Jur reconciliation (**de X et de Y** of X with Y); **la ~ des deux familles** the reconciliation between the two families

réconcilier /ʀekɔ̃silje/ [2]
A *vtr* lit **~ Pierre et Paul, ~ Pierre avec Paul** to bring Pierre and Paul back together; **~ la morale et la politique** to reconcile morality with politics
B **se réconcilier** *vpr* [*couple, amis*] to make up; [*nations*] to be reconciled; **se ~ avec** to make up with [*ennemi*]; to be reconciled with [*nation, doctrine*]; **se ~ avec soi-même** to

learn to live with oneself

reconductible /ʀ(ə)kɔ̃dyktibl/ *adj* renewable

reconduction /ʀ(ə)kɔ̃dyksjɔ̃/ *nf* renewal; **renouvelable par tacite ~** renewal by tacit agreement

reconduire /ʀ(ə)kɔ̃dɥiʀ/ [69] *vtr* **1** (accompagner) (à la porte) to see [sb] out; **~ qn chez lui/à la gare** gén to take sb home/to the station; (à pied) to walk sb home/to the station; (en voiture) to drive sb home/to the station; **la police l'a reconduit à la frontière** the police escorted him back to the border; **2** (prolonger) to extend [*grève, cessez-le-feu*]; (renouveler) to renew [*mandat, accord*]; **~ qn dans ses fonctions** to re-elect sb; **être reconduit dans ses fonctions** to be re-elected, to remain in office; **3** (piloter) to drive [sth] again

reconduite /ʀəkɔ̃dɥit/ *nf* **~ à la frontière** deportation

réconfort /ʀekɔ̃fɔʀ/ *nm* comfort; **il m'a été d'un grand ~** he was a great comfort to me; **avoir besoin de ~** to need comforting

réconfortant, **~e** /ʀekɔ̃fɔʀtɑ̃, ɑ̃t/ *adj* **1** (consolant) comforting; (rassérénant) cheering; **2** (revigorant) fortifying

réconforter /ʀekɔ̃fɔʀte/ [1]
A *vtr* **1** (consoler) to comfort; (rasséréner) **~ qn** to cheer sb up; **2** (revigorer) to fortify
B se réconforter *vpr* to restore one's strength

reconnaissable /ʀ(ə)kɔnɛsabl/ *adj* recognizable; **être ~ à qch** to be recognizable by sth

reconnaissance /ʀ(ə)kɔnɛsɑ̃s/ *nf* **1** (gratitude) gratitude; **être plein de ~** to be full of gratitude, to be very grateful; **exprimer/témoigner sa ~ à qn** to express/to show one's gratitude to sb; **ma ~ envers lui n'a pas de bornes** I'm infinitely grateful to him; **geste de ~** mark of gratitude; **en ~ de** in appreciation of [*aide, services*]; **avoir** *or* **éprouver de la ~ pour qn** to be *ou* feel grateful to sb; **2** (action d'identifier) recognition; **~ des formes/de la parole** Ordinat pattern/speech recognition; **faire un signe de ~** to give a sign of recognition; **3** (fait d'admettre) (de torts, d'erreurs) admission, admitting; (de qualités, mérite) recognition, recognizing; **la ~ de sa propre faiblesse** admitting one's own weakness; **4** (de droit, d'indépendance, d'un État) recognition; **~ de l'autorité de qn** acknowledgement of sb's authority; **~ d'un enfant** legal recognition of a child; **5** (fait d'explorer) Mil reconnaissance; **mission/patrouille/avion de ~** reconnaissance mission/patrol/plane; **après une ~ des lieux** Mil after reconnoitring the area; fig after having a look around; **aller** *or* **partir en ~** Mil to go on reconnaissance; fig to go and have a look around, to go and have a recce°; **envoyer qn en ~** Mil to send sb on reconnaissance; fig to send sb to have a look around; **faire la ~ du parcours** Équit to walk the course

(Composés) **~ de dette** acknowledgement of debt, IOU°; **~ optique de caractères, ROC** optical character recognition, OCR; **~ vocale** speech recognition

(Idiome) **avoir la ~ du ventre** hum to love the person who feeds one

reconnaissant, **~e** /ʀ(ə)kɔnɛsɑ̃, ɑ̃t/ *adj* grateful; **être ~ à qn de qch/d'avoir fait** to be grateful to sb for sth/for doing; **je vous serais ~ de bien vouloir faire** fml I should *ou* would be grateful if you would do

reconnaître* /ʀ(ə)kɔnɛtʀ/ [73]
A *vtr* **1** (retrouver) to recognize; (identifier) to identify; **je t'ai reconnu à ta voix/ton pas/ta cicatrice** I recognized you by your voice/your walk/your scar; **~ une odeur** to recognize a smell; **je ne sais pas ~ les champignons** I can't identify different kinds of mushrooms; **excuse-moi, je ne t'avais pas reconnu** sorry, I didn't recognize you; **~ le mâle de la femelle** to tell the male from the female; **je reconnais bien là leur grande générosité/leur manque de courage** it's just like them to be so generous/to be such cowards; **je te reconnaîtrais entre mille** I'd recognize *ou* know you anywhere; **2** (admettre) to admit [*faits, torts, erreurs*]; **il reconnaît avoir menti** *or* **qu'il a menti** he admits he lied; **il faut ~ que ce n'est pas un travail passionnant** you have to admit that it's not exciting work; **~ qch comme une évidence** to accept sth as a fact; **être reconnu comme douteux** to be far from certain; **~ qn comme son chef** to acknowledge *ou* recognize sb as one's leader; **~ qn comme le meilleur économiste du pays** to acknowledge sb to be the best economist in the country; **~ qn coupable** to find sb guilty; **~ des qualités à qn** to recognize that sb has their good points; **il faut leur ~ une certaine franchise** you have to admit that they are quite open; **3** (considérer comme légitime) to recognize [*syndicat, régime, droit de grève*]; (comme valable) to recognize [*diplôme étranger*]; **~ le droit de qn à qch/de faire** to recognize sb's right to sth/to do; **~ un enfant** to recognize a child legally; **l'enfant a-t-il été reconnu?** has the child been legally recognized?; **~ une dette** to acknowledge a debt; **4** (explorer) **~ les lieux** Mil to reconnoitre[GB] the area; fig to have a look round[GB], to go on a recce°

B se reconnaître *vpr* **1** (soi-même) to recognize oneself; **se ~ dans qn** to see oneself in sb; **je me reconnais bien en elle** I see myself in her; **2** (l'un l'autre) to recognize each other; **3** (être identifiable) **se ~ à qch** to be recognizable by sth; **4** (s'orienter) to know where one is; **je ne me reconnais plus** I don't recognize a thing; **5** (s'avouer) to admit; **se ~ coupable** to admit one is guilty; **6** (considérer comme légitime) **nous nous reconnaissons le droit de** we feel we have the right to

reconnu, **~e** /ʀ(ə)kɔny/
A *pp* ▸ **reconnaître**
B *pp adj* [*fait, diplôme, médecin*] recognized; **pays ~ depuis 1990** country that was recognized in 1990; **~ par la loi** recognized by law; **il est ~ que** it is recognized that; **~ citoyen français** recognized as a French citizen; **être ~ fiable** [*méthode, modèle, machine*] to be known to be reliable

reconquérir /ʀ(ə)kɔ̃keʀiʀ/ [35] *vtr* **1** Mil to reconquer, recover [*territoire*]; **2** fig to regain [*dignité, estime, liberté*]; to win back [*personne, droit*]

reconquête /ʀ(ə)kɔ̃kɛt/ *nf* **1** (de territoire) reconquest; **2** (de personne, droit) winning back; (de liberté) regaining

reconsidérer /ʀ(ə)kɔ̃sideʀe/ [14] *vtr* to reconsider

reconstituant, **~e** /ʀ(ə)kɔ̃stitɥɑ̃, ɑ̃t/
A *adj* fortifying
B *nm* tonic

reconstituer /ʀ(ə)kɔ̃stitɥe/ [1]
A *vtr* to re-form, to reconstitute [*armée, association*]; to reconstruct [*crime, événement*]; to recreate [*époque, décor*]; to piece [sth] together again [*objet en morceaux*]; to build up again [*réserves, forces*]
B se reconstituer *vpr* to re-form

reconstitution /ʀ(ə)kɔ̃stitysjɔ̃/ *nf* (d'armée, association) re-forming, reconstitution; (de crime, d'événement) reconstruction; (d'époque, de décor) re-creation; **~ des faits** reconstruction; **~ de carrière** career record

reconstruction /ʀ(ə)kɔ̃stʀyksjɔ̃/ *nf* (d'édifice, de ville) reconstruction; (de pays, société) rebuilding

reconstruire /ʀ(ə)kɔ̃stʀɥiʀ/ [69] *vtr* to reconstruct [*édifice, ville*]; to rebuild [*pays, économie, société*]

reconventionnelle /ʀ(ə)kɔ̃vɑ̃sjɔnɛl/ *adj f* **demande ~** Jur counter-claim

reconversion /ʀ(ə)kɔ̃vɛʀsjɔ̃/ *nf* (de travailleur) redeployment; (de région) redevelopment; (d'économie) restructuring; (d'usine) conversion

reconvertir /ʀ(ə)kɔ̃vɛʀtiʀ/ [3]
A *vtr* to redeploy [*personnel*]; to redevelop [*région*]; to restructure [*économie, industrie*]; to convert [*usine, bâtiment*]; to adapt [*équipement*]; **taxi reconverti en ambulance** taxi converted into an ambulance
B se reconvertir *vpr* [*personnel*] to switch to a new type of employment; [*entreprise*] to switch to a new type of production; [*bâtiment, installations*] to be converted; **se ~ dans l'enseignement** to switch to teaching; **l'usine s'est reconvertie dans le textile** the factory has switched to textiles

recopier /ʀ(ə)kɔpje/ [2] *vtr* **1** (retranscrire) to copy out [*texte, citations*]; (noter) to copy down [*adresse*]; **2** (mettre au propre) to write up [*brouillon, devoir*]

record /ʀ(ə)kɔʀ/
A *adj* [*niveau, vitesse, prix, année, croissance*] record
B *nm* **1** Sport record; **battre/établir le ~ du monde** to break/to set the world record; **détenir le ~ masculin de natation/le ~ de France** to hold the men's swimming record/the French record; **2** fig record (**de** for); **en un temps ~** in record time; **on a battu tous les ~s d'affluence** (pour film, exposition) attendance figures have reached record levels

recorder /ʀ(ə)kɔʀde/ [1] *vtr* to restring [*guitare, raquette*]

recordman, *pl* **-men*** /ʀəkɔʀdman, mɛn/ *nm* (men's) record-holder (**de** for)

recordwoman, *pl* **-men*** /ʀəkɔʀdwuman, mɛn/ *nf* (women's) record-holder (**de** for)

recoucher /ʀ(ə)kuʃe/ [1]
A *vtr* to put [sb] back to bed
B se recoucher *vpr* to go back to bed

recoudre /ʀ(ə)kudʀ/ [76] *vtr* **1** Cout to sew up [*ourlet, doublure*]; to sew [sth] back on [*bouton*]; **2** Méd to stitch up [*plaie, blessé*]; **il est recousu de partout** he's covered in stitches

recoupement /ʀ(ə)kupmɑ̃/ *nm* **1** (vérification) cross-check, cross-checking ⊄; **après plusieurs ~s** after cross-checking several times; **faire des ~s** to cross-check; **par ~s** by cross-checking; **selon un ~ des informations de sources serbe et croate** according to both Serbian and Croatian sources; **2** (intersection) intersection

recouper /ʀ(ə)kupe/ [1]
A *vtr* **1** (de nouveau) to cut [sth] again [*cheveux, haie*]; (davantage) to cut some more [*viande*]; to recut [*vêtement*]; **2** (comparer) to tie in *ou* tally with [*version, témoignage*]; **3** Jeux to cut [sth] again [*cartes*]
B se recouper *vpr* (s'accorder) [*versions, témoignages*] to tally; [*résultats*] to add up; (se couper) [*lignes, cercles*] to intersect

recourbé, **~e** /ʀ(ə)kuʀbe/
A *pp* ▸ **recourber**
B *pp adj* [*bec, nez*] hooked; [*cils, ongles*] curved; [*tige de métal*] curved

recourber /ʀ(ə)kuʀbe/ [1]
A *vtr* to bend [sth] back
B se recourber *vpr* **1** (état) [*cils, ongles*] to be curved; **2** (processus) [*tige de métal*] to curve

recourir /ʀ(ə)kuʀiʀ/ [26]
A recourir à *vtr ind* **~ à** to use, to have recourse to [*remède, technique*]; to resort to [*expédient, stratagème, violence*]; to turn to [*parent, ami*]; to go to [*agence, expert*]; **~ à la justice** to go to court
B *vi* **1** Sport to run again; **2** Jur to lodge an appeal (**contre** against)

recours /ʀ(ə)kuʀ/ *nm inv* **1** (moyen quelconque) recourse; (moyen extrême) resort; **le ~ à qch** resorting to sth, recourse to sth; **sans autre ~ que** with no other way out but; **avoir ~ à** to have recourse to [*remède, technique*]; to resort to [*expédient, stratagème*]; to turn to [*parent, ami*]; to go to [*agence, expert*]; **en dernier ~** as a last resort; **c'est sans ~** there's no way out; **2** Jur appeal; **déposer un ~ auprès d'un** *or* **devant un tribunal** to lodge an appeal (**contre** against); **~ en annulation**

r

application *ou* motion for annulment; ~ **en révision** application to reopen proceedings; ~ **en grâce** petition for reprieve

recouvrable /R(ə)kuvRabl/ *adj* [*somme, créance*] recoverable, retrievable; [*impôt*] collectable

recouvrement /R(ə)kuvRəmɑ̃/ *nm* 1 Fin, Fisc (d'impôt, de cotisation) collection; (de somme, dette) recovery; 2 Constr (d'une ardoise) lap; 3 (de toit) (processus) covering; (résultat) cover; 4 (de santé, faculté, vue) recovery

recouvrer /R(ə)kuvRe/ [1] *vtr* 1 Fin, Fisc to recover [*somme, créance*]; to collect [*impôt, cotisation*]; 2 (retrouver) to recover [*santé, forces*]; to regain [*liberté*]; ~ **la raison** to regain one's sanity

recouvrir /R(ə)kuvRiR/ [32]
A *vtr* 1 (couvrir complètement) to cover (**de** with); **la campagne était recouverte d'une épaisse couche de neige** the countryside was covered with *ou* in a thick blanket of snow; ~ **des meubles avec des housses** to cover furniture with dust sheets; **une table recouverte d'une nappe** a table with a cloth, a table covered with a cloth; **le sol était recouvert de débris** the ground was covered *ou* strewn with debris; **leurs affiches ont été recouvertes par celles de leurs adversaires** their posters were covered up *ou* papered over by those of their opponents; 2 (couvrir de nouveau) to cover [sb] up again [*malade, enfant*]; to re-cover [*chaise, fauteuil*]; 3 (masquer) to hide, to conceal; **son attitude nonchalante recouvre une volonté inflexible** his/her easygoing manner conceals an iron will; 4 (inclure) **cela recouvre en partie ce que j'allais dire** this partly covers what I was about to say; **une réalité qui recouvre deux problèmes fondamentaux** a situation that encompasses two fundamental problems
B se recouvrir *vpr* 1 (devenir couvert) to become covered (**de** with); 2 (se chevaucher) [*tuiles*] to overlap; 3 (correspondre) [*concepts*] to overlap; 4 (remettre son chapeau) to put one's hat back on

recracher /R(ə)kRaʃe/ [1] *vtr* to spit out

récré○ /RekRe/ *nf* schoolchildren's slang (*abbr* = **récréation**) break, recess US

récréatif, **-ive** /RekReatif, iv/ *adj* [*jeu, activité, film, soirée*] entertaining; [*zone, parc*] recreation (*épith*)

récréation /RekReasjɔ̃/ *nf* 1 (à l'école primaire) playtime GB, recess US; (dans le secondaire) break GB, recess US; **ils sont en** ~ they are having their break; **à la** ~ at break, during playtime; 2 (loisir) recreation

recréer /R(ə)kRee/ [11] *vtr* to recreate

recrépir /R(ə)kRepiR/ [3] *vtr* to roughcast

recreuser /RəkRøze/ [1] *vtr* to dig [sth] deeper

récrier: **se récrier** /RekRije/ [2] *vpr* to exclaim; **se** ~ **d'admiration** to exclaim in admiration; **se** ~ **contre qch** to protest volubly against sth

récriminateur, **-trice** /RekRiminatœR, tRis/
A *adj* remonstrative
B *nm,f* remonstrator

récrimination /RekRiminasjɔ̃/ *nf* bitter remonstration, recrimination

récriminatoire /RekRiminatwaR/ *adj* remonstrative

récriminer /RekRimine/ [1] *vi* to rail sout (**contre qn/qch** against sb/sth)

récrire /RekRiR/ [67] *vtr* = **réécrire**

recroqueviller: **se recroqueviller** /R(ə)kRɔkvije/ [1] *vpr* 1 [*personne*] to huddle up; **elle était toute recroquevillée** she was all huddled up; 2 [*objet, feuille*] to shrivel up

recru, ~**e** /R(ə)kRy/
A *adj* liter ~ **(de fatigue)** exhausted
B recrue *nf* lit, fig recruit; **faire une nouvelle** ~**e** to get a new recruit

recrudescence /R(ə)kRydesɑ̃s/ *nf* (de violence, d'intérêt) fresh upsurge (**de** of); (de bombardements, peur, pessimisme, demandes, grèves) new wave (**de** of); (d'incendie, de combats) renewed outbreak (**de** of); **la** ~ **du froid** the return of even colder weather; **la** ~ **de la tempête** the storm's sudden increase in violence; **on craint une** ~ **de la fièvre** it is feared that the fever may recur with renewed intensity

recrudescent, ~**e** /R(ə)kRydesɑ̃, ɑ̃t/ *adj* **être** ~ to be on the increase

recrue ▸ **recru**

recrutement /R(ə)kRytmɑ̃/ *nm* recruitment

recruter /R(ə)kRyte/ [1]
A *vtr* (engager) to recruit; ~ **qn comme enseignant** to take sb on as a teacher; ~ **qn par concours/sur titres** (pour un travail) to appoint sb on the basis of competitive examination/of sb's qualifications; (pour une école) to accept sb on the basis of competitive examination/of sb's qualifications
B se recruter *vpr* 1 (s'embaucher) to be recruited (**dans, parmi** from); 2 (provenir de) **se** ~ **dans** *or* **parmi** to come from

recruteur, **-euse** /R(ə)kRytœR, øz/
A *adj* [*officier, agent*] recruiting; [*bureau, agence*] recruitment (*épith*)
B *nm,f* 1 gén recruitment specialist, recruiter US; 2 Mil recruiting officer

recta○ /Rεkta/ *adv* **c'est** ~ you can bet on it; **chaque fois que je lave mes vitres, c'est** ~, **il pleut** every time I clean the windows it rains, you can bet on it; **payer** ~ to pay there and then; **partir** ~ to leave on the dot

rectal, ~**e**, *mpl* **-aux** /Rεktal, o/ *adj* rectal

rectangle /Rεktɑ̃gl/
A *adj* Math [*trapèze, triangle*] right-angled, right US
B *nm* gén, Math rectangle
(Composé) ~ **blanc** *'suitable for adults only' sign on French TV*

rectangulaire /Rεktɑ̃gylεR/ *adj* rectangular, oblong

recteur /RεktœR/ *nm* 1 Scol, Univ (d'académie) ≈ chief education officer GB, ≈ superintendent (of schools) US; 2 (d'institution catholique) rector

rectifiable /Rεktifjabl/ *adj* [*erreur*] rectifiable, that can be corrected (*jamais épith*)

rectificateur /RεktifikatœR/ *nm* Chimie rectifier

rectificatif, **-ive** /Rεktifikatif, iv/
A *adj* (corrigé) corrected, amended, revised; (qui corrige) of correction; **article** ~ Comm correcting entry
B *nm* 1 Presse correction; 2 (à une loi) amendment (**à** to)

rectification /Rεktifikasjɔ̃/ *nf* 1 (correction) (d'erreur) correction; (de contrat) rectification; (modification) (de liste, décret) amendment; (de chiffres) adjustment; (de limites) rectification; 2 (de tracé, route) straightening; (de virage) straightening out; 3 (rectificatif) correction; 4 Chimie, Math rectification; 5 Tech (de pièce) making true; (à la meule) grinding

rectifier /Rεktifje/ [2] *vtr* 1 (corriger) to correct, rectify [*erreur*]; **'un seul,' rectifia-t-il** 'only one,' he corrected; 2 (rendre conforme) to adjust [*assaisonnement, dimension, position, chiffres*]; to rectify [*limites, contrat, ouvrage défectueux*]; to amend [*facture, document*]; ~ **sa cravate** to adjust one's tie; ~ **la position** Mil to straighten up; ~ **sa conduite** fig to mend one's ways; ~ **le tir** lit to adjust one's aim; fig to change one's approach; **il a rectifié le tir** fig he adopted a new approach; 3 (redresser) to straighten [*tracé, route*]; to straighten out [*virage*]; 4 Chimie, Math to rectify; 5 Tech to true, straighten [*pièce*] ; (à la meule) to grind; 6 ◑(tuer) **être rectifié, se faire** ~ to get bumped off○

rectifieur, **-ieuse** /RεktifjœR, øz/
A ▸ p. 532 *nm,f* (ouvrier) grinding machine operator
B rectifieuse *nf* (machine) grinding machine

rectiligne /Rεktiliɲ/
A *adj* 1 gén straight; [*propagation*] rectilinear; 2 Math rectilinear
B *nm* dihedral (angle)

rectilinéaire /RεktilineεR/ *adj* Phot rectilinear

rection /Rεksjɔ̃/ *nf* Ling government

rectitude /Rεktityd/ *nf* 1 (de caractère, jugement) rectitude; 2 (de ligne) straightness

recto /Rεkto/ *nm* front, recto spéc; **au** ~ on the front; ~ **verso** on both sides, recto verso spéc

rectoral, ~**e**, *mpl* **-aux** /RεktɔRal, o/ *adj* [*décision*] of the local education authority (*après n*) GB, of the board of education (*après n*) US; **services rectoraux** local education services GB, services of the board of education US

rectorat /RεktɔRa/ *nm* 1 (administration) ≈ local education authority GB, ≈ board of education US; 2 (bureaux) local education offices

rectoscope /Rεktɔskɔp/ *nm* proctoscope

rectoscopie /Rεktɔskɔpi/ *nf* rectoscopy

rectrice /RεktRis/ *nf* Zool rectrix

rectum /Rεktɔm/ *nm* rectum

reçu, ~**e** /R(ə)sy/
A *pp* ▸ **recevoir**
B *pp adj* 1 [*candidat*] successful; ~ **à un examen** successful in GB *ou* on US an exam; 2 [*usage*] accepted; 3 Radio **message** ~ message received and understood
C *nm,f* Scol, Univ successful candidate
D *nm* 1 (quittance) receipt; 2 (réception) **au** ~ **de ta lettre** upon receipt of your letter, on receiving your letter
(Composé) ~ **pour solde de tout compte** received in full and final payment

recueil /R(ə)kœj/ *nm* (d'un auteur) collection; (de divers auteurs) anthology; (de documents, lois) compendium
(Composé) ~ **de jurisprudence** Jur casebook

recueillement /Rəkœjmɑ̃/ *nm* 1 (méditation) contemplation; 2 (attitude respectueuse) reverence; **dans un profond** ~ in reverential silence

recueilli, ~**e** /Rəkœji/
A *pp* ▸ **recueillir**
B *pp adj* [*air, visage*] rapt; [*fidèle*] rapt in prayer; [*foule, silence*] reverential; **une vie solitaire et** ~**e** a life of solitary contemplation

recueillir /RəkœjiR/ [27]
A *vtr* 1 (rassembler) to collect [*dons, signatures, anecdotes*]; to gather, to collect [*témoignages, renseignements*]; 2 (obtenir) to obtain, to get [*voix, nouvelles*]; to gain [*consensus*]; to achieve [*unanimité*]; to win [*louanges*]; ~ **des applaudissements** [*personne, proposition*] to be greeted with applause; 3 (récupérer) to collect [*eau, résine*]; to gather [*miel*]; **cuvette pour** ~ **l'eau** bowl to catch the water; ~ **le fruit de son travail** to reap the fruit of one's labour[GB]; 4 (prendre avec soi) to take in [*orphelin*]; to pick up [*naufragé*]; 5 (enregistrer) to record [*impression, opinions*]; (par écrit) to take down [*déposition*]; 6 (hériter) to inherit [*fortune*]; to receive [*héritage*]
B se recueillir *vpr* 1 (méditer) to commune with oneself; (se concentrer) **se** ~ **avant d'entrer en scène** to collect oneself before going on stage; **se** ~ **sur la tombe de qn** to stay some time in silent contemplation at sb's grave [*parent*]; to pay homage to sb's memory [*héros*]; **se** ~ **au monument aux morts** to stand in silent remembrance before the war memorial; 2 (prier) to engage in private prayer

recuire /R(ə)kɥiR/ [69]
A *vtr* 1 Culin to reboil [*confiture*]; ~ **un steak/gâteau** to cook a steak/cake a bit more; 2 Tech to anneal [*métal*]; to refire [*poterie*]
B *vi* **il faut que je fasse** ~ **le ragoût** I must

finish off cooking the stew

recuit, **~e** /ʀ(ə)kɥi, it/
A *pp* ▸ **recuire**
B *pp adj* Culin **cuit et ~**○ hum done to a frazzle○
C *nm* Tech annealing

recul /ʀ(ə)kyl/ *nm* **1** (détachement) detachment; **avec le ~** with hindsight *ou* in retrospect; **manquer de ~** to be incapable of being objective; **prendre du ~** to stand back; **prendre du ~ par rapport à une situation** to look at a situation objectively; **prendre un peu de ~** to distance oneself slightly; **il faut du ~ pour juger son propre travail** you need to stand back to judge your own work; **2** (baisse) (d'investissements, de production, nombre) drop (**de** in), fall (**de** in); (de doctrine) decline (**de** in); **~ du dollar** fall in the dollar; **~ de la maladie** decline in the disease; **le ~ d'un homme politique** a politician's decline in popularity; **être en ~** [*investissements, exportations, ventes*] to be dropping *ou* falling; [*racisme, tendance*] to be on the decline; [*parti*] to be in decline; **être en léger/net ~** [*investissements, exportations, ventes*] to show a slight/definite drop; [*racisme, tendance*] to be declining slightly/to be definitely on the decline; **un ~ de 3 points/5%** a 3 point/5% drop; **3** (dans l'espace) (de voiture, wagon) reversing GB, backing up; (d'armée) pulling *ou* drawing back; (des eaux, de la mer) recession; **avoir un mouvement de ~** to recoil; **feu de ~** Aut reversing light; **manquer de ~** to be too close; **prendre du ~** to step back; **le ~ de la forêt amazonienne** the gradual disappearance of the Amazonian forest; **4** (de date, réunion) postponement; (d'âge de la retraite) raising; **5** (dérobade) backing down; **6** (d'une arme) recoil

reculade /ʀ(ə)kylad/ *nf* climb-down

reculé, **~e** /ʀ(ə)kyle/ *adj* **1** [*quartier, zone, village*] remote; **2** [*temps, époque*] distant, remote

reculer /ʀ(ə)kyle/ [1]
A *vtr* **1** (pousser) to move back [*vase, lampe*]; to move *ou* push back [*meuble*]; **pour ~ les frontières du possible** fig to push back the frontiers of what we thought was possible; **~ les pendules d'une heure** to put the clocks back an hour; **2** (faisant marche arrière) to reverse GB, to back up; **3** (dans le temps) to put off [*moment du départ*]; to put off, to postpone [*événement, décision*]; to put back [*date*]; to raise [*âge*]
B *vi* **1** [*personne, groupe, joueur*] (aller en arrière) to move back; (pour mieux voir quelque chose, pour être vu) to stand back; [*chauffeur*] to reverse; **~ d'un pas** to step back; **~ de trois pas** to take three steps back(wards); **~ de quelques pas** to take a few steps back(wards); **~ de quelques mètres** to move back a few yards; **~ lentement vers qch** to retreat slowly toward(s) sth; **faire ~ un groupe de personnes** to move a group of people back; **j'ai l'impression de ~** lit, fig I feel as if I'm going backward(s); **~ d'une case** Jeux to go back a square; **~ à la vue du sang** to recoil at the sight of blood; **~ pour mieux sauter** (prendre son élan) to move back to get a better run-up; **c'est ~ pour mieux sauter** fig it's just putting off the inevitable; **2** [*voiture, chariot*] to move backward(s); (dans une pente) to roll backward(s); (délibérément)to reverse GB, to back up; **3** [*armée*] to pull *ou* draw back; **4** [*falaise*] to be eroded; [*forêt*] to be gradually disappearing; [*eaux*] to go down; [*mer*] to recede; **5** (régresser) [*euro, valeurs boursières*] to fall; [*production, exportation*] to fall, to drop; [*doctrine, mouvement*] to decline; [*parti, politicien*] to suffer a drop in popularity; **faire ~** to cause a fall in [*euro, exportation*]; **faire ~ le chômage** to reduce unemployment; **faire ~ le racisme** to curb racism; **faire ~ la maladie** to reduce the incidence of the disease; **~ de cinq places** [*élèves, sportif*] to fall back *ou* to drop five places; **6** (céder, se dérober) to back down; (hésiter) to shrink back; **cela m'a fait ~** it put me off; **~ devant une difficulté** to shrink from a difficulty; **ne ~ devant rien** to stop at nothing; **il ne reculera devant rien pour réussir** he'll stop at nothing to succeed; **ne pas ~ devant les manœuvres frauduleuses** to be quite prepared to use fraudulent measures; **7** [*arme*] to recoil; **8** Équit to rein back
C **se reculer** *vpr* gén to move back; (d'un pas) to step back; (pour mieux voir) to stand back; **se ~ de quelques pas** to take a few steps back

reculons: **à reculons** /aʀ(ə)kylɔ̃/ *loc adv* **avançer** *or* **aller à ~** lit to go backward(s); fig to go reluctantly; **monter un escalier à ~** to go upstairs backward(s)

récupérable /ʀekypeʀabl/ *adj* **1** (réutilisable) [*matériau*] reusable; **2** (réparable) [*objet, vêtement*] which can be made good again (*épith, après n*); **la voiture n'est pas ~** the car is beyond repair; (après accident) the car is a write-off; **3** (réformable) [*délinquant*] who can be rehabilitated (*épith, après n*); **non ~** beyond redemption; **4** (argent) recoverable; **5** Entr (heures de travail) which can be made up

récupérateur, **-trice** /ʀekypeʀatœʀ, tʀis/
A *adj* **1** (réparateur) **le pouvoir ~ du sommeil** the healing powers of sleep; **2** Pol péj [*discours, tactique*] designed to absorb dissenting opinion
B *nm* **1** Tech (de chaleur, aussi en armurerie) recuperator; **2** ▸ **p. 532** (personne) salvage dealer; **~ de métaux** scrap metal dealer, scrap merchant

récupération /ʀekypeʀasjɔ̃/ *nf* **1** (de ferraille) salvage; (de chiffons) reclamation; **une cabane construite à partir de matériaux de ~** a shack built of salvaged materials; **2** (de l'organisme) recovery; **capacité de ~** recuperative power; **3** (recouvrement) (d'argent, de prêt) recovery; **4** (d'heures de travail) making up; **la ~ des heures travaillées le dimanche** time off in lieu of hours worked on Sunday; **5** Pol (de mouvement) taking over, hijacking; (d'idées) appropriation

récupérer /ʀekypeʀe/ [14]
A *vtr* **1** (rentrer en possession de) to get back, to recover [*argent, objet, force*]; **j'aimerais bien ~ les disques que je t'ai prêtés** I'd like to get back those records I lent you; **2** (aller chercher) to fetch; **elle doit ~ son fils chez la nourrice** she must go and pick up *ou* fetch her son from the childminder GB *ou* babysitter US; **je suis allé ~ le ballon chez les voisins** I went to get *ou* fetch the ball back from the neighbours'GB; **il a récupéré le ticket de caisse au fond de la poubelle** he retrieved the receipt from the bottom of the bin GB *ou* garbage can US; **3** (ramasser pour réutiliser) to salvage [*ferraille*]; to reclaim [*chiffons, vieux journaux*]; **j'ai pu ~ quelques pommes pas trop abîmées** I managed to salvage a few apples that weren't too bruised; **j'ai récupéré quelques planches sur le chantier** I picked up a few planks from the building site; **4** (garder) to save [*timbres, boîtes*]; **5** Entr to make up [*journées, heures de travail*]; **il faudra que je récupère les heures perdues** I'll have to make up the hours; **6** Pol to take over, to hijack [*mouvement, personne*]; to appropriate [*idées*]; **7** (réinsérer) to rehabilitate [*délinquant*]; **8** ○(recouvrer) [*personne*] to recover [*santé, mobilité, forces*]
B *vi* (après un effort physique) to recover (**de** from); (après une maladie) to recover, to recuperate (**de** from); **il n'a jamais vraiment récupéré après son accident** he never really recovered after his accident

récurage /ʀekyʀaʒ/ *nm* (de casserole) scouring; (de lavabo) scrubbing

récurer /ʀekyʀe/ [1] *vtr* to scour [*casserole*]; to scrub [*lavabo*]; **poudre à ~** scouring powder

récurrence /ʀekyʀɑ̃s/ *nf* **1** (répétition) recurrence; **2** Math recursion

récurrent, **~e** /ʀekyʀɑ̃, ɑ̃t/ *adj* **1** gén, Anat, Méd recurrent; **2** Phys **image ~e** after-image; **3** Math **série ~e** recursion formula *ou* clause

récursif, **-ive** /ʀekyʀsif, iv/ *adj* recursive

récursivité /ʀekyʀsivite/ *nf* recursion

récusable /ʀekyzabl/ *adj* open to challenge

récusation /ʀekyzasjɔ̃/ *nf* challenging, challenge; **~ de juré** Jur challenging a juror, objection to a juror; **droit de ~** right of challenge

récuser /ʀekyze/ [1]
A *vtr* to challenge, to object to [*juré, témoin, arbitre*]
B **se récuser** *vpr* gén to declare oneself incompetent; Jur [*juge*] to decline to act in a case

recyclable /ʀ(ə)siklabl/ *adj* [*matériau*] recyclable; [*personne*] retrainable

recyclage /ʀ(ə)siklaʒ/ *nm* **1** (de matériau) recycling; **~ du verre** recycling of glass; **2** (de personnel) retraining; **stage de ~** retraining course; **3** Fin (de capitaux) recycling; (de profits) reinvestment; (d'argent sale) laundering; **4** Tech (de gaz, liquide) recirculation

recycler /ʀ(ə)sikle/ [1]
A *vtr* **1** (pour réutiliser) to recycle [*matériau*]; **2** **~ le personnel** (former de nouveau) to retrain the staff; (perfectionner) to provide refresher courses for the staff; **3** (réinvestir) to recycle [*capitaux*]; to reinvest [*profits*]; (blanchir) pej to launder [*argent*]; **4** Tech to recirculate [*gaz, liquide*]
B **se recycler** *vpr* **1** (se perfectionner) to update one's skills; (faire un stage) to attend a refresher course; **2** (se reconvertir) to retrain; (changer d'emploi) to change jobs; **se ~ dans l'enseignement** (se reconvertir) to retrain as a teacher; (changer d'emploi) to go into teaching

rédacteur, **-trice** /ʀedaktœʀ, tʀis/ ▸ **p. 532** *nm,f* **1** (de texte) gén author, writer; (dans un ministère) parliamentary draftsman/draftswoman; **2** Presse, Édition editor; **~ sportif/politique** sports/political editor; **3** Ordinat programmerGB
(Composés) **~ en chef** editor in chief; **~ publicitaire** copywriter

rédaction /ʀedaksjɔ̃/ *nf* **1** (activité) (d'article, ouvrage) (écriture) writing; (correction) editing; (de liste, bilan) compilation; (de document, décret) drafting; (manière de rédiger) wording; **2** Presse (bureaux) editorial offices; (personnel) editorial staff; **3** Scol essay GB, theme US
(Composé) **~ publicitaire** copywriting

rédactionnel, **-elle** /ʀedaksjɔnel/
A *adj* editorial
B *nm* text (*of advertisement*)

reddition /ʀedisjɔ̃/ *nf* **1** (capitulation) surrender; **2** Jur **~ de comptes** rendering of accounts

redécoupage /ʀ(ə)dekupaʒ/ *nm* Admin, Pol **~ électoral** constituency boundary changes GB, redistricting US

redécouverte /ʀ(ə)dekuvɛʀt/ *nf* rediscovery

redécouvrir /ʀ(ə)dekuvʀiʀ/ [32] *vtr* to rediscover

redéfaire /ʀ(ə)defɛʀ/ [10]
A *vtr* to undo [sth] again
B **se redéfaire** *vpr* to come undone again

redéfinir /ʀ(ə)definiʀ/ [3] *vtr* to redefine

redéfinition /ʀədefinisjɔ̃/ *nf* (d'objectif, de concept) redefining (**de** of); (d'institution, de pays) reshaping (**de** of)

redemander /ʀədmɑ̃de, ʀ(ə)dəmɑ̃de/ [1] *vtr* **1** (demander de nouveau) **~ qch à qn** to ask sb for sth again; **2** (se faire rendre) **~ qch à qn** to ask sb for sth back; **3** (demander davantage) **~ des fruits à qn** to ask sb for more fruit

redémarrage /ʀ(ə)demaʀaʒ/ *nm* **1** Aut (de moteur) restarting; **2** (reprise) upturn (**de** in); **3** (réouverture) **le ~ de l'usine a été lent** it took a long time for the factory to get going again

r

redémarrer /ʀ(ə)demaʀe/ [1] *vi* 1▸ Aut [*voiture*] to move off again; [*moteur*] to start again; [*chauffeur*] to drive off again; 2▸ Écon [*marché, économie*] to take off again; [*entreprise*] to relaunch itself; **le gouvernement a réussi à faire ~ l'économie** the government managed to restart the economy; 3▸ Ordinat to reboot

rédempteur, -trice /ʀedɑ̃ptœʀ, tʀis/ *adj* Relig redemptive; fig liter redeeming

Rédempteur /ʀedɑ̃ptœʀ/ *nm* **le ~** the Redeemer

rédemption /ʀedɑ̃psjɔ̃/ *nf* redemption

Rédemption /ʀedɑ̃psjɔ̃/ *nf* **la ~** the Redemption

redéploiement /ʀ(ə)deplwamɑ̃/ *nm* 1▸ (de forces, personnel, ressources) redeployment; 2▸ (d'industrie) restructuring; **~ industriel/politique** industrial/political restructuring

redéployer /ʀ(ə)deplwaje/ [23]
A *vtr* 1▸ to redeploy [*forces, personnel, ressources*]; 2▸ to restructure [*budget, économie*]
B se redéployer *vpr* [*entreprise*] to expand (abroad); [*capitaux*] to be redirected

redescendre /ʀədɛsɑ̃dʀ/ [6]
A *vtr* 1▸ (transporter de nouveau) (en bas) gén to take [sb/sth] back down [*personne, objet*] (**à** to); (à l'étage) to take [sb/sth] back downstairs [*personne, objet*]; (d'en haut) gén to bring [sb/sth] back down [*personne, objet*] (**de** from); (de l'étage) to bring [sb/sth] back downstairs [*personne, objet*]; **~ les bouteilles à la cave** to take the bottles back down to the cellar; **~ les valises du grenier** to bring the suitcases back down from the attic; **je peux vous ~ au village** I can take you back down to the village; **redescends-moi mes pantoufles** bring my slippers back down (to me); **je leur ai fait ~ les bouteilles à la cave** I made them take the bottles back down to the cellar; **j'ai fait ~ le piano dans le salon** I had the piano taken *ou* brought back down to the living room; **faites-moi ~ les dossiers secrets** get the secret files brought back down to me
2▸ (remettre en bas) to get [sth] back down [*valise, boîte*]; **redescends-moi cette boîte** get me that box back down; **~ un seau dans un puits** to lower a bucket back into a well
3▸ (rabaisser) to lower [*étagère, tableau, store*] (**de** by); to wind [sth] back down [*vitre de véhicule*]; to roll [sth] back down [*manches, jambes de pantalon*]; to pull [sth] back down [*jupe, robe*]; to turn down [*col*]; **~ une étagère de 20 centimètres/d'un cran** to lower a shelf another 20 centimetres[GB]/by another notch
4▸ (parcourir de nouveau) [*personne*] (en allant) to go back down [*pente, rue, étage*]; to go *ou* climb back down [*escalier, marches, échelle*]; (en venant) to come back down [*pente, rue, marches, échelle*]; [*voiture, automobiliste*] to drive back down [*pente, route*]; [*bateau*] to sail back down [*fleuve*]; **nous avons redescendu la colline à pied** (en marchant) we walked back down the hill; (et non à bicyclette) we went back down the hill on foot; **~ la colline en rampant/à bicyclette** to crawl/cycle back down the hill; **il m'a fait ~ l'escalier en courant** he made me run back down the stairs
B *vi* (descendre de nouveau) [*personne*] (en allant) gén to go back down, to go down again (**à** to); (de l'étage) to go back downstairs, to go downstairs again; (en venant) gén to come back down, to come down again (**de** from); (de l'étage) to come back downstairs, to come downstairs again; (après être remonté) (en allant) to go back down again; (en venant) to come back down again; [*train, ascenseur, téléphérique, avion, hélicoptère*] (en allant) to go back down; (en venant) to come back down; [*oiseau*] to fly down again; [*prix, taux, monnaie*] to go down again; [*mer*] to go back out; [*température, baromètre*] to fall again, to go down again; **reste ici, je redescends à la cave** stay here, I'm going back down to the cellar; **peux-tu ~ chercher mon sac?** can you go back downstairs and get my bag?; **tu es redescendu à pied?** gén did you walk back down?; (plutôt que par l'ascenseur) did you come back down on foot?; **je préfère ~ par l'escalier** I prefer to go back down by the stairs; **nous sommes redescendus par le sentier/la route** (à pied) we walked back down by the path/the road; (à cheval) we rode back down by the path/road; **il est redescendu vers moi en rampant** he crawled back down to me; **il est redescendu du col à bicyclette/en voiture** he cycled/drove back down from the pass; **où est l'écureuil? il a dû ~ de l'arbre** where's the squirrel? it must have climbed back down from the tree; **je suis redescendu au fond du puits/au bas de la falaise** I went back down to the bottom of the well/to the foot of the cliff; **~ de** [*personne*] to step back off [*trottoir, marche*]; [*personne, animal*] to climb back down from [*mur, tabouret*]; **~ de l'échelle/la corde** to climb back down from the ladder/the rope; **il est redescendu du toit** [*enfant, chat*] he's come back down off the roof; **~ de son lit** to get out of bed again; **~ de cheval/bicyclette** to get off one's horse/bicycle again; **~ de voiture** to get out of the car again; **~ du train** to get off the train again; **on nous a fait ~ de l'avion** we were made to get out of the plane again; **~ à Marseille** (retourner) to go back down to Marseilles; **~ dans les sondages** [*politicien, parti*] to drop *ou* to move down in the opinion polls; **l'opposition redescend dans la rue** the opposition is taking to the streets again; **~ en deuxième position** [*équipe*] to go back down to second place; **les cours sont redescendus de 20%** prices have gone down another 20%; **faire ~ les cours** to bring the prices down again; **faire ~ le dollar** to send *ou* put the dollar down again; **l'euro est redescendu par rapport à la livre** the euro has gone down *ou* dropped against the pound again; **faire ~ la température** gén to lower the temperature; Méd to lower one's temperature
(Idiome) **~ sur terre** to come (back) down to earth

redevable /ʀədvabl, ʀ(ə)dəvabl/ *adj* 1▸ **être ~ de qch à qn** (d'une faveur, d'un succès) to owe sth to sb, to be indebted to sb for sth; (d'une somme) to owe sth to sb; 2▸ Fisc **être ~ de l'impôt** to be liable for tax

redevance /ʀədvɑ̃s, ʀ(ə)dəvɑ̃s/ *nf* 1▸ (taxe) gén charge; (de télévision) licence GB *ou* license US fee; (de téléphone) rental charge; 2▸ (droit d'exploitation) royalty
(Composé) **~s fermières** rent (*on a farm, often paid in kind*)

redevenir /ʀ(ə)dəvniʀ, ʀədvəniʀ/ [36] *vi* **~ normal** to become normal again

rédhibitoire /ʀedibitwaʀ/ *adj* 1▸ [*coût*] prohibitive; [*obstacle*] insurmountable; [*condition*] unacceptable; [*timidité*] crippling; **être d'une bêtise ~** to be stupid beyond redemption; 2▸ Jur **vice ~** latent *ou* redhibitory defect

rediffuser /ʀ(ə)difyze/ [1] *vtr* to repeat GB, to rerun [*émission*]; **émission rediffusée** repeat GB, rerun

rediffusion /ʀ(ə)difyzjɔ̃/ *nf* repeat GB, rerun

rédiger /ʀediʒe/ [13] *vtr* (écrire) to write [*article, texte*]; (en développant ses notes) to write up [*notes, thèse*]; to draft [*décret, contrat*]; **ainsi rédigé** expressed in such terms

redimensionner /ʀədimɑ̃sjɔne/ [1] *vtr* Ordinat to resize

redingote /ʀ(ə)dɛ̃gɔt/ *nf* (d'homme) frock coat; (de femme) fitted coat

redire /ʀ(ə)diʀ/ [65] *vtr* to repeat; **il a redit sa désapprobation** he reiterated *ou* repeated his disapproval; **~ qch à qn** (répéter) to tell sth to sb again; **je ne te le redirai pas une autre fois!** I won't tell you again!; **je le lui ai dit et redit** I've told him over and over again; **~ à qn de faire** to remind sb to do; **~ à qn que** to remind sb that; **avoir** *or* **trouver quelque chose à ~ à qch** to find fault with sth; **avez-vous quelque chose à ~ à leur travail?** have you got any complaints about their work?; **qu'avez-vous à ~ à notre décision?** what have you got against our decision?; **je ne vois rien à y ~** I've got nothing against it; **côté qualité, (il n'y a) rien à ~** from the point of view of quality, it can't be faulted

rediscuter /ʀ(ə)diskyte/ [1] *vtr* **~ qch** (discuter de nouveau) to discuss sth again; (approfondir) to discuss sth further

redistribuer /ʀ(ə)distʀibɥe/ [1] *vtr* 1▸ to redistribute [*richesses*]; to reallocate [*tâches, terres*]; 2▸ Jeux **~ les cartes** to deal the cards again

redistribution /ʀ(ə)distʀibysjɔ̃/ *nf* (de richesses) redistribution; (de tâches) reallocation

redite /ʀ(ə)dit/ *nf* (needless) repetition

redondance /ʀ(ə)dɔ̃dɑ̃s/ *nf* 1▸ (dans un style) verbosity; 2▸ (terme superflu) superfluous term; 3▸ Ling, Ordinat, Télécom redundancy

redondant, ~e /ʀ(ə)dɔ̃dɑ̃, ɑ̃t/ *adj* 1▸ [*style*] verbose; [*terme*] superfluous, redundant; 2▸ Ling redundant; 3▸ Ordinat [*code*] redundant; **système ~** back-up system

redonner /ʀ(ə)dɔne/ [1] *vtr* 1▸ (donner de nouveau) **~ qch à qn** to give sb sth again, to give sth to sb again; **redonne-moi ton numéro de téléphone** give me your phone number again; **ça m'a redonné faim** it made me hungry again; **ça lui a redonné envie de peindre/voyager** it made him/her feel like painting/travelling[GB] again; **redonne-lui un verre d'eau** give him/her another glass of water; **il m'a redonné de la soupe** he gave me some more soup, he gave me another helping of soup; **~ un coup de balai dans la cuisine** to give the kitchen another sweep; **~ une couche de vernis à une porte** to give a door another coat of varnish; 2▸ (rétablir) **~ courage/confiance à qn** to restore sb's courage/confidence; **~ espoir à qn** to give sb renewed hope, to restore sb's hopes; **~ des forces/de l'énergie à qn** to restore sb's strength/energy; **produit qui redonne de l'éclat aux cheveux** product which puts the shine back in one's hair; **~ vigueur à l'économie d'un pays** to revive a country's economy; **~ vie à un quartier** to breathe new life into an area; 3▸ (rendre) to give [sth] back, to return [*objet, argent*] (**à** to); 4▸ (rediffuser) to show [sth] again [*film, émission*]

redorer /ʀ(ə)dɔʀe/ [1] *vtr* to regild
(Idiome) **~ son blason** [*personne*] to restore one's image; [*ville, groupe*] to restore its image

redormir /ʀ(ə)dɔʀmiʀ/ [30] *vi* 1▸ (se rendormir) to go back to sleep; 2▸ (après une période d'insomnies) to sleep again

redoublant, ~e /ʀ(ə)dublɑ̃, ɑ̃t/ *nm,f* student repeating a year

redoublé, ~e /ʀ(ə)duble/
A *pp* ▸ **redoubler**
B *pp adj* **des attaques ~es** increasingly violent attacks; **il s'est mis à l'ouvrage avec un zèle ~** he threw himself into the work with redoubled vigour[GB]; **frapper qch/qn à coups ~s** to hit sth/sb very hard

redoublement /ʀ(ə)dubləmɑ̃/ *nm* 1▸ Scol **il va falloir envisager le ~ pour cet élève** we'll have to think about this student repeating a year; **après deux ~s il n'était toujours pas au niveau** after repeating a year twice he was still not up to standard; 2▸ Ling reduplication; 3▸ (intensification) intensification

redoubler /ʀ(ə)duble/ [1]
A *vtr* 1▸ Scol **~ une classe** to repeat a year; 2▸ Ling to reduplicate [*consonne, syllabe*]; 3▸ (intensifier) **les événements récents ont redoublé sa méfiance** recent events have made him/her twice as wary *ou* have made her even more wary
B redoubler de *vtr ind* **~ de prudence/d'égards** to be twice as *ou* much more careful/attentive; **~ d'efforts** to redouble

one's efforts, to work twice as hard; **il te faut ~ de vigilance** you need to be twice as vigilant *ou* extra vigilant; **la bataille/tempête a redoublé de violence** the fighting/storm has got GB *ou* gotten US even fiercer

C *vi* **1** Scol to repeat a year; **2** (s'intensifier) to intensify; **la pluie a redoublé** it's raining even harder; **sa rage a redoublé** he became even more enraged

redoutable /ʀ(ə)dutabl/ *adj* [*arme, examen, concurrent*] formidable; [*mal*] dreadful; **il est d'une lucidité ~** he is frighteningly clear-sighted

redouter /ʀ(ə)dute/ [1] *vtr* (craindre) to fear [*ennemi, mort*]; (appréhender) to dread [*événement, conséquence, avenir*]; **je redoute d'y aller** I dread going there

redoux /ʀ(ə)du/ *nm inv* mild spell

redressement /ʀədʀɛsmɑ̃/ *nm* **1** (reprise) recovery; **un net ~ des exportations/de l'économie** a clear upturn *ou* recovery in exports/in the economy; **2** (remise sur pied) re-establishment; **plan de ~** recovery plan; **3** (remise en forme) straightening out; **4** (manœuvre) straightening up; **5** Électrotech rectification; **6** †(rééducation) **maison de ~** reformatory

(Composés) **~ fiscal** tax adjustment; **~ judiciaire** receivership; **être mis en ~ judiciaire** to go into receivership

redresser /ʀ(ə)dʀese/ [1]

A *vtr* **1** (remettre d'aplomb) to straighten up [*barrière, piquet*]; (remettre debout) to put [sth] up again [*barrière, piquet*]; (détordre) to straighten [sth] out [*barre de métal, pare-chocs*]; to straighten [*dent*]; **~ des fleurs dans un vase** to put flowers straight in a vase; **~ un malade** to sit a sick person up; **~ les épaules** to straighten one's shoulders; **~ la tête** lit to lift one's head up; fig (tenir tête) to stand up for oneself; **2** (après une crise) to put [sth] back on its feet [*économie*]; to turn [sth] round GB *ou* around US [*entreprise*]; to improve [*performance*]; **~ la situation** to put the situation right; **3** (après une baisse) to aid the recovery of [*monnaie*]; to improve [*marge de bénéfices*]; **~ le score** to even up the score; **4** (après une manœuvre) to straighten up [*voilier, planeur, volant*]; **~ la barre** lit to right the helm; fig to put things back on an even keel; **redresse!** straighten up!; **5** (après une erreur) to rectify [*erreur*]; **~ un compte** to adjust an account; **~ les torts** fml to right (all) wrongs sout; **~ les injustices sociales** fml to redress social injustice; **6** Électrotech to rectify

B **se redresser** *vpr* **1** [*personne*] (se mettre debout) to stand up; (s'asseoir) to sit up; (se mettre droit) (en position debout) to stand up straight; (en position assise) to sit up straight; **2** (reprendre de la vigueur) [*industrie, économie, plante*] to pick up again, to recover; [*pays, compagnie*] to get back on its feet; **3** (après une manœuvre) [*voilier, planeur*] to straighten up; **4** (être fier) to give oneself airs

redresseur /ʀədʀɛsœʀ/ *nm* **1** (justicier) **~ de torts** redresser of wrongs; **2** Électrotech rectifier

réducteur, **-trice** /ʀedyktœʀ, tʀis/

A *adj* **1** (simplificateur) [*analyse, slogan*] reductionist, simplistic; **2** Chimie reducing; **3** Mécan **engrenage ~** reduction gear

B *nm* **1** Chimie reducing agent; **2** Mécan **~ de vitesse** speed reducer

(Composé) **~ de têtes** Anthrop head shrinker

réductibilité /ʀedyktibilite/ *nf* reducibility

réductible /ʀedyktibl/ *adj* **1** (en diminuant) [*frais, dépenses*] which can be reduced *ou* cut (*après n*); [*délai*] which can be shortened *ou* reduced (*après n*); **2** (qui peut être réduit) **ce n'est pas ~ à** it cannot simply be seen as; **3** Chimie, Math, Méd reducible

réduction /ʀedyksjɔ̃/ *nf* **1** (remise) discount, reduction; (consentie à un groupe particulier) concession (**sur** on); **~ de 5%** 5% reduction; **faire une ~ à qn** to give sb a discount; **je vous fais une ~ de 50 euros/5%** I'll give you a 50-euro/5% discount; **~ de fractions au même dénominateur** reduction of fractions to a common denominator; **~ étudiants/familles nombreuses** concession for students/large families; **avoir droit à une ~** to have a concession; **2** (action de diminuer) (de dépenses, coût, subventions, production) cutting, reducing; (de délais) shortening, reducing; (d'armements, inégalités) reducing; **~ d'impôts** cutting taxes; **~ de l'écart entre** narrowing the gap between; **3** (diminution) (de dépenses, coût, d'armements) reduction, cut (**de** in); **~ d'impôts** tax cut; **~s d'effectifs** staff cuts; **4** (simplification) **la ~ d'une théorie à quelques principes de base** reducing a theory to a few basic principles; **5** Art (reproduction réduite) small replica; **6** Chimie, Culin, Math, Méd reduction

(Composés) **~ chromatique** Biol reduction division; **~ de peine** Jur remission

réduire /ʀedɥiʀ/ [69]

A *vtr* **1** (diminuer) to reduce [*impôt, coût, vitesse, distance, stocks, inégalités*]; to reduce, to cut [*dépenses*]; to reduce, to shorten [*délai, durée*]; to reduce, to lessen [*chances, risques*]; to reduce, to limit [*choix*]; to reduce, to bring down [*chômage*]; to limit [*influence*]; **~ le personnel** to cut (down on) staff; **~ un article de 3%** to reduce *ou* cut the price of an article by 3%; **~ d'un quart** to reduce by a quarter; **~ qch de peu/de beaucoup** to reduce sth slightly/greatly; **~ qch au minimum** to reduce sth to a minimum; **~ les subventions de moitié** to cut subsidies by half; **~ qch en taille/en longueur** to make sth smaller/shorter, to reduce the size/length of sth; **les jeans sont réduits de 20%** jeans are reduced by 20%; **~ le nombre de succursales** to cut down the number of branches; **je dois ~ mes dépenses** I must cut down on my spending; **~ l'écart entre** to narrow the gap between; **2** (en reproduisant) to reduce [*photographie, document*]; to scale down [*dessin*]; (en faisant des coupures) to cut [*texte*]; **3** (transformer) **~ qch en poudre** to crush sth to powder; **~ qch en bouillie** to reduce sth to a pulp; **~ le blé en farine** to grind wheat into flour; **être réduit en cendres** lit [*bâtiment, ville*] to be reduced to ashes; fig [*espoirs, rêves*] to turn to ashes; **être réduit à rien** *ou* **à néant** [*efforts, travail, fortune*] to be wiped out; **4** (en simplifiant) **~ qch à** to reduce sth to; **~ un problème à l'essentiel** to reduce a problem to its bare essentials; **vous avez tort de ~ ce conflit à...** it is wrong to consider this conflict as no more than...; **5** (obliger) **~ qn à qch** to reduce sb to sth; **~ qn au silence** to reduce sb to silence; **~ qn à la mendicité** to reduce sb to begging; **en être réduit à se taire/mendier** to be reduced to silence/begging; **voilà à quoi j'en suis réduit!** this is what I've been reduced to!; **~ un peuple en esclavage** to reduce a nation to slavery; **6** (vaincre) to subdue [*ennemi, tribu*]; to silence [*opposition*]; to crush [*émeute, mouvement de résistance*]; **7** Culin, Chimie to reduce [*composé*]; **8** Méd to set, to reduce spéc [*os fracturé*]; **9** Math to reduce [*fraction*]; **~ des fractions au même dénominateur** to reduce fractions to a common denominator

B *vi* Culin [*sauce, sirop*] to reduce; [*champignons, épinards*] to shrink; **faites ~ le mélange** allow the mixture to reduce; **les champignons réduisent à la cuisson** mushrooms shrink when cooked

C **se réduire** *vpr* **1** (diminuer) [*coûts*] to be reduced *ou* cut; [*délais*] to be reduced *ou* shortened; [*importations*] to be cut; **l'écart se réduit** the gap is narrowing; **2** (consister seulement en) **se ~ à** to consist merely of; **leur contribution se réduit à quelques sacs de blé** their contribution consists merely of a few sacks of wheat; **cela se réduit à bien peu de chose** it doesn't amount to very much; **3** (se restreindre) **se ~ dans ses dépenses** to cut down on one's spending

réduit, **~e** /ʀedɥi, it/

A *pp* ▸ **réduire**

B *pp adj* **1** (diminué) [*taux, cotisation, vitesse*] reduced, lower; [*délai*] shorter; [*activité*] reduced; [*main-d'œuvre*] smaller, reduced; [*groupe*] smaller; **à vitesse ~e** at a lower speed; **billets à prix ~** tickets at a reduced price; **vendre des objets à prix ~** to sell things at cut-price; **l'essor des magasins à prix ~s** the boom in discount stores; **avec un personnel ~** with fewer staff; **à mobilité ~e** with restricted *ou* reduced mobility; **visibilité ~e** restricted visibility; **2** (peu important) [*moyens, choix*] limited; [*groupe*] small; **3** (petit) [*taille*] small; **de taille ~e** small; **ses dimensions ~es** its small size; **occuper une place ~e** not to take up much room; **en format ~** [*objet*] in a scaled down *ou* reduced format; **4** Math [*équation*] reduced

C *nm* **1** (placard) cubbyhole; **2** pej (petite pièce) cubbyhole péj

rééchelonnement /ʀeeʃlɔnmɑ̃/ *nm* (de dette) rescheduling

rééchelonner /ʀeeʃlɔne/ [1] *vtr* to reschedule [*dette*]

réécrire /ʀeekʀiʀ/ [67] *vtr* to rewrite

réécriture /ʀeekʀityʀ/ *nf* rewriting, rewrite; **règle de ~** Ling rewrite rule

réédification /ʀeedifikasjɔ̃/ *nf* lit, fig rebuilding

réédifier /ʀeedifje/ [2] *vtr* lit, fig to rebuild

rééditer /ʀeedite/ [1] *vtr* **1** Édition to reissue, to reprint [*livre*]; **2** ○(refaire) to repeat [*action, exploit*]

réédition /ʀeedisjɔ̃/ *nf* **1** Édition reissue; **2** ○(de situation, d'œuvre) carbon copy

rééducation /ʀeedykasjɔ̃/ *nf* **1** Méd (des mouvements) physiotherapy, physical therapy; (de handicapé) rehabilitation; **~ de la parole** speech therapy; **faire de la ~** to have physiotherapy *ou* physical therapy; **2** (de délinquant) rehabilitation; **centre de ~** rehabilitation centre[GB]; **3** (nouvelle éducation) re-education

(Composés) **~ motrice analytique** Méd restoration of motor reflexes; **~ motrice fonctionnelle** Méd restoration of motor function

rééduquer /ʀeedyke/ [1] *vtr* **1** Méd to restore normal functioning to [*membre*]; to rehabilitate [*handicapé*]; **~ la parole** to treat speech disorder; **2** Jur to rehabilitate [*délinquant*]; **3** (éduquer différemment) to re-educate [*personne*]; to retrain [*animal*]

réel, **réelle** /ʀeɛl/

A *adj* **1** (non imaginaire) [*besoin, risque, événement, être*] real; (véritable) [*cause, motif, coût*] true, actual; [*fait*] true; **2** (grand) [*émotion, difficultés, effort*] real; **3** Fin [*revenu*] real; [*taux d'intérêt*] effective; **4** Astron, Math, Ordinat, Philos, Phys real; **5** Jur real; **garantie réelle** pledge of real property

B *nm* liter, Philos **le ~** the real

réélection /ʀeelɛksjɔ̃/ *nf* re-election

rééligibilité /ʀeeliʒibilite/ *nf* re-eligibility

rééligible /ʀeeliʒibl/ *adj* re-eligible

réélire /ʀeeliʀ/ [66] *vtr* to re-elect

réellement /ʀeɛlmɑ̃/ *adv* really

réembarquer /ʀeɑ̃baʀke/ [1]

A *vtr* to re-embark [*passagers*]; to reload [*marchandises*]

B *vi* [*passagers*] to re-embark, to go back on board (ship); **faire ~ les troupes** to re-embark the troops

C **se réembarquer** *vpr* to re-embark, to go back on board (ship)

réembaucher /ʀeɑ̃boʃe/ [1] *vtr* to take [sb] on again; **on réembauche à l'usine** the factory is taking on labour[GB] again

réémetteur /ʀeemetœʀ/ *nm* relay station

réemploi /ʀeɑ̃plwa/ *nm* (de matériaux) reuse; (de fonds) Fin reinvestment; (de personnel) re-employment

r

réemployer /reɑ̃plwaje/ [23] *vtr* to reuse [*matériaux*]; to reinvest [*fonds*]; to re-employ [*personnel*]

réendosser /reɑ̃dose/ [1] *vtr* to take [sth] on again [*responsabilité*]

réenfiler /reɑ̃file/ [1] *vtr* to rethread [*aiguille, perles*]

réengagement /reɑ̃gaʒmɑ̃/ *nm* = **rengagement**

réengager /reɑ̃gaʒe/ [13] *vtr* = **rengager**

réenregistrer /reɑ̃ʀʒistʀe/ [1] *vtr* to rerecord [*disque, film*]

réentendre /reɑ̃tɑ̃dʀ/ [6] *vtr* **1▸** gén to listen to [sth] again; **2▸** Jur to re-examine [*témoin*]

rééquilibrage /reekilibʀaʒ/ *nm* Tech readjustment; **~ des roues** Aut wheel-balancing

rééquilibrer /reekilibʀe/ [1] *vtr* **1▸** Tech to readjust [*chargement*]; **2▸** Aut to balance [*wheels*]; **3▸** Écon to balance [*budget*]; **~ la balance des paiements** to restore the balance of payments; **~ les pouvoirs** Pol to restore the balance of power

réescompte /reɛskɔ̃t/ *nm* rediscount

réescompter /reɛskɔ̃te/ [1] *vtr* to rediscount

réessayer /reeseje/ [21] *vtr* **1▸** Cout **~ un vêtement** to try a garment on again; **2▸** (tenter) **~ de faire qch** to try doing sth again

réétudier /reetydje/ [2] *vtr* to reconsider [*situation, proposition*]

réévaluation /reevalɥasjɔ̃/ *nf* **1▸** Fin (de monnaie, taux) revaluation; **2▸** (de forces, recettes, patrimoine) reappraisal, re-evaluation

réévaluer /reevalɥe/ [1] *vtr* **1▸** Fin to revalue [*monnaie*]; to revise [*salaire, impôt, taux (de crédit)*]; **2▸** (estimer à nouveau) to reappraise, re-evaluate [*patrimoine, dépenses, forces, emploi*]

réexamen /reegzamɛ̃/ *nm* (de projet, situation, dossier, budget) re-examination; (de décision, candidature) reconsideration

réexaminer /reegzamine/ [1] *vtr* to re-examine [*projet, situation, dossier, budget*]; to reconsider [*décision, candidature*]

réexpédier /reɛkspedje/ [2] *vtr* **1▸** (faire suivre) to forward, to redirect; **2▸** (retourner) to send [sth] back

réexpédition /reɛkspedisjɔ̃/ *nf* **1▸** (fait de faire suivre) forwarding, redirection; **enveloppe de ~** *envelope provided by the Post Office for forwarding mail*; **2▸** (retour à l'envoyeur) returning to sender; **frais de ~** return postage

réexportation /reɛkspɔʀtasjɔ̃/ *nf* re-exportation; **le volume des ~s** the volume of re-exports

réexporter /reɛkspɔʀte/ [1] *vtr* to re-export

réf (*written abbr* = **référence**) ref

refaire /ʀəfɛʀ/ [10]

A *vtr* **1▸** (faire de nouveau) to do [sth] again, to redo [*exercice, calcul, travail, vêtement*]; to repack [*bagage*]; to redo [*maquillage*]; **~ les mêmes erreurs** to make the same mistakes again; **~ le même voyage** to make the same journey again; **~ le même chemin** (en sens inverse) to go back the same way; **~ du cinéma** [*ancien acteur*] to get back into films GB *ou* movies US; **tout est à ~** it will have to be done all over again; **'à ~'** (sur une copie d'élève) 'do it again'; **~ un numéro de téléphone** to redial a number, to dial a number again; **si c'était à ~** if I had to do it all over again; **je vais ~ les rideaux de ta chambre** I'll make some new curtains for your bedroom; **~ des mathématiques/de l'espagnol** to do maths/Spanish again; **2▸** (faire en plus) **je vais ~ un gâteau** I'll make another cake; **je vais ~ de la soupe** I'll make some more soup; **~ trois exercices** to do three more exercises; **~ trois gâteaux** to make three more cakes; **3▸** (changer complètement) **vouloir ~ le monde/la société** to want to change the world/society; **on ne peut pas ~ l'histoire** you can't rewrite history; **se faire ~ le nez** to have one's nose re-modelled[GB]; **se faire ~ les seins/le visage** to have plastic surgery on one's breasts/one's face; **on ne le refera pas** there's no changing him; **~ sa vie (avec quelqu'un d'autre)** to start all over again (with somebody else); **4▸** (rénover) to redo [*toit, gouttière, sol*]; to redecorate [*pièce*]; to resurface [*route*]; **~ la peinture dans le couloir** to repaint the corridor; **~ les peintures** to repaint; **la pièce est à ~** the room will have to be redone; **appartement refait à neuf** completely refurbished apartment; **5▸** ○(voler, tromper) **se faire ~ de dix euros** to be done out○ of *ou* diddled out○ of ten euros; **il est refait, il s'est fait ~** he's been had○

B se refaire *vpr* **1▸** (fabriquer pour soi) **se ~ une robe** to make oneself another dress; **se ~ une tasse de thé** to make (oneself) another cup of tea; **2▸** (retrouver) **se ~ des amis** to make new friends; **se ~ une santé** to recuperate; **se ~ une beauté** to redo one's make-up; **3▸** (se réhabituer) **se ~ à** to get used to [sth] again [*pays , activité*]; **4▸** (changer) **on ne se refait pas** a person can't change; **5▸** ○(financièrement) to recoup one's losses

C *v impers* **il refait froid/beau** it's cold/fine again

réfection /ʀefɛksjɔ̃/ *nf* (de toiture, façade, bâtiment) repairing; (de route) mending; (de pièce, maison) redoing; **'en ~'** [*église, clocher*] 'restoration work in progress'

réfectoire /ʀefɛktwaʀ/ *nm* (d'institution) refectory; Mil mess

référé /ʀefeʀe/ *nm* Jur summary judgment; **jugement/ordonnance de** *or* **en ~** summary judgment[GB]/order; **intenter une action en ~ contre qn, assigner qn en ~** to apply for a summary judgment to be heard against sb; **plainte en ~** summary action; **juge des ~s** judge in chambers

référé-liberté, *pl* **référés-libertés** /ʀefeʀelibɛʀte/ *nm* quashing of an unlawful conviction

référence /ʀefeʀɑ̃s/

A *nf* **1▸** (renvoi) reference (**à** to); **en** *or* **par ~ à** in reference to; **faire ~ à** to refer to, to make reference to; **les ouvrages cités en ~** the works referred to; **2▸** (modèle) (prime) example; **être cité comme la ~** to be cited as prime example; **lui? ce n'est pas une ~!** who, him? well, he's not much of an example!; **date/année de ~** date/year of reference; **point de ~** point of reference, reference point; **prix/livre de ~** reference price/book; **brut de ~** base crude; **produit de ~** leading product; **3▸** (identification) reference; (numéro) reference number; **notre/votre ~** our/your reference; **notre catalogue compte 5 000 ~s bibliographiques** there are 5,000 entries in our catalogue[GB]; **4▸** Ling reference

B références *nfpl* (pour emploi, location) references; **~s exigées** references required

référencé, **~e** /ʀefeʀɑ̃se/

A *pp* ▸ **référencer**

B *pp adj* **la commande ~e ci-dessous** the order quoted below

référencer /ʀefeʀɑ̃se/ [12] *vtr* to classify [*document*]

référendaire /ʀefeʀɑ̃dɛʀ/ *adj* [*campagne, projet*] referendum (*épith*); **consultation ~** referendum

référendum /ʀefeʀɛ̃dɔm/ *nm* referendum (**sur** on)

> **Référendum**
>
> A *référendum* may be called by the *Président de la République* on questions concerning the organization of the state, a matter which may change its nature, or proposed legislation affecting economic and social policy.

référent, **~e** /ʀefeʀɑ̃, ɑ̃t/

A *adj* reference

B *nm* referent

référentiel, **-ielle** /ʀefeʀɑ̃sjɛl/

A *adj* Ling, gén referential

B *nm* fml frame of reference

référer /ʀefeʀe/ [14]

A référer à *vtr ind* **1▸ en ~ à** to consult; **il doit en ~ au ministre** he must refer the matter to *ou* consult the minister; **2▸** Ling **~ à** to refer to

B se référer *vpr* **1▸** (faire référence à) **se ~ à** to refer to [*date, personne, article, loi*]; **si on se réfère à cette période/loi** if one refers to this period/law; **2▸** (consulter) **se ~ à** to consult [*livre, publication, chapitre*]; **référez-vous au texte original** consult the original text

refermer /ʀ(ə)fɛʀme/ [1]

A *vtr* **1▸** (fermer) to close [*boîte, porte, tiroir, porte-monnaie, main*]; to put the lid back on [*pot*]; to put the top back on [*bouteille, bidon*]; to close [*livre, dossier*]; **~ une porte derrière qn** to close the door behind sb; **~ qch sur qch/qn** to close sth on sth/sb; **~ une porte sur qn** to close the door on sb; **2▸** (fermer de nouveau) to close [sth] again [*boîte, porte, tiroir, coffre*]; to put the lid back on [sth] again [*pot*]; to put the top back on [sth] again [*bouteille, bidon*]; **~ à clé** to lock (again)

B se refermer *vpr* [*piège, porte, fenêtre, tombe, fleur*] to close (**sur** on); [*coquille*] to close (**sur** on); [*eau*] to close (**sur** over); [*blessure*] to close up

refiler○ /ʀ(ə)file/ [1] *vtr* to pass [*vêtement, livre, notes, renseignement, maladie*] (**à qn** onto sb); to palm [sth] off [*fausse monnaie*] (**à qn** on sb); **on m'a refilé un faux billet** someone palmed a forged note off on me; **il m'a refilé son rhume** he gave me his cold

refinancement /ʀəfinɑ̃smɑ̃/ *nm* refinancing

réfléchi, **~e** /ʀefleʃi/

A *adj* **1▸** (posé) [*personne*] reflective, thoughtful; [*regard*] thoughtful; [*ton*] deliberate; **2▸** (mûri) [*décision*] considered; [*action*] well-considered; **tout bien ~** all things considered; **c'est tout ~** my mind is made up; **3▸** Phys [*image, onde*] reflected; **4▸** Ling reflexive

B *nm* Ling reflexive

réfléchir /ʀefleʃiʀ/ [3]

A *vtr* to reflect [*onde, chaleur*]

B réfléchir à *vtr ind* **~ à** to think about; **plus j'y réfléchis** the more I think about it; **j'y ai mûrement réfléchi** I have thought it through *ou* over very carefully; **sans ~ au fait qu'il n'y avait pas d'eau** quite forgetting that there was no water; **puis j'ai réfléchi au fait que ce serait fermé** then it occurred to me that it would be shut

C *vi* to think (**sur qch** about sth); **parler sans ~** to speak without thinking; **ça fait ~** it makes you think; **si on réfléchit** *or* **en réfléchissant, on voit bien** if you (stop and) think about it, you realize; **et puis, en réfléchissant, j'ai décidé de rester** but then, on reflection, I decided to stay; **réfléchis et donne-moi ta réponse demain** think about it *ou* think it over and give me your answer tomorrow; **ça leur donnera à ~** it'll give them something to think about; **mais réfléchis donc un peu, ça va fondre au soleil!** use your brain, it will melt in the sun!

D se réfléchir *vpr* [*onde, image*] to be reflected (**dans** in; **sur** on)

réfléchissant, **~e** /ʀefleʃisɑ̃, ɑ̃t/ *adj* reflective

réflecteur, **-trice** /ʀeflɛktœʀ, tʀis/

A *adj* reflecting

B *nm* reflector

réflectorisé, **~e** /ʀeflɛktɔʀize/ *adj* [*peinture, revêtement, casque*] reflective; [*route*] with cat's eyes (*épith, après n*)

reflet /ʀ(ə)flɛ/ *nm* **1▸** (image) lit, fig reflection; **voir son ~ dans l'eau** to see one's reflection in the water; **le ~ d'un rayon de soleil sur l'étang** the reflections of sunlight on the pond; **être le ~ d'une époque** to reflect a period, to be a reflection of a period; **être le pâle ~ de qn/qch** fig to be a mere shadow of sb/sth; 2▸ (lueur) glint; (plus délicat) shimmer ℭ; **∼s dorés** golden glints; **feuillage à ∼s argentés** foliage with a silvery shimmer; 3▸ (nuance de couleur) sheen ℭ; **les ∼s du satin** the sheen of satin; **fourrure noire à ∼s bleus** black fur with a bluish sheen; **cheveux châtains aux ∼s roux** brown hair with red highlights; **pierre grise à ∼s bleus** grey stone with a bluish sparkle

refléter /R(ə)flete/ [14]
A *vtr* 1▸ (renvoyer) to reflect, to mirror; 2▸ (traduire) to reflect; **son visage reflétait son émotion** his/her emotion showed in his/her face
B **se refléter** *vpr* lit, fig to be reflected (**dans** in)

refleurir /R(ə)flœRiR/ [3] *vi* 1▸ (fleurir à nouveau) [*fleur*] to flower again; [*arbre*] to blossom again; 2▸ (réapparaître) [*vêtement, slogan, affiche*] to reappear

reflex* /Reflɛks/
A *adj* Phot reflex; **appareil ∼** reflex camera
B *nm inv* reflex camera

réflexe /Reflɛks/
A *adj* reflex
B *nm* 1▸ Physiol reflex; **avoir de bons ∼s** to have quick *ou* good reflexes; 2▸ (réaction, habitude) reaction; **manquer de ∼** to be slow to react, to react slowly; **elle a eu le ∼ de freiner** her instinctive reaction was to brake; **un ∼ de bureaucrate** a typically bureaucratic reaction; **c'est un ∼ normal** it's a normal reaction; **faire qch par ∼** to do sth automatically *ou* without thinking
(Composés) **∼ conditionné** conditioned reflex; **∼ professionnel** professional conditioning ℭ; **∼ de succion** sucking reflex

réflexibilité /Reflɛksibilite/ *nf* reflexibility

réflexible /Reflɛksibl/ *adj* reflexible

réflexif, -ive /Reflɛksif, iv/ *adj* reflexive

réflexion /Reflɛksjɔ̃/ *nf* 1▸ (pensée) thought (**sur** on), reflection (**sur** on); **faire part de ses ∼s à qn** to share one's thoughts with sb; **inspirer des ∼s amères** to give rise to bitter feelings; 2▸ (méditation) thinking (**sur** on), reflection (**sur** on); **faire naître une nouvelle sur l'histoire** to give rise to some fresh thinking on history; **leur offre mérite ∼** their offer is worth thinking about; **cela demande ∼** it needs *ou* requires thinking about; **prendre le temps de la ∼** to take time to think; **sans ∼** without thinking; **∼ faite** *or* **à la ∼, je n'irai pas** on reflection *ou* on second thoughts, I won't go; **à la ∼, on s'aperçoit que c'est absurde** when you really think about it, you realize that it is absurd; **après mûre ∼** after careful consideration, after much thought; **donner matière à ∼** to be food for thought; 3▸ (remarque) remark (**sur** about), comment (**sur** on); **faire des ∼s** gén to make remarks; **fais-nous grâce de tes ∼s** spare us your comments; **elle t'a fait une ∼?** did she say anything to you?; **on m'a fait des ∼s sur votre attitude** I've had complaints about your attitude; **s'attirer des ∼s** to attract criticism *ou* adverse comment; **il a eu une ∼ bizarre/étonnante** he said something odd/surprising; **elle a des ∼s parfois!** she says some funny things sometimes!; 4▸ (étude) study (**sur** of); **document de ∼** discussion paper; 5▸ Phys reflection

réflexivité /Reflɛksivite/ *nf* reflexiveness, reflexivity

réflexologie /Reflɛksɔlɔʒi/ *nf* reflexology

réflexologue /Reflɛksɔlɔg/ ▸ **p. 532** *nmf* reflexologist

refluer /R(ə)flɥe/ [1] *vi* 1▸ (couler en sens inverse) [*liquide*] to flow back; 2▸ (reculer) [*foule, groupe*] to surge back(wards); [*inflation, chômage*] to go down; **faire ∼** to push back [*foule*]; to push down [*chômage*]

reflux /R(ə)fly/ *nm inv* 1▸ (marée) ebb tide; 2▸ (de foule, manifestants) surging away; (de chômage, devise) decline; 3▸ Méd reflux; **∼ gastro-oesophagien** gastro-oesophageal reflux

refondre /R(ə)fɔ̃dR/ [6] *vtr* 1▸ lit to melt down again [*métal*]; to recast [*objet*]; to remint [*monnaie*]; to remix [*papier*]; 2▸ fig to rework [*structure, règles*]; to recast [*édition*]; to reorganize [*organisme*]

refonte /R(ə)fɔ̃t/ *nf* gén overhaul; (de contrat) rewriting

reforestation /R(ə)fɔRɛstasjɔ̃/ *nf* reafforestation

reformage /R(ə)fɔRmaʒ/ *nm* Ind reforming

réformateur, -trice /RefɔRmatœR, tRis/
A *adj* [*dirigeant, parti, idéologie*] reforming; [*milieu, courant, force*] of reform (*épith, après n*)
B *nm,f* reformer

réforme /RefɔRm/ *nf* 1▸ (modification) reform; **∼ de l'enseignement/de l'orthographe** teaching/spelling reform; 2▸ Mil discharge; 3▸ Relig **la Réforme** the Reformation; 4▸ Agric **bête de ∼** cull; **vache de ∼** cull cow

réformé, ∼e /RefɔRme/
A *adj* 1▸ Mil (inapte) unfit for service; (invalide) invalided out; 2▸ Relig Reformed
B *nm* Mil [*appelé*] person who has been declared unfit for service; [*soldat*] discharged soldier
C *nm,f* Relig Protestant

reformer /R(ə)fɔRme/ [1]
A *vtr* to re-form; **∼ les rangs** [*soldats*] to fall in again; [*élèves*] to fall into line again
B **se reformer** *vpr* [*glace, végétation*] to re-form; [*équipe*] to re-form; [*soldats*] to form up again; [*peau, foie*] to renew itself

réformer /RefɔRme/ [1]
A *vtr* 1▸ (changer) to reform; **∼ les abus** to weed out abuses; 2▸ Mil to declare [sb] unfit for service [*appelé*]; to discharge [*soldat*]; **se faire ∼** to get oneself discharged; 3▸ Jur to overturn [*décision*]
B **se réformer** *vpr* 1▸ (changer) to reform; 2▸ (s'amender) liter to reform (behaviour^GB^)

réformette○ /RefɔRmɛt/ *nf* pej nominal reform

réformisme /RefɔRmism/ *nm* reformism

réformiste /RefɔRmist/ *adj, nmf* reformist

reformuler /R(ə)fɔRmyle/ [1] *vtr* to reformulate

refoulé, ∼e /R(ə)fule/ Psych
A *pp* ▸ **refouler**
B *pp adj* [*personne*] repressed, inhibited
C *nm,f* 1▸ (psychologiquement) repressed person; 2▸ (sexuellement) sexually repressed person
D *nm* Psych **retour du ∼** return of the repressed

refoulement /R(ə)fulmɑ̃/ *nm* 1▸ Psych repression; (refus des pulsions sexuelles) sexual repression; 2▸ (expulsion) (d'ennemi) pushing back; (d'immigrant) turning back; (de la foule) driving back; 3▸ Rail backing, reversing; 4▸ Tech (de liquide) forcing back

refouler /R(ə)fule/ [1] *vtr* 1▸ (contenir) to suppress [*émotion, souvenir*]; to repress [*tendance*]; to hold back [*larmes*]; to stifle [*sanglots*]; **colère refoulée** suppressed anger; 2▸ (repousser) to force [sth] back [*liquide*]; to push back [*ennemi*]; to turn back [*immigrant*]; to drive back [*foule*]; 3▸ (refuser) to reject [*candidat*]; to turn away [*spectateur*]; 4▸ Rail to back, to reverse; 5▸ Naut to stem

réfractaire /RefRaktɛR/
A *adj* 1▸ (opposé) recalcitrant (**à** to); (insensible) impervious (**à** to); Méd resistant (**à** to); 2▸ (résistant à la chaleur) [*matériau*] refractory; **brique ∼** firebrick, refractory brick; **argile ∼** fireclay; 3▸ Hist [*prêtre*] nonjuring; [*conscrit*] draft-dodging
B *nmf* 1▸ (opposant) recalcitrant; **les ∼s à l'aventure/au progrès** those resistant to adventure/to progress; 2▸ Hist (prêtre) nonjuring priest; (conscrit) draft dodger; (travailleur) *French civilian who refused to be drafted to work in Germany in 1942–44*

réfracter /RefRakte/ [1]
A *vtr* to refract
B **se réfracter** *vpr* to be refracted

réfracteur, -trice /RefRaktœR, tRis/
A *adj* refractive
B *nm* Astron refracting telescope

réfraction /RefRaksjɔ̃/ *nf* refraction

refrain /R(ə)fRɛ̃/ *nm* 1▸ (de chanson) chorus; 2▸ (rengaine) pej (old) refrain; **ils nous resservent toujours le même ∼** they're always giving us the same old refrain
(Composé) **∼ publicitaire** advertising jingle

refréner* /R(ə)fRene/, **réfréner** /RefRene/ [14]
A *vtr* to curb
B **se réfréner** *vpr* to restrict oneself

réfrigérant, ∼e /RefRiʒeRɑ̃, ɑ̃t/
A *adj* 1▸ [*appareil, système*] cooling; 2▸ [*accueil, attitude*] frosty
B *nm* (appareil) cooler

réfrigérateur /RefRiʒeRatœR/ *nm* refrigerator; **mettre un projet au ∼** fig to put a project on ice

réfrigérateur-congélateur, *pl* **réfrigérateurs-congélateurs** /RefRiʒeRatœRkɔ̃ʒelatœR/ *nm* fridge-freezer

réfrigération /RefRiʒeRasjɔ̃/ *nf* refrigeration

réfrigérer /RefRiʒeRe/ [14] *vtr* 1▸ lit to refrigerate [*aliment*]; to cool [*local*]; **entrepôt réfrigéré** cold store; 2▸ fig to have a dampening effect on [sb]

réfringence /RefRɛ̃ʒɑ̃s/ *nf* refractiveness

réfringent, ∼e /RefRɛ̃ʒɑ̃, ɑ̃t/ *adj* refractive

refroidir /RəfRwadiR/ [3]
A *vtr* 1▸ (faire baisser la température de) [*personne, mécanisme*] to cool down [*mélange, moteur*]; [*brouillard*] to cool [*atmosphère*]; 2▸ (calmer) [*personne, nouvelle*] to dampen [*ardeur, enthousiasme*]; 3▸ (décourager) **∼ qn** [*nouvelle, échec, accueil*] to dampen sb's spirits; 4▸ ◑(tuer) to bump [sb] off○; **se faire ∼** to be bumped off; 5▸ Jeux (à cache-tampon) **'tu refroidis!'** 'you're getting colder!'
B *vi* 1▸ (devenir moins chaud) [*bain, soupe*] to cool down; **attendez que le mélange refroidisse** wait until the mixture has cooled (down); **faire** *or* **laisser ∼ qch** to leave sth to cool; 2▸ (devenir trop froid) [*bain, soupe, café*] to get cold; **commencez de manger sinon ça va ∼** start eating or it will get cold; **va te laver, ton bain va ∼** go and wash, your bath will be getting cold
C **se refroidir** *vpr* [*temps*] to get colder; [*muscle, articulation*] to stiffen up; [*personne*] to get cold; **je me suis refroidi en t'attendant dehors** I got cold waiting for you outside

refroidissement /RəfRwadismɑ̃/ *nm* 1▸ Météo drop in temperature; **∼ du temps** cooler weather; **on prévoit un ∼ du temps pour lundi** on Monday the weather will be cooler *ou* colder; 2▸ gén, Tech, Nucl cooling; **circuit/tuyau/appareil/cuve de ∼** cooling circuit/pipe/system/tower; **liquide de ∼** coolant; 3▸ Méd chill; **avoir un ∼** to have a chill; 4▸ (de relations, sentiment) cooling

refroidisseur /RəfRwadisœR/ *nm* coolant, cooling agent

refuge /R(ə)fyʒ/
A *nm* 1▸ (abri, réconfort) refuge; **chercher/trouver ∼** to seek/find refuge (**auprès de qn** with sb; **contre qch** from sth); **trouver (un) ∼ dans la solitude/la religion** to find (a) refuge in solitude/religion; **un bon livre est un ∼ contre l'ennui** a good book guards against boredom; 2▸ (en montagne) (mountain) refuge; **nous allons coucher en ∼** we'll spend the night in a (mountain) refuge; 3▸ (pour animaux) sanctuary; 4▸ Gén Civ (de chaussée) traffic island; (de pont) refuge
B **(-)refuge** (*in compounds*) **investissement/monnaie ∼** safe investment/currency; **pays ∼** country of refuge

réfugié, ∼e /Refyʒje/ *nm,f* refugee

réfugier: se réfugier /Refyʒje/ [2] *vpr* lit, fig to take refuge (**dans** in; **chez qn** with sb)

refus /R(ə)fy/ *nm inv* refusal (**de qch** of sth; **de faire** to do); Équit refusal; **c'est un motif valable de ∼** it's a valid reason for refusing; **en cas de ∼ de ta part** if you refuse; **opposer un**

~ **à qn** to refuse sb's request; ~ **de la mort/maladie** refusal to accept the idea of death/being ill; **ce n'est pas de** ~○ I wouldn't say no

(Composés) ~ **d'obéissance** Mil insubordination; Jur contempt of court; ~ **d'obtempérer** refusal to comply; ~ **de priorité** failure to give way

refuser /R(ə)fyze/ [1]

A *vtr* **1** (ne pas accepter) to refuse [*offre, don, invitation*]; to turn down [*poste, emploi*]; ~ **l'obstacle** Équit to refuse a fence; ~ **le combat** to refuse to fight; ~ **la facilité** to refuse to take the easy way out; ~ **de faire qch** [*personne*] to refuse to do sth; **ce rosier refuse de fleurir** this rose bush refuses to flower; **2** (ne pas accorder) to refuse [*permission, aide, crédit, entrée*]; ~ **qch à qn** to refuse sb sth; **se voir** ~ **qch** to be refused sth; **il a refusé qu'on vende la maison** he wouldn't allow the house to be sold; ~ **sa porte à qn** to bar one's door to sb; **je lui refuse le droit de me juger** he has no right to judge me; ~ **l'accès d'un bâtiment à qn** to deny sb admittance to a building; **3** (rejeter) to reject [*budget, injustice, racisme*]; to refuse to accept [*fait, réalité, évidence*]; to turn away [*spectateur, client*]; to reject, to turn down [*manuscrit*]; ~ **un candidat** (à un poste) to turn down *ou* reject a candidate; (à un examen) to fail a candidate; ~ **du monde** to turn people away; **être refusé à un concours** to fail an examination

B *vi* [*vent*] to veer forward, to haul

C se refuser *vpr* **1** (être décliné) **ça ne se refuse pas** (occasion, avantage) it's too good to pass up○ *ou* miss; (verre, bonbon) I wouldn't say no○; **2** (se priver de) to deny oneself [*plaisir*]; **on ne se refuse rien!** you're certainly not stinting yourself!; **3** (dire non) **se** ~ **à** to refuse to accept [*évidence*] ; to refuse to adopt [*solution, procédé*]; **se** ~ **à faire** to refuse to do; **4** (ne pas se livrer) [*femme*] **se** ~ **à un homme** to refuse to give oneself to a man

réfutable /Refytabl/ *adj* refutable

réfutation /Refytasjɔ̃/ *nf* refutation

réfuter /Refyte/ [1] *vtr* to refute; ~ **avoir fait** to deny having done

refuznik /Rəfyznik/ *nm* refuznik

regagner /R(ə)gaɲe/ [1] *vtr* **1** (rejoindre) to get back to [*lieu, poste*]; ~ **son domicile** to return home; ~ **sa place** to return to one's seat; **2** (recouvrer) to regain, to win back [*estime, confiance*]; to pick up [*point*]; **pour** ~ **l'électorat** to win back the electorate; ~ **du terrain** [*armée, équipe, idéologie*] to regain ground; [*chômage, inflation*] to creep *ou* go up again

regain /R(ə)gɛ̃/ *nm* **1** Écon (reprise) (de marché) recovery (**de** of); (d'inflation, de chômage) rise (**de** in); ~ **de la consommation** upturn in consumer spending; **craindre un** ~ **de l'inflation** to fear a rise in inflation; **2** (recrudescence) (d'intérêt) revival; (de violence, tension) resurgence, renewal; **possibilité d'un** ~ **de violence** possibility of renewed violence; **susciter un** ~ **d'intérêt pour la région** to create renewed interest in the region; **connaître un** ~ **de popularité/prestige** to enjoy renewed popularity/prestige; **3** Agric second crop

régal /Regal/ *nm* **1** (mets savoureux) culinary delight; **c'est un (vrai)** ~! it's (absolutely) delicious!; **sa soupe, quel** ~! her soup is delicious!; **le dessert a fait le** ~ **des convives** the guests thought that the dessert was delicious; **2** fig delight; **un** ~ **pour les oreilles** a delight to listen to; **un** ~ **pour les yeux** a feast for the eyes; **le spectacle est un vrai** ~ the show is an absolute delight

régalade /Regalad/ *nf* **boire à la** ~ *to drink without letting one's lips touch the bottle*

régaler /Regale/ [1]

A *vtr* [*personne*] to treat [sb] to a delicious meal; ~ **qn de** lit to treat sb to [*vin, mets*]; fig to regale sb with [*anecdotes*]

B ○*vi* (payer l'addition) to pay the bill GB *ou* check US; **laisse, c'est moi qui régale** leave it, it's my treat

C se régaler *vpr* **1** (de nourriture) **je me régale** it's delicious; **les enfants se sont régalés avec ton dessert** the children really enjoyed your dessert; **Jean fait un gâteau, je me régale à l'avance** Jean is making a cake, I can taste it already; **2** fig **le spectacle était grandiose, ils se sont régalés** the show was stunning, they thoroughly enjoyed it; **se** ~ **avec** to enjoy [sth] thoroughly [*film, spectacle, personnage*]; **se** ~ **de** to love [*anecdote, histoire, personnage*]; **se** ~ **à l'avance de qch** to look forward to sth

régalien, -ienne /Regaljɛ̃, ɛn/ *adj* (inhérent à la royauté) regalian; (digne d'un roi) kingly

regard /R(ə)gaR/

A *nm* **1** (action de regarder) look; **porter son** ~ **sur qch** to look at sth; **diriger son** ~ **vers qch** to look toward(s) sth; **détourner le** ~ to look away; **chercher qch/qn du** ~ to look around for sth/sb; **interroger qn du** ~ to look enquiringly GB *ou* inquiringly US at sb; **suivre qch/qn du** ~ to follow sth/sb with one's eyes; **'suivez mon** ~**'** 'follow my eyes'; **avertir qn du** ~ to give sb a warning look; **elle attire tous les** ~**s** everyone looks at her; **jeter un** ~ **rapide à** *or* **sur qch** to have a quick look at sth, to glance at sth; (en feuilletant) to glance through sth; ~ **en coin** sidelong glance; ~ **fixe** stare; **avoir le** ~ **fixe** to have a fixed stare; **avoir le** ~ **perdu** to have a blank *ou* vacant look; **j'ai croisé son** ~ our eyes met; **échanger des** ~**s** to exchange looks; **soutenir le** ~ **de qn** to look sb straight in the eyes without flinching; **loin** *or* **à l'abri des** ~**s indiscrets** far from prying eyes; **soustraire qch aux** ~**s** to conceal sth from view; **elle ne m'a pas accordé un seul** ~ she didn't even look at me; **2** (yeux) eyes; **un** ~ **clair** light-coloured[GB] eyes; **3** (expression) expression; **son** ~ **triste** her sad expression; **un** ~ **timide** a shy expression; **un** ~ **de colère** an angry expression; **elle a un** ~ **intelligent** she looks intelligent; **d'un** ~ **admiratif/inquiet** admiringly/anxiously; **sous le** ~ **amusé/anxieux/envieux de qn** under the amused/anxious/jealous eye of sb; **jeter un** ~ **noir à qn** to give sb a black look; ~ **méchant** glare; **lancer** *or* **jeter un** ~ **méchant à qn** to glare at sb; **son** ~ **se durcissait** his/her eyes hardened; **on lisait la tristesse/joie dans son** ~ you could tell by his/her expression that he/she was sad/happy; **4** (manière de juger) eye; **le** ~ **de l'anthropologue** the anthropologist's eye; **le** ~ **des autres** other people's opinion; **c'est un autre** ~ **sur la situation** it's another way of looking at the situation; **porter un** ~ **critique sur qch** to look critically at sth; **porter un** ~ **nouveau sur qch** to take a fresh look at sth; **5** (fait de fixer son attention sur) look; **un bref** ~ **sur l'actualité** a quick look at the news; **6** Tech (ouverture) spyhole; (trappe) manhole

B au regard de fml *loc prép* with regard to; **au** ~ **du chômage/du règlement** with regard to unemployment/to the rules; **au** ~ **de la loi/du parti** in the eyes of the law/of the party

C en regard de fml *loc prép* (en comparaison) compared with

D en regard *loc adv* **avec une carte en** ~ with a map on the opposite page; **texte original avec la traduction en** ~ parallel text

regardant, ~**e** /R(ə)gaRdɑ̃, ɑ̃t/ *adj* **ne pas être très** ~ (exigeant) not to be very particular *ou* fussy (**sur** about); (économe) not to care about what things cost; **être** ~ **avec son argent** to be careful with one's money

regarder /R(ə)gaRde/ [1]

A *vtr* **1** (diriger son regard vers) to look at; ~ **qch par la fenêtre** to look out of the window at sth; ~ **qch avec inquiétude/admiration** to look at sth anxiously/admiringly; **regarde qui vient!** look who's coming!; ~ **qch méchamment** to glare at sth; ~ **rapidement** to have a quick look *ou* to glance at [*bâtiment, paysage*]; (en feuilletant) to glance through [*document, livre*]; ~ **qn en face** lit, fig to look sb in the face; ~ **la réalité** *or* **les choses en face** to face facts, to face up to things; ~ **qn de haut** fig to look down one's nose at sb; ~ **qn de travers** fig to look askance at sb; ▸ **lorgnette**, **vache**

2 (fixer avec attention) to watch, to look at [*personne, scène*]; to look at [*tableau, diapositives, paysage*]; to watch [*film, télévision, émission*]; ~ **qn faire** to watch sb doing; ~ **les enfants jouer** *or* **qui jouent** to watch the children playing; **regarde bien comment je fais** watch what I do carefully; ~ **une pièce à la télévision** to watch a play on television; ~ **qch fixement** to stare at sth; ~ **qn/qch longuement** to gaze at sb/sth; ~ **qn dans les yeux** to look sb in the eye(s)

3 (pour vérifier, savoir) to look at [*montre, carte*]; to have a look at, to check [*pneus, niveau d'huile*]; ~ **dans** to look up, to consult [*dictionnaire, annuaire, livre de cuisine*]; ~ **si** to have a look to see if; **regarde si elle arrive** have a look to see if she is coming, see if you can see her coming; **regarde voir s'il reste du pain**○ look and see if there's any bread left

4 (examiner, considérer) to look at [*statistiques, pays, situation*]; ~ **qch de plus près** to look more closely at sth; **si on regarde les choses calmement** if we look at things calmly; ~ **pourquoi/si/qui** to see why/if/who; ~ **qch comme douteux** to regard sth as doubtful

5 (constater) to look; **regarde-moi ça!** just look at that!; **regarde-moi ce désordre!** look at this mess!; **regarde comme c'est beau!** look! isn't that lovely!

6 (concerner) to concern [*personne*]; **ça ne vous regarde pas** that doesn't concern you; (moins poli) it's none of your business; **mêle-toi de ce qui te regarde!** mind your own business○!; **ça ne regarde que moi** that's nobody's business but mine

7 (prendre en compte, envisager) **elle ne regarde que ses intérêts** she thinks only of her own interests; ~ **l'avenir avec confiance** to view the future with confidence

8 (faire face à) [*maison*] to overlook [*baie, mer*]

B regarder à *vtr ind* to think about; ~ **à la dépense** to watch what one spends; **ne pas** ~ **à la dépense** to spare no expense; **sans** ~ **à la dépense/à la qualité** without worrying about the cost/about quality; **quand on y regarde de trop/très près** when you look at it too/very closely; **à y** ~ **de plus près** on closer examination; **tu devrais y** ~ **à deux fois avant de l'acheter** you should think twice before buying it

C *vi* **1** (diriger son regard) to look; ~ **en l'air** to look up; ~ **par terre** to look down; ~ **dehors/dedans** to look outside/inside; ~ **par la fenêtre** (de l'intérieur) to look out of the window; (de l'extérieur) to look in through the window; **regarde derrière toi** look behind you; **regarde droit devant toi** look straight ahead; **regarde autour de toi** lit, fig look around; **regarde ailleurs** (détourne le regard) look away; ~ **du côté de qn** to look toward(s) sb; **regarde bien** have a good look

2 (en cherchant) to look; ~ **partout/ailleurs** to look everywhere/somewhere else

3 (faire attention) to look; **regarde où tu vas** look *ou* watch where you're going; **regarde où tu mets les pieds** look *ou* watch where you put your feet

D se regarder *vpr* **1** (soi-même) to look at oneself; **se** ~ **dans la glace** to look at oneself in the mirror; **se** ~ **les ongles** to look at one's nails

2 (l'un l'autre) to look at one another; ▸ **blanc**, **faïence**

3 (être vis-à-vis) [*bâtiments*] to face one another

(Idiomes) **il ne s'est pas regardé**○! he ought to take a look at himself!; **tu ne m'as pas bien regardé**○! you must be joking!

ℹ Les régions

■ *Les indications ci-dessous valent pour les noms des états américains, des provinces canadiennes, des comtés anglais, des départements français, des provinces françaises, des régions administratives d'autres pays comme le cantons suisses ou les provinces belges, et même pour les noms de régions géographiques qui ne sont pas des entités politiques.*

Les noms de régions

■ *En général, l'anglais n'utilise pas l'article défini devant les noms de régions.*

aimer l'Alabama	= to like Alabama
aimer la Californie	= to like California
visiter le Nouveau-Mexique	= to visit New Mexico
visiter le Texas	= to visit Texas
le Lancashire	= Lancashire
la Bourgogne	= Burgundy
la Provence	= Provence
la Savoie	= Savoy

■ *Mais l'article est utilisé pour les noms de certaines provinces ou régions françaises, certains cantons suisses et beaucoup de départements français. En cas de doute, consulter le dictionnaire.*

le Berry	= the Berry
le Limousin	= the Limousin
le Valais	= the Valais
les Alpes-Maritimes	= the Alpes-Maritimes
l'Ardèche	= the Ardèche
les Landes	= the Landes
le Loir-et-Cher	= the Loir-et-Cher
le Loiret	= the Loiret
le Rhône	= the Rhône
le Var	= the Var

À, au, aux, dans, en

■ À, au, aux, dans *et* en *se traduisent par* to *avec les verbes de mouvement (par ex.* aller, se rendre *etc.) et par* in *avec les autres verbes (par ex.* être, habiter *etc.).*

vivre au Texas
= to live in Texas

aller au Texas
= to go to Texas

vivre en Californie
= to live in California

aller en Californie
= to go to California

vivre dans les Rocheuses
= to live in the Rockies

aller dans les Rocheuses
= to go to the Rockies

De avec les noms de régions

■ *Quelques noms de régions ont donné naissance à des adjectifs, mais il y en a beaucoup moins qu'en français. En cas de doute, consulter le dictionnaire.*

les habitants de la Californie
= Californian people

les vins de Californie
= Californian wines

■ *Ces adjectifs sont tous utilisables comme des noms.*

les habitants de la Californie
= Californians *ou* Californian people

■ *Lorsqu'il n'y a pas d'adjectif, on peut, la plupart du temps, utiliser le nom de la région en position d'adjectif.*

l'accent du Texas
= a Texas accent

le beurre de Normandie
= Normandy butter

les églises du Yorkshire
= Yorkshire churches

les paysages de la Californie
the California countryside

■ *Mais en cas de doute, il est plus sûr d'utiliser la tournure avec* of, *toujours possible.*

la frontière du Texas
= the border of Texas

les habitants de l'Auvergne
= the inhabitants of the Auvergne

les rivières du Dorset
= the rivers of Dorset

les villes du Languedoc
= the towns of Languedoc

Les adjectifs dérivés

■ *Les adjectifs dérivés des régions n'ont pas toujours d'équivalent en anglais. Plusieurs cas sont possibles mais on pourra presque toujours utiliser le nom de la région placé avant le nom qualifié:*

la région dauphinoise
= the Dauphiné region

■ *Pour souligner la provenance on choisira* from *+ le nom de la région:*

l'équipe dauphinoise
= the team from the Dauphiné region

■ *Pour parler de l'environnement on optera pour* of *+ le nom de la région:*

l'économie vendéenne
= the economy of the Vendée

■ *Pour situer on utilisera* in *+ le nom de la région:*

mon séjour vendéen
= my stay in Vendée

regarnir /ʀ(ə)gaʀniʀ/ [3] *vtr* to restock [*étalage, réfrigérateur*]; to refill [*trousse de secours*]; **~ un stock** to restock

régate /ʀegat/ *nf* regatta

régence /ʀeʒɑ̃s/
A *adj inv* [*style, mobilier*] French Regency; **~ anglais** Regency
B *nf* **1** Pol regency; **exercer la ~** to act as regent; **2** Hist **la Régence** the Regency

régénérateur, -trice /ʀeʒeneʀatœʀ, tʀis/
A *adj* gén regenerative; Cosmét rejuvenating
B *nm* Tech, Télécom regenerator

régénération /ʀeʒeneʀasjɔ̃/ *nf* lit, fig regeneration

régénérer /ʀeʒeneʀe/ [14]
A *vtr* **1** Biol, aussi fig to regenerate; **2** Chimie to reactivate
B se régénérer *vpr* **1** Biol [*cellules*] to regenerate; **2** fig [*corps, personne*] to regain one's forces

régent, ~e /ʀeʒɑ̃, ɑ̃t/ *nm,f* **1** Pol regent; **2** Hist (de la Banque de France) director

régenter /ʀeʒɑ̃te/ [1] *vtr* (diriger) to regiment; (contrôler) to regulate

reggae /ʀege/ *adj inv, nm* reggae

régicide /ʀeʒisid/
A †*adj* liter regicidal
B *nmf* (personne) regicide
C *nm* (crime) regicide

régie /ʀeʒi/ *nf* **1** (gestion) (par l'État) state control (**de** over); (par la commune) local authority control GB, local government control US (**de** over); **en** *or* **à ~ directe** (de l'État) under state control; (de la commune) under local authority GB *ou* government US control; **2** (entreprise) **~ d'État** public corporation, state-owned company; (de spectacle) Théât stage management; Cin, TV production department; **3** local central control room

(Composés) **~ d'abonné** Télécom switchboard; **~ directe** Admin (mode de gestion) direct management of a public service; (service) directly managed public service; **~ intéressée** Admin (mode de gestion) management of a public service on a concessionary basis; (service) public service managed on a concessionary basis; **~ de presse** advertising agency (*handling press advertising only*); **~ publicitaire** advertising agency (*selling advertising space*); **Régie française des tabacs** *French State tobacco industry*

regimber /ʀ(ə)ʒɛ̃be/ [1] *vi* **1** [*personne*] to balk (**contre** at); **2** [*cheval, âne*] to jib

régime /ʀeʒim/ *nm* **1** (alimentation) diet; **~ sans sel/sucre/graisse** salt-/sugar-/fat-free diet; **~ lacté/hautes calories** milk/high-calorie diet; **être/se mettre au ~** to be/to go on a diet; **suivre un ~** to be on a diet; **être au ~ jockey**○ hum to be on a starvation diet; **être au ~ sec** hum to be on the wagon○; **produit de ~** dietary product; **2** Pol (mode de gouvernement) system (of government); (gouvernement) government; (totalitaire) regime; **~ parlementaire** parliamentary system; **3** (conditions) system, regime; **~ pénitentiaire/scolaire** prison/school system; **~ de faveur** preferential treatment; **4** Admin (organisation) scheme; (règlement) regulations; **~ d'assurances/de retraite** insurance/pension scheme; **~ des changes/d'échanges** exchange/trade regulations; **~ complémentaire** *private pension scheme that supplements the state scheme;* **5** Jur **~ matrimonial** marriage settlement; **~ de la communauté des biens** *agreement whereby a married couple's property is jointly owned;* **~ de la séparation des biens** *agreement whereby each spouse retains ownership of his/her property;* **6** Mécan (rythme) (running) speed; **bas/haut ~** low/high revs; **tourner à plein ~** [*moteur*] to run at top speed; [*usine*] to work at full capacity; **à ce ~** fig at this rate; **7** Phys (débit) rate of flow; **8** Géog, Météo regime; **9** (de bananes) bunch; (de dattes) cluster, bunch; **10** Ling object; **~ direct/indirect** direct/indirect object; **cas de ~** objective case

régiment /ʀeʒimɑ̃/ *nm* **1** Mil (unité) regiment; **2** ○(service militaire) military service; **3** ○(multitude) army; **elle avait (tout) un ~ de domestiques** she had a whole army of servants; **il y en a pour un ~!** there's enough to feed an army!

régimentaire /ʀeʒimɑ̃tɛʀ/ *adj* regimental

région /ʀeʒjɔ̃/ ▸ p. 721 *nf* **1** Admin region; **la ~ parisienne** the Paris region; **2** Géog (territoire) region; (autour d'un lieu) area; **les ~s tropicales/froides** tropical/cold regions; **le Vésuve et sa ~** Vesuvius and the surrounding area; **le vin de la ~** the local wine; **en ~** journ in the regions; **3** Anat region; **la ~ lombaire** the lumbar region; **4** Mil district; **~ militaire** military district *ou* command; **5** fig region; **les ~s supérieures du savoir** the loftier realms of knowledge

r

Région

The largest administrative unit in France, consisting of a number of *départements*. Each has its own *Conseil régional* (regional council) which has responsibilities in education and economic planning.

régional, **~e**, *mpl* **-aux** /ʀeʒjɔnal, o/ *adj* Admin, Géog regional; **directeur ~** Comm area manager

régionalisation /ʀeʒjɔnalizasjɔ̃/ *nf* regionalization

régionaliser /ʀeʒjɔnalize/ [1] *vtr* to regionalize

régionalisme /ʀeʒjɔnalism/ *nm* 1 Pol regionalism; 2 Ling regional expression, regionalism

régionaliste /ʀeʒjɔnalist/ *adj, nmf* regionalist

régir /ʀeʒiʀ/ [3] *vtr* gén, aussi Jur, Ling to govern

régisseur /ʀeʒisœʀ/ ▸ **p. 532** *nm* 1 (de domaine) steward, manager; 2 Théât stage manager; 3 Admin Jur *person holding a concession to manage a public service*

(Composés) **~ de plateau** Cin studio manager; TV floor manager; **~ de presse** Pub advertising director (*of an agency selling press advertising*); **~ publicitaire** Pub advertising director (*of a multi-media advertising agency*)

registre /ʀ(ə)ʒistʀ/ *nm* 1 (cahier) register; **~ électoral/des actionnaires** electoral/shareholders' register; **~ des absences** Scol attendance register; **~ d'état civil** register of births, marriages and deaths; **tenir un ~** to keep a register; **les ~s de la police** police records; **être inscrit au ~ du commerce** to be a registered company; 2 (de roman, film, discours) style; **dans le même ~, le candidat propose** fig along the same lines, the candidate proposes; 3 (étendue) register; **cet acteur a un ~ limité** this actor has a limited range; 4 Ordinat, Tech register; 5 Ling register

réglable /ʀeglabl/ *adj* 1 [*hauteur, pression*] adjustable; **siège à dossier ~** reclining seat; 2 Fin (payable) payable; **~ en 6 mensualités** payable in 6 monthly instalments[GB]

réglage /ʀeglaʒ/ *nm* 1 (mise au point) (de vitesse) regulating; (de compteur, thermostat) setting; (de moteur) tuning; **avec ~ automatique** (chauffage, four) with a timing device; 2 (de pression, tir, volume, siège) adjustment; 3 (de papier) ruling

règle /ʀɛgl/

A *nf* 1 (instrument) ruler, rule; **à la ~** with a ruler; 2 (consigne) rule; **~ de grammaire** grammatical rule; **~ de conduite** rule of conduct; **les ~s de la bienséance** the rules of propriety; **la ~ du jeu** lit, fig the rules of the game; **respecter les ~s du jeu** lit, fig to play the game according to the rules; **dans** *or* **selon les ~s** according to the rules; **dans** *or* **selon les ~s de l'art** by the rule book; **il se fait une ~** *or* **il a pour ~ de payer comptant** he makes it a rule to pay cash; 3 (usage établi) rule; **c'est la ~** that's the rule; **en ~ générale** as a (general) rule; **il est de ~ de répondre** *or* **qu'on réponde** it is customary to reply

B règles *nfpl* Physiol period; **est-ce qu'elle a ses ~s?** (en ce moment) is she having her period?; (en général) is she having periods?, is she menstruating?

C en règle *loc adj* [*demande*] formal; [*avertissement*] official; [*papiers, comptes*] in order; **subir un interrogatoire en ~** to be given a thorough interrogation

D en règle *loc adv* **pour passer la frontière, il faut être en ~** to cross the frontier, your papers must be in order; **se mettre en ~ avec le fisc** to get one's tax affairs properly sorted out

(Composés) **~ à calcul** slide rule; **~ graduée** graduated ruler; **~ d'or** golden rule; **~ de trois** rule of three; **~s d'engagement** Mil rules of engagement; **~s de sécurité** safety regulations

réglé, **~e** /ʀegle/

A *pp* ▸ **régler**

B *pp adj* 1 (à lignes) [*papier*] ruled, lined; 2 (organisé) [*vie, maison*] well-ordered; [*défilé*] well-organized; 3 (décidé) **c'est une affaire ~e, l'affaire est ~e** the matter is settled; **c'est ~** it's settled; 4 Physiol [*adolescente*] who has started having periods (*épith, après n*); **elle est bien ~e** her periods are regular

(Idiome) **être ~ comme du papier à musique** *or* **comme une horloge** to be as regular as clockwork

règlement /ʀɛgləmɑ̃/ *nm* 1 (règles) regulations (*pl*), rules (*pl*); **~ administratif/militaire** administrative/military regulations; **c'est contraire au ~** it's against the regulations *ou* rules; **le ~ c'est le ~** rules are rules; 2 (paiement) payment; **mode de ~** method of payment; **effectuer un ~** to make a payment; **~ en liquide** cash settlement *ou* payment; **faire un ~ par chèque** to pay *ou* settle by cheque GB *ou* check US; **en ~ de** in settlement *ou* payment of; **veuillez joindre votre ~** please enclose your remittance; 3 (résolution) settlement; **l'affaire est en voie de ~** the matter is being settled; **~ à l'amiable** amicable settlement; Jur out-of-court settlement

(Composés) **~ de comptes** settling of scores (**entre** between); **~ direct** direct debit; **~ interne** rules and regulations; **~ judiciaire** compulsory liquidation; **être en ~ judiciaire** to be in the hands of the receiver; **~ de police** by(e)-law, police regulation; **~ de procédure** rules (*pl*) of procedure; **~ de sécurité** safety regulations (*pl*)

réglementaire* /ʀɛgləmɑ̃tɛʀ/ *adj* 1 (requis) [*tenue, taille*] regulation (*épith*); [*format*] prescribed; [*procédure*] statutory; 2 (légiférant) [*pouvoir*] regulatory; **dispositions ~s du territoire** law of the territory; **les textes ~s** rules and regulations

réglementation* /ʀɛgləmɑ̃tasjɔ̃/ *nf* 1 (règles) rules (*pl*), regulations (*pl*); **la ~ en vigueur** the rules *ou* regulations in force; 2 (contrôle) regulation, control

réglementer* /ʀɛgləmɑ̃te/ [1] *vtr* to regulate, to control [*prix*]; to regulate [*commerce, industrie*]; to control [*publicité*]; **prix réglementé** government-controlled[GB] price

régler /ʀegle/ [14]

A *vtr* 1 (payer) to settle [*compte, dette*]; to pay [*facture, montant*]; to settle, to pay [*dette*]; to pay [*créancier, fournisseur, notaire*]; to pay for [*achat, travaux, fournitures*]; **~ en espèces/par chèque** to pay cash/by cheque GB *ou* check US; **réglons nos comptes** lit let's settle up; **on va ~ nos comptes**○ fig we're going to have it out○; **avoir des comptes à ~ avec qn** fig to have a score *ou* account to settle with sb; **~ son compte à qn**○ (frapper) to sort sb out; (tuer) to bump sb off○, to kill sb; 2 (résoudre) to settle [*question*]; to settle, to sort out [*litige, problème*]; **~ ses affaires** to sort out one's affairs; **réglez ça entre vous** sort it out between you; 3 (mettre au point) to settle [*détails, modalités, ordre*]; to fix, to decide on [*programme, calendrier*]; to arrange [*mise en scène, chorégraphie*]; to organize [*défilé*]; **~ le sort de qn** to decide sb's fate; 4 (ajuster) to adjust [*hauteur, dossier, micro, chauffage*]; to regulate, to adjust [*vitesse, mécanisme*]; to tune [*moteur*]; (fixer d'avance) to set [*allumage*]; **~ la pression sur 3** to set the pressure at 3; 5 (adapter) **~ sa conduite sur celle de qn** to model one's behaviour[GB] on sb's; **~ sa montre sur celle de qn** to set one's watch by sb's; **~ sa vitesse sur celle de qn** to adjust one's speed to sb's; 6 (tracer des lignes) to rule (lines on) paper

B se régler *vpr* 1 (être ajusté) [*hauteur, température*] to be adjusted; 2 (se modeler) **se ~ sur qn/qch** to model oneself on sb/sth

réglette /ʀeglɛt/ *nf* (de règle à calcul) slide; (de balance) graduated beam

(Composé) **~ (jauge)** Aut dipstick

réglisse /ʀeglis/

A *nm ou f* (racine, saveur) liquorice GB *ou* licorice US; **de** *or* **à la ~** liquorice GB *ou* licorice (*épith*) US

B *nf* (plante) liquorice GB *ou* licorice US

réglo○ /ʀeglo/ *adj inv* [*personne*] on the level○ (*jamais épith*), straight○; **c'est ~** it's OK○; **ce n'est pas très ~** it's not legit○

réglure /ʀeglyʀ/ *nf* **papier à ~ fine** narrow-ruled paper

régnant, **~e** /ʀeɲɑ̃, ɑ̃t/ *adj* [*dynastie, famille*] reigning; [*idéologie*] prevailing

règne /ʀɛɲ/ *nm* 1 Pol (de monarque, pape) reign; (de général, président) rule; **sous le ~ d'Henri IV** under the reign of Henri IV; **à la fin du ~ des généraux** at the end of the generals' rule; **une atmosphère de fin de ~** lit, fig a sense of the end of an era; 2 fig (de peur, d'hypocrisie) reign; 3 Biol kingdom; **le ~ animal/végétal** the animal/vegetable kingdom

régner /ʀeɲe/ [14] *vi* 1 Pol [*souverain*] to reign, to rule; **~ sur** to reign over, to rule; 2 (imposer sa domination) [*chef, personnalité*] to be in control; **diviser pour ~** divide and rule; **~ en maître sur** to reign supreme over; 3 (prédominer) [*confusion, optimisme, crainte, harmonie*] to reign; [*atmosphère, odeur, ambiance*] to prevail; **il régnait une odeur fétide** a foul smell pervaded the place; **la confiance règne!** iron there's trust for you!; **faire ~** to give rise to [*insécurité, injustice*]; to impose [*ordre*]; **les rebelles font ~ la terreur/violence dans le pays** the rebels have brought terror/violence to the country; **il faisait ~ la terreur dans l'entreprise** he imposed a reign of terror on the company; **l'inquiétude règne chez les jeunes** there is anxiety among the youth

regonflage /ʀ(ə)gɔ̃flaʒ/, **regonflement** /ʀ(ə)gɔ̃fləmɑ̃/ *nm* (de pneu, ballon) reinflation

regonfler /ʀ(ə)gɔ̃fle/ [1]

A *vtr* 1 (gonfler de nouveau) to reinflate [*pneu*]; to blow [sth] up again [*ballon, bouée*]; (avec une pompe à main) to pump [sth] up again; 2 (gonfler davantage) to put more air into; 3 ○fig (remonter) to increase [*effectifs*]; to boost [*ventes, profits*]; **~ qn** to boost sb's morale; **être regonflé à bloc**○ to be back in top form○

B *vi* 1 [*rivière*] to rise again; 2 [*jambe, doigt*] to swell up again

regorger /ʀ(ə)gɔʀʒe/ [13] *vi* [*magasin, maison, entrepôt*] to be packed (**de** with); [*ville, pays, région*] to have an abundance (**de** of); [*discours, film*] to be crammed (**de** with); **ses livres regorgent d'anecdotes/de clichés** his books are crammed with anecdotes/with clichés; **le lac regorge de poissons** the lake is brimming with fish

régresser /ʀegʀese/ [1] *vi* 1 (diminuer) [*eaux, inondation*] to recede; [*production, chômage*] to go down (**de** by); **faire ~ le chômage** to push down unemployment; 2 (décliner) [*culture, enseignement, industrie*] to be in decline; [*programme, spectacle*] to deteriorate; [*vedette, personnalité*] to lose ground; **il a régressé en maths** his work in maths GB *ou* math US has deteriorated; 3 (disparaître) [*épidémie, fléau*] to die out

régressif, **-ive** /ʀegʀesif, iv/ *adj* [*évolution*] regressive

régression /ʀegʀesjɔ̃/ *nf* 1 gén (diminution) decline; **être en ~** to be in decline; 2 Biol, Géog, Psych, Stat regression; **~ linéaire** linear regression; **~ marine** marine regression; **de ~** [*courbe, coefficient*] regression (*épith*)

regret /ʀəgʀɛ/ *nm* 1 (remords) regret; **sans ~s** with no regrets; **je n'ai qu'un ~, c'est de ne pas l'avoir écouté** my only regret is that I didn't listen to him; **je n'ai aucun ~ à ne pas les avoir rencontrés** I don't regret at all not having met them; **tu n'as pas à avoir de ~s** you have no cause for regret; 2 (insatisfaction) regret; **il a remarqué avec ~ que** he observed with regret that; **j'apprends avec ~ que** I'm sorry to hear that; **c'est avec ~ que j'apprends la démission de notre collègue** I was sorry to hear of our colleague's resignation; **à ~** [*consentir, abandonner, avouer, vendre*] with regret; **comme à ~** as if with regret; **à mon/notre grand ~** to my/our great regret; **j'ai le** *or* **je suis au ~ de vous annoncer que/qch** I regret to inform you that/of sth; **j'ai le** *or* **je suis au ~ de ne pouvoir vous aider** I regret that I cannot help you; **mille ~s** I'm terribly sorry; **'~s éternels'** 'greatly missed'

regrettable /Rəgʀɛtabl/ *adj* [*incident, erreur, pratique*] regrettable; **il est tout à fait ~ qu'il soit absent** it is extremely regrettable that he is not present

regrettablement /Rəgʀɛtabləmɑ̃/ *adv* regrettably; **il semble, fort ~, que ce ne soit pas le cas** it seems, most regrettably, that this is not the case

regretté, ~e /Rəgʀete/

A *pp* ▸ **regretter**

B *pp adj* fml late lamented; **notre ~ collègue** our late lamented colleague

regretter /Rəgʀete/ [1] *vtr* **1** (déplorer) to regret [*situation, agissement*]; **~ l'absence de débat** to regret the absence of debate; **~ que qn fasse** to regret *ou* to be sorry that sb does; **il a regretté qu'on n'ait pas parlé de l'avenir** he regretted that nobody spoke about the future; **nous regrettons que tu ne sois pas parmi nous** we are sorry that you're not among us; **je regrette de ne pas pouvoir t'aider** I'm sorry I can't help you; **nous regrettons de ne pouvoir donner suite à votre demande** we regret to inform you that your application has been unsuccessful; **je regrette de partir, mais il le faut** I'm sorry to be leaving, but I have to; **j'ai beaucoup regretté leur départ** I was very sorry that they left; **'il n'y a pas de dialogue,' regrette un employé** 'there's no dialogue[GB],' complains one employee; **2** (se repentir de) to regret [*colère, erreur, impatience*]; **~ sa décision** to regret one's decision; **~ son argent/sa peine** to regret having spent one's money/having gone to some trouble; **tu n'as rien à ~** you have nothing to regret; **~ d'avoir fait** to regret doing, to be sorry for doing; **ils regrettent d'avoir abandonné/d'abandonner leurs études** they regret giving up/that they'll have to give up their studies; **elle regrette ce qu'elle a fait/ce qui s'est passé** she regrets what she did/what happened; **viens avec nous, tu ne le regretteras pas!** come with us, you won't regret it!; **elle m'a menti mais elle va le ~!** she lied to me but she'll regret it!; **je ne regrette rien** I have no regrets; **3** (ressentir l'absence de) to miss [*passé, personne, lieu*]; **je regrette cette époque** I miss that time; **il a été beaucoup regretté** he was sorely *ou* greatly missed; **4** (pour s'excuser) to be sorry; **je regrette, il est absent** I'm sorry but he's not here; **je regrette, j'étais là avant vous!** excuse me *ou* I'm sorry but I was here before you!

regrossir /R(ə)gʀosiʀ/ [3] *vi* [*personne*] to put on weight again

regroupement /R(ə)gʀupmɑ̃/ *nm* **1** (rassemblement) (de mots, services, d'usines) grouping; (d'intérêts) pooling; (de personnes) bringing together; (de provinces, terrains) grouping together, regrouping; (de sociétés) grouping, consolidation; **lieu de ~** meeting point; **2** (fusion) merger; **favoriser les ~s** to encourage mergers; **3** (fait de remettre ensemble) (de personnes, pièces de collection) getting [sth] back together; (de troupes) rallying; (de troupeau) rounding up

(Composés) **~ familial** Admin family entry and settlement; **~ pédagogique** Admin school merger, school consolidation US

regrouper /R(ə)gʀupe/ [1]

A *vtr* **1** (mettre ensemble) to group [sth] together [*objets, mots, services, terrains*]; to bring [sth] together [*personnes*]; to group [sth] together, to consolidate [*provinces, territoires*]; to pool [*intérêts*]; (amalgamer) to merge; **l'exposition regroupe vingt tableaux de Monet** the exhibition brings together twenty Monets; **~ deux chapitres en un seul** to merge two chapters into one; **les trois écoles regroupent 3 000 élèves** the three schools have a combined roll of 3,000 pupils; **questions regroupées autour d'un thème** questions based on a theme; **2** (remettre ensemble) to reassemble [*élèves*]; to rally [*partisans, armée*]; to regroup [*parti*]; to round up [*animaux*]

B **se regrouper** *vpr* **1** (se mettre ensemble) [*groupes, entreprises*] to group together; [*mécontents*] to gather (together) (**autour de** around; **derrière** behind); **se ~ en association** to form an association; **2** (se remettre ensemble) [*personnes*] to regroup; [*coureurs*] to bunch together again

régularisation /Regylaʀizasjɔ̃/ *nf* **1** (de situation) sorting out, regularization; **2** Fin equalization; **fonds de ~** equalization fund; **~ des cours** price stabilization; **mesure de ~ des marchés** measure designed to stabilize the market; **3** Compta adjustment; **4** (de cours d'eau) regulation

régulariser /Regylaʀize/ [1]

A *vtr* **1** (rendre légal) to sort out, to regularize [*position*]; to put [sth] in order [*papiers*]; **~ sa situation auprès des autorités** to get oneself sorted out with the authorities, to regularize one's position with the authorities; **~ sa situation**○ hum (se marier) to make it legal○, to tie the knot○; **2** (ajuster) to regulate [*flux, fonctionnement*]; to even out [*pente*]; **3** Compta to adjust; **4** Fin to equalize [*dividende*]; to stabilize [*cours, marché*]

B **se régulariser** *vpr* [*pouls, circulation*] to return to normal

régularité /Regylaʀite/ *nf* **1** (caractère répétitif) regularity; **se produire avec une certaine ~** to occur fairly regularly *ou* with some regularity; **2** (caractère constant) (de rythme, production, progrès) steadiness; (de traits du visage) regularity; (d'écriture, de surface) evenness; (de qualité) consistency; **avec ~** [*progresser*] steadily; [*tracer*] evenly; **3** (légalité) legality, correctness

régulateur, -trice /RegylatœR, tRis/

A *adj* regulating; **jouer un rôle ~** to act as a regulator; **avoir une influence régulatrice sur les prix** to have a steadying influence on prices

B *nm* (mécanisme) regulator (**de** of); **~ de croissance/débit** growth/flow regulator

régulation /Regylasjɔ̃/ *nf* regulation, control; **mécanisme de ~ des changes** exchange control mechanism; **avoir une fonction de ~** to have a regulatory function; **système sans ~** unregulated system

(Composé) **~ des naissances** birth control

réguler /Regyle/ [1] *vtr* to regulate

régulier, -ière /Regylje, ɛR/

A *adj* **1** (en fréquence) [*versements, arrivages, choc, battement*] regular; **à intervalle(s) ~(s)** at regular intervals; **être en contact ~ avec qn** to be regularly in touch with sb; **2** (habituel) [*lecteur, client*] regular; Transp [*train, ligne, service*] regular, scheduled; **vol ~** scheduled flight; **3** (de qualité constante) [*flux, rythme, demande, hausse, effort, production*] steady; [*pouls, respiration*] steady; [*qualité, progrès*] consistent; [*épaisseur, surface, ligne*] even; [*écriture*] regular; [*vie*] (well-)ordered; **être ~ dans ses habitudes** to be regular in one's habits; **être ~ dans son travail** to be a consistent worker; **4** (symétrique) [*traits*] regular; [*façade*] symmetrical; **5** (honnête) [*affaire*] above board (*jamais épith*), legit○; [*personne*] honest, on the level○ (*jamais épith*); **être ~ en affaires** to be a straight○ person to deal with; **ce n'est pas très ~** it's rather irregular; **6** (conforme) [*papiers, scrutin*] in order (*jamais épith*); [*gouvernement*] legitimate; **il est en situation régulière** his official documents *ou* papers are in order; **7** Ling [*pluriel, verbe*] regular; **8** Mil [*armée, troupes*] regular; **9** Relig [*clergé*] regular

B **régulière**○ *nf* **ma régulière** (épouse) my missus○; (petite amie) my steady○

régulièrement /Regyljɛʀmɑ̃/ *adv* **1** (périodiquement, habituellement) [*expédier, rencontrer, se produire*] regularly; **2** (sans à-coups) [*progresser, couler*] steadily; **3** (en formant un motif répété) [*disposer, espacer*] evenly; **4** (selon les règles) [*inscrit, élu*] properly, duly; [*effectué*] in the proper manner; **5** (en principe, d'habitude) normally

régurgitation /RegyRʒitasjɔ̃/ *nf* regurgitation

régurgiter /RegyRʒite/ [1] *vtr* lit, fig to regurgitate

réhabilitation /Reabilitasjɔ̃/ *nf* **1** (réinsertion) rehabilitation; **2** Jur rehabilitation; **3** (d'immeuble, de quartier) renovation

réhabiliter /Reabilite/ [1]

A *vtr* **1** (réinsérer) to rehabilitate [*personne*]; (revaloriser) to redeem [*passé, institution*]; **2** Jur to rehabilitate [*accusé*]; **3** (en urbanisme) to renovate [*immeuble, quartier*]

B **se réhabiliter** *vpr* [*personne*] to recover one's reputation

réhabituer /Reabitɥe/ [1]

A *vtr* to reaccustom (**qn à qch** sb to sth; **qn à faire** sb to doing)

B **se réhabituer** *vpr* to become reaccustomed (**à** to)

rehausse /Rəos/ *nf* **1** (de chariot, remorque) side extension; **2** (de vêtement) yoke; **~ dos** back yoke

rehaussement /Rəosmɑ̃/ *nm* Constr, Fisc raising

rehausser /Rəose/ [1] *vtr* **1** (surélever) to raise; **2** (accentuer) to enhance [*prestige, beauté*] (**de** by); **3** (souligner) to set off [*contour, motif*] (**de** by)

réhausseur /ReosœR/ *nm* (siège) booster seat; (coussin) booster cushion

rehaut /Rəo/ *nm* Art light

réhydratant, ~e /ReidRatɑ̃, ɑ̃t/ *adj* Cosmét moisturizing

réhydratation /ReidRatasjɔ̃/ *nf* rehydration

réhydrater /ReidRate/ [1] *vtr* to rehydrate [*plante, sol*]; to moisturize [*peau*]

réification /Reifikasjɔ̃/ *nf* reification

réifier /Reifje/ [2] *vtr* to reify

réimperméabiliser /ReɛpɛRmeabilize/ [1] *vtr* to reproof

réimplantation /Reɛ̃plɑ̃tasjɔ̃/ *nf* **1** (d'usine, industrie) re-establishment; **2** (de dent, cellules) reimplantation

réimplanter /Reɛ̃plɑ̃te/ [1]

A *vtr* **1** to re-establish [*usine, industrie*]; **2** to reimplant [*dent, cellule*]

B **se réimplanter** *vpr* [*usine, industrie*] to re-establish itself

réimportation /Reɛ̃pɔRtasjɔ̃/ *nf* reimportation

réimporter /Reɛ̃pɔRte/ [1] *vtr* to reimport

réimposer /Reɛ̃poze/ [1] *vtr* **1** Fisc reimpose; **2** Imprim to reimpose

réimpression /Reɛ̃pResjɔ̃/ *nf* **1** (activité) reprinting; **l'ouvrage est en ~** the book is being reprinted; **2** (ouvrage) reprint

réimprimer /Reɛ̃pRime/ [1] *vtr* to reprint

Reims /Rɛ̃s/ ▸ **p. 894** *npr* Reims

rein /Rɛ̃/ Anat

A *nm* (organe) kidney

B **reins** *nmpl* **les ~s** (bas du dos) the small of the back; liter (bas ventre) the loins (*pl*) littér; **avoir mal aux ~s** to have backache GB *ou* a backache US; **une serviette autour des ~s** a towel around the waist; **se redresser d'un coup de ~s** to heave oneself up; **c'est un travail qui vous casse les ~s** fig it's backbreaking work; **avoir les ~s solides** fig to be strong; **casser les ~s à qn** fig to break sb; **il risque de se casser les ~s dans cette affaire** he may come a cropper○ GB *ou* he may fall flat on his face○ in this business

(Composé) ~ **artificiel** kidney machine

réincarcération /ʀeɛ̃kaʀseʀasjɔ̃/ *nf* reimprisonment

réincarcérer /ʀeɛ̃kaʀseʀe/ [14] *vtr* to reimprison

réincarnation /ʀeɛ̃kaʀnasjɔ̃/ *nf* reincarnation

réincarner: **se réincarner** /ʀeɛ̃kaʀne/ [1] *vpr* to be reincarnated; **c'est Cicéron réincarné** he is the reincarnation of Cicero

réincorporer /ʀeɛ̃kɔʀpɔʀe/ [1] *vtr* Mil to re-enlist

reine /ʀɛn/ *nf* [1] ▸ **p. 848** (souveraine) queen; **la ~ Anne** Queen Anne; **la ~ d'Espagne** the Queen of Spain; [2] (première) **la ~ du bal** fig the belle of the ball; **être la ~ des imbéciles/des pommes**○ to be a complete idiot/a prize mug○; [3] Zool queen; [4] Jeux (aux échecs) queen

(Composés) ~ **de beauté** beauty queen; ~ **mère** queen mother; ~ **des reinettes** Hort (eating) apple

reine-claude, *pl* **reines-claudes** /ʀɛnklod/ *nf* greengage

reine-des-prés /ʀɛndepʀe/ *nf inv* Bot meadowsweet

reine-marguerite, *pl* **reines-marguerites** /ʀɛnmaʀgəʀit/ *nf* China aster

reinette /ʀɛnɛt/ *nf* rennet apple

réinfecter /ʀeɛ̃fɛkte/ [1]
A *vtr* to reinfect
B se réinfecter *vpr* to become reinfected

réinfection /ʀeɛ̃fɛksjɔ̃/ *nf* reinfection

réinjecter /ʀeɛ̃ʒɛkte/ [1] *vtr* to reinject [*liquide, capitaux*]

réinscription /ʀeɛ̃skʀipsjɔ̃/ *nf* re-enrolment[GB]

réinscrire /ʀeɛ̃skʀiʀ/ [67]
A *vtr* to re-enrol[GB]
B se réinscrire *vpr* to re-enrol[GB]

réinsérer /ʀeɛ̃seʀe/ [14]
A *vtr* [1] to reintegrate [*personne*]; [2] to reinsert [*annonce, objet*]
B se réinsérer *vpr* [*personne*] to become reintegrated

réinsertion /ʀeɛ̃sɛʀsjɔ̃/ *nf* [1] (de personne) reintegration; [2] (d'annonce, objet) reinsertion

réinstallation /ʀeɛ̃stalasjɔ̃/ *nf* [1] (dans un lieu) move, relocation; **indemnité de ~** resettlement allowance; [2] (dans une fonction) reinstatement (**dans** in); (après une élection) **depuis sa ~ à la présidence** since being re-elected as president

réinstaller /ʀeɛ̃stale/ [1]
A *vtr* [1] (réaménager) to refit [*pièce*]; (changer de lieu) ~ **les bureaux au premier étage** to move the offices back to the first GB *ou* second US floor; [2] (rétablir) (dans une ville, une région) to resettle [*personne*] (**dans** to); (dans une maison) to move [sb] back [*personne*] (**dans** to); (à un poste) ~ **qn dans ses fonctions** to reinstate someone in his/her old job; (à un mandat) ~ **qn à la présidence** to re-elect sb as president
B se réinstaller *vpr* [1] (dans un lieu) **se ~ dans un fauteuil** to settle (oneself) back into an armchair; **se ~ en banlieue** [*habitant*] to move back to the suburbs; [*compagnie, commerçant*] to set up business again in the suburbs; [2] (dans une situation) **se ~ à la présidence** to become president again; **se ~ en tête** to get back into the lead

réintégration /ʀeɛ̃tegʀasjɔ̃/ *nf* [1] (réadmission) (au travail) reinstatement (**de** of); (dans un système, un service) reintegration (**dans** into); (à une nationalité) Jur reestablishment of nationality; **demander sa ~ dans la nationalité française** to apply for reestablishment of French nationality; [2] (retour) ~ **à la vie civile** return to civilian life; ~ **du domicile conjugal** Jur return to the marital home

réintégrer /ʀeɛ̃tegʀe/ [14] *vtr* [1] (rejoindre) to return to [*lieu, groupe, système*]; ~ **le domicile conjugal** to return to the marital home; [2] (rétablir) ~ **qn (dans ses fonctions)** to reinstate sb (in his/her job); ~ **qn dans le tissu social** *or* **la société** to reintegrate sb into society; ~ **qn dans ses droits** to restore sb's rights; ~ **qn dans la nationalité française** to reestablish sb's French nationality; ~ **les chômeurs de longue durée** to reintegrate the long-term unemployed

réintroduction /ʀeɛ̃tʀɔdyksjɔ̃/ *nf* reintroduction

réintroduire /ʀeɛ̃tʀɔdɥiʀ/ [69]
A *vtr* to reintroduce [*sujet, contrôle, erreurs*] (**dans** in); to reinsert [*clé, tube*] (**dans** in)
B se réintroduire *vpr* (dans un lieu) to get back (**dans** into); (dans un milieu) to reestablish oneself (**dans** in)

réinventer /ʀeɛ̃vɑ̃te/ [1] *vtr* [1] (renouveler) to reinvent [*genre, art*]; ~ **le monde** to dream of changing the world iron; **il a réinventé la roue!** iron he thinks he invented the wheel!; **en matière de pédagogie, tout est à ~** where teaching is concerned, everything needs to be thought through again from scratch; [2] (recréer) to recreate [*personnage, enfance*]

réinvestir /ʀeɛ̃vɛstiʀ/ [3] *vtr* to reinvest, to plough GB *ou* plow US back [*profits, argent*]

réinviter /ʀeɛ̃vite/ [1] *vtr* to invite back, to reinvite

réitératif, **-ive** /ʀeiteʀatif, iv/ *adj* reiterative

réitération /ʀeiteʀasjɔ̃/ *nf* reiteration, repetition

réitérer /ʀeiteʀe/ [14] *vtr* to reiterate [*demande, appel, ordre, erreur*]; to repeat [*attaque, exploit, opération*]; **s'il réitère, ce sera la prison** if he re-offends, he will go to jail

reître /ʀɛtʀ/ *nm* liter thuggish soldier

rejaillir /ʀ(ə)ʒajiʀ/ [3] *vi* [1] [*liquide*] to splash back (**sur** onto); (sous pression) to spurt back (**sur** onto); [*lumière*] to be reflected (**sur** on); **l'eau m'a rejailli au visage** the water splashed back in my face; [2] fig ~ **sur qn** [*succès, gloire*] to reflect on sb; [*scandale, discrédit*] to affect sb adversely; **les bienfaits de la science rejaillissent sur tous** the benefits of science are felt by all

rejaillissement /ʀ(ə)ʒajismɑ̃/ *nm* liter (de liquide) splashing; fig (de scandale) adverse effect; (de gloire, succès) reflection

rejet /ʀ(ə)ʒɛ/ *nm* [1] (refus) gén rejection; Admin, Jur (de recours, résolution, plainte, charges) dismissal; (de motion, proposition, projet de loi) defeat; (de requête) denial; (de demande) rejection; **exprimer son ~ du régime** to voice one's rejection of the regime; **ce fut un vote de ~** it was a protest vote; **après le ~ de la réforme** after the reform had been defeated; **en cas de ~ de la demande d'asile** if the request for asylum should be denied *ou* rejected; [2] (exclusion de personne, race, religion) rejection; **le ~ d'un enfant/étranger** the rejection of a child/foreigner; **réaction de ~** gén hostile reaction (**à l'égard de** to); Psych rejection response; [3] École, Ind (production) discharge ¢; (évacuation) disposal; (déchets) ~**s** waste ¢; **région polluée par les ~s d'une usine** area polluted by the discharge from a factory; **traiter les ~s d'une usine** to process the waste from a factory; **les ~s toxiques/radioactifs** toxic/radioactive waste; **le ~ des déchets/des eaux usées** waste/wastewater disposal; **les ~s en mer (de déchets)** dumping (of waste) at sea; **les ~s polluants** pollutants; [4] Ling (en fin de phrase) end positioning; (en poésie) enjambement; [5] Méd (de greffon) rejection; **faire un ~** to reject a transplanted organ; [6] Agric, Hort ~ **de souche** stump, shoot; [7] Géol (de faille) downthrow; (de couche) leap

rejeter /ʀəʒte, ʀʒəte/ [20]
A *vtr* [1] (refuser) gén to reject [*théorie, initiative, alliance, conseil, pièce défectueuse, candidature*]; to turn down [*offre*]; Admin, Jur to dismiss [*recours, plainte, charges, résolution*]; to defeat [*motion, proposition, projet de loi*]; to deny [*requête*]; to reject [*demande*]; to set aside [*décision, verdict*]; ~ **une proposition de paix** to reject a peace proposal; ~ **des accusations** to dismiss accusations; **sa candidature a été rejetée** his application was rejected; [2] (exclure) to reject [*enfant, étranger, marginal*]; **se sentir rejeté** to feel rejected; [3] (renvoyer) ~ **qch** to shift sth [*tort, faute, responsabilité*] (**sur** onto); **elle rejette tous les torts sur son mari** she shifts all the blame onto her husband; ~ **la responsabilité de qch sur qn** to shift the blame for sth onto sb; [4] (restituer) [*malade*] to bring up [*nourriture, bile, sang*]; [*organisme*] to reject [*greffon*]; [*machine*] to reject [*jetons, pièces*]; [5] (produire) [*usine, zone industrielle*] to discharge [*déchets, eaux usées*]; to eject [*fumée, gaz*]; [*volcan*] to spew out [*lave*]; ~ **des déchets dans une rivière/à la mer** to discharge waste into a river/into the sea; ~ **du chlore/soufre dans l'atmosphère** to eject chlorine/sulphur[GB] into the atmosphere; [6] (se débarrasser de) [*personne, compagnie*] to dispose of [*déchets*]; [*pêcheur*] to throw [sth] back [*poisson*]; [*mer, marée*] to wash up [*corps, débris*]; ~ **un poisson à l'eau/dans une rivière** to throw a fish back into the water/into a river; **épave rejetée sur le rivage** flotsam washed ashore; ~ **des déchets en mer** to dump waste at sea; [7] (déplacer) ~ **un mot en fin de phrase/au début d'un vers** to put a word at the end of the sentence/at the beginning of a line of verse; [8] (chasser) [*armée, troupes*] to push *ou* drive back [*ennemi, assaillants*] (**hors de** out of); [9] (bouger brutalement) [*personne*] to throw [*tête, cheveux, épaules*] (**en arrière** back); **il rejeta le buste en arrière pour éviter le coup** he threw his body back to avoid being hit
B se rejeter *vpr* [1] (se reculer) **se ~ en arrière** to throw *ou* fling oneself back; [2] (se renvoyer) **se ~ les torts** *or* **la faute** to blame each other; **se ~ la responsabilité de qch** to blame each other for sth

rejeton /ʀəʒtɔ̃, ʀʒətɔ̃/ *nm* [1] ○hum (enfant) offspring (*inv*); [2] Bot offshoot; [3] fig offshoot

rejoindre /ʀ(ə)ʒwɛ̃dʀ/ [56]
A *vtr* [1] (à un rendez-vous) to meet up with; [2] (rattraper) to catch up with; [3] (se joindre à) to join [*personne, groupe, mouvement*]; (de nouveau) to rejoin; **le sentier rejoint la route** the path joins the road; [4] (aller à) [*personne*] to get to [*endroit*]; (de nouveau) to get back to [*endroit*]; to return to [*domicile, caserne*]; ~ **son poste** to take up one's appointment; (de nouveau) to return to one's duties; [5] (s'accorder avec) [*personnes*] ~ **qn sur qch** to concur sout with sb on sth; **vos idées/conclusions rejoignent les miennes** your ideas/conclusions are akin to mine; **ça rejoint ce qu'il a dit** it ties up with what he said
B se rejoindre *vpr* [1] (se rencontrer) [*personnes*] to meet up; [*routes*] to meet; [2] (s'accorder) [*personnes*] to be in agreement (**sur** on); [*opinions, goûts*] to be similar; [3] (se fondre) **la musique et la poésie se rejoignent** music and poetry merge

rejointoyer /ʀ(ə)ʒwɛ̃twaje/ [23] *vtr* to repoint

rejouer /ʀ(ə)ʒwe/ [1]
A *vtr* [1] gén, Mus to play [sth] again; [2] Sport to replay [*match, point*]; **le match sera rejoué** there will be a replay; [3] Cin, Théât to play [sth] again, act [sth] again [*rôle*]; to do [sth] again, to run [sth] again [*scène*]; ~ **une pièce** [*compagnie*] to perform a play again; [*théâtre*] to put on a play again; [4] Jeux (aux cartes) ~ **(du) pique** to lead spades again; (au casino) ~ **le 9** to bet on the 9 again
B *vi* [*enfant, sportif, musicien*] to play again; [*acteur*] to act again; [*compagnie*] to perform again

réjoui, ~**e** /ʀeʒwi/
A *pp* ▸ **réjouir**
B *pp adj* [*personne, air, mine*] cheerful; **tout ~ de son succès** delighted with his success; **tout ~ à l'idée de** delighted at the thought of

réjouir /ʀeʒwiʀ/ [3]
A *vtr* [1] (faire plaisir à) to delight [*personne, regard*]; **ça me réjouit le cœur** it gladdens my heart; **l'idée du départ me réjouit/ne me réjouit pas**

r

I am delighted/less than delighted at the thought of leaving; **2** (divertir) to amuse
B **se réjouir** *vpr* to rejoice; **il n'y a pas de quoi se ~** there is no cause for rejoicing; **se ~ de qch** to be delighted at [*nouvelle*]; to be delighted with [*succès, projet*]; to delight in [*bonheur, malheur*]; **se ~ de faire** to be delighted to do; **se ~ que** to be delighted that; **se ~ à l'idée** *or* **à la pensée que** to be delighted at the thought that; **se ~ à l'avance de** to look forward to [*événement*] ; **je me réjouis à l'avance du dépit qu'il va éprouver** I can't wait to see how disappointed he'll be

réjouissance /ʀeʒwisɑ̃s/
A *nf* rejoicing
B **réjouissances** *nfpl* celebrations; **quel est le programme des ~s○?** iron what delights are in store for us?; **au programme des ~s** iron on the fun-packed agenda

réjouissant, **~e** /ʀeʒwisɑ̃, ɑ̃t/ *adj* **1** (qui fait plaisir) heartening, delightful; **la nouvelle n'a rien de bien ~** it's not exactly cheerful news; **eh bien, c'est ~!** iron well, that's just wonderful!; **2** (divertissant) amusing

relâche /ʀ(ə)lɑʃ/ *nf* **1** Théât, Cin closure; (sur un panneau) 'no performance'; **le jeudi est jour de ~** it's closed on Thursdays; **demain c'est jour de ~** Cin it's closed tomorrow; Théât there's no performance tomorrow; **faire ~** to be closed; **2** (pause) break, rest; **sans ~** relentlessly; **3** Naut port of call; **faire ~** (dans un port) to put in; (au large) to drop anchor

relâché, **~e** /ʀ(ə)lɑʃe/
A *pp* ▸ **relâcher**
B *pp adj* [*surveillance, discipline, morale, mœurs*] lax, slack; [*style*] slipshod

relâchement /ʀ(ə)lɑʃmɑ̃/ *nm* **1** (de discipline, surveillance) slackening, relaxation; (d'attention, effort, de zèle) slackening; (de morale, mœurs) loosening, relaxation; **il y a du ~ dans la discipline/surveillance** discipline/supervision is getting lax *ou* slack; **il y a du ~ dans le travail** the work is slacking off; **2** (de muscle) slackening

relâcher /ʀ(ə)lɑʃe/ [1]
A *vtr* **1** (desserrer) to loosen, to relax [*étreinte, lien, muscle*]; to loosen [*ressort, entrave, intestins*]; **2** (libérer) to release, to set [sb/sth] free [*personne, otage, animal*]; to let [sth] go [*poisson*]; **3** (diminuer) to relax, to let up on [*discipline, surveillance*]; **~ son attention** to let one's attention wander; **il a relâché son zèle** his zeal has flagged; **~ ses efforts** to let up
B *vi* Naut (dans un port) to put in; (au large) to drop anchor
C **se relâcher** *vpr* **1** (se détendre) [*étreinte, lien, ressort*] to loosen; [*muscle*] to relax, to loosen up; **2** (faiblir) [*surveillance, effort, discipline*] to slacken; [*zèle*] to flag; [*élève*] to grow slack; **se ~ dans son travail** to grow slack in one's work; **se ~ dans son effort** to let up

relais* /ʀ(ə)lɛ/
A *nm inv* **1** (intermédiaire) intermediary; **c'est lui le ~ du ministère** he's the ministry's intermediary; **prendre le ~ (de qn/qch)** to take over (from sb/sth); **passer le ~ à qn** to hand over to sb; **2** Sport relay; **course de ~** relay race; **le ~ 4 fois 100 mètres** the 4 by 100 metres[GB] relay; **3** (restaurant) restaurant; (hôtel) hotel; **4** Tech, Télécom relay; **~ radioélectrique** radio electric relay; **~ de temporisation** time delay relay; **~ de télévision** television relay station; **~ hertzien** radio relay station
B **(-)relais** (*in compounds*) **usine-/atelier-~** intermediary factory/workshop

relance /ʀ(ə)lɑ̃s/ *nf* **1** (reprise) (d'industrie, idée) revival; (d'économie) reflation; (impulsion donnée) boost (**de** to); (de débat, négociations) reopening; (recrudescence) (de terrorisme) upsurge; (d'inflation) rise; **mesures de ~** reflationary measures; **entraîner la ~ de** to give a boost to [*construction, commerce*]; to lead to an upsurge of [*terrorisme*]; to lead to a rise in [*inflation*]; **2** (par créancier) (action) chasing up ₵; (lettre) reminder; (par importun) pestering ₵; **~ du client** Comm follow-up; **3** (au poker) (action) raising the stakes; (mise) raise; **faire une ~** to raise the stakes

relancer /ʀ(ə)lɑ̃se/ [12]
A *vtr* **1** (lancer de nouveau) to throw [sth] again [*balle*]; (renvoyer) to throw [sth] back (again) [*balle*]; **2** (faire repartir) to restart [*moteur*]; to relaunch [*compagnie, campagne, offensive, projet*]; to revive [*idée, tradition*]; to reopen [*débat, négociations*]; to boost [*investissement, production*]; to reflate [*économie*]; **~ le gibier** to start the game (again); **c'est lui qui a relancé la mode de...** he was the one who brought back the fashion for...; **3** (poursuivre) [*créancier*] to chase [sb] up; [*importun*] to pester
B *vi* (au poker) to raise the stakes (**de** by)

relaps, **~e** /ʀ(ə)laps/
A *adj* relapsed (*épith*)
B *nm,f* (hérétique) relapsed heretic; (criminel) relapsed criminal

relater /ʀ(ə)late/ [1] *vtr* fml to recount [*événements, histoire, aventure*]

relatif, **-ive** /ʀ(ə)latif, iv/
A *adj* **1** (non absolu) [*vérité, majorité, importance, succès, silence*] relative; **tout est ~** it's all relative; **une amélioration toute relative** a purely relative improvement; **le risque est très ~** the risk is relatively slight; **jouir d'une estime relative** to enjoy a limited amount of respect; **un confort très ~** limited comfort; **2** (qui se rapporte) relating (**à** to); **dans un article ~ aux droits des employés** in an article relating to employees' rights; **les lois relatives au divorce** the laws relating to divorce, divorce laws; **3** Ling [*pronom, proposition*] relative; **4** (respectif) [*position, poids*] relative
B *nm* Ling relative (pronoun)
C **relative** *nf* Ling relative (clause)

relation /ʀ(ə)lasjɔ̃/
A *nf* **1** (rapport) connection (**avec** with); **il n'y a aucune ~ entre les deux affaires** there is no connection between the two cases; **faire la ~ entre deux événements** to make the connection between two events; **je n'avais pas fait la ~ entre les deux** I hadn't made the connection between the two; **faire la ~ avec qch/qn** to make the connection with sth/sb; **un projet établi en ~ avec l'industrie** a project set up in partnership with industry; **2** (personne) acquaintance; **c'est une de mes ~s** he/she is an acquaintance of mine; **une vague ~** a vague acquaintance; **des ~s d'affaires** business acquaintances; **renouer avec d'anciennes ~s** to catch up with some old acquaintances; **3** (personne puissante) connection; **avoir des ~s** to have connections; **obtenir qch grâce à ses** *or* **par ~s** to obtain sth through one's connections; **4** (lien) relationship (**avec** with; **entre** between); **une ~ amicale/sentimentale** a friendly/romantic relationship; **entretenir/avoir de bonnes ~s avec qn** to keep up/to have a good relationship with sb; **avoir une ~ très conflictuelle/tendre avec qn** to have a very stormy/tender relationship with sb; **la ~ parent-enfant/médecin-patient** the parent-child/doctor-patient relationship; **être/entrer en ~ avec qn** to be/get in touch with sb; **être en ~ d'affaires avec qn** to have business dealings with sb; **mettre deux personnes en ~** to put two people in contact *ou* touch (with each other); **5** Math relation; **~ d'équivalence** equivalence relation
B **relations** *nfpl* (échanges) relations (**avec** with); **les ~s culturelles/diplomatiques/commerciales** cultural/diplomatic/trade relations; **ministre chargé des ~s avec le Parlement** *minister responsible for organizing parliamentary agenda*

(Composés) **~s extérieures** Pol foreign affairs; **~s publiques** public relations; **~s sexuelles** sexual relations

relationnel, **-elle** /ʀ(ə)lasjɔnɛl/
A *adj* **1** Psych [*aptitudes, qualités*] relational; **avoir des problèmes ~s** to have relational problems *or* difficulties; **2** Ling, Ordinat relational
B *nm* interpersonal skills (*pl*)

relative ▸ **relatif A, C**

relativement /ʀ(ə)lativmɑ̃/
A *adv* relatively
B **relativement à** *loc prép* in relation to, relative to

relativiser /ʀ(ə)lativize/ [1] *vtr* to put [sth] into perspective

relativisme /ʀəlativism/ *nm* relativism

relativiste /ʀ(ə)lativist/
A *adj* Philos relativist; Phys relativistic
B *nmf* relativist

relativité /ʀ(ə)lativite/ *nf* relativity

relaver /ʀ(ə)lave/ [1] *vtr* to wash [sth] again

relax○ /ʀəlaks/
A *adj inv* [*personne*] (détendu) relaxed; (insouciant) laid-back○; [*tenue*] casual; **petite soirée ~** informal little gathering
B *excl* take it easy○!, calm down!

relaxant, **~e** /ʀ(ə)laksɑ̃, ɑ̃t/
A *adj* [*bain, vacances*] relaxing; [*médicament*] relaxant
B *nm* relaxant

relaxation /ʀ(ə)laksasjɔ̃/ *nf* relaxation

relaxe /ʀəlaks/ *nf* Jur discharge

relaxer /ʀ(ə)lakse/ [1]
A *vtr* **1** (relâcher) to discharge [*prévenu*]; **2** (détendre) to relax [*muscle, personne*]
B **se relaxer** *vpr* to relax

relayer /ʀ(ə)leje/ [21]
A *vtr* **1** (remplacer) to take over from, relieve; **se faire ~ par qn** to get [sb] to take over from one GB *ou* for one US; **2** TV, Télécom to relay [*signal, émission*]
B **se relayer** *vpr* **1** gén to take turns (**pour faire** doing); **ils se relaient toutes les heures** they change over every hour; **2** Sport gén to take over from each other

relayeur, **-euse** /ʀ(ə)lejœʀ, øz/ *nm,f* relay runner

relecteur, **-trice** /ʀ(ə)lɛktœʀ, tʀis/ *nm,f* proofreader

relecture /ʀ(ə)lɛktyʀ/ *nf* (de livre) rereading; (d'épreuves) proofreading; (de cassette) replaying

relégation /ʀ(ə)legasjɔ̃/ *nf* **1** Sport relegation GB; **2** Hist Jur (travaux forcés) transportation; (prison) imprisonment

reléguer /ʀ(ə)lege/ [14] *vtr* **1** fig (mettre à l'écart) to relegate [*personne, question*] (**à, dans** to); to banish, consign [*objet*] (**à, dans** to); **~ qn/qch au second plan** to push sb/sth into the background; **2** Sport to relegate (**en** to) GB; **3** Hist Jur (emprisonner) to jail (*for a minimum of one year*); (transporter) ≈ to sentence [sb] to transportation

relent /ʀ(ə)lɑ̃/ *nm* **1** (puanteur) lingering odour[GB]; **2** fig (trace) whiff; **il s'en dégage un ~ de racisme** it has a whiff of racism

relevable /ʀələvabl/ *adj* [*dossier*] adjustable

relève /ʀ(ə)lɛv/ *nf* **1** (action) **la ~ de qn** relieving sb; **la ~ s'effectue à 20 heures** the changeover takes place at 8 pm, the relief occurs at 8 pm; **la ~ de la garde** the changing of the guard; **prendre** *or* **assurer la ~** lit, fig to take over; **2** (personne) relief; (équipe) relief team

relevé, **~e** /ʀəlve, ʀləve/
A *pp* ▸ **relever**
B *pp adj* **1** Culin spicy; **2** (raffiné) [*propos*] refined; **peu ~** [*jeu de mot, style*] rather coarse
C *nm* **1** (action de noter) taking down, noting down; **faire le ~ de** to take down [*noms*]; to pick out [*verbes, passages intéressants*]; to list [*erreurs*]; **faire le ~ des dépenses** to make a note of expenses; **faire le ~ du compteur** to read the meter; **le ~ du compteur s'effectue tous les six mois** the meter is read every six months; **2** (compte rendu) statement; **~ de gaz/d'électricité/de téléphone** gas/electricity/telephone bill; **3** Archit plan

(Composés) ~ **bancaire** *or* **de compte** bank statement; ~ **d'identité bancaire, RIB** *bank account details for direct debits;* ~ **d'identité de Caisee d'Épargne, RICE** *savings-bank account details for making payments by direct debit;* ~ **d'identité postal, RIP** *post office account details for direct debits;* ~ **de notes** Scol report GB, grades (*pl*) US

relèvement /ʀ(ə)lɛvmɑ̃/ *nm* **1** (hausse) (action) increasing; (résultat) increase; ~ **de l'impôt** (action) increasing taxes; (résultat) tax increase; **un ~ de 13%** a 13% increase; **2** (de statue, clôture, mât) putting up; **3** Naut bearing; **4** Math projecting

relever /ʀəl(ə)ve, ʀ(ə)ləve/ [16]
A *vtr* **1** (remettre debout) to pick up [*personne tombée, tabouret*]; to put [sth] back up (again) [*statue, clôture*]
2 (mettre à la verticale) to raise [*dossier de siège, manette*]
3 (bouger à nouveau) ~ **la main** (pour parler) to put up one's hand again; ~ **les yeux** *or* **le nez** *or* **le front** to look up; ~ **la tête** (redresser) to raise one's head; (pour voir) to look up; (ne pas être vaincu) to refuse to accept defeat
4 (mettre plus haut) to turn up [*col*]; to lift [*jupe*]; to wind up [*vitre de voiture*]; to raise [*voile, store*]; (à nouveau) to raise [sth] again [*store, rideau de théâtre*]; ~ **un coin du rideau** to lift up a corner of the curtain; ~ **ses cheveux** to put one's hair up; **elle a les cheveux relevés** she wears her hair up
5 (constater) to note, to notice [*erreur, contradiction, signe*]; to notice [*fait, absence*]; (faire remarquer) to point out [*erreur, contradiction*]; ~ **que** to note that; **'il t'a encore critiqué'—'je n'ai pas relevé'** 'he criticized you again'—'I didn't notice'; ~ **la moindre inexactitude** to seize on the slightest inaccuracy
6 (prendre note de) to take down, to note down [*date, nom, dimensions, numéro d'immatriculation*]; to take [*empreinte*]; to note down [*citation, passage*]; ~ **le compteur** to read the meter
7 (collecter) to take in [*copies d'examen*]
8 (réagir à) to react to [*remarque*]; ~ **la gageure** *or* **le défi** to take up the challenge; ~ **un pari** to take on a bet
9 (reconstruire) to rebuild [*mur*]; to put sth back on its feet [*pays, industrie, économie*]
10 (augmenter) to raise [*niveau de vie, niveau d'études*]; to raise, to increase [*taux d'intérêt, prix, productivité*]; ~ **les salaires de 3%** to put up *ou* increase salaries by 3%; ~ **toutes les notes de trois points** to put all the grades up by three marks
11 (remplacer) to relieve [*équipe*]; ~ **la garde** to change the guard, to relieve the guard
12 (donner plus d'attrait à) to spice up [*plat*]; ~ **une sauce avec de la moutarde** to spice a sauce up with mustard; ~ **un récit de détails amusants** to enliven a tale with amusing details
13 fml (libérer) ~ **qn de** to release sb from [*vœux, obligation*]; ~ **qn de ses fonctions** to relieve sb of their duties
14 (en tricot) ~ **une maille** to pick up a stitch
B **relever de** *vtr ind* **1** (dépendre de) **notre service relève du ministère de la Défense** our department comes under the Ministry of Defence
2 (être de la compétence de) **l'affaire relève de la Cour européenne de justice** the case comes within the competence of the European Court of Justice; **cela ne relève pas de ma compétence/mes fonctions** this doesn't come within my competence/my duties
3 (s'apparenter à) **cela relève de la gageure/du mythe** this comes close to being impossible/to being a myth
4 (se rétablir) ~ **de** to be recovering from [*maladie*]
C **se relever** *vpr* **1** (après une chute) to pick oneself up; (après avoir été assis) to get up again
2 (sortir du lit) to get up again, to get out of bed again
3 (être mis à la verticale) **se ~ facilement** [*dossier*] to be easy to raise; **se ~ automatiquement** to be raised automatically
4 (être remonté) [*store*] to be raised; **la vitre ne se relève plus** the window won't wind GB *ou* roll US up
5 (se remettre) **se ~ de** to recover from [*maladie, chagrin, crise, scandale*]; **il ne s'en relèvera pas** he'll never recover from it; **se ~ de ses ruines** to rise from the ruins

releveur /ʀəlvœʀ, ʀləvœʀ/
A *adj m* **muscle ~** elevator muscle
B *nm* Anat elevator

relief /ʀəljɛf/
A *nm* **1** Géog relief ₵; **étude des ~s montagneux** study of mountain relief; **le ~ sous-marin** the relief of the sea bed; **un ~ accidenté/monotone** a hilly/an unrelieved landscape; **région au ~ accidenté** mountainous region; **2** (de surface, paroi) relief ₵; (de médaille, monnaie) raised pattern; **globe terrestre en ~** globe of the world in relief; **carte en ~** relief map; **lettres/motifs en ~** embossed letters/patterns; **le braille est une écriture en ~** Braille is a type of raised *ou* relief script; **mettre qch en ~** to accentuate sth, to throw sth into relief; **3** Archit, Art (en sculpture) relief; **4** (profondeur) depth; **l'effet de ~ est bien rendu dans ce tableau** the effect of depth is well done in this painting; **5** (caractère) **personnage qui manque de ~** one-dimensional *ou* flat character; **donner du ~ à un discours/texte** to enliven a speech/text; **6** Cin, Phot **cinéma/photographie en ~** three-dimensional cinema/photography
B **reliefs**† *nmpl* (de repas) leftovers

relier /ʀəlje/ [2] *vtr* **1** (réunir) to link up, to link [sb/sth] together [*personnes, objets, piquets*] (**à** to); to join up [*points*] (**à** to); to connect [*appareils électriques*] (**à** to; **par** with); **2** (faire communiquer) to link [*ville, personne, organisme*] (**à** to); to link (up *ou* together) [*lieux, berges*]; **3** (rassembler) to link [*idées, faits*] (**à** to, with); to link together [*mots, propositions*] (**par** with); ~ **les faits entre eux** to find a link between the facts; **4** Imprim to bind; **livre relié** hardback (book); **un livre relié cuir** a leather-bound book; **5** Tech to hoop [*tonneau*]

relieur, -ieuse /ʀəljœʀ, øz/ ▸ **p. 532** *nm,f* (book)binder; ~ **d'art** fine bookbinder

religieusement /ʀ(ə)liʒjøzmɑ̃/ *adv* **1** (consciencieusement) [*obéir*] religiously; **2** (avec recueillement) [*écouter*] with rapt attention; **3** (pieusement) [*se marier*] in church; **élever ~ ses enfants** to bring up one's children in the faith

religieux, -ieuse /ʀ(ə)liʒjø, øz/
A *adj* **1** Relig [*culte, édifice, cérémonie, fête*] religious; [*école, mariage*] (chrétien) church (*épith*); [*ordre, vie, personne, pays, éducation, art*] religious; [*musique*] sacred; **l'habit ~** the monk's/nun's habit; **2** fig [*silence*] reverent; [*vénération*] religious; [*soin*] conscientious; **avec un soin ~** most conscientiously
B *nm,f* monk/nun
C **religieuse** *nf* Culin round éclair

religion /ʀ(ə)liʒjɔ̃/ *nf* **1** (sens du sacré) religion; (culte organisé) religion; **Guerres de Religion** Hist Wars of Religion; **2** (piété) religion, (religious) faith; **avoir de la ~** to be religious; **sa ~ est sincère** he is a sincere believer; **3** fig (culte d'une valeur) **avoir la ~ du progrès/de l'art** to be a great believer in progress/in art; **se faire une ~ de la ponctualité** iron to make a fetish of punctuality; **ma ~ est faite là-dessus** I'm absolutely convinced of that; **4** (vie monastique) monastic life; **entrer en ~** to enter the Church

religiosité /ʀ(ə)liʒjozite/ *nf* religious inclination; péj piousness, religiosity

reliquaire /ʀ(ə)likɛʀ/ *nm* reliquary

reliquat /ʀ(ə)lika/ *nm* **1** Compta (de somme) remainder, rest; (de compte) balance; (de dette) outstanding amount *ou* balance; **s'il y a un ~** (de somme) if there is anything left over; **2** Méd (de maladie) after-effects (*pl*)

relique /ʀ(ə)lik/ *nf* Relig, fig relic; **garder qch comme une ~** to treasure sth

relire /ʀ(ə)liʀ/ [66]
A *vtr* (de nouveau) to reread; (pour corriger) to read [sth] over [*texte*]; to proofread [*épreuves*]
B **se relire** *vpr* (de nouveau) to reread what one has written; (pour corriger) to read over what one has written

reliure /ʀəljyʀ/ *nf* **1** (couverture) binding; **une ~ en cuir/carton** a leather/board binding; **2** (métier, action) bookbinding; **la ~ d'art** (fine) bookbinding

relogement /ʀ(ə)lɔʒmɑ̃/ *nm* rehousing

reloger /ʀ(ə)lɔʒe/ [13] *vtr* to rehouse

relouer /ʀəlwe/ [1] *vtr* **1** [*locataire*] to rent [sth] (**à qn** from sb) again; **2** [*propriétaire*] to relet (**à qn** to sb)

réluctance /ʀelyktɑ̃s/ *nf* Électrotech reluctance

reluire /ʀ(ə)lɥiʀ/ [69] *vi* [*bois, cuir*] to shine; [*surface mouillée*] to glisten; [*métal*] to shine; (au soleil) to glitter; ~ **de propreté** to be sparkling clean

(Idiome) **il sait passer la brosse à ~** he's a real flatterer

reluisant, ~e /ʀ(ə)lɥizɑ̃, ɑ̃t/ *adj* lit [*meuble*] shining, shiny; [*surface mouillée*] glistening; [*métal*] shiny; fig **peu ~** [*situation*] far from brilliant

reluquer° /ʀ(ə)lyke/ [1] *vtr* (regarder) to stare at [*personne*]; (avec convoitise) to eye [*objet*]; to eye up° GB, check out° US [*personne*]; ~ **l'héritage** fig to have one's eye on the inheritance

rem /ʀɛm/ *nm* rem

remâcher /ʀ(ə)mɑʃe/ [1] *vtr* **1** (mâcher de nouveau) [*ruminant*] to chew [sth] again; [*personne*] to chew on [*bétel, chique*]; **2** °(ressasser) to ruminate over, to brood over [*problème, passé*]; to nurse [*rancœur, dépit*]

remaillage /ʀəmajaʒ/ *nm* (de filet) mending the mesh (**de** of); (de bas) mending a ladder GB *ou* run US (**de** in)

remailler /ʀəmaje/ [1] *vtr* to mend the mesh of [*filet*]; to mend a ladder GB *ou* run US in [*bas*]

remake /ʀimɛk/ *nm* Cin remake

rémanence /ʀemanɑ̃s/ *nf* gén persistence; (en magnétisme) remanence; ~ **des images visuelles** persistence of vision; **effets de ~ des images visuelles** after-imagery

rémanent, ~e /ʀemanɑ̃, ɑ̃t/ *adj* [*magnétisme*] residual; [*odeur*] persistent; **image ~e** after-image

remanger /ʀ(ə)mɑ̃ʒe/ [13]
A *vtr* to have [sth] again
B *vi* to eat again

remaniement /ʀ(ə)manimɑ̃/ *nm* **1** (de plan, projet) modification; **2** (de manuscrit) revision; (radical) redrafting; **3** (d'équipe) reorganization

(Composé) ~ **ministériel** Pol cabinet reshuffle

remanier /ʀ(ə)manje/ [2] *vtr* **1** to modify, to revise [*plan, projet*]; **2** to alter [*manuscrit*]; (radicalement) to redraft [*manuscrit*]; **3** to reorganize [*équipe*]; Pol to reshuffle [*cabinet, ministère*]

remaquiller /ʀ(ə)makije/ [1]
A *vtr* to make [sb] up again
B **se remaquiller** *vpr* to redo one's make-up; (faire des retouches) to touch up one's make-up

remarcher /ʀ(ə)maʀʃe/ [1] *vi* **1** [*personne, animal*] to walk again; **2** [*appareil, machine*] to work again

remariage /ʀ(ə)maʀjaʒ/ *nm* second marriage, remarriage

remarier /ʀ(ə)maʀje/ [2]
A *vtr* **elle voudrait ~ son fils** she would like to see her son married again; **elle est remariée à** *or* **avec un dentiste** her second husband is a dentist

B se remarier *vpr* to remarry; **se ~ avec** to remarry

remarquable /R(ə)maRkabl/ *adj* 1 (exceptionnel) [*qualité, personne, œuvre, produit*] remarkable (**par** for); **d'une intelligence/beauté ~** remarkably intelligent/beautiful; 2 (frappant) [*caractère, trait*] striking; **il est ~ que** it is amazing that; 3 (méritant mention) [*événement, parole, produit*] noteworthy; **je n'ai rien vu ni entendu de ~** I haven't seen or heard anything of note

remarquablement /R(ə)maRkabləmɑ̃/ *adv* remarkably

remarque /R(ə)maRk/ *nf* 1 (propos) remark; **~s judicieuses/désobligeantes** pertinent/unkind remarks; **faire des ~s** to comment; **elle m'en a fait la ~** she commented on it to me; **je m'en suis fait la ~** I thought the same thing; 2 (note) **mettre des ~s dans la marge** to put a few comments in the margin; 3 Art (en gravure) remarque

remarqué, ~e /R(ə)maRke/

A *pp* ▸ **remarquer**

B *pp adj* [*initiative*] noteworthy; [*hausse*] noticeable; **leur entrée/Éva a été très ~e** their entrance/Eva attracted a lot of attention; **ta présence sera sans doute assez ~e** your presence will probably attract quite a lot of attention; **elle a fait un discours particulièrement ~** she gave a speech which attracted particular attention

remarquer /R(ə)maRke/ [1]

A *vtr* 1 (signaler) to point out; **faire ~** to point out; **comme le remarquait** *or* **faisait ~ Hegel** as Hegel pointed out; **remarque-t-il** he points out; **(faire) ~ que** to point out that; **faire ~ à qn que** to point out to sb that; **elle lui a fait ~ qu'il était en retard** she pointed out to him that he was late; (reproche) **je te ferai ~ que c'était ton idée** may I remind you that it was your idea; 2 (dire) liter to observe (**que** that); **les jours raccourcissent, remarqua-t-il tristement** the days are growing shorter, he observed sadly; **on remarquera que** you will observe that; 3 (voir) to notice [*personne, événement, situation, objet*]; **~ que/comment** to notice that/how; **remarque, ce n'est pas très important** mind you, it's not very important; **remarquons que ce n'est pas la première fois** let us note that it is not the first time; **se faire ~** to draw attention to oneself; **ne te fais pas ~** don't draw attention to yourself; **entrer/sortir sans se faire ~** to come in/to leave unnoticed; **le roman/film mérite d'être remarqué** the novel/film is worthy of attention *ou* notice; 4 (distinguer) **~ un visage dans la foule** to spot a face in the crowd

B se remarquer *vpr* 1 (attirer l'attention) [*personne, vêtement, caractéristique*] to attract attention; 2 (se voir) [*qualité, défaut, sentiment*] to show; **mon émotion se remarquait à ma pâleur** one could tell from my pallor that I was deeply affected

remballer /Rɑ̃bale/ [1] *vtr* 1 (emballer de nouveau) to pack [sth] up again; (dans du papier) to rewrap; **il peut ~ sa marchandise**○ he can pack up and clear off○ GB *ou* clear out US; **remballe tes compliments**○ you can stuff◑ your compliments; 2 ○(rabrouer) to send [sb] packing○

rembarquer /Rɑ̃baRke/ [1] *vtr, vi* = **réembarquer**

rembarrer○ /Rɑ̃baRe/ [1] *vtr* to send [sb] packing○; **se faire ~** to be sent packing○

remblai /Rɑ̃blɛ/ *nm* 1 (talus) embankment; **route en ~** raised road; (dans marais) causeway; 2 (action) (de fossé) filling in; (de talus) banking up; **travaux de ~** (pour surélever) embankment work; 3 (matériau) **(terre de) ~** (pour rail, route) ballast; (pour fossé) fill; (pour excavation) backfill

remblaver /Rɑ̃blave/ [1] *vtr* Agric to resow

remblayage /Rɑ̃blɛjaʒ/ *nm* = **remblai 1, 3**

remblayer /Rɑ̃bleje/ [21] *vtr* to fill in [*fossé*]; to bank up [*route, voie ferrée*]

rembobinage /Rɑ̃bɔbinaʒ/ *nm* rewinding

rembobiner /Rɑ̃bɔbine/ [1] *vtr* to rewind

remboîter* /Rɑ̃bwate/ [1] *vtr* 1 gén **~ qch dans qch** to fit sth back into sth; **~ le pied dans la table** to fit the leg back into the table; **~ des tubes** to fit tubes back together; 2 Méd to relocate [*os*]

rembourrage /Rɑ̃buRaʒ/ *nm* (de siège, coussin) stuffing; (d'épaules) Cout padding

rembourrer /Rɑ̃buRe/ [1] *vtr* to stuff [*siège, coussin*]; Cout to pad [*épaules*]; **bien rembourré** hum [*personne*] well-padded

remboursable /Rɑ̃buRsabl/ *adj* [*emprunt, dette, avance*] repayable; [*billet, médicament, soins*] refundable; **~ à 75%** [*médicament, soin*] refundable at 75%; **~ en 10 ans** [*emprunt*] repayable over 10 years

remboursement /Rɑ̃buRsəmɑ̃/ *nm* 1 (de dette, d'emprunt) repayment; 2 (par un commerçant) refund; **votre ticket de caisse sera nécessaire en cas d'échange ou de ~** keep your till receipt in case of exchange or refund; **'le spectacle est annulé, ~ des billets à la caisse'** 'the performance is cancelled, tickets will be refunded at the box office'; 3 (d'argent déboursé) reimbursement, refund; **~ des frais sur justificatif** expenses will be reimbursed *ou* refunded on production of receipts; **~ des frais médicaux** reimbursement *ou* refunding of medical expenses; **faire une demande de ~ à la sécurité sociale** to claim for reimbursement *ou* a refund by the social security services; **je te prête 10 000 euros, pour le ~ on peut s'arranger** I'll lend you 10,000 euros and we can come to an agreement on how you'll pay me back

(Composés) **~ de la dette sociale, RDS** *tax on income designed to offset the social security budget deficit*

rembourser /Rɑ̃buRse/ [1]

A *vtr* 1 (rendre de l'argent prêté par un organisme) to pay off, to repay [*emprunt, dette*]; **~ une dette sur 10 ans** to pay off a debt over 10 years; 2 (en reprenant des marchandises) to give a refund to [*client*]; to refund the price of [*vêtement, article, appareil*]; **~ qch à qn** to give sb a refund on sth; **se faire ~ qch** to get a refund on sth; **votre garantie 'satisfait ou remboursé'** your guarantee 'your money refunded if not completely satisfied'; **nous vous rembourserons tous vos achats sans discuter** the price of all returned goods will be refunded on demand; **le magasin ne rembourse pas mais il donne des avoirs** we do not give refunds on returned goods but we will issue a credit note; **ils m'ont remboursé mon billet d'avion** they gave me a refund for my plane ticket; **les spectateurs ont été remboursés** the spectators have been given a refund; **remboursez! remboursez!** we want our money back!; 3 (rendre de l'argent déboursé) to reimburse [*frais professionnels, employé*]; **~ qn de qch** to pay sb back for sth, to reimburse sb for sth; **~ les frais de qn** to reimburse sb; **la sécurité sociale ne rembourse pas certains médicaments** certain medicines are non-refundable *ou* are not reimbursed by the social security; **~ une opération** to reimburse the cost of an operation; **médicament remboursé à 40%** medicine refundable *ou* reimbursed at 40%; **~ un ami** to pay a friend back; **je ne peux te ~ que la moitié de ce que tu m'as prêté hier** I can only pay you back half of what you lent me yesterday; **achète-moi des cigarettes et je te rembourserai** buy me some cigarettes and I'll pay you back; **se faire ~ par sa société** to be reimbursed by one's company; 4 (payer la différence) to refund; **si vous trouvez le même article moins cher ailleurs, nous vous remboursons la différence** if you find the same article cheaper elsewhere, we will refund the difference

B se rembourser *vpr* to get one's money back; **je me suis remboursé en gardant sa montre** I kept his/her watch by way of payment

rembrunir: **se rembrunir** /Rɑ̃bRyniR/ [3] *vpr* [*visage*] to darken, cloud over; **elle s'est rembrunie** her face clouded over

rembrunissement /Rɑ̃bRynismɑ̃/ *nm* littér (de visage) darkening

remède /R(ə)mɛd/ *nm* 1 (médicament) medicine; **as-tu pris tes ~s?** have you taken your medicines?; **un ~ universel** a universal panacea; 2 (solution) cure (**à, contre** for), remedy (**à, contre** for); **porter ~ à qch** to find a cure *ou* remedy for sth; **le ~ est pire que le mal** the cure is worse than the disease

(Composés) **~ de bonne femme** old wives' remedy; **~ de cheval** strong medicine; **~ miracle** miracle cure

(Idiome) **aux grands maux les grands ~s** desperate times call for desperate measures

remédier /R(ə)medje/ [2] *vtr ind* **~ à** to remedy [*défaillance, déficit, situation*]

remembrement /R(ə)mɑ̃bRəmɑ̃/ *nm* regrouping of lands

remembrer /R(ə)mɑ̃bRe/ [1] *vtr* to regroup [*terres*]; to reconstitute [*domaine*]

remémoration /R(ə)memɔRasjɔ̃/ *nf* recall, recollection

remémorer: **se remémorer** /R(ə)memɔRe/ [1] *vpr* to recall, to recollect

remerciement /R(ə)mɛRsimɑ̃/ *nm* thanks (*pl*); **je n'ai pas eu un seul ~** I didn't get a word of thanks; **tous mes ~s** many thanks; **cadeau/lettre de ~** thank you present/letter; **adresser ses ~s à qn** to thank sb; **en ~ de leur aide, elle leur a fait un cadeau** she gave them a present by way of thanks for the help they'd given her; **se confondre en ~s** to thank profusely

remercier /R(ə)mɛRsje/ [2] *vtr* 1 (dire merci à) to thank (**de, pour** for; **d'avoir fait** for doing); **est-ce que tu as remercié tout le monde?** did you thank everybody?; **je voudrais ~ mes amis/toute l'équipe** I would like to thank my friends/all the team; **nous remercions tout particulièrement M. X** we would particularly like to thank Mr X; **je vous remercie** thank you; **elle l'a remercié chaleureusement/de tout cœur** she thanked him warmly/wholeheartedly; **tu peux me ~!** you have me to thank for that!; **il nous a remerciés de l'avoir accueilli/conseillé** he thanked us for having welcomed/advised him; **remercions le ciel d'être encore en vie** thank God we are still alive; **nous vous remercions d'adresser votre courrier à...** please address your letters to...; 2 (congédier) iron to dismiss, to let [sb] go

réméré /RemeRe/ *nm* Jur right of reemption; **vendre à ~** to sell with a right of reemption

remettant /Rəmɛtɑ̃/ *nm* Fin remitter; **signature du ~** remitter's signature

remettre /R(ə)mɛtR/ [60]

A *vtr* 1 (replacer) **~ qch dans/sur** to put sth back in/on; **remettez la bouteille au frais** put the bottle back to cool; **remets ce livre là où tu l'as pris!** put that book back where you found it!; **~ qch à cuire** (sur la cuisinière) to put sth back on the ring; (dans le four) to put sth back in the oven; **~ qch à sécher** (dehors) to hang the washing *ou* wash US out again; **~ la main sur qch** to put one's hands on sth again; **~ qch en mémoire à qn** to remind sb of sth; **~ qn en prison/en pension** to send sb back to prison/to boarding school; **~ qn dans un service** to put sb back in a department

2 (donner) **~ qch à qn** to hand sth over to sb [*clés, rançon*]; to hand sth in to sb [*lettre, colis, rapport, devoir*]; to present sth to sb [*récompense, trophée, médaille*]; **~ sa démission** to hand in one's resignation (**à qn** to sb); **~ sa vie entre les mains de qn** to put one's life in sb's hands; **~ qn entre les mains de la justice** to hand sb over to the law

r

3 (rétablir) ~ **qch droit** *or* **d'aplomb** to put sth straight again; ~ **qch à plat** to lay sth down again; ~ **qch sur le côté** to put sth back on its side; ~ **qch debout** to stand sth back up **4** (différer) to postpone, to put off [*visite, voyage, rendez-vous, réunion*]; to defer [*jugement*]; ~ **une visite à une date ultérieure** to postpone a visit until a later date; **nous avons remis la réunion à jeudi** we've put the meeting off until Thursday; ~ **qch au lendemain/à plus tard** to put sth off until tomorrow/until later **5** (faire fonctionner de nouveau) to put [sth] on again, to put [sth] back on [*gaz, électricité, chauffage, ventilateur*]; to play [sth] again [*disque, cassette, chanson*]; to turn [sth] on again [*contact*]; **tu peux ~ le courant, j'ai terminé** you can put the electricity back on, I've finished; ~ **les essuie-glaces/phares** to switch the windscreen GB *ou* windshield US wipers/headlights on again **6** (remplacer) ~ **un bouton à qch** to put a new button on sth; ~ **une poignée** to put a new handle on; ~ **une vis/vitre** to put a new screw/windowpane in **7** (ajouter) to add some more [*sel, poivre, bois, plâtre, papier*]; to add another [*bouton, vis, clou*]; to put in another [*suppositoire*]; **remets un peu d'eau/d'huile** add a bit more water/oil; ~ **de l'argent dans qch** to put some more money in sth; **j'ai remis 15 euros** I've put in another 15 euros; **remettez-moi quelques tomates**○ give me a few more tomatoes **8** (porter de nouveau) (ce que l'on vient d'enlever) to put [sth] back on [*chaussures, manteau, bijou*]; (ce que l'on portait dans le passé) to wear [sth] again [*chaussures, manteau, bijou*]; **tu peux ~ tes chaussures, on s'en va** you can put your shoes back on, we're going; **ne remets pas ces chaussettes, elles sont sales** don't wear these socks again, they're dirty; **il va falloir ~ les bottes, c'est l'hiver** we'll have to start wearing our boots again, it's winter **9** Méd to put [sth] back [*épaule, cheville*] **10** (réconforter) [*remontant, médicament*] to make [sb] feel better; **buvez, cela vous remettra** drink up, it'll make you feel better **11** (se souvenir de) ~ **qn/le visage de qn** to remember sb/sb's face **12** (faire grâce de) ~ **une dette à qn** to let sb off a debt; ~ **une peine à qn** to give sb remission; ~ **ses péchés à qn** to forgive sb's sins **13** ○(recommencer) ~ **ça** to start again; **tu ne vas pas ~ ça!** you're not going to start again, are you?; **on s'est bien amusé, quand est-ce qu'on remet ça?** that was fun, when are we going to do it again?

B se remettre *vpr* **1** (retourner) **se ~ à un endroit** to go *ou* get back to a place; **remets-toi là/devant lui** get back there/in front of him; **se ~ au lit/à sa place/à table** to go back to bed/to one's seat/to the table; **se ~ en rang** to get back in line; **se ~ debout** to get *ou* stand up again; **se ~ en selle** to get back in the saddle **2** (s'appliquer à nouveau) **se ~ du mascara/rouge à lèvres** to put on some more mascara/lipstick; **se ~ un suppositoire** to put in another suppository **3** (recommencer) **se ~ au travail** to go back to work; **se ~ au dessin/tennis/piano** to start drawing/playing tennis/playing the piano again; **se ~ à faire** to start doing again; **se ~ à boire/espérer/pleurer** to start drinking/hoping/crying again; **il s'est remis à neiger** it's started to snow again **4** (porter sur soi à nouveau) **se ~ en jean/jupe** to wear jeans/a skirt again **5** (se rétablir) **se ~ de** to recover from [*maladie, accouchement, accident*]; to get over [*déception, émotion, échec, décès*]; **il ne s'est jamais remis de sa chute** he never recovered from his fall; **remets-toi vite!** get well soon!; **t'es-tu remis de tes émotions?** have you got over the shock?; **il ne se remet pas de son divorce** he can't get over his divorce **6** (faire confiance) **s'en ~ à qn** to leave it to sb; **s'en ~ à la décision/aux conclusions de qn** to accept sb's decision/conclusions **7** (reprendre une vie de couple) **se ~ avec qn** to get back together with sb; **ils se sont remis ensemble après un an de séparation** they got back together after splitting up for a year **8** (se rappeler) **se ~ qn/le visage de qn** to remember sb/sb's face

remeubler /ʀ(ə)mœble/ [1]
A *vtr* to refurnish [*logement*]; to supply [sb] with new furniture [*personne*]
B se remeubler *vpr* to replace one's furniture

rémige /ʀemiʒ/ *nf* remex

remilitarisation /ʀəmilitaʀizasjɔ̃/ *nf* remilitarization

remilitariser /ʀəmilitaʀize/ [1] *vtr* to remilitarize

reminéraliser /ʀəmineʀalize/ [1] *vtr* ~ **son organisme** to replenish the minerals in one's body

réminiscence /ʀeminisɑ̃s/ *nf* **1** Philos, Psych (faculté de rappel) reminiscence; **2** (souvenir) recollection; **sauf quelques vagues ~s** apart from a vague recollection; **3** (rappel) **il y a dans cette œuvre des ~s de Bach** this work is reminiscent of Bach

remise /ʀ(ə)miz/ *nf* **1** (transmission) handover; **la ~ de la rançon est prévue à 20 heures** the ransom is due to be handed over at 8 pm; **attendre la ~ des clés/du matériel** to wait for the keys/material to be handed over; ~ **des clés au locataire à 14 heures** keys will be handed over to the tenant at 2 pm; **la date limite de ~ des mémoires/rapports est fixée au 15 juin** the deadline for handing in the dissertations/reports is 15 June; ~ **des prix** prizegiving; ~ **des médailles/récompenses** medals/awards ceremony; **être invité à la ~ des coupes** to be invited to the presentation of the trophies; **2** Comm (rabais) discount; **faire** *or* **accorder une ~ de 50 euros/20%** to give a 50-euro/20% discount (**sur qch** on sth); **3** (de dette, péchés) remission; **une ~ de peine** a remission; **bénéficier d'une ~ de peine** to get remission; **4** Fin (versement) remittance; (bulletin de versement) paying-in slip; ~ **de fonds** remittance of funds; ~ **d'un effet à l'encaissement** remittance of a bill for collection; **5** (bâtiment) shed; **6** Chasse cover
(Composé) ~ **de cause** Jur adjournment (of hearing)

remiser /ʀ(ə)mize/ [1] *vtr* to put [sth] away [*skis, vieux vêtements, livres*] (**dans** in); ~ **des jouets au grenier** to put toys away in the attic

remisier /ʀ(ə)mizje/ ▸ p. 532 *nm* (intermediate) broker

rémissible /ʀemisibl/ *adj* remissible

rémission /ʀemisjɔ̃/ *nf* **1** (de faute, péchés) remission, forgiveness; **sans ~** (sans indulgence) [*punir, condamner*] mercilessly; (sans interruption) [*pleuvoir, travailler*] without stopping; **2** Méd remission; **être en (phase de) ~** [*patient, maladie, douleur*] to be in remission; **3** fig (amélioration) recovery

rémittence /ʀemitɑ̃s/ *nf* remission

rémittent, **~e** /ʀemitɑ̃, ɑ̃t/ *adj* [*fièvre*] remittent

remmaillage /ʀɑ̃majaʒ/ *nm* = **remaillage**

remmailler /ʀɑ̃maje/ [1] *vtr* = **remailler**

remmancher /ʀɑ̃mɑ̃ʃe/ [1] *vtr* to put the handle back on

remmener /ʀɑ̃mne/ [16] *vtr* to take [sb] back

remobiliser /ʀəmɔbilize/ [1] *vtr* lit, fig to remobilize

remodelage /ʀəmɔdlaʒ/ *nm* (de nez, d'ébauche) reshaping; (d'administration) restructuring; (de quartier) replanning

remodeler /ʀəmɔdle/ [17] *vtr* to restructure [*administration*]; to reshape [*nez, ébauche*]; to replan [*quartier*]

rémois, **~e** /ʀemwa, az/ ▸ p. 894 *adj* of Reims

Rémois, **~e** /ʀemwa, az/ ▸ p. 894 *nm,f* (natif) native of Reims; (habitant) inhabitant of Reims

remontage /ʀ(ə)mɔ̃taʒ/ *nm* (de moteur, pièces) reassembly; (d'un tuyau) reconnection; **le ~ du mécanisme/de la montre** winding up the mechanism/the watch

remontant, **~e** /ʀ(ə)mɔ̃tɑ̃, ɑ̃t/
A *adj* Hort [*rosier, fraisier*] remontant
B *nm* pick-me-up○, tonic; **j'ai besoin d'un petit ~** I need a pick-me-up○

remonte /ʀ(ə)mɔ̃t/ *nf* **1** Naut **la ~ d'un fleuve/du Nil** travelling[GB] upstream/up the Nile; **2** Zool (des saumons) run; **3** Équit, Mil remount

remontée /ʀ(ə)mɔ̃te/ *nf* **1** (action de remonter) climb up; **la ~ des spéléologues de la grotte** the potholers' GB *ou* spelunkers' US climb up from the cave; **la ~ au village fut difficile** the climb back up to the village was difficult; **la ~ de la Saône en péniche** going up the Saône by barge; **2** (après une baisse) (de prix, taux, bénéfices) rise (**de** of); (de sportif, d'homme politique) recovery (**de** of); (d'influence, de parti) rise (**de** of); (de violence, d'incidents) increase (**de** in); **la ~ des eaux** the rise in the water levels; **faire une belle ~** [*coureur, candidat*] to make a good recovery; **les cours du pétrole poursuivent leur ~** oil prices continue to rise; **la ~ du candidat de la majorité dans les sondages est spectaculaire** the rise of the ruling party's candidate in the opinion polls is spectacular
(Composé) ~ **mécanique** Sport, Tech ski lift

remonte-fesses*○ /ʀəmɔ̃tfɛs/ *adj inv* Costume body-sculpting, body-shaping

remonte-pente, *pl* **~s** /ʀ(ə)mɔ̃tpɑ̃t/ *nm* ski-tow

remonter /ʀ(ə)mɔ̃te/ [1]
A *vtr* **1** (transporter de nouveau) (en haut) gén to take [sb/sth] back up [*personne, objet*] (**à** to); (à l'étage) to take [sb/sth] back upstairs [*personne, objet*]; (d'en bas) gén to bring [sb/sth] back up [*personne, objet*] (**de** from); (de l'étage) to bring [sb/sth] back upstairs [*personne, objet*]; ~ **les valises au grenier** to take the suitcases back up to the attic; ~ **les bouteilles de la cave** to bring the bottles back up from the cellar; **je peux vous ~ au village** I can take you back up to the village; **remonte-moi mes pantoufles** bring my slippers back up (to me); **je leur ai fait ~ les valises au grenier** I made them take the suitcases back up to the attic; **j'ai fait ~ le piano dans la chambre** I had the piano taken back up to the bedroom; **faites-moi ~ les dossiers secrets** get the secret files brought back up to me **2** (remettre en haut) to put [sth] back up [*valise, boîte*]; ~ **la valise sur l'armoire** to put the suitcase back up on the wardrobe; ~ **un seau d'un puits** to pull a bucket up from a well **3** (relever) to raise [*étagère, store, tableau*] (**de** by); to wind [sth] back up [*vitre de véhicule*]; to roll up [*manches, jambes de pantalon*]; to hitch up [*jupe, pantalon*]; to turn up [*col*]; to pull up [*chaussettes*]; ~ **une étagère de 20 centimètres/d'un cran** to raise a shelf another 20 centimetres[GB]/by another notch; ~ **une note de deux points** to raise a mark GB *ou* grade US by two points **4** (parcourir de nouveau) [*personne*] (en allant) to go back up [*pente, rue, étage*]; to go *ou* climb back up [*escalier, marches, échelle*]; (en venant) to come back up [*pente, rue, marches, échelle*]; [*voiture, automobiliste*] to drive back up [*pente, route*]; **nous avons remonté la colline à pied** (en marchant) we walked back up the hill; (et non à bicyclette) we went back up the hill on foot; ~ **la colline en rampant/à bicyclette** to crawl/cycle back up the hill; **il m'a fait ~ l'escalier en courant** he made me run back up the stairs **5** (parcourir en sens inverse) [*bateau*] to sail up

[*fleuve, canal*]; [*poisson*] to swim up [*rivière*]; [*personne, voiture*] to go up [*rue, boulevard*]; **tu remontes l'avenue jusqu'à la banque** you go up the avenue until you get to the bank; **~ un canal en péniche** to go up a canal in a barge; **~ une rivière en canoë/en yacht/à la nage** to canoe/sail/swim up a river; **~ un boulevard à bicyclette/en voiture** to cycle/drive up a boulevard; **~ le flot de voyageurs** to walk against the flow of passengers; **~ une filière** *or* **piste** fig to follow a trail **(jusqu'à qn** to sb); **~ le temps par la pensée** *or* **l'imagination** to go back in time in one's imagination
6 (rattraper dans un classement) [*cycliste*] to catch up with [*peloton, concurrent*]
7 (réconforter) **~ qn** *or* **le moral de qn** to cheer sb up, to raise sb's spirits; **la nouvelle/il m'a remonté le moral** the news/he cheered me up
8 (assembler de nouveau) to put [sth] back together again [*armoire, table, jouet*]; to re-erect [*échafaudage*]; to reassemble [*moteur, machine*]; to put [sth] back [*roue*]; **il s'amuse à démonter et ~ ses jouets** he's having fun taking his toys apart and putting them back together again
9 (retendre le ressort de) to wind [sth] up [*mécanisme, montre, réveil*]; to wind [sth] up [*boîte à musique*] **(avec** with); **être remonté à bloc**○ fig [*personne*] to be full of energy
10 (remettre en scène) to revive [*pièce, spectacle*]
B *vi* **1** (monter de nouveau) [*personne*] (en allant) gén to go back up, to go up again **(à** to); (à l'étage) to go back upstairs, to go upstairs again; (en venant) gén to come back up, to come up again **(de** from); (à l'étage) to come back upstairs, to come upstairs again; (après être redescendu) (en allant) to go back up again; (en venant) to come back up again; [*train, ascenseur, téléphérique*] (en allant) to go back up; (en venant) to come back up; [*avion, hélicoptère*] to climb again; [*oiseau*] to fly up again; [*prix, taux, monnaie*] to go up again; [*chemin, route*] to rise again; [*mer*] to come in again; [*température, baromètre*] to rise again, to go up again; **reste ici, je remonte au grenier** stay here, I'm going back up to the attic; **peux-tu ~ chercher mon sac?** can you go back upstairs and get my bag?; **tu es remonté à pied?** gén did you walk back up?; (plutôt que par l'ascenseur) did you come back up on foot?; **je préfère ~ par l'escalier** I prefer to go back up by the stairs; **nous sommes remontés par le sentier/la route** (à pied) we walked back up by the path/the road; (à cheval) we rode back up by the path/the road; **il est remonté vers moi en rampant** he crawled back up to me; **il est remonté au col à bicyclette/en voiture** he cycled/drove back up to the pass; **où est l'écureuil? il a dû ~ à l'arbre** where's the squirrel? it must have gone back up the tree; **je suis remonté en haut de la tour/au sommet de la falaise** I went back up to the top of the tower/to the top of the cliff; **elle est remontée dans sa chambre** she went back up to her bedroom; **~ à l'échelle/la corde** to climb back up the ladder/the rope; **~ sur** [*personne*] to step back onto [*trottoir, marche*]; [*personne, animal*] to climb back onto [*mur, tabouret*]; **il est remonté sur le toit** [*enfant, chat*] he's gone back up onto the roof; **~ dans son lit** to get back into bed; **~ à la surface** lit [*plongeur*] to surface; [*huile, objet*] to rise to the surface; fig [*scandale*] to resurface; [*souvenirs*] to surface again; **~ à cheval** to get back on a horse; **~ en voiture/dans le train** to get back in the car/on the train; **~ à bord d'un avion** to board a plane again; **~ dans les sondages** [*politicien, parti*] to move up in the opinion polls; **~ de la quinzième à la troisième place** [*sportif, équipe*] to move up from fifteenth to third position; **~ à Paris** (retourner) to go back up to Paris; **la criminalité remonte** crime is rising again; **les cours sont remontés de 20%** prices have gone up another 20%; **faire ~ le dollar** to send *ou* put the dollar up again; **faire ~ les cours** to put prices up again; **l'euro est remonté par rapport à la livre** the euro has gone up *ou* risen against the pound again; **faire ~ la température** gén to raise the temperature; Méd to raise one's temperature
2 (pour retrouver l'origine) **~ dans le temps** to go back in time; **~ à** [*historien*] to go back to [*époque, date*]; [*événement, œuvre, tradition*] to date back to [*époque, date, personnage historique*]; [*habitude*] to be carried over from [*enfance, période*]; [*enquêteur, police*] to follow the trail back to [*personne, chef de gang*]; **~ 20 ans en arrière** [*historien*] to go back 20 years; **l'histoire remonte à quelques jours** the story goes back a few days; **il nous a fallu ~ jusqu'en 1770** we had to go back to 1770; **les manuscrits remontent au XIe siècle** the manuscripts date back to the 11th century; **~ à l'époque où** to date back to the days when; **~ aux causes de qch** to identify the causes of sth; **faire ~** to trace (back) [*origines, ancêtres*] **(à** to)
3 (se retrousser) [*pull, jupe*] to ride up
4 (se faire sentir) **les odeurs d'égout remontent dans la maison** the smell from the drains reaches our house; **j'ai mon petit déjeuner qui remonte**○ my breakfast is repeating on me○
5 Naut **~ au** *or* **dans le vent** to sail into the wind
C se remonter *vpr* **1** (se réconforter) **se ~ le moral** (seul) to cheer oneself up; (à plusieurs) to cheer each other up
2 (s'équiper de nouveau) **se ~ en meubles/draps** to get some new furniture/sheets; **se ~ en vin** to replenish one's stock *ou* supply of wine

remontoir /R(ə)mɔ̃twaR/ *nm* (de jouet, d'horloge) winder, key; (de montre, réveil) winder

remontrance /R(ə)mɔ̃tRɑ̃s/ *nf* **1** (reproche) reprimand, remonstrance ¢ sout; **faire des ~s à qn à propos de qch** to reprimand sb for sth; **2** Hist remonstrance

remontrer /R(ə)mɔ̃tRe/ [1]
A *vtr* to show [sth] again **(à qn** to sb)
B *vi* **en ~ à qn** (lui donner une leçon) to teach sb a thing or two; (montrer sa supériorité) to prove one's superiority to sb
C se remontrer *vpr* to show one's face again

remords /R(ə)mɔR/ *nm inv* remorse ¢; **rongé par le ~** eaten up with remorse; **manifester du** *or* **des ~** to show remorse; **sans le moindre ~** without the slightest remorse; **plein de ~** filled with remorse, remorseful; **avoir** *or* **éprouver quelque ~ à avoir fait** to feel some remorse for doing; **~ de conscience** twinge of conscience

remorquage /R(ə)mɔRkaʒ/ *nm* towing; **'dépannage, ~'** Aut 'breakdown and recovery service' GB, 'towing service' US

remorque /R(ə)mɔRk/ *nf* **1** (câble) towrope; (action) tow; **'véhicule en ~'** 'on tow' GB, 'in tow' US; **prendre une voiture en ~** to tow a car; **être à la ~** fig to trail behind; **être à la ~ de qn** fig to tag along behind sb; **2** (véhicule) trailer; **~ de secours routier** breakdown truck GB, tow truck US

remorquer /R(ə)mɔRke/ [1] *vtr* **1** lit to tow [*véhicule*] **(jusqu'à** to); **~ un navire au port/jusqu'à la sortie du port** to tow a ship into harbour[GB]/out of the harbour[GB]; **se faire ~** to be towed; **2** fig to drag [sb] along

remorqueur /R(ə)mɔRkœR/ *nm* tug

rémoulade /Remulad/ *nf* rémoulade, mayonnaise-type dressing; **céleri ~** celeriac in rémoulade

remoulage /R(ə)mulaʒ/ *nm* **1** Art (action) recasting; (résultat) recast; **2** (de grain) regrinding; (de farine) remilling

remouler /R(ə)mule/ [1] *vtr* Art to recast

rémouleur /RemulœR/ ▸ p. 532 *nm* grinder

remous /R(ə)mu/ *nm inv* **1** (dans l'eau, l'air) eddy; **2** (sillage) backwash (*tjrs sg*); (contre la rive) wash (*tjrs sg*); **3** Aviat (sillage) slipstream (*tjrs sg*); **4** (agitation) (de sentiments, d'idées) turmoil ¢; (dans foule) movement; (dans opinion, auditoire) stir ¢; **les grands ~ de l'histoire** the great upheavals of history; **le parti est agité par des ~** the party is troubled by unrest

rempaillage /Rɑ̃pɑjaʒ/ *nm* reseating

rempailler /Rɑ̃pɑje/ [1] *vtr* to reseat [*chaise*]

rempailleur, -euse /Rɑ̃pɑjœR, øz/ ▸ p. 532 *nm,f* repairer of rush seats

rempaqueter /Rɑ̃pakte/ [20] *vtr* to pack [sth] up again

rempart /Rɑ̃paR/ *nm* **1** (mur) rampart; (de château-fort) battlements (*pl*); **les ~s de la ville** the city walls, the ramparts; **2** (défense) defence[GB] **(contre** against); **faire un ~ de son corps à qn** to shield sb with one's body

rempiler /Rɑ̃pile/ [1]
A *vtr* to restack [*boîtes*]
B *vi*○ soldiers' slang to re-enlist

remplaçable /Rɑ̃plasabl/ *adj* replaceable

remplaçant, ~e /Rɑ̃plasɑ̃, ɑ̃t/
A *adj* [*professeur, instituteur*] supply GB, substitute US; [*joueur, footballeur*] substitute, reserve
B *nm,f* **1** (provisoire) gén substitute, replacement; (professeur, instituteur) supply GB, substitute US; (acteur) stand-in; Sport substitute, reserve; **2** (définitif) successor

remplacement /Rɑ̃plasmɑ̃/ *nm* **1** (de personne) replacement; **le ~ de Pierre par Paul à la direction** the replacement of Pierre by Paul as director; **il a été nommé en ~ de M. Robin** he was appointed as a replacement for Mr Robin *ou* to replace Mr Robin; **assurer le ~ d'un collègue pendant ses vacances/son congé de maladie** to stand in for *ou* cover for a colleague during his vacation/his sick leave; **faire des ~s** [*enseignant*] to do supply teaching GB, to do substitute teaching US; [*intérimaire*] to do temporary work, to do temping jobs○; **il a fait trois ~s ce mois-ci** [*enseignant*] he had three supply GB *ou* substitute US teaching assignments this month; [*intérimaire*] he had three temporary *ou* temping jobs this month; **2** (de chose) replacement; **le ~ d'une pièce usée/de carreaux cassés** the replacement of a worn part/of broken windowpanes; **ils m'ont donné une télévision neuve en ~ de la vieille** they gave me a new television to replace the old one; **émission diffusée en ~ d'une autre** programme[GB] broadcast in place of another; **produit de ~** substitute

remplacer /Rɑ̃plase/ [12]
A *vtr* **1** (prendre momentanément la place de) to stand in for, to cover for [*collègue, docteur, professeur, employé, acteur*]; **~ qn à une réunion** to stand in for sb at a meeting; **c'est lui qui remplace le docteur Dubois** he's standing in for *ou* covering for Doctor Dubois; **elle s'est fait ~ par un collègue ce jour-là** she got a colleague to stand in for her that day; **elle a été remplacée par M. Pichon pendant son absence** Mr Pichon stood in for her while she was away; **est-ce que tu peux me ~ au standard cinq minutes?** can you take over from me at the switchboard for five minutes?; **2** (succéder à) to replace, to succeed [*personne*]; to replace, to take over from [*méthode, technologie, tradition*]; **M. Bon remplace Mme Roux à la direction** Mr Bon is replacing *ou* succeeds Mrs Roux as director; **~ qn comme patron** to take over from sb as the boss; **l'ancien moteur a été remplacé par un nouveau** the old engine has been replaced by a new one; **le disque laser remplace peu à peu le disque vinyle** the compact disc is gradually taking over from *ou* replacing the record; **3** (changer) to replace [*pièce, matériel, personne*] **(par** with); **~ un carreau** to replace *ou* change a windowpane; **tous les téléphones à pièces ont été remplacés par des téléphones à cartes** all the coinbox telephones have been replaced with cardphones; **~ qn comme ministre** to remove sb from the post of minister; **remplacez le nom par le pronom qui convient**

r

replace the noun with the appropriate pronoun; **ils m'ont remplacé ma télévision** they gave me a replacement for my TV set; **4** (tenir lieu de) to replace; **le pronom remplace le nom** the pronoun takes the place of *ou* replaces the noun; **on peut ~ le vinaigre par du jus de citron** you can use lemon juice as a substitute for vinegar; **ce produit n'est pas mal mais ne remplace pas le vrai sel** this product isn't bad but it's no substitute for real salt

rempli, **~e** /ʀɑ̃pli/
A *pp* ▸ **remplir**
B *pp adj* **récit ~ de détails amusants** story full of *ou* filled with amusing details; **texte ~ d'erreurs/de fautes/de clichés** text full of *ou* riddled with errors/with mistakes/with clichés; **une vie bien ~e** a full life; **une journée bien ~e** a busy day; **un emploi du temps ~** a busy schedule; **avoir le portefeuille bien ~**○ to be well-heeled○, to be rich
C *nm* Cout tuck

remplir /ʀɑ̃pliʀ/ [3]
A *vtr* **1** (dans l'espace) to fill (up) [*récipient, verre, assiette, sac, tiroir*] (**de** with); to fill in *ou* out [*formulaire, questionnaire*]; **un verre rempli à ras bord** a glass filled to the brim; **il vida son verre d'un trait et le remplit à nouveau** he drained his glass and refilled it *ou* filled it up again; **~ qch à moitié** to half fill sth; **un verre à moitié rempli** a half-filled glass; **~ qch aux deux tiers** to fill sth two thirds full; **les manifestants ont rempli les rues de la ville** the demonstrators filled the streets; **sa vie est remplie de petites contrariétés** fig his life is full of small vexations; **~ qn de joie/d'espoir/d'amertume** fig to fill sb with joy/with hope/with bitterness; **~ qn d'aise** fig to delight sb; **il a rempli des centaines de pages sur un sujet qui n'intéresse personne** he wrote hundreds of pages on a subject nobody's interested in; **une barque remplie d'eau** a waterlogged boat; **le chanteur remplit des salles de 10 000 places** the singer draws in *ou* pulls in crowds of 10,000; **il n'a pas réussi à ~ l'Olympia lors de son unique concert** he didn't manage to fill the Olympia when he gave his only concert; **2** (s'acquitter de) [*personne*] to carry out, to perform [*rôle, mission, fonction*]; to fulfil[GB], to carry out [*devoir, obligations, objectifs*]; to fulfil[GB] [*engagements*]; [*objet, dispositif*] to fulfil[GB] [*rôle, fonction*]; **~ les conditions** to fulfil[GB] *ou* meet the conditions
B **se remplir** *vpr* [*récipient, salle, rues, ciel*] to fill (up) (**de** with)

remplissage /ʀɑ̃plisaʒ/ *nm* **1** (de récipient) filling; **coefficient** *or* **taux de ~** Transp occupancy rate; **2** pej (par manque d'inspiration) padding; **il y a beaucoup de ~ dans ce film/livre** there's a lot of padding in this film/book; **faire du ~** to pad out one's work

remplumer: **se remplumer** /ʀɑ̃plyme/ [1] *vpr* **1** ○[*personne*] (en argent) to get back on one's feet; (en poids) to put some weight back on; **2** [*oiseau*] to grow new feathers

rempocher /ʀɑ̃pɔʃe/ [1] *vtr* to put [sth] back in one's pocket [*argent*]; **rempoche tes compliments**○ you can keep your compliments○

remporter /ʀɑ̃pɔʀte/ [1] *vtr* **1** (gagner) to win [*épreuve, siège, titre, victoire*]; **la pièce a remporté un vif succès** the play was a great success; **2** (reprendre) to take [sth] away again

rempotage /ʀɑ̃pɔtaʒ/ *nm* repotting

rempoter /ʀɑ̃pɔte/ [1] *vtr* to repot

remuant, **~e** /ʀ(ə)mɥɑ̃, ɑ̃t/ *adj* **1** (agité) [*spectateur, adolescent, partisan*] rowdy; **2** (actif) [*enfant*] boisterous; [*adulte*] energetic

remue-ménage* /ʀ(ə)mymenaʒ/ *nm inv* **1** (désordre et confusion) chaos **¢**; **faire du ~** to cause chaos; **2** (mouvements en tous sens) bustle **¢**; **3** (changements) upheaval; **~ au gouvernement** upheaval in the government

remue-méninges* /ʀəmymenɛ̃ʒ/ *nm inv* brainstorming

remuer /ʀ(ə)mɥe/ [1]
A *vtr* **1** (mouvoir) to move; **~ les doigts/la main/le bras** to move one's fingers/one's hand/one's arm; **je ne peux plus ~ les orteils** I can't wiggle *ou* move my toes; **il remuait les lèvres en silence** his lips moved silently; **elle marche en remuant les hanches** she wiggles her hips when she walks; **peux-tu ~ les oreilles?** can you wiggle your ears?; **le chien remuait la queue** the dog was wagging its tail; **2** (secouer) [*personne*] to shake [*objet*]; [*vent*] to shake [*branche, feuilles, arbres*]; [*vagues, vent*] to toss [*bateau*]; **arrête de ~ la table** stop shaking the table; **3** (déplacer) [*personne*] to move [*personne, objet lourd*]; **il a tout remué dans le tiroir pour retrouver la clé** he turned the whole drawer upside down to find the key; ▸ **ciel**; **4** Culin to stir [*soupe, sauce, café, pâtes*]; to toss [*salade*]; **remuez sans arrêt** stir constantly; **5** (brasser) lit to turn over [*terre*]; to poke [*cendres*]; fig to mull over [*pensées, chimères, idées*]; to handle [*argent*]; **6** (évoquer) to rake up [*passé, vieille histoire*]; to stir up [*souvenirs*]; **7** (bouleverser) to upset [*personne*]; (émouvoir) to move; **j'en suis encore toute remuée** I still feel very upset by it
B *vi* (bouger) [*personne*] to move; [*enfant*] to fidget; [*feuilles*] to flutter; [*bateau*] to bob up and down; **entendre ~** to hear movement; **le vent fait ~ les feuilles** the leaves flutter in the wind; **le vent fait ~ les arbres** the trees sway in the wind
C **se remuer**○ *vpr* **1** (sortir de son apathie) to get a move on○; **allez, remue-toi!** come on, get a move on○!; **2** (faire des efforts) **se ~ pour faire** to make an effort to do; **il s'est beaucoup remué pour avoir ce travail** he made a big effort to get this job

remugle /ʀ(ə)mygl/ *nm* stale smell; **sentir le ~** to smell stale

rémunérateur, **-trice** /ʀemyneʀatœʀ, tʀis/ *adj* lucrative

rémunération /ʀemyneʀasjɔ̃/ *nf* (de travail) pay (**de** for); (de service) payment (**de** for); (d'investissement) return (**de** on); (de compte) interest (**de** on); **toucher une forte ~** (pour un travail, service) to be very well paid; (sur un compte) to receive high interest
(Composé) **~ du capital** Fin return on capital

rémunérer /ʀemyneʀe/ [14] *vtr* to pay [*personne*]; to pay for [*service, travail*]; **bien/mal rémunéré** well/poorly paid

renâcler /ʀ(ə)nɑkle/ [1] *vi* **1** [*personne*] to show reluctance; **~ à qch/à faire** to balk at sth/at doing; **~ devant un plat** to turn up one's nose at a dish; **sans ~** without complaining; **en renâclant** grudgingly; **~ à la besogne** to be workshy; **elle ne renâcle pas à la besogne** she's not afraid of hard work; **2** [*animal*] to snort

renaissance /ʀ(ə)nɛsɑ̃s/ *nf* Relig rebirth; fig revival

Renaissance /ʀ(ə)nɛsɑ̃s/ *nf* Hist Renaissance; **meubles ~** Renaissance furniture

renaissant, **~e** /ʀ(ə)nɛsɑ̃, ɑ̃t/ *adj* [*idéologie, violence, démocratie*] re-emergent

renaître* /ʀ(ə)nɛtʀ/ [74] *vi* **1** [*personne, région, théâtre, nature*] to come back to life; **il se sent ~** he feels he's coming back to life; **faire ~ une région/une activité** to revive a region/an activity; **~ à la vie/à l'amour** to rediscover life/love; **~ de ses cendres** to rise from the ashes; **2** (réapparaître) [*désir, peur, espoir, forces*] to return; [*violence, idéologie*] to re-emerge; **faire ~ l'espoir/l'amour** to bring new hope/love; **faire ~ la peur/les passions** to renew fear/passions

rénal, **~e**, *mpl* **-aux** /ʀenal, o/ *adj* [*artère, veine*] renal; [*infection*] kidney (*épith*)

renard /ʀ(ə)naʀ/ *nm* **1** (animal, fourrure) fox; **2** (personne) cunning devil
(Composés) **~ argenté** silver fox; **~ bleu** blue fox; **~ de mer** thresher shark
(Idiome) **être rusé comme un ~** to be as cunning as a fox

renarde /ʀ(ə)naʀd/ *nf* vixen

renardeau, *pl* **~x** /ʀ(ə)naʀdo/ *nm* fox cub

renardière /ʀ(ə)naʀdjɛʀ/ *nf* fox's earth

renauder○ /ʀ(ə)node/ [1] *vi* to grouse○

rencaisser /ʀɑ̃kɛse/ [1] *vtr* **1** Hort to rebox; **2** ○**rencaisse ton argent/tes compliments** you can keep your money/your compliments; **rencaisse tes affaires** pack your things; **rencaisse ta guitare** put that guitar away

rencard○ = **rancard**

rencarder○ /ʀɑ̃kaʀde/ [1] *vtr* = **rancarder**

renchérir /ʀɑ̃ʃeʀiʀ/ [3]
A *vtr* (rendre plus cher) [*dépréciation, réévaluation, hausse*] to increase, to put [sth] up [*prix, coût*]; to make [sth] more expensive, to put [sth] up [*exportations, biens, produits*]
B *vi* **1** (ajouter) to add; **'nous sommes très satisfaits,' renchérit-il** 'we are very satisfied,' he added; **peu après Pierre renchérissait en disant…** soon after Pierre went further, saying…; **~ sur ce que dit qn** to add something to what sb says; **il renchérit sur tout ce que je dis** he takes everything I say (one step) further; **et son ami de ~: 'tu as absolument raison'** 'you're absolutely right,' his friend added; **2** (aller plus loin) to go one step further; **il a renchéri en cassant une assiette/en envoyant l'armée** he went one step further and broke a plate/and sent in the army; **3** (dans une vente) to raise the bidding; **~ sur le prix de qch** to make a higher bid for sth; **il a renchéri sur la dernière offre** he raised the bidding

renchérissement /ʀɑ̃ʃeʀismɑ̃/ *nm* increase, rise; **le ~ des loyers/du pétrole** the increase in rents/in the price of oil; **un ~ de 16%** an increase of 16%

rencontre /ʀɑ̃kɔ̃tʀ/ *nf* **1** (réunion) meeting (**avec** with; **entre** between); **~ de Londres** London meeting; **~ des deux présidents** meeting between the two presidents; **aller/venir à la rencontre de qn** to go/to come to meet sb; **aller à la ~ de problèmes** to be heading for trouble; **2** (contact) meeting; (non prévu) encounter; **première ~** first meeting; **~ étrange/inattendue** strange/unexpected encounter; **~ de hasard** chance meeting *ou* encounter; **~ mémorable/exceptionnelle** memorable/exceptional encounter; **aimer les ~s** to like meeting people; **rechercher les ~s** to try to meet people; **faire la ~ de qn** to meet sb; **au hasard des ~s** through chance meetings *ou* encounters; ▸ **mauvais**; **3** Sport (match) match GB, game US; (réunion) meeting GB, meet US; **~ de football** football *ou* soccer match GB, soccer game US; **~ d'athlétisme** athletics meeting GB, track meet US; **4** Mil encounter (**de, entre** between); **~ des deux armées** encounter between the two armies
(Composés) **~ plénière** Pol plenary meeting; **~ au sommet** Pol summit meeting

rencontrer /ʀɑ̃kɔ̃tʀe/ [1]
A *vtr* **1** (voir) to meet [*personne*]; **le président a rencontré son homologue américain hier** the president met his American counterpart yesterday; **~ sur son chemin** to come across; **2** (faire connaissance avec) to meet [*personne*]; **je l'ai rencontrée en 1965** I met her in 1965; **3** (être en présence de) to meet with [*réaction, opposition*]; [*personne*] to find [*amour, sympathie*]; to encounter [*obstacle, problème*]; [*objet mobile*] to hit [*personne, mur, objet*]; **ma main a rencontré la sienne** my hand met his/hers; **4** (trouver) [*personne*] to come across [*qualité, objet, personne*]; **on ne rencontre pas souvent des gens aussi généreux** you don't often come across *ou* meet such generous people; **5** Sport to meet, to play [*joueur, équipe*]; to meet GB, to fight [*boxeur*]
B **se rencontrer** *vpr* **1** (se voir) to meet; **je pro-**

r

pose que nous nous rencontrions demain I suggest that we meet tomorrow; 2 (faire connaissance) to meet; **nous nous sommes rencontrés au Caire** we met in Cairo; 3 (être en présence) [*yeux, mains*] to meet; **leurs yeux se rencontrèrent** their eyes met; 4 (se trouver) [*qualité, objet, personne*] to be found; **genre de générosité/vase qui se rencontre rarement** kind of generosity/vase which is seldom found; **ça se rencontre rarement, des gens aussi doués** you don't often come across such gifted people; 5 Sport [*joueurs, équipes*] to meet, to play each other

(Idiome) **les grands esprits se rencontrent** Prov great minds think alike Prov

rendement /ʀɑ̃dmɑ̃/ *nm* 1 (production) (de terre, d'élevage, investissement) yield; (de machine, travailleur) output ¢; **~ laitier/agricole** milk/farm yield; **~ à l'hectare** yield per hectare; **~ de 8%** yield of 8%; **~ des obligations** yield of bonds; **tourner à plein ~** to run at full capacity; 2 (productivité) (d'usine, entreprise) productivity ¢; (de machine, travailleur, source d'énergie) efficiency ¢; **~ énergétique** energy efficiency; 3 (résultat) (de sportif, publicité) performance; **~ scolaire** performance at school; **~ musculaire** muscular performance

rendez-vous /ʀɑ̃devu/ *nm inv* 1 (chez un médecin, coiffeur, avocat etc) appointment (**avec** with; **chez** at); **prendre/avoir ~ avec un spécialiste** to make/have an appointment with a specialist; **j'ai ~ chez le médecin/coiffeur** I've got an appointment at the doctor's/hairdresser's; **recevoir les malades sur ~** to see patients by appointment; **'consultations sur ~ seulement'** 'consultations by appointment only'; 2 (avec des amis) **j'ai ~ avec un ami** I'm meeting a friend; **on peut se fixer un ~?** shall we meet?; **je leur ai donné ~ à minuit** I've arranged to meet them at midnight; **~ demain!** see you tomorrow!; **'~ à 10 heures à la gare'** 'meet at the station at 10 am'; **le soleil n'était pas au ~** the sun didn't shine; **la croissance est au ~** growth is the order of the day; 3 (réunion professionnelle) meeting; **vous avez deux ~ cet après-midi avec nos représentants d'Asie et de Scandinavie** you have two meetings this afternoon, with our Asian and Scandinavian representatives; 4 (rassemblement) gathering; (lieu) meeting place; **ce café est le ~ des joueurs d'échecs** that café is a meeting place for chess players; 5 (émission) programme[GB], slot; **notre prochain ~ sur les ondes** our next programme[GB]

rendormir /ʀɑ̃dɔʀmiʀ/ [30]
A *vtr* to put [sb] back to sleep
B **se rendormir** *vpr* to go back to sleep

rendosser /ʀɑ̃dose/ [1] *vtr* **~ son manteau** to put one's coat on again

rendre /ʀɑ̃dʀ/ [6]
A *vtr* 1 (retourner) (pour restituer) to give back, to return [*objet emprunté*] (**à** to); to take back [*objet consigné*] (**à** to); to return [*otage, territoire annexé*] (**à** to); (pour refuser) to return, to give back [*cadeau*] (**à** to); to return [*article défectueux*] (**à** to); (pour s'acquitter) to repay, to pay back [*emprunt, somme, dette*] (**à** to); to return [*salut, invitation*] (**à** to); **elle m'a rendu mon livre** she gave me back my book; **je dois ~ la voiture à mon père/à l'agence de location** I have to give the car back to my father/take the car back to the car hire GB *ou* rental US agency; **ils ont rendu les tableaux volés au musée** they returned the stolen paintings to the museum; **l'enfant sera rendu contre rançon** the child will be returned for a ransom; **prête-moi 100 euros, je te les rendrai demain** lend me 100 euros, I'll pay you back tomorrow; **elle m'a rendu mon baiser** she kissed me back; **elle ne m'a pas rendu la monnaie** she didn't give me my change; **~ la pareille à qn** to pay sb back; **il la déteste mais elle le lui rend bien** he hates her and she feels the same about him; ▸ **César, monnaie**

2 (redonner) **~ la santé/vue à qn** to restore sb's health/sight; **~ l'espoir à qn** to give sb hope again; **~ le sourire à qn** to put the smile back on sb's face; **~ son indépendance à un pays** to restore a country's independence; **~ des locaux à leur utilisation première** to return premises to their original use; **une nouvelle méthode de relaxation qui vous rendra le sommeil** a new relaxation method that will help you sleep

3 (faire devenir) to make; **~ qn heureux/célèbre** to make sb happy/famous; **~ qch possible/difficile/obligatoire** to make sth possible/difficult/compulsory; **l'éclairage rend la chambre lugubre** the lighting makes the room look gloomy; **~ qn fou** to drive sb mad; **ce bruit rend fou** that noise is enough to drive you mad *ou* crazy○

4 (remettre) [*élève, étudiant*] to hand in, to give in [*copie, devoir*] (**à** to); **ne rends pas tes devoirs en retard** don't hand *ou* give your homework in late; **il a rendu (une) copie blanche à son examen** he handed *ou* gave in a blank paper at the end of his exam

5 (produire) [*terre, champ*] to yield [*récolte, quantité*]; **ferme qui rend 50 000 euros par an** farm which brings in 50,000 euros a year; **~ peu** not to produce much

6 (exprimer, traduire) [*auteur, mots*] to convey [*pensée, sentiment, atmosphère*]; [*traducteur*] to translate, to render [*texte, terme*]; to convey, to render [*nuance*]; [*peintre*] to depict [*lumière, relief, scène*]; [*traduction, tableau*] to convey [*atmosphère, style*]; **résumé/traduction qui ne rend pas la subtilité/le rythme de l'original** summary/translation that fails to catch the subtlety/the rhythm of the original; **savoir ~ une émotion/un personnage** [*acteur*] to be good at putting across *ou* over an emotion/a character; **~ l'expression d'un visage** [*peintre, photographe*] to capture the expression on a face; **un poème chinois merveilleusement rendu en anglais** a Chinese poem beautifully translated into English, a marvellous[GB] translation into English of a Chinese poem; **~ un mot par une périphrase** to paraphrase a word; **ça rend mieux/ne rendra rien en couleurs** it comes out better/won't come out in colour[GB]

7 (vomir) to bring up [*aliment, déjeuner, bile*]

8 (prononcer) to pronounce [*jugement, sentence, arrêt, décision, décret*]; to return [*verdict*]; to pronounce [*oracle*]

9 (émettre) [*instrument, objet creux*] to give off [*son*]

10 (exsuder) **les tomates rendent de l'eau (à la cuisson)** tomatoes give out water when cooked; **~ du jus** to be juicy; **saler les concombres pour leur faire ~ l'eau** salt the cucumbers to draw out the water

11 Sport [*concurrent*] **~ du poids** to have a weight handicap (**à** compared with); **~ de la distance à qn** to give sb a (distance) handicap; **~ 3 kilos** to carry 3 kilos *ou* a 3 kilo-handicap; **~ 10 mètres à qn** to give sb a 10-metre[GB] handicap; **il vous rendrait des points** he's more than a match for you

B *vi* 1 (produire) **~ (bien)** [*terre*] to be productive; [*plante*] to produce a good crop, to be productive; [*culture, céréale*] to do well; [*activité, commerce*] to be profitable

2 (vomir) to be sick, to throw up○; **le médicament m'a fait ~** the medicine made me sick; **avoir envie de ~** to feel sick GB *ou* nauseous

C **se rendre** *vpr* 1 (aller) to go; **se ~ à Rome/en Chine/en ville** to go to Rome/to China/to town; **se ~ à Vienne en voiture/avion** to go to Vienna by car/plane, to drive/fly to Vienna; **se ~ chez des amis** to go to see friends; **en me rendant à Lima** on my way to Lima; ▸ **bagage**

2 (devenir) to make oneself; **se ~ indispensable/malade** to make oneself indispensable/ill; **se ~ ridicule** to make a fool of oneself

3 (capituler) [*criminel*] to give oneself up (**à** to); [*troupe, armée, ville*] to surrender (**à** to); **rendez-vous, vous êtes cernés!** give yourselves up, you're surrounded!

4 (se soumettre) **se ~ à qch** to bow to [*argument, avis*]; to yield to [*prières, supplique*]; to answer [*appel*]; **il ne se rend jamais** (dans une discussion) he never gives in

(Idiomes) **~ l'âme** *or* **l'esprit** to pass away; **~ le dernier soupir** *or* **souffle** to breathe one's last; **le bon Dieu te le rendra au centuple** your reward will be great in Heaven

rendu, ~e /ʀɑ̃dy/
A *pp* ▸ **rendre**
B *pp adj* 1 (arrivé) [*marchandise*] to be delivered (**à** to); **nous étions déjà ~s quand il a téléphoné** we had already arrived when he phoned; **nous serons plus vite ~s en taxi** we'll get there more quickly by taxi; **le prix des articles ~s à domicile** the price of home-delivered items; 2 †(fatigué) **être ~** to be exhausted
C *nm* 1 Art depiction; **le ~ des chairs/de la lumière** the depiction of flesh/of light; 2 Comm (objet rapporté) return, returned article

rêne /ʀɛn/ *nf* rein; **tenir les ~s** lit, fig to hold the reins; **rendre les ~s à un cheval** Équit to give a horse its head; **lâcher les ~s** lit to slacken the reins; fig to let go; **prendre les ~s du gouvernement** to take over the reins of government; **prendre les ~s d'une affaire** to assume control of a business

renégat, ~e /ʀənega, at/ *nm,f* Relig, fig renegade

renégociation /ʀənegɔsjasjɔ̃/ *nf* renegotiation

renégocier /ʀ(ə)negɔsje/ [2] *vtr* to renegotiate

renfermé, ~e /ʀɑ̃fɛʀme/
A *pp* ▸ **renfermer**
B *pp adj* [*personne*] withdrawn; [*sentiment*] hidden
C *nm* **odeur de ~** musty smell; **ça sent le ~** it smells musty

renfermer /ʀɑ̃fɛʀme/ [1]
A *vtr* 1 (receler) to contain; 2 †(ranger sous clé) to lock [sth] away
B **se renfermer** *vpr* [*personne*] to become withdrawn; **se ~ dans le mutisme/sa coquille** to retreat into silence/one's shell

renfiler /ʀɑ̃file/ [1] *vtr* to put [sth] on again [*vêtement*]; to re-string [*collier, perles*]; to re-thread [*aiguille*]

renflé, ~e /ʀɑ̃fle/
A *pp* ▸ **renfler**
B *pp adj* [*vase*] rounded; [*dome*] bulbous; [*estomac*] bulging

renflement /ʀɑ̃fləmɑ̃/ *nm* bulge

renfler /ʀɑ̃fle/ [1]
A *vtr* to puff out [*joues*]
B **se renfler** *vpr* to bulge

renflouage /ʀɑ̃fluaʒ/, **renflouement** /ʀɑ̃flumɑ̃/ *nm* 1 (de navire) raising; 2 (de personne, d'entreprise) bailing out

renflouer /ʀɑ̃flue/ [1] *vtr* 1 to raise [*navire*]; 2 to bail out [*personne, entreprise*]

renfoncement /ʀɑ̃fɔ̃smɑ̃/ *nm* 1 (de mur) recess; **~ de porte** doorway; 2 Imprim indentation

renfoncer /ʀɑ̃fɔ̃se/ [12] *vtr* 1 (enfoncer plus) to drive [sth] further in [*clou*]; to push [sth] further in [*bouchon*]; **~ son chapeau** to pull down one's hat; **il aurait voulu leur ~ leurs paroles dans la gorge** he would have liked to ram their words back down their throats; 2 Imprim to indent

renforcement /ʀɑ̃fɔʀs(ə)mɑ̃/ *nm* 1 (de construction) reinforcement, strengthening (**de** of); (d'équipe, effectifs) strengthening (**de** of); **des matériaux de ~** materials for reinforcement; 2 (intensification) (de rôle) strengthening; (d'activité) increase; (de sécurité) tightening (**de** of)

renforcer /ʀɑ̃fɔʀse/ [12]
A *vtr* 1 (rendre plus solide) to reinforce [*construction, vêtement*]; to strengthen [*muscles, tissus*];

r

~ un vêtement aux coudes/genoux to reinforce the elbows/knees of a garment; **2** (accroître le nombre de) to strengthen [*équipe, effectifs, troupe*]; **nos équipes techniques sont renforcées par des ingénieurs** our technical crews are backed up by engineers; **3** (intensifier) to strengthen, reinforce [*pouvoir, loi, sanctions, amitié, défense*]; to reinforce [*contrôle, dépendance, image, doute, déséquilibre*]; to step up [*surveillance*]; **4** (donner plus de pouvoir à) to strengthen [*groupe, ville, monnaie*]; **ce qui s'est passé me renforce dans mes positions/certitudes** what has happened strengthens my position/convictions

B se renforcer *vpr* [*pouvoir*] to increase; [*contrôle*] to become tighter; [*équipe, effectifs, groupe*] to grow; [*amitié, haine*] to grow stronger; [*pays, influence, secteur*] to grow stronger; **la tendance à la baisse s'est renforcée en 1993** the downward trend increased in 1993; **notre groupe industriel continue de se ~** our industrial group continues to grow stronger

renfort /ʀɑ̃fɔʀ/ *nm* **1** Mil reinforcement; **envoyer/attendre des ~s** to send/wait for reinforcements; **en ~** as reinforcements; **2** gén support ¢; **avoir besoin de ~** to need support; **aller chercher/attendre des ~s** to go and get/to wait for support; **en ~** in support; **à grand ~ de qch** with a lot of sth; **la campagne a débuté à grand ~ de publicité** the campaign started with a lot of publicity; **annoncé à grand ~ de publicité** much heralded; **3** Sport substitute; **4** Tech support; **une pièce de ~** a support piece; **5** Cout (de coude) elbow patch; (de genou) knee patch; (d'ourlet) hemming tape; (de poche) reinforcement

renfrogné, ~e /ʀɑ̃fʀɔɲe/ *adj* [*visage, air, personne*] sullen

renfrogner: se renfrogner /ʀɑ̃fʀɔɲe/ [1] *vpr* to become sullen

rengagé, ~e /ʀɑ̃gaʒe/ Mil
A *adj* re-enlisted
B *nm,f* re-enlisted man/woman

rengagement /ʀɑ̃gaʒmɑ̃/ *nm* (d'un soldat) re-enlistment; (d'un employé) re-engagement

rengager /ʀɑ̃gaʒe/ [13]
A *vtr* **1** (embaucher de nouveau) to take [sb] on again [*employé*]; Mil to re-enlist [*soldat*]; **2** (reprendre) to renew [*hostilités*]; to reopen [*discussion*]; Sport to resume [*partie*]
B *vi* Mil to re-enlist, to sign up again
C se rengager *vpr* Mil to re-enlist, to sign up again

rengaine /ʀɑ̃gɛn/ *nf* (chanson) corny old song○; (air) corny old tune○; fig **c'est toujours la même ~** fig it's always the same old song

rengainer /ʀɑ̃gɛne/ [1] *vtr* **1** lit to sheathe [*épée, poignard*]; to put [sth] back in its holster [*pistolet*]; **2** ○fig **j'ai rengainé mes excuses**○ I kept my apologies to myself

rengorgement /ʀɑ̃gɔʀʒəmɑ̃/ *nm* liter overweening conceit

rengorger: se rengorger /ʀɑ̃gɔʀʒe/ [13] *vpr* [*oiseau*] to puff out its breast; [*personne*] to swell with conceit (**de qch** at sth; **d'avoir fait** at having done)

reniement /ʀ(ə)nimɑ̃/ *nm* disavowal

(Composé) **~ de saint Pierre** Bible Denial of Saint Peter

renier /ʀənje/ [2]
A *vtr* to renounce [*religion, opinion, cause*]; to disown [*ami, enfant, signature, œuvre*]; to disclaim [*obligation*]
B se renier *vpr* (désavouer ses opinions) to go back on one's opinions; (désavouer le passé) to go back on everything one has stood for

reniflard /ʀ(ə)niflaʀ/ *nm* (crankcase) breather

reniflement /ʀ(ə)nifləmɑ̃/ *nm* **1** (action) sniffing; **2** (bruit) sniff

renifler /ʀ(ə)nifle/ [1]
A *vtr* **1** (sentir) [*personne, animal*] to sniff [*odeur, piste*]; [*cochon*] to sniff for [*truffes*]; **2** (absorber par le nez) to snort○ [*cocaïne*]; to sniff [*vapeur, colle*]; **~ du tabac** to take snuff; **3** ○(pressentir) to sniff out [*bonne affaire*]; **~ un mauvais coup** to smell trouble
B *vi* to sniff

rennais, ~e /ʀɛnɛ, ɛz/ ▸ p. 894 *adj* of Rennes

Rennais, ~e /ʀɛnɛ, ɛz/ ▸ p. 894 *nm,f* (natif) native of Rennes; (habitant) inhabitant of Rennes

renne /ʀɛn/ *nm* reindeer

Rennes /ʀɛn/ ▸ p. 894 *npr* Rennes

renom /ʀənɔ̃/ *nm* **1** (bonne reputation) fame, renown; **avoir du ~** to be famous *ou* renowned; **de** *or* **en ~** [*marque, styliste*] famous (*épith*); **2** (réputation) reputation; **~ d'honnêteté/de qualité** reputation for honesty/for quality

renommé, ~e /ʀənɔme/
A *pp* ▸ **renommer**
B *pp adj* famous, renowned (**pour qch** for sth; **pour faire** for doing)
C renommée *nf* **1** (réputation) reputation; **gagner/engager/défendre sa ~e** to earn/to stake/to defend one's reputation; **2** (célébrité) fame; **faire la ~e de qch/qn** to make sth/sb famous; **peintre/musée de ~e mondiale** world-famous painter/museum, painter/museum of world renown; **3** (opinion publique) liter reports (*pl*); **à en croire la ~e** judging by the reports

(Idiome) **bonne ~e vaut mieux que ceinture dorée** Prov a good name is worth more than great wealth

renommer /ʀ(ə)nɔme/ [1] *vtr* to reappoint [*personne*] (**à qch** to sth)

renonce /ʀ(ə)nɔ̃s/ *nf* Jeux **faire une ~** to revoke

renoncement /ʀ(ə)nɔ̃smɑ̃/ *nm* renunciation (**à qch** of sth; **de** *or* **par qn** by sb)

renoncer /ʀ(ə)nɔ̃se/ [12] *vtr ind* **1** (après expérience) **~ à** to give up; **c'est trop difficile, je renonce!** it's too difficult, I give up!; **~ à** to give up [*poste, activité, plaisir, lutte, action*]; **~ à faire** to give up doing; **je renonce à chercher une maison** I'm giving up looking for a house; **elle a renoncé à lui** she finished with him; **2** (avant de commencer) **~ à** to abandon [*projet, objectif, principes*]; **~ à faire** to abandon the idea of doing; **l'athlète a renoncé à participer aux épreuves** the athlete has abandoned the idea of taking part in the trials; **3** (abandonner la possession de) **~ à** to relinquish [*mandat, pouvoir*]; to waive [*privilèges*]; to give up [*liberté*]; to end [*amitié*]; relinquish [*capital*]; **4** (abandonner un droit sur) **~ à** to renounce [*honneurs, couronne*]; **5** Jeux (aux cartes) to revoke; **6** littér **~ à** to renounce [*monde*]

renonciation /ʀ(ə)nɔ̃sjasjɔ̃/ *nf* **1** Jur, gén (à une fonction) giving up (**à** of; **de** by); (au trône) relinquishment (**à** of; **de** by); (à une succession) renunciation (**à** of; **de** by); **2** liter renunciation (**à** of; **de** by)

renoncule /ʀənɔ̃kyl/ *nf* (bouton d'or) (meadow) buttercup

(Composés) **~ des champs** corn buttercup; **~ des fleuristes** ranunculus; **~ des marais** marsh marigold

renouée /ʀənwe/ *nf* bistort

(Composé) **~ des oiseaux** knotgrass

renouer /ʀənwe/ [1]
A *vtr* **1** lit to retie [*lacets, ficelle*]; **2** fig to renew [*amitié*]; to pick up the thread of [*conversation*]
B renouer avec *vtr ind* **~ avec** (après dispute) to make up with [*personne*]; (après perte de contact) to get back in touch with [*personne*]; to revive [*tradition*]; to re-establish [*pratique*]; to go back to [*passé*]; **j'ai renoué avec d'anciennes connaissances** I've got GB *ou* gotten US back in touch with old acquaintances of mine
C se renouer *vpr* **des liens se sont renoués entre eux** they have re-established close ties

renouveau, *pl* **~x** /ʀənuvo/ *nm* **1** (renaissance) (de nationalisme, genre, mode) revival; (de communauté) rebirth; (de politique) regeneration; **2** (regain) **un ~ d'intérêt pour** a renewal of interest in; **3** liter (printemps) springtime

renouvelable /ʀənuvlabl/ *adj* **1** [*permis, contrat*] renewable; **mandat non ~** non-renewable mandate; **élu pour cinq ans non ~s** elected for a nonrenewable five-year mandate; **2** Écol [*source d'énergie*] renewable; **3** [*exploit, expérience*] which can be repeated (*après n*)

renouvelé, ~e /ʀənuvle/
A *pp* ▸ **renouveler**
B *pp adj* **1** (neuf) [*joie, vitalité, ardeur, énergie*] renewed; **2** (changé) [*équipe, édition*] remodelled[GB]; **3** (répété) **controverse maintes fois ~e** recurring controversy

renouveler /ʀənuvle/ [19]
A *vtr* **1** (proroger) to renew [*passeport, abonnement, bail, pacte*]; **elle a renouvelé son mandat** Pol she has been re-elected; **2** (refaire) to renew, to repeat [*suggestion, expérience, promesse, commande*]; to renew [*forces, efforts*]; **3** (remplacer) to replace [*matériel, garde-robe, équipe*]; to change [*eau*]; to renew [*stocks*]; **~ l'air dans une chambre** to air a room; **4** (redonner) to renew [*soutien, prêt*]; **~ sa confiance en qn** gén to reaffirm one's faith in sb; (élire à nouveau) to re-elect sb; **5** (rendre nouveau) to revitalize [*genre, style*]; to revive [*sentiment*]
B se renouveler *vpr* **1** (être remplacé) [*générations, techniques*] to be replaced; **une pièce où l'air ne se renouvelle pas** a room which isn't aired; **2** (varier) [*auteur, artiste*] to try something new, to try out new ideas; **3** (se reproduire) to happen again; **que cela ne se renouvelle pas!** don't let it happen again!

renouvellement* /ʀənuvɛlmɑ̃/ *nm* **1** (de passeport, pacte, d'abonnement) renewal; **~ de chéquier** ordering a new chequebook GB *ou* checkbook US; **2** (de matériel, mobilier, garde-robe, d'équipe) replacement; **être responsable du ~ des stocks** to be responsible for replacing the stock; **opérer un ~ au sein d'une équipe** to make changes in a team; **3** (de cellules, générations) renewal; **4** (de style, doctrine) revitalization; (de langue) renewal; **5** (de demande, promesse) reiteration; **le ~ d'un exploit** the repetition of a feat

rénovateur, -trice /ʀenɔvatœʀ, tʀis/
A *adj* [*théorie, attitude*] reforming
B *nm,f* gén (de coutume) modernizer; (de science, religion) reformer
C *nm* **~ du bois** furniture restorer

rénovation /ʀenɔvasjɔ̃/ *nf* **1** Constr (de quartier) renovation; (de maison, immeuble) (pour gros travaux) renovation; (pour simples travaux) refurbishment; (de route) repairs (*pl*); **2** fig [*politique*] reform; (de secteur économique/industriel) revitalization

rénover /ʀenɔve/ [1] *vtr* **1** Constr (avec de gros travaux) to renovate [*quartier, maison, immeuble*]; (avec des travaux simples) to refurbish [*maison, immeuble*]; to restore [*meuble*]; **appartement entièrement rénové** fully renovated flat GB *ou* apartment US; **2** (remettre à jour) to reform [*institution, politique, loi*]; to revamp [*projet, procédure*]; to overhaul [*système technique*]

renseignement /ʀɑ̃sɛɲmɑ̃/
A *nm* **1** (information) information ¢, piece of information; **des ~s** information; **des ~s utiles** useful information; **nous n'avons aucun ~ là-dessus** we have no information on the matter; **les ~s fournis sont inexacts** the information given is incorrect; **prendre des ~s sur qch/qn** to find out about sth/sb; **merci pour le ~** thank you for the information; **demander des ~s à qn** to ask sb for information; **est-ce que je peux vous demander un ~?** can I ask you something?; **les ~s demandés par qn** the information requested by sb; **il est allé aux ~s** he went to find out (about it); **~s pris, il semblerait que** upon investigation, it would appear that; **'pour**

tous ~s, s'adresser à...' 'all inquiries to...'; **2** Mil intelligence; **service/officier de ~** intelligence service/officer; **il travaille dans le ~** he works in intelligence

B **renseignements** *nmpl* (service, bureaux) information **Ȼ**; Télécom directory enquiries GB, information US, directory assistance US; **adressez-vous aux ~s** ask at information *ou* at the information desk; **demande le numéro aux ~s** ask directory enquiries GB *ou* directory assistance US for the number

(Composés) **~s généraux**, **RG** *branch of the French police force dealing with political security*

renseigner /ʀɑ̃seɲe/ [1]

A *vtr* [*réceptionniste, personne*] to give information to [*client, touriste, passant*] (**sur** about); [*agent, informateur*] to give *ou* supply information to [*police, gouvernement*] (**sur** about); **la brochure/le documentaire nous renseigne sur...** the brochure/the documentary gives us information about *ou* tells us about...; **il vous renseignera sur les différentes formules proposées** he'll give you information about *ou* he'll tell you about the different schemes available; **être bien renseigné** to be well-informed; **être mal renseigné** to be ill-informed, to have the wrong information; **on l'a mal renseigné** he was given the wrong information, he was misinformed; **demandez au rayon accessoires, ils vous renseigneront** ask at the accessories department, they' ll be able to help you

B **se renseigner** *vpr* (demander des informations) to find out, to enquire (**sur** about; **auprès de** from); (faire des recherches) to make enquiries (**sur** about; **auprès de** from); **renseigne-toi auprès d'un employé sur les horaires des trains** ask somebody who works here about the train times; **se ~ sur les activités de qn** to make enquiries about *ou* to look into sb's activities; **renseigne-toi avant de prendre une décision** find out about it before you decide; **je vais me ~ auprès d'elle** I'll ask her about it

rentabilisation /ʀɑ̃tabilizasjɔ̃/ *nf* **la ~ de l'entreprise est notre premier objectif** our primary aim is to make the company profitable

rentabiliser /ʀɑ̃tabilize/ [1] *vtr* to secure a return on [*investissement*]; to make a profit on [*produit*]; to make [sth] profitable [*affaire*]; **~ la recherche** to make research pay; **les gros investissements sont parfois longs à ~** large-scale investment is sometimes slow to yield a profit; **l'isolation de ma maison sera vite rentabilisée** my home insulation will soon pay for itself

rentabilité /ʀɑ̃tabilite/ *nf* **1** (caractère rentable) profitability; **2** (profit) return; **~ de 4%** return of 4%; **avoir une forte ~** to yield a high return

(Composés) **~ économique** Fin return on capital employed; **~ financière** Fin ratio of sales to fixed assets

rentable /ʀɑ̃tabl/ *adj* [*affaire, activité, produit, créneau*] profitable; [*placement, investissement*] profitable; [*découverte*] fruitful; **il n'est pas ~ de faire** it does not pay to do

rente /ʀɑ̃t/ *nf* **1** (revenu personnel) private income; **vivre de ses ~s** to have a private income *ou* private means; **~ de situation** (financièrement) guaranteed income; (privilège) privileged position, advantages; **2** (contrat financier) annuity; **~ viagère** life annuity; **~ temporaire** terminable annuity; **~ mensuelle** monthly allowance; **faire une ~ à qn** to give sb an allowance; **3** Fin (emprunt d'État) government stock; **~ à 5%** 5% stock; **~ perpétuelle/amortissable** non-redeemable/redeemable stock

rentier, -ière /ʀɑ̃tje, ɛʀ/ *nm,f* person of independent means; **mener une vie de ~** to lead a life of leisure

rentrant, ~e /ʀɑ̃tʀɑ̃, ɑ̃t/ *adj* **1** Aviat [*train d'atterrissage*] retractable; **2** Math [*angle, polygone, secteur*] re-entrant

rentré, ~e /ʀɑ̃tʀe/

A *pp* ▸ **rentrer**

B *pp adj* **1** (retenu) [*colère, envie, rire*] suppressed; **2** (en retrait) [*joues, yeux*] sunken; [*ventre, fesses*] held in (*après n*)

C *nm* Cout **faire un ~** to turn in *ou* fold under the raw edge (*of a hem*)

D **rentrée** *nf* **1** (reprise d'activité) (general) return to work (*after the slack period of the summer break, in France*); (début d'année scolaire) start of the (new) school year; (début de trimestre) beginning of term; (pour une institution) reopening; **la ~e de septembre a été agitée** the return to work after the Summer holidays was turbulent; **des grèves sont prévues pour la ~e** strikes are expected after the summer break; **la mode/les livres de la ~e** the autumn *ou* new season's fashion/books; **mon livre sera publié à la ~e** my book will be published in the autumn GB *ou* fall US; **il s'est cassé la jambe le jour de la ~e** he broke his leg on the first day of term; **2** (retour) (de vacancier, voitures) return; (d'employés, élèves) return (to work); **la ~e à Paris un dimanche soir** going back to Paris on a Sunday evening; **la ~e du personnel après le déjeuner** the staff coming in at the end of lunch hour; **surveiller la ~e des enfants à la fin de la récréation** to supervise the children at the end of break GB *ou* recess US; **3** (réapparition publique) comeback; **~e politique** political comeback; **faire sa ~e** [*homme politique, artiste, sportif*] to make one's comeback; **4** (d'argent) (recette) receipts (*pl*); (revenu) income **Ȼ**; (dans une caisse) takings (*pl*); **les ~es** Compta receipts; **leur seule ~e d'argent étant le loyer de leurs ateliers** their only income being the rent from the workshops; **il n'y a pas eu de ~e importante depuis deux mois** there hasn't been any significant amount of money coming in for two months; **~e de fonds** cash inflow; **~es fiscales** (annuelles) tax revenue **Ȼ**; (ponctuelles) tax revenues; **5** Astronaut, Mil (de vaisseau, capsule, missile) re-entry; **à sa** *or* **lors de sa ~e dans l'atmosphère** on re-entry into the atmosphere; **point de ~e d'un missile** re-entry point of a missile; **6** Agric (mise à l'abri) **la ~e des foins/de la récolte se fera la semaine prochaine** the hay/the harvest will be brought in next week

(Composés) **~e des classes** start of the school year; **~e littéraire** the beginning of the literary year; **~e parlementaire** reassembly of Parliament; **~e scolaire** = **~e des classes**; **~e sociale** *a new season of trade union activity and negotiation*; **~e universitaire** start of the academic year

rentre-dedans◑ /ʀɑ̃tdədɑ̃/

A *nm inv* **faire du ~ à qn** to try to get off with sb○ GB, to come on to sb○

B *adj inv* in your face

rentrée ▸ **rentré B, D**

> **Rentrée**
>
> The week at the beginning of September when the new school year starts and around which much of French administrative life revolves. The preceding weeks see intensive advertising of associated merchandise, from books and stationery to clothes and sports equipment. Many stores and supermarkets have a range of special purchases at bargain prices. The concept of the *rentrée* also extends to literary, political and other activities which are resumed after the period of the *grandes vacances* in July and August when businesses can close for up to a month. *La rentrée littéraire* marks the start of the literary year and *la rentrée parlementaire* signals the reassembly of Parliament after the recess.

rentrer /ʀɑ̃tʀe/ [1]

A *vtr* **1** (mettre à l'abri) gén to put [sth] in [*objet, animal*]; (en venant) to bring [sth] in [*objet, animal*]; (en allant) to take [sth] in [*objet, animal*]; **rentre la bicyclette/voiture au garage** put the bike/car in the garage; **rentre le linge, il va pleuvoir** bring the washing in, it's going to rain

2 (rétracter) [*pilote*] to raise [*train d'atterrissage*]; [*félin*] to draw in [*griffes*]; **rentrez le ventre!** hold your stomach in!

3 (faire pénétrer) to put [*clé*] (**dans** in, into); to tuck [*pan de chemise*] (**dans** into)

4 (refouler) to suppress [*colère*]; to hold back [*larmes*]

5 Imprim to indent [*ligne*]

B *vi* (+ *v être*) **1** (pénétrer) (dans une pièce, une cabine téléphonique) to go in; (dans une voiture, un ascenseur) to get in; (tenir, s'adapter) to fit; (percuter)○ **~ dans** to hit; **~ dans le salon** to go into the living room; **~ dans un arbre**○ to hit a tree

2 (entrer de nouveau) (en allant) to go back in; (en venant) to come back in; **~ dans** to go/to come back into; **ils sont sortis puis rentrés cinq minutes plus tard** they went out only to come back in (again) five minutes later; **le satellite va ~ dans l'atmosphère** the satellite is about to re-enter the atmosphere

3 (revenir) gén to get back, to come back, to return (**de** from); (chez soi) to come home (**de** from); **il est rentré tard dans la nuit** he got back late at night; **il ne va pas tarder à ~ du travail** he'll be back from work soon; **ne rentre pas trop tard!** don't stay out too late!; **quand es-tu rentré en France/à Paris?** when did you get back to France/to Paris?; **mon mari rentrera le 17** my husband will be home on the 17th; **rentre à la maison tout de suite!** come home immediately!

4 (repartir) gén to get back, to go back, to return; (chez soi) to go home (**de** from); **nous rentrons en France/à Paris le 17** we're going back to France/to Paris on the 17th; **il est tard, je dois ~ (chez moi)** it's late, I must get back; **il fait trop froid, je rentre** (à l'intérieur) it's too cold, I'm going (back) inside; (de plus loin) it's too cold , I'm going (back) home; **se dépêcher de ~** (chez soi) to hurry home; **~ en classe** [*élèves*] to go back to school

5 (récupérer) **~ dans qch** to recover *ou* recoup sth [*dépense*]

6 (être encaissé) [*argent, loyer, créance*] to come in; **faire ~ l'argent** to get the money in; **des fonds vont me ~ bientôt** I'll be getting some money in soon

7 (pouvoir trouver place) to fit; **mes chaussures ne rentrent pas dans ma valise** my shoes won't fit into my case, I can't get my shoes into my case; **faire ~ qch dans la tête de qn** to get sth into sb's head; **il n'y a rien à faire pour leur faire ~ ça dans la tête** there's no way of getting it into their heads; **~ dans la serrure** to fit the lock; (être compris) **l'algèbre/l'économie, ça ne rentre pas!** algebra/economics just won't go in!; **'ça marche l'anglais?'—'ça commence à ~'** 'how's the English going?'—'I'm beginning to get the hang of it○'

(Idiomes) **~ en soi-même** to withdraw; **je vais leur ~ dedans**◑ *or* **dans le lard**◑ *or* **dans le chou**◑ (physiquement, verbalement) I'm going to lay into them○; **il s'est fait ~ dans le lard par la critique**◑ the critics laid into him○; **il m'est rentré dedans**◑ (en voiture) (légèrement) he bumped *ou* ran into me; (violemment) he crashed into me; **il s'est fait ~ dedans** another car crashed into him; **se ~ dedans**◑ [*adversaires*] to lay into each other○; [*automobilistes, voitures*] (légèrement) to bump *ou* run into each other; (violemment) to crash into each other

renversant, ~e /ʀɑ̃vɛʀsɑ̃, ɑ̃t/ *adj* astounding, astonishing

renverse /ʀɑ̃vɛʀs/ *nf* (de vent, marée) turning; (de courant) change of direction

(Idiomes) **tomber à la ~** to fall flat on one's back; **il y a de quoi tomber à la ~!** it's absolutely astounding!

renversé, ~e /ʀɑ̃vɛʀse/

A *pp* ▸ **renverser**

r

B pp adj **1** (image, pyramide, cône) inverted; **2** (stupéfait) staggered, astounded

renversement /ʀɑ̃vɛʀsəmɑ̃/ nm **1** (inversion) (de tendance, situation, termes, d'ordre, alliance) reversal; (d'image) inversion, reversal; (de marée, vent) turning; (de courant) change of direction; Math (de fraction) inversion; Mus (d'intervalle, accord) inversion; **2** (de gouvernement, dirigeant) (par la force) overthrow; (par un vote) removal from office

renverser /ʀɑ̃vɛʀse/ [1]

A vtr **1** (faire tomber) to knock over [*meuble, bouteille, vase, seau*]; [*automobiliste, véhicule*] to knock down, to run over [*piéton, cycliste*]; [*manifestants*] to topple [*statue*]; [*manifestants, vandales*] to overturn [*voiture*]; [*vague*] to overturn [*bateau*]; **il courait sans regarder devant lui et a renversé une vieille dame** he was running without looking where he was going and knocked over an old lady; **2** (répandre) to spill [*liquide, contenu*]; **~ du vin sur la moquette** to spill wine on the carpet; **il m'a renversé du jus sur la manche** he spilled some juice on my sleeve; **3** (mettre à l'envers) to turn [sth] upside down [*sablier, flacon*]; **4** (pencher) **~ la tête en arrière** to tip ou tilt one's head back; **~ le buste en arrière** to lean back; **5** (inverser) to reverse [*termes, ordre, situation, rôles, tendance*]; Phys to invert, to reverse [*image*]; Math to invert [*fraction*]; Électrotech to reverse [*courant*]; **6** Pol (mettre fin à) (par la force) to overthrow, to topple [*régime, gouvernement, dirigeant*]; (par un vote) to vote [sth] out of office [*gouvernement, dirigeant, ministère*]; **7** ○(stupéfier) [*événement, nouvelle*] to stagger, to astound [*personne*]; **il avait l'air renversé par la nouvelle** he seemed staggered by the news

B **se renverser** vpr [*véhicule*] to overturn; [*bateau*] to capsize; [*objet, bouteille*] to fall over; [*liquide, contenu*] to spill

renvoi /ʀɑ̃vwa/ nm **1** (d'élève, étudiant, immigré, de joueur) expulsion (**de** from); (d'employé, ambassadeur) dismissal (**de** from); **~ de l'université/l'équipe** expulsion from the university/the team; **~ de l'usine/du gouvernement** dismissal from the factory/from the government; **~ pour indiscipline** Mil dismissal for insubordination; **~ d'un élève pour trois jours** suspension of a pupil from school for three days; **~ des immigrés dans leur pays** repatriation of immigrants to their own country; **2** (retour à l'expéditeur) return; **~ d'un colis/de marchandises** return of a parcel/of goods; **3** Sport (au tennis, ping-pong, volley-ball) return; (au football, rugby) clearance; **~ en touche** clearance into touch; **mauvais ~ d'un défenseur** poor clearance by a defender; **4** (report) gén postponement; Jur, Pol (envoi) referral (**devant** to); (ajournement) adjournment (**à** until); **~ de l'affaire devant la Cour d'appel** referral of the case to the court of appeal; **~ en commission d'un projet de loi** referral of a bill GB ou committal of a bill US to the competent committee; **demander le ~ de son procès** to ask for one's trial to be adjourned; **~ à huitaine** adjournment for a week; **~ d'une discussion à la prochaine session** postponement of a discussion until the next session; **5** (référence) (dans un dictionnaire, livre, fichier) cross-reference (**à** to); (dans un discours, une discussion) reference (**à** to); **6** Mus repeat sign; **7** (éructation) belch, burp○; **avoir un ~** gén to burp○; [*bébé*] to posset; **avoir des ~s** to belch, to burp○; **donner des ~s** [*nourriture, plat*] to repeat (**à** on)

(Composé) **~ temporaire de ligne** Télécom call diversion

renvoyer /ʀɑ̃vwaje/ [24] vtr **1** (relancer) to throw [sth] back [*projectile, ballon*]; (répercuter) to reflect [*lumière, chaleur*]; to echo [*son*]; **~ une image déformée** to reflect a distorted image; **2** (réexpédier) to return [*courrier, marchandises*]; **3** (faire retourner) to send [sb] back [*personne*]; **~ qn à l'école/à l'hôpital** to send sb back to school/to hospital GB ou to the hospital US; **~ qn dans son pays** to send sb back to his/her own country; **~ qn chez lui** or **dans ses foyers** to send sb home; **~ qn de bureau en bureau** to send sb from one office to another; **~ un projet de loi en commission** to send a bill to committee, to commit a bill US; **~ un patient à un spécialiste** to refer a patient to a specialist; **4** (expulser) to expel [*élève, étudiant, immigré, joueur*] (**de** from); to dismiss [*employé, ambassadeur*] (**de** from); **se faire ~ de son travail** to get oneself dismissed from one's job; **~ un élève pour trois jours** to suspend a pupil (from school) for three days; **5** (faire partir) to send [sb] away [*personne, hôtes*]; **6** Jur **~ un accusé** to discharge a defendant; **~ un accusé devant les assises** to send a defendant before the criminal court; **7** (ajourner) to postpone [*débat, décision*] (**à** until); to adjourn [*affaire*] (**à** until); **~ un projet sine die** to postpone a project indefinitely; ▸ **calendes**; **8** (faire se reporter) **~ à** to refer to; **l'astérisque renvoie aux notes** the asterisk refers to the notes; **~ le lecteur à un article/un livre** to refer the reader to an article/a book; **9** (faire référence) **~ à** to relate back to; **la notion de justice renvoie à la morale** the notion of justice relates back to ethics

réoccupation /ʀeɔkypasjɔ̃/ nf reoccupation

réoccuper /ʀeɔkype/ [1] vtr to reoccupy [*pays, local*]; to take up [sth] again [*poste*]

réorchestration /ʀeɔʀkɛstʀasjɔ̃/ nf reorchestration

réorchestrer /ʀeɔʀkɛstʀe/ [1] vtr to reorchestrate

réorganisation /ʀeɔʀganizasjɔ̃/ nf reorganization

réorganiser /ʀeɔʀganize/ [1]

A vtr to reorganize

B **se réorganiser** vpr [*personne*] to reorganize oneself; [*industrie*] to reorganize itself

réorientation /ʀeɔʀjɑ̃tasjɔ̃/ nf reorientation (**vers** toward, towards GB)

réorienter /ʀeɔʀjɑ̃te/ [1]

A vtr to reorientate [*élève, étudiant*] (**vers** toward, towards GB); to reshape [*politique*]; to reorientate [*fusée*]

B **se réorienter** vpr [*élève*] to transfer (**vers** to); [*étudiant*] to transfer (**vers** to) GB, to change majors US

réouverture /ʀeuvɛʀtyʀ/ nf reopening

repaire /ʀ(ə)pɛʀ/ nm (d'animal) den; (de brigands) den; (de trafiquants, terroristes) hideout

repaître*: **se repaître** /ʀəpɛtʀ/ [74] vpr **se ~ de qch** [*animal*] to feed on sth; [*personne*] to revel in sth

répandre /ʀepɑ̃dʀ/ [6]

A vtr **1** (mettre) to spread [*substance, matériau*] (**sur** on; **dans** in); to pour [*liquide*] (**sur** on; **dans** in); (accidentellement) to spill [*liquide*]; **~ du gravier dans une allée** to spread gravel on a path; **~ son contenu/un chargement** to empty its contents/a load; **2** (disperser) [*personne, vent*] to scatter [*graines, farine, déchets*]; **3** (propager) to spread [*nouvelle, sentiment, enseignement, religion*] (**dans, à travers** throughout); to give off [*chaleur, fumée, odeur*] (**dans** into); to distribute [*bienfait, richesse*]; **~ la bonne parole** to spread the good word; **~ la terreur** to spread terror

B **se répandre** vpr **1** (se propager) [*nouvelle, maladie, usage, enseignement, religion, substance, odeur*] to spread (**dans, à travers** throughout); **2** (déverser) **se ~ en invectives** to let out a stream of abuse (**contre** at); **se ~ en compliments/louanges** to be lavish with one's compliments/praise

répandu, **~e** /ʀepɑ̃dy/ adj (commun) widespread; **très** or **largement ~** very widespread; **peu ~** not very widespread

réparable /ʀepaʀabl/ adj **1** [*objet, appareil, montre, sac, dégâts*] repairable; **cette montre est-elle ~?** can this watch be repaired?; **c'est facilement/difficilement ~** it's easy/hard to repair; **ce n'est pas ~** it can't be repaired; **2** [*perte, faute*] which can be made up for (*épith, après n*); [*dommage, sottise, erreur*] which can be put right (*épith, après n*)

reparaître* /ʀ(ə)paʀɛtʀ/ [73] vi **1** (apparaître de nouveau) = **réapparaître**; **2** (être publié à nouveau) [*journal, hebdomadaire*] to be back in print; [*œuvre, texte*] to be republished

réparateur, **-trice** /ʀepaʀatœʀ, tʀis/

A adj [*repos, sommeil*] refreshing; [*crème, lotion, produit*] soothing; **crème réparatrice de nuit** night treatment cream

B ▸ p. 532 nm,f (d'appareil, de machine) engineer; **un ~ de télévision/machine à laver** a TV/washing machine engineer

réparation /ʀepaʀasjɔ̃/

A nf **1** (de montre, d'appareil, de machine) repairing, mending; (de véhicule, mur, bâtiment, route, d'avarie) repairing; (de vêtement, chaussure) mending; **la ~ de la télévision m'a coûté 100 euros** it cost me 100 euros to get the television repaired; **en dix ans une seule ~ a été effectuée sur cette machine** in ten years this machine has only been repaired once; **cela ne vaut pas la ~** it's not worth getting it repaired; **travaux de ~** repair work; **~ automobile/navale** car/naval repairs; **être en ~** [*bâtiment, maison, route*] to be under repair; **ma voiture/chaîne stéréo est en ~** my car/stereo is being repaired; **'en ~'** 'out of order'; **2** Jur (de tort, préjudice, dommage) compensation (**de** for); **demander/obtenir ~ de** to seek/to obtain compensation for; **en ~ de** to compensate for; **en ~ de la perte de** to compensate for the loss of; **en ~ de tout le mal que tu as commis** to make up for all the harm you've done; **3** (d'injustice) redress (**de** for)

B **réparations** nfpl **1** (travaux) repairs, repair work **₵**; **~s de qch** (de toiture, mur, charpente) repairs to sth; **~s de menuiserie/plomberie** carpentry/plumbing repairs; **grosses ~s** major repairs; **2** (dommages et intérêts) compensation; **1 000 euros de ~s** 1,000 euros compensation; **3** Hist Mil reparations

(Composé) **~ par les armes** duel; **demander ~ par les armes** to challenge sb to a duel

réparer /ʀepaʀe/ [1]

A vtr **1** (remettre en état) to repair [*bâtiment, véhicule, route, maison*]; to repair, to mend [*appareil, accroc, vêtement, chaussure*]; **donner ses chaussures à ~** to take one's shoes to be mended ou repaired; **~ sommairement qch** to patch sth up; **2** (compenser les effets) to put [sth] right [*erreur, injustice*] (**en faisant** by doing); to make up for [*oubli, maladresse*]; **tu n'arriveras jamais à ~ le mal que tu as fait** you'll never (be able to) make up for what you've done; **3** Jur (dédommager) to compensate for [*faute, préjudice, dommage, perte*] (**en faisant** by doing; **par** through); **4** (restaurer) **~ ses forces** to get one's strength (back)

B **se réparer** vpr **se ~ facilement** [*montre, machine, appareil*] to be easy to repair ou mend; **ça ne se répare pas** it can't be repaired ou mended

reparler /ʀ(ə)paʀle/ [1]

A vtr ind **1** (après interruption) **~ de** to discuss [sth] again (**à qn, avec qn** with sb); **on reparle de l'affaire de l'hôpital** the hospital scandal is in the news again; **nous reparlerons de ce problème demain** we'll come back to this problem again tomorrow; **on reparlera certainement de lui** he's definitely a name to look out for; **on en reparlera**○**!** you haven't heard the last of this○; **2** (après dispute) **~ à** to be back on speaking terms with

B **se reparler** vpr (après dispute) to speak to each other again

repartie* /ʀepaʀti/ nf rejoinder fml; **une vigoureuse ~** a spirited rejoinder; **elle a de la ~** she always has a ready reply; **avoir la ~ facile** or **l'esprit de ~** to have a quick wit

repartir /ʀ(ə)paʀtiʀ/ [30]

A vtr to retort (**que** that)

r

B *vi* 1 (quitter un endroit) to leave again; (regagner un lieu) to go back; **tu repars déjà?** you're leaving already?; **il est reparti chez lui** he's gone back home; 2 (après un arrêt) [*personne*] to set off again; [*machine*] to start again; [*bus*] to leave; [*emploi, secteur économique*] to pick up again; [*végétation*] to start to grow again; 3 (recommencer) **~ sur de nouvelles bases** to start all over again; **~ à zéro** to start again from scratch; **~ à la charge** to launch another offensive; **~ en campagne** to start campaigning again; **c'est reparti pour un tour** here we go again○!; **c'est reparti comme en 14**○ it' s taken off again

répartir /ʀepaʀtiʀ/ [3]
A *vtr* 1 (distribuer) to share [sth] out [*somme, biens, travail, financement, objets*] (**entre** among, between); to split [*bénéfices, frais*] (**entre** among, between); to distribute [*poids, masse, bagages*]; **~ des gens dans des salles** to dispatch up into several rooms; **~ des pays/peuples en plusieurs catégories** to divide countries/peoples into several categories; **~ les rôles** to distribute the roles; **être bien réparti** [*argent, tâches*] to be shared out evenly; [*poids, bagages*] to be evenly distributed; **les capitaux ont été mal répartis** the capital hasn't been shared out evenly; **~ un plan sur deux ans** to spread a plan over two years; **huit séances réparties sur toute l'année** eight sessions spread out over the year; **~ l'impôt** to spread taxes; 2 (étaler) to spread [*produit, crème*]
B se répartir *vpr* 1 (partager) [*personnes*] to share out, to split [*travail, avantages, tâche, objets*]; 2 (être distribué) [*personnes*] to divide up; [*dépenses, rôles, travaux, tâches*] to be split *ou* shared; [*voix, votes*] to be split; **se ~ en** [*personnes, objets, tâches, exemples*] to divide (up) into, to split up into; **se ~ autour/dans** [*personnes*] to spread out around/in

répartiteur /ʀepaʀtitœʀ/ *nm* distributor

répartition /ʀepaʀtisjɔ̃/ *nf* 1 (d'argent, de biens, travail, rôles) sharing out (**entre** among, between; **en** into); (de personnes, terres, d'emplois) dividing up (**entre** among; **en** into); (de l'impôt) distribution (**de** of); **la ~ des terres/personnes se fera** the land/people will be divided up; **la ~ des tâches doit se faire selon...** tasks should be distributed according to...; 2 (résultat) distribution; **la ~ des richesses** the distribution of wealth; 3 Math distribution

repas /ʀ(ə)pɑ/ *nm inv* meal; **faire un bon ~** to have a good meal; **~ de famille** family meal; **manger/boire en dehors des ~** *or* **entre les ~** to eat/drink between meals; **médicament à prendre pendant les ~** medicine to be taken with meals; **~ à la carte** à la carte meal; **~ de midi/du soir** midday/evening meal; **~ de noces** wedding breakfast; **~ de Noël** Christmas dinner; **~ d'affaires** (à midi) business lunch; (le soir) business dinner; **le ~ des anciens** *meal in honour*[GB] *of local senior citizens*; **il m'a téléphoné à l'heure du ~** he phoned me while I was eating; **téléphoner aux heures des ~** please call at mealtimes

repassage /ʀ(ə)pasaʒ/ *nm* 1 (tâche ménagère) ironing; **faire du ~** to do some ironing; 2 Tech (aiguisage) sharpening

repasser /ʀ(ə)pase/ [1]
A *vtr* 1 (avec un fer) to iron, to press [*vêtement, tissu*]; **~ à la vapeur** to iron with a steam iron; **~ les coutures à fer chaud** press the seams with a hot iron; **'~ à fer doux'** 'cool iron'; 2 (franchir de nouveau) to cross [sth] again [*pont, fleuve, frontière*]; 3 (se soumettre de nouveau à) to take [sth] again [*permis de conduire, oral*]; to retake, to resit GB [*examen écrit*]; 4 (donner, passer de nouveau) to pass [sth] again [*outil, sel*] (**à qn** to sb); **~ l'aspirateur** to vacuum again; **repasse la salade** (à toute la table) pass the salad round GB *ou* around US again; **~ un disque à qn** to play a record for sb again; **ils repassent 'les Liaisons dangereuses'** (au cinéma) 'Dangerous Liaisons' is on again, they're showing 'Dangerous Liaisons' again; **je te repasse Jean** (au téléphone) I'll pass you back to Jean; **je vous repasse le standard** I'm putting you back to the switchboard; **~ qch dans son esprit** to think back over sth; 5 ○(transmettre) to pass on [*virus*] (**à qn** to sb); to give [*rhume*] (**à qn** to sb); **~ un client à qn** to pass on a customer to sb; 6 (aiguiser) to sharpen [*ciseaux*]
B *vi* 1 (dans un même lieu) [*cyclistes, procession*] to go past again; **~ en voiture/en vélo** to drive/to cycle past again; **~ devant qch** (à pied) to go past sth again; (en voiture) to drive past sth again; **~ en courant** to run past again; **il passait et repassait devant ma maison** he was going up and down in front of my house; **~ par le même chemin** to go back the same way; **tu n'as pas besoin de ~ par Lyon** you don't have to go back through Lyons; **si tu repasses à Lyon, viens me voir** if you're ever back in Lyons, come and see me; **je repasserai demain** I'll call in again GB *ou* stop by tomorrow; **je dois ~ au bureau** I have to call in at the office again *ou* pop○ back into the office *ou* stop by at the office; **s'il croit que je vais accepter, il repassera**○ *or* **il peut toujours ~**○**!** if he thinks I'm going to agree, he's got another think coming○!; **~ en commission** to be re-examined by the commission; 2 (être montré, diffusé) **~ au cinéma/à Paris** [*film*] to be showing again at the cinema GB *ou* movies US/in Paris; 3 (pour terminer un travail) **quand elle fait la vaisselle, je dois ~ derrière elle** I always have to do the dishes again after she's done them; 4 (pour accentuer) **~ sur un trait** to go over a line; 5 Aut **~ en seconde/troisième** to go back into second/third gear; **~ au point mort** to go back into neutral
C se repasser *vpr* **cela se repasse?** can it be ironed?; **une chemise qui se repasse facilement** a minimum-iron shirt

repasseuse /ʀ(ə)pasøz/ ▸ p. 532 *nf* 1 (ouvrière) presser; 2 (machine) ironing machine

repaver /ʀ(ə)pave/ [1] *vtr* to repave

repayer /ʀ(ə)peje/ [21] *vtr* to pay [sth] again; **tu me repayes un coup à boire?** will you stand me another drink?

repêchage /ʀ(ə)peʃaʒ/ *nm* 1 (dans l'eau) recovery (*from water*); 2 Scol, Univ (de candidat) awarding of a pass by discretion GB, raising to a passing grade US; **examen** *or* **épreuve de ~** resit GB, retest US; **question (de) ~** supplementary question (*giving another chance to pass*)

repêcher /ʀ(ə)peʃe/ [1] *vtr* 1 (dans l'eau) to recover [*corps, véhicule*] (*from water*); to fish out [*objet*]; 2 Scol, Univ to award a discretionary pass to GB, to raise [sb] to a passing grade US [*candidat*]; Sport to allow to qualify

repeindre /ʀ(ə)pɛ̃dʀ/ [55] *vtr* to repaint

repenser /ʀ(ə)pɑ̃se/ [1]
A *vtr* to rethink [*travail, théorie, organisation*]; to take a fresh look at [*pratiques, système*]; **il faut ~ le lycée** we must take a fresh look at secondary schools
B repenser à *vtr ind* **~ à** to think back to [*enfance, vacances*]; to think again about [*discussion, anecdote*]; **maintenant que j'y repense, il était au courant** now I think about it again, he did know

repentant, **~e** /ʀ(ə)pɑ̃tɑ̃, ɑ̃t/ *adj* repentant

repenti, **~e** /ʀ(ə)pɑ̃ti/
A *adj* repentant
B *nm,f* penitent

repentir /ʀ(ə)pɑ̃tiʀ/
A *nm* 1 gén, Relig repentance; 2 Art pentimento
B se repentir [30] *vpr* 1 gén to regret (**de qch** sth; **d'avoir fait** having done); 2 Relig to repent (**de qch** of sth; **d'avoir fait** having done)

repérable /ʀ(ə)peʀabl/ *adj* gén that can be spotted (*après n*); Aviat, Mil that can be located (*après n*); **facilement ~** easy to spot *ou* to pick out; **difficilement ~** difficult to spot; Aviat, Mil difficult to locate

repérage /ʀ(ə)peʀaʒ/ *nm* Aviat, Mil location (**de** of); Cin finding a location (**de** for); **le ~ d'un lieu sur une carte** locating a place on a map

répercussion /ʀepɛʀkysjɔ̃/ *nf* 1 fig repercussion (**de** of; **sur** on), knock-on effect (**de** of; **sur** on); **la baisse du dollar a eu des ~s sur la Bourse** the fall in the dollar had a knock-on effect on the Stock Exchange; 2 (de choc) repercussion; (de son) reverberation

répercuter /ʀepɛʀkyte/ [1]
A *vtr* 1 (transmettre) to pass [sth] on [*information, mauvaise humeur, hausse, baisse*]; **la baisse de la TVA sera répercutée sur les tarifs des transports** the drop in VAT will be reflected in transport charges; **la hausse sera répercutée sur le client** the increase will be passed on to the customer; 2 Phys to send back [*son, onde*]
B se répercuter *vpr* 1 [*son*] to echo; [*augmentation, baisse, transformation*] to be reflected (**sur** in); 2 [*sentiment*] to have repercussions (**sur** on), to have a knock-on effect (**sur** on); **ses problèmes se répercutent sur son équilibre nerveux** his/her problems are affecting his/her nerves

reperdre /ʀ(ə)pɛʀdʀ/ [6] *vtr* to lose [sth] again

repère /ʀ(ə)pɛʀ/ *nm* 1 (balise, jalon) marker; (arbre, bâtiment) landmark; (encoche, trait) (reference) mark; (en arpentage) **~ de niveau** benchmark; **la statue sert de ~** the statue is a useful landmark; 2 (événement) landmark; (date) reference point; (référence) reference point, criterion; **la société a perdu ses ~s traditionnels** society has lost its traditional points of reference; **société sans ~s** society which has lost its bearings

repérer /ʀ(ə)peʀe/ [14]
A *vtr* 1 ○(discerner) to spot [*personne, erreur, endroit*]; **~ les lieux** to check out a place; **si tu ne veux pas te faire ~** if you don't want to get noticed *ou* to attract attention; **se faire ~ par la police** to be spotted by the police; 2 (situer) to locate [*avion, cible, ennemi*]; to pinpoint [*endroit précis*]; 3 (marquer) to mark [*niveau, alignement*]
B se repérer○ *vpr* 1 (s'orienter) lit, fig (dans un lieu, un livre) to get one's bearings; **je n'arrive pas à me ~ dans cette théorie** I can't make head or tail of this theory; **je n'arrive pas à me ~ dans tous ces documents/mensonges** I don't know where I am with all these documents/lies; 2 (se remarquer) [*erreur, qualité*] to stand out; **ça se repère facilement** it stands out clearly, it's easy to pick out *ou* to spot

répertoire /ʀepɛʀtwaʀ/ *nm* 1 (carnet) notebook with thumb index; 2 (liste) **~ téléphonique** (imprimé) telephone directory; (personnel) telephone book; **~ d'adresses** (imprimé) directory; (personnel) address book; **~ des métiers/fournisseurs** trade/suppliers directory; **~ alphabétique des métiers** trade directory in alphabetical order; 3 Mus, Théât repertoire; **inscrire un morceau/rôle à son ~** to add a piece/role to one's repertoire; **avoir tout un ~ d'anecdotes/d'insultes** fig to have an extensive repertoire of anecdotes/of insults; **une pièce du ~** Théât a stock play; **le ~ classique** Mus, Théât, Danse the classics; 4 Ordinat directory

répertorier /ʀepɛʀtɔʀje/ [2] *vtr* 1 (faire la liste de) to list [*titres, entreprises, informations*]; to index [*ouvrages*]; **non répertorié** unlisted; 2 (recenser) to identify [*espèces, cas, risques*]; **on a répertorié trois cas de rage** three cases of rabies have been identified; **un genre musical non répertorié** a musical genre that isn't in the standard repertoire

repeser /ʀ(ə)pəze/ [16] *vtr* to weigh [sth] again

répéter /Repete/ [14]
A vtr **1** (redire) to repeat; **voulez-vous ~, s'il vous plaît?** would you please repeat that?; **on ne saurait assez ~ que** it cannot be repeated often enough that; **répétez après moi** repeat after me; **faire ~ des élèves** to make pupils repeat aloud; **il se fait toujours ~ une question avant de répondre** he always asks for a question to be repeated before replying; **j'ai dû me faire ~ la question trois fois avant de comprendre** I had to have the question repeated three times before I understood; **~ qch à qn** to say sth to sb again, to tell sb sth again; **je ne me le suis pas fait ~ deux fois!** I didn't need to be told twice!; **répète (un peu pour voir)!** say that again!; **je l'ai dit et je le répète encore** I've said it once and I'll say it again; **tu répètes toujours la même chose** you keep saying the same thing over and over again; **je te répète que tu as tort** I keep telling you that you're wrong; **2** (rapporter) to tell; **ne le répète à personne** don't tell anyone; **elle répète tout à sa mère** she tells her mother everything she hears; **promets-moi de ne rien ~** promise me you won't say anything *ou* repeat this to anyone; **elle répète tout ce qu'on lui dit** she repeats everything you tell her; **3** (refaire) to repeat [*essai, expérience, geste*]; **attaques/menaces/tentatives répétées** repeated attacks/threats/attempts; **4** (rejouer) (pour harmoniser) to rehearse [*pièce*]; to rehearse for [*concert*]; (pour apprendre) to practise[GB] [*passage, morceau*]; **~ son rôle** to go over *ou* through one's lines; **5** (reproduire) to repeat [*forme, son, image*]; **thème/motif répété indéfiniment** theme/pattern repeated indefinitely
B **se répéter** vpr **1** (redire) (en rabâchant) to repeat oneself; (pour se rappeler) to repeat [sth] to oneself [*phrase, conseil*]; **tu l'as déjà dit, tu te répètes!** you've already said that, you're repeating yourself!; **je me répète tous les jours tes conseils** I repeat your advice to myself every day; **j'ai beau me ~ que** however often I tell myself that; **2** (se reproduire) [*phénomène, événement*] to be repeated; **le sinistre scénario s'est répété hier** the dreadful scenario was repeated yesterday; **cycle qui se répète tous les 60 ans** cycle which is repeated every 60 years; **l'histoire ne se répète pas** history doesn't repeat itself; **si ce genre d'accident se répète...** if this kind of accident happens again...; **que cela ne se répète pas!** don't let it happen again!

répétiteur, -trice /RepetitœR, tRis/ nm,f coach; (d'opéra) répétiteur

répétitif, -ive /Repetitif, iv/ adj [*tâche, geste*] repetitive; [*phénomène*] recurrent

répétition /Repetisjɔ̃/ nf **1** (dans un texte) repetition; **2** (de geste, d'erreur) repetition; **3** Mus, Théât (mise au point) rehearsal; **4** †(leçon particulière) (private) coaching; **donner des ~s à qn** to give private coaching to sb
(Composés) **~ des couturières** Théât dress rehearsal; **~ générale** Théât dress rehearsal; Mus final rehearsal; **~ technique** Théât technical rehearsal

répétitivité /Repetitivite/ nf repetitiveness

repeuplement /R(ə)pœpləmɑ̃/ nm **1** Géog repopulation; **2** (de forêt) reforestation (**en** with); **3** (de rivière) restocking (**en** with)

repeupler /R(ə)pœple/ [1]
A vtr **1** Géog to repopulate [*pays, ville, région*]; **2** Pêche, Chasse to restock [*étang, parc*] (**de** with); **3** Agric to reforest [*lieu*] (**en** with); **~ une forêt** to replant a forest
B **se repeupler** vpr Géog to become repopulated

repiquage /R(ə)pikaʒ/ nm **1** (de riz) transplanting; (de salade, géranium) pricking out; **2** (de bande, disque) rerecording; **3** (de photo) retouching ₵; **4** (de rue, cour) repaving; **5** Biol subculturing; **effectuer un ~** to subculture (**de qch** sth); **6** Imprim overprinting

repiquer /R(ə)pike/ [1]
A vtr **1** to transplant [*riz*]; to prick out [*salade, géranium*]; **2** (piquer encore) [*insecte*] to bite again; **3** to retouch [*photo*]; **4** to rerecord [*bande, disque*]; **5** to repave [*rue, cour*]; **6** Imprim to overprint; **7** Constr to key [*mur, paroi*]; **8** ◑(reprendre) [*voleur*] to pinch○ again [*objet*]; [*policier*] to nab○ again [*malfaiteur*]; **se faire ~** to get nabbed○ again
B ◑**repiquer à** vtr ind **1** (reprendre) **~ au plat** to have another helping; **2** (recommencer) **~ au truc** to be at it again○

répit /Repi/ nm respite; **travailler sans ~** to work ceaselessly *ou* without respite; **il pleut sans ~ depuis deux jours** it has been raining continuously for two days; **j'ai eu un (moment de) ~ à l'heure du déjeuner** I had a break at lunch time; **leur travail ne leur laisse aucun ~** they never get a break from work; **accorder/s'accorder un instant de ~** to give/take a moment off (**pour faire** to do); **laisser un ~ de cinq jours à qn** to give sb five days' grace

replacer /R(ə)plase/ [12]
A vtr **1** (placer à nouveau) to put [sth] back, to replace [*objet*] (**dans** in; **sur** on); **on l'a replacé dans sa position initiale** it was put back in its original position; **2** fig (situer) **~ qch dans son contexte** to set sth back in context; **~ un débat dans un contexte international** to set a debate back in an international context; **3** (redonner un emploi) to find [sb] another job; **4** ○(citer à nouveau) to repeat, to trot out [sth] again [*blague, expression*]
B **se replacer** vpr **1** (retrouver un emploi) to find another job (**dans** in); **2** fig (s'imaginer) **se ~ dans une période/un contexte** to imagine oneself back in a period/context

replanter /R(ə)plɑ̃te/ [1] vtr **1** (changer de terre) to transplant [*rosier, arbre*]; **2** (après destruction) to replant [*arbre*]; **3** (reboiser) to replant [*parc, forêt*] (**en** with); **il faudra ~ pour éviter l'érosion** we must replant trees to avoid erosion

replat /Rəpla/ nm shelf

replâtrage○ /R(ə)plɑtRaʒ/ nm fig pej **leur réconciliation, c'est du ~**○ their reconciliation is just papering over the cracks

replâtrer /R(ə)plɑtRe/ [1] vtr **1** Constr to replaster [*mur*]; **2** fig to patch up [*groupe, union*]; **~ la situation financière** to paper over the cracks in the financial situation

replet, -ète /Rəplɛ, ɛt/ adj [*personne*] plump; [*visage, joues*] plump, chubby

réplétion /Replesjɔ̃/ nf (d'estomac) repletion; (de vessie) fullness

repleuvoir /R(ə)pløvwaR/ [39] v impers to rain again; **il repleut** it's raining again

repli /R(ə)pli/ nm **1** (double pli) double fold; **faire un ~ à qch** (sur un poignet) to fold sth back; (sur un rideau) to fold sth up; **2** (pli profond) fold; **les ~s du terrain/vêtement** the folds of the land/garment; **les ~s de sa conscience** fig the recesses of his/her conscience littér; **3** (recul) Mil **(mouvement de) ~** withdrawal (**sur** to); **effectuer un ~ stratégique/tactique** to effect a strategic/tactical withdrawal; **une position de ~** fig a fallback position; **on note un ~ des actionnaires sur les valeurs sûres** it has become apparent that shareholders are falling back on blue chip securities; **4** (mouvement de retrait) retreat; **après le ~ des manifestants devant la police** after the demonstrators retreated from the police; **~ sur soi(-même)** Psych withdrawal; **5** (régression) fall; **être en ~ de 10%** to be down 10%; **accuser un ~ de 10%** to show a fall of 10%; **le ~ du dollar/des exportations** the fall in the dollar/in exports

repliable /R(ə)plijabl/ adj folding (*épith*)

réplication /Replikasjɔ̃/ nf Biol replication

repliement /R(ə)plimɑ̃/ nm **~ (sur soi-même)** withdrawal

replier /R(ə)plije/ [2]
A vtr **1** (plier à nouveau) to fold up [*dépliant, plan*]; **2** (rabattre) to turn down [*page*]; to fold [sth] back [*drap*] (**sur** over); **3** (refermer) to fold up [*chaise-longue, éventail*]; to close [*parapluie, canif*]; **4** (remettre en place) [*personne*] to fold [*bras*]; **~ ses jambes** to tuck one's legs under; **~ ses ailes** [*oiseau*] to fold its wings; **5** Mil to pull back [*armée*]; to evacuate [*civils*]
B **se replier** vpr **1** [*lame, canapé-lit*] to fold up; **2** [*troupe, armée*] to withdraw (**sur** to; **dans** into); **3** **se ~ sur soi-même** [*personne*] to become withdrawn; [*institution, pays*] to shut itself off from the rest of the world

réplique /Replik/ nf **1** (riposte verbale) retort, rejoinder; **faire qch en ~ à un discours/une action** to do sth in response to a speech/an action; **il a la ~ facile** he's never stuck for an answer, he's always ready with an answer; **2** (objection) **faire qch sans ~** to do sth without arguing; **pas de ~!** don't answer back!, no arguments!; **argument sans ~** irrefutable argument; **3** Théât line; **oublier une ~** to forget a line; **supprimer quelques ~s** to cut some lines; **donner la ~ à qn** (pour faire apprendre un rôle) to go through sb's lines with them; (dans une représentation) to play opposite sb; **manquer sa ~** to miss one's cue; **les deux politiciens se sont donné la ~ pendant une heure** there was an hour-long sparring session between the two politicians; **4** (copie) Art replica; (personne) **elle est la ~ de sa mère** she is the image of her mother; **5** Géol aftershock

répliquer /Replike/ [1]
A vtr **1** (répondre) to retort; **'jamais,' répliqua-t-elle** 'never,' she retorted; **elle répliqua que ce n'était pas possible** she retorted that it wasn't possible; **elle m'a répliqué que je mentais** she retorted that I was lying; **2** Biol to replicate
B **répliquer à** vtr ind **~ à qn** (en objectant) to argue with sb; **il n'aime pas qu'on lui réplique** he doesn't like to be argued with; **~ à** to respond to [*objections, critique, attaques*]
C vi **1** (verbalement) to answer back; **ne réplique pas!** don't answer back!, don't argue!; **2** (par une action) to retaliate, to respond; **~ en lançant une bombe** to respond by dropping a bomb

replonger /R(ə)plɔ̃ʒe/ [13]
A vtr **~ qch dans l'eau** to plunge sth back into the water; **~ le pays dans le désordre/la misère** fig to plunge the country back into chaos/poverty
B vi **1** [*nageur*] to dive again (**dans** into); **2** fig **~ dans la dépression/le désespoir** to plunge *ou* sink back into depression/despair; **il a replongé**○ **après la mort de son père** after his father's death he sank back into depression
C **se replonger** vpr **se ~ dans son travail/sa lecture** to immerse oneself in one's work/one's book again

répondant, ~e /Repɔ̃dɑ̃, ɑ̃t/ nm,f **1** (d'une personne) referee; Fin, Jur (caution) surety, guarantor; **être le ~ de qn** Fin, Jur to stand surety *ou* guarantor for sb; (pour références) to be sb's referee; fig to vouch for sb; **2** Relig server
(Idiome) **avoir du ~**○ (de l'argent) to have money; (de la repartie) to be good at repartee

répondeur /Repɔ̃dœR/ nm Télécom **~ (téléphonique)** (telephone) answering machine, answerphone

répondre /Repɔ̃dR/ [6]
A vtr **1** (dire, écrire) to answer, to reply; **~ une injure** to answer *ou* reply with an insult; **~ une bêtise** to give a silly answer *ou* reply; **je n'ai rien répondu** I didn't reply, I didn't say anything in reply; **tu réponds n'importe quoi** you just give any answer that comes into your head; **mais enfin, réponds quelque chose!** well, for heaven's sake, say something!; **réponds-leur que je m'en occupe** tell them I'm dealing with it; **je me suis vu ~ que, il m'a été répondu que** I was told that; **tu me demandes si c'est possible et je te réponds que oui/non** you're asking me if it is possible, and I'm telling you it is/isn't; **que peut-elle ~ à cette accusation?** how can

she answer the accusation?; **qu'as-tu à ~ (à cela)?** what's your answer (to that)?, what do you have to say to that?; **il m'a répondu que** he answered that, he replied (to me) that; **qu'est-ce qu'il t'a répondu?** what was his answer?; **bien répondu!** well said!
2 Relig to respond [*messe*]

B répondre à *vtr ind* 1 (être conforme à) **~ à** to answer, to meet [*besoin, exigences*]; to fulfil [*souhait, désir*]; to answer, to fit [*signalement*]; to come up to, to meet [*attente, espérances*]; **pour ~ aux nouvelles règles** in order to conform to the new ruling; **la maison ne répond pas à leurs exigences** the house falls short of *ou* does not meet their requirements; **ça ne répond pas à mon attente** it falls short of *ou* does not come up to my expectations; **le château répond à l'idée que je m'en faisais** the castle is just as I imagined it
2 (agir en retour) **~ à** to respond to [*avances, appel, critique, attaque*]; to return [*affection, salut, politesse*]; to deal with [*situation, frustrations*]; **~ aux critiques de qn par le mépris** to treat sb's criticism with contempt; **~ à un sourire** to smile back; **~ à la violence par la violence** to meet violence with violence

C répondre de *vtr ind* (servir de caution) **~ de qn** to vouch for sb; Fin, Jur to stand surety for sb; **~ d'une action** to answer for an action; **je réponds de lui/son honnêteté** I can vouch for him/his honesty; **~ de ses actes devant la justice** to answer for one's actions in court; **il doit ~ des dettes de sa femme** he is liable for his wife's debts; **je ne réponds plus de rien** it's out of my hands from now on; **ça sera fini, j'en** *or* **je vous en réponds**○ it will be finished, take my word for it *ou* you can be sure of that

D *vi* 1 (donner une réponse) **~ à** to reply to, to answer [*personne, question, lettre*]; to reply to [*ultimatum*]; **~ à un questionnaire** to fill in a questionnaire; **~ à un chef d'accusation** Jur to answer a charge; **~ par oui ou par non** to answer yes or no; **si le téléphone sonne, réponds** if the telephone rings, answer it; **~ par écrit/par lettre/par téléphone** to reply in writing/by letter/by phone; **il m'a répondu par une longue lettre** he sent me a long letter back *ou* in reply; **je n'ai pas encore répondu à ta lettre** I've not written back to you yet; **~ par un sourire/clin d'œil** to answer with a smile/wink; **~ en levant les bras au ciel** to throw up one's hands by way of reply *ou* of an answer; **j'attends qu'il réponde** I'm waiting for his reply; **seul l'écho me répondit** there was no answer but an echo; **la flûte répond au piano** the flute answers the piano
2 (se manifester) **~ au téléphone/à la porte** to answer the phone/the door; **ça ne répond pas** there's no answer *ou* reply
3 (être insolent) **~ à qn** to answer sb back GB, to talk back to sb; **ose ~!** just you say a word!
4 liter (se nommer) **elle répond au (doux) nom de Flore** she answers to the (charming) name of Flore
5 (réagir) Physiol, Tech [*mécanisme, organe, muscle*] to respond (**à** to); **la direction n'a pas répondu** Aut the steering failed; **les freins ne répondent plus** the brakes have failed *ou* aren' t working any more

E se répondre *vpr* 1 (se faire pendant) [*parterres, fontaines*] to match
2 (se faire entendre) [*oiseaux*] to call to each other; [*instruments de musique*] to answer each other

répons /ʀepɔ̃/ *nm inv* Relig response

réponse /ʀepɔ̃s/ *nf* 1 (à une question, lettre, objection) answer (**à** to), reply (**à** to); (à un questionnaire) reply; **~ à une accusation** answer to an accusation; Jur answer to a charge; **la ~ est oui** the answer is yes; **pour toute ~ il haussa les épaules** his only reply *ou* response was to shrug his shoulders; **en ~ à votre question** in answer *ou* reply to your question; **en ~ à votre lettre** in reply to your letter; **ma lettre est restée sans ~** my letter remained unanswered; **télégramme avec ~ payée** reply paid telegram; ▸ **berger**; 2 (solution) answer (**à** to); 3 (réaction) response (**à** to); **en ~ à notre appel télévisé** in response to our televised appeal; **temps de ~** response time; **la ~ du public/marché a été favorable** the public/market has responded favourably[GB]; 4 Mus answer

(Composés) **~ manuelle** manual answering; **~ de Normand** noncommittal reply; **~ des primes** Fin declaration of options

(Idiome) **avoir ~ à tout** to have all the answers, to have an answer for everything

repopulation /ʀ(ə)pɔpylasjɔ̃/ *nf* repopulation

report /ʀ(ə)pɔʀ/ *nm* 1 (de procès) adjournment (**à** until); (de rendez-vous, départ, mariage, réunion, d'inscription, élection) postponement (**à** to, until); (de jugement) deferment (**à** to, until); **le ~ de la date d'examen a contrarié beaucoup de gens** the fact that the date of the exam was put back upset a lot of people; 2 (de dessin, d'image) transfer (**sur** onto); 3 (aux élections) transfer; **le ~ des voix au bénéfice de** *or* **en faveur de** the transfer of votes to; 4 (de somme) carrying forward; (somme reportée) amount carried forward; **faire le ~ d'une somme** to carry a sum forward

(Composé) **~ d'incorporation** Mil deferment of military service

reportage /ʀ(ə)pɔʀtaʒ/ *nm* 1 Presse, TV, Radio report (**sur** on); **lire notre ~ page 18** read our report on page 18; **~ télévisé/radio** television/radio report; **partir en ~** to go to cover a story; **rentrer de ~** to come back from covering a story; 2 (technique) reporting; **les techniques du ~** the techniques of reporting; **un spécialiste du ~** an expert reporter

(Composé) **~ photo(graphique)** photo-reportage

reporter¹ /ʀ(ə)pɔʀte/ [1]

A *vtr* 1 (différer) to put back [*date*] (**à** to); to postpone, to put back [*rendez-vous, événement*] (**à** until); to extend [*délai*] (**à** to); to postpone [*départ, match*] (**à** until); to defer [*jugement*] (**à** until); **~ une décision** to postpone making a decision; **~ son départ d'une semaine** to postpone one's departure by a week; **~ la réunion de lundi à vendredi** to postpone Monday's meeting until Friday; 2 (copier sur un autre support) to carry forward [*calcul, résultat*]; to copy out [*texte, nom*]; to transfer [*dessin, photo*]; **~ des noms sur une liste** to copy out names on a list; 3 (déplacer) **~ un paragraphe/chapitre en début d'un texte** to move a paragraph/chapter to the beginning of a text; 4 (aller remettre) to take [sth] back [*marchandise, objet*]; **~ un livre à la bibliothèque** to take a book back to the library; 5 (dans le passé) **cela nous reporte longtemps en arrière** that's going back a long time; **~ qn plusieurs années en arrière** to take sb back several years; 6 (transférer) to transfer [*affection*] (**sur** to); **~ des voix sur un autre candidat** to transfer votes to another candidate; **~ son agressivité sur qn** to take one's aggression out on sb; 7 (porter à nouveau) to wear [sth] again [*vêtement, chapeau*]

B se reporter *vpr* 1 **se ~ à** (consulter) to refer to, to see; **reportez-vous à la page 3** refer to page 3; **reportez-vous au règlement** refer to the rules; 2 (revenir en pensée) **se ~ à** to think back to, to cast one's mind back to; **reportez-vous aux jours précédant le meurtre** cast your mind back to the days leading up to the murder; 3 (être transféré) [*affection*] to be transferred (**sur** to); [*voix*] to be transferred (**sur** to)

reporter² /ʀ(ə)pɔʀtɛʀ/ ▸ **p. 532** *nm* Presse, TV reporter; **une femme ~** a woman reporter; **un grand ~** a special correspondent

reporter-cameraman, *pl* **reporters-cameramen** /ʀ(ə)pɔʀtɛʀkameʀaman, mɛn/ ▸ **p. 532** *nm* reporter and cameraman

reporter-photographe, *pl* **reporters-photographes** /ʀ(ə)pɔʀtɛʀfɔtɔgʀaf/ ▸ **p. 532** *nm* press photographer

reporteur /ʀ(ə)pɔʀtœʀ/ ▸ **p. 532** *nm* TV, Presse reporter

repos /ʀ(ə)po/ *nm inv* 1 (inactivité, délassement) rest; **s'accorder du ~** to have a rest; **s'accorder un instant de ~** to have a little rest; **observez un ~ complet pendant six semaines** you must have six weeks of complete rest; **après un jour/une heure de ~** after a day's/an hour's rest; **mon jour de ~** (sans travail) my day off; **ce n'est pas de tout ~** it's no easy task, it's no picnic○; **sans ~** [*travailler*] without respite; [*voyager*] constantly; [*marcher*] without stopping; **muscle au ~** relaxed muscle; **machines au ~** machines which are not working; **terres au ~** fallow land; **~!** Mil at ease!; **soldats au ~** soldiers standing at ease; 2 (absence de soucis) peace littér; **chercher/trouver le ~** to search for/to find peace; **troubler le ~ des morts** to disturb the slumbers of the dead

(Composés) **~ compensateur** *extra time off for extra hours worked*; **le ~ éternel** euph eternal rest

reposant, **~e** /ʀ(ə)pozɑ̃, ɑ̃t/ *adj* [*occupation*] peaceful, restful; [*lumière*] soothing; [*position, lecture*] relaxing

repose /ʀ(ə)poz/ *nf* (de moquette) relaying; **la ~ d'une vitre** putting in a new windowpane

reposé, **~e** /ʀ(ə)poze/

A *pp* ▸ **reposer**

B *pp adj* **avoir les traits ~s** *or* **le visage ~** to look rested; **lire qch à tête ~e** to read sth at one's leisure

repose-pied, *pl* **~s** /ʀ(ə)pozpje/ *nm* footrest

reposer /ʀ(ə)poze/ [1]

A *vtr* 1 (d'une fatigue) to rest [*jambes, esprit*]; **cela me repose de mon travail habituel** it's a rest from my usual work; **cela repose de ne pas parler** saying nothing can be restful; **lumière qui repose** soothing light; 2 (appuyer) **~ sa tête sur qch** to rest one's head on sth; **~ sa tête sur l'épaule de qn** to rest *ou* lean one's head on sb's shoulder; 3 (placer) to put [sth] down [*téléphone, verre*]; (à nouveau) to put [sth] down again [*bibelot*]; **~ qch à sa place** to put sth back in its place *ou* where it belongs; 4 (soulever à nouveau) to ask [sth] again [*question*]; **cela repose le problème du chômage** this raises the problem of unemployment again; **~ sa candidature** (pour un emploi) to reapply; 5 (fixer de nouveau) to re-lay [*moquette*]; **~ une vitre** to put in a new pane of glass

B *vi* 1 (être enterré) **qu'elle repose en paix** may she rest in peace; **où reposent de nombreux soldats** where many soldiers are buried; **le corps/le défunt repose dans la chambre funéraire** the body/the deceased man is lying in the funeral parlour[GB]; **'ici repose Victor Hugo'** (sur tombe) 'here lies Victor Hugo'; 2 (être inactif) **laisser ~ la terre** to rest the land; **la nature repose** liter nature is at rest littér; 3 [*navire, épave*] to lie; 4 Culin **puis laisser ~** [*pâte*] then let it rest; 5 **~ sur** [*idée, expérience*] to be based on; **le bâtiment repose sur...** the building is built on...; **la poutre repose sur...** the beam is supported by...; **tout repose sur elle** (être sa responsabilité) it all rests with her

C se reposer *vpr* 1 (d'une fatigue) to have a rest, to rest; **repose-toi bien** have a good rest; **laisser ~ son cheval** to let one's horse rest; 2 (faire confiance, avoir besoin de) **se ~ sur qn** to rely on sb; 3 (à nouveau) [*montgolfière, avion*] to touch down again; **le problème va se ~** the problem will recur

repose-tête* /ʀ(ə)poztɛt/ *nm inv* 1 gén head rest; 2 Aut head restraint

r

repositionnable /ʀəpɔzisjɔnabl/ *adj* movable, repositionable

repositionner /ʀəpɔzisjɔne/ [1] *vtr* to move, to reposition

reposoir /ʀ(ə)pozwaʀ/ *nm* Relig altar of repose

repoussage /ʀ(ə)pusaʒ/ *nm* Tech repoussé work

repoussant, **~e** /ʀ(ə)pusɑ̃, ɑ̃t/ *adj* [*laideur*] hideous; [*saleté, odeur*] revolting; **être ~ de laideur** to be hideously ugly

repousse /ʀ(ə)pus/ *nf* 1 (de cheveux, d'herbe) regrowth; 2 Agric (jeune pousse) new growth

repousser /ʀ(ə)puse/ [1]
A *vtr* 1 (remettre en place) to push [sth] back into [*tiroir*]; to push [sth] to [*verrou, porte, fenêtre*]; to push back [*meuble, objet*]; **~ la porte d'un coup de pied** to kick the door to *ou* shut; 2 (déplacer, éloigner) to push away [*papiers, livres, objets*]; to push back [*mèche de cheveux*]; 3 (obliger à reculer) to push *ou* drive back [*individu, attaquant, foule, manifestants, animal*]; Mil to repel [*attaquant*]; **il faut ~ l'ennemi hors de nos frontières** we must push the enemy back beyond our borders; 4 (s'opposer avec succès à) to repel [*attaque, charge, offensive*] (**de** with); to fight off, to resist [*tentation, tentative*]; 5 (rejeter) to dismiss [*objection, argument, conseil, offre*]; to decline [*aide*]; to turn down [*demande, requête, candidature*]; to reject [*candidat*]; **~ les avances de qn** to spurn sb's advances; 6 (dégoûter) [*physique, manière, saleté, odeur*] to revolt; 7 (différer) to postpone, to put [sth] back [*départ, rendez-vous*] (**jusqu'à** until); to put GB *ou* move [sth] back, to defer sout [*date*] (**jusqu'à** until); to postpone [*événement*] (**jusqu'à** until); **~ une réunion du lundi au vendredi** to postpone a Monday meeting until Friday; **~ son départ d'un mois** to put one's departure back by a month; 8 Tech to decorate [sth] with repoussé design [*cuir, métal*]; **en cuir/métal repoussé** in *ou* made of repoussé leather/metal
B *vi* [*cheveux, barbe, herbe*] (après une coupe) to grow again; (après disparition) to grow back; [*feuille*] to grow again; [*dent*] to come up; **se laisser ~ la barbe/les cheveux** to let one's beard/hair grow (back) again
C **se repousser** *vpr* [*électrons, aimants*] to repel each other

repoussoir /ʀ(ə)puswaʀ/ *nm* 1 Tech (pour la pierre) burin; (pour le cuir) embossing tool; 2 Art (en peinture) repoussoir; 3 °(mettant en valeur) foil; **servir de ~ à** to act as a foil to; 4 °(personne très laide) ugly person

répréhensible /ʀepʀeɑ̃sibl/ *adj* [*geste, acte*] reprehensible; **moralement ~** morally reprehensible; **il n'y a rien de ~ à dire ce que tu penses** there's nothing wrong with speaking your mind; **dans l'accident le conducteur était ~** the driver was to blame for the accident

reprendre /ʀ(ə)pʀɑ̃dʀ/ [52]
A *vtr* 1 (se resservir) **~ du pain/vin** to have some more bread/wine; **je reprendrais bien de ce ragoût** I would love some more (of that) stew; **reprenez un peu de poulet** have some more chicken; **j'en ai repris deux fois** I had three helpings
2 (prendre de nouveau) to pick up again [*objet, outil*]; to take [sth] back [*cadeau, objet prêté*]; to retake, to recapture [*ville*]; to recapture [*fugitif*]; to go back on [*parole, promesse*]; (aller chercher) to pick [sb/sth] up, to collect [*personne, voiture*]; **il reprit son balai et continua son travail** he picked up his broom again and carried on GB *ou* continued with his work; **tu passes me ~ à quelle heure?** what time will you come back for me?; **~ sa place** (son siège) to go back to one's seat; **~ sa place de numéro un/deux** to regain one's position as number one/two; **j'ai repris les kilos que j'avais perdus** I've put back on the weight I'd lost; **~ son nom de jeune fille** to revert to one's maiden name
3 (accepter de nouveau) to take [sb] on again [*employé*]; to take [sb] back [*mari, élève*]; Comm to take [sth] back [*article*]; (contre un nouvel achat) to take [sth] in part GB *ou* partial US exchange; **si on me reprend ma vieille voiture** if I can trade in my old car, if they take my old car in part exchange; **les marchandises ne sont ni reprises ni échangées** goods cannot be returned or exchanged
4 (recommencer) to resume, to continue [*promenade, récit, conversation*]; to pick up [sth] again, to go back to [*journal, tricot*]; to take up [sth] again, to resume [*fonctions, études*]; to take up [sth] again [*lutte*]; to reopen [*hostilités*]; to revive [*pièce, opéra, tradition*]; **~ le travail** *or* **son service** (après un congé, une grève) to go back to work; **on quitte à midi et on reprend à 14 heures** we stop at 12 and start again at 2; **ils ont repris les travaux de rénovation** the renovation work has started again *ou* has resumed; **~ sa lecture** to go back to one's book, to resume one's reading; **~ (le chemin de) l'école** to go back to school; **on reprend le bateau ce soir** (après une escale) we're sailing again tonight; (pour le retour) we're sailing back tonight; **tu reprends le train à quelle heure?** (de retour) what time is your train back?; **~ la parole** to start speaking again; **~ le fil de son discours/ses pensées** to carry on with one's speech/one's original train of thought; **~ le fil de la conversation** to pick up the thread of conversation; **~ une histoire au début** to go back to the beginning of a story; **~ les arguments un à un** to go over the arguments one by one
5 (acquérir) to take over [*cabinet, commerce, entreprise*]; **~ une affaire à son compte** to take over a firm, to take a firm over
6 (surprendre de nouveau) **~ qn à faire qch** to catch sb doing sth again; **que je ne t'y reprenne plus!** don't let me catch you doing that again!; **on ne m'y reprendra plus** you won't catch me doing that again; **on ne me reprendra plus à lui rendre service!** you won't catch me doing him/her any favours[GB] again!
7 (recouvrer) **~ confiance** to regain one's confidence; **~ ses vieilles habitudes** to get back into one's old ways; **la nature reprend ses droits** nature reasserts itself; **elle a repris sa liberté** she's a free woman again; ▸ **bête**
8 (retoucher) to alter [*vêtement, couture*]; Constr to repair [*mur*]; **~ le travail de qn** to correct sb's work; **~ cinq centimètres en longueur/largeur** Cout to take sth up/in 5 cm; **il y a tout à ~ dans ce chapitre** the whole chapter needs re-writing
9 (utiliser de nouveau) to take up [*idée, thèse, politique*]; Littérat to re-work [*intrigue, thème*]; **~ une thèse à son compte** to adopt a theory as one's own
10 (répéter) to repeat [*argument*]; to take up [*slogan, chant*]; **reprenons à la vingtième mesure** Mus let's take it again from bar 20; **~ la leçon précédente** Scol to go over the previous lesson again; **tous les médias ont repris la nouvelle** all the media took up the report; **pour ~ le vieil adage** as the saying goes
11 (corriger) to correct [*élève*]; (pour langage grossier) to pull [sb] up; **permettez-moi de vous ~** excuse me, but that is not correct
12 (resurgir) **mon mal de dents m'a repris** my toothache has come back; **la jalousie le reprend** he's feeling jealous again; **les soupçons le reprirent** he began to feel suspicious again; **voilà que ça le reprend**°**!** iron there he goes again!
B *vi* 1 (retrouver sa vigueur) [*commerce, affaires*] to pick up again; [*plante*] to recover, to pick up; **les affaires ont du mal à ~** business is only picking up slowly; **mon camélia reprend bien** (après une maladie) my camellia is recovering nicely; (après transplantation) my camellia has taken nicely; **la vie reprend peu à peu** life is gradually getting back to normal
2 (recommencer) [*école, cours, bombardement, bruit, pluie*] to start again; [*négociations*] to resume; **le froid a repris** it's turned cold again; **la pluie a repris** it's started raining again; **nos émissions reprendront à 7 heures** Radio, TV we shall be back at 7 o'clock
3 (continuer) **'c'est bien étrange,' reprit-il** 'it's very strange,' he continued
C **se reprendre** *vpr* 1 (se corriger) to correct oneself; **se ~ à temps** to stop oneself in time
2 (se ressaisir) [*personne*] to pull oneself together; Fin [*action, titre*] to rally, to pick up
3 (recommencer) **s'y ~ à trois fois pour faire qch** to make three attempts to do *ou* at doing sth; **j'ai dû m'y ~ à plusieurs fois pour allumer le feu** it took me several attempts to get the fire going; **il se reprend à penser/espérer que c'est possible** he's gone back to thinking/hoping it might be possible; **se ~ à craindre le pire** to begin to fear the worst again

repreneur /ʀ(ə)pʀənœʀ/ *nm* Écon buyer; péj raider; (qui sauve l'entreprise) rescuer

représailles /ʀ(ə)pʀezaj/ *nfpl* gén, Mil, Pol reprisals (*pl*), (moins violentes) retaliation ¢ (**contre, à l'égard de** against; **de la part de** on the part of); **user de** *or* **exercer des ~ contre l'ennemi** to take reprisals against the enemy; **par** *or* **en ~** in retaliation; **par peur de ~** for fear of reprisals; **nous nous attendons à des ~ de leur part** we expect them to retaliate

représentable /ʀ(ə)pʀezɑ̃tabl/ *adj* **les résultats sont ~s par un graphique** the results can be shown in the form of a graph

représentant, **~e** /ʀ(ə)pʀezɑ̃tɑ̃, ɑ̃t/ *nm,f* 1 (délégué) (tous contextes) representative (**de** of); **~ syndical/des professeurs/du parti** trade union/teachers'/party representative; **~ des forces de l'ordre** police officer; 2 ▸ **p. 532** Comm sales representative, sales rep; **le ~ de la maison** *or* **marque Hachette** the Hachette representative; **~ en vins/produits de beauté** representative for a wine merchant/a cosmetics firm; 3 (type, modèle) representative; **~ d'une espèce** representative example of a species
(Composés) **~ de commerce** sales representative, sales rep; **~ exclusif** sole agent; **~ en justice** Jur legal representative; **~ multicarte** (sales) representative for several firms

représentatif, **-ive** /ʀ(ə)pʀezɑ̃tatif, iv/ *adj* 1 Pol [*assemblée, système*] representative; 2 (qui représente) representative (**de** of); **échantillon ~ de la population** representative cross-section *ou* sample of the population; **très/peu ~** very/not very typical (**de** of); **courbe représentative d'une fonction** curve representing *ou* which represents a function; **emblème/symbole ~ de la monarchie** emblem/symbol of the monarchy

représentation /ʀ(ə)pʀezɑ̃tasjɔ̃/ *nf* 1 (action de représenter) representation (**de** of); **~ d'un son par un symbole** representation of a sound by a symbol; **~ graphique** graphic representation; **~ en arbre** tree diagram; **~ spatiale d'un objet** three-dimensional representation of an object; 2 Théât (séance) performance; 3 Psych (perception, image mentale) perception; **~ auditive/intellectuelle** auditory/mental perception; 4 (rôle de mandataire, délégué) representation; (mandataires, délégation) representatives (*pl*); **~ proportionnelle/diplomatique/en justice** proportional/diplomatic/legal representation; **la ~ nationale** Pol the representatives of a country; **mandataire qui assure la ~ de son mandant** Jur proxy who represents his/her principal; 5 Comm (activité) (de distributeur) representation; (de voyageur de commerce) commercial travelling[GB]; **~ exclusive** sole agency; **faire de la ~** to be a sales representative *ou* rep

représentativité /R(ə)pRezɑ̃tativite/ *nf* representativeness; **la faible ~ d'un syndicat** the weak representation of a union; **reconnaître la ~ d'un syndicat/parti** to acknowledge that a union/party is representative; **partis ayant fait la preuve de leur ~** parties having proved their status as representatives

représenter /R(ə)pRezɑ̃te/ [1]
A *vtr* 1 (figurer) [*tableau, dessin*] to depict, to show; [*peintre*] to depict [*paysage, scène, milieu, situation*]; to portray [*personne*]; **le décor représente un jardin** Théât the scene shows a garden; **le peintre l'a représenté en empereur romain** the painter has portrayed him as a Roman emperor; **on l'a représenté comme un héros** he has been portrayed as a hero; 2 (exprimer) to represent; **~ les sons par des symboles** to represent sounds by symbols; **que représente ce signe?** what does this sign represent?; **face au reste, il représente la modération** compared to the rest, he represents the moderate position; **elle représente bien l'esprit de son époque** she typifies the spirit of her age; 3 (équivaloir à) to represent; (signifier) to mean; **le prix d'une voiture représente deux ans de salaire** a car represents two years' salary; **cela représente trop de sacrifices/frais** it means too many sacrifices/too much expense; **il représente, à leurs yeux, le parfait employé** in their eyes he is the perfect employee; **les enfants représentent les deux tiers de la population** children make up two thirds of the population; **le vin représente 60% de la consommation d'alcool** wine accounts for 60% of alcohol consumption; **ce qui, à mes yeux, représente un exploit** which, to my mind, is a considerable achievement; 4 (être mandataire de) to represent [*personne, communauté, organisation*]; **se faire ~ par** to be represented by; **~ la France à l'ONU/un congrès** to represent France at the UN/a conference; **~ qn auprès d'un tribunal** to represent sb in court; 5 Comm to represent [*entreprise*]; 6 Théât (jouer) to perform [*pièce*]; to put on [*spectacle*]; 7 (faire percevoir) fml **~ qch à qn** to point sth out to sb; **représentez-lui les avantages de ce contrat** point out the advantages of the contract to him/her
B se représenter *vpr* 1 (s'imaginer) to imagine [*conséquences, scène, personne*]; **je me représente comment ça s'est produit** I can imagine how it happened; **on se la représente très bien en premier ministre** one can just see her as Prime Minister; **on a du mal à se le ~ en vaincu** it's hard to see him as a beaten man; **représentez-vous cette pauvre femme** just picture that poor woman; 2 (survenir à nouveau) [*occasion*] to arise again; [*problème*] to crop up again; **se ~ à qn** *or* **à l'esprit de qn** [*idée*] to occur to sb again, to cross sb's mind again; **lorsque l'occasion se représentera** next time the opportunity arises; **l'occasion ne se représentera pas** there won't be another opportunity; 3 (être à nouveau candidat) **se ~ à un examen** to resit GB *ou* retake an examination; **se ~ aux élections** to stand GB *ou* run US for election again

répressif, -ive /RepResif, iv/ *adj* [*action, régime, loi*] repressive; [*personne, éducation*] strict; **la psychiatrie répressive** psychiatric treatment involving restraint

répression /RepResjɔ̃/ *nf* 1 Pol, Jur suppression (**de, contre** of); **la ~ sanglante contre les opposants** the bloody suppression of opponents; **la ~ des substances dopantes/du banditisme** the suppression of drugs/of crime; **mesures de ~** repressive measures; **l'Office de la ~ des fraudes** the Fraud Squad; 2 Psych (d'élan, de pulsion) repression; (en psychanalyse freudienne) suppression

réprimande /RepRimɑ̃d/ *nf* gén, Mil reprimand; **faire de sévères ~s à qn** to reprimand sb severely (**pour** for)

réprimander /RepRimɑ̃de/ [1] *vtr* to reprimand (**qn d'avoir fait** sb for doing)

réprimer /RepRime/ [1] *vtr* to repress [*envie, nervosité, penchant*]; to suppress [*bâillement, sourire*]; to suppress [*révolte*]; to crack down on [*fraude, trafic*]

repris /R(ə)pRi/ *nm inv* **~ de justice** ex-convict; **un dangereux ~ de justice** a hardened criminal

reprisage /R(ə)pRizaʒ/ *nm* (de tissu) mending; (de chaussettes) darning

reprise /R(ə)pRiz/ *nf* 1 (récupération) (de ville, place forte) recapture; Jur (de concession, bien) repossession; **procédure de ~** Jur repossession proceedings; 2 (recommencement) (de travaux, cours, vols, dialogue, négociations, d'hostilités) resumption (**de** of); (de froid, mauvais temps) return (**de** of); (de pièce, film) rerun; (d'émission) Radio, TV repeat; (d'œuvre rarement jouée) revival; **~ du travail** resumption of work; (après une grève) return to work; **~ des cours le 10 mars** school starts again on 10 March; **à deux ~s** on two occasions, twice; **à plusieurs** *or* **maintes ~s** on several occasions, repeatedly, again and again; 3 Écon, Fin (nouvel essor) (de demande, production) increase (**de** in); (de commerce) revival (**de** of); **~ de la Bourse** stock market rally *ou* recovery; **la ~ économique/des affaires/des cours** economic/business/stock market recovery; **on assiste à une ~ de l'économie/du marché** we're seeing an upturn in the economy/in the market; **la ~ de l'emploi** the fall in unemployment; **les actions sont en ~ à 20 euros** shares are up at 20 euros; 4 Comm (de marchandise) return, taking back; (contre un nouvel achat) trade-in, part exchange GB; Comm, Écon (d'entreprise, de commerce) takeover, acquisition; **marchandise en dépôt avec ~ des invendus** goods on sale or return; **la maison ne fait pas de ~** goods cannot be returned; **donner une voiture en ~** to trade in a car; **accepter une voiture en ~** to take a car in part GB *ou* partial US exchange; **50 euros de ~ sur votre vieille machine à laver contre achat d'une neuve** 50 euros for your old washing machine when you buy a new one; **valeur de ~** part exchange GB *ou* trade-in value; 5 (dans l'immobilier) key money; **payer 1 000 euros de ~ au locataire partant** to pay the outgoing tenant 1,000 euros key money; 6 Aut acceleration ¢; **avoir de bonnes ~s** to have good acceleration; 7 Cout (de tissu) mend; (de chaussette, lainage) darn; **faire une ~ à qch** to mend [*tissu, robe*]; to darn [*chaussette, lainage*]; 8 Sport (en boxe) round; (au football) start of second half; (en escrime) bout; Équit riding lesson; **combat en 10 ~s** fight over 10 rounds; 9 (réutilisation) taking up; 10 Mus (phrase, signe, exécution) repeat; 11 Constr **faire la ~ d'un mur** to repair a wall
(Composés) **~ d'une entreprise par l'encadrement** management buyout; **~ d'une entreprise par les salariés, RES** employee buyout

repriser /R(ə)pRize/ [1] *vtr* to mend [*vêtement, rideau, accroc*]; to darn [*chaussette*]

réprobateur, -trice /RepRɔbatœR, tRis/ *adj* reproachful, disapproving

réprobation /RepRɔbasjɔ̃/ *nf* 1 gén disapproval, reprobation sout; **devant la ~ de qn** faced with sb's disapproval; 2 Relig reprobation

reproche /R(ə)pRɔʃ/ *nm* 1 (remontrance) reproach, reprimand; **faire** *or* **adresser des ~s à qn** to reproach *ou* reprimand sb (**sur, au sujet de** for); **j'ai un ou deux ~s à vous faire** I've one or two criticisms to make; **essuyer des ~s** to come under attack (**de la part de** from), to be criticized (**de la part de** by); **attitude qui mérite des ~s** reprehensible attitude; **un ton/regard de ~** a reproachful tone/look; **sans ~** beyond reproach; **sans peur et sans ~** liter dauntless; **sans vouloir vous faire de ~, soit dit sans ~** fml without wishing to criticize *ou* reproach you; 2 (critique) (à l'égard de qch) **faire des ~s à qch** to find fault with sth; **il n'y a aucun ~ à faire à cette maison** there's nothing wrong with this house; 3 liter **être un ~ permanent pour qn** to be a living reproach to sb

reprocher /R(ə)pRɔʃe/ [1]
A *vtr* 1 (parlant de personnes) **~ qch à qn** to criticize *ou* reproach sb for sth; **~ à qn sa malhonnêteté/son ingratitude/son égoïsme** to criticize *ou* to reproach sb for his/her dishonesty/ingratitude/selfishness; **qu'est-ce que tu lui reproches?** what have you got against him/her?; **je ne vous reproche rien, mais...** I'm not criticizing *ou* reproaching you but...; **on ne peut rien lui ~** he's/she's beyond reproach; **sur le plan personnel je n'ai rien à te ~** I've got nothing against you on a personal level; **pour ce qui est de votre travail il n'y a rien à vous ~** as far as your work goes, you are beyond reproach; **~ à qn de faire** (ponctuellement) to criticize *ou* to reproach sb for doing; **je lui reproche de ne jamais tenir compte des autres** I hate the way he/she never considers other people; **elle me reproche de ne jamais lui écrire** she complains that I never write to her; 2 (parlant de choses) **ce que je reproche à cette voiture c'est sa consommation d'essence** what I don't like about this car is its fuel consumption; **je n'ai rien à ~ à cette maison si ce n'est que...** the only thing I don't like about this house is that...; **est-ce que tu me reproches le pain que je mange?** so you even begrudge me a bit of bread!; **tu ne peux pas me ~ les erreurs des autres** you can't blame me for other people's mistakes; **qu'est-ce que tu reproches à ma cravate orange?** what's wrong with my orange tie?; **ce que je reproche à votre devoir c'est...** what's wrong with your paper is...; **il n'y a** *or* **je n'ai rien à ~ à votre devoir** there's nothing wrong with your paper; **les faits qui lui sont reprochés** the charges against him/her
B se reprocher *vpr* **se ~ qch** to blame *ou* reproach oneself for sth; **je n'ai rien à me ~** I've done nothing wrong; **se ~ de faire** to blame *ou* reproach oneself for doing

reproducteur, -trice /R(ə)pRɔdyktœR, tRis/
A *adj* 1 Biol [*organe, appareil, fonction*] reproductive; 2 Agric [*animal, vache, porc*] breeding (*épith*); **taureau ~** bull for service
B *nm* Agric breeding animal

reproductible /R(ə)pRɔdyktibl/ *adj* reproducible

reproductif, -ive /R(ə)pRɔdyktif, iv/ *adj* reproductive

reproduction /R(ə)pRɔdyksjɔ̃/ *nf* 1 Biol (d'animaux, de plantes) reproduction; (de bactéries) multiplication; **la ~ artificielle** assisted reproduction; 2 (action de copier) (d'objet, œuvre) reproduction; (de clé) duplication; **droit de ~** copyright; **droits de ~ réservés** all rights reserved; **toute ~ intégrale** *or* **partielle de ce livre est illicite** no part of this book may be reproduced; **~ interdite** no unauthorized reproduction *ou* copying; 3 (copie) reproduction, copy; 4 Tech (restitution) reproduction; **~ des sons** sound reproduction

reproduire /R(ə)pRɔdɥiR/ [69]
A *vtr* 1 (répéter) to repeat [*erreur, expérience*]; to imitate, to copy [*habitude, comportement*]; to recreate [*condition, milieu*]; to copy, to imitate [*geste*]; to reproduce [*son, voix*]; 2 (copier) to reproduce, to copy [*tableau, motif, meuble, photo*] (**sur** on); to duplicate [*clé*]; to reproduce [*texte, déclaration*] (**sur** on; **dans** in); to recreate [*style, condition, atmosphère*]; **sa déclaration sera reproduite dans les journaux** his/her declaration will be printed (in full) in the papers; **ils reproduisent à la craie/à l'encre des tableaux célèbres** they reproduce famous paintings in chalk/in ink; 3 Biol to breed [*animal, plante, espèce*]; 4 Tech (restituer) to reproduce [*son*]
B se reproduire *vpr* 1 Biol [*homme*] to reproduce; [*animal, plante*] to reproduce, to breed; 2 (se répéter) [*processus, changement, situation, phénomène*] to recur; [*faute, scandale, faits*] to

happen again, to recur; **pour éviter que ces faits ne se reproduisent** to make sure that this doesn't happen again; **si cela devait se ~...** if it were to happen again...; **et que cela ne se reproduise plus!** and don't let it happen again!

reprographie /ʀəpʀɔgʀafi/ *nf* (reproduction) reprography; (département) reprographics (+ *v sg*)

reprographier /ʀəpʀɔgʀafje/ [2] *vtr* to reproduce

réprouvé, **~e** /ʀepʀuve/ *nm,f* outcast

réprouver /ʀepʀuve/ [1] *vtr* to condemn

reps /ʀɛps/ *nm inv* Tex rep

reptation /ʀɛptasjɔ̃/ *nf* crawling ₵

reptile /ʀɛptil/ *nm* Zool reptile

reptilien, **-ienne** /ʀɛptiljɛ̃, ɛn/ *adj* reptilian

repu, **~e** /ʀəpy/
A *pp* ▸ **repaître**
B *pp adj* **1** (qui a bien mangé) replete (*jamais épith*); **~, il s'endormit** replete, he fell asleep; **je suis ~** I'm full; **les convives ~s** the well-fed guests; **l'animal ~ n'était plus à craindre** the animal had eaten its fill and was no longer dangerous; **2** fig **~ de** replete with; **~ d'honneurs/de plaisirs** replete with honours[GB]/pleasures; **elle est ~e d'art classique** she has had her fill of classical art

républicain, **~e** /ʀepyblikɛ̃, ɛn/
A *adj, nm,f* republican
B *nm* Zool social weaver

republier /ʀ(ə)pyblije/ [2] *vtr* to republish

république /ʀepyblik/ *nf* Pol republic; **après tout, on vit en ~** after all, it's a free country; **~ des lettres** republic of letters

République /ʀepyblik/ *nf* Géog, Hist Republic; **la ~ d'Irlande/du Bénin** the Republic of Ireland/of Benin; **la ~ française** the French Republic ▸ **cinquième**

répudiation /ʀepydjasjɔ̃/ *nf* **1** (d'épouse) repudiation; **2** (de droit, nationalité) renunciation (**de** of); **3** littér (d'engagement) reneging; (d'opinion, idée) repudiation; (de foi) renunciation

répudier /ʀepydje/ [2] *vtr* **1** to repudiate [*épouse*]; **2** to renounce [*droit, nationalité*]; **3** littér (rejeter) to renege on [*engagement*]; to repudiate [*idée, opinion*]; to renounce [*foi, croyance*]

répugnance /ʀepyɲɑ̃s/ *nf* **1** (aversion) repugnance; **~ pour** loathing of [*aliment, odeur, saleté, crasse, personne*]; disgust for [*comportement*]; loathing of, disgust for [*mensonge, violence*]; **avoir** *or* **éprouver de la ~ pour** to loathe *ou* detest [*aliment, odeur, idée, théorie*]; to find [sth] repugnant *ou* disgusting [*comportement, mensonge, violence*]; to find [sth] disgusting [*saleté*]; to find [sb] repugnant, to loathe [*personne*]; **je n'ai que de la ~ pour ce genre de personne** I feel nothing but disgust *ou* loathing for that sort of person; **inspirer de la ~ à qn** to fill sb with loathing *ou* disgust; **2** (hésitation) reluctance (**à faire** to do); **avec ~** reluctantly, with reluctance

répugnant, **~e** /ʀepyɲɑ̃, ɑ̃t/ *adj* [*personne*] repugnant; [*laideur, saleté, travail*] disgusting, revolting; [*lieu, milieu*] repugnant, disgusting; [*comportement*] disgusting, loathsome; [*œuvre, article, idée*] repugnant, loathsome; **être d'une laideur/saleté ~e** to be disgustingly ugly/dirty

répugner /ʀepyɲe/ [1]
A *vtr* [*nourriture, personne*] to be repugnant to, to disgust [*personne*]; **vivre ici me répugne** I loathe *ou* detest living here; **il me répugne profondément** I find him deeply repugnant
B **répugner à** *vtr ind* to be averse to [*tâche, effort, violence*]; **il ne répugne pas à la tâche** he is not averse to work; **~ à faire** to be reluctant to do, to be loath to do; **il ne répugne pas à faire** it doesn't bother him to do; **il ne répugne pas à mentir** he has no qualms about lying
C *v impers* **il me répugne de vous le dire, mais...** I hate to have to tell you, but...; **il me répugne de devoir faire** I am loath to do

répulsif, **-ive** /ʀepylsif, iv/
A *adj* gén, Phys repulsive
B Agric, Hort *nm* repellent; **~ à insectes** insect repellent

répulsion /ʀepylsjɔ̃/ *nf* **1** (répugnance) feeling of repulsion; **éprouver de la/un sentiment de ~ pour qn** to be repelled by sb; **il m'inspire de la ~** I find him repulsive; **2** Phys repulsion

réputation /ʀepytasjɔ̃/ *nf* **1** (honorabilité) reputation; **nuire à** *or* **ternir la ~ de qn** to damage sb's reputation; **2** (renom) reputation; **avoir bonne/mauvaise ~** to have a good/bad reputation; **se faire une ~** to make a name for oneself; **leur ~ n'est plus à faire** their reputation is well-established; **connaître qn/qch de ~** to know sb/sth by reputation; **sa ~ d'efficacité/de chanteur** his reputation for efficiency/as a singer; **avoir la ~ d'être** to have a reputation for being; **œuvre de grande ~** highly regarded work

réputé, **~e** /ʀepyte/ *adj* **1** (renommé) [*compagnie, école, club*] reputable; [*écrivain, peintre*] of repute; [*produit*] well-known; **~ pour qch** renowned for sth; **c'est l'avocat le plus ~ de Paris** he's regarded as the best lawyer in Paris; **elle n'est pas ~e pour sa bonté** she's not renowned for her kindness; **2** (tenu pour) **~ cher/honnête** considered to be expensive/honest; **il est ~ avoir une excellente cave** he is reputed *ou* reckoned to have an excellent cellar

requérable /ʀəkeʀabl/ *adj* [*créance, rente*] which must be collected in person (*épith, après n*)

requérant, **~e** /ʀəkeʀɑ̃, ɑ̃t/
A *adj* **partie ~e** claimant
B *nm,f* (qui sollicite) applicant; (qui réclame) claimant

requérir /ʀəkeʀiʀ/ [35] *vtr* **1** (solliciter) to request [*secours, protection*]; **2** (nécessiter) (au besoin) to call for [*qualité*]; (impérativement) to require [*soin, compétences, unanimité, preuve*]; **3** (réquisitionner) Admin to requisition [*voitures, chevaux*]; to conscript [*civils, travailleurs*]; **le maire peut ~ la force publique** the mayor can summon the police; **4** Jur to call for [*peine, inculpation*]; **pendant que le procureur requérait** while the prosecutor was making his closing speech *ou* summation US

requête /ʀəkɛt/ *nf* **1** (sollicitation) request; **à** *or* **sur la ~ de qn** at sb's request; **2** Jur petition; **déposer une ~** to file a petition; **adresser une ~ au juge** to petition the judge; **~ en faillite** petition in bankruptcy; **~ civile** *appeal to a Court against a judgment*

requiem /ʀekwijɛm/ *nm inv* requiem

requin /ʀ(ə)kɛ̃/ *nm* **1** (poisson) shark; **2** (personne cupide) shark

(Composés) **~ baleine** whale shark; **~ blanc** great white shark; **~ marteau** hammerhead (shark); **~ pèlerin** basking shark

requinquer○ /ʀ(ə)kɛ̃ke/ [1]
A *vtr* to buck [sb] up○; **ça (vous) requinque** [*boisson*] it peps you up○; [*repos, air frais*] it does you good
B **se requinquer** *vpr* to perk up○

requis, **~e** /ʀəki, iz/
A *pp* ▸ **requérir**
B *pp adj* **1** (nécessaire) [*patience, tact, conditions*] necessary; (exigé) [*diplôme, âge, conditions*] required; **satisfaire aux conditions ~es** to meet the requirements; **2** [*personne*] conscripted for forced labour[GB]
C *nm inv* Hist **les ~** *civilians conscripted for forced labour[GB] during German Occupation 1939–45*

réquisition /ʀekizisjɔ̃/ *nf* Admin, Mil (de biens, locaux) (officiellement) requisitioning; (officieusement) commandeering; (de personnes) conscription (*for forced labour[GB]*)

réquisitionner /ʀekizisjɔne/ [1] *vtr* Admin, Mil (officiellement) to requisition; (officieusement) to commandeer [*biens, locaux*]; to conscript [*ouvriers, civils*]; hum **elle m'a réquisitionné pour le ménage** she conscripted me to do the housework

réquisitoire /ʀekizitwaʀ/ *nm* **1** Jur (discours) closing speech for the prosecution (*requesting a specific sentence*); (acte écrit) information laid by public prosecutor (*to start criminal proceedings*); **2** (dénonciation) indictment (**contre** of)

RER /ɛʀəɛʀ/ *nm*: *abbr* ▸ **réseau**

rerouter /ʀəʀute/ [1] *vtr* to reroute

RES /ɛʀəɛs/ *nm* ▸ **rachat**

rescapé, **~e** /ʀɛskape/
A *adj* [*personne*] surviving
B *nm,f* survivor (**de** from)

rescousse: **à la rescousse** /alaʀɛskus/ *loc adv* **venir/aller à la ~ de qn** to come/go to sb's rescue; **appeler qn à la ~** to call to sb for help

réseau, *pl* **~x** /ʀezo/ *nm* **1** Tech (de fils, conduits, routes) network; **~ câblé/routier/de communications/de vente/électrique** cable/road/communications/sales/electricity network; **~ de transport** transport system; **~ hydrographique** river system; **sur l'ensemble du ~** throughout the network; **les abonnés du ~** Télécom telephone customers; **2** (de personnes) network; **~ d'espions/de trafiquants de drogue** spy/drugs ring; **3** Ordinat network; **~ local** local area network; **4** Phys **~ cristallin** crystal lattice; **~ de diffraction** diffraction grating; **5** Zool reticulum

(Composés) **~ express régional**, **RER** *rapid-transit rail system*; **~ numérique à intégration de services**, **RNIS** Integrated Services Digital Network, ISDN

> **RER**
>
> The rapid-transit rail network in the Paris area, run by the *RATP* and *SNCF*, and linked to the *métro*.

résection /ʀesɛksjɔ̃/ *nf* resection

réséda /ʀezeda/ *nm* mignonette, reseda spéc

réservataire /ʀezɛʀvatɛʀ/ *nmf* Jur *heir who cannot be completely disinherited*

réservation ➜📖 /ʀezɛʀvasjɔ̃/ *nf* (d'hôtel, de restaurant, spectacle, transport) reservation, booking GB; **j'ai fait trois ~s pour demain** (pour le théâtre) I've reserved *ou* booked GB three seats for tomorrow; (pour l'avion) I've reserved *ou* booked GB three seats on tomorrow's flight; (pour le restaurant) I've reserved *ou* booked GB for three for tomorrow; (pour le train) I've reserved *ou* booked GB three seats on the train tomorrow; (pour l'hôtel) I've reserved *ou* booked GB for three people for tomorrow night

réserve /ʀezɛʀv/ *nf* **1** (restriction) reservation (**au sujet de, à l'égard de** about); **le projet de loi suscite les plus grandes ~s dans l'opposition** the opposition have very strong reservations about the bill; **adhésion sans ~** unreserved support; **je me range sans ~ de votre côté** you have my unreserved support; **se confier à qn sans ~** to confide in sb totally; **avec une ~ importante** with one important condition; **sous ~ d'approbation du budget/de disponibilité/de changement** subject to budget approval/availability/alteration; **sous ~ que tout aille bien** provided everything goes well; **'sous (toute) ~'** (dans un programme) 'to be confirmed'; **je vous le dis sous toutes ~s** I'm telling you for what it's worth; **nouvelle donnée sous toutes ~s** unconfirmed news (report); **2** (provision) stock; **des ~s de sucre/d'eau** a stock of sugar/water; **faire des ~s de farine/sucre** to lay in a stock of flour/sugar; **~(s) d'argent** money in reserve; **j'ai toujours une bonne bouteille en ~** I always have a good bottle put by; **il a toujours une ou deux histoires drôles en ~** he's always got some funny story up his sleeve; **il peut sauter un repas, il**

➜📖 *voir* Correspondance anglaise

a des ~s he can afford to miss a meal; **3** École, Écon **~s de charbon/pétrole** coal/oil reserves; **~s d'eau** water supply (*sg*); **~s prouvées/probables/possibles** proved/indicated/inferred reserve; **4** (discrétion) reserve; **sortir de sa ~** to drop one's reserve; **manquer de ~** to be too outspoken; **garder une certaine ~ avec qn** to keep a certain distance with sb; **devoir** *or* **obligation de ~** Admin, Mil duty of confidentiality; **manquement à l'obligation de ~** breach of confidentiality; **5** (local de stockage) stockroom; **6** (section de bibliothèque) stacks (*pl*); (section de musée) storerooms (*pl*); **7** (territoire protégé) reserve; **~ naturelle/de chasse/de pêche** nature/game/fishing reserve; **~ ornithologique** bird sanctuary; **8** (territoire alloué) reservation; **~ indienne** Indian reservation; **9** Mil (réservistes) **la ~** the reserves (*pl*); **armée/officier de ~** reserve army/officer; **10** Art, Imprim blank; **laisser/garder en ~** to leave/to keep blank

(Composés) **~ alcaline** alkali reserve; **~ légale** Compta legal reserve; Jur *portion of inheritance that cannot be witheld from legal heir*; **~ de puissance** power reserve; **~ statutaire** statutory reserve; **~s en devises** currency reserves; **~s métalliques** bullion reserves; **~s monétaires** monetary reserves; **~s nutritives** nutritional reserves; **~s récupérables** exploitable reserves

réservé, **~e** /ʀezɛʀve/
A *pp* ▸ **réserver**
B *pp adj* **1** (privé) [*chasse, pêche*] private; **2** (attribué) **~ à la clientèle** (reserved) for patrons only; **~ aux invalides** (reserved) for the disabled; **voie ~e aux taxis/autobus** taxi/bus lane; **'tous droits de traduction et de reproduction ~s'** Jur 'all rights reserved'; **'~'** 'reserved'; **3** (réticent) [*personne, caractère*] reserved; (réticent) [*attitude, propos*] reticent; [*accueil*] restrained; **se montrer ~ sur les résultats/le succès de qch** to be guarded about the results/success of sth

réserver /ʀezɛʀve/ [1]
A *vtr* **1** (retenir à l'avance) to reserve [*chambre, table*]; to reserve, to book GB [*place, billet*]; **'pour ~ s'adresser à l'accueil'** 'reservations can be made at reception'; **2** (mettre de côté) to keep [*place*]; to put aside [*journal, pain, marchandise*]; (faire mettre de côté) to reserve, to have [sth] put aside [*journal, pain, marchandise*]; **~ qch pour les grandes occasions** to keep sth for special occasions; **3** (garder pour plus tard) to set aside [*argent*]; to save [*énergie, explications*]; **est-ce que tu peux me ~ une heure cet après-midi?** can you set aside an hour for me this afternoon?; **4** (destiner) **~ un mauvais accueil à qn** to give sb a chilly reception; **~ un bon accueil à qn** to give sb a warm welcome; **sans savoir ce que l'avenir nous réserve** without knowing what the future has in store *ou* holds for us; **je leur réserve une (mauvaise) surprise** I've got a (nasty) surprise in store for them; **il ignorait le (triste) sort qui lui était réservé** he knew nothing of the sad fate that awaited him; **l'année passée m'a réservé bien des déceptions/surprises** last year was full of disappointments/surprises for me; **on lui a réservé la place d'honneur** he's the guest of honour[GB]; **l'honneur de présider la séance t'est réservé** you are to have the honour[GB] of chairing the meeting; **5** (remettre à plus tard) **~ son jugement** to reserve judgement[GB]; **~ son diagnostic** to defer diagnosis; **le patron réserve sa décision jusqu'à lundi** the boss is postponing his decision until Monday
B **se réserver** *vpr* **elle se réserve quelques instants de repos après le déjeuner** she sets aside a few minutes after lunch to relax; **se ~ la meilleure chambre/les meilleurs morceaux** to save the best room/the best bits for oneself; **se ~ le droit de faire** to reserve the right to do; **se ~ la faculté de faire** to keep the option open to do; **se ~ pour une meilleure occasion** to wait for a better opportunity; **se ~ pour le dessert** to save some room for dessert; **il se réserve pour la candidature à la présidence** he's saving himself for the presidential race

réserviste /ʀezɛʀvist/ *nmf* reservist

réservoir /ʀezɛʀvwaʀ/ *nm* **1** (cuve) gén tank; **~ à eau** water tank; **~ à essence** petrol tank GB, gas tank US; **~ de secours** reserve tank; **~ de stockage** storage tank; **2** (lac artificiel) reservoir; **3** fig (source) **~ de main-d'œuvre/compétences** reservoir of labour[GB]/ability

résidant, **~e** /ʀezidɑ̃, ɑ̃t/ *adj* resident

résidence /ʀezidɑ̃s/ *nf* **1** (maison) residence; **2** (domicile) place of residence; **changer de ~** to change one's place of residence; **établir sa ~ en France** to take up residence in France; **il faut 5 ans de ~ dans le pays** you must have been resident in the country for 5 years; **en ~ surveillée, assigné à ~** under house arrest; ▸ **certificat**; **3** (immeuble) (luxury) apartment building; **4** (groupe d'immeubles) residential development, apartment complex US

(Composés) **~ principale/secondaire** main/second home; **~ universitaire** (university) hall of residence GB, residence hall US

résidence-hôtel, *pl* **résidences-hôtels** /ʀezidɑ̃sotɛl/ *nm* residential hotel

résident, **~e** /ʀezidɑ̃, ɑ̃t/ *nm,f* **1** (étranger) foreign resident, resident alien US; **les ~s français en Italie** French nationals resident in Italy; **statut de ~ permanent** permanent resident status; **2** (habitant d'une résidence) resident; **3** (diplomate) resident

résidentiel, **-ielle** /ʀezidɑ̃sjɛl/ *adj* residential

résider /ʀezide/ [1] *vi* **1** (vivre) to reside sout, to live; **il réside à Paris/à cette adresse** he resides in Paris/at this address; **2** (se trouver) **~ dans qch** to lie in sth; **la difficulté réside en ce que** the difficulty lies in the fact that; **c'est là** *or* **en cela que réside la difficulté** that's where the difficulty lies

résidu /ʀezidy/ *nm* **1** (dépôt) Chimie, fig residue ₵; **~s de combustion** residue from combustion; **2** (reste) remnant; (détritus) waste ₵; **~s industriels** industrial waste

résiduel, **-elle** /ʀezidɥɛl/ *adj* residual; **valeur résiduelle** residual value

résignation /ʀeziɲasjɔ̃/ *nf* **1** (acceptation) resignation (**à** to); **sa ~ n'est qu'apparente** he only seems to be giving in; **2** (abandon) Jur relinquishment (**de** of)

résigné, **~e** /ʀeziɲe/ *adj* [*ton, air, remarques*] resigned; **être ~ à qch/à son sort** to be resigned to sth/to one's fate; **il est ~** he's resigned to it; **des gens ~s** people resigned to their fate

résigner /ʀeziɲe/ [1]
A *vtr* liter to relinquish [*fonction*]
B **se résigner** *vpr* to resign oneself (**à qch** to sth; **à faire** to doing); **je ne peux m'y ~** I can't resign myself to it; **dans la vie, il faut se ~** in life you have to learn to accept things

résiliable /ʀeziljabl/ *adj* [*contrat, bail*] which can be terminated (*épith, après n*)

résiliation /ʀeziljasjɔ̃/ *nf* (de contrat, bail) termination

résilience /ʀeziljɑ̃s/ *nf* (en métallurgie) impact strength

résilient, **~e** /ʀeziljɑ̃, ɑ̃t/ *adj* [*métal*] resilient

résilier /ʀezilje/ [2] *vtr* to terminate [*contrat, bail*]

résille /ʀezij/ *nf* **1** gén net; (pour cheveux) hairnet; **bas ~** fishnet stockings; **2** Tech (de vitrail) leads (*pl*)

résine /ʀezin/ *nf* resin

résiné /ʀezine/ *nm* resinated wine

résineux, **-euse** /ʀezinø, øz/
A *adj* resinous
B *nm inv* conifer

résistance /ʀezistɑ̃s/ *nf* **1** (opposition) resistance (**à** to); **se rendre sans ~ aux policiers** to give oneself up to the police without a fight *ou* without putting up any resistance; **~ passive/non-violente** passive/non-violent resistance; **faire de la ~** to resist; **la ~ au changement** resistance to change; **opposer** *or* **offrir une ~ à** to put up resistance to; **2** (groupe de personnes) resistance; **la Résistance** Hist the Resistance; **3** (fait de supporter physiquement) (de personne, soldat, sportif) resistance; (à la fatigue, douleur) resistance (**à** to); (de plante) hardiness; (de germe, cellule) resistance (**à** to); **athlète qui fait preuve d'une grande ~** athlete who has a lot of stamina; **manquer de ~** to lack stamina; **4** (fait de supporter moralement) resistance (**à** to); **5** Psych resistance (**à** to); **6** Phys (de matériau, métal) strength; (de tissu, d'appareil) strength; **~ à la corrosion** resistance to corrosion; **~ au choc** shock-resistance; **étudier la ~ des matériaux** to study the strength of materials; **~ de l'air** air *ou* wind resistance; **7** Électrotech (propriété) resistance; (conducteur) resistance, resistor; (d'appareil ménager) element; **une ~ de 75 ohms** a resistance *ou* resistor of 75 ohms; **une des ~s a grillé**° one of the elements has gone

la Résistance

The name given to the movement which was born in the aftermath of the armistice after the defeat of the French army by the Germans in June 1940. On 18 June General de Gaulle, broadcasting on the BBC from London, called on the French people to carry on the struggle. Meanwhile in Paris *Conseils a l'occupé* was secretly published by Jean Texcier. Isolated acts of resistance by ordinary people against the occupation developed into organized armed conflict with people from all sections of society taking part. The occupying forces tried to suppress the resistance movement with hostage-taking, torture, executions and reprisals, but by 1941 the *résistants* were making a significant contribution to the eventual liberation of France in 1944. Memorials throughout France recall their courageous exploits.

résistant, **~e** /ʀezistɑ̃, ɑ̃t/
A *adj* **1** [*personne, sportif, animal*] tough, resilient; [*plante*] hardy; **être ~ à** [*personne, animal*] to be able to stand [*effort, froid, chaleur, fatigue*]; to be resistant to [*maladie*]; [*plante, maladie, cellule*] to be resistant to; **2** (solide) [*matériau, métal*] resistant; [*tissu, vêtement, cuir, plastique*] hard-wearing; **~ à** resistant to [*haute température, usure*]; **~ à l'eau/la chaleur/la rouille** waterproof/heatproof/rustproof; **3** Hist Mil [*organisation, mouvement*] resistance (*épith*)
B *nm,f* Hist Mil resistance fighter; **il a été ~** he was in the Resistance

résister /ʀeziste/ [1] *vtr ind* **1** (s'opposer par la force) **~ à** to resist [*agresseur, assaut, attaque, occupation, régime*]; **le voleur a tenté de ~** the thief tried to resist arrest; **~ par la violence** to put up armed resistance; **~ par la non-violence** to resist by nonviolent means; **~ passivement** to use passive resistance; **2** (supporter physiquement) **~ à** [*personne, cœur, organe, animal*] to stand [*effort physique*]; to be able to stand [*soif, climat*]; [*matériau*] to withstand [*force, poussée, vent*]; [*mur, bâtiment, bateau*] to stand up to, to withstand [*force, poussée, corrosion, explosion*]; [*tissu, vêtement*] to stand [*lavage*]; [*bâtiment, mur, bois, objet*] to stand up to, to resist [*intempéries, chaleur, traitement*] ; **l'appareil ne résistera pas longtemps à un tel traitement** the machine won't last long if you treat it like that; **tissu qui résiste à des lavages fréquents** material that will stand frequent washing; **couleur qui résiste au soleil** colour[GB] that won't fade in the sun; **le bâtiment/mur n'a pas résisté** the

r

building/wall collapsed *ou* gave; **crème qui résiste à l'eau** waterproof cream; **matériau qui résiste à la chaleur/rouille** heatproof/rustproof material; **le coffre-fort a bien résisté** the safe remained intact; **rien ne lui résiste, il casse tout** he breaks everything in sight, and I mean everything!; 3 (supporter moralement) ~ **à** [*personne*] to get through, to endure [*épreuve, chagrin, tragédie*]; to bear [*angoisse*]; 4 (être plus fort que) ~ **à** [*amour, entente, amitié*] to withstand [*séparation, différences*]; to overcome [*conventions, opposition*]; [*économie, pays, régime, industrie*] to withstand [*crise, invasion, changement, grève, scandale*]; ~ **à la concurrence de** to stand the competition from; **le gouvernement n'a pas résisté à la pression de l'opinion** the government had to give in to public opinion; ~ **au temps** *or* **à l'épreuve du temps** to stand the test of time; **théorie qui ne résiste pas à l'analyse** theory that doesn't bear *ou* stand up to analysis; **leur amour a résisté à l'opposition de leurs parents** their love was stronger than their parents' opposition; 5 (tenir tête) ~ **à** to resist [*personne, influence, pression, charme*]; **il ne supporte pas qu'on lui résiste** he can't bear resistance; **personne ne peut lui** ~ nobody dares stand up to him/her; 6 (repousser) ~ **à la tentation** to resist temptation; **je n'ai pas pu ~, j'ai acheté un nouveau chapeau** I couldn't resist (it), I bought a new hat

résistivité /ʀezistivite/ *nf* resistivity

résistor /ʀezistɔʀ/ *nm* resistor

résolu, **~e** /ʀezɔly/
A *pp* ▸ **résoudre**
B *pp adj* resolute, determined

résoluble /ʀezɔlybl/ *adj* [*contrat*] voidable

résolument /ʀezɔlymɑ̃/ *adv* [*opposé, favorable*] resolutely; [*confiant*] totally; [*croire*] firmly

résolutif, **-ive** /ʀezɔlytif, iv/ *adj* resolvent

résolution /ʀezɔlysjɔ̃/ *nf* 1 (décision) resolution; **prendre une** ~ to make a resolution; **prendre de bonnes ~s** to make (good) resolutions; **mes bonnes ~s pour la nouvelle année** my New Year's resolutions; **c'est une bonne** ~ it's a good resolution; **prendre la ~ de faire** to make a resolution to do, to resolve to do; 2 Pol (proposition retenue) resolution; **voter une** ~ to pass a resolution; **la ~ 687 de l'ONU** UN resolution 687; 3 (solution) resolution; **pour une ~ pacifique du conflit** for a peaceful resolution of the conflict; 4 (fermeté) resolve, resolution; **manquer de** ~ to lack resolve; **agir avec** ~ to act with resolve; 5 Math, Mus, Méd, Ordinat resolution; ~ **écran** screen resolution

résolutoire /ʀezɔlytwaʀ/ *adj* resolutive

résonance /ʀezɔnɑ̃s/ *nf* 1 gén, Électrotech, Phys, Télécom resonance; **être/entrer en** ~ to be/start resonating; 2 littér (de poème, musique) echo; **ça éveille une ~ en moi** it strikes a chord

résonant, **~e** = **résonnant**

résonateur /ʀezɔnatœʀ/ *nm* Phys resonator

résonnance = **résonance**

résonnant, **~e** /ʀezɔnɑ̃, ɑ̃t/ *adj* 1 Électrotech, Phys, Télécom resonant; 2 littér echoing (**de** with)

résonner /ʀezɔne/ [1] *vi* 1 (faire du bruit) [*pas, rire, cloche*] to ring out; [*sonnerie*] to resound; [*cymbales*] to clash; 2 (renvoyer un bruit) [*salle*] to echo; ~ **de** to resound with

résorber /ʀezɔʀbe/ [1]
A *vtr* 1 fig to absorb [*excédent, déficit*]; to reduce, to bring [sth] down [*inflation, chômage*]; to use up [*stocks*]; to bring down [*sureffectif*]; to reduce [*misère, inégalités*]; 2 Méd to resorb [*épanchement, tumeur*]
B **se résorber** *vpr* 1 fig [*excédent, déficit*] to be reduced; [*inflation, chômage*] to be coming down; [*colère*] to fade; 2 Méd [*hématome*] to be resorbed

résorption /ʀezɔʀpsjɔ̃/ *nf* 1 Méd resorption (**de** of); 2 fig (de chômage, d'inflation) reduction (**de** of); **le chômage est en** ~ unemployment is coming down

résoudre /ʀezudʀ/ [75]
A *vtr* 1 (trouver la solution à) to solve [*équation, mystère*]; to resolve [*crise, conflits, désaccord*]; to solve, to resolve [*problème*]; **cela ne résoudra rien** that won't solve anything; **ce n'est pas résolu** it's unresolved; 2 fml (décider) to resolve *ou* decide to do; **il résolut d'attendre** he resolved to wait; ~ **la destruction de qch** to decide to destroy sth; ~ **qn à faire** [*personne*] to prevail on sb to do; 3 (décomposer) to resolve (**en** into); 4 Jur to rescind; 5 Méd to resolve
B **se résoudre** *vpr* 1 (se décider) **se ~ à faire** to resolve *ou* make up one's mind to do; **il ne s'est toujours pas résolu à l'appeler** he still hasn't made up his mind to call him/her; **être résolu à faire** to be determined to do; **se montrer résolu à faire qch** to show one's determination to do sth; 2 (se résigner) **je ne peux pas me ~ à la renvoyer** I can't bring myself to dismiss her; **être résolu à attendre** to be resigned to waiting; **se ~ à l'attente/à l'idée que** to resign oneself to waiting/to the idea that

respect /ʀɛspɛ/
A *nm* gén respect (**de, pour** for); **avoir du ~ pour** to respect, to have respect for [*personne, mémoire, opinion, croyance*]; **avoir peu/beaucoup de ~ pour** to have little/a lot of respect for; **devoir le ~ à qn** to owe sb (some) respect; **avec tout le ~ qui leur est dû** with all the respect due to them; **malgré tout le ~ qu'on lui doit** with all due respect to him/her; **témoigner du ~ à qn** to show respect to *ou* toward(s) sb; **manquer de ~ à qn** to be disrespectful to *ou* toward(s) sb; **le ~ de soi** self-respect; **le ~ mutuel** mutual respect
B **respects** *nmpl* respects; **présenter ses ~s à qn** to pay one's respects to sb; **je suis allé présenter mes ~s à** I went to pay my respects to; **transmettez** *or* **présentez mes ~s à votre épouse** give my regards to your wife

(Idiomes) **sauf votre** ~ with all due respect; **tenir qn en** ~ to keep sb at bay

respectabilité /ʀɛspɛktabilite/ *nf* respectability

respectable /ʀɛspɛktabl/ *adj* 1 (estimable) respectable; 2 (important) [*taille, somme d'argent*] respectable; [*embonpoint*] generous

respecter /ʀɛspɛkte/ [1]
A *vtr* 1 (considérer avec respect) to respect [*personne, mémoire*]; **se faire** ~ to command respect; **il s'est toujours fait ~ par ses élèves** he has always commanded the respect of his pupils; **savoir se faire** ~ to know how to command respect; 2 (ne pas porter atteinte à) to respect, to have respect for [*opinion, croyance, action, lieu, nature*]; to treat [sth] with respect [*objet, matériel*]; to respect [*promesse, ordre, style, loi, contrat*]; to honour[GB] [*engagement*]; to respect, to have respect for [*vie privée, coutumes, règle*]; **classer qch en respectant l'ordre alphabétique/chronologique** to classify sth in alphabetical/chronological order; **quand vous rangerez les livres, respectez l'ordre alphabétique** when you put the books away, place them in alphabetical order; **faire ~ l'ordre/la loi** to enforce order/the law; **respectez le sommeil des gens, ne courez pas dans les escaliers** remember people are sleeping, do not run down the stairs
B **se respecter** *vpr* to respect oneself; **tout homme/médecin qui se respecte** any self-respecting man/doctor

respectif, **-ive** /ʀɛspɛktif, iv/ *adj* respective

respectivement /ʀɛspɛktivmɑ̃/ *adv* respectively

respectueusement /ʀɛspɛktɥøzmɑ̃/ *adv* respectfully; ~ **vôtre** yours respectfully

respectueux, **-euse** /ʀɛspɛktɥø, øz/ *adj* 1 (plein de révérence) respectful (**envers** to, toward, towards GB); **être ~ de qch** to be respectful of sth, to respect sth; **se montrer ~ de qch** to show respect for sth, to respect sth; **être/se montrer peu ~ de qch** to have/to show little respect for sth; **des propos peu** ~ some rather disrespectful remarks; **citoyen ~ de la loi** law-abiding citizen; 2 (dans une lettre) **veuillez agréer, Monsieur, mes salutations respectueuses** (à une personne non nommée) yours faithfully; (à une personne nommée) yours sincerely

(Composé) ~ **de l'environnement** environment-friendly

respirable /ʀɛspiʀabl/ *adj* 1 lit [*air*] breathable; **l'air n'est pas** ~ the air is unbreathable; 2 fig [*ambiance*] bearable; **pendant tout le repas l'atmosphère n'était pas** ~ throughout the meal the atmosphere was unbearable

respirateur /ʀɛspiʀatœʀ/ *nm* 1 Méd (masque, appareil) respirator; **un ~ artificiel** artificial breathing apparatus ₡; 2 Tech respirator

respiration /ʀɛspiʀasjɔ̃/ *nf* 1 (fonction) breathing, respiration spéc; (souffle) breath; ~ **externe/pulmonaire** external/pulmonary respiration; **avoir une ~ haletante** to be panting; **avoir une ~ courte** to be short of breath; **avoir une ~ oppressée** to have difficulty breathing; **avoir une ~ difficile** to have breathing difficulties; **une ~ bruyante** heavy breathing; **avoir une ~ bruyante** to breathe heavily; **retenir sa** ~ to hold one's breath; **reprendre sa** ~ to get one's breath back; **faire trois ~s** to breathe in and out three times; 2 (inhalation) **la ~ de qch** breathing in sth; **la ~ d'un gaz nocif** breathing in a noxious gas

(Composés) ~ **artificielle** artificial respiration; ~ **assistée** assisted ventilation; ~ **circulaire** circular breathing; ~ **consciente** rebirthing

respiratoire /ʀɛspiʀatwaʀ/ *adj* [*voie, système, appareil*] respiratory; [*troubles, difficulté*] breathing, respiratory spéc

respirer /ʀɛspiʀe/ [1]
A *vtr* 1 (inhaler) to breathe in [*air, gaz, fumée, poussière*]; 2 (sentir) to smell [*parfum, odeur*]; 3 (exprimer) [*personne, visage, sourire*] to exude, to radiate [*honnêteté, bonheur, gentillesse*]; to exude [*méchanceté*]; [*maison, lieu*] to exude [*richesse, bonheur, honnêteté*]; **il respire la santé** he's a picture of health
B *vi* 1 lit to breathe; ~ **par le nez/la bouche** to breathe through one's nose/one's mouth; **'respirez!'** 'breathe in!'; **'respirez bien fort'** 'take a deep breath'; ~ **avec difficulté** to have difficulty breathing; 2 fig (se reposer) to catch one's breath; **nous n'avons pas une minute pour** ~ fig we don't have a moment to catch our breath; **laisse-moi** ~ fig let me get my breath back; 3 (être soulagé) to breathe; **enfin je respire!** at last I can breathe again!

resplendir /ʀɛsplɑ̃diʀ/ [3] *vi* 1 (briller) [*astre, lumière*] to shine brightly; [*surface neigeuse, surface mouillée*] to sparkle; [*surface métallique*] to gleam; 2 (rayonner) **la joie resplendit sur son visage** his/her face is beaming with joy; ~ **de bonheur/santé** to be glowing with happiness/health

resplendissant, **~e** /ʀɛsplɑ̃disɑ̃, ɑ̃t/ *adj* 1 (brillant) [*soleil, lumière*] brilliant; [*surface neigeuse, surface mouillée*] sparkling; [*surface métallique*] gleaming; **fleur d'un rouge** ~ brilliant red flower; ~ **de lumière** ablaze with lights; 2 (rayonnant) [*santé, beauté, mine*] radiant; ~ **de santé/bonheur** glowing with health/happiness

resplendissement /ʀɛsplɑ̃dismɑ̃/ *nm* (d'astre) brilliance; (de surface neigeuse, mouillée) sparkle; (de surface métallique) gleam; (de personne, visage) glow; (de gloire) splendour[GB]

responsabilisation /ʀɛspɔ̃sabilizasjɔ̃/ *nf* **le principe est basé sur la ~ des salariés** the principle is based on staff being given a sense of responsibility

responsabiliser /ʀɛspɔ̃sabilize/ [1] *vtr* to give [sb] a sense of responsibility

responsabilité /ʀɛspɔ̃sabilite/ *nf* **1** (participation) gén responsibility; **avoir sa part de ~ dans qch** to share some of the responsibility for sth; **rejeter** *or* **nier toute ~ dans qch** to deny all responsibility for sth; **avoir/partager la ~ de qch** to have/to share the responsibility for sth; **porter seul toutes les ~s** to have all the responsibilities; **il en porte l'entière ~** he bears full responsibility for it; **se renvoyer la ~** to blame each other; **2** (charge) responsibility; **c'est une lourde ~** it's a great responsibility; **avoir beaucoup de ~s** to have many responsibilities; **avoir la ~ de qch** to be responsible for sth; **confier la ~ de qch à qn** to give sb responsibility for sth; **un poste de** *or* **à ~** a position of responsibility; **sous la ~ de qn** under the supervision of sb; **fuir les ~s** to shun responsibility; **donner des ~s à qn** to give sb responsibilities; **prendre ses ~s** to face up to one's responsibilities; **3** (fait de devoir répondre de ses actions) responsibility; (légalement) liability; **~ civile/collective/contractuelle/pénale** civil/collective/contractual/criminal liability; **la ~ d'un employeur** an employer's liability; **'la direction décline toute ~ en cas de vol'** 'the management disclaims all responsibility for loss due to theft'; **votre ~ est engagée** you're responsible; **faute grave engageant la ~ de la société** serious mistake for which the company is liable to be held responsible; **engager la ~ du gouvernement sur un projet de loi** *to bring a bill before parliament which will involve a motion of confidence in the government*; **4** Assur liability; **~ civile** personal liability

responsable /ʀɛspɔ̃sabl/

A *adj* **1** (coupable) [*personne, défaillance, erreur*] responsible (*après n*) (**de qch** for sth); **il est ~ de l'incendie** he's responsible for the fire; **l'alcool est ~ de nombreux accidents** alcohol is responsible *ou* is to blame for many accidents; **2** (devant répondre de ses actes) responsible, accountable (**de qch** for sth); (légalement) responsible, liable (**de qch** for sth); **être ~ de ses actes** to be responsible for one's actions; **on est ~ de ce que l'on dit/écrit** you are responsible for what you say/write; **3** (ayant la charge) **être ~ de qch/qn** to be responsible for sth/sb, to be in charge of sth/sb; **je suis ~ du magasin** I am responsible for the shop GB *ou* store US; **qui est la personne ~ ici?** who is in charge here?; **4** (raisonnable) [*personne, attitude, acte*] responsible; **être très ~** to be very responsible; **un vote/rapport ~** a sensible vote/report

B *nmf* **1** (personne en charge) gén person in charge; (gérant, directeur) manager; (chef de parti) leader; (chef de service) head; (administrateur) official; **je voudrais parler au ~** I'd like to talk to the person in charge; **selon un ~ politique** according to a political leader; **M. Doucet, ~ d'une petite entreprise** Mr Doucet, the manager of a small company; **plusieurs ~s communistes/catholiques** several communist/catholic leaders; **un haut ~ de la Banque Mondiale** a high-ranking official at the World Bank; **des ~s de la police** senior police officers; **2** (personne coupable) **les ~s de la catastrophe** the people responsible *ou* to blame for the catastrophe; **les ~s seront punis** those responsible *ou* those who are to blame will be punished; **c'est lui le ~** he is responsible *ou* to blame; **3** (cause) **le grand ~ c'est le tabac/le manque d'amour** smoking/lack of love is the main cause

(Composé) **le ~ de classe** form representative (*elected by the pupils to represent them*)

resquillage○ /ʀɛskijaʒ/ *nm*, **resquille**○ /ʀɛskij/ *nf* (en train, car, métro) fare dodging○ GB, free loading◑ US; (au spectacle) sneaking in○; (dans queue) queue-jumping GB; **c'est le roi de la resquille** he's an expert at getting things for free○, he's a freeloader◑

resquiller○ /ʀɛskije/ [1]

A *vtr* (obtenir frauduleusement) **~ une place** to get in for free○

B *vi* (en train, métro) to dodge paying the fare○; (au spectacle) to sneak in○, to get in for free; (dans queue) to queue-jump○ GB, to cut in line US

resquilleur○, **-euse** /ʀɛskijœʀ, øz/ *nm,f* **1** Transp fare dodger○ GB, freeloader◑ US; **2** (au spectacle) person who gets in for free○; **3** (dans queue) queue-jumper○ GB

ressac /ʀəsak/ *nm* backwash

ressaisir /ʀ(ə)seziʀ/ [3]

A *vtr* [*peur, rire, envie, passion*] to take hold of [sb] again [*personne*]

B se ressaisir *vpr* [*personne, candidat, sportif*] to pull oneself together; [*équipe sportive*] to recover; [*marché, valeurs boursières*] to recover, to make a recovery; **allons, ressaisis-toi!** come on, pull yourself together!; **l'équipe s'est ressaisie en fin de match** the team recovered toward(s) the end of the match *ou* game; **appeler la foule à se ~** to call on the people in the crowd to come to their senses

ressaisissement /ʀ(ə)sezismɑ̃/ *nm* **on espère un ~ de l'électorat/l'opinion** it is hoped that the electorate/the public will come to its senses

ressasser /ʀ(ə)sase/ [1] *vtr* (ruminer) to brood over [*échec, pensées*]; to dwell on [*regrets, malheurs*]; (rabâcher) to keep trotting out○ [*griefs, conseils*] (**à qn** to sb); **phrase mille fois ressassée** phrase that has been trotted out a thousand times○; **théorie ressassée** hackneyed theory

ressaut /ʀ(ə)so/ *nm* **1** Géog (palier) ledge; **2** Archit projection; **faire ~** to form a projection

ressayer /ʀeseje/ [21] *vtr* = **réessayer**

ressemblance /ʀ(ə)sɑ̃blɑ̃s/ *nf* **1** (entre personnes) resemblance, likeness (**avec qn** to sb); **une grande/vague ~ entre les deux sœurs** a strong/faint resemblance *ou* likeness between the two sisters; **la ~ avec ton père est frappante** your resemblance to your father is striking; **tu leur trouves des ~s?** can you see any resemblance *ou* likeness between them?; **'toute ~ avec des personnes existant ou ayant existé...'** 'any similarity to persons living or dead...'; **2** (entre choses) similarity; **les différences et ~s entre les civilisations** the differences and similarities between civilizations; **3** Art (de tableau, sculpture) likeness (**avec l'original** to the original); **un portrait d'une grande ~** a portrait that is a very good likeness

ressemblant, **~e** /ʀ(ə)sɑ̃blɑ̃, ɑ̃t/ *adj* **c'est très ~** it's a good likeness; **un portrait ~/peu ~** a portrait which is a good likeness/isn't a very good likeness

ressembler /ʀ(ə)sɑ̃ble/ [1]

A ressembler à *vtr ind* **1** (en parlant de personnes) (physiquement) **~ à** to look like, to resemble [*personne, animal*]; (psychiquement) to be like [*personne*]; **à quoi ressemble-t-il?** (physiquement) what does he look like?; (de caractère) what is he like?; **tu as vu à quoi tu ressembles?** have you any idea what you look like?; **il ne ressemble pas à l'image que j'en avais** he's not how I imagined him; **cela ne te ressemble pas de perdre patience** it's not like you to get impatient; **2** (en parlant de choses) (d'apparence visuelle) to look like; (par le contenu) to be like, to resemble; **ça ressemble à de la lavande mais ça n'en est pas** it looks like lavender but it isn't; **~ fort à qch** to be very like sth; **~ un peu à qch** to be a bit like sth; **cela ressemblait à un coup monté** it all looked like a put-up job; **cela ne ressemble à rien** [*spectacle, robe*] it's like nothing on earth; (n'avoir aucun sens) it makes no sense; **à quoi ça ressemble de dire cela?** what a thing to say!

B se ressembler *vpr* **1** (parlant de personnes) (physiquement) to look alike, to look like each other; (psychiquement) to be alike; **vous ne vous ressemblez pas beaucoup** (physiquement) you don't really look alike; **ils se ressemblent trop pour s'entendre** they are too (much) alike to get on; **2** (parlant de choses) [*lieux, soirées, méthodes, techniques*] to be alike; **toutes les villes se ressemblent** all towns are alike *ou* the same; ▸ **assembler**, **goutte**

(Idiome) **les jours se suivent et ne se ressemblent pas** no two days are the same

ressemelage /ʀ(ə)səmlaʒ/ *nm* resoling

ressemeler /ʀ(ə)səmle/ [19] *vtr* to resole; **faire ~ une paire de chaussures** to have a pair of shoes resoled

ressemer /ʀəs(ə)me, ʀsəme/ [16]

A *vtr* to sow [sth] again [*grain, champ*]

B se ressemer *vpr* [*plante*] to seed itself

ressentiment /ʀ(ə)sɑ̃timɑ̃/ *nm* resentment (**contre** against; **à l'égard de** toward, towards GB); **éprouver du ~ de qch** to feel resentful about sth; **il en a gardé un ~ féroce** he feels deeply resentful about it

ressentir /ʀ(ə)sɑ̃tiʀ/ [30]

A *vtr* to feel [*amour, inquiétude, chagrin*]; **ressenti comme une urgence/insulte** felt to be an emergency/insult; **les mesures sont bien/mal ressenties** the measures have been well/badly received

B se ressentir *vpr* **se ~ de** [*personne, pays*] to feel the effects of, to suffer from; [*travail, performances, qualité*] to show the effects of, to suffer from; **la qualité s'en ressent** the quality is suffering

resserre /ʀ(ə)sɛʀ/ *nf* (pièce) storeroom; (remise, cabane) shed

resserrement /ʀ(ə)sɛʀmɑ̃/ *nm* **1** (action) (de nœud, boulon, tissus humains) tightening; (de vaisseau sanguin) constricting; (de crédit) tightening up; (d'amitié, de relation) strengthening; **2** (de chemin, vallée, rivière) narrowing

resserrer /ʀ(ə)seʀe/ [1]

A *vtr* **1** (serrer de nouveau) to tighten [*nœud, vis, étreinte*]; **2** (réduire le développement de) to compress [*texte, narration*] (**en qch** into sth); **~ un chapitre en deux pages** to compress a chapter into two pages; **3** (rendre plus étroit) lit to narrow [*passage, route*]; to take [sth] in [*vêtement*]; to tighten [*pores*]; **4** (renforcer) to strengthen [*amitié, relation*]; **5** (faire regrouper) to make [sb/sth] draw closer; **resserrez les rangs!** close up a bit!; **6** (rendre plus sévère) to tighten up (on) [*discipline, surveillance*]

B se resserrer *vpr* **1** (devenir plus étroit) [*chemin, vallée, rivière*] to narrow; **2** (devenir plus fort) [*amitié, relation*] to become stronger; **3** (devenir plus serré) [*lien, nœud*] to tighten; **4** (se refermer) [*troupes, personnes*] to close in; [*étreinte, piège*] to tighten; [*écart*] to close; **5** (se regrouper) [*personnes, cercle*] to draw closer together; **6** (devenir plus sévère) [*discipline, surveillance*] to become stricter

resservir /ʀ(ə)sɛʀviʀ/ [30]

A *vtr* **1** (servir de nouveau) to serve [sth] (up) again; **~ qch à qn** to serve sb with sth again; **2** (à table) to give [sb] another helping (**de** of); **~ de la soupe à qn** to give sb another helping of soup; **3** ○(utiliser à nouveau) to trot○ [sth] out again [*explication, thème, argument*]

B *vi* **1** (être réutilisé) [*objet, outil, vêtement*] to be used again; **cela peut toujours ~** it may come in handy○ again; **ne jette pas ce sac, il pourra me ~** don't throw away that bag, I could get some more use out of it; **ne le jette pas, il pourra me ~ l'an prochain** don't throw it away, I could use it again next year; **2** Mil to serve again

C se resservir *vpr* **1** (d'un plat) to help oneself again, to take another helping; **resservez-vous!** help yourself to some more!, have another helping!; **'puis-je me ~?'** 'can I help myself to some more?'; **se ~ du poulet** to help oneself to some more chicken; **2** (réutiliser) **se ~ de qn/qch** to use sb/sth again

r

ressort /ʀ(ə)sɔʀ/ *nm* 1 Tech spring; **un mécanisme à ~** a spring mechanism; **un matelas à ~** a sprung mattress; **~ de compression/flexion/traction** compression/ flexion/tension spring; 2 (énergie) resilience; **avoir du/manquer de ~** to have/lack resilience; 3 (force agissante) **les ~s du pouvoir/de la haine** the impulse behind power/hatred; **~s dramatiques/du comique** dramatic/ comic impulse; **les ~s psychologiques du personnage** the character's psychological motivation; 4 (compétence) **être du ~ de qn** to be within sb's province; **ce n'est pas de mon ~** (en mon pouvoir) it's outside my province; (ma responsabilité) it's not my responsibility; **l'affaire est du ~ de la Cour européenne** the case falls within the jurisdiction of the European court; **en premier/dernier ~** in the first/last resort; **des sanctions économiques et, en dernier ~, militaires** economic and, in the last resort, military sanctions

(Composés) **~ à boudin** coil spring; **~ hélicoïdal** helical spring; **~ à lames** leaf spring; **~ spiral** spiral spring

ressortir¹ /ʀ(ə)sɔʀtiʀ/ [30]

A *vtr* 1 (sortir à nouveau) to take [sth] out again; (plus d'effort) to get [sth] out again; **on ressort les manteaux pour l'hiver** we're getting our coats out for the winter; 2 (ce qu'on ne sortait plus) to bring [sth] out again [*vieux vêtement*] (**de** from); to dig out○ [*affaire de corruption*] (**de** from); 3 (redire) to come out with [*plaisanterie, phrase, idée*]; **il nous ressort toujours les mêmes histoires** he's always coming out with the same stories; 4 (remettre sur le marché) to re-release [*disque, film*]

B *vi* 1 (sortir à nouveau) [*personne*] to go out again; **il est ressorti vers 20 heures** he went out again at around 8 pm; 2 (après être entré) [*balle, tige*] to come out again (**par** through); [*personne*] to come back out (**de** of); **la balle est ressortie par la nuque** the bullet came out through the back of his/her neck; **je ne t'avais pas vu ~ (du magasin)** I hadn't seen you come back out (of the shop GB *ou* store US); 3 (se distinguer nettement) [*ornement, couleur, dessin*] to stand out; **cela ressort bien/mal sur ce fond** it shows up very well/doesn't show up very well against that background; **voici ce qui ressort de l'étude: premièrement...** the results of the study are as follows, firstly...; **faire ~** to revive [*souvenirs*]; to bring out [*rivalités*]; to bring to light [*contradiction*]; [*maquillage*] to bring out [*couleur des yeux*]; [*cadre, couleur*] to set [sth] off well [*photo, tableau, couleur*]; **faire ~ que** [*étude, rapport*] to bring out the fact that; 4 (être remis sur le marché) [*film, disque*] to be re-released; [*journal, revue*] to be back in circulation

C *v impers* **il ressort que** it emerges that; **il ressort de l'enquête que 70% des usagers...** it emerges from the survey that 70% of users...

ressortir² /ʀ(ə)sɔʀtiʀ/ [3] *vtr ind* 1 **~ à** Jur to be *ou* fall within the jurisdiction of [*tribunal*]; 2 **~ à** *or* **de** fml (concerner) to pertain to sout

ressortissant, **~e** /ʀ(ə)sɔʀtisɑ̃, ɑ̃t/ *nm,f* national; **~ français/étranger** French/ foreign national

ressouder /ʀ(ə)sude/ [1]

A *vtr* Tech (par soudure autogène) to reweld; (par brasure) to solder [sth] again [*joint*]; to solder [sth] together again [*pièces*]

B se ressouder *vpr* [*os*] to knit (together); [*fracture*] to mend

ressource /ʀ(ə)suʀs/ *nf* 1 (richesse) resource; **la principale ~ du Brésil** Brazil's main resource; **les ~s naturelles** *or* **de la nature** natural resources; **les ~s énergétiques/forestières/minérales** energy/ forest/mineral resources; 2 (option) option; **elle n'a pas d'autre ~ que de fuir** she has no option but to flee; **en dernière ~** as a last resort; **être à bout de ~** to be at one's wits' end; 3 fig (réserves) **avoir de la ~**○ to be resourceful; **puiser dans ses propres ~s** to fall back on one's inner resources; **une personne de ~s** a resourceful person; 4 (revenus) **~s** resources; **35% de ses ~s** 35% of his/her resources; **vous avez des ~s?** do you have any means of support?; **être sans ~s, n'avoir aucune ~** to have no means of support; **quelles sont vos ~s?** what is your financial position?; **mes maigres ~s** my slender means; 5 (possibilités) (de lieu, technique) possibilities; **toutes les ~s de l'imaginaire** all the powers of the imagination

(Composé) **~s humaines** human resources

ressourcer: **se ressourcer** /ʀ(ə)suʀse/ [12] *vpr* to recharge one's batteries

ressurgir /ʀ(ə)syʀʒiʀ/ [3] *vi* = **resurgir**

ressusciter /ʀesysite/ [1]

A *vtr* 1 (exhumer du passé) to revive [*style, tradition, passé, auteur*]; to rekindle [*haine, amour*]; 2 Relig to raise [sb] from the dead; fig to bring [sb] back to life; **ton alcool de poire ressusciterait un mort**○ your pear brandy would bring the dead back to life; **le traitement m'a ressuscité** the treatment gave me a new lease of GB *ou* on US life

B *vi* 1 Relig [*mort*] to rise from the dead; **ressuscité d'entre les morts** risen from the dead; 2 (revenir à la vie) fig [*nature, ville*] to come back to life; [*pass é, souvenir*] to come alive again; [*haine, amour*] to be rekindled

restant, **~e** /ʀɛstɑ̃, ɑ̃t/

A *adj* remaining; **l'argent ~** the remaining money, the money that's left; **avec les 100 euros ~s** with the 100 euros that's left

B *nm* 1 (ce qui est encore à venir) **le ~** the rest, the remainder; (solde) the balance, the remainder; **mets-en trois ici et le ~ dans le jardin** put three here and the rest in the garden GB *ou* yard US; **payer le ~ en six mensualités** to pay the balance *ou* remainder in six monthly instalments[GB]; **pour le ~ de mes jours** for the rest of my life *ou* days; **passer le ~ de la journée à lire** to spend the rest of the day reading; 2 (ce qui subsiste) **un ~ de tissu** a bit of material left over; **un ~ de poulet/jambon** some left-over chicken/ham; **un ~ de clarté** a last glimmer of light

restau○ /ʀɛsto/ *nm*: *abbr* = **restaurant**

restaurant /ʀɛstɔʀɑ̃/ *nm* restaurant; **on mange** *or* **va souvent au ~** we often eat out

(Composés) **~ d'entreprise** staff canteen; **~ gastronomique** gourmet restaurant; **~ rapide** fast-food restaurant; **~ self-service** self-service restaurant; **~ universitaire, RU** university canteen GB, cafeteria

restaurateur, **-trice** /ʀɛstɔʀatœʀ, tʀis/ *nm,f* 1 (hôtelier) restaurant owner; (de restaurant gastronomique) restaurateur; 2 Art, Hist restorer

restauration /ʀɛstɔʀasjɔ̃/ *nf* 1 (hôtellerie) catering; **être dans la ~** to be in the catering business; 2 Art, Hist restoration

(Composé) **~ rapide** fast-food industry

Restauration /ʀɛstɔʀasjɔ̃/ *nf* Hist **la ~** the Restoration

restaurer /ʀɛstɔʀe/ [1]

A *vtr* 1 (nourrir) to feed; 2 Art, Hist to restore [*tableau, monarchie, paix*]

B se restaurer *vpr* to have something to eat

restau-U○ /ʀɛstoy/ *nm* university canteen GB, cafeteria

reste /ʀɛst/

A *nm* 1 (ce qui subsiste) **le ~** the rest (**de** of); (argent) the balance; Math the remainder; **le ~ du monde/du temps/des livres** the rest of the world/of the time/of the books; **payer un tiers d'avance, le ~ (de la somme) à la fin des travaux** to pay a third in advance and the balance on completion of the work; **s'il y a un ~ de lait/quiche** if there is a bit of milk/ quiche left; **il m'a proposé un ~ de poulet** he offered me some left-over chicken; **avec le ~, je ferai une salade** I'll make a salad out of what's left; **faire une ceinture avec un ~ de tissu** to make a belt out of some left-over material; **il a un ~ d'affection pour elle** he still feels a bit of affection for her; **conserver un ~ de dignité/lucidité** to preserve a vestige of dignity/lucidity; 2 (ce qui est encore à dire, faire etc) **le ~** the rest; **tu imagines le ~** you can imagine the rest; **prépare le repas, je me charge du ~** you get the meal ready, leave the rest to me; **avec le loyer, les assurances et (tout) le ~**○**, je ne m'en sors pas** with the rent, the insurance and everything else, I just can't manage; **je te souhaite santé, bonheur et tout le ~**○ I wish you health, happiness and all the rest; **pour le ~, quant au ~** (as) for the rest; **au ~** liter, **du ~** besides; **du ~, c'est trop cher** besides, it's too expensive; **avoir du temps/de l'argent de ~** to have time/money to spare

B restes *nmpl* 1 (de fortune, bâtiment, d'armée) remains (**de** of); 2 Culin **les ~s** the leftovers; **l'art d'accommoder les ~s** how to use leftovers; **les ~s d'un gigot** the remains of a joint; **je ne veux pas de tes ~s** lit, fig I don't want your leftovers; 3 (cadavre) **les ~s de qn** the remains of sb

(Idiomes) **elle a encore de beaux ~s**○ hum she's still well preserved; **partir sans demander** *or* **attendre son ~** to leave without further ado; **être** *or* **demeurer en ~ avec qn** to feel indebted to sb; **pour ne pas être en ~** so as not to be outdone; **je ne voulais pas être en ~, alors j'ai acheté le gâteau** not wanting to be outdone, I bought the cake

reste-à-vivre /ʀɛstavivʀ/ *nm inv*: *minimum level of income guaranteed to a person repaying debts*

rester /ʀɛste/ [1] (+ *v être*)

A *vi* 1 (dans un lieu) to stay, to remain; **~ chez soi/à l'intérieur/en ville** to stay at home/ indoors/in town; **il est resté un an à Rome** he stayed a year in Rome, he stayed in Rome for a year; **ne reste pas au soleil/sous la pluie** don't stay in the sun/out in the rain; **reste où tu es/tant que tu veux** stay where you are/ for as long as you like; **les autres sont partis, mais elle est restée pour m'aider** the others left but she stayed behind to help me; **je ne peux pas ~ longtemps** I can't stay long; **~ un moment à bavarder** to stay chatting for a while; **~ (à) dîner** to stay for dinner; **la clé est restée coincée dans la serrure** the key got stuck in the lock; **la bière est restée au soleil** the beer was left in the sun; **le linge est resté dehors toute la nuit** the washing was left out all night; **c'est resté dans ma mémoire** I still remember it; **cet enfant ne peut pas ~ en place!** the child can't keep still!; **que ça reste entre nous!** this is strictly between you and me!; **j'y suis, j'y reste** here I am and here I stay

2 (dans une position, un état) to remain; **~ assis/ debout** to remain seated/standing; **restez assis!** (par mesure de sécurité) remain seated!; (ne vous dérangez pas) don't get up!; **je suis resté debout pendant tout le voyage** I had to stand for the whole journey; **~ indécis/ impassible/attentif/fidèle** to remain undecided/impassive/alert/faithful; **un auteur resté méconnu** an author who went unrecognized; **~ au chômage/au pouvoir** to remain unemployed/in power; **~ silencieux** to remain *ou* keep silent; **~ sans bouger** (debout) to stand still; (assis) to sit still; (couché) to lie still; **reste tranquille!** keep still!; **~ sans manger** to go without food; **elle est restée très naturelle** she's stayed very natural; **~ paralysé après un accident** to be left paralysed after an accident; **~ veuve** to be left a widow, to be widowed; **~ orphelin** to be orphaned; **~ les bras croisés** lit to keep one's arms folded; fig to stand idly by; **ne reste pas là les bras croisés** don't just stand there, do something!; ▸ **flan**

3 (subsister) to be left, to remain; **le peu de temps qui reste** the little time that's left; **c'est le seul ami qui me reste** he's the only friend I have left; **ce qui reste de la ville** what

remains *ou* is left of the town; **ce qui reste du repas** the leftovers; **dis-moi ce qui reste à faire** tell me what there is left to do; **il reste 50 km à parcourir/100 euros à payer** there's still another 50 km to go/100 euros to pay [4] (survivre) [*œuvre, souvenir*] to live on; **sa musique restera** his/her music will live on; **~ comme l'un des grands de ce siècle** to live on as one of the great men of our age; **les années passent, le souvenir reste** the years go by, but the memories don't fade; **l'habitude lui en est restée** the habit stuck, he/she never lost the habit

[5] (s'arrêter) **~ sur une bonne/mauvaise impression** to be left with a good/bad impression; **leur refus m'est resté sur le cœur** their refusal still rankles

[6] (ne pas aller au-delà de) **en ~ à** to go no further than; **nous en sommes restés aux préliminaires** we didn't get beyond the preliminaries; **il en est resté au XIXe siècle** pej he's stuck in the 19th century; **nous en étions restés à la page 12** we had got GB *ou* gotten US as far as page 12; **restons-en là pour le moment** let's leave it at that for now; **l'affaire aurait pu en ~ là** the matter needn't have gone any further; **je compte bien ne pas en ~ là** I won't let the matter rest there

[B] *v impers* **il reste encore quelques minutes/pommes** there are still a few minutes/apples left; **il m'en reste un** I've got one left; **il ne me reste que 100 francs** I've only got 100 francs left; **il ne me reste plus que lui** he's all I've got left; **il me reste juste de quoi payer le loyer** I've just got enough left to pay the rent; **il me reste à peine le temps/la force de m'habiller** I've barely got time/the strength to get dressed; **que reste-t-il de la ville?** what remains *ou* is left of the town?; **il reste beaucoup à faire** there's still a lot to do *ou* to be done; **il ne te reste plus qu'à t'excuser** it only remains for you to apologize; **il reste entendu que** it goes without saying that; **(il) reste à savoir/décider si** it remains to be seen/it still has to be decided whether; **reste à résoudre le problème du logement** the housing problem remains to be solved; **il reste que, il n'en reste pas moins que** the fact remains that

(Idiome) **y ~**○ to meet one's end *ou* Maker

restituer /ʀɛstitɥe/ [1] *vtr* [1] (rendre) to restore [*bien*] **(à qn** to sb); to restore [*souvenir, qualité, différences*]; **~ au peuple sa souveraineté** to restore sovereignty to the people; [2] (rétablir) to reconstruct [*texte*]; to restore [*fresque*]; [3] (recréer) to reproduce [*son, image*]; to recreate [*ambiance*]; **une traduction qui restitue toutes les nuances de l'original** a translation which catches all the nuances of the original; [4] (libérer) Phys to release [*énergie*]

restitution /ʀɛstitysjɔ̃/ *nf* [1] (action de rendre) (de bien, terre) return, restitution sout; (de droit, qualité) restoration; [2] (de texte) reconstruction; (de fresque) restoration; [3] (de son, d'image) reproduction; [4] (libération) Phys release

resto○ /ʀɛsto/ *nm* restaurant; **~ du cœur** ≈ soup kitchen

restreindre /ʀɛstʀɛ̃dʀ/ [55]

[A] *vtr* to cut back [*dépenses, nombre*]; to curb [*dépenses*]; to limit [*possibilités, choix*]; to restrict [*champ d'action, importations, subventions, liberté, droit*]; **~ ses recherches à** to restrict *ou* limit one's research to; **~ sa vie/ses activités à** to limit one's existence/one's activities to

[B] **se restreindre** *vpr* [1] (devenir plus petit) [*champ d'action, possibilités*] to become restricted; [*production, revenus, territoire*] to shrink; [*influence*] to wane; [2] (se limiter) **se ~ (dans ses dépenses)** to cut back (on one's expenses)

restreint, ~e /ʀɛstʀɛ̃, ɛ̃t/

[A] *pp* ▸ **restreindre**

[B] *pp adj* [*public, vocabulaire*] limited; [*équipe*] small; **être en nombre ~** to be few in number; **nous étions en comité ~** there were just a few of us; **cela a été décidé en comité ~** it was decided by just a few people

restrictif, -ive /ʀɛstʀiktif, iv/ *adj* restrictive

restriction /ʀɛstʀiksjɔ̃/ *nf* [1] (limitation) restriction; **~s commerciales/de crédit/budgétaires** trade/credit/budget restrictions; **~s salariales** wage restraints; **pendant les ~s** (de guerre) when there was rationing; **sans ~** [*voyager*] freely; [*commercialiser*] without restriction; **ils sont, et sans ~, des citoyens comme les autres** they are, with absolutely no exception, citizens like everybody else; [2] (réserve) qualification; **apporter une ~ à ce qui est dit** to qualify a statement; **sans ~** [*accepter, approuver*] without reservations; [*soutenir*] unreservedly

restructuration /ʀ(ə)stʀyktyʀasjɔ̃/ *nf* [1] Admin, Écon restructuring; **plan de ~** restructuring plan; [2] (en urbanisme) redevelopment

restructurer /ʀ(ə)stʀyktyʀe/ [1]

[A] *vtr* Admin, Écon to restructure [*service, organisation*]; to redevelop [*ville, quartier*]

[B] **se restructurer** *vpr* [*service, organisation*] to restructure itself; [*quartier*] to be redeveloped

restyler /ʀəstile/ [1] *vtr* to restyle

resucée○ /ʀ(ə)syse/ *nf* pej [1] (de boisson) **une ~ (de gin)** a drop more (gin); [2] (de spectacle, livre) rehash○

résultante /ʀezyltɑ̃t/ *nf* [1] Math, Sci resultant; [2] (conséquence) (end) result

résultat /ʀezylta/

[A] *nm* [1] Math, Phys (d'opération, de problème) result; [2] (bilan) (d'élection, de compétition) result; (de recherches) results (*pl*), findings (*pl*); (de négociations, d'enquête) result, outcome; (de travail, sondage, d'analyse) result(s); **obtenir un ~** to get a result; **le ~ de deux ans de travail** the result of two years' work; **beau ~!** great work, well done!; **sans ~** without success; **le mauvais ~ de l'équipe de France** the poor showing of the French team; [3] (réalisation positive) result; **nous voulons des ~s** we want results; [4] (conséquence) result(s), outcome; **être le ~ de** to be the result of; **avoir pour ~ de faire** to have the effect of doing; **tu n'as pas voulu m'écouter: ~, tu as fait des bêtises** you wouldn't listen to me, and now you've done something stupid

[B] **résultats** *nmpl* [1] (chiffres) (d'examen, élection, de compétition) results (*pl*); Scol, Univ (d'élève, de mois) marks GB, grades US; **les ~s partiels de l'élection** the election results so far; **~s en baisse ce trimestre** Scol lower marks GB *ou* grades US this term; [2] Méd (d'analyse, examen) results; [3] Fin, Compta (d'entreprise) results; **les ~s de l'année 1990** the results for 1990

résulter /ʀezylte/ [1]

[A] *vi* **~ de** to be the result of, to result from; **votre échec résulte d'un manque de travail** the reason for your failure is that you didn't do enough work; **la colère qui résulte de cette décision** the anger resulting from this decision; **la colère qui en résulte** the resulting anger; **ce qui résulte de cette politique fiscale** the result of this fiscal policy

[B] *v impers* **il résulte de tout ceci que** the result of all this is that, as a result of all this; **il résulte de ce que vous venez de dire que** it follows from what you have just said that; **il en résulte que nous pouvons compter sur leur appui** as a result we can count on their support; **qu'en résultera-t-il?** what will be the result of this?

résumé /ʀezyme/ *nm* [1] (version courte) summary, résumé; **faire le ~ de qch** to summarize sth; **pour faire un ~ de la situation** to summarize *ou* to sum up the situation; **en ~** (pour finir) to sum up; (en bref) in brief; [2] (exposé succint) rundown; **faire un ~ de qch (à qn)** to give (sb) a rundown of *ou* on sth; **'~ des épisodes précédents'** 'the story so far'; [3] (ouvrage) gén brief guide; (pour examen) study notes (*pl*)

(Composé) **~ de texte** précis, summary; **faire un ~ de texte** to write a précis *ou* summary

résumer /ʀezyme/ [1]

[A] *vtr* [1] (raccourcir) to summarize [*texte, pensée, délibération*]; [2] (récapituler) to sum up [*nouvelle, match, état d'esprit*]; **il l'a résumé en deux mots** he summed it up in two words; [3] (refléter) to sum up; **cette anecdote résume le personnage** this anecdote sums up the character

[B] **se résumer** *vpr* [1] (être bref) [*personne*] to sum up; **pour me ~ je dirai que** to sum up I'll say that; [2] (se limiter) **se ~ à** [*vie, action, événement, opinion*] to come down to; **le match de hockey s'est résumé à un long pugilat** what the match came down to was one long fight; [3] (se raccourcir) [*texte, pensée, discours*] to be summarized, to be summed up

résurgence /ʀezyʀʒɑ̃s/ *nf* [1] Géol re-emergence (*of river*); [2] fig (d'idéologie) resurgence; (de mode) revival

résurgent, ~e /ʀezyʀʒɑ̃, ɑ̃t/ *adj* [*eaux*] re-emergent

resurgir /ʀ(ə)syʀʒiʀ/ [3] *vi* [*rivière*] to re-emerge; [*idéologie, problème, personne*] to reappear; [*souvenir*] to come back

résurrection /ʀezyʀɛksjɔ̃/ *nf* [1] (de mort) resurrection; **la Résurrection** Relig the Resurrection; **la ~ de Lazare** Relig the raising of Lazarus; [2] (renaissance) (de cinéma, tradition) revival; (de personne) rebirth

retable /ʀətabl/ *nm* altarpiece

rétablir /ʀetabliʀ/ [3]

[A] *vtr* [1] (ramener) to restore [*électricité, ordre, confiance, régime, impôt*]; to restore [*forces, santé*]; **~ la situation** to restore normality; **~ la circulation** to get the traffic moving again; [2] (restituer) to re-establish [*vérité, faits*]; to restore [*texte*]; [3] (guérir) to restore [sb] to health [*malade*]; [4] (réintégrer) **~ qn dans ses fonctions** to reinstate sb in his/her job; **~ qn dans ses droits/son titre** to restore sb's rights/title; **~ qn sur le trône** to restore sb to the throne

[B] **se rétablir** *vpr* [1] lit, fig (s'améliorer) [*malade, monnaie, devise*] to recover; [2] (être restauré) [*ordre, silence*] to be restored; [*calme*] to return; [*situation*] to return to normal; [3] Sport [*gymnaste*] to pull oneself up

rétablissement /ʀetablismɑ̃/ *nm* [1] (d'électricité, de paix, relations, loi) restoration; **~ de qn dans son emploi** reinstatement of sb in his/her post; [2] (de faits, vérité) re-establishment; [3] (de malade, monnaie) recovery; [4] Sport pull-up; **faire un ~** to pull oneself up

retailler /ʀ(ə)tɑje/ [1] *vtr* Cout to recut; **faire ~ qch** to have sth recut

rétamé○, **~e** /ʀetame/ *adj* (épuisé) knackered◑ GB, beat○; (battu) hammered○; (ivre) plastered○

rétamer /ʀetame/ [1]

[A] *vtr* [1] (réparer) to re-tin [*casseroles*]; [2] ○(épuiser) to wear [sb] out○; (battre) to hammer○

[B] **se rétamer**○ *vpr* [1] (tomber) to come a cropper○; [2] (se blesser en voiture) to crash (**contre** into)

rétameur /ʀetamœʀ/ *nm* tinker, mender of pots and pans

retape◑ /ʀ(ə)tap/ *nf* [1] (de prostituée) soliciting; **elle fait de la ~** she's a streetwalker; [2] (recrutement) **faire de la ~ pour qch** to beat the drum for sth; **il fait de la ~ pour sa fête de charité** he's drumming up support for his charity fete

retaper /ʀ(ə)tape/ [1]

[A] *vtr* [1] ○(réparer) to do up [*maison, auto*]; **une vieille ferme retapée** an old farmhouse which has been done up; [2] ○(rétablir) [*séjour, traitement*] **~ qn** to put sb on his/her feet again; [3] (dactylographier) to retype [*lettre*]; [4] (arranger) to straighten [*lit*]

B se retaper○ *vpr* [*convalescent*] to recover, to get better

retapisser /ʀ(ə)tapise/ [1] *vtr* (de papier peint) to repaper (**de** with); (de tissu, toile) to redecorate [*pièce*] (**de** with); to recover, to redecorate [*mur*]; to reupholster [*fauteuil, canapé*] (**de** with)

retard /ʀ(ə)taʀ/
A *adj* Méd delayed; **insuline ~** delayed insulin; **faire une injection ~** to give a delayed injection
B *nm* **1** (absence de ponctualité) lateness; (temps écoulé) delay; **le ~ du train/courrier/facteur** the fact that the train/post/postman was late; **vos ~s répétés sont inacceptables** your continual lateness is unacceptable; **trois ~s en une semaine c'est trop!** being late three times in a week is too much!; **votre ~ de ce matin est inexcusable** you've no excuse for being late this morning; **un ~ de 10 minutes sur le vol en provenance de Nice** a ten-minute delay in the flight from Nice; **des ~s sont à prévoir sur les trains de banlieue** delays are likely on commuter trains; **léger/important ~** slight/major delay; **avoir du ~** to be late; **avoir un ~ d'une heure, avoir une heure de ~** (avant échéance) to be one hour behind schedule; (après échéance) to be one hour late; **en ~** late; **être/arriver en ~** to be/to arrive late; **être en ~ dans son travail** to be behind with one's work; **je me suis mis en ~ dans mon travail** I've fallen behind with my work; **tu vas nous mettre en ~ si tu ne te dépêches pas!** you're going to make us late if you don't hurry up!; **nous sommes en ~ sur l'emploi du temps** we're behind schedule; **elle rend toujours son travail en ~** she's always handing her work in late; **il a rendu sa dissertation avec une semaine de ~** he handed his essay in one week late; **prendre du ~** to fall *ou* get behind (**dans** with); **il a pris du ~ dans son travail** he has fallen behind with his work; **le cycliste a pris du ~ sur le groupe de tête** the cyclist has fallen behind the leaders; **rattraper** *or* **combler son ~** to catch up; **nous avons beaucoup de ~ à rattraper** we've got a lot to catch up; **être en ~ pour faire qch** to be late doing sth; **elle est toujours en ~ pour payer ses factures** she's always late paying her bills; **il lui a souhaité son anniversaire en ~** he wished her a belated happy birthday; **avoir du courrier/travail en ~** to have a backlog of mail/work; **après bien des ~s** after a lot of delay; **sans ~** without delay, straight away; ▸ **métro**; **2** (développement moins avancé) backwardness ₵; **~ industriel/technologique** industrial/technological backwardness; **il est en ~ en mathématiques** he's behind in maths GB *ou* math US; **il a deux ans de ~** Scol he's two years behind at school; **ils ont vingt ans de ~ sur le reste de l'Europe** they're twenty years behind the rest of Europe; **être en ~ sur son temps** to be behind the times; **3** Mus retardation
(Composés) **~ à l'allumage** Aut, Tech delayed ignition; **~ intellectuel** backwardness

retardataire /ʀ(ə)taʀdatɛʀ/
A *adj* **1** (non ponctuel) **les élèves ~s** students who are late; **les spectateurs ~s** latecomers; **2** (qui date) [*méthode, pédagogie, théorie*] outdated
B *nmf* latecomer

retardateur, -trice /ʀ(ə)taʀdatœʀ, tʀis/
A *adj* Tech retarding
B *nm* Chimie retarder

retardé, ~e /ʀ(ə)taʀde/
A *pp* ▸ **retarder**
B *pp adj* [*personne*] backward

retardement /ʀ(ə)taʀdəmɑ̃/
A *nm* delaying
B à retardement *loc adj* [*appareil photo, dispositif*] delayed-action (*épith*); **bombe à ~** time-bomb; **des compliments/applaudissements à ~** belated compliments/applause
C à retardement *loc adv* [*se fâcher, agir*] after the event; **il comprend toujours à ~** he's slow on the uptake○

retarder /ʀ(ə)taʀde/ [1]
A *vtr* **1** (par rapport à une heure convenue) to make [sb] late; **tu vas au théâtre, je ne veux pas te ~** I don't want to make you late for the theatre^GB; **dépêche-toi, tu vas nous ~!** hurry up, you're going to make us late!; **être retardé** [*train, avion*] to be delayed; **le brouillard a retardé le décollage** fog delayed take-off; **2** (par rapport à un emploi du temps) to hold [sb] up; **je ne veux pas vous ~** I don't want to hold you up *ou* delay you; **il a été retardé par un client/les embouteillages** he was held up by a customer/the traffic; **ça l'a retardé dans son travail/ses recherches** this held up his work/his research; **le mauvais temps a retardé les opérations de sauvetage** the bad weather held up the rescue operation; **3** (reporter) to put off, to postpone [*départ, opération*]; **il a retardé son départ de deux jours** he put his departure off *ou* he postponed his departure for two days; **elle retarde toujours le moment de prendre une décision** she always puts off making decisions; **4** (reculer) to put back [*réveil, horloge*]; **cette nuit n'oubliez pas de ~ vos montres d'une heure** don't forget to put your watches back one hour tonight
B *vi* **1** [*pendule, réveil, montre*] (être en retard) to be slow; (prendre de plus en plus de retard) to lose time; **ma montre retarde de cinq minutes par jour** my watch loses five minutes a day; **ce réveil retarde de 20 minutes** this alarm clock is 20 minutes slow; **je retarde de cinq minutes** my watch is five minutes slow; **2** (être rétrograde) **~ sur son temps** *or* **son époque** to be behind the times; **ils retardent de 50 ans!** they're 50 years behind the times!; **3** (ne pas être au courant) to be out of touch; **Léningrad? tu retardes, c'est Saint-Pétersbourg maintenant!** Leningrad? you're out of touch, it's Saint Petersburg now!

reteindre /ʀ(ə)tɛ̃dʀ/ [55] *vtr* to redye [*cheveux, vêtement*]; to restain [*meuble, bois*]; **faire ~ qch** to have sth redyed [*cheveux, vêtement*]; to have sth restained [*meuble, bois*]

retéléphoner /ʀ(ə)telefɔne/ [1]
A *vtr* to phone [sb] again; (retourner un appel) to call *ou* phone [sb] back
B *vi* **1** (de nouveau) to call *ou* phone again; **2** (retourner un appel) **~ à qn** to call *ou* phone sb back
C se retéléphoner *vpr* to phone each other again

retendre /ʀ(ə)tɑ̃dʀ/ [6]
A *vtr* **1** (de nouveau) to tighten up (again) [*corde, fil, toile*]; **2** (davantage) to tighten up [*corde, ressort*]; **faire ~ les cordes** to have the strings tightened; **3** (présenter de nouveau) **~ un plat** to offer a dish again; **~ la main** to hold out one's hand again
B se retendre *vpr* [*corde*] to tighten up

retenir /ʀətniʀ, ʀtəniʀ/ [36]
A *vtr* **1** (empêcher de partir) to keep [*personne*]; (retarder) to hold [sb] up, to detain [*personne*]; **il m'a retenu plus d'une heure avec ses bavardages** he kept me chatting for over an hour; **son travail l'a retenu à Paris** his job kept him in Paris; **je ne vous retiendrai pas longtemps** I won't keep you long; **je ne vous retiens pas!** iron don't let me keep you!; **j'ai été retenu** I was held up; **~ qn prisonnier** to hold sb captive *ou* prisoner; **~ qn à dîner** to ask sb to stay for dinner
2 (maintenir fixe) lit, fig to hold [*objet, attention*]; (en arrière) to hold back [*cheveux, volet, chien, personne, foule*]; to retain [*sol*]; (empêcher une chute) to stop [*personne*]; to rein in [*cheval*]; **un crochet retient le volet contre le mur** a hook holds the shutter back against the wall; **~ sa langue** fig to hold one's tongue; **la prudence/ma timidité m'a retenu** fig caution/my shyness held me back; **si tu ne l'avais pas retenu, il serait tombé** if you hadn't stopped him, he would have fallen; **si je ne l'avais pas retenu, il aurait tout avoué** if I hadn't stopped him, he would have confessed everything; **retenez-moi ou je fais un malheur**○**!** hold me down or I'll go berserk○!; **~ qn par la manche** to catch hold of sb's sleeve; **votre réclamation a retenu toute notre attention** fml your complaint is receiving our full attention
3 (réprimer) to hold back [*larmes*]; to hold [*souffle*]; to stifle [*cri, rire, soupir, bâillement*]; to bite back [*exclamation*] ; to suppress [*sourire*]; to contain, to suppress [*colère*]; to check [*geste*]; **elle ne put ~ un bâillement** she tried in vain to stifle a yawn; **colère retenue** suppressed anger
4 (capturer) to retain [*chaleur, humidité, eau, odeur*]; to absorb [*lumière*]
5 (réserver) to reserve, to book GB [*table, chambre, place*]; to set [*date*]; **la date retenue est jeudi prochain** the date set is next Thursday
6 (confisquer) to withhold, to retain [*caution, bagages*]; to stop [*salaire*]; (prélever) to deduct [*somme, cotisation, impôt*] (**sur** from); **~ l'impôt à la source** Fisc to deduct tax at source
7 (mémoriser) to remember [*numéro, nom, date, formule*]; to be left with, to get [*impression*]; (absorber) to take in [*enseignement*]; **retiens-bien ceci** remember this; **cet enfant ne retient rien** that child doesn't take anything in; **je retiens de cet échec que** the lesson I learned from that failure is that; **je retiens qu'on peut leur faire confiance** I've learned that they can be trusted; **toi, je te retiens**○**!** I won't forget this!, you'll live to regret this!
8 (agréer) to accept [*argument, plan, proposition*]; Jur to uphold [*chef d'accusation*]; (considérer favorablement) **votre candidature a été retenue** you're being considered for the post; **être retenu comme critère/un indice valable** to be used as a criterion/a reliable indication; **c'est la solution retenue par le gouvernement** that's the solution the government has decided on; **être retenu comme solution** to be the solution adopted
9 Math to carry (over); **je pose 5 et je retiens 1** I put down 5 and carry 1
B se retenir *vpr* **1** (se rattraper) to stop oneself; **se ~ à qch** to hang on to sth; **j'ai essayé de me ~ dans ma chute** I tried to stop myself from falling
2 (réprimer une envie psychique) to stop oneself; **se ~ de faire** to stop oneself from doing; **se ~ de pleurer/rire** to try not to cry/laugh; **je n'ai pas pu me ~ de pleurer** I couldn't hold back the tears; **il ne put se ~ de rire** he couldn't help laughing; **je me suis retenu de leur dire ce que je pensais** I refrained from telling them what I thought; **j'ai dû me ~ pour ne pas la gifler** it was all I could do not to slap her
3 ○(réprimer un besoin physiologique) to control oneself; **retiens-toi, nous sommes presque arrivés** hold on, we're nearly there; **ne le gronde pas, il n'a pas pu se ~** don't scold him, he couldn't help it

retenter /ʀ(ə)tɑ̃te/ [1] *vtr* to reattempt [*exploit, ascension*]; **~ de faire** to make another attempt at doing; **~ sa chance** to try one's luck again; **~ le coup**○ (pour réussir) to have another go○; (pour tromper) to try it on again○

rétenteur /ʀetɑ̃tœʀ/
A *adj m* **muscle ~** retentor muscle
B *nm* Jur lienor

rétention /ʀetɑ̃sjɔ̃/ *nf* **1** Méd retention; **faire de la ~ d'eau/d'urine** to suffer from water/urine retention; **2** (refus de communiquer) withholding (**de** of); **~ d'information** Jur withholding of information; **pratiquer une politique de ~** Écon to impose limits on exports (*in order to raise prices*); **3** Géog retention (**de** of)

retentir /ʀ(ə)tɑ̃tiʀ/ [3] *vi* **1** (résonner) to ring out; (plus fort) to resound; **~ aux oreilles de qn** to ring in sb's ears; **~ en qn** liter to strike a chord in sb; **2** (affecter) **~ sur** [*fatigue, drogue,* *état*] to have an impact on; [*événement, situation*] to have repercussions on

retentissant, **~e** /ʀ(ə)tɑ̃tisɑ̃, ɑ̃t/ *adj* 1 (éclatant) [*déclaration, échec, succès*] resounding; [*procès, film, découverte, discours*] sensational; 2 (sonore) [*cri, voix, bruit*] ringing; (plus fort) resounding

retentissement /ʀ(ə)tɑ̃tismɑ̃/ *nm* 1 (bruit) (de pas, voix, d'instrument) ringing; (de tonnerre, canon) boom; 2 (répercussions) effect (**sur** on); (d'artiste, d'œuvre) impact (**sur** on); 3 (succès) sensation; **avoir un (grand) ~** to cause a (great) sensation

retenu, **~e** /ʀətny, ʀtəny/

A *adj* liter [*élégance, charme*] discreet

B **retenue** *nf* 1 (modération) restraint; **faire preuve/manquer de ~e** to show/to lack restraint; **critiquer avec ~e** to be restrained in one's criticism(s); **perdre toute ~e** to lose one's inhibitions; **n'avoir aucune ~e dans son langage** to use very immoderate language; **n'avoir aucune ~e dans sa conduite** to behave wildly; **boire/manger sans ~e** to drink/to eat to excess; **rire sans ~e** to laugh uproariously; 2 (prélèvement) deduction (**sur** from); **opérer** or **faire une ~e de 10% sur le salaire de qn** to make a deduction of 10% *ou* to deduct 10% from sb's salary; **la ~e pour la retraite/au titre des cotisations sociales** ≈ pension/national insurance contributions; 3 Scol detention; **être en ~e** to be in detention; **j'ai eu deux heures de ~e** I got two hours' detention; 4 Math **tu as oublié la ~e des dizaines** you forgot to carry over from the tens column; 5 Transp (ralentissement) tailback; 6 Tech (masse d'eau) reservoir; **ouvrage de ~e** dam; **barrage à faible ~e** low-capacity dam

(Composés) **~e de garantie** Comm retention money; **~e à la source** Fisc deduction of tax at source GB, withholding tax US; **système de ~e à la source** pay as you earn system, PAYE system GB, withholding system US

rétiaire /ʀetjɛʀ/ *nm* Antiq retiarius

réticence /ʀetisɑ̃s/ *nf* 1 (répugnance) reluctance; **avec ~** reluctantly; **sans ~** (parler) openly; (accepter) unreservedly; 2 liter (réserve) reticence ¢; **ses ~s en ce qui concerne le passé** his/her reticence about the past; 3 (chose omise) non-disclosure, omission; **relever des ~s dans les témoignages** to point out omissions in the evidence; **'toute ~ de la part de l'assuré'** 'failure on the part of the insured to declare all relevant facts'

réticent, **~e** /ʀetisɑ̃, ɑ̃t/ *adj* 1 (qui hésite) hesitant (**à faire** about doing); (qui rechigne) reluctant (**à faire** to do); **se montrer/être ~ à une idée** to seem/to be hostile to an idea; 2 (peu communicatif) [*personne*] reticent; (de nature) reserved

réticulaire /ʀetikylɛʀ/ *adj* reticular

réticule /ʀetikyl/ *nm* 1 (en optique) reticle; 2 (petit sac) reticule; 3 Mode (filet) hairnet

réticulé, **~e** /ʀetikyle/ *adj* 1 Anat, Bot, Géol reticulate; 2 Archit reticulated

rétif, **-ive** /ʀetif, iv/ *adj* [*âne, cheval*] restive; [*personne, humeur*] rebellious

rétine /ʀetin/ *nf* retina

rétinien, **-ienne** /ʀetinjɛ̃, ɛn/ *adj* retinal

rétinite /ʀetinit/ ▸ p. 283 *nf* retinitis

rétinographie /ʀetinoɡʀafi/ *nf* retinography

retirage /ʀ(ə)tiʀaʒ/ *nm* 1 (action) reprinting; 2 (résultat) reprint

retiré, **~e** /ʀ(ə)tiʀe/ *adj* (solitaire) [*endroit, vie*] secluded; (éloigné) [*endroit*] remote; **vivre ~e dans un couvent** to live the secluded life of a nun; **mener une vie ~e** to live a life of seclusion, to lead a secluded life; **vivre ~ de la société** to live the life of a recluse

retirer /ʀ(ə)tiʀe/ [1]

A *vtr* 1 (se débarrasser de) to take off [*vêtement, bijou*]; **retire-lui ses gants** take his/her gloves off 2 (faire sortir) to take out, to remove (**de** from); **~ les arêtes** to take out *ou* remove the bones; **~ une balle d'une blessure** to remove *ou* extract a bullet from a wound; **~ les mains de ses poches/le poulet du four** to take one's hands out of one's pockets/the chicken out of the oven; **~ un enfant d'une école** to take a child away from a school, to remove a child from a school; **~ un filet de l'eau** to pull a net out of the water; **~ un corps des décombres** to pull a body from *ou* out of the rubble; **~ un mouchoir de sa poche** to pull a handkerchief out of one's pocket; **~ un gâteau d'un moule** to turn a cake out of a tin GB *ou* pan US; **~ ses troupes d'un pays** to withdraw one's troops from a country; **je n'arrive pas à ~ la cuillère du bocal** I can't get the spoon out of the jar; ▸ **épine**

3 (écarter) to withdraw [*pied, main, tête*]; **retire ta main, tu vas te brûler** move your hand away, you'll burn yourself

4 (supprimer, enlever) to withdraw [*permission, privilège*] (**à** from); to take away, to remove [*droit, bien, objet*] (**à** from); **~ un produit de la vente** Comm to recall a product; **~ la garde d'un enfant à qn** to withdraw custody of a child from sb; **on m'a retiré la garde de mon fils** I've lost custody of my son; **il s'est fait ~ son permis de conduire** he had his driver's licence[GB] taken away from him; **~ [qch] de la circulation** to withdraw [sth] from circulation [*monnaie*]; **retire-lui ce livre des mains** take that book away from him/her; **~ un livre du programme** to take a book off the syllabus; **~ ses affaires de la table** to take one's things off the table; **~ sa confiance à qn** not to trust sb any more; **je lui ai retiré mon estime** I no longer have any respect for him/her; **~ une pièce de l'affiche** to close a play

5 (ne pas maintenir) to withdraw [*plainte, accusation, offre, soutien*]; **~ sa candidature** (à un poste) to withdraw one's application; (à une élection) to stand down (**en faveur de** in favour[GB] of); **je retire ce que j'ai dit** I take back what I said

6 (rentrer en possession de) to collect, to pick up [*billet, bagages, dossier, inscription*]; to withdraw [*argent*] (**d'un compte** from an account); **~ les billets au guichet/à l'agence de voyages** to collect one's tickets at the counter/from the travel agent's

7 (recueillir) to get, to derive [*bénéfice*] (**de** from); **il en retire 10 000 euros par an** he gets 10,000 euros a year out of it; **espérant en ~ un profit/avantage** hoping to get some benefit/advantage out of it; **je n'en ai retiré que des ennuis** it brought me nothing but trouble, I got nothing but trouble out of it; **tout ce qu'il a retiré de sa baignade/de son refus de payer, c'est...** all he got out of his swim/of refusing to pay was...

8 (extraire) to extract [*minerai, huile*] (**de** from); **graine dont on retire de l'huile** seed from which oil is extracted

B **se retirer** *vpr* 1 (partir) to withdraw, to leave; (aller se coucher)† to retire to bed; **se ~ dans son bureau/un coin** to withdraw to one's study/a corner; **se ~ en province/sur ses terres** to retire to the country/to one's estate; **se ~ de** to withdraw from [*groupement, parti, territoire, compétition*]; to retire from [*affaires, politique*]; **se ~ du monde** to withdraw from society; **se ~ du barreau** to retire from the bar; **un homme retiré de la politique** a man retired from political life; **depuis qu'il est retiré des affaires** since he retired, since his retirement; **se ~ du combat/de la partie** to pull out; **se ~ sur la pointe des pieds** to tiptoe out *ou* away; **se ~ sans bruit** to slip away quietly

2 (après accouplement) to withdraw

3 (reculer) [*eaux de crue*] to subside, to recede; [*glacier*] to retreat; [*personne*] to step back; (pour laisser passer) to step aside; **se ~ sur ses arrières** or **positions** Mil to retreat; **la foule se retira vers la mairie** the crowd retreated to the town hall; **la mer se retire** the tide is going out

retombée /ʀ(ə)tɔ̃be/

A *nf* Archit springing

B **retombées** *nfpl* 1 (pluie) **~s radioactives** radioactive fallout ¢; 2 (conséquences) effects (*pl*) (**sur** on), consequences (*pl*) (**sur** for); **~s catastrophiques** disastrous consequences; **~s positives/bénéfiques** positive/beneficial effects; **les mesures auront des ~s favorables sur l'emploi** the measures will have a favourable[GB] effect on employment; **~s médiatiques** consequences of media coverage; 3 (d'une invention) spin-offs (*pl*)

retomber /ʀ(ə)tɔ̃be/ [1] *vi* 1 (faire une nouvelle chute) [*personne, objet*] to fall again; **~ malade/amoureux** fig to fall ill/in love again; **~ dans la misère/l'anarchie/la facilité** fig to sink back into poverty/anarchy/a state of complacency; **~ dans le péché** fig to fall back into evil ways; **~ en enfance** fig to regress to childhood; **la conversation retombe toujours sur le même sujet** fig the conversation always comes back to the same subject; 2 (retourner au sol après s'être élevé) [*personne, chat, projectile*] to land; [*ballon, capot, rideau métallique*] to come down; [*brouillard*] to set in again; **elle sauta et retomba sur le ventre** she jumped and landed on her stomach; **~ sur ses pattes** [*chat*] to land on its feet; **~ sur ses pieds** or **pattes**○ fig to land on one's feet; **les fumées toxiques retombent en pluie acide** toxic fumes come down as acid rain; **laisser ~ le capot/ses bras** to let the bonnet GB *ou* hood US/one's arms drop; **ça va te ~ sur le nez**○ fig it'll come down on your head; 3 (s'affaisser) [*personne*] to fall back; [*soufflé*] to collapse; fig [*colère, exaltation*] to subside; [*enthousiasme, intérêt*] to wane; **elle tenta de se redresser et retomba** she tried to get up and fell back; **sa colère retomba d'elle-même** his/her anger subsided; **se laisser ~ sur le sable/dans son fauteuil** to fall *ou* flop back onto the sand/into one's chair; 4 (diminuer) [*valeur, monnaie*] to fall; [*température*] to go down, to fall; **le dollar est retombé à 0,89 euro** the dollar has fallen to 0.89 of a euro; 5 (pendre) **sa chevelure retombait sur ses épaules** his/her hair fell *ou* flowed over his/her shoulders; **elle écarta la mèche qui lui retombait sur le front** she pushed back the hair which was hanging in her eyes; **les rideaux retombent en plis gracieux** the curtains hang gracefully; 6 (incomber à) **~ sur qn** [*responsabilité, ennui*] to fall on sb; **toutes les responsabilités retombent sur moi** all the responsibility falls on me; **la faute du père retombera sur le fils** Bible the sins of the fathers will be visited on the sons; **tu fais des bêtises et c'est sur moi que ça retombe** you behave stupidly, and I'm the one who has to pay for it; **faire ~ la responsabilité sur qn** to pass the buck○ to sb; 7 (rencontrer de nouveau) **~ sur** to run into [sb] again [*personne*]; to come across [sth] again [*occasion*]

retordre /ʀ(ə)tɔʀdʀ/ [6] *vtr* Tex to twist [*fil*]

(Idiome) **donner du fil à ~ à qn** to give sb a hard time

rétorquer /ʀetɔʀke/ [1] *vtr* (répliquer) to retort (**que** that)

retors, **~e** /ʀətɔʀ, ɔʀs/ *adj* 1 pej [*personne*] crafty; [*argument*] devious; 2 Tex [*fil*] twisted

rétorsion /ʀetɔʀsjɔ̃/ *nf* Jur, Pol retaliation; **user de ~** to retaliate; **mesure de ~** retaliatory measure

retouche /ʀ(ə)tuʃ/ *nf* (de vêtement, texte) alteration; (de photo, tableau) retouch; **faire des ~s** Cout to do alterations; Phot to retouch photographs

retoucher /ʀ(ə)tuʃe/ [1]

A *vtr* 1 (modifier) to make alterations to [*vêtement*]; to alter [*col, manches*]; to retouch, to touch up [*photographie, tableau*]; **~ un texte** to make alterations to a text; **ces photographies ont été retouchées** these photographs have been touched up *ou* retouched; **faire ~**

r

to have [sth] altered [*vêtement*]; **2** (de nouveau) (pour sentir) to touch again; (obtenir) ~ **100 euros** to get another 100 euros

B **retoucher à** *vtr ind* **1** (pour sentir) ~ **à qch** to touch sth again; **2** (reprendre) ~ **à l'alcool/la drogue** to start drinking again/taking drugs again; **il a juré qu'il ne retoucherait jamais à l'alcool** he vowed that he would never touch alcohol again

retoucheur, -euse /R(ə)tuʃœR, øz/ ▸ p. 532 *nm,f* Phot, Cin retoucher

retour /R(ə)tuR/ *nm* **1** (trajet) return; **(billet de)** ~ return ticket GB, round trip (ticket) US; **ils me payent l'aller, non le ~** they're paying for my outward journey but not for the return; **au ~ nous nous sommes arrêtés pour déjeuner** we stopped for lunch on the way back; **la pluie s'est mise à tomber pendant notre ~** it started raining as we were on our way back; **être sur le chemin du ~** to be on one's way back; **notre ~ s'est bien passé** we got back safely; **il faut penser au ~** (à rentrer) we must think about getting back; (au voyage pour rentrer) we must think about the return journey; **il vient juste d'arriver mais il pense déjà à son ~** he's only just arrived but he's already thinking about going back; **il prépare son ~ dans son pays** he's getting ready to return *ou* to go back to his own country; **il y a des embouteillages à cause des ~s de vacances** there are traffic jams because of people coming back from their holidays GB *ou* vacations US

2 (au point de départ) return; **~ sur terre** return to earth; **à mon ~ à Paris/dans la région** on *ou* upon my return to Paris/to the area; **à son ~ du front/de l'étranger** on his return from the front/from abroad; **être de ~** to be back; **je serai de ~ avant minuit** I'll be back by midnight; **de ~ à Paris, elle a ouvert un magasin** back in Paris, she opened a shop GB *ou* store US; **de ~ à la maison** back home; **à son ~, elle m'a téléphoné** when she got back, she phoned me; **il attend le ~ de sa femme pour prendre une décision** he's waiting for his wife to return *ou* to come back before making a decision; **un ~ triomphal** a triumphant return; **fêter le ~ de qn** to celebrate sb's return; **partir sans espoir de ~** to leave for good

3 (à un stade antérieur) return; **~ à la normale** return to normal; **on attend le ~ au calme** people are waiting for things to calm down; **~ à la vie civile** return to civilian life; **~ à la terre** going back to the land; **~ à la nature** return to nature; **'~ à la case départ'** 'back to square one'; **~ aux sources** (aux principes) return to basics; (à la nature) return to the simple life; (vers ses racines) return to one's roots; **il connaît maintenant le succès et c'est un juste ~ des choses** he's successful now, and deservedly so; **donner qch en ~** to give sth in return

4 (réapparition) return; **le ~ du beau temps/de l'hiver** the return of the fine weather/of winter; **le ~ des hirondelles** the swallows' return; **le ~ de la mode des années 60** the return of 60s fashions; **le ~ d'un chanteur après 15 ans de silence** a singer's comeback after 15 years of silence; **faire un ~ en force** [*chanteur, artiste*] to make a big comeback; [*idéologie*] to be back with a vengeance; [*cycliste, coureur*] to make a strong comeback

5 (échange) **elle s'engage, en ~, à payer la facture** she undertakes for her part to pay the bill; **aimer sans ~** liter to suffer from unrequited love littér

6 Comm (objets invendus) return; (de récipient, bouteille) return; **(clause de) ~ sans frais** no protest clause; **'sans ~ ni consigne'** 'no deposit or return'

7 (renvoi) **~ à l'expéditeur** *or* **à l'envoyeur** return to sender; **par ~ du courrier** by return of post GB, by the next mail US

8 (au tennis) return; **~ de service** return of service

9 Tech return; **~ automatique du chariot** automatic carriage return

(Composés) **~ d'âge** change of life; **~ en arrière** Cin, Littérat flashback; **ce serait un ~ en arrière** (pas souhaitable) it would be a step backward(s); **un ~ en arrière s'impose** (souhaitable) we must go back to the previous state of affairs; **~ de balancier** *or* **de bâton**○ backlash; **en ~ d'équerre** at a right angle; **~ de flamme** Tech flashback; Aut, fig backfiring; **~ de manivelle**○ = **~ de balancier**; **~ de marée** undertow; **~ à la masse** *or* **à la terre** earth GB *ou* ground US return; **~ offensif** renewed attack; **'~ rapide'** fast rewind; **~ sur soi-même** soul-searching; **faire un ~ sur soi-même** to do some soul-searching

(Idiome) **être sur le ~**○ to be over the hill○

retournement /R(ə)tuRnəmɑ̃/ *nm* (de situation) reversal (**de** of); **il y a eu un ~ de l'opinion publique** there was a turn around *ou* swing in public opinion

retourner /R(ə)tuRne/ [1]

A *vtr* (+ *v avoir*) **1** (changer de côté) to turn [sth] over [*seau, caisse, steak, poisson*]; to turn [*matelas*]; **~ une carte à jouer** (figure visible) to turn up a playing card; (figure pas visible) to put a playing card face down; **~ un tableau contre le mur** to turn a painting to the wall

2 (mettre à l'envers) to turn [sth] inside out [*vêtement, sac*]; Cout to turn [*vêtement, coussin, col*]; **un coup de vent a retourné son parapluie** a gust of wind turned his umbrella inside out; **il a retourné ses poches à la recherche de quelques sous** he turned his pockets inside out looking for some change

3 (tourner à plusieurs reprises) to turn over [*terre*]; to toss [*salade, foin*]; **~ une idée** *or* **pensée dans sa tête** to turn an idea *ou* a thought over in one's mind

4 (changer d'orientation) to return [*compliment, critique*]; **~ la situation** to reverse the situation; **elle a retourné le pistolet contre elle-même** she then turned the gun on herself; **si tu retournes l'argument contre lui** if you turn his own argument against him

5 (bouleverser) [*personne*] to turn [sth] upside down [*maison, pièce*]; [*nouvelle, spectacle*] to shake [*personne*]; **elle a retourné toute la maison pour retrouver la facture** she turned the house upside down trying to find the bill; **je suis encore tout retourné**○ I'm still quite shaken

6 (renvoyer) to send [sth] back, to return [*colis, lettre, marchandise*]

B *vi* (+ *v être*) **1** (aller à nouveau) to go back, to return (**à** to); **~ dans son village natal** to return to the village where one was born; **~ chez le dentiste/médecin pour une nouvelle visite** to go back to the dentist's/doctor's for another visit; **~ à l'école/au bureau** to go back to school/to the office; **je n'y suis jamais retourné depuis** I've never been back *ou* never returned since

2 (à un état antérieur) to go back (**à** to), to return (**à** to); **animal qui est retourné à l'état sauvage** animal that has gone back *ou* returned to its wild state; **~ à ses premières amours** liter to return to one's first love; **il est retourné à son laboratoire et à ses expériences** he went back to his laboratory and to his experiments; **les biens retournent à leur légitime possesseur** the property reverts to its rightful owner

C **se retourner** *vpr* **1** (tourner la tête) to turn around, to turn round GB; **je l'ai appelée et elle s'est retournée** I called her and she turned around; **partir sans se ~** lit, fig to leave without once looking back; **elle est tellement grande que tout le monde se retourne sur son passage** she's so tall that everybody turns to look as she goes past

2 (changer de position) [*personne couchée*] to turn over; [*véhicule, automobiliste*] to turn over, to overturn; **se ~ sur le dos/ventre** to turn over onto one's back/stomach; **il n'a pas arrêté de se ~ (dans son lit) pendant toute la nuit** he kept tossing and turning all night long; **la voiture s'est retournée dans un fossé** the car overturned into a ditch

3 (s'organiser) to get organized; **ça lui laissera le temps de se ~** it'll give her time to sort things out *ou* to get organized

4 (prendre un tour inverse) **se ~ contre qn** [*personne, animal*] to turn against sb; [*situation, agissements*] to backfire on sb; **se ~ contre ses alliés** to turn on one's allies; **ses arguments se sont retournés contre lui** his arguments backfired on him

5 (se tordre) **elle s'est retourné le doigt/un ongle** she bent back her finger/a nail

6 (repartir) **s'en ~** to go back; **s'en ~ chez soi** to go back home; ▸ **plaie**

D *v impers* **j'aimerais savoir de quoi il retourne** I'd like to know what's going on

(Idiome) **~ qn comme une crêpe**○ *or* **un gant**○ to make sb change their mind completely

retracer /RətRase/ [12] *vtr* **1** (marquer) to redraw [*ligne, dessin*]; **2** (narrer) to recount [*événement, vie*]

rétractable /RetRaktabl/ *adj* [*pointe, embout*] retractable; [*offre*] revocable

rétractation /RetRaktasjɔ̃/ *nf* (de pointe, d'embout) retraction; (d'offre) revocation

rétracter /RetRakte/ [1]

A *vtr* (tous contextes) to retract; **il a rétracté ses injures** he retracted his insults; **le chat a rétracté ses griffes** the cat retracted its claws

B **se rétracter** *vpr* (tous contextes) to retract

rétractile /RetRaktil/ *adj* retractile

retraduction /RətRadyksjɔ̃/ *nf* (nouvelle) new translation; (à partir d'une traduction) translation of a translation; (vers la langue de départ) translation back into the original language

retraduire /RətRadɥiR/ [69] *vtr* (de nouveau) to retranslate; (vers la langue de départ) to translate [sth] back into the original language; **~ du grec** to translate back from the Greek

retrait /R(ə)tRɛ/

A *nm* **1** (de valise, paquet, commande, dossier) collection; (d'argent) withdrawal; **s'adresser au guichet nº 2 pour le ~ des colis** parcels can be collected for counter nº. 2; **présentez un reçu pour le ~ de toute commande** a receipt must be produced when collecting orders; **2** (annulation, suppression) (d'autorisation, de soutien, monnaie) withdrawal (**de** of); Comm (d'article défectueux) recall (**de** of); **réclamer le ~ d'une mesure** to call for a measure to be lifted; **après le ~ de la candidature du maire sortant** after the outgoing mayor stood down; **~ du permis (de conduire)** disqualification from driving; **3** (départ) withdrawal; **le ~ des troupes de la zone occupée** the withdrawal of the troops from the occupied zone; **le ~ du pilote du championnat** the driver's withdrawal from the championships; **faire un ~ de fonds** to withdraw funds; **le ~ des eaux a révélé l'ampleur du désastre** when the water went down *ou* subsided, the scale of the disaster became apparent; **4** (après accouplement) withdrawal

B **en retrait** *loc adv* **1** (à l'écart) **maison (située) en ~ de** house set back from [*route*]; house a little way out of [*village*]; **se tenir en ~** lit to stand back; **se mettre/tenir en ~** fig to take/to occupy a back seat; **rester en ~** fig to stay in the background; **la police reste en ~** the police are keeping a low profile; **ce secteur reste en ~ de l'automobile** this sector is somewhat behind the automotive sector; **le texte est en ~ par rapport aux déclarations du ministre** fig the bill is less drastic than the minister had led us to expect; **2** (en baisse) **les recettes sont en ~ de 10% par rapport à** *or* **sur l'année dernière** takings are 10% down on last year; **3** Tech (contraction) (de béton, tissu) shrinkage; (de métal) contraction

(Composé) **~ à vue** withdrawal on demand

retraite /R(ə)tRɛt/ *nf* **1** (cessation d'activité) retirement; **la ~ à 60 ans** retirement at 60;

r

l'âge de la ~ retirement age; **~ anticipée** early retirement; **prendre sa ~** to retire; **prendre sa ~ de commandant de l'armée de terre** to retire from the army with the rank of major; **il est resté à Paris jusqu'à sa ~** he stayed in Paris until he retired; **mettre qn à la ~** to make sb take retirement, to retire sb; **il a été mis à la ~ anticipée** he was made to take early retirement; **mise à la ~ d'office** compulsory retirement; **il y aura des mises à la ~** a number of people will be asked to retire; **à la ~** retired; **sa mise à la ~ l'a beaucoup déprimé** he was very depressed at being retired; **il est en ~ depuis deux ans** he has been retired for two years; **partir en ~** to retire; **départ à la ~** retirement; **2** (pension) pension; **une ~ d'ouvrier** a worker' s pension; **toucher sa ~** to draw one's pension; **régime de ~ par capitalisation** funded pension plan, pension plan by capitalization; **régime de ~ par répartition** contributory pension scheme *ou* plan; **~ complémentaire** supplementary pension; **3** Mil retreat; **~ en bon ordre** orderly retreat; **sonner la ~** to sound the retreat; **~ de Russie** retreat from Russia; **battre en ~** Mil to beat a retreat, to retreat; fig to beat a hasty retreat; **4** Relig retreat; **une ~ d'une semaine** a week's retreat; **être en ~** to be in retreat; **faire ~** to go into retreat; **5** (lieu retiré) littér (d'écrivain) retreat; (de brigands) refuge; **sortir de sa ~** to come out of one's retreat

retraité, ~e /R(ə)tRete/
A *pp* ▸ **retraiter**
B *pp adj* [*personne*] retired
C *nm,f* retired person; **les ~s** retired people

retraitement /R(ə)tRɛtmɑ̃/ *nm* reprocessing

retraiter /R(ə)tRete/ [1] *vtr* Phys Nucl to reprocess

retranché, ~e /R(ə)tRɑ̃ʃe/ *adj* [*village, cap, position*] entrenched

retranchement /R(ə)tRɑ̃ʃmɑ̃/ *nm* entrenched position, entrenchment; **pousser qn (jusque) dans ses derniers ~s** fig to drive sb into a corner

retrancher /R(ə)tRɑ̃ʃe/ [1]
A *vtr* **1** (enlever) to cut out [*mot, phrase, passage*] **(de** from); **2** (soustraire) to subtract, to take away [*somme, montant*] **(de** from); to deduct [*cotisations, frais*] **(de** from); **il faut ~ 10% du total** you must subtract 10% from the total; **tu ajoutes dix et tu retranches trois** you add ten and take away three
B **se retrancher** *vpr* **1** Mil (s'installer) to take up position; (pour être à l'abri) to entrench oneself; **être retranché dans un village/bâtiment** [*soldats*] to have taken up position in a village/building; **2** (se cacher) **se ~ derrière** to hide behind [*idéologie, décision, loi*]; **il se retranche derrière l'article 14/les décisions patronales** he hides behind article 14/management decisions; **il se retranche derrière le directeur** he says it's a matter for the manager; **se ~ dans** to take refuge in [*silence, rêve, attitude*]; **elle se retranche dans une attitude soumise** she retreats into a submissive attitude

retranscription /R(ə)tRɑ̃skRipsjɔ̃/ *nf* retranscription

retranscrire /R(ə)tRɑ̃skRiR/ [67] *vtr* to retranscribe

retransmetteur /R(ə)tRɑ̃smetœR/ *nm* relay

retransmettre /R(ə)tRɑ̃smetR/ [60] *vtr* **1** (transmettre) Radio, TV to broadcast [*nouvelles, émission*]; **~ (qch) en direct** to broadcast sth live; **~ qch en différé** to broadcast a recording of sth; **2** (par relais) to relay; **retransmis par satellite** relayed by satellite; **3** Télécom, Radio to retransmit [*message, appel*]

retransmission /R(ə)tRɑ̃smisjɔ̃/ *nf* **1** (d'émission) broadcast; **~ en direct/différé** live/recorded broadcast; **la ~ de la cérémonie se fera à 15 heures** the ceremony will be broadcast at 3 pm; **2** (relais) relay; **assurer la ~ d'un signal** to relay a signal; **3** Télécom, Radio (de message, d'appel) retransmission

retravailler /R(ə)tRavaje/ [1]
A *vtr* to revise [*œuvre*]
B *vi* (après chômage, démission) to start working again; (après vacances, maladie) to go back to work

retraverser /R(ə)tRavɛRse/ [1] *vtr* **1** (de nouveau) to cross [sth] again; **2** (en sens inverse) to cross back over

rétréci, ~e /RetResi/
A *pp* ▸ **rétrécir**
B *pp adj* [*vêtement*] shrunken; [*champ d'investigation*] narrowed down; **'attention! chaussée ~e'** 'warning! road narrows'

rétrécir /RetResiR/ [3]
A *vtr* **1** Tex [*lavage*] to shrink; **le lavage l'a rétréci en longueur/largeur** it has got GB *ou* gotten US shorter/narrower in the wash; ▸ **peau**; **2** Cout [*couturière*] **~ en largeur** to take in **(de** by); **~ en longueur** to take up **(de** by); **3** Bot to shrivel [*plante*]; **4** Anat, Méd to contract [*pupille*]; **5** Constr (en largeur) to make [sth] narrower [*route*]; (de tous côtés) to make [sth] smaller [*terrain, parc*]; **6** (minimiser) to narrow down [*sujet, champ d'investigation*]; to narrow [*question, idée, domaine*]
B *vi* to shrink **(de** by); **ne rétrécit pas au lavage** does not shrink in the wash
C **se rétrécir** *vpr* **1** [*route, berge, champ d'investigation*] to narrow **(en** into); [*cercle de fidèles*] to shrink; **2** Anat [*pupille*] to contract; **3** [*pensée*] to become more restricted

rétrécissement /RetResismɑ̃/ *nm* **1** Tex, Cout (au lavage) (action) shrinking **(de** of); (résultat) shrinkage; (par couturier) **~ en largeur** taking in; **~ en longueur** taking up; **2** Constr (de route, embouchure, vallée) narrowing; **3** Anat, Méd (de pupille) contraction; (d'œsophage, urètre, intestin) stricture

retrempe /RətRɑ̃p/ *nf* requenching

retremper: se retremper /RətRɑ̃pe/ [1] *vpr* **1** (baigneur) to have *ou* take another dip; **2** (dans un milieu, une ambiance) **se ~ dans l'ambiance familiale** to reimmerse oneself in the family atmosphere

rétribuer /RetRibɥe/ [1] *vtr* to remunerate [*personne, travail*]

rétribution /RetRibysjɔ̃/ *nf* **1** (paiement) remuneration; **2** (récompense) reward **(de** for)

rétro /RetRo/
A *adj inv* imitating the styles of an earlier period
B *nm* **1** (style) Archit Art nostalgic style; **2** Mode retro fashions (*pl*); **3** ○Aut (*abbr* = **rétroviseur**) rear-view mirror

rétroactif, -ive /RetRoaktif, iv/ *adj* Admin, Jur [*effet, mesure*] retrospective, retroactive; [*loi*] retrospective, ex post facto; [*augmentation*] backdated; **augmentation rétroactive à compter du** increase backdated to; **la loi n'a pas d'effet ~** the law cannot be applied retrospectively; **avec effet ~** [*mesure*] retrospective; [*augmentation*] backdated

rétroaction /RetRoaksjɔ̃/ *nf* **1** Admin, Jur retrospective effect; **2** Biol, Écon, Phys feedback; **effet de ~** feedback effect

rétroactivement /RetRoaktivmɑ̃/ *adv* Admin, Jur retrospectively, retroactively

rétroactivité /RetRoaktivite/ *nf* Admin, Jur retroactivity; (de jugement) ex post facto effect

rétrocéder /RetRɔsede/ [14] *vtr* **1** Jur to retrocede [*territoire*] **(to** à); to restore [*bien*] **(to** à); to reassign [*droit*] **(to** à); **2** (revendre) **~ ses parts à qn** to sell one's shares back to sb

rétrocession /RetRɔsɛsjɔ̃/ *nf* (de territoire) retrocession

rétroéclairage /RetRoeklɛRaʒ/ *nm* backlighting

rétroflexe /RetRofleks/ *adj* Ling retroflex

rétrofusée /RetRofyze/ *nf* retro-rocket

rétrogradation /RetRogRadasjɔ̃/ *nf* **1** (de militaire, fonctionnaire) demotion; **la ~ de qn à l'échelon inférieur** the demotion of sb by one grade; **2** Sport (de sportif, cheval) relegation; **3** Astron retrogradation

rétrograde /RetRogRad/ *adj* **1** (réactionnaire) [*personne, gouvernement*] reactionary; [*politique, loi, pensée*] retrograde; **2** (qui va en sens inverse) [*mouvement, marche*] retrograde

rétrograder /RetRogRade/ [1]
A *vtr* **1** Mil, Admin to demote [*militaire, fonctionnaire*] **(à** to); **~ qn à l'échelon inférieur** to demote sb by one grade; **2** Sport to relegate [*sportif, cheval*]
B *vi* **1** Aut to change down GB, to downshift US; **2** Sport [*équipe, club*] to be relegated GB *ou* demoted US **(à, en** to); **3** Astron to retrograde

rétropédalage /RetRopedalaʒ/ *nm* lit backpedalling[GB]; **frein à ~** backpedal brake

rétropédaler /RetRopedale/ [1] *vi* lit to backpedal

rétroprojecteur /RetRopRɔʒɛktœR/ *nm* overhead projector

rétropropulsion /RetRopRɔpylsjɔ̃/ *nf* reverse thrust

rétrospectif, -ive /RetRɔspɛktif, iv/
A *adj* [*analyse, exposition*] retrospective; **avoir une peur ~** to be frightened after the event
B **rétrospective** *nf* Art retrospective; Cin festival; **rétrospective Bergman** Bergman season GB *ou* festival; **rétrospective des événements de l'année** review of the year's events

rétrospectivement /RetRɔspɛktivmɑ̃/ *adv* **1** (après coup) [*avoir peur*] after the event; **2** (après réflexion) in retrospect

retroussé, ~e /R(ə)tRuse/
A *pp* ▸ **retrousser**
B *pp adj* **1** [*robe*] hitched up GB, hiked up US **(jusqu'à** to); [*manche*] rolled up; **2** [*nez*] turned up; [*lèvre*] curling (*épith*); **il a le nez ~** he's got a turned up nose

retrousser /R(ə)tRuse/ [1] *vtr* to hitch up GB, to hike up US [*robe*] **(jusqu'à** to); to roll up [*pantalon*]; **~ ses manches** lit, fig to roll up one's sleeves; **le chien retroussa ses babines** the dog bared its teeth

retroussis /R(ə)tRusi/ *nm inv* **1** (de chapeau) turned-up brim; **2** (de lèvre, moustache) liter curl; (de nez) tilt

retrouvailles /R(ə)tRuvɑj/ *nfpl* (après une séparation) reunion **(avec** with); (après une brouille) reconciliation **(avec** with)

retrouver /R(ə)tRuve/ [1]
A *vtr* **1** (ce qui était perdu) to find [*sac, chien, cadavre, fugitif*]; **~ son chemin** to find one's way; **~ qn vivant** to find sb alive
2 (trouver à nouveau) to find [sth] again [*travail, conditions, objet*]; to come across [sth] again [*idée, thème*]; **je voudrais ~ le même tissu** I would like to find the same fabric again; **on retrouve ce thème dans votre dernier roman** we meet this theme again in your last novel
3 (redécouvrir) to rediscover [*formule, technique, recette*]
4 (recouvrer) to get [sth] back [*assurance*]; to regain, to recover [*force, santé*]; **~ son sang-froid** to regain one's composure; **il a retrouvé le sourire** he's smiling again; **ton teint a retrouvé son éclat** your skin has got GB *ou* gotten US its natural radiance back; **~ le sommeil** (après s'être réveillé) to get back to sleep; (après période d'insomnie) to be able to sleep again
5 (se rappeler) to remember [*nom, air, code secret*]
6 (revoir) to meet [sb] again [*connaissance*]; to see [sth] again, to be back in [*lieu*]; (regagner) to be back in [*lieu*]; **un ami que j'ai retrouvé 20 ans après** a friend I met again after 20 years; **j'ai hâte de ~ Paris/ma maison** I can't wait to be back in Paris/to be back home; **il avait laissé un enfant, il retrouva un homme** he had left a child and returned to find a man; **~ les choses telles qu'elles étaient** to find things as they were

r

7 (reconnaître) to recognize *[personne, trait, style]*; **je retrouve sa mère en elle** I can see her mother in her; **on le retrouve dans cette œuvre** you can see his hand in this work; **quand tu souris, je te retrouve** that's more like you to be smiling

8 (rejoindre) to join, to meet *[personne]*; **viens nous ~ à la plage** come and join us on the beach; **je vous retrouverai plus tard** I'll join *ou* meet you later; **je te retrouve pour déjeuner?** shall I meet you for lunch?; **je te retrouverai!** (menace) I'll get my own back on you!

B **se retrouver** *vpr* **1** (se réunir) to meet; (se voir de nouveau) to meet again; **on se retrouvera devant le cinéma** let's meet (up) outside the cinema; **on se retrouvera l'an prochain** we'll meet again next year; **de temps en temps on se retrouve entre amis** we get together with a few friends once in a while; **on s'est retrouvé en famille** the family got together; **comme on se retrouve!** fancy seeing you here!; **on se retrouvera!, nous nous retrouverons!** (menace) I'll get my own back on you!

2 (être) to find oneself; **se ~ couché par terre/coincé** to find oneself lying on the floor/trapped; **se ~ enceinte** to find oneself pregnant; **se ~ à la tête d'une entreprise** to find oneself at the head of a company; **se ~ nez à nez avec qch/qn** to find oneself face to face with sth/sb; **se ~ orphelin/veuf/sans argent** to be left an orphan/a widower/penniless; **se ~ confronté à** to be faced with; **se ~ seul** to be left on one's own; **se ~ à l'hôpital/au chômage/en prison** to end up in hospital/unemployed/in prison; **je me retrouve toujours en bout de table/dernier** I always end up at the far end of the table/last; **se ~ au même point** to be back to square one

3 (s'orienter) **se** *or* **s'y ~ dans** lit to find one's way around in *[lieu, fouillis]*; fig to follow, to understand *[explication]*; **tu t'y retrouves entre tous ces emplois/amants?** can you cope with all these jobs/lovers?; **il y a trop de changements, on ne s'y retrouve plus** there are too many changes, we don't know if we're coming or going

4 ○(rentrer dans ses frais) **s'y ~** to break even; (faire un bénéfice) to do well; **je m'y retrouve très bien en étant indépendante** I'm doing very well as a freelance

5 (être présent) *[personne, qualité]* to be found; *[problème]* to occur; **cet instinct se retrouve chez tous les animaux** it's an instinct found in all animals; **ce type de construction syntaxique se retrouve en français** the same syntactic construction exists *ou* is found in French; **le même amour de la musique se retrouve chez les deux enfants** both children have the same love of music

6 (se reconnaître) **se ~ dans qn/qch** to see *ou* recognize oneself in sb/sth; **se ~ dans ses enfants** to see oneself in one's children

(Idiome) **un de perdu, dix de retrouvés** there are plenty more fish in the sea

rétroviral, ~e, *mpl* **-aux** /RetRɔviRal, o/ *adj* retroviral

rétrovirus /RetRoviRys/ *nm inv* retrovirus

rétroviseur /RetRovizœR/ *nm* **1** (intérieur) rear-view mirror; **2** (extérieur) wing mirror GB, outside rear-view mirror US

rets† /Rɛ/ *nmpl* littér toils†

(Idiome) **prendre qn dans ses ~** fig to catch sb in one's toils

réuni, ~e /Reyni/

A *pp* ▸ **réunir**

B *pp adj* **1** (mis ensemble) *[forces, qualités, salaires]* combined; **pouvoirs ~s en une seule main** concentration of power in a single hand; **2** (assemblé) *[conseil, personnes]* assembled; **le comité central, ~ depuis la semaine dernière** the central committee, which has been in session since last week; **3** (remis ensemble) reunited; **les deux Berlin ~s** (a) reunited Berlin; **4** Comm (associés) **les Exportateurs Réunis** Associated Exporters

réunificateur, -trice /ReynifikatœR, tRis/ *adj [politique]* of reunification *(épith, après n)*

réunification /Reynifikasjɔ̃/ *nf* reunification

réunifier /Reynifje/ [2]

A *vtr* to reunify; **pays réunifié** reunified country

B **se réunifier** *vpr* to be reunified, to reunite

réunion ➔▯▯

/Reynjɔ̃/ *nf* **1** Admin, Pol (séance) meeting **(entre** between); **~ publique** public meeting; **~ du conseil d'administration** board meeting; **être en ~** *[personne]* to be at *ou* in a meeting; *[comité]* to be meeting; **tenir une ~** to hold a meeting; **2** Sport meeting; **~ sportive/hippique** sports/race meeting; **3** (rencontre) gathering, get-together; **~ amicale/mondaine** friendly/social gathering; **~ familiale** *or* **de famille** family gathering *ou* reunion; **4** (retrouvailles) (après une séparation) reunion; (après une brouille) reconciliation; **5** (groupement) (de talents, volontés) combination; (de poèmes, d'œuvres) collection; (d'objets) assembly; **par la ~ d'indices multiples** by getting *ou* putting together various pieces of evidence; **6** (fusion) Hist, Pol (rattachement) union **(à** with); (après séparation) reunification; Écon, Entr (de sociétés) merger; **la ~ des deux Allemagnes** the reunification of Germany; **7** (intersection) (de routes) junction; (de fleuves) confluence; **8** Math (d'ensembles) union

Réunion /Reynjɔ̃/ ▸ **p. 435** *nprf* **la ~** Reunion

réunionite○ /Reynjɔnit/ *nf* pej obsession with holding meetings

réunion-téléphone, *pl* **réunions-téléphone** /Reynjɔ̃telefɔn/ *nf* telephone link-up

réunir /ReyniR/ [3]

A *vtr* **1** (assembler) *[congrès, manifestation]* to bring together *[participants]*; *[organisateur]* to get [sb] together *[participants]*; **2** (convoquer) to call [sb] together *[délégués, collaborateurs]*; to convene *[conseil, assemblée]*; **3** (inviter) to have [sb] round GB *ou* over *[amis, parents]*; **~ ses amis pour son anniversaire** to have friends round[GB] to celebrate one's birthday; **4** (rapprocher) to join *[bords]*; (en tirant) to draw [sth] together; to bring [sb] together *[personnes]*; (après une brouille) to bring [sb] together again, to reunite; (après une séparation) to reunite; **la passion pour les livres les a réunis** a love of books brought them together; **5** (fusionner) Entr to merge *[sociétés]*; Pol to unite *[États, province]* **(à** with); **~ un territoire à un État** to join a territory to a state; **~ deux provinces en une seule** to unite *ou* merge two provinces; **6** (cumuler) liter **~ les qualités nécessaires** to have all the necessary qualifications; **~ les conditions nécessaires** to fulfil[GB] all the necessary conditions; **7** (recueillir) to raise *[fonds]*; to collect *[œuvres, preuves, lettres, articles]*; **8** (regrouper) to assemble *[éléments, preuves]*; to gather [sth] together *[documents, papiers]*; **~ des tickets avec un trombone/avec une épingle** to clip/to pin tickets together; **9** (relier) *[galerie, route, canal]* to connect *[lieux]*; **~ les deux extrémités par un nœud** to knot the two ends together

B **se réunir** *vpr* **1** (s'assembler) *[délégués, comité]* to meet; *[amis, parents]* to get together; **se ~ entre amis** to get together with friends, to have a get-together with friends; **2** (se joindre) *[routes, fleuves]* to meet; **3** (s'associer) Écon *[sociétés]* to merge; Pol *[nations]* to unite

réussi, ~e /Reysi/

A *pp* ▸ **réussir**

B *pp adj* **1** (mené à bien) *[expérience, opération, révolution]* successful; **2** (apprécié) *[soirée, exposition]* successful; **3** (bien fait) *[spectacle, œuvre]* accomplished; *[photo]* good; *[phrase]* well-constructed; **le soufflé est bien ~** the soufflé has come out beautifully; **comme mari, il est ~○!** iron he's a fine husband all right! iron, he's a dead loss○ as a husband!

réussir /ReysiR/ [3]

A *vtr* to achieve *[unification, modernisation]*; to carry off [sth] successfully *[coup politique, OPA]*; to carry out [sth] successfully *[fabrication, opération]*; to make a success of *[vie, éducation]*; to win *[pari]*; to pass *[examen]*; **~ une mayonnaise** to make a successful mayonnaise; **~ un film** to make a good film; **~ la prouesse de faire** to achieve the feat of doing; **elle a réussi la performance de gagner** she managed to win; **~ l'impossible** to manage the impossible; **~ son coup○** to pull it off○; **~ un gros coup○** to pull off a major deal

B **réussir à** *vtr ind* **1** (parvenir à) **~ à faire** to succeed in doing, to manage to do; **~ à atteindre ses objectifs** to manage to achieve one's goals; **~ à garder son équilibre** to manage to keep one's balance; **~ à ne pas tomber** to manage not to fall; **~ à un examen** to pass an exam; **ne ~ à rien** not to succeed in anything; **2** (être favorable à) **~ à qn** *[vie, politique, méthode]* to turn out well for sb; *[aliment, mode de vie, repos]* to do sb good; **tout leur réussit** everything turns out well for them; **la mer me réussit** the sea does me good; **le vin blanc/le climat ne me réussit pas** white wine/the climate doesn't agree with me

C *vi* **1** (atteindre le but recherché) *[personne, action, projet]* to succeed; **la patience peut ~** patience can succeed; **ça n'a pas réussi** it didn't work, it didn't come off; **2** (être couronné de succès) *[opération chirurgicale, tentative, commerce]* to be successful; **3** (obtenir un bon résultat) *[personne]* to do well **(en, dans** in); **~ en latin/dans la vie/en affaires** to do well in Latin/in life/in business

réussite /Reysit/ *nf* **1** gén success **(dans** in); **~ sociale** social success; **~ scolaire** success at school; **~ à un examen** success in an examination; **~ dans sa carrière** success in one's career; **nous leur devons nos ~s** we owe our successes to them; **2** Jeux patience ₵ GB, solitaire ₵ US; **faire des ~s** to play patience GB *ou* solitaire US

réutilisable /Reytilizabl/ *adj* reusable

réutilisation /Reytilizasjɔ̃/ *nf* reuse

réutiliser /Reytilize/ [1] *vtr* to reuse

revacciner /R(ə)vaksine/ [1] *vtr* to revaccinate

revaloir /R(ə)valwaR/ [45] *vtr* **je te/leur revaudrai ça** (hostile) I'll get even with you/them for that; (reconnaissant) I'll return the favour[GB]

revalorisation /R(ə)valɔRizasjɔ̃/ *nf* **1** (augmentation) **un accord prévoyant une ~ des salaires de 3%** an agreement which allows for a 3% wage increase; **la ~ des honoraires médicaux aura pour effet...** the increase in doctors' fees will result in...; **crédits consacrés à la ~ des bas salaires/des retraites** funds allocated to increase *ou* to raise low salaries/pensions; **2** (retour de l'estime) **la ~ de la fonction enseignante/des études littéraires/des enseignants** the enhanced prestige of the teaching profession/literary studies/teachers; **3** (amélioration) **ils réclament une ~ de leur statut** they are demanding an improvement in *ou* an enhancement of their status; **les retraités attendent une ~ de leur niveau de vie** pensioners are waiting for an improvement in their standard of living; **4** (remise en état) **crédits pour la ~ des quartiers défavorisés** funds to renovate run-down areas

revaloriser /R(ə)valɔRize/ [1] *vtr* **1** (augmenter) to increase, to raise *[salaire, pension]*; to revalue, to revalorize *[monnaie]*; to increase the value of *[titre]*; **en revalorisant le titre de 15%** by increasing the bond by 15%; **2** (rendre l'estime envers) **~ le travail manuel/les filières techniques** to enhance the prestige of

➔▯▯ *voir* L'anglais efficace

ou to reassert the value of manual work/technical studies; ~ **les traditions locales** to reassert the value of ou to promote local traditions; 3 (améliorer) ~ **les conditions de travail** to improve working conditions; 4 (remettre en état) ~ **un quartier/un bâtiment** to renovate an area/a building

revanchard, **~e** /ʀ(ə)vɑ̃ʃaʀ, aʀd/ pej *adj, nm,f* revanchist

revanche /ʀ(ə)vɑ̃ʃ/

A *nf* 1 revenge; **désir de/esprit de ~** desire for/spirit of revenge; **avoir sa ~** to get one's revenge; **prendre sa ~** to take one's revenge, to get even; 2 Sport return match GB ou game US; Jeux return game

B **en revanche** *loc adv* on the other hand

(Idiome) **à charge de ~** provided you'll let me return the favour[GB]

revanchisme /ʀ(ə)vɑ̃ʃism/ *nm* revanchism

rêvasser /ʀɛvase/ [1] *vi* to (day)dream

rêvasserie /ʀɛvasʀi/ *nf* (day)dreaming ₵

rêve /ʀɛv/ *nm* 1 (de dormeur) (activité) dreaming; (résultat) dream; **faire un ~** to have a dream; **j'ai fait un ~ affreux** I had a horrible dream; **fais de beaux ~s!** sweet dreams!; **j'ai l'impression de vivre un ~** I feel as if I'm dreaming; **s'évanouir comme un ~** to fade away like a dream; **en ~** in a dream; 2 (fantasme) dream; **~ de jeunesse** youthful dream; **~ de grandeur** dream of greatness; **avoir des ~s de grandeur/vengeance** to dream of greatness/vengeance; **la femme de mes ~s** the woman of my dreams; **la maison de mes ~s** my dream house; **une maison/voiture de ~** a dream house/car; **un temps de ~** unbelievably good weather, wonderful weather; **une créature de ~** a dream-like creature; 3 (idéal) **cet endroit, c'est le ~** this place is just perfect; **ce n'est pas le ~** it's not ideal

(Composé) **~ éveillé** daydream

rêvé, **~e** /ʀeve/

A *pp* ▸ **rêver**

B *pp adj* ideal, perfect

revêche /ʀəvɛʃ/ *adj* [*air, ton*] sour; [*personne*] crabby

réveil /ʀevɛj/ *nm* 1 (après un somme) waking (up); **à mon ~, il neigeait** when I woke up, it was snowing; **au ~/dès son ~, il allume la radio** on waking up/as soon as he wakes up, he turns on the radio; **les cauchemars provoquent des ~s en sursaut** nightmares wake you up with a start; 2 (après malaise, anesthésie) **j'ai eu des nausées au ~** I felt nauseous when I came to ou when I regained consciousness; **salle de ~** recovery room; 3 (de la nature, la passion, d'un sentiment) reawakening; (de nation, mouvement) resurgence; (de la foi) revival; (de douleurs) return, recurrence; (de la conscience) awakening; (de volcan) return to activity; **le ~ des minorités** the new activism of minorities; **le ~ du nationalisme** the revival ou resurgence of nationalism; 4 (retour à la réalité) awakening; **le ~ a été brutal après le boom des années 80** it was a rude awakening after the boom of the eighties; 5 Mil reveille; **sonner le ~** to sound the reveille; **~ en fanfare** fig rousing start to the day; 6 (pendule) alarm clock; **remonter un ~** to wind up an alarm (clock); **mettre le ~ pour 7 h** to set the alarm for 7 (o'clock)

(Composés) **~ automatique** reminder call; **~ par téléphone** alarm call (through the operator); **~ de voyage** travel alarm (clock)

réveille-matin* /ʀevɛjmatɛ̃/ *nm inv* alarm clock

réveiller /ʀeveje/ [1]

A *vtr* 1 (tirer du sommeil, de rêverie, d'hypnose) to wake [sb] up, to wake; **être réveillé en sursaut** to wake up with a start ou jump; **être réveillé par l'orage** to be woken by the storm; **se faire ~ à 6 heures** to arrange to be woken at 6; **faire un bruit à ~ les morts** to make enough noise to wake the dead; 2 (ranimer) to revive, to bring [sb] round GB [*malade*]; to bring some sensation back into [*membre ankylosé*]; to whet [*appétit*]; to awaken [*sentiment, passion*]; to arouse [*crainte, curiosité*]; to bring out [*instinct*]; to awaken, to stir up [*souvenir*]; to arouse [*crainte, polémique*]; **~ la douleur** to bring back the pain; **exercises pour ~ vos muscles** exercises to tone up your muscles; **~ les consciences** to stir people's consciences

B **se réveiller** *vpr* 1 (après un somme) to wake up; (après une rêverie, une hypnose) to awaken (**de** from); **se ~ en sursaut/en sueur** to wake up with a start ou jump/in a sweat; 2 (après anesthésie, malaise) [*personne*] to come round GB ou to, to regain consciousness; **ma jambe se réveille** the feeling is coming back into my leg; 3 (après période d'inertie) [*personne, peuple*] to wake up; [*nature*] to reawaken; [*volcan*] to become active again; 4 (se raviver) [*douleur, appétit*] to come back; [*jalousie, passion, souvenir*] to be reawakened; ▸ **chat**

réveillon /ʀevɛjɔ̃/ *nm* **~ de Noël/du Nouvel An** (dîner) Christmas Eve/New Year's Eve dinner; (fête) Christmas Eve/New Year's Eve party; (date) Christmas Eve/New Year's Eve

réveillonner /ʀevɛjɔne/ [1] *vi* (pour Noël) to celebrate Christmas (*with a midnight meal and a party on Christmas Eve*); (pour Nouvel An) to see the New Year in

réveillonneur, **-euse** /ʀevɛjɔnœʀ, øz/ *nm,f* (Christmas/New Year's Eve) reveller[GB]

révélateur, **-trice** /ʀevelatœʀ, tʀis/

A *adj* [*détail, fait*] revealing, telling; **être ~ de qch** to reveal sth; **un incident ~ du climat actuel** an incident which says a lot about the current social climate

B *nm* 1 Phot developer; 2 (fait, détail) pointer (**de** to); **être le ~ du malaise économique** to be a pointer to the current economic malaise; **ce film a été le ~ de son talent** this film revealed his/her talent

révélation /ʀevelasjɔ̃/ *nf* 1 (de scandale, secret) revelation; **ce voyage fut pour moi une véritable ~** fig this trip was a real revelation to me; 2 (aveu) revelation, disclosure; **faire des ~s** to make revelations ou disclosures; **il nous a fait des ~s** he made certain disclosures to us; 3 (œuvre, auteur) discovery, find; **être la ~ de l'année** to be the discovery of the year; 4 Phot development

révélé, **~e** /ʀevele/

A *pp* ▸ **révéler**

B *pp adj* [*religion, vérité*] revealed

révéler /ʀevele/ [14]

A *vtr* 1 (dévoiler) [*presse, personne*] to reveal, to disclose [*fait, chiffres, nom*] (**à** to); to give away [*secret*] (**à** to); **~ le contenu d'un dossier** to disclose the contents of a file; **~ que** to reveal that; 2 (indiquer) to reveal, to show [*nature, personnalité*]; to show [*talent, sentiment*]; **les sondages révèlent un changement d'attitude** the polls show a shift in attitude; **ce livre révèle un grand écrivain** this book shows the author to be a major writer; **sa robe révèle la finesse de sa taille** her dress shows off her slender waist; 3 (faire connaître) [*œuvre*] to make [sb] known [*auteur, acteur*] (**à** to); [*éditeur, imprésario*] to discover, to launch [*auteur, artiste*]; **cela l'a révélée à elle-même** it gave her a great deal of personal insight; 4 Phot to develop

B **se révéler** *vpr* 1 (devenir célèbre) to make one's name ou mark; 2 (être finalement) **se ~ faux/important** to turn out to be wrong/important; **se ~ être** to turn out ou prove to be; 3 Relig **Dieu s'est révélé à** God revealed Himself to; **se ~ comme un grand pianiste** to emerge as a great pianist; 4 (se manifester) [*goût, sensation*] to be revealed (**à** to)

revenant, **~e** /ʀəvnɑ̃, ɑ̃t/ *nm,f* ghost; **tiens, une ~e**○**!** hum long time no see○!

revendeur, **-euse** /ʀ(ə)vɑ̃dœʀ, øz/ ▸ **p. 532** *nm,f* 1 (détaillant) stockist; **en vente chez votre ~ habituel** available at your usual stockist; **un ~ de drogue** a drug dealer; 2 (d'objets d'occasion) secondhand dealer; 3 (d'objets volés) seller (of stolen goods)

revendicateur, **-trice** /ʀ(ə)vɑ̃dikatœʀ, tʀis/

A *adj* [*lettre, discours*] full of demands (*jamais épith*)

B *nm,f* protester

revendicatif, **-ive** /ʀ(ə)vɑ̃dikatif, iv/ *adj* [*action, mouvement, campagne*] protest (*épith*); [*dossier, programme*] of demands; **journée revendicative** day of protest

revendication /ʀ(ə)vɑ̃dikasjɔ̃/ *nf* 1 (réclamation) (d'ouvrier, de catégorie sociale) demand; (de pays, d'héritier, de population) claim (**sur, de** to); **~s sociales** social demands; **~s salariales** wage demands ou claims; **~s territoriales** territorial claims; **la ~ d'un territoire par un État** the claim of a state to a territory; **la ~ d'un droit** the demanding of a right; 2 (reconnaissance) claiming of responsibility (**de** for)

revendiquer /ʀ(ə)vɑ̃dike/ [1]

A *vtr* 1 (réclamer) to demand [*droit, augmentation, égalité*]; to claim [*héritage, trône, territoire*]; 2 (s'affirmer l'auteur de) to claim responsibility for [*attentat, action*]; to claim authorship of [*livre*]; **~ un tableau** to claim to be the painter of a painting; **~ la paternité** to claim paternity; **l'attentat n'a pas été revendiqué** no-one has claimed responsibility for the attack; **~ la responsabilité de** to take (full) responsibility for; 3 (affirmer avoir) to claim; **un syndicat qui revendique 30 000 membres** a union which claims a membership of 30,000; 4 (être fier de) to proclaim [*origines, condition*]

B **se revendiquer** *vpr* **se ~ comme catholique** to declare one's catholic loyalties

revendre /ʀ(ə)vɑ̃dʀ/ [6]

A *vtr* 1 (vendre au détail) to sell [sth] retail, to retail (**à** to); 2 (vendre ce qui est à soi) to sell [*objet, voiture, maison*] (**à** to); to sell (off) [*actions, parts, or*]; (vendre des objets volés) to sell on [*bijoux, tableaux*]; **il a dû ~ sa voiture neuve** he had to sell his new car; **il m'a revendu la voiture qu'il m'avait achetée l'année dernière** he sold me back the car he bought from me last year; **avoir des crayons/pommes à ~** to have pencils/apples galore; **avoir de l'énergie/du courage à ~** to have energy/courage to spare

B **se revendre** *vpr* (se vendre d'occasion) to resell; **c'est un modèle qui se revend facilement** it's a model which is easy to resell

revenez-y /ʀəvnezi, ʀvənezi/ *nm inv* **le gâteau a un petit goût de ~** the cake is rather moreish○ GB, the cake is so good I'd like seconds

revenir /ʀəvniʀ, ʀvəniʀ/ [36]

A *vi* (+ *v être*) 1 (fréquenter de nouveau) to come back; (venir une fois encore) to come again; **un client mal servi ne revient pas** a dissatisfied customer won't come back; **elle revient chaque année en France** she comes back to France every year; **elle revient en France cette année** she's coming to France again this year; **nous fermons, revenez demain** we're closing, come back tomorrow; **tu reviendras nous voir?** will you come and see us again?; **~ (pour) faire** to come back to do

2 (rentrer) [*personne, animal, véhicule*] to come back, to return; **~ à/de** to come back ou return to/from; **~ de Tokyo** to come back from Tokyo; **~ chez soi** to come back ou return home; **~ sur terre** fig to come back to earth; **~ à sa place** to return to one's seat; **partir pour ne jamais ~** to leave never to return; **~ de loin** lit to come back from far away; fig to have had a close shave; **son mari lui est revenu** her husband came back to her; **en revenant du bureau** (en route) coming home from the office, on the way home from the office; (à l'arrivée) on getting home from the

office; **je reviens tout de suite** I'll be back in a minute, I'll be right back○; **il en est revenu vivant** he got back in one piece; **elle est revenue en vitesse à la maison** she rushed back home; **mon chèque m'est revenu parce qu'il n'était pas signé** my cheque GB *ou* check US was returned because I forgot to sign it; ▸ **galop**
3 (reprendre, retourner à) **~ à** to return to, to come back to [*méthode, conception, histoire*]; **revenons à notre héros** let's return to our hero; **~ à la normale** to return to normal; **~ au pouvoir** to return to power; **ça revient à la mode** it's coming back into fashion; **le dollar est revenu à 1,6 euro** the dollar has gone back to 1.6 euros; **~ à la politique** to come back into politics; **~ à ses habitudes** to return *ou* revert to one's old habits; **~ aux frontières d'avant la guerre** to revert to pre-war borders; **pour (en) ~ à mon histoire/ce que je disais** to get back to my story/what I was saying; **~ à de meilleurs sentiments** to return to a better frame of mind; **n'y reviens pas!** (ne recommence pas) don't let it happen again!; (n'en parle plus) don't start that again!
4 (réapparaître) [*tache, rhume, douleur*] to come back; [*soleil*] to come out again; [*saison*] to return; [*date, fête*] to come round again GB, to come again US; [*idée, thème*] to recur; [*mode*] to come back; **cette idée me revenait souvent** the idea kept occurring to me; **le mot revient souvent sous sa plume** the word keeps cropping up in his/her writing; **le calme est revenu** calm has been restored, things have calmed down
5 (être recouvré) [*appétit, mémoire*] to come back; **l'appétit me revient** I'm getting my appetite back; **sa mémoire ne lui reviendra jamais comme avant** his/her memory will never be the same again
6 (être remémoré) **~ à qn, ~ à la mémoire** *or* **l'esprit de qn** to come back to sb; **ça me revient!** now I remember!, now it's coming back!; **cette journée me revient en mémoire** I remember that day; **si le nom me/te revient** if I/you remember the name, if the name comes to mind
7 (coûter) **~ à 100 euros** to come to 100 euros, to cost 100 euros; **ça m'est revenu à 100 euros** it cost me 100 euros; **ça revient cher** it works out expensive
8 (équivaloir à) **ça revient au même** it amounts *ou* comes to the same thing; **ce qui revient à dire que** which amounts to saying that
9 (reconsidérer) **~ sur** to go back over [*question, différend, passé*]; (changer d'avis) to go back on [*décision, parole, promesse*]; to retract [*aveu*]; **ne revenons pas là-dessus** don't let's go over all that again
10 (sortir d'un état) **~ de** to get over [*maladie, frayeur, surprise*]; to lose [*illusion*]; to abandon [*théorie*] ; **~ de ses illusions** to lose one's illusions; **~ de son erreur** to realize one's mistake; **la vie à la campagne, j'en suis revenu** as for life in the country, I've seen it for what it is; **je le croyais honnête mais j'en suis revenu** I thought he was honest but I've seen him for what he is; **être revenu de tout** to be blasé; **je n'en reviens pas**○! I can't get over it!, I'm amazed!; **je n'en reviens pas qu'il ait dit oui**○ I can't get over the fact that he said yes, I am amazed that he said yes; **je n'en reviens pas des progrès que tu as faits**○ I'm amazed at the progress you've made
11 (être rapporté) [*propos, remarque*] **~ à qn, ~ aux oreilles de qn** to get back to sb, to reach sb's ears
12 (être attribué) **~ à qn** [*bien, titre*] to go to sb, to pass to sb; [*honneur*] to fall to sb; (de droit) to be due to sb; **le titre leur revient à la mort de leur père** the title goes *ou* passes to them on their father's death; **ce poste pourrait revenir à un écologiste** this post could go to an ecologist; **ça leur revient de droit** it's theirs by right; **les 10% qui me reviennent** the 10% that's coming to me; **la décision revient au rédacteur** it is the editor's decision, the decision lies with the editor
13 Culin **faire ~** to brown [*ail, oignons, viande*]
B **s'en revenir** *vpr* liter to return (**de** from)
C *v impers* 1 (incomber) **c'est à vous qu'il revient de trancher** it is for you to decide
2 (parvenir à la connaissance de) **il m'est revenu certains propos** certain remarks have reached my ears; **s'il leur en revenait quelque chose** if it reached their ears, if it got back to them; **il me revient de tous côtés qu'on me critique** I keep hearing that people are criticizing me
3 (être remémoré) liter **il me revient que** I recall *ou* remember that
(Idiomes) **~ à soi** to come round, to come to; **~ à la vie** to come back to life; **il a une tête** *or* **un air qui ne me revient pas** I don't like the look of him

revente /R(ə)vɑ̃t/ *nf* 1 (d'objet, de voiture, maison) resale; **cette voiture ne vaut rien à la ~** this car has no resale value; 2 (d'action, de parts, d'or) sale; **à la ~** on the sale

revenu, **~e** /Rəvny, Rvəny/ *nm* 1 Fisc (de personne) income; (de l'État) revenue ₵; **~ brut/disponible/imposable/annuel** gross/disposable/taxable/annual income; **avoir de gros ~s** to have a large income; **être sans ~s** to have no income; **tirer un ~ de** to get an income from; **politique des ~s** incomes policy; **~s publics** *or* **de l'État** public *ou* state revenue; 2 Fin (rendement) income, yield; **à ~ fixe** fixed-income
(Composés) **~ minimum d'insertion**, **RMI** Prot Soc *minimum benefit payment*; **~ non salarial** unearned income; **~ salarial** earned income

> **Revenu minimum d'insertion**
>
> Introduced in 1988, the *RMI* is an allowance designed to support the poorest members of society by bringing them above the poverty line, but also giving them rights of access to other allowances and social security benefits.

rêver /Reve/ [1]
A *vtr* 1 (en dormant) to dream (**que** that); 2 (imaginer) to dream of [*succès, vengeance*]; **tu as dû le ~!** you must have dreamed it!
B *vi* 1 [*dormeur*] to dream (**de** about); **j'en rêve la nuit** I dream about it at night; **dis-moi que je ne rêve pas** tell me I'm not imagining things *ou* dreaming; **j'ai rêvé de cela il y a longtemps** I dreamed it *ou* had that dream a long time ago; **~ tout éveillé** to be lost in a daydream; **on croirait ~!** you'd think you were dreaming!; 2 (se faire des illusions) to dream; **tu rêves si tu penses qu'ils vont te garder** you're fooling yourself *ou* dreaming if you think (that) they will keep you; 3 (rêvasser) to dream (**à** of); **~ à l'été** to dream of summer; 4 (aspirer à) to dream (**de** of); **je rêve de rentrer dans mon pays** I dream of returning home *ou* to my own country
C **se rêver** *vpr* **se ~ patron** to dream of being the boss

réverbération /RevɛRbeRasjɔ̃/ *nf* (de lumière) glare; (de chaleur) reflection; (de son) reverberation

réverbère /RevɛRbɛR/ *nm* 1 (lampadaire) street lamp *ou* light; 2 Tech reflector

réverbérer /RevɛRbeRe/ [14]
A *vtr* [*surface*] to reflect [*lumière, chaleur*]; to make [sth] reverberate [*son*]
B **se réverbérer** *vpr* [*lumière, chaleur*] to be reflected; [*son*] to reverberate

reverchon /RəvɛRʃɔ̃/ *nf* reverchon (*dark-red variety of sweet cherry*)

reverdir /R(ə)vɛRdiR/ [3]
A *vtr* Tech to soak
B *vi* to grow green again

révérence /Reverɑ̃s/ *nf* 1 (salut) (de femme) curtsey; (d'homme) bow; **faire la ~** [*femme*] to curtsey (**à** to); [*homme*] to bow (**à** to); 2 (respect) liter reverence; **traiter qn avec ~** to treat sb respectfully; **considérer qn/qch avec une ~ craintive** to regard sb/sth with awe
(Idiome) **tirer sa ~**○ to take one's leave (**à qn** of sb)

révérencieux, **-ieuse** /Reverɑ̃sjø, øz/ *adj* liter deferential (**envers** to); **attitude peu révérencieuse** irreverent attitude; **une crainte révérencieuse** reverential awe (**à l'égard de, envers** for)

révérend, **~e** /Reverɑ̃, ɑ̃d/
A *adj* reverend; **le ~ Père Duval** the Reverend Duval; **ma ~e Mère** Reverend Mother
B *nm,f* 1 (dans un couvent) Father/Mother Superior; 2 (pasteur) reverend

révérer /RevеRe/ [14] *vtr* to revere

rêverie /RɛvRi/ *nf* 1 (activité) daydreaming, reverie littér; **se laisser aller à la ~** to drift off into a dream; 2 (rêve éveillé) daydream

revérifier /R(ə)veRifje/ [2] *vtr* to double-check

revernir /R(ə)vɛRniR/ [3]
A *vtr* Tech to revarnish [*meuble*]
B **se revernir** *vpr* **se ~ les ongles** to apply nail varnish GB *ou* polish

revers /R(ə)vɛR/ *nm inv* 1 (dos) (de feuille) back, reverse; (de tissu) wrong side; (de main) back; (de médaille, pièce) reverse; **d'un ~ de la main** with the back of one's hand; **le ~ de la médaille** fig the downside○, the disagreeable aspect; **prendre une armée à ~** Mil to attack an army from the rear; 2 (repli) (de veste) lapel; (de pantalon) turn-up GB, cuff US; (de manche) cuff; 3 (au tennis) backhand (stroke); **faire un ~** to play a backhand (stroke); 4 fig (échec) setback, reversal
(Composé) **~ de fortune** reversal of fortune
(Idiome) **toute médaille a son ~** Prov there is no rose without a thorn

reverser /R(ə)vɛRse/ [1] *vtr* 1 Fin to transfer [*indemnité, somme*] (**à** to); 2 (retourner) **~ qch dans un récipient** to pour sth back into a container; 3 (une autre fois) **~ à boire à qn** to pour sb another drink

réversibilité /RevɛRsibilite/ *nf* 1 gén, Chimie, Phys reversibility; 2 Jur reversion

réversible /RevɛRsibl/ *adj* 1 gén, Mode reversible; 2 Chimie, Phys reversible; 3 Jur reversionary

réversion /RevɛRsjɔ̃/ *nf* 1 Jur **(droit de) ~** reversion; **pension de ~** reversion benefit; 2 Biol reversion

revêtement /R(ə)vɛtmɑ̃/ *nm* 1 Gén Civ, Tech (de route, terrain de sport, piste cyclable) surface; **~ routier** road surface; 2 Constr (peinture, crépi, ciment) coating; (en vinyl, plastique) covering; **~s muraux/de sol** wall/floor coverings; 3 Aviat, Naut (surface protectrice) skin; 4 Art (de fresque) coating

revêtir /R(ə)vetiR/ [33]
A *vtr* 1 (avoir) to have [*caractère, intérêt*]; to assume [*gravité, solennité*]; to take on [*aspect, allure, signification*]; to hold [*importance*]; to entail [*inconvénient*]; **~ la forme de** to take the form of; 2 (mettre) to put on [*vêtement, tunique, soutane, habit*]; 3 (vêtir) **~ qn de** to dress sb in; **~ un enfant d'habits neufs** to dress a child in new clothes; **revêtu de** wearing [*uniforme, médaille*]; 4 (compléter) **~ un document/contrat d'une signature** to affix a signature to a document/contract; **~ un document/contrat d'un tampon** to stamp a document/contract; **~ un passeport d'un visa** to stamp a passport with a visa; **document revêtu d'une signature** signed document; **document revêtu d'un tampon** document bearing a stamp; 5 (recouvrir) **~ qch de** to cover sth with [*moquette, parquet*]; **~ un mur de papier peint** to paper a wall; **~ un mur de tissu** to put a material covering on a wall; **~ un mur de boiseries** to face a wall with panelling[GB]; **~ une route de bitume** to asphalt a road, to cover a road with asphalt
B **se revêtir** *vpr* 1 (se vêtir) **se ~ de** to put on; **se ~ d'un châle** to put on a shawl; 2 lit (se

r

recouvrir) to become covered with; **se ~ de neige** to become covered with snow

rêveur, -euse /ʀɛvœʀ, øz/
A *adj* [*air, personne*] dreamy; **cela laisse ~** it makes you wonder
B *nm,f* dreamer

rêveusement /ʀɛvøzmɑ̃/ *adv* (distraitement) absently; (pensivement) dreamily

revient /ʀ(ə)vjɛ̃/ *nm* **prix de ~** cost price; **calculer** *or* **établir le prix de ~ de qch** to do the costing for sth

revigorer /ʀ(ə)vigɔʀe/ [1] *vtr* **1** (physiquement) [*boisson*] to perk [sb] up, to revive; [*douche, air*] to revive; **2** (moralement) to hearten; **3** to revitalize [*entreprise*]

revirement /ʀ(ə)viʀmɑ̃/ *nm* (de situation, politique, d'opinion) turnaround (**de** in); **~ total** U-turn GB, flip-flop US

révisable /ʀevizabl/ *adj* revisable

réviser /ʀevize/ [1] *vtr* **1** (réexaminer) to revise [*position, code, contrat, tarifs*]; to review [*procès, Constitution*]; to redraw [*frontières*]; **~ qch à la hausse/à la baisse** to revise sth upward(s)/downward(s); **~ son jugement** to revise one's opinion; **2** (vérifier) to service, to overhaul [*machine, auto, chaudière*]; to overhaul [*montre*]; to revise [*manuscrit*]; to audit [*comptes*]; **faire ~** to have [sth] serviced [*voiture*]; to have [sth] overhauled [*montre*]; to have [sth] revised [*manuscrit*]; **donner sa voiture à ~** to take one's car in for servicing *ou* for a service; **3** Scol, Univ to revise GB, to review US; **il est en train de ~ pour son examen** he's busy revising GB *ou* reviewing US for his exam

réviseur /ʀevizœʀ/ *nm* **1** Imprim proofreader; **2** Compta auditor

révision /ʀevizjɔ̃/ *nm* **1** (réexamen) (de position, code, contrat, tarifs) revision; (de procès) review; (de frontière) redrawing; **la ~ d'un procès** the review of a case; **~ à la hausse/à la baisse** upward/downward revision; **2** (vérification du bon état) (de machine, voiture, chaudière) service; (de manuscrit) revision; (de comptes) audit; (de montre) overhauling; **la ~ d'une auto nous prend environ cinq heures** it takes us about five hours to service a car; **la ~ des 10 000 km** the 10,000 km service; **à la ~ tout semblait normal** when it was serviced everything seemed all right; **3** Scol, Univ revision ¢ GB, review ¢ US; **commencer les** *or* **ses ~s** to start revising GB *ou* reviewing US; **faire des ~s** to revise GB *ou* review US; **faire ses ~s** to do one's revision GB *ou* reviewing US

révisionnisme /ʀevizjɔnism/ *nm* revisionism

révisionniste /ʀevizjɔnist/ *adj, nmf* revisionist

revisser /ʀ(ə)vise/ [1] *vtr* to screw [sth] back on

revitalisant, ~e /ʀ(ə)vitalizɑ̃, ɑ̃t/ *adj* revitalizing (*épith*)

revitalisation /ʀ(ə)vitalizasjɔ̃/ *nf* revitalization

revitaliser /ʀ(ə)vitalize/ [1] *vtr* to revitalize

revivifier /ʀ(ə)vivifje/ [2] *vtr* liter to revive [*sentiment*]; to revivify [*personne*]

revivre /ʀ(ə)vivʀ/ [63]
A *vtr* **1** (se remémorer) to go over, relive [*événement, passé*]; **faire ~ qch à qn** to bring back memories of sth to sb; **2** (connaître à nouveau) to live through [sth] again [*époque*]
B *vi* **1** (être ragaillardi) to come alive again; **je me sens ~** I have come alive again; **l'air frais m'a fait ~** the fresh air (has) revived me; **2** (être soulagé) to be able to breathe again; **après l'examen de ce matin, je revis!** I can breathe again after this morning's exam!; **3** (renaître) [*idée, tradition, mode, institution*] to be reborn *ou* revived; **faire ~** to revive [*tradition, mode*]; **4** (être ressuscité) to live again (**dans**, **à travers** in); **elle voit son père ~ dans ses enfants** she sees her father again in her children; fig **faire ~** to bring [sth] back to life [*époque, événement*]

révocabilité /ʀevɔkabilite/ *nf* (de testament) revocability; (de personne) dismissibility

révocable /ʀevɔkabl/ *adj* [*testament*] revocable; [*personne*] dismissible (*from office*)

révocation /ʀevɔkasjɔ̃/ *nf* (de testament, d'édit) revocation; (de personne) dismissal

revoici○ /ʀ(ə)vwasi/ *présentatif* **~ Marianne!** Marianne's back, here's Marianne again!; **te ~!** so you're back!; **le ~ dans ses bouquins** he's back to his books again; **nous ~ au point de départ** we are *ou* it's back to square one

revoilà /ʀ(ə)vwala/ = **revoici**

revoir /ʀ(ə)vwaʀ/ [46]
A au revoir *loc nom* goodbye, bye○; **au ~ Monsieur/Madame** goodbye; **dis au ~ à la dame** say goodbye *ou* bye-bye○ to the lady; **ce n'est qu'un au ~** it's just a temporary goodbye *ou* farewell; **faire au ~ de la main** to wave goodbye
B *vtr* **1** (voir de nouveau) to see [sb/sth] again [*personne, lieu, film*]; **j'espère les ~ l'an prochain** I hope to see them again next year; **il ne l'avait pas revu depuis 10 ans** he hadn't seen him for 10 years; **~ la mer/qn une dernière fois** to see the sea/sb one last time; **je suis allé ~ la maison où je suis né** I went back to see the house where I was born; **je ne voudrais pas ~ ce genre de scène** I hope I never see anything like that again; **2** (en pensée) to see; **je la revois encore dans sa petite robe bleue** I can still see her in her little blue dress; **je revois bien la petite maison où nous vivions** I can just see the little house we lived in; **3** (réexaminer) to go over [*texte, devoir, épreuve*]; to review [*méthode, politique, action*]; to check through [*compte, comptabilité*]; **'à ~'** 'go over again'; **4** (corriger) to correct; **son devoir était à ~ entièrement** his/her paper had to be completely rewritten; **5** (réviser) Scol [*étudiant, élève*] to revise GB, to review [*matière*]; to go over [*leçon*]
C se revoir *vpr* **1** (se rencontrer de nouveau) [*personnes*] to see each other again; **ils ne se sont jamais revus** they never saw each other again; **nous ne nous sommes revus qu'une seule fois** we only saw each other again once; **2** (en pensée) to see oneself; **je me revois toujours entrant chez lui** I can still see myself going into his house

revoler /ʀ(ə)vɔle/ [1]
A *vtr* to steal [sth] again
B *vi* to fly again

révoltant, ~e /ʀevɔltɑ̃, ɑ̃t/ *adj* appalling

révolte /ʀevɔlt/ *nf* **1** (soulèvement) revolt; **~ armée** armed revolt; **la ~ gronde** there are murmurings of revolt; **réprimer/écraser une ~ dans le sang** to put down/crush a revolt *ou* rebellion with bloodshed; **être en ~ contre** to be in revolt against; **2** (indignation, désobéissance) rebellion

révolté, ~e /ʀevɔlte/
A *pp* ▸ **révolter**
B *pp adj* **1** (qui s'est soulevé) rebel (*épith*); **2** (qui refuse d'obéir) rebellious; **3** (indigné) appalled
C *nm,f* rebel

révolter /ʀevɔlte/ [1]
A *vtr* to appal[GB]; **~ qn en faisant qch** to appal[GB] sb by doing sth
B se révolter *vpr* **1** (se soulever) to rebel; **le pays s'est révolté** the country rebelled; **les ouvriers/paysans se révoltent** the workers/peasants are in revolt; **2** (refuser d'obéir) [*personne, enfant*] to rebel (**contre** against); **3** (s'indigner) to be appalled (**contre, devant** by)

révolu, ~e /ʀevɔly/ *adj* **1** (passé) **ce temps est ~** those days are over *ou* past; **2** (achevé) **avoir 12 ans révolus** to be over 12 years of age; **après une année ~e** after a year has gone by; **pensant à l'année ~e** thinking of the year gone by

révolution /ʀevɔlysjɔ̃/ *nf* **1** Pol revolution; **provoquer une ~** to bring about a revolution; **~ scientifique/industrielle** scientific/industrial revolution; **ce livre est une ~** this is a revolutionary book; **faire ~ dans** to revolutionize; **la Révolution (française** *or* **de 1789)** the French Revolution; **2** (effervescence) turmoil; **être en ~** to be in turmoil; **3** Astron, Math rotation; **4** (forces) **la ~** the revolutionary forces
(Composés) **~ culturelle** Cultural Revolution; **~ de juillet** French revolution of July 1830; **~ nationale** *France's social revolution directed by Maréchal Pétain beginning in 1940*; **la ~ d'octobre** the Russian Revolution *ou* the October Revolution; **~ de palais** palace revolution

révolutionnaire /ʀevɔlysjɔnɛʀ/ *adj, nmf* Hist, Pol revolutionary

révolutionner /ʀevɔlysjɔne/ [1] *vtr* **1** (transformer) to revolutionize [*sciences, pensée*] (**par** with); **2** ○(mettre en émoi) to upset; **3** (soulever) to revolutionize [*pays*]

revolver* /ʀevɔlvɛʀ/ *nm* **1** (à barillet) revolver; (arme de poing) controv handgun; **coup de ~** gunshot; **abattre qn à coups de ~** to shoot sb, to gun sb down; **~ à six coups** six-shooter○; **2** (de microscope) revolving nosepiece

revolving /ʀevɔlviŋ/ *adj inv* controv **crédit ~** revolving credit

révoquer /ʀevɔke/ [1] *vtr* **1** to revoke [*testament*]; **2** to dismiss [*personne*]

revoter /ʀ(ə)vɔte/ [1]
A *vtr* **~ un budget** to vote on a budget again
B *vi* to vote again

revoyure◑ /ʀ(ə)vwajyʀ/ *nf* **à la ~** be seeing you○

revue /ʀ(ə)vy/ *nf* **1** (magazine) gén magazine; (spécialisé) journal; **~ d'art** art magazine; **~ scientifique** scientific journal; **2** Mil (parade) parade; (inspection) review; **la ~ du 14 juillet** the Bastille Day parade; **~ de détail** kit inspection; **~ d'armement** weapons inspection; **passer [qch] en ~** to review [*troupes, armées*]; to inspect [*matériel, équipement*]; **3** Mus (spectacle) revue; **4** (examen) examination; **faire la ~ de qch** to examine sth; **se livrer à une ~ minutieuse de ses papiers** to go through one's papers in minute detail; **passer qch en ~** to go over sth, to have a look at sth; **nous avons passé en ~ tous les grands restaurants de Paris** we went through a list of the best restaurants in Paris
(Composé) **~ de presse** TV, Radio, Presse review of the papers
(Idiome) **être de la ~**○ to have to miss out○

révulsé, ~e /ʀevylse/
A *pp* ▸ **révulser**
B *pp adj* **1** (contracté) [*visage, membre*] contorted; **il gisait, les yeux ~s** there he lay, his eyes rolled upward(s); **2** (indigné) [*air*] appalled

révulser /ʀevylse/ [1]
A *vtr* (indigner) to appal[GB]
B se révulser *vpr* [*yeux*] to roll (upward(s)); [*visage, membre*] to contort

révulsif, -ive /ʀevylsif, iv/ Méd
A *adj* revulsive
B *nm* revulsive

révulsion /ʀevylsjɔ̃/ *nf* **1** Méd revulsion; **2** (indignation) revulsion

Reykjavik /ʀɛkjavik/ ▸ **p. 894** *npr* Reykjavik

rez-de-chaussée /ʀɛdʃose/ *nm inv* **1** (niveau) ground floor GB, first floor US (**de** of); **du/au ~** on the ground GB *ou* first US floor; **2** (appartement) ground-floor flat GB, first-floor apartment US

rez-de-jardin /ʀɛdʒaʀdɛ̃/ *nm inv* garden level; **chambre en ~** bedroom at garden level; **appartement en ~** garden flat GB, garden apartment US

RF *nf: written abbr* = **République française**

RFA /ɛʀɛfa/ *nprf: abbr* = **République fédérale d'Allemagne** Federal Republic of Germany, FRG

RG /ɛʀʒe/ *nmpl: abbr* ▸ **renseignement**

r

Rh /ɛʀaʃ/ *nm* (*written abbr* = **rhésus**) Rh
rhabillage /ʀabijaʒ/ *nm* 1 (de personne) dressing again; **pendant leur ~** while they were getting dressed again; 2 (de montre) repairing (**de** of)
rhabiller /ʀabije/ [1]
A *vtr* 1 (habiller de nouveau) **~ qn** to dress sb again, to put sb's clothes back on; 2 (réparer) to repair [*bijou*]
B **se rhabiller** *vpr* to get dressed again, to put one's clothes back on
(Idiome) **il peut aller se ~**○! he can go back where he came from!
rhapsode /ʀapsɔd/ *nm* (chanteur) rhapsodist, rhapsode
rhapsodie /ʀapsɔdi/ *nf* rhapsody
rhème /ʀɛm/ *nm* rheme
rhénan, **~e** /ʀenɑ̃, an/ ▸ **p. 721** *adj* of the Rhineland
Rhénanie /ʀenani/ ▸ **p. 721** *nprf* Rhineland
Rhénanie-du-Nord-Westphalie /ʀenanidynɔʀvɛstfali/ ▸ **p. 721** *nprf* North Rhine-Westphalia
Rhénanie-Palatinat /ʀenanipalatina/ ▸ **p. 721** *nprf* Rhineland-Palatinate
rhéostat /ʀeɔsta/ *nm* rheostat
rhésus /ʀezys/ *nm inv* 1 Biol rhesus; **facteur ~** rhesus (factor); **la mère est ~ positif** the mother is rhesus positive; **un sujet ~ négatif** a rhesus negative subject; 2 Zool **(macaque) ~** rhesus monkey
rhéteur /ʀetœʀ/ *nm* 1 Antiq rhetor; 2 liter, pej rhetorician
rhétoricien, **-ienne** /ʀetɔʀisjɛ̃, ɛn/ *nm,f* rhetorician
rhétorique /ʀetɔʀik/
A *adj* [*procédé, effet*] rhetorical
B *nf* rhetoric (**de** of)
Rhin /ʀɛ̃/ ▸ **p. 372** *nprm* **le ~** the Rhine
rhinite /ʀinit/ ▸ **p. 283** *nf* common cold, rhinitis spéc
rhinocéros /ʀinɔseʀɔs/ *nm inv* rhinoceros
(Composé) **~ blanc** white rhinoceros
rhino-laryngite, *pl* **~s** /ʀinolaʀɛ̃ʒit/ ▸ **p. 283** *nf* rhinolaryngitis
rhinologie /ʀinɔlɔʒi/ *nf* rhinology
rhino-pharyngé, **~e**, *mpl* **~s** /ʀinofaʀɛ̃ʒe/ *adj* nasopharyngeal; **affection ~e** nasopharyngitis
rhino-pharyngite, *pl* **~s** /ʀinofaʀɛ̃ʒit/ ▸ **p. 283** *nf* nasopharyngitis
rhino-pharynx /ʀinofaʀɛ̃ks/ *nm inv* nasopharynx
rhizome /ʀizom/ *nm* rhizome
rhô* /ʀo/ *nm inv* rho
rhodanien, **-ienne** /ʀɔdanjɛ̃, ɛn/ *adj* [*vallée, couloir*] Rhône (*épith*); [*capitale, club*] of the Rhône
Rhode Island /ʀodajlɑ̃d/ ▸ **p. 721** *nprm* Rhode Island
Rhodes /ʀɔd/ ▸ **p. 435** *nprf* **(l'île de) ~** (the island of) Rhodes
Rhodésie /ʀɔdezi/ *nprf* Hist Rhodesia
rhodium /ʀɔdjɔm/ *nm* rhodium
rhododendron /ʀɔdɔdɛ̃dʀɔ̃/ *nm* rhododendron
rhombe /ʀɔ̃b/ *nm* 1 ▸ **p. 557** (instrument de musique) rhombus; 2 †liter (losange) rhombus
rhombique /ʀɔ̃bik/ *adj* rhombic
rhomboïdal, **~e**, *mpl* **-aux** /ʀɔ̃bɔidal, o/ *adj* rhomboid
rhomboïde /ʀɔ̃bɔid/
A *adj* **muscle ~** rhomboideus
B *nm* 1 Math rhomboid; 2 Anat rhomboideus
Rhône /ʀon/ ▸ **p. 372, p. 721** *nprm* (fleuve, département) **le ~** the Rhône
Rhône-Alpes /ʀonalp/ ▸ **p. 721** *nprm* **la région ~** the Rhône-Alpes
rhovyl® /ʀɔvil/ *nm* Rhovyl®; **une chemise en ~** a Rhovyl vest
rhubarbe /ʀybaʀb/ *nf* rhubarb; **confiture de ~** rhubarb jam
rhum /ʀɔm/ *nm* rum; **~ blanc/brun** white/dark rum; **au ~** with rum
rhumatisant, **~e** /ʀymatizɑ̃, ɑ̃t/ *adj, nm,f* rheumatic
rhumatismal, **~e**, *mpl* **-aux** /ʀymatismal, o/ *adj* rheumatic
rhumatisme /ʀymatism/ ▸ **p. 283** *nm* rheumatism **₵**; **avoir des ~s dans les doigts** to have rheumatism in one's fingers
(Composés) **~ articulaire (aigu)** (acute) rheumatoid arthritis; **~ déformant** rheumatoid arthritis; **~ inflammatoire** inflammatory arthritis; **~ musculaire** fibrositis
rhumatologie /ʀymatɔlɔʒi/ *nf* rheumatology
rhumatologue /ʀymatɔlɔg/ ▸ **p. 532** *nmf* rheumatologist
rhume /ʀym/ ▸ **p. 283** *nm* cold; **avoir un (gros) ~** to have a (bad) cold
(Composés) **~ de cerveau** head cold; **~ des foins** hay fever
rhumerie /ʀɔmʀi/ *nf* 1 (distillerie) rum distillery; 2 (débit de boissons) rum cocktail bar
rhyolit(h)e /ʀijɔlit/ *nf* rhyolite
ria /ʀia/ *nf* ria
riant, **~e** /ʀijɑ̃, ɑ̃t/ *adj* [*visage*] happy; [*paysage*] liter pleasant
RIB /ʀib/ *nm: abbr* ▸ **relevé**
ribambelle /ʀibɑ̃bɛl/ *nf* (d'enfants) flock (**de** of); (d'amis) host (**de** of); (de noms) whole string (**de** of); (de procès) series (**de** of)
riboflavine /ʀiboflavin/ *nf* riboflavin
ribonucléase /ʀibonykleaz/ *nf* ribonuclease
ribonucléique /ʀibonykleik/ *adj* **acide ~** ribonucleic acid
ribose /ʀiboz/ *nm* ribose
ribosome /ʀibozom/ *nm* ribosome
ribouldingue○† /ʀibuldɛ̃g/ *nf* binge○, spree; **faire la ~** to go on a binge *ou* spree
ricain○, **~e** /ʀikɛ̃, ɛn/ offensive *or* hum
A *adj* Yankee○
B *nm,f* Yank○
ricanement /ʀikanmɑ̃/ *nm* (rire moqueur) snigger; (rire sot) giggle; **des ~s** (de moquerie) sniggering **₵**; (de sottise) giggling **₵**
ricaner /ʀikane/ [1] *vi* (méchamment) to snigger; (bêtement) to giggle
ricaneur, **-euse** /ʀikanœʀ, øz/
A *adj* sniggering
B *nm,f* sniggerer
richard○, **~e** /ʀiʃaʀ, aʀd/ *nm,f* pej well-heeled○ person; **c'est un (gros) ~** he's loaded○, he's rolling in money○
Richard /ʀiʃaʀ/ *npr* Richard; **~ Cœur de Lion** Richard the Lionheart GB, Richard the Lion-hearted US
riche /ʀiʃ/
A *adj* 1 (fortuné) [*personne*] rich, wealthy, well-off; (prospère) [*pays, région, ville*] rich; **je ne suis pas bien ~** I'm not very well-off; **être ~ à millions** to be extremely rich; 2 (considérable) [*végétation, faune, palette, collection, vocabulaire, style*] rich; [*bibliothèque*] well-stocked; **disposer d'une documentation très ~** to have a wealth of information at one's disposal; 3 (par son contenu) [*terre, sujet, minerai, pensée, langue, aliment*] rich (**en** in); [*architecture, décoration*] elaborate, rich; [*roman*] richly textured; 4 (luxueuse) [*bijoux, habit*] fine; [*étoffe*] rich; [*demeure*] sumptuous; [*cadeau*] magnificent; **une ~ idée** an excellent idea; **être trop ~ en oxygène/fer** to contain too much oxygen/iron; **aliment ~ en fibres/protéines** food that is high *ou* rich in fibre[GB]/protein; **un pays ~ en pétrole/uranium** an oil-/uranium-rich country; **c'est une expérience ~ d'enseignements** it's an educational experience; **~ de promesses** full of promise; **~ de tout un passé médiéval, la petite ville** with its medieval past, the small town; **~ de son diplôme** armed with his diploma
B *nmf* rich man/woman; **les ~s** the rich, the wealthy; **un gosse**○ **de ~s** a rich kid; **club/loisir de ~s** a club/hobby for the rich; **quartier de ~s** wealthy part of town; **nouveau ~** nouveau riche; **la parabole du mauvais ~** Relig, Bible the parable of Lazarus and the rich man
(Idiome) **on ne prête qu'aux ~s** Prov unto those that have shall more be given
richelieu /ʀiʃəljø/ *nm* brogue; **~ à bout fleuri** brogue with decorative stitching
richement /ʀiʃmɑ̃/ *adv* 1 (luxueusement) [*meublé*] richly; [*vêtu, décoré*] lavishly, elaborately; [*illustré*] richly, lavishly; **~ dotée** [*fille*] provided with a large dowry; [*tombola*] with big prizes; 2 (pour pourvoir de biens) **marier ~ sa fille** to make a wealthy match for one's daughter
richesse /ʀiʃɛs/
A *nf* 1 (de personne, pays) wealth; **être une source de ~ pour** to be a source of wealth for; **notre principale ~** our main source of wealth; **faire la ~ d'un pays/d'une ville** [*activité, pétrole*] to bring wealth to a country/a town; **étaler sa ~** to flaunt one's wealth; **vivre dans la ~** to live in (the lap of) luxury; **~ nationale** national wealth; **ce lopin de terre c'est toute notre ~** this plot of land is all we have; 2 (luxe, somptuosité) (de bijoux) magnificence; (d'étoffe, de vêtement) richness; (de mobilier, demeure) sumptuousness; **décoration d'une trop grande ~** over-elaborate decoration; 3 (teneur) richness (**en** in); **la ~ d'un aliment en sucre** the sugar content of a food; **la trop grande ~ d'un aliment en sel** a food's excessive salt content; 4 (abondance) (de végétation, faune, vocabulaire, collection) richness; (de documentation) wealth
B **richesses** *nfpl* 1 (biens matériels) wealth **₵**; **accumuler des ~s** to accumulate wealth *ou* riches; 2 (objets de grande valeur) treasures; **les ~s d'un musée** the treasures of a museum; 3 (ressources) resources; **~s naturelles** natural resources
richissime○ /ʀiʃisim/ *adj* fabulously rich *ou* wealthy
RICE /ʀis/ *nm: abbr* ▸ **relevé**
ricin /ʀisɛ̃/ *nf* castor-oil plant; **huile de ~** castor oil
ricocher /ʀikɔʃe/ [1] *vi* [*balle*] to ricochet (**sur** off); [*pierre*] (sur l'eau) to skim (**sur** on *ou* across); (sur un obstacle) to rebound (**sur** off); **faire ~ des cailloux sur le lac** to skim stones on *ou* across the lake
ricochet /ʀikɔʃɛ/ *nm* (de balle) ricochet; (de pierre) (sur l'eau) bounce; (sur un obstacle) rebound; **faire ~** lit [*balle*] to ricochet (**sur** off); [*pierre*] to rebound (**sur** off); fig [*décision*] to have repercussions (**sur** on); **faire des ~s** to skim stones (**sur** on *ou* across); **elle a fait trois ~s** she made the stone bounce three times; **cela l'a touché par ~** (projectile) he was hit on the rebound; (chômage) he was indirectly affected
ric-rac*○ /ʀikʀak/ *loc adv* 1 (de justesse) [*réussir, s'échapper*] by the skin of one's teeth; **ça va être ~ pour prendre le train** it's going to be touch and go for the train; 2 (rigoureusement) [*payer*] on the dot
rictus /ʀiktys/ *nm inv* (fixed) grin, rictus
ride /ʀid/ *nf* 1 (sur un visage, fruit) wrinkle; **ne pas avoir pris une ~** [*visage*] not to have aged; [*œuvre*] not to have dated; 2 (sur l'eau) ripple
ridé, **~e** /ʀide/
A *pp* ▸ **rider**
B *pp adj* [*personne, fruit*] wrinkled; [*lac*] rippled
rideau, *pl* **~x** /ʀido/ *nm* 1 (dans une maison) curtain; (voilage) net curtain; **ouvrir/fermer les ~x** to open/close the curtains; **tirer les ~x** to draw the curtains; **doubles ~x** curtains; 2 Théât curtain; 3 (de magasin, bâtiment) (plein) roller shutter; (grille) security grille;

4 (ensemble) (d'arbres, de brouillard) curtain; (de soldats, flammes) wall; 5 (de cheminée) register; 6 Phot (d'obturateur) shutter; 7 (de classeur) roll top

(Composés) ~ **de bain** bath curtain; ~ **bonne femme** net curtain with tiebacks; ~ **de douche** shower curtain; ~ **de fer** Hist Iron Curtain; ~ **de fumée** lit blanket of smoke; fig smokescreen

(Idiomes) **tirer le ~ sur qch** to draw a veil over sth; ~! Théât curtain!; fig (let's) drop it!; **grimper aux ~x**○ to go up the wall○

ridelle /ʀidɛl/ *nf* side rail

rider /ʀide/ [1]

A *vtr* 1 to wrinkle [*visage, peau*]; 2 to ripple [*surface, lac*]

B se rider *vpr* 1 [*visage, peau*] to wrinkle; 2 [*lac, surface*] to ripple

ridicule /ʀidikyl/

A *adj* 1 (digne de moquerie) ridiculous; **il ne craint pas d'être ~** he's not afraid of looking silly *ou* appearing foolish; **c'est ~** it's ridiculous *ou* absurd; 2 (insensé) **il est ~ de faire** it's ridiculous *ou* madness to do; **vous seriez ~ de refuser** you would be mad to refuse; 3 (insignifiant) [*somme, salaire*] ridiculously low, pathetic

B *nm* 1 (ce qui est grotesque) ridicule; **il n'a pas peur du ~** he isn't afraid of ridicule; **se couvrir de ~** to make oneself an object of ridicule; **couvrir qn de ~** to heap ridicule on sb, to ridicule sb; **tourner qch/qn en ~** to make sth/sb look ridiculous; 2 (de situation) ridiculousness, absurdity; **il est d'un ~!** he looks so ridiculous!; **la situation est d'un ~!** the situation is ridiculous!

C ridicules *nmpl* (travers) liter foibles

(Idiome) **le ~ ne tue pas** Prov looking a fool never killed anyone

ridiculement /ʀidikylmɑ̃/ *adv* 1 (de façon grotesque) in a ridiculous way, ridiculously; ~ **vêtu** dressed ridiculously; 2 (de façon dérisoire) ridiculously; **un salaire ~ bas** a ridiculously low salary

ridiculiser /ʀidikylize/ [1]

A *vtr* [*personne*] to ridicule [*personne, théorie, propos*]; to annihilate [*équipe, adversaire, concurrent*]; [*comportement, situation*] to make [sb] look ridiculous [*personne*]; **il l'a ridiculisé auprès des invités** he ridiculed him in front of the guests; **il l'a ridiculisé auprès des téléspectateurs/électeurs** he made him look foolish *ou* ridiculous in the eyes of the viewers/electorate

B se ridiculiser *vpr* [*personne*] to make a fool of oneself, to make oneself look ridiculous

ridule /ʀidyl/ *nf* fine wrinkle

rien[1] /ʀjɛ̃/

A *pron indéf* 1 (nulle chose) ~ **n'est impossible** nothing is impossible; **un mois à ne ~ faire** a month doing nothing; **j'ai décidé de ne ~ dire** I decided to say nothing *ou* not to say anything; **il n'y a ~ qui puisse la consoler** nothing can console her; **il n'y a plus ~** there's nothing left; **il n'y a plus ~ à faire** (comme travail) there's nothing left *ou* else to do; (pour le sauver) there's nothing more *ou* else that can be done; **ce n'est ~** it's nothing; **elle n'est ~** she's a nobody; **il n'est ~ pour moi** he means *ou* is nothing to me; **ils ne nous sont ~** they're nothing to do with us; **il n'en est ~** it's nothing of the sort; **elle ne t'a ~ fait** she hasn't done anything to you; **n'avoir ~ à faire avec qn** to have nothing to do with sb; ~ **n'y fait!** nothing's any good!; **il n'a ~ d'un intrigant** there's nothing of the schemer about him; **elle n'a ~ de sa sœur** she's nothing like her sister; ~ **de bon** nothing good; ~ **d'autre** nothing else; ~ **de moins/de plus** nothing less/more (**que** than); ~ **de meilleur/de pire/de mieux** nothing better/worse/better (**que** than); **il n'y a ~ de tel/de tel que la marche pour garder la forme** there's nothing like it/like walking to keep you fit; **il n'y a ~ eu de cassé** nothing was broken; **ça n'a ~ de luxueux** there's nothing luxurious about it; **je n'ai jamais ~ vu de pire** I've never seen anything worse; ~ **à déclarer/signaler** nothing to declare/report; **partir de ~** to start from nothing; **faire un drame d'un ~** to make a drama out of nothing; **pour ~** (en vain) for nothing; (à bas prix) for next to nothing; **'pourquoi?'—'pour ~'** 'why?'—'no reason'; **ce n'est pas pour ~ que** it's not without reason *ou* not for nothing that; **parler pour ~** to waste one's breath; **'merci'—'de ~'** 'thank you'—'you're welcome', 'not at all'; **en moins de ~** in no time at all; **'que prends-tu?'—'~ du tout'** 'what are you having?'—'nothing at all'; **c'est ça ou ~** it's that or nothing, take it or leave it; **'mais vous avez un contrat'—'ça ou ~(, c'est pareil)'** 'but you have a contract'—'I might as well not have one', 'it makes no odds'; **c'est mieux que ~** it's better than nothing; **c'est moins que ~** it's nothing at all; **c'est trois fois ~** it's next to nothing; **~ à ~, ~ de ~**○ absolutely nothing; **faire qch comme ~** to do sth very easily

2 (seulement) ~ **que la bouteille pèse deux kilos** the bottle alone weighs two kilos; **j'en ai eu pour 35 euros ~ qu'avec les fleurs** the flowers alone cost me 35 euros; **c'est à lui et ~ qu'à lui** it's his and his alone; **elle voudrait un bureau ~ qu'à elle**○ she would like an office all to herself; **il n'est ~ qu'un scribouillard** he's nothing but *ou* he's just a pen-pusher; **'qu'y a-t-il à boire?'—'~ que de l'eau'** 'what is there to drink?'—'just water'; **la vérité, ~ que la vérité** the truth and nothing but the truth; **~ que pour te plaire** just to please you; **j'en ai la nausée ~ que d'y penser** I feel sick just thinking about it; **~ qu'à voir comment il s'habille** just by looking at the way he dresses; **~ que ça**○**?** (en réponse) is that all?; **ils habitent un château, ~ que ça!** iron they live in a castle, no less! *ou* if you please! iron

3 (quoi que ce soit) anything; **avant de ~ signer** before signing anything; **sans que j'en sache ~** without my knowing anything about it; **il m'a demandé si je n'avais ~ vu** he asked me if I had seen anything; **as-tu jamais ~ fait pour eux?** have you ever done anything for them?

4 Sport gén nil; (au tennis) love; **~ partout, ~ à ~** nil nil; **~ à 15** (au tennis) love 15

B de rien (du tout) *loc adj* **fille de ~** worthless girl; **un petit bleu de ~ (du tout)** a tiny bruise; **une affaire de ~ du tout** a trivial matter

C ○*adv* **c'est ~ moche!** it isn't half ugly○! GB, it's really ugly

D ○**un rien** *loc adv* a (tiny) bit; **un ~ pédant/trop cuit** a bit pedantic/overcooked

E en rien *loc adv* at all, in any way; **cela ne me concerne en ~** that doesn't concern me at all *ou* in any way; **ce n'est en ~ nécessaire** it's not at all necessary, it's in no way necessary; **il ne te ressemble en ~** he's not at all like you, he's nothing like you

(Idiomes) **~ à faire!** (c'est impossible) it's no good *ou* use!; (refus) no way○!; **on n'a ~ pour ~** you get nothing for nothing; **ce n'est pas ~!** (exploit) it's quite something!; (tâche) it's no joke, it's not exactly a picnic○!; (somme) it's not exactly peanuts○!

rien[2] /ʀjɛ̃/ *nm* 1 (vétille) **être puni pour un ~** to be punished for the slightest thing; **un ~ le fâche** the slightest thing annoys him; **un ~ l'habille, elle s'habille d'un ~** she looks good in the simplest thing; **se disputer pour un ~** to quarrel over nothing; **perdre son temps à des ~s** to waste one's time on trivial things; **les petits ~s qui rendent la vie agréable** the little things which make life pleasant; **faire qch comme un ~** to do sth very easily; 2 (petite quantité) **un ~ de** a touch of; **un ~ d'humour** a touch of humour[GB]; **un ~ de sel** a tiny pinch of salt; **un ~ de cognac** a dash of brandy; **en un ~ de temps** in next to no time; 3 (personne) **un/une ~ du tout** (insignifiant) a nobody; (sans moralité) a no-good○, a worthless person

rieur, **rieuse** /ʀijœʀ, øz/

A *adj* [*personne*] cheerful; [*visage, yeux*] laughing; [*ton*] cheerful

B *nm,f* cheerful person

(Idiome) **mettre les ~s de son côté** to win the audience over

rififi○ /ʀififi/ *nm* fisticuffs (*pl*); **il va y avoir du ~** there's going to be some fisticuffs

riflard○ /ʀiflaʀ/ *nm* umbrella, bumbershoot○ US

rifle /ʀifl/ *nm* **un 22 long ~** a 22 calibre[GB] rifle

rift /ʀift/ *nm* rift valley

Riga /ʀiga/ ▸ p. 894 *npr* Riga

rigaudon /ʀigodɔ̃/ *nm* Danse rigaudon; **danser le ~** to do *ou* dance the rigaudon

rigide /ʀiʒid/ *adj* 1 [*personne, règlement*] rigid; 2 [*matériau, support*] rigid; [*carton*] stiff

rigidement /ʀiʒidmɑ̃/ *adv* rigidly

rigidifier /ʀiʒidifje/ [2] *vtr* to rigidify

rigidité /ʀiʒidite/ *nf* rigidity

rigodon = **rigaudon**

rigolade○ /ʀigɔlad/ *nf* 1 (amusement) **aimer la ~** to like a laugh○; **quelle ~** what a laugh○!; **ça a été une partie de (franche) ~** it was a really good laugh○; **prendre qch à la ~** to make a joke of sth; **ne pas être d'humeur à la ~** to be in no mood for laughter *ou* joking; **le moment n'est pas à la ~** this is no time for laughter *ou* for fun and games; **il prend tout à la ~** he makes a joke of everything; 2 (plaisanterie) joke; **cette histoire est une vaste ~** this story is one big joke; **prendre qch à la ~** to take *ou* treat sth as a joke; 3 (chose facile) **réparer ça, c'est de la ~!** repairing this is a piece of cake○ *ou* is dead easy○

rigolard○, **~e** /ʀigɔlaʀ, aʀd/

A *adj* [*visage, air*] grinning; **c'est un type ~** he's a (good) laugh○

B *nm,f* joker

rigole /ʀigɔl/ *nf* (conduit) channel; (écoulement) rivulet

(Composé) **~ d'écoulement** drain

rigoler○ /ʀigɔle/ [1] *vi* 1 (rire) to laugh; **on a bien rigolé** we had a good laugh○; **faire ~ qn** to make sb laugh, to give sb a good laugh; **ne me fais pas ~** iron don't make me laugh; **il n'y a pas de quoi ~** there is nothing to laugh about, this is no laughing matter; 2 (s'amuser) to have fun; **il aime bien ~** he likes a laugh; **ça ne rigole pas tous les jours ici** it's not much fun here; 3 (plaisanter) to joke, to kid○; **il ne faut pas ~ avec la sécurité** you mustn't mess about *ou* fool around with security; **il a dit ça pour ~** he said it as a joke

rigolo○, **-ote** /ʀigɔlo, ɔt/

A *adj* 1 (amusant) funny; 2 (curieux) odd, funny

B *nm,f* 1 (fumiste) joker; 2 (personne amusante) **c'est un petit ~** he's quite a little comedian

rigorisme /ʀigɔʀism/ *nm* rigorism

rigoriste /ʀigɔʀist/

A *adj* [*attitude*] unbending, rigoristic; [*morale*] rigorist, hardline

B *nmf* rigorist

rigoureusement /ʀiguʀøzmɑ̃/ *adv* 1 (incontestablement) absolutely; **c'est ~ faux/vrai** that's completely untrue/true; **c'est ~ défendu** *or* **interdit** it's strictly *ou* absolutely forbidden; 2 (durement) [*punir, traiter*] rigorously, harshly; 3 (scrupuleusement) [*obéir*] scrupulously; [*sélectionner, mesurer*] carefully; [*conforme*] strictly

rigoureux, **-euse** /ʀiguʀø, øz/ *adj* 1 (sévère) [*morale, discipline*] strict, rigorous; [*règlement, personne*] strict; 2 (rude) [*climat, saison*] harsh, severe; [*froid*] severe; [*température*] harsh; [*conditions de travail*] difficult, hard; 3 (conduit avec précision) [*observations,*

r

recherches, démonstration, description] meticulous; [*travail*] meticulous, scrupulous; [*logique, analyse, méthode, sélection, gestion, pensée*] rigorous; [*argumentation*] meticulous, rigorous; [*application*] strict; **de façon rigoureuse** rigorously; **la construction rigoureuse d'un roman** the tight structure of a novel; **un raisonnement ~** a closely reasoned argument; 4▸ (strict) [*obéissance, sens*] strict; [*personne*] rigorous; **être ~ dans ses observations/analyses** to be rigorous *ou* meticulous in one's observations/analysis

rigueur /ʀigœʀ/
A *nf* 1▸ (sévérité) (de sanction, règlement, loi, personne) strictness; (de discipline) strictness, harshness; (de répression) harshness; **se conformer à une morale d'une grande ~** to adhere to an extremely strict moral code; **être d'une extrême/grande ~ avec qn** to be extremely/very strict with sb; **traiter ses enfants avec trop de ~** to treat one's children too harshly *ou* strictly; 2▸ (dureté) (de climat, saison) harshness; (de condition) harshness; 3▸ (précision) (d'observation, de recherche, travail, style) meticulousness, rigour[GB]; (de logique, démonstration, d'analyse, argumentation) rigour[GB]; **une analyse d'une grande ~** a very rigorous analysis; **faire preuve de ~** to be rigorous; **étude faite avec ~** study meticulously carried out; **leur travail manque de ~** their work is not rigorous enough; 4▸ Pol, Écon austerity; **~ monétaire** monetary austerity; **plan de ~** austerity measures
B **rigueurs** *nfpl* littér (de saison, climat) rigours[GB]; **affronter les ~s de l'hiver** to withstand the rigours[GB] of winter
C **de rigueur** *loc adj* obligatory, essential; **précautions de ~** necessary precautions; **les gants blancs sont de ~** white gloves are to be worn *ou* must be worn; **la prudence reste de ~ au ministère** caution is the order of the day at the ministry; **visite de ~** obligatory social call; **les banalités de ~** the usual platitudes
D **à la rigueur** *loc adv* **nous pouvons à la ~ emprunter à mes parents** if we absolutely must we can borrow from my parents; **à la ~ je peux te prêter 20 euros** at a pinch GB *ou* in a pinch US I can lend you 20 euros; **je peux venir trois jours ou cinq à la ~** I can come for three days or five at the very outside; **qu'il ait gagné la médaille de bronze à la ~, mais pas la médaille d'or** he may well have deserved to win the bronze medal, but not the gold; **il est un peu excentrique à la ~, mais fou certainement pas** he may be a bit eccentric, but he's certainly not mad
(Idiomes) **tenir ~ à qn de qch** to bear sb a grudge for sth; **il lui tient ~ d'avoir dilapidé toute la fortune de leur père** he bears him/her a grudge for having frittered away their father's fortune; **il ne t'en tiendra pas ~** he won't hold it against you

rikiki○ = **riquiqui**

rillettes /ʀijɛt/ *nfpl* ≈ potted meat; **~ de porc/d'oie** potted pork/goose

rillons /ʀijɔ̃/ *nmpl* sautéed pork morsels

rilsan® /ʀilsɑ̃/ *nm* Rilsan®

rimailler† /ʀimɑje/ [1] *vi* to write bad verse

rimailleur†, **-euse** /ʀimɑjœʀ, øz/ *nm,f* pej poetaster†, rhymester†

rimaye /ʀimɑj/ *nf* bergschrund

rime /ʀim/ *nf* rhyme; **~ masculine/féminine** masculine/feminine rhyme; **~s embrassées** *or* **enlacées** enclosing rhyme; **des ~s en 'our'** rhymes in 'our'; **~ pour l'œil** eye rhyme; **'tu fais des ~s'** 'that rhymes'; **~s suivies** *or* **accouplées** *or* **plates** rhyming couplets
(Idiomes) **sans ~ ni raison** without rhyme or reason; **cela n'a ni ~ ni raison** it has neither rhyme nor reason

rimer /ʀime/ [1] *vi* 1▸ (former une rime) to rhyme; **~ pour les yeux** *or* **pour l'œil** to form an eye rhyme; 2▸ (signifier) **cela ne rime à rien** it makes no sense; **ça ne rime à rien de faire** there's no sense in doing

rimeur, **-euse** /ʀimœʀ, øz/ *nm,f* péj mediocre poet

rimmel® /ʀimɛl/ *nm* mascara; **ton ~ coule** your mascara is running

rinçage /ʀɛ̃saʒ/ *nm* (processus) rinsing; (de lave-linge, lave-vaisselle) rinse; **(ajouter à) l'eau de ~** (add to) rinsing water

rince-bouteilles* /ʀɛ̃sbutej/ *nm inv* bottle-washing machine

rince-doigts* /ʀɛ̃sdwa/ *nm inv* 1▸ (récipient) finger-bowl; 2▸ (en papier) finger wipe

rincée○ /ʀɛ̃se/ *nf* **prendre une ~** (pluie) to get drenched; (coups) to get a thrashing○

rincer /ʀɛ̃se/ [12]
A *vtr* 1▸ (ôter le savon) to rinse; (laver) to rinse [sth] out; 2▸ ○[*pluie*] to drown; 3▸ ◑(offrir à boire à) to stand○ [sb] a drink; **il se fait toujours ~** he always gets drinks bought for him; 4▸ ◑(au jeu) to clean [sb] out
B **se rincer** *vpr* **se ~ les mains/les cheveux** to rinse one's hands/hair; **se ~ la bouche** to rinse one's mouth out
(Idiomes) **se ~ l'œil**◑ to get an eyeful; **se ~ la dalle**◑ *or* **le gosier**◑ to have a drink

rincette○ /ʀɛ̃sɛt/ *nf* drop of liqueur (*mixed with the dregs in one's coffee cup*)

ring /ʀiŋ/ *nm* (boxing) ring

ringard, **~e** /ʀɛ̃gaʀ, aʀd/
A *adj* [*vêtement*] dated; [*idée, méthode, politique*] out of date; [*personne*] behind the times (*jamais épith*)
B *nm* (tisonnier) poker

Rio de Janeiro /ʀjodəʒanɛʀo/ ▸ **p. 894** *npr* Rio de Janeiro

RIP /ʀip/ *nm: abbr* ▸ **relevé**

ripaille○ /ʀipɑj/ *nf* blow-out○, feast; **faire ~** to have a blow-out○ *ou* feast

ripailler○ /ʀipɑje/ [1] *vi* to have a blow-out○, to feast

ripaton◑ /ʀipatɔ̃/ *nm* foot

riper◑ /ʀipe/ [1] *vi* 1▸ (déraper) [*pied*] to slip; [*bicyclette*] to skid; 2▸ (partir) to leave, to head off○

ripoliner /ʀipɔline/ [1] *vtr* 1▸ (avec de la peinture) to paint; 2▸ (embellir) to give [sth] a face-lift

riposte /ʀipɔst/ *nf* 1▸ (verbale) reply, riposte; **prompt à la ~** always ready with a reply; 2▸ (physique) response (**à** to); **~ graduée** flexible response; 3▸ Sport (en escrime) riposte; (en lutte, boxe) counter

riposter /ʀipɔste/ [1]
A *vtr* to retort (**que** that)
B *vi* 1▸ (verbalement) to retort; **~ à qn/qch par** to counter sb/sth with; **~ à qn/qch en faisant** to counter sb/sth by doing; 2▸ (par des coups) to respond (**à** to; **par** with; **en faisant** by doing); 3▸ Mil to return fire, to shoot back; **~ à qch par qch** to counter sth with sth; **~ à une attaque (en faisant)** to counter-attack (by doing); 4▸ (en sport) to ripost

ripou○, *pl* **~x** /ʀipu/ *adj* [*personne, policier*] crooked○, bent○

riquiqui○ /ʀikiki/ *adj inv* [*vêtement*] ridiculously small; [*logement, voiture*] poky○; [*portion, banquet*] measly○

rire /ʀiʀ/ [68]
A *nm* 1▸ (éclat) laughter; **un ~** a laugh; **un ~ communicatif/énorme/gras/bête** an infectious/a loud/a vulgar/a stupid laugh; **avoir un ~ forcé** to give a forced laugh; **avoir le ~ facile** to laugh at the slightest thing; **il y eut des ~s et des applaudissements dans le public** there was laughter and applause in the audience; **il a eu un petit ~** he chuckled; **elle a eu un petit ~ nerveux** she laughed nervously; **il éclata d'un gros ~** (bref) he let out a guffaw; (qui dure) he gave a loud hearty laugh; **entendre des ~s** to hear laughter *or* laughing; 2▸ (hilarité) laughter
B *vi* 1▸ (s'esclaffer) to laugh; **se mettre à ~** to burst out laughing; **faire ~ qn** to make sb laugh; **tu nous feras toujours ~!** you're a real scream○!; **il n'y a pas de quoi ~!** that's not funny!, that's no laughing matter!; **il vaut mieux en ~ (qu'en pleurer)** you might as well laugh as cry; **dit-il en riant** he laughed, he said, laughing; **j'ai bien** *or* **beaucoup ri** I laughed a lot; **on a ri un bon coup**○ we had a good laugh; **~ des plaisanteries de qn** to laugh at sb's jokes; **il me disputait, et moi de ~** he was telling me off and all I could do was laugh; ▸ **vendredi**; 2▸ (s'amuser) to have fun; **ils ne pensent qu'à ~** all they care about is having fun; **on va bien ~** we're going to have a lot of fun; **il faut bien ~ un peu** you need a bit of fun now and again; **~ de peu** *or* **de rien** to laugh at anything; **fini de ~, je ne ris plus** the fun's over; **tu veux ~!** you must be joking *ou* kidding○!; **j'ai fait ça pour ~** I was joking; **c'était pour ~** it was a joke; **sans ~**○ seriously, honestly; **sans ~, quand est-ce que tu pars?** seriously, when are you leaving?; **non! sans ~ elle t'a dit ça?** no! she really told you that?; **tu me fais ~ avec tes idées**○**!** you make me laugh with your ideas!; **elle me fait ~, partir en vacances... avec quel argent**○**!** go on vacation? she must be joking! how can I afford it?; **laisse-moi ~, ne me fais pas ~**○ don't make me laugh; 3▸ (se moquer) **~ de qch/qn** to laugh at sth/sb; **ne ris pas de mon chapeau** don't laugh at my hat; **on rit de lui** everybody's laughing at him; **~ aux dépens de qn** to laugh at sb's expense; **tu peux ~ mais c'est la vérité** laugh if you like, but it's true; 4▸ (avoir une expression gaie) liter **elle a les yeux qui rient, ses yeux rient** she has laughing eyes
C **se rire** *vpr* 1▸ (se moquer) **se ~ de qn** fml to laugh at sb; 2▸ (surmonter aisément) **se ~ des obstacles/difficultés/dangers** fml to make light of obstacles/difficulties/dangers
(Composé) **~s préenregistrés** Radio, TV canned laughter
(Idiomes) **rira bien qui rira le dernier** Prov he who laughs last laughs longest Prov; **être mort** *or* **écroulé de ~**○ to be doubled up (with laughter)

ris /ʀi/ *nm inv* 1▸ Culin **~ (de veau)** calf's sweetbread; **des ~ de veau grillés** grilled calves' sweetbreads; 2▸ Naut reef; **prendre un ~** to take in a reef, to reef in; 3▸ ‡(rire) laugh

risée /ʀize/ *nf* 1▸ (sujet de moquerie) **être la ~ de** to be the laughing stock of; **il est devenu la ~ des électeurs** he's become the laughing stock of the voters; 2▸ (vent) gust (of wind)

risette○ /ʀizɛt/ *nf* smile; **fais ~!** give me a smile!; **le bébé fait ~** the baby is smiling

risible /ʀizibl/ *adj* ridiculous, laughable

risque /ʀisk/ *nm* 1▸ (danger) risk (**de** of); **comporter** *or* **présenter un ~** [*processus*] to carry a risk; [*décision, action*] to involve some risk; **il n'y a pas grand ~ à accepter leur proposition** there's not much risk involved in accepting their offer; **~ accru** increased risk; **gros ~s** major risks; **~ d'échec/d'infection/d'inflation** risk of failure/of infection/of inflation; **~ d'incendie** fire risk; **le grand ~, c'est le chômage** the major risk is unemployment; **le ~ que le conflit s'étende** the risk that the conflict might spread; **malgré le ~** in spite of the risk; **courir un ~** to run a risk; **prendre des ~s/un ~** to take risks/a risk; **il n'y a pas de ~s**○ **que ça leur arrive/de s'ennuyer!** there's no risk of that happening to them/of getting bored!; **c'est sans ~** it's safe; **agir sans ~** to act safely; **sans ~ de qch/de faire** with no risk of sth/of doing; **au ~ de faire** at the risk of doing; **au ~ d'être mal compris** at the risk of being misunderstood; **à (haut) ~, à ~s** [*personne, groupe, investissement, prêt*] high-risk (*épith*); **partenaire/obligation à ~** high-risk partner/bond; 2▸ Assur risk; **~ naturel/nucléaire** natural/nuclear risk; **~ maritime** risk at sea
(Composés) **~ de change** Fin foreign

exchange risk; **les ~s du métier** occupational hazards; **les ~s professionnels** occupational hazards

risqué, ~e /Riske/ *adj* 1 (aléatoire) *[entreprise, carrière, comportement]* risky; *[investissement]* high-risk; 2 (osé) *[plaisanterie, remarque]* risqué; *[hypothèse]* daring

risquer /Riske/ [1]

A *vtr* 1 (être passible de) to face *[accusation, condamnation]*; **~ une amende/vingt ans de prison/la peine de mort** to face a fine/twenty years in prison/the death penalty; **~ des poursuites** to face criminal charges; **~ gros** to face a heavy sentence; 2 (s'exposer à) to risk *[mort, critique]*; **~ des ennuis** to risk trouble; **vas-y, tu ne risques rien** go ahead, you're safe; fig go ahead, you've got nothing to lose; **qu'est-ce qu'on risque?** lit what are the risks?; fig what have we got to lose?; **~ gros** to take a major risk; **tu risques qu'on t'abîme ta voiture** you run the risk of having your car damaged; 3 (mettre en danger) to risk *[vie, réputation, fortune, emploi]*; **~ sa peau**○ to risk one's neck○; 4 (oser) to venture *[regard, allusion, question]*; to risk *[geste]*; to attempt *[démarche, opération]*; **~ un œil** to venture a glance; **~ un pied dans l'obscurité** to take a tentative step into the dark; **~ le coup**○ to risk it, to chance it

B **risquer de** *vtr ind* 1 (pouvoir) **tu risques de te brûler** you might burn yourself; **je/elle ne risque pas de faire** there's no danger of my/her doing; **elle risque fort d'être déçue** she may well be disappointed; **les taux d'intérêt ne risquent pas de baisser** there's no chance of interest rates falling; **ça ne risque pas de m'arriver!** there's no chance of that happening to me!; **ça ne risque pas**○**!** not a chance○!; 2 (prendre le risque) **~ de faire** to risk doing; **il ne veut pas ~ de perdre son travail** he doesn't want to risk losing his job

C **se risquer** *vpr* 1 (s'aventurer) to venture; **se ~ sur le marché français/sur le balcon** to venture into the French market/on to the balcony; **se ~ à faire** to venture to do; **se ~ à sortir** to venture out; **se ~ à faire du ski** to have a go at skiing; **je ne m'y risquerais pas!** I wouldn't risk it; 2 (oser) **se ~ à dire** to dare to say; **je ne me risquerais pas à le contredire** I wouldn't dare to contradict him

D *v impers* **il risque de neiger/pleuvoir** it might snow/rain; **il risque d'y avoir du monde** there may well be a lot of people there

(Idiomes) **qui ne risque rien n'a rien** nothing ventured, nothing gained; **~ le tout pour le tout** to stake *ou* risk one's all

risque-tout* /Riskətu/

A *adj inv* daredevil; **être ~** to be a daredevil; **conducteur ~** daredevil driver

B *nmf inv* daredevil

rissole /Risɔl/ *nf* Culin rissole

rissoler /Risɔle/ Culin [1]

A *vtr* to brown

B *vi* to brown; **faire ~** to brown

ristourne /RistuRn/ *nf* 1 Comm discount, rebate; **faire une ~ à qn** to give sb a discount *ou* rebate; **une ~ de 5 euros sur un produit** a 5-euro discount on a product; 2 (à un adhérent, associé) rebate; **bénéficier d'une ~** to benefit from a rebate

ristourner /RistuRne/ [1] *vtr* **~ qch à qn** to give sb a discount *ou* rebate of sth; **le commerçant m'a ristourné 10 euros** the shopkeeper gave me a discount of 10 euros

rital◑**, ~e** /Rital/ *nm,f* offensive (Italien) wop◑ injur

rite /Rit/ *nm* lit, fig rite; **les ~s du baptême** the rites of baptism; **~ d'initiation** Anthrop initiation rite; fig (habitude) ritual

ritournelle /RituRnɛl/ *nf* 1 Mus ritornello; 2 fig (rabâchage) **j'en ai assez de sa sempiternelle ~!** I'm fed up with his constant harping on!

ritualiser /Ritɥalize/ [1] *vtr* to ritualize

rituel, -elle /Ritɥɛl/

A *adj* ritual

B *nm* ritual

rituellement /Ritɥɛlmɑ̃/ *adv* 1 (de manière rituelle) ritually; 2 (invariablement) invariably, ritually

rivage /Rivaʒ/ *nm* shore

rival, ~e, *mpl* **-aux** /Rival, o/

A *adj [nations, équipes, personnes]* rival

B *nm,f* rival; **être sans ~** to be without rival *ou* unrivalled[GB]; **être rivaux en** to be rivals in

rivaliser /Rivalize/ [1] *vi* **~ avec** to compete with *[personne]*; **~ avec qch** to rival sth; **~ d'adresse/d'esprit avec qn** to try to outdo sb in skill/wit, to vie with sb in skill/wit

rivalité /Rivalite/ *nf* rivalry (**entre** between; **avec** with)

rive /Riv/ *nf* 1 (de rivière, fleuve, détroit) bank; **la Rive gauche/droite** (à Paris) the Left/Right Bank; 2 (de mer, lac) shore; **la ~ sud de la Méditerranée** the southern shore of the Mediterranean

river /Rive/ [1] *vtr* to clinch *[clou, rivet]*; to rivet *[plaques de tôle]*; to fasten *[forçat, prisonnier]* (**à** to); **être rivé à qch** fig to be tied to *[travail, famille]*; to be glued to *[télévision]*; **je suis restée rivée sur place par la surprise** I stood riveted *ou* rooted to the spot with surprise; **avoir les yeux rivés sur** to have one's eyes riveted on

(Idiome) **~ son clou à qn** to leave sb speechless

riverain, ~e /RivRɛ̃, ɛn/

A *adj* 1 (de voie) *[maison, propriété]* bordering the street *ou* road; 2 (de cours d'eau) riverside (*épith*); riparian spéc; 3 (de lac) lakeside (*épith*)

B *nm,f* 1 (habitant) (de rue) resident; (de cours d'eau) riverside resident; (de bord de lac) lakeside resident; **'interdit sauf aux ~s'** 'residents only'; 2 (propriétaire) riparian

riveraineté /RivRɛnte/ *nf* Jur riparian rights (*pl*)

rivet /Rivɛ/ *nm* rivet

rivetage /Rivtaʒ/ *nm* riveting

riveter /Rivte/ [20] *vtr* to rivet

riveteuse /Rivtøz/ *nf* (machine) riveting machine

rivière /RivjɛR/ *nf* 1 (cours d'eau) river; 2 Sport, Turf (fossé) water jump

(Composé) **~ de diamants** diamond necklace, diamond rivière

(Idiome) **les petits ruisseaux font les grandes ~s** Prov great oaks from little acorns grow Prov

rixe /Riks/ *nf* brawl (**entre** between)

Riyad /Rijad/ ▸ **p. 894** *npr* Riyadh

riz /Ri/ *nm* rice; **un bol de ~** a bowl of rice

(Composés) **~ blanc** white rice; **~ cantonais** egg fried rice; **un grain de ~** a grain of rice; **~ Caroline** long grain rice; **~ complet** whole rice; **~ créole** creole rice; **~ au curry** curried rice; **~ long grain** long grain rice; **~ pilaf** pilau rice; **~ sauvage** wild rice, Indian rice

rizerie /RizRi/ *nf* (usine) rice-processing factory

riziculture /Rizikyltyr/ *nf* rice growing

rizière /RizjɛR/ *nf* paddy field

RMI /ɛRɛmi/ *nm*: *abbr* ▸ **revenu**

RMIste /ɛRɛmist/ *nmf* person receiving minimum benefit payment

RMN /ɛRɛmɛn/ *nf* (*abbr* = **résonance magnétique nucléaire**) NMR

RN /ɛRɛn/ *nf* (*abbr* = **route nationale**) ≈ A road GB, highway US

RNIS /ɛRɛniɛs/ *nm*: *abbr* ▸ **réseau**

roannais, ~e /Rɔanɛ, ɛz/ ▸ **p. 894** *adj* of Roanne

Roannais, ~e /Rɔanɛ, ɛz/ ▸ **p. 894** *nm,f* (natif) native of Roanne; (habitant) inhabitant of Roanne

Roanne /Rɔan/ ▸ **p. 894** *npr* Roanne

robe /Rɔb/ *nf* 1 (vêtement féminin) dress; **~ courte/longue** short/long dress; 2 (vêtement distinctif) (d'avocat) gown; (de prêtre) robe; (de moine) frock; **la ~** the Robe; 3 Hist, Anthrop (vêtement masculin) robes (*pl*); 4 Zool (pelage) coat; 5 Vin (couleur) colour[GB]

(Composés) **~ de bal** ball gown; **~ de bure** habit; **~ bustier** (boned) strapless dress; **~ de chambre** dressing gown, robe US; **~ chasuble** pinafore dress, jumper US; **~ d'été** summer dress; **~ fourreau** sheath dress; **~ de grossesse** maternity dress *ou* smock; **~ d'intérieur** housecoat; **~ isabelle** dun coat; **~ longue** full-length dress; **~ de mariée** wedding dress *ou* gown; **~ du soir** evening dress GB, evening gown

roberts◑ /RɔbɛR/ *nmpl* (seins) knockers◑, boobs○

robe-sac, *pl* **robes-sacs** /Rɔbsak/ *nf* sack dress

robe-tablier, *pl* **robes-tabliers** /Rɔbtablije/ *nf* overall

Robin /Rɔbɛ̃/ *npr* (prénom) Robin

(Composé) **~ des bois** Littérat Robin Hood

robinet /Rɔbinɛ/ *nm* tap GB, faucet US; **ouvrir/fermer un ~** to turn a tap GB *ou* faucet US on/off; **le ~ du lavabo** the basin tap GB *ou* faucet US; **le ~ de gaz** the gas tap GB *ou* valve US; **~ d'arrêt** stopcock; **~ d'eau chaude/froide** hot/cold (water) tap GB *ou* faucet US

robinetterie /RɔbinɛtRi/ *nf* 1 (dispositif) plumbing fixtures; 2 (usine) tap *ou* faucet US factory

robineux○ /Rɔbinø/ *nm inv* Can (clochard) down-and-out GB, hobo US

robinier /Rɔbinje/ *nm* locust tree, false acacia

roboratif, -ive /RɔbɔRatif, iv/ *adj* (revigorant) *[climat, activité]* invigorating; *[vin, alcool]* fortifying; *[remède, nourriture]* restorative

robot /Rɔbo/ *nm* robot

(Composés) **~ ménager** Culin food processor; **~ de recherche** Ordinat spider, crawler

robotique /Rɔbɔtik/ *nf* robotics (+ *v sg*); **~ industrielle** industrial robotics

robotisation /Rɔbɔtizasjɔ̃/ *nf* automation, robotization US

robotiser /Rɔbɔtize/ [1] *vtr* to automate, to robotize US *[usine, atelier, production]*; **travailleurs robotisés** fig robotized workers

robre /RɔbR/ *nm* (au bridge) rubber

robusta /Rɔbysta/ *nm* robusta

robuste /Rɔbyst/ *adj [personne, animal, machine, constitution]* robust, sturdy; *[plante, arbres]* sturdy; *[constitution, santé]* robust, sound; *[appétit]* healthy; *[foi, conviction]* strong, firm

robustesse /Rɔbystɛs/ *nf* (de personne, d'animal, de machine) robustness, sturdiness; (de constitution, santé) robustness, soundness; (d'arbre, de plante) sturdiness; (de foi, convictions) strength, firmness

roc /Rɔk/ *nm* 1 (rocher) rock; **il est solide comme un ~** he's solid as a rock; 2 (roche) rock; **un cœur dur comme le ~** a heart as hard as stone; 3 Mythol **oiseau ~** roc

ROC /Rɔk/ *nf*: *abbr* ▸ **reconnaissance**

rocade /Rɔkad/ *nf* 1 (de dérivation) bypass; (circulaire) ring road, beltway US; 2 Mil transversal route

rocaille /Rɔkaj/

A *nm* (style ornemental) rocaille; **un meuble ~** a rocaille piece of furniture

B *nf* 1 (pierres) loose stones (*pl*) *ou* rocks (*pl*); 2 (terrain pierreux) rocky *ou* stony ground; **plantes de ~** rock plants; 3 (décor de jardin) rockery, rock garden; 4 (pierre d'ornement) rocaille; **grotte en ~s** rock-work grotto

r

rocailleux, **-euse** /ʀɔkɑjø, øz/ *adj* 1 (pierreux) [*terrain*] rocky, stony; 2 (rauque) [*voix, sonorités*] harsh, grating

rocambolesque /ʀɔkɑ̃bɔlɛsk/ *adj* [*aventure, affaire*] fantastic, incredible

roche /ʀɔʃ/ *nf* rock; **~s éboulées/côtières** fallen/coastal rocks; ▸ **clair**, **Tarpéienne**

(Composés) **~ feuilletée** foliated rock; **~ mère** Géol, Mines parent rock; **~s calcaires** calcareous rocks; **~ sédimentaire** sedimentary rock; **~ volcanique** volcanic rocks

rocher /ʀɔʃe/ [1] *nm* 1 (bloc de roche) rock; **~ à fleur d'eau** rock just above the surface (of the water); **~ de Sisyphe** Mythol rock of Sisyphus; 2 (éminence rocheuse) rock; **le ~ de Gibraltar** the Rock of Gibraltar; **le Rocher** Monaco; 3 Anat (os) petrosal bone; 4 Culin praline chocolate

rochet /ʀɔʃɛ/ *nm* 1 Tex (bobine) bobbin; 2 Mécan (roue dentée) ratchet; **roue à ~** ratchet wheel; 3 Relig (aube courte) rochet

Rocheuses /ʀɔʃøz/ *nprfpl* **les ~** the Rocky mountains, the Rockies

rocheux, **-euse** /ʀɔʃø, øz/ *adj* [*côte, récif, terrain*] rocky; **fond ~** rocky bottom; **paroi rocheuse** rock face

rock /ʀɔk/
A *adj inv* [*musique, concert, festival*] rock (*épith*)
B *nm* 1 (style musical) rock (music); 2 (danse) jive; **danser le ~** to jive, to dance the jive; 3 = **roc 3**

(Composés) **~ and roll**, **~'n'roll** rock and roll, rock 'n' roll

rocker = **rockeur**

rockeur, **-euse** /ʀɔkœʀ, øz/ *nm,f* (chanteur) rock singer; (musicien) rock musician; (amateur) rock fan

rocking-chair, *pl* **~s** /ʀɔkiŋ(t)ʃɛʀ/ *nm* rocking chair

rococo /ʀɔkoko/
A *adj inv* 1 Art [*art, style, objets*] rococo; 2 pej (démodé) old-fashioned
B *nm* rococo; **en ~** rococo

rodage /ʀɔdaʒ/ *nm* 1 (de véhicule, moteur) running in GB, breaking in US; **j'étais derrière une voiture en ~** I was following a car which was being run in GB *ou* broken in US; 2 (de pièce, soupapes) grinding; **le spectacle/l'équipe est encore en ~** fig the show/the team is still getting into its stride

rodéo /ʀɔdeo/ *nm* rodeo; **~ à la voiture volée** joyriding○; **faire du ~ à la voiture volée** to joyride○

roder /ʀɔde/ [1] *vtr* 1 Aut (user) to run in GB, to break in US [*véhicule, moteur*]; 2 Tech to grind [*pièce, soupapes*]; 3 (mettre au point) to bring [sth] up to scratch, to polish up [*spectacle, méthode, technique*]; **~ qn à** *or* **pour** Sport to train sb for [*épreuve*]; **être (bien) rodé** [*personne*] to have the hang of things; [*service*] to be running smoothly

rôder /ʀode/ [1] *vi* 1 (avec intention malfaisante) to prowl; **~ autour d'une maison** to prowl around a house; **~ autour de qn** to hang around sb; **un individu suspect rôdait autour de la maison** a suspicious individual was prowling around the house *ou* hanging around outside the house; **la mort rôde** death is on the prowl; 2 (au hasard) to roam around, to wander about

rôdeur, **-euse** /ʀodœʀ, øz/ *nm,f* pej prowler

rodomontade /ʀɔdɔmɔ̃tad/ *nf* fml (action, propos) bragging ¢, boasting ¢

rogatoire /ʀɔgatwaʀ/ *adj* **commission ~** Jur letters (*pl*) rogatory

rogaton /ʀɔgatɔ̃/ *nm* 1 (reste de repas) **~s** leftovers; 2 (objet de rebut) rubbish ¢, piece of junk; **il faut jeter ces vieux ~s** we must throw this old rubbish *ou* junk away

rogne○ /ʀɔɲ/ *nf* (colère) anger; **être en ~** to be (hopping) mad *ou* in a temper; **mettre qn en ~** to get sb mad○, to get sb's back up○; **se mettre en ~** to get mad, to lose one's temper *ou* rag○ GB

rogner /ʀɔɲe/ [1] *vtr* 1 (couper les bords de) to trim [*bâton, angle*]; to clip [*griffes*]; to clip, to trim [*ongles*]; **~ les ailes à qn** fig to clip sb's wings; 2 (prélever) **~ sur** to cut down *ou* back on sth [*budget*]; to whittle away [*économies*]; 3 Imprim (découper) to trim [*feuillet, feuille*]

rognon /ʀɔɲɔ̃/ *nm* 1 Culin kidney; **~s de veau/d'agneau/de porc** veal/lamb/pork kidneys; **~s sauce madère** kidneys in Madeira sauce; 2 Géol (masse minérale) nodule

rognure /ʀɔɲyʀ/ *nf* (de papier, carton) trimming; (d'ongles) clipping; (d'or, de peau) clipping

rogomme◑ /ʀɔgɔm/ *nm* brandy; **voix de ~** husky *ou* rasping voice

rogue /ʀɔg/ *adj* haughty, contemptuous

roi /ʀwa/ *nm* 1 ▸ **p. 848** (souverain) king; **le ~ Louis** King Louis; **le ~ de France** the King of France; **le livre des Rois** Bible the Book of Kings; **mets/festin de ~** dish/feast fit for a king; 2 (sans rival en son genre) **le ~ des animaux/de la forêt** the king of beasts/of the forest; **le ~ du rock/de la mode** the king of rock/fashion; **le ~ de l'arnaque**○ a master swindler; **le ~ des imbéciles/salauds**○ a complete idiot/bastard◑; **le ~ des cons**◑ a prize bloody idiot◑ GB, a complete asshole◑ US; 3 (magnat) tycoon; **le ~ du béton/de l'épicerie** the concrete/supermarket tycoon; 4 Jeux (aux cartes, échecs) king

(Composés) **~ constitutionnel** Pol constitutional monarch; **les ~s fainéants** Hist *the last Merovingian kings*; **les ~s mages** Bible the (three) wise men, the three kings, the Magi; **le ~ Soleil** Hist the Sun King; **le Roi des Rois** Hist the King of Kings

(Idiome) **tirer les Rois** to eat Twelfth Night cake; ▸ **royaume**

roide /ʀwad/ *adj* liter [*allure*] stiff; [*attitude*] rigid, inflexible

roideur /ʀwadœʀ/ *nf* liter (d'allure) stiffness; (d'attitude) rigidity, inflexibility

roitelet /ʀwatlɛ/ *nm* 1 (oiseau) goldcrest, firecrest; 2 (petit roi) kinglet

rôle /ʀol/ *nm* 1 Théât, Cin, TV, Radio, Danse part, role; **un ~ de figurant** a walk-on part; **un ~ de servante** a servant's part; **apprendre/savoir son ~** to learn/to know one's part; **le ~ d'Hamlet** the role of Hamlet; **premier ~** lead, leading role; **second ~** supporting part *ou* role; **avoir le premier ~** to have the leading role, to play the lead; **avec Grovagnard dans le ~ de Zorro** with Grovagnard as Zorro *ou* in the role of Zorro; **~ de composition** character part; **distribuer les ~s** to do the casting; **tu n'es pas très crédible dans le ~ du père autoritaire** you are not very convincing when you try to come the heavy-handed father; 2 (fonction) gén role; (d'organe, de cœur, rein) function, role; **réduire le ~ de l'État** to reduce the role of the state; **renverser les ~s** to reverse roles; **le ~ de l'adverbe/de la ponctuation dans la phrase** the role of the adverb/of punctuation marks in the sentence; **le ~ de qn dans une affaire** sb's role *ou* part in an affair; **le comité/l'organisme a pour ~ de faire** the role of the committee/the organization is to do; **jouer un grand ~** *or* **un ~ important dans** to play a large *ou* major part *ou* role in; **les membres de l'organisation auront un ~ d'observateurs** the members of the organization will act as observers; **faire qch à tour de ~** to take it in turns to do sth, to do sth in turn; **faire la vaisselle à tour de ~** to take it in turns to do the washing up GB *ou* the dishes; 3 Jur (feuillet) roll; (registre) register

(Composé) **~ d'équipage** Naut muster roll

(Idiome) **avoir** *or* **tenir le beau ~**○ to have the easy job

rôle-titre, *pl* **rôles-titres** /ʀoltitʀ/ *nm* title role

roller /ʀɔlɛʀ/ ▸ **p. 469** *nm* 1 (patin) rollerblade; 2 (activité) rollerblading

rollmops /ʀɔlmɔps/ *nm inv* rollmop

rolls○ /ʀɔls/ *nf* lit, fig Rolls Royce; **la ~ des aspirateurs** the Rolls Royce of vacuum cleaners

ROM /ʀɔm/ *nf* (*abbr* = **read only memory**) ROM

romain, **~e** /ʀɔmɛ̃, ɛn/
A *adj* 1 ▸ **p. 894** (de la Rome moderne ou ancienne) Roman; 2 Relig **l'Église ~e** the Roman Catholic Church, the Church of Rome; 3 Imprim **caractères ~s** roman typeface
B **romaine** *nf* 1 (salade) cos lettuce, romaine lettuce US; 2 (balance) steelyard

(Idiome) **être bon comme la ~e** to be soft○ *ou* gullible

Romain, **~e** /ʀɔmɛ̃, ɛn/ ▸ **p. 894** *nm,f* Roman; ▸ **travail**[1]

romaïque /ʀɔmaik/ ▸ **p. 483** *adj, nm* Ling Romaic, Demotic

roman, **~e** /ʀɔmɑ̃, an/
A *adj* 1 Archit Romanesque; (en Angleterre) Norman; 2 Ling [*langue*] Romance (*épith*)
B *nm* 1 (œuvre en prose) novel; **un ~ de Zola** a novel by Zola; **je ne lis jamais de ~s** I never read novels *ou* fiction; **on se croirait en plein ~** it's like something out of a novel; **sa vie est un vrai ~** his life is like something out of a novel; **ça n'existe que dans les ~s** that only happens in books; **c'est tout un ~** (c'est long, compliqué) it's a real saga; ▸ **nouveau**; 2 (genre) **le ~** the novel; 3 (œuvre du Moyen Âge) romance; **~ courtois** courtly romance; 4 Archit **le ~** the Romanesque; 5 ▸ **p. 483** Ling **le ~ (commun)** late vulgar Latin

(Composés) **~ d'amour** love story, romance; **~ d'analyse** psychological novel; **~ d'anticipation** (œuvre) science fiction novel; (genre) science fiction; **~ d'aventures** adventure story; **~ de cape et d'épée** swashbuckling historical romance; **~ à clé** roman à clef; **~ épistolaire** epistolary novel; **~ d'épouvante** horror story; **~ d'espionnage** spy novel; **le ~ d'évasion** escapist fiction; **~ de gare** airport novel; **~ historique** historical novel; **~ par lettres** = **~ épistolaire**; **~ de mœurs** novel of manners; **~ noir** roman noir, crime novel; **~ policier** whodunnit, detective story; **~ de science-fiction** science fiction novel; **~ de série noire** thriller; **~ social** sociological novel; **~ à thèse** philosophical novel; **~ à tiroirs** episodic novel

romance /ʀɔmɑ̃s/ *nf* 1 (chanson) love song; 2 Littérat romance

romancer /ʀɔmɑ̃se/ [12] *vtr* 1 (déformer) to romanticize; 2 (présenter sous forme de roman) to fictionalize; **vie romancée de Mandrin** fictionalized account of the life of Mandrin

romanche /ʀɔmɑ̃ʃ/ ▸ **p. 483** *nm, adj* Ling Romans(c)h

romancier, **-ière** /ʀɔmɑ̃sje, ɛʀ/ ▸ **p. 532** *nm,f* novelist

romand, **~e** /ʀɔmɑ̃, ɑ̃d/ ▸ **p. 483** *adj* French-speaking

Romand, **~e** /ʀɔmɑ̃, ɑ̃d/ *nm,f* French-speaking Swiss

romanesque /ʀɔmanɛsk/
A *adj* 1 (pas terre à terre) [*personne*] romantic; [*situation, histoire*] like something out of a novel; 2 Littérat [*récit, texte*] fictional; **la technique ~** the technique of the novel; **c'est une œuvre ~** it's a work of fiction, it's a novel; **l'œuvre ~ de Balzac** Balzac's novels
B *nm* 1 (genre) **le ~** fiction; 2 (caractère) **le ~ d'une situation** the fantastical aspect of a situation

roman-feuilleton, *pl* **romans-feuilletons** /ʀɔmɑ̃fœjtɔ̃/ *nm* serial

roman-fleuve, *pl* **romans-fleuves** /ʀɔmɑ̃flœv/ *nm* roman-fleuve, saga

romanichel, -elle /ʀɔmaniʃɛl/ *nmf* 1 (tzigane) offensive Romany, gypsy; 2 (vagabond) pej tramp

romanisant, ~e /ʀɔmanizɑ̃, ɑ̃t/
A *adj* 1 [*église*] Romanistic; 2 Ling [*étudiant*] specializing in Romance languages (*épith, après n*)
B *nm,f* (expert) specialist in Romance languages; (étudiant) student of Romance languages

romaniser /ʀɔmanize/ [1] *vtr* to Romanize

romaniste /ʀɔmanist/ *nmf* 1 Relig Romanist; 2 Ling specialist in Romance languages; 3 Art Romanist

romano○ /ʀɔmano/ *nmf* offensive gypsy

roman-photo, *pl* **romans-photos** /ʀɔmɑ̃fɔto/ *nm* photo-story

romantique /ʀɔmɑ̃tik/ *adj, nmf* romantic

romantisme /ʀɔmɑ̃tism/ *nm* 1 Art, Littérat, Mus (genre) Romanticism; 2 (sentimentalisme) romanticism

romarin /ʀɔmaʀɛ̃/ *nm* rosemary

rombière○ /ʀɔ̃bjɛʀ/ *nf* pej **une vieille ~** an old bag○

Rome /ʀɔm/ ▸ **p. 894** *npr* Rome
(Idiomes) **tous les chemins mènent à ~** Prov all roads lead to Rome Prov; **~ ne s'est pas faite en un jour** Prov Rome wasn't built in a day Prov

roméique /ʀɔmeik/ *adj, nm* = **romaïque**

rompre /ʀɔ̃pʀ/ [53]
A *vtr* 1 (faire cesser) to break [*monotonie, charme, liens*]; to break off [*négociation, fiançailles, relation, conversation*]; to upset [*équilibre*]; to disrupt [*harmonie*]; to end [*isolement, logique infernale*]; to break up [*unité, complicité*]; to interrupt [*uniformité*]; 2 (cesser de respecter) to break [*contrat, accord, jeûne, silence, trêve*]; 3 (casser) to break [*branche, pain, digue*]; to break through [*ligne ennemie, barrage, cordon policier*]; **~ les rangs** to fall out; **rompez (les rangs)!** fall out!; 4 liter (habituer) **~ qn à/à faire** to train sb to/to do; **~ un soldat au maniement des armes** to accustom a soldier to handling arms
B *vi* 1 (en finir) **~ avec** to break with [*habitude, tradition, doctrine*]; to make a break from [*passé*]; to break away from [*parti, milieu*], to break up with [*fiancé*]; 2 Pol (interrompre les relations) **~ avec** to break away from; **~ avec Damas/un parti** to break away from Damascus/a party; 3 (se séparer) to break up; **ils ont rompu** they've broken up; **~ avec qn** to break up with sb; **elle a rompu avec lui** she's broken up with him; **ils ont rompu trois jours avant le mariage** they broke up three days before the wedding; 4 †(casser) to break; **la corde a rompu** the rope broke; 5 Sport (en escrime) to break
C se rompre *vpr* 1 (se casser) [*corde, branche, axe*] to break; [*harmonie*] to be disrupted; 2 †(se fracturer) [*jambe, tibia*] to break

rompu, ~e /ʀɔ̃py/
A *pp* ▸ **rompre**
B *pp adj* liter (habitué) **~ à** well accustomed to; **diplomate ~ aux négociations** diplomat well accustomed to negotiations; **~ aux techniques modernes** well-versed in modern techniques
C *adj* (fatigué) **~ (de fatigue)** worn-out

romsteck /ʀɔmstɛk/ *nm* rump steak

ronce /ʀɔ̃s/ *nf* 1 (plante, tige) bramble; 2 (nœud du bois) burr; **~ de noyer** burr walnut

ronceraie /ʀɔ̃sʀɛ/ *nf* bramble patch

ronchon○**, -onne** /ʀɔ̃ʃɔ̃, ɔn/
A *adj* grouchy○, grumpy○
B *nm,f* grouch○, grump○

ronchonnement○ /ʀɔ̃ʃɔnmɑ̃/ *nm* grumbling ¢, grousing○ ¢

ronchonner○ /ʀɔ̃ʃɔne/ [1] *vi* to grumble (**après** about), to grouse○ (**après** about)

ronchonneur○**, -euse** /ʀɔ̃ʃɔnœʀ, øz/
A *adj* grouchy○, grumpy○
B *nm,f* grouch○, grump○

ronchopathie /ʀɔ̃ʃɔpati/ *nf* snoring and sleep apnoea

rond, ~e /ʀɔ̃, ʀɔ̃d/
A *adj* 1 gén [*objet, table, trou, chapeau, tête, œil*] round; [*tube, bâtiment*] circular; [*plat*] round, circular; [*écriture, lettres*] rounded; [*bras, mollet, ventre, cuisse, menton*] rounded; [*seins*] full; [*visage*] round; [*personne*] tubby; **un petit nez ~** a button nose; **un bébé tout ~** a chubby baby; **elle se trouve trop ~e** euph she thinks she's too fat; 2 (net) [*nombre, chiffre*] round; **un compte ~** a round sum; **ça fait trois cents euros tout ~** that's three hundred euros exactly; **elle a sept ans tout ~** she's seven years old exactly; 3 ○(ivre) drunk; 4 Vin [*vin*] round
B *nm* 1 (cercle) circle; **tracer un ~** to draw a circle; **danser en ~** to dance (round) in a circle; **s'asseoir en ~** to sit in a circle *ou* ring; **faire des ~s de fumée** to blow smoke rings; **faire des ~s dans l'eau** lit to make ripples in the water; **un ~ de lumière** a patch of light; ▸ **baver**; 2 ◐(argent) **ils ont des ~s** they're rich, they're loaded○; **n'avoir plus un ~** to be broke○; **tu as assez de ~s?** have you got enough dough○?; **coûter des ~s** to cost a bundle○!; 3 Culin (morceau de bœuf) round steak; 4 (tranche) slice
C ronde *nf* 1 Danse, Mus round dance; **faire une ~e** to make *ou* form a circle; **entrer dans la ~e** lit, fig to join the dance; 2 (va-et-vient) **la ~e des voitures sur la place de la Concorde/le circuit** the cars whirling round Place de la Concorde/the circuit; **la ~e des notes de service dans un bureau** memos going the rounds in an office; **la ~e des saisons** the passing of the seasons; 3 (inspection) (de policiers) patrol; (de soldats, gardiens) watch; **faire sa ~e** to be on patrol *ou* watch; 4 Mus (note) semibreve GB, whole note US; 5 (écriture arrondie) roundhand
D à la ronde *loc adv* 1 (autour) around; **toutes les cloches à la ~e sonnaient** all the bells were ringing for miles around; **on entendait le bruit à trois kilomètres à la ~e** you could hear the noise three kilometres[GB] away; 2 (ici et là) around; **offrir des gâteaux à la ~e** to pass some cakes around
(Composés) **~ à béton** Constr reinforcing bar; **~ de jambe** Danse rond de jambe; **faire des ~s de jambe à qn** fig to be overly polite to sb; **~ de serviette** napkin ring; **~ de sorcière** fairy ring
(Idiomes) **être ~ en affaires**○ to be honest, to be on the level○; **ouvrir des yeux ~s** to be wide-eyed with astonishment; **être ~ comme une barrique** *or* **queue de pelle** *or* **un petit pois** to be blind drunk○

rond-de-cuir, *pl* **ronds-de-cuir** /ʀɔ̃dkɥiʀ/ *nm* penpusher GB, pencil pusher US

ronde ▸ **rond A, C, D**

rondeau, *pl* **~x** /ʀɔ̃do/ *nm* Littérat, Mus rondeau

ronde-bosse, *pl* **rondes-bosses** /ʀɔ̃dbɔs/ *nf* sculpture in the round

rondel /ʀɔ̃dɛl/ *nm* Littérat rondel

rondelet○**, -ette** /ʀɔ̃dlɛ, ɛt/ *adj* [*personne*] plump, tubby○; [*visage*] chubby; **une somme rondelette** quite a tidy○ sum

rondelle /ʀɔ̃dɛl/ *nf* 1 (tranche ronde) slice; **un Perrier® ~**○ a Perrier® with a slice of lemon; **couper en ~s** to slice up; **je vais te couper en ~s**○ fig I'm going to wring your neck; 2 Tech washer; **~ d'étanchéité/de serrage/à ressort** seal/clamping/spring washer

rondement /ʀɔ̃dmɑ̃/ *adv* 1 (avec efficacité) promptly; **mener ~ une affaire** to get something done fast; **elle mène ses affaires ~** she gets things done; 2 ○(généreusement) **être payé ~** to be well paid

rondeur /ʀɔ̃dœʀ/ *nf* 1 (de corps) (de mollet, genou) roundness; (de bras, sein) curve; **~s féminines** womanly curves; **~s enfantines** puppy fat ¢; 2 (de caractère) openness; **avec ~** (franchement) frankly; 3 Vin roundness

rondin /ʀɔ̃dɛ̃/ *nm* log; **cabane en ~s** log cabin

rondo /ʀɔ̃do/ *nm* Mus rondo

rondouillard○**, ~e** /ʀɔ̃dujaʀ, aʀd/
A *adj* tubby○, podgy○ GB, pudgy○ US
B *nm,f* tubby man/woman

rond-point, *pl* **ronds-points*** /ʀɔ̃pwɛ̃/ *nm* roundabout GB, traffic circle US

ronéo® /ʀɔneo/ *nf* Roneo®

ronéoter○ /ʀɔneɔte/, **ronéotyper** /ʀɔneɔtipe/ [1] *vtr* to duplicate, to Roneo ®

ronflant, ~e /ʀɔ̃flɑ̃, ɑ̃t/ *adj* 1 [*poêle*] roaring; 2 [*style*] high-flown; [*discours*] grandiloquent; [*promesse*] fine-sounding

ronflement /ʀɔ̃fləmɑ̃/ *nm* 1 (de dormeur) snore; 2 (de chaudière, poêle) roar ¢; (moins fort) purr ¢; (de moteur) purr ¢; (de petit avion) drone

ronfler /ʀɔ̃fle/ [1] *vi* 1 (faire un bruit) [*dormeur*] to snore; [*chaudière, poêle*] to roar; (moins fort) to purr; [*moteur*] to purr; 2 ○(dormir) to be fast asleep, to be out for the count○
(Idiome) **~ comme une toupie** *or* **un orgue** *or* **un sonneur** to snore like a pig

ronflette○ /ʀɔ̃flɛt/ *nf* snooze○; **faire** *or* **piquer**○ **une ~** to have a snooze○

ronfleur, -euse /ʀɔ̃flœʀ, øz/ *nmf* 1 (personne) (qui ronfle) snorer; 2 ○(qui aime dormir) great sleeper; 3 (de téléphone) electric buzzer

ronger /ʀɔ̃ʒe/ [13]
A *vtr* 1 (grignoter) [*souris, chien*] to gnaw [*fromage, os*]; [*vers*] to eat into [*bois*]; [*chenille*] to eat away, to nibble [*feuilles*]; **table rongée par les vers** worm-eaten table; 2 (attaquer) [*eau, acide, rouille*] to erode, to eat away at; 3 fig [*maladie, querelles*] to wear down [*personne*]; **il est rongé par la maladie** he's wasted by illness, his illness is wearing him down; 4 (mordiller) to chew, to nibble; [*personne*] to pick [*os*]
B se ronger *vpr* **se ~ les ongles** to bite one's nails
(Idiome) **se ~ les sangs** to worry oneself sick

rongeur /ʀɔ̃ʒœʀ/ *nm* rodent

ronron○ /ʀɔ̃ʀɔ̃/ *nm (also onomat)* 1 (de chat) purr, purring ¢; **faire ~** to purr; 2 (de moteur) purring ¢; 3 (routine) **le ~ de la vie quotidienne** the humdrum routine of daily life

ronronnement /ʀɔ̃ʀɔnmɑ̃/ *nm* (de chat, moteur) purring ¢

ronronner /ʀɔ̃ʀɔne/ [1] *vi* [*chat, moteur*] to purr; **~ de plaisir** [*chat*] to purr with pleasure; fig [*auditeurs*] to purr positively

roque /ʀɔk/ *nm* (aux échecs) 1 (tour) rook, castle; 2 (action) castling; **grand/petit ~** castling long/short

roquer /ʀɔke/ [1] *vi* Jeux 1 (aux échecs) to castle; 2 (au croquet) to roquet

roquet /ʀɔkɛ/ *nm* 1 (chien) yappy little dog; 2 (personne) bad-tempered little runt

roquette /ʀɔkɛt/ *nf* Mil rocket

rorqual /ʀɔʀkal/ *nm* rorqual

rosace /ʀozas/ *nf* (figure géométrique) rosette; (vitrail) rose window; (au plafond) rose

rosacé, ~e /ʀozase/
A *adj* Bot rosaceous
B rosacée *nf* 1 Méd (couperose) rosacea; 2 Bot rosaceous plant; **les ~s** Rosaceae

rosaire /ʀozɛʀ/ *nm* (chapelet, prières) rosary; **réciter son ~** to say one's rosary

rosat /ʀoza/ *adj inv* Pharm rose (*épith*); **pommade ~** lip salve

rosâtre /ʀozɑtʀ/ ▸ **p. 202** *adj* pinkish

rosbif /ʀɔsbif/ *nm* 1 (viande) (crue) joint of beef GB, roast of beef US; (cuite) roast beef; 2 ○†injur (Anglais) Englishman

rose /ʀoz/ ▸ **p. 202**
A *adj* 1 (couleur) [*tissu, peinture*] pink; **~ pâle/vif/clair/foncé** pale/bright/light/dark pink; **vieux ~** dusty pink, old rose; **des tons ~ pâle** pale pink tones *ou* shades; **marbre/**

r

granit/pierre ~ pink marble/granite/stone; [2] (indiquant une bonne santé) rosy; **il a les joues toutes ~s** his cheeks are pink *ou* rosy
B *nm* (couleur) pink; **le ~ te va si bien** pink really suits you; **les rideaux étaient d'un joli ~** the curtains were a lovely pink
C *nf* [1] Bot rose; **~ artificielle/en soie/en papier** artificial/silk/paper rose; **confiture de ~** rose jam; **essence de ~** attar of roses; [2] (vitrail) rose window; [3] (en bijouterie) **diamant en ~** rose diamond
(Composés) **~ bonbon** candy pink; **~ d'Inde** African marigold; **~ indien** Indian rose; **~ de Jéricho** rose of Jericho, resurrection plant; **~ musquée** musk rose; **~ de Noël** Christmas rose; **~ pompon** button rose; **~ des sables** Minér gypsum flower; **~ saumon** salmon pink; **~ trémière** hollyhock; **~ des vents** compass rose
(Idiomes) **ce n'est pas (tout) ~** it's not all roses, it's not roses all the way; **la vie n'est pas ~** life isn't a bed of roses; **voir la vie en ~** to see life through rose-coloured[GB] spectacles; **il n'y a pas de ~ sans épines** Prov there is no rose without a thorn; **envoyer qn sur les ~s**○ to send sb packing○; **découvrir le pot aux ~s** to find out what is going on
rosé, **~e** /ROZE/
A ▸ p. 202 *adj* pinkish
B *nm* Vin rosé; **boire du ~** to drink rosé
C **rosée** *nf* dew; **humide de ~e** [*herbe, fleur, nature*] covered with dew; [*objet, vêtement*] wet with dew
roseau, *pl* **~x** /ROZO/ *nm* Bot reed
rose-croix /ROZKRWA/ *nm inv* Rosicrucian
Rose-Croix /ROZKRWA/ *nf* (confrérie) **la ~** the Rosicrucians (*pl*)
rosée ▸ **rosé A, C**
roséole /ROZEɔl/ ▸ p. 283 *nf* roseola
roseraie /ROZRɛ/ *nf* rose garden
rose-thé, *pl* **roses-thé** /ROZte/ *nf* Bot tea rose
rosette /ROZɛt/ *nf* [1] (ornement) rosette; [2] (nœud) bow; [3] (décoration) rosette; **avoir la ~** to have been awarded the order of the Legion of Honour[GB]; [4] Culin **~ (de Lyon)** rosette, slicing sausage
rosicrucien, **-ienne** /ROZIKRYSJɛ̃, ɛn/ Relig *adj, nm,f* Rosicrucian
rosier /ROZJE/ *nm* Bot rosebush, rose; **~ grimpant/nain** climbing/dwarf rose
rosière /ROZJɛR/ *nf*: *young girl recognized for her virtue*
rosiériste /ROZJERIST/ ▸ p. 532 *nmf* rose grower
rosir /ROZIR/ [3]
A *vtr* to turn [sth] pink
B *vi* [*ciel, neige, paysage*] to turn pink; [*visage, personne*] to go pink
rosse○ /ROS/
A *adj* [*professeur, critique, action*] mean; [*imitateur, chansonnier, humour*] nasty; **c'est ~ ce que tu m'as fait** that was a mean thing to do to me
B *nf* [1] (cheval) nag○; [2] (personne) heel○, meanie○
rossée○ /ROSE/ *nf* thrashing○
rosser○ /ROSE/ [1] *vtr* [1] (battre) to beat [sb/sth] up○ [*personne, animal*]; **se faire ~** to get beaten up○; [2] (vaincre) to thrash○ [*équipe, armée*]
rosserie /ROSRI/ *nf* [1] (parole) nasty remark; (action) mean trick; [2] (caractère) (de professeur, d'entraîneur) meanness; (d'imitateur, de chansonnier) nastiness; **il est d'une ~ incroyable** he's incredibly mean *ou* nasty
rossignol /ROSiɲɔl/ *nm* [1] (oiseau) nightingale; **avoir une voix de ~** to have the voice of a nightingale; [2] ○(de cambrioleur) picklock; [3] ○(marchandise invendable) bit of junk
rostre /ROSTR/
A *nm* [1] Naut ram, rostrum; [2] Zool rostrum
B **rostres** *nmpl* Antiq (tribune) **les ~s** the rostrum (*sg*)
rot○ /RO/ *nm* burp○; **faire un ~** to burp○; **faire faire son ~ à un bébé** to wind *ou* burp a baby
rôt† /RO/ *nm* Culin roast
rotarien, **-ienne** /ROTARJɛ̃, ɛn/ *adj, nm,f* Rotarian
rotatif, **-ive** /ROTATIF, iv/
A *adj* rotary
B **rotative** *nf* Imprim rotary press
rotation /ROTASJɔ̃/ *nf* [1] (mouvement sur soi) rotation; **~ autour d'un axe** rotation on an axis; **~ de la Terre autour de l'axe des pôles** rotation of the Earth on the Polar axis; **mouvement de ~** rotational movement; **effectuer une ~ complète** to rotate fully; [2] (voyage) round trip; (fréquence des voyages) round trip service; Mil, Aviat, Naut turnaround; **cet avion effectue 3 ~s par semaines** this plane does 3 round trips a week; **la ~ des avions sur une base aérienne** the turnaround of planes on an air base; [3] (de locataire, clients) turnover; (d'équipe, de pharmacien, médecin, tâche) rotation; (de stock) turnover; **système de ~** rota system; [4] Agric rotation; **~ des cultures** crop rotation
rotative ▸ **rotatif**
rotatoire /ROTATWAR/ *adj* rotary
roter○ /Rɔte/ [1] *vtr* to burp○, to belch
rôti, **~e** /Roti/
A *pp* ▸ **rôtir**
B *pp adj* Culin [*poulet, oie, lapin*] roast (*épith*)
C *nm* [1] (avant la cuisson) joint; **acheter un ~ de porc** to buy a joint of pork; **un ~ de veau de 2 kg** a 2 kg joint of veal; [2] (après la cuisson) roast; **du ~ de bœuf** roast beef; **un ~ de bœuf** a joint of roast beef
D **rôtie** *nf* dial, Can piece of toast
rotin /Rɔtɛ̃/ *nm* (matériau) rattan; **fauteuil de** *or* **en ~** rattan chair
rôtir /RotiR/ [3]
A *vtr* Culin to roast [*viande*]; to toast, to grill [*pain, tartine*]; **faire ~** to roast [*viande*]; to toast, to grill [*pain, tartine*]
B *vi* [1] Culin to roast; **mettre un poulet à ~ au four** to put a chicken in the oven to roast; [2] ○(être exposé au soleil) to roast; **se faire ~ les pieds au soleil** to roast one's feet in the sun; [3] ○(subir une forte chaleur) [*personne*] to roast, to be roasting
C **se rôtir** *vpr* [1] Culin to be roasted; [2] ○(s'exposer à la chaleur) to roast (oneself), to toast (oneself); **se ~ les pieds** to roast *ou* toast one's feet
(Idiome) **il attend que ça lui tombe tout rôti dans le bec** he expects things to fall into his lap
rôtisserie /RotisRi/ *nf* rotisserie
rôtisseur, **-euse** /RotisœR, øz/ ▸ p. 532 *nm,f* (boutique, restaurant) seller of roast meat
rôtissoire /RotiswaR/ *nf* rotisserie, roasting spit
rotonde /Rɔtɔ̃d/ *nf* [1] Archit (édifice) rotunda; [2] (dans un bus) back seat; [3] Rail roundhouse
rotondité /Rɔtɔ̃dite/ *nf* (caractère) roundness
rotor /RɔtɔR/ *nm* Électrotech, Aviat rotor
rottweiler /RɔtvelɛR/ *nm* Rottweiler
rotule /Rɔtyl/ *nf* [1] Anat kneecap, patella spéc; [2] Tech ball-and-socket joint
(Idiomes) **être sur les ~s**○ to be on one's last legs; **mettre qn sur les ~s**○ to wear sb out○
rotulien, **-ienne** /Rɔtyljɛ̃, ɛn/ *adj* patellar; **réflexe ~** knee jerk, patellar reflex spéc
roture /RɔtyR/ *nf* [1] Hist (classe) common people, commoners; [2] (condition) common birth
roturier, **-ière** /RɔtyRje, ɛR/
A *adj* fig [*manières, langage*] common péj; Hist **la classe roturière** the common people
B *nm,f* Hist commoner
rouage /Rwaʒ/ *nm* [1] (de machine, d'horlogerie) wheel; **les ~s** the parts *ou* works; [2] (d'État, d'administration) machinery ¢; **les ~s bureaucratiques** the wheels of bureaucracy; **être un ~ parmi d'autres** to be a cog in a machine; **n'être qu'un des ~s** to be a tiny cog in the machine
Rouanda /Rwɑ̃da/ ▸ p. 333 *nprm* Rwanda
roubignoles● /Rubiɲɔl/ *nfpl* balls◑, testicles
roublard○, **~e** /RublaR, aRd/
A *adj* crafty, cunning
B *nm,f* crafty devil○; **ce ~ de Paul** that crafty devil Paul
roublardise○ /RublaRdiz/ *nf* [1] (caractère) craftiness, cunning; **avec** *or* **par ~** by cunning; [2] (action) cunning trick
rouble /Rubl/ ▸ p. 48 *nm* rouble
roucoulades /Rukulad/ *nfpl* (d'oiseau) cooing¢; (de chanteur) crooning¢; (d'amoureux) billing and cooing ¢; (d'homme politique) soothing words
roucoulement /Rukulmɑ̃/ *nm* [1] (d'oiseau) cooing ¢; [2] ○(d'amoureux) billing and cooing ¢; (mots tendres) murmuring ¢
roucouler /Rukule/ [1]
A *vtr* to croon [*chanson*]; to coo [*mots d'amour*]
B *vi* [1] [*oiseau*] to coo; [2] [*amoureux*] to bill and coo
roudoudou /Rududu/ *nm*: *hard sweet* GB *ou candy* US *set in a small container*
roue /Ru/ *nf* [1] (de véhicule, loterie, jeu) wheel; **changer la ~ d'une voiture** to change the wheel on a car; **un véhicule à quatre/deux ~s** a four-/two-wheel vehicle; **~ avant/arrière** front/back *ou* rear wheel; **~ de gouvernail** helm; **être ~(s) à ~(s)** *or* **~ dans ~** to be neck and neck; **sur** *or* **dans la ~ de qn** hot on sb's tail; **avoir une ~ à plat** to have a flat tyre GB *ou* tire US; ▸ **grand**; [2] (en gymnastique) cartwheel; **faire une ~** to do a cartwheel; [3] (dans un mécanisme) wheel; **~ dentée** cog *ou* toothed wheel; **~ de transmission** toothed gear *ou* wheel; **~ de friction** frictional wheel; **~ hydraulique** water wheel; [4] (supplice) **(le supplice de) la ~** the wheel
(Composés) **~ à aube** paddle wheel; **~ directrice** leading *ou* guiding wheel; **~ de la fortune** wheel of fortune; **~ de l'histoire** wheel of history; **~ d'impression** print wheel; **~ libre** freewheel; **être** *or* **pédaler en ~ libre** to freewheel; **descendre une côte en ~ libre** to freewheel down a hill; **~ motrice** driving wheel; **véhicule à 4 ~s motrices** four-wheel-drive vehicle; **~ de secours** spare wheel *ou* tyre GB *ou* tire US
(Idiomes) **être la cinquième** *or* **dernière ~ du carrosse** *or* **de la charrette** (inutile) to be superfluous; (de trop) to feel unwanted; **pousser qn à la ~** to be behind sb; **faire la ~** [*paon*] to spread its tail, to display; [*personne*] pej to strut *ou* parade around; (en gymnastique) to do a cartwheel
roué, **~e** /Rwe/
A *adj* cunning
B *nm,f* (personne rusée) pej cunning devil
rouelle /Rwɛl/ *nf* round; **~ de veau/porc** round of veal/pork (*cut across the leg*)
Rouen /Rwɑ̃/ ▸ p. 894 *npr* Rouen
rouennais, **~e** /Rwanɛ, ɛz/ ▸ p. 894 *adj* of Rouen
Rouennais, **~e** /Rwanɛ, ɛz/ ▸ p. 894 *nm,f* (natif) native of Rouen; (habitant) inhabitant of Rouen
rouer /Rwe/ [1] *vtr* **~ qn de coups** to beat sb up
rouerie /RuRi/ *nf* [1] (caractère) cunning; [2] (action) cunning trick, trickery ¢; **être victime des ~s de qn** to be the victim of sb's trickery
rouet /Rwɛ/ *nm* (machine à filer) spinning wheel; **filer au ~** to spin
rouflaquettes○ /Ruflakɛt/ *nfpl* sideburns, sideboards GB

rouge /RUʒ/ ▸ p. 202
A *adj* 1 [*objet, peinture, couleur*] red; **une robe ~** a red dress; 2 [*personne, visage, joue*] (congestionné) red, flushed; (à cause du soleil, du froid) red; **elle était toute ~ d'avoir couru** she was flushed *ou* red in the face from having run; **avoir le teint ~** to have a high colour^GB; **il avait les yeux ~** his eyes were red; **~ de honte/colère** red with shame/fury; 3 (roux) [*cheveux, barbe*] red, ginger; [*pelage*] ginger; 4 (porté à incandescence) [*charbon, braise, tison, fer*] red-hot; **les braises sont encore ~s** the embers are still glowing; 5 Pol (communiste) Red; **banlieue ~** Red suburb (*area of a city with a communist-controlled administration*)
B *nmf* Pol (communiste) Red
C *adv* **voter ~**○ to vote communist
D *nm* 1 (couleur) red; **peindre qch en ~** to paint sth red; **le ~ ne lui va pas** red doesn't suit him/her; **~ clair/vif/foncé** light/bright/dark red; **sa robe était d'un ~ magnifique** her dress was a wonderful red colour^GB; **toute la gamme des ~s** the whole range of reds; **s'habiller en ~** to dress in red; **porter du ~** to wear red; 2 (matière colorante) red; **les ~s organiques** natural red dyes; **les ~s d'origine végétale** reds of plant origin; 3 Cosmét (fard) **~ à joues** blusher, rouge†; (pour lèvres) **~ à lèvres** lipstick ; **un tube de ~ à lèvres** a lipstick; 4 Aut, Transp red; **le feu est au ~** the lights are red, the (traffic) light is red; **passer au ~** to jump the lights GB *ou* a red light; 5 (dû à l'incandescence) **chauffer** *or* **porter un fer au ~** to heat a piece of iron until it is red hot; **un fer porté au ~** a red-hot iron; 6 (coloration) **le ~ lui monta au visage** he/she went red in the face; **le ~ de la honte/colère** flush of shame/anger; 7 ○Vin red (wine); **préférer le blanc au ~** to prefer white (wine) to red; **gros ~ (qui tache)**○ cheap red wine, red plonk○ GB; **un coup de ~**○ a glass of red wine; 8 Compta, Fin, Ind red; **être dans le ~** to be in the red; **sortir du ~** to get out of the red

(Composés) **~ brique** brick red; **~ cardinal** cardinal red; **~ cerise** cherry red; **~ sang** blood red

(Idiomes) **être ~ comme une tomate** *or* **un coq** *or* **une écrevisse** *or* **un coquelicot** (de timidité, honte) to be as red as a beetroot GB *ou* a beet US; (après avoir couru) to be red in the face; **voir ~** to see red

rougeâtre /RUʒɑtR/ ▸ p. 202 *adj* reddish

rougeaud, **~e** /RUʒo, od/
A *adj* [*personne*] ruddy-faced, ruddy-cheeked; [*visage, teint*] ruddy
B *nm,f* ruddy-faced *ou* ruddy-cheeked person

rouge-gorge, *pl* **rouges-gorges** /RUʒgɔRʒ/ *nm* robin (redbreast)

rougeoiement /RUʒwamɑ̃/ *nm* (de soleil, ciel, d'incendie) red *ou* reddish glow

rougeole /RUʒɔl/ ▸ p. 283 *nf* measles (+ *v sg*)

rougeoyant, **~e** /RUʒwajɑ̃, ɑ̃t/ *adj* [*reflet*] reddish; [*ciel*] reddening (*épith*), glowing red (*jamais épith*)

rougeoyer /RUʒwaje/ [23] *vi* [*ciel*] to take on a red glow; [*soleil couchant*] to glow fiery red; [*feu*] to glow red

rouge-queue, *pl* **rouges-queues** /RUʒkø/ *nm* Zool redstart

rouget /RUʒɛ/ *nm* red mullet, goatfish US

(Composés) **~ barbet** striped mullet; **~ grondin** gurnard; **~ de roche** red mullet

rougeur /RUʒœR/ *nf* 1 (couleur, teinte) redness; 2 (congestion) (due à la chaleur) redness, flushing; (due à l'émotion) flushing; (due au froid) redness; 3 (sur la peau) **C** red blotch

rougir /RUʒiR/ [3]
A *vtr* 1 (donner une teinte rouge) [*personne*] (avec du fard) to redden [*joues*]; to turn [sth] red, to redden [*arbres, feuilles*]; **le froid rougissait leur visage** the cold turned their faces red; **~ son eau** to put a little red wine in one's water; **~ la terre du sang de ses ennemis/de son sang** to make the earth run red with one's enemies'blood/with one's blood; 2 (porter à incandescence) to heat [sth] until it is red hot, to make [sth] red hot [*métal*]; **il a rougi une barre de fer** he heated an iron bar until it was red hot
B *vi* 1 [*personne, visage*] (d'émotion) to blush, to go red (in the face) (**de** with); (de colère) to flush, to go red (in the face) (**de** with); [*personne, peau, visage, main*] (à cause du froid, de la chaleur) to go red, to turn red; **~de honte** to go red with shame, to blush with shame; **~ jusqu'aux yeux** *or* **jusqu'aux oreilles** to turn *ou* go as red as a beetroot GB *ou* a beet US, to turn *ou* go bright red; **~ jusqu'à la racine des cheveux** to blush to the roots of one's hair; **faire ~ qn** to make sb blush *ou* go red; **tu devrais ~ de tes mensonges** you ought to be ashamed of your lies; **il n'a pas à en ~** that's nothing for him to be ashamed of; **sans ~** without shame, without feeling ashamed; **ne ~ de rien** to be utterly shameless, to have no shame; 2 (mûrir) [*fruit, légume*] to go *ou* turn red, to redden; [*feuille, arbre, forêt*] to turn red, to redden; (à la cuisson) [*crustacé, homard, carapace*] to turn red; 3 (devenir incandescent) [*métal, tison*] to glow (red *ou* red hot); [*ciel*] to turn *ou* glow red

rougissant, **~e** /RUʒisɑ̃, ɑ̃t/ *adj* [*personne*] blushing; [*feuille, forêt, arbre, ciel*] reddening

rougissement /RUʒismɑ̃/ *nm* (de personne) blushing **₵**; **le ~ des feuilles** the reddening *ou* turning of the leaves

rouille /Ruj/
A ▸ p. 202 *adj inv* [*couleur, peinture*] red-brown, russet; [*vêtement, tissu*] red-brown, rust(-coloured^GB)
B *nf* 1 Chimie, Bot rust; 2 Culin rouille (*garlic mayonnaise made with red chillies*)

rouillé, **~e** /Ruje/
A *pp* ▸ **rouiller**
B *pp adj* 1 lit [*objet, fer*] rusty, rusted; Bot rusty; 2 (pas en forme) [*athlète*] out of practice; [*corps, muscle, membre*] stiff; [*esprit, mémoire*] rusty○, shaky; [*cerveau, personne*] rusty○; [*technique, pratique*] rusty; **je suis un peu ~** I'm a bit out of practice; **je suis un peu ~ en russe** my Russian's a bit rusty

rouiller /Ruje/ [1]
A *vtr* 1 lit to rust, to make [sth] go rusty [*objet, fer*]; 2 fig to slow [sb] down [*personne*]; to make [sth] soft [*corps, muscle*]; to make [sth] shaky *ou* rusty [*mémoire*]; to dull, to blunt [*esprit*]
B *vi* [*fer*] to rust, to go rusty; **laisser qch ~** to let sth rust *ou* go rusty
C **se rouiller** *vpr* [*personne*] to slow down; [*sportif*] to get out of shape; [*muscle, corps*] to lose tone; [*mémoire, esprit*] to get shaky *ou* rusty; [*pratique, connaissance*] to become *ou* get rusty

rouir /RwiR/ [3] *vtr* to ret; **faire ~** to ret

rouissage /Rwisaʒ/ *nm* retting

roulade /Rulad/ *nf* 1 Culin (de viande) stuffed rolled meat; **~ de veau/porc** stuffed rolled veal/pork, veal/pork roulade; 2 Sport roll; **~ avant/arrière** forward/backward roll; **faire des ~s** to do rolls; 3 (de chanteur) roulade; (d'oiseau) trill, trilling **₵**

roulage /Rulaʒ/ *nm* 1 Agric rolling; 2 Transp (road) haulage GB, trucking US

roulant, **~e** /Rulɑ̃, ɑ̃t/
A *adj* 1 (monté sur roues) **table ~e** trolley GB, serving cart US; **matériel ~** Rail rolling stock; 2 Transp **personnel ~** (dans le train) train crew; (dans le bus) bus crew
B ○*nm* Transp (dans le train) member of a train crew; (dans le bus) member of a bus crew
C **roulante** *nf* Mil field kitchen

roulé, **~e** /Rule/
A *pp* ▸ **rouler**
B *pp adj* 1 Culin **épaule ~e** rolled shoulder; 2 Phon **r ~** rolled r; 3 ◑(parlant d'une femme) **être bien ~e** to be a nice bit of stuff◑ GB, to be a nice piece◑ US
C *nm* Culin roll; **~ au chocolat/à la confiture** chocolate/jam roll; **~ au fromage/jambon** *puff pastry filled with cheese/ham*

rouleau, *pl* **~x** /Rulo/ *nm* 1 (cylindre) roll; **~ de papier hygiénique/d'essuie-tout/de papier peint** roll of toilet paper/of paper towels/of wallpaper; **ce papier peint fait 15 euros le ~** this wallpaper is 15 euros a roll; **j'ai besoin de trois ~x pour refaire la cuisine** I need three rolls to do *ou* paper the kitchen; **un ~ de parchemin/fil électrique/papier aluminium** a roll of parchment/electrical cable/tin foil; **un ~ de pièces de monnaie** a roll of coins; **se vendre au ~** to be sold by the roll; **acheter de la moquette en ~** to buy a roll of carpet; **le revêtement existe en dalles ou en ~** you can get this covering in tiles or in a roll; 2 (grosse vague) breaker, roller; 3 Imprim, Tech, Agric roller; 4 (bigoudi) roller, curler; 5 Sport **~ ventral** straddle (roll); **~ dorsal** flop; **sauter en ~** (en ventral) to straddle; (en dorsal) to flop; 6 (pour peindre) roller

(Composés) **~ compresseur** Tech roadroller, steamroller; fig steamroller; **~ à pâtisserie** Culin rolling pin; **étendre la pâte au ~** roll out the pastry with a rolling pin; **~ de peintre** Tech paintroller; **peindre le plafond au ~** to paint the ceiling with a roller; **~ de printemps** Culin spring roll

(Idiome) **être au bout du ~**○ (nerveusement) to be at the end of one's tether; (être mourant) to be at death's door

roulé-boulé, *pl* **roulés-boulés** /Rulebule/ *nm* roll; **faire un ~** to do a roll

roulement /Rulmɑ̃/ *nm* 1 (bruit sourd) (du train, des voitures) rumble; **un ~ de tambour** *or* **batterie** a drum roll; **on entendait le ~ lointain des tambours** you could hear the distant roll of drums; **un ~ de tonnerre** a rumble of thunder; **entendre les ~s du tonnerre** to hear the rumble of thunder; **il y eut plusieurs ~s de tonnerre** there were several rumbles of thunder; 2 (mouvement circulaire) **avoir un ~ d'épaules/d'yeux** to roll one's shoulders/eyes; 3 Fin turnover; 4 (alternance) rotation; **travailler par ~** to work (in) shifts; **faire** *or* **établir un ~** to draw up a rota GB *ou* schedule; 5 Tech bearing; **les ~s sont usés** the bearings are worn (out); **~ à billes** Tech ball bearing

rouler /Rule/ [1]
A *vtr* 1 (faire tourner) [*personne*] to roll [*tonneau, pneu, tronc d'arbre*]; **~ des troncs d'arbre dans une pente** to roll tree trunks down a slope; **~ des truffes dans du cacao/des boulettes dans la farine** to roll truffles in cocoa powder/meatballs in flour; **le fleuve roule ses eaux boueuses** the muddy waters of the river swirl along; **les vagues roulent les galets** the waves shift the pebbles around
2 (pousser) to wheel [*charrette, brouette, chariot*]
3 (mettre en rouleau) to roll up [*tapis, papier, sac de couchage, tente, pâte*]; to roll [*cigarette*]; to roll up [*manche, col, pantalon*]; **~ qch en boule** to roll [sth] up into a ball [*pull, écharpe, chemise*]; to roll [sth] into a ball [*pâte à modeler, glaise*]; **~ son pull en boule pour faire un oreiller** to roll one's sweater (up) into a ball to make a pillow; **~ qn dans** to roll sb up in [*couverture, drap, tapis*]; **tabac à ~** rolling tobacco; **machine à ~ (les cigarettes)** cigarette roller; **s'en ~ une**○ to roll oneself a fag○
4 (mouvoir circulairement) **~ les** *or* **des épaules** to roll one's shoulders; **~ les** *or* **des hanches** to wiggle one's hips; **~ les** *or* **des yeux** to roll one's eyes; **~ des yeux furieux à qn** to give sb a furious look; **il m'a roulé de ces yeux**○**!** (de colère) he gave me a filthy look!; (de surprise) his eyes were popping out of his head!
5 (aplanir) to roll [*champ, gazon, terrain de tennis*]; to roll out [*pâte à tarte*]
6 Phon **~ les 'r'** to roll one's 'r's
7 ○(berner) **~ qn**○ to diddle○ GB *ou* cheat sb; **elle m'a roulé en me rendant la monnaie** she

diddled *ou* cheated me when she gave me the change; **se faire ~ de 3 euros** to be diddled *ou* cheated out of 3 euros

B ▸ p. 898 *vi* **1** (se déplacer en tournant sur soi-même) [*boule, pièce, pierre, tronc, personne*] to roll; **le stylo a roulé par terre/sous le bureau** the pen rolled across the floor/under the desk; **~ dans le ravin** [*personne, véhicule*] to roll down into the ravine; **~ dans la boue/l'herbe** to roll in the mud/the grass; **faire ~ qn par terre/dans la poussière** to make sb roll on the ground/in the dust; **les cailloux roulent sous nos pieds** our feet slip on the loose stones; **faire ~ les dés** to roll the dice; ▸ **mousse**

2 (avancer sur des roues) [*train, bus, voiture, bicyclette*] to go; **la voiture est accidentée mais elle roule encore** the car is damaged but still goes; **les bus ne roulent pas le dimanche** buses don't run on Sundays, there aren't any buses on Sundays; **ma voiture ne roule plus** my car won't go; **mon vélo roule mal** there's something wrong with my bike; **ma voiture n'a pas roulé depuis deux ans** my car hasn't been driven for two years; **~ à grande vitesse** [*voiture, train*] to travel at high speed; **~ au super/à l'ordinaire** [*voiture*] to run on 4-star GB *ou* premium US/2-star GB *ou* regular US; **ça roule bien/mal sur l'autoroute**○ the traffic is light/bad on the motorway GB *ou* freeway US; **ça roule** ○! fig (c'est entendu) it's a deal!

3 (conduire) [*conducteur*] to drive (**en direction de, vers** toward, towards GB); **les Anglais roulent à gauche** the English drive on the left; **~ toute la nuit** to drive all night; **~ doucement/vite** to drive slowly/fast; **~ au pas/à toute vitesse** to drive very slowly/at top speed; **~ en voiture** to drive a car; **~ en moto/à bicyclette** to ride a motorbike/bicycle; **~ en Cadillac®** to drive a Cadillac®; **~ à 20 km/h** to drive at 20 kilometres[GB] per hour; **roulez jeunesse**○! let's go○!; **tout le monde est prêt? allez, roulez jeunesse!** is everyone ready? then let's hit the road!; **~ pour qn**○ (soutenir politiquement) to be in sb's camp, to support sb; ▸ **tombeau**

4 (bouger) [*muscles*] to ripple; **faire ~ ses épaules** to roll one's shoulders; **faire ~ ses biceps/pectoraux** to flex one's biceps/pectorals

5 Naut [*bateau*] to roll

6 (se relayer) [*personnes, équipes*] to work in rotation *ou* shifts

7 (faire un bruit sourd) [*tonnerre, détonation*] to rumble

C **se rouler** *vpr* **1** (en étant allongé) **se ~ dans** [*personne, animal*] to roll in [*herbe, boue, foin*]; **se ~ par terre** lit [*enfant*] to roll (about) on the floor; fig (rire beaucoup) to fall about laughing; **une blague à se ~ par terre** a hilarious joke; **c'était à se ~ par terre** it was hilarious; **se ~ en boule** [*animal, personne*] to curl up in a ball (**sur** on; **dans** in)

2 (s'envelopper dans) **se ~ dans** to wrap oneself in [*couverture, drap, manteau*]; **il dormait roulé dans une vieille couverture** he was sleeping wrapped in an old blanket

(Idiomes) **~ une pelle** *or* **un patin à qn**● to give sb a French kiss; **~ sous la table**○ to be under the table; **~ la caisse** *or* **les** *or* **des mécaniques**○ to swagger along

roulette /ʀulɛt/ *nf* **1** (petite roue) caster; **table/lit à ~s** table/bed on casters; **2** ▸ p. 469 Jeux roulette; **à la ~** at roulette; **jouer à la roulette** to play roulette; **3** Dent (dentist's) drill; **4** Culin pastry wheel; Cout tracing wheel; **5** (en reliure) fillet

(Composé) **~ russe** Russian roulette

(Idiome) **aller** *or* **marcher comme sur des ~s** to go smoothly *ou* like a dream

rouleur, -euse /ʀulœʀ, øz/ *nm,f* cyclist; **c'est un bon ~** he's strong on the flat

roulier /ʀulje/ *nm* **1** (navire) roll-on roll-off ship; **2** (voiturier) carter

roulis /ʀuli/ *nm* (de bateau) rolling; (de voiture, train) swaying; **il y avait du ~** the ship was rolling

roulotte /ʀulɔt/ *nf* (horse-drawn) caravan GB, trailer US

roulotter* /ʀulɔte/ [1] *vtr* Cout to roll a hem on [*tissu*]; to roll [*ourlet*]

roulure◑ /ʀulyʀ/ *nf* offensive slut◑ injur

roumain, ~e /ʀumɛ̃, ɛn/

A ▸ **p. 561** *adj* Romanian

B ▸ **p. 483** *nm* Ling Romanian

Roumain, ~e /ʀumɛ̃, ɛn/ ▸ **p. 561** *nm,f* Romanian

Roumanie /ʀumani/ ▸ **p. 333** *nprf* Romania

round /ʀund, ʀawnd/ *nm* (tous contextes) round

roupettes◑ /ʀupɛt/ *nfpl* balls◑, testicles

roupie /ʀupi/ ▸ **p. 48** *nf* rupee

(Idiomes) **c'est de la ~ de sansonnet** it's a load of rubbish○; **ce n'est pas de la ~ de sansonnet**○ it's not just any old rubbish○

roupiller○ /ʀupije/ [1] *vtr* to sleep

roupillon○ /ʀupijɔ̃/ *nm* snooze○, nap; **piquer** *or* **faire un ~** to have a snooze○, to take a nap

rouquin○, **~e** /ʀukɛ̃, in/

A *adj* [*personne*] red-haired; [*cheveux*] red

B *nm,f* redhead

C *nm* (vin) plonk○ GB, cheap red wine

rouscailler○ /ʀuskaje/ [1] *vi* to gripe○

rouspétance○ /ʀuspetɑ̃s/ *nf* griping○

rouspéter○ /ʀuspete/ [14] *vi* to grumble (**contre** about; **après** at)

rouspéteur○, **-euse** /ʀuspetœʀ, øz/

A *adj* **il est un peu ~** he's a bit of a grumbler

B *nm,f* grumbler

roussâtre /ʀusɑtʀ/ ▸ **p. 202** *adj* [*pelage, terre, feuillage*] reddish

rousse /ʀus/ *adj* ▸ **roux A, B**

rousseauiste /ʀusoist/ *adj, nmf* Rousseauist

rousserolle* /ʀusʀɔl/ *nf* **~ effarvatte** reed warbler

roussette /ʀusɛt/ *nf* **1** (poisson) spotted dogfish; **2** (chauve-souris) flying fox

rousseur /ʀusœʀ/ *nf* (de cheveux, barbe) redness; (de feuille, d'arbre) brownness, redness; (de teinte, ton) russet colour[GB]

roussi /ʀusi/ *nm* **une odeur de ~** a slight smell of burning; **ça sent le ~** lit it smells of burning; fig○ there's trouble brewing

roussir /ʀusiʀ/ [3]

A *vtr* **1** (colorer) littér [*automne*] to turn [sth] brown *ou* red [*feuille*]; [*tabac*] to turn [sth] brown [*papier, moustache*]; [*soleil*] to turn [sth] yellow [*papier*]; **2** (brûler) [*fer à repasser, chaleur, soleil*] to scorch; [*flamme*] to singe

B *vi* **1** [*forêt, feuille, arbre*] to go brown *ou* red; [*cheveux, barbe, moustache*] to go brown; [*papier, tissu*] to go yellow; **2** Culin **faire ~** to brown [*oignon, viande, beurre*]

roustons◑ /ʀustɔ̃/ *nmpl* balls◑, testicles

routage /ʀutaʒ/ *nm* **1** (de journaux, colis) sorting and mailing; **société de ~** mailing house; **2** Ordinat routing

routard○, **~e** /ʀutaʀ, aʀd/ *nm,f* backpacker

route /ʀut/ *nf* **1** Gén Civ (voie terrestre) road, highway US; **construction/entretien des ~s** road construction/maintenance; **~ prioritaire** road with right of way; **~ à deux/trois voies** two-/three-lane road; **~ de Douai** (vers Douai) Douai road, road to Douai; (qui vient de Douai) road from Douai; **~ de l'aéroport** road to the airport; **demain je prends la ~** tomorrow I take to the road; **tenir la ~** lit [*voiture*] to hold the road; fig [*argument, raisonnement*] to hold water; [*équipement*] to be well-made

2 Transp (moyen de transport) road; **le rail et la ~** road and rail; **par la ~** by road; **il y a six heures de ~** it's a six-hour drive; **je préfère prendre la ~** I prefer to go by road; **faire la ~**○ (partir à l'aventure) to go on the road; **le rail est aussi rapide que la ~** it's just as quick to travel by rail as by road; **la ~ est meurtrière** the roads can kill; **faire de la ~**○ to do a lot of mileage

3 (itinéraire) route; **~ du pétrole/fer** oil/iron route; **~s aériennes/maritimes** air/sea routes; **changer de ~** to change route; **s'éloigner** *or* **dévier de sa ~** lit [*avion, bateau*] to go off course; [*voiture, piéton*] to go the wrong way; fig [*personne*] to stray from one's chosen path; **la ~ est toute tracée désormais** fig from now on, it's all plain sailing; **nos ~s se sont croisées** fig our paths crossed

4 (parcours) lit, fig way; **la ~ est longue!** it's a long way!; **la ~ sera longue** it will be a long journey; **être/se mettre sur la ~ de qn** to be/to get in sb's way; **trouver un obstacle sur sa ~** to find an obstacle in one's way; **rencontrer qch en ~** lit to meet sth on the way; fig to meet sth along the way; **couper la ~ à qn** to bar sb's way; **j'ai changé d'avis en cours de ~** I changed my mind along the way; **je me suis arrêté en cours de ~** I stopped on the way; **j'ai perdu mon parapluie en ~** I lost my umbrella on the way; **finis ta phrase, ne t'arrête pas en (cours de) ~** finish your sentence, don't stop halfway through; **être en ~** [*personne*] to be on one's way; [*projet*] to be underway; [*plat*] to be cooking; **avoir qch en ~** to have [sth] underway [*projet*]; **avoir un enfant en ~** to have a baby on the way; **détruire tout sur sa ~** to destroy everything in one's path; **être sur la bonne ~** lit to be heading in the right direction; fig to be on the right track; **remettre qn sur la bonne ~** to put sb right; **~ du succès/de la démocratie** road to success/towards democracy; **faire ~ avec qn** to travel with sb; **faire ~ vers, être en ~ pour** [*avion, passager*] to be en route to; [*bateau*] to be sailing to; [*voiture, train, piéton*] to be heading for; **faire fausse ~** lit to go off course; fig to be mistaken; **se mettre en ~** to set off; **en ~!** let's go!; **bonne ~!** have a good journey GB *ou* a nice trip!; **mettre en ~** to start [*machine, voiture*]; to get [sth] going [*projet, fabrication*] ; **la mise en ~ des négociations a été difficile** it was difficult to get the negotiations going; **déclencher la mise en ~ du moteur** to start the engine

5 Sport (cyclisme) **géants** *or* **rois de la ~** road-cycling champions; **épreuve** *or* **course sur ~** road race

(Composés) **~ pour automobiles** dual carriageway GB, divided highway US; **~ communale** public highway; **~ départementale** secondary road; **~ des épices** Hist spice route; **~ forestière** forest road; **~ à grande circulation** trunk road GB, highway US; **~ nationale** trunk road GB, ≈ A road GB, national highway US; **~ de navigation** shipping lane; **~ du rhum** Sport Rum route race; **~ rurale** country road; **~ secondaire** minor road; **~ de la soie** Hist Silk Route *ou* Road; **~ du vin** wine trail

Routes

The French road network, outside of the motorway system of *autoroutes*, is composed of *routes départementales* and *routes nationales*.

The *route départementale* is a secondary road, maintained by the *département* and signalled as 'D' followed by a road number and marked in yellow on French road maps. It is not intended to be used for fast travel between towns and can have stretches indicated in green on maps to mark panoramic views or local beauty spots.

The *routes nationales* form part of the state-maintained road network, signalled as 'N' followed by the road number and marked in red on French road maps. The *routes nationales* provide faster roads for travel between towns and cities.

▸ **Bison Futé**

routeur /ʀutœʀ/
A [1] *vtr* to sort [sth] for mailing [*magazines, journaux*]
B *also* **routeur** /ʀutøʀ/ *nm* Ordinat router

routier, -ière /ʀutje, ɛʀ/
A *adj* 1 (de la route) road; **transport/trafic/tunnel ~** road transport/traffic/tunnel; **réseau ~** road network
B *nm* 1 ▸ p. 532 Transp (chauffeur) lorry driver GB, truck driver; ▸ **vieux**; 2 Comm (restaurant) transport café GB, truck stop US; 3 Sport (en cyclisme) road racer; 4 Naut (carte nautique) navigation chart; 5 Hist, Mil (soldat irrégulier) campaigner; 6 (scout de plus de seize ans) venture scout GB, explorer US
C **routière** *nf* **ma voiture n'est pas une très bonne routière** my car is not very good for long-distance driving

routine /ʀutin/ *nf* 1 (habitude) routine; **s'installer dans une ~** to get into a routine; **tomber dans la ~** to get into a rut; **sortir de la ~** to get out of a rut; **travail/enquête/contrôle de ~** routine work/enquiry/check; 2 Ordinat routine

routinier, -ière /ʀutinje, ɛʀ/
A *adj* [*personne*] set in one's ways (*jamais épith*), stuck in a rut (*jamais épith*); [*esprit, méthode, travail, vie*] routine (*épith*); **il est trop ~** he is too set in his ways
B *nm,f* creature of habit

rouvre /ʀuvʀ/ *nm* durmast (oak), sessile oak

rouvrir /ʀuvʀiʀ/ [32]
A *vtr* 1 [*personne*] to open [sth] again [*porte, rideau, coffre, yeux*]; to reopen [*blessure*]; to turn [sth] back on [*gaz, électricité*]; 2 (remettre en service) [*personne*] to reopen [*magasin, théâtre, route*]; **le théâtre rouvre ses portes en septembre** the theatre[GB] will reopen in September; 3 (après arrêt) [*personne*] to resume [*négociations, hostilités*]; [*personne, affaire, scandale*] to reopen [*débat, affaire*]
B *vi* [*magasin, école, musée, route*] to reopen
C **se rouvrir** *vpr* [*porte, fenêtre*] to open (again); [*blessure, parapluie*] to open up (again)

roux, rousse /ʀu, ʀus/ ▸ p. 202
A *adj* [*couleur*] russet; [*cheveux, barbe*] red; (plus clair) ginger; [*feuilles*] orange; [*personne*] red-haired (*épith*); [*animal, pelage*] ginger; **il est ~** he's a redhead
B *nm,f* red-haired person, redhead; **les ~** red-heads
C *nm inv* 1 (couleur) red; **ses cheveux étaient d'un ~ magnifique** she had beautiful red hair; 2 Culin roux
D **rousse**◐ *nf* (police) **la rousse** the cops○

royal, ~e, *mpl* **-aux** /ʀwajal, o/
A *adj* 1 (de souverain) [*famille, pouvoir, décret*] royal [*dignité, autorité*] royal, regal; 2 (magnifique) [*accueil*] royal; [*cadeau*] fit for a king (*après n*); [*pourboire, salaire*] princely; 3 (suprême) [*indifférence*] supreme, lofty; [*mépris*] majestic, utter; [*paix*] blissful
B **royale** *nf* 1 Culin royale (*savoury egg custard*); **~e de carotte/gibier/volaille** carrot/game/chicken royale; **à la ~e** à la royale; 2 Mil **la Royale** *the French Navy*; 3 (barbe) imperial

royalement /ʀwajalmɑ̃/ *adv* 1 (avec magnificence) [*recevoir, traiter*] royally, like royalty; [*vivre*] royally, like a king *ou* queen; **j'espère être payé ~ pour ce travail** I hope I will be paid handsomely for this work; 2 (complètement) **il se moque ~ de son travail** he really couldn't care less○ about his work; **il se fiche ~ de l'opinion des autres** he couldn't give a damn○ about what other people think

royalisme /ʀwajalism/ *nm* royalism

royaliste /ʀwajalist/ *adj, nmf* royalist
(Idiome) **être plus ~ que le roi** to be more catholic than the pope

royalties /ʀwajalti/ *nfpl* royalties

royaume /ʀwajom/ *nm* lit, fig kingdom
(Idiome) **au ~ des aveugles, les borgnes sont rois** Prov in the country of the blind, the one-eyed man is king Prov

Royaume-Uni /ʀwajomyni/ ▸ p. 333 *nprm* **~ de Grande-Bretagne et d'Irlande du Nord** United Kingdom of Great Britain and Northern Ireland; **le ~** the United Kingdom

royauté /ʀwajote/ *nf* 1 (dignité) kingship; 2 (régime) monarchy

RPF /ɛʀpeɛf/ *nm* (*abbr* = **Rassemblement pour la France**) *right-wing political party*

RPR /ɛʀpeɛʀ/ *nm* (*abbr* = **Rassemblement pour la République**) *main political party of the Gaullist Right*

RSVP /ɛʀɛsvepe/ (*abbr* = **répondez s'il vous plaît**) RSVP

RTT /ɛʀtete/ *nf* (*abbr* = **réduction du temps de travail**) *reduction in the number of working hours*

ru /ʀy/ *nm* liter brook

RU /ʀy/ *nm*: *abbr* ▸ **restaurant**

ruade /ʀɥad/ *nf* 1 (de cheval) buck; **décocher une ~** to buck; 2 fig (de parti, de personne) attack; **les ~s de l'opposition contre le gouvernement** the opposition's attacks on the government

ruban /ʀybɑ̃/ *nm* gén (de cheveux, paquet, décoration, d'ornementation) ribbon; Cout binding tape; (de cérémonie) ribbon; (de fleuve, route) fig ribbon; (de machine à écrire) **~ (encreur)** typewriter ribbon; Ordinat **~ encreur** printer ribbon; **~ tricolore** tricolour[GB] ribbon; **couper le ~** to cut the ribbon
(Composés) **~ d'acier** steel band *ou* strip; **~ adhésif** adhesive tape, sticky tape GB; **~ bleu** blue ribbon; **détenir le ~ bleu de qch** to be the world champion at sth; **~ de chapeau** hat band; **~ correcteur** cover-up tape; **~ effaceur** lift-off tape; **~ isolant** insulating tape; **~ magnétique** magnetic tape; **~ de Möbius** Möbius strip; **~ perforé** Ordinat (punched) paper tape

rubato /ʀubato/ *adv, nm* rubato

rubéole /ʀybeɔl/ ▸ p. 283 *nf* German measles (+ *v sg*), rubella spéc

Rubicon /ʀybikɔ̃/ *nprm* Rubicon
(Idiome) **franchir le ~** to cross the Rubicon

rubicond, ~e /ʀybikɔ̃, ɔ̃d/ *adj* [*personne, visage, joues*] ruddy, rubicund

rubidium /ʀybidjɔm/ *nm* rubidium

rubis /ʀybi/ *nm inv* 1 (pierre, bijou) ruby; 2 ▸ p. 202 (couleur) ruby; 3 (de montre) jewel, ruby; **une montre montée sur ~** watch with a jewelled[GB] bearing
(Idiome) **payer ~ sur l'ongle** to pay cash on the nail

rubrique /ʀybʀik/ *nf* 1 Presse section; **~ littéraire/cinéma/sportive/financière/des spectacles** book(s)/film/sports/finance/entertainment(s) section; **tenir une ~ dans un journal** to have a column in a newspaper; 2 (catégorie) category; **sous la même ~** in the same category; **classer des papiers sous la ~ 'à suivre'** to file papers under 'further action'; 3 Relig rubric
(Composés) **~ mondaine** social column; **~ nécrologique** obituary column

ruche /ʀyʃ/ *nf* 1 (habitation) beehive, hive; 2 fig hive of activity; 3 Cout ruche

ruché /ʀyʃe/ *nm* ruche

rucher /ʀyʃe/ *nm* apiary

rude /ʀyd/ *adj* 1 (pénible) [*métier, travail, vie, journée, combat*] hard, tough; [*climat, hiver*] severe, harsh; [*épreuve*] severe; **mettre qn/qch à ~ épreuve** to put sb/sth to a severe test; **être mis à ~ épreuve** to be put to a severe test; **c'est un ~ coup pour lui** it's a harsh *ou* severe blow for him; 2 (au toucher) [*étoffe, barbe, peau*] rough; 3 (grossier) [*voix, manières*] harsh; [*traits, personne*] coarse; 4 (sévère) [*ton, personne, caractère*] harsh, severe; 5 (solide) [*appétit*] healthy; [*montagnard, marin*] rugged; **c'est un ~ gaillard** he's a strapping fellow; 6 (redoutable) [*adversaire, concurrent*] tough, formidable
(Idiomes) **en voir de ~s** to have a hard *ou* tough time of it; **en faire voir de ~s à qn** to put sb through it

rudement /ʀydmɑ̃/ *adv* 1 (brutalement) [*frapper, pousser, secouer*] roughly; 2 (sans ménagements) [*parler, traiter*] roughly, harshly; 3 ○(très) [*cher, gentil, fatigant, bon, bien*] really, damn◐; [*content, mauvais*] really; **c'est ~ mieux!** it's a hell of a lot○ better!

rudesse /ʀydɛs/ *nf* 1 (de climat, vie, d'hiver, éducation) harshness, severity; 2 (de personne, ton) harshness, severity; **avec ~** harshly, severely; 3 (manque de raffinement) coarseness

rudiment /ʀydimɑ̃/
A *nm* Anat rudiment; **un ~ de queue** a rudimentary tail
B **rudiments** *nmpl* (de langue, matière, discipline) rudiments; **s'initier aux ~s de** to learn the rudiments of; **nous n'en sommes qu'au stade des ~s** we are still at the rudimentary stage; **avoir quelques ~s de** to have a rudimentary knowledge of

rudimentaire /ʀydimɑ̃tɛʀ/ *adj* 1 (de base) basic; (limite) rudimentary; **au confort très ~** with basic comfort; 2 Anat rudimentary

rudologie /ʀydɔlɔʒi/ *nf* garbology

rudoyer /ʀydwaje/ [23] *vtr* to bully

rue /ʀy/ *nf* 1 (voie, population) street; **~ à sens unique** one-way street; **scènes de la ~** street scenes; 2 (peuple) pej **la ~** the mob péj; 3 Bot rue
(Composé) **~ piétonne** *or* **piétonnière** pedestrianized *ou* pedestrian street
(Idiomes) **ça ne court pas les ~s**○ it's pretty thin on the ground○; **être à la ~** to be on the street, to be down-and-out; **jeter/mettre qn à la ~** to throw/put sb out on the street; **descendre dans la ~** to take to the street

ruée /ʀɥe/ *nf* rush; **dans la ~, il a perdu son chapeau** he lost his hat in the rush; **à la fin des cours, c'est la ~ dans les couloirs** when the bell goes (off), everyone rushes down the corridors; **quand on leur demande un service, ce n'est pas la ~** iron if you ask them a favour[GB], they don't exactly rush to oblige
(Composé) **~ vers l'or** gold rush

ruelle /ʀɥɛl/ *nf* alleyway, back street

ruer /ʀɥe/ [1]
A *vi* [*cheval*] to kick
B **se ruer** *vpr* to rush; **se ~ vers** to rush for *ou* toward(s); **se ~ hors de/dans** to rush out of/into, to dash out of/into; **se ~ dans l'escalier** (pour monter) to rush *ou* tear up the stairs; (pour descendre) to rush *ou* tear down the stairs; **se ~ sur qn/qch** to pounce on sb/sth; **se ~ à l'assaut de qch** to launch an attack on sth; **les gens se ruent à l'assaut des magasins** fig there is a rush on the shops GB *ou* stores US
(Idiome) **~ dans les brancards** to kick over the traces, to rebel

rufian○ /ʀyfjɑ̃/ *nm* 1 †(souteneur) procurer; 2 (aventurier) adventurer

rugby /ʀygbi/ *nm* Sport rugby; **jouer au ~** to play rugby; **un joueur de ~** a rugby player; **~ à treize** rugby league; **~ à quinze** rugby union

rugbyman, *pl* **rugbymen*** /ʀygbiman, mɛn/ *nm* Sport rugby player

rugir /ʀyʒiʀ/ [3]
A *vtr* to bellow (out) [*ordre, insulte*]; to growl [*menace*]; **'tuez-les tous!' rugit-il** 'kill them all!' he bellowed
B *vi* 1 Zool to roar; 2 [*personne*] to howl; **~ de colère/fureur/douleur** to roar *ou* howl with anger/fury/pain; **~ de rage** to howl with rage; 3 fig [*vent*] to howl; [*moteur, mer, vague*] to roar; [*klaxon*] to blare; **faire ~** to rev up [*moteur*]

rugissant /ʀyʒisɑ̃/ *adj m* **les quarantièmes ~s** Géog, Naut the roaring forties

rugissement /ʀyʒismɑ̃/ *nm* 1 (d'animal) roar; **pousser un ~** *or* **des ~s** to roar; 2 (de personne) roar, howl; **pousser un ~** to roar, to howl; **pousser un ~ de** to let out a roar *ou*

r

howl of; [3] fig (de vague) roar(ing); (de vent) howling

rugosité /ʀygozite/ *nf* [1] (état) roughness; [2] (aspérité) rough patch

rugueux, **-euse** /ʀygø, øz/ *adj* [*écorce, peau, cuir, main, table, toile, drap*] rough; [*surface, bois*] rough, rugged; [*mur, vin*] rough; [*sol*] rough, bumpy

Ruhr /ʀuʀ/ ▸ p. 721 *nprf* **la ~** the Ruhr

ruine /ʀɥin/

A *nf* [1] (de bâtiment) ruin; **en ~(s)** ruined (*épith*); **être/tomber en ~(s)** to be in ruins/to fall into ruin; **menacer ~** to be threatening to collapse; [2] (bâtiment) ruin; **ils ont acheté une ~ en France** they bought a ruin in France; **leur maison n'était plus qu'une ~** their house was nothing more than a ruin; [3] (de personne, d'entreprise, de pays) ruin; **causer la ~ de qn/qch** to ruin sb/sth, to lead to sb's ruin/to the ruin of sth; **être au bord de la ~** to be on the brink of financial ruin; **aller** or **courir à la ~** to be heading for financial ruin; **c'est la ~** fig it's exorbitant; **ce n'est pas la ~** fig it's not that expensive; **les femmes seront sa ~** women will be the ruin of him; [4] (de civilisation) collapse; (de réputation, d'avenir) ruin; (d'espoir) death; **être la ~ de** (de civilisation, réputation, santé) to ruin; (de crédit) to destroy; (d'avenir, espoir) to ruin, to wreck; **courir** or **aller à la ~** [*civilisation*] to be heading for collapse; [5] (personne) péj wreck

B **ruines** *nfpl* ruins; **les ~s de Carthage** the ruins of Carthage; **les ~s d'un empire** the ruins of an empire

ruiner /ʀɥine/ [1]

A *vtr* [1] (provoquer la banqueroute de) to ruin [*pays, personne, entreprise, économie*]; [2] (coûter cher à) **~ qn** to be a drain on sb's resources; **ça ne va pas le ~** iron that's not going to break the bank; [3] (détruire) to destroy, to wreck [*santé, forces*]; **l'alcool a ruiné ses forces** alcohol has turned him/her into a wreck; [4] (dévaster) [*bombardement*] to reduce [sth] to rubble [*ville, bâtiment*]; [*pluie, incendie, inondation, cyclone*] to ruin [*culture*]; [5] (causer la perte de) to ruin [*vie, réputation*]; to destroy [*argument, théorie, bonheur*]; to shatter [*espérances, rêve*]

B **se ruiner** *vpr* (perdre ses biens) to be ruined, to lose everything; (dépenser excessivement) to ruin oneself (**en faisant** doing); **se ~ à la Bourse** to lose everything on the stock exchange; **se ~ pour une femme** to spend everything one has on a woman; **se ~ au jeu/en livres** to spend all one's money gambling/on books; **se ~ la santé** to ruin one's health

ruineux, **-euse** /ʀɥinø, øz/ *adj* [*entretien, dépense*] exorbitant; [*goût, plaisir, sortie, fête*] very expensive, extravagant; [*achat, guerre, affaire, objet*] ruinously expensive; **être ~** to be very expensive; **ce n'est pas ~** it's quite reasonable

ruisseau, *pl* **~x** /ʀɥiso/ *nm* [1] (cours d'eau) stream, brook; [2] (flot) **~ de larmes/lave** stream of tears/lava; **~ de sang** trickle of blood; **un ~ de larmes coulait le long de ses joues** tears streamed down her cheeks; [3] (caniveau) gutter; **tomber dans le ~** to go to the dogs; **rouler dans le ~** to wallow in the gutter; **tirer** or **sortir qn du ~** to pull sb out of the gutter; **être élevé dans le ~** to be brought up in the gutter

(Idiome) **les petits ~x font les grandes rivières** Prov great oaks from little acorns grow Prov

ruisselant, **~e** /ʀɥislɑ̃, ɑ̃t/ *adj* [*eau, pluie*] streaming; [*mur, paroi, personne, visage, animal, habit, parapluie*] dripping wet; **~ de sueur** dripping with sweat

ruisseler /ʀɥisle/ [19] *vi* [1] (écouler) [*eau, pluie, sueur, larme, sang*] to stream; [*graisse*] to drip; [2] littér [*chevelure*] to tumble down; **la lumière ruisselait sur** the light glistened on; [3] (être recouvert d'un liquide) [*personne, surface, habit, parapluie*] to stream, to be streaming (**de** with); **~ de sueur** to be dripping with sweat; **~ de graisse** to be dripping with fat; **les vitres ruisselaient de pluie** the rain was streaming down the windows; **ses joues ruisselaient de larmes** tears were streaming down his/her cheeks; **~ de lumière** to be flooded with light

ruisselet /ʀɥislɛ/ *nm* littér rivulet, brooklet

ruissellement* /ʀɥisɛlmɑ̃/ *nm* [1] lit (de pluie, d'humidité) streaming (**sur** down); (de graisse) dripping (**sur** down); (de produits toxiques) seepage; **le ~ de l'eau sur les vitres** water streaming down the windows; [2] littér **~ de pierres précieuses** cascade of precious stones; **~ de chevelure sur des épaules** hair tumbling about sb's shoulders

(Composé) **~ pluvial** run-off

rumba /ʀumba/ *nf* rumba

rumeur /ʀymœʀ/ *nf* [1] (ouï-dire) rumour[GB] (**sur** about); **rien ne permet de confirmer cette ~** there is nothing to confirm this rumour[GB]; **selon certaines ~s, il aurait quitté le pays** rumour[GB] has it that he may have left the country; **les journaux font courir la ~ de leur séparation prochaine** the newspapers are spreading rumours[GB] *ou* the rumour[GB] that they're about to separate; **faire taire une ~** to put a stop to a rumour[GB]; **apprendre qch par la ~ publique** to learn sth through a rumour[GB] that is going around; [2] (de voix, mer, vent) murmur; **il y eut une ~ dans l'assistance** there was a murmur in the audience

ruminant /ʀyminɑ̃/ *nm* ruminant

rumination /ʀyminasjɔ̃/ *nf* [1] Zool chewing the cud, rumination spéc; [2] (méditation) brooding, rumination

ruminer /ʀymine/ [1]

A *vtr* [1] Zool to ruminate; [2] (penser constamment à) to brood on [*malheur*]; to chew over° [*idée, projet*]

B *vi* [1] Zool to chew the cud, to ruminate spéc; [2] [*personne*] to brood

rumsteck /ʀɔmstɛk/ *nm* rump steak

rune /ʀyn/ *nf* rune

runique /ʀynik/ *adj* runic

rupestre /ʀypɛstʀ/ *adj* [1] [*plante, flore*] rock (*épith*); [2] [*peinture, art, dessin*] cave (*épith*), rock (*épith*)

rupin°, **~e** /ʀypɛ̃, in/

A *adj* pej [*personne, quartier*] wealthy, posh° GB

B *nm,f* pej **les ~s** the rich; **épouser un ~** to marry somebody who is loaded°; **un restaurant de ~s** a posh° GB *ou* fancy restaurant

rupteur /ʀyptœʀ/ *nm* contact breaker; **~ d'allumage** contact breaker

rupture /ʀyptyʀ/ *nf* [1] (de relations) breaking-off; **ils souhaitent la ~ des relations commerciales/négociations** they want to break off trade relations/the negotiations; **la ~ d'un accord** the breaking-off of an agreement; [2] (résultat) breakdown (**avec** in); **la ~ du dialogue avec l'OLP a entraîné...** the breakdown in the talks with the PLO led to...; [3] (de couple, coalition, d'amis) break-up; **si tu fais ça c'est la ~!** if you do that we're through° *ou* splitting up!; **lettre de ~** letter ending a relationship; [4] (opposition) **être en ~ avec** to be at odds with [*hiérarchie, groupe*]; **il est en ~ avec cette idéologie/tradition** he's broken away from this ideology/tradition; [5] (cassure) gén break; (de barrage, digue) breaking; (de conduite) fracture; (de muscle, d'artère) rupture; (d'organe mécanique ou électrique) failure; **point de ~** breaking point; **accident dû à la ~ d'un essieu** accident caused by a broken axle *ou* by an axle breaking; **amener une situation au point de ~** to bring a situation to breaking point; **il y a ~ entre le passé et le présent** fig there's a break between the past and the present

(Composés) **~ d'anévrisme** Méd ruptured aneurysm; **~ de charge** Transp transshipment; **~ de contrat** Jur breach of contract; **~ de pente** Géol shelf break; **~ de stock** Comm stock shortage; **être en ~ de stock** [*produit, magasin*] to be out of stock

rural, **~e**, *mpl* **-aux** /ʀyʀal, o/

A *adj* [*développement, exode, milieu*] rural; [*hôpital, chemin, vie, origine*] country; **l'espace ~** the countryside

B *nm,f* **les ruraux** people who live in the country

ruse /ʀyz/ *nf* [1] (procédé) trick, ruse; **imaginer une ~ pour faire qch** to think of a cunning way of doing sth; **connaître les ~s du métier** to know the tricks of the trade; **c'est une ~ de guerre** hum it's a cunning stratagem; **c'est une ~ de Sioux** hum it's a crafty trick; [2] (habileté) cunning, craftiness; **avec ~** cunningly; **faire preuve de** or **agir avec ~** to be cunning

rusé, **~e** /ʀyze/

A *adj* cunning, crafty; **jouer au plus ~ avec qn** to try to outsmart sb; **ils jouent au plus ~** they try to outsmart each other

B *nm,f* **c'est une ~e** she's a crafty one

ruser /ʀyze/ [1] *vi* [1] (être rusé) to be crafty; [2] (être plus fin que) **~ avec** to trick [*ennemi, police*]; [3] (vaincre) **~ avec** to find a way around [*difficulté, obstacle*]

rush, *pl* **rushes*** /ʀœʃ/

A *nm* [1] Sport (à la course) final burst; (en sport collectif) attack; [2] °(ruée) rush; **le ~ sur l'immobilier a fait grimper les prix** the rush to buy property has pushed prices up

B **rushes** *nmpl* Cin rushes

russe /ʀys/ ▸ p. 483, p. 561

A *adj* Russian; **œufs à la ~** Russian eggs

B *nm* Ling Russian

Russe /ʀys/ ▸ p. 561 *nmf* Russian; **un ~ blanc** a White Russian

Russie /ʀysi/ ▸ p. 333 *nprf* Russia

russification /ʀysifikasjɔ̃/ *nf* Russification

russifier /ʀysifje/ [2]

A *vtr* to Russify

B **se russifier** *vpr* Géog [*quartier, région*] to be settled by Russians

russisant, **~e** /ʀysizɑ̃, ɑ̃t/ *nm,f* Russianist

russisme /ʀysism/ *nm* Russianism

russophone /ʀysɔfɔn/

A *adj* Russian-speaking

B *nmf* Russian speaker

rustaud, **~e** /ʀysto, od/

A *adj* rustic, coarse péj

B *nm,f* pej (country) bumpkin péj, hick péj

rusticité /ʀystisite/ *nf* [1] (d'un matériau, d'un lieu) rustic character (**de** of); **la ~ de leurs manières** their rustic manners (*pl*); [2] Agric hardiness (**de** of)

rustine® /ʀystin/ *nf* (puncture-repair) patch; **coller une ~** to stick on a patch; **boîte de ~s** puncture repair kit

rustique /ʀystik/

A *adj* [1] (campagnard) [*meuble, crépi*] rustic; [*plat*] country (*épith*); [*maison, mode de vie, personne, manières*] rustic, country (*épith*); [2] Agric [*plante*] hardy (*épith*)

B *nm* **le ~** rustic style

rustre /ʀystʀ/

A *adj* pej [*manières, personne*] uncouth péj

B *nm* [1] (homme grossier) lout; [2] †(paysan) peasant

rut /ʀyt/ *nm* Zool rutting season; **être en ~** to be in rut; **un cerf en ~** a rutting deer, a deer in rut

rutabaga /ʀytabaga/ *nm* swede GB, rutabaga US; **manger des ~s** to eat swede

ruthénium /ʀytenjɔm/ *nm* ruthenium

rutilant, **~e** /ʀytilɑ̃, ɑ̃t/ *adj* [*diamant*] sparkling; [*carrosserie, chrome*] gleaming

rutiler /ʀytile/ [1] *vi* [*chrome*] to gleam; [*diamant*] to sparkle

RV *written abbr* = **rendez-vous**

Rwanda = **Rouanda**

rwandais, **~e** /ʀwɑ̃dɛ, ɛz/ ▸ p. 561 *adj* Rwandan

Rwandais, ~e /ʀwɑ̃dɛ, ɛz/ ▸ **p. 561** *nm,f* Rwandan

rythme /ʀitm/ *nm* [1] Littérat, Mus rhythm; **~ lent/rapide** slow/rapid rhythm; **avoir le sens du ~** to have a good sense of rhythm; **au ~ d'une rumba** to the rhythm of a rumba; **chanter/danser en ~** to sing/dance in time; **marquer le ~** to beat time; **~ binaire/ternaire** duple/triple time; **avoir le ~ dans la peau**○ to have a natural sense of rhythm; [2] (allure) (d'accroissement, de production) rate; (de vie, film) pace; **le ~ infernal de la vie citadine** the hectic pace of city life; **aller à son ~** to go at one's pace; **tenir le ~** to keep up with the pace; **vivre au ~ des saisons** to live according to the rhythm of the seasons; **changer au ~ des saisons** to change with the seasons; **la situation se dégrade à un ~ accéléré** the situation is deteriorating rapidly; **au ~ de** at a rate of; **au ~ de 300 000 par an** at a rate of 300,000 per year; [3] (mouvement régulier) rate; **~ cardiaque/respiratoire** heart/respiratory rate; **la revue sort au ~ de quatre numéros par an** the magazine is published four times a year

(Composés) **~ biologique** biorhythm; **~ de croissance** growth rate; **~s scolaires** school timetables

rythmé, ~e /ʀitme/

[A] *pp* ▸ **rythmer**

[B] *pp adj* rhythmic; **la musique est très ~e** the music has a very good rhythm

rythmer /ʀitme/ [1] *vtr* [1] (scander) to put rhythm into [*phrase, poème*]; to give rhythm to [*tâche, marche*]; [2] (ponctuer) [*actions, événements*] to regulate [*vie, journée, travail*]; **les pauses-café rythment la vie du routier** a truck driver's life is punctuated by coffee breaks; **une vie rythmée par les saisons** a life regulated *ou* governed by the seasons

rythmique /ʀitmik/

[A] *adj* [*battement, mouvement*] rhythmic, rhythmical; [*accent, schéma*] rhythmic

[B] *nf* [1] Ling rhythmics (+ *v sg*); [2] Mus rhythm section

Ss

s, S /ɛs/ *nm inv* s, S

s' 1 ▸ **se**; 2 ▸ **si¹**

sa ▸ **son¹**

SA /ɛsa/ *nf*: *abbr* ▸ **société**

Saba /saba/ *npr* Sheba; **la reine de ~** the Queen of Sheba

sabayon /sabajɔ̃/ *nm* zabaglione

sabbat /saba/ *nm* 1 Relig Sabbath; 2 (des sorcières) witching hour

sabbatique /sabatik/ *adj* 1 Relig Sabbatical; 2 Univ, Entr, Admin [*année*] sabbatical; **être en congé ~** to be on sabbatical (leave)

Sabin, ~e /sabɛ̃, in/ *nm,f* Sabine; **l'enlèvement des ~es** the rape of the Sabine women

sabir /sabiʀ/ *nm* 1 (charabia) mumbo-jumbo; 2 (mélange) pidgin; 3 Hist sabir

sablage /sablaʒ/ *nm* 1 (de chaussée) gritting; 2 (pour nettoyer) sandblasting

sable /sɑbl/

A ▸ **p. 202** *adj inv* sand-coloured[GB]

B *nm* 1 Minér sand; **bâtir sur le ~** fig to build on sand; 2 Hérald sable

C **sables** *nmpl* sands

(Composés) **~s bitumineux** tar sands; **~s mouvants** quicksands

(Idiome) **être sur le ~○** to be on one's beam ends

sablé, ~e /sable/

A *pp* ▸ **sabler**

B *pp adj* 1 [*route, allée*] covered with sand; 2 Culin **pâte ~e** rich (sweetened) shortcrust pastry

C *nm* (biscuit) ≈ shortbread biscuit GB, cookie US

sabler /sable/ [1] *vtr* 1 to grit [*chaussée*]; 2 Tech (pour nettoyer) to sandblast; (pour mouler) to sand-cast

(Idiome) **~ le champagne** to crack open some champagne

sableux, -euse /sablø, øz/

A *adj* sandy

B **sableuse** *nf* 1 (pour la chaussée) gritter; 2 (pour décaper) sandblaster

sablier /sablije/ *nm* hourglass; (pour cuire des œufs) egg timer

sablière /sablijɛʀ/ *nf* 1 (carrière) sand quarry; 2 (poutre) stringpiece; 3 (de locomotive) sandbox

sablonneux, -euse /sablɔnø, øz/ *adj* sandy

sabord /sabɔʀ/ *nm* scuttle

(Composés) **~ de charge** cargo hatchway; **~ de coupée** gang port; **~ de pavois** bulwark port

sabordage /sabɔʀdaʒ/ *nm* Naut scuttling

saborder /sabɔʀde/ [1]

A *vtr* Naut to scuttle; fig to scuttle, to scupper

B **se saborder** *vpr* Naut [*équipage*] to scuttle *ou* scupper one's own ship; [*flotte*] to scuttle *ou* scupper its own ship; fig to sink oneself/itself

sabot /sabo/ *nm* 1 (chaussure) clog; 2 Zool hoof; **coup de ~ de cheval/de vache** kick from a horse/from a cow; **recevoir un coup de ~ de cheval** to get kicked by a horse; **donner un coup de ~ à qn** to kick sb, to give sb a kick; 3 Aut shoe; 4 Tech (de pieu, poteau) shoe; (de pied de meuble) (metal) foot; 5 ○(objet sans valeur) old contraption

(Composés) **~ d'enrayage** Rail slipper brake; **~ de Denver®** wheel clamp; **mettre un ~ de Denver® à une voiture** to clamp a car; **~ de frein** brake shoe

(Idiomes) **jouer/travailler comme un ~○** to play/to work very badly; **je te vois** *or* **t'entends venir avec tes gros ~s○** I can see it coming a mile off○; **ne pas se trouver sous le ~ d'un cheval** to be hard to come by; **ne pas avoir les deux pieds dans le même ~** to be on one's toes

sabotage /sabɔtaʒ/ *nm* 1 (méthode) sabotage; **faire du ~** to do acts of sabotage; 2 (acte) act of sabotage; **explosion due à un ~** explosion caused by sabotage

saboter /sabɔte/ [1] *vtr* 1 (détériorer) to sabotage [*matériel, véhicule*]; 2 (faire échouer) to sabotage [*négociation, plan*]; **~○ un travail** to botch a job

saboterie /sabɔtʀi/ *nf* clog factory

saboteur, -euse /sabɔtœʀ, øz/ *nm,f* 1 (de matériel) saboteur; 2 (de travail) botcher

sabotier, -ière /sabɔtje, ɛʀ/ ▸ **p. 532** *nm,f* (fabricant) clog maker; (commerçant) clog seller

sabre /sɑbʀ/ *nm* 1 (à lame droite) sword; (à lame courbée) sabre[GB]; **se battre au ~** to fight with swords; **~ au clair** Mil with sword(s) drawn; **mettre ~ au clair** to draw one's sword; **bruits de ~** fig sabre[GB]-rattling; **recevoir un coup de ~** to be struck by a sword *ou* a sabre[GB]; **le ~ et le goupillon** fig the Army and the Church; 2 ○fig (rasoir) cut-throat razor

(Composés) **~ d'abattage** *or* **d'abattis** machete; **~ d'abordage** cutlass; **~ de cavalerie** riding sabre[GB]

sabrer /sɑbʀe/ [1] *vtr* 1 Mil to sabre[GB], to cut down; 2 (écourter) to cut chunks out of [*article, manuscrit*]; (supprimer) to cut out [*phrase, paragraphe*]; to axe[GB] [*projet*]; 3 (critiquer) to tear [sb] to pieces [*auteur*]; to pan○ [*livre, film*]; 4 ○(recaler) to flunk○ [*étudiant*]; (licencier) to fire, to sack○ GB; 5 (rayer) liter to score [*page, dessin*] (**de** with); **la cicatrice qui sabre sa joue** the scar which is scored across his cheek; 6 ○(bâcler) to rush through [*travail*]

sabretache /sabʀətaʃ/ *nf* sabretache

sabreur /sɑbʀœʀ/ *nm* 1 Mil, Sport swordsman; 2 péj (soldat) real fighter

sac /sak/ *nm* 1 (contenant) gén bag; (grossier, à usage commercial) sack; **~ de sport** sports bag GB, gym bag US; **~ à charbon/à patates** coal/potato sack; **~ de farine** (petit) flour bag; (grand) flour sack; 2 (contenu) bag(ful), sack(ful); **j'ai consommé trois ~s de charbon cet hiver** I used three sacks of coal this winter; 3 Anat, Bot sac; 4 (pillage) sack; **mettre à ~** to sack [*ville, région*]; to ransack [*boutique, maison*]; 5 ◑(10 francs) *ten French francs*

(Composés) **~ d'aspirateur** dust bag, vacuum-cleaner bag; **~ à bandoulière** shoulder bag; **~ de congélation** freezer bag; **~ de couchage** sleeping bag; **~ à dos** rucksack GB, backpack; **~ à dos à claie** stretcher-frame rucksack GB *ou* backpack; **~ à dos promenade** daysack GB, knapsack US; **~ d'embrouilles** can of worms; **~ herniaire** Anat hernial sac; **~ isotherme** cool bag; **~ lacrymal** Anat lacrymal sac; **~ à main** handbag, purse US; **~ à malices** bag of tricks; **~ (de) marin** Naut kitbag GB, duffel bag US; **~ de montagne** rucksack GB, knapsack; **~ de nœuds** fig = **~ d'embrouilles**; **~ d'os○** fig bag of bones; **~ à papier○!** nitwit○!; **~ penderie** suiter, suit bag; **~ de plage** beachbag; **~ en plastique** (sans poignées) polythene bag; (avec poignées) carrier bag; **~ pollinique** Bot pollen sac; **~ polochon** holdall; **~ postal** mail sack; **~ poubelle** bin liner GB, trash bag US, trash-can liner US; **~ à provisions** shopping bag, carry-all US; **~ à puces○** fleabag○ GB, flea-infested animal; **~ reporter** bucket bag; **~ de sable** Constr, Mil sandbag; (pour la boxe) punchbag GB, punching bag US; **~ à viande○** (sleeping bag) liner; **~ à vin○** (old) soak○; **~ de voyage** travel bag

(Idiomes) **l'affaire est dans le ~○** it's in the bag○; **avoir plus d'un tour dans son ~** to have more than one trick up one's sleeve; **être habillé comme un ~ (à patates)** to look like a sack of potatoes; **vider son ~○** to get it off one's chest; **se faire prendre la main dans le ~** to be caught red-handed; **mettre dans le même ~** to lump [sth] together, to tar [sth] with the same brush péj

saccade /sakad/ *nf* jerk; **avancer par ~s** to jerk along

saccadé, ~e /sakade/ *adj* [*mouvement, marche*] jerky; [*musique, rythme*] staccato; [*voix*] clipped

saccage /sakaʒ/ *nm* (de région) devastation; (de bâtiment) vandalizing

saccager /sakaʒe/ [13] *vtr* 1 (abîmer) to wreck, to devastate [*région, site, arbres*]; to vandalize [*bâtiment, tombe*]; 2 (mettre à sac) to sack

saccharine* /sakaʀin/ *nf* saccharin

saccharose* /sakaʀoz/ *nm* saccharose

SACEM /sasɛm/ *nf* (*abbr* = **Société des auteurs, compositeurs et éditeurs de musique**) *association of composers and music publishers to protect copyright and royalties*

sacerdoce /sasɛʀdɔs/ *nm* 1 Relig priesthood; **30 ans de ~** 30 years in the priesthood; 2 fig vocation

sacerdotal, ~e, *mpl* **-aux** /sasɛʀdɔtal, o/ *adj* priestly, sacerdotal sout

sachem /saʃɛm/ *nm* sachem; **le (grand) ~** fig the boss

sachet /saʃɛ/ *nm* (de poudre) packet, package; (d'aromates) sachet; (de confiseries) bag; **~ de pastilles/chocolats** bag of lozenges/chocolates; **~ de lavande** lavender-bag; **~ de thé** teabag; **elle achète son thé en ~s plutôt qu'en vrac** she buys teabags and not loose tea; **un ~ d'infusion** herbal teabag

sacoche /sakɔʃ/ *nf* 1 (gros sac) bag; (banane) bumbag; 2 (de deux-roues) (contre la roue arrière) pannier GB, saddlebag US; (sous la selle) saddlebag; 3 (d'écolier) (school)bag; (avec bretelles) satchel

(Composés) **~ à outils** toolbag; **~ de plombier** plumber's toolbag; **~ de postier** postbag GB, mailbag

sacquer○ /sake/ [1] *vtr* 1▸ [*employeur*] to sack○, to fire○ [*employé*]; 2▸ [*enseignant*] to mark [sb] strictly; **se faire ~ en anglais** to get a really low mark in English; **se faire ~ à un examen** to be failed at an exam

(Idiome) **je ne peux pas le ~** I can't stand the sight of him

sacral, **~e**, *mpl* **-aux** /sakʀal, o/ *adj* sacral

sacralisation /sakʀalizasjɔ̃/ *nf* **la ~ de la science** regarding science as sacred

sacraliser /sakʀalize/ [1] *vtr* 1▸ (rendre sacré) to make [sth] sacred; 2▸ (considérer comme sacré) to regard [sth] as sacred

sacramentel, **-elle** /sakʀamɑ̃tɛl/ *adj* 1▸ Relig [*onction, rite*] sacramental; 2▸ fig (rituel) ritual, sacred

sacre /sakʀ/ *nm* (de roi) coronation; (d'évêque) consecration; **il a reçu le ~ du prix Nobel** fig he has been honoured[GB] with the Nobel prize; **le Sacre du Printemps** Mus The Rite of Spring

sacré, **~e** /sakʀe/
A *pp* ▸ **sacrer**
B *pp adj* 1▸ Relig [*art, objet, lieu, flamme*] sacred; [*cause, fureur*] holy; 2▸ (à respecter) [*règle, lien, droit*] sacred; **mes soirées, c'est ~** my evenings are sacred; 3▸ ○(remarquable) **être un ~ menteur/travailleur** to be a hell of a○ liar/worker; **avoir un ~ culot/une ~e patience** to have a hell of a nerve○/a hell of a lot○ of patience; **il a un ~ courage** he's really courageous; **en prendre un ~ coup**○ to get a hell of a knock○; **il a eu une ~e veine** *or* **chance** he's been damn○ lucky; 4▸ ○(maudit) blasted○, confounded○; **la ~e manie de faire qch** the infuriating habit of doing sth; 5▸ ○(d'admiration, de surprise) **~ Paul, va!** Paul, you old devil!; **ce ~ Pierre s'en est encore tiré** that old devil Pierre has got GB *ou* gotten US away with it again; **~ veinard** lucky devil○; **~ nom d'une pipe**○ *ou* **~ nom de nom**○**!** (de surprise) good grief!; (de colère) hell and damnation!
C *nm* **le ~** the sacred

(Composé) **le Sacré Collège** Relig the Sacred College

(Idiome) **avoir le feu ~** to be full of zeal *ou* enthusiasm

sacrebleu /sakʀəblø/ *excl* good grief○!

Sacré-Cœur /sakʀekœʀ/ *nm* Relig Sacred Heart

sacrement /sakʀəmɑ̃/ *nm* sacrament; **mourir muni des derniers ~s de l'Église** to die having received the last rites of the Church; **le saint ~** the Blessed Sacrament

sacrément○ /sakʀemɑ̃/ *adv* incredibly○

sacrer /sakʀe/ [1] *vtr* 1▸ Relig to crown [*roi*]; to consecrate [*évêque*]; 2▸ fig **être sacré champion de ski** to be crowned ski champion; **elle fut sacrée meilleure actrice de sa génération** she was hailed as the best actress of her generation

sacrificateur, **-trice** /sakʀifikatœʀ, tʀis/ *nm,f* sacrificer

sacrifice /sakʀifis/ *nm* sacrifice; **faire de grands ~s** to make great sacrifices; **faire le ~ de qch** to sacrifice sth

sacrificiel, **-ielle** /sakʀifisjɛl/ *adj* sacrificial

sacrifier /sakʀifje/ [1]
A *vtr* 1▸ (immoler) lit to sacrifice (**à** to); 2▸ (négliger) **~ ses loisirs pour étudier** to sacrifice *ou* to give up one's free time in order to study; **il a fallu ~ les deux derniers chapitres** we had to sacrifice the last two chapters; **~ sa famille à son travail** to put one's work before one's family; 3▸ ○Comm to give away, to sell [sth] off cheap [*marchandise*]; to slash [*prix*]; **'prix sacrifiés'** rock-bottom prices
B **sacrifier à** *vtr ind* to conform to [*rite, coutume*]
C **se sacrifier** *vpr* 1▸ lit to sacrifice oneself (**pour qn** for sb); 2▸ ○fig (financièrement) to make sacrifices (**pour qn** for sb)

sacrilège /sakʀilɛʒ/
A *adj* sacrilegious
B *nm* Relig sacrilege ¢; **un ~** an act of sacrilege

sacripant○ /sakʀipɑ̃/ *nm* tearaway○

sacristain /sakʀistɛ̃/ ▸ **p. 532** *nm* sexton

sacristie /sakʀisti/ *nf* (d'église) sacristy; (de temple protestant) vestry

sacro-iliaque, *pl* **~s** /sakʀoiljak/ *adj* sacro-iliac

sacro-lombaire, *pl* **~s** /sakʀolɔ̃bɛʀ/ *adj* sacrolumbar

sacro-saint, **~e**, *mpl* **~s*** /sakʀosɛ̃, ɛ̃t/ *adj* sacrosanct

sacro-sciatique, *pl* **~s** /sakʀosjatik/ *adj* sacrosciatic

sacrum /sakʀɔm/ *nm* sacrum

sadique /sadik/
A *adj* sadistic
B *nmf* sadist

sadiquement /sadikmɑ̃/ *adv* sadistically

sadisme /sadism/ *nm* sadism

sado-maso○ /sadomazo/ *adj inv* sadomasochistic

sadomasochisme /sadomazɔʃism/ *nm* sadomasochism

sadomasochiste /sadomazɔʃist/
A *adj* sadomasochistic
B *nmf* sadomasochist

safari /safaʀi/ *nm* safari

safari-photo, *pl* **safaris-photos** /safaʀifoto/ *nm* photographic safari

safran /safʀɑ̃/ ▸ **p. 202**
A *adj inv* saffron (yellow)
B *nm* 1▸ (épice) saffron; **riz au ~** saffron rice; 2▸ (couleur) saffron; 3▸ Naut rudder blade

safrané, **~e** /safʀane/ *adj* (pour le goût) saffron (*épith*); (pour la couleur) coloured[GB] with saffron

saga /saga/ *nf* saga

sagace /sagas/ *adj* sagacious, shrewd

sagacité /sagasite/ *nf* sagacity, shrewdness

sagaie /sagɛ/ *nf* assegai

sage /saʒ/
A *adj* 1▸ (sensé) [*personne*] wise; [*paroles, décision, précaution, action*] wise, sensible; [*compromis*] sensible; **il serait ~ de faire** it would be wise *ou* sensible to do; **il serait ~ que vous le fassiez** you would be wise to do it; 2▸ (docile) [*enfant, chien*] good, well-behaved; [*public*] restrained; [*ville*] sedate; **sois ~!** be good!, behave yourself!; 3▸ (modéré) [*goût, mode*] sober; [*spectacle, esthétique*] tame; [*prix*] moderate, reasonable; [*idées*] sensible; **conduite ~** Aut sensible driving; 4▸ (pudique) [*vêtement*] sober
B *nm* 1▸ (homme avisé) wise man; Antiq sage; 2▸ (conseiller) expert

(Idiome) **être ~ comme une image** to be as good as gold

sage-femme, *pl* **sages-femmes*** /saʒfam/ ▸ **p. 532** *nf* midwife; **un homme ~** a male midwife

sagement /saʒmɑ̃/ *adv* 1▸ (avec bon sens) [*choisir, agir, conseiller*] wisely; 2▸ (avec docilité) [*attendre, écouter*] quietly; **aller ~ s'asseoir** to go and sit down quietly; **livres ~ rangés sur les rayons** books neatly arranged on the shelves; 3▸ (sans excès) **user ~ de qch** to use sth wisely; **le marché a réagi ~** Fin the market reacted quietly; 4▸ (avec décence) gén properly; [*s'habiller*] soberly; [*vivre*] quietly; **se conduire ~** to behave oneself

sagesse /saʒɛs/ *nf* 1▸ (de sage) wisdom; **la ~ des nations** popular wisdom; ▸ **crainte**; 2▸ (bon sens) (de personne) wisdom, common sense; (de parole, décision, d'action) wisdom; (de conseil) soundness; **faire preuve de ~** to show common sense; **avoir la ~ de faire** to have the good sense to do; **la voix de la ~** the voice of reason; **avec ~** wisely *ou* sensibly; 3▸ (docilité) good behaviour[GB]; **être d'une ~ exemplaire** to be a model of good behaviour[GB]; 4▸ (modération) moderation; (manque d'audace) staidness; **user de qch avec ~** to use sth wisely; **la ~ de la façade** the unadventurousness of the façade; **la ~ de nos prix** our sensible *ou* moderate prices; 5▸ (réserve) sensible behaviour[GB]; (de vêtement) sobriety; 6▸ Relig **le Livre de la Sagesse** the Wisdom of Solomon

Sagittaire /saʒitɛʀ/ ▸ **p. 912** *nprm* Sagittarius

sagittal, **~e**, *mpl* **-aux** /saʒital, o/ *adj* Anat, Math sagittal

sagouin○, **~e** /sagwɛ̃, in/ *nm,f* (dirty) slob○; **travail de ~** sloppy *ou* slovenly work

Sahara /saaʀa/ ▸ **p. 721** *nprm* Sahara

(Composé) **~ occidental** Western Sahara

saharien, **-ienne** /saaʀjɛ̃, ɛn/
A *adj* Saharan
B **saharienne** *nf* (veste) safari jacket

Sahel /saɛl/ ▸ **p. 721** *nprm* Sahel

sahélien, **-ienne** /saeljɛ̃, ɛn/ *adj* Sahelian

saignant, **~e** /sɛɲɑ̃, ɑ̃t/
A *adj* 1▸ [*viande*] rare; 2▸ [*blessure*] lit bleeding; fig raw; 3▸ ○fig [*critique*] savage; Sport [*rencontre*] bloody; Presse [*manchette*] sensationalist
B ○*nm* **le ~** Culin rare meat; Presse sensationalism

saignée /sɛɲe/ *nf* 1▸ Méd bloodletting, bleeding; **faire une ~ à qn** to bleed sb; 2▸ (dans un budget) hole (**dans** in); **pratiquer une ~ dans son budget** to make a hole in one's budget; 3▸ (entaille) cut; (pour câble) groove; 4▸ Agric (rigole) drainage channel

(Composé) **la ~ du coude** the inside of the elbow

saignement /sɛɲ(ə)mɑ̃/ *nm* bleeding ¢

(Composé) **~ de nez** nosebleed

saigner /sɛɲe/ [1]
A *vtr* 1▸ Méd to bleed; 2▸ (tuer) to kill [sth] (*by slitting its throat*) [*animal*]; **~ un cochon** to stick a pig
B *vi* to bleed; **~ du nez** to have a nosebleed; **il saignait du nez** his nose was bleeding; **ça va ~**○ there'll be trouble○

(Idiomes) **~ comme un bœuf**○ to bleed heavily; **~ qn à blanc** to bleed sb dry; **se ~ (aux quatre veines) pour qn** to make big sacrifices for sb

saillant, **~e** /sajɑ̃, ɑ̃t/
A *adj* 1▸ [*os, mâchoire*] prominent; [*muscle*] bulging; [*angle*] salient; 2▸ [*fait, épisode*] salient
B *nm* Archit, Mil salient

saillie /saji/ *nf* 1▸ (avancée) projection; **en ~** projecting (*épith*); **le balcon est en ~** the balcony juts out; **faire ~** to project; 2▸ Zool covering, serving; 3▸ (pointe d'esprit) sally

saillir /sajiʀ/ [28]
A *vtr* (couvrir) to cover, to serve
B *vi* (avancer) to jut out; (ressortir) [*côtes, muscles*] to bulge

sain, **~e** /sɛ̃, sɛn/ *adj* 1▸ (en bonne santé) lit, fig [*personne, corps, esprit, plante, économie*] healthy; [*dent*] sound, healthy; **~ d'esprit** sane; **~ de corps et d'esprit** sound in body and mind; **~ et sauf** [*revenir*] safe and sound; [*s'en tirer, s'en sortir*] unscathed; 2▸ (bénéfique) [*climat, alimentation, activité, vie*] healthy; [*affaire, entreprise*] sound; [*lecture*] wholesome, suitable; **c'est un divertissement ~** it's good clean fun; 3▸ (en bon état) [*plante*] healthy; [*fruit, maison, charpente*] sound; [*plaie*] clean; 4▸ (solide, fiable) [*jugement, bases, gestion*] sound; 5▸ (normal) [*curiosité, scepticisme, colère*] healthy; 6▸ Naut [*côte*] safe

saindoux /sɛ̃du/ *nm inv* lard

sainement /sɛnmɑ̃/ *adv* 1▸ [*vivre, s'alimenter*] healthily; 2▸ [*juger*] sensibly; [*raisonner*] soundly

S

sainfoin /sɛ̃fwɛ̃/ *nm* sainfoin
(Composés) ~ **des Alpes** French honeysuckle; ~ **d'Espagne** *or* **d'Italie** sulla; ~ **oscillant** telegraph plant

saint, ~**e** /sɛ̃, sɛ̃t/
A *adj* **1** (sacré) holy; **image** ~**e** holy image; **les** ~**s Apôtres** the holy apostles; ~**es huiles** holy oils; **la** ~**e Bible** the Holy Bible; **semaine** ~**e** Holy Week; **vendredi** ~ Good Friday; **jeudi** ~ Maundy Thursday; **2** (canonisé) ~ **Paul/Ignace de Loyola/Thomas d'Aquin** Saint Paul/Ignatius Loyola/Thomas Aquinas; **3** (vertueux) good, godly; **4** ○(pour insister) **toute la** ~**e journée** the whole blessed○ day; **j'ai une** ~**e horreur de qch** I can't stand sth
B *nm,f* saint; **ce n'est pas un** ~**e, il lui arrive de se mettre en colère!** she's no saint, she sometimes gets cross; **se prendre pour un** ~**/une** ~**e** to think one is perfect; **elle croit que son fils est un (petit)** ~ she thinks her son is perfect, in her eyes her son can do no wrong; ▸ **prêcher, vouer**
(Composés) **le** ~ **des** ~**s** lit, fig the Holy of Holies; **les** ~**s de glace** the 11th, 12th and 13th May; **les** ~**s Innocents** the Holy Innocents; **le** ~ **suaire** the Holy Shroud; **la** ~**e Église catholique** the Holy Catholic Church; **la** ~**e famille** the Holy family; ~**e nitouche** pej goody-goody○ péj; **ne fais pas ta** ~**e nitouche** don't be such a goody-goody○; **je ne supporte pas ses airs de** ~**e nitouche!** I can't stand it when she's doing her goody-goody○ act!; ~**e table** communion rail ; **la Sainte Vierge** the Virgin Mary; **les** ~**es Écritures** the Holy Scriptures
(Idiome) **jurer par tous les** ~**s (du Paradis)** to swear by all the saints

Saint-André /sɛ̃tɑ̃dʀe/ *npr* **croix de** ~ Saint Andrew's cross

Saint-Antoine /sɛ̃tɑ̃twan/ *npr* **croix de** ~ Saint Anthony's cross, tau cross

Saint-Barthélémy /sɛ̃baʀtelemi/ *nf* **la** ~ the St Bartholomew's Day massacre

Saint-Benoît /sɛ̃bənwa/ *npr* **herbe de** ~ avens

saint-bernard /sɛ̃bɛʀnaʀ/ *nm inv* St Bernard; **c'est un vrai** ~ fig he's/she's a real Good Samaritan

Saint-Christophe et Nièves /sɛ̃kʀistɔfenjɛv/ ▸ **p. 333, p. 435** *nprm* Saint Christopher-Nevis

Saint-Cyr /sɛ̃siʀ/ *npr: French military academy*

saint-cyrien, *pl* ~**s** /sɛ̃siʀjɛ̃/ *nm* (ancien élève) graduate of St Cyr; (élève) student at St Cyr

Saint-Domingue /ʃɛ̃dɔmɛ̃g/ ▸ **p. 894** *npr* Santo Domingo

Sainte-Alliance /ʃɛ̃taljɑ̃s/ *nprf* **la** ~ the Holy Alliance

Sainte-Barbe /ʃɛ̃tbaʀb/ *npr* **herbe de** ~ wintercress

Sainte-Hélène /sɛ̃telɛn/ ▸ **p. 435** *nprf* Saint Helena

Saint-Elme /sɛ̃tɛlm/ *npr* **feu** ~ Saint Elmo's fire

Sainte-Lucie /sɛ̃tlysi/ ▸ **p. 333, p. 435** *nprf* St Lucia

saintement /sɛ̃tmɑ̃/ *adv* **mourir** ~ to die like a saint; **vivre** ~ to live a saintly life

Saint-Esprit /sɛ̃tɛspʀi/ *nprm* Holy Spirit; (en formule) Holy Ghost; **par l'opération du** ~○ by magic

sainteté /sɛ̃tte/ *nf* **1** (de personne) saintliness, sanctity; (de lieu) holiness; **2** (titre) **Sa Sainteté** His Holiness
(Idiome) **ne pas être en odeur de** ~ **(auprès de qn)** to be in sb's bad books

Saint-Étienne /sɛ̃tetjɛn/ ▸ **p. 894** *npr* Saint-Étienne

Sainte-Trinité /sɛ̃ttʀinite/ *nf* the Holy Trinity

Saint-Fiacre /ʃɛ̃fjakʀ/ *npr* **herbe de** ~ heliotrope

saint-frusquin○ /sɛ̃fʀyskɛ̃/ *nm inv* **tout le** ~ the whole caboodle○

Saint-Gall /sɛ̃gal/ *npr* **1** ▸ **p. 894** (ville) Saint Gall; **2** ▸ **p. 721** (région) **canton de** ~ canton of Saint Gall

Saint-Georges /sɛ̃ʒɔʀʒ/ *npr* **canal** ~ Saint George's channel

saint-glinglin○: **à la saint-glinglin** /alasɛ̃glɛ̃glɛ̃/ *loc adv* probably never; **rester/attendre jusqu'à la** ~ to stay/wait till the cows come home○

Saint-Guy /sɛ̃gi/ ▸ **p. 283** *npr* **la danse de** ~ Méd Saint Vitus's dance; fig the fidgets (*pl*)

Saint-Hélier /sɛ̃telje/ ▸ **p. 894** *npr* St Helier

saint-honoré /sɛ̃tɔnɔʀe/ *nm inv* Culin Saint-Honoré (*cream-filled tart topped with choux and caramel*)

Saint-Jacques /sɛ̃ʒak/ *npr* **coquille** ~ scallop

Saint-Jacques-de-Compostelle /sɛ̃ʒakdəkɔ̃pɔstɛl/ ▸ **p. 894** *npr* Santiago de Compostela

Saint-Jean /sɛ̃ʒɑ̃/ *nf inv* **la** ~ Midsummer Day; **feux de la** ~ *bonfires lit on Midsummer Night*

Saint-Laurent /sɛ̃lɔʀɑ̃/ ▸ **p. 372** *nprm* **le** ~ the Saint Lawrence; **le golfe du** ~ the Gulf of Saint Lawrence

Saint-Malo /sɛ̃malo/ ▸ **p. 894** *npr* Saint-Malo

Saint-Marin /sɛ̃maʀɛ̃/ ▸ **p. 894, p. 333** *nprm* San Marino

Saint-Martin /sɛ̃maʀtɛ̃/ ▸ **p. 222** *nf inv* **été de la** ~ Indian summer

Saint-Michel /sɛ̃miʃɛl/ *npr* **le mont** ~ the Mont-Saint-Michel

Saint-Nicolas /sɛ̃nikɔla/ *nf* **la** ~ Saint Nicholas' Day, 6 December

Saint-Office /sɛ̃tɔfis/ *nm* Holy Office

Saint-Père /sɛ̃pɛʀ/ *nm* Holy Father

Saint-Pétersbourg /sɛ̃peteʀsbuʀ/ ▸ **p. 894** *npr* St Petersburg

Saint-Philippe /sɛ̃filip/ *npr* **herbe de** ~ Bot woad

saint-pierre /sɛ̃pjɛʀ/ *nm inv* Culin, Zool John Dory

Saint-Pierre-et-Miquelon /sɛ̃pjɛʀemiklɔ̃/ ▸ **p. 435** *nprf* Saint Pierre and Miquelon

Saint-Roch /sɛ̃ʀɔk/ *npr* **herbe** ~ fleabane

Saint-Sépulcre /sɛ̃sepylkʀ/ *nm* Holy Sepulchre[GB]

Saint-Siège /sɛ̃sjɛʒ/ *nm* Holy See

saint-simonisme /sɛ̃simɔnism/ *nm* Saint-Simonianism

Saint-Sylvestre /sɛ̃silvɛstʀ/ *nf inv* **la** ~ New Year's Eve

saint-synode, *pl* **saints-synodes** /sɛ̃sinɔd/ *nm* holy synod

Saint-Thomas et Prince /sɛ̃tɔmaepʀɛ̃s/ ▸ **p. 333, p. 435** *nprm* Sao Tomé e Principe

Saint-Tropez /sɛ̃tʀope/ ▸ **p. 894** *npr* Saint-Tropez

Saint-Valentin /sɛ̃valɑ̃tɛ̃/ ▸ **p. 222** *nf inv* **la** ~ St Valentine's Day, Valentine's Day

Saint-Vincent et les Grenadines /sɛ̃vɛ̃sɑ̃elegʀənadin/ ▸ **p. 333, p. 435** *nprm* St Vincent and the Grenadines

saisie /sezi/ *nf* **1** (confiscation) seizure; ~ **de drogue** seizure of drugs; **2** Jur seizure; **opérer une** ~ to make a seizure; **3** Ordinat ~ **(sur clavier)** keyboarding; ~ **de données** data capture
(Composé) ~ **conservatoire** sequester of property

saisie-arrêt, *pl* **saisies-arrêts** /seziaʀɛ/ *nf* attachment

saisine /sezin/ *nf* Jur *submission of a case before the court*

saisir /seziʀ/ [3]
A *vtr* **1** (prendre fermement) to seize, to grab [*objet*]; to grab [*personne, bras*]; ~ **qn par le bras/la main/la manche/les cheveux** to grab *ou* seize sb by the arm/the hand/the sleeve/the hair; **2** (attraper) [*animal*] to seize [*proie*]; ~ **au vol** lit to catch [*balle*]; fig to jump at [*affaire*]; (prendre) to snatch [sth] up; ▸ **bond**; **3** (profiter de) to seize [*occasion*]; **elle saisira le moindre prétexte pour le renvoyer**○ she'll use the slightest excuse to sack○ him; **'affaire à** ~**'** 'amazing bargain'; **4** (comprendre) to understand; **il n'a pas l'air de** ~ **la gravité de la situation** I don't think he understands how serious the situation is; **tu saisis?** do you understand?, do you get it○?; **5** (entendre) to catch [*bribes de conversation*]; **6** (s'emparer de) [*émotion, froid, envie, terreur*] to grip [*personne*]; **elle a été saisie par le froid en entrant dans l'eau** she was gripped by the cold as she went into the water; **elle a été saisie d'une envie de rire** she was seized with a desire to laugh; **7** (impressionner) to strike [*personne*]; **j'ai été saisi par leur maigreur** I was struck by how thin they were; **il a été saisi par la beauté du paysage** he was struck by the beauty of the landscape; **8** (confisquer) [*police, douane*] to seize [*drogue*]; **9** Jur to seize, to distrain [*biens*]; ~ **la justice** to go to law; ~ **la justice d'une affaire** to refer *ou* submit a matter to a court; **la Cour Suprême a été saisie de l'affaire** the matter was referred to the Supreme Court; **10** Ordinat to capture [*données*]; to keyboard [*texte*]; **11** Culin to sear [*viande*]
B se saisir *vpr* **se** ~ **de** to catch *ou* grab hold of [*objet*]; to annex [*territoire*]

saisissable /sezisabl/ *adj* **1** (perceptible) [*détail, nuance*] perceptible; **2** Jur [*biens*] distrainable; [*revenus*] attachable

saisissant, ~**e** /sezisɑ̃, ɑ̃t/ *adj* **1** [*froid*] piercing; **2** (frappant) [*effet, ressemblance, coïncidence*] striking; **un portrait** ~ **de ressemblance** a portrait which is a striking likeness

saisissement /sezismɑ̃/ *nm* **1** (sensation de froid) sudden chill; **2** (émotion) sudden emotion, shock

saison /sɛzɔ̃/ ▸ **p. 769** *nf* **1** (division de l'année) season; **en cette** ~ at this time of year; **en toute** ~ all (the) year round; **il fait** *or* **c'est un temps de** ~ it's typical weather for the time of year, it's seasonal weather; **porter des vêtements de** ~ to wear the right clothes for the time of year; **fruits de** ~ seasonal fruits; **la** ~ **nouvelle** springtime; **à la belle/mauvaise** ~ in the summer/winter months; **remarque de** ~ fig fitting remark; **il n'y a plus de** ~**s!** there are no real seasons any more; **2** (période) season; ~ **des asperges/huîtres** asparagus/oyster season; ~ **des pluies** rainy season; ~ **froide** cold season; ~ **des amours/de la pêche** mating/fishing season; ~ **des foins/semailles** haymaking/sowing time; **3** Tourisme season; ~ **touristique** tourist season; ~ **des vacances** holiday GB *ou* vacation US season; **aller faire la** ~ **à Nice** to go and work in Nice during the holiday season; **en pleine** ~ at the height of the season; **la haute/morte** ~ the high/slack season; **en basse** ~ in the off season; **prix hors** ~ off-season prices; **4** Sport, Théât season; ~ **hippique/théâtrale** horseracing/theatre season; **5** TV season; **6** Méd **faire une** ~ **à Vichy** to take a cure at Vichy

saisonnier, **-ière** /sɛzɔnje, ɛʀ/
A *adj* seasonal
B *nm,f* (ouvrier) seasonal worker; (hôtelier) *hotelier who only opens during the season*

saké /sake/ *nm* sake

Sakhaline /sakalin/ ▸ **p. 435** *npr* **île** ~ Sakhalin

salace /salas/ *adj* salacious

salacité /salasite/ *nf* salaciousness

salade /salad/ *nf* **1** (plante) lettuce; **planter des** ~**s** to plant lettuces; **2** (plat) salad;

ℹ Les saisons

■ *En anglais, on trouve quelquefois les noms des saisons avec des majuscules, mais les minuscules sont préférables.*

printemps = spring
été = summer
automne = autumn (*GB*) *ou* fall (*US*)
hiver = winter

■ *Dans les expressions suivantes,* summer *est pris comme exemple; les autres noms de saisons s'utilisent de la même façon.*

j'aime l'été
= I like the summer *ou* I like summer

l'été a été pluvieux
= the summer was wet
ou summer was wet

un été pluvieux
= a rainy summer

l'été le plus chaud
= the warmest summer

Quand?

■ *L'anglais emploie souvent* in *devant les noms de saisons.*

en été
= in the summer
ou in summer

au début de l'été
= in the early summer
ou in early summer

à la fin de l'été
= in the late summer
ou in late summer

à la mi-été
= in mid-summer

■ *Mais* in *peut être remplacé par une autre préposition, ou par* this, that, next, last *etc.*

pendant l'été
= during the summer

pendant tout l'été
= throughout the summer

tout au long de l'été
= all through the summer

avant l'été
= before the summer

jusqu'à l'été
= until the summer

cet été
= this summer

cet été-là
= that summer

l'été prochain
= next summer

l'été dernier
= last summer

tous les ans en été
= every summer

un été sur deux
= every other summer
ou every second summer

presque tous les étés
= most summers

De avec les noms de saisons

■ *Les expressions françaises avec* de *se traduisent en anglais par l'emploi des noms de saisons en position d'adjectifs.*

la collection d'été
= the summer collection

une journée d'été
= a summer day

une pluie d'été
= a summer shower

un soir d'été
= a summer evening

le soleil d'été
= summer sunshine

les soldes d'été
= the summer sales

des vêtements d'été
= summer clothes

un temps d'été
= summer weather

■ *Enfin, comparer:*

un matin d'été
= one summer morning

par un matin d'été
= on a summer morning

un matin en été
= one morning in summer

~ verte green salad; **~ de tomates/riz** tomato/rice salad; **~ composée** mixed salad; **haricots verts en ~** French bean salad; 3 ○(embrouillamini) muddle; (mensonge) yarn; (boniment de vendeur) sales patter *ou* pitch○; **raconter des ~s** to spin yarns○; **il a essayé de me vendre sa ~** he gave me his sales patter *ou* pitch○

(Composés) **~ de fruits** fruit salad; **~ niçoise** salade niçoise; **~ russe** Russian salad; **~ tiède** *green salad with warm garnish*

saladier /saladje/ *nm* (récipient) salad bowl; (contenu) bowl

salage /salaʒ/ *nm* 1 (de nourriture) salting; 2 (de route) gritting GB, salting US

salaire /salɛʀ/ *nm* 1 (paie) salary; (à la journée, à l'heure, à la semaine) (taux) wage; (somme) wages (*pl*); **~ annuel/mensuel** annual/monthly salary; **~ horaire/journalier/hebdomadaire** hourly/daily/weekly wage *ou* salary; **~ brut/net** gross/take-home pay; **~ au rendement** incentive wages, efficiency wages US; **~ de misère** *or* **famine** starvation wage; 2 fig (récompense) reward (**de** for); (châtiment) punishment (**de** for)

(Composés) **~ de base** basic salary GB, base pay US; **~ d'embauche** starting salary; **~ unique** single income

(Idiome) **toute peine mérite ~** Prov hard work deserves a reward

salaison /salɛzɔ̃/ *nf* 1 (viande) salt meat ₵; (poisson) salt fish ₵; 2 (action de saler) salting

salamalecs /salamalɛk/ *nmpl* unctuousness ₵; **faire des ~** to be unctuous

salamandre /salamɑ̃dʀ/ *nf* 1 Zool salamander; 2 ®(poêle) (slow-burning) stove

Salamanque /salamɑ̃k/ ▸ **p. 894** *npr* Salamanca

salami /salami/ *nm* salami GB, boloney US

salant /salɑ̃/ *adj m* **marais ~** saltern

salarial, **~e**, *mpl* **-iaux** /salaʀjal, o/ *adj* 1 (des salaires) [*politique, législation, négociations, revendications, augmentation*] wage (*épith*); **allocations ~es** tax allowances; **revenu ~/non ~** earned/unearned income; 2 (des salariés) **cotisation ~e** employee's contribution; **charges ~es** payroll charges; **coût ~ unitaire** unit wage cost

salariat /salaʀja/ *nm* 1 (ensemble des salariés) wage-earners (*pl*); **progression du ~ féminin** increase in the female workforce *ou* in the number of women at work; 2 (condition) **le ~ à temps partiel** part-time wage earning; **le ~ et le bénévolat** salaried and voluntary status; 3 (mode de rémunération) (au mois) payment by salary; (à l'heure, la semaine) payment by wages

salarié, **~e** /salaʀje/
A *adj* [*ouvrier, employé*] wage-earning; [*emploi, travail*] salaried; **travailleur non ~** non-wage-earning worker; **travail non ~** unwaged work
B *nm,f* (ouvrier) wage earner; (employé) salaried employee; **les ~s** wage earners; **les ~s d'une entreprise** the employees on a company's payroll

salaud◑ /salo/
A *adj m* rotten○; **c'est ~ ce que tu as fait là** that was a rotten○ thing to do
B *nm* offensive bastard◑; **t'en as d'la chance mon ~!** you lucky bastard◑!; **faire un coup de ~ à qn** to play sb a rotten trick

sale /sal/
A *adj* 1 (*after n*) (pas propre) dirty; (obscène) dirty; ▸ **linge**; 2 (*before n*) (désagréable) [*individu*] horrible; [*bête, maladie, affaire, habitude*] nasty; [*temps*] filthy; [*métier, travail, endroit*] rotten; offensive dirty; **quel ~ gosse**○! what a horrible brat○!; **~ menteur!** you dirty liar!; **quel ~ bled**○! what a dump○!; **il a une ~ tête** *or* **gueule**◑ (antipathique) he's got a nasty face; (maladif) he looks dreadful; (mécontent) he's pulling GB *ou* making US an awful face; **faire une ~ tête** to pull GB *ou* make US an awful face; **l'événement fut un ~ coup pour lui** the event dealt him a very nasty blow; **jouer un ~ tour à qn** to play a dirty trick on sb; **elle a vraiment un ~ caractère** she's got a foul temper; **j'ai passé un ~ quart d'heure** *or* **de ~s moments** I had a pretty grim time (of it)
B *nm* **mettre qch au ~** to put sth in the wash; **aller au ~** to go in the wash

(Idiome) **être ~ comme un peigne** *or* **un cochon** to be filthy dirty

salé, **~e** /sale/
A *pp* ▸ **saler**
B *pp adj* 1 (contenant du sel) salt (*épith*); salty (*jamais épith*); **eau ~e** salt water; **lac ~** salt lake; **la mer est ~e** the sea is salty; 2 (additionné de sel) [*alimentation, beurre, cacahuète, eau, plat*] salted; [*mets, amuse-gueule*] savoury[GB]; (conservé avec du sel) [*poisson, viande*] salt (*épith*); **manger ~** to eat savoury[GB] things; **non ~** unsalted; **trop ~** too salty; 3 (de sel) salty; **goût ~** salty taste
C *adj* 1 (grivois) spicy; **propos ~s** spicy talk ₵; 2 ○(très élevé) [*prix*] steep; [*jugement*] stiff
D *nm* **le ~** savoury[GB] food; ▸ **petit**

salement /salmɑ̃/ *adv* 1 (en salissant) **manger ~** to be a messy eater; **un ouvrier/peintre qui travaille ~** a worker/painter who does a messy job; 2 ○(gravement) badly, seriously; **il s'est fait ~ amocher**○ he's been badly *ou* seriously injured

saler /sale/ [1] *vtr* 1 (mettre du sel sur) to salt [*mets*]; **~ et poivrer (qch)** to add salt and pepper (to sth); 2 ○(augmenter) to bump up○ [*facture, note, prix*]; 3 (en hiver) to grit GB, to salt US [*route*]

saleté /salte/ *nf* 1 (état) dirtiness; (crasse) dirt; **être d'une ~ repoussante** to be filthy, to be disgustingly dirty; **tu n'imagines pas la ~ de sa maison/ses vêtements** you can't imagine how dirty *ou* filthy his house is/his clothes are; **vivre dans la ~** to live in filth; **être couvert de ~** to be covered with dirt;

S

[2] (impureté) dirt ₵; **il y a une ~ sur l'objectif** there's dirt on the lens; [3] (ordure) **ramasser les ~s qui traînent dans le jardin** to pick up the rubbish GB *ou* trash US in the garden GB *ou* yard US; **faire des ~s** to make a mess; **le chat a fait des ~s sur le tapis** euph the cat made a mess on the carpet; **raconter des ~s** fig to tell dirty stories; [4] ○(chose de mauvaise qualité) (objet) piece of junk; (aliment) junk food; **quelle ~ cette bagnole○!** this car is a real piece of junk!; **~ d'ordinateur!** damn computer!; **c'est une vraie ~ ce virus!** it's a rotten bug!; **~ de temps!** what lousy weather○!; **~, va! dégage!** fig scum◑, get lost○!; [5] ○(méchanceté) **faire une ~ à qn** to play a dirty trick on sb

salicaire /salikɛʀ/ *nf* purple loosestrife

salicylate /salisilat/ *nm* salicylate

salicylique /salisilik/ *adj* salicylic

salière /saljɛʀ/ *nf* [1] Culin (récipient ouvert) saltcellar; (avec couvercle percé) saltcellar GB, saltshaker US; [2] ○(creux des clavicules) saltcellar○ GB

salifère /salifɛʀ/ *adj* saliferous

salification /salifikasjɔ̃/ *nf* salification

salifier /salifje/ [2] *vtr* to salify

saligaud◑ /saligo/ *nm* [1] (salaud) offensive dirty bastard◑ injur; [2] †(personne sale) dirty pig○

salin, **~e** /salɛ̃, in/

A *adj* saline

B *nm* Géog salt marsh

C saline *nf* Ind saltworks (+ *v sg*); Géog salt marsh

salinité /salinite/ *nf* salinity

salique /salik/ *adj* **loi ~** Salic law

salir /saliʀ/ [3]

A *vtr* [1] (rendre sale) to dirty [*sol, assiette*]; to soil [*draps, lit*]; [2] (flétrir) to sully [*mémoire, amour*]; to corrupt [*artiste, imagination*]; **toutes ces insinuations risquent de ~ cet homme** all these insinuations could sully the man's reputation

B *vi* [*industrie, charbon*] to pollute

C se salir *vpr* [1] (se couvrir de taches, de saleté) to get dirty, to dirty oneself; **se ~ les mains** lit, fig to get one's hands dirty; [2] (se compromettre) to sully *ou* tarnish one's reputation

salissant, **~e** /salisɑ̃, ɑ̃t/ *adj* [1] (qui devient sale) [*couleur, tissu*] which shows the dirt (*épith, après n*); **le blanc est ~** white shows the dirt; [2] (qui rend sale) [*travail*] dirty

salissure /salisyʀ/ *nf* (dirty) mark

salivaire /salivɛʀ/ *adj* salivary

salivation /salivasjɔ̃/ *nf* salivation

salive /saliv/ *nf* saliva

(Idiome) **perdre** *or* **dépenser inutilement sa ~** to waste one's breath

saliver /salive/ [1] *vi* to salivate; **~ devant qch** to drool over sth

salle /sal/ *nf* [1] (pièce) (de château, palais) hall; (de musée, bibliothèque, café) room; (de restaurant) (dining) room; (de cinéma, théâtre) auditorium; (de grotte) chamber; (d'hôpital) ward; **cinéma à cinq ~s** cinema with five screens; **le film passe en ~ 2** the film is on screen 2; **prochainement dans vos ~s** Cin coming soon to a cinema near you; **la ~ était comble** the place was packed; **faire ~ comble** [*spectacle*] to be packed; [*acteur*] to fill the house; **y a-t-il un médecin dans la ~?** is there a doctor in the house?; **'~ au sous-sol'** (dans restaurant) 'more seats downstairs'; **en ~** [*sport*] indoor; **'prix en ~'** (dans café) *tariff for drinks served at the tables in a café*; [2] (spectateurs) audience

(Composés) **~ d'armes** (pour exercice) drill hall GB, armory US; (pour entrepôt) armory; **~ d'arrêt(s)** Mil guardroom; **~ d'attente** waiting room; **~ d'audience** Jur courtroom; **~ audiovisuelle** audiovisual room; **~ de bains** bathroom; **~ de bal** ballroom; **~ de billard** billiard room; **~ blanche** Ind clean room; **~ capitulaire** chapter room; **~ de casino** gaming room; **~ de cinéma** cinema GB, movie theater US; **~ de classe** classroom; **~ de commandes** control room; **~ communale** village hall; **~ commune** (à l'hôpital) ward; **~ de concert** concert hall; **~ de conférences** (petite pièce) lecture room; (avec gradins) lecture theatre[GB], auditorium; **~ de congrès** conference hall; **~ de contrôle** control room; **~ des délibérations** committee room; **~ d'eau** shower room; **~ d'embarquement** Aviat departure lounge; **~ d'études** Scol private study room GB, study hall US; **~ d'exposition** (petite pièce) exhibition room; (grande pièce) exhibition hall; Comm showroom; **~ des fêtes** (de village) village hall; (en ville) community centre[GB]; **~ de garde** (d'hôpital) staff room; **~ des gardes** (de château) guardroom; **~ de gymnastique** gymnasium; **~ d'honneur** Mil trophy room; **~ informatique** computer room; **~ de jeu(x)** (de casino) gaming room; (pour enfants) playroom; **~ de lecture** reading room; **~ de loisirs** recreation room; **~ des machines** Naut engine room; **~ à manger** (pièce) dining room; (mobilier) dining-room suite; **~ des marchés** Fin (de banque) dealing room; (de Bourse) floor; **~ modulable** multipurpose room; **~ de montage** Cin cutting room; **~ municipale** town hall; **~ omnisports** sports hall; **~ d'opération** Méd operating theatre GB, operating room US; **~ d'opérations** Mil operations room; **~ des pas perdus** waiting hall; **~ de police** Mil guardroom; **~ polyvalente** multi-purpose hall; **~ de presse** press room; **~ des professeurs** staff room; **~ de projection** projection room; **~ de quartier** local cinema GB, local movie theater US; **~ de réanimation** intensive care ward; **~ de rédaction** Presse (newspaper) office; **~ de régie** Cin, Théât control room; **~ de réunion** meeting room; **~ de réveil** Méd recovery room; **~ de séjour** living room; **~ de soins** Méd treatment room; **~ de spectacle** Cin cinema GB, movie theater US; Théât theatre[GB]; **~ de théâtre** theatre[GB]; **~ du trône** throne room; **~ des ventes** auction room; **~s obscures** cinemas GB, movie theaters US

Salluste /salyst/ *npr* Sallust

salmigondis○ /salmigɔ̃di/ *nm inv* (ramassis) hotchpotch GB, hodgepodge US

salmis /salmi/ *nm inv* salmi

salmonelle /salmɔnɛl/ *nf* salmonella

salmonellose /salmɔnɛloz/ ▸ **p. 283** *nf* salmonella poisoning, salmonellosis spéc

salmoniculture /salmɔnikyltyʀ/ *nf* salmon farming

salmonidé /salmɔnide/ *nm* salmonid; **les Salmonidés** Salmonidae

saloir /salwaʀ/ *nm* salting tub

Salomé /salome/ *npr* Salome

Salomon /salomɔ̃/ *npr* [1] Hist Solomon; [2] ▸ **p. 333, p. 435** Géog **îles ~s** Solomon Islands

salon /salɔ̃/ *nm* [1] (pièce) gén lounge; (dans un château, palais) drawing room; **la pièce fait ~-salle à manger** the room is a combined living dining room; [2] (mobilier) living-room suite, sitting-room suite; **~ de jardin** garden furniture; [3] (exposition) (pour professionnels) (trade) show; (pour grand public) fair; (artistique) exhibition; **les organisateurs du ~** the trade show organizers; **le ~ de l'auto/de la gastronomie/de l'informatique** the car/food/computer show; **~ des collectionneurs/du livre/de l'emploi** collectors'/book/careers fair; **~ de l'habitat** home furnishings exhibition; [4] (réunion mondaine) salon; **faire** *or* **tenir ~** to hold a salon; **~ littéraire/politique** literary/political salon; **conversation de ~** polite conversation

(Composés) **~ de beauté** beauty salon; **~ de coiffure** hairdressing salon; **~ d'essayage** fitting room; **~ funéraire** Can funeral parlour GB, funeral home US; **~ de thé** tearoom

salonnard○, **~e** /salɔnaʀ, aʀd/ *nm,f* pej lounge lizard

salopard◑ /salɔpaʀ/ *nm* offensive bastard◑ injur

salope◑ /salɔp/ *nf* offensive [1] (garce) bitch◑ injur; (femme facile) tart○ injur, whore; [2] (salaud) bastard◑ injur

saloper○ /salɔpe/ [1] *vtr* [1] (gâcher) to botch○ [*travail*]; [2] (salir) to muck up○

saloperie◑ /salɔpʀi/ *nf* [1] (saleté) muck○ ₵; (matière visqueuse) gunge○ GB, goop◑ ₵ US; fig (produit nocif, drogue) muck○ ₵; **les peintres ont fait des ~s partout** the painters left muck all over the place; [2] (microbe, maladie) bug○; **elle a encore attrapé une ~ à l'école** she's caught a bug at school again; [3] (nourriture) (infecte) muck○ ₵ GB, slop○; (malsaine) junk (food)○ ₵; **ton régime ne vaut rien si tu continues à manger des ~s** it's useless dieting if you keep eating junk food; **c'est pas mauvais ces petites ~s!** iron this muck's not bad! iron; [4] (objet de rebut) junk○ ₵; **enlève-moi toutes les ~s qui traînent à la cave** clear up all that junk in the cellar; **cette ~ d'ordinateur est encore en panne** this bloody◑ GB *ou* damn○ computer's not working again; [5] (procédé) dirty trick; **il m'a fait une belle ~** he played me a really dirty trick; [6] (propos) filthy remarks; **cesse de dire des ~s** (grossièretés) stop that filthy language; (calomnies) stop those filthy comments

salopette /salɔpɛt/ *nf* (pour protéger) overalls (*pl*); (pour s'habiller) dungarees (*pl*) GB, overalls (*pl*) US; (pour skier) salopettes (*pl*) GB, ski overalls (*pl*) US

salpêtre /salpɛtʀ/ *nm* saltpetre[GB]

(Composé) **~ du Chili** Chile saltpetre[GB]

salpingite /salpɛ̃ʒit/ ▸ **p. 283** *nf* salpingitis

salsa /salsa/ *nf* salsa; **danser la ~** to dance the salsa

salsepareille /salsəpaʀɛj/ *nf* greenbrier

salsifis /salsifi/ *nm inv* salsify

(Composé) **~ d'Espagne** *or* **noir** black salsify

saltimbanque /saltɛ̃bɑ̃k/ *nmf* [1] (bateleur) street acrobat; [2] pej (comédien) entertainer; **il appartient au monde des ~s** he belongs to the world of entertainment

salto /salto/ *nm* salto

salubre /salybʀ/ *adj* [*air, climat*] healthy; [*logement*] salubrious sout

salubrité /salybʀite/ *nf* (d'air, de climat) healthiness; (de logement) salubrity sout

(Composé) **~ publique** public health

saluer /salɥe/ [1] *vtr* [1] (dire bonjour) to greet [*personne*]; **~ qn de la main** to wave to *ou* at sb; **~ qn de la tête** to nod to sb; **~ qn de loin/en passant** to acknowledge sb from a distance/in passing; **saluez-la de ma part** say hello to her from me; **~ le public** to take a bow; [2] (dire au revoir) to say goodbye to [*personne*]; **je vous salue** I'll say goodbye; **je vous salue bien bas†** I take my humble leave of you; [3] (accueillir) to greet [*personne*]; **~ qn aux cris de** to greet sb with cries of; **~ qn par des applaudissements** to greet sb with applause; [4] Mil to salute [*soldat, officier, drapeau, navire*]; [5] (accueillir avec satisfaction) to welcome [*décision, nomination, nouvelle, résultat*]; **~ qch avec** *or* **par** to greet sth with; **~ l'annonce par des applaudissements** to greet the announcement with applause; [6] (rendre hommage) to salute [*personne en vie*]; to pay tribute to [*défunt, mémoire*]; to praise [*qualité, travail, rapport, attitude*]; **je vous salue Marie** hail Mary; **~ qn/qch comme** to hail sb/sth as; **salué comme un génie/une étape décisive** hailed as a genius/a breakthrough

salure /salyʀ/ *nf* [1] Culin saltiness; [2] Chimie saltness

salut /saly/ *nm* [1] (salutation) greeting; **~!** (bonjour) hello!, hi!; (au revoir) bye!; **~ à ta sœur!**

say hello to your sister!; **~ les filles/les copains/beauté!** hi girls/pals/beautiful!; **~ amical** friendly greeting; **~ de la main** wave (of the hand); **~ de la tête** nod; **~ des acteurs** bow; [2] (geste) salute; **~ fasciste/militaire** fascist/military salute; **~ au drapeau** salute to the colours^GB *ou* flag; **faire le ~ militaire** to salute; [3] (secours) salvation (**dans** in); **être le ~ de qn** to be sb's salvation; **apporter le ~** to offer salvation; **trouver son ~ dans qch** to find one's salvation in sth; **le ~ se trouve dans** salvation lies in; **devoir son ~ à** to owe one's salvation to; **~ national** *or* **public** national salvation; [4] Relig (rédemption) salvation; **obtenir son ~** to find salvation; **hors de l'Église point de ~** no salvation outside the Church; [5] (hommage) homage; **~ à** homage to

salutaire /salytɛʀ/ *adj* [1] (bénéfique) [*choc, changement, expérience, leçon, rappel*] salutary; [*effet, environnement, effort*] beneficial; [*air, habitude*] healthy; **cela leur a été ~** it did them good; [2] (rédempteur) salutary

salutation /salytasjɔ̃/
[A] *nf* [1] gén greeting; [2] Relig salutation
[B] **salutations** *nfpl* **sincères ~s** (à une personne nommée) yours sincerely; (à une personne non nommée) yours faithfully

salutiste /salytist/ *nmf* Salvationist

Salvador /salvadɔʀ/ ▸ **p. 333** *nprm* El Salvador

salvadorien, -ienne /salvadɔʀjɛ̃, ɛn/ ▸ **p. 561** *adj* Salvadorian

Salvadorien, -ienne /salvadɔʀjɛ̃, ɛn/ ▸ **p. 561** *nm,f* Salvadorian

salvateur, -trice /salvatœʀ, tʀis/ *adj* saving (*épith*)

salve /salv/ *nf* [1] (d'armes à feu) salvo; **tirer une ~ d'honneur** to fire a salute; [2] (série) **~ d'applaudissements** burst of applause; **~ d'injures** volley of insults; [3] (attaque verbale) broadside; **lancer une ~ contre qn** to launch a broadside against sb

Samaritain, ~e /samaʀitɛ̃, ɛn/ *nm,f* Samaritan; **faire le bon ~, jouer les ~s** to act the good Samaritan

samba /sɑ̃mba/ *nf* samba

samedi /samdi/ ▸ **p. 782** *nm* Saturday
(Composé) **~ saint** Holy Saturday
(Idiome) **être né un ~** to be born lazy

samizdat /samizdat/ *nm* samizdat

Samoa /samɔa/ ▸ **p. 333, p. 435** *nprm* Samoa
(Composé) **~ occidental** Western Samoa

samoan, ~e /samɔɑ̃, an/ ▸ **p. 483, p. 561**
[A] *adj* Samoan
[B] *nm* Ling Samoan

Samoan, ~e /samɔɑ̃, an/ ▸ **p. 561** *nm,f* Ling Samoan

samouraï /samuʀaj/ *nm* samurai

samovar /samɔvaʀ/ *nm* samovar

samoyède /samɔjɛd/ *adj, nm* Samoyed

sample /sɑ̃pəl/ *nm* Mus sample

sampler /sɑ̃ple/ [1] *vtr* Mus to sample

sampleur /sɑ̃plœʀ/ *nm* Mus sampler

sampling /sɑ̃pliŋ/ *nm* Mus sampling

Samson /sɑ̃sɔ̃/ *npr* Samson

SAMU /samy/ *nm* (*abbr* = **Service d'assistance médicale d'urgence**) ≈ mobile accident unit GB, emergency medical service, EMS US
(Composé) **~ social** *emergency medical and welfare service for homeless people*

> **SAMU**
> A 24-hour service coordinated by each *département* to send mobile medical services and staff, ambulances, and helicopters to accident scenes and emergencies.

sana○ /sana/ *nm* sanatorium GB, sanitarium US

sanatorium /sanatɔʀjɔm/ *nm* sanatorium GB, sanitarium US

Sancerre /sɑ̃sɛʀ/ ▸ **p. 894** *npr* Sancerre

sancerrois, ~e /sɑ̃sɛʀwa, az/ ▸ **p. 894** *adj* of Sancerre

Sancerrois, ~e /sɑ̃sɛʀwa, az/
[A] ▸ **p. 894** *nm,f* (natif) native of Sancerre; (habitant) inhabitant of Sancerre
[B] ▸ **p. 721** *nm* **le ~** the Sancerre region

Sancho Pança /sɑ̃ʃopɑ̃sa/ *npr* Sancho Panza

sanctificateur, -trice /sɑ̃ktifikatœʀ, tʀis/
[A] *adj* sanctifying
[B] *nm,f* sanctifier

sanctification /sɑ̃ktifikasjɔ̃/ *nf* sanctification

sanctifier /sɑ̃ktifje/ [2] *vtr* to sanctify; **que Ton nom soit sanctifié** hallowed be Thy name

sanction /sɑ̃ksjɔ̃/ *nf* [1] (peine) Jur penalty, sanction; Admin disciplinary measure; Scol punishment; **la ~ de l'échec** the penalty for failure; **prendre des ~s contre qn** gén to discipline sb; Admin to take disciplinary action against sb; **prendre des ~s économiques contre** to impose economic sanctions on; **maintenir/lever les ~s** to maintain/lift sanctions; **prononcer une ~ contre un joueur** Sport to penalize a player; [2] (ratification, approbation) sanction; (jugement) verdict; **recevoir une ~ officielle** to be given official sanction; **la ~ des électeurs va tomber le 2 mars** voters will give their verdict on 2 March
(Composés) **~ disciplinaire** Admin disciplinary measure; **~ pénale** Jur penalty

sanctionner /sɑ̃ksjɔne/ [1] *vtr* [1] (punir) to punish [*faute, coupable*]; [2] (ratifier) to sanction [*loi, usage, conduite*]; [3] (consacrer) to give official recognition to [*études, formation*]; **compétences sanctionnées par un diplôme** skills recognized by a diploma; **une année d'études sanctionnées par un diplôme** a one-year course leading to a diploma

sanctuaire /sɑ̃ktɥɛʀ/ *nm* [1] (lieu saint) shrine; [2] (asile) sanctuary

sanctus /sɑ̃ktus/ *nm inv* Sanctus

sandale /sɑ̃dal/ *nf* sandal
(Composé) **~ en plastique** jelly shoe

sandalette /sɑ̃dalɛt/ *nf* light sandal

sandow® /sɑ̃do/ *nm* [1] (sangle) luggage elastic; [2] Aviat bungee

sandre /sɑ̃dʀ/ *nm* pikeperch

sandwich, *pl* **~s** *or* **~es** /sɑ̃dwitʃ/ *nm* [1] Culin sandwich; **~ au pâté** pâté sandwich; **prendre en ~** to sandwich [*personne, voiture*]; **(pris) en ~** sandwiched (**entre** between); [2] Tech (matériau) sandwich panel

sandwicherie /sɑ̃dwi(t)ʃʀi/ *nf* sandwich bar

sang /sɑ̃/ *nm* [1] Physiol blood; **donner son ~** to give blood; **avoir de l'alcool dans le ~** to have alcohol in one's blood; **~ contaminé** contaminated blood; **perte de ~** loss of blood; **être en ~** to be covered with blood; **couleur de ~** blood-red; **taché de ~** bloodstained; **mordre jusqu'au ~** to bite through the skin; **animal à ~ chaud/froid** warm-/cold-blooded animal; **le ~ m'est monté à la tête** I had a rush of blood to the head; **au premier ~** (dans un duel) at the first cut; **coup de ~** apoplexy; **avoir le ~ qui monte au visage** to blush; **verser son ~ pour son pays** to shed blood for one's country; **faire couler le ~** fig to shed blood; **le ~ a coulé** fig blood flowed; **avoir du ~ sur les mains** fig to have blood on one's hands; ▸ **navet**; [2] (vie) **~ des martyrs** martyrs' blood; **au prix du ~** with loss of life; **payer de son ~** to pay with one's blood; [3] (violence) bloodshed; **se terminer dans le ~** to end in bloodshed; **odeur de ~** smell of blood; **ivre de ~** lusting for blood; [4] (hérédité) blood; **un ~ royal** royal blood; **~ riche et généreux** blood of a rich and generous line; **de ~** [*frère, liens*] blood (*épith*); **être du même ~** to be kin; **vous êtes de mon ~** you and I are kin
(Composés) **~ bleu** blue blood; **~ du Christ** Relig blood of Christ; **~ rouge** arterial blood
(Idiomes) **avoir le ~ chaud** (être sensuel) to be hot-blooded; (être coléreux) to be hotheaded; **avoir un coup de ~** to have apoplexy; **avoir qch dans le ~**○ to have sth in one's blood; **il a ça dans le ~** it's in his blood; **mettre qch à feu et à ~** to put sth to fire and the sword; **mon ~ n'a fait qu'un tour** (d'émotion) my heart missed a beat; (de colère) I saw red; **se faire du mauvais ~**○ to worry; **apporter du ~ neuf** to bring new blood; **tourner les ~s à qn**○ to give sb a fright; **bon ~**○, **bon ~ de bon ~**○, **bon ~ de bonsoir**○! for God's sake○!

sang-froid /sɑ̃fʀwɑ/ *nm inv* composure; **garder/perdre son ~** to keep/lose one's composure; **garde ton ~!** keep calm!; **faire qch de ~** to do sth in cold blood

sanglant, ~e /sɑ̃glɑ̃, ɑ̃t/ *adj* [1] (violent) [*affrontement, incident, répression, putsch, époque*] bloody; [2] (outrageant) [*affront, défaite*] cruel; [3] (couvert de sang) [*plaie, main*] bloody; [*couteau, vêtement*] bloodstained

sangle /sɑ̃gl/ *nf* [1] (pour attacher) strap; [2] Équit girth; [3] (de siège, lit) webbing ₵
(Composé) **~ abdominale** Anat abdominal muscles (*pl*)

sanglé, ~e /sɑ̃gle/
[A] *pp* ▸ **sangler**
[B] *pp adj* **~ dans** squeezed into

sangler /sɑ̃gle/ [1] *vtr* Equit to girth

sanglier /sɑ̃glije/ *nm* wild boar

sanglot /sɑ̃glo/ *nm* sob; **dire qch dans un ~** to say sth with a sob; **éclater en ~s** to burst out sobbing; **avec des ~s dans la voix** with a sob in one's voice

sangloter /sɑ̃glɔte/ [1] *vi* to sob

sangria /sɑ̃gʀija/ *nf* sangria

sangsue /sɑ̃sy/ *nf* (tous contextes) leech

sanguin, ~e /sɑ̃gɛ̃, in/
[A] *adj* [1] Méd, Physiol blood; **examen/flux/prélèvement ~** blood test/flow/sample; [2] (rouge) [*visage*] ruddy; [3] (impétueux) impulsive; **tempérament ~** (en médecine ancienne) sanguine humour^GB; gén impulsive character
[B] *nm,f* (personne impétueuse) impulsive person; **c'est un ~** he's hotheaded
[C] **sanguine** *nf* [1] (orange à pulpe rouge) blood orange; [2] Art (dessin) red chalk drawing; (crayon) red chalk; [3] Minér red chalk

sanguinaire /sɑ̃ginɛʀ/ *adj* [*régime, dictature*] bloody, sanguinary sout; [*attaque, bataille, crime*] bloody; [*personne, goût*] bloodthirsty

sanguine ▸ **sanguin**

sanguinolent, ~e /sɑ̃ginɔlɑ̃, ɑ̃t/ *adj* [*couteau, vêtement, pansements*] blood-stained; [*plaie*] from which blood is oozing (*après n*); [*pus*] blood-streaked

sanisette® /sanizɛt/ *nf* automatic public toilet

sanitaire /sanitɛʀ/
[A] *adj* [1] Méd [*règlement, service, personnel*] health (*épith*); [*conditions*] sanitary; [2] (en plomberie) [*système, ingénieur*] plumbing (*épith*); **installations ~s** sanitation (*sg*)
[B] *nm* (secteur d'activité) **le ~** bathroom equipment and installation
[C] **sanitaires** *nmpl* **les ~s** (lieu) (dans un bâtiment) the bathroom; (dans un camping) the toilet block; (plomberie) the plumbing

S

sans /sɑ̃/

> ⚠ Lorsque *sans* marque l'absence, le manque ou la privation, il se traduit généralement par *without*. Lorsqu'il fait partie d'une expression figée comme *sans concession, sans équivoque, sans emploi, sans intérêt* la traduction est donnée respectivement sous **concession, équivoque, emploi, intérêt** etc.
> De même quand il est associé à un verbe, *compter sans, cela va sans dire etc* la traduction est donnée respectivement sous les verbes **compter, dire** etc.
> La double négation *non sans* est traitée sous **non**.
> On trouvera ci-dessous d'autres exemples et les usages particuliers de *sans*.

A *adv* (exprime l'absence, l'exclusion) without; **faire/se débrouiller ~** to do/manage without
B *prép* **1** (absence, manque) without [*personne, accord, permission*]; **un jour ~ pluie** a day without rain, a dry day; **une maison ~ téléphone** a house without a telephone; **je suis ~ voiture aujourd'hui** I don't have a car today; **je bois mon thé ~ sucre** I don't take sugar in my tea; **du chocolat noir ~ sucre** sugar-free dark chocolate; **un visage ~ charme** an unattractive face; **un couple ~ enfant** a childless couple; **c'est un couple ~ enfant** they have no children; **une personne ~ fierté/scrupules** a person who has no pride/scruples; **~ cela** *or* **ça**○ otherwise; **il nous a dit ça ~ plus de précisions** he told us about it without going into details; **un jus d'orange ~ glaçons** an orange juice without ice *ou* with no ice; **2** (pour écarter une circonstance) **il est resté trois mois ~ téléphoner** he didn't call for three months; **~ être très perspicace, on pouvait s'en douter** you wouldn't have to be very astute to suspect it; **il est poli, ~ plus** he's polite, but that's as far as it goes; **~ plus de cérémonies** without further ado; **~ plus tarder** without further delay; **~ plus attendre** without waiting a moment longer; **~ plus de commentaires** without any further comment; **3** (à l'exclusion de) **on sera douze ~ les enfants** there'll be twelve of us not counting the children; **le total s'entend ~ la TVA** the price doesn't include VAT; **500 euros ~ le voyage** 500 euros not including transport GB *ou* transportation US
C **sans que** *loc conj* (+ *subj*) without; **~ que je m'en aperçoive** without my noticing; **pars ~ qu'on te voie** leave without anyone seeing you

(Composés) **~ domicile fixe, SDF** of no fixed abode, homeless; **les ~ domicile fixe** the homeless; **être ~ domicile fixe** to be homeless, to be of no fixed abode

sans-abri* /sɑ̃zabʀi/ *nmf inv* **un ~** a homeless person; **les ~** the homeless; **c'est un ~** he's homeless

San Salvador /sɑ̃salvadɔʀ/ ▸ **p. 894** *npr* San Salvador

sans-cœur* /sɑ̃kœʀ/
A *adj inv* [*personne*] heartless
B *nmf inv* heartless person; **tu es un ~** you're heartless

sans-culotte, *pl* **~s** /sɑ̃kylɔt/ *nm* Hist sans culotte

sans-emploi* /sɑ̃zɑ̃plwɑ:/ *nmf inv* unemployed person; **les ~** the unemployed, the jobless; **trois millions de ~** three million unemployed *ou* jobless

sans-faute* /sɑ̃fot/ *nm inv* **1** Équit clear round; **faire un ~** to have a clear round; **2** fig faultless performance; **mon parcours politique/universitaire est un ~** my political/university career went off without a hitch

sans fil* /sɑ̃fil/
A *adj* (technologie) wireless
B *nm* cordless telephone

sans-gêne* /sɑ̃ʒɛn/
A *adj inv* [*personne*] cheeky *ou* bad-mannered (*épith*)
B *nmf inv* cheeky *ou* bad-mannered person
C *nm* cheekiness; **faire preuve de ~** to be cheeky *ou* bad-mannered

sans-grade* /sɑ̃gʀad/ *nm inv* nobody; **les ~** the nobodies

sanskrit*, **~e** /sɑ̃skʀi, it/ *adj, nm* Ling Sanskrit

sans-le-sou○ /sɑ̃lsu/ *nmf inv* penniless person; **c'est un ~** he's penniless

sans-logis* /sɑ̃lɔʒi/ *nmf inv* homeless; **les ~** the homeless

sansonnet /sɑ̃sɔnɛ/ *nm* starling

sans-papiers* /sɑ̃papje/ *nm inv* illegal immigrant

santal /sɑ̃tal/ *nm* **1** (essence) sandalwood; **2** (arbre) sandalwood; **bois de ~** sandalwood

santé ➡📖
/sɑ̃te/ *nf* **1** (de personne, pays, d'organisation) health; **~ mentale** mental health; **être en bonne/mauvaise ~** to be in good/bad health; **avoir la ~** lit to enjoy good health; fig to be full of bounce; **se refaire une ~** to build up one's strength; **il respire la ~** he's glowing with health; **avoir une petite ~** to be frail *ou* delicate; **avoir une ~ de fer** to have an iron constitution; **comment va la ~?** how are you?; **2** (en buvant) **à votre ~!** cheers!; **à la ~ de Janet!** here's to Janet!; **buvons à votre ~** let's drink to your (good) health; **3** Admin health; **la ~ publique** public health; **services de ~** health services; **les professionnels de la ~** health workers

santiag○ /sɑ̃tjag/ *nf* cowboy boot

Santiago /sɑ̃tjago/ ▸ **p. 894** *npr* Santiago

santon /sɑ̃tɔ̃/ *nm* Christmas crib figure

Saône-et-Loire /sonelwaʀ/ ▸ **p. 721** *nprf* (département) **la ~** the Saône-et-Loire

saoudien, -ienne /saudjɛ̃, ɛn/ ▸ **p. 561** *adj* Saudi (Arabian)

Saoudien, -ienne /saudjɛ̃, ɛn/ ▸ **p. 561** *nm,f* Saudi (Arabian)

saoul, **~e** = **soûl**

saoulard○, **~e** = **soûlard**

sapajou /sapaʒu/ *nm* capuchin monkey

sape /sap/
A *nf* **1** Mil (tranchée) sap; **2** (action de saper) lit, fig sapping; **travail de ~** Tech sap digging; fig sabotage
B ○**sapes** *nfpl* (vêtements) clothes

saper /sape/ [1]
A *vtr* **1** (détruire) to undermine [*mur, falaise, moral*]; **2** ○(vêtir) to dress
B ○**se saper** *vpr* **1** (s'habiller) to dress; **être bien/mal sapé** to be well/badly dressed; **2** (s'habiller bien) to dress up to the nines○

saperlipopette○† /sapɛʀlipɔpɛt/ *excl* goodness me!

sapeur /sapœʀ/ *nm* sapper

(Idiome) **fumer comme un ~** to smoke like a chimney

sapeur-pompier, *pl* **sapeurs-pompiers** /sapœʀpɔ̃pje/ *nm* fireman; **les sapeurs-pompiers de Paris** the Paris Fire Brigade. ▸ **pompier**

saphène /safɛn/
A *adj* [*veine, nerf*] saphenous
B *nf* saphena

saphique /safik/ *adj* Sapphic

saphir /safiʀ/ *nm* **1** Minér sapphire; **2** (pointe de lecture) stylus

saphisme† /safism/ *nm* sapphism†

sapide /sapid/ *adj* sapid

sapidité /sapidite/ *nf* sapidity; **agent de ~** flavouring[GB] agent

sapin /sapɛ̃/ *nm* **1** fir tree; **2** (bois) deal; **des étagères en ~** deal shelves

(Composé) **~ de Noël** (arbre) Christmas tree; (fête) Christmas party (*for staff and children*)

(Idiome) **ça sent le ~** hum you sound as though you're not long for this world

sapinière /sapinjɛʀ/ *nf* fir plantation

saponacé, **~e** /sapɔnase/ *adj* saponaceous

saponaire /sapɔnɛʀ/ *nf* saponin

saponification /sapɔnifikasjɔ̃/ *nf* saponification

saponifier /sapɔnifje/ [2] *vtr* to saponify

sapristi○† /sapʀisti/ *excl* heavens!

saquer○ /sake/ [1] *vtr* **1** (noter sévèrement) students' slang to mark [sb] down GB, to grade [sb] hard US [*élève*]; **se faire ~** to be marked down (**à** in; **par** by); **2** (supporter) **je ne peux pas le ~** I can't stand him

sarabande /saʀabɑ̃d/ *nf* **1** Danse, Mus saraband; **2** (ribambelle) (de chiffres) jumble; (d'images) flock; **~ de souvenirs** swirling memories; **~ de gens** swirling crowd of people; **3** (vacarme) racket; **faire la ~** to make a racket; **~ des sorcières** witches' rout

Saragosse /saʀagɔs/ ▸ **p. 894** *npr* Saragossa

sarbacane /saʀbakan/ *nf* blowpipe

sarcasme /saʀkasm/ *nm* **1** (dérision) sarcasm; **2** (remarque) sarcastic remark

sarcastique /saʀkastik/ *adj* sarcastic

sarcastiquement /saʀkastikmɑ̃/ *adv* sarcastically

sarcelle /saʀsɛl/ *nf* teal

sarclage /saʀklaʒ/ *nm* hoeing

sarcler /saʀkle/ [1] *vtr* to hoe

sarclette /saʀklɛt/ *nf* small hoe

sarcloir /saʀklwaʀ/ *nm* hoe

sarcomatose /saʀkomatoz/ ▸ **p. 283** *nf* sarcomatosis

sarcome /saʀkom/ ▸ **p. 283** *nm* sarcoma

sarcophage /saʀkɔfaʒ/
A *nm* Archéol, Nucl sarcophagus
B *nf* Zool flesh-fly

Sardaigne /saʀdɛɲ/ ▸ **p. 435** *nprf* Sardinia

sardane /saʀdan/ *nf* Sardana

sarde /saʀd/ ▸ **p. 483** *adj, nm* Sardinian

Sarde /saʀd/ *nmf* Sardinian

sardine /saʀdin/ *nf* **1** Zool sardine; **~ à l'huile** sardine in oil; **~s en boîte** tinned GB *ou* canned US sardines; **2** ○(piquet de tente) tent peg; **3** ○(galon) stripe

(Idiomes) **c'est la ~ qui a bouché le port de Marseille** that's a tall story; **être serrés comme des ~s** to be crammed together like sardines

sardinerie /saʀdinʀi/ *nf* sardine cannery

sardinier, -ière /saʀdinje, ɛʀ/
A *adj* sardine (*épith*); **industrie sardinière** sardine industry
B *nm* **1** (pêcheur) sardine fisherman; **2** (bateau) sardine boat; **3** (ouvrier) sardine canner

sardonique /saʀdɔnik/ *adj* sardonic

sardoniquement /saʀdɔnikmɑ̃/ *adv* sardonically

sargasse /saʀgas/ *nf* gulfweed

Sargasses /saʀgas/ ▸ **p. 579** *nprfpl* **mer des ~** Sargasso Sea

sari /saʀi/ *nm* sari

sarigue /saʀig/ *nf* opossum

SARL /ɛsaɛʀɛl/ *nf: abbr* ▸ **société**

sarment /saʀmɑ̃/ *nm* **1** (de vigne) **~ (de vigne)** vine shoot; **2** (tige grimpante) bine

sarmenteux, -euse /saʀmɑ̃tø, øz/ *adj* [*vigne*] climbing; [*tige*] sarmentose

saroual /saʀwal/ *nm* baggy (African) trousers (*pl*) GB *ou* pants (*pl*) US

sarrasin, **~e** /saʀazɛ̃, in/
A *adj* Hist Saracen
B *nm* Bot, Culin buckwheat; **miel de ~** buckwheat honey

➡📖 *voir* La santé et la sécurité sociale

Sarrasin, **~e** /saʀazɛ̃, in/ *nm,f* Saracen

sarrau /saʀo/ *nm* smock

Sarre /sɑʀ/ ▸ **p. 372**, **p. 721** *nprf* (rivière, région) Saar

sarriette /saʀjɛt/ *nf* savory

Sarthe /saʀt/ ▸ **p. 372**, **p. 721** *nprf* (rivière, département) **la ~** the Sarthe

sas /sɑs/ *nm inv* **1** (pièce étanche) airlock; **2** (d'écluse) lock; **3** (tamis) sieve

Saskatchewan /saskatʃewan/ ▸ **p. 721** *nprf* Saskatchewan

sassafras /sasafʀa/ *nm inv* sassafras

sasser /sase/ [1] *vtr* **1** (tamiser) to sift, to screen [*farine*]; **2** (passer par une écluse) to let [sth] through a lock [*péniche*]

Satan /satɑ̃/ *npr* Satan

satané○, **~e** /satane/ *adj* damned○

satanique /satanik/ *adj* **1** (démoniaque) [*sourire, ruse*] fiendish; **2** (de Satan) [*culte*] Satanic

satanisme /satanism/ *nm* Satanism

satellisation /satɛlizasjɔ̃/ *nf* **1** Astronaut putting ¢ [sth] into orbit [*engin*]; **programme de ~** satellite launching programme[GB]; **2** fig **le pays a subi une ~ culturelle** the country has become a mere satellite in terms of culture

satelliser /satɛlize/ [1]

A *vtr* **1** Astronaut to put [sth] into orbit [*engin*]; **2** Entr, Pol (assujettir) to turn [sth] into a satellite [*pays, entreprise, parti*]; **être satellisé par** to become the satellite of; **se faire ~ par** to be turned into a satellite by

B se satelliser *vpr* **1** Astronaut [*engin*] to go into orbit; **2** Entr, Pol [*ville, parti*] to become a satellite

satellitaire /satelitɛʀ/ *adj* satellite (*épith*); **téléphone ~** satellite telephone

satellite /satɛlit/

A *nm* **1** (astre, engin) satellite; **~ de transmission/télécommunications** broadcasting/telecommunications satellite; **~ météorologique** weather satellite; **~ d'observation** observation satellite; **2** Pol (pays) satellite; **3** Mécan (pignon) bevel pinion

B (-)satellite (*in compounds*) **nation-~** satellite nation

satellite-espion, *pl* **satellites-espions** /satɛlitɛspjɔ̃/ *nm* spy satellite

satellite-relais, *pl* **satellites-relais** /satɛlitʀəlɛ/ *nm* communications satellite

satello-opérateur, *pl* **~s** /satɛlɔɔpeʀatœʀ/ *nm* satellite operator

satiété /sasjete/

A *nf* satiation sout, satiety sout

B à satiété *loc adv* **1** (jusqu'à satisfaction) **boire/manger à ~** to drink/to eat one's fill, **il avait mangé à ~** he was replete sout; **2** (jusqu'à saturation) [*dire, répéter*] ad nauseam

satin /satɛ̃/ *nm* satin; **une peau de ~** a satin-smooth *ou* silky skin

(Composés) **~ de coton** satinized cotton; **~ de polyester** polyester satin

satiné, **~e** /satine/

A *adj* [*étoffe*] satiny (*épith*); [*doublure*] satin (*épith*); [*peinture*] satin-finish (*épith*); [*peau*] silky, satin-smooth (*épith*)

B *nm* (de tissu) sheen; (de peau) silkiness

satinette /satinɛt/ *nf* satinette, sateen

satire /satiʀ/ *nf* satire; **faire la ~ de qch/qn** to satirize sth/sb

satirique /satiʀik/ *adj* satirical

satiriste /satiʀist/ ▸ **p. 532** *nmf* satirist

satisfaction /satisfaksjɔ̃/ *nf* **1** (plaisir) satisfaction ¢; **mon travail m'apporte de réelles ~s** I get real satisfaction from my work; **constater/apprendre avec ~ que** to note/hear with satisfaction that; **à notre grande ~** to our great satisfaction; **à la ~ générale** to everyone's satisfaction; **pour ma ~ personnelle** for my own (personal) satisfaction; **motif de ~** reason to feel satisfied; **2** (contentement) satisfaction; **exprimer son entière ~** to express one's complete satisfaction; **la ~ de nos besoins** the fulfilment[GB] of our needs; **notre nouvelle secrétaire donne entière ~** we're very pleased with the new secretary; **si le lave-vaisselle ne vous donne pas ~** if you are not entirely satisfied with the dishwasher; **3** (réparation) satisfaction; **obtenir ~** to obtain satisfaction; **obtenir ~ sur tout** to obtain complete satisfaction; **4** Écon satisfaction

satisfaire /satisfɛʀ/ [10]

A *vtr* (contenter) to satisfy [*personne*]; to please [*électorat, client*]; to satisfy [*demande, curiosité*]; to meet [*besoin*]; to fulfil[GB] [*ambition, aspiration, exigence*]; **ton explication ne me satisfait pas** I'm not satisfied with your explanation; **cet employé vous satisfait-il?** are you satisfied with this employee?; **~ les besoins d'un enfant** to meet the needs of a child; **~ l'attente d'un client** to come up to a customer's expectations; **~ les revendications des grévistes** to meet strikers' demands; **~ un besoin naturel** euph to answer a call of nature

B satisfaire à *vtr ind* to fulfil[GB] [*obligation, ambition*]; to meet [*norme, condition*]

C se satisfaire *vpr* (se contenter) **se ~ de** [*personne*] to be satisfied with [*explication, excuse*]; to be content with [*bas salaire*]; **se ~ de peu** to be easily satisfied

satisfaisant, **~e** /satisfəzɑ̃, ɑ̃t/ *adj* **1** (adéquat) satisfactory; **réponse peu ~e** unsatisfactory answer; **répondre de façon ~e** to give a satisfactory answer; **il travaille de façon ~e** his work is satisfactory; **2** (gratifiant) [*métier*] satisfying

satisfait, **~e** /satisfɛ, ɛt/

A *pp* ▸ **satisfaire**

B *pp adj* (contenté) [*client, curiosité, besoin*] satisfied; [*désir, envie*] gratified; **être ~ de** to be satisfied with [*réponse, employé*]

C *adj* (content) [*personne*] happy; [*sourire*] satisfied; **avoir un air ~** to look pleased with oneself; **être ~ de soi-même** to be pleased with oneself

satisfecit* /satisfesit/ *nm inv* **1** (approbation) **décerner un ~ à qn** to give sb a glowing report; **2** Scol† good mark GB, good grade US

satrape /satʀap/ *nm* **1** fig despot, satrap; **2** Antiq satrap

saturante /satyʀɑ̃t/ *adj f* **vapeur ~** Phys saturated vapour[GB]

saturateur /satyʀatœʀ/ *nm* **1** Chimie saturator; **2** (humidificateur) humidifier

saturation /satyʀasjɔ̃/ *nf* Chimie saturation **(de** of); (de marché) saturation **(de** of); (de trains, d'hôtels) overcrowding; (de réseau téléphonique, routier) overloading; **arriver à ~** [*solution, marché, réseau*] to reach saturation point; [*public, personne*] to have had as much as one can take

saturé, **~e** /satyʀe/

A *pp* ▸ **saturer**

B *pp adj* **1** (imprégné) gén, Chimie saturated **(de** with); **terre ~e d'eau** waterlogged land; **atmosphère ~e d'humidité** saturated air; **2** (rassasié) **le public est ~ de publicité/discours** the public has had its fill of advertising/speeches; **la télé, j'en suis ~**○ I'm sick of television○; **j'ai trop travaillé, je suis ~**○ I've worked too hard, I can't do any more; **3** (surchargé) [*marché*] saturated; [*profession*] overcrowded; [*système, équipement*] overloaded; [*région, transports*] crowded out **(de** with); **entre 7 heures et 8 heures, le réseau est ~** Télécom between 7 and 8, all lines are busy

saturer /satyʀe/ [1]

A *vtr* **1** (imprégner) to saturate **(de** with); **2** (gorger) **~ les gens de publicité/discours** to overload people with advertising/speeches; **on nous sature de feuilletons** we're being inundated with soap operas; **traiter la demande et ~ le besoin** to cater to demand and meet people's needs

B ○*vi* **je sature** I've had it up to here○

saturnales /satyʀnal/ *nfpl* Antiq Saturnalia

Saturne /satyʀn/

A *npr* Mythol Saturn

B *nprf* Astron Saturn

saturnien, **-ienne** /satyʀnjɛ̃, ɛn/ *adj* liter (mélancolique) saturnine littér

saturnisme /satyʀnism/ ▸ **p. 283** *nm* lead poisoning

satyre /satiʀ/ *nm* **1** Mythol satyr; **2** (individu lubrique) lecher; **3** Zool satyr

sauce /sos/ *nf* Culin sauce; **viande/plat en ~** meat/dish with sauce; **allonger une ~** to thin a sauce; **(r)allonger la ~** fig to spin things out

(Composés) **~ aigre-douce** sweet and sour sauce; **~ béarnaise** bearnaise sauce; **~ béchamel** béchamel sauce; **~ blanche** white sauce; **~ aux câpres** caper sauce; **~ chasseur** mushroom and wine sauce; **~ hollandaise** hollandaise sauce; **~ madère** madeira sauce; **rognons ~ madère** kidneys in madeira sauce; **~ marchand de vin** wine sauce; **~ piquante** piquant *ou* spicy sauce; **~ suprême** supreme sauce; **poulet ~ suprême** chicken supreme; **~ tomate** tomato sauce; **~ au vin** wine sauce

(Idiomes) **mettre qch à toutes les ~s** to adapt sth to any purpose; **je me demande à quelle ~ on va me manger** I wonder what's in store for me; **prendre la ~**○ to get soaked *ou* drenched

saucée○ /sose/ *nf* downpour; **prendre une ~** to get soaked *ou* drenched

saucer /sose/ [12] *vtr* **1** (éponger) to wipe [sth] with a piece of bread [*assiette, plat*]; **2** ○(tremper) **se faire ~** to get soaked *ou* drenched

saucier /sosje/ ▸ **p. 532** *nm* sauce chef, cook specializing in sauces

saucière /sosjɛʀ/ *nf* sauceboat

saucisse /sosis/ *nf* sausage; **chair à ~** sausage meat; **chapelet de ~s** string of sausages

(Composés) **~ de Francfort** frankfurter; **~ sèche** dried sausage; **~ de Strasbourg** knackwurst ¢; **~ de Toulouse** *coarse pork sausage*

(Idiome) **ne pas attacher son chien avec des ~s** to be tight-fisted○

saucisson /sosisɔ̃/ *nm* (slicing) sausage; **~ à l'ail** garlic sausage; **~ sec** ≈ salami, summer sausage US

saucissonné, **~e** /sosisɔne/

A *pp* ▸ **saucissonner**

B ○*pp adj* **se sentir ~** to feel trussed up like a chicken **(dans** in)

saucissonner○ /sosisɔne/ [1] *vi* ≈ to have a snack

sauf¹ /sof/

A *prép* **1** (excepté, hormis) except, but; **ils avaient toutes les tailles ~ la mienne** they had every size but *ou* except mine; **je suis libre tous les jours ~ demain** I'm free every day except *ou* but tomorrow; **le film était bien ~ la fin** the film was good apart from the ending; **j'ai bien aimé ta famille ~ ton frère** I really liked your family apart from your brother; **2** (sous réserve de) **~ contrordre** failing an order to the contrary; **~ avis contraire** unless otherwise stated; **~ imprévu** all things being equal, unless anything unforeseen happens; **~ dispositions contraires** Jur except as otherwise provided; **~ erreur de ma part** if I'm not mistaken

B sauf si *loc conj* (excepté si) unless; **nous mangerons dehors, ~ s'il pleut** we'll eat outside unless it rains; **je partirai en septembre, ~ si je rate mes examens** I'll leave in September unless I fail my exams

C sauf que *loc conj* except that; **tout sera comme autrefois ~ que nous sommes plus vieux** everything will be the same as before except that we're older

sauf², **sauve** /sof, sov/ *adj* [1] (sauvé) safe; **être** ~ to be safe; **j'ai eu la vie sauve** my life was spared; **laisser la vie sauve à qn** to spare sb's life; [2] fig [*honneur, réputation*] intact

sauf-conduit, *pl* ~**s*** /sofkɔ̃dɥi/ *nm* safe-conduct; **accorder un** ~ **à qn** to issue sb with a safe-conduct

sauge /soʒ/ *nf* sage

saugrenu, ~**e** /sogʀəny/ *adj* crazy, potty○ GB

Saül /sayl/ *npr* Saul

saule /sol/ *nm* willow

(Composé) ~ **pleureur** weeping willow

saumâtre /somɑtʀ/ *adj* [*eau, dépôt*] brackish; [*goût*] bitter and salty; **je l'ai trouvée** ~○ fig it was hard to take

saumon /somɔ̃/

A ▸ **p. 202** *adj inv* salmon (pink)

B *nm* [1] Zool salmon; ~ **fumé** smoked salmon; [2] (métal) nonferrous ingot

saumonée /somɔne/ *adj f* **truite** ~ salmon trout

saumonette /somɔnɛt/ *nf* catshark

saumure /somyʀ/ *nf* [1] Culin brine; **conserver dans la** ~ to pickle in brine; **thon en** ~ tuna in brine; [2] (dans un marais salant) bittern

saumuré, ~**e** /somyʀe/ *adj* Culin pickled in brine (*après n*)

sauna /sona/ *nm* sauna

saupoudrer /sopudʀe/ [1] *vtr* [1] lit to sprinkle (**de** with); [2] fig to give [sth] sparingly

saupoudreuse /sopudʀøz/ *nf* (à sucre) sugar sprinkler; (à farine) flour sprinkler

saur /sɔʀ/ *adj m* **hareng** ~ kipper, kippered herring

saurien /sɔʀjɛ̃/ *nm* lacertilian; **les** ~**s** Lacertilia

saut /so/ *nm* [1] (mouvement) jump; ~ **en parachute** parachute jump; **faire un** ~ **en parachute** to make a parachute jump; ~ **à pieds joints** jump with the feet together; **faire un petit** ~ to skip; **faire un** ~ **de deux mètres** to jump two metres[GB]; **faire un** ~ **sur place** to leap in the air; **faire des** ~**s de puce** [*avion*] to do short-haul hops; **faire un** ~ **de 10 ans** to skip 10 years; **faire un** ~ **dix ans en arrière** to jump back ten years; **faire un** ~ **de 2%** to shoot up by 2%; **faire un** ~ **dans l'inconnu** to take a leap into the unknown; **au** ~ **du lit** first thing in the morning; [2] ▸ **p. 469** Sport (activité) **le** ~ jumping; **être bon en** ~ to be a good jumper; [3] ○(visite) **faire un** ~ **à Paris** to make a flying visit to Paris; **faire un** ~ **chez qn** to pop in and see sb; **je ne fais qu'un** ~ it'll only be a flying visit; **faire un** ~ **à la boulangerie** (de chez soi) to pop round to the baker's GB, to duck out to the bakery US; (en chemin) to pop in to the baker's; [4] Ordinat jump; ~ **de page** page break

(Composés) ~ **de l'ange** swallow dive GB, swan dive US; ~ **carpé** pike, jackknife dive; ~ **de chat** saut de chat; ~ **de cheval** vaulting; ~ **en chute libre** free-fall jump; ~ **en ciseaux** scissors jump GB, scissor jump US; ~ **à la corde** skipping; ~ **à l'élastique** bungee jumping; ~ **en hauteur** high jump; **être bon en** ~ **en hauteur** to be good at the high jump; ~ **en longueur** long jump; ~ **de la mort** salto mortale; ~ **d'obstacles** Équit show jumping; ~ **à la perche** pole vault; **faire du** ~ **à la perche** to pole vault; ~ **périlleux** mid-air somersault; ~ **en rouleau** straddle roll; (bond) ski jump; ~ **à skis** (sport) ski jumping

(Idiomes) **faire le** ~ to take the plunge; **faire le grand** ~ (se suicider) to kill oneself

saut-de-loup, *pl* **sauts-de-loup** /sodlu/ *nm* Archit ha-ha

saut-de-mouton, *pl* **sauts-de-mouton** /sodmutɔ̃/ *nm* [1] Gén Civ flyover GB, overpass US; [2] Équit curvet

saute /sot/ *nf* ~ **de température** sudden change in temperature; ~ **de vent** shifting ¢ of the wind; ~ **d'humeur** mood swing; **avoir des** ~**s d'humeur** to have moods; **j'en ai assez de tes** ~**s d'humeur** I've had enough of your moods

sauté, ~**e** /sote/

A *pp* ▸ **sauter**

B *pp adj* Culin sautéed

C *nm* Culin ~ **d'agneau/de veau** sautéed lamb/veal

saute-mouton* /sotmutɔ̃/ *nm inv* leapfrog; **jouer à** ~ to play leapfrog

sauter /sote/ [1]

A *vtr* [1] (franchir) to jump [*distance, hauteur*]; to jump over [*ruisseau, barrière*]; ~ **les trois dernières marches** to jump down the bottom three steps; ~ **deux mètres en hauteur** Sport to clear two metres[GB] in the high jump; ~ **quatre mètres en longueur** to do four metres[GB] in the long jump

[2] (omettre volontairement) to skip [*étape, repas, période*]; to leave out [*détails*]; ~ **un paragraphe** (en lisant) to skip a paragraph; (en recopiant) to leave out a paragraph

[3] (omettre involontairement) to miss out GB, to miss [*mot, ligne*]; ~ **son tour** Jeux to miss one's turn

[4] Scol ~ **une année** *or* **classe** to skip a year

[5] ●(sexuellement) to screw●; **se faire** ~ to get laid●

B *vi* [1] (faire un saut) gén to jump; (vers le bas) to jump (down); (vers le haut) to jump (up); (vers l'extérieur) to jump (out); (vers l'intérieur) to jump (in); ~ **dans qch** to jump into sth; ~ **par-dessus qch** to jump over sth; ~ **sur le banc** to jump onto the bench; ~ **du banc** to jump off the bench; ~ **d'une fenêtre** to jump out of a window; ~ **d'un avion** to jump out of a plane; **saute!** (de haut) jump (down)!; (dans une piscine) jump (in)!; ~ **à terre** to jump (down) to the ground; ~ **d'une branche à l'autre** to leap from branch to branch; ~ **d'un pied sur l'autre** to hop from one foot to the other; ~ **à pieds joints** lit to jump with one's feet together; ~ **à pieds joints dans un piège** fig to fall straight into a trap; ~ **dans le vide** to jump; ~ **en hauteur/en longueur** to do the high/long jump; ~ **à la perche** to pole vault; ~ **en parachute** (une fois) to make a parachute jump; (régulièrement) to go parachute jumping; ~ **à la corde** to skip; ~ **en ciseaux** to do a scissors jump GB *ou* scissor jump US; **faire** ~ **un enfant sur ses genoux** to dandle a child on one's knee; ~ **dans l'inconnu** to take a leap *ou* to leap into the unknown; ~ **sur qn** to pounce on sb; ~ **sur son téléphone/pistolet** to grab one's telephone/gun; ~ **sur l'occasion/une offre** to jump at the chance/an offer; ~ **à la gorge de qn** to go for sb's throat; **le chien m'a sauté à la figure** the dog went for my face; ~ **au cou de qn** to greet sb with a kiss; ▸ **reculer**

[2] (aller vivement) to jump; ~ **du lit** to jump out of bed; ~ **dans un taxi/dans un train** to jump *ou* hop into a taxi/onto a train; ~ **d'un avion à l'autre** to hop off one plane and onto the next

[3] (passer) **nos frais ont sauté de 20% à 32%** our costs have jumped from 20% to 32%; ~ **d'un sujet à l'autre** to skip from one subject to another

[4] ○(être supprimé) **faire** ~ **un paragraphe** (délibérément) to take out a paragraph; (par erreur) to miss out GB *ou* miss a paragraph; **faire** ~ **une réunion** to cancel a meeting; **l'émission/la réunion a sauté** the programme[GB]/the meeting was cancelled[GB]; **le poste va** ~ the job is being axed; **faire** ~ **une contravention** to get out of paying a parking ticket

[5] (être délogé, instable) [*courroie, chaîne de vélo*] to come off; [*images de télévision*] to jump; **la troisième vitesse saute** the third gear keeps slipping

[6] (céder) **faire** ~ **une serrure** to force a lock; **faire** ~ **une maille** to drop a stitch; **faire** ~ **les boutons** to burst one's buttons; **faire** ~ **une dent à qn** to knock one of sb's teeth out; **faire** ~ **les barrières** fig to break down the barriers

[7] (exploser) [*bombe, mine*] to blow up, to go off; [*pont, bâtiment*] to be blown up, to go up; **il a sauté sur une mine** he was blown up by a mine; **faire** ~ **qch** to blow sth up; **faire** ~ **les plombs** Électrotech to blow the fuses

[8] Culin **faire** ~ **des oignons** to sauté onions; **faire** ~ **une crêpe** to toss a pancake; **faire** ~ **les bouchons de champagne** to make the champagne corks pop

[9] ○(être licencié) to be fired, to get the sack○ GB; **faire** ~ **qn** to fire sb

[10] (faire faillite) to go bust○

(Idiomes) ~ **aux yeux** to be blindingly obvious; **et que ça saute**○**!** make it snappy○!; ~ **en l'air**○ *or* **au plafond**○ (de joie) to jump for joy; (de colère) to hit the roof○; (de surprise) to be staggered; **la sauter**◑ (avoir faim) to be starving○

sauterelle /sotʀɛl/ *nf* [1] Zool grasshopper; (criquet) controv locust; [2] ○(femme grande) **une grande** ~○**!** a beanpole○!

sauterie† /sotʀi/ *nf* party, hop†

saute-ruisseau*† /sotʀɥiso/ *nm inv* errand boy†

sauteur, **-euse** /sotœʀ, øz/

A *adj* Zool [*oiseau*] hopping; [*insecte*] leaping

B *nm* [1] Sport jumper; ~ **en hauteur** high jumper; ~ **en longueur** long jumper; ~ **à la perche** pole vaulter; [2] Équit (cheval) show jumper

C sauteuse *nf* [1] Culin (deep) frying pan; [2] (scie) jigsaw

sautillant, ~**e** /sotijɑ̃, ɑ̃t/ *adj* [*démarche, rythme*] bouncy; [*oiseau*] hopping

sautillement /sotijmɑ̃/ *nm* (d'enfant) skipping ¢ about; (d'oiseau) hopping ¢ about; **les** ~**s des enfants me faisaient rire** the way the children skipped about made me laugh

sautiller /sotije/ [1] *vi* [1] [*oiseau*] to hop; (en avançant) to hop along; (d'un lieu à l'autre) to hop around; [2] [*enfant*] (en avançant) to skip along; (d'un lieu à l'autre) to skip around; (d'un pied sur l'autre) to hop from one foot to the other; (sur place) to jump up and down

sautoir /sotwaʀ/ *nm* [1] (collier) long necklace; **porter une montre en** ~ to wear a watch on a chain around one's neck; [2] Hérald saltire; [3] Jeux (pour bébé) baby bouncer

sauvage /sovaʒ/

A *adj* [1] (non apprivoisé) [*animal, plante, région*] wild; [*enfant, passion*] wild; [*peuplade, tribu*] primitive, savage; [2] (cruel, barbare) [*mœurs, cruauté*] savage; [*lutte*] fierce; [*rire, cri*] wild; **OPA** ~ hostile takeover bid; [3] (timide) [*personne*] unsociable; [4] (illégal) [*immigration, affichage, vente*] illegal; **urbanisation** ~ uncontrolled[GB] growth

B *nmf* [1] (être primitif ou brutal) savage; **on n'est pas des** ~**s** we're not savages; [2] (être non sociable) unsociable person, loner

sauvagement /sovaʒmɑ̃/ *adv* savagely

sauvageon, **-onne** /sovaʒɔ̃, ɔn/

A *nm,f* (enfant) wild child

B *nm* Bot wild stock

sauvagerie /sovaʒʀi/ *nf* [1] (brutalité) savagery; [2] (insociabilité) unsociability

sauvagin, ~**e** /sovaʒɛ̃, in/

A *adj* [*odeur, goût*] of wildfowl (*épith, après n*)

B sauvagine *nf* [1] Chasse (oiseaux) waterfowl; [2] Tech (peaux) pelts (of small animals); (animaux) small animals used in the fur trade

sauve ▸ **sauf²**

sauvegarde /sovgaʀd/ *nf* [1] (de patrimoine, paix, valeurs) maintenance; (de droits, libertés) protection; **assurer la** ~ **de** to safeguard; **se placer sous la** ~ **de** to put oneself under the protection of; [2] Ordinat (action) saving; (copie de sécurité) back-up; [3] Naut (cordage) (pour personne) manrope; (pour gouvernail, écope) safety-rope

sauvegarder /sovgaʀde/ [1] *vtr* [1] gén to safeguard; [2] Ordinat (provisoirement) to save;

S

(recopier) to back [sth] up

sauve-qui-peut /sovkipø/ *nm inv* stampede

sauver /sove/ [1]

A *vtr* **1** (garder en vie) to save; (porter secours à) to rescue; **~ la vie à qn** to save sb's life; **~ des vies** to save lives; **~ qn de la noyade** to save sb from drowning; **savoir faire le geste qui sauve** to know how to save somebody's life; **on est sauvés, j'ai une idée!** we're saved, I've just had an idea!; **~ sa peau**○ to save one's skin○; **elle est sauvée** [*malade*] she has pulled through○; **2** (sauvegarder) to save [*personne, organe, honneur, ville, entreprise*] (**de** from); to salvage [*marchandises*] (**de** from); **3** Relig to save [*croyant, âme*]; **4** (rendre acceptable) to redeem; **ce qui le sauve à mes yeux, c'est sa générosité** his redeeming feature for me is his generosity

B **se sauver** *vpr* **1** (s'enfuir) (de prison, d'une cage) to escape (**de** from); (de chez ses parents, de l'école) to run away (**de** from); (face à une situation difficile) to run away (**de** from); (face à un danger) to run; **je me suis sauvé à la nage** I escaped by swimming off; **se ~ en bateau/avion** to escape by boat/plane; **sauvez-vous!** run (for it)!; **2** (s'éloigner) [*enfant, mouton*] to run away; [*oiseau*] to fly away; **3** ○(s'en aller) **il faut que je me sauve** I've got to rush off now; **sauve-toi, tu vas être en retard** you'd better run or you'll be late

(Idiomes) **~ la situation** to save the day; **sauve qui peut!** (à terre) run for your life; (en mer) it's every man for himself

sauvetage /sovtaʒ/ *nm* **1** (de personnes) rescue; **~ en mer** sea rescue; **~ en montagne** mountain rescue; **équipe de ~** rescue team; **cours de ~** life-saving training; **2** (d'entreprise) rescue; **plan/tentatives de ~** rescue plan/attempts; **3** (de satellite) rescue; (de marchandises) salvage ₵

sauveteur /sovtœʀ/ ▸ **p. 532** *nm* rescuer

sauvette: **à la sauvette** /alasovɛt/ *loc adv* **1** (en hâte) [*préparer, signer*] in a rush, hastily; **2** (à la dérobée) [*filmer, enregistrer*] on the sly; **3** (illégalement) **vendre qch à la ~** to sell sth illegally on the street; **un vendeur à la ~** gén an illicit street vendor; (de billets de spectacle) ticket tout GB, scalper○ US

sauveur /sovœʀ/ *nm* Relig saviour[GB]

SAV /ɛsave/ *nm*: *abbr* ▸ **service**

savamment /savamɑ̃/ *adv* **1** (avec érudition) learnedly, eruditely; **2** (avec habileté) [*mené*] adroitly; [*construit, choisi*] skilfully[GB]

savane /savan/ *nf* **1** (hautes herbes) savannah; **2** Can (marécage) swamp

savant, ~e /savɑ̃, ɑ̃t/

A *adj* **1** [*personne*] learned (**en** in), erudite; [*assemblée, groupement*] learned, scholarly; **2** [*édition, étude, émission*] scholarly; [*calcul*] complicated, involved; ▸ **mot**; **3** (habile) [*manœuvre*] clever, skilful[GB]; [*action*] clever; [*mise en scène*] skilful[GB]; **4** [*animal*] performing

B *nm,f* (personne cultivée) scholar

C *nm* (scientifique) scientist

savarin /savaʀɛ̃/ *nm* rum baba

savate /savat/ *nf* **1** ○(vieille pantoufle) old slipper; (vieille chaussure) old shoe; **2** (sport) ≈ kickboxing; **3** (personne maladroite) clumsy idiot○

savetier‡ /savtje/ *nm* cobbler

saveur /savœʀ/ *nf* (d'aliment, de boisson) flavour[GB]; **sans ~** flavourless[GB]; (plus critique) tasteless; **plein de ~** [*fruit*] full of flavour[GB]; [*plat cuisiné*] flavoursome[GB], tasty; [*remarque*] pungent

Savoie /savwa/ ▸ **p. 721** *nprf* **1** (région) **la ~** Savoy; **2** (département) **la ~** Savoie

savoir /savwaʀ/ [47]

A *nm* **1** (érudition) learning ₵; **le ~ désintéressé** learning for its own sake; **un grand ~** great learning **2** (science) knowledge ₵; **le ~ médical** medical knowledge; **le ~ et l'expérience** knowledge and experience; **les ~s et les savoir-faire** knowledge and know-how **3** (culture) body ₵ of knowledge; **transmettre un ~** to pass on a body of knowledge

B *vtr* **1** (connaître) to know [*vérité, réponse*]; **~ son texte** to know one's lines; **~ qch par cœur** to know sth by heart; **~ que** to know (that); **je sais qu'elle est pauvre** I know she's poor; **vous n'êtes pas sans ~ que** you are no doubt aware that; **elle sait bien que** she knows very well (that); **je la savais triste** I knew she was miserable; **~ quand/pourquoi** to know when/why; **~ qui/ce que** to know who/what; **~ combien il est difficile de faire** to know how difficult it is to do; **on ne sait où elle est** nobody knows where she is; **tu sais ce que tu veux, ou non?** do you know what you want or don't you?; **ne l'écoute pas, elle ne sait plus ce qu'elle dit** take no notice, she doesn't know what she's saying; **~ qch sur qn** to know sth about sb; **ne rien ~ de qch** to know nothing about sth; **il ne sait rien de** *or* **sur moi** he doesn't know anything about me, he knows nothing about me; **elle en sait plus/moins que moi** she knows more/less about it than I do; **il n'en saura rien** he'll never know (about it); **je n'en sais rien** I don't know; **la douleur, elle en sait quelque chose** she knows what pain is; **c'est vrai, tu sais** that's true, you know; **va** *or* **allez ~!, qui sait!** who knows!; **on ne sait jamais** you never know; **si seulement j'avais su** if only I'd known; **je (le) sais bien** I know; **est-ce que je sais, moi!** how should I know!; **il est parti pour la raison que tu sais** you know very well why he left; **elle n'a rien voulu ~** she just didn't want to know; **fais-moi ~ si** let me know if; **parler sans ~** to talk about things one knows nothing about; **sans le ~** without knowing (it); **c'est faux, (pour autant) que je sache** as far as I know, it's not true; **pas que je sache** not as far as I know; **elle a fait ~ que** she let it be known that; **elle nous a fait ~ que** she informed us that; **je ne veux pas le ~** I don't want to know; **comment l'as-tu su?** how did you find out?; **je l'ai su par elle** she told me about it; **~ le chinois** to know Chinese; **bien ~ le japonais** to have a good knowledge of Japanese; **quelque chose qu'il sait être douloureux** something he knows is painful *ou* to be painful; **on la savait riche** she was known to be rich; **reste à ~ si** it remains to be seen if *ou* whether; **ne ~ que faire pour…** to be at a loss as to how to…; **on croit ~ qu'elle est à Paris** she is understood *ou* thought to be in Paris; **on ne leur savait pas d'ennemis** they had no known enemies; **sachant que** given that; **sache qu'il t'a menti/que j'avais raison** I'm telling you, he was lying/I was right; **sachez que fumer est interdit dans le bureau** you should know that smoking is forbidden in the office; **il a menti, et que sais-je encore!** he told lies, and goodness knows GB *ou* who knows what else!; **la personne que vous savez, qui vous savez** you-know-who; **je ne sais quel journaliste** some journalist or other; **je ne sais qui** somebody or other; **tu viens ou pas, il faudrait ~!** are you coming or not? make your mind up!; **on va avoir une augmentation ou pas, il faudrait ~!** are we getting more money or not? let's get it straight!; **elle a je ne sais combien de tableaux** she's got who knows how many pictures; **si tu savais** *or* **tu ne peux pas ~ comme je suis content!** you can't imagine how happy I am!; **tu en sais des choses!** you really know a thing or two!; ▸ **vieillesse** **2** (être capable de) **~ faire** to be able to do, to know how to do; **~ comment faire** to know how to do; **je sais conduire/nager/taper à la machine** I can drive/swim/type; **je sais parler espagnol** I can speak Spanish; **il ne sait pas dire non** he can't say no; **~ pardonner** to be able to forgive; **~ écouter** to be a good listener; **elle sait bien/mal expliquer** she's good/bad at explaining things; **il a su nous parler** he was able to talk to us; **il a su la comprendre** he understood her; **on ne saurait tout prévoir** one cannot foresee everything; **je ne saurais vous dire pourquoi** I really can't say why; **on ne saurait mieux dire** I couldn't have put it better myself; **elle sait y faire avec les enfants** she's good with children; **elle sait y faire avec les hommes** she knows how to handle men; **il pleurait tout ce qu'il savait** he cried and cried **3** Belg (pouvoir) **je ne sais pas soulever la valise** I can't lift the suitcase; **on ne sait pas ~ ce qui va se passer** it's impossible to know what will happen

C **se savoir** *vpr* **1** (être connu) **ça se saurait** people would know about that; **à la campagne, tout se sait** in the country, people get to know all that goes on; **tout se sait ici** people get to know everything in this place; **cela a fini par se ~** word got around, it got out in the end; **ça s'est su tout de suite** word immediately got around **2** (être conscient d'être) **se savoir aimé** to know one is loved; **se ~ perdu** to know one is done for

D *v impers* (pouvoir) **il ne saurait en être question** it's completely out of the question; **il ne saurait y avoir de démocratie sans égalité** there can be no democracy without equality

E **à savoir** *loc adv* that is to say; **dans deux jours, à ~ lundi** in two days, that is to say on Monday

(Idiomes) **ne pas ~ où donner de la tête** not to know whether one is coming or going; **et Dieu** *or* **Diable sait quoi!** and God knows what else!

savoir-faire /savwaʀfɛʀ/ *nm inv* know-how

savoir-vivre /savwaʀvivʀ/ *nm inv* manners (*pl*), mastery of the social graces, savoir faire; **~ téléphonique** telephone manners (*pl*); **manquer de ~** to be lacking in the social graces

savon /savɔ̃/ *nm* **1** (produit) soap; **~ en paillettes** soap flakes; **2** (morceau) (bar of) soap; **où est le ~?** where is the soap?; **un ~ dermatologique** a (cake of) dermatological soap

(Composés) **~ à barbe** shaving soap; **~ liquide** liquid soap; **~ de Marseille** household soap; **~ noir** soft soap

(Idiomes) **passer un ~ à qn**○ to give sb a telling-off; **se faire passer un ~**○ to get a telling-off

savonnage /savɔnaʒ/ *nm* soaping; **procédez à un ~ méticuleux** soap down carefully

savonner /savɔne/ [1]

A *vtr* to rub soap on [*linge*]; to soap [sb] all over [*enfant*]; **elle m'a savonné le dos** she soaped my back

B **se savonner** *vpr* (pour se laver) to soap oneself all over; (pour se raser) to lather oneself; **se ~ les mains** to put soap on one's hands; **se ~ le visage** (pour se raser) to lather one's face

savonnerie /savɔnʀi/ *nf* soap factory

savonnette /savɔnɛt/ *nf* small cake of soap

savonneux, -euse /savɔnø, øz/ *adj* soapy; **être sur une pente savonneuse** fig to be on the slippery slope

savourer /savuʀe/ [1] *vtr* to savour[GB] [*succès, moment, instant*]; to revel in *ou* delight in [*honneurs*]; to appreciate [*expression*]; **profitez de votre séjour pour ~ les produits régionaux** take advantage of your stay to enjoy local produce

savoureux, -euse /savuʀø, øz/ *adj* [*plat*] tasty; [*anecdote*] juicy

savoyard, ~e /savwajaʀ, aʀd/ ▸ **p. 721** *adj* Savoyard

Savoyard, ~e /savwajaʀ, aʀd/ *nmf* Savoyard

saxe /saks/ *nm* Dresden china ¢; **un ~** a piece of Dresden china
Saxe /saks/ ▸ **p. 721** *nprf* Saxony
saxhorn /saksɔʀn/ ▸ **p. 557** *nm* saxhorn
saxifrage /saksifʀaʒ/ *nf* saxifrage
saxo○ /sakso/ *nm* **1** (instrument) sax○; **2** (instrumentiste) sax○ player
saxon, -onne /saksɔ̃, ɔn/
A *adj* Saxon
B ▸ **p. 483** *nm* Ling Saxon
Saxon, -onne /saksɔ̃, ɔn/ *nm,f* Saxon
saxophone /saksɔfɔn/ ▸ **p. 557** *nm* **1** (instrument) saxophone; **2** (instrumentiste) saxophone player
saxophoniste /saksɔfɔnist/ ▸ **p. 532** *nmf* saxophonist
saynète /sɛnɛt/ *nf* playlet
sbire /sbiʀ/ *nm* pej henchman péj
scabieux, -ieuse /skabjø, øz/
A *adj* [*éruption*] scabious
B scabieuse *nf* Bot scabious
scabreux, -euse /skabʀø, øz/ *adj* risqué
scalaire /skalɛʀ/
A *adj* [*grandeur*] scalar
B *nm* Zool angelfish
scalène /skalɛn/ *adj* Math scalene
scalp /skalp/ *nm* **1** (cuir chevelu) scalp; **2** (pratique) scalping
scalpel /skalpɛl/ *nm* scalpel; **donner un coup de ~ dans** to make a cut with a scalpel in
scalper /skalpe/ [1] *vtr* to scalp
scampi* /skɑ̃pi/ *nmpl* scampi ¢
scandale /skɑ̃dal/ *nm* scandal; **~ boursier** scandal on the Stock Exchange; **~ des pots-de-vin** bribery scandal; **le ~ de la faim dans le monde** the scandal of hunger in the world; **faire éclater un ~** to cause a scandal to break; **étouffer un ~** to hush up a scandal; **faire ~** to cause a scandal; **faire un** *or* **du ~** (réprobation générale) to cause a scandal; (scène individuelle) to cause a fuss; **faire du ~ sur la voie publique** to create a public disturbance; **celui par qui le ~ arrive** he who causes scandal; **l'opposition a crié au ~** there was a general outcry from the opposition; **au grand ~ de** to the great disgust of; **un journal à ~** a scandal sheet; **la presse à ~** the gutter press; **c'est un ~!** it's scandalous, it's outrageous!
scandaleusement /skɑ̃daløzmɑ̃/ *adv* outrageously
scandaleux, -euse /skɑ̃dalø, øz/ *adj* (tous contextes) scandalous (**de faire** to do), outrageous (**de faire** to do); **c'est proprement ~!** it's absolutely scandalous!
scandaliser /skɑ̃dalize/ [1]
A *vtr* to outrage, to scandalize [*personne*]; **être scandalisé par** to be outraged by
B se scandaliser *vpr* to be shocked (**de qch** by sth); **personne ne s'en est scandalisé** nobody raised any objections
scander /skɑ̃de/ [1] *vtr* **1** Littérat (faire l'analyse métrique) to scan; (déclamer) to declaim; **2** (rythmer) to accentuate, to give emphasis to [*phrase, mots*]; **3** to chant [*slogan, nom*]
scandinave /skɑ̃dinav/ *adj* Scandinavian; **il est d'origine ~** he is from Scandinavia
Scandinave /skɑ̃dinav/ *nmf* Scandinavian
Scandinavie /skɑ̃dinavi/ ▸ **p. 721** *nprf* **la ~** Scandinavia
scandium /skɑ̃djɔm/ *nm* scandium
scanner /skanɛʀ/ *nm* = **scanneur**
scanneur /skanœʀ/ *nm* **1** (appareil) scanner; **2** Méd (scanographie) scan; **passer un ~** to have a scan
scanographie /skanɔgʀafi/ *nf* Méd **1** (technique) scanning; **2** (image) scan; **passer une ~** to have a scan
scansion /skɑ̃sjɔ̃/ *nf* scansion
scaphandre /skafɑ̃dʀ/ *nm* **1** Naut deep-sea diving suit; **2** Astronaut spacesuit
(Composé) **~ autonome** aqualung
scaphandrier /skafɑ̃dʀije/ ▸ **p. 532** *nm* deep-sea diver
scapulaire /skapylɛʀ/
A *adj* Anat scapular
B *nm* **1** Anat scapula; **2** Relig scapular
scarabée /skaʀabe/ *nm* **1** Zool beetle; **2** (bijou en archéologie) scarab
(Composé) **~ sacré** scarab
scarificateur /skaʀifikatœʀ/ *nm* **1** Méd scarificator; **2** Agric scarifier
scarification /skaʀifikasjɔ̃/ *nf* **1** Méd, Hort scarification; **2** Sociol (rite) scarification
scarifier /skaʀifje/ [2] *vtr* to scarify
scarlatine /skaʀlatin/ ▸ **p. 283** *nf* scarlet fever, scarlatina spéc
scarole /skaʀɔl/ *nf* escarole
scatologie /skatɔlɔʒi/ *nf* scatology
scatologique /skatɔlɔʒik/ *adj* scatological
sceau, *pl* **~x** /so/ *nm* **1** (objet, empreinte) seal; **apposer son ~** to affix one's seal; **sous le ~ du secret** [*dire, confier*] in confidence; **2** (marque distinctive) stamp, hallmark; **porter le ~ de** to bear the stamp *ou* hallmark of
sceau-de-Salomon, *pl* **sceaux-de-Salomon** /sod(ə)salomɔ̃/ *nm* Solomon's seal
scélérat, ~e /seleʀa, at/ liter
A *adj* villainous
B *nmf* villain
scélératesse /seleʀatɛs/ *nf* liter **1** (caractère) villainy; **2** (acte) act of villainy
scellé /sele/ *nm* seal; **apposer les ~s** to affix seals (*to doors, drawers, premises etc pending an enquiry*)
sceller /sele/ [1] *vtr* **1** (apposer un sceau) to seal [*document, acte*]; **2** (fixer solidement) to fix [sth] securely [*étagère, barreau*]; **~ un anneau dans le béton** to set a ring securely in concrete; **3** (consacrer) to seal [*amitié, alliance, réconciliation*]
scellofrais® /sɛlɔfʀɛ/ *nm inv* clingfilm, Saran Wrap® US
scénario /senaʀjo/ *nm* **1** Cin screenplay, script; **2** Théât scenario; **3** (déroulement) scenario; **~ catastrophe** nightmare *ou* doomsday scenario
scénariste /senaʀist/ ▸ **p. 532** *nmf* scriptwriter
scène /sɛn/ *nf* **1** Théât (plateau) stage; **~ tournante** revolving stage; **être en** *or* **sur ~** to be on stage; **'en ~!'** 'on stage!'; **entrer en ~** to come on; **entrée en ~** entrance; **sortir de ~** to go off; **le rideau de ~** the curtain; **2** (subdivision, action) scene; **acte I ~ 3** act I scene 3; **la ~ se passe à Paris** the scene is set in Paris; **les ~s d'amour** the love scenes; **3** (activité théâtrale) stage; **quitter la ~** (métier) to give up the stage; **la ~ parisienne** Parisian theatre[GB]; **musique de ~** music for the theatre[GB]; **maquillage/costume de ~** theatrical make-up/costume; **mettre 'Phèdre' en ~** [*troupe*] to stage 'Phèdre'; [*personne*] to direct 'Phèdre'; **mettre en ~ un film** to direct a film; **mettre en ~ l'avarice** to portray greed; **une excellente mise en ~** an excellent production; **mise en ~ d'Ariane Mnouchkine** directed by Ariane Mnouchkine; **roman porté à la ~** novel adapted for the stage; **à la ~ comme à la ville** on stage and off; **4** (actualité) scene; **sur la ~ internationale/politique** on the international/political scene; **occuper le devant de la ~** fig to be in the news; **5** (esclandre) **faire (toute) une ~ (à qn)** to throw a fit○; **faire une ~ de jalousie** to throw a jealous fit○; **6** (épisode, spectacle) scene; **~s bibliques/de chasse** Biblical/hunting scenes; **~s de panique/torture** scenes of panic/torture; **un accident, c'est toujours une ~ pénible** an accident is always a terrible sight; **il a assisté à toute la ~** he saw the whole thing
(Composés) **~ d'intérieur** Art interior; **~ de ménage** domestic dispute; **~ originaire** *or* **primitive** primal scene
(Idiome) **jouer la grande ~ du deux**○ **à qn** to make a grand drama of it
scénique /senik/ *adj* [*répertoire*] stage (*épith*); [*musique*] for the stage; **le lieu ~** the stage; **jeu ~** stagecraft; **du point de vue ~** theatrically speaking
scénographie /senɔgʀafi/ *nf* **1** (perspective) set design; **2** Théât set design; **3** (dans un musée) exhibition space design
scepticisme /sɛptisism/ *nm* **1** (incrédulité) scepticism GB, skepticism US (**sur, envers** about; **à l'égard de** toward, towards GB); **ils envisagent la réforme avec ~** they take a sceptical GB *ou* skeptical US view of the reform; **2** Philos (doctrine) scepticism GB, skepticism US
sceptique /sɛptik/
A *adj* sceptical GB, skeptical US (**sur, à l'égard de** about); **laisser qn ~** to leave sb unconvinced
B *nmf* **1** (personne incrédule) sceptic GB, skeptic US; **2** Philos sceptic GB, skeptic US
sceptre /sɛptʀ/ *nm* sceptre[GB]
Schaffhouse /ʃafuz/ ▸ **p. 721** *npr* **le canton de ~** the canton of Schaffhausen
schapska /ʃapska/ *nm* (s)chapska
schelem = **chelem**
schéma /ʃema/ *nm* **1** (dessin) diagram; **2** (points principaux) outline; **3** (processus) pattern
(Composés) **~ corporel** body image; **~ directeur d'aménagement et d'urbanisme, SDAU** *regional planning and development programme*[GB]
schématique /ʃematik/ *adj* **1** (simplifié) [*vision, raisonnement*] simplistic; **2** (de schéma) schematic
schématiquement /ʃematikmɑ̃/ *adv* **1** (avec un schéma) [*représenter, reproduire*] in a diagram; **2** (en simplifiant) [*exposer, expliquer*] in broad outline
schématisation /ʃematizasjɔ̃/ *nf* simplification; (excessive) oversimplification
schématiser /ʃematize/ [1] *vtr* **1** (simplifier) to simplify; (à l'excès) to oversimplify; **2** (faire un schéma) to make *ou* draw a diagram
schématisme /ʃematism/ *nm* simplification; (excessif) oversimplification
schème /ʃɛm/ *nm* Philos, Psych schema
scherzando /skɛʀtzando/ *adv* scherzando
scherzo /skɛʀtzo/ *nm* scherzo
schilling /ʃiliŋ/ ▸ **p. 48** *nm* schilling
schismatique /ʃismatik/ *adj* schismatic
schisme /ʃism/ *nm* schism
schiste /ʃist/ *nm* schist
(Composé) **~ bitumineux** oil shale
schisteux, -euse /ʃistø, øz/ *adj* schistose
schizoïde /skizɔid/ *adj, nmf* schizoid
schizoïdie /skizɔidi/ *nf* schizoid disorder
schizophrène /skizɔfʀɛn/ *adj, nmf* schizophrenic
schizophrénie /skizɔfʀeni/ ▸ **p. 283** *nf* schizophrenia
schlinguer◑ /ʃlɛ̃ge/ [1] *vi* to stink
schnaps /ʃnaps/ *nm inv* schnap(p)s
schnock◑ /ʃnɔk/ *nm* **un vieux ~** a fuddy-duddy; **du ~** what's-his-name
schuss /ʃus/ *adv, nm inv* schuss; **descendre (en) ~** *or* **tout ~** to schuss down
schwa /ʃva/ *nm* schwa
Schwyz /ʃviz/ ▸ **p. 721** *npr* **le canton de ~** the canton of Schwyz
SCI /ɛssei/ *nf*: *abbr* ▸ **société**
sciage /sjaʒ/ *nm* sawing; **~ mécanique** power sawing
sciatique /sjatik/
A *adj* **nerf ~** sciatic nerve
B ▸ **p. 283** *nf* (douleur) sciatica; **avoir une ~** to have sciatica
scie /si/ *nf* **1** (outil) saw; **2** ○(personne ou chose ennuyeuse) **quelle ~!** what a bore *ou* pain in

the neck!; 3 (refrain) catch-tune

(Composés) ~ **à chantourner** fretsaw; ~ **circulaire** circular saw; ~ **à dos** back saw; ~ **égoïne** handsaw; ~ **électrique** electric *ou* power saw; ~ **à guichet** keyhole saw; ~ **à métaux** hacksaw; ~ **musicale** musical saw; ~ **à refendre** ripsaw; ~ **à ruban** band saw; ~ **sauteuse** jigsaw; ~ **de tailleur de pierre** stone saw

sciemment /sjamɑ̃/ *adv* knowingly

science /sjɑ̃s/ *nf* 1 (savoir) science; **dans l'état actuel de la** ~ in the present state of science; 2 (domaine du savoir) science; **les ~s et les lettres** science and the arts; **la pêche, c'est toute une** ~ fishing is a science all of its own; 3 (érudition) knowledge, erudition; **un homme de votre ~ devrait savoir cela** a man of your erudition should know that; **épater qn avec sa** ~ to blind sb with science, to impress sb with one's knowledge

(Composés) **~s appliquées** applied sciences; **~s économiques** economics (+ *v sg*); **~s exactes** exact sciences; **~s de l'homme** human sciences; **~s humaines** = **~s de l'homme**; **~s mathématiques** mathematical sciences; **~s naturelles** ≈ biology (*sg*); **~s occultes** black arts; **~s physiques** physical sciences; **~s politiques** political science (*sg*); **~s sociales** social sciences; **~s de la Terre** Earth sciences; **~s de la vie** life sciences; **Sciences Po**○ Univ *Institute of Political Science*

(Idiome) **être un puits de** ~ to be a fount of knowledge

> **Sciences Po**
>
> in Paris is a prestigious third-level institution offering courses in political science which have higher status than a university *licence*.
>
> ▸ **grande école**

science-fiction /sjɑ̃sfiksjɔ̃/ *nf* science fiction; **un roman de** ~ a science-fiction *ou* sci-fi○ novel

scientifique /sjɑ̃tifik/
A *adj* scientific
B *nmf* scientist; **c'est plus un ~ qu'un littéraire** he's better at science subjects than at arts subjects

scientifiquement /sjɑ̃tifikmɑ̃/ *adv* scientifically

scientisme /sjɑ̃tism/ *nm* scientism

scientiste /sjɑ̃tist/
A *adj* scientistic
B *nmf* follower of scientism

scientologie /sjɑ̃tɔlɔʒi/ *nf* Scientology; **l'Église de** ~ the Church of Scientology

scier /sje/ [2] *vtr* 1 to saw; 2 ○(abasourdir) [*nouvelle, personne*] to stun

(Idiome) ~ **la branche sur laquelle on est assis** to shoot oneself in the foot

scierie /siʀi/ *nf* sawmill

scieur /sjœʀ/ *nm* sawyer

scille /sil/ *nf* spring squill

scinder /sɛ̃de/ [1]
A *vtr* to split [*organisation, groupe*]; to break down [*problème, question*]; ~ **en deux/plusieurs parties** to split into two/several parts
B **se scinder** *vpr* [*organisation, parti*] to split up; **se ~ en deux/plusieurs parties** to split into two/several parts

scintigraphie /sɛ̃tigʀafi/ *nf* scintigraphy

scintillant, **~e** /sɛ̃tijɑ̃, ɑ̃t/ *adj* [*étoile*] twinkling; [*langage, style*] scintillating

scintillation /sɛ̃tijasjɔ̃, sɛ̃tillasjɔ̃/ *nf* scintillation

scintillement /sɛ̃tijmɑ̃/ *nm* (d'un diamant) (fait de scintiller) sparkling; (des étoiles) twinkling; **le ~ de son regard** the way her eyes sparkle

scintiller /sɛ̃tije/ [1] *vi* [*diamant*] to sparkle; [*regard, œil*] (de santé) to sparkle; (de malice) to twinkle; [*étoile*] to twinkle; [*eau*] to glisten

Scipion /sipjɔ̃/ *npr* ~ **l'Africain** Scipio Africanus

scission /sisjɔ̃/ *nf* 1 (sécession) split, schism (**au sein de** within); **faire** ~ to break away *ou* to secede sout; 2 Biol, Phys fission

scissionniste /sisjɔnist/ *adj, nmf* secessionist

scissipare /sisipaʀ/ *adj* fissiparous

scissiparité /sisipaʀite/ *nf* fissiparity, fission

scissure /sisyʀ/ *nf* Anat fissure

sciure /sjyʀ/ *nf* ~ **(de bois)** sawdust

scléreux, **-euse** /skleʀø, øz/ *adj* sclerotic

sclérosant, **~e** /skleʀozɑ̃, ɑ̃t/ *adj* 1 Méd [*traitement, substance*] sclerosant; 2 fig [*mode de vie, travail*] mind-numbing

sclérose /skleʀoz/ *nf* 1 ▸ p. 283 Méd sclerosis; 2 (immobilisme) fossilization, ossification

(Composés) ~ **en plaques**, **SEP** multiple sclerosis, MS

scléroser /skleʀoze/ [1]
A *vtr* Méd to sclerose [*varices*]
B **se scléroser** *vpr* 1 fig (se figer) [*institution, personne*] to become fossilized; 2 Méd [*tissu, organe, veine*] to become hardened *ou* sclerosed spéc

sclérotique /skleʀotik/ *nf* sclera, sclerotic

scolaire /skɔlɛʀ/
A *adj* 1 Scol [*vacances, programme, livre*] school (*épith*); [*réforme, publication*] educational; [*échec, réussite*] academic; **établissement** ~ school; 2 pej (sans originalité) unimaginative
B *nmf* schoolchild; **les ~s** schoolchildren

scolarisable /skɔlaʀizabl/ *adj* 1 (par l'âge) [*enfant*] ready to start school; 2 (ayant les capacités nécessaires) **être** ~ not to need special schooling; **il n'est pas** ~ he needs special schooling

scolarisation /skɔlaʀizasjɔ̃/ *nf* schooling, education; ~ **des adultes** adult education; **le taux de** ~ the percentage of children in full time education; **la ~ plus poussée d'un grand nombre de jeunes** the increased numbers of young people staying on at school

scolariser /skɔlaʀize/ [1] *vtr* 1 (envoyer à l'école) to send [sb] to school; **est-il scolarisé?** does he go to school?; 2 (pourvoir d'écoles) to provide [sth] with schools [*pays, région*]

scolarité /skɔlaʀite/ *nf* 1 (études) schooling; **durant ma** ~ when I was at school; **après une ~ à** having been educated at; **arrêter sa ~ à 13 ans** to leave school at 13; **avoir une ~ difficile** not to do well at school; **la ~ obligatoire** compulsory education; **allonger la** ~ to raise the school-leaving age; **l'allongement de la** ~ (fait) staying on at school; 2 Univ (service administratif) university administration

scolastique /skɔlastik/
A *adj* scholastic
B *nf* scholasticism

scoliose /skɔljoz/ *nf* scoliosis; **avoir une** ~ to have scoliosis

scolopendre /skɔlɔpɑ̃dʀ/ *nf* 1 Bot scolopendrium; 2 Zool scolopendrid

sconse /skɔ̃s/ *nm* (fourrure) skunk (fur); **manteau de** *or* **en** ~ skunk coat

scoop○ /skup/ *nm* Presse scoop; **obtenir un** ~ to score a scoop

scooter* /skutœʀ/ *nm* (motor) scooter

(Composés) ~ **des mers** *or* **nautique** jetski; ~ **des neiges** snowmobile

scorbut /skɔʀbyt/ ▸ p. 283 *nm* scurvy

score /skɔʀ/ *nm* 1 Scol, Sport score; **réaliser un bon/mauvais** ~ to get a good/bad score; ~ **nul** draw GB, tie US; 2 Pol result; **réaliser un bon ~ électoral** to get good results in the election; **réaliser un ~ de 38%** to get 38% of the vote

scorie /skɔʀi/ *nf* 1 Géol scoria ₵; 2 Mines slag ₵, scoria ₵; 3 (déchet) dross ₵

scorpion /skɔʀpjɔ̃/ *nm* Zool scorpion

(Composés) ~ **aquatique** *or* **d'eau** water scorpion; ~ **de mer** sea scorpion

Scorpion /skɔʀpjɔ̃/ ▸ p. 912 *nprm* Scorpio

scorsonère /skɔʀsɔnɛʀ/ *nf* scorzonera

scotch, *pl* **~es*** /skɔtʃ/ *nm* 1 (boisson) Scotch (whisky); 2 ®(ruban adhésif) Sellotape® GB, Scotch® tape US; **un rouleau** *or* **ruban de** ~ a roll of Sellotape GB *ou* Scotch tape US

scotcher /skɔtʃe/ [1] *vtr* to Sellotape® GB, to Scotch-tape® US

scoumoune◑ /skumun/ *nf* bad luck; **avoir la** ~ to be jinxed

scout, **~e** /skut/
A *adj* scout (*épith*)
B *nmf* (Catholic) boy scout/(Catholic) girl scout; **matériel de** ~ scouting gear

scoutisme /skutism/ *nm* scouting; **faire du** ~ to be a scout

scrabble® /skʀabl/ ▸ p. 469 *nm* Scrabble®; **jouer au** ~ to play Scrabble®

scratch /skʀatʃ/ *nm* 1 Costume Velcro® fastener; 2 Mus scratching

scratcher /skʀatʃe/ [1] *vtr* Mus to scratch

scriban /skʀibɑ̃/ *nm* bureau cabinet

scribe /skʀib/ *nm* 1 Antiq scribe; 2 (employé) pen pusher○ GB, pencil pusher US

scribouillard○, **~e** /skʀibujaʀ, aʀd/ *nm,f* pen pusher○ GB, pencil pusher US

script /skʀipt/ *nm* 1 (écriture) **écrire en** ~ to print; 2 Cin, Radio, TV script

scripte /skʀipt/ *nmf* Cin, Radio, TV continuity man/girl

script-girl, *pl* **~s** /skʀiptgœʀl/ *nf* Cin, Radio, TV continuity girl

scripturale /skʀiptyʀal/ *adj f* **monnaie** ~ bank money

scrofulaire /skʀɔfylɛʀ/ *nf* Bot figwort

(Composés) ~ **aquatique** water figwort; ~ **noueuse** common figwort

scrofule /skʀɔfyl/ *nf* scrofula, king's evil

scrofuleux, **-euse** /skʀɔfylø, øz/ *adj* scrofulous

scrogneugneu /skʀɔɲøɲø/ *excl* humph!

scrotal, **~e**, *mpl* **-aux** /skʀɔtal, o/ *adj* scrotal

scrotum /skʀɔtɔm/ *nm* Anat scrotum

scrupule /skʀypyl/ *nm* scruple; **avoir ~ à faire** fml, **avoir des ~s à faire** to have scruples about doing; **n'avoir aucun** ~ to have no scruples (**à faire** about doing); **être dénué de ~s** to be completely unscrupulous; **une personne sans ~s** an unscrupulous person; **faire taire ses ~s** to forget one's scruples; **être exact jusqu'au** ~ to be scrupulously precise; **un ~ d'objectivité caractérise son exposé** his account is characterized by scrupulous objectivity

scrupuleusement /skʀypyløzmɑ̃/ *adv* gén [*respecter, appliquer*] scrupulously; **se comporter ~ en affaires** to be scrupulous in one's business dealings

scrupuleux, **-euse** /skʀypylø, øz/ *adj* scrupulous; **peu** ~ unscrupulous; **veiller au respect ~ de qch** to ensure that sth is scrupulously respected

scrutateur, **-trice** /skʀytatœʀ, tʀis/
A *adj* [*regard, air*] searching; [*nature*] inquiring; **d'un œil** ~ with a searching look
B *nm,f* (de vote) scrutineer

scruter /skʀyte/ [1] *vtr* to scan [*mer, horizon, paysage*]; to scrutinize [*objet*]; to examine [*sol, personne, motif*]; to search [*mémoire*]; ~ **la mer pour apercevoir qch** to scan the sea for sth

scrutin /skʀytɛ̃/ *nm* 1 (vote) ballot; **par voie de** ~ by ballot; **dépouiller le** ~ to count the votes; 2 (élections) polls (*pl*); **ouverture/fermeture du** ~ opening/closing of the polls; **date/jour du** ~ polling date/day; **premier/deuxième tour de** ~ first/second ballot; **mode de** ~ electoral system

S

se

La traduction du pronom personnel *se* varie en fonction du verbe auquel il est associé et de son rôle; il sera traité automatiquement avec le verbe pronominal auquel on aura tout intérêt à se reporter.

se complément d'objet direct ou indirect d'un verbe pronominal réfléchi

se blesser
= to hurt oneself

il se regarde
= he's looking at himself

elle se regarde
= she's looking at herself

ils se sont brûlés
= they burnt themselves

elles se sont brûlées
= they burnt themselves

le chien s'est brûlé
= the dog burnt itself

Mais attention, très souvent en anglais le pronom ne sera pas exprimé:

se laver
= to wash
ou to have a wash

elle s'habille
= she's getting dressed

il se rase
= he's shaving

Avec les parties du corps

il se lave les pieds
= he's washing his feet

elles se coupent les ongles
= they're cutting their nails

se ronger les ongles
= to bite one's nails.

le chat se lèche les moustaches
= the cat is cleaning its whiskers

ils se bouchent les oreilles
= they put their fingers in their ears

se pronom réciproque

ils se détestent
= they hate each other

On trouvera des exemples supplémentaires et des cas non envisagés ici dans l'article ci-dessous. En cas de doute, se reporter à l'article du verbe.

(Composés) **~ de liste** list system; **~ majoritaire** election by majority vote; **~ proportionnel** proportional representation, PR

SCT /ɛssete/ *nm: abbr* ▸ **syndrome**

sculpter /skylte/ [1] *vtr* **1** (réaliser) to sculpt, to carve [*statue, buste*] (**dans** in); to carve [*ornements, meuble*] (**dans** out of); **~ une statue dans du marbre** to sculpt *ou* carve a statue in marble; **~ une tête dans un rocher** to carve a head in the rock; **2** (travailler) to sculpt, to carve [*pierre, marbre*]; to carve [*bois*]; **~ au ciseau** to carve with a chisel; **cheminée en marbre sculpté** sculpted marble mantelpiece; **3** (éroder) [*mer, érosion*] to sculpt, to carve out [*roche, falaise*]

sculpteur /skyltœʀ/ ▸ p. 532 *nm* sculptor; **elle est ~** she's a sculptor; **~ sur bois** woodcarver

sculptural, **~e**, *mpl* **-aux** /skyltyʀal, o/ *adj* [*art*] sculptural; [*forme, beauté, corps*] statuesque

sculpture /skyltyʀ/ *nf* **1** (art) sculpture; **faire de la ~** (comme passe-temps) to do sculpture; (comme travail) to be a sculptor; **la ~ du bois** woodcarving; **2** (ouvrage) gén sculpture; (sur bois) woodcarving; **~ en marbre/bronze** marble/bronze sculpture; **~ sur bois** woodcarving; **une ~ de Rodin** a Rodin sculpture; **3** Aut (de pneu) tread ₵

Scylla /sila/ *npr* Scylla; ▸ **Charybde**

scythe /sit/ *adj* Scythian

Scythe /sit/ *nmf* Scythian

SDAU /ɛsdeay/ *nm: abbr* ▸ **schéma**

SDF /ɛsdeɛf/ *nmf: abbr* ▸ **sans**

SDN /ɛsdeɛn/ *nf: abbr* ▸ **société**

se (**s'** *before vowel or mute h*) /sə, s/ *pron pers* **1** (verbe réfléchi) **s'habiller** to get dressed, to dress; **~ cacher** to hide; **il ne faut pas ~ bloquer sur un mot** you shouldn't get stuck on one word; **2** (réciprocité) **ils ~ bousculent** they're jostling each other; **ils ~ sont injuriés** they insulted each other; **3** (verbe à valeur intransitive) **elle ~ comporte honorablement** she behaves honourably; **la voiture s'est bien comportée** the car performed well; **l'écart ~ creuse** the gap is widening; **l'épreuve ~ déroule en deux temps** the event takes place in two stages; **4** (verbe à valeur passive) **les exemples ~ comptent sur les doigts** the examples can be counted on the fingers of your hand; **le médicament ~ vend sans ordonnance** the medicine is sold without a prescription; **5** (avec un verbe impersonnel) **comment ~ fait-il que…?** how come…?, how is it that…?; **il ~ prépare actuellement une nouvelle édition** a new edition is being prepared at the moment; **il ~ produit une réaction chimique** there is a chemical reaction; **il ~ vend chaque jour plusieurs centaines d'appareils** several hundred appliances are sold every day

séance /seɑ̃s/ *nf* **1** (réunion) (de tribunal, parlement, Bourse) session; (de comité, conseil municipal) meeting; **~ d'ouverture/de clôture** opening/closing session; **~ ordinaire/plénière** ordinary/plenary session; **être en ~** gén to be in session; [*parlementaires*] to sit; **tenir ~** to meet; **~ publique** public meeting; **~ des questions au gouvernement** session of questions to ministers in parliament; **~ tenante** immediately; **2** (période d'activité) session; **dix ~s de kinésithérapie** ten physiotherapy sessions; **organiser une ~ de travail** to organize a workshop; **3** Cin show; **~ supplémentaire à minuit** extra show at midnight; **une ~ privée** a private screening; **le film commence vingt minutes après le début de la ~** the film commences twenty minutes after the start of the programme^GB

(Composé) **~ de spiritisme** séance

séant /seɑ̃/
A *adj m* **il est ~ de faire** it is fitting to do
B *nm* **se mettre sur son ~** to sit up

seau, *pl* **~x** /so/ *nm* (récipient) gén bucket, pail; (pour enfant) bucket; (contenu) bucket(ful)

(Composés) **~ à champagne** champagne bucket; **~ à charbon** coal scuttle; **~ à glace** ice bucket; **~ hygiénique** slop pail

(Idiomes) **pleuvoir à ~x**○ to pour; **la pluie tombe à ~x**○ it's pouring

sébacé, **~e** /sebase/ *adj* sebaceous

sébile /sebil/ *nf* begging bowl; **tendre la ~** to beg

séborrhée /sebɔʀe/ *nf* seborrhoea

sébum /sebɔm/ *nm* sebum; **excès de ~** excessive sebum

sec, **sèche** /sɛk, sɛʃ/
A *adj* **1** (sans humidité) [*temps, matière, peau, cheveux*] dry; [*abricot, fruit*] dried; **bois ~** dry wood; **vapeur/chaleur sèche** dry steam/heat; **avoir la gorge sèche** to feel parched○; **à pied ~** without getting one's feet wet; **ne plus avoir un fil de ~**○ to be soaked through *ou* drenched; **garder l'œil ~** not to shed a tear; **2** (pas doux) [*vin, cidre*] dry; (sans eau) **boire son gin ~** to like one's gin straight *ou* neat GB; **3** (austère) [*personne, communiqué*] terse; [*lettre, ton*] curt; [*style*] dry; [*élégance*] stark; [*traits*] sharp; **avoir un cœur ~** to be cold-hearted; ▸ **trique**; **4** (net) [*bruit*] sharp; **se briser d'un coup ~** to snap; **donner un coup ~ à qch** to give sth a sharp tap
B *nm* **être à ~** [*rivière, réservoir*] to have dried up; [*compte en banque*] to be empty; [*personne*] to have no money; **tenir qch au ~** to keep sth in a dry place; **mettre une mare à ~** to drain a pond; **avoir les pieds bien au ~** to have nice dry feet; **cacahuètes grillées à ~** dry roasted peanuts
C *adv* **1** (avec netteté) **se briser ~** to snap; **2** ○(beaucoup) [*cogner, pleuvoir, boire*] a lot
D **sèche**○ *nf* (cigarette) fag GB, cig○

(Idiomes) **aussi ~**○ immediately; **rester ~**○ to be unable to reply; **je l'ai eu ~**○ I was pretty choked○

sécable /sekabl/ *adj* [*comprimé*] divisible

SECAM /sekam/ *nm* (*abbr* = **séquentiel couleur à mémoire**) SECAM; **système ~** SECAM standard

sécant, **~e** /sekɑ̃, ɑ̃t/
A *adj* secant (**de** to)
B **sécante** *nf* Math secant

sécateur /sekatœʀ/ *nm* clippers (*pl*)

(Composé) **~ à haie** shears (*pl*)

sécession /sesesjɔ̃/ *nf* secession ₵; **le droit de ~** the right to secede; **faire ~** to secede

sécessionniste /sesesjɔnist/ *adj, nmf* secessionist

séchage /seʃaʒ/ *nm* gén drying ₵; (du bois) seasoning ₵

sèche ▸ **sec A, D**

sèche-cheveux* /sɛʃʃəvø/ *nm inv* hair-drier GB, blow-dryer US

sèche-linge* /sɛʃlɛ̃ʒ/ *nm inv* (machine) tumble-drier GB, tumble-dryer US; (armoire) drying cupboard

sèche-mains* /sɛʃmɛ̃/ *nm inv* hand-drier GB, blower US

sèchement /sɛʃmɑ̃/ *adv* drily, coldly; **très ~** curtly

sécher /seʃe/ [14]
A *vtr* **1** gén to dry [*cheveux, enfant, poisson, fruit, larme, linge*]; **2** ○(manquer) to skip [*cours*]; **~ l'école** to skip school, to bunk off○ GB
B *vi* **1** (devenir sec) [*linge, cheveux*] to dry; [*plaie, herbe, boue*] to dry up; [*encre, peinture*] (normalement) to dry; (par négligence) to dry up; [*fleur*] to wither; [*jambon*] to get dried up; **fleur/viande/boue séchée** dried flower/meat/mud; **faire ~ des champignons/des fleurs/ses chaussures** to dry mushrooms/flowers/one's shoes; **mettre le linge à ~** (dehors) to hang out the washing; **mettre des vêtements à ~** (après un lavage) to hang clothes up to dry; (après la pluie) to dry out clothes; **'faire ~ à plat'** 'dry flat'; **mettre du bois à ~** to leave wood to season; **~ sur pied** [*plante*] to wilt; **2** ○(ne pas savoir répondre) to dry up
C **se sécher** *vpr* (avec une serviette) to dry oneself; **se ~ devant le poêle** to dry off in front of the stove; **se ~ les cheveux** to dry one's hair

sécheresse* /seʃʀɛs/ *nf* **1** (manque de pluie) drought; **une grave ~** a severe drought;

S

[2] (de climat) dryness ¢; [3] (austérité) (de personne) curt manner; (d'auteur, ouvrage) dryness; **la ~ de son ton** his/her curt tone; **avec ~** *[dire, répondre]* curtly

séchoir /seʃwaʀ/ *nm* [1] (sèche-cheveux) hairdrier GB, blow-dryer US; [2] (pour le linge) (étendage) clothes airer, clothes horse; (armoire) drying cupboard; (machine) tumble-drier GB, tumble-dryer US; [3] Agric drier GB, dryer US

second, ~e /səgɔ̃, ɔ̃d/

A *adj* [1] (dans une séquence) second; **~e partie/fois** second part/time; **chapitre ~** chapter two; **en ~e lecture** at a second reading; **en ~ lieu** secondly; **dans un ~ temps, nous étudierons...** subsequently, we will study...; **c'est à prendre au ~ degré** it is not to be taken literally; **le second Empire** the Second Empire; [2] (dans une hiérarchie) second; **~ violon** second violin; **officier en ~** second officer; **être commandant en ~** to be second in command; **voyager en ~e classe** to travel second class; **billet de ~e classe** second-class ticket; **elle est arrivée en ~e position** she came second; **de ~ ordre** second-rate; **politicien de ~ plan** minor politician; **faire passer qch au ~ plan** to make sth take second place; **de ~ choix** of inferior quality; **jouer un ~ rôle** Théât to play a supporting role; **jouer les ~ rôles** fig to play second fiddle; **les causes ~es** the secondary causes; [3] (autre) second; **ma ~e patrie** my second home; **c'est une ~e Marie Curie** she is a second Marie Curie; **avoir le don de ~e vue** to have second sight

B *nm,f* **le ~, la ~e** gén the second one; (enfant) the second child; **le ~ de la liste** the second one on the list; **mon ~ est...** (dans une charade) my second is...

C *nm* [1] (adjoint) second-in-command; [2] (étage) second floor GB, third floor US; **au ~** on the second floor GB, on the third floor US; **les gens du ~** the people on the second floor; [3] (dans un duel) second

D **en second** *loc adv [arriver, partir]* second; **passer en ~** *[travail, amis]* to come second

E **seconde** *nf* [1] ▸ **p. 898** (unité de temps) second; **11 mètres par ~e** 11 metres[GB] per *ou* a second; **à la ~e près** to the nearest second; [2] (court laps de temps) second; **je reviens dans une ~e** I'll be back in a second *ou* sec°; **en une fraction de ~e** in a split second; [3] Scol (classe) *fifth year of secondary school, age 15–16*; [4] Transp **billet de ~e** standard ticket GB, second-class ticket; **voyager en ~e** to travel standard *ou* second class; [5] Aut second gear; **passer en** *or* **la ~e** to change into second; [6] Mus second

(Composés) **~ avènement** Bible Second Coming; **~ de cordée** second man (in a climbing party); **~ couteau** Cin, Théât cameo role; **~ maître** Mil Naut ≈ petty officer GB, ≈ petty officer first class US; **~ marché** secondary market

secondaire /səgɔ̃dɛʀ/

A *adj* [1] (en deuxième position) secondary; [2] (de moindre importance) *[personnage, route]* minor; [3] Scol **école ~** secondary school GB, high school US; **enseignement ~** secondary school GB *ou* high school US education; **j'ai fait mes études ~s à...** I was in secondary school GB *ou* high school US at...; [4] Méd **lésions ~s** secondary lesions; **syphilis ~** the second stage of syphilis; **effets ~s** side effects; [5] Géol **ère ~** Mesozoic era; [6] Tech secondary

B *nm* [1] Scol secondary school GB *ou* high school US education; **les enseignants du ~** secondary GB *ou* high US school teachers; [2] Géol **le ~** the Mesozoic

secondairement /səgɔ̃dɛʀmɑ̃/ *adv* secondarily

seconde ▸ **second A, B, D**

secondement /səgɔ̃dmɑ̃/ *adv* secondly

seconder /səgɔ̃de/ [1] *vtr [personne]* to assist; *[circonstance]* to aid

secouer /səkwe/ [1]

A *vtr* [1] (agiter) to shake *[bouteille, branche, personne]*; to shake out *[nappe, tapis, parapluie]*; **~ la tête** to shake one's head; **rire en secouant les épaules** to shake with laughter; **être un peu secoué** (dans une voiture, un avion) to have rather a bumpy ride; (sur un bateau) to have rather a rough trip; **secoué par un séisme** *[ville, région]* hit by an earthquake; [2] (se débarrasser de) to shake off *[poussière, neige, joug]*; [3] (ébranler) *[crise]* to shake *[personne, pays]*; **être un peu secoué** (par une nouvelle) to be rather shaken up; **la guerre/polémique qui secoue le pays** the war/controversy raging in the country; [4] °(activer) to give [sb] a shaking-up° *[personne]*

B **se secouer** *vpr* [1] (pour se dégager) *[personne]* to give oneself a shake; *[animal]* to give itself a shake; [2] (nerveusement) to jump about all over the place; [3] °(contre le découragement) to pull oneself together; (contre l'inertie) to wake up, to get moving°

secourable /səkuʀabl/ *adj* **être ~** to be a good samaritan; **tendre une main ~ à qn** to give sb a helping hand

secourir /səkuʀiʀ/ [26] *vtr* (aider) to help *[personne]*; (sauver) to rescue *[alpiniste, marin]*; (soigner) to give first aid to *[accidenté]*; (assister) to provide aid for *[réfugié]*

secourisme /səkuʀism/ *nm* first aid; **brevet/cours de ~** first aid certificate/class

secouriste /səkuʀist/ ▸ **p. 532** *nmf* first-aid worker

secours /səkuʀ/

A *nm inv* (aide) help; **au ~!** help!; **appeler** *or* **crier au ~** to shout for help; **appel au ~** cry for help; **avec/sans le ~ de** with/without the help of; **être d'un grand ~** to be a great help; **porter ~ à** to help; **il l'a appelée à son ~** he got her to help him; **porter ~ à, se porter au ~ de** to help *[blessé, réfugié]*; to come to the aid of *[personne critiquée, entreprise]*; to rescue *[animal]*; **aller/voler au ~ de qn** to go/to rush to sb's aid; **venir au ~ de qn** to come to sb's aid; **le ~ en mer/en montagne** sea/mountain rescue operations *(pl)*; **~ financier** financial aid ¢; **de ~** (de rechange) *[roue]* spare; (d'urgence) *[sortie]* emergency; (de soins) *[matériel]* first aid; (de sauvetage) *[équipe, opération]* rescue; (de sécurité) *[matériel]* back up

B *nmpl* [1] (personnes) (secouristes) rescuers, rescue team *(sg)*; (renforts) reinforcements; [2] (vivres, médicaments) relief supplies; **~ médicaux** medical supplies; **~ humanitaires** humanitarian aid ¢; **premiers ~, ~ d'urgence** first aid ¢; [3] Relig **les ~ de la religion** the consolation of religion

secousse /səkus/ *nf* [1] (mouvement brusque) jolt; **une légère ~** a slight jolt; **éviter les ~s** (en voiture, avion) to avoid the bumps; **avancer par ~s** *[voiture, train]* to jerk forward; **avancer sans une ~** to move forward smoothly; **donner une ~ à qch** (en tirant) to give sth a tug; (en poussant) to give sth a push; [2] (émotion) (personnelle) shock; (dans un groupe) upheaval; [3] Géol **~ (sismique)** (earth) tremor; [4] Électrotech **~ (électrique)** (electric) shock

secret, -ète /səkʀɛ, ɛt/

A *adj* [1] (non divulgué) *[dossier, code, rite, société]* secret; **tenir qch ~** to keep sth secret *ou* a secret; [2] (dissimulé) *[passage, mécanisme]* secret; [3] (intime, mystérieux) *[vie, sentiment, raisons]* secret; **avoir le ~ espoir de réussir** secretly to hope to succeed; [4] (réservé) *[personne]* secretive

B *nm* [1] (ce qu'on cache) secret; **c'est un/mon ~** it's a/my secret; **garder un ~** to keep a secret; **c'est un ~ entre nous** it's our secret; **ne pas avoir de ~s pour qn** to have no secrets from sb; **confier un ~ à qn** to let sb into GB *ou* in on US a secret; **ce n'est un ~ pour personne** it's no secret (**que** that); **faire un ~ de qch** to make a secret of sth; **il n'en fait pas un ~** he makes no secret of it; ▸ **tombe**; [2] (ce qui est caché) secret; **livrer ses ~s** *[nature, substance, tombe]* to yield up (its) secrets (**à** to); **la mécanique n'a plus de ~s pour elle** mechanics holds no secrets for her; [3] (discrétion) secrecy; **dans le ~ de leur atelier** in the secrecy of their studio; **faire qch dans le plus grand ~** to do sth in the utmost *ou* greatest secrecy; **être tenu au ~** to be sworn to secrecy; **dans le ~ de ton cœur** in your heart of hearts; **être dans le ~ (des dieux)** to be in on the secret; **mettre qn dans le ~/le ~ de qch** to let sb into GB *ou* in on US the secret/a secret about sth; **garder le ~ sur qch** to keep sth a secret; **promettre le ~ absolu sur qch** to promise to keep sth strictly secret; **en ~** in secret; [4] (recette) secret; **le ~ du bonheur** the secret of happiness; **quel est ton ~ pour rester jeune?** what's your secret for staying young?; **avoir le ~ de qch** to know the secret of sth; **encore une de ces gaffes dont il a le ~** another of those blunders that only he knows how to make; **il a le ~ des solutions compliquées pour les problèmes simples** he has a knack of finding complicated answers to simple problems; [5] (prison) **mettre qn/être au ~** to put sb/to be in solitary confinement; [6] (réserve) secrecy; **leur goût du ~** their taste for secrecy; [7] (mécanisme) secret mechanism; **une serrure à ~** a secret lock

(Composés) **~ bancaire** Fin, Jur bank confidentiality; **~ d'État** Pol State secret; **~ de fabrication** industrial secret; **~ de Polichinelle** open secret; **~ professionnel** Jur professional confidentiality; **être tenu au ~ professionnel** to be sworn to professional confidentiality

secrétaire /s(ə)kʀetɛʀ/

A *nmf* (employé administratif) secretary; **~ à mi-temps** part-time secretary

B *nm* [1] (cadre politique) secretary; [2] (cadre diplomatique) secretary; **premier/deuxième ~** first/second secretary; [3] (meuble) secretaire GB, secretary US; [4] Zool secretary bird

(Composés) **~ adjoint** assistant secretary; **~ bilingue** bilingual secretary; **~ de direction** personal assistant; **~ d'État** (en France) minister; (en Grande-Bretagne, aux États-Unis) Secretary of State; **~ général** general secretary; **~ général de l'ONU** UN secretary-general; **~ médicale** medical secretary; **~ particulier** private secretary; **~ de production** Cin producer's assistant; **~ de rédaction** Presse subeditor GB, copy-editor; **~ de séance** committee secretary

secrétariat /s(ə)kʀetaʀja/ *nm* (travail) secretarial work; **école de ~** secretarial college; (fonction) secretaryship; (mandat) term of office as secretary; (lieu) secretariat

(Composés) **~ d'État** ministry; **~ d'État à l'emploi** ministry for employment; **~ de mairie** city hall secretariat; **~ de rédaction** (activité) subediting GB, copy-editing; (bureau) subeditors' room GB, copy-editors' room

secrète /səkʀɛt/ ▸ **secret A**

secrètement /səkʀɛtmɑ̃/ *adv* secretly

sécréter /sekʀete/ [14] *vtr* [1] Bot, Physiol to secrete; [2] (exuder) to exude *[goutte, liquide]*; [3] (produire) to foster *[inégalités, idéologie]*; to hatch *[réforme]*; **~ l'ennui** to exude boredom

sécréteur, -trice /sekʀetœʀ, tʀis/ *adj* secretory

sécrétion /sekʀesjɔ̃/ *nf* secretion

sectaire /sɛktɛʀ/ *adj, nmf* sectarian

sectarisme /sɛktaʀism/ *nm* sectarianism

secte /sɛkt/ *nf* Relig sect; (clan) faction

secteur /sɛktœʀ/ *nm* [1] Écon (d'activités générales) sector; **~ primaire/privé/public** primary/private/public sector; **~ secondaire** *or* **manufacturier** manufacturing (sector); **~ tertiaire** *or* **des services** service sector; **~ de l'industrie** industrial sector; **~ d'activité** sector; **~ agricole/bancaire/hospitalier** farming/banking/hospital sector; **les différents ~s économiques** the various

S

sectors of the economy; 2) Admin (subdivision) area; ~ **de recrutement scolaire** school's catchment area; **les représentants commerciaux ont chacun leur ~** each sales representative has his own territory; 3) ○(parages) neighbourhood[GB]; **on a intérêt à changer de ~** we'd be better off somewhere else; 4) Électrotech **le ~** (réseau) the mains (*pl*); **appareil fonctionnant sur ~** mains-operated appliance; **panne de ~** power failure; 5) Math sector; ~ **sphérique** sector of a sphere; 6) Mil sector; ~ **d'opérations** operational sector; ~ **de tir** field of fire

(Composés) ~ **postal, SP** Mil *army postal area*; ~ **sauvegardé** conservation area

section /sɛksjɔ̃/ *nf* 1) (division) Admin, Mil section; (de parti, syndicat) branch; ~ **locale** local branch; (de route, chemin de fer) section; (de livre) part; 2) Scol (selon les niveaux) stream GB, track US; **choisir une ~ littéraire/scientifique/technique** to choose a literary/scientific/technical option; 3) Univ department; ~ **d'anglais/de biochimie** English/Biochemistry department; 4) Math, Tech (coupe) section; ~ **conique/longitudinale/oblique/transversale** conical/longitudinal/oblique/transverse section; **un tube de 12 mm de ~** a 12 mm gauge tube; 5) (coupure) section

(Composés) ~ **d'autobus** Transp fare stage; ~ **d'or** Math golden section; ~ **rythmique** Mus rhythm section

sectionnement /sɛksjɔnmɑ̃/ *nm* (de tendon, membre) severing; (de territoire, service) division (**en** into)

sectionner /sɛksjɔne/ [1] *vtr* to sever [*membre, artère*]; to divide up [*service, administration*] (**en** into); to cut [*tuyau, câble, fil*]

sectoriel, -ielle /sɛktɔʀjɛl/ *adj* sectoral

sectorisation /sɛktɔʀizasjɔ̃/ *nf* division

sectoriser /sɛktɔʀize/ [1] *vtr* to divide [sth] into sectors

séculaire /sekylɛʀ/ *adj* 1) (vieux) [*tradition, arbre*] ancient; 2) (vieux de cent ans) [*arbre, maison*] hundred-year-old; [*personne*] centenarian; **plusieurs fois ~** several hundred years old; 3) (tous les cent ans) [*cérémonie*] centennial; 4) Astron secular

sécularisation /sekylaʀizasjɔ̃/ *nf* 1) (de religieux) (rendu séculier) secularization; (rendu laïque) laicization; 2) (de biens, fonctions) secularization

séculariser /sekylaʀize/ [1] *vtr* 1) (rendre séculier) to secularize [*personne, monastère*]; 2) (rendre laïque) to laicize [*personne*]; to secularize [*biens, fonctions*]

séculier, -ière /sekylje, ɛʀ/

A *adj* [*clergé, prêtre*] secular

B *nm* (prêtre) secular

secundo /səgɔ̃do/ *adv* secondly

sécurisant, ~e /sekyʀizɑ̃, ɑ̃t/ *adj* 1) [*milieu, situation, équipement*] reassuring; 2) Psych [*père, mère*] who makes one feel secure (*épith, après n*)

sécurisé, ~e /sekyʀize/

A *pp* ▸ **sécuriser**

B *pp adj* Ordinat, Télécom secure; **une ligne ~e** a secure line

sécuriser /sekyʀize/ [1] *vtr* 1) gén (rassurer) to reassure; 2) Psych to make [sb] feel secure [*personne*]; **un enfant/malade sécurisé** a secure child/patient; **se sentir sécurisé** to feel secure; 3) Ordinat, Télécom to make [sth] secure; 4) Mil to secure

securit® /sekyʀit/ *nm* **(verre)** ~ Triplex® (glass) GB, safety glass

sécuritaire /sekyʀitɛʀ/ *adj* [*idéologie, discours*] security (*épith*)

sécurité /sekyʀite/ *nf* (absence de risques d'agression) security; (absence de danger fortuit) safety; **pour votre ~** for your own safety; **assurer la ~ de** (contre des agresseurs) to ensure the security of; (contre un accident, un sinistre) to ensure the safety of; ~ **civile/publique** civil/public security; **en toute ~** [*travailler, voyager, se baigner*] in complete safety; **la ~ matérielle/financière** material/financial security; ~ **de l'emploi** job security; **de ~** [*système, forces, services*] security; [*dispositif, garantie, zone*] safety; [*raisons, question, problème*] of security (*après n*); **règles** *or* **consignes de ~** safety regulations; **avoir une impression de ~** to feel secure; **être/se sentir en ~** to be/to feel secure *ou* safe (**auprès de** with)

(Composés) ~ **routière** road safety; ~ **sociale, SS** *French national health and pensions organization*

> **Sécurité sociale**
>
> The national system for provision of sickness, maternity, child, unemployment, old-age and housing benefits. All workers make contributions in *régimes* or classifications of membership.

sédatif, -ive /sedatif, iv/

A *adj* [*propriété*] sedative; [*potion, effet*] soothing

B *nm* sedative

sédation /sedasjɔ̃/ *nf* sedation; **être sous ~** to be under sedation

sédentaire /sedɑ̃tɛʀ/

A *adj* 1) gén [*vie, travail, personne*] sedentary; **emploi ~** sedentary *ou* desk job; 2) Anthrop [*population*] geographically stable; 3) Mil [*troupes*] garrison(ed) (*épith*)

B *nmf* 1) Entr person with a sedentary *ou* desk job; 2) (casanier) stay-at-home GB, homebody US; 3) Anthrop **les ~s** the indigenous population

sédentarisation /sedɑ̃taʀizasjɔ̃/ *nf* settlement

sédentariser /sedɑ̃taʀize/ [1]

A *vtr* to settle; **nomades sédentarisés** settled nomads

B **se sédentariser** *vpr* Anthrop to settle

sédentarité /sedɑ̃taʀite/ *nf* (de population) settled way of life; (d'emploi, de condition) sedentary nature

sédiment /sedimɑ̃/ *nm* sediment

sédimentaire /sedimɑ̃tɛʀ/ *adj* sedimentary

sédimentation /sedimɑ̃tasjɔ̃/ *nf* sedimentation

séditieux, -ieuse /sedisjø, øz/ *adj* 1) [*personne*] rebellious; 2) [*écrit, esprit, propos*] seditious

sédition /sedisjɔ̃/ *nf* insurrection

séducteur, -trice /sedyktœʀ, tʀis/

A *adj* seductive

B *nm,f* (trompeur) seducer/seductress; (charmeur) charmer; **c'est un grand ~** he's a real charmer

séduction /sedyksjɔ̃/ *nf* (manœuvre) seduction; (charme naturel) charm; **manœuvres de ~** stratagems of seduction; **une femme pleine de ~** a woman of great charm; **pouvoir de ~** (de personne, d'acteur) power of seduction (**sur** over); (de la jeunesse, des mots) seductiveness; (de l'argent) lure; (du luxe) enticement; (du cinéma, de la télévision) seductive power (**sur** over)

séduire /sedɥiʀ/ [69] *vtr* 1) (attirer) [*personne*] gén to captivate; **il aime ~** he likes to charm people; **avec son physique, il séduira les filles** with his physique, he'll attract the girls; 2) (plaire à) to appeal to [*personne*]; (être plaisant) to be appealing; **cette solution séduit par sa simplicité** this solution is appealing in its simplicity; **ton projet me séduit plus que le leur** I find your plan more appealing than theirs; **les qualités qui séduisent le plus chez un homme** the most attractive qualities in a man; 3) (convaincre) [*personne*] to win over; **il a séduit l'électorat de gauche par...** he won over the left-wing electorate with...; **je me suis laissé ~ par leurs propositions** I let myself be won over by their offers; 4) †(pour des relations sexuelles) to seduce

séduisant, ~e /sedɥizɑ̃, ɑ̃t/ *adj* [*personne, produit, site, perspective*] attractive; [*projet, idée, mode de vie*] appealing

séfarade /sefaʀad/

A *adj* Sephardic

B *nmf* Sephardi (Jew)

segment /sɛgmɑ̃/ *nm* 1) Ling, Math, Ordinat, Zool segment; ~ **de droite** line segment; ~ **sphérique** segment of a sphere; 2) Sociol (groupe) group; ~ **de la population/clientèle** population/client group; 3) Aut ~ **(de piston)** piston ring; ~ **de frein** brake shoe

segmental, ~e, *mpl* **-aux** /sɛgmɑ̃tal, o/ *adj* Ling segmental

segmentation /sɛgmɑ̃tasjɔ̃/ *nf* 1) Ling, Math, Ordinat, Sociol segmentation; 2) Biol cleavage

segmenter /sɛgmɑ̃te/ [1]

A *vtr* to segment [*programme, énoncé, marché*] (**en** into)

B **se segmenter** *vpr* gén to split up, to segment (**en** into); Biol [*œuf*] to undergo cleavage

ségrégatif, -ive /segʀegatif, iv/ *adj* (pour raison raciale) segregationist; (pour raison sociale, sexuelle, de santé) segregative

ségrégation /segʀegasjɔ̃/ *nf* segregation

ségrégationnisme /segʀegasjɔnism/ *nm* segregationism

ségrégationniste /segʀegasjɔnist/ *adj, nmf* segregationist

seiche /sɛʃ/ *nf* cuttlefish

séide /seid/ *nm* (fanatical) henchman

seigle /sɛgl/ *nm* rye; **pain/farine de ~** rye bread/flour

seigneur /sɛɲœʀ/ *nm* 1) Hist (propriétaire, noble) lord; **vivre en grand** *or* **comme un ~** to live like a lord; **se conduire en grand ~** to behave in noble fashion; **jouer au grand ~** to flash one's money around; **être grand ~** to be generous; 2) fig (de la finance, l'industrie) heavyweight; (du sport) star; **le ~ des lieux** hum the boss; **mon ~ et maître** my lord and master

(Composé) ~ **de la guerre** warlord

(Idiome) **à tout ~ tout honneur** Prov honour[GB] where honour[GB] is due

Seigneur /sɛɲœʀ/

A *nm* Lord; **Notre ~ Jésus-Christ** Our Lord Jesus Christ; **le ~ l'a rappelé à lui** euph he has gone to meet his Maker; **il repose dans la paix du ~** euph he is at peace with the Lord; ▸ **impénétrable**

B *excl* Good Lord!

(Idiome) **être dans les vignes du ~** hum to have been sampling the fruit of the vine

seigneurial, ~e, *mpl* **-iaux** /sɛɲœʀjal, o/ *adj* 1) [*château, terres*] (en France) seigneurial; (en Angleterre) manorial; 2) fig [*demeure*] stately; [*manières*] lordly

seigneurie /sɛɲœʀi/ *nf* 1) (terre) seigneury; 2) (autorité, droits) seigniory; 3) (titre) **votre ~** your Lordship

sein /sɛ̃/ *nm* 1) Anat breast; **donner le ~ à un enfant** to give a child the breast; **~s tombants** sagging breasts; **avoir les ~s nus** to be topless; **se faire refaire les ~s** to have plastic surgery on one's breasts; **nourrir (son enfant) au ~** to breast-feed (one's baby); **serrer qn/qch contre** *or* **sur son ~** to clasp sb/sth to one's bosom; 2) (utérus) womb; **porter un enfant dans son ~** to carry a child in one's womb; **retour au** *or* **dans le ~ maternel** return to the womb; 3) (partie intérieure) bosom; **au ~ de** within

(Idiome) **ça me ferait mal aux ~s**○ **(de faire)** it would make me feel sick (to do). ▸ **faux**[1], **serpent**

seine /sɛn/ *nf* Pêche seine

Seine /sɛn/ ▸ **p. 372** *nprf* **la ~** the Seine

Seine-et-Marne /sɛnemaʀn/ ▸ **p. 721** *nprf* (département) **la ~** Seine-et-Marne

Seine-Maritime /sɛnmaʀitim/ ▸ **p. 721** *nprf* (département) **la ~** Seine-Maritime

Seine-Saint-Denis /sɛnsɛ̃dni/ ▸ p. 721 *nprf* (département) **la ~** Seine-Saint-Denis

seing /sɛ̃/ *nm* Jur signature; **acte sous ~ privé** private agreement

séisme /seism/ *nm* **1** Géol earthquake, seism; **2** (bouleversement) upheaval

seize /sɛz/ ▸ p. 568, p. 424, p. 222 *adj inv, pron* sixteen

seizième /sɛzjɛm/ ▸ p. 568, p. 222 *adj* sixteenth

(Composé) **~s de finale** Sport *round in competition with thirty-two competitors*

séjour /seʒuʀ/ *nm* **1** (période) stay; **~ de trois semaines** three-week stay; **~ à l'étranger/à Paris/à l'hôtel** stay abroad/in Paris/in a hotel; **j'ai fait un ~ à l'hôpital** I had a stay in hospital GB *ou* in the hospital US; **il a fait plusieurs ~s/un ~ en prison** he has been in prison several times/for a time; **faire un ~ à l'étranger/en France** to spend some time abroad/in France; **~s à l'étranger** (dans CV) time spent abroad; **faire un ~ touristique en Italie** to go touring in Italy; **2** (pièce) (dans une annonce) reception; (chez soi) living room; **3** fml (lieu) abode sout; **un ~ champêtre** a rural retreat; **le ~ des morts** the abode of the dead

(Composés) **~ culturel** cultural holiday GB *ou* vacation; **~ linguistique** language study holiday GB *ou* vacation

séjourner /seʒuʀne/ [1] *vi* **1** [*personne*] to stay; **nous avons séjourné à l'hôtel/chez des amis** we stayed in a hotel/with friends; **2** [*liquide, brouillard*] to lie; **l'eau a séjourné des mois après l'inondation** the water lay for months after the flood

sel /sɛl/

A *nm* **1** Culin salt; **ajouter du ~** to add salt; **gros ~** coarse salt; **régime sans ~** salt-free diet; **pain sans ~** unsalted bread; **2** Chimie salt; **~ de sodium** sodium salt; **3** fig (esprit) savour[GB]; (piquant) piquancy; **les jeux de mots perdent de leur ~ à la traduction** puns lose some of their savour[GB] in translation; **la situation** *or* **ça ne manque pas de ~** the situation has a certain piquancy

B sels *nmpl* Pharm smelling salts (*pl*); **respirer des ~s** to sniff smelling salts

(Composés) **~ de céleri** celery salt; **~ de cuisine** cooking salt; **~ fin** fine *ou* table salt; **~ gemme** rock salt; **~ marin** sea salt; **~ régénérant** dishwasher salt; **le ~ de la terre** the salt of the earth; **~s de bain** Cosmét bath salts

sélacien /selasjɛ̃/ *nm* Zool selachian

sélect○, **~e** /selɛkt/ *adj* [*club, bar*] exclusive; [*clientèle*] select

sélecteur, -trice /selɛktœʀ, tʀis/

A *adj* selective

B *nm* **1** Ordinat, Télécom, TV selector; **2** Mécan (de bicyclette, d'embrayage standard) gear lever, gearshift US; (de moto) gear change, gearshift US; (d'embrayage automatique) gearstick, gearshift US

(Composé) **~ de gammes** band selector

sélectif, -ive /selɛktif, iv/ *adj* (tous contextes) selective

sélection /selɛksjɔ̃/ *nf* **1** (de candidats) gén selection; (pour un emploi) selection process; **opérer une ~ parmi** to make a selection from; **~ par** *or* **sur examen** selection by exam; **~ à l'entrée** selective entry; **2** (de titres, livres, films) selection, choice; **~ hebdomadaire** (de journal, revue) weekly choice; **3** Sport (choix) selection; (équipe) team; **comité de ~** selection committee; **~ nationale/française** national/French team; **match de ~** trial match; **épreuve de ~** trial (**pour** for); **avoir 20 ~s en équipe nationale** [*joueur*] to have been capped *ou* tapped 20 times for the national team; **4** Agric, Biol selection; **~ génétique/naturelle** genetic/natural selection

sélectionné, ~e /selɛksjɔne/ *nm,f* Sport selected player

sélectionner /selɛksjɔne/ [1] *vtr* **1** (choisir) to select (**pour qch** for sth; **pour faire** to do; **parmi** from); **~ des élèves pour un concours** to enter pupils for a competitive examination; **être sélectionné sur dossier** Univ Scol to be selected on the basis of one's academic record; **2** Ordinat to highlight [*texte, mot*]

sélectionneur, -euse /selɛksjɔnœʀ, øz/ *nm,f* Sport selector

(Composé) **~ entraîneur** Sport team manager

sélectivement /selɛktivmɑ̃/ *adv* selectively

sélectivité /selɛktivite/ *nf* selectivity

sélénite /selenit/

A *adj* lunar

B *nmf* moondweller

sélénium /selenjɔm/ *nm* selenium

self○ /sɛlf/ *nm* (restaurant) self-service restaurant

self-service, *pl* **~s** /sɛlfsɛʀvis/ *nm* (restaurant) self-service restaurant

selle /sɛl/

A *nf* **1** (siège) Équit saddle; (de vélo, moto) saddle; **monter sans ~** to ride bareback; **(re)mettre en ~** fig firmly to (re)establish; **être bien en ~** fig to be firmly in the saddle; **2** (de sculpteur) turntable; **3** †(chaise percée) commode; **aller à la ~** euph to have a bowel movement

B selles *nfpl* Méd stools (*pl*)

(Composé) **~ d'agneau** Culin saddle of lamb

seller /sele/ [1] *vtr* to saddle

sellerie /sɛlʀi/ *nf* **1** Comm (bourrellerie) saddlery; (articles) tack; (garnissage) upholstery; (maroquinerie) leatherwork; (articles de maroquinerie) hand-stitched leather goods (*pl*); **2** Équit (selles et harnais) tack; (local) tack room

sellette /sɛlɛt/ *nf* **1** (pour plante, statue) stand; (de sculpteur) small turntable; **2** (d'ouvrier) cradle

(Idiomes) **être sur la ~** to be in the hot seat; **mettre qn sur la ~** to put sb in the hot seat

sellier /selje/ *nm* (bourrelier) saddler; (garnisseur) upholsterer; (maroquinier) maker of fancy leather goods

selon /səlɔ̃/

A *prép* **1** (du point de vue de) according to [*personne, étude, sondage, gouvernement*]; **~ moi, il va pleuvoir** in my opinion, it's going to rain; ▸ **apparence, vraisemblance**; **2** (comme le dit) **~ les termes du président** in the President's words; **~ la formule** as people *ou* they say; **3** (conformément à) according to [*principe, règle, souhait*]; **~ la loi** under the law; **l'idée/la théorie ~ laquelle** the idea/the theory that; **~ une pratique courante** in accordance with *ou* following a current practice; **4** (en proportion de) according to [*travail, taille*]; **contribuer ~ ses moyens** to contribute according to one's means; **dépenser ~ ses moyens** to spend within one's means; **5** (en fonction de) depending on [*heure, température, circonstance*]; **il décidera ~ son humeur** his decision will depend on his mood; **la situation varie ~ les régions** the situation varies from region to region; **c'est ~**○ it all depends

B selon que *loc conj* depending on whether; **le prix des fraises n'est pas le même ~ qu'on les achète en juin ou en décembre** the price of strawberries varies depending on whether you buy them in June or December

Seltz /sɛlts/ *npr* **eau de ~** seltzer water

semailles /səmaj/ *nfpl* (travail) sowing ¢; (époque) sowing season (*sg*); (graines semées) seeds; **faire les ~** to sow

semaine /s(ə)mɛn/ ▸ p. 782, p. 836 *nf* **1** (de calendrier) week; **cette ~** this week; **la ~ prochaine** next week; **dans une ~** in a week's time; **la ~ dernière** last week; **dans deux ~s** in two weeks' time, the week after next; **toutes les ~s** every week; **toutes les deux ~s** every two weeks, every fortnight GB; **toutes les quatre ~s** every four weeks; **un séjour de 6 ~s** a six-week stay; **louer/payer à la ~** to rent/pay by the week; **prendre trois ~s de vacances** to take three weeks' vacation; **2** (salaire hebdomadaire) week's wages; (argent de poche) (weekly) pocket money

(Composés) **~ anglaise**† Entr five-day week; **~ commerciale** Comm trade week; **~ sainte** Relig Holy Week; **~ de travail** working week

(Idiome) **vivre à la petite ~** to live from day to day

semainier /səmenje/ *nm* **1** (agenda) week-to-a-page diary; **2** (meuble) chest of (seven) drawers; **3** (bracelet) seven-band bracelet

sémanticien, -ienne /semɑ̃tisjɛ̃, ɛn/ ▸ p. 532 *nm,f* semanticist

sémantique /semɑ̃tik/

A *adj* semantic

B *nf* semantics (+ *v sg*)

sémaphore /semafɔʀ/ *nm* Naut, Télécom semaphore; Rail semaphore signal

semblable /sɑ̃blabl/

A *adj* **1** (comparable) similar (**à** to); **des résultats à peu près/tout à fait ~s** roughly/quite similar results; **ils sont ~s en tout** they are alike in all respects; **une réunion ~ à d'autres/à celles qu'on a connues** a meeting similar to others/to those we knew; **une journée ~ à tant d'autres** a day like any other; **elle est toujours ~ à elle-même** she's always the same; **je n'ai jamais rencontré quelqu'un de ~** I've never met anyone like him/her; **je n'ai jamais rien entendu/écrit de ~** I've never heard/written anything like it; **j'en ai vu de ~s** I've seen similar ones; **2** (identique) identical; **des maisons toutes ~s** identical looking houses; **3** (tel) (*before n*) such; **~ proposition** such a proposal; **~s propositions** such proposals; **une ~ théorie ne pouvait pas trouver de défenseurs** such a theory could not find anyone to defend it

B *nmf* fellow creature; **il n'a pas son ~ pour faire rire les autres** there's nobody like him for making people laugh; **il n'a d'audience qu'auprès de ses ~s** he has no audience other than his own kind; **eux et leurs ~s** they and their kind

semblant /sɑ̃blɑ̃/ *nm* **un ~ de légalité/d'honnêteté** a semblance of legality/of honesty; **faire ~ de croire à qch/d'être triste** to pretend to believe sth/to be sad; **faire ~ que** to pretend that; **il n'est pas triste, il fait ~** he isn't really sad, he's only pretending; **elle ne fait ~ de rien, mais elle t'a vu** she's seen you but she's not letting on○; **jouer à faire ~** to play 'let's pretend'

sembler /sɑ̃ble/ [1]

A *vi* to seem; **~ heureux/être heureux** to seem happy/to be happy; **elle semble croire que** she seems to believe that; **le voyage m'a semblé long** the journey seemed long to me; **le temps m'a semblé long** the time seemed to me to pass slowly; **la maison semble vide** the house seems empty; **tout semble possible** it seems anything is possible

B *v impers* **il semble que** it seems that; **il semble bon de faire** it seems appropriate to do; **faites comme bon vous semble** do whatever you think best; **il semble que le problème soit réglé** it seems (that) the problem has been solved; **il semblerait que le problème soit réglé** it would seem that the problem has been solved; **le problème est réglé à ce qu'il me semble** the problem has been solved, or so it seems to me; **il me semble que c'est trop grand** it seems too big to me; **il me semble surprenant que** it strikes me as strange that; **il me semble important de faire** I think it is important to do; **elle a raison, me semble-t-il** *or* **il me semble** *or* **ce me semble** I think she's right; **il me semble l'avoir déjà rencontrée** I think I've met her before; **elle a, semble-t-il, refusé** apparently,

S

ⓘ Les jours de la semaine

Les noms des jours

■ *L'anglais emploie la majuscule pour les noms de jours. Les abréviations sont courantes en anglais familier écrit, par ex. dans une lettre à un ami:* I'll see you on Mon 17 Sept.

		abréviation anglaise
dimanche	Sunday	Sun
lundi	Monday	Mon
mardi	Tuesday	Tue *ou* Tues
mercredi	Wednesday	Wed
jeudi	Thursday	Thur *ou* Thurs
vendredi	Friday	Fri
samedi	Saturday	Sat

■ *Noter que dans les pays anglophones on considère en général que la semaine commence le dimanche.*

■ *Dans les expressions suivantes,* Monday *est pris comme exemple; les autres noms de jours s'utilisent de la même façon.*

quel jour sommes-nous?
= what day is it?
nous sommes lundi
= it's Monday
c'est aujourd'hui lundi
= today is Monday

■ *Pour l'expression de la date* ▸ **p. 222.**

■ *L'anglais emploie normalement on devant les noms de jours, sauf lorsqu'il y a une autre préposition, ou un mot comme* this, that, next, last *etc.*

Lundi ou *le lundi*: un jour précis, passé ou futur

c'est arrivé lundi
= it happened on Monday
lundi matin
= on Monday morning
lundi après-midi
= on Monday afternoon
lundi matin de bonne heure
= early on Monday morning
lundi soir en fin de soirée
= late on Monday evening
lundi, on va au zoo
= on Monday, we're going to the zoo
lundi dernier
= last Monday
lundi dernier dans la soirée
= last Monday evening
lundi prochain
= next Monday
lundi en huit
= the Monday after next *ou* on Monday week
dans un mois lundi
= a month from Monday
dans un mois à dater de lundi dernier
= in a month from last Monday
à partir de lundi
= from Monday onwards
c'est arrivé le lundi
= it happened on the Monday
le lundi matin
= on the Monday morning
le lundi après-midi
= on the Monday afternoon
tard le lundi soir
= late on the Monday evening
tôt le lundi matin
= early on the Monday morning
elle est partie le lundi après-midi
= she left on the Monday afternoon
ce lundi
= this Monday
ce lundi-là
= that Monday
précisément ce lundi-là
= that very Monday

Le lundi: un même jour chaque semaine

quand est-ce que cela a lieu?
= when does it happen?
cela a lieu le lundi
= it happens on Mondays
le lundi, on va au zoo
= on Mondays, we go to the zoo
elle ne travaille jamais le lundi
= she never works on Mondays
le lundi après-midi, elle va à la piscine
= she goes swimming on Monday afternoons
tous les lundis
= every Monday
chaque lundi
= each Monday
un lundi sur deux
= every other Monday *ou* every second Monday
un lundi sur trois
= every third Monday
presque tous les lundis
= most Mondays
certains lundis
= some Mondays
un lundi de temps en temps
= on the occasional Monday
le deuxième lundi de chaque mois
= on the second Monday in the month

Un lundi: un jour quelconque

c'est arrivé un lundi
= it happened on a Monday *ou* it happened one Monday
un lundi matin
= on a Monday morning *ou* one Monday morning
un lundi après-midi
= on a Monday afternoon *ou* one Monday afternoon

Du avec les noms des jours de la semaine

■ *Les expressions françaises avec du se traduisent normalement par l'emploi du nom de jour en position d'adjectif.*

les cours du lundi
= Monday classes
la fermeture du lundi
= Monday closing
les programmes de télévision du lundi
= Monday TV programmes
les trains du lundi
= Monday trains
le vol du lundi
= the Monday flight

Et comparer:

le journal du lundi
= the Monday paper
le journal de lundi
= Monday's paper

et de même the Monday classes *et* Monday's classes *etc.*

---

she has refused; **si bon me semble** if I feel like it; **elle ne travaille que quand bon lui semble** she only works when she feels like it

sème /sɛm/ *nm* seme

semelle /s(ə)mɛl/ *nf* **1** Mode sole; **~ antidérapante** non-slip sole; **~ de crêpe** crepe sole; **2** Tech (de fer à repasser) soleplate; (de machine) bedplate; (de rail) flange; (de ski) midsection

(Composés) **~ compensée** wedge heel; **chaussures à ~s compensées** wedge shoes; **~ intérieure** insole

(Idiomes) **battre la ~** to stamp one's feet; **être (dur comme) de la ~** to be as tough as old boots○ GB *ou* leather US; **ne pas quitter** *or* **lâcher qn d'une ~** to stick to sb like a leech; **ne pas reculer d'une ~** not to budge an inch

semence /s(ə)mɑ̃s/ *nf* **1** Agric, Hort seed; **de ~** seed (*épith*); **2** (ferment) seed; **3** (clou) tack; **4** (sperme)† semen, seed†

(Composé) **~ de perles** seed pearls

semencier, -ière /səmɑ̃sje, ɛʀ/ **A** *adj* [*recherche, production*] seed **B** *nm* seed company

semer /s(ə)me/ [16] *vtr* **1** Agric to sow [*graines*]; **~ à la volée** to sow, to broadcast; **champ semé de colza** field sown with rape; **2** (apporter) to sow [*discorde, trouble*]; to spread [*confusion, panique, désordre*]; [*arme, ouragan*] to bring [*mort*]; **~ le doute** to sow doubts; **3** (parsemer) **~ des clous sur la route** to strew the road with nails; **semé de** strewn with; **elle a semé ses jouets dans toute la maison** she has scattered her toys all over the house; **~ son argent** fig to throw one's money about; **mission semée de difficultés** mission bristling with difficulties; **copie semée de fautes** copy riddled with errors; **ciel semé d'étoiles** star-spangled sky; **on récolte ce qu'on a semé** as you sow so shall you reap; **4** ○(perdre) to drop; **j'ai dû ~ mes clés** I must have dropped my keys; **5** (distancer) to shake off [*poursuivant, gêneur*]; to leave [sb] behind [*concurrent*]

(Idiome) **qui sème le vent récolte la tempête** Prov he who sows the wind reaps the whirlwind

semestre /s(ə)mɛstʀ/ ▸ p. 836 *nm* **1** (d'année civile) half-year; **au premier/second ~** in the first/second half of the year; **le premier ~ (de) 1993 a été difficile** the first half of 1993 was difficult; **tous les ~s, une fois par ~** twice a year; **2** (d'année universitaire) semester; **j'ai dû repasser les examens du premier/second ~** I had to re-take the first-/second-semester exams GB *ou* finals US; **3** (rente, pension) half-yearly payment

semestriel, -ielle /səmɛstʀijɛl/ *adj* **1** [*revue, bulletin*] biannual; [*réunion, prévisions, perspectives*] twice-yearly (*épith*); [*résultats*] half-yearly (*épith*); **la présidence semestrielle de l'UE** the six-month presidency of the EU; **2** Univ [*examen*] end-of-semester (*épith*) GB, final US; [*cours*] one-semester (*épith*)

semeur, **-euse** /səmœʀ, øz/
A *nm,f* **1** Agric sower; **2** fig **~ de discorde** sower of discord; **~ de troubles** troublemaker
B **semeuse** (also **Semeuse**) *nf*: *figure of a female sower on French stamps and coins*

semi-annuel, **-elle**, *mpl* **~s** /səmianɥɛl/ *adj* semiannual

semi-aride, *pl* **~s** /səmiaʀid/ *adj* semiarid

semi-automatique, *pl* **~s** /səmiɔtɔmatik/ *adj* semiautomatic

semi-autonome, *pl* **~s** /səmiotonɔm/ *adj* semiautonomous

semi-auxiliaire, *pl* **~s** /səmioksiljɛʀ/ *nm* Ling semiauxiliary

semi-boycott, *pl* **~s** /səmibɔjkɔt/ *nm* partial boycott

semi-circulaire, *pl* **~s** /səmisiʀkylɛʀ/ *adj* semicircular

semi-clochard, **~e**, *mpl* **~s** /səmiklɔʃaʀ, aʀd/ *nm,f* virtual beggar

semi-conducteur, **-trice**, *mpl* **~s** /səmikɔ̃dyktœʀ, tʀis/
A *adj* semiconducting
B *nm* semiconductor

semi-conserve, *pl* **~s** /səmikɔ̃sɛʀv/ *nf* Culin, Ind partially preserved product

semi-consonne, *pl* **~s** /səmikɔ̃sɔn/ *nf* semiconsonant

semi-démocratique, *pl* **~s** /səmidemɔkʀatik/ *adj* relatively democratic

semi-désertique, *pl* **~s** /səmidezɛʀtik/ *adj* semidesert

semi-échec, *pl* **~s** /səmieʃɛk/ *nm* partial failure

semi-enterré, **~e**, *mpl* **~s** /səmiɑ̃teʀe/ *adj* half-buried

semi-fini, **~e**, *mpl* **~s** /səmifini/ *adj* semifinished

semi-industriel, **-elle**, *mpl* **~s** /səmiɛ̃dystʀijɛl/ *adj* partly industrialized

semi-liberté, *pl* **~s** /səmilibɛʀte/ *nf* relative freedom

semi-libre, *pl* **~s** /səmilibʀ/ *adj* relatively free

sémillant, **~e** /semijɑ̃, ɑ̃t/ *adj* spirited; [*esprit*] sparkling

semi-marathon, *pl* **~s** /səmimaʀatɔ̃/ *nm* half marathon

semi-mort, **~e**, *mpl* **~s** /səmimɔʀ, ɔʀt/ *adj* half-dead

séminaire /seminɛʀ/ *nm* **1** (réunion) seminar (**sur** on); **2** (institution) seminary; **il est entré au ~** he entered the seminary; **grand ~** seminary; **petit ~** junior seminary

séminal, **~e**, *mpl* **-aux** /seminal, o/ *adj* seminal

séminariste /seminaʀist/ *nm* seminarist, seminarian

semi-officiel, **-ielle**, *mpl* **~s** /səmiɔfisjɛl/ *adj* semiofficial

sémiologie /semjɔlɔʒi/ *nf* semiology

sémiologique /semjɔlɔʒik/ *adj* semiological

sémiologue /semjɔlɔg/ *nm* semiologist

sémioticien, **-ienne** /semjɔtisjɛ̃, ɛn/ ▸ **p. 532** *nm,f* semiotician

sémiotique /semjɔtik/
A *adj* semiotic
B *nf* semiotics (+ *v sg*)

semi-perméable, *pl* **~s** /səmipɛʀmeabl/ *adj* semipermeable

semi-précieux, **-ieuse** /səmipʀesjø, øz/ *adj* [*pierre*] semiprecious

semi-professionnel, **-elle**, *mpl* **~s** /səmipʀɔfɛsjɔnɛl/ *adj, nm,f* semiprofessional

semi-public, **-ique**, *mpl* **~s** /səmipyblik/ *adj* Jur [*organisme, secteur*] semipublic

semi-remorque, *pl* **~s** /səmiʀəmɔʀk/
A *nm* (camion) articulated lorry GB, tractor-trailer US
B *nf* (remorque) semitrailer

semi-retraité, **~e**, *mpl* **~s** /səmiʀətʀete/ *nm,f* person in part retirement; **les ~s** people in part retirement

semi-rural, **~e**, *mpl* **-aux** /səmiʀyʀal, o/ *adj* largely rural

semis /s(ə)mi/ *nm inv* **1** Agric (ensemencement) sowing; (jeune plant) seedling; (terrain) seedbed; **les ~ de printemps** spring sowings; **2** (ornement) small repeating pattern

sémite /semit/ *adj* Semitic

sémitique /semitik/ *adj* Ling Semitic

semi-voyelle, *pl* **~s** /səmivwajɛl/ *nf* semivowel

semoir /səmwaʀ/ *nm* **1** (machine) seed drill; **2** †(sac) seedbag

semonce /səmɔ̃s/ *nf* reprimand; **coup de ~** lit, fig warning shot, shot across the bows

semoule /səmul/ *nf* semolina; **sucre ~** caster sugar

sempiternel, **-elle** /sɑ̃pitɛʀnɛl/ *adj* perpetual, endless

sempiternellement /sɑ̃pitɛʀnɛlmɑ̃/ *adv* perpetually, endlessly

sénat /sena/ *nm* senate

> **Sénat**
> The upper parliamentary chamber, with 321 *sénateurs*, elected for nine years. A third of the members are elected every three years by an electoral college within a *département*. The *président du Sénat* assumes the powers of the *Président de la République* in the event of the latter's incapacity.

sénateur /senatœʀ/ ▸ **p. 848** *nm* senator; **train de ~** hum stately pace

sénatorial, **~e**, *mpl* **-iaux** /senatɔʀjal, o/
A *adj* senatorial
B **sénatoriales** *nfpl* **les ~es** the senatorial elections

séné /sene/ *nm* senna

sénéchal, *pl* **-aux** /seneʃal, o/ *nm* Hist, Jur seneschal

séneçon* /sɛnsɔ̃/ *nm* groundsel

Sénégal /senegal/ ▸ **p. 333** *nprm* Senegal

sénégalais, **~e** /senegalɛ, ɛz/ ▸ **p. 561** *adj* Senegalese

Sénégalais, **~e** /senegalɛ, ɛz/ ▸ **p. 561** *nm,f* Senegalese

Sénèque /senɛk/ *npr* Seneca

sénescence /senesɑ̃s/ *nf* senescence

senestre /sənɛstʀ/ *adj* **1** †(gauche) left-hand; **2** Hérald sinister

sénevé* /senve/ *nm* wild mustard

sénile /senil/ *adj* senile

sénilité /senilite/ *nf* senility; **~ précoce** premature senility

senior* /senjɔʀ/
A *adj* **1** Sport senior; **2** (âgé) [*personne*] senior; [*publication, mode*] for senior citizens; [*animal*] older
B *nmf* **1** Sport senior; **2** (personne âgée) person over fifty

senne /sɛn/ *nf* Pêche seine

sens /sɑ̃s/
A *nm inv* **1** (direction) lit, fig direction, way; **dans les deux ~** in both directions; **aller dans le bon/mauvais ~** to go the right/wrong way, to go in the right/wrong direction; **elle venait en ~ inverse** she was coming from the opposite direction; **mouvement en ~ contraire** backward movement; **en tous ~** in all directions; **dans le ~ Paris-Lyon** in the Paris to Lyons direction; **dans le ~ de la largeur** widthways, across; **dans le ~ de la longueur** lengthways, longways US; **être dans le bon/mauvais ~** to be the right/wrong way up; **des flèches dans tous les ~** arrows pointing in all directions; **retourner un problème dans tous les ~** to consider a problem from every angle; **courir dans tous les ~** to run all over the place; **dans le ~ de la marche** facing the engine; **dans le ~ des fils** Tex with the grain; **~ dessus dessous** /sɑ̃d(ə)sydəsu/ (à l'envers) upside down; (en désordre) upside down; (très troublé) very upset; **~ devant derrière** /sɑ̃dəvɑ̃dɛʀjɛʀ/ back to front; **aller dans le bon ~** [*réformes, mesures*] to be a step in the right direction; **des mesures qui vont dans le ~ de notre rapport** measures which are in line with our report; **le pays va dans le ~ d'une plus grande indépendance** the country is moving toward(s) greater independence; **le ~ de l'histoire** the tide of history; **nous travaillons dans ce ~** that's what we are working toward(s); **ces facteurs ont œuvré dans le ~ d'une baisse** these factors have contributed to a fall
2 (d'une action) meaning; (de mythe, symbole) meaning; (de mot, d'expression) meaning; **le ~ figuré/littéral/péjoratif d'un mot** the figurative/literal/pejorative sense of a word; **employer un mot au ~ propre/figuré** to use a word literally/figuratively; **avoir un ~ péjoratif** to be pejorative, to have a pejorative sense; **le ~ premier de qch** the original meaning of sth; **au ~ large/strict du terme** in the broad/strict sense of the word; **au ~ propre du terme** literally; **au ~ fort du terme** in the fullest sense of the word; **c'est correct, dans tous les ~ du terme** it's correct, in every sense of the word; **prendre tout son ~** [*remarque, titre*] to take on its full meaning; **en un ~** in a sense; **en ce ~ que** in the sense that; **cela n'a pas de ~** gén it doesn't make sense; (idiot, ridicule) it's absurd; **cela n'a de ~ que si tu restes** it makes no sense unless you stay
3 Physiol sense; **avoir un ~ de l'odorat très développé** to have a very keen sense of smell; **recouvrer** fml *or* **retrouver l'usage de ses ~** to regain consciousness; **avoir un sixième ~** fig to have a sixth sense
4 (intuition) sense; **~ du rythme/devoir** sense of rhythm/duty; **avoir le ~ des responsabilités** to have a sense of responsibility; **avoir le ~ de l'orientation** to have a good sense of direction; **avoir le ~ pratique** to be practical; **ne pas avoir de ~ pratique** to be impractical; **avoir peu de ~ critique** to be uncritical; **avoir le ~ de l'organisation** to be a good organizer; **ne pas avoir le ~ du ridicule** not to realize when one looks silly; **avoir le ~ des affaires** to have a flair *ou* head for business; **ton ~ des affaires** your business sense; **ne pas avoir le ~ de la langue** to have no feeling for language; **n'avoir aucun ~ des réalités** to live in a dream world
B *nmpl* senses; **plaisirs des ~** sensual pleasures

(Composés) **~ commun** common sense; **~ giratoire** roundabout GB, traffic circle US; **suivez le ~ giratoire** go round the roundabout GB, follow the traffic circle around US; **~ de l'humour** sense of humour[GB]; **avoir le ~ de l'humour** to have a sense of humour[GB]; **~ interdit** (panneau) no-entry sign; (rue) one-way street; **~ obligatoire** (panneau) one-way sign; **~ unique** (panneau) one-way sign; (rue) one-way street; **c'est à ~ unique** lit it's one-way; fig it's one-sided

(Idiome) **tomber sous le ~** to be patently obvious

sensation /sɑ̃sasjɔ̃/ *nf* **1** (impression physique) feeling, sensation; **~ de brûlure** burning feeling *ou* sensation; **~ de chaleur** hot feeling; **~ de détente** feeling of relaxation; **~ de bien-être** sense of well-being; **~ désagréable** unpleasant sensation; **cela ne procure pas les mêmes ~s** it doesn't have the same effect; **on a la ~ de flotter** you feel as if you're floating; **aimer/rechercher les ~s fortes** to like one's/to look for thrills; **2** (sentiment) feeling, sensation; **~ étrange** strange sensation, funny feeling; **~ de liberté/puissance** feeling *ou* sense of freedom/power; **~ d'euphorie** sense of euphoria; **3** (réaction) sensation; **la décision a fait ~** (a

S

étonné) the decision caused a sensation; **le film a fait ~** (a plu) the film was a sensation; **tu vas faire ~ avec cette robe** you'll be a sensation in that dress; **un journal à ~** a tabloid; **la presse à ~** the tabloid press; **reportages à ~** keyhole journalism ₵

sensationnel, **-elle** /sɑ̃sasjɔnɛl/ *adj* **1** ○(formidable) [*personne, vacances, succès*] fantastic○; **2** (créant surprise, intérêt) [*déclaration, nouvelle*] sensational, astonishing; **3** (à sensation) [*reportage*] sensational

sensé, **~e** /sɑ̃se/ *adj* sensible

sensément /sɑ̃semɑ̃/ *adv* sensibly

sensibilisateur, **-trice** /sɑ̃sibilizatœʀ, tʀis/ *adj* sensitizing

sensibilisation /sɑ̃sibilizasjɔ̃/ *nf* **1** (fait de rendre conscient) consciousness raising; **campagne de ~** awareness campaign; **une ~ des médecins au problème** making doctors aware of the problem; **2** Méd, Phot sensitizing, sensitization

sensibiliser /sɑ̃sibilize/ [1] *vtr* **1** (rendre conscient) **~ le public à un problème** to increase public awareness of an issue; **~ les jeunes/les entreprises à** to make young people/companies more aware of; **2** Chimie, Méd, Phot to sensitize

sensibilité /sɑ̃sibilite/

A *nf* **1** (qualité) sensibility; **elle est d'une grande ~** she is very sensitive; **leur ~ artistique** their artistic sensibility; **2** Méd, Physiol, Phot sensitivity

B **sensibilités** *nfpl* sensibilities; **les ~s politiques** political sensibilities

sensible /sɑ̃sibl/

A *adj* **1** (non indifférent) [*personne, nature*] sensitive; **être ~ aux compliments** to like compliments; **être ~ aux charmes de qn** to be susceptible to sb's charms; **j'ai été très ~ à votre gentille attention** I was most touched by your kindness; **je suis ~ au fait que** I am aware that; **avoir le cœur ~** to be sensitive; **ce film est déconseillé aux personnes ~s** this film is not for the squeamish; **être ~ à un argument** to be swayed by an argument; **les natures ~s** pej the fainthearted; **2** (qui perçoit) [*organe, membrane, appareil, instrument*] sensitive; **avoir l'oreille ~** to have keen hearing; **un être ~** a sentient being; **être ~ au froid/à la lumière** [*membrane, appareil*] to be sensitive to cold/to light; **je suis très ~ au froid** I really feel the cold; **balance ~ au milligramme** scale which is accurate to a milligram; **marché ~ aux fluctuations économiques** (délicat) market sensitive to fluctuations in the economy; **3** (fragile) [*peau*] sensitive; (un peu douloureux) [*peau cicatrisée*] tender; [*membre blessé*] sore; **je suis ~ de la gorge**, **j'ai la gorge ~** I often get a sore throat; **j'ai les pieds ~s** I have tender feet; **4** (notable) [*recul, hausse, différence*] appreciable; [*effort*] real; **de manière ~** appreciably; **la différence est à peine ~** the difference is hardly noticeable; **5** Phot sensitive; **~ à la lumière** photosensitive; **6** (délicat) [*dossier, question, thème*] sensitive; **7** (perceptible) **le monde ~** the physical *ou* tangible world

B *nmf* sensitive person; **c'est un grand ~** he's very sensitive

C *nf* Mus leading note

sensiblement /sɑ̃sibləmɑ̃/ *adv* **1** (considérablement) [*réduire, différer, modifier, augmenter*] appreciably, noticeably; [*différent*] perceptibly; **~ plus rapide** considerably faster; **2** (plus ou moins) [*pareil*] roughly; **~ le même nombre d'élèves** roughly the same number of pupils

sensiblerie /sɑ̃sibləʀi/ *nf* pej sentimentality péj

sensitif, **-ive** /sɑ̃sitif, iv/

A *adj* sensory

B **sensitive** *nf* (mimosa) sensitive plant

sensoriel, **-ielle** /sɑ̃sɔʀjɛl/ *adj* sensory; **organe ~** sense organ

sensori-moteur, **-trice**, *mpl* **~s** /sɑ̃sɔʀimɔtœʀ, tʀis/ *adj* sensorimotor

sensualisme /sɑ̃sɥalism/ *nm* sensualism

sensualité /sɑ̃sɥalite/ *nf* sensuality

sensuel, **-elle** /sɑ̃sɥɛl/ *adj* sensual

sensuellement /sɑ̃sɥɛlmɑ̃/ *adv* sensually

sente /sɑ̃t/ *nf* liter footpath

sentence /sɑ̃tɑ̃s/ *nf* **1** (décision) sentence; **2** (propos) maxim

sentencieusement /sɑ̃tɑ̃sjøzmɑ̃/ *adv* sententiously

sentencieux, **-ieuse** /sɑ̃tɑ̃sjø, øz/ *adj* [*personne, discours*] sententious

senteur /sɑ̃tœʀ/ *nf* liter scent

senti, **~e** /sɑ̃ti/ *adj* **bien ~** [*paroles, remarques*] well-chosen; [*réplique, réponse*] blunt; [*discours, tirade*] forthright

sentier /sɑ̃tje/ *nm* lit, fig path, track; **être sur le ~ de la guerre** fig to be on the warpath; **hors des ~s battus** off the beaten track

(Composés) **~ de grande randonnée** long-distance footpath; **~ de petite randonnée** footpath

sentiment /sɑ̃timɑ̃/ *nm* **1** (sensation) feeling; **éprouver un ~ d'injustice/de lassitude** to have a feeling of injustice/of tiredness; **2** (sensibilité) feeling; **il est incapable de ~** he's incapable of feeling *ou* emotion; **avec beaucoup de ~** [*chanter, jouer*] with great feeling; **agir par ~ plus que par raison** to be guided by one's feelings rather than by reason; **faire du ~** to sentimentalize; **tu ne m'auras pas au ~**○**!** you won't get round GB *ou* around US me like that!; **n'essaie pas de me le faire au ~**○ don't try to get round GB *ou* around US me; **il ne fait pas de ~ en affaires** he doesn't let sentiment get in the way of business; **pas de ~, soyons réalistes!** let's put feelings aside and be realistic!; **3** (connaissance intuitive) **le ~ de la nature/beauté** a feeling for nature/beauty; **le ~ religieux** religious feeling; **avoir le ~ de sa force/faiblesse** to have a sense of one's own strength/weakness; **j'ai le ~ de comprendre** I feel that I understand; **j'ai le ~ d'être suivi/qu'on m'observe** I've got the feeling (that) I'm being followed/that I'm being watched; **j'ai le ~ qu'il va pleuvoir** I've got a feeling it's going to rain; **donner le ~ de faire/qu'on fait** to give the impression of doing/that one does; **4** (inclination) feeling, sentiment sout; **cacher ses ~s** to hide one's feelings; **~s généreux** generous feelings; **~s nobles** noble sentiments; **les beaux** *or* **bons ~s** fine sentiments; **être animé de bons/mauvais ~s** to have good/bad intentions; **prendre qn par les ~s** to appeal to sb's better nature; **5** (opinion) feeling; **le ~ général est que** the general feeling is that; **~ sur** feeling about *ou* on; **donner son ~ sur qch** to state one's feelings about sth; **6** (dans les formules épistolaires) **~s affectueux** *or* **amicaux** best wishes; **veuillez croire à mes ~s dévoués** *or* **les meilleurs** (à une personne non nommée) yours faithfully; (à une personne nommée) yours sincerely

sentimental, **~e**, *mpl* **-aux** /sɑ̃timɑ̃tal, o/

A *adj* **1** (relatif à l'amour) [*vie, intrigue*] love (*épith*); [*relations*] romantic; **dans le domaine ~, sur le plan ~** (dans un horoscope) on the romance front; **2** (affectif) [*attachement, raisons*] sentimental; **'pourquoi les gardes-tu?'—'c'est ~'** 'why do you keep them?'—'for sentimental reasons'; **3** (sensible) [*personne, public*] sentimental, romantic; **4** (d'une sensiblerie mièvre) [*attitude, chanson*] sentimental; **faire un portrait ~ de qn** to draw a sentimental picture of sb

B *nm,f* sentimental person; **c'est un ~** he's very sentimental

sentimentalement /sɑ̃timɑ̃talmɑ̃/ *adv* sentimentally

sentimentalisme /sɑ̃timɑ̃talism/ *nm* sentimentalism

sentimentalité /sɑ̃timɑ̃talite/ *nf* sentimentality

sentinelle /sɑ̃tinɛl/ *nf* sentry; **être en ~** to be on sentry duty; **faire la ~** to stand guard, to keep watch

sentir /sɑ̃tiʀ/ [30]

A *vtr* **1** (percevoir par l'odorat) to smell [*parfum, fleur*]; **on sentait les foins** *or* **l'odeur des foins** we could smell the hay; **tu ne sens pas une odeur?** can't you smell something?; **je ne sens rien** I can't smell anything; **fais-moi ~ ce fromage** let me smell that cheese; **on sent que tu fumes le cigare** one can tell that you smoke cigars by the smell

2 (percevoir par le toucher, le corps, le goût) to feel; **~ le froid/un caillou** to feel the cold/a stone; **je ne sens rien** I can't feel anything; **je ne sens plus mes orteils tellement j'ai froid** I'm so cold I can't feel my toes any more; **j'ai marché trop longtemps, je ne sens plus mes pieds** I've been walking for too long, my feet are numb; **elle m'a fait ~ sa bosse** she made me feel her lump; **on sent qu'il y a du vin dans la sauce** one can smell *ou* taste the wine in the sauce; **~ d'où vient le vent** lit, Naut to see how the wind blows *ou* lies; fig to see which way the wind is blowing; **le froid commence à se faire ~** the cold weather is setting in; **les effets du médicament se feront bientôt ~** the effects of the medicine will soon be felt

3 (avoir conscience de) to be conscious of [*importance*]; (percevoir) to feel [*beauté, force*]; (apprécier) to appreciate [*difficulté*]; (percevoir intuitivement) to sense [*danger, désapprobation*]; **~ les beautés d'un texte/la force d'une expression** to feel the beauty of a text/the force of an expression; **as-tu bien senti le message de ce film?** did you fully appreciate the message of the film?; **~ que** (percevoir) to feel that; (avoir l'idée) to have a feeling that; **je sens qu'il est sincère** I feel that he's sincere; **je sens que ce livre te plaira** I have a feeling that you'll like this book; **on sent que l'hiver approche** it feels wintry; **il ne sent pas sa force** he doesn't know his own strength; **il ne sent pas (les subtilités de) l'art moderne** he has no feeling for (the subtleties of) modern art; **je te sens inquiet, je sens que tu es inquiet** I can tell you're worried; **faire ~ son autorité** to make one's authority felt; **les mesures commencent à faire ~ leurs effets** the effects of the measures are beginning to make themselves felt *ou* to be felt; **je leur ai fait ~ mon désaccord** I made it clear to them that I didn't agree; **faire ~ le rythme d'un poème** to bring out the rhythm of a poem; **se faire ~** [*besoin, présence, absence*] to be felt

B *vi* **1** (avoir une odeur) to smell; **~ bon/mauvais/fort** to smell nice/bad/strong; **tu sens le vin!** you smell of wine!; **ça sent le chou/la charogne/la cigarette** it smells of cabbage/carrion/cigarettes; **herbes qui sentent bon la Provence** herbs smelling *ou* redolent sout of Provence; **ça sent bon le café** there's a nice smell of coffee; **ça sent drôle ici** there's a funny smell in here; **fleurs qui ne sentent pas** flowers which don't have a scent

2 (puer) to smell; **le poisson commence à ~** the fish is beginning to smell; **qu'est-ce qui sent (comme ça)?** what's that smell?; **~ des pieds/aisselles** to have smelly feet/armpits; **~ de la bouche** to have bad breath

3 (révéler) to smack of; **ta douleur/ton attitude sent la comédie** *or* **le théâtre** your grief/your attitude smacks of insincerity; **une fille qui sent la** *or* **sa province** a girl with a touch of the provinces about her; **ciel nuageux qui sent l'orage** cloudy sky that heralds a storm

C **se sentir** *vpr* **1** (avoir la sensation de) to feel; **se ~ mieux/las/chez soi** to feel better/tired/at home; **se ~ surveillé** to feel that one is being watched; **elle ne s'est pas sentie visée par ma remarque** she didn't feel that my remark was aimed at her; **elle s'est sentie**

rougir she felt herself blushing; **elle s'est senti piquer par un moustique** she felt a mosquito bite; **non mais tu te sens bien (dans ta tête)**○**?** are you feeling all right (in the head)○?; **ne plus se ~**○ (de joie) to be overjoyed; (de vanité) to get above oneself; **ne plus se ~ de joie**○ to be beside oneself with joy
2 (se reconnaître) to feel; **se ~ assez fort pour faire, se ~ la force de faire** to feel strong enough to do; **se ~ libre de faire** to feel free to do; **se ~ victime d'une machination** to feel that one is the victim of a scheme; **se ~ une obligation envers qn** to feel an obligation towards sb
3 (être perceptible) *[phénomène, amélioration, effet]* to be felt; **les sanctions commencent à se ~** the sanctions are beginning to bite, the effects of the sanctions are beginning to be felt
(Idiomes) **je ne peux pas le ~** I can't stand him; **je l'ai senti passer!** (piqûre, addition) it really hurt!; (réprimande) I really got it in the neck!; **elle va la ~ passer!** (piqûre, addition) it's going to hurt!; (réprimande) she's going to get it in the neck!

seoir† /swaʀ/ [41]
A **seoir à** *vtr ind [vêtement, coiffure]* to suit; **cette robe vous sied à ravir** that dress suits you beautifully
B *v impers* **il sied** it is appropriate (**de faire** to do); **comme il sied** as is right and proper; **il vous sied bien de critiquer** iron it ill becomes you to criticize

Séoul /seul/ ▸ **p. 894** *npr* Seoul

sep /sɛp/ *nm* (de charrue) frog

SEP /sɛp/ *nf*: *abbr* ▸ **sclérose**

sépale /sepal/ *nm* sepal

séparable /sepaʀabl/ *adj* separable (**de** from); **être difficilement ~ de** to be difficult to separate from

séparateur, -trice /sepaʀatœʀ, tʀis/
A *adj [mur]* dividing
B *nm* Tech, Ordinat separator

séparation /sepaʀasjɔ̃/ *nf* 1 (de groupes, genres, secteurs, d'objets) (fait d'être séparés) separation (**entre** between); (action de séparer) separating, separation; **la ~ des pouvoirs** Pol the separation of powers; **la ~ de l'Église et de l'État** the separation of Church and State; **ils envisagent la ~ de leurs activités commerciales et de recherche** they are thinking of separating their commercial and research activities; **après la ~ des composants du mélange** after separating out the constituents of the mixture; **la ~ du pays en deux États** the division *ou* splitting of the country into two states; 2 (de personnes) (fait d'être séparés) separation; (action de se quitter) parting; (rupture) aussi Jur separating, separation; **après deux ans de ~** after two years' separation; **depuis sa ~ d'avec sa femme** since he separated from his wife, since his separation from his wife; 3 (limite) (entre jardins) boundary; (entre pièces) partition; fig boundary, dividing line; **mur de ~** (extérieur) boundary wall; (intérieur) dividing wall; **établir une ~ (nette) entre sa vie privée et professionnelle** to keep one's private life (completely) separate from one's work
(Composés) **~ de biens** Jur matrimonial division of property; **~ de corps** Jur judicial separation; **~ de fait** Jur de facto separation

séparatisme /sepaʀatism/ *nm* separatism

séparatiste /sepaʀatist/ *adj, nmf* separatist

séparé, ~e /sepaʀe/
A *pp* ▸ **séparer**
B *pp adj* 1 (sans contact) *[personne]* **être ~** to be separated (**de** from); **vivre ~** to live apart (**de** from); 2 (de part et d'autre d'une limite) **~ (de qch) par** separated (from sth) by; **jardins séparés par une haie** gardens GB *ou* yards US separated by a hedge; 3 (éloigné) **nous ne sommes ~s du village que de quelques kilomètres** we're only a few kilometres[GB] away from the village; **les deux villages sont ~s de quelques kilomètres** the two villages are a few kilometres[GB] apart; **des événements ~s par plusieurs années** events (which are) several years apart
C *adj* (distinct) *[affaires, mondes, accords, groupes]* separate; **pièce ~e qui sert de débarras** separate room which is used as a junk room; **faire l'objet d'une étude ~e** to form the object of a separate study

séparément /sepaʀemɑ̃/ *adv* separately

séparer /sepaʀe/ [1]
A *vtr* 1 (ne pas laisser ensemble) to separate *[objets, concepts, rôles, amis, adversaires]*; to separate out *[composants]*; **~ les passagers et les bagages** to separate passengers and luggage; **~ qch/qn de** to separate sth/sb from; **~ le minerai de la gangue** to separate the ore from the valueless material; **~ les blancs des jaunes** Culin separate the whites from the yolks; **nous sommes obligés de les ~, sinon ils se battent** we have to separate them *ou* keep them apart, otherwise they fight; **on ne peut ~ le fond de la forme** form and content cannot be separated, you can't separate form and content; **~ l'aspect politique d'un problème de son aspect économique** to keep the political aspect of a problem separate from its economic aspect; **la mort les a séparés** they were parted by death; **la vie nous a séparés** we have gone our separate ways in life; **c'est un malentendu qui les a séparés** a misunderstanding came between them, a misunderstanding drove them apart; ▸ **ivraie**
2 (distinguer) *[personne]* to distinguish between *[concepts, domaines, problèmes]*; **~ un problème d'un autre** to distinguish between one problem and another; **les deux affaires sont à ~** we must distinguish between the two matters *ou* cases; **on ne peut ~ ces deux problèmes** one cannot dissociate these two problems
3 (former une limite entre) *[obstacle, cloison, espace]* to separate; **une haie sépare les deux jardins/mon jardin du leur** a hedge separates the two properties/my garden GB *ou* yard US from theirs; **une barrière séparait les spectateurs des *or* et les animaux** a fence separated the spectators from *ou* and the animals; **cinq secondes seulement séparaient les deux athlètes** only five seconds separated the two athletes; **quelques kilomètres nous séparent de la mer** we are a few kilometres[GB] away from the sea; **deux ans séparent les deux événements** there is a gap of two years between the two events; **encore deux mois nous séparent du départ** we still have two months to go before we leave; **le temps qui sépare le passage de deux véhicules** the time lapse between the passage of two vehicles; **c'est tout ce qui nous sépare de la victoire** it's the only thing standing between us and victory
4 (constituer une inégalité entre) *[opinions, caractères]* to divide *[personnes]*; **la différence de milieu social qui les sépare** the difference in social background that divides them; **l'âge les séparait** age was a barrier between them; **les qualités qui séparent un bon musicien d'un virtuose** the qualities that make the difference between a good musician and a virtuoso; **tout les sépare** they are worlds apart
5 (diviser) to divide *[surface]*; **~ une pièce en deux** to divide a room in two; **~ ses cheveux par une raie au milieu** to part one's hair in the middle
B **se séparer** *vpr* 1 (se quitter) *[promeneurs, invités]* to part, to leave each other; *[conjoints, amants]* to split up, to separate aussi Jur; **nous nous sommes séparés au carrefour** we left each other *ou* parted at the crossroads; **les membres du groupe ont dû se ~** the members of the group had to split up
2 (quitter) **se ~ de** to leave *[camarade, groupe, famille]*; to split up with, to separate from aussi Jur *[mari, femme]*; **ne te sépare pas de moi, on ne se retrouverait pas** don't leave my side, we would never find each other again
3 (se disperser) *[manifestants, cortège, groupe]* to disperse, to split (up) (**en** into); *[assemblée]* to break up; **se ~ en petits groupes** to split (up) into small groups; **mes amis, il est temps de nous ~** my friends, it's time we broke up
4 (se passer de) **se ~ de** to let [sb] go *[employé, collaborateur]*; to part with *[objet personnel]*; **il ne se sépare jamais de son parapluie** he takes his umbrella everywhere with him; **ne vous séparez pas de vos bagages** keep your luggage with you at all times
5 (se diviser) *[chemin, rivière, branche, tige]* to divide (**en** into); **le fleuve se sépare en trois bras** the river divides into three; **la route se sépare (en deux)** the road forks

sépia /sepja/
A ▸ **p. 202** *adj inv* (couleur) sepia
B *nf* 1 Art (pigment) sepia; (dessin) sepia drawing; 2 Zool (seiche) sepia; (sécrétion) (cuttlefish) ink

sept /sɛt/ ▸ **p. 568, p. 424, p. 222** *adj inv, pron, nm inv* seven
(Composé) **les ~ Familles** Jeux Happy Families
(Idiome) **tourne ~ fois ta langue dans ta bouche avant de parler** think long and hard before you speak

septain /sɛptɛ̃/ *nm* heptastich

septante /sɛptɑ̃t/ ▸ **p. 568, p. 222** *adj inv, pron* Belg, Helv seventy

septantième /sɛptɑ̃tjɛm/ ▸ **p. 568** *adj* Belg, Helv seventieth

septembre /sɛptɑ̃bʀ/ ▸ **p. 544** *nm* September

septennal, ~e, *mpl* **-aux** /sɛptenal, o/ *adj* seven-year (*épith*)

septennat /sɛptena/ *nm* seven-year term (of office)

septentrion† /sɛptɑ̃tʀijɔ̃/ *nm* North

septentrional, ~e, *mpl* **-aux** /sɛptɑ̃tʀijɔnal, o/ *adj* northern

septicémie /sɛptisemi/ ▸ **p. 283** *nf* blood-poisoning, septicemia spéc

septicémique /sɛptisemik/ *adj* septicemic

septicité /sɛptisite/ *nf* septicity

septième /sɛtjɛm/ ▸ **p. 568, p. 222**
A *adj* seventh
B *nf* Scol *fifth year of primary school, age 10–11*
(Composé) **le ~ art** the cinematographic art
(Idiome) **être au ~ ciel** to be on cloud nine

septique /sɛptik/ *adj* septic

septuagénaire /sɛptɥaʒenɛʀ/
A *adj* **être ~** to be in one's seventies
B *nmf* person in his/her seventies, septuagenarian

septuagésime /sɛptɥaʒezim/ *nf* Septuagesima

septum /sɛptɔm/ *nm* septum

septuor /sɛptɥɔʀ/ *nm* (œuvre, formation) septet

septuple /sɛptypl/
A *adj* **une somme ~ d'une autre** an amount seven times more than another
B *nm* **leur mise leur a rapporté le ~** they got back seven times more than they had bet

septuplé, ~e /sɛptyple/ *nm,f* septuplet

septupler /sɛptyple/ [1]
A *vtr* to increase [sth] sevenfold
B *vi* to increase sevenfold

sépulcral, ~e, *mpl* **-aux** /sepylkʀal, o/ *adj* 1 (funèbre) sepulchral; **clarté ~e** subterranean gloom; **silence ~** deathly silence; **visage ~** deathly pale face; 2 †(funéraire) *[pierre, caveau]* funerary

sépulcre /sepylkʀ/ *nm* sepulchre[GB]

sépulture /sepyltyʀ/ *nf* 1 (tombe) grave; 2 (enterrement) burial

séquelle /sekɛl/ *nf* 1 Méd (d'accident, opération) aftereffect; 2 (retombées) repercussion; (conséquence) consequence

S

séquence /sekɑ̃s/ *nf* **1** gén sequence; **2** Chimie (de polymère) block

séquenceur /sekɑ̃sœʀ/ *nm* sequencer

(Composé) ~ **de vol** Aviat flight sequencer

séquentiel, **-ielle** /sekɑ̃sjɛl/ *adj* sequential

séquestration /sekɛstʀasjɔ̃/ *nf* **1** (détention) gén confinement; Jur ~ **(arbitraire)** illegal detention; **2** Jur (saisie) sequestration; ~ **de biens** sequestration of goods; **3** Chimie sequestration

(Composé) ~ **pulmonaire** Méd pulmonary sequestration

séquestre /sekɛstʀ/ *nm* **1** Jur sequestration; **mettre sous** ~ to sequestrate [*biens*]; **biens (mis) sous** ~ sequestrated property; **lever le** ~ to lift the sequestration order; **2** Méd sequestrum

séquestrer /sekɛstʀe/ [1] *vtr* **1** (détenir) gén to hold [*otage*]; Jur to confine [sb] illegally [*personne*]; **un mari qui séquestre sa femme** a husband who keeps his wife locked away; ~ **son patron dans son bureau** to lock the boss in his office (*in industrial dispute*); **2** Jur (saisir) to sequestrate [*biens*]

sequin /səkɛ̃/ *nm* **1** (paillette) sequin; **à ~s** sequined; **2** (monnaie) sequin

séquoia /sekɔja/ *nm* sequoia

(Composé) ~ **géant** giant sequoia, big tree

sérac /seʀak/ *nm* serac

sérail /seʀaj/ *nm* **1** Hist seraglio; **2** (entourage) innermost circle

(Idiome) **être nourri** *or* **élevé dans le** ~ to be born to it

séraphin /seʀafɛ̃/ *nm* **1** (ange) seraph; **les ~s** the seraphim; **2** °Can (avare) miser

séraphique /seʀafik/ *adj* seraphic

serbe /sɛʀb/
A ▸ **p. 721** *adj* Serbian
B ▸ **p. 483** *nm* Ling Serbian

Serbe /sɛʀb/ *nmf* Serb

Serbie /sɛʀbi/ ▸ **p. 721** *nprf* Serbia

serbo-croate /sɛʀbokʀɔat/ ▸ **p. 483** *nm* Serbo-Croatian

Sercq /sɛʀk/ ▸ **p. 435** *nprf* Sark

serein, **~e** /səʀɛ̃, ɛn/
A *adj* [*ciel, temps*] clear; [*personne, visage*] serene; [*jugement*] dispassionate; [*critique*] objective
B *nm* (pluie fine) serein

sereinement /səʀɛnmɑ̃/ *adv* [*regarder*] serenely; [*réfléchir, parler*] calmly; [*voir l'avenir*] with equanimity; [*juger*] dispassionately

sérénade /seʀenad/ *nf* **1** (concert) serenade; **donner une ~ à qn** to serenade sb; **2** °(tapage) racket°

sérénissime /seʀenisim/
A *adj* **son Altesse ~** His/Her Serene Highness; **la ~ République** Hist La Serenissima, the Venetian Republic
B *nf* **la Sérénissime** Venice

sérénité /seʀenite/ *nf* **1** (de visage, esprit) serenity; (de personne) equanimity; **envisager qch avec ~** to view sth with equanimity; **afficher une totale/grande ~** to display perfect/great composure; **2** (de juge, jugement) impartiality; **3** (de ciel, temps) calmness

séreux, **-euse** /seʀø, øz/
A *adj* serous
B **séreuse** *nf* serous membrane, serosa spéc

serf, **serve** /sɛʀ, sɛʀv/
A *adj* **1** lit [*condition*] of serfdom; **2** fig [*âme, esprit*] slavish
B *nm,f* serf

serfouette /sɛʀfwɛt/ *nf* combined hoe and fork

serge /sɛʀʒ/ *nf* Tex serge

sergé /sɛʀʒe/ *nm* Tex twill

sergent /sɛʀʒɑ̃/ *nm* **1** ▸ **p. 406** Mil (de terre) ≈ sergeant; (de l'air) ≈ sergeant GB, ≈ staff sergeant US; ~ **instructeur** drill sergeant; **2** Tech (serre-joint) cramp

(Composé) ~ **de ville**† policeman, town constable† GB

sergent-chef, *pl* **sergents-chefs** /sɛʀʒɑ̃ʃɛf/ ▸ **p. 406** *nm* Mil (de terre) ≈ staff sergeant; (de l'air) ≈ flight sergeant GB, ≈ chief master sergeant US

séricicole /seʀisikɔl/ *adj* silk (*épith*), sericultural spéc

sériciculture /seʀisikyltyʀ/ *nf* silkworm rearing, sericulture spéc

série /seʀi/ *nf* **1** (suite) series (*sg*) **(de qch** of sth); **une ~ de mesures/réactions** a series of measures/reactions; **catastrophes/meurtres en ~** a series of catastrophes/murders; **avoir des problèmes en ~, avoir toute une ~ de problèmes** to have one problem after another; ~ **d'attentats** wave of attacks; **2** (de production) **numéro de ~** serial number; ~ **limitée** limited edition; **modèle de ~** gén mass-produced model; (voiture) production model; **fabriqués** *or* **faits en ~** mass-produced; **production en ~** mass production; **voiture hors ~** custom-built car; **numéro hors ~** special issue; ▸ **grand**; **3** (collection) set; **une ~ de casseroles/bandes dessinées** a set of saucepans/comics; **4** (programme télévisé) series (*sg*); **une ~ américaine** an American series; **une ~ sur la Chine** a series on China; **un film de ~ B** a B movie; **5** Sport (catégorie) division; (épreuve) heat; **tête de ~ numéro un** (au tennis) number one seed; **6** Chimie, Math, Mus series (*sg*); **7** Électrotech **montage en ~** series connection; **batteries montées en ~** batteries connected in series; **8** Scol (au baccalauréat) option; ~ **A/C** literature/maths GB *ou* math US option; **9** Ordinat **en ~** serial

(Composé) ~ **noire** Cin, Littérat thriller; fig (catastrophes) series of disasters (*pl*); (malchance) run of bad luck

sériel, **-ielle** /seʀjɛl/ *adj* serial

sérier /seʀje/ [2] *vtr* to classify

sérieusement /seʀjøzmɑ̃/ *adv* **1** (avec application) [*apprendre, travailler*] seriously; **2** (sans plaisanter) [*parler, envisager*] seriously; **il pense ~ à déménager/démissionner** he's seriously thinking of moving/resigning; **3** °(considérablement) [*affaiblir, compliquer*] seriously, considerably; **la conférence m'a ~ ennuyé** the lecture really *ou* utterly bored me

sérieux, **-ieuse** /seʀjø, øz/
A *adj* **1** (réfléchi) [*élève, employé*] serious, serious-minded; [*activité, travail*] serious; [*politique, réforme*] serious; **Michel est un élève ~ et appliqué** Michel is serious and conscientious; **être ~ dans son travail** [*personne*] to be serious about one's work; **2** (qui ne rit pas) [*personne, air, visage*] serious; **dire qch d'un air très ~** to say sth in a very serious way; **c'est bien vrai, tu es ~?** is it really true, are you serious?; **soyons ~, cette idée est totalement idiote** let's be serious, this idea is totally stupid; **3** (qui mérite considération) [*affaire, raison, menace*] serious; [*piste, indice*] important; **passer aux choses sérieuses** to move on to serious matters, to get down to the nitty-gritty°; **4** (non fait pour l'amusement) [*étude, sujet, livre, conversation, débat, film*] serious; [*annonce, proposition*] genuine; **une enquête très sérieuse révèle** a very serious survey reveals; **avoir des lectures très sérieuses** to read very serious books; **5** (digne de confiance) [*personne, maison, établissement*] reliable; **tu peux lui faire confiance, c'est quelqu'un de ~** you can trust him, he's reliable; **'pas ~ s'abstenir'** (dans petite annonce) 'genuine inquiries only', 'no time-wasters'; **6** (grave) [*conséquences, blessure, problème, incident, crise*] serious; **être confronté à de ~ ennuis** to be faced with serious difficulties; **il souffre de ~ troubles de la vue** he has serious problems with his eyesight; **la situation est jugée très sérieuse par le gouvernement** the government is treating the situation as very serious; **7** (considérable) [*effort, besoin*] real, concerted; [*progrès*] considerable; [*handicap*] serious; **conserver une sérieuse avance** to retain a considerable lead; **opérer une sérieuse restructuration des services** to carry out a complete restructuring of services; **prendre un ~ retard dans son travail** to fall seriously behind with one's work; **avoir un ~ besoin de vacances** really to need a vacation, to be seriously in need of a vacation; **8** (responsable) [*personne*] responsible; **il n'est pas très ~ ce garçon** this boy is a bit irresponsible; **cela ne fait pas très ~** that doesn't make a very good impression
B *nm* **1** (expression grave) seriousness; **dire qch avec beaucoup de ~** to say sth very seriously; **garder son ~** to keep a straight face; **perdre son ~** to start to laugh; **2** (caractère réfléchi) seriousness; **faire qch avec ~** to do sth carefully; **elle travaille avec ~ et application** she is serious and conscientious in her work; **il a fait preuve de beaucoup de ~ dans ses études** he's shown himself to be very serious about his studies; **3** (de situation) seriousness, gravity sout; (de projet, démarche) seriousness; **je mets en doute le ~ de leur proposition** I have my doubts about the seriousness of their proposal; **prendre qch/qn au ~** to take sth/sb seriously; **se prendre au ~** to take oneself seriously; **4** (chope de bière) beer mug (*1 litre*)

sérigraphie /seʀigʀafi/ *nf* **1** (procédé) silk-screen printing; **2** (œuvre) silkscreen print

serin /səʀɛ̃/ *nm* **1** Zool canary; **2** †(benêt) **(grand) ~** silly billy°

seriner° /səʀine/ [1] *vtr* **~ qch à qn** to drum sth into sb; **~ que** to harp on about the fact that

seringa /səʀɛ̃ga/ *nm* syringa, mock orange

seringue /səʀɛ̃g/ *nf* Culin, Hort, Méd syringe

(Composés) ~ **à huile** Mécan oil squirt; ~ **hypodermique** hypodermic syringe

sérique /seʀik/ *adj* Méd serumal; **maladie ~** serum sickness

serment /sɛʀmɑ̃/ *nm* **1** (devant une autorité) oath; **déclarer sous ~** to declare on GB *ou* under oath; **prêter ~** to take the oath; **un ~ professionnel** a professional oath; **2** (promesse) liter vow; **faire (le) ~ de faire** to make a solemn vow to do; **échanger des ~s** to exchange vows; ▸ **faux**[1]

(Composés) **le ~ d'Hippocrate** Méd the Hippocratic oath; **un ~ d'ivrogne** an empty promise; **le ~ du Jeu de Paume** Hist *vow taken in 1789 by the French Assembly to create a constitution*

sermon /sɛʀmɔ̃/ *nm* **1** Littérat, Relig sermon; **le Sermon sur la montagne** Relig the Sermon on the Mount; **2** péj (discours) lecture; (remontrance) talking-to

sermonner /sɛʀmɔne/ [1] *vtr* (conseiller) to lecture; (morigéner) to give [sb] a talking-to; **se faire ~** to get a talking-to

sermonneur, **-euse** /sɛʀmɔnœʀ, øz/
A *adj* preachy
B *nm,f* preachy individual

sérodiagnostic /seʀodjagnɔstik/ *nm* serodiagnosis

sérodiscordant, **~e** /seʀɔdiskɔʀdɑ̃, ɑ̃t/ *adj* serodiscordant

sérogroupe /seʀɔgʀup/ *nm* serogroup

sérologie /seʀɔlɔʒi/ *nf* serology

sérologique /seʀɔlɔʒik/ *adj* serological

séronégatif, **-ive** /seʀonegatif, iv/
A *adj* HIV-negative; **être déclaré ~** to be found to be HIV-negative
B *nm,f* HIV-negative person

séropositif, **-ive** /seʀopozitif, iv/
A *adj* gén seropositive (**à** for); (dans le cas du sida) HIV-positive
B *nm,f* HIV-positive person

séropositivité /seʀopozitivite/ *nf* (dans le cas du sida) (HIV antibody) seropositivity

sérosité /seʀozite/ *nf* serous fluid

sérothérapie /seʀoteʀapi/ *nf* serotherapy

S

sérotine /seʀɔtin/ *nf* 1 Zool serotin; 2 Méd (membrane) basal decidua
sérotonine /seʀɔtɔnin/ *nf* serotonin
serpe /sɛʀp/ *nf* billhook; **visage taillé à la ~** *or* **à coups de ~** craggy face
serpent /sɛʀpɑ̃/ *nm* 1 Zool snake; 2 Bible serpent; 3 ▸ **p. 557** Mus serpent
(Composés) **~ d'airain** Bible brazen serpent; **~ d'eau** water snake; **~ à lunettes** cobra; **~ marin** Zool sea snake; **~ de mer** Mythol sea serpent; (histoire) hackneyed subject; **~ monétaire** Fin Hist currency snake; **~ à plumes** Mythol plumed serpent; **~ à sonnette** rattlesnake
(Idiomes) **réchauffer** *or* **nourrir un ~ dans son sein** to take a viper to one's bosom; **c'est le ~ qui se mord la queue** things go round and round GB *ou* around and around US in circles
Serpent /sɛʀpɑ̃/ *nprm* Astron Serpens
serpentaire /sɛʀpɑ̃tɛʀ/
A *nm* Zool secretary bird
B *nf* Bot stink dragon
serpenteau, *pl* **~x** /sɛʀpɑ̃to/ *nm* 1 Zool baby snake; 2 (feu d'artifice) serpent
serpenter /sɛʀpɑ̃te/ [1] *vi* [*route, fleuve*] to wind (**à travers, dans** through)
serpentin /sɛʀpɑ̃tɛ̃/ *nm* 1 (de fête) streamer; 2 Tech (de chauffage, refroidissement) coil
serpentine /sɛʀpɑ̃tin/ *nf* Minér serpentine
serpette /sɛʀpɛt/ *nf* pruning knife
serpillière* /sɛʀpijɛʀ/ *nf* floorcloth; **passer la ~** to wash the floor
serpolet /sɛʀpɔlɛ/ *nm* wild thyme
serrage /seʀaʒ/ *nm* (de vis, d'écrou) tightening
serre /sɛʀ/ *nf* 1 (maison de verre) greenhouse; **mettre qch en** *or* **sous ~** to put sth in a greenhouse; **culture en ~** greenhouse cultivation; **effet de ~** greenhouse effect; 2 (de rapace) talon, claw
serré, **~e** /seʀe/
A *pp* ▸ **serrer**
B *pp adj* 1 (ajusté) [*vis, écrou*] tight; [*jupe, pantalon*] tight; **je suis ~e dans ma veste/jupe** my jacket/skirt is too tight; **robe ~e à la taille** dress fitted at the waist; **chemise ~e à la taille avec une ceinture** shirt pulled in at the waist by a belt; 2 (dense) (herbe) thick; (écriture) cramped; **en rangs ~s** in serried rows; **il tombait une pluie fine et ~e** it was drizzling; 3 (sans grande latitude) [*délais, emploi du temps, budget*] tight; [*virage*] sharp; 4 (rigoureux) [*analyse, étude, vérification*] close; [*contrôle, gestion*] strict; 5 (acharné) [*lutte*] hard; [*discussion, débat, négociation*] heated; [*partie, match*] close; **le score est ~** the scores are close; **le premier tour des élections va être ~** the first round of the elections is going to be a close contest; 6 (fort) [*café*] very strong
C *adv* [*écrire*] in a cramped hand; [*tricoter*] tightly; **il va falloir jouer ~ si...** we can't take any chances if...
serre-file, *pl* **~s** /sɛʀfil/ *nm* Mil (personne) file-closer; (navire) tail-end Charlie○
serre-joint, *pl* **~s** /sɛʀʒwɛ̃/ *nm* Tech clamp
serre-livres* /sɛʀlivʀ/ *nm inv* book end
serrement /sɛʀmɑ̃/ *nm* 1 lit **~ de main** handshake; 2 fig **avoir** *or* **ressentir un ~ de cœur** to feel a pang; 3 Mines dam
serrer /seʀe/ [1]
A *vtr* 1 (maintenir vigoureusement) [*personne*] to grip [*volant, rame*]; **ne serrez pas le volant, détendez-vous** don't grip the steering wheel, relax; **si tu serres bien la corde tu ne risqueras rien** if you grip the rope tightly you'll be OK; **~ qch dans sa main** to grip [sth] in one's hand [*pièce, bonbon, crayon, clé*]; **~ qn/qch dans ses bras** to hug sb/sth; **~ qn/qch contre sa poitrine** to hug sb/sth to one's chest; **~ qch entre ses cuisses/genoux** to grip sth between one's thighs/knees; **~ qch entre ses dents** to clench sth between one's teeth; **~ le poignet/cou de qn** to squeeze sb's wrist/neck; **~ la main de** *or* **la pince○ à qn** to shake hands with sb; **elle a serré la main du ministre** she shook hands with the minister; **~ les poings** to clench one's fists; **la peur me serrait la gorge** my throat was constricted with fear; **ça me serre le cœur de voir ça** it wrings my heart to see that
2 (ajuster) [*personne*] to tighten [*corset, ceinture, nœud*]; to tighten [*ficelle*]; **serre bien tes lacets** do your shoelaces up tight; **tu as trop serré ton nœud de cravate** your tie is too tight; **~ son peignoir autour de sa taille** to pull one's dressing-gown around oneself; **mon chignon n'est pas assez serré** my bun is (too) loose
3 (tenir à l'étroit) [*chaussures, vêtement*] to be too tight; **mon pantalon me serre** my trousers GB *ou* pants US are too tight; **ça me serre à la taille/aux épaules/aux mollets** it's too tight around my waist/across my shoulders/around my calves
4 (bloquer) to tighten [*écrou, vis, boulon*]; to turn [sth] off tightly [*robinet*]; **~ une pièce dans un étau** to grip a part in a vice GB *ou* vise US; **ne serrez pas trop** don't overtighten; **sans ~** [*fixer, visser*] loosely
5 (être près de) **~ le trottoir** [*automobiliste*] to hug the kerb GB *ou* curb US; **~ l'accotement** to drive very close to the edge of the road; **~ à droite/gauche** [*véhicule*] to move close to the right/left of the road; **~ un cycliste contre le trottoir** [*voiture*] to force a cyclist up against the pavement GB *ou* sidewalk US; **~ qn de près** [*concurrent*] to be hot on sb's tail
6 (rapprocher) to push [sth] closer together [*livres, tables, objets*] (**contre** against); to squeeze [*personne*] (**dans** in; **contre** against); **être serré** [*livres, personnes*] to be packed together; **nous sommes trop serrés dans la cuisine** there are too many of us in the kitchen; **~ les rangs** lit, fig to close ranks
7 (étudier en profondeur) **~ un sujet/problème de près** to study a subject/problem closely
8 (réduire) to cut [*budget, dépenses, prix*]; **essayer de ~ les coûts** to try to cut costs
9 Naut to furl [*voile*]; **~ le vent** to sail close to the wind
10 liter, dial (ranger) to stow [sth] away [*objet précieux, économies*]
B **se serrer** *vpr* 1 (se rapprocher de) [*personnes*] to squeeze up (**autour de** around; **dans** in); **serrez-vous pour faire de la place** squeeze up to make room; **ma voiture est petite, il va falloir se ~** my car is small, we'll have to squeeze up; **se ~ contre qch/qn** to squeeze up against sth/sb; **ils se sont serrés les uns contre les autres** they huddled together
2 (se comprimer) **se ~ dans une jupe/un pantalon** to squeeze oneself into a skirt/a pair of trousers GB *ou* pants US; **nous nous sommes serré la main** we shook hands
3 (se contracter) **avoir le cœur qui se serre** to feel deeply upset; **avoir la gorge qui se serre** (d'émotion) to have a lump in one's throat; (de peur, trac) to have one's heart in one's mouth
(Idiome) **~ la pince○** *or* **louche○** *or* **cuiller○ à qn** to shake sb's hand
serre-tête, *pl* **~s** /sɛʀtɛt/ *nm* hairband
serrure /seʀyʀ/ *nf* (de porte, coffre, tiroir) lock; **~ en applique/à encastrer** rim/mortice lock; **~ de sécurité/à combinaison** safety/combination lock; **trou de ~** keyhole; **regarder par le trou de la ~** to look through the keyhole
(Composés) **~ à barillet** cylinder sashlock; **~ avec bouton de verrouillage** latchlock; **~ à pêne demi-tour** sashlock; **~ 3 points** multilock
serrurerie /seʀyʀʀi/ *nf* 1 ▸ **p. 532** (boutique) locksmith's; 2 (corps de métier) locksmith's trade; 3 (serrures) locks (*pl*)
serrurier /seʀyʀje/ ▸ **p. 532** *nm* locksmith
sertir /sɛʀtiʀ/ [3] *vtr* 1 (en joaillerie) to set [*pierre*]; 2 Tech to crimp [*tôles*]
sertissage /sɛʀtisaʒ/ *nm* 1 (en joaillerie) setting; 2 Tech crimping
sertisseur, **-euse** /sɛʀtisœʀ, øz/ ▸ **p. 532** *nm,f* 1 (en joaillerie) jewel setter; 2 Tech crimper
sertissure /sɛʀtisyʀ/ *nf* (manière de sertir) setting; (partie du chaton) bezel
sérum /seʀɔm/ *nm* Physiol, Pharm, Chimie serum; **~ antirabique** anti-rabies serum; **un ~ antivenimeux** an antivenin; **~ physiologique** physiological solution; **~ sanguin** blood serum; **~ de vérité** truth drug
servage /sɛʀvaʒ/ *nm* Hist serfdom
serval /sɛʀval/ *nm* serval
servant /sɛʀvɑ̃/
A *adj m* **chevalier ~** devoted admirer
B *nm* 1 Relig server; 2 Mil (au canon) member of a gun crew
servante /sɛʀvɑ̃t/ ▸ **p. 532** *nf* (domestique) maidservant
serve ▸ **serf**
serveur, **-euse** /sɛʀvœʀ, øz/ ▸ **p. 532**
A *nm,f* (dans café, restaurant) waiter/waitress
B *nm* 1 Sport server; 2 (aux cartes) dealer; 3 Ordinat server; **~ de base de données** database server; **~ mandataire** proxy server
servi, **~e** /sɛʀvi/
A *pp* ▸ **servir**
B *pp adj* 1 (à table) **'prends de la viande'—'merci je suis déjà ~'** 'have some meat'—'I already have some, thank you'; 2 ○fig iron **nous voulions du soleil, nous sommes ~s** we wanted some sunshine and we've certainly got it
serviabilité /sɛʀvjabilite/ *nf* helpfulness; **être d'une grande ~** to be very obliging *ou* helpful
serviable /sɛʀvjabl/ *adj* obliging, helpful
service /sɛʀvis/
A *nm* 1 (action serviable, faveur) **je peux te demander un ~?** (action serviable) can I ask you to do something for me?; (faveur) can I ask you a favour[GB]?; **pourrais-tu me rendre un petit ~?** could you do something for me?; **tu m'as rendu ~ (en faisant cela)** that was a great help; **elle m'a rendu de nombreux ~s** she's been very helpful; **il est toujours prêt à rendre ~** he is always ready to help; **rendre un mauvais ~ à qn** to do sb a disservice; **ce n'est pas un ~ à leur rendre** *or* **ce n'est pas leur rendre ~ que de faire leurs devoirs** you are not helping them by doing their homework for them
2 (liaison) service; **~ de bus** bus service; **le ~ d'été/d'hiver/de nuit** the summer/winter/night service; **le ~ n'est pas assuré le dimanche** there's no service on Sundays; **~ réduit** *or* **partiel** reduced service
3 (fonctionnement) **être en ~** [*ascenseur*] (en train de fonctionner) to be working; (en état de fonctionner) to be in working order; **être en ~** [*autoroute*] to be open; [*ligne de métro, de bus*] to be running; [*aérogare*] to be open, to be in operation; **ne pas être en ~** [*ligne de métro*] to be closed; **être hors ~** [*ascenseur*] to be out of order; **entrer en ~** [*ligne de métro, aérogare, autoroute*] to be opened, to come into service; **mettre en ~** to bring [sth] into service [*appareil, véhicule*]; to open [*gare, aérogare, autoroute, ligne de bus*]; **remettre en ~** to bring [sth] back into service [*appareil*]; to reopen [*gare, autoroute*]; **la mise** *or* **l'entrée en ~ de la ligne de bus** the start of the new bus service; **depuis la mise** *or* **l'entrée en ~ de cette route** since the opening of this road
4 (aide) **rendre ~ à qn** [*machine, appareil*] to be a help to sb; [*route, passage, magasin*] to be convenient (for sb); **ça peut toujours rendre ~** it might come in handy
5 (action de servir) gén service; **être au ~ de son pays** to serve one's country; **'décoré pour ~ rendu'** 'decorated for service to his/her country'; **je suis à leur ~** (employé) I work for them; (dévoué) I'm at their disposal; **travailler au ~ de la paix** to work for peace; **mettre son énergie/argent au ~ d'une cause** to devote all one's energy/money to a cause; **'à votre ~!'** (je vous en prie) 'don't mention it!', 'not at

all!'; **'que puis- je faire** *or* **qu'y a-t-il pour votre ~?'** 'may I help you?'; **'(nous sommes) à votre ~ madame'** 'always pleased to be of assistance'
6 (à table) service; **le ~ est rapide ici** the service here is quick; **30 euros ~ compris/non compris** 30 euros service included/not included; **le ~ n'est pas compris** service is not included; **12% pour le ~** 12% service charge; **faire le ~** (servir les plats) to serve; (desservir) to act as waiter; **manger au premier ~** to go to the first sitting
7 (des gens de maison) (domestic) service; **être en ~ chez qn, être au ~ de qn** to be in sb's service; **entrer au ~ de qn** to go to work for sb; **prendre qn à son ~** to take sb on, to engage sb; **avoir plusieurs personnes à son ~** to have several people working for one; **escalier de ~** back stairs (*pl*), service stairs (*pl*); **entrée de ~** tradesmen's entrance GB, service entrance
8 (obligations professionnelles) service; **avoir 20 ans de ~ dans une entreprise** to have been with a firm 20 years; **être de** *or* **en ~** to be on duty; **l'infirmière de ~** the duty nurse, the nurse on duty; **prendre son ~ à** to come on duty at; **elle n'avait pas assuré son ~ ce jour-là** she hadn't come on duty that day; **assurer le ~ de qn** to cover for sb; **il ne fume pas pendant les heures de ~** he doesn't smoke on duty; **son ~ se termine à** he comes off duty at; **être en ~ commandé** [*policier*] to be on an official assignment, to be acting under orders; **état de ~(s)** record of service, service record; **le ~ de nuit** night duty; **pharmacie de ~** duty chemist; **être de ~ de garde** (dans un hôpital) to be on duty; (médecin généraliste) to be on call; **~ en temps de paix** Mil peacetime service; **être** *or* **jouer l'idiot de ~** to be the house clown
9 (section administrative) department; **~ administratif/culturel/du personnel** administrative/cultural/personnel department; **le ~ de psychiatrie/de cardiologie** the psychiatric/cardiology department; **le ~ des urgences** the casualty department GB *ou* emergency room US; **les blessés furent conduits au ~ des urgences** the injured were taken to casualty GB *ou* to ER US; **~ de réanimation** intensive care unit; **les ~s de sécurité** the security services; **les ~s secrets** the secret service; **les ~s d'espionnage** *or* **de renseignements** the intelligence services; **~ de dépannage** breakdown service; **~ d'entretien** (département de l'entreprise) maintenance department; (personnel) maintenance staff; **les ~s du Premier Ministre se refusent à tout commentaire** the Prime Minister's office has refused to comment; **chef de ~** (dans une administration) section head; (dans un hôpital) senior consultant
10 Mil (obligations militaires) **~ (militaire)** military *ou* national service; **~ national** national service; **faire son ~ (militaire)** to do one's military service; **~ actif** active service; **~ civil** non-military national service; **partir au ~**° to go off to do one's military service; **être bon pour le ~** lit to be passed fit for military service; fig hum to be passed fit; **reprendre du ~** to re-enlist *ou* sign up again; **quitter le ~** to be discharged, to leave the forces
11 (vaisselle) set; **un ~ à thé** a tea set; **un ~ à café** a coffee set; **~ à dessert** *or* **gâteau** dessert set; **~ de table** dinner service
12 Relig service; **~ religieux** church service
13 Sport service, serve; **être au ~** to serve *ou* be serving; **Valérie au ~** Valérie to serve; **changement de ~** change of service; **faute de ~** fault
B services *nmpl* services; **les biens et les ~s** goods and services; **avoir recours aux ~s de qn** to call on sb's services; **se passer** *or* **priver des ~s de qn** to dispense with sb's services; **~s en ligne** Ordinat online services
(Composés) **~ après-vente, SAV** (département) after-sales service department; (activité) after-sales service; **~ minimum** reduced service; **~ d'ordre** stewards (*pl*); **~ de presse** (de ministère, parti, d'entreprise) press office; (de maison d'édition) press and publicity department; (livre) review copy; **~ public** public service; **Service du travail obligatoire, STO** *compulsory labour*[GB] *organization set up in 1943 during the German occupation of France*; **~s sociaux** Prot Soc social services

serviette /sɛʀvjɛt/ *nf* 1 (pour la toilette) towel; 2 (pour la table) **~ (de table)** (table) napkin, serviette GB; **mets ta ~!** put your napkin on; 3 (cartable) briefcase
(Composés) **~ de bain** bath towel; **~ hygiénique** sanitary towel; **~ d'invités** hand towel; **~ de plage** beach towel; **~ de toilette** towel
(Idiome) **il ne faut pas mélanger les torchons et les ~s**° you've got to know what's what

serviette-éponge, *pl* **serviettes-éponges** /sɛʀvjɛtepɔ̃ʒ/ *nf* terry towel

servile /sɛʀvil/ *adj* 1 (soumis) [*personne, attitude*] servile; [*fidélité, obéissance*] slavish; 2 (peu original) [*adaptation*] slavish; [*traduction*] over-literal; 3 Hist (de serf) servile; (de domestique) menial

servilement /sɛʀvilmɑ̃/ *adv* [*obéir*] slavishly; [*flatter*] obsequiously; (sans originalité) [*imiter, copier*] slavishly

servilité /sɛʀvilite/ *nf* (soumission) servility

servir /sɛʀviʀ/ [30]
A *vtr* 1 (être au service de) to serve [*État, maître, société*]
2 (fournir) [*commerçant, serveur*] to serve; **il n'y a personne pour ~** there's nobody to serve; **le boucher m'a mal servi aujourd'hui** the butcher didn't give me very good meat today; **je suis toujours très bien servi dans leur magasin** I'm always very happy with what I buy in their shop GB *ou* store US; **moi qui voulais du changement, je suis servie!** iron well I wanted a change and I certainly got it!
3 (donner à boire, à manger) to serve [*invité, plat, boisson*]; **~ qch à qn** to serve sb (with) sth; **~ qn à table** to serve sb at table; **~ à manger/à dîner à qn** to serve food/dinner to sb; **qu'est-ce que je vous sers (à boire)?** what would you like to drink?; **~ qn en qch** (en légumes, viande) to serve sb sth; **il m'a servi une grosse part de gâteau** he served me a large slice of cake; **tu es mal servi** you haven't got much; **tu es bien servi?** have you got enough?; **tu as été bien servi en gâteau** you've been given a generous helping of cake; **'Madame est servie'** 'dinner is served Madam'; **au moment de ~** before serving; **'~ frais'** 'serve chilled'
4 (être utile à) [*situation*] to help [*personne, projet, cause*]; to serve [*intérêt*]; [*personne*] to further [*cause, ambition, intérêt*]; **~ un but** *or* **une fin** to serve an end
5 °(donner) **~ qch comme argument/excuse** to use sth as an argument/excuse
6 Relig **~ la messe** to serve mass
7 Écon (payer) to pay [*rente, pension, intérêt*]
8 Jeux to deal [*cartes*]
9 Mil to serve [*arme*]
B servir à *vtr ind* 1 (être utilisé) **~ à qn** [*pièce, maison, salle*] to be used by sb; **cela sert à mon père** my father uses it; **cette casserole me sert pour faire des confitures** I use this pan for making jam; **~ à qch** to be used for sth; **~ à la fabrication de qch** to be used for making sth; **cela ne sert à rien** it's not used for anything; **ces matériaux nous servent à fabriquer…** we use these materials for manufacturing…; **les exercices m'ont servi à comprendre la règle** the exercises helped me to understand the rule
2 (être utile) [*connaissances, objet*] to come in useful; **cela te servira** it will come in useful (for you); **cela ne m'a servi à rien** this was of no use to me; **cela ne sert à rien** [*objet*] it's useless; [*action*] it's no good; **je les ai menacés mais cela n'a servi à rien** I threatened them but it didn't do any good; **cela ne sert à rien de faire** there's no point in doing; **~ à quelque chose** to serve a useful purpose; **~ à faire** to be used for doing
C servir de *vtr ind* (avoir la fonction) **~ de** [*personne*] to act as; **~ d'intermédiaire/d'interprète à qn** to act as an intermediary/an interpreter for sb; **~ d'arme** to be used as a weapon; **la table nous sert de bureau** we use the table as a desk; ▸ **courir**
D *vi* 1 Mil (dans une armée) **~ dans** to serve in
2 Sport to serve; **à toi de ~** it's your serve *ou* service
3 (être employé comme domestique) **il a servi dix ans chez madame de la Poya** he was in Mrs de la Poya's service for ten years; **il a servi sous Turenne** he served under Turenne
4 (être utilisé) to be used; **ne jette pas la boîte, elle peut encore ~** don't throw the box away, it might come in useful *ou* handy for something
5 (travailler comme serveur) **~ dans un café** gén to work as a waiter in a café; (au bar) to work as a barman
E se servir *vpr* 1 (à boire, à manger) to help oneself; **servez-vous** help yourself *ou* yourselves; **se ~ un verre de vin/une part de gâteau** to help oneself to a glass of wine/a slice of cake; **sers-toi bien** take plenty
2 (faire ses courses) **se ~ chez le boucher du coin** to shop at the local butcher's; **pour le fromage nous nous servons chez Pauchon** we buy cheese at *ou* from Pauchon's
3 (faire usage de) **se ~ de qch/qn** to use sth/sb **(comme** as); **se ~ d'un stratagème** to employ a stratagem; **se ~ d'une situation** to make use of a situation
4 Culin, Vin to be served; **le vin se sert frais** wine should be served chilled
5 (dans magasin) to help oneself **(de qch** to sth)
F *v impers* **à quoi sert-il de faire?** what's the point *ou* use of doing?; **il ne sert à rien de crier** there's no point in shouting
(Idiome) **on n'est jamais si bien servi que par soi même** Prov if you want something done it's better to do it yourself

serviteur /sɛʀvitœʀ/ *nm* servant; **'votre ~!'** (à votre service) 'at your service, sir *ou* madam!'; **votre très humble ~** your most humble and obedient servant; **votre ~** (moi-même) yours truly
(Idiome) **l'argent est un bon ~ et un mauvais maître** Prov money is a good servant but a bad master

servitude /sɛʀvityd/ *nf* 1 (esclavage) servitude; 2 (obligation) constraint; **les ~s d'un métier** the constraints of a job; 3 Jur (en immobilier) **immeuble sans ~** building free from encumbrance

servocommande /sɛʀvokɔmɑ̃d/ *nf* servomechanism

servodirection /sɛʀvodiʀɛksjɔ̃/ *nf* power(-assisted) steering

servofrein /sɛʀvofʀɛ̃/ *nm* power(-assisted) brakes (*pl*)

servomécanisme /sɛʀvomekanism/ *nm* servomechanism

servomoteur /sɛʀvomɔtœʀ/ *nm* servomotor

ses ▸ **son¹**

sésame /sezam/ *nm* sesame; **un pain au ~** a sesame seed loaf
(Idiome) **Sésame ouvre-toi!** open sesame!

session /sɛsjɔ̃/ *nf* 1 (réunion) session; **~ de printemps** spring session; 2 Scol, Univ examination session; **la première/deuxième ~** June/September examinations; **~ de rattrapage** retakes (*pl*); 3 (stage) course; **~ de formation** training course

sesterce /sɛstɛʀs/ *nm* sestertium

set /sɛt/ *nm* Sport set
(Composé) **~ de table** place mat

Sète /sɛt/ ▸ **p. 894** *npr* Sète

sétois, ~e /setwa, az/ ▸ **p. 894** *adj* of Sète

Sétois, **~e** /setwa, az/ ▸ **p. 894** *nm,f* (natif) native of Sète; (habitant) inhabitant of Sète

setter /setɛʀ/ *nm* setter

(Composés) **~ anglais** English setter; **~ irlandais** Irish setter, red setter

seuil /sœj/ *nm* **1** (dalle) **~ (de la porte)** doorstep; (entrée) doorway (**de** of); **se tenir sur le ~** (de porte) to stand on the doorstep; (de maison) to stand in the doorway; **franchir le ~** to cross the threshold (**de** of); **moi vivant, il ne franchira pas le ~ de ma maison** he will come into my house over my dead body; **2** (limite) threshold (**de** of); **atteindre un ~** to reach a threshold; **3** liter (début) threshold littér (**de** of); **au ~ de** (saison, carrière) at the beginning of; (mort, adolescence) on the threshold of; **4** Psych threshold; **5** Géog bank

(Composés) **~ absolu** Physiol, Psych absolute threshold; **~ d'audibilité** Physiol, Psych difference threshold; **~ d'audition** Physiol threshold of hearing; **~ différentiel** = **~ d'audibilité**; **~ de la douleur** Physiol threshold of pain; **~ d'excitation** Physiol, Psych absolute threshold; **~ d'imposition** Fisc tax threshold; **~ de pauvreté** poverty line; **~ de rentabilité** break-even point; **~ de tolérance** Sociol immigration limit

seul, **~e** /sœl/ *adj* **1** (sans compagnie) alone, on one's own; **toute ~e** all alone, all on her own; **~ au monde** alone in the world; **vivre ~** to live alone *ou* on one's own; **elle n'aime pas rester ~e** she doesn't like being alone; **elle est venue toute ~e** she came alone; **elle m'a laissé ~** she left me on my own; **je les ai laissés tout ~s** I left them all alone *ou* all on their own; **une femme ~e dans la rue** a woman alone *ou* on her own in the street; **c'est dangereux pour les femmes ~es** it's dangerous for women on their own; **les femmes ~es étaient regardées de travers** single women used to be frowned upon; **vous êtes ~ dans la vie?** are you single?; **j'étais ~ avec elle/contre tous/face à eux** I was alone with her/against everyone else/in front of them; **j'étais ~ pour faire tout le travail** I did all the work alone *ou* on my own; **je préfère la rencontrer ~e** I'd rather meet her alone *ou* in private; **elle veut vous parler ~ à ~** *or* **~e à ~(e)** she wants to speak to you alone *ou* in private; **nous nous sommes retrouvés ~ à ~** we found ourselves alone together; **parler/rire/chanter tout ~** to talk/laugh/sing to oneself

2 (sans aide) gén by oneself, on one's own; (avec idée de victoire) single-handedly; **je peux le faire/y aller ~** I can do it/go there by myself *ou* on my own; **elle l'a fait toute ~e** she did it all by herself *ou* all on her own; **elle a remporté tous les prix/conclu le marché/mené la révolution à elle ~e** she single-handedly carried off all the prizes/pulled off the deal/led the revolution; **le travail ne va pas se faire tout ~!** the work won't get done all by itself!; (**tout**) **~s, les chiffres ne veulent pas dire grand-chose** on their own, the figures don't mean very much; **~, je n'aurais jamais pu le faire** I could never have done it alone *ou* by myself *ou* on my own; **il a mangé un poulet à lui tout ~** he ate a whole chicken all to himself; **le papier se détache tout ~** the paper comes off easily; **ça va tout ~** (c'est facile) it's really easy, it's a piece of cake○; (c'est moins pénible) it's much easier; (c'est sans problèmes) things are running smoothly

3 (unique) only; **le ~ homme/avantage/problème** the only man/advantage/problem; **une ~e femme/façon/chaise** only one woman/way/chair; **un ~ d'entre eux/de tous les participants** only one of them/out of all the participants; **la ~e et unique personne/raison/chaise** the one and only person/reason/chair; **ils étaient les ~s Français du groupe** they were the only French people in the group; **les ~s élèves à avoir compris** the only pupils who understood; **à la ~e différence/condition que** the only difference/condition being that; **pas un ~ client/arbre/magasin** not a single customer/tree/shop GB *ou* store US; **l'espion et l'ambassadeur sont une ~e et même personne** the spy and the ambassador are one and the same person; **d'une ~e pièce** in one piece; **pour cette ~e raison** for this reason alone; **dans cette ~e ville** in this town alone; **au cours de cette ~e rencontre** during this meeting alone; **dans le ~ but de faire** with the sole aim of doing; **à la ~e idée/pensée de faire** at the very idea/thought of doing; **~ de son espèce** unique; **~ de sa catégorie** the only one in his/her category; **ils ont parlé d'une ~e voix** they were unanimous

4 (solitaire) lonely; **c'est un homme ~** he's a lonely man; **elle est très ~e** she's very lonely; **se sentir ~** to feel lonely

5 (avec valeur adverbiale) only; **~es les femmes peuvent comprendre ça** only women can understand that; **elle ~e pourrait vous le dire** only she could tell you; **~ un miracle pourrait la sauver** only a miracle could save her; **l'offre est réservée à nos ~s employés** the offer is open only to our employees

6 (avec valeur nominale) **le ~**, **la ~e** the only one; **les ~s**, **les ~es** the only ones; **j'étais (le) ~ à manger** I was the only one eating; **j'étais (le) ~ à en manger** I was the only one who ate any; **j'étais le ~ à aimer le spectacle** I was the only one enjoying the show; **j'ai été le ~ à avoir aimé le spectacle** I was the only one who enjoyed the show; **nous étions les ~s à critiquer/rire** we were the only ones to criticize/laugh; **les ~s à comprendre** the only ones who understood; **la ~e qui n'a** *or* **n'ait pas compris** the only one who didn't understand; **les ~s que je connaisse/en qui je peux avoir confiance** the only ones I know/I can trust; **c'est le ~ qui nous reste** it's the only one (that) we've got left; **c'est la ~e qui puisse t'aider** she's the only one who can help you; **tu n'es pas la ~e!** you're not the only one!; **tu n'es pas la ~e à penser** *or* **croire que** you're not alone in thinking that; **ils sont les ~s à croire que** they're alone in thinking that; **j'étais le ~ en cravate** I was the only one wearing a tie; **c'est l'œuvre d'un ~** it's the work of one man; **il n'y en a pas un ~ qui se soit levé** not a single person stood up; ▸ **malheur**

seulement /sœlmɑ̃/ *adv* **1** (pas davantage) only; **~ 13%** only 13%; **nous étions ~ deux** *or* **deux ~** there were only the two of us; **'nous étions dix'—'~?'** 'there were ten of us'—'is that all?'; **2** (pas avant) only; **il rentre ~ dans quelques jours** he won't be back for a few days; **j'ai compris ~ plus tard que** I only realized later that; **elle revient ~ demain/lundi** she's not coming back until tomorrow/Monday; **'vous le recevrez lundi'—'~ lundi?'** 'you'll get it on Monday'—'not before Monday?'; **3** (uniquement) only; **faire qch ~ pour aider qn** to do sth only to help sb; **ce n'est pas ~ une question de principe** it's not only a question of principle; **c'est non ~ idiot, mais (aussi) vulgaire** not only is it stupid, but it's also vulgar; **non ~ tu rentres tard mais en plus tu réveilles tout le monde!** not only do you come home late but you wake everybody up as well!; **4** (toutefois) only, but; **c'est possible, ~ je veux y réfléchir** it's possible, only *ou* but I'd like to think about it; **5** (au moins) **si ~** if only; **si ~ je pouvais leur parler** if only I could talk to them; **6** (même) **pas ~** not even; **il ne nous a pas ~ remerciés** he didn't even thank us; **elle est partie il n'y a pas ~ deux minutes** she left not two minutes ago

seulet○, **-ette** /sœlɛ, ɛt/ *adj* lonely; **se sentir (un peu) ~** to feel (a bit) lonely

sève /sɛv/ *nf* **1** Bot sap; **2** fig vigour[GB]

sévère /sevɛʀ/ *adj* **1** (dur) [*personne, éducation*] strict; [*sélection*] rigorous; [*jugement, décision, leçon*] harsh; [*punition*] severe; **la presse est de plus en plus ~** the press is becoming increasingly critical (**à l'égard de** of); **2** (austère) [*regard, ton*] stern, severe; [*architecture, beauté*] severe; **3** (important) [*défaite, pertes*] heavy; [*chute*] severe

sévèrement /sevɛʀmɑ̃/ *adv* **1** (durement) [*punir*] harshly; [*frapper*] severely; [*critiquer, juger*] harshly, severely; [*réglementer*] strictly; [*regarder*] sternly; **2** (gravement) [*éprouver, endommager*] severely

sévérité /seveʀite/ *nf* **1** (dureté) (de personne, d'éducation) strictness; (de verdict, décision) harshness; **manquer de ~ avec** to be not strict enough with; **2** (de visage, personne) sternness; (d'architecture, de vêtements) severity

sévices /sevis/ *nmpl* physical abuse ¢; **être victime de ~ sexuels** to be a victim of sexual abuse

Séville /sevil/ ▸ **p. 894** *npr* Seville; **le Barbier de ~** the Barber of Seville

sévir /seviʀ/ [3] *vi* **1** (punir) to clamp down (**contre** on); **2** (causer des ravages) [*tempête, guerre*] to rage; [*épidémie, pauvreté*] to be rife; [*voyous*] to be running wild; **la sécheresse sévit dans le pays** drought is ravaging the country; **3** fig [*doctrine*] to hold sway; [*délation*] to be rife; **mon ancien professeur sévit toujours au lycée** hum my former teacher is still pegging away at the school

sevrage /səvʀaʒ/ *nm* weaning

sevrer /səvʀe/ [16] *vtr* **1** lit to wean [*enfant, animal*]; **~ un toxicomane** to wean a drug addict off a drug; **2** hum (priver) **~ qn de qch** to deprive sb of sth

sèvres /sɛvʀ/ *nm inv* Sèvres porcelain

Sèvres /sɛvʀ/ ▸ **p. 894** *npr* Sèvres; **la manufacture de ~** the Sèvres porcelain factory

sexagénaire /sɛgzaʒenɛʀ/
A *adj* **être ~** to be in one's sixties
B *nmf* person in his/her sixties

sexagésimal, **~e**, *mpl* **-aux** /sɛgzaʒezimal, o/ *adj* sexagesimal

sexagésime /sɛgzaʒezim/ *nf* Sexagesima

sex-appeal /sɛksapil/ *nm inv* sex appeal

sexe /sɛks/ *nm* **1** (distinction mâle femelle) sex; **indépendamment du sexe, de l'ethnie, de l'âge** irrespective of gender, race, age; **des représentants des deux ~s** representatives of both sexes; **changer de ~** to have a sex change (operation); **un bébé de ~ féminin** a female baby; **les individus de ~ masculin** males; **2** (organes génitaux) genitals (*pl*); **3** (sexualité) sex

(Composés) **~ faible** weaker sex; **~ fort** stronger sex

sexisme /sɛksism/ *nm* sexism; **c'est du ~!** it's sexist!

sexiste /sɛksist/ *adj, nmf* sexist

sexologie /sɛksɔlɔʒi/ *nf* sexology

sexologue /sɛksɔlɔg/ ▸ **p. 532** *nmf* sex therapist

sex-shop, *pl* **~s** /sɛksʃɔp/ *nm* sex shop

sextant /sɛkstɑ̃/ *nm* Astron, Naut, Math sextant

sextillion /sɛkstiljɔ̃/ *nm* sextillion GB, undecillion US

sextuor /sɛkstɥɔʀ/ *nm* (œuvre, formation) sextet

sextuple /sɛkstypl/
A *adj* **une somme ~ d'une autre** an amount six times more than another
B *nm* **leur mise leur a rapporté le ~** they got back six times more than they had bet

sextuplé, **~e** /sɛkstyple/ *nm,f* sextuplet

sextupler /sɛkstyple/ [1]
A *vtr* to multiply [sth] by six, to sextuplicate
B *vi* [*bénéfices*] to increase sixfold

sexualité /sɛksɥalite/ *nf* gén, Biol sexuality; **avoir une ~ épanouie/refoulée** to be sexually uninhibited/inhibited

sexué, **~e** /sɛksɥe/ *adj* [*plante*] sexed; [*reproduction*] sexual

sexuel, **-elle** /sɛksɥɛl/ *adj* [*comportement, plaisir, rapport, différenciation*] sexual; [*vie, éducation, hormone, glande*] sex

sexuellement /sɛksɥɛlmɑ̃/ *adv* sexually

sexy○ /sɛksi/ *adj inv* [*personne, vêtement*] sexy○
seyant, ~e /sɛjɑ̃, ɑ̃t/ *adj* becoming; **elle a une robe/coiffure ~e** her dress/hairstyle suits her
Seychelles /seʃɛl/ ▸ p. 333, p. 435 *nprfpl* **les ~** the Seychelles
sézigue◑ /sezig/ *pron pers* him/her
SF /ɛsɛf/ *nf* (*abbr* = **science-fiction**) sci-fi
SFP /ɛsɛfpe/ *nf* (*abbr* = **société française de production et de création audiovisuelles**) *television and video production company*
SGBD /ɛsʒebede/ *nm: abbr* ▸ **système**
SGDG /ɛsʒedeʒe/ *loc adv* (*abbr* = **sans garantie du gouvernement**) *without the guarantee of the government*
SGML /ɛsʒeɛmɛl/ *nm* (*abbr* = **Standard Generalized Mark-up Language**) SGML
shah /ʃa/ *nm* shah; **le ~ d'Iran** the Shah of Iran
shaker* /ʃɛkœʀ/ *nm* cocktail shaker
shakespearien, -ienne /ʃɛkspiʀjɛ̃, ɛn/ *adj* Shakespearean
shako /ʃako/ *nm* shako
shampooing* /ʃɑ̃pwɛ̃/ *nm* (lavage, produit) shampoo; **faire un ~ à qn** to give sb a shampoo; **~ pour cheveux gras** shampoo for greasy *ou* oily US hair; **~ sec** dry shampoo; **~ à la camomille** camomile shampoo
(Composé) **~ colorant** shampoo-in hair colouring[GB]
shampouiner /ʃɑ̃pwine/ [1] *vtr* to shampoo [*personne, cheveux, animal, moquette*]
shampouineur, -euse /ʃɑ̃pwinœʀ, øz/ ▸ p. 532
A *nm,f: trainee hairdresser (who washes hair)*
B **shampouineuse** *nf* carpet cleaner
shantung /ʃɑ̃tuŋ/ *nm* shantung
shérif /ʃeʀif/ *nm* sheriff
sherpa /ʃɛʀpa/ *nm* sherpa
shetland /ʃɛtlɑ̃d/ *nm* **1** (laine) Shetland wool; **un pull en ~** a Shetland wool sweater; **2** (poney) Shetland pony
Shetland /ʃɛtlɑ̃d/ ▸ p. 435 *nprfpl* **les ~** the Shetlands; **les îles ~** the Shetland Islands
shintoïsme /ʃintoism/ *nm* Shintoism
shit◑ /ʃit/ *nm* dope○, pot○
shoot /ʃut/ *nm* **1** Sport shot; **2** ○(de drogue) fix○
shooter /ʃute/ [1]
A *vi* to shoot
B ○**se shooter** *vpr* to shoot up○; **elle est complètement shootée** she's completely stoned
shopping /ʃɔpiŋ/ *nm* controv shopping; **faire du ~** to go shopping
short /ʃɔʀt/ *nm* shorts (*pl*)
show-biz○ /ʃobiz/ *nm inv* showbiz○
shrapnel /ʃʀapnɛl/ *nm* shrapnel
Shropshire ▸ p. 721 *nprm* **le ~** Shropshire
shunt /ʃœ̃t/ *nm* shunt
shunter /ʃœ̃te/ [1] *vtr* **1** Électrotech to shunt; **2** ○(éviter) to bypass
si¹ /si/

> ⚠ *Si* adverbe de degré modifiant un adjectif a deux traductions en anglais selon que l'adjectif modifié est attribut: *la maison est si jolie* = the house is so pretty, ou épithète: *une si jolie maison* = such a pretty house.
> Dans le cas de l'épithète il existe une deuxième possibilité, assez rare et littéraire, citée pour information: = so pretty a house.

A *nm inv* if; **des ~ et des mais** ifs and buts
B *adv* **1** (marquant l'affirmation) yes; **'tu ne le veux pas?'—'~!'** 'don't you want it?'—'yes I do!'; **'ils n'ont pas encore vendu leur maison?'—'il me semble que ~'** 'haven't they sold their house yet?'—'yes, I think they have'; **il n'ira pas, moi ~** he won't go, but I will; **mais ~** yes, of course; **'tu ne le veux pas?'—'mais ~'** 'don't you want it?'—'yes, of course I do'; **~ fort** littér yes indeed
2 (marquant l'intensité) so; **ce n'est pas ~ simple** it's not so simple; **de ~ bon matin** so early in the morning; **de ~ bonne heure** so early; **c'est un homme ~ agréable** he's such a pleasant man; **vous habitez un ~ joli pays** you live in such a lovely country; **je suis heureux de visiter votre ~ jolie ville** I'm glad to visit your town, it's so pretty; **j'ai eu ~ peur que** I was so afraid that; **~ bien que** (par conséquent) so; (à tel point que) so much so that; **elle n'a pas écrit, ~ bien que je ne sais pas à quelle heure elle arrive** she hasn't written, so I don't know what time she's arriving; **elle s'agitait en tous sens ~ bien qu'elle a fini par tomber** she was flapping about all over the place, so much so that she fell over; **tant et ~ bien que** so much so that
3 (pour marquer la comparaison) **rien n'est ~ beau qu'un coucher de soleil** there's nothing so beautiful as a sunset; **est-elle ~ bête qu'on le dit?** is she as stupid as people say (she is)?
4 (pour marquer la concession) **~ loin que vous alliez nous saurons bien vous retrouver** however far away you go *ou* no matter how far away you go, we will be able to find you; **~ intelligent qu'il soit** *or* **soit-il, il ne peut pas tout savoir** as intelligent as he is *ou* however intelligent he is, he can't know everything; **~ pénible que soit la situation** however hard the situation may be; **~ peu que ce soit** however little it may be
C *conj* (**s'** *before* il *or* ils) **1** (marquant l'éventualité) if; **~ ce n'est (pas) toi, qui est-ce?** if it wasn't you, who was it?; **il n'a rien pris avec lui ~ ce n'est un livre et son parapluie** he didn't take anything with him apart from *ou* other than a book and his umbrella; **l'une des villes les plus belles, ~ ce n'est la plus belle** one of the most beautiful cities, if not the most beautiful; **personne n'a compris ~ ce n'est le meilleur de la classe** nobody understood except the best pupil in the class; **~ ce n'était la peur d'être malade j'irais avec vous** if it weren't for fear of getting ill I'd go with you; **à quoi servent ces réunions ~ ce n'est à nous faire perdre notre temps?** what purpose do these meetings serve other than to waste our time?; **~ c'est (comme) ça, je pars** if that's how it is, I'm leaving; **s'il vient demain et qu'il fait beau** if he comes tomorrow and the weather's fine; **lui seul peut trouver une solution, ~ solution il y a** only he can find a solution, if there is one *ou* a solution; **~ oui** if so; **était-il à Paris? ~ oui avec qui? ~ non pourquoi?** was he in Paris? if he was, who was he with? if he wasn't, why?; **explique-moi tout ~ tant est que tu puisses le faire** tell me everything, if you can do it that is; **je ne sais pas s'il pourra nous prêter la somme avant dimanche, ~ tant est qu'il veuille bien nous la prêter** I don't know if he will be able to lend us the money before Sunday, if he's willing to lend it to us at all (that is); **~ tant est qu'une telle distinction ait un sens** if such a distinction makes any sense; **c'est un brave homme s'il en est** he's a brave man if ever there was one; **c'était un homme cultivé s'il en fut** he was an educated man if ever there was one
2 (marquant l'hypothèse dans l'avenir ou le présent) if; **~ j'étais riche** if I were rich; **~ j'étais toi, ~ j'étais à ta place** if I were you; **s'il pleuvait je serais content** I would be glad if it rained
3 (exprimant l'hypothèse dans le passé) if; **~ j'avais su qu'il était à Paris je l'aurais invité** if I had known that he was in Paris I would have invited him; **~ j'avais eu l'argent** if I had had the money
4 (quand) if; **s'il pleurait elle le prenait tout de suite dans ses bras** if he cried she would pick him up straightaway; **enfant, ~ je lisais, je n'aimais pas être dérangé** when I was a child I used to hate being disturbed if *ou* when I was reading
5 (dans une phrase exclamative) if only; **~ vous pouviez venir!** if only you could come!, I wish you would come!; **~ au moins vous m'aviez téléphoné!** if only you had phoned me!; **~ encore** *or* **enfin** *or* **seulement** *or* **même** if only; **~ j'avais su!** if only I'd known!, had I known!; **vous pensez ~ j'étais content!** you can imagine how happy I was!; **~ j'ai envie de partir? ah ça oui!** do I want to leave? but of course I do!; **et ~ je le rencontrais dans la rue!** just imagine if *ou* just suppose I meet him in the street!
6 (introduit la suggestion) **~ tu venais avec moi?** how *ou* what about coming with me?, why don't you come with me?; **~ nous allions dîner au restaurant?** how *ou* what about going out for dinner?; **~ tu venais passer le week-end avec nous?** why don't you come and spend the weekend with us?; **et s'il décidait de ne pas venir?** and what if he decided not to come?; **et ~ tu lui écrivais?** why don't you write to him/her?
7 (pour marquer l'opposition) whereas; **~ la France est favorable au projet, les autres pays y sont violemment opposés** whereas France is in favour[GB] of the project, the other countries are violently opposed to it
8 (introduit une interrogation indirecte) if, whether; **je me demande s'il viendra** I wonder if *ou* whether he'll come
si² /si/ *nm inv* (note) B; (en solfiant) ti
Siam /sjam/ *nprm* Hist Siam
siamois, ~e /sjamwa, az/
A *adj* **1** Zool [*chat*] Siamese; **2** Méd **des frères ~** Siamese twin boys; **des sœurs ~es** Siamese twin girls
B *nm inv* **1** ▸ p. 483 Ling Siamese; **2** Zool Siamese cat
Siamois, ~e /sjamwa, az/ *nm,f* Siamese
Sibérie /sibeʀi/ ▸ p. 721 *nprf* Siberia
sibérien, -ienne /sibeʀjɛ̃, ɛn/ ▸ p. 721 *adj* Siberian
sibilant, ~e /sibilɑ̃, ɑ̃t/ *adj* sibilant
sibylle /sibil/ *nf* sibyl
sibyllin, ~e /sibilɛ̃, in/ *adj* lit, fig sibylline
sic /sik/ *adv* sic
sicaire /sikɛʀ/ *nm* sicarian
SICAV /sikav/ *nf* (*abbr* = **société d'investissement à capital variable**) unit trust GB, mutual fund US
siccatif, -ive /sikatif, iv/
A *adj* siccative
B *nm* siccative
Sicile /sisil/ ▸ p. 721, p. 435 *nprf* **la ~** Sicily; **en ~** in Sicily
sicilien, -ienne /sisiljɛ̃, ɛn/ ▸ p. 721
A *adj* Sicilian
B ▸ p. 483 *nm* Ling Sicilian
Sicilien, -ienne /sisiljɛ̃, ɛn/ *nm,f* Sicilian
sida /sida/ ▸ p. 283 *nm* (*abbr* = **syndrome immunodéficitaire acquis**) Aids (+ *v sg*)
side-car, *pl* **~s*** /sidkaʀ/ *nm* **1** (caisse) sidecar; **2** (moto et caisse) motorcycle combination
sidéen, -éenne /sideɛ̃, ɛn/ *nm,f* Aids sufferer
sidéral, ~e, *mpl* **-aux** /sideʀal, o/ *adj* sidereal
sidérant○, **~e** /sideʀɑ̃, ɑ̃t/ *adj* staggering○, astonishing
sidérer○ /sideʀe/ [14] *vtr* to stagger○, to astonish
sidérurgie /sideʀyʀʒi/ *nf* steel industry
sidérurgique /sideʀyʀʒik/ *adj* steel (*épith*)
sidérurgiste /sideʀyʀʒist/ ▸ p. 532 *nm* **1** (ouvrier) steel worker; **2** (producteur) steel producer
siècle /sjɛkl/ ▸ p. 836 *nm* **1** (cent ans) century; **leur dynastie a régné plus de trois ~s** their dynasty ruled for more than three centuries; **au Vᵉ ~ avant/après J.-C.** in the 5th

century BC/AD; **les dramaturges/l'art du XVIIe** ~ 17th-century dramatists/art; **au ~ dernier** in the last century; **d'ici la fin du ~** by the turn of the century; **être né avec le ~** to be born at the turn of the century; **du ~**○ [*affaire, idée, projet*] of the century; **un ~ de photographie/danse moderne** one hundred years of photography/modern dance; **il y a des ~s que je ne suis venu ici**○ I haven't been here for ages; **depuis des ~s** for centuries; 2 (époque) age; **le ~ de Louis XIV** the age of Louis XIV; **les ~s futurs** future ages; **il est d'un autre ~** he belongs to another age; **il faut vivre avec** *or* **être de son ~** one must move with the times; ▸ **grand**; 3 Relig world; **vivre dans le ~** to be of the world; **renoncer au ~** to renounce the world; **s'abandonner aux tentations du ~** to give oneself over to worldly temptations; **dans** *or* **pour les ~s des ~s** for ever and ever

sied ▸ **seoir**

siège /sjɛʒ/ *nm* 1 (pour s'asseoir) seat; **prenez un ~** take *ou* have a seat; **~ avant/arrière** front/back seat; **~ d'une chaise/balançoire** seat of a chair/swing; **~ des w-c** toilet seat; 2 (d'entreprise) head office; (d'organisation) headquarters (*pl*); (d'évêché) see; (de tribunal) seat; 3 Pol (d'élu, de député) seat; **perdre son ~** to lose one's seat; 4 Mil (de ville, forteresse) siege; **mettre le ~ devant une ville** to lay siege to a town; **lever le ~** lit to raise the siege; fig ○(partir) to take off○; **faire le ~ d'une ville/d'une ambassade** to besiege a town/an embassy; 5 Anat seat; **le bébé se présente par le ~** the baby is in the breech position

(Composés) **~ d'appoint** extra seat; **~ baquet** bucket seat; **~ canné** cane chair; **~ de repos** recliner, reclining chair; **~ social** head office; **~ de soupape** valve seat

siéger /sjeʒe/ [15] *vi* 1 (être membre) [*député, magistrat*] to sit; **~ au sénat/au conseil d'administration** to sit in the senate/on the board of directors; 2 (tenir séance) [*assemblée, commission*] to be in session; 3 (résider) [*assemblée, organisation*] to have its headquarters

sien, sienne /sjɛ̃, sjɛn/

> ⚠ En anglais, le choix du possessif de la troisième personne du singulier est déterminé par le genre du 'possesseur'. Sont du masculin: les personnes de sexe masculin et les animaux domestiques mâles; sont du féminin: les personnes de sexe féminin, les animaux domestiques femelles et souvent les navires; sont du neutre les animaux non domestiques et les non-animés. La forme masculine est *his*: *il m'a donné le sien/la sienne/les siens/les siennes* = he gave me his. La forme féminine est *hers*: *elle m'a donné le sien/la sienne/les siens/les siennes* = she gave me hers. Pour le neutre on répète le nom avec l'adjectif possessif *its*.

A *adj poss* **cette maison est sienne à présent** the house is now his/hers

B le sien, la sienne, les siens, les siennes *pron poss* his/hers/its; **celui-là, c'est le ~** that's his/hers; **l'enfant n'était pas le ~** the child was not his/hers; **alors que les taux baissent en Europe, le Canada augmente les ~s** while rates are coming down in Europe, Canada is putting its rates up; **être de retour parmi les ~s** (sa famille) to be back with one's family; (ses amis) to be back among one's own friends; **elle a encore fait des siennes!** she's been up to mischief again!; **mon ordinateur refait des siennes** the computer's started playing up GB *ou* acting up again; ▸ **y**

Sienne /sjɛn/ ▸ **p. 894** *npr* Siena

sierra /sjɛʀa/ *nf* sierra

sierra-léonais, ~e, *mpl* **~** /sjeʀaleɔnɛ, ɛz/ ▸ **p. 561** *adj* Sierra Leonean

Sierra-Léonais, ~e, *mpl* **~** /sjeʀaleɔnɛ, ɛz/ ▸ **p. 561** *nm,f* Sierra Leonean

Sierra Leone /sjɛʀaleɔne/ ▸ **p. 333** *nprf* Sierra Leone

sieste /sjɛst/ *nf* nap, siesta; **faire la ~** to have *ou* take a nap, to have a siesta; **une courte ~** a short nap *ou* siesta

sieur† /sjœʀ/ *nm* **le ~ Alexandre** Jur Mr Alexandre; hum my honourable[GB] friend Alexandre

sifflant, ~e /siflɑ̃, ɑ̃t/

A *adj* 1 gén [*voix, son*] hissing; [*respiration, toux*] wheezing; 2 Phon sibilant

B sifflante *nf* Phon sibilant

sifflement /sifləmɑ̃/ *nm* (de personne, train, projectile) whistle; (de bouilloire, vent) whistling ¢; (d'oiseau, insecte) chirping ¢; (de serpent) hissing ¢; **émettre un ~ admiratif** to give a whistle of admiration; **les ~s et les huées du public** the hisses and boos of the audience

(Composé) **~ d'oreilles** Méd ringing in the ears ¢, tinnitus ¢

siffler /sifle/ [1]

A *vtr* 1 (avec la bouche) to whistle [*air, chanson*]; (appeler) to whistle for [*personne*]; to whistle GB *ou* whistle for [*chien*]; (interpeller) to whistle at [*personne*]; **se faire ~** [*femme*] to get wolf-whistles; 2 (dire) to hiss; **je te hais, siffla-t-il entre ses dents** I hate you, he hissed between clenched teeth; 3 Sport [*arbitre*] to blow one's whistle for [*faute, fin*]; 4 (huer) to hiss, to boo [*vedette, politicien*]; **elle s'est fait ~** she was hissed *ou* booed; 5 ◑(boire) to knock back○ [*verre, bouteille*]; 6 ◑(dérober) to steal, to pinch

B *vi* 1 (produire un son) [*personne, vent, train, bouilloire*] to whistle; [*projectile*] to whistle through the air; [*oiseau, insecte*] to chirp; [*serpent*] to hiss; 2 (donner un coup de sifflet) to blow one's whistle

sifflet /siflɛ/ *nm* 1 (instrument) whistle; **coup de ~** whistle; **coup de ~ final** Sport final whistle; **au (coup de) ~ vous vous arrêtez!** when the whistle blows, stop!; 2 (sifflement) (de locomotive) whistle; (de désapprobation) hiss, boo, catcalls (*pl*); (de bouilloire) whistling ¢; **s'en aller sous les ~s** [*joueur*] to be booed off the field; [*chanteur, acteur*] to be hissed off the stage

(Idiome) **couper le ~ à qn**○ (faire taire) to shut sb up○; (interloquer) to take the wind out of sb's sails

siffleur, -euse /siflœʀ, øz/

A *adj* [*oiseau*] chirping; [*serpent*] hissing

B *nm,f* (personne qui siffle) whistler; (personne qui hue) booer

siffleux /siflø/ *nm inv* Can (marmotte) groundhog, woodchuck

sifflotement /siflɔtmɑ̃/ *nm* whistling ¢

siffloter /siflɔte/ [1]

A *vtr* to whistle [sth] to oneself [*air, chanson*]

B *vi* to whistle away to oneself; **~ entre ses dents** to whistle a tune under one's breath

sigillaire /siʒilɛʀ/

A *adj* [*anneau, histoire*] signet, sigillary spéc

B *nm* sigillaria

sigillographie /siʒilɔgʀafi/ *nf* sigillography

sigle /sigl/ *nm* H (set of) initials, abbreviation

sigma* /sigma/ *nm inv* sigma

signal, *pl* **-aux** /siɲal, o/ *nm* signal; **~ convenu** agreed signal; **~ audio/radio/vidéo** audio/radio/video signal; **au ~ de qn** at sb's signal; **donner le ~ de qch** to give the signal for sth; **donner le ~ du départ** gén, Mil to give the signal to leave; Sport to give the starting signal; **donner le ~ d'entrée à qn** to cue sb in

(Composés) **~ d'alarme** alarm signal; **tirer le ~ d'alarme** lit to pull the alarm; fig to raise the alarm; **~ d'appel** Télécom call waiting service; **~ de danger** danger signal; **~ de détresse** Aviat, Naut distress signal; Aut emergency signal; **~ lumineux** traffic light; **~ de ralentissement** speed limit sign; **~ sonore** (de répondeur) tone

signalement /siɲalmɑ̃/ *nm* (d'individu, objet) description

signaler /siɲale/ [1]

A *vtr* 1 (faire remarquer) **~ qch à qn, ~ qch à l'attention de qn** to bring sth to sb's attention, to point sth out to sb; **~ à qn que** to point out to sb that; **je leur ai signalé qu'on était pressé** I pointed out to them that time was getting short; 2 (faire savoir) **~ qch à qn** to inform sb of sth; **on m'a signalé votre absence** I was informed of your absence; **~ à qn que** to inform sb that; **je leur ai signalé que je viendrais** I informed them that I would be coming; 3 (rappeler) **~ à qn que** to remind sb that; **je te signale que tu parles à ton père** may I remind you that you're speaking to your father; 4 (indiquer) to indicate [*travaux, danger, présence*]; **un virage mal/bien signalé** a badly/well signposted bend; 5 (rapporter) to report [*fait, événement*]; **rien à ~** nothing to report; **des vols sont parfois signalés** thefts are sometimes reported; 6 (dénoncer) to report [*personne*]; **~ qn à la police** to report sb to the police

B se signaler *vpr* **se ~ par qch** to distinguish oneself by sth; **il s'est toujours signalé par son courage/intelligence** he's always been known for his bravery/intelligence; **se ~ à l'attention de qn** to get oneself noticed by sb

signalétique /siɲaletik/ *adj* descriptive; **photo ~** identity photograph; **renseignement ~** detail of identity; **fiche ~** specification sheet; **plaque ~** rating plate

signalisation /siɲalizasjɔ̃/ *nf* 1 (système) signalling[GB]; 2 (réseau) signals (*pl*)

(Composés) **~ horizontale** road markings (*pl*); **~ de piste** Aviat runway lights and markings (*pl*); **~ routière** roadsigns and markings (*pl*); **~ verticale** roadsigns (*pl*)

signaliser /siɲalize/ [1] *vtr* to signpost [*route, itinéraire*]; to put up signals along [*chenal, voie ferrée*]; to mark out and light [*piste d'atterrissage*]; **la route est mal signalisée** the road is badly signposted

signataire /siɲatɛʀ/ *nmf* (personne) signatory; **les pays ~s de l'accord** the countries who are signatories to the agreement

signature /siɲatyʀ/ *nf* 1 (inscription) signature; **apposer sa ~** to append one's signature; **article publié sous la ~ de X** article published under the name of X; **fichier ~** Ordinat signature file; 2 (droit de signer) **avoir la ~ de qn** to have the right to sign for sb; **avoir la ~ sur un compte** to be authorized to sign on an account; 3 (fait de signer) signing (**de** of); 4 (engagement) **il a donné sa ~** he signed, he put his signature to it; 5 (caractéristique) hallmarks (*pl*); **cet acte porte la ~ de Zorro** this act bears all the hallmarks of Zorro; 6 Phys, Mil signature; **~ acoustique d'un sous-marin** radar signature of a submarine

signe /siɲ/ *nm* 1 (indice) sign; **~ précurseur** omen; **c'est bon/mauvais ~** it's a good/bad sign; **c'est ~ de pluie** it's a sign of rain; **c'est ~ que** it's a sign that; **donner des ~s de faiblesse** to show signs of weakness; **un ~ des temps** a sign of the times; **~ distinctif** *or* **particulier** distinguishing feature; **c'était un ~ du destin** it was fate; ▸ **avant-coureur**; 2 (symbole) gén, Astrol sign; (d'écriture) mark; **le ~ égale/plus** the equals/plus sign; **~s de ponctuation** punctuation marks; **~ diacritique** diacritic mark; **~ typographique** typographic mark; **marquer qch d'un ~** to put a mark against sth; **~ cabalistique** cabalistic sign; **~ astral** star sign; **~ du zodiaque** sign of the zodiac; **~ de terre/d'eau/de feu/d'air** earth/water/fire/air sign; **être né sous le ~ du Cancer** to be born under (the sign of) Cancer; **placé sous le ~ de** fig, journ marked by [*violence, espoir*]; 3 (geste) sign; **faire ~ à qn** lit to wave to sb; (contacter) to get in touch with sb; **faire ~ à qn de faire** to motion sb to do [*parler, commencer, avancer, partir*]; to beckon sb to do [*avancer,*

S

reculer, tourner, s'arrêter]; **faire (un) ~ de la main à qn** to gesture to sb; **il m'a fait ~ de la tête** (pour que je vienne) he beckoned to me; (pour approuver, me saluer) he nodded to me; (pour désapprouver) he shook his head; **d'un ~ de la main/tête, elle m'a montré la cuisine** she pointed to/nodded her head in the direction of the kitchen; **faire ~ que oui/que non** to indicate agreement/disagreement; **faire un ~ de refus** to indicate one's refusal; **faire comprendre par un ~ que** to indicate that; **on se faisait des ~s pendant que** we were making signs to each other while; **faire de grands ~s à qn** to gesticulate to sb; **faire un ~ amical** to give a friendly wave (**à** to); **échanger des ~s d'intelligence** *or* **de connivence avec qn** (regards) to exchange knowing looks with sb; (gestes) to gesture knowingly to sb; **en ~ de respect/protestation** as a sign of respect/protest; **4** Ling, Méd sign

(Composés) **~ de la croix** sign of the cross; **faire le ~ de la croix**, **faire un ~ de croix** to make the sign of the cross; **~ extérieur de richesse** outward sign of wealth

(Idiome) **il n'a pas donné ~ de vie depuis six mois** there's been no sign of him for six months

signer /siɲe/ [1]

A *vtr* **1** (apposer sa signature sur) to sign [*contrat, traité, lettre, chèque, tableau*]; **~ de son nom de jeune fille/d'un pseudonyme** to sign with one's maiden name/with a pseudonym; **'signé Dupont'** 'signed Dupont'; **un tract non signé** an unsigned pamphlet; **il signe son troisième roman** he's written his third novel; **un parfum signé X** a perfume by X; **ça, c'est signé ta sœur**○**!** that's your sister all over○!; **~ son arrêt de mort** fig to sign one's own death warrant; **le disque compact a signé la fin du 33 tours** fig the compact disc signalled[GB] the end of the LP; **2** Tech to hallmark [*pièce d'orfèvrerie*]; **3** Cin, Théât [*directeur, agent*] to sign (up) [*artiste*]

B *vi* (s'exprimer en langage des signes) to sign, to use sign language

C se signer *vpr* to cross oneself

signet /siɲɛ/ *nm* bookmark

signifiant, **~e** /siɲifjɑ̃, ɑ̃t/

A *adj* Ling significant, meaningful

B *nm* Ling signifier

significatif, **-ive** /siɲifikatif, iv/ *adj* **1** (porteur de sens) [*détail, exemple, titre, geste*] significant; **il est ~ que** it is significant that; **2** (important) [*recul, rôle, changement, conséquences*] significant; **de manière significative** [*changer, augmenter*] significantly

signification /siɲifikasjɔ̃/ *nf* **1** (sens) gén meaning; Ling signification; **2** (portée) importance; **avoir une ~ politique** to be politically significant; **3** Jur notification

significativement /siɲifikativmɑ̃/ *adv* significantly

signifié /siɲifje/ *nm* Ling signified

signifier /siɲifje/ [2] *vtr* **1** (avoir pour sens) to mean; **qu'est-ce que ça signifie?** (question normale) what does it mean?; (ton mécontent) what is the meaning of this?; **2** (impliquer) to mean; **cela signifie que** it means that; **3** fml (notifier) **~ qch à qn** to inform sb of sth [*décision, refus*]; **~ à qn que** to inform sb that; **~ son congé à qn** to give sb notice; **~ à un employé qu'il est congédié** to inform an employee of his/her dismissal; **~ à un ami de se tenir prêt à partir** to tell a friend to be ready to leave; **4** Jur **~ qch à qn** to notify sb of sth

sikh /sik/ *adj, nm* Sikh

silence /silɑ̃s/ *nm* **1** (absence de bruit) silence; **dans le ~ de la nuit** in the silence of the night; **la manifestation s'est déroulée dans le ~** the demonstration took place in silence; **un ~ de mort** a deathly silence *ou* hush; **le ~ absolu** absolute *ou* dead silence; ▸ **or²**; **2** (fait de se taire) silence; **~!** silence!; **'un peu de ~ s'il vous plaît'** 'quiet please'; **un ~ poli/gêné/pesant** a polite/an embarrassed/a heavy silence; **ses longs ~s** his/her long silences; **après six mois de ~** after six months' silence; **en ~** [*travailler, marcher, souffrir*] in silence; **garder le ~** to keep silent; **réduire qn au ~** (empêcher de s'exprimer) to reduce sb to silence; (tuer) to silence sb; **réduire un mouvement/l'opposition au ~** to silence a movement/the opposition; **passer qch sous ~** to pass over sth in silence; **ta nomination a été passée sous ~** your nomination was passed over in silence; **3** (pause dans propos) silence; **la conversation fut entrecoupée de ~s** the conversation was interspersed with silences; **4** Mus rest

(Idiome) **~ radio** total radio silence

silencieusement /silɑ̃sjøzmɑ̃/ *adv* silently

silencieux, **-ieuse** /silɑ̃sjø, øz/

A *adj* **1** (sans bruit) [*maison, ville, dîner, manifestation*] silent; **2** (qui ne parle pas) [*personne, public, classe*] silent; **rester ~** to remain silent (**sur** about); **la presse reste étonnamment silencieuse sur sa démission** the press remains surprisingly silent about his/her resignation; **3** (peu bruyant) [*aspirateur, moteur*] quiet

B *nm* **1** (sur une arme) silencer; **2** Aut (de pot d'échappement) silencer GB, muffler US

Silésie /silezi/ ▸ **p. 721** *nprf* Silesia

silex /silɛks/ *nm inv* (roche, objet) flint; **en/de ~** flint (*épith*)

silhouette /silwɛt/ *nf* (en contre-jour) silhouette; (dans l'obscurité) (de personne) figure; (d'objet) shape; (dans le lointain) outline

silhouetter /silwete/ [1]

A *vtr* to draw an outline of

B se silhouetter *vpr* to be silhouetted (**sur** against)

silicate /silikat/ *nm* silicate

silice /silis/ *nf* silica

siliceux, **-euse** /silisø, øz/ *adj* siliceous

silicium /silisjɔm/ *nm* silicon; **en/au ~** silicon (*épith*)

silicone /silikon/ *nf, nm* silicone

(Composé) **~ élastomère** silicone rubber

silicose /silikoz/ ▸ **p. 283** *nf* silicosis

sillage /sijaʒ/ *nm* **1** (de navire) wake; (d'avion) (visible) vapour[GB] trail; (invisible) slipstream; **2** (de personne) wake; (de parfum) trail; **dans le ~ de qn/qch** in the wake of sb/sth; **3** Phys wake

sillement /sijmɑ̃/ *nm* Can (sifflement) buzzing

siller○ /sije/ [1] *vi* Can to buzz; **les oreilles me sillent** my ears are buzzing

sillet /sijɛ/ *nm* Mus bridge

sillon /sijɔ̃/ *nm* **1** Agric furrow; **2** (rainure) line; **3** (ride profonde) furrow; **4** Anat, Zool fissure; **5** Audio (de disque) groove; **6** Géog line; Géol fissure

sillonner /sijɔne/ [1] *vtr* **1** (parcourir) [*personne, bicyclette, automobile*] to go up and down; [*aéronef*] to fly to and fro across; [*navire*] to sail to and fro across; [*réseau*] to criss-cross; **2** (creuser) to furrow; **sillonné de rides** furrowed with wrinkles

silo /silo/ *nm* silo; **~ à céréales** *or* **grains** grain silo; **mettre qch en ~** to load sth into a silo

silure /silyʀ/ *nm* silurid

simagrée /simagʀe/ *nf* play-acting **₵**; **arrête tes ~s!** stop all that play-acting!; **se laisser prendre aux ~s de qn** to get taken in by sb's play-acting

simien, **-ienne** /simjɛ̃, ɛn/

A *adj* simian

B *nm* simian

simiesque /simjɛsk/ *adj* ape-like

similaire /similɛʀ/ *adj* similar (**à** to)

similarité /similaʀite/ *nf* similarity (**avec** with; **entre** between)

simili /simili/ *nm* imitation

similicuir /similikɥiʀ/ *nm* imitation leather, Leatherette®

similigravure /similigʀavyʀ/ *nf* halftone

similitude /similityd/ *nf* gén, Math similarity (**entre** between)

simonie /simɔni/ *nf* simony

simoun /simun/ *nm* simoon

simple /sɛ̃pl/

A *adj* **1** (facile) [*problème, question, situation, idée*] simple, straightforward; [*choix, moyen, façon, explication, calcul*] simple; **son raisonnement est très ~** his/her reasoning is very simple; **je veux des phrases ~s mais correctes** I want simple but correct sentences; **la situation est loin d'être ~** the situation is far from (being) simple *ou* straightforward; **c'est (bien) ~, il ne fait plus rien** he simply doesn't do anything any more; **pourquoi faire ~ quand on peut faire compliqué?** iron why not make life even more difficult for yourself?; **2** (sans prétention) [*repas, cérémonie, mariage, vie, goûts*] simple; [*décoration, intérieur*] plain; [*vêtement*] simple, plain; [*personne, air*] unaffected, unpretentious; **elle portait une jupe toute ~** she was wearing a very simple *ou* plain skirt; **elle est ~ et naturelle** she's unaffected and natural; **il est resté très ~ malgré son succès** he's remained very unpretentious in spite of his success; **3** (modeste) [*origines*] modest; **venir d'un milieu ~** to come from a modest background; **4** (ordinaire) [*avertissement, remarque*] mere; [*fonctionnaire, travailleur*] ordinary; **c'est une ~ question d'honneur/de bon sens** it's simply *ou* purely a question of honour[GB]/of common sense; **un ~ tour de clé suffit** just one turn of the key does it; **il est ~ garçon de café/employé du bureau** he's just a waiter in a café/a clerk; **il l'a mis KO d'un ~ coup de poing** he knocked him out with a single blow; **même en hiver, il n'est vêtu que d'une ~ chemise** even in winter he only *ou* just wears a shirt; **pour la ~ raison que** for the simple reason that; **le ~ fait de poser la question** the mere fact of asking the question; **par ~ curiosité** out of pure curiosity; **sur ~ présentation du passeport** simply on presentation of one's passport; **ce ne sera qu'une ~ formalité/vérification** it will be a mere formality/a simple check; **réduire qch à sa plus ~ expression** to reduce sth to a minimum; **5** (peu intelligent) [*personne*] simple; **il est gentil mais un peu ~** he's nice but a bit simple; **6** Chimie, Nucl, Bot simple; **7** Ling [*passé, futur*] simple; **8** (non multiple) [*cornet de glace, nœud*] single

B *nm* **1** (dans un calcul) **le prix varie du ~ au double** the price can turn out to be twice as high; **2** Sport **~ dames/messieurs** ladies'/men's singles (*pl*)

C simples *nmpl* Bot, Pharm medicinal herbs

(Composés) **~ d'esprit** simple-minded; **c'est un** *or* **il est ~ d'esprit** he's simple-minded; **~ soldat** private

simplement /sɛ̃pləmɑ̃/ *adv* **1** (seulement) [*approuver, déclarer, rappeler*] simply; **vas-y, ~ fais attention** you can go, only be careful; **il faut ~ remplir cette page** you simply have to fill in GB *ou* out US this page; **2** (sans sophistication) [*se vêtir, vivre*] simply; (absolument) [*charmant, remarquable, inadmissible*] simply; **tout ~** quite simply; **3** (sans difficulté) easily

simplet, **-ette** /sɛ̃plɛ, ɛt/ *adj* [*personne*] simple, simple-minded; [*raisonnement*] simplistic

simplicité /sɛ̃plisite/ *nf* **1** (facilité) simplicity; **grâce à sa ~ d'utilisation** thanks to its ease of use; **c'est d'une ~ enfantine** it's so easy a child could do it; **2** (caractère) (de personne) unpretentiousness, lack of pretention; (de choses) simplicity; **recevoir qn en toute ~** to receive sb very simply; **la ~ du style/de la présentation** the simplicity of the style/of the presentation; **avec une grande ~ de moyens** with very limited resources *ou* means; **avec ~** simply

(Composé) ∼ **d'esprit** simpleness

simplifiable /sɛ̃plifjabl/ *adj* 1 gén that can be simplified (*après n*); 2 Math reducible

simplificateur, -trice /sɛ̃plifikatœʀ, tʀis/ *adj [méthode]* simplifying; pej *[propos, schéma]* simplistic

simplification /sɛ̃plifikasjɔ̃/ *nf* 1 gén simplification; 2 Math reduction

simplifier /sɛ̃plifje/ [2]
A *vtr* 1 gén to simplify *[exercice, transaction, texte]*; **pour ∼, on peut dire que** to simplify matters, one can say that; **∼ la vie** *or* **l'existence de qn** to make life easier for sb; **ça te simplifiera la vie** it will make life easier for you; 2 Math to reduce *[fraction]*
B **se simplifier** *vpr* **se ∼ la vie** *or* **l'existence** to make life easier for oneself

simplisme /sɛ̃plism/ *nm* simplism; **un raisonnement d'un ∼ désarmant** a disarmingly simplistic piece of reasoning

simpliste /sɛ̃plist/
A *adj* simplistic
B *nmf* **c'est un ∼** he thinks in simplistic terms

simulacre /simylakʀ/ *nm* liter 1 (action simulée) pretence[GB]; **∼ de combat/d'exécution/de procès** mock fight/execution/trial; 2 (travesti) péj sham; **le référendum tient du ∼** the referendum is a sham; **∼ de justice** travesty of justice; **∼ de bonheur/réussite** illusion of happiness/success

simulateur, -trice /simylatœʀ, tʀis/
A *nm,f* (personne qui feint) shammer, faker; (faux malade) malingerer
B *nm* Tech simulator; **∼ de vol** flight simulator; **∼ de conduite** driving simulator

simulation /simylasjɔ̃/ *nf* 1 gén, Méd simulation; (pour éviter une corvée) malingering ₵; **c'est de la ∼!** he/she's putting it on○ *ou* faking○!; 2 Sci (méthode) simulation; Ordinat (computer) modelling[GB]; (représentation) model; **étudier qch en ∼** Ordinat to work sth out using a computer model; 3 Jur **∼ de vente** fictitious sale

simuler /simyle/ [1] *vtr* 1 (feindre) to feign, to simulate *[attaque, émotion, sentiment]*; **∼ la folie** to feign madness; **∼ la douleur** to pretend to be in pain; 2 (reproduire) Ordinat, Tech to simulate *[effets, conditions, situation]*; 3 Jur **∼ une vente** to effect a fictitious sale; **∼ des opérations** Compta to make false entries

simultané, ∼e /simyltane/ *adj [traduction, transmission]* simultaneous; **en ∼** simultaneously

simultanéité /simyltaneite/ *nf* simultaneity

simultanément /simyltanemɑ̃/ *adv* simultaneously, at the same time; **∼, les demandes se font plus nombreuses** at the same time, applications are getting more numerous; **le président a paru ∼ hésitant et inquiet** the president appeared both hesitant and worried

Sinaï /sinai/ *nprm* **le ∼** Sinai; **le mont ∼** Mount Sinai

sinanthrope /sinɑ̃tʀɔp/ *nm* Sinanthropus

sinapisme /sinapism/ *nm* mustard plaster

sincère /sɛ̃sɛʀ/ *adj* 1 (dont on ne peut douter) *[personne, confession, regret, affection]* sincere; *[ami]* true (*épith*); (non feint) *[intérêt, émotion, offre, soutien, combat]* genuine; (franc) *[opinion, portrait]* honest; **sois ∼ pour une fois!** be honest for once!; 2 (en correspondance) **∼s condoléances** sincere *ou* heartfelt sympathy; **veuillez agréer mes ∼s salutations** yours sincerely

sincèrement /sɛ̃sɛʀmɑ̃/ *adv* 1 (sans feindre) *[regretter, croire]* sincerely; *[penser]* genuinely; *[remercier, parler, s'exprimer]* sincerely; **dis-moi ∼ ce que tu en penses** tell me honestly what you think of it, give me your honest opinion of it; **je suis ∼ désolé** I'm truly sorry; 2 (franchement) frankly; **∼, j'aimerais mieux rester** frankly *ou* to be honest, I would rather stay; **∼, tu n'en ferais pas autant?** be honest, wouldn't you do the same?

sincérité /sɛ̃seʀite/ *nf* (de personne, paroles, d'affection) sincerity; (de réponse, d'opinion) honesty; (d'offre, de soutien) genuineness

sinécure /sinekyʀ/ *nf* sinecure

sine die /sinedje/ *loc adv* sine die

sine qua non /sinekwanɔn/ *loc adj* **condition ∼** sine qua non (**pour** for)

Singapour /sɛ̃gapuʀ/ ▸ **p. 333, p. 435** *nprm* Singapore

singapourien, -ienne /sɛ̃gapuʀjɛ̃, ɛn/ ▸ **p. 561** *adj* Singaporean

Singapourien, -ienne /sɛ̃gapuʀjɛ̃, ɛn/ ▸ **p. 561** *nm,f* Singaporean

singe /sɛ̃ʒ/ *nm* 1 Zool monkey; (sans queue) ape; **les grands ∼s** the apes, the large primates; 2 fig (imitateur) mimic; (personne agile) **c'est un vrai ∼** he's very agile; **faire le ∼** to clown about GB *ou* around; 3 ○(bœuf de conserve) corned beef; 4 ◑(patron) boss

(Idiomes) **malin comme un ∼** as cunning *ou* sly as a fox; **laid comme un ∼** as ugly as sin; **payer en monnaie de ∼** to let sb whistle for his/her money; **ce n'est pas à un vieux ∼ qu'on apprend à faire la grimace** Prov don't teach your grandmother to suck eggs

singer /sɛ̃ʒe/ [13] *vtr* to ape *[personne, manière]*; to feign, to fake *[attitude, sentiment]*

singerie /sɛ̃ʒʀi/
A *nf* (ménagerie) monkey house
B **singeries** *nfpl* (grimaces) faces; (pitreries) antics; **faire des ∼s** to monkey about GB *ou* around

singleton /sɛ̃glətɔ̃/ *nm* Jeux, Math singleton

singulariser /sɛ̃gylaʀize/ [1]
A *vtr* (faire remarquer) to make [sb] conspicuous; (traiter différemment) to single [sb] out
B **se singulariser** *vpr* to call attention to oneself; **se ∼ par qch/en faisant qch** to distinguish oneself by sth/by doing sth

singularité /sɛ̃gylaʀite/ *nf* 1 (chose anormale) peculiarity, singularity; 2 (caractère unique) uniqueness; 3 Phys singularity

singulier, -ière /sɛ̃gylje, ɛʀ/
A *adj* 1 (insolite) peculiar; **un personnage ∼** an unusual character; 2 (individuel) **combat ∼** single combat
B *nm* 1 Ling singular; **mettre au ∼** to put into the singular; **à la deuxième personne du ∼** in the second person singular; 2 (caractère étonnant) singularity

singulièrement /sɛ̃gyljɛʀmɑ̃/ *adv* 1 (curieusement) *[vêtu, différent]* oddly; *[agir, penser, se comporter]* oddly; 2 (beaucoup) *[augmenter, accroître, contraster]* radically; **manquer ∼ de** to be singularly lacking in

siniser /sinize/ [1] *vtr* to make Chinese *[nom]*; to influence with Chinese culture *[pays, personne]*

sinistre /sinistʀ/
A *adj* 1 *[personnage, projet]* sinister; *[bruit, lueur]* sinister, ominous; *[lieu, paysage, avenir]* bleak; *[soirée, invité]* dreary; 2 (*before n*) **de ∼s crétins○/crapules** absolute idiots/crooks
B *nm* (désastre) disaster; (accident) accident; (incendie) blaze; **déterminer l'étendue du ∼** to assess the extent of the damage

sinistré, ∼e /sinistʀe/
A *adj [personne, famille, pays]* stricken (*épith*); **région ∼e** disaster area
B *nm,f* disaster victim

sinistrose○ /sinistʀoz/ *nf* doom and gloom

sinologie /sinɔlɔʒi/ *nf* sinology

sinologue /sinɔlɔg/ *nmf* sinologist

sinon /sinɔ̃/
A *conj* 1 (autrement) otherwise, or else; **j'y vais ∼ je vais être en retard** I must go otherwise I'm going to be late; **arrête ∼ je crie/je me fâche!** stop or (else) I'll scream/I'll get cross!; 2 (à part) except, apart from; **il ne s'intéresse à rien ∼ à la musique** he has no interests except music; **personne n'est venu ∼ quelques amis** nobody came apart from a few friends; **ça ne sert à rien, ∼ à perdre du temps** not only is it pointless but it wastes time; 3 (pour ne pas dire) not to say; **c'est une réussite ∼ un chef d'œuvre** it's a success, not to say a masterpiece; **c'est devenu difficile ∼ impossible** it has become difficult if not impossible
B **sinon que** *loc conj* except that, other than that; **je ne sais rien ∼ qu'il est parti** I don't know anything except that he's gone

sinople /sinɔpl/ *nm* Hérald vert

sinoque○ /sinɔk/
A *adj* crazy○
B *nmf* crazy person, headcase○

sinueux, -euse /sinɥø, øz/ *adj [ligne]* sinuous; *[cours d'eau]* winding, meandering; *[sentier]* winding; *[approche]* tortuous

sinuosité /sinɥozite/ *nf* **les ∼s d'un cours d'eau/d'un sentier** the twists and turns of a river/of a path; **les ∼s d'une ligne** the curves of a line

sinus /sinys/ *nm inv* 1 Anat sinus; 2 Math sine (**de** of)

sinusite /sinyzit/ ▸ **p. 283** *nf* sinusitis ₵

sinusoïdal, ∼e, *mpl* **-aux** /sinyzɔidal, o/ *adj* Math, Phys sinusoidal

sinusoïde /sinyzɔid/ *nf* sine curve, sinusoid

Sion /sjɔ̃/ *npr* Zion

sionisme /sjɔnism/ *nm* Zionism

sioniste /sjɔnist/ *adj, nmf* Zionist

sioux /sju/
A *adj inv* Sioux
B ▸ **p. 483** *nm* Ling Sioux

Sioux /sju/ *nmf inv* Sioux

siphoïde /sifɔid/ *adj* siphon-like

siphon /sifɔ̃/ *nm* 1 (tuyau) gén siphon; (d'évier, de lavabo) U-bend; **déboucher le ∼** to unblock the U-bend; 2 (bouteille) siphon (bottle); **un ∼ d'eau de Seltz** a soda-siphon; 3 Bot, Zool siphon

siphonné○, ∼e /sifɔne/ *adj* nuts○, crazy○

siphonner /sifɔne/ [1] *vtr* Tech to siphon (off)

sire /siʀ/ *nm* Hist Sire; **un triste ∼** a disreputable character

sirène /siʀɛn/ *nf* 1 gén, Mil siren; (de bateau) foghorn; (d'usine) hooter GB, siren; **∼ des pompiers** (dans la ville) fire siren; (sur un camion) siren on a fire engine; 2 Mythol gén mermaid; (au chant fatal) siren; **être séduit par les ∼s de l'argent/du pouvoir/d'Hollywood** to be seduced by the allure of money/of power/of Hollywood

(Composé) **∼ d'alarme** fire alarm

(Idiome) **écouter le chant des ∼s** to listen to the sirens' song

sirocco* /siʀoko/ *nm* sirocco; **un vent de ∼** a sirocco

sirop /siʀo/ *nm* 1 Culin (pour dessert) syrup GB *ou* sirup US; (boisson) cordial; **∼ d'érable** maple syrup GB *ou* sirup US; **∼ de fraise/menthe/cassis** strawberry/mint/blackcurrant cordial; **∼ de citron/d'orange** ≈ lemon/orange squash; **∼ d'orgeat** barley water; 2 Pharm syrup GB *ou* sirup US, mixture; **∼ pectoral** *or* **contre la toux** cough mixture

siroter○ /siʀɔte/ [1] *vtr* to sip

sirupeux, -euse /siʀypø, øz/ *adj* lit, fig syrupy GB, sirupy US

sis, ∼e /si, siz/ *adj* located

sisal /sizal/ *nm* sisal; **corde en ∼** sisal rope; **tapis de ∼** sisal matting

sismicité /sismisite/ *nf* seismicity (**de** of)

sismique /sismik/ *adj* seismic

sismogramme /sismɔgʀam/ *nm* seismogram

sismographe /sismɔgʀaf/ *nm* seismograph

sismographie /sismɔgʀafi/ *nf* seismography

sismologie /sismɔlɔʒi/ *nf* seismology

S

sismologique /sismɔlɔʒik/ *adj* **centre ~** seismological centre^GB

sismologue /sismɔlɔg/ ▸ p. 532 *nmf* seismologist

sistre /sistʀ/ ▸ p. 557 *nm* sistrum

Sisyphe /sizif/ *npr* Sisyphus

sitar /sitaʀ/ ▸ p. 557 *nm* sitar

site /sit/ *nm* 1 (lieu pittoresque) gén area; **~ touristique** *or* **pittoresque** place of interest; **visitez les ~s d'Égypte** visit Egypt's places of interest; **les merveilleux ~s du Colorado/de la Côte d'Azur** the splendours^GB of Colorado/of the Côte d'Azur; **~ archéologique** archeological site; **~ classé** conservation area; 2 Comm (lieu d'une implantation) site; **aménager un ~ de barrage** to develop the site for a dam; **chercher un ~ d'implantation pour une entreprise** to search for a site to start up a business; **hors ~** off-site; 3 Mil **(angle de) ~** angle of sight; 4 Ordinat site; **~ miroir** mirror site

(Composés) **~ d'enfouissement** nuclear dump; **~ propre** (voie réservée) bus lane

sit-in /sitin/ *nm inv* sit-in

sitôt /sito/

> ⚠ *Sitôt* conjonction et préposition se traduit le plus souvent par *as soon as*. Mais attention au choix du temps: *sitôt rentré de voyage* (qu'il rentrera) = as soon as he gets back from his trip; (qu'il est rentré) = as soon as he got back from his trip; *sitôt la fin du mauvais temps* (dans le passé) = as soon as the bad weather had passed; (dans l'avenir) = as soon as the bad weather has passed

A *adv* **~ après** (tout de suite) immediately after; (peu de temps) soon after; **elle est arrivée ~ après** she arrived soon afterwards; **nous partirons ~ après** we'll leave immediately afterwards; **je n'y retournerai pas de ~** I won't go back there in a hurry○
B *conj, prép* **~ que** as soon as; **~ qu'ils arriveront**, **~ leur arrivée** as soon as they come

(Idiome) **~ dit, ~ fait†** no sooner said than done

sittelle /sitɛl/ *nf* nuthatch

situ: **in situ** /insity/ *loc adv* **étudier un animal/une plante in ~** to study an animal/a plant in its natural habitat; **faire un contrôle in ~** to do an on-the-spot check

situation /sitɥasjɔ̃/ *nf* 1 (ensemble de conditions) situation; **analyser une ~ sous toutes ses faces** to analyse^GB a situation from all sides; **renverser la ~** to reverse the situation; **être dans une ~ délicate/désespérée** to be in a delicate/hopeless situation; **200 personnes sont dans la même ~** 200 people are in the same situation *ou* position; **une population en ~ d'extrême pauvreté** a population suffering extreme poverty; **~ financière** financial standing *ou* status; **~ d'esclavage** slavery; **se retrouver en ~ de mendicité** to find oneself reduced to begging; **faire un stage en ~** to go on *ou* do work experience; **une ~ dominante sur le marché** a dominant market position; ▸ **intéressant**; 2 (emploi) job, position; **elle a une très bonne ~** she has a very good job; **se faire une ~** to get a good job; **il a perdu sa ~** he's lost his post *ou* job; **avoir une ~ stable** to have a steady job; 3 (emplacement) location **(de** of); **la ~ du magasin est idéale** the shop GB *ou* store US is ideally located *ou* has an ideal location

(Composés) **~ de compte** Fin bank statement; **~ de famille** Admin marital status, family status; **~ militaire** *status as regards military service*; **~ de trésorerie** Fin cash flow statement

situer /sitɥe/ [1]
A *vtr* 1 (déterminer la position de) (dans l'espace) to locate [*ville, pays*]; (dans le temps) to place; **notre maison est située dans le nord d'Oxford** our house is on the north side of Oxford; **l'hôtel est bien situé** the hotel is in a good location; **~ un événement dans le temps** to situate an event historically; 2 (définir) to situate [*écrivain, œuvre*]; **un homme qu'on a du mal à ~ politiquement** a man whose politics are difficult to define; 3 (placer) **~ une histoire en 2001/à Palerme** to set a story in 2001/in Palermo
B **se situer** *vpr* 1 (se dérouler) **se ~ à Paris/à l'époque de la Révolution** to be set in Paris/at the time of the Revolution; 2 (être) **politiquement, je me situe plutôt à gauche/droite** politically I'm more to the left/right; **ses résultats se situent plutôt dans la moyenne** his/her results are more or less average

SIVOM /sivɔm/ *nm (abbr =* **Syndicat intercommunal à vocation multiple**) *inter-district action committee*

SIVP /ɛsivepe/ *nm (abbr =* **stage d'initiation à la vie professionnelle**) *paid work experience for the young unemployed*

SIVU /sivy/ *nm (abbr =* **Syndicat intercommunal à vocation unique**) *inter-district single-issue action group*

six /sis, *but before consonant* si, *and before vowel* siz/ ▸ p. 568, p. 424, p. 222 *adj inv, pron, nm inv* six

(Idiome) **faire une tête de ~ pieds de long** to pull a long face

sixain = **sizain**

six-huit /sisɥit/ *nm inv* Mus six-eight; **mesure à ~** six-eight time

sixième /sizjɛm/ ▸ p. 568, p. 222
A *adj* sixth
B *nf* Scol *first year of secondary school, age 11–12*

six-quatre-deux○: **à la six-quatre-deux** /alasiskatdø/ *loc adv* sloppily; **faire un travail à la ~** to do a sloppy job

sixte /sikst/ *nf* 1 Mus sixth; 2 Sport (en escrime) sixte

sizain /sizɛ̃/ *nm* 1 Littérat hexastich; 2 Jeux *packet of six packs of cards*

skaï® /skaj/ *nm* imitation leather, Leatherette®; **en ~** in imitation leather

skate-board, *pl* **~s** /skɛtbɔʀd/ ▸ p. 469 *nm* (objet) skateboard; (activité) skateboarding; **faire du ~** to skateboard

sketch, *pl* **~es*** /skɛtʃ/ *nm* sketch **(sur** on, about)

ski /ski/ ▸ p. 469 *nm* 1 (matériel) ski; **des ~s courts** short skis; **une paire de ~s** a pair of skis; **on y va à ~s?** shall we go there on skis?; **chausser des ~s** to put on skis; 2 (activité) **le ~** skiing; **faire du ~** to ski, to go skiing; **station/chaussures/école de ~** ski resort/boots/school

(Composés) **~ acrobatique** aerial (in freestyle skiing); **~ alpin** Alpine skiing; **~ artistique** ballet (in freestyle skiing); **~ de descente** = **~ de piste**; **~ évolutif** short ski method (of skiing); **~ extrême** extreme skiing; **~ de fond** (activité) cross-country skiing; (matériel) cross-country ski; **~ sur gazon** turf skiing; **~ de haute montagne** high altitude skiing; **~ hors piste** off-piste skiing; **~ nautique** water skiing; **~ nordique** Nordic skiing; **~ de piste** (activité) downhill skiing; (matériel) downhill ski; **~ de randonnée** (activité) ski touring; (matériel) touring ski

skiable /skjabl/ *adj* [*neige, domaine*] skiable

ski-bob, *pl* **~s** /skibɔb/ ▸ p. 469 *nm* 1 (véhicule) ski-bob; 2 Sport ski-bobbing; **faire du ~** to ski-bob, to go ski-bobbing

skier /skje/ [2] *vi* to ski; **~ hors piste** to go off-piste skiing, to ski off piste

skieur, **-ieuse** /skjœʀ, øz/ *nm,f* skier

skiff* /skif/ ▸ p. 469 *nm* skiff

skipper* /skipœʀ/ *nm* skipper

slalom /slalɔm/ *nm* slalom; **~ géant** giant slalom; **faire du ~** lit to slalom; **faire du ~ entre les voitures** fig to zigzag between the cars

slalomer /slalɔme/ [1] *vi* 1 Sport to slalom **(entre** between); 2 fig to zigzag **(entre** between)

slalomeur, **-euse** /slalɔmœʀ, øz/ *nm,f* slalom skier *ou* racer

slave /slav/ *adj* Slavonic

Slave /slav/ *nmf* Slav

slavon /slavɔ̃/ ▸ p. 483 *nm* Ling Slavonic

slavophile /slavɔfil/ *adj, nmf* Slavophile

slip /slip/ *nm* 1 (d'homme) underpants (*pl*), briefs (*pl*); (de femme) knickers (*pl*), pants (*pl*) GB, panties (*pl*) US; 2 Naut slipway

(Composés) **~ de bain** (d'homme) bathing trunks (*pl*); (de femme) bikini bottom; **~ brésilien** high-cut briefs (*pl*)

slogan /slɔgɑ̃/ *nm* slogan

slovaque /slɔvak/ ▸ p. 483, p. 561 *adj, nm* Slovak

Slovaque /slɔvak/ ▸ p. 561 *nmf* Slovak

Slovaquie /slɔvaki/ ▸ p. 333 *nprf* Slovakia

slovène /slɔvɛn/ ▸ p. 483, p. 561
A *adj* Slovene, Slovenian
B *nm* Ling Slovene, Slovenian

Slovène /slɔvɛn/ ▸ p. 561 *nmf* Slovene

Slovénie /slɔveni/ ▸ p. 333 *nprf* Slovenia

slow /slo/ *nm* slow dance; **danser un ~ avec qn** to have a slow dance with sb

smala○ /smala/ *nf* (famille) tribe○; **ils ont débarqué avec toute la ~** they arrived with the whole tribe

smalt /smalt/ *nm* smalt

smaltine /smaltin/ *nf* smaltite

smash, *pl* **~es*** /smaʃ/ *nm* smash

smasher /smaʃe/ [1]
A *vtr* to smash [*balle*]
B *vi* to play a smash

SME /ɛsɛmə/ *nm*: *abbr* ▸ **système**

SMIC /smik/ *nm (abbr =* **salaire minimum interprofessionnel de croissance**) guaranteed minimum wage

> **SMIC**
> The basic minimum legal wage fixed annually by *décret*. People earning the SMIC are called *smicards*.

smicard○, **~e** /smikaʀ, aʀd/ *nm,f* person on the minimum wage

smocks /smɔk/ *nmpl* smocking ¢; **une robe à ~** a smocked dress

smoking /smɔkiŋ/ *nm* dinner jacket GB, tuxedo

SMS ➜▭
/ɛsɛmɛs /*nm (abbr =* **short message service**) Télécom SMS

snack○ /snak/, **snack-bar**, *pl* **~s** /snakbaʀ/ *nm* snack bar

SNC /ɛsɛnse/ *nf*: *abbr* ▸ **société**

SNCF /ɛsɛnseɛf/ *nf (abbr =* **Société nationale des chemins de fer français**) *French national railway company*

> **SNCF**
> The state-owned rail company, with access also to private finance, founded in 1937. Its remit covers the full range of rail transport services from small local trains to the high speed TGV ▸ **TGV**.

SNI /sni/ *nm (abbr =* **Syndicat national des instituteurs**) *French national union of primary-school teachers*

sniff* /snif/ *excl* boo-hoo!

sniffer*◑ /snife/ [1] *vtr* drug users' slang to snort○ [*poudre*]; to sniff [*vapeurs*]; **~ de la cocaïne** to snort○ cocaine; **~ de la colle** to sniff glue

sniffeur○, **-euse** /snifœʀ, øz/
A *nm,f* Sociol glue sniffer
B *nm* Ordinat sniffer (program)

➜▭ *voir* Les SMS

snob /snɔb/
A *adj* [*personne*] stuck-up○; [*endroit, restaurant, soirée*] posh; **elle est très ~** she's very stuck-up○, she's a real snob
B *nmf* snob; **c'est un ~** he's a snob
snober /snɔbe/ [1] *vtr* to snub [*personne*]
snobinard○, **~e** /snɔbinaʀ, aʀd/
A *adj* [*personne*] snobby○, stuck-up○
B *nm,f* snob
snobisme /snɔbism/ *nm* snobbery
sobre /sɔbʀ/ *adj* 1 (qui mange et boit peu) abstemious; (qui ne boit jamais d'alcool) teetotal; (qui n'a pas trop bu) sober; **il est très ~ ce soir** he's being very abstemious tonight; **je dois rester ~, car je conduis** I mustn't drink, I'm driving; **je suis ~, je peux conduire** I'm sober, so I can drive; 2 (mesuré) [*personne*] moderate; [*discours, récit, langage*] sober, low-key; [*vie*] simple; 3 (simple) [*style*] plain, sober; [*architecture, vêtement, mise en scène*] sober
(Idiome) **être ~ comme un chameau** to be abstemious
sobrement /sɔbʀəmɑ̃/ *adv* 1 (avec modération) [*manger, boire*] in moderation; 2 (simplement) [*s'habiller*] plainly, soberly; [*dire*] soberly
sobriété /sɔbʀijete/ *nf* 1 (fait de ne pas boire) temperance, sobriety sout; 2 (réserve) (de personne) restraint, sobriety sout; (de discours, critique) moderation; 3 (de style, ligne, mise en scène, d'art) sobriety sout
sobriquet /sɔbʀikɛ/ *nm* nickname; **donner un ~ à qn** to give sb a nickname
soc /sɔk/ *nm* ploughshare GB, plowshare US
sochalien, -ienne /sɔʃaljɛ̃, ɛn/ ▸ p. 894 *adj* of Sochaux
Sochalien, -ienne /sɔʃaljɛ̃, ɛn/ *nm,f* (natif) native of Sochaux; (habitant) inhabitant of Sochaux
Sochaux /sɔʃo/ ▸ **p. 894** *npr* Sochaux
sociabilité /sɔsjabilite/ *nf* 1 (aptitude) sociability; 2 (caractère) sociability
sociable /sɔsjabl/ *adj* 1 gén [*personne, tempérament*] sociable; **c'est quelqu'un de ~** he/she's a sociable person; 2 Sociol social
social, ~e, *mpl* **-iaux** /sɔsjal, o/
A *adj* 1 (relatif à la vie en société) [*rapports, phénomène, conventions, climat, politique*] social; **sur le plan ~** in social terms; **mesures ~es** social policy measures; 2 (propre à la société) [*catégorie, classe, inégalités, justice, cohésion*] social; **les origines ~es de qn, le milieu ~ de qn** sb's social background; 3 (relatif au travail) **conflit ~** industrial *ou* trade dispute; **revendications ~es** workers' demands
B *nm* **le ~** social issues (*pl*); **faire du ~** [*gouvernement*] to take a keen interest in social issues
social-démocrate, sociale-démocrate, *mpl* **sociaux-démocrates** /sɔsjaldemɔkʀat, sɔsjodemɔkʀat/ *adj, nm,f* social democrat
social-démocratie /sɔsjaldemɔkʀasi/ *nf* social democracy
socialement /sɔsjalmɑ̃/ *adv* socially; **être ~ pris en charge** to be under care of the social services
socialisant, ~e /sɔsjalizɑ̃, ɑ̃t/ *adj* with socialist leanings
socialisation /sɔsjalizasjɔ̃/ *nf* 1 Sociol socialization; 2 Écon, Pol collectivization
socialiser /sɔsjalize/ [1] *vtr* 1 Sociol to socialize [*individus*]; 2 Pol to collectivize
socialisme /sɔsjalism/ *nm* socialism; **le ~ démocratique/scientifique/révolutionnaire** democratic/scientific/revolutionary socialism; **le ~ utopique** utopian socialism
socialiste /sɔsjalist/ *adj, nmf* socialist
social-libéral, sociale-libérale, *mpl* **sociaux-libéraux** /sɔsjalibeʀal/ *adj, nm,f* Pol social liberal
social-libéralisme /sɔsjalibeʀalism/ *nm* Pol social liberalism
sociétaire /sɔsjetɛʀ/ *nmf* member
société /sɔsjete/ *nf* 1 Sociol society; **vivre en ~** to live in society; **la vie en ~** life in society; 2 (communauté humaine) society; **la place de l'enfant dans la ~** the place of children in society; 3 (groupe humain) society; **les ~s primitives/modernes** primitive/modern societies; **dans notre ~** in our society; 4 (groupe spécifique) society; **~ savante/secrète** learned/secret society; **~ d'écrivains/d'artistes** writers'/artists' society; **~ de chasse/pêche/tir** hunting/angling/shooting club; 5 Ind, Jur, Fin company; **constituer une ~** to set up a company; **~ d'emballage/de nettoyage** packaging/cleaning company; 6 (vie mondaine) society; **en ~** in society; **faire ses débuts dans la ~** to make one's debut in society; **la bonne/haute ~** polite/high society; 7 (compagnie) company, society sout; **rechercher la ~ de qn** to seek sb's company; **dans la ~ de qn** in sb's company
(Composés) **~ d'abondance** affluent society; **~ par actions** Jur, Fin joint stock company; **~ anonyme, SA** public company; **~ d'assistance** Assur motoring organization GB, automobile club; **~ de Bourse** Fin broking firm; **~ civile** Sociol society; Jur, Fin non-trading company; **~ civile immobilière, SCI** *investment company that rents out property*; **~ commerciale** Jur, Fin business firm; **~ de consommation** consumer society; **~ d'économie mixte** semi-public company; **~ écran** dummy company; **~ d'exploitation** development company; **~ fiduciaire** trust company; **~ d'investissement** investment company; **~ en nom collectif, SNC** general partnership; **~ à responsabilité limitée, SARL** private company; **~ de services** service company; **~ à succursales multiples** chain store; **Société de Jésus** Relig Society of Jesus; **Société des Nations, SDN** Hist League of Nations
Société /sɔsjete/ ▸ **p. 435** *nprf* **îles de la ~** Society Islands
socioculturel, -elle /sɔsjokyltyʀɛl/ *adj* [*rapports*] sociocultural; **centre/animateur ~** recreation centre[GB]/officer
socio-démocrate, *pl* **~s*** /sɔsjodemɔkʀat/
A *adj* social democratic
B *nmf* social democrat
socio-économique, *pl* **~s*** /sɔsjoekɔnɔmik/ *adj* socioeconomic
socio-éducatif, -ive, *mpl* **~s*** /sɔsjoedykatif, iv/ *adj* [*programme, système*] socio-educational
sociogramme /sɔsjogʀam/ *nm* sociogram
sociolinguistique /sɔsjolɛ̃gɥistik/
A *adj* sociolinguistic
B *nf* sociolinguistics (+ *v sg*)
sociologie /sɔsjɔlɔʒi/ *nf* sociology
sociologique /sɔsjɔlɔʒik/ *adj* sociological
sociologiquement /sɔsjɔlɔʒikmɑ̃/ *adv* sociologically
sociologue /sɔsjɔlɔg/ ▸ **p. 532** *nmf* sociologist
sociométrie /sɔsjometʀi/ *nf* sociometry
socioprofessionnel, -elle /sɔsjopʀɔfɛsjɔnɛl/ *adj* social and occupational
socle /sɔkl/ *nm* 1 (base) (de statue, pilier) pedestal, plinth; (de lampe, construction) base; (d'appareil) stand; 2 fig (base) basis; 3 Géol platform
(Composé) **~ continental** Géol continental platform
socque /sɔk/ *nm* (chaussure) clog
socquette /sɔkɛt/ *nf* ankle sock, anklet US
Socrate /sɔkʀat/ *npr* Socrates
socratique /sɔkʀatik/ *adj* Socratic
soda /sɔda/ *nm* (eau gazeuse) soda water; (boisson gazeuse sucrée) fizzy drink GB, soda US
sodé, ~e /sɔde/ *adj* with soda (*épith, après n*)
sodique /sɔdik/ *adj* with sodium (*épith, après n*)
sodium /sɔdjɔm/ *nm* sodium
Sodome /sɔdɔm/ ▸ **p. 894** *npr* Sodom
sodomie /sɔdɔmi/ *nf* sodomy, buggery
sodomiser /sɔdɔmize/ [1] *vtr* to sodomize, to bugger
sodomite /sɔdɔmit/ *nm* sodomite
sœur /sœʀ/ *nf* 1 (dans la famille) sister; **c'est ma grande/petite ~**○ she's my big/little sister; **l'ignorance est souvent ~ de la misère** fig ignorance often goes hand in hand with poverty; 2 Relig sister; **une ~** a nun; **~ Anne** Sister Anne; **bonjour, ma ~** good morning, Sister; **elle est allée à l'école chez les ~s** she went to a convent school; **une ~ infirmière** a nursing sister
(Composés) **~ jumelle** twin sister; **~ de lait** foster sister
(Idiomes) **ils sont comme frère et ~** they are like brother and sister; **et ta ~**◑**!** piss off◑, go to hell◑!
sœurette○ /sœʀɛt/ *nf* sis○, sister
sofa /sɔfa/ *nm* sofa
Sofia /sɔfja/ ▸ **p. 894** *npr* Sofia
SOFRES /sɔfʀɛs/ *nf* (*abbr* = **Société française d'enquêtes par sondage**) *French national institute for market research and opinion polls*
software /sɔftwɛʀ/ *nm* controv software package
soi[1] /swa/ *pron pers* 1 (personne) **il faut avoir des amis autour de ~** one should have friends around one; **pour une meilleure connaissance de ~** for better self-knowledge; **apprendre la maîtrise de ~** to learn self-control; **rester maître de ~** to keep in control of oneself; **laisser la porte se refermer derrière ~** to let the door shut behind one; **développer sa confiance en ~** to build up one's self-confidence; **la haine de ~** self-hatred; **trouver en ~ les ressources nécessaires** to find the necessary resources within oneself; **garder qch pour ~** to keep sth to oneself; **malgré ~ on est ému** one is moved in spite of oneself; **choisir de rester entre ~†** to choose to keep to themselves; 2 (objet, concept, idée) **un épisode banal en ~** an episode that is in itself commonplace; **une activité considérée non comme un moyen mais comme une fin en ~** an activity that is considered not as a means but as an end in itself; **la logique n'est pas un objectif en ~** logic is not an aim in itself; **en ~, le sujet est intéressant** the subject is interesting in itself; **aller de ~** to go without saying; **cela va de ~** it goes without saying; **il va de ~ que je paie ma part** it goes without saying that I'll pay my share; **il va de ~ que sans votre soutien rien n'est possible** it goes without saying that nothing would be possible without your support; **ça devrait aller de ~** it should be obvious; **le parallèle allait de ~ entre…** the parallel was obvious between…; **publier une œuvre de cette nature ne va pas de ~** publishing a work of this kind is not so straightforward
soi[2] /swa/ *nm* 1 Philos self; 2 Psych (ça) id
soi-disant /swadizɑ̃/
A *adj inv* (*before n*) 1 (qui prétend être) self-styled; 2 (prétendu) controv [*démocratie, liberté, miracle*] so-called (*épith*)
B *loc adv* 1 (prétendument) supposedly; **il n'est pas allé à l'école ~ parce qu'il est malade** he hasn't gone to school, supposedly because he's ill; **elle a ~ la migraine** she has a migraine, or so she says; **~ que** it would appear that
soie /swa/ *nf* 1 Tex silk; **~ grège/sauvage/artificielle** raw/wild/artificial silk; 2 (poil) bristle; **une brosse à cheveux en ~s naturelles** a bristle hairbrush; 3 Bot awn; 4 Tech (de couteau) tang

soierie /swaʀi/ *nf* **1▸** (étoffe) silk; **une ~ légère** a light silk; **2▸** Ind silk industry; **3▸** Comm silk trade

soif /swaf/ *nf* **1▸** (besoin de boire) thirst; **avoir ~** to be thirsty; **avoir une ~ terrible**○ to be terribly thirsty; **mourir de ~** lit to die of thirst; fig to be dying of thirst; **étancher sa ~** to quench one's thirst; **boire jusqu'à plus ~** to drink one's fill; **donner ~** to make one thirsty; **la terre a ~** the soil is thirsty; **il fait ~**○**!** hum it's thirsty work! hum; **2▸** (désir) **~ de** thirst for [*justice, liberté, revanche, amour*]; hunger *ou* lust for [*pouvoir, richesses*]; **la ~ d'apprendre** the thirst for knowledge; **avoir ~ d'affection/de bonheur** to crave affection/happiness; **la ~ de sang** bloodthirstiness; **faire qch jusqu'à plus ~**○ to do sth until one has had enough

(Idiome) **conserver une poire pour la ~** to save something for a rainy day

soiffard○, **~e** /swafaʀ, aʀd/ *nm,f* boozer○; **quel ~ ce Zorec!** what a boozer that Zorec is!

soignant, **~e** /swaɲɑ̃, ɑ̃t/ *adj* [*personnel, équipe*] medical (*épith*); **médecin ~** doctor, GP GB

soigné, **~e** /swaɲe/

A *pp* ▸ **soigner**

B *pp adj* **1▸** (bien entretenu) [*mains, ongles*] well-manicured; [*coiffure, vêtements, tenue*] immaculate; **il est très ~ de sa personne** he's very well-groomed; **individu peu ~** unkempt person; **2▸** (bien fait) [*catalogue, revue, édition*] carefully produced; [*emballage, maquette*] carefully done; [*conception, organisation, tactique*] carefully thought out; [*réglage, alignement*] careful, meticulous; [*travail*] meticulous; **peu ~** [*emballage*] carelessly done; [*travail*] careless

C ○*adj* (d'importance) **avoir une grippe ~e** to have terrible flu; **faire des reproches ~s à qn** to give sb a thorough dressing-down; **l'addition était ~e!** the bill GB *ou* check US was astronomical○!

soigner /swaɲe/ [1]

A *vtr* **1▸** (chercher à guérir) to treat [*personne, animal, maladie*]; **~ un rhume avec de l'aspirine®** to treat a cold with aspirin; **sa patte n'est pas cassée, on pourra la ~** its paw isn't broken, we can treat it; **faire ~ qn** to get sb treatment; **se faire ~** to get treatment; **il n'y a pas moyen de se faire ~ correctement ici** you just can't get the proper treatment here; **il faut te faire ~**○**!** hum you should have your head examined!; **2▸** (s'occuper de) to look after [*personne, animal, client*]; **3▸** (faire attention à) to take care over [*tenue, présentation*]; to look after [*mains*]; **soignez votre écriture/orthographe** take care over your writing/spelling

B **se soigner** *vpr* **1▸** (chercher à guérir) to treat oneself; **je me soigne aux antibiotiques** I'm treating myself with antibiotics; **elle n'aime pas se ~** she doesn't like to take anything when she's ill; **soigne-toi bien!** look after yourself!; **je ne suis pas très intelligent mais je me soigne** hum I'm not very clever but I'm working on it!; **2▸** (pouvoir être guéri) [*maladie*] to be treatable; **infection qui se soigne facilement aux antibiotiques** infection that can easily be treated with antibiotics; **ça se soigne, tu sais!** hum (time to) get the men in white coats! hum; **3▸** (veiller à sa tenue) to take care over one's appearance; (veiller à son bien-être) to take care of oneself

soigneur /swaɲœʀ/ ▸ **p. 532** *nm* Sport gén trainer; (de boxeur) second

soigneusement /swaɲøzmɑ̃/ *adv* [*ranger, laver, examiner, décrire, choisir, préparer, éviter*] carefully; [*travailler*] meticulously; [*écrire, colorier*] neatly

soigneux, **-euse** /swaɲø, øz/ *adj* **1▸** (consciencieux) conscientious; (précautionneux) careful; **être ~ dans ses choix** to choose carefully; **un utilisateur ~ de la langue** someone who is careful in his/her use of language; **2▸** (propre et ordonné) [*personne*] neat, tidy; **il est ~ de sa personne** he takes a lot of care with his appearance; **3▸** (bien fait) [*examen, recherche, ajustement*] careful

soi-même /swamɛm/ *pron pers* **être ~** to be oneself; **rester fidèle à ~** to be true to oneself; **la connaissance de ~** knowing oneself, self-knowledge; **apprendre à se connaître ~** to learn to know oneself; **donner le meilleur de ~** to give the best of oneself, to give of one's best; **le plaisir de faire ~ des confitures** the pleasure of making one's own jam; **faire des pizzas ~, c'est facile** it's easy to make your own pizza; **le directeur ~ était là**○ the manager himself was there

soin /swɛ̃/

A *nm* **1▸** (application) care; **avec ~** [*choisir, préparer, travailler*] carefully; **sans ~** carelessly; **avec beaucoup de** *or* **un grand ~** very carefully; **le ~ apporté (par qn) à qch** the care taken (by sb) over sth; **mettre un ~ infini à faire** to take infinite care in doing; **prendre ~ de qch** to take care of sth; **prendre ~ de qn/sa santé** to look after sb/one's health; **avoir** *or* **prendre ~ de faire** (s'appliquer) to be careful to do; (s'assurer) to make sure to do; **prends ~ de ne pas réveiller les enfants** be careful not to wake the children; **nous avons pris ~ d'éviter toute confrontation** we were careful to avoid any confrontation; **prendre ~ de sa petite personne** to coddle oneself; **son premier ~ a été d'appeler sa femme** the first thing he did was to call his wife; **laisser à qn/à d'autres le ~ de faire** to leave it to sb/to others to do; **je laisse au lecteur le ~ d'imaginer la suite** I leave it to the reader to imagine the rest; ▸ **apporter, confier**; **2▸** Cosmét (produit) product; **~ aux extraits cellulaires** product with cellular extracts; **~ de bronzage** suncare product; **~ antipelliculaire** dandruff treatment

B **soins** *nmpl* **1▸** Méd (traitement) treatment **Ȼ**; (ensemble d'activités, service) care **Ȼ**; **recevoir/donner des ~s** to receive/give treatment; **~s intensifs/d'urgence/médicaux/dentaires** intensive/emergency/medical/dental care; **les premiers ~s à donner aux brûlés** first-aid treatment for burns; **~s à domicile** homecare **Ȼ**; **laisser qn sans ~s** to neglect sb; **laisser qn mourir sans ~s** to let sb die of neglect; **2▸** Cosmét care **Ȼ**; **~s corporels** *or* **du corps** body care **Ȼ**; **~s esthétiques** *or* **de beauté** beauty care **Ȼ**; **~s du cheveu** haircare **Ȼ**; **~s du visage** skincare **Ȼ**; **~s de la peau** body care **Ȼ**; **3▸** (attention) care **Ȼ**; **confier** *or* **laisser qch/qn aux bons ~s de qn** to leave sth/sb in sb's care; **'aux bons ~s de'** (sur une enveloppe) 'care of', 'c/o'; **publié par leurs/mes ~s** published by their/my good offices; **organisé par les ~s de l'association** organized through the good offices of the association; **les ~s domestiques/du ménage** domestic/household tasks

(Idiome) **être aux petits ~s pour qn** to attend to sb's every need

soir /swaʀ/ *nm* **1▸** (fin du jour) evening; (partie de la nuit) night; **la réunion est le ~** the meeting is in the evening; **travailler le ~** to work in the evening, to work evenings; **le ~ du 3, le 3 au ~** on the evening of the 3rd; **par un beau ~ d'été** on a fine summer evening; **le ~ venu** when evening fell; **le ~ des événements** on the evening of the events; **nous partirons samedi ~** we'll leave on Saturday evening; **il sort tous les samedis ~** he goes out every Saturday night; **6 heures du ~** 6 (o'clock) in the evening; (pour un horaire) 6 pm; **passe me voir un de ces ~s** come round[GB] and see me some evening; **à ce ~!** see you tonight!; **2▸** (soirée) evening; **3▸** (déclin) liter twilight; **au ~ de l'Empire** in the twilight *ou* last days of the Empire; **le ~ de la vie** the evening of one's life

(Idiome) **être du ~** to be a night person

soirée /swaʀe/ *nf* **1▸** (période) evening; **la ~ a été calme** it was a quiet evening; **dans** *or* **pendant la ~, en ~** in the evening; **les chaudes ~s d'été** hot summer evenings; **en début/fin de ~** at the beginning/end of the evening; **en ~** in the evening; **la pièce sera jouée en ~** the play will have an evening performance; **2▸** (réception) party; **aller dans une** *or* **en ~** to go to a party; **donner une ~** to give a party; **charmante ~!** iron great party! iron; **3▸** (spectacle) evening performance *ou* show; **~ littéraire** literary evening; **~ chant et poésie** evening of music and poetry; **dernière ~** last show *ou* performance

soit

A /swa/ ▸ **être[1]**

B /swa/ *conj* **1▸** (marque une alternative) **~, ~** either, or; **~ du fromage, ~ un gâteau, ~ des fruits** either cheese, or a cake, or fruit; **~ que, ~ que** (pour proposer) either, or; (pour supposer) either because, or because; **elle suggère ~ que vous veniez chez nous, ~ qu'on aille au restaurant** she suggests that either you come to our place, or (else) we go to a restaurant; **il le savait, ~ qu'il l'avait lu dans les journaux, ~ qu'on le lui avait dit** he knew it, either because he had read it in the newspapers, or because someone had told him; **c'est ~ l'un ~ l'autre, pas les deux** it's got to be one thing or the other, not both; **2▸** (à savoir) that is, ie; **toutes mes économies, ~ 200 euros** all my savings, ie *ou* that is, 200 euros; **il y a dix gâteaux, ~ deux chacun** there are ten cakes, ie *ou* that is, two each; **3▸** Math **~ un triangle ABC** let ABC be a triangle

C /swat/ *adv* very well; **je me suis trompé, ~, mais là n'est pas la question** very well, I was wrong, but that's not the point; **eh bien ~, puisque tu y tiens** very well then, since you insist.

> ⚠ L'usage hésite, en mathématiques, entre la forme invariable de la conjonction et la forme verbale qui se met facultativement au pluriel (*soit* ou *soient* deux vecteurs), mais la traduction reste la même

soixantaine /swasɑ̃tɛn/ *nf* about sixty; ▸ **cinquantaine**

soixante /swasɑ̃t/ ▸ **p. 568**, **p. 222** *adj inv, pron* sixty

soixante-dix /swasɑ̃tdis/ ▸ **p. 568**, **p. 222** *adj inv, pron* seventy

soixante-dix-huit /swasɑ̃tdizɥit/ ▸ **p. 568**, **p. 222** *adj inv, pron* seventy-eight

(Composé) **~ tours** 78; **collectionner les ~ tours** to collect 78s

soixante-dixième /swasɑ̃tdizjɛm/ ▸ **p. 568** *adj* seventieth

soixante-huitard, **~e**, *mpl* **~s** /swasɑ̃twitaʀ, aʀd/ *nm,f: participant in the student and workers' protest movement of May 1968*

soixantième /swasɑ̃tjɛm/ ▸ **p. 568** *adj* sixtieth

soja /sɔʒa/ *nm* soya bean GB, soybean US; **planter du ~** to plant soya beans GB *ou* soybeans; **saucisse/pâté de** *or* **au ~** soya GB *ou* soybean sausage/pâté; **sauce de ~** soy sauce; **salade de (germes** *or* **pousses de) ~** bean sprout salad

sol /sɔl/ *nm* **1▸** (à l'extérieur) ground; (dans une maison) floor; **la télévision est posée à même le ~** the television is on the floor; **l'avion a tué 5 personnes au ~** the aeroplane GB *ou* airplane US killed 5 people on the ground; **une maison au ~ en terre battue** a house with a trodden earth floor; **son adversaire l'a plaqué au ~** his opponent knocked him to the floor *ou* ground; **sentir le ~ se dérober sous ses pieds** lit to feel the ground giving way; fig to feel the ground giving way beneath one; **vitesse au ~ d'un avion** ground speed of an aeroplane; **la surface au ~ d'un bâtiment** the floor surface of a building; **exercices au ~** Sport floor exercises;

2▸ (territoire) soil; **le ~ africain/américain** African/American soil; **revenir sur son ~ natal** to come back to one's native soil; 3▸ (terrain) soil; **~ fertile/argileux** fertile/clay soil; **~ lunaire** lunar soil; 4▸ Mus (note) G; (en solfiant) soh; 5▸ (monnaie) sol

sol-air /sɔlɛʀ/ *adj inv* [*engin, missile*] surface-to-air

solaire /sɔlɛʀ/
A *adj* [*jour, calendrier, énergie*] solar; [*moteur, radio*] solar-powered; [*lumière, produit*] sun (*épith*)
B *nm* (énergie) solar energy

solarium /sɔlaʀjɔm/ *nm* solarium

soldanelle /sɔldanɛl/ *nf* **~ des Alpes** alpine snowbell

soldat /sɔlda/ ▸ **p. 406**, **p. 532** *nm* soldier, serviceman; **~ de réserve** reserve soldier; **~ de métier** regular soldier; **~ d'infanterie** ≈ infantryman; **un simple ~** a private; **~ de 2e classe** ≈ private; **~ de 1e classe** ≈ private
(Composés) **Soldat inconnu** Unknown Soldier; **~ de plomb** tin *ou* toy soldier; **~s du feu** firemen
(Idiome) **jouer au petit ~** to act brave

soldatesque /sɔldatɛsk/ *nf* pej soldiery

solde /sɔld/
A *nm* Fin balance; **~ créditeur/débiteur** credit/debit balance; **il y a un ~ de 100 euros en votre faveur** there is a balance of 100 euros in your favour[GB]; **~ positif** *or* **excédentaire/négatif** *or* **déficitaire** credit/debit balance; **faire le ~ d'un compte** to settle an account; **'pour ~ de tout compte'** 'in settlement'; **reçu pour ~ de tout compte** received in full and final payment
B *nf* Mil pay; **toucher/dépenser sa ~** to get/to spend one's pay; **~ à l'air** *danger money for aviators and parachutists*; **avoir qn à sa ~** fig to have sb in one's pay; **être à la ~ de l'ennemi** fig to be in the pay of the enemy *ou* the enemy's pay
C **en solde** *loc adv* **acheter une veste en ~** to buy a jacket in a sale *ou* at sale price GB *ou* on sale US; **mettre des marchandises en ~** to sell goods at sale price GB, to put goods on sale US
D **soldes** *nmpl* sales; (écrit en vitrine) sale (*sg*); **~s d'été/d'hiver** summer/winter sales; **faire les ~s**○ to go to the sales; **faire/annoncer des ~s sur qch** to have/to announce a sale on sth

solder /sɔlde/ [1]
A *vtr* 1▸ Comm to sell off, to clear [*marchandises*]; **~ des articles à prix coûtant** to sell items off at cost price; 2▸ Compta to settle the balance of [*compte*]
B **se solder** *vpr* 1▸ (finir) **se ~ par qch** to end in sth; **le procès s'est soldé par un non-lieu** the trial ended in the dismissal of the charge; **se ~ par un échec** [*efforts, démarche*] to end in failure; 2▸ Écon **se ~ par qch** to show sth; **le bilan se solde par un déficit de 100 euros** the statement shows a deficit of 100 euros

solderie /sɔldəʀi/ *nf* discount shop

soldeur, **-euse** /sɔldœʀ, øz/ ▸ **p. 532** *nm,f* discount trader

sole /sɔl/ *nf* 1▸ Zool sole; 2▸ (de four) hearth; 3▸ (de sabot) sole; 4▸ Naut sole, (flat) bottom

solécisme /sɔlesism/ *nm* Ling solecism

soleil /sɔlɛj/ *nm* 1▸ gén, Astron, Astrol sun; **~ de minuit** midnight sun; **au ~** in the sun; **se mettre au ~** [*personne, animal*] (s'exposer) to go into the sun; (rester) to sit in the sun; **prendre le ~** to get some sun; **un radieux ~ de printemps** a brilliant spring sun; **le ~ se lève à l'est** the sun rises in the east; **un week-end sans ~** a weekend without any sun; **sous un ~ de plomb** under a blazing sun; **en plein ~** [*travailler, marcher, être assis*] in hot sun; [*laisser un produit, exposer*] in direct sunlight; **la pièce était pleine de ~** the room was filled with sunlight; **nous avons eu deux jours de ~** we've had two sunny days; **quand il y a du ~** when it's sunny; **il fait ~** it's sunny; **soigner ses coups de ~** to treat one's sunburn; **ses coups de ~ la font souffrir** her sunburn is really painful; **attraper un coup** *or* **des coups de ~** to get sunburned; ▸ **neige**; 2▸ (à la barre fixe) grand circle; 3▸ (tournesol) sunflower; 4▸ (pièce d'artifice) Catherine wheel GB, pinwheel US
(Idiomes) **avoir du bien au ~** to own property; **avoir/se faire une place au ~** to have done/to do well for oneself; **(il n'y a) rien de nouveau sous le ~** there is nothing new under the sun; **le ~ brille** *or* **luit pour tout le monde** Prov the sun shines upon all alike

solennel, **-elle** /sɔlanɛl/ *adj* 1▸ (empreint de gravité) solemn; **prendre des airs ~s** to put on solemn airs; **dire qch d'un ton ~** to say sth solemnly; 2▸ (officiel) [*cérémonie*] solemn; [*appel, déclaration, cadre*] formal; **des funérailles solennelles** funeral service; (nationales) state funeral

solennellement /sɔlanɛlmɑ̃/ *adv* [*promettre, s'engager*] solemnly; [*célébrer, inaugurer, défiler, déclarer, démentir*] formally

solennité /sɔlanite/ *nf* solemnity; **chef d'État reçu avec ~** head of state received with solemn ceremonies; **donner à une cérémonie une ~ particulière** to make a ceremony particularly solemn

solénoïde /sɔlenɔid/ *nm* solenoid

Soleure /sɔlœʀ/ *npr* 1▸ ▸ **p. 894** (ville) Solothurn; 2▸ ▸ **p. 721** (région) **le canton de ~** the canton of Solothurn

Solex® /sɔlɛks/ *nm inv* (vélomoteur) (Solex®) moped

solfège /sɔlfɛʒ/ *nm* 1▸ (exercice) music theory; **apprendre le ~** to learn music theory; **~ chanté** sol-fa; 2▸ (manuel) music theory book

solfier /sɔlfje/ [2] *vtr* to sing using the tonic sol-fa system

soli ▸ **solo**

solidaire /sɔlidɛʀ/ *adj* 1▸ (lié par des intérêts communs) [*équipe, groupe*] united; **ils forment un groupe très ~** they really stand together; **être ~ de qn** to be behind sb, to support sb; **se sentir/montrer ~ de qn** to feel/to show solidarity with sb; 2▸ Mécan [*pièces*] interdependent; 3▸ Jur **un contrat ~** a contract binding on all parties; **débiteurs ~s** jointly liable debtors

solidairement /sɔlidɛʀmɑ̃/ *adv* **employés qui agissent ~** employees acting in common; **travailler ~** to work together; **associés ~ responsables** Jur jointly liable partners

solidariser /sɔlidaʀize/ [1]
A *vtr* Jur to make [sb] jointly liable
B **se solidariser** *vpr* **se ~ avec qch/qn** to stand by sth/sb, to make common cause with sth/sb

solidarité /sɔlidaʀite/ *nf* solidarity (**entre** between); **~ professionnelle/de classe** professional/class solidarity; **liens/sentiment de ~** ties/feeling of solidarity; **faire qch par ~ avec qn** to do sth out of solidarity with sb

solide /sɔlid/
A *adj* 1▸ (consistant) [*état, corps, aliment, carburant*] solid; 2▸ (résistant) [*maison, échafaudage, amitié, lien, union*] solid; [*chaussures, sac*] sturdy; [*lien, fixation, lame, mécanisme*] strong; [*position, base*] firm; **la chaise/l'étagère n'est pas très ~** the chair/the shelf is a bit rickety; **être ~ au poste** to be dependable at work; 3▸ (vigoureux) [*personne, constitution*] strong; [*poignée de main*] firm; [*cœur, poumons*] strong, sound; **être ~ sur ses jambes** lit, fig to be steady on one's legs; **elle a les nerfs ~s** she's got nerves of steel; **avoir la tête ~** fig to have one's head screwed on; **ma tête n'est plus très ~** my mind is going a bit; **il a un ~ coup de fourchette** hum he likes his food; 4▸ (sérieux) [*affaire, connaissances, expérience, raisons*] sound; [*garanties*] firm; [*qualités*] solid; [*partenaire*] dependable; **elle a une ~ formation en informatique** she's had a sound training in computer science; **ton rapport n'est pas assez ~** your report isn't very convincing; **il a une ~ réputation d'agressivité/de raseur**○ he has a reputation for being aggressive/for being a bore; 5▸ (substantiel) hearty; **un ~ appétit** hum a hearty appetite; **un ~ petit déjeuner** a hearty breakfast
B *nm* 1▸ Math, Phys solid; 2▸ (fiable) **ce qu'il te dit, c'est du ~** what he says is sound, you can believe what he says; **ce secteur, c'est du ~** that industry is solid; 3▸ (consistant) **manger du ~** to eat solids; **marcher sur du ~** to walk on firm ground; 4▸ (durable) **les meubles anciens, c'est du ~** antique furniture is solidly built

solidement /sɔlidmɑ̃/ *adv* 1▸ (fermement) [*lier, accrocher, soutenu*] firmly; **des maisons ~ construites** solidly-built houses; 2▸ (fortement) [*s'établir, implanter, ancré*] firmly; [*barricadé*] securely; [*armé*] heavily; **un rapport/témoignage ~ documenté** a soundly-documented report/testimony; **elle a ~ établi sa réputation** she has established quite a reputation (**de, en tant que** as)

solidification /sɔlidifikasjɔ̃/ *nf* solidification

solidifier /sɔlidifje/ [2]
A *vtr* to solidify; **laves solidifiées** solidified lava
¢
B **se solidifier** *vpr* to solidify

solidité /sɔlidite/ *nf* 1▸ (de construction) solidity; (de machine) strength; (de lien) firmness; (de vêtement) hard-wearing quality; **d'une grande ~** [*construction*] well-built; [*machine*] sturdy; [*lien*] strong; [*vêtement*] hard-wearing; 2▸ (de raisonnement, démonstration, thèse) soundness; 3▸ (d'institution, économie) stability

soliloque /sɔlilɔk/ *nm* soliloquy (**sur** on *ou* about)

soliloquer /sɔlilɔke/ [1] *vi* to soliloquize (**sur** on *ou* about)

solipède /sɔlipɛd/ *adj* solipedal

solipsisme /sɔlipsism/ *nm* solipsism

soliste /sɔlist/ *nmf* soloist

solitaire /sɔlitɛʀ/
A *adj* 1▸ (sans compagnie) [*personne, vie, promenade*] solitary (*épith*); [*vieillesse, enfance*] lonely; **navigateur ~** Sport single-handed *ou* solo yachtsman; 2▸ (non fréquenté) [*sentier, lieu*] lonely (*épith*); 3▸ (isolé) [*maison, hameau*] isolated; [*arbre*] lone (*épith*)
B *nmf* (personne) solitary person, loner; (ermite) hermit; **vivre en ~** to live alone; **voler/naviguer en ~** to fly/sail solo; **traversée/course en ~** solo crossing/race
C *nm* 1▸ (diamant) solitaire; 2▸ (sanglier) rogue boar; 3▸ ▸ **p. 469** Jeux solitaire; **jouer au ~** to play solitaire

solitude /sɔlityd/ *nf* 1▸ (fait d'être seul) solitude; **aimer la ~** to enjoy solitude, to enjoy being on one's own; 2▸ (sentiment) loneliness

solive /sɔliv/ *nf* joist

sollicitation /sɔlisitasjɔ̃/ *nf* 1▸ (requête) appeal, request; **répondre** *or* **céder aux ~s de qn** to give in to sb's appeals *ou* requests; 2▸ (impulsion donnée) (à un cheval) prompting; (à une machine) touch; **répondre à la moindre ~ du cavalier** to respond to the slightest prompting from the rider; **la voiture répond à la moindre ~ de l'accélérateur/du chauffeur** the car responds to the slightest touch on the accelerator/from the driver

solliciter /sɔlisite/ [1] *vtr* 1▸ (demander) fml to seek [*entretien, poste, avis*]; to seek, to solicit sout [*contributions*]; to canvass, to solicit sout [*voix*]; **~ du Parlement des pouvoirs spéciaux** to seek special powers from Parliament; **j'ai l'honneur de ~ de votre bienveillance l'autorisation de faire** I would respectfully request your permission to do; **son avis est très sollicité** his/her advice is much *ou* highly sought-after; 2▸ (démarcher) to approach, to call on *ou* upon [*personne, organisation*]; to canvass [*client, électeur*]; **être sollicité par des collecteurs de**

fonds to be approached *ou* asked for contributions by fund raisers; **~ les clients à domicile** to sell to people in their own homes; **être très sollicité** [*député, bienfaiteur*] to be assailed by requests; [*chanteur, orateur*] to be very much in demand; **3** (faire appel à) to attract [*attention, intérêt, regard*]; to call upon [*mémoire, logique*]; **4** (agir sur) to prompt [*cheval*]; to try [*mécanisme*]; to stimulate [*muscle, organe*]

solliciteur, -euse /sɔlisitœʀ, øz/ *nm,f* supplicant sout

sollicitude /sɔlisityd/ *nf* concern, solicitude (**envers** for); **avec une ~ toute maternelle** with (truly) maternal concern; **entourer qn de ~** to cosset sb

sol-mer /sɔlmɛʀ/ *adj inv* [*engin, missile*] surface-to-sea

solo, *pl* **~s** *or* **soli** /sɔlo, *pl* sɔli/
A *adj inv* solo; **piano/album ~** solo piano/album; **spectacle ~** one-man/-woman show
B *nm* solo; **~ de trompette** trumpet solo; **jouer/chanter en ~** to play/sing solo

sol-sol /sɔlsɔl/ *adj inv* [*engin, missile*] surface-to-surface

solstice /sɔlstis/ *nm* solstice; **~ d'hiver/d'été** winter/summer solstice

solubiliser /sɔlybilize/ [1] *vtr* to make [sth] soluble

solubilité /sɔlybilite/ *nf* solubility

soluble /sɔlybl/ *adj* **1** [*comprimé*] soluble; **2** [*problème*] solvable, soluble

soluté /sɔlyte/ *nm* Chimie, Pharm solution

solution /sɔlysjɔ̃/ *nf* **1** (action de résoudre) (de difficulté, mots croisés, d'énigme) solution (**de** of), solving (**de** of); (de crise, conflit) resolution (**de** of); **pour faciliter la ~ du problème** in order to solve the problem *ou* to get the problem solved more easily; **2** (réponse) solution (**de, à** to); **tenir la ~ de qch** to have the solution to sth; **une ~ de facilité** an easy way out; **~ de compromis** compromise; **la ~ n'est pas la force** force is not the solution *ou* the answer; **la situation est sans ~** there's no way out of the situation, the situation can't be resolved; **trouver une ~ pour assurer la sécurité dans la région** to find a way of making the area safe; **3** Chimie, Pharm solution; **sel en ~** salt in solution; **vendu en comprimé ou ~** sold in tablet or liquid form

(Composé) **~ finale** Hist Final Solution

solutionner /sɔlysjɔne/ [1] *vtr* controv to solve

solvabilité /sɔlvabilite/ *nf* (de débiteur) solvency; (de client, d'emprunteur) creditworthiness

solvable /sɔlvabl/ *adj* [*débiteur*] solvent; [*emprunteur, client*] creditworthy

solvant /sɔlvɑ̃/ *nm* solvent

soma /sɔma/ *nm* soma

somali /sɔmali/ ▸ **p. 483** *nm* Ling Somali

Somali, ~e /sɔmali/ ▸ **p. 561** *nm,f* Somali

Somalie /sɔmali/ ▸ **p. 333** *nprf* Somalia

somalien, -ienne /sɔmaljɛ̃, ɛn/ ▸ **p. 561** *adj* Somalian

Somalien, -ienne /sɔmaljɛ̃, ɛn/ ▸ **p. 561** *nm,f* Somalian

somatique /sɔmatik/ *adj* Biol, Méd somatic

somatisation /sɔmatizasjɔ̃/ *nf* somatization

somatiser /sɔmatize/ [1]
A *vtr* to have a psychosomatic reaction to [*problème*]
B ○*vi* **tu somatises!** it's psychosomatic!

sombre /sɔ̃bʀ/ *adj* **1** (obscur) dark; **vert/rouge ~** dark green/red; **il fait ~** it's dark; **2** (triste) [*pensée, avenir, période*] dark, black; [*tableau, conclusion*] depressing, grim; [*air, personne, visage*] solemn, sombre^GB; **une ~ vision du monde** a gloomy *ou* depressing view of the world; **une période ~ s'annonce pour eux** things are looking gloomy for them; **d'un air ~** sombrely^GB, gloomily; **3** ○(déplorable) (*before n*) [*crétin, brute*] absolute; [*affaire*] murky; **c'est une ~ histoire d'inceste** it's a grim story of incest; **4** Ling [*voyelle*] dark

sombrement /sɔ̃bʀəmɑ̃/ *adv* liter (avec pessimisme) sombrely^GB, gloomily; (de façon inquiétante) darkly; **envisager ~ l'avenir** to see a dark future ahead

sombrer /sɔ̃bʀe/ [1] *vi* **1** (couler) [*navire*] to sink; **2** (s'engloutir) **~ dans** [*personne*] to sink into [*désespoir, folie, oubli, débauche, alcoolisme*]; **~ dans le ridicule** to lapse into the ridiculous; **le pays/leur industrie est en train de ~** the country/their industry is going under

sombrero* /sɔ̃bʀeʀo/ *nm* sombrero

Somerset ▸ **p. 721** *nprm* **le ~** Somerset

sommaire /sɔmmɛʀ/
A *adj* [*enquête*] perfunctory; [*examen, analyse, explication*] cursory; [*description*] rough; [*installation, éducation, repas*] rough and ready (*épith*); [*vision, conception*] shallow; [*toilette*] token; [*compte rendu, jugement, procès, exécution*] summary
B *nm* **1** (table des matières) contents (*pl*); **au ~ de notre numéro de juillet** featured in our July issue; **2** ○(programme) **au ~: un débat sur le chômage** in the programme^GB: a debate on unemployment

sommairement /sɔmmɛʀmɑ̃/ *adv* [*exposer, juger, exécuter*] summarily; **répondre/expliquer ~** to give a cursory answer/explanation; **évaluer ~** to make a brief assessment; **parcourir ~ un livre/rapport** to skim through a book/report

sommation /sɔmmasjɔ̃/ *nf* **1** Jur (acte d'huissier) notice; **~ de quitter les lieux/de payer** notice to quit/to pay; **~ de comparaître en justice** summons to appear in court; **2** (avertissement) (de policier) warning; (de sentinelle) challenge; **faire les ~s d'usage** (tous contextes) to issue the customary warnings; **tirer sans ~s** (tous contextes) to shoot without warning

(Composé) **~ sans frais** Fisc second demand for payment, second notice to pay

somme /sɔm/
A *nm* nap, snooze○; **faire un (petit) ~** to have *ou* take a nap, to have a snooze○
B *nf* **1** (argent) sum; **une ~ de 100 euros** a sum of 100 euros; **ça fait○ une ~!** it's quite a sum!; **une grosse/petite ~ (d'argent)** a large/small sum; **dépenser de grosses ~s d'argent** to spend vast amounts *ou* huge sums of money; **2** (quantité) sum total; **la ~ de nos connaissances** the sum total of our knowledge; **ce n'est pas avec une ~ de vérités qu'on fait une philosophie** you can't make a philosophy out of a collection of truths; **il a fourni une grosse ~ de travail** he did a great quantity of work; **en ~, ~ toute** all in all; **3** Math sum; **faire la ~ de deux nombres/vecteurs** to add two numbers/vectors together; **4** (œuvre) summa

Somme /sɔm/ ▸ **p. 372, p. 721** *nprf* (fleuve, département) **la ~** the Somme

sommeil /sɔmɛj/ *nm* **1** Physiol sleep ₵; **~ profond/léger/réparateur** deep *ou* sound/light/refreshing sleep; **trouver/perdre le ~** to get to/to lose sleep; **j'ai du ~ à rattraper** I've got to catch up on lost sleep; **avoir ~** to be *ou* feel sleepy; **nuit sans ~** sleepless night; **avoir le ~ agité** to sleep fitfully; **avoir le ~ léger/lourd** to be a light/heavy sleeper; **tirer qn de son ~** to wake [sb] up, to rouse sb sout; **2** (attente) **être en ~** [*projet, activité, affaire*] to have been put on ice; **laisser** *or* **mettre un projet en ~** to put a project on ice

(Composés) **~ crépusculaire** twilight sleep, seminarcosis spéc; **~ éternel** eternal rest; **~ à ondes lentes** slow-wave sleep; **~ paradoxal** REM sleep; **~ profond** = **~ à ondes lentes**; **~ rapide** = **~ paradoxal**

(Idiomes) **dormir d'un ~ de plomb** to sleep like a log○; **dormir du ~ des justes** to sleep the sleep of the just; **dormir de son dernier ~** to sleep one's last *ou* final sleep

sommeiller /sɔmeje/ [1] *vi* (somnoler) [*personne, animal*] to doze; [*nature, campagne, passion, désir*] to lie dormant

sommelier, -ière /sɔməlje, ɛʀ/ ▸ **p. 532**
A *nm,f* wine steward, sommelier
B **sommelière** *nf* Helv (serveuse) waitress

sommer /sɔmme/ [1] *vtr* **~ qn de faire** to command sb to do; **~ qn de comparaître** Jur to summons sb to appear

sommet /sɔmmɛ/ *nm* **1** Géog (de montagne indéfinie) peak; (de montagne définie) summit; (montagne pointue) peak; **les ~s sont enneigés toute l'année** the peaks are covered with snow all year; **le plus haut ~ de France/des Alpes** the highest peak in France/in the Alps; **atteindre le ~ (du mont Blanc)** to reach the summit (of Mont Blanc); **2** (d'arbre, de bâtiment, tour, mur, crâne, colline) top; (de vague) crest; (de courbe) peak; (de hiérarchie, organisation) top; (de carrière) summit; **3** (summum) (de gloire, réussite, bêtise) height; **c'est un ~ de mauvais goût** it's the height of bad taste; **atteindre les ~s de la perfection** to attain the heights of perfection; **atteindre un ~** *or* **des ~s** [*prix, ventes*] to peak; **un des ~s de la littérature suédoise** (écrivain, texte) one of the greats of Swedish literature; **4** (rencontre) summit; **~ franco-allemand** Franco-German summit; **conférence au ~** summit meeting; **se réunir au ~** to meet at the summit; **le ~ européen de Bruxelles** the European summit in Brussels; **5** Math (de triangle, d'angle) apex; (de cône, volume) vertex

sommier /sɔmje/ *nm* **1** (de lit) (bed) base; **~ tapissier** *or* **à ressorts** bed base GB, box spring US; **~ métallique** wire bed frame; **~ à lattes de bois** slatted bed base; **2** Mus (d'orgue) wind chest; (de piano, clavecin) pin block; **3** Constr (d'arc, de voûte) springer; (de porte, fenêtre) lintel; (de grille) crossbar; **4** Jur (fichier) criminal records (*pl*)

sommité /sɔmmite/ *nf* (expert) leading expert (**en** in); **~ de la médecine** leading medical expert; **~ des sciences sociales** leading expert in social science

somnambule /sɔmnɑ̃byl/
A *adj* **être ~** to sleepwalk; **elle a un enfant ~** one of her children sleepwalks
B *nmf* sleepwalker, somnambulist spéc; **agir en** *or* **comme un ~** to act as if in a trance

somnambulisme /sɔmnɑ̃bylism/ *nm* sleepwalking, somnambulism spéc

somnifère /sɔmnifɛʀ/
A *adj* [*produit, propriété*] soporific
B *nm* (médicament) sleeping drug; (comprimé) sleeping pill; **ce livre est un ~** fig this book is soporific

somnolence /sɔmnɔlɑ̃s/ *nf* **1** lit drowsiness; **en état de ~** in a drowsy state; **2** fig lethargy; **un pays en état de ~** a country in a state of lethargy

somnolent, ~e /sɔmnɔlɑ̃, ɑ̃t/ *adj* **1** lit [*personne*] drowsy; **2** fig [*attention*] flagging; [*ville*] sleepy; [*industrie, pays, marché*] lethargic

somnoler /sɔmnɔle/ [1] *vi* **1** lit [*personne*] to drowse; **2** fig [*ville*] to be sleepy; [*marché, industrie, pays*] to be lethargic

somptuaire /sɔ̃ptɥɛʀ/ *adj* **1** Antiq, Hist [*loi, édit*] sumptuary; **2** (excessif) controv [*dépense*] lavish

somptueusement /sɔ̃ptɥøzmɑ̃/ *adv* sumptuously

somptueux, -euse /sɔ̃ptɥø, øz/ *adj* sumptuous

somptuosité /sɔ̃ptɥozite/ *nf* liter sumptuousness

S

son¹, **sa**, *pl* **ses** /sɔ̃, sa, se/ *adj poss*

> ⚠ En anglais, le choix du possessif de la troisième personne du singulier est déterminé par le genre du 'possesseur'. Sont du masculin: les personnes de sexe masculin et les animaux domestiques mâles; sont du féminin: les personnes de sexe féminin, les animaux domestiques femelles et souvent les navires; sont du neutre: les animaux non domestiques et les non-animés. La forme masculine est *his*: *sa femme/moustache* = his wife/moustache; *son ordinateur* = his computer; *sa niche* = his kennel. La forme féminine est *her*: *son mari/ordinateur* = her husband/computer; *sa robe* = her dress; *sa niche* = her kennel. La forme neutre est *its*. Quand le 'possesseur' est indéterminé on peut dire *one's*: *faire ses devoirs* = to do one's homework. On ne répète pas le possessif coordonné: *sa robe et son manteau* = her dress and coat.

ses enfants à elle○ her children; **~ étourdie de sœur**○ his/her absent-minded sister; **Sa Majesté** His/Her Majesty; **il nous a fait sa crise** he threw one of his fits; **un de ses amis** a friend of his/hers; **elle a ~ lundi** (cette semaine) she's off on Monday; (toutes les semaines) she gets Mondays off; **elle doit gagner ses 5 000 euros** she must make 5,000 euros; **il en est à sa troisième grippe** it's the third time he's had flu GB *ou* the flu; **elle sait parfaitement sa géographie** she's awfully good at geography; **je ne sais pas ce qu'elle lui trouve, à ~ Georges**○ I don't know what she sees in Georges; **il n'arrête pas de parler de ~ Zola**○ he keeps talking about his beloved Zola; **à sa vue, j'ai compris** when I saw him/her/it, I understood

son² /sɔ̃/ *nm* 1 (bruit) sound; **un ~ caverneux/plein/étouffé** a hollow/full/muffled sound; **émettre/percevoir un ~** to emit/to detect a sound; **le timbre et la hauteur d'un ~** the tone and pitch of a sound; **être réveillé au ~ du clairon** to be woken up by the sound of the bugle; **défiler au ~ d'une fanfare** to march to the beat of a band; **danser au ~ d'un orchestre** to dance to the music of a band; 2 (volume) volume; **baisser le ~** to turn the volume down; 3 Radio, Mus, TV, Cin sound; **équipe/ingénieur du ~** sound team/engineer; 4 (enveloppe du blé) bran; **des céréales au ~** cereals with bran; **pain au ~** bran loaf
(Composé) **~ et lumière** son et lumière
(Idiomes) **faire l'âne pour avoir du ~** to play stupid to get at the truth; **entendre plusieurs ~s de cloche** to hear several different versions (of the same thing)

sonal /sɔnal/ *nm* jingle

sonante /sɔnɑ̃t/ *nf* resonant vowel

sonar /sɔnaʀ/ *nm* Naut sonar; **détection au ~** detection by sonar

sonate /sɔnat/ *nf* sonata; **~ en sol mineur** sonata in G minor; **~ pour piano** piano sonata; **~ pour clarinette et piano** sonata for clarinet and piano

sonatine /sɔnatin/ *nf* sonatina

sondage /sɔ̃daʒ/ *nm* 1 (enquête) (pour opinion) poll Pol; (pour étude) survey; **~ d'opinion** Pol opinion poll; **faire un ~ auprès d'un groupe sur les habitudes alimentaires des Français** to carry out a survey among a group on the eating habits of the French; **je vais faire un ~ parmi mes collègues** I'm going to sound out my colleagues (**pour faire** to do); 2 Méd (pour évacuer, introduire) catheterization; (pour examiner) probing; **~ vésical** urinary *ou* bladder catheterization; 3 Météo, Naut, Pêche sounding; **~ par ballon** balloon sounding; 4 Géol, Mines (creusement) drilling; (trou de sonde) borehole; **~ destructif/diamant/rotatif** destructive/diamond core/rotary drilling
(Composé) **~ d'écoute** Radio, TV audience ratings poll

sonde /sɔ̃d/ *nf* 1 Méd (pour évacuer, introduire) catheter; (pour examiner) probe; 2 Naut, Pêche (plomb) sounding lead; (ligne) sounding line; **jeter la ~** to heave the lead; **naviguer à la ~** to navigate by sounding; 3 Météo sonde; 4 Géol, Mines drill; 5 Ind (pour produits alimentaires) taster; **~ à vin/fromage** wine/cheese taster
(Composés) **~ gastrique** Méd stomach tube; **~ pyrométrique** Tech pyrometer probe; **~ spatiale** Astronaut space probe; **~ thermométrique** Tech thermometer probe; **~ urétérale** Méd ureteric catheter; **~ urétrale** Méd urethral catheter

sondé, **~e** /sɔ̃de/ *nm,f* Sociol **les ~s** those polled; **20% des ~s** 20% of those polled

sonder /sɔ̃de/ [1] *vtr* 1 (enquêter) (pour opinion) to poll [*personne, groupe*]; (pour étude) to survey [*personne, groupe*]; (pour dévoiler) to sound [sb] out [*personne*]; to sound out [*intentions*]; **8% des personnes sondées avant les élections** 8% of those polled before the elections; 2 (fouiller) to probe [*ballot, couche de neige, mare*]; 3 Méd (pour évacuer, introduire dans) to catheterize [*organe*]; (pour examiner) to probe [*organe*]; 4 Météo to take soundings in [*atmosphère*]; 5 Naut to sound [*fond*]; 6 Géol, Mines to make test drills in [*sol, couche*]

sondeur, **-euse** /sɔ̃dœʀ, øz/
A *nm,f* 1 ▸ p. 532 (enquêteur) pollster; 2 Naut (personne) sounder; 3 Géol, Mines (personne) driller
B *nm* (appareil) Météo, Naut sounder; Géol, Mines driller
C **sondeuse** *nf* Géol, Mines (machine) drilling machine
(Composés) **~ acoustique** Mil, Naut echo sounder; **~ à ultrasons** Naut, Sci ultrasonic depth finder

songe /sɔ̃ʒ/ *nm* liter dream; **faire un ~** to have a dream; **en ~** [*voir, apparaître*] in a dream

songe-creux /sɔ̃ʒkʀø/ *nm inv* dreamer

songer /sɔ̃ʒe/ [13]
A **songer à** *vtr ind* **~ à qch/qn** to think of sth/sb; **~ à faire** to think of doing; **~ que** to think that; **si l'on songe que** if one thinks that; **quand on** *or* **si l'on y songe** when you come to think of it; **tant que j'y songe** while I'm thinking of it; **quand j'y songe** when I think of it; **il songe à changer de métier** he's thinking of changing jobs, he's contemplating a change of job; **songe qu'il ne te reste qu'un mois pour finir** remember that you've only got a month left to finish; **tu n'y songes pas!** you can't be serious!; **songez-y** (n'oubliez pas) bear it in mind; (réfléchissez) think about it; **je n'y avais même pas songé** it hadn't even occurred to me; **songe à ta réputation/ton avenir** think of *ou* consider your reputation/your future; **songe aux conséquences/à ce que tu leur dois** think of *ou* consider the consequences/how much you owe them; **songe à ta famille avant d'accepter cette offre** think of *ou* consider your family before you accept this offer; **je songeais à lui pour ce poste** I was thinking of *ou* considering him for the post
B †*vi* liter to daydream

songerie /sɔ̃ʒʀi/ *nf* daydreaming

songeur, **-euse** /sɔ̃ʒœʀ, øz/
A *adj* pensive; **avoir l'air ~** to look pensive; **dit-il, l'air ~** he said pensively; **ça me laisse ~** it has set me thinking
B *nm,f* liter dreamer

sonique /sɔnik/ *adj* [*barrière*] sound (*épith*)

sonnant, **~e** /sɔnɑ̃, ɑ̃t/ *adj* **à trois heures ~es** on the stroke of three
(Idiome) **payer/être payé en espèces ~es et trébuchantes** to pay/to be paid in cash

sonné, **~e** /sɔne/
A *pp* ▸ **sonner**
B *pp adj* 1 (étourdi) (physiquement) groggy; (moralement) shattered; **au deuxième round, il était déjà ~** he was already groggy in the second round; **il avait l'air ~ par son échec** he looked shattered at having failed; 2 (révolu) **il est six heures ~es** it has just struck six o'clock; **elle a quarante ans bien ~s**○ she's well into her forties; 3 ○(fou) nuts○

sonner /sɔne/ [1]
A *vtr* 1 (faire tinter) to ring [*cloche*]; 2 (annoncer) [*horloge*] to strike [*heure*]; [*personne*] to sound [*charge, retraite, alarme*]; to ring out [*vêpres, angélus*]; **l'horloge sonne les heures et les demies** the clock strikes on the hour and on the half-hour; 3 (faire venir) to ring for [*domestique, gardien, infirmière*]; **on ne t'a pas sonné**○! did anyone ask you?; 4 ○(faire vaciller) [*coup, boxeur*] to make [sb] dizzy [*personne*]; [*nouvelle, événement*] to stagger [*personne*]; [*vin, alcool*] to knock [sb] out [*personne*]
B **sonner de** *vtr ind* to sound [*cor, trompette*]; to play [*cornemuse*]
C *vi* 1 (se faire entendre) [*cloches, téléphone*] to ring; [*heure*] to strike; [*réveil*] to go off; [*alerte, alarme, trompette*] to sound; **minuit vient de ~** midnight has just struck; **l'heure n'a pas encore sonné** it hasn't struck the hour yet; **leur dernière heure a sonné** their last hour has come; **ta dernière heure a sonné**○! (menace) your time's run out!; **le temps de la retraite a sonné** the time has come to retire; **la fin des cours va ~ dans cinq minutes** the bell for the end of lessons will ring in five minutes; **il fait ~ son réveil à 5 heures** he sets his alarm for 5 o'clock; **les bottes faisaient ~ les dalles du palais** the floor of the palace rang with the sound of boots; 2 (rendre un son) [*mot, expression*] to sound; **ça sonne bien/mal** that sounds good/bad; **ta remarque sonnerait mal aux oreilles d'un peintre** your comment isn't the sort of thing a painter likes to hear; **mots qui sonnent mal dans la bouche d'un prêtre** words that are most unsuitable coming from a priest; 3 (actionner une sonnerie) to ring; **pour appeler l'infirmière, sonnez deux fois** to call the nurse, ring twice; **on a sonné à la porte** the doorbell has just rung; **va voir qui sonne** go and see who's at the door; **ça sonne chez le voisin** (à la porte) the neighbour[GB]'s bell's ringing; (au téléphone) the neighbour[GB]'s phone's ringing

sonnerie /sɔnʀi/ *nf* 1 (son) ringing; (de carillon) chimes (*pl*); (de téléphone) ring tone; **une ~ stridente** a clamorous ringing; **le réveil n'a pas marché ou je n'ai pas entendu la ~** the alarm-clock didn't go off or I didn't hear it; **je n'ai pas entendu la ~ du téléphone** I didn't hear the telephone ring; **système qui déclenche une ~ dès qu'on approche** system that sets off an alarm as soon as you go near it; 2 (air) sounding
(Composés) **~ électrique** electric bell; **~ militaire** (bugle) call

sonnet /sɔnɛ/ *nm* sonnet

sonnette /sɔnɛt/ *nf* 1 (de bicyclette, d'intérieur) bell; (de porte) doorbell; **actionner la ~** to ring the bell; **~ d'alarme/de nuit** alarm/night bell; **j'ai entendu un coup de ~** I heard the bell ring; **il y a eu un coup de ~** the bell rang; **tirer la ~ d'alarme** lit to pull the emergency cord; fig to sound the alarm; 2 Gén Civ pile-driver

sonneur /sɔnœʀ/ *nm* (de cloches) bell-ringer; (d'autres instruments) player
(Idiome) **dormir** *or* **ronfler comme un ~**○ to sleep like a log

sono○ /sɔno/ *nf*: *abbr* = **sonorisation 1, 2**

sonore /sɔnɔʀ/ *adj* 1 (éclatant) [*rire, baiser, gifle*] resounding; [*formules, paroles*] high-sounding; 2 (qui résonne) [*paroi*] resonant; [*pièce, couloir, voûte*] echoing; [*plancher*] hollow-sounding (*épith*); 3 (relatif au son) [*vibrations, source*] sound (*épith*); **le volume ~ est tel qu'il faut crier pour s'entendre** the noise level is so high that you have to shout to hear each other; 4 Cin, Radio **effets ~s** sound effects;

un document ~ a recording; 5▸ Phon [consonne, phonème] voiced

sonorisation /sɔnɔrizasjɔ̃/ *nf* 1▸ Tech (matériel) public address system, PA system; **installer la ~ dans une salle de conférence/une aérogare/une rue** to install a public address system in a conference room/an air terminal/a street; **installer la ~ dans un cinéma/une salle de bal** to install the sound system in a cinema/a ballroom; 2▸ Cin **la ~ d'un film** adding the soundtrack to a film; 3▸ Phon voicing (**de** of)

sonoriser /sɔnɔrize/ [1] *vtr* 1▸ (équiper d'une sonorisation) to install a public address system *ou* PA system in [*salle de conférences, rue*]; to install a sound system in [*salle de concert, cinéma*]; 2▸ Cin **~ un film** to add the soundtrack to a film; 3▸ Phon to voice [*consonne, phonème*]

sonorité /sɔnɔrite/ *nf* 1▸ Mus (d'un instrument, d'une voix) tone (**de** of); **la ~ grave d'un saxophone** the deep tone of a saxophone; **les ~s de l'italien** the sound of Italian; 2▸ Audio (d'une chaîne hi-fi) sound quality (**de** of); 3▸ (d'un plancher, mur) resonance (**de** of); **la ~ d'une maison vide** the hollow sound of an empty house; 4▸ Phon voicing (**de** of)

sonothèque /sɔnɔtɛk/ *nf* sound (effects) library

Sonotone® /sɔnɔtɔn/ *nm* hearing aid

sophisme /sɔfism/ *nm* sophism

sophiste /sɔfist/ *nm* sophist

sophistication /sɔfistikasjɔ̃/ *nf* sophistication

sophistique /sɔfistik/
A *adj* sophistic
B *nf* sophistry

sophistiqué, **~e** /sɔfistike/ *adj* (complexe) sophisticated; (artificiel) artificial, mannered

Sophocle /sɔfɔkl/ *npr* Sophocles

sophrologie /sɔfrɔlɔʒi/ *nf* relaxation therapy

soporifique /sɔpɔrifik/
A *adj* 1▸ Pharm soporific; 2▸ fig [*livre, cours*] soporific
B *nm* (médicament) sleeping drug

soprane /sɔpran/ = **soprano**

soprano /sɔprano/ ▸ **p. 141**
A *nm* (voix) soprano
B *nmf* (chanteur) (femme) soprano; (enfant) treble, soprano; **un(e) ~ lyrique/dramatique** a lyric/dramatic soprano

sorbet /sɔrbɛ/ *nm* sorbet; **~ (au) citron** lemon sorbet

sorbetière /sɔrbətjɛr/ *nf* ice-cream maker

sorbier /sɔrbje/ *nm* service tree; **~ des oiseleurs** rowan, mountain ash

sorbitol /sɔrbitɔl/ *nm* sorbitol

sorbonnard○, **~e** /sɔrbɔnar, ard/ *nm,f* students' slang *student or teacher at the Sorbonne*

Sorbonne: /sɔrbɔn/ *nfpr* **la ~** the Sorbonne

> **La Sorbonne**
> Founded in 1253 by Robert de Sorbon as a theological college, the Sorbonne is the oldest and best-known university institution in France. It is located in the centre of Paris in the *Quartier Latin* and houses *l'Université Paris IV*.

sorcellerie /sɔrsɛlri/ *nf* witchcraft; (maléfique) sorcery; **c'est de la ~!** fig it must be magic!

sorcier /sɔrsje/
A ○*adj m* **ce n'est (pourtant) pas ~!** (but) it's dead○ easy!
B *nm* 1▸ (magicien) wizard; (maléfique) sorcerer; 2▸ (guérisseur) witch doctor

sorcière /sɔrsjɛr/ *nf* witch; **c'est une vraie ~** she's a real old witch

sordide /sɔrdid/ *adj* [*habitation, rue, quartier*] squalid, sordid; [*conditions de vie, crime, détails*] sordid; [*avarice, égoïsme*] base

sordidement /sɔrdidmɑ̃/ *adv* [*vivre*] squalidly, sordidly; [*agir, se comporter*] basely

sorgho* /sɔrgo/ *nm* sorghum

Sorlingues /sɔrlɛ̃g/ ▸ **p. 435** *nprfpl* **les (îles) ~** the Scilly Isles, the Scillies

sornettes /sɔrnɛt/ *nfpl* tall stories

sort /sɔr/ *nm* 1▸ (condition) lot; **se plaindre de son ~** to complain of one's lot; **être satisfait de son ~** to be satisfied with one's lot; **améliorer son ~** to improve one's lot; 2▸ (destin) fate ₵; **remettre son ~ entre les mains de qn** to put one's fate in sb's hands; **le ~ en a décidé autrement** fate decided otherwise; **c'est un coup du ~** it's just one of those things; **il sera bientôt fixé sur son ~** he'll soon know his fate; **le ~ est contre moi** I'm ill-fated; **il a eu un ~ tragique** he came to a tragic end; **tirer au ~** to draw lots; **tirer qch au ~** to draw lots for sth; **le ~ des armes** the fortunes (*pl*) of war; **faire un ~ à**○ **un plat/une bouteille** fig to polish off○ a dish/a bottle

(Idiomes) **jeter un ~ à qn** to put a curse *ou* jinx on sb; **le ~ en est jeté** the die is cast

sortable /sɔrtabl/ *adj* 1▸ (supportable) **mon mari n'est pas ~** I can't take my husband anywhere; 2▸ (présentable) **tu n'es pas ~ dans cet état!** you're not fit to be seen!

sortant, **~e** /sɔrtɑ̃, ɑ̃t/ *adj* (susceptible d'être reconduit) [*député, président*] sitting; (non reconduit) [*député, président, équipe, champion*] outgoing

sorte /sɔrt/
A *nf* sort (**de** of), kind (**de** of); **des gens/problèmes de toutes ~s, toutes ~s de gens/problèmes** all sorts *ou* kinds of people/problems; **d'aucune ~** of any sort *ou* kind *ou* type; **une ~ de fenêtre/clé** a sort *ou* kind of window/key
B de la sorte *loc adv* [*agir, se comporter, mentir*] in this way; **je n'ai rien fait de la ~** I haven't done anything of the kind *ou* sort; **il ne l'entendent pas de la ~** they don't see it that way
C de sorte à *loc prép* (de manière à) so as to, in order to; **de ~ à ne pas faire** so as not to do
D de sorte que *loc conj* 1▸ (de but) so that; **de ~ que je puisse venir** so that I might come; 2▸ (de manière) in such a way that; **la toile est peinte de ~ que** the canvas is painted in such a way that; 3▸ (de conséquence) with the result that; **de ~ que je n'ai pas pu venir** with the result that I couldn't come
E en quelque sorte *loc adv* (pour ainsi dire) in a way
F en sorte de *loc prép* **fais en ~ d'être à l'heure** try to be on time
G en sorte que *loc conj* 1▸ (de but) **fais en ~ que tout soit en ordre** make sure everything is tidy; **faire en ~ qu'il comprenne** to make sure that he understands; 2▸ (de conséquence) so; **en ~ qu'il n'a rien compris** so he understood nothing

sortie /sɔrti/ *nf* 1▸ (lieu) exit; **la ~ est à gauche** the exit is to the left; **je t'attendrai à la ~** I'll wait for you outside (the building); **prenez la première ~** (sur une route) take the first exit; **'~'** (sur un panneau) 'exit', 'way out' GB; **trouver la ~** (de l'intérieur) to find one's way out; **la ~ est indiquée par une flèche** the exit *ou* way out GB is shown by an arrow; **raccompagner qn jusqu'à la ~** to see sb out; **à la ~ de la ville** (extra-muros) on the outskirts of the town; (intra-muros) on the edge of the town; **à la ~ ouest de la ville** on the western edge of the town; **les ~s de Paris sont encombrées** the roads out of Paris are busy; **surveiller la ~ des écoles** to patrol the school gates; **à la ~ du canal de Suez** at the mouth of the Suez canal
2▸ (moment) **à ma ~ du tribunal/de l'armée/de la réunion** when I left the court/the army/the meeting; **sa femme l'attendait à sa ~ de prison** his wife was waiting for him when he came out of prison; **depuis ma ~ de prison** since I came out of prison; **à leur ~ d'hôpital** when they came out of hospital; **prendre ses enfants à la ~ de l'école** to pick the children up after school; **se retrouver à la ~ de l'école/du théâtre** to meet after school/the play; **mendier à la ~ des cinémas/églises** to beg outside cinemas/churches; **être arrêté à sa ~ du territoire** to be arrested as one is leaving the country; **six mois après leur ~ de l'université** six months after they left college; **à la ~ de l'hiver** at the end of winter; **~ des usines/bureaux/magasins** knocking-off○ time; **à la ~ des usines/bureaux/magasins** when the factories/offices/shops GB *ou* stores US turn out GB *ou* lock up US; **l'heure de la ~** Scol home time; Entr knocking-off○ time
3▸ (départ) **faire une ~ fracassante/remarquée** [*personne*] to make a sensational/conspicuous exit; **je suis las de tes entrées et ~s continuelles** I'm tired of your constant comings and goings; **~ d'un navire** departure of a boat; **la ~ de la récession/crise** the end of the recession/crisis; **la ~ de la livre hors du SME** the withdrawal of the pound from the ERM; **la ~ des Républiques hors de l'union** the republics' withdrawal from the union; **le droit à la libre ~ du territoire** the right to travel freely abroad; **être interdit de ~ (du territoire)** to be forbidden to leave the country; **jusqu'à la ~ du ventre maternel** until the moment of birth
4▸ (activité) gén outing; **économiser sur les ~s** to cut down on outings; **faire une ~** to go on an outing; **être de ~**○ [*élèves*] to be on an outing; **faire une ~ avec l'école** to go on a school outing; **~ à la campagne** outing to the country; **ce soir, c'est mon soir de ~** tonight is my evening out; **le samedi est mon jour de ~** Saturday is my day out; **c'est la ~ du samedi soir** it's Saturday night out; **priver qn de ~** to forbid sb to go out; **première ~ d'un convalescent** a convalescent's first time out; **le patron est de ~**○ the boss is out; **première ~ en coupe du monde** Sport first game in the world cup
5▸ (commercialisation) (de nouveau modèle) launching ₵; (de film, disque) release; (de livre) publication; (de collection) presentation; (de nouveau journal) publication; **le film/livre a été interdit dès sa ~** the film/book was banned as soon as it came out; **lors de la ~ parisienne du film** when the film was released in Paris; **la ~ du journal est à six heures** the newspaper comes out at six o'clock; **le numéro a été entièrement vendu dès sa ~** the issue sold out as soon as it went on sale
6▸ ○(déclaration) remark; **faire une ~ désagréable** to make a nasty remark
7▸ Électron, Électrotech, Ordinat output; **données de ~** output data; **puissance de ~** output power; **signal de ~** output signal; **~ sur imprimante** (processus) printing; **faire une ~ sur imprimante** to print; **~ laser** (processus) hardcopy laser output; (feuille imprimée) laser hardcopy
8▸ Pol (retraite) retirement; **~ de la vie politique** retirement from political life
9▸ Théât (d'acteur) **~ (de scène)** exit; **il a été applaudi à sa ~ (de scène)** he was applauded as he left the stage; **rater**○ **sa ~** to fluff○ one's exit; ▸ **faux**[1]
10▸ Mil sortie; **~ de nuit** night sortie; **faire/tenter une ~** to make/to attempt a sortie
11▸ Compta (dépense) expenditure
12▸ Fin (de capitaux) outflow; **~ de fonds** cash outflow
13▸ Écon (de marchandises) export
14▸ Tech (orifice) outlet; **~ des gaz d'échappement** (processus) discharge of exhaust gases; **~ des eaux usées** (emplacement) sewage outfall; (processus) discharge of sewage

(Composés) **~ des artistes** Théât stage-door; **~ d'autoroute** exit; **~ de bain** Mode bathrobe; **être en ~ de bain** to be wearing a bathrobe; **~ de but** (au football) goal-kick; **~ en corner** corner; **'~ d'école'** (sur un panneau) 'school'; ~ **éducative** field trip; ~ **dans l'espace** spacewalk; **faire une ~ dans l'espace** to walk in space; ~ **de mêlée** (au rugby) heel-out; ~ **scolaire** (d'un jour) school outing; (de plus d'un jour) school trip; ~ **en touche** (au football) throw-in; ~ **(en touche) pour Pau** Pau throw-in; '~ **de véhicules'** (sur un panneau) 'vehicle exit'

(Idiome) **je t'attends** *or* **tu vas voir à la ~○!** I'll get you outside!

sortilège /sɔʀtilɛʒ/ *nm* spell; **les ~s de l'Orient** the magic of the East

sortir /sɔʀtiʀ/ [30]

A *nm* **au ~ de** at the end of; **au ~ de l'adolescence/mes études** at the end of adolescence/my studies

B *vtr* **1** (promener) to take [sb/sth] out [*personne, chien, cheval*]; ~ **un malade/son caniche** to take a patient/one's poodle out; **j'y vais moi-même, ça me sortira** I'll go myself, it'll give me a chance to get outside

2 ○(inviter) to take [sb] out [*personne*]; ~ **sa petite amie** to take one's girlfriend out

3 ○(expulser) to throw [sb] out, to chuck○ [sb] out [*personne*] (**de** of); to send [sb] out [*élève*]; **se faire ~ en quart de finale** to be knocked out in the quarterfinal

4 (mettre à l'extérieur) to get [sb/sth] out [*personne, papiers, parapluie, meubles de jardin, voiture, vêtements*] (**de** of); ~ **l'argenterie** to get out the silverware; ~ **qn du lit** to get sb out of bed; ~ **une bille de sa poche** to take a marble out of one's pocket; ~ **sa voiture en marche arrière** to reverse one's car out; ~ **les mains de ses poches** to take one's hands out of one's pockets; ~ **un couteau/revolver** to pull out a knife/revolver; ~ **le drapeau** to hang out the flag; ~ **les draps pour les aérer** to put out the sheets to air; ~ **du pus** to squeeze out pus; ~ **un point noir** to squeeze a blackhead; ~ **la poubelle/les ordures** to put the bin/the rubbish GB *ou* garbage US out; ~ **sa tête/langue** to poke one's head/tongue out; ~ **une carte** to bring out a card

5 (délivrer) ~ **qn de** to get sb out of; ~ **un ami de prison** to get a friend out of jail; ~ **un ami de sa dépression** to pull a friend out of his depression; ~ **une entreprise de ses difficultés** to get a company out of difficulties; ~ **qn de sa léthargie** to shake sb out of his/her lethargy

6 (commercialiser) to bring out [*livre, disque, modèle, nouveau produit, nouveau journal*]; to release [*film*]; to present [*collection*]

7 (produire) to turn out [*livre, disque, film, produit*]; ~ **mille téléviseurs par jour** to turn out one thousand televisions a day

8 Imprim to bring [sth] out [*exemplaire, numéro, journal*]

9 Ordinat [*ordinateur*] to output [*données, résultats*]

10 (exporter) (légalement) to export [*marchandises*] (**de** from); (illégalement) to smuggle [sth] out [*marchandises*] (**de** of)

11 ○(dire) to come out with○ [*paroles*]; ~ **des énormités/insultes/âneries** to come out with rubbish/insults/nonsense; **il (nous) sort toujours des excuses** he's always coming out *ou* up with excuses; ~ **une blague** to crack a joke

C *vi* (+ *v être*) **1** (aller dehors) [*personne, animal*] to go out; (venir dehors) [*personne, animal*] to come out (**de** of); ~ **par la fenêtre/la porte de derrière** to go out through the window/the back door; ~ **dans la rue/sur le balcon** to go out in the streets/on the balcony; ~ **faire un tour** (à pied) to go out for a walk; (à vélo, cheval) to go out for a ride; (en voiture) to go out for a drive; ~ **faire des courses** to go out shopping; ~ **déjeuner** to go out for lunch; **être sorti** to be out; **sortez les mains en l'air!** come out with your hands up!; **sortez et ne revenez pas!** get out and don't come back!; ~ **discrètement** to slip out (**de** of); ~ **en vitesse** to rush out; ~ **en courant** to run out; ~ **en trombe de sa chambre** to burst out of one's room; **faire ~ qn** to get sb outside; **faire ~ son chien** to take one's dog out; **laisser ~ qn** to allow sb out; **laisser ~ les élèves** (à la fin de la classe) to dismiss the class; **empêcher de ~** to keep [sb/sth] in [*personne, animal*]; ~ **dans l'espace** to space walk; ~ **de scène** to leave the stage; **Figaro sort** exit Figaro; **Figaro et Almaviva sortent** exeunt Figaro and Almaviva; ▸ **devant[1]**, **œil**

2 (passer du temps dehors) to go out; ~ **tous les soirs/avec des amis** to go out every night/with friends; ~ **au restaurant** to go out to a restaurant; ~ **avec qn** to go out with sb; **inviter qn à sortir** to ask sb out; ~ **en ville** to go out on the town

3 (quitter un lieu) ~ **de** to leave; ~ **de chez qn** to leave sb's house; ~ **d'une réunion** to leave a meeting; ~ **du port** [*navire*] to leave port; ~ **du pays** [*personne, marchandise*] to leave the country; ~ **de chez soi** to go out; ~ **de la pièce** to walk out of the room; **sortez d'ici/de là!** get out of here/of there!; ~ **de son lit/son bain** [*personne*] to get out of bed/the bath; ~ **de la route** [*véhicule*] to leave the road; ~ **de la famille** [*bijou, tableau*] to go out of the family; ~ **tout chaud du four** to be hot from the oven; ▸ **loup**

4 (venir d'un lieu) ~ **de** to come out of; ~ **de chez le médecin** to come out of the doctor's; ~ **de sa chambre en chemise de nuit** to come out of one's room in one's nightgown

5 (quitter un état, une situation) ~ **d'un profond sommeil/d'un rêve** to wake up from a deep sleep/from a dream; ~ **de son mutisme** *or* **silence** to break one's silence; ~ **de l'adolescence** to come out of adolescence; ~ **de la récession** to pull out of the recession; ~ **d'un cercle vicieux** to break out of a vicious circle; ~ **de soi** to lose control of oneself; ~ **de l'hiver** to reach the end of winter; **on n'en sort jamais○** there's no end to it; **on n'en sortira jamais!** (problème) we'll never see the end of it!; (embouteillage) we'll never get out of it!; **il refuse d'en ~○** (changer d'avis) he won't budge an inch○; **il n'y a pas à ~ de là○** there's no two ways about it○

6 (venir de quitter un état) ~ **à peine de l'enfance** to be just emerging from childhood; ~ **de maladie/d'une dépression** to be recovering from an illness/from a bout of depression; ~ **d'une crise/guerre** to emerge from a crisis/war

7 (émerger) to come out; ~ **différent/désenchanté/déçu** to come out different/disenchanted/disappointed; **elle est sortie de sa dépression très affaiblie** after her depression she was a mere shadow of her former self

8 (s'échapper) [*eau, air, étincelle, fumée*] to come out (**de** of; **par** through); **le bouchon ne sort pas** the cork won't come out; **l'eau sort du robinet** the water comes out of the tap GB *ou* faucet US; **une odeur sort de la pièce** there's a smell coming from the room; **faire ~** to squeeze [sth] out [*pâte, colle, eau, jus*] (**de** of); to eject [*cassette*] (**de** from); ~ **en masse** [*personnes*] to pour out; ▸ **vérité**

9 (pousser) [*plante, insecte*] to come out; [*dent*] to come through; **les bourgeons sortent** the buds are coming out; ~ **de terre** [*plante*] to spring up; [*bâtiment*] to rise from the ground; **il lui est sorti une dent** he/she's cut a tooth

10 (dépasser) to stick out; **il y a un clou qui sort** there's a nail sticking out; ~ **de l'eau à marée basse** [*roche*] to stick out of the water at low tide

11 (être commercialisé) [*film, disque, livre, nouveau modèle, nouveau produit, collection*] to come out; **Le Monde sort l'après-midi** Le Monde goes on sale in the afternoon; ~ **tous les jours/toutes les semaines/tous les mois** [*journal, périodique*] to be published daily/weekly/monthly; ~ **de la chaîne** [*produit industriel*] to come off the production line; ~ **des presses** [*journal, livre*] to come off the press; **ça sort tout juste des presses** it's hot off the press

12 (provenir) [*personne, produit*] to come from; ~ **d'un milieu intellectuel/d'une famille de banquiers** to come from an intellectual background/from a family of bankers; ~ **de Berkeley** Univ to have graduated from Berkeley; ~ **de chez Hachette** to have been with Hachette previously; **d'où sors-tu à cette heure○?** where have you been?; **d'où sors-tu comme ça○?** what have you been doing to look like that?; **d'où sort-il celui-là○?** what planet's he from○?

13 (être en dehors) ~ **du sujet** [*personne*] to wander off the subject; [*remarque*] to be beside the point; **cela sort de ma compétence/de mes fonctions** that's not in my brief/within my authority

14 (être tiré) [*numéro, sujet*] to come up; **c'est le 17 qui est sorti** it was (number) 17 that came up

15 Ordinat to exit

D **se sortir** *vpr* **1** (échapper) **se ~ d'une situation difficile** to get out of a predicament; **se ~ de la pauvreté** to escape from poverty; **se ~ d'une dépression** to come out of a bout of depression; **se ~ d'une épreuve** to come through an ordeal; **s'en ~** (situation difficile) to get out of it; (maladie) to get over it; **s'en ~ vivant** to escape with one's life

2 (se débrouiller) **s'en ~** gén to pull through; (financièrement) to cope; (intellectuellement, manuellement, physiquement) to manage; **tu t'en sors?** can you manage?; **s'en ~ tant bien que mal** to struggle through; **s'en ~ à peine** (financièrement) to scrape a living

(Idiome) ~ **par les trous de nez○** to get up one's nose○

SOS /ɛsoɛs/ *nm* **1** (signal) SOS; **lancer un ~** to send out an SOS; **2** (service) emergency service; ~ **médecins/poisons** doctors'/poison emergency service; ~ **dépannage** emergency breakdown service; **3** (ligne téléphonique) helpline; ~ **enfants battus/tabac** child abuse/smokers' helpline

(Composé) ~ **racisme** *anti-racist organization in France*

sosie /sɔzi/ *nm* double; **Paul est le ~ de son père** Paul is the spitting image of his father; **c'est ton ~!** he/she's the spitting image of you!

sot, sotte /so, sɔt/

A *adj* [*personne, idée, projet*] silly

B *nm,f* silly thing; **tu es un ~** you're a silly thing; **petit ~!** you silly thing!

(Idiome) **il n'y a pas de ~s métiers** Prov no profession is without merit

sotie = **sottie**

sot-l'y-laisse /solilɛs/ *nm inv* oyster (*of fowl*)

sottement /sɔtmɑ̃/ *adv* foolishly, stupidly

sottie /sɔti/ *nf*: *satirical farce of 15th and 16th centuries*

sottise /sɔtiz/ *nf* **1** (manque de jugement) silliness, foolishness; **d'une ~ impensable** incredibly silly; **avoir la ~ de faire/dire** to be silly enough to do/say; **2** (parole) silly *ou* foolish remark; **dire des ~s** to talk rubbish; **il a encore dit une ~** he made another silly remark; **3** (acte) **c'est une ~ de faire** it's silly to do; **faire une ~** to do something silly; **commettre la ~ de faire** to be silly enough to do; **faire des ~s** [*enfants*] to be naughty

sottisier /sɔtizje/ *nm* collection of howlers○

sou /su/ *nm* **1** fig (petite monnaie) penny GB, cent US; **ça ne m'a pas coûté un ~** it didn't cost me a penny; **je ne veux pas payer un ~ de plus** I don't want to pay a penny more; **cette affaire ne rapporte pas un ~** this business doesn't make a penny; **il est arrivé/reparti sans le** *or* **un ~** he arrived/left without a penny; **je n'ai pas le premier ~** I haven't got a single penny GB *ou* a red cent US; **je n'ai pas un ~** I haven't got two pennies to rub together GB, I'm broke○; **être sans le ~** to be penniless; **un touriste sans le ~** a penniless tourist; **économiser ~ par** *or* **à ~** to scrimp

S

and save; **il est près de ses ~s** he's a penny-pincher; **c'est une affaire de gros ~s** there's big money involved; **un manteau de quatre ~s** a cheap coat; ▸ **vaillant**; [2] fig (petite quantité) **il n'a pas un ~** *or* **deux ~s de bon sens/talent** he hasn't got a scrap of common sense/talent; **il n'a pas un ~ de méchanceté** he hasn't got a hint of malice in him; [3] Hist (pièce) sou; ▸ **appareil, machine**; [4] Can (centième de dollar) cent; [5] Helv (cinq centimes suisses) five Swiss centimes

(Idiomes) **un ~ est un ~** every penny counts; **être propre comme un ~ neuf** to be clean as a new pin○; **s'embêter**○ *or* **s'ennuyer à cent ~s de l'heure** to be bored to death

soubassement /subɑsmɑ̃/ *nm* [1] Constr (de bâtiment) base, base course; (de colonne) base; [2] Géol bedrock; [3] (d'affaire, de montage financier) bedrock

soubresaut /subʀəso/ *nm* (de personne, animal) start; (de véhicule) jolt; **avoir un ~** [*personne, animal*] to give a start; [*véhicule*] to give a jolt; **les derniers ~s** (de personne, d'animal, empire) the death throes

soubrette /subʀɛt/ *nf* maid

souche /suʃ/ *nf* [1] (d'arbre) (tree) stump; (de vigne) stock; [2] (origine) stock; **de ~ paysanne** of peasant stock; **de vieille/bonne ~** of old/good stock; **être français de ~** to be French born and bred; **faire ~** to establish a line; [3] Biol strain; **~ virale/bactérienne** virus/bacterial strain; [4] (de carnet, livret) stub

(Idiomes) **dormir comme une ~** to sleep like a log; **rester (planté) comme une ~** to be rooted to the spot

souci /susi/ *nm* [1] (inquiétude) **se faire du ~** to worry (**pour, à propos de** about); **se faire beaucoup de ~** to worry a lot; **ne te fais pas de ~** don't worry; **je ne me fais pas de ~ pour lui** I'm not worried about him; **tu te fais du ~ pour rien** there's nothing to worry about; **oh, lui il ne se fait pas de ~** oh, he doesn't worry too much about things; **donner (bien) du ~ à qn** to be a (great) worry to sb; [2] (problème) problem; **avoir des ~s** to have problems; **avoir de gros ~s d'argent/de santé/financiers** to have serious money/health/financial problems; **cela t'évitera bien des ~s** you'll save yourself a lot of problems *ou* trouble; **j'ai d'autres ~s (en tête)** I've got other things to worry about; **être sans ~s** to have no worries; **c'est le cadet** *or* **le moindre de mes ~s** that's the least of my worries; **leur unique ~ est de faire** all they care about is doing; [3] fml (soin) **avoir le ~ de qch** to care about sth; **avoir le ~ de faire** to be anxious to do; **leur ~ de la qualité/du réalisme** their concern for quality/realism; **avoir le ~ de la qualité/du réalisme** to care about quality/realism; **dans le ~ de qch/de faire** with a view to sth/to doing; **dans un ~ de diversification** with a view to diversification; **dans le seul ~ de faire plaisir/de nous être agréable** with the sole desire of pleasing/of being nice to us; **répondre à un ~ de justice** to satisfy a desire for justice; **il a agi dans l'unique ~ de vos intérêts** he acted solely out of concern for your interests; **sans ~ de qch/de faire** with no thought for sth/of doing; [4] Bot marigold; **~ d'eau** marsh marigold; **~ des jardins** pot marigold

soucier: **se soucier** /susje/ [2] *vpr* to care (**de qch** about sth; **de faire** about doing); **il ne se soucie guère de sa santé/son avenir** he cares little about his health/his future; **il ne se soucie pas de réussir/paraître** he doesn't care about success/his appearance; **sans se ~ de qch/faire** without concerning oneself with sth/doing

soucieux, -ieuse /susjø, øz/ *adj* [*personne, air, visage, ton*] worried; **il avait l'air ~** he looked worried; **rendre qn ~** to worry sb; **ça me rend ~ de voir** it worries me to see; **être ~ de** to be concerned about [*réputation, santé*]; to care about [*indépendance, qualité, avenir*]; **être peu ~ de** to care little about [*convenances, apparences*]; **être ~ de faire** to be anxious to do; **être peu ~ de faire** to care little about doing

soucoupe /sukup/ *nf* saucer

(Composé) **~ volante** flying saucer

(Idiome) **ouvrir des yeux (grands) comme des ~s** to open one's eyes wide (in amazement)

soudage /sudaʒ/ *nm* gén welding; (brasage) soldering; **~ autogène** autogenous welding; **~ à l'arc** arc welding; **~ par points** spot welding

soudain, ~e /sudɛ̃, ɛn/

A *adj* sudden, unexpected

B *adv* suddenly, all of a sudden

soudainement /sudɛnmɑ̃/ *adv* suddenly

soudaineté /sudɛnte/ *nf* suddenness

Soudan /sudɑ̃/ ▸ **p. 333** *nprm* Sudan

soudanais, ~e /sudanɛ, ɛz/ ▸ **p. 483, p. 561**

A *adj* Sudanese

B *nm* Ling Sudanic

Soudanais, ~e /sudanɛ, ɛz/ ▸ **p. 561** *nm,f* Sudanese man/woman; **les ~** the Sudanese

soudard /sudaʀ/ *nm* [1] (individu grossier) liter boor; [2] Hist soldier

soude /sud/ *nf* [1] Chimie soda; **~ caustique** caustic soda; **~ du commerce** *or* **ménagère** washing soda; [2] Bot saltwort

souder /sude/ [1]

A *vtr* [1] Tech (travail du métal) gén to weld; (braser) to solder; (travail des plastiques) to seal; [2] (réunir) to join [*bords, extrémités*] (**à** to); fig to bind [sb] together [*personnes*]; **comité bien soudé autour de son président** committee united behind its chairman; [3] Culin to seal [*bords, pâte, couvercle*]

B se souder *vpr* [1] lit [*vertèbres*] to fuse; [*os*] to knit together; [2] fig [*équipe*] to become united; [*personnes*] to be brought closer together

soudeur /sudœʀ/ ▸ **p. 532** *nm* welder

soudoyer /sudwaje/ [23] *vtr* to bribe; **se faire ~** to be bribed

soudure /sudyʀ/ *nf* [1] Tech (joint) weld, join; (fil à souder) solder; (opération) gén welding; (brasage) soldering; **~ autogène** welding; **~ à l'arc** arc welding; [2] Méd (de vertèbres) fusing; Bot (de pétales) fusing; [3] (transition) **faire la ~** (entre deux systèmes, récoltes) to bridge the gap (**entre** between); (entre deux rentrées d'argent) to make ends meet

soufflage /suflaʒ/ *nm* **~ du verre** glass-blowing; **~ à la bouche** hand-blowing; **~ de la fonte** iron-blowing

soufflant, ~e /suflɑ̃, ɑ̃t/

A *adj* [1] (essoufflé) breathless; [2] Tech **machine ~e** blowing apparatus; [3] ○(étonnant) stunning

B ◑*nm* (arme) gun-shooter○

C soufflante *nf* [1] Ind (en verrerie) blowing machine; (en métallurgie) blower; [2] Mécan blowing-down engine

souffle /sufl/ *nm* [1] Physiol (respiration) breath; **retenir/reprendre son ~** to hold/to catch one's breath; **avoir le ~ court** to be short of breath; **retrouver son ~** lit, fig to get one's breath back; **couper le ~ à qn** lit to wind sb; fig to take sb's breath away; **à couper le ~** [*beauté, vitesse*] breathtaking; [*beau*] breathtakingly; **(en) avoir le ~ coupé** lit to be winded; fig to be speechless; **être à bout de ~** [*personne*] to be out of breath; [*pays, économie*] to be running out of steam; **travailler jusqu'à en perdre le ~** to work till one drops; **jusqu'au dernier ~** till one's dying breath; **dire qch dans un ~** to say sth in a whisper; **parler dans un même ~ de ceci et de cela** to speak in the same breath of this and that; **retrouver un deuxième** *or* **second** *or* **nouveau ~** (après un effort) [*personne*] to get one's second wind; (après un marasme, vieillissement) [*pays, entreprise, activité, personne, machine*] to get a new lease of GB *ou* on US life; **donner un deuxième** *or* **second** *or* **nouveau ~ à qn/qch** [*personne, décision, changement*] to put new life into sb/sth; **avoir du ~** lit [*trompettiste*] to have good lungs; [*acteur, chanteur*] to have a powerful voice; [*sportif*] to be fit; fig (avoir de l'endurance) [*personne*] to have staying power; [*moteur*] to be powerful; (avoir de l'esprit) [*auteur, œuvre*] to be inspired; (avoir de l'audace)○ to have nerve; **avoir un ~ de marathonien** to have the stamina of a marathon runner; **manquer de ~** lit [*personne*] to be short of breath; fig (manquer d'endurance) [*personne*] to lack staying power; (manquer d'esprit) [*œuvre*] to lack that vital spark; ▸ **rendre**; [2] (bruit de respiration) breathing; **~ léger/précipité** light/rapid breathing; [3] (brise) breeze; **~ parfumé** scented breeze; **pas un ~ (de vent/d'air)** not a breath of wind/of air; **au moindre ~** at the slightest breeze; [4] (esprit) spirit; **~ révolutionnaire/olympique** revolutionary/Olympic spirit; **~ de la liberté/révolte** spirit of freedom/rebellion; [5] (force) inspiration; **~ d'un film/roman/discours** inspiration of a film/novel/speech; **~ créateur** creative inspiration; **~ vital** breath of life; [6] (élément) touch; **~ de génie** touch of genius; [7] Phys (d'explosion, de réacteur, ventilateur) blast; [8] Méd (en cardiologie) murmur; **~ au cœur** heart murmur; **~ diastolique/systolique** diastolic/systolic murmur

(Idiomes) **être battu/échouer d'un ~** to be beaten/to fail by a whisker GB *ou* hair US; **sentir le ~ de la mort** to feel the cold hand of death

soufflé, ~e /sufle/

A *pp* ▸ **souffler**

B *pp adj* [1] ○(stupéfait) flabbergasted; **en rester ~** to be flabbergasted; [2] Ind [*bitume, huile, pâte*] blown; [3] Culin [*omelette, pommes de terre*] souffléed

C *nm* Culin soufflé; **~ au fromage/chocolat** cheese/chocolate soufflé

(Idiome) **retomber comme un ~** to come to nothing, to fall flat○

souffler /sufle/ [1]

A *vtr* [1] (éteindre) to blow out [*bougie, lampe*]; [2] (envoyer) to blow [*air, odeur, poussière*]; **le ventilateur souffle de l'air froid** the fan is blowing cold air; **~ de la fumée au visage/dans les yeux de qn** to blow smoke in sb's face/eyes; **ne me souffle pas ton haleine au visage** don't breathe all over me; [3] (chuchoter) to whisper [*mots, texte*] (**à qn** to sb; **que** that); **~ qch à l'oreille de qn** to whisper sth into sb's ear; **je t'aime, souffla-t-il** I love you, he whispered; **~ la réplique à un acteur** Théât to prompt an actor, to give an actor a prompt; [4] (suggérer) to suggest [*idée, nom*] (**à** to); **elle m'a soufflé l'idée** she suggested the idea to me; **on lui a soufflé la réponse** sb told him/her the answer; [5] Ind to blow [*verre, bouteille*]; to blast [*métal*]; [6] (détruire) [*explosion, bombe*] to blow out [*vitre*]; to blast [*construction*]; [7] Jeux (aux dames) to huff [*pièce*]; [8] ○(prendre) to pinch○ [*travail, propriété*] (**à** from); to whip away○ [*contrat*] (**à** from); **mon meilleur ami m'a soufflé mon poste et ma femme** my best friend pinched my job and my wife; [9] ○(stupéfier) to flabbergast; **j'ai été soufflé d'apprendre la nouvelle** I was flabbergasted to hear the news

B *vi* [1] Météo [*vent*] to blow; **~ en** *or* **par rafales** to blow in gusts; **le vent souffle fort** there's a strong wind; **ça souffle** it's windy; **le vent souffle en tempête** there's a gale-force wind; [2] (se propager) [*vent de révolte, liberté*] to blow; **le vent de la liberté souffle dans le pays/sur tout le continent** the wind of freedom is sweeping through the country/through the continent; **un vent de folie souffle sur le stade** frenzy is sweeping through the stadium; [3] (reprendre sa respiration) to get one's breath back; [*cheval*] to get its wind back; fig [*personne, économie*] to take a breather○; **laisse-moi ~!** let me get my breath back!; (pour rembourser) give me a breather!; **le pays peut enfin ~** the country can relax at last;

[4] (respirer difficilement) to puff; **suant et soufflant** huffing and puffing; [5] (produire un souffle) *[personne, animal]* to blow; **~ doucement** to blow gently; **~ dans une trompette** to blow a trumpet; **~ sur son thé** to blow on one's tea; **~ sur une bougie** to blow out a candle; **souffle fort!** (pour te moucher) have a good blow!; **~ sur le feu** lit to blow on the fire; fig to inflame the situation; **il suffirait de lui ~ dessus pour qu'elle tombe** one puff of wind would blow her over; [6] (donner la réponse) to tell sb the answer; **on ne souffle pas!** no prompting!

(Idiomes) **~ le chaud et le froid** to blow hot and cold; **~ comme un bœuf** *or* **un phoque** *or* **une locomotive** to puff and pant

soufflerie /sufləʀi/ *nf* [1] Tech (d'expérimentation) wind tunnel; **essais en ~** wind tunnel testing; [2] (d'orgue, de forge, four) bellows (*pl*); [3] (machine) blower; (lieu) blower house; [4] (de verre) (machine) glassblower; (entreprise) glassblowing company

soufflet /suflɛ/ *nm* [1] Tech (de cheminée, forge, d'orgue, appareil photo) bellows (*pl*); [2] Rail (de wagon) concertina vestibule; [3] (de chaussure, poche) gusset; [4] †(gifle) slap; **donner/recevoir un ~** to give/to get a slap

(Composé) **~ de vitesses** Aut gear-lever GB *ou* gear-shift US grommet

souffleter† /suflәte/ [20] *vtr* **~ qn** to slap sb's face

souffleur, **-euse** /suflœʀ, øz/

A *nm,f* [1] ▸ p. 532 Théât prompter; [2] Ind **~ (de verre)** glassblower

B *nm* Zool (dauphin) bottle-nosed dolphin

C **souffleuse** *nf* Agric (à grains) seed blower

souffrance /sufʀɑ̃s/ *nf* suffering ¢; **la ~ physique/morale** physical/moral suffering; **abréger les ~s d'un animal** to put an animal out of its misery; **en ~** *[projet, dossier]* pending; **laisser une affaire en ~** to leave a matter pending; **colis en ~** (non livré) parcel awaiting delivery; (non réclamé) unclaimed parcel

souffrant, **~e** /sufʀɑ̃, ɑ̃t/ *adj* unwell; **être ~** to be unwell; **le patron, ~, a dû annuler la réunion** the boss was unwell and had to cancel the meeting

souffre-douleur* /sufʀәdulœʀ/ *nm inv* punch-bag GB, punching-bag US

souffreteux, **-euse** /sufʀәtø, øz/ *adj* *[enfant, vieillard]* sickly

souffrir /sufʀiʀ/ [4]

A *vtr* [1] (supporter) **~ tout de qn** to put up with anything from sb; **il ne souffre pas la critique** he can't take criticism; **il ne souffre pas d'être interrompu/contredit** he can't stand being interrupted/contradicted; **elle ne peut plus le ~** she can't stand him any more; [2] (permettre) fml **souffrez que je vous dise** allow me to tell you; **cette affaire ne peut ~ aucun retard** this matter brooks no delay sout; **la règle souffre quelques exceptions** this rule does admit of a few exceptions sout

B *vi* [1] (physiquement) *[personne, animal]* to suffer; **il a beaucoup souffert** he has suffered a great deal *ou* a lot; **~ en silence** to suffer in silence; **faire ~ qn/un animal** to cause sb/an animal suffering; **~ de qch** to suffer from *[cancer, rhumatismes, diabète, malformation]*; **~ du dos/de l'estomac/du genou** to suffer from back/stomach/knee problems; **les enfants qui souffrent de malnutrition** children suffering from malnutrition; **~ du froid/de la chaleur/du manque d'eau** to suffer from the cold/from the heat/from lack of water; **ma blessure/cheville me fait ~** my wound/ankle hurts; **mes chaussures me font ~** my shoes are hurting me; **j'ai souffert chez le dentiste** I suffered at the dentist's; **est-ce qu'il souffre?** is he in pain?; [2] (moralement) *[personne]* to suffer; **faire ~** *[personne]* to make [sb] suffer; *[problème, situation]* to upset; **~ de** to suffer from *[trac]*; **~ de la discrimination/du racisme** to be a victim of discrimination/of racism; **ils souffrent de l'éloignement d'avec leurs enfants** they are finding it painful to be separated from their children; **~ d'être rejeté/d'être incompris** to suffer the pain of rejection/of being misunderstood; **ils souffrent de ne pas se voir/de ne rien pouvoir faire** they find it painful to be separated/to be unable to do anything; **elle souffre de voir que** it upsets her to see that; [3] (être endommagé) *[cultures, vigne, secteur, économie]* to be badly affected (**de** by); *[pays, région, ville]* to suffer (**de** from); [4] ○(peiner) *[personne, équipe]* to have a hard time (**pour faire** doing); **j'ai fini la course mais j'ai souffert!** I finished the race but it was tough!

C **se souffrir** *vpr* **ils ne peuvent pas se ~** they can't stand each other

soufisme /sufism/ *nm* Sufism

soufrage /sufʀaʒ/ *nm* sulphurization[GB]

soufre /sufʀ/ *nm* sulphur[GB]; **odeur de ~** lit, fig smell of sulphur[GB]; **jaune ~** sulphur[GB]-yellow

(Idiome) **sentir le ~** to smack of heresy

soufrer /sufʀe/ [1] *vtr* to sulphurate[GB] *[étoffe, laine]*; to sulphur[GB] *[allumette]*; to treat [sth] with sulphur[GB] *[vigne]*

soufrière /sufʀijɛʀ/ *nf* sulphur[GB] mine

souhait /swɛ/ *nm* wish; **c'est mon ~ le plus cher** it's my dearest wish; **émettre/formuler un ~** to express/to make a wish; **exaucer un ~** to grant a wish; **répondre aux ~s de qn** *[proposition, situation]* to suit sb; **à ~** *[stupide, beau]* incredibly; **fruit doré à ~** perfectly ripe fruit

(Idiome) **à vos ~s!** bless you!

souhaitable /swɛtabl/ *adj* desirable; **il est/serait ~ de faire** it is/would be desirable to do

souhaiter /swete/ [1] *vtr* [1] (espérer) to hope for; **~ la fin de la crise** to hope for an end to the crisis; **~ que** to hope that; **il est à ~ que tout se passe bien** it is to be hoped that everything will go well; **c'est une expérience que je ne souhaite à personne** it's an experience I wouldn't wish on anyone; [2] (exprimer) **~ qch à qn** to wish sb sth; **je souhaite un avenir prospère à cette entreprise** I wish the company a prosperous future; **~ bonne chance/(la) bonne année à qn** to wish sb luck/a happy New Year; **je vous souhaite une bonne et heureuse année** I wish you a happy New Year; **~ la bienvenue à qn** to welcome sb, to bid sb welcome; **~ beaucoup de bonheur à qn** to wish sb every happiness; **je vous souhaite d'obtenir très bientôt votre diplôme** I hope you get your degree very soon; [3] (désirer) **il souhaite** *or* **souhaiterait se rendre là-bas en voiture** he would like to go by car; **nous souhaiterions que vous veniez dès que possible** we would like you to come as soon as possible

souillé, **~e** /suje/

A *pp* ▸ **souiller**

B *pp adj* dirty, soiled; **être ~ de** to be stained with

souiller /suje/ [1] *vtr* [1] (salir, polluer) to soil, to make [sth] dirty; **~ son lit** to soil one's bed; **~ qch de qch** to soil sth with sth; [2] (rendre impur) liter to defile *[lieu, personne]*; to sully *[mémoire, réputation]*

souillon /sujɔ̃/ *nf* sloven, slob○, slattern†

souillure /sujyʀ/ *nf* [1] (flétrissure morale) stain, taint; [2] (saleté) stain

souk /suk/ *nm* [1] (marché arabe) souk; [2] ○(désordre) mess; (bruit) racket○; **mettre le ~ dans qch** to make a mess of *[placard, papiers]*; to make a mess in *[pièce]*; **faire le ~** to make a racket○

soul /sul/ Mus

A *adj inv* soul

B *nf* soul (music)

soûl, **~e*** /su, sul/

A *adj* [1] (ivre) drunk; **un peu/complètement ~** a bit/completely drunk; **être fin ~**○ to be blind drunk; [2] fig (grisé) drunk (**de** with); **être ~ de grand air** to be drunk with fresh air; **j'étais ~ de leurs paroles** I was drunk with their words

B **tout son soûl** *loc adv* *[boire, manger]* one's fill; *[pleurer, rire]* as much as one wants; **dormir tout son ~** to sleep as much as one wants

(Idiome) **être ~ comme une bourrique** *or* **un cochon**○ to be drunk as a lord GB *ou* skunk○

soulagement /sulaʒmɑ̃/ *nm* relief; **ce fut un immense ~** it was an enormous relief; **au ~ de qn** to sb's relief; **à mon grand ~** to my great relief; **au ~ général** to everyone's relief

soulager /sulaʒe/ [13]

A *vtr* [1] (décharger) to relieve *[personne, entreprise, étagère]* (**de** of); **passe-moi une valise, ça te soulagera** let me relieve you of one of your suitcases; **il faut le ~ des tâches administratives** we'll have to relieve him of administrative duties; **suppression d'une taxe pour ~ les entreprises exportatrices** tax relief for exporters; [2] (apaiser) to relieve *[personne]*; to relieve, to ease *[peine, conscience]*; **~ qn d'un mal de tête** to relieve sb's headache; **pleure un bon coup, ça soulage** have a good cry, you'll feel better; **la mort de l'assassin ne soulagera pas ma peine** the death of the murderer will not assuage my grief; **tu m'as soulagé d'un grand poids** you've taken a great weight off my shoulders; [3] ○fig (voler) to relieve (**de qch** of sth); **il s'est fait ~ de son portefeuille** somebody relieved him of his wallet

B **se soulager** *vpr* [1] ○(satisfaire un besoin naturel) euph to relieve oneself; [2] (s'apaiser) **elle m'a raconté tout cela pour se ~** she told me the whole story to get it off her chest

soûlant○, **~e*** /sulɑ̃, ɑ̃t/ *adj* **elle est ~e!** she makes my head spin!; **son discours était ~** his/her speech made my head spin

soûlard◑, **~e*** /sulaʀ, aʀd/ *nm,f* drunk, wino◑

soûler* /sule/ [1]

A *vtr* [1] (rendre ivre) *[personne]* to get [sb] drunk *[personne]*; *[alcool]* to make [sb] drunk *[personne]*; **ils cherchaient à la ~ au gin/à la bière** they were trying to get her drunk on gin/on beer; [2] (griser) *[odeur, parfum, grand air]* to intoxicate *[personne]*; [3] ○(étourdir) **tu nous soûles avec tes histoires/discours** you make our heads spin with your stories/speeches; **ce voyage m'a soûlée** the trip left me reeling

B **se soûler** *vpr* [1] (s'enivrer) to get drunk; **se ~ à la bière** to get drunk on beer; **se ~ la gueule**◑ to get sloshed○, to get pissed◑; [2] (se griser) **se ~ de qch** to become intoxicated with sth *[paroles, musique]*; **se ~ de travail** to get punch-drunk from work

soûlerie*○ /sulʀi/ *nf* drinking spree, bender○; **participer à une ~** to go on a bender○ *ou* drinking spree

soulèvement /sulɛvmɑ̃/ *nm* (insurrection) uprising

(Composé) **~ de terrain** Géol upheaval of the ground

soulever /sulve/ [16]

A *vtr* [1] (déplacer vers le haut) *[personne]* to lift *[objet]*; *[vent, tourbillon, véhicule]* to whip up *[feuilles, poussière]*; **~ qn/qch de terre** *[personne]* to pick sb/sth up; *[vent]* to sweep sb/sth up into the air; **les vagues soulevaient le navire** the waves lifted the ship up; ▸ **montagne**; [2] (entraîner) to arouse *[enthousiasme, colère, dégoût]*; to stir up *[foule, peuple, opinion]* (**contre** against); to raise *[problèmes, difficultés, obstacles]*; to give rise to *[protestations, tollé, applaudissements, débats]*; **ils ont réussi à ~ l'opinion contre les syndicats** they succeeded in stirring up opinion against the unions; [3] (faire considérer) to raise *[question, problème, interrogation]*; **la nouvelle réforme**

S

soulève encore une fois la question the new reform once again raises the issue; **4** ○(dérober) to nick○ GB, to swipe○ [*objet, portefeuille*]; **5** ◑(séduire) to pull○ GB, to make○ US [*fille, femme*]

B se soulever *vpr* **1** (se dresser) to raise oneself up; **il demanda au malade de se ~ un peu** he asked the patient to raise himself up a bit; **je me suis soulevé pour mieux voir** I raised myself to see better; **il s'est soulevé sur un coude** he propped himself up on his elbow; **la couverture se soulève au rythme de sa respiration** the blanket rises and falls with his/her breathing; **2** (se révolter) [*peuple, groupe*] to rise up (**contre** against)

(Idiome) **ça me soulève le cœur** *or* **l'estomac** (odeur, sensation) it turns my stomach; (attitude, ignominie) it makes me sick

soulier /sulje/ *nm* shoe

(Idiome) **être dans ses petits ~s** to feel uncomfortable

souligner /suliɲe/ [1] *vtr* **1** (d'un trait) to underline [*mot, titre*]; to outline [*yeux*]; **~ qch en bleu** to underline sth in blue ink; **~ les mots de deux traits** underline the words twice; **2** (accentuer) to emphasize [*attitude, remarque, importance, intérêt, situation*]; to set off [*teint, éclat*]; **c'est à ~** it must be emphasized

soûlographe*○ /sulɔgʀaf/ *nmf* boozer○

soûlographie*○ /sulɔgʀafi/ *nf* drunkenness

soumettre /sumɛtʀ/ [60]

A *vtr* **1** (vaincre) to bring [sb/sth] to heel [*personne, groupe, région*]; to subdue [*ennemi, rebelles, armée*]; **2** (assujettir) **~ qn/qch à** to subject sb/sth to; **nous sommes soumis à un règlement/à l'impôt** we are subjected to regulations/to tax; **3** (proposer) to submit (**à** to); **~ un projet à un spécialiste/au jugement de qn** to submit a project to an expert/to sb's judgment; **~ une loi au vote** to put a law to the vote; **~ une proposition à qn** to put forward a proposal to sb; **4** (faire subir) **~ un sportif à un dur entraînement** to submit an athlete to hard training; **~ un produit à une température élevée** to submit a product to a high temperature

B se soumettre *vpr* **1** (se rendre) [*ennemi, rebelles, région*] to submit; **2** (accepter) **se ~ à** to submit to [*règlement*]

soumis, **~e** /sumi, iz/

A *pp* ▸ **soumettre**

B *pp adj* submissive

soumission /sumisjɔ̃/ *nf* **1** (assujettissement) submission (**à** to); **vivre dans la ~** to live in submission; **2** (reddition) submission (**à** to); **faire sa ~ à** to surrender to; **3** Admin, Comm tender; **~ cachetée** sealed tender; **faire une ~** to submit a tender

soumissionnaire /sumisjɔnɛʀ/ *nmf* tenderer

soumissionner /sumisjɔne/ [1] *vtr* to tender

soupape /supap/ *nf* valve

(Composés) **~ d'admission** inlet valve; **~ d'échappement** exhaust valve; **~ de sécurité** *or* **sûreté** lit, fig safety valve

soupçon /supsɔ̃/ *nm* **1** (sur l'honnêteté, authenticité) suspicion; **être au-dessus** *or* **à l'abri de tout ~** to be above suspicion; **éveiller les ~s de qn** to arouse (sb's) suspicion; **avoir des ~s sur qn/qch** to have one's suspicions about sb/sth; **2** (idée vague) fml **ne pas avoir ~ de qch** [*difficultés, problèmes*] to have no notion of sth; **il n'avait pas ~ que ce serait difficile** he had no idea it would be difficult; **3** ○(faible quantité) (de lait, vin) drop, spot○; (de cannelle, sel, d'herbes aromatiques) pinch

soupçonnable /supsɔnabl/ *adj* **il n'est pas ~** he is above suspicion; **son honnêteté n'est pas ~** his/her honesty is unquestionable *ou* above suspicion

soupçonner /supsɔne/ [1] *vtr* **1** (suspecter) to suspect; **~ qn de qch/d'avoir fait qch** to suspect sb of sth/of having done sth; **2** (conjecturer) to suspect [*piège, coup bas*]; **je soupçonne qu'il y a un problème/qu'il est jaloux** I suspect that there is a problem/that he is jealous; **c'est une possibilité que je ne soupçonnais pas** it's a possibility which had not entered my mind

soupçonneusement /supsɔnøzmɑ̃/ *adv* suspiciously

soupçonneux, **-euse** /supsɔnø, øz/ *adj* suspicious, mistrustful

soupe /sup/ *nf* **1** Culin soup; **~ de légumes/aux oignons** vegetable/onion soup; **tremper la ~** to serve the soup; **à la ~**○**!** hum grub up○!, come and get it!; **c'est l'heure de la ~**○ it's supper time; ▸ **cheveu**, **gros**; **2** ○(neige) slush

(Composés) **~ instantanée** instant soup; **~ populaire** soup kitchen; **~ primitive** primeval soup; **~ en sachet** packet GB *ou* instant soup

(Idiomes) **par ici la bonne ~**○**!** come on, cough up○!, come on, hand over your money!; **être ~ au lait**○ to be quick-tempered; **être trempé comme une ~**○ to be soaked to the skin, to look like a drowned rat; **cracher dans la ~**○ to bite the hand that feeds you; **faire la ~ à la grimace**○ to sulk; **cette musique, c'est de la vraie ~**○**!** pej this music is really vapid!; **il me mange la ~ sur la tête** he towers over me

soupente /supɑ̃t/ *nf* **1** (sous un toit) loft, garret; **2** (sous un escalier) cupboard under the stairs

souper /supe/ [1]

A *nm* **1** (tard le soir) late dinner, supper; **~ aux chandelles** candlelit dinner; **2** Belg, Can (le soir) dinner, supper

B *vi* **1** (tard le soir) to have late dinner; **2** Belg, Can (le soir) to dine

(Idiome) **en avoir soupé de qch/de faire**○ to have had it up to here with sth/with doing○

soupeser /supəze/ [16] *vtr* **1** lit to heft, to feel the weight of [*objet*]; **2** fig to weigh up [*arguments*]

soupière /supjɛʀ/ *nf* soup tureen

soupir /supiʀ/ *nm* **1** (expiration) sigh (**de** of); **avoir un ~** to give a sigh; **pousser un ~** to let out *ou* heave a sigh; **~ de soulagement** sigh of relief; **profond** *or* **grand ~** deep sigh; **avec** *or* **dans un ~** with a sigh; ▸ **rendre**; **2** liter (du vent) sighing; (d'amoureux) **~s** sighs; **3** Mus crotchet rest GB, quarter rest US; ▸ **quart**

soupirail, *pl* **-aux** /supiʀaj, o/ *nm* cellar window

soupirant† /supiʀɑ̃/ *nm* suitor†

soupirer /supiʀe/ [1] *vi* [*personne, vent*] to sigh (**de** with); **'tout est fini' soupira-t-il** 'it's all over' he sighed; **~ pour qn** to pine for sb; **~ après qch** to yearn for sth

souple /supl/ *adj* **1** (flexible) [*articulation, corps, animal*] supple; [*tige, lame*] flexible; [*cheveux, plastique, cuir, col*] soft; ▸ **disque**; **2** (aisé) [*démarche, geste, style*] flowing (*épith*); [*forme, contour*] smooth; **cette voiture est très ~** this car runs smoothly; **3** (adaptable) [*caractère, règlement, gestion, horaire*] flexible

souplesse /suplɛs/ *nf* **1** (de tige, lame, disque) flexibility; (de cheveux, plastique, cuir) softness; (de corps, d'animal) suppleness; **2** (de démarche) litheness, suppleness; (de geste) grace; (de voiture, de conduite) smoothness; (de style) fluidity; **~ des formes** *or* **contours** smooth curves; **3** (de caractère, règlement, langue, gestion, d'esprit, horaire) flexibility; **faire qch avec ~** to show flexibility in doing sth; **en ~** smoothly; **4** Sport (en gymnastique) walkover; **~ avant/arrière** forward/backward walkover

souquer /suke/ [1]

A *vtr* to tighten

B *vi* **~ ferme** Naut to pull hard (on the oars); fig to pull one's weight

sourate /suʀat/ *nf* sura

source /suʀs/ *nf* **1** (d'eau) spring; **capter/exploiter une ~** to tap/exploit a spring; **2** (de cours d'eau) source; **prendre sa ~ dans** *or* **à** to rise in, to have its source in; **remonter à la ~ d'une rivière** to follow a river to its source; **3** (origine) source; **~ de chaleur/revenus** source of heat/income; **la ~ du conflit** the source of the conflict; **être à la ~ de** to be at the source of; **être une ~ de** to be a source of [*conflits, ennuis, profits*]; **retenue à la ~** deduction at source; **4** (référence) source; **citer/vérifier ses ~s** to give/to check one's sources; **de bonne ~**, **de ~ sûre** [*provenir, savoir, apprendre*] from a reliable source; **de ~ bien informée** from a well-informed source; **je tiens ces renseignements de ~ sûre** my information comes from a reliable source

(Idiomes) **ça coule de ~** it's obvious; **revenir aux ~s** to return to the roots; **retour aux ~s** return to the roots

sourcier /suʀsje/ ▸ **p. 532** *nm* dowser, water diviner

sourcil /suʀsi/ *nm* Anat eyebrow; **~s épais** bushy eyebrows

sourcilier, **-ière** /suʀsilje, ɛʀ/ *adj* [*muscle*] superciliary; ▸ **arcade**

sourciller /suʀsije/ [1] *vi* to raise one's eyebrows; **sans ~** without batting an eyelid

sourcilleux, **-euse** /suʀsijø, øz/ *adj* **1** (exigeant) punctilious; **2** [*hautain*] supercilious

sourd, **~e** /suʀ, suʀd/

A *adj* **1** Méd [*personne*] deaf; **être ~ d'une oreille** to be deaf in one ear; **arrête de hurler, je ne suis pas ~!** there's no need to shout, I'm not deaf!; **tu es ~ ou quoi?** are you deaf or what?; **2** (insensible) deaf (**à** to); **être ~ aux supplications/prières de qn** to be deaf to sb's pleas/entreaties; **être ~ à la pitié** to feel no pity; ▸ **pot**; **3** (étouffé) [*bruit, bourdonnement, craquement, explosion*] dull, muffled; [*voix*] muffled; [*plainte, gémissement, exclamation*] faint, muted; **4** (diffus) [*douleur*] dull; [*désir, tristesse, inquiétude*] gnawing, silent; [*anxiété*] nameless; **5** (secret) [*lutte, machinations, intrigues*] secret, hidden; **6** Phon voiceless, surd

B *nm,f* deaf person; **les ~s** the deaf

C sourde *nf* Phon voiceless consonant

(Idiomes) **faire la ~e oreille** to turn a deaf ear; **mieux vaut entendre ça que d'être ~**○**!** hum what stupid things you hear!; **comme un ~** [*crier, taper, frapper*] like one possessed; **il n'est pire ~ que celui qui ne veut (pas) entendre** Prov there's none so deaf as those who will not hear; **ce n'est pas tombé dans l'oreille d'un ~** it didn't fall on deaf ears

sourdement /suʀdəmɑ̃/ *adv* **1** (avec un bruit étouffé) [*gronder*] dully; **2** (en secret) [*agir, intriguer*] in an underhand manner

sourdine /suʀdin/ *nf* Mus mute; (de piano) soft pedal; **jouer en ~** to play softly; **écouter la radio en ~** to have the radio on quietly; **touche ~** mute button; **mettre une ~ à** fig to tone down [*critiques*]; **mécontentement exprimé en ~** muted discontent; **mets un peu la ~**○ keep it down (a bit)○

sourdingue○ /suʀdɛ̃g/

A *adj* **être ~** to have cloth ears○, to be deaf

B *nmf* cloth ears (+ *v sg*); **c'est une vraie ~** she's a real cloth ears

sourd-muet, **sourde-muette**, *pl* **sourds-muets**, **sourdes-muettes** /suʀmɥɛ, suʀdmɥɛt/

A *adj* deaf and dumb

B *nm,f* deaf-mute

sourdre /suʀdʀ/ [6] *vi* liter **1** (sortir de terre) [*eau*] to seep out (**de** from); [*source*] to rise (**de** from); **2** (jaillir) [*larme*] to well up (**de** from); **3** fig [*idée, réflexion*] to take shape (**dans** in); [*émotion*] to well up (**dans** in)

souriant, **~e**, /suʀjɑ̃, ɑ̃t/ *adj* [*visage, air, personne*] smiling
souriceau, *pl* **~x** /suʀiso/ *nm* young mouse
souricière /suʀisjɛʀ/ *nf* 1 (pour souris) mousetrap; 2 (pour malfaiteur) trap; **tendre une ~** to set a trap
sourire /suʀiʀ/ [68]
A *nm* smile; **un bon/large ~** a kindly/broad smile; **avec le ~** with a smile; **un ~ de complicité** a knowing smile; **le ~ aux lèvres** with a smile on one's lips; **un ~ flottait sur leurs lèvres** a smile was playing on their lips; **se fendre d'un large ~** [*visage*] to break into a grin *ou* broad smile; **avoir un ~ moqueur** (d'habitude) to have a mocking smile; (en la circonstance) to give a mocking smile; **avoir toujours le ~** to be always smiling; **être tout ~** to be all smiles *ou* sweetness; **garder le ~** to keep smiling (through); **faire un ~ à qn** to give sb a smile; **faire des ~s à qn** (pour charmer, pour amadouer) to smile sweetly at sb; **il n'a même pas eu un ~ de remerciement** he didn't even smile in thanks; **ce n'est pas avec de beaux ~s que tu me/la convaincras** you won't get round GB *ou* around US me/her like that
B *vi* 1 (adresser un sourire) to smile (**à qn** at sb); **~ timidement/avec bonté/au milieu de ses larmes** to smile shyly/kindly/through one's tears; **~ jusqu'aux oreilles** to grin from ear to ear; **faire ~ qn** to make sb smile; 2 (être agréable) liter [*destin, fortune, climat*] to smile on [*personne*]; [*idée, projet, aventure*] to appeal to [*personne*]
(Idiome) **~ aux anges** to have a silly smile on one's face
souris /suʀi/ *nf inv* 1 Zool mouse; **gris ~** light grey GB *ou* gray US; ▸ **petit**; 2 Culin *piece of meat at the knuckle end of a leg of lamb*; 3 Ordinat mouse; **passer la ~ sur un bouton** to mouse over a button; 4 °(femme) bird° GB, chick° US
(Composés) **~ blanche** Zool white mouse; **~ d'hôtel** (female) cat burglar
(Idiomes) **jouer au chat et à la ~** to play cat and mouse; **quand le chat n'est pas là les ~ dansent** when the cat's away, the mice will play; ▸ **montagne**
sournois, **~e** /suʀnwa, az/
A *adj* [*personne, animal, air, regard*] sly; [*conduite, pensée, action*] underhand; [*douleur, mal*] insidious
B *nm,f* sly person, underhand person; **agir en ~** to act slyly *ou* in an underhand way
sournoisement /suʀnwazmɑ̃/ *adv* [*regarder, agir*] slyly; fig [*gagner, ronger*] insidiously
sournoiserie /suʀnwazʀi/ *nf* 1 (caractère) slyness; 2 (action) underhand trick
sous /su/ *prép*

> ⚠ Lorsque *sous* indique une position dans l'espace il se traduit généralement par *under*: *sous la table*/*un arbre* = under the table/a tree.
> On trouvera ci-dessous exemples supplémentaires et exceptions.
> Lorsque *sous* a une valeur figurée comme dans *sous le choc*, *sous la menace*, *sous prétexte etc*, sa traduction sera fournie sous le deuxième élément, respectivement **choc**, **menace**, **prétexte** etc, auquel on se reportera.

1 (en dessous de) under, underneath, beneath sout; **un journal ~ le bras** a newspaper under one's arm; **se mettre un coussin ~ la tête** to put a cushion under one's head; **le jardin était ~ la neige** the garden GB *ou* yard US was covered in snow; **~ l'eau/la terre** under the water/the ground, underwater/underground, below water/ground; **~ la mer** under the sea; **~ la pluie** in the rain; **j'aurais voulu rentrer ~ terre** fig I wanted the ground to swallow me up; **mes jambes tremblaient ~ moi** my legs were trembling beneath me; 2 (dans un classement) under; **~ le numéro 4757/la lettre D** under number 4757/the letter D; 3 (pendant une période) during; **~ la présidence de Mitterrand** during Mitterrand's presidency; **~ l'Occupation** during the Occupation; **~ le règne de Louis XIV** under Louis XIV, during the reign of Louis XIV; 4 (avant) within; **~ quinzaine** within the *ou* a fortnight GB *ou* two weeks; **~ peu** before long; 5 (sous l'action de) **~ traitement/anesthésie** under treatment/anaesthetic; **~ antibiotiques/pilule** on antibiotics/the pill; **~ perfusion** on a drip GB *ou* an IV US; **travailler ~ Windows**® Ordinat to work in Windows®
sous-alimentation, *pl* **~s** /suzalimɑ̃tasjɔ̃/ *nf* malnutrition, undernourishment
sous-alimenté, **~e**, *mpl* **~s** /suzalimɑ̃te/ *adj* undernourished, malnourished
sous-bois /subwa/ *nm inv* undergrowth ₵
sous-brigadier, *pl* **~s** /subʀigadje/ *nm* (dans la police) ≈ deputy sergeant
sous-capitalisation, *pl* **~s** /sukapitalizasjɔ̃/ *nf* undercapitalization
sous-catégorie, *pl* **~s** /sukategɔʀi/ *nf* subcategory
sous-chef, *pl* **~s** /suʃɛf/ *nm* gén second-in-command
(Composés) **~ de bureau** deputy chief clerk; **~ de gare** deputy stationmaster
sous-classe, *pl* **~s** /suklas/ *nf* subclass
sous-comité, *pl* **~s** /sukɔmite/ *nm* subcommittee
sous-commission, *pl* **~s** /sukɔmisjɔ̃/ *nf* subcommission
sous-consommation, *pl* **~s** /sukɔ̃sɔmasjɔ̃/ *nf* underconsumption
sous-continent, *pl* **~s** /sukɔ̃tinɑ̃/ *nm* Géog subcontinent
sous-coter /sukɔte/ [1] *vtr* to underprice
sous-couche, *pl* **~s** /sukuʃ/ *nf* (de peinture) undercoat; (de neige) underlayer
souscripteur, **-trice** /suskʀiptœʀ, tʀis/ *nm,f* subscriber (**de** to)
souscription /suskʀipsjɔ̃/ *nf* 1 (à une publication, une œuvre charitable) subscription (**à** to); **mettre un livre on ~** to sell a book on a subscription basis (*prior to publication*); 2 Assur **~ d'un contrat d'assurances** taking out an insurance policy; **~ collective** Assur collective underwriting; 3 Fin (à un emprunt, une émission) subscription (**à** to); **~ d'actions** application for shares; **la liste des ~s est close** the subscription list is closed; **remplir une demande de ~ d'actions** to fill in a share application form; **à cause de la faible demande de ~ d'actions** because the share offer was undersubscribed; **~ dans le** *or* **au capital** share in the subscribed capital; **taux de ~** take-up (of a rights issue)
souscrire /suskʀiʀ/ [67]
A *vtr* to take out [*assurance, abonnement, plan d'épargne*]; to sign [*contrat, traite*]; to subscribe [*somme*]; **~ un risque** to underwrite a risk
B **souscrire à** *vtr ind* 1 (en payant) **~ à** to subscribe to [*publication, emprunt, émission, œuvre charitable*]; 2 (adhérer) **~ à** to subscribe to [*propos, décision, convention*]; **j'y souscris entièrement** I subscribe to it totally
souscrit, **~e** /suskʀi, it/
A *pp* ▸ **souscrire**
B *pp adj* 1 Fin subscribed; **émission entièrement ~e** fully subscribed issue; 2 Imprim [*lettre*] subscript
sous-culture, *pl* **~s** /sukyltyʀ/ *nf* pej subculture
sous-cutané, **~e**, *mpl* **~s** /sukytane/ *adj* subcutaneous; **injection ~e** subcutaneous injection
sous-développé, **~e**, *mpl* **~s** /sudevlɔpe/ *adj* [*pays, région*] underdeveloped
sous-développement, *pl* **~s** /sudevlɔpmɑ̃/ *nm* underdevelopment
sous-directeur, **-trice**, *mpl* **~s** /sudiʀɛktœʀ, tʀis/ *nm,f* assistant manager
sous-direction, *pl* **~s** /sudiʀɛksjɔ̃/ *nf* division; **~ des Affaires économiques et financières** economic and financial affairs division
sous-dominante, *pl* **~s** /sudɔminɑ̃t/ *nf* Mus subdominant
sous-effectif, *pl* **~s** /suzefɛktif/ *nm* understaffing ₵; **il y a un problème de ~s** there's a problem of understaffing; **ils sont en ~** they're understaffed
sous-emploi /suzɑ̃plwa/ *nm* underemployment
sous-employer /suzɑ̃plwaje/ [23] *vtr* to underemploy [*personne, ressources*]
sous-encadrement, *pl* **~s** /suzɑ̃kadʀəmɑ̃/ *nm* (d'usine, de pays) lack of trained people; (d'école, de prison) understaffing
sous-ensemble, *pl* **~s** /suzɑ̃sɑ̃bl/ *nm* Math subset
sous-entendre /suzɑ̃tɑ̃dʀ/ [6] *vtr* to imply
sous-entendu, **~e**, *mpl* **~s** /suzɑ̃tɑ̃dy/
A *pp* ▸ **sous-entendre**
B *pp adj* understood
C *nm* innuendo; **assez de ~s** enough innuendos!; **un sourire plein de ~s** a smile full of innuendo
sous-entraîné, **~e**, *mpl* **~s** /suzɑ̃tʀene/ *adj* ill-prepared
sous-équipé, **~e**, *mpl* **~s** /suzekipe/ *adj* underequipped
sous-équipement /suzekipmɑ̃/ *nm* lack of equipment
sous-espèce, *pl* **~s** /suzɛspɛs/ *nf* subspecies (sg)
sous-estimation, *pl* **~s** /suzestimasjɔ̃/ *nf* underestimation
sous-estimer /suzestime/ [1] *vtr* to underestimate
sous-évaluation, *pl* **~s** /suzevalɥasjɔ̃/ *nf* underestimation
sous-évaluer /suzevalɥe/ [1] *vtr* to underestimate [*coût, problème*]; to undervalue [*maison, terrain*]
sous-exploiter /suzɛksplwate/ [1] *vtr* to under-exploit
sous-exposer /suzɛkspoze/ [1] *vtr* Phot to underexpose [*photo*]
sous-exposition /suzekspozisjɔ̃/ *nf* Phot underexposure
sous-famille, *pl* **~s** /sufamij/ *nf* subfamily
sous-fifre°, *pl* **~s** /sufifʀ/ *nm* underling
sous-filiale, *pl* **~s** /sufiljal/ *nf* sub-branch
sous-groupe, *pl* **~s** /sugʀup/ *nm* subgroup
sous-homme, *pl* **~s** /suzɔm/ *nm* subhuman
sous-humanité, *pl* **~s** /suzymanite/ *nf* subclass of humanity
sous-informé, **~e**, *mpl* **~s** /suzɛ̃fɔʀme/ *adj* ill-informed
sous-investissement /suzɛ̃vɛstismɑ̃/ *nm* underinvestment
sous-jacent, **~e**, *mpl* **~s** /suʒasɑ̃, ɑ̃t/ *adj* 1 fig (latent) [*idée, problème, tension*] underlying; 2 (au-dessous) subjacent
Sous-le-Vent /sulәvɑ̃/ ▸ **p. 435** *nprfpl* **les îles ~** the Leeward Islands
sous-lieutenant, *pl* **~s** /suljøtnɑ̃/ ▸ **p. 406** *nm* (dans l'armée de terre) ≈ second lieutenant; (dans l'aviation) ≈ pilot officer GB, ≈ second lieutenant US
sous-littérature, *pl* **~s** /suliteʀatyʀ/ *nf* second-rate literature, pulp fiction
sous-locataire, *pl* **~s** /sulɔkatɛʀ/ *nmf* subtenant
sous-location, *pl* **~s** /sulɔkasjɔ̃/ *nf* 1 (action) subletting ₵, subleasing; 2 (contrat) subletting agreement, subleasing agreement

S

sous-louer /sulwe/ [1] *vtr* **1** (donner en location) to sublet, to sublease [*appartement, pièce*]; **2** (prendre en location) to sublease [*appartement, pièce*]
sous-main* /sumɛ̃/
A *nm inv* desk blotter
B **en sous-main** *loc adv* under the table, secretly
sous-marin, **~e**, *mpl* **~s** /sumaʀɛ̃, in/
A *adj* **1** [*relief, volcan*] submarine; [*faune, flore*] submarine, underwater; **2** [*exploration, archéologie, câble*] underwater; [*plongeur, plongée*] deep-sea
B *nm* **1** Naut submarine; **2** ○(espion) spy; **3** Can (sandwich) submarine sandwich GB, submarine US
(Composés) **~ de poche** Naut minisubmarine; **~ à propulsion nucléaire** nuclear-powered submarine
sous-marinier, *pl* **~s** /sumaʀinje/ ▸ **p. 532** *nm* submariner
sous-marque, *pl* **~s** /sumaʀk/ *nf* Comm sub-brand
sous-médicalisé, **~e** /sumedikalize/ *adj* medically under-resourced
sous-menu, *pl* **~s** /sumәny/ *nm* Ordinat submenu
sous-ministre, *pl* **~s** /suministʀ/ *nmf* Admin Pol deputy minister
sous-multiple, *pl* **~s** /sumyltipl/ *nm* Math submultiple
sous-nappe, *pl* **~s** /sunap/ *nf* undercloth
sous-œuvre, *pl* **~s** /suzœvʀ/ *nm* foundations (*pl*)
sous-off○, *pl* **~s** /suzɔf/ *nm* soldiers' slang noncom○
sous-officier, *pl* **~s** /suzɔfisje/ ▸ **p. 406** *nm* noncommissioned officer
sous-ordre, *pl* **~s** /suzɔʀdʀ/ *nm* **1** Sci suborder; **2** (subalterne) subordinate
sous-partie, *pl* **~s** /supaʀti/ *nf* subsection
sous-payer /supeje/ [21] *vtr* to underpay [*employé*]
sous-peuplé, **~e**, *mpl* **~s** /supœple/ *adj* [*pays, région*] underpopulated
sous-peuplement /supœplәmɑ̃/ *nm* underpopulation
sous-pied, *pl* **~s** /supje/ *nm* foot-strap
sous-préfecture, *pl* **~s** /supʀefɛktyʀ/ *nf* Admin *administrative subdivision of a department in France*
sous-préfet, *pl* **~s** /supʀefɛ/ *nm*: *permanent ministerial representative in a department in France*
sous-production /supʀɔdyksjɔ̃/ *nf* underproduction
sous-produit, *pl* **~s** /supʀɔdɥi/ *nm* **1** (produit secondaire) by-product; **2** (produit médiocre) second-rate product
sous-programme, *pl* **~s** /supʀɔgʀam/ *nm* Ordinat subroutine
sous-prolétaire, *pl* **~s** /supʀɔletɛʀ/ *nmf* member of the underclass
sous-prolétariat, *pl* **~s** /supʀɔletaʀja/ *nm* underclass
sous-pull, *pl* **~s** /supyl/ *nm* thin polo-neck jumper
sous-race, *pl* **~s** /suʀas/ *nf* **1** Anthrop subrace; **2** pej offensive inferior race
sous-secrétaire, *pl* **~s** /sus(ә)kʀetɛʀ/ *nmf* Admin, Pol **~ d'État** Parliamentary Undersecretary of State; **~ d'État à l'Agriculture/la Défense** Parliamentary Undersecretary (of State) to the ministry of Agriculture/Defence[GB]
sous-secrétariat, *pl* **~s** /sus(ә)kʀetaʀja/ *nf* Admin, Pol *administrative subdivision of a ministerial department*
sous-seing* /susɛ̃/ *nm inv* Jur (acte) private agreement, private contract
soussigné, **~e** /susiɲe/
A *adj* undersigned; **nous, ~s Pierre et Paul Martin, certifions** we, the undersigned, Pierre and Paul Martin certify; **les personnes ~es** the undersigned
B *nm,f* **les ~s** the undersigned
sous-sol, *pl* **~s** /susɔl/ *nm* **1** Constr basement; **garage en ~** basement garage; **2** Géol subsoil **¢**
sous-tasse*, *pl* **~s** /sutas/ *nf* Belg saucer
sous-tendre /sutɑ̃dʀ/ [6] *vtr* **1** fig (constituer les fondements de) to underlie, to be behind; **2** (constituer la corde de) to subtend [*arc, courbe*]
sous-titrage, *pl* **~s** /sutitʀaʒ/ *nm* subtitling; **'~: Laure Dulac'** (sur un générique de film) 'subtitles: Laure Dulac'
sous-titre, *pl* **~s** /sutitʀ/ *nm* **1** (titre secondaire) subtitle; **2** Cin, TV, Mus (traduction) subtitle, caption
sous-titrer /sutitʀe/ [1] *vtr* Cin, TV, Mus to subtitle [*film, opéra*]; **film en version originale sous-titrée** film in the original version with subtitles
sous-titreur, **-euse**, *mpl* **~s** /sutitʀœʀ, øz/
A ▸ **p. 532** *nm,f* subtitler
B **sous-titreuse** *nf* (machine) subtitling machine; **sous-titreuse à laser** laser subtitling machine
soustractif, **-ive** /sustʀaktif, iv/ *adj* subtractive
soustraction /sustʀaksjɔ̃/ *nf* **1** Math (processus) subtraction **¢**; (opération) subtraction; **apprendre à faire des ~s** to learn to do subtraction; **fais encore trois ~s et tu pourras aller jouer** do another three subtractions and you can go out to play; **faire une erreur de ~** to make a mistake in the subtraction; **ta ~ est fausse** your subtraction is wrong; **2** Jur (vol) removal, taking away
soustraire /sustʀɛʀ/ [58]
A *vtr* **1** Math to subtract (**de** from); **2** (voler) to steal (**à** from); **3** (retirer) to take away [*personne*] (**à** from); **~ qn/qch à la vue** *or* **aux regards de qn** to hide sb/sth from sb's view; **une enclave soustraite au contrôle de l'ennemi** an enclave free from enemy control; **4** (protéger) to shield [*personne*] (**à qch** from sth); **~ qn à la mort** to save sb from death; **~ un site aux promoteurs** to save a site from the developers
B **se soustraire** *vpr* **1** (éviter) **se ~ à** to escape from [*discipline, tâche, ennui*]; **se ~ à la vue** *or* **aux regards de qn** to hide from sb's view; **se ~ à ses obligations** to shirk one's duties, to shy away from one's duties; **2** (échapper à) **se ~ à** to avoid [*arrestation*]; **se ~ au danger** to escape *ou* avoid danger; **se ~ à la justice** to escape justice
sous-traitance, *pl* **~s** /sutʀɛtɑ̃s/ *nf* subcontracting; **travail donné en ~** work put out to contract; **travail effectué en ~** work done on a contract basis, subcontracted work
sous-traitant, *pl* **~s** /sutʀɛtɑ̃/ *nm* subcontractor
sous-traiter /sutʀete/ [1]
A *vtr* **1** (donner en sous-traitance) to subcontract, to contract [sth] out [*affaire, travail*]; **2** (exécuter à titre de sous-traitant) to do [sth] as a subcontractor
B *vi* **1** (donner en sous-traitance) [*personne, entreprise*] to subcontract work, to contract work out; **2** (exécuter à titre de sous-traitant) to do work as a subcontractor
sous-type, *pl* **~s** /sutip/ *nm* subcategory
sous-utiliser /suzytilize/ [1] *vtr* to underuse
sous-ventrière, *pl* **~s** /suvɑ̃tʀijɛʀ/ *nf* (courroie) bellyband
(Idiome) **manger à s'en faire péter la ~**◑ to eat till one is fit to burst○
sous-verre* /suvɛʀ/ *nm inv* **1** (encadrement) clip-frame; **2** (image encadrée) picture (mounted under glass); **3** (objet que l'on place sous un verre) coaster
sous-vêtement, *pl* **~s** /suvɛtmɑ̃/ *nm* underwear **¢**
sous-virer /suviʀe/ [1] *vi* Aut to understeer
sous-vireur, **-euse** /suviʀœʀ, øz/ *adj* understeering (*épith*)
soutache /sutaʃ/ *nf* braid
soutane /sutan/ *nf* cassock; **prendre la ~** to take the cloth; **porter la ~** to be a priest; ▸ **ortie**
soute /sut/ *nf* Naut hold; **voyager en ~** to travel in the hold
(Composés) **~ à bagages** Aviat baggage hold; **~ à charbon** Naut coal store; **~ à munitions** Naut ammunition store
soutenable /sutnabl/ *adj* **1** (supportable) bearable; **pas ~** unbearable; **difficilement ~** almost unbearable; **2** (défendable) [*argument, hypothèse*] tenable
soutenance /sutnɑ̃s/ *nf* Univ (de mémoire, dossier) viva GB, orals US; **~ de thèse** viva GB, (dissertation) defense US
soutènement /sutɛnmɑ̃/ *nm* retaining structure; Mines props; **travaux de ~** retaining work; **mur de ~** retaining *ou* supporting wall
souteneur /sutnœʀ/ *nm* pimp○, procurer
soutenir /sutniʀ/ [36]
A *vtr* **1** (donner son appui) to support [*personne, projet, action, candidat, gouvernement, équipe*]; **~ la majorité/une famille pauvre** to support the majority/a poor family; **~ une grève** to support a strike; **~ à bout de bras** to keep [sb/sth] afloat [*personne, projet*]; **~ qn contre qn** to side with sb against sb; **~ sa fille contre son père** to side with one's daughter against her father; **2** Écon, Fin to support [*monnaie, marché, cours, économie*]; **3** (affirmer) to maintain [*contraire*]; to defend [*paradoxe*]; to uphold [*opinion*]; **~ que** to maintain that; **~ que la récession a pris fin** to maintain that the recession has ended; **4** (servir de support) to support [*personne, toit, monnaie*]; **mur soutenu par des étais** wall supported by props; **mes jambes ne me soutiennent plus** my legs won't hold me up; **des oreillers soutenaient la tête du malade** the patient was propped up on pillows; **5** (donner des forces) to keep [sb] going [*personne*]; **un peu de café te soutiendra** a drink of coffee will keep you going; **6** (réconforter) [*personne*] to support; [*espoir*] to sustain; **tu m'as toujours soutenu** you have always supported me; **seul l'espoir me soutient** hope alone sustains me; **~ le moral de qn** to keep sb's spirits up; **il a besoin qu'on lui soutienne le moral** his morale needs boosting; **~ le moral des troupes** to encourage the troops; **7** (faire durer) to keep [sth] alive [*curiosité, intérêt*]; to keep [sth] going [*conversation*]; to keep up, to sustain [*effort, train de vie, rythme*]; **~ l'intérêt des lecteurs** to keep the readers' interest alive; **8** (résister) to withstand [*choc, siège, assaut, regard*]; to bear [*comparaison*] (**avec** with); **elle ne soutient pas la comparaison avec ta sœur** she isn't nearly as good as your sister; **il soutient la comparaison avec ton frère** he is as good as your brother; **9** Univ to defend [*thèse, mémoire*]; **~ sa thèse** to have one's viva GB *ou* defense US
B **se soutenir** *vpr* **1** (s'entraider) to support each other; **se ~ entre collègues** to support each other as colleagues; **2** (être défendable) [*argument, hypothèse*] to be tenable; **3** (se tenir debout) [*personne*] to hold oneself up; **elle a de la peine à se ~** she can hardly hold herself up
soutenu, **~e** /sutny/
A *pp* ▸ **soutenir**
B *pp adj* (intense) [*activité, effort, croissance*] sustained; [*attention*] close; [*rythme*] steady
C *adj* **1** gén [*marché*] firm; [*couleur*] bold; [*style, langue*] formal, elevated; **2** Mus (maintenu) [*note, ton*] sustained
souterrain, **~e** /sutеʀɛ̃, ɛn/
A *adj* **1** (sous terre) [*lac*] subterranean; [*ouvrage,*

S

explosion, câble] underground; ▸ **passage**; 2 (secret) [*menées, accord*] secret; **économie ~e** black economy

B *nm* underground passage, tunnel

soutien /sutjɛ̃/ *nm* 1 (appui) support (**à** for); **j'affirme/exprime mon ~ aux travailleurs** I confirm/express my support for the workers; **le parti a proclamé/manifesté son ~ à la majorité** the party proclaimed/showed its support for the majority; **~ financier/politique** financial/political support; **~ moral/actif** moral/active support; **mesures de ~ à l'économie** measures to support the economy; **~ en physique/anglais** Scol extra help in physics/English; **~ aux victimes** victim support; 2 (agent) support; **leur fils/l'armée/le parti est leur seul ~** their son/the army/the party is their sole support; 3 (de voûte, plate-forme) support

(Composé) **~ de famille** wage earner in a family (exempt from national service)

soutien-gorge, *pl* **soutiens-gorge** /sutjɛ̃gɔʀʒ/ *nm* bra

(Composé) **~ d'allaitement** nursing bra

soutier /sutje/ *nm* 1 fig menial, drudge; 2 †Naut coal-trimmer

soutif○ /sutif/ *nm* (soutien-gorge) bra

soutirage /sutiʀaʒ/ *nm* racking

soutirer /sutiʀe/ [1] *vtr* 1 (dérober) **~ qch à qn** to squeeze sth out of sb [*argent*]; to extract [sth] from sb [*aveu, promesse*]; 2 (clarifier) to rack [*vin, bière*]

souvenance /suvnɑ̃s/ *nf* fml **à ma ~** as far as I recall; **avoir ~ de qch** to remember sth

souvenir /suvniʀ/ [36]

A *nm* 1 (pensée du passé) memory; **garder un bon/mauvais ~ de qch** to have happy/bad *ou* unhappy memories of sth; **ce n'est plus qu'un mauvais ~** it's just a bad memory; **je conserve** *or* **garde un horrible ~ de cette année à Londres** I have very bad memories of that year in London; **le ~ que je conserve** *or* **garde de lui est encore très clair** I still remember him very clearly; **~s d'école/de l'armée/de captivité** memories of schooldays/of the army/of captivity; **~s de guerre** wartime memories; **~s d'enfance** childhood memories; **chercher dans ses ~s** to sift through one's memories; **avoir (le) ~ de qch** to remember sth; **ne pas avoir ~ de** to have no recollection of; **n'avoir qu'un ~ confus de qch** to remember something only dimly; **perdre le ~ de qch** to forget sth; **au ~ de** at the memory of; 2 (mémoire) memory; **s'effacer du ~ de qn** to fade from sb's memory; **rappeler qn au (bon) ~ de qn** to remember sb to sb; **envoie une carte de temps en temps pour te rappeler à leur bon ~** send them a card from time to time to keep in touch; 3 (objet) (rappelant un lieu, un événement) souvenir (**de** of); (rappelant une personne) memento (**de** from); **c'est un ~ de voyage** it's something I brought back from one of my trips; **en ~** gén as a souvenir; (avec valeur affective) as a memento; (cadeau ayant valeur affective) as a keepsake; **il me l'a donné en ~** he gave it to me as a keepsake; **boutique de ~s** souvenir shop GB *ou* store US; 4 (salutation) **croyez à mon bon** *or* **fidèle** *or* **meilleur ~** yours ever; **mon bon ~ à** remember me to

B se souvenir *vpr* **se ~ de qn/qch** to remember sb/sth; **bien se ~ de qch** to remember sth well; **je m'en souviens mal** I can't remember it very well; **se ~ (d')avoir fait** to remember doing; **se ~ que** to remember that

C *v impers* **il me souvient que** littér I recollect that; **autant qu'il m'en souvienne** if my memory serves me right

souvent /suvɑ̃/ *adv* often; **assez ~** quite often; **très/trop ~** very/too often; **peu ~** not very often; **le plus ~** more often than not; **c'est ~ ce qui arrive** that's what often happens; **je le fais plus ~ qu'à mon tour** I do it more often than I should

(Idiome) **on a ~ besoin d'un plus petit que soi** Prov a mouse may help a lion

souverain, **~e** /suvʀɛ̃, ɛn/

A *adj* 1 (indépendant) [*État, peuple, droit, pouvoir*] sovereign; [*décision, autorité*] supreme; **l'Allemagne unifiée et ~e** a unified, sovereign Germany; 2 (suprême) [*bonheur, talent, mépris*] supreme; **faire preuve d'une indifférence ~e** to show supreme indifference; **rechercher le ~ bien** Philos to seek the sovereign good; 3 (infaillible) [*remède, potion*] sovereign; [*conseil, vertu*] sterling; **essayez ça, c'est ~ contre les maux de gorge** try this, it works wonders for sore throats; 4 (hautain) [*personne*] haughty

B *nm,f* sovereign, monarch; **le ~ régnant/déchu** the reigning/deposed monarch; ▸ **pontife**

C *nm* (monnaie) sovereign

souverainement /suvʀɛnmɑ̃/ *adv* 1 (sans appel) [*décider, juger*] without appeal; **juridiction qui statue ~** jurisdiction which gives verdicts beyond appeal; 2 (suprêmement) **votre attitude me déplaît ~** I dislike your attitude intensely; **ignorer ~ un ordre/une règle** to flout an order/a rule

souveraineté /suvʀɛnte/ *nf* sovereignty; **~ nationale** national sovereignty; **la ~ de l'État** the sovereignty of the State

soviet /sɔvjɛt/ *nm* soviet; **Soviet suprême** Supreme Soviet

soviétique /sɔvjetik/ ▸ **p. 561** *adj* Hist Soviet

Soviétique /sɔvjetik/ ▸ **p. 561** *nmf* Hist Soviet

soviétiser /sɔvjetize/ [1] *vtr* to sovietize

soyeux, **-euse** /swajø, øz/

A *adj* [*tissu, cheveux, peau*] silky

B *nm* silk manufacturer

SPA /ɛspea/ *nf* (*abbr* = **Société protectrice des animaux**) society for the prevention of cruelty to animals

spacieusement /spasjøzmɑ̃/ *adv* spaciously; **être ~ logé** to have spacious accommodation

spacieux, **-ieuse** /spasjø, øz/ *adj* spacious

spadassin /spadasɛ̃/ *nm* 1 (duelliste) swordsman; 2 (assassin) hired killer

spaghetti* /spageti/ *nm inv* spaghetti ₵; **des ~ bolognaise** spaghetti bolognese

spahi /spai/ *nm* Hist Mil spahi

spam /spam/ *nm* Internet (activité) spam; (message) spam message

spamming /spamiŋ/ *nm* Internet spamming

sparadrap /spaʀadʀa/ *nm* 1 (bande adhésive) surgical *ou* adhesive tape; 2 (pansement) (sticking) plaster GB, Band-aid®

Sparte /spaʀt/ ▸ **p. 894** *npr* Sparta

spartiate /spaʀsjat/

A *adj* lit, fig Spartan; **à la ~** in a Spartan way

B *nmf* Spartan

C *nf* (sandale) Roman sandal

spasme /spasm/ *nm* spasm; **être secoué de ~s** to be shaken by spasms

spasmodique /spasmɔdik/ *adj* spasmodic

spasmophile /spasmɔfil/ *adj, nmf* spasmophile

spasmophilie /spasmɔfili/ *nf* spasmophilia

spasmophilique /spasmɔfilik/ *adj* spasmophilic

spath /spat/ *nm* spar

spatial, **~e**, *mpl* **-iaux** /spasjal, o/ *adj* 1 gén, Psych [*repérage, perception, représentation*] spatial; 2 Astronaut space (*épith*); **vaisseau ~** spaceship; **capsule/navette/base/guerre ~e** space capsule/shuttle/base/war

spatialisation /spasjalizasjɔ̃/ *nf* 1 Psych spatializing; 2 Astronaut adaptation to conditions in space

spatialiser /spasjalize/ [1] *vtr* 1 Psych spatialize; 2 Astronaut **~ qch** to adapt sth to conditions in space

spatiologie /spasjɔlɔʒi/ *nf* space science

spationaute /spasjɔnot/ ▸ **p. 532** *nmf* astronaut

spatio-temporel, **-elle**, *mpl* **~s*** /spasjotɑ̃pɔʀɛl/ *adj* spatiotemporal

spatule /spatyl/ *nf* 1 Culin, Art spatula; (de plâtrier) filling-knife; 2 (de ski) tip; 3 Zool (poisson) paddlefish; (oiseau) spoonbill

(Composé) **~ blanche** Zool common spoonbill

spatulé, **~e** /spatyle/ *adj* spatulate

spé○ /spe/ ▸ **mathématique**

speaker, **speakerine** /spikœʀ, spikʀin/ ▸ **p. 532** *nm,f* announcer

spécial, **~e**, *mpl* **-iaux** /spesjal, o/ *adj* 1 (non général) [*formation, tarif, statut*] special; **~e dernière** TV late special; 2 (adapté) [*chaussures, peigne, appareil*] special; **shampooing ~ cheveux gras** shampoo for greasy hair; 3 (bizarre) [*mentalité, personne*] odd; **il est ~** he's a bit odd

spécialement /spesjalmɑ̃/ *adv* 1 (particulièrement) specially; **produit ~ conçu pour** a product specially developed for; **être ~ chargé de** to be specially responsible for; 2 (très) especially; **pas ~** not especially; **plus ~** more especially

spécialisation /spesjalizasjɔ̃/ *nf* specialization

spécialisé, **~e** /spesjalize/

A *pp* ▸ **spécialiser**

B *pp adj* [*laboratoire, établissement, études*] specialized; [*librairie, magazine*] specialist (*épith*); **être ~ dans** *or* **en** [*personne*] to be a specialist in; [*établissement, usine*] to specialize in; **être ~ dans l'étude de** to specialize in the study of

spécialiser: **se spécialiser** /spesjalize/ [1] *vpr* to specialize (**en, dans** in)

spécialiste /spesjalist/ *nmf* (tous contextes) specialist (**de, en** in); **médecin ~** specialist; **c'est un ~ des plaisanteries de mauvais goût** tasteless jokes are his speciality GB *ou* specialty US

spécialité /spesjalite/ *nf* 1 gén speciality GB, specialty US; **~ médicale** specialized medical field; **c'est leur ~!** Iron it's their speciality!; 2 Culin speciality GB, specialty US; **les ~s de la région** the specialities GB *ou* specialties US of the region

spécieusement /spesjøzmɑ̃/ *adv* liter speciously

spécieux, **-ieuse** /spesjø, øz/ *adj* specious

spécification /spesifikasjɔ̃/ *nf* 1 Ind Tech (de produit) specification; 2 (mention) specifying; **sans ~ d'heure ni de lieu** with no time or place specified

spécificité /spesifisite/ *nf* 1 (de produit, maladie) specificity; 2 (caractéristique) characteristic; 3 (caractère unique) uniqueness

spécifier /spesifje/ [2] *vtr* to specify [*date, heure*]; **~ qch à qn** specifically to tell sb sth; **~ à qn de faire** specifically to tell sb what to do

spécifique /spesifik/ *adj* specific (**de** to)

spécifiquement /spesifikmɑ̃/ *adv* specifically

spécimen /spesimɛn/ *nm* 1 (exemple) specimen; 2 (exemplaire) (free) sample; 3 ○(personne) odd specimen○; **c'est un drôle de ~** he's an odd specimen

spectacle /spɛktakl/

A *nm* 1 (vue) sight; (événement) sight; **au ~ de...** at the sight of...; **devant un tel ~** (affreux) at this awful sight; (merveilleux) at this amazing sight; **c'était un drôle de ~ de le voir habillé ainsi** he looked a real sight dressed like that; **le ~ de la vie quotidienne** the sight of people going about their daily lives; **se donner** *or* **s'offrir en ~** pej to make an exhibition *ou* a spectacle of oneself (**devant** in front of); 2 (divertissement) **le ~ est dans la rue** iron there's a free show on the streets iron; **avoir le sens du ~** (metteur en scène) to have a real

S

sense of theatre[GB]; (politicien) to have an eye for effect; **3** Théât (représentation) show; **allons au ~** let's go to the theatre[GB]; **~ de marionnettes/de variétés/de danse** puppet/variety/dance show; **'~s'** (rubrique) 'entertainment'; **film à grand ~** spectacular; **politique à grand ~** pej showbiz○ politics; **~ son et lumière** son et lumière; **4** (activité professionnelle) **le ~, l'industrie du ~** show business; **les métiers/les gens du ~** jobs/people in show business

B -spectacle (*in compounds*) **1** péj **politique-~** showbiz○ politics; **football-~** showy football GB *ou* soccer; **2** Théât **dîner-~** dinner and floor show

spectaculaire /spɛktakylɛʀ/ *adj* spectacular

spectateur, **-trice** /spɛktatœʀ, tʀis/ *nm,f* **1** (au théâtre, cinéma, cirque) member of the audience; (à une manifestation sportive, un défilé) spectator; **les ~s** (au théâtre) the audience (*sg*); (dans un stade, la rue) the spectators, the crowd (*sg*); **2** (curieux) onlooker; **assister à une réunion en ~** to sit in on a meeting

spectral, **~e**, *mpl* **-aux** /spɛktʀal, o/ *adj* **1** liter (de fantôme) spectral, ghostly; **d'une pâleur ~e** deathly pale; **2** Sci spectral; **analyse ~e** spectrum analysis

spectre /spɛktʀ/ *nm* **1** (fantôme) ghost; **n'être plus qu'un ~** to be just a shadow of one's former self; **2** (de guerre, famine, mort) spectre[GB] (**de** of); **3** Sci spectrum; **~ lumineux** spectrum of light; **~ des couleurs** colour[GB] spectrum

spectrogramme /spɛktʀɔgʀam/ *nm* spectrogram

spectrographe /spɛktʀɔgʀaf/ *nm* spectrograph

spectroscope /spɛktʀɔskɔp/ *nm* spectroscope

spectroscopie /spɛktʀɔskɔpi/ *nf* spectroscopy

spéculateur, **-trice** /spekylatœʀ, tʀis/ *nm,f* speculator (**sur** in)

spéculatif, **-ive** /spekylatif, iv/ *adj* speculative

spéculation /spekylasjɔ̃/ *nf* **1** Fin speculation; **~ à la hausse/baisse** bull/bear speculation; **~ sur** speculation in [*actions, valeurs, or*]; **~ boursière** speculation on the Stock Exchange; **~ foncière** speculation in land; **~ immobilière** property speculation; **2** gén, Philos speculation (**sur** on, about); speculation about [*crise, mouvement*]

spéculer /spekyle/ [1] *vi* **1** Fin to speculate; **~ à la Bourse** to speculate on the stock market; **~ à la hausse/baisse** to bull/bear; **~ sur** to speculate in [*valeurs, actions, or*]; to speculate about [*crise, mouvement*]; **2** Philos, gén to speculate (**sur** on, about)

spéculum /spekylɔm/ *nm* speculum

spéléologie /speleɔlɔʒi/ *nf* **1** ▸ **p. 469** (sport) potholing GB, caving, spelunking US; **faire de la ~** to go potholing GB *ou* caving *ou* spelunking US; **2** (science) speleology

spéléologique /speleɔlɔʒik/ *adj* **1** [*exploration, découverte*] potholing GB (*épith*), caving (*épith*), spelunking US; **2** [*étude*] speleological

spéléologue /speleɔlɔg/ *nmf* **1** (sportif) potholer GB, caver, spelunker US; **2** (scientifique) speleologist spéc

spencer /spɛnsœʀ/ *nm* spencer (jacket)

spermaceti /spɛʀmaseti/ *nm* spermaceti

spermatique /spɛʀmatik/ *adj* spermatic

spermatogenèse /spɛʀmatɔʒənɛz/ *nf* spermatogenesis

spermatozoïde /spɛʀmatɔzɔid/ *nm* spermatozoon; **des ~s** spermatozoa; **nombre de ~s** sperm count

sperme /spɛʀm/ *nm* sperm

spermicide /spɛʀmisid/
A *adj* [*gelée*] spermicidal
B *nm* spermicide

sphénoïde /sfenɔid/ *nm* sphenoid bone

sphère /sfɛʀ/ *nf* **1** Math sphere; **2** (domaine) sphere; **une ~ d'influence** a sphere of influence; **les hautes ~s de la finance** the higher echelons of finance

sphéricité /sfeʀisite/ *nf* sphericity

sphérique /sfeʀik/ *adj* spherical

sphincter /sfɛ̃ktɛʀ/ *nm* sphincter

sphinx /sfɛ̃ks/ *nm inv* **1** Mythol, Art Sphinx; **2** (papillon) hawkmoth

(Composé) **~ tête de mort** death's-head moth

spi /spi/ *nm* spinnaker

spina-bifida /spinabifida/ *nm inv* spina bifida

spinal, **~e**, *mpl* **-aux** /spinal, o/ *adj* spinal

spinnaker /spinekœʀ/ *nm* spinnaker

spiral, **~e**, *mpl* **-aux** /spiʀal, o/
A *adj* spiral
B *nm* hairspring
C spirale *nf* **1** Math spiral; **monter/descendre en ~e** to spiral up/down; **escalier en ~e** spiral staircase; **cahier à ~es** a spiral bound notebook; **2** (amplification) spiral; **la ~e des prix et des salaires** the wage-price spiral

spiralé, **~e** /spiʀale/ *adj* spiral (*épith*)

spirante /spiʀɑ̃t/ *nf* spirant

spire /spiʀ/ *nf* Tech, Math turn

spirite /spiʀit/
A *adj* spiritualist
B *nmf* spiritualist

spiritisme /spiʀitism/ *nm* spiritualism

spiritualiser /spiʀitɥalize/ [1] *vtr* to spiritualize

spiritualisme /spiʀitɥalism/ *nm* gén, Philos spiritualism

spiritualiste /spiʀitɥalist/ *adj*, *nmf* gén, Philos spiritualist

spiritualité /spiʀitɥalite/ *nf* spirituality

spirituel, **-elle** /spiʀitɥɛl/ *adj* **1** (de l'esprit) [*nature, vie, pouvoir*] spiritual; [*père, famille, héritier*] spiritual; **2** (amusant) [*plaisanterie, personne*] witty

spirituellement /spiʀitɥɛlmɑ̃/ *adv* **1** (par l'esprit) spiritually; **2** (avec humour) wittily

spiritueux, **-euse** /spiʀitɥø, øz/
A *adj* [*vin*] with a high alcohol content
B *nm inv* spirit; **vins et ~** wines and spirits

spiroïdal, **~e**, *mpl* **-aux** /spiʀɔidal, o/ *adj* spiroid

spleen /splin/ *nm* spleen; **avoir le ~** to feel despondent

splendeur /splɑ̃dœʀ/ *nf* (de paysage, site, jour) splendour[GB]; (d'époque, de règne) glory; **cette église est une ~** this church is truly magnificent; **c'est l'égoïste dans toute sa ~** he's/she's a complete and utter egoist

splendide /splɑ̃did/ *adj* [*objet, exposition, journée, victoire*] splendid; [*villa, pays*] magnificent; [*yeux, personne*] stunningly beautiful

splendidement /splɑ̃didmɑ̃/ *adv* liter magnificently

spoliateur, **-trice** /spɔljatœʀ, tʀis/ fml
A *adj* spoliatory sout, confiscatory sout
B *nm,f* despoiler sout

spoliation /spɔljasjɔ̃/ *nf* despoliation

spolier /spɔlje/ [2] *vtr* fml to despoil sout [*personne*] (**de** of)

spondaïque /spɔ̃daik/ *adj* spondaic

spondée /spɔ̃de/ *nm* spondee

spondylarthrite /spɔ̃dilaʀtʀit/ *nf* ankylosing spondylitis

spongieux, **-ieuse** /spɔ̃ʒjø, øz/ *adj* spongy

spongiforme /spɔ̃ʒifɔʀm/ *adj* spongiform

sponsor /spɔnsɔʀ/ *nm* sponsor

sponsorat /spɔ̃sɔʀa/ *nm* sponsorship

sponsoring /spɔnsɔʀiŋ/ *nm* = **sponsorat**

sponsoriser /spɔ̃sɔʀize/ [1] *vtr* to sponsor

spontané, **~e** /spɔ̃tane/ *adj* spontaneous; **génération ~e** spontaneous generation; **candidature ~e** unsolicited application

spontanéité /spɔ̃taneite/ *nf* spontaneity

spontanément /spɔ̃tanemɑ̃/ *adv* spontaneously

sporadicité /spɔʀadisite/ *nf* sporadic nature

sporadique /spɔʀadik/ *adj* sporadic

sporadiquement /spɔʀadikmɑ̃/ *adv* sporadically

sporange /spɔʀɑ̃ʒ/ *nm* spore case, sporangium spéc

spore /spɔʀ/ *nf* spore

sport /spɔʀ/ *nm* (activité générale) sport; (ensemble d'activités) sports (*pl*); **aimer le ~** to like sport; **vous faites du ~?** do you do any sports?; **quel ~ faites-vous?** which sport(s) do you do?; **je ne fais plus de ~** I don't do any sport any more; **je fais un peu de ~ tous les jours** I do a little sport every day; **j'ai fait beaucoup de ~ dans ma jeunesse** I did a lot of sport in my youth

(Composés) **~ amateur** amateur sport; **~ automobile** motor sports, car-racing; **~ cérébral** intellectual game; **~ en chambre**○ bedroom sports (*pl*); **~ de combat** combat sport; **~ de compétition** competitive sport; **~ d'équipe** team sport; **~ extrême** extreme sport; **~ d'hiver** winter sport; **aller aux ~s d'hiver** to go on a winter sports holiday GB *ou* vacation US; **~ individuel** individual sport; **~ de masse** popular sport; **~ professionnel** professional sport

(Idiomes) **ça c'est du ~**○**!** this is no picnic○!; **il va y avoir du ~**○**!** this is going to be fun *ou* interesting!; **faire qch pour le ~** *or* **pour l'amour du ~** to do sth for fun *ou* for the fun of it

sportif, **-ive** /spɔʀtif, iv/
A *adj* **1** lit [*équipement, épreuve, journal, rencontre*] sports (*épith*); **je ne suis pas ~** I'm not the sporty type, I don't go in for sports; **je ne suis pas très ~** I'm not very keen on sports *ou* very sporty; **2** fig [*allure*] athletic, sporty○; **conduite sportive** Aut speeding; **3** (généreux) [*personne, esprit, attitude*] sporting; **faire preuve d'esprit ~** to be a good sport, to display sportsmanship; **4** (animé, violent) lively, heated
B *nm,f* sportsman/sportswoman; **c'est un ~** he's athletic

sportivement /spɔʀtivmɑ̃/ *adv* sportingly

sportivité /spɔʀtivite/ *nf* sportsmanship

spot /spɔt/ *nm* **1** (pour éclairer) spotlight, spot; **2** (séquence) **~ (publicitaire)** commercial; **un ~ radio/télévisé** a radio/TV commercial; **3** Phys spot

spouleur /spulœʀ/ *nm* spooler

spoutnik /sputnik/ *nm* sputnik

sprat /spʀat/ *nm* sprat

spray /spʀɛ/ *nm* spray; **déodorant en ~** spray-on deodorant

sprint /spʀint/ *nm* sprint; **battre qn au ~** to beat sb in the sprint; **piquer un ~**○ to sprint

sprinter[1]* /spʀinte/ [1] *vi* to sprint

sprinter[2], **-euse** /spʀintœʀ, øz/ *nm,f* (en athlétisme) sprinter; (en fin de course) fast finisher

squale /skwal/ *nm* shark

squame /skwam/ *nf* scale, squama spéc

square /skwaʀ/ *nm* small public garden

squash /skwaʃ/ ▸ **p. 469** *nm* squash

squat /skwat/ *nm* squat

squatter[1]* /skwatœʀ/ *nm* squatter

squatter[2] /skwate/, [1] **squattériser** /skwateʀize/ *vtr* to squat in [*appartement*]; to take over [*escalier*]

squelette /skəlɛt/ *nm* **1** Anat skeleton; **2** ○(personne maigre) bag of bones○, skeleton;

S

3▸ (de bateau) framework; 4▸ (d'une œuvre, d'un article) outline
squelettique /skəletik/ *adj* [*personne, jambes*] scrawny; Méd skeletal; fig [*arbre*] skeletal; [*rapport, article*] sketchy; **des effectifs ~s** skeleton staff; **être d'une maigreur ~** to be like a skeleton
SRAS /sʀas/ *nm* (*abbr* = **syndrome respiratoire aigu sévère**) SARS
Sri Lanka /sʀilɑ̃ka/ ▸ **p. 333, p. 435** *nprm* Sri Lanka
sri-lankais, ~e /sʀilɑ̃kɛ, ɛz/ ▸ **p. 561** *adj* Sri Lankan
Sri-Lankais, ~e /sʀilɑ̃kɛ, ɛz/ ▸ **p. 561** *nm,f* Sri Lankan
SRPJ /ɛsɛʀpeʒi/ *nm* (*abbr* = **Service régional de la police judiciaire**) *regional crime squad*
SS /ɛsɛs/
A *nm* (*abbr* = **Schutzstaffel**) SS
B *written abbr* ▸ **sécurité**
SSII /ɛsɛsdøzi/ *nf* (*abbr* = **société de services et d'ingénierie informatiques**) software engineering company
stabilisateur, -trice /stabilizatœʀ, tʀis/
A *adj* [*élément, agent*] stabilizing
B *nm* stabilizer
stabilisation /stabilizasjɔ̃/ *nf* stabilization
stabiliser /stabilize/ [1]
A *vtr* to stabilize [*prix, monnaie, pays, véhicule*]; to consolidate [*accotements*]; **accotements non stabilisés** soft verges GB, soft shoulders
B se stabiliser *vpr* [*chômage, prix, taux*] to stabilize; [*personne*] to become stable
stabilité /stabilite/ *nf* stability; **~ des prix** price stability
stabiloter○ /stabilɔte/ [1] *vtr* to highlight [*document, mot*]
stable /stabl/ *adj* stable
stabulation /stabylasjɔ̃/ *nf* 1▸ (procédé) animal housing, stalling; (local) animal housing facilities, shed; **~ libre** loose housing; 2▸ (de poissons) storing
staccato /stakato/ *adv* staccato
stade /stad/ *nm* 1▸ Sport stadium; 2▸ (étape) stage; **les ~s de la production** the stages of production; **à ce ~** at this stage (**de** of)
stadier, ~ière /stadje, ɛʀ/ ▸ **p. 532** *nm,f* Sport steward
staff /staf/ *nm* 1▸ (plâtre) staff; 2▸ (personnel) staff
Staffordshire ▸ **p. 721** *nprm* **le ~** Staffordshire
stage /staʒ/ *nm* 1▸ (pour obtenir diplôme, titre) professional training; **~ pédagogique** teaching practice GB, student *ou* practice teaching US; 2▸ (pendant des études) work experience ₵; **faire un ~ pratique** to do a period of work experience; **~ rémunéré/non rémunéré** paid/unpaid work experience; 3▸ (pour le travail, le sport, les loisirs) course; **suivre un ~** to go on a course; **~ d'initiation à l'informatique** introductory computer course; **~ intensif** intensive course; **~ de formation** training course; 4▸ ○(séjour) spell; **un ~ de trois jours à l'hôpital** a three-day spell in hospital GB *ou* in the hospital US
stagflation /stagflasjɔ̃/ *nf* stagflation
stagiaire /staʒjɛʀ/ *nmf* Ind trainee; (enseignant) student teacher; (infirmière) student nurse
stagnant, ~e /stagnɑ̃, ɑ̃t/ *adj* stagnant
stagnation /stagnasjɔ̃/ *nf* lit, fig stagnation
stagner /stagne/ [1] *vi* lit, fig to stagnate
stakhanovisme /stakanɔvism/ *nm* stakhanovism
stalactite /stalaktit/ *nf* stalactite
stalag /stalag/ *nm* stalag
stalagmite /stalagmit/ *nf* stalagmite
Staline /stalin/ *npr* Stalin
stalinien, -ienne /stalinjɛ̃, ɛn/ *adj, nm,f* Stalinist
stalinisme /stalinism/ *nm* Stalinism
stalle /stal/ *nf* 1▸ (pour chevaux) stall; 2▸ (d'église) stall
stance /stɑ̃s/
A †*nf* stanza
B stances *nfpl*: *a verse form used in lyric poetry*
stand /stɑ̃d/ *nm* (d'exposition) stand; (de fête foraine) stall
(Composés) **~ de ravitaillement** Courses Aut pit; **~ de tir** (de club sportif) shooting range; (de fête foraine) shooting gallery
standard /stɑ̃daʀ/
A *adj inv* standard
B *nm* Télécom switchboard
standardisation /stɑ̃daʀdizasjɔ̃/ *nf* standardization
standardiser /stɑ̃daʀdize/ [1] *vtr* to standardize
standardiste /stɑ̃daʀdist/ ▸ **p. 532** *nmf* switchboard operator
standing /stɑ̃diŋ/ *nm* 1▸ (confort) **de (grand) ~** [*appartement*] luxury (*épith*); 2▸ (niveau de vie) standard of living
stand-up /stɑ̃dœp/ *nm* Théât stand-up comedy
staphylocoque /stafilɔkɔk/ *nm* staphylococcus; **~ doré** staphylococcus aureus
star /staʀ/ *nf* star; **jouer les ~s** to play at being a star
starlette /staʀlɛt/ *nf* starlet
starter /staʀtɛʀ/ *nm* 1▸ Aut choke; **mettre le ~** to pull out the choke; 2▸ Turf starter
starting-block, *pl* **~s** /staʀtiŋblɔk/ *nm* starting block; **être dans les ~s** to be in one's starting blocks
starting-gate, *pl* **~s** /staʀtiŋgɛt/ *nm ou f* starting gate
start-up, *pl* **~s** /staʀtœp/ *nf* start-up
station /stasjɔ̃/ *nf* 1▸ (de métro) station; **~ de métro** tube GB *ou* subway US station; **descendez à la ~ Saint-Ambroise** get off at Saint-Ambroise; **c'est à deux ~s de métro d'ici** it's two tube GB *ou* subway US stops from here; (de taxis) taxi-rank GB, taxi stand; 2▸ Radio station; **~ émettrice** transmitting station; **~ de radio** radio station; 3▸ (lieu de séjour) resort; **~ balnéaire/climatique** seaside/health resort; **~ de sports d'hiver** winter sports resort; **~ thermale** spa; 4▸ (lieu d'observation scientifique) station; **~ agronomique** agricultural station; **~ météorologique** meteorological *ou* weather station; **~ marine** marine research station; **~ orbitale** orbiting space station; **~ spatiale** space station; 5▸ (position) posture; **~ debout** *or* **verticale** upright posture *or* position; **la ~ debout me donne mal au dos** standing gives me backache; 6▸ (pause) stop, pause; **faire une longue ~ devant une vitrine** to stop *ou* linger for a long time in front of a shop window; **les ~s du chemin de Croix** Relig the stations of the Cross; **planète en ~** Astron stationary planet; 7▸ ○Aut (station-service) service station; **~ de lavage** car wash point
(Composés) **~ d'épuration** sewage treatment plant; **~ graphique** graphic VDU, graphic workstation; **~ au sol** ground station; **~ de travail** workstation
stationnaire /stasjɔnɛʀ/ *adj* 1▸ [*planète, véhicule*] stationary; 2▸ [*situation, production*] stable; **être dans un état ~** [*malade*] to be in a stable condition
stationnement /stasjɔnmɑ̃/ *nm* 1▸ Aut parking; **~ interdit** no parking; **~ alterné** *parking system where drivers park on alternate sides of the street every two weeks*; **~ bilatéral** parking on both sides; **~ unilatéral** parking on one side only; **~ payant** (dans la rue) metered parking; (dans un parking) pay and display parking; **~ à durée limitée** short-term parking; **'~ gênant'** 'no parking or waiting'; **une amende pour ~ gênant** a fine for causing a parking obstruction; **~ dangereux** dangerous parking; **~ illicite** unlawful parking; **~ en épi** angle parking, chevron parking; **~ en bataille** perpendicular parking; 2▸ Can Aut (parking) car park GB, parking lot US; 3▸ Mil (de troupes) stationing
stationner /stasjɔne/ [1] *vi* 1▸ Aut [*véhicule, automobiliste*] to park; **défense** *or* **interdiction de ~** no parking; **~ en double file** to double-park; 2▸ Mil [*person, troupes, armée*] to station
station-service, *pl* **stations-service** /stasjɔ̃sɛʀvis/ *nf* service station, filling station
statique /statik/
A *adj* static
B *nf* statics (+ *v sg*)
statisticien, -ienne /statistisjɛ̃, ɛn/ ▸ **p. 532** *nm,f* statistician
statistique /statistik/
A *adj* statistical
B *nf* (méthode) statistics (+ *v sg*); (donnée) statistic; **établir des ~s** to draw up statistics
(Composé) **~ lexicale** statistical linguistics (+ *v sg*)
statistiquement /statistikmɑ̃/ *adv* statistically
stator /statɔʀ/ *nm* stator
statoréacteur /statoʀeaktœʀ/ *nm* ramjet engine
statuaire /statɥɛʀ/
A *adj* statuary
B *nmf* sculptor
C *nf* statuary
statue /staty/ *nf* statue (**de** of)
(Composés) **~ équestre** equestrian statue; **~ de sel** Bible pillar of salt
(Idiome) **se changer en ~** to be frozen to the spot
statuer /statɥe/ [1] *vi* to give a ruling (**sur** on)
statuette /statɥɛt/ *nf* statuette
statufier /statyfje/ [2] *vtr* 1▸ Art to erect a statue to; 2▸ (paralyser) [*peur, effroi*] to transfix
statu quo* /statykwo/ *nm inv* status quo
stature /statyʀ/ *nf* 1▸ lit (gabarit) stature; (sur une étiquette de vêtements) height; **être de petite ~** to be small in stature; 2▸ fig (envergure) calibre[GB]; **grande ~** high calibre[GB]
statut /staty/ *nm* 1▸ (loi, règlement) statute; **les ~s de l'association** the association's statutes; 2▸ (situation) status; **le ~ de fonctionnaire** civil servant status; **avoir un ~ d'immigrant** to have immigrant status
statutaire /statytɛʀ/ *adj* statutory
statutairement /statytɛʀmɑ̃/ *adv* statutorily
steak /stɛk/ *nm* steak
(Composés) **~ haché** (cru) minced beef GB, ground beef US; (cuit) hamburger; **~ au poivre** pepper steak
stéarine /steaʀin/ *nf* stearin
stéatite /steatit/ *nf* soapstone
steeple(-chase), *pl* **~s** /stipəl(tʃɛz)/ *nm* steeplechase
stèle /stɛl/ *nf* stele
stellaire /stɛlɛʀ/ *adj* stellar
stencil /stɛnsil/ *nm* stencil
sténo○ /steno/
A ▸ **p. 532** *nmf* (personne) shorthand typist GB, stenographer US
B *nf* (activité) shorthand GB, stenography US; **prendre un texte en ~** to take a text down in shorthand
sténodactylo /stenodaktilo/ ▸ **p. 532**
A *nmf* (personne) shorthand typist GB, stenographer US
B *nf* (activité) shorthand typing GB, stenography US
sténodactylographie /stenodaktilɔgʀafi/ *nf* shorthand typing GB, stenography US
sténographe /stenɔgʀaf/ ▸ **p. 532** *nmf* stenographer

S

sténographie /stenɔgʀafi/ *nf* shorthand GB, stenography US

sténographier /stenɔgʀafje/ [2] *vtr* to take [sth] down in shorthand

sténographique /stenɔgʀafik/ *adj* shorthand (*épith*)

sténopé /stenɔpe/ *nm* Phot pinhole

sténotype /stenɔtip/ *nf* stenotype

sténotypie /stenɔtipi/ *nf* stenotypy

sténotypiste /stenɔtipist/ ▸ **p. 532** *nmf* stenotypist

stentor /stɑ̃tɔʀ/ *nm* 1 gén **voix de ~** stentorian voice; 2 Zool stentor

stéphanois, **~e** /stefanwa, az/ ▸ **p. 894** *adj* of Saint-Étienne

Stéphanois, **~e** /stefanwa, az/ *nm,f* (natif) native of Saint-Étienne; (habitant) inhabitant of Saint-Étienne

steppe /stɛp/ *nf* steppe

stéradian /steʀadjɑ̃/ *nm* steradian

stercoraire /stɛʀkɔʀɛʀ/
A *adj* Bot, Méd stercoraceous
B *nm* skua

stère /stɛʀ/ ▸ **p. 903** *nm* stere

stéréo /steʀeo/
A *adj inv* (*abbr* = **stéréophonique**) stereo (*épith*)
B ○*nf* stereo

stéréophonie /steʀeɔfɔni/ *nf* stereophony; **en ~** [*enregistrer*] in stereo; [*enregistrement*] stereophonic (*épith*)

stéréophonique /steʀeɔfɔnik/ *adj* stereophonic

stéréoscope /steʀeɔskɔp/ *nm* stereoscope

stéréoscopie /steʀeɔskɔpi/ *nf* stereoscopy

stéréotype /steʀeɔtip/ *nm* 1 (personne) stereotype; 2 (cliché) cliché

stéréotypé, **~e** /steʀeɔtipe/ *adj* (convenu) stereotypical; (banal) stereotyped

stérile /steʀil/ *adj* 1 [*personne, animal, plante*] sterile; [*mariage*] childless; [*sol*] barren; 2 [*pansement, milieu*] sterile; 3 fig [*artiste, période*] unproductive; [*imagination*] sterile; [*discussion, travail*] fruitless

stérilet /steʀilɛ/ *nm* coil, IUD, intrauterine device spéc

stérilisateur /steʀilizatœʀ/ *nm* 1 Méd, Tech sterilizer; 2 Culin sterilizer

stérilisation /steʀilizasjɔ̃/ *nf* sterilization

stériliser /steʀilize/ [1] *vtr* 1 lit to sterilize [*personne, animal*]; to sterilize [*biberon, appareil, bocal, pansement*]; to make [sth] barren [*sol*]; 2 fig to suppress [*créativité*]; to make [sb] uncreative [*artiste*]

stérilité /steʀilite/ *nf* 1 (de personne, plante, d'animal) sterility; (de sol, région) barrenness; 2 fig (d'artiste) lack of creativity; (de discussion, travail) fruitlessness; (d'imagination) sterility; 3 (de milieu) sterility

sterling /stɛʀliŋ/
A *adj inv* sterling; **livre ~** pound sterling
B *nm* pound (sterling)

sterne /stɛʀn/ *nf* tern

sternum /stɛʀnɔm/ *nm* breastbone, sternum spéc

stéthoscope /stetɔskɔp/ *nm* stethoscope

steward /stjuwaʀd/ *nm* steward

stick /stik/ *nm* Cosmét stick; **déodorant en ~** deodorant stick

stigmate /stigmat/
A *nm* 1 (trace) (sur la peau) scar; fig, littér (de vice, guerre) mark; 2 Bot, Zool stigma
B **stigmates** *nmpl* Relig stigmata

stigmatisation /stigmatizasjɔ̃/ *nf* stigmatization

stigmatiser /stigmatize/ [1] *vtr* (condamner) to stigmatize

stimulant, **~e** /stimylɑ̃, ɑ̃t/
A *adj* (physiquement) [*bain*] invigorating; [*air, climat*] bracing; (mentalement) [*paroles, lecture, concurrence*] stimulating; [*résultat*] encouraging
B *nm* 1 (physique) (fortifiant) tonic; (excitant) stimulant; 2 (mental) stimulus

stimulateur, **-trice** /stimylatœʀ, tʀis/ *adj* stimulating

(Composé) **~ cardiaque** Méd pacemaker

stimulation /stimylasjɔ̃/ *nf* stimulation

stimuler /stimyle/ [1]
A *vtr* 1 Physiol to stimulate [*organe, fonction*]; 2 (motiver) to spur [sb] on
B *vi* 1 [*air, froid*] to be bracing; 2 ○[*récompense, résultat*] to act as a spur

stimulus, *pl* **stimuli*** /stimylys, stimyli/ *nm* stimulus

stipendier /stipɑ̃dje/ [2] *vtr* liter pej to hire [*tueur, espion*]

stipulation /stipylasjɔ̃/ *nf* 1 Jur stipulation; 2 Assur provision

stipuler /stipyle/ [1] *vtr* to stipulate (**que** that)

STO /ɛsteo/ *nm*: *abbr* ▸ **service**

stock /stɔk/ *nm* lit, fig stock; **avoir qch en ~** to have sth in stock; **avoir des ~s de**○ fig to have a whole stock of; ▸ **liquidation**

(Composé) **~ chromosomique** Biol genome

stockage /stɔkaʒ/ *nm* 1 (mise en réserve) Comm stocking; (accumulation excessive) stockpiling; 2 (entreposage) Comm, Ordinat storage; **capacité de ~** storage capacity; **~ des données** data storage

stock-car, *pl* **~s** /stɔkkaʀ/ *nm* 1 (voiture) stock car; **course de ~s** stock-car race; 2 (sport) stock-car racing

stocker /stɔke/ [1] *vtr* 1 Comm to stock; (à l'excès) to stockpile; 2 Ordinat to store [*données*]

Stockholm /stɔkɔlm/ ▸ **p. 894** *npr* Stockholm

stockiste /stɔkist/ ▸ **p. 532** *nm* stockist GB (**de** of), dealer (**de** in)

stoïcien, **-ienne** /stɔisjɛ̃, ɛn/ *adj, nm,f* Stoic

stoïcisme /stɔisism/ *nm* 1 Philos Stoicism; 2 fig stoicism

stoïque /stɔik/
A *adj* stoical
B *nmf* stoic

stoïquement /stɔikmɑ̃/ *adv* stoically

stolon /stɔlɔ̃/ *nm* stolon

stomacal, **~e**, *mpl* **-aux** /stɔmakal, o/ *adj* [*douleur, pompe*] stomach

stomatite /stɔmatit/ *nf* stomatitis

stomatologie /stɔmatɔlɔʒi/ *nf* stomatology

stomatologiste /stɔmatɔlɔʒist/ *nmf*, **stomatologue** /stɔmatɔlɔg/ *nmf* ▸ **p. 532** stomatologist

stomisé, **~e** /stɔmize/ *nm,f* stoma patient

stop /stɔp/
A *nm* 1 Aut (panneau) stop sign; (feu arrière) brakelight; **mettre un ~ à** to put a stop to; 2 ○(auto-stop) hitching○; **faire du ~** to hitch○; **faire la France en ~** to hitch○ round[GB] France; **aller travailler en ~** to hitch○ to work; **prendre qn en ~** to give sb a lift GB *ou* ride US; 3 (dans un télégramme) stop
B *excl* stop!

stoppage /stɔpaʒ/ *nm* invisible mending

stopper /stɔpe/ [1]
A *vtr* 1 (arrêter) to stop [*personne, voiture, attaque*]; to halt [*maladie, évolution*]; 2 Cout to mend
B *vi* to stop

stoppeur○, **-euse** /stɔpœʀ, øz/ *nm,f* hitchhiker

store /stɔʀ/ *nm* blind; (auvent) awning

(Composés) **~ enrouleur** roller blind GB, roller window shade US; **~ à l'italienne** awning; **~ vénitien** Venetian blind

strabisme /stʀabism/ *nm* squint, strabismus spéc

strangulation /stʀɑ̃gylasjɔ̃/ *nf* strangulation

strapontin /stʀapɔ̃tɛ̃/ *nm* 1 (siège) foldaway seat; Aut Aviat jump seat; 2 fig back seat

Strasbourg /stʀasbuʀ/ ▸ **p. 894** *npr* Strasbourg

strasbourgeois, **~e** /stʀasbuʀʒwa, az/ ▸ **p. 894** *adj* of Strasbourg

Strasbourgeois, **~e** /stʀasbuʀʒwa, az/ *nm,f* (natif) native of Strasbourg; (habitant) inhabitant of Strasbourg

strass /stʀas/ *nm inv* 1 (verroterie) paste; **collier en ~** paste necklace; 2 fig, péj **un monde de ~** a world of superficial glamour

stratagème /stʀataʒɛm/ *nm* stratagem

strate /stʀat/ *nf* lit, fig stratum

stratège /stʀatɛʒ/ *nm* strategist

stratégie /stʀateʒi/ *nf* strategy

stratégique /stʀateʒik/ *adj* strategic

stratégiquement /stʀateʒikmɑ̃/ *adv* strategically

Strathclyde ▸ **p. 721** *nprm* **le ~** Strathclyde

stratification /stʀatifikasjɔ̃/ *nf* stratification

stratifié, **~e** /stʀatifje/
A *adj* 1 Biol, Sociol stratified; 2 Tech laminated
B *nm* (matériau) **du ~** laminate; **table en ~** laminated table

stratifier /stʀatifje/ [2] *vtr* to stratify

stratigraphie /stʀatigʀafi/ *nf* stratigraphy

strato-cumulus* /stʀatokymylys/ *nm inv* stratocumulus

stratosphère /stʀatɔsfɛʀ/ *nf* stratosphere

stratus /stʀatys/ *nm inv* stratus

streptocoque /stʀɛptɔkɔk/ *nm* streptococcus

streptomycine /stʀɛptɔmisin/ *nf* streptomycin

stress /stʀɛs/ *nm inv* stress

(Composés) **~ post-traumatique** post-traumatic stress disorder; **~ thermique** heat shock

stressant, **~e** /stʀesɑ̃, ɑ̃t/ *adj* [*journée*] stressful; [*incident*] upsetting; [*perspective*] worrying

stresser /stʀese/ [1]
A *vtr* [*perspective*] to put [sb] on edge; [*travail*] to put [sb] under stress; **être stressé** (tendu) to be stressed; (irritable) to be on edge; (sous pression) to be under stress; **être stressé par le travail** to be under stress from work
B ○*vi* to get worked up; **il n'est pas du genre à ~** he's not the kind of person to get worked up

stretch /stʀɛtʃ/ *nm* Tex stretch material; **velours ~** stretch velvet; **jeans en ~** stretch jeans

stretching /stʀɛtʃiŋ/ *nm* Sport stretch; **cours de ~** stretch class

striation /stʀijasjɔ̃/ *nf* striation

strict, **~e** /stʀikt/ *adj* 1 (sévère) [*discipline, morale, professeur*] strict; **il est très ~ sur la propreté** he's very strict about cleanliness; 2 (complet) [*obéissance*] total; **au sens ~** in the strict sense; **c'est ton droit le plus ~** you're perfectly entitled to do so; **c'est la ~e vérité** it's the absolute truth; **le ~ nécessaire** what is strictly necessary; **le ~ minimum** the bare *ou* absolute minimum; **dans la plus ~e intimité** strictly in private; 3 (austère) [*tenue, robe*] severe, austere; [*coiffure*] severe

strictement /stʀiktəmɑ̃/ *adv* strictly

stricto sensu /stʀiktosɛ̃sy/ *loc adv* strictly speaking

strident, **~e** /stʀidɑ̃, ɑ̃t/ *adj* 1 [*bruit*] piercing; [*voix*] strident; 2 Ling strident

stridulant, **~e** /stʀidylɑ̃, ɑ̃t/ *adj* [*insecte*] stridulatory

stridulation /stʀidylasjɔ̃/ *nf* stridulation

striduler /stʀidyle/ [1] *vi* to stridulate

strie /stʀi/ *nf* 1 (rayure) streak; 2 (sillon) gén groove; (de front, visage) furrow; Anat, Biol, Géol stria; **des ~s** striae, striation ¢

strié, **~e** /stʀije/ *adj* **1** (de couleur) streaked (**de** with); [*muscle*] striated; **2** (de sillons) [*roche*] striated; [*colonne*] fluted; [*coquille, tige*] grooved

strier /stʀije/ [2] *vtr* **1** (de couleur) to streak (**de** with); **2** (faire des sillons) to make grooves in; **3** Géol to striate

string /stʀiŋ/ *nm* G-string

strip-tease* /stʀiptiz/ *nm* **1** (spectacle) striptease; **2** (cabaret) striptease club; **danseuse de ~** striptease artist

strip-teaseur, **-euse*** /stʀiptizœʀ, øz/ ▸ p. 532 *nm,f* stripper

striure /stʀijyʀ/ *nf* (ensemble de stries) striation ¢; (de couleur) streaking ¢

stroboscope /stʀɔbɔskɔp/ *nm* stroboscope

stroboscopique /stʀɔbɔskɔpik/ *adj* **1** [*effet, éclairage*] strobe (*épith*); **2** Phys [*observation*] stroboscopic

strontium /stʀɔ̃sjɔm/ *nm* strontium

strophe /stʀɔf/ *nf* **1** (de poème) stanza, verse; **2** (dans une tragédie grecque) strophe

structural, **~e**, *mpl* **-aux** /stʀyktyʀal, o/ *adj* structural

structuralement /stʀyktyʀalmɑ̃/ *adv* structurally

structuralisme /stʀyktyʀalism/ *nm* structuralism

structuraliste /stʀyktyʀalist/ *adj, nmf* structuralist

structuration /stʀyktyʀasjɔ̃/ *nf* structuring

structure /stʀyktyʀ/ *nf* **1** (agencement) structure; **~ syntagmatique/profonde/de surface** Ling phrase/deep/surface structure; **2** (organisme) organization; **~ d'accueil** shelter, refuge

(Composés) **~ primaire** Biol, Chimie primary structure; **~s d'accueil** facilities; (pour vieillards, handicapés) day centre[GB]

structuré, **~e** /stʀyktyʀe/ *adj* structured

structurel, **-elle** /stʀyktyʀɛl/ *adj* structural

structurellement /stʀyktyʀɛlmɑ̃/ *adv* structurally

structurer /stʀyktyʀe/ [1]
A *vtr* to structure [*pays, ouvrage, parti*]
B se structurer *vpr* [*parti, entreprise*] to be structured

strychnine /stʀiknin/ *nf* strychnine

stuc /styk/ *nm* stucco

studette /stydɛt/ *nf* small flat GB *ou* apartment

studieusement /stydjøzmɑ̃/ *adv* studiously

studieux, **-ieuse** /stydjø, øz/ *adj* [*élève*] studious; [*vacances*] study (*épith*); [*ambiance*] industrious

studio /stydjo/ *nm* **1** (logement) studio flat GB, studio apartment US; **2** (atelier) studio; **3** Cin, Radio, TV (pour tourner, enregistrer) studio; Cin (salle de projection) **~ d'art et d'essai** arts cinema GB, art house US; **tourné/enregistré en ~** filmed *ou* shot/recorded in the studio; **~ d'enregistrement/de danse** recording/dance studio; **~s de production** *or* **cinéma** film studios

stupéfaction /stypefaksjɔ̃/ *nf* stupefaction, amazement; **à ma grande ~** to my utter amazement; **muet de ~** dumbfounded

stupéfaire /stypefɛʀ/ *vtr* to astound, to stun

stupéfait, **~e** /stypefɛ, ɛt/ *adj* astounded, dumbfounded; **rester ~ de qch/d'apprendre** to be astounded at sth/to hear

stupéfiant, **~e** /stypefjɑ̃, ɑ̃t/
A *adj* **1** (étonnant) stunning, astounding; **2** Méd stupefying
B *nm* Pharm drug, narcotic

stupéfier /stypefje/ [2] *vtr* **1** (étonner) to astound, to stun; **2** Méd (hébéter) to stupefy

stupeur /stypœʀ/ *nf* **1** (étonnement) astonishment, amazement; **2** Méd (torpeur) stupor

stupide /stypid/ *adj* stupid

stupidement /stypidmɑ̃/ *adv* stupidly

stupidité /stypidite/ *nf* **1** (caractère) stupidity; **il est d'une ~!** he's incredibly stupid; **2** (remarque) stupid remark; (action) **faire une ~** to do something stupid; **faire/dire des ~s** to do/to say stupid things

stupre /stypʀ/ *nm* liter debauchery

stups○ /styp/ *nmpl* drugs squad GB, drug squad US

style /stil/ *nm* **1** Art, Littérat, Sport style; **~ journalistique** journalistic style, journalese péj; **~ télégraphique** telegraphic style, telegraphese péj; **~ de vie** lifestyle; **avoir du ~** to have style; **manquer de ~** to lack style; **n'achète pas ce chapeau, ce n'est vraiment pas ton ~** don't buy this hat, it's just not your style; **elle joue de la guitare dans le ~ flamenco** she plays the guitar flamenco style; **il excelle dans un comique du ~ Laurel et Hardy** he's at his best in Laurel and Hardy style comedy; **elle veut se donner le ~ Marilyn Monroe** she's trying to cultivate the Marilyn Monroe look; **ça, c'est bien (dans) ton ~!** that's you all over○!; **c'est bien (dans) ton ~ de faire** it's typical of you *ou* it's just like you to do; **elle est du ~ à passer une nuit blanche pour finir un article** she's the kind that would stay up all night to finish an article; **il m'a répondu qch du ~ 'on vous téléphonera'** he told me they'd phone me, or something like that; **2** (de mobilier) **meubles de ~** (anciens) period furniture; (copiés) reproduction period furniture; **mobilier de ~ Louis XV** (ancien) Louis XV furniture; (copié) reproduction Louis XV furniture; **3** Ling speech form; **~ direct/indirect** direct/indirect *ou* reported speech; **4** (tige de cadran solaire) style; **5** Antiq stylus; **6** Bot, Zool style

stylé, **~e** /stile/ *adj* [*domestique*] well-trained

stylet /stilɛ/ *nm* **1** (couteau) stiletto; **2** Méd, Tech stylet; **3** Zool (organe) style, proboscis spéc; (aiguillon) sting; **4** (pointe sèche) stylus

stylique /stilik/ *nf* Ind design

stylisation /stilizasjɔ̃/ *nf* stylization

styliser /stilize/ [1] *vtr* to stylize; **des formes stylisées** stylized shapes

stylisme /stilism/ *nm* **1** Art, Mode fashion design; **2** Littérat, péj excessive preoccupation with style

styliste /stilist/ *nmf* **1** ▸ p. 532 Mode fashion designer; **2** Littérat stylist

stylisticien, **-ienne** /stilistisjɛ̃, ɛn/ ▸ p. 532 *nm,f* specialist in stylistics

stylistique /stilistik/
A *adj* stylistic
B *nf* stylistics (+ *v sg*)

stylo /stilo/ *nm* pen

(Composés) **~ (à) bille** ball-point pen; **~ à cartouche** cartridge pen; **~ à encre** fountain pen; **~ (à) plume** = **~ à encre**

stylo-feutre, *pl* **stylos-feutres** /stiloføtʀ/ *nm* felt-tip pen

stylographe† /stilɔgʀaf/ *nm* fountain pen

Styx /stix/ *nprm* **the ~** the Styx

su /sy/ *nm* **au ~ de qn** liter to sb's knowledge; **au vu et au ~ de tous** openly, for all to see

suaire /sɥɛʀ/ *nm* shroud

suant, **~e** /sɥɑ̃, ɑ̃t/ *adj* **1** (qui sue) sweaty; **2** ○(ennuyeux) deadly dull

suave /sɥav/ *adj* liter [*parfum, musique, sourire*] sweet; [*coloris, regard*] soft; [*contours*] smooth; [*voix*] mellifluous; [*plaisir*] exquisite; [*personne, manière*] suave

suavement /sɥavmɑ̃/ *adv* liter [*parler, chanter*] sweetly; **sourire ~** to have a sweet smile

suavité /sɥavite/ *nf* (de voix) mellifluous quality; (de parfum, musique) sweetness; (de coloris, regard) softness; (de contours) smoothness; (de personne, manières) suaveness

subaigu, **-uë*** /sybegy/ *adj* subacute

subalterne /sybaltɛʀn/
A *adj* [*poste*] junior; [*rôle*] subordinate; (au théâtre) minor; **officier ~** Mil low-ranking officer, subaltern
B *nmf* subordinate; Mil low-ranking officer, subaltern

subantarctique /sybɑ̃taʀktik/ *adj* subantarctic

subaquatique /sybakwatik/ *adj* subaquatic

subarctique /sybaʀktik/ *adj* subarctic

subconscient, **~e** /sybkɔ̃sjɑ̃, ɑ̃t/
A *adj* subconscious
B *nm* subconscious

subculture /sybkyltyʀ/ *nf* subculture

subdésertique /sybdezɛʀtik/ *adj* subdesert (*épith*)

subdiviser /sybdivize/ [1]
A *vtr* to subdivide (**en** into)
B se subdiviser *vpr* to be subdivided (**en** into)

subdivision /sybdivizjɔ̃/ *nf* subdivision

subduction /sybdyksjɔ̃/ *nf* subduction; **zone de ~** subduction zone, Benioff zone

subéquatorial, **~e**, *mpl* **-iaux** /sybekwatɔʀjal, o/ *adj* subequatorial

subir /sybiʀ/ [3] *vtr* **1** (être victime de) to be subjected to [*mauvais traitements, violences, pressions*]; to suffer, to sustain [*défaite, dégâts*]; to suffer [*discrimination, brimades*]; **~ le contrecoup/les conséquences de qch** to suffer the effects/the consequences of sth; **~ le même sort** to suffer the same fate; **faire ~ à qn** to subject sb to [*mauvais traitements*]; to inflict [sth] on sb [*défaite, pertes*]; **~ les effets de la concurrence/de la récession** to experience the effects of *ou* to be affected by competition/the recession; **2** (être soumis à) to undergo, to be subjected to [*interrogatoire*]; to take [*examen scolaire*]; to undergo [*opération chirurgicale, examens médicaux*]; **~ l'influence de qn** to be under sb's influence; **faire ~ à qn** to subject sb to [*interrogatoire*]; to make sb take [*examen scolaire*]; to make sb undergo [*examens médicaux*]; **3** (supporter) to put up with [*personne, épreuve*]; **~ la colère de qn en silence** to suffer sb's anger in silence; **4** (être l'objet de) to undergo, to go through [*changements, transformations*]

subit, **~e** /sybi, it/ *adj* sudden

subitement /sybitmɑ̃/ *adv* suddenly, all of a sudden

subito (presto) /sybito (pʀesto)/ *adv* **1** ○(tout de suite) at once; **2** Mus subito presto

subjectif, **-ive** /sybʒɛktif, iv/ *adj* subjective

subjectivement /sybʒɛktivmɑ̃/ *adv* subjectively

subjectivisme /sybʒɛktivism/ *nm* **1** (système) subjectivism; **2** fml (subjectivité) péj subjectivity

subjectiviste /sybʒɛktivist/ *adj, nmf* subjectivist

subjectivité /sybʒɛktivite/ *nf* subjectivity

subjonctif, **-ive** /sybʒɔ̃ktif, iv/
A *adj* subjunctive
B *nm* subjunctive; **au ~** in the subjunctive

subjuguer /sybʒyge/ [1] *vtr* **1** (séduire) to captivate, to enthral[GB]; **2** (asservir) liter to subjugate

sublimation /syblimasjɔ̃/ *nf* sublimation

sublime /syblim/
A *adj* [*peinture, œuvre, personne*] sublime; **~ de générosité** sublimely generous; **se montrer ~** to be sublime; **~!** wonderful!, beautiful!
B *nm* **le ~** the sublime; **le ~ de l'histoire, c'est que** hum the best part of the story is that

(Composé) **la Sublime Porte** Hist the Sublime Porte

sublimé, **~e** /syblime/
A *adj* sublimated
B *nm* Chimie sublimate

sublimement /syblimәmɑ̃/ *adv* sublimely

sublimer /syblime/ [1] *vtr, vi* to sublimate

subliminal, **~e**, *mpl* **-aux** /sybliminal, o/ *adj* subliminal

sublimité /syblimite/ *nf* liter sublimity

sublingual, **~e**, *mpl* **-aux** /syblɛ̃gwal, o/ *adj* sublingual

submergé, **~e** /sybmɛʀʒe/
A *pp* ▸ **submerger**
B *pp adj* [1] [*terre, récif*] submerged; [2] fig (débordé) **~ par l'émotion/la foule** overwhelmed by emotion/the crowd; **~ d'appels/de réclamations/de candidatures** swamped with calls/with complaints/with applications; **je suis ~ de travail** I'm inundated with work

submerger /sybmɛʀʒe/ [13] *vtr* [1] (inonder) lit to submerge [*terre, récif*]; fig to flood [*standard téléphonique, marché*] (**de** with); **une vague de nationalisme/colère a submergé le pays** a wave of nationalism/anger swept over *ou* through the country; [2] (dominer) [*foule, ennemi, émotion*] to overwhelm [*personne, groupe*]; [3] (accabler) **~ qn de travail/questions** to swamp sb with work/questions

submersible /sybmɛʀsibl/
A *adj* [1] Géog [*terre*] liable to flooding (*après n*); [2] Tech [*machine, navire*] submersible
B *nm* submersible

submersion /sybmɛʀsjɔ̃/ *nf* [1] Agric irrigation by flooding; [2] Naut (de sous-marin) submersion; (naufrage) sinking; [3] Méd **asphyxie par ~** death by drowning

subnormal, **~e**, *mpl* **-aux** /sybnɔʀmal, o/ *adj* [*intelligence*] subnormal

subodorer○ /sybɔdɔʀe/ [1] *vtr* to detect [*malhonnêteté, piège*]; **~ quelque chose de louche** to smell a rat○

subordination /sybɔʀdinasjɔ̃/ *nf* [1] (dépendance) subordination (**à** to); [2] Ling subordination; **conjonction de ~** subordinating conjunction

subordonné, **~e** /sybɔʀdɔne/
A *pp* ▸ **subordonner**
B *pp adj* [1] (dans une hiérarchie) subordinate (**à** to); [2] (dépendant) subject (**à** to); [3] Ling subordinate (**à** to)
C *nm,f* subordinate
D **subordonnée** *nf* Ling subordinate clause; **~e circonstancielle/relative** adverbial/relative clause

subordonner /sybɔʀdɔne/ [1] *vtr* [1] (dans une hiérarchie) **être subordonné à qn** [*soldat, fonctionnaire*] to be subordinate to sb; [2] (faire dépendre) **elle subordonne tout à son travail** everything else comes second to her job; **être subordonné à qch** [*réussite, réalisation*] to be subject to *ou* dependent on sth

subornation /sybɔʀnasjɔ̃/ *nf* (d'employé) bribing; Jur (de témoin) subornation

suborner /sybɔʀne/ [1] *vtr* [1] (corrompre) to bribe [*employé, garde*]; Jur to suborn [*témoin*]; [2] †liter (séduire) to seduce

subreptice /sybʀɛptis/ *adj* surreptitious

subrepticement /sybʀɛptismɑ̃/ *adv* surreptitiously

subrogation /sybʀɔgasjɔ̃/ *nf* Jur subrogation

subrogé, **~e** /sybʀɔʒe/ *adj* [1] Jur surrogate; **~ tuteur** *guardian appointed by the Family Court*; [2] Ling **langages ~s** subrogate languages

subroger /sybʀɔʒe/ [13] *vtr* Jur to subrogate

subsaharien, **-ienne** /sybsaaʀjɛ̃, ɛn/ *adj* sub-Saharan

subséquemment /sybsekamɑ̃/ *adv* Jur *or* hum (par la suite) subsequently; (en conséquence) consequently; **~ à** consequent upon

subséquent, **~e** /sybsekɑ̃, ɑ̃t/ *adj* subsequent

subside /sybsid/ *nm* (d'État, association) grant; (entre particuliers) allowance

subsidiaire /sybzidjɛʀ/ *adj* [*moyens*] ancillary; [*motif*] subsidiary; **question ~** tie-breaker

subsidiairement /sybzidjɛʀmɑ̃/ *adv* in addition

subsidiarité /sybsidjaʀite/ *nf* subsidiarity; **principe de ~** principle of subsidiarity

subsistance /sybzistɑ̃s/
A *nf* (de personne) subsistence; (de plante) sustenance; (moyens de survie) **(moyens de) ~** means of support, livelihood; **frais/économie de ~** subsistence allowance/economy; **avoir la ~ assurée** to have a secure livelihood; **perdre ses moyens de ~** to lose one's means of support; **assurer sa propre ~/la ~ de sa famille** to support oneself/one's family; **contribuer à la ~ du ménage** to contribute to household expenses; **tirer sa ~ d'un bout de terrain** to eke out a living from a small piece of land
B **subsistances** *nfpl* Mil food supplies

subsistant, **~e** /sybzistɑ̃, ɑ̃t/ *adj* remaining

subsister /sybziste/ [1]
A *vi* [1] (durer) [*crainte, doute, trace*] to remain; [2] (survivre) [*personne, coutume*] to survive; **seuls deux commerces ont subsisté** only two shops GB *ou* stores US have survived; [3] (subvenir à ses besoins) [*personne*] to subsist; **ça leur suffit à peine pour ~** it's barely enough for them to live on
B *v impers* **il subsistera toujours un doute** a doubt will always remain

subsonique /sypsɔnik/ *adj* subsonic

substance /sypstɑ̃s/ *nf* substance; **en ~** in substance; **~s végétales/toxiques** vegetable/toxic matter ₵

(Composés) **~ alimentaire** foodstuff; **~ blanche** Anat white material; **~ grise** Anat grey GB *ou* gray US matter ₵; **~ médicamenteuse** medicine

substantialité /sypstɑ̃sjalite/ *nf* substantiality

substantiel, **-ielle** /sypstɑ̃sjɛl/ *adj* [1] (nourrissant) [*repas*] substantial; fig [*lecture*] weighty; [2] (considérable) [*nombre, baisse, recette*] substantial; [*participation, progrès*] significant

substantiellement /sypstɑ̃sjɛlmɑ̃/ *adv* substantially

substantif, **-ive** /sypstɑ̃tif, iv/
A *adj* [*proposition*] noun; [*style*] nominal; [*emploi*] nominal, substantival
B *nm* noun, substantive

substantifique /sypstɑ̃tifik/ *adj* **la ~ moelle** the true substance

substantivation /sypstɑ̃tivasjɔ̃/ *nf* substantivization

substantivement /sypstɑ̃tivmɑ̃/ *adv* substantively; **employer un verbe/un adjectif ~** to use a verb/an adjective as a noun

substantiver /sypstɑ̃tive/ [1] *vtr* to substantivize

substituable /sypstitɥabl/ *adj* substitutable; **élément qui n'est pas ~ à un autre** element which may not be substituted for another; **produits ~s** substitute products

substituer /sypstitɥe/ [1]
A *vtr* [1] **~ A à B** to substitute A for B, to replace B by A; [2] Jur **~ un héritage** to entail an estate
B **se substituer** *vpr* **se ~ à** [*personne*] (pour représenter) to deputize for, to stand in for [*personne, groupe*]; (pour remplacer) to take the place of [*personne*]; Sport to substitute for [*personne*]; [*chose*] to take the place of, to replace [*chose*]

substitut /sypstity/ *nm* [1] (magistrat) deputy public prosecutor; [2] (remplacement) substitute (**de** for); **~ maternel** substitute mother

substitutif, **-ive** /sypstitytif, iv/ *adj* [*produit*] substitute; **médication substitutive** substitutive

substitution /sypstitysjɔ̃/ *nf* [1] (remplacement) substitution (**de qn/qch à** of sb/sth for); **produit de ~ du sucre/café** sugar/coffee substitute; **peine de ~** Jur alternative to prison; **clause de ~** Jur entailment; [2] Mus **~ de doigt** refingering

(Composé) **~ d'enfant** Jur substitution of a baby for another

substrat /sypstʀa/ *nm* [1] Bot, Philos substratum; [2] Chimie, Électrotech substrate; [3] Ling substrate language

subsumer /sypsyme/ [1] *vtr* to subsume (**à, dans** within)

subterfuge /syptɛʀfyʒ/ *nm* ploy, subterfuge ₵; **user de ~s** to use subterfuge *ou* all sorts of ploys

subtil, **~e** /syptil/ *adj* [*personne, intelligence, argument, nuance, parfum*] subtle; [*négociateur, manœuvre*] skilful[GB]

subtilement /syptilmɑ̃/ *adv* subtly

subtilisation /syptilizasjɔ̃/ *nf* theft (**de** of)

subtiliser /syptilize/ [1] *vtr* (dérober) **~ qch à qn** to steal sth from sb; **elle s'est fait ~ son portefeuille** she had her purse stolen

subtilité /syptilite/ *nf* subtlety; **les ~s de la grammaire** the subtleties of grammar

subtropical, **~e**, *mpl* **-aux** /sybtʀɔpikal, o/ *adj* subtropical

suburbain, **~e** /sybyʀbɛ̃, ɛn/ *adj* suburban

subvenir /sybvәniʀ/ [36] *vtr ind* **~ à** to meet [*dépenses*]; **~ aux besoins du pays/de la région** to meet the country's/region's needs; **~ aux besoins de sa famille** to provide for one's family

subvention /sybvɑ̃sjɔ̃/ *nf* (allocation) grant; (pour que le public paie moins cher) subsidy

subventionner /sybvɑ̃sjɔne/ [1] *vtr* to subsidize

subversif, **-ive** /sybvɛʀsif, iv/ *adj* subversive

subversion /sybvɛʀsjɔ̃/ *nf* subversion (**de** of)

subversivement /sybvɛʀsivmɑ̃/ *adv* subversively

suc /syk/ *nm* [1] lit (de fruit, viande) juice; (de plante, fleur) sap; [2] fig essence (**de** of)

(Composé) **~s digestifs** *or* **gastriques** Physiol gastric juices

succédané /syksedane/ *nm* lit, fig substitute, ersatz (**de** for); Pharm succedaneum; **~ de café/thé** coffee/tea substitute; **~s alimentaires** substitute foodstuffs

succéder /syksede/ [14]
A **succéder à** *vtr ind* [1] (remplacer) **~ à** [*personne*] to succeed [*personne*] **~ à qn à la tête d'une entreprise** to succeed sb as head of a company; **~ à qn sur le trône** to succeed sb to the throne; [2] (suivre) **~ à** [*chose*] to follow, to come after [*chose*]; **à la vague de chaleur a succédé un temps variable** the heatwave gave way to changeable weather; **l'inquiétude succéda à l'espoir** hope turned to anxiety
B **se succéder** *vpr* (venir l'un après l'autre) [*personnes*] to succeed *ou* follow one another; [*choses*] to follow (one another); **se ~ de père en fils** to carry on GB *ou* continue from father to son; **les semaines se sont succédé** week followed week; **les orages se succèdent sans interruption** there is storm after storm

succès /syksɛ/ *nm inv* success; **une série de ~** a string of successes; **~ scolaires/universitaires** scholastic/academic success; **un nouveau ~ diplomatique pour** another diplomatic success for; **votre ~ aux élections/à l'école/en politique** your success in the elections/at school/in politics; **le ~ du mois** this month's big success *ou* hit; **avoir du ~, être un ~** [*produit, livre, opération, formule*] to be a success (**auprès de** with); [*disque, chanson*] to be a hit (**auprès de** with); **avoir du ~** [*artiste*] to be a success; **avoir du ~ auprès de qn** [*personne*] to be a favourite[GB] *ou* a hit with sb; **avoir un ~ fou** [*personne, produit*] to be a big hit (**auprès de** with); **leur proposition n'a eu aucun ~** their proposal met with

S

no success; **connaître un grand ~** to be a great success; **remporter un ~** to score a success; **remporter des ~** to achieve success; **faire le ~ de qn/qch** to make sb/sth successful; **à ~** [*acteur, pièce, film*] successful; **auteur à ~** best-selling author; **avec ~** successfully; **avec un égal ~** equally successfully; **sans ~** unsuccessfully; **sans grand ~** without much success

(Composé) **~ d'estime** succès d'estime, critical though not popular acclaim

successeur /syksesœʀ/ *nm* successor; **le ~ de qn** the successor to sb; **désigner qn comme son ~** to designate sb as one's successor

successif, **-ive** /syksesif, iv/ *adj* successive

succession /syksesjɔ̃/ *nf* [1] (série, suite) (de personnes, visiteurs) stream, succession; (d'événements) series (*sg*), succession; (de jours, saisons) succession; (de nombres) series; (d'accidents, de malheurs) string, succession; [2] (transmission de pouvoir) succession; **~ au trône/à la couronne** succession to the throne/to the crown; **prendre la ~ de** to succeed [*roi*]; to take over from, to succeed [*ministre, directeur*]; [3] Jur (transmission) (de biens) succession; (de patrimoine) inheritance, estate; **par voie de ~** [*transmis*] through inheritance; **léguer/recevoir qch par voie de ~** to bequeath/inherit sth

(Composé) **~ testamentaire** Jur testate succession

successivement /syksesivmɑ̃/ *adv* successively

successoral, **~e**, *mpl* **-aux** /syksesɔʀal, o/ *adj* **droit ~** law of succession

succinct, **~e** /syksɛ̃, ɛ̃t/ *adj* [*écrit*] succinct; [*discours*] brief; **je serai ~** I'll be brief; hum [*repas*] frugal

succinctement /syksɛ̃tmɑ̃/ *adv* [*exposer*] succinctly

succion /syksjɔ̃/ *nf* [1] (avec appareil) suction; [2] (avec la bouche) sucking; **bruits de ~** sucking noises

succomber /sykɔ̃be/ [1] *vi* [1] (mourir) to die; [2] (fléchir) liter to give way, to yield; **~ sous le poids** to collapse under the weight; **~ sous le nombre** to be overwhelmed by numbers; [3] (s'abandonner) **~ à** to succumb to [*charme, désespoir, fatigue*]; to yield to, to give in to [*tentation*]; **~ à l'appel du large** to answer the call of the sea

succube /sykyb/ *nm* succubus

succulence /sykylɑ̃s/ *nf* succulence (**de** of)

succulent, **~e** /sykylɑ̃, ɑ̃t/ *adj* [1] (savoureux) [*repas, cuisine, fruit*] delicious; [2] Bot **plante ~e** succulent

succursale /sykyʀsal/ *nf* branch, outlet

sucer /syse/ [12]
A *vtr* [1] to suck; **~ son pouce** to suck one's thumb; **~ la haine/religion avec le lait** fig to learn hatred/religion at one's mother's knee; **~ les économies de qn**○ fig to milk sb of his/her savings; [2] ●to suck [sb] off●
B **se sucer** *vpr* **se ~ la poire**◑ *or* **la pomme**◑ to neck○

sucette /sysɛt/ *nf* [1] (bonbon) lollipop, lolly○; [2] (tétine) dummy GB, pacifier US

suçon○ /sysɔ̃/ *nm* lovebite, hickey○ US; **faire un ~ à qn** to give sb a lovebite

suçoter /sysɔte/ [1] *vtr* to suck

sucrage /sykʀaʒ/ *nm* sugaring

sucrant, **~e** /sykʀɑ̃, ɑ̃t/ *adj* sweetening; **matière ~e** sweetener

sucre /sykʀ/ *nm* [1] (substance) sugar; **je bois mon thé sans ~** I don't take sugar in my tea; **du chocolat noir sans ~** sugar-free dark chocolate; **ma cocotte** *or* **mon lapin en ~**○ my little honeybun○, my sweetie pie○; [2] (morceau) sugar; **combien de ~s dans ton café?** how many sugars in your coffee?

(Composés) **~ de betterave** beet sugar; **~ blanc** white sugar; **~ brun** dark brown sugar; **~ candi** candy sugar; **~ de canne** cane sugar; **~ cristallisé** granulated sugar; **~ d'érable** maple sugar; **~ glace** icing sugar GB, powdered sugar US; **~ en morceaux** lump sugar; **~ d'orge** (substance) barley sugar; (bâton) stick of barley sugar, ≈ rock; **~ en poudre** caster sugar GB, superfine sugar US; **~ roux** brown sugar; **~ semoule** caster sugar GB, superfine sugar US; **~ tiré** pulled sugar; **~ vanillé** sugar containing vanilla; **~ vanilliné** vanilla-flavoured[GB] sugar

(Idiomes) **il n'est pas en ~ tout de même!** he isn't made of glass, you know; **être tout ~ tout miel** to be all sweetness and light; **casser du ~ sur le dos de qn** to run sb down, to badmouth sb○

sucré, **~e** /sykʀe/
A *adj* [1] lit [*fruit, goût, vin, biscuit*] sweet; [*lait condensé, jus de fruit*] sweetened; **non ~** unsweetened; [2] fig péj [*ton*] honeyed; **je n'aime pas son air ~** I don't like his /her smarmy○ manner
B *nm* [1] (aliments) sweet food; **je n'aime pas le ~** I don't like sweet things; [2] péj **faire le ~** to be all sweetness

sucrer /sykʀe/ [1]
A *vtr* [1] (rendre doux) [*personne*] to put sugar in [*café, compote*]; (en saupoudrant) to sprinkle sugar on [*fraises, framboises*]; [*miel, saccharine*] to sweeten; **je sucre avec du miel** I use honey as a sweetener; [2] ◑(supprimer) to stop [*prime, argent de poche*]; to cancel [*permission*]
B **se sucrer**◑ *vpr* [1] (prendre du sucre) to help oneself to sugar; [2] [*profiteur*] to feather one's nest

(Idiome) **~ les fraises** to be doddery○

sucrerie /sykʀəʀi/
A *nf* (usine) sugar refinery
B **sucreries** *nfpl* sweets GB, candy US, sweet things; **les ~s leur sont interdites** they're not allowed sweet things; **aimer les ~s** to have a sweet tooth

sucrette® /sykʀɛt/ *nf* (artificial) sweetener

sucrier, **-ière** /sykʀije, ɛʀ/
A *adj* [*industrie*] sugar; [*région*] sugar-producing
B *nm* [1] (pot) sugar bowl; **~ verseur** sugar shaker; [2] (fabricant) sugar manufacturer; (ouvrier) sugar operative

sud /syd/ ▸ p. 648
A *adj inv* [*façade, versant, côté*] south; [*frontière, zone*] southern
B *nm* [1] (point cardinal) south; **au ~ de Paris** [*être, habiter*] south of Paris; **vers le ~** [*aller, naviguer*] south, southward; **en direction du ~** in a southerly direction; **un vent du ~** a southerly wind; **exposé au ~** south-facing (*épith*); [2] (région) south; **dans le ~ de la France** [*se situer, avoir lieu, habiter, voyager*] in the south of France; [*aller, se rendre*] to the south of France; **le ~ de l'Europe/du Japon** southern Europe/Japan; [3] Géog, Pol **le Sud** the South; **vivre dans le Sud** to live in the South; **venir du Sud** to come from the South; **du Sud** [*ville, accent*] southern

(Composé) **le Sud Viêt Nam** Hist South Vietnam

sud-africain, **~e**, *mpl* **~s** /sydafʀikɛ̃, ɛn/ ▸ p. 561 *adj* South African

Sud-Africain, **~e**, *mpl* **~s** /sydafʀikɛ̃, ɛn/ ▸ p. 561 *nm,f* South African

sud-américain, **~e**, *mpl* **~s** /sydameʀikɛ̃, ɛn/ *adj* South American

Sud-Américain, **~e**, *mpl* **~s** /sydameʀikɛ̃, ɛn/ *nm,f* South American

sudation /sydasjɔ̃/ *nf* sweating

sud-coréen, **-éenne**, *mpl* **~s** /sydkɔʀeɛ̃, ɛn/ ▸ p. 561 *adj* South Korean

Sud-Coréen, **-éenne**, *mpl* **~s** /sydkɔʀeɛ̃, ɛn/ ▸ p. 561 *nm,f* South Korean

sud-est /sydɛst/ ▸ p. 648
A *adj inv* [*façade, versant*] southeast; [*frontière, zone*] southeastern
B *nm* southeast; **vent de ~** southeasterly wind; **le Sud-Est asiatique** South East Asia

Sudètes /sydɛt/ *nprfpl* [1] ▸ p. 721 (région) Sudeten; [2] (monts) Sudetes

sudiste /sydist/ *adj, nmf* Hist US Confederate

sudoku /sudoku/ *nm* sudoku

sudorifère /sydɔʀifɛʀ/ *adj* sudoriferous; **canal ~** sweat duct

sudorifique /sydɔʀifik/ *adj, nm* sudorific

sudoripare /sydɔʀipaʀ/ *adj* sudoriparous; **glande ~** sweat gland

sud-ouest /sydwɛst/ ▸ p. 648
A *adj inv* [*façade, versant*] southwest; [*frontière, zone*] southwestern
B *nm* southwest; **vent de ~** southwesterly wind; **le ~ de la France** the southwest of France

sud-vietnamien, **-ienne**, *mpl* **~s** /sydvjɛtnamjɛ̃, ɛn/ *adj* Hist South Vietnamese

Sud-Vietnamien, **-ienne**, *mpl* **~s** /sydvjɛtnamjɛ̃, ɛn/ *nm,f* Hist South Vietnamese

suède /sɥɛd/ *nm* (peau) suede; **gants en** *or* **de ~** suede gloves

Suède /sɥɛd/ ▸ p. 333 *nprf* Sweden

suédé, **~e** /sɥede/ *adj* [*cuir*] suede (*épith*)

suédine /sɥedin/ *nf* imitation suede

suédois, **~e** /sɥedwa, az/ ▸ p. 483, p. 561
A *adj* Swedish
B *nm* Ling Swedish

Suédois, **~e** /sɥedwa, az/ ▸ p. 561 *nm,f* Swede

suée○ /sɥe/ *nf* sweat; **cette escalade m'a donné une ~** the climb made me sweat; **cette histoire m'a fichu une de ces ~s!** that story brought me out in a cold sweat!

suer /sɥe/ [1]
A *vtr* [1] (exsuder) [*personne, peau*] to sweat; [*mur, roche*] to ooze [*eau, humidité*]; **il suait toute l'eau de son corps** he was dripping with sweat; **~ sang et eau** fig to sweat blood and tears (**pour faire** to do; **sur qch** over sth); [2] (dégager) [*personne*] to exude [*bêtise, ennui, misère*]; **un livre/une ville qui sue l'ennui** an incredibly boring book/town
B *vi* to sweat (**sur** over); **~ à grosses gouttes** to sweat buckets; **faire ~** (embêter)○ to bore [sb] stiff [*personne*] (**avec** with); Culin to sweat [*légumes*]; **qu'est-ce qu'on se fait ~ ici**○! it's deadly boring here!

sueur /sɥœʀ/ *nf* sweat; **se mettre en ~** to break into a sweat; **être trempé de ~** to be soaked in sweat; **il avait le visage ruisselant de ~** his face was streaming with sweat; **donner des ~s froides à qn** to put sb in a cold sweat; **j'en avais des ~s froides** I was in a cold sweat about it; **vivre de la ~ des autres** to live by the sweat of others; **gagner son pain à la ~ de son front** to earn one's living by the sweat of one's brow; **il avait le front/dos en ~** he had a sweaty forehead/back

Suez /sɥɛz/ ▸ p. 894 *npr* Suez; **l'affaire de ~** the Suez crisis; **le canal de ~** the Suez canal

suffire /syfiʀ/ [64]
A *vi* (être suffisant) [*somme, durée, quantité*] to be enough; **quelques gouttes suffisent** a few drops are enough; **j'y suis allé une fois, ça m'a suffi!** I went there once, and that was enough!; **il est plein de bonne volonté mais ça ne suffit pas** he's very willing but that's not enough; **ma retraite suffit à mes besoins** my pension is enough to cover my needs; **un échec a suffi à** *or* **pour la décourager** one setback was enough to put her off; **un radiateur suffit à** *or* **pour chauffer la pièce** one radiator is enough *ou* sufficient to heat the room; **deux heures sufffisent amplement pour faire le trajet** two hours is ample time *ou* is easily enough for the journey; **un rien suffit à** *or* **pour le mettre en colère** it only takes the

slightest thing to make him lose his temper; **dix minutes lui ont suffi pour réparer la télévision** it only took him ten minutes to repair the television set
B **se suffire** *vpr* **se ~ (à soi-même)** [*personne, pays*] to be self-sufficient; **pas besoin de longues explications, le film se suffit à lui-même** there's no need for long explanations, the film speaks for itself
C *v impers* **1** (être très simple) **il suffit de faire qch** all you have to do is do sth; **il suffit de qch** all you need is sth; **il suffit d'ajouter de l'eau et c'est prêt!** all you have to do is add some water and it's ready!, just add some water and it's ready!; **c'est un réactionnaire, il suffit de lire son livre pour s'en rendre compte** he's a reactionary, you only have to read his book to realize that; **il te suffit de dire un mot pour qu'elle revienne** you only have to say one word and she'll come back; **il suffit d'un coup de téléphone pour annuler son abonnement** it only takes one phone call to cancel your subscription; **il suffit qu'elle y aille** all she has to do is go there
2 (être suffisant) **il suffit d'une lampe pour éclairer la pièce** one lamp is enough *or* sufficient to light the room; **il suffirait d'un peu de pluie pour sauver la récolte** a little rain would be enough to save the crop; **il suffit d'un rien pour qu'il rougisse/s'énerve** it only takes the slightest thing to make him blush/lose his temper; **il suffit d'une seconde d'inattention pour qu'un accident se produise** it only takes a second's carelessness to cause an accident; **il lui a suffi de dix minutes pour réparer la télévision** it only took him ten minutes to repair the television set; **il suffirait d'un rien pour tout faire rater** it would only take the slightest thing to ruin everything
3 (notion de cause à effet) **il suffit que je sorte sans parapluie pour qu'il pleuve!** every time I go out without my umbrella, it's guaranteed to rain; **il suffit qu'elle ouvre la bouche pour dire une bêtise** every time she opens her mouth she says something stupid
4 (être satisfaisant) **ça suffit (comme ça)!, il suffit†!** that's enough!; **il ne leur a pas suffi de nous cambrioler, il a fallu qu'ils saccagent la maison** they weren't satisfied with burgling GB *ou* burglarizing US us, they had to wreck the house as well
(Idiome) **à chaque jour suffit sa peine** Prov sufficient unto the day (is the evil thereof)

suffisamment /syfizamɑ̃/ *adv* enough; **~ fort/intelligent/riche** strong/intelligent/rich enough; **~ intelligent pour** intelligent enough to; **nous avons ~ marché/mangé** we've walked/eaten enough; **il y a ~ à manger pour tout le monde** there's enough food for everyone; **pièce ~ chauffée/éclairée** room that is warm/light enough; **il n'a pas ~ d'argent/de temps libre pour faire** he doesn't have enough money/free time to do; **tu n'es pas ~ couvert pour sortir par ce froid!** you're not wrapped up well enough to go out in this cold!; **j'ai ~ de problèmes sans que tu m'en crées de nouveaux** I've got enough problems without you making more for me

suffisance /syfizɑ̃s/ *nf* **1** (vanité) self-importance, arrogance; **il est plein de ~** he's very self-important; **2** (quantité adéquate) **avoir qch en ~** to have sufficient quantities of sth; **manger à sa ~** to eat one's fill

suffisant, **~e** /syfizɑ̃, ɑ̃t/ *adj* **1** (adéquat) sufficient; **100 euros, c'est ~** 100 euros is enough *ou* sufficient; **deux heures, c'est ~ pour faire le trajet** two hours is enough for the journey; **l'éclairage n'est pas ~** there is inadequate lighting; **il y a à manger en quantité ~e** there's quite enough to eat; **il y met de la bonne volonté mais ce n'est pas ~** he's willing but that's not enough; **2** (vaniteux) [*personne, ton, air*] self-important; **faire le ~** to give oneself airs, to put on airs

suffixal, **~e**, *mpl* **-aux** /syfiksal, o/ *adj* suffixal

suffixation /syfiksasjɔ̃/ *nf* suffixation

suffixe /syfiks/ *nm* suffix

suffixé, **~e** /syfikse/ *adj* Ling suffixed

suffocant, **~e** /syfɔkɑ̃, ɑ̃t/ *adj* **1** (étouffant) [*chaleur, atmosphère*] suffocating; **2** (stupéfiant) staggering

suffocation /syfɔkasjɔ̃/ *nf* (action) suffocation; (sensation) suffocating feeling; **crise de ~** fit of choking

Suffolk ▸ **p. 721** *nprm* **le ~** Suffolk

suffoquer /syfɔke/ [1]
A *vtr* **1** (étouffer) [*chaleur, fumée*] to suffocate; **les sanglots la suffoquaient** she was choking with sobs; **2** °(stupéfier) **son aplomb m'a suffoqué** I was staggered by his/her cheek°
B *vi* **1** (étouffer) to suffocate; **on suffoque ici** it's suffocating in here; **2** (s'étrangler) to choke (**de** with)

suffragant /syfʀagɑ̃/ *adj m* (évêque) suffragan

suffrage /syfʀaʒ/ *nm* **1** Pol (système) suffrage; **~ direct/indirect/restreint/universel** direct/indirect/restricted/universal suffrage; **2** Pol (voix) vote; **~s exprimés** recorded votes; **les ~s catholiques** the catholic vote; **remporter peu de ~s** to receive few votes; **3** fig (approbation) approval **₵**; **recueillir tous les ~s** to meet with universal approval

suffragette /syfʀaʒɛt/ *nf* suffragette

suggérer /sygʒeʀe/ [14] *vtr* to suggest (**à** to); **je suggère qu'on s'en aille** I suggest (that) we go; **elle a suggéré à la commission de modifier le projet** she suggested to the commission that they should modify the project; **la solution suggérée n'a pas été retenue** the suggested solution has not been accepted

suggestible /sygʒɛstibl/ *adj* suggestible

suggestif, **-ive** /sygʒɛstif, iv/ *adj* [*texte, musique*] evocative; [*pose, photos*] suggestive; [*décolleté, robe*] provocative

suggestion /sygʒɛstjɔ̃/ *nf* suggestion; **faire une ~** to make a suggestion; **faire une ~ à qn** to suggest something to sb

suggestionner /sygʒɛstjɔne/ [1] *vtr* **~ qn** to put ideas into sb's head, to influence sb; **il se laisse trop facilement ~** he's too suggestible

suggestivité /sygʒɛstivite/ *nf* (de texte, musique) evocativeness; (de pose, photo) suggestiveness; (de décolleté) provocativeness

suicidaire /sɥisidɛʀ/
A *adj* lit, fig suicidal
B *nmf* person with suicidal tendencies

suicide /sɥisid/ *nm* lit, fig suicide; **c'est du** *or* **un ~** fig it's suicide; **mission ~** suicide mission

suicider /sɥiside/ [1]
A °*vtr* hum **on l'a suicidé** they made it look like suicide
B **se suicider** *vpr* to commit suicide

suie /sɥi/ *nf* soot
(Idiome) **noir comme de la ~** black as soot

suif /sɥif/ *nm* **1** (de chandelle) tallow; **2** Culin suet; **~ de bœuf/mouton** beef/mutton suet

sui generis /sɥiʒeneʀis/ *loc adj inv* sui generis; [*couleur*] distinctive; [*odeur*] characteristic

suint /sɥɛ̃/ *nm* suint

suintement /sɥɛ̃tmɑ̃/ *nm* **1** (d'eau) seepage; **2** (de plaie) oozing

suinter /sɥɛ̃te/ [1] *vi* **1** [*eau*] to seep (**de** through); [*sang, sève*] to ooze (**de** from); **2** [*mur*] to sweat; [*plaie*] to ooze

suisse /sɥis/
A ▸ **p. 561** *adj* Swiss; **~ allemand/romand** Swiss German/French
B *nm* **1** (au Vatican) Swiss Guard; (d'église) verger; **2** †(portier) porter; **3** Can (écureuil) chipmunk

Suisse /sɥis/
A ▸ **p. 561** *nm,f* (habitant) Swiss; **~ allemand/romand** German-speaking/French-speaking Swiss
B ▸ **p. 333** *nprf* Switzerland; **~ allemande/romande** German-speaking/French-speaking Switzerland
(Idiome) **manger/boire en ~** to eat/drink alone

Suissesse /sɥisɛs/ *nprf* (habitante) Swiss woman

suite /sɥit/
A *nf* **1** (reste) rest; **je te raconterai la ~ plus tard** I'll tell you the rest later; **la ~ des événements** (à venir) what happens next; (déjà survenue) what happened next; **on connaît la ~** we all know what happened next; **la ~ des événements montra que** subsequent events showed that; **lis la ~ pour comprendre** read on and then you'll understand
2 (partie suivante) (de récit) continuation; (de feuilleton) next instalment[GB]; (de repas) next course; **attendre la ~** (du repas) to wait for the next course; (du spectacle) to see what comes next; (des événements) to wait and see; **~ page 10/au prochain numéro/de la première page** continued on page 10/in the next issue/from page one; **'résultats des examens (~)'** 'examination results (continued)'; **'~ et fin'** 'concluded'
3 (nouveau film, roman) sequel (**à, de** to); (émission, article de suivi) follow-up (**à, de** to); **j'ai une idée pour une ~ au film** I have an idea for a sequel to the film; **dans une émission qui est une ~ à celle d'hier** in a follow-up to yesterday's programme[GB]
4 (résultat) result; **les ~s** (d'acte, de décision) the consequences; (d'affaire, incident) the repercussions; (de maladie, d'opération) the after-effects; **la ~ logique/naturelle de** the logical/natural result of; **leur négligence aurait pu avoir des ~s fâcheuses** their negligence could have had serious consequences; **l'incident n'a pas eu de ~s** the incident had no repercussions; **mourir des ~s d'une chute** to die as a result of a fall
5 (réponse produite) **donner ~ à** to follow up [*plainte, affaire*]; to pursue [*projet*]; to act on [*requête*]; to respond to, to follow up [*lettre*]; Comm to deal with [*commande*]; **ne pas donner ~ à une lettre** to take no action concerning a letter; **rester sans ~** [*demande, plainte*] not to be followed up; [*projet*] to be dropped; **ma plainte est restée sans ~** no action was taken about my complaint; **'classé sans ~'** Admin 'no action'
6 (indiquant la position) **faire ~ à** to follow on from [*paragraphe*]; to follow upon [*incident*]; **un vote fit ~ au débat** a vote followed the debate; **la pièce qui fait ~ au bureau** the room which leads off the study; **prendre la ~ d'une affaire** to take over a business; **prendre la ~ de qn** to take over from sb
7 (cohérence) coherence; **ça manque de ~** it's not very coherent; **marmonner des phrases sans ~** to mutter incoherently; **avoir de la ~ dans les idées** (savoir ce que l'on veut) to be single-minded; iron (être entêté) not to be easily deterred; **n'avoir aucune ~ dans les idées** to flit from one thing to another
8 (série) (de sommets, d'incidents) series (*sg*); (de malheurs) string, series (*sg*); (de succès) run; **article sans ~** discontinued line
9 (dans un hôtel) suite
10 (entourage) suite
11 Math series (+ *v sg*)
12 Mus suite; **~ d'orchestre** orchestral suite
13 Ling string
14 Jeux (aux cartes) run; **~ à pique** run in spades
B **de suite** *loc adv* **1** (d'affilée) in succession, in a row; **trois fois de ~** three times in succession *ou* a row; **il a plu trois jours de ~** it rained for three days running; **venir trois jours de ~** to come three days running; **dormir/travailler dix heures de ~** to sleep/to work for ten hours solid; **sur dix pages de ~**

over ten consecutive pages; **et ainsi de ~** and so on; **incapable d'aligner deux mots de ~** incapable of stringing two words together
2▸ (immédiatement) straight *ou* right away; **je reviens de ~** I'll be right back
C par la suite *loc adv* (après) afterwards; (plus tard) later; **qu'a-t-il fait par la ~?** what did he do afterwards ?
D par suite *loc adv* consequently, as a result
E par suite de *loc prép* due to; **par ~ d'encombrement, votre appel ne peut aboutir** all lines are engaged GB *ou* busy, please try again later
F à la suite de *loc prép* 1▸ (en conséquence, après) following; **à la ~ d'un incident** following an incident, as a result of an incident
2▸ (derrière) behind; **rangés à la ~ des autres** placed behind the others; **à leur ~ venait la fanfare** behind them came the band; **à la ~ les uns des autres, l'un à la ~ de l'autre** one after the other; **entraîner qn à sa ~** (derrière soi) to drag sb along behind one; (dans une chute) lit, fig to drag sb down with one; **se mettre à la ~ (de la file d'attente)** to join (the end of) the queue GB *ou* line US
G suite à *loc prép* **~ à ma lettre/notre conversation** further to my letter/our conversation; **~ à votre lettre du 2 mai** with reference to your letter of 2 May; **~ à l'article d'hier** Presse following yesterday's article

suivant¹ /sɥivɑ̃/
A *prép* 1▸ (le long de) along [*axe, pointillé*]; 2▸ (conformément à) in accordance with [*coutume, rituel, tradition*]; **~ leur habitude** (au présent) as they usually do, as is their wont; (au passé) as they usually did, as was their wont; **procéder ~ le mode d'emploi** to follow the directions for use; 3▸ (en fonction de) depending on [*temps, compétence, circonstances*]; **~ le temps/ce qu'il dira** depending on the weather/what he says; 4▸ (selon) according to; **~ le plan/leurs instructions** according to the map/their instructions; **~ la formule consacrée** according to the standard formula
B suivant que *loc conj* depending on whether

suivant², ~e /sɥivɑ̃, ɑ̃t/
A *adj* 1▸ (ci-après) following; **de la manière** *or* **façon ~e** in the following manner; 2▸ (d'après) (dans le temps) following, next; (dans une série) next; **il revint le lundi ~** he came back the following Monday; **mardi et les jours ~s** Tuesday and the following days; **voir le chapitre ~** see next chapter; **le témoin ~ déclara le contraire** the next witness said the opposite
B *nm,f* **le ~** (dans le temps) the following one, the next one; (dans une série) the next one; **appelez le ~!** call in the next one!; **(au) ~!** next!; **au ~ de ces messieurs**○**!** hum next customer, please!; **pas ce lundi, le ~** not this (coming) Monday, the one after; **pas le prochain arrêt, mais le ~** not the next stop, (but) the one after; **1 000 ce mois-ci, 2 000 le ~** 1,000 this month, and 2,000 the month after; **les premiers arrivés ont pu s'asseoir, mais les ~s sont restés debout** the first to arrive got seats, but those who came later had to stand
C le suivant, la suivante *loc adj* as follows (*jamais épith*); **les résultats sont les ~s** the results are as follows; **la situation est la ~e** the situation is as follows
D suivante *nf* 1▸ Théât, Littérat lady's maid; 2▸ †(dame de compagnie) companion

suiveur, -euse /sɥivœʀ, øz/
A *adj* Sport [*bateau, voiture*] that is following the race (*après n*)
B *nm* 1▸ Sport (official) follower; 2▸ (imitateur) imitator; **ce n'est qu'un ~** he's just an imitator; **les ~s d'un courant de pensée** people who follow a school of thought

suivi, ~e /sɥivi/
A *pp* ▸ **suivre**
B *pp adj* 1▸ (maintenu) [*travail, demande*] steady; [*effort*] sustained; [*correspondance*] regular; [*habitudes*] regular; [*qualité*] consistent; [*relations*] close; 2▸ Comm [*article*] in general production (*après n*), that is always in stock (*épith, après n*); 3▸ (apprécié, adopté) **la boxe est le sport le plus ~** boxing is the most popular sport; **quelle est l'émission la plus/moins ~e?** which is the most/least popular programme[GB]?; **très/peu ~** [*feuilleton*] with a (very) large/small audience (*épith, après n*); [*cours*] well/poorly attended; [*exemple, consigne*] widely/not widely followed; **c'est une mode très/peu ~e** it's a fashion which has/hasn't really caught on; **le match a été très/peu ~** TV the match drew a large/poor number of viewers; **au cours d'un procès très/peu ~** during a trial that attracted considerable/very little public interest; 4▸ (cohérent) [*politique*] consistent, coherent; [*argumentation*] coherent
C *nm* (de procédure) monitoring; Comm (de commande) follow-up; **le ~ des malades/ex-prisonniers** follow-up care for patients/ex-prisoners; **le ~ budgétaire** monitoring of the budget; **travail de ~** follow-up work; **assurer le ~ des jeunes délinquants** to follow up (on) young delinquents; **assurer le ~ d'un produit** Comm to ensure the continued supply of a product

suivisme /sɥivism/ *nm* blind conformity, herd instinct

suiviste /sɥivist/ *adj, nmf* conformist

suivre /sɥivʀ/ [62]
A *vtr* 1▸ (aller derrière) to follow [*personne, voiture*]; (accompagner) to accompany [*personne*]; **suivez cette voiture!** follow that car!; **suivis de leur chien** followed by their dog; **j'ai l'impression qu'on me suit** I think I'm being followed; **un interprète le suit dans ses visites officielles** an interpreter accompanies him on official visits; **faire ~ qn** to have sb followed; **~ qn en exil/dans le jardin** to follow sb into exile/into the garden GB *ou* yard US; **~ qn de près/de loin** lit to follow sb closely/at a distance; **~ de très près la voiture de tête** Sport to be right behind the leading car; **il est mort en juin, et elle l'a suivi de près** he died in June and she followed not long after; **il me suit partout** [*chien*] he follows me everywhere; [*sac*] it goes everywhere with me; **partez sans moi, je vous suis** don't wait for me, I'll follow; **~ qn du regard** to follow sb with one's eyes; **ta réputation t'a suivi jusqu'ici** your reputation has followed you; **~ un cerf à la trace** to stalk a stag; **suivez le guide!** this way, please!
2▸ (se situer après) to follow, to come after [*période, incident, dynastie*]; (succéder à) to follow; (résulter de) to follow; **le verbe suit le sujet** the verb comes after *ou* follows the subject; **suivit un long silence** there followed a long silence; **le film qui suivit** the film that followed; **le jour qui suivit** the next *ou* following day; **la répression qui suivit l'insurrection** the clamp-down that followed the insurrection; **comme nous le verrons dans l'exemple qui suit** as we shall see in the following example; **lis ce qui suit** read on; **'à ~'** 'to be continued'
3▸ (aller selon) [*personne*] to follow [*flèche, sentier, itinéraire*]; [*police, chien*] to follow [*piste*]; [*bateau, route*] to follow, to hug [*côte*]; [*route*] to run alongside [*voie ferrée*]; **ils ont suivi la même voie** fig they followed the same path; **indiquer (à qn) la route à ~** to give (sb) directions; **quelle est la marche à ~?** fig what is the best way to go about it?; **~ le droit chemin** fig to keep to the straight and narrow; **lire en suivant (les lignes) du doigt dans son livre** to read with a finger under the line; ▸ **bonhomme**
4▸ (se conformer à) to follow [*coutume, exemple, conseil, règlement , mode, chef de file*]; to follow [*instinct, penchant*]; to obey [*caprice, impulsion*]; **~ une recette/un traitement** to follow a recipe/a course of treatment; **décider de ~ un régime** to decide to go on a diet; **il suit/ne suit pas son régime** he keeps to/doesn't keep to his diet; **le dollar a chuté et la livre a suivi** the dollar fell and the pound followed suit
5▸ (être attentif à) to follow [*leçon, match, procès*]; to follow the progress of [*élève, malade*]; **~ un feuilleton à la télévision** to watch a serial on TV; **~ l'actualité** to keep up with the news; **~ les événements de très près** to keep a close eye on developments, to watch developments closely; **c'est une affaire à ~** it's something worth watching; **être suivi** *or* **se faire ~ par un spécialiste** Méd to be treated by a specialist; **elle ne suit jamais en classe** she never pays attention in class; **un de nos collègues, suivez mon regard**○ hum one of our colleagues, not mentioning any names
6▸ (assister à) **~ un cours de cuisine** to do a cookery GB *ou* cooking US course; **~ un stage de formation** to be on a training course GB, to be in a training program US
7▸ (comprendre) to follow [*explication, raisonnement*]; **je vous suis** I'm with you, I follow; **je ne vous suis pas très bien** I'm not quite with you, I don't quite follow; **vous me suivez?** are you with me?; **je n'arrive pas à ~ ce qu'il dit** I can't follow what he's saying
8▸ fig (ne pas se laisser distancer) to keep pace with [*personne*]; **tu vas trop vite, je ne peux pas (te) ~** you're going too fast, I can't keep up; **les prix augmentent, mais les salaires ne suivent pas** prices are going up but wages are not keeping pace; **il ne suit pas bien en chimie** Scol he's struggling to keep up in chemistry
9▸ Comm **~ un article** to keep a line in stock
10▸ Sport to follow [sth] through [*ballon*]
B *vi* 1▸ Postes **faire ~ son courrier** to have one's mail forwarded; **(prière de) faire ~** please forward
2▸ Jeux (au poker) **je suis** I'm in
C se suivre *vpr* 1▸ (être placés dans un ordre) [*numéros, pages*] to be in order; [*cartes*] Jeux to be consecutive; **les numéros ne se suivent pas** the numbers are not consecutive *ou* in order
2▸ (se succéder) [*incidents*] to happen one after the other; **se ~ à quelques jours d'intervalle** to happen within a few days; **les deux frères se suivent de près** the two brothers are close in age
3▸ (être cohérent) [*argumentation, exposé*] to be coherent; **argumentation qui se suit en toute logique** consistently logical line of argument
D *v impers* **il suit** it follows **(de** from); **d'où il suit que** from which it follows that, it therefore follows that; **comme suit** as follows
(Idiome) **~ qn comme un caniche** *or* **mouton** *or* **toutou** to trail around after sb like a little dog

sujet, -ette /syʒɛ, ɛt/
A *adj* **être ~ à** to be prone to, to be subject to [*rhumes, migraine, vertige*]; to be subject to [*colère, emportement, découragement*]; **elle est sujette à la mauvaise humeur** she's subject to bad moods; **~ à caution** [*information, témoignage, honnêteté*] questionable, unreliable
B *nm* 1▸ (question) subject; **traiter un ~** to deal with a subject; **un ~ de conversation** a subject for *ou* topic of conversation; **leur vieille voiture est un ~ de plaisanterie pour leurs amis** their friends joke about their old car; **être un ~ de plaisanterie** [*personne*] to be the butt of jokes; **un ~ d'actualité** a topical issue, an issue in the news; **un ~ brûlant/délicat/explosif** a burning/a delicate/an explosive issue; **proposer quelque chose comme ~ de réflexion** to suggest something as food for thought; **je n'ai rien à dire à ce ~** I've nothing to say on that subject *ou* matter; **un article est paru à ce ~** an article has been published on this subject; **interrogé à ce ~** when questioned on this subject *ou* matter; **c'est à quel ~?** what is it about?; **au ~ de** about; 2▸ (thème) subject; **le ~ d'un livre/**

La superficie

■ *Pour la prononciation des nombres, voir* **les nombres ▸ p. 568**.

Équivalences

1 sq in = 6,45 cm^2		1 acre = 40,47 ares *ou* 0,40 ha	
1 sq ft = 929,03 cm^2		1 sq ml = 2,59 km^2	
1 sq yd = 0,84 m^2			
dire			**dire**
one square centimetre	1 cm^2	= 0.15 sq in	*square inches*
one square metre	1 m^2	= 10.76 sq ft	*square feet*
		1.19 sq yds	*square yards*
one square kilometre	1 km^2	= 0.38 sq mls	*square miles*
one are	1 are	= 119.6 sq yds	
one hectare	1 hectare	= 2.47 acres	*acres*

Pour l'écriture, noter:
- *l'anglais utilise un point là où le français a une virgule:* 0,15 *s'écrit* 0.15, *etc.*
- *on écrit* -metre *en anglais britannique et* -meter *en anglais américain.*

– *on peut écrire* sq in *ou* in², sq ft *ou* ft², *etc.*

il y a 10 000 centimètres carrés dans un mètre carré
= there are 10,000 square centimetres in a square metre

10 000 centimètres carrés font un mètre carré
= 10,000 square centimetres make one square metre

quelle est la superficie du jardin?
= what is the area of the garden?
ou how big is the garden?

combien mesure le jardin?
= what size is the garden?
ou what does the garden measure?

il fait 12 m²
= it is 12 square metres

sa surface est de 12 m²
= its area is 12 square metres

il a une surface de 12 m²
= it is 12 square metres
ou it is 12 square metres in area

il fait 20 m sur 10 m
= it is 20 metres by 10 metres

il fait à peu près 200 m²
= it is about 200 square metres

presque 200 m²
= almost 200 square metres

plus de 200 m²
= more than 200 square metres

moins de 200 m²
= less than 200 square metres

la superficie de A est égale à celle de B
= A is the same area as B

A et B ont la même surface
= A and B are the same area

■ *Noter l'ordre des mots dans l'adjectif composé anglais, et l'utilisation du trait d'union. Noter aussi que metre, employé comme adjectif, ne prend pas la marque du pluriel.*

un jardin de 200 m²
= a 200-square-metre garden

On peut aussi dire: a garden 200 square metres in area.

6 mètres carrés de soie
= six square metres of silk

vendu au mètre carré
= sold by the square metre

tableau the subject of a book/painting; **c'est un ~ en or** it's a marvellous[GB] subject; **cette pièce a pour ~ la solitude** the subject of this play is solitude; **3)** Scol, Univ question; **un ~ d'examen** an exam question; **un ~ d'histoire/de philosophie** a history/philosophy question; **quel est ton ~ de thèse?** what's your thesis on?; **faire une dissertation sur un ~ libre** to write an essay on a subject *ou* topic of one's own choice; **hors ~** off the subject; **4)** (raison) cause; **c'est un ~ d'étonnement/d'inquiétude/de mécontentement** this is cause *ou* grounds for amazement/worry/displeasure; **c'est un ~ de contestation/de dispute** this is cause for contention/dispute; **c'est un ~ de satisfaction pour moi** this gives me satisfaction; **5)** (individu) **les ~s qui se sont soumis au test médical** those who have undergone the medical test; **les ~s âgés** the elderly, elderly people; **c'est un brillant ~** (étudiant) he's a brilliant student; **c'est un mauvais ~** he's a poor specimen; **6)** Ling, Philos subject; **7)** (ressortissant d'un royaume) subject; **8)** Sci (d'expérience) subject

sujétion /syʒesjɔ̃/ *nf* **1)** (servitude) subjection **(à** to); **être tenu en ~** to be held in subjection; **vivre dans la ~** to live in a state of subjection; **2)** (contrainte) constraint; **les ~s de la vie de soldat** the constraints of a soldier's life

sulfamide /sylfamid/ *nm* sulpha[GB] drug

sulfatage /sylfataʒ/ *nm* copper sulphate[GB] treatment

sulfate /sylfat/ *nm* sulphate[GB]; **~ de cuivre** copper sulphate[GB]

sulfater /sylfate/ [1] *vtr* to treat [sth] with copper sulphate[GB]

sulfateuse /sylfatøz/ *nf* **1)** Agric copper sulphate[GB] sprayer; **2)** ○(mitraillette) submachine gun

sulfite /sylfit/ *nm* sulphite[GB]

sulfiter /sylfite/ [1] *vtr* to sulphur[GB]

sulfure /sylfyʀ/ *nm* **1)** Chimie sulphide[GB]; **~ de carbone/cuivre** carbon/copper sulphide[GB]; **2)** Art (en verrerie) sulphide[GB]; (presse-papier) glass paperweight

sulfuré, **~e** /sylfyʀe/ *adj* sulphurated[GB]; **hydrogène ~** hydrogen sulphide[GB]

sulfurer /sylfyʀe/ [1] *vtr* to sulphurize[GB]

sulfureux, **-euse** /sylfyʀø, øz/ *adj* **1)** Chimie [*acide, eau, vapeur*] sulphurous[GB]; [*bain, source*] sulphur[GB] (*épith*); [*odeur*] like sulphur[GB] (*après n*); **anhydride** *or* **gaz ~** sulphur[GB] dioxide; **2)** fig [*personne, réputation, charme*] fiendish

sulfurique /sylfyʀik/ *adj* sulphuric[GB]

sulfurisé, **~e** /sylfyʀize/ *adj* **papier ~** greaseproof paper

sulky /sylki/ *nm* sulky

sultan /syltɑ̃/ *nm* sultan

sultanat /syltana/ *nm* sultanate

sultane /syltan/ *nf* sultana

Sumer /symɛʀ/ *npr* Sumer

sumérien, **-ienne** /symeʀjɛ̃, ɛn/
A *adj* Sumerian
B *nm* Ling Sumerian

Sumérien, **-ienne** /symeʀjɛ̃, ɛn/ *nm,f* Sumerian

summum /sɔm(m)ɔm/ *nm* height

sumo /sumo, symo/ ▸ **p. 469** *nm inv* sumo wrestling; **lutteur de ~** sumo wrestler

sunnite /syn(n)it/
A *adj* Sunni
B *nmf* Sunnite

sup○ /syp/ **1)** ▸ **mathématique**; **2)** ▸ **heure**

super¹ /sypɛʀ/ *préf* super

super² /sypɛʀ/
A ○*adj inv* great○
B *nm* **1)** (essence) four-star (petrol) GB, super, high-octane gasoline US; **2)** (*abbr* = **supermarché**) supermarket
C ○*excl* great○!

superaccélérateur /sypɛʀakseleʀatœʀ/ *nm* giant particle accelerator

superbe /sypɛʀb/
A *adj* [*fleurs, robe, spectacle*] superb; [*personne*] superb-looking (*épith*); [*ville, pays*] magnificent; **il a été ~ dans ce rôle** he was superb in the part; **elle a été ~ de courage** she displayed superb courage
B *nf* liter haughtiness

superbement /sypɛʀbəmɑ̃/ *adv* gén [*décorer, cuisiner*] superbly; [*ignorer*] haughtily

superbénéfice /sypɛʀbenefis/ *nm* surplus profit

superbombardier /sypɛʀbɔ̃baʀdje/ *nm* superbomber

supercalculateur /sypɛʀkalkylatœʀ/ *nm* supercomputer

supercanon /sypɛʀkanɔ̃/ *nm* supergun

supercarburant /sypɛʀkaʀbyʀɑ̃/ *nm* four-star *ou* high-octane petrol GB, super, high-octane gasoline US

supercherie /sypɛʀʃəʀi/ *nf* **1)** (tromperie) deception; **user de ~** to use deception; **2)** (acte) hoax, act of deception; (faux) fake; **monter une ~** to set up a hoax; **~ littéraire** literary hoax

supérette /sypeʀɛt/ *nf* minimarket, superette US

superfétatoire /sypɛʀfetatwaʀ/ *adj* liter superfluous

superficialité /sypɛʀfisjalite/ *nf* superficiality

superficie /sypɛʀfisi/ *nf* **1)** (aire) (de terrain, pays) area; (de pièce, bâtiment) floor area; **un pré d'une ~ de 20 hectares** a field with an area of 20 hectares; **quelle est la ~ du Japon?** what's the area of Japan?; **~ cultivée/vinicole** area under cultivation/vines; **la ~ de la Terre** the surface area of the Earth; **2)** (aspect superficiel) surface; **en ~** fig superficially

superficiel, **-ielle** /sypɛʀfisjɛl/ *adj* **1)** lit [*couche*] surface (*épith*); [*blessure*] superficial; **2)** fig [*personne, caractère, esprit*] superficial, shallow; [*conversation, rapports, jugement*] superficial

superficiellement /sypɛʀfisjɛlmɑ̃/ *adv* superficially

superfin, **~e** /sypɛʀfɛ̃, in/ *adj* [*qualité*] superior; [*produit*] quality (*épith*)

superflu, **~e** /sypɛʀfly/
A *adj* (de trop) superfluous; (inutile) unnecessary
B *nm* (surabondance) superfluity sout; (excédent) surplus; **s'offrir le ~** to treat oneself to luxuries

superforteresse /sypɛʀfɔʀtəʀɛs/ *nf* flying fortress

supergrand○ /sypɛʀgʀɑ̃/ *nm* superpower

super-huit /sypɛʀɥit/ *adj inv, nm inv* super-8

supérieur, **~e** /sypeʀjœʀ/
A *adj* **1)** (situé en haut dans l'espace) [*mâchoire, membre, paupière, lèvre*] upper; [*niveau, étage*] upper, top; **la partie ~e d'un objet** the upper *ou* top part of an object; **le cours ~ d'un**

fleuve the upper reaches of a river; **dans le coin ~ droit** in the top right-hand corner; **2** (dans une hiérarchie) [*grades, classes sociales*] upper; **les échelons ~s d'une hiérarchie** the upper echelons of a hierarchy; **il a été promu au rang ~** he was promoted to the next rank up; **elle t'est hiérarchiquement ~e** she's above you in the hierarchy; **3** (en valeur) [*température, vitesse, coût, salaire, nombre*] higher (**à** than); [*taille, dimensions*] bigger (**à** than); [*durée*] longer (**à** than); **mes notes sont ~es à la moyenne** my marks are above average; **des coûts de production supérieurs à la moyenne** higher than average production costs; **le niveau de vie est ~ à celui des pays voisins** the standard of living is much higher than in neighbouring^GB countries; **des taux d'intérêt ~s à 10%** interest rates higher than *ou* above 10%; **les chiffres sont ~s de 3% aux prévisions** the figures are 3% higher than predicted; **être ~ en nombre** to be greater in number; **des températures ~es de 4 à 5 degrés aux moyennes saisonnières** temperatures between 4 and 5 degrees higher than the seasonal averages; **température ~e à 20°C** temperature above 20°C; **4** (de meilleure qualité) [*travail, qualité*] superior (**à** to); **leur aviation est ~e à celle de leur ennemi** their air force is superior to that of their enemy; **leur adversaire leur était ~** their opponent was better than them; **5** (hautain) [*air, ton, sourire*] superior; **avoir/prendre un air ~** to have/to assume a superior air; **6** Math **si a est ~ à b** if a is greater than b; **x est égal ou supérieur à y** x is equal to or greater than y; **7** Biol, Bot, Zool higher; **8** Astron superior; **9** Géol Upper; **jurassique ~** Upper Jurassic
B *nm,f* **1** (chef) superior; **mon ~ hiérarchique** my immediate superior; **mes ~s hiérarchiques** my superiors; **2** Relig Superior; **Père ~** Father Superior; **Mère ~e** Mother Superior
C *nm* Univ higher education

supérieurement /sypeʀjœʀmɑ̃/ *adv* **~ intelligent/arrogant** exceptionally intelligent/arrogant

supériorité /sypeʀjɔʀite/ *nf* superiority; **~ écrasante/numérique** overwhelming/numerical superiority; **ton/air de ~** superior tone/manner; **complexe de ~** superiority complex; **avoir un sentiment de ~** to feel superior

superlatif, **-ive** /sypɛʀlatif, iv/
A *adj* superlative
B *nm* superlative; **au ~** in the superlative
(Composés) **~ absolu** Ling absolute superlative; **~ relatif** Ling relative superlative

superléger /sypɛʀleʒe/ *adj m, nm* Sport (amateur) light welterweight; (professionnel) junior welterweight

supermarché /sypɛʀmaʀʃe/ *nm* supermarket

supernova, *pl* **-ae*** /sypɛʀnɔva, nɔve/ *nf* supernova

superordinateur /sypɛʀɔʀdinatœʀ/ *nm* supercomputer

superpétrolier /sypɛʀpetʀɔlje/ *nm* supertanker

superphosphate /sypɛʀfɔsfat/ *nm* superphosphate

superplume /sypɛʀplym/ *adj, nm* junior lightweight

superposable /sypɛʀpozabl/ *adj* [*dessins, cartes*] that can be superimposed (*après n*); [*casiers, tabourets*] stackable

superposé, **~e** /sypɛʀpoze/ *adj* [*cartes, dessins*] superimposed; **des lits ~s** bunk beds

superposer /sypɛʀpoze/ [1]
A *vtr* **1** (l'un sur l'autre) to stack (up) [*casiers, tabourets*]; to stack [*caisses, briques, matelas*]; **2** (faire coïncider) to superimpose [*dessins, formes*] (**à** on (top of)); to juxtapose [*approches, théories*] (**à** with)
B **se superposer** *vpr* **1** [*problèmes*] to overlap; [*dessins, formes*] to be superimposed; **ils se superposent facilement** [*tabourets, casiers*] they are easy to stack; **2** Géol [*strates*] to be superimposed

superposition /sypɛʀpozisjɔ̃/ *nf* **la ~ de deux dessins** superimposing two drawings

superproduction /sypɛʀpʀɔdyksjɔ̃/ *nf* Cin blockbuster^O, spectacular

superprofit /sypɛʀpʀɔfi/ *nm* vast profit

superpuissance /sypɛʀpɥisɑ̃s/ *nf* superpower

supersonique /sypɛʀsɔnik/ *adj* supersonic

superstitieusement /sypɛʀstisjøzmɑ̃/ *adv* superstitiously

superstitieux, **-ieuse** /sypɛʀstisjø, øz/ *adj* superstitious

superstition /sypɛʀstisjɔ̃/ *nf* superstition
(Idiome) **la ~ est fille de l'ignorance** Prov superstition is born of ignorance

superstrat /sypɛʀstʀa/ *nm* superstratum

superstructure /sypɛʀstʀyktyʀ/ *nf* superstructure

supertanker /sypɛʀtɑ̃kœʀ/ *nm* supertanker

superutilisateur /sypɛʀytilizatœʀ/ *nm* Ordinat superuser

superviser /sypɛʀvize/ [1] *vtr* to supervise, to oversee [*travail*]; to supervise [*personne*]

superviseur /sypɛʀvizœʀ/ *nm* supervisor

supervision /sypɛʀvizjɔ̃/ *nf* supervision

superwelter /sypɛʀwɛltɛʀ/ *adj m, nm* (amateur) light middleweight; (professionnel) junior middleweight

supin /sypɛ̃/ *nm* supine

supplanter /syplɑ̃te/ [1] *vtr* to supplant (**dans** in)

suppléance /sypleɑ̃s/ *nf* gén temporary replacement post; Scol supply GB *ou* substitute US teaching post; **être chargé d'une ~** gén to stand in *ou* deputize for sb GB, to fill in for sb; **elle ne fait que des ~s** gén she only does temporary jobs; Scol she only does supply GB *ou* substitute US teaching jobs

suppléant, **~e** /sypleɑ̃, ɑ̃t/
A *adj* [*enseignant*] supply GB, substitute US; [*médecin*] replacement, stand-in; [*juge*] deputy
B *nm,f* replacement; (de juge) deputy; (d'enseignant) supply GB *ou* substitute US teacher; (de médecin) locum GB, stand-in (doctor); **un poste de ~** gén temporary replacement post; Scol supply GB *ou* substitute US teaching job

suppléer /syplee/ [11]
A *vtr* **1** (remplacer) (temporairement) to stand in for GB, to deputize for GB, to fill in for [*personne, employé*]; (définitivement) to replace [*employé*]; **2** (aider) to assist, to help [*collègue*]; **3** (compléter) to make up [*somme, manque*]; **les convecteurs suppléent le chauffage central** the convector heaters supplement *ou* act as a back-up to the central heating
B **suppléer à** *vtr ind* **~ à** to make up for, to compensate for [*carence, lacune*]; **chez lui, la qualité supplée à la quantité** what his work lacks in terms of quantity he makes up for in quality

supplément /syplemɑ̃/ *nm* **1** (somme d'argent) gén extra *ou* additional charge; (en voyage, à l'hôtel) supplement; **payer un ~** to pay extra *ou* an additional charge; **il y a un ~ à payer pour l'excédent de bagages** you have to pay a supplement *ou* you have to pay extra for excess baggage; **il y a un ~ de 3 euros si vous choisissez le saumon** you pay 3 euros extra *ou* there is an additional charge of 3 euros if you choose the salmon; **ce plat/le vin est en ~** this dish/the wine is extra; **les vitres électriques/sièges en cuir sont en ~** the electric windows/leather seats are (an) extra; **train à ~** Rail *train on which passengers must pay a supplement*; **2** (complément) **~ d'informations** additional *ou* extra information; **~ de dessert** extra portion of dessert; **~ de salaire/travail** extra pay/work; **3** Presse supplement (**à** to); **le ~ emploi du mardi** Tuesday's jobs' supplement; **4** Math supplement

supplémentaire /syplemɑ̃tɛʀ/ *adj* **1** (en plus) [*dépenses, impôts, crédits*] additional, extra; [*personnel, étudiants, chômeurs*] extra, additional; **la création de 500 emplois ~s** the creation of 500 extra jobs; **c'est une preuve ~ que** this is further *ou* additional proof that; **une raison/un obstacle ~** another reason/obstacle, an additional reason/obstacle; **ça nous a créé des problèmes ~s** this created more problems for us; **un délai ~** another extension of the deadline; **train/bus ~** relief train/bus; **2** Math supplementary

supplémentation /syplemɑ̃tasjɔ̃/ *nf* supplementation; **~ en vitamines/calcium** vitamin/calcium supplementation

supplétif, **-ive** /sypletif, iv/
A *adj* Mil auxiliary
B *nm* auxiliary

suppliant, **~e** /syplijɑ̃, ɑ̃t/
A *adj* [*personne, voix, paroles*] pleading; [*air, regard*] imploring
B *nm,f* supplicant

supplication /syplikasjɔ̃/ *nf* **1** gén plea; **2** Relig supplication

supplice /syplis/ *nm* (tous contextes) torture; **les ~s au Moyen Âge** forms of torture in the Middle Ages; **c'était un ~** fig it was torture; **subir un ~** lit to be tortured; fig to go through torture; **infliger un ~ à qn** to torture sb; **mettre qn au ~** fig to torture sb; **j'étais au ~** fig it was agony; **le dernier ~** liter the final agony, death; **marcher au ~** to go to (one's) execution; **conduire qn au ~** to lead sb to be executed
(Composés) **~ du bûcher** burning alive; **~ chinois** Chinese torture; **~ du collier** necklacing; **~ de la corde** hanging; **~ du fouet** flogging; **~ de la roue** breaking on the wheel

supplicié, **~e** /syplisje/ *nm,f* torture victim

supplicier /syplisje/ [2] *vtr* (torturer) to torture; (exécuter) to execute

supplier /syplije/ [2] *vtr* to beg *ou* beseech sout *ou* entreat (**de faire** to do); **je t'en supplie, écoute-moi** listen to me, I beg you

supplique /syplik/ *nf* liter petition; **présenter** *or* **adresser une ~ à qn** to petition sb; **céder aux ~s de qn** to give in to sb's entreaties

support /sypɔʀ/ *nm* **1** (soutien) support; **servir de ~ à qch** to serve as a support for sth; **il se sert du tabouret comme ~ pour sa jambe plâtrée** he uses the stool to support the leg he has in plaster; **2** (objet) (pour des bibelots) stand; (pour des tubes à essai) rack; **3** (aide) back-up; **pour comprendre l'histoire l'enfant a besoin du ~ des images** to understand the story, the child needs the help of pictures; **utiliser des diapositives comme ~** to use slides as a backup; **4** Art support
(Composés) **~ audiovisuel** audio-visual aid; **~ de cours** course material; **~ de données** *or* **d'information** Ordinat data carrier; **~ magnétique** magnetic tape; **~ pédagogique** teaching aid; **~ publicitaire** advertising medium

supportable /sypɔʀtabl/ *adj* [*froid, chaleur, épreuve, douleur*] bearable; **il fait un froid difficilement ~** it's unbearably cold; **une souffrance difficilement ~** almost unbearable pain; **c'est quelqu'un de difficilement ~** he's/she's very difficult; **la température est très ~** the temperature is quite pleasant

supporter[1] /sypɔʀte/ [1]
A *vtr* **1** (soutenir) [*structure, colonne, pilier*] to support, to bear the weight of [*toiture, édifice*]; **2** (prendre en charge) to bear [*frais, dépenses*];

S

3▸ (endurer) to put up with, to endure [*privations, malheur*]; to put up with [*attitude, conduite, brimade, sarcasme*]; to bear, to endure [*souffrance, solitude*]; to put up with [*personne*]; **elle ne supporte plus son mari** she can't stand her husband any more; **il ne supporte pas ce genre de musique/vantardise** he can't stand this sort of music/boasting; **elle ne supporte pas d'attendre/la vue du sang** she can't stand waiting/the sight of blood; 4▸ (accepter) to put up with; **elle supporte tout de lui** she puts up with *ou* takes anything from him; **je ne supporte pas qu'elle me réponde sur ce ton** I won't stand for her taking that tone with me; **il a mal supporté tes critiques** he found your criticisms hard to take; 5▸ (subir sans dommages) [*plante*] to withstand [*froid, chaleur*]; [*personne*] **elle supporte bien la chaleur** she can take *ou* stand the heat; **elle supporte mal la chaleur** she can't take the heat, the heat doesn't agree with her; **il ne supporte pas l'aspirine®** aspirin doesn't agree with him; **il a bien supporté son opération** he came through the operation well; **il n'a pas supporté l'opération** he didn't come through the operation; **ce plat supporte la chaleur** this dish is heat-resistant; **il a bien supporté le traitement** he reacted well to the treatment; **il a bien supporté le voyage** he stood the journey well; **il ne supporterait pas le voyage** he couldn't manage the journey; **il ne fait pas très froid, mais on supporte un pull** it's not very cold but you need a sweater; **je supporterais bien un pull** I could do with a sweater

B **se supporter** *vpr* **ils ne peuvent plus se ~** they can't stand each other any more

supporter²* /sypɔʀtœʀ/ *nmf* supporter

supporteur, -trice /sypɔʀtœʀ, tʀis/ *nm,f* supporter

supposé, ~e /sypoze/

A *pp* ▸ **supposer**

B *pp adj* [*nombre, coût*] supposed; [*auteur, coupable, qualité*] alleged

supposer /sypoze/ [1] *vtr* 1▸ (comme base d'un raisonnement) gén to suppose; Math, Philos to postulate; **~ que** to suppose that; **en supposant** *or* **à ~ que** supposing (that); **à ~ que ce soit possible** supposing (that) that is possible; **la chaleur est supposée constante** the heat is taken to be constant; 2▸ (tenir pour probable) to assume; **je suppose qu'il a réussi à partir** I assume he managed to get away; **on peut ~ que** we can assume that; **je suppose qu'elle est en bonne santé** I assume she's in good health; 3▸ (impliquer) to presuppose; **cela suppose que** this presupposes that

supposition /sypozisjɔ̃/ *nf* supposition, assumption

suppositoire /sypozitwaʀ/ *nm* suppository

suppôt /sypo/ *nm* liter pej **un dangereux ~ de la subversion/réaction** a dangerous subversive/reactionary

(Composé) **~ de Satan** *or* **du diable** fiend

suppression /sypʀesjɔ̃/ *nf* 1▸ (d'impôt) abolition; (de droit) abolition GB, revocation; (d'interdiction, de sanction, contrôle) lifting; (d'avantages, de privilèges) removal, withdrawal; (de preuves, faits) suppression; (de publicité, subvention, pension) withdrawal; (de chômage, défauts, nuisance, vibrations) elimination; (de monopole) breaking, ending; (de mot, ligne) deletion; **la ~ du train de 8 heures 50** (une fois) the cancellation of the 8.50 train; (définitivement) the discontinuation of the 8.50 service; **~s d'emplois** *or* **d'effectifs** job cuts; **~ d'effectif** redundancies (*pl*) GB, lay-offs (*pl*); **il y a eu 20 ~s de postes** 20 posts have gone; 2▸ (meurtre) elimination

supprimer /sypʀime/ [1]

A *vtr* 1▸ to cut [*emploi*]; to cut out [*poste*]; to stop [*aide, crédit, vibration*]; to abolish [*impôt, rationnement, institution, peine de mort*]; to lift [*interdiction, sanction, restriction*]; to lift, to abolish [*contrôle, censure*]; to remove [*effet, cause*]; to do away with [*examen, classe*]; to put an end to [*pauvreté, discrimination*]; to remove [*obstacle, mur*]; to withdraw [*publicité, pension, permission, subvention, permis de conduire*]; to remove, to withdraw [*privilège, avantage*]; to break, to end [*monopole*]; to eliminate [*nuisance, défaut, gaspillage*]; to repeal [*loi*]; to cease to allow [*dérogation*]; to cut off [*argent de poche*]; to cut out [*sucre, sel*]; to delete [*mot, ligne*]; to take [sth] away [*liberté*]; **~ un train** (annuler) to cancel a train; (définitivement) to discontinue a service; 2▸ (tuer) euph to eliminate

B **se supprimer** *vpr* (se suicider) to do away with oneself

suppuration /sypyʀasjɔ̃/ *nf* suppuration

suppurer /sypyʀe/ [1] *vi* to suppurate

supputation /sypytasjɔ̃/ *nf* 1▸ (action) calculation; 2▸ (prédiction) prognostication

supputer /sypyte/ liter [1] *vtr* to calculate, to work out (**que** that); **~ ses chances de réussite** to weigh up one's chances of success

supra /sypʀa/ *adv* above; **voir ~** see above

supraconducteur /sypʀakɔ̃dyktœʀ/

A *adj* superconductive

B *nm* superconductor

supraconductivité /sypʀakɔ̃dyktivite/ *nf* superconductivity

supraliminaire /sypʀaliminɛʀ/ *adj* supraliminal

supranational, ~e, *mpl* **-aux** /sypʀanasjɔnal, o/ *adj* supranational

supranationalisme /sypʀanasjɔnalism/ *nm* supranationalism

supranationaliste /sypʀanasjɔnalist/ *adj, nmf* supranationalist

supranationalité /sypʀanasjɔnalite/ *nf* supranational character

supranormal, ~e, *mpl* **-aux** /sypʀanɔʀmal, o/ *adj* paranormal

suprasegmental, ~e, *mpl* **-aux** /sypʀasɛgmɑ̃tal, o/ *adj* suprasegmental

suprasensible /sypʀasɑ̃sibl/ *adj* supersensible

supraterrestre /sypʀateʀɛstʀ/ *adj, nmf* extraterrestrial

suprématie /sypʀemasi/ *nf* supremacy (**sur** over)

suprématisme /sypʀematism/ *nm* Suprematism

suprême /sypʀɛm/

A *adj* 1▸ (le plus élevé) [*fonction, autorité*] supreme; 2▸ (très grand) [*élégance, habileté*] supreme; [*insolence*] ultimate

B *nm* Culin **~ de foie gras** *goose or duck liver pâté*

suprêmement /sypʀɛmmɑ̃/ *adv* supremely

sur¹ /syʀ/ *prép*

> ⚠ Lorsque *sur* indique une position dans l'espace il se traduit généralement par *on*: *sur la table/une chaise* = on the table/a chair; *sur la côte/le lac* = on the coast/the lake.
>
> On trouvera ci-dessous des exemples supplémentaires et exceptions.
>
> Lorsque *sur* a une valeur figurée comme dans *régner sur, pleurer sur, sur l'honneur, sur place etc* la traduction sera fournie dans l'article du deuxième élément, respectivement **régner, pleurer, honneur, place** etc.

1▸ (dessus) on; **le verre est ~ la table** the glass is on the table; **prends un verre ~ la table** take a glass from the table; **appliquer la lotion ~ vos cheveux** apply the lotion to your hair; **la clé est ~ la porte** the key is in the door; **passer la main ~ une étoffe** to run one's hand over a fabric; **il doit être ~ la route** he must be on the road *ou* on his way by now; 2▸ (au-dessus, sans contact) over; **des nuages ~ les montagnes/la plaine** clouds over the mountaintops/the plain; **un pont ~ la rivière** a bridge across *ou* over the river; **la nuit est tombée/l'orage s'est abattu ~ la ville** night fell/the storm broke over the city; 3▸ (étendue, surface) **la forêt est détruite ~ 150 hectares** the forest has been destroyed over an area of 150 hectares; **une table d'un mètre ~ deux** a table (of) one metre by two; 4▸ (direction) **se diriger ~ Valence** to head *ou* make for Valence; **une voiture déboucha ~ la droite** a car pulled out on the right; 5▸ (support matériel) on; **~ un morceau de papier** on a piece of paper; **elle est très jolie ~ la photo** she looks very pretty in the photograph; **dessiner ~ le sable** to draw in the sand; 6▸ (au sujet de) [*débat, exposé, essai, chapitre, thèse*] on; [*étude, poème*] about; [*article, livre*] on; 7▸ (objet d'un travail) **être ~ une affaire** to be involved in a business deal; **on est ~ un gros chantier actuellement** we're currently involved in a big construction project; 8▸ (indique un rapport de proportion) **une personne ~ dix** one person in *ou* out of ten; **une semaine ~ trois** one week in three; **il a fait trois exercices ~ quatre** he did three exercises out of four; **~ 250 employés, il y a seulement 28 femmes** out of 250 employees, there are only 28 females; **un mardi ~ deux** every other Tuesday; **il y a deux chances ~ trois qu'il ne vienne pas** there are two chances out of three that he won't come; 9▸ (indique l'accumulation) lit upon; fig after; **entasser pierre ~ pierre** to pile stone upon stone; **faire proposition ~ proposition** to make one offer after another, to make offer after offer; **commettre erreur ~ erreur** to make one mistake after another, to make mistake after mistake; **il a eu deux accidents coup ~ coup** he had two accidents one after the other; 10▸ (juste après) **ils se sont quittés ~ ces mots** with these words, they parted; **~ le moment** at the time; **~ ce** *or* **quoi** upon which, thereupon; **~ ce, je vous laisse** with that, I must leave you; 11▸ (pendant) **on ne peut pas juger ~ une période aussi courte/trois jours** you can't decide over *ou* in such a short period/three days; 12▸ Radio, TV, Télécom on [*radio, chaîne, ligne téléphonique*]

sur², ~e /syʀ/ *adj* (slightly) sour

sûr, ~e /syʀ/

A *adj* 1▸ (fiable) [*information, source, service*] reliable; [*personne*] reliable; [*jugement, avis, base, investissement*] sound; **le temps n'est pas ~** the weather is unreliable; **avoir la main ~e** to have a steady hand; **d'une main ~e** with a steady hand; 2▸ (sans danger) safe; **en mains ~es** in safe hands; **en lieu ~** lit in a safe place; **le voleur a été mis en lieu ~** euph the thief has been put in prison; **le plus ~ est de faire** the safest thing is to do; **c'est plus ~** it's safer; **peu ~** unsafe; 3▸ (garanti) certain; **rien n'est moins ~** nothing is less certain; **une chose est ~e, (c'est que) tu t'es fait avoir**○ one thing's certain *ou* for sure, you've been had○; **c'est loin d'être ~** that's far from certain; **ce n'est pas si ~** it's not that certain, I wouldn't be so sure; **tu viens avec nous c'est ~?** are you definitely coming with us?; **c'est ~ et certain** it's definite; **à coup ~** definitely, for sure; **la victoire est ~e** victory is assured; 4▸ (convaincu) sure; **être ~ de faire** to be sure of doing; **je suis ~ qu'il viendra** I'm sure he'll come; **je suis ~ d'avoir raison** I'm sure I'm right; **je n'en suis pas si ~** I'm not so sure; **j'en suis ~ et certain** I'm positive (about it), I'm absolutely sure *ou* certain (of it); **et je suis ~ de ce que je dis** and I'm absolutely sure of what I'm telling you; **il est ~ de lui** (qualité) he's self-confident, he's sure of himself; (ponctuellement) he's sure of it; **on n'est jamais ~ de rien** you can never be sure of anything; **être ~ de ses possibilités** to be confident of one's abilities; **être ~ de qn** to trust sb; **j'en étais ~!** I knew it!

B *adv* (sûrement) **~ que**○ you can be sure that; **~ qu'il va pleuvoir** you can be sure that it's going to rain; **bien ~ (que oui)** of course; **bien ~ que je vous aiderai** of course I'll help you; **bien ~ que non** of course not; **(pour) ~** for sure; **'il a tort'—'pas ~'** 'he's wrong'—'I'm not so sure'

(Idiome) **être ~ de son coup**○ to be confident of success

surabondamment /syʀabɔ̃damɑ̃/ *adv* overabundantly

surabondance /syʀabɔ̃dɑ̃s/ *nf* overabundance

surabondant, **~e** /syʀabɔ̃dɑ̃, ɑ̃t/ *adj* [*détails, production, illustrations*] overabundant; [*végétation*] rank

surabonder /syʀabɔ̃de/ [1] *vi* 1 (être en nombre) to abound; **les illustrations/erreurs surabondent dans le manuel** illustrations/mistakes abound in the manual; 2 (être rempli) **~ de** *or* **en** to have an overabundance of; **région qui surabonde de bons vins/de sites touristiques** a region with an overabundance of good wines/of tourist spots; **cette année surabonde en festivals** there is an overabundance of festivals this year

suractivé, **~e** /syʀaktive/ *adj* superactivated

suractivité /syʀaktivite/ *nf* overactivity

suraigu, **-uë*** /syʀegy/ *adj* 1 [*son, voix*] very shrill; 2 [*douleur*] very sharp

surajouter /syʀaʒute/ [1]
A *vtr* to add on (**à** to)
B **se surajouter** *vpr* to be added on (**à** to)

suralimentation /syʀalimɑ̃tasjɔ̃/ *nf* 1 (de personne) feeding up; (consommation excessive) overeating; 2 (de moteur) supercharging, boosting

suralimenter /syʀalimɑ̃te/ [1] *vtr* 1 (soumettre à une suralimentation) to feed [sb] up; 2 Agric to fatten [*volaille, bétail*]; 3 Tech to supercharge, to boost [*moteur*]

suranné, **~e** /syʀane/ *adj* [*idées, conceptions*] outmoded; [*style, manières*] outdated

surarmé, **~e** /syʀaʀme/ *adj* excessively armed

surarmement /syʀaʀməmɑ̃/ *nm* 1 (armement excessif) armament on a large scale; 2 (action de surarmer) (huge) arms build-up

surarmer /syʀaʀme/ [1] *vtr* to overarm

surbaissé, **~e** /syʀbese/ *adj* 1 Archit [*plafond*] lowered; [*arc, voûte*] surbased; 2 Aut [*carrosserie, voiture*] low-slung

surbaissement /syʀbɛsmɑ̃/ *nm* Archit surbasement

surbaisser /syʀbese/ [1] *vtr* 1 Archit to lower [*plafond*]; to surbase [*arc*]; 2 Aut to undersling

surbooking /syʀbukiŋ/ *nm* overbooking

surboum○† /syʀbum/ *nf* rave-up○ GB, party

surbrillance /syʀbʀijɑ̃s/ *nf* inverse video

surcapacité /syʀkapasite/ *nf* overcapacity

surcapitalisation /syʀkapitalizasjɔ̃/ *nf* overcapitalization

surcharge /syʀʃaʀʒ/ *nf* 1 (excédent de poids) excess load, overload; (fait d'être surchargé) overloading; **~ pondérale** excess weight; **une ~ de 500 kilos** an overload of 500 kilos; **elle a 20 kilos de bagages en ~** she has 20 kilos of excess baggage; **un navire/véhicule en ~** an overloaded ship/vehicle; **des voyageurs en ~** excess passengers; **rouler en ~** to drive an overloaded vehicle; 2 (excès) **une ~ de travail** an extra load of work; **une ~ de frais** extra expenses; **il faut éviter la ~ des programmes scolaires** we must avoid overloading the school syllabus; 3 (correction) correction; **écrire un mot/chiffre en ~** to write a word/figure on top of another which has been crossed out; 4 (de timbre-poste) overprint, surcharge

surchargé, **~e** /syʀʃaʀʒe/
A *pp* ▸ **surcharger**
B *pp adj* 1 (qui est trop chargé) [*personne, animal*] overloaded, overburdened; [*véhicule, ascenseur, étagère*] overloaded; **des voyageurs ~s de bagages** passengers weighed down *ou* overloaded with luggage; **décoration ~e** overabundant *ou* excessive decoration; 2 (aux activités trop nombreuses) [*personne*] overburdened; [*journée, emploi du temps*] overloaded, overfull; (aux effectifs trop nombreux) [*classe, école, université*] overcrowded; **être ~ de** to be overburdened with [*travail, impôts, demandes*]; 3 (plein de corrections) [*manuscrit*] covered with corrections; 4 (qui porte une surcharge) [*timbre-poste*] surcharged

surcharger /syʀʃaʀʒe/ [13] *vtr* 1 (charger à l'excès) to overload; **des bagages qui surchargent dangereusement la voiture** luggage that dangerously overloads the car; **~ un texte de citations** to cram a text with quotations; 2 (accabler) to overburden (**de** with); **~ qn de travail** to overburden sb with work; 3 (écrire par-dessus) to cover [sth] with corrections [*texte*]; 4 Postes to surcharge [*timbre-poste*]; 5 Ordinat to overload

surchauffe /syʀʃof/ *nf* 1 lit superheating; 2 fig overheating

surchauffer /syʀʃofe/ [1] *vtr* 1 (chauffer) to overheat [*maison, pièce*]; 2 (surexciter) to bring [sth] to fever pitch [*auditoire*]; 3 Phys, Tech to superheat [*liquide*]

surchoix /syʀʃwa/ *adj inv* [*aliments*] top quality

surclasser /syʀklase/ [1] *vtr* to outclass

surcompensation /syʀkɔ̃pɑ̃sasjɔ̃/ *nf* overcompensation

surcompétition /syʀkɔ̃petisjɔ̃/ *nf* overfrequent competition

surcomposé, **~e** /syʀkɔ̃poze/ *adj* [*temps*] double-compound

surcompressé, **~e** /syʀkɔ̃pʀese/ *adj* supercharged

surcompression /syʀkɔ̃pʀesjɔ̃/ *nf* supercharging

surcomprimer /syʀkɔ̃pʀime/ [1] *vtr* Tech to supercharge

surconsommation /syʀkɔ̃sɔmasjɔ̃/ *nf* Écon overconsumption; **~ de médicaments** excessive drug consumption

surcontre /syʀkɔ̃tʀ/ *nm* (au bridge) redouble; **faire un ~** to redouble

surcoter /syʀkɔte/ [1] *vtr* to overvalue [*monnaie*]

surcoupe /syʀkup/ *nf* (aux cartes) overtrumping

surcouper /syʀkupe/ [1] *vtr* to overtrump

surcoût* /syʀku/ *nm* additional cost

surcroît* /syʀkʀwa/ *nm* increase (**de** in); **un ~ de travail/population** extra work/people; **un ~ de prestige/d'activité** increased prestige/activity; **de ~** moreover

surdensité /syʀdɑ̃site/ *nf* Géog high density (of population)

surdéveloppé, **~e** /syʀdevlɔpe/ *adj* overdeveloped

surdéveloppement /syʀdevlɔpmɑ̃/ *nm* overdevelopment

surdimensionné, **~e** /syʀdimɑ̃sjɔne/ *adj* oversize

surdi-mutité, *pl* **~s*** /syʀdimytite/ *nf* deaf-muteness

surdiplômé, **~e** /syʀdiplome/ *adj* overqualified

surdité /syʀdite/ *nf* deafness

surdosage /syʀdozaʒ/ *nm* excessive dose

surdose /syʀdoz/ *nf* (de drogue) overdose

surdoué, **~e** /syʀdwe/
A *adj* [*enfant*] gifted; [*pianiste, sportif*] exceptionally gifted
B *nm,f* (enfant) gifted child; (pianiste) exceptionally gifted pianist; **un ~ du ballon** Sport a super-talented player

sureau, *pl* **~x** /syʀo/ *nm* elder (tree)

sureffectif /syʀefɛktif/ *nm* (personnel) excess *ou* surplus staff; (situation) (en usine) overmanning; (dans un bureau) overstaffing; **un ~ de 300 personnes** a surplus staff of 300 people; **personnel en ~** excess staff; **le service est en ~** the department is overstaffed; **supprimer les ~s** to end overstaffing

surélévation /syʀelevasjɔ̃/ *nf* 1 (activité) raising the height; 2 (résultat) extra height; **maison en ~ par rapport à la route** house built above the road

surélever /syʀelve/ [16] *vtr* to raise the height of [*maison, route*]

sûrement* /syʀmɑ̃/ *adv* 1 (très probablement) most probably; **elle est ~ malade** she must be ill; **vous avez ~ vu ce film** you must have seen that film; **'tu viendras?'—'oui ~'** 'are you coming?'—'yes, most probably'; **elle sera ~ là demain** she should be there tomorrow; 2 (bien sûr) certainly; **~ pas**, **~ que non**○ certainly not; 3 (sans risque) safely

suremploi /syʀɑ̃plwa/ *nm* Écon labour[GB] shortage

surenchère /syʀɑ̃ʃɛʀ/ *nf* 1 (enchère supérieure) higher bid; **faire une ~ sur qn** to bid higher than sb; **faire une ~ de 500 euros** to bid 500 euros more *ou* higher (**sur qn** than sb; **sur qch** for sth); 2 (exagération) escalation; **une ~ de violence** an escalation of violence; **faire de la ~ dans la violence** (terroriste) to commit acts of increasing violence; (au cinéma) to make increasingly violent films; **la ~ sur les diplômes** the demand for graduates with higher and higher qualifications; **faire de la ~** to try to go one better, to try to get one up; **faire de la ~ électorale** to make more extravagant promises than one's electoral opponents; **il fait de la ~ dans le racisme/l'anticommunisme** he goes a bit overboard on racism/anticommunism

surenchérir /syʀɑ̃ʃeʀiʀ/ [3] *vi* 1 (faire une offre plus élevée) to bid higher; **~ sur une offre/qn** to bid higher than an offer/sb, to outbid an offer/sb; 2 (promettre plus) **~ sur qn** to outbid sb; **~ sur ses adversaires politiques** to go further than *ou* outbid one's political opponents; 3 (ajouter) (après soi) to add; (après autrui) to chime in

surendetté, **~e** /syʀɑ̃dete/ *adj* [*personne, pays*] deeply in debt (*après n*); [*entreprise*] overextended

surendettement /syʀɑ̃detmɑ̃/ *nm* excessive debt; **les conséquences du ~** the consequences of overborrowing

surentraînement* /syʀɑ̃tʀɛnmɑ̃/ *nm* overtraining

surentraîner* /syʀɑ̃tʀene/ [1] *vtr*, **se surentraîner** *vpr* to overtrain

suréquipement /syʀekipmɑ̃/ *nm* (en matériel) overequipment; (d'hôtels) overprovision

suréquiper /syʀekipe/ [1] *vtr* to overequip

surestarie /syʀɛstaʀi/ *nf* Jur (retard) demurrage; (pénalité) demurrage fine

surestimation /syʀɛstimasjɔ̃/ *nf* (de bien, propriété) overvaluation; (de coût, capacité, d'importance) overestimation; (de qualité, mérite) overrating

surestimer /syʀɛstime/ [1]
A *vtr* to overvalue [*propriété, tableau*]; to overestimate [*coût, capacités, importance*]; to overrate [*qualités, mérites*]
B **se surestimer** *vpr* to rate oneself too highly

suret, **-ette** /syʀɛ, ɛt/ *adj* tart

sûreté* /syʀte/ *nf* 1 (sécurité) (d'équipement, de lieu, personne) safety; (d'investissement) soundness; (de pays) security; **~ nucléaire** nuclear safety; **pour plus de ~** for extra safety; **dispositif/système de ~** safety device/system; **conduire qn en ~** to lead sb to safety; **~ de l'État** national security; **être en ~** [*bijou, argent, objet, personne*] to be in a safe place; **être en ~ à la banque** to be in safe keeping in the bank; **il se croyait en ~** he thought he was safe; ▸ **prudence**; 2 (assurance) (de jugement) soundness; (de geste) steadiness; (d'acteur, de musicien) confidence; 3 Tech (dispositif de sécurité) (d'une arme) safety catch; (chaîne) safety chain; (serrure) safety lock

(Composés) **Sûreté nationale** police (+ *v pl*); **Sûreté urbaine** local police (+ *v pl*)

surévaluation /syʀevalɥasjɔ̃/ *nf* Fin overvaluation

surévaluer /syʀevalɥe/ [1] *vtr* to overvalue [*monnaie*]; to overestimate [*coût*]

surexcitation /syʀɛksitasjɔ̃/ *nf* overexcitement

surexciter /syʀɛksite/ [1] *vtr* to overexcite [*enfants*]; **l'approche de Noël surexcite les enfants** children get overexcited as Christmas approaches; **foule surexcitée** highly excited crowd

surexploiter /syʀɛksplwate/ [1] *vtr* to overexploit

surexposer /syʀɛkspoze/ [1] *vtr* to overexpose (**de** by)

surexposition /syʀɛkspozisjɔ̃/ *nf* overexposure

surf /sœʀf/ ▸ **p. 469** *nm* 1 Sport surfing; **faire du ~** to go surfing; 2 Ordinat netsurf

(Composé) **~ des neiges** Sport snowboarding; **faire du ~ des neiges** to snowboard

surfaçage /syʀfasaʒ/ *nm* surface finishing

surface /syʀfas/ *nf* 1 (partie externe) surface; **à la ~ de** lit, fig on the surface of; **en ~** (à l'extérieur) lit, fig on the surface; (au-dessus du sol) above ground; **de ~** lit [*navire, courrier, structure, tension*] surface; [*métro, installations*] above ground (*après n*); fig [*amabilité*] superficial; **faire ~** lit, fig to surface; **refaire ~** lit, fig to resurface; 2 ▸ **p. 816** (aire) surface area; **d'une ~ de** with a surface area of; **en ~** in area; ▸ **grand**; 3 Sport (au football) area; (au tennis) surface; **~ dure/rapide** hard/fast surface

(Composés) **~ chauffante** *or* **de chauffe** heating surface; **~ commerciale** shop space; **~ de contact** contact area; **~ corrigée** *amended surface area of a property used as a basis for calculating rent*; **~ d'exposition** exhibition space; **~ financière** financial standing; **~ habitable** *or* **d'habitation** living space; **~ irriguée** irrigated area; **~ de refroidissement** cooling surface; **~ de réparation** penalty area; **~ sensible** sensitized surface; **~ de séparation** boundary layer; **~ d'usure** wearing surface; **~ utile** (de commerce, maison) floor space; **~ de vente** sales area

surfacer /syʀfase/ [12] *vtr* to surface

surfaceuse /syʀfasøz/ *nf* surfacer

surfaire /syʀfɛʀ/ [10] *vtr* to overrate [*écrivain, qualités*]

surfait, ~e /syʀfɛ, ɛt/
A *pp* ▸ **surfaire**
B *pp adj* [*personne, œuvre*] overrated; [*réputation*] inflated

surfer /sœʀfe/ [1] *vi* 1 Sport to go surfing; 2 Ordinat **~ sur Internet** to surf the Internet

surfeur, -euse /sœʀfœʀ, øz/ *nm,f* 1 Sport surfer; 2 Ordinat netsurfer

surfil /syʀfil/, **surfilage** /syʀfilaʒ/ *nm* whipstitch

surfiler /syʀfile/ [1] *vtr* to oversew

surfin, ~e /syʀfɛ̃, in/ *adj* [*qualité*] superior; [*produit*] quality (*épith*)

surfusion /syʀfyzjɔ̃/ *nf* supercooling

surgélation /syʀʒelasjɔ̃/ *nf* deep-freezing

surgelé, ~e /syʀʒəle/
A *pp* ▸ **surgeler**
B *pp adj* deep-frozen
C *nm* **le ~, les ~s** frozen food

surgeler /syʀʒəle/ [17] *vtr* to deep-freeze

surgénérateur /syʀʒeneʀatœʀ/ *nm* fast-breeder reactor

surgir /syʀʒiʀ/ [3] *vi* [*personne, animal, voiture*] to appear suddenly (**de** from); [*problème, difficulté, phénomène*] to crop up (**de** from); **faire ~** to conjure up [*idée, craintes, image*]; to create [*demande, besoin*]; **faire ~ la vérité** to bring the truth to light

surgissement /syʀʒismɑ̃/ *nm* liter (sudden) appearance

surgras, -asse /syʀɡʀa, as/ *adj* oil-enriched

surhausser /syʀose/ [1] *vtr* to raise the height of [*maison*]

surhomme /syʀɔm/ *nm* superman

surhumain, ~e /syʀymɛ̃, ɛn/ *adj* superhuman

surimposer /syʀɛ̃poze/ [1] *vtr* Fisc (davantage) to surtax; (excessivement) to overtax

surimposition /syʀɛ̃pozisjɔ̃/ *nf* Fisc (surplus) surtax; (excès) overtaxation

surimpression /syʀɛ̃pʀesjɔ̃/ *nf* Phot double exposure; **en ~** superimposed (**à** on)

surin◐ /syʀɛ̃/ *nm* thieves' slang knife; **donner un coup de ~ à qn** to knife sb

Suriname /syʀinam/ ▸ **p. 333** *nprm* Surinam

surinfection /syʀɛ̃fɛksjɔ̃/ *nf* secondary infection

surinformation /syʀɛ̃fɔʀmasjɔ̃/ *nf* surfeit of information

surintendance /syʀɛ̃tɑ̃dɑ̃s/ *nf* 1 (charge) superintendency; 2 (résidence) superintendent's (official) residence

surintendant /syʀɛ̃tɑ̃dɑ̃/ *nm* superintendent

surintendante /syʀɛ̃tɑ̃dɑ̃t/ *nf* Entr ≈ welfare officer

surintensité /syʀɛ̃tɑ̃site/ *nf* Électrotech overload

surinvestissement /syʀɛ̃vɛstismɑ̃/ *nm* Écon Psych overinvestment

surir /syʀiʀ/ [3] *vi* to go sour

surjet /syʀʒɛ/ *nm* Cout oversewing

surjeter /syʀʒəte/ [20] *vtr* Cout to oversew

surjouer /syʀʒwe/ [1] *vtr* Théât, Cin to overact

sur-le-champ /syʀləʃɑ̃/ *adv* right away

surlendemain /syʀlɑ̃d(ə)mɛ̃/ *nm* **le ~** two days later; **le ~ matin** two days later, in the morning; **le lendemain et le ~** the next day and the day after that; **remettre une visite au ~** to postpone a visit to two days later; **le ~ de l'accident** two days after the accident

surligner /syʀliɲe/ [1] *vtr* to highlight

surligneur /syʀliɲœʀ/ *nm* highlighter (pen)

surliure /syʀljyʀ/ *nf* Naut whipping

surloyer /syʀlwaje/ *nm* rent supplement

surmédiatisation /syʀmedjatizasjɔ̃/ *nf* overexposure

surmédicaliser /syʀmedikalize/ [1] *vtr* to overmedicalize [*grossesse*]; to overmedicalize the care of [*enfant, vieillard, femme enceinte*]

surmenage /syʀmənaʒ/ *nm* overwork; **évitez le ~** avoid overworking

surmener /syʀmene/ [16]
A *vtr* to overwork
B **se surmener** *vpr* to push oneself too hard

surmoi /syʀmwa/ *nm* superego

surmontable /syʀmɔ̃tabl/ *adj* surmountable

surmonter /syʀmɔ̃te/ [1]
A *vtr* 1 (dépasser) to overcome [*obstacle, problème, crise, contradiction, méfiance*]; **~ l'épreuve de la séparation** to get through *ou* survive (the ordeal of) separation; 2 (être placé au-dessus de) **être surmonté de qch** to be topped *ou* surmounted by sth; **un dôme surmonte la tour** the tower is topped *ou* surmounted by a dome
B **se surmonter** *vpr* (se dépasser) **les déceptions/problèmes se surmontent** disappointments/problems can be overcome

surmortalité /syʀmɔʀtalite/ *nf* abnormally high death rate

surmulot /syʀmylo/ *nm* common rat, brown rat

surmultiplication /syʀmyltiplikasjɔ̃/ *nf* overdrive

surmultiplié, ~e /syʀmyltiplije/
A *adj* **rapport ~, vitesse ~e** overdrive
B **surmultipliée** *nf* overdrive; **passer la ~e** lit to shift into overdrive; fig to go into overdrive

surnager /syʀnaʒe/ [13] *vi* 1 lit [*pétrole, débris*] to float; 2 fig [*souvenirs*] to linger on

surnaturel, -elle /syʀnatyʀɛl/
A *adj* 1 (non naturel) supernatural; 2 (extraordinaire) eerie
B *nm* **le ~** the supernatural

surnom /syʀnɔ̃/ *nm* nickname

surnombre /syʀnɔ̃bʀ/ *nm* **en ~** [*objets*] surplus (*épith*); [*employé*] redundant; [*personnel*] excess (*épith*); [*passager*] extra (*épith*); **deux d'entre nous étaient en ~** there were two too many of us

surnommer /syʀnɔme/ [1] *vtr* to nickname; **X, surnommé Y** X, known as *ou* dubbed Y; **comment l'ont-ils surnommée?** what nickname did they give her?

surnuméraire /syʀnymeʀɛʀ/ *adj, nmf* supernumerary

suroffre /syʀɔfʀ/ *nf* 1 Jur (surenchère) higher offer; 2 Écon excess supplies of goods (on the market)

suroît* /syʀwa/ *nm* 1 Météo, Naut southwester, sou'wester; 2 (chapeau) sou'wester

surpasser /syʀpase/ [1]
A *vtr* (faire mieux que) to surpass, to outdo [*adversaire, concurrent*]; **~ qn en habileté/bon sens/érudition** to surpass *ou* outdo sb in skill/common sense/erudition
B **se surpasser** *vpr* to surpass oneself, to excel oneself

surpayer /syʀpeje/ [21] *vtr* to overpay [*salarié*]; to pay too much for [*produit, service*]

surpeuplé, ~e /syʀpœple/ *adj* [*pays, région, ville*] overpopulated; [*local, train, rue*] overcrowded

surpeuplement /syʀpœpləmɑ̃/ *nm* (de pays, région) overpopulation; (de ville, quartier) overcrowding

surpiquer /syʀpike/ [1] *vtr* to topstitch

surpiqûre* /syʀpikyʀ/ *nf* topstitching

surplace /syʀplas/ *nm inv* **faire du ~** (dans un embouteillage) to be stuck; (dans un travail, une enquête) to be getting nowhere; (en cyclisme) to do a track stand; (d'hélicoptère, oiseau) to hover

surplis /syʀpli/ *nm inv* surplice

surplomb /syʀplɔ̃/ *nm* overhang; **falaise/balcon en ~** overhanging cliff/balcony

surplomber /syʀplɔ̃be/ [1]
A *vtr* to overhang, to jut out over
B *vi* to overhang

surplus /syʀply/
A *nm inv* (excédent) (de marchandises) surplus (**de** of); (d'enthousiasme, de travail) excess (**de** of); **vendre le ~ de sa récolte** to sell off one's surplus harvest; **au ~** fml moreover
B *nmpl* Écon surpluses; **~ agricoles** agricultural surpluses

(Composé) **~ américains** American army surplus ₵

surpopulation /syʀpɔpylasjɔ̃/ *nf* overpopulation

surprenant, ~e /syʀpʀənɑ̃, ɑ̃t/ *adj* [*aspect, nombre, qualité, lieu*] surprising; [*personne*] amazing; **n'avoir rien de ~** to be hardly surprising; **il serait ~ qu'il vienne** it would be surprising if he came; **il est ~ de voir comment/combien** it is surprising how/how much; **un problème ~ de complexité** a surprisingly complex problem; **un enfant ~ d'intelligence** an amazingly intelligent child

surprendre /syʀpʀɑ̃dʀ/ [52]
A *vtr* 1 (étonner) to surprise; **~ tout le monde** to surprise everyone; **il sait ~ son monde** he never fails to surprise; **en ~ plus d'un** to surprise more than a few; **être agréablement**

surpris to be pleasantly surprised; 2 (prendre par surprise) [*personne*] to take [sb] by surprise [*victime, ennemi*]; **la guerre l'a surprise en Allemagne** the war caught her in Germany; **un orage nous a surpris** we were caught in a thunderstorm; **se laisser ~ par les événements** to be caught out by events; **se laisser ~ par la pluie** to get caught in the rain; **se laisser ~ par la marée montante** to be caught by the rising tide; 3 (prendre sur le fait) to catch [*malfaiteur*] (**à faire** *or* **en train de faire** doing); 4 (être témoin de) to overhear [*conversation*]; to intercept [*regard, sourire*]; to witness [*événement*]
B *vi* (étonner) [*comportement, affirmation*] to be surprising; [*spectacle*] to surprise; [*personne*] to surprise people; **une telle remarque a de quoi ~** such a comment is somewhat surprising
C se surprendre *vpr* **se ~ à faire** to catch oneself doing

surpression /syʀpʀesjɔ̃/ *nf* high pressure

surprime /syʀpʀim/ *nf* extra premium

surprise /syʀpʀiz/
A *nf* 1 (événement étonnant) surprise; **quelle ~!** what a surprise!; **être** *or* **constituer une ~** to come as a surprise; **c'est la ~ de la journée** that's a big surprise; **créer la ~** to cause a stir; **créer une grosse ~** to cause a major stir; **ne dis rien, on veut leur faire une ~** don't say anything, we want it to be a surprise; 2 (étonnement) surprise; **à ma ~** to my surprise; **il m'a fait la ~ de venir me voir** he came to see me as a surprise; **prendre qn par ~** to take sb by surprise; **ne pas dissimuler sa ~** not to hide one's surprise; **Lyon a créé la ~ (en battant Auxerre)** Lyons produced an upset (by beating Auxerre); **ma ~ a été de constater que** I was surprised to find that; **avoir la ~/la bonne ~/la mauvaise ~ d'apprendre que** to be surprised/pleasantly surprised/unpleasantly surprised to hear that; **nulle ~ à ce que tu sois déçu** no wonder you are disappointed; **discours/élection/voyage sans ~** uneventful speech/election/trip; **l'élection a été sans ~** the election went as expected; **candidat sans ~** (prévu) expected candidate; (morne) unexceptional; **gagner sans ~** to win as expected; 3 (plaisir inattendu) surprise; **quelle gentille ~!** what a lovely surprise!
B (-)surprise (*in compounds*) **candidat/invité/décision/visite ~** surprise candidate/guest/decision/visit; **démission/voyage ~** unexpected resignation/trip; **hausse ~** shock increase; **grève ~** lightning strike

surprise-partie†, *pl* **surprises-parties** /syʀpʀizpaʀti/ *nf* party

surproduction /syʀpʀɔdyksjɔ̃/ *nf* overproduction

surproduire /syʀpʀɔdɥiʀ/ [69] *vtr* to overproduce

surprotéger /syʀpʀɔteʒe/ [15] *vtr* to overprotect

surpuissant, **~e** /syʀpɥisɑ̃, ɑ̃t/ *adj* [*moteur, automobile*] high-powered; [*amplificateur*] ultra-powerful

surqualifié, **~e** /syʀkalifje/ *adj* overqualified

surréalisme /suʀ(ʀ)ealism/ *nm* surrealism

surréaliste /suʀ(ʀ)ealist/
A *adj* 1 [*œuvre, auteur*] surrealist; 2 [*décor, paysage, vision*] surreal
B *nmf* surrealist

surrégénérateur /syʀʀeʒeneʀatœʀ/ *nm* fast-breeder reactor

surrégime /syʀʀeʒim/ *nm* **le moteur tourne en ~** the engine is overrevving

surrénal, **~e**, *mpl* **-aux** /syʀ(ʀ)enal, o/
A *adj* suprarenal
B surrénale *nf* suprarenal gland

surreprésenté, **~e** /syʀʀəpʀezɑ̃te/ *adj* overrepresented

surréservation /syʀʀezɛʀvasjɔ̃/ *nf* overbooking

Surrey ▸ p. 721 *nprm* **le ~** Surrey

sursalaire /syʀsalɛʀ/ *nm* bonus (payment)

sursaturé, **~e** /syʀsatyʀe/ *adj* 1 Chimie supersaturated; 2 °fig inundated (**de** with)

sursaut /syʀso/ *nm* 1 lit (mouvement) start; **en ~** with a start; **avoir un ~** to start, to jump; 2 fig (d'énergie, enthousiasme) sudden burst (**de** of); (d'orgueil, indignation) flash (**de** of); **dans un dernier** *or* **ultime ~** in a final spurt of effort

sursauter /syʀsote/ [1] *vi* to jump (**de** with), to start (**de** with); **faire ~ qn** to make sb jump

surseoir* /syʀswaʀ/ [41] *vtr ind* **~ à** to postpone [*décision, inhumation*]; to defer [*versement*]; to stay [*jugement, exécution*]

sursis /syʀsi/ *nm inv* 1 (délai) respite; **je bénéficie d'un ~ de trois mois pour payer** I've been given a three-month respite to pay; **c'est un mort en ~** (criminel) he's under sentence of death; (malade) he's terminally ill; **un ministre en ~** a minister who is on the way out; 2 Jur suspended sentence; **demander/obtenir un ~** to request/get a suspended sentence; **être condamné à trois mois de prison avec ~** to be given a three-month suspended (prison) sentence; **trois mois de prison dont deux avec ~** prison sentence of three months two of them suspended; 3 (report d'incorporation) deferment of military service
Composés **~ avec mise à l'épreuve** probation order; **~ à statuer** adjournment

sursitaire /syʀsitɛʀ/
A *adj* Mil **un étudiant ~** *a student whose military service has been deferred*
B *nm* Mil *man whose military service has been deferred*

surtaxe /syʀtaks/ *nf* surcharge; **~ à l'importation** import surcharge; **~ progressive** surtax

surtaxer /syʀtakse/ [1] *vtr* to surcharge

surtension /syʀtɑ̃sjɔ̃/ *nf* Électrotech (transitoire) surge; (durable) overvoltage

surtitre /syʀtitʀ/ *nm* 1 (de journal) subhead; 2 (de doublage) supertitle

surtout /syʀtu/
A *nm* 1 (pièce de table) centrepiece[GB]; 2 ‡(vêtement) overcoat, surtout†
B *adv* above all; **~ en cas d'incendie** above all in case of fire; **j'ai ~ besoin de repos** more than anything I need a rest; **c'est pratique et ~ très simple** it's practical and, above all, very simple; **j'étais content mais ~ rassuré** I was pleased but above all relieved; **~ quand/si/que** especially when/if/as; **~ pas!** certainly not!; **~ pas lui!** especially not him!, anybody but him!; **~ pas de chien dans la maison** absolutely no dogs in the house

survaloriser /syʀvalɔʀize/ [1] *vtr* to put too much emphasis on [*études, apparence*]

surveillance /syʀvɛjɑ̃s/ *nf* 1 gén watch; (par la police) surveillance; **exercer une ~ étroite/constante sur** to keep a close/constant watch over [*personne, installation, bâtiment*]; **placer qn sous haute ~** to put a close watch on sb; **maison/individu sous la ~ de la police** house/man under (police) surveillance; **placer qn/qch sous ~ policière** to put sb/sth under police surveillance; **mission de ~** surveillance mission; **déjouer la ~ de qn** to escape detection by sb; **~ électronique** electronic surveillance *ou* monitoring; 2 Scol, Univ (d'examens) supervision, invigilation GB, proctoring US; (de récréation) supervision; **sous la ~ de** under the supervision of; **assurer la ~ d'épreuves** to supervise *ou* invigilate GB *ou* proctor US exams; 3 (contrôle) supervision; **médicament à prendre sous ~ médicale** drug to be taken under medical supervision; 4 Mil (de cessez-le-feu) monitoring; (de frontières, d'espace aérien) monitoring, surveillance

surveillant, **~e** /syʀvɛjɑ̃, ɑ̃t/ ▸ p. 532 *nm,f* 1 Scol (dans une école) supervisor; (pour les examens) invigilator GB, proctor US; 2 Admin **~/~e de prison** prison warder/wardress GB, prison guard US; 3 (dans un grand magasin) store detective
Composés **~ de baignade** lifeguard; **~ d'étude** Scol study supervisor; **~ général**† Scol chief supervisor; **~ d'internat** Scol dormitory supervisor

surveiller /syʀveje/ [1]
A *vtr* 1 (veiller sur) to watch, to keep an eye on [*enfants, cuisson, affaires*]; to watch (over) [*prisonnier, malade*]; **~ de près** to watch [sb/sth] closely, to keep a close *ou* watchful eye on; **~ du coin de l'œil** to watch [sb/sth] out of the corner of one's eye; 2 (exercer une surveillance sur) to keep watch on, to keep [sb/sth] under surveillance [*adversaire, bâtiment*]; **~ les mouvements de qn** to keep watch on sb's movements; **~ un suspect** to keep a suspect under surveillance *ou* observation; **il surveille ses employés** he keeps a close eye on his employees; **c'est ton tour de ~** it's your turn to keep watch; 3 (contrôler) to supervise, to oversee [*travail*]; to supervise [*sortie d'école*]; to monitor, to supervise [*cessez-le-feu, finances, fonctionnement, projet*]; to man, to monitor [*machine*]; **~ les progrès d'un élève/malade** to monitor a pupil's/patient's progress; 4 Scol, Univ to supervise *ou* invigilate GB *ou* proctor US [*examen*]; to supervise [*récréation*]; 5 (veiller à) **~ son langage/sa ligne/sa tension** to watch one's language/one's figure/one's blood pressure; **~ sa santé** to take care of one's health
B se surveiller *vpr* to watch oneself; **tu devrais te ~ si tu ne veux pas reprendre du poids** you'd better watch yourself if you don't want to put on weight again; **avec eux, il faut sans cesse se ~** with them, you have to be on your best behaviour[GB]

survenir /syʀvəniʀ/ [36]
A *vi* [*fait, décès, changement, orage*] to occur; [*difficulté, problème, conflit*] to arise; [*personne*] to arrive unexpectedly, to turn up°
B *v impers* **s'il survient un problème** should any problem arise; **s'il survient qn** liter should anyone arrive

survêtement /syʀvɛtmɑ̃/ *nm* tracksuit; **veste/pantalon de ~** tracksuit top/bottoms (*pl*) *ou* pants (*pl*) US; **en ~** in a tracksuit

survie /syʀvi/ *nf* 1 (maintien en vie) lit, fig survival; **une expérience de ~ en mer** an experiment in survival at sea; **assurer la ~ de qn par des soins intensifs** to maintain sb's life by intensive care; 2 (vie future) afterlife; **croyez-vous à la ~ de l'âme?** do you believe in an afterlife?; 3 Jur survivorship

survirer /syʀviʀe/ [1] *vi* to oversteer

survitrage /syʀvitʀaʒ/ *nm* secondary (double) glazing

survivance /syʀvivɑ̃s/ *nf* survival; **ces danses sont une ~ des combats rituels** these dances are a survival from ritual fights; **~ de l'âme** survival of the soul

survivant, **~e** /syʀvivɑ̃, ɑ̃t/
A *adj* surviving; **conjoint ~** Jur surviving spouse
B *nm,f* survivor; **c'est l'unique ~e de la famille** she's the sole survivor *ou* surviving member of the family

survivre /syʀvivʀ/ [63]
A *vtr ind* **~ à** to survive [*événement, accident*]; **il n'a pas survécu à ses blessures** he did not survive his wounds; **~ à qn** [*personne*] to outlive sb, survive sb; [*œuvre, influence*] to outlast sb
B *vi* to survive; **seuls trois passagers ont survécu** only three passengers survived; **son salaire lui permet tout juste de ~** he can just about survive on his salary
C se survivre *vpr* to live on (**dans** in); **je me survivrai dans mes enfants et dans mes œuvres** I will live on in my children and in my works

survol /syʀvɔl/ *nm* 1 Aviat flying over ¢; **effectuer le ~ d'un territoire/site** to fly over a territory/site; **interdire le ~ de la capitale** to

S

ban flights over the capital; 2▸ (de sujet) synopsis (de of); (de magazine, livre) quick glance (**de** at); **après un bref ~ historique** after a brief synopsis of the history; 3▸ Ordinat browsing

survoler /syʀvɔle/ [1] *vtr* 1▸ Aviat [*avion, pilote*] to fly over [*lieu*]; **~ une ville à basse altitude** to fly low over a city; 2▸ (voir superficiellement) [*personne*] to skim through [*livre, magazine*]; to do a quick review of [*problème*]

survoltage /syʀvɔltaʒ/ *nm* controv (transitoire) surge; (durable) overvoltage

survolté, **~e** /syʀvɔlte/

A *pp* ▸ **survolter**

B ○*pp adj* (surexcité) [*personne, groupe*] overexcited; [*ambiance, atmosphère*] highly charged

survolter /syʀvɔlte/ [1] *vtr* to boost [*circuit*]

sus /sy(s)/

A *adv*‡ **courir ~ à qn** to charge at sb; **~ à l'ennemi!** after them!

B en sus *loc adv* **être en ~** to be extra; **avec en ~ une prime** with a bonus on top; **en ~ de** on top of [*somme, salaire, location*]; in addition to [*choses, conseils*]

susceptibilité /sysɛptibilite/ *nf* touchiness; **être d'une grande ~** to be very touchy, to be oversensitive; **pour ménager les ~s** so as not to upset anybody

susceptible /sysɛptibl/ *adj* 1▸ (ombrageux) touchy; 2▸ **~ de** [*influencer, intéresser*] likely to; **c'est ~ d'être modifié** it may be changed; **force internationale ~ d'intervenir immédiatement** international force which could be brought in immediately; **remarque ~ de plusieurs interprétations** remark open to several interpretations

susciter /sysite/ [1] *vtr* 1▸ (provoquer) to spark off [*réaction, trouble, débat*]; 2▸ (éveiller) to arouse [*sentiment, enthousiasme, intérêt*]; 3▸ (faire naître) to give rise to [*crainte, réticences, vocation*]; 4▸ (créer) to create [*problème*] (**à** for)

suscription /syskʀipsjɔ̃/ *nf* superscription

susdit, **~e** /sysdi, it/ *adj* aforesaid

sus-dominante /sysdɔminɑ̃t/ *nf* Mus submediant

susmentionné, **~e** /sysmɑ̃sjɔne/ *adj* aforementioned (*épith*)

susnommé, **~e** /sysnɔme/ *adj, nm,f* aforementioned

suspect, **~e** /syspɛ, ɛkt/

A *adj* [*mort, symptôme, odeur, incendie, circonstances, allure, objet, véhicule*] suspicious; [*origine, information, morale, logique*] dubious; [*aliment, honnêteté, enthousiasme*] suspect; **déceler une odeur ~e** to notice a suspicious smell; [*personne*] suspicious-looking (*épith*); **un tel enthousiasme m'a paru ~** such enthusiasm struck me as suspect; **moi, je trouve ça ~** personally I find it suspicious; **je la trouve ~e** she looks suspicious to me; **trouver ~ que** to find it suspicious that; **être ~ de qch** to be suspected of sth; **il est ~ de mensonge** he's suspected of lying; **elle est peu ~e de sympathie à l'égard du régime** she'd hardly be suspected of sympathizing with the regime

B *nm,f* suspect; **le principal ~** the prime suspect; **la police a interrogé trois ~s** the police have questioned three suspects

suspecter /syspɛkte/ [1] *vtr* to suspect [*personne, groupe, institution*] (**de** of; **de faire** of doing); **elle a été suspectée de négligence** she was suspected of negligence; **ils sont tous suspectés d'avoir émis de fausses factures** they are all suspected of having forged invoices

suspendre /syspɑ̃dʀ/ [6]

A *vtr* 1▸ (pendre) to hang up; **~ des vêtements/un jambon/un tableau** to hang up clothes/a ham/a picture; **~ qch à qch** to hang sth on sth; **~ un objet à un clou/au mur** to hang an object on a nail/on the wall; **~ qch/qn par** to hang sth/sb by; 2▸ (interrompre) to suspend [*émission, publication, relations, paiement*]; to end [*grève*]; to adjourn [*séance, réunion, enquête, procès*]; to stop [*diffusion*]; **~ toute aide économique/l'exécution des travaux/les livraisons de pétrole** to suspend all economic aid/work/oil deliveries; **la séance est suspendue** the meeting is adjourned; **~ un ordre de grève** to suspend strike action; **~ son souffle** to hold one's breath; **~ la cotation d'une action** Fin to suspend a share; 3▸ (destituer) to suspend [*fonctionnaire, médecin, sportif*] (**de** from); **l'athlète est suspendu de toutes les épreuves** the athlete has been suspended from all events; **~ qn pour six mois** to suspend sb for six months; **on m'a suspendu mon permis de conduire**○ my licence was suspended

B se suspendre *vpr* [*personne, animal*] to hang; **se ~ à une corde/branche** to hang from a rope/branch; **se ~ par les bras/pieds** to hang by one's arms/feet

suspendu, **~e** /syspɑ̃dy/

A *pp* ▸ **suspendre**

B *pp adj* [*vêtements, lustre, tableau, jambon*] hanging (**à** from; **par** by); **être ~ aux lèvres de qn** to be hanging on sb's every word; **être ~ au regard de qn** to gaze into sb's eyes; **des maisons ~es au-dessus de la vallée** houses perched above the valley.

suspens: **en suspens** /ɑ̃syspɑ̃/ *loc adv* 1▸ (en souffrance) [*question, problème*] outstanding (*épith*); **laisser une question/un problème en ~** to leave a question/a problem unresolved; **être/rester en ~** to be/to remain unresolved; **laisser des travaux en ~** to leave work unfinished; 2▸ (dans l'expectative) in suspense; **tenir qn en ~** to keep sb in suspense; 3▸ (en suspension) [*fumée, vapeurs*] hanging in the air

suspense /syspɛns/ *nm* suspense; **maintenir le ~** to maintain the suspense; **le ~ reste entier** everything still hangs in the balance; **film** *or* **roman à ~** thriller

suspenseur /syspɑ̃sœʀ/ *nm* Bot suspensor

suspensif, **-ive** /syspɑ̃sif, iv/ *adj* Jur [*appel, décision*] suspensive

suspension /syspɑ̃sjɔ̃/ *nf* 1▸ (attache) suspension; **câble/crochet de ~** suspension cable/hook; **~ d'un pont** suspension bridge; 2▸ Aut, Tech suspension; **~ hydraulique/indépendante** hydraulic/independent suspension; **la ~ est bonne** the suspension is good; 3▸ (interruption) (d'aide, de relations, travaux) suspension ₵; (d'enquête, de séance, procès) adjournment ₵; **~ des relations diplomatiques/de l'aide économique** suspension of diplomatic relations/of financial aid; **demander la ~ de la séance** to ask for the session to be adjourned; 4▸ (sanction) suspension; **~ à vie** lifetime suspension; **risquer une ~ de trois ans** to be facing a three-year suspension; **être condamné à deux ans de ~ du permis de conduire** to be disqualified GB *ou* suspended US from driving for two years; 5▸ Chimie suspension; **en ~** [*particules, matières*] in suspension; 6▸ (éclairage) pendant

(Composés) **~ d'armes** Mil ceasefire; **~ d'instance** Jur arrest of judgment

suspensoir /syspɑ̃swaʀ/ *nm* Sport athletic support GB, athletic supporter US

suspicieux, **-ieuse** /syspisjø, øz/ *adj* suspicious

suspicion /syspisjɔ̃/ *nf* suspicion; **un climat de ~** an atmosphere of suspicion; **faire peser la ~ sur qn** to point the finger of suspicion at sb; **avec ~** suspiciously

Sussex ▸ **p. 721** *nprm* **l'East ~** East Sussex; **le West ~** West Sussex

sustentation /systɑ̃tasjɔ̃/ *nf* Aviat, Phys lift; **~ magnétique** magnetic levitation; **polygone** *or* **base de ~** base

sustenter /systɑ̃te/ [1]

A †*vtr* to sustain [*malade*]

B se sustenter *vpr* hum to have a little snack

sus-tonique, *pl* **~s** /systɔnik/ *nf* supertonic

susurrement /sysyʀmɑ̃/ *nm* whisper

susurrer /sysyʀe/ [1] *vtr, vi* to whisper

susvisé, **~e** /sysvize/ *adj* aforementioned

suture /sytyʀ/ *nf* 1▸ Méd suture; **point de ~** stitch; 2▸ Anat, Bot, Zool suture

suturer /sytyʀe/ [1] *vtr* Méd to stitch up, to suture spéc

SUV /ɛsyve/ *nm* Aut SUV

suzerain, **~e** /syzʀɛ̃, ɛn/ Hist

A *adj* suzerain

B *nm,f* suzerain, overlord

suzeraineté /syzʀɛnte/ *nf* suzerainty

svastika /svastika/ *nm* swastika

svelte /svɛlt/ *adj* [*personne, taille*] slender

sveltesse /svɛltɛs/ *nf* slenderness

SVP (*written abbr* = **s'il vous plaît**) please

swahili /swaili/ ▸ **p. 483** *nm* Swahili

swazi, **~e** /swazi/ ▸ **p. 483, p. 561**

A *adj* Swazi

B *nm* Ling Swazi

Swaziland /swazilɑ̃d/ ▸ **p. 333** *nprm* Swaziland

sweat○ /swɛt/ *nm* sweat-shirt

sweat-shirt, *pl* **~s** /swɛtʃœʀt/ *nm* sweatshirt

sweepstake /swipstɛk/ *nm* sweepstake

swing /swiŋ/ *nm* Mus, Sport swing

swinguer /swiŋge/ [1] *vi* to swing

sybarite /sibaʀit/ *adj, nmf* sybarite

sybaritique /sibaʀitik/ *adj* sybarite, sybaritic

sybaritisme /sibaʀitism/ *nm* sybaritism

sycomore /sikɔmɔʀ/ *nm* sycamore; ▸ **faux**[1]

sycophante /sikɔfɑ̃t/ *nm* informer

syllabaire /sil(l)abɛʀ/ *nm* 1▸ Ling syllabary; 2▸ †(livre de lecture) primer

syllabe /sil(l)ab/ *nf* syllable; **~ ouverte/fermée** open/closed syllable

syllabique /sil(l)abik/ *adj* [*écriture, vers*] syllabic; **méthode ~ (d'apprentissage de la lecture)** phonics (+ *v sg*)

syllogisme /silɔʒism/ *nm* syllogism

syllogistique /silɔʒistik/ *adj, nf* syllogistic

sylphe /silf/ *nm* sylph

sylphide /silfid/ *nf* sylph

sylvestre /silvɛstʀ/ *adj* liter sylvan littér

sylvicole /silvikɔl/ *adj* silvicultural

sylviculteur, **-trice** /silvikyltœʀ, tʀis/ ▸ **p. 532** *nm,f* forester, silviculturist spéc

sylviculture /silvikyltyʀ/ *nf* forestry, silviculture spéc

symbiose /sɛ̃bjoz/ *nf* symbiosis; **en ~** in symbiosis

symbiotique /sɛ̃bjɔtik/ *adj* symbiotic

symbole /sɛ̃bɔl/

A *nm* 1▸ gén, Ling, Sci symbol; 2▸ Relig creed

B (-)symbole (*in compounds*) **femme ~** icon; **une figure ~ du conservatisme** a figurehead of conservatism; **New York, ville ~ du capitalisme** New York, the very symbol of capitalism

(Composé) **~ des Apôtres** Apostles' Creed

symbolique /sɛ̃bɔlik/

A *adj* 1▸ (significatif) [*œuvre, action, portée*] symbolic; 2▸ (pour la forme) [*geste, salaire, augmentation*] token (*épith*); [*prix*] nominal

B *nf* 1▸ (ensemble de symboles) symbolism; 2▸ (étude) symbology

symboliquement /sɛ̃bɔlikmɑ̃/ *adv* symbolically

symbolisation /sɛ̃bɔlizasjɔ̃/ *nf* symbolization

symboliser /sɛ̃bɔlize/ [1] *vtr* to symbolize

symbolisme /sɛ̃bɔlism/ *nm* 1▸ gén, Philos symbolism; 2▸ Littérat Symbolism

symboliste /sɛ̃bɔlist/

A *adj* symbolist

B *nmf* Littérat Symbolist

symétrie /simetʀi/ *nf* symmetry (**par rapport à** in relation to); **~ axiale/plane** axial/

S

plane symmetry; **axe de ~** axis of symmetry

symétrique /simetʀik/ *adj* ① (géométriquement) [*dessin, visage, points*] symmetrical; ② (en logique, théorie des ensembles) [*relation*] symmetric; ③ (homologue) [*attitudes, aides, objectifs*] similar

symétriquement /simetʀikmɑ̃/ *adv* symmetrically

sympa○ /sɛ̃pa/ *adj inv* nice

sympathie /sɛ̃pati/ *nf* ① (amitié) **avoir** *or* **éprouver de la ~ pour qn** to like sb; **montrer** *or* **témoigner de la ~ à qn** to be friendly toward(s) sb; **elle inspire la ~** she's very likeable; **il m'a tout de suite inspiré une grande ~** I liked him straightaway; **entre nous il y a de la ~, rien d'autre** we just get on, that's all; **faire qch par ~ pour qn** to do sth because one likes sb; ② (d'un sympathisant) sympathy; **je n'ai aucune ~ pour** I have no sympathy for; **mes ~s vont aux...** my sympathies lie with...; ③ (compassion) sympathy; **croyez à toute ma ~** you have my deepest sympathy; **témoignages de ~** expressions of sympathy

sympathique /sɛ̃patik/
A *adj* ① [*personne*] nice, likeable; [*endroit, habitation*] nice, pleasant; [*ambiance, soirée*] pleasant, friendly; [*idée*] nice; ② Anat sympathetic; ③ [*encre*] invisible
B *nm* Physiol sympathetic nervous system

sympathisant, ~e /sɛ̃patizɑ̃, ɑ̃t/ *nm,f* sympathizer

sympathiser /sɛ̃patize/ [1] *vi* to get on well (**avec qn** with sb)

symphonie /sɛ̃fɔni/ *nf* symphony; **la ~ Jupiter** the Jupiter Symphony; **une ~ de couleurs** fig a symphony of colours[GB]

symphonique /sɛ̃fɔnik/ *adj* symphonic

symphoniste /sɛ̃fɔnist/ *nmf* symphonist

symposium /sɛ̃pozjɔm/ *nm* symposium (**sur** on)

symptomatique /sɛ̃ptɔmatik/ *adj* symptomatic (**de** of)

symptôme /sɛ̃ptom/ *nm* symptom (**de** of); **le phénomène est le ~ d'une crise** the phenomenon is symptomatic of a crisis

synagogue /sinagɔg/ *nf* synagogue

synapse /sinaps/ *nf* synapsis

synarchie /sinaʀʃi/ *nf* synarchy, joint rule

synchronie /sɛ̃kʀɔni/ *nf* synchrony

synchronique /sɛ̃kʀɔnik/ *adj* synchronic

synchroniquement /sɛ̃kʀɔnikmɑ̃/ *adv* synchronically

synchronisation /sɛ̃kʀɔnizasjɔ̃/ *nf* synchronization

synchroniser /sɛ̃kʀɔnize/ [1] *vtr* to synchronize

synchroniseur /sɛ̃kʀɔnizœʀ/ *nm* ① Électrotech synchronizer; ② Aut synchromesh

synchroniseuse /sɛ̃kʀɔnizøz/ *nf* Cin synchronizer

synchronisme /sɛ̃kʀɔnism/ *nm* synchronism

synclinal, ~e, *mpl* **-aux** /sɛ̃klinal, o/
A *adj* synclinal
B *nm* syncline

syncope /sɛ̃kɔp/ *nf* ① Méd fainting fit; **avoir une ~** to have a fainting fit; **tomber en ~** to faint; ② Ling syncope; ③ Mus syncopation

syncopé, ~e /sɛ̃kɔpe/ *adj* [*rythme, musique*] syncopated

syncrétisme /sɛ̃kʀetism/ *nm* syncretism

syndet /sɛ̃dɛ(t)/ *nm* dermatological cleansing bar

syndic /sɛ̃dik/ *nm* (d'immeuble) property manager

(Composé) **~ de faillite** Jur official receiver

syndical, ~e, *mpl* **-aux** /sɛ̃dikal, o/ *adj* (trade) union (*épith*); **accord/dirigeant/mouvement/droit ~** union agreement/leader/movement/law

syndicalisation /sɛ̃dikalizasjɔ̃/ *nf* unionization

syndicalisme /sɛ̃dikalism/ *nm* ① (fait social) trade unionism; ② (activité) union activities (*pl*); **faire du ~** to be a union activist; ③ (doctrine) syndicalism

syndicaliste /sɛ̃dikalist/
A *adj* (trade) union (*épith*); **dirigeant ~** union leader
B *nmf* union activist

syndicat /sɛ̃dika/ *nm* (d'ouvriers) trade union; (d'agriculteurs) union; (d'employeurs) association

(Composés) **~ agricole** farmers' union; **~ du crime** underworld; **~ financier** financial syndicate; **~ de fonctionnaires** civil service union; **~ d'initiative** tourist information office; **~ intercommunal** association of communes (*in France*); **~ ouvrier** trade union; **~ patronal** employers' association; **~ professionnel** trade association; **~ de propriétaires** association of property owners

Syndicats

Although it plays a less central role than in the first half of the 20th century with only 10% of employees unionized, the trade union movement is still a significant force in French public life and has considerable power and influence. The unions which have the broadest national base are the *CGT* (traditionally allied with the *parti communiste*), the *CFDT* (traditionally allied with the *parti socialiste*), *FO*, the *CFTC*, the *CGC* and the *FEN*. There is also an employers' association, the MEDEF.
▸**MEDEF**

syndicataire /sɛ̃dikatɛʀ/ *nmf* Assur, Fin underwriter

syndiqué, ~e /sɛ̃dike/
A *pp* ▸ **syndiquer**
B *pp adj* ① Pol unionized; **main-d'œuvre non ~e** non-union labour[GB]; **être ~** to be a union member; ② Fin [*prêt, titres*] syndicated
C *nm,f* union member

syndiquer /sɛ̃dike/ [1]
A *vtr* to unionize
B **se syndiquer** *vpr* ① [*personne*] to join a union; ② [*profession*] to form a trade union

syndrome /sɛ̃dʀom/ *nm* syndrome

(Composés) **~ du choc toxique, SCT** Toxic Shock Syndrome, TSS; **~ de Down** Down's Syndrome; **~ immunodéficitaire acquis** acquired immunodeficiency syndrome; **~ de Stockholm** Psych Stockholm syndrome

synecdoque /sinɛkdɔk/ *nf* synecdoche

synérèse /sineʀɛz/ *nf* syneresis

synergiciel /sinɛʀʒisjɛl/ *nm* groupware

synergie /sinɛʀʒi/ *nf* synergy (**entre** between); **des ~s économiques/industrielles** economic/industrial synergies

synergique /sinɛʀʒik/ *adj* synergic

synesthésie /sinɛstezi/ *nf* synaesthesia

synode /sinɔd/ *nm* synod

synodique /sinɔdik/ *adj* ① Astron synodic; ② Relig synodal

synonyme /sinɔnim/
A *adj* synonymous (**de** with); **pour lui Paris est ~ de liberté** for him Paris is synonymous with freedom
B *nm* synonym (**de** for, of); **un dictionnaire de ~s** ≈ a thesaurus

synonymie /sinɔnimi/ *nf* synonymy

synonymique /sinɔnimik/ *adj* synonymic

synopsis /sinɔpsis/ *nm inv* Cin synopsis

synoptique /sinɔptik/ *adj* synoptic

synovial, ~e, *mpl* **-iaux** /sinɔvjal, o/
A *adj* synovial
B **synoviale** *nf* synovial membrane

synovie /sinɔvi/ *nf* synovia; **avoir un épanchement de ~** to have water on the knee

synovite /sinɔvit/ ▸ **p. 283** *nf* synovitis

syntactique /sɛ̃taktik/ *adj* = **syntaxique**

syntagmatique /sɛ̃tagmatik/ *adj* phrasal, syntagmatic; **grammaire ~** phrase-structure grammar; **règle ~** phrase-structure rule

syntagme /sɛ̃tagm/ *nm* phrase, syntagm; **~ verbal/nominal** verb/noun phrase

syntaxe /sɛ̃taks/ *nf* syntax

syntaxique /sɛ̃taksik/ *adj* syntactic(al)

synthé○ /sɛ̃te/ *nm* (*abbr* = **synthétiseur**) synth○

synthèse /sɛ̃tɛz/ *nf* ① (d'idées) synthesis; (résumé) summary; **document** *or* **rapport de ~** summary; **faire la ~ de plusieurs documents** to extract the essential facts from several documents; **esprit de ~** ability to synthesize; ② Chimie synthesis; **par ~** by synthesis; **produit de ~** synthetic product; **~ des protéines** protein synthesis; ③ Ordinat **images** *or* **imagerie de ~** computer generated images

synthétique /sɛ̃tetik/
A *adj* ① Chimie synthetic; Tech synthetic; ② (non analytique) [*approche, réflexion, vision*] global; [*ouvrage*] that gives a general picture (*épith, après n*); ③ Ling synthetic; ④ Mus synthetic, synthesized
B *nm* Tex synthetic material; **c'est du ~** it's synthetic

synthétiquement /sɛ̃tetikmɑ̃/ *adv* synthetically

synthétiser /sɛ̃tetize/ [1] *vtr* to synthesize

synthétiseur /sɛ̃tetizœʀ/ *nm* synthesizer

(Composé) **~ de parole** speech synthesizer

syntoniseur /sɛ̃tɔnizœʀ/ *nm* Radio tuner

syphilis /sifilis/ ▸ **p. 283** *nf* syphilis

syphilitique /sifilitik/ *adj, nmf* syphilitic

Syrie /siʀi/ ▸ **p. 333** *nprf* Syria

syrien, -ienne /siʀjɛ̃, ɛn/ ▸ **p. 561** *adj* Syrian

Syrien, -ienne /siʀjɛ̃, ɛn/ ▸ **p. 561** *nm,f* Syrian

systématique /sistematik/
A *adj* ① [*classification, recherche, contrôle, refus, opposition*] systematic; [*aide, soutien*] unconditional; **de façon ~** systematically; **travailler de façon ~** to work systematically *ou* in a systematic way; ② [*personne*] systematic; péj narrow, dogmatic
B *nf* systematics (+ *v sg*)

systématiquement /sistematikmɑ̃/ *adv* systematically

systématisation /sistematizasjɔ̃/ *nf* systematization

systématiser /sistematize/ [1]
A *vtr* to systematize
B **se systématiser** *vpr* to become the rule

système /sistɛm/ *nm* ① (ensemble organisé, doctrine) system; **~ économique/légal/pénitentiaire** economic/legal/prison system; **entrer dans le ~** to join the system; **~ de vie** way of life; ② (dispositif, réunion d'éléments) system; **~ d'éclairage/de transmission** lighting/transmission system; **~ de miroirs/poulies** system of mirrors/pulleys; **~ de canaux** canal system *ou* network; ③ (plan, méthode) system, scheme; ④ (moyen) system, way; (combine) dodge○; **prenons l'avion, c'est encore le meilleur ~** let's go by plane, it's still the best way; ⑤ Physiol system; **troubles du ~** Méd systemic disorders; **~ cardio-vasculaire** cardio-vascular system; **~ nerveux central/végétatif** central nervous/

S

vegetative system; ~ **pileux** Physiol hair; **avoir un ~ pileux fourni** to have a lot of hair; ~ **digestif** digestive system; 6 Ordinat system; **analyse/conception de ~s** systems analysis/design; ~ **de gestion de bases de données** database (management) system; ~ **expert** expert system; ~ **d'exploitation** operating system; ~ **d'information pour le management** management information system; ~ **informatique** information system; ~ **intégré de gestion** integrated management system; 7 Astron system; ~ **planétaire/solaire** planetary/solar system

(Composés) ~ **d'adressage par domaines** Ordinat DNS, domain name system; ~ **d'alarme** burglar alarm, alarm system; ~ **casuel** Ling case system; **le ~ D**○ resourcefulness; **j'ai eu un billet par le ~ D**○ I wangled○ a ticket; ~ **décimal** decimal system; ~ **d'encouragement** Entr incentive scheme; ~ **d'exploitation** Ordinat operating system; ~ **de gestion de bases de données, SGBD** Ordinat database management system, DBMS; ~ **métrique** metric system; ~ **monétaire européen, SME** European Monetary System, EMS; ~ **nuageux** Météo cloud system; ~ **de participation (aux bénéfices)** profit-sharing scheme

(Idiome) **taper** *or* **courir sur le ~ de qn**○ to get on sb's nerves *ou* wick○ GB

systémique /sistemik/
A *adj* systematic
B *nf* systematism

systole /sistɔl/ *nf* systole; ~ **auriculaire/ventriculaire** auricular/ventricular systole

systolique /sistɔlik/ *adj* systolic

syzygie /siziʒi/ *nf* syzygy

S

Tt

t, T /te/ *nm inv* t, T; **en (forme de) T** T-shaped
t' ▸ **te**
ta ▸ **ton**[1]
tabac /taba/
A ▸ **p. 202** *adj inv* tobacco-coloured[GB]
B *nm* **1** Bot, Ind tobacco; **feuille de ~** tobacco leaf; **'journée sans ~'** 'no smoking day'; **2** ▸ **p. 532** Comm (magasin d'articles pour fumeurs) tobacconist's GB, smoke shop US; (magasin de cigarettes, journaux) newsagent GB; **3** ○(succès) big hit; **faire un ~** [*personne, spectacle, produit*] to be a big hit; **4** Naut **coup de ~** squall
(Composés) **~ blond** Virginia tobacco; **~ brun** dark tobacco; **~ à chiquer** chewing tobacco; **~ à cigarettes** cigarette tobacco; **~ à pipe** pipe tobacco; **~ à priser** snuff; **~ à rouler** rolling tobacco
(Idiome) **passer qn à ~**○ [*voyous*] to beat sb up

> **Tabac**
>
> A tabac, designated by a red sign, referred to as *la carotte*, has a licence to sell tobacco products, postage stamps and certain official documents. It is also the official outlet for lottery tickets, etc.

tabagie /tabaʒi/ *nf* smoky place; **c'est une vraie ~ ici!** it's really smoky in here!
tabagisme /tabaʒism/ *nm* **1** (dépendance) tobacco addiction; **2** (intoxication) nicotine poisoning
(Composé) **~ passif** passive smoking
tabar(d) /tabaʀ/ *nm* tabard
tabassage◐ /tabasaʒ/ *nm* **1** (mise à mal) beating; **il a été victime d'un ~ en règle** he was badly beaten up; **2** (bagarre) gang-fight
tabasser◐ /tabase/ [1]
A *vtr* to give [sb] a beating; **se faire ~** to get a beating
B **se tabasser** *vpr* to lay into each other○
tabatière /tabatjɛʀ/ *nf* **1** (boîte à tabac) snuffbox; **2** Constr (lucarne) skylight
TABDT /teabedete/ *nm* (*abbr* = **vaccin antityphoïdique et antiparatyphoïdique A et B, antidiphtérique et tétanique**) triple vaccine
tabellion† /tabɛljɔ̃/ *nm* **1** (qui rédigeait des actes) scrivener; **2** (notaire) notary (public)
tabernacle /tabɛʀnakl/
A *nm* tabernacle
B ◐*excl* Can damn○!
tablard /tablaʀ/ *nm* Helv (rayon, tablette) shelf
tablature /tablatyʀ/ *nf* tablature
table /tabl/ *nf* **1** (meuble) table; **une ~ en** *or* **de chêne** an oak table; **une ~ de salle à manger/de cuisine** a dining-room/kitchen table
2 (lieu du repas) table; **à ~** at (the) table; **mettre** *or* **dresser la ~** to set *ou* lay the table; **être/fumer à ~** to be/to smoke at the table; **bien/mal se tenir à ~** to have good/bad table manners; **rester à ~ après le repas** to remain at the table after the meal; **nous serons dix à ~ ce midi** there'll be ten of us for lunch today; **nous étions toujours à ~ quand...** we were still eating when...; **s'asseoir à ~** (pour manger) to sit down to eat; **viens t'asseoir à ~!** come and sit at the table!; **passer** *or* **se mettre à ~** lit to sit down at the table; (avouer)○ to spill the beans○; **sortir** *or* **se lever de ~** to leave the table; **réserver une ~** to book GB *ou* reserve a table; **à ~!** dinner's ready!
3 (nourriture) table; **avoir une bonne ~** to keep a good table; **~ remarquable** *or* **de roi** marvellous[GB] spread; **restaurant réputé pour sa ~ et sa cave** restaurant with a reputation for its good food and wine cellar
4 (lieu de discussion) table; **~ des négociations/débats** negotiating/debating table; **s'asseoir autour d'une** *or* **de la même ~** to get round the table; **mettre un million/le double sur la ~** to put a million/twice as much on the table
5 (tablée) table; **présider la ~** to be at the head of the table
6 Tech (partie plane) (de fraiseuse, ponceuse) table; (de raboteuse) bed; (d'enclume) face
7 Math table; **~ de logarithmes/de multiplication** log/multiplication table; **~ à double entrée** two-way table
8 Minér (facette supérieure d'une pierre) table
(Composés) **~ analytique** analytical table; **~ d'autel** altar table; **~ basse** coffee table; **~ de billard** billiard table; **~ de bridge** bridge table; **~ de camping** camping table; **~ de chevet** bedside table GB, night stand US; **~ de cuisson** hob; **~ à dessin** drawing board; **~ d'écoute** wiretapping set; **être mis sur ~ d'écoute** to have one's phone tapped; **~ de ferme** farmhouse table; **~ glaciaire** Géog glacier table; **~ d'harmonie** sounding board; **~ d'honneur** head table; **~ d'hôte** table d'hôte; **~ de jardin** garden table; **~ de jeu** Jeux card table; **~ de lancement** launching pad; **~ à langer** changing table; **~ lumineuse** (pour diapositives) slide table; **~ de massage** massage table; **~ des matières** (table of) contents; **~ de mixage** mixing console; **~ de montage** editing bench *ou* table; **~ de nuit** bedside table GB, nightstand US; **~ d'opération** operating table; **~ d'orientation** viewpoint diagram; **~ à ouvrage** sewing table; **~ de ping-pong®** table-tennis table; **~ pliante** folding table; **~ à rallonges** extending table; **~ de repassage** *or* **à repasser** ironing board; **~ ronde** lit, fig round table; **~ ronde sur l'immigration** round table (talks) on immigration; **~ roulante** trolley; **~ de sondage** welding bench; **~ de télévision** television stand; **~ de tir** range table; **~ de toilette** washstand; **~ tournante** (phénomène) table turning; **~ traçante** Ordinat graph plotter; **~ de travail** worktable; **~ de vérité** truth table; **~s gigognes** nest of tables; **Tables de la Loi** Bible Tables of the Law
(Idiomes) **mettre les pieds sous la ~** to let others wait on you; **tenir ~ ouverte** to keep open house
tableau, *pl* **~x** /tablo/ *nm* **1** (œuvre d'art) gén picture; (peinture) painting; ▸ **galerie, vieux**; **2** (description) picture; **brosser un ~ sombre de la situation** to paint a black picture of the situation; **et pour achever** *or* **compléter le ~** and to cap it all; **3** (spectacle) picture; **des enfants jouant dans un jardin, quel ~ charmant!** children playing in a garden, what a charming picture!; **le ~ général est plus sombre** the overall picture is more gloomy; **en plus, il était ivre, tu vois un peu le ~**○**!** on top of that he was drunk, you can just imagine!; **4** (présentation graphique) table, chart; **'voir ~'** 'see table'; **~ des marées** tide table; **~ des températures** temperature chart; **~ synchronique/synoptique** historical/synoptic chart; **~ à double entrée** Ordinat two-dimensional array; **présenter qch sous forme de ~** to present sth in tabular form; **5** Scol blackboard; **écrire qch au ~** to write sth on the blackboard; **passer** *or* **aller au ~** to go (up) to the blackboard; **6** (affichant des renseignements) board; Rail indicator board; **~ des départs/arrivées** departures/arrivals indicator; **~ horaire** timetable; **7** (support mural) board; **~ des clés** key rack; **~ pour fusibles** fuse box; **8** (liste) register GB, roll US; **9** Théât short scene
(Composés) **~ d'affichage** notice board; **~ d'avancement** promotion table, roster list; **~ blanc** white board; **~ de bord** Aut dashboard; Aviat, Rail instrument panel; (en gestion) performance indicators (*pl*); **~ de chasse** (de chasseur) total number of kills; (de séducteur) list of conquests; (de pilote de chasse) total number of hits; **~ clinique** patient's charts (*pl*); **~ de commande** control panel; **~ comptable** financial statement; **~ de conférence** paperboard; **~ d'honneur** honours board GB, honor roll US; **être inscrit au ~ d'honneur** to be on the honours board GB *ou* honor roll US; **~ de maître** Art master painting; **~ de marche** flow chart; **~ matriciel** matrix; **~ noir** blackboard; **~ papier** paperboard; **~ de prix** price list; **~ vivant** tableau vivant
(Idiomes) **jouer** *or* **miser sur les deux ~x** to hedge one's bets; **gagner/perdre sur tous les ~x** to win/to lose on all counts
tableautin /tablotɛ̃/ *nm* little picture
tablée /table/ *nf* table; **~ de journalistes** table of journalists; **repas pour une grande ~** meal for a large party
tabler /table/ [1] *vi* **~ sur** to bank○ on
tablette /tablɛt/
A *nf* **1** (de chocolat) bar; (de chewing-gum) stick; **2** (étagère) shelf; **~ de marbre** marble shelf; **3** Pharm tablet; **~ de codéine** codeine tablet; **4** Archéol tablet; **~ d'argile** clay tablet; **5** Comm (de poudre à laver) tablet
B **tablettes** *nfpl* **1** (archives) annals; **2** (agenda) diary (*sg*); **j'ai inscrit notre rendez-vous dans mes ~s** I've made a note of our meeting in my diary
(Composé) **~ graphique** Ordinat graphics tablet
tableur /tablœʀ/ *nm* spreadsheet
tablier /tablije/ *nm* **1** (vêtement) apron; **2** (de pont) roadway
(Idiome) **rendre son ~** to give US *ou* give in GB one's notice
tabloïd /tablɔid/ *adj, nm* tabloid

tabou /tabu/
A *adj* **1** (frappé d'interdit) taboo; (qu'on ne peut critiquer) [*institution, personnage*] untouchable, sacred; **2** Anthrop, Relig taboo
B *nm* taboo

taboulé /tabule/ *nm* tabbouleh, tabouli

tabouret /tabuʀɛ/ *nm* **1** (pour s'asseoir) stool; **2** (pour les pieds) footstool

tabulateur /tabylatœʀ/ *nm* tabulator

tabulation /tabylasjɔ̃/ *nf* tabulation; **taquet** *or* **marque de ~** tab, tabulator

tabulatrice /tabylatʀis/ *nf* tabulator

tac /tak/
A *nm* **répondre du ~ au ~** to snap back
B *excl* **et ~!** so there!

tache /taʃ/ *nf* **1** lit (salissure) stain; **~ d'encre** gén ink stain; (sur un manuscrit) ink blot; **~ de graisse/d'huile** grease/oil stain; **~ d'humidité** damp patch; **~ de sang** bloodstain; **résister aux ~s** to be stain-resistant; **tu as fait une ~ à ton pantalon** you've got a stain on your trousers; **tu as fait une ~ sur la table** you've made a mark on the table; **faire ~** fig to stick out like a sore thumb; **2** fig (souillure) stain, blot (**à** on); **sans ~** [*réputation, honnêteté*] spotless, unblemished; [*vie*] blameless; **3** (altération) (sur un fruit) mark; (sur la peau) blotch, mark; **4** (note de couleur) (petite) spot; (plus grande) patch; **les ~s du léopard** the leopard's spots; **~s de lumière/d'ombre** patches of light/of shade; **les affiches sont les seules ~s de couleur** the posters are the only splashes of colour[GB]

(Composés) **~ jaune** Anat yellow spot; **~ de naissance** birthmark; **~ originelle** taint of original sin; **~ solaire** Astron sunspot; **~ de vin** gén wine stain; Anat strawberry mark; **~ de vieillesse** liver spot; **~s de rousseur** *or* **son** freckles

(Idiome) **faire ~ d'huile** to spread like wildfire

tâche /taʃ/ *nf* task, job; **une ~ difficile/ingrate** a difficult/thankless task; **tu ne me facilites pas la ~!** you're not making my job any easier!; **mener une ~ à bien** to see a job through; **avoir pour ~ de faire qch** to have the job of doing sth; **ne pas avoir la ~ facile** not to have an easy job; **être à la hauteur de sa ~** to be up to the job; **les ~s ménagères** household chores; **être payé à la ~** to be paid by the piece; **travailler** *or* **être à la ~** to be on piecework

tachéomètre /takeɔmɛtʀ/ *nm* tachymeter, tacheometer

tachéométrie /takeɔmetʀi/ *nf* tacheometry

tacher /taʃe/ [1]
A *vtr* **1** lit (salir) [*substance*] to stain; [*personne*] to get a stain on; **taché d'huile/d'encre** oil-/ink-stained; **taché de sang** bloodstained; **tu vas ~ ta robe** you'll get a stain on your dress; **j'ai taché ma cravate** I've got a stain on my tie; **2** fig (souiller) to tarnish, to stain [*réputation*]; **3** liter (colorer) to mark [*pelage, plumage*]; **pelage gris taché de blanc** grey GB *ou* gray US fur with white markings
B *vi* [*fruit, vin, produit*] to stain; **ça ne tache pas** it doesn't stain
C **se tacher** *vpr* **1** [*personne*] to get oneself dirty; **tu t'es tachée avec de l'encre/de l'huile** you've got ink/oil on your clothes; **2** [*tissu, tapis*] to stain, to mark; **3** [*fruit*] to become blemished

tâcher /taʃe/ [1]
A *vtr* **tâchez que ce soit fini avant midi** (conseil) try and make sure it's finished before noon; (ordre) see to it that it's finished before noon
B **tâcher de** *vtr ind* **~ de faire** to try to do; **je vais ~ de le joindre avant midi** I'll try and contact him before noon; **tâchez de venir** try and come; **tâchez d'arriver à l'heure** try and be on time

tâcheron /taʃʀɔ̃/ *nm* **1** péj (qui fait des tâches ingrates) drudge; (qui travaille beaucoup) hack; **un ~ de la littérature** a literary hack; **un ~ de la peinture** a hack artist; **2** (petit entrepreneur) jobber

tacheter /taʃte/ [20] *vtr* to speckle, to spot [*pelage, plumage*]; to dot [*pré*]; **plumage gris tacheté de blanc** grey plumage speckled *ou* flecked with white

tachisme /taʃism/ *nm* (en peinture abstraite) action painting, tachism(e)

tachiste /taʃist/ *nmf* action painter

Tachkent /taʃkɛnt/ ▸ **p. 435** *npr* Tashkent

tachycardie /takikaʀdi/ ▸ **p. 283** *nf* tachycardia

tachygraphe /takigʀaf/ *nm* tachograph

tachymètre /takimɛtʀ/ *nm* tachometer

tacite /tasit/ *adj* tacit

Tacite /tasit/ *npr* Tacitus

tacitement /tasitmɑ̃/ *adv* tacitly

taciturne /tasityʀn/ *adj* taciturn

tacle /takl/ *nm* tackle

tacon /takɔ̃/ *nm* Zool parr

tacot○ /tako/ *nm* banger○ GB, crate○ US

tact /takt/ *nm* **1** (délicatesse) tact; **avoir beaucoup de ~** to be very tactful; **manquer de ~** to be tactless; **avec ~** tactfully; **2** Physiol sense of touch

tacticien, -ienne /taktisjɛ̃, ɛn/ *nm,f* gén, Mil tactician

tactile /taktil/ *adj* **1** Biol [*sensibilité*] tactile; **2** Ordinat [*écran*] touch-sensitive

tactique /taktik/
A *adj* gén, Mil tactical; **manœuvre/erreur ~** tactical manoeuvre GB *ou* maneuver US/error
B *nf* **1** (*pl*) gén tactics; **il a changé de ~** he changed tactics; **2** Mil (science) tactics (+ *v sg*)

tactiquement /taktikmɑ̃/ *adv* tactically

tadjik /tadʒik/ ▸ **p. 483, p. 561** *adj, nm* Tajik

Tadjik, ~e /tadʒik/ ▸ **p. 561** *nm,f* Tajik

Tadjikistan /tadʒikistɑ̃/ ▸ **p. 333** *nprm* Tajikistan

tadorne /tadɔʀn/ *nm* (mâle) sheldrake; (femelle) shelduck

taffe● /taf/ *nf* (bouffée) drag○

taffetas /tafta/ *nm inv* taffeta; **robe de ~** taffeta dress

(Composé) **~ gommé** (sticking) plaster GB, Band-Aid®

tag○ /tag/ *nm* **1** (graffiti) a piece of graffiti; **des ~s** graffiti; **2** (activité) writing *ou* spraying graffiti

Tage /taʒ/ ▸ **p. 372** *nprm* **le ~** the Tagus

tagger○ = **tagueur**

tagliatelles* /taljatɛl/ *nfpl* Culin tagliatelli ¢

tagmème /tagmɛm/ *nm* Ling tagmeme

tagmémique /tagmemik/ *nf* tagmemics (+ *v sg*)

taguer○ /tage/ [1] *vi* to write *ou* spray grafitti

tagueur○ /tagœʀ/ *nm* gén graffiti sprayer; (artiste) graffiti artist

Tahiti /taiti/ ▸ **p. 435** *nprf* Tahiti

tahitien, -ienne /taisjɛ̃, ɛn/
A *adj* Tahitian
B ▸ **p. 483** *nm* Ling Tahitian

Tahitien, -ienne /taisjɛ̃, ɛn/ *nm,f* Tahitian

TAI /teai/ *nm: abbr* ▸ **temps**

taïaut /tajo/ *excl* tallyho!

taie /tɛ/ *nf* **1** (enveloppe) **~ (d'oreiller)** pillowcase; **~ (de traversin)** bolstercase; **2** (sur l'œil) corneal opacity

taïga /tajga/ *nf* taiga

taillable /tajabl/ *adj* Hist subject to tallage; **je ne suis pas ~ et corvéable à merci** I'm not here to be at everybody's beck and call

taillade /tajad/ *nf* **1** (dans les chairs) cut; (volontaire) slash; **2** Cout slash

taillader /tajade/ [1]
A *vtr* to slash [*poignets, rideaux*]; **~ une table** to make slashes on a table top
B **se taillader** *vpr* **se ~ les poignets** to slash one's wrists; **se ~ les mains** to cut one's hands badly

taille /taj/ *nf* **1** ▸ **p. 196** (partie du corps, de vêtement) waist, waistline; **~ fine/épaisse** slim/large waist *ou* waistline; **avoir une ~ de guêpe** to be wasp-waisted, to have a very slim waist; **prendre qn par la ~** to put one's arm around sb's waist; **avoir la ~ bien prise dans un manteau** to wear a coat with a fitted waist; **robe à ~ haute/basse** high-/low-waisted dress; **2** (volume) size; fig (importance) size; **de grande/petite ~** [*animal, entreprise, objet*] large/small; **entreprise de ~ moyenne** medium-sized company; **de la ~ de** the size of; **société de ~ européenne** company on a European scale; **de ~** [*problème, ambition, enjeu*] considerable, sizable; [*événement, question*] very important; **à la ~ de leurs ambitions/de l'entreprise** in keeping with their ambitions/the size of the company; **un partenaire à sa ~** a suitable partner; **l'entreprise est de ~!** it's no small undertaking!; **être de ~ à faire** to be up to *ou* capable of doing; **il n'est pas de ~** he's not up to it; **3** (dimension de vêtement) size; **~ 42** size 42; **quelle ~ fais-tu?** what size do you take?; **ce n'est pas ma ~** *or* **à ma ~** it is not my size; **'~ unique'** 'one size'; **essaie la ~ au-dessus/au-dessous** try the next size up/down; **qu'avez-vous à ma ~?** what have you got in my size?; **avoir la ~ mannequin** to be a standard size; **rayon grandes ~s** outsize department; **rayon petites ~s** petite department; **4** (hauteur) height; **être de grande/petite ~** to be tall/short; **personne de petite/grande ~** short/tall person; **personne de ~ moyenne** person of average height; **se redresser de toute sa ~** to draw oneself up to one's full height; **il a promené sa haute ~ dans toute l'Europe** his tall figure is known throughout Europe; **5** (action de tailler) (d'arbre, buisson) pruning; (de haie) clipping, trimming; (de diamant, cristal) cutting; (de bois) carving; **6** (forme obtenue) (de diamant) cut; (de haie) shape; **7** Hist **la ~** tallage; **8** (tranchant de lame) edge; **9** Mines (galerie) tunnel

taillé, ~e /taje/
A *pp* ▸ **tailler**
B *pp adj* **1** (bâti) **~ en athlète** built like an athlete; **2** (apte) **être ~ pour faire** to be cut out to do; **il est ~ pour**○ he's cut out for it; **3** (coupé) **cristal ~** cut glass

taille-bordure, *pl* **~s** /tajbɔʀdyʀ/ *nm* lawn edger, edging tool

taille-crayons* /tajkʀɛjɔ̃/ *nm inv* pencil sharpener

taille-douce, *pl* **tailles-douces** /tajdus/ *nf* copperplate engraving; **impression en ~** copperplate printing

taille-haie, *pl* **~s** /taj'ɛ/ *nm* hedge trimmer

tailler /taje/ [1]
A *vtr* **1** (couper) to cut [*rubis, cristal, marbre*]; to carve [*bois*]; to sharpen [*crayon*]; to prune [*arbre, buisson*]; to cut, to clip [*haie*]; to trim [*cheveux, barbe*]; **~ une armée en pièces** to hack an army to pieces; **elle l'a taillé en pièces** fig she made mincemeat of him○; **bien taillé** [*moustache, haie*] neatly trimmed; [*veste*] well-cut; **taillé en pointe** [*crayon*] sharpened to a point; [*barbe*] trimmed to a point; **buisson taillé en cône** shrub trimmed into a cone shape; **diamant taillé en rose** rose-cut diamond; **visage taillé à la serpe** craggy features (*pl*); **2** (découper) to cut [*steak*] (**dans** from); to carve [*sculpture*]; to cut out [*vêtement*]; **~ une statue dans du marbre** to carve a statue in marble; **~ une robe dans de la soie** to make a dress out of silk; **~ un costume sur mesure** to make a suit to measure; **taillé sur mesure** [*vêtement*] made-to-measure GB, custom-made; fig [*rôle*] tailor-made; **des mots taillés dans la pierre** words carved in stone

Les tailles

■ *Les tailles britanniques et américaines données dans les tableaux ci-dessous sont parfois arrondies aux tailles immédiatement supérieures: mieux vaut un vêtement un peu trop grand qu'un peu trop petit.*

Les chaussures d'homme *en France*	*en GB et aux US*	Les chaussures de femme *en France*	*en GB*	*aux US*
39	6½	35	3	6
40	7	36	3½	6½
41	7½	37	4	7
42	8½	38	5	7½
43	9	39	6	8
44	10	40	7	8½
45	11	41	8	9
46	12			

Les vêtements d'homme *en France*	*en GB et aux US*	Les vêtements de femme* *en France*	*en GB*	*aux US*
38	28	34	8	4
40	30	36	10	6
42	32	38	12	8
44	34	40	12	8
46	36	42	14	10
48	38	44	16	12
50	40	46	16	12
52	42	48	18	14
54	44	50	20	16
56	46			

* Ces tailles sont utilisées pour les robes, chemisiers, pantalons, etc.

Les chemises d'homme *en France*	*en GB et aux US*
36	14
37	14½
38	15
39	15½
40	16
41	16½
42	17
43	17½
44	18

■ *L'anglais emploie le mot* size *à la fois pour les vêtements et pour les chaussures.*

quelle taille faites-vous?
= what size are you?

quelle pointure faites-vous?
= what size are you?

faire du 85 de tour de poitrine
= to have a 34-inch bust

faire du 61 de tour de taille
= to have a 24-inch waist
ou to measure 24 inches round the waist

faire du 90 de tour de hanches
= to measure 36 inches round the hips

avez-vous une taille 40?
= have you got a size 7?

avez-vous du 39?
= have you got a size 6½?

je porte du 42
= I take a size 32

je fais du 52
= my size is 42

je chausse du 40
= my shoe size is 7

je cherche un 40
= I'm looking for a shirt with a size 16 collar

une paire de chaussures en 42
= a pair of shoes size 8½

une chemise taille 38
= a shirt size 15 *ou* a size 15 shirt

avez-vous ce modèle en 40?
= have you got the same thing in a 12?

avez-vous ce modèle en plus grand?
= have you got this in a larger size?

avez-vous ce modèle en plus petit?
= have you got the same thing in a smaller size?

B *vi* **1** (faire des coupes dans) **~ dans les chairs** *or* **le vif** to cut into the flesh; **~ dans les programmes sociaux** fig to make cuts in the social programmes GB; **2** (être coupé) **~ grand/petit** [*vêtements*] to be cut on the large/small side

C se tailler *vpr* **1** (se faire) to carve out [sth] for oneself [*carrière, empire*]; to make [sth] for oneself [*belle réputation*]; **se ~ une grande part du marché** to corner a large share of the market; **se ~ un vif succès** to be a great success; **2** ●(s'enfuir) to beat it○; (partir) **il faut que je me taille** I've gotta go *ou* run○; **3** (se couper) **se ~ la moustache** to trim one's moustache GB *ou* mustache US

(Idiomes) **~ une pipe à qn**● to give sb a blow job●; **ils sont tous taillés sur le même modèle** they are all exactly alike

tailleur /tajœʀ/

A *nm* **1** (tenue) (woman's) suit; **être en ~ rouge** to be in a red suit; **2** ▸ p. 532 (personne) tailor; **s'asseoir/être assis en ~** to sit down/to be sitting cross-legged

B tailleur(-) (*in compounds*) **~(-)short** shorts suit; **~(-)pantalon** trouser suit GB, pantsuit US

(Composés) **~ pour dames** ladies' tailor; **~ de pierre** stone-cutter; **~ de diamants** diamond-cutter

taillis /taji/ *nm inv* (broussailles) undergrowth ¢; (sous-bois) coppice

tain /tɛ̃/ *nm* silvering; **glace** *or* **miroir sans ~** two-way mirror

taire /tɛʀ/ [59]

A *vtr* **1** (ne pas dire) not to reveal [*nom, secret*]; to hush up [*vérité*]; **dire ce qu'on aurait dû ~** to say what would have been better left unsaid; **2** liter (cacher) to keep [sth] to oneself [*tristesse, dépit*]

B se taire *vpr* **1** (ne pas parler) [*personne*] to be silent, to say nothing; [*nature, oiseaux*] to be silent; (ne pas dire qch) to remain silent; **se ~ sur qch** to keep quiet about sth; **il souffre et se tait** he suffers in silence; **tu as perdu une belle occasion de te ~** you would have done better to have kept quiet; **2** (cesser de parler) to stop talking, to fall silent; [*oiseau*] to fall silent; (cesser de s'exprimer) [*journaliste, opposition*] to fall silent; **faire ~** to make [sb] be quiet [*élèves*]; to silence [*opposant, sceptiques*]; to silence [*média*]; to put a stop to [*rumeurs, sarcasmes*]; **faire ~ sa jalousie** to stifle one's jealousy; **fais ~ les enfants!** keep the children quiet!, shut the children up○!; **tais-toi!** (ne parle pas) be quiet!; (ne m'en parle pas) don't talk to me about that!; **3** (s'arrêter) [*bruit, musique*] to stop; [*canon, orchestre*] to fall silent

Taiwan /tajwan/ ▸ p. 721 *nprm* Taiwan

taiwanais, ~e /tajwanɛ, ɛz/ ▸ p. 483, p. 721 *adj* Taiwanese

Taiwanais, ~e /tajwanɛ, ɛz/ *nm,f* Taiwanese

tajine /taʒin/ *nm* tagine

talc /talk/ *nm* **1** (poudre) talc, talcum powder; **2** (minéral) talc(um)

talé, ~e /tale/ *adj* [*fruit*] bruised

talent /talɑ̃/ *nm* **1** (aptitude) talent; **exercer ses ~s de linguiste** to use one's talents as a linguist; **avoir du ~** to be talented, to have talent; **de ~** talented, gifted; **2** (personne douée) **chercher de nouveaux ~s** to look for new talent; **encourager un jeune ~** to give encouragement to a talented young person; **3** Antiq (monnaie) talent

talentueux, -euse /talɑ̃tɥø, øz/ *adj* talented, gifted

taler /tale/ [1] *vtr* to bruise [*fruit*]

taliban /talibɑ̃/ *nm* Taliban

talion /taljɔ̃/ *nm* talion; **loi du ~** lex talionis; **appliquer la loi du ~** to demand 'an eye for an eye'

talisman /talismɑ̃/ *nm* talisman

talith /talit/ *nm* tallith

talkie-walkie, *pl* **talkies-walkies** /tokiwoki/ *nm* walkie-talkie

talle /tal/ *nf* Agric sucker

Tallinn /talin/ ▸ p. 894 *npr* Tallinn

Talmud /talmyd/ *nm* Talmud

talmudique /talmydik/ *adj* Talmudic

taloche /talɔʃ/ *nf* **1** ○(gifle) clout○; **flanquer une ~ à qn**○ to give sb a clout○, to clout○ sb; **2** (de plâtrier) wooden float

talocher○ /talɔʃe/ [1] *vtr* (gifler) to clout○; **se faire ~** to get a thick ear○

talon /talɔ̃/ *nm* **1** Anat heel; **j'ai mal aux ~s** my heels are hurting; **2** (de chaussette, collant, chaussure) heel; **j'ai troué ma chaussette au ~** I've got a hole in the heel of my sock; **3** (de carnet, registre) stub, counterfoil; **un ~ de chèque** a cheque GB *ou* check US stub; **4** Culin end; **~ de jambon/saucisson** end of ham/sausage; **5** Jeux (aux cartes) pile, talon spéc; **piocher dans le ~** to pick a card from the pile; **6** Archit talon, ogee; **7** Équit heel; **8** Naut heel

(Composés) **~ d'Achille** Achilles heel; **~ aiguille** stiletto heel; **~ bobine** waisted heel; **~ haut** high heel; **~ plat** flat heel; **~ pointe** Courses Aut heel-and-toe

(Idiomes) **tourner les ~s** to turn on one's heel and walk away; **être sur les ~s de qn** to be hard *ou* hot on sb's heels

talonnade /talɔnad/ *nf* (au football) back heel

talonnage /talɔnaʒ/ *nm* **1** Sport (au rugby) heeling; **2** Naut heeling, heel

talonner /talɔne/ [1]

A *vtr* **1** (suivre) **~ qn** to follow hot on sb's heels; **le candidat aux élections talonne ses adversaires** fig the candidate in the elections is hot on the heels of his opponents; **2** (harceler) [*personne*] to hound [*personne*]; [*faim, inquiétude*] to torment [*personne*]; **il le talonne pour obtenir le contrat** he's badgering him to get the contract; **je les ai talonnés pour qu'ils acceptent** I badgered them to accept; **3** Équit to spur [sth] on [*cheval*]; **4** Sport (au rugby) [*joueur*] to heel [*ballon*]

B *vi* Naut to touch *ou* scrape the bottom with the keel

talonnette /talɔnɛt/ *nf* **1** (de chaussures) lift (in a shoe); **2** (de chaussette, bas) heelpiece; **3** Cout (extrafort) binding

talonneur /talɔnœʀ/ *nm* (en rugby) hooker

talonnière /talɔnjɛʀ/ *nf* Ski heelpiece

talquer /talke/ [1] *vtr* to put talcum powder on

talqueux, **-euse** /talkø, øz/ *adj* talcose

talus /taly/ *nm inv* 1 (artificiel) embankment; (naturel) bank, slope; 2 Constr (inclinaison) talus; **le ~ d'une muraille** the talus of a wall

(Composé) **~ continental** Géog continental slope

talweg /talvɛg/ *nm* thalweg

tamagotchi® /tamagɔtʃi/ *nm* Tamagotchi®

tamanoir /tamanwaʀ/ *nm* anteater

tamarin /tamaʀɛ̃/ *nm* 1 Bot tamarind; 2 Zool tamarin

tamarinier /tamaʀinje/ *nm* tamarind (tree)

tamaris /tamaʀis/ *nm inv* tamarisk

tambouille○ /tɑ̃buj/ *nf* grub○

tambour /tɑ̃buʀ/ *nm* 1 ▸ p. 557 (instrument) drum; **il battait le ~** he was beating his drum; **mener qch ~ battant** fig to deal with sth briskly; 2 ▸ p. 532 (personne) drummer; **trois jeunes ~s** three little drummer boys; 3 Tech (de lave-linge, treuil, frein) drum; 4 Archit (de colonne, coupole) drum, tambour; (de porte) tambour; 5 Cout (pour broder) tambour; **broder au ~** to embroider on a tambour

(Composés) **~ de basque** tambourine; **~ de ville** Hist ≈ town crier

tambourin /tɑ̃buʀɛ̃/ *nm* 1 ▸ p. 557 (instrument) (à une peau avec grelots) tambourine; (allongé à deux peaux) tambourin, tabor; 2 (danse provençale) tambourin

tambourinaire /tɑ̃buʀinɛʀ/ ▸ p. 532 *nmf* 1 (joueur de tambourin) tambourine player; 2 (joueur de tam-tam) drum player

tambourinement /tɑ̃buʀinmɑ̃/ *nm* (de tambour, pluie) drumming ₵; **on entendit des ~s à la porte** there was a hammering at the door

tambouriner /tɑ̃buʀine/ [1] *vi* 1 (frapper) **~ à la porte/fenêtre de qn** to hammer on sb's door/window; 2 (tapoter) **~ sur la table** to drum one's fingers on the table; **~ d'impatience** to drum one's fingers impatiently; **la pluie tambourine contre les vitres/sur le toit** the rain is drumming on the windows/on the roof; 3 (battre le tambour) to play the drum; (battre le tambourin) to play the tambourine

tambour-major, *pl* **tambours-majors** /tɑ̃buʀmaʒɔʀ/ *nm* drum-major

Tamerlan /tamɛʀlɑ̃/ *npr* Tamerlane

tamil, **~e** /tamil/

A *adj* Tamil

B ▸ p. 483 *nm* Ling Tamil

tamis /tami/ *nm inv* 1 (instrument) sieve; **passer qch au ~** to sieve, to sift [*farine, sable*]; 2 (cordage de raquettes) strings (*pl*)

tamisage /tamizaʒ/ *nm* (de sable, farine) sieving, sifting

Tamise /tamiz/ ▸ p. 372 *nprf* **la ~** the Thames

tamiser /tamize/ [1] *vtr* to sieve, to sift [*sable, farine*]; to filter [*lumière, couleurs*]; **farine tamisée** sifted flour; **lumières tamisées** subdued lighting

tamoul, **~e** /tamul/

A *adj* Tamil

B ▸ p. 483 *nm* Ling Tamil

Tamoul, **~e** /tamul/ *nm,f* Tamil

tampon /tɑ̃pɔ̃/

A *nm* 1 (de bureau) (marque) stamp; (objet gravé) stamp; (tissu encré) **~ (encreur)** (ink) pad; **mettre** *or* **apposer un ~ sur un document** to stamp a document; 2 (pour éponger, frotter) gén pad; Méd, Pharm swab; 3 Rail (de wagon) buffer; 4 (pour boucher) plug; 5 Mécan (calibre) plug gauge; 6 Constr (dalle) **~ (de regard)** manhole cover; (cheville) wall plug

B **(-)tampon** (*in compounds*) Chimie, Ordinat, Pol buffer; **solution ~** Chimie buffer (solution); **mémoire ~** Ordinat buffer (storage); **mettre qch en mémoire ~** Ordinat to put sth in the buffer

(Composés) **~ hygiénique** tampon; **~ Jex**® ≈ Brillo® pad; **~ d'ouate** cotton wool ball; **~ périodique** tampon; **~ à récurer** scourer, scouring pad

(Idiome) **servir de ~** to act as a buffer

tampon-buvard, *pl* **tampons-buvards** /tɑ̃pɔ̃byvaʀ/ *nm* blotter

tamponnage /tɑ̃pɔnaʒ/ *nm* Chimie, Ordinat buffering

tamponnement /tɑ̃pɔnmɑ̃/ *nm* 1 (de véhicules) crash; 2 Méd tamponage

tamponner /tɑ̃pɔne/ [1]

A *vtr* 1 (éponger) to swab [*plaie*]; to mop [*front*]; (pour vernir) to dab [*surface, meuble*]; to dab at [*ecchymose*]; 2 (timbrer) to stamp [*document*]; 3 (heurter) to crash into [*véhicule*]; 4 Chimie to buffer [*solution*]; 5 Constr **~ un mur** to insert a plug in a hole in a wall

B **se tamponner** *vpr* (se heurter) [*véhicules*] to crash; ▸ **coquillard**

tamponneuse /tɑ̃pɔnøz/ *adj f* **auto ~** bumper car, dodgem

tamponnoir /tɑ̃pɔnwaʀ/ *nm* masonry drill bit

tam-tam, *pl* **~s*** /tamtam/ *nm* 1 ▸ p. 557 (tambour) tomtom; 2 (tapage) hype○; **faire du ~ autour de qch** to make a lot of fuss about sth

tan /tɑ̃/ *nm* tan, tanbark

tancer /tɑ̃se/ [12] *vtr* liter to scold, to admonish littér; **elle s'est fait ~ vertement** *or* **d'importance par sa mère** she was scolded sharply by her mother

tanche /tɑ̃ʃ/ *nf* tench

tandem /tɑ̃dɛm/ *nm* 1 (bicyclette) tandem; **rouler en ~** to ride a tandem; 2 fig (duo) duo; **le ~ Dupont-Durand** the Dupont-Durand duo; **travailler en ~** to work in tandem

tandis: **tandis que** /tɑ̃di(s)k(ə)/ *loc conj* 1 (pendant le temps que) while; 2 (alors qu'au contraire) while, whereas

tanga /tɑ̃ga/ *nm* tanga briefs (*pl*)

tangage /tɑ̃gaʒ/ *nm* (de navire, d'avion) pitching; **il y a du ~** Naut the ship is pitching; **il y a eu un coup de ~** Naut the ship pitched suddenly

Tanganyika /tɑ̃ganika/ ▸ p. 479 *nprm* Hist Tanganyika; **le lac ~** Lake Tanganyika

tangence /tɑ̃ʒɑ̃s/ *nf* tangency

tangent, **~e** /tɑ̃ʒɑ̃, ɑ̃t/

A *adj* 1 Math tangent, tangential; **~ à** at a tangent to; 2 ○(de justesse) **elle passe en classe supérieure, mais c'est ~** she's moving up a class GB *ou* grade US, but only by the skin of her teeth○

B **tangente** *nf* Math tangent

(Idiome) **prendre la ~e**○ to make oneself scarce○

tangentiel, **-ielle** /tɑ̃ʒɑ̃sjɛl/ *adj* Math, Phys tangential

Tanger /tɑ̃ʒe/ ▸ p. 894 *npr* Tangier

tangible /tɑ̃ʒibl/ *adj* tangible

tangiblement /tɑ̃ʒibləmɑ̃/ *adv* tangibly

tango /tɑ̃go/

A ▸ p. 202 *adj inv* (couleur) tangerine (*épith*)

B *nm* 1 Danse tango; **danser le ~** to do the tango; 2 (boisson) *beer mixed with grenadine*

tanguer /tɑ̃ge/ [1] *vi* 1 [*navire, avion*] to pitch; 2 [*personne*] to be unsteady on one's feet

tanière /tanjɛʀ/ *nf* 1 (d'animal) den; 2 (retraite) lair; 3 (taudis) hovel

tanin /tanɛ̃/ *nm* tannin

tank /tɑ̃k/ *nm* 1 (citerne) tank; 2 (char) tank

tanker /tɑ̃kœʀ, tɑ̃kɛʀ/ *nm* tanker

tankiste /tɑ̃kist/ *nm* tank server

tannage /tanaʒ/ *nm* tanning

tannant, **~e** /tanɑ̃, ɑ̃t/ *adj* 1 Tech [*produit*] tanning; 2 ○(lassant) [*personne*] infuriating

tanné, **~e** /tane/

A *pp* ▸ **tanner**

B *pp adj* 1 Tech [*cuir, peaux*] tanned; 2 [*visage, peau*] leathery; **le visage ~ par le soleil** his/her face made leathery by the sun; 3 ○Can (fatigué) exhausted

C **tannée** *nf* 1 Tech spent tan; 2 ○(volée de coups) hiding○, beating

tanner /tane/ [1] *vtr* 1 Tech to tan [*cuir, peaux*]; 2 (brunir) [*soleil*] to make [sth] leathery [*visage, peau*]; 3 ○(lasser) to badger○ [*personne*] (**avec** with); **il nous tanne avec ses questions!** he's badgering us with his questions!; **~ qn pour faire** to badger sb to do

(Idiome) **~ le cuir à qn**○ to tan sb's hide○

tannerie /tanʀi/ *nf* 1 (établissement) tannery; 2 (métier) tanning

tanneur, **-euse** /tanœʀ, øz/ ▸ p. 532 *nm,f* tanner

tannique /tanik/ *adj* tannic

tant /tɑ̃/ ▸ p. 691

A *adv* 1 (modifiant un verbe) so much; (modifiant un participe passé) much; **il a ~ crié qu'il n'a plus de voix, il n'a plus de voix ~ il a crié** he's been shouting so much that he's lost his voice; **il quitta la pièce ~ il se sentait honteux** he was so ashamed that he left the room; **il a ~ insisté que j'ai fini par céder** he was so insistent that I ended up giving in; **qu'as-tu à ~ pleurer?** why are you crying so much?; **il travaille ~!** he works so much *ou* so hard!; **vous m'en direz ~!** you don't say!; **il y a ~ à faire qu'il ne sait pas où commencer** there's so much to be done that he doesn't know where to start; **elle m'a ~ appris!** she taught me so much!; **~ il est vrai que...** since it's a well-known fact that...; **les diamants ~ convoités** the much coveted diamonds; **le moment ~ attendu** the long-awaited moment; **le chef ~ redouté** the much dreaded boss

2 (dans une comparaison) **son œuvre est remarquable, ~ ses films que ses romans** his works are remarkable, both his films and his novels *ou* his films as much as his novels; **il est odieux avec tout le monde, ~ avec ses collègues qu'avec sa famille** he's obnoxious to everybody, both to his colleagues and to his family *ou* as much to his colleagues as to his family; **ce n'est pas ~ une question d'argent qu'une question de principe** it's not so much a question of money as a question of principle; **n'aimer rien ~ que...** to like nothing so much as...; **il poussait ~ qu'il pouvait** he pushed as hard as he could, he pushed for all he was worth; **tu peux protester ~ que tu voudras, il ne changera pas d'avis** you can protest as much as you like, he won't change his mind; **faire qch ~ bien que mal** to do sth with great difficulty

3 (aussi longtemps) **~ que** as long as; **je resterai ~ qu'il y aura du travail** I'll stay as long as there's work to be had; **je ne partirai pas ~ qu'il ne m'aura pas accordé un rendez-vous** I won't leave until he's given me an appointment; **profites-en ~ que tu peux** make the most of it while you can; **aide-moi donc à déplacer cette armoire ~ que tu es là** since you're here why don't you help me move the wardrobe?; **~ que tu y es, balaye aussi la cuisine** while you're at it, sweep the kitchen as well; **traite-moi de menteur ~ que tu y es**○**!** go ahead and call me a liar!

4 (remplaçant un nombre) **gagner/dépenser ~ par mois** to earn/to spend so much a month; **votre lettre datée du ~** your letter of such- and-such a date

B **tant de** *dét indéf* 1 (avec un nom dénombrable) so many; **~ de livres/d'idées** so many books/ideas; **~ de meubles** so much furniture; **Loulou, Grovagnard, Pichon et ~ d'autres** Loulou, Grovagnard, Pichon and so many others; **des petits pavillons comme on en voit ~ en banlieue** small houses of which there are so many in the suburbs; **s'il y a ~ de tickets vendus par semaine** if so many

tickets are sold per week
2▸ (avec un nom non dénombrable) so much; **~ d'argent/de travail/de bonheur** so much money/work/happiness; **je n'ai jamais vu ~ de monde** I've never seen so many people; **~ d'humilité force le respect** such humility commands respect; **il y avait ~ de sel dans la soupe qu'elle était immangeable** the soup was so salty, you couldn't eat it
C (dans des locutions) **~ pis** too bad; **~ pis pour toi/lui/eux** too bad for you/him/them, that's your/his/their bad luck; **~ mieux** so much the better; **~ mieux pour toi/lui/eux** good for you/him/them; **~ et plus** gén a great deal; (avec nom comptable) a great many; **~ et si bien que** so much so that; **il a fait ~ et si bien qu'il s'est fait renvoyer** he finally managed to get himself fired; **il est un ~ soit peu arrogant** he's a bit arrogant; **s'il avait un ~ soit peu d'imagination/de bon sens** if he had the slightest bit of imagination/of common sense, if he had an ounce of imagination/of common sense; **si tu étais (un) ~ soit peu inquiet** if you were in the least bit worried; **~ s'en faut** not by a long shot; **~ qu'à faire, autant repeindre toute la pièce** we may as well repaint the whole room; **~ qu'à faire, je préférerais que ce soit lui qui l'achète** since somebody has to buy it, I'd rather it was him; **~ qu'à acheter un ordinateur, autant en acheter un bon** if you're going to buy a computer, you may as well buy a good one; **en ~ que** as; **en ~ que lexicographe** as a lexicographer; **en ~ que tel** as such; **si ~ est qu'il puisse y aller** that is if he can go at all; **~ que ça○?** (avec un nom comptable) that many?; (avec un nom non comptable ou un verbe) that much?; **je ne l'aime pas ~ que ça** I don't like him/her all that much; **~ qu'à moi/toi/lui○** as for me/you/him

tantale /tɑ̃tal/ *nm* Chimie tantalum

Tantale /tɑ̃tal/ *npr* Mythol Tantalus; **supplice de ~** torment of Tantalus; **c'est un véritable supplice de ~** it's really tantalizing

tante /tɑ̃t/ *nf* **1▸** (dans une famille) aunt; **~ Julie** aunt Julie; **chez ma ~** lit at my aunt's; (en gage) at the pawnshop; **2▸** ◑offensive (homosexuel) queer◑ injur, homosexual

tantième /tɑ̃tjɛm/ *nm* percentage

tantine /tɑ̃tin/ *nf* auntie, aunty

tantinet○ /tɑ̃tinɛ/ *nm* **un ~** a trifle, a tiny bit; **il exagère un ~** he's exaggerating just a tiny bit; **un ~ de** (de whisky, sel, poivre) a spot of; (d'humour, appréhension) a touch of

tantôt /tɑ̃to/
A *adv* **1▸** (parfois) sometimes; **il était ~ calme ~ brusque** he was sometimes calm (and) sometimes brusque; **~ en français ~ en arabe** sometimes in French (and) sometimes in Arabic; **2▸** dial (tout à l'heure) **à ~** see you (soon); **3▸** dial (cet après-midi) this afternoon
B *nm* dial (après-midi) afternoon

tantouse◑ /tɑ̃tuz/ *nf* offensive (homosexual) queer◑ injur, homosexual

Tanzanie /tɑ̃zani/ ▸ p. 333 *nprf* Tanzania

tanzanien, -ienne /tɑ̃zanjɛ̃, ɛn/ ▸ p. 561 *adj* Tanzanian

Tanzanien, -ienne /tɑ̃zanjɛ̃, ɛn/ ▸ p. 561 *nm,f* Tanzanian

tao /tao/ *nm* Tao

TAO /teao/ *nf: abbr* ▸ **traduction**

taoïsme /taoism/ *nm* Taoism

taoïste /taoist/ *adj, nmf* Taoist

taon /tɑ̃/ *nm* horsefly

tapage /tapaʒ/ *nm* **1▸** (bruit) din, racket○; **faire du ~** to make a racket○; **2▸** (éclat) furore; **la nouvelle a fait du ~** the news caused a furore GB *ou* furor US; **3▸** (battage) hype; **~ médiatique** media hype; **il y a eu beaucoup de ~ autour de ce livre** there has been a lot of hype about the book
(Composé) **~ nocturne** Jur disturbance of the peace at night

tapageur, -euse /tapaʒœʀ, øz/ *adj* **1▸** (bruyant) [*personne*] rowdy; **2▸** (outrancier) [*luxe, élégance*] showy; (retentissant) [*campagne*] hyped-up; [*propos*] ostentatious

tapant, ~e /tapɑ̃, ɑ̃t/ *adj* **à trois heures ~es** at three o'clock sharp *ou* on the dot

tape /tap/ *nf* (amicale) pat; (plus forte) slap (**dans, sur** on); **~ amicale dans le dos** friendly pat on the back; **donner une petite ~ sur le dos de qn** (pour attirer l'attention) to give sb a little tap on the back; **elle m'a donné une ~ sur la main** she slapped my hand

tapé, ~e /tape/ *adj* **1▸** ○(fou) bonkers○, nuts○; **2▸** (trop mûr) [*pomme, poire*] overripe

tape-à-l'œil○ /tapalœj/
A *adj inv* [*couleur*] loud; [*décoration, bijou, mobilier*] garish
B *nm inv* **ils n'achètent que du ~** they only buy showy stuff○; **c'est du ~** it's all show

tapecul○ /tapky/ *nm* **1▸** (balançoire) see-saw; **2▸** (vieux véhicule) bone-shaker○; **3▸** Équit sitting trot (without stirrups); **4▸** Naut jigger

tapée○ /tape/ *nf* **une ~ de, des ~s de** loads (*pl*) of

tapenade /tapənad/ *nf* tapenade

taper /tape/ [1]
A *vtr* **1▸** (frapper) to hit [*personne, chien*]; **2▸** (dactylographier) to type [*lettre*]; **~ 60 mots à la minute** *or* **60 mots/min** to type 60 words a minute, to have a typing speed of 60 wpm; **pouvez-vous me ~ ce rapport?** could you type up *ou* out this report for me?; **une lettre tapée à la machine** a typed *ou* type-written letter; **3▸** ○(prendre) **je peux te ~ 1 euro/une cigarette?** can I scrounge○ a euro/a cigarette off you?; **il tape tout le monde** he scrounges○ off everybody
B **taper sur** *vtr ind* to hit [*clou*]; **~ sur l'épaule/le bras de qn** to tap sb on the shoulder/the arm; **~ sur qn○** lit to thump *ou* belt○ sb; fig (critiquer) to slag sb off◑ GB, to badmouth○ sb; **~ sur la gueule◑ de qn** to slug○ sb in the mouth; **~ sur la table** lit to bang (one's fist) on the table; **~ sur les nerfs** *ou* **le système○ de qn** fig to get on sb's nerves; **se faire ~ sur les doigts** fig to get *ou* have one's knuckles rapped
C *vi* **1▸** (frapper) **~ des mains** (de joie) to clap one's hands; **~ des pieds** (de colère) to stamp one's feet; **~ du pied** (d'impatience) to tap one's foot; **~ à la porte** to knock at the door; **~ dans un ballon** to kick a ball around; **un boxeur qui tape○ dur** a boxer with a lethal punch; **le soleil tape○ (dur) aujourd'hui** fig the sun is beating down today; **un vin qui tape○** fig a wine that goes to one's head; **2▸** ○(se servir) **~ dans ses économies** to dip into one's savings; **~ dans la caisse** to dip *ou* put one's hand in the till GB *ou* (cash) register US; **3▸** (dactylographier) **~ (à la machine)** to type; **apprendre à ~ à la machine** to learn how to type; **tu tapes bien?** are you a good typist?
D **se taper** *vpr* **1▸** ○(l'un l'autre) **se ~ dessus** to knock each other about; **2▸** (soi-même) **je me suis tapé sur le doigt** I hit myself on the finger; **se ~ la tête contre le mur** to bang one's head against the wall; **c'est à se ~ la tête contre les murs** fig it's enough to drive you up the wall; **3▸** ◑(consommer) to have [*glace, bière*]; **se ~ un bon repas** to have a slap-up meal; **se ~ un mec/une nana** to have it off◑ with a guy/a girl; **4▸** ○(s'appuyer) to get lumbered○ GB *ou* stuck○ with [*corvée, importun*]; **j'ai dû me ~ le trajet à pied** I had to foot it○ all the way; **je me suis tapé la route sous la pluie** I ended up having to go all the way in the rain
(Idiomes) **~ le carton○** to play cards; **~ comme un sourd** (à la porte) to thunder on the door; (au piano) to bash○ *ou* thump away; **moi! l'aider? il peut (toujours) se ~◑!** me, help him? he can whistle○ for it!; **tes histoires de famille, je m'en tape◑!** I couldn't care less *ou* I don't give a damn○ about your family problems!; **ils se tapent sur le ventre○** they are thick as thieves○; **je n'aime pas qu'on me tape sur le ventre○** I don't like people being overfamiliar with me; **c'est à s'en ~ le derrière○** *or* **cul◑ par terre** it's hilarious, it's a riot○; **elle m'a tapé dans l'œil** I thought she was striking; **~ à côté** to be off target

tapette /tapɛt/ *nf* **1▸** ○(langue) **avoir une bonne ~** (être bavard) to be a chatterbox○; **faire marcher sa ~** to chatter away endlessly; **2▸** ◑offensive (homosexuel) fairy○ injur, homosexual; **3▸** (pour tapis) carpet beater; **4▸** (pour tuer les mouches) fly swatter; **5▸** (piège à souris) mousetrap; **6▸** (petite tape) pat

tapeur○, -euse /tapœʀ, øz/ *nm,f* scrounger○

tapin◑ /tapɛ̃/ *nm* **faire le ~** to be on the game○

tapiner◑ /tapine/ [1] *vi* to be on the game○ GB, to be a hooker○

tapineuse◑ /tapinøz/ *nf* streetwalker

tapinois: en tapinois /ɑ̃tapinwa/ *loc adv* furtively

tapioca /tapjɔka/ *nm* tapioca

tapir /tapiʀ/ [3]
A *nm* Zool tapir
B **se tapir** *vpr* [*personne, animal*] to hide; (en ramassant son corps) to crouch; **ils sont restés tapis derrière les bosquets** they lay low behind the bushes; **maison tapie dans la forêt** liter house nestling in the forest

tapis /tapi/ *nm inv* gén carpet, rug; (plus grand) carpet; (sur un meuble) cloth; (de salle de bains, sport) mat; **un ~ d'Orient** an oriental carpet; **~ de haute laine** deep-pile rug; **~ à poil ras** short-pile rug; **un ~ de feuilles mortes** a carpet of dead leaves; **mettre qch sur le ~** fig to bring sth up; **mettre** *or* **envoyer qn au ~** to throw sb; **aller/être au ~** [*boxeur*] to go down/to be on the canvas
(Composés) **~ de baignoire** (non-slip) bathmat; **~ de bain(s)** bathmat; **~ de billard** baize; **~ mécanique** machine-made rug *ou* carpet; **~ de prière** prayer mat; **~ rouge** red carpet; **dérouler le ~ rouge pour qn** to roll out the red carpet for sb; **~ roulant** (pour piétons) moving walkway; (pour bagages) carousel; (pour marchandises) conveyor belt; **~ de selle** saddle cloth; **~ de sol** groundsheet; **~ de table** table cloth; **~ vert** (sur table de conférence, de jeux) green baize; **~ volant** flying carpet

tapis-brosse, *pl* **~s** /tapibʀɔs/ *nm* doormat

tapisser /tapise/ [1] *vtr* **1▸** (poser un revêtement) (avec du papier peint) to wallpaper (**de** with); (de tissu, toile) to decorate [*pièce*] (**de** with); to cover, to decorate [*mur*]; to cover, to upholster [*fauteuil, canapé*] (**de** with); Culin to line [*plat, moule*] (**de** with); **murs tapissés de** walls covered with; **2▸** (servir de revêtement) [*mousse, neige*] to carpet [*sol*]; to cover [*mont, ruine*]; [*cellule, muqueuse*] to line [*organe, cavité*]; [*tentures*] to line [*ville, bâtiment*]; [*photos*] to cover [*mur, pièce*]; [*résidu, pâte*] to line [*fond*]

tapisserie /tapisʀi/ *nf* **1▸** (tenture, broderie) tapestry; **des ~s sont accrochées au mur** tapestries hang from the wall; **sofa recouvert de ~** tapestry-covered sofa; **2▸** (papier peint) wallpaper; **3▸** (art, technique) tapestry work; **faire de la ~** to do tapestry work; **un ouvrage de ~** a tapestry project
(Idiome) **faire ~** (au bal) to be a wallflower

tapissier, -ière /tapisje, ɛʀ/ ▸ p. 532 *nm,f* **1▸** (pour meubles) upholsterer; **2▸** (artiste, fabricant) tapestry-maker

tapotement /tapɔtmɑ̃/ *nm* tapping

tapoter /tapɔte/ [1] *vtr* to tap [*table, objet*]; to pat [*joues, dos*]

tapuscrit /tapyskʀi/ *nm* typescript

taquet /takɛ/ *nm* **1▸** Tech (coin) wedge; (arrêt) stop; **2▸** Naut cleat; **3▸** Constr working platform
(Composé) **~ de tabulation** tabulator, tab (stop)

t

taquin, **~e** /takɛ̃, in/
A *adj* [*personne*] teasing; **il est très ~** he's a great tease
B *nmf* tease

taquiner /takine/ [1]
A *vtr* [*personne*] to tease; [*histoire, douleur*] to bother
B **se taquiner** *vpr* to tease each other
(Idiomes) **~ le goujon** to do a bit of fishing; **~ la muse** to dabble in poetry

taquinerie /takinʀi/ *nf* teasing **₵**; **tes ~s incessantes** your constant teasing

tarabiscoté, **~e** /taʀabiskɔte/ *adj* [*ornement, motif*] over-ornate; [*écriture*] over-elaborate; [*esprit, raisonnement, style*] convoluted

tarabuster /taʀabyste/ [1] *vtr* [*ennuis, question*] to bother; [*personne*] to badger; **il me tarabuste pour que je lui achète un vélo** he's badgering me to buy him a bicycle

tarama /taʀama/ *nm* taramasalata

Tarascon /taʀaskɔ̃/ ▸ **p. 894** *npr* Tarascon

tarasconnais, **~e** /taʀaskɔnɛ, ɛz/ ▸ **p. 894** *adj* of Tarascon

Tarasconnais, **~e** /taʀaskɔnɛ, ɛz/ ▸ **p. 894** *nm,f* (natif) native of Tarascon; (habitant) inhabitant of Tarascon

taratata○ /taʀatata/ *excl* nonsense!, rubbish○! GB

taraud /taʀo/ *nm* screw-tap

taraudage /taʀodaʒ/ *nm* (opération) tapping; (résultat) threaded *ou* tapped hole

tarauder /taʀode/ [1] *vtr* [1] Tech to tap, to screw; [2] fig [*angoisse, soucis*] to torment [*personne*]

taraudeur, **-euse** /taʀodœʀ, øz/
A ▸ **p. 532** *nm,f* tapper
B **taraudeuse** *nf* tapping-machine

tarbais, **~e** /taʀbɛ, ɛz/ ▸ **p. 894** *adj* of Tarbes

Tarbais, **~e** /taʀbɛ, ɛz/ ▸ **p. 894** *nm,f* (natif) native of Tarbes; (habitant) inhabitant of Tarbes

Tarbes /taʀb/ ▸ **p. 894** *npr* Tarbes

tard /taʀ/
A *adv* late; **plus ~** later; **bien plus/un peu plus ~** much/a little later (on); **il est ~** it's late; **il est trop ~** it's too late; **il se fait ~** it's getting late; **au plus ~** at the latest; **plus ~ dans la soirée, elle...** later in the evening *ou* later that evening, she...; **remettre qch à plus ~** to put sth off till later; **il est venu ~ dans la soirée/saison** he came late in the evening/season; **~ dans la nuit** in the middle of the night; **dîner ~** to have dinner late; **il est un peu ~ pour changer de tactique** it's a bit late in the day to change tactics; **pas plus ~ qu'hier/que l'année dernière** only yesterday/last year; **ce sera pour plus ~** (une autre fois) there'll be other times
B **sur le tard** *loc adv* [*partir*] late; [*se marier, commencer des études*] late in life; **déclarant sur le ~ que** announcing rather late in the day that
(Idiomes) **mieux vaut ~ que jamais** Prov better late than never Prov; **il n'est jamais trop ~ pour bien faire** Prov it's never too late to do the right thing

tarder /taʀde/ [1]
A *vi* [1] (à agir) **~ à faire** (être lent) to take a long time doing; (différer) to put off *ou* delay doing; **l'économie tarde à se stabiliser** the economy is taking time to stabilize; **il a tellement tardé à le réparer que** he put off *ou* delayed repairing it for so long that; **trop ~ à faire qch** to wait too long to do sth, to put off doing sth for too long; **agir sans ~** to act immediately *ou* without delay; **sans plus ~** without further delay; **venez sans ~** (maintenant) come straightaway GB *ou* right now; (bientôt) come as soon as you can; **ne pas ~ à faire qch** to do sth soon; **elle n'a pas tardé à faire la même chose** she lost no time in doing the same thing; **il ne tardera pas à s'en rendre compte** he'll soon realize, he won't take long to realize; **ne tardez pas!** do it soon, don't delay!; **ça ne devrait pas ~ à se faire** it should happen soon; [2] (à arriver, se manifester) **~ (à arriver)** [*saison, réaction*] to be a long time coming; [*colis, réponse*] to take a long time; **les enfants ne vont pas ~ (à arriver)** the children won't be long, the children will be here soon; **elle tarde à revenir** she's taking a long time; **ça ne va pas ~** it won't be long; **ça n'a pas tardé** it wasn't long coming; **ne tardez pas!** don't be long!; **le moment/le temps me tarde où** I'm longing for the moment/time when
B *v impers* **il me tarde de la revoir** I'm longing to see her again; **il me tarde qu'il parte** I'm longing for him to go

tardif, **-ive** /taʀdif, iv/ *adj* [*repas, heure, floraison, grossesse*] late; [*regret, excuses, revirement*] belated; **à une heure tardive** at a late hour; **à un âge trop ~** too late in life

tardivement /taʀdivmɑ̃/ *adv* [1] (pas tôt) [*arriver*] late; **plus ~** later; [2] (trop tard) [*réagir, comprendre, informer*] rather belatedly; **trop ~** too late; **ne découvrir qch que ~** to discover sth only rather late in the day

tare /taʀ/ *nf* [1] (masse) tare; **faire la ~** to determine the tare weight; [2] Méd defect; **~s héréditaires** hereditary defects; [3] (grave défaut) defect; **les ~s d'une société** the defects of society; **être accusé d'avoir toutes les ~s** to be accused of every vice in the book

taré, **~e** /taʀe/
A *adj* [1] Méd [*personne, animal*] with a defect (*épith, après n*); [2] ○offensive (fou) mental○ injur, crazy; [3] Comm [*marchandises, produit*] defective; [4] fig [*société*] sick
B ○*nm,f* offensive mental defective

tarentelle /taʀɑ̃tɛl/ *nf* tarantella; **danser la ~** to dance the tarantella

tarentule /taʀɑ̃tyl/ *nf* tarantula

tarer /taʀe/ [1] *vtr* to tare

targette /taʀʒɛt/ *nf* bolt

targuer: **se targuer** /taʀge/ [1] *vpr* to claim (**de qch** sth; **de faire** to do), to boast (**de qch** sth); **il se targue d'avoir créé des emplois** he prides himself on having created jobs

tarière /taʀjɛʀ/ *nf* [1] Tech (en menuiserie) gimlet; (pour le sol) ground auger; [2] Zool ovipositor

tarif /taʀif/ *nm* [1] (prix) gén rate; (de transport) fare; (de consultation) fee; **les ~s de chemin de fer/du métro** train/underground GB *ou* subway US fares; **payer plein ~** gén to pay full price; Transp to pay full fare; **~ normal/réduit/spécial** Transp normal/reduced/special fare; **~ normal/économique** Postes ≈ first-class/second-class rate; **~ de nuit** Télécom night-time rate, off-peak rate; **le ~ en vigueur** the going rate; **le ~ horaire de qch** the hourly rate for sth; **~ lettres/cartes postales** letter/postcard rate; **tu connais le ~, c'est deux jours de renvoi** fig you know the penalty—two days' suspension; [2] (document) price list, tariff GB
(Composés) **~ douanier** Comm customs tariff; **~ de l'impôt** Fisc taxation schedule; **~ rouge** Télécom peak rate; **~ syndical** union rate; **~s postaux** postage rates

tarifaire /taʀifɛʀ/ *adj* [*accord, barrière, politique*] tariff (*épith*)

tarifer /taʀife/ [1] *vtr* to fix the price of [*marchandises*]; **marchandises tarifées** fixed-price goods

tarification /taʀifikasjɔ̃/ *nf* (action) price setting; (résultat) tariff (**de** of)

tarin /taʀɛ̃/ *nm* [1] ◑(nez) hooter○ GB, schnoz○ US, nose; [2] Zool siskin

tarir /taʀiʀ/ [3]
A *vtr* [1] [*sécheresse*] to dry up [*source, puits*]; [2] [*mesure, politique*] to stem (the tide of) [*émigration, ressources*]
B *vi* [1] (s'assécher) [*source, puits*] to dry up, to run dry; [2] (cesser) [*larmes*] to be stemmed; [*conversation*] to dry up; [3] [*personne*] **ne pas ~ sur qch/qn** to talk endlessly about sth/sb; **ne pas ~ d'éloges sur qch/qn** to be full of praise for sth/sb
C **se tarir** *vpr* lit, fig to dry up, to run dry

tarissement /taʀismɑ̃/ *nm* lit, fig drying up

Tarn /taʀn/ ▸ **p. 372**, **p. 721** *nprm* (rivière, département) **le ~** the Tarn

Tarn-et-Garonne /taʀnegaʀɔn/ ▸ **p. 721** *nprm* (département) **le ~** the Tarn-et-Garonne

tarot /taʀo/ *nm* [1] (en cartomancie) tarot; [2] ▸ **p. 469** Jeux tarot (*card game*)

Tarpéienne /taʀpejɛn/ *adj f* **roche ~** Tarpeian Rock
(Idiome) **la roche ~ est près du Capitole** the higher you rise, the harder you fall

tarse /taʀs/ *nm* Anat, Zool tarsus

tarsien, **-ienne** /taʀsjɛ̃, ɛn/
A *adj* Anat tarsal
B *nm* Zool tarsier

tartan /taʀtɑ̃/ *nm* [1] Tex tartan; [2] ®Sport, Tech Tartan®

tartane /taʀtan/ *nf* Naut tartan

tartare /taʀtaʀ/ *adj* [1] Hist Tartar; [2] Culin **sauce ~** tartare sauce; **steak ~** steak tartare

Tartare /taʀtaʀ/ *nmf* Tartar

tarte /taʀt/
A ○*adj* (niais) [*personne*] daft○ GB, daffy○ US; [*film, chanson, chapeau, robe*] ridiculous
B *nf* [1] Culin tart; **~ aux fraises/à la rhubarbe** strawberry/rhubarb tart; [2] ○(gifle) wallop○, slap; **flanquer** *or* **filer une ~ à qn** to give sb a wallop○
(Composés) **~ à la crème** (idée banale) stereotype; (gag) custard pie, slapstick; **~ Tatin** apple tart (*with caramel topping*)
(Idiome) **c'est pas de la ~**○ it's no picnic○

tartelette /taʀtəlɛt/ *nf* Culin tart

Tartempion○ /taʀtɑ̃pjɔ̃/ *nm* **Monsieur et Madame ~** Mr and Mrs Whatnot; **demande donc à ~** go and ask what's-his-name○

tartiflette /taʀtiflɛt/ *nf*: *potato gratin with cheese*

tartignolle*○ /taʀtiɲɔl/ *adj* [*personne*] daft○ GB, daffy○ US; [*robe, chapeau*] ridiculous

tartine /taʀtin/ *nf* [1] (pain beurré) slice of bread and butter; **il a mangé trois ~s** he's eaten three slices of bread and butter; **peux-tu me faire une ~?** could you butter me a slice of bread?; **une ~ de beurre/confiture/miel/pâté** a slice of bread and butter/jam/honey/pâté; **veux-tu une ~ avec du miel?** would you like a slice of bread and honey?; [2] ○**il en a écrit** *or* **mis**○ **une ~** he wrote reams about it; **il y en a une ~!** there's reams of it!

tartiner /taʀtine/ [1] *vtr* Culin to spread [*fromage, pâté, chocolat*] (**sur** on); **chocolat/fromage à ~** chocolate/cheese spread; **pâte à ~** sandwich spread, spread

tartre /taʀtʀ/ *nm* [1] (dans une bouilloire) scale, fur GB; [2] (sur les dents) tartar; [3] Vin tartar

tartrique /taʀtʀik/ *adj* **acide ~** tartaric acid

tartufe /taʀtyf/ *nm* hypocrite

tartuferie /taʀtyfʀi/ *nf* hypocrisy

tas /tɑ/
A *nm inv* [1] lit heap, pile (**de** of); **un ~ de charbon/de paille** a heap *ou* pile of coal/of straw; **en ~** [*mettre, poser, être*] in a heap *ou* pile; **il y avait du linge sale en ~ dans un coin** there was some dirty laundry piled in a corner; **un ~ de fumier** a manure heap; **un ~ de bois** (ordonné) a woodpile; (désordonné) a pile of wood; **~ de ferraille** lit scrap heap; fig (vieille voiture) wreck; [2] ○fig **un ~, des ~** lots, loads○ (**de** of); **des ~ de gens** lots *ou* loads of people
B **dans le tas** *loc adv* **taper dans le ~** to punch people indiscriminately; **tirer dans le ~** to fire into the crowd; **foncer dans le ~** [*personne*] to fling oneself into the crowd; [*police*] to charge the crowd

C sur le tas *loc adv* **apprendre/être formé sur le ~** to learn/to be trained on the job; **formation sur le ~** on-the-job training; **grève sur le ~** sit-down strike

(Composé) **~ de charge** Archit springing stones (*pl*)

Tasmanie /tasmani/ ▸ **p. 435, p. 721** *nprf* Tasmania

tasse /tɑs/ *nf* 1 (récipient) cup; **~ en faïence/porcelaine/plastique** earthenware/china/plastic cup; 2 (contenu) cup; **boire une ~ de thé/chocolat chaud** to drink a cup of tea/hot chocolate

(Composés) **~ à café** coffee cup; **~ à thé** teacup

(Idiome) **boire la ~**○ to swallow a mouthful of water when swimming

Tasse /tas/ *npr* **le ~** Tasso

tassé, ~e /tɑse/

A *pp* ▸ **tasser**

B *pp adj* [*terre*] firmly packed; [*boule de neige*] hard packed; **bien ~** [*cigarette*] well packed; [*boule de neige*] very hard packed; [*whisky*] stiff; **il y en a 4 kilos bien ~s**○ there's a good 4 kilos of it; **il a la cinquantaine bien ~e**○ he's well past fifty

tassement /tɑsmɑ̃/ *nm* 1 fig (de l'emploi, des activités) contraction; (de valeur des exportations) stagnation; (à la Bourse) decline (**de** in); (de popularité) decline (**de** in); 2 lit **~ de vertèbres** compression of the vertebrae

tasser /tɑse/ [1]

A *vtr* to press down [*terre*]; to tamp down [*tabac*] (**dans** in); to pack down [*foin, paille*]; to pack [*habits*] (**dans** in); to cram [*bagages*] (**dans** into; **sous** under); to pack [*gens*] (**dans** into); **les passagers étaient tassés** the passengers were packed in tightly; **le sport/l'accident lui a tassé les vertèbres** sport/the accident has given him/her compression of the vertebrae

B se tasser *vpr* 1 (s'affaisser) (avec l'âge) to shrink; (volontairement) to make oneself look smaller; 2 (se serrer) [*personnes*] to squash up, to squeeze up; **il va falloir se ~ dans la voiture** we'll have to squash *ou* squeeze up in the car; 3 ○(se calmer) [*histoire, rumeur, conflit*] to die down; **au bout de trois mois les choses se sont tassées** after three months things settled down

taste-vin* /tastəvɛ̃/ *nm inv* (wine-)tasting cup

tata○ /tata/ *nf* auntie

tatami /tatami/ *nm* tatami

tatane◑ /tatan/ *nf* shoe

tâter /tɑte/ [1]

A *vtr* 1 (palper) to feel; **~ le sol du pied** to test the ground; **~ un melon** to feel a melon (to see if it's ripe); **~ le pouls de qn** to feel sb's pulse; 2 (sonder) **~ l'opinion** to sound out public opinion

B tâter de○ *vtr ind* **~ de tous les métiers** to try one's hand at *ou* have a go at all kinds of jobs; **quand tu auras tâté de la prison** when you've had a taste of prison

C se tâter *vpr* hum **je me tâte**○ I'm thinking about it, I'm quite tempted

(Idiome) **~ le terrain** to put out feelers

tatie○ /tati/ *nf* auntie

tatillon, -onne /tɑtijɔ̃, ɔn/

A *adj* [*personne*] nit-picking, pernickety GB, persnickety US; [*administration*] nit-picking

B *nm,f* nit-picker

tâtonnement /tɑtɔnmɑ̃/ *nm* **après mes ~s dans l'obscurité** after groping around in the dark; **les ~s des chercheurs** fig tentative research; **après 10 années de ~s** fig after 10 years of trial and error

tâtonner /tɑtɔne/ [1] *vi* to grope about *ou* around; **avancer en tâtonnant** lit, fig to grope one's way along; **on tâtonne** (dans des recherches) we're groping in the dark

tâtons: à tâtons /atɑtɔ̃/ *loc adv* **avancer à ~** lit, fig to feel one's way along

tatou /tatu/ *nm* armadillo

tatouage /tatwaʒ/ *nm* 1 (dessin) tattoo; **se faire faire un ~** to have a tattoo done; 2 (procédé) tattooing

tatouer /tatwe/ [1] *vtr* to tattoo; **se faire ~** to get tattooed; **il s'est fait ~ un aigle sur le dos** he has had an eagle tattooed on his back; **il s'est fait ~ la poitrine** he has had his chest tattooed

tatoueur, -euse /tatwœʀ, øz/ ▸ **p. 532** *nm,f* tattooist, tattoo artist

taudis /todi/ *nm inv* (misérable) hovel; (mal tenu) pigsty

taulard◑**, ~e** /tolaʀ, aʀd/ *nm,f* convict, con○

taule◑ /tol/ *nf* 1 (prison) prison, clink○; **10 ans de ~** 10 years in clink○; **faire de la ~** to do time○; 2 (chambre) room, pad○

taulier◑**, -ière** /tolje, ɛʀ/ *nm,f* hotel boss

taupe /top/ *nf* 1 Zool mole; 2 (peau) moleskin; **en ~** moleskin (*épith*); 3 ○(femme désagréable) **c'est une vieille ~** pej she's an old bag péj; 4 ○(espion) mole; 5 ○Univ *second year preparatory class in mathematics and science for entrance to Grandes Écoles*; 6 Gén Civ tunnel borer; 7 ▸ **p. 202** (couleur) taupe

taupin /topɛ̃/ *nm* 1 Zool click beetle; 2 ○Univ *student in second year preparatory class for entrance to Grandes Écoles*

taupinière /topinjɛʀ/ *nf* 1 (monticule) molehill; (galeries) (mole) tunnels (*pl*); 2 ○(petite colline) hillock

(Idiome) **faire une montagne d'une ~** to make a mountain out of a molehill

taureau, *pl* **~x** /tɔʀo/ *nm* Zool bull; **~ de combat** fighting bull

(Idiome) **prendre le ~ par les cornes** to take the bull by the horns

Taureau /tɔʀo/ ▸ **p. 912** *nprm* Taurus

taurillon /tɔʀijɔ̃/ *nm* young bull

taurin, ~e /tɔʀɛ̃, in/ *adj* [*jeux*] bullfighting; [*culte, monde*] of bullfighting (*après n*); [*passion*] for bullfighting (*après n*)

tauromachie /tɔʀɔmaʃi/ *nf* bullfighting

tauromachique /tɔʀɔmaʃik/ *adj* bullfighting, tauromachian spéc

tautologie /totɔlɔʒi/ *nf* tautology

tautologique /totɔlɔʒik/ *adj* tautological

taux /to/ *nm inv* 1 Fin, Stat rate; **~ fixe/mensuel/moyen** fixed/monthly/average rate; **~ de chômage/criminalité** unemployment/crime rate; **obligations à ~ variable** variable-rate bonds; 2 Méd level; **~ d'albumine/alcoolémie/de sucre** albumin/blood alcohol/blood sugar level

(Composés) **~ d'abstention** rate of abstention (from voting); **~ d'amortissement** depreciation rate; **~ d'approbation** Pol approval rating; **~ d'audience** audience ratings (*pl*); **~ de base bancaire** minimum lending rate GB, prime rate US; **~ de change** exchange rate; **~ de compression** Tech compression ratio; **~ de croissance** growth rate; **~ d'escompte** bank rate; **~ d'exportation** level of exports; **~ de fécondité** fertility rate; **~ de flambage** burning cost; **~ de fréquentation** Théât, Cin audience figures (*pl*); **~ d'importation** level of imports; **~ d'imposition** *or* **de l'impôt** tax rate; **~ d'inflation** rate of inflation; **~ d'intérêt** interest rate; **~ d'invalidité** degree of disability; **~ de mortalité** mortality rate; **~ de natalité** birthrate; **~ de réussite** success rate; **~ de salaire horaire** hourly rate of pay; **~ de séropositivité** HIV rate; **~ de syndicalisation** percentage of the workforce belonging to unions

tavelé, ~e /tavle/ *adj* [*peau*] spotted (**de** with); [*fruit*] blemished (**de** with)

taveler /tavle/ [19]

A *vtr* to blemish [*peau, fruit*]

B se taveler *vpr* [*peau*] to become spotted; [*fruit*] to become blemished

tavelure /tavlyʀ/ *nf* 1 (tache) mark; 2 (maladie des arbres) scab

taverne /tavɛʀn/ *nf* tavern

tavernier†**, -ière** /tavɛʀnje, ɛʀ/ *nm,f* taverner†

taxable /taksabl/ *adj* taxable

taxateur /taksatœʀ/ *nm* **(juge) ~** taxing master

taxation /taksasjɔ̃/ *nf* Fisc (imposition) taxation; (fixation) assessment; **la ~ de l'épargne** the taxing of savings

taxe ➡📖

/taks/ *nf* 1 Comm, Écon, Fisc tax; **~ progressive** graduated tax; **une ~ de 5%** a 5% tax; **~ locale/communale/régionale** local/municipal/regional tax; **~ sur** tax on [*produit, plus-value, transaction, producteur*]; **la ~ sur le tabac/nucléaire** the tax on tobacco/nuclear energy; **les ~s sur les importations** import levies; **total hors ~s** total exclusive of tax; **boutique hors ~s** duty-free shop GB *ou* store US; **500 euros hors ~s** 500 euros exclusive of tax; **100 euros toutes ~s comprises, 100 euros TTC** 100 euros inclusive of tax; 2 Jur taxation

(Composés) **~ d'aéroport** airport tax; **~ d'apprentissage** ≈ training levy; **~ de douane** customs duty; **~ foncière** property tax; **~ d'inhabitation** tax on unoccupied property; **~ d'habitation** ≈ council tax (*paid by residents to cover local services*); **~ parafiscale** indirect taxation ₵; **~ postale** postage; **~ professionnelle** ≈ business rates (*pl*) GB, business taxes (*pl*) US; **~ de raccordement** connection charge; **~ de séjour** tourism tax; **~ à la valeur ajoutée** value added tax

taxer /takse/ [1] *vtr* 1 Comm, Fisc, Écon to tax [*produit, profit, plus-value, contribuable*]; **~ qch à 10%** to tax sth at 10%; **la loi taxe à 45% les bénéfices des sociétés** the law taxes company profits at 45%; **les plus-values sont taxées à 19%** capital gains are taxed at 19%; 2 (accuser) **~ qn de laxisme/d'élitisme/de corruption** to accuse sb of being lax/elitist/corrupt; **je me suis fait ~ de jalousie** *or* **jaloux** I was accused of being jealous; **~ l'affection de qn de tyrannique** to call sb's affection tyranny

taxi /taksi/ *nm* 1 (véhicule) taxi, cab; **chauffeur de ~** taxi driver, cabdriver; **station de ~s** taxi rank GB, cab stand US; 2 ○(chauffeur) taxi driver, cabby○

taxidermie /taksidɛʀmi/ *nf* taxidermy

taxidermiste /taksidɛʀmist/ ▸ **p. 532** *nmf* taxidermist

taxi-girl, *pl* **~s** /taksigœʀl/ *nf* (entraîneuse) hostess

taximètre /taksimɛtʀ/ *nm* (taxi)meter

taxinomie /taksinɔmi/ *nf* taxonomy

taxinomique /taksinɔmik/ *adj* taxonomic

taxinomiste /taksinɔmist/ *nmf* taxonomist

taxiphone® /taksifɔn/ *nm* pay phone

taxonomie /taksɔnɔmi/ *nf* = **taxinomie**

Tayside ▸ **p. 721** *nprm* **le ~** Tayside

Tbilissi /tbilisi/ ▸ **p. 894** *npr* Tbilisi

Tchad /tʃad/ ▸ **p. 479, p. 333** *nprm* Chad; **le lac ~** Lake Chad

tchadien, -ienne /tʃadjɛ̃, ɛn/ ▸ **p. 561** *adj* Chadian

Tchadien, -ienne /tʃadjɛ̃, ɛn/ ▸ **p. 561** *nm,f* Chadian

tchador /tʃadɔʀ/ *nm* chador

Tchaïkovski /tʃajkɔvski/ *npr* Tchaikovsky

tchao○ /tʃao/ *excl* bye○!, see you○!

tchécoslovaque /tʃekɔslɔvak/ *adj* Hist Czechoslovakian, Czechoslovak

Tchécoslovaque /tʃekɔslɔvak/ *nmf* Hist Czechoslovakian, Czechoslovak

---

➡📖 *voir* Vivre dans un pays anglophone

Tchécoslovaquie /tʃekɔslɔvaki/ *nprf* Hist Czechoslovakia
Tchekhov /tʃekɔf/ *npr* Chekhov
tchèque /tʃɛk/
A ▸ **p. 561, p. 333** *adj* Czech; **République ~** Czech Republic
B ▸ **p. 483** *nm* Ling Czech
Tchèque /tʃɛk/ ▸ **p. 561** *nmf* Czech
Tchernobyl /tʃɛʀnɔbil/ ▸ **p. 894** *npr* Chernobyl
tchétchène /tʃetʃɛn/ ▸ **p. 561** *adj* Chechen
Tchétchène /tʃetʃɛn/ ▸ **p. 561** *nmf* Chechen
Tchétchénie /tʃetʃeni/ ▸ **p. 333** *nprf* Chechnya
tchin(-tchin)*○ /tʃin(tʃin)/ *excl* cheers!
TD○ /tede/ *nmpl: abbr* ▸ **travail**[1]
te (**t'** *before vowel or mute h*) /t(ə)/ *pron pers* **1** (objet direct) **je ~ déteste** I hate you; **s'il essaie de ~ frapper** if he tries to hit you; **je t'entends mal** I can't hear you very well; **viens, je t'invite** come on, I'll treat you; **2** (objet indirect) **il ne t'a pas fait mal** he didn't hurt you; **elle ne t'a pas tout dit** she didn't tell you everything; **je ~ l'offre** I'm giving it to you; **non, je ne t'en veux pas** no, I don't bear a grudge against you; **3** (pronom réfléchi) yourself; **il faut que tu ~ soignes** you must look after yourself; **tu ~ détestes pour ça?** do you hate yourself because of that?; **si tu ne ~ méfies pas** if you're not careful; **va ~ laver** go and have a wash; **va ~ laver les mains** go and wash your hands
té /te/ *nm* (règle) T-square; **en ~** T-shaped
TEC /teəse/ *nf: abbr* ▸ **tonne**
technétium /tɛknetjɔm/ *nm* technetium
technicien, -ienne /tɛknisjɛ̃, ɛn/
A *adj* technological
B ▸ **p. 532** *nm,f* **1** (professionnel) technician; **~ agricole/supérieur** agricultural/qualified technician; **2** (spécialiste) technical expert (**de** in); **c'est un très bon ~** he's technically very good; **3** (réparateur) engineer
(Composé) **~ de surface** cleaner
technicité /tɛknisite/ *nf* technical nature
technico-commercial, ~e, *mpl* **-iaux** /teknikokɔmɛʀsjal, o/
A *adj* [*ingénieur*] commercial; [*secteur, filiale*] technical sales (*épith*); **agent ~** technical sales representative
B ▸ **p. 532** *nm,f* (personne) technical sales representative
C *nm* (secteur) technical sales (*pl*)
Technicolor® /tɛknikɔlɔʀ/ *nm* Technicolor®; **paysage en technicolor** technicolour[GB] landscape
technique /tɛknik/
A *adj* (tous contextes) technical
B *nm* technical subjects (*pl*); **les professeurs du ~** teachers of technical subjects
C *nf* **1** (méthode) technique; **~ artisanale/de vente** craft/sales technique; **il n'a pas la (bonne) ~**○ he hasn't got the knack○ (**pour faire** of doing); **2** (maîtrise) technique; **elle manque de ~** she lacks technique; **3** Écon, Ind technology **₵**; **le développement des ~s** the development of technology; **4** Audio, Radio, TV **la ~** studio production; **à la ~ Agnès Bon** studio production by Agnès Bon
techniquement /tɛknikmɑ̃/ *adv* technically
techno /tɛkno/ *adj, nf* Mus techno
technocrate /tɛknɔkʀat/ *nmf* technocrat
technocratie /tɛknɔkʀasi/ *nf* technocracy
technocratique /tɛknɔkʀatik/ *adj* technocratic
technologie /tɛknɔlɔʒi/ *nf* technology; **une nouvelle ~** a new technology; **les ~s avancées/de pointe** advanced/leading-edge technology
technologique /tɛknɔlɔʒik/ *adj* technological
technologue /tɛknɔlɔg/ *nmf* technologist
technopole /tɛknɔpɔl/ *nf* town centred[GB] on research and advanced technology
technopôle /tɛknɔpol/ *nm* high-tech business zone
technostructure /tɛknɔstʀyktyʀ/ *nf* technostructure
teck* /tɛk/ *nm* **1** (arbre) teak; **2** (bois) teak; **meubles en ~** teak furniture
teckel /tekɛl/ *nm* dachshund
tectonique /tɛktɔnik/
A *adj* tectonic
B *nf* tectonics (+ *v sg*); **la ~ des plaques** plate tectonics
teddy /tedi/ *nm* Mode teddy
Te Deum /tedeɔm/ *nm inv* Mus, Relig Te Deum
tee /ti/ *nm* tee; **placer la balle sur le ~** to tee up
tee-shirt, *pl* **~s*** /tiʃœʀt/ *nm* T-shirt
TEF /teəɛf/ *nm: abbr* ▸ **transfert**
téflon® /teflɔ̃/ *nm* Teflon®; **casserole en ~** Teflon saucepan
tégument /tegymɑ̃/ *nm* Bot, Zool integument
Téhéran /teeʀɑ̃/ ▸ **p. 894** *npr* Teheran
teigne /tɛɲ/ *nf* **1** Méd ringworm, tinea spéc; **2** (mite) moth, tineid spéc; **3** (personne hargneuse) nasty GB *ou* real US piece of work○
(Idiome) **être méchant comme une ~** to be a nasty GB *ou* real US piece of work
teigneux, -euse /tɛɲø, øz/ *adj* **1** (hargneux) cantankerous; **2** Méd suffering from ringworm
teindre /tɛ̃dʀ/ [55]
A *vtr* to dye [*cheveux, tissu, cuir*]; to stain [*bois, meuble*]; **~ qch en vert** to dye sth green; **la cochenille teint en rouge** cochineal dyes things red; **~ la laine** to dye wool; **ce produit teint bien** this product is a good dye
B **se teindre** *vpr* **1** (avec un produit) [*personne*] to dye one's hair; **se ~ les cheveux en roux** to dye one's hair red; **cela se teint facilement** (tissu) it's easy to dye; (bois) it's easy to stain; **2** liter (changer de couleur) **se ~ de rose** [*ciel, montagne*] to be tinged (with) pink
teint, ~e /tɛ̃, tɛ̃t/
A *pp* ▸ **teindre**
B *pp adj* [*cheveux, étoffe, cuir*] dyed; [*bois, meuble*] stained; **il est ~** (personne) he's got dyed hair
C *nm* **1** (peau) complexion; **au ~ clair/mat** with a fair/matt complexion; **avoir un joli ~** to have a lovely complexion; **2** (lié à la santé) **avoir le ~ rose** *or* **frais** to have a healthy glow; **avoir le ~ jaune** to be sallow-skinned; **avoir le ~ pâle** to look pale; ▸ **bon**
D **teinte** *nf* **1** (nuance de couleur) shade; **2** (couleur) colour[GB]; **3** fig (d'envie, de supériorité) **une ~e de** a tinge of
teinté, ~e /tɛ̃te/
A *pp* ▸ **teinter**
B *pp adj* **1** [*lunettes, verre, crème*] tinted; [*bois*] stained; **~ jaune** yellow-tinted; **2** **~ de** [*sentiment, couleur*] tinged with
teinter /tɛ̃te/ [1]
A *vtr* **1** to tint [*verre*]; to stain [*bois, meuble*]; to dye [*cuir*]; **~ du verre en rouge** to tint glass red, to give glass a red tint; **2** (nuancer) **~ qch de** to tinge sth with
B **se teinter** *vpr* liter **se ~ de qch** [*couleur, sentiment*] to become tinged with
teinture /tɛ̃tyʀ/ *nf* **1** (produit) (pour cheveux, tissu, cuir) dye; (pour bois) stain; Pharm tincture; **2** (procédé) (de cheveux, tissu, cuir) dyeing; (de bois) staining; **se faire une ~** to dye one's hair; **se faire faire une ~** to have one's hair dyed
(Composé) **~ d'iode** tincture of iodine
teinturerie /tɛ̃tyʀʀi/ *nf* **1** ▸ **p. 532** (boutique de nettoyage) (dry-)cleaner's; **apporter qch à la ~** to take sth to the (dry-)cleaner's; **2** (industrie) (de la teinture) dyeing; (de nettoyage) (dry-)cleaning
teinturier, -ière /tɛ̃tyʀje, ɛʀ/ *nm,f* ▸ **p. 532** **1** (qui nettoie) dry-cleaner; **2** (qui teint) dyer
tek /tɛk/ *nm* = **teck**
teknival, *pl* **~s** /tɛknival/ *nm* rave
tel, telle /tɛl/
A *adj* **1** (pareil) such; **une telle conduite vous honore** such behaviour[GB] does you credit; **un ~ homme peut être dangereux** such a man can be dangerous, a man like that can be dangerous; **personne d'autre n'a un ~ rire** no-one else has a laugh like that *ou* laughs like that; **une telle qualité n'existe plus** such quality *ou* quality like that can no longer be found; **je n'ai jamais rien vu/entendu de ~** I've never seen/heard anything like it; **~ que** such as; **les bêtes féroces telles que le lion, le tigre** wild animals such as the lion, the tiger; **un homme ~ que lui mérite d'être pendu** a man like that deserves to be hanged **2** (pareil à) like; **ils s'enfuirent telle une bande de moineaux** they fled like a flock of sparrows; **les poissons de mer qui, ~ le saumon, vont se reproduire en rivières** sea fish which, like salmon, spawn in rivers **3** (ainsi) **telle est la vérité** that is the truth; **~s furent ses propos** those were his words; **~ est cet ami à qui tu faisais confiance** that's what he's really like, that friend you trusted; **il est honnête, du moins je le crois ~** he's honest, at least I believe him to be so; **comme ~, en tant que ~** as such; **ce n'est pas sa fille mais il la considère comme telle** she's not his daughter but he treats her as if she were; **c'est peut-être son meilleur livre—moi, je le tiens pour ~** it's probably his best book—I myself consider it to be so; **~ quel, ~ que**○ controv (sans modification) as it is; **ses affaires étaient restées telles quelles** his things were left as they were; **servir le saumon ~ quel** serve the salmon as it is; **tu l'avais mis sur la table, je l'ai trouvé ~ quel** you had left it on the table, I found it lying there; **~ que** (comme) as; **~ que pratiqué** as practised[GB]; **si cette maison est telle que tu le dis** if the house is as you say it is; **Marie est restée telle que je l'ai connue** Marie has stayed as I knew her; **~ que je te connais** if I know you; **~ que vous le voyez il est milliardaire/il a 80 ans** you wouldn't believe it to look at him but he's a millionaire/he's 80 **4** (pour exprimer l'intensité) **avec un ~ enthousiasme** with such enthusiasm; **il fait une telle chaleur/un ~ froid** it is so hot/so cold; **il y avait un ~ bruit** there was so much noise; **nos problèmes sont ~s que nous devons vous en parler** our problems are such that we need to discuss them with you; **de telle sorte** *or* **façon** *or* **manière que** (accidentellement) in such a way that; (délibérément) so that **5** (un certain) **admettons qu'il arrive ~ jour, à telle heure** suppose that he arrives on such and such a day, at such and such a time; **que je prenne telle ou telle décision il critique toujours** no matter what decision I make, he criticizes it; **apprendre à se conduire de telle ou telle façon en telle ou telle circonstance** to learn to behave in such and such a manner in such and such a situation; **je me moque de ce que pense telle ou telle personne** I don't care what certain people think; **~ autre** others; **~s autres** certain others
B *pron indéf* **~ voulait la guerre, ~ voulait la paix** some wanted war, some wanted peace; **s'il rencontrait ~ ou ~ il le leur dirait** if he were to meet anybody he would tell them; **qu'importe si ~ et ~ ne sont pas contents** what does it matter if some people aren't pleased; **~ qui se disait son ami le renie aujourd'hui** he who claimed to be his friend denies him now; ▸ **prendre**
télé○ /tele/
A *adj inv* [*émission, écran*] TV
B *nf* **1** (émissions) TV, telly○ GB; **à la ~** on TV, on telly○; **tu as le programme ~?** have you got the TV guide?; **2** (téléviseur) TV, telly○ GB; **éteinds la ~** switch off the TV; **3** (organisme) TV
télé-achat* /teleaʃa/ *nm* teleshopping

téléacteur, **-trice** /teleaktœʀ, tʀis/ ▸ **p. 532** *nm,f* (vendeur) telesales operator; (enquêteur) telemarketer
téléboutique® /telebutik/ *nf* phone shop GB, phone store US
télécabine /telekabin/ *nf* cable car
télécarte /telekaʀt/ *nf* phonecard
téléchargeable /teleʃaʀʒabl/ *adj* downloadable
téléchargement /teleʃaʀʒəmɑ̃/ *nm* Ordinat downloading
télécharger /teleʃaʀʒe/ [13] *vtr* Ordinat to download
télécinéma /telesinema/ *nm* **1** (appareil) telecine; **2** (transmission) telecine transmission
télécom○ /telekɔm/
A *adj* [*réseau, satellite*] telecommunications
B **télécoms** *nmpl* telecommunications
télécommande /telekɔmɑ̃d/ *nf* remote control; ~ **radioélectrique** radio control
télécommander /telekɔmɑ̃de/ [1] *vtr* **1** Tech to operate [sth] by remote control; **voiture télécommandée** remote-controlled car; **2** fig (diriger) to mastermind; **un complot télécommandé de l'étranger** a plot masterminded from abroad
télécommunication /telekɔmynikasjɔ̃/ *nf* telecommunications (+ *v sg*); **un réseau de ~** a telecommunications network
téléconférence /telekɔ̃feʀɑ̃s/ *nf* **1** (séance) (audioconférence) conference call; (vidéoconférence) teleconference; **2** (principe) video-conferencing
téléconseiller, **-ère** /telekɔ̃seje, ɛʀ/ *nm,f* customer service representative
télécopie /telekɔpi/ *nf* fax; **numéro de ~** fax number; **par ~** by fax
télécopier /telekɔpje/ [2] *vtr* to fax
télécopieur /telekɔpjœʀ/ *nm* fax machine, fax; **~ portable** portable fax machine
tel écran-tel écrit /tɛlekʀɑ̃tɛlekʀi/ *adj inv* WYSIWYG
télédéclaration /teledeklaʀasjɔ̃/ *nf* Fisc online tax return
télédéclarer /teledeklaʀe/ [1] *vtr* to file one's tax return online
télédétection /teledetɛksjɔ̃/ *nf* remote sensing
télédiffuser /teledifyze/ [1] *vtr* to broadcast; **un programme télédiffusé** a televised programme[GB], a telecast
télédiffusion /teledifyzjɔ̃/ *nf* broadcasting; **la ~ par satellite** satellite broadcasting
télédistribution /teledistʀibysjɔ̃/ *nf* wired broadcasting
télé-enquêteur, **-trice** /teleɑ̃kɛtœʀ, tʀis/ ▸ **p. 532** *nm,f* telemarketer
télé-enseignement, *pl* **~s** /teleɑ̃sɛɲəmɑ̃/ *nm* distance learning
téléfilm /telefilm/ *nm* TV film, TV movie
télégénique /teleʒenik/ *adj* telegenic
télégramme /telegʀam/ *nm* telegram, cable US; **~ téléphoné** telegram by telephone
télégraphe /telegʀaf/ *nm* telegraph
télégraphie /telegʀafi/ *nf* telegraphy
télégraphier /telegʀafje/ [2] *vtr* to telegraph [*message*]; **je vais leur ~** I'm going to send them a telegram *ou* cable US
télégraphique /telegʀafik/ *adj* **1** [*poteau, message*] telegraph; **2** [*style*] telegraphic
télégraphiste /telegʀafist/ ▸ **p. 532** *nmf* **1** (opérateur) telegraphist, telegrapher; **2** (coursier) telegraph delivery person
téléguidage /telegidaʒ/ *nm* radio control
téléguider /telegide/ [1] *vtr* **1** lit to control [sth] by radio; **voiture téléguidée** radio-controlled car; **2** fig (diriger) to mastermind
téléinformatique /teleɛ̃fɔʀmatik/ *nf* teleprocessing
télékinésie /telekinezi/ *nf* telekinesis
Télémaque /telemak/ *npr* Telemachus
télématique /telematik/
A *adj* [*service, réseau*] viewdata GB, videotex®
B *nf* telematics (+ *v sg*)
télémètre /telemɛtʀ/ *nm* telemeter
télémétrie /telemetʀi/ *nf* telemetry
télémétrique /telemetʀik/ *adj* **visée ~** telemetric viewfinding
téléobjectif /teleɔbʒɛktif/ *nm* telephoto lens
téléologie /teleɔlɔʒi/ *nf* teleology
téléologique /teleɔlɔʒik/ *adj* teleological
téléopérateur, **-trice** /teleɔpeʀatœʀ, tʀis/ ▸ **p. 532** *nm,f* (vendeur) telesales operator; (enquêteur) telemarketer
télépaiement /telepɛmɑ̃/ *nm* (avec carte de crédit) credit card payment; (sur écran) electronic payment system via a computer screen
télépathe /telepat/
A *adj* telepathic
B *nmf* telepath
télépathie /telepati/ *nf* telepathy
télépathique /telepatik/ *adj* telepathic
télépéage /telepeaʒ/ *nm* electronic toll collection
téléphérique /telefeʀik/ *nm* cable car, téléphérique
téléphone /telefɔn/ *nm* (dispositif, appareil) telephone, phone; **avoir le ~** to be on the (tele-) phone GB, to have a phone; **numéro de ~** phone number; **passer** *or* **donner un coup de ~** to make a phone call; **~ à touches/pièces** push-button/coin-operated telephone; **~ à carte** cardphone; **~ sans fil** cordless telephone; **~ de campagne** field telephone; **j'ai eu ta mère au ~** I talked to your mother on the phone
(Composés) **~ arabe** (bouche-à-oreille) grapevine, bush telegraph; Jeux Chinese whispers; **~ fixe** land line; **~ portable** GB mobile phone, US cell phone; **~ rose** erotic chat-line; **le ~ rouge** the hot-line
téléphoner ➡ /telefɔne/ [1]
A *vtr* **~ qch à qn** to phone *ou* telephone sb with sth; **~ des résultats/une nouvelle à qn** to phone sb with results/a piece of news; **il nous a téléphoné de venir** he phoned to ask us to come
B *vi* (en général) to phone, to telephone; (une fois) to make a phone call; **je téléphone toujours**, I always phone; **~ à qn** to phone sb, to call sb; **~ en France** to phone France; **~ à qn en France** to phone sb in France
C **se téléphoner** *vpr* to phone each other
téléphonie /telefɔni/ *nf* telephony; **~ mobile** *or* **portable** mobile telephony GB, cell-phone telephony US
téléphonique /telefɔnik/ *adj* [*appel, cabine*] (tele)phone (*épith*)
téléphoniste /telefɔnist/ ▸ **p. 532** *nmf* telephonist GB, (telephone) operator
téléphotographie /telefɔtɔgʀafi/ *nf* telephotography
téléprompteur /telepʀɔ̃ptœʀ/ *nm* Autocue® GB, teleprompter
téléprospecteur, **-trice** /telepʀɔspɛktœʀ, tʀis/ ▸ **p. 532** *nm,f* telemarketer
téléprospection /telepʀɔspɛksjɔ̃/ *nf* telemarketing
téléréalité /teleʀealite/ *nf* reality TV
téléreportage /teleʀəpɔʀtaʒ/ *nm* **1** (activité) television reporting; **2** (film) television report
télescopage /telɛskɔpaʒ/ *nm* **1** lit collision (**entre** between); **2** fig (de cultures, courants) overlap
télescope /telɛskɔp/ *nm* telescope; **~ électronique/spatial** electron/space telescope
télescoper /telɛskɔpe/ [1]
A *vtr* [*camion*] to crush [*voiture*]
B **se télescoper** *vpr* **1** lit [*véhicules*] to collide; **2** fig [*notions, tendances*] to overlap
télescopique /telɛskɔpik/ *adj* telescopic
téléscripteur /teleskʀiptœʀ/ *nm* teleprinter GB, teletypewriter US
télésiège /telesjɛʒ/ *nm* chair lift
téléski /teleski/ *nm* ski tow
télésouffleur /telesuflœʀ/ *nm* teleprompter
téléspectateur, **-trice** /telespɛktatœʀ, tʀis/ *nm,f* viewer
télésurveillance /telesyʀvɛjɑ̃s/ *nf* electronic surveillance, telesurveillance
Télétel® /teletɛl/ *nm* viewdata GB, videotex®

> **Télétel**
> A computerized information network available to all telephone users using a *Minitel* terminal. Initially used for telephone directory enquiries, it has become an important data-base for commercial and public information.

Télétex® /teletɛks/ *nm inv* Teletex®
télétexte /teletɛkst/ *nm* teletext
téléthon /teletɔ̃/ *nm* telethon
télétraitement /teletʀɛtmɑ̃/ *nm* teleprocessing
télétransmettre /teletʀɑ̃smɛtʀ/ [60] *vtr* Ordinat, Télécom to upload
télétransmission /teletʀɑ̃smisjɔ̃/ *nf* transmission
télétravail /teletʀavaj/ *nm* telecommuting
télétravailleur, **-euse** /teletʀavajœʀ, øz/ ▸ **p. 532** *nm,f* teleworker
télétype® /teletip/ *nm* Teletype®, teleprinter
télévendeur, **-euse** /televɑ̃dœʀ, øz/ ▸ **p. 532** *nm,f* telesales operator
télévente /televɑ̃t/ *nf* telesales
télévisé, **~e** /televize/ *adj* [*programme, publicité, jeu*] television (*épith*); [*débat, plateau, retransmission*] televised
téléviseur /televizœʀ/ *nm* television (set), TV (set); **~ couleur/noir et blanc** colour[GB]/black and white television; **~ écran plat** flat screen television
télévision /televizjɔ̃/ *nf* **1** (technique) television, TV; **~ par câble/satellite** cable/satellite television; **~ (à) haute définition** high-definition television; **~ à péage** pay-TV; **2** (émissions) television, TV; **passer à la ~** to be on television *ou* TV; **regarder la ~** to watch television *ou* TV; **3** (organisme) television; **travailler à la ~** to work in television; **studio/chaîne de ~** television studio/channel; **4** (téléviseur) television, TV
télévisuel, **-elle** /televizɥɛl/ *adj* [*industrie, spectacle*] television (*épith*), televisual
télex /telɛks/ *nm inv* telex; **par ~** by telex
télexer /telɛkse/ [1] *vtr* to telex
tellement /tɛlmɑ̃/ ▸ **p. 691**
A *adv* **1** (marquant l'intensité) (modifiant un adjectif ou un adverbe) so; (modifiant un verbe) so much; (modifiant un comparatif) so much; **pas ~** not much; **il est ~ gentil/bête** he's so nice/stupid; **ça va ~ vite** it goes so fast; **c'est ~ loin l'Australie** Australia is so far away; **il t'aime ~** he loves you so much; **elle déteste ~ les interviews** she hates interviews so much; **ils ont ~ grandi** they've grown so much; **ce serait ~ mieux** it'd be so much better; **c'est ~ plus facile/rapide de cette façon** it's so much easier/quicker this way; **il n'aime pas ~ lire** he doesn't like reading much; **'ça t'a plu?'—'pas ~'** 'did you like it?'—'not much'; **'il y avait beaucoup de monde?'—'pas ~'** 'were there many people?'—'not really'; **deux ans ce n'est pas ~ long** two years isn't so very long; **ce n'est pas ~ que je sois fatigué mais...** it's not so much that I'm tired but...;

➡ *voir* Le téléphone

t

cela n'a plus ~ d'importance it doesn't really matter any more; **je n'ai plus ~ envie d'y aller** I don't really want to go any more; **elle n'a plus ~ le temps** she doesn't really have time these days; **il n'a pas ~ fait beau** the weather wasn't that good; **il n'y a pas ~ d'années**○ not many years ago; **il n'est pas ~ plus jeune que moi** he's not that much younger than me; **'tu le vois régulièrement?'—'plus ~'** 'do you see him regularly?'–'not so much anymore'; **~ drôle/faim/vite que** so funny/hungry/fast that; **c'est ~ mieux payé que je vais accepter** it's so much better paid that I'm going to accept; **il reste ~ peu de vin que** there's so little wine left that; **il y avait ~ de gens que je me suis perdu** there were so many people that I got lost; **es-tu ~ fatigué que tu ne puisses pas bouger?** liter are you so tired that you can't even move?; **2** ○(si nombreux) **nous étions ~ à cette soirée que** there were so many of us at this party that; **il y en a ~ qui aimeraient le faire** so many people would like to do it; **3** (introduisant une cause) **j'ai de la peine à suivre ~ c'est compliqué** it's so complicated that I find it hard to follow; **on ne pouvait pas respirer ~ il y avait de monde** there were so many people that you couldn't even breathe; **nous ne sommes pas sortis ~ le temps était menaçant** the weather looked so threatening that we didn't go out
B **tellement de** *dét indéf* **1** (avec un nom dénombrable) so many; **il y a ~ de livres que je ne sais pas lequel choisir** there are so many books (that) I don't know which to choose; **on voit ~ de choses bizarres** you see so many strange things; **j'ai ~ de choses à faire** I've got so many things to do, I've got so much to do; **il y a ~ de choses à voir** there's so much to see; **2** (avec un nom non dénombrable) so much; **j'ai ~ de travail que je ne sais plus où donner de la tête** I've got so much work (that) I don't know if I'm coming or going; **il a eu ~ de chance/succès** he was so lucky/successful; **j'ai vu ~ de monde** I saw so many people

tellure /tɛlyʀ/ *nm* tellurium

tellurique /tɛlyʀik/ *adj* Chimie, Géog telluric; **secousse ~** Géol earth tremor; **courants ~s** Géol earth currents

télomère /telɔmɛʀ/ *nm* telomere

tel-tel /tɛltɛl/ *adj, nm* WYSIWYG

téméraire /temeʀɛʀ/ *adj* [*explorateur, chef d'entreprise, projet*] reckless; [*jugement*] rash; **courageux mais pas ~** brave but not foolhardy; **il est ~ de penser que** it is foolhardy *ou* rash to think that

témérité /temeʀite/ *nf* (de personne, projet) recklessness; (de paroles) rashness; **avoir la ~ de faire** to have the temerity to do

témoignage /temwaɲaʒ/ *nm* **1** (histoire personnelle) story; (compte rendu) account; **le ~ d'une ancienne droguée** a former drug addict's story; **recueillir les ~s des réfugiés** to get the refugees' stories; **les ~s recueillis auprès de** the accounts given by; **apporter son ~** to give one's own account; **selon les ~s de** according to (accounts given by); **rendre ~ sans prendre position** to give an objective account (of things); **un livre exceptionnel, ~ sur une époque** fig an exceptional book, a first-hand account of an era; **2** (au cours d'une enquête) evidence ¢; Jur (déposition) evidence ¢, testimony; **des ~s contradictoires/qui concordent** conflicting/corroborating evidence; **obtenir le ~ de qn** to get evidence from sb *ou* sb's evidence ; **s'appuyer sur les ~s des voisins** to rely on evidence from the neighbours[GB]; **selon plusieurs ~s** according to several witnesses; **entendre le ~ de qn** to hear sb's evidence *ou* testimony; **rendre ~** to give evidence, to testify; **porter ~ (de qch)** to bear witness (to sth); ▸ **faux**; **3** fml (marque) **~ d'amitié** (cadeau) token *ou* mark of friendship; (geste) expression *ou* gesture of friendship; **les ~s de sympathie** expressions of sympathy; **en ~ de ma reconnaissance** as a mark *ou* token of my gratitude; **donner des ~s de son amitié** to prove one's friendship; **rendre ~ au courage de qn** to testify to sb's courage

témoigner /temwaɲe/ [1]
A *vtr* **1** Jur to testify (**que** that); **elle a témoigné l'avoir vu entrer/qu'elle l'avait vu entrer** she testified to having seen him go in/that she had seen him go in; **2** (montrer) **~ de la reconnaissance/de l'affection** to show gratitude/affection; **~ de l'hostilité/de l'intérêt envers** to show hostility towards GB *ou* to/interest in; **la confiance qu'elle m'a témoignée** the trust she placed in me; **les marques de sympathie qui leur ont été témoignées lors de...** the sympathy they received when...; **cela témoigne que** it shows that
B **témoigner de** *vtr ind* **1** (prouver) **~ de** to show; **cela témoigne de leur courage** this shows their courage; **comme en témoigne leur lettre** as their letter shows; **2** (se porter garant de) **~ du courage de qn** to vouch for sb's courage
C *vi* **1** Jur to give evidence, to testify; **~ en faveur de qn/contre qn** to give evidence in sb's favour/against sb, to testify for sb/against sb; **être appelé à ~** to be called to give evidence *ou* as a witness; **2** (dire) **'il était toujours poli,' témoignent les voisins** neighbours[GB] say he was always polite

témoin /temwɛ̃/
A *nm* **1** (sur les lieux) witness; **~ oculaire** *or* **direct** eyewitness; **être (le) ~ de** to witness, to be a witness to; **le seul ~ direct** the only person actually to witness the scene; **cela a eu lieu sans ~** there were no witnesses; **prendre qn à ~** to call sb to witness (**de** to, of); **2** (au tribunal) witness; **~ de l'accusation/de la défense** prosecution/defence[GB] witness; **être ~ à charge/à décharge** to be a witness for the prosecution/for the defence[GB]; **~ défaillant** missing witness; ▸ **faux**; **3** (attestant l'authenticité) witness (**à** to); (à un mariage) witness; **parler devant ~s** to speak before witnesses; **il faut signer devant ~** you have to have your signature witnessed; **4** (à un duel) second; **5** fig (d'une époque) **avoir été ~ de la naissance du troisième Reich** to have witnessed the birth of the Third Reich; **la cathédrale, ~ de l'époque où...** the cathedral, bearing witness to an age when...; **ce village, ~ de notre amour** this village where our love blossomed; **6** (preuve) **ils sont cruels, ~ le massacre de tout un village** they are (certainly) cruel, as evidenced by the massacre of an entire village; **7** Tech (voyant) indicator *ou* warning light; **~ d'huile** Aut oil warning light; **8** Sport baton; **9** Constr (sur une fissure) telltale; **10** Gén Civ boundary marker
B **(-)témoin** (*in compounds*) control; **groupe/sujet ~** control group/subject; **son ~** Cin guide track

(Composés) **~ sonore** Cin sync beep; **Témoin de Jéhovah** Relig Jehovah's witness

(Idiomes) **Dieu** *or* **le ciel m'en est ~** as God is my witness; **Dieu m'est ~ que je dis la vérité** as God is my witness I am speaking the truth

tempe /tɑ̃p/ *nf* temple; **appuyer un pistolet sur la ~ de qn** to hold a gun to sb's head

tempérament /tɑ̃peʀamɑ̃/ *nm* **1** (caractère) disposition; **être calme de ~, avoir un ~ calme** to have a calm disposition; **ce n'est pas dans mon ~ de me mettre en colère** I would never lose my temper; **elle devrait aller se plaindre, mais ce n'est pas dans son ~** she should go and complain, but she's not like that; **avoir un ~ d'artiste** to have an artistic temperament; **avoir du ~** (volontaire) to have a strong character; (sensuel) to be hot-blooded; **c'est un ~** he/she is a character; **2** †(organisme) constitution; **~ lymphatique/sanguin** lymphatic/sanguine constitution; **3** Comm, Fin **à ~** by instalments[GB]; **4** Mus temperament

tempérance /tɑ̃peʀɑ̃s/ *nf* temperance

tempérant, ~e /tɑ̃peʀɑ̃, ɑ̃t/ *adj* liter temperate littér

température /tɑ̃peʀatyʀ/ *nf* **1** Méd, Sci temperature; **prendre la ~ d'un malade** to take a patient's temperature; **animal à ~ constante/variable** warm-blooded/cold-blooded animal; **2** (fièvre) temperature; **avoir** *or* **faire de la ~** to have *ou* run a temperature; **3** (humeur) **prendre la ~ du public** to sound out the public's mood; **le directeur est venu prendre la ~ dans les ateliers** the manager has come to test the water on the factory floor

(Composés) **~ absolue** Phys absolute temperature; **~ d'ébullition** boiling point; **~ de fusion** melting point

tempéré, ~e /tɑ̃peʀe/
A *pp* ▸ **tempérer**
B *pp adj* **1** Géog temperate; **2** Mus [*gamme, intervalle*] tempered; **'le Clavier bien ~'** the Well-tempered Clavier'

tempérer /tɑ̃peʀe/ [14] *vtr* liter **1** (adoucir) to temper [*chaleur, froid*]; **2** (modérer) to temper [*fougue, enthousiasme, critique*]; to moderate [*argument*]; **~ ses ardeurs** to cool one's ardour[GB]

tempête /tɑ̃pɛt/ *nf* **1** Météo (sans pluie) gale; (avec pluie) storm; **la ~ fait rage** the gale *ou* storm is raging; **être pris dans une ~** to be caught in a gale *ou* storm; **le bateau a tenu bon dans la ~** the boat weathered the storm; **essuyer une ~** to weather a storm; **une ~ de neige** a snowstorm, a blizzard; **une ~ de sable** a sandstorm; ▸ **semer**; **2** (agitation) uproar; **son discours a provoqué une ~** his/her speech provoked an uproar; **~ politique/économique** political/economic uproar; **après la ~ boursière** after the upheaval on the stock exchange; **déclencher une ~ de protestations/réactions** to trigger a wave of protest/reactions; **c'est le calme avant** *or* **qui précède la ~** it's the calm before the storm; **une ~ dans un verre d'eau** a storm in a teacup GB, a tempest in a teapot US

tempêter /tɑ̃pete/ [1] *vi* to rage (**contre** against)

tempétueux, -euse /tɑ̃petɥø, øz/ *adj* **1** fig [*atmosphère, réunion*] stormy; [*personne*] tempestuous; **2** lit [*mer, côte*] storm-tossed (*épith*)

temple /tɑ̃pl/ *nm* **1** (non chrétien) temple; **2** (protestant) gén church; (méthodiste, baptiste, presbytérien) church, chapel GB; **aller au ~** to go to church; **3** fig temple (**de** of)

Templier /tɑ̃plije/ *nm* (Knight) Templar

tempo /tɛmpo/ *nm* **1** Mus tempo; **2** (de roman, film) pace

temporaire /tɑ̃pɔʀɛʀ/ *adj* temporary; **à titre ~** [*employer, travailler*] on a temporary basis; **délivrer un permis à titre ~** to issue a temporary permit; **permis délivré à titre ~** temporary permit

temporairement /tɑ̃pɔʀɛʀmɑ̃/ *adv* temporarily

temporal, ~e, *mpl* **-aux** /tɑ̃pɔʀal, o/
A *adj* temporal
B *nm* temporal bone

temporalité /tɑ̃pɔʀalite/ *nf* temporality

temporel, -elle /tɑ̃pɔʀɛl/ *adj* **1** (lié au temps) temporal; **étudier l'aspect ~ d'un roman** to study the temporal aspect of a novel; **2** Relig (séculier) temporal; **biens ~s** worldly goods; **3** (en grammaire) temporal

temporisateur, -trice /tɑ̃pɔʀizatœʀ, tʀis/
A *adj* [*politique*] temporizing (*épith*)
B *nm,f* temporizer
C *nm* Tech (appareil) timer, time switch

ℹ La température

■ *Dans les puys anglophones, la température se mesure traditionnellement en degrés Fahrenheit, mais les degrés Celsius sont de plus en plus utilisés, surtout en Grande-Bretagne. Le bulletin météo à la télévision britannique n'utilise que les degrés Celsius.*

Celsius (C)	Fahrenheit (F)	
100 °	212 °	boiling point (*point d'ébullition*)
90 °	194 °	
80 °	176 °	
70 °	158 °	
60 °	140 °	
50 °	122 °	
40 °	104 °	
37 °	98.4 °	
30 °	86 °	
20 °	68 °	
10 °	50 °	
0 °	32 °	freezing point (point de congélation)
−10 °	14 °	
−273.15 °	−459.67 °	absolute zero (*zéro absolu*)

* *Pour la prononciation des nombres* ▸ **p. 568.**

65°F
= 65°F (*sixty-five degrees Fahrenheit*)

−15°C
= −15°C (*minus fifteen degrees Celsius*)

environ 55°
= about 55° (*fifty-five degrees*)

presque 60°
= almost 60°

plus de 50°
= above 50° *ou* over 50°

moins de 60°
= below 60°

La température des choses

quelle est la température du lait?
= what temperature is the milk?

à quelle température est-il?
= what temperature is it?

il est à une température de 53°
= it is 53°

■ *Noter l'absence d'équivalent anglais de l'expression* à une température de.

A est plus chaud que B
= A is hotter than B

B est moins chaud que A
= B is cooler than A

B est plus froid que A
= B is colder than A

A est à la même température que B
= A is the same temperature as B

A et B sont à la même température
= A and B are the same temperature

■ *Noter que l'anglais n'a pas d'équivalent de la préposition* à *dans ces deux derniers exemples.*

à quelle température l'eau bout-elle?
= what temperature does water boil at?

elle bout à 100°
= it boils at 100°

La température du corps

quelle est sa température?
= what is his temperature?

sa température est de 38°C
= his temperature is 38°C

il a 38°C de fièvre
= he has a temperature of 38°C

le thermomètre indique 102°F
= the thermometer shows *ou* says 102°F

il a 39,5°
= his temperature is 39.5°

la température du corps est d'environ 37°
= body temperature is about 37°

Le temps

quelle température fait-il aujourd'hui?
= what is the temperature today?

25° au-dessous de zéro
= 25° below zero

il fait 12°
= it is 12°

il fait 40 degrés
= it is 40 degrees

il fait −15°
= it is −15° (*dire* minus fifteen degrees) *ou* it is −15° (minus fifteen)

il fait plus chaud à Nice qu'à Londres
= Nice is warmer than London

il fait la même température à Nice qu'à Londres
= it's the same temperature in Nice as in London

temporisation /tɑ̃pɔʀizasjɔ̃/ *nf* **relais de ~** time delay relay

temporiser /tɑ̃pɔʀize/ [1] *vi* to stall, to temporize sout

temps /tɑ̃/ *nm inv* **1▸** Météo weather ₵; **un** *or* **du ~ gris** grey GB *ou* gray US weather; **un beau ~** fine weather; **quel beau/sale ~!** what lovely/awful weather!; **il faisait un ~ merveilleux/de cochon** it was marvellous[GB]/lousy weather; **le mauvais ~ nous a empêchés de sortir** the bad weather stopped us from going out; **le ~ est à la pluie/neige** it looks like rain/snow; **le ~ est à l'orage** there's going to be a storm; **le ~ se met à la pluie** the weather is turning to rain; **vu le ~ qu'il fait** (what) with the weather as it is; **quel ~ fait-il?** what's the weather like?; **ça dépendra du ~ qu'il fera** it'll depend on the weather; **par beau/mauvais ~** in fine/bad weather, when the weather's fine/bad; **par beau ~, on peut voir la tour** on a clear day *ou* when the weather's fine, you can see the tower; **par un si beau ~, tu devrais sortir!** with such fine weather, you should go out!; **par ~ clair** (de jour) on a clear day; (de nuit) on a clear night; **par ~ de pluie/neige** when it rains/snows, in rainy/snowy weather; **par tous les ~** in all weathers; ▸ **pluie**
2▸ (notion) time; **la fuite du ~** the swift passage of time; **le ~ efface tout** everything fades with time; **oublier avec le ~** to forget in *ou* with time; **avec le ~, on s'y fait** you get used to it in *ou* with time; **le ~ arrangera les choses** time will take care of everything, it'll be all right in the end; ▸ **vivre**
3▸ (durée) **peu de ~ avant/après** shortly before/after; **en peu de ~** in a short time; **dans peu de ~** shortly, before long; **il y a** *or* **ça fait peu de ~ que le train est parti** the train left a short time ago; **d'ici** *or* **dans quelque ~** before long; **(pendant) quelque** *or* **un certain ~** (assez courte période) for a while; (période plus longue) for some time, for quite a while; **depuis quelque** *or* **un certain ~ il est bizarre** he has been behaving oddly for a while now *ou* for some time now; **il y a quelque** *or* **beau** *or* **un certain ~ qu'on ne l'a pas vue** it's been some time since anyone saw her; **pendant** *or* **pour un ~** for a while; **pendant tout un ~** for quite a while; **pendant ce ~(-là)** meanwhile, in the meantime; **qu'as-tu fait tout ce ~(-là)?** what have you been doing all this time?; **qu'as-tu fait pendant (tout) ce ~(-là)?** what did you do all that time?; **en un rien de ~** in next to no time, in no time at all; **la plupart** *or* **les trois quarts du ~** most of the time; **tout le ~** all the time; **depuis le ~ que j'en parle** all this time I've been talking about it; **depuis le ~ que ça existe, tu devrais être au courant** you should have known, it's been around for so long; **le ~ d'installation a été plus long que prévu** it took longer than expected to install; **le ~ de la fouille m'a paru interminable** the search seemed to go on forever; **le ~ d'un après-midi/d'un week-end/d'un instant** just for an afternoon/a weekend/a minute; **ils sont restés le ~ de l'élection** they stayed just for the duration of the election; **il a souri le ~ de la photo** he smiled just long enough for the photo to be taken; **un an, le ~ d'écrire un roman** a year, just long enough to write a novel; **le ~ de me retourner** *or* **que je me retourne, il avait disparu** by the time I turned round GB *ou* around, he had disappeared; **le ~ de ranger mes affaires et j'arrive** just let me put my things away and I'll be with you; **avoir/ne pas avoir le ~** to have/not to have (the) time (**pour** for; **de faire** to do); **je n'ai plus beaucoup de ~** I haven't got much time left; **(j'ai) pas l'~**○**!** not now!; **on a le ~** we've got (plenty of) time; **si tu as le ~, pourrais-tu...?** if you've got time, could you...?; **avoir juste le ~** to have just (enough) time; **avoir tout le ~** to have bags○ of time *ou* plenty of time; **avoir dix** *or* **cent fois le ~** to have all the time in the world; **je n'avais que le ~ de faire** I only had time to do; **vous avez combien de ~ pour le déjeuner?** how long do you have for lunch?; **avoir du ~ (de) libre** to have (some) free time; **nous avons du ~ devant nous** we have plenty of time, we have time to spare; **tu as vraiment du ~ devant toi!** iron have you got time to kill?; **je n'ai pas le ~ matériel de faire, je n'ai matériellement pas le ~ de faire** there just aren't enough hours in the day (for me) to do; **consacrer du ~ à qn/qch** to devote time to sb/sth GB, to spend time on sb/sth; **donner** *or* **laisser à qn le ~ de faire** to give sb time to do; **mettre** *or* **prendre du ~** to take time (**à faire, pour faire** to do); **il faut du ~ pour faire** it takes time to do; **beaucoup de ~** [*mettre, prendre*] a long time; **moins de ~ que** [*falloir, mettre, prendre*] less time than; **plus de ~ que** [*falloir, mettre, prendre*] longer than; **prendre peu de ~** not to take a long time, not to take long; **ne pas prendre beaucoup de ~** not to take long; **il m'a fallu** *or* **cela m'a pris** *or* **j'ai mis beaucoup de ~** it took (me) a long time; **il t'a fallu** *or* **cela t'a pris** *or* **tu as mis combien de ~?** how long did it take you?; **ça a pris** *or* **mis un ~ fou**○ it took ages○; **prendre le ~ de faire** to take the time to do; **prendre son ~** to take one's time; **prendre tout son ~** to take all the time one needs; **les enfants prennent tout mon ~** the children take up all my time; **tu y as mis le ~!, tu en as mis du ~!** you (certainly) took your time!; **j'y mettrai le ~ qu'il faudra, mais je le ferai** however long it takes, I'll get it done; **le ~ que met sa lumière à nous parvenir** the time its light takes to reach us; **si tu savais le ~ que ça (m')a pris!** if you knew how long it took (me)!; **le ~ passe vite** time flies; **le ~ passe**

t

La mesure du temps

une seconde
= a second

une minute
= a minute

une heure
= an hour*

un jour
= a day†

une semaine
= a week

un mois
= a month‡

une année
= a year

un siècle
= a century

* Pour la façon de donner l'heure ▸ **p. 424**.

† Pour les expressions utilisant les noms de jours ▸ **p. 782**.

‡ Pour les expressions utilisant les noms de mois ▸ **p. 544**.

Les durées

Avec des verbes

combien de temps faut-il?
= how long does it take?

il faut trois heures
= it takes three hours

il faudra une année
= it'll take a year

il a fallu un quart d'heure
= it took a quarter of an hour

ça m'a pris une demi-heure
= it took me half an hour

j'ai mis trois heures à le faire
= it took me three hours to do it

la lettre a mis un mois pour arriver
= the letter took a month to arrive

■ *L'anglais traduit normalement* passer *par* spend:

passer une année à Paris
= to spend a year in Paris

■ *Mais avec les adjectifs évaluatifs on traduira par* have:

passer une bonne soirée
= to have a good evening

Avec des prépositions

en deux minutes
= in two minutes

en six mois
= in six months

en un an
= in a year

en l'espace de quelques minutes
= within minutes

Noter aussi:

dans deux minutes
= in two minutes

■ Pendant *et* pour *se traduisent par* for, *de même que* depuis *lorsqu'il exprime une durée:*

pendant une semaine
= for a week

pendant des heures et des heures
= for hours and hours

je suis ici pour deux semaines
= I'm here for two weeks

il travaille depuis un an
= he's been working for a year

depuis bientôt dix ans
= for going on ten years

■ *Noter aussi le temps du passé utilisé avec* for. *Voir d'autres exemples à l'article* for *dans le dictionnaire.*

il y a des années qu'ils sont mariés
= they have been married for years

■ *Noter l'ordre des mots et l'utilisation du trait d'union dans les adjectifs composés anglais qui indiquent une durée. Pour les noms anglais dénombrables* (wait, delay *etc.*) *on aura:*

une attente de six semaines
= a six-week wait

un retard de cinquante minutes
= a fifty-minute delay

une journée de huit heures
= an eight-hour day

■ Week, month, minute, hour *etc., employés comme adjectifs, ne prennent pas la marque du pluriel.*

■ *Mais pour les noms indénombrables* (leave, pay *etc.*)*, il y a deux traductions possibles:*

quatre jours de congé
= four days' leave
ou four days of leave

quatre semaines de salaire
= four weeks' pay
ou four weeks of pay

vingt-cinq ans de bonheur
= twenty-five years' happiness
ou twenty-five years of happiness

Un point dans le temps

Dans le passé

quand est-ce que cela s'est passé?
= when did it happen?

la semaine dernière
= last week

le mois dernier
= last month

l'année dernière
= last year

au cours des derniers mois
= over the last few months

■ *Noter l'ordre des mots avec* ago:

il y a deux ans
= two years ago

il y a des années
= years ago

il y aura un mois mardi
= it'll be a month ago on Tuesday

il y a huit jours hier
= a week ago yesterday
ou a week past yesterday

il y aura huit jours demain
= a week ago tomorrow

il y a des années qu'il est mort
= he died years ago
ou it's years since he died

un mois auparavant
= a month before

un mois plus tôt
= a month earlier

l'année d'avant
= the year before

l'année d'après
= the year after

quelques années plus tard
= a few years later

au bout de quatre jours
= after four days

Dans le futur

quand est-ce que tu le verras?
= when will you see him?

la semaine prochaine
= next week

le mois prochain
= next month

l'année prochaine
= next year

■ Dans *se traduit souvent par* in (*comme* en; *voir ci-dessus*):

dans dix jours
= in ten days
ou in ten days' time

dans quelques jours
= in a few days

Noter aussi:

dans un mois demain
= a month tomorrow

au cours de la semaine à venir
= this coming week

au cours des mois à venir
= over the coming months

Les fréquences

cela arrive tous les combien?
= how often does it happen?

tous les jeudis
= every Thursday

toutes les semaines
= every week

tous les deux jours
= every other day
ou every second day

le dernier jeudi du mois
= the last Thursday of the month

jour après jour
= day after day

une fois tous les trois mois
= once every three months

deux fois par an
= twice a year

trois fois par jour
= three times a day

Les salaires

combien est-ce que tu gagnes de l'heure?
= how much do you get an hour?

je gagne 11 euros de l'heure
= I get 11 euros an hour

être payé 1 100 euros par mois
= to be paid 1,100 euros a month

30 000 euros par an
= 30,000 euros a year

Mais noter:

être payé à l'heure
= to be paid by the hour

t

et rien n'est prêt time's slipping by and nothing's ready; **laisser passer le ~** to let time slip by; **ça passe le ~** it passes the time; **faire passer le ~** to while away the time (**en faisant** doing); **passer (tout) son ~ à faire** to spend (all of) one's time doing; **passer le plus clair de son ~ à faire** to spend most of one's time doing; **perdre du ~** to waste time (**à qch, en qch** on sth; **à faire** doing); **perdre son ~** to waste one's time; **nous avons perdu beaucoup de ~ à discuter** *or* **en discussions** we've wasted a lot of time arguing; **j'ai perdu un ~ fou**○ I've wasted loads○ of time (**à faire** doing); **avoir du ~ à perdre** to have time on one's hands; **c'est du ~ perdu, c'est une perte de ~** it's a waste of time; **cette visite, c'était vraiment du ~ (de) perdu** that visit was a real waste of time; **faire qch à ~ perdu** to do sth in one's spare time; **il n'y a plus de ~/pas de ~ à perdre** there's no more time/no time to lose; **le ~ presse!** time is short!; **être pressé par le ~** to be pressed *ou* pushed for time; **trouver le ~ de faire** to find (the) time to do; **j'ai trouvé le ~ long** (the) time seemed to drag, time went really slowly; **être dans les ~** Sport to be within the time; **nous sommes dans les ~** we've still got time; **finir dans les ~** to finish in time

4 (moment) time; **à ~** [*partir, terminer*] in time; **juste à ~** just in time; **de ~ en ~, de ~ à autre** from time to time, now and then; **en même ~** at the same time (**que** as); **je suis arrivé en même ~ qu'elle** I arrived at the same time as her *ou* as she did; **le ~ est venu de faire** the time has come to do; **il y a un ~ pour tout** there's a time for everything; **il était ~!** (marquant l'impatience) (and) about time too!; (marquant le soulagement) just in the nick of time!; **il est ~, il n'est que ~** it's about time; **il est grand ~** it's high time (**de faire** to do); **il n'est que ~ de partir** it's high time we left; **il est ~ de partir** *or* **que nous partions** it's time we left; **il est ~ que tu fasses** it's time you did *ou* for you to do; **il n'est plus ~ de faire** it's too late to do; **en ~ utile** in time; **en ~ voulu** in due course; **en ~ opportun** at the appropriate time; **en ~ et lieu** at the right time and place; **la mesure/décision a été prise en son ~** the measure/decision was taken at the right time *ou* when it should have been

5 (époque) **au** *or* **du ~ des Grecs** in the time of the Greeks; **au** *or* **du ~ de mes grands-parents/de César** in my grandparents'/Caesar's time; **les ~ modernes/préhistoriques** modern/prehistoric times; **le ~ des semailles/examens** sowing/exam time; **au ~ des dinosaures/de l'exploration spatiale** in the age of the dinosaurs/of space exploration; **au** *or* **du ~ où** in the days when; **regretter le ~ où** to feel nostalgia for the days when; **l'échelle des ~ géologiques** the scale of geological ages; **les ~ héroïques de** the heroic days of; **le bon** *or* **beau ~ de l'expansion** the good old days (*pl*) of expansion; **le bon vieux ~** the good old days (*pl*); **comme au bon vieux ~** as in the good old days; **c'était le bon ~!** those were the days!; **au plus beau ~ de** in the heyday of; **au pire ~ de** in the worst days of; **l'événement le plus grand/extraordinaire de tous les ~** the greatest/most extraordinary event of all time; **les ~ sont durs** times are hard; **ces derniers ~, ces ~ derniers** recently; **ces ~-ci** lately; **en tout ~** at all times; **de mon/leur ~** in my/their day *ou* time; **dans le ~, j'étais sportif** in my day, I did a bit of sport; **dans le ~, on n'avait pas l'électricité** in those days, we didn't have electricity; **depuis le ~, les choses ont dû bien changer** since then things must have really changed; **il est loin le ~ où** the days are long gone when; **il n'est pas loin le ~ où tu n'étais qu'une enfant** it's not so long ago that you were but a child; **n'avoir** *or* **ne durer qu'un ~** to be short-lived; **en un ~ où** at a time when; **en ~ normal** *or* **ordinaire** usually; **en d'autres ~** at any other time; **en ~ de paix/guerre** in peacetime/wartime; **en ces ~ de pénurie/d'abondance** in these times of hardship/of plenty; **en ce ~-là** at that time; **être de son ~** to move with the times; **être en avance sur son ~** to be ahead of one's time; **être en retard sur son ~** to be behind the times; **avoir fait son ~** [*prisonnier, militaire*] to have served one's time; [*fonctionnaire, diplomate*] to have put in one's time; pej [*personne usée*] to have outlived one's usefulness, to be past it○; [*produit à la mode, appareil, voiture*] to have had its day; ▸ **mœurs**

6 (phase) stage; **en deux ~** in two stages; **~ mort** (d'activité, de travail) slack period; **dans un premier ~** first; **dans un deuxième ~** subsequently; **dans un dernier ~** finally; ▸ **deux**

7 Ling (de verbe) tense; **les ~ simples/composés/du passé** simple/compound/past tenses; **adverbe de ~** adverb of time

8 Entr (de travail) time; **avoir un travail à ~ partiel/plein** to have a part-/full-time job; **travailler à ~ partiel** to work part-time; **travailler à ~ plein** *or* **à plein ~** *or* **à ~ complet** to work full-time; **être employé à plein ~** to be in full-time work; **je cherche un ~ partiel**○ I'm looking for a part-time job; **~ de travail** working hours (*pl*); **~ de travail quotidien** working day GB, workday US; **~ de travail hebdomadaire** working week GB, workweek US

9 Sport time; **un excellent ~** an excellent time; **il a fait** *or* **réalisé le meilleur ~** he got the best time; **améliorer son ~ d'une seconde** to knock a second off one's time; **être** *or* **rester dans les ~** to be inside the time; **jouer les ~ d'arrêt** (au football) to play injury time

10 Mécan (de moteur) stroke; **moteur à quatre ~** four-stroke engine

11 Mus time; **~ de valse** waltz time; **mesure à deux/trois/quatre ~** two-four/three-four/four-four time

(Composés) **~ d'accès** access time; **~ d'antenne** airtime; **~ d'arrêt** Ordinat down time; **~ atomique international, TAI** international atomic time, TAI; **~ d'attente** Ordinat latency, waiting time; **~ choisi** Entr flexitime; **~ civil** Admin local time; **~ différé** Ordinat batch mode; **~ d'exploitation** operating time; **~ faible** Mus piano; **~ fort** Mus forte; fig high point; **~ d'indisponibilité** unavailable time; **~ légal** Admin local time; **~ mort** Ordinat idle time; **~ partagé** Ordinat time-sharing; **en ~ partagé** time-sharing (*épith*); **~ de pose** Phot exposure time; **~ de positionnement** Ordinat seek time; **~ primitifs** Ling principal parts of the verb; **~ de réaction** Psych reaction time; **~ de recherche = ~ de positionnement**; **~ réel** Ordinat real time; **en ~ réel** real-time (*épith*); **~ de réponse** response time; **~ sidéral** sidereal time; **~ solaire** solar time; **~ solaire moyen/vrai** mean/true solar time; **~ universel** Greenwich Mean Time, GMT, universal time; **~ universel coordonné, TUC** universal time coordinated, UTC; **~ de vol** flying time

(Idiomes) **au ~ pour moi!** my mistake!; **il y a un ~ de se taire et un ~ de parler** there is a time to keep silence and a time to speak; **le ~ perdu ne se rattrape jamais** *or* **ne revient point** Prov you can't make up for lost time; **par le ~ qui court, par les ~ qui courent** with things as they are; **prendre le ~ comme il vient** to take things as they come; **prendre** *or* **se donner** *or* **se payer**○ **du bon ~** to have a whale of a time

tenable /tənabl/ *adj* **1** (supportable) bearable, tolerable; **la situation n'est pas ~** the situation is unbearable; **2** Mil (défendable) [*position*] tenable; **3** (discipliné) **les élèves ne sont pas ~s aujourd'hui** the pupils are being impossible today

tenace /tənas/ *adj* **1** [*tache, odeur, migraine*] stubborn; [*parfum*] long-lasting; [*brume, bronchite, toux*] persistent; **2** [*rumeur, souvenir*] persistent; [*haine, illusion, croyance, mauvaise réputation*] entrenched; **3** [*personne*] (obstiné) tenacious; (insistant) persistent; [*volonté*] tenacious

ténacité /tenasite/ *nf* **1** (de personne) (obstination) tenacity; (insistance) persistence; **2** (de souvenir, d'illusion) persistence; **la ~ de la douleur/de l'odeur fait penser que** the fact that the pain/the smell is so persistent suggests that

tenaille /tənɑj/ *nf* pincers (*pl*); **~s de mécanicien/de menuisier** mechanic's/carpenter's pincers

tenailler /tənɑje/ [1] *vtr* **il était tenaillé par le remords** he was racked with remorse; **elle était tenaillée par la faim** hunger gnawed at her

tenancier, -ière /tənɑ̃sje, ɛʀ/

A *nm,f* **1** (de ferme) tenant farmer; Hist feudal tenant; **2** (de café, bar) landlord/landlady; (d'hôtel, de casino) manager/manageress

B **tenancière** *nf* **tenancière de maison close** madam

tenant, ~e /tənɑ̃, ɑ̃t/

A *adj* **elle est ~e du titre** she's the titleholder

B *nm,f* Jeux, Sport **~ du titre** titleholder; **~ du trophée** holder of the trophy

C *nm* **1** (adepte) advocate; **2** (morceau) **d'un seul ~** [*jardin, pièce de tissu*] all in one piece

(Idiome) **les ~s et les aboutissants de qch** the ins and outs of sth

tendance /tɑ̃dɑ̃s/

A ○*adj inv* trendy, fashionable

B *nf* **1** (propension) tendency; **~ à la rêverie/à l'étourderie/à l'exagération** tendency to daydream/to be absent-minded/to exaggerate; **une ~ naturelle/fâcheuse à faire** a natural/unfortunate tendency to do; **avoir ~ à faire** to tend to do, to have a tendency to do; **il a ~ à croire/penser que** he tends to believe/think that; **on a trop ~ à croire que** we are too inclined to believe that; **le marché a ~ à se stabiliser** the market is becoming more stable; **2** (orientation) tendency; **une coalition de ~ centriste** an alliance with centrist tendencies; **toutes ~s politiques confondues** across party lines; **3** (école) trend; **les ~s artistiques/littéraires actuelles** present-day artistic/literary trends; **plusieurs ~s se dessinent** several trends emerge; **la ~ dominante** the dominant trend; **4** (dynamique) trend; **~ à la baisse/hausse** downward/upward trend; **la ~ reste à l'expansion** the trend is still toward(s) growth; **la ~ s'est inversée** *or* **renversée** the trend has been reversed; **cette ~ se poursuivra l'année prochaine** this trend will continue into next year

tendancieusement /tɑ̃dɑ̃sjøzmɑ̃/ *adv* tendentiously

tendancieux, -ieuse /tɑ̃dɑ̃sjø, øz/ *adj* [*propos, article, interprétation*] biased[GB], tendentious

tendeur /tɑ̃dœʀ/ *nm* **1** (de tente) guy rope; **2** (de porte-bagages) bungee grip, elastic strap; (de galerie de toit) octopus GB, elastic strap; **3** (dispositif) gén tightener; Tech (pour clôture) slack adjuster; (pour l'arrimage de conteneurs) turnbuckle

tendineux, -euse /tɑ̃dinø, øz/ *adj* **1** Anat tendinous; **2** (en boucherie) stringy

tendinite /tɑ̃dinit/ ▸ **p. 283** *nf* tendinitis

tendon /tɑ̃dɔ̃/ *nm* tendon

(Composé) **~ d'Achille** Achilles tendon

tendre /tɑ̃dʀ/ [6]

A *adj* **1** (non dur) [*roche, bois, fibre*] soft; [*chair, peau, viande, légumes*] tender

2 (jeune) [*pousse, herbe, bourgeon*] new; **une ~ jeune fille** a sweet young girl; **~ enfance/jeunesse** earliest childhood/youth

3 (pâle) [*rose, vert, bleu*] soft; **des chaussettes vert ~** pale green socks

t

4) (affectueux) [*personne*] loving; [*baisers, amour, sourire, paroles*] tender; [*humour, tempérament*] gentle; **un cœur ~** a loving heart; **c'est un dur au cœur ~** beneath his tough exterior he's got a soft heart; **s'aimer d'amour ~** to love each other tenderly; **poser un regard ~ sur qn** to look tenderly *ou* fondly at sb; **être ~ avec qn** (affectueux) to be loving toward(s) sb; (indulgent) to show leniency toward(s) sb; **ne pas être ~ avec** *or* **envers** *or* **pour qn/qch** to be hard on sb/sth; **les critiques n'ont pas été ~s avec lui/ton roman** the critics have been hard on him/your novel; **leurs propos ne sont pas ~s pour le régime** they have some harsh words to say about the regime
5) (cher) [*époux, ami, compagne*] dear; **ma chère et ~ épouse** my dearest wife
B *nmf* soft-hearted person; **c'est un grand ~** he's very soft-hearted
C *vtr* **1)** (étirer) to tighten [*corde, fil, câble*]; to stretch [*élastique, peau*]; to extend [*ressort*]; **~ la peau d'un tam-tam** to stretch hide over the end of a tom-tom; **~ le cou** to crane one's neck; **~ les bras** (allonger) to hold out one's arms; (étirer) to stretch one's arms out; **jambes et pointes de pied tendues** legs straight and toes pointed; **~ le bras** (pour faire signe) to put out one's arm; (pour saisir, donner) to reach out; **le sel est devant toi, tu n'as qu'à ~ le bras** the salt's right in front of you, just reach out and get it; **~ le bras à qn** (pour soutenir) to offer *ou* give one's arm to sb; **~ les bras à** *or* **vers qn** (pour accueillir) to greet *ou* welcome sb with open arms; **la victoire/mon lit me tend les bras** fig victory/my bed beckons; **~ la main** (pour montrer) to point; (pour saisir, donner) to reach out; (pour mendier, serrer la main à qn) to hold out one's hand; **la politique de la main tendue** policy of openness; **~ la main à qn** (pour aider) lit to hold one 's hand out to sb; fig to lend *ou* give sb a helping hand; **~ la bouche** *or* **les lèvres** to offer one' s lips for a kiss; **~ le dos** fig to brace oneself; **~ la joue** lit to offer one's cheek; **~ l'autre joue** Bible to turn the other cheek
2) (déployer) to spread [*toile, bâche, drap*] (**sur qch** over sth)
3) (disposer) to set [*piège, collet, souricière*]; to put up [*fil à linge*]; **~ un filet** lit to put up a net; **~ un piège** *or* **un filet à qn** fig to set a trap for sb
4) (tapisser) **~ un mur/une cloison/un plafond de tissu** to hang a wall/a partition/a ceiling with cloth; **corridor/bureau tendu de toile de jute** corridor/office hung with hessian
5) (présenter) **~ qch à qn** to hold sth out to sb; **~ un crayon/livre à qn** to hold a pencil/book out to sb; **~ une cigarette/du feu à qn** to offer sb a cigarette/a light
D **tendre à** *vtr ind* **1)** (viser à) **~ à un but/un idéal** to strive for a goal/an ideal; **les mesures tendent à alléger l'impôt** the measures are aimed at reducing taxes
2) (avoir tendance à) **~ à faire** to tend to do; **la différence tend à s'accentuer** the difference tends to become more pronounced
E *vi* **1)** (s'orienter) **~ vers** to strive for; **~ vers la perfection/l'absolu** to strive for perfection/the absolute
2) (se rapprocher) **~ vers** to approach [*valeur, chiffre*]; to tend to [*zéro, infini*]
F **se tendre** *vpr* **1)** (devenir tendu) [*câble, fil, corde*] to tighten
2) (devenir conflictuel) [*relations, rapports*] to become strained

tendrement /tɑ̃dʀəmɑ̃/ *adv* [*caresser, embrasser, se tenir la main, aimer*] tenderly; **un couple ~ uni** a loving couple

tendresse /tɑ̃dʀɛs/ *nf* **1)** (affection donnée) tenderness; (affection reçue) affection; **mots pleins de ~** words full of tenderness; **avec ~** [*regarder, embrasser, aimer*] tenderly; **avec une grande ~** very tenderly; **avoir** *or* **éprouver de la ~ pour qn** to have tender feelings for sb; **avoir besoin de ~** to need affection, to need a little tender loving care; **chercher un peu de ~** to be looking for affection; **n'avoir aucune ~ pour qn** to have no affection for sb; **2)** (acte tendre) affectionate gesture; (parole tendre) affectionate word; **dire mille ~s à qn** to say sweet things to sb; **'mille ~s'** (dans une lettre) 'with all my love'

tendreté /tɑ̃dʀəte/ *nf* (de viande) tenderness; (de bois, métal) softness

tendron /tɑ̃dʀɔ̃/ *nm* Culin (de bœuf) plate; (de veau) flank

tendu, **~e** /tɑ̃dy/
A *pp* ▸ **tendre**
B *pp adj* [*corde, courroie*] tight; **les courroies ne sont pas assez ~es** the straps are not tight enough
C *adj* (crispé) [*personne, visage, relations, réunion*] tense; [*marché*] nervous; **on le sent ~, vulnérable** you can see he's tense and vulnerable; **dans une ambiance extrêmement ~e** in an extremely tense atmosphere; **la situation dans la capitale est très ~e** the situation in the capital is very tense; **le marché monétaire reste ~** the money market remains nervous

ténèbres /tenɛbʀ/ *nfpl* **les ~** lit, fig darkness **¢**; **les ~ de qch** fig the darkness of sth; **l'ange/le prince/l'empire des ~** Relig the Angel/the Prince/the Realm of Darkness

ténébreux, **-euse** /tenebʀø, øz/
A *adj* liter **1)** [*endroit*] dark; **2)** (mystérieux) [*affaire, période*] obscure
B *nm inv* **un beau ~** a broodingly handsome man

teneur /tənœʀ/ *nf* **1)** (de solide) content; (de gaz, liquide) level; **~ en sucre/quartz** sugar/quartz content; **de forte/faible ~ en quartz** with a high/low quartz content; **boisson à faible ~ en alcool** low alcohol drink, drink with a low alcohol content; **2)** (de rapport, discours, d'acte juridique) import

ténia /tenja/ *nm* tapeworm, tænia spéc

tenir /təniʀ/ [36]
A *vtr* **1)** (serrer) to hold [*objet, personne, animal*]; **tiens-moi ça** hold this (for me); **tiens-moi** hold me; **tiens-moi la main** hold my hand; **~ qn par la main/le bras** to hold sb's hand/arm; **~ un enfant contre sa poitrine** to hold a child to one's breast; **~ qch à la main/dans ses mains** to hold sth in one's hand/in one's hands; **~ un couteau par le manche** to hold a knife by the handle; **~ la rampe** to hold onto the banister; **~ son chien** to hold one's dog; **~ fermement qch** to hold sth firmly *ou* tightly; **~ qch serré sous le bras** to hold sth firmly *ou* tightly under one's arm; **tiens!, tenez!** (voici) here you are!; (écoutez-moi) look!; **tiens! c'est pour toi** (voici un cadeau) here, it's for you; (voici une gifle) take that!; **si je le tenais!** if I could get *or* lay my hands on him!; **bien ~** to hold on to [*portefeuille, chien*]; **faire ~ une lettre/un message à qn†** to dispatch a letter/a message to sb; ▸ **deux**
2) (avoir sous son contrôle) to keep [sb] under control [*élèves, enfants*]; **~ sa classe** to control one's class well; **~ son cheval** Équit to keep one's horse well in hand; **il nous tient** he's got a hold on us
3) Mil (occuper, contrôler) to hold [*colline, pont, ville*]; **~ la première place** Sport to be in first place
4) (avoir attrapé) to hold [*animal, coupable, meurtrier*]; **je te tiens!** I've caught *ou* got you!; **pendant que je te tiens** fig whilst I've got you; **~ une grippe**○ to have flu GB *ou* the flu US
5) (posséder) to have [*preuves, renseignements*]; **il tient le sujet de son prochain roman** he's got the subject of his next novel; **~ qch de qn** to get sth from sb [*trait physique, caractère, information*]; **il tient ses yeux bleus de son père** he gets his blue eyes from his father; **il tient ses informations d'un ami** he got his information from a friend; **je tiens cette nouvelle de Paul** I got this news from Paul; **d'où** *or* **de qui tenez-vous ce renseignement?** where did you get that information?; **d'où tenez-vous cette certitude?** what makes you so certain?; **elle tient ses bijoux de sa mère** she inherited her jewels from her mother
6) (avoir la charge de) to hold [*emploi, poste, assemblée*]; to run [*café, boutique, maison, journal, municipalité*]; to be in charge of, to be on duty on [*standard, bureau d'accueil*]; **bien ~ sa maison** to keep one's house spick and span; **~ la comptabilité** to keep the books
7) (garder) to keep; **~ qn occupé** to keep sb busy; **~ sa chambre propre** to keep one's room tidy; **~ les aliments au frais** to keep food in a cool place; **'~ hors de portée des enfants'** 'keep out of reach of children'; **~ un accord secret** to keep an agreement secret; **~ la porte fermée** to keep the door closed; **~ une note** Mus to hold a note; **~ un article†** to carry an item; **~ les cours†** Fin to maintain prices
8) (conserver une position) **~ sa tête droite/immobile** to hold one's head upright/still; **~ les bras écartés** to hold one's arms apart; **~ les mains/les bras en l'air** to hold up one's hands/one's arms; **~ les yeux ouverts/baissés** to keep one's eyes open/lowered; **~ les poings serrés** to keep one's fists clenched
9) (maintenir en place) to hold down [*chargement*]; to hold up [*pantalon, chaussettes*]; **~ la porte fermée avec son pied** to hold the door shut with one's foot
10) (ne pas s'écarter de) to keep to [*trajectoire*]; to keep [*rythme*] ; **~ sa droite/sa gauche** to keep to the right/to the left; **~ le large** to stay in open waters
11) (résister) **ne pas ~ la comparaison** not to bear comparison; **~ l'eau** to be waterproof; **~ la mer** [*navire*] to be seaworthy; **~ le coup** (physiquement, moralement) to hold out; **~ le choc** lit [*matériel, appareil, verre*] to withstand the impact; [*personne*] to stand the strain
12) (contenir) to hold [*quantité*]; **~ vingt litres** to hold twenty litres[GB]; **ma voiture ne tient que deux personnes** there's room for only two people in my car
13) (occuper) [*objet*] to take up [*espace, place, volume*]; [*personne*] to hold [*rôle, position*]; **~ peu de place** not to take up much room; **~ la place de deux personnes** to take up as much room as two people; **le monument tient le centre de la place** the monument stands in the centre[GB] of the square
14) (considérer) **~ qch pour sacré** to hold sth sacred; **~ qn pour responsable** to hold sb responsible; **je le tiens pour un lâche** I consider him (to be) a coward; **je tiens mes renseignements pour exacts** I consider my information to be correct; **~ qn pour mort** to give sb up for dead; **~ pour certain que** to regard it as certain that
B **tenir à** *vtr ind* **1)** (avoir de l'attachement pour) **~ à** to be fond of, to like [*personne, objet*]; **~ à sa réputation/à la vie** to value one's reputation/one's life; **il tient à son argent** he can't bear to be parted from his money; **~ à son indépendance** to like one's independence; **~ au corps** [*aliment*] to be nourishing
2) (vouloir) **j'y tiens** I insist; **si vous y tenez** if you insist; **~ à faire** to want to do; **elle tient à vous parler** she insists on speaking to you; **je ne tiens pas à faire** I'd rather not do; **~ à ce que qn fasse** to insist that sb should do; **je ne tiens pas à ce qu'elle fasse** I'd rather she didn't do; **je tiens beaucoup à la revoir** I'd really like to see her again; **il tient à rentrer avant la nuit** he's anxious to get home before dark; **nous tenons absolument à vous avoir à dîner bientôt** you really must come to dinner soon; **ne reste pas si tu n'y tiens pas** don't stay if you don't want to
3) (être dû à) **~ à** to be due to; **la mauvaise récolte tient au manque d'eau** the poor harvest is due to a lack of water; **tes erreurs tiennent à ton inexpérience** your mistakes are due to your lack of experience
C **tenir de** *vtr ind* **1)** (ressembler à) **~ de** to take after; **~ de sa mère/son père** to take after one's mother/one's father; **il a de qui ~**○

you can (just) see who he takes after *ou* where he gets it from; **de qui peut-elle ~ pour être si méchante?** where does she get her nastiness from?
2▸ (s'apparenter à) **~ de** to border on; **~ du délire** to border on madness

D *vi* 1▸ (rester en place) [*clou, attache, corde, étagère, barrage, soufflé*] to hold; [*timbre, colle, sparadrap*] to stick; [*assemblage, bandage*] to stay in place; [*coiffure*] to stay tidy; [*mise en plis*] to stay in; **~ au mur avec de la colle/des épingles** (adhérer) to stick to the wall with glue/pins; **~ sur une jambe/un pied** to stand on one leg/one foot; **ces chaussures ne me tiennent pas aux pieds** these shoes won't stay on my feet
2▸ (résister) **~ (bon)** (surmonter les conditions) [*personne, matériel*] to hold out; (refuser de capituler) gén to hang on, to hold out; Mil to hold out; (ne pas relâcher sa prise) [*personne*] to hang on; **~ sans cigarettes jusqu'à la fin de la réunion** to last *ou* go without cigarettes till the end of the meeting; **~ jusqu'à la fin de la réunion** to hold out until the end of the meeting; **~ économiquement** to hold *ou* last out in economic terms; **j'espère que ma voiture va ~ (bon)** I hope my car will last out; **on a voulu me renvoyer mais j'ai tenu (bon)** they wanted to fire me but I hung on; **je ne peux plus (y) ~** I can't stand it any longer; **il n'y a pas de télévision qui tienne○** there's no question of watching television
3▸ (durer) **le plan tient-il toujours?** is the plan still on?; **leur mariage tient encore** their marriage is still holding together; **le soleil n'a pas tenu longtemps** the sun didn't last long; **la neige tient/ne tient pas** the snow is settling/is not settling; **les fleurs n'ont pas tenu** the flowers didn't last long; **la couleur n'a pas tenu** the colour[GB] has faded; **~ au lavage** [*couleur*] not to run in the wash GB *ou* laundry US
4▸ (rester valable) [*théorie, argument*] to hold good; **ton alibi ne tient plus** your alibi no longer stands up; **'ça tient toujours pour demain?'** 'is it still all right for tomorrow?'
5▸ (être contenu) [*personnes, véhicule, meubles, objets*] to fit (**dans** into); **mes vêtements tiendront dans une valise** my clothes will fit into one suitcase; **~ à six dans une voiture** to fit six into a car; **faire ~ six personnes dans une voiture** to fit six people into a car; **mon article tient en trois pages** my article takes up only three pages; **~ en hauteur/largeur/longueur** to be short enough/narrow enough/short enough (**dans** for); **~ en hauteur dans une pièce** to fit into a room (heightwise); **ne pas ~ en hauteur/largeur/longeur** to be too tall/wide/long (**dans** for); **ne pas ~ en largeur dans un espace** to be too wide for a space

E **se tenir** *vpr* 1▸ (soi-même) [*personne*] to hold [*tête, ventre, bras*]; **se ~ la tête de douleur** to hold one's head in pain; **se ~ la tête à deux mains** to hold one's head in one's hands
2▸ (l'un l'autre) **se ~ par le bras** [*personnes*] to be arm in arm; **ils se tenaient par la taille** they had their arms around each other's waists; **se ~ par la main** [*personnes*] to hold hands
3▸ (s'accrocher) to hold on; **se ~ par les pieds** to hold on with one's feet; **se ~ à une branche/à la rampe** to hold onto a branch/onto the banisters; **se ~ d'une main à qch** to hold onto sth with one hand; **tiens-toi** *or* **tenez-vous bien○** fig prepare yourself for a shock
4▸ (demeurer) **se ~ accroupi/allongé/penché/courbé/à genoux** to be squatting/stretched out/leaning/bent over/kneeling; **se ~ au milieu/à la porte** (debout) to be standing in the middle/at the door; **se ~ caché/sans bouger/au chaud** to stay hidden/still/in the warm; **se ~ prêt** to be ready; **se ~ tranquille** (immobile) to keep still; (silencieux) to keep quiet; (dans la légalité) to behave oneself; **se ~ immobile** (debout) to stand still
5▸ (se comporter) to behave; **se ~ bien/mal** to behave well/badly; **savoir se ~** to know how to behave; **tiens-toi bien!** behave yourself!
6▸ (avoir une posture) **se ~ droit** *or* **bien/mal** to have (a) good posture/(a) bad posture; **tiens-toi droit!** (debout) stand up straight!; (assis) sit straight!
7▸ (avoir lieu) [*manifestation, exposition*] to be held; **la réunion se tiendra au Caire** the meeting will be held in Cairo
8▸ (être liés) [*événements*] to fit together
9▸ (être cohérent) [*exposé, raisonnement, œuvre*] to hold together; **il n'y a rien à dire, tout se tient** there's nothing to be said, it all holds together; **ça se tient** it makes sense
10▸ (se considérer) **se ~ pour** to consider oneself to be; **je me tiens pour satisfait des résultats** I consider myself to be satisfied with the results; **tenez-vous le pour dit○!** I don't want to have to tell you again!
11▸ (être fidèle) **s'en ~ à** to stand by; **je m'en tiendrai à ma promesse/notre accord/leur décision** I will stand by my promise/our agreement/their decision
12▸ (se limiter) **s'en ~ à** to keep to; **s'en ~ au minimum/au sujet** to keep to a minimum/to the point; **s'en ~ aux ordres** to stick to orders; **s'en ~ là** to leave it there; **ne pas savoir à quoi s'en ~ avec qn/qch** not to know what to make of sb/sth

F *v impers* **il ne tient qu'à toi de partir** it's up to you to decide whether to leave; **qu'à cela ne tienne!** never mind!

G **tiens** *excl* oh!; **tiens (donc), vous voilà!** oh, there you are!; **tiens, je parie que c'est ta mère!** oh! I bet it's your mother; **tiens, vous croyez?** do you think so?; **tiens, tu es invité aussi?** oh! so you've been invited as well?; **tiens, tu n'étais pas au courant?** didn't you know?; **tiens donc!** iron fancy that!; **tiens tiens (tiens)!** well, well!

(Idiome) **en ~ pour qn** to have a crush on sb

Tennessee /tenesi/ ▸ p. 721 *nprm* Tennessee

tennis /tenis/
A ▸ p. 469 *nm* (activité) tennis
B *nm ou f inv* (chaussure) tennis shoe
(Composé) **~ de table** table tennis

tennisman, *pl* **tennismen*** /tenisman, mɛn/ *nm* controv male tennis player

tenon /tənɔ̃/ *nm* (en menuiserie) tenon; **assemblage à ~ et mortaise** mortice and tenon joint

ténor /tenɔʀ/
A *adj* Mus [*saxophone*] tenor
B *nm* 1▸ ▸ p. 141 (chanteur, voix, instrument) tenor; 2▸ (personnalité) (de sport) star; (de parti, profession) leading light; **un ~ de la droite bavaroise** a leading light of the Bavarian right

tenseur /tɑ̃sœʀ/ *adj m, nm* Anat, Math tensor

tensiomètre /tɑ̃sjɔmɛtʀ/ *nm* 1▸ Tech tensiometer; 2▸ Méd sphygmomanometer

tension /tɑ̃sjɔ̃/ *nf* 1▸ (de câble, corde, courroie) tension, tautness; (de muscle) tension; 2▸ Méd blood pressure; **baisse de ~** drop in blood pressure; **prendre la ~ de qn** to take sb's blood pressure; **faire** *or* **avoir de la ~** to have high blood pressure; **~ nerveuse** nervous tension; **~ d'esprit** mental concentration; **être sous ~** to be under stress *ou* pressure; 3▸ Électrotech tension, voltage; **une ~ de 3 000 volts** a tension of 3,000 volts; **basse/haute/moyenne ~** low/high/medium voltage; **baisse de ~** drop in voltage; **mettre un appareil sous ~** to switch on *ou* turn on a machine; **sous ~** [*circuit, fil*] live; [*appareil*] switched on; 4▸ (discorde) tension; **des ~s politiques/ethniques/raciales** political/ethnic/racial tensions; **la ~ entre les deux pays est telle que** relations between the two countries are so strained that; 5▸ Phys (de vapeur) pressure; (de liquide) tension; **~ superficielle** surface tension; 6▸ Phon (effort musculaire) tension; (phase de l'articulation) on-glide
(Composé) **~ artérielle** blood pressure

tensoriel, **-ielle** /tɑ̃sɔʀjɛl/ *adj* tensorial

tentaculaire /tɑ̃takylɛʀ/ *adj* 1▸ [*ville*] sprawling (*épith*); [*entreprise, organisation*] with far-reaching interests (*après n*), tentacular (*épith*); [*pouvoir*] far-reaching (*épith*); 2▸ Zool tentacular

tentacule /tɑ̃takyl/ *nm* tentacle; **étendre ses ~s dans une région** fig to spread its tentacles into a region

tentant, **~e** /tɑ̃tɑ̃, ɑ̃t/ *adj* tempting

tentateur, **-trice** /tɑ̃tatœʀ, tʀis/
A *adj* tempting
B *nm,f* tempter/temptress

tentation /tɑ̃tasjɔ̃/ *nf* temptation (**de** of; **de faire** to do); **céder/résister à la ~** to give in to/to resist temptation; **la ~ du repli sur soi est grande** there is a great temptation to turn in upon oneself; **la ~ est forte de demander plus** it's very tempting to ask for more; **dériver vers des ~s xénophobes** to succumb to the temptation of xenophobia

tentative /tɑ̃tativ/ *nf* attempt; **faire une ~ de suicide** to make a suicide attempt; **trois ~s de suicide** three suicide attempts; **~ de meurtre** gén murder attempt; Jur attempted murder; **faire une ~ de meurtre contre qn** to attempt to murder sb; **~ de coup d'État** attempted coup; **faire une ~ de coup d'État** to attempt a coup; **faire une ~ d'évasion** to try to escape; **deux ~s d'évasion** two escape attempts; **faire une ~ auprès de qn pour obtenir qch** to try to obtain sth from sb

tente /tɑ̃t/ *nf* tent; **~ de camping** tent; **~ familiale** frame tent; **~ dôme** dome tent; **~ canadienne** ridge tent; **dormir sous la ~** [*campeurs, soldats*] to sleep under canvas; [*nomades*] to sleep in tents
(Composé) **~ à oxygène** oxygen tent

tente-abri, *pl* **tentes-abris** /tɑ̃tabʀi/ *nf* small tent

tenter /tɑ̃t/ [1] *vtr* 1▸ (essayer) to attempt; **il a tenté de s'échapper** he attempted to escape; **j'ai tout tenté pour la dissuader** I've tried everything to dissuade her; **~ l'impossible** to attempt the impossible; **~ sa chance** to try one's luck, to have a go; **~ le coup** to give it a try○, to have a go○; **je vais ~ l'expérience** I'll have a go, I'll give it a try; **~ le tout pour le tout** to risk one's all; 2▸ (attirer) to tempt; **cela/l'idée ne la tente guère** that/the idea doesn't appeal to her very much; **ça ne me tente qu'à moitié** I'm only half tempted by it; **se laisser ~ par** to let oneself be tempted by; **laisse-toi ~!** be a devil!; **cette année, je suis tenté par l'Égypte** this year I feel like going to Egypt; 3▸ (éprouver) to tempt; **~ le sort** to tempt fate *ou* providence
(Idiome) **~ le diable** to court disaster

tenture /tɑ̃tyʀ/ *nf* 1▸ (grand rideau) curtain, drape US; **~s** (décoratif, à grands plis) draperies; 2▸ (tendu aux murs) fabric wall covering; 3▸ Art (sur un mur) **~ (murale)** (wall) hanging; 4▸ (de funérailles) **~s** draperies

tenu, **~e** /təny/
A *pp* ▸ **tenir**
B *pp adj* 1▸ (entretenu) **bien/mal ~** [*enfant*] well/badly cared for; [*maison*] well/badly kept; [*troupes*] well/badly turned out; **maison impeccablement ~e** very well kept house; **chambre bien ~/mal ~e** tidy/untidy room; 2▸ (contrôlé) (par parents, enseignant) **être très ~ par** to be kept on a tight rein by; 3▸ (contraint) **~ de faire** required to do; **être ~ de dresser un inventaire mensuel** to be required to draw up a monthly inventory; **~ à** bound by; **être ~ au secret professionnel** to be bound by professional secrecy; ▸ **impossible**; 4▸ (occupé) **~ par** detained by; **être ~ par une affaire urgente** to be held up *ou* detained by an urgent matter; 5▸ Mus [*note, accord*] held
C *nm* Sport (en basket) holding
D **tenue** *nf* 1▸ (organisation) **confirmer la ~e prochaine d'élections libres** to confirm that free elections will be held in the near future; **six**

t

jours avant la ∼e de la conférence six days before the opening of the conference; **pendant la ∼e du congrès du parti** during the party conference; **interdire la ∼e d'une réunion** to ban a meeting; **2** (gestion) **∼e de la comptabilité** *or* **des comptes** bookkeeping **₵**; **3** (vêtements) **∼e (vestimentaire)** dress **₵**, clothes (*pl*); **être en ∼e décontractée** to wear casual clothes; **∼e d'hiver/été** gén winter/summer clothes (*pl*); (de soldat, policier) winter/summer uniform; **se mettre en ∼e** to change; **être en petite ∼e** to be scantily clad; **être en ∼e légère** (peu vêtu) to be scantily dressed; (avec vêtements légers) to be in light clothing; **être/se mettre en grande ∼e** gén to be in/to put on ceremonial dress; Mil to be in/to put on full dress uniform; **en ∼e** [*policier, fonctionnaire*] uniformed; **'∼e correcte exigée'** (à l'entrée d'un lieu public) 'appropriate clothing must be worn'; **4** (apparence extérieure) **avoir une ∼e impeccable/recherchée** to be impeccably/elegantly dressed; **avoir une ∼e débraillée** to be scruffily dressed; **5** (manières) **avoir de la ∼e** to have good manners; **ne pas avoir de ∼e** to have bad manners; **avoir une bonne ∼e à table** to have good table manners; **un peu de ∼e!** mind your manners!; **6** (posture) posture **₵**; **7** (qualité) **journal d'excellente** *or* **de haute ∼e** quality newspaper; **8** Fin (comportement) performance; **bonne/mauvaise ∼e des actions/de l'or** good/poor performance of the shares/of gold; **9** Mus (d'accord, de note) holding

(Composés) **∼e de campagne** Mil battle *ou* field dress **₵**; **∼e de cérémonie** gén ceremonial dress **₵**; Mil mess kit; **∼e camouflée** Mil camouflage uniform; **∼e de combat** Mil battledress **₵**; (de policier) riot gear **₵**; **∼e léopard** Mil camouflage uniform; **∼e de route** Aut roadholding **₵**; **∼e de soirée** Mode formal dress **₵**; **'∼e de soirée exigée'** 'black tie'; **∼e de sortie** Mil dress uniform; **∼e de travail** gén work(ing) clothes (*pl*); Mil fatigues (*pl*); **∼e de ville** Mode smart clothes; **∼e de vol** Aviat flying gear **₵**

ténu, **∼e** /teny/ *adj* **1** lit [*fil, lien*] weak; **2** fig [*rapport, distinction*] tenuous; [*souvenir, son, souffle, brume*] faint

ténuité /tenɥite/ *nf* liter (de distinction) tenuousness; (de son, souvenir) faintness

tenure /tənyʀ/ *nf* Hist tenure; **∼ féodale** feudal tenure

téorbe /teɔʀb/ ▸ **p. 557** *nm* theorbo

TEP /teəpe/ *nf* **1** *abbr* ▸ **tonne**; **2** (*abbr* = **tomographie par émission de positrons**) PET, positron imaging technology

tequila /tekila/ *nf* tequila

(Composé) **∼ frappée** tequila slammer

ter /tɛʀ/ *adv* **1** (dans une adresse) ter; **15 ∼** 15 ter; *cf* 15B; **2** (indication) three times

tératologie /teʀatɔlɔʒi/ *nf* teratology

tératologique /teʀatɔlɔʒik/ *adj* teratological

tercet /tɛʀsɛ/ *nm* tercet

térébenthine /teʀebɑ̃tin/ *nf* turpentine; **(essence de) ∼** turpentine

térébinthe /teʀebɛ̃t/ *nm* terebinth

tergal® /tɛʀgal/ *nm* Terylene®; **robe en ∼** Terylene dress

tergiversation /tɛʀʒivɛʀsasjɔ̃/ *nf* equivocation **₵**; **après moult ∼s** after much equivocation

tergiverser /tɛʀʒivɛʀse/ [1] *vi* **1** (par indécision) to dither; **2** (discuter sans résultats) to shilly-shally

terme /tɛʀm/

A *nm* **1** (mot) term; **∼ technique/de droit/de médecine** technical/legal/medical term; **au sens premier du ∼** in the original sense of the word; **le ∼ de quota désigne** the word *ou* term 'quota' designates; **en ∼s élogieux/injurieux** in glowing/offensive terms; **en d'autres ∼s** in other words; **dans tous les sens/toute la force du ∼** in every sense/the full sense of the word; **selon les ∼s du ministre** as the minister put it; **pardonnez-moi le ∼** if you'll pardon the expression; **la question se pose en ces ∼s: qui est responsable?** the question is this: who is responsible?; **c'est en ces ∼s que le ministre a décrit la situation** this was how the minister described the situation; **il a décrit les résultats en ces ∼s** he described the results thus; **2** (fin) end; **mettre un ∼ à qch** to put an end to sth; **au ∼ de** at the end of; **au ∼ de la réunion** at the end of the meeting; **toucher à son ∼** to come to an end; **toucher au ∼ de ses souffrances** to come to the end of one's sufferings; **arriver à ∼** [*plan, épargne*] to come to its appointed end; [*période, délai, contrat*] to expire; **mener qch à ∼** to see sth through to completion [*projet, opération*]; **mener une grossesse à ∼** to carry a pregnancy (through) to full term; **naître à/avant ∼** to be born at full/before term; **accoucher avant ∼** to give birth prematurely; **enfant né avant ∼** premature baby; **3** (échéance) **passé ce ∼ vous paierez des intérêts** after this date, you will pay interest; **cela risque, à ∼, de poser des problèmes** this may, eventually, cause problems; **à court/moyen /long ∼** [*emprunt, problème, stratégie*] short-/medium-/long-term (*épith*); **investissement à long ∼** long-term investment; **à court/moyen/long ∼ c'est possible** it is possible in the short/medium/long term; **achat/vente à ∼** Fin forward buying/selling; **4** Jur (date de paiement du loyer) due date; (période de location) rental period; (montant de la location) rent; **payer son ∼** to pay one's rent; **le jour du ∼ approchait** the day when the rent was due was drawing near; **5** Math term; **∼s d'un polynôme/d'une fraction** terms of a polynomial/of a fraction; **6** Philos (en logique) term; **∼s d'un syllogisme/d'une proposition** terms of a syllogism/of a proposition; **trouver un moyen ∼** (équilibre) to find a happy medium **(entre** between); (compromis) to find a compromise **(entre** between); **7** Art (sculpture) term

B termes *nmpl* **1** (clauses) terms; **les ∼s du contrat sont très clairs** the terms of the contract are very clear; **aux ∼s de l'article 3** in pursuance of article 3; **accords aux ∼s desquels les deux pays s'engagent à faire** agreements according to the terms of which both countries undertake to do; **∼s de l'échange** terms of trade; **2** (relations) terms; **être en bons/mauvais ∼s avec qn** to be on good/bad terms with sb; **3** (dimension) **en ∼s de** in terms of; **en ∼s de profit/formation/productivité** in terms of profit/training/productivity; **la question se pose aussi en ∼s financiers** the issue is also a financial one

terminaison /tɛʀminɛzɔ̃/ *nf* Ling ending

(Composé) **∼ nerveuse** Anat nerve ending

terminal, **∼e**, *mpl* **-aux** /tɛʀminal, o/

A *adj* [*année*] final; **classe ∼e** Scol final year (*of secondary school*); **phase ∼e** (d'une opération) concluding phase; (d'une maladie) terminal phase; **le stade ∼ d'un cancer** the terminal phase of cancer

B *nm* **1** Aviat terminal; **2** Ind, Naut terminal; **∼ pétrolier/maritime** oil/shipping terminal; **3** Ordinat terminal; **∼ d'ordinateur** computer terminal

C terminale *nf* Scol final year (*of secondary school*)

(Composés) **∼ de données** Ordinat data terminal equipment, DTE; **∼ point de vente**, **TPV** point-of-sale terminal, EPOS terminal

terminer /tɛʀmine/ [1]

A *vtr* **1** (aller jusqu'au bout de) to finish [*lettre, repas, récit, travail, études, course*]; **ils n'ont pas terminé leur formation** they haven't finished their training; **termine ton déjeuner** finish your lunch; **il ne termine jamais ses phrases** he never finishes his sentences; **2** (conclure) to end [*activités, période, discours*]; **le dollar a terminé la semaine à 0,97 euro** the dollar ended the week at 0.97 euro; **∼ sa carrière à Hongkong/en tant que consultant** to end one's career in Hong Kong/as a consultant; **∼ son discours par une mise en garde/sur une note optimiste/en rappelant que** to end one's speech with a warning/on a happy note/by reminding the audience that; **∼ le repas par une liqueur/chanson** to end the meal with a liqueur/song

B *vi* to finish; **avez-vous terminé?** have you finished?; **∼ premier** *or* **à la première place** to finish first; **en ∼ avec qch/qn** to be through with sth/sb; **nous avons terminé chez Maxence** we ended up at Maxence's; **c'est terminé, je n'irai plus jamais!** that's that, I'm never going back!; **pour ∼ je dirai que** in conclusion let me say that; **l'indice a terminé en baisse/hausse** Fin the index closed lower/higher; **∼ en hausse de douze points à 1821** to close twelve points up at 1821

C se terminer *vpr* **1** (dans le temps) to end; **mon mandat se termine en décembre** my mandate ends in December; **l'été/le projet se termine** summer/the project is coming to an end; **se ∼ par une promenade/par des licenciements** to end with a walk/in dismissals; **se ∼ bien/mal** [*relation, événement*] to end well/badly; [*film, roman*] to have a happy/sad ending; **se ∼ sur une note positive/comique** [*film, événement*] to end on a positive/comic note; **se ∼ tragiquement** [*pièce*] to end tragically; [*excursion*] to end in tragedy; **être terminé** to be over; **le match est terminé** the match is over; **2** (dans l'espace) **se ∼ par qch** [*tuyau, lame, corps*] to end in; [*date, numéro, prix*] to end in *ou* with; [*verbe, mot*] to end in; **le tuyau se termine par un coude** the pipe ends in a bend; **les numéros qui se terminent par cinq** numbers ending in five; **tous les mots se terminant par 'ment'** all words ending in 'ment'; **un morceau de bois terminé par un crochet en métal** a piece of wood with a metal hook at the end

terminologie /tɛʀminɔlɔʒi/ *nf* terminology

terminologique /tɛʀminɔlɔʒik/ *adj* terminological

terminologue /tɛʀminɔlɔg/ ▸ **p. 532** *nmf* terminologist

terminus /tɛʀminys/ *nm inv* (de train) end of the line; (de bus) terminus; **'∼ du train, tout le monde descend'** 'all change please, the train terminates here'

termite /tɛʀmit/ *nm* termite

termité, **∼e** /tɛʀmite/ *adj* infested by termites

termitière /tɛʀmitjɛʀ/ *nf* termites' nest, termitarium spéc

ternaire /tɛʀnɛʀ/ *adj* **1** Math, Chimie ternary; **2** Mus [*rythme*] compound

terne /tɛʀn/

A *adj* [*cheveux, poil*] dull, lifeless; [*couleur*] drab; [*blanc*] dingy; [*œil, regard*] lifeless; [*personne, vie*] dull; [*événement, campagne électorale*] lacklustre[GB], dull

B *nm* **1** Jeux (aux dés) double trey; **2** Électrotech three-phase transmission wire

ternir /tɛʀniʀ/ [3]

A *vtr* **1** to tarnish [*métal*]; to fade [*tissu*]; **2** to tarnish [*image, réputation*]; to detract from [*exploit*]

B se ternir *vpr* [*cuivre*] to tarnish

ternissement /tɛʀnismɑ̃/ *adv* (de métal, réputation) tarnishing

terrain /tɛʀɛ̃/ *nm* **1** (sol) ground **₵**, soil **₵**; (relief) ground **₵**, terrain **₵**; **du ∼ sablonneux** sandy ground *ou* soil; **∼s tertiaires/volcaniques** tertiary/volcanic formations; **avancer sur un ∼ glissant** fig to be on slippery ground; **2** (parcelle) plot of land; **acheter un ∼** to buy a plot of land; **un ∼ à bâtir** a building plot; **un ∼ non constructible** a plot of land not suitable for development; 3 (étendue) land ¢; ~ **marécageux** marshy land; **acheter du** ~ to buy land; ~ **industriel/à bâtir** industrial/building land; **le prix du** ~ **au m²** the price of land per m²; 4 (au football, rugby) field; (au volley-ball, basket-ball) court; (au golf) course; **sortir du** ~ [*joueur*] to go off the field; [*balle*] (au football) to go out of play; (au rugby) to go into touch; **disputer un match sur** ~ **adverse/sur son propre** ~ to play an away game/a home game; 5 (sphère d'activité) **sur le** ~ **économique/juridique** in the field of economics/law; **nous ne vous suivrons pas sur ce** ~ we won't go along with you there; **chercher/trouver un** ~ **d'entente** fig to seek/to find common ground; 6 (champ de recherche) field; **travailler sur le** ~, **faire du** ~ to do fieldwork, to work in the field; 7 (état, milieu) Méd predisposing factors (*pl*); Sociol environment; ~ **favorable** Méd predisposition (**à** to); Sociol favourable environment; **le** ~ **familial** the family background *ou* environment; **offrir un** ~ **favorable à** to provide a fertile breeding ground for [*maladie, idéologie*]; **être le** ~ **d'expérimentation de l'architecture moderne** to be the proving ground for modern architecture; 8 (groupe influençable) **les jeunes sont un** ~ **favorable** young people are easy targets; 9 Mil (lieu d'opérations) field; (en termes de relief) terrain; (en termes d'avance ou de recul) ground; **sur le** ~ in the field; **connaître le** ~ to know the terrain; **gagner/perdre du** ~ to gain/to lose ground; **céder du** ~ to give ground; **occuper le** ~ to hold the field; **être en** ~ **connu** *or* **familier** fig to be on familiar territory; **être sur son** ~, **avoir l'avantage du** ~ lit, fig to be on one's own ground; **déblayer le** ~ to clear the ground; **préparer le** ~ fig to pave the way; **tâter** *or* **sonder le** ~ fig to put out feelers

(Composés) ~ **d'atterrissage** landing strip; ~ **d'aviation** airfield; ~ **de basket-ball** basketball court; ~ **de camping** campsite; ~ **de cricket** cricket pitch; (avec les installations) cricket ground; ~ **de chasse** area reserved for hunting, hunting ground littér; ~ **de jeu(x)** playground ; ~ **de football** soccer pitch, football pitch GB; (avec les installations) football ground; ~ **de golf** golf course; ~ **de manœuvre**, ~ **militaire** army training ground; ~ **de handball** handball court; ~ **de tennis** tennis court; ~ **de tir** firing range; ~ **de rugby** rugby pitch; (avec les installations) rugby ground; ~ **de sport(s)** sports ground, playing field; ~ **vague** piece of waste land; ~ **de volley-ball** volleyball court

terrasse /tɛʀas/ *nf* 1 (le long d'un bâtiment) terrace; **s'installer à la** ~ **d'un café** to sit at a table outside a café; **prendre un café en** *or* **à la** ~ to have a coffee at an outside table; **prix en** ~ price for service outside; 2 (toiture) flat roof; (grand balcon) large balcony; (plus grand) roof garden; **toiture en** ~ flat roof; 3 Agric **culture(s) en** ~**s** terrace cultivation ¢; **rizières en** ~**s** terraced rice-fields; **cultiver le riz en** ~**s** to grow rice on terraces; 4 Géog ~ **fluviale/rocheuse** river/rock terrace

(Composé) ~ **vitrée** veranda GB, porch US

terrassement /tɛʀasmɑ̃/ *nm* earthwork; **faire des travaux de** ~ to carry out earthworks; **du matériel de** ~ earth-moving equipment

terrasser /tɛʀase/ [1] *vtr* 1 (jeter à terre) to knock down; 2 (priver de forces) [*maladie*] to strike down; **terrassé par** prostrated by [*chaleur, chagrin*]

terrassier /tɛʀasje/ ▸ **p. 532** *nm* building labourer^GB, navvy^○ GB

terre /tɛʀ/

A *nf* 1 (surface du sol) ground; **le cycliste était à** ~ the cyclist was lying on the ground; **être jeté à** ~ to be thrown to the ground; **sous** ~ underground; **à 200 mètres sous** ~ 200 metres^GB underground; **ne frappez jamais un adversaire à** ~ never hit a man when he's down; **mettre pied à** ~ Équit to dismount; **mettre un genou à** ~ to go down on one knee

2 (matière) gén earth; Agric soil; ~ **rouge/séchée** red/dried-up earth; ~ **fertile/stérile** fertile/infertile soil; **l'eau, l'air, la** ~ **et le feu** water, air, earth and fire; **sortir de** ~ lit [*plante*] to come up; [*animal*] to poke its head out of the ground; fig **une ville nouvelle est sortie de** ~ a new town has sprung up; **porter** *or* **mettre qn en** ~ liter to bury sb

3 (campagne) **le retour à la** ~ the movement back to the land; **rester attaché à la** ~ to stay close to the land; **travailler la** ~ to work the land

4 (terrain) land ¢; **acheter/vendre une** ~ to buy/to sell a plot of land; **des** ~**s** land; **elle possède des** ~**s en Anjou** she owns land in Anjou; **se retirer sur ses** ~**s** to go and live on one's estate; **vivre de ses** ~**s** to live off the land

5 (région) land; **des** ~**s lointaines/vierges** distant/virgin lands; **une** ~ **inconnue** an unknown land, terra incognita littér; **en** ~ **chrétienne/musulmane** on Christian/Muslim land; **la** ~ **natale de qn** sb's native land; **la** ~ **de mes ancêtres** the land of my ancestors; **la** ~ **d'Afrique** liter the African continent; **la** ~ **d'Alsace** liter the Alsace region; **leur pays a toujours été une** ~ **d'accueil** their country has always welcomed newcomers

6 (opposé à mer) land; **une bande/langue de** ~ a strip/tongue of land; **un vent de** ~ a land breeze; **aller à** ~ to go ashore; **apercevoir la** ~ to sight land; **'Terre!'** 'land ho!'; **être loin de toute** ~ to be far from land; **s'enfoncer à l'intérieur des** ~**s** to go deep inland; **regagner la** ~ **ferme** to reach land *ou* terra firma littér

7 (où vit l'humanité) earth; **être/vivre sur** ~ to be/to live on earth; **quitter la** ~ euph to die; **la** ~ **et le ciel** Relig things earthly and things heavenly; **prendre toute la** ~ **à témoin** to take the whole world as one's witness; **il croit que la** ~ **entière est contre lui** he thinks the whole world is against him; **redescends** *or* **reviens sur** ~**!** fig come back to earth!

8 Art **de la** ~ **(glaise)** clay; **une statuette/pipe en** ~ a clay figurine/pipe; **un pot de** *or* **en** ~ an earthenware pot

9 Électrotech earth GB, ground US; **relier qch à la** ~ to earth GB *ou* ground US sth

B terre à terre *loc adj inv* [*question*] basic; [*conversation, personne*] pedestrian

C par terre *loc adv* (dehors) on the ground; (dedans) on the floor; **ils étaient assis/couchés par** ~ they were sitting/lying on the ground *ou* floor; **se rouler par** ~ lit to roll about on the ground *ou* floor; fig (de rire) to fall about laughing; **c'est à se rouler par** ~ it's hilarious; **se rouler par** ~ **de douleur/rire** to roll on the ground with pain/laughter; **mon chapeau/le téléphone est tombé par** ~ my hat/the telephone fell on the ground *ou* floor; **ça a fichu tous nos projets par** ~^○ it messed up all our plans^○

(Composés) ~ **d'asile** country of refuge; ~ **battue** trodden earth; **sur** ~ **battue** [*tennis*] on a clay court; ~ **de bruyère** Hort peat; ~ **cuite** baked clay; Art terracotta; **figurine en** ~ **cuite** terracotta figurine; ~ **à foulon** fuller's earth; ~ **glaise** clay; ~ **noire** chernozem; ~ **d'ombre** umber; ~ **de pipe** pipeclay; ~ **à poterie** *or* **potier** potter's clay; ~ **de Sienne** sienna; ~ **de Sienne brûlée** burned sienna; ~ **végétale** topsoil; ~**s rares** rare earths

(Idiomes) **avoir les pieds sur** ~ to have one's feet firmly planted on the ground; **garder les pieds sur** ~ to keep one's feet on the ground; **ne pas avoir les pieds sur** ~ to be a dreamer, to have one's head in the clouds; **elle voulait rentrer sous** ~ *or* **à cent pieds sous** ~ she wished the ground would swallow her up

Terre /tɛʀ/ *nf* Earth; **sur la** ~ on Earth

(Composés) **la** ~ **Adélie** Adelie land; **la** ~ **de Feu** Tierra del Fuego; **la** ~ **promise** the Promised Land; **la** ~ **Sainte** the Holy Land

terreau, *pl* ~**x** /tɛʀo/ *nm* compost; ~ **pour plantes d'appartement** potting compost

(Composé) ~ **de feuilles** leaf mould

terre-neuve /tɛʀnøv/ *nm inv* 1 Zool Newfoundland (dog); 2 fig (personne) **un vrai** ~ a good Samaritan

Terre-Neuve /tɛʀnøv/ ▸ **p. 721** *nprf* Newfoundland

terre-plein, *pl* **terres-pleins*** /tɛʀplɛ̃/ *nm* 1 (de bâtiment) platform; 2 (de route) central reservation GB, median strip US; (de rond-point) central island; 3 Mil terreplein

terrer /tɛʀe/ [1]

A *vtr* Agric to earth up [*arbre, vigne*]; to earth over [*semis*]

B se terrer *vpr* 1 (dans son terrier) [*lapin*] to disappear into its burrow; [*renard*] to go to earth; 2 [*fugitif*] to hide, to go to ground; **on ne les voit jamais, ils se terrent chez eux** we never see them, they're holed up in their house

terrestre /tɛʀɛstʀ/ *adj* 1 Géog (de la planète) [*diamètre, atmosphère*] of the Earth; 2 Sci [*animaux*] land (*épith*), terrestrial; 3 (au sol) [*guerre, transport*] land (*épith*); [*missile*] land- *ou* ground-based (*épith*); 4 **les choses** ~**s** earthly things; **la vie** ~ life on earth; **le paradis** ~ heaven on earth

terreur /tɛʀœʀ/ *nf* 1 (sentiment) terror; **paralysé par la** ~ frozen by terror; **hurler de** ~ to scream with terror; **une** ~ **irraisonnée** an irrational fear; **ma** ~ **de tomber malade** my fear of falling ill; **c'est ma grande** ~ it's my greatest fear; **vivre dans la** ~ to live in fear; 2 (comme moyen politique) terror; 3 (personne) **c'est la** ~ **du quartier** he's the terror of the neighbourhood^GB; **elle était ma** ~ I dreaded her; **jouer les** ~**s** to be a terror

Terreur /tɛʀœʀ/ *nf* Hist **la** ~ the Terror

terreux, **-euse** /tɛʀø, øz/ *adj* 1 (souillé de terre) [*chaussures, mains, genoux*] muddy; [*pomme de terre*] covered in earth; [*salade*] full of dirt; (mal lavée) gritty; 2 (semblable à la terre) [*goût, consistance*] earthy; **avoir le teint** ~ fig to have a grey GB *ou* gray US complexion

terrible /tɛʀibl/ *adj* 1 (très intense) [*froid, chaleur, bruit, douleur, embouteillage*] terrible; [*vent, orage*] terrible, tremendous; [*soif, envie*] tremendous, terrible; [*colère*] terrible; 2 (épouvantable) [*catastrophe, maladie, accident*] terrible, dreadful; 3 ^○(pénible) terrible, awful; **c'est** ~ **d'être pingre à ce point** it's awful *ou* terrible being so mean; **c'est** ~ **de devoir tout ranger après lui** it's awful *ou* terrible having to put everything away after him; **il est** ~, **il ne veut jamais avoir tort** it's terrible the way he never wants to admit that he's wrong; 4 ^○(remarquable) terrific, fantastic^○; **il n'est pas** ~ **ce restaurant/film** that's not a great restaurant/film; **il a eu un succès** ~ he was a big hit^○

terriblement /tɛʀibləmɑ̃/ *adv* terribly; ~ **plus fort/plus difficile** an awful lot stronger/more difficult; **il a** ~ **grandi** he's grown an awful lot

terrien, **-ienne** /tɛʀjɛ̃, ɛn/ *adj* **propriétaire** ~ landowner; **les grandes fortunes terriennes** the wealthy landowners

Terrien, **-ienne** /tɛʀjɛ̃, ɛn/ *nm,f* earthman/earthwoman

terrier /tɛʀje/ *nm* 1 (d'une bête) gén hole; **un** ~ **de lapin** a rabbit hole *ou* burrow; **un** ~ **de renard** a fox's earth; **un** ~ **de blaireau** a badger's sett; 2 (chien) terrier

terrifiant, ~**e** /tɛʀifjɑ̃, ɑ̃t/ *adj* 1 (faisant peur) terrifying; 2 (hors du commun) [*bêtise, changement*] incredible

terrifié, ~**e** /tɛʀifje/

A *pp* ▸ **terrifier**

t

B *pp adj* [*personne, air*] terrified; **s'enfuir ~** to flee in terror
terrifier /tɛʀifje/ [2] *vtr* to terrify
terril /tɛʀi(l)/ *nm* slag heap
terrine /tɛʀin/ *nf* **1** Culin terrine; **~ de saumon/canard** salmon/duck terrine; **2** (récipient) (allongé) terrine; (rond) earthenware bowl
territoire /tɛʀitwaʀ/ *nm* **1** (d'un pays) territory; **le ~ national/allemand** national/German territory; **être en ~ ennemi** lit, fig to be on enemy territory; **sur l'ensemble du ~** throughout the country; **2** (chez les animaux) territory; **délimiter son ~** lit, fig to mark out one's territory; **défendre son ~** lit, fig to defend one's territory; **empiéter sur le ~ de qn** fig to encroach on sb's territory
(Composés) **~ de chasse** area reserved for hunting, hunting ground littér; **~ d'outre-mer, TOM** French overseas (administrative) territory; **les ~s (arabes) occupés** Pol, Géog the Occupied Territories
Territoires du Nord-Ouest /tɛʀitwaʀdynɔʀwɛst/ ▸ **p. 721** *nprmpl* Northwest Territories
territorial, ~e *mpl* **-iaux** /tɛʀitɔʀjal, o/
A *adj* **1** (d'un État) [*intégrité, concessions, eaux*] territorial; **2** Admin [*administration*] (de subdivision) divisional; (de région) regional
B **territoriale** *nf* Hist territorial army
territorialité /tɛʀitɔʀjalite/ *nf* territoriality (**de** of)
terroir /tɛʀwaʀ/ *nm* land; **l'attachement au ~** the love of the land; **produits/vin du ~** local products/wine
terrorisant, ~e /tɛʀɔʀizɑ̃, ɑ̃t/ *adj* terrifying
terrorisé, ~e /tɛʀɔʀize/
A *pp* ▸ **terroriser**
B *pp adj* **1** (effrayé) terrified; **2** (soumis à la terreur) terrorized
terroriser /tɛʀɔʀize/ [1] *vtr* **1** (user de terreur) to terrorize; **2** (effrayer) [*orage, mauvais rêve, adulte*] to terrify
terrorisme /tɛʀɔʀism/ *nm* terrorism; **le ~ d'État** State terrorism; **c'est du ~ (intellectuel)!** fig it's pure intimidation; **un acte de ~** an act of terrorism
terroriste /tɛʀɔʀist/
A *adj* **1** Pol [*groupe, action, idéologie*] terrorist; **2** [*argument, attitude*] intimidatory
B *nmf* terrorist
tertiaire /tɛʀsjɛʀ/
A *adj* **1** Écon [*secteur*] service (*épith*), tertiary; [*industrie*] service; **l'emploi/l'activité ~** work/activity in the service sector; **la ville est un pôle ~** the town is a centre[GB] for the service industries; **2** Géol [*ère, plissement*] Tertiary; **3** Méd tertiary
B *nm* **1** Écon service sector; **2** Géol Tertiary
tertiarisation /tɛʀsjaʀizasjɔ̃/ *nf* **~ (de l'économie** *or* **des activités)** development of the service sector
tertio /tɛʀsjo/ *adv* thirdly
tertre /tɛʀtʀ/ *nm* mound; **~ funéraire** burial mound
tes ▸ **ton**[1]
Tessin /tɛsɛ̃/ ▸ **p. 721** *npr* **le (canton du) ~** the (canton of) Ticino
tessiture /tesityʀ/ *nf* range
tesson /tesɔ̃/ *nm* shard, fragment (**de** of); **~ de bouteille** piece of glass; **des ~s de bouteille** broken glass ₵
test /tɛst/
A *nm* **1** Zool (enveloppe calcaire) test; **2** (pour évaluer) test; **~ psychologique/de sélection/de grossesse** psychological/selection/pregnancy test; **~ (de dépistage) du sida** Aids test; **faire passer des ~s à qn** (à l'école, pour recruter) to give sb tests; Méd to carry out tests on sb; **~ ADN** DNA testing; **3** Chimie = **têt**
B **-test** (*in compounds*) **match-~** trial match; **rencontre-~** preliminary meeting; **semaine-~** trial week; **région-~** pilot region
(Composé) **~ d'orientation** Scol aptitude test
testable /tɛstabl/ *adj* [*théorie*] testable
testament /tɛstamɑ̃/ *nm* **1** Jur will; **faire son ~** lit to make one's will; **mourir sans laisser de ~** to die intestate; **ceci est mon ~** this is my last will and testament; **2** liter (message ultime) legacy; **3** Bible, Relig **l'Ancien/le Nouveau Testament** the Old/the New Testament
(Composés) **~ authentique** *will drawn up by a lawyer in the presence of witnesses;* **~ mystique** *will written and signed by the testator and handed sealed to the lawyer;* **~ olographe** handwritten will, holograph will spéc; **~ public** = **~ authentique**; **~ secret** = **~ mystique**
testamentaire /tɛstamɑ̃tɛʀ/ *adj* [*clause, disposition*] of a will (*après n*)
testateur /tɛstatœʀ/ *nm* testator
testatrice /tɛstatʀis/ *nf* testatrix
tester /tɛste/ [1]
A *vtr* (tous contextes) to test (**dans** in; **sur** on; **auprès de** on); **testé en laboratoire** laboratory-tested
B *vi* Jur to make a will
testeur, -euse /tɛstœʀ, øz/
A *nm,f* Comm, Ordinat tester
B *nm* (appareil) tester
testicule /tɛstikyl/ *nm* testicle, testis spéc
testimonial, ~e, *mpl* **-iaux** /tɛstimɔnjal, o/ *adj* testimonial
testostérone /tɛstɔsteʀɔn/ *nf* testosterone
têt /tɛ/ *nm* **~ à gaz** beehive shelf; **~ à rôtir** crucible
tétanie /tetani/ ▸ **p. 283** *nf* tetany; **une crise de ~** an attack of tetany
tétanique /tetanik/ *adj* [*contraction*] tetanic; [*patient*] tetanus (*épith*); **le bacille ~** the tetanus bacillus
tétanisation /tetanizasjɔ̃/ *nf* tetanization
tétanisé, ~e /tetanize/
A *pp* ▸ **tétaniser**
B *pp adj* **1** Méd tetanized; **2** (figé) [*personne, animal*] paralyzed
tétaniser /tetanize/ [1]
A *vtr* **1** Méd to tetanize [*muscle, membre*]; **2** (figer) to paralyze [*personne*]
B **se tétaniser** *vpr* [*muscle*] to seize up
tétanos /tetanos/ ▸ **p. 283** *nm inv* tetanus
têtard /tetaʀ/ *nm* **1** Zool tadpole; **2** (arbre) pollard
tête /tɛt/ ▸ **p. 196** *nf* **1** gén (d'animal, insecte, de personne, plante) head; **bouger la ~** to move one's head; **dessiner une ~ de femme** to draw a woman's head; **statue à ~ de chien** statue with a dog's head; **en pleine ~** (right) in the head; **blessure à la ~** head injury; **frapper qn à la ~** to hit sb on the head; **la ~ la première** [*tomber, plonger*] head first; **la ~ basse** (humblement) with one's head bowed; **la ~ haute** (dignement) with one's head held high; **garder la ~ haute** fig to hold one's head high; **~ baissée** [*se lancer, foncer*] headlong; **la ~ en bas** [*être suspendu, se retrouver*] upside down; **au-dessus de nos ~s** (en l'air) overhead; **sans ~** [*corps, cadavre*] headless; **coup de ~** headbutt; **donner un coup de ~ à qn** to headbutt sb; **tomber sur la ~** lit to fall on one's head; **être tombé sur la ~**○ fig to have gone off one's rocker○; **salut, p'tite ~**○**!** hello, bonehead○!; ▸ **bille, coûter, donner, gros**
2 (dessus du crâne) head; **se couvrir/se gratter la ~** to cover/to scratch one's head; **avoir la ~ rasée** to have a shaven head; **sortir ~ nue** *or* **sans rien sur la ~** to go out bareheaded; **se laver la ~** to wash one's hair; **j'ai la ~ toute mouillée** my hair's all wet
3 (visage) face; **une bonne/sale ~** a nice/nasty face; **il a une belle ~** he's got a nice face; **si tu avais vu ta ~!** you should have seen your face!; **t'as vu la ~ qu'il a tirée**○**?** did you see his face?; **tu en fais une ~!** what a face you're pulling!; **ne fais pas cette ~-là!** don't pull such a face!; **faire une ~ longue comme ça**○ to look miserable; **il a fait une drôle de ~ quand il m'a vu** he pulled a face when he saw me; **quelle ~ va-t-il faire?** how's he going to react?; **faire une ~ de circonstance** to assume a suitable expression; **à cette nouvelle, il a changé de ~** on hearing this, his face fell; **il (me) fait la ~** he's sulking; **ne fais pas ta mauvaise ~** don't be so difficult; **elle fait sa mauvaise ~** she's being difficult; **il a une ~ à tricher** he looks like a cheat; **elle a une ~ à être du quartier** she looks like a local; **tu as une ~ à faire peur, aujourd'hui!** you look dreadful today!; **se faire la** *or* **une ~ de Pierrot** to make oneself up as (a) Pierrot; ▸ **six**
4 (esprit) **de ~** [*citer, réciter*] from memory; [*calculer*] in one's head; **tu n'as pas de ~!** you have a mind like a sieve!; **avoir en ~ de faire** to have it in mind to do; **avoir qch en ~** to have sth in mind; **j'ai bien d'autres choses en ~ pour le moment** I've got a lot of other things on my mind at the moment; **je n'ai pas la référence en ~** I can't recall the reference; **où avais-je la ~?** whatever was I thinking of?; **ça (ne) va pas, la ~**○**?** are you feeling all right?; **j'ai la ~ vide** my mind is a blank; **j'avais la ~ ailleurs** I was dreaming, I was thinking of something else; **elle n'a pas la ~ à ce qu'elle fait** her mind isn't on what she's doing; **avoir la ~ pleine de projets, avoir des projets plein la ~** to have one's head full of plans; **quand il a quelque chose dans la** *or* **en ~, il ne l'a pas ailleurs**○ once he's got GB *ou* gotten US something into his head, he can't think of anything else; **n'avoir rien dans la ~** to be empty-headed, to be an airhead○; **c'est lui qui t'a mis ça dans la ~!** you got that idea from him!; **mets-lui ça dans la ~** drum it into him/her; **se mettre dans la** *or* **en ~ que** to get it into one's head that; **se mettre dans la** *or* **en ~ de faire** to take it into one's head to do; **mets-toi bien ça dans la ~!** get it into your head once and for all!; **mettez-vous dans la ~ que je ne signerai pas** get it into your head that I won't sign; **passer par la ~ de qn** [*idée*] to cross sb's mind; **on ne sait jamais ce qui leur passe par la ~** you never know what's going through their minds; **passer au-dessus de la ~ de qn** to be *ou* go (right) over sb's head; **sortir de la ~ de qn** to slip sb's mind; **ça m'est sorti de la ~** it slipped my mind; **cette fille lui a fait perdre la ~** he's lost his head over that girl; **monter la ~ à Pierre contre Paul** to turn Pierre against Paul; **j'ai la ~ qui tourne** my head's spinning; **ça me fait tourner la ~** it's making my head spin; **monter à la ~, faire tourner la ~ de qn** [*alcool, succès*] to go to sb's head; **elle t'a fait tourner la ~** she's turned your head; **il n'est pas bien dans sa ~**○ he isn't right in the head; **il a encore toute sa ~ (à lui)** he's still got all his faculties *ou* marbles○; **il n'a plus sa ~ à lui** he's no longer in possession of all his faculties, he's lost his marbles○; **n'en faire qu'à sa ~** to go one's own way; **tenir ~ à qn** to stand up to sb; **sur un coup de ~** on an impulse; ▸ **fort**
5 (personne) face; **j'ai déjà vu cette ~-là quelque part** I've seen that face somewhere before; **voir de nouvelles ~s** to see new faces; **avoir ses ~s** to have one's favourites[GB]; **en ~ à ~** [*être, rester, dîner*] alone together; **être (en) ~ à ~ avec qn** to be alone with sb; **rencontrer qn en ~ à ~** to have a meeting with sb in private; **un dîner en ~ à ~** an intimate dinner for two
6 (mesure de longueur) head; **avoir une ~ de plus que qn, dépasser qn d'une ~** to be a head taller than sb; **gagner d'une courte ~** [*personne*] to win by a narrow margin; [*cheval*] to win by a short head; **avoir une ~ d'avance sur qn** to be a short length in front of sb
7 (unité de troupeau) head (*inv*); **30 ~s de bétail** 30 head of cattle; **un troupeau de 500 ~s** a herd of 500 head
8 (individu) **par ~** gén a head, each; Stat per

capita; **par ∼ de pipe**○ each; **ça fera 100 euros par ∼** it'll be 100 euros each *ou* a head; **le PNB par ∼** the per capita GNP

[9] (vie) head; **ma ∼ est mise à prix** there's a price on my head; **vouloir la ∼ de qn** (mort) to want sb's head; (disgrâce) to be after sb's head; **risquer sa ∼** to risk one's neck○; **des ∼s vont tomber** fig heads will roll

[10] (direction) **frapper une révolte à la ∼** to go for the leaders of an uprising; **le groupe de ∼** the leading group; **c'est lui la ∼ pensante du projet/mouvement/gang** he's the brains behind the project/movement/gang; **être à la ∼ d'un mouvement/parti** to be at the head of a movement/party; **il restera à la ∼ du groupe** he will stay on as head of the group; **il a été nommé à la ∼ du groupe** he was appointed head of the group; **on l'a rappelé à la ∼ de l'équipe** he was called back to head up *ou* lead the team; **prendre la ∼ du parti** to become leader of the party; **prendre la ∼ des opérations** to take charge of operations; **être à la ∼ d'une immense fortune** to be the possessor of a huge fortune

[11] (premières places) top; **les él èves qui forment la ∼ de la classe** the pupils at the top of the class; **les candidats en ∼ de liste** the candidates at the top of the list; **être en ∼** (de liste, classement) to be at the top; (d'élection, de course, sondage) to be in the lead; **venir en ∼** to come first; **marcher en ∼** to walk at the front; **à la ∼ d'un cortège** at the head of a procession; **marcher en ∼ d'un cortège** to head *ou* lead a procession; **il est en ∼ au premier tour** Pol he's in the lead after the first round; **il est en ∼ dans les sondages** he's leading in the polls; **l'équipe de ∼ au championnat** the leading team in the championship; **arriver en ∼** [*coureur*] to come in first; [*candidat*] to come first; **le gouvernement, le premier ministre en ∼, a décidé que...** the government, led by the Prime Minister, has decided that...; **des tas de gens viendront, ta femme en ∼** heaps of people are coming, your wife to begin with; **en ∼ de phrase** at the beginning of a sentence

[12] (extrémité) (de train) front; (de convoi, cortège) head; (d'arbre, de mât) top; (de vis, rivet, clou) head; **les wagons de ∼** the front carriages GB *ou* cars US; **une place en ∼ de train** a seat at the front of the train; **je préfère m'asseoir en ∼** I prefer to sit at the front; **la ∼ du convoi s'est engagée sur le pont** the head of the convoy went onto the bridge; **l'avion a rasé la ∼ des arbres** the plane clipped the tops of the trees *ou* the treetops; **en ∼ de file** first in line; ▸ **queue**

[13] Sport (au football) header; **faire une ∼** to head the ball

[14] Mil (d'engin) warhead; **∼ chimique/nucléaire** chemical/nuclear warhead; **missile à ∼s multiples** multiple-warhead missile

[15] Électron (d'enregistrement, effacement) head; (d'électrophone) cartridge; **∼ de lecture** (de magnétophone, magnétoscope) head

(Composés) **∼ d'affiche** Cin, Théât top of the bill; **∼ d'ail** Bot, Culin head of garlic; **∼ en l'air** scatterbrain; **être ∼ en l'air** to be scatterbrained; **∼ blonde** (enfant) little one; **nos chères ∼s blondes** hum our little darlings; **∼ brûlée** daredevil; **∼ de chapitre** chapter heading; **∼ chercheuse** Mil homing device; **missile à ∼ chercheuse** homing missile; **∼ à claques**○ pain○; **quelle ∼ à claques, ce type!** he's somebody you could cheerfully punch in the face; **∼ de cochon**○ = **∼ de lard**; **∼ couronnée** crowned head; **∼ de delco**® Aut distributor cap; **∼ d'écriture** Ordinat write *ou* writing head; **∼ d'effacement** Ordinat erase *ou* erasing head; **∼ d'épingle** lit, fig pinhead; **∼ flottante** Ordinat floating head; **∼ de lard**○ péj (têtu) mule; (mauvais caractère) grouch; **∼ de ligne** Transp end of the line; **∼ de linotte** scatterbrain; **∼ de liste** Pol chief candidate; **∼ de lit** bedhead GB, headboard; **∼ magnétique** magnetic head; **∼ de mort** (crâne) skull; (symbole de mort) death's head; (emblème de pirates) skull and crossbones (+ *v sg*); **∼ de mule**○ mule; **être une vraie ∼ de mule** to be as stubborn as a mule; **∼ de nègre** Culin chocolate marshmallow; **∼ de nœud**● offensive prick●; **∼ d'oiseau**○ péj featherbrain; **∼ de pioche**○ = **∼ de mule**; **∼ de pont** Mil bridgehead; **∼ de série** Sport seeded player; **∼ de série numéro deux** number two seed; **∼ de Turc**○ whipping boy; **être la ∼ de Turc de qn** to be sb's whipping boy; **∼ de veau** Culin calf's head

(Idiomes) **j'en mettrais ma ∼ à couper** *or* **sur le billot** I'd put my head on the block; **en avoir par-dessus la ∼** to be fed up to the back teeth○ (**de** with); **se prendre la ∼ à deux mains** (pour réfléchir)○ to rack one's brains○; **prendre la ∼**○, **être une (vraie) prise de ∼**○ to be a drag○

tête-à-queue /tɛtakø/ *nm inv* **faire un ∼** [*voiture, automobiliste*] to slew round GB *ou* around; **à la suite d'un ∼** after the car slewed around

tête-à-tête /tɛtatɛt/ *nm inv* (d'amis, amants) tête-à-tête; (de politiciens) private meeting

tête-bêche* /tɛtbɛʃ/ *adv* (pour des personnes) top-to-tail; (pour des objets) head-to-tail; **on a dormi ∼** we slept top-to-tail; **les deux lits étaient disposés ∼** the two beds were placed head-to-tail; **timbres ∼** tête-bêche stamps

tête-de-loup, *pl* **têtes-de-loup** /tɛtdəlu/ *nf* ceiling brush

tête-de-nègre /tɛtdənɛɡʀ/ ▸ **p. 202** *adj inv*, *nm inv* dark brown

tétée /tete/ *nf* [1] (action) feeding, nursing; **l'heure de la ∼** feeding time; **il m'a téléphoné pendant la ∼** he phoned me while I was feeding the baby; [2] (repas) feed; **six ∼s par jour** six feeds a day

téter /tete/ [14]

A *vtr* [*bébé, animal*] to suck at [*sein, mamelle*]; to feed from [*biberon*]; to suck [*lait*]; **∼ sa mère** to suckle, feed

B *vi* [*bébé*] to suckle, feed; [*animal*] to suckle; **donner à ∼ à** to feed, suckle littér [*bébé*]; to suckle [*animal*]

têtière /tɛtjɛʀ/ *nf* [1] (de siège) headrest; [2] Naut (sommet de voile carrée) head; (renfort de voile triangulaire) headboard; [3] Équit headpiece; [4] (de serrure) faceplate

tétine /tetin/ *nf* [1] (de biberon) teat; [2] (sucette) dummy GB, pacifier US; [3] Vét teat

téton○ /tetɔ̃/ *nm* [1] (sein) tit◐, breast; [2] Tech lug

tétrachlorure /tetʀaklɔʀyʀ/ *nm* tetrachloride

tétraèdre /tetʀaɛdʀ/ *nm* tetrahedron

tétralogie /tetʀalɔʒi/ *nf* gén tetralogy; (de romans) quartet; **la Tétralogie** Mus the Ring (of the Nibelung)

tétramètre /tetʀamɛtʀ/ *nm* tetrameter

tétraplégie /tetʀapleʒi/ *nf* quadriplegia

tétraplégique /tetʀapleʒik/ *adj* quadriplegic

tétrarque /tetʀaʀk/ *nm* tetrarch

tétras /tetʀa/ *nm inv* grouse; ▸ **grand**

tétras-lyre, *pl* **∼s** /tetʀaliʀ/ *nm* black grouse

tétrasyllabe /tetʀasil(l)ab/

A *adj* tetrasyllabic

B *nm* tetrasyllabic line

tétrasyllabique /tetʀasil(l)abik/ *adj* tetrasyllabic

têtu, **∼e** /tety/ *adj* [*personne, animal*] stubborn; **les faits sont ∼s** the facts won't go away

(Idiome) **être ∼ comme un âne** *or* **une mule** *or* **une bourrique** to be as stubborn as a mule

teuf○ /tœf/ *nf* party ▸ **verlan**

teufeur○, **-euse** /tœfœʀ, øz/ *nm,f* raver○

teuf-teuf, *pl* **teufs-teufs*** /tœftœf/ *nm ou f* (*also onomat*) [1] (bruit de voiture) baby talk brm brm; [2] ○(vieille voiture) rattletrap

teuton, **-onne** /tøtɔ̃, ɔn/ *adj* [1] Hist Teutonic; [2] †offensive German

Teuton, **-onne** /tøtɔ̃, ɔn/ *nm,f* [1] Hist Teuton; [2] †offensive German

teutonique /tøtɔnik/ *adj* [1] Hist Teutonic; [2] †offensive German

texan, **∼e** /tɛksɑ̃, an/ *adj* Texan

Texan, **∼e** /tɛksɑ̃, an/ *nm,f* Texan

Texas /tɛksas/ ▸ **p. 721** *nprm* Texas

texte /tɛkst/ *nm* [1] gén text; (livre) text; (passage) extract, text; **le ∼ d'une chanson/d'un ouvrage illustré/d'un discours** the text of a song/of an illustrated book/of a speech; **faire une explication de ∼** to do a commentary on a text; **∼s choisis de Montaigne** selected extracts from Montaigne; **lire une œuvre étrangère dans le ∼** to read a foreign work in the original; **en français dans le ∼** in French in the original text; **'∼ intégral'** 'unabridged text'; [2] Cin, Théât (script) script; (rôle à apprendre) lines (*pl*), part; [3] Admin, Jur, Pol (libellé) wording, text; **le ∼ d'un contrat** the wording of a contract; [4] Ordinat text; [5] Imprim copy

(Composés) **∼ de loi** (proposé) bill; (promulgué) law; **adopter un ∼ de loi** to pass a law; **le ∼ (de loi) entre en vigueur demain** the bill will become law tomorrow; **∼ libre** Scol free composition; **les ∼s sacrés** Relig the sacred texts

texteur /tɛkstœʀ/ *nm* word processor

textile /tɛkstil/

A *adj* [1] [*industrie, société, commerce*] textile; **le secteur ∼** the textile industry; [2] (avant tissage) **fibres ∼s** fibres[GB]; **matières ∼s végétales** plant fibres[GB]; [3] (en étoffe) **les articles ∼s** textiles

B *nm* [1] (secteur industriel) textile industry; **le secteur du ∼** the textile industry; **les ouvriers du ∼** textile workers; [2] (avant tissage) fibre[GB]; (tissu) textile; **∼s artificiels/synthétiques** artificial/synthetic fibres[GB]

texto○ /tɛksto/

A *adv* [*répéter, copier*] word for word; **il m'a dit ∼, 'c'est bien fait pour elle'** he told me in so many words, 'she got what she deserved'

B *nm* ® Télécom text message, text

textuel, **-elle** /tɛkstɥɛl/ *adj* [1] (conforme) [*copie, reproduction*] exact; [*traduction*] literal; [2] (du texte) [*analyse*] textual; [*sens*] literal; [*citation, passage*] from the text (*après n*)

textuellement /tɛkstɥɛlmɑ̃/ *adv* [*rapporter*] verbatim, word for word; **je ne cite pas ∼** I'm not quoting word for word; **il m'a dit ∼, 'je m'en moque'** he told me in so many words, 'I couldn't care less'

texture /tɛkstyʀ/ *nf* [1] (de tissu, matériau, peinture) texture; [2] (de roman, pièce de théâtre) structure

tézigue◐ /tezig/ *pron pers* you

TGV /teʒeve/ *nm* (*abbr* = **train à grande vitesse**) TGV, high-speed train

> **TGV**
>
> The new-generation high-speed electric train operated by *SNCF*. It runs on special tracks and can reach speeds of up to 180 mph.

THADA /teaʃadea/ *nm* (*abbr* = **trouble d'hyperactivité avec déficit de l'attention**) ADHD, attention deficit hyperactivity disorder

thaï, **∼e** /taj/

A ▸ **p. 561** *adj* Thai

B ▸ **p. 483** *nm* Ling Thai

Thaï, **∼e** /taj/ ▸ **p. 561** *nm,f* Thai

thaïlandais, **∼e** /tajlɑ̃dɛ, ɛz/ ▸ **p. 561** *adj* Thai

Thaïlandais, **∼e** /tajlɑ̃dɛ, ɛz/ ▸ **p. 561** *nm,f* Thai

Thaïlande /tajlɑ̃d/ ▸ **p. 333** *nprf* Thailand

t

thalamus /talamys/ *nm inv* Anat thalamus
thalassémie /talasemi/ ► **p. 283** *nf* thalassaemia
thalassothérapie /talasɔteʀapi/ *nf* thalassotherapy
thalle /tal/ *nm* thallus
thalweg = **talweg**
thaumaturge /tomatyʀʒ/ *nmf* thaumaturge
thé /te/ *nm* **1** (feuilles, infusion) tea; **~ vert/noir** green/black tea; **~ au lait** tea with milk; **~ au citron/au jasmin/à la menthe** lemon/jasmine/mint tea; **~ à la bergamote** Earl Grey tea; **~s de Chine/de Ceylan** China/Ceylon teas; **à l'heure du ~** at teatime; **prendre le ~ chez qn** to have tea at sb's home; **être invité à prendre le ~** to be asked to tea; **2** (réunion) tea party
théâtral, **~e**, *mpl* **-aux** /teɑtʀal, o/ *adj* **1** Théât [*œuvre, langage*] dramatic; [*représentation, adaptation*] stage (*épith*); [*saison, compagnie*] theatre[GB] (*épith*); **elle veut faire une carrière ~e** she wants to be an actress, she wants to go on the stage; **2** (exagéré) péj [*geste*] histrionic; [*ton*] melodramatic; **il s'exprime de façon très ~e** he is very melodramatic
théâtralement /teɑtʀalmɑ̃/ *adv* lit theatrically; péj histrionically
théâtraliser /teatʀalize/ [1] *vtr* to theatricalize
théâtralité /teɑtʀalite/ *nf* (de texte, décor, situation) dramatic quality (**de** of)
théâtre /teɑtʀ/ *nm* **1** littér (genre) theatre[GB]; **le ~ de l'absurde** the theatre[GB] of the absurd; **aimer le ~ classique/burlesque/expérimental** to like classical/burlesque/experimental theatre[GB]; **le ~ de Molière/de Racine** Molière's/Racine's plays; **le ~ antique** Greek classical drama; **de ~** [*acteur, directeur, billet*] theatre[GB] (*épith*); [*décor, costume, masque*] stage (*épith*); fig [*gestes*] histrionic; **c'est un homme de ~** he's a man of the theatre[GB]; **coup de ~** lit coup de théâtre; fig dramatic turn of events, coup de théâtre sout; **2** (art dramatique) **faire du ~** (comme profession) to be an actor; (à l'école) to do drama; (en amateur) to be involved in amateur dramatics; **se destiner au ~** to intend to go on stage; **adapter une nouvelle pour le ~** to adapt a short story for the stage; **faire son ~**○ fig to put on one's act; **c'est du ~** fig it's just a put-on○; **3** (lieu) theatre[GB]; **le ~ était plein** the theatre[GB] was full; **être le ~ d'affrontements/d'émeutes** fig to be the scene of fighting/of riots; **le ~ des opérations** Mil the theatre[GB] of operations
(Composés) **~ de Boulevard** farce; **~ antique** amphitheatre[GB]; **~ de marionnettes** puppet theatre[GB]; **~ d'ombres** shadow theatre[GB]; **~ en plein air** open-air theatre[GB]; **~ de verdure** = **~ en plein air**
théâtreux○, **-euse** /teɑtʀø, øz/ *nm,f* péj second-rate actor/actress
thébaïde /tebaid/ *nf* liter retreat
thébain, **~e** /tebɛ̃, ɛn/ ► **p. 894** *adj* Theban
Thébain, **~e** /tebɛ̃, ɛn/ ► **p. 894** *nm,f* Theban
Thèbes /tɛb/ ► **p. 894** *npr* Thebes
théier /teje/ *nm* tea plant
théière /tejɛʀ/ *nf* teapot
théine /tein/ *nf* theine
théisme /teism/ *nm* theism
théiste /teist/
A *adj* [*penseur*] theist; [*pensée, œuvre*] theistic
B *nmf* theist
thématique /tematik/
A *adj* **1** (conçu par thèmes) [*ouvrage*] organized according to subject (*après n*); [*classement*] by subject (*après n*); **index ~** (dans un livre) subject index; (dans un annuaire) classification index; **de manière ~** by subject; **2** Mus, Ling, Littérat thematic
B *nf* themes (*pl*)
thème /tɛm/ *nm* **1** (sujet) (de débat, d'émission) topic, subject; (de discours, film) theme; **~ de réflexion** topic for thought; **le débat aura pour ~ principal...** the main topic for discussion will be...; **2** (traduction) prose, translation (*into the foreign language*); **faire un ~ latin** to do a Latin prose; **3** Mus theme; **4** Ling (radical) stem; (topique) theme
(Composé) **~ astral** Astrol birth chart
théocratie /teɔkʀasi/ *nf* theocracy
théocratique /teɔkʀatik/ *adj* theocratic
Théocrite /teɔkʀit/ *npr* Theocritus
théodolite /teɔdɔlit/ *nm* theodolite
théogonie /teɔgɔni/ *nf* (généalogie des dieux) theogony; (ensemble des dieux) pantheon
théologal, **~e**, *mpl* **-aux** /teɔlɔgal, o/ *adj* **vertus ~es** theological virtues
théologie /teɔlɔʒi/ *nf* theology; **docteur en ~** doctor of divinity; **études de ~** theological studies; **institut de ~** school of divinity
théologien, **-ienne** /teɔlɔʒjɛ̃, ɛn/ *nm,f* theologian
théologique /teɔlɔʒik/ *adj* theological
Théophraste /teɔfʀast/ *npr* Theophrastus
théorbe /teɔʀb/ ► **p. 557** *nm* theorbo
théorème /teɔʀɛm/ *nm* theorem; **~ d'Archimède/de Pythagore** Archimedes'/Pythagoras' theorem
théoricien, **-ienne** /teɔʀisjɛ̃, ɛn/ *nm,f* theoretician; **ce n'est pas un ~ de la musique** he has no theoretical knowledge of music
théorie /teɔʀi/ *nf* **1** (connaissance abstraite) theory (**de** of); **la ~ littéraire/des quanta** literary/quantum theory; **en ~** in theory; **des cours de ~** gén lessons in theory; Mus theory lessons; **2** (concept, opinion) theory (**sur** about); **savoir élaborer des ~s** pej to be good at theorizing
théorique /teɔʀik/ *adj* theoretical; **d'un point de vue ~** theoretically (speaking), from a theoretical point of view
théoriquement /teɔʀikmɑ̃/ *adv* **1** (en théorie) theoretically; **2** (de façon théorique) [*établir, prouver*] using theoretical methods
théorisation /teɔʀizasjɔ̃/ *nf* fml theorizing
théoriser /teɔʀize/ [1]
A *vtr* **~ des observations expérimentales** to develop a theory based on experimental observations
B *vi* to theorize (**sur** about)
théosophe /teɔzɔf/ *nmf* theosophist
théosophie /teɔzɔfi/ *nf* theosophy
théosophique /teozɔfik/ *adj* theosophical
thérapeute /teʀapøt/ *nmf* therapist
thérapeutique /teʀapøtik/
A *adj* gén [*effet, choix*] therapeutic; [*progrès*] in treatment (*après n*); **la prise en charge ~ de** the care and treatment of
B *nf* **1** (traitement) treatment; **2** (science) therapeutics (+ *v sg*)
thérapie /teʀapi/ *nf* **1** Méd treatment; **2** Psych therapy
(Composé) **~ génique** gene therapy
thermal, **~e**, *mpl* **-aux** /tɛʀmal, o/ *adj* [*source, eaux*] thermal; **cure ~e** course of hydrotherapy, water cure; **station ~e** spa; **établissement ~** hydrotherapic establishment; **faire une cure ~e** to take the waters
thermalisme /tɛʀmalism/ *nm* **1** Méd balneology; **2** (activité) hydrotherapy industry
thermes /tɛʀm/ *nmpl* **1** Antiq thermae; **2** (établissement thermal) thermal baths
thermidor /tɛʀmidɔʀ/ *nm* Thermidor (*eleventh month of the French revolutionary calendar, ≈ August*)
thermique /tɛʀmik/ *adj* thermal; **une ascendance** *or* **un vent ~** a thermal
thermochimie /tɛʀmoʃimi/ *nf* thermochemistry
thermocollage /tɛʀmokɔlaʒ/ *nm* heat-sealing
thermocollant, **~e** /tɛʀmokɔlɑ̃, ɑ̃t/ *adj* [*tissu, ruban*] iron-on (*épith*)
thermocouple /tɛʀmokupl/ *nm* thermocouple
thermodynamique /tɛʀmɔdinamik/
A *adj* thermodynamic
B *nf* thermodynamics (+ *v sg*)
thermoélectricité /tɛʀmoelɛktʀisite/ *nf* thermoelectricity
thermoélectrique /tɛʀmoelɛktʀik/ *adj* thermoelectric; **effet ~** Seebeck effect; **pile ~** thermoelectric couple
thermoformage /tɛʀmɔfɔʀmaʒ/ *nm* thermoforming
thermoformé, **~e** /tɛʀmofɔʀme/ *adj* thermally moulded
thermogène /tɛʀmɔʒɛn/ *adj* heat-generating
thermographe /tɛʀmɔgʀaf/ *nm* thermograph
thermographie /tɛʀmɔgʀafi/ *nf* thermography, thermal imaging
thermolactyl® /tɛʀmɔlaktil/ *nm* **1** Tex thermal material; **2** (vêtement) item of thermal clothing
thermoluminescence /tɛʀmɔlyminɛsɑ̃s/ *nf* thermoluminescence
thermomètre /tɛʀmɔmɛtʀ/ *nm* thermometer; **~ médical** clinical thermometer; **~ à mercure/à alcool/à gaz** mercury/alcohol/gas thermometer; **~ à maxima et minima** maximum and minimum thermometer; **le ~ indique 42 degrés** the thermometer shows 42 degrees; **le ~ va chuter pendant le week-end** temperatures will drop during the weekend; **le ~ des tensions internationales** the barometer of international tensions
thermométrie /tɛʀmɔmetʀi/ *nf* thermometry
thermométrique /tɛʀmɔmetʀik/ *adj* Phys thermometric; Météo temperature (*épith*)
thermonucléaire /tɛʀmɔnykleɛʀ/ *adj* thermonuclear
thermopile /tɛʀmɔpil/ *nf* thermopile
thermoplastique /tɛʀmɔplastik/ *adj* thermoplastic
Thermopyles /tɛʀmɔpil/ *nprfpl* **les ~** Thermopylae; **la bataille des ~** the battle of Thermopylae
thermorégulation /tɛʀmɔʀegylasjɔ̃/ *nf* thermoregulation, homeothermy
thermorésistant, **~e** /tɛʀmɔʀezistɑ̃, ɑ̃t/ *adj* Biol thermotolerant; Phys, Tech heat-resistant
thermos® /tɛʀmos/ *nm ou f inv* Thermos®, vacuum flask GB
thermoscope /tɛʀmɔskɔp/ *nm* thermoscope
thermosiphon /tɛʀmɔsifɔ̃/ *nm* thermosiphon
thermosphère /tɛʀmɔsfɛʀ/ *nf* thermosphere
thermostat /tɛʀmɔsta/ *nm* thermostat; **cuire à four moyen, ~ 6** cook in a moderate oven, at thermostat 6
thermothérapie /tɛʀmɔteʀapi/ *nf* Méd thermotherapy, deep heat therapy
thésard○, **~e** /tezaʀ, aʀd/ *nm,f* PhD student
thésaurisation /tezɔʀizasjɔ̃/ *nf* **1** (de richesses, connaissances) hoarding; **2** Écon accumulation of capital
thésauriser /tezɔʀize/ [1]
A *vtr* to hoard (up) [*argent, richesses, connaissances*]
B *vi* to hoard money
thésaurus /tezɔʀys/ *nm inv* **1** (de philologie, d'archéologie) lexicon; **2** (répertoire) thesaurus
thèse ➡
/tɛz/ *nf* **1** Univ (de doctorat) thesis GB, dissertation US (**sur qn/qch** on sb/sth); **être en ~** to

➡ *voir* Variétés d'anglais

t

be working on a thesis *ou* dissertation; **faire une ~** to do a thesis; **2** (point de vue) thesis, argument; **film/roman à ~** film/novel with a message; **3** (supposition) theory; **avancer/écarter la ~ de l'accident** to put forward/to discount the theory that it was an accident

Thésée /teze/ *npr* Theseus

Thessalie /tɛsali/ ▸ **p. 721** *nprf* **la ~** Thessaly

thessalien, -ienne /tɛsaljɛ̃, ɛn/ *adj* Thessalian

Thessalonique /tɛsalɔnik/ ▸ **p. 894** *npr* Salonika

thêta* /tɛta/ *nm inv* theta

thibaude /tibod/ *nf* carpet underlay

thomisme /tɔmism/ *nm* Thomism

thomiste /tɔmist/ *adj, nmf* Thomist

thon /tɔ̃/ *nm* tuna

(Composés) **~ blanc** longfin tuna, albacore; **~ rouge** bluefin tuna

thonier, -ière /tɔnje, ɛʀ/
A *adj* tuna (*épith*)
B *nm* tuna boat

Thora /tɔʀa/ *nf* **la ~** the Torah

thoracique /tɔʀasik/ *adj* thoracic; **cage ~** ribcage

thorax /tɔʀaks/ ▸ **p. 196** *nm inv* thorax

thorium /tɔʀjɔm/ *nm* thorium

Thrace /tʀas/ ▸ **p. 721** *nprf* Thrace

thrène /tʀɛn/ *nm* threnody

thriller* /sʀilœʀ/ *nm* thriller

thrombine /tʀɔ̃bin/ *nf* thrombine

thrombocyte /tʀɔ̃bosit/ *nm* thrombocyte

thrombose /tʀɔ̃boz/ ▸ **p. 283** *nf* thrombosis

THS /teaʃɛs/ *nm* ▸ **traitement**

Thulé /tyle/ *npr* Thule

thulium /tyljɔm/ *nm* thulium

thune◑ /tyn/ *nf* **des ~s** money ₵; **ne pas avoir une ~** not to have any money, to be broke○

Thurgovie /tyʀgɔvi/ ▸ **p. 721** *nprf* **la ~**, **le canton de ~** the canton of Thurgau

thuriféraire /tyʀifeʀɛʀ/ *nm* **1** (admirateur) eulogist; **2** Relig thurifer

thuya /tyja/ *nm* thuja

thym /tɛ̃/ *nm* thyme

thymique /timik/ *adj* thymic

thymus /timys/ *nm inv* thymus

thyroïde /tiʀɔid/
A *adj* [*cartilage, glande, corps*] thyroid
B *nf* thyroid (gland)

thyroïdien, -ienne /tiʀɔidjɛ̃, ɛn/ *adj* thyroid

thyroxine /tiʀɔksin/ *nf* thyroxine

thyrse /tiʀs/ *nm* thyrsus

tian /tjɑ̃/ *nm* **1** (ustensile) tian (*earthenware dish*); **2** (mets) tian (*gratin of fish or vegetables*)

tiare /tjaʀ/ *nf* tiara; **~ pontificale** papal tiara

(Idiome) **coiffer la ~** to ascend the throne of St Peter

tiaré /tjaʀe/ *nm* Tahitian gardenia

Tibère /tibɛʀ/ *npr* Tiberius

Tibériade /tibeʀjad/ ▸ **p. 479, p. 894** *npr* Tiberias; **le lac de ~** Lake Tiberias

Tibet /tibɛ/ ▸ **p. 721** *nprm* Tibet

tibétain, ~e /tibetɛ̃, ɛn/
A *adj* Tibetan
B ▸ **p. 483** *nm* Ling Tibetan

Tibétain, ~e /tibetɛ̃, ɛn/ *nm,f* Tibetan

tibia /tibja/ *nm* (os) shinbone, tibia spéc; (partie antérieure de la jambe) shin; **un coup de pied dans les ~s** a kick in the shins

Tibre /tibʀ/ ▸ **p. 372** *nprm* Tiber

tic /tik/ *nm* **1** Méd tic; **prendre un ~** to develop a tic; **être plein de ~s** to be constantly twitching; **avoir le visage ravagé de ~s** to suffer from a severe facial tic; **2** (habitude) (dans les gestes) habit; (dans la parole) tic; **prendre les ~s de qn** to pick up sb else's habits; **~ de langage** verbal tic; **3** Vét (de cheval) vice

(Composés) **~ de l'air** wind-sucking; **~ douloureux de la face** tic douloureux, trigeminal neuralgia; **~ rongeur** crib-biting

ticket /tikɛ/ *nm* **1** gén ticket; **2** ○(10 francs) ≈ quid○

(Composés) **~ de caisse** Comm till receipt GB, sales slip US; **~ de métro** underground GB *ou* subway US ticket; **~ modérateur** Prot Soc *patient's contribution towards cost of medical treatment*; **~ de pain** bread coupon; **~ de quai** Rail platform ticket; **~ de rationnement** ration coupon

(Idiome) **avoir un** *or* **le ~ avec qn**○ to be well in with sb○

ticket-repas, *pl* **tickets-repas** /tikɛʀəpɑ/ *nm* luncheon voucher GB, meal ticket US

ticket-restaurant®, *pl* **tickets-restaurant** /tikɛʀɛstɔʀɑ̃/ *nm* luncheon voucher GB, meal ticket US

tic-tac /tiktak/ *nm inv* (*also onomat*) ticktock; **faire ~** to tick

tie-break* /tajbʀɛk/ *nm* tiebreaker

tiédasse○ /tjedas/ *adj* péj lukewarm, tepid

tiède /tjɛd/
A *adj* **1** lit (désagréablement) [*café, soupe*] lukewarm; [*bain*] tepid; (agréablement) [*eau, air, nuit*] warm; [*saison, température*] mild; ▸ **salade**; **2** fig (sans enthousiasme) [*sentiment, applaudissements, partisan*] lukewarm, half-hearted; [*accueil*] lukewarm
B *nmf* péj (membre d'un parti, groupe) lukewarm *ou* half-hearted supporter; (adepte) half-hearted believer
C *adv* **servez ~** serve slightly warm; **dépêche-toi ou tu vas manger ~** hurry up or your food will get cold; **il fait ~** (dehors) it's mild; (dedans) it's nice and warm

tièdement /tjɛdmɑ̃/ *adv* [*applaudir, travailler, approuver*] half-heartedly; **je n'approuve que ~ leur projet** I'm not entirely in favour[GB] of their plan

tiédeur /tjedœʀ/ *nf* **1** lit (agréable) (de saison) mildness; (d'air, de nuit, pièce) warmth; **les premières ~s du printemps** liter the first warm days of spring; **2** fig (de sentiment, partisan) half-heartedness

tiédir /tjediʀ/ [3]
A *vtr* (réchauffer) to warm up [*eau*]; (refroidir) to cool (down)
B *vi* **1** [*liquide, air*] (se réchauffer) to warm (up); (refroidir) to cool (down); **faire ~** to warm *ou* heat (up) [*café*]; **laisser ~** to allow [sth] to cool; **2** fig [*sentiment*] to cool; [*enthousiasme*] to wane

tien, tienne /tjɛ̃, tjɛn/
A *adj poss* **je suis tienne** I'm yours; **une tienne connaissance** an acquaintance of yours
B **le tien, la tienne, les tiens, les tiennes** *pron poss* yours; **un métier comme le ~** a job like yours; **mon mari et le ~** our husbands; **mon patron et le ~** our two bosses; **j'ai mes soucis, tu as les ~s** we each have our own worries; **à la tienne!** (à ta santé) gén cheers!; iron the best of luck!; **les ~s** (ta famille) your family (sg); **c'est un des ~s?** péj is he one of your lot?; **tu as encore fait des tiennes!** you've been up to mischief again!; ▸ **y**[1]

tiens /tjɛ̃/ ▸ **tenir**

tierce ▸ **tiers A, C**

tiercé /tjɛʀse/ ▸ **p. 469** *nm* Turf system of betting on three placed horses; **jouer au ~, faire le ~** to bet on the horses; **avoir le ~ dans l'ordre** to win on the horses with the right placings; **donner un ~ dans l'ordre** (avant une course) to give a winning tip on the horses

tierceron /tjɛʀsəʀɔ̃/ *nm* tierceron

tiers, tierce /tjɛʀ, tjɛʀs/
A *adj* third; **un pays ~** gén another country; (par rapport à un groupe) a non-member country; **une tierce personne** gén an outsider; Jur a third party; **en main tierce** Jur in the hands of a third party
B *nm inv* **1** Math third (**de** of); **il a fait le ~ du travail** he's done one third of the work; **j'ai rédigé les deux ~ de ma thèse** I've written two thirds of my thesis; **j'en suis aux deux ~, je suis au dernier ~** I'm two thirds of the way through; **réduire qch d'un ~** to reduce sth by one third; **la ville a été détruite aux deux ~** two thirds of the town has been destroyed; **2** (personne) (inconnu) outsider; Jur third party; **agir pour le compte d'un ~** to act on behalf of a third party; **avoir recours à un ~** to go through a third party; **3** Assur, Aut **une assurance au ~** third-party insurance; **s'assurer au ~** to take out third-party insurance
C **tierce** *nf* **1** Jeux three card run, tierce; **2** Mus third; **intervalle de tierce** interval of a third; **3** Relig terce; **à tierce** at terce; **4** Imprim page proof

(Composés) **tierce majeure** *or* **à l'as** three card run ace high, tierce major; **le Tiers État** Hist the Third Estate; **~ payant** Prot Soc third-party payer (*direct payment by insurance for medical care*); **~ provisionnel** *tax payment equal to one third of annual tax*

tiers-monde /tjɛʀmɔ̃d/ *nm* Pol Third World; **la dette/les pays du ~** Third World debt/countries

tiers-mondisme /tjɛʀmɔ̃dism/ *nm* support for the Third World

tiers-mondiste /tjɛʀmɔ̃dist/
A *adj* [*conscience, mouvement*] Third-World (*épith*); [*discours, politique*] in support of the Third World
B *nmf* supporter of the Third World

tifs◑ /tif/ *nmpl* hair ₵; **se faire couper les ~** to have one's hair cut

tige /tiʒ/ *nf* **1** (de plante) gén stem; (plus épaisse et rigide) stalk; **~ d'asperge** asparagus spear; **une ~ de rhubarbe** a stick of rhubarb; **arbre de haute/basse ~** standard/half-standard (tree); **2** (jeune arbre) sapling; **3** Mode leg; **chaussures à ~ (basse)/à ~ haute** ankle/long boots; **4** (baguette) rod; **~ de métal** metal rod; (partie allongée) (de clé, clou, rivet) shank; **5** (de plume) shaft; **6** (en généalogie) common ancestor; **faire ~** to found a line; **7** ◑(cigarette) fag○ GB, ciggy○

(Composé) **~ de culbuteur** Aut pushrod

tignasse /tiɲas/ *nf* **1** (cheveux mal entretenus) mop of hair; **2** ○(chevelure) hair

tigre /tigʀ/ *nm* **1** Zool (animal) tiger; (peau) tigerskin; **2** (personne cruelle) monster

(Composés) **~ du Bengale** Bengal tiger; **~ mangeur d'hommes** man-eating tiger; **~ royal = ~ du Bengale**; **~ de Sibérie** Siberian tiger

(Idiome) **être jaloux comme un ~** to be insanely jealous

Tigre /tigʀ/ ▸ **p. 372** *nprm* Tigris

tigré, ~e /tigʀe/ *adj* **1** (rayé) striped; **~ de noir/rouge** black-/red-striped; **2** (tacheté) spotted; **~ de noir/blanc** with black/white spots

tigresse /tigʀɛs/ *nf* Zool, fig tigress

tigron /tigʀɔ̃/ *nm* tigon

tilbury /tilbyʀi/ *nm* tilbury

tilde /tilde, tild(ə)/ *nm* tilde

tillac /tijak/ *nm* deck

tilleul /tijœl/ *nm* **1** (arbre) limetree; (bois) limewood; **vert ~** pale green; **2** (fleur) lime-blossom; **3** (tisane) lime-blossom tea; **~ menthe** lime-blossom and mint tea

tilt /tilt/ *nm* Jeux tilt sign; **faire ~** [*machine*] to show tilt; [*personne*] to make the machine stop

(Idiomes) **ça a fait ~ (dans mon esprit)**○ the penny dropped○; **ça a fait ~ entre nous**○ we clicked when we met

timbale /tɛ̃bal/ ▸ **p. 557** *nf* **1** (gobelet) (en métal) metal tumbler; (en plastique) plastic cup; **2** Mus kettledrum; **~s** timpani; **3** Culin timbale

timbalier /tɛ̃balje/ ▸ **p. 532** *nm* timpanist

timbrage /tɛ̃bʀaʒ/ *nm* 1 Postes postmarking; **dispensé de ~** postage paid GB, post paid US; 2 (de document) stamping

timbre /tɛ̃bʀ/ *nm* 1 (vignette) stamp; **~ tarif rapide/tarif lent** first-class/second-class stamp; **~ à 46 centimes (d'euro)** 46-cent stamp; **~ premier jour** first-day cover; 2 (marque) gén, Jur stamp; Postes postmark; 3 (instrument) stamp; **~ sec/humide** embossing/ink stamp; 4 (sonorité) gén tone; Mus timbre; (de voyelle) timbre; **voix au ~ voilé** husky voice; **~ chaud/riche** warm/rich tone; **voix sans ~** toneless voice; 5 (sonnette, sonnerie) (de porte, vélo) bell; (de réveil) ring; 6 Méd patch; **~ à la nicotine** nicotine patch; **~ tuberculinique** test square (*for tuberculin patch test*)

(Composés) **~ dateur** date stamp; **~ fiscal** *stamp affixed to official document e.g. passport*

timbré, ~e /tɛ̃bʀe/

A *pp* ▸ **timbrer**

B *pp adj* 1 [*enveloppe, document*] stamped; 2 [*voix*] **voix (bien) ~e** resonant voice

C ○*adj* (fou) loony○

D ○*nm,f* loony○

timbre-amende, *pl* **timbres-amendes** /tɛ̃bʀamɑ̃d/ *nm*: *stamp purchased in payment of a traffic fine*

timbre-cotisation, *pl* **timbres-cotisations** /tɛ̃bʀ(ə)kɔtizasjɔ̃/ *nm*: *stamp purchased to pay a subscription*

timbre-escompte, *pl* **timbres-escompte** /tɛ̃bʀɛskɔ̃t/ *nm* trading stamp

timbre-poste, *pl* **timbres-poste** /tɛ̃bʀ(ə)pɔst/ *nm* Postes postage stamp

timbre-quittance, *pl* **timbres-quittances** /tɛ̃bʀ(ə)kitɑ̃s/ *nm* receipt stamp

timbrer /tɛ̃bʀe/ [1] *vtr* (tous contextes) to stamp, to put a stamp on [*enveloppe, document*]

timide /timid/

A *adj* [*personne, animal*] shy, timid; [*critique, réforme*] timid; [*succès, résultat*] limited; **d'un air ~** shyly, timidly; **faussement ~** coy

B *nmf* shy person; **c'est un grand ~** he's terribly shy; **il joue les ~s** he's being coy

timidement /timidmɑ̃/ *adv* (avec timidité) shyly; (craintivement) timidly; (sans conviction) half-heartedly

timidité /timidite/ *nf* shyness; **il est d'une ~ maladive** he's pathologically shy; **avec ~** shyly

timing /tajmiŋ/ *nm* 1 (calendrier) schedule; 2 Sport timing

timon /timɔ̃/ *nm* 1 Naut (barre de gouvernail) tiller; (gouvernail) rudder; 2 (d'attelage) shaft

timonerie /timɔnʀi/ *nf* 1 Naut (abri) wheelhouse; (personnel) helmsmen (*pl*), quartermasters (*pl*); 2 Aut, Aviat steering and braking systems

timonier /timɔnje/ ▸ p. 532 *nm* helmsman

Timor /timɔʀ/ ▸ p. 333 *nprm* Timor; **~ oriental** East Timor

timorais, -aise /timɔʀɛ, ɛz/ ▸ p. 561 *adj* Timorese

Timorais, -aise /timɔʀɛ, ɛz/ ▸ p. 561 *nm,f* Timorese man/woman

timoré, ~e /timɔʀe/ *adj* 1 (craintif) timorous; 2 †(trop scrupuleux) over-scrupulous

tinctorial, ~e, *mpl* **-iaux** /tɛ̃ktɔʀjal, o/ *adj* [*opération, produit*] dyeing (*épith*); **substances ~es** dyestuffs; **bois ~** dyewood; **plantes ~es** dye-producing plants

tinette /tinɛt/ *nf* latrine bucket; (en prison) slopping-out bucket

tintamarre /tɛ̃tamaʀ/ *nm* 1 (bruit) din; **faire du ~** to make a din; 2 (protestation) fuss; **faire du ~** to make a fuss

tintement /tɛ̃tmɑ̃/ *nm* (de cloche) chiming; (de clochette, grelot) tinkling; (de couverts, verres, monnaie) clinking; (de sonnette) ringing; (de clés) jingling

(Composé) **~ d'oreilles** Méd ringing in the ears, tinnitus spéc

tinter /tɛ̃te/ [1] *vi* [*cloche*] to chime; [*sonnette*] to ring; [*clochette, grelot*] to tinkle; [*verre, monnaie, couvert*] to clink; [*bidon*] to clang; [*clé*] to jingle; Mus [*triangle*] to ring; **faire ~** to ring [*cloche, sonnette, clochette*]; to clink [*verre, monnaie, couvert*]; to clang [*bidon*]; to jingle [*clé*]; Mus to strike [*triangle*]

(Idiome) **les oreilles me tintent** my ears are ringing

tintin○ /tɛ̃tɛ̃/ *excl* no way○!

tintinnabuler /tɛ̃tinabyle/ [1] *vi* [*clochettes, grelots*] to tinkle

Tintoret /tɛ̃tɔʀɛ/ *npr* **le ~** Tintoretto

tintouin○ /tɛ̃twɛ̃/ *nm* 1 (vacarme) din, racket○; 2 (souci) lots of bother; **se donner du ~** to go to a lot of bother

TIP /tip/ *nm* ▸ **titre**

tipi /tipi/ *nm* te(e)pee

tique /tik/ *nf* tick

tiquer /tike/ [1] *vi* 1 ○[*personne*] to wince; **sans ~** without batting an eyelid GB *ou* eyelash US; **~ sur qch** to object to sth; 2 [*cheval*] to crib(-bite)

tir /tiʀ/ *nm* 1 Mil (coups de feu) fire ¢; **déclencher le ~** to open fire; **~ nourri/sporadique** heavy/sporadic fire; 2 Mil, Sport (avec des armes légères) shooting ¢; (avec des armes lourdes) gunnery ¢; **~ couché/accroupi** prone/squat shooting; **s'entraîner au ~** to practise[GB] shooting; **exercices de ~** shooting practice ¢; **exercices de ~ sur cible** target practice ¢; 3 Mil (lancement) firing ¢; **pendant le ~** during firing; **~ de grenades/missiles** grenade/missile firing; **~ continu** continuous firing; **un ~ de roquette** a rocket attack; 4 Astronaut (lancement) launching ¢; **~ de fusée** rocket launching; 5 Jeux shooting; **~ forain** (stand) rifle range ; **concours de ~** shooting contest; 6 Sport (avec ballon) shot; **~ au but** (au football) shot at goal; 7 Chasse shooting; **~ aux canards** duck shooting

(Composés) **~ à l'arbalète** crossbow archery; **~ à l'arc** archery; **~ d'artillerie** artillery fire ¢; **~ de balisage** marking fire ¢; **~ à balles réelles** firing ¢ with live ammunition; **~ de barrage** barrage fire ¢; fig barrage; **~ à blanc** firing ¢ with blanks; **~ à la carabine à air comprimé** air rifle shooting; **~ à la carabine petit calibre (trois positions)** small-bore (three position) shooting; **~ à la cible courante** moving target shooting; **~ d'élite** marksmanship; **~ à la fosse olympique** clay pigeon trap-shooting; **~ coup par coup** single shot fire ¢; **~ croisé** Mil crossfire ¢; Sport cross; **~ de fusil** gunfire ¢; **~ de harcèlement** harassing fire ¢; **~ de mitraillette** submachine-gun fire ¢; **~ de mortier** mortar fire ¢; **~ aux pigeons d'argile** clay pigeon shooting; **~ plongeant** low angle fire ¢; **~ de précision** pinpoint firing ¢; **~ au pistolet à air comprimé** air pistol shooting; **~ au pistolet libre** free pistol shooting; **~ au pistolet de ~ rapide** rapid fire pistol shooting; **~ au pistolet de ~ sportif** sport pistol shooting; **~ en rafale** burst firing ¢; **~ de ratissage** combing fire ¢; **~ de réparation** penalty; **~ de semonce** warning shots (*pl*); **~ tendu** flat trajectory fire ¢; **~s au but** penalty shoot-out; **être éliminé aux ~s au but** to be knocked out in a penalty shoot-out

tirade /tiʀad/ *nf* 1 Littérat, Théât declamation; 2 pej (discours) tirade péj

tirage /tiʀaʒ/ *nm* 1 Jeux **~ (au sort)** draw; **~ hebdomadaire/spécial** weekly/special draw; **désigner par ~ (au sort)** to draw [*nom, vainqueur*]; **le ~ (au sort) a désigné le Danemark contre l'Angleterre** Denmark has been drawn against England; 2 Édition, Imprim, Presse (impression, réimpression) impression; (nombre) (de livres) run; (de journaux) circulation; **troisième ~** third impression; **quotidien à grand ~** mass-circulation daily; **~ limité/numéroté** limited/numbered edition; 3 Ordinat (copie papier) hard copy; 4 Art, Cin, Phot (d'estampe, de négatif) (processus) printing ¢; (résultat) print; **un beau ~** a fine print; 5 Constr (de cheminée) draught GB, draft US; 6 (désaccord) friction ¢; **il ya du ~ entre eux** there's friction between them

(Composés) **~ en fac-similé** facsimile edition; **~ de luxe** de luxe edition; **~ de tête** advance copy

tiraillement /tiʀajmɑ̃/ *nm* 1 (sur corde) pulling ¢, tugging ¢; 2 (sensation) nagging pain; **~s d'estomac** hunger pangs; 3 fig (friction) friction ¢ **(entre** between); **des ~s au sein de l'équipe** friction in the team

tirailler /tiʀaje/ [1]

A *vtr* 1 (tirer) to tug (at), to pull (at) [*corde, manche, barbe*]; **~ qn par le bras** to tug at sb's arm; 2 fig **être tiraillé entre son travail et sa famille/deux personnes** to be torn between one's work and one's family/two people

B *vi* [*soldat, tireur*] (au hasard) to fire *ou* shoot at random; (de temps en temps) to fire intermittently; **ça tiraille de tous les côtés** there's firing on all sides

tirailleur /tiʀajœʀ/ *nm* 1 Mil skirmisher; **en ~s** in skirmishing position; 2 Hist, Mil colonial infantryman

(Composé) **~ sénégalais** Senegalese infantry man

tiramisu /tiʀamisy/ *nm* tiramisu

Tirana /tiʀana/ ▸ p. 894 *npr* Tirana

tirant /tiʀɑ̃/ *nm* 1 (de chaussure) bootstrap; 2 (de charpente) tie beam

(Composés) **~ d'air** Constr, Naut (de pont) vertical clearance; **~ d'eau** Naut draught GB, draft US; **avoir un ~ d'eau de six mètres** to draw six metres[GB]

tire○ /tiʀ/ *nf* (voiture) car; ▸ **vol**

tiré, ~e /tiʀe/

A *pp* ▸ **tirer**

B *pp adj* 1 (tendu en arrière) [*cheveux*] drawn back; **avoir les cheveux ~s** to wear one's hair tied back; ▸ **cheveu, couteau, épingle**; 2 (fatigué) **avoir les traits ~s** to look drawn; 3 (fermé) [*rideau, verrou*] drawn; 4 Édition **~ à part** [*article, texte*] off-printed

C *nm,f* (payeur) drawee

D *nm* 1 Édition **un ~ à part** an off-print; 2 (tir) shooting ¢

E **tirée**○ *nf* (longue distance) tidy walk○

tire-au-flanc○ /tiʀoflɑ̃/

A *adj inv* lazy, skiving○ GB (*épith*); **être ~** to be lazy *ou* a skiver○ GB

B *nm inv* gén shirker, skiver○ GB

tire-botte, *pl* **~s** /tiʀbɔt/ *nm* bootjack

tire-bouchon, *pl* **~s*** /tiʀbuʃɔ̃/ *nm* corkscrew; **queue en ~** curly tail; **manches/pantalon en ~** (en spirale) twisted sleeves/trousers GB *ou* pants US; (en accordéon) wrinkled sleeves/trousers GB *ou* pants US

tire-bouchonner* /tiʀbuʃɔne/ [1] *vi* (en spirale) [*manche, pantalon*] to be twisted; (en accordéon) [*manche, pantalon*] to be wrinkled; **un pantalon tire-bouchonnant** a wrinkled pair of trousers GB *ou* pants US

tire-clou, *pl* **~s** /tiʀklu/ *nm* (de marteau) nail claw; (autonome) nail puller

tire-comédon, *pl* **~s** /tiʀkɔmedɔ̃/ *nm* blackhead remover

tire-d'aile: **à tire-d'aile** /atiʀdɛl/ *loc adv* lit in a flurry of wings; fig hurriedly

tire-fesses*○ /tiʀfɛs/ *nm inv* ski tow

tire-fond* /tiʀfɔ̃/ *nm inv* 1 (vis à bois) coach screw; 2 (écrou de maçonnerie) coach bolt

tire-jus◑ /tiʀʒy/ *nm inv* snot-rag◑, handkerchief

tire-laine*† /tiʀlɛn/ *nm inv* thief

tire-lait* /tiʀlɛ/ *nm inv* breast pump

tire-larigot: **à tire-larigot** /atiʀlaʀigo/ *loc adv* [*boire*] non-stop

tire-ligne, *pl* **~s** /tiʀliɲ/ *nm* ruling pen

tirelire /tiʀliʀ/ *nf* piggy bank; **piocher dans/casser sa ~** to raid/to break one's piggy bank

tire-nerf, *pl* **~s** /tiʀnɛʀ/ *nm* Dent barbed broach

tirer /tiʀe/ [1]

A *vtr* **1** (déplacer) [*personne, animal, véhicule*] to pull [*véhicule*]; [*personne*] to pull up [*fauteuil, chaise*]; [*personne*] to pull away [*tapis*]; **~ la tête en arrière** to toss one's head back; ▸ **chapeau**, **couverture**
2 (exercer une traction) (avec une force régulière) to pull [*cheveux*]; to pull on [*corde*]; (par à-coups) to tug at [*cordelette, manette, sonnette*]; **~ qn par le bras** to pull sb's arm; **~ les cheveux à qn** to pull sb's hair; **~ qn par la manche** to tug at sb's sleeve
3 (tendre) **~ ses cheveux en arrière** to pull back one's hair; **~ ses bas** to pull up one's stockings; **~ sa chemise/jupe** to straighten one's shirt/skirt; ▸ **épingle**; **se faire ~ la peau**○ Cosmét to have a face-lift; **la peau/ça me tire**○ my skin/it feels tight
4 (fermer) to draw [*verrou, rideau*]; to pull down [*store*]; to close [*porte, volet*]
5 Mil to fire off [*balle, obus, grenade*]; to fire [*missile*]; **~ un coup de feu** to fire a shot; **~ le canon** (pour honorer) to fire a salute; **~ vingt et un coups de canon** to fire a twenty-one gun salute
6 (propulser) to shoot [*balle, flèche*] (**sur** at); **elle lui a tiré (une balle) dans le dos** she shot him in the back
7 (viser) **~ le canard/faisan/gibier** to shoot duck/pheasant/game
8 Sport (de ballon) **~ un corner/penalty** to take a corner/penalty; **~ un coup franc** (au football) to take a free kick; (au handball, basket-ball) to take a free throw
9 (choisir au hasard) **~ (au sort)** to draw [*carte, loterie, nom, gagnant, adversaire*]; to draw for [*partenaire*]; **~ les blancs** to draw white; **~ une bonne carte** to draw a strong card
10 Jeux (aux cartes) **~ ses atouts** to draw trumps
11 Astrol **~ les cartes à qn** to tell the cards for sb; **se faire ~ les cartes** to have one's fortune told with cards
12 (prendre) to draw [*vin, bière, eau, électricité, argent*] (**de**, **sur** from); **~ de l'eau du puits** to draw water from the well; **~ de l'argent sur un compte** to draw money from an account; ▸ **vin**
13 (sortir) **~ de qch** to take [sth] out of sth [*objet*]; to pull [sb] out of sth [*personne*]; **~ un stylo de son sac/d'un tiroir** to take a pen out of one's bag/out of a drawer; **~ un enfant de l'eau/des flammes** to pull a child out of the water/out of the flames; **~ qch de sa poche** to pull sth out of one's pocket; **~ une bouffée de sa cigarette/pipe** to take a puff at *ou* on one's cigarette/pipe; ▸ **épingle**, **marron**, **ver**
14 (faire sortir) **~ de qch** to get [sb/sth] out of sth [*personne, pays, entreprise*]; **~ le pays de la récession** to get the country out of recession; **tire-moi de là!** get me out of this!; **~ qn d'une maladie** to pull sb through an illness; **tu l'as tirée de son silence/sa mélancolie** you drew her out of her silence/her melancholy
15 (obtenir) **~ de qn** to get [sth] from sb [*renseignement, aveu*]; **~ de qch** to draw [sth] from sth [*force, ressources*]; to derive [sth] from sth [*orgueil, satisfaction*]; to make [sth] out of sth [*argent*]; **tu ne tireras pas grand-chose de cette voiture** (comme argent) you won't get much for this car; (comme service) you won't get much out of this car; **tu ne tireras pas grand-chose de lui** (comme argent, renseignements, preuve d'intelligence) you won't get much out of him; **~ le maximum de la situation** to make the most of the situation; **~ un son d'un instrument** to get a note out of an instrument
16 (dériver) **~ de qch** to base [sth] on sth [*récit, film*]; to get [sth] from sth [*nom*]; **le film est tiré du roman** the film is based on the novel; **la guillotine tire son nom de son inventeur** the guillotine gets its name from its inventor; **le mot est tiré de l'anglais** the word comes from the English
17 (extraire) **~ de qn/qch** to take [sth] from sb/sth [*texte*]; to derive [sth] from sth [*substance*]; **texte tiré de Zola/la Bible** text taken from Zola/the Bible; **le médicament est tiré d'une plante** the drug comes from a plant
18 (faire un tirage) to print [*livre, tract, texte, négatif*]; to run off [*épreuve, exemplaire*]; **journal tiré à dix mille exemplaires** newspaper with a circulation of ten thousand
19 (tracer) to draw [*ligne, trait*]; **~ un chèque** Fin to draw a cheque GB *ou* check US (**sur** on); **~ des plans** fig to draw up plans; ▸ **comète**
20 ○(passer) **plus qu'une heure/semaine à ~** only one more hour/week to go; **~ quelques années en prison** to spend a few years in prison

B *vi* **1** (exercer une traction) to pull; **~ sur qch** (avec une force régulière) to pull on sth; (d'un coup ou par à-coups) to tug at sth; **tire fort!** pull hard!; **~ sur les rames** to pull on the oars; **~ de toutes ses forces** to heave with all one's might; **le moteur tire bien/tire mal**○ the engine is pulling well/isn't pulling properly; ▸ **corde**
2 (utiliser une arme) to shoot (**sur** at); (à feu) to fire (**sur** at); **~ à l'arc** to shoot with a bow and arrow; **~ à la carabine/à l'arbalète** to shoot with a rifle/with a crossbow; **~ pour tuer** to shoot to kill; **~ au fusil/en l'air/à balles réelles** to fire a gun/into the air/with live ammunition; **~ le premier** to fire first, to shoot first; **se faire ~ dessus** to come under fire, to be shot at; ▸ **boulet**; **elle lui a tiré dans la jambe** she shot him in the leg
3 Sport (au football) to shoot; (au handball, basket-ball) to take a shot; **~ au but** (au football) to take a shot at goal
4 (choisir au hasard) **~ (au sort)** to draw lots; **on n'a qu'à ~** let's just draw lots; ▸ **paille**
5 (prendre) **~ sur** to draw on; **~ sur son compte/ses réserves** to draw on one's account/one's reserves
6 (aspirer) **la cheminée tire bien/tire mal** the chimney draws well/doesn't draw well; **~ sur sa cigarette/pipe** to draw on one's cigarette/pipe
7 Imprim, Presse **~ à mille exemplaires** [*périodique*] to have a circulation of a thousand; **à combien tire la revue?** what's the circulation of the magazine?
8 (avoir une nuance) **~ sur le jaune/le bleu/le vert/le violet/l'orangé** to be yellowish/bluish/greenish/purplish/orangy; **être d'un bleu tirant sur le vert** to be greenish-blue
9 (se rapprocher) **~ sur la cinquantaine** (âge) to be pushing fifty
10 (dévier) [*voiture*] **~ à gauche/droite** to pull to the left/right; Équit **~ à la main** [*cheval*] to pull

C **se tirer** *vpr* **1** (sortir) **se ~ de** to come through [*situation, difficultés*]; **se ~ de ses ennuis** to come through one's troubles; ▸ **pas**
2 ●(partir) **je me tire** I'm off○ GB, I'm splitting○; **tire-toi** get lost○; **je me suis tiré de chez lui** I cleared from his place; **je me suis tiré de chez mes parents** I left home; **je vais me ~ à Montréal** I'm going off to Montreal
3 (se servir d'une arme) **se ~ une balle** to shoot oneself (**dans** in); **se ~ une balle dans la tête** to blow one's brains out; **se ~ dessus** (l'un l'autre) lit to shoot at one another
4 (exercer une traction) **se ~ la moustache** to pull at one's moustache
5 ○(se débrouiller) **s'en ~** to cope; **il s'en tire mal** (forte contrainte) he's finding it hard to cope; (travail délicat) he doesn't do very well; **comment est-ce que vous vous en tirez?** how do you cope?; **elle s'en tire mieux que lui** (épreuve de résistance) she is coping better than he is; (épreuve d'habileté) she is doing better than him; **elle s'en tire tout juste** she just gets by
6 ○(échapper) **s'en ~** (à un accident) to escape; (à une maladie) to pull through; (à une punition) to get away with it○; **je m'en suis tiré avec quelques égratignures** I escaped with a few scratches; **son médecin pense qu'elle s'en tirera** her doctor thinks (that) she will pull through; **sans diplôme, il ne s'en tirera jamais** without a degree, he'll never get by; **il ne s'en tirera pas comme ça** he's not going to get away with it; **s'en ~ à bon prix** to get off lightly; ▸ **compte**

tiret /tiʀɛ/ *nm* Imprim, Ling dash

tirette /tiʀɛt/ *nf* **1** Tech (rigide) pull tab; (souple) cord; **2** (de meuble) (sliding) support; **3** Belg (fermeture à glissière) zip GB, zipper US

tireur, **-euse** /tiʀœʀ, øz/
A *nm,f* **1** Mil, Sport marksman/markswoman; **être (un) bon/mauvais ~** to be a good/poor shot; **2** (personne armée) gunman; **~ embusqué** sniper; **3** Sport (au football) striker; (aux boules) thrower; **4** Fin (émetteur) drawer; **5** Phot (opérateur) printer; **6** ○(pickpocket) pickpocket
B **tireuse** *nf* **1** (robinet) spigot; **vin à la tireuse** wine from the barrel; **bière/cidre à la tireuse** draught GB *ou* draft US beer/cider; **2** Phot (machine) printer

(Composés) **~ à l'arbalète** crossbowman; **~ à l'arc** archer; **~ de cartes** fortune teller (*using cards*); **~ d'élite** expert marksman; **tireuse d'élite** expert markswoman

tiroir /tiʀwaʀ/ *nm* **1** (de meuble) drawer; **~ de bureau** desk drawer; **~ secret** secret drawer; **fouiller dans tous les ~s** to go through all the drawers; **traîner au fond d'un ~** to lie forgotten in the bottom of a drawer; **finir sa carrière dans le fond d'un ~** fig to end one's career in a second-rate job; **2** Mécan (soupape) slide valve; **3** (épisode) **à ~s** [*pièce, roman*] episodic, à tiroirs spéc; **problème à ~s** Math sequential problem

(Idiome) **racler les fonds de ~** to scrape some money together

tiroir-caisse, *pl* **tiroirs-caisses** /tiʀwaʀkɛs/ *nm* **1** lit cash register; **2** fig (dispensateur d'argent) cash dispenser

(Idiome) **avoir la main dans le ~** to have one's hand in the till

tisane /tizan/ *nf* herbal tea, tisane; **faire une ~** to make a cup of herbal tea; **de la ~ en sachets** herbal teabags

tisanière /tizanjɛʀ/ *nf*: *mug for preparing herbal tea*

tison /tizɔ̃/ *nm* (fire) brand

(Idiome) **Noël au balcon, Pâques aux ~s** Prov when it's mild at Christmas, it's cold at Easter

tisonner /tizɔne/ [1] *vtr* to poke

tisonnier /tizɔnje/ *nm* poker

tissage /tisaʒ/ *nm* **1** (fabrication) weaving ₵; **le ~ des tapis** rug-weaving; **faire du ~** to weave; **2** (texture) weave

tissé, **~e** /tise/
A *pp* ▸ **tisser**
B *pp adj* **1** lit [*coton, drap, tapis*] woven; **~ à la main** hand-woven; **2** fig **récit ~ de mensonges** story riddled with lies

tisser /tise/ [1] *vtr* **1** [*personne, machine*] to weave; **métier à ~** weaving loom; **2** [*araignée*] to spin [*toile*]

tisserand, **~e** /tisʀɑ̃, ɑ̃d/ ▸ **p. 532** *nm,f* weaver

tisseur, **-euse** /tisœʀ, øz/ *nm,f* weaver; **~ de tapis/drap** rug/cloth weaver

tissu /tisy/ *nm* **1** (étoffe) material, fabric; **acheter du ~** to buy some material *ou* fabric; **un joli ~ imprimé** a pretty printed material *ou* fabric; **les ~s synthétiques** synthetic materials *ou* fabrics; **~ de bonne qualité** good quality material *ou* fabric *ou* cloth; **revêtement mural/ceinture en ~** fabric wall-covering/belt; **c'est du ~?** is it fabric?;

t

ℹ Les titres de politesse

■ *On ne trouvera ici que quelques indications générales sur la façon de s'adresser à quelqu'un et de parler de quelqu'un en utilisant son titre. Pour les titres militaires,* ▸ **p. 406**, *et pour les autres titres, consulter les articles du dictionnaire.*

Comment s'adresser à quelqu'un

■ *Dans la plupart des circonstances ordinaires, l'anglais n'utilise pas d'équivalent de* monsieur, madame *etc.*

bonjour, madame
= good morning

bonsoir, mademoiselle
= good evening

bonjour, monsieur
= good afternoon

excusez-moi, madame
= excuse me

pardon, monsieur, pourriez-vous me dire…
= excuse me, could you tell me…

■ *Les mots* Mr, Mrs, Miss *et* Ms *sont toujours utilisés avec le nom de la personne; on ne les utilise jamais seuls.*

bonjour, madame
= good morning, Mrs Smith

au revoir, mademoiselle
= goodbye, Miss Smith

bonsoir, monsieur
= good evening, Mr Smith

■ *Attention:* Ms *(dire* [mɪz] *ou* [məz]*) permet de faire référence à une femme dont on connaît le nom sans préciser sa situation de famille. Il n'y a pas d'équivalent français:*

bonjour, madame ou ***bonjour, mademoiselle***
= good morning, Ms Smith

■ *Les anglophones utilisent les prénoms beaucoup plus volontiers que les francophones. Lorsqu'en français on dit simplement* bonjour, *en anglais on précise souvent* good morning, Paul *ou* good morning, Anne *etc. De même, au début d'une lettre, un anglophone écrira facilement* Dear Anne, Dear Paul *etc., bien avant que le Français n'en vienne à utiliser le prénom.*

■ *Les mots* Madam *et* Sir *ne sont utilisés que par les vendeurs des magasins, les employés de restaurants, d'hôtels etc. Ils sont toujours utilisés sans le nom propre:*

bonjour, madame
= good morning, Madam

bonne nuit, monsieur
= good night, Sir

■ *En anglais, le titre de* doctor *est utilisé pour les docteurs de toutes disciplines. Mais on ne peut l'utiliser seul, sans nom propre, que pour un docteur en médecine.*

bonsoir, docteur
= good evening, doctor (*médecin*)

bonjour, docteur
= good morning, Doctor Smith (*en médecine ou d'une autre spécialité*)

Comment parler de quelqu'un

M. Dupont est arrivé
= Mr Dupont has arrived

Mme Dupont a téléphoné
= Mrs Dupont phoned
ou Ms Dupont phoned

le rabbin Lévi est malade
= Rabbi Lévi is ill

■ *L'anglais n'utilise pas d'article défini devant les noms de titres lorsqu'ils sont suivis du nom propre.*

le roi Richard I
= King Richard I (*dire* King Richard the first)

l'inspecteur Hervet
= Inspector Hervet

le prince Charles
= Prince Charles

la princesse Anne
= Princess Anne

le pape Jean-Paul II
= Pope John-Paul II (*dire* Pope John-Paul the second)

■ *Mais si le titre est suivi du nom du pays, du peuple, de la ville etc., l'anglais utilise l'article défini.*

le roi des Belges
= the King of the Belgians

le prince de Galles
= the Prince of Wales

[2] Anat, Physiol, Bot tissue; **le ~ osseux/organique/nerveux/musculaire/cellulaire** bone/organic/nervous/muscle/cellular tissue; [3] (ensemble) (d'intrigues, de contradictions) web; (d'improbabilités, inepties) string; **un ~ de mensonges** a web *ou* tissue of lies; **un ~ d'insinuations calomnieuses** a web of slanderous insinuation ; **~ urbain/social** urban/social fabric; **~ industriel** industrial base

(Composé) **~ d'ameublement** upholstery fabric *ou* material

tissu-éponge, *pl* **tissus-éponges** /tisyepɔ̃ʒ/ *nm* (terry) towelling[GB] ₵

tissulaire /tisylɛʀ/ *adj* tissue (*épith*)

titan /titɑ̃/ *nm* titan; **de ~** titanic; ▸ **travail¹**

Titan /titɑ̃/ *npr* Mythol Titan

titane /titan/ *nm* titanium

titanesque /titanɛsk/ *adj* titanic

Tite /tit/ *npr* Relig, Bible Titus

Tite-Live /titliv/ *npr* Livy

titi° /titi/ *nm* **~ (parisien)** urchin, scamp

Titien /tisjɛ̃/ *npr* **le ~** Titian

titillation /titijasjɔ̃/ *nf* titillation

titiller /titije/ [1] *vtr* [1] (taquiner) to titillate; [2] (chatouiller) to tickle [*corps*]

titisme /titism/ *nm* Hist Titoism

titrage /titʀaʒ/ *nm* [1] (de film, livre, chanson) titling; [2] Chimie (de solution) titration; (de minerai) assay

titre /titʀ/ *nm* [1] (de film, livre, chanson, d'article) title; (de chapitre) heading; **page de ~** title page; **un autre ~ pour un article** another title for an article; **donner un ~ à** to give [sth] a title [*livre, article, film*]; **au ~ évocateur/de circonstance** [*film, ouvrage*] with an evocative/appropriate title; **avoir pour ~** to be entitled; **sous le ~ (de)** entitled; ▸ **faux, rôle, sous**; [2] Presse headline; **les ~s de l'actualité** the headlines; **lire les gros ~s** to read the headlines; [3] (rang) title; **~ honorifique** honorary title; **~ mondial** world title; **~ nobiliaire** *or* **de noblesse** title; **pr étendre au ~ de…** to aspire to the title of…; **le ~ de comte/ministre/docteur/champion du monde** the title of count/minister/doctor/world champion; **défendre son ~** [*sportif*] to defend one's title; **donner à qn le ~ de** to address sb as; **elle a le ~ de docteur en linguistique** she's got a doctorate in linguistics; **le ~ d'ingénieur** the status of qualified engineer; **en ~** [*professeur, directeur*] titular; [*fournisseur*] appointed; [*maîtresse, rival*] official; [*chef d'orchestre*] resident; [*acteur, danseur*] regular; **champion du monde en ~** world title holder; **~s universitaires** (diplômes) university qualifications; **promotion sur ~** promotion on the basis of one's qualifications; **ils n'ont pas droit au ~ de réfugié(s)** they have no right to refugee status; **revendiquer le ~ de résistant** to claim the status of a resistance fighter; [4] (motif) **à juste ~** quite rightly; **à plus d'un ~** in many respects; **à ~ d'exemple/de précaution** as an example/a precaution; **à ~ expérimental/de comparaison** by way of experiment/of comparison; **à ~ définitif/provisoire** on a permanent/temporary basis; **à ~ privé** in a private capacity; **à ~ gracieux** *or* **gratuit** free; **à ~ onéreux** for a fee; **participer à qch à ~ officiel/personnel** to take part in sth in an official/a private capacity; **à ~ indicatif** as a rough guide; **ce prix n'est donné qu'à ~ indicatif** *or* **d'indication** this price is only a guideline; **à quel ~ a-t-il été invité?** why was he invited?; **au même ~ que vous** in the same capacity as yourself; **elle a, à ce ~, rencontré le président** she met the president in that capacity; **à double ~** on two counts; **au ~ de l'aide économique** in economic aid; **somme déduite au ~ de frais de représentation** sum deducted as representing entertainment expenses; **perçu au ~ de droits d'auteur** received as royalties; [5] Jur (document) deed; (subdivision de livre) title; [6] Fin (valeur) security; **~ au porteur** bearer security; **~ nominatif** registered security; **~ de placement** investment security; [7] Écon item; **~ budgétaire** budgetary item; [8] Chimie titre[GB]; [9] Vin (de vins et spiritueux) strength; [10] (de métal précieux) fineness

(Composés) **~ courant** Édition running title; **~ de créance** proof of debt; **~ ecclésiastique** ecclesiastical title; **~ de gloire** claim to fame; **~ interbancaire de paiement**, **TIP** bank-account details to make a payment by direct debit; **~ participatif** non-voting share (*in public sector companies*); **~ de participation** equity share; **~ de propriété** title deed; **~ de saisie** distraining order; **~ de transport** ticket; **~ universel de paiement**, **TUP** universal payment order

titré, **~e** /titʀe/
[A] *pp* ▸ **titrer**
[B] *pp adj* [1] (noble) titled; **être ~** to be titled; [2] Chimie standard

titrer /titʀe/ [1] *vtr* [1] Presse **le journal du dimanche titrait…** the headlines in the Sunday paper read…; **le journal du dimanche titrait en gras…** banner headlines in the Sunday paper read…; **le Temps titrait sur quatre colonnes 'la fin de la démocratie'** 'the end of democracy' announced 'le Temps' in a four-column spread; [2] Chimie to titrate [*solution*]; to assay [*minerai*]

titubant, **~e** /titybɑ̃, ɑ̃t/ *adj* [*personne, démarche*] unsteady

tituber /titybe/ [1] *vi* to stagger (**de** with); **je titubais de fatigue** I was staggering with exhaustion; **il tituba, s'arrêta puis repartit** he staggered along, stopped, then set off again; **ils sont sortis du pub en titubant** they staggered out of the pub

titulaire /titylɛʀ/
[A] *adj* [1] Admin [*enseignant*] (d'école, de lycée) who has been confirmed in his/her post (*après n*); (d'université) tenured; [*agent, personnel*] permanent; [2] Sport **joueur ~** regular player (in the team)
[B] *nmf* [1] (membre permanent) (dans une école, un lycée) teacher who has been confirmed in his/her

post; (à l'université) tenured lecturer GB *ou* professor US; (dans un ministère, une administration) permanent staff member; **être ~ d'un poste** (d'école, de lycée) to have been confirmed in one's post; (d'université) to have tenure; (d'administration) to be a permanent staff member; [2] (possesseur) holder; **être ~ d'une licence/du permis de conduire/d'un passeport** to hold a degree/a driver's licence[GB]/a passport; **être ~ de la nationalité italienne/d'un contrat de travail** to have Italian nationality/a contract of employment; **les ~s d'un compte en banque/d'une carte de crédit** account/credit-card holders

titularisation /titylaʀizasjɔ̃/ *nf* [1] (action) gén confirmation in a post; Univ granting of tenure; [2] (statut) gén permanent staff status; Univ tenure; [3] (de sportif) inclusion in the team

titulariser /titylaʀize/ [1] *vtr* [1] Scol to confirm [sb] in a post [*instituteur, professeur*]; [2] Univ to grant tenure to [*professeur*]; [3] Admin to give permanent status to [*agent, personnel*]; [4] Sport to make [sb] a full member of the team [*joueur*]

TMS /teɛmɛs/ *nm* ▸ **trouble**

TNP /teɛnpe/ *nm* (*abbr* = **Théâtre national populaire**) *state-funded theatre in France*

TNT /teɛnte/

[A] *nm* (*abbr* = **trinitrotoluène**) TNT

[B] *nf* (*abbr* = **Télévision Numérique terrestre**) digital terrestrial television

toast /tost/ *nm* [1] (pain grillé) gén toast ¢; (très mince) Melba toast; **trois ~s** three pieces of toast; [2] (canapé) canapé; **~s au fromage/saumon** cheese/salmon canapés; [3] (célébration) toast; (discours) toast; **~ en l'honneur de** toast in honour[GB] of; **porter un ~ à qch/en l'honneur de qn** to toast sth/sb

Tobago /tɔbago/ *nprf* Tobago; ▸ **Trinité**

toboggan /tɔbɔgɑ̃/ *nm* [1] Jeux slide; (de piscine) waterslide; **faire du ~** to go on the slide; [2] ®Gén Civ flyover GB, overpass US; [3] Tech chute; [4] Aviat (d'évacuation) emergency chute; [5] Sport (traîneau) toboggan

toc /tɔk/

[A] ○*adj inv* (fou) crazy○

[B] ○*nmsg* (faux) fake **C**; **tes colliers, c'est du ~** your necklaces are fakes; **un bijou en ~** a piece of fake jewellery GB *ou* jewelry US; **sa culture, c'est du ~** his learning is bogus

[C] *excl* (*also onomat*) tap!; **~! ~!—qui est là?** knock! knock!—who's there?; **tu vois, j'avais raison, et ~!** you see, I was right, so there!

TOC /tɔk/ *nm inv* Psych ▸ **trouble**

tocante○ /tɔkɑ̃t/ *nf* ticker○, watch

tocard○, **~e** /tɔkaʀ, aʀd/

[A] *adj* [*voiture, meuble, décor*] lousy, crummy○; [*mise en scène*] lousy, rotten, crummy○

[B] *nm* [1] (cheval) rank outsider; [2] (personne) halfwit

toccata /tɔkata/ *nf* Mus toccata

tocsin /tɔksɛ̃/ *nm* alarm (bell), tocsin littér; **sonner le ~** lit to sound the alarm *ou* tocsin; fig to raise *ou* sound the alarm

toc-toc○ /tɔktɔk/

[A] *adj inv* potty○ GB, nutty○

[B] *nm* (*also onomat*) knock knock!

tofu /tɔfu/ *nm* tofu

toge /tɔʒ/ *nf* [1] Univ gown; Jur robe; [2] Antiq toga; **~ prétexte/virile** toga pretexta/virilis

Togo /tɔgo/ ▸ **p. 333** *nprm* Togo

togolais, **~e** /tɔgɔlɛ, ɛz/ ▸ **p. 561** *adj* Togolese

Togolais, **~e** /tɔgɔlɛ, ɛz/ ▸ **p. 561** *nm,f* Togolese

tohu-bohu*○ /tɔybɔy/ *nm inv* (confusion) confusion; (tumulte) commotion, hurly-burly

toi /twa/ *pron pers* [1] (sujet) **~ qui aimes tant le chocolat** you, who love chocolate so much; **c'est ~?** is that you?; **je sais que ce n'est pas ~** I know it wasn't you; **tes amis et ~ serez les bienvenus** you and your friends will be welcome; **~, ne dis rien** don't say anything; [2] (dans une comparaison) **je travaille plus que ~** I work more than you *ou* than you do; **elle est plus âgée que ~** she's older than you *ou* than you are; **il les voit plus souvent que ~** (que tu ne les vois) he sees them more often than you do; (qu'il ne te voit) he sees them more often than you *ou* than he sees you; [3] (objet) **te frapper, ~, quelle idée!** hit YOU, what a thought!, hit YOU, the very idea!; [4] (après une préposition) you; **à cause de/autour de/après ~** because of/around/after you; **un cadeau pour ~** a present for you; **pour ~ c'est important?** is it important to you?; **elle ne pense pas à ~** she doesn't think of you; **elle n'écrit à personne sauf à ~** she doesn't write to anyone but you; **sans ~, nous n'aurions pas pu réussir** we could never have managed without you; **à ~** (en jouant) your turn; **ce sont des amis à ~** they're YOUR friends; **tu n'as pas de coin à ~ dans la maison, ça va changer** you haven't got a room of your own in the house, but that will change; **à ~, je peux dire la vérité** I can tell YOU the truth; **la tasse verte est-elle à ~?** is the green cup yours?; **c'est à ~** (appartenance) it's yours, it belongs to you; (séquence) (it's) your turn; **c'est à ~ de faire la vaisselle** it's your turn to do the dishes; **c'est à ~ de choisir** (ton tour) it's your turn to choose; (ta responsabilité) it's up to you to choose; [5] (pronom réfléchi) yourself; **libère-~ pour samedi soir** make sure you're free for Saturday evening; **reprends-~** pull yourself together; [6] (toi-même) yourself; **tu devrais prendre soin de ~** you should take care of yourself; **pense un peu à ~ aussi** think of yourself a little as well

toile /twal/ *nf* [1] Tex cloth; **~ de lin/chanvre/coton** linen/hemp/cotton (cloth); **des vêtements de ~** (heavy) cotton clothes; **de la grosse ~** canvas; **draps de ~** linen sheets; [2] Art (support) canvas; (tableau) canvas, painting; **~ de maître** master painting; [3] Naut canvas; **réduire la ~** to reduce the canvas; [4] Ordinat, Télécom Web, web; **la ~ mondiale** the World Wide Web

(Composés) **~ d'amiante** asbestos cloth; **~ d'araignée** gén spider's web; (dans une maison, un grenier) cobweb; **l'araignée tisse sa ~** the spider is weaving its web; **~ cirée** oilcloth; **~ émeri** emery cloth; **~ de fond** Théât backcloth, backdrop; fig backdrop; **~ goudronnée** tarpaulin; **~ de jute** hessian; **~ à matelas** ticking; **~ métallique** wire mesh; **~ à sac** sackcloth; **~ de tente** (tissu) canvas; (tente) tent; **~ à voiles** Naut canvas, sailcloth

(Idiome) **se faire une ~**○ to go to see a film *ou* movie○ US

toilerie /twalʀi/ *nf* [1] (fabrication) textile manufacture; [2] (commerce) textile trade

toilettage /twalɛtaʒ/ *nm* [1] (d'animal) grooming; **salon de ~** grooming parlour[GB]; **séance de ~** grooming session; [2] (de structure) cleaning up; (de loi) touching up

toilette /twalɛt/

[A] *nf* [1] (soins corporels) **faire sa ~** [*personne*] to have a wash; [*animal*] to wash itself; **faire un brin de ~** to have a quick wash; **as-tu fini ta ~?** have you washed?; **produit/savon/accessoire de ~** toilet product/soap/accessory; **'tout pour la ~ de bébé'** 'baby care products'; **faire la ~ d'un mort** to lay out a corpse *ou* body; **faire la ~ d'un chien/cheval** to groom a dog/horse; [2] (nettoyage de monument, ville) face-lift; **faire la ~ de la capitale** to give the capital a face-lift; [3] (vêtements) outfit; **en belle** *or* **grande ~** all dressed up (*jamais épith*); [4] †(meuble) (pour se laver) washstand; (coiffeuse) dressing table

[B] **toilettes** *nfpl* (cabinet d'aisances) (chez quelqu'un) toilet (*sg*) GB, bathroom (*sg*) US; (dans un lieu public) toilets, restroom (*sg*) US; **aller/avoir envie d'aller aux ~s** to go/to need to go to the toilet GB *ou* bathroom US; **~s pour dames** ladies (+ *v sg*) GB, ladies' room US; **~s pour hommes** gents (+ *v sg*) GB, men's room US

(Composé) **~ de chat** cat's lick; **faire une ~ de chat** to have a quick wash, to give oneself a cat's lick

toiletter /twalete/ [1] *vtr* to groom [*chien, chat, cheval*]

toiletteur, **-euse** /twalɛtœʀ, øz/ ▸ **p. 532** *nm,f* dog groomer; **aller chez un ~** to take one's pet to a grooming parlour[GB]

toi-même /twamɛm/ *pron pers* yourself; **l'as-tu fait ~?** did you do it yourself?; **en ~ qu'en penses-tu?** what do you really think?; **c'est ~ qui me l'as dit** you yourself told me; **ce qui s'est passé, tu l'as vu ~** you yourself saw what happened, you saw with your own eyes what happened

toise /twaz/ *nf* [1] (instrument) height gauge; **passer à la ~** to be measured; [2] ▸ **p. 498** (unité) toise (≈ 6 1/2 ft)

toiser /twaze/ [1]

[A] *vtr* to look [sb] up and down [*personne*]

[B] **se toiser** *vpr* to look each other up and down

toison /twazɔ̃/ *nf* [1] (pelage) fleece; [2] (chevelure) mane; (poils abondants) abundant growth (of hair)

(Composé) **la Toison d'or** the Golden Fleece

toit /twa/ *nm* [1] gén (de maison, voiture, tunnel) roof; **un ~ en dôme/coupole/terrasse** a domed/cupolated/flat roof; **un ~ à une pente/deux pentes** a lean-to/ridge roof; **~ à 4 pans** *or* **pentes** hipped roof; **~ à la Mansart** mansard roof; **~ en pente** sloping roof; **habiter sous les ~s** to live in a garret; **d'ici on voit les ~s de Paris** from here you can see the rooftops of Paris; [2] fig (maison) roof; **vivre sous le même ~** to live under the same roof; **se retrouver sans ~** to find oneself without a roof over one's head

(Composés) **le ~ du Monde** the roof of the world; **~ ouvrant** sunroof

(Idiome) **crier qch sur (tous) les ~s** to shout sth from the rooftops

toit-terrasse, *pl* **toits-terrasses** /twatɛʀas/ *nm* flat roof

toiture /twatyʀ/ *nf* (structure) roof; (matériau) roofing

Tokyo /tɔkjo/ ▸ **p. 894** *npr* Tokyo

tôle /tol/ *nf* [1] Ind (matière) sheet metal; (plaque) metal sheet *ou* plate; **un toit de** *or* **en ~** a sheet-metal roof; **la voiture n'est plus qu'un tas de ~s** the car is a wreck; **~ froissée** crumpled metal; [2] ◑(prison) = **taule 1**

(Composés) **~ à biscuits** baking sheet, cookie sheet US; **~ émaillée** enamelled[GB] sheet metal; **~ étamée** tin plate; **~ galvanisée** galvanized sheet metal; **~ ondulée** corrugated iron; **~ à tartes** tart tin

tôlé, **~e** /tole/ *adj* **neige ~e** crusted snow

Tolède /tɔlɛd/ ▸ **p. 894** *npr* Toledo

tolérable /tɔleʀabl/ *adj* [*attente, douleur, situation*] bearable; [*attitude, comportement*] tolerable, acceptable; **ce n'est pas ~!** it's intolerable!

tolérance /tɔleʀɑ̃s/ *nf* [1] (ouverture d'esprit) tolerance; (indulgence) indulgence (**envers, à l'égard de** toward(s)); **être d'une grande ~ avec qn** to be very tolerant with sb; [2] (dérogation) **ce n'est pas un droit c'est une ~** it isn't legal but it is tolerated; **~s grammaticales/orthographiques** permitted variations in grammar/spelling; [3] (à un médicament) tolerance (**à** of); (au bruit) tolerance (**à** of); [4] Relig tolerance, toleration

tolérant, **~e** /tɔleʀɑ̃, ɑ̃t/ *adj* [*personne, société*] tolerant (**envers** toward, towards GB)

tolérer /tɔleʀe/ [14]

[A] *vtr* [1] (accepter) to tolerate, to turn a blind eye to [sth] [*infraction, écart de conduite*]; [2] Méd to tolerate [*médicament, substance*]; [3] (supporter) [*personne*] to tolerate, to put up with [sth] [*insulte, comportement*]; to tolerate [*personne, présence*]; **il ne tolère pas qu'on le contredise** he can't tolerate being contradicted; **tes**

t

parents tolèrent que tu rentres si tard? do your parents put up with your coming home so late?
B se tolérer *vpr* to tolerate each other
tôlerie /tolʀi/ *nf* (technique) sheet-metal working; (commerce) sheet-metal trade; (atelier) sheet-metal works (*pl*); (ensemble de tôles) metalwork; (de voiture) bodywork
tolet /tɔlɛ/ *nm* Naut thole
tôlier -ière /tolje, ɛʀ/ ▸ **p. 532** *nm,f* **1** Ind sheet-metal worker; Aut panel beater; **2** ○(patron d'hôtel) hotel boss
tollé /tɔle/ *nm* outcry, hue and cry; **ça a été un ~ général** there was general uproar
Tolstoï /tɔlstɔj/ *npr* Tolstoy
toluène /tɔlɥɛn/ *nm* toluene
TOM /tɔm/ *nm*: *abbr* ▸ **territoire**
tomahawk* /tɔmaok/ *nm* tomahawk
tomaison /tɔmɛzɔ̃/ *nf* **1** (numérotation) volume numbering; **2** (division) separation into volumes
tomate /tɔmat/ *nf* **1** (fruit) tomato; **deux kilos de ~s** two kilos of tomatoes; **~s farcies/à la provençale** stuffed/Provençal tomatoes; **confiture de ~s vertes** green tomato jam; **2** (plante) tomato plant; **plant de ~** tomato seedling; **3** (apéritif) *pastis with a dash of grenadine*
(Composé) **~ cerise** cherry tomato
(Idiome) **être rouge comme une ~** (à cause du soleil) to be as red as a lobster; (à cause de la gêne) to be as red as a beetroot
tombal, ~e, *mpl* **-aux** /tɔ̃bal, o/ *adj* **1** (de tombe) **inscription ~e** gravestone inscription; **2** (de mort) **d'une couleur** *or* **pâleur ~e** deathly pale
tombant, ~e /tɔ̃bɑ̃, ɑ̃t/ *adj* [*épaules*] sloping; [*moustaches, paupières*] drooping (*épith*); [*oreilles de chien*] floppy; [*poitrine*] pej sagging *péj*; ▸ **nuit**
tombe /tɔ̃b/ *nf* (fosse) grave; (dalle) gravestone; **creuser une ~** to dig a grave; **une ~ en marbre/granite** a marble/granite gravestone; **aller sur la ~ de qn** to visit sb's grave; **mettre des fleurs sur une ~** to put flowers on a grave
(Idiomes) **se retourner dans sa ~** to turn in one's grave; **être/rester muet comme une ~** to be/remain as silent as the grave; **emporter un secret dans la ~** to carry a secret to the grave; **avoir un pied dans la ~** to have one foot in the grave; **suivre qn dans la ~** to follow sb to the grave
tombeau, *pl* **~x** /tɔ̃bo/ *nm* **1** (monument) tomb; **mettre qn au ~** to lay sb in his/her grave; **porter qn au ~** to bear sb to his/her grave; **la mise au ~** Art the Entombment; **2** (personne discrète) **c'est un ~** he/she will keep mum○; **3** (fin) death; **le ~ de nos libertés** the death of our liberties; **vivre avec qn jusqu'au ~** to live with sb till the grave
(Idiome) **rouler à ~ ouvert** to drive at breakneck speed
tombée /tɔ̃be/ *nf* **à la ~ du jour** at close of day littér; **(à) la ~ de la nuit** (at) nightfall
tomber /tɔ̃be/ [1]
A *nm* (de vêtement, tissu) hang ₵; **ce velours a un beau ~** this velvet hangs well
B *vtr* (+ *v avoir*) **1** Sport to throw [*lutteur*]; fig to beat [*équipe*]
2 ○(séduire) to bed○ [*femme*]; (charmer) **il les tombe toutes** they all fall for him
C *vi* (+ *v être*) **1** (faire une chute) gén to fall; (de sa propre hauteur) [*personne, chaise*] to fall over; [*animal*] to fall; [*arbre, mur*] to fall down; (d'une hauteur, d'un support) [*personne, vase*] to fall off; [*fruits, feuilles, bombe*] to fall; [*cheveux, dents*] to fall out; [*plâtre, revêtement*] to come off; **je me suis cassé un bras/j'ai cassé un vase en tombant** I fell and broke my arm/a vase; **~ à la mer/dans une rivière** to fall into the sea/into a river; **~ dans un trou** to fall down a hole; **~ sur** to fall on [*tapis, maison, tête*]; **~ sur le derrière**○ *or* **cul**◑ to land on one's backside; **~ d'un toit/de cheval** to fall off a roof/off a horse; **~ d'un arbre** [*personne*] to fall from a tree; [*fruit, feuille*] to fall off a tree; **~ du lit/de ma poche** to fall out of bed/out of my pocket; **l'assiette m'est tombée des mains** the plate fell out of my hands; **ces lunettes me tombent du nez** these glasses are slipping off my nose; **attention, tu vas me faire ~!** be careful, you'll make me fall!; **j'ai fait ~ un vase** I knocked a vase over; **j'ai fait ~ le vase de l'étagère** I knocked the vase off the shelf; **il a fait ~ son adversaire** (au rugby) he brought his opponent down; **le vent a fait ~ une tuile du toit/un arbre sur les voitures** the wind blew a tile off the roof/a tree down onto the cars; **se laisser ~ dans un fauteuil/sur un lit** to flop into an armchair/onto a bed; **laisser ~ un gâteau sur le tapis** to drop a cake on the carpet; **le skieur s'est laissé ~ pour s'arrêter** the skier dropped to the ground to stop himself
2 (venir d'en haut) [*pluie, neige, foudre*] to fall; [*brouillard*] to come down; [*rayon, clarté*] to fall (**sur** onto); [*rideau de théâtre*] to fall, to drop; **un rayon de lumière tombait sur mon livre** a ray of light fell onto my book; **il est tombé 200 mm d'eau** *or* **de pluie pendant la nuit** 200 mm of rain fell during the night; **il tombe des gouttes** it's spotting with rain; **qu'est-ce que ça tombe○!, ça tombe dru○!** (pluie) it's pouring down!, it's coming down in buckets○!; **la pluie n'a pas cessé de ~ pendant tout le voyage** it rained steadily throughout the journey; **la foudre est tombée sur un arbre** the lightning struck a tree; **une faible lueur tombait de la lucarne** there was a dim light coming through the skylight; **une pâle clarté tombait de la lune** the moon cast a pale light
3 (faiblir, baisser) [*valeur, prix, température*] to fall (**de** by; **à** to); [*ardeur, colère*] to subside; [*fièvre*] to come down; [*vent*] to drop; [*jour*] to draw to a close; [*conversation*] to die down; **le dollar est tombé au-dessous de 0.90 euro** the dollar has fallen to below 0.90 euro; **la température est tombée à/de 10°C** the temperature has fallen to/by 10 °C; **leur personnel est tombé à 200 employés** their staff is down to 200 employees; **faire ~** to bring down [*prix, température*]; to dampen [*enthousiasme*]; **il est tombé bien bas** (affectivement) he's in very low spirits; (moralement) he has sunk very low; **il est tombé bien bas dans mon estime** he has gone right down in my esteem *ou* estimation; **je tombe de sommeil** I can't keep my eyes open
4 (être vaincu, renversé) [*dictateur, régime, ville*] to fall; (disparaître) [*obstacle, objection*] to vanish; [*opposition*] to subside; [*préjugé*] to die out; **le roi est tombé** (aux cartes) the king has been played; **faire ~** to bring down [*régime, dictateur*]; to remove [*obstacle*]; to eradicate [*tabou*]; **faire ~ les barrières** fig to break down barriers
5 (s'affaisser) [*poitrine*] to sag; [*épaules*] to slope; **avoir les épaules qui tombent** to have sloping shoulders; ▸ **bras**
6 (pendre) [*chevelure, mèche*] to fall; [*vêtement, rideau*] to hang; **cheveux qui tombent sur les yeux** hair that falls over one's eyes; **manteau qui tombe bien/mal** coat that hangs well/badly; **sa jupe lui tombe (jusqu')aux chevilles** her skirt comes down to her ankles
7 (se retrouver, se placer) **~ dans un piège** lit, fig to fall into a trap; **~ en disgrâce/ruine** to fall into disgrace/ruin; **~ dans la vulgarité/sensiblerie** to lapse into vulgarity/sentimentality; **vous tombez dans le paradoxe** you are being paradoxical; **~ sous le charme de qn** to fall under sb's spell; **~ sous le coup d'une loi** Jur to fall within the provisions of a law; **~ aux mains** *or* **entre les mains de qn** [*document, pouvoir*] to fall into sb's hands; **la conversation est tombée sur la politique** the conversation came around to politics; ▸ **Charybde, sens**
8 (devenir) to fall; **~ malade/amoureux** to fall ill/in love
9 (être donné) [*décision, sentence, verdict*] to be announced; [*nouvelle*] to break; [*réponse*] to be given; **~ sur les écrans** [*nouvelle*] to come through on screen; **la nouvelle nous tombe à l'instant** Radio, TV the news has just come through to us; **dès que le journal tombe des presses** as soon as the newspaper comes off the press; **les paroles qu'il a laissé ~ de sa bouche** the words that fell from his lips; ▸ **sourd**
10 (rencontrer) **~ sur** gén to come across [*inconnu, détail, objet*]; to run into [*ami, connaissance*]; (recevoir en partage) to get; (avoir de la chance dans ses recherches) **~ sur la bonne page/le bon numéro** to hit on the right page/the right number; **je suis tombé sur un sujet difficile/un examinateur sévère à l'examen** I got a difficult question/a harsh examiner in the exam; **je suis tombé par hasard sur ce que je cherchais** I found what I was looking for by chance ; **mes yeux sont tombés sur une jolie femme/une expression amusante** my eyes fell on a pretty woman/a funny expression; **si tu prends cette rue, tu tomberas sur la place** if you follow that street, you'll come to the square
11 (survenir) gén to come; **c'est tombé juste au bon moment/comme il fallait** it came just at the right time/when it was needed; **cette réforme ne pouvait pas mieux/plus mal ~** this reform couldn't have come at a better/worse time; **tu ne pouvais pas mieux ~!** (au bon moment) you couldn't have come at a better time!; (avoir de la chance) you couldn't have done better!; **tu tombes bien/mal, j'allais partir** you're lucky/unlucky *ou* you've timed that well/badly, I was just about to leave; **ça tombe bien/mal, j'avais justement besoin de ce livre** that's good/bad luck, I just needed that book; **il faut toujours que ça tombe sur moi** *or* **que ça me tombe dessus**○! [*décision, choix*] why does it always have to be me?; [*mésaventure*] why does it always have to happen to me?; **~ au milieu d'une** *or* **en pleine réunion** [*personne*] to walk right into a meeting; [*annonce, nouvelle*] to come right in the middle of a meeting
12 (coïncider) [*date, anniversaire, fête*] to fall on [*jour, quantième*]; **ça tombe un mercredi/le 17 avril** it falls on a Wednesday/on 17 April
13 (abandonner) **laisser ~** to give up [*emploi, activité*]; to drop [*sujet, projet, habitude*]; **il a fallu laisser ~** I/we etc had to give up; **laisse ~!** (désintérêt, désabusement) forget it!; (irritation) give it a rest○!; **laisser ~ qn** (pour se séparer) to drop sb; (pour ne plus aider) to let sb down; **il a laissé ~ sa petite amie** he dropped his girlfriend; **ne me laisse pas ~!** don't let me down!; ▸ **chaussette**
14 (agresser) **~ sur qn** (physiquement) [*soldats, voyous*] to fall on sb, to lay○ into sb; [*pillards, police*] to descend on sb; (critiquer) to go for sb, to lay○ into sb; **ils nous sont tombés dessus à dix contre un** they fell on us, ten to one; **il s'est fait ~ dessus par des voleurs/un chien** he was set on by robbers/attacked by a dog
15 (mourir) euph [*soldat*] to fall euph; **~ sous le feu de l'ennemi** to fall under enemy fire; **~ pour qch** to die for sth; ▸ **champ**
(Idiome) **en ~ sur le derrière**○ *or* **cul**◑ to be flabbergasted○
tombereau, *pl* **~x** /tɔ̃bʀo/ *nm* **1** (charrette) tip-up cart; (contenu) cartload; **2** Gén Civ (véhicule) dumper truck GB, dumptruck US; (contenu) truckload; **3** Rail wagon GB, boxcar US; (contenu) wagonload; **4** fig (grande quantité) **des ~x de** loads○ of
tombeur○, **-euse** /tɔ̃bœʀ/ *nm,f* **1** (séducteur) charmer; **2** (vainqueur) **le ~ de qn/d'une équipe** the one who brought sb/a team down
tombola /tɔ̃bɔla/ *nf* tombola GB, lottery
Tombouctou /tɔ̃buktu/ ▸ **p. 894** *npr* Timbuktu

tome /tom/
A *nm* **1** (volume) volume; **2** (division à l'intérieur d'un ouvrage) part, book
B *nf* = **tomme**

tomer /tome/ [1] *vtr* **1** (diviser en parties) to divide into books; (diviser en volumes) to divide into volumes; **2** (numéroter) to mark [sth] with the volume number [*page, livre*]

tomme /tɔm/ *nf* tomme *ou* tome (cheese)

tommette /tɔmɛt/ *nf* hexagonal floor tile

tomodensitomètre /tɔmɔdɑ̃sitɔmɛtʀ/ *nm* tomodensitometer

tomodensitométrie /tɔmɔdɑ̃sitɔmetʀi/ *nf* tomodensitometry, scanning

tomographie /tɔmɔgʀafi/ *nf* tomography

ton[1], ta, *pl* **tes** /tɔ̃, ta, te/ *adj poss*

> ⚠ En anglais, on ne répète pas le possessif coordonné: *ta femme et tes enfants* = your wife and children

your; **tes amis** your friends; ~ **imbécile de mari**○ your stupid husband; **tes parents à toi**○ your parents; **c'est pour ~ bien** it's for your own good; **un de tes amis** a friend of yours; ~ **gentil collègue** that nice colleague of yours; **j'ai fait tes courses** I've done the shopping for you; **à ~ arrivée/départ** when you arrived/left; **je ne suis pas ~ juge** it's not up to me to tell you what to do; **tu peux te la garder, ta voiture**○ you can keep your precious car

ton[2] /tɔ̃/ *nm* **1** (de la voix) (hauteur) pitch; (inflexion) tone; (qualité) tone, voice; (expression) tone (of voice); ~ **grave/aigu** low/high pitch; ~ **criard/rauque** shrill/husky voice; **d'un ~ dédaigneux** scornfully; **d'un ~ sec** drily; **sur le ~ de la conversation** conversationally; **sur un ~ solennel** in a solemn tone; **baisser le ~** lit to lower one's voice; fig to moderate one's tone; **faire baisser le ~ à qn** fig to take sb down a peg (or two); **parle-moi sur un autre ~!** don't use that tone with me!; **eh bien, si tu le prends sur ce ~** well, if you're going to take it like that; **je le leur ai dit** *or* **répété sur tous les ~s** fig I've told them a thousand times; **changement de ~** (de voix) change of tone; (d'attitude) change of tune; **2** Ling tone; **langue à ~s** tone language; ~ **montant/descendant** rising/falling tone; **3** (style) tone; **donner le ~** gén to set the tone; (pour une mode) to set the fashion; **être/se mettre dans le ~** to fit in; **de bon ~** in good taste, tasteful; **il est/serait de bon ~ de faire** it is/it would be good form to do; **4** Mus (hauteur des notes) pitch; (tonalité) key; (intervalle) tone; (instrument) pitch pipe; **donner le ~** to give the pitch; ~ **de si bémol majeur** key of b flat major; ▸ **quart**; **5** (couleur) shade, tone; **des ~s de bleu** shades of blue; ~ **soutenu** deep shade; **d'un ~ un peu plus soutenu** in a slightly deeper shade; ~ **sur ~** in matching tones

tonal, ~e, *mpl* **-aux** /tɔnal, o/ *adj* Ling, Mus tonal; **hauteur ~e** pitch; **langue ~e** tone language

tonalité /tɔnalite/ *nf* **1** Mus (ton) key; (échelle des sons) tonality; (en phonétique) (de voyelle) tone; **2** (qualité) (de voix) tone; fig (de roman, film) tone; **la ~ pessimiste d'un film** the pessimistic tone of a film; **3** (couleurs) tonality; **4** Télécom dialling[GB] tone GB, dial tone US

tondeur, -euse /tɔ̃dœʀ, øz/
A *nm,f* ~ **de chiens** dog groomer; ~ **de moutons** sheep shearer
B **tondeuse** *nf* **1** (pour tondre) (chiens) clippers (*pl*); (moutons) shears (*pl*); **2** (de coiffeur) clippers (*pl*); **3** (de jardin) lawnmower
(Composé) **tondeuse à gazon** lawnmower; **tondeuse (à gazon) électrique/à main** electric/manual lawnmower; **tondeuse sur coussin d'air** hovermower GB, air-cushion mower

tondre /tɔ̃dʀ/ [6] *vtr* **1** (un animal) to shear [*mouton, laine*]; to clip [*chien, poils*]; ▸ **laine**; **2** (une personne) (à ras) ~ **qn** to shave sb's head; **3** ○(couper les cheveux à) ~ **qn** to cut sb's hair; **se faire ~**○ to have one's hair cut; **il s'est fait ~** (court) he's had his hair cropped; (très court) he's been scalped hum; **4** (dans un jardin) to mow [*gazon, pelouse*]; **5** ○(voler) ~ **qn** to fleece○ sb

tondu, ~e /tɔ̃dy/
A *pp* ▸ **tondre**
B *pp adj* **1** [*mouton*] shorn; [*chien*] clipped; **2** [*cheveux*] shorn; [*crâne*] shaven GB, shaved; [*prisonnier*] (rasé) with a shaven head (*après n*)
C *nm,f* skinhead; ▸ **pelé**

toner /tɔnɛʀ/ *nm* toner

Tonga /tɔ̃ga/ ▸ **p. 333, p. 435** *nprfpl* Tonga; **les îles ~** the Tonga islands

tongs /tɔ̃g/ *nfpl* flip-flops, thongs US

tonic /tɔnik/ *nm* tonic

tonicité /tɔnisite/ *nf* **1** (de climat, air) bracing effect; **2** (de muscle) tone

tonifiant, ~e /tɔnifjɑ̃, ɑ̃t/ *adj* **1** [*climat, air*] bracing; [*promenade*] invigorating; **2** (pour les muscles, la peau) [*exercice*] toning (*épith*); **lotion ~e** Cosmét toning lotion

tonifier /tɔnifje/ [2] *vtr* to tone up [*muscles, épiderme*]; **lotion pour ~** toning lotion; **un climat qui tonifie l'organisme** an invigorating climate

tonique /tɔnik/
A *adj* **1** (stimulant) [*remède, boisson, vin*] tonic (*épith*); fig [*air, froid*] invigorating; [*lecture*] stimulating; **2** (astringent) **lotion ~** toning lotion; **3** Ling tonic
B *nm* **1** Méd, fig tonic; **2** (lotion) toning lotion
C *nf* Mus tonic

tonitruant, ~e /tɔnitʀyɑ̃, ɑ̃t/ *adj* [*rire, voix*] booming (*épith*)

tonitruer /tɔnitʀye/ [1] *vi* to thunder

Tonkin /tɔ̃kɛ̃/ ▸ **p. 721** *nprm* Tonkin

Tonkinois, ~e /tɔ̃kinwa, az/ *adj, nm,f* Tonkinese

tonnage /tɔnaʒ/ *nm* tonnage; ~ **brut/net** gross/net tonnage; **cargo de fort ~** cargo ship of high tonnage

tonnant, ~e /tɔnɑ̃, ɑ̃t/ *adj* [*voix*] booming; [*colère*] thunderous

tonne /tɔn/ *nf* **1** ▸ **p. 646** Mes (1 000 kg) tonne, metric ton; **un (camion de) sept ~s** a 7-tonne truck, a 7-tonner○; **2** fig (grande quantité) ton; **des ~s de choses à faire** tons *ou* loads of things to do; **3** (tonneau) tun; **4** (bouée) buoy
(Composés) ~ **équivalent charbon, TEC** ton coal equivalent; ~ **équivalent pétrole, TEP** ton oil equivalent, TOE

tonneau, *pl* **~x** /tɔno/ *nm* **1** (contenant, contenu) gén barrel; (de whisky, vin, d'huile) barrel, cask; (de poudre) keg; ~ **de bière** barrel of beer; ~ **à bière** beer barrel; **mettre le vin en ~** to put the wine into casks *ou* barrels; **2** (en voiture) somersault; **faire plusieurs ~x** to turn over *ou* somersault several times; **3** Naut ton; ~ **d'affrètement/de jauge** freight/register ton; **4** Aviat barrel roll
(Idiome) **du même ~**○ of the same kind

tonne-kilomètre, *pl* **tonnes-kilomètre** /tɔnkilɔmɛtʀ/ *nf* Rail ton kilometre[GB]

tonnelet /tɔnlɛ/ *nm* small barrel, keg

tonnelier /tɔnəlje/ ▸ **p. 532** *nm* cooper

tonnelle /tɔnɛl/ *nf* arbour[GB]; **être sous une ~** to be in an arbour[GB]

tonnellerie /tɔnɛlʀi/ *nf* cooperage

tonner /tɔne/ [1]
A *vi* **1** [*personne*] to thunder; **pas question! tonna-t-il** no way! he thundered; ~ **contre** to inveigh against; **2** [*artillerie*] to thunder; **les canons ont tonné toute la nuit** the guns thundered away all night
B *v impers* to thunder; **il tonne** it's thundering; **il a tonné toute la nuit** it thundered all night

tonnerre /tɔnɛʀ/
A *nm* **1** Météo thunder; **un coup de ~** lit a clap of thunder; fig a thunderbolt; **la nouvelle fut un coup de ~ dans un ciel bleu** the news was a bolt from the blue; **les roulements du ~** the rumbling of the thunder; **2** (de canons, artillerie) thundering; **voix de ~** thunderous voice; **il est sorti dans** *or* **sous un ~ d'applaudissements** he left to thunderous applause; **3** ○(haute qualité) **du ~** fabulous; **ça marche du ~** [*appareil, entreprise*] it's going fantastically well
B *excl* blast!; **mille ~s†** blast (it)!; ~ **de Brest†** shiver my timbers†!; ~ **de Dieu**◑ hellfire!

tonsure /tɔ̃syʀ/ *nf* (d'ecclésiastique) tonsure

tonsuré, ~e /tɔ̃syʀe/ *adj* [*tête, moine*] tonsured

tonsurer /tɔ̃syʀe/ [1] *vtr* to tonsure

tonte /tɔ̃t/ *nf* **1** (époque, action) ~ **(des moutons)** shearing; **2** (laine) fleece; **3** (dans un jardin) mowing; **la ~ du gazon a pris une heure** it took an hour to mow the lawn

tontine /tɔ̃tin/ *nf* **1** Fin, Jur tontine; **2** Hort *protective straw or moss wrapping around the roots of a plant during transport*

tonton○ /tɔ̃tɔ̃/ *nm* uncle; ~ **Pierre** Uncle Pierre

tonus /tɔnys/ *nm inv* **1** (de personne) energy, dynamism; **avoir du ~** to be dynamic, to be full of pep○; **redonner du ~ à qn** to revitalize sb; **2** (du muscle) tone, tonus

top /tɔp/
A *adj*○ ~ **modèle** top model; **être au ~ niveau** to be at the top of the league, to be the best; ~ **secret**○ top secret
B *nm* **1** (signal sonore) pip, beep; **'au quatrième ~ il sera exactement...'** 'at the fourth stroke the time will be...'; **donner le ~ de départ** (dans une course) to give the starting signal; **attention, ~, partez!** on your marks, get set, go!; **'attention! ~, c'est parti!'** Jeux 'Ready? Play!'; **2** (de classement) **le ~ 50** the top 50

topaze /tɔpaz/
A ▸ **p. 202** *adj inv* topaz-coloured[GB]
B *nf* topaz

top-case, *pl* **~s** /tɔpkɛs/ *nm* top-box

toper /tɔpe/ [1] *vi* **topons là!** let's shake on it!, done!

topinambour /tɔpinɑ̃buʀ/ *nm* Jerusalem artichoke

topique /tɔpik/
A *adj* **1** fml [*preuve, remarque, précision*] apposite sout; **2** Pharm topical
B *nf* Psych schema

topo○ /tɔpo/ *nm* (oral) short talk (**sur** on); (écrit) short piece (**sur** on); **faire un ~ sur qch** (discours) to give a short talk on sth; **c'est toujours le même ~** it's always the same old story○

topographe /tɔpɔgʀaf/ ▸ **p. 532** *nmf* topographer

topographie /tɔpɔgʀafi/ *nf* (science, relief) topography

topographique /tɔpɔgʀafik/ *adj* topographical

topologie /tɔpɔlɔʒi/ *nf* topology

topologique /tɔpɔlɔʒik/ *adj* topological

topométrie /tɔpɔmetʀi/ *nf* topometry

toponyme /tɔpɔnim/ *nm* place name, toponym spéc

toponymie /tɔpɔnimi/ *nf* **1** (science) toponomy; **2** (ensemble de noms) place names (*pl*), toponomy spéc

toponymique /tɔpɔnimik/ *adj* toponymic

toquade○ /tɔkad/ *nf* **1** (pour une activité, un objet) passion (**pour** for); **avoir une ~ pour qch** to go crazy about sth; **2** (amoureuse) crush○ (**pour** on), infatuation (**pour** with); **avoir une ~ pour qn** to have a crush on sb○, to be infatuated with sb

toquante○ /tɔkɑ̃t/ *nf* ticker○, watch

toque /tɔk/ *nf* **1** (de femme) toque; (de cuisinier) chef's hat; (de juge) hat; ~ **en fourrure** fur cap; **2** (de jockey) cap

t

toqué○, **~e** /tɔke/
A *adj* crazy○; **être ~ de qn** (amoureux) to be crazy○ about sb
B *nm,f* nutcase○, nutter○

toquer /tɔke/ [1]
A ○*vi* (frapper) to knock
B se toquer *vpr* **se ~ de qch** to go crazy about sth; **se ~ de qn** to fall for sb○, to become infatuated with sb

torche /tɔʀʃ/ *nf* (flambeau) torch; **être transformé en ~ vivante** to become a human torch; **éclairé par des ~s** [*jardin, parcours*] torchlit; **parachute en ~** candled parachute
(Composé) **~ électrique** torch GB, flashlight US

torche-cul● /tɔʀʃky/ *nm inv* toilet paper, bog paper◑; **c'est un ~** (journal) it's trash

torchée◑ /tɔʀʃe/ *nf* thrashing

torcher /tɔʀʃe/ [1]
A *vtr* **1▸** ◑to wipe [*fesses*]; **~ un enfant** to wipe a child's bottom; **2▸** ○(avec torchon) to wipe; **3▸** ○(faire vite) to dash off○ [*article, rapport*]; (bâcler) to cobble [sth] together [*article, rapport*]; **un article bien torché** (ton admiratif) a well-written article
B se torcher● *vpr* **se ~ (le cul**●**)** to wipe one's arse● GB *ou* ass◑ US; **je m'en torche** I don't give a shit◑

torchère /tɔʀʃɛʀ/ *nf* **1▸** (candélabre) torchère; **2▸** (en pétrochimie) flare stack

torchis /tɔʀʃi/ *nm inv* cob (*mixture of clay and straw used for walls*)

torchon /tɔʀʃɔ̃/ *nm* **1▸** gén cloth; (pour la vaisselle) tea towel GB, dish towel US; **donner** *or* **passer un coup de ~ sur** to give [sth] a wipe [*vaisselle, meuble*]; **coup de ~**○ (lutte) scrap○; (épuration) purge, clean-up○; ▸ **serviette**; **2▸** péj (journal) rag○; (travail mal présenté) messy piece of work; **c'est un vrai ~!** it's a mess!; **3▸** Belg (serpillière) floor cloth
(Idiome) **le ~ brûle (entre eux)**○ it's war (between them)

tordant○, **~e** /tɔʀdɑ̃, ɑ̃t/ *adj* [*personne, histoire*] hilarious, very funny; **ce type est ~!** that guy○ is a scream○!

tord-boyaux*○ /tɔʀbwajo/ *nm inv* gut-rot○

tordre /tɔʀdʀ/ [6]
A *vtr* **1▸** (tourner violemment) **~ le bras/le poignet à qn** to twist sb's arm/wrist; **~ le cou à un poulet** to wring a chicken's neck; **~ le cou à qn**○ lit, fig to wring sb's neck; **2▸** (déformer) to bend [*pare-chocs, clou, tige de métal, barre*]; **3▸** (contracter) **la douleur/peur lui tordait le visage** his face was distorted with pain/fear; **l'angoisse lui tordait l'estomac** fear was tying his stomach up in knots; **4▸** (enrouler) to twist [*mouchoir, laine*]; **5▸** (essorer) to wring out [*linge*]; **ne pas ~** do not wring
B se tordre *vpr* **1▸** (se faire mal à) **se ~ le pied/la cheville/le poignet** to twist one's foot/ankle/wrist; **2▸** (plier) [*pare-chocs*] to bend; [*roue*] to buckle; **3▸** (sous l'effet d'une émotion, d'une douleur) **se ~ de douleur** to writhe in pain; **se ~ de rire** to double up laughing; **il y a de quoi se ~**○! it's a scream○!

tordu, **~e** /tɔʀdy/
A *pp* ▸ **tordre**
B *pp adj* **1▸** (déformé) [*nez, jambes, barre*] crooked; [*branches, tronc*] twisted; [*ferraille*] twisted, buckled; **2▸** fig [*idée*] weird, strange; [*raisonnement, logique*] twisted; **inventer un coup ~** to come up with an underhand trick; **avoir l'esprit ~** to have a twisted mind; **il est complètement ~**○! he's off his rocker○!, he's completely mad!; **il faut être vraiment** *or* **avoir l'esprit ~ pour imaginer que...** you have to have a really twisted mind to imagine that...
C ○*nm,f* nutcase○, nut○

tore /tɔʀ/ *nm* Archit, Math torus

toréador /tɔʀeadɔʀ/ ▸ **p. 532** *nm* toreador

toréer /tɔʀee/ [11] *vi* to fight bulls

torero* /tɔʀeʀo/ ▸ **p. 532** *nm* bullfighter, torero

torgnole◑ /tɔʀɲɔl/ *nf* clout○, wallop○; **flanquer une ~ à qn** to give sb a clout○

toril /tɔʀil/ *nm* bullpen

tornade /tɔʀnad/ *nf* tornado; **entrer comme une ~** fig to sweep in like a whirlwind

toron /tɔʀɔ̃/ *nm* strand

torpédo /tɔʀpedo/ *nf* open tourer GB, touring car US

torpeur /tɔʀpœʀ/ *nf* torpor

torpide /tɔʀpid/ *adj* aussi Méd torpid

torpillage /tɔʀpijaʒ/ *nm* lit, fig torpedoing (**de qch** of sth)

torpille /tɔʀpij/ *nf* torpedo

torpiller /tɔʀpije/ [1] *vtr* lit, fig to torpedo

torpilleur /tɔʀpijœʀ/ *nm* **1▸** (bateau) torpedo boat; **2▸** (marin) torpedo gunner

torréfacteur /tɔʀefaktœʀ/ *nm* **1▸** ▸ **p. 532** (commerçant) coffee merchant; **2▸** (machine) (à café, cacao) roasting machine

torréfaction /tɔʀefaksjɔ̃/ *nf* (de café, cacao) roasting

torréfier /tɔʀefje/ [2] *vtr* to roast [*café, cacao*]; **café torréfié** roasted coffee

torrent /tɔʀɑ̃/ *nm* lit, fig torrent; **~ de boue/de plaisanteries** torrent of mud/jokes; **des ~s de larmes** floods of tears; **pleuvoir à ~s** to rain very heavily, to rain in torrents

torrentiel, **-ielle** /tɔʀɑ̃sjɛl/ *adj* torrential; **des pluies torrentielles** torrential rain

torrentueux, **-euse** /tɔʀɑ̃tɥø, øz/ *adj* torrential

torride /tɔʀ(ʀ)id/ *adj* **1▸** [*climat, région*] torrid; [*soleil, été, après-midi*] scorching; **il fait une chaleur ~** it's boiling *ou* scorching (hot); **2▸** [*érotisme, scène*] torrid; [*nuit*] passionate; [*actrice*] extremely sexy

tors, **torse**[1] /tɔʀ, tɔʀs/ *adj* Tex [*fil, soie*] twisted; [*jambes*] crooked; [*pied de lampe*] twisted

torsade /tɔʀsad/ *nf* **1▸** gén twist, coil (**de** of); **2▸** (d'un tricot) cable stitch; **un pull à ~** a cable-knit sweater; **faire des ~s** to do cable stitch; **3▸** Archit cable moulding; **une colonne à ~s** Archit a cable column

torsader /tɔʀsade/ [1] *vtr* to twist [*fils, soie*]; **un bougeoir torsadé** a twisted candlestick; **une colonne torsadée** Archit a cable column

torse[2] /tɔʀs/ *nm* **1▸** ▸ **p. 196** Anat, Art torso; **2▸** gén chest; **bomber le ~** to stick out one's chest; **avoir le ~ moulé dans un maillot** to be wearing a tight-fitting vest; **se mettre ~ nu** to strip to the waist; **il était ~ nu** he was stripped to the waist

torsion /tɔʀsjɔ̃/ *nf* **1▸** gén, Tex twisting (**de** of); **2▸** Phys torsion

tort /tɔʀ/
A *nm* **1▸** (défaut de raison) **avoir ~** to be wrong (**de faire** to do); **il a eu ~ de les licencier** he was wrong to fire *ou* dismiss them; **on aurait ~ de croire que c'est facile** it would be wrong *ou* a mistake to think it's easy; **il n'a pas tout à fait ~ de dire ça** he's not entirely wrong in saying that; **tu n'as pas ~ de les laisser tomber!** I don't blame you for dropping them!; **j'aurais bien ~ de m'inquiéter !** it would be silly of me to worry!; **être en ~**, **être dans son ~** to be in the wrong; **se mettre/mettre qn en ~** to put oneself/sb in the wrong; **donner ~ à qn** [*arbitre, juge*] to blame sb; [*faits, réalité*] to prove sb wrong; ▸ **absent**; **2▸** (faute) fault; **les ~s sont partagés** there are faults on both sides; **tous les ~s sont de leur côté** it's all their fault, they're entirely to blame; **prendre tous les ~s à son compte** to take all the blame *ou* all responsibility; **reconnaître ses ~s** to acknowledge that one has done wrong; **avoir des ~s envers qn** to have wronged sb; **le jugement a été prononcé à leurs ~s** Jur the case went against them; **divorce prononcé aux ~s du mari** Jur divorce granted against the husband; **3▸** (erreur) mistake; **c'est un ~ de s'imaginer que...** it's a mistake to think that...; **j'ai eu le ~ de le croire** I made the mistake of believing him; **c'est le grand ~ que tu as eu** that's where you went wrong, that was your big mistake; **mon ~, c'est d'être trop impulsif** my trouble is that I am too impulsive; **4▸** (préjudice) wrong; **demander réparation d'un ~** to demand compensation for a wrong; **faire du** *or* **porter ~ à qn/qch** to harm sb/sth; **ça ne fait de ~ à personne** it doesn't do anybody any harm, it doesn't hurt anybody
B à tort *loc adv* [*accuser*] wrongly; **à ~ ou à raison** rightly or wrongly; **à ~ et à travers** [*dépenser*] wildly; **parler à ~ et à travers** to talk a lot of nonsense

torticolis /tɔʀtikɔli/ ▸ **p. 283** *nm inv* stiff neck; **avoir un** *or* **le ~** to have a stiff neck

tortillard○ /tɔʀtijaʀ/ *nm* small local train

tortiller /tɔʀtije/ [1]
A *vtr* to twist [*fibres*]; **~ son mouchoir/sa moustache/ses cheveux** to twiddle one's handkerchief/moustache GB *ou* mustache US/hair
B ○*vi* (remuer) **~ du derrière**○ *ou* **des fesses**○ to wiggle one's bottom; **elle dansait en tortillant des hanches** she wiggled her hips as she danced
C se tortiller *vpr* [*ver*] to wriggle; **se ~ d'impatience sur sa chaise** [*personne*] to be fidgeting with impatience on one's chair; **un petit ver se tortillait dans l'assiette** a little maggot was wriggling on the plate
(Idiomes) **il n'y a pas à ~**○ there's no wriggling out of it; **se ~ comme un ver/une anguille** to wriggle like a worm/an eel

tortillon /tɔʀtijɔ̃/ *nm* (de papier, tissu) twist (**de** of); (de cheveux) wisp (**de** of)

tortionnaire /tɔʀsjɔnɛʀ/
A *adj* [*policier*] who carries out torture (*après n*); [*régime, gouvernement*] which practises[GB] torture (*après n*)
B *nmf* torturer

tortue /tɔʀty/ *nf* **1▸** Zool (d'eau) turtle; (terrestre) tortoise, turtle US; **~ d'eau douce** freshwater turtle; **2▸** (personne lente) slowcoach○ GB, slowpoke○ US; **3▸** Zool (papillon) tortoiseshell
(Composé) **~ géante** giant tortoise
(Idiome) **avancer comme une ~** to proceed at a snail's pace

tortueusement /tɔʀtɥøzmɑ̃/ *adv* tortuously

tortueux, **-euse** /tɔʀtɥø, øz/ *adj* **1▸** lit [*chemin*] tortuous; [*rue, ruisseau, escalier*] winding; **2▸** fig [*manœuvres, conduite*] devious; [*langage, discours*] convoluted; [*esprit, raisonnement*] tortuous; **suivre un chemin ~** fig to follow a tortuous path; **j'ai eu un cheminement politique/professionnel ~** my political/professional career has been tortuous

torturant, **~e** /tɔʀtyʀɑ̃, ɑ̃t/ *adj* [*pensée, remords*] agonizing

torture /tɔʀtyʀ/ *nf* **1▸** (physique) torture ¢; **une ~** a form of torture; **arrêter la ~** *or* **les ~s** to put a stop to torture; **instruments de ~** instruments of torture; **chambre** *or* **salle des ~s** torture chamber; **sous la ~** under torture; **infliger la ~ à qn** to torture sb; **2▸** (morale) agony; (de jalousie) torment; **la ~ psychologique** mental torture; **trois mois d'attente, j'étais à la ~** three months' waiting, it was torture

torturer /tɔʀtyʀe/ [1]
A *vtr* **1▸** lit [*policier, gouvernement*] to torture [*personne*]; **être torturé par la faim** to be starving; **2▸** fig [*pensée, sentiment*] to torment; **visage/air torturé** tormented face/look; **vision du monde/poésie torturée** tormented vision of the world/poetry; **être torturé** [*personne*] to have a tormented nature; **être torturé par** to be tormented by [*jalousie, doute, remords*]; **3▸** (forcer le sens de) to distort [*texte*]; **style torturé** tortured style
B se torturer *vpr* fig to torment oneself; **se ~ l'esprit** (cherchant solution) to rack one's brains

t

torve /tɔʀv/ *adj* [*œil, regard*] menacing, baleful; **il lui jeta un regard ~** he shot her a baleful glance

toscan, **~e** /tɔskɑ̃, an/

A *adj* Géog Tuscan

B ▸ **p. 483** *nm* Ling Tuscan

Toscan, **~e** /tɔskɑ̃, an/ *nm,f* Tuscan

Toscane /tɔskan/ ▸ **p. 721** *nprf* Tuscany

tôt /to/ *adv* **1** (de bonne heure) [*commencer, se lever*] early; **~ le matin** early in the morning; **~ dans la vie/la saison** early in life/the season; **plus ~ que d'habitude** earlier than usual; **il a appris à lire très ~** he learned to read very early (on); **le plus ~ possible** as early as possible; **il est trop ~ pour déjeuner** it's too early for lunch; ▸ **avenir**; **2** (bientôt, vite) soon, early; **le plus ~ possible** as soon as possible; **le plus ~ serait le mieux** the sooner the better; **si je l'avais su plus ~** if I had known sooner *ou* earlier; **il est trop ~ pour décider** it's too soon to decide; **trop ~ après qch** too soon after sth; **~ ou tard** sooner or later; **pour Pâques, au plus ~** by Easter, at the earliest; **tu n'étais pas plus ~ parti qu'il est arrivé** no sooner had you left than he arrived; **j'aurai ~ fait de le réparer** it won't take me long to mend it, I'll soon have it mended; **on ne m'y reprendra pas de si ~** I won't do that again in a hurry; **on ne la reverra pas de si ~** we won't see her again in a hurry, it will be a long time before we see her again; **tu as fini? ce n'est pas trop ~○!** you've finished? about time too○!

total, **~e**, *mpl* **-aux** /tɔtal, o/

A *adj* **1** (complet) [*contradiction, retour, contrôle, retrait*] complete, total; **l'illusion se révèle ~e** it turns out to be a complete illusion; **je suis en accord ~ avec leur déclaration** I agree with them totally; **un manque ~ d'objectivité** a complete *ou* total lack of objectivity; **2** (somme de plusieurs parties) [*revenu, quantité, prix, surface, budget*] total; [*hauteur, nombre*] full (*épith*)

B *nm* total; **faire le ~ des dépenses** to add up the expenditure; **il n'a pas fermé la porte à clé, ~○, il s'est tout fait voler** he didn't lock the door, the upshot was that he had everything stolen

C **au total** *loc adv* **1** (dans un calcul) **au ~ cela fait 350 euros** altogether that comes to 350 euros; **2** ○(dans un bilan) **au ~, le problème reste entier** when all's said and done the problem remains unsolved

D **totale**○ *nf* **1** (hystérectomie) **on lui a fait une** *ou* **la ~e!** she had it all taken away○!; **2** (série de mésaventures) **la ~e!** total disaster!

totalement /tɔtalmɑ̃/ *adv* totally, completely

totalisateur /tɔtalizatœʀ/ *nm* **1** Ordinat accumulator; **2** Turf totalizator

totalisation /tɔtalizasjɔ̃/ *nf* adding up, totalling[GB] (**de** of)

totaliser /tɔtalize/ [1] *vtr* **1** (faire le total de) to total, to add up [*bénéfices, souscriptions*]; **2** (atteindre le total de) to have a total of [*points, buts, votes*]; **~ 13% des voix/7 000 euros** to total 13% of the votes/7,000 euros; **l'équipe qui totalise le plus grand nombre de points** the team with the highest score

totalitaire /tɔtalitɛʀ/ *adj* **1** (dictatorial) [*régime, État*] totalitarian; **2** Philos [*doctrine, religion*] all-embracing (*épith*)

totalitarisme /tɔtalitaʀism/ *nm* totalitarianism

totalité /tɔtalite/ *nf* **la ~ d'un héritage/de la route/des élèves de la classe** all the *ou* the whole inheritance/road/class; **la ~ du personnel** all the staff, the whole staff; **la ~ des installations/activités/dépenses** all the installations/activities/expenditure; **la ~ du pouvoir** all the power; **il a dilapidé la presque ~ de sa fortune** he has almost frittered away his whole fortune; **appréhender un problème dans sa ~** to look at a problem in its entirety; **le restaurant a brûlé dans sa ~** the restaurant was totally *ou* completely burned down; **ils sont financés en ~ par l'État** they are entirely *ou* completely state-financed; **nous vous rembourserons en ~** we will refund you in full

totem /tɔtɛm/ *nm* **1** (emblème) lit, fig totem; **2** (poteau) totem pole

totémique /tɔtemik/ *adj* totemic

totémisme /tɔtemism/ *nm* totemism

toton /tɔtɔ̃/ *nm* teetotum

touage /twaʒ/ *nm* Naut warping

touareg /twaʀɛg/ *adj* Tuareg

Touareg /twaʀɛg/ *nmf inv* Tuareg

Toubab /tubab/ *nm* Littérat *African writing in French*

toubib○ /tubib/ *nm* doctor, quack○ GB; **elle est ~** she's a doctor

toucan /tukɑ̃/ *nm* toucan

touchant, **~e** /tuʃɑ̃, ɑ̃t/ *adj* [*cérémonie*] moving; [*image, histoire, sentiment, cadeau*] touching; **elle est très ~e dans ce rôle** she's very moving in the part; **c'était très ~** it was very touching; **être ~ de simplicité** [*geste, cérémonie*] to be touchingly simple; **être ~ d'innocence/de gentillesse** to be endearingly innocent/kind

touche /tuʃ/ *nf* **1** Tech(commande manuelle) (de clavier) key; (de machine à laver, téléviseur, vidéo) button; (d'instrument à cordes) fret; **la ~ des majuscules/de retour en arrière/fonction** the shift/backspace/function key; **la ~ d'enregistrement/d'avance rapide/de rembobinage** the record/fast forward/rewind button; **ma machine à laver a une ~ 'économie'** my washing machine has got an economy cycle; **2** Art (coup de pinceau) stroke; (style) touch; (tache de peinture) dash, touch; **peindre par petites ~s** to paint in small strokes; **faire qch par petites ~s** fig to do sth bit by bit; **on reconnaît la ~ de Manet/Balzac** you can recognize Manet's/Balzac's touch; **une ~ de vert/jaune** a dash *ou* touch of yellow/green; **une ~ d'originalité/de fantaisie** fig a touch of originality/fantasy; **mettre la dernière ~ à qch, mettre la ~ finale à qch** to put *ou* add the finishing touches to sth; **3** Sport **(ligne de) ~** gén sideline; (au football, rugby) sideline, touchline; **sortir en ~** to go into touch; **mettre** *or* **dégager le ballon en ~** to kick the ball into touch; **la ~ est pour Lille** (au football) it's a Lille throw; **remise en ~** (au football) throw-in; (au rugby) line-out; **être/rester sur la ~** to be/to stay on the sidelines; **mettre qn sur la ~** fig to push sb aside; **4** (en escrime) hit; **5** Pêche bite; **faire une ~** to get a bite; **6** ◑(rencontre) **faire une ~** to score○; **7** ○(allure) **tu as vu la ~ qu'il a avec ce chapeau!** he looks ridiculous in that hat!; **elle avait une de ces ~s!** she was a sight!; **la ~!** what a sight!

touche-à-tout /tuʃatu/ *adj inv* **être ~** [*bébé*] to be into everything; [*esprit curieux*] to be a jack of all trades

touche-pipi○ /tuʃpipi/ *nm inv* **jouer à ~** to play doctors and nurses

toucher /tuʃe/ [1]

A *nm* **1** (sens) **le ~** touch, the sense of touch; **reconnaître des objets au ~** to identify objects by touch; **un tissu doux au ~** a fabric which is soft to the touch

2 Méd digital examination; **~ rectal** digital examination of the rectum

3 Mus (d'un pianiste) touch

B *vtr* **1** (poser la main sur) **~ (de la main)** to touch [*objet, surface, personne*]; **'prière de ne pas ~'** 'please do not touch'; **ne touche pas, pas touche○!** don't touch!; **~ le bras/l'épaule/le dos de qn** to touch sb's arm/shoulder/back, to touch sb on the arm/shoulder/back; **~ du bois** (par superstition) to touch wood; **je touche du bois, mais je ne suis jamais malade** I never get ill, touch wood!; **~ le front de qn** to feel sb's forehead; **~ qch du doigt** lit, fig to put one's finger on sth

2 (être en contact avec) to be touching [*mur, plafond, fond*]; **~ le sol** [*animal, sauteur, avion*] to land

3 (heurter) to hit [*adversaire, voiture, trottoir*]; **si tu recules encore tu vas ~ le mur** if you reverse any more, you'll hit the wall; **ne pas ~ une** *or* **la balle○** not to get near the ball; **'touché!'** (en escrime) 'touché!'; (à la bataille navale) 'hit!'; **~ qn à la tête/poitrine** to hit sb in the head/chest; **touché dans le dos il s'est effondré** he was hit in the back and slumped down

4 (attendrir) to touch [*personne*] ; **ça me touche beaucoup** I am very touched; **j'ai été très touchée de ta visite** *or* **que tu viennes me voir** I was very touched by your visit

5 (affecter) [*événement, changement, crise, loi*] to affect [*personne, secteur, pays*]; [*intempérie*] to hit [*région, ville*]; **rien ne la touche** nothing affects her; **la récession touche tout le monde** the recession affects everybody; **le chômage touche 15% de la population active** unemployment affects 15 per cent of the working population; **la région la plus touchée par l'ouragan** the area hardest hit by the hurricane

6 (être contigu à) [*pays*] to be next to, to border (on); [*maison, usine*] to be next to, to adjoin [*bâtiment, parc*]; **leur terrain touche le nôtre** their land is next to *ou* adjoins ours

7 (encaisser) [*personne*] to get, to receive [*argent, indemnités, dividendes*]; to cash [*chèque, mandat*]; to get [*retraite*]; to win [*tiercé, loterie*]; **il a touché une grosse somme à son départ** he got a lot of money when he left; **elle ne va ~ aucune indemnité** she won't get *ou* receive any compensation; **ils touchent une petite retraite** they get a small pension

8 (joindre) **~ qn** to get hold of sb; **il est difficile à ~ par téléphone** he's difficult to get hold of on the phone

9 Presse, Radio, TV **~ trois millions d'auditeurs** *or* **de téléspectateurs** to have an audience of three million; **~ sept millions de lecteurs** to have a readership of seven million

C **toucher à** *vtr ind* **1** (poser la main sur) **~ à** to touch [*objets*]; **ne touchez à rien** don't touch anything; **il n'a pas touché à son repas** he didn't touch his meal; **il ne touche plus à une goutte d'alcool** he doesn't touch a drop of alcohol anymore; **~ à tout** lit to be into everything; fig to be a jackofall trades; **il ne touche plus à un fusil** he won't go near a rifle anymore; **'touche pas à mon pote○'** 'hands off my pal○'; **avec son air de ne pas y ~, c'est un malin○** he looks as if butter wouldn't melt in his mouth, but he's a sly one

2 (concerner) **~ à** to concern; **la réforme touche à l'emploi des jeunes** the reform concerns youth employment; **tout ce qui touche à la discipline/l'individu** anything that relates to *ou* that concerns discipline/the individual; **c'est un problème qui touche à l'éthique** it's a question of ethics

3 (porter atteinte à) **~ à** to infringe on [*droit, liberté, privilège*]; to detract from [*dignité*]; **~ aux principes fondamentaux de la démocratie** to infringe on the fundamental principles of democracy

4 (modifier) to change; **on ne peut ~ aux coutumes** tradition is sacrosanct

5 (aborder) to get on to [*question, problème*]; **vous touchez à un sujet délicat/une question fondamentale** you're getting on to a delicate subject/a fundamental issue

D **se toucher** *vpr* **1** (se tâter) (l'un l'autre) to feel each other; (soi-même) to feel oneself; **se ~ la tête/le bras/les pieds** (l'un l'autre) to feel each other's heads/arms/feet; (soi-même) to feel one's head/arm/feet

2 ◑(se masturber) to play with oneself○

3 (être contigu) (maisons, jardins, immeubles) to be next to each other; **nos deux maisons se touchent** our houses are next door to each other

t

touche-touche: **à touche-touche** /atuʃ-tuʃ/ *loc adv* **être à ~** [*voitures*] (dans un bouchon) to be nose to tail, to be bumper to bumper; [*personnes, tentes, caravanes*] to be on top of each other°

touée /twe/ *nf* Naut (chaîne) warp; (longueur de chaîne) scope

touer /twe/ [1] *vtr* Naut to warp

toueur /twœʀ/ *nm* tug

touffe /tuf/ *nf* (de cheveux, poils, d'herbe) tuft; (de violettes, myosotis, genêts, d'arbres) clump; **planter qch par ~s** to plant sth in clumps

touffeur /tufœʀ/ *nf* liter sweltering heat

touffu, **~e** /tufy/ *adj* 1 [*sourcils, barbe*] bushy; [*végétation, forêt*] dense; [*buisson*] thick; [*arbre*] leafy; **au poil ~** [*chien, chat*] with thick fur; 2 [*texte, discours, style*] dense

touillage° /tujaʒ/ *nm* gén stirring; (de salade) tossing

touiller° /tuje/ [1] *vtr* to stir [*sauce*]; to toss [*salade*]

toujours /tuʒuʀ/ *adv* 1 (exprimant la continuité) always; **cela a ~ existé et existera ~** it always has existed and it always will; **je t'aimerai ~** I'll always love you; **ce n'est pas ~ vrai** that is not always true; **comme ~** as always; **vouloir ~ plus** always to want more; **pour ~** forever; **ils se connaissent depuis ~** they've known each other all their lives; **j'en rêve depuis ~** I've always dreamed about it; **de ~** [*ami*] very old; [*amitié*] long-standing; **~ plus vite** faster and faster; **~ plus grand** bigger and bigger; **des frais ~ plus importants** ever-increasing costs; 2 (exprimant la répétition) always; **il est ~ en retard** he is always late; **c'est ~ pareil** it's always the same; **ce n'est pas ~ évident** it's not always obvious; **~ prêt à aider/critiquer** always ready to help/criticize; **vous serez ~ le bienvenu** you're always welcome; 3 (encore) still; **il est ~ couché?** is he still in bed?; **il n'est ~ pas levé?** is he still not up?; **c'est ~ aussi difficile** it's still just as hard; 4 (de toute façon) anyway; **viens ~** come anyway; **on peut ~ essayer** we can always try; **cela peut ~ servir** it might come in handy; **c'est ~ mieux que rien** it's still better than nothing; **c'est ~ ça de pris** *or* **de gagné** that's something at least; **~ est-il que** the fact remains that

Toulon /tulɔ̃/ ▸ p. 894 *npr* Toulon

toulonnais, **~e** /tulɔnɛ, ɛz/ ▸ p. 894 *adj* of Toulon

Toulonnais, **~e** /tulɔnɛ, ɛz/ ▸ p. 894 *nm,f* (natif) native of Toulon; (habitant) inhabitant of Toulon

toulousain, **~e** /tuluzɛ̃, ɛn/ ▸ p. 894 *adj* of Toulouse

Toulousain, **~e** /tuluzɛ̃, ɛn/ ▸ p. 894 *nm,f* (natif) native of Toulouse; (habitant) inhabitant of Toulouse

Toulouse /tuluz/ ▸ p. 894 *npr* Toulouse

toundra /tundʀa/ *nf* tundra

toupet /tupɛ/ *nm* 1 °(effronterie) cheek°, nerve°; **quel ~!** what a cheek°!; **elle ne manque pas de ~!** she's got a cheek° *ou* a lot of nerve°!; **avoir le ~ de faire qch** to have the cheek° to do sth; 2 (de laine, crins) tuft; (de cheveux) (petite touffe) tuft; (sur sommet de tête) quiff GB, forelock US; **(faux) ~** (perruque) toupee

toupie /tupi/ *nf* 1 (jouet) top; **faire tourner une ~** to spin a top; 2 (en menuiserie) spindle moulder GB *ou* molder US; 3 °(femme) pej **vieille ~** old bag° péj

(Idiome) **tourner comme une ~** to spin around and around

tour /tuʀ/

A *nm* 1 (mouvement rotatif) gén turn; Mécan, Mes revolution; **5 000 ~s (par) minute** 5,000 revolutions *ou* revs° per minute; **l'essieu grince à chaque ~ de roue** the axle squeaks at every turn of the wheel; **donner un ~ de vis** to give the screw a turn; **donner un ~ de clé** to turn the key; **être à quelques ~s de roue de** to be just around the corner from; **faire un ~ de manège** to have a go on the merry-go-round; **faire un ~ de valse** to waltz around the floor; **la Terre fait un ~ sur elle-même en 24 heures** the Earth rotates once in 24 hours; **faire un ~ sur soi-même** [*danseur*] to spin around; **un (disque) 33/45/78 ~s** an LP/a 45 *ou* single/a 78; **fermer qch à double ~** to double-lock sth; **s'enfermer à double ~** fig to lock oneself away; **à ~ de bras**° [*frapper*] with a vengeance; [*investir, racheter*] left right and centre[GB]°; ▸ **quart**

2 (mouvement autour de) **faire le ~ de qch** gén to go around sth; (en voiture) to drive around sth; **le train fait le ~ du lac en deux heures** the train takes two hours to go around the lake; **faire le ~ du monde** to go around the world; **la nouvelle a vite fait le ~ du village** the news spread rapidly through the village; **il a fait le ~ de l'Afrique en stop** he hitchhiked around Africa; **faire le grand ~** fig to go the long way round GB *ou* around US; **en deuxième ~ de circuit** Sport on the second lap of the circuit; **faire un ~ d'honneur** to do a lap of honour[GB]; **avec plusieurs ~s de corde, ça tiendra** with the rope wound around a few times, it'll hold; **mettre trois ~s de corde** to wind the rope around three times; **donner plusieurs ~s à la pâte** Culin to fold the dough several times; ▸ **cadran**, **propriétaire**, **repartir B**, **sang**

3 ▸ p. 498, p. 827 (pourtour) (bords) edges (*pl*); (circonférence) circumference; (mensuration) measurement; (mesure standard) size; **le ~ de l'étang est couvert de jonquilles** there are daffodils all around the edges of the pond; **elle a le ~ des yeux fardé au kohl** she has kohl around her eyes; **tronc de 15 mètres de ~** trunk 15 metres[GB] in circumference *ou* 15 metres around; **~ de tête/cou/taille/hanches** head/neck/waist/hip measurement; **faire du 90 de ~ de poitrine** ≈ to have a 36-inch bust; ▸ **poitrine**

4 (déplacement bref) (à pied) walk, stroll; (à bicyclette) ride; (en voiture) drive, spin; **faire un (petit) ~** (à pied) to go for a walk *ou* stroll; **si nous allions faire un ~?** shall we go for a walk?; **je suis allé faire un ~ à Paris/en ville** I went to Paris/into GB *ou* down town; **je vais faire un ~ chez des amis** I'm just going to pop round GB *ou* go over US to some friends; **fais un ~ à la nouvelle exposition, ça vaut le coup** go and have a look round GB *ou* around US the new exhibition, it's worth it; **faire des ~s et des détours** lit [*route, rivière*] to twist and turn; fig [*personne*] to beat about the bush

5 (examen bref) look; **faire le ~ d'un problème/sujet** to have a look at a problem/subject; **faire un (rapide) ~ d'horizon** to have a quick overall look (**de** at), to make a general survey (**de** of); **faire le ~ de ses ennemis/relations** to go through one's enemies/acquaintances; **on en a vite fait le ~**° pej (de problème, sujet, d'ouvrage) there's not much to it; (de personne) there's not much to him/her/them etc

6 (moment d'agir) gén turn; (de compétition, tournoi, coupe) round; **à qui le ~?** whose turn is it?; **c'est ton ~** it's your turn; **chacun son ~** each one in his turn; **jouer avant son ~** to play out of turn; **à mon ~ de faire** it's my turn to do; **récompensé à mon ~** rewarded in my turn; **attendre/passer son ~** to wait/miss one's turn; **c'est au ~ de qn** it 's sb's turn; **notre équipe a été battue au second ~** our team was defeated in the second round; **la cuisine est nettoyée, maintenant c'est au ~ du salon** the kitchen is cleaned up, now for the living-room; **il perd plus souvent qu'à son ~** (il regrette) he loses more often than he would like; (je critique) he loses more often than he should; **~ à ~** (alternativement) by turns; (à la suite) in turn; **être ~ à ~ gentil et agressif** to be nice and agressive by turns; **il a été ~ à ~ patron d'entreprise, ministre et professeur d'économie** he has been in turn a company boss, a minister and an economics teacher; ▸ **rôle**

7 Pol (consultation) ballot; **les résultats du premier/second ~** the results of the first/second ballot; **au second ~** on the second ballot; **scrutin à deux ~s** two-round ballot; **~ de scrutin** ballot, round of voting

8 (manœuvre, ruse) trick; **jouer un bon/mauvais/sale ~ à qn** to play a good/nasty/dirty trick on sb; **ma mémoire me joue des ~s** my memory is playing tricks on me; **et le ~ est joué** that's done the trick; **un peu de peinture et le ~ est joué** a bit of paint will do the trick; **ça te jouera des ~s** it's going to get you into trouble one of these days; ▸ **pendable**, **sac**

9 (manipulation habile) trick; **~ de cartes** card trick; **~ de prestidigitation** conjuring trick; **~ d'adresse** feat of skill; **~ de main** knack; **en un ~ de main** (habilement) deftly; (rapidement) in a flash; **~ de force** gén amazing feat; (performance) tour de force; **constituer un ~ de force** to be an amazing feat; **réussir le ~ de force de faire** to achieve the amazing feat of doing; ▸ **passe-passe**

10 (allure, aspect) (de situation, relations) turn; (de création, mode) twist; **~ (de phrase)** Ling turn of phrase; **le ~ qu'ont pris les événements** the turn events have taken; **donner un ~ nouveau à qch** to give a new twist to sth; **c'est un ~ assez rare en français** it's a somewhat unusual turn of phrase in French

11 Tech (machine-outil) lathe; **fait au ~**† [*jambe, corps*] shapely

B *nf* 1 Archit tower; (immeuble) tower block GB, high rise US

2 Jeux (d'échecs) rook, castle

3 Hist Mil (machine de guerre) siege-tower

(Composés) **~ de Babel** Relig, Ling, fig Tower of Babel; **~ de chant** Art, Mus song recital; **~ de contrôle** Aviat control tower; **~ Eiffel** Eiffel Tower; **~ de forage** Tech derrick; **~ de France** (de cycliste) Tour de France; (de compagnon) *journeyman's travelling*[GB] *apprenticeship*; **~ de garde** Mil turn of duty; **~ de guet** Mil watchtower; **~ d'ivoire** fig ivory tower; **s'enfermer** *or* **se retrancher dans sa ~ d'ivoire** to shut oneself away in an ivory tower; **~ de Londres** Tower of London; **~ mort** Naut round turn; **~ de Pise** Leaning Tower of Pisa; **~ de potier** Art potter's wheel; **~ de refroidissement** Nucl cooling tower; **~ de rein(s)** Méd back strain; **se donner** *or* **attraper un ~ de rein(s)** to strain one's back; **~ de table** Fin pool; **faire un ~ de table** (à un réunion) to sound out everybody *ou* to go round GB *ou* around US the table; **après un rapide ~ de table** having gone round GB *ou* around US the table quickly (to see what people think)

le Tour de France

The world's most prestigious race for professional cyclists held annually in July since 1903, when it was founded by Henri Desgrange (1865–1940). Renowned for its mountain stages, involving exhausting climbs and hair-raising descents, it covers between 3,000 and 4,000 km (1,875–2,500 miles) over a three-week period and follows a different route each year, roughly circling France, with a stage in a neighbouring country, ending with a triumphant finish on the *Champs Elysées*. The event attracts huge media attention and crowds gather all along the route to watch the race go by. Throughout the *Tour*, the previous day's overall winner wears the coveted *maillot jaune* (yellow jersey). The winner on points of the most recent *sprint* (speed race on the flat) wears the *maillot vert* (green jersey), and the winner, again on a points system, of the most recent mountain-climbing stage wears a white jersey with red spots. A plain white jersey is worn by the ▸▸▸

youngest competitor in the race. The *Tour* proper is preceded the evening before by *le Prologue*, a short race to establish the wearer of *le maillot jaune* for the following day.

tourbe /tuʀb/ *nf* peat; **un feu de ~** a peat fire

tourbeux, -euse /tuʀbø, øz/ *adj* peaty

tourbière /tuʀbjɛʀ/ *nf* peat bog

tourbillon /tuʀbijɔ̃/ *nm* 1▸ Météo (masse d'air) whirlwind; 2▸ (masse d'eau) whirlpool; 3▸ (mouvement en spirale) whirl; **~ de poussière/feuilles** whirl of dust/leaves; 4▸ fig (de souvenirs) swirl; (de réformes) whirlwind, maelstrom; **le ~ de la vie** the merry-go-round of life

tourbillonnement /tuʀbijɔnmɑ̃/ *nm* (de neige, feuilles) swirling, whirling; (de danseurs) twirling

tourbillonner /tuʀbijɔne/ [1] *vi* 1▸ lit [*neige, feuilles*] to swirl, to whirl; [*danseurs*] to twirl; 2▸ fig [*idées, souvenirs*] to swirl around

tourelle /tuʀɛl/ *nf* 1▸ Archit turret; 2▸ (de char) turret; (de sous-marin) conning tower; 3▸ Phot **~ d'objectifs** lens turret

tourière /tuʀjɛʀ/ *adj f* Relig **sœur ~** sister at convent gate

tourillon /tuʀijɔ̃/ *nm* Tech swivel pin GB, king-pin US

tourisme /tuʀism/ *nm* 1▸ (activité de loisir) tourism; **faire du ~** to tour around, to go sightseeing; **ils ont fait un peu de ~** they toured around a bit, they did a bit of sight-seeing; ▸ **grand**; 2▸ (activité économique) tourist industry; **l'industrie du ~** the tourist industry

(Composé) **~ vert** countryside holidays (*pl*) GB *ou* vacations (*pl*) US

touriste /tuʀist/ *nmf* tourist; **j'ai séjourné à Lima en ~** I stayed in Lima as a tourist; **il suit les cours en ~** he goes to his lessons whenever he feels like it

touristique /tuʀistik/ *adj* 1▸ (relatif au tourisme) [*brochure, menu, saison*] tourist (*épith*); [*afflux*] of tourists (*épith, après n*); 2▸ (qui attire les touristes) [*ville, circuit*] which attracts tourists (*épith, après n*), touristy○; **c'est une région très ~** the area attracts a lot of tourists

tourment /tuʀmɑ̃/ *nm* liter 1▸ (douleur morale) torment; **donner des ~s à qn** to be a torment for sb; 2▸ ‡(supplice) torture ₵

tourmente /tuʀmɑ̃t/ *nf* liter 1▸ (tempête) storm; 2▸ fml (trouble) turmoil

tourmenté, ~e /tuʀmɑ̃te/

A *pp* ▸ **tourmenter**

B *pp adj* 1▸ (très inquiet) [*personne, visage*] tormented; [*expression, âme, esprit*] tortured; 2▸ (très agité) [*époque, histoire*] turbulent; [*mer*] turbulent; [*vie*] turbulent; 3▸ (irrégulier) [*paysage*] rugged; [*forme*] contorted; 4▸ (tarabiscoté) [*style*] tortured; [*parcours*] tortuous

tourmenter /tuʀmɑ̃te/ [1]

A *vtr* 1▸ (inquiéter) to worry [*personne*]; 2▸ (faire souffrir) [*persécuteur, douleur, remords, doute*] to torment [*personne*]; **~ des animaux** to torment animals; **~ qn de reproches** to torment sb with reproaches; 3▸ (harceler) [*créancier*] to harass [*débiteur*]

B se tourmenter *vpr* to worry

tourmenteur, -euse /tuʀmɑ̃tœʀ, øz/ *nm,f* liter tormenter

tournage /tuʀnaʒ/ *nm* 1▸ Cin (prise de vues) shooting ₵, filming ₵; (lieu de réalisation) set; **le ~ d'un film/d'une scène** the shooting of a film/of a scene; **pendant le ~** during shooting; **les gens qui sont sur le ~** the people on set; **ils se sont rencontrés sur le ~** they met on (the) set; **le film est en cours de ~** the film is being shot; **entre deux ~s** between two films; 2▸ Tech turning; **~ du bois/du métal** wood-/metal-turning

tournailler◑ /tuʀnaje/ [1] *vi* **~ dans tous les sens** to wander about; **~ autour de qn** to hang around sb

tournant, ~e /tuʀnɑ̃, ɑ̃t/

A *adj* 1▸ (qui pivote) [*siège, mécanisme*] swivel (*épith*); [*jet*] rotating; [*scène, porte*] revolving; 2▸ (qui fait des détours) [*mouvement*] turning (*épith*); [*service, bibliothèque*] mobile; 3▸ (qui alterne) [*poste, présidence*] rotating (*épith*); [*action politique, mesure*] staggered

B *nm* 1▸ (virage) bend; **prendre un ~** [*conducteur, voiture*] to take a bend; 2▸ (événement) turning point; **marquer un ~** to mark a turning point; **~ décisif/historique** crucial/historic turning point; 3▸ (charnière) turn; **au ~ du siècle** at the turn of the century; 4▸ (orientation) change of direction; **faire prendre un ~ à qch** to make a change of direction in sth; **prendre un ~** to change tack

C *nf* gang rape

(Idiomes) **je t'aurai au ~○!** I'll get my own back!; **je les attends au ~○!** I'll make sure they get their just deserts!

tourné, ~e /tuʀne/

A *pp* ▸ **tourner**

B *pp adj* 1▸ (orienté) **~ vers** [*regard, yeux, personne*] turned toward(s); [*activité, opération, politique*] oriented toward(s); [*ouverture, maison, passage*] facing (*épith, après n*); **~ vers le passé** backward-looking; **porte ~e vers la mer** gate facing the sea; **~ vers l'avenir** forward-looking; 2▸ (fait) **bien ~** [*compliment, lettre*] nicely phrased; [*personne, taille*] shapely; **expression bien ~e** well-turned phrase; **mal ~** [*phrase*] clumsy; [*lettre*] poorly phrased; ▸ **esprit**; 3▸ (façonné au tour) turned; 4▸ (aigri) [*lait, crème*] sour, off (*jamais épith*); [*sauce*] off (*jamais épith*)

C tournée *nf* 1▸ (de facteur, laitier, représentant) round; (de politicien) **~e (électorale)** election tour; (d'équipe, de chanteur, troupe) tour; **~e de promotion** promotional tour; **faire sa ~e** [*facteur*] to do one's round; **en ~e** [*orchestre, troupe*] on tour; **être/partir en ~e** to be/to go on tour; 2▸ ○(au café) round; **c'est ma ~e!** it's my round!; **offrir une ~e générale** to pay for drinks all round GB *ou* around US; 3▸ ◑(rossée) beating; **prendre une ~e** to take a beating; **mettre une ~e à qn** to give sb a beating

tourneboulerr○† /tuʀnəbule/ [1] *vtr* to upset

tournebroche /tuʀnəbʀɔʃ/ *nm* (rotating) spit

tourne-disque, *pl* **~s** /tuʀnədisk/ *nm* record player

tournedos /tuʀnədo/ *nm inv* tournedos

tournée ▸ **tourné**

tournemain: **en un tournemain** /ɑ̃nɛ̃tuʀnəmɛ̃/ *loc adv* in no time

tourner /tuʀne/ [1]

A *vtr* 1▸ (faire pivoter) to turn [*volant, clé, bouton, meuble*]; **~ la tête vers** to turn to look at; **~ les yeux vers** to look at; **le bruit m'a fait ~ la tête** I looked around at the noise; ▸ **bouche, tête**

2▸ Cin to shoot [*film, scène*]; **scène tournée à Pékin** scene shot in Beijing; ▸ **bout**

3▸ (éluder) to get around [*difficulté, obstacle, problème, loi*]

4▸ (formuler) to phrase [*lettre, compliment, critique*]; **il tourne bien ses phrases** he has a nice turn of phrase; **il tourne mal ses phrases** he doesn't have a very elegant turn of phrase

5▸ Tech (façonner) to turn [*bois, pièce*]; to throw [*pot*]

6▸ (transformer) **~ qn en dérision** *or* **ridicule** to make sb a laughing stock; **~ qch en dérision** to make a mockery of sth

7▸ (orienter) to turn [*pensées, attention*] (**vers** to); to direct [*colère*] (**contre** against)

8▸ (envisager) **~ et retourner qch dans son esprit** to mull sth over; **~ une proposition en tous sens pour en trouver les implications** to look at a proposal from every angle to work out the implications

9▸ (remuer) to stir [*sauce*]; to toss [*salade*]

B *vi* 1▸ (pivoter) gén [*clé, disque*] to turn; [*roue*] to turn, to revolve; [*planète, rotor, hélice*] to rotate; [*porte à gonds*] to swing; [*porte à tambour*] to revolve; (rapidement) [*toupie, étoile, particule, danseur*] to spin; **~ sur soi-même** to spin around; **faire ~** gén to turn; (rapidement) to spin; **danseur qui fait ~ sa partenaire** dancer spinning his partner around; **faire ~ les tables** (en spiritisme) to do table-turning; ▸ **heure, œil, tête**

2▸ (graviter) **~ autour de** gén to turn around; [*planète, étoile*] to revolve around; [*avion*] to circle; **~ au-dessus de** [*hélicoptère, oiseau*] to circle over; [*insecte*] to buzz around

3▸ (aller et venir) **~ (en rond)** [*personne*] to go around and around; [*automobiliste*] to drive around and around; **~ en rond** fig [*discussion, négociations*] to go around in circles; **ça fait une heure qu'on tourne** (en voiture) we've been driving around for an hour; **il tourne dans son bureau depuis une heure** he has been pacing up and down in his office for the last hour; ▸ **cage, pot**

4▸ (virer) to turn (**vers** toward, towards GB); **tournez à gauche** turn left; **le chemin tourne entre les arbres** the path winds between the trees; ▸ **chance, vent**

5▸ (se situer) **~ autour de** [*effectifs, somme d'argent*] to be (somewhere) in the region of, to be round about○ GB, to be around

6▸ (fonctionner) [*moteur, usine, entreprise*] to run; **~ rond** [*moteur*] to run smoothly; [*entreprise, affaires*] to be doing well; **l'usine tourne au tiers de sa capacité** the factory is running at one third of its capacity; **les affaires tournent (bien)** business is good; **faire ~ qch** to run sth [*entreprise*]; **il y a quelque chose qui ne tourne pas rond dans cette histoire**○ there's something fishy○ about this business; **mon frère ne tourne pas rond depuis quelque temps**○ my brother has been acting strangely for some time

7▸ (évoluer) **comment ont tourné les choses?** how did things turn out?; **les choses ont bien/mal tourné pour lui** things turned out well/badly for him; **leur frère a mal tourné** their brother turned out badly; **leur réunion a mal tourné** their meeting went badly; **~ à l'avantage de qn/au désavantage de qn** to swing in sb's favour[GB]/against sb; **la réunion a tourné à la bagarre /en mascarade** the meeting turned into a brawl/into a farce; **mon rhume a tourné en bronchite** my cold turned into bronchitis

8▸ Cin [*réalisateur*] to shoot, to film; [*acteur*] to make a film GB *ou* movie US; **~ dans un film** [*acteur*] to make a film GB *ou* movie US; **~ en Espagne** to shoot in Spain; **elle a tourné avec les plus grands acteurs** she's worked with top actors; **silence, on tourne!** quiet everyone, we're shooting!

9▸ (faire une tournée) [*représentant, spectacle*] to tour; **troupe de théâtre qui tourne en Europe** theatre[GB] company touring (in) Europe; **le spectacle a tourné dans toute la France** the show went all over France on tour

10▸ (fermenter) [*lait, sauce, viande*] to go off

11▸ (chercher à séduire) **~ autour de qn** to hang around sb; **qu'est-ce qu'il a à me ~ autour○?** why doesn't he leave me alone?

C se tourner *vpr* 1▸ (se diriger, par intérêt ou besoin) **se ~ vers** *or* **du côté de qn/qch** to turn to sb/sth; **se ~ vers la botanique/un ami** to turn to botany/a friend; **ne pas savoir vers qui se ~/de quel côté se ~** not to know who to turn to/which way to turn; **de quelque côté qu'on se tourne** whichever way you turn

2▸ (changer de position) **se ~ vers qn/qch** to turn toward(s) sb/sth; **tous les yeux se sont tournés vers elle** all eyes turned toward(s) her; **nous nous sommes tournés dans la direction d'où venait le bruit** we turned in the direction of the noise

3▸ (faire demi-tour sur soi-même) to turn around; **tournez-vous, je me change!** turn around, I'm changing!; **tourne-toi, que je voie ta coupe de cheveux** turn around and let me see your haircut; **tourne-toi un peu plus sur**

tout

Quand *tout* fait partie d'une locution comme *à tout hasard, de toute(s) part(s), tout compte fait, tout nu, tout neuf, tout plein, tout simplement* etc., la traduction sera donnée sous le terme principal.

Remarques sur l'adjectif

1 Lorsque *tout*, adjectif singulier, exprime la totalité, plusieurs traductions sont possibles mais non toujours interchangeables.

De manière générale:

on emploiera *all* lorsque le mot qualifié est non dénombrable:

tout le vin
= all the wine

tout l'argent
= all the money

tout ce bruit
= all that noise

tout leur talent
= all their talent

c'est tout ce que je sais
= that's all I know

on emploiera *whole* si *tout* peut être remplacé par *entier*:

tout le gâteau
= the whole cake

tout le groupe
= the whole group

tout un livre
= a whole book

Mais:

connaître tout Zola/le Japon
= to know the whole of Zola/Japan

lire tout 'Les Misérables'
= to read the whole of 'Les Misérables'

pendant tout mon séjour
= for the whole of my stay

2 *throughout* (ou *all through*) signifie *du début à la fin, d'un bout à l'autre*. On l'emploie souvent pour insister sur la durée ou l'étendue devant un terme singulier ou pluriel qui désigne l'espace de temps ou l'événement pendant lequel un fait a lieu, ou encore le territoire sur lequel il a lieu:

pendant tout le match
= throughout the match

pendant tous ces mois
= throughout those months

la rumeur se répandit dans toute la province
= the rumour spread throughout the province

faire tout le trajet debout
= to stand throughout the journey
ou to stand for the whole journey

il neige sur toute la France
= it's snowing throughout France
ou it's snowing all over France

Au pluriel, *tous, toutes* se traduiront par *all* pour exprimer la totalité, par *every* pour insister sur les composants d'un ensemble, ou encore par *any* pour indiquer l'absence de discrimination. On notera que *every* et *any* sont suivis du singulier.

la *or* **à gauche** just turn a little bit more to the left; **se ~ et se retourner dans son lit** to toss and turn; ▸ **pouce**

tournesol /tuʀnəsɔl/ *nm* **1** Bot sunflower; **2** Chimie litmus; **papier ~** litmus paper

tourneur, -euse /tuʀnœʀ, øz/ ▸ **p. 532** *nm,f* **1** Tech turner; (sur machine industrielle) lathe operator; **~ sur bois** woodturner; **atelier de ~** turnery; **2** Tex reeler

tournevis /tuʀnəvis/ *nm inv* screwdriver

(Composés) **~ à cliquet** ratchet screwdriver; **~ cruciforme** Phillips® screwdriver; **~ électrique** power screwdriver

tournicoter○ /tuʀnikɔte/ [1] *vi* **~ autour de qn/qch** to hang around sb/sth

tourniquet /tuʀnikɛ/ *nm* **1** (barrière) turnstile; **2** (présentoir) revolving stand; **~ à cartes postales** revolving postcard stand; **3** (d'arrosage) sprinkler; **4** (de chirurgie) tourniquet; **5** (de volet) hook; **6** Naut roller

tournis○ /tuʀni/ *nm* **avoir le ~** to feel *ou* be dizzy *ou* giddy; **donner le ~ à qn** to make sb dizzy *ou* giddy

tournoi /tuʀnwa/ *nm* gén tournament; **le Tournoi des Cinq Nations** the Five Nations Championship; **~ oratoire** liter debating contest

tournoiement /tuʀnwamɑ̃/ *nm* (de feuilles) swirling (**de** of); (de moucherons) circling (**de** of); (danseurs) whirling (**de** of)

tournoyer /tuʀnwaje/ [23] *vi* **1** [*feuilles, papiers*] to swirl around; [*vautours*] to wheel; [*moucherons*] to fly around in circles; [*cerf-volant*] to spiral; **2** [*danseurs*] to whirl; **faire ~** (en dansant) to spin [sb] around; to twirl [sth] [*baguette, jupe*]; to make [sth] spiral [*cerf-volant*]; **3** [*fumée*] to rise in spirals

tournure /tuʀnyʀ/ *nf* **1** (aspect) turn; **la ~ des événements** the turn of events; **prendre une ~ imprévue** to take an unexpected turn; **prendre bonne ~** to take a turn for the better; **prendre une ~ fâcheuse** *or* **mauvaise** to go wrong; **je n'aime pas la ~ que prend la situation** I don't like the way the situation is developing; **prendre ~** [*projet*] to take shape; **cela donne à l'affaire une tout autre ~** this puts a completely different complexion on things; **2** (formulation) turn of phrase; **~ idiomatique/dialectale/familière** idiomatic/dialectal/colloquial expression

(Composé) **~ d'esprit** frame of mind

touron /tuʀɔ̃/ *nm* ≈ nougat

tour-opérateur, *pl* **~s** /tuʀɔpeʀatœʀ/ *nm* controv tour operator

tourte /tuʀt/ *nf* pie; **~ à la viande** meat pie; **~ aux poireaux/aux abricots** leek/apricot pie

tourteau, *pl* **~x** /tuʀto/ *nm* **1** Culin, Zool crab; **2** Agric oil cake

tourtereau, *pl* **~x** /tuʀtəʀo/

A *nm* Zool young turtle dove

B tourtereaux *nmpl* hum (personnes) lovebirds hum

tourterelle /tuʀtəʀɛl/ *nf* turtle dove

tourtière /tuʀtjɛʀ/ *nf* pie dish

tous ▸ **tout**

Toussaint /tusɛ̃/ *nf* **la ~** (jour) All Saints' Day; **à la ~** (jour) on All Saints' Day; (période) at the end of October, at Halloween US; **un temps de ~** autumnal *ou* fall US weather

> **Toussaint**
>
> The first of November or *Toussaint* (All Saints' Day) is a public holiday when the dead are remembered and families visit the graves of deceased relatives.

tousser /tuse/ [1] *vi* **1** Méd to cough; **2** (pour attirer l'attention) to cough; **3** [*moteur, voiture*] to splutter

toussotement /tusɔtmɑ̃/ *nm* **1** Méd slight cough; **2** (pour attirer l'attention) cough; **3** (d'un moteur) splutter

toussoter /tusɔte/ [1] *vi* **1** Méd (habituellement) to have a slight cough; (ponctuellement) to cough slightly; **2** (pour attirer l'attention) to cough; **3** [*moteur, voiture*] to splutter

tout /tu/, **~e** /tut/, *mpl* **tous** /tu *adj*, tus *pron*/, *fpl* **toutes** /tut/

A *pron indéf* **1** **tout** (chaque chose) everything; (n'importe quoi) anything; (l'ensemble) all; **penser à ~** to think of everything; **~ est prêt** everything is ready; **le sucre, les graisses, le sel, ~ me fait mal** sugar, fat, salt, everything is bad for me; **être ~ pour qn** to be everything to sb; **~ peut arriver** anything can happen; **le chien mange (de) ~** the dog will eat anything; **~ est prétexte à querelle(s)** any pretext will do to start a quarrel; **~ n'est pas perdu** all is not lost; **~ ou rien** all or nothing; **~ ou partie de qch** all or part of sth; **~ va bien** all's well, everything's fine; **en ~** (au total) in all; (entièrement) in every respect; **en ~ et pour ~** all told; **et ~ ça parce que/pour** and all because/for; **~ bien compté** *or* **pesé** *or* **considéré** all in all; **~ est là** fig that's the whole point; **c'est ~ dire** I need say no more; **et ~ et ~**○ and all that sort of thing; **et ce n'est pas ~!** and that's not all!; **ce n'est pas ~ (que) de commencer un travail, il faut le finir** it's not enough *ou* it's all very well to start off a job, it's got to be finished; **avoir ~ d'un singe/assassin** to look just like a monkey/murderer; ▸ **bien, monde, salaire, or**

2 **tous** /tus/, **toutes** (la totalité des êtres ou choses) all; (la totalité des éléments d'une catégorie, d'un groupe) all of them/us/you; **nous sommes tous des pécheurs** we are all sinners; **le film n'est pas à la portée de tous** the film is not accessible to all; **merci à tous** thank you all; **tous ensemble** all together; **ce sont tous d'anciens soldats** all of them are *ou* they are all former soldiers; **il les a tous cassés** he has broken all of them, he's broken them all; **il l'a dit devant nous tous** he said it in front of all of us; **leurs enfants, tous musiciens de talent** their children, all of them talented musicians; **tous ne sont pas d'accord** not all of them agree; **~es tant qu'elles sont** all of them, each and every one of them; **vous tous qui le connaissez** all of you who know him; **écoutez-moi tous** listen to me, all of you; **est-ce que ça conviendra à tous?** will it suit everybody *ou* everyone?

B *adj* **1** (exprimant la totalité) **bois ~ ton lait** drink all your milk, drink up your milk; **~ le reste est à jeter** everything else is to be thrown away; **manger ~ un pain** to eat a whole loaf; **~ Pompéi a été enseveli** the whole of Pompeii was buried; **~ Nice se réjouit** the whole of *ou* all Nice rejoiced; **il a plu ~e la journée** it rained all day (long) *ou* the whole day; **pendant ~e une année** for a whole year; **la semaine se passa ~e à attendre** the whole *ou* entire week was spent waiting; **j'ai passé ~ mon dimanche à travailler** I spent the whole of *ou* all Sunday working; **je ne l'ai pas vu de ~ l'été** I haven't seen him all summer; **cet enfant est ~e ma vie** this child is my whole life; **c'est ~ le plaisir que tu y trouves?** is that all the pleasure *ou* the only pleasure it gives you?; **~ le problème est là** that's where the problem lies; **~ cela ne compte pas** none of that counts; **le meilleur dentiste de ~e la ville** the best dentist in town; **~ le monde** everybody; ▸ **cœur, monde, temps**

2 (véritable) **c'est ~ un travail/événement** it's quite a job/an event; **il a fait ~e une histoire** he made a real *ou* big fuss, he made quite a fuss; **c'est ~ un art** there's a whole art to it

3 **tout ce qui/que/dont** (l'ensemble) all; (toutes les choses) everything; (sans discrimination) anything; **~ ce qui compte** all that matters; **c'est ~ ce que je fais** that's all I do; **~ ce dont j'ai besoin** all I need; **j'ai acheté ~ ce qui était sur la liste** I bought everything that was on the list; **il dit ~ ce qui lui passe par la tête** he says anything that comes into his head; **~ ce qu'il dit n'est pas vrai** not all of what he says is true; **~ ce que le village compte d'enfants, ~ ce qu'il y a d'enfants dans le village** all the children in the village; **être ~ ce qu'il y a de plus serviable** to be most obliging; **c'est ~ ce qu'on fait de mieux** it's the best there is; **'tu en es sûr?'—'~ ce qu'il y a de plus sûr'** 'are you sure?'—'as sure as can be', 'absolutely sure'

4▸ (n'importe quel) any; **à ~ âge** at any age; **de ~e nature** of any kind; **à ~e heure du jour ou de la nuit** at all times of the day or night; **'service à ~e heure'** '24 hour service'; **à ~ moment** (n'importe quand) at any time; (sans cesse) constantly; **~ prétexte leur est bon** they'll jump at any excuse; **~e personne qui** anyone *ou* anybody who; **~e autre solution serait rejetée** any other solution would be rejected; **~ autre que lui/toi aurait abandonné** anybody else would have given up; **~e publicité est interdite** all advertising is prohibited; **pour ~e réclamation, s'adresser à...** all complaints should be addressed to...; **~ billet n'est pas valable** not all tickets are valid; ▸ **vérité**

5▸ (sans déterminant: total) **en ~e innocence/franchise** in all innocence/honesty; **en ~e liberté** with complete freedom; **donner ~e satisfaction** to give complete satisfaction; **c'est ~ bénéfice** it's all profit; **il aurait ~ intérêt à placer cet argent** it would be in his best interests to invest this money; **partir en ~e hâte** to leave in a great hurry; **un jardin de ~e beauté** a most beautiful garden; **être à ~e extrémité** to be close to death; ▸ **épreuve, hasard, prix, vitesse**

6▸ (unique, seul) **il a souri pour ~e réponse** his only reply was a smile, he smiled by way of a reply; **on lui donne quelques légumes pour tout salaire** all he gets in the way of wages is a few vegetables; **elle a un chien pour ~e compagnie** the only company she has *ou* all she has for company is a dog

7▸ tous, toutes (les uns et les autres sans distinction) all, every (+ *v sg*); **ceci vaut pour tous les candidats** this applies to all candidates *ou* to every candidate; **en tous pays** in all countries, in every country; **en ~es choses** in all things, in everything; **~es les pages sont déchirées** all the pages are torn, every page is torn; **les lettres ont ~es été signées** the letters have all been signed; **j'ai ~es les raisons de me plaindre** I have every reason to complain; **tous les hommes sont mortels** all men are mortal; **il a fait tous les métiers** he's done all sorts of jobs; **meubles tous budgets** furniture to suit every pocket; **tous deux se levèrent** both of them got up, they both got up; **nous irons tous les deux** both of us will go, we'll both go; **je les prends tous les trois/quatre etc** I'm taking all three/four etc (of them)

8▸ (chaque) **tous/toutes les** every; **à tous les coins de rue** on every street corner; **saisir ~es les occasions** to seize every opportunity; **tous les jours/mois/ans** every day/month/year; **tous les quarts d'heure/10 mètres** every quarter of an hour/10 metres; **un cachet ~es les quatre heures** one tablet every four hours; **tous les deux jours/mois** every other day/month; **tous les combien?** how often?

C *adv (normally invariable, but agrees in gender and in number with feminine adjective beginning with consonant or h-aspirate)* **1▸** (très, extrêmement) very, quite; (entièrement) all; **~ doucement** very gently; **ils sont ~ contents** they are very happy; **elles sont ~ étonnées/~es honteuses** they are very surprised/ashamed; **être ~ excité** to be very *ou* all excited; **être ~ jeune/petit** to be very young/small; **~ enfant, elle aimait déjà dessiner** as a small child she already liked to draw; **c'est ~ naturel** it's quite natural; **des yeux ~ ronds de surprise** eyes wide with surprise; **être ~ mouillé/sale** to be all wet/dirty; **~ seul dans la vie** all alone in life; **faire qch ~ seul** to do sth all by oneself; **c'est ~ autre chose** it's a different matter altogether

2▸ (devant un nom) **c'est ~ le portrait de sa mère** she's the spitting *ou* very image of her mother; **c'est ~ l'inverse** *or* **le contraire** it's the very opposite; **ça m'en a ~ l'air** it looks very much like it to me; **tu as ~ le temps d'y réfléchir** you've got plenty of time to think it over; **avec toi, c'est ~ l'un ou ~ l'autre** you see everything in black and white

3▸ (tout à fait) **la ~e dernière ligne** the very last line; **les ~ premiers fruits de l'été** the very first fruits of summer; **j'habite ~ près** I live very close by *ou* very near; **~ près de** very close to, very near; **~ à côté de/contre/en haut** right by/against/at the top; **il les a mangés ~ crus** he ate them raw; **un gâteau ~ entier** a whole cake; **j'en sais ~ autant que lui** I know just as much as he does; **c'est ~ aussi cher** it's just as expensive; **vêtue ~ de noir, ~ de noir vêtue** dressed all in black; **maison ~ en longueur** very long and narrow house; **un jeu ~ en finesse** a very subtle game; **une semaine ~e de fatigue** a very tiring week; **une vie ~e de soucis** a life full of worry; **ils étaient ~ en sang/en sueur** they were covered in blood/bathed in sweat; **être ~ en larmes** to be in floods of tears; **la colline est ~ en fleurs** the hill is a mass of flowers; **elle est ~(e) à son travail** she's totally absorbed in her work

4▸ (d'avance) **~ prêt** ready-made; **sauces/idées ~es faites** ready-made sauces/ideas; **des légumes ~ épluchés** ready-peeled vegetables; ▸ **cuit, vu**

5▸ (en même temps) while; (bien que) although; **il lisait ~ en marchant** he was reading as he walked; **elle le défendait ~ en le sachant coupable** she defended him although she knew he was guilty; ▸ **en**

6▸ (marquant la concession: quoique) **~ aussi étrange que cela paraisse** however strange it may seem; **~ prudemment que l'on conduise** however carefully one drives; **~ malins qu'ils sont, ils...** clever though they may be, they..., they may be clever, but they...; **~e reine qu'elle est, elle ne peut pas faire ça** she may be a queen, but she can't do that

7▸ (rien d'autre que) **être ~ énergie/muscle** to be all energy/muscle; **être ~ sourires** to be all smiles; **je suis ~ ouïe** hum I'm all ears; **veste ~ cuir/laine** all leather/wool jacket; ▸ **feu, sucre**

D du tout *loc adv* **pas du ~, point du ~** liter not at all; **sans savoir du ~** without knowing at all; **je ne le vois plus du ~** I don't see him at all now; **il ne m'en reste plus du ~** I have none left at all; **crois-tu qu'il m'ait remercié? du ~!** do you think he thanked me? not at all!

E *nm* (*pl* **~s**) **1▸** (ensemble) **former un ~** to make up *ou* form a whole; **mon ~** (charade) my whole, my all; **du ~ au ~** completely

2▸ le ~ (la totalité) the whole lot, the lot; (l'essentiel) the main thing; **vendre le ~ pour 200 euros** to sell the (whole) lot for 200 euros; **le ~ est de réussir/qu'il réussisse** the main *ou* most important thing is to succeed/that he should succeed; **le Grand Tout** Relig the Great Whole; **ce n'est pas le ~**○**!** this is no good!

F tout- *(in compounds)* **le Tout-Paris/-Londres** the Paris/London smart set

(Composés) **~ à coup** suddenly; **~ d'un coup** (soudain) suddenly; (à la fois) all at once; **~ à fait** (entièrement) quite, absolutely; **ce n'est pas ~ à fait vrai/pareil** it's not quite true/the same thing; **c'est ~ à fait vrai** it's quite *ou* absolutely true; **'tu es d'accord?'—'~ à fait'** 'do you agree?'—'absolutely'; **il est ~ à fait charmant** he's absolutely *ou* perfectly charming; **être ~ à fait pour/contre** to be totally for/against; **~ à l'heure** (bientôt) in a moment; (peu avant) a little while ago, just now; **à ~ à l'heure!** see you later!; **~ de même** (quand même) all the same, even so; (indigné) **~ de même!** really!, honestly!; (vraiment) quite; **tu aurais ~ de même pu faire attention!** all the same *ou* even so you might have been careful!; **c'est ~ de même un peu fort!** really *ou* honestly, it's a bit much!; **c'est ~ de même bizarre que** it's quite strange that; **~ de suite** at once, straight away; **ce n'est pas pour ~ de suite** (ce n'est pas pressé) there's no rush; (ce sera long) it's going to take some time

(Idiomes) **~ est bien qui finit bien** all's well that ends well; **être ~ yeux ~ oreilles** to be very attentive

tout-à-l'égout /tutalegu/ *nm inv* main drainage; **installer le ~** to install main drainage; **avoir le ~** to be on the main drains

Toutankhamon /tutɑ̃kamɔ̃/ *npr* Tutankhamun, Tutankhamen

toutefois /tutfwa/ *adv* however; **il a ~ précisé que** however, he made it clear that; **sans ~ que cela nuise à l'ensemble** without this spoiling the overall effect, however; **je viendrai demain, si ~ ça ne vous dérange pas** I'll come tomorrow, as long as that doesn't put you out

toute-puissance /tutpɥisɑ̃s/ *nf* (de Dieu, d'argent, de dictateur) omnipotence; (de pays, d'entreprise) supremacy

toutim(e)◑ /tutim/ *nm* **le ~** the whole caboodle○, the whole lot

toutou○ /tutu/ *nm* doggie○, dog; **un bon ~** a nice doggie○; **suivre qn comme un ~** to follow sb around like a little dog

tout-petit, *pl* **~s** /tup(ə)ti/ *nm* (nourrisson) baby; (très jeune enfant) toddler

tout-puissant, toute-puissante /tupɥisɑ̃, tutpɥisɑ̃t/

A *adj* all-powerful; **le ~ patron** the all-powerful boss

B *nmpl* **les ~s de ce monde** the all-powerful of this world

Tout-Puissant /tupɥisɑ̃/ *nm* Relig **le ~** the Almighty, God Almighty

tout-venant /tuv(ə)nɑ̃/ *nm inv* **1▸** gén (personnes) all and sundry; **il n'a pas choisi, il a pris le ~** he did not make a choice, he just took whatever there was; **2▸** Mines run of mine, unsorted coal

toux /tu/ *nf inv* cough; **une ~ sèche/grasse** a dry/loose cough; **médicament pour** *or* **contre la ~** cough medicine; **avoir une quinte de ~** to have a coughing fit

toxémie /tɔksemi/ *nf* toxaemia[GB], blood poisoning

toxicité /tɔksisite/ *nf* toxicity

toxicodépendance /tɔksikodepɑ̃dɑ̃s/ *nf* drug dependency

toxicodépendant, ~e /tɔksikodepɑ̃dɑ̃, ɑ̃t/ *nm,f* drug addict

toxicologie /tɔksikɔlɔʒi/ *nf* toxicology

toxicologique /tɔksikɔlɔʒik/ *adj* toxicological

toxicologue /tɔksikɔlɔg/ ▸ **p. 532** *nmf* toxicologist

toxicomane /tɔksikɔman/ *nmf* drug addict

toxicomanie /tɔksikɔmani/ *nf* drug addiction

toxicose /tɔksikoz/ *nf* toxicosis

toxine /tɔksin/ *nf* toxin

toxique /tɔksik/

A *adj* toxic, poisonous; **non ~** non toxic

B *nm* toxin, poison

toxocarose /tɔksɔkaʀoz/ *nf* toxocariasis

toxoplasmose /tɔksɔplasmoz/ ▸ **p. 283** *nf* toxoplasmosis

TP /tepe/ *nm: abbr* ▸ **travail**[1]

TPE /tepeœ/

A *nmpl* (*abbr* = **travaux pratiques encadrés**) Scol topic work (*sg*)

B *nf* (*abbr* = **très petite entreprise**) Écon very small enterprise

TPI /tepei/ *nm* (*abbr* = **tribunal pénal international**) International Criminal Tribunal, ICT

TPICE /tepeiseə/ *nm* UE *abbr* ▸ **tribunal**

TPV /tepeve/ *nm*: *abbr* ▸ **terminal**

trac○ /tʀak/ *nm* (sur scène, devant une caméra) stage fright; (avant un examen, une conférence) nerves (*pl*); **avoir le ~** gén to feel nervous; (sur scène) to have stage fright; **donner le ~ à qn** [*situation, pensée, personne*] to put the wind up sb○, to scare sb; **tout à ~** out of the blue

traçabilité /tʀasabilite/ *nf* traceability

traçage /tʀasaʒ/ *nm* 1 (dessin) Ind, Naut marking out; Constr laying-out; Cout marking (**de** of); 2 Mines heading, drift; 3 Ordinat tracing

(Composé) **~ à la vapeur** Tech steam tracing

traçant, **~e** /tʀasɑ̃, ɑ̃t/ *adj* 1 Ordinat **table ~e** graph plotter; 2 Mil **balle ~e** tracer (bullet); 3 Bot [*racine*] creeping

tracas /tʀaka/ *nm inv* 1 (provoqué) trouble; **donner** *or* **valoir du ~ à qn** to put sb to a lot of trouble; 2 (subi) problems (*pl*); **~ quotidiens** everyday problems; 3 (inquiétude) worries (*pl*); **se faire du ~ pour** *or* **au sujet de qn/qch** to worry about sb/sth

tracasser /tʀakase/ [1]
A *vtr* [*santé, problème, attitude*] to bother [*personne*]
B **se tracasser** *vpr* 1 (s'inquiéter) to worry (**pour qn** about sb; **au sujet de qch, pour qch** about sth); **ne vous tracassez pas!** don't worry; 2 (être dérangé) **se ~ à faire** to have the bother of doing

tracasserie /tʀakasʀi/ *nf* 1 (ennui) hassle○ ¢; **les ~s de la vie moderne** the hassle○ of modern life; 2 (harcèlement) harassment ¢; **les ~s administratives à l'encontre des étrangers** harassment of foreigners by the authorities

tracassier, **-ière** /tʀakasje, ɛʀ/ *adj* [*administration, organisme*] nit-picking, full of red tape

trace /tʀas/ *nf* 1 (piste) trail; **perdre la ~ d'un animal** to lose an animal's tracks; **retrouver la ~ d'un voleur/des tableaux volés** to pick up the trail of a thief/of the stolen paintings; **suivre qn à la ~** lit to track sb; fig to follow sb's trail; **faire la ~** (au ski) to blaze the *ou* a trail; **skier dans la ~ de qn** to ski in sb's tracks; 2 (empreinte) **~s** tracks; **~s d'ours/de ski** bear's/ski tracks; **~s de pneus** tyre GB *ou* tire US tracks; **~s de pas** footprints, footmarks; **repartir sur ses ~s** lit, fig to retrace one's steps; **marcher sur** *or* **suivre les ~s de qn** fig to follow in sb's footsteps; **un itinéraire touristique sur les ~s de Van Gogh** fig a tourist route following in the steps of Van Gogh; 3 (marque) (de brûlure) mark; (cicatrice) scar; (de peinture) mark; (de sang, d'humidité) trace; **~s de freinage** skidmarks; **~s de doigts** fingermarks; **~s de coups** (bleus) bruises; **l'enfant a des ~s suspectes** the child has some suspicious marks *ou* bruises; **~s de fatigue sur le visage** signs of tiredness on the face; **les ~s indélébiles d'une enfance malheureuse** fig the indelible scars of an unhappy childhood; **l'aventure avait laissé des ~s profondes en lui** the experience had marked him deeply; 4 (indice) (d'activité) sign; (de passage, présence) trace; **des ~s d'effraction** signs of a break-in; **il n'y avait aucune ~ du conducteur** there was no trace *ou* sign of the driver; **disparaître sans laisser de ~s** to disappear without a trace; **les archéologues ont trouvé de nombreuses ~s de cette civilisation** archaeologists have found many traces of this civilization; 5 (quantité infime) **des ~s de mercure** traces of mercury; **'lipides: ~s'** 'lipids: trace'; **sa déclaration ne comportait pas la moindre ~ d'humour/d'ironie** his/her pronouncement bore not the slightest trace of humour^GB/of irony

tracé /tʀase/ *nm* 1 (plan) (de route, ville etc) layout; 2 (parcours) (de route, ligne ferroviaire) route; (de fleuve) course; (de frontière, côte) line; 3 (de courbe, croquis) line (**de** of); **sa palette et son ~ sont extraordinaires** his/her range of colour^GB and sense of line are extraordinary; 4 Ordinat inking

tracer /tʀase/ [12]
A *vtr* 1 (dessiner) to draw [*ligne, plan, rectangle, portrait*]; (sur graphique) to plot [*courbe*]; (écrire) to write [*caractères, mot*]; to plan the route of [*autoroute, oléoduc*]; **dessin tracé à l'encre/à la craie** ink/chalk drawing; **~ un trait à la règle** to draw a line with a ruler; **les patineurs traçaient des arabesques sur la glace** the skaters traced *ou* described arabesques on the ice; 2 (établir) **~ une frontière précise entre le légal et l'illégal** to draw the line between what is legal and what is illegal; **~ un portrait de qn** to paint a picture of sb; **~ un tableau pessimiste de qch** to paint a pessimistic picture of sth; **à 15 ans son avenir était déjà tout tracé** at 15, his future was already mapped out; **~ les grandes lignes d'une action** to map out the main lines of action (to be taken); **~ un programme/une politique** to outline a programme/a policy; 3 (ouvrir) to open up [*piste, route*]; **~ sa propre voie** fig to make one's own way (in life); **~ le chemin à qn** fig to show sb the way
B ○*vi* (aller vite) to belt along○

traceur /tʀasœʀ, øz/
A *adj* [*balle, substance*] tracer
B *nm* 1 ▸ p. 532 (ouvrier) lay-out marker; 2 Sci (colorant, isotope) tracer; Chimie **~ radioactif** label; 3 Ordinat **~ de courbes** graph plotter

trachéal, **~e**, *mpl* **-aux** /tʀakeal, o/ *adj* tracheal

trachée /tʀaʃe/ *nf* windpipe, trachea spéc

trachée-artère, *pl* **trachées-artères** /tʀaʃeaʀtɛʀ/ *nf* windpipe, trachea spéc

trachéen, **-éenne** /tʀakeɛ̃, ɛn/ *adj* tracheal

trachéite /tʀakeit/ ▸ **p. 283** *nf* tracheitis ¢

trachéo-bronchite, *pl* **~s*** /tʀakeobʀɔ̃ʃit/ ▸ p. 283 *nf* tracheobronchitis ¢

trachéoscopie /tʀakeɔskɔpi/ *nf* tracheoscopy

trachéotomie /tʀakeɔtɔmi/ *nf* tracheotomy; **on lui a fait une ~** he had a tracheotomy

trachome /tʀakom/ ▸ **p. 283** *nm* trachoma

traçoir /tʀaswaʀ/ *nm* scriber

(Composés) **~ à tourelle** Géog turret graver; **~ à trépied** Géog rigid tripod engraver

tract /tʀakt/ *nm* pamphlet, tract

tractable /tʀaktabl/ *adj* [*caravane*] which can be towed (*après n*)

tractation /tʀaktasjɔ̃/ *nf* negotiation; **en ~** under negotiation; **~s en cours** negotiations under way

tracté, **~e** /tʀakte/
A *pp* ▸ **tracter**
B *pp adj* [*remorque*] tractor-drawn

tracter /tʀakte/ [1] *vtr* [*véhicule*] to tow [*remorque*]; [*câble, remonte-pente*] to pull up [*funiculaire, skieur*]

tracteur /tʀaktœʀ, tʀis/ *nm* tractor

traction /tʀaksjɔ̃/ *nf* 1 (mode d'entraînement) traction; **~ animale/électrique/mécanique** animal/electric/mechanical traction; **à ~ animale** drawn by animals; **à ~ mécanique** mechanically drawn; 2 Sport **faire des ~s** (à la barre, aux anneaux) to do pull-ups; (au sol) to do press-ups GB *ou* push-ups; 3 Tech (effort mécanique) tension

(Composés) **~ arrière** Aut rear-wheel drive; **~ avant** Aut front-wheel drive

tractopelle /tʀaktɔpɛl/ *nf* mechanical excavator

tractus /tʀaktys/ *nm inv* tract

tradition /tʀadisjɔ̃/ *nf* 1 (coutume) tradition; **~ familiale/orale** family/oral tradition; **un pays de ~s démocratiques/libérales** a country with democratic/liberal traditions; **la ~ veut que** tradition has it that; **être dans la ~ de qch/qn** to be in the tradition of sth/sb; **être de ~** to be traditional; **il est de ~ de** it's traditional to; **c'est la ~ que/de faire** it's traditional that/to do; **par ~** traditionally; 2 (légende) legend; **la ~ veut que la ville...** legend has it that the town...; 3 Jur handing over (of property)

traditionalisme /tʀadisjɔnalism/ *nm* traditionalism

traditionaliste /tʀadisjɔnalist/ *adj, nmf* traditionalist

traditionnel, **-elle** /tʀadisjɔnɛl/ *adj* [*cuisine, médecine*] traditional; **de façon traditionnelle** traditionally

traditionnellement /tʀadisjɔnɛlmɑ̃/ *adv* traditionally

traducteur, **-trice** /tʀadyktœʀ, tʀis/
A ▸ p. 532 *nm,f* translator; **~ littéraire/technique** literary/technical translator
B **traductrice** *nf* (appareil) translator

traducteur-interprète, *pl* **traducteurs-interprètes** /tʀadyktœʀɛ̃tɛʀpʀɛt/ ▸ p. 532 *nm* translator-interpreter

traduction /tʀadyksjɔ̃/ *nf* 1 (action) translation; **la ~ est un exercice difficile** translation is a difficult exercise; **faire de la ~ littéraire/technique** to do literary/technical translation; **la ~ libre/littérale** free/literal translation; **diplôme/école de ~** translation diploma/school; **la ~ de ce texte m'a pris cinq heures** it took me five hours to translate this text; **la ~ en allemand** translating into German; **être en cours de ~** to be in the process of being translated; 2 (texte) translation; **~ approximative** loose translation; **~ en anglais** English translation; **faire des ~s** to do translation work; 3 fig (de sentiments, d'idées) expression

(Composés) **~ assistée par ordinateur**, **TAO** computer-aided translation, CAT

traductrice ▸ **traducteur**

traduire /tʀadɥiʀ/ [69]
A *vtr* 1 (dans une langue différente) lit to translate [*texte, auteur*] (**en** into; **de** from); **un nom traduit par un verbe** a noun translated by a verb; **roman traduit de l'anglais** novel translated from the English; 2 (exprimer) [*mot, écrivain, ton, artiste, œuvre, style*] to convey; [*révolte, agitation, violence*] to be the expression of; [*hausse, cours, instabilité, marché*] to be the result of; **~ en actes** to put into practice; 3 Jur **~ qn en justice** to bring sb to justice; **~ qn en correctionnelle** to bring sb before the criminal court
B **se traduire** *vpr* 1 (être exprimé) [*joie, angoisse, peur*] to manifest itself (**par** in); to be manifested (**par** in); 2 (avoir pour résultat) [*crise, récession, instabilité, action*] to result (**par** in); [*mécontentement*] to find expression (**par** in); **se ~ par un échec** to result in failure

traduisible /tʀadɥizibl/ *adj* translatable

Trafalgar /trafalgaʀ/ *nprm* Trafalgar; **coup de ~** disaster

trafic /tʀafik/ *nm* 1 (commerce illicite) traffic (**de** in); **~ d'armes** arms dealing; **~ de drogue** drug trafficking; **faire du ~ de qch** to traffic *ou* deal in sth; **il fait du ~ d'armes** he's an armsdealer *ou* a gunrunner; 2 Transp **~ (routier)** traffic; **une ligne à fort ~** a line with *ou* carrying heavy traffic; **~ aérien/maritime/ferroviaire** air/sea/rail traffic; **~ de marchandises/voyageurs** goods/passenger traffic; **~ de transit entre** transit traffic between; 3 ○(circulation routière) traffic

(Composé) **~ d'influence** Jur influence peddling

(Idiome) **qu'est-ce que c'est que ce ~○?** what's going on here?

traficotage○ /tʀafikɔtaʒ/ *nm* shady dealings (*pl*)

traficoter○ /tʀafikɔte/ [1]
A *vtr* (comploter) péj to scheme (**avec qn** with sb); **qu'est-ce que tu traficotes encore**○? what are you up to?
B *vi* (vivre de petits trafics) to be a petty criminal

trafiquant, **~e** /tʀafikɑ̃, ɑ̃t/ *nm,f* trafficker, dealer (**de** in); **~ de drogue** drugs dealer; **~ d'armes** arms dealer, gunrunner; **un petit ~** a small-time trafficker; **un petit ~ de drogue** a small-time drug dealer, a drug pusher○

trafiquer /tʀafike/ [1] *vtr* **1▸** (truquer) to fiddle *ou* tamper with [*compteur, voiture*]; to doctor [*vin*]; **2▸** ○(faire) péj **je me demande ce qu'il trafique** I wonder what he's up to

tragédie /tʀaʒedi/ *nf* (tous contextes) tragedy

tragédien, **-ienne** /tʀaʒedjɛ̃, ɛn/ *nm,f* tragic actor, tragedian/tragedienne

tragi-comédie, *pl* **~s*** /tʀaʒikɔmedi/ *nf* tragicomedy

tragi-comique, *pl* **~s*** /tʀaʒikɔmik/ *adj* tragicomic

tragique /tʀaʒik/
A *adj* tragic; **ce n'est pas ~** it's not the end of the world
B *nm* **1▸** Littérat, Théât (auteur) tragedian; (genre) **le ~** tragedy; (caractère) tragic elements (*pl*); **2▸** (gravité) tragedy; **le ~ d'une situation** the tragedy of a situation; **tourner au ~** to take a tragic turn; **prendre qch au ~** to make a drama out of sth

tragiquement /tʀaʒikmɑ̃/ *adv* tragically

trahir /tʀaiʀ/ [3]
A *vtr* **1▸** (manquer de fidélité à) to betray [*pays, ami, secret, cause, confiance*]; to break [*parole, serment, promesse*]; **2▸** (révéler) [*rougeur, voix*] to betray, to give away [*confusion, peur, impatience*]; [*écriture*] to betray, to reveal [*personnalité*]; [*paroles*] to betray, to reveal [*pensée*]; **3▸** (rendre infidèlement) [*traducteur, metteur en scène, mots*] to misrepresent; **4▸** (faire défaut) [*jambes, forces*] to fail [*person*]
B **se trahir** *vpr* (se dévoiler) to give oneself away, to betray oneself

trahison /tʀaizɔ̃/ *nf* **1▸** (manquement à un engagement) treachery ₵; **il est prêt aux pires ~s** he is capable of the worst treachery; **~ de qch/qn** betrayal of sth/sb; **une ~** a betrayal, an act of treachery; **2▸** Mil, Pol treason ₵; **être condamné/fusillé pour ~** to be sentenced/shot for treason; **il s'agit d'une ~** it amounts to treason, it's an act of treason; **il y a eu des milliers de ~s** there were thousands of cases of treason; **haute ~** high treason; **3▸** (d'un texte, d'une pensée) misrepresentation (**de** of)

traille /tʀaj/ *nf* (câble) ferry cable; (bac) cable ferry

train /tʀɛ̃/
A *nm* **1▸** Rail train; **prendre le ~ de 21 heures** to take the 9 pm train; **monter/être dans le ~** to get/to be on the train; **descendre du ~** to get off the train; **mettre qn dans le ~** to put sb on the train; **accompagner qn au ~** to see sb off at the station; **par le** *or* **en ~** [*voyager, transporter*] by train; **préférer le ~ à l'avion** to prefer train travel to flying; ▸ **marche**, **vache**; **2▸** (convoi) train; **~ de péniches** train of barges; **3▸** (série) series; **~ de mesures/d'économies** series of measures/of economies; **4▸** (enchaînement) train; **le ~ des événements** the train of events; **5▸** (allure) pace; **accélérer/ralentir le ~** to speed up/to slow down; **aller bon** *or* **grand ~** (marcher vite) to walk briskly; **aller bon ~** [*rumeurs*] to be flying around; [*ventes, affaires*] to be going well; [*conversation*] to flow easily; [*équipage, voiture*] to be going quite fast; **au ~ où l'on va/vont les choses** (at) the rate we're going/things are going; **aller son ~** [*affaire*] to be getting on all right; **aller son petit ~** [*personne, affaire, négociations*] to go peacefully along; **à fond de ~**○ at top speed; ▸ **mener**; **6▸** Zool **~ de derrière** hindquarters; **~ de devant** forequarters; **7▸** ○(de personne) backside○; **8▸** Mil **le ~** corps of transport GB, transportation corps US
B **en train** *loc* **1▸** (en forme) **être en ~** to be full of energy; **ne pas être en ~** not to have much energy; **2▸** (en marche) **mettre qch en ~** to get [sth] started *ou* going [*processus, travail*]; **se mettre en ~** gén to get going; Sport to warm up; **j'ai du mal à me mettre en ~ le matin** I have a hard job getting going in the morning; **mise en ~** Sport warm-up; **la mise en ~ d'un projet** getting a project under way; **3▸** (en cours) **être en ~ de faire** to be doing; **j'étais en ~ de dormir/lire** I was sleeping/reading

(Composés) **~ arrière** Aut back axle assembly; **~ d'atterrissage** undercarriage; **sortir le** *or* **son ~ d'atterrissage** to lower the undercarriage; **~ avant** Aut front axle assembly; Aviat nose (landing) gear; **~ baladeur** Aut sliding gear; **~ de bois** raft; **~ électrique** (jouet simple) toy train; (modèle réduit) model train; (jeu avec accessoires) train set; **~ d'engrenages** Mécan train of gears, gear train; **~ fantôme** ghost train; **~ de laminoirs** Tech mill train; **~ de neige** Transp *train to ski resorts*; **~ d'ondes** Phys wave train; **~ de pneus** Aut set of tyres GB *ou* tires US; **~ roulant** Aut running gear; **~ de rouleaux** Ind roller path; **~ de roulement** Aut undercarriage; **~ routier** Transp articulated lorry GB, tractor-trailer US; **~ sanitaire** hospital train; **~ de sénateur** hum stately pace; **aller son ~ de sénateur** to go at a stately pace; **~ spatial** linked-up spacecraft (+ *v pl*); **~ de tiges** (pour forage) string; **~ de vie** lifestyle; **réduire son ~ de vie** to live more modestly

(Idiomes) **faire le petit ~** to do the conga; **un ~ peut en cacher un autre** fig be on your guard

traînailler*○ /tʀɛnɑje/ [1] *vi* = **traînasser**

traînant, **~e*** /tʀɛnɑ̃, ɑ̃t/ *adj* [*pas, démarche*] shuffling; **voix ~e** drawl

traînard, **~e*** /tʀɛnaʀ, aʀd/
A *adj* pej [*démarche*] sluggish; **accent ~** drawling accent
B *nm,f* (personne lente) slowcoach○ GB, slowpoke○ US; (qui reste en arrière) straggler

traînasser*○ /tʀɛnase/ [1] *vi* pej **1▸** (perdre son temps) to loaf about; **2▸** (travailler lentement) to take ages (**en faisant** doing)

traîne* /tʀɛn/ *nf* **1▸** Mode (de robe) train; **robe à ~** dress with a train; **2▸** Pêche seine (net); **pêcher à la ~** to seine, to seine net fish

(Idiomes) **être à la ~** [*personne, pays, système*] to lag behind; [*bateau*] to be in tow; **mettre à la ~** to tow [*bateau*]

traîneau, *pl* **~x*** /tʀɛno/ *nm* **1▸** (véhicule) sleigh; **promenade en ~** sleigh ride; **2▸** (d'un aspirateur) cylinder; **aspirateur ~** cylinder vacuum cleaner; **3▸** Pêche seine (net); **4▸** Chasse dragnet

traînée* /tʀene/ *nf* **1▸** (tache allongée) streak; **~ de sang/peinture** streak of blood/paint; **2▸** (trace) trail; **~ lumineuse** luminous trail; **~ blanche** (d'avion) white vapour[GB] trail; ▸ **poudre**; **3▸** ◑offensive (femme facile) slut◑ injur; **4▸** (en aérodynamique) drag

traîne-misère*† /tʀɛnmizɛʀ/ *nmf inv* destitute person

traîner* /tʀene/ [1]
A *vtr* **1▸** (tirer) to drag [sth] (along) [*valise*]; to drag [sth] across the floor [*chaise*]; **il traînait un grand sac derrière lui** he was dragging a big bag behind him; **~ qn par les pieds/les cheveux** to drag sb (along) by the feet/the hair
2▸ ○(être encombré) (en portant) to lug○ [sth] around [*objet*]; (en tirant) to drag [sth] around [*objet*]; (en subissant) to drag [sb] along [*personne*]; **elle l'a traîné à une réunion d'affaires** she dragged him along to a business meeting
3▸ (forcer à aller) to drag [sb] off [*personne*]; **~ qn chez le médecin/le coiffeur** to drag sb off to the doctor's/the hairdresser's; **~ qn devant les tribunaux** to drag sb into court
4▸ (supporter longtemps) **il traîne un rhume depuis deux semaines** for two weeks now he's had a cold that he can't shake off; **elle a traîné toute sa vie des sentiments de jalousie** she has harboured[GB] feelings of jealousy all her life; **elle a traîné toute sa vie les conséquences de cette décision** the effects of this decision followed her throughout her life
5▸ (utiliser avec lenteur) **~ les pieds** lit, fig to drag one's feet; **~ la voix** to drawl
B *vi* **1▸** (perdre son temps) **~ dans les rues/dans les couloirs/dans les bars** to hang around in the streets/in the corridors/in bars; **~ en ville** to hang around town; **'qu'est-ce que tu as fait aujourd'hui?'—'j'ai traîné'** 'what did you do today?'—'I loafed around○'; **on a traîné à table** (après le repas) we sat around the table for a long time after the meal; (à manger) we had a long leisurely meal; **j'ai traîné au lit** I had a lie-in GB, I slept in; **ils traînent ensemble** they hang around together doing nothing; **~ avec des gens un peu louches** to hang around with some funny people; **il y avait quelques touristes qui traînaient** there were a few tourists drifting about the place
2▸ (faire lentement) to take forever (**pour faire** doing); **elle traîne une heure dans la salle de bains** she lingers in the bathroom for an hour; **ne traîne pas, on doit terminer à 4 heures** get a move on○, we've got to finish at four; **ça ne va pas ~, il aura terminé les travaux à Noël** he won't hang about, he'll be finished by Christmas; **je savais qu'il dirait une bêtise, et ça n'a pas traîné** I knew he'd say something silly, and it wasn't long in coming
3▸ (aller sans hâte) to dawdle; **ne traîne pas en rentrant de l'école** don't dawdle on your way back from school; **~ (derrière)** to lag *ou* trail behind, to trail along in the rear; **quelques élèves traînaient derrière** a few pupils were trailing along in the rear; **ne traînez pas derrière!** keep up there at the back!
4▸ (ne pas se terminer) [*chantier, maladie*] to drag on; [*odeur*] to linger; **faire** *or* **laisser ~ (les choses)** to let things drag on; **ne donne pas de réponse, fais ~** don't give an answer, let things drag on a bit; **laisser ~ qch en longueur** to let sth drag on for ages; **un film qui traîne en longueur** a long-drawn-out film
5▸ (être en contact avec) **~ par terre** [*jupe*] to trail on the ground; [*rideaux*] to trail on the floor; **~ dans la boue/poussière** [*bas de jupe*] to trail in the mud/dust; **ça a traîné dans la boue** it's all muddy; **ta manche traîne dans ton assiette** your sleeve is in your plate
6▸ (être tiré) **~ derrière qch** to be trailing behind sth
7▸ (ne pas être rangé) [*vêtements, jouets*] to be lying about *ou* around; **laisser ~ qch** to leave sth lying about *ou* around [*chéquier, document*]; **un manteau qui traîne sur une chaise** a coat thrown over a chair; **ramasser qch qui traînait dans la boue** to pick up sth lying in the mud
8▸ (être très courant) **avec ces microbes qui traînent** with all the germs (that are) around; **une explication qui traîne dans tous les livres** an explanation that is given in all the books
C **se traîner** *vpr* **1▸** (ramper) [*blessé*] **se ~ par terre/jusqu'à la porte** to drag oneself along the ground/to the door; **se ~ aux pieds de qn** to crawl at sb's feet
2▸ (aller avec effort) **se ~ jusqu'à la cuisine** to drag oneself through to the kitchen; **je n'ai pas envie de me ~ jusqu'à Paris** I don't feel like trailing off GB *ou* schlepping○ US to Paris
3▸ (être oisif) to loaf about○
4▸ (avancer lentement) [*voiture, train, escargot*] to crawl along; [*procès, négociations*] to drag on; [*chantier*] to proceed at a crawl

(Idiomes) **~ la jambe** *or* **la patte**○ to limp; **~ ses guêtres**○ *or* **ses bottes**○ to knock around○; **avoir les mains qui traînent** to be light-fingered

traîne-savates*○ /tʀɛnsavat/ *nm inv* pej good-for-nothing

training /tʀɛniŋ/ *nm* training

(Composé) ~ **autogène** Psych autogenic training

train(-)train*○ /tʀɛ̃tʀɛ̃/ *nm inv* daily round

traire /tʀɛʀ/ [58] *vtr* to milk [*vache, chèvre, brebis*]; to draw [*lait*]; ~ **le lait d'une vache** to draw the milk from a cow; **machine à ~** milking machine

trait /tʀɛ/

A *nm* **1** (ligne) gén line; (fait d'un seul mouvement) stroke; (de code Morse) dash; **remplissez-le jusqu'au ~** fill it up to the line *ou* mark; **souligner un mot d'un ~ rouge** to underline a word in red; **barrer qch d'un ~ rageur** to cross sth out angrily; **dessiner qch à grands ~s** to make a rough sketch of sth; **exposer la situation/décrire qch à grands ~s** to explain the situation/describe sth in broad outline; **avoir le ~ juste** to draw accurately; **avoir le ~ sûr** to have a steady hand; **au ~** [*dessin, gravure*] line (*épith*); ~ **de scie** sawcut; **d'un ~ de plume** fig with a stroke of the pen; ~ **pour ~** [*réplique, copie*] line for line; [*reproduire*] line by line; **être le portrait ~ pour ~ de qn** to be an exact replica of sb; **se ressembler ~ pour ~** to be like two peas in a pod; ▸ **forcer**; **2** (particularité) (de chose) feature; (de personne) trait; **le ~ dominant** *or* **essentiel de qch** the main feature; ~ **caractéristique** characteristic; ~ **particulier** particular feature; ~ **frappant** striking feature; ~ **de caractère** *or* **personnalité** trait, characteristic; **c'est un ~ bien français** it's a typically French trait; **le ~ commun entre cette méthode et l'autre** what the two methods have in common; **c'est un ~ commun entre ton fils et le mien** that's something our sons have in common; **ils n'ont aucun ~ commun** they have nothing in common; **avoir des ~s communs** to be alike in some respects; **3** Ling, Phon feature; ~ **distinctif/pertinent** distinctive/relevant feature; ~ **sémantique/syntaxique/lexical** semantic/syntactical/lexical feature; **4** (pointe verbale) ~ **(mordant)** scathing remark; **lancer** *or* **décocher un ~ à qn** to say something scathing to sb; ~ **cruel** cruel remark; **diriger ses ~s contre qn** to be sarcastic at sb's expense; **5** (expression) ~ **d'humour** *or* **d'esprit** witticism; ~ **de génie** stroke of genius; **6** (rapport) **avoir ~ à** to relate to; **documents ayant ~ à la retraite/sécurité** documents relating to retirement/security; **7** (fois) **d'un (seul) ~** gén at one go; **lire qch d'un ~** to read sth at one sitting; **dire qch d'un ~** to say sth straight out; **boire qch d'un ~** to drink sth in one gulp; **boire à longs** *or* **grands ~s** to drink in long draughts GB *ou* drafts US; **8** (petite quantité) dash; **mettez un ~ de cognac** add a dash of cognac; **9** (traction) **de ~** [*animal*] draught GB *ou* draft US; **10** (lanière) trace; **11** †(projectile) dart, shaft; **arme de ~** shaft; **tomber sous les ~s de l'ennemi** to fall beneath the shafts of the enemy

B traits *nmpl* (visage) features; **avoir des ~s grossiers/fins/creusés** to have coarse/delicate/sunken features; **avoir les ~s fatigués** *or* **tirés** to look drawn; **présenter/décrire qn sous les ~s de** to introduce/depict sb as

(Composé) ~ **d'union** Ling hyphen; fig (intermédiaire) link (**avec** with; **entre** between); **s'écrire avec un ~ d'union** to be hyphenated, to have a hyphen; **ça s'écrit sans ~ d'union** it's not hyphenated

(Idiomes) **tirer un ~ sur qch** to put sth behind one; **il vaut mieux tirer un ~ sur cette affaire** we'd better put this matter behind us

traitant /tʀɛtɑ̃/ *adj m* **médecin ~** (généraliste) doctor, GP; (spécialiste) specialist

traite /tʀɛt/

A *nf* **1** Fin draft, bill; **tirer/escompter une ~** to draw/to discount a draft; **2** (commerce de personnes) ~ **des êtres humains** prostitution; **la ~ des Blanches** the white slave trade; Hist **la ~ des Noirs** the slave trade; **3** Agric milking; **la ~ des vaches** milking cows; **l'heure de la ~** milking time; **la ~ mécanique** machine milking; **salle de ~** milking shed

B d'une traite *loc adv* **d'une (seule) ~** [*réciter*] in one breath; [*boire*] in one go; **faire 500 km d'une (seule) ~** to do 500 km non-stop *ou* at a stretch

(Composé) ~ **documentaire** documentary bill

traité /tʀɛte/ *nm* **1** Jur treaty; **le ~ de Rome** the Treaty of Rome; **le ~ de Maastricht** the Maastricht Treaty; **un ~ d'amitié** a treaty of friendship; ~ **de paix** peace treaty; ~ **commercial** trade agreement; **2** (ouvrage) treatise (**sur, de** on)

traitement /tʀɛtmɑ̃/ *nm* **1** Méd treatment ₵; **être en ~** to be undergoing treatment; **suivre/prescrire un ~** to follow/prescribe a course of treatment; **2** (salaire) salary; **3** (comportement envers) treatment; **c'est le ~ normal des prisonniers** it's the way prisoners are normally treated; ▸ **mauvais**; **4** (manière d'aborder, de régler) handling; **critiquer le ~ d'un dossier sensible** to criticize the way sensitive information was handled; **il faut accélérer le ~ des demandes** applications must be dealt with *ou* processed more quickly; ~ **plus complet de la question** fuller treatment of the issue; **5** Ordinat processing ₵; **le ~ automatique des données** automatic data processing; ~ **parallèle/(en) série/par lots** parallel/serial/batch processing; ~ **informatique d'images vidéo** computer processing of video images; ~ **de l'information** data processing; ~ **à distance** teleprocessing; **6** Tech (de minerai, d'eaux) processing ₵; (de bois, textile) treatment; ~ **des déchets industriels** processing *ou* treatment of industrial waste; **centre de ~ des eaux** water-processing plant

(Composés) ~ **de faveur** preferential *ou* special treatment; ~ **hormonal substitutif, THS** Méd hormone replacement therapy, HRT; ~ **de texte** Ordinat (processus) word-processing; (logiciel) word-processing package

traiter /tʀete/ [1]

A *vtr* **1** (agir envers) to treat [*personne, animal, objet*]; ~ **qn en malade/comme son fils** to treat sb like an invalid/like a son; ~ **qn en égal** to treat sb as an equal; **être bien/mal traité** to be well/badly treated; ~ **durement qn** to be hard on sb; **la critique l'a traité durement** the critics gave him a rough ride; **si tu traitais mieux ces plantes/livres** if you treated these plants/books better; ~ **qn comme un chien** to treat sb very badly, to treat sb like dirt; **2** (soigner) Méd to treat [*malade, affection, symptôme*]; **être traité** *or* **se faire ~ pour un ulcère** to have treatment for an ulcer; **3** (développer) to deal with [*question, sujet*]; Art to treat [*thème*]; **il n'a pas traité le sujet** he hasn't dealt with the subject; ~ **un mot dans un dictionnaire** to treat a word in a dictionary; **4** (régler) to deal with [*problème, dossier, scandale, affaire*]; **5** (soumettre à une opération) to treat [*bois, textile, aliment, sang, récoltes*]; to process [*eaux usées*]; **non traité** [*bois, aliment*] untreated; **6** Ordinat to process [*données, information, image*]; **7** (qualifier) ~ **qn de qch** to call sb sth; ~ **qn de menteur** to call sb a liar; ~ **qn de paresseux** to call sb lazy; **elle m'a traité de tous les noms** she called me all sorts of names; **se faire ~ de tous les noms d'oiseaux** to get called all the names under the sun

B traiter de *vtr ind* ~ **de** to deal with [*sujet, thème*]; **l'auteur/l'œuvre traite de** the author/work deals with

C *vi* (négocier) to negotiate, to do GB *ou* make a deal; ~ **avec qn** to negotiate *ou* deal with sb; ~ **d'égal à égal (avec qn)** to deal with sb on equal terms

D se traiter *vpr* **ils se sont traités de tous les noms** they called each other all sorts of names

traiteur /tʀɛtœʀ/ ▸ **p. 532** *nm* caterer

traître, traîtresse* /tʀɛtʀ, tʀɛtʀɛs/

A *adj* **1** [*personne, parole, temps, escalier, virage*] treacherous; **être ~ à qch** to be a traitor to sth; **2** **il n'a pas compris/dit un ~ mot** he hasn't understood/didn't utter a single word

B *nm,f* traitor (**à** to); hum scoundrel; **mon ~ de fils** my scoundrel of a son; **en ~** in a treacherous way; **prendre qn en ~** to take sb by surprise; **coup en ~** stab in the back

traîtreusement* /tʀɛtʀøzmɑ̃/ *adv* treacherously

traîtrise* /tʀɛtʀiz/ *nf* **1** (acte) act of treachery, (act of) betrayal; **par ~** treacherously; **agir par ~** to act out of treachery; **2** (de personne) treachery, treacherousness; (d'escalier, de virage) treacherousness

trajectoire /tʀaʒɛktwaʀ/ *nf* **1** (de projectile) trajectory; **2** (de planète, satellite, particule) path; **3** (carrière) career, path in life

trajet /tʀaʒɛ/ *nm* **1** (voyage) journey; (par mer) crossing; **faire** *or* **effectuer un ~** to make a journey; **un ~ de cinq minutes/deux kilomètres** a five-minute/two-kilometre[GB] journey; **2** (parcours) route; **le ~ emprunté par le Président** the President's route; **3** Anat (de veine, nerf) course

tralala○ /tʀalala/

A *nm* (luxe) fuss; **se marier en grand ~** to have a posh wedding○; **...et tout le ~** ...and all the trimmings

B *excl* ha ha!

tram○ /tʀam/ *nm* (*abbr* = **tramway**) tram GB, streetcar US

tramail /tʀamaj/ *nm* trammel (net)

trame /tʀam/ *nf* **1** (de tissu) weft, woof; **2** (d'histoire, de spectacle) framework; (de vie) fabric

tramer /tʀame/ [1]

A *vtr* **1** (tisser) to weave [*tissu*]; **2** fig (ourdir) to hatch [*complot*]

B se tramer *vpr* [*complot*] to be hatched; **j'aimerais savoir ce qui se trame là-bas** I'd like to know what is being hatched over there

tramontane /tʀamɔ̃tan/ *nf* tramontane

tramp /tʀɑ̃p/ *nm* tramp steamer

trampoline /tʀɑ̃pɔlin/ *nm* **1** (appareil) trampoline; **2** ▸ **p. 469** (discipline) trampolining; **faire du ~** to do trampolining

tram-train /tʀamtʀɛ̃/ *nm* Transp *integrated tram and bus transport system*

tramway /tʀamwɛ/ *nm* (voiture) tram GB, streetcar US; (système) tramway GB, streetcar line US

tranchant, ~e /tʀɑ̃ʃɑ̃, ɑ̃t/

A *adj* **1** [*couteau, lame, pierre*] sharp; **du côté ~/non ~** with the sharp/blunt edge; **2** [*personne*] forthright; [*ton*] peremptory, curt

B *nm* **1** (de la main) side; (de couteau, lame) sharp edge, cutting edge; **du ~ de la main** with the side of one's hand; **à double ~** lit, fig double-edged; **2** (outil) (d'apiculteur) scraper; (de tanneur) fleshing knife

tranche /tʀɑ̃ʃ/ *nf* **1** (de pain, viande, fromage) slice; (de lard, bacon) rasher; **en ~s** (pain etc) in slices; (bacon) in rashers; **couper en ~s** to slice, to cut [sth] into slices [*pain, gâteau, jambon, rosbif*]; to cut [sth] into rashers [*bacon*]; **2** (de temps) (d'opération, de travaux) phase; (dans l'emploi du temps) period, time slot; **3** (de livre, pièce de monnaie) edge; **4** (en boucherie) ~ **(grasse)** silverside GB, round; **5** Fin (d'emprunt, de crédit, prêt) instalment[GB]; (d'actions) block, tranche; **6** Math group, section

(Composés) ~ **d'âge** age bracket; ~ **horaire** time slot; ~ **d'imposition** tax bracket ; ~ **de paiement** Fin instalment[GB]; ~ **de revenu** income bracket; ~ **de salaire** wage bracket; ~ **de vie** slice of life

(Idiome) **s'en payer une** ~○ to have a whale of a time○, to have lots of fun

tranché, **~e** /tʀɑ̃ʃe/
A *pp* ▸ **trancher**
B *pp adj* [*saumon*] pre-sliced
C *adj* **1** [*opinion, position, réponse, catégories*] cut-and-dried, clear-cut; [*inégalités*] clear-cut; **2** [*couleurs*] bold, distinct; **3** [*limite, ligne, zone*] clear-cut
D **tranchée** *nf* **1** Mil trench; **2** (chemin) cutting
E **tranchées** *nfpl* Méd colic ¢, gripes○ (*pl*)

(Composé) **~es utérines** Méd afterpains

tranchefile /tʀɑ̃ʃfil/ *nf* Imprim headband

trancher /tʀɑ̃ʃe/ [1]
A *vtr* **1** (couper) to slice, to cut [*pain, viande*]; to cut through, to slice through [*corde, nœud, peau*]; to cut [sth] off, to sever [*tête, membre*]; to slit [*gorge*]; ~ **un doigt à qn** to cut sb's finger off, to sever sb's finger; ~ **la gorge à qn** to slit sb's throat; **2** (régler) to settle, to resolve [*question, affaire, désaccord, litige*]
B *vi* **1** (contraster) [*couleur, silhouette*] to stand out (**avec** with; **sur** against); ~ **avec** [*joie, état, décision*] to stand out in sharp contrast to, to contrast sharply with; **2** (décider) to come to a decision; **il est difficile de** ~ it's difficult to come to a decision; **le président a tranché contre le projet de construction d'un barrage** the president decided against building the dam; **la justice a tranché en faveur de l'accusé** the court decided in favour[GB] of the accused; ~ **entre** to decide between; **3** (arrêter une discussion) to break off, to stop short; ~ **court/net** to break off suddenly/abruptly; **tranchons là!** let's close the matter there!

tranchet /tʀɑ̃ʃɛ/ *nm* leather knife

tranchoir /tʀɑ̃ʃwaʀ/ *nm* **1** (couteau) chopper, cleaver; **2** (planche) chopping board; **3** Zool zanclus

tranquille /tʀɑ̃kil/ *adj* **1** (calme) [*tempérament, voisins, classe*] quiet; [*allure, voix, assurance*] calm; **un enfant** ~ a quiet *ou* placid child; **tiens-toi** ~! (ne bouge pas!) keep still!, stop fidgeting!; (tais-toi!) be quiet!; **2** (sans agitation) [*heure, jour*] quiet, calm; [*eau, ciel, nuit*] calm, tranquil littér; [*café, rue, vie, soirée, bonheur*] quiet; [*sommeil, vacances*] peaceful; **trouver un coin** ~ **pour discuter** to find a quiet corner to talk in; **il s'est tenu** ~ **pendant quelques mois** he behaved himself for a few months; **c'est** ~, **ici!** it's peaceful here!; **jouir d'un bonheur** ~ to live a life of calm contentment; **se promener dans la nuit** ~ to go for a walk in the calm of the night; **viens me voir à un moment plus** ~ (quand nous serons seuls) come and see me when it's quieter; (quand je serai moins occupé) come and see me when I've got more time; **3** (sans souci) **être** ~ to be *ou* feel easy in one's mind; **ne pas être** ~ to be *ou* feel uneasy, to be worried; **sa mère n'est pas** ~ **quand il sort** his mother worries *ou* is uneasy when he goes out; **sois** *ou* **tu peux être** ~, **je ne dirai rien** don't worry, I won't say anything; **sois** ~ **(que) ça se retournera contre toi**○**!** iron it will backfire on you, don't you worry!; **4** (en paix) **avoir l'esprit** ~ to be easy in one's mind; **avoir la conscience** ~ to have a clear conscience; **j'ai la conscience** ~ my conscience is clear; **laisse ton frère** ~ leave your brother alone; **je te laisse** ~ I leave you in peace; **laisse ma montre** ~! fig leave my watch alone!

tranquillement /tʀɑ̃kilmɑ̃/ *adv* **1** (dans le calme) **elle dort** ~ she's sleeping peacefully; **peut-on se voir** ~**?** could we have a quiet word?; **j'aimerais pouvoir travailler** ~ I wish I could work in peace and quiet; **2** (sans bruit) quietly; **elle tricotait** ~ she was knitting away quietly; **il a réussi** ~ **à se faire un nom** without a fuss, he managed to make a name for himself; **3** (sans se presser) **nous avons marché** ~ we walked along at a leisurely pace; **elle a roulé** ~ she drove along unhurriedly; **je suis arrivé** ~ I wandered in; **4** (sans souci) happily; **il attendait** ~ **de l'autre côté de la rue** he was happily waiting on the other side of the street; **nous étions** ~ **en train de discuter** we were chatting away happily; **5** (sereinement) calmly; ~, **sans s'affoler** calmly, without panicking; **expliquer/affirmer qch** ~ to explain/to state sth calmly

tranquillisant, **~e** /tʀɑ̃kilizɑ̃, ɑ̃t/
A *adj* [*paroles, effet*] reassuring, comforting
B *nm* tranquillizer[GB]

tranquilliser /tʀɑ̃kilize/ [1]
A *vtr* to reassure; **ça tranquillise de savoir que** it is reassuring to know that
B **se tranquilliser** *vpr* to stop worrying

tranquillité /tʀɑ̃kilite/ *nf* **1** (de tempérament, personne) calmness, serenity (**de** of); (d'eau, de nuit) liter calmness, stillness (**de** of); (de moment, lieu) calm, quiet (**of** de); **après deux jours de** ~ **les combats ont repris** after two days of calm, the fighting resumed; **il m'a annoncé la nouvelle avec** ~ he told me the news calmly; **pour une fois, j'ai pu travailler en toute** ~ for once I was able to work without being disturbed; **2** (absence d'inquiétude) ~ **(d'esprit)** peace of mind; **pour votre** ~, **fermez la porte à clé** for you own peace of mind, lock the door; **en toute** ~ with complete peace of mind, with an easy mind; **partez en toute** ~ you can leave with an easy mind; **3** (vie paisible) **aspirer à la** ~ to long for peace and quiet; **je tiens à ma** ~ I value my peace and quiet

transaction /tʀɑ̃zaksjɔ̃/ *nf* **1** gén, Fin, Comm transaction (**entre X et Y** between X and Y); **faire une** ~ to make a transaction; **le volume des** ~**s atteint...** the trading volume reaches...; **2** Jur (compromis) settlement

transactionnel, **-elle** /tʀɑ̃zaksjɔnɛl/ *adj* Jur [*règlement*] compromise (*épith*). ▸ **analyse**

transafricain, **~e** /tʀɑ̃zafʀikɛ̃, ɛn/ *adj* [*réseau, chemin de fer*] trans-African

transalpin, **~e** /tʀɑ̃zalpɛ̃, in/
A *adj* **1** (qui traverse les Alpes) [*route, liaison*] transalpine; **2** (italien) [*presse, club, député*] Italian
B *nm,f* Italian

transamazonien, **-ienne** /tʀɑ̃zamazɔnjɛ̃, ɛn/
A *adj* trans-Amazonian
B **transamazonienne** *nf* Trans-Amazonian highway

transaméricain, **~e** /tʀɑ̃zameʀikɛ̃, ɛn/ *adj* trans-American

transaminase /tʀɑ̃zaminaz/ *nf* transaminase

transat○ /tʀɑ̃zat/
A *nm* deckchair; (pour bébé) baby chair
B *nf* Sport transatlantic race; ~ **en solitaire** single-handed transatlantic race

transatlantique /tʀɑ̃zatlɑ̃tik/ *adj* [*course, commerce, vol*] transatlantic

transbahuter○ /tʀɑ̃sbayte/ [1] *vtr* to shift [*objets, meubles*]; to ferry [*gens*]

transbordement /tʀɑ̃sbɔʀdəmɑ̃/ *nm* (de marchandises) transshipment; (de passagers) transfer

transborder /tʀɑ̃sbɔʀde/ [1] *vtr* to transship [*marchandises*]; to transfer [*passagers*]

transbordeur /tʀɑ̃sbɔʀdœʀ/ *nm* **1** (pont) transporter bridge; **2** Rail traverser; **3** Naut ferry

transcanadien, **-ienne** /tʀɑ̃skanadjɛ̃, ɛn/ *adj* trans-Canada

transcendance /tʀɑ̃sɑ̃dɑ̃s/ *nf* transcendence

transcendant, **~e** /tʀɑ̃sɑ̃dɑ̃, ɑ̃t/ *adj* **1** Philos transcendent; **2** ○(génial) wonderful; **3** Math transcendental

transcendantal, **~e**, *mpl* **-aux** /tʀɑ̃sɑ̃dɑ̃tal, o/ *adj* transcendental

transcender /tʀɑ̃sɑ̃de/ [1]
A *vtr* to transcend [*personne, notion*]
B **se transcender** *vpr* to transcend oneself

transcodage /tʀɑ̃skɔdaʒ/ *nm* transcoding

transcoder /tʀɑ̃skɔde/ [1] *vtr* to transcode

transcodeur /tʀɑ̃skɔdœʀ/ *nm* transcoder

transconteneur /tʀɑ̃skɔ̃tənœʀ/ *nm* container ship

transcontinental, **~e**, *mpl* **-aux** /tʀɑ̃skɔ̃tinɑ̃tal, o/ *adj* transcontinental

transcripteur /tʀɑ̃skʀiptœʀ/ *nm* transcriber

transcription /tʀɑ̃skʀipsjɔ̃/ *nf* **1** gén transcription; (discours transcrit) transcript; **2** Jur registration

transcrire /tʀɑ̃skʀiʀ/ [67] *vtr* **1** gén, Ling to transcribe [*texte, mots*]; **2** fig to translate [*émotion, ambiance*]; **3** Mus, Biol to transcribe

transducteur /tʀɑ̃sdyktœʀ/ *nm* transducer

transduction /tʀɑ̃sdyksjɔ̃/ *nf* Biol, Chimie, Tech transduction

transe /tʀɑ̃s/ *nf* trance; **être/entrer en** ~ to be in/to go into a trance; fig to get worked up

transept /tʀɑ̃sɛpt/ *nm* transept

transférable /tʀɑ̃sfeʀabl/ *adj* transferable

transférer /tʀɑ̃sfeʀe/ [14] *vtr* **1** gén, aussi Ordinat to transfer [*prisonnier, pouvoirs, argent, siège social, données*] (**à, dans, sur** to); to relocate [*bureaux, usine*] (**à, dans** to); to transfer [*appel*] (**sur** to); **faire** ~ to have [sth] transferred [*contrat, appels*]; **les arrêts du car ont été transférés à...** the coach GB *ou* bus US stops have been moved to...; **2** Jur to transfer [*biens, propriétés*] (**à** to); to convey [*droit*] (**à** to); **3** Psych to transfer (**sur** onto)

transfert /tʀɑ̃sfɛʀ/ *nm* **1** gén (de personne, pouvoirs, siège social, données, d'argent) transfer (**à, dans, sur** to); (de bureaux, d'usine) relocation (**à, dans** to); ~ **de fonds/capitaux** transfer of funds/capital; **faire** *or* **opérer un** ~ **de fonds** to transfer funds; ~ **de technologie** technological transfer; **il a demandé son** ~ **dans une autre agence** he asked for a transfer *ou* to be transferred to another branch; ~ **de populations** mass population shift; **2** Jur (de biens, propriétés) transfer; (de droit) conveyance; **3** Psych transference (**de** of; **sur** onto)

(Composés) ~ **d'appel** Télécom call diversion; ~ **de données** Ordinat data transfer; ~ **électronique de fonds**, **TEF** electronic funds transfer, EFT

transfiguration /tʀɑ̃sfigyʀasjɔ̃/ *nf* **1** Relig Transfiguration; **2** gén transformation

transfigurer /tʀɑ̃sfigyʀe/ [1] *vtr* **1** Relig **être transfiguré** to be transfigured; **2** (transformer) to transform; **la joie l'a transfigurée** her joy has completely transformed her

transformable /tʀɑ̃sfɔʀmabl/ *adj* **1** (adaptable) [*meuble*] convertible (**en** into); **canapé** ~ **en lit** sofa bed; **2** Sport [*essai*] convertible.

transformateur, **-trice** /tʀɑ̃sfɔʀmatœʀ, tʀis/
A *adj* transformation
B *nm* Électrotech transformer

transformation /tʀɑ̃sfɔʀmasjɔ̃/ *nf* **1** (modification) (de personne, pays) transformation (**en** into); (de minerai, substance, énergie) conversion (**en** into); **subir une** ~ [*pays, société*] to undergo a change; (radicale) to undergo a transformation; [*produit agricole, textile*] to be processed; [*bâtiment*] to be altered; (en mieux) to be transformed; **travaux de** ~ Constr alterations; **la maladie a opéré une profonde** ~ **en lui** the illness wrought a profound change in him; **2** Sport conversion; **3** Ling, Math transformation

transformationnel, **-elle** /tʀɑ̃sfɔʀmasjɔnɛl/ *adj* transformational

transformée /tʀɑ̃sfɔʀme/ *nf* Math transform

transformer /tʀɑ̃sfɔʀme/ [1]
A *vtr* **1** (modifier) to alter [*vêtement, façade*]; to change, to alter [*personne, attitude, paysage, société*]; (profondément, en mieux) to transform; ~ **les mentalités** to alter people's thinking; (profondément) to transform people's thinking;

t

tout ~ dans le jardin to change everything in the garden; **l'incendie/l'érosion a transformé le paysage** fire/erosion has completely altered the landscape; **la prospérité a transformé la région** prosperity has transformed the region; **quelques fleurs et la pièce est transformée** a few flowers make all the difference to the room; **transformée par le bonheur** transformed by happiness; **depuis qu'il ne boit plus, il est transformé** since he stopped drinking he's a different person; 2 (métamorphoser) **~ qn/qch en** gén to turn sb/sth into; (en améliorant) to transform sb/sth into; **~ la maison en chantier** fig to turn the house into a building site; **~ un handicap en atout** to turn a handicap into an asset; **~ un pays en un État modèle** to transform a country into a model state; **~ un garage en bureau** to convert a garage into an office; **~ le lait en fromage** to make milk into cheese; 3 Chimie to convert [*substance*] (**en** into); 4 Sport to convert [*essai*]; 5 Math to transform [*figure*]

B se transformer *vpr* 1 [*personne, société, pays*] to change; (profondément, en mieux) [*pays, société*] to be transformed; [*personne*] (délibérément) to transform oneself; (passivement) to be transformed; **se ~ en** gén to turn into; (radicalement, en mieux) to be transformed into; **se ~ en loup-garou/État modèle** to be transformed into a werewolf/a model state; 2 Biol [*embryon, larve, bourgeon*] to turn into; **le têtard se transforme en grenouille** the tadpole turns into a frog; 3 Chimie to be converted (**en** into)

transformisme /tʀɑ̃sfɔʀmism/ *nm* transformism

transformiste /tʀɑ̃sfɔʀmist/ *adj, nmf* transformist

transfrontalier, -ière /tʀɑ̃sfʀɔ̃talje, ɛʀ/ *adj* [*travailleur*] cross-border (*épith*); [*revue, centre culturel*] catering for communities on both sides of the borders (*après n*); [*permis, carte*] valid on both sides of the border (*après n*)

transfuge /tʀɑ̃sfyʒ/ *nmf* 1 gén, Pol defector (**de** from); 2 Mil deserter

transfusé, ~e /tʀɑ̃sfyze/
A *pp* ▸ **transfuser**
B *pp adj* [*sang*] transfused; [*personne*] who has been given a blood transfusion (*après n*)
C *nm,f* person who has been given a blood transfusion

transfuser /tʀɑ̃sfyze/ [1] *vtr* to give a blood transfusion to [*malade*]; **~ du sang à un malade** to give a patient a blood transfusion

transfusion /tʀɑ̃sfyzjɔ̃/ *nf* transfusion; **~ sanguine** blood transfusion; **faire une ~ à qn** to give sb a transfusion

transgène /tʀɑ̃sʒɛn/ *nm* transgene

transgenèse /tʀɑ̃sʒənɛz/ *nf* transgenesis

transgénique /tʀɑ̃sʒenik/ *adj* transgenic

transgresser /tʀɑ̃sgʀese/ [1] *vtr* to contravene [*ordre*]; to break [*loi, règle, tabou*]; to defy [*interdiction*]; to go beyond [*analyse*]; **~ les limites de la décence** to cross the bounds of decency

transgression /tʀɑ̃sgʀesjɔ̃/ *nf* (d'ordre) contravention; (de tabou, règle, loi) breaking; (d'interdiction) defiance

transhumance /tʀɑ̃zymɑ̃s/ *nf* transhumance spéc, (*seasonal migration of livestock to summer pastures*)

transhumant, ~e /tʀɑ̃zymɑ̃, ɑ̃t/ *adj* [*troupeau*] migrant (*épith*), transhumant spéc

transhumer /tʀɑ̃zyme/ [1]
A *vtr* to move [sth] to summer pastures [*troupeau, bétail*]
B *vi* [*troupeau*] to move to summer pastures

transi, ~e /tʀɑ̃zi/
A *pp* ▸ **transir**
B *pp adj* chilled; **~ de froid** chilled to the bone; **~ de peur** paralysed[GB] with fear; **être ~ jusqu'à la moelle** to be chilled to the marrow; **un amoureux ~** a bashful lover

transiger /tʀɑ̃ziʒe/ [13] *vi* to compromise; **~ avec qn/qch** to compromise with sb/sth; **~ sur qch** to compromise on sth; **on ne transige pas sur les principes** you don't compromise on matters of principle

transir /tʀɑ̃ziʀ/ [3] *vtr* [*froid*] to chill; [*peur*] to paralyse[GB]

transistor /tʀɑ̃zistɔʀ/ *nm* (composant, poste de radio) transistor

transit /tʀɑ̃zit/ *nm* gén, Transp transit; **en ~** in transit; **salle/port/opérations de ~** transit lounge/port/operations; **cité de ~** temporary settlement

(Composé) **~ intestinal** Méd bowel movement

transitaire /tʀɑ̃zitɛʀ/
A *adj* [*commerce*] transit (*épith*); **pays ~** transit point
B *nmf* Comm forwarding agent

transiter /tʀɑ̃zite/ [1] *vi* **~ par** [*marchandises, passagers*] to pass through *ou* via; **les informations transitent par son bureau** information passes through his/her office; **les pays font ~ leur pétrole par** countries send their oil via

transitif, -ive /tʀɑ̃zitif, iv/ *adj* 1 Ling [*verbe*] transitive; **verbe ~ direct/indirect** direct/indirect transitive verb; 2 Math [*relation*] transitive

transition /tʀɑ̃zisjɔ̃/ *nf* (tous contextes) transition (**entre** between; **vers** to); **sans ~** without any transition; **période de ~** transition period; **gouvernement de ~** transitional government

transitionnel, -elle /tʀɑ̃zisjɔnɛl/ *adj* [*choc, objet*] transitional

transitivement /tʀɑ̃zitivmɑ̃/ *adv* transitively

transitivité /tʀɑ̃zitivite/ *nf* Ling, Math transitivity

transitoire /tʀɑ̃zitwaʀ/ *adj* 1 (de transition) [*période, gouvernement, phase*] transitional; 2 (passager) [*présence*] transitory

Transjordanie /tʀɑ̃sʒɔʀdani/ *nprf* Transjordan

Transkei /tʀɑ̃skaj/ *nprm* Transkei

translater /tʀɑ̃slate/ [1] *vtr* Math, Phys to translate [*triangle*]

translation /tʀɑ̃slasjɔ̃/ *nf* translation

translittération /tʀɑ̃sliteʀasjɔ̃/ *nf* transliteration

translittérer /tʀɑ̃sliteʀe/ [14] *vtr* to transliterate

translocation /tʀɑ̃slɔkasjɔ̃/ *nf* translocation

translucide /tʀɑ̃slysid/ *adj* [*verre, matière*] translucent

translucidité /tʀɑ̃slysidite/ *nf* translucence

transmanche /tʀɑ̃smɑ̃ʃ/ *adj inv* cross-Channel

transmetteur /tʀɑ̃smetœʀ/ *nm* Télécom transmitter

(Composé) **~ d'ordres** Naut (engine room) telegraph

transmettre /tʀɑ̃smɛtʀ/ [60]
A *vtr* 1 (communiquer) to pass [sth] on, to convey [*information, savoir, vœux, ordre, nouvelle*] (**à** to); **~ un dossier au tribunal** to pass a file on to the court; **~ une plainte au tribunal** to lodge a complaint with the court; **envoyez votre candidature au journal qui transmettra** send your application to the newspaper which will then forward it; **veuillez leur ~ mon meilleur souvenir** remember me to them; **transmets-leur mes félicitations/amitiés** give them my congratulations/regards; 2 Télécom to transmit [*message, image, appel, signaux, données*] (**par** by); **~ un appel par radio/des images par satellite** to transmit a call by radio/images by satellite; 3 Radio, TV (émettre) to broadcast [*nouvelles, résultats , émission*]; **cette émission est transmise en direct depuis l'Élysée** this programme[GB] is broadcast live from the Élysée; 4 (léguer) to pass [sth] on [*récit, savoir, découverte*]; to pass [sth] down, to hand [sth] down [*culture, secret, tradition, fortune*] (**à** to); to hand [sth] on [*terre, propriété*] (**à** to); **il veut ~ le récit de ses aventures à la postérité** he wants to pass on the story of his adventures to posterity; **une tradition transmise de génération en génération** a tradition passed down through generations *ou* from generation to generation; 5 (passer) to hand over [*pouvoir, direction*] (**à** to); 6 Méd to transmit, to pass [sth] on [*maladie, microbe*]; 7 Tech (conduire) to transmit [*son, vibration, mouvement, chaleur*]

B se transmettre *vpr* 1 (l'un l'autre) to pass [sth] on to each other [*message, information, données*]; **ils se sont transmis des informations** they passed information on to each other; 2 Télécom [*signaux, données, informations*] to be transmitted (**par** by); 3 [*tradition, secret, culture, droit*] to be handed down, to be passed down; [*récit, savoir*] to be passed on; **un titre qui se transmet de père en fils** a title which is passed *ou* handed down from father to son; 4 [*maladie, microbe*] to be transmitted, to be passed on; **se ~ par piqûre d'insectes/par le sang** to be transmitted *ou* passed on by insect bites/through the blood; **une maladie qui se transmet sexuellement** a sexually transmitted disease

transmigration /tʀɑ̃smigʀasjɔ̃/ *nf* transmigration

transmissibilité /tʀɑ̃smisibilite/ *nf* (tous contextes) transmissibility, transmittability

transmissible /tʀɑ̃smisibl/ *adj* (tous contextes) transmissible, transmittable

transmission /tʀɑ̃smisjɔ̃/
A *nf* 1 (communication) transmission, passing on (**de** of; **à** to); **la ~ des connaissances** the communication *ou* transmission of knowledge; 2 Télécom, Phys, Tech transmission (**de** of; **à** to); **la ~ d'images par satellite** the transmission of images by satellite; 3 Radio, TV broadcasting, transmission (**de** of); **la ~ d'une émission en direct de Moscou** the broadcasting *ou* transmission of a programme[GB] live from Moscow; 4 (de tradition, secret, culture) handing down, passing down (**de** of; **à** to); (de fortune, bien, titre, d'héritage) Jur transfer (**de** of; **à** to); 5 Aut, Mécan transmission; **une voiture à ~ automatique** a car with automatic transmission; 6 Méd transmission (**de** of; **à** to); **la ~ d'une maladie par le sang** the transmission of a disease through the blood
B transmissions *nfpl* Mil signals; **il travaille aux ~s** he works in the signals department; **il travaille dans les ~s** he works in signals

(Composés) **~ de données** Ordinat data transfer; **~ de pensées** thought transference; **la ~ des pouvoirs** Jur the handover of power

transmuer /tʀɑ̃smɥe/ [1] *vtr* to transmute [*plomb*]; **~ qch en** to transmute sth into

transmutabilité /tʀɑ̃smytabilite/ *nf* transmutability

transmutation /tʀɑ̃smytasjɔ̃/ *nf* Chimie, fig transmutation

transmuter /tʀɑ̃smyte/ [1] *vtr* = **transmuer**

transnational, ~e, *mpl* **-aux** /tʀɑ̃snasjɔnal, o/ *adj* transnational

transocéanique /tʀɑ̃zɔseanik/ *adj* transoceanic

Transpac /tʀɑ̃spak/ *nm*: *public packet network*

transpalette /tʀɑ̃spalɛt/ *nm* forklift (truck)

transparaître* /tʀɑ̃spaʀɛtʀ/ [73] *vi* [*forme, lumière, intentions*] to show through (**sur** on; **dans** in); [*angoisse, embarras*] to show (**sur** on; **dans** in); **~ à travers qch** to show through sth; **laisser ~** [*visage, propos*] to betray; [*personne*] to let [sth] show [*émotions, sentiments*]

transparence /tʀɑ̃spaʀɑ̃s/ *nf* 1 lit (de verre, diamant, tissu, cloison) transparency; (d'eau) clearness; **on voyait ses jambes par** *or* **en ~ à travers sa jupe** you could see her legs through her skirt; 2 (de teint, peau) translucency; (de regard, couleur) limpidity; 3 fig (de personne, d'allusions, intentions) transparency; (de gestion, transaction, débat) openness; **réclamer la ~ du financement de qch/une plus grande ~ dans le financement de qch** to demand openness about the funding of sth/a greater openness about the funding of sth; **la ~** Pol openness; **la ~ des marchés** Écon the openness of trade to scrutiny; 4 Cin back projection

transparent, **~e** /tʀɑ̃spaʀɑ̃, ɑ̃t/
A *adj* 1 [*verre, diamant, tissu, cloison*] transparent; [*eau*] clear; 2 [*teint, peau*] translucent; [*regard, couleur*] limpid; 3 [*personne, allusion, intentions*] transparent; [*gestion, transaction, débat*] open
B *nm* (pour rétroprojecteur) transparency

transpercer /tʀɑ̃spɛʀse/ [12] *vtr* 1 [*épée, flèche, lance*] to pierce [*corps*]; [*balle*] to go through; [*personne*] (avec une épée, flèche, lance) to pierce [*corps, bras, jambe*]; to run [sb] through [*personne*]; **~ qn de son épée** *or* **d'un coup de son épée** to run sb through with one's sword; **~ qn du regard** fig to give sb a piercing look; 2 (passer au travers) [*pluie, produit*] to go through [*vêtement, papier*]; 3 [*douleur*] to shoot through; [*froid*] to go right through [*personne*]

transpiration /tʀɑ̃spiʀasjɔ̃/ *nf* 1 (phénomène) sweating, perspiration; **être en ~** to be perspiring *ou* sweating; 2 (sueur) sweat, perspiration; 3 Bot transpiration

transpirer /tʀɑ̃spiʀe/ [1] *vi* 1 Physiol to sweat, to perspire; **je transpire des mains** my hands sweat; **~ à grosses gouttes** to be dripping *ou* streaming with sweat; 2 °(travailler dur) to sweat (**sur qch** over sth); **il a beaucoup transpiré sur ce projet** he sweated a lot over this project; **faire ~ qn** to make sb sweat; 3 °(être divulgué) [*information, secret*] to leak out; [*sentiment, opinion*] to come out; **espérons que rien ne transpirera de cette affaire** let's hope none of this business leaks out

transplant /tʀɑ̃splɑ̃/ *nm* transplant

transplantable /tʀɑ̃splɑ̃tabl/ *adj* Méd, Bot transplantable

transplantation /tʀɑ̃splɑ̃tasjɔ̃/ *nf* 1 Méd transplant; **~ cardiaque/pulmonaire** heart/lung transplant; **~ d'organes** organ transplants (*pl*); 2 Bot transplantation

transplanté, **~e** /tʀɑ̃splɑ̃te/ *nm,f* transplant patient

transplanter /tʀɑ̃splɑ̃te/ [1] *vtr* (tous contextes) to transplant

transport /tʀɑ̃spɔʀ/
A *nm* 1 Transp transport, transportation US; **le ~ de marchandises/voyageurs** the transport of goods/passengers; **réseau de ~** transport network; **mode de ~** means of transport; **frais de ~** transport costs; **~ ferroviaire et maritime** transport by rail and sea; **~ aérien** air transport; **~ par route** gén road transport; (de marchandises) road haulage; **compagnie de ~** gén transport company; (par route) haulage company GB, trucking company US; **compagnie de ~ maritime** shipping line; **le prix comprend le ~ en car** (excursion) the price includes the coach GB *ou* bus trip; (de l'aéroport) the price includes the coach GB *ou* bus transfer; **endommagé pendant le ~** damaged in transit; **au cours de mon ~ à l' hôpital** when I was being taken to hospital; 2 Mil Naut **(bâtiment de) ~** transport (ship)
B **transports** *nmpl* 1 Transp transport ¢, transportation ¢ US; **~s urbains/régionaux** urban/regional transport; 2 liter (effusion) transports; **~s de joie** transports of joy
(Composés) **~ de fonds** Comm transfer of funds; **~ sur les lieux** Jur *visit to the scene of the crime by the examining magistrate*; **~ de troupes** Mil Naut troop transport; **~s en commun** public transport *ou* transportation US; **~s publics** Admin public transport *ou* transportation US

transportable /tʀɑ̃spɔʀtabl/ *adj* [*objet*] transportable; **il n'est pas ~** [*blessé*] he cannot be moved

transporter /tʀɑ̃spɔʀte/ [1]
A *vtr* 1 (déplacer) (sur soi) to carry [*personne, objet*]; (avec un véhicule) to transport [*passagers, marchandises*]; **~ qch sur son dos/dans ses bras** to carry sth on one's back/in one's arms; **~ un million de passagers par an** to transport one million passengers a year; **marchandises transportées par rail/bateau** goods transported by rail/ship; **être transporté à l'hôpital** to be taken to hospital; **être transporté d'urgence à l'hôpital** to be rushed to hospital; **l'avion qui transportait le président à Bastia** the plane which was taking the president to Bastia; **le taxi/l'avion/le bateau transportant Madame Leroy** the taxi/the plane/the boat carrying Mrs Leroy; **avion qui peut ~ 500 passagers** plane which can carry 500 passengers; 2 (transférer) to carry [*pollen, virus, maladie*]; 3 (en imagination) to transport; **être transporté dans un monde féerique/au Moyen Âge** to be transported to a magical world/to the Middle Ages; 4 liter (ravir) **être transporté de joie/rage** to be beside oneself with joy/rage
B **se transporter** *vpr* 1 fml (aller) to take oneself; **se ~ sur les lieux** [*juge d'instruction*] to visit the scene of the crime; 2 (en imagination) **transportez-vous à Venise/au Moyen Âge/200 ans en arrière** imagine you are in Venice/in the Middle Ages/200 years in the past

transporteur /tʀɑ̃spɔʀtœʀ/ *nm* 1 ▸ **p. 532** (entreprise) carrier; **~ aérien** air carrier; **~ routier** road haulier GB, road haulage contractor GB, trucking company US; **~ maritime** (de marchandises) shipping company; (de personnes) shipping line; 2 (machine) conveyor; 3 (navire) **~ de gaz** gas tanker; **~ de vrac** bulk carrier

transposable /tʀɑ̃spozabl/ *adj* transposable

transposer /tʀɑ̃spoze/ [1] *vtr* (tous contextes) to transpose [*mythe, image, mot*] (**dans, en** into; **sur** onto)

transposition /tʀɑ̃spozisjɔ̃/ *nf* (tous contextes) transposition

transpyrénéen, **-éenne** /tʀɑ̃spiʀeneɛ̃, ɛn/ *adj* [*région, route*] trans-Pyrenean

transsaharien, **-ienne** /tʀɑ̃ssaaʀjɛ̃, ɛn/ *adj* [*route, rallye*] trans-Sahara

transsexualisme /tʀɑ̃ssɛksɥalism/ *nm* transsexualism

transsexualité /tʀɑ̃ssɛksɥalite/ *nf* transsexuality

transsexuel, **-elle** /tʀɑ̃ssɛksɥɛl/ *adj, nm,f* transsexual

transsibérien, **-ienne** /tʀɑ̃ssibeʀjɛ̃, ɛn/
A *adj* trans-Siberian
B *nm* **le Transsibérien** the Trans-Siberian Railway

transsonique /tʀɑ̃ssɔnik/ *adj* [*vitesse*] transonic

transsubstantiation /tʀɑ̃ssypstɑ̃sjasjɔ̃/ *nf* transubstantiation

transuranien, **-ienne** /tʀɑ̃syʀanjɛ̃, ɛn/
A *adj* transuranic
B *nm* transuranic element

Transvaal /tʀɑ̃sval/ *nprm* Transvaal

transvasement /tʀɑ̃svazmɑ̃/ *nm* decanting

transvaser /tʀɑ̃svaze/ [1] *vtr* to decant [*liquide*]

transversal, **~e**, *mpl* **-aux** /tʀɑ̃svɛʀsal, o/
A *adj* [*muscle, disposition*] transverse; **moteur à disposition ~e** a transversely-mounted engine; **coupe ~e** cross-section; **poutre ~e** cross-beam; **route/rue ~e** side road/street
B **transversale** *nf* 1 Math transversal; 2 Transp (route) (grande) cross-country route; (petite) side road; (rue) side street

transversalement /tʀɑ̃svɛʀsalmɑ̃/ *adv* 1 gén crosswise; 2 Aut transversely

transverse /tʀɑ̃svɛʀs/ *adj* [*apophyse, muscle*] transverse

transvestisme /tʀɑ̃svɛstism/ *nm* transvestism

Transylvanie /tʀɑ̃silvani/ ▸ **p. 721** *nprf* Transylvania

trapèze /tʀapɛz/ *nm* 1 Sport trapeze; **être au ~** to be on the trapeze; **faire du ~** to perform on the trapeze; 2 Math trapezium GB, trapezoid US, **~ isocèle/rectangle** isosceles/rectangular trapezium; 3 Anat trapezium
(Composé) **~ volant** flying trapeze

trapéziste /tʀapezist/ ▸ **p. 532** *nmf* trapeze artist

trapézoèdre /tʀapezɔɛdʀ/ *nm* trapezohedron

trapézoïdal, **~e**, *mpl* **-aux** /tʀapezɔidal, o/ *adj* trapezoid

trapézoïde /tʀapezɔid/
A *adj* Math trapezoid
B *nm* Anat trapezoid

trappe /tʀap/ *nf* 1 gén (ouverture) trap door; 2 Théât trap door; **passer à la ~** fig to be whisked off; 3 Chasse trap
(Composé) **~ de visite** inspection trap

Trappe /tʀap/ *nf* 1 (ordre) Trappist order; 2 (couvent) Trappist monastery

trappeur /tʀapœʀ/ ▸ **p. 532** *nm* trapper

trappiste /tʀapist/ *nm* Trappist (monk)

trappistine /tʀapistin/ *nf* Trappistine

trapu, **~e** /tʀapy/ *adj* 1 (court et large) [*homme, silhouette*] stocky, thickset; [*monument, bâtiment*] squat; 2 °(ardu) [*problème, question*] tough; 3 °(calé) students' slang [*élève*] brainy°; **être ~ en** to be an ace at

traque /tʀak/ *nf* 1 Chasse tracking; 2 fig (chasse à l'homme) hunt; **la ~ des bandits** the hunt for the criminals

traquenard /tʀaknaʀ/ *nm* lit, fig trap; **tomber dans un ~** to fall into a trap

traquer /tʀake/ [1] *vtr* 1 (poursuivre) to track down [sb], to hunt [sb] down; (importuner) [*photographe*] to hound [*vedette*]; 2 (contrôler) to monitor [*dépenses, surplus*]; 3 Chasse to track down, to stalk [*animal*]

traquet /tʀakɛ/ *nm* Zool **~ (motteux)** wheatear; **~ oreillard** black-eared wheatear; **~ (pâtre)** stonechat

trauma /tʀoma/ *nm* Méd, Psych trauma

traumatique /tʀomatik/ *adj* Méd, Psych traumatic

traumatisant, **~e** /tʀomatizɑ̃, ɑ̃t/ *adj* Méd, Psych traumatic

traumatiser /tʀomatize/ [1] *vtr* Psych, aussi hum to traumatize [*personne*]

traumatisme /tʀomatism/ *nm* 1 Méd traumatism; **~ crânien** cranial traumatism; 2 Psych, fig trauma

traumatologie /tʀomatɔlɔʒi/ *nf* traumatology; **service de ~** trauma unit

traumatologique /tʀomatɔlɔʒik/ *adj* [*chirurgie, traitement*] trauma (*épith*)

traumatologiste /tʀomatɔlɔʒist/, **traumatologue** /tʀomatɔlɔg/ *nmf* trauma consultant

travail[1], *pl* **-aux** ➡ /tʀavaj, o/
A *nm* 1 (contraire de repos) work; **le ~ intellectuel** intellectual work; **le ~ scolaire** schoolwork; **ça demande des mois de ~** it requires months of work; **se mettre au ~** to get down to work, to start work; **être en plein ~** to be busy working
2 (tâche faite, à faire) job; (ensemble des tâches, besogne) work ¢; **faire un ~** to do a job; **distribuer le ~** to allocate jobs; **ce n'est pas mon ~** it's not my job; **c'est un ~ de**

➡ *voir* La recherche d'un emploi

t

professionnel (à faire) it's a job for a professional; (bien fait) it's a very professional job; **c'est un ~ d'homme** it's man's work; **commencer un ~** to start a job; **mener un ~ de recherche** to do research work; **avoir du ~** to have work to do; **j'ai un ~ fou** I'm up to my eyes in work, I've got a lot of work on; **les enfants, ça donne du ~, les enfants, c'est du ~** children make a lot of work; **les gros travaux** the heavy work; **s'occuper à de petits travaux** to do little jobs; **faire quelques travaux de jardinage** to do a few gardening jobs; **(félicitations) c'est du beau ~!** aussi iron you've done a great job on that; **qu'est-ce que c'est que ce ~?** what do you call this?; **et voilà le ~!** that's that done!

3 (fait d'exercer un emploi) work; (emploi rémunéré) work ₵, job; (lieu) work; **ne me téléphone pas à mon ~** don't call me at work; **chercher du/un ~** to look for work/a job; **bien content d'avoir du/un ~** glad to be in work/to have a job; **être sans ~** to be out of work; **donner du ~ à qn** (employer) to give sb a job; **reprendre le ~** to go back to work; **cesser le ~** to stop work; **aller au ~** to go to work; **être au ~** to be at work; **que fais-tu comme ~?** what do you do?, what's your job?; **il ne fait que son ~** he's only doing his job; **le ~ en usine/de bureau** factory/office *ou* clerical work; **le ~ temporaire/à mi-temps** temporary/part-time work; **un ~ à mi-temps** a part-time job; **le ~ en équipe** team work; **le ~ en équipes** shiftwork; **le ~ de nuit** nightwork; **il a un ~ de nuit** he works nights; **le ~ indépendant** freelance work, self-employment; **conditions/semaine de ~** working conditions/week; **vivre de son ~** to work for one's living; ▸ **salaire**

4 Écon, Sociol (activité, population active) labour[GB] ₵; **le capital et le ~** capital and labour[GB]; **organisation/division du ~** organization/division of labour[GB]; **force de ~** workforce; **entrer dans le monde du ~** to enter the world of work; **la psychologie du ~** industrial psychology

5 (résultat d'un fonctionnement) (de machine, d'organe) work ₵; **le ~ du cœur** the work done by the heart; **le ~ musculaire** muscular effort, the work done by the muscles

6 (ouvrage érudit) work (**sur** on); **publier un ~ sur la Renaissance** to publish a work on the Renaissance

7 (façonnage) **le ~ de** working with *ou* in [*métal, bois, pierre*]; **le ~ de l'ivoire est difficile** working with *ou* in ivory is difficult; **apprendre le ~ du bois/métal** to learn woodwork/metalwork

8 (technique, exécution) workmanship; **un ~ superbe** a superb piece of workmanship; **un coffret d'un beau ~** a beautifully made box; **une dentelle d'un ~ délicat** a delicate piece of lacework

9 Mécan, Phys work

10 (action) (d'eau, érosion) action (**de** of); fig (d'imagination, inconscient) workings (*pl*) (**de** of); **le ~ du temps** the work of time

11 (altération) (de vin) fermentation, working; (de bois) warping

12 Méd (pendant accouchement) labour[GB]; **entrer/être en ~** to go into/be in labour[GB]; **salle de ~** labour[GB] ward

B travaux *nmpl* **1** (en chantier) work (*sg*); (sur une route) roadworks GB, roadwork ₵ US; **travaux de construction/réfection/soutènement** construction/renovation/retaining work ₵; **travaux de terrassement** earthworks; **travaux d'aménagement** (de bâtiment) alterations (**de** to), improvements (**de** to); (d'un site) redevelopment ₵ (**de** of); (d'une route) roadworks (**de** on); **faire faire des travaux dans sa maison** to have work done in one's house; **nous sommes en plein travaux** we're in the middle of having some work done; **'fermé pour travaux'** (sur une devanture) 'closed for repairs *ou* alterations'; **'attention, travaux'** gén 'caution, work in progress'; (sur une route) 'caution, road under repair'

2 (recherche, études) work ₵ (**sur** on); **publier le résultat de ses travaux** to publish the results of one's work

3 (débats) (d'assemblée, de commission) deliberations

4 (opérations de même nature) **les travaux agricoles/de la ferme** agricultural/farm work; **travaux de couture** needlework

(Composés) **~ à la chaîne** assembly-line work; **~ clandestin** *work for which no earnings are declared*; **~ à domicile** working at *or* from home; **~ des enfants** child labour[GB]; **~ d'intérêt général** Jur community service; **~ manuel** manual work; **~ au noir**○ gén *work for which no earnings are declared*; (exercice d'un second emploi non déclaré) moonlighting; **~ aux pièces** piece work; **~ posté** shift work; **~ de Romain** Herculean task; **~ de titan** = **~ de Romain**; **travaux d'aiguille** needlework ₵; **travaux des champs** agricultural *ou* farm work ₵; **travaux de dame** fancywork ₵; **travaux dirigés**, **TD** Univ practical (*sg*); **travaux forcés** Jur hard labour[GB] (*sg*); fig slave labour[GB] ₵; **travaux manuels** Scol handicrafts; **travaux ménagers** housework ₵; **travaux pratiques**, **TP** Scol, Univ practical work ₵; (en laboratoire) lab work ₵; **travaux préparatoires** Jur (pour un texte de loi) preliminary documents; **travaux publics**, **TP** (travail) civil engineering ₵; (ouvrages) civil engineering works, public works; **travaux routiers** roadworks GB, roadwork ₵ US

travail², *pl* **~s** /tʀavaj/ *nm* (appareil) trave

travaillé, **~e** /tʀavaje/

A *pp* ▸ **travailler**

B *pp adj* **1** (fignolé) [*bijou*] finely-worked; [*sculpture*] elaborate; [*or, argent*] wrought; [*métal*] chased; [*dessin*] elaborate, detailed; [*langue, style, article*] polished; **l'éclairage a été longuement ~** the lighting has been carefully thought out; **2** (tourmenté) [*personne*] **~ par le doute/l'inquiétude** racked with doubt/anxiety; **3** (non chômé) **heures ~es** (à faire) hours of work; (faites) hours worked; **on exige un minimum de 45 heures ~es par mois** they require a minimum of 45 hours of work per month; **le nombre d'heures ~es a diminué** the number of hours worked has decreased

travailler /tʀavaje/ [1]

A *vtr* **1** (pour perfectionner) to work on [*style, matière scolaire, mouvement, voix, muscles*]; to practise[GB] [*sport, instrument, chant, sonate*]; **~ son latin** to work on one's Latin; **~ le saut en longueur** to practise[GB] the long jump

2 (manipuler) to work [*bois, métal*]; Culin to knead [*pâte*]; to stir [sth] until smooth [*sauce*]; Agric to work, to cultivate [*terre*]; to cultivate [*vigne*]

3 Sport to train [*cheval, taureau*]; **~ une balle** to put (some) spin on a ball

4 (préoccuper) **~ qn** [*affaire, idée*] to be *ou* prey on sb's mind, to bother sb; (tourmenter) [*jalousie, douleur*] to plague sb; **je ne sais pas ce qui le travaille** I don't know what's bothering him; **un doute me travaillait** I had a nagging doubt; **c'est la jalousie qui le travaille** he's plagued *ou* tormented by jealousy; **ce sont ses dents qui le travaillent** (parlant d'un bébé) he is out of sorts because he's teething

B travailler à *vtr ind* **~ à** to work on [*projet, dissertation*]; to work towards [*objectif*]; **~ quatre ans à sa thèse** to work on one's thesis for four years; **~ à rétablir la paix** to endeavour[GB] to restore peace; **~ à la perte de qn** to try to engineer sb's downfall

C *vi* **1** (faire un effort) [*personne, machine*] to work; [*muscles*] to work; **~ de ses mains** to work with one's hands; **~ sur un texte/projet** to work on a text/project; **faire ~ un élève** to make a pupil work; **faire ~ ses biceps** to use one's biceps; **faire ~ son cerveau** to apply one's mind; **ton imagination travaille trop** you have an overactive imagination

2 (exercer un métier) to work; **~ en usine/à domicile** to work in a factory/at home; **~ dans l'édition/le textile** to work in publishing/textiles; **~ comme secrétaire** to work as a secretary; **~ en équipes/de nuit** to work shifts/nights; **~ en indépendant** to work freelance, to be self-employed; **ta mère travaille?** does your mother work?; **il a hâte de ~** he can't wait to start work; **faire ~ les enfants** to put children to work; **~ au noir** gén *to work without declaring one's earnings*; (exercer un second emploi non déclaré) to moonlight

3 (faire des affaires) Comm [*commerçant, magasin, hôtel*] to do business; **bien ~** to do good business; **l'épicier/restaurant ne travaille pas beaucoup** the grocer/restaurant isn't doing much business; **~ avec l'étranger** to do business abroad; **~ pour l'exportation** to work in exports; **nous travaillons surtout l'été/avec les touristes** most of our trade is in the summer/with tourists; **~ à perte** [*entreprise, commerce*] to run at a loss

4 (produire un revenu) [*argent*] to work; **faire ~ son argent** to make one's money work for one

5 (œuvrer) **~ pour/contre qn** to work for/against sb; **nous voulons la paix et c'est dans ce sens que nous travaillons** we want peace and we are working toward(s) it; **~ pour/contre ses intérêts** to act in/against one's own interests

6 (s'entraîner) [*athlète*] to train; [*boxeur*] to train, work out; [*musicien, danseur*] to practise[GB]; **~ aux barres parallèles** to work on the parallel bars

7 (se modifier) [*bois*] to warp; [*vin*] to ferment; [*pâte*] to prove, to rise

8 (se déformer) [*poutre*] to be in stress

travailleur, **-euse** /tʀavajœʀ, øz/

A *adj* **1** (appliqué) [*élève, employé*] hardworking; **2** Sociol [*classes, masses*] working

B *nm,f* worker

C travailleuse *nf* (meuble) sewing box

(Composés) **~ agricole** farm worker; **~ autonome** Can self-employed person; **~ clandestin** *worker not declared by his employer*; **~ à domicile** homeworker; **~ de force** labourer[GB]; **~ frontalier** *person who crosses a border to work every day*; **~ indépendant** self-employed person, freelance (worker); **~ intellectuel** intellectual worker; **~ manuel** manual worker; **~ au noir** gén *worker who doesn't declare his earnings*; (ayant un deuxième emploi non déclaré) moonlighter; **~ pendulaire** commuter; **~ sexuel** sex worker; **~ social** social worker; **travailleuse familiale** home help

travaillisme /tʀavajism/ *nm* Labour doctrine

travailliste /tʀavajist/

A *adj* [*gouvernement, idée, député, parti*] Labour; **congrès ~** Labour party congress; **être ~** (membre du parti) to be a member of the Labour party; (sympathisant) to be a Labour party supporter

B *nmf* (député) Labour MP; (votant) Labour supporter; **le candidat des ~s** the Labour candidate

travée /tʀave/ *nf* **1** (rangée) row; **2** Tech, Constr span

travelling /tʀavliŋ/ *nm* (méthode) tracking; (plan) tracking shot; **~ avant/arrière** tracking in/out; **~ latéral** sideways tracking

travelo◑ /tʀavlo/ *nm* drag queen○, transvestite

travers /tʀavɛʀ/

A *nm inv* **1** (petit défaut) foible, quirk; (erreur) mistake; **il n'a pas succombé à ce ~** he didn't make that mistake; **le film ne tombe jamais dans le ~ de la sensiblerie** the film never lapses into sentimentality

2 Naut (côté) beam; **par le ~** abeam

3 Culin **~ de porc** sparerib

B à travers *loc* **1** (ponctuel) [*voir, regarder*] through; **il est passé à ~ tous les contrôles** he slipped through all the checks; **passer à ~ les mailles du filet** lit, fig to slip through the net; **la vitre est si sale qu'on ne voit pas à ~** the window is so dirty that you can't see through it; **sentir le froid à ~ ses gants** to

t

feel the cold through one's gloves [2] (dans l'espace) [*voyager, marcher*] across; **voyager à ~ l'Europe/le monde** to travel across Europe/the world; **passer** *or* **aller** *or* **couper à ~ champs** to cut across the fields; **se promener à ~ les prés** to walk through the fields; **la maladie affecte des milliers de gens à ~ le monde** the disease affects thousands of people across the world; **le mouvement s'étend à ~ le pays** the movement is spreading through *ou* across the country [3] (dans le temps) through; **voyager à ~ le temps** to travel through time; **des événements qui se répètent à ~ l'histoire** events which recur through *ou* throughout history [4] (par l'intermédiaire de) through; **je ne le connais qu'à ~ ses écrits** I only know him through his writing; **c'est le racisme qu'ils combattent à ~ lui** they're fighting racism through him; **à ~ ces informations** through this information

C au travers *loc* [1] (en traversant) through; **passer au ~ de** fig to escape [*contrôle, inspection*]; **il y a eu des licenciements, heureusement il est passé au ~** there have been redundancies, fortunately his job wasn't affected [2] (par l'intermédiaire de) in; **au ~ d'une série d'entretiens** in a series of interviews

D de travers *loc adv* [1] (dans une mauvaise position) askew; **il a mis son chapeau de ~** he has put his hat on askew; **ta veste est boutonnée de ~** your jacket is buttoned up wrongly; **il a le nez de ~** he has a twisted nose; **marcher de ~** to walk sideways; **se garer de ~** to park badly; **j'ai avalé de ~** lit it went down the wrong way; **regarder qn de ~** fig to give sb filthy looks, to glare at sb [2] (de façon inexacte) wrong, wrongly; **tout va de ~ aujourd'hui** everything's going wrong today; **quand elle est de mauvaise humeur, elle prend tout de ~** when she's in a bad mood, she takes everything the wrong way; **je fais tout de ~ aujourd'hui** I can't do anything right today; **comprendre de ~** to misunderstand

E en travers *loc* (en position transversale) across; **un bus était en ~ de la route** a bus was sideways, blocking the road; **se mettre en ~ de la route** [*personnes*] to stand in the middle of the road; **la voiture a dérapé et s'est mise en ~ de la route** the car skidded and ended up sideways, blocking the road; **se mettre en ~ du chemin de qn** fig to get in sb's way; **avoir un os en ~ de la gorge** to have a bone stuck in one's throat; **rester en ~ de la gorge à qn**○ fig [*attitude, arrogance*] to stick in sb's throat; [*propos, insultes*] to be hard to swallow; ▸ **long**

traversable /tʀavɛʀsabl/ *adj* [*cours d'eau, chemin*] which can be crossed (*après n*); **rivière ~ à gué** fordable river

traverse /tʀavɛʀs/ *nf* [1] Rail sleeper GB, tie US; [2] Constr (de fenêtre, grille, d'armoire) crosspiece, strut; (de porte) rail; [3] (rue) side street

traversée /tʀavɛʀse/ *nf* [1] (de mer, pont, pays, d'océan) crossing; **faire une bonne ~** to have a good crossing; **faire la ~ du fleuve en pirogue** to cross the river in a dugout; **la ~ de la Chine en voiture** crossing China by car; **faire la ~ du Vercors à pied** to cross the Vercors on foot; **la ~ du désert** lit crossing the desert; fig (d'homme politique) a period in the wilderness; (entreprise) a difficult period; [2] (de ville, tunnel) **évitez la ~ de Paris aux heures de pointe** avoid going through Paris in the rush hour

traverser /tʀavɛʀse/ [1] *vtr* [1] (passer d'un côté à l'autre) to cross [*route, pont, frontière*]; to cross, to go across [*ville, montagne, océan, pays, pièce*]; (passer à travers) to go through, to pass through [*ville, pays, forêt, tunnel*]; to make one's way through [*groupe, foule*]; **il traversa le salon pour aller dans la chambre** he went *ou* passed through the living-room to get to the bedroom; **l'avion traverse une zone de turbulences** the aircraft is going through a spot of turbulence; **il traversa le jardin en courant** he ran across the garden GB *ou* yard US; **~ le lac en bateau** to cross *ou* go across the lake in a boat; **~ le lac à la nage** to swim across the lake; **~ (une rivière) à gué** to ford a river; **il a traversé sans regarder** he crossed the road without looking; **maintenant, on traverse** now let's cross over; [2] (franchir) [*rivière*] to go through, to flow through [*région, plaine*]; [*route, tunnel*] to go through [*ville, région, montagne*]; [*pont, rivière*] to cross [*voie ferrée, ville*]; [3] (transpercer) [*humidité, pluie*] to come through [*vêtement, mur*]; **la balle lui a traversé le bras** the bullet went *ou* passed right through his arm; [4] (passer par une période) [*population, pays, entreprise*] to go through [*crise, difficulté*]; [*personne*] to live through, to go through [*guerre, occupation*]; (subsister) liter [*manuscrit, nom*] to live on through [*siècles*]; [*pratique, tradition*] to persist through [*temps, générations*]; **ils ont traversé des moments difficiles** they've gone through some difficult times; [5] fig (se présenter de manière fugitive) [*douleur*] to shoot through [*personne, membre*]; **~ l'esprit de qn** to cross sb's mind

traversier /tʀavɛʀsje/ *nm* Can (ferry) ferry

traversière /tʀavɛʀsjɛʀ/ ▸ **p. 557** *adj f* **flûte ~** (transverse) flute

traversin /tʀavɛʀsɛ̃/ *nm* bolster

travesti, ~e /tʀavɛsti/

A *pp* ▸ **travestir**

B *pp adj* (déguisé) in disguise; **rôle ~** role played by a member of the opposite sex

C *nm* [1] (personne) transvestite; [2] Théât (acteur) actor playing a female role; (dans un cabaret) drag artist○, female impersonator; [3] (déguisement) fancy dress

travestir /tʀavɛstiʀ/ [3]

A *vtr* [1] (déguiser) to dress [sb] up [*personne, acteur*] (**en** as); [2] (dénaturer) to distort [*vérité, réalité*]; to misrepresent [*pensée*]

B se travestir *vpr* [1] (se déguiser) to dress up (**en** as); [2] (prendre l'apparence du sexe opposé) to cross-dress, to dress up as a member of the opposite sex

travestisme /tʀavɛstism/ *nm* transvestism

travestissement /tʀavɛstismɑ̃/ *nm* [1] (action de se déguiser) dressing-up; [2] (déguisement) fancy dress, disguise; [3] (dénaturation) distortion, travesty; [4] Psych transvestism, cross-dressing

traviole○: **de traviole** /d(ə)tʀavjɔl/ *loc adv* [*accrocher, attacher*] skew-whiff○ GB, crooked; **le tableau est accroché de ~** the picture is hung skew-whiff○ GB *ou* crooked; **il marche de ~**○ he walks lopsided○; **il comprend tout de ~**○ he always gets the wrong end of the stick○

trayeur, -euse /tʀɛjœʀ, øz/

A ▸ **p. 532** *nm,f* milker/milkmaid

B trayeuse *nf* (machine à traire) milking machine

trayon /tʀɛjɔ̃/ *nm* teat, papilla spéc

trébuchant, ~e /tʀebyʃɑ̃, ɑ̃t/ *adj* [*démarche*] stumbling; ▸ **sonnant**

trébucher /tʀebyʃe/ [1] *vi* [1] lit to stumble (**sur** on; **contre** against); **l'obstacle l'a fait ~** the obstacle made him stumble; [2] fig [*candidat, adversaire*] to slip up; **~ sur un mot** to stumble over a word

trébuchet /tʀebyʃɛ/ *nm* [1] (piège) bird-trap; [2] (balance) assay balance

tréfilage /tʀefilaʒ/ *nm* wiredrawing

tréfiler /tʀefile/ [1] *vtr* to wiredraw

tréfilerie /tʀefilʀi/ *nf* wireworks (+ *v sg*)

tréfileur /tʀefilœʀ/ *nm* (ouvrier) wiredrawer; (industriel) owner of a wireworks

tréfileuse /tʀefiløz/ *nf* (machine) wiredrawer, wiredrawing machine

trèfle /tʀɛfl/ *nm* [1] Agric, Bot clover; **~ à quatre feuilles** four-leaf clover; [2] Jeux (carte) club; (couleur) clubs (*pl*); **la dame/le dix de ~** the Queen/the ten of clubs; **jouer ~** to play clubs; **avoir du ~** to be holding clubs; [3] Aut **échangeur en ~** cloverleaf junction; [4] Archit trefoil; [5] ○(argent) dough○, bread○; [6] (symbole de l'Irlande) shamrock

(Composés) **~ blanc** white clover; **~ incarnat** crimson clover; **~ des prés** red clover; **~ rampant** = **~ blanc**; **~ rouge** = **~ des prés**

tréflière /tʀeflijɛʀ/ *nf* field of clover

tréfonds /tʀefɔ̃/ *nm inv* liter **le ~ de** the very depths of

treillage /tʀɛjaʒ/ *nm* [1] (assemblage de lattes) trellis; **~ métallique** wire grille; [2] (clôture) lattice fence; [3] (pour vigne) trellis

treillager /tʀɛjaʒe/ [13] *vtr* [1] to put a trellis on [*mur*]; to lattice [*window*]; [2] (clôturer) to put a lattice fence around

treille /tʀɛj/ *nf* [1] (tonnelle) (vine) arbour[GB]; [2] (vigne) climbing vine; **le jus de la ~** the juice of the grape

treillis /tʀɛji/ *nm inv* [1] Mil (tenue) fatigues (*pl*); **~ de combat** combat fatigues; [2] Tex canvas; [3] (assemblage de lattes) trellis; **~ métallique** wire grille; [4] (de verrière, vitrail) lattice

treize /tʀɛz/ ▸ **p. 568, p. 424, p. 222**

A *adj inv* thirteen

B *pron* thirteen; **vendre des œufs ~ à la douzaine** Comm to sell eggs at thirteen for the price of twelve; fig **il y en a ~ à la douzaine** they are ten a penny fig

treizième /tʀɛzjɛm/ ▸ **p. 568, p. 222** *adj* thirteenth

(Composé) **~ mois** *bonus equal to a month's salary*

trekking /tʀɛkiŋ/ ▸ **p. 469** *nm* (activité) trekking

tréma /tʀema/ *nm* Ling diaeresis; **i ~** i diaeresis

trémail /tʀemaj/ *nm* Pêche trammel

tremblant, ~e /tʀɑ̃blɑ̃, ɑ̃t/ *adj* [1] [*personne, animal, mains*] shaking (**de** with), trembling (**de** with); **être tout ~** to be shaking *ou* trembling all over; **~ de peur/de froid/d'émotion** shaking *ou* trembling with fear/with cold/with emotion; [2] [*voix*] trembling (**de** with); **d'une voix ~e de colère** his/her voice trembling with anger; [3] [*image, lueur*] flickering; [*son*] tremulous, quavering

tremble /tʀɑ̃bl/ *nm* aspen

tremblement /tʀɑ̃bləmɑ̃/ *nm* [1] (de personne, mains) shaking ¢, trembling ¢; (de lèvres) trembling ¢; **son corps était agité de ~s** he/she was trembling *ou* shaking all over; [2] (de voix) tremor, trembling ¢; (de voix âgée) quavering ¢; (de son, note) wavering ¢; [*de lueur, lumière*] flickering ¢; **parler avec des ~s dans la voix** to speak with a tremor in one's voice *ou* in a trembling voice; [3] (de feuilles) quivering; (de vitres) rattling ¢; **un ~** (de sol, d'immeuble) a tremor

(Composé) **~ de terre** earthquake

(Idiome) **et tout le ~**○ and the whole caboodle○

trembler /tʀɑ̃ble/ [1] *vi* [1] [*personne, mains, jambes*] to shake (**de** with), to tremble; **~ de tout son corps** *ou* **de tous ses membres** to shake *ou* tremble all over; [2] [*voix*] (de colère, joie) to tremble, to shake (**de** with); (de vieillesse) to quaver; [*son, note*] to waver; [3] [*immeuble, plancher*] to shake; **la terre a encore tremblé en Californie** (légèrement) there have been tremors again in California; (tremblement de terre) there has been another earthquake in California; **faire ~ qch** to shake sth, to make sth shake; **faire ~ les vitres** to make the windows shake *ou* rattle; [4] (avoir peur) to tremble (**devant** before); **~ pour qn** to fear for sb; **~ à l'idée de faire** to tremble at the thought of doing; **je tremble qu'il ne s'aperçoive de mon erreur** I'm terrified he'll notice my mistake; **faire ~ qn** to terrify sb; [5] [*lumière, flamme, image*] to flicker; [6] [*feuilles*] to quiver; (mouvement très doux) to shiver

t

(Idiome) ~ **comme une feuille** to shake like a leaf

tremblotant, ~**e** /tʀɑ̃blɔtɑ̃, ɑ̃t/ *adj* 1 [*personne, main*] trembling; **il était tout** ~ he was shaking *ou* trembling all over; 2 [*voix*] (d'émotion) tremulous; (de vieillesse) quavering; [*son*] quavering; 3 [*image, flamme, lumière*] flickering

tremblote° /tʀɑ̃blɔt/ *nf* **avoir la** ~ (à cause du froid) to have the shivers; (à cause de l'âge) to have the shakes°; (par peur, nervosité) to have the jitters°

tremblotement /tʀɑ̃blɔtmɑ̃/ *nm* 1 (de personne, mains) trembling ¢, tremor; **les** ~**s de ses mains** his/her trembling hands; 2 (de voix) (émue, effrayée) tremor; (âgée) quaver; 3 (de lumière) flickering ¢

trembloter /tʀɑ̃blɔte/ [1] *vi* 1 [*personne, mains*] to tremble slightly; 2 [*voix*] (de joie, d'émotion) to tremble; (de vieillesse) to quaver; 3 [*lumière, flamme*] to flicker

trémie /tʀemi/ *nf* 1 Ind, Tech hopper; 2 (mangeoire) feeding box; 3 Gén Civ ~ **d'accès à un passage souterrain/tunnel** underpass/tunnel approach

trémière /tʀemjɛʀ/ *adj f* **rose** ~ hollyhock

trémolo /tʀemɔlo/ *nm* 1 (de voix) quaver; **avoir des** ~**s dans la voix** to have a quavering voice; 2 (d'instrument) tremolo

trémoussement /tʀemusmɑ̃/ *nm* 1 (agitation) fidgeting ¢; 2 (danse) prancing (around) ¢

trémousser: **se trémousser** /tʀemuse/ [1] *vpr* 1 (s'agiter) to fidget; 2 (danser) to wiggle around

trempage /tʀɑ̃paʒ/ *nm* 1 (de linge, légumes secs) soaking; 2 (de semences) soaking; 3 Tech (d'orge) mashing, steeping; (de verre) tempering; (de papier) damping, wetting

trempe /tʀɑ̃p/ *nf* 1 (de personne) **avoir de la** ~ to be made of stern stuff; **il faudrait quelqu'un de votre** ~ we need someone of your calibre[GB]; **avoir la** ~ **d'un dirigeant** to have the makings of a leader; 2 °(coups) walloping° ¢; **recevoir une bonne** ~° to get a good walloping°; 3 (de métal) (action) tempering; (qualité) temper

trempé, ~**e** /tʀɑ̃pe/
A *pp* ▸ **tremper**
B *pp adj* 1 [*personne, vêtements*] soaked (through), drenched; [*herbe*] sodden; [*linge*] soaking wet; **être** ~ **de sueur** to be soaked in sweat, to be dripping with sweat; **avoir les cheveux** ~**s** to have dripping wet hair; 2 Tech [*acier*] tempered; [*verre*] toughened; 3 [*caractère*] hardened, tough

tremper /tʀɑ̃pe/ [1]
A *vtr* 1 (beaucoup) [*pluie, personne*] to soak [*personne, vêtement*]; 2 (rapidement) to dip (**dans** in); ~ **son biscuit dans son thé** to dunk one's biscuit GB *ou* cookie US in one's tea; **j'ai juste trempé mes lèvres** I just had a sip; 3 (longuement) to soak [*mains, aliment*] (**dans** in); 4 Tech to temper [*acier, verre*]; 5 (aguerrir) to strengthen [*personne*]
B *vi* 1 (être dans un liquide) [*linge, légumes secs*] to soak; **faire** ~ **qch** to soak sth; **mettre qch à** ~ to put sth to soak; **laisser qch à** ~ to leave sth to soak; 2 (être impliqué) ~ **dans qch** to be mixed up in sth
C **se tremper** *vpr* (dans la mer) to go for a dip; (dans un bain) to have a quick bath

trempette° /tʀɑ̃pɛt/ *nf* (quick) dip; **faire** ~ to go for a dip

tremplin /tʀɑ̃plɛ̃/ *nm* 1 Sport (de natation, gymnastique) springboard; (de ski) ski jump; (de ski nautique) water-ski jump; 2 fig springboard

trémulation /tʀemylasjɔ̃/ *nf* tremor

trentaine /tʀɑ̃tɛn/ *nf* about thirty; ▸ **cinquantaine**

trente /tʀɑ̃t/ ▸ **p. 568**, **p. 222** *adj inv, pron* thirty

trente(-)et(-)un /tʀɑ̃teœ̃/
A ▸ **p. 568**, **p. 222** *adj inv, pron* thirty-one
B ▸ **p. 469** *nm* Jeux **le** ~ ≈ pontoon

(Idiomes) **se mettre sur son** ~° to dress up to the nines; **être sur son** ~° to be dressed up to the nines

trentenaire /tʀɑ̃tənɛʀ/ *adj* 1 (qui dure trente ans) thirty-year; 2 (qui a 30 ans et plus) [*personne*] in his/her thirties; [*arbre, construction*] at least thirty years old

trente-six /tʀɑ̃tsis/ ▸ **p. 568**, **p. 222** *adj inv, pron* thirty-six

(Idiome) **(en) voir** ~ **chandelles**° to see stars

trente-trois /tʀɑ̃ttʀwa/ ▸ **p. 568**, **p. 222** *adj inv, pron* thirty-three; **'dites** ~**'** 'say ninety-nine'

(Composé) ~ **tours** LP, album

trentième /tʀɑ̃tjɛm/ ▸ **p. 568** *adj* thirtieth

trépan /tʀepɑ̃/ *nm* 1 Tech trepan; 2 Méd trephine

trépanation /tʀepanasjɔ̃/ *nf* Méd trephination

trépané, ~**e** /tʀepane/ *nm,f* person who has been trepanned

trépaner /tʀepane/ [1] *vtr* to trephine

trépas† /tʀepɑ/ *nm* demise; **passer de vie à** ~ to pass on GB, to pass away

trépassé, ~**e** /tʀepɑse/
A *pp* ▸ **trépasser**
B *pp adj* deceased
C *nm,f* **les** ~**s** the dead, the departed; **la fête des** ~**s** All Souls' Day

trépasser /tʀepɑse/ [1] *vi* to pass away

trépidant, ~**e** /tʀepidɑ̃, ɑ̃t/ *adj* 1 [*moteur, machine*] vibrating; 2 [*allure, rythme*] pulsating; [*vie, activité*] hectic; [*histoire*] exciting

trépidation /tʀepidasjɔ̃/ *nf* vibration

trépider /tʀepide/ [1] *vi* to shake, to vibrate

trépied /tʀepje/ *nm* gén tripod; (pour chaudron) trivet

trépignement /tʀepiɲəmɑ̃/ *nm* (de colère, d'impatience) stamping ¢ (**de** with); (d'excitation, de joie) jumping ¢ up and down (**de** with)

trépigner /tʀepiɲe/ [1] *vi* (de colère, d'impatience) to stamp one's feet (**de** with); (de joie, d'excitation, enthousiasme) to jump up and down (**de** with)

trépointe /tʀepwɛ̃t/ *nf* welt

tréponématose /tʀepɔnematoz/ ▸ **p. 283** *nf* treponematosis

tréponème /tʀepɔnɛm/ *nm* treponema

très /tʀɛ/ *adv* 1 (modifiant un adjectif) very; ~ **heureux/propre** very happy/clean; ~ **avancé/connu** very advanced/well-known; **le spectacle/dîner était** ~ **réussi** the show/dinner went (off) very well; ~ **disputé** [*match*] closely contested; ~ **répandu** [*pratique*] very widespread; [*opinion*] widely held; **il est** ~ **aimé dans l'école/dans l'entreprise** he is very well liked at school/in the company; **être** ~ **amoureux** to be very much in love; **à un prix** ~ **inférieur** at a very much lower price; **la grève a été** ~ **suivie** the strike was very well supported; 2 (modifiant une expression adjectivale) very; ~ **en avance/en retard/au courant/à la mode** very early/late/well-informed/fashionable; ~ **homme d'affaires** very much a businessman; 3 (modifiant un adverbe) very; ~ **tôt/bien/loin** very early/well/far; **je me porte** ~ **bien** I'm very well; ~ **gentiment/volontiers** very kindly/willingly; **à** ~ **bientôt** see you very soon; ~ **franchement, je ne sais pas** quite frankly, I don't know; **'tu vas bien?'—'non, pas** ~**'** 'are you well?'—'no, not terribly'; 4 (dans des locutions verbales) **j'ai** ~ **soif** I'm very thirsty; **j'ai** ~ **besoin de vacances** I really need a vacation; **elle a** ~ **envie de partir** she's dying to leave; **j'ai** ~ **envie de faire pipi**° I'm desperate for a pee°

trésor /tʀezɔʀ/ *nm* 1 (amas d'objets précieux) treasure ¢; **découvrir un** ~ to discover a treasure trove; **chasse** *or* **course au** ~ treasure hunt; **le** ~ **d'une église** a church's treasures; ▸ **chercheur**; 2 (objet précieux) treasure; **la balle rouge était un de ses** ~**s** the red ball was one of his/her treasures; ~**s artistiques/archéologiques** artistic/archeological treasures; **les** ~**s du cinéma français** the gems of the French cinema; **les** ~**s de la mer** the riches of the sea; 3 (grande quantité) **un** ~ **de** a wealth of [*information, documents*]; **déployer des** ~**s d'inventivité/de diplomatie** to show infinite inventiveness/diplomacy; 4 Admin, Fin **le Trésor (public)** *government department in charge of public finance*; 5 (musée, chapelle) treasure house; 6 (personne) treasure; **mon** ~ (terme d'affection) treasure, precious

(Composé) ~ **de guerre** lit war chest; fig nest egg

trésorerie /tʀezɔʀʀi/ *nf* 1 (ressources disponibles) funds (*pl*); (somme en liquide) cash ¢; **avoir des problèmes de** ~ to have cash flow problems; **mouvements de** ~ cash flows; **état/prévisions de** ~ cash flow statement/forecast (*sg*); **de** ~ [*budget, gestion, solde, opérations*] cash; **il dispose de 1 000 euros en** ~ *or* **d'une** ~ **de 1 000 euros** he has 1,000 euros cash at his disposal; ▸ **moyen**; 2 (comptabilité) accounts (*pl*); **leur** ~ **est bien/mal tenue** their accounts are well/badly kept; 3 Admin, Fin **la** ~ (comptabilité) government finance; (bureaux) *department in charge of public finance*; (en Grande-Bretagne) the Treasury

trésorier, **-ière** /tʀezɔʀje, ɛʀ/ *nm,f* gén treasurer; Admin paymaster

trésorier-payeur, *pl* **trésoriers-payeurs** /tʀezɔʀjepɛjœʀ/ *nm* ~ **général** *head of the Trésor public in each French region*

tressage /tʀesaʒ/ *nm* 1 (de cheveux) plaiting, braiding US; 2 (de paille, fil, corde, cuir) (pour faire un cordon) plaiting; (tissage) weaving; (de corbeille, d'objet) weaving

tressaillement /tʀesajmɑ̃/ *nm* 1 (de surprise, peur) start (**de** of); (de plaisir, joie, d'espoir) quiver (**de** of); (de douleur) wince; **avoir des** ~**s** (de surprise, peur) to start (**de** with); (de plaisir, joie, d'espoir) to quiver (**de** with); (de douleur) to wince (**de** with); 2 (tremblement) (de personne, muscle, d'animal) twitch; (de machine, sol) vibration

tressaillir /tʀesajiʀ/ [28] *vi* 1 (de surprise, peur) to start (**de** with); (de plaisir, joie, d'espoir) to quiver (**de** with); (de douleur) to wince (**de** with); 2 (trembler) [*personne, animal, muscle*] to twitch; [*machine, sol, chose*] to vibrate

tressautement /tʀesotmɑ̃/ *nm* 1 (de surprise) start; 2 (de véhicule) jolt

tressauter /tʀesote/ [1] *vi* 1 (sursauter) to start; **un cri le fit** ~ a cry made him start; 2 (être secoué) [*véhicule*] to jolt; [*personne*] to be jolted; [*objets*] to jump; **faire** ~ **la voiture/les passagers** to jolt the car/the passengers

tresse /tʀɛs/ *nf* 1 (de cheveux) plait, braid US; 2 (de fil, tissu, cuir) braid

tresser /tʀese/ [1] *vtr* 1 to plait, braid US [*cheveux*]; 2 (pour faire un cordon) to plait [*paille, fil, corde, cuir*]; (tisser) to weave [*paille, corde, objet*]; **soulier tressé** latticework shoe

(Idiome) ~ **des couronnes à qn** to sing sb's praises

tréteau, *pl* ~**x** /tʀeto/ *nm* trestle

(Idiome) **monter sur les** ~**x** to go on the stage

treuil /tʀœj/ *nm* winch

trêve /tʀɛv/ *nf* 1 Mil truce; **demander/signer une** ~ to seek/to sign a truce; **respecter/violer une** ~ to respect/to violate a truce; **observer une** ~ **de trois jours** to observe a three-day truce; 2 (moment de répit) respite; **après quelques jours de** ~ after a few days' respite; **sans** ~ unceasingly, without any letup; ~ **de plaisanteries/balivernes!** that's enough joking/nonsense!

(Composés) ~ **des confiseurs** Pol Christmas *ou* New Year truce; ~ **de Dieu** Hist Truce of God

Trèves /tʀɛv/ ▸ **p. 894** *npr* Trier

trévise /tʀeviz/ *nf* radicchio

tri /tʀi/ *nm* 1 (pour répartir) sorting; **faire le ~ de** to sort [*courrier*]; to sort out [*documents, vêtements*]; 2 (pour choisir) sorting out, selection; **faire le ~ de** to sort [sth] out [*photos, information*]; **faire un ~ parmi des choses/gens** to select among things/people; **opérer un ~ sévère** to be very selective; **fais le ~ dans ce qu'elle dit** don't believe everything she says

Composés **~ postal** sorting; **centre de ~ (postal)** sorting office; **~ sélectif des ordures** household-waste sorting

triacide /tʀiasid/ *nm* tribasic acid

triade /tʀijad/ *nf* 1 (groupe de trois) triad; 2 (société secrète chinoise) Triad

triage /tʀijaʒ/ *nm* **procéder au ~ de qch** to sort sth out; **gare de ~** marshalling[GB] yard

trial /tʀijal/ Sport
A *nm* (épreuve) scramble
B *nf* (moto) trial bike GB, dirt bike US

triangle /tʀijɑ̃gl/ *nm* 1 Math triangle; **~ isocèle/équilatéral** isosceles/equilateral triangle; **~ rectangle** right-angled triangle GB, right triangle US; **~s égaux/semblables** congruent/similar triangles; 2 (objet) triangle; **~ de soie** triangle of silk; **en ~** in a triangle; **montage (connecté) en ~** delta connection; 3 ▸ p. 557 Mus triangle; 4 (couple et amant ou maîtresse) (love) triangle

Composés **~ des Bermudes** Géog Bermuda Triangle; **~ de présignalisation** Gén Civ red warning triangle; **~ quelconque** Math triangle

triangulaire /tʀijɑ̃gylɛʀ/
A *adj* 1 (en forme de triangle) triangular; 2 (entre trois personnes, pays) three-way; **élection ~** three-way election
B ○*nf* (élection) three-way election

triangulation /tʀijɑ̃gylasjɔ̃/ *nf* Tech triangulation

trianguler /tʀijɑ̃gyle/ [1] *vtr* to triangulate

trias /tʀijas/ *nm* **le ~** the Triassic

triasique /tʀijasik/ *adj* Triassic

triathlon /tʀiatlɔ̃/ *nm* triathlon

triatomique /tʀiatɔmik/ *adj* triatomic

tribal, **~e**, *mpl* **-aux** /tʀibal, o/ *adj* tribal

tribalisme /tʀibalism/ *nm* tribalism

triboélectricité /tʀibɔelɛktʀisite/ *nf* triboelectricity

triboluminescence /tʀibolyminesɑ̃s/ *nf* triboluminescence

tribord /tʀibɔʀ/ *nm* starboard; **côte à ~** land to starboard; **virer à ~** to bear to starboard

tribu /tʀiby/ *nf* (tous contextes) tribe; **le chef de ~** lit, aussi hum the head of the tribe

tribulations /tʀibylasjɔ̃/ *nfpl* tribulations

tribun /tʀibœ̃/ *nm* 1 Hist tribune; 2 (orateur) great orator

tribunal, *pl* **-aux** /tʀibynal, o/ *nm* 1 Jur (lieu, magistrats) court; **aller devant les tribunaux** [*affaire*] to be taken before the court; [*personne*] to go to court; **porter une affaire devant les tribunaux** to bring *ou* take a matter to court; **traîner qn devant les tribunaux** to take sb to court; **le ~ a décidé que** the court has decided that; **séance/vacation/rentrée d'un ~** court session/vacation/reopening; 2 fig **~ de l'histoire/de l'humanité** the judgment seat of history/humanity; **~ de Dieu, ~ suprême** the judgment seat of God; **le ~ des hommes** the justice of men; **le ~ de l'opinion** the bar of public opinion; **s'ériger en ~ du goût** to set oneself up as an arbiter of taste

Composés **~ administratif** ≈ administrative court; **~ de commerce** *court dealing with trade disputes*; **~ correctionnel** *court trying criminal cases of a fairly serious nature*; **~ ecclésiastique** ecclesiastical court; **~ d'exception** ≈ specialized court; **~ de grande instance** higher level court (*presided over by three judges dealing with cases of a fairly serious nature*); **~ incompétent** unqualified court; **~ d'instance** court of first instance (*presided over by a single judge dealing with less serious cases*); **~ militaire** court martial; **~ de police** police court (*dealing with petty offences[GB] punishable by a fine*); **~ pour enfants** juvenile court; **~ de première instance** = **~ de grande instance**; **Tribunal pénal international** International Criminal Tribunal; **~ révolutionnaire** revolutionary tribunal; **Tribunal de Première Instance des Communautés Européennes**, **TPICE** Court of First Instance, CFI

tribune /tʀibyn/ *nf* 1 (de stade, gymnase, champ de courses) stand; **louer une place de ~** *or* **aux ~s** to reserve a seat in a stand; **la ~ présidentielle** the president's stand; **la ~ officielle** *ou* **d'honneur** the VIP stand; **les ~s du public** the public stands; 2 (de salle de réunion, parlement) gallery; **la ~ de la presse** the press gallery; 3 (estrade) platform; (pour une seule personne) rostrum; **monter à la ~** lit, fig to take the platform; **parler à la ~** to speak from the platform; **tenir la ~** to hold the floor; 4 Presse (rubrique) comments column; (lieu de débat) forum for debate; 5 Archit gallery

Composés **~ libre** non-editorial comment; **~ d'orgue** organ loft

tribut /tʀiby/ *nm* Hist tribute; **ils ont payé un lourd ~ à la guerre/aux accidents de la route** war has/road accidents have taken a heavy toll

tributaire /tʀibytɛʀ/ *adj* 1 gén **être ~ de qch** [*pays, personne, réalisation*] to depend *ou* be dependent on sth; **ils sont ~s les uns des autres** they're interdependent; 2 Géog **être ~ de qch** [*fleuve*] to be a tributary of sth, to flow into sth; 3 Hist [*personne*] **être ~ de qn/qch** to pay tribute to sb/sth

tricentenaire /tʀisɑ̃tnɛʀ/
A *adj* three-hundred-year-old (*épith*); **être ~** to be three hundred years old
B *nm* tercentenary, tricentennial

tricéphale /tʀisefal/ *adj* three-headed (*épith*)

triceps /tʀisɛps/ *nm inv* triceps

triche○ /tʀiʃ/ *nf* **c'est de la ~** that's cheating; **pour éviter la ~** to prevent cheating

tricher /tʀiʃe/ [1] *vi* 1 (agir malhonnêtement) to cheat; **~ aux cartes/à un examen** to cheat at cards/in an exam; **~ avec les chiffres** to cheat with figures; 2 (mentir) **~ sur qch** to lie about sth; **~ sur son âge** to lie about one's age; **~ sur la qualité** to cut corners on quality; **~ sur le poids** to give short measure; **~ sur les prix** to overcharge

tricherie /tʀiʃʀi/ *nf* 1 (action de tricher) cheating; 2 (acte trompeur) trick

tricheur, **-euse** /tʀiʃœʀ, øz/ *nm,f* cheat

trichinose /tʀikinoz/ *nf* trichinosis

trichloréthylène /tʀiklɔʀetilɛn/ *nm* trichloroethylene

trichlorure /tʀiklɔʀyʀ/ *nm* trichloride

trichrome /tʀikʀom/ *adj* trichromatic

trichromie /tʀikʀɔmi/ *nf* trichromatic printing

tricolore /tʀikɔlɔʀ/ *adj* 1 (de trois couleurs) tricolour[GB], three-coloured[GB] (*épith*); **feux ~s** traffic lights; 2 (bleu, blanc, rouge) [*écharpe, ceinture, cocarde*] red, white and blue; **le drapeau ~** the tricolour[GB], the French flag; 3 ○(français) journ French; **l'équipe/l'entreprise ~** the French team/company

tricorne /tʀikɔʀn/ *nm* tricorne

tricot /tʀiko/ *nm* 1 (activité) knitting; **faire du ~** to knit; **~ plat** knitting (on two needles); **~ rond** knitting on four needles *ou* with a circular needle; **les différents points de ~** the different knitting stitches; 2 (ouvrage) knitting ₵; **mon ~** my knitting; **j'ai commencé un ~** I've started knitting something; 3 (étoffe) knitwear; **une robe en ~** a knitted dress; 4 †(pull de femme) sweater, jumper GB, jersey†; (pull d'homme) sweater, jumper GB; (cardigan) cardigan

Composé **~ de corps**† vest GB, undershirt US

tricotage /tʀikɔtaʒ/ *nm* knitting

tricoter /tʀikɔte/ [1]
A *vtr* to knit [*chandail, chaussettes*]; **~ une écharpe à qn** to knit sb a scarf, to knit a scarf for sb; **~ de la laine** to knit with wool; **~ une maille/un rang** to knit a stitch/a row; **~ serré/lâche** to knit tightly/loosely; **un pull tricoté (à la) main** a handknit sweater; **robe tricotée** sweater dress, knitted dress
B *vi* to knit; **~ à la main/machine** to knit by hand/machine; **aiguilles/machine à ~** knitting needles/machine

Idiome **~ des jambes** *ou* **des pinceaux**○ hum to storm along

tricoteur, **-euse** /tʀikɔtœʀ, øz/
A *nm,f* (personne) knitter
B **tricoteuse** *nf* (machine) knitting machine

trictrac /tʀiktʀak/ ▸ p. 469 *nm* trictrac (*early form of backgammon*)

tricycle /tʀisikl/ *nm* tricycle

tridactyle /tʀidaktil/ *adj* tridactyl

trident /tʀidɑ̃/ *nm* 1 Mythol trident; 2 (pour la pêche) trident; 3 (poisson) lesser forkbeard

tridimensionnel, **-elle** /tʀidimɑ̃sjɔnɛl/ *adj* three-dimensional

trièdre /tʀijɛdʀ/
A *adj* trihedral
B *nm* trihedron

triennal, **~e**, *mpl* **-aux** /tʀienal, o/ *adj* 1 (pour 3 ans) three-year (*épith*); 2 (tous les 3 ans) [*exposition, vote*] three-yearly (*épith*), triennial; [*assolement*] three-yearly (*épith*)

trier /tʀije/ [2] *vtr* 1 (pour répartir) to sort [*courrier*]; 2 (pour choisir) to sort [sth] out [*photos, information*]; to select [*clientèle*]; **il faut ~ dans ce qu'elle dit** you can't believe everything she says

Idiome **~ sur le volet** to handpick

trieur, **-euse** /tʀijœʀ, øz/
A ▸ p. 532 *nm,f* (personne) sorter
B *nm* Agric sorting machine, sorter

trieur-calibreur, *pl* **trieurs-calibreurs** /tʀijœʀkalibʀœʀ/ *nm* sorting and grading machine

trifolié, **~e** /tʀifɔlje/ *adj* trifoliate

trifouiller○ /tʀifuje/ [1] *vi* **~ dans qch** to rummage through sth [*placard, affaires*]; to tinker with [*appareil, moteur*]; **qu'est-ce que tu trifouilles?** what are you up to?

triglyphe /tʀiglif/ *nm* triglyph

trigonométrie /tʀigɔnɔmetʀi/ *nf* trigonometry

trigonométrique /tʀigɔnɔmetʀik/ *adj* trigonometric

trijumeau, *pl* **~x** /tʀiʒymo/
A *adj m* trigeminal
B *nm* trigeminal nerve

trilatéral, **~e**, *mpl* **-aux** /tʀilateʀal, o/ *adj* trilateral

trilingue /tʀilɛ̃g/ *adj* [*texte, personne*] trilingual

trille /tʀij/ *nm* 1 Mus trill; 2 (son) **les ~s d'un oiseau** the trilling of a bird

trillion /tʀiljɔ̃/ ▸ p. 568 *nm* trillion

trilobé, **~e** /tʀilɔbe/ *adj* 1 Archit trefoiled; 2 Bot trifoliate

trilogie /tʀilɔʒi/ *nf* trilogy

trimaran /tʀimaʀɑ̃/ *nm* trimaran; **course en ~** trimaran race

trimardeur /tʀimaʀdœʀ/ *nm* vagrant

trimbal(l)age /tʀɛ̃balaʒ/, **trimbal(l)ement**○ /tʀɛ̃balmɑ̃/ *nm* lugging about

trimbal(l)er○ /tʀɛ̃bale/ [1]
A *vtr* to lug [sth] around [*valise, objet*]; to drag [sb] around [*personne*]; **j'ai trimbalé mon correspondant anglais dans tout Paris** I dragged my English pen-friend all over Paris; **qu'est-ce qu'il trimbale!** look at the state of him!

t

B **se trimbal(l)er** *vpr* to trail around; **elle se trimbale partout avec sa mère** she trails around everywhere with her mother; **il se trimbale tous les jours jusqu'à l'autre bout de la ville pour aller travailler** he treks across to the other side of town every day to go to work

trimer○ /tʀime/ [1] *vi* to slave away; **faire ~ qn** to keep sb slaving away

trimestre /tʀimɛstʀ/ *nm* [1] Univ, Scol term; **au premier/deuxième/troisième ~** in the first/second/third term; [2] Fin, Pol, Écon quarter; [3] (somme reçue) quarterly income; (somme payée) quarterly payment

trimestriel, -elle /tʀimɛstʀijɛl/ *adj* [1] Univ, Scol **examen** *or* **contrôle ~** end-of-term exam; **recevoir son bulletin ~** to get one's end-of-term report; [2] [*revue, numéro*] quarterly; [*cotisation, réunion*] quarterly

trimètre /tʀimɛtʀ/ *nm* trimeter

trimoteur /tʀimɔtœʀ/

A *adj* three-engined

B *nm* three-engined plane

tringle /tʀɛ̃gl/ *nf* [1] gén rail; **~ à rideaux** curtain rail, curtain rod US; **~ à vêtements** clothes rail, hanging rail; [2] Tech rod; [3] Archit taenia

tringler /tʀɛ̃gle/ [1] *vtr* [1] Tech to chalk a line on [*tissu, pièce de bois*]; [2] ●(posséder sexuellement) to fuck●

trinitaire /tʀinitɛʀ/ *adj, nmf* Trinitarian

trinité /tʀinite/ *nf* (ensemble) trinity

Trinité /tʀinite/

A *nf* Relig **la ~** the Trinity; (fête) Trinity Sunday; **à Pâques ou à la ~** fig when the cows come home; **il te remboursera à Pâques ou à la ~** you'll be waiting till the cows come home before he pays you back

B *nprf* ▸ **p. 435** (île) Trinidad

trinitrine /tʀinitʀin/ *nf* one per cent nitroglycerin solution

trinitrobenzène /tʀinitʀobɛ̃zɛn/ *nm* trinitrobenzene

trinitrotoluène /tʀinitʀotɔlɥɛn/ *nm* trinitrotoluene

trinôme /tʀinom/ *nm* trinomial

trinquer /tʀɛ̃ke/ [1] *vi* [1] gén to clink glasses; **~ avec qn** lit to clink glasses with sb; fig to go drinking with sb; **~ à qch** to drink to sth; **trinquons à ta réussite!** let's drink to your success!; [2] ○(boire avec excès) to booze○; [3] ○(subir les conséquences de qch) to pay the price; (être puni) to take the rap○; **les parents boivent, les enfants trinquent** the parents drink and the children pay the price; **ils sont tous responsables mais lui seul a trinqué** they are all to blame but he took the rap○

trinquet /tʀɛ̃kɛ/ *nm* foremast

trinquette /tʀɛ̃kɛt/ *nf* forestaysail

trio /tʀi(j)o/ *nm* [1] Mus (œuvre, formation) trio; **~ pour piano, violon et violoncelle** trio for piano, violin and cello; **les ~s de Haydn** Haydn's trios; [2] (groupe de trois personnes) trio (**de** of)

triode /tʀiɔd/ *nf* triode

triolet /tʀijɔlɛ/ *nm* [1] Mus triplet; [2] Littérat triolet

triomphal, ~e, *mpl* **-aux** /tʀijɔ̃fal, o/ *adj* triumphant

triomphalement /tʀijɔ̃falmɑ̃/ *adv* triumphantly, exultantly

triomphalisme /tʀijɔ̃falism/ *nm* triumphalism

triomphaliste /tʀijɔ̃falist/ *adj* triumphalist

triomphant, ~e /tʀijɔ̃fɑ̃, ɑ̃t/ *adj* triumphant

triomphateur, -trice /tʀijɔ̃fatœʀ, tʀis/

A *adj* triumphant

B *nm,f* triumphant victor; **leur pays a été le plus grand ~ aux jeux Olympiques** their country carried off all the medals at the Olympic Games

triomphe /tʀijɔ̃f/ *nm* triumph (**sur** over); **un ~ électoral** an electoral triumph; **avoir un sourire/pousser un cri de ~** to wear a smile/to let out a cry of triumph; **porter qn en ~** to carry sb in triumph; **faire un ~ à qn** to give sb a triumph; **film qui remporte un ~** film which is having tremendous success; **avoir le ~ modeste** to be modest about one's success

triompher /tʀijɔ̃fe/ [1]

A **triompher de** *vtr ind* to triumph over [*adversaire*]; to overcome [*résistance, crainte*]; **la démocratie a triomphé du totalitarisme** democracy has triumphed over totalitarianism

B *vi* [1] (réussir) [*combattant*] to triumph; [*artiste*] to have a resounding success; [*mensonge, vérité*] to prevail; **faire ~ qn/qch** to make sb/sth triumph; [2] (manifester) [*personne*] to be triumphant *ou* exultant

trip○ /tʀip/ *nm* drug users' slang trip○; **c'est pas mon ~!** it's not my scene○ *ou* bag○ US!

tripaille○ /tʀipaj/ *nf* innards (*pl*)

tripale /tʀipal/ *adj* three-bladed

triparti, ~e /tʀipaʀti/ *adj* = **tripartite**

tripartisme /tʀipaʀtism/ *nm* tripartite *or* three-party system

tripartite /tʀipaʀtit/ *adj* Pol, Bot tripartite

tripatouillage○ /tʀipatujaʒ/ *nm* [1] (de comptes, statistiques) fiddling○; [2] (d'élections) rigging ₵; **~s électoraux** vote-rigging, poll-rigging

tripatouiller○ /tʀipatuje/ [1] *vtr* [1] (altérer) to fiddle about○ with, to tamper with [*texte*]; to fiddle○, to rig [*résultats électoraux*]; [2] (bricoler) to fiddle with○, to tinker with [*moteur, machine*]; [3] (tripoter) to fiddle with○, to toy with [*objet*]; to paw○ [*personne*]

tripe /tʀip/

A *nf* [1] Culin tripe ₵; **~s à la mode de Caen** tripe à la mode de Caen; [2] ○(sensibilité) **avoir la ~ patriotique/révolutionnaire** to be a dyed-in-the-wool patriot/revolutionary; **prendre** *or* **saisir aux ~s** to be gut-wrenching○; **chanter/jouer avec ses ~s** to sing/to act from the heart

B **tripes**○ *nfpl* (entrailles) guts, innards; **mettre les ~s de qn à l'air** to rip sb's guts out○; **rendre ~s et boyaux**○ to be as sick as a dog, to spew up◑; **avoir mal aux ~s**○ to have bellyache

triperie /tʀipʀi/ ▸ **p. 532** *nf* (boutique) tripe shop; (commerce) tripe trade

tripette /tʀipɛt/ *nf* **ne pas valoir ~**○ not to be worth a brass farthing○ GB *ou* red cent○ US

triphasé, ~e /tʀifɑze/ *adj* three-phase; **courant ~** three-phase current

triphtongue /tʀiftɔ̃g/ *nf* triphthong

tripier, -ière /tʀipje, ɛʀ/ ▸ **p. 532** *nm,f* tripe butcher

triplace /tʀiplas/ *adj* three-seater

triplan /tʀiplɑ̃/ *nm* triplane

triple /tʀipl/

A *adj* (*before n*) [*rôle, objectif, détonation*] triple (*épith*); **l'avantage est ~** the advantages are threefold; **en ~ exemplaire** in triplicate; **avoir un livre/une photo en ~** to have three copies of a book/a photograph; **~ idiot**○! prize idiot○!

B *nm* **coûter le ~** to cost three times as much, to cost triple *ou* treble the amount; **boire/fumer le ~ de qn** to drink/to smoke three times as much as sb (does), to drink/to smoke triple the amount that sb does; **son salaire est le ~ du mien** he/she earns three times as much as I do *ou* treble what I do

(Composés) **la Triple Alliance** the Triple Alliance; **~ croche** demisemiquaver; **la Triple Entente** Hist the Triple Entente; **~ saut** triple jump

triplé, ~e /tʀiple/

A *nm* Sport hat trick; **réussir un ~** to make it a hat trick

B *nm,f* (enfant) triplet

triplement /tʀipləmɑ̃/

A *adv* (pour trois raisons) in three respects; **il s'est ~ trompé** he was wrong on three counts *ou* in three respects

B *nm* trebling, tripling (**de** of); **~ des effectifs/prix** threefold increase in staff/prices

tripler /tʀiple/ [1]

A *vtr* [1] (multiplier par trois) to treble [*somme, quantité, prix*]; to treble, triple [*épaisseur, dimension, volume*]; [2] (refaire à nouveau) **~ une classe** Scol to repeat a class GB *ou* grade US again

B *vi* [*prix, population, somme, quantité*] to treble, to increase threefold; [*épaisseur, couche*] to treble; **~ de qch** (de valeur, poids, volume, taille) to treble in sth

triplette /tʀiplɛt/ *nf* team of three boules players

triplex® /tʀiplɛks/ *nm inv* [1] (verre de sécurité) Triplex® GB, safety glass; [2] (appartement) three-floor maisonette GB, triplex (apartment) US

triplicata /tʀiplikata/ *nm* third copy; **dactylographier en ~** to type in triplicate

triplure /tʀiplyʀ/ *nf* Cout interlining

Tripoli /tʀipɔli/ ▸ **p. 894** *npr* Tripoli

triporteur /tʀipɔʀtœʀ/ *nm* delivery tricycle

tripot○ /tʀipo/ *nm* [1] (maison de jeu) gambling joint○; [2] (endroit mal famé) dive○

tripotage /tʀipɔtaʒ/ *nm* [1] (attouchements) groping ₵; [2] (intrigue) skulduggery ₵; **les ~s électoraux** electoral skulduggery

tripotée○ /tʀipɔte/ *nf* [1] (volée de coups) (good) hiding○, beating; [2] (défaite) thrashing○, defeat; [3] (ribambelle) **une ~ de** hordes (*pl*) of, a whole slew of○ US

tripoter /tʀipɔte/ [1]

A ○*vtr* [1] (caresser) pej to grope○ péj [*femme, fesses*]; **se faire ~ dans les coins** to get groped in corners; [2] (manier) (nerveusement) to fiddle with [*objet, moustache*]; (distraitement) to finger; **on ne tripote pas les poires, s'il vous plaît!** please don't touch the pears!; **cesse de te ~ le nez!** stop picking your nose!

B ◑**se tripoter** *vpr* to wank● GB, to jerk off●, to masturbate

tripoteur, -euse /tʀipɔtœʀ, øz/

A ○*adj* [*mains*] groping○; **ce qu'il est ~!** he can't keep his hands to himself○!

B *nm,f* ◑(peloteur) groper◑

triptyque /tʀiptik/ *nm* [1] Relig triptych; [2] Littérat, Mus trilogy; [3] Admin triptyque

triquard◑ /tʀikaʀ/ *nm* prisoners' slang *criminal prohibited from entering France or a particular area*

trique /tʀik/ *nf* [1] (gourdin) cudgel; **battre à coups de ~** to cudgel; **recevoir un coup de ~** to be cudgelled[GB]; **enfant qui ne marche qu'à la ~** child who needs a firm hand; [2] ●(érection) **avoir la ~**● to have a hard-on●; [3] ◑prisoners' slang *prohibition from entering certain areas (or whole) of France*

(Idiome) **être maigre** *or* **sec comme un coup de ~** to be as thin as a rake, to be as skinny as a rail US

triquer /tʀike/ [1]

A *vtr* (battre) to thrash

B ●*vi* (avoir une érection) to have a hard-on●

triréacteur /tʀiʀeaktœʀ/ *nm* tri-jet

trirectangle /tʀiʀɛktɑ̃gl/ *adj* trirectangular

trirème /tʀiʀɛm/ *nf* trireme

trisaïeul, ~e /tʀizajœl/ *nm,f* great-great-grandfather/grandmother; **~s** great-great-grandparents

trisannuel, -elle /tʀizanɥɛl/ *adj* triennial

trisecteur, -trice /tʀisɛktœʀ, tʀis/ *adj* trisecting

trisection /tʀisɛksjɔ̃/ *nf* trisection

trisomie /tʀizɔmi/ *nf* trisomy; **~ 21** Down's Syndrome, trisomy 21 spéc

trisomique /tʀisɔmik/

A *adj* Méd [*enfant*] Down's syndrome (*épith*); **être**

~ to have Down's syndrome
B *nmf* Down's syndrome child, trisomic spéc

trisser /tʀise/ [1]
A *vtr* (bisser de nouveau) ~ **qn** to make sb perform a second encore
B *vi* 1 ◑(se sauver) to clear off○, to scoot○, to clear out○ US; 2 [*hirondelle*] to twitter

triste /tʀist/ *adj* 1 (pas gai) [*personne, visage*] sad; [*maison, ville, région*] dreary, depressing; [*ciel, temps, journée*] gloomy; [*histoire, livre, soirée, événement*] sad, depressing; [*couleur*] drab, dreary; [*existence, enfance*] dreary; **être/se sentir** ~ to be/to feel sad; **avoir l'air tout** ~ to look really sad; **c'est une enfant** ~ she's a sad child; **être** ~ **de faire** to be sad to do; **j'étais** ~ **de le voir partir** I was sad to see him go; **être** ~ **à l'idée** *or* **la pensée de qch/de faire** to be sad at the idea *ou* thought of sth/of doing; **elle est** ~ **que je m'en aille** she's sad that I'm leaving; **il est** *or* **c'est** ~ **de faire** it is sad to do; **il est** *or* **c'est** ~ **que** it is sad that; **avoir** ~ **mine** *or* **figure** [*personne*] to look pitiful; **mon gâteau a bien** ~ **mine** my cake is a sorry sight; ▸ **bonnet**; 2 (déplorable) [*résultat, fin, affaire*] dreadful; [*conséquence*] sad; [*spectacle, état*] sorry; **c'est la** ~ **vérité** it's the sad truth; **on l'a retrouvé dans un** ~ **état** he was found in a sorry state; **détenir le** ~ **record d'alcoolisme** to hold the record for heavy drinking, a dubious achievement; **faire la** ~ **expérience de qch** to have learned about sth to one's sorrow; **se lamenter sur son** ~ **sort** to lament one's fate; 3 (méprisable) [*personnage*] unsavoury[GB], disreputable; [*réputation*] dreadful; **un** ~ **imbécile** a despicable character; **un** ~ **sire** a disreputable character

(Idiomes) ~ **comme la pluie** *or* **à mourir** desperately sad; **c'était pas** ~○ it was quite something

tristement /tʀistəmɑ̃/ *adv* 1 (avec tristesse) [*sourire, regarder, se résoudre*] sadly; [*s'habiller*] in drab colours[GB]; **regarder qn** ~ to look at sb sadly; 2 (de façon regrettable) [*révélateur*] all too (*épith*); **c'est** ~ **vrai** unfortunately, it's only too true; **une vie** ~ **ordinaire** a drearily ordinary life

tristesse /tʀistɛs/ *nf* 1 (d'histoire, événement, de personne, musique) sadness; (de lieu, maison, soirée) dreariness; (de ciel, temps, journée) gloominess; **un sentiment de** ~ a feeling of sadness; **un poème empreint de** ~ a poem pervaded with sadness; **la** ~ **des banlieues** the dreariness of the suburbs; **répondre/dire avec** ~ to reply/to say sadly; **c'est avec** ~ **que nous avons appris que** we have learned with sorrow that; **M et Mme Vernet ont la** ~ **de vous faire part du décès de leur fils Pierre** Mr and Mrs Vernet have to inform you of the death of their son Pierre; 2 (événement) sorrow; **les petites joies et les petites** ~**s de la vie** life's little ups and downs

tristounet○, **-ette** /tʀistunɛ, ɛt/ *adj* [*personne, regard, histoire*] rather sad; [*couleur, appartement, temps*] rather dreary

trisyllabe /tʀisil(l)ab/
A *adj* trisyllabic
B *nm* trisyllable

trisyllabique /tʀisil(l)abik/ *adj* trisyllabic

trithérapie /tʀiteʀapi/ *nf* triple-drug therapy

tritium /tʀitjɔm/ *nm* tritium

triton /tʀitɔ̃/ *nm* 1 Zool (mollusque) triton; (amphibien) newt; 2 Mus tritone

Triton /tʀitɔ̃/ *npr* Mythol Triton

trituration /tʀityʀasjɔ̃/ *nf* (d'aliments, de substances) grinding up, trituration spéc; (de papiers, cartons) pulping

triturer /tʀityʀe/ [1] *vtr* 1 (tripoter) to twist [*mouchoir*]; to fiddle with [*bouton*]; to knead [*pâte*]; 2 (broyer) to grind up, triturate spéc [*aliments, substances*]

(Idiome) **se** ~ **la cervelle** *or* **les méninges**○ to rack one's brains○

tritureuse /tʀityʀøz/ *nf* pulvimixer

triumvir /tʀijɔmviʀ/ *nm* triumvir

triumvirat /tʀijɔmviʀa/ *nm* triumvirate

trivalence /tʀivalɑ̃s/ *nf* trivalency

trivalent, ~**e** /tʀivalɑ̃, ɑ̃t/ *adj* trivalent

trivalve /tʀivalv/ *adj* trivalve

trivial, ~**e**, *mpl* **-iaux** /tʀivjal, o/ *adj* 1 (grossier) [*manières, humour*] coarse, crude; 2 (banal) [*objet*] ordinary, everyday (*épith*); [*style*] mundane péj; 3 (simpliste) [*explication, démonstration*] simplistic; 4 Math trivial

trivialité /tʀivjalite/ *nf* 1 (caractère vulgaire) coarseness, crudeness; 2 (caractère banal) triteness, triviality; 3 (parole banale) platitude; 4 (chose banale) triviality

troc /tʀɔk/ *nm* barter; **faire du** ~ to barter (**avec** with); **faire un** ~○ to do a swap○ (**avec** with); **économie de** ~ barter economy

trochaïque /tʀɔkaik/ *adj* trochaic

trochée /tʀɔʃe/ *nm* trochee

troène /tʀɔɛn/ *nm* privet ¢; **une haie de** ~**s** a privet hedge

troglodyte /tʀɔglɔdit/ *nm* 1 (homme) cave-dweller, troglodyte spéc; 2 (oiseau) (winter) wren

trogne○ /tʀɔɲ/ *nf* mug○, face

trognon /tʀɔɲɔ̃/
A ○*adj* [*enfants*] sweet; **ce qu'elle est** ~**, cette gamine!** that kid's really sweet *ou* cute○
B *nm* (de pomme, poire) core; (de salade, chou) stalk; **il est pourri jusqu'au** ~ fig he's rotten to the core

(Idiome) **se faire avoir jusqu'au** ~ to be well and truly had○

Troie /tʀwa/ *nprf* Troy; **la guerre/le cheval de** ~ the Trojan war/horse

troïka /tʀɔika/ *nf* troika

trois /tʀwa/ ▸ **p. 568**, **p. 424**, **p. 222**
A *adj inv, pron, nm inv* three; ▸ **cuiller**
B ○*adv* three, third, thirdly

(Composé) **les** ~ **coups** three knocks (*to signal the curtain is about to rise*)

(Idiomes) **être haut comme** ~ **pommes** to be kneehigh to a grasshopper; **jamais deux sans** ~ bad luck comes in threes

trois-D /tʀwade/ *nf* 3-D

trois-deux /tʀwadø/ *nm inv* Mus three-two time; **en** ~ in three-two time

trois-huit /tʀwaɥit/
A *nm inv* Mus three-eight time; **en** ~ in three-eight time
B *nmpl* Entr system (*sg*) of three eight-hour shifts; **je fais les** ~ I work shifts

troisième /tʀwazjɛm/ ▸ **p. 568**, **p. 222**
A *adj* third
B *nf* Scol *fourth year of secondary school, age 14–15*

(Composé) **le** ~ **âge** the elderly; **club du** ~ **âge** old people's club; Admin senior citizens

troisièmement /tʀwazjɛmmɑ̃/ *adv* thirdly

trois-mâts /tʀwamɑ/ *nm inv* three-master

trois-quarts /tʀwakaʀ/
A *adj inv* [*manches, veste*] three-quarter length
B *nm inv* 1 Mode (manteau) three-quarter length coat; 2 Sport (joueur de rugby) three-quarter; 3 Mus (violon) three-quarter violin
C **de trois-quarts** *loc adj* [*portrait, photo*] three-quarter (*épith*)

trois-quatre /tʀwakatʀ/ *nm inv* Mus three-four time; **en** ~ in three-four time

trolley○ /tʀɔlɛ/ *nm: abbr* = **trolleybus**

trolleybus /tʀɔlɛbys/ *nm inv* trolley bus

trombe /tʀɔ̃b/ *nf* 1 (cyclone) waterspout; **départ en** ~ Sport flying start; **démarrer en** ~ (coureur) to get off to a flying start; (voiture, pilote) to shoot off at high speed; fig (entreprise, économie) to get off to a flying start; **arriver en** ~ to come hurtling in; **partir en** ~ to go hurtling off; **traverser/passer en** ~ to hurtle across/past; 2 (averse) ~**s d'eau** downpour; (masse d'eau) masses of water; **des** ~**s d'eau se sont abattues sur nous** we were caught in a downpour *ou* cloudburst; **le barrage déversait des** ~**s d'eau** masses of water was cascading out of the dam

trombine○ /tʀɔ̃bin/ *nf* mug○, face

trombinoscope○ /tʀɔ̃binɔskɔp/ *nm* gén group photo; Pol *official register of French deputies including photographs*

tromblon /tʀɔ̃blɔ̃/ *nm* 1 (arme) blunderbuss; 2 (dispositif) grenade adaptor

trombone /tʀɔ̃bɔn/ *nm* 1 ▸ **p. 557** (instrument) trombone; ~ **à coulisse/à pistons** slide/valve trombone; 2 (musicien) trombonist, trombone player; 3 (de bureau) paperclip

tromboniste /tʀɔ̃bɔnist/ ▸ **p. 532** *nm* trombonist, trombone player

trompe /tʀɔ̃p/ *nf* 1 Zool (d'éléphant) trunk; (d'insecte, de mollusque) proboscis; 2 ▸ **p. 557** Mus horn; 3 Aut (avertisseur) horn; 4 Archit squinch

(Composés) ~ **de chasse** hunting horn; ~ **à eau** water jet pump; ~ **d'Eustache** Eustachian tube; ~ **de Fallope** Fallopian tube

trompe-la-mort /tʀɔ̃plamɔʀ/ *nmf inv* daredevil

trompe-l'œil /tʀɔ̃plœj/ *nm inv* 1 Art trompe l'oeil; **paysage/façade en** ~ trompe l'oeil landscape/façade; 2 (ce qui fait illusion) smokescreen

tromper /tʀɔ̃pe/ [1]
A *vtr* 1 (duper) [*personne*] to deceive; [*information*] to mislead; **être trompé par qn** to be deceived by sb; ~ **l'opinion publique/les électeurs** to mislead the public/the voters; **nous avons été trompés par les bons résultats/la ressemblance** we were misled by the good results/the resemblance; **on nous a trompés sur la qualité des produits/l'état de la maison** the quality of the goods/the condition of the house was misrepresented; **il y a des signes** *or* **gestes qui ne trompent pas** there's no mistaking the signs; ~ **l'ennemi** to deceive *ou* trick the enemy; 2 (faire des infidélités à) to be unfaithful to (**avec** with), to deceive, to cheat on○ [*mari, femme*]; **il la trompe** he's unfaithful to her; **un mari trompé** a deceived husband; 3 (échapper à) ~ **la vigilance** *or* **surveillance de qn** to slip past sb's guard; ~ **la défense/le gardien de but** to trick the defence[GB]/the goalkeeper; 4 (faire diversion à) to stave off [*désir, besoin*]; ~ **son ennui/sa peur** to stave off one's boredom/one's fear; ~ **la faim** to stave off hunger
B **se tromper** *vpr* 1 (mentalement) to be mistaken (**dans** in); **se** ~ **dans son choix** to be mistaken in one's choice, to make the wrong choice; **se** ~ **sur qn** to be wrong about sb; **je me suis trompé sur leurs intentions** I misunderstood their intentions; **si je ne me trompe** if I'm not mistaken; **il ne faut pas s'y** ~**, qu'on ne s'y trompe pas** make no mistake about it; **le public ne s'y est pas trompé** the public got it right; **se** ~ **sur toute la ligne**○ to be completely wrong; 2 (concrètement) to make a mistake; **tu t'es trompé, il n'y a pas de trait d'union** you've made a mistake, there's no hyphen; **se** ~ **de dix euros/deux heures** to be ten euros/two hours out GB *ou* off US; **se** ~ **de rue/bus** to take the wrong street/bus; **se** ~ **de manteau/clé** to take the wrong coat/key; **se** ~ **de date/jour** to get the date/day wrong; **se** ~ **de numéro/bâtiment** to get the wrong number/building; **se** ~ **de porte** lit (dans la rue) to get the wrong house; (à l'intérieur) to get the wrong door; fig to come to the wrong place

tromperie /tʀɔ̃pʀi/ *nf* 1 gén deceit ¢; **les** ~**s du gouvernement** government deception; ~**s conjugales** infidelities; **il y a** ~ **sur la marchandise**○! I've been sold a lemon○!; 2 Jur misrepresentation ¢

trompette /tʀɔ̃pɛt/
A *nm* (dans un orchestre) trumpet (player); (dans l'armée) bugler; (dans une fanfare) trumpeter
B *nf* 1 ▸ **p. 557** Mus trumpet; ~ **en si** trumpet

t

in B; 2 Zool conch (shell)

(Composés) ~ **bouchée** muted trumpet; ~ **de cavalerie** bugle; ~ **à pistons** valve trumpet

(Idiome) **sans tambour ni** ~ without making a song and dance (about it)

trompette-de-la-mort, *pl* **trompettes-de-la-mort** /tʀɔ̃pɛtdəlamɔʀ/ *nf* Bot horn of plenty

trompettiste /tʀɔ̃petist/ ▸ p. 532 *nmf* trumpet (player)

trompeur, **-euse** /tʀɔ̃pœʀ, øz/ *adj* [*promesse, chiffre*] misleading; [*distance, apparence*] deceptive

tronc /tʀɔ̃/ *nm* 1 (fût) (d'arbre) trunk; (de colonne) shaft; **un** ~ **d'arbre** a tree-trunk; 2 (partie du corps) trunk, torso; (partie de vaisseau, nerf) trunk; 3 (dans église) collection box

(Composés) ~ **commun** (d'espèces, de langues) common origin; (de lignes de bus) joint section; (de disciplines) (common) core curriculum; ~ **de prisme** truncated prism

(Idiome) **se casser le** ~◑ to worry *ou* to get into a sweat○ about things; **ne te casse pas le** ~ **pour si peu!** it's not worth getting into a sweat○ about

troncation /tʀɔ̃kasjɔ̃/ *nf* Ling truncation

troncature /tʀɔ̃katyʀ/ *nf* Ordinat truncation

tronche○ /tʀɔ̃ʃ/ *nf* mug○, face; **avoir une sale** ~ to look like an ugly customer○; **faire une sale/drôle de** ~ to look fed-up○/out of sorts

tronçon /tʀɔ̃sɔ̃/ *nm* gén section; (de tube, bois) length, section; (de phrase, texte) part, section

tronconique /tʀɔ̃kɔnik/ *adj* (shaped) like a truncated cone

tronçonnage /tʀɔ̃sɔnaʒ/ *nm* sawing up, cutting into sections

tronçonner /tʀɔ̃sɔne/ [1] *vtr* to cut [sth] into sections, to saw [sth] up

tronçonneuse /tʀɔ̃sɔnøz/ *nf* 1 (scie portative) chain saw; 2 (machine-outil) power saw

trône /tʀon/ *nm* 1 (de roi) throne; **monter sur le** ~ to come to the throne; **perdre son** ~ to lose one's throne; **héritier du** ~ heir to the throne; **prétendant au** ~ pretender to the throne; **discours du Trône** Queen's/King's speech; **descendre du** ~ (abdiquer) to give up the throne; 2 ○(siège des WC) throne○ GB, can◑ US

trôner /tʀone/ [1] *vi* 1 (être à la place d'honneur) **le professeur trônait au milieu de ses étudiants** the professor was holding court surrounded by his students; ~ **sur** [*vase, photo*] to have pride of place on [*cheminée*]; 2 Pol [*roi, reine*] to sit enthroned

tronquer /tʀɔ̃ke/ [1] *vtr* 1 (couper) to truncate [*texte, déclaration*]; to cut out [*faits, détails*]; 2 Archit **colonne tronquée** truncated column

trop /tʀo/ ▸ p. 691

A *adv* 1 (indiquant un excès) (modifiant un adjectif ou un adverbe) too; (modifiant un verbe) too much; ~ **difficile/court/tôt** too difficult/short/early; **une tâche** ~ **difficile** too difficult a task; **une réaction** ~ **vive** too violent a reaction; ~ **longtemps** too long; **beaucoup** *or* **bien** ~ **lourd/compliqué** far *ou* much too heavy/complicated; **j'ai** ~ **mangé/bu** I've had too much to eat/drink; **elle aime** ~ **son confort** she likes her comfort too much; **j'ai** ~ **dormi** I've slept too much; **il fait** ~ **chaud** it's too hot; **tu travailles** ~ you work too hard; **ça c'est** ~ **fort!** that's (just) too much!; **nous sommes** ~ **nombreux** there are too many of us; **nous sommes** ~ **peu nombreux** there are too few of us; **un écrivain** ~ **peu connu** an author who is sadly little known; **12 euros c'est** ~ **peu** 12 euros is too little; **ce serait** ~ **beau** I'd/you'd/we'd be so lucky; **c'est** ~ **bête!** how stupid!; ~ **enthousiaste** over-enthusiastic; **un fromage** ~ **fait** an overripe cheese; **on n'est jamais** ~ **prudent** you can't

> **ⓘ trop**
>
> *trop*, adverbe modifiant un verbe, se traduit par *too much*. Il se traduit par *too* lorsqu'il modifie un adjectif, un adverbe. Dans le cas d'expressions comme *avoir soif/faim/chaud* traduites par *to be* + adjectif, il se traduit par *too*:
>
> ***j'ai trop froid, je rentre***
> = I'm too cold, I'm going home
>
> Voir exemples supplémentaires et exceptions en **A**.
>
> *trop de*, déterminant indéfini, se traduit par *too many* lorsqu'il est suivi d'un nom dénombrable:
>
> ***trop de livres***
> = too many books
>
> ***trop d'idées***
> = too many ideas
>
> et par *too much* lorsqu'il est suivi d'un nom non dénombrable:
>
> ***trop de travail***
> = too much work
>
> Attention, certains mots dénombrables français ne le sont pas en anglais et réciproquement:
>
> ***trop de meubles***
> = too much furniture
>
> ***trop de monde***
> = too many people
>
> Voir exemples supplémentaires et exceptions en **B**.

be too careful; **j'ai parlé** ~ **vite** I spoke too soon; **tu en as** ~ **dit** (tais-toi) you've already said too much; **elle en fait (un peu)** ~ she overdoes it (a bit); **c'en est** ~**!** that's the end!; **elle a** ~ **peur de tomber/se perdre** she's too scared of falling/getting lost; ~ **peu de gens se rendent compte que** too few people realize that; ~ **malade pour être transporté** too ill to be moved; ~ **beau pour être vrai** too good to be true; **'tu aimes la viande?'—'pas** ~**'** 'do you like meat?'—'not too much'; **il ne faut pas** ~ **s'y fier** don't rely on it too much; **ce n'est pas** ~ **cher/tard** it's not too expensive/late; **nous ne serons pas** ~ **de deux** it'll take at least two of us; **je ne le connais que** ~ I know him only too well; **sans** ~ **savoir si** without really knowing if; **faire qch sans** ~ **y croire** to do sth without really believing in it; **j'ai** ~ **à faire** I've got too much to do; **tu me demandes** ~ you're expecting too much of me; **ils sont** ~ **dans la classe** there are too many pupils in the class; **c'est** ~ **pour moi** it's too much for me; ~ **c'est** ~**!** enough is enough!; ▸ **étreindre**

2 (employé avec valeur de superlatif) ~ **gentil** too kind; ~ **mignon** too sweet *ou* cute○; **c'était** ~ **drôle** it was so funny; **vous êtes** ~ **aimable** you're too kind; **tu es** ~ **bonne pour moi** you're too good for me; **il est** ~ **sympa**○ he's so nice; **elle n'est pas** ~ **contente** she's none too happy; **ça ne va pas** ~ **mal, merci** not so bad, thanks; **je n'en sais** ~ **rien** I don't really know; **ça ne me dit** ~ **rien** I don't really feel like it

3 ○(incroyable) **il est** ~**, lui!** he's too much○!; **c'est** ~**, ça!** that's incredible!

B **trop de** *dét indéf* 1 (avec nom dénombrable) too many; **il y a** ~ **d'accidents** there are too many accidents; **sans** ~ **de problèmes** without too much difficulty; ~ **de fruits** too much fruit; **il y a** ~ **de choses à faire** there's too much to do

2 (avec nom non dénombrable) too much; ~ **de pression/d'importance** too much pressure/importance; **prends du pain, j'en ai** ~ take some bread, I've got too much; **sans** ~ **d'espoir/de mal** without too much hope/trouble; ~ **de monde** too many people

C **de trop, en trop** *loc adv* **trois tomates en** *or* **de** ~ three tomatoes too many; **il y a une assiette en** ~ there's one plate too many; **j'ai dix kilos de bagages en** ~ my luggage is ten kilos over; **j'ai quelques kilos en** ~ I'm a few kilos overweight; **perdez vos kilos en** ~ lose those extra kilos; **si tu as du tissu en** ~ **tu peux faire un coussin** if you have some material left over, you can make a cushion; **il y a 12 euros de** ~ there're 12 euros too many; **sa remarque était de** ~ his remark was uncalled for; **être /se sentir de** ~ to be/to feel one is in the way; **je suis parti, je me sentais de** ~ I left, I felt (as if) I was in the way; **il faut le dire si je suis de** ~**!** iron do tell me if I'm in the way, won't you?; **deux jours ne seraient pas de** ~ **pour finir** it'll take a good two days to finish

D **par trop** *loc adv* = **trop**

trope /tʀɔp/ *nm* trope

tropézien, **-ienne** /tʀɔpezjɛ̃, ɛn/ ▸ p. 894 *adj* of Saint-Tropez

Tropézien, **-ienne** /tʀɔpezjɛ̃, ɛn/ ▸ p. 894 *nm,f* (natif) native of Saint-Tropez; (habitant) inhabitant of Saint-Tropez

trophée /tʀɔfe/ *nm* (tous contextes) trophy; ~ **sportif** sports trophy; ~ **de chasse** hunting trophy

tropical, ~**e**, *mpl* **-aux** /tʀɔpikal, o/ *adj* tropical

tropicaliser /tʀɔpikalize/ [1] *vtr* to tropicalize [*matériau, appareil*]

tropique /tʀɔpik/

A *nm* tropic; ~ **du Cancer/Capricorne** tropic of Cancer/Capricorn

B **les** ~**s** *nmpl* (zone) the tropics; **vivre sous les** ~**s** to live in the tropics

tropisme /tʀɔpism/ *nm* tropism

troposphère /tʀɔpɔsfɛʀ/ *nf* troposphere

trop-perçu, *pl* ~**s** /tʀopɛʀsy/ *nm* 1 (d'argent) overcharge; 2 Jur (d'impôts) overpayment of tax; **remboursement d'un** ~ tax refund

trop-plein, *pl* ~**s** /tʀoplɛ̃/ *nm* 1 (excès) (de liquide) excess; (de choses, personnes) excess number; (d'affection, d'émotion) overabundance; **avoir un** ~ **d'énergie** to have excess energy; **un** ~ **de liquidités** an excess cash-flow; 2 Tech (de lavabo, baignoire) overflow

troquer /tʀɔke/ [1] *vtr* 1 Comm to trade (**contre** for), to barter (**contre** for); 2 (échanger) ~ **qch/qn contre** *or* **pour qch/qn** to exchange *ou* swap sth/sb for sth/sb

troquet○ /tʀɔkɛ/ *nm* bar

trot /tʀo/ *nm* Équit trot; **partir au** ~ to set off at a trot; **faire du** ~ to trot; **aller au** ~ to trot along; **au** ~**!** Équit trot on!; fig at the double GB, on the double US; ▸ **petit**

(Composés) ~ **allongé** Équit extended trot; ~ **assis** Équit sitting trot; ~ **attelé** Équit harness race; ~ **enlevé** Équit rising trot; ~ **monté** Équit trotting race under saddle; ~ **de travail** Équit working trot

Trotski /tʀɔtski/ *npr* Trotsky

trotskisme, **trotskysme** /tʀɔtskism/ *nm* Trotskyism

trotskiste, **trotskyste** /tʀɔtskist/ *adj, nmf* Trotskyite

trotte○ /tʀɔt/ *nf* fair walk; **ça fait une** ~ it's a fair *ou* quite a walk

trotte-menu /tʀɔtməny/ *adj inv* liter **la gent** ~ the mouse tribe

trotter /tʀɔte/ [1] *vi* 1 Équit [*cheval, cavalier*] to trot; 2 (aller à petits pas) [*adulte, souris*] to scurry (about); [*enfant*] to toddle; **il n'a qu'un an et trotte déjà** he's only a year old and is already toddling; 3 fig ~ **dans la tête** [*pensée*] to go through one's mind; [*musique*] to go through one's head; 4 (marcher beaucoup) to be on the go; **j'ai trotté toute la matinée** I've been on the go all morning

trotteur /tʀɔtœʀ/ *nm* 1 Équit trotter; 2 Mode (chaussure) *flat, broad-heeled shoe*; 3 (pour bébés) baby walker

trotteuse /tʀɔtøz/ *nf* (de montre, chronomètre) second hand

trottinement /tʀɔtinmɑ̃/ *nm* Équit jogging ¢

trottiner /tʀɔtine/ [1] *vi* 1 Équit [*cheval*] to jog; 2 (aller à petits pas) [*personne, souris*] to scurry along

trottinette /tʀɔtinɛt/ *nf* (patinette) scooter

trottoir /tʀɔtwaʀ/ *nm* pavement GB, sidewalk US; **sur le ~ d'en face** on the pavement GB *ou* sidewalk US opposite; **le bord du ~** the kerb GB *ou* curb US

(Composé) **~ roulant** Transp moving pavement GB, moving sidewalk US

(Idiome) **faire le ~**○ to be on the game○ GB, to be a hooker○

trou /tʀu/ *nm* 1 (cavité) hole; **tomber dans un ~** to fall into a hole; **un ~ de deux mètres de profondeur** a hole two metres[GB] deep; **~ d'obus** shell hole; 2 (repaire) hole; **se réfugier dans son ~** [*lapin, renard*] to take refuge in its hole; **faire son ~**○ [*personne*] to carve out a niche for oneself; 3 (perforation) (de passoire, ceinture, filet) hole; (d'instrument à vent) finger hole; **faire un ~ dans qch** to make a hole in sth; **faire un ~ à la perçeuse** to drill a hole; **le ~ d'une aiguille** the eye of a needle; 4 (déchirure) hole; **une chemise pleine de ~s** a shirt full of holes; **avoir un ~ à sa chaussette** to have a hole in one's sock; **le ~ dans la couche d'ozone** the hole in the ozone layer; **se faire un ~ dans la tête** to gash one's head badly; 5 (lacune) gap; **j'ai un ~ dans mon emploi du temps** gén I have a gap in my timetable; Scol I have a free period; 6 ○(déficit) deficit, shortfall; **un ~ dans le budget** a budget deficit, a shortfall in the budget; **un ~ de vingt millions** a twenty million deficit; 7 (argent détourné) **il a laissé un ~ de vingt millions** when he left there was twenty million unaccounted for; 8 ○(petite localité): **~ (perdu)** dump○, god-forsaken place; **il n'est jamais sorti de son ~** he's never been out of his own backyard; 9 ◑(prison) prison, nick○; **aller au ~** to go to prison, to go to the nick○; 10 ◑(prison militaire) glasshouse○ GB, military prison; **faire du ~** to be in the glasshouse○ GB, to be in a military prison; 11 ◑(tombe) **être dans le ~** to be six feet under○; **mettre qn dans le ~** to bury sb

(Composés) **~ d'aération** airhole; **~ d'air** Aviat air pocket; **~ de balle**◑ arsehole● GB, asshole◑ US; **~ borgne** Mécan blind hole; **~ de Botal** Anat foramen ovale; **~ du chat** Naut lubber's hole; **~ de cigarette** cigarette burn; **~ du cul**● arsehole● GB, asshole◑ US; **~ de flûte** Mus finger hole; **~ de graissage** Mécan lubrication hole; **~ d'homme** Tech manhole; **~ de mémoire** lapse of memory; **j'ai un ~ (de mémoire)** my mind has gone blank; **~ de nez**○ nostril; **~ noir** Astron black hole; **~ normand** *glass of spirits between courses to aid digestion*; **~ occipital** Anat foramen magnum; **~ d'ozone** ozone hole; **~ de serrure** keyhole; **~ du souffleur** Théât prompt box; **~ de souris** mousehole; **~ de ver** wormhole

(Idiomes) **ne pas avoir les yeux en face des ~s**○ not to be able to see straight; **faire le ~** [*coureur, cycliste*] to open up a lead

troubadour /tʀubaduʀ/ *nm* troubadour

troublant, **~e** /tʀublɑ̃, ɑ̃t/ *adj* 1 (déconcertant) [*problème, anecdote, circonstance*] disturbing; [*coïncidence, document, fait*] disconcerting; **leur ressemblance est ~e** their resemblance is disconcerting; 2 (qui émeut) [*décolleté*] that stirs desire (*épith, après n*)

trouble /tʀubl/

A *adj* 1 (pas transparent) [*eau, vin*] cloudy; [*verres, vitres*] smudgy; 2 (flou) [*image, photo*] blurred; [*contours*] vague, blurred; **j'ai la vue ~** (temporaire) my eyes are blurred; (permanent) I have blurred vision; 3 (équivoque) [*sentiment*] confused; [*relation*] equivocal; (louche) [*affaire, milieu, personnage*] shady; [*comportement*] shifty

B *adv* **je vois ~** (temporaire) my eyes are blurred; (permanent) I have blurred vision

C *nm* 1 (insécurité) unrest; 2 (mésentente, malaise) **semer le ~** to sow discord; **jeter le ~** to stir up trouble; **jeter le ~ dans les esprits** to sow confusion in people's minds; 3 (confusion) confusion; (gêne) embarrassment; **ton ~ était visible** (gêne) you were visibly embarrassed *ou* flustered; **éprouver** *or* **ressentir un certain ~** to feel rather confused; **dominer son ~** to overcome one's confusion; **pour apaiser** *or* **dissiper son ~** to put him/her at ease; 4 (émoi) emotion; **ressentir un ~** to feel an emotion; **le premier ~ amoureux** the first stirrings of love; 5 Méd disorder; **~s digestifs/nerveux/de la vue/du sommeil** (peut-être graves) digestive/nervous/visual/sleep disorders; **de légers ~s gastriques** (pas graves) minor gastric problems; **~s de la personnalité/du comportement/du langage** personality/behavioural[GB]/speech disorders; **~ fonctionnel** functional disorder; **~s de la mémoire** memory problems

D *nmpl* unrest ¢, disturbances; **de graves ~s ont éclaté** serious disturbances have broken out; **réprimer des ~s** to quell unrest; **~s ethniques** ethnic unrest

(Composés) **~ musculo-squelettique**, **TMS** Méd musculoskeletal injury, MSI, RSI; **~ obsessionnel compulsif**, **TOC** Psych obsessive compulsive disorder

trouble-fête* /tʀubləfɛt/ *nmf inv* spoilsport; **jouer les ~** to be a spoilsport

troubler /tʀuble/ [1]

A *vtr* 1 (brouiller) to make [sth] cloudy, to cloud [*eau, vin*]; to blur [*vue, image*]; **~ la réception des images** to interfere with reception; 2 (déranger) to disturb [*silence, sommeil, pays, personne*]; to disrupt [*réunion, spectacle, projets*]; **~ l'ordre public** (un individu) to cause a breach of the peace; (groupe d'insurgés) to disturb the peace; **en ces temps troublés** in these troubled times; 3 (déconcerter) to disconcert [*accusé, candidat, élève*]; **être troublé** (gêné) to be flustered; **être profondément troublé par qch** [*mauvaise nouvelle, mort*] to be deeply disturbed by sth; **quelque chose me trouble** (rendre perplexe) something's bothering *ou* puzzling me; 4 (égarer) to affect [*jugement, raison, esprit, assurance*]; 5 liter (mettre en émoi) to disturb euph [*personne*]

B **se troubler** *vpr* 1 (perdre contenance) [*personne, candidat, accusé*] to become flustered; **répondre sans se ~** to answer without getting flustered; 2 (devenir trouble) [*liquide*] to become cloudy, to cloud; [*idées*] to become confused; **ma vue se troubla** my eyes became blurred

troué, **~e** /tʀue/

A *pp* ▸ **trouer**

B *pp adj* (avec un trou) with a hole in it (*épith, après n*); (avec plusieurs trous) with holes in it (*épith, après n*); **ta chemise est ~e** your shirt has got a hole in it, your shirt has got holes in it; **tout ~** full of holes (*après n*); **être ~ au genou/au coude/dans le dos** [*vêtement*] to have a hole in the knee/in the elbow/in the back; **ton pantalon est ~ aux fesses** you've got a hole in the seat of your trousers *ou* pants US; **mon seau est ~** there's a hole in my bucket; **jeans ~s** ripped jeans

C **trouée** *nf* 1 (ouverture) (dans une haie, un bois) gap, opening; (dans le ciel) break in the clouds; 2 Mil breach; 3 Géog gap, pass

trouer /tʀue/ [1] *vtr* 1 (perforer) (d'un trou) to make a hole in; (de plusieurs trous) to make holes in; **~ de balles** to riddle with bullets; **tu as troué ta chemise** you've made a hole in your shirt; **~ un drap avec une cigarette** to make *ou* burn a hole in a sheet with a cigarette; **j'ai troué mes chaussures** (à la longue) I've worn a hole in my shoe, I've worn holes in my shoes; 2 (former une ouverture) [*passage, porte*] to form an opening in [*muraille, mur*]; **de larges brèches trouaient la muraille** there were large openings in the wall; 3 (transpercer) [*lumière*] to pierce [*nuit, brouillard*]; [*cri*] to pierce [*silence, nuit*]

(Idiomes) **~ la peau à qn**○ to put a bullet in sb○; **tu vas te faire ~ la peau**○ you 're going to get yourself shot

troufignon◑ /tʀufiɲɔ̃/ *nm* arsehole● GB, asshole● US, anus

troufion○ /tʀufjɔ̃/ *nm* soldier, squaddie○ GB, GI US

trouillard◑, **~e** /tʀujaʀ, aʀd/

A *adj* cowardly; **il est très ~** he's very cowardly, he's a real coward *ou* chicken○

B *nmf* chicken○, coward

trouille◑ /tʀuj/ *nf* fear; **avoir la ~** to be scared (**de qch** of sth; **de faire** of doing); **flanquer**○ *or* **foutre**● **la ~ à qn** to scare sb, to give sb a fright; **être mort de ~** to be scared stiff

trouillomètre◑ /tʀujɔmɛtʀ/ *nm* **avoir le ~ à zéro** to be scared stiff

troupe /tʀup/ *nf* 1 Mil troops (*pl*); **la ~** (l'armée) the troops (*pl*), the army; (les simples soldats) the rank and file, the troops; **les ~s** the troops, the army (*sg*); **les ~s de débarquement/de choc** landing/shock troops; **~s aéroportées** airborne troops; **faire intervenir la ~** to call in the troops; **lever des ~s** to raise troops; **des ~s fraîches** fresh troops; **mouvement/déploiement de ~s** troop movement/deployment; **passer les ~s en revue** to review the troops; **servir dans la ~** to serve as a soldier; 2 fig (de syndicat, parti) **les ~s** the troops; 3 Théât, Danse company; (qui voyage) troupe; 4 (groupe) (d'éléphants, de cerfs) herd; (de moutons , d'oiseaux) flock; (de touristes) troop; (d'enfants) band; **en ~** in a band *ou* group; **se déplacer en ~** to go about in a band *ou* group; **en route, mauvaise ~!** hum let's go!; 5 (chez les scouts) troop

troupeau, *pl* **~x** /tʀupo/ *nm* 1 (de bisons, de vaches, d'éléphants, de cerfs) herd; (de moutons, de chèvres) flock; (d'oies) gaggle; 2 (de personnes) péj herd; 3 Relig flock

troupier /tʀupje/ *nm* squaddie GB, soldier; **comique ~** (genre) barrack room humour[GB]; (comédien) ≈ stand-up comic

(Idiomes) **boire comme un ~** to drink like a fish; **fumer comme un ~** to smoke like a chimney; **jurer comme un ~** to swear like a trooper

troussage /tʀusaʒ/ *nm* Culin trussing

trousse /tʀus/ *nf* 1 (pochette) (little) case; 2 (contenu) kit

(Composés) **~ à couture** sewing kit; **~ (d'écolier)** pencil case; **~ de manucure** manicure set; **~ de maquillage** make-up bag; **~ de médecin** doctor's bag; **~ à outils** tool kit; **~ de secours** first-aid kit; **~ de toilette** toilet bag

(Idiomes) **avoir la police aux ~s** to have the police hot on one's heels; **être aux ~s de qn** to be hot on sb's heels

trousseau, *pl* **~x** /tʀuso/ *nm* 1 (de clés) bunch; **un ~ de clés** a bunch of keys; 2 (de mariée) trousseau; (d'enfant) clothes (*pl*)

troussequin /tʀuskɛ̃/ *nm* 1 Équit cantle; 2 Tech marking gauge

trousser /tʀuse/ [1] *vtr* 1 Culin to truss [*volaille*]; 2 liter (rédiger) skilfully[GB] to dash off [*poème, compliment*]; **une biographie bien troussée** a skilfully[GB] written biography

trousseur† /tʀusœʀ/ *nm* **~ de jupons**○ womanizer

trou-trou, *pl* **~s** /tʀutʀu/ *nm* openwork ¢

trouvaille /tʀuvaj/ *nf* 1 (découverte) find; (invention) invention; **faire une ~** (trouver un objet) to make a find; (apprendre qch) to discover sth new; **fais-moi voir tes ~s** show me what you've found; **tu parles d'une ~!** iron so what's new!; 2 (idée originale) innovation; **un**

spectacle plein de ~s a show full of innovations

trouvé, **~e** /tʀuve/

A *pp* ▸ **trouver**

B *pp adj* [*image, métaphore, comparaison*] well-chosen; **réplique bien ~e** neat riposte; **tout ~** [*réponse, solution, prétexte*] ready-made; [*coupable, candidat*] obvious; **vous êtes la personne toute ~e pour ce travail** you're the very person we need for the job

trouver /tʀuve/ [1]

A *vtr* **1** (par hasard) to find [*parapluie, chat, cadavre*] (**en faisant** while doing); **où as-tu trouvé ça?** where did you find that?; **nous avons trouvé un petit hôtel charmant** we found a charming little hotel; **~ qch dans un tiroir/la rue/le bus** to find sth in a drawer/in the street/on the bus; **c'est surprenant de vous ~ ici!** I'm surprised to find you here!; **on trouve de tout ici** they have everything here; **~ qch par hasard** to come across sth; **j'ai trouvé Luc au supermarché** I ran into Luc at the supermarket

2 (découvrir en cherchant) to find [*personne, clés, gants, numéro de téléphone, erreur*]; **il a trouvé la maison/femme de ses rêves** he found the house/woman of his dreams; **~ l'amour/la paix** to find love/peace; **j'ai trouvé quelqu'un à qui demander conseil** I've found someone to go to for advice; **elle a trouvé quelqu'un qui peut la renseigner/l'aider** she's found somebody who can give her the information/help her; **alors tu le trouves ce livre?** have you found that book yet?; **~ son chemin** to find one's way; **j'ai eu du mal à ~ leur maison** I had trouble finding their house; **tu trouveras à manger dans la cuisine** you'll find something to eat in the kitchen; **~ ce que l'on cherche** to find what one is looking for; **les médecins n'ont pas trouvé ce qu'il avait** the doctors couldn't find what was wrong with him; **ils ont trouvé qui a volé la voiture** they found the person who stole the car; **~ de quoi écrire** to find something to write with; **vous le trouverez à son bureau/chez lui** you'll find him in his office/at home; **savez-vous où je peux la ~?** do you know where I can find her?; **veuillez ~ ci-joint...** (dans une lettre) please find enclosed...; **j'ai trouvé!** I've got it!; **combien trouves-tu dans le premier exercice?** what answer did you get for the first exercise?; **tu as trouvé ça tout seul?** iron did you work that out all by yourself?; **si tu continues tu vas me ~**○**!** don't push your luck○!; **il va ~ à qui parler** he's going to be for it○; ▸ **chaussure**

3 (se procurer) to find [*emploi, appartement, associé*]; **il ne trouve pas de travail** he can't find a job; **j'ai trouvé une amie en elle** I found a friend in her; **~ une consolation dans** to find consolation in; **~ du plaisir/une satisfaction dans qch/à faire** to get pleasure/satisfaction out of sth/out of doing; **~ un réconfort dans** to take comfort in; **il ne nous reste plus qu'à ~ le financement** all we have to do now is get financial backing

4 (voir) to find; **~ qch dans un état lamentable** to find sth in an appalling state; **~ qch cassé/déchiré/ouvert** to find sth broken/torn/open; **~ qn debout/couché/assis** to find sb standing/lying down/sitting down; **~ qn malade/en pleurs/mort** to find sb ill/in tears/dead; **il a été trouvé mort dans son lit un matin** he was found dead in his bed one morning; **~ qn en train de faire** to find sb doing; **je les ai trouvés en train de fouiller dans mes affaires** I found them rummaging through my belongings; **ils sont tous venus me ~ après le cours** they all came to see me after the class; **je vais aller ~ le responsable du rayon** I'm going to go and see the head of the department

5 (estimer) **~ qn gentil/adorable/pénible** to think sb is nice/adorable/tiresome; **je trouve ça bizarre/drôle/inadmissible** I think it's strange/funny/intolerable; **comment trouves-tu mon gâteau?** what do you think of my cake?; **comment trouves-tu mon ami?** what do you think of my friend?, how do you like my friend?; **~ triste de faire** to find it sad to do; **il trouve (ça) dommage de ne pas en profiter** he thinks it's a shame not to take advantage of it; **j'ai trouvé bon de vous prévenir** I thought it right to warn you; **~ un intérêt à qch/faire** to find sth interesting/find it interesting to do; **~ des qualités/défauts à qch/qn** to see good qualities/faults in sth/sb; **elle ne me trouve que des défauts** she only sees my faults; **je me demande ce qu'elle lui trouve!** I wonder what she sees in him!; **elle m'a trouvé bonne/mauvaise mine** she thought I looked well/didn't look well; **je te trouve bien calme, qu'est-ce que tu as?** you're very quiet, what's the matter?; **~ que** to think that; **tu trouves que j'ai tort/raison?** do you think I'm wrong/right?; **ils ont trouvé que j'exagérais** they thought I was going too far; **tu trouves?** do you think so?; **je ne trouve pas qu'il est** *or* **soit méchant** I don't think he's so bad

6 (imaginer) to come up with [*raison, excuses, moyen, produit*]; **~ une astuce** to come up with a crafty solution; **ils ont trouvé un nouveau système** they've come up with a new system; **~ à s'amuser/s'occuper** to find sth to play with/do; **~ qch à dire sur** to find sth to say about; **~ à redire** to find fault; **~ le moyen de faire** aussi iron to manage to do; **il n'a rien trouvé de mieux que de le leur répéter!** iron he WOULD have to go and tell them!

B se trouver *vpr* **1** (être situé) to be; **se ~ à Rome/dans l'avion/au bord de la rivière** to be in Rome/on the plane/on the river bank; **le résumé se trouve page 11** the summary is on page 11; **se ~ incapable** *or* **dans l'impossibilité de faire** to be unable to do; **je me trouvais seule chez moi** I was home alone

2 (se retrouver) [*personne*] to find oneself [*bloqué, pris, isolé*]; [*projet*] to be [*compromis, entravé*]; [*ville, région, pays*] to be [*assiégé, envahi, inondé*]; **se ~ confronté à de grosses difficultés** to have run into major problems

3 (se sentir) to feel; **se ~ mal à l'aise quelque part** to feel uneasy somewhere; **se ~ embarrassé** to feel embarrassed; **se ~ bien quelque part** to be happy somewhere; **se ~ mal** to pass out; **j'ai failli me ~ mal** I nearly passed out

4 (se considérer) **il se ~ beau/laid** he thinks he's good-looking/ugly

5 (se procurer) to find oneself [*emploi, logement, voiture*]; to find [*raisons, excuses, motif*]; **trouve-toi une occupation** find yourself something to do; **elle s'est trouvé un petit ami** she's found herself a boyfriend

C *v impers* **il se trouve que je le connais** I happen to know him; **il se trouve que nous nous connaissons** we happen to know each other; **il se trouve que je le savais** as it happens, I already knew; **il se trouve qu'elle ne leur avait rien dit** as it happened, she hadn't told them anything; **il ne s'est trouvé que dix personnes pour accepter** in the event, only ten people accepted; **ça s'est trouvé comme ça**○ it just happened that way; **si ça se trouve**○ **ça te plaira/tu les verras** you might like it/see them; **si ça se trouve**○ **il est mort/ne viendra pas** he might be dead/not come

trouvère /tʀuvɛʀ/ *nm* trouvère (*poet in the Middle Ages in northern France*)

troyen, **-enne** /tʀwajɛ̃, ɛn/ ▸ **p. 894** *adj* Trojan

truand /tʀyɑ̃/ *nm* **1** (membre de la pègre) gangster, mobster; **2** (escroc) crook

truander○ /tʀyɑ̃de/ [1]

A *vtr* to con○ [*personne*]; **~ sur qch** to cheat on sth

B *vi* to cheat

trublion /tʀyblijɔ̃/ *nm* troublemaker

truc /tʀyk/ *nm* **1** ○(procédé) knack; **trouver le ~ pour faire qch** to find the knack of doing sth; **avoir un ~ pour gagner de l'argent** to know a good way of making money; **ça y est, j'ai pigé le ~**○ that's it, I've got it; **2** ○(chose) thing; (dont on a oublié le nom) thingummy○, whatsit○; **qu'est-ce que c'est que ce ~?** what on earth is that thing○?; **il y a un tas de ~s à faire dans la maison** there are loads○ of things to do in the house; **c'est pas mal ton ~** it's not bad, that thing of yours○; **passe-moi le ~ qui est sur la table** pass me the thingummy○ *ou* whatsit○ on the table; **3** ○(fait quelconque) thing; **il y a un ~ qui ne va pas** there's something wrong; **ils nous ont raconté des ~s épouvantables** they told us some dreadful things; **je viens juste de penser à un ~** I've just thought of something; **le vélo, c'est pas mon ~**○ cycling's not my thing; **moi, mon ~ c'est les vacances à la campagne** what I love are holidays GB *ou* vacations US in the country; **c'était une maison superbe, gigantesque, au bord de la mer, tu vois le ~!** it was a fantastic house, enormous, by the sea, do you get the idea?; **4** (savoir-faire) trick; **un ~ du métier** a trick of the trade; **y'a un ~**○ there's a trick to it; **5** ○(personne) what's-his-name/what's-her-name; **6** Cin, Théât (trucage) special effect

trucage, **truquage** /tʀykaʒ/ *nm* **1** Cin, Théât special effect; **le ~ des images** the making of special visual effects; **des ~s optiques** optical effects; **2** (de comptes, dossier) doctoring; (d'élections) rigging, fixing

truchement /tʀyʃmɑ̃/ *nm* **1** †(interprète) interpreter; **2** (intermédiaire) liter **par le ~ de qch** through sth; **par le ~ de qn** through the intervention of sb

trucider◑ /tʀyside/ [1] *vtr* to bump off○, to kill

truck /tʀœk/ *nm* flat truck GB, flatcar US

trucmuche○ /tʀykmyʃ/ *nm* thingumabob○; **hé, ~!** hey, thingumabob○!

truculence /tʀykylɑ̃s/ *nf* earthiness

truculent, **~e** /tʀykylɑ̃, ɑ̃t/ *adj* [*histoire, style, personne*] earthy

truelle /tʀyɛl/ *nf* **1** Constr trowel; **2** Culin fish slice

truffe /tʀyf/ *nf* **1** (champignon, chocolat) truffle; **2** (de chien) nose

truffer /tʀyfe/ [1] *vtr* **1** Culin to stuff [sth] with truffles [*pâté, dinde*]; **2** (remplir) **il a truffé son discours de citations** he stuffed his speech with quotations; **la pièce était truffée de micros** the room was larded with bugging devices; **ta lettre est truffée de fautes** your letter is riddled with mistakes

truffier, **-ière** /tʀyfje, ɛʀ/

A *adj* [*chêne*] truffle (*épith*); [*chien, porc*] truffle-sniffing (*épith*); [*région*] truffle-rich (*épith*)

B truffière *nf* truffle ground

truie /tʀɥi/ *nf* Zool sow

truisme /tʀɥism/ *nm* truism

truite /tʀɥit/ *nf* Zool, Culin trout; **~ aux amandes** trout with almonds

(Composés) **~ arc-en-ciel** rainbow trout; **~ au bleu** *trout poached alive*; **~ de mer** sea trout; **~ de rivière** brook trout; **~ saumonée** salmon trout

truité, **~e** /tʀɥite/ *adj* [*chien*] spotted; [*cheval*] dappled; [*poterie*] crackled

trumeau, *pl* **~x** /tʀymo/ *nm* **1** Archit (entrefenêtre) pier; (de cheminée) overmantel; (pilier) pillar; **2** Culin shin

truquer /tʀyke/ [1] *vtr* **1** (altérer) to fiddle○ [*comptes, résultats*]; to doctor [*dossier, déclaration*]; **2** Jeux to load [*dés*]; to mark [*cartes*]; **3** (fausser) to fix, to rig [*enquête, élections, match*]; **un combat truqué** a rigged fight

truquiste /tʀykist/ ▸ **p. 532** *nmf* Cin special effects technician

trusquin /tʀyskɛ̃/ *nm* marking gauge

trust /tʀœst/ *nm* (groupement) trust; (entreprise puissante) trust, cartel; **loi anti-~** anti-trust law

truster○ /tʀœste/ [1] *vtr* to bag○, to monopolize

trypanosome /tʀipanɔzom/ *nm* trypanosome

trypsine /tʀipsin/ *nf* trypsin

tryptophane /tʀiptɔfan/ *nm* tryptophane

tsar /tsaʀ/ *nm* tsar, czar

tsarévitch /tsaʀevitʃ/ *nm* tsarevitch, czarevitch

tsarine /tsaʀin/ *nf* tsarina, czarina

tsariste /tsaʀist/ *adj*, *nmf* tsarist, czarist

tsé-tsé* /tsetse/ *nf inv* **(mouche)** ~ tsetse (fly)

TSF† /tesɛf/ *nf* (*abbr* = **télégraphie sans fil**) **(poste de)** ~ wireless†, radio

T-shirt /tiʃœʀt/ *nm* T-shirt

tsigane /tsigan/ = **tzigane**

tsoin-tsoin, tsouin-tsouin* /tswɛ̃tswɛ̃/ *excl* boom-boom!

tss-tss /tsts/ *excl* tut-tut!

tsunami /tsunami/ *nm* tsunami

TSVP (*written abbr* = **tournez s'il vous plaît**) PTO GB, over US

TTBM◑ /tetebeɛm/ *adj inv* (*abbr* = **très très bien monté**) hum well hung◑, hung like a horse◑

TTC /tetese/ *loc adv*: *abbr* ► **taxe**

tu[1] /ty/ *pron pers* ① gén you; ~ **es en retard** you're late; ~ **n'as pas peint la porte** you haven't painted the door; **crois-~ que...?** do you think that...?; ② Relig you, thou‡

(Idiome) **être à ~ et à toi avec qn** to be on familiar terms with sb, to be pally○ with sb

tu[2] /ty/ *nm* **l'emploi du ~** the use of the 'tu' form; **dire ~ à qn** to address sb using the 'tu' form; **on se dit ~** let's address one another using the 'tu' form

TU (*written abbr* = **temps universel**) UT

tuant○, **~e** /tɥɑ̃, ɑ̃t/ *adj* [*travail, voyage*] exhausting, knackering◑; [*personne*] exhausting

tub /tœb/ *nm* (bath)tub

tuba /tyba/ *nm* ① ► **p. 557** Mus tuba; ② Sport snorkel

tubage /tybaʒ/ *nm* ① Méd intubation; ~ **gastrique/du larynx** gastric/laryngeal intubation; ② Mines (well) casing

tubard◑, **~e** /tybaʀ, aʀd/
A *adj* [*personne*] consumptive
B *nm,f* consumptive, TB case○

tube /tyb/
A *nm* ① (objet cylindrique) tube; (tuyau) pipe; ~ **de verre/de métal** glass/metal tube; ~ **gradué** graduated tube; ② (emballage) (de comprimés) tube; (de dentifrice, peinture, colle) tube; ③ ○(chanson à succès) hit; **le ~ de l'été** the hit of the summer; ④ (lampe) tube, lamp; ~ **luminescent/fluorescent** luminescent/fluorescent tube
B à pleins tubes○ *loc adv* **mettre le son à pleins ~s**○ to turn the sound right up○; **écouter un disque à pleins ~s**○ to listen to a record at full blast; **rouler à pleins ~s**○ to drive flat out; **déconner à pleins ~s**○ (faire des erreurs) to do really stupid things; (dire des bêtises) to talk a load of rubbish○

(Composés) ~ **acoustique** speaking tube; ~ **capillaire** capillary tube; ~ **cathodique** cathode ray tube; ~ **compte-gouttes** dropper tube; ~ **criblé** sieve tube; ~ **digestif** digestive tract; ~ **électronique** electronic tube; ~ **à essai** test tube; ~ **lance-torpilles** torpedo tube; ~ **au néon** neon tube; ~ **pollinique** pollen tube; ~ **de rouge à lèvres** lipstick

tuber /tybe/ [1] *vtr* Mines, Tech to tube [*sondage, puits*]

tubercule /tybɛʀkyl/ *nm* ① Bot tuber; ② Anat tuberosity; ③ Méd tubercle

tuberculeux, **-euse** /tybɛʀkylø, øz/
A *adj* ① Méd [*patient*] tubercular; ② Bot [*plante*] tuberous
B *nm,f* Méd TB *ou* tuberculosis sufferer

tuberculine /tybɛʀkylin/ *nf* tuberculin

tuberculinique /tybɛʀkylinik/ *adj* [*test, réaction*] tuberculin

tuberculose /tybɛʀkyloz/ ► **p. 283** *nf* tuberculosis, TB; ~ **pulmonaire/rénale/génitale** pulmonary/renal/genital tuberculosis

tubéreux, **-euse** /tybeʀø, øz/
A *adj* [*plante*] tuberous
B tubéreuse *nf* tuberose

tubérosité /tybeʀozite/ *nf* ① Bot tubercle; ② Anat (des os) tuberosity

tubulaire /tybylɛʀ/ *adj* tubular

tubulé, **~e** /tybyle/ *adj* ① Bot [*fleur*] tubular; ② Tech tubulate

tubuleux, **-euse** /tybylø, øz/ *adj* ① Bot tubular; ② Anat tubulous

tubulure /tybylyʀ/ *nf* ① Tech (ensemble des tubes) tubing; (orifice) connection piece, neck; ② (conduit) neck, nozzle, pipe

(Composés) ~ **d'admission** inlet manifold; ~ **d'échappement** exhaust manifold

TUC /tyk/ *nm* ① (*abbr* = **travaux d'utilité collective**) paid community service (*for the young unemployed*); ② *abbr* ► **temps**

tuciste /tysist/ *nmf*: *young unemployed person on paid community service*

tudesque /tydɛsk/ *adj* Teutonic

tudieu‡ /tydjø/ *excl* zounds‡!

tué /tɥe/ *nm* person killed; **sept ~s, cinq blessés** seven people killed, five injured

tue-mouches /tymuʃ/ *adj inv* **papier ~** fly-paper

tuer /tɥe/ [1]
A *vtr* ① (faire mourir) to kill [*personne, animal, plante*]; **trois civils ont été tués par un commando** three civilians were killed by a commando; **onze touristes ont été tués dans un accident** eleven tourists have been killed in an accident; ~ **un sanglier/une poule/une vipère** to kill a boar/a hen/an adder; ~ **qn en duel** to kill sb in a duel; **l'alcool tue** alcohol kills; **la route tue** cars can kill; **tu ne tueras point** Bible thou shalt not kill; ~ **qn d'un coup de fusil** *or* **par balles** to shoot sb dead; **elle a été tuée d'une balle dans la tête** she was shot in the head and killed; **six personnes ont été tuées par balles** six people were shot dead; ~ **qn à coups de bâton** to beat sb to death; ~ **qn à coups de pierres** to stone sb to death; ~ **qn à coups de matraque** to club sb to death; ~ **qn par strangulation** to strangle sb; ~ **le cochon** to kill the pig; ► **mère, ours, poule, veau**; ② (détruire) to kill [*amour, initiative, petit commerce*]; ③ ○(épuiser) (physiquement) [*personne, travail*] to kill; **les enfants m'ont tuée ce matin** the children have worn me out *ou* run me ragged○ this morning; **tu sais, quelquefois tu me tues!** I think you'll be the death of me!
B se tuer *vpr* ① (trouver la mort) [*personne*] to be killed; **se ~ en voiture** *or* **dans un accident de voiture** to be killed in a car accident; **il s'est tué en tombant du toit** he fell to his death from a roof; ② (se suicider) to kill oneself; **il a préféré se ~** he chose to kill himself; ③ ○(s'épuiser) **se ~ au travail** *or* **à la tâche** to work oneself to death; **se ~ à faire** to kill oneself doing; **je me tue à te le dire** I keep on telling you

(Idiome) ~ **le temps** to kill time

tuerie /tyʀi/ *nf* killings (*pl*)

tue-tête: **à tue-tête** /atytɛt/ *loc adv* [*chanter, crier*] at the top of one's voice

tueur, **-euse** /tɥœʀ, øz/
A *adj* [*cellule*] killer
B *nm,f* ① (assassin) killer; ② (chasseur) hunter; ~ **d'éléphants** elephant hunter; ③ ► **p. 532** (ouvrier d'abattoir) slaughterman/slaughterwoman

(Composés) ~ **à gages** hired *ou* professional killer; ~ **en série** serial killer

tuf /tyf/ *nm* tuff; ~ **calcaire** calcareous tufa

tuile /tɥil/ *nf* ① Constr tile; ~ **ronde** pantile; ~ **plate** (flat) roofing tile; ② ○(événement fâcheux) blow; **tu parles d'une ~!** what a blow!

(Composés) ~ **aux amandes** Culin *almond biscuit*; ~ **faîtière** ridge tile; ~ **mécanique** interlocking pantile; ~ **romaine** pantile

tuilerie /tɥilʀi/ *nf* ① (industrie) tilemaking industry; ② (usine) tile factory

tuilier, **-ière** /tɥilje, ɛʀ/
A *adj* [*industrie*] tilemaking
B ► **p. 532** *nm,f* tilemaker

tularémie /tylaʀemi/ *nf* tularemia

tulipe /tylip/ *nf* ① Bot tulip; ② (ornement) (lampe) tulip-shaped lamp

tulipier /tylipje/ *nm* tulip tree

tulle /tyl/ *nm* tulle

tuméfaction /tymefaksjɔ̃/ *nf* (phénomène, résultat) tumefaction

tuméfier /tymefje/ [2] *vtr* to make [sth] swell up [*partie du corps*]; **avoir les paupières tuméfiées** to have swollen eyelids

tumescence /tymɛsɑ̃s/ *nf* tumescence

tumescent, **~e** /tymɛsɑ̃, ɑ̃t/ *adj* tumescent

tumeur /tymœʀ/ *nf* tumour[GB]; ~ **au sein/cerveau** breast/brain tumour[GB]; ~ **bénigne/maligne** benign/malignant tumour[GB]

tumoral, **~e**, *mpl* **-aux** /tymɔʀal, o/ *adj* tumorous

tumulte /tymylt/ *nm* ① (désordre bruyant) uproar; **s'achever dans le ~** to end in uproar; ② (agitation) turmoil

tumultueusement /tymyltɥøzmɑ̃/ *adv* tumultuously

tumultueux, **-euse** /tymyltɥø, øz/ *adj* [*période, séance, journée*] turbulent; [*vie, jeunesse*] turbulent, tempestuous; [*relations, entrevue*] stormy

tumulus /tymylys/ *nm inv* burial mound, tumulus spéc

tuner /tynɛʀ/ *nm* tuner

tungstène /tœ̃gstɛn/ *nm* tungsten

tunique /tynik/ *nf* ① Antiq, Mil, Mode tunic; ② Anat tunic, tunica spéc; ③ Relig tunic, tunicle

Tunis /tynis/ ► **p. 894** *npr* Tunis

Tunisie /tynizi/ ► **p. 333** *nprf* Tunisia

tunisien, **-ienne** /tynizjɛ̃, ɛn/ ► **p. 561** *adj* Tunisian

Tunisien, **-ienne** /tynizjɛ̃, ɛn/ ► **p. 561** *nm,f* Tunisian

tunnel /tynɛl/ *nm* ① Transp tunnel; ~ **routier/ferroviaire** road/railway tunnel; **le ~ sous la Manche** the Channel Tunnel; **creuser un ~** to dig a tunnel; ② Tech tunnel; ③ Phys **effet ~** tunnel effect

(Composé) ~ **aérodynamique** wind tunnel

(Idiomes) **voir le bout du ~** to see light at the end of the tunnel; **être au bout du ~** to be at the end of the tunnel

tunnelier /tynəlje/ *nm* rotary digger shield

TUP /typ/ *nm* ► **titre**

tuque /tyk/ *nf* Can knitted cap

turban /tyʀbɑ̃/ *nm* turban

turbin○ /tyʀbɛ̃/ *nm* daily grind○, work; **aller au ~** to go to work

turbine /tyʀbin/ *nf* turbine; ~ **hydraulique/à vapeur/à gaz** hydraulic/steam/gas turbine; ~ **à action/réaction** action/reaction turbine

turbiner○ /tyʀbine/ [1] *vi* to slog away○, to work hard

turbo /tyʀbo/
A *nm* Aut turbo; **un ~ diesel** a turbo-diesel
B ○*nf* Aut turbo (model); **une 205 ~ diesel** a 205 turbo-diesel

(Idiome) **mettre le ~**○ to go into overdrive

t

turbocompresseur /tyʀbokɔ̃pʀesœʀ/ *nm* turbocharger
turbomoteur /tyʀbomɔtœʀ/ *nm* turbine engine
turbopompe /tyʀbopɔ̃p/ *nf* turbopump, turbine-pump
turbopropulseur /tyʀbopʀɔpylsœʀ/ *nm* turbopropellor
turboréacteur /tyʀboʀeaktœʀ/ *nm* turbojet (engine)
turbot /tyʀbo/ *nm* turbot
turbotrain /tyʀbotʀɛ̃/ *nm* turbotrain
turbulence /tyʀbylɑ̃s/ *nf* 1 (tourbillon) turbulence ₵; **traverser une zone de ~s** to go through an area of turbulence; 2 (indiscipline) unruliness; (agitation) unrest ₵; **~s boursières/politiques** stock market/political unrest
(Composé) **~ atmosphérique** turbulence ₵
turbulent, **~e** /tyʀbylɑ̃, ɑ̃t/ *adj* [*enfant*] unruly; [*classe*] rowdy, unruly; [*vie*] turbulent; [*adolescent, région, ville*] rebellious; **être ~ en classe** to be disruptive in class
turc, **turque** /tyʀk/ ▸ **p. 483, p. 561**
A *adj* Turkish; **toilettes** *or* **WC à la turque** hole-in-the-ground toilet; **à la turque** Mus alla turca
B *nm* Ling Turkish
Turc, **Turque** /tyʀk/ ▸ **p. 561** *nm,f* Turk; ▸ **grand, fort**
turf /tœʀf/ *nm* 1 (courses) **le ~** (horse) racing, the turf; (terrain)† racecourse GB, racetrack; 2 ○(travail) work; 3 ◑(prostitution) prostitution
turfiste /tœʀfist/ *nmf* racegoer, punter○ GB
turgescence /tyʀʒesɑ̃s/ *nf* turgescence
turgescent, **~e** /tyʀʒesɑ̃, ɑ̃t/ *adj* turgescent
turgide /tyʀʒid/ fml *adj* swollen, turgid sout
turista○ /tuʀista/ ▸ **p. 283** *nf* Montezuma's revenge○, acute attack of diarrhoea (*experienced by tourists*)
turkmène /tyʀkmɛn/ ▸ **p. 483, p. 561** *adj, nm* Turkmen
Turkmène /tyʀkmɛn/ *nmf* ▸ **p. 561** Turkmen
Turkménistan /tyʀkmenistɑ̃/ ▸ **p. 333** *nprm* Turkmenistan
turlupiner○ /tyʀlypine/ [1] *vtr* [*idée, problème*] to bother, to bug○
turne◑ /tyʀn/ *nf* room
turnover /tœʀnɔvœʀ/ *nm* turnover
turpide /tyʀpid/ *adj* fml base, low
turpitude /tyʀpityd/ *nf* 1 (caractère) turpitude sout, depravity; 2 (acte) base act; (parole) low remark
turque ▸ **turc**
Turquie /tyʀki/ ▸ **p. 333** *nprf* Turkey
turquoise /tyʀkwaz/ ▸ **p. 202**
A *adj inv* turquoise; **bleu ~** turquoise blue
B *nm* (couleur) turquoise
C *nf* Minér turquoise
tutélaire /tytelɛʀ/ *adj* 1 (qui protège) tutelary, protecting (*épith*); 2 Jur tutelary
tutelle /tytɛl/ *nf* 1 Jur (d'enfant, adulte) guardianship, tutelage; **placer qn sous ~** to place sb in the care of a guardian; **~ légale** legal guardianship; 2 Admin ≈ supervision; **être placé sous ~ administrative** to be placed under administrative supervision; **autorité de ~** supervision authority; 3 (en droit international) **(régime de) ~** trusteeship; **territoire sous ~** trust territory; 4 (dépendance) supervision, domination; **sous la ~ de qn** under the domination of sb; **sous ~** under supervision; **tenir qn en ~** to hold dominion over sb; **~ politique** political domination; 5 (protection) protection; **la ~ des lois** the protection of the law; **organisme de ~** parent body
tuteur, **-trice** /tytœʀ, tʀis/
A *nm,f* 1 Jur guardian; **~ légal/testamentaire** legal/testamentary guardian; 2 ▸ **p. 532** Scol, Univ tutor
B *nm* Bot stake, support
tuteurage /tytœʀaʒ/ *nm* Bot staking
tutoiement /tytwamɑ̃/ *nm* use of the form 'tu'
tutorat /tytɔʀa/ *nm* 1 Scol, Univ tutorial system; 2 Jur system of guardianship
tutoyer /tytwaje/ [23]
A *vtr* to address [sb] using the 'tu' form; fig to be on familiar terms with [*auteurs classiques*]
B **se tutoyer** *vpr* to address one another using the 'tu' form
tutrice ▸ **tuteur**
tutti frutti /tut(t)ifʀutti/ *nm inv* tutti frutti
tutti quanti○ /tutikwɑ̃ti/ *nm* **et ~** and all the rest
tutu /tyty/ *nm* Danse tutu
Tuvalu /tyvaly/ ▸ **p. 333, p. 435** *nprm* Tuvalu; **les îles ~** the Tuvalu Islands
tuyau, *pl* **~x** /tɥijo/ *nm* 1 Tech pipe; **~ de** *or* **en cuivre/caoutchouc** copper/rubber pipe; **des ~x** pipes, piping ₵; 2 ○(information) tip○ **(sur** about); **tu n'aurais pas un ~?** do you have any tip?; **un ~ crevé** a lousy tip; 3 ○Méd tube; **débrancher tous les ~x** to disconnect all the tubes
(Composés) **~ d'amenée** Gén Civ feeder pipe; **~ d'arrosage** Agric hose; **~ de cheminée** Constr flue; **~ de descente** Constr downpipe GB, downspout US; **~ d'échappement** Aut exhaust; **~ d'écoulement** Constr wastepipe; **~ d'incendie** Tech fire hose; **~ d'orgue** Mus organ pipe; **~ de poêle** Tech stovepipe; ○(pantalon) drainpipes (*pl*); **~ de refroidissement** Tech coolant pipe
tuyauter /tɥijote/ [1] *vtr* 1 ○(fournir des renseignements) to tip [sb] off; **se faire ~ par qn** to be tipped off by sb; 2 Cout, Mode to flute
tuyauterie /tɥijɔtʀi/ *nf* 1 Tech piping ₵; **une ~ défectueuse** faulty piping; 2 Mus pipes (*pl*); 3 ○hum (intestins) guts○ (*pl*), intestines (*pl*)
tuyère /tɥijɛʀ/ *nf* 1 Aviat (de moteur à réaction) exhaust nozzle; (de parachute) slot; 2 Tech (de haut-fourneau) blast pipe; 3 Agric (de pulvérisateur) delivery pipe
TV (*written abbr* = **télévision**) TV
TVA /tevea/ *nf* (*abbr* = **taxe à la valeur ajoutée**) VAT; **la ~ sur l'automobile** VAT on cars
TVHD /teveaʃde/ *nf* (*abbr* = **télévision à haute définition**) HDTV
tweed /twid/ *nm* tweed; **une veste en ~** a tweed jacket
twist /twist/ *nm* twist
twister /twiste/ [1] *vi* to twist, to dance the twist
tympan /tɛ̃pɑ̃/ *nm* 1 Anat eardrum, tympanum spéc; **l'explosion lui a crevé un ~** one of his eardrums was perforated in the explosion; **un bruit à te percer le ~** an ear-splitting noise; 2 Archit tympanum; 3 (d'horloge) pinion
tympanique /tɛ̃panik/ *adj* Anat tympanic
tympanon /tɛ̃panɔ̃/ ▸ **p. 557** *nm* dulcimer
Tyne ▸ **p. 721** *nprm* **le ~ and Wear** Tyne and Wear
type /tip/
A *nm* 1 (genre) type, kind; **les emplois de ce ~ sont rares** jobs of this kind are rare; **la banque propose un nouveau ~ de placement financier** the bank is offering a new type of financial investment; **il condamne ce ~ de comportement** he condemns this type of behaviour; **plusieurs accidents de ce ~ ont eu lieu** several accidents of this kind have occurred; **un climat de ~ tropical** a tropical-type climate; **la clientèle est d'un ~ nouveau** the clientele is of a new kind; 2 (représentant) (classic) example; **elle est le ~ même de la femme d'affaires** she's the classic example of a business woman; **c'est le ~ même de l'erreur impardonnable** it's a classic example of the unforgivable mistake; 3 (modèle) type, kind; **un avion d'un ~ nouveau** a new type of plane; 4 (caractères physiques) type; **il a le ~ nordique** he is a Nordic type, he has Nordic looks; **une femme de ~ méditerranéen** a woman with Mediterranean looks; **quel est ton ~ de femme?** what's your type of woman?; **ce n'est pas mon ~** he's/she's not my type; 5 ○(homme) guy○, chap○; **c'est un drôle de ~** he's an odd sort of chap; **quel sale ~!** what a swine○ *ou* bastard◑!; **c'est un chic ~** he's a really nice guy; **un brave ~** a nice chap; **un pauvre ~** a pathetic individual; 6 (modèle de caractère) type; (de médaille) type; 7 Tech (pièce) type; (empreinte) typeface
B **(-)type** (*in compounds*) typical, classic; **l'homme d'affaires/l'intellectuel ~** the typical businessman/intellectual; **l'exemple/l'erreur ~** the typical example/mistake; **c'est l'étudiante-~** she's a typical student; **un cas ~ de schizophrénie** a classic case of schizophrenia; **le formulaire ~** the standard application form
typé, **~e** /tipe/
A *pp* ▸ **typer**
B *pp adj* 1 **je crois qu'il est espagnol, en tout cas, il a un visage très ~** I think he's Spanish, anyway, he looks typically Spanish; **elle est Espagnole mais elle n'est pas très ~e** she's Spanish but she doesn't look it; 2 [*personnage*] typical; **les personnages de ses romans sont toujours bien ~s** the characters in his/her novels are always very well-drawn types
typer /tipe/ [1] *vtr* [*auteur, dramaturge*] to portray [sb] as a type [*personnage*]; [*acteur*] to play [sb] as a type [*personnage*]
typhique /tifik/ *adj* typhic
typhoïde /tifɔid/ ▸ **p. 283**
A *adj* typhoid
B *nf* typhoid fever
typhoïdique /tifɔidik/ *adj* typhic
typhon /tifɔ̃/ *nm* typhoon
typhus /tifys/ ▸ **p. 283** *nm inv* typhus
typique /tipik/ *adj* 1 (caractéristique) [*exemple, instrument, maison*] typical **(de** of); **l'ambiance ~ des salles de concert** the typical concert hall atmosphere; **c'est un cas ~** it's a typical case; **leur comportement est ~** their behaviour[GB] is typical; 2 (pittoresque) controv [*objet, instrument, sculpture, village*] typical; 3 Biol typical
typiquement /tipikmɑ̃/ *adv* typically; **une famille ~ américaine** a typically American family
typo○ /tipo/
A *nm* (*abbr* = **typographe**) typographer
B *nf* (*abbr* = **typographie**) typography
typographe /tipɔgʀaf/ ▸ **p. 532** *nmf* typographer; **un ouvrier ~** a typographical worker
typographie /tipɔgʀafi/ *nf* 1 (technique) letterpress (printing), typography; 2 (opérations, savoir-faire) typography
typographique /tipɔgʀafik/ *adj* typographical; **erreur ~** typographical *ou* printer's error, misprint
typographiquement /tipɔgʀafikmɑ̃/ *adv* typographically; **imprimer ~** to print by letterpress
typologie /tipɔlɔʒi/ *nf* typology **(de** of); **classification par ~s** typological classification, classification by typology
typologique /tipɔlɔʒik/ *adj* typological
typomètre /tipɔmɛtʀ/ *nm* line gauge
Tyr /tiʀ/ ▸ **p. 894** *npr* Tyre, Tyr
tyran /tiʀɑ̃/ *nm* (tous contextes) tyrant; **~ domestique** domestic tyrant
tyranneau, *pl* **~x** /tiʀano/ *nm* petty tyrant
tyrannie /tiʀani/ *nf* tyranny; **la ~ d'un patron** the tyranny of a boss; **subir la ~ de**

t

qn/qch to be tyrannized by sb/sth

tyrannique /tiʀanik/ *adj* tyrannical

tyranniser /tiʀanize/ [1] *vtr* (tous contextes) to tyrannize

tyrannosaure /tiʀanozɔʀ/ *nm* tyrannosaur

Tyrol /tiʀɔl/ ▸ p. 721 *nprm* Tyrol

tyrolien, -ienne /tiʀɔljɛ̃, ɛn/
A *adj [chapeau]* Tyrolean
B **tyrolienne** *nf* Mus Tyrolienne

Tyrolien, -ienne /tiʀɔljɛ̃, ɛn/ *nm,f* Tyrolean

Tyrone ▸ p. 721 *npr* **le comté de ~** Tyrone

tyrosine /tiʀɔzin/ *nf* tyrosine

tzar = **tsar**

tzigane /dzigan, tsigan/
A *adj [musique, orchestre, origine]* gypsy
B *nmf* gypsy
C *nm* Ling Romany

Uu

u, **U** /y/ *nm inv* u, U; **en (forme de) U** U-shaped

UAL /yaɛl/ *nf* (*abbr* = **unité arithmétique et logique**) ALU

ubac /ybak/ *nm* north-facing side, ubac spéc

ubiquité /ybikɥite/ *nf* ubiquity sout, omnipresence sout; **je n'ai pas le don d'~!** I can't be everywhere at once!

ubuesque /ybyɛsk/ *adj* grotesque

UC /yse/ *nf* ▸ **unité**

UDF /ydeɛf/ *nf* (*abbr* = **Union pour la démocratie française**) *centre-right political party*

UE /yə/ *nf* ▸ **union**

UEFA /yœɛfa/ *nf* (*abbr* = **Union européenne de football association**) UEFA; **la coupe de l'~** the UEFA cup

UEO /yəo/ *nf* UE *abbr* ▸ **union**

UER /yœɛʀ/ *nf* **1** Univ *abbr* ▸ **unité**; **2** Radio, TV (*abbr* = **Union européenne de radiodiffusion**) EBU

UFR /yɛfɛʀ/ *nf*: *abbr* ▸ **unité**

uhlan /ylɑ̃/ *nm* uhlan

UHT /yaʃte/ *adj* (*abbr* = **ultra-haute température**) UHT; **lait ~** UHT milk

ukase /ykɑz/ *nm* = **oukase**

Ukraine /ykʀɛn/ ▸ **p. 333** *nprf* **l'~** the Ukraine

ukrainien, **-ienne** /ykʀɛnjɛ̃, ɛn/ ▸ **p. 561, p. 483**

A *adj* Ukrainian

B *nm* Ling Ukrainian

Ukrainien, **-ienne** /ykʀɛnjɛ̃, ɛn/ ▸ **p. 561** *nm,f* Ukrainian

ulcération /ylseʀasjɔ̃/ *nf* ulceration

ulcère /ylsɛʀ/ ▸ **p. 283** *nm* ulcer; **avoir un ~ à l'estomac** to have a stomach ulcer; **~ variqueux** varicose ulcer

ulcérer /ylseʀe/ [14]

A *vtr* **1** (outrer) [*propos, comportement*] to sicken, to revolt; **je suis ulcéré par son attitude** I am revolted by his attitude; **2** Méd to ulcerate

B s'ulcérer *vpr* [*plaie*] to ulcerate

ulcéreux, **-euse** /ylseʀø, øz/ *adj* [*plaie*] ulcerated; [*état, poussée*] ulcerous; [*maladie*] ulcerative

uléma /ylema/ *nm* ulama, ulema

ULM /yɛlɛm/ ▸ **p. 469** *nm inv* (*abbr* = **ultra-léger motorisé**) (engin) microlight; (sport) microlighting

ulmaire /ylmɛʀ/ *nf* meadowsweet

Ulster /ylstœʀ/ ▸ **p. 721** *nprm* Ulster

ultérieur, **~e** /ylteʀjœʀ/ *adj* [*développement, œuvre, génération*] subsequent; **une date ~e** a later date

ultérieurement /ylteʀjœʀmɑ̃/ *adv* **1** (par la suite) subsequently; **2** (plus tard) later

ultimatum /yltimatɔm/ *nm* (tous contextes) ultimatum; **lancer** *or* **envoyer un ~ à un pays/à qn** to present a country/sb with an ultimatum; **rejeter/accepter un ~** to reject/accept an ultimatum

ultime /yltim/ *adj* **1** (dernier d'une série) [*appel, concession, entraînement, épisode*] final, last; [*avertissement, délai*] final; **2** (suprême) [*plaisir, but*] ultimate; **3** Ling [*constituant*] ultimate; **4** (déchet) non-degradable

ultra /yltʀa/

A *adj* [*groupe*] extremist

B *nmf* **1** Pol extremist; **2** Hist ultraroyalist

ultraconfidentiel, **-ielle** /yltʀakɔ̃fidɑ̃sjɛl/ *adj* [*document, information*] top secret

ultraconservateur, **-trice** /yltʀakɔ̃sɛʀvatœʀ, tʀis/ *adj* ultraconservative

ultrafin, **~e** /yltʀafɛ̃, in/ *adj* [*tranche*] wafer-thin; [*collant*] sheer; [*fibre*] ultra-fine

ultragauche /yltʀagoʃ/ *nf* Pol **l'~** the extreme leftists

ultraléger, **-ère** /yltʀaleʒe, ɛʀ/ *adj* [*matériau, cigarette*] ultra light; [*équipement, vêtement, tissu*] very light

ultramicroscope /yltʀamikʀɔskɔp/ *nm* ultramicroscope

ultramicroscopique /yltʀamikʀɔskɔpik/ *adj* ultramicroscopic

ultramoderne /yltʀamɔdɛʀn/ *adj* [*maison, appartement*] ultramodern; [*technique, système, matériel*] state-of-the-art (*épith*)

ultramontain, **~e** /yltʀamɔ̃tɛ̃, ɛn/ *adj* ultramontanist

ultramontanisme /yltʀamɔ̃tanism/ *nm* ultramontanism

ultranationaliste /yltʀanasjɔnalist/ *adj, nmf* ultranationalist

ultra-orthodoxe /yltʀaɔʀtɔdɔks/ *adj* ultra-orthodox

ultraraffiné, **~e** /yltʀaʀafine/ *adj* [*manières, ambiance*] ultra-refined

ultrarapide /yltʀaʀapid/ *adj* high-speed (*épith*)

ultrasecret, **-ète** /yltʀasəkʀɛ, ɛt/ *adj* top secret

ultrasensible /yltʀasɑ̃sibl/ *adj* [*personne*] hypersensitive; [*appareil, film*] ultrasensitive; [*problème, donnée*] highly sensitive

ultrason /yltʀasɔ̃/ *nm* ultrasound **¢**; **les ~s sont utilisés en médecine** ultrasound is used in medicine

ultrasonique /yltʀasɔnik/ *adj* ultrasonic

ultraviolet, **-ette** /yltʀavjɔlɛ, ɛt/

A *adj* ultraviolet

B *nm* ultraviolet ray; Cosmét **séance d'~s** session on a sunbed

ululement /ylylmɑ̃/ *nm* hooting **¢**

ululer /ylyle/ [1] *vi* to hoot

Ulysse /ylis/ *npr* Ulysses

UME /yɛmə/ *nf* UE *abbr* ▸ **union**

un, **une** /œ̃(n), yn/ ▸ **p. 568, p. 424**

A *art indéf* (*pl* **des**) **1** (au singulier) a, an; **une pomme** an apple; **une femme vous demande** a woman is asking for you; **~ ciel couvert** an overcast sky; **avec ~ sang-froid remarquable** with remarkable self-control; **il n'a pas dit ~ mot** he didn't say a *ou* one word; **il n'y avait pas ~ arbre** there wasn't a single tree; **c'est ~ Paul furieux que j'ai vu sortir du bureau** it was an angry Paul that I saw coming out of the office; **leur mère était une Montagut** their mother was a Montagut; **~ chien est plus docile qu'~ chat** dogs are more docile than cats, a dog is more docile than a cat; **~ accident est vite arrivé** accidents soon happen; **~ jour, je t'en parlerai** I'll tell you about it one day

ⓘ un

Emploi et prononciation de *a* et *an*

On emploie a /ə/ devant les consonnes, les h aspirés et les semi-consonnes /j/, /w/ (dans *a university, a one-eyed man*), et an /ən/ devant les voyelles et h muets (*hour, honest, heir*).

un = pronom

L'emploi de *un* en corrélation avec *autre* est traité sous **autre**. Voir aussi **chose, comme,** ainsi que les verbes avec lesquels le pronom se substitue familièrement à un groupe nominal comme **coller** – *en coller un*, **placer** – *en placer une* etc.

un = adjectif numéral

En général, *un*, adjectif numéral, se traduit indifféremment par *a* ou *one*:

j'ai un garçon et deux filles
= I have a (*ou* one) boy and two girls

En revanche *un* se traduit par *one* quand on veut insister sur le nombre. Ainsi, on dira:

il ne reste qu'une pomme (*pas deux*)
= there's only one apple left

mais:

il ne reste qu'une pomme (*pas d'autres fruits*)
= there's only an apple left

j'ai un frère et deux sœurs (*nous sommes quatre enfants*)
= I have one brother and two sisters

mais:
j'ai un frère qui est informaticien (*j'ai d'autres frères*)
= I have a brother who is a computer scientist

ça coûte une livre
= it costs a pound
ou it costs one pound

mais:
ça coûte une livre cinquante
= it costs one pound fifty

cela a pris une heure
= it took an hour
ou it took one hour

mais:
il est une heure
= it is one o'clock

2 (au pluriel) **il y avait des mille-pattes et des scorpions** there were millipedes and scorpions; **il y a des gens qui ne comprennent jamais rien** there are some people who never understand anything; **des invités avaient déjà défait leur cravate** some guests had already loosened their ties

3 (en emphase) **il fait ~ froid** *or* **~ de ces froids!** it's so cold!; **j'ai une soif** *or* **une de ces soifs!** I'm so thirsty!; **elle marchait avec une**

grâce! she was walking so gracefully!; **elle m'a donné une de ces gifles!** she gave me such a slap!; **il y a ~ monde aujourd'hui!** there are so many people today!; **il travaille jusqu'à des deux heures du matin** he works up until two in the morning; **il y en a des qui vont bien rire**○! some people are going to have a good laugh!

B *pron* (*pl* **uns, unes**) gén one; **(l')~ de** *or* **d'entre nous** one of us; **(l')~ des meilleurs** one of the best; **~ de ces jours** *or* **quatre**○ one of these days; **l'~ est diplomate** one is a diplomat; **les ~s pensent que...** some think that...; **pas ~ n'a dit merci** not one of them said thank you; **~ qui sera surpris, c'est...** one person who will be surprised is...; **t'en as ~, de bateau, toi**○**?** have YOU got a boat?

C *adj* one, a (*devant une consonne*), an (*devant une voyelle*); **j'y suis resté ~ jour** I stayed there for a *ou* one day; **trente et une personnes ont été blessées** thirty-one people were injured; **ici, il pleut ~ jour sur deux** it rains every other day here

D *nmf* one; **il n'en reste qu'~** there's only one left ; **il y en a ~ par personne** there's one each; **j'en ai déjà mangé ~** I've already eaten one; **les deux villes n'en font plus qu'une** the two cities have merged into one; **~ à** *ou* **par ~** [*cueillir, ramasser, laver*] one by one; [*arriver, entrer, partir*] one by one, one after the other; **traiter les problèmes ~ à** *ou* **par ~** to deal with the problems one by one

E ○*adv* firstly, for one thing; **~, je fais ce que je veux et deux ça ne te regarde pas!** firstly, I do what I like and secondly it's none of your business!, for one thing I do what I like, for another thing it's none of your business!

F *nm* **1** (nombre) one; **il y a trois ~s dans cent onze** there are three ones in one hundred and eleven; **~, deux, trois, partez!** one, two, three, go!; **faire un ~** (aux dés) to throw a one

2 (valeur ordinale) **page/scène ~** page/scene one

3 fig **elle ne faisait qu'~ avec sa machine** she and her machine were as one; **dans l'adversité ils ne font qu'~** they are united in the face of adversity

G **une** *nf* **la une** the front page; **être à la une** to be in the headlines, to be on the front page

(Idiomes) **tu peux me prêter 20 euros? je suis sans ~**○ could you lend me 20 euros? I'm broke○; **s'en jeter ~ (derrière la cravate)**○ to knock back a drink○; **elle est fière comme pas une** she's extremely proud; **il est menteur comme pas ~** he's the greatest liar; **c'est tout ~** it's all one to me; **~ pour tous et tous pour ~** all for one and one for all

unanime /ynanim/ *adj* [*personnes, opinion publique, sentiment*] unanimous (**à faire** in doing); **ils sont unanimes à condamner l'attentat** they are unanimous in condemning the attack

unanimement /ynanimmɑ̃/ *adv* **1** Pol [*voter, approuver, rejeter*] unanimously; **2** fig universally; **il est ~ célébré comme un grand écrivain** he is universally hailed as a great writer

unanimité /ynanimite/ *nf* unanimity; **à l'~** [*élire, voter, adopter*] unanimously; **il a été élu à l'~ moins deux voix** he was elected with only two votes against; **prendre une décision à l'~** to reach a unanimous decision; **faire l'~** to have unanimous support *ou* backing (**parmi** from)

underground /œndœrgrawnd/ *adj, nm* Art, Mus underground

une(s) *art indéf, pron, adj* ▸ **un A, B, C, D, G**

UNEF /ynɛf/ *nf* (*abbr* = **Union nationale des étudiants de France**) *French student union*

UNESCO /ynesko/ *nf* (*abbr* = **United Nations Educational, Scientific and Cultural Organization**) UNESCO

uni, **~e** /yni/

A *pp* ▸ **unir**

B *pp adj* [*communauté, famille*] close-knit; [*amis, couple*] close; [*peuple, partisans, militants*] united (**dans** in)

C *adj* **1** (d'une teinte) [*tissu, couleur*] plain, self-coloured[GB]; **2** (sans aspérité) [*surface*] smooth, even; [*mer*] calm; **mener une vie ~e et tranquille** fig to lead a quiet, uneventful life

D *nm* Tex **elle porte de/préfère l'~** she wears/prefers plain colours[GB]; **acheter de l'~** to buy plain fabric; **ce modèle existe en ~** this model is available in plain colours[GB]

(Idiome) **être ~s comme les (deux) doigts de la main** to be very close

uniate /ynjat/ *adj, nmf* Uniat

uniatisme /ynjatism/ *nm* Uniatism

unicaméral, **~e**, *mpl* **-aux** /ynikameʀal, o/ *adj* unicameral

UNICE /ynise/ *nf abbr* ▸ **union**

UNICEF /ynisɛf/ *nm* (*abbr* = **United Nations International Children's Emergency Fund**) UNICEF

unicellulaire /yniselylɛʀ/

A *adj* unicellular

B *nm* unicellular organism

unicité /ynisite/ *nf* uniqueness

unicolore /ynikɔlɔʀ/ *adj* plain

unidimensionnel, **-elle** /ynidimɑ̃sjɔnɛl/ *adj* unidimensional

unidirectionnel, **-elle** /ynidiʀɛksjɔnɛl/ *adj* **1** Télécom [*faisceau, émetteur*] unidirectional; [*récepteur*] one-way; **2** Transp [*chaussée, rue*] one-way

unième /ynjɛm/ ▸ **p. 568, p. 222** *adj* first; **vingt et ~** twenty-first

unificateur, **-trice** /ynifikatœʀ, tʀis/ *adj* unifying

unification /ynifikasjɔ̃/ *nf* unification

unifier /ynifje/ [2]

A *vtr* **1** (rassembler) to unify [*pays, forces, vues, marché*]; **l'Allemagne unifiée** unified Germany; **2** (homogénéiser) to standardize [*procédure, réseau*]

B **s'unifier** *vpr* [*pays, groupes*] to unite

uniforme /ynifɔʀm/

A *adj* [*paysage, maisons, mobilier, mouvement*] uniform; [*augmentation, réglementation*] across-the-board (*épith*); [*existence, journées*] unchanging; **ciel d'un bleu ~** uniformly blue sky; **vitesse ~** (d'un véhicule) regular speed; (de plusieurs véhicules) uniform speed

B *nm* (costume) uniform; **un ~ de policier** a police uniform; **porter un ~** to wear a uniform; **être en ~** to be in uniform; **être en grand ~** to be in full dress uniform; **policier en ~** uniformed policeman; **endosser/quitter l'~** to go into/to leave the army

uniformément /ynifɔʀmemɑ̃/ *adv* [*gris, plat, vêtu*] uniformly; **mouvement ~ accéléré** Phys uniformly accelerated motion; **les jours s'écoulent ~** the days go by, each one like the one before

uniformisation /ynifɔʀmizasjɔ̃/ *nf* (de programmes, normes) standardization

uniformiser /ynifɔʀmize/ [1] *vtr* to standardize [*programmes, taux*]; to make [sth] uniform [*teinte*]

uniformité /ynifɔʀmite/ *nf* (de goûts, résultats, paysage) uniformity; (de vie) monotony

unijambiste /ynizɑ̃bist/

A *adj* one-legged (*épith*); **être ~** to have one leg

B *nmf* one-legged person

unilatéral, **~e**, *mpl* **-aux** /ynilateʀal, o/ *adj* [*décision, désarmement*] unilateral; **stationnement ~** parking on one side only

unilatéralement /ynilateʀalmɑ̃/ *adv* [*décider, accorder, annoncer*] unilaterally; [*stationner*] on one side only

unilingue /ynilɛ̃g/ *adj* monolingual

uniment /ynimɑ̃/ *adv* fml (de façon uniforme) uniformly; (sans façon) plainly

uninominal, **~e**, *mpl* **-aux** /yninɔminal, o/ *adj* Pol [*scrutin*] for a single candidate (*épith, après n*)

union /ynjɔ̃/ *nf* **1** (alliance) union; **~ du corps et de l'âme** union of mind and body; **l'~ politique européenne** European political union; **2** (association) association; **~ de consommateurs** consumers' association; **~ de producteurs** association of producers; **3** (mariage) union sout, marriage; **de cette ~ allaient naître trois fils** from this union *ou* marriage three sons would come; **4** Math union; **'A ~ B'** 'A union B'

(Composés) **~ douanière** Écon, Fisc customs union; **~ économique et monétaire** Écon, Fin economic and monetary union; **~ libre** cohabitation; **~ mystique** Relig mystic union; **~ sacrée** united front; **former l'~ sacrée contre** to present a united front against; **~ sportive, US** sports club; **Union de l'Europe occidentale, UEO** Western European Union, WEU; **Union européenne, UE** European Union, EU; **Union des industries de la Communauté européenne, UNICE** UE Union of Industrial and Employers' Confederations of Europe, UNICE; **Union monétaire européenne, UME** European Monetary Union, EMU; **Union des Républiques socialistes soviétiques** Hist Union of Soviet Socialist Republics; **Union soviétique** Hist Soviet Union

(Idiome) **l'~ fait la force** Prov united we stand, divided we fall

unionisme /ynjɔnism/ *nm* Unionism

unioniste /ynjɔnist/ *nmf* Unionist

unipare /ynipaʀ/ *adj* uniparous

unipersonnel, **-elle** /ynipɛʀsɔnɛl/

A *adj* **1** Ling [*verbe*] impersonal; **2** Jur **entreprise unipersonnelle à responsabilité limitée** company owned by a sole proprietor

B *nm* impersonal verb

unipolaire /ynipɔlɛʀ/ *adj* unipolar

unique /ynik/ *adj* **1** (seul de son espèce) (*before n*) only; **il est l'~ témoin/candidat** he's the only witness/candidate; **c'est son ~ fille sur sept enfants** she's his only daughter out of seven children; **c'est l'~ cas où...** it's the only case where...; **c'est l'~ voie qui y mène** it's the only way to get there; ▸ **seul**; **2** (seul pour tous) single; **marché/monnaie ~** single market/currency; **parti ~** single party; **système à parti ~** one-party system; **'prix ~'** 'all at one price'; **proposer un candidat ~ aux élections** to put forward one candidate only at the elections; **3** (remarquable) unique; **c'est un cas ~ dans l'histoire des sciences** it's a unique case in the history of science; **c'est une occasion ~ de faire** it's a unique opportunity to do; **~ au monde/en Europe** [*personne, objet, fait*] unique in the world/in Europe; **~ en son genre** [*personne, objet*] most unusual; [*fait, événement*] one-off GB, one-shot (*épith*) US; **4** ○(singulier) priceless; **ce type est ~!** that guy's priceless○!; **5** (sans frère ni sœur) **être fille/fils ~** to be an only child

uniquement /ynikmɑ̃/ *adv* **1** (exclusivement) exclusively; **programme ~ consacré à la littérature** programme[GB] devoted exclusively to literature; **salon meublé ~ avec du moderne** living room furnished exclusively in a modern style; **il pense ~ à s'amuser** all he thinks about is having fun; **il est ~ préoccupé par sa famille/son image** all he thinks about is his family/his image; **en vente ~ par correspondance/par abonnement** available by mail order/by subscription only; **2** (seulement) only; **nous ne sommes pas ici ~ pour travailler** we're not here just to work; **c'était ~ pour te faire plaisir/taquiner** it was only to please/tease you; **ce n'est pas ~ par paresse que...** laziness is not the only reason why...; **~ dans un but commercial** purely for commercial ends

unir /yniʀ/ [3]

A *vtr* **1** (rassembler) to unite [*pays, territoire*] (**à** to); [*liens, intérêts, passion*] to unite, bind [sb] together [*personnes, pays*]; **ils sont unis derrière leur chef** they're united behind their

leader; **des hommes unis par les mêmes idées** men brought together by the same ideas; **2** (combiner) to combine; **méthode qui unit simplicité et efficacité** method which combines simplicity with effectiveness, method which is both simple and effective; **il faut ~ nos forces** we must join forces; **unissons nos ressources** let us combine *ou* pool our resources; **3** (marier) to join [sb] in matrimony sout; **le maire les a unis** they were joined in matrimony by the mayor
B **s'unir** *vpr* **1** (se rassembler) [*personnes, pays, peuples, régions*] to unite (**à, avec** with; **contre** against; **pour faire** to do); **2** (se marier) [*personnes*] to marry; **3** (se combiner) fig [*couleurs*] to blend, to go together

unisexe /ynisɛks/ *adj* unisex

unisexualité /ynisɛksɥalite/ *nf* unisexuality

unisexué, **~e** /ynisɛksɥe/ *adj* unisexual

unisson /ynisɔ̃/ *nm* unison; **à l'~** Mus in unison; fig in accord

unitaire /ynitɛʀ/
A *adj* **1** Pol [*manifestation, rassemblement, campagne, stratégie*] common; **2** Comm [*prix, coût*] unit; **3** Phys [*champ*] unified; Math [*vecteur*] unit; **4** Relig Unitarian
B *nmf* Relig Unitarian

unitarien, **-ienne** /ynitaʀjɛ̃, ɛn/ *adj, nm,f* Unitarian

unitarisme /ynitaʀism/ *nm* Unitarianism

unité /ynite/ *nf* **1** (cohésion) aussi Théât unity; **il faut préserver l'~ nationale/du parti** national/party unity must be preserved; **~ d'action/de temps/de lieu** Théât unity of action/time/place; **réaliser l'~ d'un pays/parti** to unify a country/party; **un roman/film qui manque d'~** a novel/film lacking in cohesion; **il y a ~ de vues entre les deux leaders** the two leaders share the same viewpoint; **2** (élément) unit; **prix à l'~** price per unit; **20 euros l'~** 20 euros each; **vendre qch à l'~** to sell sth singly, sell sth as a separate item; **3** (dans ensemble) unit; **~ de production/fabrication** production/manufacturing unit; **4** Mes (étalon) unit; **~ de mesure/temps** unit of measurement/time; **~ monétaire** unit of currency; **5** Math unit; **la colonne des ~s** the units column; **6** Mil (troupe) unit; Mil Naut (navire) craft; **~ aéroportée/blindée/d'élite** airborne/armoured/crack unit; **7** Télécom unit; **télécarte 50 ~s** 50-unit phonecard
(Composés) **~ centrale (de traitement)**, **UC** Ordinat central processing unit; **~ de disque** Ordinat disk drive; **~ d'enseignement et de recherche**, **UER** university department; **~ de formation et de recherche**, **UFR** university department; **~ lexicale** Ling lexical unit; **~ de valeur**, **UV** course unit

univalve /ynivalv/ *adj* univalve

univers /ynivɛʀ/ *nm inv* **1** Astron universe; **la naissance de l'~** the birth of the universe; **2** (humanité) whole world; **3** (monde) world; **des ~ bien distincts** distinctly separate worlds; **l'~ de Kafka** Kafka's world; **un ~ totalement irréel** a totally unreal world
(Composé) **~ du discours** Ling universe of discourse

universalisation /ynivɛʀsalizasjɔ̃/ *nf* universalization

universaliser /ynivɛʀsalize/ [1]
A *vtr* to universalize
B **s'universaliser** *vpr* to become widespread

universalisme /ynivɛʀsalism/ *nm* Philos, Relig universalism

universaliste /ynivɛʀsalist/ *adj, nmf* Philos, Relig universalist

universalité /ynivɛʀsalite/ *nf* universality

universaux /ynivɛʀso/ *nmpl* Ling, Philos universals

universel, **-elle** /ynivɛʀsɛl/
A *adj* [*langage, principe, thème, méthode, outillage*] universal; [*histoire*] world; [*remède*] all-purpose (*épith*); **esprit ~** polymath
B *nm* Ling, Philos universal

universellement /ynivɛʀsɛlmɑ̃/ *adv* universally

universitaire /ynivɛʀsitɛʀ/
A *adj* [*échange, ville, cursus*] university (*épith*); [*travail, formation, niveau*] academic
B *nmf* academic

université /ynivɛʀsite/ *nf* **1** (établissement) university GB, college US; **l'Université de Montréal** the University of Montreal; **être à l'~** to be at university GB, to be in college US; **aller à l'~** to go to university GB, to go to college US; **2** (enseignement supérieur) higher education; **l'~ est en crise** higher education is in crisis
(Composés) **~ d'été** Univ summer school; Pol party conference (*assembling young members and potential members*); **~ du troisième âge** University of the Third Age (*higher education courses for Senior Citizens*)

univocité /ynivɔsite/ *nf* univocality

univoque /ynivɔk/ *adj* **1** Ling univocal; **2** [*réalité, fait*] unequivocal; **3** Méd [*symptôme*] pathognomonic; [*remède*] specific

uns *pron* ▸ **un B**

Untel, **Unetelle** /œ̃tɛl, yntɛl/ *nm,f* **Monsieur ~** Mr so-and-so; **Madame Unetelle** Mrs so-and-so

Unterwald /untœʀvald/ ▸ **p. 721** *npr* **le canton d'~** the canton of Unterwalden

upérisation /ypeʀizasjɔ̃/ *nf* ultra heat treatment

uppercut /ypɛʀkyt/ *nm* uppercut

Uranie /yʀani/ *npr* Urania

uranifère /yʀanifɛʀ/ *adj* uranium-bearing

uranium /yʀanjɔm/ *nm* uranium; **~ naturel/enrichi** natural/enriched uranium

uranoscope /yʀanɔskɔp/ *nm* stargazer

Uranus /yʀanys/
A *npr* Mythol Uranus
B *nprf* Astron Uranus

urbain, **~e** /yʀbɛ̃, ɛn/
A *adj* **1** (de la ville) [*milieu, transport, tissu*] urban; **vie ~e** city life; **2** fml (civil) [*personne*] urbane
B **urbaine** *nf* Aut town car, city car

urbanisation /yʀbanizasjɔ̃/ *nf* urbanization

urbanisé, **~e** /yʀbanize/
A *pp* ▸ **urbaniser**
B *pp adj* [*zone*] built-up (*épith*); **la zone est très ~e** the area is very built up

urbaniser /yʀbanize/ [1]
A *vtr* to urbanize [*région*]
B **s'urbaniser** *vpr* [*zone*] to become built up; [*population*] to become urbanized

urbanisme /yʀbanism/ *nm* town planning GB, city planning US

urbaniste /yʀbanist/ ▸ **p. 532** *nmf* town planner GB, city planner US

urbanistique /yʀbanistik/ *adj* urbanistic

urbanité /yʀbanite/ *nf* fml urbanity

urée /yʀe/ *nf* urea

urémie /yʀemi/ *nf* uraemia GB; **avoir de l'~** to have uraemia

urémique /yʀemik/ *adj, nmf* uraemic

urétéral, **~e**, *mpl* **-aux** /yʀeteʀal, o/ *adj* ureteric

uretère /yʀtɛʀ/ *nm* ureter

uréthane /yʀetan/ *nm* urethane

urétral, **~e**, *mpl* **-aux** /yʀetʀal, o/ *adj* urethral

urètre /yʀɛtʀ/ *nm* urethra

urétrite /yʀetʀit/ ▸ **p. 283** *nf* urethritis

urgence /yʀʒɑ̃s/ *nf* **1** (caractère) urgency; **il y a ~** it's urgent, it's a matter of urgency; **l'~ nous a obligés à...** the urgency of the situation compelled us to...; **l'~ d'une tâche** the urgency of a task; **d'~** [*agir, se réunir*] immediately, as a matter of urgency; **de toute** *or* **d'extrême ~** as a matter of great urgency; **transporter qn d'~ à l'hôpital** to rush sb to (the) hospital; **convoquer qn d'~** to summon sb urgently; **appeler qn d'~** to call sb immediately; **opérer qn d'~** to give sb emergency surgery; **mesures/soins d'~** emergency measures/treatment; **en ~** as a matter of urgency, immediately; **appeler le médecin/l'ambulance en ~** to call the doctor/an ambulance as a matter of urgency, immediately; **2** (cas urgent) gén matter of urgency; Méd emergency; **le service des ~s**, **les ~s** the casualty department, casualty ₵; **où sont les ~s?** where is casualty?, where is emergency US?

urgent, **~e** /yʀʒɑ̃, ɑ̃t/ *adj* urgent; **rien d'~** nothing urgent; **il est ~ de prendre des mesures** measures must be taken immediately; **il est ~ d'envoyer des secours** help must be sent immediately

urgentiste /yʀʒɑ̃tist/ ▸ **p. 532** *nmf* A & E doctor GB, ER Doctor US

urger○ /yʀʒe/ [13] *vi* to be urgent

Uri /yʀi/ ▸ **p. 721** *npr* **le canton d'~** the canton of Uri

urinaire /yʀinɛʀ/ *adj* urinary; **appareil ~** urinary tract

urinal, *pl* **-aux** /yʀinal, o/ *nm* urinal

urine /yʀin/ *nf* urine ₵; **une analyse des ~s** urinalysis

uriner /yʀine/ [1] *vi* to urinate

urinoir /yʀinwaʀ/ *nm* **1** (lieu) public urinal; **2** (cuvette) urinal

urique /yʀik/ *adj* uric

urne /yʀn/ *nf* **1** (pour voter) **~ (électorale)** ballot box; **le verdict des ~s** the result of the polls; **se rendre aux ~s** to go to the polls; **bouder les ~s** to stay away from the polls; **bourrer les ~s**○ to rig the ballot; **être appelé aux ~s** to be called upon to vote; **le gouvernement sorti des ~s** the newly-elected government; **2** (vase) urn; **~ cinéraire** *or* **funéraire** funeral urn

urogénital, **~e**, *mpl* **-aux** /yʀɔʒenital, o/ *adj* urogenital

urographie /yʀɔgʀafi/ *nf* urography

urologie /yʀɔlɔʒi/ *nf* urology

urologue /yʀɔlɔg/ ▸ **p. 532** *nmf* urologist

URSS /yɛʀɛsɛs, yʀs/ *nprf* Hist (*abbr* = **Union des Républiques socialistes soviétiques**) USSR

URSSAF /yʀsaf/ *nf* (*abbr* = **Union pour le recouvrement des cotisations de sécurité sociale et d'allocations familiales**) *body managing social security payments and funds*

ursuline /yʀsylin/ *nf* Ursuline

urticaire /yʀtikɛʀ/ ▸ **p. 283** *nf* hives, urticaria spéc; **avoir de l'~** to have hives
(Idiome) **donner de l'~ à qn**○ to get on sb's nerves

urubu /yʀyby/ *nm* black vulture

Uruguay /yʀygwɛ/ ▸ **p. 333** *nprm* Uruguay

uruguayen, **-enne** /yʀygwejɛ̃, ɛn/ ▸ **p. 561** *adj* Uruguayan

Uruguayen, **-enne** /yʀygwejɛ̃, ɛn/ ▸ **p. 561** *nm,f* Uruguayan

us /ys/ *nmpl* **les ~ et coutumes** the ways and customs

US /yɛs/ *nf*: *abbr* ▸ **union**

USA /yɛsa/ *nmpl* (*abbr* = **United States of America**) USA

usage /yzaʒ/ *nm* **1** (fait d'utiliser) use; **l'~ des caméscopes se répand rapidement** the use of camcorders is spreading rapidly; **l'~ de la force/torture** the use of force/torture; **je te donne cette machine à écrire, je n'en ai plus l'~** I'm giving you this typewriter as I don't have any further use for it; **à l'~** [*rétrécir, déteindre, se distendre*] with use; **par l'~** [*sali, terni, encrassé*] with use; **en ~** in use; **disqualifié pour ~ d'anabolisants** disqualified for using anabolic steroids; **il m'a interdit l'~ de**

l'alcool he told me not to drink alcohol; **connaître/apprendre l'~ de qch** to know how/to learn how to use sth; **faire ~ de** to use; **faire un ~ fréquent de qch** to use sth frequently; **faire ~ de son autorité** to exercise one's authority; **faire grand ~ de qch** to use sth a lot; **faire bon/mauvais ~ de qch** to put sth to good/bad use; **faire de l'~** [*tissu, vêtement*] to last; **2** (possibilité d'utiliser) use; **à l'~ de qn** for the use of sb; **pour leur ~ personnel** for their own use; **d'un ~ courant/limité** in common/of limited use; **'réservé à l'~ du personnel'** 'for staff use only'; **à ~ privé/militaire/industriel** for private/military/industrial use; **à ~ externe** Pharm for external use only; **à ~ interne** Pharm for internal use; **immeuble à ~ de bureaux** office block; **à ~s multiples** [*appareil*] multipurpose (*épith*); **quel est l'~ de cette machine?** what's this machine used for?; **il a perdu l'~ d'un œil/de la jambe droite** he's lost the use of one eye/of his right leg; **hors d'~** [*vêtement*] unwearable; [*machine*] out of order; **tellement abasourdie qu'elle en a perdu l'~ de la parole** so amazed that she lost the power of speech; **retrouver l'~ de la vue** to recover one's eyesight; **je ne lui laisse pas l'~ de ma voiture** I don't let him use my car; **3** Ling usage; **en ~** in usage; **l'~ veut qu'on dise** usage requires that one should say; **les règles du bon ~** the rules of good usage; **expression entrée dans l'~** expression that has entered current usage; **sorti de l'~** [*mot, expression*] no longer used (*après n*); **4** (pratique courante) custom; **un ~ qui commence à se répandre/à se perdre** a custom that is beginning to spread/to die out; **entériner l'~ par des lois** to fix custom by law; **connaître les ~s d'un pays** to know the customs *ou* ways of a country; **l'~ est de faire** (dans la vie courante) the custom is to do; (dans la vie professionnelle) it's usual practice to do; **comme le veut l'~** as is customary; **conformément aux ~s** in accordance with custom; **politesses d'~** customary courtesies; **précautions/recommandations d'~** usual precautions/recommendations

(Composé) **~ de faux** Jur use of forged documents; **faux et ~ de faux** forgery and use of false documents

usagé, ~e /yzaʒe/ *adj* **1** (usé) [*vêtement*] well-worn; [*pneu*] worn; **2** (déjà utilisé) [*vêtement, seringue, préservatif*] used

usager /yzaʒe/ *nm* (de service) user; (de langue) speaker; **~ de la route** road-user; **~ des transports en commun** user of public transport

usant, ~e /yzɑ̃, ɑ̃t/ *adj* [*travail, vie*] exhausting, wearing; [*personne*] wearing, tiresome

usé, ~e /yze/
A *pp* ▸ **user**
B *pp adj* [*vêtement, chaussure, objet, pièce*] worn; [*personne*] worn-down; [*organisme, cœur, yeux*] worn-out; [*sujet, plaisanterie*] hackneyed; **mes chaussures sont déjà un peu ~es aux talons** the heels of my shoes are already slightly worn (down); **une veste complètement ~e** a worn-out *ou* threadbare jacket; **~ jusqu'à la corde** lit [*vêtement, tapis*] threadbare; [*pneu*] worn down to the tread; fig [*plaisanterie*] hackneyed; **un homme ~ par dix ans de détention** a man worn down by ten year's imprisonment; **personne ~e par le travail/l'alcool** person worn down by work/drink; ▸ **eau**

user /yze/ [1]
A *vtr* [*personne, temps, frottement*] to wear out [*vêtement, chaussure, objet*]; [*travail, soucis, temps*] to wear out [*personne*]; **tu vas ~ l'embrayage si tu conduis comme ça** you'll wear out the clutch if you drive like that; **les piles du poste de radio sont usées** the batteries in the radio are worn out *ou* have gone; **la maladie l'a usé prématurément** the illness wore him out prematurely; **~ ses vêtements jusqu'à la corde** to wear one's clothes out; **des tapis/vêtements usés jusqu'à la corde** threadbare carpets/clothes; **la mer a usé la falaise** the sea has eroded the cliff; **~ sa santé** to ruin one's health; **ça use les yeux de lire dans le noir** reading in the dark strains your eyes; **avoir les yeux usés** to have ruined one's eyesight; **j'ai usé trois crayons/paires de chaussures** I've got GB *ou* gotten US through three pencils/pairs of shoes
B user de *vtr ind* to use [*stratagème, formule, termes, alcool*]; to exercise [*droit*]; to exploit [*possibilité*]; to take [*précautions*]; **~ de diplomatie** to be diplomatic; **~ et abuser de qch** to use and abuse sth; **il faut en ~ avec modération/avec prudence** it should be used in moderation/with care; **en ~ bien/mal avec qn** to treat sb well/badly; **elle en use avec lui d'une façon inacceptable** she treats him in the most appalling manner
C s'user *vpr* **1** [*vêtement, tissu, chaussure, pièce*] to wear out; **2** [*personne*] **s'~ à la tâche** *or* **au travail** to wear oneself out with overwork, burn oneself out○; **s'~ la santé/les yeux** to ruin one's health/eyesight

usinage /yzinaʒ/ *nm* **1** (fabrication avec une machine-outil) machining; **2** (fabrication industrielle) manufacture

usine /yzin/ *nf* factory, plant; **travailler à l'~** to work in a factory; **fabriqué en ~** factory-made; **prix sortie d'~** factory(-gate) price; **c'est l'~, ici○!** fig it's like a production line here!; **c'est une ~ à diplômés** fig it churns out graduates○, it's a diploma mill○ US

(Composés) **~ d'armement** armaments factory; **~ automobile** car factory, automobile plant US; **~ center** factory outlet; **~ chimique** chemical plant; **~ clés en main** Ind turnkey factory; **~ d'incinération (d'ordures)** refuse-incinerating plant; **~ métallurgique** ironworks (*pl*); **~ de montage** assembly plant; **~ de retraitement (des déchets nucléaires)** Nucl nuclear reprocessing plant; **~ sidérurgique** steelworks (*pl*)

usiner /yzine/ [1]
A *vtr* **1** (avec machine-outil) to machine; **2** (fabriquer) to manufacture
B ○*vi* **ça usine, dans le bureau!** they're hard at it in the office○!

usinier†, -ière /yzinje, ɛʀ/ *adj* [*production*] factory (*épith*); [*industrie*] manufacturing (*épith*)

usité, ~e /yzite/ *adj* [*terme, formule, temps*] commonly-used (*épith*), commonly used (*jamais épith*); **peu ~** rarely-used (*épith*), rarely used (*jamais épith*)

ustensile /ystɑ̃sil/ *nm* utensil

(Composés) **~ de cuisine** Culin kitchen utensil; **~ de jardinage** Hort garden tool

usuel, -elle /yzɥɛl/
A *adj* [*objet*] everyday (*épith*); [*mot, expression, appellation*] common
B *nm* (livre) reference book (*not for loan*)

usuellement /yzɥɛlmɑ̃/ *adv* ordinarily

usufruit /yzyfʀɥi/ *nm* Jur usufruct; **avoir/garder l'~ de qch** to have/retain the usufruct of sth

usufruitier, -ière /yzyfʀɥitje, ɛʀ/
A *adj* usufructuary
B *nm,f* tenant for life, usufructuary spéc

usuraire /yzyʀɛʀ/ *adj* usurious

usure /yzyʀ/ *nf* **1** (détérioration) (de tissu, vêtement) wear and tear (**de** on); (de pneu, disque, machine) wear (**de** on); **résister à l'~** to wear well; **2** (affaiblissement) (de forces, d'énergie, adversaire) wearing down; (d'idéologie) declining attraction; (de régime) declining power; **l'~ du pouvoir** the erosion of power; **3** (action corrosive) **~ du temps** wearing effect of time; **~ du quotidien** wear and tear of daily life; **4** Fin, Jur usury; **prêter à ~** to lend at excessively high rates

(Idiome) **avoir qn à l'~○** to wear sb down

usurier, -ière /yzyʀje, ɛʀ/ *nm,f* usurer, loan shark○

usurpateur, -trice /yzyʀpatœʀ, tʀis/ *nm,f* usurper

usurpation /yzyʀpasjɔ̃/ *nf* usurpation

usurper /yzyʀpe/ [1] *vtr* to usurp [*titre, réputation*]; **une victoire non usurpée** a well-deserved success

ut /yt/ *nm* C

Utah /yta/ ▸ **p. 721** *nprm* Utah

utérin, ~e /yteʀɛ̃, in/ *adj* Anat, Jur uterine

utérus /yteʀys/ *nm inv* womb, uterus

utile /ytil/
A *adj* **1** (d'utilité générale) [*objet, produit, renseignement*] useful; **2** (d'utilité ponctuelle) **être ~** [*personne, livre*] to be helpful; [*allumette, parapluie*] to come in handy; **votre canif m'a été très ~** your penknife came in very handy; **se rendre ~** to make oneself useful; **votre aide m'a été très ~** you've been most helpful; **il est ~ de signaler** it's worth pointing out; **il n'a pas jugé ~ de me prévenir** gén he didn't think it necessary to let me know; (en critiquant) he didn't see fit to let me know; **en quoi puis-je vous être ~?** how can I help you?; **ce ne sera pas ~** it won't be necessary
B *nm* **joindre l'~ à l'agréable** to mix business with pleasure

utilement /ytilmɑ̃/ *adv* [*combattre, intervenir*] effectively; [*s'occuper*] usefully; [*dépenser*] wisely; [*compléter*] nicely; [*se référer*] profitably

utilisable /ytilizabl/ *adj* [*objet*] usable; **il est encore ~ chez nous** we can still make use of it

utilisateur, -trice /ytilizatœʀ, tʀis/ *nm,f* user

(Composé) **~ final** Ordinat end user

utilisation /ytilizasjɔ̃/ *nf* **1** (fait d'utiliser) use; **2** (utilité) use (**de** for); **une nouvelle ~ d'un produit** a new use for a product

utiliser /ytilize/ [1] *vtr* **1** (se servir) to use [*méthode, outil, service, expression, produit*]; to make use of [*potentiel, compétence, ressources*]; **~ au mieux** to make the most of; **bien ~** to make good use of; **2** (exploiter) to use, to exploit [*personne*]; **il ne se fait des amis que pour les ~** he makes friends only in order to use them

utilitaire /ytilitɛʀ/
A *adj* [*conception, époque*] utilitarian; [*préoccupation, enseignement, rôle*] practical; [*objet*] functional; [*véhicule*] commercial
B *nm* Ordinat utility

utilitarisme /ytilitaʀism/ *nm* utilitarianism

utilitariste /ytilitaʀist/ *adj, nmf* utilitarian

utilité /ytilite/ *nf* **1** (caractère utile) usefulness; **~ d'une loi/un appareil** usefulness of a law/a device; **être d'une grande ~** [*livre, appareil*] to be very useful, [*personne*] to be very helpful; **n'être d'aucune ~** [*livre, appareil*] to be of no use; **être de peu d'~** [*livre, appareil*] to be of little use; **ne pas voir l'~ de qch/de faire** not to see the point in sth/in doing; **2** (utilisation) use; **je n'en ai pas l'~** I have no use for it; **une de ses ~s** one of its uses

(Composé) **~ publique** Jur public benefit; **reconnu** *or* **déclaré d'~ publique** directed to the public benefit (*après n*)

(Idiome) **jouer les ~s** Théât to play bit parts; gén to be a menial

utopie /ytɔpi/ *nf* **1** Philos, Pol Utopia; **2** (chimère) wishful thinking ¢

utopique /ytɔpik/ *adj* [*projet, idée*] utopian

utopisme /ytɔpism/ *nm* utopianism

utopiste /ytɔpist/ *nmf* utopian

UV /yve/
A *nmpl* (*abbr* = **ultraviolets**) **1** Phys ultraviolet rays; **2** Cosmét **séance d'~** session on a sunbed; **se faire des ~** to use a sunbed
B *nf inv: abbr* ▸ **unité**

uvulaire /yvylɛʀ/ *adj* uvular

uvule /yvyl/ *nf* uvula

Vv

v, V /ve/ *nm inv* [1] (lettre) v, V; **en (forme de) V** [*objet*] V-shaped; **encolure en V** V-neck; **pull en V** V-necked sweater; **faire le V de la victoire** to give the victory salute; ▸ **vitesse**; [2] **V** (*written abbr* = **volt**) **120 V** 120 V

va /va/ ▸ **aller B**

vacance /vakɑ̃s/

[A] *nf* Admin (de charge, poste) vacancy

[B] **vacances** *nfpl* holiday GB, vacation US; **être en ~s** to be on holiday GB *ou* vacation US; **partir** *ou* **aller en ~s** to go (away) on holiday GB *ou* vacation US; **prendre des ~s** to go on holiday GB, to take a vacation US; **ils ont pris trois semaines de ~s** they took a three-week holiday GB *ou* vacation US; **passer de bonnes ~s** to have a good holiday GB *ou* vacation US; **bonnes ~s!** have a good holiday GB *ou* vacation US!; **avoir besoin de ~s** to need a holiday GB *ou* vacation US; **avoir droit à cinq semaines de ~s** to be entitled to five weeks' holiday GB *ou* vacation US; **pendant les ~s** during the holidays GB *ou* vacation US; **ils vont toujours en ~s en Bretagne** they always go on holiday to Brittany GB, they always take their vacation in Brittany US; **~s d'été/de Noël** summer/Christmas holidays GB *ou* vacation US; **~s d'été, grandes ~s** Scol summer holidays GB, summer vacation US; **photos de ~s** holiday snaps GB, vacation snaps US

(Composés) **~s judiciaires** Jur vacation (*sg*); **~s parlementaires** Pol parliamentary recess; **~ du pouvoir** Admin, Pol power vacuum; **~s scolaires** Scol school holiday GB *ou* vacation US; **~ de succession** Jur abeyance of succession; **~s universitaires** Univ university vacation

vacancier, -ière /vakɑ̃sje, ɛʀ/ *nm,f* holidaymaker GB, vacationer US

vacant, ~e /vakɑ̃, ɑ̃t/ *adj* [1] (disponible) [*logement*] vacant, empty; [*emploi, poste*] vacant; [*siège*] vacant; [2] Jur [*succession*] in abeyance (*après n*); [*biens*] unclaimed

vacarme /vakaʀm/ *nm* din, racket○; **faire du ~** to make a din *ou* racket○; **dans un ~ assourdissant** with a deafening noise

vacataire /vakatɛʀ/

[A] *adj* [*enseignant, personnel*] temporary

[B] *nmf* Admin temporary employee; Scol supply teacher GB, substitute teacher US

vacation /vakasjɔ̃/

[A] *nf* [1] Scol, Univ supply work ¢; Admin temporary work; **être payé à la ~** to be paid by the session; [2] Jur (séance de travail) session; [3] Comm (vente aux enchères) auction

[B] **vacations** *nfpl* [1] Jur (vacances) recess (*sg*); [2] (honoraires) fees

vaccin /vaksɛ̃/ *nm* [1] Méd vaccine; **~ contre la grippe/polio** flu/polio vaccine; **faire un ~ à qn** to vaccinate sb; [2] fig safeguard (**contre** against)

(Composé) **~ informatique** computer vaccine

vaccinal, ~e, *mpl* **-aux** /vaksinal, o/ *adj* vaccinal

vaccination /vaksinasjɔ̃/ *nf* vaccination; **~ contre la polio/variole** polio/smallpox vaccination; **il n'y a pas de ~ contre le rhume** there's no vaccination against the common cold

vaccine /vaksin/ *nf* (maladie) cowpox, vaccinia spéc

vacciner /vaksine/ [1] *vtr* [1] Méd, Vét to vaccinate (**contre** against); **se faire ~** to get vaccinated; [2] (endurcir) hum **~ qn contre** to put sb off; **~ qn contre le jeu/mariage** to put sb off gambling/getting married; **plus d'affaires sentimentales, je suis vacciné**○! no more romance, I've learned my lesson!

(Idiome) **il est majeur et vacciné** he's a big boy now hum, he's old enough to make his own decisions

vaccinologie /vaksinɔlɔʒi/ *nf* vaccinology

vaccinostyle /vaksinɔstil/ *nm* lancing device

vachard○**, ~e** /vaʃaʀ, aʀd/ *adj* mean, nasty

vache /vaʃ/

[A] ○*adj* [*commentaire, personne*] mean, nasty; **il est ~ avec elle** he's really mean to her; **cette prof, elle est ~!** she's really mean, that teacher!; **il n'a pas été ~, il aurait pu nous coller une amende** he was nice about it, he could have given us a fine; **faire un coup ~ à qn** to pull a mean *ou* dirty trick on sb

[B] ○**vache de** *loc adj* hell○ of; **on m'a offert un ~ de bouquin** I was given a hell of a good book

[C] *nf* [1] (animal) cow; [2] (cuir) cowhide; [3] ○(personne méchante) (homme) bastard◑, son of a bitch◑; (femme) bitch◑; **ah les ~s, ils sont partis sans moi!** the bastards◑, they've gone without me!; **faire un coup en ~ à qn** to pull a mean *ou* dirty trick on sb; **donner des coups de pieds en ~ à qn** lit to kick sb when no-one is looking; fig to stab sb in the back; [4] ○†(police) **les ~s** the fuzz○ (+ *v pl*), the pigs○; **mort aux ~s!** kill the pigs○!

[D] ○**la vache** *excl* (admiration) wow!; (commisération) **oh la ~! il a dû se faire mal!** God! that must have hurt!; (agacement, douleur) hell!

(Composés) **~ à eau** water bottle; **~s grasses** prosperous times; **années de ~s grasses** prosperous years; **~ à lait** Agric dairy cow; fig cash cow○, money-spinner○; **~ laitière** Agric dairy cow; **~s maigres** lean times; **années de ~s maigres** lean years; **~ sacrée** Relig sacred cow

(Idiomes) **parler français comme une ~ espagnole**○ to speak very bad French; **avoir l'air d'une ~ qui regarde passer un train**○ to look vacant *ou* gormless GB; ▸ **enragé, pisser**

vachement○ /vaʃmɑ̃/ *adv* [1] (très) [*bien, beau, dur, froid*] really; [2] (beaucoup) really; **il a ~ maigri** he lost a hell of a lot○ of weight

vacher /vaʃe/ ▸ **p. 532** *nm* cowman

vachère /vaʃɛʀ/ ▸ **p. 532** *nf* cowgirl

vacherie○ /vaʃʀi/ *nf* [1] (attitude) meanness, nastiness; **il est d'une ~ avec elle!** he's really mean to her!, he's an absolute bastard◑ to her!; [2] (propos) nasty *ou* bitchy○ remark; **dire des ~s à qn** to bitch◑ to sb; [3] (sale coup) dirty trick; **faire une ~ à qn** to pull a dirty trick on sb; [4] (calamité) **c'est une vraie ~ ce virus** this virus is a bloody◑ GB *ou* damned○ nuisance; **cette ~ de bagnole ne veut pas démarrer** this bloody◑ GB *ou* damned○ car won't start

vacherin /vaʃʀɛ̃/ *nm* [1] (fromage) vacherin cheese; [2] (dessert) vacherin (*meringue with fruit and whipped cream*)

vachette /vaʃɛt/ *nf* [1] (animal) young cow; [2] (cuir) calfskin; **portefeuille en ~** calfskin wallet

vacillant, ~e /vasijɑ̃, ɑ̃t/ *adj* [1] (tremblant) [*jambes*] unsteady; [*personne*] unsteady on one's legs; [*lumière, flamme*] flickering; [2] (fragile) [*pouvoir, majorité*] shaky; [*santé, mémoire, raison*] failing; [*volonté*] vacillating; [*opinions*] wavering

vacillement /vasijmɑ̃/ *nm* [1] (mouvement) (de chose) swaying ¢; (de flamme) flickering ¢; [2] (irrésolution) wavering ¢; [3] (affaiblissement) faltering ¢

vaciller /vasije/ [1] *vi* [1] (être chancelant) [*personne*] to be unsteady on one's legs; [*jambes*] to be unsteady; [2] (osciller) [*personne, objet*] to sway; [*lumière, flamme*] to flicker; [3] (se détériorer) [*santé, mémoire, raison*] to fail; [*pouvoir, majorité*] to weaken; [4] (hésiter) [*volonté, politique*] to waver; **~ dans ses résolutions** to waver in one's resolutions

va-comme-je-te-pousse○**: à la va-comme-je-te-pousse** /alavakɔmʃtəpus/ *loc adv* any old how○, in a slapdash way

vacuité /vakɥite/ *nf* emptiness, vacuity sout

vade-mecum* /vademekɔm/ *nm inv* vade mecum

vadrouille○ /vadʀuj/ *nf* stroll; **être en ~** to be wandering about; **partir en ~** to wander off

vadrouiller○ /vadʀuje/ [1] *vi* to wander around; **elle vadrouillait dans les rues d'Oxford** she was wandering around the streets of Oxford

va-et-vient /vaevjɛ̃/ *nm inv* [1] (allées et venues) (de personnes, véhicules) comings and goings (*pl*) (**de** of); (de dossiers, d'idées) toing and froing; **faire le ~** [*personne, bateau*] to go to and fro (**entre qch et qch** between sth and sth); [*dossier, loi*] to go backwards and forwards GB, to go back and forth; [2] (mouvement de foule) toing and froing (**de** in); [3] (balancement) toing and froing; **mouvement de ~** (horizontal) to and fro motion; (vertical) up-and-down movement; [4] Électrotech two-way switch; [5] Naut (cordage) hauling line; [6] Tech (charnière) two-way hinge; (porte) swing door

vagabond, ~e /vagabɔ̃, ɔ̃d/

[A] *adj* [*personne*] wandering (*épith*); [*chien*] stray (*épith*); [*existence, esprit, imagination*] roving (*épith*); [*humeur*] volatile

[B] *nm,f* vagrant

vagabondage /vagabɔ̃daʒ/ *nm* [1] (errance) (de personne) wandering; (de pensée) wanderings (*pl*); [2] Jur vagrancy ¢

vagabonder /vagabɔ̃de/ [1] *vi* [1] [*personne, animal*] to wander (**dans** through); **~ à travers le monde** to roam the world; [2] [*imagination*] to wander; [*pensées*] to stray

vagal, ~e, *mpl* **-aux** /vagal, o/ *adj* vasovagal; **malaise ~** vaso-vagal episode

vagin /vaʒɛ̃/ ▸ **p. 196** *nm* vagina

vaginal, **~e**, *mpl* **-aux** /vaʒinal, o/ *adj* vaginal

vaginisme /vaʒinism/ ▸ **p. 283** *nm* vaginismus

vaginite /vaʒinit/ ▸ **p. 283** *nf* vaginitis

vagir /vaʒiʀ/ [3] *vi* [*nouveau-né*] to wail

vagissement /vaʒismɑ̃/ *nm* wail

vague /vag/

A *adj* **1** (imprécis) [*forme, bruit, impression, réponse, geste*] vague; **avoir une ~ idée de qch** to have a vague idea of sth; **2** (rêveur) [*air, regard*] vague; **d'un air ~** [*contempler*] vaguely; **3** (quelconque) **il a fait une ~ école de commerce** he went to some sort of business school; **c'est une ~ relation de travail** I know him/her vaguely through work; **ce sont de ~s parents** they're distant relatives

B *nm* **il regardait dans le ~** he was staring into space; **ton regard était perdu dans le ~** you had a faraway look in your eyes; **il se complaisait dans le ~ de ses rêveries** he was happy in his dreamworld; **la direction est restée dans le ~ sur la question des salaires** management has remained vague on *ou* as to the question of wages

C *nf* **1** lit wave; **la ~ montante/déferlante** the gathering/breaking wave; **faire des ~s** [*vent*] to make ripples; fig [*démission, scandale*] to cause a stir, to make waves; **2** fig wave; **une ~ d'arrestations/de violence** a wave of arrests/of violence; **par ~s** [*arriver, attaquer*] in waves; **la ~ montante du mécontentement** the rising tide of discontent; **la ~ montante des opposants** the rapidly increasing numbers of opponents

(Composés) **~ à l'âme** melancholy; **avoir du ~ à l'âme** to feel melancholic; **~ de chaleur** Météo heatwave; **~ de froid** Météo cold spell

(Idiomes) **être au creux de la ~** [*personne, entreprise*] to be at a low ebb; **le creux de la ~ est passé** the worst of the crisis is over; **surtout, pas de ~s!** above all, no scandal!

vaguelette /vaglɛt/ *nf* wavelet

vaguement /vagmɑ̃/ *adv* [*évoquer, indiquer*] vaguely; [*honteux, embarrassé, irrité*] faintly; [*peindre*] roughly; **un roman ~ historique** a vaguely historical novel; **on avait ~ décoré la pièce pour la circonstance** they had put up a few decorations for the occasion; **j'ai ~ vu qu'il parlait à quelqu'un** I sort of saw him talking to someone; **on savait ~ qu'elle avait eu des problèmes avec la justice** there was a vague rumour[GB] that she'd had a brush with the law

vaguemestre /vagmɛstʀ/ *nm* Mil regimental postmaster; Mil Naut postman

vaguer /vage/ [1] *vi* liter to wander

vahiné /vaine/ *nf* Tahitian woman

vaillamment /vajamɑ̃/ *adv* courageously, valiantly sout

vaillance /vajɑ̃s/ *nf* courage; **avec ~** courageously

vaillant, **~e** /vajɑ̃, ɑ̃t/ *adj* **1** (courageux) [*sportif, équipe, soldat*] courageous; **2** (vigoureux) [*personne*] strong; [*vieillard*] sturdy

(Idiomes) **à cœur ~ rien d'impossible** Prov where there's a will, there's a way; **ne plus avoir un sou ~** not to have got two pennies to rub together GB, to be down to one's last dime US

vain, **~e** /vɛ̃, vɛn/

A *adj* **1** (inutile) [*effort, tentative*] vain, futile; [*regrets*] futile; [*démarche, discussion*] fruitless, futile; **mes efforts ont été ~s** my efforts were in vain; **avec lui, toute discussion serait ~e** talking to him would be futile; **leur sacrifice n'aura pas été ~** their sacrifice will not have been in vain; **il est ~ de faire** it is futile to do; **2** (illusoire) [*promesses*] empty; [*espoirs*] vain; **3** (superficiel) [*plaisirs, mots*] vain, empty; **le pouvoir de la presse n'est pas un ~ mot** the power of the press isn't an empty word; **4** (vaniteux) [*personne*] vain

B en vain *loc adv* in vain; **c'est en ~ que** it was in vain that

vaincre /vɛ̃kʀ/ [57]

A *vtr* **1** (battre) to defeat [*adversaire, équipe, armée*]; **2** (surmonter) to overcome [*sommeil, complexe, mauvais sort, scepticisme*]; to conquer [*chômage, préjugés, maladie*]

B *vi* to win; **il leur faut ~** they have to win

vaincu, **~e** /vɛ̃ky/

A *pp* ▸ **vaincre**

B *pp adj* [*équipe, armée, nation*] defeated; **elle part ~e d'avance** she has given up before she has even started; **s'avouer ~** to admit defeat (**face à qn** to sb; **face à qch** faced with sth)

C *nm,f* loser; **les ~s** Mil the defeated (+ *v pl*)

vainement /vɛnmɑ̃/ *adv* in vain

vainqueur /vɛ̃kœʀ/

A *adj m* [*pays*] victorious; **sourire ~** smile of victory; **sortir ~ de** to emerge victorious from [*guerre, match, élections*]; to emerge triumphant from [*négociations*]

B *nm* (de bataille) victor; (d'épreuve sportive, élections) winner (**de, devant** against); (de loterie, concours) prizewinner; (de désert, montagne) conqueror; **il a été le grand ~ des négociations** he was the true winner in the negotiations

vair /vɛʀ/ *nm* Hérald, Mode vair; **la pantoufle de ~ de Cendrillon** Cinderella's glass slipper

vairon /vɛʀɔ̃/

A *adj m* **yeux ~s** eyes of different colours[GB]

B *nm* Zool minnow

vaisseau, *pl* **~x** /vɛso/ *nm* **1** Anat, Bot vessel; **2** Naut vessel; Mil, Naut warship; **3** Archit nave

(Composés) **~ amiral** Mil, Naut, fig flagship; **~ capillaire** Anat capillary; **~ fantôme** Flying Dutchman; **~ sanguin** Anat blood vessel; **~ spatial** Astronaut spaceship

(Idiome) **brûler ses ~x** to burn all one's boats

vaisselier /vɛsəlje/ *nm* dresser

vaisselle /vɛsɛl/ *nf* **1** (plats pour manger) crockery GB, dishes (*pl*); **~ de porcelaine** china; **de la belle ~** fine china; **2** (plats à laver) dishes (*pl*); **laver** *or* **faire la ~** to do the dishes, to wash up GB, to do the washing-up GB; **essuyer la ~** to dry up, to do the drying up GB

val, *pl* **~s** *ou* **vaux** /val, vo/ *nm* valley

(Idiome) **être toujours par monts et par vaux** to be always on the move

valable /valabl/ *adj* **1** (acceptable) [*explication, raison*] valid; [*solution*] viable; [*interlocuteur*] valid; **2** (non périmé) [*papier d'identité, document, offre*] valid (**jusqu'à** until); **ma proposition reste ~** my offer still holds; **3** °(intéressant) [*œuvre, projet*] worthwhile; [*personne*] pretty good°

valablement /valabləmɑ̃/ *adv* [*soutenir*] legitimately; [*démontrer*] conclusively; **voter ~** to have a valid vote

Valais /valɛ/ ▸ **p. 721** *nprm* **le (canton de) ~** the (canton of) Valais; **habiter dans le ~** to live in Valais

Val-de-Marne /valdəmaʀn/ ▸ **p. 721** *nprm* (département) **le ~** Val-de-Marne

valdinguer° /valdɛ̃ge/ [1] *vi* [*personne, objet*] to go flying°; **~ dans l'escalier** to go tumbling down the stairs; **envoyer ~** (faire tomber) to send [sb/sth] flying°; (éconduire) to send [sb] packing°

Val-d'Oise /valdwaz/ ▸ **p. 721** *nprm* (département) **le ~** Val d'Oise

valence /valɑ̃s/ *nf* valency GB, valence US

Valence /valɑ̃s/ ▸ **p. 894** *npr* **1** (en France) Valence; **2** (en Espagne) Valencia

valenciennes /valɑ̃sjɛn/ *nf inv* Valenciennes lace

valériane /valeʀjan/ *nf* valerian

valet /valɛ/ ▸ **p. 532** *nm* **1** (serviteur) manservant; **2** Jeux jack; **~ de pique** jack of spades; **3** (de menuisier) clamp

(Composés) **~ de chambre** valet; **~ de comédie** Théât wily manservant; **~ d'écurie** stableman; **~ de ferme** farm hand; **~ de nuit** valet; **~ de pied** footman

(Idiome) **les bons maîtres font les bons ~s** Prov one leads by example

valetaille /valtaj/ *nf* pej flunkeys (*pl*)

Valette /valɛt/ ▸ **p. 894** *nprf* **la ~** Valetta

valétudinaire /valetydinɛʀ/ *adj, nmf* valetudinarian sout

valeur /valœʀ/ *nf* **1** (prix) value; **prendre/perdre de la ~** to go up/go down in value; **acheter qch d'une ~ de 100 euros** to buy sth worth 100 euros; **d'une ~ inestimable** [*bijou, meuble*] priceless; **avoir beaucoup de ~** to be very valuable; **n'avoir aucune ~, être sans ~** to have no value, to be worth nothing; **vendre qch en dessous de sa ~** to sell sth for less than it's worth; **un vase de ~** a valuable vase; **les objets de ~** valuables; **mettre un terrain en ~** to develop a plot of land; **la mise en ~ d'une terre** the development of a piece of land

2 (qualité) (de personne, d'artiste) worth; (d'œuvre) value, merit; (de méthode, découverte) value; **apprécier qn à sa ~** (positif) to recognize sb's worth; (négatif) to get the measure of sb; **prouver sa ~** to show one's worth; **avoir une ~ symbolique/sentimentale** to have symbolic/sentimental value; **faire la ~ de qch** to give sth value; **attacher de la ~ à qch** to value sth; **attacher une grande ~ à qch** to set great value on sth; **sans ~** worthless; **un homme de ~** (moralement) a very estimable man; **attirer des candidats de ~** (en compétence) to attract high-quality candidates; **la ~ de l'écrivain a été reconnue** the author's talent has been recognized; **le mot garde toute sa ~** the word keeps its full force; **mettre qch en ~** to emphasize, highlight [*fait, talent, qualité*]; to set off [*yeux, teint, tableau*]; **le cadre met le tableau en ~** the frame sets off the painting; **mettre qn en ~** [*couleur, maquillage*] to suit *ou* flatter sb; **la coupe de la robe met sa taille en ~** the cut of the dress shows off her slim waist; **se mettre en ~** [*coquette*] to make the best of oneself; [*candidat*] to show oneself to best advantage

3 (validité) validity; **~ légale** legal validity; **avoir ~ de** to be, to constitute; **avoir ~ de norme/symbole** to be the norm/a symbol; **ceci n'a pas ~ d'engagement** this does not constitute a commitment; **je souhaite que leur action ait ~ d'exemple** I hope that their action serves as an example

4 (principe moral) value; **les ~s morales/démocratiques/traditionnelles** moral/democratic/traditional values; **nous n'avons pas les mêmes ~s** we don't share the same values

5 Fin (effet de commerce) bill of exchange; (en Bourse) security; **~s** securities, stock ₵, stocks and shares; **les ~s minières** mining shares *ou* stock ₵ *ou* securities; **le marché** *or* **la Bourse des ~s** the stock market; **date** *or* **jour de ~** (dans une banque) value date

6 Compta asset; **~s disponibles/immobilisées** liquid/fixed assets

7 (quantité) **ajouter la ~ de deux cuillerées à café** add the equivalent of two teaspoons

8 Math value; **la ~ algébrique/absolue d'un nombre** the algebraic/absolute value of a number; **en ~ absolue/relative** fig in absolute/relative terms

9 Jeux (de pion, carte) value

10 Ling, Mus value

11 †(courage) valour†[GB]

(Composés) **~ ajoutée** added value ; **~ de** *or* **à la casse** scrap value; **~ déclarée** value; **~ d'échange** exchange value; **~ à l'échéance** value at maturity; **~ locative** rental value; **~ marchande** market *ou* sale value; **~ nominale** nominal *ou* face value; **~ nominative** registered security; **~ or** gold value; **~ de premier ordre** Fin blue chip; **~ refuge** safe investment; **~ sûre** gilt-edged security GB, blue chip; fig safe bet;

~ **d'usage** use value; ~ **vedette** Fin leader, blue chip; ~ **vénale** market *ou* sale value; ~**s mobilières** securities; ▸ **taxe**

valeureusement /valøʀøzmɑ̃/ *adv* valorously†

valeureux, -euse /valøʀø, øz/ *adj* valorous†

validation /validasjɔ̃/ *nf* Jur, Univ validation; Jeux, Transp stamping

(Composé) ~ **des acquis de l'expérience** *validation of out-comes of work experience*

valide /valid/ *adj* **1** [*ticket, passeport, contrat, argument*] valid; **non** ~ invalid; **2** [*personne, population*] able-bodied; [*bras*] good (*épith*); (en forme) fit; **je ne me sens pas encore bien** ~ I don't feel very fit yet

valider /valide/ [1] *vtr* to stamp [*titre de transport*]; **faire** ~ to have [sth] validated [*bulletin de loto*]; to have [sth] recognized [*diplôme*]

valideur /validœʀ/ *nm* validator

valideuse /validøz/ *nf* stamping machine (*for lottery coupons*)

validité /validite/ *nf* validity

valise /valiz/ *nf* (bagage) suitcase; **faire/défaire ses** ~**s** to pack/unpack; **s'il n'est pas content, il n'a qu'à faire ses** ~**s** if he doesn't like it, he can pack his bags

(Composé) ~ **diplomatique** diplomatic bag GB, diplomatic pouch US

(Idiomes) **se faire la** ~○ to clear off○ GB, to clear out○ US; **avoir des** ~**s sous les yeux**○ to have bags under one's eyes; **pose tes** ~**s**○**!** get with it○!

valium /valjɔm/ *nm* valium

vallée /vale/ *nf* valley; **la** ~ **du Nil** the Nile valley

(Composés) ~ **d'effondrement** Géol rift valley; ~ **glaciaire** Géog glaciated valley; ~ **de larmes** vale of tears

vallon /valɔ̃/ *nm* dale, small valley

vallonné, ~e /valɔne/ *adj* [*relief, paysage*] undulating; [*pays*] hilly

vallonnement /valɔnmɑ̃/ *nm* hills and valleys (*pl*)

valoche○ /valɔʃ/ *nf* **1** (valise) suitcase; **2** (cerne) ~**s** bags under the eyes

valoir /valwaʀ/ [45]

A *vtr* (procurer) ~ **qch à qn** to earn sb [*châtiment, éloges, critiques, inimitiés*]; to win sb [*amitié, admiration*]; to bring sb [*ennuis*]; **ça ne m'a valu que des ennuis** it brought me nothing but trouble, I got nothing but trouble out of it; **ce qui lui a valu d'aller en prison** which earned *ou* got him/her a prison sentence; **cela lui a valu d'être exclu du parti** it got him expelled from the party; **tout ce que t'a valu ta baignade, c'est un bon rhume** all you got out of going swimming is a nasty cold; **que me vaut l'honneur de ta visite?** hum to what do I owe the honour[GB] (of your visit)?

B *vi* **1** (en termes monétaires) [*maison, article*] ~ **une fortune/cher/encore plus cher** to be worth a fortune/a lot/even more; **ça vaut combien?** how much is it (worth), what is it worth?; **ça vaut bien 50 euros** (à peu près) it must be worth 50 euros; (largement) it's well worth 50 euros; **ça ne vaut pas grand-chose** it's not worth much; ~ **de l'or** fig [*idée*] to be very valuable; [*employé*] to be worth one's weight in gold; ▸ **avertir, deux**

2 (qualitativement) **que vaut ce film/vin?** what's that film/wine like?; **que vaut-il en tant que gestionnaire?** how good an administrator is he?; **il ne vaut pas mieux que son frère** he's no better than his brother; **ils ne valent pas mieux l'un que l'autre** there's nothing to choose between them; **le film ne vaut pas grand-chose** the film isn't very good *ou* isn't up to much○; **il ne vaut pas cher** he is a worthless individual *ou* a bad lot○; **ne rien** ~ [*matériau, produit, roman*] to be rubbish, to be no good; [*outil, traitement, méthode*] to be useless; [*argument*] to be worthless; **il ne vaut rien comme cuisinier** he's a useless cook; **le pneu ne vaut plus rien** the tyre has had it○; **la chaleur/le climat ne me vaut rien** heat/the climate doesn't suit me; **l'alcool ne vaut rien pour le foie** alcohol doesn't do the liver much good; **le voyage ne m'a rien valu** the journey hasn't done me any good; **le film vaut surtout par la qualité du dialogue** the principal merit of the film is the quality of the dialogue[GB]; **je sais ce que je vaux** I know my own worth; **il n'y a rien qui vaille dans cette œuvre** there's nothing good about this work; **il ne me dit rien qui vaille** I've got misgivings about him; **ça ne me dit rien qui vaille** (projet, annonce) I don't like the sound of it; **elle valait mieux que cela!** she deserved better than that!

3 (égaler) to be as good as; **ton travail vaut bien/largement le leur** your work is just as good/every bit as good as theirs; **une explication qui en vaut une autre** an explanation which is as good as any other; **rien ne vaut la soie** nothing beats silk; **tout cela ne vaut pas la Corse** it's still not as good as Corsica; **le frère vaut la sœur** iron the brother is just as bad as the sister

4 (équivaloir à) to be worth; **un ouvrier expérimenté vaut trois débutants** an experienced worker is worth three novices

5 (mériter) to be worth; **le musée vaut la visite** *or* **le déplacement/le détour** the museum is worth a visit/a detour; **la question vaut d'être posée** the question is worth asking; **ça vaut/ne vaut pas la peine** *or* **le coup**○ **d'y aller** it is/isn't worth going; **ça vaut la peine que tu y ailles** it's worth your going; **ça en vaut la peine, ça vaut le coup**○ it's worth it; **ça vaut le coup d'œil**○ it's worth seeing

6 (être valable) [*critique*] to apply; **la règle vaut pour tous les cas/pour tout le monde** the rule applies in all cases/to everybody; **ceci vaut surtout pour son dernier roman** this is particularly true of his/her last novel

7 (avec faire) **faire** ~ (faire fructifier) to put [sth] to work [*argent*]; to put [sth] to good use [*terrain*]; to turn [sth] to good account [*bien*]; (mettre en avant) to point out [*mérite, nécessité*]; to emphasize, highlight [*qualité, trait*]; to advance [*argument*]; to assert [*droit*]; to make [sth] known [*intention*]; **faire** ~ **que** to point out that, to argue that; **faire** ~ **la difficulté qu'il y aurait à faire qch** to point out the difficulty of doing sth; **faire** ~ **ses droits à la retraite** to claim one's right to retirement; **faire** ~ **ses relations** to mention one's connections; **se faire** ~ to push oneself forward, to get oneself noticed (**auprès de qn** by sb)

8 Comm **à** ~ to be deducted (**sur** from); **une somme à** ~, **un à** ~ a sum on account

C **se valoir** *vpr* [*produit, œuvres*] to be the same; **les deux candidats se valent** there's nothing to choose between the two candidates; **ça se vaut**○ it's all the same

D *v impers* **il vaut mieux faire, mieux vaut faire** it's better to do; **mieux vaut** *or* **il vaut mieux une dispute qu'un malentendu** an argument is better than a misunderstanding, rather an argument than a misunderstanding; **il vaut mieux que tu y ailles** you'd better go; **il aurait mieux valu qu'il se taise** he would have done better to keep quiet; **cela vaut mieux**○ it's better like that *ou* that way

(Idiomes) **vaille que vaille** somehow or other; **un tiens vaut mieux que deux tu l'auras, il vaut mieux tenir que courir** a bird in the hand is worth two in the bush

valorisant, ~e /valɔʀizɑ̃, ɑ̃t/ *adj* **1** (respecté) [*travail, profession, possession*] prestige (*épith*); **travail peu** ~ low-grade job; **2** (gratifiant) [*travail, expérience*] fulfilling[GB]; **nous vous offrons un stage** ~ we offer a training period which will help you fulfil[GB] your potential; **travail peu** ~ stultifying job

valorisation /valɔʀizasjɔ̃/ *nf* **1** Pub (promotion) promotion; ~ **d'un produit** promotion of a product; **2** Écon (mise en valeur) (de région, ressources) development; **3** Fin (hausse de valeur) (de monnaie) rise; (de terrains) rise in value

valoriser /valɔʀize/ [1]

A *vtr* **1** (promouvoir) to promote [*produit*]; to make [sth] attractive [*travail, profession, études*]; **2** (mettre en valeur) to develop [*région, ressources*]; to put [sth] to advantage [*diplôme, savoir-faire*]; **3** Fin (faire fructifier) to put [sth] to work [*capital*]

B **se valoriser** *vpr* [*candidat*] to show oneself to best advantage; [*coquette*] to make the most of oneself

valse /vals/ *nf* **1** Danse waltz; **danser la** ~ to do the waltz; **2** (changement fréquent) constant succession; ~ **des ministres** frequent cabinet reshuffles (*pl*); ~ **des étiquettes** *or* **prix** continual price rises (*pl*)

valse-hésitation, *pl* **valses-hésitations** /valsezitasjɔ̃/ *nf* shilly-shallying○ ¢

valser /valse/ [1] *vi* **1** Danse to waltz; **l'argent valse entre leurs mains**○ they spend money hand over fist; **envoyer** ~ **qn**○ (projeter) to send sb flying; (rembarrer) to send sb packing○; **le sac est allé** ~ **à l'autre bout de la pièce**○ the bag was sent flying across the room; **2** ○(changer) [*prix*] to be continually rising; [*personnel*] to be always changing; **ça valse dans le service** there's a constant turnover of staff; **faire** ~ **les étiquettes** to raise prices constantly; **il fait** ~ **les ministres** he keeps changing his ministers

valseur, -euse /valsœʀ, øz/

A *nm,f* Danse waltzer; **les** ~**s** the waltzing couples

B **valseuses**◑ *nfpl* (testicules) balls◑, testicles

valve /valv/ *nf* (tous contextes) valve

valvulaire /valvylɛʀ/ *adj* valvular

valvule /valvyl/ *nf* valve

(Composé) ~ **mitrale** Anat mitral valve

vamp○ /vɑ̃p/ *nf* vamp

vamper○ /vɑ̃pe/ [1] *vtr* to vamp○

vampire /vɑ̃piʀ/ *nm* **1** (revenant) vampire; **un film de** ~**s** a vampire film; **2** (personne avide) bloodsucker; **3** Zool vampire bat

vampiriser /vɑ̃piʀize/ [1] *vtr* to suck the lifeblood from

vampirisme /vɑ̃piʀism/ *nm* **1** lit vampirism; **2** (avidité) rapacity

van /vɑ̃/ *nm* **1** (fourgon) (pour chevaux) horsebox GB, horse-car US; (pour marchandises) van; **2** (panier) winnowing basket

vanadium /vanadjɔm/ *nm* vanadium

Vancouver /vɑ̃kuvɛʀ/ ▸ **p. 894** *npr* Vancouver; **l'île de** ~ Vancouver Island

vandale /vɑ̃dal/ *nmf* vandal

Vandale /vɑ̃dal/ *nmf* Hist Vandal

vandaliser /vɑ̃dalize/ [1] *vtr* to vandalize

vandalisme /vɑ̃dalism/ *nm* vandalism

vandoise /vɑ̃dwaz/ *nf* Zool dace

vanesse /vanɛs/ *nf* vanessa

vanille /vanij/ *nf* vanilla; **une gousse de** ~ a vanilla pod; **de la** ~ **en poudre** vanilla powder; **à la** ~ [*glace*] vanilla (*épith*); [*crème*] vanilla-flavoured[GB] (*épith*)

vanillé, ~e /vanije/ *adj* [*goût*] vanilla (*épith*); [*dessert*] vanilla-flavoured[GB]; **sucre** ~ sugar containing vanilla

vanillier /vanije/ *nm* vanilla plant

vanilline /vanilin/ *nf* vanillin

vanilliné, ~e /vaniline/ *adj* **sucre** ~ vanilla-flavoured[GB] sugar

vanité /vanite/ *nf* **1** (orgueil) vanity; **sans** ~ with all due modesty; **tirer** ~ **de qch** to pride oneself on sth; **blesser qn dans sa** ~ to wound sb's pride; **flatter qn dans sa** ~ to flatter sb's ego; **avoir la** ~ **de croire que** to be presumptuous enough to believe that; **2** (peu de valeur) (de richesses) emptiness; (d'efforts) futility; (de promesse) hollowness; (d'entreprise) uselessness; **3** Art vanitas

(Idiome) ~ **des** ~**s, tout est** ~ vanity of vanities, all is vanity

V

vaniteux, **-euse** /vanitø, øz/
A *adj* vain, conceited
B *nm,f* vain *ou* conceited person

vanity-case, *pl* **~s** /vanitikes/ *nm* vanity case

vannage /vanaʒ/ *nm* winnowing

vanne /van/ *nf* **1** (de barrage) gate; (d'écluse, de moulin) sluice gate; **2** °(propos) dig°; **envoyer une ~** *or* **des ~s à qn** to have a dig at sb°
(Composés) **~ de décharge** Tech floodgate; **~ glissante** Tech slide gate; **~ levante** Tech lift gate; **~ roulante** Tech roller gate; **~ de sécurité** Ind (dans un forage pétrolier) kelly cock; **~ de vidange** sluice gate
(Idiome) **ouvrir les ~s°** to make funds available; **fermer les ~s°** to cut funding

vanneau, *pl* **~x** /vano/ *nm* lapwing
(Composés) **~ huppé** Northern lapwing; **~ téro** Southern lapwing

vanner /vane/ [1] *vtr* **1** Agric to winnow; **2** °(fatiguer) to tire [sb] out [*personne*]; **je suis vannée!** I'm tired out *ou* knackered° GB *ou* pooped°!

vannerie /vanʀi/ *nf* basket-making; **objets en ~** wickerwork, basketwork

vanneur, **-euse** /vanœʀ, øz/ ▸ **p. 532** *nm,f* winnower

vannier, **-ière** /vanje, ɛʀ/ ▸ **p. 532** *nm,f* basket-maker

vantail, *pl* **-aux*** /vɑ̃taj, o/ *nm* (de porte) leaf; (de fenêtre) casement; (de volet) shutter; (d'armoire) door; **porte à double ~** double-door

vantard, **~e** /vɑ̃taʀ, aʀd/
A *adj* boastful (*épith*); **il est ~** he's a boaster
B *nm,f* boaster, braggart

vantardise /vɑ̃taʀdiz/ *nf* **1** (caractère) boastfulness; **2** (parole) boast

vanter /vɑ̃te/ [1]
A *vtr* to praise [*qualité, vertu, talent, personne*]; **tant vanté** so highly praised; **~ les mérites de qn/qch** to speak highly of sb/sth
B se vanter *vpr* **1** (être un vantard) to brag (**de** about); **elle se vante toujours de tes succès** she is always bragging about your achievements; **il n'y a pas de quoi se ~!** there's nothing to brag about!; **il a cassé le vase mais il ne s'en est pas vanté** he broke the vase but he kept quiet about it; **2** (s'enorgueillir) **se ~ de faire** to pride oneself on doing; **il se vante de posséder la plus belle collection au monde** he prides himself on having the finest collection in the world; **3** (prétendre) **se ~ de faire** to make out that one does; **elle se vante de tout réussir** she makes out that she makes a success of everything

Vanuatu /vanyaty/ ▸ **p. 333, p. 435** *nprm* Vanuatu; **les îles ~** the Vanuatu Islands

va-nu-pieds* /vanypje/ *nmf inv* tramp, bum°

vapes° /vap/ *nfpl* **être (complètement) dans les ~** to be in a complete daze; **tomber dans les ~** to pass out°

vapeur /vapœʀ/
A *nf* **1** (d'eau) steam; **à ~** [*machine, bateau*] steam (*épith*); **aller à toute ~** to go full steam ahead; **renverser la ~** Naut to go astern; fig to backpedal; **faire cuire qch à la ~** to steam sth; **la cuisine à la ~** steam cooking; **2** Phys vapour[GB]
B vapeurs *nfpl* **1** (émanations) fumes; **des ~s d'essence** petrol fumes GB, gas fumes US; **2** †(bouffées de chaleur) **elle a des ~s!** she has a touch of the vapours[GB]!
(Composés) **~ atmosphérique** atmospheric vapour[GB]; **~ d'eau** steam

vaporeux, **-euse** /vapɔʀø, øz/ *adj* **1** (léger) [*vêtement, matériau*] diaphanous; **2** fml (brumeux) [*paysage, horizon*] misty

vaporisateur /vapɔʀizatœʀ/ *nm* **1** Cosmét spray, atomizer; **un ~ à parfum** a perfume atomizer; **2** Agric spray

vaporisation /vapɔʀizasjɔ̃/ *nf* **1** (d'insecticide, de parfum) spraying (**de** of); **2** Phys vaporization (**de** of)

vaporiser /vapɔʀize/ [1]
A *vtr* **1** (projeter) to spray; **lotion à ~ sur la peau** lotion to be sprayed onto the skin; **il a vaporisé de la lotion sur ses cheveux** he sprayed his hair with hair lotion; **2** Phys [*chaleur*] to vaporize [*liquide*]
B se vaporiser *vpr* Phys to vaporize

vaquer /vake/ [1]
A *vi* (s'arrêter) [*tribunal, assemblée*] to be in recess; [*cours*] to stop
B vaquer à *vtr ind* **~ à ses occupations** *or* **affaires** to attend to one's business

Var /vaʀ/ ▸ **p. 372, p. 721** *nprm* (fleuve, département) **le ~** the Var

varan /vaʀɑ̃/ *nm* Zool monitor
(Composé) **~ de Bornéo** earless monitor

varappe /vaʀap/ ▸ **p. 469** *nf* rock-climbing; **faire de la ~** to go rock-climbing

varappeur, **-euse** /vaʀapœʀ, øz/ *nm,f* rock-climber

varech /vaʀɛk/ *nm* kelp

vareuse /vaʀøz/ *nf* **1** Mil Naut jersey; **2** Mil uniform jacket; **3** Mode smock

variabilité /vaʀjabilite/ *nf* variability

variable /vaʀjabl/
A *adj* **1** (fluctuant) [*durée, efficacité, production, tarif, nombre*] variable; **des obligations à taux ~** Fin bonds at variable rates; **être ~ selon qch** to vary according to sth; **leurs sketches sont d'une durée ~** their sketches vary in length; **les hausses sont ~s d'un produit à l'autre** the price rises vary from product to product; **2** (changeant) [*ciel, temps*] changeable; [*humeur*] unpredictable; **vent ~ de faible à modéré** wind varying from weak to moderate; **dans des proportions ~s** in varying proportions; **ils ont des opinions ~s** they have shifting opinions; **3** (modifiable) [*hauteur, focale*] adjustable; **un siège à hauteur ~** a seat with adjustable height; ▸ **avion**; **4** Math, Ordinat [*quantité, nombre, données*] variable; **5** Ling **un mot ~** a word which inflects
B *nf* Math, Fin, Phys, Stat variable
(Composés) **~ de décision** Écon operative choice; **~ visuelle** Géog visual reference point

variance /vaʀjɑ̃s/ *nf* variance

variante /vaʀjɑ̃t/ *nf* variant
(Composés) **~ combinatoire** combinatory *ou* conditioned variant; **~ libre** free variant

variateur /vaʀjatœʀ/ *nm* **~ de lumière** dimmer switch; **~ de vitesse** variable speed drive

variation /vaʀjasjɔ̃/ *nf* **1** (changement) variation (**de** in); **~ de température** variation in temperature; **~s cycliques/régulières** cyclic/regular variations; **~ à la baisse/à la hausse** downward/upward movement; **~s de l'opinion publique** changes in public opinion; **~s de l'état d'un malade** changes in a patient's condition; **~ de l'orthographe au cours des siècles** changes in spelling over the centuries; **connaître de fortes ~s** [*prix, températures*] to fluctuate considerably; **2** Mus variation; **~s pour piano** variations for piano; **le film propose une nouvelle ~ sur (le thème de) l'exil** fig the film puts forward a new variation on (the theme of) exile
(Composé) **~s saisonnières** Écon seasonally adjusted figures; **en données corrigées des ~s saisonnières** according to the seasonally adjusted figures

varice /vaʀis/ *nf* varicose vein, varix spéc; **avoir des ~s** to have varicose veins

varicelle /vaʀisɛl/ ▸ **p. 283** *nf* chicken pox, varicella spéc

varié, **~e** /vaʀje/ *adj* **1** (diversifié) [*menu, clientèle, programme, répertoire, échantillon, paysage*] varied; **une expérience ~e** diverse *ou* varied experience; **j'ai un travail ~** my work is quite varied; **plumage ~** variegated plumage; **2** (multiple) [*instruments, exercices*] various; **sous des formes ~es** in various forms; **des activités aussi ~es que** activities as varied as; **aborder les problèmes les plus ~s** to tackle a wide range of problems; **une population d'origines ~es** a population of diverse origins; **'sandwichs/desserts ~s'** 'a selection of sandwiches/desserts'

varier /vaʀje/ [2]
A *vtr* **1** (apporter des changements à) to vary [*menu, présentation, décoration*]; **2** (diversifier) to vary; **(faire) ~ qch en fonction de qch** to vary sth according to sth; **pour ~ les expériences j'ai fait plusieurs métiers** I've had various jobs to get different types of experience; **pour ~ les plaisirs** just for a (pleasant) change
B *vi* **1** (changer) [*prix, température, rituel, programme, date*] to vary (**avec, en fonction de, au gré de** according to); **l'inflation varie de 4% à 6%** inflation fluctuates between 4% and 6%; **les prix varient entre 50 et 200 euros** prices vary between 50 euros and 200 euros; **l'incubation varie de cinq semaines à six mois** the incubation varies from five weeks to six months; **2** (changer d'opinion) **l'accusé ne varie pas** the accused is sticking to his story; **il ne varie jamais dans ses déclarations** he never changes his tune; **leur réponse n'a pas varié** their reply is always the same
(Idiome) **souvent femme varie, bien fol est qui s'y fie** Prov woman is fickle

variété /vaʀjete/
A *nf* **1** (diversité) variety (**de** of); **la ~ des réponses/tâches** the variety of replies/tasks; **les activités manquent de ~** the activities are lacking in variety; **aimer la ~** to like variety; **apporter de la ~** to bring variety (**dans** to); **des menus/paysages d'une grande ~** very varied menus/landscapes; **la ~ de leur jeu surprend toujours l'adversaire** Sport their opponents are always taken aback at how varied their game is; **une grande ~ de matériaux/de couleurs/d'articles** a wide range of materials/of colours[GB]/of items; **2** Bot variety; **3** (type) sort; **différentes ~s de chocolats/céréales** different sorts of chocolates/cereals; **une ~ de grippe** a strain of flu; **4** Mus popular music; **la ~ française** French popular music
B variétés *nfpl* **spectacle de ~s** variety show; **la chanson de ~s** middle-of-the-road popular song; **un chanteur de ~s** (middle-of-the-road) popular singer; **musique de ~s** kitchen-sink music; **les ~s françaises/italiennes** French/Italian popular music

Variété française

Songs written in French for a French-speaking audience are known as *variété française*. This popular and productive musical genre is encouraged by a law which stipulates that a prescribed amount of air time be allocated to it on the French national radio. It is also celebrated at the annual *Francofolies* music festival in July in La Rochelle.

variole /vaʀjɔl/ ▸ **p. 283** *nf* smallpox, variola spéc

variolé, **~e** /vaʀjɔle/ *adj* [*visage*] pock-marked

variolique /vaʀjɔlik/ *adj* [*éruption*] smallpox (*épith*), variolous spéc

variqueux, **-euse** /vaʀikø, øz/ *adj* varicose

varlope /vaʀlɔp/ *nf* trying plane GB, plane US

varloper /vaʀlɔpe/ [1] *vtr* to plane

Varsovie /vaʀsɔvi/ ▸ **p. 894** *npr* Warsaw

vas /va/ ▸ **aller B**

vasculaire /vaskylɛʀ/ *adj* vascular

vascularisation /vaskylaʀizasjɔ̃/ *nf* vascularization

vascularisé, **~e** /vaskylaʀize/ *adj* vascular

V

vase /vɑz/
A *nm* (à fleurs, ornemental) vase
B *nf* **1** Géol silt, sludge; **2** ○(pluie) rain
(Composés) **~s communicants** Phys connected vessels; **~ Dewar** Phys Dewar flask; **~ d'expansion** Tech surge tank; **~ de nuit** chamber pot; **~s sacrés** Relig sacred vessels
(Idiomes) **vivre/être élevé en ~ clos** to live/be brought up without any contact with the outside world; **c'est la goutte d'eau qui fait déborder le ~** it's the last straw

vasectomie /vazɛktɔmi/ *nf* vasectomy

vasectomiser /vazɛktɔmize/ [1] *vtr* to perform a vasectomy on [*patient*]

vaseline® /vazlin/ *nf* Vaseline®

vaseux, **-euse** /vazø, øz/ *adj* **1** (boueux) muddy; **2** ○(fatigué) **je me sens plutôt ~** I'm not really with it; **3** ○(peu cohérent) [*discours, argument*] woolly

vasistas /vazistas/ *nm inv* (à lamelles) louvre[GB] window; (dans une fenêtre) opening windowpane

vasoconstricteur, **-trice** /vazokɔ̃stʀiktœʀ, tʀis/
A *adj* vaso-constrictive
B *nm* **1** Pharm vasoconstrictor; **2** Anat vasoconstrictor, vasoconstrictive nerve

vasoconstriction /vazokɔ̃stʀiksjɔ̃/ *nf* vasoconstriction

vasodilatateur, **-trice** /vazodilatatœʀ, tʀis/
A *adj* vasodilator
B *nm* **1** Pharm vasodilator; **2** Anat vasodilator (nerve)

vasodilatation /vazodilatasjɔ̃/ *nf* vasodilation

vasomoteur, **-trice** /vazomɔtœʀ, tʀis/ *adj* vasomotor

vasomotricité /vazomɔtʀisite/ *nf* vasomotivity

vasouillard○, **~e** /vazujaʀ, aʀd/ *adj* **1** (fatigué) **je me sens ~** I'm not with it; **2** (peu cohérent) [*discours, argument*] woolly

vasouiller○ /vazuje/ [1] *vi* [*personne*] to flounder

vasque /vask/ *nf* **1** (de fontaine) basin; **2** (coupe) bowl

vassal, **~e**, *mpl* **-aux** /vasal, o/
A *adj* **État ~** vassal state
B *nm,f* Hist vassal; fig slave; **il se comporte en ~** he behaves like a slave

vassaliser /vasalize/ [1] *vtr* to subjugate

vassalité /vasalite/ *nf* vassalage

vaste /vast/ *adj* **1** (de grande étendue) [*pièce, domaine, bâtisse, secteur, réseau*] vast; [*marché*] huge; **créer un ~ secteur industriel** to create a vast industrial sector; **la salle/le domaine n'est pas très ~** the room/the property is not very large; **le ~ monde** the wide world; **2** (nombreux) [*public, auditoire, choix, sélection, collection*] large; [*rassemblement*] huge; **3** (de grande envergure) [*programme, projet, entreprise, escroquerie*] massive; [*campagne*] extensive; [*plaisanterie*] huge; [*débat, enquête*] wide-ranging; [*mouvement, offensive*] large-scale; [*réforme*] far-reaching; [*œuvre, sujet*] wide-ranging; **une ~ opération de prévention** a massive preventative operation; **porté par un ~ élan de solidarité** carried along by a huge wave of solidarity

vat: **à Dieu va(t)** /adjøva(t)/ *loc excl* come what may

va-t-en-guerre /vatɑ̃gɛʀ/ *nm inv* warmonger

Vatican /vatikɑ̃/ ▸ p. 333 *nprm* Vatican City

vaticination /vatisinasjɔ̃/ *nf* fml, pej soothsaying, vaticination sout

vaticiner /vatisine/ [1] *vi* fml, pej to soothsay, to vaticinate sout

va-tout* /vatu/ *nm inv* **jouer/tenter son ~** to stake/risk everything

Vaud /vo/ ▸ p. 721 *nprm* **le (canton de) ~** the (canton of) Vaud; **habiter dans le ~** to live in Vaud

vaudeville /vodvil/ *nm* light comedy, vaudeville; **tourner au ~** to turn into a farce

vaudevillesque /vodvilɛsk/ *adj* farcical

vaudois, **~e** /vodwa, waz/ ▸ p. 721 *adj* **1** Géog [*accent, costume, firme*] from the canton of Vaud (*après n*); **2** Hist Relig Waldensian

Vaudois, **~e** /vodwa, waz/ *nm,f* **1** Géog inhabitant of the canton of Vaud; **2** Hist Relig Waldensian; **les ~** the Waldensians *ou* Waldenses

vaudou /vodu/ *adj inv, nm* voodoo

vau-l'eau: **à vau-l'eau** /avolo/ *loc adv* **aller à ~** to be falling apart

vaurien, **-ienne** /voʀjɛ̃, ɛn/ *nm,f* **1** (chenapan) rascal; **(espèce de) petit ~!** you little rascal!; **2** pej (crapule) lout, yobbo○ GB, hoodlum○

Vaurien® /voʀjɛ̃/ *nm* Naut Vaurien

vautour /votuʀ/ *nm* **1** Zool vulture; **2** (personne avide) vulture; **les ~s de la finance** the vultures in the financial world

vautrer: **se vautrer** /votʀe/ [1] *vpr* **1** (s'étaler) to sprawl; **se ~ dans l'herbe/sur le sable** to sprawl in the grass/on the sand; **2** (s'affaler) to loll; **se ~ dans un fauteuil** to loll in an armchair; **ne reste pas vautré toute la journée** don't spend all day lolling around; **3** (se rouler) to wallow; **se ~ dans la boue/dans la débauche** to wallow in the mud/in debauchery

vauvert: **au diable vauvert** /odjabləvovɛʀ/ *loc adv* miles from anywhere

va-vite: **à la va-vite** /alavavit/ *loc adv* pej in a rush; **un travail fait à la ~** a rush job

VDQS /vedekyɛs/ *nm*: *abbr* ▸ **vin**

veau, *pl* **~x** /vo/ *nm* **1** Zool calf; **2** Culin veal; **côte de ~** veal chop; **foie/pied de ~** calf's liver/foot; **3** (cuir) calfskin; **4** ○(personne amorphe) dope○; (voiture) sluggish car; (cheval) nag
(Composés) **~ marin** Zool seal; **~ d'or** Bible golden calf; (les richesses) Mammon
(Idiomes) **pleurer comme un ~** to cry one's eyes out; **tuer le ~ gras** to kill the fatted calf

vécés○ /vese/ *nmpl* loo○ (*sg*) GB, toilet (*sg*)

vecteur /vɛktœʀ/ *nm* **1** (support) vehicle; **~ de** vehicle of [*agressivité, impulsion*]; vehicle for [*culture, information*]; **2** Math vector; **3** Biol (de maladie) carrier, vector spéc; **4** Mil (véhicule) carrier

vectoriel, **-ielle** /vɛktɔʀjɛl/ *adj* [*calcul, produit*] vector (*épith*)

vécu, **~e** /veky/
A *pp* ▸ **vivre**
B *pp adj* **1** (authentique) [*drame, événement, histoire*] real-life (*épith*); **2** Philos (subjectif) [*durée, temps*] subjective
C *nm* **1** (expériences) personal experiences (*pl*); **tirer son inspiration de son ~** to draw inspiration from one's own personal experiences; **2** (réalité) real life; **c'est du ~** [*film, roman*] it's real life

vedettariat /vədɛtaʀja/ *nm* stardom; **accéder au ~** to rise to stardom

vedette /vədɛt/
A *nf* **1** (célébrité) star; **~ de cinéma** film star, movie star US; **une ~ de la politique** a famous politician; **l'événement a fait d'elle une ~ de l'actualité** the event put her in the public eye; **avoir la ~** [*acteur, orateur*] to have top billing; **tenir la ~** [*acteur, événement*] to be in the limelight; **partager la ~ avec qn** lit to share top billing with sb; **partager la ~ avec qn/qch** fig to share the limelight with sb/sth; **se mettre en ~** to push oneself forward; **mettre qn/qch en ~** to turn the spotlight on sb/sth; **2** Naut (de police, pompiers) launch
B **(-)vedette** (*in compounds*) **joueur ~** star player; **danseur ~** star; **enfant ~** child star; **mannequin ~** top model; **match ~** big match GB *ou* game US; **produit ~** biggest seller; **titre** *or* **valeur ~** Fin blue chip
(Composés) **~ américaine** support (act); **~ de combat** fast attack craft; **~ de croisière** cabin cruiser; **~ lance-torpilles** motor torpedo boat GB

vedettiser /vədɛtize/ [1] *vtr* to turn [sb] into a star

védique /vedik/ *adj* Vedic

védisme /vedism/ *nm* Vedaism

végétal, **~e**, *mpl* **-aux** /veʒetal, o/
A *adj* (propre aux plantes) [*cellule, tissu, anatomie, pathologie*] plant (*épith*); (venant des plantes) [*huile, teinture, origine*] vegetable (*épith*)
B *nm* vegetable, plant

végétalien, **-ienne** /veʒetaljɛ̃, ɛn/ *adj, nm,f* vegan

végétalisme /veʒetalism/ *nm* veganism

végétarien, **-ienne** /veʒetaʀjɛ̃, ɛn/ *adj, nm,f* vegetarian; **être ~** to be a vegetarian

végétarisme /veʒetaʀism/ *nm* vegetarianism

végétatif, **-ive** /veʒetatif, iv/ *adj* Bot, Physiol vegetative; **vie végétative** vegetative life

végétation /veʒetasjɔ̃/
A *nf* Bot vegetation
B **végétations** *nfpl* Méd adenoids

végéter /veʒete/ [14] *vi* [*personne*] to vegetate; [*affaires, marché, projet*] to stagnate

véhémence /veemɑ̃s/ *nf* vehemence; **avec ~** vehemently

véhément, **~e** /veemɑ̃, ɑ̃t/ *adj* [*personne, discours, propos*] passionate, vehement; [*orateur*] passionate

véhiculaire /veikylɛʀ/ *adj* **langue ~** lingua franca

véhicule /veikyl/ *nm* **1** (moyen de transport) vehicle; **~ blindé** armoured[GB] vehicle; **2** (moyen d'expression) vehicle (**de** for)
(Composés) **~ lourd** heavy goods vehicle; **~ polyvalent** multipurpose vehicle, MPV; **~ de tourisme** private car; **~ sanitaire** ambulance; **~ utilitaire** commercial vehicle

véhiculer /veikyle/ [1] *vtr* (transporter) to carry, transport [*personnes, marchandises*]; (transmettre) to carry [*substance, virus, message, idée*]; **~ des rumeurs** to circulate *ou* spread rumours[GB]; **~ une image** to promote an image; **le cholestérol est véhiculé dans le sang** cholesterol is carried in the blood

veille /vɛj/ *nf* **1** (jour précédent) **la ~** the day before; **la ~ au soir** the night *ou* evening before; **la ~ de l'examen/de notre départ** the day before the exam/before we left; **passer la ~ de Noël/du Jour de l'An** to spend Christmas/New Year's Eve; **la ~ de sa mort, il se sentait mieux** the day before he died, he was feeling better; **en cette ~ de Pâques 1951** the day before this Easter of 1951; **en cette ~ d'élections** on the eve of these elections; **à la ~ de** (juste avant) on the eve of [*guerre, élections*]; **être à la ~ de faire** to be on the verge of doing; **2** Physiol (état normal) waking; (état forcé) vigil; **une nuit de ~** an all-night vigil; **être en état de ~** to be awake; **pendant l'état** *or* **en période de ~, leur température augmente** while they're awake, their temperature increases; **ses longues heures de ~ l'ont épuisée** the many hours without sleep have worn her out; **3** (garde) watch; **des heures de ~** hours on watch; **4** Tech standby
(Composé) **~ technologique** technology watch

veillée /veje/ *nf* **1** (soirée) evening; **les longues ~s d'hiver** the long winter evenings; **à la ~** in the evening; **2** (auprès d'un malade) vigil
(Composés) **~ d'armes** Hist knightly vigil; fig on the eve of battle; **~ funèbre** *or* **mortuaire** wake

V

veiller /veje/ [1]
A *vtr* to watch over *[blessé, malade]*; to keep watch over *[mort]*
B *vtr ind* 1 (penser) ~ **à** to look after; ~ **au bonheur/bien-être de qn** to look after sb's happiness/well-being; ~ **au bon déroulement de qch** to see to it that something goes smoothly; ~ **à sa santé** to look after one's health; **veille à fermer la porte** make sure that you close the door; ~ **à ce que** to make sure that, to see to it that; **veillez à ce que tout se passe bien** make sure that everything goes smoothly; 2 (protéger) ~ **sur** to watch over; ~ **sur un enfant** to watch over a child
C *vi* 1 (rester éveillé) to stay up; ~ **au chevet** *or* **auprès de qn** to sit up at sb's bedside; 2 (monter la garde) to be on watch; 3 (être vigilant) to be watchful; **heureusement, la police veille** fortunately, the police are there
(Idiome) ~ **au grain** to be on one's guard

veilleur, -euse /vɛjœʀ, øz/
A ▸ **p. 532** *nm,f* (guetteur) look-out
B veilleuse *nf* 1 (lampe) night light; **mettre une lampe en veilleuse** to dim a light; 2 (d'appareil à gaz) pilot light; 3 Aut side light GB, parking light US; **il était en veilleuses** he had his side lights on
(Composé) ~ **de nuit** night watchman
(Idiomes) **mets-la en veilleuse**◑**!** put a sock in it◑! GB, can it◑! US; **mettre qch en veilleuse** to put sth on the back burner *[projet, entreprise]*

veinard○, ~**e** /venaʀ, aʀd/
A *adj* lucky, jammy○ GB
B *nm,f* lucky *ou* jammy○ GB devil○

veine /vɛn/ *nf* 1 Anat vein; **ne pas avoir de sang dans les** ~**s** fig to have no guts○; ▸ **saigner**; 2 Bot (nervure) vein; **les** ~**s** (de chou, marbre) the veining ¢; (de bois) the grain ¢; 3 Mines (de charbon) seam; (de métal) vein; **exploiter une** ~ lit to work a seam; fig to milk a subject for all it's worth; 4 (inspiration) inspiration; ~ **poétique** poetic inspiration; **de** *or* **dans la même** ~ in the same vein; **être en** ~ **de générosité** to be in a generous mood; 5 ○(chance) luck; **il a de la** ~ (en général) he's lucky; (cette fois) he's in luck; **il n'a pas de** ~ (en général) he's unlucky; (cette fois) he's out of luck; **ne pas avoir de** ~ **avec qn/qch** to have no luck with sb/sth; **avoir une** ~ **de pendu** *or* **cocu**○ to have the luck of the devil○; **coup de** ~ stroke of luck; **c'est bien ma** ~ that's just my luck; **pas de** ~**!** hard luck!; **tu as de la** ~**/c'est une** ~ **qu'il soit là** you're lucky/it's lucky he's here
(Composés) ~ **cave** vena cava; ~ **coronaire** coronary vein; ~ **jugulaire** jugular vein; ~ **porte** portal vein; ~ **pulmonaire** pulmonary vein

veiné, ~**e** /vene/ *adj [peau, main, marbre]* veined; *[bois]* grained; **marbre** ~ **de rose** pink-veined marble; **pomme** ~**e de rouge** apple streaked with red

veineux, -euse /venø, øz/ *adj* 1 Anat *[circulation, système]* venous; 2 *[bois]* grainy; *[marbre]* veined

veinosité /venozite/ *nf* thread vein

veinule /venyl/ *nf* Anat, Bot venule

veinure /venyʀ/ *nf* (du bois) grain ¢; (du marbre) veining ¢

vêlage /vɛlaʒ/ *nm* 1 Vét (de vache) calving; 2 Géog (d'iceberg) calving

vélaire /velɛʀ/
A *adj* velar
B *nf* velar consonant

vélarisation /velaʀizasjɔ̃/ *nf* velarization

velcro® /vɛlkʀo/ *nm* velcro®; **fermeture (par)** ~ velcro fastening

vêlement /vɛlmɑ̃/ *nm* = **vêlage**

vêler /vele/ [1] *vi [vache]* to calve

vélin /velɛ̃/ *nm* vellum

véliplanchiste /veliplɑ̃ʃist/ *nmf* windsurfer

velléitaire /vɛlleitɛʀ/
A *adj [personne, tempérament]* weak-willed
B *nmf* waverer

velléité /vɛlleite/ *nf* (désir vague) vague desire; (tentative) vague attempt; **avoir des** ~**s d'indépendance** to feel a vague desire to be independent; **juguler toute** ~ **d'action** to suppress any vague desire to act; **étouffer les** ~**s de réforme** to put down any vague attempts at reform; **il n'a pas manifesté la moindre** ~ **de résistance** he did not show the slightest inclination to resist; **à la moindre** ~ **de rébellion** at the slightest sign of rebellion

vélo○ /velo/ *nm* 1 (bicyclette) bike○; **c'est plus facile en** *or* **à** ~ it's easier by bike; **aller en ville en** ~ to go into town by bike, to cycle into town; **faire 10 kms en** ~ to cycle 10 kms; 2 ▸ **p. 469** (sport) cycling; **faire du** ~ to cycle, to go cycling
(Composés) ~ **d'appartement** exercise bike; ~ **de course** racing bike; ~ **tous chemins, VTC** hybrid bike; ~ **tout terrain, VTT** mountain bike

véloce /velɔs/ *adj* liter *[personne]* fleet of foot littér (*jamais épith*); *[animal]* swift; *[doigts]* nimble

vélocipède /velosipɛd/ *nm* velocipede

vélocité /velɔsite/ *nf* (de pianiste) nimble-fingeredness; (de footballeur) speed; (d'animal) swiftness; **exercices de** ~ Mus finger exercises; Tech velocity

vélo-cross* /velokʀɔs/ *nm inv* 1 ▸ **p. 469** (sport) cyclo-cross; **faire du** ~ to go cyclo-cross racing; 2 (vélo) cyclo-cross bike

vélodrome /velodʀom/ *nm* velodrome

vélomoteur /velomɔtœʀ/ *nm* moped

vélomotoriste /velomɔtɔʀist/ *nmf* moped rider

véloski /veloski/ ▸ **p. 469** *nm* 1 (engin) skibob; 2 (sport) skibobbing

velours /vəluʀ/ *nm inv* (lisse) velvet; (à côtes) corduroy, cord; **rideau en** *or* **de** ~ velvet curtain; **avoir une peau de** ~ to have a velvety skin; **yeux de** ~ doe eyes; **avoir des yeux de** ~ to be doe-eyed; **cette sauce/ce vin c'est du** ~ this sauce/this wine is as smooth as velvet
(Composé) ~ **côtelé** corduroy, cord
(Idiomes) **une main de fer dans un gant de** ~ an iron fist in a velvet glove; **jouer sur du** ~ to have it made○; **faire patte de** ~ *[chat]* to draw in its claws; *[hypocrite]* to switch on the charm

velouté, ~**e** /vəlute/
A *adj* 1 (doux) *[peau]* velvety, velvet (*épith*); *[pêche, pelage, tissu, son]* velvety; (suave) *[sauce, vin]* smooth; *[regard]* mellow; 2 Tech **papier** ~ flock wallpaper; **tissu** ~ material with a raised velvet design
B *nm* 1 Culin (sauce) velouté sauce; (potage) ~ **d'asperges/de champignons** cream of asparagus/of mushroom soup; 2 (douceur) (au toucher) softness; (au goût) smoothness; **le** ~ **de sa peau** his/her velvety skin, his/her velvet skin

velouter /vəlute/ [1]
A *vtr* 1 to give a velvety softness to *[joue]*; to soften *[voix, regard]*; to make [sth] smooth *[sauce]*; 2 Tech to give a velvet finish to *[papier, tissu]*
B se velouter *vpr [voix]* to become mellow; *[regard]* to soften

velouteux, -euse /vəlutø, øz/ *adj* velvety

Velpeau® /vɛlpo/ *npr* **bande** ~ Méd crepe bandage, Ace bandage® US

velu, ~**e** /vəly/ *adj [personne, animal, insecte]* hairy; *[plantes]* villous

velum, vélum /velɔm/ *nm* 1 (pièce de tissu) canopy, awning; 2 (membrane) velum

vélux® /velyks/ *nm inv* Velux® window

venaison /vənɛzɔ̃/ *nf* game; (daim) venison

vénal, ~**e**, *mpl* **vénaux** /venal, o/ *adj* 1 (intéressé) *[personne, sentiment]* venal; *[comportement]* mercenary; 2 Comm *[valeur]* monetary

vénalité /venalite/ *nf* venality

vendable /vɑ̃dabl/ *adj* saleable[GB]; **cette voiture n'est pas** ~ this car is impossible to sell

vendange /vɑ̃dɑ̃ʒ/ *nf* grape harvest; ~ **de médailles** fig harvest of medals; **faire la** ~ *or* **les** ~**s** *[vigneron]* to harvest the grapes; *[saisonnier]* to go grape-picking; **pendant les** ~**s** during the grape harvest

vendanger /vɑ̃dɑ̃ʒe/ [13]
A *vtr* to harvest *[raisin]*; to pick the grapes from *[vigne]*; **machine à** ~ mechanical grape harvester
B *vi* Agric (cueillir) to harvest the grapes

vendangeur, -euse /vɑ̃dɑ̃ʒœʀ, øz/
A *nm,f* grape-picker
B vendangeuse *nf* 1 (machine) mechanical grape harvester; 2 Bot aster

Vendée /vɑ̃de/ ▸ **p. 721** *nprf* (région, département) **la** ~ the Vendée

vendéen, -éenne /vɑ̃deɛ̃, ɛn/ ▸ **p. 721** *adj* of the Vendée

Vendéen, -éenne /vɑ̃deɛ̃, ɛn/ ▸ **p. 721** *nm,f* (natif) native of the Vendée; (habitant) inhabitant of the Vendée

vendémiaire /vɑ̃demjɛʀ/ *nm* Vendémiaire (*first month of the French revolutionary calendar,* ≈ *October*)

venderesse /vɑ̃dʀɛs/ *nf* Jur vendor

vendetta /vɑ̃dɛtta/ *nf* vendetta

vendeur, -euse /vɑ̃dœʀ, øz/ *nm,f* 1 ▸ **p. 532** (employé de magasin) shop assistant, salesclerk US, salesperson; **'recherchons** ~**s expérimentés'** 'experienced salespersons *ou* shop assistants GB wanted'; **on demande un** ~ **au rayon fruits, s'il vous plaît** we need an assistant at the fruit counter, please; 2 ▸ **p. 532** Entr (responsable des ventes) salesperson, salesman/saleswoman; **c'est un excellent** ~ he's an excellent salesman; 3 (dans une transaction) seller; Jur vendor; **il y a litige entre l'acheteur et le** ~ there's a litigation dispute between the buyer and the seller *ou* vendor; **désolé mais je ne suis pas** ~ sorry but I'm not selling
(Composés) ~ **ambulant** Comm pedlar GB, peddler US; ~ **de journaux** newsvendor GB, newsdealer; ~ **de rêve** pedlar of dreams

vendre /vɑ̃dʀ/ [6]
A *vtr* 1 Comm, Écon, Fin to sell (**à** to); ~ **à crédit** to sell on credit; ~ **en gros** to wholesale, to sell [sth] wholesale; ~ **au détail** to retail; ~ **à la pièce** to sell [sth] singly; ~ **au poids** to sell [sth] by weight; ~ **qch par trois/quatre** to sell sth in sets of three/four *ou* in threes/fours; ~ **à perte** to sell [sth] at a loss; ~ **bon marché/cher** to sell [sth] cheaply/at a high price; **il m'a vendu sa voiture 5 000 euros** he sold me the car for 5,000 euros; **ça fait** ~ it boosts sales; ~ **ses charmes/faveurs** to sell one's charms/favours[GB]; **'à** ~**'** 'for sale'; **ma voiture n'est pas à** ~ my car is not for sale; **être vendu comme neuf** to be sold as new; **être vendu comme esclave** to be sold into slavery; 2 (trahir) to betray, to shop○ GB *[personne, complice]* (**à** to); to sell *[secrets, plans]*
B se vendre *vpr* 1 (être vendu) to be sold; **ces produits ne se vendent pas en France** these products are not sold *ou* are not available in France; **ça se vend uniquement en pharmacie** it's only sold *ou* available in chemists' GB *ou* pharmacies; **se** ~ **à la pièce/au poids** to be sold singly/by the weight; 2 (trouver acquéreur) to sell; **se** ~ **bien/mal** to sell well/badly; **savoir se** ~ fig *[personne]* to know how to sell oneself; 3 (se compromettre) to sell out (**à** to); (pour de l'argent) to sell oneself (**à** to); **se** ~ **à l'ennemi** to sell out to the enemy. ▸ **lentille, ours**
(Idiome) **il vendrait père et mère pour arriver à**

V

ℹ venir

venir de + infinitif

venir verbe auxiliaire servant à former le passé immédiat:

venir de faire
= to have just done

elle vient (tout juste) de partir
= she's (only) just left

il venait de se marier
= he'd just got married

je viens de te le dire
= I've just told you

Attention aux exceptions du genre:

vient de paraître
= (*pour un livre*) 'just published!' (*mais pour un disque*) 'new release'

venir + infinitif

La traduction de la construction dépend du temps:

j'ai demandé au plombier de venir vérifier la chaudière
= I asked the plumber to come and check the boiler

le plombier viendra vérifier la chaudière
= the plumber will come and check the boiler

le plombier vient vérifier la chaudière aujourd'hui
= the plumber is coming to check the boiler today

te rappelles-tu quel jour le plombier est venu vérifier la chaudière?
= can you remember which day the plumber came to check the boiler?

il était venu vérifier la chaudière et il en a profité pour réparer le robinet de l'évier
= he had come to check the boiler and took the opportunity to mend the tap on the sink

viens voir
= come and see

Cependant, pour les activités sportives, on aura:

elle a décidé de venir nager
= she has decided to come swimming

elle a décidé de venir faire du cheval
= she has decided to come riding

On pourra aussi avoir:

viens déjeuner
= come for lunch (*lunch étant un nom*)

venez nous voir un de ces jours
= come over sometime
ou (*GB*) come round sometime

Exemples supplémentaires et exceptions sont présentés ci-contre aussi bien pour *venir* verbe auxiliaire **A**, que pour *venir* verbe intransitif **B**.

---

ses fins he' d give anything to get what he wants

vendredi /vɑ̃dʀədi/ ▸ **p. 782** *nm* Friday; **~ treize** Friday the thirteenth; **~ saint** Good Friday

(Idiome) **tel qui rit ~ dimanche pleurera** Prov there'll be tears before long

vendu, **~e** /vɑ̃dy/
A *pp* ▸ **vendre**
B *pp adj* (corrompu) [*juge, arbitre, fonctionnaire*] bribed; **~, l'arbitre!** the referee's a traitor!
C *nm,f* traitor; **c'est un ~!** he's sold out, he's a traitor

venelle /vənɛl/ *nf* alleyway

vénéneux, **-euse** /venenø, øz/ *adj* [*champignon, plante*] poisonous

vénérable /veneʀabl/
A *adj* (respectable) [*personne*] venerable; [*arbre, objet*] ancient; **par respect pour son âge ~** out of respect for his great age
B *nm* **1** Relig (titre) Venerable; **2** (de loge maçonnique) Grand Master

vénération /veneʀasjɔ̃/ *nf* veneration; **avoir** *or* **éprouver de la ~ pour qn** to worship *ou* venerate sb

vénérer /veneʀe/ [14] *vtr* **1** Relig to venerate; **2** (respecter) to revere [*personne*]; **~ la mémoire de qn** to venerate sb's memory.

vénerie* /vɛnʀi/ *nf* hunting, venery spéc

vénérien, **-ienne** /veneʀjɛ̃, ɛn/ *adj* venereal; **maladie vénérienne** venereal disease, VD

vénérologie /veneʀɔlɔʒi/ *nf* venereology

vénérologue /veneʀɔlɔg/ ▸ **p. 532** *nmf* venereologist

Vénétie /venesi/ ▸ **p. 721** *nf* **la ~** Venetia

veneur /vənœʀ/ *nm* huntsman; ▸ **grand**

Venezuela /venezɥela/ ▸ **p. 333** *nprm* Venezuela

vénézuélien, **-ienne** /venezɥeljɛ̃, ɛn/ ▸ **p. 561** *adj* Venezuelan

Vénézuélien, **-ienne** /venezɥeljɛ̃, ɛn/ ▸ **p. 561** *nm,f* Venezuelan

vengeance /vɑ̃ʒɑ̃s/ *nf* **1** (concept) revenge; **par ~** out of revenge; **esprit de ~** spirit of revenge; **crier ~** to cry out for revenge; **2** (acte) revenge (**contre** against); **un acte de ~** an act of revenge; **mettre sa ~ à exécution** to get one's revenge; **ma ~ sera terrible!** my vengeance will be terrible!

(Idiome) **la ~ est un plat qui se mange froid** Prov revenge is a dish best eaten cold Prov

venger /vɑ̃ʒe/ [13]
A *vtr* to avenge [*crime, injustice, personne*]; **~ l'honneur/la mort de qn** to avenge sb's honour[GB]/death
B **se venger** *vpr* to get *ou* take one's revenge (**de qn** on sb; **en faisant** by doing); **se ~ sur qn/qch** to take it out on sb/sth; **je me vengerai!** I shall have *ou* get my revenge!; **se ~ de qch** to get *ou* take one's revenge for [*humiliation, duperie*]; **il l'a fait pour se ~** he did it in revenge

vengeur, **vengeresse** /vɑ̃ʒœʀ, vɑ̃ʒʀɛs/
A *adj* [*personne, acte, propos*] vengeful; [*bras, épée*] avenging; [*lettre, communiqué*] vindictive; **pointer un index ~** to point menacingly
B *nm,f* avenger

véniel, **-ielle** /venjɛl/ *adj* **1** Relig [*péché*] venial; **2** (excusable) [*faute, oubli*] excusable, pardonable

venimeux, **-euse** /vənimø, øz/ *adj* **1** [*insecte, dard, plante*] venomous, poisonous; **2** [*personne, remarque*] venomous, poisonous; [*ton, haine*] venomous

venin /vənɛ̃/ *nm* **1** (substance) venom; **~ de serpent** snake venom; **2** (haine) venom; **cracher son ~** to speak with great venom; **répandre son ~ contre qn** to make venomous *ou* poisonous remarks about sb; **remarque pleine de ~** venomous *ou* poisonous remark

venir /vəniʀ/ [36]
A *v aux* **1** (marque l'occurrence) **~ aggraver la situation** to make the situation worse; **~ contribuer au chômage** to push unemployment up
2 (marque le mouvement) **le ballon est venu rouler sous mes pieds/atterrir**○ **dans notre jardin** the ball rolled up to my feet/landed in our garden
3 (marque le développement) **et si je venais à tomber malade?** what if I should fall ill GB *ou* get sick US?; **s'il venait à pleuvoir** if it should rain; **même s'il venait à changer d'avis** even if he were to change his mind; **s'il venait à l'apprendre** if he ever got to hear about it; **s'il venait à la quitter** if he ever left her; **quand il venait à sortir** when he happened to go out; **la maladie vint à s'aggraver** the illness became more serious; **il en vint à la détester** he came to hate her
B *vi* **1** (dans l'espace) to come; **viens quand tu veux** come whenever you like; **je viens** *or* **suis venu pour m'excuser** I've come to apologize; **il est venu (droit) sur moi** he came straight up to me; **tu peux toujours ~ chez moi/dans mon bureau/à Londres/au Canada/en Irlande** you can always come to my house/to my office/to London/to Canada/to Ireland; **il vient beaucoup de gens le samedi** lots of people come on Saturdays; **la route vient jusqu'ici** the road comes this far; **l'eau leur venait aux genoux** the water came up to their knees; **~ de loin/de Hongkong** to come from far away/from Hong Kong; **allez, viens!** come on!; **d'où viens-tu?** (reproche) where have you been?; **j'en viens** I've just been there; **il est venu quelqu'un pour toi** (encore là) someone's here to see you; (reparti) someone came to see you; **je viens de sa part** he/she sent me to see you; **faire ~ qn** (demander) to send for sb, to get sb○; (obtenir) to get sb to come; (attirer) to attract sb; **faire ~ le plombier** to send for the plumber, to get the plumber in; **tu ne pourras jamais la faire ~** you'll never get her to come; **faire ~ les clients** to attract customers, to bring in the customers; **faire ~ le médecin** to call the doctor; **c'est le champagne qui le fait ~** he comes for the champagne; **pourquoi nous avoir fait ~ si tôt?** why did they get us to come here so early?; **faire ~ qch** (commander) to order sth; (par la poste) to send for sth; **faire ~ son thé du Yunnan/ses chaussures d'Italie** to get one's tea from Yunnan province/one's shoes from Italy; **je suis venu ce soir vous parler du racisme** I've come here tonight to talk to you about racism; **plantes venues d'ailleurs** plants from far-off places; **produits venus d'ailleurs** imported products; **gens venus d'ailleurs** (étrangers) foreigners; (des extérieurs) outsiders; **le nom ne me vient pas à l'esprit** the name escapes me; **les mots ne venaient pas** he/she etc couldn't find the words; **l'inspiration ne venait pas** inspiration failed him/her etc; **ça m'est venu tout d'un coup** (une idée) it suddenly came to me; **l'idée lui vint que** the idea occurred to him/her that; **ça ne m'est jamais venu à l'idée** *or* **l'esprit** it never crossed my mind *ou* occurred to me; **il ne m'est jamais venu à l'idée** *or* **l'esprit de te mentir/qu'il pourrait mentir** it never occurred to me to lie to you/that he would lie; **il lui est venu une idée bizarre** he/she had a weird idea; **un sourire lui vint aux lèvres, il lui vint un sourire aux lèvres** he/she gave a smile
2 (dans le temps) **il faut prendre les choses comme elles viennent** you must take things as they come; **ça vient, ça vient**○ it's coming!, it's on its way!; **l'année qui vient** the coming year; **dans les années à ~** in the years to come; **dans les jours à ~** in the next few days; **le moment venu** (au futur) when the time comes; (au passé) when the time came; **quand le printemps viendra** when spring comes; **(il) viendra un jour où il le regrettera** the day will come when *ou* there'll come a day when he'll regret it; **la nuit va bientôt ~** it'll soon be dark; **le moment du départ est venu** it's time to leave; **dans l'heure qui vient**

within the hour; **les difficultés à ~** future problems; **attends, ça va ~** wait, it's coming; **je préfère laisser** *or* **voir ~ (les choses)** I'd rather wait and see how things turn out; **alors, ça vient○?, ça vient oui ou non○?** (une réponse) am I ever going to get an answer○?; (une personne) are you ever coming?; **comment êtes-vous venu à l'enseignement?** how did you come to take up teaching?; **~ en troisième position** to come third; **~ loin derrière** to trail a long way behind; **~ ensuite** to follow, to come next; **il est venu un moment où j'étais trop fatigué** I got to the point when I was too tired

3 (marquant l'origine) **~ d'une famille protestante** to come from a Protestant family; **~ du grec** to come from the Greek; **de quelle école vient-il?** what school did he go to?; **cette bague me vient de ma tante** my aunt left me this ring; **le succès du roman vient de son style** the novel's success is due to its style; **ça vient du fait que la situation a changé** it stems from the fact that the situation has changed; **ça vient de ce qu'ils ne se parlent pas** it's all because they don't talk to each other; **d'où vient qu'il ne comprend jamais?** how is it that he never understands?, how come he never understands?; **d'où vient que vous êtes triste?** why are you sad?; **de là vient qu'il est toujours angoissé** hence his continual anxiety, that's why he's always anxious; **ça me vient naturellement** *or* **tout seul** that's just the way I am

4 (dans une hiérarchie) **~ après/avant** to come after/before; **la famille vient avant le reste** the family comes before everything else

5 **en venir à** to come to; **j'en viens au problème qui vous préoccupe** I now come to your problem; **en ~ à abandonner ses études** to get to the point of dropping out; **s'il faut en ~ là** if it gets to that point, if it comes to that; **il en était venu à la faire suivre/vouloir se suicider** he even had her followed/considered suicide; **comment a-t-elle pu en ~ à de telles extrémités?** how could she have resorted to such desperate measures?; **ils y viendront d'eux-mêmes** (à une idée) they'll come round of their own accord; **venons-en à l'ordre du jour** let's get down to the agenda; **où veut-il en ~ (au juste)?** what's he driving at?; **en ~ aux mains** to come to blows; **ils en sont venus aux coups** they came to blows

Venise /vəniz/ ▸ **p. 894** *npr* Venice

vénitien, -ienne /venisjɛ̃, ɛn/
A *adj* Venetian
B ▸ **p. 483** *nm* Ling Venetian dialect

Vénitien, -ienne /venisjɛ̃, ɛn/ *nm,f* Venetian

vent /vɑ̃/ *nm* **1** Météo wind; **~ d'est/du nord** east/north wind; **~ du large** seaward wind; **grand ~** strong wind; **~ de côté** crosswind; **il fait** *or* **il y a du ~** it's windy, there's a wind blowing; **le ~ tourne** lit, fig the wind is turning; **voir de quel côté souffle le ~** lit, fig to see which way the wind is blowing; **coup** *or* **rafale de ~** gust of wind; **emporté par le ~** blown away by the wind; **flotter** *or* **claquer au ~** to flap in the wind; **nez au ~** nose in the air; **cheveux au ~** hair flying in the wind; **exposé/ouvert à tous les ~s** exposed/open to all weathers; **en plein ~** lit exposed to the wind; (dehors) in the open; **passer en coup de ~** fig to rush through; **elle était coiffée en coup de ~** her hair was tousled; **faire du ~** (avec éventail) to create a breeze; hum (en s'activant) to flap around; ▸ **semer, décorner, quatre**; **2** Naut **~ favorable, bon ~** favourable[GB] wind, fair wind; **~ mauvais** unfavourable[GB] wind; **~ arrière** following wind; **~ debout** *or* **contraire** headwind; **naviguer (par) ~ arrière** *or* **sous le ~** to sail before the wind; **naviguer (par) ~ debout** *or* **contre le ~** to sail into the wind; **avoir le ~ en poupe** lit to sail *ou* run before the wind; fig to have the wind in one's sails; **~ frais** strong breeze; **coup de ~** fresh gale; **fort coup de ~** strong gale; **côté sous le ~** leeward side; **côté du ~** winward side; **3** Chasse **prendre le ~** [*chien*] to pick up the scent; [*personne*] to get the feel of things; **4** (impulsion) **un ~ de liberté/révolte** a wind of freedom/revolt; **un ~ de folie soufflait dans le pays** a wave of madness swept through the country; **le ~ du changement** the wind of change; **5** euph (flatulence) wind ₵; **lâcher un ~** to break wind; **avoir des ~s** to have wind

(Composés) **~ alizé** trade wind; **~ coulis** draught GB *ou* draft US; **~ de sable** desert wind; **~ solaire** solar wind

(Idiomes) **filer** *or* **aller** *ou* **courir comme le ~** to be as swift as the wind; **c'est du ~!** fig it's just hot air!; **du ~○!** (partez) get lost○!; **bon ~○!** good riddance!; **quel bon ~ vous amène?** to what do I *ou* we owe the pleasure (of your visit)?; **être dans le ~** to be trendy; **avoir ~ de qch** to get wind of sth; **contre ~s et marées** [*faire*] come hell or high water; [*avoir fait*] against all odds

Vent /vɑ̃/ ▸ **p. 435** *nprm* **les îles du ~** the Windward Islands

ventail, *pl* **ventaux** /vɑ̃taj, o/ *nm* **1** Hist (de heaume) visor; **2** = **vantail**

vente /vɑ̃t/ *nf* sale; **être en ~** to be for sale; **en ~ chez votre marchand de journaux** available *ou* for sale at your newsagent's; **en ~ libre** gén freely available; [*médicaments*] available over the counter, available without prescription; **mettre qch en ~** to put [sth] up for sale [*maison, commerce*]; to put [sth] for sale [*objet*]; **mise en ~** (de maison, commerce) putting up for sale; (d'objet) putting on sale; **équipe/technique/surface de ~** sales team/technique/area; **directeur/service des ~s** sales manager/department; **il s'occupe de la ~** he's in sales; **avoir l'expérience de la ~** to have sales experience

(Composés) **~ par correspondance, VPC** Comm mail order selling; **~ à découvert** Fin short sale; **~ au détail** retailing; **~ aux enchères** auction (sale); **~ forcée** hard sell; **~ en gros** wholesaling

venté, ~e /vɑ̃te/ *adj* windswept

venter /vɑ̃te/ [1] *v impers* to blow; **il vente** the wind is blowing; **qu'il pleuve, qu'il neige ou qu'il vente** come rain or shine

venteux, -euse /vɑ̃tø, øz/ *adj* [*journée, mois*] windy; [*région, pays*] windswept

ventilateur /vɑ̃tilatœʀ/ *nm* gén fan; (aérateur) ventilator; (extracteur) extractor fan GB, exhaust fan US

ventilation /vɑ̃tilasjɔ̃/ *nf* **1** (aération) ventilation; (système) ventilation (system); **2** (répartition) (de personnel) ventilation; (de tâches, matériaux) allocation; (de dépenses, déficit, résultats) Compta (action) breaking down; (résultat) breakdown (**de** of); **3** Jur separate valuation

(Composé) **~ pulmonaire** Méd pulmonary ventilation

ventiler /vɑ̃tile/ [1] *vtr* **1** (aérer) to ventilate [*pièce, moteur*]; **2** Méd to ventilate [*malade*]; **3** Compta to break down [*dépenses, bénéfices*]; **4** (diviser) to divide up [*groupe, ensemble*]; (répartir) to assign [*personnel*]; to allocate [*tâches, matériaux*]; **5** Jur (dans vente globale) to value [sth] separately

ventôse /vɑ̃toz/ *nm* Ventôse (*sixth month of the French revolutionary calendar, ≈ March*)

ventouse /vɑ̃tuz/ *nf* **1** (d'adhésion) suction pad GB, suction cup US; **crochet à ~** suction hook; **faire ~** to stick; **2** (pour déboucher) plunger; **faire un bruit de ~** to make a sucking noise; **3** Bot, Zool sucker; (chez la grenouille) adhesive disc; **4** Méd cupping glass; **poser des ~s à qn** to cup sb

ventral, ~e, *mpl* **-aux** /vɑ̃tʀal, o/ *adj* [*nageoire*] ventral; **parachute ~** lap-pack parachute; **rouleau ~** straddle roll

ventre /vɑ̃tʀ/ ▸ **p. 196** *nm* **1** (abdomen, estomac) stomach, tummy○, belly; **s'allonger sur le ~** to lie on one's stomach, to lie face down; **rentrer le ~** to hold in one's stomach; **avoir du ~** gén to have a fat stomach; (homme) to have a paunch; **avoir mal au ~** to have stomach-ache *ou* tummy-ache○; **ça me donne mal au ~○ de voir ça!** fig that makes me sick!; **avoir le ~ creux/plein** to have an empty/a full stomach; **se remplir le ~○** (se nourrir) to fill one's belly; (trop manger) to gorge oneself péj; **le ~ de la terre** liter the bowels (*pl*) of the earth littér; **voyons ce que la chaudière a dans le ~** let's have a look at the inside of the boiler; **2** (d'animal) (under)belly; **le poisson flottait ~ à l'air** the fish was floating belly up; **3** (utérus) womb; **dans le ~ de sa mère** in his mother's womb; **4** (siège du courage) **ne rien avoir dans le ~** to have no guts○; **avoir la rage/la peur au ~** to feel sick with fury/fear; **je ne sais pas ce qu'il a dans le ~○** I don't know what he's made of; **5** (partie renflée) (de marmite, bateau, d'avion) belly; **6** Tech **faire ~** [*mur*] to bulge out; [*plafond*] to sag; **7** Phys (d'onde) antinode

(Composé) **le ~ de Paris** *the former covered market in Paris*

(Idiomes) **courir ~ à terre** to run flat out; **tu as les yeux plus gros que le ~** your eyes are bigger than your stomach

ventrebleu† /vɑ̃tʀəblø/ *excl* begad†!

ventrée○ /vɑ̃tʀe/ *nf* **une ~ de** a bellyful of○; **se mettre une (bonne) ~ de prunes** to stuff oneself○ with plums

ventre-saint-gris† /vɑ̃tʀəsɛ̃gʀi/ *excl* begad†!, gadzooks†!

ventriculaire /vɑ̃tʀikylɛʀ/ *adj* ventricular

ventricule /vɑ̃tʀikyl/ *nm* Anat **1** (de cœur, d'encéphale) ventricle; **2** (d'oiseau) ventriculus

ventrière /vɑ̃tʀijɛʀ/ *nf* **1** (de selle) girth; **2** (de charpente) purlin; **3** (de navire) bilge block

ventriloque /vɑ̃tʀilɔk/ ▸ **p. 532** *nmf* ventriloquist

ventriloquie /vɑ̃tʀilɔki/ *nf* ventriloquism

ventripotent, ~e /vɑ̃tʀipɔtɑ̃, ɑ̃t/ *adj* portly, fat-bellied péj

ventru, ~e /vɑ̃tʀy/ *adj* [*homme*] paunchy, pot-bellied; [*marmite, meuble*] rounded; [*mur*] bulging

venu, ~e /vəny/
A *pp* ▸ **venir**
B *pp adj* **1** (à propos) **bien ~** [*plaisanterie, commentaire, critique*] apt, **mal ~** [*décision, plaisanterie*] badly timed; **être mal ~ à** *or* **de critiquer** [*personne*] to be the last person who should criticize; **il serait mal ~ de leur dire** it wouldn't be a good idea to tell them; **2** (réussi) **bien ~** [*œuvre, plaisanterie*] clever
C *nm,f* **nouveau ~** newcomer; ▸ **premier**
D **venue** *nf* visit; **la ~e du ministre** the minister's visit; **attendre la ~e du médecin** to wait for the doctor to come; **les raisons de sa ~e sont obscures** it's not clear why he/she came; **~e au monde** birth; **~e du Messie** coming of the Messiah; **lors de ta ~e, nous ferons** when you come we shall do, during your visit we shall do

Vénus /venys/
A *npr* Mythol Venus; **la ~ de Milo** the Venus de Milo
B *nprf* Astron Venus

vépéciste /vepesist/ *nm* mail-order company

vêpres /vɛpʀ/ *nfpl* Relig vespers

ver /vɛʀ/ *nm* **1** Zool worm; (dans le bois) woodworm; (dans la nourriture) maggot, grub; **être mangé par les ~s** to be worm-eaten; **2** Méd (parasite) worm; **avoir des ~s** to have worms; **3** Ordinat worm

(Composés) **~ blanc** cockchafer grub; **~ luisant** glowworm; **~ plat** flatworm; **~ rond** round worm; **~ de sable** sandworm; **~ à soie** silkworm; **~ solitaire** tapeworm; **~ de terre** earthworm; **~ de vase** bloodworm

(Idiomes) **être nu comme un ~** to be stark naked; **tirer les ~s du nez à qn**○ to worm information out of sb; **le ~ est dans le fruit** the rot has already set in

véracité /veʀasite/ *nf* truthfulness, veracity sout; **douter de la ~ de qch** to doubt the veracity of sth, to doubt whether sth is true; **être convaincu de la ~ des dires de qn** to be convinced of the truthfulness of sb's testimony, to be sure that sb is telling the truth

véranda /veʀɑ̃da/ *nf* veranda; **sous la ~** on the veranda

verbal, **~e**, *mpl* **-aux** /vɛʀbal, o/ *adj* **1** (oral) [*promesse, accord, joute*] verbal; **2** (de langage) [*débordement, attaque, violence*] verbal; **3** Ling (de verbe) [*groupe, locution, adjectif*] verbal; [*catégorie, forme*] verb (*épith*); **syntagme ~** verb phrase

verbalement /vɛʀbalmɑ̃/ *adv* verbally; **s'engager ~** to make a verbal commitment (**à faire** to do); **agresser qn ~** to be verbally aggressive with sb

verbalisation /vɛʀbalizasjɔ̃/ *nf* **1** Psych verbalization; **2** (d'infraction) recording of an offence

verbaliser /vɛʀbalize/ [1]
A *vtr* Psych to verbalize [*sentiments*]
B *vi* (dresser procès-verbal) to record an offence[GB]

verbatim /vɛʀbatim/ *adv* verbatim

verbe /vɛʀb/ *nm* **1** Ling verb; **2** (langage) language; **la magie du ~** the magic of words *ou* language; **avoir le ~ facile** to be quick to talk; **avoir le ~ fleuri** to use flowery language; **avoir le ~ haut** to be arrogant in one's speech; **3** Relig **le Verbe** the Word

(Composés) **~ actif** active verb; **~ d'action** action *ou* dynamic verb; **~ défectif** defective verb; **~ d'état** stative verb; **~ impersonnel** impersonal verb; **~ intransitif** intransitive verb; **~ passif** passive verb; **~ pronominal** reflexive verb; **~ transitif** transitive verb

verbeux, **-euse** /vɛʀbø, øz/ *adj* [*personne, orateur, style*] verbose; [*discours*] wordy

verbiage /vɛʀbjaʒ/ *nm* (abondance de paroles) verbiage, verbosity

verbosité /vɛʀbozite/ *nf* verbosity

verdâtre /vɛʀdɑtʀ/ ▸ **p. 202** *adj* pej greenish

verderolle /vɛʀdəʀɔl/ *nf* **(rousserolle) ~** marsh warbler

verdeur /vɛʀdœʀ/ *nf* **1** (truculence) rawness; **2** (vigueur) sprightliness; **3** (acidité) tartness, acidity

verdict /vɛʀdikt/ *nm* **1** Jur (décision de jury) verdict; **rendre un ~** to return *ou* announce a verdict; **~ d'acquittement** verdict of not guilty, acquittal; **~ de culpabilité** guilty verdict, verdict of guilty; **2** fig (appréciation) verdict, judgment; **le ~ des urnes/de la critique/du public** the electorate's/critics'/public's verdict; **un ~ sans appel** a verdict *ou* judgment without appeal

verdier /vɛʀdje/ *nm* greenfinch

verdir /vɛʀdiʀ/ [3] *vi* **1** (devenir vert) gén to turn green; [*cuivre*] to tarnish; **2** (pâlir) to turn pale

verdoyant, **~e** /vɛʀdwajɑ̃, ɑ̃t/ *adj* green, verdant littér

verdoyer /vɛʀdwaje/ [23] *vi* liter **1** (être vert) to be green *ou* verdant littér; **2** (devenir vert) to turn green *ou* verdant littér

verdunisation /vɛʀdynizasjɔ̃/ *nf* chlorination

verdure /vɛʀdyʀ/ *nf* **1** (végétation) greenery; **maison perdue dans la ~** house swathed in greenery; **2** (légumes verts) green vegetables (*pl*); **3** (couleurs) verdure littér, greenness

véreux, **-euse** /veʀø, øz/ *adj* **1** (contenant des vers) [*fruit*] wormy; **2** (malhonnête) [*politicien, avocat*] bent○, crooked; [*affaire, contrat*] dodgy○ GB, shady○, dubious

verge /vɛʀʒ/ *nf* **1** Anat penis; **2** (pour battre) switch, birch

(Idiome) **donner des ~s pour se faire battre** to make a rod for one's own back

vergé /vɛʀʒe/ *nm* laid paper

vergeoise /vɛʀʒwaz/ *nf* brown sugar

verger /vɛʀʒe/ *nm* orchard; **un ~ en fleurs** an orchard in bloom

vergeté, **~e** /vɛʀʒəte/ *adj* [*peau*] streaked

vergeture /vɛʀʒətyʀ/ *nf* stretch mark

verglaçant, **~e** /vɛʀglasɑ̃, ɑ̃t/ *adj* **pluie ~e** freezing rain

verglacé, **~e** /vɛʀglase/ *adj* icy

verglas /vɛʀgla/ *nm* black ice; **attention aux plaques de ~** look out for patches of black ice

vergogne: **sans vergogne** /sɑ̃vɛʀgɔɲ/
A *loc adv* **1** (sans honte) shamelessly; **2** (sans hésitation) straight out
B *loc adj* (sans scrupule) unscrupulous

vergue /vɛʀg/ *nf* Naut yard

(Composés) **~ de hunier** topsail yard; **~ de misaine** foreyard; **~ de perroquet** topgallant yard

véridique /veʀidik/ *adj* [*détail, histoire, fait*] true; [*description, témoignage*] truthful; **l'anecdote est ~** the story is true

vérifiable /veʀifjabl/ *adj* [*histoire, récit, source, méthode*] verifiable sout; **être facilement ~** to be easy to check *ou* verify

vérificateur, **-trice** /veʀifikatœʀ, tʀis/ ▸ **p. 532** *nm,f* controller

(Composé) **~ aux comptes** auditor

vérification /veʀifikasjɔ̃/ *nf* (d'appareil, expérience) check (**de** on); (d'alibi, de fait) verification; **procéder à** *or* **effectuer des ~s** to carry out checks (**sur** on); **une ~ d'identité** an identity check; **~ faite**, **après ~** on checking, after checking; **après les ~s d'usage** after the usual checks

(Composé) **~ aux comptes** audit

vérifier /veʀifje/ [2]
A *vtr* **1** (tester) to check [*appareil, instrument*]; (contrôler) to check [*identité, adresse, norme, calcul*]; **~ que/si** to check that/if *ou* whether; **vérifie que la fenêtre est fermée** check that the window is closed; **2** (confirmer) to verify, check [*affirmation, témoignage*]; to confirm [*événement, hypothèse*]; to verify [*fait*]; **attendez, je vais ~** hold on, I'll just check; **l'information reste à ~** the information has still to be checked; **l'hypothèse n'est pas vérifiée dans les faits** the hypothesis is not borne out by the facts
B **se vérifier** *vpr* [*hypothèse, théorie*] to be borne out; **se ~ dans les faits** to be borne out by the facts

vérin /veʀɛ̃/ *nm* (screw) jack

(Composés) **~ hydraulique** hydraulic jack; **~ pneumatique** pneumatic jack

véritable /veʀitabl/ *adj* **1** (authentique) [*ami*] true, genuine, real; [*sentiment, discussion*] true, real; [*artiste*] true; [*cuir*] real, genuine; [*or, argent*] real; **2** (réel) [*nom, raison, responsable*] real, actual; [*colère*] real; [*joie*] true; **voici la ~ histoire de...** this is the real *ou* true story of...; **sous leur jour ~** in their true light; **3** (intensif) (*before n*) real, veritable; **c'est une ~ catastrophe!** it's an absolute *ou* real catastrophe!; **un ~ forcené** an absolute maniac; **la pièce est une ~ fournaise/glacière** the room is like an oven/a fridge

véritablement /veʀitabləmɑ̃/ *adv* **1** (dans la réalité) really, actually; **a-t-elle ~ du chagrin?** does she really feel any grief?; **ces mesures n'ont jamais été ~ appliquées** these measures have never really *ou* actually been applied; **2** (intensif) **c'est ~ un scandale!** it really is a scandal!

vérité /veʀite/ *nf* **1** gén truth; **au nom de la ~** in the name of truth; **la ~ historique** historical truth; **posséder** *or* **détenir la ~** to know everything; **le quart d'heure** *or* **la minute de ~** the moment of truth; **l'épreuve de ~** the acid test; **faire la ~ sur qch** to disclose the truth about sth; **il y a une part de ~ dans ce qu'il dit** there's some truth in what he says; **c'est la pure ~** that's the absolute truth; **à la ~** to tell the truth; **en ~, je n'en suis pas sûr** to tell the truth, I'm not sure about it; **c'est un type extraordinaire, en ~** he's an extraordinary character, that's for sure; **2** (affirmation vraie) truth; **une ~ éternelle** an eternal truth; **énoncer des ~s premières** to state the obvious; **toute ~ n'est pas bonne à dire** some things are better left unsaid; ▸ **quatre**; **3** (authenticité) (de personnage, scène, reconstitution) realism; (de sentiment, d'expression) sincerity; **4** (nature profonde) true nature; **la ~ de qn** sb's true nature; **la ~ des choses/de l'art** the true nature of things/of art

(Composé) **~ de La Palice** truism

(Idiomes) **à chacun sa ~** Prov each to his own; **en ~ je vous le dis** verily I say unto you; **la ~ sort de la bouche des enfants** Prov out of the mouths of (very) babes (and sucklings)

verjus /vɛʀʒy/ *nm inv* verjuice

verlan /vɛʀlɑ̃/ *nm*: *form of French slang*

> **Verlan**
>
> is a form of French slang which reverses the order of syllables in many common words rendering them more or less incomprehensible to the uninitiated. For example, the term itself is derived from the word *l'envers* the syllables of which are reversed to create *vers-l'en* which in turn becomes *verlan*. Single syllable words are also converted so *femme* becomes *meuf*, *mec* becomes *keum*, etc. A recent coinage for *énervé* is *vénère*.

vermeil, **-eille** /vɛʀmɛj/
A ▸ **p. 202** *adj* **1** fml (rouge vif) bright red; **teint ~** rosy complexion; **2** Vin **vin ~** ruby wine
B *nm* (argent doré) vermeil

vermicelle /vɛʀmisɛl/ *nm* **des ~s** vermicelli ₵

(Composé) **~s chinois** rice noodles

vermicide /vɛʀmisid/ *adj, nm* vermicide

vermiculaire /vɛʀmikylɛʀ/ *adj* vermiform

vermiforme /vɛʀmifɔʀm/ *adj* vermiform

vermifuge /vɛʀmifyʒ/
A *adj* [*comprimé, sirop*] worm (*épith*), anthelmintic spéc
B *nm* wormer, anthelmintic spéc

vermillon /vɛʀmijɔ̃/ ▸ **p. 202**
A *adj inv* (rouge vif) bright red, vermilion
B *nm* **1** (couleur) bright red, vermilion; **2** (sulfure de mercure) vermilion, cinnabar

vermine /vɛʀmin/ *nf* **1** (parasites) vermin; **être rongé par la ~** to be eaten away by vermin; **2** (personnes) scum, vermin

vermisseau, *pl* **~x** /vɛʀmiso/ *nm* small earthworm

Vermont /vɛʀmɔ̃/ ▸ **p. 721** *nprm* Vermont

vermoulu, **~e** /vɛʀmuly/ *adj* **1** [*planche, mobilier*] worm-eaten, wormy US; **2** [*idéologie, institutions*] moth-eaten

vermout(h) /vɛʀmut/ *nm* vermouth

vernaculaire /vɛʀnakylɛʀ/ *adj, nm* vernacular

vernal, **~e**, *mpl* **-aux** /vɛʀnal, o/ *adj* Astron vernal

verni, **~e** /vɛʀni/
A *pp* ▸ **vernir**
B *pp adj* lit [*bois, peinture*] varnished; [*chaussures*] patent-leather (*épith*); [*faïence*] glazed
C ○*adj* (chanceux) lucky; **il n'est pas ~** he's unlucky

vernier /vɛʀnje/ *nm* vernier (scale)

vernir /vɛʀniʀ/ [3]
A *vtr* Tech to varnish [*planche, meuble*]; to glaze [*faïence, poterie*]; to apply nail varnish GB *ou* nail polish to, to varnish GB *ou* polish [*ongles*]
B **se vernir** *vpr* **se ~ les ongles** to apply nail

varnish GB *ou* nail polish to one's nails, to varnish GB *ou* polish one's nails

vernis /vɛʀni/ *nm inv* 1 (pellicule solide) (sur bois) varnish; (sur céramique) glaze; **une couche de ∼** a coat of varnish; 2 (apparence) veneer; **un ∼ de culture/de modernisme** a veneer of culture/modernism; **si on gratte le ∼, on s'aperçoit que...** if you scratch the surface, you'll see that...

(Composés) **∼ du Japon** lacquer *ou* varnish tree; **∼ à ongles** nail varnish GB *ou* polish

vernissage /vɛʀnisaʒ/ *nm* 1 Art preview, private view; **le ∼ de l'exposition** the private view of the exhibition; 2 Tech (de bois) varnishing; (de céramique) glazing

vernissé, ∼e /vɛʀnise/ *adj* 1 [*tuiles, carreaux*] glazed; 2 [*plumes, feuilles*] glossy

vernisser /vɛʀnise/ [1] *vtr* to glaze

vernisseur, -euse /vɛʀnisœʀ, øz/ ▸ p. 532 *nm,f* (de meubles) varnisher; (de poterie) glazer

vérole /veʀɔl/ ▸ p. 283 *nf* 1 ◑(syphilis) syphilis; 2 †(variole) pox†

vérolé◑**, ∼e** /veʀɔle/ *adj* 1 (par la syphilis) pox-ridden○; 2 (en mauvais état) rotten

Vérone /veʀɔn/ ▸ p. 894 *npr* Verona

véronique /veʀɔnik/ *nf* 1 (plante) speedwell, veronica spéc; 2 (en tauromachie) veronica

verrat /vɛʀa/ *nm* studboar

verre /vɛʀ/ *nm* 1 (matière) glass; **de** *or* **en ∼** glass (*épith*); **fabriquer du ∼** to make *ou* manufacture glass; **industrie du ∼** glass industry; **travail du ∼** glasswork; **des débris de ∼** broken glass ¢; 2 (récipient) glass; **∼ à eau/vin/cognac** water/wine/brandy glass; **∼s et couverts** glassware and cutlery; **lever son ∼ à la santé de qn** to raise one's glass to sb; **remplir/vider son ∼** to fill/empty one's glass; ▸ **casser**; 3 (contenu) glass, glassful; **j'ai bu un grand ∼ de jus de fruit** I drank a large glass(ful) of fruit juice; **un ∼ d'eau/de vin** a glass of water/wine; 4 (boisson) drink; **offrir un ∼ à qn** to buy sb a drink; **prendre un ∼** to have a drink; **un petit ∼** a quick drink; **avoir bu un ∼ de trop** to have had one too many; **boire le ∼ de l'amitié** to toast one's friendship; 5 (plaque) glass; **monter une gravure/photo sous ∼** to mount an engraving/a photograph under glass; **changer le ∼ d'un cadre** to change the glass in a frame; **mettre qch sous ∼** to put sth under glass; 6 Phys (lentille) lens; **∼ concave/convexe** concave/convex lens; **∼s de lunettes** spectacle lenses; **∼ grossissant** magnifying glass

(Composés) **∼ antireflets** anti-glare glass; **∼ armé** wired glass; **∼ blanc** white glass; **∼ cathédrale** cathedral glass; **en ∼ consigné** returnable bottle; **∼ de contact** contact lens; **∼ correcteur** corrective lens; **∼ à dents** toothglass; **∼ dépoli** frosted glass; **∼ doseur** measuring glass; **∼ feuilleté** laminated glass; **∼ filé** spun glass; **∼ filtrant** light protective glass; **∼ flotté** float glass; **∼ fumé** (pour lunettes) tinted lens; (pour vitrage) tinted glass; **∼ gradué** measuring jug; **∼ de lampe** lamp chimney; **∼ de montre** Chimie watchglass; **∼ à moutarde** cheap glass; **∼ optique** optical glass; **en ∼ perdu** nonreturnable; **∼ à pied** stemmed glass; **∼ plat** flat glass; **∼ progressif** varifocal lens; **∼ de silice** silica *ou* quartz glass; **∼ soufflé** blown glass; **∼ textile** textile glass

verrerie /vɛʀʀi/ *nf* 1 (fabrication) glassmaking; 2 (objets) glassware; 3 (usine) glassworks (*pl*), glass factory

verrier, -ière /vɛʀje, ɛʀ/

A *adj* glass (*épith*)

B ▸ p. 532 *nm* glassmaker, glass manufacturer

C **verrière** *nf* 1 (toit vitré) glass roof; 2 (grand vitrage) glass wall, glassed-in wall; 3 (de cockpit) canopy

verroterie /vɛʀɔtʀi/ *nf* glass jewellery GB *ou* jewelry US

verrou /vɛʀu/ *nm* gén bolt; (à bouton) deadbolt; (à clé) deadlock; **∼ 3 points** multilock; **mettre le ∼** to shoot the bolt; **pousser** *or* **tirer le ∼** (fermer) to shoot the bolt; (ouvrir) to draw the bolt; **fermer [qch] au ∼** to bolt [*fenêtre, porte*]

(Composés) **∼ haute sécurité** high security door lock; **∼ de sûreté** double security lock

(Idiomes) **être sous les ∼s** to be under lock and key; **mettre** *or* **placer qn sous les ∼s** to put *ou* place sb under lock and key, to lock sb up; **faire sauter un ∼** to overcome an obstacle

verrouillage /vɛʀujaʒ/ *nm* (action) bolting; (d'arme à feu) locking; (dispositif) locking mechanism

(Composés) **∼ central** *or* **centralisé (des portes)** Aut central locking; **∼ de fichier** Ordinat file locking; **∼ radar** lock on

verrouiller /vɛʀuje/ [1] *vtr* 1 gén to bolt [*fenêtre, porte*]; to lock [*portière, arme*]; to cordon off [*quartier*]; **∼ une majorité parlementaire** to protect a parliamentary majority; 2 Ordinat to lock

verrue /vɛʀy/ *nf* Méd wart

(Composé) **∼ plantaire** verruca, plantar wart spéc

verruqueux, -euse /vɛʀykø, øz/ *adj* wartlike, verrucose spéc

vers¹ /vɛʀ/ *prép*

> ⚠ Lorsque *vers* indique une direction, une tendance ou une orientation, il se traduit généralement par *toward(s)*. On notera que *towards* est plus courant en anglais britannique et *toward* en anglais américain.
>
> Lorsque *vers* fait partie d'une expression du genre *se tourner vers, tendre vers, départ vers etc* la traduction est donnée respectivement à **tourner, tendre, départ**.
>
> On trouvera ci-dessous des usages particuliers de *vers*.

1 lit (en direction de) toward(s); **il vint ∼ moi** he came toward(s) me; **elle courut ∼ l'enfant** she ran toward(s) the child; **il n'a même pas tourné la tête ∼ elle** he didn't even look in her direction; **se déplacer de la gauche ∼ la droite** to move from left to right; **des exportations ∼ le Japon** exports to Japan; **des migrations ∼ le sud** migration to the south; **il habite plus ∼ le nord** he lives further north; **'∼ les quais'** (sur un panneau) 'to trains'; 2 fig (en direction de) to, toward(s); **un premier pas ∼ la négociation** a first step toward(s) negotiation; **une association tournée ∼ la culture** a culture-oriented association; 3 (aux environs de) (lieu) near, around; (temps) about; (période) toward(s); **on s'arrêtera ∼ Dijon pour déjeuner** we'll stop for lunch near Dijon; **c'est ∼ les 3 000 m d'altitude qu'elle s'est sentie mal** she started feeling ill GB *ou* sick US at an altitude of about 3,000 m; **les rues sont toujours encombrées ∼ le centre-ville** the streets are always congested around the town centre^GB; **∼ cinq heures/le 10 juillet/l'an 2000** about five o'clock/10 July/the year 2000; **∼ le soir** toward(s) evening; **∼ la fin du mois de septembre** toward(s) *ou* around the end of September; **il a vécu jusque ∼ l'âge de 80 ans** he lived to about the age of 80; **elle est tombée malade ∼ l'âge de 25 ans** she became ill GB *ou* sick US when she was about 25

vers² /vɛʀ/

A *nm inv* (ligne de poésie) line (of verse); **le premier/troisième ∼** the first/third line; **un ∼ de douze syllabes** a line of twelve syllables; **un poème/une pièce en ∼** a poem/a play in verse

B *nmpl* (poésie) poetry ¢; **dire/faire des ∼** to recite/write poetry *ou* verse

(Composés) **∼ blanc** blank verse; **∼ héroïque** heroic verse; **∼ libre** free verse; **∼ de mirliton** doggerel ¢

versant /vɛʀsɑ̃/ *nm* side

versatile /vɛʀsatil/ *adj* [*personne*] unpredictable, volatile

versatilité /vɛʀsatilite/ *nf* unpredictability, volatility

verse: à verse /avɛʀs/ *loc adv* **il pleut à ∼** it's pouring down

versé, ∼e /vɛʀse/ *adj* **très ∼ en** well-versed in; **il est fort peu ∼ dans l'art de flatter** he's not at all well-versed in the art of flattery

Verseau /vɛʀso/ ▸ p. 912 *nprm* Aquarius

versement /vɛʀsəmɑ̃/ *nm* 1 (de somme) payment; **∼ comptant** cash payment; **le ∼ de l'impôt peut s'effectuer sur place** tax can be paid in person; 2 (échelonné) instalment^GB; **en plusieurs ∼s** by instalments^GB; 3 (dépôt) deposit; **∼ en espèces** cash deposit; **faire un ∼ sur son compte** to pay money into one's account; **bulletin** *or* **bordereau de ∼** paying-in GB *ou* deposit US slip

verser /vɛʀse/ [1]

A *vtr* 1 (servir) to pour [*boisson*] (**dans** into); (transvaser) to pour [*liquide, sable, terre*]; (sans précautions) to tip [*liquide, sable, terre*]; **∼ à boire à qn** to pour sb a drink; **verse-moi un peu de vin** pour me some wine; **verse du détergent sur la tache** pour some detergent on the stain; **attention, tu verses à côté** careful, you're spilling it; ▸ **huile**; 2 (payer) to pay [*somme, arrhes, pension*] (**à qn** to sb; **sur** into); **on leur verse une commission** they get a commission; **il lui verse une pension alimentaire** he gives her alimony; **mon employeur verse mon salaire sur mon compte bancaire** my employer pays my salary into my bank account; 3 (répandre) to shed [*larme, sang*]; **∼ le sang** to shed blood; **∼ son sang pour la patrie** liter to be wounded fighting for one's country littér; **∼ des larmes sur qn/qch** to shed tears over sb/sth; 4 (ajouter) to add (**à** to); **∼ une pièce à un dossier** to add a document to a file; 5 Mil (affecter) to assign (**dans** to); **∼ qn dans la cavalerie/l'infanterie** to assign sb to the cavalry/the infantry

B *vi* 1 (se renverser) to overturn; **∼ dans le fossé** to topple into the ditch; 2 (se laisser aller à) to lapse (**dans** into); **il verse un peu trop dans le mélodrame** he tends to be melodramatic; 3 (laisser couler) [*cruche*] to pour

verset /vɛʀsɛ/ *nm* 1 (de la Bible, du Coran) verse; 2 (prière) versicle; 3 Littérat verset

verseur, -euse /vɛʀsœʀ, øz/ *adj* pouring; **flacon ∼** bottle with a pouring spout

versificateur, -trice /vɛʀsifikatœʀ, tʀis/ *nm,f* (poète) poet; péj versifier

versification /vɛʀsifikasjɔ̃/ *nf* versification

versifier /vɛʀsifje/ [2]

A *vtr* to put [sth] into verse [*poème, texte*]

B *vi* to versify

version /vɛʀsjɔ̃/ *nf* 1 (traduction) translation (*into one's own language*); **une ∼ latine** a latin translation; **une épreuve de ∼** a translation test; 2 (interprétation) version; **j'ai entendu une toute autre ∼ de l'incident** I heard a completely different version of the incident; **la ∼ officielle** the official version; 3 Cin, Littérat, Mus version; **une nouvelle ∼ du quatuor** a new version of the quartet; **la ∼ de 1948** the 1948 version; **en ∼ espagnole** in the Spanish version; **la ∼ américaine d'un film français** the American version of a French film; **∼ intégrale/abrégée** complete/abridged version; 4 Ind, Comm (modèle) model, version; **la ∼ GTI de cette voiture** the GTI model of this car

(Composés) **∼ doublée** Cin dubbed version; **∼ longue** Cin full-length version; **∼ originale, vo** Cin original version; **en ∼ originale (sous-titrée)** in the original language (with subtitles)

verso /vɛʀso/ *nm* back, verso spéc; **voir au ∼** see over(leaf); ▸ **recto**

vert, ∼e /vɛʀ, vɛʀt/

A ▸ p. 202 *adj* 1 gén green; [*région, pays*] green, verdant littér; **∼ foncé/clair** dark/light green;

une banlieue ~e a leafy suburb; être ~ de peur to be white with fear, to look green around the gills○; ▸ mûr; 2 (non arrivé à maturité) [fruit, légume] green, unripe; [bois] green; [vin] immature; 3 (vigoureux) [vieillard] sprightly; elles sont loin mes ~es années! the years of my youth are long past!; 4 (sévère) (before n) [semonce, réprimande] sharp, stiff

B ▸ p. 202 *nm* green; une robe d'un ~ hideux a dress of a hideous green (colour[GB]); je suis passé au (feu) ~ I went through when the light was green; le feu est passé au ~ the light went *ou* turned green

C verts *nmpl* Pol les ~s the environmentalists, the ecologists GB; les Verts the French Green party

(Composés) ~ amande almond (green); ~ bouteille bottle green; ~ d'eau sea-green; ~ émeraude emerald green; ~ galant old charmer; ~ olive olive green; ~ pistache pistachio green; ~ pomme apple green; ~ tilleul sage green

(Idiomes) en dire de ~es to tell spicy *ou* risqué stories; avoir les doigts ~s, avoir la main ~e to have green fingers GB *ou* a green thumb US; se mettre au ~○ to take a break in the country

vert-de-gris /vɛʀdəgʀi/
A ▸ p. 202 *adj inv* blue-green
B *nm* Tech verdigris

vert-de-grisé, *pl* **vert-de-grisés** /vɛʀdəgʀize/ *adj* 1 (oxydé) covered in verdigris; 2 ▸ p. 202 (couleur) blue-green

vertébral, ~e, *mpl* -aux /vɛʀtebʀal, o/ *adj* vertebral

vertèbre /vɛʀtɛbʀ/ *nf* vertebra; les ~s cervicales/dorsales/lombaires cervical/dorsal/lumbar vertebrae; se déplacer une ~ to slip a disc

vertébré, ~e /vɛʀtebʀe/
A *adj* vertebrate
B *nm* vertebrate

vertement /vɛʀtəmɑ̃/ *adv* sharply

vertex /vɛʀtɛks/ *nm inv* vertex

vertical, ~e, *mpl* -aux /vɛʀtikal, o/
A *adj* 1 Math, gén [axe, plan, mouvement, position, décollage] vertical; [miroir, panneau] upright; la station ~e standing position; 2 (selon une hiérarchie) [intégration, organisation, croissance] vertical
B verticale *nf* Math, Phys vertical; mettre qch à la ~e to put sth upright; le rocher se dresse à la ~e the rock rises sheer

verticalement /vɛʀtikalmɑ̃/ *adv* 1 gén [se déplacer, tomber, plonger] vertically; 2 (dans les mots croisés) down

verticalité /vɛʀtikalite/ *nf* verticality

vertige /vɛʀtiʒ/ *nm* 1 (sensation) dizziness, giddiness; (dû à la hauteur) vertigo; avoir le ~ (habituellement) to suffer from vertigo; (ponctuellement) to feel dizzy *ou* giddy; être pris de ~ lit, fig to become dizzy *ou* giddy; donner le ~ à qn fig, lit to make sb dizzy *ou* giddy; 2 (malaise) dizzy *ou* giddy spell, attack of vertigo; avoir des ~s to have dizzy *ou* giddy spells; 3 (exaltation) ~ de l'amour/de la gloire/du succès intoxicating effect of love/of fame/of success

vertigineux, -euse /vɛʀtiʒinø, øz/ *adj* [hauteur] dizzy, giddy; [profondeur, ascension] breathtaking; [allure, vitesse] breathtaking, breakneck (épith); [somme, chute, augmentation, progression] staggering

vertu /vɛʀty/
A *nf* 1 (intégrité) (moral) virtue; d'une grande ~ of great moral virtue; 2 (chasteté) virtue, honour[GB]; perdre/protéger sa ~ to lose/protect one's virtue *or* honour[GB]; de petite ~ of easy virtue; 3 (qualité) quality, virtue; les ~s humaines human qualities; 4 (propriété) (de plante, remède) property; (de choses abstraites) virtue; des ~s cicatrisantes/digestives healing/digestive properties
B en vertu de *loc prép* Jur by virtue of, pursuant to [article, loi, ordonnance]; gén in accordance with [accord, disposition, système]

(Idiome) faire de nécessité ~ to make a virtue of necessity

vertueusement /vɛʀtɥøzmɑ̃/ *adv* virtuously

vertueux, -euse /vɛʀtɥø, øz/ *adj* virtuous

vertugadin /vɛʀtygadɛ̃/ *nm* farthingale

verve /vɛʀv/ *nf* eloquence; retrouver toute sa ~ to regain one's eloquence; être très en ~ to be in sparkling form; un livre plein de ~ an imaginative book

verveine /vɛʀvɛn/ *nf* 1 Bot verbena; 2 (liqueur) (liqueur de) ~ verbena liqueur; 3 (tisane) verbena tea; boire une ~ to drink a cup of verbena tea

vésical, ~e, *mpl* -aux /vezikal, o/ *adj* bladder (épith), vesical spéc

vésicatoire /vezikatwaʀ/ *adj, nm* vesicant

vésiculaire /vezikylɛʀ/ *adj* 1 Méd of the gall bladder (après n); 2 (en forme de vésicule) vesicular

vésicule /vezikyl/ *nf* 1 Anat, Bot vesicle; 2 Méd (cloque) blister, vesicle spéc

(Composés) ~ biliaire gall bladder; ~s séminales Anat seminal vesicles

vésiculeux, -euse /vezikylø, øz/ *adj* vesicular

vésiculite /vezikylit/ *nf* vesiculitis

vespasienne /vɛspazjɛn/ *nf* public urinal

vespéral, ~e, *mpl* -aux /vɛspeʀal, o/
A *adj* liter evening (épith)
B *nm* Relig vesperal

vesse-de-loup, *pl* **vesses-de-loups** /vɛsdəlu/ *nf* puffball

vessie /vesi/ *nf* bladder; ~ gazeuse *or* natatoire air *ou* swim bladder

(Idiomes) prendre des ~s pour des lanternes○ to think the moon is made of green cheese; faire prendre à qn des ~s pour des lanternes○ to pull the wool over sb's eyes○

vestale /vɛstal/ *nf* vestal virgin

veste /vɛst/ *nf* jacket; une ~ en lin/jean/cuir a linen/denim/leather jacket; ~ à basques jacket with basques; tomber la ~○ to take off one's jacket

(Composés) ~ de chasse hunting jacket; ~ d'intérieur smoking jacket; ~ de pyjama pyjama GB *ou* pajama US jacket; ~ de survêtement Sport tracksuit top

(Idiomes) retourner sa ~○ Pol to change sides, to sell out; prendre une ~○ to come a cropper○

vestiaire /vɛstjɛʀ/ *nm* 1 (salle) (dans un stade, gymnase) changing GB *ou* locker room; (dans un musée, un théâtre, une discothèque) cloakroom; dans les ~s du stade in the stadium changing rooms GB; demander son ~ to ask for one's coat; laisser sa fierté/ses scrupules au ~ fig to forget one's pride/one's scruples; laisser ses bonnes manières au ~ to leave one's good manners at home; 2 (meuble) locker

vestibulaire /vɛstibylɛʀ/ *adj* Anat vestibular

vestibule /vɛstibyl/ *nm* Archit 1 (d'édifice) hall; (d'hôtel, de théâtre) foyer GB, lobby; 2 Anat vestibule

vestige /vɛstiʒ/ *nm* 1 (de construction, d'objet) relic; les ~s d'un bâtiment/d'une ville the remains of a building/of a town; des ~s archéologiques archeological remains; l'unique ~ du château the only relic of the castle, all that remains of the castle; 2 (d'époque, de tradition) vestige; les ~s d'une civilisation the vestiges of a civilization

vestimentaire /vɛstimɑ̃tɛʀ/ *adj* dépenses ~s clothing expenses; tenue ~ way of dressing; mode ~ fashion; règlement *or* code ~ dress code; élégance ~ elegance in dress

veston /vɛstɔ̃/ *nm* (man's) jacket

Vésuve /vezyv/ *nprm* le ~ Vesuvius

vêtement /vɛtmɑ̃/ *nm* 1 (pièce d'habillement) item *ou* piece of clothing; des ~s clothes, clothing ¢; ~s d'été/d'hiver summer/winter clothes; si tu sors, prends un ~, il fait froid put something on if you are going out, it's cold; emporte des ~s chauds take some warm clothes *ou* clothing; ~s de travail workclothes; ce ~ se vend très bien this garment is selling very well; un ~ de pluie a raincoat; ~s du dimanche Sunday best, Sunday clothes; '~s pour hommes' 'menswear', 'men's fashions'; '~s pour dames/enfants' 'ladies'/children's wear *ou* fashions'; ~s de ski skiing clothes; ~s de sport sportswear; 2 (secteur d'activité) clothing trade, garment industry US

vétéran /veteʀɑ̃/ *nm* Mil, fig veteran (de of)

vétérinaire /veteʀinɛʀ/
A *adj* [médecine, clinique] veterinary
B ▸ p. 532 *nmf* vet, veterinary surgeon GB, veterinarian US

vététiste /vetetist/ *nmf* mountain-biker, off-road biker

vétille /vetij/ *nf* trifle

vêtir /vetiʀ/ [33]
A *vtr* (habiller) to dress [personne, poupée] (de in); (mettre) to put on [vêtement, uniforme]
B se vêtir *vpr* to dress (oneself), to get dressed (de in)

vétiver /vetivɛʀ/ *nm* vetiver

veto* /veto/ *nm* veto; mettre *or* opposer son ~ à qch to veto sth; ▸ droit

vêtu, ~e /vety/
A *pp* ▸ vêtir
B *pp adj* dressed; être ~ de qch to be dressed *ou* clad in sth, be wearing sth; il est arrivé, tout de blanc ~ he arrived, dressed all in white; être ~ de neuf to be wearing brand new clothes; à demi ~ half-dressed; être bien/mal ~ to be well-/badly-dressed

vétuste /vetyst/ *adj* (délabré) dilapidated, run-down; (obsolète) outdated

vétusté /vetyste/ *nf* (délabrement) dilapidation (de of), run-down state (de of); (ancienneté) (great) age (de of), outdated state (de of)

vétyver /vetivɛʀ/ *nm* vetiver

veuf, **veuve** /vœf, vœv/
A *adj* widowed; être ~/veuve to be a widower/widow; jouer les veuves éplorées to act the grief-stricken widow
B *nm,f* widower/widow; Mme Brun, veuve Dupont Mrs Brun, the widow of Mr Dupont; ▸ orphelin
C veuve *nf* 1 †○(guillotine) guillotine; 2 (oiseau) whydah

(Composés) veuve de guerre war widow; veuve noire black widow (spider)

veule /vøl/ *adj* [personne] weak, spineless

veulerie /vølʀi/ *nf* weakness, spinelessness

veuvage /vœvaʒ/ *nm* 1 (perte du conjoint) loss of one's husband/wife; 2 (état de veuf) (state of) being a widower; (état de veuve) widowhood; depuis son ~ since he/she was widowed

veuve ▸ veuf

vexant, ~e /vɛksɑ̃, ɑ̃t/ *adj* (blessant) [parole, refus] hurtful (pour to); (contrariant) tiresome, vexing

vexation /vɛksasjɔ̃/ *nf* humiliation

vexatoire /vɛksatwaʀ/ *adj* mesures ~s envers les immigrés measures intended to humiliate immigrants

vexer /vɛkse/ [1]
A *vtr* 1 (blesser) to offend, to upset; être vexé par qch/par qn to be upset *ou* offended at sth/by sb; 2 (contrarier) to annoy
B se vexer *vpr* to take offence[GB] (de at), to be upset (de at); se ~ d'un rien to take offence[GB] easily

VHC /veaʃse/ *nm* (abbr = virus de l'hépatite C) HCV

VHF /veaʃɛf/ *adj inv, nf* (abbr = very high frequency) VHF; récepteur ~ VHF receiver

VHS /veaʃɛs/ *nm* (*abbr* = **video home system**) VHS

via /vja/ *prép* 1 (en passant par) via; **aller de Paris à Lyon ~ Dijon** to go from Paris to Lyons via Dijon; 2 (par l'intermédiaire de) via, through; **apprendre qch ~ qn/la presse** to hear about sth via *ou* through sb/the press

viabilisé, **~e** /vjabilize/ *adj* [*terrain*] with all mains services (*épith, après n*)

viabiliser /vjabilize/ [1] *vtr* to provide [sth] with mains services [*terrain*]

viabilité /vjabilite/ *nf* 1 (de fœtus) viability; 2 (de régime, d'entreprise) viability; 3 (de terrain) **assurer la ~ d'un terrain** to provide a building site *ou* plot with services; **travaux de ~** laying on GB *ou* installation US of services; 4 (de route) suitability for vehicles

viable /vjabl/ *adj* 1 [*fœtus*] viable; 2 [*projet*] feasible; [*entreprise*] viable; [*situation*] bearable, tolerable; **leur collaboration n'est pas ~** their collaboration can't last

viaduc /vjadyk/ *nm* viaduct

viager, **-ère** /vjaʒe, ɛʀ/ Jur
A *adj* [*rente, intérêt*] life (*épith*), for life (*épith, après n*); **à titre ~** for (the duration of one's) life
B *nm* (rente) life annuity; **acheter qch en ~** to buy sth by paying a life annuity; **vendre qch en ~** to sell sth for a life annuity

viagra® /vjagʀa/ *nm* Viagra®

viande /vjɑ̃d/ *nf* 1 Culin meat; **~ de bœuf/mouton** beef/mutton; 2 ◑flesh; **toute cette ~ étalée sur la plage** all that bare flesh on the beach; **il va y avoir de la ~ froide◑!** somebody is going to get it!
(Composés) **~ blanche** white meat; **~ des Grisons** dried beef; **~ noire** game; **~ rouge** red meat

viander /vjɑ̃de/ [1]
A *vi* [*cerf*] to graze
B **se viander◑** *vpr* to get smashed up○ GB, to get bunged up○ US

viatique /vjatik/ *nm* 1 Relig viaticum; 2 comfort, support; **muni du seul ~ de** with nothing to sustain him/me etc but

vibrant, **~e** /vibʀɑ̃, ɑ̃t/
A *adj* 1 (animé de vibrations) [*coussin, lame*] vibrating; 2 (ému) [*voix*] resonant; [*discours*] vibrant; [*hommage*] glowing; [*plaidoyer*] impassioned; [*foule*] excited, feverish; **~ d'excitation/de colère/de joie** quivering with excitement/with anger/with joy
B **vibrante** *nf* Ling vibrant; **~e battue** flap; **~e roulée** trill

vibraphone /vibʀafɔn/ ▸ **p. 557** *nm* vibraphone, vibes○ (*pl*)

vibraphoniste /vibʀafɔnist/ ▸ **p. 532** *nmf* vibraphone player, vibes player

vibrateur /vibʀatœʀ/ *nm* vibrator

vibratile /vibʀatil/ *adj* **cils ~s** (vibratile) cilia

vibration /vibʀasjɔ̃/ *nf* vibration; **ressentir/causer des ~s** to feel/cause vibrations; **~ de l'air (due à la chaleur)** shimmering of the air (in the heat); **traitement par ~s** vibromassage

vibrato /vibʀato/ *nm* vibrato

vibratoire /vibʀatwaʀ/ *adj* vibratory

vibrer /vibʀe/ [1]
A *vtr* to vibrate [*béton*]
B *vi* 1 (osciller) gén, Phys [*lame, son*] to vibrate; 2 (frémir) [*voix*] to quiver (**de** with); [*cœur*] to thrill; **elle vibrait de tout son être** liter she felt a thrill go through her; **on vibre en les écoutant** your spine tingles when you listen to them; **faire ~ l'âme/les foules** to stir the soul/the crowds; **faire ~ la corde patriotique** to rouse people's patriotism

vibreur /vibʀœʀ/ *nm* vibrator; **téléphone avec ~** telephone with a vibrate setting

vibrion /vibʀijɔ̃/ *nm* 1 (bactérie) vibrio; 2 ○(enfant) fidget○

vibrionner○ /vibʀijɔne/ [1] *vi* (s'agiter) to fidget○; (s'activer) to faff○ around GB, to dither

vibrisse /vibʀis/ *nf* 1 (humaine) nostril hair; 2 (de chat) whisker, vibrissa spéc

vibromasseur /vibʀomasœʀ/ *nm* vibrator unit

vicaire /vikɛʀ/ *nm* curate
(Composés) **~ apostolique** vicar apostolic; **le ~ du Christ** the Vicar of Christ; **~ général** vicar general

vicariat /vikaʀja/ *nm* vicariate

vice /vis/ *nm* 1 (débauche) vice; **vivre dans le ~** to lead a dissolute life; **se lever à 4h du matin, c'est du ~** hum it's a sin to get up at 4 in the morning; 2 (mauvaise habitude) vice; **avoir tous les ~s** to have every possible vice; **mon ~, c'est le tabac** my vice is smoking; 3 (défaut physique) fault, defect
(Composés) **~ caché** hidden defect *ou* fault; **~ de conformation** physical defect; **~ de construction** construction fault; **~ de fabrication** manufacturing fault; **~ de forme** technicality; **rejeté pour ~ de forme** dismissed on a technicality; **~ de procédure** legal irregularity

vice-amiral, *pl* **-aux** /visamiʀal, o/ ▸ **p. 406** *nm* ≈ rear-admiral; **~ d'escadre** ≈ vice-admiral

vice-chancelier, *pl* **~s** /visʃɑ̃səlje/ ▸ **p. 848** *nm* vice-chancellor

vice-consul, *pl* **~s** /viskɔ̃syl/ *nm* vice-consul

vicelard◑, **~e** /vislaʀ, aʀd/ *adj* 1 (pervers) [*personne, regard*] depraved, corrupt; 2 (rusé) [*question, clause*] trick (*épith*); [*personne*] sly, sneaky; **c'est ~ de lui demander ça** it's not fair to ask him/her that

vicennal, **~e**, *mpl* **-aux** /visenal, o/ *adj* Jur (qui dure 20 ans) [*loyer, plan*] twenty-year (*épith*); (qui se produit tous les 20 ans) [*événement*] occurring every 20 years (*épith, après n*)

vice-présidence, *pl* **~s** /vispʀezidɑ̃s/ *nf* (d'État) vice-presidency; (de comité, d'entreprise) vice-chairmanship, vice-presidency US

vice-président, **~e**, *mpl* **~s** /vispʀezidɑ̃, ɑ̃t/ *nm,f* (de nation) vice-president; (de conseil, comité, d'entreprise) vice-chair(man), vice-president US

vice-roi, *pl* **~s** /visʀwa/ ▸ **p. 848** *nm* viceroy

vicésimal, **~e**, *mpl* **-aux** /visezimal/ *adj* Math vicenary, in base 20 (*après n*)

vice(-)versa /visvɛʀsa/ *adv* vice versa

vichy /viʃi/
A *nm* 1 (tissu) gingham; **une robe en ~** a gingham dress; 2 (eau) vichy water; **un ~ menthe** vichy water with peppermint cordial
B *nf* (pastille) **(pastille) ~**® vichy mint

Vichy /viʃi/ *npr* 1 ▸ **p. 894** Géog Vichy; 2 Hist the Vichy government

vichyssois, **~e** /viʃiswa, az/ ▸ **p. 894** *adj* 1 of Vichy; 2 Culin **potage ~** vichyssoise

vichyste /viʃist/ *adj* Hist 1 [*personne*] supporter of the Vichy government; 2 [*propagande, politique*] of the Vichy government

vicier /visje/ [2]
A *vtr* 1 Jur to invalidate [*élection, acte, contrat*]; 2 (altérer) to pollute [*air*]; to contaminate [*sang*]
B **se vicier** *vpr* [*air*] to become polluted

vicieusement /visjøzmɑ̃/ *adv* 1 (pour tromper) deceitfully; 2 (de façon dépravée) lustfully

vicieux, **-ieuse** /visjø, øz/
A *adj* 1 (dépravé) [*personne*] lecherous; **il faut être ~ pour aimer ça** you've got to be perverted to like that; 2 (sournois) [*personne*] sly; [*coup, attaque*] well-disguised; [*question*] trick (*épith*); [*argumentation*] deceitful; 3 (défectueux) [*locution, prononciation*] wrong; [*position*] abnormal; **un cercle ~** a vicious circle; 4 (indocile) [*cheval*] vicious
B *nm,f* pervert

vicinal, **~e**, *mpl* **-aux** /visinal, o/ *adj* Admin **chemin ~** byroad

vicissitudes /visisityd/ *nfpl* (épreuves) trials and tribulations; (changements) vicissitudes, ups and downs○; **les ~ de la vie/l'histoire** the vicissitudes *ou* ups and downs of life/history; **les ~ de la mode/politique** the vagaries of fashion/politics

vicomte /vikɔ̃t/ ▸ **p. 848** *nm* viscount

vicomté /vikɔ̃te/ *nf* viscountcy

vicomtesse /vikɔ̃tɛs/ ▸ **p. 848** *nf* viscountess

victime /viktim/ *nf* 1 (d'accident, de désastre, phénomène) victim, casualty (**de** of); **le cyclone a fait de nombreuses ~s** the cyclone claimed many victims *ou* casualties; **les ~s des accidents de la route** road accident victims, road casualties; **leur entreprise fut l'une des ~s de la crise du pétrole** fig their firm was one of the casualties of the oil crisis; **être ~ de calomnies/d'une idéologie/des circonstances** fig to be a victim of slander/of an ideology/of circumstances; **être ~ d'un infarctus** to be the victim of a heart attack; **être ~ d'un complot** fig to be the victim of a conspiracy; **les ~s du cancer** cancer victims; **arrête de jouer les ~s** iron stop playing the victim iron; **le joueur, ~ d'une blessure au genou...** the player, suffering from a knee injury...; **~ d'une panne, il a abandonné la course** hit by mechanical problems, he abandoned the race; **il a été ~ de son succès/bon cœur/orgueil** his success/kind-heartedness/pride has been his undoing; 2 Jur victim; 3 (créature offerte en sacrifice) sacrificial victim

victimiser /viktimize/ [1] *vtr* Sociol to treat as a victim

victoire /viktwaʀ/ *nf* gén victory (**sur** over; **contre** against); Sport win (**sur** over; **contre** against); **remporter une ~ écrasante** Pol, Sport to win a crushing victory; **~ aux élections** victory in the elections; **crier** *or* **chanter ~** to claim victory; **(remporter) une ~ sur soi-même** (to win) a personal battle

victoria /viktɔʀja/ *nf* 1 (véhicule) victoria; 2 (plante) victoria

Victoria /viktɔʀja/
A *npr* Victoria; **les chutes ~** the Victoria falls
B ▸ **p. 435**, **p. 479**, **p. 894** *npr* Géog (île, État, ville) Victoria; **le lac ~** Lake Victoria

victorien, **-ienne** /viktɔʀjɛ̃, ɛn/ *adj* Victorian

victorieusement /viktɔʀjøzmɑ̃/ *adv* triumphantly

victorieux, **-ieuse** /viktɔʀjø, øz/ *adj* [*pays, armée*] victorious; [*athlète, équipe*] winning (*épith*), victorious; [*débuts, tir*] successful; [*sourire*] of victory (*épith, après n*); **être ~ de** to win victory over [*pays, équipe*]; to gain victory in [*compétition*]

victuailles /viktɥaj/ *nfpl* Culin provisions, victuals

vidage /vidaʒ/ *nm* 1 (d'une fosse, machine) emptying (**de** of); 2 ○(d'indésirables) throwing out (**de** of)

vidame /vidam/ *nm* Hist vidame

vidange /vidɑ̃ʒ/
A *nf* 1 (de cuve, fosse, fossé) emptying (**de** of); 2 Aut oil change; **faire la ~** to change the oil; **huile de ~** waste oil; 3 (tuyau d'évacuation) (de baignoire) drain; (de lave-linge) waste pipe; 4 (cycle de lave-linge) emptying
B **vidanges** *nfpl* 1 (matière) sewage ¢; 2 Can (ramassage d'ordures) rubbish collection GB, garbage collection US

vidanger /vidɑ̃ʒe/ [13]
A *vtr* 1 to empty, to drain [*cuve, fosse*]; 2 to drain off [*liquide*]
B *vi* [*lave-linge*] to empty

V

vidangeur /vidɑ̃ʒœʀ/ *nm* [1] (d'égout) sewage tanker driver; [2] Can (éboueur) dustman GB, garbage collector US

vidangeuse /vidɑ̃ʒøz/ *nf* sewer tanker

vide /vid/

A *adj* [1] (sans contenu) [*lieu, boîte*] empty (**de** of); [*cassette, page*] blank; **ensemble ~** Math empty set; **les mains ~s** fig empty-handed; **~ de son contenu** empty of its contents; **pièce ~ de meubles** room empty of furniture; **tu l'as loué ~ ou meublé?** are you renting it unfurnished or furnished?, are you renting it empty or furnished?; [2] (dépeuplé, inoccupé) [*salle, rue, fauteuil*] empty (**de** of); [*appartement*] empty (**de** of), vacant; **la maison est ~ sans les enfants** the house seems empty without the children; **~ de tout habitant** empty of all inhabitants; [3] (sans intérêt, substance, idées) [*vie, slogan, esprit, journée*] empty; [*regard*] vacant; **se sentir ~** to feel empty; **j'ai la tête ~** my mind is a blank; **~ d'intérêt** devoid of any interest; **~ de sens** meaningless

B *nm* [1] (espace) space; **suspendu dans le ~** dangling in space; **sauter** *or* **se jeter dans le ~** lit to jump into space; fig to leap into the unknown; **et au-dessous de lui, le ~** (alpiniste) and below him, a sheer drop; (acrobate) and nothing between him and the ground; **être attiré par le ~** to be drawn toward(s) the edge; **être penché au-dessus du ~** (en montagne) to be on the edge of a sheer drop; (d'une tour) to be leaning over and looking down into space; **regarder dans le ~** to stare into space; **parler dans le ~** (sans auditeur) to talk to oneself; (sans sujet) to talk at random; **promettre dans le ~** fig to make empty promises; [2] Phys vacuum; **~ absolu** absolute vacuum; **la nature a horreur du ~** nature abhors a vacuum; **emballé sous ~** vacuum packed; **du café sous ~** vacuum-packed coffee; **pompe à (faire le) ~** vacuum pump; **faire le ~** to create a vacuum; **faire le ~ autour de soi** fig to drive everybody away; **j'ai besoin de faire le ~ dans ma tête** I need to forget about everything; [3] (absence à combler) vacuum, void; (absence douloureuse) void; **~ politique/intellectuel** political/intellectual vacuum; **laisser/créer/combler un ~** to leave/create/fill a vacuum; **sa mort a laissé un grand ~ dans ma vie** his/her death left a great void *ou* emptiness in my life; [4] (vacuité) emptiness; **le ~ de l'existence/de leurs propos** the emptiness of life/of their words; [5] (trou) (entre deux objets) gap, empty space; (dans un emploi du temps) gap; **combler un** *or* **le ~** lit, fig to fill a gap

C **à vide** *loc adv* (sans contenu) empty; (sans résultat) with no result; **la clé tourne à ~** the key is not catching; **essai à ~** no-load test; **camion à ~** truck without a load

(Composés) **~ juridique** gap *ou* lacuna in the law; **~ sanitaire** crawl space, underfloor ventilation space

vidé, ~e /vide/

A *pp* ▸ **vider**

B °*pp adj* (fatigué) worn out; **être ~ de son énergie** to be drained of energy

vidéaste /videast/ ▸ p. 532 *nmf* video director

vide-greniers* /vidgʀenje/ *nm inv* bric-a-brac sale

vidéo /video/

A *adj inv* video; **équipement/jeu ~** video equipment/game

B *nf* (équipement, film) video; **tourner un film en ~** to make a video

(Composés) **~ à la demande** video-on-demand; **~ inverse** *or* **inversée** Ordinat reverse video

vidéocassette /videokasɛt/ *nf* videotape, videocassette, video; **en ~** on video

vidéoclip /videoklip/ *nm* TV (music) video

vidéoclub /videoklœb/ *nm* video store, video shop GB

vidéocommunication /videokɔmynikasjɔ̃/ *nf* link-up

vidéoconférence /videokɔ̃feʀɑ̃s/ *nf* Télécom [1] (séance) video-conference; [2] (principe) video conferencing

vidéodisque /videodisk/ *nm* videodisc

vidéofréquence /videofʀekɑ̃s/ *nf* video frequency

vidéogramme /videɔgʀam/ *nm* videogram

vidéographie /videogʀafi/ *nf* videography

vidéojournal, *pl* **-aux** /videoʒuʀnal, o/ *nm* videodiary

vidéophone /videɔfɔn/ *nm* videophone

vidéoprojecteur /videopʀɔʒɛktœʀ/ *nm* videoprojector

vide-ordures* /vidɔʀdyʀ/ *nm inv* rubbish GB *ou* garbage US chute

vidéosurveillance /videosyʀvɛjɑ̃s/ *nf* videosurveillance

vidéotex® /videɔtɛks/ *adj inv, nm inv* videotex®

vidéothèque /videɔtɛk/ *nf* (de prêt) video library; (chez soi) video collection

vide-poches* /vidpɔʃ/ *nm inv* [1] (coupe) tidy; [2] Aut map compartment

vide-pomme, *pl* **~s** /vidpɔm/ *nm* apple-corer

vider /vide/ [1]

A *vtr* [1] (débarrasser) to empty [*poche, boîte, pièce, verre*]; to empty, to drain [*cuve, étang, réservoir*]; (avaler) to down [*verre*]; to go through [*paquet de biscuits*]; **~ un sac dans qch/sur une table** to empty a bag into sth/onto a table; **~ qch de son contenu** to empty sth of its contents; **~ un coffre-fort** to clean out a safe; [2] (retirer) to empty [sth] (out) [*eau, ordures*] (**dans** into); **~ une bouteille dans l'évier** to empty a bottle into *ou* down the sink; **~ le grain d'un silo** to empty the grain out of a silo; [3] (rendre désert) to empty [*lieu*]; **la sirène a vidé les rues** the siren emptied the streets; [4] °(expulser) to throw [sb] out°, to kick [sb] out° [*intrus, indésirable*]; **se faire ~ de l'école** to be kicked out of school; [5] (évider) to gut [*poisson*]; to draw [*volaille*]; to core [*pomme*]; to hollow out [*tomate*]; [6] (priver) **~ qch de sa substance/son sens** to deprive sth of all substance/meaning; [7] °(épuiser) (physiquement) to wear [sb] out; (mentalement) to drain

B **se vider** *vpr* [*cuve, salle, ville*] to empty; [*canalisation, eau*] to empty (**dans** into); **en été, Paris se vide de ses habitants** in the summer all Parisians leave town

(Idiome) **~ les lieux** *or* **le plancher**° to leave

videur°, -euse /vidœʀ, øz/ ▸ p. 532 *nm,f* bouncer

vidoir /vidwaʀ/ *nm* (de vide-ordures) chute

viduité /vidɥite/ *nf* Jur **délai de ~** *period of time before a widow or divorcee may remarry*

vie /vi/ *nf* [1] gén, Biol life; **sauver la ~ de qn** to save sb's life; **rendre la ~ à qn** to bring sb back to life; **risquer sa ~** to risk one's life; **sacrifier** *ou* **donner sa ~ pour qn** to give one's life for sb; **devoir la ~ à qn** to owe sb one's life; **être en ~** to be alive; **maintenir qn en ~** to keep sb alive; **il y a laissé sa ~** that was how he lost his life; **sans ~** lifeless; **on l'a retrouvé sans ~** they found him dead; **donner la ~ à qn** to bring sb into the world; **sauver des ~s** to save lives; **~ végétale/animale/humaine** plant/animal/human life; **être entre la ~ et la mort** [*malade*] to hover between life and death; **y a-t-il une ~ après la mort?** is there life after death?; **y a-t-il de la ~ sur Mars?** is there life on Mars?

[2] (période) life; **avoir une ~ dure** to have a hard life; **pour la ~** for life; **courte/longue ~** short/long life; **sur** *or* **vers la fin de leur ~** toward(s) the end of their lives; **la peur/course de ma ~** the fright/race of my life; **elle a travaillé toute sa ~** she worked all her life; **je ne vous ai jamais vu de ma ~** I've never seen you in my life; **pour la première fois de ma ~** for the first time in my life; **il n'y a pas que le travail/l'amour dans la ~** there's more to life than work/love; **avoir quelqu'un dans sa ~** to have somebody in one's life; **partager la ~ de qn** to share one's life with sb; **ce n'est pas la femme de ma ~** she's not the love of my life; **que feras-tu dans la ~?** what are you going to do in life?; **faciliter la ~ à qn** to make life easier for sb; **vivre sa ~** to lead one's own life; **passer sa ~ à faire** gén to spend one's life doing; (tout le temps) to spend all one's time doing; **à ~** [*bannir, défigurer, marquer*] for life; [*bannissement, suspension*] lifetime (*épith*); [*emprisonnement, adhésion, président*] life (*épith*); **œuvre d'une ~** work of a lifetime; **c'est la chance de ta ~** it's the chance of a lifetime; **durer toute une ~** to last a lifetime; **tu as toute la ~ devant toi** you've got your whole life in front of you

[3] (activité) life; **la ~ urbaine/rurale** city/country life; **la ~ culturelle/professionnelle** cultural/professional life; **la ~ moderne/actuelle** modern/present day life; **la ~ d'entreprise** corporate life; **mener une ~ de luxe** to lead a life of luxury; **la ~ est chère** the cost of living is high; **avoir une ~ active/sédentaire** to lead an active/a sedentary life; **mode de ~** lifestyle; **apprendre/connaître la ~** to learn/know what life is all about; **notre ~ de couple** our relationship, our life together (as a couple); **comment réussir sa ~ de couple** how to live together and make it work; ▸ **bâton**, **enterrer**

[4] (vitalité) life; **prendre ~** to come to life; **reprendre ~** to come back to life; **déborder de ~** to be bursting with life; **donner de la ~ à un personnage** to bring a character to life; **donner de la ~ à une fête** to liven up a party; **mettre de la vie dans qch** to liven sth up; **plein de ~** [*personne, lieu*] full of life; **manquant de ~, sans ~** [*personne, lieu*] lifeless

[5] (biographie) life; **écrire la ~ de qn** to write a life of sb; **la ~ de Mozart** the life of Mozart

[6] Tech (durabilité) life; **~ d'un appareil/d'une pile** life of a machine/of a battery

(Composés) **~ active** Sociol working life; **~ antérieure** former life; **~ chère** high cost of living; **~ éternelle** eternal life; **~ de famille** family life; **~ intérieure** inner life; **~ privée** private life; **~ quotidienne** daily life; **~ spirituelle** spiritual life

(Idiomes) **c'est la ~!** that's life!; **ça c'est la ~!**, **c'est la ~ d'artiste!** this is the life!; **ce n'est pas une ~!** it's no life!; **quelle ~!** what a life!; **ainsi va la ~** that's the way it goes; **ils ont la belle ~** they have a good life; **c'est la belle ~!** what a life!; (en ce moment) this is the life!; **une ~ de chien°** a dog's life; **avoir la ~ dure** [*préjugés*] to be ingrained; **mener la ~ dure à qn** to make life hard for sb, to give sb a hard time; **faire la ~°** [*enfants*] to have a wild time; [*adultes*] to live it up°; **à la ~, à la mort!** till death us do part!; **entre eux c'est à la ~ à la mort** with them it's for life

vieil ▸ **vieux**

vieillard, ~e /vjɛjaʀ, aʀd/ *nm,f* old man, old woman; **les ~s** old people

vieille ▸ **vieux**

vieillerie /vjɛjʀi/ *nf* [1] (objet) old thing; (idée) old idea; [2] °(état) old age

vieillesse /vjɛjɛs/ *nf* [1] (de personne) old age; (de bâtiment, d'arbre) great age; **dans ta ~** in your old age; **mourir de ~** to die of old age; [2] °(personnes âgées) **la ~** the old (+ *v pl*)

(Idiome) **si jeunesse savait, si ~ pouvait** Prov if the young man did but know, and the old man were but able

vieilli, ~e /vjɛji/

A *pp* ▸ **vieillir**

B *pp adj* [1] (usé) [*peau, visage, tentures*] old-looking; **j'ai trouvé ta sœur très vieillie** I thought your sister had aged a lot; [2] (démodé) [*équipement*] outdated; [*expression,* *tournure*] dated; **3** (bonifié) **vin ~ en fût** wine matured in the cask

vieillir /vjɛjiʀ/ [3]

A *vtr* **1** (en apparence) [*coiffure, robe*] to make [sb] look older; **le maquillage la vieillit de 10 ans** make-up makes her look 10 years older; **2** (en estimation) **ne me vieillis pas, j'ai 59 ans!** don't make me any older than I am, I'm only 59!; **3** (physiquement) [*maladie, pauvreté*] to age

B *vi* **1** (en âge) **je vieillis** I am getting old; **j'ai vieilli** I'm older; (en maturité) I have grown up; **je me sens ~** I feel my age; **pour bien ~, faites du sport** to stay young, take exercise; **il refuse de se voir ~** he can't accept the fact that he's not so young any more; **~ dans la fonction publique** to spend a lifetime in the civil service; **je ne veux pas ~ ici** I don't want to be here till I die; **2** (se dégrader) [*corps, bâtiment*] to show signs of age; [*personne*] to age; **elle n'a pas vieilli** she hasn't aged, she doesn't look any older; **il vieillit mal** (apparence) he's losing his looks; **elle vieillit bien** she looks good for her age; **il a vieilli de 10 ans en 6 mois** he has aged 10 years in 6 months; **3** Sociol **notre population vieillit** we have an ageing population; **4** Vin to mature, age; **5** (se démoder) [*œuvre*] to become outdated; [*institution*] to stultify; **une pièce de théâtre qui n'a pas vieilli** a play which has lasted well

C se vieillir *vpr* **1** (en apparence) to make oneself look older; **2** (en mentant) to make oneself out to be older; **se ~ d'au moins trois ans** to put at least three years on one's age

vieillissant, **~e** /vjɛjisɑ̃, ɑ̃t/ *adj* [*personne, objet, institution*] ageing

vieillissement /vjɛjismɑ̃/ *nm* **1** (de personne, population, peau) ageing; **retarder le ~** to delay the ageing process; **2** (d'institution) stultification; **3** Vin ageing

vieillot, **-otte** /vjɛjo, ɔt/ *adj* quaint; **habillée de façon vieillotte** pej quaintly dressed; **cela te donne un air ~** it gives you a charming old-fashioned air

vielle /vjɛl/ ▸ **p. 557** *nf* Mus hurdy-gurdy

Vienne /vjɛn/

A ▸ **p. 894** *npr* **1** (ville d'Autriche) Vienna; **2** (ville de France) Vienne

B ▸ **p. 372, p. 721** *nprf* (rivière, département) Vienne

viennois, **~e** /vjɛnwa, az/ ▸ **p. 894** *adj* **1** (de Vienne) (en Autriche) Viennese; (en France) of Vienne; **2** Culin [*chocolat, café, pâtisserie, pain*] Viennese; **escalope ~e** Wiener schnitzel

viennoiserie /vjɛnwazʀi/ *nf* Culin **1** (gâteau) Viennese pastry; **2** (ensemble des produits) Viennese pastries (*pl*); **3** (magasin) bakery selling Viennese pastries

vierge /vjɛʀʒ/

A *adj* **1** [*personne*] virgin (*épith*); **elle est ~** she is a virgin; **rester/mourir ~** to remain/die a virgin; **2** (non utilisé) [*cassette, feuille*] blank; [*cahier, pellicule*] unused; [*casier judiciaire*] clean; [*dossier, agenda*] empty; **3** (non explorée) [*terre, domaine*] virgin; **cimes ~s** unclimbed peaks; **4** (pur) [*laine*] new; [*cire*] virgin; [*huile d'olive*] virgin; **5** (non souillé) liter [*neige*] virgin; [*réputation, vie*] unblemished; **~ de** free from, unsullied by; **6** (non fécondé) [*œuf, génisse*] unfertilized

B *nf* virgin

Vierge /vjɛʀʒ/

A *nf* **1** Relig **la (Sainte) ~** the (Blessed) Virgin; **la ~ Marie** the Virgin Mary; **Sainte ~!** Good Heavens!; **2** Art (représentation) madonna; **une ~ de marbre** a marble madonna; **~ à l'Enfant** Madonna and Child

B ▸ **p. 912** *nprf* Astrol, Astron Virgo

(Composé) **~ noire** Black Madonna

Viêt Nam /vietnam/ ▸ **p. 333** *nprm* Vietnam; **République socialiste du ~** Socialist Republic of Vietnam; **~ du Nord/du Sud** Hist North/South Vietnam

vietnamien, **-ienne** /vjɛtnamjɛ̃, ɛn/ ▸ **p. 561, p. 483**

A *adj* Vietnamese

B *nm* Ling Vietnamese

Vietnamien, **-ienne** /vjɛtnamjɛ̃, ɛn/ ▸ **p. 561** *nm,f* Vietnamese; **~ du Nord/du Sud** Hist North/South Vietnamese

vieux, (**vieil** *before vowel or mute h*), **vieille**, *mpl* **vieux** /vjø, vjɛj/

A *adj* **1** (d'âge avancé) [*personne, couple, animal*] old; **vieil imbécile** old fool; **être ~ avant l'âge** to be old before one's time; **je me fais vieille** I'm getting old; **pour/sur mes ~ jours** for/in my old age; ▸ **os, singe**; **2** (d'un âge relatif) **être plus ~ que qn/qch** to be older than sb/sth; **être moins ~ que qn** to be younger than sb; **être moins ~ que qch** not to be as old as sth; **la plus vieille église** the oldest church; **chatons ~ de quelques jours** kittens only a few days old; **une institution vieille de 100 ans** a 100-year-old institution; **~ de plus de 100 ans** over 100 years old; **3** (ancien) old; **dans la vieille ville** in the old town; **le ~ Nîmes** the old part of Nîmes; **le ~ continent** the old world; **une vieille connaissance** an old acquaintance; **au bon ~ temps** in the good old days; **mes bonnes vieilles pantoufles** my dear old slippers; **mon nouveau et mon ~ vélo** my new bike and my old one; **c'est un ~ rêve à moi** it has always been my dream; **c'est de la vieille histoire** that's ancient history; **une vieille amitié/rivalité** a long-standing friendship/rivalry; **il est très vieille France** he's a gentleman of the old school; **des habitudes vieille France** formal manners; **des prénoms qui font vieille France** first names which are full of old-world charm; ▸ **école, métier**

B *nm,f* **1** (personne âgée) old person; **un petit ~** a little old man; **une petite vieille** a little old woman; **les ~** old people; **c'est un ~** he's old; **mes ~**○ (parents) my parents; **mon ~**○ (père) my old man○; **ma vieille**○ my old woman○; **2** (vétéran) **c'est une vieille, elle est ici depuis deux ans** she's an old hand, she's been here two years; **3** ○(camarade) **salut, ~!** hello, mate○! GB, hi, pal○! US; **mon pauvre ~** you poor old thing; **ça va, ma vieille?** how are you, dear?

C *adv* **vivre ~** to live to a ripe old age; **un chignon, ça fait ~** a bun makes you look old; **il s'habille ~** he dresses like an old man; **ta sœur fait ~** your sister looks old

D *nm* (choses anciennes) **le ~** old things (*pl*); **prendre un coup de ~** to age; **faire du neuf avec du ~** to revamp things

(Composés) **vieil or** old gold; **vieille barbe**○ old bore; **vieille branche**○ old thing†; **vieille fille** old maid; **vieille garde** old guard; **vieille noix**○ = **vieille branche**; **vieille peau** pej old bag○ péj; **~ beau** ageing Romeo; **~ clou**○ (véhicule) old crock○; **~ croûton**○ pej old duffer○; **~ garçon** old bachelor; **~ jeton**○ old fuddy-duddy○; **~ jeu** old-fashioned; **~ renard** old fox; **~ rose** dusty pink, old rose; **~ routier** old stager; **~ schnock**○ pej fuddy-duddy○

(Idiomes) **~ comme le monde**, **~ comme Hérode** *or* **Mathusalem** as old as the hills; **c'est un ~ de la vieille**○ (vétéran) he's an old hand; (ami) he's a very old friend

vif, **vive**[1] /vif, viv/

A *adj* **1** (brillant) [*couleur, lumière*] bright; **jaune ~** bright yellow; **2** (animé) [*personne*] lively, vivacious; [*imagination*] vivid; **avoir l'œil** *or* **le regard ~** to have an intelligent look in one's eyes; ▸ **eau**; **3** (agressif, coléreux) [*débat, protestations*] heated; [*opposition*] fierce; **répondre d'un ton ~** to answer sharply; **de vives critiques** sharp criticism; **elle est un peu vive avec lui** (comportement) she's a bit quick-tempered with him; (ton) she's a bit sharp with him; **sa réaction a été un peu vive** he/she reacted rather strongly; **4** (net, important) [*contraste*] sharp; [*intérêt, désir*] keen; [*inquiétude*] deep; [*embarras, mécontentement, crainte, douleur*] acute; [*préoccupation*] serious; [*déception*] bitter; [*succès*] notable; **c'est avec un ~ plaisir que** it is with great pleasure that; **ressentir une vive émotion** to be deeply moved; **j'avais le ~ sentiment que** I felt strongly that; **5** (rapide) [*rythme, geste*] brisk; **marcher d'un pas ~** to walk at a brisk pace; **à vive allure** [*conduire, rouler*] at a fast speed; [*travailler, marcher*] at a brisk pace; **avoir l'esprit ~** to be very quick; **être ~ à réagir/protester** to be quick to react/protest; **6** (perçant, tranchant) [*froid, vent*] keen; [*arête*] sharp; **air ~** fresh air; **l'air est ~** the air is bracing; **cuire à feu ~** to cook over a high heat; **7** (vivant) alive; **être enterré/grillé ~** to be buried/roasted alive; **de vive voix** in person

B *nm* **1** gén **à ~** [*chair*] bared; [*genou*] raw; [*fil électrique*] exposed; **avoir les nerfs à ~** to be on edge; **la plaie est à ~** it's an open wound; **mettre à ~** to expose [*os*]; to rub [sth] raw [*main*]; **cela me met les nerfs à ~** it puts me on edge; **piquer** *or* **blesser qn au ~** to sting *ou* cut sb to the quick; **être piqué** *or* **blessé au ~** to be stung *ou* cut to the quick; **piquer au ~ la curiosité de qn** to arouse sb's curiosity; **(pris) sur le ~** [*croquis*] thumbnail (*épith*); [*photo*] candid; [*notes*] on the spot (*jamais épith*); [*entretien*] live; **trancher** *or* **tailler dans le ~** lit to cut into the (living) flesh; (réduire) to make drastic cuts; (décider) to make a clear-cut decision; **nous sommes entrés tout de suite dans le ~ du sujet** *or* **débat** we went straight to the point; **2** Jur **entre ~s** [*donation, mutation, partage*] inter vivos

C vive *nf* Zool weever

vif-argent, *pl* **vifs-argents** /vifaʀʒɑ̃/ *nm* Chimie quicksilver

vigie /viʒi/ *nf* **1** Naut (matelot) lookout; (poste) (sur le mât) crow's nest; (à la proue) lookout post; (balise) warning buoy; **être en ~** to be on watch; **2** Rail lookout box

vigilance /viʒilɑ̃s/ *nf* vigilance; **avec ~** vigilantly; **échapper à la ~ de qn** (de douanier, contrôleur) to escape sb's notice; (de mère, nourrice) to escape sb's attention; **tromper la ~ de qn** to avoid detection by; **bouton/levier de ~** alarm button/switch

vigilant, **~e** /viʒilɑ̃, ɑ̃t/ *adj* [*personne*] vigilant; [*œil*] watchful; **attention ~e** great attention; **regard ~** watchful eye

vigile /viʒil/

A *nm* **1** (veilleur de nuit) night watchman; (garde) security guard; **2** Hist watch

B *nf* Relig vigil; **la ~ de Noël** Christmas vigil

Vigipirate /viʒipiʀat/ *nm: government public-security measures*

> **Vigipirate**
>
> is an emergency plan to reinforce police and military security, bringing an increased uniformed presence in public places at times of potential disorder, terrorist attacks, etc.

vigne /viɲ/ *nf* **1** (plant) vine; **10 hectares de ~(s)** 10 hectares of vines; **il cultive la ~** he's a wine grower; **2** (terrain planté) vineyard; **3** (travail) wine growing; **dans la région la ~ ne rapporte pas beaucoup** in this area wine growing doesn't bring much profit

(Composés) **~ mère** stock; **~ vierge** Virginia creeper

vigneron, **-onne** /viɲ(ə)ʀɔ̃, ɔn/ ▸ **p. 532** *nm,f* winegrower

vignette /viɲɛt/ *nf* **1** Prot Soc *detachable label on medicines for reimbursement by social security*; **2** Aut tax disc GB; **3** Comm label; **4** Art, Imprim (motif) vignette

vignoble /viɲɔbl/ *nm* vineyard; **le ~ hongrois/alsacien** the vineyards of Hungary/Alsace

vignot /viɲo/ *nm* (peri)winkle

V

Les villes

Les noms de villes

■ *Toute ville peut être désignée par les expressions* the town of... *ou* the city of... : town *s'applique en anglais britannique à toute agglomération d'une certaine importance, et en anglais américain à toute commune, même très peu peuplée. En Grande-Bretagne* city *désigne les très grandes villes, ainsi que les villes ayant une cathédrale.*

À avec les noms de ville

■ *À se traduit par* to *avec les verbes de mouvement (par ex.* aller, se rendre, *etc.).*

aller à Toulouse
= to go to Toulouse

se rendre à La Haye
= to travel to The Hague

■ *À se traduit par* in *avec les autres verbes (par ex.* être, habiter *etc.).*

vivre à Toulouse
= to live in Toulouse

■ *Lorsqu'une ville est une étape sur un itinéraire, à se traduira par* at.

s'arrêter à Dublin
= to stop at Dublin

Les noms des habitants

■ *L'anglais est moins friand que le français de noms d'habitants des villes. Pour les villes des îles britanniques, seuls quelques-uns sont assez courants, comme* Londoner, Dubliner, Liverpudlian *(de Liverpool),* Glaswegian *(de Glasgow),* Mancunian *(de Manchester) etc. Pour les villes américaines, on a* New Yorker, Philadelphian *etc. Pour les autres pays,* Parisian, Berliner, Roman *etc.*

■ *Pour traduire un nom d'habitant de ville, il est toujours possible d'utiliser* inhabitants *ou* people*: par ex., pour* les Toulousains, *on peut dire* the inhabitants of Toulouse, the people of Toulouse *etc.*

De avec les noms de villes

■ *Les expressions françaises avec* de *se traduisent le plus souvent par l'emploi du nom de ville en position d'adjectif.*

l'accent de Toulouse
= a Toulouse accent

l'aéroport de Toulouse
= Toulouse airport

les cafés de Toulouse
= Toulouse cafés

l'équipe de Toulouse
= the Toulouse team

les hivers de Toulouse
= Toulouse winters

les hôtels de Toulouse
= Toulouse hotels

la région de Toulouse
= the Toulouse area

les restaurants de Toulouse
= Toulouse restaurants

la route de Toulouse
= the Toulouse road

les rues de Toulouse
= Toulouse streets

le train de Toulouse
= the Toulouse train

Mais:

je suis de Toulouse
= I come from Toulouse

une lettre de Toulouse
= a letter from Toulouse

le maire de Toulouse
= the Mayor of Toulouse

un plan de Toulouse
= a map of Toulouse

Les adjectifs dérivés

■ *Les adjectifs dérivés des noms de villes n'ont pas toujours d'équivalent en anglais. Plusieurs cas sont possibles mais on pourra presque toujours utiliser le nom de la ville placé avant le nom qualifié:*

la région bordelaise
= the Bordeaux area

■ *Pour souligner la provenance on choisira* from *+ le nom de la ville:*

l'équipe bordelaise
= the team from Bordeaux

■ *Pour parler de l'environnement on optera pour* of *+ le nom de la ville:*

les rues bordelaises
= the streets of Bordeaux

■ *Et pour situer on utilisera* in *+ le nom de la ville:*

mon séjour bordelais
= my stay in Bordeaux

---

vigogne /vigɔɲ/ *nf* Zool (animal) vicuna; **laine de ∼** vicuna wool

vigoureusement /viguʀøzmɑ̃/ *adv* vigorously

vigoureux, -euse /viguʀø, øz/ *adj* **1** (physiquement) [*personne, poignée de main*] vigorous; [*athlète, corps*] strong, powerful; [*plante, végétation*] sturdy; [*constitution, vieillard*] robust, sturdy; [*coup*] powerful; [*main, bras*] strong; **2** (déterminé) [*résistance, attaque, mesure, style*] vigorous; [*croissance, sentiment*] strong; [*talent*] strong, robust; [*langage*] strong, forceful; **rencontrer une vigoureuse opposition** to encounter vigorous opposition; **3** (intense) [*parfum*] strong; [*formule, effet*] powerful; **4** (net) [*dessin, contour*] strong, bold; [*coloris*] strong, striking

vigueur /vigœʀ/
A *nf* **1** (énergie) vigour[GB]; **plein de ∼** full of vigour[GB]; **un discours plein de ∼** a vigorous speech; **avec ∼** vigorously; **reprendre avec ∼** [*lutte*] to start again with renewed vigour[GB]; **2** (force musculaire) strength; **avec ∼** vigorously, with vigour[GB]; **frapper avec ∼** to bang; **3** (de plante, forêt) sturdiness; **4** (de trait, forme) vigour[GB]
B en vigueur *loc adj* [*loi, dispositif*] in force; [*régime, conditions*] current; **actuellement en ∼** currently in force; **être en ∼** to be in force; **cesser d'être en ∼** to cease to apply; **en ∼ depuis le 1er mars** in force since 1 March; **entrer en ∼** to come into force; **depuis l'entrée en ∼ de la loi** since the law came into force

VIH /veiaʃ/ *nm* (*abbr* = **virus immunodéficitaire humain**) HIV

viking /vikiŋ/ *adj* Viking

Viking /vikiŋ/ *nprmf* Viking

vil, ∼e /vil/ *adj* liter **1** (méprisable) [*personne, âme*] base littér; [*action*] vile, base; **le plus ∼ des hommes** the basest of men; **2** (grossier) [*besogne, tâche*] base littér; **3** (sans valeur) **à ∼ prix** at a giveaway price

vilain, ∼e /vilɛ̃, ɛn/
A *adj* **1** (laid) [*bâtiment, personne, animal*] ugly; **le ∼ petit canard** the ugly duckling; **c'est vraiment ∼ ce chapeau!** that hat looks awful!; **faire ∼** [*tableau, couleurs*] to look ugly; [*construction*] to be an eyesore; **ça fait ∼ dans le paysage** it's a real eyesore, it's a blot on the landscape; **2** ○(méchant) [*bête, microbe*] nasty; [*garçon, fille*] naughty; **jouer un ∼ tour à qn** to play a nasty trick on sb; **ça va faire du ∼, il va y avoir du ∼** there's going to be big trouble○; **la discussion a tourné au ∼** the discussion turned nasty○; **3** (répréhensible) [*affaire, bruits, rumeur*] nasty; [*défaut*] bad; [*mot*] dirty; **il a de ∼es manières** he's got some dirty habits; **c'est très ∼ de lécher son assiette** it's very rude to lick your plate; **4** (mauvais) [*temps*] awful; [*goût*] nasty; **5** (inquiétant) [*toux, blessure, abcès*] nasty
B *nm,f* naughty boy/girl; **oh, le ∼!** what a naughty boy!; **arrête de faire la ∼e!** stop being naughty!
C *nm* Hist villein
(Idiomes) **jeux de mains, jeux de ∼s** Prov it will end in tears; **être dans de ∼s draps** to be in a nasty mess○

vilainement /vilɛnmɑ̃/ *adv* badly, hideously; **une pièce ∼ décorée** a hideously decorated room

vilebrequin /vilbʀəkɛ̃/ *nm* **1** (outil) brace and bit; **2** (de moteur) crankshaft

vilement /vilmɑ̃/ *adv* vilely

vilenie* /vileni/ *nf* fml **1** (bassesse) baseness (**de of**); **2** (action vile) vile *ou* base act; **commettre une ∼** to commit a base *ou* vile act

vilipender /vilipɑ̃de/ [1] *vtr* liter to revile sout

villa /villa/ *nf* **1** (maison d'habitation) ≈ detached house; **2** (maison de plaisance) villa; **3** Antiq villa

village /vilaʒ/ *nm* village; **un ∼ de Dordogne/d'Autriche** a village in the Dordogne/in Austria
(Composés) **∼ classé** listed GB *ou* landmarked US village; **∼ olympique** Olympic village; **∼ de toile** tent village; **∼ de vacances** holiday GB *ou* vacation US village

villageois, ∼e /vilaʒwa, az/
A *adj* village (*épith*)
B *nm,f* villager

ville /vil/ ▸ p. 894 *nf* **1** (agglomération, habitants) town, (de grande importance) city; **la ∼ de Brest** the town of Brest; **la ∼ de Paris** the city of Paris; **la deuxième ∼ du pays** the country's second city; **le meilleur restaurant de la ∼** the best restaurant in town; **la vieille ∼** the old town; **la ∼ haute/basse/neuve** the upper/lower/new town; **∼ natale/adoptive/d'attache** home/adoptive/base town; **∼ industrielle/olympique** industrial/Olympic town *ou* city; **∼ minière** mining town; **∼ universitaire** university city *ou* town; **∼ portuaire** port town; **∼ côtière/de province/frontière** coastal/provincial/border town; **une ∼ d'art** a town of artistic interest; **une ∼ sainte** a holy city; **∼ forte** *or* **fortifiée** fortified town; **les gens des ∼s** town *ou* city dwellers, townees○ péj; **de ∼** [*vêtements, chaussures*] town; **en ∼** [*conduire, habiter*] in town; **aller en ∼** to go into town; **la vie en ∼** town *ou* city life; **2** (administration) town *ou* city council
(Composés) **∼ d'eau(x)** spa town; **∼ franche** free city; **∼ de garnison** garrison town; **∼ libre** semiautonomous city; **∼ nouvelle** new town; **∼ ouverte** open city; **la Ville Éternelle** the Eternal City; **la**

V

Ville Lumière the City of Light
ville-champignon, *pl* **villes-champignons** /vilʃɑ̃piɲɔ̃/ *nf* mushroom town, boom town
ville-dortoir, *pl* **villes-dortoirs** /vildɔʀtwaʀ/ *nf* dormitory town GB, bedroom community US
villégiature /vileʒjatyʀ/ *nf* (séjour) holiday GB, vacation US; **partir/être en ~** to go/be on holiday GB *ou* vacation US; **lieu de ~** holiday spot GB, vacation spot US; **centre de ~** holiday resort GB, resort US
ville-satellite, *pl* **villes-satellites** /vilsatelit/ *nf* satellite town
villeux, -euse /vilø, øz/ *adj* villous
villosité /villozite/ *nf* [1] Anat (saillie) villus; **~s intestinales** intestinal villi; [2] Bot, Zool (surface velue) villosity
Vilnius /vilnjys/ ▸ p. 894 *npr* Vilnius
vin /vɛ̃/ *nm* [1] (de raisin) wine; **~ blanc/rouge/pétillant/mousseux** white/red/semi-sparkling/sparkling wine; **~ rosé** rosé (wine); **~ doux/sec/demi-sec** sweet/dry/medium-dry wine; **~ de consommation courante** ordinary wine; **grand ~** fine wine; **~ d'Alsace** Alsace wine; **~ de pays** *or* **de terroir** *quality wine produced in a specific region*; **sauce au ~** wine sauce; **ce ~ a du corps** this wine is full-bodied; **un ~ qui se fait** a wine which is maturing; **mettre le ~ en bouteilles** to bottle wine; **couper son ~** (mettre de l'eau) to add water to one's wine; (mettre un autre vin) to blend one's wine; [2] (d'origine végétale) wine; **~ de riz** rice wine
(Composés) **~ d'appellation d'origine contrôlée** appellation contrôlée *(with a guarantee of origin)*; **~ bourru** *new wine still undergoing fermentation*; **~ chaud** mulled wine; **~ de coupage** blended wine; **~ cuit** *wine which has undergone heating during maturation*; **~ délimité de qualité supérieure, VDQS** *wine of a defined area with strict production laws*; **~ gris** blush wine; **~ d'honneur** reception; **~ de liqueur** fortified wine; **~ de messe** communion wine; **le ~ nouveau** *wine from the latest vintage*; **~ de paille** *wine made from dried grapes*; **~ de table** table wine
(Idiomes) **avoir le ~ gai/mauvais/triste** to get happy/nasty/maudlin after a drink; **être entre deux ~s** to be tipsy°; **mettre de l'eau dans son ~** to mellow; **quand le ~ est tiré, il faut le boire** Prov once you have started something, you have to see it through
vinaigre /vinɛgʀ/ *nm* vinegar; **un assaisonnement à l'huile et au ~** an oil and vinegar dressing; **~ de vin/de Xérès** wine/sherry vinegar; **~ à l'estragon** tarragon vinegar
(Idiomes) **faire ~**° to get a move on°; **tourner au ~** to turn sour; **on ne prend pas les mouches avec du ~** Prov it doesn't pay to take a hard line
vinaigrer /vinegʀe/ [1] *vtr* to season [sth] with vinegar; **salade/moutarde vinaigrée** salad/mustard seasoned with vinegar; **trop vinaigré** *[sauce, cornichons]* too vinegary
vinaigrerie /vinɛgʀəʀi/ *nf* [1] (usine) vinegar factory; [2] (industrie) vinegar production
vinaigrette /vinɛgʀɛt/ *nf* vinaigrette, French dressing; **à la** *or* **en ~** in vinaigrette; **poireaux ~** leeks in vinaigrette
vinaigrier /vinɛgʀije/ *nm* [1] (flacon) vinegar bottle; [2] ▸ p. 532 (personne) (fabricant) vinegar maker; (industriel, commerçant) vinegar dealer
vinasse° /vinas/ *nf* pej plonk° péj GB, cheap wine; **un repas arrosé d'une infâme ~** a meal with awful plonk GB *ou* cheap wine; **tu sens la ~!** you smell of booze°!
vindicatif, -ive /vɛ̃dikatif, iv/ *adj* vindictive
vindicte /vɛ̃dikt/ *nf* gén condemnation; Jur prosecution and conviction; **être en butte à/échapper à la ~ publique** to be exposed to/to escape public condemnation
vineux, -euse /vinø, øz/ *adj* [1] ▸ p. 202 (couleur de vin rouge) *[teint, visage]* purplish; **rouge ~** burgundy(-coloured[GB]); [2] (rappelant le vin) *[odeur]* of wine *(après n)*; *[fruit]* wine-flavoured[GB]; [3] (riche en alcool) *[vin]* full-bodied
vingt /vɛ̃, vɛ̃t/ ▸ p. 568, p. 424, p. 222
A *adj inv* twenty
B *pron* twenty; **~ sur ~** twenty out of twenty; **j'ai eu ~ sur ~ à mon devoir d'histoire** ≈ I got full marks GB *ou* full credit US for my history paper
vingtaine /vɛ̃tɛn/ *nf* about twenty; ▸ **cinquantaine 1**
vingt-deux /vɛ̃tdø/ ▸ p. 568, p. 424, p. 222
A *adj inv, pron* twenty-two; ▸ **rifle**
B °*excl* look out!, watch it°!; **~, v'là les flics**°! look out! it's the cops°!
vingtième /vɛ̃tjɛm/ ▸ p. 568, p. 222 *adj* twentieth
vinicole /vinikɔl/ *adj [activité, secteur, société, région]* wine-producing *(épith)*; *[cave, commerce]* wine *(épith)*; *[matériel, équipement]* wine-making *(épith)*
vinification /vinifikasjɔ̃/ *nf* [1] (procédé) wine production; **méthodes de ~** wine production methods; **~ en blanc/rouge** production of white/red wine; [2] (fermentation) vinification
vinifier /vinifje/ [2] *vtr* to make [sth] into wine *[jus de raisin]*
vinyle /vinil/ *nm* [1] (matériau) vinyl; [2] (disque) vinyl
vinylique /vinilik/ *adj* vinyl *(épith)*
viol /vjɔl/ *nm* (de personne) rape; (de lieu, loi) violation
violacé, ~e /vjɔlase/
A ▸ p. 202 *adj* purplish; **un rouge ~** a purplish red
B **violacée** *nf* Bot violacea; **les ~es** Violaceae
violacer /vjɔlase/ [12]
A *vtr [froid]* to turn [sth] purple *[visage, doigts]*
B **se violacer** *vpr [peau, visage]* to turn purple; *[nuages, ciel]* to take on a purplish hue
violateur, -trice /vjɔlatœʀ, tʀis/ *nm,f* Jur fml transgressor sout (**de** of)
violation /vjɔlasjɔ̃/ *nf* [1] (de loi, territoire, traité) violation; [2] (de secret, d'accord) breach; **~ du secret professionnel** breach of confidentiality; **en ~ d'une règle** in breach of a rule
(Composés) **~ de domicile** Jur forcible entry *(into a person's home)*; **~ de sépulture** Jur desecration of a grave
violâtre /vjɔlɑtʀ/ *adj* ▸ p. 202 purplish
viole /vjɔl/ ▸ p. 557 *nf* viol
(Composés) **~ d'amour** viola d'amore; **~ de bras** viola da braccia *ou* arm viol; **~ de gambe** viola da gamba
violemment /vjɔlamɑ̃/ *adv* violently
violence /vjɔlɑ̃s/ *nf* [1] (de personne, événement, sentiment) violence; **la ~ de la répression/du vent** the violence of repression/of the wind; **la ~ dans les écoles/les stades** violence in schools/the stadiums; **~ armée** armed violence; **~ urbaine** urban violence; **~ verbale** verbal abuse; **d'une ~ insoutenable** *[scène, film]* unbearably violent; **avec ~** *[agir, réagir]* violently; **avec une rare ~** *[agir, réagir]* with extreme violence; **par la ~** *[éprouvé, miné]* by violence; *[imposer, soumettre]* through violence; *[répondre, résister]* with violence; **répliquer à la ~ par la ~** to meet violence with violence; **sous la ~ du choc, elle s'est évanouie** the violence of the impact made her faint; **faire ~ à qn** fml to force sb (**pour qu'il fasse** to do); **se faire ~** fml to force oneself (**pour faire** to do); **se faire une douce ~** hum to force oneself hum; [2] (acte) act of violence; **commettre/subir des ~s** to commit/suffer violence *ou* acts of violence; **~s ethniques/policières/sexuelles** ethnic/police/sexual violence; **inculpé de ~s à enfant** charged with child abuse; **inculpé de ~s à l'égard de qn** charged with violence against sb; **~s et voies de fait** Jur violent behaviour[GB] and common assault; **elle n'avait subi aucune ~** she hadn't suffered any assault
violent, ~e /vjɔlɑ̃, ɑ̃t/
A *adj [personne, réaction]* violent; *[couleur]* harsh; *[poison]* powerful; *[inquiétude]* acute; *[désir]* overwhelming; **non ~** *[mouvement, moyens]* nonviolent; *[manifestation]* peaceful, non-violent
B *nm,f* violent person
violenter /vjɔlɑ̃te/ [1] *vtr* (agresser) to assault sexually; (violer) to rape
violer /vjɔle/ [1] *vtr* [1] (agresser sexuellement) to rape *[personne]*; **se faire ~** to be raped; [2] (profaner) to desecrate *[tombe]*; to violate *[territoire, souveraineté]*; to break into *[domicile]*; **~ l'intimité de qn** fig to invade sb's privacy; [3] (enfreindre) to violate *[traité]*; to infringe, to contravene *[loi]*; [4] liter to violate *[esprits, consciences]*
violet, -ette /vjɔlɛ, ɛt/ ▸ p. 202
A *adj* purple; **mes mains sont violettes de froid** my hands are purple with cold
B *nm* (couleur) purple
C **violette** *nf* Bot violet; **eau de toilette à la ~** violet-scented eau de toilette
violeur /vjɔlœʀ/ *nm* rapist
violine /vjɔlin/ ▸ p. 202 *adj* deep purple
violon /vjɔlɔ̃/ ▸ p. 557 *nm* [1] (instrument) violin; **jouer du ~** to play the violin; [2] (musicien) violinist, violin; **les ~s** the violins; [3] °(prison) **au ~** in the nick° GB, in the slammer° US *ou* can° US
(Composé) **~ d'Ingres** hobby
(Idiomes) **accorder ses ~s** to reach an agreement; **autant pisser dans un ~**°! it's just pissing◑ in the wind; **payer les ~s du bal** *or* **de la fête** to foot the bill°, to pick up the tab°
violoncelle /vjɔlɔ̃sɛl/ ▸ p. 557 *nm* [1] (instrument) cello; **jouer du ~** to play the cello; [2] (musicien) cellist, cello
violoncelliste /vjɔlɔ̃sɛlist/ ▸ p. 557, p. 532 *nmf* cellist
violoneux /vjɔlɔnø/ *nm inv* (de noce) village fiddler, fiddler
violoniste /vjɔlɔnist/ ▸ p. 557, p. 532 *nmf* violinist
vioque◑ /vjɔk/
A *adj* pej old
B *nmf* pej old man/old woman
viorne /vjɔʀn/ *nf* [1] (arbrisseau) viburnum; [2] (clématite) clematis
VIP° /viajpi/ *nm* (*abbr* = **very important person**) VIP
vipère /vipɛʀ/ *nf* [1] Zool viper, adder; [2] (personne médisante) viper; **avoir** *or* **être une langue de ~** fig to have a wicked tongue
(Composé) **~ aspic** asp
vipérin, ~e /viperɛ̃, in/
A *adj* [1] Zool viperine; [2] fig (méchant) *[langue, regard]* venomous; *[propos]* poisonous, vicious
B **vipérine** *nf* Bot viper's bugloss, blueweed US
virage /viʀaʒ/ *nm* [1] (courbe) bend, curve; **~ dangereux** dangerous bend; **~ relevé** banked curve; **~ serré** sharp bend; **~ en épingle à cheveux** hairpin bend; **~ à droite/gauche** bend to the right/left; **'~s sur 10 km'** 'bends for 10 km'; **il prend ses ~s beaucoup trop vite** he takes bends *ou* goes around bends far too fast; **il ne faut pas freiner dans les ~s** you shouldn't brake when going around a bend; **prendre un ~ à la corde** to hug a bend; **prendre un ~ sur les chapeaux de roues** to go around a bend at breakneck speed; **le panneau est à l'entrée/à la sortie du ~** the signpost is before/after the bend; **rater un ~** to fail to negotiate a bend; **~ en S** S bend; [2] (changement d'orientation) change of direction; **parti qui amorce un ~ à droite** party which takes a turn to the right *ou* shifts toward(s) the right; [3] Phot toning; **~ à l'or/au cuivre** gold/copper toning; [4] Chimie

V

colour[GB] change; **le ~ du rouge au violet** the turning from red to purple; [5] Sport (en ski) turn; **~ parallèle/stem** parallel/stem turn; [6] Méd **~ d'une cuti-réaction** positive reaction to a skin test

(Composés) **~ sur l'aile** bank; **faire un ~ sur l'aile** to bank; **~ à 180 degrés** fig U-turn

virago /viʀago/ *nf* virago

viral, **~e**, *mpl* **-aux** /viʀal, o/ *adj* viral

vire /viʀ/ *nf* ledge

viré, **~e** /viʀe/

A ○*adj* **être bien/mal ~** to be in a good/bad mood

B virée○ *nf* (voyage) trip; (promenade) (en voiture) drive, ride, spin; (à vélo, moto) ride; **ils sont allés faire une ~e en Normandie le week-end dernier** they went on a trip to Normandy *ou* on a tour round[GB] Normandy last weekend; **~e nocturne en moto** night motorbike ride; **une ~e dans les bars de la ville** a tour of the bars in town

virement /viʀmɑ̃/ *nm* Fin transfer; **faire un ~** to make a transfer; **~ bancaire/postal** bank/postal transfer; **~ interne** internal transfer; **j'ai fait un ~ de mon compte d'épargne sur mon compte-chèques** I transferred money from my savings account to my current account GB *ou* checking account US

(Composés) **~ automatique** standing order; **~ de bord** Naut tacking; **~ budgétaire** reallocation of funds

virer /viʀe/ [1]

A *vtr* [1] Fin to transfer [*argent, somme, salaire*] (**sur** to); [2] ○(licencier) to fire, to sack○ GB [*employé*]; **où qu'il travaille, il finit toujours par se faire ~** wherever he works, he always ends up getting fired *ou* getting the sack○ GB; [3] ○(expulser) gén to throw [sb] out [*importun*] (**de** of); (d'un cours) to send [sb] out [*élève*]; (du lycée) to expel [*élève*]; [4] ○(enlever) to remove; **on va ~ la table, ça nous fera plus de place** we'll move the table out *ou* get rid of the table, it'll give us more space; **vire-moi ce chapeau, tu as l'air ridicule!** take off that hat *ou* get rid of that hat, you look ridiculous!; [5] Phot to tone [*épreuve*]; [6] Naut to weigh [*ancre*]; to haul in [*amarres*]

B *vi* [1] (tourner sur soi) to turn around; [2] (changer de direction) [*véhicule*] to turn; **~ à droite/gauche** [*véhicule, parti politique*] to turn *ou* shift to the right/left; **~ sur l'aile** to bank; [3] Naut [*navire*] to turn; **~ de bord** *or* **vent devant** lit to go about; **~ de bord** fig to do a U-turn, to do a flip-flop US; **~ sur les amarres** to turn at anchor; **~ au cabestan** to strain at the capstan; **~ vent arrière** to gybe GB, to jibe; [4] (changer de couleur) [*étoffes, solution*] to change colour[GB]; [*couleur*] to change; [5] Phot [*épreuve*] to tone

C virer à *vtr ind* **~ au rouge/bleu** to turn red/blue; **~ à l'aigre** to turn sour; **le parti vire au conservatisme** the party is turning *ou* going conservative

D ○**se virer** *vpr* to beat it○; **vire-toi de là!** beat it○!, scram○!

vireux, **-euse** /viʀø, øz/ *adj* [*plante*] noxious; [*odeur*] nauseating

virevolte /viʀvɔlt/ *nf* [1] (tour sur soi-même) twirl; [2] (revirement) about-turn GB, about-face, volte-face

virevolter /viʀvɔlte/ [1] *vi* to twirl

Virgile /viʀʒil/ *npr* Virgil

virginal, **~e**, *mpl* **-aux** /viʀʒinal, o/

A *adj* [*innocence, regard*] virginal, maidenly littér; **blancheur ~e** virgin whiteness

B ▸ **p. 557** *nm* Hist Mus virginal

Virginie /viʀʒini/ ▸ **p. 721** *nprf* Virginia

Virginie-Occidentale /viʀʒiniɔksidɑ̃tal/ ▸ **p. 721** *nprf* West Virginia

virginité /viʀʒinite/ *nf* [1] lit virginity; **garder/perdre sa ~** to keep/lose one's virginity; [2] fig purity

(Idiomes) **refaire une ~ à qn** to restore sb's clean image; **se refaire une ~** to re-establish one's good reputation

virgule /viʀgyl/ *nf* [1] Ling comma; **mettre une ~ à une phrase** to put a comma in a sentence; **à la ~ près** down to the last comma; **sans changer une ~** without changing as much as a comma; **en ~** comma-shaped; [2] Math (decimal) point; **deux ~ vingt-cinq** two point two five; **s'arrêter deux chiffres après la ~** to stop at two decimal places

(Composés) **~ fixe** Ordinat fixed-point system; **~ flottante normalisée** Ordinat floating-point system

viril, **~e** /viʀil/ *adj* [*homme, force, courage*] manly, virile; [*traits, apparence*] masculine, virile; **il est très ~** he's very masculine *ou* manly; **les amitiés ~es** male friendships

virilement /viʀilmɑ̃/ *adv* in a virile *ou* manly manner

virilisant /viʀilizɑ̃/ *adj* **médicament ~** drug that has a virilizing effect

virilisation /viʀilizasjɔ̃/ *nf* virilization

viriliser /viʀilize/ [1] *vtr* to virilize

virilisme /viʀilism/ *nm* virilism

virilité /viʀilite/ *nf* [1] (caractéristiques physiques) masculinity, virility; [2] (aptitude à engendrer) virility; [3] (attitude masculine) manliness; **son attitude manque de ~** his attitude is rather unmanly

virion /viʀjɔ̃/ *nm* virion

virole /viʀɔl/ *nf* [1] (cercle métallique) ferrule; **couteau à ~** pocket knife with a safety catch; [2] Tech (mould) collar

viroler /viʀɔle/ [1] *vtr* [1] (renforcer d'un anneau de métal) to ferrule, to fit [sth] with a ferrule [*outil*]; [2] Tech (fabrication de monnaies) to place [sth] in a collar [*flans*]

virologie /viʀɔlɔʒi/ *nf* virology

virologiste /viʀɔlɔʒist/, **virologue** /viʀɔlɔg/ ▸ **p. 532** *nmf* virologist

virtualité /viʀtɥalite/ *nf* [1] Philos virtuality; [2] (aptitude) potentiality ₵

virtuel, **-elle** /viʀtɥɛl/ *adj* [1] [*succès, résultat, marché*] potential; **à l'état ~** potentially; [2] Philos, Phys virtual; [3] Ordinat virtual

virtuellement /viʀtɥɛlmɑ̃/ *adv* [1] (pratiquement) virtually; [2] (en théorie) potentially

virtuose /viʀtɥoz/

A *adj* [1] Mus virtuoso (*épith*); **un violoniste ~** a virtuoso violinist; [2] (doué) [*écrivain, dessinateur*] virtuoso (*épith*); [*joueur*] master; **être ~ dans l'art de faire** to be a past master at doing

B *nmf* [1] Mus virtuoso; **un ~ du piano/violon** a piano/violin virtuoso; [2] (personne douée) master; **un virtuose de qch** a master of sth

virtuosité /viʀtɥozite/ *nf* [1] Mus virtuosity; **interpréter qch avec ~** to give a virtuoso performance of sth; [2] (habileté) brilliance; **faire preuve de ~ dans** to show brilliance in

virulence /viʀylɑ̃s/ *nf* [1] Méd virulence; [2] (âpreté) virulence; **avec ~** virulently

virulent, **~e** /viʀylɑ̃, ɑ̃t/ *adj* [1] Méd [*microbe, poison*] virulent; [2] (acerbe) [*personne, critique, propos*] virulent, scathing

virus /viʀys/ *nm inv* [1] Méd virus; **le ~ du sida/de la grippe** the Aids/flu virus; [2] (manie) bug○, craze; **le ~ du cinéma/du voyage** the film/travel bug○; [3] Ordinat virus

vis /vis/ *nf inv* screw; **tête/noyau de vis** head/stem of screw; **serrer/desserrer une ~** to tighten/loosen a screw; **~ à tête plate/ronde** flatheaded/roundheaded screw

(Composés) **~ d'Archimède** Archimedean screw; **~ autoperceuse** self-tapping screw; **~ à bois** wood screw; **~ cruciforme** Phillips® screw; **~ sans fin** worm, endless screw; **~ mère** (de tour) leading spindle; **~ à métaux** machine screw; **~ micrométrique** Sci micrometre[GB] screw; **~ platinée** Aut contact points; **~ de pressoir** Vin press screw; **~ de rappel** adjusting screw

(Idiome) **serrer la ~ à qn** to tighten the screws on sb

visa ➡

/viza/ *nm* [1] (sur un passeport) visa (**pour** for); [2] (sceau) stamp

(Composés) **~ de censure** Cin (censor's) certificate; **~ de sortie** Admin exit visa; **~ de touriste** Admin tourist visa

visage /vizaʒ/ ▸ **p. 196** *nm* lit, fig face; **~ rond/familier/défait** round/familiar/drawn face; **l'angoisse se lisait sur son ~** his distress was visible on his face; **le vrai ~ de qn/qch** the true face of sb/sth; **les ~s de qn** the faces of sb; **à ~ humain** with a human face; **à deux ~s** two-faced; **les deux ~s d'une politique/révolution** the two aspects of a policy/revolution; **le nouveau ~ de l'Allemagne/Europe/industrie** the new face of Germany/Europe/industry; **sans ~** faceless; **à ~ découvert** openly; **faire bon/mauvais ~ à qn** to give sb a warm/cool welcome; ▸ **lire**

(Composé) **~ pâle** Hist paleface

visagiste® /vizaʒist/ ▸ **p. 532** *nmf* ≈ beautician

vis-à-vis /vizavi/

A *nm inv* [1] (bâtiment) **avoir la prison pour ~** to live opposite the prison; **maison sans ~** house with an open outlook; [2] (personne) (à table, dans le train) person opposite; (voisin d'en face) person who lives opposite; **j'ai demandé du feu à mon ~** I asked the person opposite for a light; [3] (position) **en ~** opposite each other; **assis en ~** sitting opposite each other; [4] Sport opponent; [5] (rencontre face-à-face) meeting, encounter; [6] (sofa) vis-à-vis, tête-à-tête

B vis-à-vis de *loc prép* [1] (à l'égard de) **~ de qch** in relation to sth; **~ de qn** towards sb; **être honnête ~ de soi-même** to be honest with oneself; [2] (comparé à) **mon malheur n'est rien ~ du vôtre** my misfortune is nothing beside yours; **le dollar s'effrite ~ des monnaies européennes** the dollar is declining against European currencies

viscéral, **~e**, *mpl* **-aux** /viseʀal, o/ *adj* [1] (instinctif) [*haine, émotion*] visceral sout, deep-rooted; **réaction ~e** gut reaction; [2] Anat visceral

viscéralement /viseʀalmɑ̃/ *adv* **elle est ~ opposée à ce projet** she is violently *ou* virulently opposed to this plan; **il est ~ raciste** he is a racist to the core, he is a dyed-in-the-wool racist

viscère /visɛʀ/ *nm* [1] Anat internal organ; [2] (de l'abdomen) **les ~s** viscera

viscose /viskoz/ *nf* viscose

viscosité /viskozite/ *nf* viscosity

visée /vize/ *nf* [1] (objectif) aim; (dessein) design; **une loi ayant comme ~ de protéger les enfants** a law whose aim is to protect children; **une politique à ~ expansionniste/internationale** an expansionist/internationalist policy; **avoir des ~s sur qn/qch** to have designs on sb/sth; **la société a des ~s sur son concurrent** the company has designs on its competitor; **n'avoir aucune ~ agressive sur les États voisins** to have no aggressive intentions toward(s) neighbouring[GB] states; **ils ont des ~s sur le marché européen** they are aiming at the European market; [2] (avec un instrument) Astron, Géog sighting; Phot viewing; (avec une arme) aiming; **prendre une ~** Naut, Aviat to take a sight

(Composés) **~ d'arpentage** surveying shot; **~ corrigée** Lead Computer Gun Sight, LCGS; **~ reflex** reflex viewfinding; **~ télémétrique** telemetric viewfinding

➡ *voir* Vivre dans un pays anglophone

viser /vize/ [1]
A *vtr* 1▸ (pointer son regard) to aim at [*cible*]; (vouloir atteindre) to aim for [*cœur, centre*]; 2▸ (aspirer à) to aim for [*poste, résultats*]; to aim at [*marché*]; **~ la première place** to aim to be first; 3▸ (concerner) [*loi, campagne*] to be aimed at; [*remarque, allusion*] to be meant *ou* intended for; **le projet de loi vise les bas salaires** the bill is aimed at the low-paid; **les employés visés par la décision** the employees to whom the ruling applies, the employees who are affected by the ruling; **se sentir visé** to feel one is being got at○; 4▸ ○(regarder) to get a load of○, to take a look at; **vise un peu ça!** get a load of that!; 5▸ Admin to stamp [*document*]; to visa GB, put a visa in US [*passeport*]
B **viser à** *vtr ind* **~ à qch/à faire** to aim at sth/to do; **émission qui vise à changer les attitudes** programme[GB] which aims to change attitudes; **le projet de loi vise à la privatisation des banques** the bill is aimed at privatizing banks, the bill aims to privatize banks
C *vi* 1▸ (avec un fusil, un appareil photo) to aim; **~ juste/trop à gauche** to aim accurately/too far left; 2▸ fig **~ (trop) haut/bas** to set one's sights (too) high/low

viseur /vizœʀ/ *nm* 1▸ Phot, Cin viewfinder; 2▸ (d'arme) sight
(Composés) **~ de bombardement** bomb-sight; **~ à cadre lumineux** Phot, Cin collimator viewfinder; **~ de tir aérien** = **~ de bombardement**

visibilité /vizibilite/ *nf* visibility; **~ réduite à cause de brouillard** reduced visibility due to fog; **la ~ était mauvaise** visibility was poor; **virage sans ~** blind bend

visible /vizibl/ *adj* 1▸ (perceptible) visible; **~ à l'œil nu** visible to the naked eye; 2▸ (manifeste) obvious; **il a fait des progrès ~s** he has made tangible *ou* obvious progress; **son émotion était ~** he was visibly moved, you could see that he was moved; **elle va beaucoup mieux, c'est ~** she's obviously a lot better, you can see she's a lot better; 3▸ (en état de recevoir) [*personne*] available; 4▸ (accessible au public) **les tableaux du jeune artiste sont ~s jusqu'au 17 mai** the young artist's paintings can be seen until 17 May

visiblement /viziblәmɑ̃/ *adv* 1▸ (manifestement) visibly, obviously; 2▸ (de façon perceptible à l'œil) visibly, perceptibly

visière /vizjɛʀ/ *nf* 1▸ (de casquette, képi) peak; 2▸ (de casque, heaume) visor; 3▸ (sans couvre-chef) eyeshade, visor; **mettre la main en ~** to shade one's eyes with one's hand

visioconférence /vizjɔkɔ̃feʀɑ̃s/ *nf* 1▸ (séance) video-conference; 2▸ (principe) video-conferencing

vision /vizjɔ̃/ *nf* 1▸ (faculté de voir) eyesight, vision; **~ nocturne** night vision; 2▸ (conception) view; **il faut avoir une ~ globale du problème** we need to take a global view of the problem; **la ~ du monde des occidentaux** the western view of the world; **une ~ pessimiste des choses** a pessimistic view of things; 3▸ (spectacle) sight; **la scène de l'accident était une véritable ~ d'horreur** the scene of the accident was a horrible sight; 4▸ (apparition) vision; **avoir des ~s** to see things, have visions

visionnaire /vizjɔnɛʀ/ *adj, nmf* visionary

visionner /vizjɔne/ [1] *vtr* to view [*film, diapositives*]

visionneuse /vizjɔnøz/ *nf* viewer

visiophone /vizjɔfɔn/ *nm* videophone

Visitation /vizitasjɔ̃/ *nf* **la ~** the Visitation

visite /vizit/
A *nf* 1▸ (chez un ami) visit; (rapide) call; **~ de politesse** courtesy call; **recevoir** *or* **avoir la ~ de qn** to have a visit from sb; **rendre ~ à qn, faire une ~ à qn** to visit sb, to pay sb a call, to call on sb; **être en ~ chez qn** to be paying sb a visit; **passer son temps en ~s** to spend one's time calling on *ou* visiting people; **ta ~ me ferait plaisir** I would love to see you; **tu aurais besoin d'une ~ chez le dentiste/coiffeur** you should go to the dentist's/hairdresser's; 2▸ (de chef d'État) visit; **en ~ officielle au Japon** on an official visit to Japan; 3▸ (à un prisonnier, interne, malade) visit; **heures de ~** visiting hours *ou* time; 4▸ (en touriste) visit; **elle recommande la ~ du château** she recommends visiting the castle *ou* a visit to the castle; **~ accompagnée** *or* **guidée** guided tour; 5▸ (pour inspecter) inspection; **faire la ~ de** to make an inspection of, to inspect [*chantier, usine*]; **la ~ d'une maison** (avant de l'acheter) viewing a house; 6▸ (visiteur) visitor; **attendre de la ~** to expect visitors *ou* company; **avoir de la ~** to have visitors *ou* company; **avoir des ~s/une ~** to have visitors/a visitor; 7▸ (chez un médecin) consultation; (à domicile) visit, call; **le médecin est en ~** *or* **fait ses ~s** the doctor is making his (house) calls; 8▸ (de représentant) visit, call
B **visite-** (*in compounds*) **~-éclair/- surprise** lightning/surprise visit
(Composés) **~ de contrôle** Méd follow-up visit; **~ domiciliaire** house search; **~ du diocèse** pastoral visitation; **~ d'entretien** Aut service; **~ (médicale)** (contrôle) medical (examination); (bilan) checkup

visiter /vizite/ [1] *vtr* 1▸ [*touriste, curieux*] to visit, to go round[GB] [*musée, ville, pays*]; **faire ~ un lieu à qn** to show sb around a place; **le musée le plus visité** the museum that attracts the most visitors; 2▸ [*client*] to view [*appartement*]; to visit [*magasin*]; 3▸ hum ○[*cambrioleur*] **la villa a été visitée!** they've had callers at the villa!; 4▸ [*médecin, prêtre*] to visit [*malade, vieillard, prisonnier*]; 5▸ (inspecter) to inspect [*institution, local, navire*]; 6▸ (se manifester) [*bonheur, paix, grâce divine*] to visit

visiteur, **-euse** /vizitœʀ, øz/ *nm,f* 1▸ (ami) visitor, caller; **les ~s** Sport the visiting team (*sg*); 2▸ (touriste) visitor
(Composés) **~ médical** Comm medical rep; **~ en pharmacie** Comm pharmaceutical rep; **~ de prison** prison visitor

vison /vizɔ̃/ *nm* 1▸ (animal, fourrure) mink; 2▸ (manteau) mink (coat)

visonnière /vizɔnjɛʀ/ *nf* mink farm, minkery

visqueux, **-euse** /viskø, øz/ *adj* 1▸ [*liquide, produit, consistance*] viscous, viscid; 2▸ (poisseux) sticky, gooey○; 3▸ (mielleux) [*personne, manières*] smarmy○, unctuous

visser /vise/ [1]
A *vtr* 1▸ (fixer avec des vis) to screw on [*serrure, boîtier*] (**dans** into; **sur** onto); **~ qch à fond** to screw sth up tight; 2▸ (fermer) to screw [sth] on [*couvercle, bouchon*]; 3▸ (immobiliser) **être vissé sur sa chaise/devant la télé/à son bureau** to be glued to one's chair/to the TV/to one's desk
B **se visser** *vpr* [*pièces*] to screw together; [*couvercle, bouchon*] to screw on

visserie /visʀi/ *nf* 1▸ (articles) screws and bolts; 2▸ (fabrique) screw factory

visu /vizy/ *nm* Ordinat VDU; ▸ **de visu**

visualisation /vizɥalizasjɔ̃/ *nf* 1▸ gén visualization; 2▸ Aviat, Ordinat display

visualiser /vizɥalize/ [1] *vtr* 1▸ (représenter) to show [*données*]; **~ une variation sous forme de courbe** to show a variation in the form of a graph; 2▸ (mentalement) to visualize [*image, mot*]; 3▸ Ordinat to display; 4▸ controv Cin, TV to put [sth] on screen

visuel, **-elle** /vizɥɛl/
A *adj* (tous contextes) visual; **organes ~s** visual organs; **avoir une bonne mémoire visuelle** to have a good visual memory
B *nm,f* person with a strong visual sense; **c'est un ~** he has a strong visual sense
C *nm* 1▸ Ordinat visual display unit, VDU; 2▸ Presse, Pub, TV **le ~** visuals (*pl*)

visuellement /vizɥɛlmɑ̃/ *adv* 1▸ (au moyen de la vue) **constater qch ~** to see sth with one's own eyes; **se souvenir ~ de qch** to see sth in one's mind's eye; 2▸ (sur le plan visuel) [*intéressant, amélioré*] visually

vital, **~e**, *mpl* **-aux** /vital, o/ *adj* 1▸ Biol, Physiol vital; 2▸ (primordial) essential, vital

vitalité /vitalite/ *nf* (de personne) vitality, energy; (de marché, d'économie) vitality; **elle déborde de ~** she's bursting with energy

vitamine /vitamin/ *nf* vitamin; **~ A/B** vitamin A/B

vitaminé, **~e** /vitamine/ *adj* [*médicament, lait, biscuit*] with added vitamins (*épith, après n*)

vitaminique /vitaminik/ *adj* vitamin (*épith*); **carences ~s** vitamin deficiencies

vitaminothérapie /vitaminɔteʀapi/ *nf* vitamin therapy

vite /vit/ *adv* 1▸ (rapidement) quickly; **~ et bien** quickly and well; **très/trop/un peu ~** very/too/a bit quickly; **au plus ~, le plus ~ possible** as quickly as possible; **~!** quick!; **aller ~** to be quick; **faire ~** to be quick (**de** to); **elle a eu ~ fait de répondre** she was quick to answer; **ça ira ~** [*opération, traitement*] it'll soon be over; [*procédure, réparation*] it won't take long; **puis on est passé ~ fait○ au sujet suivant** then we quickly went on to the next subject; **on a pris un verre/mangé ~ fait○** we had a quick drink/snack; **je range ma chambre ~ fait bien fait○ et j'arrive** I'll give my room a quick tidy and I'm coming; **range ta chambre, et plus ~ que ça!○** tidy up your room, and be quick about it!; 2▸ (peu après le début) soon; **il a ~ compris** he soon understood; **elle s'est ~ fatiguée d'expliquer** she soon got tired of explaining; **elle se fatigue/s'ennuie ~** she soon gets tired/bored; **c'est une affection bénigne, ça passera ~** it's only a minor trouble, it'll soon get better; **ce travail devient ~ ennuyeux/épuisant** this work soon becomes boring/exhausting; **ils se sont retrouvés ~ fait○ derniers du classement** they soon found themselves in last place; 3▸ (hâtivement) **j'ai parlé trop ~** (sans réfléchir) I spoke too hastily; (sans tenir compte de tout) I spoke too soon; **c'est ~ dit!** that's easy to say!; **c'est ~ fait d'accuser le temps** it's easy to blame the weather

vitesse /vitɛs/ *nf* 1▸ (rapidité) speed; **à grande/petite ~** [*se déplacer, circuler*] at high/low speed; **à une ~ folle** at an incredible speed; **à la ~ d'un cheval au galop/de 50 km/h** at the speed of a galloping horse/at a speed of 50 km/h; **à la ~ moyenne de** at an average speed of; **prendre/perdre de la ~** to gather/lose speed; **~ de pointe** maximum speed; **~ du son/de la lumière** speed of sound/of light; **il travaille à une ~!** he works so fast!; **partir à toute ~** to rush away; **la voiture est passée à toute ~** the car flashed past; **à deux ~s** [*courrier, système, régime*] two-tier (*épith*); **faire de la ~** [*automobiliste*] to drive fast; **gagner** *or* **prendre qn de ~** lit, fig to outstrip sb; **en ~** (vite) quickly; (trop vite) in a rush; **passer en ~** [*personne*] to pop in○; **nous avons mangé en ~ avant de partir** we had a quick meal before leaving; **je vous écris en ~ depuis l'aéroport** I'm writing you a quick note from the airport; **range ta chambre, et en ~!** tidy up your room, and be quick about it!; **(il s'enfuit) de toute la ~ de ses petites jambes** (he ran away) as fast as his little legs would carry him; 2▸ Tech (engrenage, rapport) gear; **voiture à cinq ~s** car with five gears; **boîte à cinq ~s** five-speed gearbox; **il y a une cinquième ~ sur sa voiture** his car has a fifth gear; **passer les ~s** to change gear GB, to shift gear US; **passer la ~ supérieure/inférieure** to change up/down a gear; **passer ses ~s en douceur** to go smoothly through the gears; **faire grincer les ~s** to crunch the gears; **bicyclette à trois/douze ~s** three-/twelve-speed bicycle; **passer à la ~ supérieure** fig to speed things up
(Composés) **~ angulaire** Mécan angular velocity; **~ initiale** Mécan initial velocity; (de

ℹ La vitesse

La vitesse des véhicules

■ *En anglais, on mesure couramment la vitesse des trains, des avions et des automobiles en miles à l'heure, même si les compteurs indiquent aussi les kilomètres.*

30 miles à l'heure valent environ 50 km/h
50 miles à l'heure valent environ 80 km/h
80 miles à l'heure valent environ 130 km/h
100 miles à l'heure valent environ 160 km/h

■ *Noter qu'on écrit -metre en anglais britannique, et -meter en anglais américain.*

50 kilomètres à l'heure
= 50 kilometres an hour
ou 50 kilometres per hour

100 km/h
= 100 kph (*dire* kilometres an hour; p *signifie* per = par)

100 miles à l'heure
= 100 mph (*dire* miles an hour),
= 160 km/h

à quelle vitesse la voiture roulait-elle?
= what speed was the car going at?
ou how fast was the car going?

elle roulait à 150 km/h
= it was going at 150 kph

elle roulait à quatre-vingts à l'heure
= it was going at fifty (*50 miles à l'heure*), it was going at 80 kph

la voiture faisait du combien?
= what was the car doing?

elle faisait du 160 (km/h)
= it was doing a hundred (mph), it was doing 160 kph

faire du 160 à l'heure
= to do a hundred (mph)
ou to do 160 kph

à une vitesse de 80 km/h
= at a speed of 50 mph,
at a speed of 80 kph

■ *Noter l'absence d'équivalent anglais de la préposition française* de *avant le chiffre dans:*

la vitesse de la voiture était de 160 km/h
= the speed of the car was 100 mph,
the speed of the car was 160 kph

à peu près 80 km/h
= about 50 mph, about 80 kph

presque 80 km/h
= almost 50 mph, almost 80 kph

plus de 70 km/h
= more than 45 mph, more than 70 kph

moins de 85 km/h
= less than 55 mph, less than 85 kph

A va plus vite que B
= A is faster than B

B roulait moins vite que A
= B was going slower than A

A va aussi vite que B
= A is as fast as B

A roulait à la même vitesse que B
= A was going at the same speed as B

A et B vont à la même vitesse
= A and B go at the same speed

La vitesse du son et de la lumière

le son se déplace à 330 m/s
= sound travels at 330 metres per second (*dire* three hundred and thirty metres per second)

la vitesse de la lumière est de 300 000 km/s
= the speed of light is 186,300 miles per second

balle, obus) muzzle velocity; **~ de libération** Astronaut, Phys escape velocity; **~ de propagation** Phys velocity of propagation; **~ radiale** Astron radial velocity; **~ de réaction** Chimie, Psych speed of reaction; **~ de rotation** Mécan rotational velocity; **~ de sédimentation** Biol, Méd sedimentation rate
(Idiomes) **à la ~ grand V**, **en quatrième ~** at top speed; **expédier qch en petite ~** Rail to send sth by goods train

viticole /vitikɔl/ *adj* [*industrie, cave*] wine (*épith*); [*région, pays*] wine-producing (*épith*)

viticulteur, **-trice** /vitikyltœʀ, tʀis/ ▸ p. 532 *nm,f* wine-grower, viticulturalist

viticulture /vitikyltyʀ/ *nf* wine-growing, viticulture

vitrage /vitʀaʒ/ *nm* **1** (surfaces vitrées) windows (*pl*); **poser le ~ d'une pièce** to put the windows in a room; **double ~** double glazing; **2** (châssis) gén glass panelling[GB]; (pour séparer) glass partition; (pour abriter) glass roof; **3** Tech (verres plats) plate glass; **4** (pose) glazing

vitrail, *pl* **-aux** /vitʀaj, o/ *nm* **1** (fenêtre) stained glass window; **2** (technique, fabrication) stained glass window making; **l'art du ~** the art of stained glass

vitre /vitʀ/ *nf* **1** (de fenêtre) pane, windowpane; (fenêtre) window; (panneau) pane of glass; **faire** *or* **laver les ~s** to clean the windows; **2** (de voiture, train) window; **baisse/remonte la ~ s'il te plaît** put the window down/up please
(Composés) **~ arrière** rear window; **~ blindée** bulletproof window; **~ électrique** electric window; **~ teintée** (de voiture) tinted window; (de bâtiment) tinted (pane of) glass

vitré, **~e** /vitʀe/
A *pp* ▸ **vitrer**
B *pp adj* **1** (en vitres) glass (*épith*), glazed (*épith*); **surface ~e** glass surface; **bureaux ~s** glass-walled offices; **studio de télévision ~** glass-panelled[GB] TV studio; **toiture ~e** glass roof; **2** Anat (de l'œil) vitreous
C *nm* Anat (de l'œil) vitreous body

vitrer /vitʀe/ [1] *vtr* to glaze [*panneau, fenêtre, serre*]; **~ une porte** to put windows in a door

vitrerie /vitʀəʀi/ ▸ p. 532 *nf* **1** (magasin) glazier's; **2** (fabrication) glasswork; (industrie) glass industry

vitreux, **-euse** /vitʀø, øz/ *adj* **1** [*regard*] glazed; **2** Minér [*éclat*] glassy; [*état, roche*] vitreous

vitrier /vitʀije/ ▸ p. 532 *nm* glazier

vitrification /vitʀifikasjɔ̃/ *nf* **1** (de parquet) varnishing, sealing; **2** Tech (en verrerie) vitrification; (en génie nucléaire) vitrification

vitrifier /vitʀifje/ [2]
A *vtr* **1** (vernir) to varnish [*parquet*]; **2** Tech (en verrerie) to vitrify; (en génie nucléaire) to vitrify
B **se vitrifier** *vpr* to vitrify; **lave qui se vitrifie en refroidissant** lava that vitrifies on cooling

vitrine /vitʀin/ *nf* **1** (de boutique) (shop *ou* store) window; **article en ~** item in the window; **je voudrais le modèle en ~** I'd like the one in the window; **faire les ~s** (regarder) to go window-shopping; (décorer) to dress the windows; **elle a passé la journée à lécher les ~s** she spent the whole day window-shopping; **2** (meuble) display cabinet GB, curio cabinet US; **3** (de musée) (show)case; **4** fig (mise en valeur) showcase; **cette exposition sera la ~ de l'informatique européenne** this exhibition will be a showcase for European computer technology
(Composé) **~ frigorifique** chill cabinet GB, refrigerated case US

vitriol /vitʀijɔl/ *nm* vitriol; **humour/discours au ~** fig vitriolic humour[GB]/speech

vitrioler /vitʀijɔle/ [1] *vtr* **1** (lancer du vitriol) to throw vitriol at [*personne, animal*]; **2** Tech to vitriolize, treat [sth] with vitriol [*eau, toiles*]

vitro ▸ **in vitro**

vitrocéramique /vitʀoseʀamik/ *nf* ceramic; **table de cuisson en ~** ceramic hob

vitupération /vitypeʀasjɔ̃/ *nf* vituperation

vitupérer /vitypeʀe/ [14]
A *vtr* liter to vituperate against [*comportement, défaut*]
B *vi* to rail; **~ contre** controv to rail against

vivable /vivabl/ *adj* [*situation, atmosphère, personne*] bearable; **pas ~** unbearable; **ce n'est pas ~ ici** it is impossible to live here

vivace¹ /vivas/ *adj* **1** Bot perennial; **plante ~** perennial; **2** (durable) [*tradition, souvenir*] enduring

vivace² /vivatʃe/ *adj inv, adv* Mus vivace

vivacité /vivasite/ *nf* **1** (fougue) (de personne) vivacity; (de sentiment, passion) intensity; **2** (promptitude) (de mouvement) vivacity; (de repartie, d'intelligence) keenness; (de réaction) swiftness; (brusquerie) brusqueness; **avec ~** (promptement) [*se mouvoir, réagir*] swiftly; (brusquement) [*répondre, répliquer*] sharply; **il est d'une surprenante ~ pour son âge** he's surprisingly sprightly for his age; **3** (de souvenir, impression, couleur) vividness; (de regard) spark; (de lueur) brightness

vivandier, **-ière** /vivɑ̃dje, ɛʀ/ *nm,f* sutler, vivandiere

vivaneau, *pl* **~x** /vivano/ *nm* red snapper

vivant, **~e** /vivɑ̃, ɑ̃t/
A *adj* **1** (en vie) [*personne, animal, cellule*] living; **il est ~** he is alive; **il est toujours ~** he is still alive *ou* living; **un homard ~** a live lobster; **transportant des animaux ~s** transporting live animals; **moi ~, jamais il ne l'épousera** he'll marry her over my dead body; **2** (en chair et en os) [*exemple, symbole*] living; **d'après le modèle ~** from life; **ta mère, c'est un dictionnaire ~!** your mother is a walking dictionary; **3** (animé) [*personne*] lively, vivacious; [*lieu, récit, style*] lively; **4** (reproduisant bien la vie) [*description, récit*] vivid; **5** (vivace) **être encore ~** [*coutume, souvenir*] to be still alive
B *nm* **1** (être vivant) living being; **les ~s** the living; **les ~s et les morts** the living and the dead; ▸ **bon**; **2** (période de vie) **de mon/leur ~** in my/their lifetime; **du ~ de mon père** while my father was alive; **3** (vie) life

vivarium /vivaʀjɔm/ *nm* vivarium

vivats /viva/ *nmpl* cheers

vive
A ▸ **vif A, C**
B ▸ **vivre**

vive-eau, *pl* **vives-eaux** /vivo, *pl* vivzo/ *nf* spring tide

vivement /vivmɑ̃/ *adv* **1** (fortement) [*encourager, critiquer, recommander, réagir*] strongly; [*inquiéter*] greatly; [*contraster, augmenter*] sharply; [*émouvoir, regretter, ressentir*] deeply; [*contester, attaquer*] fiercely; **je souhaite ~ vous rencontrer** I should very much like to meet you; **2** (rapidement) [*partir, se lever*] swiftly; **~ dimanche!** I can't wait for Sunday!; **~ qu'elle s'en aille!** I can't wait for her to

V

go!; **3** (avec emportement) **parler ~ à qn** to speak sharply to sb

viveur /vivœʀ/ *nm* fast liver, pleasure-seeker

vivier /vivje/ *nm* **1** (naturel) fishpond; (artificiel) fish-tank; (sur un bateau) fish well; **2** (pépinière) breeding ground; **un ~ d'ingénieurs** a breeding ground for engineers

vivifiant, **~e** /vivifjɑ̃, ɑ̃t/ *adj* **1** (revigorant) [*air, climat*] invigorating; **2** (stimulant) [*activité, paroles*] stimulating

vivifier /vivifje/ [2] *vtr* **1** (revigorer) [*air, climat, soleil*] to invigorate [*personne, plante*]; **2** (stimuler) to breathe new life into [*région, secteur, économie*]

vivipare /vivipaʀ/
A *adj* viviparous
B *nm* viviparous mammal

viviparité /vivipaʀite/ *nf* viviparity

vivisection /vivisɛksjɔ̃/ *nf* vivisection

vivo ▸ **in vivo**

vivoter /vivɔte/ [1] *vi* to struggle along; **~ de qch** to scrape a living from sth

vivre /vivʀ/ [63]
A *vtr* **1** (connaître) to live through [*époque, période*]; to go through [*heures difficiles, cauchemar, enfer*]; to experience [*amour, passion*]; **~ son mariage comme un sacrifice** to view one's marriage as self-sacrifice; **être vécu comme un affront** to be taken as an insult; **~ une vie tranquille/agitée** to lead a quiet/hectic life; **la vie vaut d'être vécue** life is worth living; **~ sa vie** to lead one's own life
2 (ressentir) to cope with [*divorce, échec, changement*]; **comment as-tu vécu votre séparation?** how did you cope with your separation?; **~ sa foi** to put one's faith into practice[GB]?
B *vi* **1** Biol (être vivant) [*personne, animal, plante*] to live; **~ longtemps/vieux/centenaire** to live for a long time/to a great age/to be a hundred; **cesser de ~** euph to pass away; **vive la révolution/le président!** long live the revolution/the president!; **vive(nt) les vacances!** three cheers for the holidays GB *ou* the vacation US!; **vive la vie!** life is wonderful!; **vive moi/nous!** three cheers for me/us!; **vive Paul!** hurray for Paul!
2 (habiter) [*personne, animal, plante*] to live; **~ à la campagne/en démocratie** to live in the country/in a democracy; **il vit avec quelqu'un** he's living with somebody; **~ à cinq dans une chambre** to live five to a room; **être facile/difficile à ~** [*conjoint, concubin*] to be easy/difficult to live with; [*ami, collègue*] to be easy/difficult to get on with; **~ les uns sur les autres** to live on top of each other
3 (exister) [*personne*] to live; **~ en ermite** to live like a hermit; **~ dans la crainte/pour ses enfants** to live in fear/for one's children; **~ avec son temps** to move with the times; **~ à contre-courant** to go one's own way; **~ en pyjama** to live in one's pyjamas GB *ou* pajamas US; **se laisser ~** to take things easy; **apprendre à qn à ~**○ to teach sb some manners○; **savoir ~** (profiter de la vie) to know how to enjoy life; (être poli) to know how things are done
4 (survivre) [*personne*] to live; **bien ~** to live well; **~ de peu** to live on very little; **de quoi vit-elle?** what does she live on?; **avoir de quoi ~** to have enough to live on; **~ avec presque rien/sur son capital/de la charité** to live on next to nothing/on one's capital/on charity; **~ de légumes** to live on vegetables; **~ sur sa réputation** to live on one's reputation; **~ de ses rentes** to have a private income; **faire ~ qn** (matériellement) to keep sb; **~ aux dépens de qn** to live off sb; **~ d'espoir** to live in hope; **qu'est-ce qui te fait ~?** what keeps you going?
5 (durer) [*relation, mode, idéologie*] to last; **le gouvernement ne vivra pas longtemps** the government won't last long; **avoir vécu** [*personne*] to have seen a great deal of life; hum (être usé) [*objet, idée*] to have had its day; **mes chaussures ont vécu** my shoes have had their day; **leur souvenir vivra dans nos mémoires** their memory will live on in our hearts
6 (être animé) [*ville, rue*] to be full of life
C **se vivre** *vpr* (être ressenti) **le divorce se vit souvent très mal** divorce is often very hard to cope with
D **vivres** *nmpl* **1** (nourriture) food, supplies
2 (moyens de subsistance) **couper les ~s à qn** to cut off sb's allowance
(Idiomes) **le ~ et le couvert** board and lodging; **~ de l'air du temps** to live on air; **~ sur un grand pied** to live in great style; **qui vivra verra** what will be will be

vivrière /vivʀijɛʀ/ *adj f* **cultures ~s** subsistence crops

vizir /viziʀ/ *nm* vizier; **le Grand ~** the Grand Vizier

vlan /vlɑ̃/ *excl* **et ~! encore une porte qui claque!** bang! another door slamming!; **et ~! il m'envoie un coup de poing** wham! he punches me

vo /veo/ *nf: abbr* ▸ **version**

vocable /vɔkabl/ *nm* **1** (mot) term; **2** Relig **chapelle sous le ~ de** chapel dedicated to

vocabulaire /vɔkabylɛʀ/ *nm* vocabulary; **~ actif/passif/fondamental** active/passive/basic vocabulary; **le ~ de Racine/de la botanique** the vocabulary of Racine/of botany; **'~ bilingue d'informatique'** 'a bilingual vocabulary of computer technology'; **leur ~ est ésotérique/très riche/limité** their vocabulary is esoteric/very rich/poor

vocal, **~e**, *mpl* **-aux** /vɔkal, o/ *adj* vocal

vocalement /vɔkalmɑ̃/ *adv* vocally

vocalique /vɔkalik/ *adj* vowel (*épith*), vocalic

vocalisation /vɔkalizasjɔ̃/ *nf* **1** Mus singing exercise; **2** Ling vocalization

vocalise /vɔkaliz/ *nf* singing exercise, exercise in vocalization spéc; **faire des ~s** to practise[GB] singing exercises

vocaliser /vɔkalize/ [1]
A *vtr* Ling to vocalize
B *vi* Mus to practise[GB] singing exercises, vocalize spéc
C **se vocaliser** *vpr* Ling to become vocalized

vocalisme /vɔkalism/ *nm* Ling, Phon **1** (système vocalique) vowel system; **2** (d'un mot) vowel pattern; **3** (théorie) vocalism

vocatif /vɔkatif/ *nm* Ling vocative; **au ~** in the vocative

vocation /vɔkasjɔ̃/ *nf* **1** (de personne) vocation, calling; **~ sacerdotale** vocation for the priesthood; **~ artistique/littéraire** artistic/literary vocation; **~ contrariée** frustrated calling; **manquer sa ~** to miss one's vocation; **se sentir une ~ de médecin** to feel that medicine is one's vocation; **se sentir une ~ de comptable** to feel drawn to accountancy; **il n'a pas la ~ de l'enseignement** he's not cut out to be a teacher, teaching isn't his vocation; **2** (d'institution) purpose; **il assigne à l'école une double ~** he thinks schools should serve a dual purpose; **l'association a pour ~ d'aider les malades** *or* **l'aide aux malades** the association is intended to help the sick; **salles à ~ récréative** rooms intended for leisure activities; **région à ~ touristique/agricole** tourist/farming area; **école à ~ technique** technical school; **chaîne à ~ culturelle** cultural channel

vocifération /vɔsifeʀasjɔ̃/ *nf* clamour[GB] ₵, vociferation sout; **pousser des ~s** to utter cries of rage

vociférer /vɔsifeʀe/ [14]
A *vtr* to shout [*insultes*]
B *vi* to shout, to vociferate sout; **~ contre** to shout angrily at

vocodeur /vɔkɔdøʀ/ *nm* vocoder

vodka /vɔdka/ *nf* vodka; **~ orange** vodka and orange, screwdriver

vœu, *pl* **~x** /vø/ *nm* **1** (souhait) wish; **faire un ~** to make a wish; **mon ~ le plus cher est qu'il guérisse** my dearest wish is that he should recover; **il a exprimé** *or* **émis le ~ que l'école soit reconstruite** he expressed the wish that the school should be rebuilt; **les élèves doivent émettre** *or* **formuler des ~x d'orientation** pupils must indicate their preferred subject choices; **je fais des ~x pour que la paix revienne** I hope and pray that peace may return; **appeler qch de tous ses ~x** to hope and pray for sth; **former des ~x pour le bonheur/la réussite de qn** to wish sb every happiness/success; **former des ~x pour la santé de qn** to wish sb a speedy recovery; **'tous mes ~x t'accompagnent'** 'my best wishes go with you'; **'nos meilleurs ~x aux jeunes époux'** 'our best wishes to the bride and groom'; **2** (de Nouvel An) New Year's greetings; **recevoir les ~x du personnel** to receive New Year's greetings from the staff; **adresser ses ~x à qn** to wish sb a happy New Year; **le message de ~x du Président** Radio, TV the President's New Year address to the nation; **meilleurs ~x de bonne et heureuse année** best wishes for the New Year, Happy New Year; **3** (promesse) vow; **~x de pauvreté/chasteté** vows of poverty/chastity; **prononcer ses ~x** Relig to take one's vows; **faire ~ de pauvreté** to take a vow of poverty; **faire ~ de fidélité** to vow to remain faithful; **faire ~ de se venger** to vow to take one's revenge
(Composé) **~ pieux** wishful thinking ₵; **faire des ~x pieux** to indulge in wishful thinking

vogue /vɔg/ *nf* **1** (mode) fashion, vogue; **la ~ des cheveux longs est passée/de retour** the fashion for long hair has passed/is coming back; **la ~ des Beatles** the Beatles craze○; **en ~** [*style, idée, personne*] fashionable, in vogue (*jamais épith*); [*objet, vêtement*] in fashion (*jamais épith*); **c'est très en ~** [*voiture, musique*] it's the latest craze○ *ou* thing○; [*vêtement*] it's the latest fashion; **2** (fête) dial fair

voguer /vɔge/ [1] *vi* liter **1** (naviguer) to [*navire*] to sail (**vers** toward, towards GB); **2** fig [*esprit, pensées*] to wander; **insouciant de tout, il voguait au gré des événements** oblivious to everything, he drifted with the flow of events
(Idiome) **et vogue la galère!** come what may!

voici /vwasi/
A *prép* **son fils est né ~ un mois** his/her son was born a month ago; **~ quelque temps** some time ago; **~ bientôt deux mois qu'elle travaille chez nous** she's been working with us for nearly two months
B *présentatif* **1** (pour désigner) (une chose proche) **~ ma clé/mes clés** here is my key/are my keys; (une personne proche) **~ le docteur qui arrive** here comes *ou* here's the doctor; **les ~** here they are, here they come; **'me ~'** 'here I am'; **2** (en guise de présentation) **~ ma fille** this is my daughter; **~ mes enfants** these are my children; **M. Bon/le ressort que ~ est...** Mr Bon/this spring here is...; **3** (en guise d'introduction) **~ l'adresse** here's the address, this is the address; **~ les résultats** here are the results, these are the results; **~ le programme/la solution** the programme[GB]/the answer is as follows; **le film raconte l'histoire que ~** the film tells the following story; **~ comment/pourquoi/où** here's *ou* this is how/why/where; **~ où je voulais en venir** that's the point I wanted to make; **~ ce qu'il a fait/ce dont je t'ai parlé** this is what he did/what I was telling you about; **~ qui va vous étonner/amuser** here is *ou* this is something that'll surprise you/that you'll find amusing; **4** (pour souligner une situation, une action, un événement) **~ enfin l'été** summer's here at last; **~ venir l'hiver/le cortège** here comes winter/the procession; **je sens que ~ venir l'instant des reproches** I feel that the moment for criticisms is approaching *ou* upon us hum; **'je**

voudrais la clé du trois'—'~, madame' 'I'd like the key to number three'—'here you are, madam'; **tu veux des fraises? en ~** you'd like some strawberries? here you are (then); **nous y ~** (à la maison) here we are; (au cœur du sujet) now we're getting there; **~ nos amis bien perplexes/enfin au calme** now our friends are really confused/have got some quiet at last; **alors qu'on le croyait calmé, le ~ qui s'enfuit à nouveau** just when we thought he had calmed down he runs off again

C voici que *loc conj* liter all of a sudden; **~ qu'elle disparaît sans laisser d'adresse** all of a sudden she disappeard without leaving an address; **~ qu'arrive l'armée ennemie** here come the enemy forces

voie /vwa/ *nf* **1** fig (chemin) way; **la ~ de la paix/modernisation/sagesse** the way to peace/modernization/wisdom; **être sur la ~ d'un accord** to be on the way to an agreement; **montrer la ~ à qn** to show sb the way; **montrer la ~** *[personne, pays, entreprise]* to lead the way; **ouvrir la ~ à** to pave the way for; **la ~ est libre** the way is clear; **chercher/trouver sa ~** to look for/find one's way in life; **entreprise en ~ de devenir le cinquième groupe européen** company on its way to becoming number five in Europe; **sur** *or* **dans la ~ de** on the road to; **s'engager sur** *or* **dans une ~ dangereuse** to embark on a dangerous course; **choisir/suivre une ~ médiane** fig to choose/follow a middle course; **être sur la bonne/mauvaise ~** *[personne]* to be on the right/wrong track; **les travaux/négociations sont en bonne ~** the work is/the negotiations are progressing; **la ~ royale vers le pouvoir** the fast track to power; **les sociétés déficitaires ou en ~ de l'être** companies in deficit or (in the process of) becoming so; **en ~ de désintégration** disintegrating (*après n*); **par ~s de conséquence** consequently; **espèce en ~ d'extinction** *or* **de disparition** endangered species; **pays en ~ de développement** developing country; ▸ **impénétrable**

2 (intermédiaire) channels (*pl*); **par la ~ diplomatique** through diplomatic channels; **par la ~ du référendum** by means of a referendum; **par ~ de presse** through the press; **par des ~ détournées** by roundabout means; **par ~ de tracts/d'affiches** through leaflets/posters; **par ~ de mer** by sea; **par la ~ des airs** by air; **par ~ d'action** Jur by bringing action; ▸ **concours**, **conséquence**, **scrutin**

3 (subdivision de route) lane; (route) road; (rue) street; **route à trois ~s** three-lane road; **~ réservée aux autobus** bus lane; **~ à sens unique** (en rase campagne) one-way road; (en ville) one-way street; **~ à double sens** (en rase campagne) road for two-way traffic GB, two-way road US; (en ville) street for two-way traffic GB, two-way street US

4 Rail (rails) track; **~ large/étroite** wide-/narrow-gauge track; **ligne à ~ unique/à double ~** single- /double-track line; **ne rien jeter sur la ~** do not throw anything onto the track; **'défense de traverser les ~s'** 'keep off the tracks'; **le train entre en gare ~ 2** the train is arriving at platform 2

5 Pharm (mode d'administration) **par ~ injectable** by injection; **par ~ rectale** rectally; **par ~ intraveineuse** intravenously; **par ~ buccale** *or* **orale** orally; **par ~ nasale** nasally; ▸ **racolage**, **scandale**, **violence**

(Composés) **~ d'accélération** acceleration lane; **~ aérienne** Transp air route; **~ de communication** Transp transport link; **~ à contresens** contraflow lane; **~ de décélération** deceleration lane; **~ d'eau** Naut leak; **~ d'évitement** Rail siding; **~ express** expressway; **~ ferrée** Rail (infrastructure) railway track GB, railroad track US; Transp (mode de transport, ligne) railway GB, railroad US; **~ fluviale** Transp (inland) waterway; **~ de garage** Rail siding; **mettre qn sur une ~ de garage** fig to shunt sb onto the sidelines; **~ de gauche** fast lane; **~ hertzienne** Télécom Hertzian waves (*pl*); **par la ~ hertzienne** by Hertzian waves; **~ hiérarchique** Admin right channels (*pl*); **Voie lactée** Astron Milky Way; **~ maritime** Transp sea route; **~ navigable** Transp waterway; **~ privée** Admin private road; **~ publique** Jur public highway; **sur la ~ publique** on the public highway; **~ de raccordement** Rail connecting track; Gén Civ slip road; **~ rapide** expressway; **~ de recours** Jur path for appeal; **~ sans issue** Gén Civ, fig dead end; (sur panneau) no through road; **~ souterraine** underpass; **~s de fait** Jur (agression) battery (*sg*); Admin, Jur (atteinte aux droits) ≈ infringement of civil liberties; **~s nasales** Anat nasal passages; **~s respiratoires** Anat respiratory tract (*sg*); **~s urinaires** Anat urinary tract (*sg*)

voilà /vwala/

A *prép* **son fils est né ~ un mois** his/her son was born a month ago; **~ bientôt deux mois qu'elle travaille chez nous** she's been working with us for nearly two months

B *présentatif* **1** (pour désigner) (en opposition à voici) **et ~ une clé/des clés** and there is a key/are keys; **le ~ encore!** there he is again!; **voici ton parapluie et ~ le mien** this is your umbrella and here's mine

2 (même valeur que voici) here is *[clé, livre]*; here are *[clés, livres]*; **tu cherchais ton sac? le ~** were you looking for your bag? here it is; **~ ma mère** here's *ou* here comes my mother; **attention, la ~!** watch out, here she comes!; **me ~!** (j'arrive) I'm coming!; (je suis là) here I am!; **voici mon fils et ~ ma fille** this is my son and this is my daughter; **ah! te ~! c'est à cette heure que tu rentres?** ah, there you are! what time do you call this?; **tiens! ~ le soleil!** look! here's the sun!

3 (pour conclure) **~ tout** that's all; **~ comment/pourquoi/ce que** that's how/why/what; **~ où je voulais en venir** that's the point I wanted to make; **~ où nous en étions** that's where we were up to; **~ ce que c'est de faire le malin/désobéir** that's what happens if you show off/disobey; **~ ce que déclare un jeune homme** so says a young man; **il est malade, ~ ce qui le tracasse** he's ill, that's what's worrying him; **je n'ai pas pu venir, ~ tout** (ne posez pas de questions) I couldn't come, that' s all there is to it; **~ qui ne va pas arranger vos affaires/ne se reproduira pas** well, that won't sort things out for you/won't happen again; **~ qui m'arrange!** that's what I need!; **~ de quoi faire réfléchir les jeunes** that's something for young people to think about

4 (en introduction) here is, this is *[histoire, adresse]*; here are, these are *[chiffres, adresses]*; **~ le programme/la solution** the programme[GB]/the answer is as follows; **le film raconte l'histoire que ~** the film tells the following story; **~ comment/pourquoi/où** (en introduction) this is how/why/where; (en conclusion) that's how/why/where; **'seulement** *or* **c'est que ~,' dit-elle, 'je n'ai pas d'argent'** 'the problem *ou* thing is,' she said, 'I don't have any money'

5 (pour souligner) **~ enfin l'été!** summer's here at last!; **'je voudrais la clé du trois'—'~, madame'** 'I'd like the key to number three'—'here you are, madam'; **nous y ~** (à la maison) here we are; (au cœur du sujet) now we're getting there; **~ nos amis bien perplexes/enfin au calme** now our friends are really confused/have got some quiet at last; **alors qu'on le croyait calmé, le ~ qui s'enfuit à nouveau** just when we thought he had calmed down he runs off again; **le ~ qui se remet à rire!** there he goes again laughing!; **à peine étais-je arrivé, le ~ qui vient vers moi** I'd only just arrived when there he was coming toward(s) me; **te ~ content!** now you're happy!; **te ~ revenu!** you're back again!; **vous ~ prévenus!** you've been warned!; **~ bien la manie française de tout critiquer!** that's the typical French habit of criticizing everything!; **~ bien les hommes!** that's men for you!; **~ bien ta mauvaise foi/façon exceptionnelle de conduire!** so much for your dishonesty/brilliant driving!; **ridicule, ~ le mot!** ridiculous! that's the word!

C en voilà *loc* **1** (en donnant) **tu veux des fraises? en ~** you'd like some strawberries? here you are; **vous vouliez des explications? en ~** you wanted more details! well, here you are (then); **en ~ pour dix euros** here's ten euros worth

2 (valeur exclamative) **en ~ un mal élevé!** what a badly brought up boy!; **mon dieu! en ~ des histoires!** good Lord! what a fuss!; **en ~ assez!** that's enough!; **en ~ un qui ne recommencera pas!** there's someone who won't do it again!; **en ~ au moins un avec qui on peut parler!** there's somebody, at least, you can talk to!

D voilà que° *loc* **et ~ qu'une voiture arrive** and the next thing was a car arrived; **~ qu'il se met à rire** all of a sudden he started laughing; **et ~ qu'elle refuse/qu'il tombe malade** and then she had to go and refuse/he had to go and get ill GB *ou* sick US

E *excl* **~! j'arrive!** (I'm) coming!, I'm on my way!; **~! ça arrive!** (it's) coming!, it's on its way!; **(et) ~! ils sont partis!** there you are, they've left!; **(et) ~! il remet ça!** there he goes again!; **ah! ~!** (je comprends) oh! that's it!, I see!; **on vit, on meurt, (et puis) ~!** you live, you die and that's it!

(Idiome) **il a de l'argent, en veux-tu en ~!** he has as much money as he could wish for!

voilage /vwalaʒ/ *nm* net curtain GB, sheer curtain US

voile /vwal/

A *nm* **1** Mode, Relig (morceau d'étoffe) veil; **~ de deuil/de mariée** mourning/bridal veil; **prendre le ~** Relig to take the veil; **2** (étoffe) voile; **3** (masque abstrait) veil; **on jeta un ~ (pudique) sur l'affaire** a veil was drawn over the affair; **lever le ~ sur qch** to bring sth out in the open; **soulever un coin du ~ sur qch** to gain a glimpse into sth; **avoir un ~ sur** *or* **devant les yeux** to be blind to reality; **4** Tech (dans un liquide) cloud; (sur une radiographie) shadow; Phot fog; **un ~ blanchâtre opacifiait la solution** a whitish cloud was fogging the solution; **~ de développement/de vieillissement** Phot fog in developing/from ageing; **avoir un ~ au poumon** to have a shadow on one's lung; **5** (écran) **regarder qch à travers un ~ de larmes** to look at sth through a mist of tears; **le brouillard étendait un ~ épais sur le paysage** there was a thick veil of fog over the landscape; **6** (de champignon) veil; **~ général/partiel** universal/partial veil

B *nf* Naut **1** (toile) sail; **~ aurique/carrée/latine** fore-and-aft/square/lateen sail; **faire ~ vers** to sail toward(s); **mettre à la ~** to make way under sail; **toutes ~s dehors** lit full sail ahead; fig using every possible means; **2** (voilier) sailing boat, sailboat US; **3** (activité) sailing; **il fait de la ~ depuis deux ans** he's been going sailing for two years; **il donne des cours de ~ en été** he gives sailing lessons in the summer

(Composés) **~ blanc** Météo whiteout; **~ chimique** (chemical) fog; **~ d'étai** staysail; **~ islamique** yashmak; **~ noir** blackout; **~ du palais** soft palate, velum; **~ rouge** redout; **~ solaire** solar sail

(Idiomes) **être à ~ et à vapeur**° to be AC/DC°; **mettre les ~s**° to clear off° GB, to clear out° US; **avoir du vent dans les ~s**° to be three sheets to the wind, to be drunk

voilé, ~e /vwale/

A *pp* ▸ **voiler**

B *pp adj* **1** *[personne, objet]* veiled; **~ de noir** veiled in black; **2** (troublé) *[soleil, ciel]* hazy; *[regard, yeux]* misty; *[voix]* with a catch in it (*épith, après n*); *[photo, film]* fogged; **la lune est ~e par des nuages** the moon is veiled in cloud; **ils avaient les yeux ~s de larmes** their eyes were misted over with tears; **dit-elle, la voix légèrement ~e par l'émotion** she said with a slight catch in her voice; **3▸** (obscur) [*allusion, menace, critique*] veiled; **ils ont fait des allusions à peine ~es** they made thinly veiled allusions; **4▸** (déformé) [*roue*] buckled; [*panneau*] warped

voilement /vwalmɑ̃/ *nm* (de roue) buckle; (de panneau) warp

voiler /vwale/ [1]

A *vtr* **1▸** (dissimuler) [*nuage, brume*] to veil [*ciel, paysage, soleil*]; [*personne, fait*] to conceal [*événement, fait*]; **~ son dépit** to conceal one's annoyance; **2▸** (déformer) to buckle [*roue*]; to warp [*panneau*]; **3▸** (troubler) [*contrariété, expression*] to mist [*regard*]; [*émotion*] to put a catch in [*voix*]; **les larmes me voilaient le regard** the tears were misting my vision; **4▸** (couvrir d'étoffe) to cover [*visage, nudité*]; to veil [*statue*]

B se voiler *vpr* **1▸** (se déformer) [*roue*] to buckle; [*panneau*] to warp; **2▸** (se troubler) [*ciel*] to cloud over; [*soleil, paysage*] to become hazy; [*regard*] to become misty; [*voix*] to have a catch in it; **3▸** (avec étoffe) [*personne*] to wear a veil; [*musulmane*] to wear the veil; **se ~ le visage** to veil one's face

(Idiome) **se ~ la face** to look the other way

voilerie /vwalʀi/ *nf* sail-loft

voilette /vwalɛt/ *nf* veil; **rabattre/relever sa ~** to put the veil down/up; **une femme en ~** a woman wearing a hat with a veil

voilier /vwalje/ *nm* **1▸** Naut (bateau) sailing boat GB, sailboat US; (grand navire) yacht, sailing ship; **2▸** Naut (fabricant, réparateur) sailmaker; **3▸** Zool **oiseau bon/mauvais ~** bird well/badly adapted for long distance flight

voilure /vwalyʀ/ *nf* **1▸** Naut (ensemble des voiles) sails (*pl*); (surface des voiles) sail; **une ~ de 500m² ** 500m² of sail; **balancer/régler la ~** to balance/adjust the rigging; **2▸** Aviat (d'avion) wing surface; (de parachute) canopy; **3▸** (courbure de déformation) (de roue) buckling; (de panneau) warping

(Composé) **~ tournante** Aviat rotary wing

voir /vwaʀ/ [46]

A *vtr* **1▸** (percevoir par les yeux) to see [*personne, objet*]; **dis-moi ce que tu vois** gén tell me what you see; **je ne vois rien** I can't *ou* don't see anything; **je n'y vois rien** I can't see a thing; **il faut le ~ pour le croire** it has to be seen to be believed; **je les ai vus de mes propres yeux** *or* **de mes yeux vu!** I saw them with my own eyes!; **je les ai vus comme je te vois!** I saw them as plainly as I see you standing there!; **que vois-je!** liter what's this I see?; **à la ~ si triste** when you see her so sad; **à le ~, on le prendrait pour un clochard** to look at him, you'd think he was a tramp; **faire ~ qch à qn** to show sb sth; **laisser ~ son ignorance** to show one's ignorance; **sa jupe fendue laissait ~ ses cuisses** her slit skirt showed her thighs; **~ qch en rêve** to dream about sth; ▸ **mûr**

2▸ (être spectateur, témoin de) [*personne*] to see [*film, incident, événement*]; [*période, lieu, organisation*] to see [*événement, évolution, changement*]; **aller ~ un film** to go to see a film GB *ou* movie US; **nous voyons les prix augmenter** we see prices rising; **je les ai vus partir/qui partaient** I saw them leave/leaving; **on l'a vue entrer** she was seen going in, someone saw her go in; **la voiture qu'il a vue passer** the car he saw go by; **la ville qui l'a vue naître** her native town, the town where she was born; **le film est à ~** the film is worth seeing; **c'est triste/intéressant à ~** it's sad/interesting to see; **c'est beau à ~** it's beautiful to look at; **ce n'est pas beau à ~** it's not a pretty sight; **il faut ~ comment○!** you should see how!; **j'aurais voulu que tu voies ça!** you should have seen it!; **je voudrais bien t'y ~!** I'd like to see how you'd get on!; **a-t-on jamais vu pareille audace!** have you ever seen such cheek!; **on n'a jamais vu ça!** it's unheard of!; **et vous n'avez encore rien vu!** you ain't seen nothing yet○! hum; **qu'est-ce qu'il ne faut pas ~, on aura tout vu!** could you ever have imagined such a thing!; **voyez-moi ça!** just look at that!

3▸ (se figurer) to see; **comment vois-tu l'avenir?** how do you see the future?; **je le vois** *or* **verrais bien enseignant** I can just see him as a teacher; **je ne la vois pas faire ça toute sa vie** I can't see her doing it forever; **~ sa vie comme un désastre** to view one's life as a disaster; **on voit bien comment** it's easy to see how; **on ne voit guère comment, on voit mal comment** it's difficult to see how; **j'ai vu le moment où il allait m'étrangler** I thought he was about to strangle me; **je vois ça d'ici** I can just imagine; **tu vois un peu s'il arrivait maintenant!** just imagine, if he turned up now!

4▸ (juger) to see; **c'est ma façon de ~ (les choses)** that's the way I see things; **je ne partage pas ta façon de ~** I see things differently from you; **~ en qn un ami** to see sb as a friend; **je ne vois pas qu'il y ait lieu d'intervenir** I don't see any reason to intervene; **c'est à toi de ~** it's up to you to decide; **~ favorablement une réforme** to be favourably[GB] disposed toward(s) a reform; **tu vas te faire mal ~ de Sophie** Sophie is going to think badly of you; **je te vois mal parti** you're heading for trouble

5▸ (comprendre, déceler) to see [*cause, moyen, avantage*] (**dans** in); **je vois** I see; **je vois ce que tu veux dire** I see what you mean; **je ne vois pas qui tu veux dire** I don't know who you mean; **tu vois où elle veut en venir?** do you see what she's getting at?; **je ne vois pas où est le problème** I can't see the problem; **je ne vois pas l'intérêt d'attendre** I can't see the point of waiting; **je n'y vois aucun mal** I see no harm in it; **je ne vois aucun mal à ce qu'elle signe** I see no harm in her signing; **si tu n'y vois pas d'inconvénient** if it's all right with you, if you have no objection; **tu ne vois pas qu'il ment?** can't *ou* don't you see that he's lying? ; **on voit bien qu'elle n'a jamais travaillé!** you can tell *ou* it's obvious that she's never worked!; **je le vois à leur attitude** I can tell by their attitude; **à quoi le vois- tu?** how can you tell?

6▸ (constater, découvrir) to see; **comme vous le voyez** as you can see; **à ce que je vois** from what I can see; **~ si/combien/pourquoi** to find out *ou* to see if/how much/why; **vois si c'est sec** see if it's dry; **vois si ça leur convient** find out *ou* see if it suits them; **on verra bien** well, we'll see; **'je ne paierai pas!'—'c'est ce que nous verrons!'** 'I won't pay!'—'we shall see about that!'; **c'est à ~** that remains to be seen; **j'ai fait ça pour ~** I did it to see what would happen; **essaie pour ~** try and see!; **essaie un peu/touches-y, pour ~!** (menace) you just try it/touch it!; **vous m'en voyez ravi** I am delighted about it

7▸ (examiner, étudier) to see [*malade*]; to look at [*problème, dossier*]; (dans un texte) **~ page 10/le mode d'emploi** see page 10/instructions for use; **je verrai (ce que je peux faire)** I'll see (what I can do); **voyons** let's see

8▸ (recevoir, se rendre chez, fréquenter) to see [*client, médecin, ami*]; **je le vois peu en ce moment** I don't see much of him at the moment; **aller ~ qn** gén to go to see sb; (à l'hôpital) to go to visit sb; **je passerai la ~ demain** I'll call on her tomorrow, I'll pop in and see her tomorrow

9▸ (visiter) to see [*ville, monument*]; **~ du pays** to see the world

10▸ (avoir un rapport avec) **avoir quelque chose à ~ avec** to have something to do with; **ça n'a rien à ~!** that's got nothing to do with it!; **il n'a rien à ~ là-dedans** *or* **à y ~** it's got nothing to do with him. ▸ **chandelle**

B voir à *vtr ind* fml (veiller à) to see (**à** to); **voyez à ce que tout soit prêt** see to it *ou* make sure that everything is ready; **faudrait ~ à réserver des places○** we ought to see about reserving *ou* booking GB seats; **voyez à réserver les places** make sure you reserve *ou* book GB the seats

C *vi* **1▸** (avec les yeux) **~, y ~** to be able to see; **est-ce qu'un bébé (y) voit à la naissance?** can a baby see at birth?; **je** *or* **j'y vois à peine** I can hardly see; **(y) ~ double** to see double; **je vois trouble** everything is a blur; **~ loin** lit to see a long way off

2▸ (par l'esprit) **(y) ~ clair dans qch** to have a clear understanding of sth; **~ loin** (être prévoyant) to look ahead; (être perspicace) to be far-sighted; **~ grand** to think big; **elle a vu juste** she was right; **il faut ~** (ça mérite réflexion) we'll have to see; (c'est incroyable) you wouldn't believe it

3▸ (pour insister) **voyons ~** let's see now; **regardez ~** take a look; **dites ~** tell me; **montrez ~** show me

4▸ (en incise) **vois-tu, voyez-vous** you see

5▸ (rappel à l'ordre) **voyons, sois sage!** come on now, behave yourself!

D se voir *vpr* **1▸** (dans la glace , en imagination) to see oneself; **elle se voyait déjà sur les planches** she could already see herself on the stage

2▸ (être conscient de) to realize; **il s'est vu sombrer dans la folie** he realized he was going mad

3▸ (se remarquer) [*tache, défaut*] to show; **ça se voit** it shows; **ça ne se voit pas qu'un peu○!** it sticks out a mile!

4▸ (se produire) **cela se voit tous les jours** it happens all the time *ou* every day; **cela ne se voit pas tous les jours** it isn't something you see every day; **ça ne s'est jamais vu!** it's unheard of!

5▸ (se trouver) **se ~ obligé** *or* **dans l'obligation de faire qch** to find oneself forced to do; **ils se sont vu répondre que** they were told that

6▸ (se rencontrer, se fréquenter) to see each other

7▸ (sympathiser) **ils ne peuvent pas se ~** they can't stand each other

8▸ (être vu) to be seen; **la tour se voit de loin** the tower can be seen from far away

9▸ **○s'en ~** to have a hard time (**pour faire** doing)

(Idiomes) **ne pas ~ plus loin que le bout de son nez** to see no further than the end of one's nose; **je préfère ~ venir** I would rather wait and see; **on t'a vu venir○!** they saw you coming○!; **je te vois venir○** I can see what you're getting at GB *ou* where you're coming from○; **je ne peux pas le ~ (en peinture)○** I can't stand him; **je t'ai assez vu** I've had enough of you; **en ~ de belles** *or* **de toutes les couleurs** to go through some hard times; **j'en ai vu d'autres** I've seen worse; **en faire ~ à qn** to give sb a hard time; **va te faire ~ (ailleurs)○, va ~ ailleurs** *or* **là-bas si j'y suis○!** get lost○!; **qu'il aille se faire ~○!** tell him to get lost○!; **il ferait beau ~ ça!** that would be the last straw!

voire /vwaʀ/ *adv* **1▸** (et même) or even, not to say; **l'épidémie tend à stagner, ~ à régresser** the épidemic has stopped spreading, or even retreated; **un changement serait prématuré, ~ dangereux** any change would be premature, not to say dangerous; **2▸** (marquant le doute) is this the case?

voirie /vwaʀi/ *nf* **1▸** (réseau) road, rail and waterways network; **2▸** (administration) *administration in charge of the road, rail and waterways network*

voisé, ~e /vwaze/ *adj* voiced

voisement /vwazmɑ̃/ *nm* voicing

voisin, ~e /vwazɛ̃, in/

A *adj* **1▸** (de voisinage) [*maison, rue, pays, ville*] neighbouring[GB] (*épith*), nearby; (proche) [*forêt, lac, hôpital*] nearby; (d'à côté) [*pièce, table, maison*] next (**de** to); **dans une rue/ville ~e** in a neighbouring[GB] street/town; **dans la/une forêt ~e** in the/a nearby forest; **à la table ~e**

V

at the next table; **dans la maison ~e** in the house next door; fig *[date, résultat, pourcentage]* close (**de** to); **les régions ~es de la Manche** the regions bordering the English Channel; **entretenir de bonnes relations avec les pays ~s** to maintain good relations with neighbouring[GB] countries; 2 (similaire) *[sentiments, idées]* similar; *[espèces]* (closely) related; **~ de** *[théorie, idée]* akin to; *[espèce]* related to
B *nm,f* neighbour[GB]; **les ~s d'à côté** the next door neighbours[GB], the people next door; **les ~s d'en face** the people who live opposite; **les ~s de dessus/dessous** the people who live upstairs/downstairs; **ma ~e de palier** the woman across the landing; **mon ~ de table** the man *ou* person next to me at table; **mon ~ de droite** (à table etc) the man *ou* person (sitting) on my right; **'on ne copie pas sur son ~'** you mustn't copy from the person next to you; **avoir un dangereux ~ à sa frontière** to have a dangerous neighbour[GB] on one's doorstep; **venir en ~** lit to drop in *ou* by; fig to make an informal visit; **dire du mal du ~** fig to speak ill of others

voisinage /vwazinaʒ/ *nm* 1 (voisins) neighbourhood[GB], neighbours[GB] (*pl*); **ameuter tout le ~** to rouse all the neighbours[GB] *ou* the whole neighbourhood[GB]; **entretenir des rapports de bon ~** lit, fig to maintain neighbourly[GB] relations; **des querelles de ~** neighbourhood[GB] disputes; 2 (environs) neighbourhood[GB]; **les enfants du ~** the children of the neighbourhood[GB]; **les maisons du ~** the houses in the neighbourhood[GB]; 3 (proximité) proximity; **vivre dans le ~ d'une usine/école** to live close to a factory/school

voiture ➡ /vwatyʀ/ *nf* 1 Aut (automobile) car, automobile US; 2 Rail (wagon) carriage GB, coach GB, car US; **~ de tête/de queue** first/last carriage GB *ou* car US; **~ de première/seconde (classe)** first/second class carriage GB *ou* car US; **en ~!** all aboard!; 3 (véhicule) (pour voyageurs) carriage; (pour marchandises) cart
(Composés) **~ bélier** ramraiding car; **~ à bras** hand-drawn cart; **~ cellulaire** prison van GB, police wagon US; **~ à cheval** horse-drawn carriage; **~ de course** racing car; **~ école** driving-school car; **~ d'enfant** pram GB, baby carriage US; **~ d'infirme** wheelchair; **~ de location** hire car GB, rental car US; **~ de location sans chauffeur** self-drive hire car GB, rental car US; **~ particulière** private car; **~ pie** panda car GB, police car; **~ piégée** booby-trapped car; **~ de place** hired GB *ou* rental US chauffeur-driven limousine; **~ de poste** stage coach; **~ de sport** sports car; **~ de tourisme** saloon (car) GB, sedan US; **~ sans permis** very small car (*which can be driven without a licence*)
(Idiomes) **à pied, à cheval, en ~** by whatever means of transport; **se garer** *or* **se ranger des ~s** to give up one's wild lifestyle

voiture-balai, *pl* **voitures-balais** /vwatyʀbalɛ/ *nf* support vehicle

voiture-bar, *pl* **voitures-bars** /vwatyʀbaʀ/ *nf* buffet car

voiture-lit, *pl* **voitures-lits** /vwatyʀli/ *nf* sleeper, sleeping car US

voiture-poste, *pl* **voitures-postes** /vwatyʀpɔst/ *nf* mail van GB, mailcar US

voiturette /vwatyʀɛt/ *nf* very small car (*which can be driven without a licence*)

voiturier /vwatyʀje/ *nm* 1 (d'hôtel, de restaurant) (personne) valet; (service) valet-parking; 2 Jur carrier

voix /vwa/ *nf inv* 1 Phon, Physiol voice; **d'une ~ douce/puissante/cassée** in a gentle/powerful/cracked voice; **~ de femme/d'homme** woman's/man's voice; **~ blanche** expressionless voice; **élever la ~** to raise one's voice; **~ intérieure** inner voice; **entendre des ~s** to hear voices; **à ~ haute** out loud; **à ~ basse** in a low voice; **donner de la ~** Chasse *[chien]* to give tongue; **être/rester sans ~** to be/remain speechless; **à portée de ~** within earshot; 2 (expression) voice; **la ~ de la sagesse/de la raison/du cœur** the voice of wisdom/of reason/of the heart; **c'est la ~ du sang qui parle** it's in the blood; 3 Mus voice; **~ de soprano/ténor/baryton** soprano/tenor/baritone voice; **~ de tête/poitrine** head/chest voice; **être en ~** to be in good voice; **avoir de la ~** to have a loud voice; **poser** *or* **placer sa ~** to place one's voice; **il a la ~ bien/mal placée** his voice is correctly/incorrectly placed; **travailler sa ~** to work on one's voice; **cantate à quatre ~** cantata for four voices; **une des plus belles ~s du monde** one of the finest voices in the world; 4 (opinion) voice; **la ~ du peuple/des opprimés** the voice of the people/of the oppressed; **faire entendre sa ~** to make oneself heard; 5 Pol vote; **par 194 ~ contre 33** by 194 votes to 33; **additionner les ~ des socialistes et celles des communistes** to count the socialists' and the communists' votes together; **avoir ~ consultative** to be present in an advisory capacity; **avoir ~ délibérative** to have the right to vote; 6 Ling voice; **à la ~ active/passive** in the active/passive voice
(Composés) **~ angélique** (d'orgue) vox angelica; **~ céleste** (d'orgue) voix céleste; **~ humaine** (d'orgue) vox humana; **~ off** Cin voice-over

vol /vɔl/
A *nm* 1 (d'oiseau) flight (**de** of); **prendre son ~** to take wing, to fly off; **à ~ d'oiseau** as the crow flies; 2 (groupe) **un ~ de** a flight of *[canards, cigognes]*; a cloud of *[insectes]*; **de haut ~** lit *[oiseau]* high-flying (*épith*); fig *[diplomate]* high-flying (*épith*); *[cambrioleur]* big-time (*épith*); *[prostituée]* high-class (*épith*); 3 (d'avion, de fusée) flight; **le ~ pour Paris** the Paris flight; **il y a 3 heures de ~ entre** it's a three-hour flight between; **avoir 1000 heures de ~ à son actif** to have logged 1,000 flying hours; **en (plein) ~** in flight; **de ~** *[conditions]* flying; *[plan, simulateur]* flight; 4 (délit) theft (**de** of); (plus important) robbery; **commettre un ~** to commit a theft *ou* robbery; **c'est du ~ (manifeste)!** it's daylight robbery!; **c'est du ~ organisé!** fig it's a racket!
B **au vol** *loc adv* **tirer un oiseau au ~** to shoot a bird in flight; **attraper une balle au ~** to catch a ball in mid-air; **saisir des bribes de conversations au ~** to catch snatches of conversation
(Composés) **~ à l'arraché** Jur bag snatching; **~ avec effraction** Jur burglary; **~ à l'étalage** shoplifting; **~ habité** manned flight; **~ libre** Sport hang gliding; **faire du ~ libre** to go hang gliding; **~ à main armée** armed robbery; **~ qualifié** Jur aggravated theft GB, grand larceny US; **~ à la roulotte**○ theft from a parked vehicle; **~ sec** air travel; **~ simple** Jur theft; **~ à la tire** pickpocketing; **~ à voile** gliding; **faire du ~ à voile** to go gliding

volage /vɔlaʒ/ *adj* fickle

volaille /vɔlɑj/ *nf* Agric, Culin 1 (ensemble) poultry; 2 (animal) fowl; **plumer une ~** to pluck a fowl

volailler, -ère /vɔlaje, ɛʀ/ ▸ p. 532 *nm,f* (éleveur) poultry farmer; (marchand) poulterer

volant, ~e /vɔlɑ̃, ɑ̃t/
A *adj* 1 (qui vole) flying; **le personnel ~** Aviat the flying staff; 2 (mobile) *[camp, pont]* flying; *[personnel]* mobile
B *nm* 1 (de voiture) steering wheel; **être au ~** to be at the wheel; **prendre le ~** to take the wheel; **reprendre le ~** to get back behind the wheel; **un brusque coup de ~** a sharp turn of the wheel; **donner un coup de ~** to turn the wheel sharply; **un as du ~** an ace driver; **l'alcool au ~ tue** drink-driving kills; **campagne publicitaire pour la sécurité au ~** campaign promoting safe driving; 2 (de vêtement) flounce, tier; **à ~s** flounced; 3 (réserve) margin, reserve; **~ de sécurité** safety margin, reserve fund; **~ de trésorerie/main-d'œuvre** financial/labour[GB] reserves (*pl*); 4 (de badminton) shuttlecock; **faire une partie de ~** to play badminton; 5 (de carnet à souches) tear-off portion; 6 Tech (modérateur de mouvement) fly(-governor); (à main) hand-wheel
(Composés) **~ d'inertie** flywheel; **~ magnétique** magneto

volapük* /vɔlapyk/ ▸ p. 483 *nm* volapuk

volatil, ~e¹ /vɔlatil/ *adj* volatile

volatile²† /vɔlatil/ *nm* 1 (volaille) fowl; 2 (oiseau) bird, feathered friend hum

volatilisable /vɔlatilizabl/ *adj* volatilizable

volatilisation /vɔlatilizasjɔ̃/ *nf* volatilization

volatiliser /vɔlatilize/ [1]
A *vtr* Chimie to volatilize
B **se volatiliser** *vpr* 1 Chimie to volatilize; 2 (disparaître) hum to vanish into thin air, disappear

volatilité /vɔlatilite/ *nf* volatility

vol-au-vent /vɔlovɑ̃/ *nm inv* vol-au-vent

volcan /vɔlkɑ̃/ *nm* 1 (relief) volcano; **~ éteint/en sommeil/en activité** extinct/dormant/active volcano; **être assis sur un ~** fig to be sitting on a volcano; 2 (personne) spitfire

volcanique /vɔlkanik/ *adj* 1 *[activité, région, roche]* volcanic; 2 *[tempérament]* explosive

volcanisme /vɔlkanism/ *nm* volcanism

volcanologie /vɔlkanɔlɔʒi/ *nf* volcanology

volcanologue /vɔlkanɔlɔg/ ▸ p. 532 *nm* volcanologist

volée /vɔle/
A *nf* 1 (d'oiseaux) (action de voler) flight; (vol groupé) flock, flight; **d'une seule ~** *[franchir]* in a non-stop flight; **une ~ d'étourneaux** a flock *ou* flight of starlings; **une ~ d'enfants** fig a swarm of children; **prendre sa ~** to take wing, to fly off; **un acteur/écrivain de haute ~** fig a first-rate actor/writer; 2 (grêle) (de projectiles, coups) volley (**de** of); **une ~ de pierres/plombs** a volley of stones/shot; **donner** *or* **flanquer**○ **une (bonne) ~ à qn** lit to give sb a good thrashing; fig to thrash sb; **prendre une ~ aux échecs** fig to get thrashed at chess; 3 (ensemble de marches d'escalier) flight (of stairs); 4 (sports de raquette, volley-ball) volley; **reprendre la balle de ~** to take the ball on the volley; **saisir la balle à la ~** fig to seize the opportunity
B **à toute volée** *loc adv* **lancer qch à toute ~** to hurl sth; **gifler qn à toute ~** to strike sb a resounding slap in the face; **claquer une porte à toute ~** to slam a door; **les cloches sonnaient à toute ~** to bells were pealing out
(Composés) **~ basse** (au tennis) low volley; **~ en coup droit** (au tennis) drive volley; **~ haute** smash; **~ de revers** backhand volley
(Idiomes) **les enfants se sont éparpillés comme une ~ de moineaux** the children scattered like flies ; **asséner une ~ de bois vert à qn** to deliver a blistering critique of sb

voler /vɔle/ [1]
A *vtr* 1 (dérober) to steal *[objet, secret, baiser]* (**à qn** from sb); **on lui a volé sa voiture, il s'est fait ~ sa voiture** he's had his car stolen; **il s'est fait ~ la victoire** fig he's been robbed of his victory; **tu ne l'as pas volé!** fig it serves you right, you asked for it!; 2 (léser) to rob; **~ le client** to cheat *ou* rob the customer; (plus fort) to rip the customer off○; **~ l'État** to steal from the State; **~ qn sur la quantité/le poids** to cheat sb over the quantity/the weight; **500 euros? tu t'es fait ~!** 500 euros? you've been ripped off!; **on se fait ~ dans ce magasin!** you get ripped off in that shop!; **on n'a pas**

➡ *voir* Vivre dans un pays anglophone

ℹ Le volume

■ *Pour les mesures en litres, décilitres, hectolitres etc. voir* **la capacité ▸ p. 123.** *Pour la prononciation des nombres, voir* **les nombres ▸ p. 568.**

Équivalences

1 cu in	=	16,38 cm3		
1 cu ft	=	1728 cu in	=	0,03 m3
1 cu yd	=	27 cu ft	=	0,76 m3

dire				dire
one cubic centimetre	1 cm3	=	0.061 cu in	*cubic inches*
one cubic decimetre	1 dm3	=	0.035 cu ft	*cubic feet*
one cubic metre	1 m3	=	35.315 cu ft	
		=	1.308 cu yd	*cubic yard*

■ *Pour l'écriture, noter:*

– *l'anglais utilise un point là où le français a une virgule.*

– *on écrit* -metre *en anglais britannique et* -meter *en anglais américain.*

– *on peut écrire* cu in *ou* in3, cu ft *ou* ft3, *etc.*

il y a 1 000 000 centimètres cubes dans un mètre cube
= there are a million cubic centimetres in a cubic metre

1 000 000 centimètres cubes font un mètre cube
= a million cubic centimetres make one cubic metre

quel est le volume de la caisse?
= what is the volume of the box?

elle fait 2 m3
= it is 2 cubic metres

elle a un volume de 2 m3
= its volume is 2 cubic metres

à peu près 3 m3
= about 3 cubic metres

presque 3 m3
= almost 3 cubic metres

plus de 2 m3
= more than 2 cubic metres

moins de 3 m3
= less than 3 cubic metres

le volume de A est supérieur à celui de B
= A has greater volume than B

le volume de B est inférieur à celui de A
= B has a smaller volume than A

A et B ont le même volume
= A and B have the same volume

le volume de A est égal à celui de B
= A has the same volume as B

5 m3 de terre
= five cubic metres of soil

vendu au mètre cube
= sold by the cubic metre

■ *Noter l'ordre des mots dans les adjectifs composés anglais, et l'utilisation du trait d'union. Noter aussi que metre, employé comme adjectif, ne prend pas la marque du pluriel.*

un réservoir de 200 m3
= a 200-cubic-metre tank

■ *On peut aussi dire* a tank 200 cubic metres in volume.

été volés! fig we got our money's worth!

B *vi* **1** *[insecte, avion, pilote]* to fly; fig *[poussière, plume]* to fly; **~ au vent** *[cheveux, jupe]* to blow in the wind; **2** (être lancé) lit, fig *[pierres, insultes]* to fly; **~ en éclats** *[vitre]* to shatter; fig *[certitude]* to be shattered; **faire ~ la réputation de qn en éclats** fig to shatter sb's reputation; **3** (se précipiter) **~ au secours de qn** to rush to sb's aid; fig **~ de bouche en bouche** *[nouvelle]* to spread like wildfire. ▸ **mouche**

(Idiome) **ça vole bas!** (c'est grivois) that's a bit near the knuckle!; (c'est idiot) that's pretty mindless stuff!

volet /vɔlɛ/ *nm* **1** (contrevent) shutter; **2** (de plan, politique, problème) constituent; **le projet comporte trois/plusieurs ~s** the project has three/several constituents; **3** (de dépliant) (folding) section; **4** (de polyptique) panel; **5** Aviat flap; **sortir les ~s** to raise the flaps

(Composés) **~ de courbure** Aviat plain *ou* simple flap; **~ de courbure à fente** Aviat slotted flap; **~ roulant** roller shutter

voleter /vɔlte/ [20] *vi* *[insecte, papier]* to flutter

voleur, **-euse** /vɔlœʀ, øz/

A *adj* **être ~** *[chat]* to be a thief; *[enfant]* to be light-fingered; *[commerçant]* to be dishonest; **être ~ et menteur** to be a thief and a liar

B *nm,f* (malfaiteur) thief; (tricheur) swindler; **un ~ de voiture** a car thief; **crier 'au ~!'** to shout 'stop thief!'; **jouer au gendarme et au ~** to play cops and robbers

(Composés) **~ à l'étalage** shoplifter; **~ de grand chemin** Hist highwayman; **~ d'enfant** child kidnapper[GB] *ou* abductor

(Idiomes) **être ~ comme une pie** to be a real thieving magpie; **se sauver comme un ~** to slip away like a thief in the night; **entrer/sortir comme un ~** to slip in/out

Volga /vɔlga/ *nprf* ▸ **p. 372** Volga

volière /vɔljɛʀ/ *nf* aviary

volige /vɔliʒ/ *nf* **1** (de toiture) batten; **2** (de plafond) strip of cladding; **des ~s** wood cladding

volitif, **-ive** /vɔlitif, iv/ *adj* **1** Psych volitional; **2** Ling volitive

volition /vɔlisjɔ̃/ *nf* volition

volley(-ball)* /vɔlɛ(bol)/ ▸ **p. 469** *nm* volleyball

volleyeur, **-euse** /vɔlɛjœʀ, øz/ *nm,f* (au volley) volleyball player; (au tennis) volleyer

volontaire /vɔlɔ̃tɛʀ/

A *adj* **1** (délibéré) *[départ, enrôlement, contribution, travail]* voluntary; *[détérioration, abus]* deliberate; **je l'ai vexé mais ce n'était pas ~ de ma part** I've upset him, but I didn't mean to; **2** (opiniâtre) *[personne, air, comportement]* determined

B *nmf* volunteer; **se porter ~ pour faire** to volunteer to do

volontairement /vɔlɔ̃tɛʀmɑ̃/ *adv* *[se priver, renoncer, partir]* voluntarily; *[dissimuler, provoquer, faire mal]* deliberately

volontariat /vɔlɔ̃taʀja/ *nm* voluntary service

volontarisme /vɔlɔ̃taʀism/ *nm* voluntarism

volontariste /vɔlɔ̃taʀist/ *adj* voluntarist

volonté /vɔlɔ̃te/

A *nf* **1** (disposition) will; **imposer sa ~** to impose one's will (**à qn** on sb); **la ~ du peuple** the will of the people; **il a été inscrit contre sa ~** he was entered against his will; **même avec la meilleure ~ du monde** even with the best will in the world; **'que ta ~ soit faite'** Relig 'thy will be done'; **bonne/mauvaise ~** goodwill/ill-will; **faire preuve de bonne/mauvaise ~** to show goodwill/ill-will; **être plein de bonne ~** to be full of goodwill; **une personne/un geste de bonne ~** a person/an act of goodwill; **elle y met de la mauvaise ~** she's doing it with bad grace *or* reluctantly; **contrarier/aller contre la ~ de qn** to thwart/go against sb's wishes; **deux ~s contraires se sont exprimées** two opposing wishes were expressed; **manifester la ~ de faire** to show one's willingness to do; **leur ~ de signer les accords/refuser le compromis est claire** their willingness to sign the agreements/refuse the compromise is clear; **~ de puissance/conquête/paix/vengeance** desire for power/conquest/peace/revenge; **faire appel aux bonnes ~s** to appeal for volunteers; **pour des raisons indépendantes de notre ~** for reasons beyond our control; ▸ **dernier**, **quatre**; **2** (trait de caractère) willpower; **avoir de la ~** to have willpower; **faire preuve de ~** to show willpower; **c'est une question de ~** it's a question of willpower; **réussir à faire qch à force de ~** to succeed in doing sth by sheer willpower; **avoir une ~ de fer** to have an iron will

B **à volonté** *loc adv* **1** (autant que l'on veut) **'vin/pain/crudités à ~'** 'unlimited wine/bread/salad'; ▸ **feu**; **2** (comme on veut) *[modulable]* as required

volontiers /vɔlɔ̃tje/ *adv* **1** (avec plaisir) gladly; **je t'aiderais ~** I would gladly help you; **j'irais ~ à Paris** I'd love to go to Paris; **'tu veux un café/du vin?'—'(bien) ~'** 'would you like a coffee/some wine?'—'I'd love one/some'; **'tu me le prêtes?'—'~'** 'will you lend it to me?'—'certainly', 'I'd be delighted to'; **2** (facilement) *[imaginer, oublier]* easily; *[reconnaître, admettre]* readily; **je me passe ~ de tes services** I can easily do without your help; **je le crois ~** I'm quite ready to believe it; **on dit/croit/critique ~** people like to say/think/criticize

volt /vɔlt/ *nm* Mes volt

voltage /vɔltaʒ/ *nm* voltage

voltaïque /vɔltaik/ *adj* **1** Électrotech voltaic; **2** Ling Voltaic

voltaire /vɔltɛʀ/ *nm* (fauteuil) upright armchair

voltampère /vɔltɑ̃pɛʀ/ *nm* volt-ampere

volte /vɔlt/ *nf* circle; **faites une ~ de 10 mètres de diamètre** do a 10-metre[GB] circle

volte-face* /vɔlt(ə)fas/ *nf inv* **1** lit **faire ~** to turn around; **2** fig volte-face, U-turn; **faire ~** to do a U-turn

voltige /vɔltiʒ/ *nf* **1** (au trapèze) **(haute) ~** acrobatics (+ *v pl*); **un numéro de ~** an acrobatic act; **2** Équit vaulting; **3** Aviat **~ (aérienne)** aerobatics (+ *v pl*); **4** fig **un exercice de haute ~** a very delicate operation

voltiger /vɔltiʒe/ [13] *vi* **1** (doucement) *[papiers, rideaux, feuilles]* to flutter; **2** (violemment) *[classeur, objet]* to fly, to go flying

voltigeur /vɔltiʒœʀ/ *nm* Hist, Mil light infantryman

voltmètre /vɔltmɛtʀ/ *nm* voltmeter

volubile /vɔlybil/ *adj* **1** (personne) voluble; **2** Bot twining

volubilis /vɔlybilis/ *nm inv* morning glory

volubilité /vɔlybilite/ *nf* volubility

volucompteur® /vɔlykɔ̃tœʀ/ *nm* volumeter

volume /vɔlym/ ▸ **p. 903** *nm* **1** (grandeur) volume (**de** of); **~ respiratoire** Physiol respiratory volume; **le ~ d'un fleuve** the volume of a river's flow; **doubler de ~** to double in volume; **eau oxygénée à 10 ~s** 10-volume hydrogen peroxide; **donner du ~ à ses cheveux** to give one's hair body; **faire du ~** *[colis, bagages]* to be bulky; **2** Écon volume; **le ~ d'activité/d'échanges/des transactions** the volume of activity/of trade/of transactions; **3** (tome) volume; **4** (intensité) volume; **monter le ~** to turn up the volume;

~ **sonore/d'enregistrement** sound/recording level

volumétrique /vɔlymetʀik/ *adj* volumetric; **compteur ~** Tech volume counter *ou* meter

volumineux, **-euse** /vɔlyminø, øz/ *adj* [*livre, dossier*] thick; [*documentation, correspondance*] voluminous; [*meuble, objet, bagages*] bulky; [*seins, fesses*] ample

volumique /vɔlymik/ *adj* **masse ~** density

volupté /vɔlypte/ *nf* **1** (sensuelle) voluptuousness; **avec ~** voluptuously; **2** (intellectuelle) exquisite pleasure

voluptueusement /vɔlyptɥøzmɑ̃/ *adv* voluptuously

voluptueux, **-euse** /vɔlyptɥø, ɥøz/ *adj* voluptuous

volute /vɔlyt/ *nf* **1** (de colonne) volute; (de violon) scroll; **des ~s de fumée** curls of smoke; **2** Zool volute

volve /vɔlv/ *nf* Bot volva

vomi○ /vɔmi/ *nm* vomit

vomique /vɔmik/ *adj* **noix ~** nux vomica

vomiquier /vɔmikje/ *nm* nux vomica tree

vomir /vɔmiʀ/ [3]
A *vtr* **1** (recracher) [*personne*] to bring up [*repas, nourriture*]; to vomit [*bile, sang*]; **il a vomi tout son biberon** he brought up all his bottle; **2** (projeter) to spew out [*lave, déchets*]; to belch [*feu, vapeur, fumée*]; **3** (abhorrer) to loathe
B *vi* [*personne*] to be sick, to vomit; **je vais ~** I'm going to be sick; **avoir envie de ~** to feel sick; **donner envie de ~** lit to make [sb] feel sick; fig to make [sb] sick; **c'est à ~** fig it makes you sick, it makes you puke●. ▸ **tripe**

vomissement /vɔmismɑ̃/ *nm* (action) vomiting; (résultat) vomit; **être pris de ~s** to start to vomit

(Composé) **~s du matin** Physiol morning sickness

vomissure /vɔmisyʀ/ *nf* vomit ₵

vomitif, **-ive** /vɔmitif, iv/
A *adj* emetic
B *nm* emetic

vorace /vɔʀas/ *adj* lit, fig voracious

voracement /vɔʀasmɑ̃/ *adv* voraciously

voracité /vɔʀasite/ *nf* voracity, voraciousness

vortex /vɔʀtɛks/ *nm inv* Tech, Météo vortex

vos ▸ **votre**

Vosges /voʒ/ ▸ **p. 721** *nprfpl* (région, département) **les ~** the Vosges

vosgien, **-ienne** /voʒjɛ̃, ɛn/ ▸ **p. 721** *adj* of the Vosges (*après n*)

Vosgien, **-ienne** /voʒjɛ̃, ɛn/ ▸ **p. 721** *nm,f* (natif) native of the Vosges; (habitant) inhabitant of the Vosges

votant, **~e** /vɔtɑ̃, ɑ̃t/ *nm,f* voter

votation /vɔtasjɔ̃/ *nf* Helv voting

vote /vɔt/ *nm* **1** (action) voting, vote (**contre** against; **en faveur de** in favour[GB] of); **droit de ~** right to vote; **~ d'un budget** voting on a budget; **~ à main levée/à bulletin secret** vote by show of hands/by secret ballot; **~ par correspondance** postal vote GB, absentee vote US; **~ par procuration** vote by proxy; **~ rural/populaire** rural/popular vote; **procéder au ~** to vote; **~ d'une loi** passing of a bill; **2** (opinion exprimée) vote; **compter les ~s** to count the votes; **3** (ensemble des votants) **le ~ républicain** the Republican voters *ou* vote

(Composés) **~ blanc** Pol blank vote; **~ de confiance** vote of confidence; **~ à la majorité qualifiée** qualified majority voting; **~ sanction** protest vote; **~ utile** tactical vote

voter /vɔte/ [1]
A *vtr* [*personne, comité*] to vote [*crédit, budget, amendement*]; to pass [*projet de loi*]; **~ la suppression/l'amnistie de qch** to vote for the suppression of/an amnesty on sth; **~ les pleins pouvoirs à qn** to vote to give sb full powers
B *vi* to vote (**pour** for; **contre** against); **~ écologiste/socialiste** to vote for the Greens/socialists, to vote Green/socialist; **~ (pour) Durand** to vote for Durand; **~ par procuration** to vote by proxy; **~ à main levée/à bulletin secret** to vote by a show of hands/by secret ballot; **~ contre un projet de loi** to vote against a bill; **~ utile** to vote tactically; **~ blanc** to cast a blank vote

votif, **-ive** /vɔtif, iv/ *adj* votive

votre, *pl* **vos** /vɔtʀ, vo/ *adj poss*

> ⚠ En anglais, on ne répète pas le possessif coordonné: *votre nom et votre adresse* = your name and address

your; **avez-vous tous ~ passeport?** have you all got your passports?; **c'est pour ~ bien** it's for your own good; **un de vos amis** a friend of yours; **~ gentil collègue** that nice colleague of yours; **j'ai fait vos courses** I've done the shopping for you; **à ~ arrivée présentez-vous à la réception** when you arrive go to reception; **vos nom et adresse** (une personne) your name and address; (plusieurs personnes) your names and addresses; **que Votre volonté soit faite** Thy will be done

vôtre /votʀ/
A *adj poss* **mes biens sont ~s** all I have is yours; **'amicalement ~'** 'best wishes'
B **le vôtre**, **la vôtre**, **les vôtres** *pron poss* yours; **une maison comme la ~** a house like yours; **ils ont des habitudes très différentes des ~s** their habits are very different from yours; **à la (bonne) ~**○**!** (à votre santé) cheers!; iron best of luck!; **les ~s** (votre famille) your family (*sg*); **vous et les ~s** péj you and your kind; **je ne pourrai pas être des ~s** I won't be able to join you; **vous avez encore fait des ~s!** you've been up to mischief again!; ▸ **y**

vouer /vwe/ [1]
A *vtr* **1** (porter) **~ un sentiment à qn** to nurse a feeling for sb; **il leur voue une haine farouche/un amour profond** he nurses a deep hatred of them/a deep love for them; **~ une reconnaissance éternelle à qn** to be *ou* feel eternally grateful to sb; **~ un véritable culte à qn** to (hero-)worship sb; **la passion qu'ils vouent à leur ville** their passionate love for *ou* devotion to their town; **2** (destiner) to doom; **film voué à l'échec** film doomed to failure, film bound to fail; **jeune fille vouée au célibat** girl destined to remain unmarried; **le manque de médecins voue la population aux maladies endémiques** the lack of doctors makes endemic disease inevitable; **~ qn à la vindicte publique** to expose sb to public condemnation; **3** (consacrer) **~ sa vie à qch** to devote one's life to sth; **pays voué à l'élevage** country entirely given over to cattle-breeding; **4** (dédier) **~ qn à Dieu/un saint** to dedicate sb to God/a saint; ▸ **gémonies**
B **se vouer** *vpr* **1** (se consacrer) **se ~ à qch** to devote oneself to sth; **2** (se porter) **ils se vouent une haine féroce** they hate each other intensely

(Idiome) **je ne sais plus à quel saint me ~** I don't know which way to turn

vouloir /vulwaʀ/ [48]
A *nm* Philos will; **bon ~** goodwill; **dépendre du bon ~ de qn** to depend on sb's goodwill; **attendre le bon ~ de qn** to wait at sb's pleasure sout
B *vtr* **1** (exiger) to want; **je veux une voiture/une nouvelle secrétaire** I want a car/a new secretary; **elle veut partir/que tout soit fini avant 8 heures** she wants to leave/everything finished by 8 o'clock; **que voulez-vous d'elle?** what do you want from her?; **qu'est-ce qu'ils nous veulent**○ **encore?** what more do they want of us?; **il vend sa voiture, il en veut 3 000 euros** he's selling his car, he wants 3,000 euros for it; **comme le veut la loi/la coutume** as the law/custom demands; **le règlement voudrait que tu portes une cravate** you're normally required to wear a tie; ▸ **fin²**
2 (désirer, souhaiter) **que veux-tu boire/pour Noël?** what do you want to drink/for Christmas?; (plus poli) what would you like to drink/for Christmas?; **comme tu veux** *or* **voudras** as you wish; **je voudrais un kilo de poires/vous parler en privé** I'd like a kilo of pears/to speak to you in private; **je comprends très bien que tu ne veuilles pas répondre** I can quite understand that you may not wish to reply; **tu vois que tu y arrives quand tu (le) veux** you see you can do it when you really want to; **il ne suffit pas de ~, il faut encore pouvoir** wishing is not enough; **ce n'était pas si difficile que ça, il suffisait de ~** it wasn't that difficult, all you needed was the will to do it; **elle veut/voudrait être astronaute** she wants/would like to be an astronaut; **je ne veux pas d'elle comme secrétaire** I don't want her as a secretary; **je ne veux pas de ce tableau dans ma chambre** I don't want that picture in my room; **je n'en veux pas, de ton argent!** I don't want your money!; **elle veut ton bonheur** *or* **que tu sois heureux** she wants you to be happy; **je voudrais bien rester/vous aider, mais** I would like to stay/to help you, but; **ils auraient bien voulu participer à la réunion d'hier** they would have liked to have taken part in yesterday's meeting; **je voudrais bien qu'on finisse avant la nuit** I would like us to finish before tonight; **nous aurions également voulu ajouter que** we would also have liked to add that; **je voulais vous dire que** I wanted to tell you that; **on dira ce qu'on voudra, c'était moins pollué avant** they can say what they like, it was less polluted before; **tu veux que je te dise? ton guide, c'est un escroc** I hate to say it , but the guide is a crook; **je ne voudrais pas vous déranger** I don't want to put you out; **sans ~ te vexer, ton chapeau est un peu voyant** without wanting to sound rude, your hat is a bit garish; **sans le ~** [*bousculer, révéler*] by accident; [*se retrouver*] accidentally; **il m'a fait mal sans le ~** he hurt me unintentionally *ou* without meaning to; **viens quand tu veux** come whenever you want *ou* like; **fais comme tu veux, mais ne me dérange pas tout le temps!** do what you like *ou* want, but don't keep bothering me all the time!; **'qu'est-ce qu'on fait ce soir?'—'comme tu veux** *or* **voudras'** 'what shall we do tonight?'—'whatever you like, it's up to you'; **que tu le veuilles ou non** whether you like it or not; **elle fait ce qu'elle veut de son mari** she twists her husband around her little finger; **elle fait ce qu'elle veut de ses mains** she can do anything with her hands; **je ne vous veux aucun mal** I don't wish you any harm; **tu ne veux/voudrais pas me faire croire que** you're not telling/trying to tell me that; **après ce qu'il a fait, tu voudrais que je lui fasse confiance?** do you expect me to trust him after what he's done?; **comment voulez-vous qu'on travaille dans ces conditions?** how do you expect people to work in these conditions?; **que veux-tu que j'y fasse?** what do you want *ou* expect me to do about it?; **que veux-tu que je te dise? c'est de ta faute!** what do you expect me to say? it's your fault!; **comment veux-tu qu'elle résiste?** how could she resist?; **comment veux-tu que je le sache?** how should I know?; **pourquoi voudrais-tu qu'il refuse?** why should he refuse?; **c'est la vie, que voulez-vous!** what can you do, that's life!; **que veux-tu, on n'y peut rien!** what can you do, it's hopeless!; **j'aurais voulu t'y voir**○**!** I'd like to have seen you in the same position!; **tu l'auras voulu!** it'll be all your own fault!; ▸ **beurre**, **peau**, **voilà**
3 (accepter) **voulez-vous (bien) fermer la fenêtre/me prêter votre stylo?** would you mind closing the window/lending me your pen?; **vous voudrez bien renvoyer le formulaire** please return the form; **tu voudras bien leur transmettre ce message** will you please give them this message; **voudriez-**

vous avoir l'obligeance de faire fml would you be so kind as to do; **demander à** *or* **prier qn de bien ~ faire** fml to ask sb to be so kind as to do, to ask sb kindly to do sout; **on voudra bien se référer aux ouvrages suivants** please refer to the following works; **voudrais-tu aller m'acheter le journal, s'il te plaît** would you go and buy me the paper, please; **voulez-vous** *or* **veuillez répéter votre question, s'il vous plaît** would you repeat your question please; **veuillez patienter** (au téléphone) please hold the line; **si vous le voulez bien, nous commencerons sans lui** if you don't mind, we'll start without him; **si vous voulez bien me suivre** if you'd like to follow me; **si vous voulez bien de moi comme quatrième au bridge** if you'll have me as a fourth at bridge; **veux-tu (bien) te taire!** will you (please) be quiet!; **ils ont bien voulu nous prêter leur voiture** they were kind enough to lend us their car; **elle a bien voulu leur accorder une entrevue** she was kind enough to grant them an interview; **nous vous remercions d'avoir bien voulu faire** thank you for doing; **elle n'a pas voulu signer** she would not sign; **le bois ne veut pas brûler** the wood won't burn; **le moteur ne veut pas partir** the engine won't start; **ma blessure ne veut pas guérir** my wound won't heal; **tout le monde attendait qu'elle veuille (bien) se montrer** everyone was waiting for her to put in an appearance; **elle veut bien prendre ce poste à condition d'être mieux payée** she's happy to take the job on condition that she's paid more; **je veux bien te croire** I'm quite prepared to believe you; (plus réticent) I'd like to believe you; **si l'on veut bien admettre/se rappeler que** if one accepts/remembers that; **il était mieux informé (des faits) qu'il ne veut bien le dire** he knew more about it than he's prepared to admit; **je veux bien croire que la vie est dure, mais** I know life is hard, but; **je veux bien qu'il soit malade/qu'ils fassent grève, mais** I know he's ill/they're on strike, but; **'ça s'est bien passé?'—'si on veut'** 'did it go well?'—'so-so○'; **'ce n'est pas cher/difficile'—'si on veut!'** 'it's not expensive/difficult'—'or so you say!'; **'c'était plus confortable avant!'—'si tu veux, mais'** 'it was more comfortable before!'—'maybe, but'

4▸ (signifier) **~ dire** to mean; **que veux-tu dire?** what do you mean?; **qu'est-ce que ça veut dire?** (signification) what does that mean?; (attitude) what's all this about?; **pour moi, ça ne veut rien dire** it means nothing to me; **et alors, ça veut dire quoi de bousculer les gens comme ça○?** hey, what do you mean by pushing people like that?; **ça veut tout simplement dire qu'on va payer plus d'impôts** it simply means we're going to pay higher taxes; **que voulez-vous dire par là?** what (exactly) do you mean by that?; **tu ne veux pas dire qu'il est médecin?** you don't mean to tell me he's a doctor ?; **ça voudrait dire tout refaire** that would mean doing everything all over again

5▸ (prétendre) **la légende veut que** legend has it that; **comme le veut la légende/tradition** as legend/tradition has it; **leur théorie veut que** according to their theory; **on a voulu voir en lui un pionnier de l'architecture** people tended to see him as a pioneering architect

C en vouloir *vtr ind* 1▸ ○(être déterminé) to want to get on; **il réussira, il en veut!** he wants to get on, and he'll succeed!; **ce sont de bons élèves/soldats, et qui en veulent** they are good students/soldiers who want to get on

2▸ (garder rancune) **en ~ à qn** to bear a grudge against sb; **je leur en veux de m'avoir trompé** I hold it against them for not being honest with me; **ne m 'en veux pas si je remets notre rendez-vous** please forgive me if I put off our meeting

3▸ (avoir des vues sur) **en ~ à qch** to be after sth; **elle en veut à notre fortune** she's after our money

D se vouloir *vpr* 1▸ (prétendre être) [*personne*] to like to think of oneself as; [*ouvrage, théorie, méthode*] to be meant to be; **ils se veulent pacifistes/rassurants** they like to think of themselves as pacifists/as being reassuring; **mon livre se veut objectif/à la portée de tous** my book is meant to be objective/accessible to all

2▸ (chercher à être) to try to be; **les dirigeants se sont voulus conciliants** the leaders tried to be conciliatory

3▸ (se reprocher) **s'en ~** to be cross with oneself; **s'en ~ de** to regret; **je m'en veux d'avoir été si dur avec elle/de ne pas l'avoir écoutée** I really regret being so hard on her/not listening to her; **je m'en serais voulu de ne pas vous avoir prévenu** I would never have forgiven myself if I hadn't warned you; **il ne faut pas vous en ~, ce n'était pas de votre faute!** you mustn't blame yourself, it wasn't your fault!

(Idiomes) **~ c'est pouvoir** Prov, **quand on veut, on peut** where there's a will there's a way; **je veux○!** you bet○!

voulu, ~e /vuly/

A *pp* ▸ **vouloir**

B *pp adj* 1▸ (requis) **il n'a pas les compétences ~es** he hasn't got the required skills; **ils seront punis avec toute la sévérité ~e** they'll be punished with due severity; **on n'obtient jamais les renseignements ~s** you never get the information you want; **en temps ~** in time; **au moment ~** at the right time; 2▸ (intentionnel) **des répétitions ~es** deliberate repetition; **notre rencontre n'était pas ~e** our meeting was not planned; **il est arrivé en retard et c'était ~** he was late deliberately

vous¹ /vu/ *pron pers* 1▸ (sujet) you; **~ êtes en avance** you're early; **~ n'avez pas terminé** you haven't finished; **~ êtes trop bonne** you are too kind; **je sais que ce n'est pas ~** I know it wasn't you; **c'est ~ qui avez gagné** you have won, you're the winner; **~ aussi, ~ avez l'air malade** you don't look very well either, you look ill GB *ou* sick US too; **~ qui connaissez bien la ville, dites-moi** you who know the town well, tell me; 2▸ (dans une comparaison) **elles travaillent plus que ~** they work more than you (do); **ils sont plus âgés que ~** they are older than you (are); **elle le voit plus souvent que ~** (que nous ne le voyez) she sees him more often than you do; (qu'elle ne vous voit) she sees him more often than you *ou* than she sees you; 3▸ (objet) **ils ~ ont trahis** they have betrayed you; **je ~ déteste** I hate you; **nous ne ~ entendons pas** we can't hear you; 4▸ (vous = à vous) **je ne veux pas ~ faire mal** I don't want to hurt you; **elle ne ~ dit pas tout** she doesn't tell you everything; **ils ~ en veulent** they bear a grudge against you; 5▸ (après préposition) you; **à cause de/autour de/après ~** because of/around/after you; **un cadeau pour ~** a present for you; **pour ~, ça compte?** does it matter to you?; **elle n'écrit à personne sauf à ~** she doesn't write to anyone but you; **sans ~, je n'aurais pas survécu** I wouldn't have survived without you; **ce sont des amis à ~?** are they friends of yours?; **sans voiture à ~ c'est difficile** it's difficult without a car of your own; **à ~, il a raconté une histoire très différente** he told you quite a different story; **est-ce que la voiture bleue est à ~?** is the blue car yours?; **c'est à ~** (appartenance) it's yours, it belongs to you; (séquence) it's your turn; **à ~** (dans une séquence) your turn; **à ~ de choisir** (votre tour) it's your turn to choose; (votre responsabilité) it's up to you to choose; 6▸ (pronom réfléchi) (singulier) yourself; (pluriel) yourselves; **reprenez-~** (à une personne) pull yourself together; (à plusieurs personnes) pull yourselves together; **allez ~ laver** go and have a wash GB, go and wash up US; **allez ~ laver les mains** go and wash your hands; 7▸ (vous-même) yourself; (vous-mêmes) yourselves; **prenez soin de ~** look after yourself; **pensez à ~ deux** think of yourselves

vous² /vu/ *nm inv* **l'emploi du ~** the use of the 'vous' form; **dire ~ à qn** to address sb using the 'vous' form

vous-même, *pl* **vous-mêmes** /vumɛm/ *pron pers* 1▸ (de politesse) yourself; **vous me l'avez dit ~** you told me yourself; **vous avez décidé ~ de partir** you decided yourself to go away; **ainsi vous éliminez pour ~ toute possibilité de voyage** so you're ruling out any possibility of travel for yourself; **ne vous repliez pas sur ~** don't turn in on yourself; 2▸ (vous tous) **allez-y ~s** go yourselves; **vous verrez par ~s** you'll see for yourselves

vousseau, *pl* **~x** /vuso/ = **voussoir**

voussoiement /vuswamɑ̃/ *nm* = **vouvoiement**

voussoir /vuswaʀ/ *nm* voussoir

voussoyer /vuswaje/ [23] *vtr* = **vouvoyer**

voussure /vusyʀ/ *nf* 1▸ (de voûte) (courbure) arching; (partie courbe) arch; 2▸ (archivolte) archivolt

voûte* /vut/ *nf* (plafond) vault; (de porche) archway; (de grotte, tunnel) roof; fig (de feuillage) arch; (ouvrage) vaulting ₵; **~ en berceau/d'arêtes** barrel/groined vault; **~ d'ogives** *or* **en ogive** *or* **sur croisée d'ogives** ogival vault; **~ en éventail** fan vaulting; **en ~** Archit vaulted; ▸ **clé**

(Composés) **la ~ céleste** gén the sky; liter the heavens; **~ crânienne** dome of the skull; **la ~ étoilée** liter the starry vault; **~ du palais** Anat roof of the mouth; **~ palatine** = **~ du palais**; **~ plantaire** Anat arch of the foot

voûté, ~e* /vute/

A *pp* ▸ **voûter**

B *pp adj* 1▸ Archit vaulted, arched; ▸ **cave**; 2▸ (courbé) [*personne*] stooping; [*dos*] bent; **il est ~** *or* **il a le dos ~** he has a stoop

voûter* /vute/ [1]

A *vtr* 1▸ Archit to vault [*pièce*]; 2▸ (courber) to give [sb] a stoop [*personne*]

B se voûter *vpr* [*personne*] to develop a stoop; [*dos*] to become bent

vouvoiement /vuvwamɑ̃/ *nm* using the 'vous' *ou* polite form

vouvoyer /vuvwaje/ [23]

A *vtr* to address [sb] using the 'vous' form

B se vouvoyer *vpr* to address one another using the 'vous' form

vox populi /vɔkspɔpyli/ *nf* vox populi

voyage /vwajaʒ/ *nm* (dans son ensemble) trip; (déplacement) journey; **notre ~ à Paris/au Japon/à l'étranger** our trip to Paris/to Japan/abroad; **lors de** *or* **à mon troisième ~** on my third trip; **partir en ~** to go on a trip; **être en ~** to be (away) on a trip; **j'ai fait cinq ~s pour transporter mes livres** I made five trips to move my books; **rentrer de ~** to come back from a trip *ou* journey; **le ~ de retour a été fatigant** the return journey was tiring; **j'ai fait le ~ aller en bateau** I made the outward journey by boat; **vous avez fait bon ~?** did you have a good journey?; **bon ~!** have a good trip *ou* journey!; **le ~ en train s'est mal passé** the train journey was terrible; **un ~ de 500 km** a 500 km journey; **faire un ~ en Italie/autour du monde** to go on a trip *ou* to travel to Italy/around the world; **aimer les ~s** to love travelling[GB]; ▸ **jeunesse**

(Composés) **~ d'affaires** business trip; **être en ~ d'affaires** to be on a business trip; **~ d'agrément** pleasure trip; **~ en groupe** tour; **~ d'études** study trip; **~ à forfait** inclusive tour; **~ de noces** honeymoon; **nous sommes en ~ de noces** we're on our honeymoon; **~ officiel** official trip; **~ organisé** package tour

(Idiome) **faire le grand ~** to pass away

voyager /vwajaʒe/ [13] *vi* to travel; **~ en train/voiture/avion** to travel by train/car/plane; **~ de nuit/de jour** to travel at night/by day; **~ pour affaires/pour son plaisir/pour une société** to travel on business/for pleasure/for a company; **ce vin ne voyage**

V

pas bien this wine doesn't travel well; **les bagages ont voyagé par le train** the luggage went by train; **récit qui vous fait ~ dans le temps/à travers l'histoire** story that takes you on a journey through time/through history

voyageur, -euse /vwajaʒœʀ, øz/
A *adj* liter **j'ai un frère ~** (qui aime voyager) I have a brother who likes travelling[GB]; (qui voyage beaucoup) I have a brother who travels a lot; **elle mène une existence voyageuse** she spends her life travelling[GB] around; **être d'humeur voyageuse** to have itchy feet
B *nm,f* **1** (passager) passenger; **les ~s en transit** transit passengers; **'réservé aux ~s munis de billets'** 'ticketholders only'; **2** (aventurier) traveller[GB]; **Marco Polo fut un grand ~** Marco Polo was a great traveller[GB]; **grand ~, mon oncle a parcouru le monde entier** a great traveller[GB], my uncle went all over the world
(Composé) **~ de commerce** travelling[GB] salesman

voyagiste /vwajaʒist/ ▸ **p. 532** *nmf* tour operator

voyance /vwajɑ̃s/ *nf* clairvoyance

voyant, ~e /vwajɑ̃, ɑ̃t/
A *adj* **1** (criard) [*couleur, robe*] loud; **2** (ostentatoire) [*train de vie*] ostentatious, showy
B *nm,f* **1** (extralucide) clairvoyant; **2** (qui y voit) sighted person; **les ~s** the sighted
C *nm* light; **~ d'huile** oil warning light; **~s d'un tableau de bord** Aut dashboard warning lights

voyelle /vwajɛl/ *nf* vowel; **~ ouverte/fermée** open/close vowel; **~ entravée/libre** checked/free vowel

voyeur, -euse /vwajœʀ, øz/ *nm,f* voyeur

voyeurisme /vwajœʀism/ *nm* voyeurism

voyou /vwaju/
A *adj inv* [*air*] loutish
B *nm* **1** (crapule) lout, yobbo○ GB, hoodlum○ US; **2** (chenapan) rascal

VPC *written abbr* ▸ **vente**

vrac: en vrac /ɑ̃vʀak/ *loc adv* **1** (non emballé) (au détail) loose, unpackaged; (en gros) in bulk; **2** (pêle-mêle) [*empilé*] higgledy piggledy○; **tout mettre en ~ dans un tiroir** to throw everything haphazardly into a drawer; **jeter ses idées en ~ sur le papier** to jot down one's ideas as they come

vrai, ~e /vʀɛ/
A *adj* **1** (conforme à la vérité) true; **c'est bien ~!** that's absolutely true!; **ce n'est que trop ~** it's only too true; **il n'en est pas moins ~ que...** it's nonetheless true that...; **~ de ~**○ absolutely true; **il n'y a rien de ~ dans ses déclarations** there's no truth in his statements; **c'est bien toi qui l'as pris, pas ~?** you took it, didn't you?; **j'ai bien le droit de plaisanter, pas ~?** I can have a joke if I like, can't I?; **son film ne montre pas le ~ Napoléon** his film doesn't show the real Napoleon; **2** (réel) true; **une histoire ~e** a true story; **ils avaient, il est ~, un avantage au départ** true, they had an advantage at the start; **aussi ~ que je vous voie maintenant** as true as I'm standing here; **la ~e raison de mon départ** the real reason for my leaving; **mais c'est pas ~!**○ I don't believe it!; **3** (authentique) real, genuine; [*jumeau*] identical; **un ~ diamant** a real diamond; **le ~ problème n'est pas là** that's not the real problem; **il n'a pas de ~s amis** he doesn't have any real friends; **un ~ Rembrandt** a genuine Rembrandt; **une ~e blonde** a natural blonde; **4** (intensif) real, veritable; **c'est un ~ miracle** it's a real *ou* veritable miracle; **un ~ petit Mozart** a real little Mozart; **c'est un ~ régal** it's a real delight; **c'est un ~ salaud**◑ he 's a real bastard◑; **la pièce est une ~e fournaise/glacière** the room is like an oven/a fridge; **ma vie est un ~ roman** my life is like something out of a novel; **5** (naturel) (*after n*) [*personnage, caractère*] true to life; [*sentiments, émotion*] true; **plus ~ que nature** [*tableau, scène*] larger than life (*après n*)
B *nm* truth; **il y a du ~ dans ce que tu dis** there's some truth in what you say; **on ne distingue plus le ~ du faux dans leur histoire** one can't tell fact from fiction in their story; **être dans le ~** to be in the right; **pour de ~** for real; **au ~** in truth; **à ~ dire, à dire ~** to tell the truth; **peut-être dit-il ~** he may be telling the truth; ▸ **prêcher**
C *adv* **faire ~** to look real; **parler ~** to speak plainly; **son discours sonne ~** his speech has the ring of truth

vraiment /vʀɛmɑ̃/ *adv* really; **il faut ~ être bête pour croire ça** one would have to be really stupid to believe that; **je ne veux pas ~ être président** I don't really want to be president; **je ne veux ~ pas être président** I really don't want to be president

vraisemblable /vʀɛsɑ̃blabl/
A *adj* (qui paraît vrai) [*excuse*] convincing, plausible; [*histoire, scénario*] plausible; (probable) likely; **il est ~ que** it is likely *ou* probable that; **peu ~** [*excuse*] not very convincing, quite unconvincing; [*histoire*] rather implausible; **ce qui me paraît peu ~ c'est** what strikes me as very unlikely is
B *nm* **nouvelles qui sont dans l'ordre du ~** news which is within the bounds of probability; **rester dans le ~** to keep within the bounds of credibility

vraisemblablement /vʀɛsɑ̃blabləmɑ̃/ *adv* probably; **'viendra-t-elle?'—'~ pas'** 'will she come?'—'probably not'; **ils ne signeront ~ pas ce traité** it seems unlikely that they will sign this treaty

vraisemblance /vʀɛsɑ̃blɑ̃s/ *nf* **1** (d'hypothèse) likelihood; (de situation, d'intrigue) plausibility; (d'explication) verisimilitude; **contre/selon toute ~** against/in all likelihood, against/in all probability; **2** Littérat, Théât verisimilitude

vraquier /vʀakje/ *nm* bulk carrier

vrille /vʀij/ *nf* **1** (spirale) spiral; Sport spiral; Aviat tailspin, spiral; **faire une ~ avant/arrière** Sport to do a forward/backward spiral; **se mettre en ~** [*avion*] to go into a tailspin; [*corde, ficelle*] to get twisted; **descendre en ~** [*avion*] to go into a spiral dive; **2** Bot tendril; **3** Tech gimlet

vrillé, ~e /vʀije/
A *pp* ▸ **vriller**
B *pp adj* **1** [*tige*] tendrilled[GB]; **2** [*fil*] twisted

vriller /vʀije/ [1]
A *vtr* [*percer*] to bore, to pierce [*bois*]
B *vi* **1** [*avion*] to spiral; **2** [*fil*] to twist, to become twisted
C **se vriller** *vpr* [*fil*] to twist

vrillette /vʀijɛt/ *nf* furniture beetle

vrombir /vʀɔ̃biʀ/ [3] *vi* **1** [*moteur*] (après une accélération) to roar; (en continu) to throb; **faire ~ un moteur** to rev up an engine; **2** [*mouche*] to buzz

vrombissement /vʀɔ̃bismɑ̃/ *nm* **1** (de moteur) roar ¢; **2** (de mouche) buzzing

vroum /vʀum/ *excl* brrmmm!

VRP /veɛʀpe/ *nm* (*abbr* = **voyageur représentant placier**) representative, rep○

VSL /veɛsɛl/ *nm* **1** (*abbr* = **véhicule sanitaire léger**) PTS ambulance, patient transport service ambulance; **2** Mil (*abbr* = **volontaire pour un service long**) *young person opting for extended military service*

VSN /veɛsɛn/ *nm* (*abbr* = **volontaire du service national**) *young person opting to work abroad in lieu of military service*

VSNA /veɛsɛna/ *nmf* (*abbr* = **volontaire du service national actif**) *young person opting for community service in lieu of military service*

VSOP /veɛsope/ *adj, nm* (*abbr* = **very superior old pale**) VSOP

VTC /vetese/ *nm* ▸ **vélo**

VTT /vetete/ *nm: abbr* ▸ **vélo**

vu, ~e /vy/
A *pp* ▸ **voir**
B *pp adj* **1** (considéré) **être bien ~** [*personne*] to be well thought of (**de** by); **être mal ~** [*personne*] not to be well thought of (**de** by); **c'est bien/mal ~ de faire cela** it's good/bad form to do that; **ce serait plutôt mal ~** it wouldn't go down well
2 (jugé) **bien ~!, c'est bien ~!** good point!; **c'est tout ~** my mind is made up
3 (compris) **~?, c'est bien ~?** got it○?
C *nm* fml **sur le ~ du dossier** from the file
D *prép* in view of; **~ leur âge/importance** in view of their age/importance
E **vu que** *loc conj* in view of the fact that
F **vue** *nf* **1** (vision) eyesight; **les troubles de la ~e** eye trouble; **avoir une bonne/mauvaise ~e** to have good/bad eyesight; **perdre/recouvrer la ~e** to lose/regain one's sight; **don de seconde** *ou* **double ~e** gift of second sight; **avoir la ~e basse** *ou* **courte** lit, fig to be short-sighted GB *ou* near-sighted US; **ça fatigue la ~e** it strains your eyes; **en ~e** [*personnalité*] prominent, high-profile○ (*épith*); **la côte/une solution est en ~e** the coast/a solution is in sight; **en ~e de la côte** within sight of the coast; **mettre une photo bien en ~e** to display a photo prominently; **chercher à se mettre en ~e** to try to get noticed; **c'est quelqu'un de très en ~e en ce moment** he's/she's very much in the public eye at the moment
2 (regard) sight; **à première ~e** at first sight; **connaître qn de ~e** to know sb by sight; **ne perds pas cet enfant de ~e** don't let that child out of your sight; **perdre qn de ~e** fig to lose touch with sb; **perdre qch de ~e** fig to forget sth; **le paysage qui s'offrait à la ~e** the landscape before us; **détourner la ~e** to avert one's eyes *ou* gaze (**de** from); **à ~e** [*tirer*] on sight; [*dessiner*] freehand; [*atterrir, piloter*] without instruments; Fin [*retrait*] on demand; [*dépôt*] at call; **payable à ~e** payable on demand *ou* sight
3 (panorama) view; **chambre avec ~e sur la mer** room with sea view; **vue imprenable** magnificent and protected view; **avoir ~e sur le square** [*pièce, personne*] to look out onto the square; **d'ici, on a une ~e plongeante sur la vallée** from here you get a bird's-eye view of the valley
4 (spectacle) sight; **s'évanouir à la ~e du sang** to faint at the sight of blood; **à ma ~e, il s'enfuit** he took to his heels when he saw me *ou* on seeing me
5 (dessin, photo) view (**de** of); **une ~e de la cathédrale** a view of the cathedral; **~e de face/de côté** front/side view; **un film de 12 ~es** Phot a 12 exposure film; ▸ **prise**
6 (façon de voir) view; **~es** views (**sur** on); **une ~e optimiste des choses** an optimistic view of things; ▸ **échange, point**
7 (projet) **~es** plans; (desseins) **avoir des ~es sur qn/qch** to have designs on sb/sth; **avoir qn en ~e** to have sb in mind; **j'ai un terrain en ~e** (je sais lequel conviendrait) I have a plot of land in mind; (je voudrais obtenir) I've got my eye on a piece of land; **avoir en ~e de faire qch** to have it in mind to do sth; **en ~e de qch/de faire qch** with a view to sth/to doing sth
8 Jur (ouverture) window
(Composés) **~e éclatée** exploded view; **~e d'ensemble** overall view; **ce n'est qu'une ~e de l'esprit** it's entirely imaginary
(Idiomes) **ni ~ ni connu**○ no-one will know; **pas ~ pas pris** it can't hurt if nobody knows; **au ~ et au su de tous** openly and publicly; **à ~e de nez**○ at a rough guess; **à ~e d'œil** before your very eyes; **vouloir en mettre** *or* **en jeter plein la ~e à qn** to try to dazzle *ou* impress sb

vulcain /vylkɛ̃/ *nm* Zool red admiral

Vulcain /vylkɛ̃/ *npr* Mythol Vulcan

vulcanisation /vylkanizasjɔ̃/ *nf* vulcanization

vulcaniser /vylkanize/ [1] *vtr* to vulcanize

vulcanologie /vylkanɔlɔʒi/ *nf* volcanology

vulcanologue /vylkanɔlɔg/ ▸ **p. 532** *nmf* volcanologist

vulgaire /vylgɛʀ/

A *adj* **1** (grossier) [*personne, propos*] vulgar, coarse; **2** (banal) ordinary; **un ~ chat/balai/iris** a common-or-garden cat/broom/iris; **comme un ~ délinquant** like a common delinquent; **c'est un ~ employé** he's just a lowly employee; **3** (courant) [*plante, nom*] common; **la langue ~** the vernacular; **explication en langue ~** explanation in simple language; **4** [*esprit, opinion*] common

B *nm* (grossièreté) vulgarity; **tomber dans le ~** to lapse into vulgarity

vulgairement /vylgɛʀmɑ̃/ *adv* **1** (sans raffinement) [*s'habiller*] in a common way; [*s'exprimer*] coarsely; **2** (dans la langue courante) [*appeler*] commonly; **la valériane, ~ appelée herbe aux chats** valerian, commonly known as catnip

vulgarisateur, -trice /vylgaʀizatœʀ, tʀis/

A *adj* [*revue*] for the general public (*après n*)

B *nm,f* popularizer

vulgarisation /vylgaʀizasjɔ̃/ *nf* popularization; **revue de ~ scientifique** scientific review for the general public

vulgariser /vylgaʀize/ [1]

A *vtr* (rendre accessible) to popularize [*science, technologie*]; to bring [sth] into general use [*expression*]

B se vulgariser *vpr* [*technologie*] to become generally accessible; [*expression*] to come into general use; **la culture vulgarisée** popular culture

vulgarisme /vylgaʀism/ *nm* vulgarism

vulgarité /vylgaʀite/ *nf* **1** (grossièreté) vulgarity, coarseness; **2** (banalité) ordinariness

Vulgate /vylgat/ *nf* **la ~** the Vulgate

vulgum pecus○ /vylgɔmpekys/ *nm* pej **le ~** the hoi-polloi

vulnérabilité /vylneʀabilite/ *nf* vulnerability

vulnérable /vylneʀabl/ *adj* **1** (exposé) lit, fig vulnerable (**à** to); **les cyclistes sont ~s en cet endroit** cyclists are vulnerable at that spot; **être ~ aux critiques/à la pollution** to be vulnerable to criticism/to pollution; **il est ~ à la gorge** his vulnerable point is his throat; **2** (au bridge) vulnerable

vulnéraire /vylneʀɛʀ/ *nf* kidney vetch

vulvaire /vylvɛʀ/

A *adj* Anat vulvar; ▸ **fourchette**

B *nf* Bot stinking goosefoot

vulve /vylv/ *nf* vulva

vulvite /vylvit/ ▸ **p. 283** *nf* vulvitis

V

Ww

w, **W** /dubləve/ *nm inv* 1 (lettre) w, W; 2 **W** (*written abbr* = **watt**) **60 W** 60 W; 3 **W3** WWW

wagnérien, **-ienne** /vagneʀjɛ̃, ɛn/ *adj*, *nm,f* Wagnerian

wagon /vagɔ̃/ *nm* 1 (pour matériel, animaux) wagon GB, car US; (pour personnes) carriage GB, car US; 2 (contenu) wagonload GB, carload US

(Composés) ~ **à bestiaux** cattle truck GB, cattle car US; ~ **couvert** covered goods wagon GB, freight car US; ~ **de marchandises** goods wagon GB, freight car US; ~ **plat** flat wagon GB, flatcar US; ~ **réfrigérant** refrigeration wagon GB, refrigeration car US

wagon-bar, *pl* **wagons-bars** /vagɔ̃baʀ/ *nm* buffet car

wagon-citerne, *pl* **wagons-citernes** /vagɔ̃sitɛʀn/ *nm* Rail tanker

wagon-lit, *pl* **wagons-lits** /vagɔ̃li/ *nm* sleeper, sleeping car US

wagonnet /vagɔnɛ/ *nm* trolley GB, cart US

wagon-poste, *pl* **wagons-postes** /vagɔ̃pɔst/ *nm* mail van GB, mail car US

wagon-restaurant, *pl* **wagons-restaurants** /vagɔ̃ʀɛstɔʀɑ̃/ *nm* restaurant car GB, dining car US

wahhabisme /waabism/ *nm* Wahhabism

Wahhabites /waabit/ *nmpl* Wahhabis

Walhalla /valala/ *nprm* Valhalla

walkie-talkie, *pl* **walkies-talkies** /wokitoki/ *nm* walkie-talkie

walkman® /wokman/ *nm* walkman®

walkyrie /valkiʀi/ *nf* 1 Mythol (déesse) Valkyrie; 2 hum (femme imposante) battleaxe[GB] hum

wallaby, *pl* **wallabies*** /walabi/ *nm* wallaby

wallon, **-onne** /walɔ̃, ɔn/ ▸ p. 483

A *adj* Walloon

B *nm* Ling Walloon

Wallon, **-onne** /walɔ̃, ɔn/ *nm,f* Walloon

> **Wallon**
>
> A regional Romance language spoken in southern Belgium (*Wallonie*) by approximately 1,120,000 *Wallons*. It belongs to the same linguistic family as the French language, and is sometimes considered a French dialect. *Wallon* should not be confused with Belgian French, which differs from the French of France in pronunciation and vocabulary only.

Wallonie /walɔni/ ▸ p. 721 *nprf* Walloon area of Belgium

wapiti /wapiti/ *nm* wapiti

warning /waʀniŋ/ *nm* hazard lights (*pl*)

warrant /vaʀɑ̃/ *nm* warehouse warrant

Warwickshire ▸ p. 721 *nprm* **le ~** Warwickshire

Washington /waʃiŋtɔn/ *npr* 1 ▸ p. 894 (ville) Washington DC; 2 ▸ p. 721 (État) **l'État de ~** Washington State

wassingue /vasɛ̃g/ *nf* floorcloth

wastringue /vastʀɛ̃g/ *nf* spokeshave

water-ballast, *pl* **~s** /watɛʀbalast/ *nm* ballast tank

water-closet, *pl* **~s** /watɛʀklɔzɛt/ *nm* water closet

water-polo* /watɛʀpɔlo/ ▸ p. 469 *nm* water polo

waters*○ /watɛʀ/ *nmpl* toilets

watt /wat/ *nm* watt

watt-heure, *pl* **watts-heures** /watœʀ/ *nm* watt-hour

wattmètre /watmɛtʀ/ *nm* wattmeter

WC /(dublə)vese/ *nmpl* toilet; **aller aux ~** to go to the toilet

Wear ▸ p. 721 *nprm* ▸ **Tyne**

Web /wɛb/ *nm* Web; **un site ~** a Web site

webcam /wɛbkam/ *nf* webcam

weber /vebɛʀ/ *nm* weber

weblog /wɛblɔg/ *nm* Internet weblog

webmestre /wɛbmɛstʀ/ ▸ p. 532 *nmf* webmaster

webtrotteur /wɛbtʀɔtœʀ/ *nm* web reporter, cyber-reporter

week-end, *pl* **~s*** /wikɛnd/ *nm* weekend

welter /vɛltɛʀ/ *adj*, *nm* welterweight

western /wɛstɛʀn/ *nm* western

western-spaghetti, *pl* **westerns-spaghettis** /wɛstɛʀnspagɛti/ *nm* spaghetti western

Westphalie /vɛstfali/ ▸ p. 721 *nprf* Westphalia

wharf /waʀf/ *nm* wharf

whisky, *pl* **whiskies*** /wiski/ *nm* (écossais) whisky, Scotch; (irlandais, américain) whiskey

whist /wist/ ▸ p. 469 *nm* whist

white-spirit /wajtspiʀit/ *nm* white spirit

wigwam /wigwam/ *nm* wigwam

wilaya /vilaja/ *nf* Admin department *in Algeria, Morrocco*

Wiltshire ▸ p. 721 *nprm* **le ~** Wiltshire

winch /winʃ/ *nm* winch

winchester /winʃɛstɛʀ/ *nf* (fusil) Winchester® rifle

Wisconsin /viskɔnsin/ ▸ p. 721 *nprm* Wisconsin

wishbone /wiʃbon/ *nm* Naut, Sport wishbone boom

wisigoth, **~e** /vizigo, ɔt/ *adj* Visigothic

Wisigoth, **~e** /vizigo, ɔt/ *nm,f* Visigoth

wisigothique /visigɔtik/ *adj* Visigothic

wolof /wɔlɔf/ *nm* Wolof

won /wɔn/ ▸ p. 48 *nm* won

Worcester ▸ p. 721 *nprm* ▸ **Hereford**

Worcestershire ▸ p. 721 *nprm* **le ~** Worcestershire

Wyoming /wajomiŋ/ ▸ p. 721 *nprm* Wyoming

x, **X** /iks/ *nm inv* 1 (lettre) x, X; ▸ **rayon**; 2 Math (inconnue) x; **j'ai fait le trajet x plus une fois** I've done the journey innumerable times; **il y a x temps que c'est fini** it's been over for ages; 3 (pour désigner un inconnu) **X, Monsieur X** X, Mr X; **porter plainte contre X** Jur to take an action against person or persons unknown; **né sous ~** born to an unknown mother; **accoucher sous ~** to give birth anonymously (*and abandon one's baby*); 4 °Univ **l'X** the École Polytechnique; **un X** (élève) a graduate of the École Polytechnique; 5 Cin **film classé X** pornographic movie

xénogreffe /gzenɔgʀɛf/ *nf* xenotransplant

xénon /ksenɔ̃/ *nm* xenon

xénophobe /gzenɔfɔb/
A *adj* xenophobic
B *nmf* xenophobe

xénophobie /gzenɔfɔbi/ *nf* xenophobia

Xénophon /gzenɔfɔ̃/ *npr* Xenophon

xénotransplantation /gzenɔtʀɑ̃splɑ̃tasjɔ̃/ *nf* xenotransplantation

xérès /kseʀɛs/ *nm inv* sherry

xérophyte /kseʀɔfit/ *nf* xerophyte

Xerxès /gzɛʀsɛs/ *npr* Xerxes

XML /iksɛmɛl/ *nm* (*abbr* = **eXtensible Markup Language**) XML

xylographe /ksilɔgʀaf/ *nm* xylographer

xylographie /ksilɔgʀafi/ *nf* 1 (art) xylography; 2 (œuvre) xylograph

xylographique /ksilɔgʀafik/ *adj* xylographic

xylophage /ksilɔfaʒ/ *adj* xylophagous

xylophène® /ksilɔfɛn/ *nm* wood preservative

xylophone /ksilofɔn/ ▸ **p. 557** *nm* xylophone

y[1], **Y** /igʀɛk/ *nm inv* (lettre) y, Y
y[2] /i/ *pron*

> ⚠ Les expressions comme *y rester, il y a* seront traitées sous le verbe.
> Lorsque *y* met en relief un groupe exprimé, on ne le traduit pas: *tu y vas souvent, à Londres*○*?* = do you often go to London?; *je n'y comprends rien, moi, aux échecs*○ = I don't understand anything about chess.
> Lorsque *y* ne remplace aucun groupe identifiable, on ne le traduit pas: *c'est plus difficile qu'il n'y paraît* = it's harder than it seems; *je n'y vois rien* = I can't see a thing.

① (à ça) **rien n'~ fait** it's no use; **elle n'~ peut rien** there's nothing she can do about it; **j'~ viens** I'm coming to that point; **tu n'~ arriveras jamais** you'll never manage; **tu ~ crois?** do you believe it?; **je vais m'~ mettre demain** I'll start tomorrow; **je n'~ comprends rien** I don't understand a thing; **il n'~ connaît rien** he knows nothing about it; **j'~ pense parfois** I sometimes think about it; **tu sais ~ jouer?** can you play?; **tu t'~ attendais?** were you expecting it?; **elle n'a rien à ~ perdre** she's got nothing to lose; **tu ~ as gagné** you got the best deal; ② (là) there; **j'~ serai en août** I'll be there in August; **elle ~ mange parfois** she sometimes goes there to eat; **n'~ va pas** don't go; **j'~ suis allé hier** I went yesterday; ③ ◑(à lui, à elle) **dis-~** tell him/her; **parles-~** talk to him/her; **coupes-~ les cheveux** cut his/her hair; ④ ◑(il, ils) he/they; **~ vient?** is he coming?; **~ comprennent pas** they don't understand; ⑤ ◑(il) **c'est-~ pas dommage qu'~ pleuve?** what a pity it's raining!; **c'est-~ pas gentil!** how nice!; ⑥ (avec le verbe avoir) **des pommes? il n'y en a plus/pas** apples? there are none left/none; **du vin? il n'y en a plus/pas** wine? there's none left/none; **quand ~ en a plus, ~ en a encore**○ there's always more where that came from; **il n'~ a qu'à téléphoner, ~ a qu'à téléphoner**○ just phone; **'il n'~ a qu'à le repeindre!'—'~ a qu'à**○**, c'est facile à dire!'** 'all you have to do is repaint it!'—'just repaint it! easier said than done!'

(Idiome) **~ mettre du sien** to work at it

yacht /ˈjɔt/ *nm* yacht
yacht-club, *pl* **~s** /ˈjɔtklœb/ *nm* yacht club
yachting /ˈjɔtiŋ/ ▸ **p. 469** *nm* yachting; **faire du ~** to go yachting
yachtman†, *pl* **yachtmen*** /ˈjɔtman, mɛn/ *nm* yachtsman
ya(c)k* /ˈjak/ *nm* yak
yakusa /jakyza/ *nm* yakuza
Yamoussoukro /ˈjamusukʀo/ ▸ **p. 894** *npr* Yamoussoukro
yang /ˈjɑ̃g/ *nm* yang
yankee /ˈjɑ̃ki/ *adj, nmf* Yankee
Yaoundé /ˈjaunde/ ▸ **p. 894** *npr* Yaoundé
yaourt /ˈjauʀ(t)/ *nm* ① Culin yoghurt; **~ nature/aromatisé/aux fruits** natural/flavoured[GB]/fruit yoghurt; ② ○(langue) children's slang
yaourtière /ˈjauʀtjɛʀ/ *nf* yoghurt-maker
yard /ˈjaʀd/ ▸ **p. 498** *nm* yard
yatagan /ˈjatagɑ̃/ *nm* yataghan
yearling /ˈjœʀliŋ/ *nm* yearling
Yémen /ˈjemɛn/ ▸ **p. 333** *nprm* Yemen; **~ du Nord/Sud** Hist North/South Yemen
yéménite /ˈjemenit/ ▸ **p. 561, p. 483** *adj* Yemeni
Yéménite /ˈjemenit/ ▸ **p. 561** *nmf* Yemeni
yen /ˈjɛn/ ▸ **p. 48** *nm* yen
yéti /ˈjeti/ *nm* yeti
yeuse /ˈjøz/ *nf* holm oak
yeux *nmpl* ▸ **œil**
yé-yé*, *pl* **~s** /ˈjeje/
A *adj inv* sixties (*épith*)
B *nm* ① (musique) **le ~** *French version of rock 'n' roll in the 60s*; ② (chanteur) **les ~s** French 60s rock stars
yiddish* /ˈjidiʃ/ ▸ **p. 483** *adj inv, nm* Yiddish
yin /ˈjin/ *nm* yin
ylang-ylang /ˈilɑ̃ilɑ̃/ *nm* ylang-ylang
yod /ˈjɔd/ *nm* Ling yod
yodler /ˈjɔdle/ [1] *vi* to yodel
yoga /ˈjɔga/ ▸ **p. 469** *nm* yoga; **faire du ~** to do yoga
yoghourt* /ˈjɔguʀ(t)/ *nm* = **yaourt**
yogi /ˈjɔgi/ *nm* yogi
yole /ˈjɔl/ *nf* skiff
Yom Kippour /ˈjɔmkipuʀ/ *nprm* Yom Kippur
Yonne /jɔn/ ▸ **p. 372, p. 721** *nprf* (rivière, département) **l'~** the Yonne
Yorkshire ▸ **p. 721** *nprm* **le ~** Yorkshire; **le North/South/West ~** North/South/West Yorkshire
yougoslave /ˈjugɔslav/ ▸ **p. 561** *adj* Yugoslavian
Yougoslave /ˈjugɔslav/ ▸ **p. 561** *nmf* Yugoslav
Yougoslavie /ˈjugɔslavi/ *nprf* Yugoslavia
youpi○ /ˈjupi/ *excl* yippee!
youpin◑, **~e** /ˈjupɛ̃, in/ *adj, nm,f* offensive yid◑ injur
yourte /ˈjuʀt/ *nf* yurt
youyou /ˈjuju/ *nm* ① (cri) ululation sout; ② (embarcation) dinghy
yo-yo*® /ˈjojo/ *nm inv* ① (jouet) yoyo®; ② Méd grommet, ventilating tube
ypérite /ipeʀit/ *nf* yperite
ytterbium /itɛʀbjɔm/ *nm* ytterbium
yttrium /itʀijɔm/ *nm* yttrium
yuan /ˈjuan/ ▸ **p. 48** *nm* yuan
yucca /ˈjuka/ *nm* yucca
Yukon /ˈjykɔ̃/ ▸ **p. 372, p. 721** *nprm* **le ~** the Yukon; **Territoire du ~** Yukon territory
Yvelines /ivlin/ ▸ **p. 721** *nprfpl* (département) **les ~** Yvelines

Zz

z, Z /zɛd/ *nm inv* z, Z

z'◑ /z/ *particule de liaison* **(y) z'arrivent** they're coming

ZAC /zak/ *nf: abbr* ▸ **zone**

Zacharie /zakaʀi/ *npr* Zacharias

ZAD /zad/ *nf: abbr* ▸ **zone**

zain /zɛ̃/ *adj m* [*cheval*] whole-coloured^GB

Zaïre /zaiʀ/ ▸ **p. 333** *nprm* Zaïre

zaïrois, ~e /zaiʀwa, az/ ▸ **p. 561** *adj* Zairean

Zaïrois, ~e /zaiʀwa, az/ ▸ **p. 561** *nm,f* Zairean

zakouski* /zakuski/ *nmpl* zakuski

Zambèze /zɑ̃bɛz/ ▸ **p. 372** *nprm* **le ~** the Zambezi

Zambie /zɑ̃bi/ ▸ **p. 333** *nprf* Zambia

zambien, -ienne /zɑ̃bjɛ̃, ɛn/ ▸ **p. 561** *adj* Zambian

Zambien, -ienne /zɑ̃bjɛ̃, ɛn/ ▸ **p. 561** *nm,f* Zambian

Zanzibar /zɑ̃zibaʀ/ ▸ **p. 435** *nprf* Zanzibar

zapper /zape/ [1] *vi* (à la télévision) to channel-flick, to flick through the channels, to change channels

zappette○ /zapɛt/ *nf* zapper○, TV remote control

zappeur○**, -euse** /zapœʀ, øz/ *nm,f* [1] TV channel-hopper; [2] fig fickle customer

zapping○ /zapiŋ/ *nm* [1] TV channel-hopping; [2] fig brand-switching

zazou /zazu/ *nm: eccentric young jazz lover during World War II*

zèbre /zɛbʀ/ *nm* [1] zebra; [2] ○fig bloke○ GB, guy○ US; **un drôle de ~** an odd bloke, a weird guy

zébré /zebʀe/ *adj* [*tissu*] zebra-striped; **~ de** streaked with; **ciel ~ d'éclairs** sky streaked with lightning

zébrure /zebʀyʀ/ *nf* stripe

zébu /zeby/ *nm* zebu

zef◑ /zɛf/ *nm* wind; **il y a du ~** it's windy

Zélande /zelɑ̃d/ *nprf* Zealand

zélateur, -trice /zelatœʀ, tʀis/ *nm,f* liter zealot; **~ de qn/qch** supporter of sb/sth

zèle /zɛl/ *nm* zeal, enthusiasm; **avec ~** enthusiastically, with zeal *ou* enthusiasm; **sans faire de ~** without zeal *ou* enthusiasm; **faire du ~** *or* **de l'excès de ~** to be overzealous, to overdo it; **pousser le ~ jusqu'à faire qch** to go so far as to do sth

zélé, ~e /zele/ *adj* enthusiastic, zealous

zélote /zelɔt/ *nm* Hist Zealot

zen /zɛn/
[A] *adj inv* [1] lit zen; [2] ○fig mellow, laid-back
[B] *nm* zen

zénana /zenana/ *nm* zenana

zénith /zenit/ *nm* lit, fig zenith; **à son ~** [*soleil*] in the *ou* at its zenith; [*carrière*] at its height; **être au ~ de qch** to be at the zenith sout *ou* height of sth

zénithal, ~e, *mpl* **-aux** /zenital, o/ *adj* [*distance*] zenithal; [*lumière*] of the zenith (*après n*)

ZEP /zɛp/ *nf* (*abbr* = **zone d'éducation prioritaire**) *area earmarked for special educational assistance*, cf Education Action Zone GB

> **ZEP**
>
> The term *ZEP* refers to schools in deprived, usually urban, settings which are earmarked for special state support. The decision to categorize a school as a *ZEP* lies with the *académie* which can release additional funding to finance special-needs education. There is usually a high percentage of pupils with both learning difficulties and behavioural problems in attendance. Special educational needs include psychological support, speech therapy, psychomotor skills, and the additional work this represents for staff is remunerated.

ZFU /zɛdefy/ *nf* (*abbr* = **Zone Franche Urbaine**) *deprived urban area*

zéphyr /zefiʀ/ *nm* liter zephyr

zeppelin /zɛplɛ̃/ *nm* zeppelin

zéro /zeʀo/ ▸ **p. 568**
[A] *adj num* [1] (avant nom) **~ heure** midnight, twenty-four hundred (hours); **il sera exactement ~ heure vingt minutes dix secondes** the time will be twelve twenty and ten seconds; **les enfants de ~ à six ans** children from nought to six years old; **j'ai eu ~ faute dans ma dictée** I didn't make a single mistake in my dictation; **'~ défaut, ~ délai, ~ stock, ~ panne'** 'zero defect, zero delay, zero stock, zero breakdown'; [2] (après nom) zero; **niveau/croissance ~** zero level/growth; **le numéro ~ d'un journal** the trial issue of a newspaper
[B] *nm* [1] (chiffre) zero, nought GB; **falsifier un chiffre en ajoutant un ~** to falsify a figure by adding a nought GB *ou* zero; **le prix se termine par un ~** the price ends in a nought GB *ou* zero; [2] (sur une échelle de valeurs) zero; **croissance proche de ~** growth that is near zero; **remettre un compteur à ~** to reset a counter at *ou* to zero, to zero a counter; **remettre les compteurs à ~** fig to make a fresh start; **40 degrés en dessous de ~** 40 degrees below zero; **avoir le moral à ~** fig to be down in the dumps○; **croître de ~ à la valeur V** to increase from zero to value V; **tendre vers ~** to tend toward(s) zero; [3] (évaluation) zero, nought GB; **avoir un ~ en latin** to get zero *ou* nought in Latin; **c'est beau à regarder mais question goût c'est ~**○ it's nice to look at, but no marks for flavour^GB; [4] (en sport) gén nil, nothing; (au tennis) love; **gagner trois (buts) à ~** to win three nil; **l'emporter par deux sets à ~** to win by two sets to love

(Composés) **~ absolu** absolute zero; **~ de conduite** bad mark for behaviour^GB; **~ pointé** fail mark GB *ou* grade US

(Idiomes) **les avoir à ~**◑ to be scared shitless◑ *ou* stiff○; **partir de ~** to start from scratch; **repartir de ~** to start from scratch again, to go (right) back to square one; **tout reprendre à ~** to start all over again; **avoir la boule à ~**○ to have a shaven head

zeste /zɛst/ *nm* [1] (écorce) zest ₵; **un ~ de citron** the zest of a lemon; [2] fig **un ~ de chance** a bit of luck; **un ~ de provocation** a touch of provocation

zêta* /dzɛta/ *nm inv* zeta

zeugme /zøgm/ *nm* zeugma

Zeus /zøs/ *npr* Zeus

zézaiement /zezɛmɑ̃/ *nm* lisp

zézayer /zezeje/ [21] *vi* to lisp

zibeline /ziblin/ *nf* sable; **un manteau de ~** a sable coat

zieuter○ /zjøte/ [1] *vtr* to get a load of○, take a look at

zigomar○ /zigɔmaʀ/ *nm* pej guy○

zigoto○ /zigɔto/ *nm* guy○; **un drôle de ~** a funny guy; **faire le ~** to clown around

zigouiller◑ /ziguje/ [1] *vtr* to bump [sb] off○, to kill; **se faire ~** to get bumped off○

zigue○ /zig/ *nm* guy○

zigzag /zigzag/ *nm* zigzag; **une route en ~** a winding road; **faire des ~s** to zigzag (**parmi** through); **partir en ~s** to zigzag off

zigzaguer /zigzage/ [1] *vi* to zigzag

Zimbabwe /zimbabwe/ ▸ **p. 333** *nprm* Zimbabwe

zimbabwéen, -éenne /zimbabweɛ̃, ɛn/ ▸ **p. 561** *adj* Zimbabwean

Zimbabwéen, -éenne /zimbabweɛ̃, ɛn/ ▸ **p. 561** *nm,f* Zimbabwean

zinc /zɛ̃g/ *nm* [1] zinc; **toiture de ~** tin roofing; [2] ○(comptoir) counter, bar; [3] ○(avion) plane

zinguer /zɛ̃ge/ [1] *vtr* to cover [sth] with zinc [*toiture*]

zingueur /zɛ̃gœʀ/ ▸ **p. 532** *nm* roofer

zinnia /zinja/ *nm* zinnia

zinzin○ /zɛ̃zɛ̃/
[A] *adj inv* cracked○; **elle est un peu ~** she's a bit cracked○ *ou* a bit of a nut○
[B] *nmf* (personne) lunatic, nut○
[C] *nm* thingummy○ GB, thingamajig○

zip /zip/ *nm* [1] (fermeture à glissière) zip GB, zipper US; [2] Ordinat zip; **fichier ~** zip file

Zip® /zip/ *nm* Zip®; **disquette ~** Zip® disk; **lecteur ~** Zip® drive

zippé, ~e /zipe/
[A] *pp* ▸ **zipper**
[B] *adj* [*sac, blouson*] zip-up (*épith*)

zipper /zipe/ [1] *vtr* to zip, to zip up

zircon /ziʀkɔ̃/ *nm* zircon

zirconium /ziʀkɔnjɔm/ *nm* zirconium

zizanie /zizani/ *nf* ill-feeling, discord; **semer la ~** to stir up ill-feeling, sow discord sout

zizi○ /zizi/ *nm* willy○ GB, wiener○ US, penis

zloty /zlɔti/ ▸ **p. 48** *nm* zloty

zob● /zɔb/ *nm* prick●, penis

zodiac® /zɔdjak/ *nm* Naut inflatable dinghy

zodiacal, ~e, *mpl* **-aux** /zɔdjakal, o/ *adj* [*lumière*] zodiacal; [*signe*] of the zodiac (*après n*)

zodiaque /zɔdjak/ *nm* zodiac

zoé /zɔe/ *nf* zoea

zombie /zɔ̃bi/ *nm* zombie

zona /zona/ ▸ **p. 283** *nm* shingles ₵, herpes zoster spéc; **avoir un ~** to have shingles

zonage /zonaʒ/ *nm* zoning

zonard○**, ~e** /zonaʀ, aʀd/ *nm,f* pej drop-out○

ℹ Les signes du zodiaque

		signe		personnes	date
Bélier	=	Aries	['eəri:z]	Arians	Mar 21–Apr 20
Taureau	=	Taurus	['tɔ:rəs]	Taureans	Apr 21–May 20
Gémeaux	=	Gemini	['dʒemɪnaɪ,-nɪ:]	Geminis	May 21–Jun 21
Cancer	=	Cancer	['kænsə(r)]	Cancerians	Jun 22–July 22
Lion	=	Leo	['li:əʊ]	Leos	July 23–Aug 22
Vierge	=	Virgo	['vɜ:gəʊ]	Virgos *ou* Virgoans	Aug 23–Sept 22
Balance	=	Libra	['li:brə]	Libras	Sept 23–Oct 23
Scorpion	=	Scorpio	['skɔ:pɪəʊ]	Scorpios	Oct 24–Nov 21
Sagittaire	=	Sagittarius	[,sædʒ'teərɪəs]	Sagittarians	Nov 22–Dec 21
Capricorne	=	Capricorn	['kæprɪ'kɔ:n]	Capricorns	Dec 22–Jan 19
Verseau	=	Aquarius	[a'kweərɪəs]	Aquarians	Jan 20–Feb 18
Poissons	=	Pisces	['paɪsi:z]	Pisceans	Feb 19–Mar 20

■ *Dans les expressions suivantes,* Lion *est pris comme exemple; tous les autres signes s'utilisent de la même façon.*

je suis Lion
= I'm Leo *ou* I'm a Leo

je suis Gémeaux
= I'm a Gemini

né sous le signe du Lion
= born under the sign of Leo *ou* born in Leo

les Lions/Cancers sont très généreux
= Leos/Cancerians are very generous

que dit l'horoscope pour les Lions?
= what's the horoscope for Leo?

zone /zon/ *nf* **1** (secteur) zone, area; ~ **de radiation/combat** radiation/combat zone; ~ **de pêche** fishing zone; ~ **de cultures** agricultural area; ~ **de turbulences** Météo area of turbulence; ~ **interdite** no-go area GB, off-limits area; (sur un panneau) no entry; **2** fig (domaine) area; ~ **de recherche** area of research; ~ **floue/d'ombre** blurred/shady area; **3** (banlieue pauvre) **la** ~ the slum belt; **de seconde** ~ second-rate

(Composés) ~ **d'activités** business park; ~ **d'aménagement concerté**, **ZAC** Admin integrated development zone; ~ **d'aménagement différé**, **ZAD** Admin area set aside for development; ~ **artisanale** small industrial estate GB *ou* park; ~ **bleue** Aut restricted parking zone; ~ **de chalandise** Admin, Comm catchment area; ~ **de données** Ordinat data field; ~ **d'environnement protégé** environmental protection zone; ~ **érogène** Physiol erogenous zone; ~ **euro** Euro Zone; ~ **d'exclusion aérienne** Mil no-fly zone; ~ **franc** Fin franc area; ~ **franche** Écon free zone; ~ **frontière** border area; ~ **industrielle** industrial estate GB *ou* park US; ~ **d'influence** Pol sphere *ou* area of influence; ~ **libre** Hist unoccupied France; ~ **de libre-échange** Écon free-trade area; ~ **monétaire** Fin monetary area; ~ **occupée** Hist occupied France; ~ **postale** Postes postal area *ou* zone GB, zone of improved postage, ZIP US; ~ **de saisie** Ordinat search box; ~ **sensible** lit potential trouble-spot; fig potential trouble area; ~ **sinistrée** Admin disaster area; ~ **tampon** Mil, Pol buffer zone; ~ **à urbaniser en priorité**, **ZUP** priority development area

zoner○ /zone/ [1] *vi* to hang about○ *ou* around○

zoo /zo/ *nm* zoo

zoologie /zɔɔlɔʒi/ *nf* zoology

zoologique /zɔɔlɔʒik/ *adj* zoological

zoologiste /zɔɔlɔʒist/ ▸ **p. 532** *nmf* zoologist

zoom /zum/ *nm* **1** Phot (objectif) zoom lens; **2** Cin zoom; **un** ~ **avant/arrière** a zoom in/out

zoonose /zɔɔnoz/ *nf* zoonosis

zoophilie /zɔɔfili/ *nf* zoophilia

zooplancton /zɔɔplɑ̃ktɔ̃/ *nm* zooplankton

zootechnicien, -ienne /zɔɔtɛknisjɛ̃, ɛn/ ▸ **p. 532** *nm,f* animal technician

zou○ /zu/ *excl* **allez** ~! (va-t-en) go on, out!; (dépêche-toi) hurry up

zouave /zwav/ *nm* **1** ○(clown) clown, comedian; **faire le** ~ to play the fool GB, to clown around○; **2** (soldat) zouave

Zoug /zug/ ▸ **p. 721** *npr* **le canton de** ~ the canton of Zug

zouk /zuk/ *nm* zouk (*type of Caribbean music and dance*)

zouker /zuke/ *vi* to dance to zouk music

zoulou, ~e /zulu/ ▸ **p. 483**
A *adj* Zulu
B *nm* Zulu

Zoulou /zulu/ *nm* Zulu

zozo○ /zozo/ *nm* ninny○ GB, jerk○ US

zozoter /zɔzɔte/ [1] *vi* to lisp

ZUP /zyp/ *nf*: *abbr* ▸ **zone**

Zurich /zyʀik/ *npr* **1** ▸ **p. 894** (ville) Zurich; **2** ▸ **p. 721** (région) **le canton de** ~ (the canton of) Zurich; **le lac de** ~ Lake Zurich

ZUS /zys/ *nf* (*abbr* = **Zone Urbaine Sensible**) *urban regeneration area*

zut○ /zyt/ *excl* damn○!

zyeuter○ = **zieuter**

zygoma /zigɔma/ *nm* zygoma

zygomatique /zigɔmatik/ *adj, nm* zygomatic

(Idiome) **titiller le** ~ **de qn**○ to make [sb] laugh

zygote /zigɔt/ *nm* zygote

zyzomys /zizɔmis/ *nm inv* zyzomys, rock rat

Communication mode d'emploi
Guide to effective communication

Effective French

Introduction

This guide aims to provide basic guidelines for writing good French and covers general conventions, some differences between French and English, and a few things that should be avoided.

General points

Varieties of French

As is the case with English, there are many varieties or registers of French, from the very formal style of official documents to the trendy insider slang of internet blogs. It is important to be aware of this and to choose the level of language appropriate to the context in which you are writing. As general rule, the French used in essays, articles, and reports tends to be rather more formal than English. But the essential thing is to make sure that you use the language in such a way as to convey what you want to say as clearly and as readably as possible. When in doubt as to spelling, register, or usage, always take the time to consult the dictionary.

Standard French

Unless marked otherwise, the words, examples, and idioms in this dictionary belong to standard French, which is the level of language appropriate to most situations, whether written or spoken. It is the French that you will find used in commerce, the media and most printed matter.

Formal and literary language

As with English, again formal French constitutes a relatively restricted sub-group of the language. Careful writers of English generally tend to avoid over-using formal and literary terms as they can sound pompous and even unintentionally humorous. An English-speaker reading an official letter or a memo written in French will often find the tone very formal. In this respect one only has to think of the conventions used for signing a letter in French, which to an English speaker can seem flowery and affected. However, it is as well not to feel intimidated by the tendency of French towards the formal and, outside the conventions of polite letter-writing, to stick to a simple, straightforward style.

Informal language

French is rich in informal terms and turns of phrase that are used in almost every area of everyday life. Non-French people living and working in France are generally widely exposed to informal language through contact with their French contemporaries or colleagues. This is a situation to be wary of as newcomers to the culture will not have the natural sensitivity of a native speaker when it comes to knowing what type of vocabulary to use when and where. This can easily cause offence. It is a good idea to be aware of this (a foreigner offends more easily than a native speaker) and certainly to refrain entirely from using informal French when writing essays, reports, memos etc.

Tone: personal versus impersonal

In articles, reports, and memos, the tone should be as impersonal as possible. In academic articles, it is still more common to find the first person plural pronoun **nous** used in French, even when only one person is writing. In English, **we** used to be used in this way but has now been more or less replaced by the singular pronoun **I**. A single individual writing a report on a situation in French will, however, use **je**.

In English, the passive is often used to convey information in an objective way. The passive is much less widely used in French, as it tends to sound formal and dated, even sometimes archaic. Here it is worth remembering the very handy impersonal pronoun **on**, so for example the English *when the figures are examined closely* might be rendered as *quand on examine les chiffres de près*.

Punctuation

French punctuation conventions do not differ greatly from English, the most striking difference being that French leaves a space before question marks, exclamation marks, colons, and semi-colons, so *quelle surprise !* and *où habite-t-il ?* French also uses «...» where you might expect to find "..." for direct speech.

Writing essays and reports in French

General remarks

Reports, essays, dissertations, etc are conventionally much more tightly structured in French than in English. In English, a well written report consists of a series of paragraphs, each clearly titled, often opening with a sentence or two summarizing the content, then expanded through a number of bulleted or numbered points. It is left to the reader to infer the logical links between one paragraph and the next. The French find the English style of report-writing frustrating and irritating. It is, says one writer, perhaps characteristically making a culinary analogy, like eating a meal without knowing the menu.

The plan

In view of the above, a well ordered plan is essential. The plan will lay out the following stages:

- **The introduction:** what is the starting point of the report and what is the desired end point? In brief terms, what are the stages of the report?
- **Part 1 of the report:** sets out the situation, establishes the observed facts and states what is known
- **Part 2:** discusses and questions the observations of Part 1.
- **Part 3:** makes conclusions and suggests solutions
- **The conclusion:** pulls the threads of the argument together in relation to the stages proposed in the introduction.

This is a safe method and has the great advantage of helping the writer to structure his or her ideas. The basic outline is *Situation, Analysis, Proposition*.

A few tips

- From the very start, including the plan, do all your writing—and as far as possible your thinking—in French. Working from English will land you in trouble very quickly.
- Formulate your title, which should be simple and direct in order to engage the interest of your reader or listener.

L'anglais efficace

Introduction

Ce guide a pour objectif de vous donner les notions essentielles pour bien rédiger en anglais ; vous y trouverez les conventions d'usage, quelques différences notoires avec le français et les maladresses ou les erreurs qu'il faut éviter.

Points généraux

Variétés d'anglais

Il existe plusieurs niveaux de langue en anglais, depuis le style très soutenu des documents officiels jusqu'à la langue spontanée et truffée d'argot des initiés d'un blog ; il est important de toujours y être attentif et d'adapter son style au contexte. L'essentiel, dans toutes les situations, est que le texte soit clair et lisible et qu'il transmette le message désiré de la façon la mieux adaptée.

L'anglais 'standard'

Quand ils ne comportent pas d'indications particulières, les mots, les sens d'un mot, les exemples et les expressions idiomatiques qui figurent dans ce dictionnaire appartiennent à l'anglais « standard », qui est le niveau de langue généralement approprié à la plupart des situations orales ou écrites. C'est l'anglais du monde du commerce, des médias et de l'édition, entre autres.

Le vocabulaire soutenu ou littéraire

À l'instar du français, le niveau de langue soutenu constitue un sous-groupe relativement restreint de la langue anglaise. Un emploi inapproprié de ce vocabulaire peut être perçu comme pompeux ou même prêter à sourire. Dans le monde anglophone, les articles de journaux sérieux ou spécialisés sont rédigés dans une langue moins formelle qu'en français ; de même, il est préférable d'employer un niveau de langue « normal » lors de la rédaction d'une dissertation, d'un compte rendu ou d'un article en anglais. Voici quelques mots de la langue soutenue avec leurs équivalents en anglais « standard » :

soutenu		**standard**
abjure	→	*renounce*
comestible	→	*edible*
expedite	→	*hasten*
grandiloquent	→	*pompous*
opine	→	*state an opinion*
mendacious	→	*lying*
parsimonious	→	*mean*
preponderant	→	*dominating*
sojourn	→	*stay*
vitiate	→	*spoil*

L'anglais familier

Si l'anglais est souvent employé de façon moins formelle que le français, quelques précautions sont néanmoins à observer. Les francophones qui vivent et/ou travaillent dans un pays anglophone sont entourés dans leur vie quotidienne d'amis et de collègues qui parlent une langue parfois très familière, parsemée d'expressions argotiques ou inconvenantes. En n'étant pas suffisamment sensible aux niveaux de langue, on risque de blesser ou d'offenser quelqu'un sans le vouloir. Il est donc recommandé d'utiliser l'anglais « standard » dans le monde du travail—et dans toute communication par écrit, à l'exception peut-être des courriels aux amis proches.

Le ton : personnel ou impersonnel

Dans une dissertation, une note de synthèse et toute correspondance commerciale, il est conseillé d'adopter un style impersonnel en présentant les données de façon objective. Dans les thèses et les articles universitaires, l'usage qui était d'utiliser le pronom « we » au lieu de « I » pour exprimer une opinion cède aujourd'hui la place à des phrases du type « *I will now analyse each of the extracts* ».

En revanche, il est conseillé de rédiger les notes de synthèse à la voix passive, très employée en anglais : *the plants were subjected to gradual cooling* au lieu de *I/we subjected the plants to gradual cooling.*

La ponctuation et l'apostrophe

En général, la ponctuation s'utilise de la même manière qu'en français, à quelques exceptions près :

- on ne laisse pas d'espace avant le point d'interrogation, le point d'exclamation, les deux points et le point-virgule.

L'apostrophe représente souvent un problème pour les francophones :

- l'apostrophe de possession : **'s** est le marqueur du cas possessif d'un substantif animé au singulier, des prénoms et des noms de famille : *my daughter's boyfriend, the cat's whiskers, Caroline's office, Eric Brown's house.*
  Les cas où l'on peut employer l'apostrophe avec un substantif inanimé sont rares et il vaut mieux les éviter (*the legs of the chair* ou *the chair legs* plutôt que *the chair's legs*).
- Le **'s** est également le marqueur du cas possessif d'un substantif animé au pluriel, si sa forme est irrégulière (ne se forme pas avec **s**) : *women's rights, the children's school.*
- Pour les pluriels réguliers, le possessif se forme en **-s'** : *the girls' school, the Smiths' dog.*
- Faites bien la différence entre **its**, le cas possessif du pronom **it**, et **it's**, la forme contractée de **it is**.
- De même, **he's** est la forme contractée de **he is**, tandis que **his** correspond au cas possessif du pronom **he** (comme dans *this book is his* (*ce livre est à lui, ce livre est le sien*). **She's** est la forme contractée de **she is** et se distingue de **hers**, le cas possessif du pronom **her**.
- On distingue donc **she's**, **he's**, **it's** (*elle est, il est, c'est*), formes contractées de **she is**, **he is** et **it is**, de **hers**, **his**, **its** (pouvant vouloir dire *le sien, la sienne, les siens, les siennes* selon le contexte) qui sont des pronoms possessifs sans apostrophe.

Les formes contractées

L'apostrophe apparaît également dans les contractions telles que *I'll, he'll, we're, don't, won't, can't, couldn't, wouldn't, haven't, hasn't,* etc. On trouve ces contractions dans tous les types d'écrits relativement informels, tels que les courriels, les textes et slogans publicitaires ou la correspondance personnelle. Si vous les utilisez, n'oubliez pas les apostrophes. En revanche, évitez à tout prix les contractions dans les contextes plus formels : dissertations, notes de synthèse, articles, ordres du jour, comptes

- Start from your plan and flesh out each part with your ideas and observations before beginning the actual writing.
- Avoid long sentences as far as possible and equally avoid unnecessary 'sentence-fillers' such as "*en fin de compte*", "*tout compte fait*", "*quand on y pense*", "*ce qu'il y a c'est que...*" etc.
- Avoid unnecessary use of adjectives and adverbs. Make sure that you frequently establish links between the various stages of your report. For hints on how to do this, see also the section on *French link words and expressions* on page 14.
- Re-read your report carefully several times and edit out everything superfluous, particularly in your introduction, which must be clear and to the point and constructed so as to engage immediately the attention of your reader in what is to follow. Check carefully that the logical links in your argument are clearly and explicitly stated.

Drawing up an agenda for a meeting

The word *agenda* in English is used to refer to two distinctly different things: the list of topics for discussion/resolution that is circulated at a meeting, in French *l'ordre du jour*, and the rather more complex document circulated in advance of the meeting to those invited to attend. In French, this is *la fiche de préparation*.

There is no fixed format but in general you will head the document: **Fiche de préparation de la Réunion de....** followed by the title of the department or group concerned. Here is a list of the terms you will need for the agenda, in the order in which they may appear, though this is not fixed:

date	*date (of the meeting)*
début	*start (time)*
fin	*end (time)*
organisé par	*organized by*
service	*department*
téléphone	*telephone number*
rapporteur	*minutes secretary*
compte rendu	*minutes*
participants	*participants*
diffusion (pour information)	*circulation (for information)*
objectifs de la réunion	*purpose of the meeting*
ordre du jour	*agenda*
documents préparatoires	*background documentation*
demandés à	*to be supplied by*
pour le	*for the (date required)*
documents ci-joints	*documents attached*
tour de table	*AOB (any other business)*

The **ordre du jour** proper may then be amended according to the suggestions of the participants to whom the **fiche de préparation** has been circulated. See pages 61, 62.

Writing the minutes of a meeting (*le compte rendu*)

Conventions here are very similar to those in English. In brief, the minutes:

- follow the order of the agenda
- are impersonal and objective
- record suggestions with the name of the person responsible
- record decisions and where appropriate the action required (*action*) and the person responsible for taking action (*responsable*) accompanied by the date required by (*avant le...*)
- record relevant remarks made in the final *tour de table*.

rendus, etc. Dans le journalisme, l'emploi des contractions varie selon la qualité du journal et le sérieux du sujet.

Écrire un rapport, un compte rendu, une dissertation

Quelques remarques

Les francophones se disent souvent surpris et même perturbés par le style des rapports écrits par leurs homologues anglophones. Ils les trouvent décousus et leur reprochent le manque de liens logiques d'une partie à l'autre. Un rapport français se base plus ou moins sur la formulation *situation, analyse, proposition*, chaque partie faisant constamment référence aux autres par des liens logiques explicites (anaphores, etc.).

Un rapport en anglais insiste aussi sur la clarté de la présentation de l'information, mais il consiste en une série de paragraphes dont le nombre n'est pas du tout prédéterminé. En général, la succession logique de ces paragraphes n'est pas explicite car on suppose que le lecteur n'a pas oublié ce qui vient d'être dit. Chaque paragraphe a son titre qui résume en termes clairs et succincts son contenu.

Par la suite, chaque paragraphe se divise en sous-paragraphes dont chacun porte également un titre. Si besoin est, un paragraphe peut contenir une liste de points ou de remarques numérotés ou signalés par des puces.

Pour un rapport plus volumineux, il est indispensable de présenter une table des matières (*table of contents*) qui énumère les titres et les sous-titres, afin que le lecteur puisse se repérer facilement dans le texte.

Le plan

- Vous commencerez votre plan en notant les idées essentielles de vos arguments et propositions lesquels vous fourniront les titres provisoires de vos paragraphes principaux.
- Vous ferez une esquisse d'introduction mais ce n'est qu'après avoir terminé votre rapport que vous donnerez à celle-ci sa forme finale. L'introduction doit résumer de manière claire, immédiate et directe les grandes lignes du rapport.

Quelques astuces

- Dès le départ, écrivez et, si possible, pensez en anglais. Si vous essayez de travailler à partir du français, vous vous trouverez vite empêtré dans une situation difficile.
- Formulez très tôt votre titre ; celui-ci doit être simple et direct afin de retenir tout de suite l'attention du lecteur. Il vous servira de fil conducteur.
- À partir de votre plan, commencez à développer vos différents paragraphes.
- Évitez les phrases longues et/ou compliquées ainsi que les lourdeurs telles que *at this point in time, at this time, in this day and age*, etc.
- Afin que le lecteur pressé puisse facilement se repérer dans le texte, accordez un soin particulier à ce que vos titres, sous-titres et points numérotés rendent bien le contenu des paragraphes et sous-paragraphes.
- Évitez les imprécisions : *seems to be* ou *may be*.
- Enfin, en relisant votre rapport, supprimez systématiquement tout ce qui est superflu, en particulier dans l'introduction.
- Voir aussi le chapitre *Mots et expressions de liaison en anglais* à la page 15.

Établir la fiche de préparation d'une réunion (*agenda*)

Le mot *agenda* dans le contexte d'une réunion peut signifier à la fois la fiche de préparation diffusée avant la réunion et l'ordre du jour distribué lors de la réunion même. Il n'y a pas de formule fixe pour la fiche de préparation en anglais mais, en général, on trouvera, en tête, le titre du groupe concerné et l'objectif de la réunion, la date, le lieu :

Marketing strategy management group

Meeting : 9 December 2007, 9.30 am
Meeting Room 516

AGENDA

Suivront le nom et les coordonnées de l'organisateur de la réunion, la liste des personnes concernées et de celles qui recevront la fiche en copie pour information, l'ordre du jour provisoire et, le cas échéant, la liste des documents à fournir qui sont joints ou qui seront diffusés ultérieurement. L'ordre du jour se présente sous la forme d'une liste de sujets numérotés.

Voici une liste succincte de vocabulaire :

organized by	organisé par
department	service
minutes secretary	rapporteur/-euse
minutes	compte rendu
circulation	diffusion
purpose of the meeting	objectifs de la réunion
documents to be supplied	documents à fournir
to be supplied by	demandés à
documents attached	documents ci-joints
to minute something	inclure quelque chose dans le compte rendu
AOB (Any Other Business)	tour de table

Voir pags 61, 62.

Établir le compte rendu d'une réunion (*the minutes*)

Ici, les conventions françaises et anglo-saxonnes se ressemblent. Le compte rendu :

- suit l'ordre du jour,
- reste impersonnel et objectif,
- énumère les suggestions ainsi que le nom de leur auteur,
- établit la liste des décisions et, le cas échéant, l'action demandée et la date, ainsi que le responsable,
- mentionne toute remarque pertinente à l'issue du tour de table final.

Difficulties in French

False friends (faux amis)

English belongs to the Germanic family of Indo-European languages, as can readily be seen from everyday words such as *make, can, go, man, wife, son, daughter, sister, brother, house, garden, door*—to name but a handful. French, on the other hand belongs to the Romance family which has its roots in the vulgar Latin of the Roman conquest of Europe and the Middle East. Nonetheless, the influence of French on the English language has been considerable and goes back to the year 1066, when William, Duke of Normandy, invaded England, starting off what is now called the Norman Conquest. Within a very short time, virtually all the land in England was owned by Normans. The result was that Norman French entirely replaced English as the language of the ruling classes and so the situation was to remain for the next 300 years, French being the language of the English parliament until 1363.

After the English defeat at the hands of the French in the Hundred Years War, the English language underwent a major revival based on patriotism coupled with francophobia. Nevertheless, the influence of French continued through the cultural and intellectual cross-fertilization of the Renaissance and then later due to the fact that French was the official language of international diplomacy from 1714 until the First World War.

So it is that the English of the present day is rich in words that have come into the language from French and have changed little in spelling or meaning: *intelligence, instinct, situation, absent, accident* are identical in both languages, whilst others such as *diplomacy* (*diplomatie*), *adventure* (*aventure*), *address* (*adresse*) have changed but little. These are *vrais amis*—true friends—also called true cognates. However, there are also a great many false cognates—*faux amis*—that often cause problems. These fall into three broad categories:

- Words that have a common root but which have taken on quite different meanings over the centuries (*Fr. actuel, Eng. actual*): these are true *faux amis*.
- Words that have no common root and which look alike through pure accident, such as the French *pain*, which of course is entirely unrelated to its English look-alike: also true *faux amis*.
- Words that have a common root and one or more meanings in common but whose meanings also diverge: (porc, in French meaning the animal itself, its meat and its skin): partial *faux amis*.

These slippery friendships can be dangerous: we no doubt all know the stories about the woman who declared she never bought food containing *préservatifs* (a *préservatif* is a condom) or the English *au pair* who attracted an unexpected amount of attention by declining dessert after a lengthy meal with the words *je suis pleine* (literally *I'm full*), which in French means *I am pregnant*; *plein* in this sense is only used of animals.

Below is a list of the most common true *faux amis* with their English translation, followed by the French equivalent of the English. In many cases, there is more than one translation possibility, so for more information, check the relevant entry in the dictionary.

Faux amis

French faux ami	English translation	English look-alike	French translation of look-alike
actuel	current, present	***actual***	*réel, exact*
actuellement	currently, at the moment	***actually***	*en fait*
agenda	diary	***agenda***	*ordre du jour (de réunion)*
allure	pace, speed; appearance; style	***allure***	*attrait, charme*
assister à	to be present at, attend	***assist***	*aider*
attendre	to wait (for)	***attend***	*assister à*
avertissement	warning	***advertisement***	*publicité*
balance	scales (*for weighing*)	***balance***	*équilibre*
blesser	to wound	***bless***	*bénir*
bribes	fragments	***bribes***	*pots-de-vin*
car	coach	***car***	*voiture*
cave	cellar	***cave***	*grotte*
chair	flesh	***chair***	*chaise, fauteuil, siège*
chance	luck	***chance***	*hasard*
coin	corner	***coin***	*pièce (de monnaie)*
déception	disappointment	***deception***	*tromperie, duperie*
demander	to ask for	***demand***	*exiger*
éventuellement	possibly, if necessary	***eventually***	*finalement*
fabrique	factory	***fabric***	*tissu*
formidable	great, terrific, fantastic	***formidable***	*redoutable ; impressionnant*
génial	brilliant	***genial***	*cordial*
gentil	kind, nice, likeable	***gentle***	*doux*
injures	(verbal) abuse	***injuries***	*blessures*
journée	day	***journey***	*voyage*
lecture	reading (matter)	***lecture***	*cours magistral*
librairie	bookshop	***library***	*bibliothèque*
monnaie	change (*coins*)	***money***	*argent*
nouvelle	piece of news; short story	***novel***	*roman*
patron	boss	***patron***	*client*
préservatif	condom	***preservative***	*conservateur*
procès	trial	***process***	*processus*
prune	plum	***prune***	*pruneau*

Difficultés de l'anglais

Les faux amis

L'anglais appartient à la famille des langues germaniques, ascendance que l'on peut constater dans la langue au quotidien avec des mots tels que *make*, *take*, *can*, *go*, *man*, *son*, *daughter*, *wife*, *house*, *garden*, *shoe* etc. Le français par contre est une langue romane qui trouve ses origines essentiellement dans le latin. Cette différence n'empêche pas la ressemblance de nombreux mots dans les deux langues. En effet, les anciennes langues anglaises d'origines germaniques sont passées par des stades de transformation radicale, essentiellement au cours du Moyen Âge, mais aussi par la suite.

L'événement clé par rapport au français se situe avec l'invasion de l'Angleterre en 1066 par Guillaume, Duc de Normandie, dit Guillaume le Conquérant. Très vite, le pays entier est soumis au contrôle des Normands et le français normand remplace l'anglais en tant que langue des classes gouvernantes. Cette situation perdure pendant 300 ans et le français restera la langue du Parlement anglais jusqu'en 1363.

Suite à la défaite des Anglais par les français lors de la Guerre de Cent Ans, un fort mouvement de patriotisme et de francophobie donne un nouvel essor à la langue anglaise. Mais l'influence du français a néanmoins continué à travers le foisonnement culturel et intellectuel de la Renaissance et surtout parce que le français est devenu la langue officielle de la diplomatie internationale à partir de 1714, et ce jusqu'à la Première Guerre mondiale.

C'est ainsi que l'anglais actuel est riche en vocabulaire d'origine française. Beaucoup de ces mots ont gardé exactement la même forme et le même sens : *intelligent*, *instinct*, *situation*, *absent*, *accident*, pour n'en citer que quelques-uns. D'autres, comme *diplomacy*, *adventure*, *address*, *apartment* ont changé très légèrement. Ceux-ci sont donc de *vrais amis*. Mais il y a aussi des amitiés plutôt traîtres et maintes ressemblances apparentes qui risquent d'induire en erreur. On en distingue trois catégories :

- Des paires de mots qui ont la même racine mais qui, à travers le temps, ont acquis des sens très différents l'un de l'autre (*Angl. actual/Fr. actuel*) : ce sont de vrais *faux amis*.
- Des paires de mots qui n'ont aucune racine commune et qui se ressemblent par pur hasard, l'anglais *pain* (douleur), par exemple, qui manifestement n'est pas du tout apparenté à son sosie français : ce sont aussi de vrais *faux amis*.
- Des paires de mots ayant la même racine et qui partagent un sens commun (ou des sens communs), mais dont l'un a acquis des sens supplémentaires que ne porte pas l'autre (*party* en anglais peut signifier *political party* tout comme *parti* en français, mais l'anglais peut aussi vouloir dire *fête*) : ce sont des *faux amis* partiels.

Vous trouverez dans le tableau ci-dessous quelques *faux amis* fréquents, avec leur traduction française, suivie de la traduction en anglais du « sosie » français. Notez que dans plusieurs cas, des traductions multiples seraient possibles. Il faut donc toujours vérifier en consultant l'article du dictionnaire pour le mot en question.

Faux ami anglais	Traduction française	« sosie » français associé	Traduction anglaise du « sosie »
abusive	injurieux	***abusif***	*excessive; improper*
actual	réel, exact	***actuel***	*current, present*
actually	en fait	***actuellement***	*currently, at present*
advertisement	publicité	***avertissement***	*warning*
allure	attrait, charme	***allure***	*pace, speed; appearance; style*
bachelor	célibataire	***bachelier***	*holder of the (French) baccalaureate*
balance	équilibre	***balance***	*scales (pl)*
bless	bénir	***blesser***	*injure*
bribe	pot-de-vin	***bribe***	*fragment*
cave	grotte, caveau	***cave***	*cellar*
chance	hasard	***chance***	*(good) luck*
comprehensive	complet, exhaustif	***compréhensif***	*understanding, sympathetic*
confidence	confiance	***confidence***	*secret*
deception	tromperie, duperie	***déception***	*disappointment*
digital	numérique	***digital***	empreintes digitales = *fingerprints*
eventually	finalement, enfin	***éventuellement***	*possibly, if necessary*
fabric	tissu	***fabrique***	*factory*
gentle	doux	***gentil***	*kind, nice, likeable*
grape	grain de raisin	***grappe***	*bunch (of grapes)*
ignore	faire exprès de ne pas voir/ reconnaître	***ignorer***	*to be unaware of, not to know*
injuries	blessures	***injures***	*abuse, insults*
journey	voyage	**journée**	*day*
lecture	cours magistral, séminaire	**lecture**	*reading; reading matter*
library	bibliothèque	**librairie**	*bookshop*
location	endroit	***location***	*renting out*
money	argent	***monnaie***	*change*
novel	roman	***nouvelle***	*short story; news*

French faux ami	English translation	English look-alike	French translation of look-alike
prétendre	to claim	***pretend***	*faire semblant*
quitter	to leave	***quit***	*arrêter, cesser*
raisin	grape	***raisin***	*raisin sec*
rester	to stay	***rest***	*se reposer*
sensible	sensitive	***sensible***	sensible = *raisonnable*
stage	(training) course	***stage***	*stade; (Theat) scène*
sympathique	nice, pleasant	***sympathetic***	*compatissant, compréhensif*
tissu	fabric, material	***tissue***	*mouchoir en papier*
veste	jacket, coat *US*	***vest***	*maillot de corps*

Partial *faux amis*

The table below shows some French words which do mean the same as their English cognates, but which have other meanings as well.

French	Additional meaning(s) in French
chauffeur	driver of any vehicle
chef	boss; head (*person in charge*)
circulation	traffic
complet	full (*car park etc.*); suit (*clothing*)
dramatique	tragic
herbe	grass
ignorer	not to know, be unaware of
important	large, considerable: *une somme importante, un nombre important*
manifester	demonstrate, march (*in protest*)
massif/-ive	solid (*pin massif* = solid pine)
méthode	course book; (music) tutor (*book*)
occasion	opportunity; second-hand purchase
parfum	flavour (*of ice cream, yoghurt etc.*)
parent	relative
pension	boarding house, room and board
personne	nobody
pile	battery
porc	pig, pigskin
possibilité	opportunity
radar	speed trap
radio	X-ray
souvenir	memory

Franglais in France

English may have imported a great deal of French over the centuries, but in recent times the direction of trade has been radically reversed. The last twenty years or so have seen a massive invasion of French by English vocabulary and expressions. This has much to do with popular culture, particularly music and cinema, and of course computer technology and the internet. At almost every level of discourse it is seen as trendy to drop in English words and expressions. The *Académie Française*, the illustrious body that acts as watchdog over the French language, has attempted stem the flow, to legislate against the use of *anglicismes* in the media, to invent 'French' terms for English imports—but to little or no avail. Quite a few terms coined by the *Academie* are now established in current French: *ordinateur* (computer), *logiciel* (software package), and *baladeur* (Walkman), for instance, but for every one that has been adopted, many more have not. It might be thought that this situation could only be beneficial for the English-speaker in France but in reality many supposedly English words and expressions have taken on a French life of their own that may leave English-speaking visitors baffled. Below are a few *faux amis* in *franglais* with their meanings as currently used in France.

Franglais	Used in French to mean:
baby-foot	table football
basket	trainer (*sports shoe*); basketball
brushing	blow-dry
camping	campsite, campground (*US*)
dressing	walk-in wardrobe (*US* closet)
catch	wrestling
flipper	pinball machine
footing	jogging
forcing	pressure
jogging	tracksuit (*though can mean 'jogging' as well*)
lifting	face-lift
living	living room
mailing	mail shot
people	celebrities (even *un people*, a celebrity)
planning	schedule
pressing	dry-cleaner's
relooking	make-over
se faire relooker	to have a make-over
shampooing	shampoo
smoking	dinner jacket, tuxedo *US*
speaker/speakerine	announcer
sweat (*pronounced* 'sweet')	sweatshirt
warning	hazard lights

French influence on contemporary English

As stated above, the influence of French on English is deep-rooted. No less than 7971 entries in the *Concise Oxford Dictionary* include French in their etymologies. Many are so well established that we are scarcely aware of their origin: *apartment, hotel, amateur, parliament, secateurs*. Many others reflect France's pre-eminence in gastronomic matters: *café, restaurant, maître d'hôtel, cordon bleu, casserole*. Other terms have to do with attitudes to life and living, and the way we do things: *joie de vivre, bon viveur, gourmand, sangfroid, savoir-faire, après-ski*, etc. In many ways these reflect the respect we have for French culture, food and way of life, even if this is unconscious.

English is also very fond of the French-sounding suffix *-ette* in real borrowings from French, such as *brunette, maisonette, cigarette*, as well as in home-grown words like *kitchenette, leatherette, luncheonette, bachelorette, ladette, laundrette, novelette*, etc. In the home-grown cases the sense the suffix conveys ranges from smallness, to a female version of a male phenomenon, to the derogatory. Native speakers of English should also be aware that some well-known French expressions used in English, e.g. *chacun à son goût, double entendre, crème de la crème*, are not necessarily common in French. Others are common in English and are also current in French such as *déjà vu* or *je ne sais quoi*.

Some other French expressions used in English which are not used in France are: *succès de scandale, fin de siècle, faux pas, aide-de-camp, encore* (at the end of a successful performance French prefers *bis*).

And finally, a few more examples of the many French words and expressions used in both languages: *éminence grise, raison d'être, bon mot, coup (d'état), entre nous, genre, œuvre, nouveau riche, femme fatale, ménage à trois, pied-à-terre, aide-mémoire, rendez-vous, amour, amour fou, amour propre, cause célèbre, bête noire*.

Faux ami anglais	Traduction française	« sosie » français associé	Traduction anglaise du « sosie »
patron	client	***patron***	*boss*
phrase	locution	***phrase***	*sentence*
preservative	conservateur (*en alimentation*)	***préservatif***	*condom*
pretend	faire semblant	***prétendre***	*claim*
prune	pruneau	***prune***	*plum*
raisin	raisin sec	***raisin***	*grapes*
retire	prendre sa retraite	***retirer***	*remove; withdraw*
to **rest**	se reposer	***rester***	*to stay, remain*
rude	impoli ; grossier	***rude***	*harsh, severe*
sensible	raisonnable, sensé ; pratique	***sensible***	*sensitive*
sympathetic	compatissant, compréhensif	***sympathique***	*nice*
tissue	kleenex®, mouchoir	***tissu***	*fabric, cloth*
vest	maillot de corps	***veste***	*jacket, coat US*

Faux amis partiels

Voici quelques mots anglais qui ont le même sens que leur sosie français, mais qui ont des sens supplémentaires en anglais.

anglais	Sens supplémentaires en anglais
aggressive	dynamique (*en marketing*)
argument	dispute
column	rubrique
cry	pleurer
date	rendez-vous
introduce	présenter (*une personne*)
save	épargner (*argent*)

Voici quelques mots anglais dont la définition est plus restreinte que leurs sosies français, ce qui constitue une source d'erreurs particulièrement fréquentes pour les francophones.

Anglais	Restrictions par rapport au français
chauffeur	*uniquement l'employé privé en uniforme*
chef	*uniquement le chef cuisinier*
circulation	*pas dans le sens routier*
complete	*pas dans le sens de « plus de place » ni dans le sens vestimentaire*
dramatic	*pas dans le sens de « tragique »*
herb	*dans les sens culinaire et médical*
ignorer	*pas dans le sens de « ne pas savoir »*
important	*pas dans le sens de « grand, considérable » (une somme importante)*
manifest	*pas dans le sens de « protester »*
massive	*dans le sens d'« énorme » uniquement*
occasion	*dans le sens d'« événement » uniquement*

Le franglais

Lors des vingt dernières années, on constate un accroissement sans précédent de mots et expressions anglais dans la langue française, notamment dans le contact quotidien avec les cultures anglo-saxonnes, et notamment à travers la musique populaire, le cinéma, les technologies modernes, et l'Internet. Cependant, ces mots « adoptés » par les francophones relèvent souvent plus du *franglais* que de l'anglais, si bien que leur usage en français ne correspond généralement pas à la définition qu'ils prennent dans leur culture d'origine, si tant est simplement qu'ils existent dans cette culture. C'est le cas de mots comme **baby-foot*, qui n'existent pas en anglais. D'autres mots dérivés de l'anglais et finissant par *-ing* sont utilisés comme des noms dénombrables en français, mais se rapportent à une activité en anglais et ne peuvent alors être utilisés de la même façon dans cette dernière langue : c'est le cas de mots comme *brushing*, *camping*, ou *planning*. Enfin, d'autres mots comme *rugbyman* ou *recordman* ont tout au plus une consonance exotique aux oreilles d'un anglophone. Le francophone, dans la culture anglophone, risque donc de se trouver incompris ou d'être incompréhensible, en se trompant entre *franglais* et anglais. Voici une liste de quelques *faux amis* fréquents du *franglais*.

Franglais	Equivalent en culture anglophone	Véritable signification du mot franglais en anglais (1)
***baby-foot**	table football	*
basket (*chaussure*)	trainer	panier, corbeille
basket (*sport*)	basketball	panier, corbeille
brushing	blow-dry	activité de brosser / balayer / effleurer
camping	campsite, campground (*US*)	activité de camper, de faire du camping
dressing	walk-in wardrobe, closet *US*	assaisonnement; farce (*US*) ; pansement
catch	wrestling	fermeture ; piège, etc.
flipper	pinball machine	palme (pour nager)
footing	jogging	base
forcing	pressure	action de contraindre, d'obliger
jogging (*vêtement*)	tracksuit	footing
lifting	face-lift	action de soulever, de lever
living	living room	vivant, en vie
mailing	mail shot	action de poster une lettre ou d'envoyer un message électronique
people	celebrities, stars	gens, personnes
planning	schedule	planification
pressing	dry-cleaner's	urgent
***relooking**	make-over	*
se faire *relooker	to have a make-over	*
shampooing	shampoo	action de shampooiner, de faire un shampoing
smoking	dinner jacket, tuxedo *US*	tabagisme ; action de fumer
speaker/ *speakerine	announcer	locuteur
sweat	sweatshirt	sueur
warning	hazard lights	avertissement

(1) les mots en *-ing* ne sont généralement que les formes conjuguées des verbes au présent et correspondent donc à une action, une activité qui est en train de se dérouler.

* pas de signification en anglais.

Varieties of French

Like English, French has travelled around the world through repeated movements of colonization and subsequent emigration and is currently the first or official language of over 200 million people. France still administers a number of overseas territories (the *départements d'outre-mer* or *DOM*) where a great many regional varieties of French are spoken, as is also the case in the African countries that were formerly French colonies or protectorates. The spectrum of these linguistic variants is vast and much too complex to be dealt with here, so we will focus on the varieties of French most likely to be encountered by English speakers, namely those of Switzerland, Belgium, and Quebec.

French in Switzerland

Switzerland is a multilingual confederation of cantons where four languages are spoken: French, German, Italian, and Romansh, which is spoken by fewer than 30,000 people in the canton of Grisons. French is spoken by around 18% of the population (around 1.3 million people) and is the official language of the cantons of *la Suisse romande*: Fribourg, Genève, Jura, Neuchâtel, Valais, and Vaud. The French of Switzerland differs little from the French spoken in France and the two linguistic communities have no trouble in understanding each other, though many words and expressions in Swiss French would be unfamiliar to a French person.

Perhaps the most striking difference is the use of the numbers *septante*, *huitante* and *nonante* instead of *soixante-dix*, *quatre-vingt(s)* and *quatre-vingt-dix*. Interestingly enough, *septante* and *nonante* are also used in Belgium and Quebec. Other terms have been drawn from various local *patois*, from regional French used in neighbouring *départements* such as Savoie, and also from the influence of the other linguistic communities, particularly German. Below is a brief selection of everyday Swiss French vocabulary.

Swiss French	Standard French	Translation
action	promotion	special offer
ballon	petit pain (rond)	(round) bread roll
baster	céder	to give in
bobet	benêt	simple-minded, stupid
boguet	mobylette	moped
bonnard	sympa, bien	nice
bonne-main	pourboire	tip
cornet	sac en plastique	plastic bag
déjeuner	petit déjeuner	breakfast
dent de lion	pissenlit	dandelion
dîner	déjeuner	lunch
encoubler : s'encoubler	trébucher	to trip, stumble
fœhn	sèche-cheveux	hairdrier
galetas	grenier	attic
guigner	épier	to spy on
morse	morceau	piece, bit
natel	(téléphone) portable	mobile (phone)
panosse	serpillière	floorcloth
séré	fromage blanc	fromage frais
services	couverts	cutlery
signofile	clignotant	indicator (*on car*)
simple course	aller simple	single (*ticket*)
souper	dîner	dinner
tout-ménage	publipostage, mailing	direct mail advertising

Expressions

tu as meilleur temps à faire ça	tu as intérêt à faire ça	you'd better do that
c'est en ordre	c'est bon, ça va	that's fine
j'ai été déçu en bien	j'ai été agréablement surpris	I was pleasantly surprised
tout de bon !	bonne continuation !	all the best!
santé !	à tes souhaits !	bless you! (*for sneeze*)

French in Belgium

Belgian French should not be confused with Walloon, which was formerly thought of as a dialect of French but is now considered to be a language in its own right. Walloon is spoken in southern and eastern Belgium and neighbouring parts of France. Belgian French on the other hand does not differ greatly from French in France and also has a number of words in common with Swiss French, notably the use of *septante* and *nonante*, *déjeuner* for *petit déjeuner*, *dîner* for *déjeuner*, and *souper* for *dîner*. Interestingly, these names for meals were also used in older French and are still in use today in many areas of rural France. Belgian French does however boast a variety of words and expressions particular to Belgium. Some of these are borrowed from Dutch or German, some from Walloon, and some are simply local coinages and turns of phrase such as *savoir* used for *pouvoir* (*Je ne saurai pas venir chez vous ce soir*) or the use of the Brussels dialect expression *non peut-être* for *oui sûrement* (yes, most probably)! Here are a few common *belgicismes*.

Belgian French	Standard French	Translation
amitieux	affectueux	friendly, affectionate
cacaille	objet sans valeur	worthless object
carabistouille	blague	joke
crolle	boucle (de cheveux)	curl
courreries	allées et venues	comings and goings
dringuelle	pourboire	tip
gosette aux pommes	chausson aux pommes	apple turnover
guindailler	participer à une beuverie d'étudiants	to take part in a student drinking session
kot	chambre (*louée à un étudiant*)	room (*let to a student*)
maquée	fromage blanc	fromage frais
muser	fredonner	to hum
pelant	ennuyeux	boring
ring	périphérique	ring road
spitant	vif	lively, animated
taiseux	peu causant	taciturn
zwanze	plaisanterie	joke

Variétés d'anglais

L'anglais est la première langue de plus de 340 millions de personnes dans le monde. Il n'y a donc rien de surprenant à ce qu'il existe différentes façons de le parler ou de l'écrire. Nous présentons ici quelques variétés majeures de pays anglophones, sans aborder celles du continent indien, sujet trop vaste pour être exposé ici, ni celles du continent africain.

L'anglais des États-Unis

Les différences entre l'anglais américain et l'anglais britannique sont de deux types :

- orthographiques,
- lexicales.

Les variantes orthographiques sont assez prévisibles et ne risquent guère de perturber le francophone ; lorsque vous rédigez un texte ou une lettre, évitez cependant de combiner l'orthographe britannique et l'orthographe américaine. Ceci s'applique aussi aux variantes lexicales.

Principaux types de variantes orthographiques

Type	Anglais britannique	Anglais américain
verbe en **-l** : **travel**, **signal**	les formes en -ing, -ed, -er prennent deux « l » : *trave**ll**ing, trave**ll**ed, trave**ll**er*	les formes en -ing, -ed, -er ne prennent qu'un « l » : *trave**l**ing, trave**l**ed, trave**l**er*
-our/-or	col**ou**r, flav**ou**r	col**o**r, flav**o**r
-re/-er	cent**re**, theat**re**	cent**er**, theat**er**

Autres exemples de différences (orthographe britannique en premier) : *aluminium/aluminum, defence/defense, draught/draft, gauge/gage, grey/gray, jewellery/jewelry, licence/license, mould/mold, pyjamas/pajamas, tyre/tire.*

Dans la partie anglais-français de ce dictionnaire, les entrées sont écrites en anglais britannique et suivies de leur variante américaine s'il y a lieu. Les variantes américaines sont généralement proposées dans les traductions de la partie français-anglais.

L'anglais américain favorise la terminaison verbale en **-ize** (*specialize, dramatize*), et c'est aussi le cas dans cet ouvrage, mais la terminaison en **-ise** (*specialise, dramatise*) est fréquente en anglais britannique.

Variantes lexicales

Les variantes lexicales entre l'anglais britannique et l'anglais des États-Unis sont nombreuses et soulignent les divergences inévitables des deux langues au fil du temps. Le tableau suivant en présente quelques-unes. Dans les entrées de la partie français-anglais, les variantes américaines viennent après la traduction anglaise.

Anglais américain	Anglais britannique	Traduction
airplane	aeroplane	avion
appetizer	starter	entrée
attorney	lawyer	avocat
beltway	ring road	périphérique
cart	trolley	chariot
diaper	nappy	couche (*de bébé*)
drapes	curtains	rideaux
eggplant	aubergine	aubergine
fall	autumn	automne
faucet	tap	robinet
flatware	cutlery	couverts
freeway	motorway	autoroute
gas, gasoline	petrol	essence
mall	shopping centre	centre commercial
pants	trousers	pantalon
purse	handbag	sac à main
sidewalk	pavement	trottoir
tuxedo	dinner jacket	smoking
vest	waistcoat	gilet (*d'homme*)
yard	garden	jardin

L'anglais du Canada

Au Canada, la préférence va vers les conventions orthographiques britanniques : *col**ou**r, trave**ll**ed*, etc. En revanche, le lexique penche nettement vers l'anglais américain, même s'il comprend quelques mots et expressions britanniques : *tap* plutôt que *faucet*, *bill* (au restaurant) plutôt que *check*, *boot* plutôt que *trunk* pour un coffre de voiture et *railway* plutôt que *railroad*.

Au Québec, où le français est l'unique langue officielle, la langue des anglophones, minoritaires, a intégré de nombreux mots et expressions français : on dit facilement *autoroute, syndicat, régie, caisse*, sans parler de *francophone, anglophone* et *allophone*, une invention canadienne pour désigner «une personne qui n'est ni francophone ni anglophone ».

Les francophones du Québec luttent pour la défense de la langue française au Canada, et on peut constater un phénomène intéressant : les anglophones du Québec attribuent à certains mots anglais le sens de leur « sosie » français : *professor* (dans le sens de *teacher*), *security* (*safety*), etc.

French in Canada

Quebec French, *le québécois*, *le français du Québec*, or *le français canadien* is by far the most widespread variety of French in Canada. Like the other regional dialects of French, it retains, with a few exceptions, conventional French spelling and grammar but rejoices in a very wide and often colourful range of lexical variants.

Unlike the European varieties of French which have developed over the centuries in direct contact with France, *le québécois* traces its origins back to the language of the French court in the 17th and 18th centuries, the period which saw a steady influx of French settlers to Canada. It retains many words that date back to this time and it is also often said that the very distinctive accent of the *Québécois* owes much to the pronunciation of the French of *le siècle des Lumières*.

The language has also taken in a great many anglicisms but in a gradual way over a span of two and a half centuries of rubbing shoulders with the English-speaking inhabitants of Canada, as opposed to the much more recent invasion of European French by English.

Possibly due to the influence of English, the use of *tu* is much more frequent in Canadian French than it is in France, *vous* generallly only being used as a mark of respect when talking to an older person. Unlike in France, it is quite usual to use *tu* when speaking to an official or a shop assistant. In addition, Quebec French is far more ready to feminize names of professions, an area in which the *Académie française* has taken a rather conservative approach. Thus one finds *docteure*, *professeure*, *écrivaine* and even *la première ministre*. English borrowings are sometimes pronounced more or less as in English, sometimes *à la française*, depending on the speaker. Like Belgian French, Quebec French uses *septante* and *nonante*, and also uses *déjeuner*, *dîner*, and *souper* in the same way. Here are some lexical differences between Quebec French and Standard French.

Quebec French	Standard French	Translation
asteure (from *à cette heure*)	maintenant	now
balayeuse	aspirateur	vacuum cleaner
char	voiture	car
chauffer	conduire	drive
débarbouillette	gant de toilette	(face) flannel
être en amour	être amoureux, -se	to be in love
être plein (*Anglicism*)	avoir trop mangé/ être saoul/ être riche	to be full (*eating*) to be drunk/ to be rich
foin	argent	money
foufounes	fesses	bottom, buttocks
fret, frette	très froid, ~e	very cold
icitte	ici	here
jammé (*Anglicism*)	coincé	jammed
liqueur	soda	fizzy drink
magasiner	faire des courses	to go shopping
parquer (*Anglicism*)	stationner	to park
plogue (*Anglicism*)	fiche électrique	(electric) plug
signe (*Anglicism*)	évier	sink
téléroman	feuilleton télé	TV soap
toune (*Anglicism*)	chanson	song
van (*pronounced as in English*)	fourgon	van

L'anglais d'Australie

En Australie, l'anglais a pris quelques couleurs locales aussi. L'influence des langues aborigènes se cantonne presque entièrement aux noms de lieux, de plantes et d'animaux (*Wollongong*, *Wagga Wagga*, *mulga*, *kangaroo*, *wombat*, *dingo*). La variété d'anglais est, à quelques exceptions près, plutôt britannique qu'américaine.

Ce qui caractérise le plus l'anglais d'Australie, c'est l'accent et le langage informel et notamment l'utilisation de formes diminutives en *-ie* : *barbie* (barbecue), *bikkie* (biscuit), *cozzie* (swimming costume), *lippie* (lipstick), *mozzie* (mosquito), *surfie* (surfboarder), *truckie* (truck driver), etc.

Un grand nombre de mots et d'expressions propres aux Australiens et aux Néo-Zélandais se sont imposés en anglais britannique par les films, les feuilletons et autres émissions télévisées : *arvo* (afternoon), *bludge* (quémander), *chook* (poulet), *crook* (malade), *hoon* (malotru), *lolly* (bonbon), *pom/pommie* (britannique), *smoko* (pause au travail).

L'anglais de Nouvelle-Zélande

Tout comme en Australie, l'anglais de Nouvelle-Zélande a emprunté des mots de la langue Maori, la langue polynésienne des aborigènes du pays. La plupart sont des noms issus de la flore et de la faune locale : des noms d'oiseaux (*kiwi*, *kakapo*, *moa*), de plantes (*kanuka*, *kauri*, *manuka*) et de poissons (*tarakihi*, *hapuku*).

On trouve également dans le parler des Néo-Zélandais de nombreuses expressions employées par leurs voisins Australiens. Toutefois, certains usages leur sont propres : *bach* (petite maison de vacances), *chilly bin* (glacière), *dairy* (épicerie du coin), *jandal* (tong), *kiwi* (désigne un Néo-Zélandais), *wop* (localité rurale ou juste à l'extérieur d'une ville).

French link words and expressions

To help you write in French, you will find below the most frequent link words and expressions, shown in context.

ainsi

Ainsi, il semble légitime de se demander si ces investissements sont justifiés.

Thus, it seems reasonable to wonder if these investments are justified.

à l'inverse

À l'inverse, on peut se demander si ce n'est pas un choix délibéré de l'auteur.

On the other hand, one may wonder if it is not a deliberate choice on the author's part.

alors

J'avais toujours mal, *alors* je suis allé voir un spécialiste.

It was still painful, *so* I went to see a specialist.

à savoir

Pendant la période d'incubation, *à savoir* deux semaines avant que la maladie ne se déclare, le sujet est très contagieux.

During the incubation period, *that is to say* for two weeks before the onset of symptoms, the patient is very infectious.

au contraire

On découvre, *au contraire*, que le personnage est coupable du crime.

On the contrary, we discover that the character is guilty of the crime.

aussi

Aussi, il est intéressant de constater à quel point l'auteur est influencé par son milieu social.

It is *also* interesting to ask to what extent the author has been influenced by his social background.

Aussi faut-il tenir compte des bouleversements sociaux qu'a connus le XIXe siècle.

The social upheavals which took place during the nineteenth century must *also* be considered.

⚠ aussi requires the subject to be inverted when it is not followed by a comma.

autant dire que

Autant dire qu'il faut se méfier des jugements hâtifs.

In other words we must be wary of hasty judgments.

autrement dit

Nous sommes en 1919, *autrement dit* au lendemain de la première guerre mondiale.

It is the year 1919, *in other words*, just after the end of the First World War.

avant tout/avant toute chose

Avant toute chose, il convient de rappeler les différentes étapes de l'évolution de l'enfant.

First, we should recall the different stages of a child's development.

bien que

Je doute qu'elle approuve ces changements, *bien qu'*elle n'ait rien dit à ce sujet.

I doubt if she approves of these changes, *although* she hasn't mentioned the subject.

*Bien qu'*ils ne disposent d'aucun soutien des syndicats, ils ont décidé de continuer leur mouvement de grève.

Though they do not have any union backing, they have decided to continue their strike action.

cela dit

Cela dit, je n'ai pas d'objection.

That said, I have no objections.

cependant

Il n'est *cependant* pas considéré comme un auteur majeur.

He is not, *however*, considered to be a major author.

certes

Certes, la vengeance n'est pas la seule motivation du héros.

Admittedly, revenge is not the character's only motive.

c'est pourquoi

La lecture favorise l'ouverture d'esprit, *c'est pourquoi* un enfant qui lit aura moins de difficultés à comprendre le monde qui l'entoure.

Reading encourages one to be more open-minded. *That is why* a child who reads will find it easier to understand the world around him.

Mots et expressions de liaison anglais

Pour vous aider à rédiger vos lettres en anglais, voici une liste des mots et expressions de liaison les plus courants, utilisés en contexte.

admittedly

Admittedly, revenge is not the character's only motive.

Certes, la vengeance n'est pas la seule motivation du héros.

again

Again, we have to consider the legal implications.

Une fois de plus, nous devons tenir compte des conséquences juridiques.

also

It is *also* important to ask to what extent the author has been influenced by his social background.

Aussi, il est intéressant de se demander à quel point l'auteur est influencé par son milieu social.

although

I doubt if she approves of these changes, *although* she hasn't mentioned the subject.

Je doute qu'elle approuve ces changements, *bien qu'*elle n'ait rien dit à ce sujet.

as a result

They were directly involved in the conflict. *As a result*, their names have been changed to conceal their identity.

Ils ont directement pris part au conflit. *En conséquence*, leurs noms ont été changés pour préserver leur anonymat.

at any rate

At any rate it is the most credible hypothesis.

C'est *du moins* l'hypothèse la plus plausible.

besides

I do not have time to go and see this film – *besides*, it's had dreadful reviews.

Je n'ai pas le temps d'aller voir ce film. *De plus*, il a reçu de très mauvaises critiques.

be that as it may

Be that as it may, these measures will take time to have an effect.

Quoi qu'il en soit, ces mesures mettront du temps à produire leur effet.

but

But that doesn't justify resorting to violence.

Mais cela ne justifie pas le recours à la violence.

But fate decided otherwise.

Seulement, le destin en a décidé autrement.

consequently

Computers are becoming more and more powerful. *Consequently*, home computers soon become obsolete.

Les ordinateurs sont de plus en plus performants. *En conséquence*, l'équipement des familles est vite dépassé.

despite

Despite his huge success, he has remained a very straightforward person.

Malgré son immense succès, il est resté très simple.

finally

Finally, we will attempt to underline the points which the two poets have in common.

Enfin, nous essaierons de souligner les points communs entre ces deux poètes.

Finally, we will examine the future of the book in a world where the Internet is becoming more important by the day.

Pour finir, nous nous interrogerons sur l'avenir du livre, dans un monde où le support informatique prend chaque jour plus d'importance.

first

First, we should recall the different stages of a child's development.

Avant toute chose, il convient de rappeler les différentes étapes de l'évolution de l'enfant.

first of all

We shall see, *first of all*, how the author describes the unhappiness of the character.

Nous verrons, *d'abord*, comment l'auteur décrit la tristesse du personnage.

d'abord

Nous verrons, *d'abord*, comment l'auteur décrit la tristesse du personnage.

We will see, *first of all*, how the author describes the unhappiness of the character.

d'autre part

D'autre part, un examen attentif du contrat montre plusieurs incohérences.

Moreover, close examination of the contract reveals several inconsistencies.

de la même manière

De la même manière, ils ont supprimé le traditionnel supplément du samedi.

Similarly, they have done away with the traditional Saturday supplement.

de plus

De plus, ce rôle lui convient tout à fait.

Moreover, he is completely suited to the part.

Notre étude compare des ordinateurs de même puissance. *De plus*, nous nous sommes limités aux PC.

Our survey compares computers within the same power range. *Furthermore*, we limited ourselves to PCs.

donc

Nous évoquerons *donc* les poètes contemporains de Verlaine.

We will *therefore* consider the poets who were Verlaine's contemporaries.

d'où

D'où la nécessité pour l'enfant de s'identifier à des personnages imaginaires.

Hence the necessity for the child to identify with imaginary characters.

du moins

C'est *du moins* l'hypothèse la plus plausible.

At any rate it is the most credible hypothesis.

en bref

En bref, il s'agit d'un constat d'échec.

In short, it is an admission of failure.

En conclusion

En conclusion, on peut regretter que l'auteur n'ait abordé qu'un seul aspect du problème.

In conclusion, it is regrettable that the author dealt with only one aspect of the problem.

en conséquence

Ils ont directement pris part au conflit. *En conséquence*, leurs noms ont été changés pour préserver leur anonymat.

They were directly involved in the conflict. *As a result*, their names have been changed to conceal their identity.

Les ordinateurs sont de plus en plus performants. *En conséquence*, l'équipement des familles est vite dépassé.

Computers are more and more powerful. *Consequently*, home computers soon become obsolete.

encore

Ces champignons ne sont, paraît-il, pas dangereux. *Encore* faut-il savoir les distinguer des autres.

These mushrooms are said not to be dangerous, but you *still* need to know how to tell them apart from the others.

en d'autres termes

L'enfant accepte mal l'arrivée d'un nouveau-né. *En d'autres termes*, il est jaloux.

The child has difficulty in accepting the new baby. *In other words*, he is jealous.

en dépit de

Il a accepté de publier ce roman, *en dépit du* manque d'enthousiasme du comité de lecture.

He agreed to publish this novel *despite* the reading panel's lack of enthusiasm.

en effet

L'auteur connaissait bien le milieu bancaire. Il avait, *en effet*, travaillé pour une grande banque parisienne pendant près de dix ans.

The author was well acquainted with the world of banking. *Indeed*, he had worked for a large Parisian bank for almost ten years.

en fait

En fait, on ignore tout des liens qui les unissent.

In fact we know nothing about the ties which bind them.

enfin

Enfin, nous essaierons de souligner les points communs entre ces deux poètes.

Finally, we will attempt to underline the points which the two poets have in common.

en outre

En outre, il faut préciser que Verdi était un fervent partisan de l'unité italienne.

Moreover, it must be emphasized that Verdi was an ardent supporter of Italian unity.

furthermore

Our survey compares computers within the same power range. *Furthermore*, we limited ourselves to PCs.

Notre étude compare des ordinateurs de même puissance. *De plus*, nous nous sommes limités aux PC.

hence

Hence the necessity for the child to identify with imaginary characters.

D'où la nécessité pour l'enfant de s'identifier à des personnages imaginaires.

however

He is not, *however*, considered to be a major author.

Il n'est *cependant* pas considéré comme un auteur majeur.

The racial problem is not, *however*, the only explanation.

Le problème racial ne constitue *pourtant* pas la seule explication.

in addition

In addition, the cat is known to have played an important role in the culture of ancient Egypt.

On sait, *par ailleurs*, que le chat tient une place importante dans l'Antiquité égyptienne.

in conclusion

In conclusion, it is regrettable that the author dealt with only one aspect of the problem.

En conclusion, on peut regretter que l'auteur n'ait abordé qu'un seul aspect du problème.

indeed

The author was well acquainted with the world of banking. *Indeed*, he had worked for a large Parisian bank for almost ten years.

L'auteur connaissait bien le milieu bancaire. Il avait, *en effet*, travaillé pour une grande banque parisienne pendant près de dix ans.

in fact

In fact we know nothing about the ties which bind them.

En fait, on ignore tout des liens qui les unissent.

in other words

In other words we must be wary of hasty judgments.

Autant dire qu'il faut se méfier des jugements hâtifs.

It is the year 1919, *in other words*, just after the end of the First World War.

Nous sommes en 1919, *autrement dit* au lendemain de la première guerre mondiale.

The child has difficulty in accepting the new baby. *In other words*, he is jealous.

L'enfant accepte mal l'arrivée d'un nouveau-né. *En d'autres termes*, il est jaloux.

in short

In short, it is an admission of failure.

En bref, il s'agit d'un constat d'échec.

in spite of

In spite of all his efforts, the envoy has been unable to obtain a peace agreement.

Malgré tous ses efforts, l'émissaire n'a pas obtenu d'accord de paix.

instead

Instead, students can enrol on a programming course.

À la place, les étudiants peuvent s'inscrire à un cours de programmation.

in the first place

In the first place, we must consider the economic situation of the country before the revolution.

Nous nous attacherons, *en premier lieu*, à rappeler la situation économique du pays avant la révolution.

moreover

Moreover, it must be emphasized that Verdi was an ardent supporter of Italian Unity.

En outre, il faut préciser que Verdi était un fervent partisan de l'unité italienne.

Moreover, close examination of the contract reveals several inconsistencies.

D'autre part, un examen attentif du contrat montre plusieurs incohérences.

Moreover, he is completely suited to the part.

De plus, ce rôle lui convient tout à fait.

nevertheless

The novel is *nevertheless* not entirely autobiographical.

Le roman n'est *toutefois* pas entièrement autobiographique.

next

Next, we shall focus on the psychological approach.

Ensuite, nous allons nous intéresser à l'approche psychologique.

nonetheless

It must *nonetheless* be pointed out that he came from a very religious family.

Il faut *néanmoins* préciser qu'il a grandi au sein d'une famille très pratiquante.

French link words and expressions

en premier lieu

Nous nous attacherons, *en premier lieu*, à rappeler la situation économique du pays avant la révolution.

In the first place, we must consider the economic situation of the country before the revolution.

en résumé

En résumé, on peut dire que la télévision a volé une partie des spectateurs du cinéma.

To sum up, one can say that television has taken part of the audience away from the cinema.

en revanche

En revanche, il est peu crédible que l'auteur ait ignoré l'œuvre de Baudelaire.

On the other hand, it is implausible that the author was unaware of Baudelaire's work.

en somme

En somme, l'auteur se cantonne à réutiliser les recettes qui ont fait le succès de son roman précédent.

Basically, the author simply uses the same formula as the one which made his first novel such a success.

ensuite

Nous parlerons *ensuite* des problèmes d'insertion des immigrés.

We will *then* discuss the problems of integration faced by immigrants.

mais

Mais cela ne justifie pas le recours à la violence.

But that does not justify resorting to violence.

Elle s'est entraînée de façon intensive toute l'année, *mais* n'a toujours pas retrouvé le meilleur de sa forme.

She trained hard all year, *yet* still failed to reach her best form.

malgré

Malgré son immense succès, il est resté très simple.

Despite his huge success, he has remained a very straightforward person.

Malgré tous ses efforts, l'émissaire n'a pas obtenu d'accord de paix.

In spite of all his efforts, the envoy has been unable to obtain a peace agreement.

néanmoins

Il faut *néanmoins* préciser qu'il a grandi au sein d'une famille très pratiquante.

It must *nonetheless* be pointed out that he came from a very religious family.

or

Or l'auteur est lui-même d'origine slave.

Now the author is himself of Slav origin.

par ailleurs

On sait, *par ailleurs*, que le chat tient une place importante dans l'Antiquité égyptienne.

In addition, the cat is known to have played an important role in the cultural life of ancient Egypt.

par conséquent

Il faut, *par conséquent*, tenir compte du contexte historique.

We must, *therefore*, take the historical context into account.

pour commencer

Pour commencer, nous ferons un bref résumé de la situation.

To start with, we'll briefly sum up the situation.

pour finir

Pour finir, nous nous interrogerons sur l'avenir du livre, dans un monde où le support informatique prend chaque jour plus d'importance.

Finally, we will examine the future of the book in a world where the Internet is becoming more important by the day.

pourtant

Le problème racial ne constitue *pourtant* pas la seule explication.

The racial problem is not, *however*, the only explanation.

quoi qu'il en soit

Quoi qu'il en soit, ces mesures mettront du temps à produire leur effet.

Be that as it may, these measures will take time to have an effect.

seulement

Seulement, le destin en a décidé autrement.

But fate decided otherwise.

tout d'abord

Tout d'abord, il faut rappeler ce qui s'est passé ce jour-là.

To begin with, one has to remember what happened that day.

toutefois

Le roman n'est *toutefois* pas entièrement autobiographique.

The novel is *nevertheless* not entirely autobiographical.

now

Now the author is himself of Slav origin.

Or l'auteur est lui-même d'origine slave.

on the contrary

On the contrary, we discover that the character is guilty of the crime.

On découvre, *au contraire*, que le personnage est coupable du crime.

on the other hand

On the other hand, one may wonder if it is not a deliberate choice on the author's part.

À l'inverse, on peut se demander si ce n'est pas un choix délibéré de l'auteur.

On the other hand, it is implausible that the author was unaware of Baudelaire's work.

En revanche, il est peu crédible que l'auteur ait ignoré l'œuvre de Baudelaire.

similarly

Similarly, they have done away with the traditional Saturday supplement.

De la même manière, ils ont supprimé le traditionnel supplément du samedi.

still

These mushrooms are said not to be dangerous, but you *still* need to know how to tell them apart from the others.

Ces champignons ne sont, paraît-il, pas dangereux. *Encore* faut-il savoir les distinguer des autres.

so

It was still painful, *so* I went to see a specialist.

J'avais toujours mal, *alors* je suis allé voir un spécialiste.

that is to say

During the incubation period, *that is to say* for two weeks before the onset of symptoms, the patient is very infectious.

Pendant la période d'incubation, *à savoir* deux semaines avant que la maladie ne se déclare, le sujet est très contagieux.

that is why

Reading encourages one to be more open-minded. *That is why* a child who reads will find it easier to understand the world around him.

La lecture favorise l'ouverture d'esprit, *c'est pourquoi* un enfant qui lit aura moins de difficultés à comprendre le monde qui l'entoure.

then

We will *then* discuss the problems of integration faced by immigrants.

Nous parlerons *ensuite* des problèmes d'insertion des immigrés.

therefore

We will *therefore* consider the poets who were Verlaine's contemporaries.

Nous évoquerons *donc* les poètes contemporains de Verlaine.

We must *therefore* take the historical context into account.

Il faut, *par conséquent*, tenir compte du contexte historique.

though

Though they do not have any union backing, they have decided to continue their strike action.

Bien qu'ils ne disposent d'aucun soutien des syndicats, ils ont décidé de continuer leur mouvement de grève.

thus

Thus, it seems reasonable to wonder if these investments are justified.

Ainsi, il semble légitime de se demander si ces investissements sont justifiés.

to begin with

To begin with, one has to remember what happened that day.

Tout d'abord, il faut rappeler ce qui s'est passé ce jour-là.

to sum up

To sum up, one can say that television has taken part of the audience away from the cinema.

En résumé, on peut dire que la télévision a volé une partie des spectateurs du cinéma.

whereas

She was hardly worried about it, *whereas* he took this warning very seriously.

Cela ne l'a guère préoccupée, *alors que* lui a pris cet avertissement très au sérieux.

yet

She trained hard all year, *yet* still failed to reach her best form.

Elle s'est entraînée de façon intensive toute l'année, *mais* n'a toujours pas retrouvé le meilleur de sa forme.

Living in France

Citizens of European Union countries

Citizens of EU countries can now live and work freely in France. No visa is required but a valid passport or identity card must be shown in order to enter the country. EU citizens no longer need to apply for a residence permit (*carte de séjour*) nor for a work permit. They have exactly the same rights to work as a French person, though some jobs having *fonctionnaire* (civil servant) status can only be held by French nationals. The state competitive examinations, the *CAPES* and the *agrégation*, which give access to tenured posts in the state education system are also only open to holders of French nationality.

Students are also free to live in France, as are retired people drawing a pension from another EU country such as Britain or Ireland, providing they hold a valid EU passport.

Unemployment Benefit

If you are receiving Unemployment Benefit in the UK, this can be transferred to France for the first three months while you look for a job. You should inform your local benefit office in Britain of your intention to move to France at least five working days before leaving. You will receive an E303 form which you should take to your nearest *ANPE* (*Agence Nationale pour l'Emploi*) office within seven days of your arrival in France. If you are over 25, you may also qualify to receive the *RMI* (*Revenu Minimum d'Insertion*), the equivalent of Income Support.

Family Allowance

If you are living and working in France you are entitled to Family Allowance (*Allocations Familiales*) from the birth of your second child until the child is 20 years old. You should enquire at your nearest *Caisse des Allocations Familiales*.

Health and Social Security

Before going to France, you should apply for a *European Health Insurance Card* (*EHIC*) at www.dh.gov.uk/travellers or by calling 0845 606 2030. In the Republic of Ireland you can apply to your local Health Office or at www.ehic.ie. Once in France, you should contact your local *Caisse Primaire d'Assurance Maladie* in order to register with the French system. You will then get the *Carte Vitale* for use when visiting a doctor or getting medication on prescription. Beware that health care costs are not refunded in full by the state and most people have supplementary health insurance. Your employer will be able to advise you on this.

In order to benefit from French health cover, you need to have a Social Security Number (*numéro de Sécurité Sociale*). If you are a student, you will be given a number through your university or other institution. If you are taking up employment in France, your employer is obliged to register you and you will subsequently receive your number. For enquiries and further information, contact the DSS Overseas Branch on 0191 213 5000 in the UK, or in France call 01.53.38.70.70.

American Citizens

American visitors arriving in France will be given a visitor's visa for a period of ninety days, providing they hold a valid US passport. Those wishing to stay for longer than this must apply for a visa before leaving the US. This is done through the French Consulate for your area of the US. You can find the list of these on http://www.consulfrance-washington.org. The procedure is fairly complicated and takes at least two months. There are several types of visa depending on the circumstances. Once you have entered France with your visa, you must apply for a *carte de séjour* (residence permit) at the *Préfecture* for the *département* you will be living in. If you plan to retire to France, you will need to produce documentary evidence to show that that you have the means to support yourself, that you have somewhere to live, and that you have medical insurance. Full details are available on French Consulate websites.

American citizens planning to study in France for less than ninety days have to apply for a short-term Schengen visa; for between ninety days and six months, for a temporary long-stay visa; for more than six months, for a long-stay visa. All at least two months before leaving the US. In the case of a long-term visa, a residence permit (*carte de séjour*) must be applied for on arrival in France.

It is on the whole difficult for American citizens to work in France unless they are posted to France by an American company. An American citizen can of course apply for a job in France and the employer must then obtain authorization from the French Ministry of Labour. However, in practice this is difficult, as unemployment is currently high and priority for jobs is given to French and EU citizens.

Bringing a car to France

EU citizens are free to bring their cars to France and can drive freely in France for as long as they wish on a valid licence issued by an EU country. They must, however, change the registration within six months of arrival if they are planning to stay in France. To do this, contact your local *Préfecture* or *Sous-Préfecture*. A fee will be charged. The last two figures of French vehicle registration plates indicate the number of the *département* in which the registered owner is resident. If you move to another *département* you are obliged by law to change your vehicle registration.

US citizens arriving with a car are obliged to apply for French registration of their vehicle within four months of arrival. They may also have to pay import duty and have modifications made to the vehicle to comply with French safety regulations. American citizens moving to France may drive on their American licence for a limited time only. This varies according to the state which issued the licence. France has agreements with some American states by which a French driving licence can be obtained by applying to the nearest *Préfecture* but in most cases you will be required to pass the French driving test in order to obtain a French licence.

Renting a property

There are no restrictions on non-French nationals renting property in France. You can do this through an estate agent in France, through specialist estate agents who advertise in the UK and the US, via specialist publications as well as local and national newspapers in France. Once you have found the property you want, you will have to sign a *bail* (lease). By law a lease must be for a minimum of three years and a maximum of six. The period is contractually binding for the lessor but the lessee may cancel the lease at any time. However, three months'

Vivre dans un pays anglophone

Le Royaume-Uni et l'Irlande

Toute personne de nationalité française, belge ou suisse peut entrer librement au Royaume-Uni et en Irlande, à condition d'être en possession d'un passeport ou d'une carte nationale d'identité en cours de validité. Aucun visa n'est requis. Il n'y a pas de réglementation concernant le droit de vous y installer, d'y faire des études, des stages ou même d'y travailler. Il n'est pas non plus nécessaire de demander un permis de séjour (*residence permit*) ou un permis de travail (*work permit*).

Il est cependant nettement plus compliqué qu'en France de s'inscrire dans un établissement pour entreprendre des études universitaires ou autres ; les frais d'inscription très élevés sont à la charge de l'étudiant. L'université est gratuite en Écosse, mais seulement pour les Écossais.

L'allocation de chômage

Si, au moment où vous allez vous installer au Royaume-Uni, vous recevez des allocations de chômage ou le RMI (revenu minimum d'insertion), vous pouvez continuer à en bénéficier pendant les trois premiers mois de votre séjour, à la condition d'être à la recherche d'un emploi. Il faut contacter votre ANPE en France, au moins cinq jours ouvrables avant votre départ, pour obtenir le formulaire européen E303. Ce formulaire est à présenter, dans les sept jours suivant votre arrivée, au *Job Centre* (centre pour l'emploi) le plus proche de votre nouveau domicile.

Les allocations familiales

Si vous avez au moins un enfant à votre charge, et si vous vivez et travaillez (ou cherchez un emploi) au Royaume-Uni ou en Irlande, vous pouvez toucher une allocation (*Child Benefit*) pour chacun de vos enfants jusqu'à leur seizième anniversaire. Si vos enfants poursuivent des études à plein temps, vous continuez de percevoir une allocation jusqu'à leurs 18 ans (jusqu'à 19 ans dans certains cas). Vous trouverez des renseignements complets, ainsi que le formulaire de demande d'allocations sur Internet : www.hmrc.gov.uk/childbenefit/eligible.htm ou en appelant le 0845 302 1444.

La santé et la couverture sociale

Avant de se rendre au Royaume-Uni ou en Irlande, il faut demander la **carte européenne d'assurance maladie** auprès de votre centre de sécurité sociale. Cette carte vous donne accès aux traitements médicaux. Cependant, si vous êtes enregistré en tant qu'étudiant, chercheur d'emploi ou si vous êtes employé en Grande-Bretagne, vous recevrez un numéro de sécurité sociale (*National Insurance number, NI*) en Angleterre et au pays de Galles. Ce numéro vous servira également de référence identitaire auprès des autorités fiscales et dans toute autre relation avec l'État. Afin de bénéficier de soins médicaux, vous devez au préalable obtenir un numéro de NHS (*National Health Service*) en Angleterre et au pays de Galles, de *Community Health Index* (*CHI*) en Écosse, de *Health and Care* en Irlande du Nord, ou de *Personal Public Service* (*PPS*) en République d'Irlande. Celui-ci vous donnera accès aux mêmes services de santé qu'un Britannique ou un Irlandais. Vous en aurez également besoin pour consulter un médecin.

Vous êtes normalement obligé de vous inscrire auprès du médecin généraliste (*general practitioner, GP*) le plus proche de chez vous ou de votre lieu de travail. Les consultations et les traitements sont gratuits dans le système public (*National Health Service*) : vous n'avez pas d'honoraires à payer au médecin. Par contre une bonne partie du coût des médicaments, des soins dentaires et des frais d'optique sont à votre charge. Toutefois, si vous bénéficiez d'allocations spécifiques (*Income Support* ou *Jobseeker's Allowance*), les médicaments sur ordonnance vous seront délivrés gratuitement. Il en va de même pour les enfants jusqu'à 16 ans (18–19 ans s'ils font des études à plein temps), les femmes enceintes, les mères d'un enfant de moins de un an et les personnes de plus de 60 ans. Notez que vous n'avez pas le droit d'aller directement consulter un médecin spécialiste : c'est votre généraliste (*GP*) qui vous y enverra si nécessaire.

Les animaux

Depuis l'an 2000, il n'existe plus de mise en quarantaine des animaux qui entrent au Royaume-Uni et en Irlande. Les chiens et les chats doivent néanmoins porter une puce électronique d'identification et leurs propriétaires doivent détenir des documents de santé en règle : un certificat de vaccination contre la rage et une attestation de traitement antipuces et antitiques (passeport pour animaux de compagnie).

Les États-Unis

Pour entrer aux États-Unis, un Français, un Belge ou un Suisse doit posséder :

- soit un passeport à lecture optique (délivré avant le 26 octobre 2005) et solliciter un visa,
- soit un passeport à données biométriques avec photo numérique et bénéficier du programme d'exemption de visa.

Pour toute question, contactez le consulat américain le plus proche de chez vous (voir www.amb-usa.fr/indexfr.htm pour la liste des consulats).

Un visa de 90 jours vous sera accordé. Vous n'aurez pas le droit de rester plus longtemps ni, en aucun cas, de travailler. Sinon, vous pouvez demander à l'avance un **visa de tourisme et d'affaires** de six mois, mais vous serez tenu de justifier, documents à l'appui, la nécessité de rester sur le territoire américain plus de 90 jours.

Par ailleurs, il existe un **visa d'étudiant** qui permet de suivre des études dans différents types d'établissements, mais qui ne permet pas de travailler (voir le site des consulats des États-Unis), et un **visa de travail**, le visa H1B (*H1B Visa*). Il faut déjà avoir une offre d'emploi pour l'obtenir ; c'est l'employeur qui demande aux autorités américaines le droit d'employer la personne. Un diplôme universitaire ou son équivalent au niveau d'expérience professionnelle est nécessaire. Le visa de travail est valable trois ans et renouvelable tous les trois ans. Il permet aussi l'entrée aux États-Unis d'un conjoint et des enfants, mais la législation américaine exige que le couple soit marié.

Il existe aussi un **visa au pair**, non renouvelable, qui permet de travailler tout en étant logé au sein d'une famille pendant un an.

Toute personne séjournant, étudiant, ou travaillant aux États-Unis doit prendre une **assurance médicale** et il est essentiel de bien se renseigner sur le système social et de santé avant de partir.

Pour étudier aux États-Unis, vous devez obtenir un visa F1 (*F1 Visa*) ou un visa M1 (*M1 Visa*). L'établissement d'accueil vous fournira les formulaires appropriés selon votre cursus universitaire.

notice is obligatory (though in some special circumstances this can be reduced to one month) and must be sent by registered post with acknowledgment of receipt (*recommandé avec accusé de réception*). The lease may impose conditions and restrictions and should be read very carefully before signature.

If you are renting an apartment, the lease will specify a fee (*charges*) in addition to the rent for the upkeep of the building, the maintenance and cleaning of shared spaces, lifts and so on. This can add considerably to the rent. You will normally be asked to pay a guarantee (*dépôt de garantie* or *caution*). By law this cannot exceed two months' rent, excluding *charges*. You will also be asked to name a guarantor (*personne apportant caution solidaire*) who undertakes to make any payments due that the lessee fails to make.

You will also need to sign a separate document, the *état des lieux*, which gives a detailed description of the property, the state of repair, contents etc. It is essential to check the details meticulously and in particular to bring to the attention of the lessor or his or her agent any damage or wear and tear not noted. You will be obliged to have an *état des lieux* done at the end of your tenancy and to pay for any damage or deterioration, though allowance is generally made for reasonable wear and tear.

The above applies to unfurnished property. The legal requirements for leases for furnished property are less stringent but you should still insist on a proper lease being signed and, if you have any doubts about the lease, consult a *notaire* (notary public, lawyer).

If you have to apply for a *carte de séjour*, you will be required to show a rent receipt (*quittance de loyer*) as proof that you have somewhere to live. Your landlord (*propriétaire*) or letting agency is legally obliged to provide this free of charge.

Buying a property

Preliminaries

Properties for sale can be found through the same avenues as those given above for renting. The sale may be handled by either an agent (*agent immobilier*) or by a notary public (*notaire*), in this context roughly the equivalent of a British solicitor, except that the *notaire* acts impartially to conduct the sale as an officer of the state. Once an offer has been made and agreed, the rest of the sale is generally conducted by the *notaire* and if not, all the stages and documents must be approved by the *notaire*.

Le compromis de vente

The first formal and legally binding stage is the *compromis de vente* (preliminary sale agreement). You should query anything in this document that you are unsure about with the *notaire*. When you sign the *compromis de vente*, you will have to pay a deposit, usually 10% of the agreed price. You have a cooling-off period of seven days after receiving the *compromis* signed by both parties. During this period, you can withdraw from the sale. Subsequently you cannot do so without losing your deposit.

A target date for completion of the sale will be set but it is wise not to rely too much on this for travel arrangements, removals and so on and to wait until the process is well under way.

Searches on the property

The *notaire* is able to conduct some searches concerning the property but you should check at the *Mairie* of your local *commune* the details of the property in terms of access rights, proposed developments on adjoining land, restrictions on planning permission, and so on. If you need information to be translated into English, you must arrange and pay for this yourself.

L'acte de vente

Once the interim stages are complete, you will proceed to the *acte de vente* (Contract of Sale). This must be signed in the presence of the *notaire* after he has read it aloud to both parties.

French inheritance laws

It is extremely important to be aware that property bought in France by foreign nationals is subject to French inheritance laws which protect the rights of children and other blood relatives. You cannot will or gift your property outside these laws. Therefore you must not assume, for example, that a spouse acquires ownership of a joint property on the death of the other spouse. All prospective buyers should be careful to ask the *notaire* to explain the rules carefully as the implications can be very serious. The *notaire* may be able to suggest some ways to mitigate them.

Getting work done

This can be daunting at home, let alone in a foreign country. On the whole it is unusual to find builders, carpenters and so on in France who speak English, so if your French is not perfect, you may be tempted to use British or American native craftsmen, of whom there are now a good number in certain areas of France. However, the advantages of dealing with someone who speaks your language need to be weighed against the undoubted advantages of someone who knows local building methods and materials and is used to working closely with other local *artisans* (craftsmen) and suppliers.

Planning permission

If you are planning to undertake works to modify the exterior of your property (for example by adding or modifying windows or doors), to modify radically the distribution of the interior space, or to change the use of any part of the property, for instance by turning a stable or outhouse into living accommodation, you are obliged to request a *permis de construire* (Planning Permission) from your local *Mairie*. It is wise to enquire in advance exactly what sort of improvement comes into this category and find out about the procedure and the time involved, as this varies considerably. You will normally need to supply architects' plans along with a description of the work involved.

Estimates

It is standard practice to request a *devis* (estimate) for every type of work concerning a property. You will receive a detailed estimate and it is not at all usual or acceptable for a craftsman to charge more than the estimated price unless circumstances have changed, for example because you have let enough time lapse between receiving the estimate and accepting it for prices to have risen, or you have modified the specifications after work has started.

Advance payment

You will generally be required to make an advance payment (*versement d'un acompte*) of around 30% when accepting an estimate. You may also be asked to make a further payment of 30% in the course of the work. These conditions will be stated on the *devis*.

Personal Banking

The conventions and processes of personal banking in French-speaking countries in Europe do not differ greatly from those of English-speaking banking culture. It is entirely straightforward to open a French bank account, whether or not you are resident

La fameuse *Green Card* est réservée aux étrangers résidant aux États-Unis. Il existe une loterie annuelle avec 50 000 *Green Cards* à gagner.

Le numéro de sécurité sociale (*Social Security Number, SSN*), est uniquement réservé à ceux qui habitent aux États-Unis.

Votre véhicule au Royaume-Uni

Vous pouvez conduire votre véhicule, immatriculé en France, au Royaume-Uni aussi longtemps que vous voulez, mais n'oubliez pas de rouler à gauche ! Vous êtes autorisé à conserver votre permis de conduire national. Si toutefois vous estimez plus commode de changer d'immatriculation ou de permis, ou si vous voulez simplement obtenir des renseignements, vous pouvez consulter le site du *DVLA* (*Driver and Vehicle Licensing Agency*) www.dvla.gov.uk

Louer un logement

Les ressortissants de pays de l'UE peuvent s'installer librement au Royaume-Uni et en Irlande. Vous trouverez sur Internet un grand nombre de sites francophones qui vous donneront des conseils et des agences immobilières spécialisées dans la recherche d'appartements, en particulier à Londres. Toutefois, si cela vous est possible, il est recommandé d'aller sur place pour effectuer les démarches.

La législation concernant les droits des locataires et les obligations des propriétaires est complexe au Royaume-Uni. Si vous louez un logement par l'intermédiaire d'une agence réputée, celle-ci propose normalement un bail (*lease* ou *rental agreement*) standard qu'il faut néanmoins lire attentivement avant de signer. Le bail doit (entre autres) :

- décrire la propriété et son état,
- contenir un inventaire (*inventory*) de ce qui est inclus dans le logement (meubles, équipements de cuisine, etc.). Afin d'éviter que des charges ne soient retenues contre vous pour détérioration de matériel, vérifiez l'inventaire dès le début de la location et faites part de toute divergence entre ce qu'il décrit et l'état constaté (ou l'absence éventuelle) des objets et équipements contenus dans le logement,
- indiquer le montant des charges et de la caution,
- préciser la durée du bail et les conditions de sa résiliation avant le terme prévu (pour le locataire comme pour le propriétaire).

La plupart des agences immobilières (*estate agents* GB, *realtors* US) offrent aussi bien des logements à louer et à vendre. Les journaux locaux proposent des annonces de location de la part d'agences, mais aussi de particuliers. Renseignez-vous aussi auprès d'un marchand de journaux, car il arrive que les annonces immobilières ne paraissent qu'une fois par semaine.

Acheter un logement

Les différentes étapes de l'achat d'un logement prennent au minimum six mois. Des agences immobilières en France et sur Internet sont spécialisées dans la recherche de logements au Royaume-Uni. Si vous êtes déjà sur place, les démarches auprès d'un agent immobilier ou la lecture des annonces dans les journaux et les publications spécialisées sont vivement recommandées.

Ayant trouvé un logement qui vous convient, vous ferez une offre, normalement avec le concours de l'agence immobilière. Si votre offre est acceptée et si vous empruntez de l'argent pour l'achat, la banque ou tout autre organisme qui vous avance le prêt, mettra en place une expertise du logement (*survey* GB, *home inspection* US).

Aux États-Unis, les intérêts des emprunts bancaires pour l'achat d'un logement sont déductibles des impôts.

Il faut également contacter un notaire (*solicitor* GB, (*real estate*) *attorney* US), qui, selon le type de logement, pourra vous conseiller de faire aussi une expertise indépendante. C'est à lui qu'il incombe d'entreprendre des recherches sur le logement (droits d'accès, restrictions de permis de construire, etc.), de vérifier le droit du vendeur à vendre, d'examiner les termes du contrat et de correspondre avec le notaire du vendeur. Tout ceci coûte assez cher, et il faut tout de suite se renseigner sur le montant des charges fiscales (*stamp duty* GB, *transfer tax* US), de l'expertise, etc. Vous ne pouvez en aucun cas prendre le même notaire que le vendeur. Les honoraires des notaires ne sont pas fixés par l'État et varient beaucoup. En général il est avantageux d'avoir un notaire dans la région où vous achetez.

En Angleterre et au pays des Galles, l'acceptation d'une offre n'engage personne dans une situation contractuelle. Il peut donc arriver que le vendeur, ayant par la suite reçu une offre supérieure, vous laisse tomber. Cette pratique, connue sous le nom de *gazumping*, n'est pas illégale, même si elle est fortement désapprouvée. En Écosse, le système juridique est tout à fait différent et l'acceptation d'une offre engage tout de suite les deux parties dans une situation contractuelle dont il est difficile et très coûteux de se dégager. Aux États-Unis, il est courant de verser un acompte qui correspond à 2 ou 3% du prix du logement pour montrer sa « bonne volonté » (*earnest money deposit*). Ce versement détenu par un tiers est bien sûr déduit du montant final de la vente, si celle-ci a bien lieu.

Ensuite, votre notaire rédigera le contrat et conviendra, avec le notaire du vendeur, de la date de l'échange de contrats, qui équivaut plus ou moins à la signature du compromis de vente. Vous serez obligé d'avancer un pourcentage du prix de vente, généralement 10%. Le contrat stipule les conditions qui doivent être respectées par les deux parties ainsi que les clauses dérogatoires permettant de protéger les intérêts de ces dernières. La date de la signature de l'acte de vente (*completion* GB, *closing date* US) est fixée.

Vous pourrez vous renseigner sur ce sujet ainsi que sur de nombreux autres aspects de la jurisprudence britannique (et de pays anglophones) sur Internet.

Des informations et conseils concernant la location et la vente de biens immobiliers au Royaume-Uni sont disponibles sur le site non institutionnel du *Citizens Advice* (*CA*), un service bénévole d'assistance pour toutes les questions d'ordre juridique ou concernant les droits sociaux (www.adviceguide.org.uk).

Faire faire des travaux

Cette opération qui ne va déjà pas sans difficultés dans son pays d'origine, peut relever du parcours du combattant à l'étranger, surtout si des problèmes de communication se mettent de la partie. Le plus judicieux est d'essayer de se faire recommander des artisans par des connaissances sur place.

Le permis de construire (Planning Permission)

Un permis de construire (*Planning Permission*) est obligatoire pour toute modification à l'extérieur d'une maison (nouvelles ouvertures, ouverture de portes, etc.). Il faut s'adresser à l'hôtel de ville (*Town Hall*) de votre domicile pour retirer les formulaires nécessaires et connaître les démarches à effectuer, celles-ci pouvant être différentes d'une localité à l'autre. Il n'est pas exigé de permis de construire pour les modifications faites à l'intérieur d'une maison (sauf dans le cas d'un bâtiment classé), mais celles-ci doivent néanmoins être conformes aux normes de construction en vigueur.

in France, providing you have a French address. If, for example, you have a holiday home in France, you can easily set up a French account in order to pay your household bills.

Banking is as competitive in France as it is elsewhere, so it is wise to compare what various banks are offering in relation to your particular needs. In particular, interest rates on both loans and investments vary greatly, so if you are looking to borrow in order to buy or make improvements to a property or else to invest savings, you should look very carefully at what is on offer. The overseas branch of your home bank should be able to offer guidance on this.

Some types of account

Different banks have different account possibilities, particularly those offering high interest for savings accounts. However, banking operations are ultimately governed by the national bank, *La Banque de France*. Banks will generally offer the following basic account options (plus a wide variety of services catering to particular groups (students, first-home buyers, retired people, pension plans, loans etc.):

Compte chèque (current account, checking account)

This is the standard current account. There is no charge for opening an account. You will be asked to deposit a minimum sum. This varies from bank to bank. You will then have free access to a number of basic banking facilities: chequebook, withdrawing and depositing cash and cheques, withdrawing money from a cash dispenser. Further than this, your bank is legally obliged to supply written information concerning charges and it is wise to look carefully at these.

A current account allows you to have a debit card or a credit card (or both). There is generally an annual charge for any type of card, including a simple debit card. The charge varies very widely, the more expensive credit cards attracting the usual extra options, offers, insurance, etc.

BANQUE EXEMPLAIRE

RELEVE N° 9 AU 05/12/2007

Votre conseiller :
GIRAUD JEAN MARIE

LIMOGES
79 Place Mal Leclerc
LIMOGES
Fax : 05 8700 87 97 25
Tel : 05 5515 07 90 05 0.12_TTC/mn

Vos opérations 24 H 24
TONALITE EXTRA 0 892 991 000
Code : 586730
SMS+6 11 10 : 586730

0028/00000736/20061206/G4/
0,42/LIMOGES

MR DUPONT, HENRI
44, rue Carnot
86 004 Poitiers

www.banqueexemplaire.fr

VOTRE COMPTE CHEQUES NO° 0051959263
IBAN FR76 1260 7005 0500 5195 9369 213

DATE COMPTA	LIBELLE/REFERENCE	DATE OPERATION	DATE VALEUR	DEBIT EUROS	CREDIT EUROS
	SOLDE CREDITEUR AU 06/11/2006				5 583,21
13/11	CHEQUE 0000006	13/11	13/11	61,50	
29/11	CHEQUE 0000007	29/11	29/11	245,05	
	SOLDE CREDITEUR AU 06/11/2006				5 276,66

The *compte chèque* does not usually offer interest on the sums deposited. If you are transferring large amounts of money to France, you should consult an adviser from your chosen bank. French bureaucracy is complex in all domains and it is a good idea to insist—or look elsewhere—if you think your questions have not been satisfactorily answered.

Compte d'épargne/compte sur livret (savings account)

The *compte sur livret* is the basic savings account offering an annual payment of interest at the particular bank's current rate. The interest is paid at the end of the financial year (31 December).

Compte épargne logement (savings account for buying or improving a property)

This type of account generally offers a better rate of interest and, after a certain period, usually three years, access to loans for buying or improving your property at favourable interest rates. You may have to commit yourself to leaving money deposited in this type of account for a pre-determined period.

Brief glossary of personal banking terms

agence	branch (of bank)
annuel	annual, yearly
banque	bank
billet de banque	banknote
carte bancaire	bank card
carte bleue/carte de crédit	credit card
chèque	cheque
chèque de voyage	traveller's cheque
chéquier	chequebook
clore, clôturer un compte	to close an account
code guichet	branch code, routing code
commission	commission
compte	account
compte courant	current account, checking account
compte joint	joint account
crédit	credit/money in
débit	debit/money out
découvert	overdraft
distributeur automatique (de billets)	cash machine, cash dispenser
emprunt	loan
frais	charges
gratuit	free
historique	transactions (in chronological order)
intérêt(s)	interest
mensuel	monthly
ouvrir un compte	to open an account
paiement	payment
prélèvement (automatique)	(direct) debit
prêt	loan
prêt habitat/logement	mortgage
relevé de compte(s)	statement
retirer de l'argent	to withdraw money
retrait	withdrawal
RIB (Relevé d'Identité Bancaire)	account details (supplied free of charge by the bank and required when setting up a direct debit)
taux de change	exchange rate

Les devis (Estimates)

Pour des travaux de plus grande envergure, il est conseillé d'obtenir plusieurs devis afin de pouvoir comparer les prix. Le coût final des travaux doit correspondre à celui du devis accepté, sauf dans le cas de modifications ajoutées en cours de route.

La banque : les comptes personnels

Les conventions et les processus des opérations bancaires au Royaume-Uni sont relativement similaires à ceux de la France, de la Belgique ou de la Suisse. Vous pouvez ouvrir un compte chèque ou un compte d'épargne, même si vous n'êtes pas domicilié au Royaume-Uni.

La concurrence entre les différentes banques est très vive, et il est donc judicieux de bien comparer les services, les frais et les taux d'intérêt proposés avant de vous engager.

Au Royaume-Uni, beaucoup d'organismes qui ne sont pas des 'banques' en tant que telles peuvent proposer des prêts bancaires ; c'est le cas de plusieurs caisses de prêt au logement (*mortgage companies*), dont les taux d'emprunts peuvent être très variables au Royaume-Uni, et particulièrement aux États-Unis.

Quelques types de compte

Les types de comptes proposés peuvent varier d'une banque à l'autre, surtout en ce qui concerne les comptes d'épargne ou les comptes réservés à certaines catégories de clients, tels que les étudiants, les enfants, ou les personnes qui ont des sommes considérables à investir. Voici un aperçu des comptes les plus répandus :

The Savings Bank

phone 08457 000 000
www.thesavingsbank.co.uk

Mr J Smith
20 Acacia Avenue
Bristol
BS49 2YK

Directplus Account

Date	Description	Money out	Money in	Balance
13 NOV 06	**OPENING BALANCE**			**1,230.00**
5 DEC 06	CHEQUE 000006	35.99		1,194.01
12 DEC 06	PAYMENT FROM S.W. SMITH		1,890.00	3,084.01
	Statement closing balance			**3,084.01**

Comptes courants (Current account, checking account US)

C'est le compte chèque de base. En principe, il n'y pas de frais d'ouverture de compte. La somme minimum à déposer peut varier d'une banque à l'autre et toutes sortes de promotions commerciales peuvent vous être proposées. Le compte chèque vous donne normalement accès aux services de base : chéquier, carte bancaire, relevé de compte mensuel. Les cartes de crédit sont généralement payantes. Certaines banques proposent des compte chèque rémunérés ainsi que des avantages si votre solde ne descend jamais au-dessous d'une certaine somme. Si vous transférez des sommes considérables au Royaume-Uni, renseignez-vous sur la meilleure façon de les placer.

Comptes d'épargne (Savings accounts)

Les taux d'intérêts varient selon le type de compte ; dans la plupart des cas, les taux les plus intéressants vous imposent des contraintes dans l'accès à vos fonds. Le taux d'intérêt peut aussi varier en fonction du nombre d'années pendant lesquelles vous laissez fructifier votre argent. La clôture d'un compte avant le délai contractuel peut entraîner des pénalités sur les intérêts.

Petit glossaire des termes de la banque

annual	annuel
ATM	distributeur automatique (de billets)
balance	solde
bank	banque
(bank) account	compte (bancaire)
banknote	billet de banque
(bank) statement	relevé de compte
branch	agence
cash machine, cash dispenser	distributeur automatique (de billets)
charges	frais
checkbook (US), **chequebook** (GB)	chéquier
checking account (US), **current account** (GB)	compte courant, compte chèque
to close an account	fermer, clôturer un compte
commission	commission
credit	crédit
credit card	carte de crédit, carte bleue
debit	débit ; prélèvement
debit card	carte bancaire (sans paiement différé)
direct billing (US), **debit** (UK)	prélèvement automatique
exchange rate	taux de change
free	gratuit
interest	intérêt(s)
joint account	compte joint
loan	emprunt ; prêt
monthly	mensuel
mortgage	prêt au logement
to open an account	ouvrir un compte
overdraft	découvert
to pay in	verser
payment	paiement ; versement
rate	taux
routing number	code guichet
sort code	code guichet
transfer	virement

verser	to pay (in)
versement	payment (into account)
virement	transfer

Tax

Impôt sur le revenu (Income tax)

When you become resident in France, you will need to register with your local tax office (*Centre des Impôts*). If you are currently paying tax in the UK, you should obtain a form from the Inland Revenue in order to state your intention of paying your income tax in France. If you are an American citizen, you should find out from your local tax office the procedure for changing your tax base.

There is no PAYE (pay-as-you-earn) system in France. You have to file a tax return (*déclaration d'impôts*) once a year to be received by 1 March. The necessary forms will be sent to you if you are registered to pay tax in France. The following categories of income are subject to income tax:

- profits from industrial or commercial activities (*bénéfices industriels et commerciaux*);
- profits from professional activities (*bénéfices non commerciaux*);
- profits from agricultural activities
- income from real property (*revenus fonciers*)
- wages and salaries, pensions and annuities
- income from transferable securities (*revenus mobiliers*)
- capital gains.

People resident in France are taxed on their total income from French and foreign sources and are legally obliged to declare this. People who are not domiciled in France are nonetheless taxed on income from French sources. However France has double tax agreements with many countries including the UK and the US. This means that you can get a tax credit in your own country which can be offset against your tax liability in France.

You are liable to pay tax in France if:

- you spend 183 days or more in France in one calendar year
- your permanent home or principal residence is in France
- the source of your professional income is in France
- your main source of investment or business income is in France

As is notoriously the case with most of French bureaucracy, the tax system is complicated and you would be well advised to consult an accountant (*expert comptable*), at least in the first year. You become liable for tax in France from the day you declare as your arrival date as a future resident.

Taxe d'habitation (Community tax)

This is a tax paid on your dwelling, whether or not you are resident in France, and regardless of whether you are renting the property or own it. It is calculated according to the surface area of the property and the amenities provided, and is paid in January. The charge is not excessively high but you should check with your agent when renting or buying a property.

The *taxe d'habitation* now includes the *redevance audiovisuelle*. This is the equivalent of the television licence. You are obliged to declare possession of a television and if you buy a television in France, the shop is obliged to inform the authorities and the *redevance* will appear on your next *taxe d'habitation* bill.

The *taxe d'habitation*, like the *taxes foncières* (see below) is approved by and divided between your *commune*, *département*, and *région* (the three principal levels of French administration below the State itself).

Taxes foncières (Property taxes)

These taxes apply only to property owners. If you are renting a property, the landlord is responsible for paying the *taxes foncières*. Charges are shown separately for property built on—that is to say your house or your share of the ground area of an apartment block—and land which is not built on, for which there are different taxation rates according to whether the land is agricultural, forested etc.

Utilities: electricity, gas, telephone

Before moving into a house or apartment, you will need to arrange with your agent to have the electricity, gas (if applicable), and telephone turned on. Normally the previous occupants will have had the meters read and the facilities cut off. You will also need to notify the services concerned of your billing address and so on.

As elsewhere, the formerly publicly owned service utilities are being exposed to greater market competition. There are a number of very competitive telephone services (including Internet and mobile phones) on offer. Billing frequency depends on which company you are using and is generally monthly, but *France Télécom* bills every two months.

The traditionally publicly owned electricity and gas companies, EDF (*Electricité de France*) and GDF (*Gaz de France*) are also going through changes and restructurings in order to promote competition.

You can easily arrange to pay your utility bills by direct debit. You will need to provide a RIB (*relevé d'identité bancaire*)—a form giving bank account details. You will have at least one of these in your chequebook and can request as many as you need free of charge from your bank.

traveller's cheque, (US) traveler's check	chèque de voyage
to withdraw money	retirer de l'argent
withdrawal	retrait
yearly	annuel

Les impôts (Tax)

Impôt sur le revenu (Income tax)

La plupart des britanniques paie l'impôt sur le revenu avec le système *PAYE* (*Pay As You Earn* : littéralement 'payer comme on gagne'). C'est le système appliqué à tout salarié.

Quand vous débutez dans un emploi, la loi britannique oblige votre employeur à déclarer la date de votre embauche et le montant de votre salaire aux autorités fiscales (*Inland Revenue*).

Dès lors, vous recevrez un numéro de sécurité sociale (*National Insurance number*) qui servira de référence dans toutes vos démarches administratives auprès du Trésor public (*state tax authorities*), de la sécurité sociale (*social security*), et des bureaux d'allocations (*benefit offices*), etc.

Vous, ainsi que votre employeur, recevrez un code fiscal (*tax code*) qui indique la somme à partir de laquelle vous commencerez à être imposé. La somme correspondant à votre impôt sera mensualisée et retenue directement sur votre salaire. Ceci s'appelle *taxing at source of income* (imposition à la source). Vous n'avez pas à remplir de déclaration d'impôts (**income tax return**) si votre salaire est votre seule source de revenu, mais vous êtes obligé de le faire si vous bénéficiez d'autres revenus, tels que :

- les revenus de propriétés immobilières (même en dehors du Royaume-Uni),
- les revenus professionnels en dehors de votre emploi,
- les intérêts d'épargne ou d'investissements au-delà d'une certaine somme.

Il existe d'autres cas de figure, et, en cas de doute, il vaut mieux vous renseigner auprès d'un expert-comptable (*chartered accountant*) ou directement auprès des autorités fiscales. Vous trouverez des informations claires et détaillées sur www.hmrc.gov.uk ou www.inlandrevenue.gov.uk. Vous pouvez aussi vous documenter auprès d'un *Inland Revenue Enquiry Centre* dans la ville où vous habitez.

Si vous n'êtes pas employé, il faut vous enregistrer auprès des autorités fiscales. Il est sans doute préférable d'engager les services d'un expert-comptable au moins la première année de votre séjour au Royaume-Uni. Le Trésor public (*Inland Revenue*) lui fournira tous les dossiers nécessaires.

L'année fiscale britannique commence le 5 avril. La déclaration d'impôts, selon le système appelé *Self Assessment*, doit être rendue avant le 30 septembre, (pour l'année fiscale se terminant le 4 avril qui précède) si vous voulez que les autorités fiscales s'occupent du calcul de votre impôt ; et avant le 31 janvier si vous ou votre comptable établissez le document. Si vous ne respectez pas ce délai, vous risquez une amende considérable.

L'Irlande a un système largement similaire à celui du Royaume-Uni quant au fonctionnement du système PAYE et du Trésor public (*tax authorities* ou *Inland Revenue*).

Aux États-Unis, vous devez déclarer vos revenus au service fédéral des impôts sur le revenu (*the federal Internal Revenue Service, IRS*). Cette déclaration peut dépendre du type de visa que vous possédez, et, si vous n'obtenez pas le bon visa, vous risquez d'être imposé sur votre revenu à l'échelle mondiale, comme le sont les résidents américains, pour des raisons fiscales.

Il est donc dans l'intérêt du contribuable d'établir son statut de non-résident le plus rapidement possible, s'il y a droit.

Les employés payent généralement leurs taxes fédérales tous les mois par un système de retenue sur salaire ; l'employeur déduit le montant de l'impôt du salaire de l'employé pour le verser directement auprès de l'*IRS*. Afin de bénéficier de ce système, les employés doivent obtenir un *Individual Taxpayer Identification Number*, ou *ITIN* (numéro personnel d'identification du contribuable), surtout s'ils n'ont pas droit à un numéro de sécurité sociale.

Il existe aux États-Unis des « impôts d'État » (*state taxes*) en plus des « impôts fédéraux » (*federal taxes*) qui peuvent également être réglés à travers un système de retenue sur salaire.

Les impôts d'État varient considérablement d'un État à l'autre et certains n'en perçoivent pas. Attention, l'exonération de « l'impôt fédéral » n'entraîne pas nécessairement l'exonération de « l'impôt d'État ».

Tout retard ou manquement à présenter votre déclaration d'impôts en temps voulu peut conduire à la suppression d'exonérations d'impôts ou d'accords de crédits, ainsi qu'à des amendes.

De nombreux renseignements sur les taxes fédérales et sur les formulaires de déclaration d'impôts sont disponibles sur le site de *Internal Revenue Service* (http ://www.irs.gov/formspubs/).

Ce site propose également des conseils pour faire sa déclaration d'impôts en ligne et une liste de logiciels qui pourront vous assister dans le calcul de votre impôt fédéral ou d'État et d'en connaître le montant.

Les universités américaines, qui accueillent régulièrement de nombreux étudiants étrangers, ont souvent des sites bien renseignés sur l'imposition des résidents temporaires aux États-Unis.

Enfin, sachez qu'il existe une « convention de double imposition » (*double taxation treaty*) entre la France et les États-Unis.

Council tax (Local property tax US)

C'est l'équivalent britannique de la taxe d'habitation. La somme à payer est basée sur une estimation de la valeur du logement, mais les barèmes sont relativement uniformisés. Vous trouverez des renseignements pour l'Angleterre et le pays de Galles sur le site www.voa.gov.uk/council_tax/ et sur www.ssa.gov.uk pour l'Écosse.

L'électricité, le gaz, le téléphone

Les services d'électricité, de gaz et de téléphone sont maintenant entièrement privatisés au Royaume-Uni et aux États-Unis. Par conséquent, une vaste gamme de possibilités vous est offerte et il faut bien étudier les offres selon vos besoins et vos priorités.
Au Royaume-Uni, l'organisme gouvernemental *Ofcom* (www.ofcom.org.uk) fournit des renseignements concernant les types d'abonnements téléphoniques. Les compagnies d'électricité et de gaz sont également très concurrentielles et les prix peuvent varier considérablement. Des conseils fiables sont disponibles sur www.energywatch.org.uk ainsi que la liste des fournisseurs de services dans votre localité et leurs tarifs. Les factures de gaz et d'électricité sont en général envoyées tous les trois mois ; vous pouvez bien sûr les régler par prélèvement automatique (*direct debit*) en remplissant le formulaire fourni à cet effet par votre banque.

Sommaire des modèles de correspondance
Index to model letters

1. General correspondence

1. La correspondance générale

2. Business correspondence

2. La correspondance commerciale

3. Seeking employment

3. La recherche d'un emploi

4. Using the telephone

4. Le téléphone

6. Using email and the Internet

6. Le courrier électronique et l'Internet

1. General correspondence

How to address an envelope

affix the stamp here

Monsieur Christophe Montuclard
45 rue des Alouettes
75014 Paris

How to lay out a letter

sender: Sandrine Pulvar
24 rue des Arts
75011 Paris

addressee: Madame Solicot
35 boulevard Voltaire
75011 Paris

date: Le 24 mars 2007

Recommandé avec A.R.

opening formula: Madame,

body of the letter:

J'ai l'honneur de vous informer que je souhaite résilier le bail signé le 4 avril 2004 pour la location de l'appartement du 24 rue des Arts.

Je me tiens à votre disposition pour convenir d'une date de remise des clés et établir avec vous un état des lieux.

Je me permets de vous rappeler que vous disposez d'un délai maximal de trois mois après mon départ pour me restituer la somme de 2000 euros que je vous ai versée à titre de dépôt de garantie.

closing formula: Veuillez agréer, Madame, l'assurance de mes sentiments distingués.

signature: S Pulvar

S. Pulvar

1. La correspondance générale

Présentation d'une enveloppe

Mr E. B. Ransome
45 Beech Crescent
READING
RG1 4P2

emplacement du timbre

Présentation d'une lettre

2 Grampian Close
HELENSBURGH ········ expéditeur
G84 7PP

30th June 2007 ········ date

destinataire ········ Caledonian Property Services Ltd
3 Union Terrace
GLASGOW
G12 9PQ

en-tête ······· Dear Sirs,

objet ······· 2 Grampian Close, Helensburgh

I wish to inform you of my intention to terminate the tenancy agreement for the above property signed on 1st April 2004. In accordance with the terms of the agreement, I am giving three months' notice of my proposed date of departure, October 1st 2007.

I would be very grateful if you could let me know the arrangements for checking the inventory, returning the keys and reclaiming my deposit.

corps de la lettre

formule de politesse ········ Yours faithfully,

signature ········ V. F. Cassels

V. F. Cassels

Réserver une chambre d'hôtel

35 Prince Edward Road
Oxford OX7 3AA
Tel: 01865 322435

The Manager
Brown Fox Inn
Dawlish
Devon

23rd April 2007

Dear Sir or Madam,

I noticed your hotel listed in the "Inns of Devon" guide for last year and wish to reserve a double (or twin) room from August 4th to 11th (eight nights).
I would like a quiet room at the back of the Hotel, if one is available.

If you have a room free for this period please let me know the price, what this covers, and whether you require a deposit.

Yours faithfully,

Geo, Sand.

Annuler une réservation

35, rue Dumas
58000 Nevers
France

16 March 2007

The Manager
The Black Bear Hotel
14 Valley Road
Dorchester

Dear Sir or Madam,

I am afraid that I must cancel my booking for August 2nd–18th.
I would be very grateful if you could return my £50.00 deposit in due course.

Yours faithfully,

Agnès Andrée.

Booking a hotel room

Bourguignon, le 22 mai 2007

Madame Solange Vernon
125 bis, Route Nationale
18340 Levet

Maison de Famille Le Repos
Chemin des Lys
06100 Grasse

Monsieur le Directeur,

J'ai bien reçu le dépliant de votre maison, ainsi que les tarifs que je vous avais demandés, et je vous en remercie.

Je souhaite réserver une chambre calme avec bain et wc, en pension complète pour la période du 28 avril au 12 mai. Je vous adresse ci-joint un chèque de 200 euros d'arrhes.

Je vous en souhaite bonne réception, et vous remerciant par avance je vous prie de croire, Monsieur le Directeur, en mes sentiments les meilleurs.

S. Vernon

P.J.: un chèque postal de 200 euros

Cancelling a hotel booking

Bourg, le 15 décembre 2007

Fréderic Brunet
5, rue du Marché
73700 Bourg-Saint-Maurice

Hôtel des Voyageurs
9, cours Gambetta
91949 Les Ulis CEDEX

Monsieur,

Je suis au regret de devoir annuler ma réservation d'une chambre pour deux personnes pour la nuit du 24 au 25 décembre, que j'avais effectuée par téléphone le 18 novembre dernier, à mon nom.

Je vous remercie de votre compréhension et vous prie d'agréer, Monsieur, l'expression de mes sentiments distingués.

F. Brunet

Souhaiter la Bonne Année

flat 3, Alice House
44 Louis Gardens
London W5.

January 2nd 2007

Dear Arthur and Gwen,

Happy New Year! This is just a quick note to wish you all the best for the year 2007. I hope you had a good Christmas, and that you're both well. It seems like a long time since we last got together.

My New Year should be busy as I am trying to sell the flat. I want to buy a small house nearer my office and I'd like a change from the flat since I've been here nearly six years now. I'd very much like to see you, so why don't we get together for an evening next time you're in town? Do give me a ring so we can arrange a date.

With all good wishes from

Lance

Répondre à des vœux de Bonne Année

19 Wrekin Lane
Brighton
BN7 8QT

6th January 2007

Dear Renée,

Thank you so much for your letter and New Year's wishes. It was great to hear from you after all this time, and to get all your news from the past year. I'll write a "proper" reply later this month, when I've more time. I just wanted to tell you now how glad I am that we are in touch again, and to say that if you do come over in February I would love you to come and stay — I have plenty of room for you and Maurice.

All my love,

Helen

Good wishes for the New Year

Éliane Debard
25, rue des Alouettes
38180 Seyssins

le 15 décembre 2007

Je vous présente mes meilleurs vœux de bonheur et de réussite pour la nouvelle année. Que l'an 2008 vous apporte tout ce que vous souhaitez, à vous, à votre famille et à tous ceux qui vous sont chers.

Éliane Debard

Thanks for New Year wishes

Fanny Cogne
7, avenue Calade
10000 Troyes

le 6 janvier 2008

Je vous remercie de vos vœux. Ma famille se joint à moi pour vous adresser, à notre tour, les nôtres les plus sincères.

Fanny Cogne

Arranging an exchange visit

Dublin, le 2 avril 2007

Una et Dan Farrelly
28, Leeson Drive
Artane
Dublin 5
Irlande

Monsieur et Madame Pierre Beaufort
Chalet "Les Edelweiss"
Chemin des Rousses
74400 Chamonix

Chers Danièle et Pierre

Nous serions très heureux d'accueillir votre fils chez nous entre le 14 et le 29 juillet et d'envoyer en échange notre fils Kilian pendant le mois d'août.

Kilian a 16 ans. Il fait du français depuis 4 ans. C'est un garçon sportif: il aime la randonnée, la natation et le tennis.

Merci de nous dire assez rapidement si cette idée vous convient afin que nous puissions réserver les places d'avion le plus tôt possible.

Croyez en nos sentiments les meilleurs.

U. Farrelly

U. Farrelly

Making travel plans for the exchange

Rillieux-la-Pape, le 15 mai 2007

Monsieur et Madame Bernard Dubois
Villa les Etourneaux
132 bis, Passage du Réservoir
69140 Rillieux-la-Pape

Cher Monsieur, Chère Madame

Nous avons bien reçu votre lettre nous confirmant que vous pourriez aller chercher notre fille Lucy le 14 juillet au soir à l'aéroport. Elle s'en réjouit car elle était un peu inquiète à l'idée de prendre le bus toute seule jusqu'à la gare. Nous vous communiquerons, dès que nous l'aurons, le numéro de son vol et l'heure exacte d'arrivée.

Lucy est facilement reconnaissable: elle mesure 1 m 65 et elle a les cheveux roux. Nous nous permettrons de vous appeler le soir même afin de nous assurer qu'elle est bien arrivée.

Nous vous remercions de l'accueil que vous lui réserverez et vous prions de croire, Cher Monsieur, Chère Madame, en nos sentiments les meilleurs.

J. Smith

J. Smith

Thanking the host family

Nantucket, le 17 septembre 2007

Chers Monsieur et Madame Robin

Je voudrais vous remercier pour les vacances merveilleuses que j'ai passées dans votre propriété de Saint-Malo. Je n'oublierai jamais les repas où il y avait tant de bonnes choses, le bridge et les parties de pêche avec René. J'ai tant de bons souvenirs que je n'arrête pas de parler de la France à tous mes amis. J'espère que j'aurai très bientôt l'occasion de vous revoir tous.

Je vous embrasse affectueusement.

Doug

Invitation to a holiday together

Rueil-Malmaison, le 18 mai 2007

Chers Laurence et Alexandre

Merci beaucoup pour votre carte de Suède. Nous avons pensé que nous pourrions profiter de votre passage en France pour faire ce tour de la Corse dont nous parlons depuis si longtemps. Nous aimerions partir le lundi 23 juin, et rester jusqu'au 17 juillet. Qu'en pensez-vous?

Dans l'attente d'une réponse de votre part, croyez, chers amis, à nos sentiments les meilleurs.

Lucien

Jacqueline

Inviter un correspondant

23 Av. Rostand
75018 Paris
France

5th June 2007

Dear Katrina,

I am writing to ask you if you would like to come and stay with my family here in Paris. We live in a pretty suburb, and my school is nearby. If you come we can go into the centre of Paris and do some sightseeing, as well as spending some time in my neighbourhood, which has a big outdoor swimming pool and a large shopping centre.

It would suit us best if you could come in August. If you say yes, my mother will write to your mother about details – it would be nice if you could stay about two weeks. I would be so happy if you could come.

Love from

Florence

Demander des renseignements à la famille du correspondant

15 Durrer Place
Herne Bay
Kent CT6 2AA
Phone: (01227) 768556

29-4-07

Dear Mrs Harrison,

It was good of you to invite Jane to go to Italy with you. She really is fond of Freda and is very excited at the thought of the holiday.

The dates you suggest would suit us perfectly. Could you let me know how much spending money you think Jane will need? Also, are there any special clothes she should bring?

Yours sincerely,

Lisa Holland

Remercier la famille d'un correspondant

97 Jasmine Close
Chelmsford
Essex
CM1 5AX

4th May 2007

Dear Mr and Mrs Newlands,

Thank you very much once again for taking me on holiday with you. I enjoyed myself very much indeed, especially seeing so many new places and trying so many delicious kinds of food.

My mum says I can invite Rachel for next year, when we shall probably go to Majorca. She will be writing to you about this.

Love from

Hazel

Invitation pour les vacances

Stone House
Wilton Street
Bingham

Tel: 01949 364736

20th May 2007

Dear Malek and Lea,

Thanks for your postcard - great news that you'll be home in June. Will you have some leave then? Anne and I were thinking of spending a couple of weeks in Provence in July, and wondered if you'd like to come with us? We could rent a house together.

If you'd like to come, let us know as soon as possible and we can sort out dates and other details. Hope you'll say yes! I'm quite happy to make all the arrangements.

Lots of love from us both,

Mukesh

Proposer un échange de maisons

4 LONGSIDE DRIVE
KNOLEY
CAMBS
CB8 5RR
TEL: 01223 49586

May 13th 2007.

Dear Mr and Mrs Candiwell,

We found your names listed in the 2007 "Owners to Owners" handbook and would like to know if you are still taking part in the property exchange scheme.

We have a 3-bedroomed semi-detached house in a quiet village only 20 minutes' drive from Cambridge. We have two boys aged 8 and 13. If you are interested, and if three weeks in July or August would suit you, we would be happy to exchange references.

We look forward to hearing from you.

Yours sincerely,

John and Ella Valedict

John and Ella Valedict

Accepter un échange de maisons

Trout Villa
Burnpeat Road
Lochmahon
IZ99 9ZZ

(01463) 3456554

5/2/07

Dear Mr and Mrs Tamberley,

Further to our phone call, we would like to confirm our arrangement to exchange houses from 4 August to 18 August inclusive. We enclose various leaflets about our area.

As we mentioned on the phone, you will be able to collect the keys from our neighbours the Brownes at 'Whitley House' (see enclosed plan).

We look forward to a mutually enjoyable exchange.

Yours sincerely,

Mr and Mrs R. Jones

Mr and Mrs R. Jones

Offer of a house exchange

Clermont, le 2 mai 2007

Pierre Clément
Résidence des Lacs d'Auvergne
Chalet n° 18
63610 Besse

Madame Perrin
2 rue de la Poste
14360 Trouville-sur-Mer

Chère Madame,

Vos amis, monsieur et madame Blanchet, nous ont dit que vous seriez heureuse de pouvoir échanger votre villa en Normandie contre notre chalet qui est au bord du lac des Corbeaux, en Auvergne. Nous serions intéressés par cette idée pour la seconde quinzaine d'août.

Si cette période vous convient, nous vous adresserons une photo et un descriptif détaillé du chalet.

Dans l'attente de vous lire, je vous adresse, Chère Madame, mes sentiments les meilleurs.

P. Clément

Reply to a house-exchange offer

le 1er mai 2007

L. Dury
Chalet des Pentes
38860 les Deux-Alpes

Madame J. Lemaire
Route de Châteauroux
36200 Argenton-sur-Creuse

Madame,

J'ai bien reçu votre offre d'échanger votre ferme à la campagne et notre chalet entre le 1er et le 30 juin prochains. Nous sommes désolés, mais les dates que vous proposez ne correspondent pas à celles où nous envisageons de prendre nos vacances. Peut-être l'année prochaine cela sera-t-il possible? Nous reprendrons contact avec vous en temps voulu.

Je vous souhaite bonne chance et vous adresse, Madame, mes salutations distinguées.

Dury

L. Dury

Écrire à la banque pour des opérations

23 St John's Road
London
NW12 4AA

30 November 2007

The Manager
Royal National Bank
75 Bow Place
London
WC2 5TG

Account number: 00498793

Dear Sir

Please find enclosed a cheque for £450.00 which is to be paid into my current account, number 00498793, at your branch.

I should also be grateful if you would transfer the sum of £1500 (one thousand five-hundred pounds) from my current account to my deposit account (number 55676789) on receipt of this letter.

While writing, could I also ask you to send me a new cheque book at the above address.

Please confirm in due course that these instructions have been carried out.

Yours faithfully

J. M. Matthews (Dr)
Daytime telephone: 0207-626-7576

Demander des renseignements à un tour-opérateur

97 Duthie Avenue
ABERDEEN
AB1 2GL

2nd January 2007

Mandala Tours Ltd
27 Wellington Street
NOTTINGHAM
N5 6LJ

Dear Sir or Madam,

I would be grateful if you could forward me a copy of the brochure "Trekking Holidays in Nepal 2007", which I saw advertised in the December 2006 issue of The Rambler.

I look forward to hearing from you.

Yours faithfully

Sue Davies

S. Davies

Writing to the bank

Emmanuel Meier
40 rue de l'Yvette
41000 Blois

M. François Tournelle
Caisse d'Épargne de Tours
36 Boulevard Béranger
37000 Tours

Le 15 novembre 2007

Objet : opérations sur mon compte courant (04 550 7326)
et sur mon livret Écureuil Plus (04 551 7686)

Monsieur,

Vous trouverez ci-joint deux chèques pour un montant total de 950 euros. Merci de bien vouloir les déposer sur mon compte courant.

J'aimerais également transférer la somme de 1250 euros (mille deux cent cinquante euros) de mon compte courant vers mon compte d'épargne Écureuil Plus à partir du 5 décembre, date à laquelle mon salaire sera versé sur mon compte courant.

Enfin, je vous serais reconnaissant de bien vouloir m'envoyer à l'adresse indiquée ci-dessus le carnet de chèques que j'ai commandé au début du mois, avec les récépissés des différentes opérations.

Je vous en remercie par avance. Pour toute question, n'hésitez pas à me joindre sur mon portable au 06 61 56 64 45.

Veuillez agréer, Monsieur, l'expression de ma considération distinguée.

Emmanuel Meier

Enquiry to a tour operator

A. Dupré
20 allée du Bois
94130 Nogent-sur-Marne

Europe Vacances
135 boulevard Diderot
75012 Paris

Nogent-sur-Marne, le 30 avril 2007

Madame, Monsieur,

Je vous serais très reconnaissant de bien vouloir me faire parvenir votre documentation sur les croisières en péniche sur les rivières de France. J'ai trouvé vos coordonnées dans une publicité publiée dans le magazine Voyages et vacances.

Pourriez-vous également m'envoyer les tarifs de ces croisières, et m'indiquer les destinations encore disponibles pour cet été. Il s'agirait d'un voyage pour deux adultes et trois enfants. Nous envisageons de partir pendant la première quinzaine du mois d'août.

Je vous remercie par avance pour ces renseignements, et je vous prie d'agréer, Madame, Monsieur, l'expression de mes salutations distinguées,

A. Dupré

Se renseigner auprès d'une école

3 Rue Joséphine
75000 Paris
France

2nd April 2007

Mr T Allen, BSc, DipEd.
Headmaster
Twining School
Walton
Oxon
OX44 23W

Dear Mr Allen,

I shall be moving to Walton from France this summer and am looking for a suitable school for my 11-year-old son, Pierre. Pierre is bilingual (his father is English) and has just completed his primary schooling in Paris. Your school was recommended to me by the Simpsons, whose son Bartholomew is one of your pupils.

If you have a vacancy for next term, please send me details. I shall be in Walton from 21 May, and could visit the school any time after that to discuss this with you.

Yours sincerely,

Marie-Madeleine Smith (Mrs)

Mot d'excuse

23 Tollbooth Lane
Willowhurst

19th March 2007

Dear Mrs Hoskins,

Please excuse my son Alexander's absence from school from the 14th to the 16th March. He was suffering from an ear infection and was unfit for school. I would also be grateful if you would excuse him from swimming lessons this week.

Yours sincerely,

Briony Hooper

To a school about admission

le 3 mars 2007

Madame H. Vannier
Lieu-dit Les Chênes Verts
1123, Route de Montluçon
18270 Culan

Monsieur le Directeur
Ecole Privée Mixte
Rue de la Gare
18200 Saint-Amand-Montrond

Monsieur,

A la rentrée scolaire prochaine, notre fils Robert fera son entrée en 6ème. Nous habitons une ferme isolée, et nous envisageons de le mettre en pension.

Avant de solliciter un rendez-vous avec vous, nous souhaiterions connaître les conditions d'admission dans votre école, ainsi que le règlement de l'internat et le montant des frais de pension et de scolarité.

Par avance, je vous remercie de votre réponse et vous prie de croire, Monsieur, en mes salutations distinguées.

H. Vannier

To a teacher about sick child's absence

Mours-Saint-Eusèbe, le 19 mars 2007

Madame,

Je vous demande de bien vouloir excuser l'absence de mon fils Julien DUPONT, élève de cinquième B, les 14, 15, 16 et 22 mars dernier. Julien a dû rester alité en raison d'une double otite. Je vous adresse ci-joint un certificat médical.

Veuillez agréer, Madame, l'expression de mes sentiments distingués.

A. Dupont

Donner son préavis (de fin de location)

2 Grampian Close
HELENSBURGH
G84 7PP
30th June 2007

Caledonian Property Services Ltd
3 Union Terrace
GLASGOW
G12 9PQ

Dear Sirs,

2 Grampian Close, Helensburgh

I wish to inform you of my intention to terminate the tenancy agreement for the above property signed on 1st April 2005. In accordance with the terms of the agreement, I am giving three months' notice of my proposed date of departure, October 1st 2007.
I would be very grateful if you could let me know the arrangements for checking the inventory, returning the keys and reclaiming my deposit.

Yours faithfully,

V. F. Cassels

V. F. Cassels

Écrire au notaire pour l'achat d'une maison

10 Avenue de Nilly
33455 Leroyville
France

4.5.07

Ms Roberta Ellison
Smithers & Pair, Solicitors
16 Vanley Road
London SW3 9LX

Dear Ms Ellison,

You have been recommended to me by Mr Francis Jackson of Alfriston, and I am writing to ask if you would be prepared to act for me in my purchase of a house in Battersea. I enclose the estate agent's details of the property, for which I have offered £396,000. This offer is under consideration.

Please would you let me have an estimate of the total cost involved, including all fees. I would also like to know the amount I will have to pay in council tax each year.

I should be grateful to learn that you are willing to represent me in this matter.

Yours sincerely,

Teresa Beauvoir (Ms)

Giving written notice to a landlord

Sandrine Pulvar
24 rue des Arts
75011 Paris

Madame Solicot
35 boulevard Voltaire
75011 Paris

Le 24 mars 2007

Recommandé avec A.R.
Madame,

Messieurs,

J'ai l'honneur de vous informer que je souhaite résilier le bail signé le 1 avril 2005 pour la location de l'appartement du 24 rue des Arts.

Je me tiens à votre disposition pour convenir d'une date de remise des clés et établir avec vous un état des lieux.

Je me permets de vous rappeler que vous disposez d'un délai maximal de trois mois après mon départ pour me restituer la somme de 800 euros que je vous ai versée à titre de dépôt de garantie.

Veuillez agréer, Madame, l'assurance de mes sentiments distingués

S Pulvar

S.Pulvar

Writing to a lawyer about a house purchase

Paris, le 1er décembre 2007

Christiane Picard
Tour B, Immeuble Les Anémones
Boulevard Leclerc
95200 Sarcelles

Maître Nicaud
Notaire
22, Place de l'Eglise
13150 Tarascon

Cher Maître,

Je serais intéressée par une petite propriété dans la région d'Avignon. J'ai besoin d'un bâtiment d'habitation de 6 pièces au moins, et d'un terrain attenant arboré de 5000 m^2 environ. Je vous serais reconnaissante si vous acceptiez de vous charger de me trouver quelque chose.

Dans l'attente de votre réponse, veuillez agréer, Cher Maître, l'expression de ma considération distinguée.

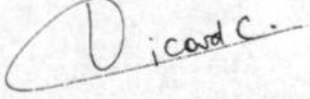

▸ 40

Annoncer un mariage

flat 3
2 Charwell Villas
45 Grimsby Road
Manchester M23

3rd June 2007

Dear Suzanne,

I thought I'd write to tell you that James and I are getting married! The date we have provisionally decided on is August 6th and I do hope you will be able to make it.

The wedding is going to be here in Manchester and it should be quite grand, as my mother is doing the organizing. I only hope the weather won't let us down, as there's going to be an outdoor reception. My parents will be sending you a formal invitation, but I wanted to let you know myself.

All my love,

Julie

Invitation à un mariage

23 via Santa Croce
Florence
Italy

30 April 2007

Dear Oliver,

Kate and I are getting married soon after we return to the UK – on June 20th. We would like to invite you to the wedding. It will be at my parents' house in Hereford, probably at 2.30pm, and there will be a party afterwards, starting at about 8pm. You are welcome to stay the night as there is plenty of room, though it would help if you could let me know in advance.

Hope to see you then,

Best wishes,

Giorgio

Wedding announcement

Monsieur et Madame Norbert LESOURD
Monsieur et Madame Raoul RIVIERE
Monsieur et Madame Paul AURIA

sont heureux de vous faire part du mariage
de leurs enfants et petits-enfants

 BORIS et AUDE

qui sera célébré le samedi 22 septembre 2007 à 16 heures

en l'Église Notre-Dame-des-Mariniers
à Villeneuve-lès-Avignon

33, rue de la République
74000 Annecy

86, chemin du Pont de Pierre
84000 AVIGNON

Invitation to a wedding

Gérard et Jacqueline Achard
12, rue Champollion
10000 Troyes

Troyes, le 5 avril 2007

Cher ami,

J'ai le plaisir de vous annoncer que nous marions notre fille Hélène le 16 juin à Paris. Vous recevrez bientôt un faire-part et une invitation pour le lunch qui suivra, mais je tenais à vous avertir dès maintenant pour que vous puissiez retenir votre journée du samedi. Le mariage aura lieu à la mairie du 6e à 14 heures et la messe sera célébrée en l'église Saint-Germain-des-Prés à 15 h 30.

Amicalement,

Jacqueline

Se plaindre pour un retard

19 Colley Terrace
Bingley
Bradford

Tel: 01274 223447

4.5.07

Mr J Routledge
'Picture This'
13 High End Street
Bradford

Dear Mr Routledge,

I left a large oil portrait with you six weeks ago for framing. At the time you told me that it would be delivered to me within three weeks at the latest. Since the portrait has not yet arrived I wondered if there was some problem?

Would you please telephone to let me know when I can expect the delivery? I hope it will not be too long, as I am keen to see the results.

Yours faithfully,

Mrs. J J Escobado

Se plaindre pour des travaux mal faits

112 Victoria Road
Chelmsford
Essex CM1 3FF

Tel: 01245 33433

Allan Deal Builders
35 Green St
Chelmsford
Essex CM3 4RT

ref. WL/45/LPO 13/6/2007

Dear Sirs,

I confirm my phone call, complaining that the work carried out by your firm on our patio last week is not up to standard. Large cracks have already appeared in the concrete area and several of the slabs in the paved part are unstable. Apart from anything else, the area is now dangerous to walk on.

Please send someone round this week to re-do the work. In the meantime I am of course withholding payment.

Yours faithfully,

W. Nicholas Cotton

Complaining about delays

le 15 juin 2007

Monsieur Guy Moreau
12, rue Henri Gorjus
69004 Lyon

Entreprise Simon Associés
69006 Lyon
Lettre avec AR

Messieurs,

Lors de notre dernier rendez-vous de chantier, je vous avais dit mon inquiétude quant au retard qu'avaient pris les travaux que nous vous avons confiés. Vous m'aviez alors assuré que tout serait terminé pour le 1er juillet.

Il est évident aujourd'hui qu'il me sera impossible d'emménager à cette date, les travaux de plomberie n'ayant même pas commencé. Je vous rappelle que j'ai promis de libérer mon logement actuel pour le 30 juin et que les frais causés par un retard de votre part seront à votre charge.

Je vous prie d'agréer, Monsieur, l'expression de mes sentiments distingués.

G. Moreau

Complaining about quality of work

Mouthe, le 7 novembre 2007

M. Brunaud
25240 Mouthe
téléphone : 03.81.82.13.27

M. Pinet
Entreprise de bâtiment
Grand rue
25970 Epeugney

Monsieur,

Je vous ai fait poser des doubles vitrages en PVC dans ma résidence de Mouthe le mois dernier. Je suis au regret de vous dire que toutes les fenêtres de l'étage présentent le même défaut d'étanchéité, qui entraîne la présence de condensation entre les deux vitres. Ces travaux étant sous garantie, je vous demanderais de faire le nécessaire dans les plus brefs délais afin qu'une solution soit apportée avant l'hiver.

Veuillez agréer, Monsieur, l'expression de mes salutations distinguées.

M. Brunaud

Condolences: formal

Jean et Eliane Pinchon
117, boulevard Lamartine
71000 Mâcon

Mâcon, le 27 novembre 2007

Monsieur,

Nous vous adressons nos condoléances les plus sincères à l'occasion de la disparition tragique de votre épouse. Sachez qu'elle restera dans notre souvenir comme une personne exceptionnelle, et que nous partageons votre peine.

Recevez, Monsieur, l'expression de notre douloureuse sympathie.

E. Pinchon

Thanks for condolences

Bordeaux, le 25 juin 2007

Madame,

Nous avons été très touchés de la sympathie que vous nous avez témoignée lors du décès de notre mère et nous vous en remercions sincèrement. Elle nous parlait souvent de vous et avait beaucoup d'estime pour vous.

Ces moments sont difficiles à traverser et les signes d'amitié sont toujours les bienvenus. Aussi nous vous prions de croire, Madame, en nos sentiments reconnaissants.

Raoul et Suzanne Dupin

Condolences to someone you know well

Belley, le 22 avril 2007

Chère Janine,

J'ai appris par Francette la triste nouvelle du décès de Paul.

Je te présente mes condoléances les plus sincères, et t'assure que je pense beaucoup à toi en ces moments difficiles.

Crois bien, ma chère Janine, à l'expression de ma profonde sympathie.

Richard

Thanks for condolences

Metz, le 18 février 2007

Très chers Paul et Lucie,

C'est vraiment gentil de nous avoir écrit ce petit mot si touchant. Nous savons très bien qu'il vous était impossible d'être avec nous le jour de l'enterrement de Jacques, mais nous vous savions proches de nous par la pensée.

Il va maintenant falloir reprendre le cours de la vie et c'est avec une amitié aussi fidèle que la vôtre que nous garderons courage.

Encore un grand merci du fond du cœur et à bientôt.

Nicole

Adresser ses condoléances

Larch House
Hughes Lane
Sylvan Hill
Sussex

22 June 2007

Dear Mrs Robinson,

I would like to send you my deepest sympathies on your sad loss. It came as a great shock to hear of Dr Robinson's terrible illness, and he will be greatly missed by everybody who knew him, particularly those who, like me, had the good fortune to have him as a tutor. He was an inspiring teacher and a friend I am proud to have had. I can only guess at your feelings. If there is anything I can do please do not hesitate to let me know.

With best wishes,
Yours sincerely,

Malcolm Smith

Remerciements

55A Morford Lane
Bath
BA1 2RA

4 September 2007

Dear Mr Bullwise,

I am most grateful for your kind letter of sympathy. Although I am saddened by Rolf's death, I am relieved that he did not suffer at all.

The funeral was beautiful. Many of Rolf's oldest friends came and their support meant a lot to me. I quite understand that you could not come over for it, but hope you will call in and see me when you are next in the country.

Yours sincerely,

Maud Allen

Adresser ses condoléances à un proche

18 Giles Road
Chester CH1 1ZZ
Tel: 01244 123341

May 21st 2007

My dear Victoria,

I was so shocked to hear of Raza's death. He seemed so well and cheerful when I saw him at Christmas time. It is a terrible loss for all of us, and he will be missed very deeply. You and the children are constantly in my thoughts.

My recent operation prevented me from coming to the funeral and I am very sorry about this. I will try to come up to see you at the beginning of July, if you feel up to it. Is there anything I can do to help?

With much love to all of you
from

Penny

Remerciements

122 Chester Street
Mold
Clwyd
CH7 1VU

15 November 2007

Dearest Rob,

Thank you very much for your kind letter of sympathy. Your support means so much to me at this time.

The whole thing has been a terrible shock, but we are now trying to pick ourselves up a little. The house does seem very empty.

With thanks and very best wishes from us all,

Love,

Elizabeth

Remerciements après une invitation

79A Westgate
Wakefield
Yorks

30/9/07

Dear Mr and Mrs Frankel,

It was very kind of you to invite me to William's 21st birthday party and I am especially grateful to you for letting me stay the night. I enjoyed myself very much indeed, as did everyone else as far as I could tell.

In the hurry of packing to leave, I seem to have picked up a red and white striped T-shirt. If you let me know where to send it, I'll put it in the post at once. My apologies.

Many thanks once again.

Yours,

Julia (Robertson)

Remerciements pour un cadeau de mariage

Mill House
Mill Lane
Sandwich
Kent
CT13 OLZ

June 1st 2007

Dear Len and Sally,

We would like to thank you most warmly for the lovely book of photos of Scotland that you sent us as a wedding present. It reminds us so vividly of the time we spent there and of the friends we made.

It was also good to get all your news. Do come and see us next time you are back on leave - we have plenty of room for guests.

Once again many thanks, and best wishes for your trip to New Zealand.

Kindest regards from

Pierre and Francine

Useful phrases

Letter openings

The standard opening greeting for personal correspondence is *Cher/Chère*

Affectionate variations for very close friends and family:
- *Bonjour Paul,*
- *Ma chère Clarisse,*
- *Mes chers Emmanuel et Caroline,*
- *Très cher Sébastien,*

To a whole family or group:
- *Bonjour à tous,*
- *Chers tous,*
- *Chers amis,*

Useful phrases

Merci/Je te remercie [de ta lettre, de ton invitation, de ton petit cadeau, d'avoir pensé à ...]

Je viens de recevoir votre invitation/votre lettre qui m'a fait très plaisir.

C'est avec un grand plaisir que j'ai reçu votre lettre m'informant de ...

J'ai le plaisir de/je suis heureux/-euse de [t'annoncer que, t'inviter à, te confirmer que]

J'ai la joie de vous faire part [de, de mon intention de]

Je suis ravi(e) d'apprendre que ...

Je me réjouis [d'apprendre que, de la nouvelle du]

Je t'écris pour te demander si ...

J'ai le regret de [vous faire part de, vous apprendre que, ne pas pouvoir]

J'ai été bouleversé(e) [par la nouvelle du/d'apprendre le]

C'est avec une grande tristesse que j'ai appris le ...

Closures

For acquaintances and formal situations:
- *Amitiés.*
- *Salutations distinguées.*
- *Croyez en nos sentiments les meilleurs.*
- *Recevez, [Madame/Monsieur, chère Madame, cher ami], mes meilleures salutations.*
- *Veuillez croire, [cher ami, cher confrère], à mon meilleur souvenir.*

Affectionate variations for close friends and family:
- *Salut.*
- *À (très) bientôt.*
- *Bises/Bisous.*
- *Grosses bises.*
- *Bien à toi/à vous.*
- *Je pense bien à toi/à vous.*
- *Je t'embrasse/Je vous embrasse.*
- *Je t'embrasse affectueusement.*
- *Amicalement/Très amicalement.*
- *Cordialement/Bien cordialement.*
- *Avec toute mon affection.*
- *Bonjour à la petite famille/à Véronique.*
- *Transmets mes amitiés à tes parents.*
- *J'espère avoir bientôt de tes nouvelles.*

Thanking for hospitality

Strasbourg, le 21 juin 2007

Chers madame et monsieur,

Je tiens à vous remercier de m'avoir invitée aux fiançailles d'Isolde, et je vous suis particulièrement reconnaissante de m'avoir offert de passer la nuit chez vous.

La fête a été très agréable et j'ai eu grand plaisir à vous revoir dans de si heureuses circonstances.

Encore merci pour tout. Bien à vous.

Anne

Thanking for a wedding gift

Brest, le 17 août 2007

Chère Anne

Je tenais à te remercier une fois encore pour le magnifique cadre en argent que tu nous as offert en cadeau de mariage. Nous l'avons déjà utilisé… pour exposer une photo du mariage!

Grosses bises

Isolde

Phrases utiles

En-têtes

Quand vous écrivez à quelqu'un que vous connaissez bien, la formule la plus courante est *Dear*.

À des amis proches ou à des membres de votre famille :
- *My dearest Alexander*
- *Darling Katie*

À une famille ou à plusieurs personnes :
- *Dear all*

Expressions utiles

Thank you for your letter [inviting, offering, confirming]

I am very grateful to you for [letting me know, offering, writing]

It was so kind of you to [write, invite, send]

Many thanks for [sending, inviting, enclosing]

I am writing to tell you that …

I am writing to ask you if …

I am delighted to announce that …

I was delighted to hear that …

I am sorry to inform you that …

I was so sorry to hear that …

Formules de politesse

À des connaissances ou à des personnes qui exercent des fonctions officielles :
- *Best wishes*, ou *With best wishes*
- *Kindest regards*

À des amis proches ou à des membres de votre famille :
- *All my love*
- *All the best*
- *Love (from)*
- *Lots of love*
- *Much love*, or *With love*
- *Love from us both*
- *See you soon*
- *Once again many thanks*
- *I look forward to seeing you soon*
- *With love and best wishes*
- *With love to you all*
- *Paul sends his love to you both*
- *Do give my kindest regards to Sylvia*

2. Business correspondence

Asking for a catalogue

Thomas Lavant
3, rue des Epinettes
94170 Le Perreux

Besançon, le 12 janvier 2007

Entreprise J. Rossi SARL
Optique en gros
Z.I. des Hauts Fourneaux
25000 BESANÇON

Monsieur

Je vous serais reconnaissant de bien vouloir m'envoyer le catalogue des jumelles et longues-vues que vous commercialisez, avec la liste des prix.

Recevez, Monsieur, l'assurance de mes salutations distinguées.

T. Lavant

Sending a catalogue

AGENCE BERNARD
S.A.R.L.
85, route de l'Hippodrome
92153 SURESNES CEDEX
tél.: 01 46 26 51 22 fax: 01 46 26 44 99

Suresnes, le 6 février 2007

Madame Ménard
Résidence du Val d'Or - Appartement 2B
92800 PUTEAUX

Réf. : ML-00-127

Chère Madame,

Comme chaque année, nous vous adressons un catalogue des voyages que nous proposons à des prix très avantageux aux personnes retraitées pouvant partir en dehors des périodes d'affluence. Vous y trouverez tous les détails concernant les dates, les prix, les conditions de séjour, etc.

Que vous choisissiez le Sahara ou le Cap Nord, vous serez enchantée de votre décision. De plus, nous offrons gracieusement un superbe sac de voyage à nos premiers inscrits.

Alors, à bientôt, Madame Ménard, le plaisir de vous voir et croyez en nos sentiments très dévoués.

Nicole LEFET
Responsable Commerciale

P. J.: un catalogue 2000

Asking for samples

le 18 avril 2007

Madame Bordoni
Couturière
2, impasse du Parc
50760 Barfleur
Téléphone: 02 45 45 22 34

Filatures Fouquet
185 route de Nantes
49300 Cholet

Madame, Monsieur,

J'ai bien reçu votre catalogue et je vous en remercie, mais avant de passer ma commande, je souhaiterais recevoir un lot d'échantillons des tissus qui figurent de la page 248 à la page 322.

Je vous remercie de votre compréhension et vous adresse, Madame, Monsieur, mes salutations distinguées.

G. Bordoni

Sending samples

S.A.R.L. SOFITTO
3, rue du Bois 10000 TROYES
Téléphone: 03 29 10 47 30 Télécopie: 03 29 10 51 88

Troyes, le 28 juillet 2007

Madame Isabelle Dubreuil
15, av. de la République
86000 Poitiers

Référence : 45-22-OXT

Madame,

Suite à votre demande, nous avons le plaisir de vous adresser par courrier séparé un échantillonnage complet de toutes les laines que nous pouvons vous fournir.

Vous trouverez certainement ce qui vous conviendra parmi les nombreux coloris et les diverses variétés de fil que nous vous proposons. Lorsque vous aurez fait votre choix, nous vous serions reconnaissants de nous retourner ces échantillons afin que nous puissions en faire bénéficier d'autres clientes.

Restant à votre disposition pour tout renseignement complémentaire, je vous prie de croire, Madame, en mes sentiments respectueux et dévoués.

G.Durand
Le Service Commercial

2. La correspondance commerciale

Demande de catalogue

99 South Drive
London
WC4H 2YY

7 July 2007

Hemingway & Sons
Builders Merchants
11 Boley Way
London WC12

Dear Sirs,

Thank you for sending me your catalogue of timber building materials as requested. However, the catalogue you sent is last year's and there is no current price list.

I would be glad if you would send me the up-to-date catalogue plus this year's price list.

Yours faithfully,

Dr D Wisdom

Envoi de catalogue

E Hemingway

Carpet Designs
11 Allen Way
London NW4
Tel: 020-74450034

Our ref. EH/55/4
19 February 2007

Ms J Jamal
Daniel Enterprises
144 Castle Street
Canterbury
CT1 3AA

Dear Ms Jamal,

Thank you for your interest in our products. Please find enclosed our current catalogue as well as an up-to-date price list and order form.

We would draw your attention to the discounts currently on offer on certain items and also on large orders.

Assuring you of our best attention at all times, we remain,

Yours sincerely,

Jane Penner
Supplies Manager

Demande d'échantillons

THE FRANK COMPANY
22 BLOOMING PLACE
LONDON SW12
TEL: 020-8669 7868
FAX: 020-8669 7866

5 June 2007

The Sales Director
June Office Supplies
55 Dewey Road
Wolverhampton
WV12 HRR

Dear Sir/Madam,

Thank you for sending us your brochures. We are particularly interested in the Dollis range, which would complement our existing stock.

Could you please arrange to send us samples of the whole range with the exception of items XC99 and XC100? We would be grateful if this could be done promptly, as we are hoping to place an order soon for the autumn.

Thanking you in advance,
Yours faithfully,

Mr T Jones
pp Mr F J Hart
Manager and Director
The Frank Company

Envoi d'échantillons

Pemberley Products
Austen House
12 Bennet Place
Cambridge
CB3 6YU
Tel: 01223 7878

13 October 2007

Ms J Ayer
"Eliza Wickham"
12 D'Arcy Lane
London W4

Dear Ms Ayer,

We are pleased to inform you that the samples you requested will be despatched by courier today.

As the Cassandra range has been extremely successful we would request that you return the samples after not more than one week, so that we may satisfy the requirements of other customers. The popularity of our products is such that we urge you to place an order promptly so that we may supply you in good time for Christmas.

Please do not hesitate to contact us for further information.

Yours sincerely,

Elizabeth Elliot
Sales Director

Asking for an estimate

Monsieur et Madame Mercier
32, avenue des Marronniers
94500 Champigny sur Marne
Tél: 01 48 93 72 30

le 3 juin 2007

Cavanna & Fils
76, quai de la Marne
94170 Le Perreux

Messieurs,

Suite à notre conversation téléphonique de ce jour, nous vous confirmons notre requête.

Propriétaires d'un petit pavillon, nous souhaiterions procéder à quelques travaux d'agrandissement, et en particulier faire construire un jardin d'hiver dans le prolongement de la salle de séjour. Nous souhaiterions donc convenir d'un rendez-vous afin que vous puissiez établir un devis.

Dans l'attente de votre réponse, nous vous adressons nos sincères salutations.

C. Mercier

Sending an estimate

ENTREPRISE CAPRARA
56, rue A. Fourny
73100 Aix-les-Bains
téléphone: 04 79 57 88 76

le 18 mai 2007

Monsieur Villeret
22, passage de la Gare
73100 Aix-les-Bains

Référence: 94 AI 229 ADP

Monsieur,

A la suite de notre rendez-vous du 6 mai dernier, je vous adresse le devis que vous m'aviez demandé et qui comporte les différents aménagements dont nous avions parlé pour l'installation de votre piscine.

J'espère qu'il vous conviendra et vous remerciant de votre confiance, je vous prie d'agréer, Monsieur, l'expression de mes sentiments dévoués.

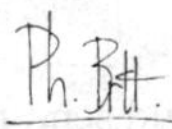

Philippe Barrault
Directeur Commercial

Sending details of availability of spare parts

Etablissements Renard
Zone Industrielle
38250 Saint-Egrève
Téléphone: 03 76 75 43 21 Télécopie: 03 76 75 88 47

Saint-Egrève, le 23 mai 2007

Madame Annick Deschamps
25, Rue du Lavoir
38740 VINAY

Référence 05-02 VLS

Madame,

En réponse à votre lettre du 16 courant, j'ai le plaisir de vous informer que nous pouvons vous fournir des pièces de rechange pour toutes les grandes marques d'appareils électro-ménagers fabriqués au cours des quinze dernières années. Nos prix, joints en annexe, sont donnés hors TVA et port non compris. Si vous décidez de commander, il est impératif que vous nous indiquiez, outre la marque, le nom et le numéro de série de votre appareil.

Dès réception de votre commande, nous ferons le nécessaire pour que les pièces vous parviennent rapidement. Si vous en avez besoin de façon très urgente, nous pouvons vous les faire livrer par coursier (le port étant à votre charge).

Dans l'espoir que ces précisions répondront à votre attente, je vous prie d'agréer, Madame, l'expression de mes sentiments distingués.

Jean-Michel Brun
Directeur Commercial

P.J. tarif des pièces détachées robots ménagers.

Sending details of prices

Société de location "Jardin et Maison"
157, route de Genas
69500 Bron
TELEPHONE : 04 78 54 65 77 TELECOPIE : 04 78 54 22 34

Bron, le 15 juin 2007

Monsieur Girardin
Résidence Martinon
27, rue Jules Ferry
69130 Ecully

Monsieur,

Vous trouverez ci-joint nos tarifs de location pour l'outillage de jardin. Nous attirons votre attention sur nos tarifs dégressifs en cas de location de longue durée et sur nos tarifs "fidélité" en cas de location à intervalles réguliers.

Restant à votre disposition, nous vous prions de croire, Monsieur, en nos sentiments dévoués.

J.B. Roulet
Service commercial

Demande de devis : matériaux de construction

Eyer Shipyard
Old Wharf
Brighton
BN2 1AA
Tel 01273 45454
Fax 01273 45455

Our ref: TB/22/545

13 April 2007

Fankleman & Co. PLC
22 Mark Lane Estate,
Guildford,
Surrey
GU3 6AR.

Dear Sirs,

Timber Supplies

We would be glad if you could send us an estimate of the cost of supplying timber in the lengths and sizes specified on the enclosed list.

In general, we require large quantities for specific jobs at quite short notice and therefore need to be sure that you can supply us from current stock.

Thanking you in advance.

Yours faithfully,

G N Northwood

(Ms) G N Northwood.
General Manager, Supplies.
Encl.

Envoi d'un devis

Fairchild Interior Design Company
23 Rose Walk
London SW4
Tel: 020-7332 8989
Fax: 020-7332 8988

Job ref: 99/V/8

23 May 2007

Mr G. F. J. Price
25 Victor Street,
London,
SW4 1AA,

Dear Mr Price,

Please find enclosed our estimate for the decoration of the drawing room and hall at 25 Victor Street. As requested, we have included the cost of curtaining for both the bay windows and the hall window, in addition to the cost of sanding and polishing the drawing room floor.

The work could be carried out between the 1st and the 7th July, if this is convenient for you. Please do not hesitate to contact us if you have any queries.

We hope to have the pleasure of receiving your order.

Yours sincerely,

M. Bishop

Marjorie Bishop
Encl.

Envoi de renseignements sur un produit

Easter Cloth Co.
33 Milton Mews,
London E12 HQT
Tel: 020-8323 2222
Fax: 020-8323 2223

Your ref: UK33/23

4 April 2007

Hurihuri Enterprises,
1 Shore Drive,
Auckland 8,
New Zealand.

Dear Sirs,

Thank you for your enquiry of 2 February. Our CR range of products does indeed conform to your specifications. In relation to costings, we can assure you that packaging and insurance are included in the price quoted; the estimated cost of shipping is £75 per case.

We expect consignments to New Zealand to take three to four weeks, depending on the dates of sailings. A more precise estimate of timing will be faxed to you when you place an order.

We look forward to receiving your order.

Yours faithfully,

C P Offiah

C. P. Offiah
Associate Director
Encls.

Envoi de tarifs

Walter O'Neill & Co.
3 Eliot Mall
London NW12 9TH
Tel: 020-8998 990
Fax: 020-8998 000

Your ref: TRT/8/00
Our ref: DK/45/P

3 March 2007

Ms E Dickinson
Old Curiosity Inns
3 Haversham Street
London W6 6QF

Dear Ms Dickinson

Thank you for your letter of 22 April. We apologize for failing to send you the full price list which you will find enclosed. Please note that we have not increased our prices on any products available last year, and that we have managed to extend our range with new items still at very competitive rates.

Our usual discounts for large orders apply to you as a regular customer, and we are exceptionally doubling these to 10% on the 100/9 CPP range.

We look forward to receiving your order.

Yours sincerely,

E B Browning

E B Browning (Mrs)
Sales Director
Encl

Asking for discount

Société SOGEFOP
route de Pierrefeu
83170 Brignoles
téléphone : 04 42 27 86 13
télécopie: 04 42 27 00 01

Brignoles, le 14 novembre 2007

Confiseries du Port
2, place du Port
13500 Martigues

Messieurs,

Je souhaiterais offrir pour Noël à tout mon personnel un assortiment de fruits confits. Votre catalogue propose une présentation en paniers de 150 grammes au prix de 15€ pièce TTC sous la réf. 18/22. Je souhaiterais pouvoir vous en commander 1580.

Etant donné l'importance de cette commande, qui pourrait se renouveler chaque année, je vous demande une remise de 10%.

Par avance, je vous remercie de votre réponse et vous prie de croire, Messieurs, en mes sentiments distingués.

Monsieur Robert Ledoux
Président-directeur général

Agreeing to a discount

Société Levet
128 bis, Grande Rue
76190 Yvetot
téléphone: 02 35 89 27 68
télécopie: 02 35 89 99 99

le 16 février 2007

Garage des Sapins
27, Square des Sapins
33170 Gradignan

Référence RAD 00 35/22

Monsieur,

Nous avons bien reçu votre demande de réduction sur la commande du 12 janvier dernier, et nous avons le plaisir de vous faire savoir qu'à titre exceptionnel nous vous accordons une remise de 2,5 %. Votre facture est donc ramenée à 220 395,50€.

Veuillez agréer, Monsieur, l'expression de nos salutations distinguées.

R. Dormois
Directeur Commercial

Approach about openings

❀ FABRIQUE ARTISANALE GUYOT ❀
12, avenue du Maréchal Joffre
42000 Saint-Etienne
tél. 04 77 45 09 87

Saint-Etienne, le 28 octobre 2007

Comité d'Entreprise de Mazza S.A.
7, Place de la République
42300 Roanne

Madame, Monsieur,

Nos chocolats, dont la réputation n'est plus à faire, sont une excellente idée de cadeau pour les fêtes de fin d'année. Aussi sommes-nous heureux de vous adresser notre catalogue ainsi que les tarifs préférentiels que nous accordons aux collectivités pour toute commande groupée d'un montant minimum de 500€.

En outre, si nous enregistrons votre commande avant le 18 novembre, nous aurons le plaisir de vous faire bénéficier d'une remise supplémentaire de 3%.

Espérant vous compter parmi nos nouveaux clients, nous vous adressons, Madame, Monsieur, nos salutations les plus sincères.

J. M. Charlier
Le Directeur du Marketing

Follow-up to this approach

❀ FABRIQUE ARTISANALE GUYOT ❀
12, avenue du Maréchal Joffre
42000 Saint-Etienne
tél. 04 77 45 09 87

le 2 novembre 2007

Madame, Monsieur,

Le 28 octobre dernier, nous vous avons adressé notre catalogue ainsi que les tarifs préférentiels que nous réservons aux collectivités comme la vôtre à l'approche des fêtes de fin d'année.

Nous sommes certains que notre offre exceptionnelle a retenu toute votre attention et que votre commande est déjà prête. Nous vous rappelons que si elle nous parvient avant le 18 novembre, vous bénéficierez d'une remise supplémentaire de 3%. Il n'est pas trop tard!

Nous serons heureux de vous compter parmi nos nouveaux clients et vous assurons, Madame, Monsieur, de notre dévouement.

J.M. Charlier
Le Directeur du Marketing

Demande de réduction

Nielsen & Co
19 Westway Drive
Bradford BF8 9PP
Tel: 01274 998776
Fax: 01274 596969

Your ref: 4543/UIP

21 March 2007

Draft and Welling
15 Vine Street
London
NE22 2AA

Dear Sirs,

I acknowledge receipt of the goods listed in my order no. 1323YYY, but must query the total sum indicated on the invoice. I had understood that you were currently offering a discount of 15%, but no such deduction appears on the final invoice sheet.

I would be glad if you could give this matter your immediate attention.

Yours faithfully,

Frederick Nielsen
Associate Director, Procurement

Pour accepter une demande de réduction

GARRICK PAPER SUPPLIERS
108 Kingston Road
Oxford
OX3 7YY
Tel: 01865 9900
Fax: 01865 9908

28 April 2007

S Johnson & Co
Globe House
London W13 4RR

Dear Sir/Madam,

Thank you for your letter of 16 April in which you ask for a reduction on our normal prices, given the size of your order.

We are happy to agree to your request provided you, in return, make prompt payment of our account within two weeks of the delivery of your order. If that is agreeable to you, we can offer you a discount of 8%, instead of the usual 5%.

We hope to receive your acceptance of these terms and assure you of our very best attention.

Yours faithfully,

Ann Rothwell

Customer Relations Manager

Pour chercher de nouveaux marchés

Le Janni
88,rue Pipin
Paris 75010
France
Tel: (33) 01 45 86 86 80
Fax: (33) 01 45 86 75 75

31 July 2007

Jod's Booksellers
122 High St
Stonleigh
Hants

Dear Sir/Madam,

I am writing to you to enquire whether you would be interested in stocking our new range of "French Is Easy" textbooks in your bookshop. I enclose a brochure illustrating these.

This series of French language textbooks offers a five-stage teaching course and employs the newest methods of foreign language teaching. If you are interested, we would be happy to bring you samples and discuss terms of sale. Please phone or fax to let me know if you are interested in this offer so that I may arrange a visit from our sales representative in London.

I look forward to hearing from you.

Yours faithfully,

Julien Deplanche
Sales Manager

Relance

SINCLAIR POTTERY
383 Racing Way
Cambridge CB13
Tel: 01223 65867

3rd June 2007

Dear Mrs Creel,

I am writing to enquire whether you are still interested in placing an order for our new range of ceramic kitchenware.

When my colleague, Jason Patrick, called into your shop at the beginning of April, you expressed an interest in our new "Autumn Moods" range. If you would like to place an order you would be well advised to do so in the next month as stocks are selling fast. Please let us know if we may help you with any queries you may have.

I look forward to receiving your order.

Yours sincerely,

Isabel Rivers
Sales Manager.

Mrs A Creel
Kitchen Cares
24 Willow Square
Cambridge CB23

Sales promotion

Cinéma Les Deux Écrans
4 place de l'église
44000 Nantes

Site Internet : www.2ecrans.fr

Nantes, le 22 novembre 2007

Cher client,

Veuillez trouver ci-joint votre nouvelle carte d'abonnement au cinéma Les Deux Écrans, valable pour un an. Comme vous le savez, cette carte vous donne droit à une réduction de 50% aux séances en heures creuses (avant 18h) et de 20% à toutes les autres séances.

Nous sommes ravis de vous compter parmi nos plus fidèles clients, et nous souhaitons attirer votre attention sur les services offerts sur notre site Internet tout récemment réorganisé. En plus des informations proposées jusqu'à présent, telles que nos grilles de programmes, nos horaires, et les fiches techniques sur les films que nous projetons, vous trouverez maintenant également une gamme de services étendue. Enfin vous trouverez sur notre site le calendrier des événements exceptionnels réservés à nos abonnés : avant-premières, rencontres avec des réalisateurs et des metteurs en scènes, etc.

Nous attendons votre visite sur notre site rénové, et nous vous prions de croire en l'assurance de nos sentiments dévoués,

L'équipe du cinéma Les Deux Écrans

Announcing special offers

France V.P.C.
Route de Londres
93100 Montreuil-sous-Bois

Monsieur et Madame Roux
34 rue Victor Hugo
31300 Toulouse

numéro client: 6458132130BX

le 1er mars 2007

Chère Madame, cher Monsieur,

Bientôt la belle saison, il est temps de songer à s'habiller pour les vacances ! Et c'est justement le moment pour nous de vous présenter notre nouveau catalogue printemps-été. Cette année encore, nous nous plaçons résolument sous le signe du choix, de la qualité et des services, comme en témoignent nos nouveautés.

Plus de choix et de qualité :
- Nouvelle collection enfant : désormais toute la famille peut trouver son bonheur chez V.P.C., grâce à notre ligne de vêtements enfants solides, faciles d'entretien, et surtout qui plaisent à nos bambins !

- Gamme d'articles de sport étendue pour vos activités sportives des vacances : voyez notamment nos nouvelles pages vélo. Tous les cycles sont garantis deux ans.

Plus de services :
- De nouvelles fiches d'informations figurent sur les pages électroménager, pour vous permettre de mieux choisir vos appareils. Mieux informés, vous pouvez mieux acheter.

- Commande par Internet : l'informatique au service de notre clientèle. La commande devient plus facile et plus rapide.

- Livraisons plus rapides : la garantie de recevoir vos articles en 48h.

- Et toujours notre offre "satisfait ou remboursé".

De plus, pour vous, chers clients, V.P.C. baisse ses prix de 20% sur la collection hiver toujours disponible, vous accorde une remise de 20 € sur votre premier achat dans le catalogue printemps-été (offre valable jusqu'au 15 avril 2007).

Nous vous remercions de votre fidélité et de votre confiance ! Cordialement,

France V.P.C.

Ordering a book

Sarah O'Day
23 Clarendon Road
Oxford OX1 3UH
Grande-Bretagne

Librairie du voyage
à l'attention de Monsieur Lafarge
5 place du Marché
37000 Tours

Oxford, le 20 août 2007

Monsieur,

Suite à notre conversation téléphonique, je vous confirme la commande du livre suivant : Guide des campings de France, de M. Meyer, publié chez Voyages Editions. Vous trouverez ci-joint un chèque de 20 € en paiement de ma commande. Je vous remercie de bien vouloir envoyer le livre à l'adresse indiquée ci-dessus.

Avec mes remerciements. Bien à vous,

Sarah O'Day

Ordering furniture

Monsieur A. Guillaume
15 passage des lauriers
45000 Orléans

Mobilier Moderne
Madame Marchant
62 avenue du Parc
45000 Orléans

Orléans, le 14 octobre 2007

Madame,

Comme convenu lors de ma visite à votre magasin, je souhaite commander une table de référence T452 (plateau naturel, pieds noirs), au prix de 400 €, et quatre chaises assorties de référence C452 (mêmes coloris), au prix de 175 € chacune. Le total de la commande s'élève donc à 1100 €. Je joins à cette commande un chèque d'accompte de 600 €. Le paiement du solde se fera, comme nous en avions convenu, à la livraison.

Pourrez-vous me faire connaître dans les meilleurs délais la date de la livraison de ces meubles, afin que j'en informe les gardiens de mon immeuble qui la recevront ?

Je vous remercie et je vous prie d'agréer, Madame, l'expression de mes salutations les meilleures,

A. Guillaume

Lettre promotionnelle

Vintages
Unit 3
Poulton's Industrial Estate
NORWICH
N12 4LZ

Tel: 01793 539 2486

15 March 2007

Dear Mr Franks,
As a Vintages account holder, I am sure that you have already enjoyed the benefits of using your account card in our outlets. However, I would like to take this opportunity to introduce you to our expanded range of customer services.

From April 1st 2007 as an account customer you will be able to access our website at www.vintas.co.uk to view our extensive range of wines, beers and spirits, wine guides and accessories. Our website also has tasting notes and recommendations by leading wine writers, articles, recipes and details of wine tastings and local events exclusively for account customers. You will be able to order online and we'll usually deliver within 48 hours to anywhere in mainland UK.

I very much hope that you will take advantage of this new range of services designed with the specific needs of our account customers in mind.

Yours sincerely,

Estelle Dobson,
Marketing Manager

Annonce d'offres spéciales

The Aberdonian Clothing Company
Wallace Road, Ellon, Aberdeenshire AB32 5BY

February 2007

Mrs D. Evans,
34 St Saviours Court
KEIGHLEY
BD12 7LT

Dear Mrs Evans,

As one of our most valued customers, I wanted to make sure that you would have the opportunity to select your order from the advance copy of our new Spring-Summer Season catalogue which I enclose.

More choice

As you will see from our catalogue, we have more women's styles in more sizes than ever before, with a greater range of fittings to suit all our customers. We have also introduced a new range of fashion footwear and accessories to complete our collection.

Top quality

We pride ourselves on the quality of our goods and will ensure that your order reaches you within 28 days in perfect condition. Our customer care team is on hand to deal with queries on our customer hotline and if you are not completely satisfied with your order they will arrange for an immediate refund.

Superb value for money

We are confident that our prices cannot be beaten and as a privileged customer we would like to offer you a 10% discount on your first order from the new catalogue. When you place your order you will automatically be entered into our monthly draw for a dream holiday in St Lucia.

Post your completed order form today, or call our team on **01224 445382** to enjoy next season's fashions today.

Louise Baxter
Customer Care Manager

Commande de livres

72 rue de la Charité
69002 Lyon

18 June 2007

Prism Books
Lower Milton St
Oxford OX6 4 DY

Dear Sirs,

I would be grateful if you could send to the above address a copy of the recently published book A Photographic Ethnography of Thailand by Sean Sutton, which I have been unable to find in France.

Please let me know what method of payment would suit you.

Thanking you in advance.

Yours faithfully,

Jérôme Thoiron

Commande de vin

Radley House
John's Field
Kent
ME23 9IP

10 July 2007

Arthur Wine Merchants
23 Sailor's Way
London E3 4TG

Dear Sir/Madam,

I enclose my order for three dozen bottles of wine chosen from the selection in the catalogue you sent us recently. Please ensure that this order is swiftly dispatched, as the wine is needed for a family party on 16 July.

It would be helpful if you could phone and let me know when to expect the delivery, so that I can arrange to be at home.

Yours faithfully,

Ms F Allen-Johns

Encl

Acknowledging delivery

le 12 décembre 2007

S. Kaoun
Société Delauney
83, avenue Charles de Gaulle
92320 Châtillon

Monsieur P. Langlois
SOTEP
76, bd de Strasbourg
77420 Champs

Réf: SK/CL57/00/09/231

Monsieur le Directeur,

Suite à ma commande du 23 septembre, j'ai bien reçu les 30 bureaux Classic 57, et je vous en remercie.
Vous trouverez ci-joint un chèque d'un montant de 1600 euros à l'ordre de votre société qui constitue comme prévu le troisième et dernier versement.

Veuillez agréer, Monsieur le Directeur, mes sentiments distingués.

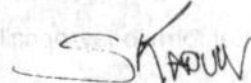

S. Kaoun

P.J.: un chèque bancaire de 1600 euros

Complaining about delivery: late arrival

le 30 mai 2007

M. F. Lorinet
89, impasse des Cordeliers
36100 Issoudun

Société Tout pour l'Eau
92, avenue de Paris
36000 Châteauroux

Objet: Commande 00/3/5302/127/VG

Monsieur,

Voilà plus de deux mois que j'attends la baignoire réf. 5302 couleur vert d'eau que je vous ai commandée le 15 mars dernier. Vous m'aviez assuré lors de la commande qu'elle me serait livrée sous trois semaines.
Je vous serais reconnaissant de me faire savoir dans les délais les plus brefs la date exacte où cet article me sera livré, faute de quoi je me verrai contraint d'annuler ma commande.

Dans l'attente de vous lire, je vous prie de croire, Monsieur, à mes sentiments distingués.

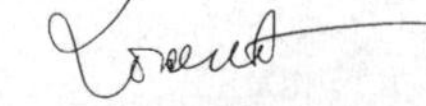

F. Lorinet

Complaining about delivery: wrong goods

"La Maison du Sous-Vêtement"
15, rue Magenta
42000 Saint-Etienne
Tél.: 04 77 42 17 82

le 12 septembre 2007

USINES LOIRETEXTILE
Confection - Vente en gros
Z.I. des Epis
42319 Roanne CEDEX

Référence commande n° 00/08/30-ZDX

Messieurs,

J'ai bien reçu votre livraison, mais je me vois dans l'obligation de vous retourner le colis, les tailles des articles ne correspondant pas à celles indiquées sur le bon de commande.
Je vous saurais gré de bien vouloir corriger votre erreur et de me faire parvenir les articles conformes à ma commande dans les plus brefs délais.
Veuillez agréer, Messieurs, l'expression de ma considération distinguée.

A. Hébert
Gérant

Answering a complaint about delivery of wrong goods

LA PORTE ROUGE V.P.C.
Chemin des Dames
59339 TOURCOING CEDEX
tél: 02 27 98 47 75 fax: 02 27 98 51 52

le 15 mai 2007

Madame Guillot
2, place de l'Eglise
38250 CORRENCON-EN-VERCORS

Réf.: Cmde 00/fl/289

Chère cliente,

Nous avons bien reçu votre courrier du 13 mai dernier nous signalant que la livraison faite par nos services n'était pas conforme à votre commande.
En effet, la couette 240 x 220 réf. 727.372 n'étant plus disponible, nous avons pensé vous être agréable en vous adressant un article de qualité supérieure que nous vous offrons au même prix que celui que vous aviez commandé. Si toutefois vous ne souhaitez pas profiter de cette occasion exceptionnelle, vous pouvez nous retourner cet article en port dû et nous vous le rembourserons.

Nous vous prions de croire, chère cliente, en nos sentiments dévoués.

M. Constantin
Directeur des Ventes

Pour accuser réception d'une livraison

SMITH & IKE LTD
14 Adley Street
London NW11
Tel: 020-8332 4343
Fax: 020-8332 4344

Our ref: PLF/GG/3

14 February 2007

Wallis Printing
2 Shoesmith Road
London W3

Dear Sir/Madam,

We acknowledge receipt of our order (see ref. above) and would like to express our appreciation of the speed with which you managed to process it. The items were urgently required to ensure there was no interruption in our production and your cooperation made this possible.

As agreed, I am arranging for our Accounts Department to make prompt payment of your account.

Yours faithfully,

Dr J G Sing
Production Manager

Réclamation : retard de livraison

Duke & Ranger
45 High Street,
Stonebury.
SX6 0PP
Tel: 01667 98978

Your ref: 434/OP/9

9 August 2007

Do-Rite Furniture,
Block 5,
Entward Industrial Estate,
Wolverhampton.
WV6 9UP

Dear Sirs,

We are surprised not to have received delivery of the two dozen coffee tables from your "Lounge Lights" range (see our letter of 6 July) which you assured us by phone were being dispatched immediately.

Our sales are being considerably hampered by the fact that the coffee tables are missing from the range and it is now over three weeks since you promised that these items would be delivered. Please phone us immediately to state exactly when they will arrive.

Yours faithfully,

Jane Malvern
Manager

Réclamation : livraison non conforme à la commande

The Hough Company
23 Longacre Rd
London
SW3 5QT
Tel: 020-7886 7979
Fax: 020-7887 6954

5 October 2007

Dear Mrs Halliwell,

Order no. 54.77.PO

Further to our phone call, we are writing to complain about various items which are either missing or wrong in the above order.

I enclose a list of both categories of items and would remind you that we felt obliged to complain of mistakes in the two previous orders as well. We hesitate to change our supplier, particularly as we have no complaints as to the quality of the goods, but your errors are affecting our production schedules.

We hope that you will give this matter your immediate, urgent attention.

Yours sincerely,

Jane Schott
Manageress, Procurements

Encls
Mrs J Halliwell
Jessop & Jonson
23 High Street
Broadstairs
Kent CT10 1LA

Réponse à une réclamation : livraison non conforme

Nolans Plc
Regina House
8 Great Hyde St
London E14 6PP
Tel: 020-8322 5678
Fax: 020-8332 5677

Our ref: 99/OUY-7.

6 March 2007

Dear Mrs Allen,

We were most sorry to receive your letter complaining of errors in the items delivered to you under your order G/88/R9.

We have checked your order form and find that the quantities are indeed wrong. We will arrange for the extra supplies to be collected and apologize for the inconvenience that this has caused you.

With respectful regards, we remain,

Yours sincerely,

pp Thorne Jones
Sales Director

Mrs E Allen
Allen Fashions
4 High St
Radford
Buckinghamshire.

Disputing an invoice: already paid

le 21 décembre 2007

B. Conrad
Le Manoir aux Emaux
17108 Saintes

Meubles Le Vieux Rustique
Zone artisanale des Fougères
D 939
17030 La Rochelle

Monsieur,

Par lettre du 20 décembre, vous me demandez de régler votre facture n° 721 de 7500 euros du 11 septembre concernant la livraison de meubles divers. Or cette facture a déjà été payée, par mandat postal daté du 7 octobre. Je vous la renvoie donc, en vous demandant de bien vouloir vérifier vos comptes.
Veuillez agréer, Monsieur, l'expression de mes salutations distinguées.

B.Conrad

P.J.: votre facture

Answering complaint about invoice: already paid

IMPRIMERIE VITFAIT
Route de Chartreuse
38500 VOIRON
Téléphone : 04.76.05.98.71

Le 18 septembre 2007

Mademoiselle Estelle Dutreuil
8, boulevard Joseph Vallier
38000 Grenoble

Objet: commande n° 00/08/21

Mademoiselle,

Nous accusons réception de votre courrier du 12 septembre dernier concernant la facture de la commande ci-dessus. Cette facture vous a en effet été adressée en double exemplaire, ce dont nous vous prions de bien vouloir nous excuser. L'erreur est due au système informatique récemment mis en place et encore mal rodé.

Nous vous remercions de ne pas tenir compte de cette relance et vous prions d'agréer, Mademoiselle, l'expression de nos sentiments distingués.

Louis Moulin
Responsable du Service Comptable

Disputing an invoice: too high

"Les Amis de la Spatule"
Association à but non lucratif Loi 1901
Téléphone 05 61 60 62 33

le 15 septembre 2007

Raoul Blanchard
Trésorier de l'Association
11, rue Juliette Lamber
24000 Périgueux

"LA MERE LEGRAS"
Hôtel Restaurant
6, rue Ampère
24200 Sarlat

Madame,

Je reçois votre facture n° 00/08/31/XYZ86 correspondant au banquet des Anciens de la Spatule du 31 août dernier et je me permets d'en contester le montant.

Nous étions convenus d'un prix d'environ 50 € par personne pour le repas, apéritifs et digestifs compris. Or votre facture fait apparaître un prix de 65 € par personne, ce qui ramène le prix du café (qui était en sus) à 15 € !

Pensant qu'il s'agit d'une erreur, je vous demanderais de bien vouloir rectifier cette facture en conséquence, et vous prie d'agréer, Madame, l'expression de mes sentiments distingués.

R. Blanchard

Answering complaint about invoice: too high

DUROUCHOUX SARL
BP 52
95300 Pontoise
téléphone: 03.33.87.29.86

Pontoise, le 15 août 2007

Monsieur Pierre Delpuech
28, Allée du Bois
77300 Fontainebleau

Objet: commande n° 00 EMB 127

Monsieur,

En réponse à votre courrier du 22 juillet 2007, nous vous prions de bien vouloir ne pas tenir compte de la facture 00/999/888 qui comporte une erreur en votre défaveur.

Vous trouverez ci-joint une facture, réf. 94/888/999, qui correspond à votre commande.

Avec toutes nos excuses, recevez, Monsieur, nos salutations distinguées.

P. Boulier
Le Responsable du Service
Comptabilité

Réclamation : facture déjà payée

Old Forge Pottery
4 Money Lane
Falmouth
Cornwall TR11 3TT
Tel: 0326 66758
Fax: 0326 66774

19 September 2007

Oscar Goode & Co
3 Field Place
Truro
Cornwall
TR2 6TT

Dear Mr Last,

Re: Invoice no. 4562938

I refer to your reminder of 17 September, which we were rather surprised to receive.

We settled the above invoice in the usual manner by bank transfer on 23 August and our bank has confirmed that payment was indeed made. Coming after several delays in making recent deliveries, this does cast some doubt on the efficiency of your organization.

We hope that you will be able to resolve this matter speedily.

Yours sincerely,

Rupert Grant

Rupert Grant
Accounts Manager

Réponse à une réclamation : facture déjà payée

PUSEY WESTLAND PLC
345-6 June Street
London SW13 8TT
Tel: 020-8334 5454
Fax: 020-8334 5656

6 June 2007

Our ref: 99/88/IY

Mrs E P Wells
The Round House
High St
Whitham
Oxon OX32 23R

Dear Mrs Wells,

Thank you for your letter of 22 May informing us that our invoice (see ref above) had already been settled.

We confirm that this is indeed the case, and payment was made by you on 5 May. Please accept our sincere apologies for sending you a reminder in error.

Yours sincerely,

GH Founder

G H Founder
Accounts supervisor

Réclamation : facture trop élevée

The Round Place
2 Nighend High
Bristol
BS9 0UI
Tel: 117 66900
Fax: 117 55450

4 June 2007

Famous Gourmet
399 Old Green Road
Bristol
BS12 8TY

Dear Sirs,

Invoice no. B54/56/HP

We would be glad if you would amend your recent invoice (copy enclosed).

The quantities of the last three items are wrong, since they refer to "24 dozen" instead of the correct quantity of "14 dozen" in each case. In addition to this, our agreed discount of 4% has not been allowed.

Please check your records and issue a revised invoice, which we will then be happy to pay within the agreed time.

Yours faithfully,

M R Edwardson

M. R Edwardson
Chief Supplies Officer

Encl.

Réponse à une réclamation : facture trop élevée

TRILLING TRADERS
45-46 Staines Lane
BIRMINGHAM
BH8 9RR
Tel: 0121-222 1343
Fax: 0121-222 1465

14 March 2007

Mr T Mettyear
34 Rowland Road
London W11 7DR

Dear Mr Mettyear,

Invoice 7YY- 98776

Your letter of 7 March complaining of our failure to allow a discount on the above invoice has been referred to me by our supplies division.

I regret to inform you that we cannot agree to allow you a discount. Our letter to you of 22 February sets out our reasons. I must now press you for full payment. If, in the future, your invoices are settled promptly we will of course be glad to consider offering discounts once again.

Yours sincerely,

J Anchor

James Anchor
Deputy Managing Director

Sending a cheque in payment

Agen, le 25 février 2007
Monsieur Linet
Le Verger
14 ter, Chemin des Mouilles
47000 Agen
téléphone: 05.58.57.39.47

Monsieur Chartier
Pépiniériste
12, rue de la Plage
34200 Sète

Référence: 2000-23

Monsieur,

En règlement de votre facture 129-GTX-47 du 23 février, veuillez trouver ci-joint un chèque bancaire n° 9 543 395 d'un montant de 1257,75 €.

Vous en souhaitant bonne réception, je vous prie d'agréer, Monsieur, l'expression de mes sentiments distingués.

C. Linet

P.J.: 1 chèque de la Banque Populaire d'Agen et du Sud-Ouest

Acknowledging payment received

ROBINETTERIE Durand
7, rue Pierre Gaultier
57050 METZ
TELEPHONE: 03 89 57 13 24

Le 23 juillet 2007

Monsieur Dechaux
21, route du Lac
73100 AIX-LES-BAINS

Commande n° 12 H 889

Monsieur,

Par la présente, nous accusons réception du paiement de la facture 78900HOC par chèque postal n° 0025863 du 19 juillet 2007 d'un montant de 172,89 €.

Vous remerciant pour votre règlement, nous vous prions d'agréer, Monsieur, l'expression de nos sentiments distingués.

Le Service Comptabilité

Wrong payment received

GARAGE SIMOUN
Place du Champ de Foire
91150 ETAMPES
téléphone: 01.60.14.91.49

Etampes, le 25 octobre 2007

Monsieur Dupuis
25 ter, avenue du Stade
14000 CAEN

Réf. facture 560/00/08/25789

Monsieur,

Nous avons bien reçu votre chèque bancaire n° 8 2563 114 du 19 octobre 2007 d'un montant de 1500 €.

Le montant total de la facture qui vous a été adressée étant de 1957,18 € vous nous êtes redevable de la somme de 457,18 € que nous vous remercions par avance de bien vouloir nous régler dans les plus brefs délais.

Veuillez agréer, Monsieur, l'expression de nos sentiments distingués.

B. Fournier
Gérant

Reminder of invoice outstanding

ENTREPRISE DE BATIMENT MAZZA
289, route Nationale
36000 Châteauroux
Tél.: 02 85 04 92 78

Monsieur Jean-Louis Jacquet
3, Place Albert Camus
36100 Issoudun

le 18 juillet 2007

Facture n° 94/126B72 du 22 avril 2007

Monsieur,

Nous vous rappelons que notre facture n° 00/126B72 du 22 avril 2007 dont le paiement était prévu au deuxième trimestre 2007 reste impayée à ce jour.

Nous vous remercions par avance de bien vouloir régulariser votre situation dans les plus brefs délais et vous prions d'agréer, Monsieur, l'expression de nos salutations distinguées.

Luc Bayard
. Agent Comptable

Pour envoyer un chèque

66a Dram Villas
Sylvan Place
Edinburgh EH8 1LZ
Tel: (0131) 668 7575

5 September 2007

L. Farquharson
11 Craghill Grove
Edinburgh
EH6 44P

Dear Mr Farquharson,

Thank you for carrying out the joinery work on our window frames so quickly and efficiently.

I enclose herewith my cheque for £312.33 in full settlement of your account (invoice no.334PP). Please let me have a receipt in due course.

Yours sincerely,

G Moreson (Mr)

Encl.

Pour accuser réception d'un paiement

Corkhill Solicitors
23 James Rise
Manchester
M14 5RT
Tel: 0161-548 6811
Fax: 0161-548 7911

10 March 2007

Ms Patricia Farnham
23 Walling Terrace
Manchester
M34 99Q

Dear Ms Farnham,

Thank you very much for your letter of 6 March and enclosed cheque.

I can confirm that we have now received payment in full for our invoice no. 5/99/UYY.

Yours sincerely,

H. Thomson

Dr Henrietta Thomson
Head of Section, Accounts

Avis de paiement insuffisant

T. Markham Ltd

34 Asquith Drive
London SW33 5LA
Tel: 020-8323 4343
Fax: 020-8323 4586

Our ref: 77877/99/PO

Mr Aidan Fadden
Fadden Enterprises PLC
234 Race Street
London NW8

20 March 2007

Dear Mr Fadden

Bill BQW 888R

We acknowledge receipt of your draft for £3,222.90. We must however point out that our February statement included a further sum of £1,998.13 which was still outstanding from the previous statement.

We would be glad if you would look into this matter and arrange for prompt payment of the sum outstanding.

Many thanks.

Yours faithfully,

J Roundwood

Mr J Roundwood - Chief Cashier

Relance pour facture impayée

ESTUARY SUPPLIES
45 Tully Street
YORK
YO3 9PO
Tel: 01904 59787
Fax: 01904 95757

Our ref: 998884/YT 9 September 2007

Ms T Blunt,
Crabbe and Long,
33-98 Grand Place,
YORK
YO8 6EF

Dear Ms Blunt,

I am writing to remind you that you have not yet settled our invoice no. 6TT 999, a copy of which I enclose.

We have never before had occasion to send you a reminder, so we assume that this matter is simply an oversight on your part. Perhaps you could arrange for payment to be made in the next few days.

Yours sincerely,

M Kington

pp M. Kington
Director

Fax: business

L.C. INFORMATIQUE
12, RUE CLAUDE BERNARD
86000 POITIERS
N° de téléphone: 05 49 41 54 67
N° de télécopie: 05 49 41 22 82

TRANSMISSION PAR TELECOPIE

Date: 12 août 2007

Veuillez remettre ce document à : Jean Briant

Numéro de télécopie : 19 44 705 82 31 54

De la part de : Stéphanie Langlois

Nombre de pages (y compris cette page) : 1

Message : Prière de me faire parvenir de toute urgence, par Chronopost si possible, l'original de vos billets d'avion et de train pour que je puisse procéder à votre remboursement.

J'aurai aussi besoin de vos notes d'hôtel et de restaurant, mais c'est moins urgent.

Merci, et amitiés,

S. Langlois

Si vous ne recevez pas ce document au complet, veuillez nous en aviser le plus rapidement possible par téléphone ou télécopie.

Fax: personal

DE: Guy Planais
Allée des Colibris
85110 Chantonnay
Télécopie: 05 51 72 27 32
Téléphone: 05 51 22 37 91

A: Jane Mella
896 Career Street
Ottawa K1N 6N5
Canada

Le 11 juin 2007

Chère Jane,

URGENT: J'aurais besoin des coordonnées de Sun-Yun-Lee à Hong Kong. Je n'arrive pas à les retrouver. Ce serait gentil si tu pouvais me refaxer dans la journée. Merci, et à bientôt.

Agenda of a meeting

Vous êtes priés d'assister ou de vous faire représenter à

L'ASSEMBLEE GENERALE ORDINAIRE DES COPROPRIETAIRES DE LA RESIDENCE DES ACACIAS

qui aura lieu le

24 septembre 2007
à 20 heures précises

Salle de Réunion du Sous-Sol

sur l'ordre du jour suivant:

1° Remplacement de la porte principale du garage. Comparaison des divers devis proposés.

2° Installation de compteurs d'eau froide individuels.

3° Aménagement d'un terrain de jeu pour les enfants.
Examen des emplacements possibles.

4° Question du tapage nocturne.

5° Demande de M. Chauffour d'installer une antenne parabolique sur son balcon (11ème étage).

6° Questions diverses.

G. Mallet
Le Syndic

Enquiring about reproduction rights and costs

Julie Collins
Service des reproductions
Sandford Publishing Co.
Dalton Street
Wantage OX12 6DP
Grande-Bretagne

Service des Archives du film
Centre National de la Cinématographie

Le 13 février 2007

Madame, Monsieur,

Sandford Publishing Co s'apprête à publier un ouvrage sur le cinéma européen des origines à nos jours. Les auteurs souhaitant insérer dans le corps du texte un certain nombre de clichés appartenant à vos archives, je vous serais très reconnaissante de bien vouloir me faire parvenir une documentation sur les modalités et les coûts de reproduction.

Veuillez agréer, Madame, Monsieur, l'expression de ma considération distinguée.

Julie Collins

Télécopie : entreprise

Swan Publishing
34 Paulton Street
London W2 9RW

FACSIMILE NUMBER: 020-7789 6544

Message for: Charles Julien
Address: 25-30, rue d'Avignon, 75012 PARIS. France
Fax number: 00.33.4143 4555
From: Emma Wallis, Swan Publishing
Date: May 20, 2007
Number of pages including this one: 1

Thank you for your letter of 18 May 2007.

1. Please confirm meeting on June 6th at 10:00.
2. Two packages of brochures and two boxes of samples dispatched on March 23rd. Please confirm receipt.
3. Guidelines on government policy apparently to be issued next week. Will try and get copies for discussion at June 6th meeting.

Look forward to seeing you on June 6th.

Emma Wallis

Emma Wallis,
Marketing Director

Télécopie : personnelle

From: M. Lovejoy, 140 Heriot Row, Dunedin, New Zealand
Fax: 64. 3. 1233. 5566
Date: *25-10-07*
Number of pages including this page : *One*

Richard—

My trip finally approved for period 2-12-00 to 3-1-01. I have to spend two days in Paris first so should reach UK on 6th Dec at latest.

Delighted to meet Rev. Mark Browne and Dr Carl Hilde as you suggest, provided it can be in the week beginning the 10th. Can you make the arrangements? Thanks.

Further info on its way to you by air mail. Let me know as soon as you can.

Thanks for good wishes. Yes, lovely summer here!

All the best,

Miranda

Ordre du jour d'une réunion

QV Designs: European Enterprise Initiative.

The next meeting will be held in the MacMillan Conference Room 11 at 2.30pm on Tuesday 30 October 2007

AGENDA

1. Apologies for absence.
2. Minutes of the meeting of 21-3-07.
3. Matters arising from the minutes.
4. Sales Director's report.
5. Report by Pierre Villiers on the 2000 Forward Into Europe conference held in Paris in July.
6. Proposal to organize business exchange visits between QV Designs and ITT, Paris.
7. Any other business.
8. Date of next meeting.

Demande de renseignements : organisation d'une conférence

Herriot Consulting

18 Robert Adam Place
Edinburgh EH7 1AA
United Kingdom

Tel: +44 (0) 131 339 8896 (direct line)
+44 (0) 131 339 8800 (switchboard)
Fax: +44 (0) 131 339 8810

The Conference Manager
The Caledonia Thistle Hotel
George Grove
GLASGOW
G3 6DD

12th September 2007

Dear Sir or Madam,

I am currently organising a two-day residential staff-training event for 40 staff from our Scottish offices. In addition to accommodation and meals, our requirements would include a fully-equipped conference room, and four syndicate rooms suitable for workshop sessions.

I would be very grateful if you would forward me information on your conference and corporate hospitality facilities with room and meal rates and details of availability for early November.

I look forward to hearing from you,

Mike Hines

Professional Development Manager

Sending an invoice

Simon Gillon
6 Leckford Road
London SW11 7YU
020-7455 45 78

Université de la Sorbonne Paris IV

Le 27 novembre 2007

Note d'honoraires

Object: notre contrat réf. 97 447 66 en date du 10 octobre 2007

Dans le cadre du colloque "Art et Mythologie"

- conférence intitulée: L'héritage mythologique chez Nicolas Poussin (16/11)

300 euros

- frais de déplacement et d'hébergement, forfait

250 euros

Total 550 euros

Avec mes remerciements,

S. Gillon

Memorandum

NOTE DE SERVICE

Le 05/06/2007

Pour des raisons de sécurité, il est rappelé au personnel que l'accès aux locaux est strictement interdit du vendredi 22h00 au lundi 6h00, sauf autorisation spéciale délivrée par M. Fabre.

La direction

Useful phrases

Letter openings

The standard opening for formal correspondence is *Monsieur*, *Madame* etc.

- *Mademoiselle,*
- *Messieurs,*
- *Mesdames,*
- *Madame, Monsieur,*
- *Maître/Cher Maître,* (to a lawyer)

Useful phrases

J'ai bien reçu votre [catalogue, réponse], et je vous en remercie.

J'ai bien reçu votre lettre du [date] concernant...

Je vous remercie de votre lettre et de vos suggestions sur...

Pour faire suite à notre conversation téléphonique du [date]...

Suite à notre entretien téléphonique de ce jour, je vous envoie ...

Je vous remercie par avance de bien vouloir me faire parvenir [un catalogue, un dossier de candidature] à l'adresse ci-dessus.

Je vous serais reconnaissant de bien vouloir m'envoyer...

Comme vous le précisez dans votre lettre/fax du [date]...

Je vous informe par la présente de mon intention de...

Je me permets de porter à votre connaissance les faits suivants.

J'attire/Je me permets d'attirer votre attention [sur le fait que, sur]...

Je vous prie de trouver ci-joint, ...

Closures

Merci de me dire ce que vous comptez faire pour remédier à ce problème.

Je vous demande de remédier à cette situation dans les meilleurs délais.

Je vous prie de bien vouloir me répondre par retour de courrier.

N'hésitez surtout pas à me contacter pour tout renseignement complémentaire.

Dans l'attente de votre réponse, je vous prie d'agréer, Madame, l'assurance de mes sentiments respectueux/de mes hommages les plus respectueux. (Man to woman)

Recevez, Madame/Monsieur, l'expression de ma considération distinguée. (General)

Veuillez croire, Madame/Monsieur, à l'assurance de mes salutations distinguées. (General)

Facture

Art Décor Interiors

224 Caversham Road
Reading
Berkshire
RG32 5SE
VAT No 280 268690

To:	£
Remove existing wallpaper in drawing room and make good surfaces	240.00
Paint ceiling with two coats of white emulsion	160.00
Paint woodwork with white gloss	140.00
Hang wallpaper (supplied by client)	240.00
Materials	143.80
Total excluding VAT	923.80
VAT @ 17.5 %	161.67
Total including VAT	1085.47

Taxpoint: 20/09/07

Note de service

MEMORANDUM

To:	All staff
From:	F. Farnes, Expenses administrator
CC:	Head of Finance
Date:	3/3/2007
Subject:	Expense claims

Staff are reminded that all expense claims must be submitted by 14 March 2007 in time to be processed before the end of this financial year. Reimbursement of late claims will be delayed.

Phrases utiles

En-têtes

Quand vous écrivez à quelqu'un que vous connaissez peu ou pas du tout, la formule la plus courante est *Dear*.

- *Dear Sir*
- *Dear Madam*
- *Dear Sir or Madam*
- *Dear Sirs*
- *Dear Mr Dixon*
- *Dear Mrs Dixon*
- *Dear Ms Dixon*

Expressions utiles

Thank you for your letter of [date] concerning ...

Thank you for sending me a [catalogue, quotation]

Thank you for your enquiry of [date]

I refer to your letter of [date] concerning ...

Further to our telephone conversation of [date], ...

I am writing to confirm our telephone conversation of [date]

I would be grateful if you could forward me a [price list, catalogue]

As stated in your letter/ fax of [date] ...

I wish to draw your attention to ...

I wish to inform you that ...

I am writing to inform you that ...

I am writing to express my dissatisfaction with ...

Please note that ...

Please find enclosed ...

Formules de politesse

I look forward to hearing from you ...

I look forward to your response ...

I would be most grateful if you would look into this matter as soon as possible ...

Please let me know as soon as possible what action you propose to take ...

I trust that you will give this matter your urgent attention ...

Please do not hesitate to contact me should you require further information.

Si vous connaissez le nom de la personne:

- *Yours sincerely*

Si vous ne connaissez pas le nom de la personne:

- *Yours faithfully*

3. Seeking employment

Looking for a placement in a computer company

Laurent PIGNON
14 bis, impasse des Aqueducs
69005 LYON
tél. : 04 78 47 98 54

Lyon, le 12 décembre 2007

Société Giudici
Z.I. des Pâquerettes
69575 DARDILLY CEDEX

à l'attention de Monsieur le Chef du Personnel

Monsieur,

Actuellement étudiant à l'École d'Informatique Générale de Lyon, je dois effectuer un stage d'une durée de quatre mois dans une entreprise d'informatique afin de mettre en pratique l'enseignement qui m'est dispensé.

Connaissant bien la réputation de votre entreprise dans la région, je souhaiterais vivement pouvoir faire ce stage d'informaticien chez vous. Je me tiens à votre entière disposition si vous désirez me rencontrer.

Vous remerciant par avance de l'attention que vous voudrez bien porter à ma candidature, je vous prie, Monsieur, d'agréer l'expression de mes sentiments respectueux.

L. Pignon

p.j.: un curriculum vitae

Enquiring about jobs

Valérie Giraud
Les flots
Route de Deauville
14360 Trouville-sur-Mer

Trouville, le 27 octobre 2007

A Monsieur le Directeur
Editions La Pensée Française
Paris

Monsieur,

Après un diplôme de sciences politiques (IEP Paris), j'ai entamé il y a quelques années une carrière de journaliste que je me vois contrainte d'abandonner pour des raisons familiales. J'aimerais dorénavant utiliser mes dons et mes compétences dans le domaine de l'édition ou de la traduction. Je parle trois des principales langues européennes, ainsi que l'indique le C.V. ci-joint, et je pense avoir de bonnes dispositions pour l'écriture.

Je suis prête à me rendre à un entretien si vous le jugez utile.

Recevez, Monsieur, l'expression de mes salutations distinguées.

V. Giraud

P.J. : un curriculum vitae

Looking for a job

Mme Lise Martin
26, boulevard Jean Jaurès
78000 Versailles
tél.: 01.43.20.80.20

Versailles, le 7 novembre 2007

Société Design et Déco
17, rue Henri Barbusse
75014 Paris

Monsieur,

Titulaire d'un diplôme de décoratrice d'intérieur et ayant une solide expérience dans la profession, ainsi que vous pourrez le constater à la lecture du curriculum ci-joint, je vous écris pour vous proposer mes services. Ayant élevé mes deux enfants, je cherche un emploi à plein temps, mais saurai me contenter d'un mi-temps si nécessaire.

Dans l'attente de vous lire, je vous prie d'agréer, Monsieur, l'expression de mes sentiments les meilleurs.

L. Martin

P.J.: un curriculum avec photographie
un dossier de mes réalisations antérieures

Replying to a job ad

Monsieur Jean-Luc Morin
12, avenue d'Angleterre
62100 Calais

Calais, le 14 février 2007

A Monsieur le Directeur
Arts et Design Gadgeteria
27, rue Victor Hugo
59001 Lille

Monsieur,

L'annonce parue en page 2 de l'édition du 12 février du Courrier Picard concernant un poste de concepteur m'a vivement intéressé. Mon contrat à durée déterminée chez Solo and Co. touche à sa fin. Je pense posséder l'expérience et les qualifications requises pour vous donner toute satisfaction dans ce poste, comme vous pourrez le constater au vu de mon CV. Je me tiens à votre disposition pour un entretien éventuel, et vous prie d'agréer, Monsieur, l'expression de mes sentiments distingués.

J.L. Morin

P.J.: un CV avec photo

3. La recherche d'un emploi

Pour demander un stage (informaticien)

Rue du Lac, 989
CH-9878 Geneva
Switzerland

5th February 2007

Synapse & Bite Plc
3F Well Drive
Dolby Industrial Estate
Birmingham BH3 5FF

Dear Sirs,

As part of my advanced training relating to my current position as a junior systems trainee in Geneva, I have to work for a period of not less than two months over the summer in a computing firm in Britain or Ireland. Having heard of your firm from Mme Grenaille who worked there in 2005, I am writing to you in the hope that you will be able to offer me a placement for about eight weeks this summer.

I enclose my C.V. and a letter of recommendation.

Hoping you can help me, I remain,

Yours faithfully,

Madeleine Faure

Encls.

Candidature spontanée : enseignant

B.P. 3091
Pangaville
Panga

6th May 2007

Mrs J Allsop
Lingua School
23 Handle St
London SE3 4ZK

Dear Mrs Allsop,

My colleague Robert Martin, who used to work for you, tells me that you are planning to appoint extra staff this September. I am currently teaching French as a Foreign Language as part of the French Government's "cooperation" course in Panga which finishes in June.

You will see from my CV (enclosed) that I have appropriate qualifications and experience. I will be available for interview after the 22nd June, and may be contacted after that date at the following address:

c/o Lewis
Dexter Road
London NE2 6KQ
Tel: 020 7335 6978

Yours sincerely,

Jules Romains

Encl.

Candidature spontanée : décorateur

23 Bedford Mews
Dock Green
Cardiff
CF 23 7UU

029-2044 5656

2nd August 2007

Marilyn Morse Ltd
Interior Design
19 Churchill Place
Cardiff CF4 8MP

Dear Sir or Madam,

I am writing in the hope that you might be able to offer me a position in your firm as an interior designer. As you will see from my enclosed CV, I have a BA in interior design and plenty of experience. I have just returned from Paris where I lived for 5 years, and I am keen to join a small team here in Cardiff.

I would be happy to take on a part-time position until something more permanent became available. I hope you will be able to make use of my services, and should be glad to bring round a portfolio of my work.

Yours faithfully,

K J Dixon (Mrs)

Encls.

Réponse à une petite annonce

16 Andrew Road
Inverness IV90 OLL
Phone: 01463 34454

13th February 2007

The Personnel Manager
Pandy Industries PLC
florence Building
Trump Estate
Bath BA55 3TT

Dear Sir or Madam,

I am interested in the post of Deputy Designer, advertised in the "Pioneer" of 12th February, and would be glad if you could send me further particulars and an application form.

I am currently nearing the end of a one-year contract with Bolney & Co, and have relevant experience and qualifications, including a BSc in Design Engineering and an MSc in Industrial Design.

Thanking you in anticipation, I remain,

Yours faithfully,

A Aziz

Offering a job as an au pair

le 26 mai 2007

Madame E. Dulac
122, rue de la Mignonne
69009 Lyon
téléphone: 04 78 22 97 64

Madame,

J'ai appris par le Centre Social que votre fille de 17 ans était à la recherche d'un emploi qui lui permettrait de s'occuper de jeunes enfants. Or je cherche une jeune fille sérieuse qui puisse prendre en charge mes jumelles de cinq ans pendant le mois de juillet lorsque je serai au bureau, et qui puisse faire quelques petits travaux ménagers. Elle serait nourrie, logée, blanchie et recevrait une rémunération de 500 € par mois.

Si cela intéresse votre fille, je lui propose de prendre contact avec moi dès que possible au numéro ci-dessus.

Je vous prie de croire, Madame, en mes sentiments les meilleurs.

E. Dulac

Applying for a job as an au pair

Sally Kendall
5, Tackley Place
Reading RG2 6RN
England

Reading, le 17 avril 2007

Madame et Monsieur,

Vos coordonnées m'ont été communiquées par l'agence "Au Pair International", qui m'a demandé de vous écrire directement. Je suis en effet intéressée par un emploi de jeune fille au pair pour une période de six mois au moins, à partir de l'automne prochain.

J'adore les enfants, quel que soit leur âge, et j'ai une grande expérience du baby-sitting, comme vous pourrez le constater au vu du CV ci-joint.

Dans l'espoir d'une réponse favorable, je vous prie d'agréer, Madame et Monsieur, l'expression de mes respectueuses salutations.

S. Kendall

P.J.: un CV

Asking for a reference

Craig McKenzie
15 Rowan Close
Torquay
Devon
TQ2 7QJ

Torquay, le 12 janvier 2007

Monsieur,

J'ai été votre étudiant en DEA pendant l'année 2003-2004.

Je constitue actuellement un dossier pour postuler un emploi à l'Université de St Andrews et je dois fournir deux lettres de recommandation. Accepteriez-vous d'en écrire une? Si votre réponse est oui, je vous serais très reconnaissant de faire parvenir cette lettre directement à l'université.

Avec mes remerciements, et l'expression de mes sentiments respectueux.

P.J.: description de poste
enveloppe timbrée

Thanking for a reference

Christian Jouanneau
12, avenue d'Angleterre
62100 Calais

le 30 mars 2007

Chère Madame,

Je tiens à vous remercier d'avoir bien voulu apporter votre soutien à ma candidature à un poste de concepteur chez Arts et Design Gadgeteria. J'ai eu un entretien avec leur directeur du personnel, et j'ai le plaisir de vous annoncer que j'ai été sélectionné. J'en suis très satisfait, d'autant plus qu'il y avait de nombreux candidats. Transmettez mon bon souvenir à mes anciens collègues.

Recevez, Chère Madame, l'expression de ma profonde gratitude.

Recherche d'une jeune fille au pair

89 Broom St
Linslade
Leighton Buzzard
Beds
LU7 7TJ
4th March 2007

Dear Julie,

Thank you for your reply to our advertisement for an au pair. Out of several applicants, I decided that I would like to offer you the job.

Could you start on the 5th June and stay until the 5th September when the boys go back to boarding school? The pay is £70 a week and you will have your own room and every second weekend free. Please let me know if you have any questions.

I look forward to receiving from you your confirmation that you accept the post.

With best wishes,
Yours sincerely,

Jean L Picard

Pour demander un emploi de jeune fille au pair

2, Rue de la Gare
54550 Nancy
France

(33) 03 87 65 47 92

15 April 2007

Miss D Lynch
Home from Home Agency
3435 Pine Street
Cleveland, Ohio 442233

Dear Miss Lynch,

I am seeking summer employment as an au pair. I have experience of this type of work in Britain but would now like to work in the USA. I enclose my C.V, and copies of testimonials from three British families.

I would be able to stay from the end of June to the beginning of September. Please let me know if I need a work permit, and if so, whether you can get one for me.

Yours sincerely,

Alice Demeaulnes

Encls.

Pour demander une lettre de recommandation

8 Spright Close
Kelvindale
Glasgow GL2 0DS

Tel: 0141-357 6857

23rd February 2007

Dr M Mansion
Department of Civil Engineering
University of East Anglia

Dear Dr Mansion,

As you may remember, my job here at Longiron & Co is only temporary. I have just applied for a post as Senior Engineer with Bingley & Smith in Glasgow and have taken the liberty of giving your name as a referee.

I hope you will not mind sending a reference to this company should they contact you. With luck, I should find a permanent position in the near future, and I am very grateful for your help.

With best regards,
Yours sincerely,

Helen Lee.

Remerciements pour une lettre de recommandation

The Stone House
Wallop
Cambs
CB13 9RQ

8/9/07

Dear Capt. Dominics,

I would like to thank you for writing a reference to support my recent application for the job as an assistant editor on the Art Foundation Magazine.

I expect you'll be pleased to know that I was offered the job and should be starting in three weeks' time. I am very excited about it and can't wait to start.

Many thanks once again,

Yours sincerely,

Molly (Valentine)

Covering letter for a CV

Chloé Dupuis
41 allée des peupliers
67000 Strasbourg

S.P.G. International
à l'attention de Madame Tesset
2 avenue du Général de Gaulle
67000 Strasbourg

Strasbourg, le 3 décembre 2007

Madame,

J'ai l'honneur de poser ma candidature pour le poste de gestionnaire de l'information de votre entreprise, dont j'ai appris qu'il était vacant par l'annonce publiée dans le journal Les Nouvelles. Je vous prie de bien vouloir trouver ci-joint un exemplaire de mon curriculum vitae.

Titulaire d'une maîtrise de gestion et d'un D.E.S.S. de gestion du développement des P.M.E., j'ai effectué au terme de mon année de D.E.S.S. un stage à Berlin dans une société d'envergure internationale. J'y ai mené à bien une mission marketing de mise en place d'un système de recherche de compétences à travers l'outil informatique. Ces emplois m'ont permis de mettre en œuvre les savoirs théoriques acquis pendant mes études, tout en élargissant le cadre de leur application. C'est dans cette perspective que je souhaite poursuivre ma carrière dans le domaine de la gestion de l'information pour l'entreprise. Organisée et volontaire, je saurai mettre mon expérience de terrain, mes connaissances techniques et mon sens des responsabilités au service de votre entreprise.

Je suis à votre disposition pour vous fournir tout renseignement supplémentaire.

Dans l'attente de votre réponse, je vous prie d'agréer, Madame, l'expression de mes sentiments respectueux,

Chloé Dupuis

Reply to an interview offer

Chloé Dupuis
41 allée des peupliers
67000 Strasbourg

S.P.G. International
à l'attention de Madame Tesset
Gestion des Ressources Humaines
2 avenue du Général de Gaulle
67000 Strasbourg

Strasbourg, le 15 décembre 2007

Madame,

Je vous remercie de votre lettre datée du 12 décembre dernier concernant ma candidature pour le poste de gestionnaire de l'information. Je suis très contente de pouvoir accepter votre offre d'entretien pour le 21 décembre 2007 à 14h, dans vos bureaux.

Dans cette attente, je vous prie d'agréer, Madame, l'expression de mes sentiments respectueux,

Chloé Dupuis.

Accepting a job

Gabriel Maréchal
11, rue Jules Ferry
85000 La Roche-sur-Yon

M. Ramirez
Ferme modèle du Grand Pré
14260 Aunay-sur-Odon

le 3 avril 2007

Monsieur,

C'est avec le plus grand plaisir que j'ai reçu votre courrier m'informant que j'avais été choisi pour le poste de pépiniériste auquel j'étais candidat. Je vous confirme par la présente que je serai en mesure de prendre ce poste à compter du 2 mai. J'arriverai dans la soirée du 1er, et me présenterai à vous dès 7 heures le lendemain matin.

Je vous prie de croire, Monsieur, à mes sentiments les meilleurs.

G. Maréchal

Turning down a job

René Perrot
13, rue Lamartine
38590 Brézins

Entreprise Bideau
Electricité générale
Quartier des Balmes
01370 Saint-André-de-Corcy

le 28 mars 2007

Monsieur,

Je vous suis reconnaissant de m'avoir offert un emploi d'électricien dans votre entreprise. Toutefois, ma situation personnelle a changé depuis notre dernier entretien. En effet, ma femme qui travaille dans l'Education nationale vient d'être nommée en Haute-Vienne. Je me vois donc dans l'obligation de refuser votre offre.

J'espère que vous ne me tiendrez pas rigueur de ce désistement, et vous prie d'agréer l'expression de mes meilleurs sentiments.

R. Perrot

Lettre de motivation

17 Roslyn Terrace,
London NW2 3SQ

15th October 2007

Ms R. Klein,
London Consultancy Group,
1 Canada Square,
Canary Wharf
LONDON E14 5BH

Dear Ms Klein,

Principal Consultant, E-business Strategy

I should like to apply for the above post, advertised in today's Sunday Times and have pleasure in enclosing my curriculum vitae for your attention.

MBA-qualified, I am a highly experienced information systems strategy consultant and have worked with a range of blue-chip clients, primarily in the financial services and retail sectors. In my most recent role, with Herriot Consulting, I have successfully led the development of a new electronic commerce practice.

I am now seeking an opportunity to fulfil my career aspirations with a major management consultancy, such as LCG, which has recognised the enormous potential of the e-business revolution. I believe I can offer LCG a combination of technical understanding, business insight and entrepreneurial flair.

I look forward to discussing this opportunity further with you at a future interview and look forward to hearing from you.

Yours sincerely,

J. O'Sullivan

encl: curriculum vitae.

Réponse à une offre d'entretien

2 Chalfont Close,
LONDON
W4 3BH

20 April 2007

C. Charles
Human Resources Manager
Phototex Ltd
2 Canal Street
LONDON
SW1 5TY

Dear Ms. Charles,

Thank you very much for your letter of 18 April 2007. I would be delighted to attend an interview on 25 April at 10.30 am.

As requested, I will bring with me a portfolio of my recent work to present to the interview panel.

Yours sincerely,

H. O'Neill

Helena O'Neill

Pour accepter une proposition d'emploi

16 Muddy Way
Wills
Oxon
OX23 9WD
Tel: 01865 76754

Your ref : TT/99/HH 4 July 2007

Mr M flynn
Mark Building
Plews Drive
London
NW4 9PP

Dear Mr flynn,

I was delighted to receive your letter offering me the post of Senior Designer, which I hereby accept.

I confirm that I will be able to start on 31 July but not, unfortunately, before that date. Can you please inform me where and when exactly I should report on that day? I very much look forward to becoming a part of your design team.

Yours sincerely,

Nicholas Marr

Pour refuser une proposition d'emploi

4 Manchester St
London
NW6 6RR
Tel: 020-8334 5343

Your ref: 099/PI.K/001 *9 July 2007*

Ms F Jamieson
Vice-President
The Nona Company
98 Percy St
YORK
YO9 6PQ

Dear Ms Jamieson,

I am very grateful to you for offering me the post of Instructor. I shall have to decline this position, however, with much regret, as I have accepted a permanent post with my current firm.

I had believed that there was no possibility of my current position continuing after June, and the offer of a job, which happened only yesterday, came as a complete surprise to me. I apologize for the inconvenience to you.

Yours sincerely,

J D Salam

Attestation of employment

S.R.T.I.
48 rue St-André
92800 Puteaux - La Défense

A QUI DE DROIT

Je soussigné, Benoît Gance, certifie que mademoiselle Manuella Viera a travaillé en qualité d'assistante de direction à la S.R.T.I. du 15 septembre 2004 au 6 août 2007.

Fait à Paris le 6 août 2007.

B. Gance

M. Benoît Gance
Directeur Général

Giving a reference

UNIVERSITE DE CLERMONT-FERRAND 1
27, avenue Michelin
63567 Clermont-Ferrand Cedex 3
téléphone 04 73 40 60 31

Clermont-Ferrand, le 13 mars 2007

A QUI DE DROIT

Monsieur Louis Filard a été mon étudiant en classe de géométrie pendant l'année universitaire 2004–05. Bien que la classe ait été fort nombreuse, je me souviens de lui comme d'un étudiant attentif, prompt à poser des questions très souvent pertinentes, et obtenant des résultats tout à fait honorables dans ses travaux écrits. Sérieux et appliqué, il a fait montre de qualités qui laissent bien augurer de son avenir. Je ne doute pas qu'il puisse donner entièrement satisfaction dans l'emploi qu'il postule.

E. Chapier

Madame Éliane Chapier
Maître de Conférences
Faculté de Mathématiques
Université de Clermont-Ferrand

Resigning from a post

Manuella Viera
27 rue des Epinettes
75017 Paris

M. Benoît Gance
Directeur Général
S.R.T.I.

Recommandé avec A.R.

Le 5 juin 2007

Monsieur,

J'ai l'honneur de vous présenter ma démission du poste d'assistante de direction que j'occupe dans votre entreprise depuis le 15 septembre 2005.

Mon préavis commencera le 6 juin 2007 et s'achèvera le 6 août 2007, date après laquelle je serai libre de tout engagement envers votre entreprise.

Veuillez agréer, Monsieur, toute ma considération.

M. Viera

M. Viera

Resigning from a post

Frédéric Aubert
12, avenue de la Gare
07100 Annonay

M. Bedeau
Café-Bar des Anglais
Grand Place
07440 Alboussière

Annonay, le 12 septembre 2007

Monsieur,

Par cette lettre je vous prie de prendre note de ma décision de démissionner de mon emploi de garçon de café à dater du 12 octobre prochain. Pour des raisons familiales, je me vois en effet dans l'obligation de quitter la région.

Je vous remercie de la sympathie que vous m'avez exprimée au cours des dernières semaines, qui ont été particulièrement difficiles.

Je vous prie de croire à mes sentiments les meilleurs.

F. Aubert

Certificat de travail

Farnham's Estate Agency
2 Queen Victoria Street
Wokingham
Berkshire
RG31 9DN
Tel: 0118 947 2638
Fax: 0118 947 2697

4 September 2007

To whom it may concern

I am pleased to confirm that Benedict Walters was employed as junior negotiator in the residential sales department from 3rd January 2001 to 31st March 2006, a position in which he performed very successfully.

Yours faithfully,

Katrina Jarvis
Branch Manager

Recommandation : favorable

University of Hull
South Park Drive
Hull HL5 9UU
Tel: 01482 934 5768
Fax: 01482 934 5766

Your ref. DD/44/34/AW *5/3/07*

Dear Sirs,

Mary O'Donnel. Date of birth 21-3-63

I am glad to be able to write most warmly in support of Ms O'Donnel's application for the post of Designer with your company.

During her studies, Ms O'Donnel proved herself to be an outstanding student. Her ideas are original and exciting, and she carries them through - her MSc thesis was an excellent piece of work. She is a pleasant, hard-working and reliable person and I can recommend her without any reservations.

Yours faithfully,

Dr A A Jamal

Lettre de démission

3 Norton Gardens,
BRADFORD
BD7 4AU

30 May 2007

Regional Sales Manager
Nortex and Co.
Cooper St.
LEEDS
LS5 2FH

Dear Mr Perrin,

I am writing to inform you of my decision to resign from my post of Sales Administrator in the Bradford offices with effect from 1 July 2007. I am giving one month's notice as set out in my conditions of employment. I have for some time been considering a change of role and have been offered a post with a market research organization which I believe will meet my career aspirations.

I would like to take this opportunity to say how much I value the training and professional and personal support that I have received in my three years with Nortex and Co.

Yours sincerely,

Melinda MacPhee

Lettre de démission

Editorial Office

Modern Living Magazine
22 Salisbury Road, London W3 9TT
Tel: 020-7332 4343 Fax: 020-7332 4354

To: Ms Ella Fellows *6 June 2007*
General Editor.

Dear Ella,

I am writing to you, with great regret, to resign my post as Commissioning Editor with effect from the end of August.

As you know, I have found the recent management changes increasingly difficult to cope with. It is with great reluctance that I have come to the conclusion that I can no longer offer my best work under this management.

I wish you all the best for the future,

Yours sincerely,

Elliot Ashford-Leigh

CV: English graduate

GRANTLEY Paul Alan

Adresse:
26 Countisbury Drive
BRIGHTON BN3 1RG
Grande-Bretagne
Tél.: (44) (0)1273 53 49 50
Tél. portable: (44) (0)7726 76 52 62
Courrier électronique: paul.grantley@mail.uk

Né le 22 mai 1981
Célibataire
Nationalité britannique

FORMATION

2004 - 2007
King's College, Londres: B.Sc. (Licence) en Biochimie (2.1. = mention bien)

2003
A Levels (Deuxième partie du Baccalauréat) options: Biologie, Chimie, Physique et Mathématiques.

2001
GCSEs (Première partie du Baccalauréat) options :

Mathématiques, Physique, Biologie, Chimie, Commerce, Anglais, Allemand et Sociologie.

1996 - 2003
Brighton College Boys' School (Lycée)

EXPERIENCE PROFESSIONNELLE

Mars 2005
une semaine comme "double" du Directeur Adjoint du Marketing chez EAA Technology (Sources d'énergie écologiques) à Didcot près d'Oxford.

Juillet 2004
deux semaines chez Alford & Wilston Ltd (Produits chimiques), Warley, Midlands de l'Ouest.

CENTRES D'INTERET

Au Lycée
Capitaine de l'équipe de rugby pendant deux ans.
Membre du club d'échecs.

A l'Université
Membre de l'équipe de rugby.
Organisateur de la Semaine de Charité (2006).
Délégué aux activités sportives dans l'association des étudiants.

DIVERS

Bonne connaissance de l'outil informatique.
Permis de conduire.
Intérêt pour les voyages : tour du monde en 2003-2004, entre le Lycée et l'Université.

CV : bachelière française

NAME:	Laurence BOUTON
ADDRESS:	18 Avenue Édouard Herriot 01000 Bourg-en-Bresse France Telephone: (33) (0)4 74 50 09 13 Mobile: (33) (0)6 70 48 95 16 E-mail: laurence.bouton@mail.fr
MARITAL STATUS:	Single
EDUCATION AND QUALIFICATIONS:	
2000–2007	Lycée de Brou, Bourg-en-Bresse, France Baccalauréat, série L [this is the equivalent of A-levels in French and Languages]
PREVIOUS WORK EXPERIENCE:	
2005–2007	Part-time: Private Tutor of English and French Language
2006 July	Camp counsellor, children's holiday camp, Nice. Duties included sports and games supervision, leisure co-ordination, general counselling of children aged 6-10 years
2006 March	One week exchange visit to German family in Bremen
2006 August	One month exchange visit to English family in Bournemouth
OTHER INFORMATION:	Love of children (I have 3 younger brothers and 2 sisters) Good spoken English and German 40 w.p.m Typing
INTERESTS:	Classical music Literature - especially modern poetry Museums and exhibitions Tap Dancing (participant in school competitions)
REFEREES:	M. Pierre Duval (Headmaster) Lycée de Brou 01000 Bourg-en-Bresse France Telephone: (33) (0)4 74 39 84 73
	Me Julie Huppert (Lawyer) 44 Rue Orange 01000 Bourg-en-Bresse France Telephone: (33) (0)4 74 30 92 34

CV : American academic

HEIDER Sarah Dolores

née le 27/09/68

Adresse

1123 Cedar Avenue
Evanston
Illinois 60989
Etats-Unis
Courrier électronique : sally.heider@nwu.educ

Formation

PhD (Doctorat) en Littérature (La Poétique de Shakespeare et sa vision de la femme) soutenu en 1999 à Northwestern University, Evanston, Illinois.

Maîtrise de Littérature anglaise et américaine obtenue en 1993 à l'Université de Pennsylvanie, Philadelphie.

Licence d'Anglais de l'Université de Californie, Berkeley.

Expérience professionnelle

Depuis 2006	Professeur associée, Département d'anglais, Northwestern University.
2004 - 2006	Professeur assistante, spécialiste de la Renaissance, Département d'anglais, Northwestern University.
1999 - 2003	Professeur assistante, Département d'anglais, Université de Pennsylvanie, Philadelphie.
1996 - 1999	Attachée de recherche sous la direction du Professeur O'Leary (Féminisme et Poétique de Shakespeare), Northwestern University.
1995 - 1996	Attachée de recherche, Département d'études féministes, Northwestern University.
1993 - 1995	Assistante, spécialiste du théâtre de la Renaissance anglaise, Northwestern University.

Distinctions

Bourse de Recherche Wallenheimer en 2005 - 2006.

Poste de recherche doctorale Milton Wade en 1995 - 1996.

Bourse d'études de la Fondation Pankhurst/Amersham en 1993 - 1995.

Travaux de recherche et publications

Voir liste ci-jointe.

Divers

Présidente de la Commission "Renaissance Minds" (étude de l'idéologie de la période de la Renaissance anglaise).

Membre de l'UPCEO (Commission inter-universitaire pour la défense des droits de la femme) depuis 2000.

Conseillère auprès des éditions Virago à Londres (collection des études sur la Renaissance) en 2005 - 2006.

Conseillère auprès des éditions Pandora, New York, en 2003.

CV : universitaire français

Name:	Jacques Pierre Boyer
Address:	25 rue Paul Doumer 54500 Vandœuvre les Nancy France
Tel:(home)	00 33 82 24 37 12
Fax:(university)	00 33 82 27 41 11
Email:	phyveg@ism.univ-nancy.fr
Date of Birth:	30 October 1969
Nationality:	French
Marital Status:	Married, 3 children

Educational Qualifications:

Thèse d'État [Ph.D], Université de Nancy, 1999

Subject:	"Effets comparés des rayonnements π et β sur la croissance de *Calluna vulgaris* et *Erica vagans*": Très Honorable à l'unanimité du jury
Supervisor:	Jean-Pierre Mounier, Professeur de Physiologie Végétale à l'Université Paris XII

Professional Experience:

1993–95	Professeur agrégé de Sciences Naturelles, Lycée d'État de Dunkerque (Nord)
1995–98	Assistant de Physiologie Végétale à l'Université de Caen (Calvados)
1998–2004	Maître-Assistant, Université de Caen (Calvados)
2004–present	Maître de Conférences à l'Université de Nancy

Current Research Interests:

Growth phenomena in ornamental plants according to conditions of humidity and light

Publications:

3 Books and 27 papers – see attached list

CV : Female English middle-management

CURRICULUM VITAE

HUNT Mary Phyllis

16 Victoria Road
Brixton
LONDRES SW12 5HU
Tél.: (44) (0)20 8675 7968
Tél. portable: (44) (0)7 726 76 52 61
Courrier électronique: maryphyllis.hunt@mail.com

Nationalité britannique

Née le 11 mars 1979

FORMATION ET DIPLOMES

2001 - 2002
Ecole de Commerce de l'Université d'Essex: Diplôme de Troisième Cycle en Commerce-Gestion et Allemand.

1997 - 1999 et 2000 - 2001
London School of Economics (Grande Ecole en Sciences Economiques de Londres), Département Commerce: BSc (Licence)
First Class Honours (distinction réservée aux meilleurs étudiants) en Commerce et Economie.

1999 - 2000
Séjour d'une année à Bonn, Allemagne: étude de l'allemand économique en cours du soir. Divers emplois de bureau en tant qu'intérimaire.

1990 - 1997
Grammar School for Girls (Lycée de jeunes filles) : 7 disciplines à la première partie du Baccalauréat (O levels),et 4 à la deuxième partie (A levels): Mathématiques, Histoire, Economie et Allemand

EXPERIENCE PROFESSIONNELLE

2002 - 2003
Formation de Directeur, Sainsway Foodstores plc (Grand magasin d'alimentation), Londres.

2003 - 2005
Directrice adjointe, Sainsway Foodstores plc, Faversham, Kent.

2005 - 2007
Acheteuse adjointe, Delicatessen International, Paris

Depuis 2007
Sous-Directrice, Retail Outlets Division (Département des Ventes au Détail), Delicatessen International, Londres.

CV : jeune cadre belge

Name:	Jean-Baptiste LENOBLE
Date of Birth:	29/7/80
Nationality:	Belgian
Permanent Address:	
(After 3/8/07)	Rue des Frontières, 33 1234 Meuseville Belgium
Telephone:	(32) (88) 123.45.67
Mobile:	(32) (0)7 456 54 32
Email:	jlenoble@mail.be
Temporary Address:	
(Until 3/8/07)	1642 West 195th St New York NY 23456 USA
Marital Status:	Single

Education and Qualifications:

The qualifications described below do not have exact equivalents in the British system. I enclose photocopies of my certificates with English translations.

1991–99:	Lycée Elisabeth, Meuseville, Belgium Qualification: School leaving certificate (Maths/Science option)
1999–2002	Université de Verviers: Department of Civil Engineering. Qualification: Diploma in Civil Engineering
2006–07	Masters Program in Civil Engineering, New York Harbor University. (Results pending)

Work Experience:

2000–2001	Summer work as volunteer at school for children with learning difficulties
2002–2003	Assistant civil engineer, Verviers Region, Belgium. Work on various road projects
2004–2006	Senior assistant civil engineer, Verviers Region

Other Skills & Interests:

Languages: fluent English,
Adequate spoken Dutch and German
(Native French speaker)
Clean Driving Licence
Squash: Regional finalist in University Squash team
I wish to widen my work experience in an English-speaking country given the on-going changes in the European job market.

References:	Professeur H Vandecke Département de Génie Civil Université de Verviers B-1245 Verviers Belgium	Dr Jan C Waldermaker Managing Director Waldermaker Enterprises Inc 8822 West 214th St New York NY 24568 USA

CV : Male English senior executive

Robert Charlton STEVENSON

21 Liston Road
Clapham Old Town
LONDON SW4 0DF
Royaume-Uni

Téléphone et télécopie : (44) (0)20 7622 2467
Télephone portable : (44) 7746 45 22 12
Courrier électronique : rcstevenson@mail.com

Nationalité britannique

FORMATION ET DIPLÔMES

1996	Maîtrise de Gestion (avec mention) à l'Armor Business School, Boston, Etats-Unis.
1994 - 1996	Deux années aux Etats-Unis.
1992	BSc (Licence) de Mécanique à l'Université du Dorset, Willingdon, Royaume-Uni.
1989 - 1992	Université du Dorset, Willingdon, Royaume-Uni.
1989	A level (Baccalauréat)

EXPÉRIENCE PROFESSIONNELLE

2005 - 2007	Directeur adjoint de Jermyn-Sawyers International, Londres.
2003 - 2005	Directeur pour l'Asie, Société Pharmaceutique Peterson, Hong Kong
1999 - 2003	Directeur, Kerry-Masterton Management Consultants (consultants en gestion des entreprises), Bonn.
1996 - 1999	Consultant, Masterton Management Consultants, Londres.
1992 - 1994	Stagiaire en gestion des entreprises, Jamieson Matthews Ltd, Crawley, Sussex.

DIVERS

Bilingue anglais-français.

Loisirs: ski, ski nautique, parapente, voile.

Useful phrases

Letter openings

The standard opening for formal correspondence is *Monsieur*, *Madame* etc.

- *Mademoiselle,*
- *Messieurs,*
- *Mesdames,*
- *Madame, Monsieur,*
- *Maître/Cher Maître,* (to a lawyer)

Useful phrases

En réponse à l'annonce parue dans [journal] du 10 octobre 2000, ...

J'ai l'honneur de poser ma candidature pour le poste de [emploi] dans votre société.

Je vous serais reconnaissant de bien vouloir m'envoyer un dossier de candidature.

Je vous remercie de la confiance que vous me témoignez en me proposant le poste de ...

C'est avec enthousiasme que je rejoindrai votre équipe le [date].

Closures

Je vous remercie par avance de l'intérêt que vous voudrez bien porter à ma candidature.

Je serais très heureux/-euse de vous exposer mes motivations au cours d'un entretien.

Je me tiens à votre entière disposition pour vous rencontrer lors d'un entretien et pour tout renseignement complémentaire.

Dans la perspective d'une prochaine rencontre, je vous prie d'agréer, Madame, l'expression de mes sentiments respectueux. (Man to woman)

Je vous prie de croire, Madame/Monsieur, à l'expression de ma considération distinguée. (General)

CV : cadre supérieur français

NAME	Nathalie YVARD	
ADDRESS	21 rue Saint-Jacques 75005 Paris France.	
TELEPHONE	(33) (0)1 63 47 22 19	
MOBILE	33 (0)6 57 43 11 11	
EMAIL	nathalie.yvard@mail.fr	
NATIONALITY	French	
EDUCATION		
1980–1987	Lycée Camille Fontaine 15 rue D'Arcy 31000 Toulouse	
June 1987	Baccalauréat, série C (equivalent of A-levels in Maths and Physics)	
1994	HEC (Hautes Etudes Commerciales), University of Lyon	
PREVIOUS EMPLOYMENT		
1996–1998	Marketing Director, American Express, Paris	
1998–2001	Marketing & Publicity Director, Club Méditérranée, Paris	
2001–2007	Marketing Director, Air Touraine, Paris	
2007	Redundancy due to take-over of Air Touraine by Skyjet Airways	
OTHER INFORMATION		
	fluent in English and Italian Considerable experience in training recruits in the Marketing Dept., Air Touraine over the last 5 years Interests include travel and gardening	
REFERENCES:	M. Jacques Clément Directeur Général Club Méditérranée 94 rue Dubois 75010 Paris	Ms Polly Fitzgerald Deputy Director American Express 55 Place Émile Zola 75015 Paris

Phrases utiles

En-têtes

Quand vous écrivez à quelqu'un que vous connaissez peu ou pas du tout, la formule la plus courante est *Dear*.

- *Dear Sir*
- *Dear Madam*
- *Dear Sir or Madam*
- *Dear Sirs*
- *Dear Mr Dixon*
- *Dear Mrs Dixon*
- *Dear Ms Dixon*

Expressions utiles

I am writing in response to your advertisement in [publication]

I wish to enquire about the vacancy for a [job title]

Thank you for your letter of [date] offering me the post of ...

I am delighted to accept the position of [job title]

I look forward to starting work with you.

Formules de politesse

Thank you for considering this application

I should be pleased to attend an interview

Please do not hesitate to contact me on the above number if you should require further information

I look forward to hearing from you

Si vous connaissez le nom de la personne :

- *Yours sincerely*

Si vous ne connaissez pas le nom de la personne :

- *Yours faithfully*

4. Using the telephone

Practical information: how to phone

Within Metropolitan France

Metropolitan France is divided into five telephone calling zones and all French numbers consist of ten digits. The first two digits correspond to the various zones:

- all numbers for Paris/Île-de-France are prefixed by 01;
- all numbers for the North-West are prefixed by 02;
- all numbers for the North-East are prefixed by 03;
- all numbers for the South-East (including Corsica) are prefixed by 04;
- and finally, all numbers for the South-West are prefixed by 05.

To the overseas departments

Wait for the dialling tone:

- dial 0 + the area code + the number (six digits).

To overseas territories and foreign countries

Wait for the dialling tone, dial 00. On hearing the new dialling tone, dial the area code (for overseas territories) or the country code and area code plus the number. When calling a foreign country or when calling France from abroad, the initial 0 of the area code is dropped.

Useful vocabulary

The phone and the calling procedures

décrocher	*to pick up the phone*
raccrocher	*to hang up*
le combiné	*the receiver, the handset*
un numéro de téléphone	*a phone number*
un numéro de poste	*an extension number*
numéroter	*to dial the number*
composer le numéro	*to dial the number*
la tonalité	*the dialling tone*
l'indicatif (téléphonique) d'une ville/d'un pays	*the area/country code*
un correspondant	*a correspondent*
un opérateur	*an operator*
un téléphone sans fil	*a cordless phone*
un téléphone sans fil numérique	*a digital cordless phone*
un téléphone à fréquence vocale	*a digital phone, a tone-dialling phone*
un répondeur (automatique) (interrogeable à distance)	*a telephone answering machine (with remote access)*
le téléphone fixe	*land line*
un bip sonore	*a tone (on recorded message)*
une messagerie vocale	*voice mail*
un annuaire	*a telephone directory*
un bottin (colloquial)	*a phone book*
les Pages Jaunes®	*the Yellow Pages®*
les pages blanches	*the phone book*
les numéros d'appel d'urgence	*the emergency telephone numbers (15 for emergency medical assistance, 17 for the police and 18 for the fire brigade)*
les numéros d'appel gratuits	*Freefone numbers (GB), toll-free phone numbers(US)*
un numéro vert	*a Freefone number (GB), a toll-free phone number (US)*
un télécopieur	*a fax machine*
entendre la sonnerie du téléphone	*to hear the phone ring*
régler la sonnerie du téléphone	*to set the volume*
c'est occupé/ça sonne occupé	*it's engaged/ the line is engaged*
laisser sonner 3/5/... fois	*to leave the phone to ring 3/5/... times*
ça ne répond pas	*there's no answer*

4. Le téléphone

Infos pratiques : comment téléphoner

Au Royaume-Uni

Pour téléphoner au sein du Royaume-Uni, il faut composer l'indicatif régional suivi du numéro de téléphone de la personne ou de l'institution que vous cherchez à joindre. Si l'indicatif, qui est en général noté entre parenthèses ou séparé du numéro de téléphone par un espace, est le même que celui de la région où vous vous trouvez, il n'est alors pas nécessaire de le composer.

Appels internationaux depuis le Royaume-Uni

Composez le code d'accès au réseau international:

- 00 + l'indicatif du pays appelé + l'indicatif régional + le numéro de téléphone de la personne que vous souhaitez appeler.

Si l'indicatif régional de la personne que vous appelez commence par un 0, il ne faut pas le composer, sauf si le numéro est celui d'un pays de l'ex-URSS. Il ne faut pas non plus composer le 9 qui figure au début des indicatifs régionaux en Espagne, en Islande, en Finlande et en Turquie.

Aux États-Unis

Aux États-Unis, les numéros de téléphone sont composés d'un indicatif régional à trois chiffres suivi d'un numéro à sept chiffres. Si vous faites un appel local (même indicatif régional), il ne faut pas composer l'indicatif. Pour les appels nationaux, il faut composer :

- 1 + l'indicatif à trois chiffres + le numéro à 7 chiffres.

En raison du nombre croissant de numéros de téléphone, il est possible que de très grandes villes aient plusieurs indicatifs régionaux.

La plupart des communications locales (de voisinage) sont gratuites depuis les téléphones personnels, et leur coût est forfaitaire lorsque l'on appelle d'un téléphone public.

Appels internationaux depuis les États-Unis

Pour les appels internationaux, composez le code d'accès au réseau international :

- 011 + l'indicatif du pays appelé + l'indicatif régional + le numéro de la personne que vous souhaitez appeler.

Si l'indicatif régional de la personne que vous appelez commence par un 0, il ne faut pas le composer. Vous n'entendrez pas toujours la tonalité immédiatement.

Vocabulaire utile

Le téléphone et les appels téléphoniques

the handset, the receiver	*le combiné*
the base	*la base*
the keypad	*les touches du téléphone*
the telephone cord	*le fil du téléphone*
to pick up the phone	*décrocher*
to hang up	*raccrocher*
a telephone call	*un appel téléphonique/un coup de téléphone*
to make a phone call	*passer/donner un coup de téléphone*
a telephone number	*un numéro de téléphone*
an extension (phone)	*un téléphone/un poste supplémentaire*
an extension (number)	*un numéro de poste*
the dialling tone	*la tonalité*
the tone (in a recorded message)	*le bip sonore/le signal sonore*
to dial the number	*composer le numéro*
to dial 999/911	*composer le 999/911*
the area/country code	*l'indicatif (téléphonique) d'une ville/d'un pays*
the operator	*l'opérateur, l'opératrice*
the switchboard	*le standard*
the switchboard operator	*le/la standardiste*
a telephone company	*un opérateur téléphonique*
a digital phone, a tone-dialling phone	*un téléphone à fréquence vocale*
a cordless phone	*un téléphone sans fil*
a digital cordless phone	*un téléphone sans fil numérique*
an answering machine (with remote access)	*un répondeur (automatique) (interrogeable à distance)*
a fax machine	*un télécopieur*
voice mail	*une messagerie vocale*
a telephone directory	*un annuaire*
a phone book	*un annuaire, un bottin*
the Yellow Pages®	*les Pages Jaunes®*
a business/residential number	*un numéro professionnel/personnel*
a Freefone number (GB)	*un numéro vert, un numéro d'appel gratuit*
a toll-free number (US)	*un numéro vert, un numéro d'appel gratuit*

Using the telephone

Common phrases used on the phone

Allô ?	*Hello!*
Ne quittez pas	*Hold the line please*
Veuillez patienter	*Hold the line please*
Je vous le/la passe	*I'll put you on to him/her*
C'est de la part de qui ?	*Who's calling please?*
Puis-je lui transmettre un message ?	*May I take a message?*
Un instant, je vous prie	*One moment, please*
Est-ce que je pourrais parler à ...	*May I speak to ...*
Je rappellerai plus tard	*I'll call back later*
C'est personnel	*It's a personal call*
Monsieur Hallé est en ligne	*Mr Hallé is on the phone*
(C'est) Lise à l'appareil	*It's Lise (speaking)*
Puis-je parler à Claire, s'il vous plaît ?	*May I speak to Claire, please?*
C'est moi !	*Speaking!*
Pourriez-vous parler un peu plus fort?	*Could you speak a little louder?*
Je dois recharger mon téléphone	*I must top up my phone*
La communication est mauvaise	*You're breaking up*
Elle ne capte pas le réseau	*She's out of range*
Envoie-moi (*or* envoyez-moi) un message/un SMS	*Send me a text/text me*
Appelez-moi sur mon portable	*Call me on my mobile/cell phone*

When you are not at home

une cabine (téléphonique)	*a phone booth, a phone box*
un téléphone à pièces	*a coin-operated payphone*
un Publiphone/téléphone à carte	*a cardphone*
une Télécarte	*a phonecard*
un Point-phone	*a coin-operated payphone available for public use in restaurants, hotels, etc.*
un téléphone de voiture	*a car phone*
un téléphone portable	*a mobile phone a cell phone*
un pager	*a pager*

Some of the services offered by France Télécom

les dérangements	*fault reporting*
les renseignements (téléphoniques)	*directory enquiries, directory assistance*
être sur liste rouge	*to be ex-directory*
l'annuaire électronique	*electronic directory on Minitel or on the Internet*
téléphoner à quelqu'un en PCV	*to make a reverse-charge call to somebody or to call somebody collect*
la conversation à trois	*three-way calling*
le signal d'appel	*call waiting*
la facturation détaillée	*itemized billing*
le transfert d'appel	*call diversion*
le Mémo-appel	*the reminder call*
un Minitel	a terminal linking phone users to databases
3614, 3615, 3616...	the numbers for accessing the Minitel services. They are followed by a code, e.g. 3615 code SNCF allows users to access rail information (timetables, on-line bookings, etc.).

the emergency services number (999 in the UK and 911 in the US for fire, police or ambulance services)	*le numéro d'appel d'urgence*
to hear the phone ring	*entendre la sonnerie du téléphone*
to set the volume	*régler la sonnerie du téléphone*
to leave the phone to ring 3/5... times	*laisser sonner 3/5... fois*
it's engaged/the line is engaged	*c'est occupé/ça sonne occupé*
there's no answer	*ça ne répond pas*
to leave a message on the answerphone	*laisser un message sur le répondeur*

Expressions utiles pour téléphoner

Hello!	*Allô ?*
It's Rebecca Major	*(C'est) Rebecca Major à l'appareil*
May I speak to ... ?	*Est-ce que je pourrais parler à ...?*
Who's calling, please?	*C'est de la part de qui ?*
It's Louise speaking	*C'est Louise à l'appareil*
Speaking!	*C'est moi !*
It's a business/personal call	*C'est un appel professionnel/personnel*
One moment please	*Un instant je vous prie*
Hold the line please	*Ne quittez pas/Veuillez patienter*
I'll put you through (ie to their extension)	*Je vous le/la passe*
I'll put him/her on	*Je vous le/la passe*
I'll put you on hold	*Ne quittez pas/Merci de patienter un instant*
Mr Fowler cannot come to the phone at the moment	*M. Fowler ne peut pas vous parler maintenant*
May I take/leave a message?	*Puis-je prendre/laisser un message ?*
I'll call back later	*Je rappellerai plus tard*
Please leave your message after the tone (on an answering machine)	*Merci de laisser un message après le bip/le signal sonore*
Could you speak a little louder?	*Pourriez-vous parler un peu plus fort ?*
I must top up my phone	*Je dois recharger mon téléphone*
You're breaking up	*La communication est mauvaise*
She's out of range	*Elle ne capte pas le réseau*
Send me a text/text me	*Envoie-moi (or envoyez-moi) un message/un SMS*
Call me on my mobile/cell phone	*Appelez-moi sur mon portable*

Quand vous n'êtes pas chez vous

a phone booth, a phone box	*une cabine (téléphonique)*
a payphone	*un téléphone public*
a coin-operated phone	*un téléphone à pièces*
a cardphone	*un Publiphone, un téléphone à carte*
a phonecard	*une Télécarte*
a phone credit card, a phone chargecard	*une carte de téléphone* (pour appeler d'un téléphone public ou de chez un particulier, mais faire facturer ses appels sur sa propre ligne)
a mobile, a mobile phone	*un portable, un mobile un téléphone portable*
a prepaid mobile phone voucher	*une carte téléphonique prépayée (pour téléphone portable)*
a cell phone, a cellular phone	*un téléphone cellulaire*
a car phone	*un téléphone de voiture*
a pager	*un pager/un bip*
a text message	*un message texte*

Fonctions et services spéciaux

fault reporting	*les dérangements*
directory enquiries, directory assistance	*les renseignements (téléphoniques)*
to be ex-directory	*être sur liste rouge*
to make a reverse charge call to somebody, to call somebody collect	*téléphoner à quelqu'un en PCV*
three-way calling	*la conversation à trois*
itemized billing	*la facturation détaillée*
call waiting	*le signal d'appel*
call diversion	*le transfert d'appel*
call return	*le 3131* (France Télécom) ce service permet de connaître le numéro du dernier appel auquel on n'a pas pu répondre, et de le rappeler automatiquement.
reminder call	*le Mémo-appel*
caller display	*la présentation du numéro*
last number redial	*le rappel du dernier numéro*
secrecy button	*la touche secret*

On the phone...

Remember

In French, telephone numbers are given using double figures e.g. for 01 34 67 62 12 you say:

- *zéro-un trente-quatre soixante-sept soixante-deux douze* (zero-one, thirty-four, sixty-seven, sixty-two, twelve).

It's also a good idea to practise spelling words in French, your surname or your first name for instance. Here are some examples of telephone conversations:

example 1:

● Interspace, bonjour !

■ Bonjour ! Est-ce que je pourrais parler à monsieur Rossi, s'il vous plaît ? C'est de la part de mademoiselle Martinez.

● Ah, je regrette, monsieur Rossi est en réunion actuellement. Puis-je prendre un message ?

■ Oui, pourriez-vous lui demander de me rappeler au 01 45 66 74 64.

● 01 45 66 74 64, mademoiselle Martinez. C'est noté, je le lui dirai.

■ Merci beaucoup, au revoir.

● Au revoir mademoiselle.

example 2:

● Renseignements, bonjour !

■ Bonjour monsieur, je cherche à obtenir le numéro de mademoiselle Salathé à Nanterre.

● Vous pouvez m'épeler le nom de votre correspondant, s'il vous plaît ?

■ Salathé, s. a. l. a. t. h. e accent aigu.

● Vous connaissez son adresse exacte ?

■ Oui, 3 rue Guy Môquet.

● Ne quittez pas, je traite votre demande.

...

● Allô ? Je suis désolé, mademoiselle Salathé est sur liste rouge, je ne peux pas vous communiquer son numéro.

■ Merci quand même. Au revoir.

● Au revoir, madame.

example 3:

● Allô ?

■ Allô, Hervé ?

● Non, c'est son père.

■ Oh, excusez-moi, monsieur, c'est Jean à l'appareil, est-ce qu'Hervé est là ?

● Oui, il vient de rentrer. Ne quitte pas, je l'appelle...

example 4:

● Bonjour, vous êtes bien au 05 56 78 02 72. Nous ne sommes pas là pour l'instant, mais laissez-nous un message après le bip sonore et nous vous rappellerons dès notre retour ! *bip...*

■ Bonjour, c'est Michel. Je voulais juste savoir si ça vous disait d'aller au cinéma ce soir. Rappelez-moi si vous ne rentrez pas trop tard. Sinon à bientôt. Salut !

example 5

● Allô ?

■ Allô, bonjour madame !

● Bonjour !

■ Pourrais-je parler à monsieur Pilard, s'il vous plaît ?

● Oui, c'est de la part de qui ?

■ Mademoiselle Pierquin.

● Je suis désolée, la ligne de monsieur Pilard est occupée, vous patientez ?

■ Oui, oui.

...

● Allô, monsieur Pilard est toujours en ligne. Je peux peut-être vous renseigner. C'est à quel sujet ?

■ C'est personnel. Mais ce n'est pas urgent, je rappellerai plus tard. Merci.

● De rien, au revoir mademoiselle !

■ Au revoir !

example 6:

● Allô ?

■ Allô, bonsoir! Je suis bien chez monsieur et madame Roux ?

● Oui.

■ Est-ce que je pourrais parler à madame Roux, s'il vous plaît ?

● Ah, je suis desolé, ma femme est sortie, je peux prendre un message ?

■ Oui, s'il vous plaît, je suis Annie Alpardin, une de ses collègues. Je voulais juste lui dire que j'ai trouvé son agenda dans le couloir en sortant du bureau. Je ne voulais pas qu'elle le cherche.

● C'est très aimable de votre part, je le lui dirai dès qu'elle rentrera.

■ Merci, au revoir monsieur.

● Au revoir.

Au téléphone ...

N'oubliez pas qu'en anglais, on donne les numéros de téléphone chiffre par chiffre, par exemple pour le 0208 549 44 53, on dira :

- *oh two oh eight, five four nine, double four, five three.* (zéro deux zéro huit, cinq quatre neuf, deux fois quatre, cinq trois). Notez que l'on peut aussi dire "zero", particulièrement aux États Unis.

Il peut être utile de vous entraîner à épeler certains mots en anglais, vos noms et prénoms par exemple. Voici quelques modèles de conversations téléphoniques :

Modèle 1

● Good morning, Calvert Communications. How may I help you?

■ Good morning. Could I speak to John Calvert please?

● I'm afraid he's out of the country on business until the end of the week. Would you like to leave a message and he'll call you when he gets back?

■ Yes. Could you ask him to call Liz Baxter at Emerson Associates on 01782 3372989 as soon as possible please. It's about the contract.

● I'll make sure he gets your message first thing on Monday.

■ Thanks very much. Goodbye.

● Goodbye.

Modèle 2

● Good afternoon, Directory Enquiries. Which name do you require?

■ Hello. The name is Cameron.

● Do you have an initial?

■ Yes, it's J.

● Could I have the address please.

■ It's 17 Admiral Court, Bournemouth

● I'm sorry but the number you requested is listed as ex-directory.

■ Oh, I see. Thank you very much. Goodbye.

Modèle 3

● Hello?

■ Hello, is that Charlie?

● No this is Chris, his brother.

■ Oh, I'm sorry. This is Mark, Charlie's saxophone teacher. Is Charlie there?

● Yes he is. If you hold the line I'll call him for you.

■ Thanks.

Modèle 4

● Hello. Paul and Linda are sorry but they can't take your call at the moment. Please leave your name, number and a message after the tone and we'll call you back as soon as possible. *Beep...*

■ Hi, it's Angus here. I'll be passing through Bristol at the weekend so if you fancy a drink or a meal somewhere give me a call on my mobile. Speak to you soon. Cheers!

Modèle 5

● Miranda Carlton's office.

■ Good morning. Could I speak to Miranda Carlton please.

● Yes. May I ask who is calling?

■ This is Colin Wirth.

● I'm sorry but Miss Carlton is on the phone. Would you like to hold?

■ Yes please.

....

● Hello. Miss Carlton is still on the other line. I'm her secretary, can I be of any assistance?

■ Actually it's a personal call. I'll try again later thank you. Goodbye

● Goodbye.

Modèle 6

● Hello!

■ Hello. This is Ben Jacobs from FotoFixit, could I speak to Mrs Matthews please?

● I'm sorry but she's not at home at the moment. Can I take a message?

■ Yes, could you let her know that her camera has been repaired and is ready for collection whenever it's convenient for her.

● Yes, of course, I'll pass the message on as soon as she gets home.

■ Thank you very much. Goodbye.

5. SMS (electronic text messaging)

The basic principles governing French SMS abbreviations are similar to those governing English SMS. Certain words or syllables can be represented by letters or numbers that sound the same but take up less space. Also, points, accents and other diacritics are generally omitted altogether. For example, the syllables '-pé' and '-té' can be replaced by the letters P and T, the word 'sans' by '100', and the conjunction 'que' by 'ke'. Another way of shortening words is simply to omit certain letters, especially vowels. For example, 'bonjour' becomes 'bjr' and 'quand' becomes 'qd'.

As in English, 'emoticons' are very popular, and some of the more established ones are included in the table below.

Glossary of French SMS abbreviations

Abbreviation	Full word
1mn	juste une minute
100	sans
@+	à plus tard
@2m1	à demain
5pa	sympa
6né	cinéma
a 1 2 c 4	à un de ces quatre (*see you some day*)
Ab1to	à bientôt
ap	après
aprM, AM	après-midi
asap	au plus vite (*as soon as possible*)
ayé	ça y est
B1sur	bien sûr
bap	bon après-midi
bcp	beaucoup
bi1to	bientôt
bjr	bonjour
bsr	bonsoir
C	c'est
C b1	c'est bien !
C ça	c'est ça
C pa 5pa	c'est pas sympa !
cad	c'est-à-dire
cpg	c'est pas grave
d1ngue	dingue
dak	d'accord
dsl	désolé
dzolé	désolé
entouK	en tout cas
fet	fête
GspR b1	j'espère bien !
j'tapLDkej'pE	je t'appelle dès que je peux
je le sa V	je le savais !
je t'M	je t'aime !
jenémar	j'en ai marre !
JMS	jamais
jSpR ktu va bi1	j'espère que tu vas bien
keske C	qu'est-ce que c'est ?
kestu X	qu'est-ce que tu crois ?
kestudi	qu'est-ce que tu dis ?
kestufé	que fais-tu ?
kfé	café
ki	qui
koi29	quoi de neuf ?
komencava	comment ça va ?
L	elle
l'S tomB	laisse tomber
l8	lui
m jvb	moi je vais bien
mat1	matin
MDR	mort de rire
mr6	merci
MSG	message
O k1	aucun
p2k	pas de quoi
parske	parce que
pb	problème
pk	pourquoi
pr	pour
qd	quand
qqn	quelqu'un
r1	rien
raf	rien à faire
ras	rien à signaler
rdv	rendez-vous
ri1	rien
rstp	réponds s'il te plaît
savapa	ça va pas ?
slt	salut !
stp	s'il te plaît !
t nrv	t'es énervé ?
t oqp	t'es occupé ?
tle +bo	t'es le plus beau
tu vi1 2m1	tu viens demain ?
V1	viens !
vazi	vas-y !
VrMan	vraiment !
we	week-end
XLnt	excellent

Emoticons*

- **:-)** sourire
- **;-)** clin d'œil
- **:-(** pas content, déçu
- **:-D** je rigole
- **:-X** motus et bouche cousue
- **:-|** indifférent
- **:'(** je pleure
- **|I** endormi
- **:|** hmm...
- **:-o** oh!
- **:-@** hurlant
- **:-P** lapsus (ma langue a fourché)

*NB : The « - », which represents a nose, can be omitted or substituted by an « **o** », for example, **:)** or **:o)**

5. Les SMS (minimessages)

SMS est l'abréviation de « Short Message (or Messaging) Service ».

Les principes de base pour écrire des SMS abrégés en anglais sont relativement simples.

Toutes les abréviations et signes conventionnels anglais établis peuvent être utilisés, mais sans les points. Il est possible de remplacer certains mots ou certaines syllabes par une lettre ou un chiffre qui se prononcent de la même façon ou presque. Par exemple, la lettre « C » se prononce comme le mot « see » (et même « sea »). « U » ressemble à « you », le chiffre « 8 » (« eight ») peut être utilisé pour le son /-ayt/. Ainsi, « see you later » s'abrège en CUL8R, auquel on peut répondre GR8 (« great »).

On peut aussi omettre certaines lettres, notamment les voyelles. Par exemple, « message » s'écrit MSG, « please » devient PLS et « speak » SPK.

La plupart des abréviations SMS sont des sigles d'expressions, tels que FYI « for your information », TTYL « talk to you later ».

Ces abréviations peuvent vous sembler compliquées de prime abord, mais avec un peu de pratique vous apprendrez vite à les identifier.

Quelques abréviations employées dans les SMS anglais

Abréviation	Mot complet
@	at
ADN	any day now
AFAIK	as far as I know
ATB	all the best
B	be
B4	before
B4N	bye for now
BBL	be back late(r)
BCNU	be seeing you
BFN	bye for now
BRB	be right back
BTW	by the way
BWD	backward
C	see
CU	see you
CUL8R	see you later
F2F	face to face
F2T	free to talk
FWD	forward
FWIW	for what it's worth
FYI	for your information
GAL	get a life
GR8	great
H8	hate
HAND	have a nice day
HTH	hope this helps
IC	I see
ILUVU	I love you
IMHO	in my humble opinion
IMO	in my opinion
IOW	in other words
JIC	just in case
JK	just kidding
KIT	keep in touch
KWIM	know what I mean?
L8	late
L8R	later
LOL	lots of luck/laughing out loud
MOB	Mobile
MSG	message

Abréviation	Mot complet
MYOB	mind your own business
NE	any
NE1	anyone
NO1	no one
OIC	oh, I see
OTOH	on the other hand
PCM	please call me
PLS	please
PPL	people
R	are
ROfl	rolling on the floor, laughing
RU	are you
RUOK	are you OK?
SIT	stay in touch
SOM1	someone
SPK	speak
THKQ	thank you
TTYL	talk to you later
TX	thanks
U	you
UR	you are
W/	with
WAN2	want to
WAN2TLK	want to talk?
WERV U BIN	where have you been?
WKND	weekend
WOT	what
WU	what's up?
X	kiss
XLNT	excellent
XOXOX	hugs and kisses
YR	your
1	one
2	to, too
2DAY	today
2MORO	tomorrow
2NITE	tonight
3SUM	threesome
4	for

<table>
<tr><th>Émoticônes*</th><th></th></tr>
<tr><td>:-)</td><td>Smiling, happy face</td></tr>
<tr><td>:-|</td><td>Frowning</td></tr>
<tr><td>:-e</td><td>Disappointed</td></tr>
<tr><td>:-(</td><td>Unhappy face</td></tr>
<tr><td>%-)</td><td>Confused</td></tr>
<tr><td>:~(or :'-(</td><td>Crying</td></tr>
<tr><td>;-)</td><td>Winking happy face</td></tr>
<tr><td>|-o</td><td>Tired, asleep</td></tr>
<tr><td>:-\</td><td>Sceptical</td></tr>
<tr><td>:-D</td><td>Big smile, laughing face</td></tr>
<tr><td>:-<></td><td>Amazed</td></tr>
<tr><td>X=</td><td>Fingers crossed</td></tr>
<tr><td>:-p</td><td>Tongue sticking out</td></tr>
<tr><td>:-O</td><td>Shouting</td></tr>
<tr><td>O:-)</td><td>Angel</td></tr>
<tr><td>:-* or :-x</td><td>Big kiss!</td></tr>
<tr><td>:-o "</td><td>Oooh!", shocked face</td></tr>
<tr><td>@}-,-'—</td><td>A rose</td></tr>
</table>

*NB : Le « - », qui représente le nez, peut être omis ou remplacé par un « **o** », par exemple **:)** ou **:o)**

Using email and the Internet

Email

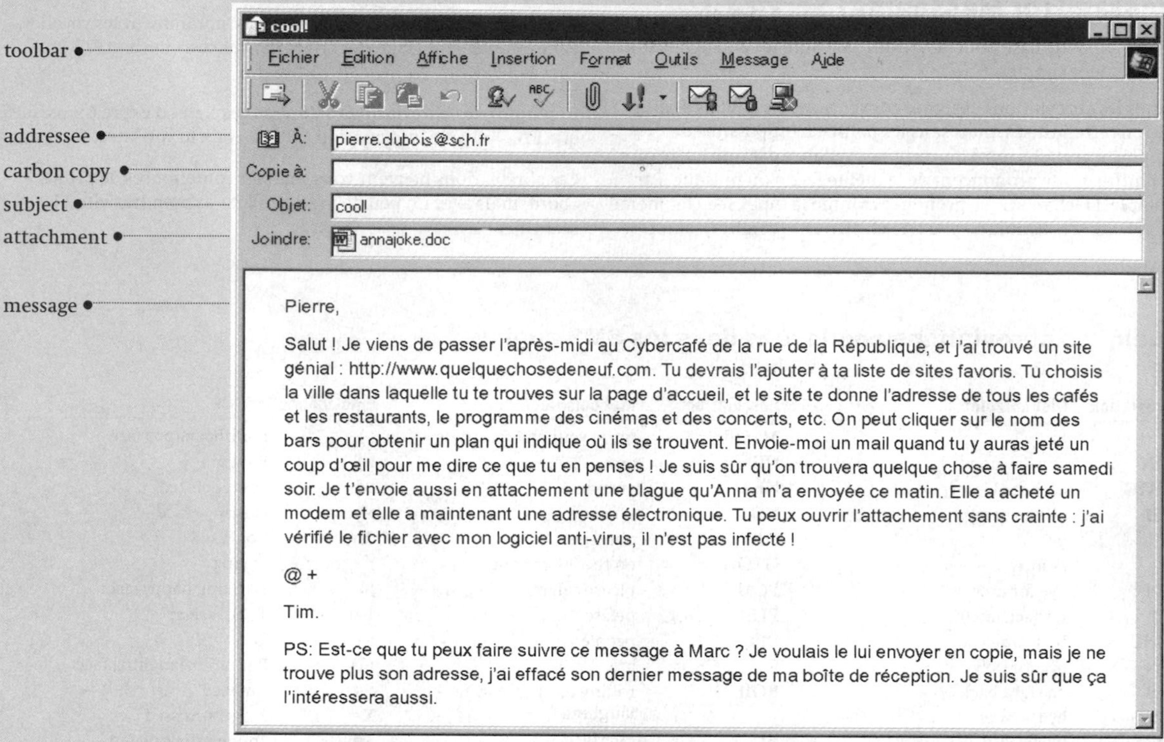
toolbar
addressee
carbon copy
subject
attachment
message
cool!
Fichier Edition Affiche Insertion Format Outils Message Aide
À: pierre.dubois@sch.fr
Copie à:
Objet: cool!
Joindre: annajoke.doc
Pierre,
Salut ! Je viens de passer l'après-midi au Cybercafé de la rue de la République, et j'ai trouvé un site génial : http://www.quelquechosedeneuf.com. Tu devrais l'ajouter à ta liste de sites favoris. Tu choisis la ville dans laquelle tu te trouves sur la page d'accueil, et le site te donne l'adresse de tous les cafés et les restaurants, le programme des cinémas et des concerts, etc. On peut cliquer sur le nom des bars pour obtenir un plan qui indique où ils se trouvent. Envoie-moi un mail quand tu y auras jeté un coup d'œil pour me dire ce que tu en penses ! Je suis sûr qu'on trouvera quelque chose à faire samedi soir. Je t'envoie aussi en attachement une blague qu'Anna m'a envoyée ce matin. Elle a acheté un modem et elle a maintenant une adresse électronique. Tu peux ouvrir l'attachement sans crainte : j'ai vérifié le fichier avec mon logiciel anti-virus, il n'est pas infecté !
@ +
Tim.
PS: Est-ce que tu peux faire suivre ce message à Marc ? Je voulais le lui envoyer en copie, mais je ne trouve plus son adresse, j'ai effacé son dernier message de ma boîte de réception. Je suis sûr que ça l'intéressera aussi.

être connecté — *to be on email*

un message électronique, un e-mail — *an email*

une adresse électronique — *an email address*

un arobase — *an at sign*

un carnet d'adresses — *an address book*

une liste de diffusion — *a mailing list*

envoyer un e-mail — *to send an email*

recevoir un e-mail — *to receive an email*

faire suivre un message — *to forward an email*

envoyer un message en copie à quelqu'un — *to copy somebody in, to cc somebody*

copie — *c.c. (carbon copy)*

copie invisible — *b.c.c. (blind carbon copy)*

un fichier — *a file*

un fichier signature — *a signature file*

un smiley/un émoticôn — *an emoticon, a smiley*

envoyer une annexe/ un attachement/ une pièce jointe — *to attach a file*

recevoir une annexe/ un attachement/ une pièce jointe — *to receive an attachment*

ouvrir/lancer une annexe/ un attachement/ une pièce jointe — *to open/run an attachment*

enregistrer un message sur le bureau/le disque dur — *to save a message on the desktop/hard disk*

effacer/supprimer un message — *to delete a message*

effacer/supprimer un message — *to zap a message*

une boîte de réception — *an inbox*

une boîte d'envoi — *an outbox*

un service de courrier gratuit électronique — *freemail*

le courrier postal — *snail mail*

envoyer/recevoir des messages non sollicités — *to send/get spam*

le spamming — *spamming*

une bombe (électronique) — *a mail bomb*

un modem — *a modem*

Le courrier électronique et l'Internet

Le courrier électronique

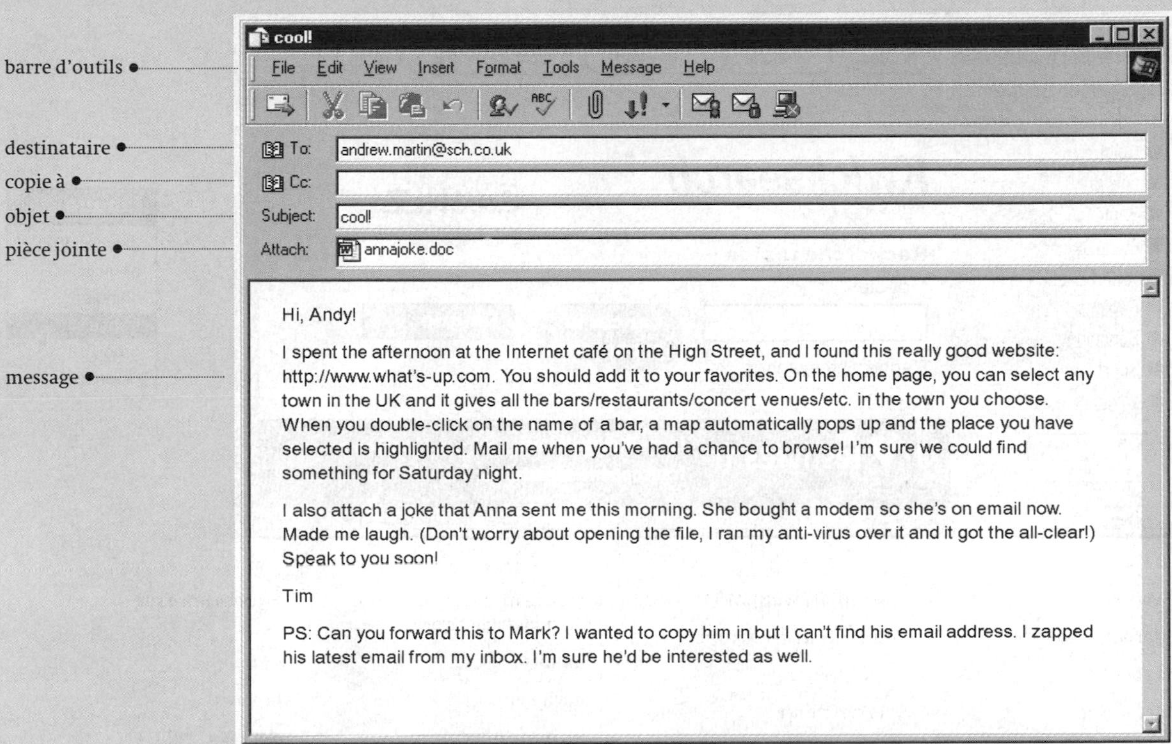

Hi, Andy!

I spent the afternoon at the Internet café on the High Street, and I found this really good website: http://www.what's-up.com. You should add it to your favorites. On the home page, you can select any town in the UK and it gives all the bars/restaurants/concert venues/etc. in the town you choose. When you double-click on the name of a bar, a map automatically pops up and the place you have selected is highlighted. Mail me when you've had a chance to browse! I'm sure we could find something for Saturday night.

I also attach a joke that Anna sent me this morning. She bought a modem so she's on email now. Made me laugh. (Don't worry about opening the file, I ran my anti-virus over it and it got the all-clear!) Speak to you soon!

Tim

PS: Can you forward this to Mark? I wanted to copy him in but I can't find his email address. I zapped his latest email from my inbox. I'm sure he'd be interested as well.

to be on email	*être connecté*
an email	*un message électronique, un e-mail*
an email address	*une adresse électronique*
an at sign	*un arobase*
an address book	*un carnet d'adresses*
a mailing list	*une liste de diffusion*
to send an email	*envoyer un e-mail*
to receive an email	*recevoir un e-mail*
to forward an email	*faire suivre un message*
to copy somebody in, to cc somebody	*envoyer un message en copie à quelqu'un*
c.c. (carbon copy)	*copie*
b.c.c. (blind carbon copy)	*copie invisible*
a file	*un fichier*
a signature file	*un fichier signature*
an emoticon, a smiley	*un smiley/un émoticôn*
to attach a file	*envoyer une annexe/ un attachement/une pièce jointe*
to receive an attachment	*recevoir une annexe/ un attachement/une pièce jointe*
to open/run an attachment	*ouvrir/lancer une annexe/ un attachement/une pièce jointe*
to save a message on the desktop/hard disk	*enregistrer un message sur le bureau/le disque dur*
to delete a message	*effacer/supprimer un message*
to zap a message	*effacer/supprimer un message*
an inbox	*une boîte de réception*
an outbox	*une boîte d'envoi*
freemail	*un service de courrier électronique gratuit*
snail mail	*le courrier postal*
to send/get spam	*envoyer/recevoir des messages non sollicités*
spamming	*le spamming*
a mail bomb	*une bombe (électronique)*
a modem	*un modem*
Do you have broadband	*Avez-vous le haut débit mobile ?*

Internet

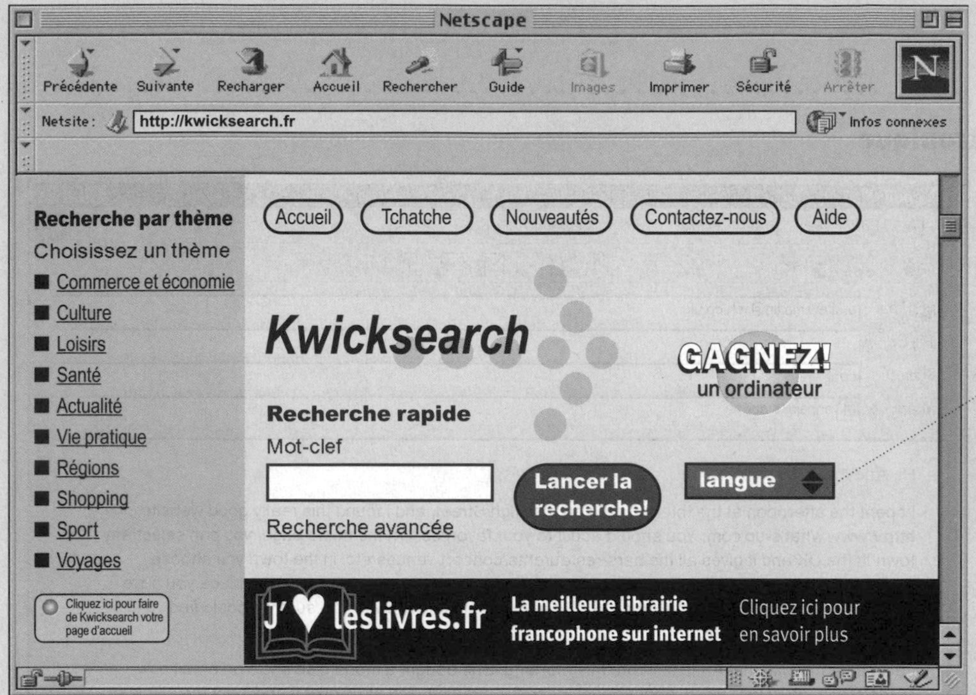

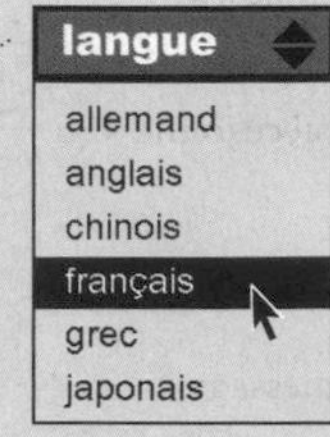

le Web	*the (World Wide) Web*
l'Internet, le Net	*the Internet, the Net*
un cybercafé	*an Internet café*
surfer le Net	*to surf the net*
en ligne	*online*
être en ligne	*to be online*
un fournisseur d'accès	*an Internet Service Provider, ISP*
un prestataire de services en ligne	*an Online Service Provider, OSP*
un fournisseur d'accès	*an access provider*
FTP (protocole de transfert de fichiers)	*FTP (File Transfer Protocol)*
un réseau intranet	*an intranet*
un réseau extranet	*an extranet*
un site web	*a website*
une adresse internet	*a web address*
une (adresse) URL (localisateur uniforme de ressources)	*a URL (Uniform Resource Locator)*
une page web	*a web page*
un webmestre, un webmaster	*a webmaster*
une page d'accueil	*a home page*
accueil	*home*
un favori	*a favorite*
un signet	*a bookmark*
mettre un site dans sa liste de signets/de favoris	*to bookmark a site*
un hit	*a hit*
naviguer	*to browse*
un navigateur	*a browser*
un portail	*a portal*
un moteur de recherche	*a search engine*
un programme de recherche de sites (utilisé par les moteurs de recherche)	*a web crawler*
un mot-clef	*a keyword*
une recherche rapide	*a quicksearch*
une recherche avancée	*an advanced search*
chercher l'expression exacte	*exact match*
respecter les majuscules/minuscules	*match case*
une société internet	*a dot-com*
le business électronique	*e-business*
le commerce électronique	*e-commerce*
un newsgroup/un forum de discussion	*a newsgroup*
un forum de discussion/un chat	*a chatgroup, a chatroom*
chat/tchatche	*chat*
un cookie	*a cookie*
la nétiquette	*netiquette*

Internet

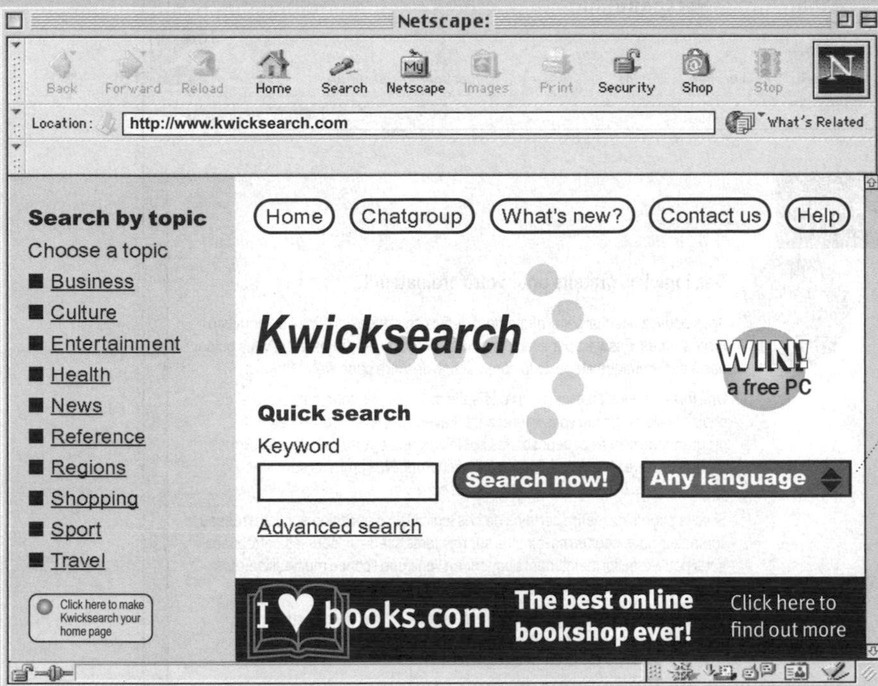

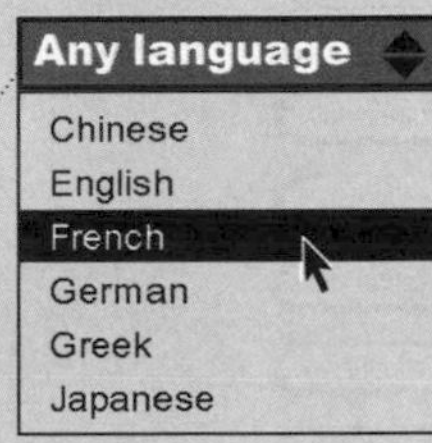

the (World Wide) Web	*le Web*
the Internet, the Net	*l'Internet, le Net*
an Internet café	*un cybercafé*
to surf the net	*surfer le Net*
online	*en ligne*
to be online	*être en ligne*
an Internet Service Provider, ISP	*un fournisseur d'accès*
an Online Service Provider, OSP	*un prestataire de services en ligne*
an access provider	*un fournisseur d'accès*
FTP (File Transfer Protocol)	*FTP (protocole de transfert de fichiers)*
an intranet	*un réseau intranet*
an extranet	*un réseau extranet*
a website	*un site web*
a web address	*une adresse Internet*
a URL (Uniform Resource Locator)	*une (adresse) URL (localisateur uniforme de ressources)*
a web page	*une page web*
a webmaster	*un webmestre, un webmaster*
a home page	*une page d'accueil*
home	*accueil*
a favorite	*un favori*
a bookmark	*un signet*
to bookmark a site	*mettre un site dans sa liste de signets/de favoris*
a hit	*un hit*
to browse	*naviguer*
a browser	*un navigateur*
a portal	*un portail*
a search engine	*un moteur de recherche*
a web crawler	*un programme de recherche de sites (utilisé par les moteurs de recherche)*
a keyword	*un mot-clef*
a quicksearch	*une recherche rapide*
an advanced search	*une recherche avancée*
exact match	*chercher l'expression exacte*
match case	*respecter les majuscules/minuscules*
a dot-com	*une société Internet*
e-business	*le business électronique*
e-commerce	*le commerce électronique*
a newsgroup	*un newsgroup/un forum de discussion*
a chatgroup, a chatroom	*un forum de discussion/un chat*
chat	*chat/tchatche*
a cookie	*un cookie*
netiquette	*la nétiquette*

Internet

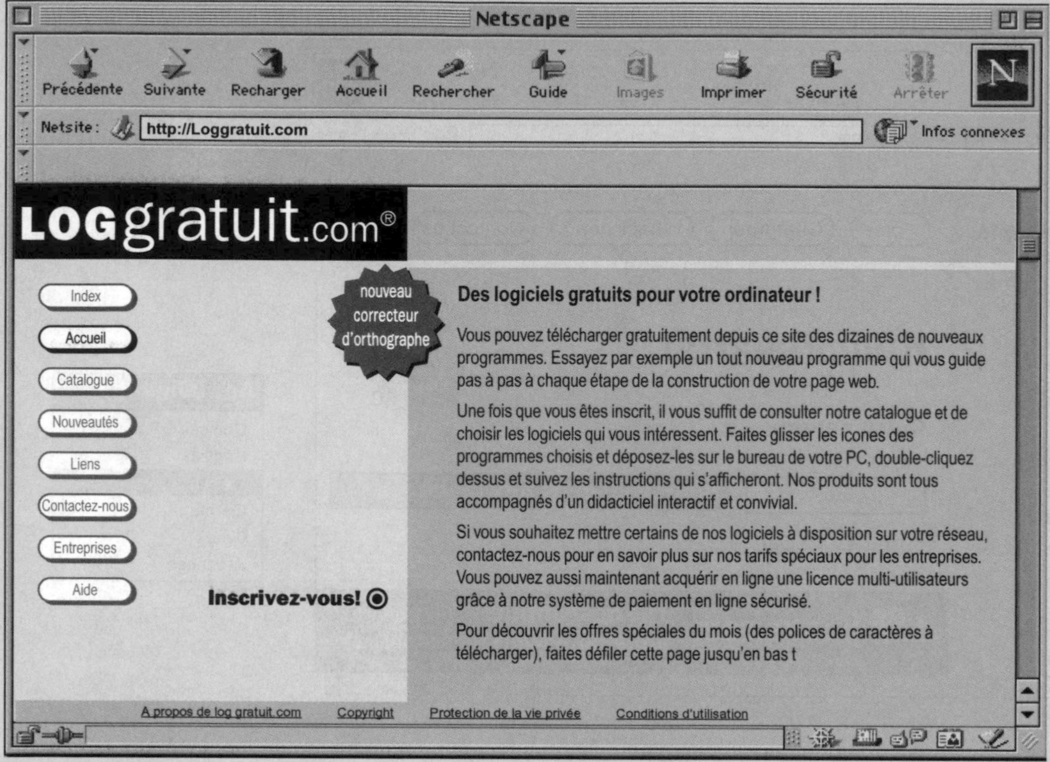

une icône	*an icon*
un (dessus de) bureau	*a desktop*
une boîte de dialogue	*a dialog box*
sélectionner	*to highlight*
être en surbrillance	*to be highlighted*
cliquer	*to click*
double-cliquer/ faire un double-clic	*to double-click*
glisser/déposer	*to drag and drop*
copier et coller	*to copy and paste*
faire défiler vers le bas/le haut	*to scroll down/up*
une barre de défilement	*a scrollbar*
un menu déroulant	*a drop-down/pull-down menu*
apparaître à l'écran/s'afficher	*to pop up*
un menu contextuel	*a pop-up menu*
un serveur	*a server*
un réseau	*a network*
mettre en réseau	*to network*
télécharger	*to download*
téléchargeable	*downloadable*
exporter/envoyer	*to upload*
exportable	*uploadable*
une police de caractères	*a font*
un/des logiciel(s)	*software*
un/des logiciel(s) gratuit(s)	*freeware*
un/des partagiciel(s)	*shareware*
un didacticiel	*a tutorial*
une licence multi-utilisateurs	*a multi-user licence*
un correcteur d'orthographe	*a spellchecker*
un logiciel anti-virus	*an anti-virus (software)*
un module d'extension/ un plug-in	*a plug-in (application)*
un lien (hypertexte)	*a (hypertext) link*
un lien	*a hot link*
une page sécurisée	*a secured page*
un index	*an index*
une page d'aide	*a help page*
un menu d'aide	*a help menu*
convivial	*user-friendly*

Internet

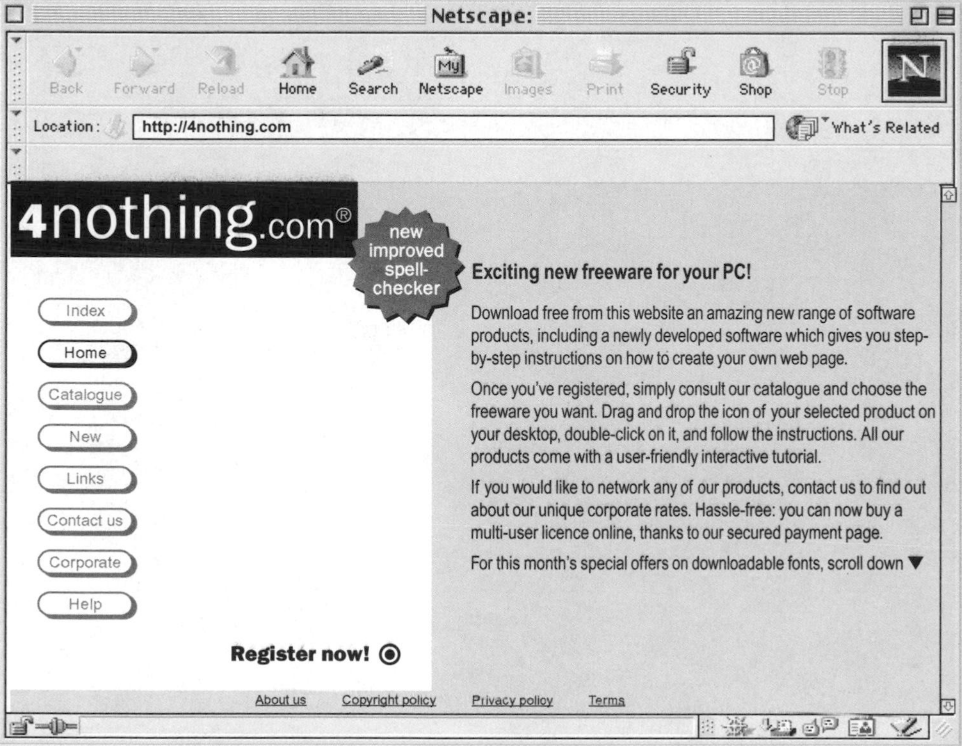

an icon	*une icône*
a desktop	*un (dessus de) bureau*
a dialog box	*une boîte de dialogue*
to highlight	*sélectionner*
to be highlighted	*être en surbrillance*
to click	*cliquer*
to double-click	*double-cliquer/faire un double-clic*
to drag and drop	*glisser-déposer*
to copy and paste	*copier et coller*
to scroll down/up	*faire défiler vers le bas/le haut*
a scrollbar	*une barre de défilement*
a drop-down menu	*un menu déroulant*
a pull-down menu	*un menu déroulant*
to pop up	*apparaître à l'écran/s'afficher*
a pop-up menu	*un menu contextuel*
a server	*un serveur*
a network	*un réseau*
to network	*mettre en réseau*
to download	*télécharger*
downloadable	*téléchargeable*
to upload	*exporter/envoyer*
uploadable	*exportable*
a font	*une police de caractères*
software	*un/des logiciel(s)*
freeware	*un/des logiciel(s) gratuit(s)*
shareware	*un/des partagiciel(s)*
a tutorial	*un didacticiel*
a multi-user licence	*une licence multi-utilisateurs*
a spellchecker	*un correcteur d'orthographe*
an anti-virus (software)	*un logiciel anti-virus*
a plug-in (application)	*un module d'extension/un plug-in*
a (hypertext) link	*un lien (hypertexte)*
a hot link	*un lien*
a secure page	*une page sécurisée*
an index	*un index*
a help page	*une page d'aide*
a help menu	*un menu d'aide*
user-friendly	*convivial*

Aa

a¹, **A** /eɪ/ *n* **1** (letter) a, A *m*; **from A to Z** de A à Z; **the A to Z of cooking** la cuisine de A à Z; **2** **A** Mus la *m*; **3** **A** (place) **how to get from A to B** comment se rendre d'un endroit à un autre; **3** Med A; **blood group A** groupe *m* sanguin A; **5** **a** (in house number) **47a** *cf* 47 bis; **6** **A** GB Transp **on the A7** sur la route A7

a² /eɪ, ə/ (*avant voyelle ou 'h' muet* **an** /æn, ən/) *det* un/une; ▸ **few**, **little¹**, **lot¹**, **many**

A-1 †○ *adj* formidable

AA *n* **1** GB Aut (*abrév* = **Automobile Association**) organisme *m* d'assistance pour les automobilistes; **2** *abrév* ▸ **Alcoholics Anonymous**; **3** US Univ (*abrév* = **Associate in Arts**) diplôme *m* universitaire de lettres (*de 2 ans*)

AAA *n* **1** GB (*abrév* = **Amateur Athletics Association**) *fédération d'athlétisme britannique*; **2** US Aut (*abrév* = **American Automobile Association**) association *f* américaine des automobilistes

Aachen /'ɑːkən/ ▸ **p. 1815** *pr n* Aix-la-Chapelle

AAM *n* Mil (*abrév* = **air-to-air missile**) missile *m* air-air

Aargau ▸ **p. 1771** *pr n* **the canton of ~** le canton d'Argovie

AAUP *n* US (*abrév* = **American Association of University Professors**) association *f* américaine des enseignants d'université

AB *n* **1** Naut (*abrév* = **able-bodied seaman**) matelot *m* de deuxième classe; **2** US Univ (*abrév* = **Bachelor of Arts**) diplôme *m* universitaire de lettres et sciences humaines; **3** Med AB; **blood group AB** groupe *m* sanguin AB

ABA *n* GB (*abrév* = **Amateur Boxing Association**) fédération *f* de boxe britannique

aback /ə'bæk/ *adv* **to be taken ~ by** être déconcerté par [*remark, proposal, experience*]; **I was somewhat/totally taken ~** j'étais un peu déconcerté/complètement abasourdi

abacus /'æbəkəs/ *n* (*pl* **-cuses**) **1** (counting frame) boulier *m*; **2** Archit abaque *m*

abaft /ə'bɑːft, US ə'bæft/
A *adv* sur l'arrière
B *prep* sur l'arrière de

abalone /,æbə'ləʊnɪ/ *n* ormeau *m*

abandon /ə'bændən/
A *n* abandon *m*; **with gay ~** avec une belle désinvolture
B *vtr* abandonner, délaisser [*person*]; abandonner [*animal, car, hope, game, plan, trial, town*] (**to** à); renoncer à [*activity, claim, prosecution, idea*]; arrêter [*strike*]; **to ~ the attempt to do** renoncer à faire; **~ ship!** abandonnez le navire!; **to ~ play** Sport interrompre la partie
C *v refl* **to ~ oneself** s'abandonner (**to** à)

abandoned /ə'bændənd/ *adj* **1** [*person, animal, place*] abandonné; **2** (licentious) [*behaviour*] dévergondé; **3** (wild) [*dance, music*] frénétique

abandonment /ə'bændənmənt/ *n* gen abandon *m*; (of strike) arrêt *m*

abase /ə'beɪs/ *v refl* sout **to ~ oneself** s'abaisser (**before** devant)

abasement /ə'beɪsmənt/ *n* avilissement *m*; **self-~** abaissement *m* de soi

abashed /ə'bæʃt/ *adj* décontenancé (**at** à; **by** par)

abate /ə'beɪt/
A *vtr* sout **1** gen diminuer [*noise, pollution*]; **2** Jur (end) **to ~ a nuisance** supprimer un abus; **3** Jur (cancel) remettre [*writ, sentence*]
B *vi* [*flood, wind, fever*] baisser; [*storm, rage, shock*] diminuer

abatement /ə'beɪtmənt/ *n* (of storm, wind) apaisement *m*; (of fever, noise) diminution *f*; (of feelings) apaisement *m*

abattoir /'æbətwɑː(r), US ,æbə'twɑːr/ *n* GB abattoir *m*

abbess /'æbes/ *n* abbesse *f*

abbey /'æbɪ/ *n* abbaye *f*

abbot /'æbət/ *n* (père *m*) abbé *m*

abbreviate /ə'briːvɪeɪt/ *vtr* abréger (**to** en)

abbreviation /ə,briːvɪ'eɪʃn/ *n* **1** (short form) abréviation *f*; **2** (process) raccourcissement *m*

ABC *n* **1** (alphabet) alphabet *m*; **2** (basics) **the ~ of** l'abc *or* le b.a. ba de [*cooking, photography etc*]; **3** US TV (*abrév* = **American Broadcasting Company**) *l'une des quatre grandes chaînes de télévision américaines*

(Idiom) **as easy as ~** simple comme bonjour

ABD *n* US Univ (*abrév* = **all but dissertation**) *étudiant ayant réussi les unités obligatoires de doctorat mais n'ayant pas encore présenté sa thèse*

abdicate /'æbdɪkeɪt/
A *vtr* renoncer à [*power, right*]; abdiquer [*responsibility*]; **to ~ the throne** abdiquer (la couronne)
B *vi* abdiquer

abdication /,æbdɪ'keɪʃn/ *n* (royal) abdication *f*; (of responsibility) renonciation *f* (**of** à)

abdomen /'æbdəmən/ *n* abdomen *m*

abdominal /æb'dɒmɪnl/ *adj* abdominal

abduct /əb'dʌkt/ *vtr* enlever

abduction /əb'dʌkʃn/ *n* **1** (of person) enlèvement *m*; **2** (of muscles) abduction *f*

abductor /əb'dʌktə(r)/ *n* **1** (kidnapper) ravisseur/-euse *m/f*; **2** (*also* **~ muscle**) (muscle *m*) abducteur *m*

abed† /ə'bed/ *adj* **to be ~** être couché; **to lie ~** rester couché

Abel /'eɪbl/ *pr n* Abel

Aberdonian /,æbə'dəʊnɪən/
A *n* (native) natif/-ive *m/f* d'Aberdeen; (inhabitant) habitant/-e *m/f* d'Aberdeen
B *adj* d'Aberdeen

aberrant /ə'berənt/ *adj* [*behaviour, nature*] aberrant; [*result*] anormal

aberration /,æbə'reɪʃn/ *n* **1** (deviation) aberration *f*; **2** (lapse) égarement *m*; **in a moment of ~** dans un moment d'égarement

abet /ə'bet/ *vtr* (*p prés etc* **-tt-**) être complice de [*lawbreaker, crime*]; **to aid and ~ sb in doing sth** être complice de qn pour faire qch; **to be accused of aiding and ~ting** être accusé de complicité

abetter, **abettor** /ə'betə(r)/ *n* complice *mf*

abeyance /ə'beɪəns/ *n* sout **in ~** [*matter, situation*] en suspens; [*law*] inappliqué; **to fall into ~** tomber en désuétude; **to hold sth in ~** garder qch vacant

> **ⓘ a²**
>
> The determiner or indefinite article *a* or *an* is translated by *un* + masculine noun and by *une* + feminine noun:
>
> ***a tree***
> = un arbre
>
> ***a chair***
> = une chaise
>
> There are, however, some cases where the article is not translated:
>
> with professions and trades:
> ***her mother is a teacher***
> = sa mère est professeur
>
> with other nouns used in apposition:
> ***he's a widower***
> = il est veuf
>
> with *what a*:
> ***what a pretty house!***
> = quelle jolie maison!
>
> For translations of *a few, a little, a lot, a great many* see the entries **few, little, lot, many.**
>
> When expressing prices in relation to weight, the definite article *le/la* is used in French:
>
> ***two euros a kilo***
> = deux euros le kilo
>
> In other expressions where *a/an* means *per*, the French translation is usually *par*:
>
> ***twice a day***
> = deux fois par jour
>
> For translations of all other expressions using the indefinite article such as *to make a noise, to make a fortune, at a blow* etc. consult the appropriate noun entry (**noise, fortune, blow** etc.).

abhor /əb'hɔː(r)/ *vtr* (*p prés etc* **-rr-**) abhorrer [*violence, injustice*]; exécrer [*person, opinion, task*]

(Idiom) **nature ~s a vacuum** la nature a horreur du vide

abhorrence /əb'hɒrəns, US -'hɔːr-/ *n* horreur *f*; **to have an ~ of** avoir horreur de; **to hold sth in ~** avoir qch en horreur

abhorrent /əb'hɒrənt, US -'hɔːr-/ *adj* odieux/-ieuse; **to be ~ to sb** être intolérable à qn

abide /ə'baɪd/ (*prét, pp* **abode** *ou* **~d**)
A *vtr* **I can't ~ sth/doing** je ne peux pas supporter qch/de faire
B *vi* **to ~ by** respecter [*rule, decision*]; maintenir [*statement*]

abiding /ə'baɪdɪŋ/ *adj* [*image, memory*] qui persiste (*after n*); [*love*] durable

ability /ə'bɪlətɪ/
A *n* **1** (capability) capacité *f* (**to do** de faire); **(the) ~ to pay** Jur la solvabilité; Tax la faculté contributive; **to the best of one's ~** de son mieux; **within the limits of one's ~** [*contribute*] dans la mesure de ses moyens; **2** (talent) talent *m*; **someone of proven ~** quelqu'un

a

au talent reconnu; **his ~ as** son talent de
B abilities *npl* (skills) compétences *fpl*; Sch (of pupils) aptitudes *fpl*; **mental abilities** compétences intellectuelles; **musical abilities** talents musicaux

abject /'æbdʒekt/ *adj* **1** [*state, conditions*] misérable; [*failure*] lamentable; **~ poverty** misère *f*; **2** [*slave, coward*] abject; [*apology*] servile

abjectly /'æbʒektlɪ/ *adv* **1** [*live, subsist*] misérablement; **2** [*behave, apologize*] servilement

abjuration /,æbdʒʊ'reɪʃn/ *n* sout (of right, title) renonciation *f* (**of** à); (of claim) abandon *m* (**of** de); (of religion) abjuration *f* (**of** de); (of vice) reniement *m* (**of** de)

abjure /əb'dʒʊə(r)/ *vtr* sout renoncer à [*rights, claims*]; abjurer [*religion*]; renier [*vice*]

ablate /æb'leɪt/ *vtr* Med enlever

ablation /æb'leɪʃn/ *n* Med ablation *f*

ablative /'æblətɪv/
A *n* ablatif *m*; **in the ~** à l'ablatif; **~ absolute** ablatif absolu
B *adj* ablatif/-ive

ablaze /ə'bleɪz/ *adj* **1** (alight) [*building, town*] en feu, en flammes; **to set sth ~** enflammer qch; **2** (lit up) lit, fig **to be ~ with** être illuminé de [*candles, lights, fireworks*]; être enflammé de [*rage, excitement*]

able /'eɪbl/ *adj*

> ⚠ *To be able to* meaning *can* is usually translated by the verb *pouvoir*: *I was not able to go* = je ne pouvais pas y aller; *I was not able to help him* = je ne pouvais pas l'aider. The main exception to this occurs when *to be able to* implies the acquiring of a skill, when *savoir* is used: *he's nine and he's still not able to read* = il a neuf ans et il ne sait toujours pas lire.
> For more examples and other uses, see the entry below.

1 (having ability to) **to be ~ to do/be** pouvoir faire/être; **he was/wasn't ~ to read it** il pouvait/ne pouvait pas le lire; **she was ~ to play the piano at the age of four** elle savait jouer du piano à quatre ans; **I'll be (better) ~ to give you more information after the meeting** je serai en mesure de *or* je pourrai vous donner plus de renseignements après la réunion; **2** (skilled) [*lawyer, teacher etc*] compétent; (gifted) [*child*] doué

able: **~-bodied** *adj* robuste, fort; **~ rating** *n* matelot *m* breveté; **~ seaman** *n* (*also* **~-bodied seaman**) matelot *m* de deuxième classe

ablutions /ə'blu:ʃnz/ *npl* sout ablutions *fpl*; **to perform one's ~** faire ses ablutions

ably /'eɪblɪ/ *adv* [*work, write*] avec compétence; **~ assisted by his colleagues** secondé par des collègues compétents

ABM *n* Mil (*abrév* = **anti-ballistic missile**) missile *m* antimissile

abnegate /'æbnɪgeɪt/ *vtr* renoncer à [*rights, privileges, pleasures*]

abnegation /,æbnɪ'geɪʃn/ *n* sout **1** (of rights, privileges, pleasures) renoncement *m* (**of** à); **2** (*also* **self-~**) renoncement *m*, abnégation *f*

abnormal /æb'nɔ:ml/ *adj* anormal also Comput

abnormality /,æbnɔ:'mælətɪ/ *n* **1** (feature) anomalie *f*; **2** (state) anormalité *f*

abnormally /æb'nɔ:məlɪ/ *adv* [*high, low, slow, difficult*] anormalement; [*behave, react, develop*] de façon anormale

abo /'æbəʊ/ *n* Austral injur aborigène *mf* (d'Australie)

aboard /ə'bɔ:d/
A *adv* **1** gen [*take, live*] à bord; **to go** *ou* **climb ~** monter à bord; **all ~!** Naut tout le monde à bord!; Rail, Transp en voiture!; **2** Naut bord à bord
B *prep* à bord de [*ship, plane*]; dans [*coach, train*]; **~ ship** à bord

abode /ə'bəʊd/ *n* **1** (home) sout demeure *f*; **my humble ~** hum mon humble demeure; **X, of no fixed ~** sout X, sans domicile fixe; **2** Jur (residence) **his place of ~** son domicile; **the right of ~** le droit de résidence

abolish /ə'bɒlɪʃ/ *vtr* abolir [*law, right, tax, penalty*]; supprimer [*subsidy, service, allowance*]

abolition /,æbə'lɪʃn/ *n* (of law, right, tax, penalty) abolition *f*; (of subsidy, service, allowance) suppression *f*

abolitionist /,æbə'lɪʃənɪst/ *n* abolitionniste *mf* also US Hist

abominable /ə'bɒmɪnəbl/ *adj* [*crime, practice, system, conditions*] abominable; [*food, weather, behaviour*] abominable, détestable; **the ~ snowman** l'abominable homme des neiges

abominably /ə'bɒmɪnəblɪ/ *adv* [*treat, behave*] de manière odieuse; [*play, perform*] de manière abominable; [*rude, arrogant*] abominablement; [*hot, cold*] horriblement

abominate /ə'bɒmɪneɪt, US -mən-/ *vtr* exécrer [*hypocrisy, terrorism*]; hum détester [*homework, vegetables*]

abomination /ə,bɒmɪ'neɪʃn, US -mən-/ *n* **1** (loathing) horreur *f* (**of** de); **2** (object) abomination *f*; **what an ~!** quelle abomination!

aboriginal /,æbə'rɪdʒənl/
A *n* (native) indigène *mf*
B *adj* [*inhabitant, plant, species*] aborigène

Aboriginal /,æbə'rɪdʒənl/ *n*, *adj* aborigène (*mf*) (d'Australie)

aborigine /,æbə'rɪdʒənɪ/ *n* aborigène *mf*

Aborigine /,æbə'rɪdʒənɪ/ *n* aborigène *mf* (d'Australie)

abort /ə'bɔ:t/
A *n* US abandon *m*
B *vtr* **1** (terminate) faire avorter [*fœtus, pregnancy, mother*]; **2** (interrupt) interrompre [*mission, launch, plan, trial*]; **3** Comput (abandon) abandonner [*program, operation*]
C *vi* **1** [*mother, embryo, animal*] avorter; **2** [*plan, launch, mission, attack*] échouer; **3** Comput [*program*] s'arrêter

abortifacient /ə,bɔ:tɪ'feɪʃənt/ *adj* abortif/-ive

abortion /ə'bɔ:ʃn/
A *n* **1** (termination) avortement *m*; **back-street ~** avortement clandestin; **to perform** *ou* **carry out an ~ on sb** pratiquer un avortement sur qn; **~ on demand**, **~ on request** l'avortement libre; **to have an ~** se faire avorter; **2** (monstrosity) horreur *f*
B *modif* [*law, debate*] sur l'avortement; [*rights*] à l'avortement; [*pill*] abortif/-ive

abortionist /ə'bɔ:ʃənɪst/ *n* avorteur/-euse *m/f*; **back-street ~** avorteur/-euse *m/f* clandestin/-e, faiseuse *f* d'anges°

abortive /ə'bɔ:tɪv/ *adj* **1** (unsuccessful) (*épith*) [*attempt, scheme, project*] avorté; [*coup, raid, attack*] manqué; **2** Med abortif/-ive

abound /ə'baʊnd/ *vi* abonder (**in, with** en)

about /ə'baʊt/

> ⚠ *About* is used after certain nouns, adjectives and verbs in English (*information about, a book about, curious about, worry about etc*). For translations, consult the appropriate entries (**information, book, curious, worry** etc).
> *about* often appears in British English as the second element of certain verb structures (*move about, rummage about, lie about etc*). For translations, consult the relevant verb entries (**move, rummage, lie** etc).

A *adj* **1** (expressing future intention) **to be ~ to do** être sur le point de faire
2 (rejecting course of action) **I'm not ~ to do** je ne suis pas près de faire
3 (awake) debout; **you were (up and) ~ early this morning** tu étais debout tôt ce matin
B *adv* **1** (approximately) environ, à peu près; **it's ~ the same as yesterday** c'est à peu près pareil qu'hier; **at ~ 6 pm** à environ 18 h; **it's ~ as useful as an umbrella in a hurricane** iron c'est aussi utile qu'un parapluie dans un ouragan; ▸ **round**
2 (almost) presque; **to be (just) ~ ready** être presque prêt; **that seems ~ right** ça a l'air d'aller, ça devrait aller; **I've had just ~ enough of her!** j'en ai plus qu'assez d'elle!; **I've had ~ as much as I can take!** j'en ai plus qu'assez!; ▸ **just**
3 (in circulation) **there was no-one ~** il n'y avait personne; **there are few people ~** il y a peu de gens dans les parages; **there is a lot of food poisoning ~** il y a beaucoup d'intoxications alimentaires en ce moment, les intoxications alimentaires ne manquent pas en ce moment; **there's a lot of it ~** ça ne manque pas
4 (in the vicinity) **to be somewhere ~** être dans les parages; **she must be somewhere ~** elle doit être dans les parages, elle doit être quelque part par là
5 (indicating reverse position) **the other way ~** l'inverse, le contraire; ▸ **put about, turn about**
C *prep* **1** (concerning, regarding) **a book/film ~ sb/sth** un livre/film sur qn/qch; **to talk ~** parler de [*problem, subject*]; **what's it ~?** (of book, film etc) ça parle de quoi?; **it's ~...** il s'agit de...; **may I ask what it's ~?** pourriez-vous me dire de quoi il s'agit?; **I'm ringing ~ my results** j'appelle pour mes résultats; **it's ~ my son's report** c'est au sujet du bulletin scolaire de mon fils; **~ your overdraft...** pour ce qui est de votre découvert...
2 (in the nature of) **there's something weird/sad ~ him** il a quelque chose de bizarre/triste; **there's something ~ the place that intrigues me** l'endroit a quelque chose qui me fascine; **what I like ~ her is** ce que j'aime chez elle c'est
3 (bound up with) **business is ~ profit** ce qui compte dans les affaires, ce sont les bénéfices; **teaching is all ~ communication** enseigner, c'est communiquer; **that's what life is all ~** c'est la vie
4 (occupied with) **to know what one is ~** savoir ce qu'on fait; **mind what you're ~!** GB fais attention *or* fais gaffe° à ce que tu fais!; **while you're ~ it...** tant que tu y es..., par la même occasion...; **and be quick ~ it!** et fais vite!
5 (around) **to wander/run ~ the streets** errer/courir dans les rues; **strewn ~ the floor** éparpillés sur le sol
6 (in invitations, suggestions) **how** *ou* **what ~ some tea?** et si on prenait un thé?; **how ~ going into town?** et si on allait en ville?; **how ~ it?, how ~ you?** ça te *or* vous dit?
7 (when soliciting opinions) **what ~ the transport** GB *ou* **transportation** US **costs?** et les frais de transport?; **what ~ us?** et nous alors?; **'what ~ the dinner?'—'what ~ it?'** 'et le repas alors?'—'quoi, le repas?'; **what ~ you?** et toi?; **what ~ Natasha?** et Natasha?; **how ~ it?** qu'est-ce que tu en penses?
8 sout (on) **hidden ~ one's person** [*drugs, arms*] caché sur soi; ▸ **wit**
9 GB (surrounding) autour de; **there were trees ~ the house** il y avait des arbres autour de la maison

(Idioms) **it's ~ time (that)** il serait temps que (+ *subj*); **~ time too!** il était temps!, ce n'est pas trop tôt°!; **that's ~ it** (that's all) c'est tout; (that's the situation) en gros, oui, c'est à peu près ça

about-face, about-turn *n* GB Mil demi-tour *m*; fig volte-face *f inv*; **the government has done an ~** le gouvernement a fait volte-face

above /ə'bʌv/
A *pron* **the ~** (person) le susdit/la susdite *m/f*; **the ~ are all witnesses** les personnes susnommées sont toutes témoins; **the ~ are all stolen vehicles** les véhicules susmentionnés sont tous volés
B *prep* **1** (vertically higher) au-dessus de; **to live ~ a shop** habiter au-dessus d'une boutique; **your name is ~ mine on the list** ton nom est au-dessus du mien sur la liste; **the hills**

~ **Monte Carlo** les collines qui surplombent Monte-Carlo; **2** (north of) au nord de; ~ **this latitude** au nord de cette latitude; **3** (upstream of) en amont de; **4** (morally) **she's ~ such petty behaviour** elle n'est pas capable d'un comportement aussi mesquin; **they're not ~ cheating/lying** ils sont tout à fait capables de tricher /de mentir; **he's not ~ lending us a hand** il n'hésitera pas à nous aider; **5** (in preference to) par-dessus; **to admire sth ~ all others** admirer qch par-dessus tout; **~ all else** par-dessus tout; **to value happiness ~ wealth** accorder plus d'importance au bonheur qu'à l'argent; **6** (superior in status, rank) au-dessus de; **a general is ~ a corporal** un général est au-dessus d'un caporal; **to be ~ sb in the world rankings** être mieux placé que qn au classement mondial; **he thinks he's ~ us** il se croit supérieur à nous; **7** (greater than) au-dessus de; **~ average** au-dessus de la moyenne; **~ the limit** au-dessus de la limite; **children ~ the age of 12** les enfants âgés de plus de 12 ans; **to rise ~** dépasser [*amount, percentage, limit, average*]; ▸ **over**[1]; **8** (transcending, beyond) **~ suspicion** au-dessus de tout soupçon; **she's ~ criticism** on ne peut pas la critiquer; **~ reproach** irréprochable; **9** (too difficult for) **to be ~ sb** [*subject, book*] dépasser qn; **10** (higher in pitch) au-dessus de; **11** (over) **I couldn't hear him ~ the sound of the drill** je ne pouvais pas l'entendre à cause du bruit de la perceuse; **a shot was heard ~ the shouting** on a entendu un coup de feu par-dessus les cris

C *adj* **the ~ names/items** les noms/articles susmentionnés fml *or* figurant ci-dessus

D *adv* **1** (higher up) **a desk with a shelf ~** un bureau avec une étagère au-dessus; **the noise from the apartment ~** le bruit qui vient de l'appartement d'au-dessus; **the view from ~** la vue d'en haut; **an order from ~** un ordre qui vient d'en haut; **ideas imposed from ~** des idées imposées d'en haut; **2** (earlier in the text) **see ~** voir ci-dessus; **as stated ~** comme indiqué ci-dessus; **3** (more) **children of 12 and ~** les enfants âgés de 12 ans et plus; **tickets at £10 and ~** des billets à partir de dix livres; **those on incomes of £18,000 and ~** ceux dont les revenus atteignent ou dépassent 18 000 livres sterling; **4** (in the sky) **the sky up ~ was clear** le ciel était dégagé; **to look up at the stars ~** lever les yeux vers les étoiles; **the powers ~** les puissances célestes; **in Heaven ~** aux cieux; ▸ **cut**

E **above all** *adv phr* surtout

(Idiom) **to get ~ oneself** ne plus se sentir○

above: **~board** *adj* régulier/-ière, correct; **~ground** *adv* au-dessus du sol, à la surface; **~-mentioned** *adj* susmentionné fml; **~-named** *adj* susnommé

abracadabra /ˌæbrəkəˈdæbrə/ *excl* abracadabra!

abrade /əˈbreɪd/ *vtr* **1** Geol [*element*] éroder [*rock*]; **2** Tech [*sandpaper*] abraser [*wood, surface*]

abrasion /əˈbreɪʒn/ *n* **1** (on skin) écorchure *f*; **2** (from friction) (of rock) abrasion *f*; (of paint, metal) usure *f*

abrasive /əˈbreɪsɪv/

A *n* abrasif *m*

B *adj* **1** (trait) [*person, manner, style, tone*] mordant; **2** (substance) abrasif/-ive

abrasively /əˈbreɪsɪvlɪ/ *adv* [*say, reply, write*] de façon mordante

abrasiveness /əˈbreɪsɪvnɪs/ *n* (of remark, criticism, tone) rudesse *f*

abreaction /ˌæbrɪˈækʃn/ *n* Psych abréaction *f*

abreast /əˈbrest/ *adv* **1** (side by side) de front; **cycling three ~** pédalant à trois de front; **in line ~** en ligne de front; **to be/come ~ of** [*vehicle, person*] être/venir à la hauteur de; **2** (in touch with) **to keep/to keep sb ~ of** [*developments, current affairs*] se tenir/tenir qn au courant de; **to keep ~ of the times** marcher avec son temps

abridge /əˈbrɪdʒ/ *vtr* abréger

abridg(e)ment /əˈbrɪdʒmənt/ *n* **1** (version) version *f* abrégée; **2** (process) abrègement *m*

abroad /əˈbrɔːd/ *adv* **1** [*be, go, live, work, travel*] à l'étranger; **imported from ~** importé de l'étranger; **news from home and ~** des nouvelles nationales et internationales; **2** (in circulation) **there is a rumour ~ that...** le bruit court selon lequel...; **there is a new spirit ~** il y a un nouvel état d'esprit général; **there is a feeling ~ that...** le sentiment général est que...; **3** †(outside) dehors

abrogate /ˈæbrəgeɪt/ *vtr* sout abroger

abrogation /ˌæbrəˈgeɪʃn/ *n* sout abrogation *f*

abrupt /əˈbrʌpt/ *adj* **1** (sudden) [*end, change etc*] brusque; **to come to an ~ end** se terminer brusquement; **2** (curt) [*manner, person, tone, remark*] brusque; **3** (disjointed) [*speech, style*] haché; **4** (steep) abrupt

abruptly /əˈbrʌptlɪ/ *adv* **1** (suddenly) [*end, change, resign, leave*] brusquement; **2** (curtly) [*speak, behave, gesture*] avec brusquerie; **3** (steeply) [*rise, fall, drop*] à pic

abruptness /əˈbrʌptnɪs/ *n* **1** (in manner) brusquerie *f*; **2** (suddenness) soudaineté *f*

abs○ /æbz/ *npl* abdos○ *mpl*, muscles *mpl* abdominaux

ABS *n, adj* Aut (*abrév* = **anti-lock braking system**) ABS; **~ brakes** freins *mpl* ABS

abscess /ˈæbses/ *n* abcès *m*

abscond /əbˈskɒnd/ *vi* s'enfuir (**from** de; **with** avec)

absconding /əbˈskɒndɪŋ/ *n* fuite *f*

abseil /ˈæbseɪl/ GB

A *n* rappel *m*

B *vi* descendre en rappel (**from** de); **to ~ down sth** descendre qch en rappel

abseil device *n* GB descendeur *m*

abseiling /ˈæbseɪlɪŋ/ ▸ **p. 1253** *n* GB descente *f* en rappel; **to go ~** faire de la descente en rappel

absence /ˈæbsəns/ *n* **1** gen, Sch (of person) absence *f*; **in/during sb's ~** en/pendant l'absence de qn; **2** (of thing) manque *m*; **in the ~ of** faute de [*alternative, cooperation, evidence, assurances etc*]

(Idioms) **~ makes the heart grow fonder** Prov l'absence attise les grandes passions; **to be conspicuous by one's ~** iron briller par son absence

absent

A /ˈæbsənt/ *adj* **1** gen, Sch (not there) [*person, thing, emotion*] absent (**from** de); **to be conspicuously ~** iron briller par son absence; **'(to) ~ friends!'** (as toast) 'aux amis absents!'; **2** Mil **to be** *ou* **go ~ without leave** être en absence illégale; **3** (preoccupied) [*look*] absent

B /əbˈsent/ *v refl* sout **to ~ oneself** s'absenter (**from** de)

absentee /ˌæbsənˈtiː/ *n* gen, Sch absent/-e *m/f*

absentee ballot *n* vote *m* par correspondance

absenteeism /ˌæbsənˈtiːɪzəm/ *n* absentéisme *m*

absentee: **~ landlord** *n* propriétaire *mf* absentéiste; **~ voter** *n* électeur/-trice *m/f* par correspondance

absently /ˈæbsəntlɪ/ *adv* [*muse, stare*] d'un air absent; [*say*] distraitement

absent: **~-minded** *adj* distrait; **~-mindedly** *adv* [*behave, speak*] distraitement; [*stare*] d'un air absent; **~-mindedness** *n* distraction *f*

absinth(e) /ˈæbsɪnθ/ *n* absinthe *f*

absolute /ˈæbsəluːt/

A *n* **1** **the ~** l'absolu *m*; **2** (rule, principle) vérité *f* absolue; **rigid ~s** des vérités qui n'admettent aucune contradiction

B *adj* **1** (complete) [*certainty, discretion, minimum, proof, right etc*] absolu; Pol [*power, monarch*] absolu; **~ majority** Pol majorité *f* absolue; **~ beginner** vrai débutant; **2** (emphatic) [*chaos, disaster, idiot, scandal*] véritable; **3** Phys, Chem [*humidity, scale*] maximum; [*alcohol, temperature, zero*] absolu; **4** Jur **decree ~** décret *m* irrévocable; **the decree was made ~** le décret a été prononcé irrévocable; **5** Ling [*ablative, construction*] absolu; **6** Philos, Math [*term, value etc*] absolu

absolute discharge *n* GB Jur dispense *f* de peine

absolutely /ˈæbsəluːtlɪ/ *adv* **1** (totally) [*certain, right*] absolument; [*mad*] complètement; [*refuse, believe*] absolument; Pol [*rule*] en monarque absolu; **2** (emphatic) **this hotel is ~ the most expensive I know** cet hôtel est vraiment le plus cher que je connaisse; **I ~ adore opera!** je suis fou/folle○ d'opéra!; **3** (certainly) absolument; **~ not!** pas du tout!; **4** Ling dans un sens absolu

absolute pitch *n* Mus oreille *f* absolue

absolution /ˌæbsəˈluːʃn/ *n* absolution *f* (**from** de)

absolutism /ˈæbsəluːtɪzəm/ *n* Pol absolutisme *m*; Relig prédestination *f*

absolve /əbˈzɒlv/ *vtr* **1** sout (clear) **to ~ sb from** *ou* **of sth** décharger qn de qch; **2** Relig (forgive) absoudre (**from** de)

absorb /əbˈzɔːb/ *vtr* **1** lit absorber [*liquid, drug, oxygen, heat, sound*]; **2** fig absorber [*attention, facts, costs, profits, business, village, region, people*]; **3** (withstand) absorber [*impact, force*]; amortir [*shock, jolt*]; encaisser [*punch, blow, insult, pressure*]

absorbable /əbˈzɔːbəbl/ *adj* absorbable

absorbed /əbˈzɔːbd/ *adj* absorbé (**in** *ou* **by** par); **~ in a book/one's work** plongé dans un livre/son travail; **to get** *ou* **become ~ in sth** s'absorber dans qch

absorbency /əbˈzɔːbənsɪ/ *n* pouvoir *m* absorbant; **a high-~ material** un tissu très absorbant

absorbent /əbˈzɔːbənt/ *n, adj* absorbant (*m*)

absorbent cotton *n* US coton *m* absorbant

absorbing /əbˈzɔːbɪŋ/ *adj* passionnant

absorption /əbˈzɔːpʃn/ *n* **1** lit (of nutrients, liquid, minerals) absorption *f*; **2** fig (of people) intégration *f*; (of business, costs, profits) absorption *f*; **3** (of shock, impact) amortissement *m*; **4** (in activity, book) concentration *f* (**in** sur)

abstain /əbˈsteɪn/ *vi* **1** gen, Relig s'abstenir (**from** de; **from doing** de faire); **2** Pol s'abstenir (**from doing** de faire)

abstainer /əbˈsteɪnə(r)/ *n* **1** (teetotaller) **he's a total ~** il s'abstient complètement de boire de l'alcool; **2** Pol (in vote) abstentionniste *mf*

abstemious /æbˈstiːmɪəs/ *adj* [*person*] sobre; [*habits, diet*] frugal; **you're being very ~!** tu es très raisonnable!

abstemiously /æbˈstiːmɪəslɪ/ *adv* [*live, eat*] frugalement

abstemiousness /æbˈstiːmɪəsnɪs/ *n* (of person) sobriété *f*; (of habits, diet) frugalité *f*

abstention /əbˈstenʃn/ *n* **1** Pol (from vote) abstention *f* (**from** de); **2** (abstinence) abstinence *f* (**from** de)

abstinence /ˈæbstɪnəns/ *n* abstinence *f* (**from** de)

abstinent /ˈæbstɪnənt/ *adj* [*person*] sobre; [*habits*] sobre, modéré

abstract

A /ˈæbstrækt/ *n* **1** (theoretical) **the ~** l'abstrait *m*; **in the ~** dans l'abstrait; **2** (summary) résumé *m*; **3** Fin, Jur extrait *m*; **4** Art œuvre *f* abstraite

B /ˈæbstrækt/ *adj* **1** (theoretical) abstrait; **2** Art abstrait; **3** Ling [*noun, verb*] abstrait

C /əbˈstrækt/ *vtr* **1** (summarize) **to ~ sth from** tirer qch de [*documents, data*]; **2** (remove) sout dérober (**from sb** à qn; **from sth** dans qch); **3** (theorize) **to ~ sth from sth** extraire qch de qch

D *v refl* **to ~ oneself from sth** se soustraire à qch

abstracted /əb'stræktɪd/ *adj* [*gaze, expression, smile*] distrait; **he seemed rather ~** il avait l'air plutôt absent

abstractedly /əb'stræktɪdlɪ/ *adv* d'un air absent

abstraction /əb'strækʃn/ *n* **1** (idea) idée *f* abstraite, abstraction *f*; **to talk in ~s** parler de manière abstraite; **2** (abstract quality) abstraction *f*; **3** Art (tendency) abstraction *f*; (work) œuvre *f* abstraite; **4** (vagueness) distraction *f*; **an air of ~** un air distrait; **5** (of property, money) sout détournement *m* (**from** de)

abstruse /əb'stru:s/ *adj* abstrus

abstruseness /əb'stru:snɪs/ *n* caractère *m* abstrus

absurd /əb'sɜ:d/
A *n* **the ~** Philos, Theat l'absurde *m*
B *adj* [*act, appearance, idea*] ridicule; **it was ~ (of sb) to do** c'était absurde (de la part de qn) de faire; **it is ~ that** c'est absurde que (+ *subj*)

absurdity /əb'sɜ:dətɪ/ *n* absurdité *f*; **the height of ~** le comble de l'absurdité; **to the point of ~** à la limite de l'absurdité

absurdly /əb'sɜ:dlɪ/ *adv* [*wealthy, expensive*] ridiculement; [*behave*] de façon ridicule

ABTA /'æbtə/ *n* GB (*abrév* = **Association of British Travel Agents**) association *f* des agences de voyages britanniques

Abu Dhabi /,ɑ:bu:'dɑ:bɪ/ ▸ **p. 1096** *pr n* Abou Dabi

abundance /ə'bʌndəns/ *n* abondance *f*, profusion *f* (**of** de); **in ~** en abondance, à profusion

abundant /ə'bʌndənt/ *adj* abondant; **to be ~ in** être riche en

abundantly /ə'bʌndəntlɪ/ *adv* **1** (in large quantities) abondamment; **2** [*clear, obvious*] tout à fait; **to make sth ~ clear (to sb)** faire comprendre qch de manière tout à fait claire (à qn)

abuse
A /ə'bju:s/ *n* **1** (maltreatment) mauvais traitement *m*; (sexual) sévices *mpl* (sexuels); **child ~** sévices sexuels exercés sur un enfant; **2** (misuse) (of hospitality, position, power, trust) abus *m*; **drug ~** usage *m* des stupéfiants; **alcohol ~** abus d'alcool; **3** (insults) injures *fpl*; **a stream of ~** un flot d'injures; **a term of ~** une injure
B /ə'bju:z/ *vtr* **1** (hurt) maltraiter; (sexually) abuser de [*woman*]; exercer des sévices sexuels sur [*child*]; **2** (misuse) abuser de [*drug, hospitality, position, power, trust*]; **3** (insult) injurier

abuser /ə'bju:zə(r)/ *n* (*also* **sex ~, sexual ~**) personne *f* qui exerce des sévices sexuels; **child ~** personne *f* qui exerce des sévices sexuels sur les enfants

abusive /ə'bju:sɪv/ *adj* **1** (rude) [*person*] grossier/-ière (**to** envers); **2** (insulting) [*words*] injurieux/-ieuse; **3** (improper) [*use*] abusif/-ive; **4** (violent) [*person*] violent; [*relationship*] de maltraitance

abusively /ə'bju:sɪvlɪ/ *adv* grossièrement

abut /ə'bʌt/ (*p prés etc* **-tt-**)
A *vtr* [*building*] être contigu/-uë à; Constr juxtaposer [*wallpaper, wood*]
B *vi* (adjoin) être contigu/-uë (**onto** à); (be supported) prendre appui (**against** sur)

abutment /ə'bʌtmənt/ *n* gen contrefort *m*; (on bridge) butée *f*

abuzz /ə'bʌz/ *adj, adv* **to be ~** être en émoi (**with** à cause de; **about, over** à propos de)

abysmal /ə'bɪzml/ *adj* épouvantable

abysmally /ə'bɪzməlɪ/ *adv* abominablement

abyss /ə'bɪs/ *n* lit, fig abîme *m*

Abyssinia /,æbɪ'sɪnjə/ ▸ **p. 1096** *pr n* Hist Abyssinie *f*

Abyssinian /,æbɪ'sɪnjən/ ▸ **p. 1467** Hist
A *n* Abyssinien/-ienne *m/f*
B *adj* abyssinien/-ienne

Abyssinian cat *n* chat *m* abyssin

a/c *n* (*abrév écrite* = **account**) compte *m*

AC *abrév* ▸ **alternating current**

acacia /ə'keɪʃə/ *n* acacia *m*

Acad *n*: *abrév écrite* = **Academy**

academe /'ækədi:m/ *n* littér université *f*; **the halls** *ou* **groves of ~** les couloirs de l'université

academia /,ækə'di:mɪə/ *n* l'université *f*

academic /,ækə'demɪk/
A *n* universitaire *mf*
B *adj* Univ **1** (in college, university) [*career, life, post, teaching, work*] universitaire; [*year*] académique; **~ adviser** directeur/-trice *m/f* des études; **~ freedom** liberté *f* d'enseignement; **2** (scholarly) [*achievement, background, child, reputation*] intellectuel/-elle; [*school*] bien coté; **she's not very ~** elle n'est pas très douée pour les études; **~ course** ≈ cours *m* d'enseignement général; **3** (educational) [*book*] (for school) scolaire; (for university) universitaire; **4** (theoretical) [*debate, exercise, question*] théorique; **to be a matter of ~ interest** être d'un intérêt théorique; **5** Art, Literat [*painter, writer*] académique

academically /,ækə'demɪklɪ/ *adv* [*qualified, minded*] intellectuellement; [*able, excellent, interesting, respectable*] sur le plan intellectuel

academicals /,ækə'demɪklz/ *npl* GB Univ = **academic dress**

academic dress *n* ₵ Univ tenue *f* universitaire; **in ~** vêtu de la toge et du mortier universitaires

academician /ə,kædə'mɪʃn, US ,ækədə'mɪʃn/ *n* académicien/-ienne *m/f*

academy /ə'kædəmɪ/ *n* **1** Sch école *f*; **military/naval ~** école militaire/navale; **2** (training school) école *f*; **~ of music** conservatoire *m* de musique; **~ of art** académie *f* d'art; **3** (learned society) académie *f* (**of** de)

Academy Award *n* Cin Oscar *m*. ▸ **Oscars**

acanthus /ə'kænθəs/ *n* (*pl* **~es** *ou* **-thi**) acanthe *f*

Acas, ACAS /'eɪkæs/ *n* GB (*abrév* = **Advisory Conciliation and Arbitration Service**) *comité qui traite des problèmes entre employeurs et employés*

accede /ək'si:d/ *vi* sout **1** (to request, suggestion, wish) accéder (**to** à); **2** Pol (to treaty, agreement, congress) adhérer (**to** à); **3** (to post) accéder (**to** à); (to throne) monter (**to** sur)

accelerate /ək'seləreɪt/
A *vtr* fig accélérer [*decline, growth*]
B *vi* **1** Aut accélérer; **to ~ away** partir en trombe (**from** de); **to ~ from 0–60 mph** monter de 0 à 100 km/h; **2** fig [*decline, growth*] s'accélérer

accelerated learning *n* apprentissage *m* accéléré

acceleration /ək,selə'reɪʃn/ *n* (all contexts) accélération *f*; **~ time** Aut temps d'accélération

accelerator /ək'seləreɪtə(r)/ *n* Aut, Chem, Phys, Physiol accélérateur *m*; **to step on the ~** Aut appuyer sur l'accélérateur; **to let up on the ~** Aut relâcher l'accélérateur

accent
A /'æksent, -sənt/ *n* gen, Ling, Mus, fig accent *m*; **in** *ou* **with a French ~** avec un accent français; **to put the ~ on sth** mettre l'accent sur qch; **with the ~ on quality** avec l'accent mis sur la qualité
B /æk'sent/ *vtr* **1** Ling, Mus accentuer; **2** fig souligner [*issue, point*]

accented /'æksentɪd, -sənt-/ *adj* [*speech*] avec un accent; **he speaks a heavily ~ English** il parle l'anglais avec un fort accent

accentuate /æk'sentʃʊeɪt/ *vtr* gen souligner (**by** par); Mus accentuer

accentuation /æk,sentʃʊ'eɪʃn/ *n* gen, Ling, Mus accentuation *f*

accept /ək'sept/
A *vtr* **1** (take, receive) accepter [*gift, offer, suggestion, apology, candidate, money*]; **2** (resign oneself to) accepter [*fate, situation*]; **3** (tolerate) admettre [*behaviour, immigrant, new idea*]; **it is generally ~ed that** il est admis que; **4** (take on) assumer [*task, role, function*]
B **accepted** *pp adj* [*behaviour, fact, definition*] admis; **in the ~ sense of the word** dans le sens usuel du mot

acceptability /ək,septə'bɪlətɪ/ *n* admissibilité *f*

acceptable /ək'septəbl/ *adj* **1** (welcome) [*gift, money*] bienvenu; **2** (agreeable) [*idea, offer*] acceptable (**to** à); **3** (allowable) [*behaviour, risk*] acceptable; **to be ~ to do** être acceptable de faire; **it is ~ that** il est acceptable que (+ *subj*); **to an ~ level** à un niveau acceptable; **within ~ limits** dans des limites acceptables

acceptably /ək'septəblɪ/ *adv* **1** [*express, introduce etc*] raisonnablement; **2** [*good, high, low etc*] suffisamment

acceptance /ək'septəns/ *n* **1** (of offer, invitation, fate, limitations) acceptation *f* (**of** de); **a letter of ~** une lettre d'acceptation; **2** (of plan, proposal) approbation *f* (**of** de); **to meet with** *ou* **find ~** recevoir l'approbation; **to gain ~** gagner l'approbation; **3** Fin, Insur (of bill, policy) acceptation *f*; Comm (of goods) réception *f*

acceptance trials *npl* Naut essais *mpl* de recette

acceptation /,æksep'teɪʃn/ *n* Ling acception *f*

acceptor /ək'septə(r)/ *n* **1** Comm accepteur *m*; **2** Phys (atome *m*) accepteur *m*

access /'ækses/
A *n* **1** (means of entry) accès *m*; **pedestrian/wheelchair ~** accès pour les piétons/fauteuils roulants; **~ to the centre is from the street** l'accès au centre se fait par la rue; **to gain ~ to sth** accéder à qch; **'No ~'** (on signs) 'accès interdit'; **2** (ability to obtain, use) accès *m* (**to** à); **to have ~ to information/education/a database** avoir accès à des informations/l'éducation/une base de données; **open ~** libre accès; **3** Jur (right to visit) **right of ~** droit *m* de visite; **to have ~ (to one's children)** avoir un droit de visite (auprès de ses enfants); **to grant/deny ~** accorder/refuser le droit de visite; **right of ~ to prisoners** le droit de visiter les prisonniers; **4** Comput accès *m* (**to** à); **5** sout (attack) accès *m*; **an ~ of rage/remorse** un accès de colère/remords
B *modif* **1** (entry) [*control, door, mode, point*] d'accès; **2** (visiting) [*rights*] de visite
C *vtr* gen, Comput accéder à [*database, information, machine*]

accessary *n* = **accessory A 2**

access course *n* GB Univ *cours permettant à des candidats d'entrer à l'Université sans les titres requis*

accessibility /ək,sesə'bɪlətɪ/ *n* (all contexts) accessibilité *f* (**of** de; **to** pour)

accessible /ək'sesəbl/ *adj* **1** (easy to reach) [*place, education, file, information, person*] accessible (**to** à); **2** (easy to understand) [*art, novel, writer, style*] accessible (**to** à); **3** (affordable) [*car, holiday, price etc*] abordable (**to** pour)

accession /æk'seʃn/
A *n* **1** ₵ (to power, throne, estate, title) accession *f* (**to** à); (to treaty, organization) adhésion *f* (**to** à); **the ~ of a country to the EU** l'adhésion d'un pays à l'UE; **2** **C** (book, exhibit) (nouvelle) acquisition *f*
B *vtr* mettre au catalogue [*book, exhibit*]

accession number *n* numéro *m* d'enregistrement

accessorize /ək'sesəraɪz/ *vtr* accessoiriser; **~ your car with...** ajoutez au confort de votre voiture avec...

accessory /ək'sesərɪ/
A *n* **1** Aut, Fashn accessoire *m*; (luxury item) Aut extra *m*; **2** Jur complice *mf* (**to** de); **~ before/after the fact** complice par instigation/après coup

B *modif* gen, Anat accessoire; [*market*] Aut des accessoires

access: ~ **provider** *n* Comput fournisseur *m* d'accès; ~ **road** *n* (to building, site) route *f* d'accès; (to motorway) bretelle *f* d'accès; ~ **television programme** *n* GB TV *émission permettant à des particuliers d'exprimer leurs avis ou de diffuser un programme d'intérêt particulier*; ~ **time** *n* Comput temps *m* d'accès

accidence /'æksɪdəns/ *n* morphologie *f* flexionnelle

accident /'æksɪdənt/
A *n* [1] (mishap) accident *m* (**with** avec); **by** ~ accidentellement; **car/industrial/road** ~ accident de voiture/du travail/de la route; **~s in the home** accidents domestiques; **to have an** ~ avoir un accident; **to meet with an** ~ être victime d'un accident; ~ **and emergency service** (in hospital) service des urgences; **I had an** ~ **with the teapot** j'ai malencontreusement cassé la théière; **I'm sorry, it was an** ~ je m'excuse, c'était un accident; **~s will happen!** ce sont des choses qui arrivent!; **the baby's had a little** ~ euph le petit n'a pas pu se retenir euph; **a chapter of ~s** une succession de problèmes; [2] (chance) hasard *m*; **by** ~ par hasard; **it is no** ~ **that...** ce n'est pas un hasard que..., ce n'est pas par hasard que...; **he is rich by an** ~ **of birth** le hasard a voulu qu'il soit né riche; **it was more by** ~ **than design** c'était accidentel plutôt que délibéré
B *modif* [*figures, statistics*] se rapportant aux accidents; [*protection*] contre les accidents; (**personal**) ~ **insurance** assurance *f* (individuelle) accidents; ~ **prevention** (at work) prévention *f* des accidents du travail; (road) prévention *f* routière; ~ **victim** accidenté/-e *m/f*

accidental /,æksɪ'dentl/
A *n* Mus accident *m*
B *adj* [1] (by accident) [*death*] accidentel/-elle; [2] (by chance) [*meeting, mistake*] fortuit; [3] (incidental) [*effect*] secondaire

accidentally /,æksɪ'dentəlɪ/ *adv* (by accident) accidentellement; (by chance) par hasard; **to do sth** ~ **on purpose** iron faire qch malencontreusement iron

Accident and Emergency Unit *n* (service *m* des) urgences *fpl*

accident-prone /,æksɪdənt'prəʊn/ *adj* **to be** ~ être sujet/-ette aux accidents

acclaim /ə'kleɪm/
A *n* [1] (praise) louanges *fpl*; **to win** ~ avoir du succès; [2] (cheering) acclamations *fpl*; **roars of** ~ des cris d'enthousiasme
B *vtr* [1] (praise) applaudir; **~ed by the critics** encensé par la critique; **~ed by the public** applaudi du public; [2] (cheer) acclamer; fig **the new system was ~ed as a technological breakthrough** le nouveau système a été acclamé comme une percée technologique; [3] (proclaim) **to** ~ **sb (as) sth** proclamer qn qch
C acclaimed *pp adj* très applaudi

acclamation /,æklə'meɪʃn/ *n* acclamation *f*; **by/with** ~ par acclamation

acclimate /'æklɪmeɪt, ə'klaɪ-/ US = **acclimatize**

acclimation /,æklaɪ'meɪʃn/ US = **acclimatization**

acclimatization /ə,klaɪmətaɪ'zeɪʃn, US -tɪ'-z-/ *n* lit, fig acclimatation *f* (**to** à)

acclimatize /ə'klaɪmətaɪz/
A *vtr* acclimater (**to** à); **to get** *ou* **become ~d** s'acclimater
B *vi* s'acclimater
C *v refl* **to** ~ **oneself** s'acclimater (**to** à)

accolade /'ækəleɪd, US -'leɪd/ *n* [1] (specific honour) honneur *m*; **the highest** ~ la consécration suprême; [2] (praise) **to receive** *ou* **win ~s from all sides** être loué par tout le monde; [3] (on being knighted) accolade *f*

accommodate /ə'kɒmədeɪt/
A *vtr* [1] (provide room, space for) [*person, hotel*] loger; [*vehicle, room, public building, site*] contenir; **how many cars will the car park** ~**?** combien de voitures est-ce que le parking peut contenir?; **I can't** ~ **a freezer** je n'ai pas assez de place pour un congélateur; [2] (adapt to) s'adapter à [*change, idiosyncrasy, view*]; [3] (reconcile) concilier [*objection, role*] (**with** avec); [4] (satisfy) satisfaire [*need, request, wish*]; [5] (meet request) sout **I think I can** ~ **you** je crois pouvoir satisfaire votre demande; **to** ~ **sb with sth** fournir qch à qn [*required item*]; accorder qch à qn [*loan, credit terms*]
B *v refl* **to** ~ **oneself to** s'adapter à [*change, different viewpoint*]

accommodating /ə'kɒmədeɪtɪŋ/ *adj* [*attitude, person*] accommodant (**to** envers)

accommodatingly /ə'kɒmədeɪtɪŋlɪ/ *adv* [*say*] d'un ton conciliant; [*act*] de façon accommodante

accommodation /ə,kɒmə'deɪʃn/ *n* [1] (*also* **~s** US) (living quarters) logement *m*; **hotel/overnight** ~ logement en hôtel/pour la nuit; **living** ~ logement; **private/student** ~ logement privé/pour étudiants; '~ **to let**' GB 'location'; **office** ~ bureaux *mpl*; [2] (adjustment) gen adaptation *f*; Physiol (of eye) accommodation *f*; [3] Fin Comm (loan) crédit *m* relais

accommodation: ~ **address** *n* GB boîte *f* à lettres; ~ **bill** *n* lettre *f* de change acceptée; ~ **bureau** GB, **~s bureau** US *n* agence *f* de logement; ~ **ladder** *n* échelle *f* de coupée; ~ **officer** GB, **~s officer** US ▸ **p. 1683** *n* responsable *mf* de l'hébergement; ~ **road** *n* voie *f* privée; ~ **train** *n* US Rail omnibus *m*

accompaniment /ə'kʌmpənɪmənt/ *n* gen, Mus accompagnement *m* (**to** à); **as an** ~ **to sth** pour accompagner qch; **with piano** ~ Mus avec accompagnement au piano; **to the** ~ **of soft music** au son d'une musique douce

accompanist /ə'kʌmpənɪst/ *n* accompagnateur/-trice *m/f*

accompany /ə'kʌmpənɪ/
A *vtr* gen, Mus accompagner; **accompanied** accompagné (**by sb** par qn; **by sth** de qch; **on sth** Mus à qch)
B *vi* Mus être l'accompagnateur/l'accompagnatrice *m/f*

accomplice /ə'kʌmplɪs, US ə'kɒm-/ *n* complice *mf* (**in, to** de)

accomplish /ə'kʌmplɪʃ, US ə'kɒm-/ *vtr* gen accomplir; réaliser [*objective*]

accomplished /ə'kʌmplɪʃt, US ə'kɒm-/ *adj* [1] [*performer, performance, sportsperson*] très compétent; **highly** ~ consommé; **an** ~ **fact** un fait accompli; [2] †[*young lady*] accompli†

accomplishment /ə'kʌmplɪʃmənt, US ə'kɒm-/ *n* [1] (act of accomplishing) accomplissement *m*; [2] (thing accomplished) réussite *f*; **that's no mean** *ou* **small** ~**!** ça n'est pas peu de chose!; [3] (skill) talent *m*

accord /ə'kɔːd/
A *n* accord *m* (**on** sur); **in** ~ **with sth** en accord avec qch; **to be in** ~ **with sb** être d'accord avec qn; **of my own** ~ de moi-même; **with one** ~ d'un commun accord; **to reach an** ~ se mettre d'accord
B *vtr* accorder (**sth to sb** qch à qn)
C *vi* **to** ~ **with** concorder avec

accordance /ə'kɔːdəns/: **in accordance with** *prep phr* [1] (in line with) [*act*] conformément à [*rules, wishes*]; **in** ~ **with your instructions, I have...** conformément à vos instructions, j'ai...; **to be in** ~ **with** être conforme à [*law, agreement, requirement*]; **in** ~ **with her principles** en accord avec ses principes; [2] (proportional to) selon; **taxes levied in** ~ **with the individual's ability to pay** taxes prélevées selon la capacité individuelle de paiement

according /ə'kɔːdɪŋ/:
A according to *prep phr* [1] (in agreement with) [*act*] selon [*law, regulations, principles*]; ~ **to plan** comme prévu; [2] (by reference to) d'après [*newspaper, person, thermometer*]
B according as *conj phr* sout dans la mesure où

accordingly /ə'kɔːdɪŋlɪ/ *adv* (all contexts) en conséquence

accordion /ə'kɔːdɪən/ ▸ **p. 1462** *n* accordéon *m*

accordionist /ə'kɔːdɪənɪst/ ▸ **p. 1683, p. 1462** *n* accordéoniste *mf*

accordion pleat /ə,kɔːdɪən 'pliːt/ *n* pli *m* accordéon

accost /ə'kɒst/ *vtr* gen aborder; (for sexual purpose) accoster

account ➔▭ /ə'kaʊnt/
A *n* [1] Accts, Fin (money held at bank) compte *m* (**at, with** à); **to open/close an** ~ ouvrir/fermer un compte; **in my/his** ~ sur mon/son compte; **I'd like to know the balance on my** ~ j'aimerais savoir combien j'ai sur mon compte
[2] Comm (credit arrangement) compte *m*; **to have an** ~ **at a shop** avoir un compte dans un magasin; **an** ~ **with the baker** un compte chez le boulanger; **to charge sth to** *ou* **put sth on sb's** ~ mettre qch sur le compte de qn; **on** ~ (as part payment) d'acompte; **£100 on** ~ **and the rest in May** 100 livres sterling d'acompte et le reste en mai; **to settle an** ~ (in shop) régler un compte; (in hotel) régler une note; **to settle ~s** fig régler un compte
[3] Accts, Advertg (client) budget *m* (de publicité); **the Renault** ~ le budget Renault
[4] (financial record) compte *m*
[5] (bill) facture *f*; **electricity** ~ facture d'électricité
[6] GB (on stock exchange) **the** ~ le terme *m*
[7] (consideration) **to take sth into** ~, **to take** ~ **of sth** tenir compte de qch; **to fail to take sth into** ~ omettre de tenir compte de qch; **this aspect has not been taken into** ~ on n'a pas tenu compte de cet aspect, cet aspect n'est pas entré en ligne de compte
[8] (description) compte rendu *m*; **to give an** ~ **of sth** faire un compte rendu de qch; **for his** ~ **of what happened** pour sa version de ce qui s'est passé; **by all ~s, from all ~s** au dire de tous; **by his own** ~ tel qu'il le dit lui-même
[9] **to call** *ou* **bring sb to** ~ (bring to book) demander des comptes à qn; **she was called** *ou* **brought to** ~ **for these complaints/for failing to finish the job** on lui a demandé des comptes pour ces plaintes/pour ne pas avoir fini le travail
[10] (impression) **to give a good** ~ **of oneself** faire bonne impression (**in** dans); **they gave a good** ~ **of themselves in the match** ils ont fait bonne impression dans le match
[11] (indicating reason) **on** ~ **of sth/sb** à cause de qch/qn; **on this** *ou* **that** ~ pour cette raison; **on no** ~ sous aucun prétexte; **on no** ~ **must you open the door** n'ouvrez la porte sous aucun prétexte!; **on my/his** ~ à cause de moi/lui; **don't change the date on my** ~**!** ne change pas la date à cause de moi!
[12] (advantage, benefit) **on my/his** ~ exprès pour moi/lui; **don't come on my** ~**!** ne viens pas exprès pour moi!; **she was worried on her own** ~ elle s'inquiétait pour son (propre) sort; **to act on one's own** ~ agir de sa propre initiative; **to set up business on one's own** ~ s'installer *or* se mettre à son compte; **to put** *ou* **turn sth to (good)** ~ mettre qch à profit
[13] (importance) **to be of little ~/some** ~ avoir peu d'importance/une certaine importance (**to sb** pour qn); **it's of no** ~ **to them whether he's alive or dead** peu leur importe qu'il soit vivant ou mort
B accounts *npl* [1] Accts (records) comptabilité *f* ¢, comptes *mpl*; **to keep the ~s** tenir la comptabilité *or* les comptes; **the party ~s** la comptabilité du parti; **the ~s show a profit** les comptes font apparaître un bénéfice
[2] (department) (service *m*) comptabilité *f*
C accounts *modif* [*staff*] comptable; [*department*] comptabilité *inv*
D *vtr* sout (regard as) **he was ~ed a genius** on le considérait comme un génie

➔▭ *see* Life in France

a

(Phrasal verb) ■ **account for**: ► ~ **for [sth/ sb]** 1 (explain) expliquer [*events, fact, behaviour*]; justifier [*expense*] (**to sb** auprès de qn); retrouver [*missing people, vehicle*]; 2 (represent, make up) représenter [*proportion, percentage*]; **exports ~ for 10% of their trade** les exportations représentent 10% de leurs affaires; 3 (destroy, kill) détruire [*vehicle, plane*]; abattre [*animal*]; mettre [qn] hors d'état de nuire [*soldier, attacker*]; 4 Journ, Sport mettre [qn] hors-jeu

accountability /ə,kaʊntə'bɪlətɪ/ *n* gen, Fin responsabilité *f* (**to** devant)

accountable /ə'kaʊntəbl/ *adj* responsable; **to be ~ to sb** être responsable devant qn (**for** de); **to hold sb ~ for sth** tenir qn pour responsable de qch; **to make sb ~ to** rendre qn responsable envers

accountancy /ə'kaʊntənsɪ/
A *n* 1 (profession) comptabilité *f*; **to go into ~** devenir comptable; 2 (studies) comptabilité *f*
B *modif* [*course, department, degree, exam, firm, training*] de comptabilité

accountant /ə'kaʊntənt/ ► p. 1683 *n* comptable *mf*

account: ~ **book** *n* livre *m* de comptes; ~ **day** *n* Fin jour *m* de liquidation; ~ **executive** *n* Advertg chef *m* de publicité; ~ **holder** *n* (with bank, building society, credit company) titulaire *mf*; (with shop, business) personne *f* qui a un compte

accounting /ə'kaʊntɪŋ/
A *n* comptabilité *f*
B *modif* [*method, procedure, period, standards, year*] comptable; [*department*] comptabilité

account: ~ **manager** *n* Comm responsable *mf* de clientèle; ~ **number** *n* Comm numéro *m* de compte

accoutrements /ə'ku:trəmənts/ *npl* équipement *m* also hum

accredit /ə'kredɪt/
A *vtr* 1 (appoint) accréditer [*official, representative, journalist*]; 2 (approve) agréer [*institution, qualification, professional*]; 3 Pol accréditer [*ambassador*]; 4 (credit) attribuer [*quality, belief*] (**to** à); **to be ~ed with doing** se voir attribuer le mérite d'avoir fait
B **accredited** *pp adj* 1 gen, Journ [*journalist, representative*] accrédité; [*professional, institution*] agréé; 2 Agric, Vet **~ed herd** troupeau *m* officiellement indemne de tuberculose

accreditation /ə,kredɪ'teɪʃn/ *n* 1 (of official, representative, journalist) accréditation *f*; 2 (of institution, qualification, professional) agrément *m*

accretion /ə'kri:ʃn/ *n* 1 (process) (of substance) accumulation *f*; Jur (of wealth, inheritance) accroissement *m*; 2 (substance) (soot, dirt) accumulation *f*; Biol (plants) accroissement *m*; Geol (deposits, lava) accrétion *f*

accrual /ə'kru:əl/ *n* Fin accumulation *f*

accrue /ə'kru:/
A *vi* 1 Fin s'accumuler; **the interest accruing to my account** les intérêts qui s'accumulent sur mon compte; 2 gen [*advantages*] revenir (**to** à); [*power, influence*] s'accumuler (**to sb** entre les mains de qn)
B **accrued** *pp adj* [*interest, dividends, charges, expenses*] cumulé; [*wealth*] amassé

acculturate /ə'kʌltjʊəreɪt/ *vi* s'acculturer

acculturation /ə,kʌltjʊə'reɪʃn/ *n* acculturation *f*

accumulate /ə'kju:mjʊleɪt/
A *vtr* accumuler [*possessions*]; amasser [*money, wealth*]; rassembler [*evidence, information*]; accumuler [*debts, losses*]
B *vi* (all contexts) s'accumuler
C **accumulated** *pp adj* [*anger, tension, frustration*] accumulé

accumulation /ə,kju:mjʊ'leɪʃn/ *n* (quantity, process) (of wealth, objects, detail, problems, dirt) accumulation *f*; (of rubbish) entassement *m*

accumulative /ə'kju:mjʊlətɪv, US -leɪtɪv/ *adj* 1 [*effect, result*] cumulatif/-ive; 2 [*person, society*] porté sur l'accumulation des biens matériels; 3 Fin = **cumulative**

accumulator /ə'kju:mjʊleɪtə(r)/ *n* 1 Elec accumulateur *m*; 2 Sport (bet) pari *m* avec report; 3 Comput registre *m* accumulateur

accuracy /'ækjərəsɪ/ *n* (of figures, estimate, translation) justesse *f*; (of map, translator, aim) précision *f*; (of description, data, diagnosis, forecast) exactitude *f*; (of instrument, watch) justesse *f*

accurate /'ækjərət/ *adj* [*figures, estimate, translation*] juste; [*translator, reports, aim, map*] précis; [*description, information*] exact, juste; [*watch, instrument*] juste; [*diagnosis, forecast*] exact; [*assessment*] correct

accurately /'ækjərətlɪ/ *adv* [*calculate*] exactement; [*describe, report*] avec exactitude; [*estimate, remember, assess*] précisément; [*translate, measure*] avec précision

accursed /ə'kɜ:sɪd/ *adj* sout [*person, exam*] satané (*before n*)

accusal /ə'kju:zl/ *n* accusation *f*

accusation /,ækju:'zeɪʃn/ *n* accusation *f* (**of** de; **against** contre; **that** selon laquelle); **to make an ~** porter une accusation; **to reject/refute an ~** rejeter/refuter une accusation

accusative /ə'kju:zətɪv/ Ling
A *n* accusatif *m*
B *adj* [*case, ending*] de l'accusatif

accusatory /ə'kju:zətərɪ, US -tɔ:rɪ/ *adj* accusateur/-trice

accuse /ə'kju:z/ *vtr* gen, Jur accuser (**of** de; **of doing** de faire); **he ~d me of stealing his pen** il m'a accusé d'avoir volé son stylo; **to stand ~d of sth** être accusé de qch

accused /ə'kju:zd/ *n* Jur **the ~** (one) l'accusé/-e *m/f*; (several) les accusés/-es *mpl/fpl*

accuser /ə'kju:zə(r)/ *n* accusateur/-trice *m/f*

accusing /ə'kju:zɪŋ/ *adj* accusateur/-trice

accusingly /ə'kju:zɪŋlɪ/ *adv* [*say*] d'un ton accusateur; [*look, point*] de façon accusatrice

accustom /ə'kʌstəm/
A *vtr* **to ~ sb to sth/to doing** habituer qn à qch/à faire
B *v refl* **to ~ oneself to sth/to doing** s'habituer à qch/à faire

accustomed /ə'kʌstəmd/ *adj* 1 **to be ~ to sth/to doing** avoir l'habitude de qch/de faire; **to become ~ to sth/to doing** s'habituer à qch/à faire; 2 [*manner, greeting, route*] habituel/-elle

AC/DC
A *n* (*abrév* = **alternating current/direct current**) courant *m* alternatif/courant continu
B ○*adj* (bisexual) à voile et à vapeur○, bisexuel/-elle

ace /eɪs/
A *n* 1 (in cards) as *m*; 2 fig (trump) carte *f* maîtresse; 3 (in tennis) as *m*; 4 (expert) as *m*; **a flying ~** un as de l'aviation; **to be an ~ at doing sth**○ être un champion pour faire qch
B ○*adj* (great) super○; **an ~ driver/skier** un as du volant/du ski

(Idioms) **to have an ~ up one's sleeve** *ou* **in the hole** avoir un atout en réserve; **to hold all the ~s** avoir tout pouvoir; **to be within an ~ of sth** être à deux doigts de qch; **to play one's ~** jouer son atout

Ace bandage® *n* US ≈ bande *f* Velpeau®

acerbic /ə'sɜ:bɪk/ *adj* (all contexts) acerbe

acerbity /ə'sɜ:bətɪ/ *n* aigreur *f*

acetate /'æsɪteɪt/ *n* Chem, Tex acétate *m*

acetic acid /ə,si:tɪk 'æsɪd/ *n* acide *m* acétique

acetone /'æsɪtəʊn/ *n* acétone *f*

acetylene /ə'setɪli:n/ *n* acétylène *m*

acetylene: ~ **lamp** *n* lampe *f* à acétylène; ~ **torch**, ~ **burner** *n* chalumeau *m* à acétylène

acetylene welding *n* (process) soudage *m* à l'acétylène; (joint) soudure *f* à l'acétylène

ache /eɪk/
A *n* 1 (physical) douleur *f* (**in** à); **~s and pains** douleurs *fpl*; 2 (emotional) chagrin *m*
B *vi* 1 (physically) [*person*] avoir mal; [*limb, back*] faire mal; **to ~ all over** avoir mal partout; 2 littér (suffer emotionally) **to ~ with** mourir de [*humiliation, despair*]; **my heart ~s for the refugees** j'ai le cœur qui se serre à la pensée des réfugiés; 3 (yearn) brûler (**to do** de faire; **with** de)

(Idiom) **to laugh till one's sides ~** rire à se tenir les côtes

achieve /ə'tʃi:v/
A *vtr* 1 (reach) atteindre [*aim, objective*]; atteindre à [*perfection*]; arriver à [*consensus, balance*]; 2 (obtain) obtenir [*success, result*]; remporter [*victory*]; réaliser [*ambition*]; **to ~ something in life** faire quelque chose de sa vie; **to ~ nothing** ne rien accomplir
B *vi* réussir

achievement /ə'tʃi:vmənt/ *n* 1 **C** (accomplishment) réussite *f* (**in sth** dans le domaine de qch); **her many ~s** ses nombreuses réussites; 2 ₵ (performance) succès *mpl*; **to recognize sb for his/her ~** reconnaître les succès de qn; 3 ₵ (realisation) **the ~ of** la réalisation de [*ambition, goal*]; **a sense of ~** un sentiment de satisfaction; **what is necessary for the ~ of peace** ce qui est nécessaire pour arriver à un accord de paix

achiever /ə'tʃi:və(r)/ *n* (*also* **high ~**) personne *f* qui réussit

Achilles /ə'kɪli:z/ *pr n* Achille

Achilles: ~ **heel** *n* talon *m* d'Achille, point *m* faible; ~ **tendon** *n* Anat tendon *m* d'Achille

aching /'eɪkɪŋ/ *adj* 1 (physically) [*limb*] qui fait mal (*after n*); 2 littér [*heart*] déchiré; [*beauty, emotion*] poignant; **an ~ void** un grand vide

achromatic /,ækrəʊ'mætɪk/ *adj* achromatique

acid /'æsɪd/
A *n* 1 Chem acide *m*; 2 ○(drug) acide○ *m*
B *modif* ~ **content** teneur *f* en acide; ~ **level** taux *m* d'acidité
C *adj* 1 (sour) [*taste, rock, soil*] acide; 2 fig [*tone*] aigre; [*remark*] caustique

acid: ~ **drop** *n* bonbon *m* acidulé; ~ **green** *n*, *adj* vert (*m*) fluo○; ~ **head**◑ *n* camé/-e◑ *m/f* (*au LSD*); ~ **house party** *n* GB grande boum *f* (*dans un entrepôt*)

acidic /ə'sɪdɪk/ *adj* acide

acidification /ə,sɪdɪfɪ'keɪʃn/ *n* acidification *f*

acidify /ə'sɪdɪfaɪ/
A *vtr* acidifier
B *vi* s'acidifier

acidity /ə'sɪdətɪ/ *n* 1 Chem acidité *f*; 2 fig (of tone, remark) causticité *f*

acidity regulator *n* Chem correcteur *m* d'acidité

acid: ~ **radical** *n* Chem radical *m* acide; ~ **rain** *n* ₵ pluies *fpl* acides; ~ **rock** *n* ≈ rock *m* psychédélique; ~ **stomach** *n* Med acidité *f* gastrique; ~ **test** *n* fig épreuve *f* de vérité (**of** de; **for** pour)

acidulous /ə'sɪdjʊləs, US -dʒʊl-/, **acidulent** /ə'sɪdjʊlənt, US -dʒʊl-/ *adj* acidulé

ack-ack /,æk'æk/ *n* 1 (weapons) artillerie *f* antiaérienne; 2 (weaponfire) barrage *m* antiaérien

acknowledge /ək'nɒlɪdʒ/
A *vtr* 1 (admit) admettre [*fact*]; reconnaître [*error*]; **to ~ that** admettre que; **to ~ to oneself** reconnaître en son for intérieur (**that** que); 2 (recognize) reconnaître [*ability, problem, authority, claim*]; **to be ~d as** *ou* **to be an excellent lawyer/doctor** être connu comme un excellent avocat/médecin; **to ~ sb as leader** reconnaître qn pour chef; **this opera is ~d as** *ou* **to be one of his greatest works** tout le monde s'accorde à reconnaître que cet opéra est une de ses plus grandes œuvres; 3 (express thanks for) remercier [qn] de [*gift, help*]; répondre à [*applause*]; **to ~ one's**

sources (in book) citer ses sources; 4 (confirm receipt of) accuser réception de [*letter, parcel*]; 5 (show recognition of) montrer qu'on a vu [qn]; **he ~d them with a wave** il leur fit un signe de la main; **she didn't even ~ me** *ou* **my presence** elle a fait semblant de ne pas me voir

B acknowledged *pp adj* [*leader, champion, expert*] incontesté; [*writer, artist*] renommé, reconnu

acknowledgement /əkˈnɒlɪdʒmənt/

A *n* 1 (admission) (of fact, problem, authority, claim) reconnaissance *f* (**of** de; **that** que); (of error, guilt) aveu *m* (**of** de; **that** que); **in ~ that** reconnaissant que; **in ~ of sth** en reconnaissance de qch; 2 (confirmation of receipt) accusé *m* de réception; 3 (recognition of presence) signe *m* de reconnaissance

B acknowledgements *npl* (in book etc) remerciements *mpl*

acme /ˈækmɪ/ *n* **the ~ of** le summum de

acne /ˈæknɪ/ ▸ p. 1327 *n* acné *f*

acolyte /ˈækəlaɪt/ *n* Relig, fig acolyte *m*

aconite /ˈækənaɪt/ *n* aconit *m*

acorn /ˈeɪkɔːn/ *n* gland *m*

acoustic /əˈkuːstɪk/

A *n* = **acoustics 2**

B *adj* 1 gen [*effect, problem, instrument*] acoustique; [*tile, material*] insonorisant; 2 Mil [*detonator*] acoustique

acoustically /əˈkuːstɪklɪ/ *adv* acoustiquement

acoustic: **~ coupler** *n* Comput coupleur *m* acoustique; **~ guitar** ▸ p. 1462 *n* guitare *f* sèche; **~ hood** *n* Comput capot *m* d'insonorisation; **~ phonetics** *n* (+ *v sg*) phonétique *f* acoustique

acoustics /əˈkuːstɪks/ *n* 1 (science) (+ *v sg*) acoustique *f*; 2 (properties) (+ *v pl*) acoustique *f*

ACP States *npl* EU (*abrév* = **African, Caribbean and Pacific States**) États *mpl* ACP

ACPO *n* GB (*abrév* = **Association of Chief Police Officers**) association *f* des officiers supérieurs de la police

acquaint /əˈkweɪnt/

A *vtr* **to ~ sb with sth** mettre qn au courant de qch; **to be ~ed** se connaître; **to get** *ou* **become ~ed with sb** faire la connaissance de qn; **to get** *ou* **become ~ed with sth** découvrir qch

B *v refl* **to ~ oneself with sth** se renseigner sur qch

acquaintance /əˈkweɪntəns/ *n* 1 (friend) connaissance *f*; **an ~ of mine** une de mes connaissances; **a French ~** un ami français/une amie française *m/f*; 2 (knowledge) connaissance *f* (**with** de); **to improve on ~** gagner à être connu; **to have a nodding** *ou* **passing ~ with sb/sth** connaître qn/qch vaguement; 3 (relationship) relations *fpl*, rapports *mpl*; **to make sb's ~** faire la connaissance de qn; **to renew ~ with sb** renouer avec une connaissance; **to strike up an ~ with sb** nouer des relations avec qn; **on closer** *ou* **further ~** tout compte fait

acquiesce /ˌækwɪˈes/ *vi* 1 (concede, accept) acquiescer; 2 (collude) **to ~ in sth** ne pas s'opposer à qch

acquiescence /ˌækwɪˈesns/ *n* 1 (agreement) accord *m*; 2 (collusion) **~ in sth** connivence *f* avec qch

acquiescent /ˌækwɪˈesnt/ *adj* 1 (in agreement) d'accord; 2 (unassertive) soumis

acquire /əˈkwaɪə(r)/ *vtr* acquérir [*skill, knowledge, experience*]; obtenir [*information*]; faire l'acquisition de [*house, painting etc*]; prendre [*meaning, nuance*]; acheter [*company, shares*]; contracter [*habit*]; iron se pourvoir de [*husband, lover*]; **to ~ a taste for sth** prendre goût à qch

acquired /əˈkwaɪəd/ *adj* [*characteristic, knowledge*] acquis; **it's an ~ taste** c'est quelque chose qu'il faut apprendre à aimer

acquis /əˈkiː/ *n* (*also* **~ communautaire**) EU acquis *f* communautaire

acquisition /ˌækwɪˈzɪʃn/ *n* 1 gen (object bought) acquisition *f*; 2 Fin (company) achat *m*; 3 (process) acquisition *f*

acquisitive /əˈkwɪzətɪv/ *adj* 1 [*person, society*] attaché aux biens de consommation; 2 Fin [*company, conglomerate*] qui a une politique agressive de rachat

acquisitiveness /əˈkwɪzətɪvnɪs/ *n* soif *f* de possession

acquit /əˈkwɪt/ (*p prés etc* **-tt-**)

A *vtr* Jur acquitter; **to ~ sb of (doing) sth** acquitter qn accusé d'avoir fait qch; **to be ~ted of murder** *ou* **of murdering sb** être disculpé de l'accusation de meurtre de qn

B *v refl* **to ~ oneself well/badly in** s'en tirer○ bien/mal à [*interview, examination*]; **she ~ted herself well in the competition** le concours s'est bien passé pour elle

acquittal /əˈkwɪtl/ *n* Jur acquittement *m*

acre /ˈeɪkə(r)/ ▸ p. 1765

A *n* Meas acre *f*, ≈ demi-hectare *m*

B acres *npl* **~s of** des hectares *mpl* de [*woodland, grazing*]; **~s (and ~s) of room**○ énormément d'espace

acreage /ˈeɪkərɪdʒ/ *n* Meas superficie *f*

acrid /ˈækrɪd/ *adj* 1 [*fumes, smell*] âcre; 2 [*remark, tone*] caustique

acrimonious /ˌækrɪˈməʊnɪəs/ *adj* [*tone*] hargneux/-euse; [*argument, debate, divorce, dispute*] acrimonieux/-ieuse

acrimony /ˈækrɪmənɪ, US -məʊnɪ/ *n* acrimonie *f*

acrobat /ˈækrəbæt/ ▸ p. 1683 *n* acrobate *mf*

acrobatic /ˌækrəˈbætɪk/ *adj* [*person, feat*] acrobatique; [*skill*] d'acrobate

acrobatics /ˌækrəˈbætɪks/ *n* 1 (art) (+ *v sg*) acrobatie *f*; 2 (movements) (+ *v pl*) acrobaties *fpl*

acronym /ˈækrənɪm/ *n* acronyme *m*

Acropolis /əˈkrɒpəlɪs/ *pr n* Acropole *f*

across /əˈkrɒs/

> ⚠ *Across* frequently occurs as the second element in certain verb combinations (*come across, run across, lean across etc*). For translations, look at the appropriate verb entry (**come, run, lean** etc)

A *prep* 1 (from one side to the other) **to go** *ou* **travel ~ sth** traverser qch; **to run/hurry ~ the room** traverser la pièce en courant/en vitesse; **to travel ~ country/town** traverser la campagne/la ville; **a journey ~ the desert** un voyage à travers le désert; **the bridge ~ the river** le pont qui traverse la rivière; **to be lying ~ the bed** être couché en travers du lit; **the line ~ the page** la ligne en travers de la page; **~ the years** à travers les années; **she leaned ~ the table** elle s'est penchée au-dessus de la table; **the scar ~ his face** la cicatrice sur sa figure; **his hair fell ~ his face** ses cheveux lui tombaient dans la figure; **he wiped his hand ~ his mouth** il a passé la main sur sa bouche; **the light flickered ~ the carpet** la lumière dansait sur la moquette; **the plane flew ~ the sky** l'avion a traversé le ciel; 2 (to, on the other side of) de l'autre côté de; **he lives ~ the street/square** il habite de l'autre côté de la rue/place; **he sat down ~ the desk/room (from me)** il s'est assis de l'autre côté du bureau/de la pièce; **the shops ~ town** les magasins de l'autre bout de la ville; **he looked ~ the lake to the boathouse** il a regardé le hangar de l'autre côté du lac; **she shouted ~ the room to them** elle leur a crié quelque chose depuis l'autre côté de la pièce; 3 (all over, covering a wide range of) **~ the world** partout dans le monde, à travers le monde; **~ the country/region** dans tout le pays/toute la région; **there is anger right ~ the industry** il y a des signes de colère dans tout le secteur; **scattered ~ the floor/the square** éparpillés sur le sol/la place; **cultural links ~ borders** fig les liens culturels au-delà des frontières

B *adv* 1 (from one side to the other) **the lake is two miles ~** le lac fait deux miles de large; **to help sb ~** aider qn à traverser; 2 (on, to the other side) **to go ~ to sb** aller vers qn; **to look ~ at sb** regarder vers qn; **he called ~ to her** il l'a appelée

C across from *prep phr* en face de

across-the-board

A *adj* 1 (affecting all levels) [*increase, cut*] général; 2 US Turf **to put on an ~ bet** jouer gagnant et placé

B across the board *adv* (affecting all levels) à tous les niveaux

acrostic /əˈkrɒstɪk/ *n* acrostiche *m*

acrylic /əˈkrɪlɪk/

A *n* 1 Tex acrylique *m*; 2 Art (*also* **~ paint**) acrylique *m*

B *modif* [*garment*] en acrylique

act /ækt/

A *n* 1 (action, deed) acte *m*; **to be in the ~ of doing** être en train de faire; **an ~ of cruelty/kindness** un acte de cruauté/bonté; **it was the ~ of a madman** il fallait être fou pour faire ça; 2 Jur, Pol (law) (*also* **Act**) loi *f*; **Act of Parliament/Congress** loi votée par le Parlement/le Congrès; 3 Theat acte *m*; **a play in five ~s** une pièce en cinq actes; 4 (entertainment routine) numéro *m*; **song and dance ~** numéro *m* de chant et de danse; **to put on an ~** fig péj jouer la comédie; **it's all an ~** c'est de la frime○ *or* du cinéma○; **to get in on the ~** s'y mettre; **their company started the trend and now all their rivals want to get in on the ~** c'est leur entreprise qui a lancé la mode et maintenant tous leurs concurrents veulent s'y mettre aussi

B *vtr* Theat jouer [*part, role*]; **he ~ed (the part of) the perfect host** fig il s'est comporté en hôte irréprochable

C *vi* 1 (take action) agir; **we must ~ quickly** il nous faut agir rapidement; **she still believes she was ~ing for the best** elle persiste à penser qu'elle a fait pour le mieux; **they only ~ed out of fear** c'est la peur qui les a fait agir; **to ~ for sb, to ~ on behalf of sb** agir au nom de *or* pour le compte de qn; 2 (behave) agir, se comporter; **to ~ aggressively towards sb** se comporter *or* agir de manière agressive envers qn; 3 Theat jouer, faire du théâtre; fig (pretend) jouer la comédie, faire semblant; **she can't ~!** Theat elle joue mal!, c'est une mauvaise actrice!; 4 (take effect) [*drug, substance*] agir; 5 (serve) **to ~ as** [*person, object*] servir de; **he ~ed as their interpreter** il leur a servi d'interprète

(Idioms) **to be caught in the ~** être pris sur le fait *or* en flagrant délit; **to get one's ~ together** se prendre en main; **it will be a hard ~ to follow** ça sera difficile à égaler

(Phrasal verbs) ■ **act on** agir conformément à [*information*]; tenir compte de [*warning*]; suivre [*advice*]

■ **act out** jouer [*role, part*]; représenter, reconstituer [*event*]; réaliser [*fantasy*]; Psych extérioriser, exprimer [*impulse, feeling*]

■ **act up**○ (misbehave) [*person*] se tenir mal; (malfunction) [*machine*] déconner◑, être détraqué

ACT *n* (*abrév* = **American College Test**) US *examen d'admission à l'université*

> **ACT**
>
> Examen dans quatre disciplines fondamentales (*English, Mathematics, Reading, Science reasoning*) que les élèves américains passent à la fin de leurs études secondaires. Il est reconnu par la plupart des universités, qui en tiennent compte dans leurs critères d'admission. ▸ College

acting /ˈæktɪŋ/

A *n* Cin, Theat (performance) jeu *m*, interprétation *f*; (occupation) métier *m* d'acteur; **have you done**

any ~? est-ce que vous avez fait du théâtre?

B *modif* Cin, Theat [*style*] de jeu; [*talent, skill*] d'acteur

C *adj* [*director, inspector etc*] intérimaire

acting profession *n* **1** (occupation) Theat théâtre *m*; Cin cinéma *m*; **2** (actors collectively) acteurs *mpl*, comédiens *mpl*

actinic /æk'tɪnɪk/ *adj* actinique

actinium /æk'tɪnɪəm/ *n* actinium *m*

action /'ækʃn/ *n* **1** ₵ gen action *f*; (to deal with situation) mesures *fpl*; **freedom of** ~ liberté *f* d'action; **to take** ~ agir, prendre des mesures (**against** contre); **to take** ~ **to do** prendre des mesures pour faire; **drastic** ~ des mesures draconiennes; **the situation demands immediate** ~ la situation exige des mesures immédiates; **a man of** ~ un homme d'action; **day of** ~ journée *f* d'action; **to push** *ou* **drive sb into** ~ pousser qn à agir; **to put a plan/an idea into** ~ mettre un projet/une idée à exécution; **to get into** ~ entrer en action; **to put sth out of** ~ mettre qch en panne; **his accident put him out of** ~ **for three months** son accident l'a mis complètement à plat○ pendant trois mois; **to be out of** ~ [*machine*] être en panne; [*person*] être inactif/-ive; **you should see her in** ~**!** gen il faut la voir en pleine action!; iron il faut la voir à l'œuvre!; **to be back in** ~ être de retour; **for** ~ **please** (on memo) pour exécution; **2** (deed) acte *m*; **to judge sb by their** ~**s** juger qn à ses actes; **he defended his** ~ **in sacking them** il a défendu ce qu'il avait fait en les licenciant; ~**s speak louder than words** mieux vaut agir que parler; **3** (fighting) action *f*, combat *m*; **to see (some)** ~ combattre; **to go into** ~ aller au combat *or* au feu; **to be killed in** ~ être tué au combat; **killed by enemy** ~ tué par l'ennemi; **4** Cin, Theat action *f*; **the** ~ **takes place in Beirut** l'action se passe à Beyrouth; ~**!** moteur!; **5** ○(excitement) **to be at the centre of the** ~ être au centre de l'action; **I don't want to miss out on the** ~ je ne veux pas rater ce qui se passe; **that's where the** ~ **is** c'est là où ça bouge○; **they want a piece of the** ~ (want to be involved) ils ne veulent pas être en reste; (want some of the profits) ils veulent leur part du gâteau○; **6** Jur action *f*, procès *m*; **to bring an** ~ **against sb** intenter une action contre qn; **libel** ~ procès en diffamation; **7** (movement) (of body) mouvement *m*; **wrist** ~ mouvement *m* du poignet; **8** Tech (in machine, piano) mécanisme *m*; **9** Chem action *f*

(Idiom) ~ **stations!** Mil, fig à vos postes!

actionable /'ækʃənəbl/ *adj* [*remark, offence*] passible de poursuites

action: ~ **committee** *n* comité *m* d'action; ~ **film** *n* film *m* d'action; ~ **group** *n* groupe *m* de pression; **Action on Smoking and Health** *n* GB *groupe de pression anti-tabac*; ~**-packed** *adj* [*film*] plein d'action; [*weekend, holiday*] bien rempli; ~ **painting** *n* peinture *f* gestuelle

action replay *n* GB TV répétition *f* d'une séquence; **to show an** ~ **of a goal** repasser un but au ralenti

action shot *n* Phot instantané *m*

activate /'æktɪveɪt/ *vtr* **1** gen, Tech faire démarrer [*machine, system*]; actionner [*button, switch*]; déclencher [*alarm, procedure*]; stimuler [*brain, memory*]; **2** Nucl rendre [qch] radioactif; **3** US Mil mettre [qch] sur pied [*unit*]; **4** Chem activer

activated carbon *n* Chem charbon *m* activé

activation /,æktɪ'veɪʃn/ *n* **1** gen (of machine, system) démarrage *m*; (of alarm, procedure) déclenchement *m*; (of brain, memory) stimulation *f*; **2** Nucl, Chem activation *f*; **3** US Mil mise *f* sur pied

activator /'æktɪveɪtə(r)/ *n* Chem activateur *m*

active /'æktɪv/ *adj* **1** gen [*person, life, mind, member, resistance*] actif/-ive; [*campaign*] énergique; [*debate*] animé; [*volcano*] en activité; **to be** ~ **in** être un membre actif de [*party, organization*]; **to be** ~ **in doing** s'employer (activement) à faire; **to play an** ~ **role** *ou* **part in sth** jouer un rôle actif dans qch; **to take an** ~ **interest in sth** s'intéresser activement à qch; **2** Mil [*unit*] actif/-ive; **3** Ling [*voice, verb*] actif/-ive; **4** Fin [*trading, dealing*] actif/-ive; **5** Comput [*file, window*] actif/-ive; **6** Jur [*law*] en vigueur

active: ~ **citizen** *n* GB *personne prenant une part active à la prévention criminelle*; ~ **duty**, ~ **service** *n* Mil service *m* actif; ~ **ingredient** *n* principe *m* actif

active list *n* Mil (liste *f* de) cadres *mpl* d'active; **to be on the** ~ être cadre d'active

actively /'æktɪvlɪ/ *adv* activement; **to be** ~ **considering doing** penser sérieusement à faire

active vocabulary *n* vocabulaire *m* actif

activism /'æktɪvɪzəm/ *n* activisme *m*

activist /'æktɪvɪst/ *n* activiste *mf*

activity /æk'tɪvətɪ/ *n* (all contexts) activité *f*; **business activities** activités *fpl* professionnelles; **brain** ~ activité *f* cérébrale

activity holiday *n* GB ≈ vacances *fpl* sportives

act: ~ **of contrition** *n* acte *m* de contrition; ~ **of faith** *n* acte *m* de foi; ~ **of God** *n* désastre *m* naturel; ~ **of war** *n* acte *m* de guerre

actor /'æktə(r)/ *n* acteur *m*, comédien *m*

Actors' Studio *pr n* Actors' Studio *m*

> **Actors' Studio**
>
> École d'art dramatique fondée à New York en 1947. Sa vocation spécifique est de former l'acteur pour qu'il devienne un créateur à part entière. Les élèves, admis après plusieurs auditions, en restent membres à vie. En sont sortis notamment Robert De Niro, Marlon Brando, Marilyn Monroe.

actress /'æktrɪs/ *n* actrice *f*, comédienne *f*

Acts of the Apostles *npl* Actes *mpl* des Apôtres

ACTT *n* GB (*abrév* = **Association of Cinematographic, Television and Allied Technicians**) syndicat *m* des techniciens de l'audiovisuel

actual /'æktʃʊəl/ *adj* **1** (real, specific) réel/réelle; **I don't remember the** ~ **words/figures** je ne me rappelle pas les mots/chiffres exacts; **in** ~ **fact** en fait; **it has nothing to do with the** ~ **problem/work** cela n'a rien à voir avec le problème/travail lui-même; **2** (genuine) même (*after n*); **this is the** ~ **room that Shakespeare worked in** voici la pièce même où Shakespeare travaillait; **3** (as such) à proprement parler; **he didn't give me an** ~ **cheque but...** il ne m'a pas donné un chèque à proprement parler mais...

actuality /,æktʃʊ'ælətɪ/ *n* réalité *f*

actualize /'æktʃʊəlaɪz/ *vtr* **1** (make real) réaliser; **2** (represent realistically) actualiser

actually /'æktʃʊəlɪ/ *adv* **1** (contrary to expectation) en fait; **their profits have** ~ **risen** en fait, leurs bénéfices ont augmenté; **he's** ~ **a very good driver** en fait, il est bon conducteur; **2** (in reality) vraiment; **yes, it** ~ **happened!** mais oui, c'est vraiment arrivé!; **they didn't** ~ **complain** ils ne se sont pas vraiment plaints; **3** (as sentence adv) en fait; ~, **I'm not at all surprised** en fait, cela ne me surprend pas du tout; **no, she's a doctor,** ~ non, en fait, elle est médecin; ~, **I don't feel like it** à vrai dire je n'en ai pas envie; **4** (exactly) exactement; **what** ~ **happened?** qu'est-ce qui s'est passé exactement?; **what time did they** ~ **leave?** à quelle heure sont-ils partis exactement?; **5** (expressing indignation) carrément; **she** ~ **accused me of lying!** elle m'a carrément accusé de mentir!; **6** (expressing surprise) **she** ~ **thanked me** elle est allée jusqu'à me remercier

actuarial /,æktʃʊ'eərɪəl/ *adj* [*calculation*] actuariel/-ielle; [*training*] d'actuaire

actuary /'æktʃʊərɪ, US -tʃʊerɪ/ ▸ **p. 1683** *n* Fin actuaire *mf*

actuate /'æktʃʊeɪt/ *vtr* **1** Tech mettre [qch] en marche [*machine, system, device*]; déclencher [*alarm*]; **2** (motivate) pousser

acuity /ə'kju:ətɪ/ *n* sout acuité *f*

acumen /'ækjʊmən, ə'kju:mən/ *n* sagacité *f*; **business** ~ sens *m* des affaires

acupressure /'ækjʊpreʃə(r)/ *n* digipuncture *f*

acupuncture /'ækjʊpʌŋktʃə(r)/ *n* acupuncture *f*

acupuncturist /'ækjʊpʌŋkʃərɪst/ ▸ **p. 1683** *n* acupuncteur/-trice *m/f*

acute /ə'kju:t/ *adj* **1** (intense) [*anxiety, grief*] vif/vive; [*boredom, remorse*] profond; **to cause sb** ~ **embarrassment** beaucoup embarrasser qn; **2** Med [*condition, illness, symptom*] aigu/aiguë; ~ **patient** urgence *f*; ~ **care** soins *mpl* d'urgence; ~ **hospital** hôpital *m* spécialisé dans les soins d'urgence; **3** (grave) [*crisis, shortage, situation*] grave; **4** (keen) [*person, mind*] pénétrant; [*intelligence*] aigu/aiguë; **to have** ~ **eyesight/hearing** avoir la vue/l'oreille fine; **to have an** ~ **sense of smell** avoir l'odorat fin

acute: ~ **accent** *n* Ling accent *m* aigu; ~ **angle** *n* Math angle *m* aigu; ~**-angled** *adj* Math acutangle

acutely /ə'kju:tlɪ/ *adv* **1** (intensely) [*suffer*] vivement; [*embarrassed, sensitive*] excessivement; **I am** ~ **aware of these problems** je suis extrêmement conscient de ces problèmes; **here the need for more funding is felt most** ~ ici le besoin de crédits se fait sentir de façon très aiguë; **2** (shrewdly) [*observe*] avec perspicacité

acuteness /ə'kju:tnɪs/ *n* **1** (sharpness) (of mind, judgment) finesse *f*; **2** (of pain) intensité *f*; **3** Med (of disease, condition) gravité *f*; **4** (seriousness) (of shortage, crisis) gravité *f*

acute respiratory disease, **ARD** ▸ **p. 1327** *n* maladie *f* aiguë de l'appareil respiratoire

ad /æd/ *n* (*abrév* = **advertisement**) **1** Journ (*also* **small** ~) petite annonce *f* (**for** pour); **2** Radio, TV pub○ *f* (**for** pour)

AD (*abrév* = **Anno Domini**) ap J.-C

A/D *adj* (*abrév* = **analogue-digital**) analogique-numérique

adage /'ædɪdʒ/ *n* adage *m* (**that** selon lequel)

adagio /ə'dɑ:dʒɪəʊ/

A *n* adagio *m*

B *modif* ~ **passage** adagio *m*

C *adv* adagio

Adam /'ædəm/ *pr n* Adam

(Idiom) **I don't know him from** ~ je ne le connais ni d'Ève ni d'Adam

adamant /'ædəmənt/ *adj* catégorique (**about** sur); **to be** ~ **that** (regarding past events) être catégorique sur le fait que; (regarding future events) insister sur le fait que; **to remain** ~ rester inébranlable

adamantly /'ædəməntlɪ/ *adv* [*opposed*] catégoriquement; [*say, oppose*] de façon catégorique

Adam's apple *n* pomme *f* d'Adam

adapt /ə'dæpt/

A *vtr* adapter (**to** à; **for** pour; **from** de)

B *vi* s'adapter (**to** à)

C *v refl* **to** ~ **oneself** s'adapter (**to** à)

adaptability /ə,dæptə'bɪlətɪ/ *n* **1** (of person) (flexibility) faculté *f* d'adaptation; (ability to change) adaptabilité *f* (**to** à); **2** (of book, film) adaptabilité *f* (**to** pour); (of machine, system, vehicle) adaptabilité *f* (**to** à)

adaptable /ə'dæptəbl/ *adj* [*person, organization*] capable de s'adapter; **to be** ~ **for** [*book,* *play]* pouvoir être adapté pour *[cinema, TV]*; **to be ~ to sth** *[system, machine]* pouvoir être adapté à qch

adaptation /ˌædæpˈteɪʃn/ *n* (all contexts) adaptation *f*

adapter, adaptor /əˈdæptə(r)/ *n* **1** Elec, Mech adaptateur *m*; **2** (person) adaptateur/-trice *m/f*

adapter ring, adapter tube *n* Phot bague *f* d'adaptation

ADC *n* (*abrév* = **analogue-digital converter**) convertisseur *m* analogique-numérique

add /æd/ *vtr* **1** gen ajouter, rajouter **(onto, to** à); **to ~ that** ajouter que; **I've nothing to ~** je n'ai rien à ajouter; **2** Math (*also* **~ together**) additionner; **to ~ sth to** ajouter qch à *[figure, total]*; **~ the two figures (together)** additionner les deux chiffres

(Phrasal verbs) ■ **add in:** ▸ **~ [sth] in, ~ in [sth]** ajouter

■ **add on:** ▸ **~ [sth] on, ~ on [sth]** ajouter; **to ~ on an extra room** agrandir une maison en ajoutant une pièce

■ **add to:** ▸ **~ to [sth]** ajouter à *[problems, costs, income]*; accentuer *[irritation, tension, confusion]*; agrandir *[house, total]*

■ **add up:** ▸ **~ up** *[facts, figures]* s'accorder; **it doesn't ~ up** fig cela ne tient pas debout○; **it all ~s up!** lit (accumulate) tout cela s'additionne; fig (make sense) je comprends tout maintenant!; **to ~ up to** lit *[total]* s'élever à *[amount, number]*; *[factors]* contribuer à *[success, disaster, result]*; **his achievements ~ up to very little** il n'a pas accompli grand-chose; ▸ **~ up [sth], ~ [sth] up** additionner *[cost, numbers, totals]*

added /ˈædɪd/ *adj* supplémentaire; **~ to which...** ajoutez à cela que...

addendum /əˈdendəm/ *n* (*pl* **-da**) addenda *m inv* **(to** à)

adder /ˈædə(r)/ *n* **1** (snake) vipère *f*; **2** Comput additionneur *m*

addict /ˈædɪkt/ *n* **1** (drug-user) toxicomane *mf*; **coffee ~** accro○ *mf* du café; **2** fig (enthusiast) fana○ *mf*, accro○ *mf*; **telly ~**○ accro○ *mf* de la télé○

addicted /əˈdɪktɪd/ *adj* **to be/become ~** lit avoir/former une dépendance **(to** à); fig être/devenir fanatique *or* accro○ **(to** de)

addiction /əˈdɪkʃn/ *n* **1** lit (to alcohol, drugs) dépendance *f* **(to** à); **drug ~** toxicodépendance *f*; **tobacco ~** tabagisme *m*; **2** fig (to music, chocolate) passion *f* **(to** pour)

addictive /əˈdɪktɪv/ *adj* **1** lit *[drug, substance]* qui crée une dépendance; **tobacco is ~** le tabac crée une dépendance; **2** fig **to be ~** *[chocolate, power]* être comme une drogue

add-in /ˈædɪn/ *n* Comput logiciel *m* complémentaire

adding machine *n* machine *f* à calculer

addition /əˈdɪʃn/

A *n* **1** (person or thing added) (to text, list, house) ajout *m*; (to team, range) adjonction *f*; (to corporation, company) acquisition *f*; **the latest ~ to the family** le dernier-né/la dernière-née *m/f* de la famille; **2** ¢ (process of adding) gen adjonction *f* **(of** de); Math addition *f*

B **in addition** *adv phr* en plus

C **in addition to** *prep phr* en plus de

additional /əˈdɪʃənl/ *adj* supplémentaire; **~ charge** supplément *m*

additionality /əˌdɪʃəˈnælətɪ/ *n* EU complémentarité *f*

additionally /əˈdɪʃənəlɪ/ *adv* (moreover) en outre; (also) en plus; **~, there was a risk of fire** en outre, il y avait un risque d'incendie; **we ~ offer private tuition** et en plus nous offrons des cours particuliers

additive /ˈædɪtɪv/ *n* additif *m*

addled /ˈædld/ *adj* lit *[egg]* pourri; fig *[brain]* confus

addle-headed○ /ˌædlˈhedɪd/ *adj* abruti○

add-on /ˈædɒn/

A *n* option *f*

B *adj* supplémentaire

address /əˈdres, US ˈædres/

A *n* **1** (place of residence) adresse *f*; **to change (one's) ~** changer d'adresse; **2** (speech) discours *m* **(to** à); **to give** *ou* **deliver an ~** faire un discours; **3** (as etiquette) **form of ~ (for sb)** formule *f* pour s'adresser à qn; **4** Comput adresse *f*

B *vtr* **1** (write address on) mettre l'adresse sur *[parcel, letter]*; **to ~ sth to sb** adresser qch à qn; **to be wrongly ~ed** avoir un libellé incorrect; **2** (speak to) s'adresser à *[group, person]*; **Mr X will now ~ the meeting** maintenant M. X va prendre la parole; **3** (aim) adresser *[remark, complaint]* **(to** à); **4** (tackle) aborder *[question, issue]*; s'occuper de *[problem, needs]*; **5** (use title of) **to ~ sb as sth** appeler qn par son titre de qch; **6** (in golf) s'apprêter à frapper *[ball]*

C *v refl* **to ~ oneself to sth** aborder *[question, issue]*; s'occuper de *[problem, needs]*; se mettre à *[task, job]*

address book *n* carnet *m* d'adresses

addressee /ˌædreˈsiː/ *n* destinataire *mf*

addressing /əˈdresɪŋ, US ˈædresɪŋ/ *n* Comput adressage *m*

Addressograph® /əˈdresəʊgrɑːf, US -græf/ *n* adressographe *m*

adduce /əˈdjuːs, US əˈduːs/ *vtr* sout fournir *[evidence]*; invoquer *[reason]*; citer *[fact]*

adductor /əˈdʌktə(r)/ *n* Anat (muscle *m*) adducteur *m*

Adelaide /ˈædəleɪd/ ▸ p. 1815 *pr n* Adélaïde

adenoidal /ˌædɪˈnɔɪdl, US -dən-/ *adj* nasillard

adenoids /ˈædɪnɔɪdz, US -dən-/ *npl* végétations *fpl* (adénoïdes)

adenoma /ˌædɪˈnəʊmə/ *n* Med adénome *m*

adept

A /ˈædept/ *n* expert/-e *m/f*

B /əˈdept/ *adj [cook, gardener]* expert; **to be ~ at sth/at doing** être expert en qch/en l'art de faire

adequacy /ˈædɪkwəsɪ/ *n* **1** (of sum) caractère *m* adéquat; **2** (of description, explanation, theory) adéquation *f*; **3** (of person) (for job, task) compétence *f*

adequate /ˈædɪkwət/ *adj* **1** *[funds, supply, staff, insurance, parking]* suffisant **(for** pour; **to do** pour faire); **2** *[punishment, care, arrangements]* satisfaisant; **3** *[description, explanation, performance]* correct; **an ~ range of options** une gamme de possibilités correcte; **4** **to be ~** *[person]* être à la hauteur **(to** de)

adequately /ˈædɪkwətlɪ/ *adv* **1** *[pay, compensate]* convenablement; *[insure]* suffisamment; **2** *[prepared, equipped, educated]* suffisamment; **this ~ meets our needs** cela nous suffit largement; **3** *[describe, explain]* convenablement; *[perform]* correctement

ADHD *n* (*abrév* = **attention deficit hyperactivity disorder**) THADA *m*, trouble *m* d'hyperactivité avec déficit de l'attention

adhere /ədˈhɪə(r)/ *vi* **1** lit coller, adhérer **(to** à); **2** fig **to ~ to** adhérer à *[belief, ideology]*; observer *[rule, policy, plan, commitment]*; respecter, observer *[standards, deadlines]*; être d'accord avec *[opinion]*

adherence /ədˈhɪərəns/ *n* (to belief, ideology) adhésion *f* **(to** à); (to rule, plan, method, policy) observation *f* **(to** de); (to deadline, commitment) respect *m* **(to** de)

adherent /ədˈhɪərənt/ *n* (of party) membre *mf*; (of cult, religion) disciple *mf*; (of doctrine) adhérent/-e *m/f*; (of plan, policy) tenant/-e *m/f*

adhesion /ədˈhiːʒn/ *n* **1** lit, Med adhérence *f*; **2** fig (to belief, religion) adhésion *f* **(to** à)

adhesive /ədˈhiːsɪv/

A *n* colle *f*, adhésif *m*

B *adj* gen collant; *[stamp]* gommé; **~ tape** papier *m* collant, Scotch® *m*; **self-~** auto-collant

ad hoc /ˌæd ˈhɒk/

A *adj [arrangement, plan]* improvisé; *[alliance, group]* temporaire; *[speech]* de circonstance *inv (after n)*; *[committee, decision, legislation]* ad hoc *inv (after n)*; **on an ~ basis** au coup par coup

B *adv [do]* au coup par coup

adieu† /əˈdjuː, US əˈduː/

A *n* (*pl* **~s** *ou* **~x**) adieu *m*; **to bid sb ~** faire ses adieux à qn

B *excl* adieu!

ad infinitum /ˌæd ˌɪnfɪˈnaɪtəm/ *adv [continue]* à n'en plus finir; *[extend]* à l'infini

ad interim /ˌæd ˈɪntərɪm/

A *adj [measure]* provisoire

B *adv [arrange]* provisoirement

adipose /ˈædɪpəʊs/ *adj* adipeux/-euse

adiposity /ˌædɪˈpɒsətɪ/ *n* adiposité *f*

adjacent /əˈdʒeɪsnt/ *adj* **1** (touching) *[buildings, gardens, fields]* contigu/-uë; **~ to sth** attenant à qch; **2** (nearby) voisin **(to** de); **3** Math *[angle]* adjacent

adjectival /ˌædʒəkˈtaɪvl/ *adj* adjectival

adjectivally /ˌædʒəkˈtaɪvəlɪ/ *adv [function]* de façon adjectivale

adjective /ˈædʒɪktɪv/ *n* adjectif *m*

adjective law *n* Jur droit *m* procédural

adjoin /əˈdʒɔɪn/

A *vtr [room]* être contigu/-uë à; *[building, land]* être attenant à

B *vi [land, buildings]* être attenant; *[rooms]* être contigu/-uë

C **adjoining** *pres p adj [building, land]* attenant; *[room, office, state, province]* voisin

adjourn /əˈdʒɜːn/

A *vtr* ajourner *[session, trial, meeting]* **(for** pour; **until** à); **to ~ sentence** Jur ajourner une sentence; **the session was ~ed** la séance a été levée

B *vi* **1** (suspend proceedings) s'arrêter **(for** pour); Jur suspendre la séance; (close session) lever la séance; **Parliament** *ou* **the House ~ed** (for break) la Chambre a interrompu les débats; (at end of debate) la Chambre a levé la séance; **2** souvent hum (move on) passer **(to** à)

adjournment /əˈdʒɜːnmənt/ *n* (of trial) ajournement *m*; (of session) suspension *f*; (of debate) renvoi *m*

adjournment debate *n* GB Pol débat *m* final (*avant les vacances parlementaires*)

adjudge /əˈdʒʌdʒ/ *vtr* Jur **1** (decree) déclarer **(that** que); **the court ~d him (to be) guilty** le tribunal l'a déclaré coupable; **to be ~d as** être déclaré comme étant; **he is ~d to have done** on a déclaré qu'il a fait; **2** (award) adjuger *[costs]*; allouer, accorder *[damages]*

adjudicate /əˈdʒuːdɪkeɪt/

A *vtr* gen, Jur juger *[contest]*; régler *[dispute]*; examiner *[case, claim]*

B *vi* **1** gen, Jur choisir **(between** entre); **to ~ on sth** se prononcer sur qch; **2** (in chess) analyser les positions

adjudication /əˌdʒuːdɪˈkeɪʃn/ *n* **1** (of contest) jugement *m*; **2** Jur décision *f*; **under ~** en train d'être examiné

adjudication: ~ of bankruptcy, ~ order *n* Jur jugement *m* déclaratif de liquidation judiciaire; **~ panel** *n* Admin, Comm équipe *f* décisionnelle; (of contest) juges *mpl*

adjudicator /əˈdʒuːdɪkeɪtə(r)/ *n* juge *m*

adjunct /ˈædʒʌŋkt/

A *n* **1** (addition) annexe *f* **(of, to** de); **2** (person) subalterne *mf* **(of, to** de); **3** US (part-time role) adjoint *m*; **4** Ling adjoint *m*

B *adj* US *[teacher, professor]* adjoint

adjure /əˈdʒʊə(r)/ *vtr* adjurer *[person]* **(to do** à faire)

adjust /əˈdʒʌst/

A *vtr* **1** gen, Tech régler *[component, control, fitting, level, position, machine, speed]*; ajuster *[amount, price, rate, timetable]*; rajuster *[clothing]*; rectifier *[figures, statistics]*; mettre au point *[terms, arrangements]*; **to ~ sth to sth** adapter qch en fonction de qch; **to ~ [sth] upwards/downwards** augmenter/diminuer *[salary, sum]*; **2** Insur régler *[claim]*

B *vi* **1** (adapt) *[person]* s'adapter **(to** à); **2** (be

a

adaptable) [*component, fitting, machine*] s'ajuster; [*seat*] être réglable; **to ~ to sth** [*machine, component, fitment, control*] se régler sur qch

C -adjusted (*dans composés*) **well-~ed** [*person*] équilibré

adjustability /ə͵dʒʌstə'bɪlətɪ/ *n* (of machine, appliance) réglage *m*; (of rate) ajustement *m*

adjustable /ə'dʒʌstəbl/ *adj* **1** gen [*appliance, fitting, level, position, seat, speed*] réglable; [*timetable*] variable; [*rate*] ajustable; **tilt/height ~** Aut à inclinaison/à hauteur variable; **2** Insur [*loss, claim*] donnant droit à une indemnité (*after n*)

adjustable spanner, adjustable wrench *n* clé *f* à molette

adjuster /ə'dʒʌstə(r)/ *n* Insur rédacteur/-trice *m/f* sinistre

adjustment /ə'dʒʌstmənt/ *n* **1** Fin (of rates, charges) rajustement *m* (**of** de); **2** Tech (of control, fitting, machine) réglage *m* (**of** de); **3** gen (modification) modification *f* (**to** de); **to make ~s to** apporter des modifications à [*strategy, system, machine, arrangements, lifestyle*]; rajuster [*garment*]; **4** gen (mental, physical) adaptation *f* (**to** à); **to make the ~ to** s'adapter à [*culture, lifestyle*]; **5** Insur indemnité *f*

adjutant /'ædʒʊtənt/ ▸ **p. 1599** *n* Mil officier *m* adjoint

adjutant bird, adjutant stork *n* adjudant *m*, marabout *m* chevelu

ad-lib /͵æd 'lɪb/

A *n* (on stage) improvisation *f*; (witticism) bon mot *m*

B *adj* [*comment, line, performance*] improvisé; [*comedian*] d'improvisation

C *adv* [*perform, speak*] en improvisant

D *vtr, vi* (*p prés etc* **-bb-**) improviser

ad-libbing /͵æd'lɪbɪŋ/ *n* ₵ improvisations *fpl*

ad libitum /͵æd 'lɪbɪtəm/ *adj, adv* Mus ad libitum

adman○ /'ædmæn/ *n* publicitaire *m*

admass /'ædmæs/ GB

A *n* masses *fpl*

B *modif* [*culture*] de masse; [*society*] de consommation

admin○ /'ædmɪn/ GB

A *n* administration *f*

B *adj* administratif/-ive

administer /əd'mɪnɪstə(r)/ *vtr* **1** (*also* **administrate**) (manage) gérer [*company, affairs, estate, policy, project, funds*]; gouverner [*territory*]; **2** (dispense) administrer [*punishment, medicine, treatment*]; exercer [*justice*]; donner [*caution*]; Relig administrer [*sacrament*]

administrate /əd'mɪnɪstreɪt/ *vtr* = **administer 1**

administration /əd͵mɪnɪ'streɪʃn/ *n* **1** (of business, funds) gestion *f*; **2** (of hospital, school, territory) administration *f*; **3** Jur (of company) administration *f* judiciaire; **to go into ~** être placé sous administration judiciaire; **4** (of justice) exercice *m*; **5** (government) gouvernement *m*; **6** (paperwork) travail *m* administratif

administration: ~ building, ~ block GB *n* bâtiment *m* administratif; **~ costs, ~ expenses** *n* Accts frais *mpl* de gestion; **~ order** *n* Jur ordonnance *f* instituant l'administration judiciaire

administrative /əd'mɪnɪstrətɪv, US -streɪtɪv/ *adj* administratif/-ive; **~ tribunal** tribunal *m* administratif

administratively /əd'mɪnɪstrətɪvlɪ, US -streɪtɪvlɪ/ *adv* [*complex, convenient, impossible*] du point de vue administratif

administrator /əd'mɪnɪstreɪtə(r)/ ▸ **p. 1683** *n* **1** Comm, Mgmt administrateur/-trice *m/f* (**for, of** de); **sales ~** directeur/-trice *m/f* des ventes; **2** (of hospital, school, theatre) administrateur *m*; **3** Jur, Fin administrateur *m* judiciaire

admirable /'ædmərəbl/ *adj* admirable

admirably /'ædmərəblɪ/ *adv* admirablement

admiral /'ædmərəl/ *n* **1** ▸ **p. 1599** Mil, Naut amiral *m*; **fleet ~** US, **~ of the fleet** GB amiral; **2** Zool nymphalidé *m*

admiralty /'ædmərəltɪ/ *n* **1** Mil (rank of admiral) amirauté *f*; **2** GB Hist ≈ ministère *m* de la Marine

Admiralty Board *n* GB état-major *m* de la Marine britannique

admiration /͵ædmə'reɪʃn/ *n* admiration *f* (**for** pour); **to be the ~ of sb** faire l'admiration de qn; **to look at sb/sth with** *ou* **in ~** être en admiration devant qn/qch

admire /əd'maɪə(r)/ *vtr* admirer [*person, painting, quality*]; **he ~s her for her courage** il admire son courage; **to ~ sb for doing** admirer que qn fasse; **to be ~d by sb** être admiré de qn

admirer /əd'maɪərə(r)/ *n* **1** admirateur/-trice *m/f*; **you have an ~!** hum t'as un admirateur○!; **2** (lover) soupirant *m*

admiring /əd'maɪərɪŋ/ *adj* admiratif/-ive

admiringly /əd'maɪərɪŋlɪ/ *adv* [*look, say*] avec admiration

admissibility /əd͵mɪsə'bɪlətɪ/ *n* Jur recevabilité *f*

admissible /əd'mɪsəbl/ *adj* Jur, gen recevable

admission /əd'mɪʃn/

A *n* **1** (entry) entrée *f*, admission *f*; **~ to a country/an organization** entrée *or* admission dans un pays/une organisation; **to refuse sb ~** refuser l'entrée à qn; **to gain ~** se faire admettre (**to** dans); **'~ by ticket only'** 'entrée sur présentation d'un billet uniquement'; **no ~** entrée interdite (**to** à); **2** (fee charged) (droit *m* d') entrée *f*; **to charge £5 ~** faire payer 5 livres de droit d'entrée; **3** (confession) aveu *m*; **his ~ that...** son aveu selon lequel...; **by your/his/her etc own ~** de votre/son etc propre aveu; **an ~ of** un aveu de [*guilt, failure, weakness*]

B admissions *npl* **1** Univ inscriptions *fpl*; **2** Med admissions *fpl*

admission: ~s office *n* Univ service *m* d'inscriptions; **~s officer** ▸ **p. 1683** *n* Univ agent *m* chargé des inscriptions; **~s procedure** *n* Univ procédure *f* d'inscription

admit /əd'mɪt/ (*p prés etc* **-tt-**)

A *vtr* **1** (accept) reconnaître, admettre [*mistake, fact*]; **to ~ that** reconnaître que; **to ~ to** reconnaître [*error, mistake, fact*]; **he ~s to making a mistake** il reconnaît s'être trompé; **she ~s to feeling angry** elle reconnaît qu'elle était en colère; **it is annoying, I (must** *ou* **have to) ~** c'est embêtant, je dois le reconnaître; **he would never ~ that...** il ne voudrait jamais admettre que...; **it is generally ~ted that** on s'accorde à reconnaître que; **to ~ defeat** s'avouer vaincu; **2** (confess) avouer [*crime, wrongdoing*] reconnaître [*guilt*]; **to ~ that one has done** avouer avoir fait; **to ~ to sth/doing** avouer qch/avoir fait; **3** (allow to enter) [*person, authority*] laisser entrer [*person*] (**into** dans); **this ticket ~s two (people)** ce billet est valable pour deux personnes; **'this ticket ~s you to the house and gardens'** 'ce billet vous donne accès au bâtiment et aux jardins'; **'dogs not ~ted'** 'entrée interdite aux chiens'; **to be ~ted to hospital** être hospitalisé; **4** (allow to become a member) admettre [*person*] (**to** à); **5** Jur **to ~ sth in evidence** admettre qch comme moyen de preuve

B *vi* (allow) **~ of** sout admettre, permettre

admittance /əd'mɪtns/ *n* accès *m*, entrée *f*; **to gain ~** réussir à entrer; **to refuse sb ~** refuser l'entrée à qn; **'no ~'** 'accès interdit au public'

admittedly /əd'mɪtɪdlɪ/ *adv* il est vrai, il faut en convenir; **~, he did lie but...** il est vrai qu'il a menti, mais...

admixture /æd'mɪkstʃə(r)/ *n* sout **1** (mixing) mélange *m* (**of** de); **2** (added element) part *f* (**of** de); **3** (alien ingredient) élément *m*

admonish /əd'mɒnɪʃ/ *vtr* sout **1** gen, Jur (reprimand) admonester fml (**for** pour; **for doing** pour avoir fait); **2** (advise) conseiller vivement à

admonition /͵ædmə'nɪʃn/ *n* sout **1** gen, Jur (reprimand) admonition *f* fml; **2** gen, Mil (warning) avertissement *m*

admonitory /æd'mɒnɪtrɪ, US -tɔːrɪ/ *adj* sout **1** (warning) [*letter, speech*] d'avertissement *m*; **2** (disapproving) [*remark, tone, look*] de réprimande

ad nauseam /͵æd 'nɔːzɪæm/ *adv* [*discuss, repeat, practise*] à n'en plus finir; [*hear, endure*] des centaines de fois

adnominal /͵æd'nɒmɪnl/ *n, adj* adnominal (*m*)

ado /ə'duː/ *n* **without more** *ou* **further ~** sans plus de cérémonie

(Idiom) **much ~ about nothing** beaucoup de bruit pour rien

adobe /ə'dəʊbɪ/

A *n* (brick, material) adobe *m*

B *modif* [*house*] en pisé

adolescence /͵ædə'lesns/ *n* adolescence *f*; **in early/late ~** dans les premières/dernières années de l'adolescence

adolescent /͵ædə'lesnt/

A *n* adolescent/-e *m/f*

B *adj* **1** (teenage) [*crisis, rebellion*] d'adolescent; [*problem*] des adolescents; [*years*] de l'adolescence; [*friend*] adolescent; **~ boy/girl** adolescent/-e *m/f*; **~ acne** acné *f* juvénile; **2** (childish) [*humour, behaviour*] puéril

Adonis /ə'dəʊnɪs/ *pr n* Mythol, fig Adonis

adopt /ə'dɒpt/ *vtr* adopter [*child, idea, method, attitude*]; prendre [*accent, tone, identity*]; choisir [*candidate, career*]; adopter [*bill, proposal, recommendation*]; **to ~ sb as candidate** Pol choisir qn comme candidat

adopted /ə'dɒptɪd/ *adj* [*child*] adopté; [*son, daughter*] adoptif/-ive; [*name, country*] d'adoption

adoption /ə'dɒpʃn/

A *n* (of child, identity) adoption *f* (**of** de; **by** par); (of idea, method, bill) adoption *f* (**of** de; **by** par); (of candidate) choix *m* (**of** de; **by** par); **French by ~** Français/-e d'adoption

B *modif* [*papers, process*] d'adoption; [*expert*] en adoption

adoption agency *n*: *service officiel chargé des questions d'adoption*

adoptive /ə'dɒptɪv/ *adj* adoptif/-ive

adorable /ə'dɔːrəbl/ *adj* adorable

adoration /͵ædə'reɪʃn/ *n* adoration *f* (**of** de); **his ~ for his mother** l'adoration qu'il porte à sa mère; **in ~** en adoration

adore /ə'dɔː(r)/ *vtr* adorer (**to do, doing** faire)

adoring /ə'dɔːrɪŋ/ *adj* [*husband*] épris; [*fan*] passionné; [*look, gaze*] rempli d'adoration

adoringly /ə'dɔːrɪŋlɪ/ *adv* avec adoration

adorn /ə'dɔːn/ littér

A *vtr* orner [*building, room, walls*] (**with** de); parer [*body, hair*] (**with** de)

B *v refl* **to ~ oneself** se parer (**with** de)

adornment /ə'dɔːnmənt/ *n* **1** (object) ornement *m*; **2** ₵ (art) décoration *f* (**of** de)

ADP *n* (*abrév* = **automatic data processing**) traitement *m* automatique de l'information

adrenal /ə'driːnl/ *adj* surrénal

adrenal gland *n* glande *f* surrénale

adrenalin(e) /ə'drenəlɪn/ *n* Physiol, gen adrénaline *f*; **a rush** *ou* **surge of ~** une montée d'adrénaline; **to get the ~ flowing** faire monter l'adrénaline

Adriatic (sea) /͵eɪdrɪ'ætɪk/ ▸ **p. 1493**

A *pr n* **the ~** la mer *f* Adriatique, l'Adriatique *f*

B *adj* [*coast, resort*] de l'Adriatique

adrift /ə'drɪft/ *adj, adv* **1** (floating free) [*person, boat*] à la dérive; **to set** *ou* **cast ~** laisser aller à la dérive; **to be ~** aller à la dérive; **2** to go ~ *[plan]* aller à vau-l'eau; **3** (loose) **to come ~** se détacher (**of, from** de); **4** GB Sport **two goals ~ of their rivals** à deux buts de leurs rivaux

adroit /ə'drɔɪt/ *adj* habile (**in, at** à; **in** *ou* **at doing** à faire)

adroitly /ə'drɔɪtlɪ/ *adv* habilement

adroitness /ə'drɔɪtnɪs/ *n* habileté *f*

ADSL *n* (*abrév* = **Asymmetric Digital Subscriber Line**) ADSL *m*

adspeak /'ædspiːk/ *n* jargon *m* publicitaire

aduki bean /æ'duːkɪ biːn/, **adzuki bean** /æ'dzuːkɪ biːn/ *n* Culin adzuki *m*, petite fève *f*

adulate /'ædjʊleɪt, US 'ædʒʊ-/ *vtr* sout aduler

adulation /,ædjʊ'leɪʃn, US ,ædʒʊ-/ *n* sout adulation *f* (**of** de); **in ~** avec adulation

adult /'ædʌlt, ə'dʌlt/

A *n* gen, Jur adulte *mf*; **'~s only'** 'interdit aux moins de 18 ans'

B *adj* **1** *[smoker, driver, animal]* adulte; *[class, clothes, fiction]* pour adultes; *[population, mortality, audience, behaviour]* adulte; *[life]* d'adulte; *[son, daughter]* majeur; **2** euph (pornographic) *[film, magazine]* pour adultes

Adult Education *n* GB formation *f* permanente

Adult Education Centre *n* GB centre *m* de formation pour adultes

adulterate /ə'dʌltəreɪt/ *vtr* falsifier (**with** par addition de)

adulteration /ə,dʌltə'reɪʃn/ *n* falsification *f* (**of** de; **with** par addition de)

adulterer /ə'dʌltərə(r)/ *n* adultère *m*

adulteress /ə'dʌltərɪs/ *n* (*pl* **~es**) adultère *f*

adulterous /ə'dʌltərəs/ *adj* adultère

adultery /ə'dʌltərɪ/ *n* adultère *m* (**with** avec)

adulthood /'ædʌlthʊd/ *n* ¢ âge *m* adulte; **to survive into/reach ~** survivre à/atteindre l'âge adulte

adult literacy *n* GB **~ classes** cours *m* d'alphabétisation pour adultes

Adult Training Centre *n* GB centre *m* d'aide au travail

adumbrate /'ædʌmbreɪt/ *vtr* sout **1** (outline) ébaucher; **2** (foreshadow) préfigurer

advance /əd'vɑːns, US -'væns/

A *n* **1** (forward movement) gen, Mil avance *f* (**on** sur); fig (of civilization, in science) progrès *m*; **with the ~ of old age** avec l'âge; **recent ~s in medicine** les progrès récents dans le domaine de la médecine; **a great ~ for democracy** un grand pas en avant pour la démocratie; **2** (sum of money) avance *f*, acompte *m* (**on** sur); **to ask for an ~ on one's salary** demander une avance sur son salaire; **3** (increase) **any ~ on £100?** (at auction etc) cent livres, qui dit mieux?

B **advances** *npl* (overtures) (sexual) avances *fpl*; (other contexts) démarches *fpl*; **to make ~s to sb** (sexually) faire des avances à qn; (other contexts) faire des démarches auprès de qn

C **in advance** *adv phr [book, reserve, notify, know]* à l'avance; *[thank, pay, arrange, decide]* à l'avance, d'avance; **a month in ~** un mois à l'avance; **here's £30 in ~** voici 30 livres d'avance *or* d'acompte; **you need to book your seats well in ~** il faut réserver vos places longtemps à l'avance; **to send on luggage in ~** envoyer des bagages à l'avance; **to send sb on in ~** envoyer qn en avant

D **in advance of** *adv phr* avant *[person]*; **she arrived half an hour in ~ of the others** elle est arrivée une demi-heure avant les autres; **a thinker in ~ of his time** un penseur en avance sur son temps *or* qui devance son époque

E *vtr* **1** (move forward) faire avancer *[tape, film, clock]*; Mil avancer *[troops]*; (in chess) avancer *[piece]*; (move to earlier date) avancer *[time, date]* (**to** à); fig (improve) faire progresser, faire avancer *[career, knowledge, research]*; **2** (promote) servir *[cause, interests]*; **3** (put forward) avancer *[theory, explanation etc]*; **4** (pay up front) avancer *[sum]* (**to** à)

F *vi* **1** (move forward) *[person]* avancer, s'avancer (**on, towards** vers); Mil *[army]* avancer (**on** sur); *[morning, evening]* avancer; **the procession ~d down the aisle** le cortège progressait le long de l'allée centrale; **2** (progress) *[person, society, civilization, knowledge, technique]* progresser, faire des progrès; **to ~ in one's career** progresser dans sa carrière; **3** (increase) *[prices]* augmenter, être en hausse; **4** sout (be promoted) *[employee]* avoir une promotion

advance: **~ booking** *n* réservation *f* (*faite à l'avance*); **~ booking office** *n* service *m* des réservations; **~ copy** *n* Publg exemplaire *m* témoin

advanced /əd'vɑːnst, US -'vænst/ *adj [course, studies, class]* supérieur; *[student, pupil, stage]* avancé; *[level]* élevé; *[equipment, technology]* de pointe, perfectionné; *[research]* poussé; *[ideas]* avancé; **~ mathematics/physics** cours supérieur de mathématiques/de physique; **~ course in maths** cours de mathématiques pour étudiants avancés; **to be ~ in years** être d'un âge avancé; **the disease has reached an ~ stage** la maladie est parvenue à un stade avancé; **the season was well ~** la saison était bien avancée

advanced: **~ credit** *n* US Univ équivalence *f*; **~ gas-cooled reactor**, **AGR** *n* réacteur *m* à gaz avancé *or* poussé, AGR *m*; **Advanced Level** *n* GB Sch = **A level**; **~ standing** *n* US Univ équivalence *f*

advance guard *n* Mil avant-garde *f*

advancement /əd'vɑːnsmənt, US -'væns-/ *n* **1** (furtherance) (of cause, minority etc) promotion *f*; (of science) progrès *m*, avancement *m*; **2** sout (promotion) (of person) avancement *m*, promotion *f*; (in society) ascension *f*

advance: **~ notice** *n* préavis *m*; **~ party** *n* Mil équipe *f* d'avant-garde; **~ payment** *n* Comm, Fin avance *f*

advance warning *n* préavis *m*; **we were given no ~** on ne nous a pas prévenus

advantage /əd'vɑːntɪdʒ, US -'vænt-/

A *n* **1** (favourable position) avantage *m*; **economic/political/psychological/competitive ~** avantage *m* en termes économiques/politiques/psychologiques/de compétition; **to have an ~ over** avoir un avantage sur *[person, system, theory, model, method]*; **to give sb an ~ over sb** donner à qn un avantage sur *or* par rapport à qn; **to put sb at an ~** avantager qn; **to gain the ~** prendre l'avantage; **2** (beneficial aspect) avantage *m*; **there are several ~s** il y a plusieurs avantages; **there is an ~ in doing** il y a avantage à faire; **the ~ is that...** l'avantage est que...; **the ~ that** l'avantage que; **there is some/no ~ in doing** il est intéressant/il n'est pas intéressant de faire; **3** (asset) avantage *m*; **to have the ~ of an education/of living near the sea** avoir l'avantage d'avoir fait des études/d'habiter près de la mer; **their big ~ is to have...** leur grand avantage est qu'ils ont...; **'computing experience an ~'** (in job ad) 'expérience en information atout supplémentaire'; **4** (profit) **it is to his/their ~ to do** il est dans son/leur intérêt de faire; **to do/use sth to one's (own) ~** faire/utiliser qch à son avantage; **it's to everyone's ~ that** tout le monde profite du fait que; **to turn a situation to one's ~** transformer une situation à son avantage; **5** (best effect) **to show sth to (best) ~** montrer qch sous un jour avantageux; **6** **to take ~ of** utiliser, profiter de *[situation, facility, offer, service]*; (exploit unfairly) utiliser, exploiter *[person]*; **7** (in tennis) avantage *m*; **8** Sport **France's 3-point ~** l'avantage de 3 points de la France

B *vtr* sout avantager

advantaged /əd'vɑːntɪdʒd, US -'vænt-/

A *n* **the ~** (+ *v pl*) les privilégiés *mpl*

B *adj* privilégié

advantageous /,ædvən'teɪdʒəs/ *adj* avantageux/-euse (**to** pour; **to do** pour faire)

advantageously /,ædvən'teɪdʒəslɪ/ *adv [act, buy, sell, invest]* au mieux de vos/ses etc intérêts; **the change worked out very ~ for us** le changement nous a été très profitable

advent /'ædvent/ *n* (of person) arrivée *f* (**of** de); (of technique, product) apparition *f* (**of** de)

Advent /'ædvent/ Relig

A *pr n* Avent *m*

B *modif [candle, calendar, Sunday]* de l'Avent

Adventist /'ædventɪst/ *n* adventiste *mf*

adventitious /,ædven'tɪʃəs/ *adj* sout fortuit

adventure /əd'ventʃə(r)/

A *n* aventure *f*; **it was an ~ for me to see the pyramids** voir les pyramides représentait pour moi une véritable aventure

B *modif [story, film]* d'aventures

adventure: **~ holiday** *n* GB vacances *fpl* 'aventure'; **~ playground** *n* GB aire *f* de jeux (aménagée)

adventurer /əd'ventʃərə(r)/ *n* **1** (daring person) aventurier/-ière *m/f*; **2** péj (schemer) aventurier *m*

adventuress /əd'ventʃərɪs/ *n* (*pl* **~es**) aventurière *f* also pej

adventurous /əd'ventʃərəs/ *adj [person]* aventureux/-euse; *[person, plan, policy, tastes]* novateur/-trice; *[holiday, life]* aventureux/-euse

adverb /'ædvɜːb/ *n* adverbe *m*

adverbial /əd'vɜːbɪəl/

A *n* locution *f* adverbiale

B *adj* adverbial

adverbially /əd'vɜːbɪəlɪ/ *adv* adverbialement

adversarial /,ædvə'seərɪəl/ *adj* **1** Jur accusatoire; **2** gen antagoniste

adversary /'ædvəsərɪ, US -serɪ/ *n* adversaire *mf*

adversary proceeding *n* US Jur procédure *f* contradictoire

adverse /'ædvɜːs/ *adj [reaction, aspect, conditions, decision, publicity]* défavorable (**to** à); *[trend, effect, consequences, influence]* négatif/-ive (**to** pour)

adversely /'ædvɜːslɪ/ *adv* **to affect/influence sb/sth ~** avoir un effet négatif/une influence négative sur qn/qch

adversity /əd'vɜːsətɪ/ *n* **1** ¢ (misfortune) adversité *f*; **in ~** dans l'adversité; **2** (instance of misfortune) malheur *m*

advert

A °/'ædvɜːt/ *n* GB (in newspaper) annonce *f*; (in personal column) petite annonce *f*; (on TV) pub° *f*, spot *m* publicitaire

B /əd'vɜːt/ *vi* sout **to ~ to sth** faire une référence à qch

advertise /'ædvətaɪz/

A *vtr* **1** (for publicity) faire de la publicité pour *[product, party, group, event, service]*; annoncer *[price, rate, speaker]*; **2** (for sale) mettre *or* passer une annonce pour *[car, furniture, house etc]*; **I'm ringing about the car ~d in Monday's paper** j'appelle à propos de l'annonce du journal de lundi pour une voiture; **3** (for applications) mettre *or* passer une annonce pour *[job, vacancy]*; **the post has been ~d in the local paper/several times** le poste a fait l'objet d'une annonce dans la presse locale/à plusieurs reprises; **4** (make known) signaler *[presence]*; afficher *[contacts, losses, ignorance, weakness]*; **to ~ (the fact) that** faire savoir que; **to ~ one's presence** signaler sa présence; **we would like to ~ our willingness to...** nous aimerions faire connaître que nous sommes prêts à...

B *vi* **1** (for sales, publicity) faire de la publicité; **2** (for staff) passer une annonce; **to ~ in the newspaper/for an accountant** passer une annonce dans le journal/pour recruter un comptable

advertisement /əd'vɜːtɪsmənt, US ,ædvər'taɪzmənt/ *n* **1** (for company, product etc) publicité (**for** pour); (for event, concert) publicité (**for** pour); **a beer ~** une publicité pour de la bière; **a good/bad ~ for** fig une bonne/mauvaise publicité pour; **2** (to sell house, car, appliance etc) annonce *f*; (in small ads) petite annonce *f*; **3** (*also* **job ~**) annonce *f* (**for** pour); (in small ads) petite annonce *f* (**for** pour); **4** ₵ publicité *f*; **for the purposes of ~** à des fins publicitaires

advertiser /ˈædvətaɪzə(r)/ *n* (company) agence *f* de publicité; (agent) publicitaire *mf*; (on radio, in newspaper) US annonceur *m*

advertising /ˈædvətaɪzɪŋ/ *n* ₵ **1** (activity, profession) publicité *f*; **a career in ~** une carrière dans la publicité; **to go into ~** entrer dans la publicité; **2** (advertisements) **beer/tobacco ~** la publicité pour la bière/le tabac; **TV/newspaper/roadside ~** la publicité à la TV/dans les journaux/sur les panneaux; **the power of ~** l'influence de la publicité

advertising: **~ agency** *n* agence *f* de publicité; **~ agent** ▸ p. 1683 *n* publicitaire *mf*; **~ campaign** *n* campagne *f* publicitaire; **~ executive** ▸ p. 1683 *n* cadre *m* publicitaire; **~ industry** *n* publicité *f*; **~ man** ▸ p. 1683 *n* publicitaire *m*; **~ revenue** *n* recettes *fpl* publicitaires; **Advertising Standards Authority**, **ASA** *n* GB Admin, Comm bureau *m* de vérification de la publicité

advertorial /ˌædvɜːˈtɔːrɪəl/ *n* publireportage *m*

advice /ədˈvaɪs/ *n* **1** ₵ (informal) conseils *mpl* (**on** sur; **about** à propos de); **his ~ to them was to keep calm/to pay** il leur a conseillé de rester calmes/de payer; **her ~ that parents should reward their children** son conseil aux parents de récompenser leurs enfants; **a word** *ou* **piece of ~** un conseil; **to give sb ~** donner des conseils à qn; **to take** *ou* **follow sb's ~** suivre les conseils de qn; **to do sth against sb's ~** faire qch malgré les recommandations de qn; **to do sth on sb's ~** faire qch sur la recommandation de qn; **it was sound/good ~** c'était un conseil judicieux/un bon conseil; **if you want my ~** (opinion) si tu veux mon avis; **2** ₵ (professional) **to seek** *ou* **take ~ from sb (about sth)** demander conseil à qn (à propos de qch); **to seek financial/legal/medical ~** consulter un expert financier/un avocat/un médecin; **to follow medical ~** suivre les conseils du médecin; **get expert ~** consultez un spécialiste; **I shall have to take legal ~** il faudra que je consulte un avocat; **3** Comm avis *m*; **~ of delivery** avis de réception

advice note *n* **1** (in banking) avis *m* d'opération; **2** Comm (from sender) avis *m* d'expédition; (from receiver) avis *m* de réception

advice of delivery *n* avis *m* de réception

advisability /ədˌvaɪzəˈbɪlətɪ/ *n* sagesse *f*; **to have doubts about the ~ of doing sth** se demander s'il serait sage de faire qch

advisable /ədˈvaɪzəbl/ *adj* recommandé; **it is ~ to do** (speaking officially) il est recommandé de faire; (less categorically, to friend) il est prudent de faire

advise /ədˈvaɪz/

A *vtr* **1** (give advice to) conseiller, donner des conseils à (**about** sur); (give information to) renseigner (**about** sur); **to ~ sb to do** [*person, organization*] conseiller à qn de faire; **to ~ sb against doing sth** déconseiller à qn de faire qch; **to ~ sb what to do** conseiller qn sur ce qu'il doit faire; **to ~ sb on sth** (act as advisers) conseiller qn en matière de qch; **to ~ sb of** avertir qn contre [*risk, danger*]; **you are ~d to...** il est recommandé de...; **passengers are ~d to do/not to do** il est recommandé aux passagers de faire/de ne pas faire; **ill-~d** [*course of action*] pas très malin/-igne; **you would be well-~d/ill-~d to stay at home** vous feriez bien de/vous auriez tort de rester chez vous; **2** (recommend) recommander [*rest, course of action*]; **3** sout (inform) aviser (**of** de); **to ~ sb that** aviser qn que

B *vi* **to ~ on sth** (give advice) conseiller sur qch; (inform) renseigner sur qch; **to ~ on doing sth** conseiller sur la façon de faire qch

advisedly /ədˈvaɪzɪdlɪ/ *adv* [*use word, say*] en toute connaissance de cause

adviser, **advisor** /ədˈvaɪzə(r)/ *n* (in official capacity) conseiller/-ère *m/f* (**to** auprès de); (unofficially) collaborateur/-trice *m/f*; **she acts as an ~ to the committee** elle a un rôle de conseillère auprès du comité; **he is a financial/scientific ~** c'est un conseiller financier/scientifique; **a senior ~ for education** un conseiller d'éducation de grade supérieur

advisory /ədˈvaɪzərɪ/ *adj* [*role*] consultatif/-ive; **~ committee** comité *m* de restructuration; **to act/do sth in an ~ capacity** agir/faire qch à titre consultatif

advisory: **~ group** *n* comité *m* consultatif; **~ service** *n* service *m* d'aide et de conseil

advocaat /ˌædvəˈkɑː/ *n* advocaat *m*

advocacy /ˈædvəkəsɪ/ *n* **1** plaidoyer *m*; **the ~ of sth by sb** le plaidoyer de qn en faveur de qch; **2** Jur plaidoierie *f*

advocate

A /ˈædvəkət/ *n* **1** ▸ p. 1683 Jur avocat/-e *m/f*; **2** (supporter) partisan *m*; **to be an ~ of** être partisan de

B /ˈædvəkeɪt/ *vtr* recommander (**doing** de faire); **the policy ~d by the director** la politique que recommande le directeur

advocate general *n* EU, Scot Jur avocat *m* général

advt *abrév écrite* = **advertisement**

adware /ˈædweə(r)/ *n* Comput adware *m*, logiciel *m* publicitaire

adze, **adz** US /ædz/ *n* herminette *f*

AEA *n* GB *abrév* ▸ **Atomic Energy Authority**

AEC *n* US *abrév* ▸ **Atomic Energy Commission**

Aegean /iːˈdʒiːən/ ▸ p. 1493

A *pr n* **the ~** la mer Égée

B *adj* égéen/-éenne

Aegeus /ˈiːdʒjuːs/ *pr n* Égée

aegis /ˈiːdʒɪs/ *n* **under the ~ of** sous l'égide de

aegrotat /ˈiːgrəʊtæt/ *n* GB Univ attestation d'équivalence

Aeneas /ɪˈniːəs/ *pr n* Énée

Aeneid /ɪˈniːɪd/ *pr n* **the ~** l'Énéide *f*

aeolian /iːˈəʊlɪən/ *adj* éolien/-ienne; **~ harp** harpe *f* éolienne

Aeolus /ˈiːələs, iːˈəʊləs/ *pr n* Éole

aeon, **eon** US /ˈiːən/ *n* **1** fig **~s ago**° il y a une éternité; **2** Géol milliard *m* d'années

aerate /ˈeəreɪt/ *vtr* **1** aérer [*soil*]; **2** (make effervescent) gazéifier [*liquid*]; **3** oxygéner [*blood*]

aerial /ˈeərɪəl/

A *n* antenne *f*; **TV/radio ~** antenne *f* de télévision/radio; **satellite ~** antenne *f* parabolique

B *adj* (*avant n*) aérien/-ienne; **~ photograph/view** photo *f*/vue *f* aérienne

aerial: **~ camera** *n* appareil *m* de photo pour prises de vues aériennes; **~ ladder** *n* US échelle *f* pivotante; **~ warfare** *n* guerre *f* aérienne

aerie /ˈeərɪ/ US = **eyrie**

aerobatics /ˌeərəˈbætɪks/

A *n* **1** (performance) (+ *v sg*) voltige *f* aérienne; **2** (manoeuvres) (+ *v pl*) acrobaties *fpl* aériennes

B *modif* [*stunt, display*] d'acrobaties aériennes

aerobic /eəˈrəʊbɪk/ *adj* [*respiration, fermentation*] aérobie; [*workout*] d'aérobic

aerobics /eəˈrəʊbɪks/ ▸ p. 1253

A *n* (+ *v sg*) aérobic *m*

B *modif* [*class, routine*] d'aérobic

aerodrome /ˈeərədrəʊm/ *n* GB aérodrome *m*

aerodynamic /ˌeərəʊdaɪˈnæmɪk/ *adj* (all contexts) aérodynamique

aerodynamics /ˌeərəʊdaɪˈnæmɪks/ *n* **1** (science) (+ *v sg*) aérodynamique *f*; **2** (styling) (+ *v sg*) aérodynamisme *m*; **3** (forces) (+ *v pl*) forces *fpl* aérodynamiques

aeroengine /ˈeərəʊendʒɪn/ *n* aéromoteur *m*

aerogram(me) /ˈeərəgræm/ *n* aérogramme *m*

aerograph /ˈeərəʊgrɑːf, US -græf/ *n* météographe *m*

aerolite /ˈeərəlaɪt/ *n* aérolithe *m*

aeromodelling GB, **aeromodeling** US /ˌeərəʊˈmɒdəlɪŋ/ *n* aéromodélisme *m*

aeronaut /ˈeərənɔːt/ *n* aéronaute *mf*

aeronautic(al) /ˌeərəˈnɔːtɪk(l)/ *adj* [*skill*] aéronautique; [*magazine, college*] d'aéronautique

aeronautic: **~(al) engineer** ▸ p. 1683 *n* ingénieur *m* en aéronautique; **~(al) engineering** *n* aéronautique *f*

aeronautics /ˌeərəˈnɔːtɪks/

A *n* (+ *v sg*) aéronautique *f*

B *modif* [*firm, institute*] d'aéronautique; [*student*] en aéronautique

aeroplane /ˈeərəpleɪm/ *n* GB avion *m*; **by ~** en avion

aerosol /ˈeərəsɒl, US -sɔːl/

A *n* **1** (spray can) bombe *f* aérosol; **2** (system) aérosol *m*

B *modif* [*paint, deodorant*] en aérosol

aerospace /ˈeərəʊspeɪs/

A *n* (industry) industrie *f* aérospatiale

B *modif* [*engineer, company*] de l'aérospatiale; [*project*] aérospatial

Aeschylus /ˈiːskələs/ *pr n* Eschyle

Aesop /ˈiːsɒp/ *pr n* Ésope

aesthete /ˈiːsθiːt/, **esthete** /ˈesθiːt/ US *n* esthète *mf*

aesthetic, **esthetic** US /iːsˈθetɪk/

A *n* esthétique *f*

B *adj* **1** [*sense, appeal*] esthétique; **2** [*design, arrangement*] harmonieux/-ieuse

aesthetically /iːsˈθetɪklɪ/, **esthetically** /esˈθetɪklɪ/ US *adv* [*satisfying, pleasing*] esthétiquement; [*restore, improve*] avec goût

aestheticism /iːsˈθetɪsɪzəm/, **estheticism** /esˈθetɪsɪzəm/ US *n* (doctrine, quality) esthétisme *m*; (taste) sens *m* du beau

aesthetics /iːsˈθetɪks/, **esthetics** /esˈθetɪks/ US *n* **1** (concept) (+ *v sg*) esthétique *f*; **2** (aspects of appearance) (+ *v pl*) esthétique *f*

aether *n* = **ether**

AEU *n* GB (*abrév* = **Amalgamated Engineering Union**) syndicat *m* des techniciens

af *n*: *abrév* ▸ **audio frequency**

AFA *n* GB (*abrév* = **Amateur Football Association**) *fédération des clubs amateurs de football*

afar /əˈfɑː(r)/ *adv* littér au loin, à distance; **from ~** de loin

AFB *n* US (*abrév* = **Air Force Base**) base *f* aérienne

AFDC *n* US (*abrév* = **Aid to Families with Dependent Children**) *programme fédéral d'aide aux familles monoparentales*

affability /ˌæfəˈbɪlətɪ/ *n* affabilité *f*

affable /ˈæfəbl/ *adj* affable

affably /ˈæfəblɪ/ *adv* affablement

affair /əˈfeə(r)/

A *n* **1** (event, incident, thing) affaire *f*; **the Haltrey ~** l'affaire Haltrey; **the wedding was a grand ~** le mariage a été une affaire prestigieuse; **the dress/cake was an extraordinary ~** la robe/le gâteau était extraordinaire; **2** (matter) affaire *f*; **at first the conflict seemed a small ~** au début, le conflit ne paraissait pas grave; **state of ~s** situation *f*; **it's a sad state of ~s** c'est lamentable; **3** (relationship) liaison *f* (**with** avec); (casual) aventure *f*; **a passionate ~** une liaison passionnée; **4** (concern) affaire *f*; **it's my ~** c'est mon affaire

B **affairs** *npl* **1** Pol, Journ affaires *fpl*; **foreign**

~s affaires étrangères; ~s **of state** affaires d'état; **they should not interfere in Egypt's (internal) ~s** ils ne devraient pas se mêler des affaires de l'Égypte; **he deals with consumer ~s** il s'occupe de la protection du consommateur; **foreign/religious ~s correspondent** Journ spécialiste *mf* de politique internationale/des questions religieuses; **2** (business) affaires *fpl*; **to put one's ~s in order** mettre de l'ordre dans ses affaires

affect /ə'fekt/
A *n* Psych émotion *f*, affect *m*
B *vtr* **1** (influence) [*law, decision, event, issue*] concerner [*person, group, region*]; [*problem, injustice, strike, cuts*] toucher [*person, group, region*]; [*factor, development*] avoir une incidence sur [*earnings, job, state of affairs*]; **how is it ~ing the baby?** quelles sont les conséquences pour le bébé?; **2** (emotionally) [*experience, image, music*] émouvoir; [*news, discovery, atmosphere*] affecter; **3** Med (afflict) atteindre [*person*]; toucher [*heart, liver, faculty*]; **4** sout (feign) feindre [*surprise, ignorance*] (**to do** de faire); prendre [*accent*]; **5** sout (like) affectionner

affectation /,æfek'teɪʃn/ *n* (all contexts) affectation *f* (**of** de)

affected /ə'fektɪd/ *adj* **1** (influenced) (by event, change, decision) (adversely) touché (**by** par); (neutrally, positively) concerné (**by** par); **~ by the disaster** sinistré; **2** (emotionally) ému (**by** par); (adversely) affecté (**by** par); **3** Med [*part*] infecté (**by** par); [*person*] atteint (**by** de); **4** péj (mannered) affecté; **5** péj (feigned) affecté

affectedly /ə'fektɪdlɪ/ *adv* [*behave, speak*] avec affectation

affecting /ə'fektɪŋ/ *adj* émouvant

affection /ə'fekʃn/ *n* affection *f* (**for sb** pour qn); **to show ~** témoigner de l'affection; **the ~s of the public** l'affection du public; **to win sb's ~s** gagner le cœur de qn

affectionate /ə'fekʃənət/ *adj* [*child, animal*] affectueux/-euse; [*memory*] tendre; [*picture, account*] plein d'affection

affectionately /ə'fekʃənətlɪ/ *adv* [*smile, speak, recall*] affectueusement; **yours ~** (ending letter) bien affectueusement; **~ known as** (of person) répondant au surnom affectueux de

affective /ə'fektɪv/ *adj* Ling, Psych affectif/-ive

affidavit /,æfɪ'deɪvɪt/ *n* déclaration *f* écrite sous serment; **to swear an ~** déclarer par écrit sous serment (**that** que)

affiliate /ə'fɪlɪeɪt/
A *n* filiale *f*
B *vtr* affilier (**to, with** à)
C *vi* (combine) s'affilier (**with** à)

affiliated /ə'fɪlɪeɪtɪd/ *adj* affilié (**to, with** à); **~ member** adhérent/-e *m/f*

affiliation /ə,fɪlɪ'eɪʃn/ *n* (process, state) affiliation *f*; (link) attaches *fpl*; **what is his political ~?** de quelle tendance politique est-il?

affiliation: **~ order** *n* Jur *assignation d'enfant à un père putatif*; **~ proceedings** *npl* GB Jur *action en recherche de paternité*

affinity /ə'fɪnətɪ/ *n* **1** (liking, attraction) attirance *f* (**with, for** pour); **2** (resemblance) ressemblance *f* (**to, with** avec); **3** (relationship) rapport *m* (**between** entre); **4** Jur parenté *f*; **5** Chem affinité *f*

affinity: **~ (credit) card** *n*: *carte de crédit émise pour les membres d'un groupe donné*; **~ group** *n*: *groupe de personnes partageant des intérêts communs*

affirm /ə'fɜ:m/ *vtr* **1** (state positively) affirmer (**that** que); **2** (state belief in) proclamer [*right, policy*]; **3** (confirm, strengthen) confirmer [*support, popularity*]; **4** Jur déposer sans prêter serment

affirmation /,æfə'meɪʃn/ *n* **1** gen affirmation *f* (**of** de); **2** Jur déposition *f* sans prestation de serment

affirmative /ə'fɜ:mətɪv/
A *n* affirmatif *m*; **to reply in the ~** répondre par l'affirmative
B *adj* [*reply, nod, statement*] affirmatif/-ive
C *excl* US affirmatif

affirmative action *n*: *mesures antidiscriminatoires*

> **Affirmative action**
>
> Politique américaine de 'discrimination positive' qui consiste à donner la préférence aux minorités (ainsi qu'aux femmes) dans la sélection parmi les candidats à un emploi ou pour une place dans une université, si ces minorités sont sous-représentées dans le secteur concerné.

affirmatively /ə'fɜ:mətɪvlɪ/ *adv* affirmativement

affix
A /'æfɪks/ *n* Ling affixe *m*
B /ə'fɪks/ *vtr* sout coller [*stamp*]; apposer [*signature*]

afflict /ə'flɪkt/ *vtr* [*poverty, disease, recession*] frapper; [*grief*] accabler; [*illness*] toucher; **to be ~ed by** être accablé de [*grief*]; être touché par [*illness*]

affliction /ə'flɪkʃn/ *n* (illness) affection *f*; (suffering) malheur *m*; **in ~** en détresse

affluence /'æflʊəns/ *n* **1** (wealthiness) richesse *f*; (plenty) abondance *f*; **2** (flow of people) affluence *f*

affluent /'æflʊənt/
A *n* **1** Geog affluent *m*; **2** **the ~** (+ *v pl*) les riches
B *adj* [*person, area, society*] riche

affluential /,æflʊ'enʃl/ *adj* riche et influent

affluenza /,æflʊ'enzə/ *n*: *troubles psychiques affectant les nantis*

afflux /'æflʌks/ *n* **1** Med afflux *m*; **2** sout (of people) = **affluence 2**

afford /ə'fɔ:d/ *vtr* **1** (have money for) **to be able to ~ sth** avoir les moyens d'acheter qch; **if I can ~ it, I'll buy a car** si j'ai les moyens, je vais acheter une voiture; **to be able to ~ to do sth** (as necessary expense) être en mesure de faire qch; (as chosen expense) pouvoir se permettre de faire qch; **I can't ~ to pay the rent** je ne suis pas en mesure de payer le loyer; **I can't ~ a new dress** je ne peux pas me permettre une nouvelle robe; **how can he ~ to buy such expensive clothes?** comment est-ce qu'il fait pour acheter des vêtements aussi chers?; **please give what you can ~** donnez ce que vous pouvez; **2** (spare) **to be able to ~** disposer de [*space, time*]; **3** (risk) **to be able to ~ sth/to do** se permettre qch/de faire; **the government can't ~ the risk/to lose** le gouvernement ne peut pas se permettre ce risque/de perdre; **he can ~/can ill ~ to wait** il peut/ne peut guère se permettre d'attendre; **4** sout **to ~ sb sth** offrir qch à qn [*protection, support, view*]; fournir qch à qn [*opportunity*]; procurer qch à qn [*pleasure, satisfaction*]

affordable /ə'fɔ:dəbl/ *adj* [*price*] abordable; [*pleasure, luxury*] qu'on peut s'offrir; **it's ~ for students/the elderly** c'est à la portée de la bourse des étudiants/des personnes âgées; **~ for all** à la portée de toutes les bourses; **'beautiful cars at ~ prices'** 'de belles voitures à des prix abordables'

affordable housing *n* Soc Admin: *logement convenable à prix abordable*

afforest /ə'fɒrɪst, US ə'fɔ:r-/ *vtr* boiser

afforestation /ə,fɒrɪ'steɪʃn, US ə,fɔ:r-/ *n* boisement *m*

affranchise /ə'fræntʃaɪz/ *vtr* affranchir

affray /ə'freɪ/ *n* Jur rixe *f*

affricate /'æfrɪkət/ *n* Phon affriquée *f*

affright‡ /ə'fraɪt/
A *n* effroi *m* liter, terreur *f*
B *vtr* effrayer

affront /ə'frʌnt/
A *n* offense *f*
B *vtr* (*gén au passif*) offenser

Afghan /'æfgæn/ ▸ p. 1467, p. 1378
A *n* **1** (*also* **Afghani**) (person) Afghan/-e *m/f*; **2** (*also* **Afghani**) (language) pachtou *m*; **3** (coat) afghan *m*
B *adj* (*also* **Afghani**) afghan

Afghan hound *n* lévrier *m* afghan

Afghanistan /æf'gænɪstɑ:n, -stæn/ ▸ p. 1096 *pr n* Afghanistan *m*

aficionado /ə,fɪsjə'nɑ:dəʊ, ə,fɪʃj-/ *n* (*pl* **~s**) passionné/-e *m/f*

afield /ə'fi:ld/: **far afield** *adv phr* loin; **further ~** plus loin; **to look/go further ~** regarder/aller plus loin; **from as far ~ as China and India** d'aussi loin que la Chine et l'Inde

afire /ə'faɪə(r)/ littér
A *adj* (*jamais épith*) en feu; **to be ~ with enthusiasm** déborder d'enthousiasme
B *adv* en feu; **to set sth ~** mettre le feu à qch

aflame /ə'fleɪm/ littér
A *adj* (*avant n*) gen en feu; [*cheek*] en feu; [*sky, countryside*] embrasé; **to be ~ with** [*desire*] brûler de; [*enthusiasm*] déborder de
B *adv* en feu; **to set sth ~** mettre le feu à qch

AFL-CIO *n* US (*abrév* = **American Federation of Labor and Congress of Industrial Organizations**) AFL-CIO *f*

> **AFL-CIO**
>
> Principale centrale syndicale américaine, l'*AFL-CIO* regroupe 78 syndicats et 14 millions de membres. Très puissante, elle apporte traditionnellement son soutien au parti démocrate.

afloat /ə'fləʊt/ *adj, adv* **1** (in water) **to stay** *ou* **remain ~** [*body, person, object*] rester à la surface (de l'eau); [*boat*] rester à flot; **to get a boat ~** mettre un bateau à flot; **I could see a body/an object ~ in the water** je voyais un corps/un objet qui flottait sur l'eau; **she had difficulty staying ~** elle avait du mal à se maintenir à la surface (de l'eau); **2** (financially) **to remain** *ou* **stay ~** se maintenir à flot; **to keep the economy ~** maintenir l'économie à flot; **3** (at sea, on the water) sur l'eau; **it's the best-equipped ship ~** c'est le navire le mieux équipé qui soit sur l'eau; **a day/week ~** une journée/semaine sur l'eau

afoot /ə'fʊt/ *adj* (*après n*) **there is something/mischief ~** il se prépare quelque chose/un mauvais coup; **there is a plan** *ou* **there are plans ~ to...** on envisage de...; **there are changes ~** il y a des changements dans l'air

aforementioned /ə,fɔ:'menʃənd/ sout *ou* Jur
A *n* **the ~** le/la susnommé/-e
B *adj* [*document, incident, person*] susmentionné; **the ~ Fred Jones** le susnommé Fred Jones

aforesaid /ə'fɔ:sed/ *adj* sout *ou* Jur [*document, incident, person*] susmentionné; **the ~ Fred Jones** le susnommé Fred Jones

aforethought /ə'fɔ:θɔ:t/: **with malice aforethought** *adv phr* Jur avec préméditation

a fortiori /,eɪ ,fɔ:tɪ'ɔ:raɪ/ *adv* sout a fortiori

afoul /ə'faʊl/ *adv* sout **to run ~ of** s'attirer des ennuis avec

afraid /ə'freɪd/ *adj* **1** (frightened) **don't be ~** n'aie pas peur; **to be ~** avoir peur (**of** de; **to do, of doing** de faire); **she's ~ of you/of the dark** elle a peur de vous/du noir; **is he ~ of flying/of getting hurt?** a-t-il peur d'aller en avion/de se faire mal?; **2** (anxious) **to be ~** craindre (**for sb/sth** pour qn/qch); **she was ~ (that) there would be an accident** elle craignait un accident; **I was ~ (that) I would get hurt** je craignais de me faire mal; **he was ~ (that) she might get hurt** il craignait qu'elle ne se fasse mal; **I'm ~ it might rain** je crains qu'il (ne) pleuve; **3** (in expressions of regret) **I'm ~ I can't come** je suis désolé mais je ne peux pas venir; **'did they win?'—'I'm ~ not'** 'ont-ils gagné?'—'hélas, non'; 4 (as polite formula) **I'm ~ the house is in a mess** excusez le désordre dans la maison; **I'm ~ I don't agree** je ne suis pas d'accord; **'are you parking here?'—'I'm ~ so'** 'vous vous garez ici?' 'oui Madame/Monsieur'

afresh /ə'freʃ/ *adv* à nouveau; **to start ~** recommencer; (in life) repartir à zéro

Africa /'æfrɪkə/ *pr n* Afrique *f*; **to ~** en Afrique

African /'æfrɪkən/
A *n* Africain/-e *m/f*
B *adj* africain

African(-)American /'æfrɪkənə'merɪkən/
A *n* Afro-américain/-e *m/f*
B *adj* afro-américain

> **African-American**
> Expression employée aux États-Unis pour désigner les Noirs américains d'origine africaine. Cette dénomination est plus neutre que le mot *Black* qui fait explicitement référence à la couleur de la peau.
> ▸ **Hyphenated American**

African: **~ elephant** *n* éléphant *m* d'Afrique; **~ National Congress** *n* Congrès *m* National Africain; **~ violet** *n* saintpaulia *m*

Afrikaans /,æfrɪ'kɑːns/ ▸ **p. 1378** *n* afrikaans *m*

Afrikaner /,æfrɪ'kɑːnə(r)/ ▸ **p. 1467**
A *n* Afrikaner *mf*
B *adj* afrikaner

Afro /'æfrəʊ/ *n* (*also* **~ haircut**) coiffure *f* afro

Afro-American /,æfrəʊə'merɪkən/
A *n* Afro-américain/-e *m/f*
B *adj* afro-américain

Afro-Caribbean /,æfrəʊ,kærɪ'biːən/ *adj* antillais

aft /ɑːft, US æft/ *adv* Naut, Aviat à l'arrière

AFT *n* (*abrév* = **American Federation of Teachers**) *syndicat d'enseignants américains*

after /'ɑːftə(r), US 'æftər/

> ⚠ As both adverb and preposition, *after* is translated in most contexts by *après*: *after the meal* = après le repas; *H comes after G* = H vient après G; *day after day* = jour après jour; *just after 3 pm* = juste après 15 heures; *three weeks after* = trois semaines après.
> When *after* is used as a conjunction it is translated by *après avoir (or être) + past participle* where the two verbs have the same subject: *after I've finished my book, I'll cook dinner* = après avoir fini mon livre je vais préparer le dîner; *after he had consulted Bill* ou *after consulting Bill, he decided to accept the offer* = après avoir consulté Bill, il a décidé d'accepter l'offre.
> When the two verbs have different subjects the translation is *après que + indicative*: *I'll lend you the book after Fred has read it* = je te prêterai le livre après que Fred l'aura lu.
> For more examples and particular usages see the entry below.
> See also the usage note on time units ▸ **p. 1804**.

A *adv* 1 (following time or event) après; **before and ~** avant et après; **soon** *ou* **shortly** *ou* **not long ~** peu après; **for weeks ~** pendant des semaines après; **straight ~** GB, **right ~** US tout de suite après
2 (following specific time) **the week/year ~** la semaine/l'année suivante *or* d'après; **the day ~** le lendemain

B *prep* 1 (later in time than) après; **~ the film** après le film; **immediately ~ the strike** aussitôt après la grève; **~ that date** (in future) au-delà de cette date; (in past) après cette date; **shortly ~ 10 pm** peu après 22 h; **it was ~ six o'clock** il était six heures passées, il était plus de six heures; **~ that** après (cela); **the day ~ tomorrow** après-demain; **a ceremony ~ which there was a banquet** une cérémonie après laquelle il y a eu un banquet; **he had breakfast as usual, ~ which he left** il a pris son petit déjeuner comme d'habitude, après quoi il est parti
2 (given) après; **~ my attempt at milking, I was nervous** après ma tentative de traire les vaches je n'étais pas très sûr de moi; **~ the way he behaved** après la façon dont il s'est conduit; **~ all we did for you!** après tout ce que nous avons fait pour toi!
3 (in spite of) malgré, après; **~ all the trouble I took labelling the package, it got lost** malgré tout le mal que je me suis donné à étiqueter le paquet, il s'est perdu; **~ what she's been through, she's still interested?** malgré *or* après ce qu'elle a subi, ça l'intéresse toujours?
4 (expressing contrast) après; **the film was disappointing ~ all the hype**° après tout le battage° le film était décevant; **it's boring here ~ Paris** après Paris, on s'ennuie ici
5 (behind) **to run** *ou* **chase ~ sb/sth** courir après qn/qch; **please shut the gate ~ you** refermez la grille derrière vous s'il vous plaît
6 (following in sequence) après; **your name comes ~ mine on the list** ton nom vient après le mien sur la liste; **the adjective comes ~ the noun** l'adjectif vient après le nom
7 (following in rank, precedence) après; **she's next in line ~ Bob for promotion** elle sera la prochaine après Bob à avoir une promotion; **he was placed third ~ Smith and Jones** il est arrivé troisième après Smith et Jones; **~ you!** (letting someone pass ahead) après vous!
8 (in the direction of) **to stare ~ sb** regarder qn s'éloigner; **'don't forget!' Mimi called ~ her** 'n'oublie pas!' lui a crié Mimi
9 (in the wake of) derrière; **I'm not tidying up ~ you!** je n'ai pas l'intention de ranger derrière toi!
10 (in pursuit of) **to be ~ sth** chercher qch; **that's the house they're ~** c'est la maison qu'ils veulent acheter; **the police are ~ him** il est recherché par la police; **to come** *ou* **go ~ sb** poursuivre qn; **he'll come ~ me** il va essayer de me retrouver; **it's me he's ~** (to settle score) c'est à moi qu'il en veut; **I wonder what she's ~?** je me demande ce qu'elle veut?; **I think he's ~ my job** je pense qu'il veut (me) prendre ma place; **to be ~ sb**° (sexually) s'intéresser à qn
11 (beyond) après; **about 400 metres ~ the crossroads** environ 400 mètres après le carrefour
12 (stressing continuity, repetitiveness) **day ~ day** jour après jour; **generation ~ generation** génération après génération; **time ~ time** maintes et maintes fois; **mile ~ mile of bush** des kilomètres et des kilomètres de brousse; **it was one disaster ~ another** on a eu catastrophe sur catastrophe
13 (about) **to ask ~ sb** demander des nouvelles de qn
14 (in honour or memory of) **to name a child ~ sb** donner à un enfant le nom de qn; **named ~ James Joyce** [*monument, street, institution, pub*] portant le nom de James Joyce; **we called her Kate ~ my mother** nous l'avons appelée Kate comme ma mère
15 (in the manner of) **'~ Millet'** 'd'après Millet'; **it's a painting ~ Klee** c'est un tableau fait à la manière de Klee; ▸ **fashion A 1**
16 US (past) **it's twenty ~ eleven** il est onze heures vingt

C *conj* 1 (in sequence of events) après avoir *or* être (+ *pp*), après que (+ *indic*); **don't go for a swim too soon ~ eating** ne va pas nager trop tôt après avoir mangé; **~ we had left we realized that** après être partis nous nous sommes rendu compte que; **~ she had confessed to the murder, he was released** après qu'elle a avoué le meurtre, il a été relâché; **we return the bottles ~ they have been washed** nous retournons les bouteilles après qu'elles ont été lavées
2 (given that) **~ hearing all about him we want to meet him** après tout ce que nous avons entendu sur lui nous voulons le rencontrer; **~ you explained the situation they didn't call the police** une fois que tu leur as expliqué la situation ils n'ont pas appelé la police
3 (in spite of the fact that) **why did he do that ~ we'd warned him of the consequences?** pourquoi a-t-il fait ça alors que nous l'avions prévenu des conséquences?

D afters° *npl* GB dessert *m*; **what's for ~s?** qu'est-ce qu'il y a comme dessert?

E after all *adv, prep* 1 (when reinforcing point) après tout; **~ all, nobody forced you to leave** après tout personne ne t'a obligé à partir
2 (when reassessing stance, opinion) après tout, finalement; **it wasn't such a bad idea ~ all** après tout *or* finalement ce n'était pas une si mauvaise idée; **he decided not to stay ~ all** finalement il a décidé de ne pas rester

after: **~birth** *n* placenta *m*; **~care** *n* Med suivi *m* médical; **~-dinner drink** *n* digestif *m*; **~-dinner speaker** *n* orateur/-trice *m/f* invité/-e; **~-dinner speech** *n* discours *m* à la fin d'un dîner officiel; **~-effect** *n* Med contrecoup *m* (**of** de); fig répercussion *f* (**of** de); **~glow** *n* ¢ lit dernières lueurs *fpl* du jour; fig sensation *f* agréable; **~-hours drinking** *n* GB consommation *f* d'alcool après l'heure légale de la fermeture des pubs; **~life** *n* vie *f* après la mort

aftermath /'ɑːftəmæθ, -mɑːθ, US 'æf-/ *n* ¢ conséquences *fpl* (**of** de); **in the ~ of** à la suite de [*war, scandal, election*]

afternoon /,ɑːftə'nuːn, US ,æf-/ ▸ **p. 1059**
A *n* après-midi *m or f inv*; **in the ~** (dans) l'après-midi; **at 2.30 in the ~** à 2 h 30 de l'après-midi; **in the early/late ~** en début/en fin d'après-midi; **this ~** cet après-midi; **later/earlier this ~** plus tard/plus tôt dans l'après-midi; **the following** *ou* **next ~** le lendemain après-midi; **the previous ~**, **the ~ before** l'après-midi d'avant; **every ~** tous les après-midi; **on Friday ~s** le vendredi après-midi; **every Saturday ~** tous les samedis après-midi; **to work ~s** travailler l'après-midi
B *modif* [*shift, train*] de l'après-midi
C *excl* (*also* **good ~**) bonjour!

afternoon: **~ performance** *n* matinée *f*; **~ tea** *n* thé *m* (de cinq heures)

after: **~pains** *npl* tranchées *fpl* utérines; **~-sales service** *n* service *m* après-vente; **~-shave** *n* après-rasage *m*; **~shock** *n* Geol secousse *f* secondaire; fig retombées *fpl*; **~-sun** *adj* [*lotion, cream*] après-soleil; **~taste** *n* lit, fig arrière-goût *m*; **~-tax** *adj* [*profits, earnings*] après impôts

afterthought /'ɑːftəθɔːt, US 'æf-/ *n* pensée *f* après coup; **our youngest was an ~** notre dernier enfant est arrivé sur le tard; **as an ~** après coup, en y repensant; **almost as an ~** comme en y repensant

afterwards /'ɑːftəwədz, US 'æf-/ GB, **afterward** /'ɑːftəwəd, US 'æf-/ US *adv* 1 (after) gen après; (in a sequence of events) ensuite; **soon** *ou* **shortly** *ou* **not long ~** peu après; **immediately** *ou* **directly ~** aussitôt après; **straight ~** GB tout de suite après; **we saw a film, went to the restaurant then went home ~** on est allé au cinéma, puis au restaurant et ensuite on est rentré; **salmon, green salad and ~ an apple tart** du saumon et une salade verte suivis d'une tarte aux pommes; 2 (later) plus tard; **I'll tell you ~** je te le dirai plus tard; **it was only ~ that I noticed** ce n'est que plus tard que je m'en suis aperçu; 3 (subsequently) par

ℹ Age

■ *Note that where English says* to be X years old, *French says* avoir X ans (to have X years).

How old?

how old are you?
= quel âge as-tu?

what age is she?
= quel âge a-t-elle?

■ *The word* ans (years) *is never dropped:*

he is forty years old
or ***he is forty***
or ***he is forty years of age***
= il a quarante ans

she's eighty
= elle a quatre-vingts ans

the house is a hundred years old
= la maison a cent ans

a man of fifty
= un homme de cinquante ans

a child of eight and a half
= un enfant de huit ans et demi

I feel sixteen
= j'ai l'impression d'avoir seize ans

he looks sixteen
= on lui donnerait seize ans

■ *Note the use of* de *after* âgé *and* à l'âge:

a woman aged thirty
= une femme âgée de trente ans

at the age of forty
= à l'âge de quarante ans

Mrs Smith, aged forty
or ***Mrs Smith (40)***
= Mme Smith, âgée de quarante ans

■ *Do not confuse* que *and* de *used with* plus *and* moins:

I'm older than you
= je suis plus âgé que toi

she's younger than him
= elle est plus jeune que lui

Anne's two years younger
= Anne a deux ans de moins

Margot's older than Suzanne by five years
= Margot a cinq ans de plus que Suzanne

Robert's younger than Thomas by six years
= Robert a six ans de moins que Thomas

X-year-old

a forty-year-old
= quelqu'un de quarante ans

a sixty-year-old woman
= une femme de soixante ans

an eighty-year-old pensioner
= un retraité de quatre-vingts ans

they've got an eight-year-old
= ils ont un enfant de huit ans

and a five-year-old
= et un autre de cinq ans

Approximate ages

■ *Note the various ways of saying these in French:*

he is about fifty
= il a environ cinquante ans
or il a une cinquantaine d'années
or (*less formally*) il a dans les cinquante ans

(*Other round numbers in* -aine *used to express age are* dizaine (10), vingtaine (20), trentaine (30), quarantaine (40), soixantaine (60) *and* centaine (100).)

she's just over sixty
= elle vient d'avoir soixante ans

she's just under seventy
= elle aura bientôt soixante-dix ans

she's in her sixties
= elle a entre soixante et soixante-dix ans

she's in her early sixties
= elle a entre soixante et soixante-cinq ans

she's in her late sixties
= elle va avoir soixante-dix ans
or (*less formally*) elle va sur ses soixante-dix ans

she must be seventy
= elle doit avoir soixante-dix ans

he's in his mid forties
= il a entre quarante et cinquante ans
or (*less formally*) il a dans les quarante-cinq ans

he's just ten
= il a tout juste dix ans

he's barely twelve
= il a à peine douze ans

games for the under twelves
= jeux pour les moins de douze ans

only for the over eighties
= seulement pour les plus de quatre-vingts ans

la suite; **I regretted it ~** je l'ai regretté par la suite

afterword /ˈɑːftəwɜːd, US ˈæf-/ *n* épilogue *m*

AG *n*: *abrév* ▸ **Attorney General**

Aga® /ˈɑːɡə/ *n* cuisinière *f* à feu continu

again /əˈɡeɪn, əˈɡen/

> ⚠ When used with a verb, *again* is often translated by adding the prefix *re* to the verb in French: *to start again* = recommencer; *to marry again* = se remarier; *I'd like to read that book again* = j'aimerais relire ce livre; *she never saw them again* = elle ne les a jamais revus. You can check *re* + verbs by consulting the French side of the dictionary.
> For other uses of *again* and for idiomatic expressions, see below.

adv encore; **sing it ~!** chante-le encore!; **once ~** encore une fois; **yet ~ he refused** il a encore refusé; **when you are well ~** quand tu seras rétabli; **I'll never go there ~** je n'y retournerai jamais; **he never saw her ~** il ne l'a jamais revue; **never ~!** jamais plus!; **not ~!** encore!; **~ and ~** plusieurs fois, à plusieurs reprises; **time and (time) ~** maintes fois; **~, you may think that** et ici encore, vous pourriez penser que; **(and) then ~, he may not** mais il se peut aussi qu'il ne le fasse pas; **what's his name ~**○**?** il s'appelle comment déjà?

against /əˈɡeɪnst, əˈɡenst/ *prep*

> ⚠ *Against* is translated by *contre* when it means *physically touching* or *in opposition to*: *against the wall* = contre le mur; *he's against independence* = il est contre l'indépendance; *the fight against inflation* = la lutte contre l'inflation.
> If you have any doubts about how to translate a fixed phrase or expression beginning with *against* (*against the tide, against the clock, against the grain, against all odds etc*) you should consult the appropriate noun entry (**tide, clock, grain, odds** etc).
> *against* often appears in English with certain verbs (*turn against, compete against, discriminate against, stand out against etc*). For translations you should consult the appropriate verb entry (**turn, compete, discriminate, stand** etc).
> *against* often appears in English after certain nouns and adjectives (*protection against, a match against, a law against, effective against etc*). For translations consult the appropriate noun or adjective entry (**protection, match, law, effective** etc). For particular usages see below.

1 (physically) contre; **~ the wall** contre le mur; **2** (objecting to) **I'm ~ it** je suis contre; **I have nothing ~ it** je n'ai rien contre; **100 votes for and 20 votes ~** 100 votes pour et 20 votes contre; **to be ~ the idea** s'opposer à l'idée, être contre l'idée; **to be ~ doing** ne pas être d'accord pour faire, être contre l'idée de faire; **3** (counter to) **to go** *ou* **be ~** aller à l'encontre de [*tradition, policy*]; **the conditions are ~ us** les conditions ne nous sont pas favorables; **the decision went ~ us** la décision ne nous a pas été favorable; **to pedal ~ the wind** pédaler contre le vent; ▸ **up**; **4** (in opposition to) contre; **the war ~ sb** la guerre contre qn; **the fight ~ inflation** la lutte contre l'inflation; **Smith ~ Jones** Smith contre Jones; **5** (compared to) **the pound fell ~ the dollar** la livre a baissé par rapport au dollar; **the graph shows age ~ earnings** le graphique représente la courbe des salaires en fonction de l'âge; ▸ **as**; **6** (in contrast to) sur; **the blue looks pretty ~ the yellow** le bleu est joli sur le jaune; **~ a background of** sur un fond de; **~ the light** à contre-jour; **to stand out ~** [*houses, trees etc*] se détacher sur [*sky, sunset*]; **7** (in exchange for) contre, en échange de; **~ a voucher from the airline** contre un *or* en échange d'un bon distribué par la compagnie aérienne

agape /əˈɡeɪp/
A *adj* (*après n*) (of person) bouche bée; [*mouth*] grand ouvert
B *adv* bouche bée

agar-agar /ˌeɪɡɑːˈeɪɡɑː(r)/ *n* agar-agar *m*

agaric /ˈæɡərɪk/ *n* agaric *m*

Aga saga○ *n* GB *roman féminin populaire*

agate /ˈæɡət/ *n* agate *f*

agave /əˈɡeɪvɪ/ *n* agave *m*

age /eɪdʒ/ ▸ **p. 927**
A *n* **1** (length of existence) âge *m*; **at the ~ of 14** à l'âge de 14 ans; **she's your ~** elle a ton âge; **to look one's ~** faire son âge; **to be of retirement ~** avoir l'âge de la retraite; **to be of school ~** être en âge d'aller à l'école; **she's twice/half his ~** elle a le double/la moitié de son âge; **they are of an ~** ils sont du même âge; **to be of an ~ when...** être à l'âge où...; **act** *ou* **be your ~!** ne fais pas l'enfant!; **you shouldn't be doing that at your ~!** tu ne devrais pas faire ça à ton âge!; **men of retirement ~** les hommes en âge de *or* qui ont l'âge de la retraite; **to come of ~** atteindre la majorité; **to be of ~** être majeur/-e; **to be under ~** Jur être mineur; **~ of consent** Jur âge légal (**for** pour); **to feel one's ~** se faire vieux/vieille; **2** (latter part of life) âge *m*, vieillesse *f*; **with ~** avec l'âge; **3** (era) ère *f*, époque *f* (**of** de); **the video/computer ~** l'ère de la vidéo/de l'ordinateur; **in this day and ~** à notre époque; **through the ~s** à travers les âges *or* les siècles; **the Age of Reason** Hist le siècle des lumières; **4** ○(long time) (*souvent pl*)

it's ~s since I've played golf ça fait une éternité que je n'ai pas joué au golf; **we haven't been to London for ~s** nous ne sommes pas allés à Londres depuis une éternité; **it takes ~s** *ou* **an ~ to get it right** cela prend un temps fou pour le faire correctement; **I've been waiting for ~s** j'attends depuis des heures

B *vtr* [*hairstyle, experiences etc*] vieillir [*person*]; **to ~ sb 10 years** vieillir qn de 10 ans

C *vi* [*person*] vieillir; **to ~ well** bien vieillir

age bracket *n* = **age range**

aged

A /'eɪdʒɪd/ *n* **the ~** (+ *v pl*) les personnes âgées

B *adj* **1** /eɪdʒd/ (of an age) **~ between 20 and 25** âgé/-e de 20 à 25 ans; **a boy ~ 12** un garçon de 12 ans; **2** /'eɪdʒɪd/ (old) vieux/vieille, âgé

age group *n* = **age range**

ageing /'eɪdʒɪŋ/

A *n* vieillissement *m*; **the ~ process** le processus de vieillissement

B *adj* [*person, filmstar, population*] vieillissant; [*vehicle, appliance, system*] vieux/vieille (*before n*); **that hairstyle is really ~** cette coiffure te vieillit

ageism /'eɪdʒɪzəm/ *n* discrimination *f* en raison de l'âge

ageist /'eɪdʒɪst/ *adj* [*policy, rule*] qui défavorise les personnes en raison de leur âge; [*remark, term*] qui témoigne d'un préjugé par rapport à l'âge

ageless /'eɪdʒlɪs/ *adj* **1** (not appearing to age) toujours jeune; (of indeterminate age) sans âge; **2** (timeless) [*quality, mystery*] éternel/-elle

age limit *n* limite *f* d'âge

agency /'eɪdʒənsɪ/ *n* **1** (organization, office) agence *f*; **to get sb through an ~** trouver qn par une agence; **'no agencies'** (in advertisement) 'agences s'abstenir'; **aid ~** organisme *m* humanitaire; **2** GB Comm (representing firm) concessionnaire *m*; **to have the Peugeot ~** être le concessionnaire Peugeot; **to have the sole ~ for** avoir la représentation exclusive de [*company, product*]; **3** (influence) intermédiaire *m*; **through an outside ~** par l'intermédiaire d'un tiers; **4** Phys, Geol **by the ~ of erosion** sous l'effet de l'érosion

agency: **~ fee** *n* commission *f* de gestion; **Agency for International Development, AID** *n* US *organisme gouvernemental d'aide aux pays en voie de développement*; **~ nurse** *n* infirmier/-ière *m/f* intérimaire; **~ staff** *n* personnel *m* intérimaire

agenda ➡
/ə'dʒendə/ *n* **1** Admin ordre *m* du jour; **to be on the ~** être à l'ordre du jour; **2** fig (list of priorities) programme *m*; **hidden** *ou* **secret ~** programme secret; **unemployment is high on the political ~** l'emploi est prioritaire dans le monde politique

agent /'eɪdʒənt/ *n* **1** (acting for customer, artist, firm) agent *m* (**for sb** de qn); **area/sole ~** agent régional/exclusif; **to go through an ~** passer par un intermédiaire; **to act as sb's ~, to act as ~ for sb** représenter qn; **2** Pol (spy) agent *m*; **enemy/foreign ~** agent ennemi/étranger; **3** (cause, means) agent *m*; **4** (chemical substance) agent *m*; **cleaning ~** agent nettoyant; **5** Ling agent *m*

(Idiom) **to be a free ~** être indépendant

agentive /'eɪdʒəntɪv/

A *n* Ling agentif *m*

B *adj* Ling agentif/-ive

agent: **~ noun** *n* nom *m* d'agent; **Agent Orange** *n* Chem agent *m* orange; **~ provocateur** *n* agent *m* provocateur; **~s procedure** *n* Univ procédure *f* d'inscription

age-old /,eɪdʒ'əʊld/ *adj* ancestral, très vieux/vieille

age range *n* tranche *f* d'âge; **people in the 25–30 ~** les personnes entre 25 et 30 ans, les personnes dans la tranche d'âge des 25–30 ans

agglomerate

A /ə'glɒmərət/*n* agglomérat *m*

B /ə'glɒməreɪt/ *vtr* agglomérer

C /ə'glɒməreɪt/ *vi* s'agglomérer

agglomeration /ə,glɒmə'reɪʃn/ *n* Geol, gen agglomération *f*

agglutinate /ə'glu:tɪneɪt/

A *vtr* Ling, Med, gen agglutiner

B *vi* Ling, gen s'agglutiner; **agglutinating language** langue *f* agglutinante

agglutination /ə,glu:tɪ'neɪʃn, US -tə'n-/ *n* agglutination *f*

agglutinative /ə'glu:tɪnətɪv, US -təneɪtɪv/ *adj* agglutinant

aggrandize /ə'grændaɪz/ *vtr* sout agrandir

aggrandizement /ə'grændɪzmənt/ *n* sout avancement *m*

aggravate /'ægrəveɪt/

A *vtr* **1** (make worse) aggraver [*situation, illness*]; **2** (annoy) exaspérer

B **aggravated** *pp adj* Jur [*burglary, offence*] qualifié, aggravé

aggravating /'ægrəveɪtɪŋ/ *adj* **1** Jur (worsening) aggravant; **2** °(irritating) exaspérant

aggravation /,ægrə'veɪʃn/ *n* **1** ¢ (annoyance) ennuis *mpl*; **2** (irritation) contrariété *f*; **3** (worsening) aggravation *f*

aggregate

A /'ægrɪgət/ *n* **1** gen, Econ ensemble *m*, total *m*; **in ~** dans l'ensemble; **2** Sport score *m* total; **on ~** GB au total; **3** Constr, Geol agrégat *m*

B **aggregates** *npl* (*also* **monetary ~s**) GB Econ agrégats *mpl* monétaires

C /'ægrɪgət/ *adj* **1** [*amount, cost, loss, profit*] total; [*data*] d'ensemble; [*demand, supply*] global; **2** Sport total

D /'ægrɪgeɪt/ *vtr* **1** (combine) rassembler [*figures, points, score*]; regrouper [*data*]; **2** (group) répartir [*people*]

aggression /ə'greʃn/ *n* (of person) agressivité *f*; (in situation, place, group) agression *f*

aggressive /ə'gresɪv/ *adj* **1** [*person, reaction, behaviour*] agressif/-ive; **2** Comm, Fin [*management, policy, marketing*] agressif/-ive, dynamique

aggressively /ə'gresɪvlɪ/ *adv* **1** [*behave, react*] avec agressivité, de manière agressive; **~ frank** d'une franchise excessive; **2** Comm, Fin [*promote*] de manière agressive; [*manage*] de façon dynamique

aggressiveness /ə'gresɪvnɪs/ *n* agressivité *f*

aggressor /ə'gresə(r)/ *n* agresseur *m*

aggrieved /ə'gri:vd/

A *n* Jur **the ~** la partie lésée

B *adj* **1** Jur lésé; **2** (resentful) mécontent (**at** de)

aggro° /'ægrəʊ/ *n* GB **1** (violence) violence *f*; **2** (hostility) hostilité *f*

aghast /ə'gɑ:st, US ə'gæst/ *adj* horrifié (**at** par)

agile /'ædʒaɪl, US 'ædʒl/ *adj* [*person, movement*] agile; [*mind*] vif/vive, agile

agility /ə'dʒɪlətɪ/ *n* (physical, mental) agilité *f*

Agincourt /'ædʒɪnkɔ:t/ *pr n* Azincourt

aging *n, adj* = **ageing**

agitate /'ædʒɪteɪt/

A *vtr* **1** (shake) agiter [*liquid*]; **2** [*news, situation, argument*] troubler [*person*]

B *vi* (campaign, demonstrate) faire campagne (**for** pour; **against** contre)

agitated /'ædʒɪteɪtɪd/ *adj* agité, inquiet

agitatedly /'ædʒɪteɪtɪdlɪ/ *adv* d'une manière agitée

agitation /,ædʒɪ'teɪʃn/ *n* **1** (political) agitation *f*; **2** (anxiety) agitation *f*; **to be in a state of ~** être agité; **3** (of liquid) agitation *f*

agitator /'ædʒɪteɪtə(r)/ *n* **1** (person) agitateur/-trice *m/f*; **2** Tech agitateur *m*

agitprop /'ædʒɪtprɒp/ *n* agit-prop *f inv*

aglow /ə'gləʊ/ *adj* [*person, face*] rayonnant (**with** de); [*sky, hills*] embrasé; [*shop window*] illuminé; **to set sth ~** embraser qch

AGM *n*: *abrév* ▸ **Annual General Meeting**

agnostic /æg'nɒstɪk/ *n, adj* agnostique (*mf*)

agnosticism /æg'nɒstɪsɪzəm/ *n* agnosticisme *f*

ago /ə'gəʊ/ *adv* **three weeks/two years ~** il y a trois semaines/deux ans; **some time ~** il y a quelque temps; **long ~** il y a longtemps; **how long ~?** il y a combien de temps?; **not long ~** il y a peu de temps; **as long ~ as 1986** dès 1986, déjà en 1986; **they got married forty years ~ today** cela fait quarante ans aujourd'hui qu'ils sont mariés

agog /ə'gɒg/ *adj* **1** (excited) en émoi (**at** à cause de); **2** (eager) impatient (**to do** de faire); **we were all ~ to hear the results** on brûlait d'impatience d'apprendre les résultats

agonize /'ægənaɪz/ *vi* se tourmenter (**over, about** à propos de)

agonized /'ægənaɪzd/ *adj* [*cry*] déchirant; [*expression*] angoissé

agonizing /'ægənaɪzɪŋ/ *adj* **1** [*pain, death*] atroce; **2** [*decision, choice*] déchirant

agony /'ægənɪ/ *n* **1** (physical) douleur *f* atroce; **to die in ~** mourir dans des douleurs atroces; **2** (mental) angoisse *f*; **to prolong the ~** prolonger l'angoisse; **it was ~!** hum c'était l'horreur!; **to pile on the ~** GB dramatiser

agony: **~ aunt** *n* GB journaliste *f* responsable du courrier du cœur; **~ column** *n* GB courrier *m* du cœur; **~ uncle** *n* GB journaliste *m* responsable du courrier du cœur

agoraphobia /,ægərə'fəʊbɪə/ *n* agoraphobie *f*

agoraphobic /,ægərə'fəʊbɪk/ *adj* agoraphobique

AGR *n* GB *abrév* ▸ **Advanced gas-cooled reactor**

agrammatical /,eɪgrə'mætɪkl/ *adj* agrammatical

agraphia /ə'græfɪə/ *n* agraphie *f*

agrarian /ə'greərɪən/ *adj* agraire

agree /ə'gri:/

A *vtr* (*prét, pp* **agreed**) **1** (concur) être d'accord (**that** sur le fait que; **with** avec); **we ~d with him that he should leave** nous étions d'accord avec lui sur le fait qu'il devait partir; **2** (admit, concede) convenir (**that** que); **I ~ it sounds unlikely** ça a l'air peu probable, j'en conviens; **it's dangerous, don't you ~?** c'est dangereux, tu ne crois pas?; **3** (consent) **to ~ to do** accepter de faire; **4** (settle on, arrange) se mettre d'accord sur, convenir de [*date, time, venue, route, method, policy, terms, fee, price*]; se mettre d'accord sur [*candidate, change, plan, solution*]; **conditions ~d with the union/between the two parties** des conditions convenues avec le syndicat/entre les deux parties; **to ~ to do** convenir de faire, se mettre d'accord pour faire; **the industrial nations have ~d to support Soviet reforms** les pays industrialisés ont convenu de soutenir les réformes soviétiques

B *vi* (*prét, pp* **agreed**) **1** (hold same opinion) être d'accord (**with** avec; **about, on** sur); **'I ~!'** 'je suis bien d'accord!'; **I couldn't ~ more!** je suis entièrement d'accord!; **he didn't ~ with me on what was causing the pain** il n'était pas d'accord avec moi sur la cause de la douleur; **to ~ about** *ou* **on doing** être d'accord pour faire; **2** (reach mutual understanding) se mettre d'accord, tomber d'accord (**about, on** sur); **they failed to ~** ils n'ont pas réussi à se mettre d'accord; **the jury ~d in finding him guilty** le jury est tombé d'accord pour le déclarer coupable; **3** (consent) accepter; **to ~ to** consentir à [*plan, suggestion, terms, decision, negotiations*]; **she'll never ~ to that** elle n'y consentira jamais; **they won't ~ to her going alone** ils ne consentiront pas à ce qu'elle y aille toute seule; **4** (hold with, approve) **to ~ with** approuver [*belief, idea, practice, proposal*]; **I don't ~ with vivisection/with what**

➡ *see* Effective French

they're doing je désapprouve la vivisection/ ce qu'ils font; 5▸ (tally) [*stories, statements, figures, totals*] concorder (**with** avec); **the two theories ∼ (with each other)** les deux théories concordent; 6▸ (suit) **to ∼ with sb** [*climate, weather*] être bon pour qn; [*food*] réussir à qn; **I ate something that didn't ∼ with me** j'ai mangé quelque chose qui ne m'a pas réussi *or* qui n'est pas passé; 7▸ Ling s'accorder (**with** avec; **in** en)

C agreed *pp adj* [*date, time, venue, amount, budget, fee, price, rate, terms, signal*] convenu; **as ∼d** comme convenu; **it was ∼d that there would be a wage freeze** il était convenu qu'il y aurait un gel des salaires; **to be ∼d on** être d'accord sur [*decision, statement, policy*]; **are we all ∼d on this?** sommes-nous tous d'accord là-dessus?; **is that ∼d?** c'est bien entendu?; ▸ **damage**

agreeable /ə'gri:əbl/ *adj* 1▸ (pleasant) [*experience, surroundings, person*] agréable; **to be ∼ to sb** être aimable envers qn; 2▸ sout (willing) **to be ∼ to sth/to doing** être d'accord pour qch/pour faire; 3▸ sout (acceptable) **is this ∼?** êtes-vous d'accord?

agreeably /ə'gri:əblɪ/ *adv* 1▸ (pleasantly) agréablement; 2▸ (amicably) [*say, smile*] aimablement

agreement /ə'gri:mənt/ *n* 1▸ gen, Pol, Fin (settlement, contract) accord *m* (**between** entre; **with** avec; **on** sur); **EU ∼** accord de l'UE; **Anglo-Irish ∼** accord anglo-irlandais; **an ∼ to do** un accord pour faire; **an ∼ to reduce nuclear arsenals** un accord pour réduire les armements nucléaires; **to come to** *ou* **reach an ∼** parvenir à un accord; **under an ∼** en vertu d'un accord; 2▸ (undertaking) engagement *m* (**to do** à faire); **an ∼ to repay the loan** un engagement à rembourser le prêt; **after an ∼ by the union to end the strike** après que le syndicat s'est engagé à cesser la grève; 3▸ (mutual understanding) accord *m* (**about, on** sur); **to be in ∼ with sb** être d'accord avec qn; **by ∼ with sb** en accord avec qn; **to reach ∼** se mettre d'accord; **there is little ∼** pratiquement personne n'est d'accord; **there is general ∼ that** la plupart des gens s'accordent à dire que; **to nod in ∼** acquiescer d'un signe de tête; 4▸ Jur (contract) contrat *m*; **under the terms of the ∼** selon les termes du contrat; 5▸ (consent) **∼ to** acceptation *f* de [*reform, cease-fire, moratorium*]; 6▸ Ling accord *m*

agribusiness /'ægrɪbɪznɪs/ *n* ¢ agrobusiness *m*, agro-industries *fpl*

agricultural /,ægrɪ'kʌltʃərəl/ *adj* [*land, worker, production, building*] agricole; [*expert, engineer*] agronome; [*college*] d'agriculture

agriculturalist /,ægrɪ'kʌltʃərəlɪst/, **agriculturist** /,ægrɪ'kʌltʃərɪst/ US ▸ **p. 1683** *n* agronome *mf*

agricultural show *n* (rural) ≈ comices *mpl* agricoles; (trade fair) foire *f* agricole

agriculture /'ægrɪkʌltʃə(r)/ *n* agriculture *f*

agriscience /'ægrɪsaɪəns/ *n* agrotechnologie *f*

agrochemical /,ægrəʊ'kemɪkəl/

A *n* substance *f* agrochimique

B agrochemicals *npl* (+ *v sg*) (industry) agrochimie *f*

C *adj* agrochimique

agro-industry /'ægrəʊɪndəstrɪ/ *n* agro-industrie *f*

agronomist /ə'grɒnəmɪst/ ▸ **p. 1683** *n* agronome *mf*

agronomy /ə'grɒnəmɪ/ *n* agronomie *f*

aground /ə'graʊnd/

A *adj* **to be ∼** être échoué

B *adv* **to run ∼** s'échouer

ague‡ /'eɪgju:/ ▸ **p. 1327** *n* fièvre *f* paludéenne

ah /ɑ:/ *excl* ah!; **∼ well!** (resignedly) eh bien voilà!

aha /ɑ:'hɑ:, ə'hɑ:/ *excl* ah! ah!

ahead /ə'hed/

> ⚠ *Ahead* is often used after verbs in English (*go ahead, plan ahead, think ahead etc*). For translations consult the appropriate verb entry (**go, plan, think** etc). For all other uses see the entry below

A *adv* 1▸ (spatially) [*go on, run*] en avant; **we've sent Josephine on ∼** nous avons envoyé Josephine en éclaireur; **to send one's luggage on ∼** faire envoyer ses bagages; **the road (up) ∼ is blocked** la rue est barrée; **can you see what is wrong ∼?** est-ce que tu vois ce qui se passe (devant)?; **a few kilometres ∼** à quelques kilomètres; **a road/waterfall appeared ∼** une rue/chute d'eau est apparue devant nous/lui etc; **full speed ∼** Naut en avant toute; ▸ **straight**; 2▸ (in time) **in the months/years ∼** pendant les mois/années à venir; **to apply at least a year ∼** envoyer sa candidature au moins un an à l'avance; **who knows what lies ∼?** qui sait ce que l'avenir nous réserve?; **there are troubled times ∼ for the government** une période difficile s'annonce pour le gouvernement; 3▸ fig (in leading position) **to be ∼ in the polls** être en tête dans les sondages; **to be 30 points ∼** avoir 30 points d'avance; **to be 3% ∼** avoir une avance de 3%; **another goal put them ∼** un autre but leur a permis de mener; 4▸ fig (more advanced) **to be ∼ in physics/geography** [*pupil, set*] être plus avancé en physique/géographie

B ahead of *prep phr* 1▸ (spatially) devant [*person, vehicle*]; **to be three metres ∼ of sb** avoir trois mètres d'avance sur qn; 2▸ (in time) **to be three seconds ∼ of the next competitor** avoir trois secondes d'avance sur le concurrent suivant; **∼ of time** en avance; **our rivals are one year ∼ of us** nos rivaux sont en avance d'un an par rapport à nous; **to arrive ∼ of sb** arriver avant qn; **there are difficult times ∼ of us** une période difficile nous attend; 3▸ fig (leading) **to be ∼ of sb** (in polls, ratings) avoir un avantage sur qn; 4▸ fig (more advanced) **to be (way) ∼ of the others** [*pupil, set*] être (bien) plus avancé que les autres; **to be ∼ of the field** [*business*] devancer les autres; **to be ten years ∼ of the field** (in research) être dix ans en avance *or* avoir dix ans d'avance dans le domaine

(Idiom) **to be ∼ of one's time** être en avance sur son temps

ahoy /ə'hɔɪ/ *excl* ohé; **ship ∼!** ohé du bateau!

AI *n* 1▸ (*abrév* = **artificial intelligence**) IA; 2▸ *abrév* ▸ **artificial insemination**; 3▸ *abrév* ▸ **Amnesty International**

aid /eɪd/

A *n* 1▸ (help) aide *f* (**to** à); **with/without sb's ∼** avec/sans l'aide de qn; **with the ∼ of** à l'aide de; **to come to sb's ∼** venir en aide à qn; **to go to sb's ∼** aller à l'aide de qn; **he came/went to her ∼** il est venu/allé à son aide; 2▸ (charitable or financial support) aide *f* (**from** de; **to, for** à); 3▸ **in ∼ of** au profit de [*charity etc*]; **what's all this shouting in ∼ of?** GB hum c'est en quel honneur tous ces cris?; 4▸ (equipment) aide *f*

B *modif* [*budget, programme, scheme*] d'entraide; **∼ agency** *ou* **organization** organisation *f* humanitaire; **∼ worker** employé/-e *m/f* d'une organisation humanitaire

C *vtr* aider [*person*] (**to do** à faire); faciliter [*digestion, recovery, development*]; **∼ed by sb/by sth** aidé par qn/de qch

D *vi* 1▸ **to ∼ in** faciliter; **to ∼ in doing sth** aider à faire; 2▸ Jur *ou* hum **to ∼ and abet sb** être complice de qn; **∼ed and abetted by sb** avec la complicité de qn; **charged with ∼ing and abetting** Jur accusé de complicité

AID *n* 1▸ (*abrév* = **Artificial Insemination by Donor**) insemination *f* artificielle par un donneur; 2▸ US *abrév* ▸ **Agency for International Development**

Aida® /eɪdə/ *n* Sewing étamine *f* (à broder)

aide /eɪd/ *n* aide *mf*, assistant/-e *m/f*

aide-de-camp /,eɪddə'kɒm, US -'kæmp/ ▸ **p. 1599** *n* (*pl* **aides-de-camp**) aide *m* de camp

Aids /eɪdz/ 1▸ *n* (*abrév* = **Acquired Immune Deficiency Syndrome**) sida *m*; 2▸ *modif*: **∼ awareness** sensibilisation *f* au problème du sida; **∼ virus** virus *m* du sida

Aids-related /,eɪdz rɪ'leɪtəd/ *adj* [*disease, virus, symptom*] lié au sida; **∼ infection** infection *f* opportuniste liée au sida

Aids-related complex, ARC *n* ARC *m*, phase *f* 2 du sida

Aids test *n* test *m* de dépistage du sida

aigrette /'eɪgret, eɪ'gret/ *n* aigrette *f*

aikido /'aɪkɪdəʊ/ ▸ **p. 1253** *n* aïkido *m*

ail /eɪl/

A *vtr* 1▸ affliger [*society, economy*]; 2▸ ‡chagriner [*person*]

B *vi* **to be ∼ing** [*person*] être souffrant; [*company*] être mal en point

aileron /'eɪlərɒn/ *n* Aviat aileron *m*

ailing /'eɪlɪŋ/ *adj* 1▸ fig [*industry, business*] mal en point *inv*; [*economy*] fragile, mal en point *inv*; 2▸ [*person*] souffrant; [*pet*] malade

ailment /'eɪlmənt/ *n* affection *f*, maladie *f*

aim /eɪm/

A *n* 1▸ (purpose) but *m* (**of** de; **to do, of doing** de faire); **with the ∼ of doing** dans le but de faire; 2▸ (with weapon) **to take (careful) ∼** viser (avec soin); **to take ∼ at sth/sb** viser qch/qn; **to miss one's ∼** manquer sa cible; **his ∼ is bad** il vise mal

B *vtr* 1▸ **to be ∼ed at sb** [*campaign, product, insult, remark*] viser qn; **to be ∼ed at doing** [*effort, action*] viser à faire; **we are ∼ing the campaign at the young, the campaign is ∼ed at the young** dans cette campagne nous visons les jeunes; 2▸ braquer [*gun*] (**at** sur); lancer [*ball, stone*] (**at** sur); tenter de donner [*blow, kick*] (**at** à); diriger [*vehicle*] (**at** contre); **well-∼ed** [*blow, kick*] bien placé

C *vi* **to ∼ for sth, to ∼ at sth** lit, fig viser qch; **to ∼ at doing, to ∼ to do** (try) s'efforcer de faire; (intend) avoir l'intention de faire qch; **to ∼ high** fig viser haut

aimless /'eɪmlɪs/ *adj* [*person, wandering*] sans but; [*argument, gathering*] vain; [*violence*] sans objet

aimlessly /'eɪmlɪslɪ/ *adv* sans but

Ain ▸ **p. 1129** *pr n* Ain *m*; **in/to the ∼** dans l'Ain

ain't○ /eɪnt/ = **am not, is not, are not, has not, have not**

air /eə(r)/

A *n* 1▸ (substance) air *m*; **in the open ∼** en plein air, au grand air; **I need a change of ∼** j'ai besoin de changer d'air; **to come up for ∼** [*swimmer, animal*] remonter à la surface pour respirer; **to let the ∼ out of a tyre/balloon** dégonfler un pneu/ballon; 2▸ (atmosphere, sky) air *m*; **he threw the ball up into the ∼** il a jeté le ballon en l'air; **the helicopter rose up into the ∼** l'hélicoptère a décollé; **the birds of the ∼** les oiseaux qui volent; **the swans took to the ∼** les cygnes se sont envolés *or* ont pris leur envol; **to send sth/to travel by ∼** envoyer qch/voyager par avion; **Paris (seen) from the ∼** Paris vu d'avion; **the battle was fought on the ground and in the ∼** la bataille fut livrée sur terre et dans les airs; **to clear the ∼** lit [*storm*] rafraîchir l'air; fig détendre l'atmosphère; 3▸ Radio, TV **to be/go on (the) ∼** [*broadcaster, interviewee*] être/passer à l'antenne; **to go off the ∼** quitter l'antenne; **while the programme was still on the ∼** alors que l'émission était encore en cours de diffusion; **the series will be back on the ∼ in January** le feuilleton reprendra en janvier; **he went on the ∼ to reassure the public** il est intervenu à la radio *or* à la télévision pour rassurer le public; **off the ∼, she confided that...** hors antenne, elle a confié que...; **the channel goes off the ∼ at midnight** la chaîne cesse d'émettre à minuit; 4▸ (manner) (of person) air *m*; (aura, appearance) (of place) aspect *m*, air *m*; **with an ~ of innocence/indifference** d'un air innocent/indifférent; **an ~ of mystery surrounds the project** le projet est entouré de mystère; **he has a certain ~ about him** il a une certaine allure; 5 Mus air *m*; 6 littér (breeze) souffle *m* de vent

B *vtr* 1 (dry) faire sécher; (freshen by exposing to air) aérer [*garment, room, bed*]; **don't wear that shirt, it hasn't been ~ed** ne mets pas cette chemise, elle n'est pas complètement sèche; 2 (express) exprimer, faire part de [*opinion, view*]; **to ~ one's grievances** exposer ses griefs; **to ~ one's knowledge** faire étalage de son savoir; 3 US (broadcast) diffuser

Idioms **there's something in the ~** il y a quelque chose dans l'air, il y a quelque chose qui se trame; **he could sense trouble in the ~** il sentait qu'il y avait de l'orage dans l'air fig; **there's a rumour in the ~ that...** le bruit court que...; **to put on ~s, to give oneself ~s** péj se donner de grands airs; **our plans are still totally up in the ~** nos projets sont toujours très flous *or* vagues; **to be walking** *ou* **treading on ~** être aux anges; **to disappear** *ou* **vanish into thin ~** se volatiser; **they produced** *ou* **conjured these figures out of thin ~** leurs chiffres étaient complètement fantaisistes

air: **~ alert** *n* alerte *f* aérienne; **~ ambulance** *n* avion *m* sanitaire; **~ bag** *n* Aut airbag *m*; **~ base** *n* base *f* aérienne; **~ bed** *n* GB matelas *m* pneumatique; **~ bladder** *n* vésicule *f*

airborne /ˈeəbɔːn/ *adj* 1 Bot [*spore, seed*] porté par le vent; 2 Aviat, Mil [*troops, division*] aéroporté; **once the plane was ~** une fois que l'avion avait décollé; **the plane remained ~** l'avion est resté dans les airs

air: **~ brake** *n* Aut, Rail frein *m* à air comprimé; Aviat aérofrein *m*, frein *m* aérodynamique; **~ brick** *n* brique *f* creuse; **~ bridge** *n* GB pont *m* aérien

airbrush /ˈeəbrʌʃ/

A *n* aérographe *m*

B *vtr* peindre [qch] à l'aérographe

air: **~ bubble** *n* (in liquid, plastic, wallpaper) bulle *f* d'air; (in glass, metal etc) soufflure *f*; **~burst** *n* explosion *f* aérienne; **~bus** *n* airbus *m*; **~ chamber** *n* Tech cloche *f* à air; Biol chambre *f* à air; **~ chief marshal** ► **p. 1599** *n* GB général *m* de l'armée aérienne; **~ commodore** ► **p. 1599** *n* général *m* de brigade aérienne; **~-condition** *vtr* installer l'air conditionné *or* la climatisation dans; **~-conditioned** *adj* climatisé; **~-conditioner** *n* climatiseur *m*; **~-conditioning** *n* climatisation *f*, air *m* conditionné; **~-cooled** *adj* [*engine*] à refroidissement par air; **~ corridor** *n* couloir *m* aérien; **~craft** *n* (*pl* ~) avion *m*, aéronef *m*; **~craft carrier** *n* porte-avions *m inv*; **~craft(s)man** ► **p. 1599** *n* GB soldat *m* de deuxième classe (de l'armée de l'air); **~craft(s)woman** *n* GB femme soldat *f* de deuxième classe dans l'armée de l'air; **~crew** *n* équipage *m* (d'un avion); **~ cushion** *n* (inflatable cushion) coussin *m* pneumatique; (of hovercraft) coussin *m* d'air; **~ cylinder** *n* cylindre *m* à air comprimé; **~ disaster** *n* catastrophe *f* aérienne; **~drome** *n* US aérodrome *m*

airdrop /ˈeədrɒp/

A *n* parachutage *m*

B *vtr* (*p prés etc* **-pp-**) parachuter

air duct /ˈeədʌkt/ *n* conduit *m* d'air *or* d'aération

Airedale (terrier) /ˈeədeɪl/ *n* airedale (terrier) *m*

air: **~fare** *n* tarif *m* d'avion; **~field** *n* aérodrome *m*, terrain *m* d'aviation; **~flow** *n* gen, Aut, Aviat courant *m* atmosphérique; (in wind tunnel) écoulement *m* d'air; **~ force** *n* armée *f* de l'air, forces *fpl* aériennes; **~ force blue** *n* bleu *m* outremer; **~frame** *n* cellule *f* aéronautique *or* d'avion

airfreight /ˈeəfreɪt/ *n* 1 (method of transport) transport *m* aérien; **by ~** par transport aérien, par avion; 2 (goods) fret *m* aérien; 3 (charge) tarif *m* aérien

air: **~-freshener** *n* désodorisant *m* d'atmosphère; **~ guitar**○ *n* guitare *f* imaginaire; **~ gun** *n* fusil *m or* carabine *f* à air comprimé; **~head**○ *n* péj évaporé/-e *m/f*; **~ hole** *n* trou *m* d'aération; **~ hostess** ► **p. 1683** *n* hôtesse *f* de l'air

airily /ˈeərɪlɪ/ *adv* avec désinvolture, avec insouciance

airiness /ˈeərɪnɪs/ *n* 1 (of room, house, place) aspect *m* clair et spacieux; 2 (nonchalance) (of manner, attitude, gesture) désinvolture *f*, insouciance *f*; (of promise) légèreté *f*

airing /ˈeərɪŋ/ *n* 1 (of linen) (drying) séchage *m*; (freshening) aération *f*; 2 fig (mention) **to give an idea/issue an ~** mettre une idée/question sur le tapis; **the issue got its first public ~ yesterday** la question a été abordée ouvertement pour la première fois hier; 3 Radio, TV diffusion *f*

airing cupboard *n* GB *placard qui contient la chaudière et où l'on range le linge*

air: **~ kiss**○ *n* simulacre *m* de baiser sur la joue; **~ lane** *n* couloir *m* aérien *or* de navigation aérienne

airless /ˈeəlɪs/ *adj* [*room*] qui sent le renfermé; [*weather, evening*] lourd, étouffant

air letter *n* aérogramme *m*

airlift /ˈeəlɪft/

A *n* pont *m* aérien; **~ of refugees** évacuation *f* de réfugiés par pont aérien

B *vtr* évacuer [qn] par pont aérien [*evacuees*]; acheminer [qch] par pont aérien [*supplies, goods*]; **to be ~ed to hospital** être transporté par hélicoptère jusqu'à l'hôpital

airline /ˈeəlaɪn/

A *n* 1 Aviat (company) compagnie *f* aérienne *or* de transports aériens; 2 Tech, gen (source of air) tuyau *m* d'air; (diver's) voie *f* d'air

B *modif* Aviat [*pilot, staff*] de compagnie aérienne; [*company*] aérien/-ienne, de transports aériens

airliner /ˈeəlaɪnə(r)/ *n* avion *m* de ligne

airlock /ˈeəlɒk/ *n* 1 (in pipe, pump etc) poche *f or* bulle *f* d'air; 2 (in spaceship) sas *m*

airmail /ˈeəmeɪl/

A *n* poste *f* aérienne; **to send sth (by) ~** envoyer qch par avion

B *vtr* envoyer [qch] par avion

air: **~mail edition** *n* Journ *édition sur papier léger pour envoi par avion*; **~mail envelope** *n* enveloppe *f* par avion; **~mail label** *n* étiquette *f* 'par avion'; **~mail paper** *n* papier *m* pelure, papier *m* par avion; **~man** *n* gen, Mil aviateur *m*; **~man basic** ► **p. 1599** *n* US Mil Aviat soldat *m* (de l'armée de l'air américaine); **~man first class** ► **p. 1599** *n* US Mil Aviat caporal *m* (de l'armée de l'air américaine); **~ marshal** ► **p. 1599** *n* GB général *m* de corps aérien; **~ mass** *n* masse *f* d'air; **~ miles** *npl*: *système de carte de fidelité de compagnies aériennes*; **~ miss** *n* quasicollision *f* aérienne; **~mobile** *adj* US aéroporté; **~plane** *n* US avion *m*; **~ plant** *n* orchidacée *f* (*cultivée comme plante d'ornement*)

airplay *n* Radio, TV **this record gets a lot of ~** ce disque passe souvent à la radio

air: **~ pocket** *n* (in pipe, enclosed space) poche *f* d'air; Aviat trou *m* d'air; **~ pollution** *n* pollution *f* atmosphérique

airport /ˈeəpɔːt/

A *n* aéroport *m*

B *modif* [*buildings, runways, staff*] de l'aéroport; **~ taxes** taxes *fpl* d'aéroport

air: **~ power** *n* puissance *f* aérienne; **~ pressure** *n* pression *f* atmosphérique; **~ pump** *n* pompe *f* à air, gonfleur *m*; **~ quality** *n* qualité *f* de l'air

air rage○ *n* cas *m* de violence parmi les passagers (*durant un vol*); **~ is on the increase** les cas de violence parmi les passagers sont de plus en plus nombreux

air: **~ raid** *n* attaque *f* aérienne, raid *m* (aérien); **~-raid precautions** *npl* défense *f* passive; **~-raid shelter** *n* abri *m* antiaérien; **~-raid siren** *n* sirène *f* d'alerte aérienne; **~-raid warden** *n* préposé/-e *m/f* à la défense passive; **~-raid warning** *n* alerte *f* aérienne; **~ rifle** *n* carabine *f* à air comprimé; **~screw** *n* GB hélice *f*; **~-sea base** *n* base *f* aéronavale; **~-sea rescue** *n* opération *f* de sauvetage en mer (*par hélicoptère*); **~ shaft** *n* (in mine) puits *m* d'aérage; **~ship** *n* dirigeable *m*; **~ show** *n* (flying show) meeting *m* aérien; (trade exhibition) salon *m* de l'aéronautique; **~ shuttle** *n* navette *f* aérienne

airsick /ˈeəsɪk/ *adj* **to be ~** avoir le mal de l'air

air: **~sickness** *n* mal *m* de l'air; **~side** *n* Aviat zone *f* réservée; **~ sock** *n* manche *f* à air; **~ space** *n* espace *m* aérien; **~speed** *n* vitesse *f* propre, vitesse *f* par rapport à l'air; **~speed indicator** *n* Aviat badin *m*; **~stream** *n* gen, Meteorol courant *m* atmosphérique; Ling colonne *f* d'air; **~ strike** *n* frappe *f* aérienne; **~strip** *n* piste *f* (d'atterrissage *or* de décollage); **~ suspension** *n* suspension *f* pneumatique; **~ terminal** *n* (at airport) aérogare *f*; (in town: terminus) terminal *m*; **~tight** *adj* hermétique, étanche à l'air; **~time** *n* Radio, TV temps *m* d'antenne; **~-to-air** *adj* Mil [*missile*] air-air *inv*; [*refuelling*] en vol; **~-to-surface** *adj* air-surface *inv*; **~-traffic control, ATC** *n* (activity) contrôle *m* du trafic aérien; (building) tour *f* de contrôle; **~-traffic controller** ► **p. 1683** *n* contrôleur/-euse *m/f* aérien/-ienne, aiguilleur *m* du ciel; **~ valve** *n* gen soupape *f* d'air; (in central heating system) purgeur *m* d'air; **~ vent** *n* prise *f* d'air; **~ vice-marshal** *n* GB général *m* de division aérienne

airwaves /ˈeəweɪvz/ *npl* Radio, TV ondes *fpl*; **on the ~** sur les ondes

airway /ˈeəweɪ/ *n* 1 Aviat (route) voie *f* aérienne; 2 (airline) compagnie *f* aérienne; 3 (ventilating passage) galerie *f* d'aérage; 4 Anat voie *f* respiratoire

air: **~worthiness** *n* navigabilité *f*; **~worthy** *adj* en état de navigation

airy /ˈeərɪ/ *adj* 1 [*room, house*] clair/-e et spacieux/-ieuse; 2 (casual) [*manner, attitude, gesture*] désinvolte, insouciant; **~ promises** promesses *fpl* en l'air

airy-fairy○ /ˌeərɪˈfeərɪ/ *adj* GB [*idea, scheme, person*] farfelu○

aisle /aɪl/ *n* 1 (in church) (side passage) bas-côté *m*; (centre passage) allée *f* centrale; 2 (passageway) (in train, plane) couloir *m*; (in cinema, shop) allée *f*

Idioms **the film had us rolling in the ~s**○ le film nous a fait mourir de rire; **to lead sb down the ~** hum se marier avec qn

aisle seat *n* (in plane) (siège *m* au bord d'une) allée *f*; (in cinema, theatre) place *f* en bout de rangée

Aisne ► **p. 1129** *pr n* Aisne *m*; **in/to the ~** dans l'Aisne

aitch /eɪtʃ/ *n*: *orthographe de la prononciation de la lettre h*; **to drop one's ~es** ne pas aspirer les 'h', avoir un accent populaire

ajar /əˈdʒɑː(r)/ *adj, adv* entrouvert, entrebaillé

AK US Post *abrév écrite* = **Alaska**

aka (*abrév* = **also known as**) alias

akimbo /əˈkɪmbəʊ/ *adj* **(with) arms ~** les poings sur les hanches

akin /əˈkɪn/ *adj* 1 (similar) **to be ~ to** être semblable à; **her style is more/closely ~ to cubism** son style ressemble davantage/beaucoup au cubisme; 2 (tantamount) **to be ~ to sth/to doing** (disapproving) équivaloir à qch/à faire

AL 1 *abrév écrite* Aut Admin = **Albania**; 2 *abrév écrite* US Post = **Alabama**

ALA *abrév écrite* = **all letters answered**

Alabama /ˌæləˈbæmə/ ▸ **p. 1737** *pr n* Alabama *m*

alabaster /ˈæləbɑːstə(r), US -bæs-/
A *n* albâtre *m*
B *modif* [statue, ashtray] en albâtre *m*

alacrity /əˈlækrətɪ/ *n* sout empressement *m*; **with ~** avec empressement

Aladdin /əˈlædin/ *pr n* Aladin

Aladdin's cave *n* fig caverne *f* d'Ali-baba

Alar /ˈeɪlɑː(r)/ *n* Chem Alar®, dominozide *m*

alarm /əˈlɑːm/
A *n* 1 (feeling) frayeur *f*; (concern) inquiétude *f*; **in ~** avec inquiétude; (stronger) apeuré; **I don't want to cause ~ but...** je ne veux pas vous inquiéter mais...; **there is cause for ~** il y a de bonnes raisons de s'inquiéter; **there is no cause for ~** inutile de s'inquiéter; 2 (warning signal, device) alarme *f*; **burglar/fire ~** alarme contre le vol/le feu; **to activate** *ou* **set off an ~** déclencher une alarme; **the ~ went off** l'alarme s'est mise en marche; **to raise the ~** lit donner l'alarme; fig sonner l'alarme; 3 = **alarm clock**
B *vtr* 1 (worry) inquiéter; (stronger) faire peur à [person] (**with** avec; **by doing** en faisant); mettre [qch] en alerte [animal]; 2 (fit system) installer un système d'alarme sur [car]; **this car is ~ed** cette voiture est équipée d'un système d'alarme

alarm bell *n* sonnette *f* d'alarme; **~s are ringing** GB fig un signal d'alarme se déclenche; **to set the ~s ringing** GB fig tirer la sonnette d'alarme

alarm call *n* Telecom réveil *m* téléphoné

alarm clock *n* réveille-matin *m*, réveil *m*; **to set the ~ for eight o'clock** mettre le réveil à huit heures; **the ~ went off** le réveil a sonné

alarmed /əˈlɑːmd/ *adj* 1 effrayé; **don't be ~!** rassurez-vous!; 2 [fence, door] équipé d'un système d'alarme

alarming /əˈlɑːmɪŋ/ *adj* alarmant

alarmingly /əˈlɑːmɪŋlɪ/ *adv* [act, behave] de façon alarmante; **~ violent/rapid** d'une violence/rapidité alarmante; **~, we have no news of them** nous sommes alarmés de n'avoir aucune nouvelle d'eux

alarmist /əˈlɑːmɪst/ *n, adj* alarmiste (*mf*)

alarm: **~ signal** *n* signal *m* d'alarme; **~ system** *n* système *m* d'alarme

alas /əˈlæs/ *excl* hélas

Alaska /əˈlæskə/ ▸ **p. 1737** *pr n* Alaska *m*

Alaskan /əˈlæskən/
A *n* habitant/-e *m/f* de l'Alaska
B *adj* de l'Alaska

alb /ælb/ *n* Relig aube *f*

albacore /ˈælbəkɔː(r)/ *n* thon *m* blanc, germon *m*

Albania /ælˈbeɪnɪə/ ▸ **p. 1096** *pr n* Albanie *f*

Albanian /ælˈbeɪnɪən/ ▸ **p. 1467, p. 1378**
A *n* 1 (person) Albanais/-e *m/f*; 2 (language) albanais *m*
B *adj* albanais

albatross /ˈælbətrɒs, US *also* -trɔːs/ *n* albatros *m* (also in golf)
(Idiom) **to be the ~ around sb's neck** être un grave problème pour qn

albeit /ˌɔːlˈbiːɪt/ *conj* sout quoique (+ *subj*), bien que (+ *subj*)

Alberta /ælˈbɜːtə/ *pr n* Alberta *m*

Albigensian /ˌælbɪˈdʒensɪən/ *adj* albigeois

albinism /ˈælbɪnɪzəm/ *n* albinisme *m*

albino /ælˈbiːnəʊ, US -baɪ-/ *n, adj* albinos (*inv*)

Albion /ˈælbɪən/ *pr n* Albion *f*, **perfidious ~** la perfide Albion

album /ˈælbəm/ *n* gen, Mus album *m*; **photo/stamp ~** album de photos/timbres

albumen /ˈælbjʊmɪn, US ælˈbjuːmən/ *n* Biol, Bot albumen *m*

albumin /ˈælbjʊmɪn, US ælˈbjuːmɪn/ *n* albumine *f*

albuminous /ælˈbjuːmɪnəs/ *adj* albumineux/-euse

Alcestis /ælˈsestɪs/ *pr n* Alceste

alchemist /ˈælkəmɪst/ *n* alchimiste *mf*

alchemy /ˈælkəmɪ/ *n* Chem, fig alchimie *f*

alcohol /ˈælkəhɒl, US -hɔːl/
A *n* alcool *m*
B *modif* [abuse, level, consumption] d'alcool; [poisoning] par l'alcool; **the ~ content of a drink** la teneur en alcool d'une boisson; **there is an ~ ban in the stadium** la vente d'alcool est interdite dans le stade

alcohol-free /ˌælkəhɒlˈfriː, US -hɔːl-/ *adj* [drink] sans alcool

alcoholic /ˌælkəˈhɒlɪk, US -hɔːl-/
A *n* alcoolique *mf*
B *adj* [drink, ingredient] alcoolisé; [person, stupor, haze] alcoolique

Alcoholics Anonymous, AA *pr n* Alcooliques Anonymes *mpl*

alcoholism /ˈælkəhɒlɪzəm, US -hɔːl-/ *n* alcoolisme *m*

alcopop /ˈælkəʊpɒp/ *n* soda *m* alcoolisé

alcove /ˈælkəʊv/ *n* renfoncement *m*

alder /ˈɔːldə(r)/ *n* (tree, wood) aulne *m*

alderman /ˈɔːldəmən/ *n* GB *formerly* magistrat *m* municipal; US ≈ conseiller/-ère *m/f* municipal/-e; **board of aldermen** US ≈ conseil *m* municipal

ale /eɪl/ *n* bière *f*; **brown/light/pale ~** bière brune/légère/blonde

aleatory /ˈeɪlɪətərɪ/, **aleatoric** /ˌeɪlɪəˈtɒrɪk/ *adj* gen, Mus aléatoire

alec(k) /ˈælɪk/
(Idiom) **to be a smart ~**○ être un monsieur je-sais-tout

Aleppo /əˈlepəʊ/ ▸ **p. 1815** *pr n* Alep

alert /əˈlɜːt/
A *n* alerte *f*; **to be on the ~ for** se méfier de [danger]; **fire/bomb ~** alerte au feu/à la bombe; **security ~** alerte de sécurité; **to be on (red) ~** Mil être en état d'alerte (rouge); **to be on full ~** être en état d'alerte générale
B *adj* 1 (lively) (child) éveillé; (old person) alerte; 2 (attentive) vigilant; **to be ~ to** avoir conscience de [danger, risk, fact, possibility]
C *vtr* 1 (contact) alerter [army, police, hospital]; 2 (ask for vigilance) mettre [qn/qch] en état d'alerte [airport, customs etc]; 3 **to ~ sb to** mettre qn en garde contre [danger]; attirer l'attention de qn sur [fact, situation]

alertness /əˈlɜːtnɪs/ *n* 1 (attentiveness) vigilance *f*; 2 (liveliness of mind) vivacité *f*

Aleutian Islands /əˈluːʃɪən/ ▸ **p. 1355** *pr npl* **the ~** les îles *fpl* Aléoutiennes

A level /ˈeɪlevl/ *n* GB Sch (*abrév* = **Advanced level**) ≈ baccalauréat *m* (*dans une matière*)

A level

Les *A levels* sont des formations de deux ans suivies par les étudiants au niveau secondaire en Angleterre, au pays de Galles ainsi qu'en Irlande du Nord, après avoir passé le *GCSE*. Les étudiants débutent par les *AS levels* puis passent des modules plus exigeants, les *A2s*, la deuxième année. Ils peuvent choisir parmi environ 70 matières à présenter aux examens (également appelés *A levels*). La plupart choisissent 3 matières. Les *A levels* sont notés sur une échelle de A à E, les devoirs comptant jusqu'à 30 % de la note finale. Les cours mettent l'accent sur les compétences scolaires traditionnelles et l'apprentissage autonome. Les *A levels* sont obligatoires pour entrer à l'université et pour accéder à la plupart des emplois.

alevin /ˈælɪvɪn/ *n* alevin *m*

alewife /ˈeɪlwaɪf/ *n* Zool alose *f*

Alexander /ˌælɪgˈzɑːndə(r)/ *pr n* Alexandre

Alexander technique *n* technique *f* Alexander

Alexandria /ˌælɪgˈzɑːndrɪə/ ▸ **p. 1815** *pr n* Alexandrie *f*

alexandrine /ˌælɪgˈzændraɪn/ *n* alexandrin *m*; **in ~s** en alexandrins

alfalfa /ælˈfælfə/ *n* luzerne *f*

alfresco /ælˈfreskəʊ/ *adj, adv* en plein air

algae /ˈældʒiː, ˈælgaɪ/ *npl* algues *fpl*

algal /ˈælgəl/ *adj* [scum, growth, bloom] des algues; [population] d'algues

algebra /ˈældʒɪbrə/ *n* algèbre *f*

algebraic /ˌældʒɪˈbreɪɪk/ *adj* algébrique

Algeria /ælˈdʒɪərɪə/ ▸ **p. 1096** *pr n* Algérie *f*

Algerian /ælˈdʒɪərɪən/ ▸ **p. 1467**
A *n* Algérien/-ienne *m/f*
B *adj* algérien/-ienne

algicide /ˈældʒɪsaɪd, ˈælgɪ-/ *n* algicide *m*

Algiers /ælˈdʒɪəz/ ▸ **p. 1815** *pr n* Alger

ALGOL /ˈælgɒl/ *n* (*abrév* = **algorithmic oriented language**) ALGOL *m*; **to learn/use ~** apprendre/utiliser l'ALGOL

Algonqui(a)n /ælˈgɒŋkwɪən/ ▸ **p. 1467, p. 1378**
A *n* (*pl* **~s, ~**) 1 (person) Algonquin/-e *m/f*, Algonkin/-e *m/f*; 2 Ling algonquin *m*, algonkin *m*
B *adj* algonquin, algonkin

algorithm /ˈælgərɪðəm/ *n* Math, Comput algorithme *m*

algorithmic /ˌælgəˈrɪðmɪk/ *adj* Math, Comput algorithmique

alias /ˈeɪlɪəs/
A *n* 1 faux nom *m*; **under an ~** sous un faux nom; 2 Comput alias *m*
B *prep* alias

alibi /ˈælɪbaɪ/
A *n* 1 Jur alibi *m*; 2 (excuse) excuse *f*
B ○*vtr* (*p prés* **alibiing**; *prét, pp* **alibied**) surtout US **they ~ed him** ils lui ont trouvé un alibi

Alice /ˈælɪs/ *pr n* Alice; **~ in Wonderland** Alice au pays des merveilles

Alice band *n* GB bandeau *m* pour les cheveux

alien /ˈeɪlɪən/
A *n* 1 Jur (foreigner) étranger/-ère *m/f*; 2 (being from space) extraterrestre *mf*
B *adj* 1 gen, Jur étranger/-ère (**to** à); 2 (from space) extraterrestre; 3 (atypical) **~ to sb/sth** étranger/-ère à qn/qch

alienate /ˈeɪlɪəneɪt/
A *vtr* 1 (estrange) écarter [supporters, colleagues]; 2 Jur aliéner (**from** de); 3 (separate) séparer (**from** de)
B **alienated** *pp adj* [minority, group] exclu (**from** de)

alienation /ˌeɪlɪəˈneɪʃn/ *n* 1 gen (process) éloignement *m* (**of** de); (state) isolement *m* (**from** de); 2 Jur, Pol, Psych aliénation *f*

alienation effect *n* Theat distanciation *f*

alienist† /ˈeɪlɪənɪst/ *n* US Med aliéniste† *mf*

alight /əˈlaɪt/
A *adj* 1 [match, fire] allumé; [building, grass] en feu; **to set sth ~** mettre le feu à qch; 2 fig **her eyes were ~ with curiosity** ses yeux brillaient de curiosité; **his face was ~ with happiness** son visage rayonnait de joie; **the goal set the stadium ~** le but a déchaîné le stade
B *vi* [passenger] descendre (**from** de); [bird] se poser (**on** sur); [gaze, thoughts] s'arrêter (**on** sur)

align /əˈlaɪn/
A *vtr* aligner (**with** sur)
B **aligned** *pp adj* aligné (**with** sur); **the ~ed/non-~ed nations** les pays alignés/non-alignés
C *v refl* **to ~ oneself** gen, Pol s'aligner (**with** sur)

alignment /əˈlaɪnmənt/ *n* 1 gen, Pol alignement *m* (**with** sur); **to be in ~/out of ~** être

a

ℹ all

As a pronoun

When *all* is used to mean *everything*, it is translated by *tout*:

is that all?
= c'est tout?

all is well
= tout va bien

When *all* is followed by a *that* clause, *all that* is translated by *tout ce qui* when it is the subject of the verb and *tout ce que* when it is the object:

all that remains to be done
= tout ce qui reste à faire

that was all (that) he said
= c'est tout ce qu'il a dit

after all (that) we've done
= après tout ce que nous avons fait

we're doing all (that) we can
= nous faisons tout ce que nous pouvons

all that you need
= tout ce dont tu as besoin

When *all* is used to refer to a specified group of people or objects, the translation reflects the number and gender of the people or objects referred to; *tous* is used for a group of people or objects of masculine or mixed or unspecified gender and *toutes* for a group of feminine gender:

we were all delighted
= nous étions tous ravis

'where are the cups?' 'they're all in the kitchen'
= 'où sont les tasses?' 'elles sont toutes dans la cuisine'

For more examples and particular usages see the entry **all**.

As a determiner

In French, determiners agree in gender and number with the noun they precede. So *all* is translated by *tout* + masculine singular noun:

all the time
= tout le temps

by *toute* + feminine singular noun:

all the family
= toute la famille

by tous + masculine or mixed gender plural noun:

all men
= tous les hommes

all the books
= tous les livres

and by *toutes* + feminine plural noun:

all women
= toutes les femmes

all the chairs
= toutes les chaises

For more examples and particular usages see the entry **all**.

As an adverb

When *all* is used as an adverb meaning *completely* it is generally translated by *tout*:

my coat's all dirty
= mon manteau est tout sale

he was all alone
= il était tout seul

they were all alone
= ils étaient tout seuls

the girls were all excited
= les filles étaient tout excitées

However, when the adjective that follows is in the feminine and begins with a consonant the translation is *toute*/*toutes*:

she was all alone
= elle était toute seule

the bill is all wrong
= la facture est toute fausse

the girls were all alone
= les filles étaient toutes seules

For more examples and particular usages see the entry **all**.

Phrases such as *all along, all but, at all, for all* and *of all* are each treated separately in the entry **all**.

aligné/désaligné (**with** sur); **2** Comput position *f*

alike /ə'laɪk/
A *adj* (identical) pareil/-eille; (similar) semblable; **to look/sound ~** se ressembler; **all men are ~** les hommes sont tous les mêmes
B *adv* [*dress, think*] de la même façon; **for young and old ~** pour les jeunes (tout) comme pour les personnes âgées; **driver and passenger ~ are...** le conducteur tout comme le passager est...
(Idiom) **share and share ~** il faut partager

alimentary /ˌælɪ'mentərɪ/ *adj* [*system, process*] digestif/-ive; [*rules, laws*] alimentaire; **~ canal** tube *m* digestif

alimony /'ælɪmənɪ, US -məʊnɪ/ *n* Jur pension *f* alimentaire

alive /ə'laɪv/ *adj* **1** lit (living) vivant, en vie; **to keep sb/sth ~** maintenir qn/qch en vie [*person, animal*]; **to keep a plant ~** entretenir une plante; **to stay ~** rester en vie; **to bury sb ~** enterrer qn vivant; **to be burnt ~** être brûlé/-e vif/vive; **to be taken/captured ~** être pris/capturé vivant; **~ and well, ~ and kicking** lit, fig bien vivant; **it's good** *ou* **great to be ~!** il fait bon vivre!; **no man ~** personne au monde; **just ~** entre la vie et la mort; **2** (lively) [*person*] vivant; [*mind, senses*] en éveil; **to bring [sth] ~** rendre [qch] vivant [*story, account*]; animer [*party, place*]; **to come ~** [*party, place*] s'animer; [*history*] prendre vie; **3** (in existence) [*institution, art, tradition*] vivant; [*interest, faith*] vif/vive; **to keep [sth] ~** préserver [*tradition etc*]; **we shall keep his memory ~** nous perpétuerons sa mémoire; **to keep dialogue ~** Pol maintenir le dialogue; **it kept our hopes ~** cela nous faisait garder espoir; **4** (teeming) **~ with** grouillant de [*insects etc*]; **5** (aware) **~ to** conscient de [*possibility etc*]

alkali /'ælkəlaɪ/ *n* alcali *m*

alkaline /'ælkəlaɪn/ *adj* alcalin

alkalinity /ˌælkə'lɪnətɪ/ *n* alcalinité *f*

alkaloid /'ælkəlɔɪd/ *n* alcaloïde *m*

alky○ /'ælkɪ/ *n* US alcoolique *mf*, alcoolo○ *mf*

all /ɔːl/
A *pron* **1** (everything) tout; **to risk ~** tout risquer; **~ or nothing** tout ou rien; **~ is not lost** tout n'est pas perdu; **~ was well** tout allait bien; **~ will be revealed** hum vous saurez tout hum; **~ is orderly and stable** tout n'est qu'ordre et stabilité; **will that be ~?** ce sera tout?; **and that's not ~** et ce n'est pas tout; **that's ~** (all contexts) c'est tout; **speed is ~** l'essentiel, c'est la vitesse; **in ~** en tout; **500 in ~** 500 en tout; **~ in ~** somme toute; **we're doing ~ (that) we can** nous faisons tout ce que nous pouvons (**to do** pour faire); **after ~ that has happened** après tout ce qui s'est passé; **after ~ she's been through** après tout ce qu'elle a vécu; **it's not ~ (that) it should be** [*performance, service, efficiency*] ça laisse à désirer; **~ because he didn't write** tout ça parce qu'il n'a pas écrit; **and ~ for a piece of land!** et tout ça pour un lopin de terre!
2 (the only thing) tout; **but that's ~** mais c'est tout; **that's ~ I want** c'est tout ce que je veux; **that's ~ we can suggest** c'est tout ce que nous pouvons vous conseiller; **she's ~ I have left** elle est tout ce qui me reste; **~ I know is that** tout ce que je sais c'est que; **~ you need is** tout ce qu'il te faut c'est; **that's ~ we need!** iron il ne manquait plus que ça!
3 (everyone) tous; **~ wish to remain anonymous** tous souhaitent rester anonymes; **~ but a few were released** ils ont tous été relâchés à quelques exceptions près; **thank you, one and ~** merci à (vous) tous; **'~ welcome'** 'venez nombreux'; **~ of the employees** tous les employés, tout le personnel; **~ of us want...** nous voulons tous...; **not ~ of them came** ils ne sont pas tous venus; **we want ~ of them back** nous voulons qu'ils soient tous rendus
4 (the whole amount) **~ of our belongings** toutes nos affaires; **~ of this land is ours** toutes ces terres sont à nous; **not ~ of the time** pas tout le temps
5 (emphasizing unanimity or entirety) **we ~ feel that** nous avons tous l'impression que; **we are ~ disappointed** nous sommes tous déçus; **these are ~ valid points** ce sont des points qui sont tous valables; **it ~ seems so pointless** tout cela paraît si futile; **I ate it ~** j'ai tout mangé; **what's it ~ for?** (all contexts) à quoi ça sert (tout ça)?; **who ~ was there?** US qui était là?; **y'~ have a good time now!** US amusez-vous bien!
B *det* **1** (each one of) tous/toutes; **~ men are born equal** tous les hommes naissent égaux; **~ questions must be answered** il faut répondre à toutes les questions; **~ those people who** tous ces gens qui; **~ those who** tous ceux qui; **as in ~ good films** comme dans tous les bons films; **in ~ three films** dans les trois films
2 (the whole of) tout/toute; **~ his life** toute sa vie; **~ the time** tout le temps; **~ day/evening** toute la journée/soirée; **~ year round** toute l'année; **~ the money we've spent** tout l'argent que nous avons dépensé; **in ~ his glory** dans toute sa gloire; **I had ~ the work!** c'est moi qui ai eu tout le travail!; **you are ~ the family I have!** tu es toute la famille qui me reste!; **and ~ that sort of thing** et tout ce genre de choses; **oh no! not ~ that again!** ah non! ça ne va pas recommencer!
3 (total) **in ~ honesty/innocence** en toute franchise/innocence
4 (any) **beyond ~ expectations** au-delà de toute attente; **to deny ~ knowledge of sth** nier avoir connaissance de qch
C *adv* **1** (emphatic: completely) tout; **~ alone** *ou* **on one's own** tout seul; **to be ~ wet** être tout mouillé; **dressed ~ in white** habillé tout en blanc; **~ around the garden/along the canal** tout autour du jardin/le long du canal; **to be ~ for sth** être tout à fait pour qch; **to be ~ for sb doing** être tout à fait favorable à ce que qn fasse; **I'm ~ for women joining the army** je suis tout à fait favorable à ce que les femmes entrent dans l'armée; **it's ~ about...** c'est l'histoire de...; **tell me ~ about it!** raconte-moi tout!; **he's forgotten ~ about us!** il nous a complètement oubliés!; **she asked ~ about you** elle a demandé de tes nouvelles
2 (emphatic: nothing but) **to be ~ legs** être tout en jambes; **to be ~ smiles** (happy) être tout souriant; (two-faced) être tout sourire; **to be ~ sweetness** iron être tout sourire; **that stew was ~ onions!** il n'y avait pratiquement que des oignons dans ce ragoût!
3 Sport (for each party) **(they are) six ~** (il y a) six partout; **the final score is 15 ~** le score final est de 15 partout

D *n* **to give one's ~** tout sacrifier (**for sth** à qch; **for sb** pour qn; **to do** pour faire)

E **all+** (*dans composés*) **1** (completely) **~-concrete/-glass/-metal** tout en béton/verre/métal; **~-digital/-electronic** entièrement numérique/électronique; **~-female**, **~-girl** [*band, cast, group*] composé uniquement de femmes; **~-male/-white** [*team, production, jury*] composé uniquement d'hommes/de blancs; **~-union** [*workforce*] entièrement syndiqué
2 (in the highest degree) ▸ **all-consuming**, **all-embracing**, **all-important etc**

F **all along** *adv phr* depuis le début, toujours; **they knew it ~ along** ils le savaient depuis le début, ils l'ont toujours su

G **all but** *adv phr* pratiquement, presque

H **all of** *adv phr* au moins; **he must be ~ of 50** il doit avoir au moins 50 ans

I **all that** *adv phr* **he's not ~ that strong** il n'est pas si fort que ça; **it's not as far as ~ that!** ce n'est pas si loin que ça!; **I don't know her ~ that well** je ne la connais pas si bien que ça

J **all the** *adv phr* **~ the more** d'autant plus; **~ the more difficult/effective** d'autant plus difficile/efficace; **~ the more so because** d'autant plus que; **to laugh ~ the more** rire encore plus; **~ the better!** tant mieux!

K **all too** *adv phr* [*accurate, easy, widespread*] bien trop; **it is ~ too obvious that** il n'est que trop évident que; **she saw ~ too clearly that** elle a parfaitement bien vu que; **~ too often** bien trop souvent

L **and all** *adv phr* **1** **they moved furniture, books and ~** ils ont tout déménagé y compris les meubles et les livres
2 °GB **the journey was very tiring what with the heat and ~** le voyage était très fatigant avec la chaleur et tout ça; **it is and ~!** mais si!

M **at all** *adv phr* **not at ~!** (acknowledging thanks) de rien!; (answering query) pas du tout!; **it is not at ~ certain** ce n'est pas du tout certain; **if (it is) at ~ possible** si possible; **is it at ~ likely that...?** y a-t-il la moindre possibilité que...? (+ *subj*); **there's nothing at ~ here** il n'y a rien du tout ici; **we know nothing at ~** *ou* **we don't know anything at ~ about** nous ne savons rien du tout de; **if you knew anything at ~ about** si tu avais la moindre idée de; **anything at ~ will do** n'importe quoi fera l'affaire

N **for all** *prep phr, adv phr* (despite) en dépit de; (in as much as) **for ~ I know** pour autant que je sache; **for ~ that** malgré tout, quand même; **they could be dead for ~ the difference it would make!** ils pourraient être morts, ça ne changerait rien!

O **of all** *prep phr* **1** (in rank) **the easiest of ~** le plus facile; **first/last of ~** pour commencer/finir; ▸ **best**, **worst**
2 (emphatic) **why today of ~ days?** pourquoi justement aujourd'hui?; **not now of ~ times!** ce n'est pas le moment!; **of ~ the nerve!** quel culot!; **of ~ the rotten luck!** quel manque de chance *or* de pot°!; ▸ **people**, **place**, **thing**

(Idioms) **~' s well that ends well** tout est bien qui finit bien; **to be as mad/thrilled as ~ get out**° US être vachement° en colère/excité; **he's not ~ there**° il n'a pas toute sa tête; **it's ~ go° here!** GB on s'active° ici!; **it's ~ one to me** ça m'est égal; **it's ~ up with us**° GB nous sommes fichus°; **it was ~ I could do not to laugh** il a fallu que je me retienne pour ne pas rire; **that's ~ very well, that's ~ well and good** tout ça c'est bien beau; **speeches are ~ very well but** c'est bien beau les discours mais; **it's ~ very well to do** c'est bien beau de faire; **it's ~ very well for them to talk** ça leur va bien de parler

Allah /'ælə/ *pr n* Allah

all: **~-American** *n gen* [*girl, boy, hero*] typiquement américain; Sport [*record, champion*] américain; **~-around** *adj* US = **all-round**

allay /ə'leɪ/ *vtr sout* dissiper [*fear, suspicion, doubt*]

all clear *n* **1** Mil (signal) signal *m* de fin d'alerte; **2** fig **to give sb the ~** [*committee*] donner le feu vert à qn (**to do** pour faire); [*doctors*] déclarer qn guéri

all: **~-consuming** *adj* [*passion, ambition*] effréné; **~-day** *adj* [*event*] qui dure toute la journée

allegation /,ælɪ'geɪʃn/ *n* gen, Jur allégation *f* (**about** sur; **against** contre; **of** de; **that** selon laquelle)

allege /ə'ledʒ/

A *vtr* **to ~ that** (claim) prétendre que (+ *conditional*); (publicly, in court etc) déclarer que (+ *conditional*); **X ~d that Y had phoned him/had stolen the money** X a prétendu *or* a déclaré que Y lui aurait téléphoné/aurait volé l'argent; **it is/was ~d that...** il est/a été dit que...

B **alleged** *pp adj* [*attacker, victim, conspiracy, crime, confession*] présumé; **his ~d attempt to...** la tentative qu'il aurait faite de...

allegedly /ə'ledʒɪdlɪ/ *adv* prétendument

allegiance /ə'li:dʒəns/ *n* gen, Jur allégeance *f*; **to swear ~ to sb/sth** prêter serment *m* d'allégeance à qn/qch; **to pledge ~ to the flag** prêter serment *m* devant le drapeau

allegoric(al) /,ælɪ'gɒrɪk(l), US -'gɔ:r-/ *adj* allégorique

allegorically /,ælɪ'gɒrɪklɪ, US -'gɔ:r-/ *adv* allégoriquement

allegory /'ælɪgərɪ, US -gɔ:rɪ/ *n* allégorie *f* (**of** de)

alleluia /,ælɪ'lu:jə/ *excl* alléluia

all-embracing *adj* global

Allen key, **Allen wrench** /'ælən/ *n* clé *f* Allen

allergen /'ælədʒən/ *n* allergène *m*

allergic /ə'lɜ:dʒɪk/ *adj* allergique (**to** à) also fig

allergic reaction *n* réaction *f* allergique

allergist /'ælədʒɪst/ ▸ **p. 1683** *n* allergologue *mf*

allergy /'ælədʒɪ/ *n* allergie *f* (**to** à) also fig

alleviate /ə'li:vɪeɪt/ *vtr* soulager [*boredom, pain, suffering*]; réduire [*fears, overcrowding, stress, unemployment*]

alleviation /ə,li:vɪ'eɪʃn/ *n* (of boredom, suffering, pain) soulagement *m* (**of** de); (of overcrowding, stress, unemployment) réduction *f* (**of** de)

alley /'ælɪ/ *n* **1** (for pedestrians) allée *f*; (for vehicles) ruelle *f*; **2** (in park) allée *f*; **3** US (on tennis court) couloir *m*

(Idiom) **it's right up my ~**° c'est vraiment mon truc°

alley cat *n* chat *m* de gouttière

(Idiom) **to have the morals of an ~** péj coucher à droite et à gauche◑

alleyway /'ælɪweɪ/ *n* = **alley 1**

all: **All Fools' Day** *n* GB premier *m* avril; **~-found** *adj* logé et nourri

alliance /ə'laɪəns/ *n* gen, Pol, Mil alliance *f* (**between** entre; **with** avec); **in ~ with** en collaboration avec; **to form an ~** former une alliance

allied /'ælaɪd/ *adj* **1** [*country, army, party*] allié (**with** avec; **to** à); **2** [*trades, subjects*] connexe

Allier ▸ **p. 1129** *pr n* Allier *m*; **in/to the ~** dans l'Allier

alligator /'ælɪgeɪtə(r)/ *n* alligator *m*

all: **~-important** *adj* essentiel/-ielle; **~-in** *adj* GB [*fee, price*] tout compris; **~ in**° *adj* GB crevé°, épuisé; **~-inclusive** *adj* [*fee, price*] tout compris; **~-in-one** *adj* [*garment*] d'une seule pièce; **~-in wrestling** ▸ **p. 1253** *n* Sport catch *m*

alliteration /ə,lɪtə'reɪʃn/ *n* allitération *f*

alliterative /ə'lɪtrətɪv, US ə'lɪtəreɪtɪv/ *adj* allitératif/-ive

all: **~-night** *adj* [*party, meeting, session*] qui dure toute la nuit; [*service, shop*] ouvert toute la nuit; [*shopping*] de nuit; [*radio station*] qui émet 24 heures sur 24; **~-nighter**° *n*: *soirée (or film or concert etc) qui dure toute la nuit*

allocate /'æləkeɪt/ *vtr* affecter [*funds, resources*] (**for, to** à); attribuer [*money, land*] (**to** à); accorder [*time*] (**to** à); assigner, attribuer [*tasks*] (**to** à)

allocation /,ælə'keɪʃn/ *n* **1** (amount) crédits *mpl*; **2** (process) affectation *f*

allograft /'æləgrɑ:ft, US -græft/ *n* allogreffe *f*

allograph /'æləgrɑ:f, US -græf/ *n* Ling allographe *m*

allomorph /'æləmɔ:f/ *n* Ling allomorphe *m*

allopathic /,ælə'pæθɪk/ *adj* allopathique

allopathy /ə'lɒpəθɪ/ *n* allopathie *f*

allophone /'æləfəʊn/ *n* allophone *m*

all-or-nothing *adj* [*approach, policy, judgment*] extrémiste

allot /ə'lɒt/

A *vtr* (*p prés etc* **-tt-**) attribuer [*money, resources*] (**to** à); assigner [*task, job*] (**to** à)

B **allotted** *pp adj* [*time*] imparti; **his ~ted task** la tâche qu'on lui a assignée

allotment /ə'lɒtmənt/ *n* **1** GB (garden) parcelle *f* de terre; **2** (allocation) attribution *f*

all-out /'ɔ:laʊt/

A *adj* [*strike*] total; [*assault, attack*] en règle; [*attempt, effort*] acharné

B **all out** *adv* **to go all out for success/victory** tout faire pour réussir/gagner

allover /'ɔ:ləʊvə(r)/ *adj* [*tan*] intégral; **with an ~ pattern** [*garment*] entièrement couvert de motifs

all over /,ɔ:l'əʊvə(r)/

A *adj* (finished) fini; **when it's ~** quand tout sera fini

B *adv* **1** (everywhere) partout; **to be trembling ~** trembler de partout; **2** °(to a T) **that's Mary ~!** c'est Mary tout craché!

C *prep* **1** lit partout dans [*room, town, country*]; **~ China** partout en Chine; **I have spots ~ my arms** j'ai des boutons partout sur les bras; ▸ **place**, **walk**, **write**; **2** °fig (known in) **to be ~** [*news, secret*] faire le tour de [*village, office*]; **3** (fawning over) **to be ~ sb** être aux petits soins pour qn; **they were ~ each other** ils n'arrêtaient pas de se bécoter°

allow /ə'laʊ/

A *vtr* **1** (authorize) permettre à [*person*] (**to do** de faire), autoriser [*person*] (**to do** à faire); autoriser [*action, change*]; laisser [*choice, freedom*] (**to do** de faire); **to ~ sth to be changed/demolished** autoriser le changement/la démolition de qch; **to ~ sb home/in/out** autoriser qn à rentrer chez soi/entrer/sortir; **to ~ sb (to have) alcohol/sweets** autoriser l'alcool/les bonbons à qn; **she isn't ~ed alcohol** l'alcool lui est interdit; **visitors are not ~ed on the site** le chantier est interdit aux visiteurs; **I'm ~ed to take 20 days' annual leave** j'ai le droit de prendre 20 jours de congé par an; **he ~ed the situation to get worse** il a laissé la situation s'aggraver; **I ~ed her to bully me** je l'ai laissée me harceler; **2** (enable) **to ~ sb/sth to do** permettre à qn/qch de faire; **extra cash would ~ the company to expand** des fonds supplémentaires permettraient à la société de s'agrandir; **the bridge was too low to ~ the lorry to pass** le pont était trop bas pour permettre au camion de passer; **~ me to introduce myself** permettez-moi de me présenter; **~ me!** permettez(-moi)!; **3** (allocate) prévoir; **to ~ two days for the job** prévoir deux jours pour faire le travail; **~ extra fabric for shrinkage** prévoir du tissu supplémentaire en cas de rétrécissement; **4** (concede) [*referee*] accorder [*goal*]; [*insurer*] agréer [*claim*]; [*supplier*] accorder, consentir [*discount*]; **I'll ~ that this isn't always the case** j'admets que ce n'est pas toujours le cas; **even if we ~ that her theory might be correct...** même en admettant que sa théorie soit correcte...; **5** (admit) [*club*] admettre [*children, women*]; **'no dogs**

a

~ed' 'interdit aux chiens'; **6** (condone) tolérer [*rudeness, swearing*]
B *v refl* **to ~ oneself** **1** (grant) s'accorder [*drink, treat*]; **I only ~ myself one cup of coffee per day** je ne me permets qu'une tasse de café par jour; **2** (allocate) prévoir; **~ yourself two days to do the job** prévois deux jours pour faire le travail; **3** (let) se laisser; **I ~ed myself to be persuaded** je me suis laissé persuader

(Phrasal verbs) ■ **allow for**: ▸ **~ for [sth]** tenir compte de [*delays, variations, wastage*]; **I couldn't ~ for him changing his mind** je ne pouvais pas prévoir qu'il changerait d'avis
■ **allow of** sout: ▸ **~ of [sth]** admettre

allowable /əˈlaʊəbl/ *adj* **1** Tax déductible; **2** (permissible) admissible; **3** Jur légitime

allowance /əˈlaʊəns/ *n* **1** (grant) gen, Soc Admin allocation *f*; (from employer) indemnité *f*; **clothing/travel ~** indemnité *f* vestimentaire/de transport; **mileage ~** ≈ indemnité *f* kilométrique; **2** Tax abattement *m* fiscal; **single person's ~** abattement *m* pour personnes seules; **personal ~s** abattements sur l'impôt; **3** (spending money) (for child) argent *m* de poche; (for spouse) argent *m* (pour les dépenses courantes); (for student, teenager) argent *m* (pour vivre); (from trust) rente *f*; **she has an ~ of £5,000 a year from her parents** ses parents lui versent une pension de 5 000 livres sterling par an; **4** (entitlement) **your baggage ~ is 40 kgs** vous avez droit à 40 kg de bagages; **what is my duty-free ~?** à quelle quantité de marchandises hors taxe ai-je droit?; **5** Comm (discount) rabais *m*; US (trade-in payment) reprise *f*; **to give sb a 10% ~** accorder un rabais de 10% à qn; **6** (concession) **to make allowance(s) for** tenir compte de [*inflation, growth, variations*]; **to make ~(s) for sb** essayer de comprendre qn

alloy
A /ˈælɔɪ/ *n* alliage *m*
B /əˈlɔɪ/ *vtr* allier; fig (spoil) altérer

alloy: **~ steel** *n* acier *m* allié; **~ wheel** *n* roue *f* en alliage léger

all: **~-party** *adj* [*support*] de tous les partis; [*committee*] où tous les partis sont représentés; **~-pervasive** *adj* [*odour*] pénétrant; [*power, tendency*] omniprésent; **~ points bulletin, APB** *n* US alerte *f* générale; **~-powerful** *adj* tout-puissant; **~-purpose** *adj* [*building, living area*] polyvalent; [*utensil, machine*] multi-usages

all right, alright /ˌɔːlˈraɪt/
A ○*n* GB **he's/she's a bit of ~** c'est un beau mec○/une belle nana○
B *adj* **1** (expressing satisfaction) [*film, trip, house, game, outfit*] pas mal○; **the interview was ~** l'entretien s'est plutôt bien passé; **she's ~** (pleasant) elle est sympa○; (attractive) elle n'est pas mal○; (competent) elle est bien; **sounds ~ to me**○! (acceptance) pourquoi pas!; **is my hair ~?** ça va mes cheveux?; **you look ~** (reassuring) tu es très bien comme ça; **2** (well) **to feel ~** aller bien; **I'm ~ thanks** ça va merci; **3** (able to manage) **will you be ~?** est-ce que ça va aller?; **don't worry, we're ~** ne t'inquiète pas, tout va bien pour nous; **to be ~ for** avoir assez de [*money, time, work*]; **4** (acceptable) **it's ~ to do** il n'y a pas de mal à faire; **is it ~ if...?** est-ce que ça va si...?; **would it be ~ to leave early?** est-ce que c'est gênant si on s'en va plus tôt?; **is that ~ with you?** ça ne te dérange pas?; **that's ~ for young people but...** ça passe encore pour les jeunes mais...; **it's ~ for you** toi tu n'as pas à t'en faire; **that's (quite) ~!** ce n'est rien du tout!
C *adv* **1** (quite well) [*work, function*] comme il faut; [*see, hear*] bien; **to manage** *ou* **cope ~** s'en sortir; **she's doing ~** tout va bien pour elle; **2** (without a doubt) **she knows/I'm annoyed ~!** bien sûr qu'elle sait/que je suis en colère!; **the car is ours ~** c'est bien notre voiture
D *particle* **1** (giving agreement) d'accord; **2** (conceding a point) d'accord; **~ ~! point taken!** ça va! j'ai compris!; **3** (seeking consensus) d'accord?, ça va?; **4** (seeking information) **~, whose idea was this?** bon d'accord, qui a eu cette idée?; **5** (introducing topic) bien; **~, let's move on to...** bien, passons à...

all-risk *adj* Insur [*policy, cover*] tous risques

all-round /ˌɔːlˈraʊnd/ *adj* [*athlete, artist, service*] complet/-ète; [*improvement*] général; **to have ~ talent** avoir du talent dans tous les domaines

all-rounder /ˌɔːlˈraʊndə(r)/ *n* **to be a good ~** être bon en tout

all: **All Saints' Day** *n* GB Toussaint *f*; **~-seater stadium** *n* GB stade *m* n'ayant que des places assises; **All Souls' Day** *n* GB Jour *m* des Morts

allspice /ˈɔːlspaɪs/ *n* piment *m* de la Jamaïque

all square *adj* **to be ~** [*people*] être quitte; [*teams*] être à égalité; [*accounts*] être équilibré

all-star /ˈɔːlstɑː(r)/ *adj* [*team*] de vedettes; **~ cast** Cin brillante distribution *f*

all: **~-terrain bike, ATB** *n* vélo *m* tout-terrain, VTT *m*; **~-terrain vehicle, ATV** *n* véhicule *m* tout-terrain

all-ticket *adj* [*match*] à guichets fermés

all-time /ˈɔːltaɪm/ *adj* [*record, best seller*] absolu; **the ~ greats** (people) les grands *mpl*; **~ high** record *m* absolu; **to be at an ~ low** [*person, morale*] être au plus bas; [*figures, shares*] n'avoir jamais été plus bas; **this film is one of the ~ greats** c'est l'un des plus grands films de tous les temps

all told *adv* en tout

allude /əˈluːd/ *vi* **to ~ to sth** faire allusion à qch

allure /əˈlʊə(r)/ *n* attrait *m*; (sexual) attraits *mpl*

alluring /əˈlʊərɪŋ/ *adj* **1** [*person*] enjôleur/-euse; **2** [*place, prospect*] attrayant

allusion /əˈluːʒn/ *n* allusion *f* (**to** à)

allusive /əˈluːsɪv/ *adj* allusif/-ive

allusively /əˈluːsɪvlɪ/ *adv* de manière allusive

alluvial /əˈluːvɪəl/ *adj* alluvial

alluvium /əˈluːvɪəm/ *n* (*pl* **-viums** *ou* **-via**) alluvion *f*

all-weather *adj* [*pitch, track*] tous temps; **~ court** (terrain *m* en) quick® *m*

ally /ˈælaɪ/
A *n* (*pl* **-ies**) **1** gen, Mil allié/-e *m/f*; **2** Mil Hist **the Allies** les Alliés
B /əˈlaɪ/ *v refl* **to ~ oneself with** *ou* **to** s'allier avec *or* à; **to be allied with** *ou* **to** être allié avec *or* à

all-year-round *adj* [*resort*] ouvert toute l'année; **for ~ use** utilisable toute l'année

alma mater /ˌælmə ˈmɑːtə(r), ˈmeɪtə(r)/ *n* alma mater *f*

> **Alma mater**
>
> 'La mère nourricière' en latin. Aux États-Unis, on emploie cette expression dans la conversation courante pour désigner son ancienne école ou son ancienne université.

almanac(k) /ˈɔːlmənæk, US *also* ˈæl-/ *n* almanach *m*

almighty /ɔːlˈmaɪtɪ/ *adj* [*crash, row, explosion*] formidable

Almighty /ɔːlˈmaɪtɪ/
A *n* Relig **the ~** le Tout-Puissant
B *adj* **~ God** Dieu Tout-Puissant

almond /ˈɑːmənd/
A *n* **1** (nut) amande *f*; **2** (*also* **~ tree**) amandier *m*
B *modif* [*essence, oil, paste*] d'amande

almond-eyed /ˌɑːməndˈaɪd/ *adj* aux yeux en amande

almoner /ˈɑːmənə(r), US ˈælm-/ *n* GB (formerly) assistant/-e *m/f* social/-e (*d'un hôpital*)

almost /ˈɔːlməʊst/

> ⚠ When *almost* is used to mean *practically* it is translated by *presque*: *we're almost ready* = nous sommes presque prêts; *it's almost dark* = il fait presque nuit; *the room was almost empty* = la salle était presque vide.
>
> When *almost* is used with a verb in the past tense to describe something undesirable or unpleasant that nearly happened, it is translated using the verb *faillir* followed by an infinitive: *I almost forgot* = j'ai failli oublier; *he almost fell* = il a failli tomber.

adv **1** (practically) presque; **~ everybody** presque tout le monde; **~ any train** presque tous les trains; **we're ~ there** nous sommes presque arrivés; **she has ~ finished the letter** elle a presque fini la lettre; **2** (implying narrow escape) **he ~ died** il a failli mourir; **they ~ missed the train** ils ont failli rater le train

alms† /ɑːmz/ *npl* aumône *f*; **to give ~** faire l'aumône

alms: **~ box** *n* Hist tronc *m* pour les pauvres; **~house** *n* GB Hist hospice *m*

aloe /ˈæləʊ/ *n* **1** (plant) aloès *m*; **2** **aloes** (*also* **bitter ~s**) (+ *v sg*) aloès *m* (médicinal)

aloft /əˈlɒft, US əˈlɔːft/ *adv* **1** gen [*hold, soar*] en l'air; [*seated, perched*] en haut; **from ~** d'en haut; **2** Naut dans la mâture

aloha /əˈləʊə/ *excl* US salut

alone /əˈləʊn/
A *adj* (*épith*) **1** (on one's own) seul; **all ~** tout seul; **to be ~** être seul; **to leave sb ~** lit laisser qn seul; (in peace) laisser qn tranquille; **she needs to be left ~** elle a besoin qu'on la laisse tranquille; **leave that bike ~!** ne touche pas à ce vélo!; **to get sb ~** voir qn en privé; **2** (isolated) seul; **I feel so ~** je me sens si seul; **he, ~ of his group...** lui, le seul de son groupe...; **she is not ~ in thinking that...** elle n'est pas la seule à penser que...; **to stand ~** [*building*] être isolé; [*person*] se tenir seul; fig être sans égal
B *adv* **1** (on one's own) [*work, arrive, travel*] seul; **to live ~** vivre seul; **2** (exclusively) **for this reason ~** rien que pour cette raison; **last month ~/on books ~ we spent** rien que le mois dernier/rien qu'en livres nous avons dépensé; **this figure ~ shows** le chiffre à lui seul montre; **she ~ can help us** elle seule peut nous aider; **the credit is yours ~** le mérite en revient à toi seul. ▸ **let**[1]

(Idioms) **to go it ~**○ faire cavalier seul; **to leave well ~** ne se mêler de rien

along /əˈlɒŋ, US əˈlɔːŋ/

> ⚠ When *along* is used as a preposition meaning *all along* it can usually be translated by *le long de*: *there were trees along the road* = il y avait des arbres le long de la route. For particular usages see the entry below.
>
> *along* is often used after verbs of movement. If the addition of *along* does not change the meaning of the verb, *along* will not be translated: *as he walked along* = tout en marchant.
>
> However, the addition of *along* often produces a completely new meaning. This is the case in expressions like *the project is coming along*, *how are they getting along?*. For translations consult the appropriate verb entry (**come, get** etc).

A *adv* **to push/pull sth ~** pousser/tirer qch; **to be walking/running ~** marcher/courir; **she'll be ~ shortly** elle sera ici d'un moment à l'autre; **you go in, I'll be ~ in a second** entrez, j'arrive tout de suite; **they're no further ~ in their research** ils n'ont pas avancé dans leurs recherches; **there'll be another bus ~ in half an hour** le prochain bus passe dans une demi-heure
B *prep* **1** (*also* **~side**) (all along) le long de; **the**

houses ~ the riverbank les maisons situées le long de la rivière; ~ (the side of) the path/the motorway le long du sentier/de l'autoroute; to run ~ the beach [*path, railway, fence*] longer la plage; [*cable*] être enterré le long de la plage; there were chairs ~ the wall il y avait des chaises contre le mur; all ~ the canal tout le long du canal; ▸ **all**; 2 (the length of) to walk ~ the beach/~ the road marcher sur la plage/dans la rue; to look ~ the shelves chercher dans les rayons; 3 (at a point along) to stop somewhere ~ the motorway s'arrêter quelque part sur l'autoroute; halfway ~ the corridor on the right au milieu du couloir à droite; halfway ~ the path à mi-chemin; somewhere ~ the way lit quelque part en chemin; fig quelque part

C along with *prep phr* 1 (accompanied by) accompagné de; to arrive ~ with six friends arriver accompagné de six amis; 2 (at same time as) en même temps que; to be convicted ~ with two others être déclaré coupable en même temps que deux autres

alongside /əˈlɒŋsaɪd, US əlɔːŋˈsaɪd/

A *prep* 1 (all along) = **along B 1**; 2 (next to) to draw up ~ sb [*vehicle*] s'arrêter à côté de qn; to learn to live ~ each other [*groups*] apprendre à coexister; 3 Naut to come ~ the quay/a ship accoster le quai/un navire

B *adv* 1 gen à côté; the car and the motorbike ~ la voiture et la moto qui est/était à côté; I'd like to have my father ~ j'aimerais que mon père soit à mes côtés; 2 Naut to come ~ accoster

aloof /əˈluːf/ *adj* 1 (remote) distant; to remain *ou* stand ~ rester *or* être distant; 2 (uninvolved) to remain *ou* stand ~ from se tenir à l'écart de

aloofness /əˈluːfnɪs/ *n* réserve *f* (from vis-à-vis de)

alopecia /ˌæləˈpiːʃə/ *n* alopécie *f*

aloud /əˈlaʊd/ *adv* (audibly) [*say, read*] à haute voix; [*think, wonder*] tout haut

alp /ælp/ *n* 1 (peak) montagne *f* (des Alpes); 2 (pasture) alpe *f*

alpaca /ælˈpækə/

A *n* 1 Zool alpaga *m*; 2 Tex alpaga *m*

B *modif* [*coat, blanket*] en alpaga

alpenhorn /ˈælpənhɔːn/ *n* cor *m* des Alpes

alpenstock /ˈælpənstɒk/ *n* alpenstock *m*

Alpes-de-Haute-Provence ▸ p. 1129 *pr n* Alpes-de-Haute-Provence *fpl*; in/to the ~ dans les Alpes-de-Haute-Provence

Alpes-Maritimes ▸ p. 1129 *pr n* Alpes-Maritimes *fpl*; in/to the ~ dans les Alpes-Maritimes

alpha /ˈælfə/

A *n* 1 (letter) alpha *m*; the ~ and omega (of sth) l'alpha et l'oméga (de qch); 2 GB Univ (grade) 20 *m* (in en); to get an ~ avoir un 20

B *modif* [*iron, particle, radiation, ray*] alpha *inv*

alphabet /ˈælfəbet/ *n* alphabet *m*

alphabetic /ˌælfəˈbetɪk/ *adj* alphabétique

alphabetical /ˌælfəˈbetɪkl/ *adj* [*guide, list, index*] alphabétique; in ~ order par ordre alphabétique

alphabetically /ˌælfəˈbetɪklɪ/ *adv* [*list, arrange*] par ordre alphabétique

alphabetize /ˈælfəbətaɪz/ *vtr* classer par ordre alphabétique

alphabet soup *n* potage *m* aux pâtes (*en forme de lettres*)

alphafetoprotein /ˌælfəˌfiːtəʊˈprəʊtiːn/ *n* alphafétoprotéine *f*

alphanumeric /ˌælfənjuːˈmerɪk, US -nuː-/ *adj* alphanumérique

alpine /ˈælpaɪn/

A *n* (at high altitudes) plante *f* alpine; (at lower altitudes) plante *f* alpestre

B *adj* 1 (also **Alpine**) gen alpin; ~ troops Mil troupes *fpl* alpines; 2 Sport ~ skiing ski *m* alpin

alpinist /ˈælpɪnɪst/ *n* alpiniste *mf*

Alps /ælps/ *pr npl* the ~ les Alpes *fpl*; the Swiss/French ~ les Alpes suisses/françaises

Al-Qaeda /ælˈkaɪdə/ *n* Al-Qaida *m*

already /ɔːlˈredɪ/ *adv* déjà; it's 10 o'clock ~ il est déjà 10 heures; he's ~ left il est déjà parti; I've told you twice ~! je te l'ai déjà dit deux fois!; I can't believe it's June ~ je n'arrive pas à croire que nous sommes déjà au mois de juin; have you finished ~? tu as déjà fini?; you've got too many clothes ~ tu as déjà bien assez de vêtements

(Idioms) so come on ~! US (indicating irritation) dépêche-toi à la fin!; that's enough ~! US ça suffit à la fin!

alright = **all right**

Alsace /ælˈsæs/ ▸ p. 1243 *pr n* Alsace *f*; to live in ~ habiter en Alsace

Alsatian /ælˈseɪʃn/

A *n* 1 GB (dog) berger *m* allemand; 2 (native) Alsacien/-ienne *m/f*

B *adj* alsacien/-ienne; ~ wines les vins d'Alsace

also /ˈɔːlsəʊ/ *adv* 1 (too, as well) aussi; ~ available in red existe aussi en rouge; he ~ likes golf il aime aussi le golf; it is ~ worth remembering that il serait bon aussi de ne pas oublier que; 2 (furthermore) en plus; ~, there wasn't enough to eat en plus il n'y avait pas assez à manger

alt.

A *n*: *abrév écrite* = **altitude**

B *adj*: *abrév écrite* = **alternate**

altar /ˈɔːltə(r)/ *n* autel *m*

(Idioms) to lead sb to the ~† *ou* hum conduire qn à l'autel†; to be sacrificed on the ~ of être immolé sur l'autel de

altar: ~ **boy** *n* enfant *m* de chœur; ~ **cloth** *n* nappe *f* d'autel; ~ **piece** *n* retable *m*; ~ **rail** *n* balustrade *f* d'autel

alter /ˈɔːltə(r)/

A *vtr* 1 (change) changer [*opinion, lifestyle, person, rule, timetable*]; modifier [*judgment, amount, document*]; altérer [*speed, value, climate*]; transformer [*building*]; that does not ~ the fact that cela ne change rien au fait que; to ~ the appearance of sth changer l'aspect de qch; 2 Sewing retoucher [*dress, shirt etc*]; (radically) transformer; to have sth ~ed faire retoucher *or* faire transformer qch; 3 US euph (castrate) faire opérer euph, castrer; (spay) faire opérer euph

B *vi* changer

alterable /ˈɔːltərəbl/ *adj* modifiable

alteration /ˌɔːltəˈreɪʃn/

A *n* 1 (act of altering) (of building) transformation *f*; (of will, document, law) modification *f*; (of timetable, route, circumstances) changement *m*; (of work, process) modification *f*; 2 (result of altering) (to will, document, law) modification *f* (to, in de); (to timetable, route) modification *f* (to de); 3 Sewing (action, result) retouche *f*; (radical) transformation *f*

B alterations *npl* Constr 1 (result) transformations *fpl* (to à); to carry out ~s effectuer des transformations; major ~s transformations importantes; minor ~s légères transformations; structural ~s altérations de structure; 2 (process) travaux *mpl*

altercation /ˌɔːltəˈkeɪʃn/ *n* sout altercation *f* (about *ou* over à propos de; between entre)

altered chord, **altered cord** *n* Mus accord *m* altéré

alter ego /ˌæltər ˈegəʊ, US ˈiːgəʊ/ *n* alter ego *m*

alternate

A /ɔːlˈtɜːnət/ *n* US (stand-in) remplaçant/-e *m/f*

B /ɔːlˈtɜːnət/ *adj* 1 (successive) [*chapters, colours, layers*] en alternance; ~ circles and squares des cercles et des carrés en alternance; 2 (every other) to count ~ lines compter une ligne sur deux; on ~ days/Mondays un jour/lundi sur deux; 3 US (other) autre; 4 Bot [*leaf, branch*] alterne

C /ˈɔːltəneɪt/ *vtr* to ~ sth and *ou* with sth alterner qch et qch

D /ˈɔːltəneɪt/ *vi* 1 (swap) [*people*] se relayer; [*colours, patterns, seasons*] alterner (with avec); Paul and Simon ~ (with each other) Paul et Simon se relaient; to ~ with sb relayer qn, alterner avec qn; to ~ between hope and despair/laughing and crying passer de l'espoir au désespoir/du rire aux larmes; 2 Electron [*current, voltage*] être redressé

alternate angles *npl* Math angles *mpl* alternes

alternately /ɔːlˈtɜːnətlɪ/ *adv* [*move, bring, ask*] alternativement; they criticize and praise him ~ tantôt ils le critiquent, tantôt ils le félicitent

alternate rhyme *n* rime *f* alternée

alternating /ˈɔːltəneɪtɪŋ/ *adj* [*colours, layers, lines*] en alternance

alternating: ~ **current**, **AC** *n* courant *m* alternatif; ~ **saw** *n* scie *f* alternative; ~ **series** *npl* Math séries *fpl* alternées

alternation /ˌɔːltəˈneɪʃn/ *n* 1 (change) alternance *f* (between entre); the ~ of day and night l'alternance du jour et de la nuit; 2 Philos disjonction *f*

alternative /ɔːlˈtɜːnətɪv/

A *n* 1 (specified option) (from two) alternative *f*, autre possibilité *f*; (from several) possibilité *f*; one ~ is... une des possibilités serait...; the ~ is to do l'autre possibilité serait de faire; the ~ is for sb to do l'autre possibilité serait que qn fasse; to choose/refuse the ~ of doing choisir/refuser l'autre possibilité qui serait de faire; there are several ~s to surgery il y a d'autres possibilités que la chirurgie; what is the ~ to imprisonment/pesticides? quelle autre possibilité existe-t-il que l'emprisonnement/les pesticides?; 2 (possible option) choix *m*; to have an/no ~ avoir/ne pas avoir le choix; to have no ~ but to do ne pas avoir d'autre choix que de faire; to have the ~ of staying or leaving avoir le choix entre rester et partir; I chose the expensive/political ~ j'ai choisi la solution chère/politique; as an ~ to the course on offer/to radiotherapy, you can choose... outre le cours proposé/la radiothérapie, vous pouvez choisir...

B *adj* 1 (other) [*activity, career, date, design, flight, method, plan, route*] autre; [*accommodation, product*] de remplacement; [*solution*] de rechange; 2 (unconventional) [*comedian, culture, scene, theatre, bookshop*] alternatif/-ive; [*lifestyle, therapy*] non-conventionnel/-elle; 3 Ecol alternatif/-ive

alternative hypothesis *n* Stat hypothèse *f* alternative

alternatively /ɔːlˈtɜːnətɪvlɪ/ *adv* sinon; or ~ we could go home ou sinon nous pourrions rentrer

alternative: ~ **medicine** *n* ¢ médecines *fpl* parallèles *or* douces; ~ **prospectus** *n* GB Univ *annexe au livret de l'étudiant, préparée par les étudiants*; ~ **school** *n* US Sch établissement *m* scolaire non conventionnel; ~ **technology**, **AT** *n* technologie *f* alternative

alternator /ˈɔːltəneɪtə(r)/ *n* Elec alternateur *m*

although /ɔːlˈðəʊ/ *conj* 1 (in spite of the fact that) bien que (+ *subj*); ~ she was late bien qu'elle ait été en retard, malgré son retard; ~ he claims to be shy bien qu'il prétende être timide; they're generous, ~ poor ils sont généreux, quoique pauvres *or* bien qu'ils soient pauvres; 2 (but, however) bien que (+ *subj*), mais; I think he's her husband, ~ I'm not sure je crois que c'est son mari, bien que je n'en sois pas sûr; you don't have to attend, ~ we advise it nous ne vous obligeons pas à venir, mais nous vous le conseillons

altimeter /ˈæltɪmiːtə(r), US ˌælˈtɪmətər/ *n* altimètre *m*

altitude /ˈæltɪtjuːd, US -tuːd/
A n **1** (above sea-level) altitude *f*; **at high/low ~** à haute/basse altitude; **at ~** en altitude; **2** Astron altitude *f*
B *modif*: **~ training** entraînement *m* en altitude

altitude sickness *n* mal *m* d'altitude

alto /ˈæltəʊ/
A *n* (*pl* **-tos**) **1** ▸ **p. 1868** (singer, voice) (female) contralto *m*; (in choir) alto *f*; (male singer) haute-contre *m*; **2** (part) **to sing ~** être alto; **3** (instrument) alto *m*
B *modif* [*clarinet, flute, saxophone*] alto *inv*; **~ solo** (female) solo *m* de contralto; (male) solo *m* de haute-contre; **~ part** partie *f* alto

alto clef *n* clé *f* d'ut

altogether /ˌɔːltəˈgeðə(r)/ *adv* **1** (completely) [*ridiculous, impossible, different*] complètement; **not ~ true** pas complètement vrai; **he gave up ~** il a complètement abandonné; **that's another matter ~** c'est une tout autre histoire; **2** (in total) en tout; **how much is that ~?** ça fait combien en tout?; **3** (all things considered) tout compte fait; **~, it was a mistake** tout compte fait, c'était une erreur

(Idiom) **in the ~**○ à poil○

altruism /ˈæltruːɪzəm/ *n* altruisme *m*

altruist /ˈæltruːɪst/ *n* altruiste *mf*

altruistic /ˌæltruːˈɪstɪk/ *adj* altruiste

alum /ˈæləm/ *n* **1** Miner alun *m*; **2** ○US Sch, Univ *abrév* = **alumna, alumnus**

alumina /əˈluːmɪnə/ *n* oxyde *m* d'aluminium

aluminium /ˌæljʊˈmɪnɪəm/ GB, **aluminum** /əˈluːmɪnəm/ US
A *n* aluminium *m*
B *modif* [*utensil*] en aluminium; [*alloy, bronze, sulphate*] d'aluminium

aluminium foil *n* papier *m* aluminium

aluminize /əˈluːmɪnaɪz/ *vtr* aluminer

alumna /əˈlʌmnə/ *n* (*pl* **-nae**) US Sch, Univ (of school) ancienne élève *f*; (of college) ancienne étudiante *f*

alumnus /əˈlʌmnəs/ *n* (*pl* **-ni**) US Sch, Univ (of school) ancien élève *m*; (of college) ancien étudiant *m*

alveolar /ˌælˈvɪələ(r), ˌælvɪˈəʊlə(r)/
A *n* alvéolaire *f*
B *adj* alvéolaire; **~ ridge** arcade *f* alvéolaire

alveolus /ˌælˈvɪələs, ˌælvɪˈəʊləs/ *n* (*pl* **-li**) alvéole *m*

always /ˈɔːlweɪz/ *adv* toujours; **he's ~ complaining** il est toujours en train de se plaindre, il n'arrête pas de se plaindre

alyssum /ˈælɪsəm/ *n* Bot alysse *f*

Alzheimer's disease /ˈæltshaɪməz/ ▸ **p. 1327** *n* maladie *f* d'Alzheimer

am[1] /æm/ ▸ **be**

am[2] /æm, eɪem/ ▸ **p. 1059** *adv* (*abrév* = **ante meridiem**) **three ~** trois heures (du matin)

AM *n* **1** Radio (*abrév* = **amplitude modulation**) MA; **2** US Univ (*abrév* = **Master of Arts**) ≈ maîtrise *f* de lettres

AMA *n* (*abrév* = **American Medical Association**) US Association *f* médicale américaine

amalgam /əˈmælgəm/ *n* **1** sout (blend) amalgame *m*; **2** (alloy) amalgame *m*; **dental ~** amalgame dentaire

amalgamate /əˈmælgəmeɪt/
A *vtr* **1** (merge) fusionner [*companies, parties, posts, schools*] (**with** avec; **into** en); **they ~d several companies into one large enterprise** ils ont fusionné plusieurs sociétés en une seule grande entreprise; **2** Miner amalgamer (**with** à); **3** (blend) mélanger [*styles*]
B *vi* **1** [*company, party, trade union, school*] fusionner (**with** avec); **2** Miner s'amalgamer (**with** à)
C **amalgamated** *pp adj* [*school, association, trade union*] unifié

amalgamation /əˌmælgəˈmeɪʃn/ *n* **1** (merging, merger) (of companies, posts, trade unions, schools) fusion *f* (**with** avec; **into** en); (of styles, traditions) mélange *m*; **2** Miner amalgamation *f*

amanuensis /əˌmænjʊˈensɪs/ *n* (*pl* **-ses**) sout copiste *mf*

amaranth /ˈæməræn θ/ *n* Bot, Culin amarante *f*

amaryllis /ˌæməˈrɪlɪs/ *n* amaryllis *f*

amass /əˈmæs/ *vtr* accumuler [*shares, data, scores*]; amasser [*fortune, valuables*]

amateur /ˈæmətə(r)/
A *n* **1** Sport, gen amateur *m*; **she's still an ~** elle est encore amateur; **2** péj (dabbler) amateur *m*
B *modif* **1** [*sportsperson, musician, enthusiast*] amateur; [*sport*] en amateur; **~ dramatics** théâtre *m* amateur; **to have an ~ interest in sth** s'intéresser à qch en amateur; **2** péj (unskilled) **it's ~ work** c'est du travail d'amateur pej

amateurish /ˈæmətərɪʃ/ *adj* péj [*work, campaign, attitude*] d'amateur; **to do sth in an ~ way** faire qch malhabilement

amateurism /ˈæmətərɪzəm/ *n* amateurisme *m* also pej

amatory /ˈæmətərɪ, US -tɔːrɪ/ *adj* littér galant

amaze /əˈmeɪz/ *vtr* surprendre; (stronger) stupéfier; **to be ~d by** être stupéfié par; **you never cease to ~ me!** tu me surprendras toujours!; **'amaze your friends'** 'étonnez vos amis'

amazed /əˈmeɪzd/ *adj* [*reaction, silence, look, person*] stupéfait (**at** de; **to do** de faire); **I'm ~ (that)** ça m'étonne que (+ *subj*)

amazement /əˈmeɪzmənt/ *n* stupéfaction *f*; **in** *ou* **with ~** avec stupéfaction; **to everyone's ~** à la stupéfaction générale; **to my/her etc ~** à ma/sa etc grande surprise; **he couldn't hide his ~ at seeing everyone again** il n'a pu cacher sa surprise en revoyant tout le monde

amazing /əˈmeɪzɪŋ/ *adj* [*performer, feat, chance, game, offer*] exceptionnel/-elle; [*person, contrast, place, experience, event, success, film*] incroyable; [*amount, cost*] exorbitant; [*number, reaction, lack, defeat*] surprenant; **it's ~ how different people can be** c'est incroyable ce que les gens peuvent être différents; **it's ~ that** c'est incroyable que (+ *subj*)

amazingly /əˈmeɪzɪŋlɪ/ *adv* [*good, bad, ignorant, cheap*] incroyablement; **to be ~ honest/clever/simple/varied** être d'une franchise/intelligence/simplicité/variété étonnante; **~ (enough),...** si surprenant que cela puisse paraître,...

Amazon /ˈæməzən, US -zɒn/ ▸ **p. 1633**
A *pr n* **1** (river) Amazone *m*; **2** Mythol Amazone *f*; **3** fig (*also* **amazon**) (strong woman) virago *f* pej
B *modif* [*basin, forest, tribe*] amazonien/-ienne

Amazonian /ˌæməˈzəʊnɪən/ *adj* **1** Geog amazonien/-ienne; **2** Mythol **the ~ queen** la reine des Amazones

ambassador /æmˈbæsədə(r)/ ▸ **p. 1237** *n* **1** (diplomatic) ambassadeur *m*; **the US/French Ambassador** l'ambassadeur des États-Unis/de France; **the ~ to Japan/to Greece** l'ambassadeur au Japon/en Grèce; **2** fig (representative) ambassadeur *m*

ambassador: **~-at-large** *n* (*pl* **~s-at-large**) US ambassadeur *m* itinérant; **~ extraordinary** *n* ambassadeur *m* extraordinaire

ambassadorial /æmˌbæsəˈdɔːrɪəl/ *adj* [*post*] d'ambassadeur; [*car, residence*] de l'ambassadeur

ambassadorship /æmˈbæsədəʃɪp/ *n* **1** (post) ambassade *f*; **2** (function) fonction *f* d'ambassadeur

ambassadress /æmˈbæsədrɪs/ ▸ **p. 1237** *n* (diplomat, diplomat's wife) ambassadrice *f* also fig

amber /ˈæmbə(r)/ ▸ **p. 1067**
A *n* **1** (resin) ambre *m*; **2** GB (traffic signal) orange *m*; **at ~** à l'orange; **to change** *ou* **turn to ~** passer à l'orange; **3** (colour) ambre *m*
B *modif* [*necklace, ring*] d'ambre
C *adj* [*eyes, fruit, fabric*] couleur d'ambre; [*light, wine*] ambré

amber gambler○ /ˈæmbə gæmblə(r)/ *n* GB chauffard○ *m* (*qui passe à l'orange*)

ambergris /ˈæmbəgriːs, US -grɪs/ *n* ambre *m* gris

amber nectar○ /ˌæmbə ˈnektə(r)/ *n* GB hum bière *f*

ambidextrous /ˌæmbɪˈdekstrəs/ *adj* ambidextre

ambience /ˈæmbɪəns/ *n* sout ambiance *f*

ambient /ˈæmbɪənt/ *adj* [*temperature, noise*] ambiant; [*music*] d'ambiance

ambiguity /ˌæmbɪˈgjuːətɪ/ *n* gen, Ling ambiguïté *f* (**about** à propos de); **some ambiguities** quelques ambiguïtés

ambiguous /æmˈbɪgjʊəs/ *adj* gen, Ling ambigu/-uë

ambiguously /æmˈbɪgjʊəslɪ/ *adv* [*state, phrase*] de façon ambiguë; **~ worded** [*statement*] tourné de façon ambiguë; [*document*] présenté de façon ambiguë

ambit /ˈæmbɪt/ *n* sout **to fall** *ou* **lie within the ~ of** [*power, authority*] relever du domaine de; [*study, discussion, festival*] entrer dans le cadre de; **the play was staged outside the festival's ~** la pièce a été représentée en dehors du festival

ambition /æmˈbɪʃn/ *n* **1** (quality) ambition *f* (**to do** de faire); **to have ~** avoir de l'ambition; **2** (aim) rêve *m* (**to do, of doing** de faire); **it was his lifelong ~ to visit Japan** son rêve de toujours était de visiter le Japon; **3** (*gén pl*) (aspiration) ambition *f* (**to do, of doing** de faire); **political/literary ~s** ambitions politiques/littéraires; **she has leadership ~s** elle ambitionne le pouvoir

ambitious /æmˈbɪʃəs/ *adj* **1** [*person*] ambitieux/-ieuse (**for sb** pour qn); **to be ~ to do** avoir l'ambition de faire; **2** [*goal, work, scheme*] ambitieux/-ieuse

ambitiously /ˌæmˈbɪʃəslɪ/ *adv* ambitieusement

ambivalence /æmˈbɪvələns/ *n* ambivalence *f*; **to display ~ about/towards** avoir des sentiments mêlés à propos de/à l'égard de

ambivalent /æmˈbɪvələnt/ *adj* ambivalent; **to be ~ about/towards** avoir une attitude ambivalente à propos de/à l'égard de

amble /ˈæmbl/
A *n* **1** (ramble) promenade *f*, balade○ *f*; **2** (pace) allure *f* tranquille; **at an ~** d'un pas tranquille; **3** Equit amble *m*
B *vi* **1** (stroll) **to ~ off** partir tranquillement; **we ~d around the gardens** nous nous sommes promenés tranquillement dans les jardins; **2** Equit trotter l'amble

ambrosia /æmˈbrəʊzɪə, US -əʊʒə/ *n* ambroisie *f* also fig

ambulance /ˈæmbjʊləns/
A *n* ambulance *f*
B *modif* [*service, station*] d'ambulances; **~ crew** équipe *f* d'ambulanciers/-ières

ambulance: **~ chaser**○ *n* US péj avocat *m* (*racolant sa clientèle au service des urgences*); **~ driver** ▸ **p. 1683** *n* ambulancier/-ière *m/f*; **~man** ▸ **p. 1683** *n* ambulancier *m*; **~woman** ▸ **p. 1683** *n* ambulancière *f*

ambulatory /ˈæmbjʊlətərɪ, US -tɔːrɪ/
A *n* déambulatoire *m*
B *adj* **1** Med **~ patient** patient/-e *m/f* d'hospitalisation de jour; **~ care** US traitement *m* ambulatoire; **2** Jur [*will*] modifiable

ambush /ˈæmbʊʃ/
A *n* embuscade *f*; **to lie in ~** se tenir en embuscade; **to walk** *ou* **fall into an ~** tomber dans une embuscade
B *vtr* tendre une embuscade à [*soldiers, convoy*]; **to be ~ed** être pris en embuscade

ameba US = **amoeba**

ameliorate /əˈmiːlɪəreɪt/ sout
A *vtr* améliorer

B *vi* s'améliorer

amelioration /əˌmiːlɪəˈreɪʃn/ *n* **1** sout gen amélioration *f*; **2** Ling mélioration *f*

amen /ɑːˈmen, eɪ-/ *excl* amen; **to say ~ to sth** dire amen à qch; **~ to that!** assurément!

amenable /əˈmiːnəbl/ *adj* **1** (obliging) souple; **2** **~ to** [*person*] sensible à [*reason etc*]; [*person, situation*] soumis à [*regulations*]; **the theory is ~ to proof** la théorie peut être prouvée

amend /əˈmend/

A *vtr* **1** (alter) amender [*constitution, bill, law, treaty*]; modifier [*document, statement, contract, plan*]; **2** sout (correct) réformer fml [*behaviour, lifestyle*]

B *vi* sout s'amender

amendment /əˈmendmənt/ *n* **1** (alteration) (to constitution, bill, law, treaty) amendement *m* (**to** à); (to document, statement, contract, plan) modification *f* (**to** à); **the Fifth Amendment** US Jur le cinquième amendement; **2** (altering) Jur, Pol amendement *m*; gen modification *f*; **3** sout (of behaviour) correction *f*

Amendment

Le texte de la Constitution américaine n'a pas changé depuis qu'elle fut rédigée en 1787, mais son contenu de départ a été profondément modifié par des amendements. Les dix premiers (*Bill of Rights*) jettent les bases de la démocratie américaine. Par exemple, le premier amendement défend les principes de liberté de culte, de parole, de la presse et de rassemblement en public. Un amendement peut en annuler un autre : le 21e amendement a abrogé le 18e qui instituait la Prohibition. ▸ **Constitution**

amends /əˈmendz/ *npl* **1** (reparation) **to make ~ for** réparer [*damage, hurt*]; **she has rejected all their efforts to make ~** (financial) elle a rejeté toutes leurs tentatives de la dédommager; **2** **to make ~** (redeem oneself) se racheter

amenity /əˈmiːnətɪ, əˈmenətɪ/

A *n* sout (pleasantness) agrément *m*

B **amenities** *npl* **1** (facilities) (of hotel, locality) équipements *mpl*; (of house, sports club) installations *fpl*; **public/recreational amenities** équipements *mpl* collectifs/de loisir; **2** †(courtesies) civilités *fpl*

amenity bed *n* GB lit *m* d'hôpital avec supplément (*donnant droit à certains avantages*)

amenorrhea /eɪˌmenəˈrɪə/ *n* aménorrhée *f*

America /əˈmerɪkə/ ▸ **p. 1096** *pr n* Amérique *f*

American /əˈmerɪkən/ ▸ **p. 1467, p. 1378**

A *n* **1** (person) Américain/-e *m/f*; **2** (language) américain *m*

B *adj* américain

Americana /əˌmerɪˈkɑːnə/ *n: objets ou documents américains*

American cheese *n* cheddar *m* américain

American Civil War *pr n* guerre *f* de Sécession

American Civil War

Guerre civile (1861-1865) au cours de laquelle s'affrontèrent les États du Nord des États-Unis, partisans de l'abolition de l'esclavage, et ceux du Sud, dont l'économie reposait sur l'exploitation d'une main d'œuvre d'esclaves noirs. Elle éclata après l'élection à la présidence des États-Unis de Lincoln, dont la politique anti-esclavagiste incita les onze États du Sud à quitter l'Union pour former une Confédération autonome. Supérieurs en nombre et soutenus par une industrie puissante, les nordistes finirent par emporter la victoire. ▸ **Mason-Dixon Line**

American dream *n* rêve *m* américain

American dream

Cette expression désigne un principe américain selon lequel la réussite, en particulier financière et sociale, est accessible à quiconque travaille avec acharnement. Pour les immigrants, s'y ajoute le rêve de liberté et d'égalité.

American eagle *n* (emblem) aigle *m* américain

American eagle

Symbole de souveraineté, l'aigle chauve américain apparaît sur le Grand Sceau des États-Unis et sur les pièces de monnaie. Il tient un ruban avec la devise *e pluribus unum* ('De la diversité naît l'unité'), ainsi que des flèches et un rameau d'olivier, symboles de guerre et de paix.

American: **~ English** *n* américain *m*; **~ football** *n* football *m* américain. ▸ **Bowl games**

American Indian ▸ **p. 1467**

A *n* Indien/-ienne *m/f* d'Amérique

B *adj* des Indiens d'Amérique

Americanism /əˈmerɪkənɪzəm/ *n* américanisme *m*

Americanize /əˈmerɪkənaɪz/ *vtr* américaniser; **to become ~d** s'américaniser

American: **~ Legion** *n* association *f* d'anciens combattants américains; **~ plan** *n* Tourism pension *f* complète; **~ revolution** *n* guerre *f* d'Indépendance américaine. ▸ **Thirteen Colonies**; **~ Standard Version** *n* version *f* américaine de la Bible

americium /ˌæməˈrɪsɪəm/ *n* américium *m*

Amerind /ˈæmərɪnd/ *n* = **Amerindian A**

Amerindian /ˌæmərˈɪndɪən/ ▸ **p. 1467** US

A *n* Indien/-ienne *m/f* d'Amérique

B *adj* amérindien/-ienne

amethyst /ˈæmɪθɪst/

A *n* **1** (gem) améthyste *f*; **2** ▸ **p. 1067** (colour) violet *m* d'améthyste

B *modif* [*necklace, brooch*] d'améthyste

C *adj* (*also* **~-coloured**) couleur d'améthyste *inv*

Amex /ˈeɪmeks/ *n* (*abrév* = **American Stock Exchange**) *deuxième Bourse new-yorkaise*

amiability /ˌeɪmɪəˈbɪlətɪ/ *n* amabilité *f* (**towards** à l'égard de)

amiable /ˈeɪmɪəbl/ *adj* [*person*] aimable (**to** *ou* **towards** avec); [*comedy, performance, manner*] plaisant; [*chat*] amical; **in an ~ mood** d'humeur plaisante

amiably /ˈeɪmɪəblɪ/ *adv* [*chat, smile, behave*] de façon aimable

amicable /ˈæmɪkəbl/ *adj* **1** (friendly) [*gesture, manner, relationship*] amical; **2** Jur **an ~ settlement/solution** un arrangement/une solution à l'amiable; **to come to an ~ agreement with sb** arriver à un accord à l'amiable avec qn

amicably /ˈæmɪkəblɪ/ *adv* **1** [*live, behave*] de façon amicale; **2** [*settle, part*] à l'amiable

amid /əˈmɪd/, **amidst** /əˈmɪdst/ *prep* **1** (against a background of) au milieu de [*laughter, applause*]; à la suite de [*allegations, criticism, reports, rumours*]; **the search continues ~ growing concern** *ou* **fears for the child's safety** les recherches se poursuivent alors que l'on craint de plus en plus pour la sécurité de l'enfant; **the directors met ~ growing pressure from shareholders for their resignation** les administrateurs se sont réunis alors que les actionnaires exerçaient une pression de plus en plus forte pour obtenir leur démission; **2** (surrounded by) parmi, au milieu de [*fields, trees, wreckage*]

amidships /əˈmɪdʃɪps/ *adv* au centre du navire

amino acid /əˌmiːnəʊ ˈæsɪd/ *n* acide *m* aminé

Amish /ˈæmɪʃ, ˈɑː-, ˈeɪ-/ *n, adj* US Amish (*mf*) *inv*

Amish

Communauté religieuse américaine qui compte environ 80 000 membres. Établis en Pennsylvanie, dans l'Ohio et dans l'Indiana, leur style de vie rustique n'a pas évolué depuis le XVIIIe siècle. Il se caractérise par un fort attachement aux traditions et par un refus de la modernité : les *Amish* n'utilisent ni voitures, ni électricité et vivent des produits de leur agriculture et de leur artisanat.

amiss /əˈmɪs/

A *adj* **there is something ~ (with him/them)** il y a quelque chose qui ne va pas (avec lui/eux); **there is nothing ~** tout va bien; **there is nothing ~ in doing** il n'y a rien de mal à faire

B *adv* **to take sth ~** prendre qch de travers; **a drink wouldn't come** *ou* **go ~!** un verre serait le bienvenu!, un verre ne serait pas de refus

amity /ˈæmətɪ/ *n* sout (interpersonal) concorde *f* fml; (international) (bonne) entente *f*

ammeter /ˈæmɪtə(r)/ *n* ampèremètre *m*

ammo○ /ˈæməʊ/ *n* ₵ (*abrév* = **ammunition**) munitions *fpl*

ammonia /əˈməʊnɪə/ *n* **1** (gas) ammoniac *m*; **2** (solution) ammoniaque *f*

ammoniac /əˈməʊnɪæk/ *n* gomme *f* ammoniaque

ammonite /ˈæmənaɪt/ *n* Geol ammonite *f*

ammonium /əˈməʊnɪəm/

A *n* ammonium *m*

B *modif* [*chloride, phosphate*] d'ammonium

ammunition /ˌæmjʊˈnɪʃn/ *n* ₵ Mil munitions *fpl*; fig armes *fpl*

ammunition: **~ belt** *n* (for machine gun) bande *f* chargeur; **~ depot**, **~ dump** *n* dépôt *m* de munitions

amnesia /æmˈniːzɪə, US -niːʒə/ *n* amnésie *f*; **period/attack of ~** période *f*/crise *f* d'amnésie; **he is suffering from ~** il est atteint d'amnésie

amnesiac /æmˈniːzɪæk, US -ˈniːʒɪæk/ *n, adj* amnésique (*mf*)

amnesty /ˈæmnəstɪ/

A *n* Pol, Jur (pardon, period) amnistie *f* (**for** pour); **to grant an ~ to sb** accorder l'amnistie à qn; **under an ~** dans le cadre de l'amnistie

B *vtr* amnistier

Amnesty International, **AI** *n* Amnesty International *f*

amniocentesis /ˌæmnɪəʊsenˈtiːsɪs/ *n* amniocentèse *f*

amnion /ˈæmnɪən/ *n* amnios *m*

amniotic /ˌæmnɪˈɒtɪk/ *adj* amniotique; **~ fluid** liquide *m* amniotique; **~ sac** poche *f* des eaux *or* de l'amnios spec

amoeba /əˈmiːbə/ *n* amibe *f*

amoebic /əˈmiːbɪk/ *adj* amibien/-ienne; **~ dysentery** dysenterie *f* amibienne

amok /əˈmɒk/ *adv* **to run ~** [*person, animal, crowd*] être pris de folie furieuse; [*imagination*] se débrider; [*prices*] flamber

among /əˈmʌŋ/, **amongst** /əˈmʌŋst/ *prep* **1** (amidst) parmi; **~ the population/crowd** parmi la population/foule; **~ the trees/ruins** au milieu des arbres/ruines, parmi les arbres/ruines; **I found it ~ her papers/belongings** je l'ai trouvé parmi *or* dans ses papiers/affaires; **~ those present was the ambassador** parmi les personnes présentes il y avait l'ambassadeur; **your case is only one ~ many** vous n'êtes qu'un cas parmi d'autres; **I count him ~ my closest friends** je le compte parmi mes meilleurs amis; **to be ~ friends** être entre amis; **~ others** entre autres; **~ other things** entre autres choses; **many of the soldiers deserted, ~ them Tom** beaucoup des soldats ont déserté, dont Tom *or* entre autres Tom; **2** (affecting particular group) chez; **unemployment ~ young people/graduates** le chômage chez les jeunes/les diplômés; **this illness is commonest ~ the**

elderly cette maladie se rencontre le plus fréquemment chez les personnes âgées; 3▸ (one of) **it is ~ the world's poorest countries** c'est un des pays les plus pauvres du monde; **this book is not ~ her most popular works** ce livre ne fait pas partie de ses œuvres les plus connues; **she was ~ those who survived** elle a été de ceux qui ont survécu, elle a fait partie des survivants; **we are hoping to be ~ the first** nous espérons être dans les premiers; 4▸ (between) entre; **~ ourselves/themselves** entre nous/eux/elles; **his estate was divided ~ his heirs** ses biens ont été partagés entre ses héritiers; **sort it out ~ yourselves** arrangez ça entre vous; **they can never agree ~ themselves** ils n'arrivent jamais à se mettre d'accord; **one bottle ~ five isn't enough** une bouteille pour cinq ce n'est pas assez

amoral /ˌeɪˈmɒrəl, US ˌeɪˈmɔːrəl/ *adj* amoral

amorality /ˌeɪməˈrælɪtɪ/ *n* amoralité *f*

amorous /ˈæmərəs/ *adj* littér *ou* hum amoureux/-euse; **to make ~ advances to sb** faire des avances à qn

amorously /ˈæmərəslɪ/ *adv* littér *ou* hum amoureusement

amorphous /əˈmɔːfəs/ *adj* 1▸ Chem, Geol amorphe; 2▸ gen [*object, shape, collection*] informe; [*ideas, plans*] confus

amortization /əˌmɔːtɪˈzeɪʃn, US ˌæmərtɪ-/ *n* amortissement *m*

amortize /əˈmɔːtaɪz, US ˈæmərtaɪz/ *vtr* amortir

amortizement /əˈmɔːtɪzmənt/ *n* = **amortization**

amount /əˈmaʊnt/ *n* 1▸ gen (quantity) (of goods, food) quantité *f*; (of people, objects) nombre *m*; **a considerable ~ of** beaucoup de; **a fair ~ of** pas mal de○; **an enormous** *ou* **huge ~ of** énormément de; **a certain ~ of imagination** une certaine imagination; **I'm entitled to a certain ~ of respect** je suis en droit d'attendre qu'on me respecte; **no ~ of money could compensate this loss** aucune somme d'argent ne pourrait compenser cette perte; **no ~ of persuasion will make him change his mind** on aura beau essayer de le persuader, rien ne le fera changer d'avis; **it's doubtful whether any ~ of foreign aid can save them** il est douteux que l'aide internationale, aussi importante qu'elle soit, puisse les sauver; **they've got any ~ of money** ils ont énormément d'argent; 2▸ (sum of money) somme *f*; (total: of bill, expenses, damages etc) montant *m*; **for an undisclosed ~** pour une somme non dévoilée; **to charge sb for the full ~** faire payer à qn le montant total; **what is the outstanding ~?** combien reste-t-il à payer?; **debts to the ~ of £10,000** des dettes qui s'élèvent à 10 000 livres sterling; **~ paid (on account)** Comm acompte versé; **~ of turnover** Comm (montant du) chiffre d'affaires; **~ carried forward** Accts report *m* à nouveau

(Phrasal verb) ■ **amount to**: ▸ **~ to [sth]** 1▸ gen, Fin (add up to) [*cost*] s'élever à; 2▸ (be worth, equivalent to) équivaloir à, revenir à [*confession, betrayal, defeat, triumph etc*]; **it ~s to the same thing** cela revient au même; **it ~s to blackmail!** ce n'est rien d'autre que du chantage!; **not to ~ to much** [*accusation, report*] ne pas valoir grand-chose○; **he'll never ~ to much** il n'arrivera jamais à rien; **the rain didn't ~ to much** il n'a pas beaucoup plu

amour /əˈmʊə(r)/ *n* littér *ou* hum liaison *f* (amoureuse)

amp /æmp/ *n* 1▸ *abrév* ▸ **ampere**; 2▸ ○(*abrév* = **amplifier**) ampli○ *m*

amperage /ˈæmpərɪdʒ/ *n* intensité *f* de courant

ampere /ˈæmpeə(r), US ˈæmpɪə(r)/ *n* ampère *m*

ampere-hour *n* ampère-heure *m*

ampersand /ˈæmpəsænd/ *n* esperluette *f*

amphetamine /æmˈfetəmiːn/ *n* amphétamine *f*

amphibia /æmˈfɪbɪə/ *npl* amphibiens *mpl*

amphibian /æmˈfɪbɪən/
A *n* 1▸ Zool amphibie *m*; 2▸ Aviat appareil *m* amphibie; 3▸ Aut véhicule *m* amphibie; 4▸ Mil (tank) char *m* amphibie
B *adj* = **amphibious**

amphibious /æmˈfɪbɪəs/ *adj* Zool, Mil amphibie

amphitheatre /ˈæmfɪθɪətə(r)/ *n* Antiq, Univ amphithéâtre *m*; Geol **(natural) ~** cirque *m*

amphora /ˈæmfərə/ *n* amphore *f*

ample /ˈæmpl/ *adj* 1▸ (plenty) [*provisions, resources*] largement suffisant (**for** pour); [*illustration*] ample; [*evidence*] écrasant; **there's ~ room for five people** il y a largement la place pour cinq personnes; **there is ~ parking** il y a largement assez de places de parking; **to have ~ opportunity/time to do** avoir largement la possibilité/le temps de faire; **he was given ~ warning** il a été largement prévenu; **he's been given ~ opportunity to apologize** on lui a donné toutes les chances de s'excuser; **to be more than ~** suffire plus que largement; **thank you that's more than ~!** (when offered food) merci c'est plus qu'assez!; 2▸ (of generous size) [*proportions, bust*] généreux/-euse; [*garment*] large

amplification /ˌæmplɪfɪˈkeɪʃn/ *n* 1▸ Audio, Elec amplification *f*; 2▸ (of idea, statement etc) développement *m* (**of** de)

amplifier /ˈæmplɪfaɪə(r)/ *n* amplificateur *m*, ampli○ *m*

amplify /ˈæmplɪfaɪ/ *vtr* 1▸ Audio, Elec, Radio amplifier; 2▸ gen développer [*account, statement, concept*]

amplitude /ˈæmplɪtjuːd, US -tuːd/ *n* 1▸ Astron, Phys amplitude *f*; 2▸ sout (of resources) ampleur *f*; (of mind, vision) largeur *f*

amplitude modulation *n* modulation *f* d'amplitude

amply /ˈæmplɪ/ *adv* [*compensated, fulfilled*] largement; [*demonstrated*] amplement

ampoule GB, **ampule** US /ˈæmpuːl/ *n* ampoule *f* (pour seringue)

ampulla /æmˈpʊlə/ *n* (*pl* **-lae**) Anat, Antiq ampoule *f*; Relig (for wine, water) calice *m*; (for holy oil) ampoule *f*

amputate /ˈæmpjʊteɪt/
A *vtr* amputer; **to ~ sb's leg** amputer qn de la jambe
B *vi* amputer

amputation /ˌæmpjʊˈteɪʃn/ *n* amputation *f* (**of** de)

amputee /ˌæmpjʊˈtiː/ *n* amputé/-e *m/f*

Amsterdam /ˌæmstəˈdæm/ ▸ **p. 1815** *pr n* Amsterdam

Amtrak /ˈæmtræk/ *n* US *société de transports ferroviaires*

amuck /əˈmʌk/ *adv* = **amok**

amulet /ˈæmjʊlɪt/ *n* amulette *f*

amuse /əˈmjuːz/
A *vtr* 1▸ (cause laughter) amuser; **to be ~d at** *ou* **by** s'amuser de; **the shareholders were not ~d by the decision** la décision n'a pas fait sourire les actionnaires; **I'm not ~d!** je ne trouve pas ça drôle!; 2▸ (entertain) [*game, story*] distraire; **to keep sb ~d** distraire qn; 3▸ (occupy) [*activity, hobby*] occuper; **to keep oneself ~d** s'occuper
B *v refl* **to ~ oneself** 1▸ (entertain) se distraire; 2▸ (occupy) s'occuper
C **amused** *pp adj* amusé

amusement /əˈmjuːzmənt/ *n* 1▸ (mirth) amusement *m* (**at** face à); **to my great ~** à mon grand amusement; **to do sth for ~** faire qch pour s'amuser; **a look of ~** un air amusé; **to conceal one's ~** dissimuler son envie de rire; 2▸ (diversion) distraction *f*; **to do sth for ~** faire qch pour se distraire; 3▸ (at fairground) (*gén pl*) attraction *f*

amusement: **~ arcade** *n* GB salle *f* de jeux électroniques; **~ park** *n* parc *m* d'attractions

amusing /əˈmjuːzɪŋ/ *adj* amusant

amusingly /əˈmjuːzɪŋlɪ/ *adv* de façon amusante

amyl alcohol *n* alcool *m* amylique

amylase /ˈæmɪleɪz/ *n* amylase *f*

amyl nitrate *n* nitrite *m* amylique

an /æn, ən/ ▸ **a²**

an. *abrév écrite* = **anno**

Anabaptist /ˌænəˈbæptɪst/ *n, adj* anabaptiste (*mf*)

anabolic steroid /ˌænəˈbɒlɪk ˈstɪərɔɪd/ *n* stéroïde *m* anabolisant

anachronism /əˈnækrənɪzəm/ *n* anachronisme *m*; **to be an ~** [*object, custom, institution etc*] être un anachronisme; [*person*] faire figure d'anachronisme

anachronistic /əˌnækrəˈnɪstɪk/ *adj* anachronique

anaconda /ˌænəˈkɒndə/ *n* anaconda *m*

anaemia /əˈniːmɪə/ ▸ **p. 1327** *n* anémie *f*

anaemic /əˈniːmɪk/ *adj* 1▸ Med anémique; **to become ~** s'anémier; 2▸ fig péj [*character, performance, poem*] fade

anaerobic /ˌæneəˈrəʊbɪk/ *adj* anaérobie

anaesthesia GB, **anesthesia** US /ˌænɪsˈθiːzɪə/ *n* anesthésie *f*

anaesthetic GB, **anesthetic** US /ˌænɪsˈθetɪk/ *n, adj* anesthésique (*m*); **to be under ~** être sous anesthésie

anaesthetics /ˌænɪsˈθetɪks/ *n* GB (+ *v sg*) anesthésiologie *f*

anaesthetist /əˈniːsθətɪst/ ▸ **p. 1683** *n* GB (médecin) anesthésiste *mf*

anaesthetize GB, **anesthetize** US /əˈniːsθətaɪz/ *vtr* anesthésier

anaglyph /ˈænəglɪf/ *n* anaglyphe *m*

anagram /ˈænəgræm/ *n* anagramme *f* (**of** de)

anal /ˈeɪnl/ *adj* Anat, Psych anal; **~ intercourse**, **~ sex** coït *m* anal; **~ stage** Psych stade *m* anal

analgesia /ˌænælˈdʒiːzɪə, US -ʒə/ *n* analgésie *f*

analgesic /ˌænælˈdʒiːsɪk/ *n, adj* analgésique (*m*)

analog surtout US = **analogue**

analog computer *n* calculateur *m* analogique

analogic(al) /ˌænəˈlɒdʒɪk(l)/ *adj* analogue, analogique

analogous /əˈnæləgəs/ *adj* analogue (**to, with** à)

analogue /ˈænəlɒg, US -lɔːg/ *n* analogue *m*

analogue: **~ clock** *n* réveil *m* analogique; **~-digital convertor** *n* convertisseur *m* analogique-numérique; **~ watch** *n* montre *f* analogique

analogy /əˈnælədʒɪ/ *n* analogie *f*; **by ~ with** par analogie avec; **to draw an ~** faire une analogie (**between** entre; **with** avec)

anal: **~ retention** *n* Psych rétention *f* anale; **~ retentive** *adj* Psych qui manifeste de la rétention anale

analysand /əˈnælɪsænd/ *n* personne *f* en analyse

analyse GB, **analyze** US /ˈænəlaɪz/ *vtr* 1▸ gen, Ling analyser; 2▸ GB Psych psychanalyser

analysis /əˈnælɪsɪs/ *n* 1▸ gen, Ling analyse *f*; **in the final** *ou* **last ~** en fin de compte; 2▸ Psych psychanalyse *f*; **to be in ~** être en analyse

analyst /ˈænəlɪst/ ▸ **p. 1683** *n* 1▸ gen analyste *mf*; 2▸ Psych (psych)analyste *mf*

analytic(al) /ˌænəˈlɪtɪk(l)/ *adj* (all contexts) analytique

analyze *vtr* US = **analyse**

anamorphosis /ˌænəmɔːˈfəʊsɪs/ *n* anamorphose *f*

anap(a)est /ˈænəpiːst/ *n* anapeste *m*

anaphora /əˈnæfərə/ *n* anaphore *f*

anaphoric /ˌænəˈfɒrɪk/ *adj* anaphorique

anaphylaxis /ˌænəfɪˈlæksɪs/ *n* choc *m* anaphylactique

anarchic(al) /əˈnɑːkɪk(l)/ *adj* anarchique

anarchism /ˈænəkɪzəm/ *n* anarchisme *m*

anarchist /ˈænəkɪst/ *n, adj* anarchiste (*mf*)

anarchy /ˈænəkɪ/ *n* anarchie *f*

anastigmatic /ˌænəstɪgˈmætɪk/ *adj* anastigmate

anathema /əˈnæθəmə/ *n* (*pl* **~s**) Relig anathème *m*; fig abomination *f*; **history/cruelty is ~ to him** il a l'histoire/la cruauté en horreur

anathematize /əˈnæθəmətaɪz/ *vtr* jeter l'anathème sur

Anatolia /ˌænəˈtəʊlɪə/ *pr n* Anatolie *f*

Anatolian /ˌænəˈtəʊlɪən/
A *n* Ling anatolien *m*
B *adj* Ling anatolien/-ienne

anatomical /ˌænəˈtɒmɪkl/ *adj* anatomique

anatomist /əˈnætəmɪst/ *n* anatomiste *mf*

anatomize /əˈnætəmaɪz/ *vtr* disséquer

anatomy /əˈnætəmɪ/
A *n* **1** Med, Biol anatomie *f*; **2** fig (of subject, event) analyse *f* (détaillée) (**of** de)
B *modif* [*class, lesson*] d'anatomie

ANC *n* (*abrév* = **African National Congress**) ANC *f*

ancestor /ˈænsestə(r)/ *n* lit, fig ancêtre *mf*

ancestral /ænˈsestrəl/ *adj* ancestral; **the ~ home** la demeure ancestrale

ancestress /ænˈsestrɪs/ *n* ancêtre *f*, aïeule *f*

ancestry /ˈænsestrɪ/ *n* **1** (lineage) ascendance *f*; **2** (ancestors collectively) ancêtres *mpl*, aïeux *mpl*

anchor /ˈæŋkə(r)/
A *n* **1** Naut ancre *f*; **to drop** *ou* **cast ~** jeter l'ancre; **to raise (the) ~**, **to weigh** *ou* **up ~** lever l'ancre; **to come to ~** mouiller; **to be** *ou* **lie at ~** être ancré; **to ride at ~** être à l'ancre *or* au mouillage; **to slip ~** filer par le bout; **2** fig point *m* d'ancrage; (person) soutien *m*; **3** = **anchorman, anchorwoman**
B *vi* [*ship*] mouiller, jeter l'ancre
C *vtr* **1** ancrer [*ship, balloon*]; arrimer [*tent, roof etc*] (**to** à); **2** US Radio, TV présenter

anchorage /ˈæŋkərɪdʒ/ *n* **1** Naut (place, action) ancrage *m*, mouillage *m*; fig ancrage *m*; **2** Naut (fee) droits *mpl* de mouillage

anchorite /ˈæŋkəraɪt/ *n* anachorète *m*

anchorman /ˈæŋkəmən/ ▸ **p. 1683** *n* **1** Radio, TV présentateur *m*; (in network, organization) pivot *m*; **2** Sport relayeur *m*

anchor ring /ˈæŋkərɪŋ/ *n* cigale *f* Tech

anchorwoman /ˈæŋkəwʊmən/ ▸ **p. 1683** *n* Radio, TV présentatrice *f*

anchovy /ˈæntʃəvɪ, US ˈæntʃəʊvɪ/
A *n* anchois *m*
B *modif* [*sauce*] aux anchois; **~ paste** beurre *m* d'anchois

ancient /ˈeɪnʃənt/
A *n* gen, Antiq ancien *m*
B *adj* **1** (dating from BC) antique; (very old) ancien/-ienne; **~ Greek** Ling grec ancien; **~ Greece/Rome** la Grèce/Rome antique; **~ history** (subject) histoire *f* ancienne; **that's ~ history!** fig c'est de l'histoire ancienne; **~ monument** monument *m* historique; **in ~ times** dans les temps anciens; **the ~ world** l'antiquité *f*, le monde antique; **2** ○[*person, car*] très vieux/vieille; **I must be getting ~** je dois me faire bien vieux

ancillary /ænˈsɪlərɪ, US ˈænsələrɪ/
A *n* **1** (office, department etc) service *m* annexe; **2** (person) auxiliaire *m*
B *adj* [*service, staff, task, industry, equipment, role*] auxiliaire; [*cost*] accessoire; [*road*] secondaire; **to be ~ to** (complementary) être auxiliaire à; (subordinate) être subordonné à

and /ænd, ənd, ən, n/

> ⚠ When used as a straightforward conjunction, *and* is translated by *et*: *to shout and sing* = crier et chanter; *Tom and Linda* = Tom et Linda; *my friend and colleague* = mon ami et collègue.
> *and* is sometimes used between two verbs in English to mean 'in order to' (*wait and see, go and ask, try and rest etc*). To translate these expressions, look under the appropriate verb entry (**wait, go, try** etc).
> For examples and other uses, see the entry below.

conj **1** (joining words or clauses) et; **cups ~ plates** des tasses et des assiettes; **there'll be singing ~ dancing** on va chanter et danser; **he picked up his papers ~ went out** il a ramassé ses papiers et il est sorti; **2** (in numbers) **two hundred ~ sixty-two** deux cent soixante-deux; **three ~ three-quarters** trois trois-quarts; **five ~ twenty** ‡ *ou* littér vingt-cinq; **3** (with repetition) **more ~ more interesting** de plus en plus intéressant; **faster ~ faster** de plus en plus vite; **it got worse ~ worse** c'est devenu de pire en pire; **I waited ~ waited** j'ai attendu pendant des heures; **to talk on ~ on** parler pendant des heures; **for days ~ days** pendant des jours et des jours; **we laughed ~ laughed!** qu'est-ce qu'on a ri!; **there are friends ~ friends** il y a ami et ami; **4** (for emphasis) **it's lovely ~ warm** il fait bon; **come nice ~ early** viens tôt; AND **he didn't even say thank you** et en plus il n'a même pas dit merci; **5** (in phrases) **~ all that** et tout le reste; **~ that**○ GB et tout ça; **~ so on** et ainsi de suite; **~ how**○**!** et comment!; **~?** et alors?; **6** (alike) **summer ~ winter** été comme hiver; **I think about you day ~ night** je pense à toi jour et nuit; **7** (with negative) **I haven't got pen ~ paper** je n'ai ni stylo ni papier; **he doesn't like singing ~ dancing** il n'aime ni chanter ni danser

Andalucia, Andalusia /ˌændəluːˈsɪə/ *pr n* Andalousie *f*

Andalucian, Andalusian /ˌændəluːˈsɪən/
A *n* Andalou/-ouse *m/f*
B *adj* andalou/-ouse

andante /ænˈdæntɪ/ *n, adj, adv* andante (*m*)

AND circuit, AND gate /ænd/ *n* Comput circuit *m* ET

Andean /ænˈdɪən/ *adj* andin, des Andes; **the ~ mountains** la Cordillière des Andes

Andes /ˈændiːz/ *pr npl* **the ~** les Andes *fpl*

andiron /ˈændaɪən/ *n* chenet *m*

Andorra /ænˈdɔːrə/ ▸ **p. 1096** *pr n* Andorre *f*

Andorran /ænˈdɔːrən/ ▸ **p. 1467**
A *n* Andorran/-ane *m/f*
B *adj* andorran

Andrew /ˈændruː/ *pr n* André

androgen /ˈændrədʒən/ *n* androgène *m*

androgynous /ænˈdrɒdʒɪnəs/ *adj* androgyne

android /ˈændrɔɪd/ *n* androïde *m*

Andromache /ænˈdrɒməkɪ/ *pr n* Andromaque

Andromeda /ænˈdrɒmɪdə/ *pr n* Mythol, Astron Andromède *f*; **the ~ Galaxy** la Nébuleuse d'Andromède

androsterone /ænˈdrɒstərəʊn/ *n* androstérone *f*

anecdotal /ˌænɪkˈdəʊtl/ *adj* [*memoirs, account*] anecdotique; [*talk, lecture*] plein d'anecdotes; **on the basis of ~ evidence...** selon des sources non confirmées...

anecdote /ˈænɪkdəʊt/ *n* anecdote *f*

anemia *n* US = **anaemia**

anemic *adj* US = **anaemic**

anemometer /ˌænɪˈmɒmɪtə(r)/ *n* anémomètre *m*

anemone /əˈnemənɪ/ *n* Bot anémone *f*

aneroid barometer /ˌænərɔɪd bəˈrɒmɪtə(r)/ *n* baromètre *m* anéroïde

anesthesia *n* US = **anaesthesia**

anesthesiologist /ˌænɪsˌθiːzɪˈɒlədʒɪst/ ▸ **p. 1683** *n* US (médecin) anesthésiste *mf*

anesthesiology /ˌænɪsˌθiːzɪˈɒlədʒɪ/ *n* US anesthésiologie *f*

anesthetic *n, adj* US = **anaesthetic**

anesthetist /əˈniːsθətɪst/ ▸ **p. 1683** *n* US infirmier/-ière *m/f* anesthésiste

anesthetize *vtr* US = **anaesthetize**

aneurism /ˈænjʊrɪzəm, US -nʊ-/ *n* anévrisme *m*

anew /əˈnjuː, US əˈnuː/ *adv* (once more) encore, de nouveau; (in a new way) à nouveau; **to begin ~** recommencer

angel /ˈeɪndʒl/ *n* **1** lit, fig ange *m*; **the ~ of death** l'Ange de la Mort; **~ of mercy** ange de miséricorde; **be an ~ and answer the phone!** si tu veux répondre au téléphone tu seras un ange!; **2** ○Comm, Theat bailleur/-eresse *m/f* de fonds

(Idioms) **to be on the side of the ~s** avoir le droit de son côté; **to rush in where ~s fear to tread** se lancer avec le courage de l'inconscience

angel cake *n* = **angel food cake**

Angeleno, Angelino /ˌændʒəˈliːnəʊ/ *n* US habitant/-e *m/f* de Los Angeles

angel: **~fish** *n* scalaire *m*; **~ food cake** *n* ≈ gâteau *m* de Savoie (*coloré en rose et blanc*); **~-hair pasta, ~'s hair** *n* US vermicelles *mpl*

angelic /ænˈdʒelɪk/ *adj* angélique

angelica /ænˈdʒelɪkə/ *n* angélique *f*

angelically /ænˈdʒelɪklɪ/ *adv* [*smile etc*] angéliquement; [*beautiful*] comme un ange

Angelino *n* US = **Angeleno**

angel: **~ shark** *n* ange *m* de mer; **~s-on-horseback** *n* GB brochette *f* d'huîtres à l'anglaise

angelus /ˈændʒɪləs/ *n* angélus *m*

anger /ˈæŋgə(r)/
A *n* colère *f* (**at** devant); **to feel ~ towards sb** ressentir de la colère contre qn; **in ~** sous le coup de la colère; **a fit of ~** un accès de colère
B *vtr* [*decision, remark*] mettre [qn] en colère [*person*]; **she was ~ed by his comment** sa réflexion l'a mise en colère; **to be easily ~ed** se mettre facilement en colère

angina (pectoris) /ænˌdʒaɪnə (ˈpektərɪs)/ ▸ **p. 1327** *n* angine *f* de poitrine

angiocardiogram /ændʒɪəʊˈkɑːdɪəʊgræm/ *n* angiocardiogramme *m*

angiogram /ˈændʒɪəʊgræm/ *n* angiogramme *m*

angiography /ˌændʒɪˈɒgrəfɪ/ *n* angiographie *f*

angioplasty /ˈændʒɪəʊˌplæstɪ/ *n* angioplastie *f*

Angl. *abrév écrite* = **Anglican**

angle /ˈæŋgl/
A *n* **1** gen, Math angle *m*; **at a 60° ~** à un angle de 60°; **~ of attack/of descent/of refraction** angle d'attaque/de chute/de réfraction; **camera ~** angle de vue; **to make/form an ~ with sth** faire/former un angle avec qch; **to be at an ~ to sth** [*table*] faire un angle avec [*wall*]; [*tower*] pencher par rapport à [*ground*]; **from every ~** sous tous les angles; **seen from this ~** d'ici; **at an ~** en biais; **2** (point of view) point *m* de vue (**on** sur); **to look at/see sth from sb's ~** regarder/voir qch du point de vue de qn; **from every ~** sous tous les angles; **3** (perspective, slant) **what ~ is the newspaper putting on this story?** sous quel angle est-ce que le journal présente cette histoire?; **seen from this ~** sous cet angle; **4** (corner) angle *m* (**of** de); **5** Sport gen angle *m*; (of shot, kick) angle *m* de tir; **6** ○US (advantage) bénéf○ *m*; **he never does anything unless there's an ~** il ne fait jamais rien sans qu'il y ait un bénéf○ au bout!
B *vtr* **1** (tilt) orienter [*camera, light, table*]

(towards vers); incliner [*racket, ball*]; **to ~ sth sideways/upwards/downwards** incliner qch en oblique/vers le haut/vers le bas; 2 Sport (hit) (diagonally) jouer [qch] près des lignes [*ball, shot*]; 3 fig (slant) orienter [*programme*]
C *vi* 1 Fishg pêcher (à la ligne); **to ~ for salmon** pêcher le saumon; 2 ○fig (try to obtain) **to ~ for** chercher à obtenir [*compliments, money, tickets, work*]; **to ~ for sb's attention** chercher à attirer l'attention de qn
D **angled** *pp adj* [*shot, volley*] ajusté; [*serve*] à effet (*after n*); [*lamp, mirror*] incliné

angle: **~ bracket** *n* Tech équerre *f*; **~ grinder** *n* meuleuse *f*; **~ iron** *n* cornière *f*; **~ plate** *n* Tech équerre *f* de montage
Anglepoise® /'æŋglpɔɪz/ *n* **~ (lamp)** lampe *f* d'architecte
angler /'æŋglə(r)/ *n* pêcheur/-euse *m/f* (à la ligne)
angler fish *n* lotte *f* (de mer), baudroie *f*
Anglesey /'æŋglsɪ/ ► **p. 1355** *pr n* Anglesey *f*
Anglican /'æŋglɪkən/ *n, adj* anglican/-e (*m/f*)
Anglicanism /'æŋglɪkənɪzəm/ *n* anglicanisme *m*
anglicism /'æŋglɪsɪzəm/ *n* anglicisme *m*
Anglicist /'æŋglɪsɪst/ *n* angliciste *mf*
anglicize /'æŋglɪsaɪz/ *vtr* angliciser; **to become ~d** s'angliciser
angling /'æŋglɪŋ/ ► **p. 1253**
A *n* pêche *f* (à la ligne)
B *modif* [*club, competition*] de pêche (à la ligne)
Anglo /'æŋgləʊ/
A *n* US Américain/-e *m/f* (*d'origine anglo-saxonne*)
B **Anglo+** (*dans composés*) anglo-
Anglo-American /,æŋgləʊə'merɪkən/ ► **p. 1467**
A *n* Anglo-Américain/-e *m/f*
B *adj* anglo-américain
Anglo-Catholic /,æŋgləʊ'kæθəlɪk/ *n*: *membre du mouvement de la Haute Église anglicane proche du catholicisme*
Anglo-Catholicism /,æŋgləʊkə'θɒləsɪzəm/ *n*: *mouvement de la Haute Église anglicane proche du catholicisme*
Anglo-French /,æŋgləʊ'frentʃ/ ► **p. 1467, p. 1378**
A *n* Ling anglo-normand *m*
B *adj* anglo-français, franco-britannique
Anglo-Indian /,æŋgləʊ'ɪndɪən/ ► **p. 1467**
A *n* 1 (ex-patriot) Britannique *mf* vivant en Inde; 2 (of mixed race) métis/-isse *m/f* (*de parents anglais et indien*)
B *adj* anglo-indien/-ienne
Anglo-Irish /,æŋgləʊ'aɪərɪʃ/ ► **p. 1467**
A *npl* **the ~** les Anglo-Irlandais
B *adj* anglo-irlandais
Anglo-Norman /,æŋgləʊ'nɔ:mən/ ► **p. 1467, p. 1378**
A *n* 1 (person) Anglo-Normand/-e *m/f*; 2 (language) anglo-normand *m*
B *adj* anglo-normand
Anglophile /'æŋgləʊfaɪl/ *n, adj* anglophile (*mf*)
Anglophobe /'æŋgləʊfəʊb/ *n* anglophobe *mf*
Anglophobia /,æŋgləʊ'fəʊbɪə/ *n* anglophobie *f*
Anglophone /'æŋgləʊfəʊn/ *n, adj* anglophone (*mf*)
Anglo-Saxon /,æŋgləʊ'sæksn/ ► **p. 1467, p. 1378**
A *n* 1 (person) Anglo-Saxon/-onne *m/f*; 2 (language) anglo-saxon *m*
B *adj* 1 gen anglo-saxon/-onne; 2 euph [*expletive*] cru
Angola /æŋ'gəʊlə/ ► **p. 1096** *pr n* Angola *m*
Angolan /æŋ'gəʊlən/ ► **p. 1467**
A *n* Angolais/-e *m/f*
B *adj* angolais

angora /æŋ'gɔ:rə/
A *n* angora *m*
B *modif* [*cat, rabbit*] angora *inv*; [*jumper, scarf*] en angora
angostura /,æŋgə'stjʊərə, US -'stʊərə/ *n* angusture *f*
angostura bitters® *npl* Angostura®, amer *m*
angrily /'æŋgrɪlɪ/ *adv* [*react, speak*] avec colère
angry /'æŋgrɪ/ *adj* 1 [*person*] en colère, furieux/-ieuse; [*animal*] furieux/-ieuse; [*expression, eyes, letter, reaction, voice*] furieux/-ieuse; [*outburst, scene, words*] de colère; **to look ~** avoir l'air en colère; **to be ~ at** *ou* **with sb** être en colère contre qn; **to be ~ at/about sth** être en colère à cause de/à propos de qch; **to be ~ at doing sth** être en colère de faire qch; **I was ~ at having to wait** j'étais en colère d'avoir à attendre; **to get** *ou* **grow ~** se fâcher; **to make sb ~** exaspérer qn; 2 fig [*cloud, sea, sky*] littér menaçant; [*wound, rash*] vilain
angry: **~-looking** *adj* [*person*] à l'air furieux (*after n*); [*sky*] à l'air menaçant (*after n*); [*wound*] vilain; **Angry Young Man** *n* GB Literat *jeune écrivain des années 50–60 qui attaque l'ordre établi*
angstrom /'æŋstrəm/ *n* angström *m*
anguish /'æŋgwɪʃ/ *n* 1 (mental) angoisse *f* (**about, over** face à); **to be in ~** être dans l'angoisse; 2 (physical) douleur *f*; **to cry out in ~** crier de douleur
anguished /'æŋgwɪʃt/ *adj* 1 (mentally) angoissé; 2 (physically) [*suffering*] aigu/-uë
angular /'æŋgjʊlə(r)/ *adj* 1 gen (bony) [*face, features, jaw, shape*] anguleux/-euse; [*person*] au physique anguleux; [*rock*] anguleux/-euse; [*building*] plein d'angles; 2 Phys angulaire
anhydrous /æn'haɪdrəs/ *adj* anhydre
aniline /'ænɪli:n, US 'ænəlaɪn/
A *n* aniline *f*
B *modif* [*dye, oil*] d'aniline
anima /'ænɪmə/ *n* anima *f*
animadversion /,ænɪmæd'vɜ:ʃn, US -ʒn/ *n* sout critique *f*
animadvert /,ænɪmæd'vɜ:t/ *vi* sout **to ~ on sth** critiquer qch
animal /'ænɪml/
A *n* 1 lit (creature, genus) animal *m*, bête *f*; **domestic/farm ~** animal domestique/de ferme; **~, vegetable and mineral** les animaux, les végétaux, et les minéraux; 2 (brutish person) **to behave like ~s** [*people*] se conduire comme des brutes; **to bring out the ~ in sb** réveiller la bête en qn; 3 fig (entity) **man is a political ~** l'homme est un animal politique; **there's no such ~** ça n'existe pas; **the new company is a very different ~** la nouvelle entreprise est une chose différente
B *modif* 1 (of animals) [*welfare*] des animaux; [*feed*] pour animaux; [*behaviour, fat*] animal; 2 (basic) [*nature, instinct, pleasure*] animal; [*needs*] primaire; [*desires*] péj bestial
animal: **~ activism** *n* militantisme *m* en faveur des droits des animaux; **~ activist** *n* militant/-e *m/f* pour les droits des animaux; **~ courage** *n* courage *m* instinctif; **~ cracker** *n* US *biscuit en forme d'animal*; **~ experiment** *n* expérience *f* sur les animaux; **~ husbandry** *n* élevage *m*; **~ kingdom** *n* règne *m* animal; **~ liberation front** *n* mouvement *m* pour la libération des animaux; **~ lover** *n* ami/-e *m/f* des bêtes; **~ product** *n* produit *m* d'origine animale; **~ rights** *npl* droits *mpl* des animaux; **~ rights campaigner** *n* militant/-e *m/f* pour les droits des animaux; **~ sanctuary** *n* refuge *m* pour animaux; **~ (high) spirits** *npl* entrain *m*; **~ testing** *n* expérimentation *f* animale
animate
A /'ænɪmət/ *adj* [*person*] vivant; [*object*] animé
B /'ænɪmeɪt/ *vtr* 1 (make active) animer [*person, cartoon*]; 2 (enliven) animer [*person*]; **~d by the thrill of the chase** tout excité par la chasse

animated /'ænɪmeɪtɪd/ *adj* (all contexts) animé; **an ~ film** un dessin animé
animatedly /'ænɪmeɪtɪdlɪ/ *adv* avec animation
animation /,ænɪ'meɪʃn/ *n* animation *f*
animator /'ænɪmeɪtə(r)/ ► **p. 1683** *n* réalisateur/-trice *m/f* de dessin animé
animism /'ænɪmɪzəm/ *n* animisme *m*
animist /'ænɪmɪst/ *n, adj* animiste (*mf*)
animosity /,ænɪ'mɒsətɪ/ *n* animosité *f* (**between** entre; **towards** envers)
animus /'ænɪməs/ *n* 1 sout (dislike) animosité *f* (**between** entre; **towards** envers); 2 Psych animus *m*
anise /'ænɪs/ *n* Bot anis *m*
aniseed /'ænɪsi:d/
A *n* 1 (flavour) anis *m*; 2 (seed) graine *f* d'anis
B *modif* [*biscuit, drink, sweet*] à l'anis; **~ ball** bonbon *m* à l'anis
Anjou /'ɒnju/ ► **p. 1243** *pr n* Anjou *m*
Ankara /'æŋkərə/ ► **p. 1815** *pr n* Ankara
ankle /'æŋkl/ ► **p. 997** *n* cheville *f*; **to break/sprain/twist one's ~** se casser/se fouler/se tordre la cheville
ankle: **~bone** *n* astragale *m*; **~ bracelet**, **~ chain** *n* chaîne *f* de cheville
ankle-deep *adj* **the snow was ~** la neige arrivait jusqu'aux chevilles; **to be ~ in sth** avoir qch jusqu'aux chevilles
ankle-length *adj* **an ~ dress** une robe descendant jusqu'aux chevilles
ankle sock *n* socquette *f*
anklet /'æŋklɪt/ *n* 1 (jewellery) chaîne *f* de cheville; 2 US (sock) socquette *f*
ankylosis /,æŋkɪ'ləʊsɪs/ *n* ankylose *f*
annalist /'ænəlɪst/ *n* annaliste *m*
annals /'ænlz/ *npl* annales *fpl*; **to go down in the ~ (of history)** figurer dans les annales
anneal /ə'ni:l/ *vtr* recuire; **~ed glass** verre recuit
annex
A /'æneks/ *n* (*also* **annexe** GB) (all contexts) annexe *f* (**to** à)
B /ə'neks/ *vtr* annexer [*territory, land, country*] (**to** à)
annexation /,ænɪk'seɪʃn/ *n* (action) annexion *f* (**of** de); (land annexed) territoire *m* annexé
Annie Oakley○ /,ænɪ 'əʊklɪ/ *n* US billet *m* de faveur
annihilate /ə'naɪəleɪt/ *vtr* (all contexts) anéantir
annihilation /ə,naɪə'leɪʃn/ *n* (all contexts) anéantissement *m*
anniversary /,ænɪ'vɜ:sərɪ/
A *n* anniversaire *m* (**of** de); **wedding ~** anniversaire de mariage; **fifth ~** cinquième anniversaire
B *modif* [*celebration, dinner, festival, reunion*] (of historical event) commémoratif/-ive; **our ~ dinner** (of wedding) un dîner pour fêter notre anniversaire de mariage
anno Domini, **Anno Domini** /,ænəʊ 'dɒmɪnaɪ/ *adv* après Jésus-Christ
annotate /'ænəteɪt/ *vtr* annoter; **~d edition** édition annotée
annotation /,ænə'teɪʃn/ *n* 1 (note) (printed in book) note *f*; (added by reader) annotation *f*; 2 (action) annotation *f*; 3 Comput commentaire *m*
announce /ə'naʊns/
A *vtr* annoncer (**that** que); **we are pleased to ~** nous sommes heureux d'annoncer
B *vi* US annoncer sa candidature; **to ~ for** poser sa candidature à [*political office*]; se déclarer pour [*candidate*]
announcement /ə'naʊnsmənt/ *n* 1 (spoken) annonce *f* (**of** de; **that** indiquant que); **to make an ~** faire une annonce; **official/public ~** annonce officielle/

publique; **2** (written) avis *m*; (of birth, death) faire-part *m inv*

announcer /əˈnaʊnsə(r)/ *n* **1** (on TV) speaker/-erine *m/f*; **radio ~** présentateur/-trice *m/f* de radio; **2** (at rail station) annonceur/-euse *m/f*

annoy /əˈnɔɪ/ *vtr* [*person*] (by general behaviour) agacer; (by opposing wishes, plans) contrarier; [*discomfort, noise, disturbance*] gêner; **what really ~s me is that I was not informed** ce qui me contrarie, c'est que je n'ai pas été tenu au courant; **officer, this man's ~ing me** monsieur l'agent, cet homme m'embête

annoyance /əˈnɔɪəns/ *n* **1** (crossness) agacement *m* (**at** devant); contrariété *f* (**at** à); **a look of ~** un regard agacé; **much to her ~** à son grand mécontentement; **2** (nuisance) désagrément *m*

annoyed /əˈnɔɪd/ *adj* contrarié (**by** par); (stronger) agacé, fâché (**by** par); **to be ~ with sb** être fâché contre qn; **to get ~ with sb** se fâcher contre qn; **she was ~ with him for being late** elle était contrariée *or* elle n'était pas contente parce qu'il était en retard; **you're not ~ with me, are you?** tu ne m'en veux pas?; **he was ~ (that) I hadn't replied** il était contrarié parce que je n'avais pas répondu

annoying /əˈnɔɪɪŋ/ *adj* agaçant (**to do** de faire); **the ~ thing is that...** ce qui est agaçant *or* fâcheux, c'est que...; **how ~!** c'est agaçant!

annoyingly /əˈnɔɪɪŋlɪ/ *adv* **the engine is ~ noisy** le moteur est bruyant au point d'en être gênant; **~, the train was late** le train était en retard, ce qui était contrariant

annual /ˈænjʊəl/
A *n* **1** (book) album *m* (annuel); **2** (plant) plante *f* annuelle; ▸ **hardy annual**
B *adj* annuel/-elle

Annual General Meeting, AGM *n* assemblée *f* générale annuelle

annualize /ˈænjʊəlaɪz/ *vtr* annualiser

annualized percentage rate, APR *n* taux *m* d'intérêt annuel

annually /ˈænjʊəlɪ/ *adv* [*cost, earn, pay, produce*] par an; [*award, do, hold, inspect*] tous les ans

annual percentage rate *n* = **annualized percentage rate**

annuity /əˈnjuːətɪ, US -ˈnuː-/ *n* rente *f*; **life(time) ~** rente viagère; **deferred ~** rente différée; **pension ~** pension *f* de retraite par capitalisation

annuity bond *n* titre *m* de rente perpétuelle

annul /əˈnʌl/ *vtr* (*p prés etc* **-ll-**) annuler [*marriage, treaty, vote*]; abroger [*law*]

annular /ˈænjʊlə(r)/ *adj* [*eclipse, ligament*] annulaire

annulment /əˈnʌlmənt/ *n* (of marriage) annulation *f*; (of legislation) abrogation *f*

annulus /ˈænjʊləs/ *n* (*pl* **-li** *ou* **-luses**) Tech couronne *f*

Annunciation /əˌnʌnsɪˈeɪʃn/ *n* Annonciation *f*

anode /ˈænəʊd/ *n* anode *f*

anodize /ˈænədaɪz/ *vtr* anodiser; **~d aluminium** aluminium anodisé

anodyne /ˈænədaɪn/
A *n* **1** (painkiller) analgésique *m*; **2** fig (soothing thing) baume *m*
B *adj* **1** (inoffensive) inoffensif/-ive; pej (bland) anodin; **2** (analgesic) analgésique

anoint /əˈnɔɪnt/ *vtr* **1** oindre; **to ~ with oil** oindre; **2** (appoint to high office) sacrer; **to be sb's ~ed heir** fig être le protégé *or* l'oint fml de qn; **the ~ing of the sick** Relig l'onction *f* des malades

anomalous /əˈnɒmələs/ *adj* (all contexts) anormal

anomaly /əˈnɒməlɪ/ *n* (situation, law, fact) anomalie *f* (**in** dans); (person) phénomène *m* (anormal)

anomie, anomy /ˈænəmɪ/ *n* Sociol anomie *f*

anon /əˈnɒn/ *adv* † *ou* hum **see you ~** à tout à l'heure; **more of that ~** (written) voir ci-après; (spoken) nous reviendrons là-dessus

anon. /əˈnɒn/ *abrév* = **anonymous**

anonymity /ˌænəˈnɪmətɪ/ *n* (all contexts) anonymat *m*; **to preserve one's ~** garder l'anonymat; **to preserve sb's ~** préserver l'anonymat de qn

anonymous /əˈnɒnɪməs/ *adj* (all contexts) anonyme; **to wish to remain ~** souhaiter garder l'anonymat

anonymously /əˈnɒnɪməslɪ/ *adv* [*buy, complain, give, write*] anonymement; [*give information, make donation*] de façon anonyme

anorak /ˈænəræk/ *n* anorak *m*

anorexia /ˌænəˈreksɪə/ *n* **1** (*also* **~ nervosa**) anorexie *f* mentale; **2** (loss of appetite) anorexie *f*

anorexic /ˌænəˈreksɪk/ *n, adj* anorexique (*mf*)

another /əˈnʌðə(r)/

> ⚠ When *another* is used as a determiner it is translated by *un autre* or *une autre* according to the gender of the noun that follows: *another ticket* = un autre billet; *another cup* = une autre tasse. However, when *another* means *an additional*, *encore* can also be used: *another cup of tea?* = une autre tasse de thé *or* encore une tasse de thé? For more examples and particular usages, see **A** below.
>
> When *another* is used as a pronoun it is translated by *un autre* or *une autre* according to the gender of the noun it refers to: *that cake was delicious, can I have another?* = ce gâteau était délicieux, est-ce que je peux en prendre un autre?; *I see you like the peaches—have another* = je vois que tu aimes les pêches—prends-en une autre. Note that *en* is always added in French when *un/une autre* are used as pronouns. For more examples and particular usages, see **B** below.

A *det* **1** (an additional) un/-e autre, encore un/-e; **would you like ~ drink?** est-ce que tu veux un autre verre?, encore un verre?; **they want to have ~ child** ils veulent avoir un autre enfant; **we have received yet ~ letter** nous avons reçu encore une nouvelle lettre; **that will cost you ~ £5** cela vous coûtera 5 livres sterling de plus; **they stayed ~ three hours** ils sont restés encore trois heures *or* trois heures de plus; **without ~ word** sans rien dire de plus; **in ~ five weeks** dans cinq semaines; **it was ~ ten years before they met again** dix ans se sont écoulés avant qu'ils se rencontrent de nouveau; **and ~ thing,...** et de plus,...; **not ~ programme about seals!** encore une émission sur les phoques!; **2** (a different) un/-e autre; **~ time** une autre fois; **he has ~ job/~ girlfriend now** il a un nouveau travail/une nouvelle copine maintenant; **can I have ~ one?** est-ce que je peux en avoir un/-e autre?; **there's ~ way of doing it** il y a une autre façon de le faire; **to put it ~ way...** en d'autres termes...; **that's quite ~ matter** ça c'est une autre histoire *or* question; **3** (new) **~ Garbo** une nouvelle Garbo; **~ Vietnam** un nouveau Viêt Nam
B *pron* un/-e autre; **can I have ~?** est-ce-que je peux en avoir un/-e autre?; **he loved ~** littér il était amoureux d'un/-e autre, il aimait quelqu'un d'autre; **~ of the witnesses said that** un autre témoin a dit que; **one after ~** l'un/l'une après l'autre; **she tried on one hat after ~** elle a essayé tous les chapeaux les uns après les autres; **of one kind or ~** d'une sorte ou d'une autre; **for one reason or ~** pour une raison ou une autre; **in one way or ~** d'une façon ou d'une autre; **ignorance is one thing, vulgarity is quite ~** l'ignorance est une chose, mais la vulgarité en est une autre; **imagining things is one thing, creating them is quite ~** l'imagination est une chose, la création en est une autre

A. N. Other /ˌeɪ en ˈʌðə(r)/ *n* GB ≈ monsieur Untel/madame Unetelle *m/f*

anoxia /əˈnɒksɪə/ *n* anoxie *f*

anoxic /əˈnɒksɪk/ *adj* anoxique

ANSI *n* US (*abrév* = **American National Standards Institute**) institut *m* américain de normalisation

answer /ˈɑːnsə(r), US ˈænsər/
A *n* **1** (reply) réponse *f* (**to** à); **to get/give an ~** obtenir/donner une réponse; **an ~ in writing** une réponse par écrit; **there's no ~** (to door) il n'y a personne; (on phone) ça ne répond pas; **in ~ to sth** en réponse à qch; **she has all the ~s, she has an ~ for everything** elle a réponse à tout, elle croit tout savoir pej; **her only ~ was to laugh** pour seule réponse elle a éclaté de rire; **I won't take no for an ~!** pas question de refuser!; **there's no ~ to that!** que voulez-vous répondre à ça?; **France's ~ to Marilyn Monroe** hum la version française de Marilyn Monroe; **2** (solution) (to difficulty, puzzle) solution *f* (**to** à); Sch, Univ réponse *f* (**to** à); **the right/wrong ~** la bonne/mauvaise réponse; **there is no easy ~ (to the problem)** c'est un problème difficile à résoudre; **it's the ~ to all our problems** c'est la solution à tous nos problèmes; **he doesn't pretend to know all the ~s** il ne prétend pas avoir réponse à tout; **3** (to criticism) réponse *f* (**to** à); **~ to a charge** Jur réfutation *f* d'une accusation
B *vtr* **1** (reply to) répondre à [*question, invitation, letter, person*]; **to ~ that** répondre que; **to ~ the door** aller *or* venir ouvrir la porte; **to ~ the telephone** répondre au téléphone; **to ~ the call** lit, fig répondre à l'appel; **she ~ed him with a smile** elle lui a répondu par un sourire; **to ~ violence with violence** répondre à la violence par la violence; **our prayers have been ~ed** nos prières ont été exaucées; **2** gen, Jur (respond) répondre à [*criticism, accusation, allegation*]; **to ~ a charge** répondre d'une accusation; **he was in court to ~ charges of theft** il devait répondre d'une accusation de vol devant le tribunal; **there was no case to ~** il n'y avait pas matière à inculpation; **3** (meet) répondre à [*need, demand*]; **we saw nobody ~ing that description** nous n'avons vu personne répondant à cette description; **4** Naut **to ~ the helm** obéir à la barre
C *vi* **1** (respond) répondre; **it's not ~ing** GB Telecom ça ne répond pas; **to ~ to the name of X** répondre au nom de X; **2** (correspond) **to ~ to** répondre *or* correspondre à [*description*]; **3** (account) **to ~ for sb** répondre de qn; **to ~ to sb** être responsable devant qn; **he ~s to management for any decisions he takes** il doit répondre de toutes les décisions qu'il prend devant la direction; **...or you'll have me to ~ to!** ...ou tu auras affaire à moi!

(Phrasal verbs) ■ **answer back**: ▸ **~ back** gen, Jur répondre; ▸ **~ [sb] back** GB répondre; **don't dare ~ (me) back!** comment oses-tu (me) répondre?
■ **answer for**: ▸ **~ for [sth]** (account for) répondre de [*action, behaviour*]; **they have a lot to ~ for!** ils ont beaucoup de comptes à rendre!; **to ~ for sb's honesty** se porter garant de l'honnêteté de qn

answerable /ˈɑːnsərəbl, US ˈæns-/ *adj* **1** (accountable) **to be ~ to sb** être responsable devant qn; **to be ~ for** être responsable de [*decision, actions*]; **they are ~ to no-one** ils n'ont de comptes à rendre à personne; **2** [*question*] à laquelle on peut répondre

answer-back /ˈɑːnsəbæk, US ˈæns-/
A *n* réponse *f* (automatique)
B *modif* **~ code** indicatif *m* (d'un téléimprimeur)

a

answering: ~ **machine** *n* répondeur *m* (téléphonique); ~ **service** *n* permanence *f* téléphonique

answerphone /ˈɑːnsəfəʊn, US ˈæns-/ *n* répondeur *m* (téléphonique)

ant /ænt/ *n* fourmi *f*; **flying** ~ fourmi volante

(Idiom) **to have** ~**s in one's pants**○ avoir la bougeotte○

antacid /æntˈæsɪd/ *n, adj* alcalin (*m*)

antagonism /ænˈtægənɪzəm/ *n* antagonisme *m* (**between** entre); **mutual/class** ~ antagonisme mutuel/de classes; ~ **to** *ou* **towards sb/sth** hostilité *f* à l'égard de qn/qch

antagonist /ænˈtægənɪst/ *n* antagoniste *mf*

antagonistic /æn,tægəˈnɪstɪk/ *adj* **1** (hostile) [*person, attitude*] hostile (**to, towards** à); **2** (mutually opposed) [*theories, forces*] antagoniste

antagonistically /æn,tægəˈnɪstɪklɪ/ *adv* [*act, glare, say*] avec hostilité

antagonize /ænˈtægənaɪz/ *vtr* (annoy) contrarier (**with** avec); (stronger) éveiller l'hostilité de (**by doing** en faisant; **with** avec)

Antarctic /ænˈtɑːktɪk/
A *pr n* **the** ~ l'Antarctique *m*
B *adj* (also **antarctic**) antarctique

Antarctica /ænˈtɑːktɪkə/ *pr n* Antarctique *m*

Antarctic: ~ **Circle** cercle *m* polaire antarctique; ~ **Ocean** ▸ **p. 1493** *n* océan *m* Antarctique

ant bear *n* oryctérope *m*

ante /ˈæntɪ/
A *n* première mise *f*; **to up the** ~ lit, fig augmenter la mise
B *vtr* miser

(Phrasal verb) ■ **ante up**○ US casquer○

anteater /ˈæntiːtə(r)/ *n* fourmilier *m*

antebellum /,æntɪˈbeləm/ *adj* **1** US **the** ~ **South** *les États du Sud des États-Unis d'avant la guerre de Sécession*; **2** gen ~ **Europe** l'Europe d'avant la guerre

antecedent /,æntɪˈsiːdnt/
A *n* **1** (precedent) Ling, Math, Philos antécédent *m*; **2** (ancestor) ancêtre *m*
B *adj* antérieur (**to** à)

antechamber /ˈæntɪtʃeɪmbə(r)/ *n* = **anteroom**

antedate /,æntɪˈdeɪt/ *vtr* **1** (put earlier date on) antidater [*cheque, letter*]; **2** (predate) précéder (**by** de)

antediluvian /,æntɪdɪˈluːvɪən/ *adj* antédiluvien/-ienne

antelope /ˈæntɪləʊp/ *n* antilope *f*

antenatal /,æntɪˈneɪtl/ GB
A *n* examen *m* prénatal
B *adj* prénatal

antenatal: ~ **class** *n* GB cours *m* d'accouchement sans douleur; ~ **clinic** *n* GB service *m* de consultation prénatale

antenna /ænˈtenə/ *n* (*pl* **-ae** *ou* **-as**) (all contexts) antenne *f*

antepenultimate /,æntɪpɪˈnʌltɪmət/ *adj* antépénultième

ante-post /,æntɪˈpəʊst/ *adj* GB Turf [*favourite*] d'avant le jour de la course

ante-post bet *n* GB Turf *pari effectué avant que les numéros des chevaux soient connus*

anterior /ænˈtɪərɪə(r)/ *adj* antérieur

anteroom /ˈæntrʊːm, -rʊm/ *n* antichambre *f*

anthem /ˈænθəm/ *n* **1** (theme tune) hymne *m*; **2** Relig (motet) motet *m*; (antiphon) antienne *f*; ▸ **national anthem**

anther /ˈænθə(r)/ *n* anthère *f*

anthill /ˈænthɪl/, **antheap** /ˈænthiːp/ *n* fourmilière *f*

anthologist /ænˈθɒlədʒɪst/ *n* anthologiste *mf*, auteur *m* d'anthologies

anthology /ænˈθɒlədʒɪ/ *n* anthologie *f*

Anthony /ˈæntənɪ/ *pr n* Antoine

anthracite /ˈænθrəsaɪt/ *n* anthracite *m*

anthrax /ˈænθræks/ ▸ **p. 1327** *n* (*pl* **-thraces**) (disease) charbon *m*; (pustule) anthrax *m*

anthropoid /ˈænθrəpɔɪd/ *n, adj* anthropoïde (*m*)

anthropoid ape *n* singe *m* anthropoïde

anthropological /,ænθrəpəˈlɒdʒɪkl/ *adj* anthropologique

anthropologist /,ænθrəˈpɒlədʒɪst/ ▸ **p. 1683** *n* anthropologue *mf*, anthropologiste *mf*

anthropology /,ænθrəˈpɒlədʒɪ/ *n* anthropologie *f*

anthropometry /,ænθrəˈpɒmɪtrɪ/ *n* anthropométrie *f*

anthropomorphic /,ænθrəpəˈmɔːfɪk/ *adj* anthropomorphique

anthropomorphism /,ænθrəpəˈmɔːfɪzəm/ *n* anthropomorphisme *m*

anthropomorphous /,ænθrəpəˈmɔːfəs/ *adj* **1** (human-shaped) anthropomorphe; **2** = **anthropomorphic**

anthropophagous /,ænθrəˈpɒfəgəs/ *adj* anthropophage

anthropophagus /,ænθrəˈpɒfəgəs/ *n* (*pl* **-gi**) anthropophage *mf*

anthropophagy /,ænθrəˈpɒfədʒɪ/ *n* anthropophagie *f*

anthroposophy /,ænθrəˈpɒsəfɪ/ *n* anthroposophie *f*

anti /ˈæntɪ/
A *prep* contre; **to be** ~ **(sth)** être contre (qch)
B **anti+** (*dans composés*) anti-

antiabortion /,æntɪəˈbɔːʃn/ *adj* contre l'avortement

antiabortionist /,æntɪəˈbɔːʃənɪst/ *n* adversaire *mf* de l'avortement

antiaircraft /,æntɪˈeəkrɑːft, US -kræft/ *adj* [*battery, fire, gun, missile, weapon*] antiaérien/-ienne

antiaircraft defence *n* défense *f* contre aéronefs *or* avions, DCA *f*

antiallergic /,æntɪəˈlerdʒɪk/ *adj* antiallergique

antiapartheid /,æntɪəˈpɑːteɪt, ,æntɪəˈpɑːtaɪd/ *adj* anti-apartheid

antiauthoritarian /,æntɪɔːθɒrɪˈteərɪən/ *adj* [*person*] contestataire; [*attitude, measures*] antiautoritaire

antibacterial /ˈæntɪbækˈtɪərɪəl/ *adj* antibactérien/-ienne

antiballistic missile /,æntɪbəlɪstɪk ˈmɪsaɪl, US ˈmɪsl/ *n* missile *m* antimissile

antibiotic /,æntɪbaɪˈɒtɪk/
A *n* antibiotique *m*; **to be on** ~**s** être sous antibiotiques
B *adj* antibiotique

antibody /ˈæntɪbɒdɪ/ *n* anticorps *m*

Antichrist /ˈæntɪkraɪst/ *n* antéchrist *m*; **the** ~ l'Antéchrist

anticipate /ænˈtɪsɪpeɪt/
A *vtr* **1** (expect, foresee) prévoir, s'attendre à [*problem, trouble, delay, victory*]; **to** ~ **that** prévoir que; **as** ~**d** comme prévu; **they are anticipating large crowds** ils prévoient la venue de nombreuses personnes; **we** ~ **meeting him soon** nous pensons le rencontrer bientôt; **I didn't** ~ **him doing that** je ne m'attendais pas à ce qu'il fasse ça; **she eagerly** ~**d the moment when she would tell him** elle savourait le moment où elle allait le lui dire; **2** (guess in advance) anticiper [*sb's needs, movements, wishes, reaction, result*]; **3** (preempt) devancer [*person, act*]; **he tried to lock the door but she** ~**d him** il a essayé de fermer la porte à clé mais elle l'a devancé; **4** (prefigure) préfigurer [*later work, invention, development*]
B *vi* anticiper; **but I'm anticipating a little** (when telling story) mais j'anticipe

C **-anticipated** (*dans composés*) **much-**~**d** tant attendu; **long-**~**d** attendu depuis si longtemps

anticipation /æn,tɪsɪˈpeɪʃn/ *n* **1** (excitement) excitation *f*; (pleasure in advance) plaisir *m* anticipé; **in** ~ **of sth** à l'idée de qch; **she smiled in** ~ elle souriait en se réjouissant d'avance; **2** (expectation) prévision *f* (**of** de); **in** ~ **of** en prévision de; **to show good** ~ *ou* **a good sense of** ~ (Sport) faire preuve d'un bon sens d'anticipation; **thanking you in** ~ (in letter) en vous remerciant d'avance; **3** Jur (property law) jouissance *f* anticipée

anticipatory /æn,tɪsɪˈpeɪtərɪ/ *adj* **1** **to take** ~ **measures** *ou* **action** prendre des mesures par anticipation; **2** Psych [*response, reaction*] d'anticipation; **3** Ling extraposé

anticlerical /,æntɪˈklerɪkl/
A *n* anticlérical/-e *m/f*
B *adj* anticlérical

anticlericalism /,æntɪˈklerɪkəlɪzəm/ *n* anticléricalisme *m*

anticlimax /,æntɪˈklaɪmæks/ *n* déception *f*; **what an** ~! quelle déception!; **there was a sense of** ~ tout le monde était déçu

anticline /ˈæntɪklaɪn/ *n* anticlinal *m*

anticlockwise /,æntɪˈklɒkwaɪz/ *adj, adv* GB dans le sens inverse des aiguilles d'une montre

anticoagulant /,æntɪkəʊˈægjʊlənt/ *n, adj* anticoagulant (*m*)

anticorrosive /,æntɪkəˈrəʊsɪv/
A *n* produit *m* anticorrosion
B *adj* anticorrosion *inv* (*never predic*)

antics /ˈæntɪks/ *npl* (comical) pitreries *fpl*; pej bouffonneries *fpl*

anticyclone /,æntɪˈsaɪkləʊn/ *n* anticyclone *m*

antidandruff /,æntɪˈdændrʌf/ *adj* antipelliculaire

antidepressant /,æntɪdɪˈpresnt/ *n, adj* antidépresseur (*m*)

antidote /ˈæntɪdəʊt/ *n* Med, fig antidote *m* (**to, for** contre, à)

anti-emetic /æntɪɪˈmetɪk/ *n* antinauséeux *m*

antiestablishment /,æntɪɪsˈtæblɪʃmənt/ *adj* contestataire

antifreeze /ˈæntɪfriːz/ *n* antigel *m*

antifriction metal /,æntɪfrɪkʃn ˈmetl/ *n* métal *m* antifriction

antigen /ˈæntɪdʒən/ *n* antigène *m*

antiglare /,æntɪˈgleə(r)/ *adj* [*screen*] antireflet *inv*

Antigua and Barbuda /æn,tiːgə ənd bɑːˈbuːdə/ ▸ **p. 1096** *pr n* Antigua-et-Barbuda *f*

antihero /ˈæntɪhɪərəʊ/ *n* antihéros *m*

antihistamine /,æntɪˈhɪstəmɪn/ *n* antihistaminique *m*; **I need** ~ j'ai besoin d'antihistaminiques

anti-inflammatory /æntɪɪnˈflæmətrɪ, US -tɔːrɪ/ *n, adj* anti-inflammatoire (*m*)

anti-inflation /,æntɪɪnˈfleɪʃn/ *adj* (*avant n*) [*policy, programme*] anti-inflation; [*rhetoric, opinion*] anti-inflationniste

anti-inflationary /,æntɪɪnˈfleɪʃənərɪ, US -nerɪ/ *adj* antiinflationniste

anti-interference /,æntɪɪntəˈfeərəns/ *adj* antiparasite

antiknock /ˈæntɪnɒk/ *n* antidétonant *m*

antilock /ˈæntɪlɒk/ *adj* antiblocage

antilogarithm /,æntɪˈlɒgərɪðəm, US -lɔːg-/ *n* antilogarithme *m*

antimacassar /,æntɪməˈkæsə(r)/ *n* têtière *f*

antimagnetic /,æntɪmægˈnetɪk/ *adj* antimagnétique

antimarket /,æntɪˈmɑːkɪt/ *adj* GB [*MP, group, lobby*] adversaire du Marché commun; [*speech, opinion, article*] contre le Marché commun

antimarketeer /,æntɪmɑːkɪˈtɪə(r)/ *n* GB adversaire *mf* du Marché commun

antimatter /ˈæntɪmætə(r)/ *n* antimatière *f*
antimissile /ˈæntɪmɪsaɪl, US -mɪsl/ *n, adj* antimissile (*m*)
antimony /ˈæntɪmənɪ, US -məʊnɪ/ *n* antimoine *m*
antinuclear /ˌæntɪˈnju:klɪə(r), US -nu:-/ *adj* antinucléaire
antinuke○ /ˌæntɪˈnju:k, US -ˈnu:-/ *adj* antinucléaire
antipathetic /ˌæntɪpəˈθetɪk/ *adj* opposé (**to, towards** à)
antipathy /ænˈtɪpəθɪ/ *n* antipathie *f* (**for, to, towards** envers; **between** entre)
antipersonnel /ˌæntɪˌpɜ:səˈnel/ *adj* Mil antipersonnel
antiperspirant /ˌæntɪˈpɜ:spɪrənt/
A *n* produit *m* antitranspiration
B *adj* antitranspiration *inv*
antiperspirant deodorant
A *n* produit *m* antitranspiration déodorant
B *adj* antitranspiration déodorant
antiphony /ænˈtɪfənɪ/ *n* antienne *f*
antipodean /ænˌtɪpəˈdi:ən/
A *n*: *personne qui vient d'Australie ou de Nouvelle-Zélande*
B *adj* [*cousin, politics*] d'Australie et Nouvelle-Zélande
Antipodes /ænˈtɪpədi:z/ *npl* GB **the ~** l'Australie et la Nouvelle-Zélande
antiquarian /ˌæntɪˈkweərɪən/ ▸ **p. 1683**
A *n* (dealer) antiquaire *mf*; (scholar) archéologue *mf*; (collector) collectionneur/-euse *m/f* d'antiquités
B *adj* [*history*] ancien/-ienne; **~ bookshop** librairie de livres anciens
antiquary /ˈæntɪkwərɪ, US -kwerɪ/ ▸ **p. 1683** *n* **1** (dealer) antiquaire *mf*; **2** (scholar) archéologue *mf*
antiquated /ˈæntɪkweɪtɪd/ *adj* [*machinery, idea, procedure*] archaïque; [*building*] vétuste
antique /ænˈti:k/
A *n* **1** (piece of furniture) meuble *m* ancien; (other object) objet *m* ancien; **genuine ~** (piece of furniture) meuble *m* d'époque; (other object) objet *m* d'époque; **2** ○péj (person) vieux fossile *m*
B *adj* **1** [*clock, lace, silver*] ancien/-ienne; **2** (old-style) à l'ancienne; **~ oak** chêne traité à l'ancienne
C *vtr* vieillir [*furniture*]
D *vi* US faire les antiquaires
antique: **~ dealer** ▸ **p. 1683** *n* antiquaire *mf*; **~(s) fair** *n* foire *f* aux antiquités; **~ shop** ▸ **p. 1683** *n* magasin *m* d'antiquités
antiquity /ænˈtɪkwətɪ/ *n* **1** (ancient times) antiquité *f*; **in/since ~** dans/depuis l'antiquité; **classical ~** l'antiquité grecque et romaine; **2** (great age) ancienneté *f*; **of great ~** très ancien/-ienne; **3** (relic) antiquité *f*
antiracism /ˌæntɪˈreɪsɪzəm/ *n* antiracisme *m*
antiracist /ˌæntɪˈreɪsɪst/ *n, adj* antiraciste (*mf*)
antireligious /ˌæntɪrɪˈlɪdʒəs/ *adj* [*person, views, propaganda*] antireligieux/-ieuse
antiretroviral /æntɪretrəʊˈvaɪrəl/ *adj* Med [*drug, treatment*] antirétroviral
anti-riot /ˌæntɪˈraɪət/ *adj* [*police, squad*] anti-émeutes *inv*
anti-roll bar /ˌæntɪˈrəʊl bɑ:(r)/ *n* barre *f* antiroulis
antirrhinum /ˌæntɪˈraɪnəm/ *n* muflier *m*
anti-rust /ˌæntɪˈrʌst/ *adj* antirouille *inv*
antisegregationist /ˌæntɪsegrəˈgeɪʃənɪst/ *n, adj* antiségrégationniste (*mf*)
anti-Semite /ˌæntɪˈsi:maɪt, US -ˈsemaɪt/ *n* antisémite *mf*
anti-Semitic /ˌæntɪsɪˈmɪtɪk/ *adj* antisémite
anti-Semitism /ˌæntɪˈsemɪtɪzəm/ *n* antisémitisme *m*
antisepsis /ˌæntɪˈsepsɪs/ *n* antisepsie *f*
antiseptic /ˌæntɪˈseptɪk/ *n, adj* antiseptique (*m*)
anti-skid /ˌæntɪˈskɪd/ *adj* antidérapant
antislavery /ˌæntɪˈsleɪvərɪ/ *adj* antiesclavagiste
anti-smoking /ˌæntɪˈsməʊkɪŋ/ *adj* antitabac
antisocial /ˌæntɪˈsəʊʃl/ *adj* **1** **~ behaviour** gen comportement *m* incorrect; (criminal behaviour) comportement *m* délinquant; **it is ~ to smoke in public places** fumer dans les lieux publics est un manque de considération pour les autres; **2** (reclusive) sauvage
antispasmodic /ˌæntɪspæzˈmɒdɪk/ *n, adj* antispasmodique (*m*)
anti-strike /ˌæntɪˈstraɪk/ *adj* antigrève
antisubmarine /ˌæntɪsʌbməˈri:n/ *adj* anti-sous-marin
antitank /ˌæntɪˈtæŋk/ *adj* antichar
anti-terrorist /ˌæntɪˈterərɪst/ *adj* antiterroriste
anti-theft /ˌæntɪˈθeft/ *adj* [*lock, device*] antivol; [*camera*] de surveillance; **~ steering lock** antivol de direction
antithesis /ænˈtɪθəsɪs/ *n* (*pl* **-theses**) sout **1** (opposite) contraire *m* (**of** de); (in ideas) antithèse *f* (**of** de); **2** (contrast) contraste *m* (**between** entre); **her views are in complete ~ to his** son point de vue est radicalement opposé au sien; **3** Literat, Philos antithèse *f*
antithetic(al) /ˌæntɪˈθetɪk(l)/ *adj* sout [*views, opinions*] antithétique; **to be ~ to sth** aller à l'encontre de qch
antithetically /ˌæntɪˈθetɪklɪ/ *adv* sout par antithèse
antitoxic /ˌæntɪˈtɒksɪk/ *adj* antitoxique
antitoxin /ˌæntɪˈtɒksɪn/ *n* antitoxine *f*
antitrust /ˌæntɪˈtrʌst/ *adj* antitrust *inv*
antitrust law *n* US loi *f* antitrust
antiviral /æntɪˈvaɪərəl/ *adj* antiviral
antivirus software /ˌæntɪˈvaɪərəs ˌsɒftweə(r), US sɔ:ft-/ *n* logiciel *m* antivirus
anti-vivisection /ˌæntɪˌvɪvɪˈsekʃən/ *adj* contre la vivisection
anti-vivisectionist /ˌæntɪˌvɪvɪˈsekʃənɪst/
A *n* militant/-e *m/f* contre la vivisection
B *adj* = **antivivisection**
antlers /ˈæntləz/ *npl* (on stag, as trophy) bois *mpl* de cerf
Antony /ˈæntənɪ/ *pr n* Antoine
antonym /ˈæntənɪm/ *n* antonyme *m*
antonymy /ænˈtɪnəmɪ/ *n* antonymie *f*
Antrim /ˈæntrɪm/ ▸ **p. 1612** *pr n* comté *m* d'Antrim
antsy○ /ˈæntsɪ/ *adj* US nerveux/-euse; **to feel ~** ne pas tenir en place
Antwerp /ˈæntwɜ:p/ ▸ **p. 1815** *pr n* Anvers
anus /ˈeɪnəs/ *n* anus *m*
anvil /ˈænvɪl/ *n* enclume *f* also Anat
anxiety /æŋˈzaɪətɪ/ *n* **1** (apprehension) grandes inquiétudes *fpl* (**about** à propos de; **for** pour); **she caused them great ~** elle leur a causé beaucoup de soucis; **to be in a state of high ~** être très angoissé; **2** (source of worry) souci *m*; **to be an ~ to sb** causer des soucis à qn; **3** (eagerness) désir *m* ardent (**to do** de faire); **in her ~ to get there on time she forgot her passport** elle tenait tellement à y arriver à l'heure qu'elle a oublié son passeport; **4** Psych anxiété *f*
anxiety: **~ attack** *n* crise *f* d'angoisse; **~ neurosis** *n* Psych névrose *f* d'angoisse
anxiolytic /ˌæŋzɪəˈlɪtɪk/ *adj* anxiolytique
anxious /ˈæŋkʃəs/ *adj* **1** (worried) très inquiet/-iète (**about** à propos de; **for** pour); **to be ~ about doing** s'inquiéter de faire; **to be very** *ou* **extremely ~** être angoissé; **2** (causing worry) [*moment, time*] angoissant; **3** (eager) très désireux/-euse (**to do de faire**); **I am ~ for him to know** *ou* **that he should know** je tiens beaucoup à ce qu'il sache; **to be ~ for sth** avoir un fort désir de qch; **she is most ~ to meet you** elle a très envie de faire votre connaissance
anxiously /ˈæŋkʃəslɪ/ *adv* **1** (worriedly) avec inquiétude; **2** (eagerly) avec impatience
anxiousness /ˈæŋkʃəslɪ/ *n* = **anxiety 1, 3**
any /ˈenɪ/

> ⚠ When *any* is used as a determiner in negative sentences it is not usually translated in French: *we don't have any money* = nous n'avons pas d'argent.
> When *any* is used as a determiner in questions it is translated by *du, de l', de la* or *des* according to the gender and number of the noun that follows: *is there any soap?* = y a-t-il du savon?; *is there any flour?* = y a-t-il de la farine?; *are there any questions?* = est-ce qu'il y a des questions?
> For examples and other determiner uses see **A** in the entry below.
> When *any* is used as a pronoun in negative sentences and in questions it is translated by *en*: *we don't have any* = nous n'en avons pas; *have you got any?* = est-ce que vous en avez?
> For more examples and other pronoun uses see **B** below.
> For adverbial uses such as *any more, any longer, any better etc* see **C** below.

A *det* **1** (with negative, implied negative) **he hasn't got ~ money/food** il n'a pas d'argent/de nourriture; **they never receive ~ letters** ils ne reçoivent jamais de lettres; **they hardly ate ~ cake** ils n'ont presque pas mangé de gâteau; **I don't want ~ breakfast/lunch** je ne veux pas de petit déjeuner/déjeuner; **I don't need ~ advice** je n'ai pas besoin de conseils; **they couldn't get ~ details** ils n'ont pas obtenu la moindre information; **he hasn't got ~ common sense** il n'a aucun bon sens **2** (in questions, conditional sentences) **is there ~ tea/bread?** est-ce qu'il y a du thé/pain?; **have you got ~ plums?** est-ce que vous avez des prunes?; **if you have ~ doubts** si vous avez le moindre doute; **if you have ~ money** si vous avez de l'argent **3** (no matter which) n'importe quel/quelle, tout; **~ hat/pen will do** n'importe quel chapeau/stylo fera l'affaire; **you can have ~ cup you like** vous pouvez prendre n'importe quelle tasse; **~ teacher will tell you the same thing** n'importe quel professeur te dira la même chose; **~ information would be very useful** tout renseignement serait très utile; **~ complaints should be addressed to Mr Cook** pour toute réclamation adressez-vous à M. Cook; **~ child caught smoking will be punished** tout enfant surpris à fumer sera puni; **I'm ready to help in ~ way I can** je suis prêt à faire tout ce que je peux pour aider; **I do not wish to restrict your freedom in ~ way** je n'ai pas l'intention d'entraver votre liberté de quelque façon que ce soit; **he might return at ~ time** il peut revenir d'un moment à l'autre; **if you should want to discuss this at ~ time** si à un moment ou à un autre vous souhaitez discuter de cela; **come round and see me ~ time** passe me voir quand tu veux; **~ one of you could have done it** n'importe qui d'entre vous aurait pu le faire; **I don't buy ~ one brand in particular** je n'achète aucune marque en particulier; **you can only take out £200 at ~ one time** vous ne pouvez retirer que 200 livres sterling à chaque fois; ▸ **case**[1], **chance**, **event**, **means**, **minute**[1], **old**, **rate**
B *pron* **1** (with negative, implied negative) **he hasn't got ~** il n'en a pas; **there is hardly ~ left** il n'en reste presque pas; **there aren't ~ others** il n'y en a pas d'autres; **she doesn't like ~ of them** (people) elle n'aime aucun d'entre eux/elles; (things) elle n'en aime aucun/-e **2** (in questions, conditional sentences) **I'd like some tea, if you have ~** je voudrais du thé, si vous en avez; **have you got ~?** est-ce que vous en avez?; **have ~ of you got a car?** est-ce que l'un/-e d'entre vous a une voiture?; **are ~ of them blue?** y en a-t-il des bleus?; **we have**

very few blue shirts left, if ~ il doit rester très peu de chemises bleues, si toutefois il en reste; **if we have ~, they'll be over there** si nous en avons, ils/elles seront là-bas

3 (no matter which) n'importe lequel/laquelle; **'which colour would you like?'—'~'** 'quelle couleur veux-tu?'—'n'importe laquelle'; **~ of those pens** n'importe lequel de ces stylos; **~ of them could do it** n'importe qui d'entre eux/elles pourrait le faire

C *adv* 1 (with comparatives) **there isn't ~ better lawyer in the country** c'est le meilleur avocat du pays; **is he feeling ~ better?** est-ce qu'il se sent mieux?; **have you got ~ more of these?** est-ce que vous en avez d'autres?; **do you want ~ more wine?** voulez-vous encore du vin?; **we can't give you ~ more than £4 an hour** nous ne pouvons pas vous donner plus de 4 livres sterling de l'heure; **I can't paint pictures ~ more than I can write poetry** je ne suis pas plus capable de peindre des tableaux que d'écrire des poèmes; **I don't like him ~ more than you do** je ne l'aime guère plus que toi; **I don't know ~ more than that** c'est tout ce que je sais; **~ more of that and I'm leaving** si ça continue je m'en vais; **~ more stealing and you'll be in big trouble**○ si tu continues à voler tu vas avoir de gros problèmes; **he doesn't live here ~ more** *ou* **longer** il n'habite plus ici; **I won't put up with it ~ longer** ça ne peut pas continuer ainsi; **if we stay here ~ longer** si nous restons plus longtemps; **can't you walk ~ faster?** tu ne peux pas marcher plus vite?; **if it gets ~ hotter in here I shall have to leave** s'il se met à faire plus chaud il faudra que je sorte; **I can't leave ~ later than 6 o'clock** il faut que je parte à 6 heures au plus tard

2 ○(at all) du tout; **that doesn't help me ~** ça ne m'aide pas du tout; **it didn't bother him ~** ça ne l'a pas du tout dérangé

anybody /ˈenɪbɒdɪ/ *pron* 1 (with negative, implied negative) personne; **there wasn't ~ in the house/car** il n'y avait personne dans la maison/voiture; **there's never ~ at home** il n'y a jamais personne chez eux; **without ~ knowing** sans que personne le sache; **I didn't have ~ to talk to** il n'y avait personne avec qui j'aurais pu parler; **I don't like him and nor does ~ else** je ne l'aime pas, d'ailleurs personne ne l'aime; **hardly ~ came** il n'est venu presque personne; 2 (in questions, conditional sentences) quelqu'un; **is there ~ in the house/car?** est-ce qu'il y a quelqu'un dans la maison/voiture?; **did ~ see him?** est-ce que quelqu'un l'a vu?; **if ~ asks, tell them I've gone out** si quelqu'un me cherche, dis que je suis sorti; **if ~ can persuade him, John can** si quelqu'un peut le convaincre, c'est John; **is ~ nice/interesting coming?** y a-t-il quelqu'un de sympa○/d'intéressant qui vient?; 3 (no matter who) **~ could do it** tout le monde pourrait le faire; **~ but him/you/his wife** tout le monde sauf lui/toi/sa femme; **~ who wants to, can go** tous ceux qui le veulent, peuvent y aller; **~ but you would have given it to him** n'importe qui d'autre que toi le lui aurait donné; **~ with any intelligence would realize that** n'importe quelle personne un peu sensée se serait rendu compte que; **~ can make a mistake/break a glass** ça arrive à tout le monde de faire une erreur/casser un verre; **~ would think you were deaf** tout le monde doit croire que tu es sourd; **you can invite ~ (you like)** tu peux inviter qui tu veux; 4 (somebody unimportant) **she's not just ~, she's the boss** ce n'est pas n'importe qui, c'est la patronne; **we can't ask just ~ to do it, we need a skilled mechanic** nous ne pouvons pas demander à n'importe qui de le faire, nous avons besoin d'un vrai mécanicien; **I wouldn't give it to just ~** je ne le/la donnerais pas à n'importe qui; 5 (somebody important) **~ who was ~ was at the party** tous les gens importants étaient à la soirée; **he isn't ~ in this town** ce n'est pas quelqu'un d'important dans cette ville. ▸ **guess**

anyhow /ˈenɪhaʊ/ *adv* 1 (in any case) = **anyway**; 2 (in a careless, untidy way) n'importe comment; **there were clothes scattered around the room ~** il y avait des vêtements éparpillés partout dans la pièce; **they splashed the paint on ~** ils ont repeint n'importe comment

anyone /ˈenɪwʌn/ *pron* = **anybody**

anyplace○ /ˈenɪpleɪs/ *adv* US = **anywhere**

anyroad○ /ˈenɪrəʊd/ *adv* GB dial = **anyway**

anything /ˈenɪθɪŋ/ *pron* 1 (with negative, implied negative) rien; **she didn't say/do ~** elle n'a rien dit/fait; **they never do ~** ils ne font jamais rien; **he didn't have ~ to do** il n'avait rien à faire; **she doesn't want ~ (too) expensive/cheap** elle ne veut rien de (trop) cher/de bon marché; **there was hardly ~ left** il ne restait presque rien; **don't believe ~ he says** ne crois pas un mot de ce qu'il dit; 2 (in questions, conditional sentences) quelque chose; **is there ~ in the box?** est-ce qu'il y a quelque chose dans le carton?; **have you got ~ in blue/red?** est-ce que vous avez quelque chose en bleu/rouge?; **if ~ happens** *ou* **should happen to her** si quoi que ce soit lui arrive; **is there ~ to be done?** peut-on faire quelque chose?; **is there ~ in the rumour that...?** est-il vrai que...?; **is there ~ in what he says?** est-ce qu'il y a du vrai dans ce qu'il dit?; 3 (no matter what) tout; **~ is possible** tout est possible; **you can have ~ (you like)** tu peux avoir tout ce que tu veux; **she'll eat ~** elle mange tout *or* n'importe quoi; **I'd do** *ou* **give ~ to get that job** je ferais tout pour obtenir cet emploi; **they'd do ~ for you** ils sont toujours prêts à rendre service; **she likes ~ sweet/to do with football** elle aime tout ce qui est sucré/qui a rapport au football; **it could cost ~ between £50 and £100** ça peut coûter de 50 à 100 livres sterling; **he was ~ but happy/intelligent/a liar** il n'était pas du tout heureux/intelligent/menteur; **'was it interesting?'—'~ but!'** 'est-ce que c'était intéressant?'—'tout sauf ça'; **he wasn't annoyed, if ~, he was quite pleased** il n'était pas fâché, au contraire, il était content

(Idioms) **~ goes** tout est permis; **as easy/funny as ~** facile/drôle comme tout; **to run/laugh/work like ~** courir/rire/travailler comme un fou○; **do you need a towel or ~?** as-tu besoin d'une serviette ou de quelque chose?; **it's not that I don't like you or ~** ce n'est pas que je ne t'aime pas

anytime /ˈenɪtaɪm/ *adv* (also **any time**) 1 (no matter when) n'importe quand; **~ after 2 pm** n'importe quand à partir de 14 heures; **~ you like** quand tu veux; **if at ~ you feel lonely...** si jamais tu te sens seul...; **at ~ of the day or night** à n'importe quelle heure du jour ou de la nuit; 2 (at any moment) à tout moment; **he could arrive ~ now** il pourrait arriver d'un moment à l'autre

anyway /ˈenɪweɪ/ *adv* 1 (in any case, besides) de toute façon; **I was planning to do that ~** j'avais l'intention de le faire de toute façon; **I don't want to go, and ~ I have to wait for Debby** je ne veux pas y aller, et de toute façon je dois attendre Debby; **why do you want to know, ~?** pourquoi est-ce que tu veux le savoir, de toute façon?; **who wants to work there, ~?** de toute façon, qui voudrait travailler là?; 2 (nevertheless) quand même; **I don't really like hats, but I'll try it on ~** je n'aime pas vraiment les chapeaux, mais je vais quand même l'essayer; **thanks ~** merci quand même; 3 (at least, at any rate) en tout cas; **we can't go out, not yet ~** nous ne pouvons pas sortir, pas pour l'instant en tout cas; **he doesn't like them, that's what he said ~** il ne les aime pas, c'est ce qu'il a dit en tout cas; **up until recently ~, people were saying that** jusqu'à récemment en tout cas, les gens disaient que; 4 (well: as sentence adverb) **~, we arrived at the station...** bon, nous sommes arrivés à la gare...; **~, I'd better go now, see you later!** bon, il faut que j'y aille, à plus tard!

anywhere /ˈenɪweə(r), US -hweər/ *adv* 1 (with negative, implied negative) **you can't go ~** tu ne peux aller nulle part; **there isn't ~ to sit/sleep** il n'y a pas de place pour s'asseoir/dormir; **we didn't go ~ special/interesting** nous ne sommes allés nulle part de spécial/d'intéressant; **they didn't go ~ this weekend** ils ne sont allés nulle part ce weekend; **you won't get ~ if you don't pass your exams** fig tu n'arriveras à rien si tu ne réussis pas tes examens; **crying isn't going to get you ~** fig ça ne t'avancera à rien de pleurer; **James came second but I didn't come ~** James est arrivé deuxième mais moi, je ne suis pas entré dans le classement; 2 (in questions, conditional sentences) quelque part; **have you got a radio/a comb ~?** avez-vous une radio/un peigne quelque part? ; **did you go ~ nice?** est-ce que tu es allé dans un endroit agréable?; **we're going to Spain, if ~** si on va quelque part, ce sera en Espagne; **have you seen Andrew ~?** est-ce que tu as vu Andrew quelque part?; **can you think of ~ she might be?** as-tu la moindre idée de l'endroit où elle peut être?; 3 (no matter where) **~ you like** où tu veux; **~ in the world/in England** partout dans le monde/en Angleterre; **~ except** *ou* **but Bournemouth** partout sauf à Bournemouth; **I'll go ~ where there's sun** j'irai n'importe où du moment qu'il y a du soleil; **~ she goes, he follows her** il la suit partout où elle va; **'where do you want to go?'—'~ exotic/hot'** 'où veux-tu aller?'—'dans un endroit exotique/où il fait chaud'; **~ between 50 and 100 people** entre 50 et 100 personnes

Anzac /ˈænzæk/ *n* 1 (*abrév* = **Australia-New Zealand Army Corps**) *bataillon de soldats australiens et néo-zélandais*; 2 Sport **the ~ team** l'équipe de joueurs australiens et néo-zélandais

AOB *n* (*abrév* = **any other business**) tour *m* de table (*à la fin d'une réunion*)

AONB *n* GB *abrév* ▸ **Area of Outstanding Natural Beauty**

aorist /ˈeərɪst/ *n* aoriste *m*

aorta /eɪˈɔːtə/ *n* (*pl* **-tas, -tae**) aorte *f*

aortic /eɪˈɔːtɪk/ *adj* aortique

aortic: **~ arch** *n* crosse *f* aortique; **~ valve** *n* valvule *f* aortique

Aosta /æˈɒstə/ *n* Aoste

AP *n*: *abrév* ▸ **Associated Press**

apace /əˈpeɪs/ *adv* littér 1 (quickly) rapidement; 2 (abreast) **to keep ~ with sth** marcher de front avec qch

Apache /əˈpætʃɪ/ ▸ **p. 1467, p. 1378** *n* 1 (person) Apache *mf*; 2 Ling apache *m*

apart /əˈpɑːt/

> ⚠ *Apart* is used after certain verbs in English (*keep apart, tell apart etc*). For translations consult the appropriate verb entry (**keep, tell** etc)

A *adj, adv* 1 (at a distance in time or space) **the trees were planted 10 metres ~** les arbres étaient plantés à 10 mètres d'intervalle; **the babies were born 2 weeks ~** les bébés sont nés à 2 semaines d'intervalle; **the houses were far ~** les maisons étaient éloignées les unes des autres; **the two farms were far ~** les deux fermes étaient éloignées l'une de l'autre; **countries as far ~ as China and Spain** des pays aussi éloignés l'un de l'autre que la Chine et l'Espagne; **he stood ~ (from the group)** il se tenait à l'écart (du groupe); **the posts need to be placed further ~** les poteaux doivent être davantage écartés; 2 (separate from each other) séparé; **we hate being ~** (of couple) nous détestons être séparés; **they need to be kept ~** il faut les garder séparés; 3 (leaving aside) à part; **dogs ~, I don't like animals** à part les chiens, je n'aime pas les animaux; **finances ~, we're quite** happy à part les problèmes d'argent, nous sommes heureux; 4 (different) **a race/a world ∼** une race/un monde à part; **we are very far ∼ on the subject of immigration** nous ne sommes pas du tout d'accord sur la question de l'immigration; 5 (in pieces) **he had the TV ∼ on the floor** il avait démonté la télé et elle était en pièces détachées sur le sol

B **apart from** *prep phr* 1 (separate from) à l'écart de; **it stands ∼ from the other houses** elle est à l'écart des autres maisons; **he lives ∼ from his wife** il vit séparé de sa femme; 2 (leaving aside) en dehors de, à part; **∼ from Karen/the garden** en dehors de *or* à part Karen/le jardin; **∼ from working in an office, he...** en plus de travailler dans un bureau, il...; **∼ from being illegal, it's also dangerous** (mis) à part que c'est illégal, c'est aussi dangereux; **∼ from anything else, I don't even like swimming** pour commencer, je n'aime pas la natation

apartheid /əˈpɑːtheɪt, -aɪt/ *n* apartheid *m*

apartment ➔ /əˈpɑːtmənt/

A *n* (flat) appartement *m*; **executive** *ou* **luxury ∼** appartement *m* de grand standing; **holiday ∼** appartement *m* de vacances; **studio ∼** studio *m*

B **apartments** *npl* (suite of rooms) appartements *mpl*

apartment: **∼ block** *n* immeuble *m*; **∼ house** *n* US résidence *f*

apathetic /ˌæpəˈθetɪk/ *adj* (by nature) amorphe; (from illness, depression) apathique; **to be ∼ about sth/towards sb** être indifférent à qch/envers qn

apathy /ˈæpəθɪ/ *n* apathie *f*; **there is widespread ∼ among schoolchildren** l'apathie est très répandue chez les écoliers

APB *n* US *abrév* ▸ **all points bulletin**

ape /eɪp/

A *n* 1 Zool grand singe *m*; **female ∼** guenon *f*; 2 ○US pej (person) brute *f*

B *vtr* singer [*speech, behaviour, manners*]

(Idiom) **to go ∼**◑ US (in anger) piquer une crise○; (in enthusiasm) s'emballer

Apennines /ˈæpənaɪnz/ *pr npl* **the ∼** les Apennins *mpl*

aperitif /əˈperətɪf, US əˌperəˈtiːf/ *n* apéritif *m*

aperture /ˈæpətʃʊə(r)/ *n* 1 (in wall, door) ouverture *f*; (small) interstice *m*; 2 (in telescope, camera) ouverture *f*; **wide/narrow ∼** Phot grande/petite ouverture *f*

apeshit● /ˈeɪpʃɪt/ US

A *n* connerie● *f*

B *adj* **to go ∼ over sth** s'emballer○ pour qch

apex /ˈeɪpeks/ *n* (*pl* **-exes**, **-ices**) Math, fig sommet *m*

APEX /ˈeɪpeks/ *n* (*abrév* = **Advance Purchase Excursion**) APEX *m*

aphasia /əˈfeɪzɪə, US -ʒə/ *n* aphasie *f*

aphasic /əˈfeɪzɪk/ *adj* aphasique

apheresis /əˈfɪərɪsɪs/ *n* aphérèse *f*

aphid /ˈeɪfɪd/ *n* puceron *m*

aphis /ˈeɪfɪs/ *n* (*pl* **-ides**) aphidé *m*, aphidien *m*

aphonia /əˈfəʊnɪə/ *n* aphonie *f*

aphonic /əˈfɒnɪk/ *adj* [*letter*] aphonique; [*person*] aphone

aphorism /ˈæfərɪzəm/ *n* aphorisme *m*

aphrodisiac /ˌæfrəˈdɪzɪæk/ *n, adj* aphrodisiaque (*m*)

apiarist /ˈeɪpɪərɪst/ ▸ **p. 1683** *n* apiculteur/-trice *m/f*

apiary /ˈeɪpɪərɪ, US -ɪerɪ/ *n* rucher *m*

apiece /əˈpiːs/ *adv* 1 (for each person) chacun/-e *m/f*; **he gave them an apple ∼** il leur a donné une pomme chacun/-e; 2 (each one) **the melons cost three euros ∼** les melons coûtent trois euros la pièce

aplenty /əˈplentɪ/ *adv* en profusion

aplomb /əˈplɒm/ *n* aplomb *m*; **to have the ∼ to do** avoir l'aplomb de faire; **with great ∼** avec beaucoup d'aplomb

apocalypse /əˈpɒkəlɪps/ *n* 1 Bible **the Apocalypse** l'Apocalypse *f*; **the four horsemen of the Apocalypse** les quatre cavaliers de l'Apocalypse; 2 (disaster, destruction) apocalypse *f*

apocalypse watcher *n* pessimiste *mf*

apocalyptic /əˌpɒkəˈlɪptɪk/ *adj* apocalyptique

apocopate /əˈpɒkəpeɪt/ *vtr* abréger par apocope

apocopation /əˌpɒkəˈpeɪʃn/, **apocope** /əˈpɒkəpɪ/ *n* apocope *f*

Apocrypha /əˈpɒkrɪfə/ *n* (+ *v sg ou pl*) **the ∼** les apocryphes *mpl*

apocryphal /əˈpɒkrɪfl/ *adj* (all contexts) apocryphe

apogee /ˈæpədʒiː/ *n* Astron, fig apogée *m*; **to reach its ∼** atteindre son apogée

apolitical /ˌeɪpəˈlɪtɪkl/ *adj* apolitique

Apollo /əˈpɒləʊ/ *n* 1 Mythol Apollon *m*; fig (beautiful man) apollon *m*; 2 (spaceship) Apollo *m*

apologetic /əˌpɒləˈdʒetɪk/ *adj* [*gesture, letter, phone call, smile*] d'excuse; **to be ∼ about sth** s'excuser de qch; **to be ∼ about doing** *ou* **for having done** s'excuser d'avoir fait; **to look/sound ∼** avoir l'air contrit

apologetically /əˌpɒləˈdʒetɪklɪ/ *adv* [*say*] d'un ton contrit; [*shrug, look at*] d'un air contrit

apologetics /əˌpɒləˈdʒetɪks/ *n* (+ *v sg*) apologétique *f*

apologia /ˌæpəˈləʊdʒɪə/ *n* apologie *f*

apologist /əˈpɒlədʒɪst/ *n* apologiste *m*; **∼ for sth/sb** défenseur de qch/qn

apologize /əˈpɒlədʒaɪz/ *vi* s'excuser (**to sb** auprès de qn; **for sth** de qch; **for doing** d'avoir fait)

apology /əˈpɒlədʒɪ/ *n* 1 (excuse) excuses *fpl* (**for sth** pour qch; **for doing** pour avoir fait); **to make an ∼** s'excuser; **to make/give one's apologies** faire/présenter ses excuses; **to send one's apologies** envoyer ses excuses; **Mrs X sends her apologies** sout Mme X vous prie d'accepter ses excuses sout; **to owe sb an ∼** devoir des excuses à qn; **without ∼** sans excuse; **I make no ∼ for reminding you of John's contribution to the firm** je n'essaie pas de me justifier en vous rappelant la contribution de John à l'entreprise; **to publish an ∼** Journ publier des excuses; 2 (poor substitute) **an ∼ for sth** un semblant de qch; 3 sout (apologia) apologie *f* (**for** de)

apoplectic /ˌæpəˈplektɪk/ *adj* 1 (furious) [*criticism, prediction*] furibond; **to be ∼ (with rage)** être furibond; 2 †Med [*fit, attack*] d'apoplexie; [*patient*] apoplectique

apoplexy /ˈæpəpleksɪ/ *n* 1 (rage) accès *m* de rage; 2 †Med apoplexie *f*

apostasy /əˈpɒstəsɪ/ *n* Relig, fig apostasie *f*; **∼ from** abjuration *f* de

apostate /əˈpɒsteɪt/

A *n* apostat/-e *m/f* (**from** de)

B *adj* apostat

apostatize /əˈpɒstətaɪz/ *vi* apostasier

a posteriori /ˌeɪ ˌpɒsterɪˈɔːraɪ/ *adj* [*reasoning, deduction*] a posteriori

apostle /əˈpɒsl/ *n* Relig, fig apôtre *m* (**of** de)

Apostles' Creed *n* Symbole *m* des apôtres, Credo *m*

apostolate /əˈpɒstələt/ *n* apostolat *m*

apostolic /ˌæpəˈstɒlɪk/ *adj* apostolique; **the ∼ succession** le siège apostolique

apostrophe /əˈpɒstrəfɪ/ *n* Print apostrophe *f*; Literat (address) apostrophe *f* (**to** à)

apostrophize /əˈpɒstrəfaɪz/ *vtr* lancer une apostrophe à

apothecary‡ /əˈpɒθəkərɪ, US -kerɪ/ *n* apothicaire‡ *m*

apotheosis /əˌpɒθɪˈəʊsɪs/ *n* (*pl* **-ses**) sout apothéose *f*

appal GB, **appall** US /əˈpɔːl/ *vtr* (GB *p prés etc* **-ll-**) (shock) scandaliser; (horrify, dismay) horrifier; **to be ∼led at** *ou* **by** (shocked) être scandalisé par; (horrified) être horrifié par; **to be ∼led that** être horrifié par le fait que; **he was ∼led to hear that** il a été horrifié d'entendre que

Appalachian /ˌæpəˈleɪtʃɪən/ *adj* [*climate, wildlife*] appalachien/-ienne; **in the ∼ Mountains** dans les Appalaches

Appalachians /ˌæpəˈleɪtʃɪənz/ *pr npl* **the ∼** les Appalaches *fpl*

appalled /əˈpɔːld/ *adj* (horrified, dismayed) horrifié; (shocked) scandalisé

appalling /əˈpɔːlɪŋ/ *adj* 1 (shocking) [*crime, conditions, bigotry*] épouvantable; [*injury*] affreux/-euse; **it's ∼ that** il est révoltant que (+ *subj*); **it's ∼!** c'est un scandale!; 2 (very bad) [*manners, joke, taste*] exécrable; [*noise, weather*] épouvantable; [*stupidity*] incroyable

appallingly /əˈpɔːlɪŋlɪ/ *adv* 1 (shockingly) [*behave, treat*] de manière épouvantable; **unemployment figures are ∼ high** le taux de chômage a atteint un niveau déplorable; 2 (extremely) **an ∼ difficult problem** un problème d'une épouvantable difficulté; **furnished in ∼ bad taste** meublé avec un goût exécrable

apparatchik /ˌæpəˈrɑːtʃɪk/ *n* (*pl* **-s**, **-chiki**) apparatchik *m* (also fig)

apparatus /ˌæpəˈreɪtəs, US -ˈrætəs/ *n* 1 (equipment) ¢ gen équipement *m*; (in lab) instruments *mpl*; (in gym) agrès *mpl*; Phot équipement *m* photographique; 2 (for specific purpose) appareil *m*; **diving/heating ∼** appareil de plongée/de chauffage; **critical ∼** Literat appareil critique; 3 (organization) machine *f*; **bureaucratic ∼** machine du gouvernement

apparel /əˈpærəl/ *n* ¢ 1 GB‡, US vêtements *mpl*; 2 US **protective ∼** vêtements *mpl* de protection; **women's ∼** (in department store) vêtements *mpl* de femme

apparent /əˈpærənt/ *adj* 1 (seeming) [*contradiction, success, willingness*] apparent; 2 (clear) évident; **to become ∼ that** devenir évident que; **this is ∼ when** ceci devient évident quand; **for no ∼ reason** sans raison *or* cause apparente

apparently /əˈpærəntlɪ/ *adv* apparemment

apparition /ˌæpəˈrɪʃn/ *n* (all contexts) apparition *f*

appeal /əˈpiːl/

A *n* 1 (call) appel *m* (**for** à); **an ∼ for calm** un appel au calme; **an ∼ to sb to do** un appel à qn pour qu'il/qu'elle fasse; 2 (charity event) appel *m* (**for, on behalf of** en faveur de); **an ∼ for** un appel au don de [*food, blankets, clothes*]; **to launch an ∼** lancer un appel; 3 Sport (to umpire, referee) contestation *f* (**against** contre; **to** auprès de); 4 Jur appel *m*; **to lodge an ∼** faire appel; **an ∼ to the Supreme Court** un pourvoi en cassation; 5 (attraction) charme *m*; (interest) intérêt *m*; **to have ∼/a certain ∼** avoir du charme/un certain charme; **to have wide ∼** plaire à des gens très différents; **it holds no ∼ for me** ça ne m'intéresse pas

B *vi* 1 Jur faire appel (**against** de); **the right to ∼** le droit de faire appel; **to ∼ to** recourir à l'arbitrage de [*council, tribunal, individual*]; faire appel à [*high court*]; 2 Sport **to ∼ to** demander l'arbitrage de [*umpire, referee*]; **to ∼ against** contester [*decision, call*]; 3 (call, request) **to ∼ for** lancer un appel à [*order, tolerance*]; **to ∼ for witnesses** faire appel à témoins; **to ∼ to sb to do** (formal call) prier qn de faire; **to ∼ to the public for help** demander de l'aide au public; **to ∼ to sb's better nature/sense of honour** faire appel aux bons sentiments/au sens de l'honneur de qn; 4 (attract, interest) **to ∼ to sb** [*idea*] tenter qn; [*person*] plaire à qn; [*place*] attirer qn; **does the idea ∼?** l'idée te tente?; **Austria doesn't really ∼** l'Autriche ne m'attire pas vraiment; **gardening doesn't ∼ to me** le jardinage ne me dit rien

➔ *see* Life in France

a

appeal: **~(s) court** *n* cour *f* d'appel; **~ fund** *n* fonds *m* d'aide

appealing /ə'pi:lɪŋ/ *adj* **1** (attractive) [*child, kitten*] attachant; [*plan, theory*] séduisant; [*modesty, reserve*] charmant; **2** (beseeching) [*look, eyes*] suppliant

appealingly /ə'pi:lɪŋlɪ/ *adv* de façon attrayante

appeal(s) judge *n* juge *m* en cour d'appel

appear /ə'pɪə(r)/ *vi* **1** (become visible) [*person, ship, growth, symptom, ghost*] apparaître; **to ~ to sb in a vision** apparaître à qn dans une vision; **2** (turn up) arriver; **to ~ on the scene** arriver sur place; **to ~ from nowhere** apparaître; **where did she ~ from**○? hum d'où est-ce qu'elle est sortie○? hum; **3** (seem) **to ~ to be/to do** [*person*] avoir l'air d'être/de faire; **to ~ depressed** avoir l'air déprimé; **to ~ deserted** [*place*] sembler être désert; **to ~ to be crying** avoir l'air de pleurer; **to ~ to have forgotten** avoir l'air d'avoir oublié; **it ~s/~ed that** il semble/semblait que; **it ~s to me that** il me semble que; **there ~s to be, there would ~d to be** on dirait qu'il y a; **so it ~s, so it would ~** à ce qu'il paraît; **his parents, it ~s, were ambitious** il semble que ses parents avaient de l'ambition; **4** Journ, Publg [*book, work, article*] paraître; **5** Cin, Theat, TV (perform) **to ~ on stage** paraître en scène; **to ~ on TV** passer à la télévision; **to ~ as** jouer dans le rôle de; **to be currently ~ing in** jouer en ce moment dans; **6** Jur (be present) comparaître (**before** devant; **for** pour); **to ~ in court** comparaître devant le tribunal; **to ~ as counsel for the defence** plaider pour l'accusé; **to ~ as a witness** comparaître comme témoin; **7** (be written) [*name, score*] paraître (**on** sur; **in** dans)

appearance /ə'pɪərəns/
A *n* **1** (arrival) (of person, vehicle) arrivée *f*; (of development, invention, symptom) apparition *f*; **2** Cin, Theat, TV passage *m*; **to make an ~ on television/on stage** passer à la télévision/à la scène; **to make one's first screen ~** faire ses débuts à l'écran; **a rare screen ~ by X** une des rares apparitions à l'écran de X; **cast in order of ~** distribution par ordre d'entrée en scène; **3** (public, sporting) apparition *f*; **to make a public ~** faire une apparition publique; **this is his first ~ for Ireland** il fait ses débuts pour l'équipe d'Irlande; **to put in an ~** faire acte de présence; **4** Jur (in court) comparution *f* (**in, before** devant); **to enter an ~** comparaître en justice; **5** (look) (of person) apparence *f*; (of district, object) aspect *m*; **to check one's ~** vérifier sa tenue; **to be self-conscious about one's ~** être gêné par son aspect physique; **'smart ~ essential'** 'excellente présentation exigée'; **to give sth the ~ of** donner à qch l'apparence de; **to be foreign in ~** avoir l'air étranger; **6** (semblance) **to give the ~ of sth/of doing** donner l'apparence de qch/de faire; **it had all the ~s** *ou* **every ~ of** cela avait tout l'air de; **to maintain an ~ of objectivity** conserver un semblant d'objectivité; **7** Journ, Publg (of book, article) parution *f*
B appearances *npl* (external show) apparences *fpl*; **to judge** *ou* **go by ~s** se fier aux apparences; **going by ~s...** à en juger par les apparences...; **for the sake of ~s, for ~s' sake** pour la forme; **to keep up ~s** sauvegarder les apparences; **to all ~s** apparemment; **contrary to/in spite of ~s** contrairement aux/en dépit des apparences; **~s can be deceptive** les apparences sont souvent trompeuses

appease /ə'pi:z/ *vtr* apaiser

appeasement /ə'pi:zmənt/ *n* apaisement *m*; **a policy of ~** une politique de conciliation

appellant /ə'pelənt/ *n* appelant/-e *m/f*

appellate /ə'pelət/ *adj* Jur d'appel; **~ court** cour *f* d'appel

appellation /,æpə'leɪʃn/ *n* sout appellation *f*

append /ə'pend/ *vtr* sout ajouter (**to** à)

appendage /ə'pendɪdʒ/ *n* appendice *m* also fig

appendectomy /,æpen'dektəmɪ/, **appendicectomy** /ə,pendɪ'sektəmɪ/ *n* appendicectomie *f*

appendicitis /ə,pendɪ'saɪtɪs/ ▸ **p. 1327** *n* appendicite *f*; **acute ~** appendicite aiguë

appendix /ə'pendɪks/ *n* (*pl* **-ixes, -ices**) **1** Anat appendice *m*; **to have one's ~ removed** se faire opérer de l'appendicite; **2** (to printed volume) appendice *m*; (to book, report) annexe *f*

Appenzell ▸ **p. 1771** *pr n* **the canton of ~** le canton d'Appenzell, l'Appenzell *m*

appertain /,æpə'teɪn/ *vi* sout **to ~ to sth** (belong) appartenir à qch; (relate) se rapporter à qch

appetite /'æpɪtaɪt/ *n* **1** (desire to eat) appétit *m*; **he has a good/poor ~** il a bon appétit/il n'a pas d'appétit; **the walk has given me an ~** la promenade m'a donné de l'appétit; **to work up an ~** se donner de l'appétit; **it'll spoil** *ou* **take away your ~** ça va te couper l'appétit; **2** (strong desire) appétit *m* (**for** de); **these books will whet your ~ for travel** ces livres vous donneront envie de voyager

appetite suppressant *n* coupe-faim *m inv*

appetizer /'æpɪtaɪzə(r)/ *n* (drink) apéritif *m*; (biscuit, olive etc) amuse-gueule *m inv*; (starter) hors-d'œuvre *m*

appetizing /'æpɪtaɪzɪŋ/ *adj* appétissant

Appian Way /,æpɪən 'weɪ/ *pr n* voie *f* Appienne

applaud /ə'plɔ:d/
A *vtr* **1** (clap) applaudir [*play, performance*]; **2** (approve of) applaudir à [*choice, tactics, initiative*]; applaudir [*person*]
B *vi* applaudir

applause /ə'plɔ:z/ *n* ¢ applaudissements *mpl*; **there was a ripple/burst of ~** les applaudissements crépitaient/ont éclaté; **he came on to loud/rapturous ~** il a été bruyamment/vivement applaudi

apple /'æpl/
A *n* pomme *f*; **the (Big) Apple** New York
B *modif* [*juice, peel, pip, skin*] de pomme; [*brandy, purée*] de pommes; [*fritter, tart, turnover*] aux pommes

(Idioms) **he is the ~ of her eye** c'est la prunelle de ses yeux; **there's a bad ~ in every bunch** *ou* **in every barrel** il y a toujours une brebis galeuse; **to upset the ~ cart**○ tout ficher par terre○

apple: **~ blossom** *n* fleurs *fpl* de pommier; **~ brandy** *n* eau-de-vie *f* de pommes, ≈ calvados *m*; **~core** *n* trognon *m* de pomme; **~ green** ▸ **p. 1067** *n* vert pomme *m inv*; **~jack** *n* US eau-de-vie *f* de pommes (*faite à partir du cidre*); **~ orchard** *n* pommeraie *f*, verger *m* de pommiers

apple pie *n* Culin tourte *f* aux pommes

(Idiom) **everything is in ~ order** tout est dans un ordre parfait

apple pie bed *n* lit *m* en portefeuille

apple polish○ US *vtr* **to ~ sb** passer la brosse à reluire à qn

apples and pears○ *n* GB escalier *m*

apple sauce *n* **1** Culin compote *f* de pommes; **2** ○US bobards○ *mpl*

applet /'æplɪt/ *n* Comput appliquette *f*, microprogramme *m*, applet *m*

apple tree *n* pommier *m*

appliance /ə'plaɪəns/ *n* appareil *m*; **electrical ~** appareil électrique; **household ~** appareil électroménager

applicability /,æplɪkə'bɪlətɪ, ə,plɪ-/ *n* validité *f* d'application (**to** à)

applicable /'æplɪkəbl, ə'plɪkəbl/ *adj* [*argument, excuse*] valable; [*law, rule, requirement*] en vigueur; **discounts where ~ are shown on the bill** les rabais éventuels figurent sur la note; **if ~** le cas échéant; **to be ~ to** s'appliquer à, concerner

applicant /'æplɪkənt/
A *n* **1** (for job, place) candidat/-e *m/f* (**for** à); **job ~** candidat/-e *m/f*; **2** (for passport, benefit, grant, loan, visa, asylum) demandeur/-euse *m/f* (**for** de); (for citizenship) postulant/-e *m/f* (**for** à); **3** (for licence, franchise) solliciteur/-euse *m/f*; **4** (for membership) candidat/-e *m/f*; **~ for membership of** candidat à l'adhésion à; **5** (for shares) souscripteur/-trice *m/f*; **share ~** souscripteur/-trice d'actions; **6** Insur proposant/-e *m/f*; **7** Jur (for divorce, patent, bankruptcy, order) demandeur/-euse *m/f*, requérant/-e *m/f*
B *modif* [*company, state*] demandeur/-euse (*after n*)

application ➡📖 /,æplɪ'keɪʃn/
A *n* **1** (request) (for job) candidature *f* (**for** à); (for membership, admission, passport, loan, promotion, transfer) demande *f* (**for** de); (for shares) souscription *f* (**for** de); **to make an ~ for a job** *ou* **a job ~** poser sa candidature à un poste; **to make an ~ for a university place** faire une demande d'inscription à une université; **university ~** dossier *m* d'inscription; **a letter of ~** une lettre de candidature; **to fill out a job/passport ~** remplir un formulaire de candidature/de demande de passeport; **on ~** sur demande; **2** (spreading) application *f* (**to** à); **one ~ is sufficient** une (seule) couche suffit; **for external ~ only** réservé à l'usage externe; **3** (positioning) (of sticker) apposition *f*; (of decorations) disposition *f*; (of beads, sequins) application *f*; **4** (implementation) (of law, penalty, rule) application *f*; (of logic, theory, training) application *f*; **to put one's training into ~** mettre sa formation en pratique; **5** (use) application *f*; **to have military ~s** avoir des applications militaires; **the ~ of computers to** l'application de l'ordinateur à; **6** Comput application *f*; **7** Jur (for divorce, patent, bankruptcy, order) demande *f* (**for** de)
B *modif* (*also* **~s**) Comput [*package, program, programmer, software*] d'application

application form *n* (for loan, credit card, passport) formulaire *m* de demande; (for job) formulaire *m* de candidature; (for membership, admission) demande *f* d'inscription

applicator /'æplɪkeɪtə(r)/ *n* applicateur *m*

applied /ə'plaɪd/ *adj* [*linguistics, maths, science*] appliqué

applied psychology *n* psychotechnique *f*

appliqué /æ'pli:keɪ, US ,æplɪ'keɪ/
A *n* application *f*
B *modif* [*motif, decoration*] en application
C *vtr* appliquer [*motif*] (**on** sur); **to ~ a cushion** orner un coussin d'applications

apply /ə'plaɪ/
A *vtr* **1** (spread) appliquer [*glue, make-up, paint*] (**to** sur); **2** (use) appliquer [*logic, theory, rule, standard, method, penalty, technology, heat*] (**to** à); exercer [*friction, pressure*] (**to** sur); **to ~ the (foot)brake** freiner; **to ~ the handbrake** serrer le frein à main; **3** (give) appliquer [*label, term*] (**to** à); **4** (affix) apposer [*sticker*] (**to** sur); disposer [*decoration*] (**to** sur); appliquer [*bandage, sequins*] (**to** sur)
B *vi* **1** (request) faire une demande; **to ~ for** demander [*divorce, citizenship, custody, maintenance*]; faire une demande de [*passport, loan, grant, patent, visa*]; **to ~ for shares** faire une demande (de souscription) d'actions; **to ~ to do** demander à faire; **to ~ to be transferred** demander une mutation; **2** (seek work) poser sa candidature; **to ~ for** poser sa candidature à [*job*]; **to ~ for the job of** poser sa candidature au poste de; **'~ in writing to'** 'envoyez votre candidature par lettre manuscrite à'; **'~ within'** 'adressez-vous à l'intérieur'; **3** (seek entry) (to college) faire une demande d'inscription (**to** à); (to club, society) faire une demande d'adhésion (**to** à); **to ~ for a place on a course** faire une demande d'inscription

---

➡📖 *see* Seeking employment

à un cours; **to ~ to join** demander à entrer dans [*army, group*]; **to ~ to become a member of** faire une demande d'adhésion à; **4** (be valid) [*definition, term*] s'appliquer (**to** à); [*ban, rule, penalty*] être en vigueur; **to ~ to** s'appliquer à; **the ban ceases to ~ from March** l'interdiction ne sera plus en vigueur à partir du mois de mars; **and that applies to you all** et ça vaut pour *or* s'applique à tout le monde; **5** (contact) **to ~ to** s'adresser à; **~ to the Embassy** adressez-vous à l'Ambassade

C *v refl* **to ~ oneself** s'appliquer (**to** à; **to doing** à faire)

appoggiatura /ə,pɒdʒə'tʊərə/ *n* appogiature *f*

appoint /ə'pɔɪnt/

A *vtr* **1** (name) nommer [*person*] (**to sth** à qch; **to do** pour faire; **as** comme); fixer [*date, place*]; **he has been ~ed director** il a été nommé directeur; **newly ~ed** récemment nommé; **2** (equip) aménager [*accommodation*]; **well ~ed** bien aménagé

B appointed *pp adj* [*time, place*] fixé

appointee /əpɔɪn'ti:/ *n* **1** gen candidat/-e *m/f* retenu/-e; **2** Jur bénéficiaire *mf*

appointive /ə'pɔɪntɪv/ *adj* [*job, post*] obtenu par nomination; [*system*] pourvu par nomination

appointment /ə'pɔɪntmənt/ *n* **1** (meeting, consultation) rendez-vous *m* (**at** chez; **with** avec; **to do** pour faire); **business ~** rendez-vous *m* d'affaires; **by ~** sur rendez-vous; **to have an ~** avoir un rendez-vous; **to make an ~** prendre rendez-vous; **to break/cancel an ~** ne pas venir à/annuler un rendez-vous; **please write/phone for an ~** veuillez écrire/téléphoner pour prendre rendez-vous; **2** Admin, Pol (nomination) nomination *f* (**as** comme; **to sth** à qch; **to do** pour faire); **'by ~ to her Majesty'** Comm 'fournisseur de Sa Majesté'; **to take up an ~ (as sth)** prendre ses fonctions (comme qch); **3** (job) poste *m* (**as** de; **of** de) ; **'Appointments'** (in paper) 'Offres d'emploi'

apportion /ə'pɔ:ʃn/ *vtr* répartir [*blame, money, cost*] (**among** parmi; **between** entre)

apportionment /ə'pɔ:ʃənmənt/ *n* (dividing up) répartition *f*; US Pol (in House of Representatives), répartition *f* des sièges; US Pol (of tax revenue) répartition *f*

apposite /'æpəzɪt/ *adj* sout pertinent

appositely /'æpəzɪtlɪ/ *adv* sout pertinemment

apposition /,æpə'zɪʃn/ *n* apposition *f*; **in ~ to** en apposition à

appraisal /ə'preɪzl/ *n* évaluation *f*; **to make an ~ of sth** (estimation) évaluer qch; **to give an ~ of sth** (statement of value) donner une évaluation de qch; **job ~** entretien *m* de carrière

appraise /ə'preɪz/ *vtr* **1** (examine critically) juger [*painting, information, appearance*]; **2** (evaluate) estimer [*value*]; évaluer [*job performance*]

appreciable /ə'pri:ʃəbl/ *adj* [*time, change, quantity*] appréciable; [*difference, reduction*] sensible

appreciably /ə'pri:ʃəblɪ/ *adv* sensiblement

appreciate /ə'pri:ʃɪeɪt/

A *vtr* **1** (be grateful for) être sensible à [*honour, favour*]; être reconnaissant de [*kindness, sympathy*]; apprécier [*help, comfort, effort, pleasure*]; **I'd ~ it if you could reply soon** je vous serais reconnaissant de répondre sans tarder; **an early reply would be ~d** nous vous serions reconnaissants de répondre sans tarder; **I ~ being consulted** j'aime bien qu'on me consulte; **2** (realize) se rendre (bien) compte de, être conscient de; **to ~ that** se rendre bien compte que; **I ~ (the fact) that** je me rends bien compte que; **yes, I can ~ that** oui, je m'en rends bien compte; **as you will ~** comme vous vous en rendrez bien compte; **you don't ~ how hard he has worked** vous ne mesurez pas à sa juste valeur à quel point il a travaillé dur; **to ~ sth at its true value** apprécier qch à sa juste valeur; **3** (enjoy) apprécier [*music, art, good food*]

B *vi* Fin [*object, valuables*] prendre de la valeur; [*value*] monter

appreciation /ə,pri:ʃɪ'eɪʃn/ *n* **1** (gratitude) remerciement *m* (**for** pour); **in ~ of sth** en remerciement de qch; **as a mark of ~** en guise de remerciement; **a letter of ~** une lettre de remerciements; **to show one's ~** manifester sa gratitude; **2** (awareness) compréhension *f* (**of** de); **to have some/no ~ of** mesurer/ne pas mesurer [*extent, difficulty, importance*]; **3** (enjoyment) appréciation *f* (**of** de); **ladies and gentlemen, please show your ~** mesdames, messieurs, applaudissez s'il vous plaît; **4** Literat, Sch (commentary) commentaire *m*; **art ~** analyse *f* artistique; **literary ~** commentaire *m* littéraire; **5** Fin hausse *f* (**of, in** de); **~ in value** valorisation *f*

appreciative /ə'pri:ʃətɪv/ *adj* **1** (grateful) reconnaissant (**of** de); **2** (admiring) admiratif/-ive; **3** (aware) sensible (**of** à)

appreciatively /ə'pri:ʃətɪvlɪ/ *adv* **1** (admiringly) admirativement; **2** (gratefully) avec reconnaissance

apprehend /,æprɪ'hend/ *vtr* **1** Jur (arrest) appréhender; **2** sout (fear) appréhender; **3** sout (comprehend) saisir [*complexity, meaning*]

apprehension /,æprɪ'henʃn/ *n* **1** (fear) (of sth specific) crainte *f*; (vague) inquiétude *f*; **~ about sth** inquiétude au sujet de qch; **his ~ of being seized by the police** sa crainte d'être arrêté par la police; **2** Jur (arrest) arrestation *f*

apprehensive /,æprɪ'hensɪv/ *adj* [*glance, person*] craintif/-ive; **to be deeply/slightly ~** être très/légèrement inquiet/-iète; **to feel ~ about sth** (fearful) appréhender qch; (worried) avoir des inquiétudes au sujet de qch; **to be ~ about doing sth** appréhender de faire qch; **they were ~ of an enemy attack** ils craignaient une attaque ennemie; **they are ~ that he will betray them** ils craignent qu'il ne les trahisse

apprehensively /,æprɪ'hensɪvlɪ/ *adv* [*wait, watch, glance*] avec appréhension

apprentice /ə'prentɪs/

A *n* **1** apprenti/-e *m/f* (also fig); **to be an ~ to sb** être l'apprenti de qn; **to train as an ~ with sb** faire son apprentissage chez qn; **to work as an ~ with sb** être apprenti chez qn; **to work as an ~ for three years** faire trois ans d'apprentissage; **electrician's ~** apprenti/-e *m/f* électricien/-ienne

B *modif* (trainee) [*baker, mechanic*] apprenti/-e (*before n*)

C *vtr* **to be ~d to sb** être en apprentissage chez qn

apprenticeship /ə'prentɪsʃɪp/ *n* apprentissage *m* (also fig); **to serve/complete one's ~** faire/compléter son apprentissage; **to take an ~ with a firm** entrer en apprentissage dans une maison

apprise /ə'praɪz/ *vtr* sout **to ~ sb of sth** instruire qn de qch fml

appro○ /'æprəʊ/ *n* GB Comm (*abrév* = **approval**) **on ~** à l'essai

approach /ə'prəʊtʃ/

A *n* **1** (route of access) (to town, island) voie *f* d'accès; Mil approche *f*; **all the ~s to the city have been sealed off** toutes les voies d'accès de la ville ont été bouclées; **the ~ to the house** le chemin *or* l'allée qui mène à la maison; **2** (advance) (of person) approche *f*, arrivée *f*; (of season, old age) approche *f*; **3** (way of dealing) approche *f*; **an ~ to doing** une façon de faire; **an original ~ to the problem** une façon originale d'aborder le problème; **a new ~ to child psychology** une nouvelle façon d'aborder la psychologie de l'enfant, une nouvelle approche de la psychologie de l'enfant; **we need to try a different ~** nous devons essayer une méthode différente; **I don't care for their ~** je n'aime pas leur façon de s'y prendre; **she is very Freudian in her ~** elle a une optique très freudienne; **4** (overture) démarche *f*; (proposal to buy etc) proposition *f*; **to make ~es to sb** gen, Comm faire des démarches auprès de qn; **5** (approximation) **this was the nearest ~ to a solution/a ceasefire** c'était ce qui ressemblait le plus à une solution/un cessez-le-feu; **6** Aviat = **approach path**

B *vtr* **1** (draw near to) s'approcher de [*person, place*]; (verge on) approcher de; **it was ~ing dawn** l'aube approchait; **it was ~ing midnight** il était presque minuit; **he is ~ing sixty** il approche (de) la soixantaine; **a woman ~ing middle age/retirement** une femme approchant de la cinquantaine/de la retraite; **gales ~ing speeds of 200 km per hour** des vents qui atteignaient presque les 200 km à l'heure; **he looked at her with something ~ing admiration** il la regardait presque avec admiration; **a profit of something ~ing five million dollars** un bénéfice de près de cinq millions de dollars; **2** (deal with) aborder [*problem, topic, subject*]; **3** (make overtures to) s'adresser à [*person*]; (more formally) faire des démarches auprès de [*person, company*]; (with offer of job, remuneration) solliciter (**about** au sujet de); **she was ~ed by a man in the street** elle a été abordée par un homme dans la rue; **the company has been ~ed by several buyers** la compagnie a été contactée par plusieurs acheteurs, plusieurs acheteurs ont fait des démarches auprès de la compagnie; **he has been ~ed by several publishers** il a reçu des propositions de plusieurs maisons d'édition

C *vi* [*person, animal, car*] (s')approcher; [*event, season, date*] approcher; **the time is fast ~ing when...** le moment est imminent où...

approachable /ə'prəʊtʃəbl/ *adj* [*person*] abordable, d'un abord facile; [*place*] accessible

approach: **~ lights** *npl* Aviat balises *fpl*, balisage *m*; **~ path** *n* Aviat axe *m* d'approche; **~ road** *n* bretelle *f*, route *f* d'accès; **~ shot** *n* (in golf) (coup *m* d')approche *f*; **~ stage** *n* Aviat phase *f* d'approche

approbation /,æprə'beɪʃn/ *n* sout approbation *f*; **with the ~ of** avec l'approbation de

appropriate

A /ə'prəʊprɪət/ *adj* **1** (suitable for occasion, situation) [*attitude, behaviour, choice, place, time, treatment*] approprié (**for** pour); [*dress, gift, style*] qui convient (*after n*) (**for** à); [*punishment*] juste (**for** à); [*remark*] de circonstance (*after n*); **~ to** approprié à [*needs, situation, circumstances*]; **it is ~ that sb should do** il est normal que qn fasse; **'delete as ~'** 'rayer la mention inutile *or* les mentions inutiles'; **2** (apt) [*name, date*] bien choisi; **he's chosen a most ~ name for his dog** le nom de son chien est très bien choisi; **3** (relevant) [*authority, department*] compétent

B /ə'prəʊprɪeɪt/ *vtr* **1** (for own use) gen s'approprier; Jur affecter [*land*] (**for** à); **2** US Econ affecter [*funds*] (**for** à)

appropriately /ə'prəʊprɪətlɪ/ *adv* **1** (suitably for occasion) [*behave, dress, speak*] avec à-propos; [*dress*] convenablement; **2** (aptly) [*designed, chosen, sited*] judicieusement

appropriateness /ə'prəʊprɪətnɪs/ *n* (of dress, behaviour) convenance *f*; (of choice, decision, occasion, remark) à-propos *m*

appropriation /ə,prəʊprɪ'eɪʃn/ *n* **1** Jur (removal) appropriation *f*; (seized item) crédit *m*; **2** US Econ affectation *f* (**for** à)

approval /ə'pru:vl/ *n* **1** (favourable opinion) approbation *f* (**of** de); **to win sb's ~** gagner l'approbation de qn; **she nodded/smiled her ~** elle a montré son approbation d'un signe de la tête/d'un sourire; **2** Admin (authorization) gen approbation *f* (**to do** pour faire); (for institution, professional) agrément *m*; **subject to sb's ~** soumis à l'approbation de qn; **to give (one's) ~ to** donner son approbation à [*plan, scheme, reform*]; **to get/send sth on ~** recevoir/envoyer qch à l'essai; **3** Admin (certificate of authorization) **C** approbation *f*; **drug/**

a

pesticide/product ~ approbation d'un médicament/d'un pesticide/d'un produit
approval: ~ **rating** *n* Pol taux *m* d'approbation; ~**s procedure** *n* procédure *f* d'approbation
approve /ə'pru:v/
A *vtr* (authorize) approuver [*product, plan, statement, list, decision*] (**for sth** pour qch); accepter [*person*]; **the motion was** ~**d by 20 to 3** la motion a été approuvée par 20 contre 3
B *vi* (be in favour of) **to** ~ **of sth/sb** apprécier qch/qn; **(not) to** ~ **of sb doing sth** (ne pas) apprécier que qn fasse qch; **he doesn't** ~ **of drinking/smoking** il est contre l'alcool/le tabac
approved school† *n* GB Soc Admin centre *m* de redressement
approving /ə'pru:vɪŋ/ *adj* approbateur/-trice
approvingly /ə'pru:vɪŋlɪ/ *adv* [*look, smile*] d'un air approbateur; [*speak, write*] d'un ton approbateur
approx *abrév écrite* ▸ **approximately**
approximate
A /ə'prɒksɪmət/ *adj* [*date, idea, method*] approximatif/-ive; ~ **to** proche de; ~ **time of arrival**, **ATA** heure approximative d'arrivée
B /ə'prɒksɪmeɪt/ *vtr* **1** (come close to) se rapprocher de [*frequency, profits, size*]; **2** (resemble) ressembler à [*idea, objective*]
C /ə'prɒksɪmeɪt/ *vi* **to** ~ **to** (in quantity, size etc) se rapprocher de; (in nature, quality etc) ressembler à; **the cost of the repairs** ~**d to £500** le coût de la réparation a atteint environ 500 livres sterling
approximately /ə'prɒksɪmətlɪ/ *adv* **1** (about) environ; **it holds** ~ **10 litres** *ou* **10 litres** ~ il contient environ 10 litres; **at** ~ **four o'clock** vers quatre heures; **2** [*equal, true, correct etc*] à peu près
approximation /ə,prɒksɪ'meɪʃn/ *n* **1** approximation *f*; **a rough** ~ une approximation grossière; **the nearest** ~ **to it is** ce qui s'en rapproche le plus, c'est; **2** (figure, calculation) approximation *f* (**of** de)
appurtenances /ə'pɜ:tɪnənsɪz/ *npl* **1** (trappings) sout accessoires *mpl* (**of** de); Jur (of house) appartenances *fpl* et dépendances *fpl*; **2** Jur (rights, responsibilities) droits *mpl*, privilèges *mpl* et servitudes *fpl* (**of** de)
Apr *abrév écrite* = **April**
APR *n*: *abrév* ▸ **annualized percentage rate**
après-ski /,æpreɪ'ski:/
A *n* détente *f* après le ski
B *adj* [*activities*] après le ski; [*clothes*] que l'on porte après le ski
apricot /'eɪprɪkɒt/ ▸ **p. 1067**
A *n* **1** (fruit) abricot *m*; **2** (tree) abricotier *m*; **3** (colour) couleur *f* abricot *inv*
B *modif* **1** [*skin, stone*] d'abricot; [*brandy, jam*] d'abricots; [*sauce, yoghurt*] aux abricots; **2** [*blossom, wood*] d'abricotier
C *adj* (colour) abricot *inv*
April /'eɪprɪl/ ▸ **p. 1452** *n* avril *m*
April Fool /,eɪprɪl 'fu:l/ *n* (person) victime *f* d'un poisson d'avril; ~**!** poisson d'avril!
April: ~ **Fools' Day** *n* le premier avril; ~ **Fools' trick** *n* poisson *m* d'avril; ~ **showers** *npl* ≈ giboulées *fpl* de mars
a priori /,eɪ praɪ'ɔ:raɪ/ *adj* [*reasoning, argument*] a priori; [*acceptance*] inconditionnel/-elle; **an** ~ **assumption** un a priori
apron /'eɪprən/ *n* **1** (garment) tablier *m*; **butcher's** ~ tablier *m* de boucher; **lead** ~ tablier *m* de plomb; **2** (for vehicles, planes) aire *f* de stationnement; **3** (on machinery) tablier *m*
(Idiom) **to be tied to sb's** ~ **strings** être pendu aux basques de qn
apron stage *n* proscenium *m*
apropos /,æprə'pəʊ/
A *adj* [*remark*] opportun
B *adv* à propos (**of** de)
apse /æps/ *n* abside *f*
apt[1] /æpt/ *adj* **1** (suitable) [*choice, description, comparison*] heureux/-euse; [*title, style, comment*] approprié (**to, for** à); **2** (inclined) **to be** ~ **to do** être enclin à faire; **this is** ~ **to happen** cela a tendance à se produire; **3** (clever) doué (**at doing** pour faire)
apt[2] *abrév écrite* = **apartment**
aptitude /'æptɪtju:d, US -tu:d/ *n* aptitude *f*; **he has no** ~ **for this work** il n'a aucune aptitude pour ce travail; **to have an** ~ **for maths** être doué pour les maths
aptitude test *n* test *m* d'aptitude
aptly /'æptlɪ/ *adv* [*named, described*] avec justesse; [*chosen*] bien
aptness /'æptnɪs/ *n* justesse *f*
Apulia /ə'pju:lɪə/ *pr n* Pouilles *fpl*; **in** ~ dans les Pouilles
aquaculture /'ækwəkʌltʃə(r)/ *n* aquaculture *f*
aqualung /'ækwəlʌŋ/ *n* scaphandre *m* autonome
aquamarine /,ækwəmə'ri:n/ ▸ **p. 1067**
A *n* (gem) aigue-marine *f*; (colour) bleu-vert *m inv*
B *adj* bleu-vert *inv*
aquanaut /'ækwənɔ:t/ *n* aquanaute *mf*
aquaplane /'ækwəpleɪn/
A *n* aquaplane *m*
B *vi* Sport faire de l'aquaplane; Aut GB faire de l'aquaplanage
Aquarian /ə'kweərɪən/ ▸ **p. 1917**
A *n* [*person*] Verseau *m*
B *adj* [*nature, characteristics*] (du) Verseau
aquarium /ə'kweərɪəm/ *n* (*pl* **-iums**, **-ia**) aquarium *m*; **fresh-water/marine** ~ aquarium *m* d'eau douce/d'eau de mer
Aquarius /ə'kweərɪəs/ ▸ **p. 1917** *n* Verseau *m*
aquarobics /,ækwə'rɒbɪks/ ▸ **p. 1253** *n* (+ *v sg*) aquagym *f*
aquatic /ə'kwætɪk/ *adj* [*plant, environment*] aquatique; [*sport*] nautique
aquatint /'ækwətɪnt/ *n* aquatinte *f*
aqueduct /'ækwɪdʌkt/ *n* aqueduc *m*
aqueous /'eɪkwɪəs/ *adj* also Miner aqueux/-euse; ~ **humour**‡ humeur *f* aqueuse
aquiline /'ækwɪlaɪn/ *adj* [*nose, features*] aquilin
Aquinas /ə'kwaɪnəs/ *pr n* St Thomas d'Aquin
Aquitaine /,ækwɪ'teɪn/ ▸ **p. 1243** *pr n* Aquitaine *f*; **in/to** ~ en Aquitaine
AR *abrév écrite* = **Arkansas**
Arab /'ærəb/ ▸ **p. 1467**
A *n* **1** [*person*] Arabe *mf*; **2** Equit cheval *m* arabe; (mare) jument *f* arabe
B *adj* **1** [*country, customs, people*] arabe; **the** ~ **world** le monde arabe; **2** Equit [*sire, blood*] arabe
arabesque /,ærə'besk/ *n* arabesque *f*
Arabia /ə'reɪbɪə/ *pr n* Arabie *f*
Arabian /ə'reɪbɪən/ *adj* [*desert, landscape*] d'Arabie; **the** ~ **Sea** la mer d'Arabie; **the** ~ **Nights** les Mille et Une Nuits
Arabic /'ærəbɪk/ ▸ **p. 1378**
A *n* arabe *m*; **classical/modern** ~ arabe *m* classique/moderne
B *adj* [*dialect, numerals, script*] arabe
Arab-Israeli /,ærəbɪz'reɪlɪ/ *adj* israélo-arabe
Arabist /'ærəbɪst/ *n* arabisant/-e *m/f*
arabization /,ærəbaɪ'zeɪʃn/ *n* arabisation *f*
arabize /'ærəbaɪz/ *vtr* arabiser
arable /'ærəbl/ *adj* [*crop, land, sector*] arable; ~ **farmer** agriculteur/-trice *m/f*; ~ **farming** agriculture *f*
Arab League *n* Ligue *f* arabe
Araby /'ærəbɪ/ *pr n* littér Arabie *f*
arachnid /ə'ræknɪd/ *n* arachnide *m*
Aramaic /,ærə'meɪɪk/ ▸ **p. 1378** *n* araméen *m*
Aran /'ærən/ ▸ **p. 1355** *pr n* **the** ~ **Islands** les îles *fpl* Aran; **on the** ~ **Islands** dans les îles Aran
Aran: ~ **sweater** *n* pull *m* irlandais; ~ **wool** *n* ≈ laine *f* de pays
arbiter /'ɑ:bɪtə(r)/ *n* (spokesperson, mediator) arbitre *m*; **an** ~ **of taste** un arbitre du bon goût; ~**s of fashion** arbitres de la mode
arbitrarily /'ɑ:bɪtrərəlɪ, US 'ɑ:rbɪtrerəlɪ/ *adv* arbitrairement
arbitrary /'ɑ:bɪtrərɪ, US 'ɑ:rbɪtrerɪ/ *adj* arbitraire; **the conclusions are extremely** ~ les conclusions sont des plus arbitraires
arbitrate /'ɑ:bɪtreɪt/
A *vtr* arbitrer [*dispute, wages claim*]
B *vi* arbitrer (**between** entre); **the committee** ~**s in such matters** c'est le comité qui joue le rôle d'arbitre pour ces questions
arbitration /,ɑ:bɪ'treɪʃn/ *n* arbitrage *m*; **to refer a case to** ~ soumettre une affaire à l'arbitrage; **to go to** ~ ≈ aller aux prud'hommes
arbitration: ~ **award** *n* sentence *f* arbitrale; ~ **tribunal** *n* GB *cf* conseil *m* de prud'hommes
arbitrator /'ɑ:bɪtreɪtə(r)/ *n* (mediator) médiateur/-trice *m/f* (**between** entre); (in industrial disputes) arbitre *m*; **industrial** ~ (conseiller/-ère *m/f*) prud'homme *m*
arbor *n* US = **arbour**
Arbor Day /'ɑ:bə(r)/ *n* US Journée *f* de l'arbre
arboreal /ɑ:'bɔ:rɪəl/ *adj* arboricole
arboretum /,ɑ:bə'ri:təm/ *n* (*pl* **-tums**, **-ta**) arboretum *m*
arboriculture /'ɑ:bərɪkʌltʃə(r)/ *n* arboriculture *f*
arboriculturist /,ɑ:bərɪ'kʌltʃərɪst/ ▸ **p. 1683** *n* arboriculteur *m*
arbour GB, **arbor** US /'ɑ:bə(r)/ *n* charmille *f*
arbutus /ɑ:'bju:təs/ *n* arbousier *m*
arc /ɑ:k/
A *n* gen, Geom arc *m*; Elec arc *m* (électrique)
B *vi* gen décrire un arc; Elec faire jaillir un arc
ARC *n*: *abrév* ▸ **Aids-related complex**
arcade /ɑ:'keɪd/ *n* arcade *f*; **shopping** ~ galerie *f* marchande
Arcadia /ɑ:'keɪdɪə/ *pr n* Geog, littér Arcadie *f*
Arcadian /ɑ:'keɪdɪən/ Geog, littér
A *n* Arcadien/-ienne *m/f*
B *adj* arcadien/-ienne
Arcady /'ɑ:kədɪ/ *pr n* = **Arcadia**
arcane /ɑ:'keɪn/ *adj* **1** (incomprehensible) impénétrable; **2** (mysterious) obscur
arch /ɑ:tʃ/
A *n* **1** Archit (dome) voûte *f*; (archway) arche *f*; (for bridge) arche *f*; (triumphal) arc *m*; **2** Anat (of foot) voûte *f* plantaire; (of eyebrows) arc *m*; **to have fallen** ~**es** avoir un affaissement de la voûte plantaire
B *adj* **1** (mischievous) [*look, manner*] malicieux/-ieuse; **2** péj (superior) [*person, voice, remark*] condescendant
C *vtr* arquer; **to** ~ **one's back** [*person*] cambrer le dos; [*cat*] faire le dos rond
D *vi* [*branch, rainbow*] former une voûte
E **arch+** (*dans composés*) par excellence; ~**-enemy** ennemi/-e *m/f* juré/-e; ~**-rival** grand rival
archaeological GB, **archeological** US /,ɑ:kɪə'lɒdʒɪkl/ *adj* archéologique
archaeologist GB **archeologist** US /,ɑ:kɪ'ɒlədʒɪst/ ▸ **p. 1683** *n* archéologue *mf*
archaeology GB, **archeology** US /,ɑ:kɪ'ɒlədʒɪ/ *n* archéologie *f*
archaic /ɑ:'keɪɪk/ *adj* archaïque
archaism /'ɑ:keɪɪzəm/ *n* archaïsme *m*
archangel /'ɑ:keɪndʒl/ *n* archange *m*
archbishop /,ɑ:tʃ'bɪʃəp/ *n* archevêque *m*
archbishopric /,ɑ:tʃ'bɪʃəprɪk/ *n* archevêché *m*
archdeacon /,ɑ:tʃ'di:kən/ *n* archidiacre *m*

archdiocese /ˌɑːtʃ'daɪəsɪs/ *n* archidiocèse *m*

archduchess /ˌɑːtʃ'dʌtʃɪs/ *n* archiduchesse *f*

archduke /ˌɑːtʃ'djuːk, US -'duːk/ *n* archiduc *m*

arched /'ɑːtʃd/ *adj* gen voûté; [*eyebrows*] arqué

archeology *n* = **archaeology**

archer /'ɑːtʃə(r)/ *n* Mil, Hist, Sport archer *m*; **the Archer** Astrol le Sagittaire

Archers *pr n* GB **The ~** *feuilleton radiophonique britannique*

> **The Archers**
>
> Feuilleton radiophonique extrêmement populaire diffusé par BBC Radio 4 depuis 1951. Six jours par semaine, il raconte la vie quotidienne de la famille Archer et des habitants de Ambridge, un village fictif de l'Angleterre rurale. Les thèmes des épisodes sont liés au monde agricole ainsi qu'aux grands sujets de l'actualité ; le dimanche, un *Archers' omnibus* rediffuse tous les épisodes de la semaine. ▸ **Soap operas**

archery /'ɑːtʃərɪ/
A *n* tir *m* à l'arc
B *modif* [*club, target, team*] de tir à l'arc

archetypal /ˌɑːkɪ'taɪpl/ *adj* **the** *ou* **an ~ hero/villain** l'archétype du héros/méchant

archetype /'ɑːkɪtaɪp/ *n* archétype *m*

Archimedes /ˌɑːkɪ'miːdiːz/ *pr n* Archimède; **~' principle/screw** le principe/la vis d'Archimède

archipelago /ˌɑːkɪ'peləgəʊ/ *n* archipel *m*

architect /'ɑːkɪtekt/ ▸ **p. 1683** *n* **1** (as profession) architecte *mf*; **2** fig (of plan, policy) artisan *m*

architectural /ˌɑːkɪ'tektʃərəl/ *adj* [*design, style*] architectural; [*student*] en architecture; [*studies*] d'architecture

architecturally /ˌɑːkɪ'tektʃərəlɪ/ *adv* du point de vue de l'architecture

architecture /'ɑːkɪtektʃə(r)/ *n* (all contexts) architecture *f*

architrave /'ɑːkɪtreɪv/ *n* architrave *f*

archive /'ɑːkaɪv/ *n* archive *f*; **in the ~s** dans les archives; **film/radio ~** archives du cinéma/de la radio

archivist /'ɑːkɪvɪst/ ▸ **p. 1683** *n* archiviste *mf*

archly /'ɑːtʃlɪ/ *adv* **1** (mischievously) malicieusement; **2** péj (condescendingly) avec condescendance

archpriest /ˌɑːtʃ'priːst/ *n* archiprêtre *m*

arc lamp, arc light *n* lampe *f* à arc

Arctic /'ɑːktɪk/
A *pr n* **the ~** l'Arctique *m*; **to/in the ~** dans l'Arctique
B *adj* **1** [*climate, animal*] arctique; **2** [*expedition, equipment*] polaire; **3** fig (icy) [*conditions, temperature*] glacial

Arctic Circle *n* cercle *m* polaire arctique

arctic fox *n* renard *m* polaire

Arctic Ocean ▸ **p. 1493** *n* océan *m* Arctique

arc: **~ welder** *n* soudeur *m* à l'arc; **~ welding** *n* soudage *m* à l'arc

Ardèche ▸ **p. 1129** *pr n* Ardèche *f*; **in/to the ~** dans l'Ardèche, en Ardèche

Ardennes /ɑː'den/ ▸ **p. 1129** *pr n* Ardennes *fpl*; **in/to the ~** dans les Ardennes

ardent /'ɑːdnt/ *adj* **1** (fervent) [*revolutionary, supporter*] fervent; [*defence, opposition*] passionné; **she was an ~ follower of the cause** elle était passionnément dévouée à la cause; **2** (passionate) [*lover, nights*] passionné

ardently /'ɑːdntlɪ/ *adv* [*look, worship*] ardemment; [*defend, speak, write*] avec ardeur; [*support*] passionnément

ardour GB, **ardor** US /'ɑːdə(r)/ *n* ardeur *f*; **with ~** avec ardeur; **to cool sb's ~** modérer l'ardeur de qn

arduous /'ɑːdjʊəs, US -dʒʊ-/ *adj* [*path, journey, task*] ardu; [*climate*] pénible; [*winter*] rigoureux/-euse

arduously /'ɑːdjʊəslɪ, US -dʒʊ-/ *adv* péniblement

arduousness /'ɑːdjʊəsnɪs, US -dʒʊ-/ *n* (of task, journey) difficulté *f*; (of weather, conditions) dureté *f*

are /ɑː(r)/ ▸ **be**

area /'eərɪə/
A *n* **1** (region) (of land) région *f*; (of sky) zone *f*; (of city) zone *f*; (district) quartier *m*; **in the London/Paris ~** dans la région de Londres/de Paris; **residential/rural/slum ~** zone *f* résidentielle/rurale/pauvre; **2** (part of building) **dining ~** coin *m* salle-à-manger; **no-smoking/smoking ~** zone *f* non-fumeurs/fumeurs; **reception ~** entrée *f*; **sleeping ~** coin *m* chambre; **waiting ~** salle *f* d'attente; **3** (sphere of knowledge) domaine *m*; (part of activity, business, economy) secteur *m*; **that's not my ~** ce n'est pas mon domaine; **~ of interest/of expertise/of responsibility** domaine d'intérêt/d'expertise/de responsabilité; **~ of doubt/of concern/of disagreement** sujet de doute/d'inquiétude/de désaccord; **4** Anat zone *f*; **5** Math (in geometry) aire *f*; (of land) superficie *f*; **the farm was 50 km² in ~** la ferme était d'une superficie de 50 km²; **6** GB (access to basement) cour *f* d'entrée en sous-sol
B *modif* [*board, headquarters, manager, office*] régional

area: **~ bombing** *n* Mil bombardement *m* de zone; **~ code** *n* Telecom indicatif *m* de zone; **Area of Outstanding Natural Beauty, AONB** *n* zone *f* naturelle protégée

arena /ə'riːnə/ *n* arène *f* (also fig); **the political ~** l'arène politique

aren't /ɑːnt/ ▸ **be**

areola /æ'rɪələ/ *n* (*pl* **-lae** *ou* **-las**) aréole *f*

Argentina /ˌɑːdʒən'tiːnə/ ▸ **p. 1096** *pr n* Argentine *f*

Argentine /'ɑːdʒəntaɪn/ ▸ **p. 1096**
A *n* **1** (country) l'Argentine *f*; **the ~ (Republic)** l'Argentine *f*; **2** (native, inhabitant) Argentin/-e *m/f*
B *adj* argentin; **the ~ people** les Argentins

Argentinian /ˌɑːdʒən'tɪnɪən/ ▸ **p. 1467**
A *n* Argentin/-e *m/f*
B *adj* argentin

argon /'ɑːgɒn/ *n* argon *m*

Argonaut /'ɑːgənɔːt/ *n* Argonaute *mf*

argosy /'ɑːgəsɪ/ *n* littér galion *m* (*de commerce*)

arguable /'ɑːgjʊəbl/ *adj* discutable; **it's ~ that** on peut soutenir que; **it's ~ whether** on peut se demander si

arguably /'ɑːgjʊəblɪ/ *adv* sans doute

argue /'ɑːgjuː/
A *vtr* **1** (debate) discuter (de), débattre (de); **they ~d the point for hours** ils ont discuté *ou* débattu la question pendant des heures; **to ~ one's point** argumenter son point de vue; **to ~ the case for disarmament** exposer les raisons en faveur du désarmement; **it could be ~d that** on pourrait soutenir que; **well-~d** [*case, essay*] bien argumenté; **2** (maintain) soutenir; **she/the book ~s that he was wrongly convicted** elle/le livre soutient qu'il a été injustement condamné; **3** (persuade) **to ~ sb into/out of doing sth** persuader/dissuader qn de faire qch (*à force d'argument*); **I ~d my way into this job** je suis parvenu à obtenir cet emploi à force de discussions; **4** (provide evidence of) [*action, behaviour, incident*] dénoter; [*document*] suggérer; **the evidence ~s that** tout porte à croire que
B *vi* **1** (quarrel) se disputer (**with** avec); **they're always arguing (with each other)** ils se disputent constamment; **to ~ about** *ou* **over money** se disputer pour des questions d'argent; **we ~d about who should pay** nous nous sommes disputés pour savoir qui devait payer; **don't ~ (with me)!** on ne discute pas!; **2** (debate) discuter, débattre: **to ~ about** discuter de, débattre de [*case, issue, politics etc*]; **3** (put one's case) argumenter (**against** contre); **to ~ in favour of/against doing sth** exposer les raisons pour faire/pour ne pas faire qch; **to ~ for** *ou* **in favour of** parler en faveur de [*policy, measure*]; **4** sout (testify) témoigner; **it ~s against him that he has no alibi** le fait qu'il n'a pas d'alibi témoigne contre lui

Phrasal verb ■ **argue out**: ▸ **~ out [sth], ~ [sth] out** débattre [qch] à fond [*issue, proposal etc*]

argument /'ɑːgjʊmənt/ *n* **1** (quarrel) dispute *f* (**about** à propos de); **to have an ~** se disputer; **without ~** sans discuter; **2** (reasoned discussion) débat *m*, discussion *f* (**about** à propos de); **there is a lot of ~ about this at the moment** on en discute beaucoup *or* c'est un sujet très discuté en ce moment; **she won the ~** c'est elle qui a eu le dernier mot; **beyond ~** indiscutable; **it's open to ~** c'est discutable; **I'm open to ~** je suis ouvert à la discussion; **one side of the ~** une version de l'affaire; **for ~'s sake** à titre d'exemple; **3** (case) argument *m* (**for** en faveur de; **against** contre); (line of reasoning) raisonnement *m*; **I can't follow your ~** je n'arrive pas à suivre ton raisonnement; **his main ~ is that** son argument principal est que; **there is a strong ~ for neutrality** il y a de bonnes raisons pour rester neutre

argumentation /ˌɑːgjʊmen'teɪʃn/ *n* argumentation *f*

argumentative /ˌɑːgjʊ'mentətɪv/ *adj* [*person*] ergoteur/-euse, chicanier/-ière; [*tone*] péremptoire

argy-bargy○ /ˌɑːdʒɪ'bɑːdʒɪ/ *n* chamaillerie○ *f*

aria /'ɑːrɪə/ *n* (*pl* **arias**) aria *f*

Ariadne /ˌærɪ'ædnɪ/ *pr n* Ariane; **~'s web** le fil d'Ariane

Arian /'eərɪən/
A *n* Arien/-ienne *m/f*
B *adj* arien/-ienne

Arianism /'eərɪənɪzəm/ *n* arianisme *m*

ARIBA *n* (*abrév* = **Associate of the Royal Institute of British Architects**) membre *m* de l'institut britannique des architectes

arid /'ærɪd/ *adj* aride also fig

aridity /ə'rɪdətɪ/ *n* aridité *f* also fig

Ariège ▸ **p. 1129** *pr n* Ariège *f*; **in/to the ~** dans l'Ariège

Aries /'eəriːz/ ▸ **p. 1917** *n* Bélier *m*

aright /ə'raɪt/ *adv* sout [*read, understand*] correctement; **did I hear you ~?** vous ai-je bien compris?; **to set** *ou* **put sth ~** mettre de l'ordre dans qch

arise /ə'raɪz/ *vi* (*prét* **arose**, *pp* **arisen**) **1** (occur) [*problem*] survenir (**out of** du fait de); **to ~ from sth** émaner de qch; **if it ~s that** s'il se trouve que; **if the need ~s** si le besoin se fait sentir; **she solves problems as they ~** elle règle les problèmes à mesure qu'ils surviennent; **the question ~s whether** la question se pose de savoir si; **2** (be the result of) résulter (**from** de); **matters arising** questions soulevées par le rapport; **3** ‡(stand) se lever; **4** ‡(rebel) se soulever (**against** contre)

aristo○ /'ærɪstəʊ/ *n* aristo○ *mf*

aristocracy /ˌærɪ'stɒkrəsɪ/ *n* aristocratie *f*

aristocrat /'ærɪstəkræt, US ə'rɪst-/ *n* aristocrate *mf*

aristocratic /ˌærɪstə'krætɪk, US ə'rɪst-/ *adj* aristocratique

Aristophanes /ˌærɪ'stɒfəniːz/ *pr n* Aristophane

Aristotelian /ˌærɪstə'tiːlɪən/ *adj* aristotélicien/-ienne

Aristotelianism /ˌærɪstə'tiːlɪənɪzəm/ *n* aristotélisme *m*

a

a

Aristotle /'ærɪstɒtl/ *pr n* Aristote
aristotype /'ærɪstətaɪp/ *n* (papier) aristotipe *m*
arithmetic /ə'rɪθmətɪk/ *n* (subject) arithmétique *f*; **to be good at ~** être bon/bonne en arithmétique *or* calcul
arithmetical /,ærɪθ'metɪkl/ *adj* arithmétique
arithmetician /ə,rɪθmə'tɪʃn/ *n* arithméticien/-ienne *m/f*
arithmetic: ~ mean *n* moyenne *f* arithmétique; **~ progression** *n* progression *f* arithmétique
Arizona /,ærɪ'zəʊnə/ ▸ **p. 1737** *pr n* Arizona *m*
ark /ɑːk/ *n* (boat, in synagogue) arche *f*
(Idiom) **to be out of the ~** être vieux/vieille comme Hérode
Ark /ɑːk/ *n* Relig **the ~ of the Covenant** l'Arche *f* de l'Alliance
Arkansas /'ɑːkənsɔː/ ▸ **p. 1737** *pr n* Arkansas *m*
arm /ɑːm/ ▸ **p. 997**
A *n* **1** Anat, fig bras *m*; **~ in ~** bras dessus bras dessous; **to give sb one's ~** donner le bras à qn; **to take sb's ~** prendre le bras de qn; **to take/hold sb in one's ~s** prendre/tenir qn dans ses bras; **to have sth over/under one's ~** avoir qch sur/sous le bras; **to fold one's ~s** se croiser les bras; **in** *ou* **within ~'s reach** à portée de la main; **2** (sleeve) manche *f*; **3** (influence) **to have a long ~** avoir le bras long; **the long ~ of the law** le bras de la justice; **4** (of crane, robot, record player) bras *m*; **5** (of spectacles) branche *f*; **6** (of chair) accoudoir *m*; **7** (subsidiary) Pol branche *f*; Econ branche *f*, filiale *f*; **8** (of sea) bras *m*
B arms *npl* **1** (weapons) armes *fpl*; **under ~s** sous les armes; **to take up ~s** lit prendre les armes; fig s'insurger (**against** contre); **to be up in ~s** (in revolt) être en rébellion (**against** contre); (angry) être furieux/-ieuse; **2** Herald armes *fpl*, armoiries *fpl*; **coat of ~s** armoiries *fpl*
C *vtr* **1** (militarily) armer [*troops, rebels, missile, warhead*]; **2** (equip) **to ~ sb with sth** lit, fig fournir qch à qn [*tool, information etc*]
D *v refl* **to ~ oneself** Mil s'armer; **to ~ oneself with** lit s'armer de [*weapon, facts, statistics*]
(Idioms) **to cost an ~ and a leg**° coûter les yeux de la tête°; **to keep sb at ~'s length** tenir qn à distance; **a list as long as my ~** une liste qui n'en finit plus; **to twist sb's ~** faire pression sur qn, exercer des pressions sur qn; **with open ~s** à bras ouverts; **I would give my right ~ for/to do** je donnerais tout ce que j'ai pour/pour faire
Armada /ɑːˈmɑːdə/ *n* **1** Hist **the ~** l'Invincible Armada *f*; **2** Mil (fleet) armada *f*
armadillo /,ɑːmə'dɪləʊ/ *n* (*pl* **~s**) tatou *m*
Armageddon /,ɑːmə'gedn/ *n* Bible Armageddon *m*; fig lutte *f* suprême
Armagh /ɑː'mɑː/ ▸ **p. 1612** *pr n* comté *m* d'Armagh
armament /'ɑːməmənt/ Mil
A *n* (loading of weapons) armement *m*
B armaments *npl* (system) armements *mpl*
C armaments *modif* [*factory, firm, manufacturer*] d'armement; [*industry*] de l'armement
armature /'ɑːmətʃʊə(r)/ *n* **1** Elec gen armature *f*; (in dynamo) induit *m*; **2** Art (frame) armature *f*; **3** Zool, Bot armure *f*
armband /'ɑːmbænd/ *n* **1** (for buoyancy) bracelet *m* de natation; **2** (for mourner) crêpe *m* de deuil; **3** (for identification) brassard *m*
arm candy° *n* jolie fille *f*
armchair /'ɑːmtʃeə(r)/
A *n* fauteuil *m*
B *modif* péj [*general, socialist, traveller*] de salon péj
armed /ɑːmd/
A *adj* [*criminal, guard, raider, unit*] armé (**with** de); [*raid, robbery*] à main armée; [*missile*] muni d'une tête d'ogive
B -armed (*dans composés*) **hairy-/long-~** aux bras poilus/longs
(Idiom) **to be ~ to the teeth** être armé jusqu'aux dents
armed forces, armed services *npl* forces *fpl* armées; **to be in the ~** être dans l'armée
Armenia /ɑː'miːnɪə/ ▸ **p. 1096** *pr n* Arménie *f*
Armenian /ɑː'miːnɪən/ ▸ **p. 1467, p. 1378**
A *n* **1** (native, inhabitant) Arménien/-ienne *m/f*; **2** (language) arménien *m*; **to speak ~** parler l'arménien; **in ~** en arménien
B *adj* arménien/-ienne
armful /'ɑːmfʊl/ *n* (*pl* **~s**) brassée *f*; **by the ~** [*presents, flowers*] plein *inv* les bras
armhole /'ɑːmhəʊl/ *n* emmanchure *f*
armistice /'ɑːmɪstɪs/ *n* armistice *m*
Armistice Day *n* le onze *m* novembre. ▸ **Poppy Day**
armlet /'ɑːmlɪt/ *n* bracelet *m*
armor US = **armour**
armorial /ɑː'mɔːrɪəl/ *adj* armorial
armour GB, **armor** US /'ɑːmə(r)/ *n* **1** Hist (clothing) **a suit of ~** une armure *f* (complète); **2** (protective covering) (on tank, ship etc) armure *f*; Zool armure *f*; Elec (on wire, cable) gaine *f*; fig (against criticism) cuirasse *f*; **3** (tanks) (+ *v sg ou pl*) blindés *mpl*
armour-clad /,ɑːmə'klæd/ *adj* [*vehicle*] blindé; [*ship*] cuirassé
armoured GB, **armored** US /'ɑːməd/ *adj* **1** Mil [*vehicle, regiment*] blindé; **2** Zool avec une carapace
armoured: ~ car *n* véhicule *m* blindé; **~ personnel carrier** *n* véhicule *m* blindé de transport de troupes
armourer GB, **armorer** US /'ɑːmərə(r)/ *n* armurier *m*
armour: ~-piercing *adj* [*ammunition*] perforant; [*mine, missile*] antichar *inv*; **~ plate, ~ plating** *n* (on tank) blindage *m*; (on ship) cuirassage *m*; **~-plated** *adj* = **armour-clad**
armoury GB, **armory** US /'ɑːmərɪ/ *n* **1** Mil (array, collection, store) arsenal *m*; (factory) manufacture *f* d'armes; **2** fig (store, resources) arsenal *m* (**of** de)
arm: ~pit *n* aisselle *f*; **~rest** *n* accoudoir *m*; **~s control** *n* contrôle *m* des armements; **~s dealer** *n* négociant *m* d'armes; **~s dump** *n* dépôt *m* d'armes; **~s factory** *n* usine *f* d'armement
arm's-length /,ɑːmz'lenθ/ *adj* **1** Comm [*competition*] libre; [*sale*] loyal; [*price*] de pleine concurrence; **2** (independent) [*company, inspectorate, relationship, supplier*] sans lien de dépendance
(Idiom) **to keep sb at ~** tenir qn à distance
arm: ~s limitation *n* réduction *f or* contrôle *m* des armements; **~s manufacturer** *n* fabricant *m* d'armes; **~s race** *n* course *f* aux armements; **~s trade** *n* commerce *m* des armes; **~s treaty** *n* traité *m* sur le contrôle des armements; **~-twisting** *n* pressions *fpl* directes; **~ wrestle** *vi* faire un bras de fer; **~ wrestling** ▸ **p. 1253** *n* bras de fer *m*
army /'ɑːmɪ/
A *n* **1** Mil armée *f*; **in the ~** dans l'armée; **to go into the ~** entrer dans l'armée; **to join the ~** s'engager; **2** fig armée *f* (**of** de)
B *modif* [*discipline, life, staff, uniform*] militaire; [*wife*] de militaire; [*accommodation*] militaire
army: ~ ant *n* fourmi *f* soldat; **~ corps** *n* corps *m* d'armée; **Army List** *n* GB Mil annuaire *m* militaire; **~ officer** ▸ **p. 1599** *n* officier *m* de l'armée de terre; **~ surplus store** *n* Comm, Mil surplus *m*
aroma /ə'rəʊmə/ *n* arôme *m*
aromatherapy /ə,rəʊmə'θerəpɪ/ *n* aromathérapie *f*
aromatherapy: ~ lamp *n* diffuseur *m* d'arômes; **~ oil** *n* huile *f* essentielle
aromatic /,ærə'mætɪk/
A *n* aromate *m*
B *adj* aromatique
arose /ə'rəʊz/ *pret* ▸ **arise**
around /ə'raʊnd/

> ⚠ *Around* often appears as the second element of certain verb structures (*come around, look around, turn around etc*). For translations, consult the appropriate verb entry (**come, look, turn** etc).
> *go around* and *get around* generate many idiomatic expressions. For translations see the entries **go** and **get**.

A *adv* **1** (approximately) environ, à peu près; **it sells for ~ £200** ça coûte environ *or* à peu près 200 livres sterling; **at ~ 3 pm** vers 15 heures
2 (in the vicinity) **to be (somewhere) ~** être dans les parages; **I'll be ~** je serai dans les parages, je ne serai pas loin; **is there anyone ~?** il y a quelqu'un?; **are they ~?** est-ce qu'ils sont là?; **I just happened to be ~** je me trouvais là par hasard; **I don't want to be ~ when** je préfère ne pas être là quand (+ *future*)
3 (in circulation) **to be ~** [*product, technology, phenomenon*] exister; [*person*] être là; **to be ~ again** [*fashion, style*] revenir à la mode; **CDs have been ~ for years** ça fait des années que les CD existent; **I wish I'd been ~ 50 years ago** j'aurais aimé être là il y a 50 ans; **I'm glad I won't be ~ when** heureusement je ne serai pas là quand (+ *future*); **not to be ~ long enough to do** ne pas rester assez longtemps pour faire; **is he still ~?** est-ce qu'il est encore là?; **she's been ~** fig elle a vécu, elle a roulé sa bosse°; **one of the most gifted musicians ~** un des musiciens les plus doués du moment; **there is far less money ~** les gens ont beaucoup moins d'argent; **there's a lot of corruption ~** il y a beaucoup de corruption
4 (available) **to be ~** être là; **I wish you were ~ more** j'aimerais que tu sois là plus souvent; **will she be ~ next week?** est-ce qu'elle sera là la semaine prochaine?; **there are still some strawberries ~** on trouve encore des fraises
5 (in all directions) **all ~** lit tout autour; (in general) partout; **to go all the way ~** [*fence, wall, moat*] faire tout le tour; **the only garage for miles ~** le seul garage à des kilomètres à la ronde; **we like to travel ~** nous aimons voyager
6 (in circumference) **three metres ~** [*tree trunk*] de trois mètres de circonférence
7 (in different, opposite direction) **a way ~** lit un chemin pour contourner [*obstacle*]; **there is no way ~ the problem** il n'y a pas moyen de contourner le problème; **to go the long way ~** prendre le chemin le plus long; **to turn sth the other way ~** retourner qch; **to do it the other way ~** faire le contraire; **I didn't ask her, it was the other way ~** ce n'est pas moi qui lui ai demandé, c'est l'inverse; **the wrong/right way ~** dans le mauvais/bon sens; **to put one's skirt on the wrong way ~** mettre sa jupe à l'envers; **you're Ben and you're Tom, is that the right way ~?** tu es Ben, et toi tu es Tom, c'est bien ça?
8 (*also* GB **round**) (in specific place, home) **to ask sb (to come) ~** dire à qn de passer; **she's coming ~ today** elle passe aujourd'hui; **I'll be ~ in a minute** j'arrive
B *prep* (*also* GB **round**) **1** (on all sides of) autour de [*fire, table, garden, lake*]; **~ the outside of the house** autour de la maison; **a scarf ~ her head** une écharpe autour de la tête; **she put her arm ~ his shoulders** elle a mis son bras autour de ses épaules; **the villages ~ Dublin** les villages des environs de Dublin
2 (throughout) **clothes scattered ~ the room** des vêtements éparpillés partout dans la pièce; **in several locations ~ the country**

dans plusieurs endroits à travers le pays; **(all) ~ the world** partout dans le monde; **from ~ the world** venant du monde entier; **doctors ~ the world** les médecins à travers le monde; **to go ~ the world** faire le tour du monde; **to walk ~ the town** se promener dans la ville; **he'll show you ~ the castle** il vous fera visiter le château; **to go** *ou* **look ~ the house** faire le tour de la maison
3 (in the vicinity of, near) **somewhere ~ the house/~ Paris** quelque part dans la maison/ près de Paris; **I like having people ~ the house** *ou* **place** j'aime avoir des gens à la maison; **the people ~ here** les gens d'ici; **she's not from ~ here** elle n'est pas d'ici *or* de la région
4 (at) vers; **~ midnight/1980** vers minuit/ 1980; **~ the same time we...** c'est à peu près à ce moment-là que nous...
5 (in order to circumvent) **to go ~** éviter [*town centre*]; contourner [*obstacle*]; **there's a way ~ the problem** il y a un moyen de contourner le problème; ▸ **get round**
6 (to the other side of) **to go ~ the corner** tourner au coin; **to go ~ a bend** prendre un virage; **~ the mountain** de l'autre côté de *or* derrière la montagne
7 Meas, Sewing **he's 90 cm ~ the chest** il fait 90 de tour de poitrine
(Idiom) **what goes ~ comes ~** on récolte ce qu'on a semé

arousal /ə'raʊzl/ *n* **1** (excitation) excitation *f*; **(sexual) ~** excitation *f* sexuelle; **2** (awakening) excitation *f* (**of** de)

arouse /ə'raʊz/ *vtr* **1** (cause) éveiller [*interest, attention*]; exciter [*anger, jealousy*]; **the picture ~d a feeling of disgust in me** le tableau a éveillé en moi un sentiment de dégoût; **the taxes ~d the anger of the people** les impôts ont excité la colère du peuple; **2** (sexually) **to be ~d by sth** être excité par qch; **3** (waken) **to ~ sb from sleep** tirer qn du sommeil

arpeggio /ɑː'pedʒɪəʊ/ *n* arpège *m*

arrack /'ærək/ *n* arak *m*

arraign /ə'reɪn/ *vtr* **1** Jur traduire en justice; **to ~ sb before the court** traduire qn en justice; **to be ~ed on a charge of murder** être inculpé de meurtre; **2** sout gen (accuse, rebuke) tancer fml

arraignment /ə'reɪnmənt/ *n* Jur (by judge) lecture *f* de l'acte d'accusation (suivie de la question)

Arran /'ærən/ ▸ **p. 1355** *pr n* île *f* d'Arran

arrange /ə'reɪndʒ/
A *vtr* **1** (put in position) disposer [*chairs, ornaments*]; arranger [*room, hair, clothes*]; arranger, disposer [*flowers*]; **2** (organize) organiser [*party, wedding, meeting, holiday, schedule*]; fixer [*date, appointment*]; **to ~ sth with sb** fixer *or* organiser qch avec qn; **to ~ that** faire en sorte que (+ *subj*); **to ~ to do** s'arranger pour faire; **I'll ~ it** je ferai le nécessaire; **to ~ a marriage** arranger un mariage; **have you got anything ~d for this evening?** avez-vous quelque chose de prévu pour ce soir?; **we've ~d to go out** *ou* **to meet this evening** on s'est donné rendez-vous pour ce soir; **3** (bring about agreement on) convenir de [*agreement, loan, mortgage*]; fixer [*price*]; **'date: to be ~d '** (on memo) 'date: à déterminer'; **4** Mus arranger, adapter [*piece*]
B *vi* **to ~ for sth** prendre des dispositions pour qch; **to ~ for sb to do** prendre des dispositions pour que qn fasse; **to ~ for sth to be done** prendre des dispositions pour que qch soit fait; **to ~ with sb to do** décider avec qn de faire

arranged marriage *n* mariage *m* arrangé

arrangement /ə'reɪndʒmənt/ *n* **1** (positioning) (of hair, jewellery) arrangement *m*; (of objects, chairs) disposition *f*; (of ideas: on page) organisation *f*; (of shells, dried flowers etc) composition *f*; **seating ~s** disposition des chaises; **2** (agreement) entente *f*, accord *m* (**with sb** avec qn); **by ~ with sb** par un accord avec qn; **by ~** (par) entente préalable, sur demande; **under the ~, I will receive...** selon l'accord, je recevrai...; **to come to an ~** s'arranger; **3** (plan) dispositions *fpl*; (preparations) préparatifs *mpl*; (measures) mesures *fpl*; **to make ~s to do** s'arranger pour faire; **to make ~s with sb (for him to do)** prendre des dispositions avec qn (pour qu'il fasse); **to make ~s for sth to be done** prendre des dispositions *or* faire le nécessaire pour que qch soit fait; **to make ~s for doing** prendre des dispositions pour faire; **I don't need a lift, I've already made ~s** je n'ai pas besoin d'être reconduit/-e, j'ai déjà pris des dispositions; **can I leave the ~s to you?** est-ce que tu peux t'occuper de l'organisation?; **Bob is looking after all the ~s** Bob s'occupe de tout; **what are the ~s for the funeral/journey?** qu'est-ce qui est prévu pour l'enterrement/le voyage?; **economic/ security/social ~s** mesures économiques/de sécurité/sociales; **parking ~s** facilités *fpl* de stationnement

arrant /'ærənt/ *adj* littér [*liar*] fieffé (*before n*); **it's ~ nonsense!** c'est complètement absurde!

array /ə'reɪ/
A *n* **1** (of goods, products) gamme *f*; **2** (of weaponry) panoplie *f*; **3** (of troops, people) déploiement *m*; **battle ~** ordre *m* de bataille; **4** (of numbers) tableau *m*; **5** Comput tableau *m*; **6** littér (clothes) habits *mpl* d'apparat; **in all their ~** dans leurs plus beaux atours; **7** (of factors, problems) panoplie *f*; **8** Electron réseau *m*
B *vtr* **1** Mil déployer [*troops*]; **2** Jur établir la liste des [*jurors*]; **3** Fashn **~ed in** paré de
C *v refl* littér **to ~ oneself in** se parer de

arrears /ə'rɪəz/ *npl* arriéré *m*; **my payments are in ~** *ou* **I am in ~ with my payments** j'ai du retard dans mes paiements; **to be 6 months in ~** avoir 6 mois de retard dans ses paiements; **to fall into ~** s'arriérer; **mortgage ~** arriérés de crédit-logement; **rent ~** arriéré de loyer; **serious ~** gros arriérés

arrest /ə'rest/
A *n* Jur arrestation *f*; **to be under ~** être en état d'arrestation; **to put sb under ~** arrêter qn
B *vtr* **1** [*police*] arrêter; **to ~ sb on a charge/on suspicion of sth** arrêter qn sur l'inculpation/sur présomption de qch; **2** (halt) arrêter [*decline, development, disease*]; enrayer [*spread*]; **~ed growth/development** Med arrêt de croissance/de développement; **3** (attract) attirer [*attention, gaze*]

arrestable /ə'restəbl/ *adj* Jur passible d'arrestation

arresting /ə'restɪŋ/ *adj* **1** (attractive) saisissant; **2** (making an arrest) [*officer*] qui a procédé à l'arrestation

arrest: **~ of judgment** *n* Jur suspension *f* d'exécution d'un jugement; **~ warrant** *n* mandat *m* d'arrêt

arrhythmia /ə'rɪðmɪə/ *n* arythmie *f*

arrival /ə'raɪvl/ *n* **1** (of person, transport) arrivée *f*; **on sb's/sth's ~** à l'arrivée de qn/qch; **2** Admin, Comm (of package) arrivage *m*; **3** (of new character or phenomenon) apparition *f*; **her ~ on the scene** son apparition sur la scène; **4** (person arriving) arrivé/-e *m/f*; **late ~** (in theatre) retardataire *mf*; **new ~** (in community) nouveau/-elle venu/-e *m/f*; (baby) nouveau-né *m*

arrival: **~ lounge** *n* salon *m* d'arrivée; **~ platform** *n* quai *m* d'arrivée; **~s board** *n* tableau *m* d'arrivée; **~ time** *n* heure *f* d'arrivée

arrive /ə'raɪv/ *vi* **1** (at destination) arriver (**at** à; **from** de); **'arriving Berlin 7.25 am'** (announcement) 'arrivée à Berlin 7 heures 25'; **to ~ on the scene** lit arriver (sur les lieux); fig apparaître; **2** (reach) **to ~ at** parvenir à [*decision, agreement, solution etc*]; **3** (be social success) arriver

arrogance /'ærəgəns/ *n* arrogance *f*

arrogant /'ærəgənt/ *adj* arrogant

arrogantly /'ærəgəntlɪ/ *adv* avec arrogance

arrogate /'ærəgeɪt/ *vtr* sout **to ~ sth to oneself** s'arroger qch fml

arrow /'ærəʊ/ *n* **1** (weapon) flèche *f*; **to fire** *ou* **shoot an ~** décocher une flèche; **2** (symbol) flèche *f*; **marked with an ~** [*road, text*] fléché

arrowhead /'ærəʊhed/ *n* pointe *f* de flèche

arrowroot /'ærəʊruːt/ *n* Bot marante *f*; Culin arrow-root *m*

arse● /ɑːs/ GB *n* cul● *m*; **get off your ~**◑! magne-toi le popotin◑!; **move your ~**◑! bouge tes fesses◑!
(Idiom) **he can't tell his ~ from his elbow** il est con◑ comme un balai
(Phrasal verb) ■ **arse about**◑ GB faire le con◑/la conne◑

arsehole● /'ɑːshəʊl/ GB *n* **1** (stupid person) connard◑/connasse◑ *m/f*; **2** (anus) trou *m* du cul◑

arselicker● /'ɑːslɪkə(r)/ *n* GB lèche-cul◑ *m inv*

arsenal /'ɑːsənl/ *n* lit, fig arsenal *m*

arsenic /'ɑːsnɪk/ *n* arsenic *m*; **~ poisoning** empoisonnement *m* à l'arsenic

arsenical /ɑː'senɪkl/ *adj* [*drug, substance*] arsenical

arsenic: **~ trioxide** *n* anhydride *m* arsénieux; **~ trisulphide** *n* orpiment *m*

arson /'ɑːsn/ *n* incendie *m* criminel; **~ attack** incendie *m* criminel

arsonist /'ɑːsənɪst/ *n* pyromane *mf*

art /ɑːt/
A *n* **1** (creation, activity, representation) art *m*; **I'm bad at ~** je suis mauvais en dessin; **2** (skill) art *m*; **the ~ of listening/of survival** l'art d'écouter/de survivre
B **arts** *npl* **1** (culture) **the ~s** les arts *mpl*; **2** Univ lettres *fpl*; **to study (the) ~s** faire des études de lettres; **3** **~s and crafts** gen artisanat *m*; (school subject) travaux *mpl* manuels
C ‡*vi* **thou ~** tu es
(Idiom) **~ for ~'s sake** l'art pour l'art

art: **~ collection** *n* (of paintings) collection *f* de tableaux; (of other artworks) collection *f* d'œuvres d'art; **~ collector** *n* collectionneur/ -euse *m/f* d'œuvres d'art; (of paintings only) collectionneur/-euse *m/f* de tableaux; **~ college** *n* école *f* des beaux arts; **~ dealer** ▸ **p. 1683** *n* marchand/-e *m/f* d'œuvres d'art; (of paintings only) marchand/-e *m/f* de tableaux

art deco /ˌɑːt 'dekəʊ/ *n, adj* art déco (*m inv*)

artefact /'ɑːtɪfækt/ *n* objet *m* (fabriqué)

arterial /ɑː'tɪərɪəl/ *adj* (*avant n*) **1** Anat [*disease, circulation*] artériel/-ielle; **2** **~ road** grand axe *m*; **~ line** Rail grande ligne *f*

arteriole /ɑː'tɪərɪəʊl/ *n* artériole *f*

arteriosclerosis /ɑːˌtɪərɪəʊsklə'rəʊsɪs/ ▸ **p. 1327** *n* artériosclérose *f*

artery /'ɑːtərɪ/ *n* **1** artère *f*; **blocked arteries** artères *fpl* bouchées; **to suffer from blocked arteries** souffrir d'un rétrécissement des artères; **2** (road) artère *f*; (railway) grande ligne *f*

artesian well /ɑːˌtiːzɪən 'wel, US ɑːrˌtiːʒn/ *n* puits *m* artésien

Artex® /'ɑːteks/ *n* peinture *f* à effet structuré

art exhibition *n* (paintings) exposition *f* de tableaux; (sculpture) exposition *f* de sculpture

art form *n* lit forme *f* d'art; **to become an ~** devenir un art

artful /'ɑːtfl/ *adj* **1** [*sculpture, lighting*] ingénieux/-ieuse; **2** [*politician, speaker*] (skilful) habile; (crafty) rusé; **~ dodger** roublard/-e

artfully /'ɑːtfəlɪ/ *adv* [*arranged, entwined*] ingénieusement; [*expressed*] avec adresse; [*suggest, imply*] astucieusement

art gallery *n* (museum) musée *m* d'art; (commercial) galerie *f* d'art

art house *n* (cinema) cinéma *m* d'art et d'essai; **~ film** film d'auteur

 **as**

When *as* is used as a preposition or a conjunction to mean *like* it is translated by *comme*:

dressed as a sailor
= habillé comme un marin

as usual
= comme d'habitude

as often happens
= comme c'est souvent le cas

As a conjunction in time expressions, meaning *when* or *while*, *as* is translated by *comme*:

as she was coming down the stairs
= comme elle descendait l'escalier

However, where a gradual process is involved, *as* is translated by *au fur et à mesure que*:

as the day went on, he became more anxious
= au fur et à mesure que la journée avançait il devenait plus inquiet

As a conjunction meaning *because*, *as* is translated by *comme* or *puisque*:

as he is ill, he can't go out
= comme il est malade *or* puisqu'il est malade, il ne peut pas sortir

When used as an adverb in comparisons, *as*... *as* is translated by *aussi*... *que*:

he is as intelligent as his brother
= il est aussi intelligent que son frère

But see category **J** in the entry **as** for *as much as* and *as many as*.

Note also the standard translation used for fixed similes:

as strong as an ox
= fort comme un bœuf

as rich as Croesus
= riche comme Crésus

Such similes often have a cultural equivalent rather than a direct translation. To find translations for English similes, consult the entry for the second element.

When *as* is used as a preposition to indicate a person's profession or position, it is translated by *comme*:

he works as an engineer
= il travaille comme ingénieur

Note that the article *a/an* is not translated.

When *as* is used with a preposition to mean *in my/his capacity as*, it is translated by *en tant que*:

as a teacher I believe that...
= en tant qu'enseignant je crois que...

For more examples, particular usages and phrases like *as for, as from, as to* etc. see the entry **as**.

arthritic /ɑːˈθrɪtɪk/ *n, adj* arthritique (*mf*)

arthritis /ɑːˈθraɪtɪs/ ▸ **p. 1327** *n* arthrite *f*; **to suffer from** *ou* **have ~** avoir de l'arthrite

arthropod /ˈɑːθrəpɒd/ *n* arthropode *m*

Arthurian /ɑːˈθjʊrɪən/ *adj* [*legend, romance*] du roi Arthur

artic○ /ˈɑːtɪk/ GB Transp *n* semi○ *m*

artichoke /ˈɑːtɪtʃəʊk/

A *n* artichaut *m*

B *modif* [*head, heart, leaf, stalk*] d'artichaut; [*salad, soup*] aux artichauts

article /ˈɑːtɪkl/

A *n* **1** (object) objet *m*; **~ of clothing** article *m* vestimentaire; **2** Journ article *m* (**about, on** sur); **magazine/newspaper ~** article *m* de magazine/de journal; **3** Admin, Jur (clause) article *m*; **in** *ou* **under Article 12** à l'article 12; **~ of faith** Relig, fig article de foi; **the Thirty-nine Articles** Relig les trente-neuf articles de foi (*de l'Église Anglicane*); **4** Ling article *m*; **definite/indefinite/partitive ~** article défini/indéfini/partitif; **5** (in a newsgroup) article *m*

B articles *npl* Jur **to be in ~s** faire un stage chez un notaire

articled clerk *n* Jur stagiaire *mf* chez un notaire

articulate

A /ɑːˈtɪkjʊlət/ *adj* **1** gen [*critic, defender, speaker*] qui s'exprime bien; [*argument, document, speech*] bien construit; **2** Anat articulé

B /ɑːˈtɪkjʊleɪt/ *vtr* (pronounce) articuler; (express) exprimer [*views, feelings, needs*]

C /ɑːˈtɪkjʊleɪt/ *vi* (pronounce) articuler

articulated lorry *n* GB semi-remorque *m*

articulately /ɑːˈtɪkjʊlətlɪ/ *adv* avec aisance (et clarté)

articulation /ɑːˌtɪkjʊˈleɪʃn/ *n* **1** (expression) articulation *f*; **2** (pronunciation) prononciation *f*; **3** Anat articulation *f*

articulatory /ɑːˌtɪkjʊˈleɪtərɪ, US -tɔːrɪ/ *adj* articulatoire

articulatory phonetics *n* (+ *v sg*) phonétique *f* articulatoire

artifact *n* = **artefact**

artifice /ˈɑːtɪfɪs/ *n* **1** (trick) ruse *f*; **2** (cunning) astuce *f*; **3** (artificiality) artifice *m*

artificer /ɑːˈtɪfɪsə(r)/ *n* artificier *m*

artificial /ˌɑːtɪˈfɪʃl/ *adj* **1** [*colour, organ, ingredient, fur, lake, snow, lighting*] artificiel/-ielle; [*fertilizer*] chimique; [*eye*] de verre; [*hair*] faux/fausse; **2** fig [*person, manner, smile, atmosphere, distinction, comparison*] artificiel/-ielle

artificial: **~ climbing** *n* escalade *f* artificielle; **~ horizon** *n* horizon *m* artificiel; **~ insemination, AI** *n* insémination *f* artificielle; **~ intelligence, AI** *n* intelligence *f* artificielle

artificiality /ˌɑːtɪfɪʃɪˈælətɪ/ *n* pej (of person) affectation *f*, manque *m* de naturel; (of manner, emotion) affectation *f*; (of situation) côté *m* artificiel

artificial limb *n* (appareil *m* de) prothèse *f*, membre *m* artificiel

artificially /ˌɑːtɪfɪʃɪˈælətɪ/ *adv* artificiellement

artificial respiration *n* respiration *f* artificielle; **to give sb ~** faire la respiration artificielle à qn

artillery /ɑːˈtɪlərɪ/ *n* Mil (guns, regiment) artillerie *f*; **heavy ~** lit artillerie *f* lourde

artisan /ˌɑːtɪˈzæn, US ˈɑːrtɪzn/ *n* artisan *m*

artist /ˈɑːtɪst/ ▸ **p. 1683** *n* **1** Art, Theat artiste *mf*; **comic ~** acteur *m* comique; **2** ○(person) **con ~**, **rip-off ~** arnaqueur/-euse◑ *m/f*; **piss ~** pilier○ *m* de bistrot

artiste /ɑːˈtiːst/ *n* Theat artiste *mf*

artistic /ɑːˈtɪstɪk/ *adj* [*talent, creation, activity, community*] artistique; [*temperament, person*] artiste; [*career*] d'artiste, artistique; **to be ~** avoir un talent artistique

artistically /ɑːˈtɪstɪklɪ/ *adv* (in terms of art) artistiquement, de façon artistique; (tastefully) [*arrange, decorate*] avec goût

artistic director ▸ **p. 1683** *n* directeur *m* artistique

artistry /ˈɑːtɪstrɪ/ *n* art *m*, talent *m* artistique

artless /ˈɑːtlɪs/ *adj* [*smile*] naturel/-elle; **almost too ~** d'une naïveté étudiée

artlessly /ˈɑːtlɪslɪ/ *adv* [*smile*] avec naturel; **his ~ appealing mannerisms** ses façons *fpl* d'un naturel charmant

artlessness /ˈɑːtlɪsnɪs/ *n* naïveté *f*

art nouveau /ˌɑːt ˈnuːvəʊ/ *n, adj* modern style (*m*), art (*m*) nouveau

art: **~ room** *n* Scol salle *f* de dessin; **~ school** *n* école *f* des beaux-arts; **Arts Council** *n* GB *commission subventionnant la création artistique*; ▸ **Quango**; **~s degree** *n* licence *f* ès lettres; **~s funding** *n* (by state) subventions *fpl* accordées aux arts; (by sponsors) mécénat *m*; **~s student** *n* étudiant/-e *m/f* en lettres; **~ student** *n* étudiant/-e *m/f* des beaux-arts; **~work** *n* (gen) travail *m* d'art; (for book, magazine, etc) illustrations *fpl*

arty○ /ˈɑːtɪ/ *adj* [*person, family*] du genre artiste; [*district*] bohème; [*clothes, decoration*] de style bohème

arty: **~-crafty**○ GB, **artsy-craftsy**○ US *adj* péj [*décor*] de style soi-disant artisanal; **~-farty**○ GB, **artsy-fartsy**○ US *adj* péj qui affiche un intérêt à la culture

ARV *n* US (*abrév* = **American Revised Version**) *traduction américaine de la Bible*

Aryan /ˈeərɪən/

A *n* Aryen/-enne *m/f*

B *adj* aryen/-enne

as /æz, əz/

A *conj* **1** (in the manner that) comme; **~ you can see, I am very busy** comme vous le voyez, je suis très occupé; **~ you know** comme vous le savez; **~ usual** comme d'habitude; **~ is usual in such cases** comme c'est l'usage en pareil cas; **do ~ I say** fais ce que je te dis; **~ I see it** à mon avis; **~ I understand it** autant que je puisse en juger; **he likes reading, ~ I do** il aime la lecture, (tout) comme moi; **loving Paris ~ I do, I couldn't bear to live anywhere else** j'aime tellement Paris que je ne pourrais pas vivre ailleurs; **knowing you ~ I do, it didn't surprise me** je te connais tellement bien que ça ne m'a pas étonné; **the street ~ it looked in the 1930s** la rue telle qu'elle était dans les années 30; **~ often happens** comme c'est souvent le cas; **just ~ he dislikes the theatre, so too does he dislike opera** il déteste l'opéra tout autant que le théâtre; **~ he lived, so did he die** il est mort comme il a vécu; **he lives abroad, ~ does his sister** il vit à l'étranger, tout comme sa sœur; **clad ~ he was only in a towel, he did not want to answer the door** comme il n'était vêtu que d'une serviette, il ne voulait pas aller ouvrir la porte; **leave it ~ it is** laisse-le tel quel; **I'm overworked ~ it is** je suis déjà assez débordé comme ça; **we're in enough trouble ~ it is** nous avons déjà assez d'ennuis comme ça; **'~ is'** Comm 'en l'état'; **I bought the apartment ~ it was** j'ai acheté l'appartement tel quel; **~ one man to another** d'homme à homme; **~ with so many people in the 1960s, she...** comme beaucoup de personnes dans les années 60, elle...; **~ with so much in this country, the system needs to be modernized** comme beaucoup de choses dans ce pays, le système a besoin d'être modernisé; **~ it were** pour ainsi dire; **~ you were!** Mil repos!; **two is to four ~ four is to eight** Math deux est à quatre ce que quatre est à huit

2 (while, when) alors que; (over more gradual period of time) au fur et à mesure que; **he came in ~ she was coming down the stairs** il est entré alors qu'elle descendait l'escalier; **~ she grew older, she grew richer** au fur et à mesure qu'elle vieillissait, elle devenait plus riche; **~ a child, he...** (quand il était) enfant, il...

3 (because, since) comme, puisque; **~ you were out, I left a note** comme *or* puisque vous étiez sortis, j'ai laissé un petit mot; **~ she is sick, she cannot go out** étant donné qu'elle est malade, elle ne peut pas sortir

4 (although) **strange ~ it may seem, she never returned** aussi curieux que cela puisse paraître, elle n'est jamais revenue; **comfortable ~ the house is, it's still very expensive** aussi confortable que soit la maison, elle reste quand même très chère; **try ~ he might, he could not forget it** il avait beau essayer, il ne pouvait pas oublier; **much ~ I like you, I have to say that** je t'aime bien, mais il faut que je te dise que; **be that ~ it may** quoi qu'il en soit

5 **the same...~** le/la même...que; **I've got a jacket the same ~ yours** j'ai la même veste que toi; **the same man ~ I saw last week** le même homme que j'ai vu la semaine dernière; **the same ~ always** comme d'habitude; **he works for the same company ~ me** il travaille pour la même entreprise que moi

6 (expressing purpose) **so ~ to do** pour faire, afin de faire; **he left early so ~ to be on time** il est parti de bonne heure afin de *or* pour ne pas être en retard; **she opened the door quietly so ~ not to wake him** elle a ouvert la porte doucement afin de *or* pour ne pas le réveiller

B **as and when** *conj phr* **~ and when the passengers arrive** au fur et à mesure que les voyageurs arrivent; **~ and when the need arises** quand il le faudra, quand le besoin s'en fera sentir; **~ and when you want** à votre convenance

C **as if** *conj phr* comme (si); **it' s not ~ if she hadn't been warned!** ce n'est pas comme si elle n'avait pas ét é prévenue!; **he looked at me ~ if to say 'I told you so'** il m'a regardé avec l'air de dire 'je te l'avais bien dit'; **it looks ~ if we've lost** on dirait que nous avons perdu; **~ if by accident/magic** comme par hasard/magie; **~ if I cared!** comme si ça me faisait quelque chose!

D *prep* **1** (in order to appear to be) comme, en; **to be dressed ~ a sailor** être habillé comme un marin *or* en marin; **disguised ~ a clown** déguisé en clown; **in the book he is portrayed ~ a victim** dans ce livre on le présente comme une victime

2 (showing function, status) comme; **he works ~ a pilot/engineer** il travaille comme pilote/ingénieur; **a job ~ a teacher** un poste d'enseignant; **she has a reputation ~ a tough businesswoman** elle a la réputation d'être dure en affaires; **speaking ~ his closest friend, I...** comme je suis son meilleur ami, je voudrais dire que je...; **I like her ~ a person, but not ~ an artist** je l'aime bien en tant que personne mais pas en tant qu'artiste; **my rights ~ a parent** mes droits en tant que parent; **film ~ an art form** le cinéma en tant qu'art; **~ a lexicographer, he has a special interest in words** en tant que lexicographe il s'intéresse tout particulièrement aux mots; **with Lauren Bacall ~ Vivien** Cin, Theat avec Lauren Bacall dans le rôle de Vivien

3 (other uses) **to treat sb ~ an equal** traiter qn en égal; **he was quoted ~ saying that** il aurait dit que; **it came ~ a shock to learn that** ça a été un véritable choc d'apprendre que; **think of it ~ an opportunity to meet new people** dis-toi que ça va être l'occasion de faire de nouvelles connaissances

E **as against** *prep phr* contre, comparé à; **75% this year ~ against 35% last year** 75% cette année contre 35% l'année dernière

F **as for** *prep phr* quant à, pour ce qui est de; **~ for the children** pour ce qui est des enfants, quant aux enfants; **~ for him, he can go to hell◑!** lui, il peut aller se faire voir◑!

G **as from, as of** *prep phr* à partir de; **~ from** *ou* **of now/April** à partir de maintenant/du mois d'avril; **~ of yet** jusqu'ici, jusqu'à présent

H **as such** *prep phr* en tant que tel; **he doesn't believe in religion ~ such** il ne croit pas à la religion en tant que telle; **they are your equals and should be treated ~ such** ce sont vos égaux et vous devriez les traiter comme tels *or* en tant que tels

I **as to** *prep phr* sur, quant à; **this gave them no clue ~ to his motives/~ to his whereabouts** cela ne leur a rien appris sur ses intentions/sur l'endroit où il se trouvait

J *adv* **1** (expressing degree, extent) **~... ~...** aussi... que...; **he is ~ intelligent ~ you** il est aussi intelligent que toi; **he is not ~** *ou* **so intelligent ~ you** il n'est pas aussi intelligent que toi; **he's just ~ intelligent ~ you** il est tout aussi intelligent que toi; **she can't walk ~ fast ~ she used to** elle ne peut plus marcher aussi vite qu'avant; **~ fast ~ you can** aussi vite que possible; **~ strong ~ an ox** fort comme un bœuf; **he's twice ~ strong ~ me** il est deux fois plus fort que moi; **it's not ~ good ~ all that** ce n'est pas si bien que ça; **I paid ~ much ~ she did** j'ai payé autant qu'elle; **~ much ~ possible** autant que possible; **~ little ~ possible** le moins possible; **~ soon ~ possible** dès que possible; **not nearly ~ much ~** beaucoup moins que; **not ~ often** moins souvent; **their profits are down by ~ much ~ 30%** leurs bénéfices ont connu une baisse de 30%, ni plus ni moins; **the population may increase by ~ much ~ 20%** l'augmentation de la population risque d'atteindre 20%; **~ many ~ 10,000 people attended the demonstration** il n'y avait pas moins de 10 000 personnes à la manifestation; **by day ~ well ~ by night** de jour comme de nuit; **she can play the piano ~ well ~ her sister** elle joue du piano aussi bien que sa sœur; **they have a house in Nice ~ well ~ an apartment in Paris** ils ont une maison à Nice ainsi qu'un appartement à Paris; **~ well ~ being a poet, he is a novelist** il est poète et romancier

2 (expressing similarity) comme; **~ before, she...** comme avant, elle...; **they tried to carry on ~ before** ils essayaient de continuer comme avant; **I thought ~ much!** c'est ce qu'il me semblait!; **V ~ in Victor** V comme Victor

ASA *n* GB **1** *abrév* ▸ **Advertising Standards Authority**; **2** (*abrév* = **Amateur Swimming Association**) fédération *f* de natation

asap /'eɪsæp/ (*abrév écrite* = **as soon as possible**) dès que possible

asbestos /æz'bestɒs, æs-/ *n* amiante *m*

asbestosis /,æzbe'stəʊsɪs, ,æs-/ ▸ **p. 1327** *n* asbestose *f*

asbestos mat *n* plaque *f* d'amiante

ASBO /'æzbəʊ/ *n* GB (*abrév* = **Anti-social Behaviour Order**) *ordre sur le comportement antisocial*

ascend /ə'send/ sout

A *vtr* gravir [*steps, hill*]; **to ~ the throne** monter sur le trône

B *vi* [*person*] monter; [*bird, soul, deity*] s'élever

ascendancy /ə'sendənsɪ/ *n* ascendant *m*; **to be in the ~** avoir l'ascendant; **to have/gain the ~ over sb** avoir/prendre l'ascendant sur qn

ascendant /ə'sendənt/

A *n* **1** Astrol ascendant *m*; **to be in the ~** être à l'ascendant; **2** sout (powerful position) **they are in the ~** ils ont l'ascendant

B *adj* sout [*class, group*] dominant

Ascension /ə'senʃn/ *n* Relig **the ~** l'Ascension *f*

Ascension Island ▸ **p. 1355** *pr n* l'Île *f* de l'Ascension

ascent /ə'sent/ *n* **1** (of smoke, gas) montée *f*; (of soul, balloon, plane) ascension *f*; **2** (in cycling) montée *f*; (in mountaineering) ascension *f*; (of path) montée *f*; **to make an ~ of the volcano** faire l'ascension du volcan; **3** sout (advancement) ascension *f*

ascertain /,æsə'teɪn/ *vtr* établir (**that** que); **to ~ what had happened** pour établir ce qui s'était passé

ascertainable /,æsə'teɪnəbl/ *adj* vérifiable

ascetic /ə'setɪk/

A *n* ascète *mf*

B *adj* ascétique

asceticism /ə'setɪsɪzəm/ *n* ascétisme *m*

ASCII /'æskɪ/ (*abrév* = **American Standard Code for Information Interchange**)

A *n* ASCII *m*

B *modif* **~ file** fichier *m* ASCII

ascribable /ə'skraɪbəbl/ *adj* [*work of art*] attribuable (**to** à); [*mistake, accident*] (laying blame) imputable (**to** à); (morally neutral) attribuable (**to** à)

ascribe /ə'skraɪb/ *vtr* **to ~ sth to sb** attribuer qch à qn [*influence*]; attribuer qch à qn [*work, phrase*]; imputer qch à qn [*accident, mistake*]; **the accident can be ~d to human error** l'accident est attribuable à l'erreur humaine

ascription /ə'skrɪpʃn/ *n* ascription *f*

asdic /'æzdɪk/ *n* GB Hist asdic *m*

ASEAN *n* (*abrév* = **Association of South East Asian Nations**) ASEAN *f*, Association *f* des Nations d'Asie du Sud-Est

aseptic /,eɪ'septɪk, US ə'sep-/ *adj* aseptique

asexual /,eɪ'sekʃʊəl/ *adj* asexué also fig

ash /æʃ/

A *n* **1** (burnt residue) cendre *f*; **to be reduced** *ou* **burned to ~es** être réduit en cendres; **2** (tree) frêne *m*; (wood) frêne *m*; **made of** *ou* **in ~** en frêne

B **ashes** *npl* (remains) cendres *fpl*

C *modif* [*bark, branch, leaf, twig*] de frêne; [*furniture, panelling, veneer*] en frêne; [*plantation, grove*] de frênes

ASH /æʃ/ GB (*abrév* = **Action on Smoking and Health**) comité *m* de lutte contre le tabagisme

ashamed /ə'ʃeɪmd/ *adj* **to be** *ou* **feel ~** avoir honte (**of** de; **to do** de faire); **to be ~ that** avoir honte que (+ *subj*); **she was ~ to be seen with him** elle avait honte de se montrer avec lui; **you ought to be ~ of yourself** tu devrais avoir honte; **~ of his ignorance, he...** honteux de son ignorance, il...; **it's nothing to be ~ of** il ne faut pas en avoir honte

ash: **~bin** *n* US poubelle *f*; **~ blond** *adj* blond cendré *inv*; **~can** *n* US poubelle *f*

ashen /'æʃn/ *adj* [*complexion*] terreux/-euse

ashen faced *adj* blême

ashlar /'æʃlə(r)/ *n* pierre *f* de taille

ashore /ə'ʃɔː(r)/ *adv* **1** (towards seashore) vers le rivage; (towards lake shore, river bank) vers la rive; **he was swimming ~** il nageait vers le rivage/la rive; **the oil slick is being washed ~ by the tide** la nappe de pétrole est emportée vers le rivage par la marée; **2** (arriving on shore) **to come/go ~** débarquer; **to swim ~** gagner le rivage/la rive à la nage; **washed ~** rejeté sur le rivage; **the gas is piped ~** le gaz est acheminé au rivage par des conduits; **to put men/goods ~** débarquer des hommes/des marchandises; **3** (on land) à terre; **to spend a week ~** [*sailor*] passer une semaine à terre; [*tourist*] faire une escale d'une semaine; **whenever I'm ~** chaque fois que je suis à terre

ash pan *n* cendrier *m* (de foyer)

ashram /'æʃrəm/ *n* ashram *m*

ash: **~tray** *n* cendrier *m*; **~ tree** *n* frêne *m*; **Ash Wednesday** *n* mercredi *m* des Cendres

ashy /'æʃɪ/ *adj* (in colour) cendré; (covered in ash) couvert de cendres; **~ material** cendres *fpl*

Asia /'eɪʃə, US 'eɪʒə/ ▸ **p. 1096** *pr n* Asie *f*; **Central/South-East ~** Asie centrale/du sud-est; **the communist countries of ~** les pays communistes de l'Asie

Asia Minor /,eɪʃə'maɪnə(r), US ,eɪʒə-/ *pr n* Asie *f* mineure

Asian /'eɪʃn, US 'eɪʒn/

A *n* (from Far East) Asiatique *mf*; (in UK) *personne originaire du sous-continent indien*

B *adj* [*river, custom, politics*] asiatique

Asian: **~ American** *n* Américain/-e *m/f* d'origine asiatique; ▸ **Hyphenated American**; **~ Briton** *n* GB Britannique *mf* d'origine pakistanaise/indienne etc; **~ flu** ▸ **p. 1327** *n* grippe *f* asiatique

Asiatic /,eɪʃɪ'ætɪk, US ,eɪʒɪ-/ *adj* [*peoples, nations*] asiatique

aside /ə'saɪd/

A *n* gen, Theat, Cin aparté *m*; **to say sth as** *ou* **in an**

~ dire qch en aparté; (as digression) dire qch en passant

B *adv* **1** (to one side) **to stand** *ou* **step** *ou* **move ~** s'écarter; **to turn ~** se détourner; **to cast** *ou* **throw [sth] ~** mettre [qch] au rebut [*clothes, gift*]; écarter [*idea, theory*]; **to set** *ou* **put** *ou* **lay [sth] ~** (save) mettre [qch] de côté; (in shop) réserver; **to brush** *ou* **sweep [sth] ~** écarter [*objections, protests, worries*]; **to lay** *ou* **put a book ~** mettre un livre de côté; **to push** *ou* **move sb ~** écarter qn; **to take sb ~** prendre qn à part; **leaving ~ all these problems** laissons de côté tous ces problèmes; **to set a verdict ~** Jur casser un jugement; **2** (apart) **money ~, let's discuss accommodation** laissons de côté la question d'argent et parlons du logement; **joking ~** blague à part○

C **aside from** *prep phr* à part; **~ from political concerns** à part les inquiétudes politiques

asinine /'æsɪnaɪn/ *adj* sout [*behaviour, question*] sot/sotte; **an ~ remark** une sottise

ask /ɑːsk, US æsk/

A *vtr* **1** (enquire as to) demander [*name, reason*]; **to ~ a question** poser une question; **to ~ sb sth** demander qch à qn; **I ~ed him the time** je lui ai demandé l'heure; **I ~ed you a question!** je t'ai posé une question!; **there's something I'd like to ~ you** il y a quelque chose que j'aimerais te demander; **80% of those ~ed said no** 80% des personnes interrogées ont dit non; **'how?' she ~ed** 'comment?' a-t-elle demandé; **to ~ if** *ou* **whether/why/who** demander si/pourquoi/qui; **I ~ed her why** je lui ai demandé pourquoi; **I'm ~ing you how you did it** je veux savoir comment tu l'as fait; **I wasn't ~ing you** je ne t'ai rien demandé; **don't ~ me!** va savoir!; **2** (request) demander [*permission, tolerance*]; **to ~ sb's opinion about** demander à qn son avis sur; **it's too much to ~** c'est trop demander; **to ~ to do** demander à faire; **to ~ sb to do** demander à qn de faire; **to ~ sth of** *ou* **from sb** demander qch à qn; **all I ~ from you is loyalty** tout ce que je te demande c'est d'être loyal; **to ~ a price for sth** demander un prix pour qch; **what price is she ~ing for it?** combien elle le vend?; **the money is there for the ~ing** il y a de l'argent pour qui le demande; **I ~ you!** GB je te demande un peu!; **3** (invite) inviter [*person*]; **to ~ sb to** inviter qn à [*concert, party*]; **to ~ sb to dinner** inviter qn à dîner; **to ~ sb out** inviter qn à sortir; **to ~ sb in** inviter qn à entrer; **we ~ed him along** nous l'avons invité à se joindre à nous; **he ~ed her to marry him** il lui a demandé de l'épouser; **I wasn't ~ed** on ne m'a pas invité

B *vi* **1** (request) demander; **you could have ~ed** tu aurais pu demander; **you only have to ~** tu n'as qu'à demander; **2** (make enquiries) se renseigner (**about sth** sur qch); **to ~ about sb** s'informer au sujet de qn; **I'll ~ around** je demanderai autour de moi

C *v refl* **to ~ oneself** se demander [*reason*]; **to ~ oneself a question** se poser une question; **to ~ oneself why/who** se demander pourquoi/qui

(Phrasal verbs) ■ **ask after**: ▸ **~ after [sb]** demander des nouvelles de qn; **she ~ed after you** elle a demandé de tes nouvelles

■ **ask for**: ▸ **~ for [sth]** demander [*drink, money, help, restraint*]; **he was ~ing for it**○, **he ~ed for it**○! il l'a bien cherché!; ▸ **~ for [sb]** (on telephone) demander à parler à; (from sick bed) demander à voir; **the police were here ~ing for you** la police est venue ici et a demandé à te parler; **to ~ sb for sth** demander qch à qn; **I ~ed him for the time** je lui ai demandé l'heure

askance /ə'skæns/ *adv* **to look ~ at sb/sth** considérer qn/qch avec méfiance

askew /ə'skjuː/ *adj, adv* de travers

asking price *n* prix *m* demandé

aslant /ə'slɑːnt, US ə'slænt/

A *adv* obliquement

B *prep* en travers de

asleep /ə'sliːp/ *adj* **to be ~** dormir; **be quiet he's ~** ne fais pas de bruit il dort; **to fall ~** s'endormir; **they were found ~** on les a trouvés endormis; **to be half ~** (not yet awake) être à moitié endormi; (falling asleep) dormir à moitié; **to be sound** *ou* **fast ~** dormir à poings fermés; **to be ~ on one's feet** dormir debout

ASLEF /'æslef/ *n* GB (*abrév* = **Associated Society of Locomotive Engineers and Firemen**) syndicat *m* de cheminots

AS level /eɪ'eslevl/ *n* GB Sch (*abrév* = **Advanced Supplementary Level**) *examen de fin d'études secondaires*

> **AS level**
>
> Examen dans une discipline qui se situe entre le niveau du *GCSE* et celui des *A levels*. Un *AS level* compte pour la moitié d'un *A level* dans les critères d'admission à l'université. De nombreux élèves préparent une combinaison de *AS levels* et de *A levels* à la fin de leurs études secondaires. ▸ **A level, GCSE**

asocial /eɪ'səʊʃl/ *adj* asocial

asp /æsp/ *n* aspic *m*

asparagus /ə'spærəgəs/

A *n* asperge *f*; **do you like ~?** aimez-vous les asperges?

B *modif* [*frond, shoot*] d'asperge; [*mousse, sauce, soup*] aux asperges; **an ~ plant** une asperge

asparagus: **~ fern** *n* asparagus *m*; **~ tip** *n* pointe *f* d'asperge

ASPCA *n* GB (*abrév* = **American Society for the Prevention of Cruelty to Animals**) société *f* pour la protection des animaux

aspect /'æspekt/ *n* **1** (feature) aspect *m*; **2** (angle) point *m* de vue; **from a political ~** d'un point de vue politique; **to examine every ~ of sth** examiner qch sous tous ses aspects; **seen from this ~** vu sous cet angle; **3** (orientation) orientation *f*; **a westerly ~** une orientation ouest; **4** (view) vue *f*; **a pleasant front ~** une vue agréable sur le devant; **5** Astrol, Ling aspect *m*; **6** littér (appearance) aspect *m*; **a man of repulsive ~** un homme à l'allure repoussante

aspen /'æspən/ *n* tremble *m*

Asperger's syndrome /'æspɜːdʒəz sɪndrəʊm/ ▸ **p. 1327** *n* syndrome *m* d'Asperger

asperity /ə'sperətɪ/ *n* sout (of voice, style) aspérité *f*; (of person, comments) mordant *m*

aspersions /ə'spɜːʃns, US -ʒnz/ *npl* sout **to cast ~ on** dénigrer [*person*]; mettre en doute [*ability, capacity*]; **are you casting ~?** vous semez le doute?

asphalt /'æsfælt, US -fɔːlt/

A *n* bitume *m*

B *modif* [*drive, playground*] bitumé

C *vtr* bitumer

asphodel /'æsfədel/ *n* asphodèle *m*

asphyxia /əs'fɪksɪə, US æs'f-/ *n* Med asphyxie *f*; **the cause of death was ~** la mort est due à l'asphyxie; **to die from ~** mourir asphyxié

asphyxiate /əs'fɪksɪeɪt, US æs'f-/

A *vtr* asphyxier; **they were ~d by the smoke** ils ont été asphyxiés par la fumée

B *vi* s'asphyxier

asphyxiation /əs,fɪksɪ'eɪʃn/ *n* Med asphyxie *f*; **to die of** *ou* **from ~** mourir asphyxié; **to cause death by** *ou* **through ~** entraîner la mort par asphyxie

aspic /'æspɪk/ *n* Culin aspic *m*; **salmon in ~** aspic de saumon; **to preserve sth in ~** fig garder qch en conserve

aspidistra /,æspɪ'dɪstrə/ *n* aspidistra *m*

aspirant /ə'spaɪərənt/

A *n* **to be an ~ to sth** aspirer à qch

B *adj* **these ~ actors/managers** ces gens qui aspirent à devenir acteurs/directeurs

aspirate

A /'æspərət/ *n* Phon aspirée *f*

B /'æspərət/ *adj* aspiré

C /'æspɪreɪt/ *vtr* (all contexts) aspirer

aspiration /,æspɪ'reɪʃn/ *n* **1** (desire) aspiration *f* (**to** à); **to have ~s to do** aspirer à faire; **2** Med, Phon aspiration *f*

aspire /ə'spaɪə(r)/ *vi* aspirer (**to** à; **to do** à faire); **it ~s to be an exclusive restaurant** cela se veut un restaurant de luxe

aspirin /'æsprɪn/ *n* aspirine® *f*; **two ~(s)** deux comprimés d'aspirine; **half an ~** un demi comprimé d'aspirine

aspiring /ə'spaɪərɪŋ/ *adj* **~ authors/journalists etc** ceux qui aspirent à devenir auteurs/journalistes etc

ass /æs/ *n* **1** (donkey) âne *m*; **2** ○(fool) idiot/-e *m/f*; **to make an ~ of oneself** se rendre ridicule; **the law is an ~** GB la loi est absurde; **3** ◑US cul◑ *m*

(Idioms) **to get one's ~ in gear**◑, **to get off one's ~**◑ se magner le cul◑; **get your ~ out of here**◑! fous le camp◑!; **to have sb's ~**◑ se venger; **piece of ~**◑ nana◑ *f*; **to kick (some) ~**◑ cogner○; **to kiss sb's ~**◑ lécher le cul à qn◑; **not to know one's ~ from a hole in the ground**◑ être con◑ comme un balai; **to work one's ~ off**◑ travailler dur; **your ~ is grass**◑! tu vas en baver!

assail /ə'seɪl/ *vtr* sout **1** (attack) attaquer [*person*]; **2** (plague, harass) assaillir; **to be ~ed by worries/by doubts/by questions** être assailli par les soucis/par le doute/de questions; **we are constantly ~ed by demands** on nous bombarde de demandes

assailant /ə'seɪlənt/ *n* **1** (criminal) agresseur *m*; **2** Mil assaillant/-e *m/f*

Assam /æ'sæm/

A *pr n* (province) Assam *m*

B *n* (tea) thé *m* d'Assam

assassin /ə'sæsɪn, US -sn/ *n* assassin *m*

assassinate /ə'sæsɪneɪt, US -sən-/ *vtr* assassiner

assassination /ə,sæsɪ'neɪʃn, US -sə'neɪʃn/

A *n* assassinat *m*

B *modif* [*bid, attempt*] d'assassinat

assault /ə'sɔːlt/

A *n* **1** Jur (on person) agression *f* (**on** sur); (sexual) agression *f* sexuelle (**on** sur); **physical ~** agression *f*; **verbal ~** injures *fpl*; **2** gen, Mil (attack) assaut *m* (**on** de); **air/ground ~** assaut aérien/terrestre; **to make an ~ on** monter à l'assaut de [*fortress, town*]; attaquer [*troops*]; **to make an ~ on a record** Sport essayer de battre un record; **3** fig (criticism) (on belief, theory, shortcoming) attaque *f* (**on** de); (on person, organisation, reputation) atteinte *f* (**on** à); **to make an ~ on** attaquer [*policy, supposition*]; **4** fig (on ears, nerves) agression *f* (**on** de)

B *modif* [*troops, weapon, ship*] d'assaut

C *vtr* **1** Jur agresser [*person*]; **to be indecently ~ed** être victime d'une agression sexuelle; **2** Mil assaillir; **3** fig agresser [*ears, nerves*]

assault: **~ and battery** *n* Jur coups *mpl* et blessures *fpl*; **~ charge** *n* accusation *f* de coups et blessures; **~ course** *n* Mil parcours *m* du combattant; **~ craft** *n* bateau *m* d'assaut; **~ rifle** *n* fusil *m* d'assaut

assay /ə'seɪ/ Miner, Mining

A *n* essai *m*

B *vtr* analyser

ass-backwards◑ /,æs'bækwədz/ US

A *adj* sans queue ni tête

B *adv* **he does everything ~** il fait tout à l'envers

assegai /'æsəgaɪ/ *n* sagaie *f*

assemblage /ə'semblɪdʒ/ *n* sout **1** (collection of people, animals, objects, ideas) collection *f*; **2** Tech, Art assemblage *m*

assemble /ə'sembl/

A *vtr* **1** (gather) rassembler [*data, ingredients, people*]; **2** (construct) assembler; **easy to ~** facile à monter

B *vi* [*marchers, passengers, vehicles*] se rassembler; [*parliament, team, family*] se réunir

C **assembled** *pp adj* [*reporters, delegates*] rassemblé; [*family, friends*] réuni; **the ~d company** l'assistance

assembler /ə'semblə(r)/ ▸ p. 1683 *n* 1 (in factory) assembleur/-euse *m/f*; 2 (company) entreprise *f* d'assemblage; 3 Comput assembleur *m*

assembly /ə'semblɪ/ *n* 1 (of people) assemblée *f*; 2 Pol (institution) assemblée *f*; **legislative/general ~** assemblée législative/générale; 3 Sch rassemblement *m*; 4 Pol (congregating) réunion *f*; **freedom of ~** liberté *f* de réunion; 5 Ind, Tech (of components, machines) assemblage *m*; **~ instructions** instructions *fpl* de montage; 6 (of data, facts) rassemblement *m*; 7 Tech (device) assemblage *m*; **engine ~** bloc-moteur *m*; **tail ~** Aviat dérive *f*; 8 Comput assemblage *m*

> **Assembly**
>
> Dans les écoles britanniques, rassemblement quotidien des élèves et des membres du corps enseignant pour les prières et la diffusion des informations. Dans certains établissements, il a été remplacé par des réunions hebdomadaires au cours desquelles les élèves réfléchissent sur un sujet qui leur est proposé.

assembly: **~ hall** *n* hall *m* de réunion; **~ language** *n* Comput langage *m* assembleur

assembly line *n* chaîne *f* de montage; **to work on the ~** travailler à la chaîne

assembly: **~man** *n* US Pol membre *m* d'une assemblée législative; **~ plant** *n* Aut, Ind usine *f* de montage; **~ point** *n* lieu *m* de rassemblement; **~ room** *n* salle *f* de réunion; **~ shop** *n* Ind atelier *m* de montage; **~woman** *n* US membre *m* d'une assemblée législative

assent /ə'sent/
A *n* assentiment *m*; **to give one's ~ to sth** donner son assentiment à qch; **he nodded his ~** il acquiesça d'un signe de tête; **by common ~** d'un commun accord
B *vi* sout donner son assentiment (**to** à)

assert /ə'sɜːt/
A *vtr* 1 (state) affirmer (**that** que); (against opposition) soutenir (**that** que); **to ~ one's authority/strength** affirmer son autorité/pouvoir; 2 (demand) revendiquer [*right, claim*]
B *v refl* **to ~ oneself** s'affirmer

assertion /ə'sɜːʃn/ *n* (statement) déclaration *f* (**that** selon laquelle); **it was an ~ of her strength/authority** c'était une manière d'affirmer son pouvoir/autorité

assertive /ə'sɜːtɪv/ *adj* assuré

assertiveness /ə'sɜːtɪvnɪs/ *n* Psych, Admin affirmation *f* de soi; **lack of ~** manque *m* d'assurance; **I admire your ~** j'admire votre assurance *f*

assertiveness training *n* formation *f* à l'affirmation de soi

assess /ə'ses/
A *vtr* 1 gen évaluer [*ability, effect, person, problem, result, work*]; 2 Fin, Insur, Jur estimer [*damage, loss, property, value*]; 3 Tax imposer [*person*]; fixer [*tax, amount*]; **to be ~ed for tax** être imposé; 4 Sch contrôler [*pupil*]
B *vi* évaluer

assessable /ə'sesəbl/ *adj* imposable

assessment /ə'sesmənt/ *n* 1 gen appréciation *f* (**of** de); 2 Fin, Insur, Jur estimation *f* (**of** de); 3 Tax (*also* **tax ~**) imposition *f*; 4 Sch contrôle *m*

assessor /ə'sesə(r)/ ▸ p. 1683 *n* 1 Fin contrôleur *m*; 2 Insur expert *m*; 3 Jur assesseur *m*

asset /'æset/
A *n* 1 Fin bien *m*; 2 fig (advantage) (quality, skill, person) atout *m*; **she is a great ~ to the team** elle est un grand atout pour l'équipe
B **assets** *npl* (private) biens *mpl*, avoir *m* ₵; Comm, Fin, Jur actif *m* ₵; **~s and liabilities** actif et passif; **capital/property ~s** actif financier/immobilier

asset: **~ stripper** *n* dépeceur *m*; **~ stripping** *n* dépeçage *m*

asseverate /ə'sevəreɪt/ *vtr* sout affirmer solennellement

asseveration /əˌsevə'reɪʃn/ *n* sout affirmation *f* solennelle

asshole● /'æshəʊl/ *n* US connard◑/conasse◑ *m/f*

assiduity /ˌæsɪ'djuːətɪ, US -duː-/ *n* assiduité *f*

assiduous /ə'sɪdjʊəs, US -dʒʊəs/ *adj* assidu

assiduously /ə'sɪdjʊəslɪ, US -dʒʊəslɪ/ *adv* assidûment

assign /ə'saɪn/ *vtr* 1 (allocate) assigner [*funding, resources, housing, task*] (**to** à); 2 (delegate) **to ~ a task to sb, to ~ sb to a task** affecter qn à une tâche; **to ~ sb to do** désigner qn pour faire; **they were ~ed certain duties** on les a désignés pour faire certaines tâches; 3 (attribute) attribuer [*role, importance, name, value, responsibility*] (**to** à); 4 (appoint) nommer (**to** à); 5 Jur (transfer) céder; 6 (fix) assigner [*time, date, place*] (**for** à); 7 Comput **to ~ sth to a key** affecter qch à une touche

assignation /ˌæsɪg'neɪʃn/ *n* 1 sout *ou* hum rendez-vous *m* (**with** avec); 2 Jur cession *f*

assignee /ˌæsaɪ'niː/ *n* cessionnaire *mf*

assignment /ə'saɪnmənt/ *n* 1 (professional) (diplomatic, military) poste *m*; (specific duty) mission *f*; **to be on ~ to** être en poste à; 2 (academic) devoir *m*; 3 (of duties, staff, funds) affectation *f*; 4 Jur (of rights, contract) cession *f*

assignor /ə'saɪnə(r)/ *n* cédant *m*

assimilate /ə'sɪmɪleɪt/
A *vtr* (all contexts) assimiler (**to** à)
B *vi* s'assimiler (**to** à)

assimilation /əˌsɪmɪ'leɪʃn/ *n* (all contexts) assimilation *f* (**to** à)

Assisi /ə'siːsɪ/ ▸ p. 1815 *pr n* Assise

assist /ə'sɪst/
A *n* US Sport assistance *f*
B *vtr* 1 (help) gen aider; (in organization, bureaucracy) assister (**to do, in doing** à faire); **to ~ sb in/out/down etc** aider qn à entrer/sortir/descendre etc; **to ~ one another** s'entraider; **to ~ sb financially** aider qn financièrement; **a man is ~ing police with their inquiries** euph un homme est interrogé par la police dans le cadre de l'enquête; 2 (facilitate) faciliter [*development, process, safety*]
C *vi* 1 (help) aider (**in doing** à faire); **to ~ in** prendre part à [*operation, rescue*]; 2 sout (attend) assister (**at** à)
D **-assisted** (*dans composés*) **computer/operator-~ed** assisté par ordinateur/par un opérateur; **government-~ed scheme** projet financé par l'État

assistance /ə'sɪstəns/ *n* aide *f* (**to** à); (more formal) (in organization, bureaucracy) assistance *f* (**to** à); **to come to sb's ~** venir à l'aide de qn; **to give ~ to sb** prêter assistance à qn; **with the ~ of** avec l'aide de [*person*]; à l'aide de [*device, instrument, tool etc*]; **mutual ~** entraide *f*; **financial/economic/military ~** aide *f* financière/économique/militaire; **can I be of ~?** puis-je aider *or* être utile?

assistant /ə'sɪstənt/ ▸ p. 1683
A *n* 1 (helper) assistant/-e *m/f*; (in bureaucratic hierarchy) adjoint/-e *m/f*; 2 GB Sch, Univ (**foreign language**) **~** (in school) assistant/-e *m/f*; (in university) lecteur/-trice *m/f*
B *modif* [*editor, librarian, producer etc*] adjoint

assistant: **~ manager** ▸ p. 1683 *n* gérant/-e *m/f* adjoint/-e; **~ professor** ▸ p. 1683 *n* US Univ ≈ maître assistant *m*; **~ sales manager** ▸ p. 1683 *n* directeur/-trice *m/f* des ventes adjoint/-e

assistantship /ə'sɪstəntʃɪp/ *n* US Univ *poste d'assistant pour des étudiants diplômés chargés de travaux dirigés*

assist: **~ed place** *n* GB Sch *place d'élève subventionnée par l'État dans une école privée*; **~ed reproduction** *n* procréation *f* médicalement assistée; **~ed suicide** *n* suicide *m* assisté

assizes /ə'saɪzɪz/ *npl* GB Jur assises *fpl*

ass-kisser◑ /'æskɪsə(r)/ *n* lèche-cul◑ *mf inv*

associate
A /ə'səʊʃɪət/ *n* 1 (colleague, partner) associé/-e *m/f* also pej; **she's a business ~ of mine** c'est une de mes associées; **an ~ in crime** un/une complice; **Browns and Associates** Comm Browns et Associés; 2 (of society) associé/-e *m/f*; (of academic body) membre *m*; 3 US Univ ≈ Deug *m*
B /ə'səʊʃɪət/ *adj* [*body, member*] associé
C /ə'səʊʃɪeɪt/ *vtr* 1 (connect in thought, imagination) associer; **to ~ X with Y** associer X à Y; **these symptoms are ~d with old age** ces symptômes sont associés à la vieillesse; **I ~ him with Communism** je l'associe au communisme; 2 (be involved in) **to be ~d with** [*person*] faire partie de [*movement, group*]; péj être mêlé à [*shady business*]; **I don't want to be ~d with such a dishonest plan** je ne souhaite pas être mêlé à un projet si malhonnête
D /ə'səʊʃɪeɪt/ *vi* **to ~ with sb** fréquenter qn
E **associated** *pp adj* 1 (linked in thought) [*concept*] associé; 2 (connected) [*member*] associé; [*benefits, expenses*] annexe; **the department and its ~d services and committees** le département et les services et comités adjoints; **the plan and its ~d issues/problems** le projet et les questions/problèmes qui en découlent
F /ə'səʊʃɪeɪt/ *v refl* **to ~ oneself with** s'associer à [*campaign, policy*]

associate: **~ company** société *f* liée; **~ dean** Univ vice-président/-e *m/f*; **~ director** *n* Theat directeur/-trice *m/f* associé/-e; Comm directeur/-trice *m/f* adjoint/-e; **Associated Press, AP** *n* Journ *une des principales agences de presse*; **~ editor** ▸ p. 1683 rédacteur/-trice *m/f* associé/-e; **~ judge** *n* juge *m* assesseur; **~ justice** *n* US juge *m* de la Cour Suprême; **~ member** *n* membre *m* associé; **~ membership** *n* adhésion *f* en tant que membre associé; **~ professor** ▸ p. 1683 *n* US Univ ≈ maître *m* de conférences

association /əˌsəʊsɪ'eɪʃn/ *n* 1 (club, society) association *f*; **to form/join an ~** former/rejoindre une association; 2 (relationship) (between ideas) association *f*; (between organizations, people) relations *fpl* (**between** entre; **with** avec); (sexual) liaison *f* (**with** avec), **a close ~** une étroite association; **in ~ with** en association avec; 3 (mental evocation) (*gén pl*) souvenir *m*; **to have good/bad ~s for sb** rappeler de bons/mauvais souvenirs à qn; **to have ~s with sth** évoquer qch; **the word 'feminist' has certain ~s** le mot 'féministe' a certaines connotations

association football *n* GB football *m*

associative /ə'səʊʃɪətɪv/ *adj* associatif/-ive

associative store, associative storage *n* Comput mémoire *f* associative

assonance /'æsənəns/ *n* assonance *f*

assorted /ə'sɔːtɪd/ *adj* [*objects, events, colours etc*] varié; [*foodstuffs*] assorti; [*group*] hétérogène; **ill ~** mal assorti; **in ~ sizes** dans toutes les tailles

assortment /ə'sɔːtmənt/ *n* (of objects, products, colours) assortiment *m* (**of** de); (of people) mélange *m* (**of** de); **in an ~ of colours/sizes** dans différentes couleurs/tailles

Asst. *abrév écrite* = **assistant**

assuage /æ'sweɪdʒ/ *vtr* littér apaiser [*sorrow, pain, fear*]; étancher [*thirst*]; assouvir [*hunger, desire*]

assume /ə'sjuːm, US ə'suːm/ *vtr* 1 (suppose) supposer (**that** que); **I ~ she knows** je suppose qu'elle sait; **we must ~ that** on doit présumer que; **I ~ him to be French** je suppose qu'il est français; **assuming that to be true** en supposant que cela soit vrai; **it is/has been ~d that** on suppose/a supposé que; **tomorrow, I ~** demain, je suppose; **it is widely ~d that she knows** il est communément admis qu'elle sait; **let's ~** *ou* **assuming that's correct** supposons que cela soit exact; **they just ~ (that) he can't do it** ils croient qu'il est

a

incapable de le faire; **2** (take on) prendre [*control, identity, office, power, significance, shape*]; assumer [*duty, responsibility*]; affecter [*air, attitude, expression, ignorance, indifference*]; **under an ~d name** sous un nom d'emprunt

assumption /ə'sʌmpʃn/ *n* **1** (supposition) supposition *f*; (belief) idée *f*; Philos, Sci hypothèse *f*; **the ~ that** l'idée selon laquelle; **on the ~ that** dans l'idée que; **to work on the ~ that** présumer que; **to make an ~** faire une supposition; **a false ~** Philos, Sci une mauvaise hypothèse; **2** (of duty, power) prise *f* (**of** de)

Assumption /ə'sʌmpʃn/ *n* Relig Assomption *f*

assurance /ə'ʃɔ:rəns, US ə'ʃʊərəns/ *n* **1** (of sth done) assurance *f*; **to give sb an** *ou* **every ~ that** donner à qn l'assurance que; **2** (of future action, situation) promesse *f* (**of** de); **you have my ~ that** je peux vous assurer que; **repeated ~s** des promesses réitérées; **3** (self-confidence) assurance *f*; **4** GB Insur assurance *f*; **life ~** assurance-vie *f*

assure /ə'ʃɔ:(r), US ə'ʃʊər/ *vtr* **1** (state positively) assurer; **to ~ sb that** assurer à qn que; **I (can) ~ you** je vous assure; **to be ~d of sth** être sûr de qch; **I was ~d by the council that** la municipalité m'a assuré que; **rest ~d that** soyez assuré que; **2** (ensure) assurer [*agreement, peace, safety etc*]; **this ~s her a place in the team** cela lui assure une place dans l'équipe; **3** GB Insur assurer

assured /ə'ʃɔ:d, US ə'ʃʊərd/
A *n* GB Insur **the ~** l'assuré/-e *m/f*
B *adj* **1** (confident) [*voice, manner*] assuré; [*person*] plein d'assurance; **she is very ~** elle a beaucoup d'assurance; **2** (beyond doubt) assuré

assuredly /ə'ʃɔ:rɪdlɪ, US -'ʃʊər-/ *adv* sout assurément

Assyria /ə'sɪrɪə/ ▸ p. 1096 *pr n* Hist Assyrie *f*

Assyrian /ə'sɪrɪən/ ▸ p. 1467, p. 1378
A *n* **1** (person) Assyrien/-ienne *m/f*; **2** (language) assyrien *m*
B *adj* assyrien/-ienne

AST *n*: *abrév* ▸ **Atlantic Standard Time**

astatine /'æstəti:n/ *n* astate *m*

aster /'æstə(r)/ *n* aster *m*

asterisk /'æstərɪsk/
A *n* astérisque *m*; **marked with an ~** marqué d'un astérisque
B *vtr* marquer [qch] d'un astérisque

astern /ə'stɜ:n/ *adv* Naut à l'arrière (**of** de); **to go ~** [*vessel*] faire machine arrière

asteroid /'æstərɔɪd/ *n* astéroïde *m*

asthma /'æsmə, US 'æzmə/ ▸ p. 1327
A *n* asthme *m*; **to have ~** avoir de l'asthme
B *modif* **~ sufferer** asthmatique *mf*

asthmatic /æs'mætɪk/ *n, adj* asthmatique (*mf*)

astigmatic /,æstɪg'mætɪk/ *n, adj* astigmate (*mf*)

astigmatism /ə'stɪgmətɪzəm/ *n* astigmatisme *m*

astir /ə'stɜ:(r)/ *adj* **1** (up and about) debout *inv*; **2** (moving) en mouvement

ASTMS /'æstmz/ *n* GB (*abrév* = **Association of Scientific, Technical, and Managerial Staffs**) syndicat *m* des employés de bureau et de laboratoire

astonish /ə'stɒnɪʃ/ *vtr* surprendre, étonner; **it ~es me that** ce qui me surprend *or* m'étonne c'est que; **I was ~ed by his answer** sa réponse m'a vraiment surpris *or* étonné; **you ~ me!** iron tu m'étonnes!

astonished /ə'stɒnɪʃt/ *adj* surpris, étonné (**by, at** par; **to do** de faire); **to be ~ that** être vraiment étonné que (+ *subj*), trouver extraordinaire que (+ *subj*)

astonishing /ə'stɒnɪʃɪŋ/ *adj* [*ability, skill, intelligence, generosity*] étonnant; [*bargain, career, performance*] extraordinaire; [*beauty, energy, speed, success, profit*] incroyable; **it is ~ that** il est incroyable que (+ *subj*); **prices rose by an ~ 40%** les prix ont augmenté de 40%, pourcentage étonnant

astonishingly /ə'stɒnɪʃɪŋlɪ/ *adv* incroyablement; **~ (enough), they won!** chose extraordinaire, ils ont gagné!

astonishment /ə'stɒnɪʃmənt/ *n* surprise *f*, étonnement *m*; **in** *ou* **with ~** avec surprise *or* stupéfaction; **to my/her ~** à ma/sa grande surprise; **to look at sb/sth in ~** regarder qn/qch avec étonnement

astound /ə'staʊnd/ *vtr* stupéfier; **to be ~ed by sth** être stupéfié par qch

astounded /ə'staʊndɪd/ *adj* stupéfait (**at** de; **to do** de faire)

astounding /ə'staʊndɪŋ/ *adj* incroyable

astrakhan /,æstrə'kæn, US 'æstrəkən/
A *n* astrakan *m*
B *modif* [*garment*] d'astrakan

astral /'æstrəl/ *adj* astral

astray /ə'streɪ/ *adv* **1** **to go astray** (go missing) [*object, funds*] se perdre, être perdu; [*person*] se perdre; **2** **to go astray** (go wrong) [*plan etc*] être contrarié; **3** fig **to lead sb ~** (confuse) induire qn en erreur; (corrupt) détourner qn du droit chemin

astride /ə'straɪd/
A *adv* lit [*be, ride, sit*] à califourchon; [*stand*] jambes écartées
B *prep* (seated) à califourchon sur; (standing) jambes écartées au-dessus de; fig **to stand** *ou* **sit ~ sth** [*building, company etc*] dominer qch

astringent /ə'strɪndʒənt/
A *n* astringent *m*
B *adj* **1** Cosmet, Med astringent; **2** fig [*remark, tone*] cinglant

astrologer /ə'strɒlədʒə(r)/ ▸ p. 1683 *n* astrologue *mf*

astrological /,æstrə'lɒdʒɪkl/ *adj* astrologique

astrologist /ə'strɒlədʒɪst/ *n* = **astrologer**

astrology /ə'strɒlədʒɪ/ *n* astrologie *f*

astronaut /'æstrənɔ:t/ ▸ p. 1683 *n* astronaute *mf*

astronautical /,æstrə'nɔ:tɪkl/ *adj* astronautique

astronautics /,æstrə'nɔ:tɪks/ *n* (+ *v sg*) astronautique *f*

astronomer /ə'strɒnəmə(r)/ ▸ p. 1683 *n* astronome *mf*

astronomical /,æstrə'nɒmɪkl/, **astronomic** /,æstrə'nɒmɪk/ *adj* Astron, fig astronomique

astronomically /,æstrə'nɒmɪkəlɪ/ *adv* **prices are ~ high** les prix sont astronomiques; **~ expensive** incroyablement cher

astronomy /ə'strɒnəmɪ/ *n* astronomie *f*

astrophysicist /,æstrəʊ'fɪzɪsɪst/ ▸ p. 1683 *n* astrophysicien/-ienne *m/f*

astrophysics /,æstrəʊ'fɪzɪks/ *n* (+ *v sg*) astrophysique *f*

Astroturf® /'æstrəʊtɜ:f/ *n* gazon *m* artificiel

astute /ə'stju:t, US ə'stu:t/ *adj* astucieux/-ieuse

astutely /ə'stju:tlɪ, US ə'stu:tlɪ/ *adv* astucieusement

astuteness /ə'stju:tnɪs, US -'stu:-/ *n* astuce *f*

asunder /ə'sʌndə(r)/ *adv* littér **to tear sth ~** déchirer qch

Aswan /æs'wɑ:n/ *pr n* Assouan; **~ High Dam** (haut) barrage *m* d'Assouan

asylant /ə'saɪlənt/ *n* sout réfugié/-e *m/f*

asylee /æsar'li:/ *n* US bénéficiaire *mf* du droit d'asile

asylum /ə'saɪləm/ *n* **1** gen, Pol asile *m*; **to grant/give/seek ~** accorder/donner/chercher asile; **political ~** asile politique; **right of ~** droit *m* d'asile; **2** †Med péj asile *m*; **lunatic ~** asile de fous

asylum-seeker *n* demandeur/-euse *m/f* d'asile

> **at**
>
> When *at* is used as a straightforward preposition it is translated by *à*:
>
> ***at the airport***
> = à l'aéroport
>
> ***at midnight***
> = à minuit
>
> ***at the age of 50***
> = à l'âge de 50 ans
>
> Remember that *à + le* always becomes *au* and *à + les* always becomes *aux* (*au bureau, aux bureaux*).
>
> When *at* means *at the house, shop*, etc. *of*, it is translated by *chez*:
>
> ***at Amanda's***
> = chez Amanda
>
> ***at the hairdresser's***
> = chez le coiffeur
>
> If you have doubts about how to translate a phrase or idiom beginning with at (*at the top of, at home, at a guess* etc.) you should consult the appropriate noun entry (**top, home, guess** etc.). This dictionary contains usage notes on such topics as **age, the clock, length measurement, games and sports** etc. Many of these use the preposition *at*. For the index to these notes ▸ **p. 1948**.
>
> *at* also often appears in English as the second element of a phrasal verb (*look at, aim at*, etc.). For translations, look at the appropriate verb entry (**look, aim** etc.).
>
> *at* is used after certain nouns, adjectives and verbs in English (*her surprise at, an attempt at, annoyed at* etc.). For translations, consult the appropriate noun, adjective or verb entry (**surprise, attempt, annoy** etc.).
>
> In the entry **at**, you will find particular usages and idiomatic expressions which do not appear elsewhere in the dictionary.

asymmetric /,eɪsɪ'metrɪk/, **asymmetrical** /,eɪsɪ'metrɪkl/ *adj* asymétrique; **~ bars** Sport barres asymétriques

asymmetrical warfare *n* Mil guerre *f* asymétrique

asymmetry /eɪ'sɪmɪtrɪ, æ'sɪmɪtrɪ/ *n* asymétrie *f*

asymptomatic /əsɪmptə'mætɪk, eɪ-/ *adj* asymptomatique

asynchronous /eɪ'sɪŋkrənəs/ *adj* Comput asynchrone

at /æt, ət/ *prep* **1** (with place, time, age etc) à; **2** (at the house etc of) chez; **3** (followed by superlative) **the garden is ~ its prettiest in June** juin est le mois où le jardin est le plus beau; **I'm ~ my best in the morning** c'est le matin que je me sens le mieux; **he was ~ his most irritating** il était particulièrement énervant; **she was ~ her best ~ 50** (of musician, artist etc) à 50 ans elle était au sommet de son art; **4** °(harassing) **he's been (on) ~ me to buy a new car** il n'arrête pas de me casser les pieds pour que j'achète une nouvelle voiture°

(Idioms) **I don't know where he's ~**° je ne le comprends pas du tout; **while we're ~ it**° pendant qu'on y est°; **I've been (hard) ~ it all day** je n'ai pas arrêté de la journée; **they're ~ it again**°! les voilà qui recommencent!

AT *n*: *abrév* ▸ **alternative technology**

atavism /'ætəvɪzəm/ *n* atavisme *m*

atavistic /,ætə'vɪstɪk/ *adj* atavique

ataxia /ə'tæksɪə/ *n* ataxie *f*

ataxic /ə'tæksɪk/ *adj* ataxique

ATB *n*: *abrév* ▸ **all-terrain bike**

a

ATC *n* 1 *abrév* ► **air-traffic control**; 2 GB (*abrév* = **Air Training Corps**) unité *f* de préparation militaire pour l'armée de l'air (*jusqu'à 18 ans*)

ate /eɪt/ *prét* ► **eat**

Athanasian Creed /ˌæθəneɪʃn 'kri:d/ *n* credo *m* de Saint Athanase

atheism /'eɪθɪɪzəm/ *n* athéisme *m*

atheist /'eɪθɪɪst/ *n, adj* athée (*mf*)

atheistic /ˌeɪθɪ'ɪstɪk/ *adj* athée

Athena /ə'θi:nə/ *pr n* Athéna

Athenian /ə'θi:nɪən/

A *n* Athénien/-ienne *m/f*

B *adj* athénien/-ienne

Athens /'æθɪnz/ ► **p. 1815** *pr n* Athènes

athirst /ə'θɜ:st/ *adj* littér **to be ~ for sth** être assoiffé de qch

athlete /'æθli:t/ *n* athlète *mf*

athlete's foot /ˌæθli:ts 'fʊt/ ► **p. 1327** *n* mycose *f*, champignons *mpl* aux pieds; **to have ~** avoir une mycose

athletic /æθ'letɪk/ *adj* 1 [*event, club, coach*] d'athlétisme; 2 [*person, body*] athlétique

athletics /æθ'letɪks/ ► **p. 1253**

A *n* (+ *v sg*) GB athlétisme *m*; US sports *mpl*

B *modif* [*club*] GB d'athlétisme; US sportif/-ive

athletic support GB, **athletic supporter** US *n* suspensoir *m*

atishoo /ə'tɪʃu:/ *excl* atchoum!

Atlantic /ət'læntɪk/

A ► **p. 1493** *pr n* **the ~** l'Atlantique *m*

B *adj* gen de l'Atlantique; [*coast, current*] atlantique

Atlantic: **~ Charter** *n* Hist Pacte *m* atlantique; **~ Ocean** *n* océan *m* Atlantique; **~ Provinces** *npl* Provinces *fpl* atlantiques; **~ Standard Time**, **AST** *n* heure *f* normale de l'Atlantique

Atlantis /ət'læntɪs/ *pr n* l'Atlantide *f*

atlas /'ætləs/ *n* atlas *m*; **road/motoring ~** atlas routier/automobile

Atlas Mountains *pr npl* (montagnes *fpl* de l')Atlas *m*

ATM *n*: *abrév* ► **automatic teller machine**

atmosphere /'ætməsfɪə(r)/ *n* 1 (air) gen, Phys atmosphère *f*; **the earth's ~** l'atmosphère terrestre; 2 (mood) gen ambiance *f*; (bad) atmosphère *f*; **there was a bit of an ~**○ l'atmosphère était tendue; **the film is full of ~** le film est très évocateur

atmospheric /ˌætməs'ferɪk/

A **atmospherics** *npl* 1 Radio, TV (interference) parasites *mpl*, bruit *m* atmosphérique; Meteorol (disturbances) perturbations *fpl* atmosphériques; 2 (of song, film) ambiance *f*

B *adj* 1 [*conditions, pressure, pollution*] atmosphérique; 2 [*film, lighting, music*] d'ambiance

atoll /'ætɒl/ *n* atoll *m*

atom /'ætəm/ *n* Phys, fig atome *m*; **hydrogen ~** atome d'hydrogène

atom bomb *n* bombe *f* atomique

atomic /ə'tɒmɪk/ *adj* 1 [*structure*] atomique; 2 [*weapon, explosion, power*] nucléaire, atomique

atomic: **Atomic Energy Authority**, **AEA** *n* GB Commissariat *m* à l'énergie atomique; **Atomic Energy Commission**, **AEC** *n* US Commissariat *m* à l'énergie atomique; **~ power station** *n* centrale *f* atomique; **~ reactor** *n* réacteur *m* atomique; **~ scientist** ► **p. 1683** *n* atomiste *mf*; **~ theory** *n* théorie *f* atomique; **~ weight** *n* masse *f* atomique

atomize /'ætəmaɪz/ *vtr* 1 Phys (into atoms) atomiser; 2 (into spray) atomiser; 3 (destroy) pulvériser

atomizer /'ætəmaɪzə(r)/ *n* atomiseur *m*

atonal /eɪ'təʊnl/ *adj* atonal

atonality /ˌeɪtəʊ'nælətɪ/ *n* atonalité *f*

atone /ə'təʊn/ *vi* **to ~ for** expier [*sin, crime*]; racheter [*error, rudeness*]

atonement /ə'təʊnmənt/ *n* rédemption *f*; **Day of Atonement** Grand Pardon *m*

atonic /ə'tɒnɪk/ *adj* Med, Mus atone

atop /ə'tɒp/ *prep* littér en haut de

atria /'eɪtrɪə/ *pl* ► **atrium**

atrium /'eɪtrɪəm/ *n* (*pl* **atria**) 1 Anat orifice *m* auriculo-ventriculaire; 2 Archit atrium *m*

atrocious /ə'trəʊʃəs/ *adj* 1 (horrifying) [*crime, treatment etc*] atroce; 2 (bad) [*accent, spelling, price etc*] épouvantable; [*food*] infecte

atrociously /ə'trəʊʃəslɪ/ *adv* de façon atroce

atrocity /ə'trɒsətɪ/ *n* (all contexts) atrocité *f*

atrophied /'ætrəfɪd/ *adj* (all contexts) atrophié

atrophy /'ætrəfɪ/

A *n* 1 (degeneration) dégénérescence *f*; 2 Med atrophie *f*

B *vi* Med, fig s'atrophier

at sign /'æt saɪn/ *n* Comput arobase *m*

attaboy○ /'ætəbɔɪ/ *excl* US bravo!

attach /ə'tætʃ/

A *vtr* 1 (fasten) attacher [*object*] (**to** à); (to letter) joindre; 2 (to organization) **to be ~ed to sth** être attaché à qch; 3 (attribute) attacher [*condition, importance*] (**to** à); **to ~ blame to sb for sth** reprocher qch à qn; 4 (in email) joindre, envoyer [qch] en pièce jointe [*document, file*]

B *vi* sout **to ~ to sth** [*blame*] reposer sur qch; [*responsibility*] faire partie de qch; [*salary*] être afférent à qch

C *v refl* **to ~ oneself to sb/sth** lit, fig s'attacher à qn/qch

attaché /ə'tæʃeɪ, US ˌætə'ʃeɪ/ *n* attaché/-e *m/f*; **cultural/military/press ~** attaché/-e culturel/-elle/militaire/de presse

attaché case *n* attaché-case *m*

attached /ə'tætʃt/ *adj* 1 (fond) **~ to sb/sth** attaché à qn/qch; **to grow ~ to sb/sth** s'attacher à qn/qch; 2 [*document, photograph*] ci-joint; 3 [*outbuilding*] attenant; **a house with ~ garage** *ou* **with garage ~** une maison avec un garage attenant

attachment /ə'tætʃmənt/ *n* 1 (affection) attachement *m* (**to, for** pour); **to form an ~ to sb** s'attacher à qn; 2 (device) accessoire *m*; **mixing/slicing ~** accessoire pour mixer/pour faire des tranches; 3 (placement) **to be on ~ to** être en détachement à; 4 (act of fastening) fixation *f*; 5 Jur **~ of earnings** retenue *f* sur salaire; 6 (in email) pièce *f* jointe

attack /ə'tæk/

A *n* 1 gen, Mil, Sport attaque *f* (**on** contre); (unprovoked, criminal) agression *f* (**against, on** contre); (terrorist) attentat *m*; **on the ~** à l'attaque; **to come under ~** Mil être attaqué (**from** par); fig être l'objet de critiques virulentes (**from** de la part de); **to leave oneself open to ~** fig s'exposer à la critique; **to feel under ~** se sentir agressé; **to mount** *ou* **launch an ~ on sth** lit attaquer; fig s'attaquer à qch; 2 Med (of chronic illness) crise *f* (**of** de); **to have an ~ of flu** attraper la grippe; **to have an ~ of hiccups** avoir le hoquet; **to have an ~ of giggles** être pris d'un fou rire

B *vtr* 1 gen, Med, Mil, Sport attaquer [*person, enemy, position*]; (criminally) agresser [*victim*]; fig attaquer [*book, idea, policy*]; 2 (tackle) s'attaquer à [*task, problem*]

(Idiom) **~ is the best form of defence** l'attaque est la meilleure défense

attacker /ə'tækə(r)/ *n* gen agresseur *m*; Mil, Sport attaquant/-e *m/f*; **sex ~** violeur *m*

attain /ə'teɪn/ *vtr* 1 (achieve) atteindre [*position, objective*]; réaliser [*ambition*]; acquérir [*knowledge*]; parvenir à [*happiness*]; 2 (reach) atteindre [*eye*]

attainable /ə'teɪnəbl/ *adj* réalisable

attainment /ə'teɪnmənt/ *n* 1 (achieving) (of knowledge) acquisition *f*; (of goal) réalisation *f*; 2 (success) réussite *f*

attainment target *n* Sch cible *f* d'acquisition

attempt /ə'tempt/

A *n* 1 tentative *f* (**to do de faire**); **to make an ~ to do** *ou* **at doing** tenter de faire; **in an ~ to do** pour essayer de faire; **on my/his first ~** dès ma/sa première tentative; **~ to escape, escape ~** tentative d'évasion; **to make an ~ on a record** tenter de battre un record; **at least she made an ~!** au moins elle a essayé!; **he made no ~ to apologize** il n'a même pas tenté de s'excuser; **good ~!** bien essayé!; **he made an ~ at a smile** il a esquissé un sourire; **it's my first ~ at a cake** c'est la première fois que je fais un gâteau; **not bad for a first ~!** ce n'est pas mal pour un premier essai!; 2 (attack) attentat *m*; **~ on sb's life** attentat contre la vie de qn; **to make an ~ on sb's life** attenter à la vie de qn

B *vtr* tenter (**to do de faire**); s'attaquer à [*exam question*]; **to ~ suicide** tenter de se suicider; **to ~ the impossible** tenter l'impossible; **~ed robbery/murder** tentative de vol/meurtre

attend /ə'tend/

A *vtr* 1 (go to, be present at) assister à [*birth, ceremony, auction, interview, meeting, performance*]; aller à [*church, school*]; suivre [*class, course*]; **the event was well/poorly ~ed** beaucoup de/peu de monde assistait à l'événement; 2 (accompany) [*courtier*] accompagner; [*consequence, danger*] fig sout accompagner; [*publicity*] fig sout entourer; 3 (take care of) soigner [*patient*]

B *vi* 1 (be present) être présent; 2 (pay attention) être attentif/-ive (**to** à); **now ~ to me, children!** †écoutez-moi bien, les enfants!

(Phrasal verb) ■ **attend to**: ► **~ to [sb/sth]** s'occuper de [*person, problem*]; **that lock/letter needs ~ing to, John** il faut s'occuper de cette serrure/lettre, John; **are you being ~ed to, madam?** est-ce que quelqu'un s'occupe de vous, madame?

attendance /ə'tendəns/ *n* 1 (presence) (at event, meeting, course) présence *f* (**at** à); (at clinic) visite *f* (**at** à); **church ~** pratique *f* religieuse; **school ~** gen fréquentation *f* scolaire; (for specific period) présence *f* à l'école; **his ~ at school has been poor** il n'a pas beaucoup fréquenté l'école; **to take ~** US Sch prendre les présences; **to be in ~** être présent; 2 (number of people present) assistance *f*; 3 (as helper, companion) **to be in ~ on** s'occuper de [*patient*]; accompagner [*dignitary*]

attendance: **~ allowance** *n* GB Soc Admin *allocation payée par l'État à quelqu'un qui s'occupe d'un proche sévèrement handicapé*; **~ centre** *n* GB Jur centre *m* de réinsertion sociale; **~ officer** ► **p. 1683** *n* Sch inspecteur/-trice *m/f*; **~ record** *n* taux *m* de présence; **~ register** *n* Sch registre *m* des absences

attendant /ə'tendənt/

A *n* 1 ► **p. 1683** (in cloakroom, museum, car park) gardien/-ienne *m/f*; (in cinema) ouvreuse *f*; (at petrol station) pompiste *mf*; (at swimming pool) surveillant/-e *m/f*; **medical ~** membre *m* du personnel médical; 2 (for bride etc) demoiselle *f* d'honneur; **the queen and her ~s** la reine et sa suite; 3 †(servant) domestique *mf*

B *adj* sout 1 (associated) [*cost, danger, issue, perk, problem*] associé; [*symptom*] concomitant; 2 (attending) [*aide, helper, bodyguard*] attaché à sa personne; [*nurse*] en charge

attention /ə'tenʃn/

A *n* 1 (notice, interest) attention *f*; **media ~** attention des médias; **to attract (much) ~** attirer (beaucoup) l'attention; **to get/hold/have sb's ~** attirer/retenir/avoir l'attention de qn; **to be the centre** *ou* **focus of attention** être le centre d'attention; **to draw ~ to sth, to focus ~ on sth** attirer l'attention sur qch; **to seek** *ou* **demand ~** [*child*] chercher à attirer l'attention; **to give one's full ~ to sth** prêter toute son attention à qch; **to divide one's ~ between X and Y** partager son attention entre X et Y; **to turn one's ~ to sth** tourner son attention sur qch; **I wasn't paying ~** je ne faisais pas attention; **to bring sth to sb's ~** porter qch à l'attention de qn; **it has come to my ~ that** il est venu à mon attention que; **it has been drawn to my ~ that** j'ai

a

appris que; ~ **please!** votre attention s'il vous plaît!; **pay ~!** écoutez!; **2** (treatment, care) gen attention *f*; Med assistance *f*; **medical ~** assistance médicale; **his spelling needs ~** il doit faire attention à l'orthographe; **~ to detail** le souci du détail; **to give some ~ to sth** s'occuper de qch; **the car needs ~** il faut s'occuper de la voiture; **my hair needs ~** il faut que je fasse quelque chose pour mes cheveux; **I will give the matter my earliest** *ou* **urgent ~** sout je m'occuperai de la question dès que possible; **for the ~ of** à l'attention de; **some letters for your ~, sir** pourriez-vous regarder ces lettres monsieur?; **with proper ~ she will recover** si elle est bien suivie, elle se rétablira; **with proper ~ the washing machine will last for years** bien entretenue, cette machine à laver marchera de nombreuses années; **3** Mil **to stand to** *ou* **at ~** être au garde-à-vous; **to come to ~** se mettre au garde-à-vous
B *excl* Mil garde-à-vous!

attention deficit hyperactivity disorder, ADHD *n* trouble *m* d'hyperactivité avec déficit de l'attention, THADA *m*

attention-seeking
A *n* besoin *m* d'attirer l'attention
B *adj* [*person*] cherchant à attirer l'attention

attention span *n* **he has a very short ~** il n'arrive pas à se concentrer très longtemps

attentive /əˈtentɪv/ *adj* (alert) attentif/-ive; (solicitous) attentionné (**to** à)

attentively /əˈtentɪvlɪ/ *adv* (alertly) attentivement; (solicitously) avec attention

attentiveness /əˈtentɪvnɪs/ *n* **1** (concentration) attention *f*; **2** (solicitude) prévenance *f*

attenuate /əˈtenjʊeɪt/
A *adj* (*also* **attenuated**) atténué
B *vtr* **1** modérer [*criticism, attack*]; **2** Med amincir

attenuation /əˌtenjʊˈeɪʃn/ *n* **1** (of criticism, attack) modération *f*; **2** Med (of body, limb) amincissement *m*

attest /əˈtest/ sout
A *vtr* **1** (prove) confirmer; **an ~ed fact** un fait reconnu; **2** (declare) attester (**that** que); **3** (authenticate) légaliser [*will, signature*]; **4** Admin viser [*application, certificate*]
B *vi* **1 to ~ to** (prove) [*fact, development, skill*] témoigner de; **2** (affirm) attester; **as the figures will ~** comme les chiffres l'attesteront

attestation /ˌæteˈsteɪʃn/ *n* attestation *f*

attic /ˈætɪk/ *n* grenier *m*; **in the ~** au grenier

Attica /ˈætɪkə/ *pr n* Attique *f*

attic: ~ room *n* mansarde *f*; **~ window** *n* lucarne *f*

Attila /ˈætɪlə, əˈtɪlə/ *pr n* **~ the Hun** Attila, roi des Huns

attire† /əˈtaɪə(r)/
A *n* gen vêtements *mpl*; hum accoutrement *m*; **in formal ~** en tenue officielle
B *vtr* vêtir; **~d in** vêtu de

attitude /ˈætɪtjuːd, US -tuːd/
A *n* **1** (way of behaving or reacting) attitude *f* (**to, towards** GB à l'égard de); **her ~ to life/the world** sa façon de voir la vie/le monde; **this will require a change in ~** ceci exigera un changement de comportement; **2** (affected pose) pose *f* affectée; **to strike an ~** prendre une pose affectée; **3** ○(assertiveness, dynamism) **to have ~** avoir de l'allure; **4** (physical position) position *f*
B attitudes *npl* (of social group etc) comportements *mpl*
C *modif* **to have an ~ problem** avoir des problèmes relationnels

attitudinal /ˌætɪˈtjuːdɪnl/ *adj* [*change, problem*] d'attitude

attitudinize /ˌætɪˈtjuːdɪnaɪz, US -ˈtuːdən-/ *vi* péj prendre une attitude affectée

attorney /əˈtɜːnɪ/ *n* **1** ▸ **p. 1683** US (lawyer) avocat *m*; **2 power of ~** procuration *f*; **letter of ~** procuration *f*

Attorney General, AG *n* (*pl* **Attorneys General**) Attorney *m* General, ministre *m* de la justice des États-Unis

attract /əˈtrækt/ *vtr* **1** gen attirer [*person, animal, students, buyers, custom, investment, criticism etc*]; **to ~ attention** attirer l'attention; **to ~ sb's attention** attirer l'attention de qn (**to** sur); **he was very ~ed to her** elle l'attirait beaucoup; **2** Fin [*account, sum*] comporter [*interest rate*]

attraction /əˈtrækʃn/ *n* **1** (favourable feature) (of proposal, place, offer) attrait *m* (**of sth** de qch; **of doing** de faire; **for** pour); **I can't see the ~ of (doing)** je ne vois pas l'intérêt de (faire); **to have** *ou* **hold little ~/some ~** présenter peu d'intérêt/un certain intérêt; **2** (entertainment, sight) attraction *f*; **tourist ~** attraction touristique; **the main ~** la principale attraction; **3** (instinctive or sexual allure) attirance *f* (**to** pour); **4** Phys attraction *f*; **5** Bot (to light) attirance *f*

attractive /əˈtræktɪv/ *adj* [*person*] séduisant; [*child*] charmant; [*place, design, music, feature*] attrayant; [*offer, idea, rate*] séduisant, attrayant (**to** pour); [*plant*] joli; [*food*] appétissant; **he's/she's very ~** il/elle a beaucoup de charme

attractively /əˈtræktɪvlɪ/ *adv* [*furnished, arranged*] de manière attrayante; [*dressed*] coquettement; **~ priced** mis en vente à un prix intéressant

attractiveness /əˈtræktɪvnɪs/ *n* (of person, place) charme *m*; (of investment) attrait *m*; (of proposal) intérêt *m*

attributable /əˈtrɪbjʊtəbl/ *adj* **to be ~ to** [*change, profit, success etc*] être dû à; [*error, fall, loss etc*] être imputable à

attributable profit *n* Fin bénéfices *mpl* nets

attribute
A /ˈætrɪbjuːt/ *n* gen attribut *m*; Ling épithète *f*
B /əˈtrɪbjuːt/ *vtr* attribuer [*blame, responsibility, crime, death, delay, profit, success*] (**to** à); imputer, attribuer [*error, failure, breakdown*] (**to** à); accorder [*features, qualities*] (**to** à); attribuer [*remark, statement, work of art*] (**to** à)

attribution /ˌætrɪˈbjuːʃn/ *n* attribution *f* (**of** de; **to** à)

attributive /əˈtrɪbjʊtɪv/ *adj* Ling épithète

attributively /əˈtrɪbjʊtɪvlɪ/ *adv* Ling **used ~** employé comme épithète

attrition /əˈtrɪʃn/ *n* (all contexts) usure *f*; **war of ~** guerre *f* d'usure

attune /əˈtjuːn, US əˈtuːn/
A *vtr* **to be ~d to sth** être sensible à qch
B *v refl* **to ~ oneself to sth** s'adapter à qch

ATV *n*: *abrév* ▸ **all-terrain vehicle**

atypical /ˌeɪˈtɪpɪkl/ *adj* atypique

AU *n* (*abrév* = **African Unity**) UA *f*

Aube ▸ **p. 1129** *pr n* Aube *f*; **in/to the ~** dans l'Aube

aubergine /ˈəʊbəʒiːn/ *n* GB aubergine *f*

aubretia /ɔːˈbriːʃə/ *n* aubriétie *f*

auburn /ˈɔːbən/ ▸ **p. 1067** *adj* auburn *inv*

auction /ˈɔːkʃn, ˈɒkʃn/
A *n* enchère *f* (*gen pl*); **at ~** aux enchères; **to put sth up for/to be up for ~** mettre qch/être aux enchères; **to sell/for sale by ~** vendre/en vente aux enchères; **to go to an ~** aller à une vente aux enchères
B *vtr* vendre aux enchères; **they have ~ed their house** ils ont vendu leur maison aux enchères

(Phrasal verb) ■ **auction off**: ▸ **~ [sth] off, ~ off [sth]** vendre qch aux enchères

auction bridge *n* bridge *m* aux enchères

auctioneer /ˌɔːkʃəˈnɪə(r)/ ▸ **p. 1683** *n* commissaire-priseur *m*

auction: ~ house *n* US société *f* de commissaires-priseurs; **~ room(s)** *n(pl)* salle *f* de vente aux enchères; **~ sale** *n* vente *f* aux enchères

audacious /ɔːˈdeɪʃəs/ *adj* (bold) audacieux/-ieuse; (cheeky) impudent

audaciously /ɔːˈdeɪʃəslɪ/ *adv* audacieusement

audacity /ɔːˈdæsətɪ/ *n* audace *f*; **to have the ~ to...** avoir l'audace de...

Aude ▸ **p. 1129** *pr n* Aude *f*; **in/to the ~** dans l'Aude

audibility /ˌɔːdəˈbɪlətɪ/ *n* audibilité *f*

audible /ˈɔːdəbl/ *adj* audible

audibly /ˈɔːdəblɪ/ *adv* distinctement

audience /ˈɔːdɪəns/ *n* **1** (in cinema, concert, theatre) public *m*; Radio auditeurs *mpl*; TV public *m*; **to hold an ~** tenir un public; **2** (for books) lecteurs *mpl*; (for ideas) public *m*; **to reach a wider ~** atteindre un public plus large; **to lose one's ~** être abandonné par son public; **3** (meeting) sout audience *f* (**with sb** auprès de qn)

audience: ~ participation *n* participation *f* du public; **~ ratings** *npl* indice *m* d'écoute; **~ research** *n* sondages *mpl* du public

audio /ˈɔːdɪəʊ/ *adj* audio *inv*

audio: ~book *n* livre-cassette *m*; **~ cassette** *n* audiocassette *f*; **~ frequency, af** *n* audiofréquence *f*; **~ tape** *n* bande *f* magnétique audio

audiotyping /ˈɔːdɪəʊtaɪpɪŋ/ *n* audiotypie *f*

audiotypist /ˈɔːdɪəʊtaɪpɪst/ ▸ **p. 1683** *n* audiotypiste *mf*

audiovisual, AV /ˌɔːdɪəʊˈvɪʒʊəl/ *adj* audiovisuel/-elle

audit /ˈɔːdɪt/
A *n* audit *m*; **National Audit Office** GB ≈ Cour *f* des comptes; **to carry out** *ou* **do an ~** effectuer un audit
B *vtr* auditer, vérifier

auditing /ˈɔːdɪtɪŋ/ *n* audit *m*

audition /ɔːˈdɪʃn/
A *n* audition *f* (**for** pour); **to go for an ~** passer une audition
B *vtr, vi* auditionner (**for** pour)

auditor /ˈɔːdɪtə(r)/ ▸ **p. 1683** *n* **1** commissaire *m* aux comptes; **internal/external ~** auditeur/-trice *m/f* interne/externe; **2** US (student) auditeur/-trice *m/f*

auditorium /ˌɔːdɪˈtɔːrɪəm/ *n* (*pl* **-iums** *ou* **-ia**) **1** Theat salle *f*; **2** US (for meetings) salle *f* de conférences; Sch, Univ amphithéâtre *m*; (concert hall) salle *f* de spectacle; (stadium) stade *m*

auditor's report *n* Accts rapport *m* d'auditeur

auditory /ˈɔːdɪtrɪ, US -tɔːrɪ/ *adj* auditif/-ive

auditory phonetics *n* (+ *v sg*) phonétique *f* auditive

audit trail *n* Comput analyse *f* rétrospective

Audubon Society /ˈɔːdəbɒn səsaɪətɪ/ *n* US *société protectrice de la nature*

AUEW *n* GB (*abrév* = **Amalgamated Union of Engineering Workers**) syndicat *m* des ouvriers mécaniciens

Aug *abrév écrite* = **August**

Augean stables /ɔːˌdʒiːən ˈsteɪblz/ *npl* Mythol **the ~** les écuries *fpl* d'Augias

auger /ˈɔːgə(r)/ *n* (for wood) vrille *f*; (for ground) foreuse *f*

aught /ɔːt/ ‡ *ou* dial **for ~ I know** pour autant que je sache; **for ~ I care** pour ce que j'en ai à faire

augment /ɔːgˈment/
A *vtr* gen, Mus augmenter (**with** de; **by** de; **by doing** en faisant); **~ed sixth** Mus sixième augmentée
B *vi* augmenter

augmentation /ˌɔːgmenˈteɪʃn/ *n* gen, Mus augmentation *f*

augmentative /ɔːgˈmentətɪv/ *adj* Ling augmentatif/-ive

augur /ˈɔːgə(r)/ *vi* **to ~ well/ill for sb/sth** être de bon/mauvais augure pour qn/qch

augury /ˈɔːgjʊrɪ/ *n* littér augure *m*

august /ɔːˈɡʌst/ *adj* sout imposant, auguste fml

August /ˈɔːɡəst/ ▸ **p. 1452** *n* août *m*

Augustan /ɔːˈɡʌstən/ *adj* Antiq, Literat d'Auguste

Augustine
A /ɔːˈɡʌstiːn/ *n* (member of order) Augustin *m*
B /əˈɡʌstɪn/ *pr n* **St. ~** saint Augustin

Augustinian /ˌɔːɡəˈstɪnɪən/ *adj* [*doctrine*] augustinien/-ienne; [*friar*] de l'ordre de saint Augustin; [*order*] de saint Augustin

Augustus /ɔːˈɡʌstəs/ *pr n* Auguste

auk /ɔːk/ *n* **great ~** grand pingouin *m*; **little ~** mergule *m* nain

aunt /ɑːnt, US ænt/ *n* tante *f*; **Aunt Dodie** tante Dodie; **no, Aunt** non, ma tante

(Idiom) **oh my giddy ~**○**!** hum mon Dieu!

auntie, aunty○ /ˈɑːntɪ, US ˈæntɪ/ *n* **1** lang enfantin tantine *f*, tatan *f*, tatie *f*, tata *f* baby talk; **2** GB (BBC) **Auntie** la BBC

Aunt Sally /ˌɑːnt ˈsælɪ, US ˌænt-/ *n* **1** ▸ **p. 1253** GB Sport ≈ jeu *m* de massacre; **2** fig (victim, butt) tête *f* de Turc

au pair /ˌəʊ ˈpeə(r)/ *n* (jeune) fille *f* au pair

aura /ˈɔːrə/ *n* (*pl* **-ras** *ou* **-rae**) (of place) atmosphère *f*; (of person) aura *f*

aural /ˈɔːrəl, aʊrəl/
A *n* Sch exercice *m* de compréhension et d'expression orales; Mus ≈ dictée *f* musicale
B *adj* **1** gen auditif/-ive; **2** Med auriculaire; [*test*] auditif; **3** Sch [*comprehension, test*] oral

aureole /ˈɔːrɪəʊl/ *n* (all contexts) auréole *f*

auricle /ˈɔːrɪkl/ *n* (of heart) oreillette *f*; (of ear) oreille *f* externe

aurochs /ˈɔːrɒks, ˈɔːrɒks/ *n* (*pl* **~**) aurochs *m*

aurora /ɔːˈrɔːrə/ *n* (*pl* **-ras** *ou* **-rae**) (all contexts) aurore *f*; **~ australis/borealis** aurore australe/boréale

auscultate /ˈɔːskəlteɪt/ *vtr* ausculter

auscultation /ˌɔːskəlˈteɪʃn/ *n* auscultation *f*

auspices /ˈɔːspɪsɪz/ *npl* auspices *mpl*; **under the ~ of** sous les auspices de

auspicious /ɔːˈspɪʃəs/ *adj* prometteur/-euse

auspiciously /ɔːˈspɪʃəslɪ/ *adv* de façon prometteuse

Aussie○ /ˈɒzɪ/
A *n* Australien/-ienne *m/f*
B *adj* australien/-ienne

austere /ɒˈstɪə(r), ɔːˈstɪə(r)/ *adj* austère

austerely /ɒˈstɪəlɪ, ɔːˈstɪəlɪ/ *adv* de façon austère

austerity /ɒˈsterətɪ, ɔːˈsterətɪ/
A *n* austérité *f*
B *modif* GB [*furniture, clothing*] *fabriqué par l'État pendant la Deuxième Guerre mondiale*

Australasia /ˌɒstrəˈleɪʒɪə, ˌɔːs-/ *pr n* Australasie *f*

Australasian /ˌɒstrəˈleɪʒn, ˌɔːs-/
A *n* natif/-ive *m/f* d'Australasie
B *adj* d'Australasie

Australia /ɒˈstreɪlɪə, ɔːˈs-/ ▸ **p. 1096** *pr n* Australie *f*

Australian /ɒˈstreɪlɪən, ɔːˈs-/ ▸ **p. 1467**
A *n* (person) Australien/-ienne *m/f*
B *adj* australien/-ienne

Australian: **~ Antarctic Territory** *n* territoire *m* de l'Antarctique australien; **~ Capital Territory** *n* Territoire *m* fédéral de Canberra

Austria /ˈɒstrɪə, ˈɔːstrɪə/ ▸ **p. 1096** *pr n* Autriche *f*

Austrian /ˈɒstrɪən, ˈɔːstrɪən/ ▸ **p. 1467**
A *n* Autrichien/-ienne *m/f*
B *adj* autrichien/-ienne

Austrian blind *n* store *m* bouillonné

Austro-Hungarian /ˌɒstrəʊ hʌŋˈɡeərɪən/ *adj* austro-hongrois

AUT *n* GB (*abrév* = **Association of University Teachers**) syndicat *m* des enseignants du supérieur

autarchy /ˈɔːtɑːkɪ/ *n* autocratie *f*

authentic /ɔːˈθentɪk/ *adj* **1** Art, Jur [*painting, document*] authentique; [*information*] authentique; **2** gen [*source*] sûr

authenticate /ɔːˈθentɪkeɪt/ *vtr* authentifier

authentication /ɔːˌθentɪˈkeɪʃn/ *n* gen, Comput authentification *f*

authenticity /ˌɔːθenˈtɪsətɪ/ *n* authenticité *f*

author /ˈɔːθə(r)/ ▸ **p. 1683**
A *n* **1** (of book, play, report) auteur *m*; **2** (by profession) écrivain *m*; **he's an ~** il est écrivain; **3** (of plan, scheme) auteur *m*
B *vtr* US rédiger [*report, study*]

authoress† /ˈɔːθərɪs/ ▸ **p. 1683** *n* femme *f* écrivain; **she is an ~** elle est écrivain.

⚠ L'usage moderne préfère *author*

authoring /ˈɔːθərɪŋ/ *adj* [*package, software*] de rédaction

authoritarian /ɔːˌθɒrɪˈteərɪən/
A *n* partisan *m* de l'autorité
B *adj* pej autoritaire

authoritarianism /ɔːˌθɒrɪˈteərɪənɪzəm/ *n* pej autoritarisme *m*

authoritative /ɔːˈθɒrətətɪv, US -teɪtɪv/ *adj* **1** (forceful) [*person, voice, manner*] autoritaire; **2** (reliable) [*work, report*] qui fait autorité; [*source*] bien informé

authority /ɔːˈθɒrətɪ/
A *n* **1** (power) autorité *f* (**over** sur); **the ~ of the state** l'autorité de l'État; **to have the ~ to do** avoir toute autorité pour faire; **to have no ~ to do** n'avoir aucune autorité pour faire; **to be in ~** occuper un poste de responsabilité; **he will be reported to those in ~** son cas sera référé à qui de droit; **who's in ~ here?** qui commande ici?; **to do sth on sb's ~** faire qch sous les ordres de qn; **to be/act under sb's ~** être/agir sous les ordres de qn; **on one's own ~** de son propre chef; **2** (forcefulness, confidence) autorité *f*; **to speak with ~** parler avec autorité; **to lack ~** [*person, performance*] manquer d'autorité; **3** (permission) autorisation *f*; **to give sb (the) ~ to do** autoriser qn à faire, donner à qn l'autorisation de faire; **4** (organization) autorité *f*; **5** (expert) (person) autorité *f*, expert *m* (**on** en matière de); (book, film) œuvre *f* de référence; **6** (source of information) source *f*; **what is your ~ for these figures?** de quelles sources proviennent vos chiffres?; **I have it on good ~ that** je sais de source sûre que
B **authorities** *npl* gen, Admin, Pol autorités *fpl*; **to report sth to the authorities** signaler qch aux autorités; **the school/hospital authorities** la direction de l'école/de l'hôpital

authorization /ˌɔːθəraɪˈzeɪʃn/ *n* (authority, document) autorisation *f*; **to give** *ou* **grant ~** accorder une autorisation; **to give** *ou* **grant ~ to do** accorder l'autorisation de faire

authorize /ˈɔːθəraɪz/
A *vtr* autoriser [*person, institution*] (**to do** à faire); autoriser [*payment, visit*]
B **authorized** *pp adj* [*signature, signatory, biography, version*] autorisé; [*dealer*] agréé

Authorized Version *n* **the ~ (of the Bible)** la Bible (anglaise) de 1611

authorship /ˈɔːθəʃɪp/ *n* (of book, poem) paternité *f*; (profession) profession *f* d'auteur

autism /ˈɔːtɪzəm/ *n* autisme *m*

autistic /ɔːˈtɪstɪk/ *adj* [*person*] autiste; [*response etc*] autistique

auto○ /ˈɔːtəʊ/ US
A *n* auto *f*
B *modif* [*parts, accident*] d'auto; [*industry*] automobile; [*mechanic*] automobile; [*workers*] de l'industrie automobile

autobiographical /ˌɔːtəʊbaɪəˈɡræfɪkl/ *adj* autobiographique

autobiography /ˌɔːtəʊbaɪˈɒɡrəfɪ/ *n* autobiographie *f*

autochthon /ɔːˈtɒkθən/ *n* autochtone *mf*

autochthonous /ɔːˈtɒkθənəs/ *adj* autochtone

autoclave /ˈɔːtəʊkleɪv/ *n* autoclave *m*

autocracy /ɔːˈtɒkrəsɪ/ *n* autocratie *f*

autocrat /ˈɔːtəkræt/ *n* autocrate *mf*

autocratic /ˌɔːtəˈkrætɪk/ *adj* autocratique

autocrime /ˈɔːtəʊkraɪm/ *n*: *délits tels que les vols de voitures, d'autoradio etc*

autocross /ˈɔːtəʊkrɒs/ *n* auto-cross *m*

autocue /ˈɔːtəʊkjuː/ *n* TV prompteur *m*

auto-da-fé /ˌɔːtəʊdɑːˈfeɪ/ *n* (*pl* **autos-da-fe**) autodafé *m*

autodidact /ˈɔːtəʊdaɪdækt/ *n* sout autodidacte *mf*

auto-erotic /ˌɔːtəʊɪˈrɒtɪk/ *adj* autoérotique

autofocus /ˈɔːtəʊˌfəʊkəs/ *n* Phot autofocus *m*

autogenics /ˌɔːtəʊˈdʒenɪks/ *n* (+ *v sg*) Psych *ensemble d'exercices de training autogène*

autogenic training *n* Psych training *m* autogène

autogiro /ˌɔːtəʊˈdʒaɪərəʊ/ *n* autogire *m*

autograft /ˈɔːtəʊɡrɑːft, US -ɡræft/ *n* Med autogreffe *f*

autograph /ˈɔːtəɡrɑːf, US -ɡræf/
A *n* autographe *m*
B *modif* [*album, hunter*] d'autographes
C *vtr* dédicacer [*book, record*]; signer [*memento*]

autoimmune /ˌɔːtəʊɪˈmjuːn/ *adj* [*disease*] auto-immun; [*system*] auto-immunitaire

auto-injector /ˌɔːtəʊɪnˈdʒektə(r)/ *n* Med auto-injecteur *m*

autologous /ˌɔːtəʊˈlɒɡəs/ *adj* Med [*graft, transfusion*] autologue

automat /ˈɔːtəmæt/ *n* distributeur *m* automatique

automata /ɔːˈtɒmətə/ *pl* ▸ **automaton**

automata theory *n* Comput théorie *f* des automates

automate /ˈɔːtəmeɪt/ *vtr* automatiser [*factory, process*]; **fully ~d** entièrement automatisé

automatic /ˌɔːtəˈmætɪk/
A *n* **1** (washing machine) machine *f* à laver automatique; **2** (car) voiture *f* (à changement de vitesse) automatique; **3** (gun) automatique *m*; **4** (setting) **to be on ~** [*machine, heating*] être en position automatique, sur automatique○; **to be in ~**○ [*person*] hum être en pilotage automatique○
B *adj* (all contexts) automatique

automatically /ˌɔːtəˈmætɪklɪ/ *adv* (all contexts) automatiquement

automatic pilot *n* (device) pilote *m* automatique; (system) lit, fig pilotage *m* automatique; **to be on ~** Aviat être sur pilote automatique *or* en pilotage automatique; fig (person) être comme un automate

automatic teller machine, ATM *n* guichet *m* automatique

automation /ˌɔːtəˈmeɪʃn/ *n* (of process, factory) automatisation *f*; **office ~** bureautique *f*; **industrial ~** robotique *f*

automaton /ɔːˈtɒmətən, US -tɒn/ *n* (*pl* **~s, automata**) (robot, person) automate *m*

automobile /ˈɔːtəməbiːl, ˌɔːtəməˈbiːl/ *n* US, GB† automobile *f*

automobilia /ˌɔːtəməˈbiːlɪə/ *npl* accessoires *mpl* auto (*de collection*)

automotive /ˌɔːtəˈməʊtɪv/ *adj* **1** [*design, industry, product, sales*] automobile; **2** (self-propelling) automoteur/-trice

autonomic /ˌɔːtəˈnɒmɪk/ *adj* autonome

autonomic nervous system *n* système *m* nerveux autonome

autonomous /ɔːˈtɒnəməs/ *adj* (all contexts) autonome

autonomy /ɔːˈtɒnəmɪ/ *n* (all contexts) autonomie *f*

autopilot /ˈɔːtəʊpaɪlət/ *n* Aviat, fig pilote *m* automatique, bloc *m* de pilotage

autopsy /ˈɔːtɒpsɪ/ *n* autopsie *f* also fig; **to do/perform an ~ on sb** faire/pratiquer l'autopsie de qn

autosave /ˈɔːtəʊseɪv/ *n* Comput sauvegarde *f* automatique

autosuggestion /ˌɔːtəʊsəˈdʒestʃən/ *n* autosuggestion *f*

auto-teller /ˌɔːtəʊˈtelə(r)/ *n* distributeur *m* (automatique) de billets

autotimer /ˈɔːtəʊtaɪmə(r)/ *n* programmateur *m*

autotransplant /ˈɔːtəʊˌtrænsplɑːnt, US -plænt/ *n* Med autogreffe *f*

autumn /ˈɔːtəm/ ▸ **p. 1661**
A *n* surtout GB automne *m*; **in ~** en automne; **in the ~ of her years** à l'automne de sa vie
B *modif* [*leaves, colours, fashions*] d'automne

autumnal /ɔːˈtʌmnəl/ *adj* [*colour, light*] automnal; [*weather*] d'automne

Auvergne /əʊˈveən/ ▸ **p. 1243** *pr n* Auvergne *f*; **in the ~** en Auvergne

auxiliary /ɔːgˈzɪlɪərɪ/
A *n* **1** (person) auxiliaire *mf*; **2** Ling (verbe *m*) auxiliaire *m*; **3** Hist (soldier) auxiliaire *m*
B *adj* [*equipment, engine, staff, forces*] auxiliaire

auxiliary: **~ nurse** ▸ **p. 1683** *n* aide-soignant/-e *m/f*; **~ verb** *n* (verbe *m*) auxiliaire *m*

AV *adj*: *abrév* ▸ **audiovisual**

avail /əˈveɪl/ sout
A *n* **to be of little ~** ne pas servir à grand-chose; **to be of no ~** ne servir à rien; **to no ~, without ~** en vain
B *v refl* **to ~ oneself of** profiter de [*opportunity*]; accepter [*offer*]

availability /əˌveɪləˈbɪlətɪ/ *n* (of option, strategy, service) existence *f*; (of drugs) présence *f* (sur le marché); **~ of credit** possibilité *f* d'obtenir des crédits; **stock ~** disponibilité *f*; Comm **subject to ~** (of holidays, hotel rooms, theatre seats etc) dans la limite des places disponibles; (of hire vehicles) dans la limite des véhicules disponibles; **demand exceeds ~** la demande est supérieure à l'offre

available /əˈveɪləbl/ *adj* **1** [*product, room, money, credit, information*] disponible (**for** pour; **to** à); **to make sth ~ to sb** mettre qch à la disposition de qn; **to be ~ from** [*product*] être disponible dans [*shop*]; [*service*] être fourni par [*organization*]; **by every ~ means** par tous les moyens possibles; **2** (free) [*person*] (for appointment etc) disponible; (for relationship, sex) pej disponible; **to make oneself ~ for sth/sb** se libérer pour qch/qn; **she is not ~ for comment** elle se refuse à tout commentaire

avalanche /ˈævəlɑːnʃ, US -læntʃ/ *n* avalanche *f* also fig

avalanche shelter *n* paravalanche *m*

avant-garde /ˌævɒŋˈgɑːd/
A *n* avant-garde *f*
B *adj* d'avant-garde

avarice /ˈævərɪs/ *n* cupidité *f*

(Idiom) **rich beyond the dreams of ~** riche comme Crésus

avaricious /ˌævəˈrɪʃəs/ *adj* cupide

avatar /ˈævətɑː(r)/ *n* Comput avatar *m*

avdp Meas *abrév écrite* = **avoirdupois**

Ave *abrév écrite* = **Avenue**

Ave Maria /ˌɑːveɪ məˈrɪə/ *n* Ave Maria *m inv*

avenge /əˈvendʒ/
A *vtr* venger [*person, death, defeat, honour*]
B *v refl* **to ~ oneself on sb** se venger de qn; **to ~ oneself on sb for sth** se venger de qch sur qn

avenger /əˈvendʒə(r)/ *n* vengeur/-eresse *m/f*

avenging /əˈvendʒɪŋ/ *adj* [*person, force, bullet, goal*] vengeur/-eresse; **~ angel** ange *m* exterminateur

avenue /ˈævənjuː, US -nuː/ *n* **1** (street, road) avenue *f*; (path, driveway) allée *f*; **2** fig (possibility) possibilité *f*; **to explore every ~** explorer toutes les possibilités

aver /əˈvɜː(r)/ *vtr* (*p prés etc* **-rr-**) sout affirmer (**that** que + *indic*)

average /ˈævərɪdʒ/
A *n* gen, Math moyenne *f* (**of** de); **national ~** moyenne nationale; **on (the) ~** en moyenne; **above/below (the) ~** au-dessus de/au-dessous de la moyenne; **at an ~ of** à une moyenne de; **to take an ~** prendre une moyenne approximative; **to work out an ~** faire une moyenne; **by the law of ~s** selon la loi des probabilités; **Mr Average** Monsieur Tout-le-Monde
B *adj* gen, Math [*amount, cost, earnings, person, rate*] moyen/-enne; **on an ~ day I work seven hours** en moyenne, je travaille sept heures par jour; **a book suitable for an ~ 10-year-old** un livre qui convient à un enfant de 10 ans; **a very ~ writer** péj un auteur très moyen *or* médiocre
C *vtr* faire en moyenne [*distance, quantity, time*]; **I ~ seven hours' work a day** en moyenne je travaille sept heures par jour; **we ~d 95 km/h on the motorway** nous avons fait une moyenne de 95 km/h sur l'autoroute

(Phrasal verb) ■ **average out**: **their pay ~s out at about £10 an hour** ils gagnent en moyenne 10 livres sterling de l'heure; **their working day ~s out at seven hours** leur journée de travail fait en moyenne sept heures; ▸ **~ out [sth], ~ [sth] out** faire la moyenne de; **we ~d out the bill at £10 each** nous avons partagé la note et avons payé 10 livres sterling chacun

averse /əˈvɜːs/ *adj* opposé (**to** à); **to be ~ to doing sth** répugner à faire qch

aversion /əˈvɜːʃn, US əˈvɜːrʒn/ *n* aversion *f* (**to** pour); **to have an ~ to doing** avoir horreur de faire; **his pet ~** sa bête noire

aversion therapy *n* thérapie *f* aversive

avert /əˈvɜːt/ *vtr* **1** (avoid, prevent) éviter [*disaster, crisis, liquidation, criticism*]; **2** (turn away) **to ~ one's eyes/gaze from sth** lit, fig détourner les yeux/le regard de qch

Aveyron ▸ **p. 1129** *pr n* Aveyron *m*; **in/to the ~** dans l'Aveyron, en Aveyron

aviary /ˈeɪvɪərɪ, US -vɪerɪ/ *n* volière *f*

aviation /ˌeɪvɪˈeɪʃn/ *n* aviation *f*

aviation: **~ fuel** *n* kérosène *m*; **~ industry** *n* industrie *f* aéronautique

aviator /ˈeɪvɪeɪtə(r)/ ▸ **p. 1683** *n* aviateur/-trice *m/f*

aviculture /ˈeɪvɪkʌltʃə(r)/ *n* aviculture *f*

aviculturist /ˌeɪvɪˈkʌltʃərɪst/ ▸ **p. 1683** *n* aviculteur/-trice *m/f*

avid /ˈævɪd/ *adj* [*collector, reader*] passionné; [*enthusiast, supporter*] fervent; **to be ~ for sth** être avide de qch

avidity /əˈvɪdɪtɪ/ *n* avidité *f* (**for** de)

avidly /ˈævɪdlɪ/ *adv* [*read, collect*] avec avidité; [*support*] avec ferveur

avocado /ˌævəˈkɑːdəʊ/
A *n* **1** (fruit) avocat *m*; **2** (tree, plant) avocatier *m*
B *modif* [*salad, mousse*] à l'avocat

avocet /ˈævəset/ *n* avocette *f*

avoid /əˈvɔɪd/ *vtr* **1** (prevent) éviter [*accident, error, dispute, penalty*]; **to ~ doing** éviter de faire; **it is to be ~ed** c'est à éviter; **2** (keep away from) éviter [*person, location, nuisance*]; éviter [*gaze*]; esquiver [*issue, question*]; **3** Jur (invalidate) annuler [*contract*]

avoidable /əˈvɔɪdəbl/ *adj* évitable; **an ~ tragedy** une tragédie qui aurait pu être évitée

avoidance /əˈvɔɪdəns/ *n* **~ of** (of injuries, expenditure, delay) prévention *f* de; (of responsibility, emotion) refus *m* de; (of issue, subject, problem) fuite *f* devant; (of person) tendance *f* à éviter; ▸ **tax avoidance**

avoirdupois /ˌævədəˈpɔɪz/ *n* avoirdupoids *m*

Avon /ˈeɪvn/ ▸ **p. 1612** *pr n* Avon *m*

avow /əˈvaʊ/ *vtr* sout **1** (admit) avouer; **2** (declare) affirmer

avowal /əˈvaʊəl/ *n* sout **1** (confession) aveu *m*; **2** (declaration) affirmation *f*

avowed /əˈvaʊd/ *adj* **1** (admitted) avoué; **2** (declared) déclaré

avowedly /əˈvaʊɪdlɪ/ *adv* sout **1** (by admission) de son/leur etc propre aveu; **2** (by declaration) ouvertement

avuncular /əˈvʌŋkjʊlə(r)/ *adj* (all contexts) bienveillant

AWACS /ˈeɪwæks/ (*abrév* = **Airborne Warning and Control System**)
A *n* AWACS *m*
B *modif* [*plane*] AWACS

await /əˈweɪt/ *vtr* **1** [*person*] attendre [*outcome, event, opportunity, decision, praise*]; **long-~ed** longuement attendu; **eagerly ~ed** attendu avec impatience; **in prison ~ing trial** en détention préventive; **2** [*fate, surprise, welcome*] attendre [*person*]; **her book ~s publication** son livre est en attente de publication

awake /əˈweɪk/
A *adj* **1** (not yet asleep) éveillé; (after sleeping) réveillé; **wide ~** bien réveillé; **half ~** mal réveillé; **to be ~** être éveillé *or* réveillé; **to stay ~** rester éveillé; **to lie ~** rester au lit sans dormir; **to shake sb ~** secouer qn pour le réveiller; **I was still ~** je ne dormais pas; **the noise kept me ~** le bruit m'a empêché de dormir; **2** (aware) **to be ~ to sth** être conscient de qch
B *vtr* (*prét* **awoke** *ou* **awaked** littér, *pp* **awoken** *ou* **awaked** littér) **1** (from sleep) réveiller; **2** fig éveiller [*fear, suspicion*]; réveiller [*memory*]
C *vi* (*prét* **awoke** *ou* **awaked** littér, *pp* **awoken** *ou* **awaked** littér) **1** (from sleep) se réveiller; **to ~ from a deep sleep** sortir d'un sommeil profond; **I awoke to find him gone** en me réveillant, je me suis rendu compte qu'il était parti; **2** (become aware) **to ~ to** prendre conscience de [*fact, responsibilities, duties*]

awaken /əˈweɪkən/ (*prét* **awoke** *ou* **awakened** littér, *pp* **awoken** *ou* **awakened** littér)
A *vtr* **1** (from sleep) réveiller; **2** (generate) faire naître [*fear, hope, interest*]; éveiller [*suspicions*]; **3** (make aware) **to ~ sb to** rendre qn conscient de [*danger, disadvantage, problem*]
B *vi* (*prét* **awoke** *ou* **awakened** littér, *pp* **awoken** *ou* **awakened** littér) **1** (from sleep) se réveiller; **2** (become aware) **to ~ to sth** prendre conscience de qch

awakening /əˈweɪkənɪŋ/
A *n* lit (from sleep) réveil *m*; fig (of emotion, interest) éveil *m* (**of** de); (of awareness) prise *f* de conscience (**to** de); **rude ~** lit réveil brutal; fig rappel *m* brutal à la réalité
B *adj* lit qui se réveille; fig naissant

award /əˈwɔːd/
A *n* **1** (prize) prix *m*; (medal, certificate) distinction *f* honorifique; **an ~ for bravery** une distinction honorifique pour votre/son etc courage; **the ~ for the best actor** le prix du meilleur acteur; **to win/present an ~** gagner/remettre un prix; **2** (grant) bourse *f*; **3** (decision to give) (of prize, grant) attribution *f*; Jur **an ~ of damages** des dommages-intérêts
B *vtr* **1** décerner [*prize*]; attribuer [*grant*]; **2** Jur accorder [*damages*]; **3** Sport accorder [*points*]; **to ~ a penalty** accorder une pénalité

award: **~ ceremony** *n* cérémonie *f* de remise de prix; **~ winner** *n* lauréat/-e *m/f*

award-winning /əˈwɔːdwɪnɪŋ/ *adj* [*book, film, design*] primé; [*writer, architect etc*] lauréat

aware /əˈweə(r)/ *adj* **1** (conscious) conscient; (informed) au courant; **to be ~ of** (realize) être conscient de [*problem, effect, importance, need, danger etc*]; (be informed about) être au courant de [*fact, circumstance, development*]; **to become ~ that** prendre conscience que; **she became**

~ **of noises downstairs** elle s'est rendu compte qu'il y avait des bruits venant d'en-bas; **to make sb ~ of/that** rendre qn conscient de/que; **I'm well ~ of that** j'ai bien conscience de cela; **to be ~ that** savoir que, se rendre compte que; **are they ~ (of) how late it is?** se rendent-ils compte de l'heure?; **as far/not as far as I'm ~** à ma/pas à ma connaissance; [2] (well-informed) averti; **to be politically/environmentally ~** être au courant des questions de politique/d'environnement

awareness /ə'weənɪs/ *n* conscience *f* (**of** de; **that** que); **political ~** conscience politique; **public ~ of this problem has increased** l'opinion *f* publique a de plus en plus pris conscience de ce problème

awareness campaign *n* campagne *f* de sensibilisation

awash /ə'wɒʃ/ *adj* (*après v*) inondé also fig (**with** de)

away /ə'weɪ/

> ⚠ *Away* often appears in English as the second element of a verb (*run away, put away, get away, look away, give away etc*). For translations, look at the appropriate verb entry (**run, put, get, look, give** etc).
> *away* often appears after a verb in English to show that an action is continuous or intense. If *away* does not change the basic meaning of the verb only the verb is translated: *he was snoring away* = il ronflait. If *away* does change the basic meaning of the verb (*he's grinding away at his maths*), consult the appropriate verb entry.
> This dictionary contains Usage Notes on topics like distance. For the index to these Notes see ▸ **p. 1948.**

A *adj* [1] Sport [*goal, match, win*] à l'extérieur; **the ~ team** les visiteurs *mpl*; [2] ○GB (drunk) **to be well ~** être parti○ *or* soûl

B *adv* [1] (not present, gone) **to be ~** gen, Sch être absent (**from** de); (on business trip) être en déplacement; **I'll be ~ (for) two weeks** je serai absent pendant deux semaines; **to be ~ on vacation/on business** être en vacances/en voyage d'affaires *or* en déplacement; **to be ~ from home** ne pas être chez soi, être absent de chez soi; **I'll have to be ~ by 10** il faut que je sois parti avant 10 heures; **she's ~ in Paris** elle est à Paris; **she's ~ at a conference** elle est partie à un congrès; ▸ **fairy**; [2] (distant in space) **3 km/50 m ~** à 3 km /50 m; **10 cm ~ from the edge** à 10 cm du bord; **a weekend ~ in the country** un week-end à la campagne; **I hate to be ~ from home** je déteste ne pas être chez moi; **~ with you!** arrête de dire des bêtises!; [3] (distant in time) **London is two hours ~** Londres est à deux heures d'ici; **my birthday is two months ~** mon anniversaire est dans deux mois; **the election/the exam is only days ~** l'élection/l'examen aura lieu dans quelques jours seulement; ▸ **far, get, keep, stay**; [4] (in the opposite direction) **to shuffle/crawl ~** partir en traînant les pieds/en rampant; ▸ **drive, walk**; [5] (for emphasis) **~ back in 1920** en 1920; **~ over the other side of the lake** de l'autre côté du lac; [6] Sport [*play, win*] à l'extérieur

awe /ɔː/

A *n* crainte *f* mêlée d'admiration; (less fearful) respect *m*; **to watch/listen in ~** regarder/écouter impressionné

B *vtr* **to be ~ed by sth** être impressionné par qch

awe-inspiring /'ɔːnspaɪərɪŋ/ *adj* [*person*] intimidant; [*landscape, experience*] impressionnant

awesome /'ɔːsəm/ *adj* [1] (impressive) redoutable; [2] ○(stunningly good) extra○, genial○

awestruck /'ɔːstrʌk/ *adj* impressionné

awful /'ɔːfl/ *adj* [1] [*book, film, food, weather*] (bad) affreux/-euse; (stronger) exécrable; **that ~ woman!** cette horrible femme!; **you are ~!** hum petit coquin!; **it was ~ to have to...** ça a été horrible d'être obligé de...; [2] (horrifying, tragic) [*news, accident, crime*] horrible, atroce; **how ~ (for you)** comme c'est atroce (pour vous); [3] (unwell) **I feel ~** je ne me sens pas bien du tout; **you look ~** tu n'as pas l'air bien du tout; [4] (guilty) ennuyé; **I felt ~ (about) leaving her alone** j'étais très ennuyé de la laisser seule; [5] ○(emphasizing) **an ~ lot (of)** énormément (de); **an ~ cheek** *ou* **nerve** un culot incroyable; **to be in an ~ hurry** être extrêmement pressé

awfully /'ɔːflɪ/ *adv* [*hot, cold, near, far, fast, difficult, boring*] terriblement; [*clever*] extrêmement; **he's ~ late/early** il est terriblement en retard/en avance; **she's ~ nice** elle est excessivement gentille; **I'm not ~ sure** je ne suis pas absolument sûr; **thanks ~** mille mercis

awfulness /'ɔːfəlnɪs/ *n* (of situation, place, object) atrocité *f*; (of person) caractère *m* désagréable

awhile /ə'waɪl/ *adv* un moment; **not yet ~** pas de sitôt

awkward /'ɔːkwəd/ *adj* [1] (not practical) [*tool*] peu commode; [*shape, design*] difficile; **with this toothbrush you can get at all the ~ corners** cette brosse à dents permet d'atteindre les endroits peu accessibles; **the room has ~ proportions** la pièce a un agencement bizarre; **to be sitting in an ~ position** être assis dans une position inconfortable; [2] (clumsy) [*person, movement, gesture*] maladroit; [*prose, style*] gauche; [3] (complicated, inconvenient) [*arrangement, issue*] compliqué, difficile; [*choice*] difficile; [*moment, day*] mal choisi; **at an ~ time** au mauvais moment; **to make life ~ for sb** compliquer la vie à qn; **it's a bit ~: I'm so busy** c'est difficile: je suis si occupé; [4] (embarrassing) [*question*] embarrassant; [*situation*] délicat; [*silence*] gêné; [5] (embarrassed) mal à l'aise, gêné; **to feel ~ about doing** se sentir gêné de faire; **to feel/look ~** se sentir/avoir l'air mal à l'aise; [6] (uncooperative) [*person*] difficile (**about** à propos de); **he's being ~ about the whole thing** il n'est pas très coopératif dans cette affaire; **the ~ age** l'âge ingrat; **the ~ squad**○ GB hum les empêcheurs de tourner en rond

awkwardly /'ɔːkwədlɪ/ *adv* [1] (inconveniently) **~ placed/designed** mal placé/conçu; **~ for me, he was only free at 10 o'clock** malheureusement pour moi, il n'était libre qu'à 10 h; [2] (clumsily) [*move, hold, express oneself*] maladroitement, avec maladresse; [*fall, land*] lourdement; [3] (with embarrassment) [*speak, apologize*] d'un ton gêné; [*behave*] d'une manière embarrassée

awkwardness /'ɔːkwədnɪs/ *n* [1] (clumsiness) maladresse *f*; [2] (delicacy) (of situation) côté *m* gênant; [3] (inconvenience) caractère *m* mal commode; [4] (embarrassment) malaise *m*

awl /ɔːl/ *n* (for leather) alène *f*; (for wood etc) poinçon *m*

awning /'ɔːnɪŋ/ *n* (on shop) banne *f*, auvent *m*; (on tent, caravan, house, restaurant) auvent *m*; (on market stall) bâche *f*

awoke /ə'wəʊk/ *prét* ▸ **awake**

awoken /ə'wəʊkən/ *pp* ▸ **awake**

AWOL /'eɪwɒl/ *adj, adv* Mil, hum (*abrév* = **absent without leave**) **to be** *ou* **go ~** Mil être en absence illégale; hum partir sans laisser d'adresse, disparaître

awry /ə'raɪ/

A *adj* [*clothing, picture*] de travers *inv*; [*budget, figures*] faux/fausse

B *adv* **to go ~** [*plan, policy*] mal tourner; [*economy, budget*] partir en déroute; **to put sth ~** désorganiser qch

axe, **ax** US /æks/

A *n* [1] lit hache *f*; [2] fig **the ~ has fallen** le couperet est tombé; **to face the ~** être menacé du couperet; **to get the ~**○ (lose one's job) se faire virer○; (be cancelled) [*plan*] être abandonné; [3] ○US (instrument) instrument *m* musical; (saxophone) sax○ *m*; (guitar) guitare *f*

B *vtr* virer○ [*employee*]; supprimer [*jobs, funding, organization*]; abandonner [*project, plan*]

(Idiom) **to have an ~ to grind** servir un intérêt; **they have no ~ to grind** ils ne servent aucun intérêt

axel /'æksl/ *n* Sport axel *m*

axial /'æksɪəl/ *adj* axial

axiom /'æksɪəm/ *n* axiome *m* (**that** selon lequel)

axiomatic /,æksɪə'mætɪk/ *adj* [1] Ling, Math, Philos axiomatique; [2] gen **it is ~ that** il est évident que; **it is ~ to do** il est obligatoire de faire

axis /'æksɪs/ *n* (*pl* **axes**) [1] gen, Math axe *m*; **on the x/y ~** sur l'axe des x/des y; **~ of rotation** axe de rotation; [2] fig (line of thought) **to be on the Smith-Jones ~** se situer dans la mouvance Smith-Jones; [3] Pol Hist **the Axis Powers** les puissances de l'Axe

axle /'æksl/ *n* essieu *m*; **front ~** essieu avant; **rear ~** (on front-wheel drive) essieu arrière; (on heavy vehicle, on rear-wheel drive) pont *m* arrière

axle grease *n* graisse *f* à essieux

ayatollah /,aɪə'tɒlə/ *n* ayatollah *m*

aye /aɪ/

A *particle* dial GB oui; GB Naut **~ ~ sir** à vos ordres

B *n* (in voting) **the ~s** les oui, les voix pour. ▸ **Division**

C *adv* **to vote ~** voter oui *or* pour

AYH *n* US (*abrév* = **American Youth Hostels**) Association *f* des auberges de jeunesse

azalea /ə'zeɪlɪə/ *n* azalée *f*

Azerbaijan /,æzəbaɪ'dʒɑːn/ ▸ **p. 1096** *pr n* Azerbaïdjan *m*

Azerbaijani /,æzəbaɪ'dʒɑːnɪ/ ▸ **p. 1467, p. 1378**

A *n* [1] (person) Azéri *mf*; [2] (language) azéri *m*

B *adj* azerbaïdjanais

AZERTY, **azerty** /ə'zɜːtɪ/ *adj* **~ keyboard** clavier *m* azerty

azimuth /'æzɪməθ/ *n* azimut *m*

Azores /ə'zɔːz/ ▸ **p. 1355** *pr n* **the ~** les Açores *fpl*

AZT *n* (*abrév* = **azidothymidine**) AZT *f*

Aztec /'æztek/ ▸ **p. 1467, p. 1378**

A *n* [1] (person) Aztèque *mf*; [2] (language) aztèque *m*

B *adj* aztèque

azure /'æʒə(r), -zjə(r)/ ▸ **p. 1067**

A *n* azur *m*

B *adj* [*sea, sky, eyes*] d'azur; [*fabric*] azur (*inv*)

Bb

b, **B** /biː/ *n* **1** (letter) b, B *m*; **2** **B** Mus si *m*; **3** **b** *abrév écrite* = **born**; **4** Med B; **blood group B** groupe *m* sanguin B

BA *n* (*abrév* = **Bachelor of Arts**) diplôme *m* universitaire en lettres et sciences humaines

baa /bɑː/
A *n* bêlement *m*
B *vi* (*prés* **∼s**, *prét*, *pp* **∼ed**) bêler
C *excl* bêe!

BAA *n*: *abrév* ▸ **British Airports Authority**

babble /ˈbæbl/
A *n* murmure *m* confus; (louder) clameur *f* confuse
B *vtr* bafouiller [*words*, *excuse*]; **'yes, yes,' he ∼d** 'oui, oui,' bafouilla-t-il
C *vi* **1** [*baby*] babiller; [*stream*] murmurer; **2** = **∼ on**; **3** US (speak in tongues) parler en langues

(Phrasal verb) ■ **babble on** péj ratiociner, pérorer (**about** sur)

babbler /ˈbæblə(r)/ *n* bavard/-e *m/f*

babbling /ˈbæblɪŋ/ *n* US (speaking in tongues) glossolalie *f*

babe /beɪb/ *n* **1** littér bébé *m*; **a ∼ in arms** lit un enfant au berceau; fig un jeunot○; **2** ○(woman) minette○ *f*; (form of address) ma belle○

babe magnet○ *n* (of car etc) piège *m* à filles○

baboon /bəˈbuːn/ *n* babouin *m*

baby /ˈbeɪbɪ/
A *n* **1** (child) bébé *m*; **newborn ∼** nouveau-né *m*; **to have a ∼** avoir un bébé; **Baby Jesus** le petit Jésus; **she's the ∼ of the family** c'est la petite dernière *or* la benjamine; **don't be such a ∼**○! ne fais pas le bébé!; **2** (youngest) (of team, group) benjamin/-e *m/f*; **3** ○(pet project) **the show/project is his ∼**○ (his invention) le spectacle/projet est sa création; (his special responsibility) il a la responsabilité du spectacle/projet; **4** ○surtout US (girlfriend) copine *f*; (as address) chérie *f*; (boyfriend) copain *m*; (as address) chéri *m*; **5** ○US (admired object) (car, plane etc) petite merveille *f*
B *modif* [*brother*, *sister*] petit; [*animal*] bébé-; [*vegetable*] nain; [*clothes*, *product*, *food*] pour bébés; **∼ daughter** petite fille; **∼ son** petit garçon; **∼ bird** oisillon *m*
C ○*vtr* péj dorloter

(Idioms) **I was left holding the ∼**○ on m'a refilé le bébé○; **to throw the ∼ out with the bathwater**○ jeter le bébé avec l'eau du bain; **smooth as a ∼'s bottom**○ doux/douce comme une peau de bébé

baby blue ▸ **p. 1067** *adj* bleu clair *inv*

baby blues○ *npl* **1** Psych déprime○ *f* après l'accouchement; **2** US (eyes) yeux *mpl* bleus

baby: **∼ boom** *n* baby boom *m*; **∼ boomer** *n* personne *f* née pendant les années du baby boom; **∼ bouncer** *n* sautoir *m*, jumper *m*; **∼ buggy** *n* GB poussette *f*; **∼ carriage** *n* US landau *m*; **∼ carrier** *n* porte-bébé *m inv* (dorsal); **∼ death** *n* mort *f* subite du nourrisson; **∼ doll pyjamas** *npl* pyjama *m* très court (*à culotte et manches courtes et bouffantes*); **∼ elephant** *n* éléphanteau *m*; **∼-faced** *adj* fig au visage innocent; **∼ grand** ▸ **p. 1462** *n* piano *m* quart de queue, piano *m* crapaud

Babygro® /ˈbeɪbɪgrəʊ/ *n* grenouillère *f*, pyjama *m* de bébé

baby gym *n* portique *m*

babyhood /ˈbeɪbɪhʊd/ *n* petite enfance *f*; **in** *ou* **during ∼** pendant la petite enfance

babyish /ˈbeɪbɪɪʃ/ *adj* enfantin; péj puéril

Babylon /ˈbæbɪlən/ ▸ **p. 1815** *n* lit, fig Babylone

Babylonian /ˌbæbɪˈləʊnɪən/
A *n* Babylonien/-ienne *m/f*
B *adj* babylonien/-ienne

baby: **∼ minder** *n* GB nourrice *f*; **∼ monitor** *n* moniteur *m* pour chambre de bébé, interphone *m* de surveillance; **∼ oil** *n* huile *f* de soin pour les bébés; **∼'s breath** *n* US Bot gypsophile *f*

baby-sit /ˈbeɪbɪsɪt/ (*prét*, *pp* **-sat**)
A *vtr* garder
B *vi* faire du babysitting, garder des enfants

baby-sitter /ˈbeɪbɪsɪtə(r)/ *n* baby-sitter *mf*

baby-sitting /ˈbeɪbɪsɪtɪŋ/ *n* baby-sitting *m*; **to go** *ou* **do ∼** faire du baby-sitting

baby sling *n* Kangourou®, porte-bébé *m inv*

baby snatcher *n* voleur/-euse *m/f* d'enfants; **she's a ∼!** fig hum elle les prend au berceau!

baby: **∼ talk** *n* langage *m* enfantin; **∼ tooth** *n* dent *f* de lait; **∼ walker** *n* trotteur *m*; **∼wear** *n* vêtements *mpl* pour bébés; **∼ wipe** *n* lingette *f*

baccalaureate /ˌbækəˈlɔːrɪət/ *n* **1** US Univ (diploma) ≈ licence *f*; (speech) discours *m* de remise de diplômes; **2** Sch **European/International Baccalaureate** baccalauréat *m* européen/international

baccarat /ˈbækərɑː/ *n* baccara *m*

bacchanal /ˈbækənl/ *n* littér (orgy) bacchanale *f*

bacchanalia /ˌbækəˈneɪlɪə/ *n* **1** Antiq (*also* **Bacchanalia**) (+ *v pl*) bacchanales *fpl*; **2** (orgy) bacchanale *f*

bacchanalian /ˌbækəˈneɪlɪən/ *adj* bachique

Bacchic /ˈbækɪk/ *adj* bachique

Bacchus /ˈbækəs/ *pr n* Bacchus

baccy○ /ˈbækɪ/ *n* GB tabac *m*

bachelor /ˈbætʃələ(r)/ *n* **1** (single man) célibataire *m*; **a confirmed ∼** un célibataire endurci; **an eligible ∼** un beau parti; **to remain a ∼** rester célibataire; **2** **Bachelor** Univ **Bachelor of Arts/Law etc** (degree) *cf* diplôme *m* universitaire de lettres/droit etc

bachelor: **∼ apartment**, **∼ flat** GB *n* garçonnière *f*; **∼ girl**† *n* célibataire *f*

bachelorhood /ˈbætʃələhʊd/ *n* célibat *m*

bachelor: **∼ pad**○ *n* = **bachelor apartment**; **∼'s degree** *n* Univ *cf* licence *f* (in en)

bacillary /bəˈsɪlərɪ/ *adj* **1** (of bacilli) bacillaire; **2** = **bacilliform**

bacilliform /bəˈsɪlɪfɔːm/ *adj* bacilliforme

bacillus /bəˈsɪləs/ *n* (*pl* **-li**) bacille *m*

back /bæk/ ▸ **p. 997**
A *n* **1** Anat, Zool dos *m*; **to be (flat) on one's ∼** lit être (à plat) sur le dos; fig être au lit; **to sleep on one's ∼** dormir sur le dos; **he was lying on his ∼** il était allongé sur le dos; **to travel on the ∼ of a donkey** voyager à dos d'âne; **to have one's ∼ to sb/sth** tourner le dos à qn/qch; **with her ∼ to the door** le dos tourné vers la porte; **to turn one's ∼ on sb/sth** lit, fig tourner le dos à qn/qch; **as soon as my ∼ is turned** dès que j'ai le dos tourné; **to do sth behind sb's ∼** lit, fig faire qch dans le dos de qn; **with one's ∼ to the engine** dans le sens contraire à la marche; **to put one's ∼ into it**○ travailler dur; **put your ∼ into it**○! allons, un peu de nerf○!; **he's always on my ∼**○ il est toujours sur mon dos; **get off my ∼**○! fiche-moi la paix○!; **I was glad to see the ∼ of him** j'étais content de le voir partir; **to be at the ∼ of** être à l'origine de [*conspiracy*, *proposal*]; **to put sb's ∼ up** offenser qn; **to live off sb's ∼** vivre aux crochets de qn
2 (reverse side) (of page, cheque, card, envelope) dos *m*, verso *m*; (of fabric) envers *m*; (of medal, coin) revers *m*; **on the ∼ of an envelope** au dos d'une enveloppe; **to sign the ∼ of a cheque** endosser un chèque; **the ∼ of the hand** le dos de la main
3 (flat side) (of knife, fork, spoon) dos *m*
4 (rear-facing part) (of vehicle) arrière *m*; (of electrical appliance) face *f* arrière; (of shirt, coat) dos *m*; **to hang one's coat on the ∼ of the door** pendre son manteau derrière la porte; **the shelves are oak but the ∼ is plywood** les étagères sont en chêne mais le fond est en contreplaqué; **a blow to the ∼ of the head** un coup sur l'arrière de la tête; **a lump on the ∼ of the head** une bosse derrière la tête; **the knife fell down the ∼ of the fridge** le couteau est tombé derrière le réfrigérateur; **the keys were down the ∼ of the sofa** les clés avaient glissé derrière les coussins du canapé
5 (area behind building) **to be out ∼**, **to be in the ∼** US (in the garden) être dans le jardin; (in the yard) être dans la cour; **he's round** *ou* **in the ∼** il est dans le jardin; **the view out ∼ is lovely** la vue que l'on a à l'arrière est très jolie; **there's a small garden out ∼** *ou* **round the ∼** il y a un petit jardin derrière; **the bins are out ∼** *ou* **round the ∼** les poubelles sont derrière la maison; **the steps at the ∼ of the building** l'escalier à l'arrière de l'immeuble
6 Aut arrière *m*; **to sit in the ∼** s'asseoir à l'arrière; **there are three children in the ∼** il y a trois enfants à l'arrière; **to sit at the ∼ of the plane/at the ∼ of the bus** s'asseoir à l'arrière de l'avion/au fond du bus
7 (furthest away area) (of cupboard, drawer, fridge) fond *m*; (of stage) fond *m*; **at** *ou* **in the ∼ of the drawer** au fond du tiroir; **right at the ∼ of the cupboard** tout au fond du placard; **at the ∼ of the audience** au fond de la salle; **those at the ∼ couldn't see** ceux qui étaient derrière ne pouvaient pas voir; **the ∼ of the throat** l'arrière-gorge *f*; **the ∼ of the mouth** la gorge *f*
8 (of chair, sofa) dossier *m*
9 Sport arrière *m*; **left ∼** arrière gauche

10▸ (end) fin *f*; **at the ~ of the book/file** à la fin du livre/fichier
11▸ (book spine) dos *m*
B *adj* **1▸** (at the rear) [*axle, wheel, bumper*] arrière; [*paw, leg*] arrière; [*bedroom*] du fond; [*edge*] arrière; [*page*] dernier/-ière (*before n*); [*garden, gate*] de derrière; **~ tooth** molaire *f*
2▸ (isolated) [*road*] petit (*before n*); **~ alley** *ou* **lane** ruelle *f*; **~ country** arrière -pays *m*
C *adv* **1▸** (indicating return after absence) **to be ~** être de retour; **I'll be ~ in five minutes/six weeks** je reviens dans cinq minutes/six semaines; **to arrive** *ou* **come ~** rentrer (**from** de); **he's ~ at work** il a repris le travail; **she's ~ in (the) hospital** elle est retournée à l'hôpital; **it's good to be ~ home** c'est agréable de rentrer chez soi *or* de se retrouver à la maison; **when is he due ~?** quand doit-il rentrer?; **to go ~ to** reprendre [*work*]; retourner en [*France, China*]; retourner au [*Canada, Japan*]; retourner à [*Paris, museum, shop*]; **the miniskirt is ~** (in fashion) les mini-jupes sont de nouveau à la mode
2▸ (in return) **to call** *ou* **phone ~** rappeler; **I'll write ~ (to him)** je lui répondrai; **he hasn't written ~ yet** il n'a pas encore répondu; **'OK,' he shouted ~** 'OK,' a-t-il répondu en criant; **to punch sb ~** rendre son coup à qn; **to smile ~ at sb** rendre son sourire à qn; **he was rude ~** il a été aussi impoli avec moi que je l'avais été avec lui; ▸ **answer**
3▸ (backwards, in a reverse direction) [*glance, jump, step, lean*] en arrière
4▸ (away) **we overtook him 20 km ~** nous l'avons doublé il y a 20 km; **there's a garage 10 km ~** nous avons passé un garage à 10 km en arrière
5▸ (ago) **25 years ~** il y a 25 ans; **a week/five minutes ~** il y a une semaine/cinq minutes
6▸ (a long time ago) **~ in 1964/April** en 1964/avril; **~ before Easter/the revolution** avant Pâques/la révolution; **~ in the days when** du temps où; **it was obvious as far ~ as last year/1985 that** déjà l'année dernière/en 1985 il était évident que; **to go** *ou* **date ~ to** remonter à [*Roman times, 1700*]
7▸ (once again) **she's ~ in power/control** elle a repris le pouvoir/les commandes; **Paul is ~ at the wheel** Paul a repris le volant; **to get ~ to sleep** se rendormir; **to go ~ home** rentrer chez soi; **to go ~ to bed** se recoucher
8▸ (nearer the beginning) **ten lines ~** dix lignes plus haut; **ten pages ~** dix pages plus tôt *or* avant
9▸ (indicating return to sb's possession) **to give/send sth ~** rendre/renvoyer qch (**to** à); **to put sth ~** remettre qch; **I've got my books ~** on m'a rendu mes livres; **to get one's money ~** être remboursé; **he wants his dictionary ~ now** il veut que tu lui rendes son dictionnaire tout de suite
10▸ (expressing a return to a former location) **to travel to London and ~** faire l'aller-retour à Londres; **the journey to Madrid and ~** l'aller-retour à Madrid; **we walked there and took the train ~** nous y sommes allés à pied et nous avons pris le train pour rentrer; **how long will it take to drive ~?** combien de temps est-ce que ça prendra pour rentrer en voiture?
11▸ (in a different location) **meanwhile, ~ in France, he...** pendant ce temps, en France, il...; **~ in the studio, recording had begun** au studio, l'enregistrement avait commencé; **I'll see you ~ at the house/in the office** je te verrai à la maison/au bureau
D **back and forth** *adv phr* **to go** *ou* **travel ~ and forth** (commute) [*person, bus*] faire la navette (**between** entre); **to walk** *ou* **go ~ and forth** faire des allées et venues (**between** entre); **to swing ~ and forth** [*pendulum*] osciller; **to sway ~ and forth** se balancer; **the film cuts** *ou* **moves ~ and forth between New York and Paris** le film se passe entre New York et Paris
E *vtr* **1▸** (support) soutenir [*candidate, party, person, bid, bill, action*]; appuyer [*application*]; apporter son soutien à [*enterprise, project*]; **the strike is ~ed by the union** le syndicat soutient la grève; **the junta is ~ed by the militia** la junte est soutenue par la milice
2▸ (finance) financer [*project, undertaking*]
3▸ (endorse) garantir [*currency*]; **to ~ a bill** Comm, Fin endosser, avaliser une traite
4▸ (substantiate) justifier [*argument, claim*] (**with** à l'aide de)
5▸ (reverse) faire reculer [*horse*]; **to ~ the car into the garage** rentrer la voiture au garage en marche arrière; **to ~ sb into/against sth** faire reculer qn dans/contre qch; **to ~ oars** *ou* **water** déramer
6▸ (bet on) parier sur [*horse, favourite, winner*]; **to ~ a loser** [*race goer*] miser sur un cheval perdant; fig (invest ill-advisedly) mal placer son argent; (support a lost cause) soutenir une cause perdue d'avance; **to ~ the wrong horse** lit, fig miser sur le mauvais cheval
7▸ (stiffen, line) consolider, renforcer [*structure*]; endosser [*book*]; renforcer, entoiler [*map*]; maroufler [*painting*]; doubler [*fabric*]
8▸ Mus accompagner [*singer, performer*]
9▸ Naut masquer, coiffer [*sail*]
F *vi* **1▸** (reverse) faire marche arrière
2▸ Naut [*wind*] changer de direction
G **-backed** (*dans composés*) **1▸** (of furniture) **a high-/low-~ed chair** une chaise avec un dossier haut/bas
2▸ (lined, stiffened) **canvas-/foam-~ed** doublé de toile/de mousse
3▸ (supported) **UN-~ed** soutenu par l'ONU
4▸ (financed) **government-~ed** financé par l'État
(Idiom) **to break the ~ of a journey/task** faire le plus gros du voyage/travail. ▸ **beyond, duck, hand, own, scratch, wall**
(Phrasal verbs) ■ **back away** reculer; **to ~ away from** lit s'éloigner de [*person, precipice*]; fig prendre ses distances par rapport à [*issue, problem*]; chercher à éviter [*confrontation*]
■ **back down**: ▸ **~ down** (give way) céder; **you can't ~ down now** tu ne peux pas céder maintenant; **to ~ down from** chercher à éviter [*confrontation*]; **to ~ down on** *ou* **over** reconsidérer [*sanctions, proposal, allegations*]; ▸ **~ down [sth]** [*person*] descendre [qch] à reculons [*slope*]; [*car*] descendre [qch] en marche arrière [*drive, hill*]
■ **back off** **1▸** (move away) reculer; **2▸** fig (climb down) se montrer plus coopérant; **to ~ off over** céder sur [*issue, matter*]
■ **back onto**: ▸ **~ onto [sth]** [*house*] donner sur [qch] à l'arrière [*fields, railway*]
■ **back out**: ▸ **~ out** **1▸** (come out backwards) [*person*] sortir à reculons; [*car, driver*] sortir en marche arrière; **to ~ out of** [*person*] sortir de [qch] en reculant [*room*]; [*car, driver*] sortir de [qch] en marche arrière [*garage, parking space*]; **2▸** (renege on) se désister, reculer; **to ~ out of** annuler [*deal, contract*]; [*competitor, team*] se retirer de [*event*]; ▸ **~ [sth] out** faire sortir [qch] en marche arrière [*vehicle*]; **to ~ the car out of the garage** faire sortir la voiture du garage en marche arrière
■ **back up**: ▸ **~ up** **1▸** (reverse) [*driver, vehicle*] reculer, faire marche arrière; **~ up a few metres** recule de quelques mètres; **2▸** US (block) [*drains*] s'obstruer; **3▸** US (tail back) [*traffic*] se bloquer; ▸ **~ [sth] up, ~ up [sth]** **1▸** (support) [*facts, evidence*] confirmer [*claims, case, theory*]; **2▸** Comput sauvegarder [*data, file*]; ▸ **~ [sb] up** soutenir [*person*]

backache /ˈbækeɪk/ *n* mal *m* de dos; **to have ~** GB, **to have a ~** US avoir mal au dos
back bacon *n* Culin bacon *m* maigre
backbench /ˌbækˈbentʃ/
A *n* GB Pol **1▸** (area of the House) banc *m* des députés; **2▸** ₵ (MPs) députés *mpl*; **support from the ~(es)** le soutien des députés
B *modif* [*committee, discussion, revolt etc*] des députés; **~ MP** député *m*
backbencher /bækˈbentʃə(r)/ *n* GB Pol député *m*

> **Backbencher**
> Député britannique qui siège sur les bancs du fond (*backbenches*) à la Chambre des communes parce qu'il n'occupe pas de poste particulier au gouvernement ou au sein du cabinet fantôme de l'opposition.
> ▸ **House of Commons**

backbiting /ˈbækbaɪtɪŋ/ *n* médisance *f*
backboard /ˈbækbɔːd/ *n* (in basketball) panneau *m*
back boiler *n* chaudière *f* (*située derrière le foyer d'une cheminée*)
backbone /ˈbækbəʊn/ *n* **1▸** (spine) (of person, animal) colonne *f* vertébrale; (of fish) grande arête *f*; **2▸** fig (strong feature) ossature *f*; **to be the ~ of** [*people, players*] constituer l'ossature de [*group, team*]; [*person, concept*] être le pilier de [*organization, project, ideology*]; **3▸** fig (courage) cran○ *m*; **to have the ~ to do** avoir le cran○ de faire; **he has no ~** c'est une larve; **4▸** Comput dorsale *f*
back-breaking *adj* éreintant
back burner *n*
(Idiom) **to put sth on the ~** mettre qch en veilleuse [*project etc*]
back: **~ button** *n* Comput bouton *m* revenir; **~chat** *n* GB insolence *f*; **~cloth** *n* Theat, fig toile *f* de fond
backcomb /ˈbækkəʊm/ *vtr* crêper [*hair*]; **to ~ one's hair** se crêper les cheveux
back: **~ copy** *n* Publg ancien numéro *m*; **~ court** *n* Sport fond *m* de court; **~ cover** *n* gen dos *m*; Publg quatrième *f* de couverture
backdate /ˈbækdeɪt/ *vtr* antidater [*cheque, letter*]; **to be ~d to 1 April** être antidaté avec effet rétroactif au 1er avril; **a pay-rise** GB *ou* **raise** US **~d to 1 January** une augmentation de salaire avec effet rétroactif au 1er janvier
back door *n* (of car) portière *f* arrière; (of building) porte *f* de derrière; **to come in through the ~** fig entrer par la petite porte
backdrop /ˈbækdrɒp/ *n* **1▸** Theat toile *f* de fond; **2▸** fig toile *f* de fond; **to be a ~ to** *ou* **for sth** servir de toile de fond à qch; **to take place against a ~ of war** se dérouler sur fond de guerre
back-end /ˌbækˈend/ *n* **1▸** (rear) arrière *m*; **the ~ of the year** GB la fin de l'année; **2▸** Comput terminal *m*
(Idiom) **to look like the ~ of a bus**○ péj GB être moche○
back end processor *n* Comput ordinateur *m* principal, processeur *m* dorsal
backer /ˈbækə(r)/ *n* **1▸** (supporter) allié/-e *m/f*; **2▸** Fin (of project, event) commanditaire *m*; (of business) bailleur *m* de fonds; **3▸** Games parieur/-ieuse *m/f*
back-fastening *adj* [*bra*] qui s'attache derrière
backfire /ˈbækfaɪə(r)/ *vi* **1▸** [*scheme, tactics*] avoir l'effet inverse; **to ~ on sb** se retourner contre qn; **2▸** [*car*] pétarader
back: **~ flip** *n* saut *m* périlleux arrière; **~ formation** *n* Ling dérivation *f* régressive; **~gammon** ▸ **p. 1253** *n* jaquet *m*
background /ˈbækgraʊnd/
A *n* **1▸** (of person) (social) milieu *m*; (personal, family) origines *fpl*; (professional) formation *f*; **to come from a middle-class ~** être issu d'un milieu bourgeois, avoir des origines bourgeoises; **people from poor ~s** les gens issus d'un milieu pauvre; **we want someone with a scientific/computer ~** nous cherchons quelqu'un ayant une formation scientifique/d'informaticien; **a ~ in law/linguistics** une formation juridique/en linguistique; **2▸** (context) contexte *m*; **the economic/political ~** le contexte économique/politique; **against a ~ of violence** dans un climat de violence; **these events took place against a ~ of war** ces événements avaient pour toile de fond la guerre *or* se sont déroulés pendant la guerre;

b

what's the ~ to the situation? qu'est-ce qui est à l'origine de la situation?; **3** (of painting, photo, scene) fond *m*, arrière-plan *m*; **that's me in the ~** me voilà à l'arrière-plan; **we could see the Alps in the ~** on voyait les Alpes au loin; **against a ~ of** sur un fond de; **on a red ~** sur un fond rouge; **4** (not upfront) **in the ~** au second plan; **to be/remain in the ~** être/rester au second plan; **to push sb/sth into the ~** reléguer qn/qch au second plan; **ill-feeling was always there in the ~** la rancune était toujours là dans l'ombre; **5** (of sound, music) **a ~ of laughter/music** des rires/de la musique en bruit de fond; **voices in the ~** des voix en bruit de fond

B *modif* **1** [*briefing, information, knowledge, material*] concernant les origines de la situation; **2** [*music, lighting*] d'ambiance

background: **~ noise** *n* bruit *m* de fond; **~ radiation** *n* radiation *f* naturelle; **~ reading** *n* lectures *fpl* complémentaires (*autour d'un sujet*)

backhand /'bækhænd/

A *n* **1** (stroke) revers *m*; **to have a strong ~** avoir un bon revers; **2** (writing) écriture *f* penchée à gauche

B *adj* **1** Sport [*volley*] de revers; **~ drive** coup *m* droit de dos; **2** [*writing*] penché à gauche

backhanded /,bæk'hændɪd/ *adj* [*compliment*] équivoque

backhander /'bækhændə(r)/ *n* **1** (blow) revers *m*; **2** (bribe) pot-de-vin *m*; **3** (reproof) critique *f*

backing /'bækɪŋ/

A *n* **1** (reverse layer) revêtement *m* intérieur; (to stiffen) support *m*; **2** Fin, fig (support) soutien *m*; **3** Mus accompagnement *m*

B *modif* Mus [*singer, group*] d'accompagnement; **~ vocals** chœurs *mpl*, choristes *mfpl*

backing store *n* Comput mémoire *f* auxiliaire

backing track *n* Mus piste *f* d'accompagnement

back: **~ interest** *n* arriérés *mpl* d'intérêts; **~ issue** *n* Publg ancien numéro *m*; **~ kitchen** *n* arrière-cuisine *f*

backlash /'bæklæʃ/ *n* réaction *f* violente (**against** contre); **nationalist/military ~** retour *m* de bâton nationaliste/militaire

back: **~less** *adj* [*dress*] dos-nu *inv*; **~line** *n* (in tennis) ligne *f* de fond de court; **~list** *n* Publg liste *f* des ouvrages disponibles; **~ lit** *adj* rétro-éclairé; **~ load** *n* Comm chargement *m* de retour

backlog /'bæklɒg/ *n* retard *m*; **I've got a huge ~ (of work)** j'ai plein de travail en retard; **a ~ of orders** une accumulation de commandes en souffrance; **to clear one's ~** liquider le travail en retard

back: **~ marker** *n* Sport dernier/-ière *m/f*; **~ matter** *n* Publg appendices *mpl*; **~ number** *n* Publg ancien numéro *m*; **~-of-the-envelope** *adj* [*calculation*] approximatif/-ive; **~ orders** *npl* commandes *fpl* en attente *or* en souffrance

backpack /'bækpæk/ *n* sac *m* à dos

backpacker /'bækpækə(r)/ *n* routard/-e○ *m/f*

backpacking /'bækpækɪŋ/ *n* ¢ randonnée *f*; **to go ~** faire de la randonnée

back pain ▸ p. 1327 *n* mal *m* de dos; **to have ~** avoir mal au dos

back: **~ passage** *n* rectum *m*; **~ pay** *n* rappel *m* de salaire

back-pedal /,bæk'pedl/ *vi* (*p prés etc* **-ll-** GB, **-l-** US) lit rétropédaler; fig faire marche arrière; **he's always ~ling** il revient toujours sur ce qu'il dit

back-pedalling /,bæk'pedlɪŋ/ *n* ¢ lit rétropédalage *m*; fig **no more ~!** arrête de revenir sur ce que tu dis!

back: **~ pocket** *n* poche *f* arrière; **~ projection** *n* rétro-éclairage *m*; **~ rent** *n* arriérés *mpl* de loyer; **~ rest** *n* dossier *m*

back room

A *n* chambre *f* du fond

B **backroom** *modif* [*window, ceiling*] de la chambre du fond; **the ~ boys** *ou* **staff** les experts qui travaillent dans les coulisses

back row /bæk'rəʊ/ *n* Sport deuxièmes lignes *fpl*

backscratcher /'bækskrætʃə(r)/ *n* gratte-dos *m inv*

back seat *n* siège *m* arrière; **to take a ~** fig s'effacer

back: **~seat driver** *n*: *passager qui donne sans arrêt des conseils au conducteur*; **~shift** *n* GB Ind (shift) poste *m* du soir; (workers) équipe *f* du soir; **~shop** *n* arrière-boutique *f*

backside /'bæksaɪd/ *n* derrière *m*, fesses *fpl*

back: **~sight** *n* Mil cran *m* de mire; **~slang** *n* GB *argot qui consiste à prononcer les mots à l'envers*, ≈ verlan *m*; **~slapping** *n* cordialité *f* exubérante; **~slash** *n* Print barre *f* oblique inverse, antislash *m*; **~slider** *n* récidiviste *m*; **~sliding** *n* récidive *f*

backspace /'bækspeɪs/

A *n* Comput, Print retour *m* arrière

B *vi* reculer

backspace key *n* touche *f* retour arrière

backspin /'bækspɪn/ *n* Sport **to put ~ on a ball** donner de l'effet à une balle

backstage /'bæksteɪdʒ/ *adv* **he's ~** il est en coulisse; [*work, go*] dans les coulisses

backstairs /'bæksteəz/

A *npl* escalier *m* de service

B *adj* [*gossip, connivance*] de coulisses

backstitch /'bækstɪtʃ/

A *n* point *m* arrière

B *vi* coudre en point arrière

backstop /'bækstɒp/ *n* **1** Sport (fielder) receveur *m*; (screen) grillage *m* de fond de court; **2** fig (protection) protection *f* (**against** contre)

back straight, **back stretch** *n* Sport ligne *f* droite de retour

backstreet /'bækstri:t/

A *n* petite rue *f*; **the ~s of Naples** péj les quartiers *mpl* pauvres de Naples

B *modif* [*loanshark, abortionist*] clandestin

back: **~stroke** *n* dos *m* crawlé; **~swept** *adj* [*hair*] balayé en arrière; **~talk** *n* US = **backchat**; **~ tax** *n* arriérés *mpl* d'impôts

back-to-back

A *adj* **~ houses** maisons adossées l'une contre l'autre

B *adv* **1** (with backs touching) **to stand ~** [*two people*] se mettre dos à dos; **2** (consecutively) **to win three tournaments ~** gagner trois tournois de suite; **to watch two episodes ~** regarder deux épisodes de suite

back to front

A *adj* (facing the wrong way) à l'envers; fig **you've got it all ~** tu as tout compris de travers

B *adv* [*put on, wear*] à l'envers

backtrack /'bæktræk/ *vi* **1** (retract a statement) faire marche arrière; **to ~ on a promise** revenir sur une promesse; **2** (retrace one's steps) rebrousser chemin

back translation *n* Ling rétro-traduction *f*

backup /'bækʌp/

A *n* **1** (support) soutien *m*; Mil renforts *mpl*; **to need ~** [*police officer, troops*] avoir besoin de renforts; **2** (replacement) **to keep a battery/car as a ~** garder une batterie/voiture de secours; **3** Comput sauvegarde *f*

B *modif* **1** (support) [*equipment*] de renfort; **~ troops** renforts *mpl*; **~ supplies** réserves *fpl*; **2** (replacement) [*plan, system, vehicle*] de secours; **3** Comput [*file, copy*] de sauvegarde

backup light *n* US Aut feu *m* de recul

backward /'bækwəd/

A *adj* **1** (towards the rear) [*glance, look, step*] en arrière; **~ roll** roulade *f* arrière; **~ somersault** salto *m* arrière; **2** (primitive) [*culture, nation, society, economy*] arriéré; **to be technologically ~** souffrir d'un retard technologique; **3** Psych, Sch (handicapped) [*child*] arriéré; (slow to learn) [*pupil*] retardé; **4** (hesitant) **he wasn't ~ about accepting the free trip** il n'a pas été long à accepter le voyage gratuit; **she isn't ~ in coming forward** hum elle n'hésite pas à se mettre en avant

B *adv* US = **backwards**

backwardation /,bækwə'deɪʃn/ *n* Fin déport *m*

backward-looking *adj* passéiste

backwardness /'bækwədnɪs/ *n* **1** (of intellect) arriération *f*; (of culture, economy) retard *m*; **2** (shyness) timidité *f*; **3** (reticence) hésitation *f* (**in doing** à faire)

backwards /'bækwədz/ GB, **backward** /'bækwəd/ US

A *adj* **a ~ jump/glance/step** un bond/regard/pas en arrière.

B *adv* **1** (in a reverse direction) [*walk, crawl*] à reculons; [*lean, step, fall*] en arrière; **to face ~** [*person*] tourner le dos; **to move ~** reculer; **facing ~** (in train) dans le sens contraire de la marche; **to be facing ~** avoir le dos tourné; **to travel ~ and forwards** faire la navette (**between** entre); **to walk ~ and forwards** faire des allées et venues; **to swing ~ and forwards** se balancer; ▸ **bend**; **2** (starting from the end) [*count*] à rebours; [*play, wind*] à l'envers; **to say** *ou* **recite sth ~** dire qch en commençant par la fin; **3** (the wrong way round) **to put sth on ~** mettre qch devant-derrière *or* à l'envers; **to get sth ~** fig mal comprendre [*message, instructions*]; **you've got it all ~!** tu as tout mélangé!; **4** (thoroughly) **to know sth ~** connaître qch par cœur

backwash /'bækwɒʃ/ *n* Naut remous *m*

backwater /'bækwɔ:tə(r)/ *n* **1** lit (of pool, river) eaux *fpl* mortes; **2** fig (isolated area) gen village *m* tranquille; péj trou○ *m* pej; **cultural ~** désert *m* culturel

backwoods /'bækwʊdz/ *npl* US région *f* forestière inexploitée

backwoodsman /'bækwʊdzmən/ *n* **1** lit rustre *m*, péquenaud○ pej; **2** ○GB Pol pair *m* qui fréquente peu la Chambre des Lords

backyard /,bæk'jɑ:d/ *n* **1** GB (courtyard) arrière-cour *f*; **2** US (backgarden) jardin *m* de derrière; **3** fig **in one's ~** (in a nearby area) près de chez soi; (in nearby country) près de ses frontières; **we don't want a power station in our ~** nous ne voulons pas de centrale nucléaire près de nos frontières *or* près de chez nous; **they consider the ex-colony to be their ~** ils veulent garder un pied dans leur ancienne colonie

bacon /'beɪkən/

A *n* ≈ lard *m*; **a rasher of ~** une tranche de bacon; **streaky/smoked ~** lard maigre/fumé; **~ and egg(s)** des œufs au bacon

B *modif* [*fat, rind*] de lard

(Idioms) **to bring home the ~**○ faire bouillir la marmite○; **to save sb's ~**○ tirer qn d'affaire○

bacon-slicer *n* coupe-jambon *m inv*

bacteria /bæk'tɪərɪə/ *npl* bactéries *fpl*

bacterial /bæk'tɪərɪəl/ *adj* bactérien/-ienne

bacteriological /bæk,tɪərɪə'lɒdʒɪkl/ *adj* bactériologique

bacteriologist /bæk,tɪərɪ'ɒlədʒɪst/ *n* bactériologiste *mf*

bacteriology /bæk,tɪərɪ'ɒlədʒɪ/ *n* bactériologie *f*

bacterium /bæk'tɪərɪəm/ *n* (*pl* **-ria**) bactérie *f*

bad /bæd/

A *n* **1** (evil) **there is good and ~ in everyone** il y a du bon et du mauvais dans chacun; **she only sees the ~ in him** elle ne voit que ses mauvais côtés; **to go to the ~** mal tourner **2** (unpleasantness, unfavourableness) **the good and the ~** le bon et le mauvais; **he ended up £100 to the ~** il a fini par perdre 100 livres sterling

B *adj* (*comp* **worse**; *superl* **worst**) **1** (poor, inferior, incompetent, unacceptable) [*book, harvest, spelling,* *eyesight, answer, memory, cook, father, liar, management, decision, idea*] mauvais (*before n*); [*joke*] stupide; a ~ thing une mauvaise chose; **to have ~ hearing** ne pas très bien entendre; **to have ~ teeth/~ legs** avoir de mauvaises dents/de vilaines jambes; **to be ~ at** être mauvais en [*subject*]; **to be ~ at sport** ne pas être doué pour le sport; **to be ~ at doing** (do badly) ne pas être doué pour faire; (dislike doing, do reluctantly) avoir du mal à faire; **that's ~!** (disapproving) c'est une honte!; **not ~**○ pas mauvais, pas mal○; **it wouldn't be a ~ idea to...** ce ne serait pas une mauvaise idée de...; **as bosses go she's not ~** comme patronne elle n'est pas mal○

2 (unpleasant, unfavourable, negative) [*news, day, time, year, smell, dream, reaction, review, result, forecast, omen, sign, mood, temper*] mauvais (*before n*); **it's ~ enough having to wait, but...** c'est déjà assez pénible de devoir attendre, mais...; **it looks** *ou* **things look ~** cela s'annonce mal (**for** pour); **that's ~!** (it's a pity) c'est bête!; **the journey/exam wasn't ~ at all** le voyage/l'examen s'est plutôt bien passé; **too ~!** (sympathetic) pas de chance!; (hard luck) tant pis!

3 (morally or socially unacceptable) [*person, behaviour, habit, life, manners, example, influence, reputation*] mauvais (*before n*); [*language, word*] grossier/-ière; **~ dog!** vilain!; **you ~ girl!** vilaine!; **he's been a ~ boy** il a été vilain, il n'a pas été gentil; **it is ~ to do** c'est mal de faire; **it is ~ of sb to do** ce n'est pas bien de la part de qn de faire; **it is ~ that** il est regrettable que (+ *subj*); **it will look ~** cela fera mauvais effet; **to feel ~** avoir mauvaise conscience (**about** au sujet de); **I feel ~ about leaving you on your own/being late yesterday** j'ai mauvaise conscience de te laisser tout seul/d'avoir été en retard hier

4 (severe, serious) [*accident, attack, fracture, injury, mistake*] grave; [*case*] sérieux/-ieuse; **to have ~ toothache** avoir très mal aux dents; **a ~ cold** un gros rhume; **how ~ is it?** c'est grave?; **it looks ~** cela a l'air grave

5 (harmful, injurious) **~ for** mauvais pour; **smoking is ~ for you** *ou* **your health** fumer est mauvais pour la santé; **it's ~ for you to eat that** tu ne devrais pas manger ça; **it's ~ for industry** c'est néfaste pour l'industrie; **it will be ~ for mothers** cela fera du tort aux mères

6 (inappropriate, unsuitable) [*time, moment, place, example*] mauvais; **~ weather for skiing** mauvais temps pour faire du ski; **a ~ car for learning to drive in** une mauvaise voiture pour apprendre à conduire; **that's a ~ place to park** ce n'est pas un bon endroit pour se garer; **it's a ~ time to buy a house** *ou* **for buying a house** ce n'est pas le bon moment pour acheter une maison; **it's a ~ colour/shape for you** c'est une couleur/forme qui ne te va pas; **this may not be a ~ opportunity to...** ce n'est peut-être pas un mauvais moment pour...

7 (ill, with a weakness or injury) **to have a ~ back** souffrir du dos; **to have a ~ chest** être malade des poumons; **to have a ~ heart** être cardiaque; **to have a ~ leg** avoir mal à la jambe; **that's my ~ knee!** c'est le genou qui me fait mal!; **my back is ~ today** j'ai très mal au dos aujourd'hui; **she was very ~ in the night** elle a été très malade pendant la nuit; **to feel ~** se sentir mal; **'how are you?'—'not so ~'** 'comment vas-tu?'–'pas trop mal'; **to be in a ~ way**○ filer un mauvais coton○; **you are in a ~ way, aren't you?** ça ne va pas fort, on dirait!

8 Fin [*money, note*] faux/fausse; [*loan*] douteux/-euse; [*insurance claim*] frauduleux/-euse

9 ○(good) terrible○

10 (rotten) [*fruit*] pourri; **to go ~** pourrir

C *adv*○ surtout US [*need, want*] méchamment○; **it hurts ~** ça fait sérieusement mal; **he's/she's got it ~** il/elle est vraiment mordu/-e○

(Idioms) **to be in ~** US avoir des ennuis; **to be in ~ with sb** US être en froid avec qn; **he's ~ news** il faut se méfier de lui; **he's having a ~ hair day**○ ce n'est pas son jour

bad: **~ apple**○ *n* pourri/-e○ *m/f*; **~ ass**◐ *n* US fouteur/-euse *m/f* de merde●

bad blood *n* mésentente *f*; **there is ~ between them** ils sont à couteaux tirés

bad: **~ boy** *n* enfant *m* terrible; **~ breath** *n* mauvaise haleine *f*; **~ cheque** *n* chèque *m* sans provision *or* en bois○; **~ debt** *n* créance *f* douteuse

baddie○, **baddy**○ /'bædɪ/ *n* méchant/-e *m/f*

bade‡ /beɪd, bæd/ *prét* ▸ **bid B, C**

badge /bædʒ/ *n* **1** (sew-on, pin-on, adhesive) badge *m*; **2** (coat of arms) insigne *m*; **membership ~** insigne de membre; **3** (symbol) symbole *m*, insigne *m* liter; **~ of office** insigne de fonction

badger /'bædʒə(r)/

A *n* Zool blaireau *m*

B *vtr* harceler; **to ~ sb to do** harceler qn pour qu'il/qu'elle fasse

badger baiting *n*: *déterrage de blaireaux avec des chiens*

badlands /'bædləndz/ *npl* US bad-lands *fpl*

badly /'bædlɪ/ *adv* (*comp* **worse**; *superl* **worst**)

1 (not well) [*begin, behave, fit, sleep, teach, treat*] mal; [*cooked, educated, fed, equipped, made, managed, worded*] mal; **to go ~** [*exam, interview, meeting*] mal se passer; **to do ~** [*candidate, company*] obtenir de mauvais résultats; **to take sth ~** mal prendre qch; **he didn't do too ~** il ne s'est pas mal débrouillé○; **she hasn't done ~ for herself** elle ne s'est pas mal débrouillée○ dans la vie; **the shop hasn't done ~ out of me** je n'ai pas été un mauvais client pour le magasin; **to do ~ by sb** ne pas être correct avec qn; **to be/feel ~ done by** être/se sentir mal traité; **please don't think ~ of me** s'il vous plaît, ne m'en veuillez pas;

2 (seriously) [*suffer*] beaucoup; [*beat*] brutalement; [*disrupt, affect*] sérieusement; [*burnt, damaged*] gravement; [*hurt*] gravement, grièvement; **~ hit** durement touché; **our plans went ~ wrong** nos projets ont très mal tourné; **I was ~ mistaken** je me suis lourdement trompé; **the team was ~ beaten** l'équipe a été largement battue; **3** (urgently) **to want/need sth ~** avoir très envie de/grand besoin de qch; **to be ~ in need of help/cleaning** avoir grand besoin d'aide/d'être nettoyé; **how ~ do you need it?** en as-tu vraiment besoin?

badly behaved *adj* désobéissant

badly off *adj* (poor) pauvre; **to be ~ for space/clothes** manquer d'espace/de vêtements

badman /'bædmæn/ *n* US bandit *m*

bad-mannered /,bæd'mænəd/ *adj* qui a de mauvaises manières; **she's very ~** elle a de très mauvaises manières

badminton /'bædmɪntn/ ▸ **p. 1253** *n* badminton *m*

badmouth○ /'bædmaʊð/ *vtr* dire du mal de [*person*]

badness /'bædnɪs/ *n* **1** (moral, ethical) méchanceté *f*; **2** (of performance, film, book) médiocrité *f*

bad-tempered /,bæd'tempəd/ *adj* **1** (temporarily) [*person, reply*] irrité; **2** (habitually) [*person, nature*] irritable

baffle /'bæfl/

A *n* (*also* **~ board**) (for sound) baffle *m*; (for fluids) déflecteur *m*

B *vtr* rendre [qn] perplexe, confondre

baffled /'bæfld/ *adj* perplexe (**by** devant), confondu (**by** par)

bafflement /'bæflmənt/ *n* perplexité *f*, confusion *f*

baffling /'bæflɪŋ/ *adj* déroutant

BAFTA /'bæftə/ *n* GB (*abrév* = **British Association of Film and Television Arts**) *association qui récompense annuellement les meilleurs films et émissions de télévision*

bag /bæg/

A *n* **1** (container) sac *m* (**of** de); **to put sth in a ~** mettre qch dans un sac; **20 pence a ~** 20 pence le sac; **2** (hunting) **to get a good ~** faire bonne chasse; **3** ◑péj (woman) teigne *f* pej

B **bags** *npl* **1** (baggage) bagages *mpl*; **to pack one's ~s** lit faire ses bagages; fig faire ses valises; **2** ○GB (lots) **~s of** plein de [*money, time*]; **I've got ~s left** il m'en reste des tonnes○ *fpl*

C *vtr* (*p prés etc* **-gg-**) **1** ○(save, get) retenir [*seat, table*]; empocher [*medal*]; **to ~ sth for sb, to ~ sb sth** retenir qch pour qn; **2** ○Sport marquer [*goal, point*]; tuer [*hare, bird*]; attraper [*fish*]; **3** (put in bags) = **bag up**; **4** ○US (capture) capturer

D *vi* (*p prés etc* **-gg-**) [*garment*] se déformer; **to ~ at the knees** pocher aux genoux

(Idioms) **a mixed ~** un mélange hétérogène; **~s I**○, **~s me**○ GB à moi; **it's in the ~**○ c'est dans le sac *or* la poche○; **it's not my ~**○ US ce n'est pas mon truc○; **the whole ~ of tricks**○ tout le bataclan○; **to be left holding the ~** US payer les pots cassés○; **to have ~s under one's eyes** avoir des valises sous les yeux○

(Phrasal verb) ■ **bag up**: ▸ **~ [sth] up, ~ up [sth]** mettre [qch] en sac, ensacher

bagatelle /,bægə'tel/ *n* **1** (game) billard *m* anglais; **2** Mus bagatelle *f*; **3** (trifle) littér bagatelle *f*; **a mere ~** une simple bagatelle

bagel /'beɪgl/ *n* petit pain *m* (en couronne)

bagful /'bægfʊl/ *n* (*pl* **~s** *ou* **bagsful**) sac *m* (plein) (**of** de); **four ~s** quatre sacs

baggage /'bægɪdʒ/ *n* **1** (luggage) ¢ bagages *mpl*; **ideological ~** fig héritage *m* idéologique; **2** Mil équipement *m*; **3** ○†(girl) coquine *f*

(Idiom) **bag and ~** avec armes et bagages○

baggage: **~ allowance** *n* franchise *f* de bagages; **~ car** *n* fourgon *m*; **~ carousel** *n* tapis *m* roulant (*pour bagages*); **~ check** *n* US bulletin *m* de consigne; **~ check-in** *n* enregistrement *m* des bagages; **~ checkroom** *n* US consigne *f*; **~ hall** *n* = **baggage reclaim**; **~ handler** ▸ **p. 1683** *n* bagagiste *mf*; **~ handling** *n* manutention *f* des bagages; **~ locker** *n* US consigne *f* automatique; **~ reclaim** *n* réception *f* des bagages; **~ room** *n* consigne *f* manuelle

bagger /'bægə(r)/ *n* US Comm employé/-e *m/f* chargé/-e d'emballer les achats

baggies /'bægɪz/ *npl* baggy *m*; **a pair of ~** un baggy

bagging /'bægɪŋ/ *n* Tex toile *f* à sac

baggy /'bægɪ/ *adj* [*garment*] large; **to go ~ at the knees** [*garment*] faire des poches aux genoux; **his clothes are ~** il flotte dans ses vêtements

Baghdad /,bæg'dæd/ ▸ **p. 1815** *pr n* Bagdad

bag: **~ lady**○ *n* clocharde *f* (*qui transporte tous ses biens dans des sacs en plastique*); **~man**○ *n* US, Austral intermédiaire *m* (*qui empoche des pots-de-vin*); **~ person**○ *n* clochard/-e *m/f* (*qui transporte tous ses biens dans des sacs*); **~pipes** ▸ **p. 1462** *n* cornemuse *f*; **~ snatcher** *n* voleur/-euse *m/f* de sacs à main

Bahamas /bə'hɑːməz/ ▸ **p. 1096** *pr n* **the ~** les Bahamas *fpl*

Bahamian /bə'hɑːmɪən/ *adj* [*native, inhabitant, climate*] des Bahamas

Bahrain /bɑː'reɪn/ ▸ **p. 1096** *pr n* Bahreïn *m*

Bahraini /bɑː'reɪnɪ/ ▸ **p. 1467** *n* Bahreïnien/-ienne *m/f*

Bahrein /bɑː'reɪn/ *pr n* = **Bahrain**

bail /beɪl/

A *n* **1** Jur caution *f*; **to be (out) on ~** être libéré sous caution; **to release sb on ~ of £5,000** *ou* **on £5,000 ~** libérer qn contre une caution de 5 000 livres sterling; **to set ~ at...** fixer la caution à...; **to stand** *ou* **go ~ for sb** se porter garant pour qn; **to put up ~ for sb** payer la caution pour qn; **to request/grant ~** demander/accorder la mise en liberté sous caution; **to jump ~** ne pas comparaître

b

(devant un tribunal); 2 Sport (in cricket) bâtonnet *m*
B *vtr* 1 Jur mettre [qn] en liberté provisoire; **they were ~ed to appear in court next Monday** ils ont été mis en liberté provisoire jusqu'à leur comparution devant le tribunal lundi prochain; 2 Naut écoper [*water*]
(Phrasal verb) ■ **bail out** 1 Naut écoper; 2 (jump from plane) sauter; ▸ **~ out [sb]**, **~ [sb] out** 1 (get out of trouble) tirer d'affaire [*person*]; Fin renflouer [*company*]; 2 Jur payer la caution pour [*person*]; ▸ **~ out [sth]**, **~ [sth] out** Naut écoper [*water*]; vider [*boat*]

bail: **~ bond** *n* US Jur caution *f*; **~bondsman** *n* US Jur garant *m*

bailee /beɪ'liː/ *n* Jur dépositaire *mf*

bailey /'beɪlɪ/ *n* 1 (wall) mur *m* d'enceinte; 2 (court) cour *f* intérieure

Bailey bridge /'beɪlɪ brɪdʒ/ *n* pont *m* Bailey

bailiff /'beɪlɪf/ ▸ **p. 1683** *n* 1 Jur (also for evictions) huissier *m*; **to send in the ~s** envoyer les huissiers; 2 GB (on estate) intendant/-e *m/f*

bailment /'beɪlmənt/ *n* dépôt *m*

bailor /'beɪlə(r)/ *n* déposant *m*

bailout /'beɪlaʊt/ *n* Fin subvention *f*

bailsman /'beɪlzmən/ *n* US = **bailbondsman**

bairn /beən/ *n* GB dial enfant *mf*

bait /beɪt/
A *n* lit, fig appât *m*; **to use sth/sb as ~** utiliser qch/qn comme appât; **to rise to** *ou* **swallow the ~** lit, fig mordre à l'hameçon
B *vtr* 1 (put bait on) appâter [*trap, hook*] (**with** avec); **they ~ed the trap with her son** fig ils se sont servis de son fils comme appât; 2 (tease) taquiner [*person*]; 3 (set dogs on) lancer des chiens contre [*bear, badger*]

baize /beɪz/ *n* (fabric) drap *m* de billard; (on billiard table) tapis *m*, drap *m* de billard

bake /beɪk/
A *n* 1 (dish) **fish/vegetable ~** ≈ gratin *m* de poisson/de légumes; 2 (occasion) **cake/pancake ~** réunion *f* pour faire des gâteaux/des crêpes
B *vtr* 1 Culin faire cuire [qch] au four [*dish, vegetable*]; faire [*bread, cake, pastry*]; 2 [*sun*] dessécher; 3 [*kiln*] cuire
C *vi* 1 (make bread) [*person*] faire du pain; (make cakes, pastry) faire de la pâtisserie; 2 (cook) [*food*] cuire; 3 fig (in sun) [*town, land*] cuire; [*person*]○ lézarder; **the mud had ~d hard** la boue avait durci
D **baked** *pp adj* [*salmon, apple*] au four; **freshly ~d** tout chaud sorti du four; **home ~d** fait à la maison

bake: **~d Alaska** *n* Culin omelette *f* norvégienne; **~d beans** *n* Culin haricots *mpl* blancs à la sauce tomate; **~d potato** *n* Culin pomme *f* de terre en robe des champs (au four); **~house** *n* four *m* (communal)

Bakelite® /'beɪkəlaɪt/ *n* Bakélite® *f*

bake-off *n* US concours *m* de cuisine

baker /'beɪkə(r)/ ▸ **p. 1683** *n* 1 (who makes bread) boulanger/-ère *m/f*; (who makes bread and cakes) boulanger-pâtissier/boulangère-pâtissière *m/f*; 2 (shop) **~'s (shop)** boulangerie *f*, boulangerie-pâtisserie *f*
(Idiom) **a ~'s dozen** treize à la douzaine

bakery /'beɪkərɪ/ ▸ **p. 1683** *n* boulangerie *f*, boulangerie-pâtisserie *f*

bake sale *n* vente *f* de charité (*de gâteaux*)

Bakewell tart /ˌbeɪkwel 'tɑːt/ *n* GB *gâteau à la confiture et aux amandes*

baking○ /'beɪkɪŋ/ *adj* (hot) [*place, day*] brûlant; **I'm absolutely ~!** je crève○ de chaud!; **it's ~ today!** quelle fournaise aujourd'hui!

baking: **~ powder** *n* Culin levure *f* chimique; **~ soda** *n* Culin bicarbonate *m* de soude

baksheesh /'bækʃiːʃ, bæk'ʃiːʃ/ *n* (tip) pourboire *m*; (bribe) bakchich *m*

balaclava /ˌbælə'klɑːvə/ *n* (*also* **~ helmet**) cagoule *f*; (mountaineer's) passe-montagne *m*

balalaika /ˌbælə'laɪkə/ ▸ **p. 1462** *n* balalaïka *f*

balance /'bæləns/
A *n* 1 (stable position) lit, fig équilibre *m* (**between** entre); **to lose one's ~** perdre l'équilibre; **to keep one's ~** garder son équilibre; **to knock sb off ~** faire perdre l'équilibre à qn; **to catch sb off ~** fig prendre qn au dépourvu; **to throw sb off ~** fig perturber qn; **ecological/racial ~** équilibre *m* écologique/racial; **to achieve a ~** parvenir à un équilibre; **to upset the ~** bouleverser l'équilibre; **to bring sth into ~** équilibrer qch; **the right ~** le juste milieu; **the ~ of nature** l'équilibre naturel; **the ~ of sb's mind** l'équilibre mental de qn; **while the ~ of his mind was disturbed** alors qu'il était en état de démence; **the ~ of interests** Pol l'équilibre des intérêts; **the ~ of power** l'équilibre des forces; **to hold the ~ of power** être en position d'inverser l'équilibre des forces; 2 (scales) lit, fig balance *f*; **to be in the ~** fig être dans la balance; **to hang in the ~** fig être en jeu; **on ~** tout compte fait; **on ~ it has been a good year** tout compte fait l'année a été bonne; 3 Accts, Comm (in account) solde *m*; **~ in hand/brought forward** le solde en caisse/reporté; **to pay the ~** verser le surplus; 4 (remainder) restant *m*; **if we pay off £100, that will leave a ~ of £50** si nous remboursons 100 livres sterling, il en restera 50 livres sterling à payer
B *vtr* 1 fig (compensate for) (*also* **~ out**) compenser, équilibrer; **the losses are ~d by the profits** les pertes sont compensées par les profits; **to ~ each other (out)** s'équilibrer; 2 (counterbalance) contrebalancer [*weights, design, elements*]; **you need something to ~ the picture on that side** il vous faut quelque chose pour contrebalancer le tableau de ce côté; 3 (perch) poser *or* mettre [qch] en équilibre (**on** sur); **the ball was ~d on his nose** le ballon était en équilibre sur son nez; 4 (adjust) équilibrer [*diet, activity, timetable*]; 5 (weigh up, compare) peser; **to ~ the pros and cons** peser le pour et le contre; **to ~ sth against sth** mesurer qch en fonction de qch; 6 Accts, Comm équilibrer [*account, books, budget, economy*]; 7 Aut équilibrer [*wheels*]
C *vi* 1 lit [*one person*] se tenir en équilibre (**on** sur); [*one thing*] tenir en équilibre (**on** sur); [*two things, persons*] s'équilibrer; 2 fig (*also* **~ out**) [*benefits, drawbacks*] se compenser; 3 Accts, Comm [*books, figures, budget*] être en équilibre; **to make sth ~, to get sth to ~** équilibrer qch
D **balanced** *pp adj* [*person, behaviour, discussion, view, diet, meal, schedule, curriculum, budget*] équilibré; [*article, report*] objectif/-ive; [*decision*] réfléchi

balance of payments *n* balance *f* des paiements; **the ~ surplus/deficit** l'excédent/le déficit de la balance des paiements

balance: **~ of power** *n* Pol équilibre *m* des forces, rapport *m* de force; **~ of terror** *n* équilibre *m* de la terreur; **~ of trade** *n* balance *f* du commerce extérieur; **~ sheet** *n* bilan *m*; **~ wheel** *n* balancier *m*

balancing act *n* lit numéro *m* d'équilibriste; fig tentative *f* de compromis; **to do a ~** fig tenter d'atteindre un compromis

balcony /'bælkənɪ/ *n* 1 (in house, hotel) balcon *m*; **on the ~** (seen from below) au balcon; (seen from interior) sur le balcon; 2 (of theatre) deuxième balcon *m*; **in the ~** (seats) au deuxième balcon

bald /bɔːld/ *adj* 1 [*man, head*] chauve; **to go ~** devenir chauve, se dégarnir; **he has a ~ spot** *ou* **patch** il a un début de calvitie; 2 [*lawn, carpet, terrain*] pelé; 3 Aut [*tyre*] lisse; 4 (blunt) [*statement, question*] abrupt; [*fact, reality*] brut; [*style*] dépouillé

baldachin, **baldaquin** /'bɔːldəkɪn/ *n* baldaquin *m*

bald eagle *n* aigle *m* chauve. ▸ **American eagle**

balderdash○† /'bɔːldədæʃ/
A *n* ¢ idioties *fpl*
B *excl* balivernes!

bald-headed /ˌbɔːld'hedɪd/ *adj* chauve; **a ~ man** un chauve

balding /'bɔːldɪŋ/ *adj* **a ~ man** un homme à la calvitie naissante; **his ~ head** son début de calvitie; **he's slightly ~** il devient un peu chauve

baldly /'bɔːldlɪ/ *adv* [*state, remark*] sans détours

baldness /'bɔːldnɪs/ *n* 1 (of person) calvitie *f*; 2 (of terrain) nudité *f*; 3 (of tyres) usure *f*; 4 (of statement) brutalité *f*; (of style) dépouillement *m*

baldy○ /'bɔːldɪ/ *n* injur chauve *m*

bale /beɪl/
A *n* balle *f*
B *vtr* 1 mettre [qch] en balles [*hay, cotton, paper*]; 2 GB = **bail**
(Phrasal verb) ■ **bale out** GB = **bail out**

Balearic Islands /ˌbælɪˌærɪk 'aɪləndz/ ▸ **p. 1355** *pr npl* (*also* **Balearics**) **the ~** les (îles) Baléares *fpl*

baleful /'beɪlfʊl/ *adj* littér [*influence, presence*] maléfique liter; [*glance, eye*] torve

balefully /'beɪlfəlɪ/ *adv* littér [*look, watch*] d'un œil torve; [*gesture*] d'un air menaçant

balk /bɔːk/
A *n* 1 (beam) solive *f*; 2 US (in baseball) feinte *f*
B *vtr* contrecarrer [*plan, intention*]; **to be ~ed of** être frustré de [*leadership, chance*]
C *vi* 1 [*person*] regarder à deux fois; **to ~ at** reculer devant [*risk, cost, prospect*]; **she ~ed at spending so much** elle rechignait à dépenser autant d'argent; **he ~ed at the idea** l'idée lui répugnait; 2 US (in baseball) faire une feinte

Balkan /'bɔːlkən/
A **Balkans** *pr npl* **the ~s** les Balkans *mpl*
B *adj* [*country, state, peninsula, peoples*] balkanique; **the ~ mountains** le mont Balkan

balkanization, **Balkanization** /ˌbɔːlkənaɪ'zeɪʃn, US -nɪ'z-/ *n* balkanisation *f*

ball /bɔːl/
A *n* 1 Sport, Tech (sphere) (in tennis, golf, cricket) balle *f*; (in football, rugby) ballon *m*; (in billiards, croquet) boule *f*; (for children) balle *f*, ballon *m*; Mil, Tech balle *f*; **tennis/golf ~** balle *f* de tennis/de golf; 2 (rolled-up object) (of dough, clay) boule *f* (**of** de); (of wool, string) pelote *f* (**of** de); (smaller) peloton *m* (**of** de); **a ~ of fire** lit, fig une boule de feu; **to curl up into a ~** [*person, cat*] se rouler en boule; **to knead dough into a ~** travailler de la pâte en boule; **to wind sth into a ~** pelotonner qch; 3 Anat **the ~s of one's feet** les demi-pointes *fpl* (des pieds); **the ~ of one's thumb** la base *f* charnue du pouce; 4 (dance) bal *m*
B **balls**◑ *npl* 1 lit (testicles) couilles● *fpl*; 2 fig **that's a lot** *ou* **load of ~s** tout ça c'est des conneries◑; **to have sb by the ~s** tenir○ qn; **she's got ~s** elle en a○; **to have the ~s to do** avoir le culot○ de faire; **to break one's ~s to do** se casser le cul◑ pour faire
C **balls**◑ *excl* et merde!◑
D *vtr* 1 (clench) serrer [*fist*]; 2 US◑ (have sex with) baiser●
E *vi* 1 [*fist*] se serrer; 2 US◑ (have sex) baiser●
(Idioms) **the ~ is in your/his court** la balle est dans ton/son camp; **to be on the ~**○ gen être efficace; (old person) avoir toute sa tête; **to play ~**○ coopérer (**with** avec); **to set the ~ rolling** (for conversation) lancer la conversation; (for activity) démarrer; **to keep the ~ rolling** (in conversation) entretenir la conversation; (in activity) tenir le rythme; **to have a ~**○ s'amuser comme un fou/une folle; **he has the ~ at his feet** c'est à lui de jouer; **that's the way the ~ bounces!** US c'est la vie!; **to carry the ~**○ US prendre la responsabilité
(Phrasal verb) ■ **balls up**◑ GB, **ball up**◑ US:

▸ ~ up [sth], ~ [sth] up semer la merde● dans

ballad /'bæləd/
A *n* [1] (musical poem) ballade *f*; [2] (song) romance *f*
B *modif* [*writer, singer*] de ballades

ball and chain *n* lit, fig boulet *m*

ball-and-socket joint *n* [1] Anat articulation *f* mobile; [2] Tech joint *m* à rotule

ballast /'bæləst/ *n* [1] (in balloon, ship) lest *m*; **in ~** Naut sur lest; [2] (on rail track, road) ballast *m*

ball bearing *n* Tech [1] (ball) bille *f* de roulement; [2] (bearing) roulement *m* à billes

ball: **~boy** *n* (in tennis) ramasseur *m* de balles; **~-breaker**◐, **~-buster**◐ US *n* (task) casse-cul◐ *mf*; (person) casse-couilles● *mf*; **~ cock** *n* Tech robinet *m* à flotteur; **~ control** *n* contrôle *m* du ballon; **~ dress** *n* robe *f* de bal

ballerina /,bælə'ri:nə/ ▸ p. 1683 *n* danseuse *f* de ballet, ballerine *f*

ballet /'bæleɪ/
A *n* [1] (art) ballet *m*; **classical ~** le ballet classique; [2] (amateur) danse *f* (classique); [3] (performance) ballet *m*; **to go to the ~** aller voir une représentation de ballet; [4] (*also* **~ company**) corps *m* de ballet; **the Kirov Ballet** le (ballet du) Kirov
B *modif* [*company, mistress*] de ballet; [*class, school, teacher*] de danse; **~ dress** tutu *m*; **~ shoe** chausson *m* (de danse)

ballet dancer *n* danseur/-euse *m/f* de ballet

balletomane /'bælɪtəʊmeɪn/ *n* ballet(t)omane *mf*

ballgame /'bɔ:lgeɪm/ *n* [1] gen jeu *m* de balle *or* ballon; [2] US match *m*
(Idiom) **that's a whole new** *ou* **completely different ~**○ c'est tout une autre histoire

ball: **~ girl** *n* (in tennis) ramasseuse *f* de balles; **~ gown** *n* robe *f* de bal

ballistic /bə'lɪstɪk/ *adj* balistique
(Idiom) **to go ~**○ devenir fou furieux/folle furieuse

ballistic: **~ galvanometer** *n* galvanomètre *m* balistique; **~ missile** *n* missile *m* balistique

ballistics /bə'lɪstɪks/ *n* (+ *v sg*) balistique *f*

ball lightning *n* éclair *m* en boule

balloon /bə'lu:n/
A *n* [1] Aviat gen ballon *m*; **(hot air) ~** montgolfière *f*; [2] (toy) ballon *m*; **to blow up a ~** gonfler un ballon; [3] (for cartoon speech) bulle *f*, phylactère *m* spec
B *modif* [*flight*] en montgolfière; [*crash, accident*] de montgolfière
C *vi* [1] Aviat **to go ~ing** faire de la montgolfière; [2] (*also* **~ out**) (swell) [*sail, skirt*] se gonfler; [3] (increase quickly) [*deficit, debt*] galoper
(Idioms) **to go down** GB *ou* **go over** US **like a lead ~** tomber à plat; **when the ~ goes up** lorsque l'affaire éclatera

balloon: **~ catheter** *n* Med cathéter *m* à ballonnet; **~ flask** *n* ballon *m*; **~ glass** *n* ballon *m*

ballooning /bə'lu:nɪŋ/ ▸ p. 1253
A *n* **to go ~** faire de la montgolfière *f*
B *modif* [*display, accident*] de montgolfière

balloonist /bə'lu:nɪst/ *n* aéronaute *mf*

balloon tyre GB, **balloon tire** US *n* pneu *m* ballon

ballot /'bælət/
A *n* [1] (process) scrutin *m*; **secret ~** scrutin secret; **by ~** au scrutin; **the election was held by secret ~** l'élection s'est faite à bulletins secrets; [2] (vote) vote *m* (à bulletins secrets) (**of** de; **on** sur); **the first/second ~** le premier/second tour de scrutin; **strike ~** vote *m* pour décider d'une grève; **postal ~** GB vote *m* par correspondance; **to take a ~** procéder à un vote; [3] (*also* **~ paper**) bulletin *m* de vote; [4] US Pol (list of candidates) liste *f* des candidats concurrents
B *vtr* consulter (par vote) (**on** sur)
C *vi* voter au scrutin (**on** sur; **to do** pour faire)

ballot box *n* [1] lit urne *f* (électorale); [2] fig (system) **the ~** les urnes *fpl*; **at the ~** aux urnes

ballot-box stuffing *n* US fraude *f* électorale

balloting /'bælətɪŋ/ *n* ¢ consultation *f* (par vote)

ballpark /'bɔ:lpɑ:k/ *n* US Sport stade *m* de baseball
(Idiom) **to be in the ~**○ US être dans la bonne fourchette; **not to be in the ~**○ US être à côté de la plaque

ball: **~park figure** *n* chiffre *m* approximatif; **~point (pen)** *n* stylo *m* (à) bille; **~ pond**, **~ pool** *n* piscine *f* à boules (de plastique); **~room** *n* salle *f* de danse; **~room dancing** *n* danse *f* de salon; **~-shaped** *adj* en forme de balle; **~s-up**◐ GB, **~-up**◐ US *n* merdier◐ *m*

ballsy◐ /bɔ:lzɪ/ *adj* plein de punch○

ball valve *n* soupape *f* à flotteur

bally○† /'bælɪ/
A *adj* GB euph sacré○
B *adv* [*good, stupid*] sacrément○†

ballyhoo○ /,bælɪ'hu:, US 'bælɪhu:/
A *n* [1] (in campaign) battage *m*; [2] (fuss) tapage *m*
B *vtr* US faire du battage autour de [*event, product, person*]

balm /bɑ:m/ *n* [1] (oily) baume *m*; [2] littér (peace) baume *m*; **it was ~ to my soul** cela m'a mis du baume au cœur; [3] Bot (*also* **lemon ~**) citronnelle *f*

balmy /'bɑ:mɪ/ *adj* [1] [*air, evening, weather*] doux/douce; [2] ○GB = **barmy**

balneotherapy /,bælnɪəʊ'θerəpɪ/ *n* balnéothérapie *f*

baloney○ /bə'ləʊnɪ/ US
A *n* ¢ idioties *fpl*
B *excl* balivernes!

balsa /'bɔ:lsə/
A *n* [1] (*also* **~ wood**) balsa *m*; [2] (tree) balsa *m*
B *modif* [*model, raft*] en balsa

balsam /'bɔ:lsəm/ *n* [1] (oily) baume *m*; [2] (tree) baumier *m*

balsam fir *n* sapin *m* baumier

balsamic vinegar /bɔ:l,sæmɪk 'vɪnɪgə(r), bɒl-/ *n* vinaigre *m* balsamique

balti /'bɔ:ltɪ, 'bæltɪ/ *n* Culin balti *m inv*

Baltic /'bɔ:ltɪk/
A *pr n* **the ~** la Baltique
B *adj* balte

Baltic Republics *pr npl* **the ~** les républiques *fpl* baltes

Baltic Sea ▸ p. 1493 *pr n* **the ~** la mer *f* Baltique

Baltic States *pr n* **the ~** les États *mpl* baltes

baluster /'bæləstə(r)/ *n* Archit balustre *m*

balustrade /,bælə'streɪd/ *n* balustrade *f*

bamboo /bæm'bu:/
A *n* bambou *m*; **made of ~** en bambou
B *modif* [*chair, fence, hut*] en bambou

bamboo curtain *n* (*also* **Bamboo Curtain**) **the ~** le rideau de bambou

bamboo shoot *n* pousse *f* de bambou

bamboozle○ /bæm'bu:zl/ *vtr* [1] (trick) embobiner○; **to ~ sb into doing** embobiner○ qn pour qu'il fasse; **to ~ sb out of** refaire○ qn de [*money*]; [2] (mystify) déboussoler○, désorienter

ban /bæn/
A *n* interdiction *f* (**on sth** de qch; **on doing** de faire); **overtime/smoking ~** interdiction de faire des heures supplémentaires/de fumer; **~ on foreigners working without a permit** interdiction pour les étrangers de travailler sans permis
B *vtr* (*p prés etc* **-nn-**) interdire [*author, group, activity, book, drug*]; suspendre [*athlete*]; **to ~ sb from** exclure qn de [*sport, event*]; **to ~ sb from driving/travelling abroad** interdire à qn de conduire/de voyager à l'étranger; **traffic is ~ned from the city centre** le centre-ville est interdit à la circulation
C banned *pp adj* [*writer, book, group, drug*] interdit; [*athlete*] suspendu

banal /bə'nɑ:l, US 'beɪnl/ *adj* banal; **~ topics** des sujets banals

banality /bə'nælətɪ/ *n* banalité *f*

banana /bə'nɑ:nə/
A *n* [1] (fruit) banane *f*; **a bunch of ~s** un régime de bananes; [2] (*also* **~ palm**) bananier *m*; [3] ◐US (person) **to be top ~** [*actor*] être la vedette; [*worker*] être le chef; **to be second ~** être un sous-fifre
B *modif* [*yoghurt, ice cream*] à la banane
(Idiom) **to go ~s**○ (get angry) piquer une crise○; (get excited) devenir dingue○

banana: **~ boat** *n* bananier *m*; **~ republic** *n* péj république *f* bananière péj

banana skin *n* peau *f* de banane
(Idiom) **to slip on a ~** glisser sur une peau de banane

banana split *n* banane *f* royale

band /bænd/
A *n* [1] Mus (rock) groupe *m* (de rock); (army) clique *f*; (municipal) fanfare *f*; **brass/jazz ~** orchestre *m* de cuivres/de jazz; [2] (with common aim) groupe *m* (**of** de); [3] (of light, colour, land) bande *f*; [4] Radio bande *f*; **the 31 metre ~** la bande des 31 mètres; [5] GB (of age, income tax) tranche *f*; [6] Sch GB (level) niveau *m*; [7] (for binding) (ribbon: for hair, hat) ruban *m*; (around waist) ceinture *f*; (around neck) col *m*; (around arm) brassard *m*; (around head) bandeau *m*; **rubber** *ou* **elastic** GB **~** élastique *m*; [8] Tech (metal) ruban *m* (métallique); (rubber) courroie *f*; [9] (track) Mus (on record) plage *f*; Comput (on disk) piste *f*; [10] (ring) anneau *m*; **wedding ~** alliance *f*
B *vtr* [1] GB Sch classer [qch] par niveaux; [2] (stripe) border
(Phrasal verb) ■ **band together** se réunir (**to do** pour faire)

bandage /'bændɪdʒ/
A *n* bandage *m*; **he has a ~ round his head/on his leg** il a la tête/la jambe bandée
B *vtr* bander [*head, limb, wound*]; **to have one's foot ~d** se faire bander le pied
(Phrasal verb) ■ **bandage up**: ▸ **~ [sb/sth] up**, **~ up [sb/sth]** bander [qn/qch] entièrement; **he was (all) ~d up** il était couvert de bandages

Band-Aid® /'bændeɪd/ *n* Med (plaster) pansement *m* (adhésif); **a ~ solution** fig, péj une solution d'attente

bandan(n)a /bæn'dænə/ *n* (foulard) bandana *m*

B and B, **b and b** /,bɪ ən 'bɪ/ *n* GB *abrév* ▸ **bed and breakfast**

bandbox† /'bændbɒks/ *n* carton *m* à chapeau(x)

bandeau /'bændəʊ/ *n* [1] (for hair) bandeau *m*; (sportswear) serre-tête *m inv*; [2] (garment) bustier *m*

banding /'bændɪŋ/ *n* GB [1] (of tax system) assiette *f* (fiscale); [2] Sch (streaming) répartition *f* par niveaux

bandit /'bændɪt/ *n* bandit *m*

bandit country *n* pays *m* des hors-la-loi

banditry /'bændɪtrɪ/ *n* banditisme *m*

band leader *n* chef *m* d'orchestre

bandmaster /'bændmɑ:stə(r)/ *n* (of military band) chef *m* de musique; (of brass band) chef *m* de fanfare

bandoleer, **bandolier** /,bændə'lɪə(r)/ *n* cartouchière *f*

band: **~ saw** *n* scie *f* à ruban; **~ shell** *n* US Mus conque *f* d'orchestre (*plateau en plein air à fond réverbérant*); **~sman** *n* (*pl* **-men**) gen, Mil musicien *m*; **~stand** *n* kiosque *m* (à musique)

b

b

bandwagon /ˈbændwægən/ *n*
(Idiom) **to jump** *ou* **climb on the ~** prendre le train en marche; **accused of climbing on the socialist/feminist ~** accusé de prendre le train socialiste/des féministes en marche

bandwidth /ˈbændwɪdθ, -wɪtθ/ *n* Comput, Telecom bande *f* passante

bandy /ˈbændɪ/
A *adj* arqué; **to have ~ legs** avoir les jambes arquées
B *vtr* **to ~ words/blows with sb†** avoir des mots/échanger des coups avec qn; **I'm not going to ~ words with you!** je ne vais pas discuter avec vous!
(Phrasal verb) ■ **bandy about, bandy around:** ▸ **~ [sth] about** *ou* **around** avancer [*names, information, statistics*]

bandy-legged /ˌbændɪˈlegɪd/ *adj* [*person*] aux jambes arquées; **he's ~** il a les jambes arquées

bane /beɪn/ *n* fléau *m* (**of** de); **she/it is the ~ of my life** *ou* **existence!** elle/ça m'empoisonne la vie *or* l'existence!

baneful /ˈbeɪnfl/ *adj* littér néfaste liter

bang /bæŋ/
A *n* **1** (noise) (of gun, firework, bomb, burst balloon) détonation *f*, boum *m*; (of door, window) claquement *m*; **to hear a loud ~** entendre une forte détonation *or* un grand boum; **2** (knock) coup *m*; **my knee got a nasty ~** j'ai reçu un vilain coup sur le genou
B **bangs** *npl* US frange *f*
C *adv*○ **~ in the middle** en plein centre; **to arrive ~ on time** arriver à l'heure pile; **~ on target** lit en plein dans le mille; **production is ~ on target** on a atteint pile○ nos objectifs de production; **the technology is ~ up to date** la technologie est des plus récentes
D *excl* (imitating gun) pan!; (imitating explosion) boum!, bang!
E *vtr* **1** (place sth noisily) **to ~ sth down on** poser bruyamment qch sur; **to ~ down the receiver** raccrocher brutalement; **2** (causing pain) **to ~ one's head** se cogner la tête (**on** contre); **I'll ~ your heads together!** (to two children) vous allez recevoir tous les deux des claques!; **3** (strike) taper sur [*drum, saucepan*]; **to ~ one's fist on the table, to ~ the table with one's fist** taper du poing sur la table; **4** (slam) claquer [*door, window*]; **5** ●(have sex with) se taper● [*woman*]
F *vi* **1** (strike) **to ~ on** cogner à [*wall, door*]; **he ~ed on the table with his fist** il a tapé du poing sur la table; **to ~ against** se cogner contre [*table, chair*]; **2** (make noise) [*door, shutter*] claquer; **to ~ shut** se fermer en claquant; **to ~ in the wind** claquer au vent; **3** ●(have sex) baiser●
(Idioms) **~ goes**○ **my holiday/my promotion** je peux dire adieu à mes vacances/ma promotion; **to go out with a ~** finir avec un grand éclat
(Phrasal verbs) ■ **bang in:** ▸ **~ [sth] in, ~ in [sth]** enfoncer [*nail, peg, tack*] (**with** à coups de)
■ **bang into:** ▸ **~ into [sb/sth]** heurter
■ **bang on about** GB: ▸ **~ on about [sth]**○ rabâcher [*subject*]
■ **bang up:** ▸ **~ [sb] up, ~ up [sb]** GB (put in jail) boucler○; **to be ~ed up for five years** être bouclé pour cinq ans

banger /ˈbæŋə(r)/ *n* **1** ○(car) guimbarde○ *f*; **old ~** vieille guimbarde; **2** (firework) pétard *m*; **to let off a ~** lancer un pétard; **3** ○GB (sausage) saucisse *f*; **~s and mash** saucisses avec de la purée

Bangkok /ˌbæŋˈkɒk/ ▸ **p. 1815** *pr n* Bangkok

Bangladesh /ˌbæŋgləˈdeʃ/ ▸ **p. 1096** *pr n* Bangladesh *m*; **in/to ~** au Bangladesh

Bangladeshi /ˌbæŋgləˈdeʃɪ/ ▸ **p. 1467**
A *n* Bangladais/-e *m/f*
B *adj* [*culture, politics*] du Bangladesh

bangle /ˈbæŋgl/ *n* bracelet *m*, jonc *m*

bang-on○ /ˌbæŋˈɒn/ *adj* GB [*answer, guess*] en plein dans le mille○; [*calculation*] impec○

banish /ˈbænɪʃ/ *vtr* **1** sout (expel) bannir (**from** de); **2** littér *ou* hum (drive away) bannir; **to ~ all thoughts of winter** bannir toute pensée d'hiver

banishment‡ /ˈbænɪʃmənt/ *n* sout bannissement *m*

banister, bannister GB /ˈbænɪstə(r)/ *n* rampe *f* (d'escalier); **leaning on the ~s** s'appuyant à la rampe; **to slide down the ~s** glisser sur la rampe

banjax○ /ˈbændʒæks/
A *vtr* bousiller○ [*machine*]
B **banjaxed** *pp adj* [*machine*] bousillé○; **I'm absolutely ~ed** je suis complètement lessivé○

banjo /ˈbændʒəʊ/ ▸ **p. 1462**
A *n* (*pl* **-jos** *ou* **-joes**) banjo *m*
B *modif* [*case, music, string*] de banjo

bank ➡ /bæŋk/
A *n* **1** Fin, Games banque *f*; **the Bank of France/of England** la Banque de France/d'Angleterre; **blood ~** banque du sang; **to break the ~** Games faire sauter la banque; **it won't break the ~** fig ça ne ruinera personne; **2** (border) (of river, lake) rive *f*; (of canal) berge *f*; **the ~s of the Nile/of the Thames** les bords *mpl* du Nil/de la Tamise; **to break its ~s** [*river*] sortir de son lit; **3** (mound) (of earth, mud) talus *m*; (of snow) congère *f*; **4** (slope) (by road, railway track) talus *m*; (by racetrack) virage *m* incliné; (by mineshaft) carreau *m*; **5** (section of sea bed) banc *m*; **sand ~** banc de sable; **6** (mass) (of flowers) massif *m*; (of fog, mist) banc *m*; **a ~ of cloud** un banc de nuages; **7** Aviat virage *m* sur l'aile; **8** (series) (of switches, oars, keys, floodlights) rangée *f*; **9** Mining (face) front *m* de taille; **10** (bench for rower) banc *m* de nage
B *modif* [*credit, debt*] bancaire; [*employee, staff*] de banque
C *vtr* **1** Fin déposer [qch] à la banque [*cheque, money*]; **2** (border) border [*track, road*]; **to be ~ed by** être bordé par; **3** Aviat incliner [qch] sur l'aile [*plane*]; **4** (fuel) = **bank up**
D *vi* **1** Fin **to ~ with** avoir un compte à la; **who do you ~ with?** où as-tu ton compte?; **2** Aviat [*plane*] virer sur l'aile
(Idiom) **to be as safe as the Bank of England** être à toute épreuve
(Phrasal verbs) ■ **bank on:** ▸ **~ on [sb/sth]** compter sur [qn/qch]; **don't ~ on it!** n'y compte pas!; **to ~ on doing** escompter faire; **to ~ on sb to do** compter sur qn pour faire
■ **bank up:** ▸ **~ up** [*snow, earth, mud*] s'amonceler; ▸ **~ [sth] up, ~ up [sth]** **1** (pile up) entasser [*snow, earth, mud*]; **2** (cover with fuel) charger [*fire*]; **3** (make a slope by) surhausser [*road, racetrack*]

bankable /ˈbæŋkəbl/ *adj* **1** Fin escomptable; **2** fig (of star) **to be ~** être une valeur sûre

bankable asset *n* Fin bien *m* escomptable

bank: **~ acceptance** *n* Fin acceptation *f* de banque; **~ account** *n* Fin compte *m* bancaire; **~ balance** *n* Fin solde *m* bancaire; **~ bill** *n* US (note) billet *m* de banque; **~book** *n* livret *m* bancaire

bankassurance /ˈbæŋkəˌʃɔːrəns, US -əˌʃʊərəns/ *n* bancassurance *f*

bank card *n* carte *f* bancaire

> **Bank card**
> Carte exigée pour tout règlement par chèque en Grande-Bretagne. Fournie par la banque, elle permet aux détenteurs de chéquiers de justifier de leur identité et de l'authenticité de leurs chèques. Elle indique aussi le montant maximal des chèques qu'ils peuvent émettre.

bank: **~ charges** *npl* Fin frais *mpl* bancaires, frais *mpl* de gestion de compte; **~ clerk** ▸ **p. 1683** *n* employé/-e *m/f* de banque; **~ draft** *n* Fin traite *f* bancaire

banker /ˈbæŋkə(r)/ ▸ **p. 1683** *n* **1** Fin (owner) banquier/-ière *m/f*; (executive) cadre *mf* de banque; **2** Games banquier *m*

banker: **~'s draft** *n* Fin traite *f* bancaire; **~'s order** *n* virement *m* bancaire; **~'s reference** *n* références *fpl* bancaires

bank: **Bank for International Settlements, BIS** *n* Banque *f* des règlements internationaux, BRI; **Bank Giro Credit, BGC** *n* GB Fin crédit *m* par virement bancaire

bank holiday *n* **1** GB jour *m* férié; **2** US jour *m* de fermeture des banques

banking /ˈbæŋkɪŋ/
A *n* Fin **1** (business) opérations *fpl* bancaires; **2** (profession) la banque; **to study ~** faire des études bancaires; **3** Aviat virage *m* sur l'aile
B *modif* [*group, sector, system, facilities*] bancaire; **~ business** affaires *fpl* bancaires

banking hours *n* heures *fpl* d'ouverture des banques

bank: **~ lending** *n* prêts *mpl* bancaires; **~ loan** *n* Fin prêt *m* bancaire; **~ manager** ▸ **p. 1683** *n* directeur/-trice *m/f* d'agence bancaire; **~note** *n* billet *m* de banque; **~ raid** *n* hold-up *m*, attaque *f* de banque; **~ rate** *n* † GB = **minimum lending rate**; **~ robber** *n* cambrioleur/-euse *m/f* de banque; **~ robbery** *n* cambriolage *m* de banque

bankroll /ˈbæŋkrəʊl/
A *n* fonds *mpl*
B *vtr*○ financer [*person, party*]

bankrupt /ˈbæŋkrʌpt/
A *n* failli/-e *m/f* spec; **he's a ~** il a fait faillite
B *adj* **1** (ruined) [*person*] ruiné; [*business, economy*] en faillite; **~ stock** articles *mpl* de saisie; **to be declared/made ~** être déclaré/mis en faillite; **to go ~** faire faillite; **2** (lacking) **to be morally ~** (person) être dépourvu de scrupules; (society) être décadent; **to be ~ of** être dépourvu de [*ideas, principles*]
C *vtr* mettre [qn/qch] en faillite [*person, company*]

bankruptcy /ˈbæŋkrʌpsɪ/ *n* **1** (financial) faillite *f*; **2** (moral, intellectual) décadence *f*

bankruptcy: **~ court** *n* ≈ tribunal *m* de commerce; **~ proceedings** *npl* procédure *f* de faillite

bank: **~ statement** *n* relevé *m* de compte; **~ transfer** *n* virement *m* bancaire

banner /ˈbænə(r)/
A *n* **1** (in protest, festival) banderole *f*; **2** (name) bannière *f*; **under the ~ of** sous la bannière de; **3** Hist (ensign) étendard *m*; **4** (*also* **~ advert**) (Internet advert) bandeau *m* publicitaire
B *adj* US [*year, performance*] record *inv*

banner headline *n* (*souvent pl*) gros titre *m*

bannister *n* GB = **banister**

banns /bænz/ *npl* Relig bans *mpl*; **to read the ~** publier les bans

banoffi pie /bəˌnɒfɪ ˈpaɪ/ *n* Culin tarte *f* banoffi (*à la banane, à la crème et au caramel*)

banquet /ˈbæŋkwɪt/
A *n* banquet *m*; **medieval/official ~** banquet médiéval/officiel; **to hold a ~ in honour of sb** donner un banquet en l'honneur de qn
B *vi* banqueter

banquet(ing) hall *n* salle *f* de(s) banquet(s)

banshee /bænˈʃiː, US ˈbænʃiː/ *n* fée *f* (*dont les hurlements annoncent une mort prochaine*)
(Idiom) **to wail like a ~** crier comme un perdu

bantam /ˈbæntəm/ *n* **~ cock** coq *m* nain; **~ hen** poule *f* naine; **to breed ~s** élever des poules naines

bantamweight /ˈbæntəmweɪt/
A *n* **~ (boxer)** (boxeur *m*) poids *m* coq

➡ *see* Life in France

B *modif* [*champion, title*] des poids coq

banter /'bæntə(r)/
A *n* ¢ plaisanteries *fpl*
B *vi* badiner (**with** avec)

bantering /'bæntərɪŋ/ *adj* badin

banty○ = **bantam**

banyan /'bænɪən/ *n* banian *m*

BAOR *n*: *abrév* ▸ **British Army of the Rhine**

baptism /'bæptɪzəm/ *n* [1] Relig baptême *m*; [2] fig (initiation) débuts *mpl*; ~ **of fire** baptême *m* du feu

baptismal /bæp'tɪzməl/ *adj* [*name, rite*] de baptême; ~ **font** fonts *mpl* baptismaux

Baptist /'bæptɪst/ *n, adj* baptiste (*mf*)

baptistry /'bæptɪstrɪ/ *n* baptistère *m*

baptize /bæp'taɪz/ *vtr* baptiser; **to be ~d a Catholic** être baptisé dans l'Église catholique

bar /bɑ:(r)/
A *n* [1] (strip of metal, wood) barre *f*; [2] (on cage, cell, window) barreau *m*; **to put sb/be behind ~s** mettre qn/être derrière les barreaux; [3] (place for drinking) bar *m*; (counter) comptoir *m*; **to sit at the ~** s'asseoir au comptoir; **I'll go to the ~** je vais chercher les boissons; [4] (block) (of soap, gold, chocolate) barre *f*; [5] (obstacle) obstacle *m* (**to** pour; **to doing** pour faire); **your age is not a ~** votre âge ne constitue pas un obstacle; [6] Jur (profession) **the ~** le barreau; **to study for the ~** se destiner au barreau; **to be called to the ~** entrer au barreau; [7] Jur (in court) barre *f*; **to come to the ~** venir à la barre; **the prisoner at the ~** l'accusé/-e *m/f*; [8] Sport (in gym, across goal) barre *f*; **to practise on the ~s** s'exercer aux barres; [9] Mus mesure *f*; **two beats in a/to the ~** deux temps dans une/par mesure; [10] (in electric fire) résistance *f*; [11] Mil GB (on medal) barrette *f*; US (on uniform) galon *m*; [12] Herald barre *f*
B *prep* sauf; **all ~ one** tous sauf un seul; ~ **none** sans exception
C *vtr* (*p prés etc* **-rr-**) [1] (block) barrer [*way, path*]; **to ~ sb's way** barrer le passage à qn; [2] (ban) exclure [*person*] (**from sth** de qch); interdire [*activity*]; **journalists were ~red** l'accès était interdit aux journalistes; **to ~ sb from doing** interdire à qn de faire; **his religion ~s him from marrying** sa religion lui interdit de se marier; [3] (fasten) mettre la barre à [*gate, shutter*]; **the gate was ~red** on avait mis la barre au portail
D **barred** *pp adj* [1] [*window*] à barreaux; [2] (striped) **~red with** barré de [*colour, mud*]
E **-barred** (*dans composés*) **four/five-~red gate** portail à quatre/cinq barreaux
(Idioms) **a no holds ~red contest** une lutte où tous les coups sont permis; **it was a divorce battle with no hold[illegible]** le divorce a été une lutte où tous les coups semblaient permis

bar association *n* US Jur association *f* juridique

barb /bɑ:b/
A *n* [1] (on hook, arrow) barbe *f*; [2] fig (remark) pique *f*; [3] (on feather) barbe *f*; [4] Equit barbe *m*
B *vtr* garnir [qch] de barbes

Barbadian /bɑ:'beɪdɪən/ ▸ **p. 1467**
A *n* Barbadien/-ienne *m/f*
B *adj* [*person, custom, cuisine, government*] de la Barbade

Barbados /bɑ:'beɪdɒs/ ▸ **p. 1096, p. 1355** *pr n* la Barbade *f*; **in/to ~** à la Barbade

barbarian /bɑ:'beərɪən/ *n, adj* barbare (*mf*) also pej

barbaric /bɑ:'bærɪk/ *adj* (brutal, primitive) barbare

barbarically /bɑ:'bærɪklɪ/ *adv* [*act, behave*] de façon barbare

barbarism /'bɑ:bərɪzəm/ *n* [1] (brutality, primitiveness) barbarie *f*; [2] littér (error) barbarisme *m*

barbarity /bɑ:'bærətɪ/ *n* [1] (brutality, primitiveness) barbarie *f*; [2] (brutal act) atrocité *f*

barbarize /'bɑ:bəraɪz/ *vtr* sout massacrer [*language*]; **to ~ sb** faire de qn un vrai sauvage

barbarous /'bɑ:bərəs/ *adj* (all contexts) barbare

barbarously /'bɑ:bərəslɪ/ *adv* [*act, behave*] de façon barbare; **to be ~ rude/ignorant** être d'une impolitesse/d'une ignorance totale

Barbary /'bɑ:bərɪ/ *pr n* Barbarie *f*

Barbary ape *n* magot *m*

Barbary Coast *pr n* **the ~** la côte *f* de Barbarie

Barbary: ~ **duck** *n* canard *m* de Barbarie; ~ **horse** *n* cheval *m* barbe

barbecue /'bɑ:bɪkju:/
A *n* [1] (grill) barbecue *m*; [2] (party) barbecue *m*; [3] (food) grillade *f*
B *vtr* [1] (on charcoal etc) faire griller [qch] au barbecue; [2] (cook in spicy sauce) faire griller [qch] façon barbecue

barbecue sauce *n* sauce *f* barbecue

barbed /bɑ:bd/ *adj* [1] [*hook, arrow*] à barbes; [2] (*tjrs épith*) [*comment, criticism*] acerbe; [*wit*] mordant

barbed wire, **barbwire** US
A *n* (fil *m* de fer) barbelé *m*
B *modif* [*fence, barricade*] de (fil de fer) barbelé

barbel /'bɑ:bl/ *n* [1] (fish) barbeau *m*; [2] (of catfish) barbillon *m*

barbell /'bɑ:bel/ *n* barre *f* d'haltères

barber /'bɑ:bə(r)/ ▸ **p. 1683** *n* coiffeur *m* (pour hommes); **he's a ~** il est coiffeur; **to go to the ~'s** aller chez le coiffeur

barber: ~ **college** *n* US école *f* de coiffure (pour hommes); **~shop quartet** *n*: *quatuor masculin chantant a cappella*; **~'s pole** GB, ~ **pole** US *n* enseigne *f* de coiffeur; **~'s shop** GB, **~shop** US ▸ **p. 1683** *n* salon *m* de coiffure (pour hommes)

barbican /'bɑ:bɪkən/ *n* barbacane *f*

barbie○ /'bɑ:bɪ/ *n* Austral [1] (grill) barbecue *m*; [2] (party) barbecue *m*

barbital /'bɑ:bɪtl/ US = **barbitone**

barbitone /'bɑ:bɪtəʊn/ *n* GB barbital *m*

barbiturate /bɑ:'bɪtjʊrət/ *n* barbiturique *m*

barbituric acid /ˌbɑ:bɪ'tjʊərɪk/ *n* acide *m* barbiturique

barbiturism /bɑ:'bɪtjʊrɪzəm/ *n* barbituromanie *f*

barbs○ /bɑ:bz/ *npl* US (*abrév* = **barbiturates**) barbituriques *mpl*

barbwire *n* US = **barbed wire**

barcarole /ˌbɑ:kə'rəʊl, -'rɒl/ *n* barcarolle *f*

Barcelona /ˌbɑ:sɪ'ləʊnə/ ▸ **p. 1815** *pr n* Barcelone; **in/to ~** à Barcelone

bar[illegible] ~ **chart** *n* histogramme *m*; ~ **code** *n* code-barres *m*; **~-co[illegible]** [illegible] ~**-code reader** *n* lecteur *m* de codes-barres

bard /bɑ:d/
A *n* [1] littér (poet) chantre *m*; **the Bard (of Avon)** Shakespeare; [2] †(minstrel) barde *m*; [3] Culin (bacon fat) barde *f* (de lard)
B *vtr* Culin barder

bardic /'bɑ:dɪk/ *adj* bardique

bare /beə(r)/
A *adj* [1] (naked) [*body, flesh, leg*] nu; **a child with ~ feet** un enfant aux pieds nus; **to walk with ~ feet** marcher pieds nus *or* nu-pieds (*inv*); **to sit in the sun with one's head ~** s'asseoir au soleil la tête nue *ou* nu-tête (*inv*); ~ **to the waist** torse nu; **with one's ~ hands** à mains nues; [2] (exposed) [*blade, boards, wall, wood*] nu; **to lay ~** dévoiler [*plan, private life, secret*]; **to lay one's soul** *ou* **heart ~** mettre son cœur à nu; [3] (empty) [*cupboard, house, room*] vide; ~ **of** vide de [*furniture, food*]; **to strip sth ~** vider qch; [4] (stark) [*branch, mountain, rock*] nu; [*earth, landscape*] dénudé; ~ **of** dépourvu de [*leaves, flowers*]; [5] (mere) **a ~ 3%/20 dollars** à peine 3%/20 dollars; **to last a ~ 30 seconds** durer à peine 30 secondes; **the ~st sign/indication of** le moindre signe/la moindre indication de; [6] (absolute) strict (*before n*); **the ~ minimum** le strict minimum; **the ~ essentials** *ou* **necessities** le strict nécessaire; [7] (unembellished) [*facts, statistics*] brut; [8] (in Bridge) [*ace, king*] sec/sèche
B *vtr* **to ~ one's chest** se découvrir la poitrine; **to ~ one's teeth** montrer les dents; **to ~ one's head** se découvrir; **to ~ one's heart/soul to** ouvrir son cœur/âme à

bare: **~-ass(ed)**◑ *adj* cul-nu◑; **~back** *adv* [*ride*] à cru; **~back rider** *n* cavalier/-ière *m/f* qui monte à cru

bare bones /ˌbeə'bəʊnz/
A *npl* **the ~** l'essentiel *m*; **the ~ of the story are** l'essentiel de l'histoire est
B **bare-bones** *adj* [*account*] réduit à sa plus simple expression

barefaced /'beəfeɪst/ *adj* [*lie*] éhonté; [*cheek, nerve*] effronté

barefoot /'beəfʊt/
A *adj* [*person*] aux pieds nus; **to be ~** être nu-pieds
B *adv* [*run, walk*] pieds nus

bare: **~headed** *adj* [*person*] tête nue; **~legged** *adj* [*person*] aux jambes nues (*after n*)

barely /'beəlɪ/ *adv* [1] [*audible, capable, conscious, disguised*] à peine, tout juste; **to be ~ able to walk** pouvoir à peine *or* tout juste marcher; ~ **12 hours later** à peine 12 heures plus tard; ~ **concealed hostility** hostilité à peine dissimulée; **she had ~ finished when** elle venait juste de finir quand; [2] [*furnished*] pauvrement

bareness /'beənɪs/ *n* nudité *f*

bar exams *n* GB ≈ certificat *m* d'aptitude à la profession d'avocat

barf◑ /bɑ:f/
A *n* US vomi *m*; **~!** dégueulasse○!
B *vi* dégobiller, vomir

barfly○ /'bɑ:flaɪ/ *n* US pilier *m* de bar○

bargain /'bɑ:gɪn/
A *n* [1] (deal) marché *m* (**between** entre); **to make** *ou* **strike a ~** conclure un marché; **to keep one's side of the ~** tenir sa part du marché; **to drive a hard ~** négocier ferme *or* serré; **into the ~** par-dessus le marché; [2] (good buy) affaire *f*; **what a ~!** quelle bonne affaire! **to get a ~** faire une affaire; **a ~ at £10** une affaire à 10 livres sterling
B *modif* [*buy, book, house*] à prix réduit
C *vi* [1] (for deal) négocier (**with** avec); **to ~ for** négocier [*freedom, release, increase*]; [2] (over price) marchander (**with** avec); **to ~ for a lower price** marchander un prix plus bas
(Phrasal verb) ■ **bargain for**, **bargain on**: ▶ ~ **for**, ~ **on sth** s'attendre à qch; **we got more than we ~ed for** nous ne nous atten-[illegible] pas à ça

bargain: ~ **basement** *n* coin *m* des affaires; ~ **hunter** *n* personne *f* à l'affût d'une bonne affaire

bargaining /'bɑ:gɪnɪŋ/
A *n* (over pay) négociations *fpl*
B *modif* [*framework, machinery, position, power, procedure, rights*] de négociation

bargaining chip *n* atout *m* dans les négociations

bargain: ~ **offer** *n* promotion *f*; ~ **price** *n* prix *m* avantageux

barge /bɑ:dʒ/
A *n* [1] (living in, freight) péniche *f*; (freight only) chaland *m*; [2] (for ceremony, pageant) barque *f* d'apparat; [3] (in navy) vedette *f*
B *vtr* (shove) bousculer [*player, runner*]
C *vi* (move roughly) **to ~ through a crowd** se frayer un chemin dans une foule en bousculant tout le monde; **to ~ past sb** passer devant qn en le bousculant
(Phrasal verbs) ■ **barge in** (enter noisily) faire irruption; (interrupt) interrompre brutalement; **to ~ in on sb** faire irruption chez qn;

b

b

to ~ in on a meeting faire irruption dans une réunion; sorry to ~ in désolé de vous interrompre

■ **barge into** faire irruption dans [*room, house*]; bousculer [*person*]

bargee /bɑːˈdʒiː/ ▸ p. 1683 *n* GB batelier *m*

bargepole /ˈbɑːdʒpəʊl/ *n* perche *f*

(Idiom) **I wouldn't touch him/it with a ~** je ne voudrais de lui/cela pour rien au monde

baritone /ˈbærɪtəʊn/ ▸ p. 1868

A *n* baryton *m*

B *modif* **1** [*voice, solo*] de baryton; [*part*] baryton; **2** [*sax, oboe*] baryton *inv*

barium /ˈbeərɪəm/ *n* baryum *m*

barium meal *n* bouillie *f* de sulfate de baryum

bark /bɑːk/

A *n* **1** (of tree) écorce *f*; **chipped ~, shredded ~** Hort copeaux *mpl* d'écorce; **2** (of dog) aboiement *m*; **3** littér (boat) barque *f*

B *vtr* **1** (graze) [*person*] s'écorcher [*shin, elbow*]; **2** (shout) aboyer [*order*]; [*barker*] faire bruyamment la publicité pour [*wares*]

C *vi* [*dog, person*] fig aboyer (**at sb/sth** après qn/qch)

(Idioms) **his ~ is worse than his bite** il fait plus de bruit que de mal; **to be ~ing up the wrong tree** faire fausse route; **to keep a dog and ~ oneself** faire un travail qu'on pourrait déléguer à quelqu'un d'autre.

(Phrasal verb) ■ **bark out**: ▸ **~ out [sth]** aboyer [*order etc*]

barkeeper /ˈbɑːkiːpə(r)/ *n* barman *m*

barker /ˈbɑːkə(r)/ *n* (at fair) bonimenteur *m*

barking /ˈbɑːkɪŋ/

A *n* aboiements *mpl*

B *adj* [*dog*] qui aboie; [*cough, laugh*] aboyant

(Idiom) **to be ~ mad**○ GB être complètement fou/folle

barley /ˈbɑːlɪ/ *n* Agric orge *f*; Culin orge *m*

barley: **~corn** *n* grain *m* d'orge; **~ field** *n* champ *m* d'orge; **~ sugar** *n* sucre *m* d'orge; **~ water** *n* GB sirop *m* d'orgeat; **~ wine** *n* GB bière *f* (très forte)

barm /bɑːm/ *n* GB dial levure *f*

bar: **~maid** ▸ p. 1683 *n* serveuse *f* de bar, barmaid *f*; **~man** ▸ p. 1683 *n* (*pl* **~men**) barman *m*

bar mitzvah /ˌbɑː ˈmɪtzvə/ *n* **1** (*also* **Bar Mitzvah**) (ceremony) bar-mitsva *f*; **2** (boy) bar-mitsva *m*

barmy○ /ˈbɑːmɪ/ *adj* GB [*person*] maboul○; [*plan, idea, outfit*] loufoque○; **to be as ~ as they come** être complètement timbré○; **to go ~** (get angry) piquer une crise○; (get excited) devenir dingue○

barn /bɑːn/ *n* (for crops) grange *f*; (for cattle) étable *f*; (for horses) écurie *f*; **a great ~ of a place**○ une grande bâtisse

barnacle /ˈbɑːnəkl/ *n* bernacle *f*, anatife *m* spec

barnacle goose *n* bernache *f* (nonnette)

barn dance *n* soirée *f* de danses villageoises

barn door *n*

(Idiom) **it's as big as a ~** c'est gros comme une maison

barney○ /ˈbɑːnɪ/ *n* GB accrochage *m*; **to have a ~ with sb** avoir une prise de bec○ avec qn

barn owl *n* (chouette *f*) effraie *f*

barnstorm /ˈbɑːnstɔːm/ *vtr, vi* US *parcourir le pays dans le cadre d'une campagne électorale*

barnstormer /ˈbɑːnstɔːmə(r)/ *n* orateur *m* enflammé

barnstorming /ˈbɑːnstɔːmɪŋ/ *adj* tonitruant

barnyard /ˈbɑːnjɑːd/ *n* basse-cour *f*

barogram /ˈbærəgræm/ *n* barogramme *m*

barograph /ˈbærəgrɑːf, US -græf/ *n* barographe *m*

barometer /bəˈrɒmɪtə(r)/ *n* Meteorol baromètre *m* also fig; **the ~ is rising/falling** le baromètre monte/descend; **the ~ is set fair** le baromètre est au beau

barometric /ˌbærəˈmetrɪk/ *n* barométrique

baron /ˈbærən/ *n* **1** (noble) baron *m*; **Baron Smith** le baron Smith; **2** (tycoon) baron *m*; **drugs ~** baron *m* de la drogue; **media ~** magnat *m* des médias; **industrial ~** gros industriel *m*; **3** Culin **~ of beef** double aloyau *m* de bœuf

baroness /ˈbærənɪs/ *n* baronne *f*; **Baroness Smith** la baronne Smith

baronet /ˈbærənɪt/ *n* baronnet *m*

baronial /bəˈrəʊnɪəl/ *adj* (of a baron) baronnial; (splendid) imposant; **~ hall** demeure seigneuriale

barony /ˈbærənɪ/ *n* baronnie *f*

baroque /bəˈrɒk, US bəˈrəʊk/

A *n* **the ~** le baroque

B *adj* baroque

barque *n* = **bark** *n*

barrack /ˈbærək/

A **barracks** *n* (+ *v sg ou pl*) **1** Mil caserne *f*; **in (the) ~s** à la caserne; **2** ○péj (building) grande baraque *f*

B *vtr* GB (heckle) conspuer

barracking /ˈbærəkɪŋ/ *n* huées *fpl*

barrack room

A *n* chambrée *f*

B *modif* péj [*joke*] de corps de garde; [*language*] grossier/-ière

barrack: **~-room lawyer** GB, **~s lawyer** US *n* péj chicaneur/-euse *m/f*; **~s bag** *n* sac *m* (de soldat); **~ square** *n* cour *f* de caserne

barracuda /ˌbærəˈkuːdə/ *n* (*pl* **~s** *ou collect* **~**) barracuda *m*

barrage /ˈbærɑːʒ, US bəˈrɑːʒ/ *n* **1** Civ Eng barrage *m*; **2** Mil tir *m* de barrage; **3** fig (of questions, criticism) barrage *m*; (of complaints) déluge *m*; (of publicity) mitraillage *m*

barrage balloon *n* ballon *m* de barrage

barrel /ˈbærəl/

A *n* **1** (container) (for beer, wine, cider, olives) tonneau *m*, fût *m*; (for herring) caque *f*; (for tar) gonne *f*; (for petroleum) baril *m*; **2** (*also* **~ful**) (of beer, wine, olives) tonneau *m*; (of herrings) caque *f*; (of petroleum) baril *m*; **3** (of cannon) tube *m*; (of firearm) canon *m*; **4** (of pen) manche *m*; **5** (of watch, clock) barillet *m*

B *vtr* (*p prés etc* **-ll-**, US **-l-**) mettre [qch] en tonneau [*beer, wine*]

C ○*vi* (*p prés etc* **-ll-**, US **-l-**) **to go ~ling along** rouler en trombe

(Idioms) **it was a ~ of laughs** *ou* **fun**○ iron ce n'était pas très marrant○; **both ~s** à bras raccourcis; **to have sb over a ~**○ avoir qn à sa merci; **to buy/transport sth lock, stock and ~** acheter/transporter qch dans sa totalité; **to scrape the bottom of the ~** gratter les fonds de tiroir

barrel: **~-chested** *adj* [*person*] baraqué○; [*horse*] au poitrail puissant; **~house** *n* US (saloon) bar *m* style cowboy; Mus *style de jazz simpliste et bruyant*; **~ organ** *n* orgue *m* de Barbarie

barren /ˈbærən/ *adj* **1** [*land*] aride; [*plant*] infertile; [*woman*]‡ stérile; **2** (unrewarding) [*effort, activity*] stérile; [*style*] sec/sèche; **to be ~ of sth** manquer de qch

Barren Lands, Barren Grounds *npl* toundras *fpl* (*du Grand Nord canadien*)

barrenness /ˈbærənnɪs/ *n* (of land) aridité *f*; (of plant) infertilité *f*; (of woman)‡ stérilité *f*

barrette /bəˈret/ *n* US barrette *f*

barricade /ˌbærɪˈkeɪd/

A *n* barricade *f*; **to man the ~s** monter aux barricades

B *vtr* barricader

C *v refl* **to ~ oneself** Mil se barricader (**in, into** dans); gen s'enfermer (**in, into** dans)

barrier /ˈbærɪə(r)/ *n* **1** gen, Aut, Mil barrière *f*; **(ticket) ~** Rail guichet *m* (de quai); **2** fig (cultural, economic, medical, psychological) barrière; (to understanding, progress) obstacle *m* (**to** à); **language ~** barrière linguistique; **trade ~** barrière douanière; **to break down ~s** supprimer les barrières; **to put up ~s** Psych se fermer

barrier: **~ cream** *n* crème *f* protectrice; **~ method** *n* Med méthode *f* de contraception locale; **~ nursing** *n* ≈ traitement *m* d'isolement préventif

barrier reef *n* barrière *f* corallienne; **the Great Barrier Reef** la Grande Barrière

barring /ˈbɑːrɪŋ/ *prep* à moins de; **~ accidents** à moins d'un accident; **nobody, ~ a madman** personne, à moins d'être fou

barrio /ˈbɑːrɪəʊ/ *n* US quartier *m* latino-américain

barrister /ˈbærɪstə(r)/ ▸ p. 1683 *n* GB avocat/-e *m/f*

barrow /ˈbærəʊ/ *n* **1** Constr, Hort brouette *f*; GB (on market) voiture *f* de quatre saisons; **2** Archeol tumulus *m*; **3** (pig) castrat *m*

barrow boy *n* GB **1** ▸ p. 1683 Comm marchand *m* de quatre saisons; **2** ○péj jeune parvenu *m* (*du monde des affaires*)

bar: **~ school** *n* institution *f* où l'on prépare le certificat d'aptitude à la profession d'avocat; **~ stool** *n* tabouret *m* de bar

Bart. *n*: *abrév écrite* = **baronet**

bartender /ˈbɑːtendə(r)/ *n* US barman/barmaid *m/f*

barter /ˈbɑːtə(r)/

A *n* troc *m*

B *vtr* troquer (**for** contre); **the Bartered Bride** Mus la Fiancée Vendue

C *vi* **1** (by exchange) faire du troc; (one deal) faire un troc; **2** (haggle) marchander

Bartholomew /bɑːˈθɒləmjuː/ *pr n* Barthélemy *m*; **the St. ~'s Day massacre** Hist (le massacre de) la Saint-Barthélemy

baryton /ˈbærɪtəʊn/ *n* (instrument) baryton *m*

basal /ˈbeɪsl/ *adj* Anat, Bot, Med basal

basal: **~ anaesthesia** GB, **~ anesthesia** US *n* prémédication *f*; **~ cell carcinoma** *n* épithélioma *m* basocellulaire; **~ metabolic rate** *n* taux *m* métabolique basal; **~ metabolism** *n* métabolisme *m* basal

basalt /ˈbæsɔːlt, US ˈbeɪ-, bəˈsɔːlt/ *n* basalte *m*; **~ lava** lave basaltique

bascule /ˈbæskjuːl/ *n* bascule *f*; **~ bridge** pont à bascule

base /beɪs/

A *n* **1** gen, Mil (centre of operations) base *f*; **military/naval ~** base *f* militaire/navale; **to return to ~** Mil rentrer à sa base; **2** (bottom part) (of object, spine, mountain, structure) base *f*; (of tree, cliff) pied *m*; (of tail) point *m* d'attache; (of sculpture, statue) socle *m*; (of lamp) pied *m*; **bed ~** bois *m* de lit; **3** fig (basis) (for assumption, theory) base *f*; (for research) point *m* de départ; **to have a broad ~** avoir une base solide; **4** Chem, Culin, Pharm base *f*; **5** Math (arithmetic, geometry) base *f*; **in ~ 2** en base 2; **6** Sport base *f*; **to get to first ~** atteindre la première base

B *adj* (contemptible) [*act, motive, emotion*] ignoble

C *vtr* **1** (take as foundation) fonder [*calculation, assumption, decision, policy, research, character*] (**on** sur); **to be ~d on** être fondé sur [*theory, policy etc*]; **the film is ~d on the novel by Henry James/a true story** le film est tiré du roman de Henry James/d'une histoire vraie; **2** (have as operations centre) (*gén au passif*) baser; **to be ~d in** *ou* **at London/Paris** [*person, company*] être basé à Londres/Paris

D **-based** (*dans composés*) basé sur; **computer/pupil-~d** [*method, policy*] basé sur les ordinateurs/les élèves; **London-/Paris-~d** [*person, company*] basé à Londres/Paris; **home-~d** basé à la maison

(Idioms) **to be off ~**○ US dérailler; **to catch sb off ~**○ US prendre qn au dépourvu; **to steal a**

~ on sb○ US devancer qn; **to touch all the ~s** US penser à tous les détails; **to touch ~ (with sb)** prendre contact (avec qn)

base: **~ball** ▸ **p. 1253** *n* base-ball *m*; **~board** *n* US plinthe *f*; **~ camp** *n* lit, fig camp *m* de base; **~ coat** *n* première couche *f*; **~ form** *n* Ling base *f*; **~ jumping** ▸ **p. 1253** *n* base jump *m*

Basel /ˈbɑːzl/, **Basle** /bɑːl/ ▸ **p. 1815, p. 1771** *pr n* (town, canton) Bâle *m*

base lending rate *n* taux *m* de base bancaire

baseless /ˈbeɪslɪs/ *adj* sans fondement

baseline /ˈbeɪslaɪn/ *n* 1 (in tennis) ligne *f* de fond; 2 fig base *f*; 3 Advertg signature *f*

Basel-Land ▸ **p. 1771** *pr n* **the half-canton of ~** le demi-canton de Bâle-campagne

Basel-Stadt ▸ **p. 1771** *pr n* **the half-canton of ~** le demi-canton de Bâle-ville

basely /ˈbeɪslɪ/ *adv* littér [*betray, insult*] bassement; [*treat*] de façon indigne

base man *n* US Sport gardien *m* de base

basement /ˈbeɪsmənt/

A *n* 1 gen sous-sol *m*; **in the ~** au sous-sol; 2 Archit (foundations) soubassement *m*

B *modif* [*flat, apartment, kitchen*] en sous-sol

base metal *n* métal *m* non précieux

baseness /ˈbeɪsnɪs/ *n* bassesse *f*

base: **~ period** *n* Stat période *f* de base; **~ rate** *n* taux *m* de base; **~ station** *n* Telecom station *f* de base; **~ year** *n* Fin année *f* de référence

bash○ /bæʃ/

A *n* (*pl* **-es**) 1 (blow) coup *m*; 2 (dent) bosse *f*; **my car has a ~ on the door** la portière de ma voiture est cabossée; 3 (attempt) tentative *f*; **to have a ~ at sth** s'essayer à qch; **to give sth a ~** s'essayer à qch; **go on, have a ~!** vas-y, essaie un coup○!; **give it a ~!** vas-y, essaie!; 4 †(party) grande fête *f*; 5 US (good time) **to have a ~** bien s'amuser

B *vtr* 1 (hit) cogner [*person*]; rentrer dans [*tree, wall, kerb*]; **she ~ed her head on** *ou* **against the shelf** elle s'est cogné la tête contre l'étagère; **he ~ed my head against the wall** il m'a cogné la tête contre le mur; **to ~ sb on** *ou* **over the head** frapper qn à la tête; 2 (criticize) dénigrer [*group, person*]

(Phrasal verbs) ■ **bash about, bash around**: ▸ **~ [sb] about** *ou* **around** cogner sur○ [*person*]

■ **bash in**: ▸ **~ [sth] in, ~ in [sth]** défoncer [*door, part of car*]

■ **bash into**: ▸ **~ into [sth]** rentrer dans

■ **bash on** persévérer; **to ~ on with sth** en mettre un coup sur qch○

■ **bash out**: ▸ **~ out [sth], ~ [sth] out** expédier [*work*]; jouer [*tune*]

■ **bash up**: ▸ **~ [sb] up, ~ up [sb]** cogner [*person*]; cabosser [*car*]

bashful /ˈbæʃfl/ *adj* timide; **to be ~ about doing** hésiter à faire

bashfully /ˈbæʃfəlɪ/ *adv* timidement

bashfulness /ˈbæʃflnɪs/ *n* timidité *f*

bashing○ /ˈbæʃɪŋ/ *n* 1 (beating) raclée○ *f*; **this table has taken a ~ over the years!** cette table en a vu au cours des ans○!; 2 (defeat) raclée○ *f*; **to give sb a ~** donner une raclée○ à qn; **to take a ~** ramasser une raclée○; 3 fig (criticism) dénigration *f* systématique; **union ~** dénigration systématique des syndicats; **to take a ~ (from)** se faire éreinter (par)

basic /ˈbeɪsɪk/

A **basics** *npl* **the ~s** l'essentiel *m*: (of knowledge, study) principes *mpl* fondamentaux; (food) denrées *fpl* de première nécessité; **to go back to ~s** revoir les principes fondamentaux; **to get down to ~s** aborder l'essentiel

B *adj* 1 (fundamental) [*aim, arrangement, fact, need, quality*] essentiel/-ielle; [*belief, research, problem, principle*] fondamental; [*theme*] principal; 2 (elementary) [*education, knowledge, skill, rule*] élémentaire; 3 (rudimentary) [*accommodation, meal, facilities, supplies*] de base; **the accommodation was rather ~** péj le logement était un peu rudimentaire; 4 (before additions) [*pay, wage, working hours*] de base; 5 Chem basique

BASIC /ˈbeɪsɪk/ *n* Comput (*abrév* = **beginners' all-purpose symbolic instruction code**) basic *m*; **in ~** en basic

basically /ˈbeɪsɪklɪ/ *adv* 1 (fundamentally) fondamentalement; **a ~ capitalist society** une société fondamentalement capitaliste; 2 (for emphasis) **~, I don't like him very much** en fait, je ne l'aime pas beaucoup; **~, life's been good** dans l'ensemble *or* tout compte fait, on a eu de la chance

basic: **~ law** *n* Pol, Jur ≈ Constitution *f*; **~ overhead expenditure** *n* Fin frais *mpl* généraux essentiels; **~ rate** *n* gen taux *m* de base; Tax taux *m* de base d'imposition; **~ salt** *n* sel *m* basique; **~ slag** *n* scories *fpl* de déphosphoration; **~ training** *n* Mil formation *f* militaire de base

basil /ˈbæzl/ *n* basilic *m*

basilica /bəˈzɪlɪkə/ *n* basilique *f*

basilisk /ˈbæzɪlɪsk/ *n* Mythol, Zool basilic *m*

basin /ˈbeɪsn/ *n* 1 Culin bol *m*; (large, for mixing) terrine *f*; 2 (for washing) lavabo *m*; (not plumbed) cuvette *f*; (for washing up) cuvette *f*; **wash** *ou* **hand ~** lavabo *m*; 3 Geog, Geol bassin *m*; 4 Naut (of port) bassin *m*; (of canal) gare *f*; 5 (of fountain) bassin *m*

basinful /ˈbeɪsɪnfʊl/ *n* pleine cuvette *f*

(Idiom) **to have had a ~ of sth**○ avoir eu sa dose de qch○

basis /ˈbeɪsɪs/ *n* (*pl* **-ses**) (for action, negotiation) base *f* (**for, of** de); (of discussion) cadre *m*; (of theory) point *m* de départ; (for belief, argument) fondements *mpl* (**for** de); **on the ~ of** sur la base de [*earnings, evidence, experience, salary*]; **on the ~ that** en partant du principe que; **on that ~** ceci étant; **on the same ~** dans les mêmes conditions; **to serve as the ~ for sth** servir de base à qch

bask /bɑːsk, US bæsk/ *vi* se prélasser; **to ~ in** se prélasser à [*sunshine, warmth*]; jouir de [*approval, affection*]; **to ~ in sb's reflected glory** tirer fierté du succès de qn

basket /ˈbɑːskɪt, US ˈbæskɪt/ *n* 1 (with one handle) panier *m*; (with no handle or two) corbeille *f*; (carried on back) hotte *f*; (for game, fish) bourriche *f*; (on donkey) panier *m*; **sewing** *ou* **work ~** corbeille *f* à ouvrage; **~ of currencies** Fin panier *m* de devises; 2 Sport (in basketball) panier *m*; **to make** *ou* **score a ~** réussir un panier; 3 (in skiing) rondelle *f*; (in fencing) coquille *f*; 4 ◑US (male genitals) bazar *m*◑, organes *mpl* génitaux mâles

basketball /ˈbɑːskɪtbɔːl, US ˈbæsk-/ ▸ **p. 1253** *n* (game) basket(-ball) *m*; (ball) ballon *m* de basket

basketball shoe *n* basket *f*

basket case○ *n* 1 (nervous wreck) **she's a ~** c'est un paquet de nerfs; 2 (economy, country) grand/-e invalide *m/f*; 3 (car, machine, etc) tas *m* de ferraille

basket: **~ chair** *n* fauteuil *m* en osier; **~ clause** *n* clause *f* attrape-tout

basketful /ˈbɑːskɪtfʊl, US ˈbæsk-/ *n* panier *m* (**of** de)

basket: **~ maker** ▸ **p. 1683** *n* vannier/-ière *m/f*; **~-making** *n* vannerie *f*; **~work** *n* (craft, objects) vannerie *f*

basking shark /ˈbɑːskɪŋ ʃɑːk, US ˈbæsk-/ *n* (requin *m*) pèlerin *m*

Basle /bɑːl/ ▸ **p. 1815** *pr n* = **Basel**

basmati rice /bəzˌmætɪ ˈraɪs/ *n* riz *m* basmati

basque /bæsk/ *n* (on jacket etc) basques *fpl*

Basque /bæsk, bɑːsk/ ▸ **p. 1467, p. 1378**

A *n* 1 (person) Basque *mf*; 2 (language) basque *m*

B *adj* basque

Basque Country *n* **the ~** le pays Basque

bas-relief /ˈbæsrɪliːf, ˈbɑːrɪliːf/

A *n* bas-relief *m*; **in ~** en bas-relief

B *adj* en bas-relief

Bas-Rhin ▸ **p. 1129** *pr n* Bas-Rhin *m*; **in/to the ~** dans le Bas-Rhin

bass¹ /beɪs/ ▸ **p. 1868, p. 1462**

A *n* 1 (voice) (voix de) basse *f*; (singer) basse *f*; **he's a ~** c'est une basse; 2 (instrument) basse *f*; (in jazz) contrebasse *f*; 3 (part) (partie de) basse *f*; **to sing (the) ~** chanter la basse; 4 (frequency) basse *f*

B *modif* 1 [*voice, range, solo*] de basse; [*aria*] pour basse; 2 [*flute, guitar, trombone, tuba*] basse; **the ~ strings** les basses; 3 [*part, line*] de basse; 4 (frequency) [*controls, sound, notes*] grave

bass² /bæs/ *n* Zool (freshwater) perche *f*; (sea) Zool bar *m*; Culin loup *m* (de mer)

bass beɪs: **~-baritone** ▸ **p. 1868** *n* baryton-basse *m*; **~ clef** *n* clé *f* de fa; **~ drum** ▸ **p. 1462** *n* grosse caisse *f*

Basse-Normandie ▸ **p. 1243** *pr n* Basse-Normandie *f*; **in/to ~** en Basse-Normandie

basset /ˈbæsɪt/ *n* (*also* **~ hound**) (chien *m*) basset *m*

basset horn ▸ **p. 1462** *n* cor *m* de basset

bass horn *n* serpent *m*

bassist /ˈbeɪsɪst/ ▸ **p. 1462** *n* bassiste *mf*

bassoon /bəˈsuːn/ ▸ **p. 1462** *n* basson *m*

basso profundo /ˈbæsəʊ prəˈfʌndəʊ/ ▸ **p. 1868**

A *n* basse *f* profonde

B *modif* [*voice*] de basse profonde; [*aria*] pour basse profonde

bastard /ˈbɑːstəd, US ˈbæs-/

A *n* 1 ◑(term of abuse) salaud◑ *m*; **you rotten ~!** espèce de salaud◑!; **he was a real ~ to her** il était vraiment salaud◑ avec elle; 2 ◑(humorously, derisively) **poor ~!** pauvre type○!; **the silly ~!** le crétin◑!, le con◑!; **you lucky ~!** sacré veinard○!; 3 ◑(problem, task) **that was a ~ of a question!** c'était une question empoisonnante○!; **this word is a ~ to translate!** ce putain◑ de mot est impossible à traduire!; 4 †(illegitimate child) bâtard/-e *m/f*

B *adj* 1 [*child*] bâtard; 2 fig (hybrid) bâtard, corrompu; 3 Print [*title*] faux/fausse

bastardized /ˈbɑːstədaɪzd, US ˈbæs-/ *adj* [*language*] abâtardi; [*style of architecture*] dégradé; [*race*] dégénéré

bastardy /ˈbɑːstədɪ, US ˈbæs-/ *n* Jur bâtardise *f*

baste /beɪst/ *vtr* 1 Culin arroser; 2 Sewing bâtir, faufiler

baster /ˈbeɪstə(r)/ *n* seringue *f* à rôti

bastion /ˈbæstɪən/ *n* 1 Archit bastion *m*; 2 fig (stronghold) bastion (**of** de); (defence) rempart *m* (**against** contre)

bat /bæt/

A *n* 1 Sport batte *f*; **cricket/baseball ~** batte de cricket/de baseball; **table tennis ~** raquette *f* de tennis de table; 2 Zool chauve-souris *f*; 3 ○**old ~** pej vieille bique○; 4 ○(blow) coup *m*

B *vtr* (*p prés etc* **-tt-**) frapper

C *vi* (*p prés etc* **-tt-**) Sport (be batsman) être le batteur; (handle a bat) manier la batte

(Idioms) **at a terrific ~**○ GB à toute allure; **to be blind as a ~** être myope comme une taupe; **to do sth off one's own ~**○ faire qch de sa propre initiative; **to go to ~ for sb**○ US appuyer○ qn; **(right) off the ~**○ US sans délai; **like a ~ out of hell**○ comme un possédé; **to play a straight ~** jouer franc jeu; **without ~ting an eyelid** GB *ou* **eye(lash)** US sans sourciller; ▸ **belfry**

(Phrasal verbs) ■ **bat around**: ▸ **~ [sth] around, ~ around [sth]** 1 discuter [*idea*]; 2 Sport **we ~ted the ball around** nous avons échangé quelques balles

■ **bat down**: ▸ **~ [sth] down** US démolir [*argument, suggestion*]

■ **bat out**: ▸ **~ [sth] out, ~ out [sth]** US préparer [qch] en vitesse

batch /bætʃ/ *n* (of loaves, cakes) fournée *f*; (of cement) gâchée *f*; (of eggs, fish) arrivage *m*; (of letters) tas *m*, liasse *f*; (of books, text, goods, orders) lot *m*; (of recruits) contingent *m*; (of candidates, prisoners etc) groupe *m*; Comput lot *m*

batch: ~ **file** *n* Comput fichier *m* séquentiel; ~ **mode** *n* Comput mode *m* différé; ~ **processing** *n* Comput traitement *m* séquentiel *or* par lots

bated /'beɪtɪd/ *adj* **with** ~ **breath** en retenant son souffle

bath /bɑːθ, US bæθ/

A *n* **1** (wash, washing water) bain *m*; **to have** *ou* **take** US **a** ~ prendre un bain; **to run a** ~ faire couler un bain; **to give sb a** ~ donner un bain à qn; **give the baby his** ~! donne son bain au bébé!; **2** GB (tub) baignoire *f*; **acrylic/enamel** ~ baignoire en acrylique/en émail; **sunken** ~ baignoire encastrée; **I was in the** ~ j'étais dans mon bain; **3** US (bathroom) salle *f* de bains; **4** Chem, Phot, Tech, Tex bain *m*; **water/dye** ~ bain froid/de teinture

B baths *npl* **1** (for swimming) piscine *f*; **2** (in spa) thermes *mpl*; **3** †(municipal) bains *mpl* publics; **4** ○US (for homosexuals) sauna *m* pour homosexuels

C *vtr* GB baigner

D *vi* GB prendre un bain

(Idioms) **to take a** ~ US subir des pertes (financières); **to take an early** ~○ (in football) euph être mis sur la touche

bath: **Bath bun** *n* GB *petit pain rond au lait et aux raisins secs*; **Bath chair**† *n* fauteuil *m* roulant; ~ **cube** *n* cube *m* de bain

bathe /beɪð/

A *n* GB sout bain *m*; **to go for** *ou* **to have a** ~ aller se baigner

B *vtr* **1** laver [*wound*] (**in** dans; **with** à); **to** ~ **one's feet** prendre un bain de pieds; **2** littér [*wave*] baigner [*shore*]; **3** US baigner [*child*]

C *vi* **1** (swim) [*person*] se baigner; **to go bathing** aller se baigner; **2** US (take bath) prendre un bain; **3** littér **to be** ~**d in** ruisseler de [*sweat*]; être inondé de [*light*]; être baigné de [*tears*]

bather /'beɪðə(r)/ *n* baigneur/-euse *m/f*

bathhouse /'bɑːθhaʊs/ *n* **1** ‡bains *mpl* publics; **2** ○US (for homosexuals) sauna *m* pour homosexuels; **3** US (on beach) cabine *f* (de plage)

bathing /'beɪðɪŋ/ *n* baignade *f*; '~ **prohibited**' 'baignade interdite'

bathing: ~ **beauty** *n* belle baigneuse *f*; ~ **cap** *n* bonnet *m* de bain; ~ **costume** *n* costume *m* de bain; ~ **hut** *n* cabine *f* de bain; ~ **machine** *n* Hist cabine *f* de bains roulante; ~ **suit**† *n* = **bathing costume**; ~ **trunks**† *n* slip *m* de bain

bath: ~ **mat** *n* tapis *m* de bain; ~ **oil** *n* huile *f* de bain

bathos /'beɪθɒs/ *n* bathos *m*, chute *f* du sublime au trivial

bathrobe /'bɑːθrəʊb/ *n* sortie *f* de bain

bathroom /'bɑːθruːm, -rʊm/ *n* **1** (for washing) salle *f* de bains; **2** US (lavatory) (public) toilettes *fpl*; (at home) salle *f* de bains; **to go to the** ~ [*person*] aller aux toilettes; [*animal*] faire ses besoins

bathroom: ~ **cabinet** *n* armoire *f* de toilette; ~ **fittings** *npl* accessoires *mpl* de salle de bains; ~ **scales** *npl* pèse-personne *m*

bath: ~ **salts** *npl* sels *mpl* de bain; ~ **soap** *n* savon *m* de bain; ~ **towel** *n* serviette *f* de bain; ~**tub** *n* baignoire *f*; ~**water** *n* eau *f* du bain

bathysphere /'bæθɪsfɪə(r)/ *n* bathysphère *f*

batik /bə'tiːk, bæ'tiːk/ *n* batik *m*

batiste /bæ'tiːst, bə't-/ *n* Tex batiste *f*

batman /'bætmən/ ▸ **p. 1599** *n* GB Mil ordonnance *m*

baton /'bætn, 'bætɒn, US bə'tɒn/ *n* GB (policeman's) matraque *f*; Mil, Mus baguette *f*; Sport (in relay race) témoin *m*; (used by French traffic policeman, majorette) bâton *m*; **under the** ~ **of** Mus sous la direction de; **to take up the** ~ fig prendre la relève

baton: ~ **charge** *n* GB charge *f* à la matraque; ~ **round** *n* GB balle *f* en caoutchouc; ~ **twirler** *n* US majorette *f*

bats○ /bæts/ *adj* cinglé○, toqué○

batsman /'bætsmən/ *n* Sport batteur *m*

battalion /bə'tælɪən/ *n* Mil, fig bataillon *m*

batten /'bætn/

A *n* **1** Constr (for door, floor) latte *f*; (in roofing) volige *f*; **2** Naut (in sail) latte *f* (de voile); (for tarpaulin) latte *f* (de fixation); **3** Theat herse *f*

B *vtr* latter [*door*]; planchéier, latter [*floor*]; voliger [*roof*]

(Idiom) **to** ~ **down the hatches** Naut fermer les écoutilles; fig se préparer au pire

(Phrasal verb) ■ **batten on** péj être *or* vivre aux crochets de [*person, family*]

batter /'bætə(r)/

A *n* **1** Culin gen pâte *f*; (for frying) pâte à frire; **pancake** ~ pâte à crêpes; **fish in** ~ beignets *mpl* de poisson; **2** Sport batteur *m*

B *vtr* **1** [*person*] battre [*victim, wife, child*]; **to** ~ **sb to death** battre qn à mort; **2** [*storm, bombs*] ravager; [*waves*] battre

C *vi* tambouriner (**at** à; **on** sur)

(Phrasal verb) ■ **batter down**: ▸ ~ **[sth] down**, ~ **down [sth]** enfoncer [*door*]

battered /'bætəd/ *adj* [*kettle, hat*] cabossé; [*book, suitcase etc*] très abîmé; [*person*] (physically) battu; fig (emotionally) très éprouvé; [*economy*] très éprouvé; [*pride*] meurtri

battered baby syndrome *n* syndrome *m* de l'enfant battu

battering /'bætərɪŋ/ *n* **1** (from person) raclée○ *f*; **the problem of wife-**~ le problème des maris qui battent leurs femmes; **2** **to take** *ou* **get a** ~ (from bombs, storm, waves) être ravagé (**from** par); (from opponents) Sport prendre une raclée○; (from critics) se faire descendre (**by** par); (emotionally) en prendre un coup○; **this car/table has taken a** ~ **over the years** cette voiture/table a souffert○ au cours des années

battering-ram *n* bélier *m*

battery /'bætərɪ/ *n* **1** Elec pile *f*; Aut batterie *f*; **2** Mil batterie *f*; **3** Agric (for hens) batterie *f*; **4** fig (large number) (of objects, tests) batterie *f*; (of questions) feu *m* nourri; **5** Jur coups *mpl* et blessures *fpl*

battery: ~ **acid** *n* solution *f* acide pour piles; ~ **charger** *n* chargeur *m* de batteries; ~ **chicken** *n* poulet *m* d'élevage industriel; ~ **controlled** *adj* à piles; ~ **farming** *n* élevage *m* en batterie; ~ **fire** *n* tir *m* par salves; ~ **hen** *n* = **battery chicken**; ~**-lead connection** *n* cosse *f* de batterie; ~ **operated**, ~ **powered** *adj* à piles; ~ **set** *n* Radio poste *m* à piles; ~ **shaver** *n* rasoir *m* à piles

battle /'bætl/

A *n* **1** Mil bataille *f* (**for** pour, **against** contre, **between** entre); **to die in** ~ mourir au combat; **to fight a** ~ combattre; **to win/lose a** ~ gagner/perdre une bataille; **the Battle of Waterloo** la bataille de Waterloo; **to go into** ~ engager le combat; **to join** ~ s'engager dans la bataille; **to do** ~ **with sb** se battre avec qn; **the field of** ~ le champ de bataille; **2** fig lutte *f* (**for** pour, **against** contre, **over** à propos de); **political** ~ lutte *f* politique; **takeover** ~ Pol lutte *f* de succession; **legal** ~ bataille *f* légale; **the** ~ **is on for/to do** la lutte est engagée pour/pour faire; **the** ~ **to prevent Aids** la lutte pour la prévention du sida; **it's a** ~ **of wills between them** c'est à qui l'emportera entre eux; **a** ~ **of words** un échange acerbe; **to fight one's own** ~**s** se défendre tout seul; **to fight sb's** ~**s** se battre pour le compte de qn

B *modif* Mil [*formation, stations, zone*] de combat

C *vtr* US lutter contre

D *vi* Mil, fig combattre (**with sb** contre qn); **to** ~ **for** se disputer [*supremacy*]; lutter pour [*life, survival*]; **to** ~ **to do** lutter pour faire; **to** ~ **one's way through** vaincre [qch] de haute lutte [*difficulties, opposition*]; **he** ~**d his way to a victory** il a remporté la victoire de haute lutte

(Idiom) **that's half the** ~ c'est déjà un grand pas de fait

(Phrasal verbs) ■ **battle on** persévérer ■ **battle out**: **to** ~ **it out** lutter avec acharnement (**for** pour)

battle array /'bætləreɪ/ *n* **in** ~ en ordre de bataille

battle-axe /'bætlæks/ *n* **1** ○fig péj (woman) virago○ *f*; **2** lit hache *f* d'armes

battle: ~ **cruiser** *n* croiseur *m* cuirassé; ~ **cry** *n* lit, fig cri *m* de ralliement

battledore /'bætldɔː(r)/ *n* raquette *f* pour jeu de volant; ~ **and shuttlecock** ▸ **p. 1253** jeu *m* de volant

battle: ~**dress** *n* tenue *f* de campagne; ~ **drill** *n* ¢ manœuvres *fpl*; ~ **fatigue** *n* US commotion *f*, état *m* de choc dû aux combats; ~**field** *n* lit, fig champ *m* de bataille; ~**field missile** *n* missile *m* sol-sol tactique; ~**ground** *n* lit champ *m* de bataille; fig sujet *m* de discussion; ~ **honour** GB, ~ **honor** US *n* lit, fig distinction *f* au combat; ~ **lines** *npl* Mil lignes *fpl* de combat; fig stratégie *f*

battlements /'bætlmənts/ *npl* lit, fig remparts *mpl*

battle: ~ **order** *n* lit, fig ordre *m* de bataille; ~ **royal** (*pl* ~**s royal**, ~ **royals**) *n* lit mêlée *f* générale; fig bataille *f* en règle; ~**-scarred** *adj* lit marqué par la guerre; fig marqué par la vie; ~ **scene** *n* Cin, Theat scène *f* de bataille; ~**ship** *n* cuirassé *m*; ~**ships** ▸ **p. 1253** *npl* Games touché-coulé *m*; ~ **tank** *n* char *m* d'assaut

batty○ /'bætɪ/ *adj* cinglé○, toqué○; **to go** ~ devenir fou/folle, dérailler○

bauble /'bɔːbl/ *n* **1** (ornament) babiole *f*; pej (item of jewellery) colifichet *m*; **2** (jester's) marotte *f*

baud /bɔːd/ *n* Comput baud *m*

baulk = **balk**

bauxite /'bɔːksaɪt/ *n* bauxite *f*

Bavaria /bə'veərɪə/ *pr n* Bavière *f*

Bavarian /bə'veərɪən/

A *n* Bavarois/-e *m/f*

B *adj* bavarois; **the** ~ **Alps** les Alpes *fpl* bavaroises; ~ **cream** Culin bavaroise *f*

bawd‡ /bɔːd/ *n* catin† *f*

bawdiness /'bɔːdɪnɪs/ *n* (of story, song) grivoiserie *f*; (of person) paillardise *f*

bawdy /'bɔːdɪ/ *adj* [*story, song*] grivois; [*person*] paillard; ~ **house**‡ bordel *m*

bawl /bɔːl/

A *vtr* brailler

B *vi* **1** (weep) brailler; **2** (shout) hurler; **to** ~ **at sb/at sb to do sth** hurler sur qn/à qn de faire qch

(Phrasal verb) ■ **bawl out**○: ▸ ~ **[sb] out** engueuler○; ▸ ~ **out [sth]** brailler

bay /beɪ/

A *n* **1** Geog baie *f*; **the Bay of Biscay/of Bengal** le golfe de Gascogne/du Bengale; **the Bay of Pigs** la Baie des Cochons; **2** Hunt **to be at** ~ être aux abois; **to bring to** ~ acculer; **to hold** *ou* **keep at** ~ fig tenir [qn] à distance [*attacker, opponent*]; stopper [*famine*]; enrayer [*unemployment, inflation etc*]; **3** Bot (*also* ~ **tree**) laurier(-sauce) *m*; **4** (parking area) aire *f* de stationnement; **loading** ~ aire de chargement; **5** Archit (section of building) travée *f*; (recess) renfoncement *m*; (window) bow-window *m*; **6** Aviat, Naut (compartment) soute *f*; ▸ **bomb bay**; **7** (horse) alezan *m*

B *adj* [*horse*] bai

C *vi* [*dog*] aboyer (**at** contre, après); **to** ~ **at the moon** hurler à la lune *or* à la mort; **to** ~ **for**

sb's blood fig réclamer la tête de qn

bay leaf *n* feuille *f* de laurier

bayonet
A /'beɪənɪt/ *n* Mil, Elec baïonnette *f*; **at ~ point** à la pointe de la baïonnette; **to fix ~s** fixer la baïonnette au canon
B /'beɪənɪt, ˌbeɪə'net/ *vtr* (*p prés etc* **-t-** *ou* **-tt-**) passer à la baïonnette

bayonet: **~ charge** *n* charge *f* à la baïonnette; **~ practice** *n* ¢ exercices *mpl* de baïonnette; **~ socket** *n* douille *f* à baïonnette

bayou /'baɪuː/ *n* US bayou *m*, marécages *mpl*

bay: **~ rum** *n* lotion *f* capillaire (au piment de la Jamaïque); **~ window** *n* bow-window *m*; **~ wreath** *n* couronne *f* de laurier

bazaar /bə'zɑː(r)/ *n* (oriental) bazar *m*; (sale of work) vente *f* de charité; (shop) bazar *m*

bazoo○ /bə'zuː/ *n* US gueule◑ *f*

bazooka /bə'zuːkə/ *n* bazooka *m*, lance-roquettes *m inv* antichar

B & B *n*: *abrév* ▸ **bed and breakfast**

BBC (*abrév* = **British Broadcasting Corporation**) BBC *f*

BB gun *n* US carabine *f* à air comprimé

BBQ *n*: *abrév écrite* = **barbecue**

BC (*abrév* = **Before Christ**) av. J.-C

BCD *n* (*abrév* = **binary-coded decimal**) DCB *f*

BCG *n* Pharm BCG *m*

BD *n* (*abrév* = **Bachelor of Divinity**) diplôme *m* universitaire de théologie

BDS *n* GB (*abrév* = **Bachelor of Dental Surgery**) diplôme *m* de chirurgie dentaire

be /biː, bɪ/ *vi* (*p prés* **being**; *3e pers sg prés* **is**; *prét* **was**; *pp* **been**) **1** gen être; **it's me, it's I** c'est moi; **he's a good pupil** c'est un bon élève; **2** (in probability) **if Henri were here** si Henri était là; **were it not that...** si ce n'était que...; **were they to know** s'ils savaient; **if I were you** à ta place; **had it not been for Frank, I'd have missed the train** sans Frank j'aurais raté le train; **3** (phrases) **so ~ it** d'accord; **~ that as it may** quoi qu'il en soit; **as it were** pour ainsi dire; **even if it were so** même si c'était le cas; **I preferred it as it was** je l'aimais mieux avant; **leave it as it is** ne changez rien; **to ~ or not to ~** être ou ne pas être; **let** *ou* **leave him ~** laisse-le tranquille ▸ **p. 974**

BE *n*: *abrév* ▸ **bill of exchange**

beach /biːtʃ/
A *n* plage *f*
B *modif* [*bag, mat*] de plage; [*party*] à la plage
C *vtr* échouer [*boat*]; **~ed whale** lit baleine *f* échouée; fig (building, object, person) mastodonte *m*

beach: **~ ball** *n* ballon *m* de plage; **~ buggy** *n* buggy *m*; **~ bum**○ *n*: *jeune vagabond qui passe l'été sur les plages*

beachcomber /'biːtʃkəʊmə(r)/ *n* **1** (person) *personne qui récupère les objets échoués ou oubliés sur la plage*; **2** (wave) vague *f* déferlante

beach: **~head** *n* tête *f* de pont; **~ hut** *n* cabine *f* de plage; **~robe** *n* serviette-cabine *f*; **~ volleyball** *n* ▸ **p. 1253** beach volley *m*; **~wear** *n* tenues *fpl* de plage

beacon /'biːkən/ *n* **1** Naut (lighthouse) phare *m*; (lantern) fanal *m*; (signalling buoy) balise *f*; fig phare *m*, flambeau *m*; **to shine like a ~** fig briller comme un phare; **2** Aviat balise *f*, phare *m*; **3** (*also* **radio ~**) (transmitter) radiobalise *f*, radiophare *m*; **4** (on ambulance, police car) gyrophare *m*; **5** Hist (on hill etc) feu *m* (*pour donner l'alarme*); **6** GB (hill) colline *f*

bead /biːd/ *n* **1** (jewellery) perle *f*; **~s, string of ~s** collier *m*; **2** Relig (rosary) grain *m*; **to say** *ou* **tell one's ~s**† réciter son chapelet; **3** (drop) (of sweat, dew) goutte *f*, perle *f*; **~s of perspiration had formed on his forehead** la sueur perlait sur son front; **4** Tech (on gun) guidon *m*; **to draw a ~ on sth/sb** viser qch/qn avec précision

bead curtain *n* rideau *m* de perles

beaded /'biːdɪd/ *adj* [*dress, blouse*] garni de perles

beadily /'biːdɪlɪ/ *adj* [*look, stare*] avec des yeux de fouine pej, fixement

beading /'biːdɪŋ/ *n* **1** (wooden) baguette *f*; (decorative) chapelet *m*; **2** (on dress) garniture *f* de perles

beadle /'biːdl/ *n* **1** Relig bedeau *m*; **2** ▸ **p. 1683** GB Univ huissier *m*, appariteur *m*

beady /'biːdɪ/ *adj* **~ eyes** yeux *mpl* de fouine pej; **I've got my ~ eye on you** GB hum je t'ai à l'œil

beady-eyed /ˌbiːdɪ'aɪd/ *adj* aux yeux de fouine pej, aux yeux perçants

beagle /'biːgl/
A *n* beagle *m*
B *vi* chasser avec des beagles

beak /biːk/ *n* **1** (of bird, turtle) bec *m*; **2** ○(nose) tarin○ *m*; **3** ○†GB (magistrate) magistrat *m*; (headmaster) protal○ *m*

beaker /'biːkə(r)/ *n* **1** (cup) gobelet *m*; **2** Chem vase *m* à bec

beam /biːm/
A *n* **1** (of light, torch, laser) rayon *m*; (of vehicle lights, lighthouse, searchlight) also Phys faisceau *m*; **on full ~** GB Aut, **on high ~** US Aut en (pleins) phares; **on low ~** US Aut en code; **2** Constr poutre *f*; **3** (in gymnastics) poutre *f*; **4** (central shaft) (of weighing scales) fléau *m*; Mech balancier *m*; **5** Aviat, Naut (radio or radar course) faisceau *m* de guidage; **to be off ~** GB, **to be off the ~** US être sorti du faisceau; fig être à côté de la plaque○; **6** Naut (cross-member) traverse *f*; (greatest width) largeur *f*; **on the port ~** à bâbord; **on the starboard ~** à tribord; **7** (smile) grand sourire *m*
B *vtr* **1** [*radio, satellite*] transmettre [*programme, signal*]; **the concert was ~ed all over the world** le concert a été diffusé partout dans le monde; **2** fig **his father ~ed his congratulations** son père, rayonnant, l'a félicité
C *vi* **1** [*sun, moon*] rayonner; **the sun ~ed down on us** le soleil rayonnait au-dessus de nous; **2** (smile) rayonner
(Idiom) **to be broad in the ~**○ être fort des hanches

beam: **~ balance** *n* balance *f* à fléau; **~ compass** *n* compas *m* à verge

beam end *n* Naut flanc *m* (d'un bateau); **to be on its ~s** Naut être couché sur le flanc; **to be on one's ~s** GB fig○ être complètement fauché○

beaming /'biːmɪŋ/ *adj* (all contexts) rayonnant

bean /biːn/
A *n* **1** Culin, Hort haricot *m*; **green ~, French ~** haricot vert; **broad ~** fève *f*; **cocoa ~** fève *f* de cacao; **coffee ~** grain *m* de café; **2 old** GB○† mon vieux
B *vtr* **to ~ sb**○ US donner un coup sur la tête de qn
(Idioms) **to be full of ~s**○ GB (be lively) être en pleine forme; US (be wrong) se gourer○ complètement; **I haven't got a ~**○ je n'ai pas un radis○; **I don't know a ~** *ou* **~s about it**○ je n'y connais rien; **it's not worth a ~**○ ça ne vaut rien

bean: **~ bag** *n* (seat) fauteuil *m* poire; (for throwing) sac *m* de haricots; **~ counter**○ *n* US péj gratte-papier *m inv* pej; **~ curd** *n* fromage *m* de soja; **~feast**○ *n* gueuleton○ *m*

beano○ /'biːnəʊ/ *n* GB fête *f*

bean: **~pole** *n* Hort espalier *m*; fig (thin person) perche *f*; **~ salad** *n* salade *f* de haricots; **~sprout** *n* germe *m* de soja; **~stalk** *n* tige *f* de haricot; **Bean Town**○ *pr n* US Boston *m*

bear /beə(r)/
A *n* **1** Zool ours *m*
2 ○péj (man) ours *m* (mal léché)
3 Fin baissier *m*
B *vtr* (*prét* **bore**, *pp* **borne**) **1** (carry) [*person, animal*] porter [*load*]; [*vehicle*] transporter [*load*]
2 (bring) [*person*] apporter [*gift, message*]; [*wind, water*] porter [*seed, sound*]; **borne on the wind** porté par le vent
3 (show visibly) [*envelope, shield*] porter; fig porter [*scar, mark*]; **envelopes ~ing the company logo** enveloppes qui portent le sigle de la société; **he still ~s the scars** fig il en reste marqué; **to ~ a resemblance to** ressembler à; **to ~ no relation to** n'avoir aucun rapport avec; **to ~ no comparison with** être sans commune mesure avec; **to ~ witness to sth/to the fact that** témoigner de qch/de ce que
4 (have) [*person, company*] porter [*name, title*]
5 (keep) **to ~ sth in mind** (remember) se souvenir de [*suggestion, information*]; (take into account) prendre en compte [*factors*]; **to ~ in mind that** ne pas oublier que; **~ing in mind his inexperience,...** compte tenu de son inexpérience,...
6 (support) **to ~ the weight of** [*structure, platform*] supporter le poids de [*person, object*]; [*body part*] supporter, soutenir le poids de [*person*]
7 fig (endure, tolerate) supporter [*illness, hardship, suspense, pressure, smell, person*]; **it's more than I can ~** c'est plus que je n'en peux supporter; **I can't ~ the thought of him going to prison** je ne supporte pas l'idée qu'il aille en prison; **she can't ~ doing the housework** elle ne supporte pas de faire le ménage; **I can't ~ his preaching to me** je ne supporte pas qu'il me fasse la morale; **I can't ~ to watch** je ne veux pas voir ça; **how can you ~ to drink it?** comment peux-tu boire ça?; **'after a long illness bravely borne'** (in obituary) 'à la suite d'une longue et cruelle maladie'
8 fig (accept) encourir [*cost, responsibility, blame*]
9 (stand up to) résister à [*scrutiny, inspection*]; **the plan won't ~ close scrutiny** le plan ne résistera pas à un examen approfondi; **that story/joke doesn't ~ repeating** cette histoire/plaisanterie ne vaut pas le coup d'être répétée; **the consequences don't ~ thinking about** mieux vaut ne pas penser aux conséquences
10 (nurture) porter [*love*]; **the love she bore her father** l'amour qu'elle portait à son père; **to ~ sb ill will** en vouloir à qn; **to ~ a grudge against sb** en vouloir à qn, avoir de la rancune contre qn; **he bore her nothing but resentment** il n'éprouvait pour elle que du ressentiment
11 (yield) [*tree, land*] donner [*fruit , blossom, crop*]; Fin [*account, investment*] rapporter [*interest*]; **to ~ fruit** [*tree*] donner des fruits; fig [*idea, investment*] porter ses fruits
12 † *ou* littér (*pp actif* **borne**, *pp passif* **born**) (give birth to) [*woman*] donner naissance à; [*animal*] mettre bas; **to ~ sb a child** donner un enfant à qn
C *vi* (*prét* **bore**, *pp* **borne**) **1** **to ~ left/right** [*person*] prendre à gauche/à droite; **to ~ east/west** [*person*] aller à l'est/à l'ouest; [*road*] obliquer vers l'est/l'ouest
2 Naut (lie) **there is land ~ing south-south-east** une côte est signalée au sud-sud-est
3 (weigh) **to ~ heavily/hardest on sb** [*tax, price increase*] peser lourdement/le plus durement sur qn; **to bring influence/pressure to ~ on** exercer une influence/une pression sur [*person, system*]; **to bring all one's energies to ~ on sth** mettre toute son énergie à qch
D *v refl* (*prét* **bore**, *pp* **borne**) **to ~ oneself** (behave) se comporter; **he bore himself bravely** il s'est comporté avec courage; **~ yourself with pride** soyez digne
(Phrasal verbs) ■ **bear along**: ▸ **~ [sb/sth] along, ~ along [sb/sth]** entraîner; **borne along by the tide/his enthusiasm** entraîné par la marée/son enthousiasme
■ **bear away**: ▸ **~ [sb/sth] away, ~ away [sb/sth]** [*person*] enlever [*person*]; [*wind, water*] emporter [*person, boat*]
■ **bear down** **1** gen appuyer fort (**on** sur);

b

be

The direct French equivalent of the verb *to be* in subject + to be + predicate sentences is *être*:

I am tired
= je suis fatigué

Caroline is French
= Caroline est française

the children are in the garden
= les enfants sont dans le jardin

It functions in very much the same way as *to be* does in English and it is safe to assume it will work as a translation in the great majority of cases.

Note, however, that when you are specifying a person's profession or trade, *a/an* is not translated:

she's a doctor
= elle est médecin

Claudie is still a student
= Claudie est toujours étudiante

This is true of any noun used in apposition when the subject is a person:

he's a widower
= il est veuf

But

Lyons is a beautiful city
= Lyon est une belle ville

For more information or expressions involving professions and trades consult the usage note ▸ **p. 1683**.

For the conjugation of the verb *être* see the French verb tables.

Grammatical functions

The passive

être is used to form the passive in French just as *to be* is used in English. Note, however, that the past participle agrees in gender and number with the subject:

the rabbit was killed by a fox
= le lapin a été tué par un renard

the window had been broken
= la fenêtre avait été cassée

their books will be sold
= leurs livres seront vendus

our doors have been repainted red
= nos portes ont été repeintes en rouge

In spoken language, French native speakers find the passive cumbersome and will avoid it where possible by using the impersonal *on* where a person or people are clearly involved: *on a repeint nos portes en rouge*.

Progressive tenses

In French the idea of something happening over a period of time cannot be expressed using the verb *être* in the way that *to be* is used as an auxiliary verb in English.

The present

French uses simply the present tense where English uses the progressive form with *to be*:

I am working
= je travaille

Ben is reading a book
= Ben lit un livre

In order to accentuate duration *être en train de* is used: *je suis en train de travailler*; *Ben est en train de lire un livre*.

The future

French also uses the present tense where English uses the progressive form with *to be*:

we are going to London tomorrow
= nous allons à Londres demain

I'm (just) coming!
= j'arrive!

I'm (just) going!
= j'y vais!

The past

To express the distinction between *she read a newspaper* and *she was reading a newspaper* French uses the perfect and the imperfect tenses: *elle a lu un journal/elle lisait un journal*:

he wrote to his mother
= il a écrit à sa mère

he was writing to his mother
= il écrivait à sa mère

However, in order to accentuate the notion of describing an activity which went on over a period of time, the phrase *être en train de* (= *to be in the process of*) is often used:

'what was he doing when you arrived?' 'he was cooking the dinner'
= 'qu'est-ce qu'il faisait quand tu es arrivé?' 'il était en train de préparer le dîner'

she was just finishing her essay when ...
= elle était juste en train de finir sa dissertation quand ...

The compound past

Compound past tenses in the progressive form in English are generally translated by the imperfect in French:

I've been looking for you
= je te cherchais

For progressive forms + *for* and *since* (*I've been waiting for an hour*, *I had been waiting for an hour*, *I've been waiting since Monday* etc.) see the entries **for** and **since**.

Obligation

When *to be* is used as an auxiliary verb with another verb in the infinitive (*to be to do*) expressing obligation, a fixed arrangement or destiny, *devoir* is used:

she's to do it at once
= elle doit le faire tout de suite

what am I to do?
= qu'est-ce que je dois faire?

he was to arrive last Monday
= il devait arriver lundi dernier

she was never to see him again
= elle ne devait plus le revoir.

In tag questions

French has no direct equivalent of tag questions like *isn't he?* or *wasn't it?* There is a general tag question *n'est-ce pas?* (literally *isn't it so?*) which will work in many cases:

their house is lovely, isn't it?
= leur maison est très belle, n'est-ce pas?

he's a doctor, isn't he?
= il est médecin, n'est-ce pas?

it was a very good meal, wasn't it?
= c'était un très bon repas, n'est-ce pas?

However, *n'est-ce pas* can very rarely be used for positive tag questions and some other way will be found to express the extra meaning contained in the tag: *par hasard* (*by any chance*) can be very useful as a translation:

'I can't find my glasses' 'they're not in the kitchen, are they?'
= 'je ne trouve pas mes lunettes' 'elles ne sont pas dans la cuisine, par hasard?'

you haven't seen Gaby, have you?
= tu n'as pas vu Gaby, par hasard?

In cases where an opinion is being sought, *si?* meaning more or less *or is it?* or *was it?* etc. can be useful:

it's not broken, is it?
= ce n'est pas cassé, si?

he wasn't serious, was he?
= il n'était pas sérieux, si?

In many other cases the tag question is simply not translated at all and the speaker's intonation will convey the implied question.

In short answers

Again, there is no direct equivalent for short answers like *yes I am*, *no he's not* etc. Where the answer *yes* is given to contradict a negative question or statement, the most useful translation is *si*:

'you're not going out tonight' 'yes I am'
= 'tu ne sors pas ce soir' 'si'

In reply to a standard enquiry the tag will not be translated:

'are you a doctor?' 'yes I am'
= 'êtes-vous médecin?' 'oui'

'was it raining?' 'yes it was'
= 'est-ce qu'il pleuvait?' 'oui'

Probability

For expressions of probability and supposition (*if I were you* etc.) see the entry **be**.

Other functions

Expressing sensations and feelings

In expressing physical and mental sensations, the verb used in French is *avoir*:

to be cold
= avoir froid

to be hot
= avoir chaud

I'm cold
= j'ai froid

to be thirsty
= avoir soif

to be hungry
= avoir faim

to be ashamed
= avoir honte

my hands are cold
= j'ai froid aux mains

If, however, you are in doubt as to which verb to use in such expressions, you should consult the entry for the appropriate adjective.

Discussing health and how people are

In expressions of health and polite enquiries about how people are, *aller* is used:

how are you?
= comment allez-vous?
(*more informally*) comment vas-tu?
(*very informally as a greeting*) ça va?

b

ℹ be continued

are you well?
= vous allez bien?
how is your daughter?
= comment va votre fille?
my father is better today
= mon père va mieux aujourd'hui

Discussing weather and temperature

In expressions of weather and temperature *faire* is generally used:
it's cold
= il fait froid
it's windy
= il fait du vent

If in doubt, consult the appropriate adjective entry.

Visiting somewhere

When *to be* is used in the present perfect tense to mean *go*, *visit* etc., French will generally use the verbs *venir*, *aller* etc. rather than *être*:
I've never been to Sweden
= je ne suis jamais allé en Suède
have you been to the Louvre?
= est-ce que tu es déjà allé au Louvre? *or* est-ce que tu as déjà visité le Louvre?
Paul has been to see us three times
= Paul est venu nous voir trois fois
Note too:
has the postman been?
= est-ce que le facteur est passé?

For *here is*, *here are*, *there is*, *there are* see the entries **here** and **there**.

The translation for an expression or idiom containing the verb *to be* will be found in the dictionary at the entry for another word in the expression: for *to be in danger* see **danger**, for *it would be best to* ... see **best** etc.

This dictionary contains usage notes on topics such as **the clock, time units, age, weight measurement, days of the week,** and **shops, trades and professions,** many of which include translations of particular uses of *to be*. For the index to these notes ▸ **p. 1948**.

~ **down on the screw/plank** appuyez sur la vis/planche; **2** (approach aggressively) **to ~ down on** se ruer sur [*person, group*]; **3** (in childbirth) pousser

■ **bear in**: **to ~ in with** Naut s'approcher de [*land*]; **the truth has been borne in upon us** la vérité s'est fait jour en nous; **it was finally borne in upon them that** ils ont fini par comprendre que

■ **bear off** **1** = **bear away**; **2** **to ~ off from** Naut s'écarter de [*land*]

■ **bear on**: ▸ **~ on [sb/sth]** avoir un effet sur; (stronger) peser sur; **factors ~ing directly on the outcome** facteurs qui ont un effet direct sur le résultat; **the cuts would ~ hardest on the poor** c'est sur les pauvres que les diminutions pèseraient le plus lourdement

■ **bear out**: ▸ **~ out [sth]** confirmer [*theory, claim, story*]; ▸ **~ [sb] out** appuyer; **he'll ~ me out on this** il confirmera ce que je dis

■ **bear up**: ▸ **~ up** [*person*] tenir le coup; [*structure*] résister; **to ~ up against** faire face à [*shock, misfortune*]; **'OK?'—'I'm ~ing up'** 'ça va?'–'on fait aller'

■ **bear upon** = **bear on**

■ **bear with**: ▸ **~ with [sb]** être indulgent avec; **it's boring but please ~ with me** c'est ennuyeux mais je vous demanderai d'être indulgent; **please ~ with me for a minute** pardonnez-moi un instant; **to ~ with it** être patient

bearable /'beərəbl/ *adj* supportable

bear: **~baiting** *n* combat *m* d'ours et de chiens; **~ cub** *n* ourson *m*

beard /bɪəd/
A *n* **1** (on man) barbe *f*; **a bushy ~** une barbe touffue; **to grow a ~** se faire pousser la barbe; **to shave off one's ~** se raser la barbe; **to wear a ~** porter la barbe; **the man with the ~** le barbu; **2** (tuft, barbel) (on dog, goat) barbiche *f*; (on fish) barbes *fpl*; (on bird) barbe *f*; **3** (on wheat, barley) barbe *f*; **4** (in typography) talus *m* (de pied)
B *vtr* affronter
(Idiom) **to ~ the lion in his den** braver le lion dans son antre

bearded /'bɪədɪd/ *adj* barbu; **a ~ youth** un jeune barbu

bearded: **~ lady** *n* femme *f* à barbe; **~ tit** *n* mésange *f* à moustache

beardless /'bɪədlɪs/ *adj* imberbe

beardless youth *n* péj blanc-bec *m* pej

bearer /'beərə(r)/ *n* **1** gen (of news, gift) porteur/-euse *m/f*; **2** (of letter, equipment) porteur *m*; **3** Fin, Jur (of note, cheque) porteur *m*; (of passport) titulaire *mf*; **4** Hort **the pear tree is still a good ~** le poirier donne encore beaucoup de fruits

bearer: **~ bond** *n* Fin titre *m* au porteur; **~ cheque** GB, **~ check** US *n* Fin chèque *m* au porteur

bear garden *n* fig pétaudière *f*

bear hug /'beəhʊg/ *n* **1** (embrace) étreinte *f*; **to give sb a ~** serrer qn dans ses bras; **2** (in wrestling) immobilisation *f* des bras

bearing /'beərɪŋ/
A *n* **1** (posture) allure *f*; **of soldierly ~** à l'allure martiale; **regal ~** port de roi *or* reine; **his dignified ~** son port digne; **2** (relevance) **to have no/little ~ on sth** n'avoir aucun rapport/avoir peu de rapport avec qch; **3** Naut relèvement *m* au compas; **the ~ is 137°** le relèvement est de 137°; **true/magnetic ~** relèvement vrai/magnétique; **to take a compass ~** faire un relevé au compas; **to take the ship's ~s** faire le point; **4** Tech palier *m*; **5** Herald meuble *m*
B **bearings** *npl* **1** (orientation) **to get** *ou* **find one's ~s** se repérer; **to lose one's ~s** lit être désorienté; fig perdre le nord; **to take one's ~s** s'orienter; **2** Aut, Mech palier *m*

bearish /'beərɪʃ/ *adj* **1** péj [*person, behaviour*] bourru; **2** Fin [*market*] à la baisse

bear: **~ market** *n* Fin marché *m* à la baisse; **~ pit** *n* fosse *f* aux ours

bearskin /'beəskɪn/
A *n* **1** (pelt) peau *f* d'ours; **2** Mil (hat) bonnet *m* à poil
B *modif* [*rug*] en peau d'ours

beast /bi:st/ *n* **1** (animal) bête *f*; **the king of the ~s** le roi des animaux; **~ of burden** bête de somme; **~ of prey** carnassier *m*; **the Beast** Bible l'antéchrist *m*, la Bête de l'Apocalypse; **2** ○pej (person) (annoying) chameau○ *m*; (brutal) brute *f*; **he's a selfish ~!** c'est un sale égoïste; **to bring out the ~ in sb** (make angry) rendre qn enragé, (make lustful, brutal) réveiller la bête qui sommeille en qn; **3** ○péj (job, task, problem) saloperie◑ *f*; **it's a ~ of a job!** c'est une vraie corvée!
(Idiom) **it's in the nature of the ~** hum c'est dans l'ordre des choses

beastliness /'bi:stlɪnɪs/ *n* **1** (unpleasantness) (of person, behaviour, trick) méchanceté *f*, vacherie○ *f*; (of food, weather, illness) caractère *m* abominable; **2** (bestiality) bestialité *f*

beastly○ /'bi:stlɪ/
A *adj* **1** †(unpleasant) [*person, behaviour*] rosse○; [*trick*] sale (*before n*); [*food*] infecte; [*weather*] moche○; [*illness*] abominable; **to be ~○ to sb** être rosse○ avec qn; **what a ~○ thing to do!** c'est vraiment moche○ d'avoir fait ça!; **2** (bestial) bestial
B *adv* bigrement○

beat /bi:t/
A *n* **1** (repeated sound) battement *m*; **the ~ of the drum/dancers' feet** le battement du tambour/des pieds des danseurs; **to the ~ of the drum** au son du tambour **2** Mus (rhythm, tempo) rythme *m*; (in a bar) temps *m*; (in verse) accentuation *f* **3** (pulsation) (of heart) battement *m*, pulsation *f*; **heart ~** battement du cœur; **80 ~s per minute** 80 pulsations à la minute; **his heart missed** *ou* **skipped a ~ when he saw her** son cœur s'est arrêté de battre quand il l'a vue **4** Phys, Elec (pulse) battement *m* **5** (in police force) (area) secteur *m* de surveillance; (route) ronde *f*; **her ~ covers the town centre** son secteur de surveillance couvre le centre-ville; **to patrol one's ~** faire sa ronde; **policeman on the ~** agent qui fait la ronde **6** Hunt (act) battue *f*; (area) terrain *m* de battue
B *modif* [*poet, writer, philosophy*] de la Beat Generation
C ○*adj* claqué○; **we were absolutely ~** nous étions complètement claqués
D *vtr* (*prét* **beat**, *pp* **beaten**) **1** (strike aggressively) [*person*] battre [*person, animal*]; **to ~ sb with a stick/whip** donner des coups de bâton/de fouet à qn; **to ~ sth into sb** inculquer qch à qn; **~ some respect into him** inculquez-lui un peu de respect; **they beat grammar into our heads** on nous a inculqué la grammaire à coups de marteau; **you'll have to ~ the truth out of him** il te faudra lui arracher la vérité; **I had my high spirits ~en out of me** on m'a fait perdre mon enthousiasme; **to ~ sb into submission** faire obéir qn par la manière forte; **to ~ sb black and blue**○ battre qn comme plâtre○, rouer qn de coups; **to be ~en about the head** recevoir des coups sur la tête; **to ~ the shit**◑ *ou* **hell**○ **out of sb** tabasser○ qn
2 (strike with tool, fist) [*person*] marteler [*door*] (**with** avec); [*person*] battre [*metal, carpet*] (**with** de); [*bird, animal*] battre [*air, ground*] (**with** de); [*hunter*] battre [*undergrowth*]; **she beat the dust out of the rug** elle a battu le tapis pour le dépoussiérer; **to ~ sth into shape** façonner qch; **to ~ sth flat** aplatir qch; **~ the steak with a mallet** Culin aplatir le steak avec un attendrisseur; **to ~ the dents out of a car wing** marteler une aile pour la débosseler
3 Mus, Mil (produce sound) battre [*drum, tambourine*]; marquer [*rhythm*]; **to ~ the retreat/the tattoo** Mil battre la retraite/le rappel; **to ~ time** battre la mesure; **to ~ time to the music with one's feet** rythmer la musique avec les pieds
4 Culin (mix vigorously) battre [*mixture, eggs*]; fouetter [*cream*]; **~ the sugar and butter together** battez ensemble le sucre et le beurre; **to ~ sth into sth** incorporer qch à qch en battant
5 (make escape) **to ~ one's way/a path**

through se frayer un chemin/un passage à travers *[crowd, obstacles]*; **to ~ a retreat** gen, Mil battre en retraite; **~ it**○! fiche le camp○!
6 (flap) **to ~ its wings** battre des ailes
7 (defeat) battre *[opponent, team]*; vaincre *[inflation, drug abuse etc]*; surmonter *[illness]*; mettre fin à *[child abuse, rape]*; **we beat them at chess** nous les avons battus aux échecs; **to be ~en at sth** se faire battre à qch
8 (confound) *[mystery]* avoir raison de *[person]*; **a mystery which has ~en the experts** un mystère qui a eu raison des spécialistes; **it ~s me how/why** je n'arrive pas à comprendre comment/pourquoi; **we admit to being ~en** nous nous avouons vaincus; **'why did he leave?'—'~s me**○**!'** 'pourquoi est-il parti?'—'ça me dépasse!'; **this problem's got me beat**○ *ou* **~en** ce problème me dépasse complètement
9 (arrive earlier) éviter *[rush, crowds]*; devancer *[person]*; **he beat me to the meeting place** il m'a devancé au rendez-vous; **she beat me to it** elle a été plus rapide que moi; **he beat me to the door** il est arrivé le premier à la porte; **I beat my sister to the altar** je me suis mariée avant ma sœur; **~ the budget!** n'attendez pas les augmentations!
10 gen, Sport (outdo) battre *[score]*; dépasser *[target]*; surclasser *[product]*; **his score will take some ~ing** son score sera difficile à battre; **our product ~s yours** notre produit surclasse le vôtre; **it ~s doing** c'est toujours mieux que de faire; **it ~s walking** c'est toujours mieux que de marcher; **you can't ~ Italian shoes/a nice cup of tea** rien ne vaut les chaussures italiennes/une bonne tasse de thé; **our prices are difficult to ~** nos prix sont imbattables; **this scenery takes some ~ing** ces paysages sont incomparables; **your manners take some ~ing** iron ton comportement dépasse toutes les bornes; **~ that (if you can)!** qui dit mieux!; **that ~s everything!** ça c'est le bouquet○!

B *vi* (*prét* **beat**, *pp* **beaten**) **1** **to ~ against** (strike repeatedly) *[waves]* battre *[shore, cliff]*; *[rain]* fouetter *[face]*; *[rain]* battre *[window]*
2 **to ~ at** *ou* **on** *[person]* cogner
3 Physiol *[heart, pulse]* battre (**with** de)
4 (make sound) *[drum]* battre
5 (flap) *[wings]* battre
6 Hunt battre les taillis
7 Naut louvoyer; **to ~ to windward** louvoyer au plus près

(Idioms) **a rod** *ou* **stick to ~ sb with** une arme contre qn; **if you can't ~ 'em, join 'em** il faut savoir hurler avec les loups; **to ~ the charge** US échapper à l'accusation

(Phrasal verbs) ■ **beat back**: ▸ **~ [sth] back, ~ back [sth]** repousser *[group, flames]*
■ **beat down**: ▸ **~ down** *[rain, hail]* tomber à verse (**on** sur); *[sun]* taper (**on** sur); ▸ **~ [sth] down, ~ down [sth]** **1** (flatten) *[rain, wind]* coucher *[crop, grass]*; **2** (break open) *[person]* enfoncer *[door]*; ▸ **~ [sb] down** to faire descendre [qn] à; **I beat her down to 100 dollars** je l'ai fait descendre à 100 dollars
■ **beat in**: ▸ **~ [sth] in, ~ in [sth]** défoncer; **he'd had his skull ~en in** on lui avait défoncé le crâne
■ **beat off**: ▸ **~ [sb/sth] off, ~ off [sb/sth]** repousser *[attack, attackers]*; chasser *[insects]*
■ **beat out**: ▸ **~ [sth] out, ~ out [sth]** marteler *[metal]*; rythmer *[tune]*; battre *[rhythm]* (**on** sur); étouffer *[flames]*
■ **beat up**: ▸ **~ [sb] up, ~ up [sb]** tabasser○

beaten /'bi:tn/
A *pp* ▸ **beat**
B *adj* **1** (defeated) *[team, competitor, army]* battu; **2** (flattened) *[metal]* battu; **3** Culin *[egg]* battu
(Idioms) **off the ~ track** dans un endroit écarté; **to go off the ~ track** quitter les sentiers battus

beater /'bi:tə(r)/ *n* **1** Hunt rabatteur/-euse *m/f*; **2** Mus mailloche *f*

beat generation *n* Beat Generation *f*

> **Beat generation**
>
> Précurseur du courant hippie, ce mouvement artistique et culturel américain des années 1950/1960 rejetait les valeurs matérialistes de la société de l'époque et prônait un style de vie différent et de nouvelles formes d'expression. L'écrivain Jack Kerouac et le poète Allen Ginsberg y étaient associés.

beatific /,bɪə'tɪfɪk/ *adj* gen béat; Relig béatifique

beatification /bɪ,ætɪfɪ'keɪʃn/ *n* béatification *f*

beatify /bɪ'ætɪfaɪ/ *vtr* béatifier

beating /'bi:tɪŋ/ *n* **1** (punishment) raclée○ *f*, correction *f*; **to get a ~** recevoir une raclée○; **to give sb a ~** flanquer une raclée à qn○; **2** ○(defeat) **they will take some ~** ils ne seront pas faciles à battre; **3** ○(rough treatment) **to give one's car a ~** en faire voir de toutes les couleurs○ à sa voiture; **to take a ~** *[speaker, politician]* être malmené; *[toy, car]* en voir de dures○; **these toys are designed to take a ~** ces jouets sont très résistants; **4** (of metal, carpet) battage *m*; **5** (sound) (of drum, heart, wings) battement *m*; **6** Hunt battue *f*

beating up○ /,bi:tɪŋ 'ʌp/ *n* tabassage○ *m*; **to get a ~** se faire tabasser○; **to give sb a ~** tabasser○ qn

beatitude /bɪ'ætɪtju:d, US -tu:d/ *n* sout gen, Bible béatitude *f*

beatnik /'bi:tnɪk/ *n* beatnik *mf*

beat-up○ /'bi:tʌp/ *adj [car]* déglingué

beau /bəʊ/ *n* (*pl* **beaux**) **1** littér *ou* hum (suitor) galant *m*, soupirant *m*; **2** †(dandy) dandy *m*

beau compass *n* compas *m* à verge

Beaufort scale /,bəʊfət 'skeɪl/ *n* échelle *f* de Beaufort

beauteous /'bju:tɪəs/ *adj* littér sublime

beautician /bju:'tɪʃn/ ▸ **p. 1683** *n* (beauty specialist) esthéticien/-ienne *m/f*; US (hairdresser) coiffeur/-euse *m/f*

beautiful /'bju:tɪfl/ *adj* **1** (aesthetically attractive) beau/belle (*before n*); **a ~ place** un bel endroit; **a ~ example of** un bel exemple de; **2** (wonderful) *[day, holiday, feeling, experience]* merveilleux/-euse; *[weather]* superbe; **3** (skilful) *[shot, goal]* superbe; **he's a ~ writer** il écrit divinement bien

> ⚠ The irregular form *bel* of the adjective *beau, belle* is used before masculine nouns beginning with a vowel or a mute 'h'

beautifully /'bju:tɪfəlɪ/ *adv* **1** (perfectly) *[play, write, behave, function]* admirablement (bien); *[written, designed etc]* admirablement; **that will do ~** cela conviendra parfaitement; **2** (attractively) *[displayed, furnished, situated]* magnifiquement; **~ dressed** habillé avec beaucoup de goût; **3** (emphatic) *[empty, quiet, soft, warm, accurate]* merveilleusement

beautiful people *n* **the ~** le beau monde

beautify /'bju:tɪfaɪ/
A *vtr* embellir
B *v refl* **to ~ oneself** se faire une beauté

beauty /'bju:tɪ/
A *n* **1** (quality) beauté *f*; **to spoil** *ou* **mar the ~ of** nuire à la beauté de; **2** (woman) beauté *f*; **3** (beautiful feature) **the beauties of** les beautés de *[nature, landscape]*; **4** (advantage) **the ~ of the system is that...** ce qu'il y a de bien dans ce système, c'est que...; **that's the ~ of it** c'est ce que cela a de bien; **5** (perfect example) **a ~ of a goal/car** un but/une voiture superbe; **that's a real ~** hum c'est un modèle du genre!
B *modif [contest, product, treatment]* de beauté
(Idioms) **age before ~** ≈ c'est le bénéfice de l'âge; **~ is in the eye of the beholder** Prov rien n'est laid pour celui qui aime; **Beauty and the Beast** la Belle et la Bête

beauty: **~ editor** *n* Journ rédacteur/-trice *m/f* de la rubrique 'beauté'; **~ parlour**†, **~ shop**, **~ salon**, US ▸ **p. 1683** *n* salon *m* de beauté; **~ queen** *n* reine *f* de beauté

beauty sleep *n* hum **to need one's ~** avoir besoin de ménager sa santé

beauty specialist ▸ **p. 1683** *n* esthéticien/-ienne *m/f*

beauty spot *n* **1** (on skin) grain *m* de beauté; (fake) mouche *f*; **2** Tourism gen coin *m* superbe; (official) site *m* pittoresque

beaver /'bi:və(r)/
A *n* **1** (animal, fur, hat) castor *m*; **2** Hist (part of helmet) mentonnière *f*; **3** ●US (female genitals) chatte● *f*; **4** ◑US (woman) gonzesse○ *f*
B *modif [garment]* de castor; **~ lamb coat** manteau *m* en mouton doré
(Idiom) **to work like a ~** travailler d'arrache-pied. ▸ **eager beaver**
(Phrasal verb) ■ **beaver away** travailler d'arrache-pied (**at** à)

becalmed /bɪ'kɑ:md/ *adj* encalminé

became /bɪ'keɪm/ *prét* ▸ **become**

because /bɪ'kɒz, US *also* -kɔ:z/
A *conj* parce que; **don't do it just ~ you can** ne le fais pas simplement parce que tu en es capable; **just ~ you're older doesn't mean you're right** ce n'est pas parce que tu es plus âgé que tu as raison; **he was locked out ~ he'd left early and forgotten his key** il n'a pas pu entrer parce qu'il était parti tôt et qu'il avait oublié sa clé; **just ~ you're jealous**○**!** tout ça parce que tu es jaloux!; **'why?'—'(just) ~'** 'pourquoi?'—'parce que'; **all the more so ~** d'autant plus que
B **because of** *prep phr* à cause de; **~ of the rain** à cause de la pluie; **don't worry, I'm not leaving ~ of you** ne t'inquiète pas, ce n'est pas à cause de toi que je m'en vais; **~ of you we're late!, we're late and it's all ~ of you!** c'est à cause de toi que nous sommes en retard!

beck /bek/ *n* **1** **to be at sb's ~ and call** être à la disposition de qn; **to have sb at one's ~ and call** faire marcher qn au doigt et à l'œil; **2** GB dial (stream) ruisseau *m*

beckon /'bekən/
A *vtr* faire signe à; **to ~ sb in** faire signe à qn d'entrer; **to ~ to sb to do** faire signe à qn de faire; **a bright future ~s you in Europe** un bel avenir t'attend en Europe
B *vi* **1** lit (with gesture) faire signe (**to** à); **2** fig (lure) attirer; **success ~ed** le succès se profilait à l'horizon

become /bɪ'kʌm/ (*prét* **became**; *pp* **become**)
A *vtr [colour, dress, style]* aller bien à *[person]*; *[attitude, modesty]* convenir à *[person]*
B *vi* **1** (grow to be) devenir; **to ~ famous/fat/fashionable** devenir célèbre/gros/à la mode; **to ~ law** devenir loi; **to ~ ill** tomber malade; **to ~ aware** se rendre compte; **2** (achieve position) devenir; **to become queen/a doctor** devenir reine/médecin
C *v impers*: **what has ~ of your brother?** qu'est-ce que ton frère est devenu?; **what has ~ of those photos?** où sont passées ces photos?; **it ill-~s you to criticize** cela vous va mal de critiquer

becoming /bɪ'kʌmɪŋ/ *adj [behaviour]* convenable; *[garment, hair cut etc]* seyant

becomingly /bɪ'kʌmɪŋlɪ/ *adv* **1** (attractively) *[arranged, dressed]* de manière élégante; *[blush, smile]* de manière charmante; **2** (suitably) *[dressed]* comme il faut

becquerel /'bekərəl/ *n* becquerel *m*

bed /bed/
A *n* **1** (place to sleep) lit *m*; **double ~** lit *m* à deux places; **single ~** lit *m* à une place; **to get into ~** se mettre au lit; **to get out of ~** sortir du lit; **to go to ~** aller au lit; **it's time for ~** il est l'heure d'aller au lit *or* de se coucher; **to send/put sb to ~** envoyer/mettre qn au lit; **to be in ~** être au lit, être couché; **to take to one's ~**† s'aliter; **a 40 ~ ward/hotel**

une salle/un hôtel de 40 lits; **I need a ~ for the night** j'ai besoin d'un lit pour la nuit; **to give sb a ~ for the night** héberger qn pour une nuit; **to sleep in separate ~s** faire lit à part; **her ~ of pain** littér son lit de douleur; **the dog makes his ~ in the hall** le chien a un coin pour dormir dans l'entrée; 2 ○(sex) **to go to ~ with** coucher avec; **what's he like in ~?** au lit il est comment?; **to catch sb in ~ with** surprendre qn au lit avec; **to get into ~ with** lit coucher avec *[person]*; fig s'associer à *[company, group, lobby]*; 3 Hort (of flowers) parterre *m*; (of manure, compost) lit *m*; (of produce) carré *m*; **a rose ~, a ~ of roses** un parterre de roses; 4 (bottom) (of sea) fond *m*; (of river) lit *m*; **the sea ~** le fond de la mer; 5 Geol couche *f*; 6 Tech (of machine tool) banc *m*; 7 Journ, Print **to put a newspaper to ~** boucler un journal; 8 Aut (of car) châssis *m*; (of truck) plateau *m*; 9 Constr (of wall) lit *m*; (of road) plate-forme *f*
B *vtr* (*p prés etc* **-dd-**) 1 Hort (*also* **~ out**) repiquer *[seedlings]*; dépoter *[plants]*; 2 †(sleep with) coucher avec *[person]*
(Idioms) **to be brought to ~ of**† accoucher de *[boy, girl]*; **to get out of ~ on the wrong side** se lever du pied gauche; **her life is a ~ of nails** sa vie est un calvaire; **life is not a ~ of roses** tout n'est pas rose dans la vie; **you've made your ~, now you must lie in it** Prov comme on fait son lit, on se couche Prov
(Phrasal verbs) ■ **bed down**: ▸ **~ down** se coucher; ▸ **~ [sth] down, ~ down [sth]** faire la litière de *[horse]*
■ **bed in**: ▸ **~ [sth] in** Constr sceller *[beam]*

BEd /ˌbiːˈed/ *n* (*abrév* = **bachelor of education**) diplôme *m* universitaire de pédagogie

bed and board *n* le gîte et le couvert *m*

bed and breakfast, B and B /ˌbed ən ˈbrekfəst/ *n* 1 Tourism (type of accommodation) chambre *f* avec petit déjeuner, ≈ chambre *f* d'hôte; **to offer ~** offrir des chambres avec petit déjeuner; 2 Tourism (building) maison *f* qui fait chambres d'hôte; **to run a ~** avoir des chambres d'hôte; 3 GB Soc Admin (*also* **~ accommodation**) logement *m* de substitution

bed: **~ base** *n* sommier *m*; **~ bath** *n* toilette *f* au lit; **~bug** *n* punaise *f* de lit; **~chamber**† *n* chambre *f* à coucher; **~clothes** *npl* couvertures *fpl*

bedding /ˈbedɪŋ/
A *n* 1 (for humans) literie *f*; 2 (for animals) litière *f*
B *modif* Hort *[fork, trowel]* à repiquage; *[plant]* annuel/-elle

bedeck /bɪˈdek/ *vtr* orner (**with** de)

bedevil /bɪˈdevl/ *vtr* (*p prés etc* **-ll-**, **-l-** US) (plague) tracasser *[person]*; contrarier *[plans]*; (confuse) embrouiller *[problem, situation, person]*; **~led**^GB **by doubt/remorse** rongé par le doute/le remords; **project ~led**^GB **by a lack of funds** projet qui souffre de l'insuffisance des crédits

bedfellow /ˈbedfeləʊ/ *n* 1 fig **to make strange ~s** former un tandem bizarre; 2 †lit compagnon/compagne *m/f* de lit

Bedfordshire /ˈbedfədʃə(r)/ ▸ **p. 1612** *pr n* Bedfordshire *m*

bed: **~head** *n* tête *f* de lit; **~ jacket** *n* liseuse *f*

bedlam /ˈbedləm/ *n* 1 (chaos) chahut○ *m*; (infernal) bastringue○ *m*; **it's ~ in here!** quel cirque○ ici!; 2 Hist maison *f* de fous

bed linen *n* draps *mpl*

Bedouin /ˈbedʊɪn/
A *n* Bédouin/-e *m/f*
B *adj* bédouin

bed: **~ pad** *n* alaise *f*; **~pan** *n* Med bassin *m*; **~post** *n* colonne *f* (*d'un lit*)

bedraggled /bɪˈdrægld/ *adj* *[person, clothes]* dépenaillé; *[hair]* embroussaillé

bed: **~ rest** *n* alitement *m*; **~ridden** *adj* alité, cloué au lit

bedrock /ˈbedrɒk/ *n* 1 Geol substrat *m* rocheux; 2 fig (basis) fondement *m*

bedroll /ˈbedrəʊl/ *n* couchage *m*

bedroom /ˈbedruːm, -rʊm/
A *n* chambre *f* (à coucher); **a four ~ house** une maison avec quatre chambres; **a two ~ flat** GB *ou* **apartment** un trois-pièces
B *modif* 1 lit *[carpet, furniture, window]* de chambre; **my ~ carpet** la moquette de ma chambre; 2 ○(sexual) *[antics, secrets]* intime; **~ scene** scène *f* d'amour

bedroom: **~ farce** *n* Theat vaudeville *m*; **~ slipper** *n* pantoufle *f*; **~ suburb** *n* US banlieue-dortoir *f*

Beds *n* GB Post *abrév écrite* = **Bedfordshire**

bed-settee /ˌbedsəˈtiː/ *n* canapé-lit *m*

bedside /ˈbedsaɪd/
A *n* chevet *m*; **to be at sb's ~** être au chevet de qn
B *modif* *[book, lamp]* de chevet

bedside manner *n* comportement *m* envers les malades; **he has a good ~** il est gentil avec les malades

bedside: **~ rug** *n* descente *f* de lit; **~ table** *n* table *f* de nuit *or* de chevet

bed: **~sit**○, **~sitter**, **~-sittingroom**† *n* GB chambre *f* meublée; **~sock** *n* chausson *m* de nuit; **~sore** *n* escarre *f*; **~spread** *n* dessus *m* de lit; **~spring** *n* ressort *m* (de sommier); **~stead** *n* cadre *m* de lit; **~straw** *n* Bot gaillet *m*

bedtime /ˈbedtaɪm/
A *n* **it's ~** c'est l'heure d'aller se coucher; **I have some tea at ~** je prends du thé avant de me coucher; **11 o'clock is my ~** je me couche à 11 heures; **it's way past your ~** il y a longtemps que tu devrais être au lit
B *modif* *[story, drink]* avant de s'endormir; **~ reading** lecture *f* pour l'oreiller

bed: **~warmer** *n* chaufferette *f*; **~wetter** *n* enfant *m* incontinent; **~wetting** *n* énurésie *f*

bee /biː/ *n* 1 (insect) abeille *f*; 2 US (meeting) réunion *f* (pour travaux en commun)
(Idioms) **to think one is the ~'s knees**○ se prendre pour un crack○; **the birds and the ~s** hum ≈ les cigognes et les choux hum; **to be as busy as a ~** s'activer comme une abeille

Beeb○ /biːb/ *n* GB hum **the ~** la BBC

beech /biːtʃ/
A *n* 1 (tree) hêtre *m*; 2 (*also* **~ wood**) bois *m* de hêtre
B *modif* *[hedge, forest]* de hêtres; **~ grove** hêtraie *f*

beech: **~ marten** *n* martre *f*, marte *f*; **~mast** *n* ¢ faines *fpl* (tombées par terre); **~nut** *n* faine *f*

bee eater *n* guêpier *m*

beef /biːf/
A *n* 1 Culin (viande *f* de) bœuf *m*; **minced ~** GB, **ground ~** US viande *f* (de bœuf) hachée; **roast ~** rôti *m* de bœuf, rosbif *m*; 2 ○US (grievance) **what's your ~**○**?** c'est quoi ton problème?; **I've got no ~ with you**○ je n'ai rien contre toi
B *vi* (*also* **~ on**) râler○ (**about** à propos de)
(Idiom) **put a bit of ~ into it!**○ mettez-y un peu de nerf!○
(Phrasal verb) ■ **beef up**: ▸ **~ up [sth]** étoffer *[content, resources]*; augmenter *[budget]*; renforcer *[control]*

beef: **~burger** *n* hamburger *m*; **~cake**○ *n* ¢ (photos *fpl* d')hommes *mpl* musclés; **~ cattle** *npl* gros bétail *m*; **~eater** *n* gardien *m* de la Tour de Londres; **~ export** *n* exportation *f* de bœuf; **~ farming** *n* élevage *m* de bœufs; **~ market** *n* marché *m* du bœuf; **~ olive** *n* paupiette *f* de bœuf; **~steak** *n* steak *m* (de bœuf); **~steak tomato** *n* grosse tomate *f*; **~ stew** *n* pot-au-feu *m*; **~ stock** *n* bouillon *m* de bœuf; **~ tea** *n* bouillon *m* de bœuf

beefy /ˈbiːfɪ/ *adj* 1 *[flavour]* de bœuf; 2 ○*[man]* mastoc○

beehive /ˈbiːhaɪv/ *n* 1 (for bees) ruche *f*; 2 = **beehive hairdo**

beehive hairdo *n* chignon *m* en hauteur

beekeeper /ˈbiːkiːpə(r)/ ▸ **p. 1683** *n* apiculteur/-trice *m/f*

beeline /ˈbiːlaɪn/ *n*
(Idiom) **to make a ~ for** se diriger tout droit vers

been /biːn, US bɪn/ *pp* ▸ **be**

bee orchid *n* ophrys *m* abeille

beep /biːp/
A *n* (of electronic device, answering machine) bip *m*; (of car) coup *m* de klaxon®; Radio top *m* sonore
B *vtr* appeler [qn] au bip, biper
C *vi* *[electronic device]* faire bip *or* bip-bip; *[car]* klaxonner

beeper /ˈbiːpə(r)/ *n* bip(-bip) *m*

beer /bɪə(r)/
A *n* bière *f*
B *modif* *[barrel, bottle]* de bière
(Idiom) **life isn't all ~ and skittles** la vie n'est pas toujours rose; ▸ **small**

beer: **~ belly** *n* bedaine *f* (de buveur de bière); **~ bottle** *n* canette *f* de bière; **~ bust**○ *n* US Univ beuverie *f* à la bière; **~ can** *n* canette *f* de bière; **~fest** *n* fête *f* de la bière; **~ garden** *n* gen jardin *m* de pub; (in Germany) ≈ guinguette *f*; **~ mat** *n* dessous *m* de verre

beerswilling /ˈbɪəswɪlɪŋ/ *adj* péj se soûlant à la bière

beery /ˈbɪərɪ/ *adj* *[evening, party]* où la bière coule à flots; *[person, breath, atmosphere]* qui sent la bière; **~ face** trogne *f* de soûlard

bee: **~ sting** *n* piqûre *f* d'abeille; **~swax** *n* cire *f* d'abeille

beet /biːt/ *n* betterave *f*
(Idiom) **to turn as red as a ~** US devenir rouge comme une tomate

beetle /ˈbiːtl/
A *n* 1 Zool (insect) scarabée *m*; (genus) coléoptère *m*; 2 Tech (tool) maillet *m*; 3 ○Aut coccinelle○ *f* (*modèle de Volkswagen*)
B *vi*○ **to ~ in** entrer précipitamment; **to ~ off** filer○

beetle: **~-browed** *adj* (with thick eyebrows) aux sourcils touffus; fig (scowling) renfrogné; **~ drive** *n* GB ≈ partie *f* de loto

beetling /ˈbiːtlɪŋ/ *adj* *[cliff]* surplombant; *[brow]* proéminent

beetroot /ˈbiːtruːt/ *n* GB betterave *f*
(Idiom) **to turn as red as a ~** devenir rouge comme une tomate

beet sugar *n* sucre *m* de betterave

befall /bɪˈfɔːl/ (*prét* **befell**, *pp* **befallen**) littér (*s'emploie uniquement à l'infinitif et à la troisième personne*)
A *vtr* arriver à, échoir à; **it befell that** il advint que; **I hope no harm will ever ~ him** j'espère qu'il ne lui arrivera jamais malheur
B *vi* advenir

befit /bɪˈfɪt/ *v impers* (*p prés etc* **-tt-**) sout convenir à; **as ~s sb/sth** comme il convient à qn/qch; **it ill ~s him to...** il lui sied mal de...

befitting /bɪˈfɪtɪŋ/ *adj* sout *[modesty, honesty]* approprié; **in a style ~ a managing director** dans le style qui convient à un PDG

befog /bɪˈfɒg/ *vtr* (*p prés etc* **-gg-**) embrouiller *[person, mind, issue]*; **his mind ~ged with drink** l'esprit embrumé par l'alcool

before /bɪˈfɔː(r)/
A *prep* 1 (earlier than) avant; **the day ~ yesterday** avant-hier; **the day ~ the interview** la veille de l'entretien; **I was there the week ~ last** j'y étais il y a deux semaines; **they hadn't met since ~ the war** ils ne s'étaient pas vus depuis avant la guerre; **it should have been done ~ now** ça aurait dû être fait avant; **phone if you need me ~ then** téléphonez-moi si vous avez besoin de mo[i] avant; **six weeks ~ then** six semaines ava[nt]

b

ⓘ before

When *before* is used as a preposition in expressions of time or order of sequence or importance, it is translated by *avant*:

before the meeting
= avant la réunion

she left before me
= elle est partie avant moi

For more examples and particular usages, see **A1, 2, 3** in the entry **before**.

When *before* is used as a preposition meaning *in front of* (when you are talking about physical space) or *in the presence of*, it is translated by *devant*:

before our eyes
= devant nos yeux

he declared before his mother that ...
= il a déclaré devant sa mère que ...

When *before* is used as an adjective after a noun, it is translated by *précédent/-e*:

the time before
= la fois précédente

the one before is translated by *le précédent* or *la précédente*:

no, I'm not talking about that meeting but the one before
= non, je ne parle pas de cette réunion-là mais de la précédente

For particular usages see **B** in the entry **before**.

When *before* is used as an adverb meaning *beforehand*, it is translated by *avant* in statements about the present or future;

I'll try to talk to her before
= j'essaierai de lui en parler avant

you could have told me before
= tu aurais pu me le dire avant

When *before* means *previously* in statements about the past, it is translated by *auparavant*:

I had met her two or three times before
= je l'avais rencontrée deux ou trois fois auparavant

When *before* means *already* it is translated by *déjà*:

I've met her before
= je l'ai déjà rencontrée

you've asked me that question before
= tu m'as déjà posé cette question

In negative sentences *before* is often used in English simply to reinforce the negative. In such cases it is not translated at all:

I'd never eaten snails before
= je n'avais jamais mangé d'escargots

you've never told me that before
= tu ne m'as jamais dit ça

For particular usages see **C** in the entry **before**.

When *before* is used as a conjunction, it is translated by *avant de* + infinitive where the two verbs have the same subject:

before he saw her he recognized her voice
= il a reconnu sa voix avant de la voir

before I cook dinner I'm going to phone my mother
= avant de préparer le dîner je vais appeler ma mère

Where the two verbs have different subjects, the translation is *avant que* + subjunctive:

Tom wants to see her before she leaves
= Tom veut la voir avant qu'elle parte

Some speakers and writers add *ne* before the verb: *Tom veut la voir avant qu'elle ne parte*, but this is simply a slightly precious effect of style and is never obligatory. For particular usages see **D** in the entry **before**.

---

or auparavant; **she became a doctor, like her mother ~ her** elle est devenue médecin comme sa mère; **~ long it will be winter** ce sera bientôt l'hiver; **~ long, he was speaking Spanish fluently** très vite, il parlait l'espagnol couramment; **not ~ time!** ce n'est pas trop tôt!; **it was long ~ your time** c'était bien avant ta naissance
[2] (in order, sequence, hierarchy) avant; **G comes ~ H in the alphabet** dans l'alphabet le G est avant le H; **your name comes ~ mine on the list** sur la liste ton nom est avant le mien; **the page ~ this one** la page précédente
[3] (in importance, priority) avant; **to put quality ~ quantity** placer la qualité avant la quantité; **for him, work comes ~ everything else** pour lui le travail passe avant tout; **should we place our needs ~ theirs?** devrions-nous accorder plus d'importance à nos besoins qu'aux leurs?; **ladies ~ gentlemen** honneur aux dames
[4] (this side of) avant; **turn left ~ the crossroads** tournez à gauche avant le carrefour
[5] ▸ **p. 1059** US (in time expressions) **ten ~ six** six heures moins dix
[6] (in front of) devant; **she appeared ~ them** elle est apparue devant eux; **the desert stretched out ~ them** le désert s'étendait devant eux; **~ our very eyes** sous nos propres yeux; **they fled ~ the invader** ils ont fui devant l'envahisseur
[7] (in the presence of) devant; **he was brought ~ the king** on l'a amené devant le roi; **to appear ~ a court** comparaître devant un tribunal; **to put proposals ~ a committee** présenter des projets à une commission; **to bring a bill ~ parliament** présenter un projet de loi au parlement
[8] (confronting) face à; **they were powerless ~ such resistance** ils étaient impuissants face à une telle résistance; **these are the alternatives ~ us** voici les choix qui s'offrent à nous; **the task ~ us** la tâche qui nous attend
[B] *adj* précédent; **the day ~** la veille; **the week/the year ~** la semaine/l'année précédente; **this page and the one ~** cette page et la précédente
[C] *adv* (at an earlier time) avant; **as ~** comme avant; **~ and after** avant et après; **he had been there two months ~** il y était allé deux mois auparavant; **have you been to India ~?** est-ce que tu es déjà allé en Inde?; **I've never been there ~** je n'y suis jamais allé; **haven't we met ~?** on s'est déjà rencontré, il me semble?; **I've never seen him ~ in my life** c'est la première fois que je le vois; **it's never happened ~** c'est la première fois que ça arrive; **long ~** bien avant
[D] *conj* [1] (in time) **~ I go, I would like to say that** avant de partir, je voudrais dire que; **~ he goes, I must remind him that** avant qu'il parte, il faut que je lui rappelle que; **it was some time ~ she was able to walk again** il lui a fallu un certain temps pour pouvoir marcher de nouveau; **~ I had time to realize what was happening, he...** avant que j'aie eu le temps de comprendre ce qui se passait, il...; **it will be years ~ I earn that much money!** je ne gagnerai pas autant d'argent avant des années!; **oh, ~ I forget, did you remember to post that letter?** avant que j'oublie, est-ce que tu as pensé à envoyer cette lettre?
[2] (rather than) plutôt que; **he would die ~ betraying that secret** il mourrait plutôt que de révéler ce secret
[3] (otherwise, or else) **get out of here ~ I call the police!** sortez d'ici ou j'appelle la police!
[4] (as necessary condition) pour que (+ *subj*); **you have to show your ticket ~ they'll let you in** il faut que tu montres ton ticket pour qu'ils te laissent entrer

(Idioms) **~ you could say Jack Robinson** en moins de temps qu'il ne faut pour le dire, en moins de deux○; **~ you know where you are...** on n'a pas le temps de dire ouf que...

beforehand /bɪ'fɔːhænd/ *adv* [1] (ahead of time) à l'avance; **be there one hour ~** sois là une heure à l'avance; **let me know ~** prévenez-moi; [2] (earlier) auparavant, avant; **we had seen them five minutes ~** nous les avions vus cinq minutes auparavant *or* plus tôt; **journalists knew ~** les journalistes le savaient déjà

before tax *adj* [*income*] brut; [*profit*] avant impôts

befoul /bɪ'faʊl/ *vtr* sout lit, fig souiller

befriend /bɪ'frend/ *vtr* (look after) prendre [qn] sous son aile; (make friends with) se lier d'amitié avec

befuddle /bɪ'fʌdl/ *vtr* brouiller les idées de [*person*]; embrouiller [*mind*]; **to be ~d by drink** être abruti par l'alcool

beg /beg/
[A] *vtr* (*p prés etc* **-gg-**) [1] (solicit) demander [*food, money*] (**from** à); [2] (request) demander [*favour, permission*] (**from, of** à); **to ~ sb for sth** demander qch à qn; **I ~ged his forgiveness** je lui ai demandé de me pardonner; **to ~ to be chosen** demander à être choisi; **to ~ leave to do** demander la permission de faire; **I ~ your pardon** je vous demande pardon; **I ~ to differ** je ne suis pas du même avis; [3] (entreat) supplier [*person*] (**to do** de faire); **'stop, I ~ (of) you!'** 'arrêtez, je vous en supplie!'; [4] (leave unresolved) éluder [*problem, question*]
[B] *vi* (*p prés etc* **-gg-**) [1] (solicit) [*person*] mendier (**from** à); [*dog*] faire le beau; **to ~ for** mendier [*money, food*]; [2] (request) demander; **to ~ for** demander [*help, patience*]; [3] (entreat) implorer; **to ~ for sth** implorer qch; **to ~ to be spared/to be forgiven** implorer la clémence/le pardon

(Idioms) **to ~ the question** laisser de côté le problème de fond; **these apples are going ~ging** personne ne veut de ces pommes

(Phrasal verb) ■ **beg off** s'excuser de ne pas pouvoir venir

began /bɪ'gæn/ *prét* ▸ **begin**

beget‡ /bɪ'get/ (*prét* **begot** /bɪ'gɒt/ *ou* **begat** /bɪ'gæt/, *pp* **begotten** /bɪ'gɒtn/) *vtr* lit, fig engendrer

beggar /'begə(r)/
[A] *n* [1] (pauper) mendiant/-e *m/f*; [2] ○GB (man) **a lucky ~** un veinard○; **you lucky ~!** espèce de veinard○!; **a poor ~** un pauvre diable○; **a crazy ~** un fou
[B] *vtr* [1] ruiner [*person, company*]; [2] (defy) **to ~ description** défier toute description

(Idiom) **~s can't be choosers** Prov faute de grives on mange des merles Prov

beggarly /'begəlɪ/ *adj* [1] (poor) [*existence, meal*] misérable; [2] (inadequate) [*amount, wage*] dérisoire; [*thanks*] maigre (*before n*)

beggar-my-neighbour /ˌbegəmaɪ'neɪbə(r)/ ▸ **p. 1253** *n* ≈ bataille *f*

beg: **~ging bowl** *n* sébile *f*; **~ging letter** *n* lettre *f* de sollicitation

begin /bɪ'gɪn/
[A] **to begin with** *adv phr* [1] (at first) au début, au départ; **I didn't understand to ~ with** au début je n'ai pas compris; [2] (firstly) d'abord, premièrement; [3] (at all) **I wish I hadn't told her to ~ with** pour commencer, je n'aurais jamais dû lui en parler
[B] *vtr* (*p prés* **-nn-**; *prét* **began**; *pp* **begun**) [1] (start) commencer [*journey, list, meeting, job, game, meal*] (**with** par, avec); se lancer dans

[*adventure*]; aller à [*school*]; **to ~ to do** commencer à faire; **it's ~ning to rain** il commence à pleuvoir; **to ~ doing** commencer à faire; **I began the letter (with) 'Dear Sir'** j'ai commencé la lettre par 'Monsieur'; **'well ...,' she began** 'eh bien...,' commença-t-elle; **I ~ work next week** je commence à travailler la semaine prochaine; **the builders ~ work on Tuesday** les ouvriers commencent les travaux mardi; **they began laughing** *ou* **to laugh again** ils ont recommencé à rire; **2** (start to use) entamer, ouvrir [*bottle, packet, jar*]; entamer [*loaf*]; commencer [*notebook, page*]; **3** (start out) débuter [*career*] (**as** comme); **I began life as a farmer's son** je suis fils de fermier; **we began married life in Scotland** quand nous étions jeunes mariés nous habitions en Écosse; **this novel began life as a short story** ce roman a d'abord vu le jour sous la forme d'une nouvelle; **4** (have slightest success) **I can't ~ to describe it** il m'est impossible de le décrire; **I don't ~ to understand** vraiment, je ne comprends pas; **I couldn't ~ to imagine how he felt** je ne pouvais vraiment pas imaginer ce qu'il éprouvait; **5** (initiate) provoquer [*debate, dispute*]; lancer [*campaign, trend*]; commencer [*tradition*]; déclencher [*war*]; fonder [*dynasty*]; **to ~ a conversation with** engager la conversation avec; **6** (come first in) marquer le commencement de [*series, collection, festival*]; **A ~s the alphabet** l'alphabet commence par A

C *vi* (*p prés* **-nn-**; *prét* **began**; *pp* **begun**) **1** (commence) [*custom, meeting, play, problem, storm, term*] commencer; **let's ~** commençons; **to ~ with** commencer par; **to ~ by doing** commencer par faire; **a name ~ning with C** un nom qui commence par C; **the week ~ning the 25th** la semaine qui commence le 25; **to ~ in 1995/in May** commencer en 1995/en mai; **your problems have only just begun!** tes problèmes ne font que commencer!; **to ~ well/badly** bien/mal commencer; **to ~ again** recommencer; **after the war began** après le début de la guerre; **before the lecture ~s** avant le début de la conférence; **2** (have its starting point) [*river*] prendre sa source; **the road ~s in York** la route part de York; **where does the national park ~?** où commence le parc national?

(Phrasal verb) ■ **begin on**: ▸ **~ on [sth]** attaquer [*cake, garden*]

beginner /bɪ'gɪnə(r)/ *n* débutant/-e *m/f*; **'Spanish for ~s'** 'espagnol pour débutants'; **~s' class** cours *m* pour débutants

(Idioms) **~'s luck!** aux innocents les mains pleines!; **'~s please!'** Theat 'en scène s'il vous plaît'

beginning /bɪ'gɪnɪŋ/

A *n* (start) début *m*, commencement *m*; **in** *ou* **at the ~** au départ, au début; **since the ~ of March** depuis le début du mois de mars; **at the ~ of September** début septembre; **at the ~ of the month** au début du mois; **from ~ to end** du début jusqu'à la fin; **to go back to the ~** reprendre au début; **since the ~ of time** depuis la nuit des temps; **in the Beginning was the Word** au commencement était le Verbe

B **beginnings** *npl* **1** (origins) (of person, business) débuts *mpl*; (of theory, movement) origines *fpl*; **his humble ~s** ses modestes débuts; **the theory has its ~s in the 19th century** l'origine de la théorie remonte au XIXe siècle; **to grow from small ~s** [*company*] s'agrandir après des débuts modestes; **2** (start) **the ~s of** le début de [*solution, trend*]

begone /bɪ'gɒn, US -'gɔːn/ *excl*‡ hors d'ici!

begonia /bɪ'gəʊnɪə/ *n* bégonia *m*

begot /bɪ'gɒt/ *prét* ▸ **beget**

begotten /bɪ'gɒtn/ *pp* ▸ **beget**

begrimed /bɪ'graɪmd/ *adj* noirci, crasseux/-euse

begrudge /bɪ'grʌdʒ/ *vtr* = **grudge B**

beguile /bɪ'gaɪl/ *vtr* **1** (entice, trick) leurrer; **to be ~d** se laisser leurrer (**with** par); **he ~d her into doing** il l'a si bien enjôlée qu'elle a fait; **2** (charm) captiver; **3** (pass pleasantly) **to ~ the time** faire passer le temps

beguiling /bɪ'gaɪlɪŋ/ *adj* captivant

begum /'beɪgəm/ *n* bégum *f*

begun /bɪ'gʌn/ *pp* ▸ **begin**

behalf /bɪ'hɑːf, US -'hæf/: **on ~ of** GB, **in ~ of** US *prep phr* **1** (as representative of) [*act, speak, sign, accept award etc*] au nom de, pour; [*phone, write, convey message, come*] de la part de; **2** (in the interest of) [*campaign, plead*] en faveur de, pour; [*negotiate*] pour le compte de; **don't be uneasy on my ~** ne vous inquiétez pas pour moi *or* à mon sujet

behave /bɪ'heɪv/

A *vi* **1** (act) [*person, group, animal*] (naturally, characteristically) se comporter (**towards** envers); (in given circumstances) se conduire (**towards** avec, envers); **he's behaving like an idiot** il se conduit comme un idiot; **he ~s like a tyrant** il se comporte en tyran; **you didn't have to ~ like that!** tu n'avais pas à te conduire comme ça!; **what a way to ~!** quelle façon de se conduire!; **the supporters ~d well/badly** les supporters se sont bien/mal conduits; **he ~d badly towards her** il s'est mal conduit envers elle; **2** (function) [*machine, device, substance, system*] se comporter

B *v refl* **to ~ oneself** [*person*] bien se comporter; **~ yourself!** tiens-toi bien!; **is the computer behaving itself?** hum est-ce que l'ordinateur marche?

behaviour GB, **behavior** US /bɪ'heɪvjə(r)/

A *n* **1** (of person, group, animal) gen comportement *m* (**towards** envers); (in given set of circumstances) conduite *f*; **antisocial/disruptive/model ~** comportement anti-social/perturbateur/modèle; **for good/bad ~** pour bonne/mauvaise conduite; **2** (of substance, chemical) comportement *m*; **3** (of device, machine) fonctionnement *m*

B *modif* [*disorder, patterns*] de comportement

(Idioms) **to be on one's best ~** bien se tenir; **try to be on your best ~** tâchez de bien vous conduire

behavioural GB, **behavioral** US /bɪ'heɪvjərəl/ *adj* [*change, disorder, problem*] de comportement; [*theory*] du comportement

behavioural science *n* science *f* du comportement

behaviourism GB, **behaviorism** US /bɪ'heɪvjərɪzəm/ *n* behaviorisme *m*

behaviourist GB, **behaviorist** US /bɪ'heɪvjərɪst/ *n, adj* behavioriste (*mf*)

behaviour therapy *n* thérapie *f* de comportement, comportementalisme *m* spec

behead /bɪ'hed/ *vtr* décapiter

beheld /bɪ'held/ *prét, pp* ▸ **behold**

behemoth /bɪ'hiːmɒθ/ *n* **1** (beast) béhémoth *m*; **2** fig (person) hippopotame *m*; (building, institution) mastodonte *m*

behest /bɪ'hest/ *n* sout **at the ~ of sb** sur l'ordre de qn

behind /bɪ'haɪnd/

> ⚠ When used as a preposition to talk about the physical position of something, *behind* is translated by *derrière*: *behind the house* = derrière la maison.
>
> *behind* is sometimes used in verb combinations (*fall behind, lag behind etc*). For translations, consult the appropriate verb entry (**fall, lag** etc).
>
> For adverbial uses and figurative prepositional uses see the entry below.

A ○*n* derrière○ *m*

B *adj* **to be ~ with** avoir du retard dans [*studies, work*]; **to be too far ~** avoir trop de retard; **to be ~ in one's research** être en retard dans ses recherches; **to be a long way ~** être franchement en retard; **I'm ~ with my rent** je n'ai pas payé mon loyer

C *adv* [*follow on, trail*] derrière; [*look, glance*] en arrière; **the car ~** la voiture de derrière

D *prep* **1** (at rear of) (physically) derrière [*person, vehicle, object*]; **the mountains ~ the town** les montagnes qui se trouvent/trouvaient derrière la ville; **~ my back** lit derrière le dos; fig derrière mon dos; **2** (at other side of) derrière [*desk, counter, barrier, line*]; **to work ~ the bar** être barman/barmaid *m/f*; **3** fig (concealed) **~ the smile** derrière son sourire; **the reality ~ the façade** la réalité derrière les apparences; **the real story ~ the news** la véritable histoire que les médias n'ont pas révélée; **4** fig (less advanced than) **to be ~ the others** [*pupil*] être en retard par rapport aux autres; **5** fig (motivating) **the reasons ~ his declaration** les raisons qui motivent/motivaient etc sa déclaration; **what is ~ his actions?** qu'est-ce qui le pousse à agir ainsi?; **who is ~ this proposal?** qui est à l'origine de cette proposition?; **6** fig (supporting) **to be (solidly) ~ sb** soutenir qn (à fond); **he has no family ~ him** il n'a pas de famille pour le soutenir; **the woman ~ the man** journ la femme en coulisses; **7** fig (in past) **he has three years' experience ~ him** il a trois ans d'expérience derrière lui; **those days are ~ me now** cette période est bien loin; **I've put all that ~ me now** j'ai oublié tout ça

behindhand /bɪ'haɪndhænd/ *adv* **to be** *ou* **get ~ with** être en retard dans [*work, studies*]

behind-the-scenes

A *adj* en coulisses

B **behind the scenes** *adv* en coulisses

behold /bɪ'həʊld/ *vtr* (*prét, pp* **beheld**) littér *ou* hum voir; **it was a wonder to ~** c'était un spectacle merveilleux; ▸ **lo**

beholden /bɪ'həʊldən/ *adj* sout **to be ~ to sb** être redevable à qn (**for** de)

beholder /bɪ'həʊldə(r)/ *n* spectateur/-trice *m/f*

(Idiom) **beauty is in the eye of the ~** Prov ≈ ce qu'on aime est toujours beau Prov

behove GB /bɪ'həʊv/, **behoove** /bɪ'huːv/ US *v impers* sout **it ~s sb to do sth** (as duty) il incombe *or* appartient à qn de faire qch; (for advantage) il est de l'intérêt de qn de faire qch; **it ill ~s her to...** c'est mal venu de sa part de...

beige /beɪʒ/ ▸ **p. 1067** *n, adj* beige (*m*)

Beijing /beɪ'dʒɪŋ/ ▸ **p. 1815** *pr n* Pékin, Beijing

being /'biːɪŋ/ *n* **1** (entity) (human) être *m*; (animal) créature *f*; **2** (soul) être *m*; **with my whole ~** de tout mon être; **3** (existence) **to bring sth into ~** faire de qch une réalité; **to be brought into ~** devenir réalité; **to come into ~** prendre naissance

Beirut /'beɪruːt, ˌbeɪ'ruːt/ ▸ **p. 1815** *pr n* Beyrouth

bejabbers○ /bɪ'dʒæbəz/, **bejesus**◑ /bɪ'dʒiːzəs/

A *n* **to scare the ~ out of sb** flanquer○ la trouille○ à qn

B *excl* bon Dieu○!

bejewelled GB, **bejeweled** US /bɪ'dʒuːəld/ *adj* [*person, hand, dress*] paré de bijoux; [*object*] incrusté de joyaux

belabour GB, **belabor** US /bɪ'leɪbə(r)/ *vtr* **1** (attack) (physically) rouer [qn] de coups; (verbally) accabler [qn] d'injures; **2** US pej insister sur [*point, issue*]

Belarus /ˌbjeləʊ'rus/ ▸ **p. 1096** *pr n* ▸ **Byelorussia**

belated /bɪ'leɪtɪd/ *adj* tardif/-ive

belatedly /bɪ'leɪtɪdlɪ/ *adv* tardivement

belay /bɪ'leɪ/

A *n* (in climbing) assurage *m*, assurance *f*

B *vtr* **1** Naut amarrer; **2** (in climbing) assurer

C *vi* **1** Naut [*rope*] être amarré; **2** (in climbing) assurer

b

belaying pin *n* Naut cabillot *m* (d'amarrage)

belch /beltʃ/

A *n* renvoi *m*, rot *m*

B *vi* roter○, avoir un renvoi; fig [*smoke, flames*] s'échapper

C *vtr* = **belch out**

(Phrasal verb) ■ **belch out**: ▸ ~ **out** s'échapper; ▸ ~ **[sth] out**, ~ **out [sth]** vomir, cracher [*smoke, flames*]

beleaguered /bɪ'li:gəd/ *adj* **1** [*city, troops*] assiégé; **2** fig [*person*] débordé; [*company, programme*] menacé

Belfast /ˌbel'fɑ:st/ ▸ **p. 1815** *pr n* Belfast

belfry /'belfrɪ/ *n* beffroi *m*, clocher *m*

(Idiom) **to have bats in the** ~○ avoir une araignée au plafond○

Belgian /'beldʒən/ ▸ **p. 1467**

A *n* Belge *mf*

B *adj* [*custom, town, people etc*] belge; [*embassy, ambassador*] de Belgique

Belgium ➡ /'beldʒəm/ ▸ **p. 1096** *pr n* Belgique *f*

Belgrade /ˌbel'greɪd/ ▸ **p. 1815** *pr n* Belgrade

belie /bɪ'laɪ/ *vtr* **1** (show to be false) contredire [*hopes, promises, predictions*]; **his smile ~d his despair** son sourire dissimulait son désespoir; **2** (disguise) tromper sur [*appearances, feelings, facts*]

belief /bɪ'li:f/ *n* **1** (conviction, opinion) conviction *f* (**about** sur, à propos de); **political/religious ~s** convictions politiques/religieuses; **to go against sb's ~s** aller à l'encontre des convictions de qn; **in the ~ that** convaincu *or* persuadé que; **it's my ~ that** je suis convaincu *or* persuadé que; **to the best of my ~** à ma connaissance; **contrary to popular ~** contrairement à ce qu'on pense généralement; **2** (credence) **to be beyond** *ou* **past ~** être absolument incroyable; **wealthy/stupid beyond ~** incroyablement riche/bête; **3** (confidence, trust) confiance *f*, foi *f*; **her ~ in democracy/justice** sa foi *or* confiance dans la démocratie/la justice; **~ in oneself** confiance en soi; **4** Relig (faith) foi *f*; (article of faith) croyance *f*; **his ~ in God/evil** sa croyance en Dieu/dans le mal

believable /bɪ'li:vəbl/ *adj* (conceivable) croyable; (plausible, realistic) [*character, explanation*] crédible

believe /bɪ'li:v/

A *vtr* **1** (accept as true) croire [*evidence, statement, fact, person*]; **~ (you) me!** croyez-moi!; **~ it or not** croyez-le ou pas; **would you ~ it?** le croiriez-vous?; **I'll ~ it when I see it** je le croirai quand je le verrai; **it has to be seen to be ~d** il faut le voir pour le croire; **I can't ~ (that) he did that** je n'arrive pas à croire qu'il ait fait cela; **I can ~ that of her!** ça ne m'étonne pas d'elle!; **don't you ~ it!** n'en croyez rien!; **I don't ~ you!** ce n'est pas vrai!; **I can well ~ it** je suis prêt à le croire; **I don't ~ a word of it!** je n'en crois pas un mot!; **if he's to be ~d** à l'en croire; **I'll ~ you, thousands wouldn't** je te crois, mais je dois bien être le seul; **I can't ~ my luck!** je n'arrive pas à le croire!; **she could hardly** *ou* **scarcely ~ her eyes** elle en croyait à peine ses yeux; **2** (think, be of the opinion) croire, estimer; **I ~ (that) she is right, I ~ her to be right** je crois *or* j'estime qu'elle a raison; **Mr Smith, I ~?** M. Smith, je crois?; **it is ~d that** on croit *or* estime que; **he is ~d to be dead** on le croit mort; **she is ~d to be a spy** on pense que c'est une espionne; **to ~ sth to be true/false** croire *or* estimer que qch est vrai/faux; **to have reason to ~ that** avoir des raisons de croire que; **I have every reason to ~ that** j'ai toutes les raisons de croire que; **to let sb ~ (that)** laisser croire à qn que; **to lead sb to ~ (that)** faire croire à qn que; **to give sb to ~ (that)** donner à qn des raisons de croire que; **I ~ so** je crois que oui; **I ~ not** je crois que non

B *vi* **1** (have confidence, trust) **to ~ in** croire à; [*promises, discipline, exercise etc*]; **to ~ in sb** avoir confiance en qn; **to ~ in doing** croire *or* estimer qu'il est bon de faire; **I ~ in taking a cold shower every morning** je crois qu'il est bon de prendre une douche froide tous les matins; **to fight for what one ~s in** lutter pour ce en quoi on croit *or* pour ses convictions; **you have to ~ in what you do** il faut croire à *or* avoir foi dans ce qu'on fait; **2** Relig avoir la foi; **to ~ in God/reincarnation** croire en Dieu/à la réincarnation; **to ~ in ghosts** croire aux fantômes

C *v refl* **to ~ oneself to be** se croire; **he ~s himself to be really clever** il se croit vraiment intelligent

(Idiom) **seeing is believing** il faut le voir pour le croire

believer /bɪ'li:və(r)/ *n* Relig croyant/-e *m/f*; gen (in hard work, progress, liberty) adepte *mf* (**in** de); **to be a ~ in doing** croire *or* estimer qu'il est bon de faire; **she's not a ~ in ghosts/miracles** elle ne croit pas aux fantômes/miracles; **he's a great ~ in exercise** il croit aux vertus de l'exercice

Belisha beacon /bəˌli:ʃə 'bi:kən/ *n* GB lumière *f* clignotante (*pour signaler un passage clouté*)

belittle /bɪ'lɪtl/ *vtr* rabaisser [*person, achievement, action*]; déprécier [*efforts*]; **to feel ~d** se sentir déprécié

belittling /bɪ'lɪtlɪŋ/ *adj* [*comment*] désobligeant

Belize /be'li:z/ ▸ **p. 1096** *pr n* Bélize *m*

Belizean /be'li:zɪən/ ▸ **p. 1467**

A *n* Bélizien/-ienne *m/f*

B *adj* bélizien/-ienne

bell /bel/

A *n* **1** (chiming) (in church) cloche *f*; (on sheep, goat) clochette *f*; (on toy, cat) grelot *m*; (on bicycle) sonnette *f*; (for servant) clochette *f*; **to ring the ~s** faire sonner les cloches; **2** (buzzer) sonnette *f*; **door ~** sonnette *f*; **to ring the ~** appuyer sur la sonnette; **I can hear the ~** j'entends sonner; **3** (warning device) sonnerie *f*; **4** ○GB (phone call) **to give sb a ~** passer un coup *m* de fil à qn; **5** Bot clochette *f*; **6** Naut coup *m* de cloche; **eight ~s** huits coups piqués; **to ring eight ~s** piquer huit coups; **7** (of stag, hound) bramement *m*; **8** Mus pavillon *m*; **9** Sport gong *m*

B *vtr* attacher une clochette à [*goat, sheep*]

(Idioms) **that name/number rings a ~** ce nom/numéro me dit quelque chose; **with ~, book and candle** par tous les moyens; **to be as sound as a ~** être en parfaite santé; **to be saved by the ~** être sauvé par le gong; **to ~ the cat** se lancer dans une mission dangereuse

belladonna /ˌbelə'dɒnə/ *n* **1** Bot belladone *f*; **2** Med (atropine) atropine *f*; (hyoscyamine) hyoscyamine *f*

bell: **~-bottomed** *adj* à pattes *fpl* d'éléphant; **~-bottoms** *npl* pantalon *m* à pattes d'éléphant; **~boy** ▸ **p. 1683** *n* US groom *m*, chasseur *m*; **~ buoy** *n* bouée *f* à cloche; **~ captain** ▸ **p. 1683** *n* US *responsable d'un groupe de grooms*

belle /bel/ *n* belle *f*, beauté *f*; **the ~ of the ball** la reine du bal

bell: **~ glass** *n* cloche *f* en verre; **~ heather** *n* bruyère *f* cendrée; **~hop** ▸ **p. 1683** *n* US groom *m*, chasseur *m*

bellicose /'belɪkəʊs/ *adj* sout belliqueux/-euse

bellicosity /ˌbelɪ'kɒsətɪ/ *n* caractère *m* belliqueux, agressivité *f*

belligerence /bɪ'lɪdʒərəns/ *n* gen agressivité *f*; Pol belligérance *f*

belligerency /bɪ'lɪdʒərənsɪ/ *n* belligérance *f*

belligerent /bɪ'lɪdʒərənt/

A *n* Pol (country) belligérant *m*

B *adj* **1** gen agressif/-ive; **2** Pol (at war) belligérant

bell jar *n* cloche *f* en verre

bellow /'beləʊ/

A *n* (of bull) mugissement *m*; (of person) hurlement *m*, beuglement○ *m*

B *vi* [*bull*] mugir (**with** de); [*person*] hurler, beugler○ (**with** de)

C *vtr* brailler [*command*]

(Phrasal verb) ■ **bellow out**: ▸ ~ **out [sth]** brailler [*command, song*]

bellows /'beləʊz/ *npl* (for fire, in forge) soufflet *m*; (of organ) soufflerie *f*; Phot soufflet *m*; **a pair** *ou* **set of ~** un soufflet

bell: **~ pepper** *n* US poivron *m*; **~-pull** *n* (handle) poignée *f* de sonnette; (rope) cordon *m* de sonnette; **~-push** *n* bouton *m* de sonnette; **~-ringer** *n* carillonneur *m*, sonneur *m*

bell-ringing *n* **to go ~** aller carillonner

bell: **~ rope** *n* (in church) corde *f* de cloche; (in house) cordon *m* de sonnette; **~-shaped** *adj* en forme de cloche; **Bell's palsy** ▸ **p. 1327** *n* paralysie *f* faciale; **~ tent** *n* tente *f* conique; **~ tower** *n* clocher *m*; **~wether** *n* (mouton *m*) meneur *m* du troupeau; fig chef *m* de file

belly /'belɪ/ *n* **1** ○(stomach) ventre *m*; (paunch) bedaine○ *f*; **2** (of animal) ventre *m*; **3** (abdomen) ventre *m*; **4** (curved part) (of ship, plane) ventre *m*; (of violin, cello) table *f* (d'harmonie); (of jar, vase) renflement *m*; (of sail) creux *m*; **5** **~ of pork** poitrine *f* de porc; **6** ‡(womb) entrailles *fpl*

(Idiom) **to go ~ up**○ [*fish*] mourir; [*business*] faire faillite

(Phrasal verbs) ■ **belly out**: ▸ ~ **out** [*sail*] se gonfler; **~ [sth] out** gonfler

■ **belly up to**○ s'approcher tout contre

bellyache○ /'belɪeɪk/

A *n* **1** lit mal *m* au ventre; **to have a ~** avoir mal au ventre; **2** ◑fig râlerie○ *f*

B *vi* (*p prés* **-aching**) râler○ (**about** contre)

bellyaching○ /'belɪeɪkɪŋ/ *n* râlerie○ *f*; **stop your ~!** arrête de râler○!

belly: **~band** *n* sous-ventrière *f*; **~button**○ *n* nombril *m*; **~ dance** *n* danse *f* du ventre; **~ dancer** *n* danseuse *f* du ventre; **~ flop**○ *n* (in swimming) plat *m*

bellyful○ /'belɪfʊl/ *n*

(Idiom) **to have a ~ of sth** en avoir sa claque○ de qch

belly landing *n* atterrissage *m* sur le ventre; **to make a ~** atterrir sur le ventre

belly: **~ laugh** *n* gros rire *m*; **~ tank** *n* réservoir *m* ventral

belong /bɪ'lɒŋ, US -lɔ:ŋ/ *vi* **1** (be the property of) **to ~ to** appartenir à; **don't take what doesn't ~ to you** ne prends pas ce qui ne t'appartient pas *or* qui n'est pas à toi; **we ~ to each other** nous appartenons l'un à l'autre; **2** (be member of) **to ~ to** appartenir à [*family, generation, party, union*]; faire partie de [*club, society, gang, set*]; être inscrit à [*library*]; **3** (have its proper place) aller; **where do these books ~?** où vont ces livres?; **it doesn't ~ on this shelf** cela ne va pas sur cette étagère; **put it back where it ~s** remets-le à sa place; **4** (fit in) [*person*] être à sa place; **you don't ~ here** tu n'es pas à ta place ici; **everybody wants to ~** tout le monde veut avoir sa place quelque part ; **I don't feel I ~ anywhere** j'ai l'impression de n'être nulle part à ma place; **to give immigrants a sense of ~ing** donner aux immigrés le sentiment de faire partie du pays; **we ~ together** nous sommes faits pour être ensemble; **5** Jur **it ~s to sb to do** il appartient à qn de faire

belongings /bɪ'lɒŋɪŋz, US -'lɔ:ŋ-/ *npl* affaires *fpl*; **personal ~** effets *mpl* personnels

beloved /bɪ'lʌvɪd/

A *n* littér *ou* hum bien-aimé/-e *m/f*

B *adj* bien-aimé

➡ *see* Varieties of French

below /bɪˈləʊ/

> ⚠ When *below* is used as a preposition to talk about the physical position of something, it is most often translated by *au-dessous de*: *the apartment below mine* = l'appartement au-dessous du mien; *below the knee* = au-dessous du genou.
> The most notable exceptions are for the expressions *below the ground* and *below the surface*, when *sous* is used: sous le sol, sous la surface.
> For other prepositional uses of *below* and for adverbial uses see the entry below.

A *prep* [1] (under) en dessous de; **the apartment ~ mine** l'appartement au-dessous du mien; **~ the knee/the waist** au-dessous du genou/de la taille; **~ the surface** sous la surface; **~ (the) ground** sous le sol; **one kilometre ~ the surface** à un kilomètre de profondeur; **~ sea level** au-dessous du niveau de la mer; **his name was ~ mine on the list** son nom était au-dessous du *or* sous le mien sur la liste; **in the field ~ the castle** dans le champ en contrebas du château; **the valley/river ~ them/you etc** la vallée/rivière en contrebas; [2] (less than: in quantity, degree etc) en dessous de, inférieur à; **~ the average/10%** en dessous de *or* inférieur à la moyenne/10%; **~ the age of 12** en dessous de 12 ans; **10° ~ (freezing)** 10° en dessous de zéro; **~ target/expectations/inflation** inférieur aux objectifs/aux prévisions/à l'inflation; **his performance was ~ his usual standard** sa prestation était bien moins bonne que d'habitude; **your behaviour was (well) ~ the standard expected of a manager** ta conduite n'était pas (du tout) à la hauteur du poste de directeur; [3] (inferior in rank to) **the people ~ him in the department** les gens du service au-dessous de lui; **those ~ the rank of Major** Mil les militaires qui sont au-dessous du grade de major; **a lieutenant is ~ a captain** lieutenant est un grade inférieur à capitaine; **those employees ~ management level** les employés qui ne font pas partie de la direction; **the teams ~ them in the table** (Sport etc) les équipes moins bien classées qu'eux; [4] (south of) au sud de, au-dessous de; **~ Liverpool/London** au sud de Liverpool/de Londres; [5] (downstream from) en aval de; [6] (unworthy of) ▸ **beneath A 2**

B *adv* [1] (lower down) **100 metres ~** 100 mètres plus bas; **the village/the river ~** le village/la rivière en contrebas; **the people/cars (down) ~** les gens/voitures en bas; **the apartment ~** l'appartement en dessous; **seen from ~** vu d'en bas; **the miners working ~** les mineurs qui travaillent sous terre; [2] (later on page, in book etc) ci-dessous; **see ~** voir ci-dessous; **the information ~** les données ci-dessous; [3] (not in heaven) **here ~** (on earth) ici-bas; **down ~** (in hell) en enfer

below stairs *adv* dans l'office (*des domestiques*)

below-the-line advertising *n* hors-média *m*

belt /belt/

A *n* [1] Fashn ceinture *f*; **he had a gun in his ~** il avait un pistolet à la ceinture; [2] Aut, Aviat ceinture *f*; **safety** *ou* **seat ~** ceinture de sécurité; [3] (area) ceinture *f*; **a ~ of industry** une ceinture industrielle; **a ~ of poverty around the inner city** une zone de pauvreté autour du centre urbain; **a ~ of trees** une rangée d'arbres; **mountain/earthquake ~** zone *f* de montagnes/de séisme; [4] Meteorol zone *f*; **a ~ of rain/of low pressure** une zone de pluie/de basse pression; [5] Tech courroie *f*; [6] Sport (in boxing, judo) ceinture *f*; **to be a black ~** être ceinture noire; **the world heavyweight ~** le titre mondial des poids lourds; [7] ○(blow) beigne○ *f*, coup *m* de poing; **to give sb a ~** flanquer une beigne○ à qn; **I gave the ball a good ~** j'ai donné un grand coup de pied dans le ballon; [8] Sch (for punishing) lanière *f* de cuir

B ○*vtr* [1] ○(hit) flanquer une beigne à○, gifler [*person*]; donner un grand coup de pied dans [*ball*]; **he ~ed him in the mouth/across the face** il lui a flanqué une beigne en plein sur la bouche/la figure; [2] Sch (as punishment) donner une correction à [qn] (*avec une lanière de cuir*); [3] ○ = **belt down**

C *vi* (go fast) **he ~ed home** il est rentré chez lui à toute vitesse; **to ~ along** *ou* **down** [*person*] dévaler [qch] à toute vitesse [*street*]; [*car*] filer sur [*motorway*]

D **belted** *pp adj* [*coat*] avec (une) ceinture

(Idioms) **to tighten one's ~** se serrer la ceinture; **to hit sb below the ~** donner un coup bas à qn; **that remark was a bit below the ~** cette remarque était un coup bas; **she has 15 years' experience/two tournaments under her ~** elle a 15 ans d'expérience/deux tournois à son actif; **a ~ and braces job**○ un boulot○ où deux précautions valent mieux qu'une

(Phrasal verbs) ■ **belt down**○: ▸ **~ down [sth], ~ [sth] down** US avaler [qch] d'un trait [*drink*]

■ **belt off**○ filer à toute vitesse

■ **belt out**: ▸ **~ out [sth], ~ [sth] out** [*person*] chanter [qch] à pleins poumons; [*jukebox*] brailler

■ **belt up** [1] GB○(shut up) la fermer○, se taire; **~ up!** ferme-la!○; [2] Aut attacher sa ceinture de sécurité

beltway /ˈbeltweɪ/ *n* US Aut périphérique *m*

belvedere /ˈbelvɪdɪə(r)/ *n* belvédère *m*

bemoan /bɪˈməʊn/ *vtr* sout déplorer

bemuse /bɪˈmjuːz/ *vtr* rendre [qn] perplexe

bemused /bɪˈmjuːzd/ *adj* perplexe

ben /ben/ *n* Scot mont *m*; **Ben Nevis** Ben Nevis *m*

bench /bentʃ/ *n* [1] gen, Sport (seat) banc *m*; **to be on the (substitute's) ~** être sur la touche; [2] GB Pol banc *m*; **to be on the opposition ~es** siéger dans l'opposition; [3] Jur (*also* **Bench**) (judges collectively) magistrature *f* (assise); **~ and bar** la magistrature et le barreau; **to be** *ou* **sit on the ~** être membre de la magistrature (assise); [4] Jur (*also* **Bench**) (judge or judges in one case) Cour *f*; **to thank the ~** remercier la Cour; **to approach the ~** venir à la barre; **to be on the ~ for a case** juger une affaire; [5] Tech (workbench) établi *m*; (in lab) paillasse *f*

bencher /ˈbentʃə(r)/ *n* Jur (*also* **Bencher**) *membre établi de la magistrature britannique*

bench lathe *n* tour *m* à banc

benchmark /ˈbentʃmɑːk/

A *n* [1] gen, Civ Eng point *m* de référence; [2] Fin (price) prix *m* de référence; [3] Comput test *m* de performance

B *vtr* (compare, test) tester [*systems*]

benchmark job *n* poste-repère *m*

bench: ~ press *n* développé *m* couché; **~ seat** *n* banquette *f*; **~ test** *n* test *m* préliminaire; **~ warmer**○ *n* US Sport habitué/-e *m/f* de la touche; **~ warrant** *n* mandat *m* d'arrêt

bend /bend/

A *n* [1] gen (in road) tournant *m*, virage *m*; (in racetrack) tournant *m*; (in pipe) coude *m*; (in river) courbe *f*; (of elbow, knee) pli *m*; **at the ~ of the road** au tournant *or* virage de la route; **on the ~** dans le tournant; **there's a ~ in the road** la route fait un virage; **to come around a ~** prendre un virage; [2] Naut (knot) nœud *m* de jonction

B **bends** ▸ p. 1327 *npl* Med (+ *v sg ou pl*) maladie *f* des caissons

C *vtr* (*prét, pp* **bent**) [1] (force into a curve) plier [*knee, arm, leg*]; courber, pencher [*head*]; pencher, plier [*body*]; courber [*back*]; faire un coude à [*pipe, bar*]; plier [*wire*]; réfracter [*light*]; infléchir [*ray*]; (by mistake) tordre [*pipe, mudguard, nail*]; **to ~ one's arm** plier le bras; **to go down on ~ed knee** se mettre à genoux; **to ~ sb to one's will** fig plier qn à sa volonté; [2] (distort) travestir [*truth, facts*]; faire une entorse à [*principle*]; **to ~ the rules** contourner le règlement; [3] (direct) **to ~ one's mind/attention to** concentrer son esprit/attention sur; **to ~ one's steps towards** littér se diriger vers

D *vi* (*prét, pp* **bent**) [1] (become curved) [*road, path*] tourner; [*river*] (once) s'incurver; (several times) faire des méandres; [*frame, bar*] plier; [*branch*] ployer; [*nail, mudguard*] se tordre; **my arm won't ~** je ne peux pas plier le bras; [2] (stoop) [*person*] se courber, se pencher; **to ~ forward/backwards** se pencher en avant/en arrière; **to ~ low** se courber jusqu'à terre; **to ~ double** se plier en deux; **his head was bent over a book** il était penché sur un livre; [3] (submit) **to ~ to** se plier à [*person, will*]

(Idioms) **round** GB *ou* **around** US **the ~**○ fou/folle; **to go (a)round the ~** devenir fou/folle; **to drive sb (a)round the ~** rendre qn fou/folle; **to ~ over backwards for sb/to do** se mettre en quatre○ pour qn/pour faire

(Phrasal verbs) ■ **bend back**: ▸ **~ back** [*person*] se pencher à l'arrière; **to ~ back on itself** [*road, river*] faire demi-tour; ▸ **~ [sth] back, ~ back [sth]** (to original position) redresser [*book, pin*]; (away from natural position) replier [qch] (en arrière) [*book, pin*]; **to ~ one's fingers back** plier les doigts (en arrière); **to ~ sth back into shape** redresser qch

■ **bend down**: ▸ **~ down** [*person*] se pencher, se courber; ▸ **~ [sth] down, ~ down [sth]** faire ployer [*branch*]; replier [qch] en arrière [*flap*]

■ **bend over**: ▸ **~ over** [*person*] se pencher, se courber; ▸ **~ [sth] over, ~ over [sth]** replier

bender /ˈbendə(r)/ *n* [1] ○ (drinking bout) **to go on a ~** prendre une cuite○; [2] GB (shelter) abri *m* de fortune

bend sinister *n* Herald barre *f* de bâtardise

beneath /bɪˈniːθ/

> ⚠ When used as a preposition (= under), *beneath* is translated by *au-dessous de*: *beneath his feet* = au-dessous de ses pieds. When used as an adverb, *beneath* is translated by *en dessous*: *the trees beneath* = les arbres en dessous. For particular and figurative usages see below.

A *prep* [1] (under) sous; **~ the table** sous la table; **the valley/river ~ them/you etc** la vallée/rivière en contrebas; fig **he hid his disappointment ~ a polite smile** il a masqué sa déception derrière un sourire poli; **~ the calm exterior he...** sous ses apparences calmes, il...; [2] (unworthy of) indigne de [*person*]; **it is ~ her/you etc to do** c'est indigne d'elle/de toi etc de faire; ▸ **dignity**

B *adv* en dessous; **the apartment/the people/the cars/the trees ~** l'appartement/les gens/les voitures/les arbres en dessous; **the valley/river ~** la vallée/rivière en contrebas

Benedict /ˈbenɪdɪkt/ *pr n* Benoît

Benedictine

A *n* [1] /ˌbenɪˈdɪktɪn/ Relig bénédictin/-e *m/f*; [2] /ˌbenɪˈdɪktiːn/ (liqueur) Bénédictine *f*

B /ˌbenɪˈdɪktɪn/ *adj* bénédictin

benediction /ˌbenɪˈdɪkʃn/ *n* [1] (blessing) Relig, fig bénédiction *f*; **in ~** en signe de bénédiction; [2] (Catholic ceremony) bénédiction *f*, salut *m*

benefaction /ˌbenɪˈfækʃn/ *n* sout (generosity) bonté *f*; (donation) don *m*

benefactor /ˈbenɪfæktə(r)/ *n* bienfaiteur *m*

benefactress /ˈbenɪfæktrɪs/ *n* bienfaitrice *f*

benefice /ˈbenɪfɪs/ *n* bénéfice *m*

beneficence /bɪˈnefɪsns/ *n* [1] ¢ (kindness) bienveillance *f*; [2] (charitable help) générosité *f*

beneficent /bɪˈnefɪsnt/ *adj* [1] (kindly) [*concern, regime, rule*] bienveillant; [2] (generous) *[assistance, patron]* généreux/-euse; *[work]* de bienfaisance

beneficial /ˌbenɪˈfɪʃl/ *adj* 1) (advantageous) *[effect, influence]* bénéfique; *[treatment]* efficace; *[change]* salutaire; *[outcome, result]* favorable; **to be ~ to** être bénéfique pour; **to be ~ for** être avantageux/-euse pour; 2) Jur *[interest]* d'usufruit; *[owner, use]* usufruitier/-ière

beneficially /ˌbenɪˈfɪʃəlɪ/ *adv* *[influence]* favorablement

beneficiary /ˌbenɪˈfɪʃərɪ, US -fɪʃɪerɪ/ *n* 1) Jur bénéficiaire *mf*; **to be the only ~ of a will** être le seul/la seule bénéficiaire testamentaire; 2) (recipient) bénéficiaire *mf*; 3) Relig bénéfice *m*

benefit /ˈbenɪfɪt/

A *n* 1) ₵ (helpful effect) avantage *m* (**from** de); **to be of ~ to** profiter à *[patient, environment, industry]*; **to feel the ~ of** ressentir l'effet *m* favorable de *[change, holiday, treatment]*; **to get some ~ from** tirer profit de *[holiday, treatment]*; **to give sb the ~ of** faire profiter qn de *[experience, knowledge]*; **to give sb the ~ of one's advice** donner un bon conseil à qn; 2) Soc Admin allocation *f*; **to be on ~(s)** GB toucher les allocations; **to live off ~(s)** GB vivre sur les allocations; 3) **C** (advantage) avantage *m*; **the ~s of modern technology** les avantages de la technologie moderne; **to have health ~s** offrir des avantages sanitaires; **to have the ~ of** bénéficier de *[education]*; **with the ~ of hindsight** avec l'avantage du recul; **with the ~ of experience** avec le bénéfice de l'expérience; **to be to sb's ~** être à l'avantage de qn; **to reap the ~s of** récolter les bénéfices de; 4) ₵ (good) **it's for your own ~** c'est pour ton propre bien; **for the ~ of the newcomers** à l'intention des nouveaux; **he's just crying for your ~** il pleure juste pour attirer ton attention; 5) (perk) avantage *m*; **'salary £20,000 plus ~s'** 'salaire de 20 000 livres sterling plus avantages sociaux'; **~s in kind** avantages *mpl* en nature; **tax-free ~s** bénéfices *mpl* nonimposables

B *modif* *[concert, gig, match]* de bienfaisance; *[claim]* d'allocation; *[office]* des allocations

C *vtr* (*p prés etc* **-t-**) profiter à *[person]*; être avantageux/-euse pour *[group, nation]*; être utile à *[economy, industry]*; être bon/bonne pour *[health]*; **to do sth to ~ sb** faire qch au bénéfice de qn

D *vi* (*p prés etc* **-t-**) profiter; **I will ~ the most** j'en profiterai le plus; **to ~ from** *ou* **by** tirer profit *or* profiter de; **to ~ from** *ou* **by doing** gagner à faire

(Idiom) **to give sb the ~ of the doubt** accorder le bénéfice du doute à qn

benefit: **~ association**, **~ club** *n* US société *f* de secours mutuel; **~ payment** *n* allocation *f*, prestation *f*; **~s package** *n* Mgmt avantages *mpl*

benefit tourist *n* GB fraudeur/-euse *m/f* ambulant/-e (*du système social*)

Benelux /ˈbenɪlʌks/

A *n* Bénélux *m*

B *modif* *[countries, organization]* du Bénélux

benevolence /bɪˈnevələns/ *n* 1) (kindness) bienveillance *f*; (generosity) générosité *f*; 2) (kind deed) bienfait *m*; (gift) don *m*; 3) Hist prêt *m* obligatoire (*au roi*)

benevolent /bɪˈnevələnt/ *adj* 1) *[person, smile, gesture]* bienveillant (**to, towards** envers); *[dictator, government]* éclairé; 2) (charitable) *[organization, trust, fund]* de bienfaisance

benevolently /bɪˈnevələntlɪ/ *adv* avec bienveillance

BEng *n* (*abrév* = **Bachelor of Engineering**) diplôme *m* universitaire d'ingéniérie

Bengal /beŋˈgɔːl/ *pr n* Bengale *m*

Bengali /beŋˈgɔːlɪ/ ▸ **p. 1467, p. 1378**

A *n* 1) (person) Bengali/-e *m/f*; 2) Ling bengali *m*, bengalais *m*

B *adj* 1) *[custom, food, people]* bengalais; 2) Ling bengali

Bengal: **~ light** *n* feu *m* de Bengale; **~ tiger** *n* tigre *m* du Bengale

benighted /bɪˈnaɪtɪd/ *adj* littér arriéré, primitif/-ive

benign /bɪˈnaɪn/ *adj* 1) gen *[person, smile, gesture]* bienveillant; *[climate]* doux/douce; *[conditions, circumstances]* propice; *[influence, effect]* bénéfique; 2) Med bénin/-igne

Benin /beˈniːn/ ▸ **p. 1096** *pr n* Bénin *m*

Beninese /ˌbenɪˈniːz/ ▸ **p. 1467**

A *npl* Béninois *mpl*

B *adj* béninois, du Bénin

benison‡ /ˈbenɪzn/ *n* bénédiction *f*

benny○ /ˈbenɪ/ *n* argot des drogués comprimé *m* de benzédrine

bent /bent/

A *pret, pp* ▸ **bend**

B *n* 1) (flair) dispositions *fpl* (**for** pour); (liking) goût *m*, penchant *m* (**for, towards** pour); **to have a ~ for maths** avoir des dispositions pour les maths; **to be of a studious ~** avoir du goût pour l'étude; 2) Bot = **bent grass**

C *adj* 1) *[nail, wire, stick etc]* tordu; *[old person]* (stooped) courbé; 2) **to be ~ on doing sth** vouloir à tout prix faire qch; 3) ○(corrupt) *[policeman etc]* véreux/-euse; 4) ◑(homosexual) injur **he's ~** il est pédé◑ offensive

(Idiom) **to be/to get ~ out of shape**○ US être/se mettre en rogne○

bent: **~ grass** *n* agrostis *f*; **~wood** *adj* en bois courbé

benumb /bɪˈnʌm/

A *vtr* engourdir

B **benumbed** *pp adj* lit, fig engourdi (**by** par)

Benzedrine® /ˈbenzədriːn/ *n* benzédrine *f*

benzene /ˈbenziːn/ *n* benzène *m*

benzene ring *n* noyau *m* benzénique

benzine /ˈbenziːn/ *n* benzine *f*

benzoin /ˈbenzəʊɪn/ *n* 1) Chem benzoïne *f*; 2) Bot (resin) benjoin *m*; (plant) styrax *m* (benjoin)

benzole /ˈbenzəʊl/ *n* benzol *m*

bequeath /bɪˈkwiːð/ *vtr* Jur léguer (**to** à); fig léguer, transmettre *[custom, legislation, concept etc]* (**to** à)

bequest /bɪˈkwest/ *n* Jur, fig legs *m* (**to** à)

berate /bɪˈreɪt/ *vtr* sout admonester fml, réprimander (**for** pour)

Berber /ˈbɜːbə(r)/ ▸ **p. 1378**

A *n* 1) (person) Berbère *mf*; 2) Ling berbère *m*

B *adj* berbère

berberis /ˈbɜːbərɪs/ *n* épine-vinette *f*

bereave /bɪˈriːv/ *vtr* littér 1) (*prét, pp* **bereaved**) (by death) endeuiller *[person, family]*; 2) (*prét, pp* **bereft**) (deprive) priver (**of** de)

bereaved /bɪˈriːvd/

A *n* **the ~** (+ *v pl*) la famille endeuillée

B *adj* *[person, family]* endeuillé, en deuil

bereavement /bɪˈriːvmənt/ *n* (state, event, period of mourning) deuil *m*; (sorrow) chagrin *m*

bereft /bɪˈreft/ *adj* sout 1) **~ of** privé de *[love, friendship]*; dépourvu de *[furniture, contents, ideas]*; **~ of hope** désespéré; 2) (forlorn) *[person]* abandonné

beret /ˈbereɪ, US bəˈreɪ/ *n* béret *m*

berg /bɜːg/ *n* iceberg *m*

bergamot /ˈbɜːgəmɒt/ *n* 1) (fruit) bergamote *f*; (tree) bergamotier *m*; 2) (plant) monarde *f* (fistuleuse)

bergschrund /ˈbeəkʃrʊnt/ *n* rimaye *f*

beriberi /ˌberɪˈberɪ/ ▸ **p. 1327** *n* béribéri *m*

berk◑ /bɜːk/ *n* GB péj crétin○ *m*

berkelium /bɜːˈkiːlɪəm/ *n* berkélium *m*

Berks *n* GB Post *abrév écrite* = **Berkshire**

Berkshire /ˈbɑːkʃɪə/ ▸ **p. 1612** *pr n* Berkshire *m*

berlin /bɜːˈlɪn/ *n* (carriage) berline *f*

Berlin /bɜːˈlɪn/ ▸ **p. 1815** *pr n* Berlin; **the ~ Wall** Hist le mur de Berlin

Berliner /bɜːˈlɪnə(r)/ *n* Berlinois/-e *m/f*

Bermuda /bəˈmjuːdə/ ▸ **p. 1096** *pr n* les Bermudes *fpl*; **in ~** aux Bermudes; **the ~ Triangle** le triangle des Bermudes

Bermudan /bəˈmjuːdən/ ▸ **p. 1467**

A *n* Bermudien/-ienne *m/f*

B *adj* bermudien/-ienne, des Bermudes

Bermudas /bəˈmjuːdəz/, **Bermuda shorts** *npl* bermuda *m*

Bern /bɜːn/ ▸ **p. 1815, p. 1771** *pr n* Berne; **the canton of ~** le canton de Berne

Bernese /ˈbɜːniːz/

A *n* Bernois/-e *m/f*

B *adj* bernois; **the ~ Alps** *ou* **Oberland** l'Oberland bernois

berry /ˈberɪ/ *n* baie *f*

(Idiom) **to be as brown as a ~** être tout bronzé

berserk /bəˈsɜːk/ *adj* fou furieux/folle furieuse; **to go ~** être pris/prise de folie furieuse

berth /bɜːθ/

A *n* 1) Naut, Rail (for sleeping) couchette *f*; **lower/middle/upper ~** couchette du dessous/du milieu/du dessus; **a four-~ boat** un bateau à quatre places; 2) Naut (for ship) mouillage *m*; **a safe ~** un mouillage sûr; **at ~** au mouillage; 3) ○Naut, fig (job) poste *m*

B *vtr* faire mouiller; **to be ~ed at** être mouillé à

(Idiom) **to give sb/sth a wide ~**○ éviter qn/qch

beryl /ˈberəl/ *n* béryl *m*

beryllium /bəˈrɪlɪəm/ *n* béryllium *m*

beseech /bɪˈsiːtʃ/ *vtr* (*prét, pp* **beseeched** *ou* **besought**) sout implorer *[forgiveness]*; solliciter *[favour]*; **to ~ sb to do** supplier qn de faire

beseeching /bɪˈsiːtʃɪŋ/ *adj* sout implorant, suppliant

beseechingly /bɪˈsiːtʃɪŋlɪ/ *adv* *[look]* d'un regard implorant; *[ask, write]* d'un ton implorant

beset /bɪˈset/ *vtr* (*prét, pp* **beset**) (*gén au passif*) assaillir (**with** de); Mil assiéger; **a project ~ with problems/difficulties** un projet émaillé de problèmes/difficultés; **a country ~ by strikes** un pays en proie aux grèves

besetting /bɪˈsetɪŋ/ *adj* *[fear, worry]* obsédant; **his ~ sin** son grand défaut

beside /bɪˈsaɪd/ *prep* 1) (next to) à côté de; **~ him/you** à côté de lui/de toi; **~ the sea/the road/the path** au bord de la mer/de la route/du chemin; 2) (in comparison with) par rapport à; **my problems seem rather insignificant ~ yours** mes problèmes semblent assez insignifiants par rapport aux tiens *or* à côté des tiens; 3) (apart from) = **besides B**

(Idiom) **to be ~ oneself (with anger)** être hors de soi; **to be ~ oneself (with excitement)** être surexcité; **to be ~ oneself with happiness** *ou* **joy** être fou/folle de joie

besides /bɪˈsaɪdz/

A *adv* 1) (moreover) d'ailleurs; 2) (in addition) en plus, aussi; **she has a car and a motorbike ~** elle a une voiture et une moto en plus, elle a une voiture et aussi une moto; **and much else ~** et bien d'autres choses encore; **and a few more ~s** et bien d'autres encore

B *prep* (apart from) en plus de, à part; **they need other things ~ money** ils ont besoin d'autre chose que d'argent; **~ John they're all teachers** à part John ils sont tous professeurs; **~ having a headache, I've got a temperature** à part un mal de tête, j'ai aussi de la fièvre; **~ waiting there's not a lot we can do** à part attendre, nous ne pouvons pas faire grand-chose; **~ being an artist, she also writes poetry** c'est une artiste et en plus, elle fait de la poésie; **nobody knows ~ Mary** personne n'est au courant sauf *or* à part Mary; **everyone ~ me/you** tout le monde sauf moi/toi; **~ which** d'ailleurs, de toute façon

besiege /bɪˈsiːdʒ/ *vtr* 1) Mil assiéger; 2) fig assaillir *[person]*; assiéger *[place]*; **to ~ sb with**

assaillir qn de [*questions etc*]

besmear /bɪ'smɪə(r)/ *vtr* littér **1** lit barbouiller (**with** de); **2** fig souiller

besmirch /bɪ'smɜːtʃ/ *vtr* littér vilipender liter

besotted /bɪ'sɒtɪd/ *adj* (infatuated) (with person) follement épris (**with** de); (with idea) obsédé (**with** par)

besought /bɪ'sɔːt/ *prét, pp* ▸ **beseech**

bespangled /bɪ'spæŋgld/ *adj* littér émaillé liter (**with** de)

bespatter /bɪ'spætə(r)/ *vtr* éclabousser (**with** de)

bespeak /bɪ'spiːk/ *vtr* (*prét* **bespoke**, *pp* **bespoke** *ou* **bespoken**) sout **1** (be evidence of) témoigner de; **2** (order in advance) commander [*goods*]; réserver [*room, seat*]

bespectacled /bɪ'spektəkld/ *adj* sout à lunettes

bespoke /bɪ'spəʊk/

A *prét, pp* ▸ **bespeak**

B *adj* GB [*suit, jacket*] (fait) sur mesure; [*tailor*] à façon; Comput personnalisé

bespoken /bɪ'spəʊkən/ *pp* ▸ **bespeak**

besprinkle /bɪ'sprɪŋkl/ *vtr* littér (with dew) couvrir (**with** de); (with powder, sugar etc) saupoudrer (**with** de)

Bess /bes/ *pr n* **Good Queen ~** GB Hist la bonne reine Élisabeth (Première)

best /best/

A *n* **1** (most enjoyable, pleasant) **the ~** le/la meilleur/-e *m/f*; **it's the ~ of the stories** cette histoire, c'est la meilleure; **the North will have the ~ of the weather** c'est le nord du pays qui profitera du beau temps; **I think we've had the ~ of the day** je pense que le beau temps est fini pour aujourd'hui; **to look the ~** être le mieux; **to sound the ~** avoir le meilleur son, sonner le mieux; **to taste the ~** être le/la meilleur/-e; **to smell the ~** avoir la meilleure odeur

2 (of the highest quality, standard) **the ~** le/la meilleur/-e *m/f*; **the ~ there is** le meilleur qui soit; **the ~ of its kind** le meilleur du genre; **it's not her ~** (of book, play) ce n'est pas le/la meilleur/-e qu'elle ait écrit/-e; **only the ~ is good enough for me/my son** pour moi/mon fils je veux ce qu'il y a de mieux; **only the ~ is good enough for him** seul le meilleur peut lui convenir

3 (most competent) **the ~** le/la meilleur/-e *m/f*; **she's one of the ~** c'est l'une des meilleures; **to be the ~ at** être le/la meilleur/-e en [*subject, game*]; **who's the ~ at drawing/swimming?** qui dessine/nage le mieux?

4 (most appropriate, desirable or valid) **the ~** le/la meilleur/-e *m/f*; **it's the ~ I've got** c'est le meilleur que j'aie; **it's for the ~** (recommending course of action) c'est la meilleure solution; (of something done) c'est tant mieux; **to do sth for the ~** faire qch pour le mieux; **it's not the ~ of times to do** ce n'est pas le meilleur moment pour faire

5 (most favourable) **the ~** le mieux; **the ~ we can hope for/say** le mieux qu'on puisse espérer/dire; **at ~** au mieux; **I find it difficult to do at the ~ of times** j'ai déjà du mal à le faire; **he's a difficult man at the ~ of times** déjà en temps ordinaire il est difficile à vivre; **to make the ~ of sth** s'accommoder de qch

6 (peak, height) **to be at its ~** [*wine, cheese*] être parfait; [*city, view, landscape*] être le/la plus beau/belle; **this is modern art at its ~** c'est ce que l'art moderne peut produire de mieux; **to be at one's ~** (physically, in mood) être au mieux de sa forme; **to be at one's ~ writing poetry/playing villains** exceller dans la poésie/dans les rôles de méchants; **this is Eliot at her ~** c'est Eliot dans ce qu'elle a fait de meilleur; **it was not in the ~ of taste** ce n'était pas du meilleur goût; **the ~ of friends** les meilleurs amis du monde

7 (greatest personal effort) **to do one' s ~ to do** faire de son mieux *or* faire (tout) son possible pour faire; **is that the ~ you can/the car can do?** c'est le mieux que tu puisses/que la voiture puisse faire?; **to get the ~ out of** obtenir le meilleur de [*pupil, worker*], tirer le meilleur parti de [*gadget*]

8 (virtues, qualities) **to bring out the ~ in sb** [*crisis, suffering*] inciter qn à donner le meilleur de lui-même

9 (most advantageous or pleasing part) **the ~ of it is** gen le mieux, c'est que; (most amusing) le plus beau, c'est que; **to get the ~ of** avoir la part du lion dans [*deal, bargain*]; gagner dans [*arrangement*]

10 (good clothes) **to keep sth for ~** garder *or* réserver qch pour les grandes occasions; ▸ **Sunday best**

11 (good wishes) (on an occasion) meilleurs vœux *mpl*; (friendly greeting) amitiés *fpl*; **give her my ~** transmets-lui mes meilleurs vœux *or* amitiés; **all the ~!** (good luck) bonne chance!; (cheers) à ta santé!; **all the ~, Ellie** (in letter) amitiés, Ellie; **wishing you all the ~ on your retirement** meilleurs vœux de bonheur pour votre retraite

12 (winning majority) **~ of three/five** au meilleur des trois/cinq; **to play (the) ~ of three** jouer au meilleur des trois; **it's the ~ of five** c'est au meilleur des cinq

B *adj* (*superlative of* **good**) **1** (most excellent or pleasing) meilleur; **the ~ book I've ever read/written** le meilleur livre que j'aie jamais lu/écrit; **the ~ idea she's had all day** la meilleure idée qu'elle ait eue de la journée; **the ~ hotel in town** le meilleur hôtel de la ville; **the ~ thing about sth/about doing** ce qu'il y a de mieux dans qch/lorsqu'on fait; **one of the ~ things about sth/about doing** l'un des plus grands avantages de qch/lorsqu'on fait; **to look ~** être le mieux; **to sound ~** avoir le meilleur son, sonner le mieux; **to taste ~** être le/la meilleur/-e; **to smell ~** avoir la meilleure odeur; **this wine is ~ served chilled** ce vin est parfait si on le sert frais; **she looks ~ in black** c'est en noir qu'elle est le mieux; **she speaks the ~ French** c'est elle qui parle le mieux français; **she said it in her ~ French** elle l'a dit dans son meilleur français; **in your ~ handwriting** dans ta plus belle écriture; **my ~ dress** ma plus belle robe; **my ~ sheets** mes plus beaux draps; **'~ before end May'** 'à consommer de préférence avant fin mai'

2 (most competent) [*teacher, poet*] meilleur; **the award for ~ actor** le prix du meilleur acteur; **who is the ~ swimmer?** qui nage le mieux?; **to be ~ at** être le/la meilleur/-e en [*subject, sport*]; être le/la meilleur/-e à [*instrument*]; **to be ~ at cooking** cuisiner le mieux; **the ~ mother you could wish for** la meilleure mère dont on puisse rêver; **may the ~ man win!** que le meilleur gagne!

3 (most appropriate or suitable) [*tool, example, way, time, idea*] meilleur; **these ones are ~ for cutting paper** pour couper du papier ceux-ci sont le mieux; **they're ~ for cutting paper, not fabric** c'est pour couper du papier et non pas du tissu qu'ils conviennent le mieux; **it is ~ for older children** cela convient mieux aux enfants plus âgés; **the ~ person for the job** la personne qui convient le mieux pour ce travail; **the ~ thing to do** la meilleure chose à faire; **the ~ thing would be to do, it would be ~ to do** le mieux serait de faire; **it would be ~ if he did** le mieux serait qu'il fasse

4 (most beneficial) [*exercise, food*] meilleur; **to consider what is ~ for sb** réfléchir à ce qui est le mieux pour qn

C *adv* (*superlative of* **well**) le mieux; **to behave/fit/hear ~** se comporter/aller/entendre le mieux; **the ~ fed/qualified/organized** le mieux nourri/qualifié/organisé; **the ~ organized person** la personne la mieux organisée; **the ~ prepared/equipped/loved** le plus préparé/équipé/aimé; **the ~ loved woman** la femme la plus aimée; **to like sth ~** aimer qch le mieux *or* le plus; **to like sth ~ of all** aimer qch mieux *or* plus que tout; **~ of all** mieux que tout; **he works ~ on his own** c'est seul qu'il travaille le mieux; **to do ~** réussir le mieux; **who did ~?** qui a le mieux réussi?; **to do sth as ~ one can** faire qch de son mieux; **you'd ~ do**○ tu ferais mieux de faire; **such advice is ~ ignored/followed** il vaut mieux ignorer/suivre de tels conseils; **you know ~** c'est toi le meilleur juge

D *vtr* (defeat, outdo) (in argument) avoir le dessus sur [*person*]; (in contest, struggle) battre, vaincre [*opponent*]; **to be ~ed in an argument** avoir le dessous dans une discussion

(Idioms) **to do sth with the ~ of them** faire qch avec tout un chacun; **it happens to the ~ of us** (mishap, failure) ça arrive à tout le monde; (death) c'est notre lot à tous

best: **~-before date** *n* date *f* limite de consommation; **~ boy** *n* Cin assistant/-e *m/f* du chef électricien; **~ end (of neck)** *n* carré *m* d'agneau (*entre les côtes découvertes et les côtes premières*)

best friend *n* meilleur/-e ami/-e *m/f*; **man's ~** le meilleur ami de l'homme

bestial /'bestɪəl, US 'bestʃəl/ *adj* lit, fig bestial

bestiality /ˌbestɪ'ælətɪ, US ˌbestʃɪ-/ *n* lit, fig bestialité *f*

bestiary /'bestɪərɪ, US -tɪerɪ/ *n* bestiaire *m*

bestir /bɪ'stɜː(r)/ *v refl* (*p prés etc* **-rr-**) sout **to ~ oneself** s'agiter

best-known /best'nəʊn/ *adj* le plus connu/la plus connue

best man *n* témoin *m*

bestow /bɪ'stəʊ/ *vtr* sout accorder [*honour, favour*] (**on, upon** à); conférer [*title*] (**on, upon** à); octroyer [*gift*] (**on, upon** à); prodiguer [*wealth, energy, praise*] (**on, upon** à); prêter [*attention*] (**on, upon** à)

bestowal /bɪ'stəʊəl/ *n* sout octroi *m*

bestraddle /bɪ'strædl/ *vtr* littér enfourcher [*horse, bicycle*]; être à califourchon sur [*chair*]

bestrew /bɪ'struː/ *vtr* (*prét* **bestrewed** /bɪ'struːd/, *pp* **bestrewed** *ou* **bestrewn** /bɪ'struːn/) littér joncher (**with** de)

bestseller /ˌbest'selə(r)/ *n* **1** (product) (book) bestseller *m*, livre *m* à succès; **this product is our ~** ce produit est celui qui se vend le mieux; **2** (writer) auteur *m* de bestsellers, auteur *m* à succès

best-selling /ˌbest'selɪŋ/ *adj* **1** [*car, computer, product*] le/la plus vendu/-e; **a ~ novel/romance/book** un bestseller; **2** [*writer, author, novelist*] populaire; **the ~ novelist of 1999** le romancier qui s'est vendu le plus en 1999

bet /bet/

A *n* **1** (gamble) pari *m*; **to have a ~ on a race/on a horse** parier dans une course/sur un cheval; **to place** *ou* **put** *ou* **lay a ~ on** parier *or* faire un pari sur [*horse, dog*]; miser sur [*number, colour*]; **to make a ~ that** faire le pari que; **to make a ~** parier *or* faire un pari (**with** avec); **to do sth for a ~** faire qch à la suite d'un pari; **'place your ~s!'** (in roulette) 'faites vos jeux!'; **this make of car is supposed to be a good** *ou* **safe ~** cette marque de voiture devrait être une valeur sûre; **your best ~ is to take the motorway** le mieux pour toi est de prendre l'autoroute; **2** (guess) **my ~ is that** moi je pense que; **3** (stake) gen pari *m*; (in casino) mise *f*

B *vtr* (*p prés etc* **-tt-**; *prét, pp* **bet** *ou* **~ted**) gen parier (**on** sur); (in gambling) parier, miser; **to ~ that** parier que; **I bet you 100 dollars (that) I win** je te parie 100 dollars que je gagne; **you can ~ your ass**◑ *ou* **your life** *ou* **your boots**○ *ou* **your bottom dollar**○ **(that)** tu peux parier tout ce que tu veux *or* ta chemise que; **bet you can/can't!** (between children) chiche!

C *vi* (*p prés etc* **-tt-**; *prét, pp* **bet** *ou* **~ted**) gen parier (**on** sur) gen parier; (in casino) miser; **to ~ on a horse** parier *or* miser sur un cheval; **to ~ on a race** jouer *or* parier dans une course; **to ~ on sth happening** parier que qch va se produire; **something will go wrong, you can ~ on it** il y a forcément quelque

b

chose qui va aller de travers, tu peux en être sûr; **I'm willing to ~ on it!** j'en mettrais ma tête à couper!; **I wouldn't ~ on it!** je n'y compterais pas trop!; **I'll ~!** (in agreement) ça se comprend!; (ironically) ben voyons○!; **you bet!** tu parles!, et comment!

beta /ˈbiːtə, US ˈbeɪtə/ *n* béta *m*

beta: **~-blocker** *n* bétabloquant *m*; **~-blocking** *adj* bétabloquant; **~ globulin** *n* béta-globuline *f*

betake /bɪˈteɪk/ *v refl* (*prét* **betook**, *pp* **betaken**) **to ~ oneself** s'en aller (**to** à)

beta: **~ particle** *n* particule *f* béta; **~ ray** *n* rayon *m* béta

betcha○ /ˈbetʃə/ *excl* je te parie; **you ~!** US tu parles○!, et comment○!

betel /ˈbiːtl/ *n* bétel *m*

betel nut *n* noix *f* d'arec *or* de bétel

bethink‡ /bɪˈθɪŋk/ *v refl* (*prét*, *pp* **-thought**) **to ~ oneself of sth** considérer qch

Bethlehem /ˈbeθlɪhem/ ▸ **p. 1815** *pr n* Bethléem

betide‡ /bɪˈtaɪd/ *vtr*, *vi* advenir

betimes‡ /bɪˈtaɪmz/ *adv* de bonne heure

betoken /bɪˈtəʊkən/ *vtr* sout **[1]** (show) indiquer; **[2]** (presage) laisser présager

betook /bɪˈtʊk/ *prét* ▸ **betake**

betray /bɪˈtreɪ/

A *vtr* **[1]** (be false to) trahir [*country, feelings, interests, person, secret, trust*]; tromper [*lover*]; manquer à [*promise*]; **to feel ~ed** se sentir trahi; **[2]** (reveal) révéler [*characteristic, interest, nature*]; trahir [*curiosity, presence*]; montrer [*emotion*]

B *v refl* **to ~ oneself** se trahir

betrayal /bɪˈtreɪəl/ *n* (of country, ideal, person) trahison *f*; (of secret, plan) révélation *f*; (of fear, intention) manifestation *f*; (of facts, truth) divulgation *f*; **~ of trust** abus *m* de confiance; **a sense of ~** le sentiment d'avoir été trahi

betroth‡ /bɪˈtrəʊð/ *vtr* fiancer (**to** à)

betrothal‡ /bɪˈtrəʊðl/ *n* fiançailles *fpl* (**to** avec)

betrothed‡ /bɪˈtrəʊðd/

A *n inv* (*pl* **~**) fiancé/-e *m/f*

B *adj* **to be ~** être fiancé; **the ~ couple** les fiancés

better¹ /ˈbetə(r)/

> ⚠ When *better* is used as an adjective it is translated by *meilleur* or *mieux* depending on the context (see below, and note that *meilleur* is the comparative form of *bon*, *mieux* the comparative form of *bien*). The choice between *meilleur* and *mieux* in the construction *to be better than* depends on whether *bon* or *bien* would be used originally with the noun. Other constructions translate as follows: *this is a better bag/car* = ce sac/cette voiture est mieux; *it is better to do* = il vaut mieux faire *or* il est mieux de faire.
> As an adverb, *better* can almost always be translated by *mieux*. For more examples and particular usages, see the entry below.

A *n* **[1]** (something preferable, more excellent) **the ~** le/la meilleur/-e *m/f*; **much** *ou* **by far the ~ of the two** de loin le/la meilleur/-e des deux

[2] (more desirable state of affairs) **to deserve/expect/hope for ~** mériter/attendre/espérer mieux; **so much the ~, all the ~** tant mieux; **a change** *ou* **turn for the ~** une amélioration; **to change** *ou* **take a turn for the ~** s'améliorer; **the weather changed, and not for the ~** le temps a changé, et pas en mieux

[3] (superior person) **one's ~s** ses supérieurs *mfpl*

B *adj* (*comparative of* **good**) **[1]** (more pleasing, satisfactory) [*weather, day, news, joke, forecast, review, salary, price, range*] meilleur; [*party, game, book, film, activity*] mieux; **playing is ~ than watching** jouer, c'est mieux que de regarder; **to get ~** s'améliorer; **the weather is no ~** le temps n'est pas meilleur *or* ne s'est pas amélioré; **things are getting ~** ça va mieux; **'good news?'—'it couldn't be ~!'** 'bonnes nouvelles?'—'on ne peut meilleures!'; **to look/sound ~** être/sonner mieux; **to taste/smell ~** être/sentir meilleur, avoir un/-e meilleur/-e goût/odeur; **it would taste all the ~ for some salt** ce serait meilleur avec du sel; **it looked all the ~ for it** cela n'en était que mieux; **that's ~!** voilà qui est mieux!

[2] (well, recovered) **to be ~** [*patient, cold, headache*] aller mieux; **to feel all the ~ for** se sentir mieux après [*rest, meal*]; **~ than I/it was** mieux qu'avant

[3] (happier) [*mood*] meilleur; **to feel ~** se sentir mieux; **I'd feel ~ if you did/didn't do** je me sentirais mieux si tu faisais/ne faisais pas; **if it makes you feel any ~** (less worried or awkward) si ça t'aide à te sentir mieux; (less sad) si ça peut te consoler; **to feel ~ about doing** (less nervous) se sentir à même de faire; (less worried, guilty) avoir moins de scrupules à faire

[4] (of superior quality, class) [*food, result, film, book, quality*] meilleur; [*car, carpet, district, family*] mieux; [*land, school, hotel*] meilleur, mieux; [*coat, shoes, furniture*] de meilleure qualité; **one of the ~ schools** une des meilleures écoles; **he went to a ~ school than I did** *ou* **than me** il est allé dans une école meilleure que la mienne

[5] (more virtuous, commendable) [*person*] mieux; [*life, influence, nature*] meilleur; **to be a ~ man/woman than** être mieux que; **you're a ~ man than I am!** tu es mieux que moi!; **to be no ~ than sb** ne pas être mieux que qn; **to be no ~ than a thief** être un voleur ni plus ni moins

[6] (more skilled) [*doctor, actor, teacher*] meilleur; **to be a ~ poet than sb** être meilleur poète que qn; **to be a ~ swimmer than sb** nager mieux que qn; **to be a ~ singer than dancer** chanter mieux que l'on ne danse; **to be a ~ father than husband** être meilleur père que mari; **to be ~ at** être meilleur en [*subject, sport*]; **to be ~ at doing** faire mieux; **he's no ~ at driving than she is** *ou* **than her** il ne conduit pas mieux qu'elle

[7] (more suitable, valid, appropriate) [*tune, tool, way, word, idea, example, reason, excuse, choice*] meilleur; **to be ~ for** être meilleur pour [*purpose, task*]; **to be ~ for doing** être mieux pour faire; **to be ~ than nothing** être mieux que rien; **~ a part-time job than no job** mieux vaut un travail à mi-temps que pas de travail; **the bigger/sooner the ~** le plus grand/vite possible; **the faster you work the ~** plus tu travailles vite, mieux ça vaudra; **the less said about that the ~** mieux vaut ne pas parler de ça; **who ~ to play the part?** qui mieux pourrait jouer le rôle?; **where/how ~ to do...?** quel meilleur endroit/moyen pour faire...?

[8] (more beneficial) [*exercise, food*] meilleur; **swimming is ~ for you than running** nager est meilleur pour la santé que courir

[9] (more accurate) [*description, recollection, view, understanding*] meilleur; **in order to get a ~ look** pour mieux voir; **to be a ~ likeness** être plus ressemblant

C *adv* (*comparative of* **well**) **[1]** (more adequately or excellently) mieux; **to fit/behave ~ than** aller/se comporter mieux que; **~ made/organized than** mieux fait/organisé que; **to think ~ of sb** avoir une meilleure opinion de qn; **~ behaved/educated** plus sage/cultivé; **to be ~ tempered/mannered** avoir meilleur caractère/de meilleures manières; **to do ~** (in career, life) réussir mieux; (in exam, essay) faire mieux; (in health) aller mieux; **'could do ~'** 'pourrait *or* peut mieux faire'; **the ~ to see/hear** pour mieux voir/entendre; **the more she talked, the ~ I understood** plus elle parlait, mieux je comprenais

[2] (more advisably or appropriately) mieux; **it couldn't have been ~ timed** ça n'aurait pu mieux tomber; **the money would be ~ spent on** il vaudrait mieux dépenser l'argent en; **he is ~ left alone** il vaut mieux le laisser seul; **you would be ~ advised to do** tu serais mieux avisé de faire; **you would do ~ to do** tu ferais mieux de faire; **you had ~ do, you'd ~ do** (advising) tu ferais mieux de faire; (warning) tu as intérêt à faire; **I'd ~ go** je ferais mieux de m'en aller; **'will she come?'—'she'd ~!** *ou* **she ~**○**!'** 'est-ce qu'elle viendra?'—'elle a intérêt!'; **'will it be open?'—'it had ~ be!** *ou* **it ~ had be!** *ou* **it ~ be**○**!'** 'est-ce que ça sera ouvert?'—'il y a intérêt!'; **'more cake?'—'I'd ~ not'** 'encore du gâteau?'—'non merci'; **'shall I come?'—'~ not'** 'est-ce que je viens?'—'il vaut mieux pas'; **~ still,... ou mieux,...**

D *vtr* **[1]** (surpass) améliorer [*score, one's performance, achievement*]; faire mieux que [*rival's performance, achievement*]; **to ~ sb's offer** offrir un meilleur prix que qn

[2] (improve) améliorer [*condition, quality*]

E *v refl* **to ~ oneself** améliorer sa condition

(Idioms) **for ~ (or) for worse** gen advienne que pourra; (in wedding vow) pour le meilleur et pour le pire; **to get the ~ of** [*person*] triompher de, vaincre [*enemy, opponent, problem*]; **his curiosity got the ~ of him** sa curiosité a pris le dessus; **the problem got the ~ of her** le problème l'a dépassée; **to go one ~** faire encore mieux (**than** que); **to think ~ of it** changer d'avis

better² /ˈbetə(r)/ *n* parieur/-ieuse *m/f*

betterment /ˈbetəmənt/ *n* sout **[1]** gen amélioration *f*; **[2]** Jur plus-value *f*

better off /ˌbetərˈɒf/

A *n* **the better-off** (+ *v pl*) les riches *mpl*

B *adj* **[1]** (more wealthy) plus riche (**than** que); **their better-off neighbours** leurs voisins plus riches; **I was ~ then** j'avais plus d'argent à l'époque; **[2]** (having more) **to be ~ for** avoir plus de [*space, books, boyfriends*] (**than** que); **[3]** (in a better situation) mieux; **you'd be ~ in hospital** tu serais mieux à l'hôpital; **you'd have been ~ doing** tu aurais mieux fait de faire; **you're ~ as you are** tu es mieux comme tu es; **you're ~ without him** tu es mieux sans lui

betting /ˈbetɪŋ/ *n* **[1]** (activity) paris *mpl*; **[2]** (odds) côte *f*; **[3]** (likelihood) **what's the ~ that...?** quelles sont les chances que...? (+ *subj*); **the ~ is (that) she'll win** tout laisse à penser qu'elle va gagner

betting: **~ shop** *n* GB bureau *m* de paris; **~ slip** *n* bulletin *m* de pari individuel; **~ tax** *n* impôt *m* sur les paris

bettor /ˈbetə(r)/ *n* US parieur/-ieuse *m/f*

between /bɪˈtwiːn/

> ⚠ When *between* is used as a preposition expressing physical location (*between the lines*), time (*between 8 am and 11 am*), position in a range (*between 30 and 40 kilometres*), relationship (*link between, difference between*) it is translated by *entre*. For particular usages, see the entry below.

A *prep* **[1]** (in space) entre; **there is a wall ~ the two gardens** il y a un mur entre les deux jardins; **there are no stops ~ this station and Paris** il n'y a pas d'arrêt entre cette gare et Paris, cette gare est le dernier arrêt avant Paris

[2] (in time) entre; **~ meals** entre les repas; **~ the ages of 12 and 18** entre l'âge de 12 et 18 ans; **~ now and next year** d'ici l'année prochaine

[3] (on a scale or range) entre; **it costs ~ £10 and £20** cela coûte entre dix et vingt livres sterling; **it's ~ 50 and 60 kilometres away** c'est à environ 50 ou 60 kilomètres d'ici

[4] (to and from) entre; **flights ~ London and Amsterdam** les vols entre Londres et Amsterdam; **the train that goes ~ London and Brighton** le train qui va de Londres à Brighton *or* qui assure la liaison Londres-Brighton

[5] (indicating connection or relationship) entre; **the**

link ~ smoking and cancer le lien entre le tabagisme et le cancer; **what's the difference ~ the two?** quelle est la différence entre les deux?; **you must settle it ~ yourselves** il faut que vous le régliez entre vous; **nothing now stands ~ us and success** rien ne peut plus faire obstacle à notre réussite maintenant; **we mustn't allow this to come ~ us** il ne faut pas que cela crée des problèmes entre nous; **it's something ~ a novel and an autobiography** cela tient à la fois du roman et de l'autobiographie
6 (indicating sharing, division) entre; **the estate was divided ~ them** les biens ont été divisés entre eux; **they drank the whole bottle ~ (the two of) them** à eux deux, ils ont bu toute la bouteille; **they had only one suitcase ~ (the three of) them** ils n'avaient qu'une seule valise pour trois; **~ ourselves, ~ you and me (and the gatepost)** entre nous
7 (together, in combination) **the couples have seventeen children ~ them** à eux tous, les couples ont dix-sept enfants; **~ them, they collected £200** en tout, ils ont réuni 200 livres sterling; **they wrote the article ~ them** (two people) ils se sont mis à deux pour écrire l'article; (more than two) ils se sont mis à plusieurs pour écrire l'article; **~ (the two of) us, we earn £30,000 a year** à nous deux nous gagnons 30 000 livres sterling par an; **~ housework, minding the children and studying, I never have any time to myself** entre le ménage, les enfants et les études, je n'ai pas une minute à moi
B *adv* (also **in ~**) 1 (in space) au milieu, entre les deux; (in time) dans l'intervalle, entre les deux; **the two main roads and the streets (in) ~** les deux rues principales et les petites rues situées entre elles *or* et les petites rues au milieu; **she spent four years at university and two years training, with a year off (in) ~** elle a passé quatre ans à l'université et deux ans en formation, avec une année sabbatique entre les deux; **neither red nor orange but somewhere (in) ~** ni rouge ni orange mais entre les deux

betweentimes, betweenwhiles /bɪ'twi:ntaɪmz, bɪ'twi:nwaɪlz, US -hwaɪlz/ *adv* entre-temps

betwixt /bɪ'twɪkst/
A *adv* **~ and between** entre les deux
B *prep* littér entre

bevel /'bevl/
A *n* 1 (edge) biseau *m*; (larger) surface *f* oblique; 2 (tool) fausse équerre *f*, sauterelle *f*
B *vtr* tailler [qch] en biseau [*mirror, edge*]

bevel: **~ edge** *n* biseau *m*; **~ gear** *n* engrenage *m* conique *ou* d'angle; **~led mirror** *n* glace *f* biseautée; **~ square** *n* fausse équerre *f*, sauterelle *f*

beverage /'bevərɪdʒ/ *n* boisson *f*, breuvage *m* liter *or* hum

bevvy○ /'bevɪ/ GB dial coup○ *m* (*à boire*)

bevy /'bevɪ/ *n* 1 fig (of girls, critics, experts) groupe *m*; 2 (of quails) volée *f*

bewail /bɪ'weɪl/ *vtr* pleurer [*lack, loss etc*]

beware /bɪ'weə(r)/
A *excl* prenez garde!, attention!
B *vi* 1 gen se méfier (**of** de); **to ~ of doing** faire attention à ne pas faire, se garder de faire fml; **you must ~ of losing your wallet** vous devriez faire attention à ne pas perdre votre portefeuille; **you had better ~** tu ferais mieux de te méfier; **~ lest you be deceived** littér prenez garde à ne pas vous laisser berner; 2 (on sign) **~ of** attention à; **'~ of pickpockets'** 'attention aux pickpockets'; **'~ of the dog'** 'attention chien méchant'; **'~ of falling rocks'** 'attention, chute de pierres'

bewilder /bɪ'wɪldə(r)/ *vtr* déconcerter (**with sth** avec qch; **by doing** en faisant)

bewildered /bɪ'wɪldəd/ *adj* [*person*] déconcerté (**at, by** par); [*look, curiosity*] perplexe

bewildering /bɪ'wɪldərɪŋ/ *adj* déconcertant

bewilderingly /bɪ'wɪldərɪŋlɪ/ *adv* **~ complex/imprecise** d'une complexité/d'une imprécision déconcertante

bewilderment /bɪ'wɪldəmənt/ *n* stupéfaction *f*; **to her ~** à sa stupéfaction

bewitch /bɪ'wɪtʃ/
A *vtr* 1 fig (attract) subjuguer; 2 (cast spell on) jeter un sort à
B **bewitched** *pp adj* subjugué (**by** par)

bewitching /bɪ'wɪtʃɪŋ/ *adj* ensorcelant

bewitchingly /bɪ'wɪtʃɪŋlɪ/ *adv* [*smile, dance*] de façon ensorcelante; **~ beautiful** d'une beauté ensorcelante

beyond /bɪ'jɒnd/

> ⚠ *Beyond* is often used with a noun to produce expressions like *beyond doubt, beyond a joke, beyond the grasp of, beyond the bounds of etc.* For translations of these and similar expressions where *beyond* means *outside the range of*, consult the appropriate noun entry (**doubt, joke, grasp, bounds** etc). See also **A 3** below.

A *prep* 1 (on the far side of) au-delà de [*border, city limits, region, mountain range*]; **~ the city walls** (but close) de l'autre côté des murs de la ville; (covering greater distance) au-delà des murs de la ville; **just ~ the tower** juste derrière la tour; **the countries ~ the Atlantic** les pays d'outre-atlantique
2 (after a certain point in time) au-delà de; **~ 1998** au-delà de 1998; **well ~ midnight** bien au-delà de minuit; **~ the age of 11** au-delà de 11 ans; **to work ~ retirement age** travailler au-delà de l'âge de la retraite; **to go ~ a deadline** dépasser un délai
3 (outside the range of) **~ one's means/resources/strength** au-dessus de ses moyens/ressources/forces; **~ all hope/expectation** au-delà de toute espérance/attente; **~ one's control** hors de son contrôle; **driven ~ endurance** poussé à bout; **he is ~ help** on ne peut rien faire pour lui; **to be wise ~ one's years** être très mûr pour son âge
4 (further than) au-delà de; **to look ~ sth** voir au-delà de qch; **the world must look ~ the Gulf crisis** le monde devrait voir au-delà de la guerre du Golfe; **to move ~ sth** passer outre qch; **to go** *ou* **get ~ sth** aller au-delà de qch; **to go ~ being** être bien plus que; **it won't go ~ these four walls** fig ça restera entre nous
5 (too much for, above) **to be ~ sb's ability** *ou* **competence** [*task, activity*] être au-dessus des capacités de qn; **it's ~ my comprehension!** ça me dépasse!; **to be ~ sb** [*activity, task, subject*] dépasser qn; **it's ~ me!** ça me dépasse!; **why they care is ~ me** ça me dépasse que ça les préoccupe (*subj*) autant; **it's ~ me how she manages** je ne sais pas comment elle s'en sort—ça me dépasse; **it's not ~ him to make the dinner!** iron il est quand même capable de préparer le repas!
6 (other than) en dehors de, à part; **we know little about it ~ the fact that** nous savons très peu de choses là-dessus en dehors du fait que *or* à part que; **~ that there's not much one can do** en dehors de cela il n'y a pas grand-chose à faire; **he gets nothing ~ the basic salary** on ne lui donne rien de plus que le salaire de base
B *adv* 1 (expressing location: further on) **in the room ~** dans la pièce d'après; **~ there was a garden** plus loin il y avait un jardin; **the canal and the trees ~** le canal et les arbres de l'autre côté; **an island in the bay ~** une île au loin dans la baie; **as far as London and ~** jusqu'à Londres et au-delà
2 (expressing time) au-delà; **up to the year 2000 and ~** jusqu'à l'an 2000 et au-delà; **healthcare during pregnancy and ~** les précautions de santé pendant la grossesse et au-delà
C *conj* à part (+ *infinitive*); **there was little I could do ~ reassuring him that** je ne pouvais pas faire grand-chose à part le rassurer en lui disant que
D *n* **the ~** l'au-delà *m*
(Idioms) **to be in the back of ~** [*house, farm*] être au bout du monde; **to live in the back of ~** vivre dans un trou perdu○

bezant /'beznt/ *n* Archit, Herald besant *m*

bezel /'bezl/ *n* 1 (of tool) biseau *m*; 2 (of gem) facette *f*, biseau *m* spec; 3 (mount for gem) chaton *m*

bezique /bɪ'zi:k/ ▸ **p. 1253** *n* bésigue *m*

b/f, **B/F** *abrév écrite* = **brought forward**

B film, **B movie** *n* film *m* de série B

BFPO *n* (*abrév* = **British Forces Post Office**) secteur *m* postal (des forces armées britanniques)

BGC *n*: *abrév* ▸ **Bank Giro Credit**

B-girl○ *n* US entraîneuse *f*

bhangra /'bɑ:ŋgrə(r)/ *n* Mus bhangra *m*

Bhutan /bu:'tɑ:n/ ▸ **p. 1096** *pr n* Bhoutan *m*

Biafra /bɪ'æfrə/ *pr n* Hist Biafra *m*

Biafran /bɪ'æfrn/ Hist
A *n* Biafrais/-e *m/f*
B *adj* biafrais, du Biafra

biannual /baɪ'ænjʊəl/ *adj* bisannuel/-elle

bias /'baɪəs/
A *n* (*pl* **-es**) 1 (prejudice) parti *m* pris (**on the part of** de la part de); **to display ~** faire preuve de parti pris; **political/media ~** parti pris politique/dans les médias; 2 (active discrimination) discrimination *f* (**against** envers); **racial/sexual ~** discrimination raciale/sexuelle; 3 (tendency) tendance *f* (**in favour of, towards** pour); **an American ~** une tendance pro-américaine; **a female ~** un préjugé favorable envers les femmes; **a left-wing ~** une tendance de gauche; 4 Sewing biais *m*; **on the ~** dans le biais; 5 Stat distorsion *f*; 6 (of steering, bowl) déviation *f*
B *vtr* (*p prés etc* **-s-** *ou* **-ss-**) influer sur [*person, decision, result*]; **to ~ sb against/in favour of** prévenir qn contre/en faveur de

bias binding, **bias tape** US *n* Sewing (ruban *m* de) biais *m*

biased, **biassed** /'baɪəst/ *adj* [*decision, judge, opinion*] partial; [*system, report*] manquant d'objectivité (*after n*); **this report is ~** ce reportage manque d'objectivité; **a politically ~ comment** un commentaire politiquement tendancieux; **he's politically ~** il a des partis *mpl* pris politiques; **to be ~ against/in favour of** avoir un préjugé défavorable/favorable envers

bias ply tyre GB, **bias ply tire** US *n* pneu *m* croisé ceinturé

bib /bɪb/ *n* 1 (baby's) bavoir *m*; 2 (of apron, dungarees) bavette *f*

Bible /'baɪbl/
A *n* Bible *f*; **it's his ~** fig c'est sa bible
B *modif* [*reading, study*] de la Bible

Bible: **~ basher**○ *n* péj évangéliste *mf* à tous crins; **~ Belt** *n*: *région du sud des États-Unis caracterisée par son fondamentalisme*; **~ puncher**○, **~ thumper**○ *n* péj = **Bible basher**

biblical /'bɪblɪkl/ *adj* biblique

bibliographer /ˌbɪblɪ'ɒgrəfər/ ▸ **p. 1683** *n* bibliographe *mf*

bibliographic(al) /ˌbɪblɪə'græfɪk(l)/ *adj* bibliographique

bibliography /ˌbɪblɪ'ɒgrəfɪ/ *n* bibliographie *f*

bibliophile /'bɪblɪəfaɪl/ *n* bibliophile *mf*

bibulous /'bɪbjʊləs/ *adj* sout *ou* hum éthylique

bicameral /ˌbaɪ'kæmərəl/ *adj* bicaméral

bicameral legislature *n* (body) corps *m* législatif bicaméral; (system) bicamérisme *m*

bicarbonate /ˌbaɪ'kɑ:bənət/ *n* bicarbonate *m*

bicarbonate of soda *n* bicarbonate *m* de soude

b

bicentenary /ˌbaɪsenˈtiːnərɪ, US -ˈsentənerɪ/, **bicentennial** /ˌbaɪsenˈtenɪəl/
A n bicentenaire *m* (**of** de)
B *modif* [*celebration, festival, year*] du bicentenaire

bicephalous /ˌbaɪˈsefələs/ *adj* bicéphale

biceps /ˈbaɪseps/ *n* (*pl* ~) biceps *m*

bichloride /ˌbaɪˈklɔːraɪd/ *n* = **dichloride**

bichromate /ˌbaɪˈkrəʊmeɪt/ *n* = **dichromate**

bicker /ˈbɪkə(r)/ *vi* se chamailler (**about, over** au sujet de; **with** avec)

bickering /ˈbɪkərɪŋ/ *n* chamailleries *fpl*; **constant** ~ éternelles querelles *fpl or* chamailleries

bicuspid /ˌbaɪˈkʌspɪd/
A *n* prémolaire *f*
B (*also* **bicuspidate**) *adj* bicuspide

bicycle /ˈbaɪsɪkl/
A *n* bicyclette *f*, vélo○ *m*; **on a/by** ~ à bicyclette; **to ride a** ~ faire de la bicyclette; **to fall off a** *ou* **one's** ~ tomber de bicyclette; **to get on/off a** ~ monter à/descendre de vélo
B *modif* [*clip, pump, ride, shed, tour*] à bicyclette; [*bell, chain, lamp, wheel*] de bicyclette; [*hire, repair*] de bicyclettes
C *vi* aller à bicyclette

bicycle: ~ **lane** *n* piste *f* cyclable; ~ **messenger** *n* coursier/-ière *m/f* à vélo; ~ **race** *n* course *f* cycliste; ~ **rack** *n* (in yard) parc *m* à bicyclettes; (on car) galerie *f*; ~ **track** *n* piste *f* cyclable

bid /bɪd/
A *n* **1** (at auction) enchère *f* (**for** sur; **of** de); **the opening/closing** ~ la première/dernière enchère; **to make a** ~ **for sth** mettre une enchère sur qch; **to raise one's** ~ **by £200** surenchérir de 200 livres sterling; **2** (for contract) soumission *f* (**for** pour; **of** de); (for company) offre *f* (**for** pour; **of** de); **to make a** ~ **for a building contract** soumissionner *or* faire une soumission pour un contrat de construction; **3** (attempt) tentative *f* (**to do** pour faire); **escape/suicide** ~ tentative *f* d'évasion/de suicide; **in a** ~ **to do** afin de faire; **to make a** ~ **for power/the presidency** tenter d'accéder au pouvoir/à la présidence; **4** (in Bridge) (first) annonce *f*; (subsequent) enchère *f*; **to make a** ~ faire une annonce *or* enchère; **it's your** ~ c'est à toi de déclarer; **no** ~ je passe
B *vtr* (*p prés* **-dd-**; *prét* **bade** *ou* **bid**; *pp* **bidden** *ou* **bid**) **1** Comm, Fin offrir [*money*] (**for** pour); **what am I bid for this painting?** à combien est-ce que j'estime ce tableau?; **2** (say) **to** ~ **sb good morning/goodbye** dire bonjour/au revoir à qn; **to** ~ **sb farewell** faire ses adieux à qn; **to** ~ **sb welcome** souhaiter la bienvenue à qn; **3** †(command) **to** ~ **sb to do** ordonner à qn de faire; **do as you are bid** fais ce qu'on te dit; **4** ‡(ask) **to** ~ **sb to do** inviter qn à faire; **5** (in Bridge) annoncer
C *vi* (*p prés* **-dd-**; *prét* **bade** *ou* **bid**; *pp* **bidden** *ou* **bid**) **1** Comm, Fin (at auction) mettre une enchère, enchérir (**for** sur); (for contract) soumissionner (**for** pour); (for company) faire une offre (**for** pour); **to** ~ **against sb in an auction** renchérir sur qn dans une vente aux enchères; **five other companies are** ~**ding against us for the contract** cinq autres sociétés font des offres pour le contrat; **2** (in Bridge) faire une annonce, parler

(Phrasal verb) ■ **bid up**: ▸ ~ **[sth] up** faire monter [*price*]

bid bond *n* Fin *caution de participation à une adjudication internationale*

biddable /ˈbɪdəbl/ *adj* **1** (obedient) docile; **2** (in Bridge) [*hand, suit*] demandable

bidden /ˈbɪdn/ *pp* ▸ **bid**

bidder /ˈbɪdə(r)/ *n* **1** (at auction) enchérisseur/-euse *m/f* (**for** pour); **to go to the highest** ~ être adjugé au plus offrant; **successful** ~ adjudicataire *mf*; **2** Comm (for contract) soumissionnaire *m* (**for** pour); (for land, property) acheteur/-euse *m/f* potentiel/-ielle (**for** de); **they are** ~**s for the company** ils font une offre d'achat pour l'entreprise; **3** (in Bridge) demandeur *m*

bidding /ˈbɪdɪŋ/ *n* **1** ₵ (at auction) enchères *fpl*; **the** ~ **opened at £1 million** les enchères ont commencé à un million de livres; **the** ~ **closed at £50,000** l'adjudication s'est faite à 50 000 livres sterling; **2** (command) **he did my** ~ il a fait ce que je lui ai dit; **he did it at my** ~ il l'a fait sur mon ordre; **she needed no second** ~ on n'a pas eu à le lui dire deux fois; **3** ₵ (in Bridge) annonces *fpl*

bidding: ~ **group** *n* groupe *m* acheteur potentiel; ~ **prayer** *n* Relig intention *f* de prière; ~ **war** *n* lutte *f* de surenchères

biddy○ /ˈbɪdɪ/ *n* **an old** ~ une vieille bonne femme

bide /baɪd/ *vi* ‡ *ou* GB dial demeurer†
(Idiom) **to** ~ **one's time** attendre le bon moment

bidet /ˈbiːdeɪ, US biːˈdeɪ/ *n* bidet *m*

bidirectional /ˌbaɪdɪˈrekʃənl, -daɪ-/ *adj* bidirectionnel

bid price *n* Fin cours *m or* prix *m* acheteur, prix *m* offert

biennial /baɪˈenɪəl/
A *n* **1** (plant) plante *f* bisannuelle; **2** (event) biennale *f*
B *adj* [*event*] biennal; [*plant*] bisannuel/-elle

bier /bɪə(r)/ *n* (coffin) bière *f*; (stand) catafalque *m*

biff○ /bɪf/
A *n* beigne◑ *f*
B *excl* vlan!
C *vtr* flanquer○ une beigne◑ à

bifocal /baɪˈfəʊkl/ *adj* [*lens*] bifocal

bifocals /baɪˈfəʊklz/ *npl* verres *mpl* à double foyer, verres *mpl* bifocaux spec

bifurcate /ˈbaɪfəkeɪt/ *vi* sout bifurquer

bifurcation /ˌbaɪfəˈkeɪʃn/ *n* sout bifurcation *f*

big /bɪg/ *adj* **1** (in build) (tall) grand (*before n*); (strong) grand et fort, costaud○; euph (heavy) fort; **to get** ~**(ger)** (taller) grandir; (fatter) grossir; (in pregnancy) s'arrondir; **2** (in size) [*bed, room, building, garden, lake, town*] grand (*before n*); [*animal, car, boat, parcel, box*] gros/grosse (*before n*), grand (*before n*); **a** ~ **book** (thick) un gros livre; (large-format) un grand livre; **to have** ~ **hands/**~ **feet** avoir de grandes mains/de grands pieds; **in** ~ **letters** en grosses lettres; **3** (in age) grand (*before n*); **his** ~ **brother** son grand frère, son frère aîné; **the** ~ **boys** les grands; **you're a** ~ **girl** tu es une grande fille; **you're** ~ **enough to know that** tu es assez grand pour savoir que; **4** (in extent) [*family, crowd, class, party*] grand (*before n*); [*collection, organization, company*] gros/grosse (*before n*), grand (*before n*); [*meal*] copieux/-ieuse; **to be a** ~ **eater** manger beaucoup; **5** (important) [*question, problem, decision, change, moment, event*] grand (*before n*); **it makes a** ~ **difference** ça fait une grande différence; **the extra rooms make a** ~ **difference** ça fait une grande différence d'avoir des salles en plus; **you're making a** ~ **mistake** tu es en train de faire une grave erreur; **I think we're on to something** ~○ je sens que nous allons découvrir quelque chose d'important; **this may be the start of something** ~ c'est peut-être le début de quelque chose d'important; **6** (emphatic) **you** ~ **baby!** espèce de bébé!; ~ **bully!** espèce de grande brute!; **to be** ~ **in the music business**○ être très connu dans le monde de la musique; **to be in** ~ **trouble** être dans le pétrin○; **he gave me a** ~ **smile** il m'a fait un grand sourire; **the** ~ **moment** le grand moment; **a** ~ **thank you to...** un grand merci à...; **to do sth in a** ~ **way** faire qch sur une grande échelle; **to do things in a** ~ **way** faire les choses en grand; **he fell for her in a** ~ **way** il est tombé follement amoureux d'elle; **7** ○US (enthusiastic) **to be** ~ **on** être fanatique *or* fana○ de [*activity*]; **8** (generous) [*person*] généreux/-euse; **to have a** ~ **heart** avoir bon cœur, être très généreux; **that's** ~ **of you!** iron c'est trop généreux de ta part! iron; **9** gen, Pol **the Big Four/Five** les Quatre/Cinq Grands
(Idioms) **to be** *ou* **go over** ~○ faire fureur, faire un tabac○ (**in** à, en); **to have a** ~ **head** péj avoir la grosse tête○; **to have a** ~ **mouth** ne pas savoir garder un secret; **why can't you keep your** ~ **mouth shut?** tu n'aurais pas pu la fermer○?; **to have** ~ **ideas, think** ~○ voir grand○; **what's the** ~ **idea?** qu'est-ce qui te prend?; **to look** ~ US péj se donner de l'importance, frimer○; **to make it** ~○ avoir beaucoup de succès; **to talk** ~○ fanfaronner

bigamist /ˈbɪgəmɪst/ *n* bigame *mf*

bigamous /ˈbɪgəməs/ *adj* [*person, marriage*] bigame

bigamy /ˈbɪgəmɪ/ *n* bigamie *f*

big: **Big Apple** *n* New York; ~ **band** *n* big band *m*

big bang *n* **1** Astron big bang *m*; **2** GB Fin **the** ~ le big bang (*la chute des valeurs à la Bourse de Londres en octobre 1986*)

big: **Big Ben** *n* Big Ben *m*; **Big Bertha** *n* Mil Hist la Grosse Berthe; ~**-boned** *adj* bien charpenté

Big Brother *n* Big Brother *m*, l'État *m* omniprésent; ~ **is watching you** vous êtes sous surveillance

big business *n* **1** ₵ les grandes entreprises *fpl*; **2** **to be** ~ rapporter gros

big: ~ **cat** *n* grand félin *m*; ~ **cheese**○† *n* péj huile○ *f* pej, grosse légume○ *f*; ~ **crunch** *n* Astron big crunch *m*; ~ **dipper**† *n* (at funfair) montagnes *fpl* russes; **Big Dipper** *n* US Astron Grande Ourse *f*, Grand Chariot *m*; ~ **end** *n* GB Aut tête *f* de bielle

big fish○ *n* fig gros bonnet○ *m*
(Idiom) **to be a** ~ **in a small pond** GB *ou* **sea** US briller dans un petit groupe

big: ~ **game** *n* gros gibier *m*; ~ **game hunter** *n* chasseur *m* de gros gibier; ~ **game hunting** *n* chasse *f* au gros gibier

big gun *n* **1** Mil gros canon *m*; **2** ○(important person) grand manitou○ *m*, gros bonnet○ *m*
(Idioms) **to bring out the** ~**s** sortir la grosse artillerie; **to carry** *ou* **hold the** ~**s** avoir du poids, être puissant

big: ~**head**○ *n* péj crâneur/-euse○ *m/f*; ~**headed**○ *adj* péj crâneur○/-euse, prétentieux/-ieuse; ~**headedness**○ *n* péj vantardise *f*; ~**-hearted** *adj* généreux/-euse

bight /baɪt/ *n* **1** Geog baie *f*; **2** (in rope) boucle *f*

big money○ *n* **to make** ~○ se faire un fric fou○, gagner gros; **there's** ~ **in computers**○ il y a beaucoup d'argent à faire dans les ordinateurs

bigmouth○ /ˈbɪgmaʊθ/ *n* péj **1** (indiscreet person) **he's such a** ~○**!** il ne sait pas tenir sa langue!; **2** (loudmouth) grande gueule○ *f* pej

bigmouthed○ /ˈbɪgmaʊðd/ *adj* péj grande gueule○ *inv*

big name *n* (in music, art) grand nom *m*; (in film, sport) star *f*; **to be a** ~ être connu (**in sth** dans le monde de qch)

big noise○ *n* gros bonnet○ *m*, huile○ *f* pej

bigot /ˈbɪgət/ *n* gen doctrinaire *mf*; (about religion) bigot/-e *m/f*

bigoted /ˈbɪgətɪd/ *adj* gen doctrinaire; (about religion) bigot/-te

bigotry /ˈbɪgətrɪ/ *n* gen tendances *fpl* doctrinaires; (about religion) bigoterie *f*

big: ~ **screen** *n* grand écran *m*; ~ **shot**○ *n* gros bonnet○ *m*, huile○ *f* pej; **Big Smoke**○ *n* GB hum Londres

big stick○ *n* **the** ~○ la politique du bâton; **to carry** *ou* **wield the** ~○ pratiquer la politique du bâton

big talk○ *n* ₵ fanfaronnades *fpl*; **to be full of** ~ être vantard

Big Ten *npl* US Univ dix grandes universités *fpl* du centre-ouest

big time○ /ˈbɪgtaɪm/
A *n* **the** ~○ la gloire *f*, la réussite *f*; **to make** *ou* **hit the** ~○ percer, réussir
B **big-time** *modif* [*crook*] de grande envergure; ~ **gambler** flambeur○ *m*; ~ **industrialist** gros industriel *m*

big: ~ **toe** *n* gros orteil *m*; ~ **top** *n* (tent) grand chapiteau *m*; fig (circus) cirque *m*

big wheel *n* **1** GB (at funfair) grande roue *f*; **2** ○(important person) gros bonnet○ *m*

bigwig○ /ˈbɪgwɪg/ *n* péj grosse légume○ *f*, huile○ *f* pej

bijou /ˈbiːʒuː/ *adj* [*residence, apartment*] charmant; [*boutique*] chic

bike /baɪk/
A *n* **1** (cycle) vélo *m*; **on a/by** ~ à vélo; **can you ride a** ~**?** sais-tu faire du vélo?; **to get on/off a** ~ monter à/descendre de vélo; **2** (motorbike) moto *f*
B *modif* [*light, maintenance*] de vélo; [*ride, shed*] à vélo; [*hire*] de vélos. ▸ **bicycle lane**
(Idiom) **on your** ~○**!** GB allez! du balai○!

biker○ /ˈbaɪkə(r)/ *n* motard○ *m*; ~**('s) jacket** veste *f* de moto

bikini /bɪˈkiːnɪ/ *n* bikini® *m*

bikini line *n* **to have one's** ~ **waxed** se faire faire une épilation maillot

bilabial /ˌbaɪˈleɪbɪəl/ *n, adj* bilabiale (*f*)

bilateral /ˌbaɪˈlætərəl/ *adj* gen, Sci bilatéral

bilaterally /ˌbaɪˈlætərəlɪ/ *adv* bilatéralement

bilberry /ˈbɪlbrɪ, US -berɪ/ *n* (fruit, bush) myrtille *f*

bile /baɪl/ *n* Physiol bile *f*; fig fiel *m*

bile duct *n* canal *m* biliaire

bilge /bɪldʒ/ *n* **1** Naut bouchain *m*; **2** (nonsense)○† inepties *fpl*

bilge: ~ **pump** *n* pompe *f* de cale; ~ **water** *n* eau *f* de sentine

bilharzia /ˌbɪlˈhɑːtsɪə/ ▸ **p. 1327** *n* bilharziose *f*

bilingual /ˌbaɪˈlɪŋgwəl/ *adj* bilingue; **she's** ~ **in French and German** elle est bilingue français-allemand

bilingualism /ˌbaɪˈlɪŋgwəlɪzəm/ *n* bilinguisme *m*

bilious /ˈbɪlɪəs/ *adj* **1** Med bilieux; ~ **attack**† crise *f* de foie; **2** fig [*mood*] revêche; [*colour*] nauséeux/-euse

biliousness /ˈbɪlɪəsnɪs/ *n* ¢ nausées *fpl*

bilk /bɪlk/ *vtr* **1** (swindle) escroquer [*person*] (**of, out of** de); **2** (thwart) contrecarrer; **3** (elude) se dérober à

bill /bɪl/
A *n* **1** Comm (for payment) (in restaurant) addition *f*; (for maintenance, electricity etc) facture *f*; (from hotel, doctor, dentist etc) note *f*; **electricity/gas/telephone** ~ facture *f* or note *f* d'électricité/de gaz/de téléphone; **he gave me a** ~ **for £10** il m'a donné une note *or* facture de 10 livres; **he gave me a** ~ **for repairing the car** il m'a donné une note *or* facture pour la réparation de la voiture; **he gave me a** ~ **for the work/the damage** il m'a facturé le travail/les dégâts; **to pay/settle a** ~ payer/régler une note *or* facture *or* addition; **to make out a** ~ établir une note *or* facture; **put it on the** ~**, please** mettez-le sur ma note s'il vous plaît; **2** Jur, Pol (law) (*also* **Bill**) projet *m* de loi; **Education/Employment Bill** projet *m* de loi pour l'éducation/l'emploi; **to pass/defeat a** ~ adopter/rejeter un projet de loi; **3** (poster) affiche *f*; **to be on the** ~ être à l'affiche; **to be top of the** ~**, to top the** ~ être en tête d'affiche; **'stick no** ~**s'** 'défense d'afficher'; **4** US (banknote) billet *m* (de banque); **dollar/ten dollar** ~ billet *m* d'un dollar/de dix dollars; **5** Zool (beak) bec *m*; **6** †Fin (promise to pay) billet *m* à ordre; **7** Geog (promontory) promontoire *m*
B *vtr* **1** (send demand for payment) faire une facture à [*person, company*]; **to** ~ **sb for sth** facturer qch à qn; **to** ~ **sb for doing** faire une facture à qn pour avoir fait; **he** ~**ed me for repairing the car** il m'a fait une facture pour la réparation de la voiture; **2** Theat, gen (advertise) **to be** ~**ed as...** [*event, entertainment, meeting*] être annoncé comme étant...; **the show was** ~**ed as a musical comedy** le spectacle était affiché comme étant une comédie musicale; **he is** ~**ed to appear at the Odeon/in 'Hamlet'/as Hamlet** il est à l'affiche à l'Odéon/de 'Hamlet'/dans le rôle de Hamlet
(Idioms) **to fit** *ou* **fill the** ~ faire l'affaire; **to give sb/sth a clean** ~ **of health** lit trouver qn/qch en parfait état de santé; fig blanchir qn/qch. ▸ **coo**

billboard /ˈbɪlbɔːd/ *n* panneau *m* d'affichage

billet /ˈbɪlɪt/
A *n* **1** Mil cantonnement *m*; **2** Ind billette *f*
B *vtr* cantonner [*soldier, refugee*] (**on, with** chez)

billeting officer ▸ **p. 1599** *n* Mil officier *m* responsable du cantonnement

bill: ~**fold** *n* US portefeuille *m*; ~ **hook** *n* serpe *f*

billiard /ˈbɪlɪəd/ ▸ **p. 1253**
A **billiards** *n* (+ *v sg*) billard *m*
B *modif* [*ball, cue, table*] de billard

billing /ˈbɪlɪŋ/ *n* **1** Theat (of performers) affiche *f*; **to get top** ~ tenir le haut de l'affiche; **2** Comm facturation *f*; **itemized** ~ facturation détaillée
(Idiom) ~ **and cooing** fig câlins *mpl* d'amoureux

billion /ˈbɪlɪən/ ▸ **p. 1487**
A *n* **1** (a thousand million) milliard *m*; **2** GB (a million million) billion *m*
B **billions**○ *npl* (exaggerating) des tonnes○ *fpl* (**of** de)
C *adj* **a** ~ **people** un milliard de personnes; **two** ~ **dollars** deux milliards de dollars

billionaire /ˌbɪlɪəˈneə(r)/ *n* milliardaire *mf*

bill: ~ **of exchange, BE** *n* Comm, Fin lettre *f* de change; ~ **of fare** *n* menu *m*; ~ **of lading** *n* Comm connaissement *m*

bill of rights *n* gen, Pol déclaration *f* des droits (d'un peuple); **Bill of Rights** US Hist Constitution *f* des États-Unis. ▸ **Amendment**

bill of sale *n* acte *m* de vente

billow /ˈbɪləʊ/
A *n* **1** (of smoke, steam) tourbillons *mpl*; **2** littér (sea) **the** ~**s** les flots *mpl*
B *vi* [*clouds, steam, smoke*] s'élever en tourbillons
(Phrasal verb) ■ **billow out** [*skirt, sail*] se gonfler; [*steam*] s'élever

billowy /ˈbɪləʊɪ/ *adj* littér [*smoke, clouds*] ondoyant; [*sea*] houleux/-euse

billposter, billsticker /ˈbɪlpəʊstə(r), ˈbɪlstɪkə(r)/ ▸ **p. 1683** *n* colleur *m* d'affiches

billy /ˈbɪlɪ/ *n* **1** Austral, GB (*also* ~**can**) gamelle *f*; **2** US (truncheon) matraque *f*

billy goat *n* bouc *m*

billy-o(h)○† /ˈbɪlɪəʊ/ *n* **to run like** ~ courir comme un dératé

bimbo○ /ˈbɪmbəʊ/ *n* péj (stupid woman) bécasse○ *f*; (pretty girl) minette○ *f*; (starlet) starlette○ *f*

bimetallic /ˌbaɪmɪˈtælɪk/ *adj* bimétallique

bimetallism /ˌbaɪˈmetəlɪzəm/ *n* bimétallisme *m*

bin /bɪn/
A *n* **1** GB (for rubbish) poubelle *f*; **put** *ou* **throw it in the** ~ jetez-le à la poubelle; **2** (for storage) casier *m*; (for grain) récipient *m*; Wine casier *m* (à bouteilles); **storage** ~ casier *m* de rangement
B *vtr* (*p prés etc* **-nn-**) mettre [qch] à la poubelle, jeter

binary /ˈbaɪnərɪ/ *adj* (all contexts) [*code, number, weapon*] binaire

binary: ~ **fission** *n* fission *f* binaire; ~ **star** *n* étoile *f* binaire, binaire *f*; ~ **system** *n* Math, Comput numération *f* binaire, binaire *m*

bind /baɪnd/
A ○*n* corvée *f*; **what a** ~**!** quelle corvée!; **it's a** ~ **having to...** c'est une vraie corvée de devoir...
B *vtr* (*prét, pp* **bound**) **1** (tie up) attacher [*hands, feet, bundle, parcel*]; ligoter [*person*]; panser [*wound*]; **they bound him to a post** ils l'ont attaché à un poteau; **2** (constrain) **to** ~ **sb to do** [*law, rule, contract, oath*] imposer à qn de faire; **to be bound by** [*person*] être tenu par [*law, rule, contract, oath*]; **3** (unite) (*also* ~ **together**) unir [*people, family, community*]; **the love that** ~**s him to her** l'amour qui l'unit à elle; **4** Sewing poser un biais sur [*edge*]; **5** (in bookbinding) relier [*book*] (**in** en); **6** Culin lier [*mixture*] (**with** avec)
C *vi* (*prét, pp* **bound**) (cohere) Biol, Chem [*particles*] se lier (**to** à); Culin [*mixture*] lier
D *v refl* (*prét, pp* **bound**) **to** ~ **oneself** (commit oneself) (to belief, action) s'engager (**to sth** à qch); (emotionally) se lier (**to sb** à qn)
(Idiom) **to be in a** ~○ US être dans le pétrin○
(Phrasal verbs) ■ **bind over**: ▸ ~ **[sb] over** Jur relâcher [qn] sous condition; **he was bound over to keep the peace** on l'a relâché sous condition qu'il ne récidive pas; **he was bound over to appear before the High Court** on l'a relâché sous condition pour qu'il puisse comparaître devant la cour suprême
■ **bind up**: ▸ ~ **up [sth]**, ~ **[sth] up** bander [*wound, part of body*]; attacher [*bundle*]

binder /ˈbaɪndə(r)/ *n* **1** (for papers) classeur *m*; **2** Agric lieuse *f*; **3** Constr, Ind (for cement, paint) liant *m*

binder twine *n* Agric ficelle *f* à lier

bindery /ˈbaɪndərɪ/ *n* atelier *m* de reliure

binding /ˈbaɪndɪŋ/
A *n* **1** (cover) (on book) reliure *f*; **cloth/leather** ~ reliure *f* d'étoffe/de cuir; **2** (process) (of book) reliure *f*; **3** Sewing (bias) biais *m*; (for hem, seam) extrafort *m*; **4** (on ski) fixation *f*
B *adj* [*agreement, contract, decision, duty, force, procedure, rule*] qui lie, qui engage; **you should know that the contract/rule is** ~ vous devriez savoir que le contrat/la règle vous engage *or* lie; **to be** ~ **(up)on sb** lier qn, engager qn

bindweed /ˈbaɪndwiːd/ *n* liseron *m*

bin end *n* Wine bouteille *f* fin de série

binge○ /bɪndʒ/
A *n* (overindulgence) gen frénésie *f*; (drinking) beuverie *f*; (festive eating) gueuleton○ *m*; **to go on a** ~ (celebrating) aller faire la noce; **to have a** ~ (as part of eating disorder) se bourrer de nourriture
B *vi* (*p prés* **bingeing** *ou* **binging**) se bourrer de nourriture; **to** ~ **on** se bourrer de

binge-drinking /ˌbɪndʒˈdrɪŋkɪŋ/ *n* Sociol: *habitude de consommer une quantité dangereuse de boissons alcooliques en un temps très court*

bingo /ˈbɪŋgəʊ/ ▸ **p. 1253**
A *n* bingo *m*
B *modif* [*card, game, hall*] de bingo
C *excl* (by game winner) bingo!, j'ai gagné!; gen eurêka!

bin liner *n* GB sac *m* poubelle

binnacle /ˈbɪnəkl/ *n* Naut boîte *f* à compas

binocular /bɪˈnɒkjʊlə(r)/ *adj* binoculaire

binoculars /bɪˈnɒkjʊləz/ *npl* jumelles *fpl*

binomial /ˌbaɪˈnəʊmɪəl/
A *n* Math, Biol binôme *m*
B *adj* [*distribution, coefficient*] binomial

binomial: ~ **nomenclature** *n* taxinomie *f* binomiale; ~ **theorem** *n* Math binôme *m* de Newton

bint○ /bɪnt/ *n* GB gonzesse◑ *f*

binuclear /ˌbaɪˈnjuːklɪə(r), US -ˈnuː-/ *adj* binucléaire

bioactive /ˌbaɪəʊˈæktɪv/ *adj* bioactif/-ive

biochemical /ˌbaɪəʊˈkemɪkl/ *adj* biochimique

biochemist /ˌbaɪəʊˈkemɪst/ ▸ **p. 1683** *n* biochimiste *mf*

biochemistry /ˌbaɪəʊˈkemɪstrɪ/ *n* biochimie *f*
bioclimate /ˈbaɪəʊˌklaɪmɪt/ *n* bioclimat *m*
biocomputing /ˈbaɪəʊkəmpjuːtɪŋ/ *n* bioinformatique *f*
biodegradable /ˌbaɪəʊdɪˈgreɪdəbl/ *adj* biodégradable
biodegrade /ˌbaɪəʊdɪˈgreɪd/ *vi* subir une décomposition organique; **substances which ~** des substances biodégradables
biodiesel /ˈbaɪəʊˌdiːzl/ *n* Chem biodiesel *m*
biodiversity /ˌbaɪəʊdɪˈvɜːsətɪ/ *n* diversité *f* biologique
bioengineering /ˌbaɪəʊˌendʒɪˈnɪərɪŋ/ *n* génie *m* biologique
bioethanol /ˌbaɪəʊˈeθənɒl/ *n* Chem bioéthanol *m*
bioethics /baɪəʊˈeθɪks/ *n* (+ *v sg*) bioéthique *f*
biofeedback /ˌbaɪəʊˈfiːdbæk/ *n* bio-feedback *m*
biofuel /ˈbaɪəʊfjʊəl/ *n* biocarburant *m*
biogenesis /ˌbaɪəʊˈdʒenəsɪs/ *n* biogenèse *f*
biographer /baɪˈɒgrəfə(r)/ ▸ **p. 1683** *n* biographe *mf*
biographical /ˌbaɪəˈgræfɪkl/ *adj* biographique
biography /baɪˈɒgrəfɪ/ *n* biographie *f*
biohazard /ˈbaɪəʊˌhæzəd/ *n* risque *m* biologique
biological /ˌbaɪəˈlɒdʒɪkl/ *adj* biologique
biological clock *n* horloge *f* biologique
biologically /ˌbaɪəˈlɒdʒɪklɪ/ *adv* biologiquement
biological: **~ powder** *n* lessive *f* avec enzymes; **~ shield** *n* Nucl, Ecol bouclier *m* biologique; **~ warfare** *n* guerre *f* biologique; **~ waste** *n* déchets *mpl* d'activités de soins
biologist /baɪˈɒlədʒɪst/ ▸ **p. 1683** *n* biologiste *mf*
biology /baɪˈɒlədʒɪ/
A *n* biologie *f*
B *modif* [*teacher, lesson, laboratory*] de biologie
biomarker /ˈbaɪəʊˌmɑːkə(r)/ *n* biomarqueur *m*
biomass /ˈbaɪəʊmæs/ *n* biomasse *f*
biome /ˈbaɪəʊm/ *n* biome *m*
biomedical /ˌbaɪəʊˈmedɪkl/ *adj* biomédical
biometrics /ˌbaɪəʊˈmetrɪks/ *n* (+ *v sg*) biométrie *f*
bionic /baɪˈɒnɪk/ *adj* bionique
bionics /baɪˈɒnɪks/ *n* (+ *v sg*) bionique *f*
biophysicist /ˌbaɪəʊˈfɪzɪsɪst/ ▸ **p. 1683** *n* biophysicien/-ienne *m/f*
biophysics /ˌbaɪəʊˈfɪzɪks/ *n* (+ *v sg*) biophysique *f*
biopic○ /baɪˈɒpɪk/ *n* Cin biographie *f* romancée
biopsy /ˈbaɪɒpsɪ/ *n* biopsie *f*
biorhythm /ˈbaɪəʊrɪðəm/ *n* biorythme *m*
biosecurity /ˌbaɪəʊsɪˈkjʊərətɪ/ *n* biosécurité *f*
biosphere /ˈbaɪəʊsfɪə(r)/ *n* biosphère *f*
biosynthesis /ˌbaɪəʊˈsɪnθəsɪs/ *n* biosynthèse *f*
biota /baɪˈəʊtə/ *npl* biote *m*
biotechnology /ˌbaɪəʊtekˈnɒlədʒɪ/ *n* biotechnologie *f*
bioterrorism /ˌbaɪəʊˈterərɪzəm/ *n* bioterrorisme *m*
biotic /baɪˈɒtɪk/ *adj* biotique
biotope /ˈbaɪətəʊp/ *n* biotope *m*
biowarfare /ˌbaɪəʊˈwɔːfeə(r)/ *n* guerre *f* biologique
bipartisan /ˌbaɪpɑːtɪˈzæn, baɪˈpɑːtɪzn/ *adj* Pol [*government, agreement*] bipartite
bipartite /baɪˈpɑːtaɪt/ *adj* bipartite
biped /ˈbaɪped/ *n, adj* bipède (*m*)
biplane /ˈbaɪpleɪn/ *n* biplan *m*
bipolar /baɪˈpəʊlə(r)/ *adj* [*transistor, planet*] bipolaire
bipolarization /baɪˌpəʊləraɪˈzeɪʃn, US -rɪˈz-/ *n* (magnetic) bipolarisation *f*
bipolarize /baɪˈpəʊləraɪz/ *vtr* bipolariser [*metal*]
birch /bɜːtʃ/
A *n* **1** (*also* **~ tree**) bouleau *m*; **2** (*also* **~ wood**) (bois *m* de) bouleau *m*; **3** (*also* **~ rod**) Hist fouet *m*; **to get the ~** recevoir le fouet
B *vtr* Hist fouetter [*offender*]
birching /ˈbɜːtʃɪŋ/ *n* Hist (peine *f* du) fouet *m*
bird /bɜːd/ *n* **1** Zool oiseau *m*; **2** ○GB (girl) nana○ *f*; **to pull the ~s** draguer les nanas○; **3** ○(person) **a funny** *ou* **queer old ~** un drôle d'oiseau○
(Idioms) **a little ~ told me**○ mon petit doigt m'a dit; **as free as a ~** libre comme l'air; **the ~s and the bees** le b-a ba de la vie; **to sing like a ~** chanter comme un oiseau; **to tell sb about the ~s and the bees** expliquer à qn comment naissent les enfants; **the ~ has flown** l'oiseau s'est envolé; **to do ~**○ faire de la taule○; **to get the ~**○ se faire siffler; **to give** *ou* **flip sb the ~**○ US envoyer paître qn○; **to kill two ~s with one stone** faire d'une pierre deux coups; **(strictly) for the ~s** fait pour les imbéciles. ▸ **feather**
bird: **~ bath** *n* vasque *f* pour oiseaux; **~-brain**○ *n* cervelle *f* d'oiseau○; **~cage** *n* cage *f* à oiseaux; **~ call** *n* cri *m* d'oiseau; **~-fancier** *n* amateur *m* d'oiseaux; **~-feeder** *n* trémie *f*; **~ flu** *n* Med grippe *f* aviaire
birdie /ˈbɜːdɪ/
A *n* **1** (in golf) birdie *m*; **2** ○(bird) zoziau○ *m*
B *vtr* (in golf) marquer un birdie à [*hole*]
(Idiom) **watch the ~**○! Phot le petit oiseau va sortir!
bird: **~ life** *n* oiseaux *mpl*; **~like** *adj* semblable à un oiseau; **~lime** *n* glu *f*; **~ man**○ *n* ornithologue *mf*; **~ of paradise** *n* oiseau *m* de paradis; **~ of prey** *n* oiseau *m* de proie; **~ sanctuary** *n* réserve *f* ornithologique; **~seed** *n* graines *fpl* (pour les oiseaux); **~'s eye view** *n* vue *f* d'ensemble; **~'s foot trefoil** *n* Bot trèfle *m* en patte d'oiseau; **~'s nest** *n* nid *m* d'oiseau
bird's-nesting *n* **to go ~** aller ramasser les œufs dans les nids
bird: **~'s nest soup** *n* soupe *f* aux nids d'hirondelle; **~song** *n* chant *m* des oiseaux; **~ species** *n* espèce *f* d'oiseau; **~table** *n* perchoir *m*; **~watcher** *n* ornithologue *mf* amateur
bird-watching /ˈbɜːdwɒtʃɪŋ/ *n* observation *f* de la vie des oiseaux; **to go ~** observer les oiseaux
biretta /bɪˈretə/ *n* barrette *f*
birling /ˈbɜːlɪŋ/ ▸ **p. 1253** *n* US birling *m*, bûche *f* roulante
biro® /ˈbaɪərəʊ/ *n* GB (*pl* **~s**) stylo-bille *m*, bic®; **in ~** au stylo-bille
birth /bɜːθ/ *n* gen, lit, fig naissance *f* (**of** de); Med (process of giving birth) accouchement *m*; **to give ~** [*person*] accoucher (**to** de); **to give ~ to** [*animal*] mettre bas [*young*]; **a difficult/easy ~** un accouchement difficile/facile; **at ~** à la naissance; **by ~** de naissance; **French/Catholic by ~** français/catholique de naissance; **from ~ he had lived in Paris** depuis sa naissance il avait vécu à Paris; **blind from ~** aveugle de naissance; **of high ~** de haute naissance; **of low ~** d'origine *f* modeste; **of French ~** né/née français/-e; **date/place of ~** date *f*/lieu *m* de naissance; **the ~ of Christianity/Marxism** la naissance du Christianisme/du Marxisme
birth certificate *n* certificat *m* de naissance
birth control
A *n* (in society) contrôle *m* des naissances; (by couple) contraception *f*; **to practise ~** [*couple*] utiliser une méthode de contraception
B *modif* [*method, device*] de contraception, contraceptif/-ive; [*advice*] en matière de contraception
birthday /ˈbɜːθdeɪ/
A *n* anniversaire *m*; **Happy Birthday!** Bon *or* Joyeux Anniversaire!; **to wish sb (a) happy ~** souhaiter à qn un bon *or* joyeux anniversaire; **on my/his ~** (pour) le jour de mon/son anniversaire; **on his tenth ~** pour son dixième anniversaire; **to celebrate sb's ~** fêter l'anniversaire de qn
B *modif* [*cake, card, drink, entertainment, greetings, guest, present*] d'anniversaire
(Idiom) **in one's ~ suit**○ hum, euph en costume d'Adam *or* d'Ève○ hum
birthday: **~ boy** *n* vedette *f* du jour; **~ girl** *n* vedette *f* du jour; **Birthday Honours list** *n* GB *liste des distinctions honorifiques accordées par le souverain le jour de son anniversaire*; **~ party** *n* (for child) goûter d'anniversaire; (for adult) soirée *f* d'anniversaire
birth: **~ defect** *n* infirmité *f* de naissance; **~ing pool** *n* Med piscine *f* d'accouchement; **~ing stool** *n* Med chaise *f* d'accouchement; **~mark** *n* tache *f* de naissance; **~ mother** *n* mère *f* biologique; **~ pangs** *npl* fig affres *fpl* de l'accouchement (**of** de); **~place** *n* lit lieu *m* de naissance; fig berceau *m* (**of** de); **~rate** *n* taux *m* de natalité; **~ register** *n* registre *m* des naissances; **~right** *n* gen droit *m* (acquis à la naissance); (of first-born) droit *m* d'aînesse; **~s column** *n* Journ rubrique *f* des naissances; **~ sign** *n* signe *m* du zodiaque; **~s, marriages, and deaths** *npl* Journ carnet *m* du jour; **~stone** *n* pierre *f* porte-bonheur; **~ weight** *n* poids *m* à la naissance
BIS *n*: *abrév* ▸ **Bank for International Settlements**
biscuit /ˈbɪskɪt/
A *n* **1** GB (thin cake) biscuit *m*, petit gâteau *m*; **plain/sweet ~s** petits gâteaux secs/sucrés; **2** US (soft bread) pain *m* au lait; **3** (*also* **~ ware**) biscuit *m* de porcelaine
B ▸ **p. 1067** *adj* (*also* **~-coloured**) de couleur bise *inv*
(Idiom) **to take the ~** [*person*] avoir le pompon; [*event*] être le pompon
biscuit: **~ barrel** *n* boîte *f* à biscuits; **~ factory** *n* biscuiterie *f*; **~ firing** *n* Ind cuisson *f* au four sans glaçure; **~ tin** *n* boîte *f* à biscuits
bisect /baɪˈsekt/ *vtr* diviser [qch] en deux parties égales
bisection /baɪˈsekʃn/ *n* bissection *f*
bisector /baɪˈsektə(r)/ *n* (line) (droite *f*) bissectrice *f*; (plane) plan *m* bissecteur
bisexual /baɪˈsekʃʊəl/ *n, adj* bisexuel/-elle *m/f*
bishop /ˈbɪʃəp/ *n* **1** Relig évêque *m*; **2** (in chess) fou *m*
bishopric /ˈbɪʃəprɪk/ *n* évêché *m*
bismuth /ˈbɪzməθ/ *n* bismuth *m*
bison /ˈbaɪsn/ *n* (*pl* **~**) bison *m*
bisque /bɪsk/ *n* **1** Culin bisque *f*; **lobster ~** bisque de homard; **2** (earthenware) biscuit *m* de faïence; **3** Sport point *m* de handicap
bissextile /bɪˈsekstaɪl/ *adj* [*year*] bissextile
bistable /baɪˈsteɪbl/ *adj* bistable
bistoury /ˈbɪstərɪ/ *n* bistouri *m*
bistre /ˈbɪstə(r)/ ▸ **p. 1067** *n, adj* bistre (*m*)
bistro /ˈbiːstrəʊ/ *n* ≈ bistrot *m*
bit /bɪt/
A *prét* ▸ **bite**
B *n* **1** (small piece) (of food, substance, wood) morceau *m* (**of** de); (of paper, string, garden, land) bout *m* (**of** de); **a ~ of cheese/coal** un morceau de fromage/charbon; **a ~ of news** une nouvelle; **every ~ of dirt** la moindre petite

saleté; **a food processor and all its ~s**○ un robot et tous ses accessoires *mpl*; **every ~ of her wanted to say yes** elle voulait dire oui de tout son cœur; **to take sth to ~s** démonter qch; **to come/fall to ~s** s'en aller/tomber en morceaux; **2** ○(small amount) **a ~** un peu; **a little ~** un petit peu; **three and a ~** trois et des poussières○; **and a ~ over** et des poussières○; **would you like a ~ more?** tu en veux encore?; **a ~ of** un peu de [*time, peace, sun, butter, money etc*]; **a ~ of everything** un peu de tout; **a ~ of difficulty/information** quelques difficultés/informations; **a ~ of advice** un petit conseil; **with a ~ of luck** avec un peu de chance; **to have a ~ of bad luck** ne pas avoir de chance; **to do a ~ of shopping** faire quelques courses *fpl*; **it won't do a ~ of good** ça ne servira à rien; **it isn't a ~ of use asking** cela ne sert à rien de demander; **that corkscrew isn't a ~ of use** ce tire-bouchon est bon à jeter; **wait a ~!** attends un peu!; **after a ~** un peu après; **quite a ~ of, a good ~ of** pas mal de [*time, money, resentment etc*]; **quite a ~** *ou* **a good ~ further/bigger** bien plus loin/grand; **3** ○(section) passage *m*; **listen, this ~ is brilliant!** écoute, ce passage est génial○!; **the next ~ is even better** ce qui suit est encore mieux; **the ~ where Hamlet dies** le moment où Hamlet meurt; **4** Comput bit *m*, élément *m* binaire; **a 16-~ model** un modèle de 16 bits; **5** †(coin) pièce *f*; **6** Equit mors *m*; **standard ~** mors *m* normal; **7** Tech (*also* **drill ~**) mèche *f*

C ○**a ~** *adv phr* (rather) un peu; **a ~ deaf/cold/surprising** un peu sourd/froid/surprenant; **a ~ early** un peu trop tôt; **a ~ like me** un peu comme moi; **move back a ~** recule un peu; **it's asking a ~ much** c'est un peu trop demander; **she isn't a ~ like me** elle ne me ressemble pas du tout; **it's a ~ of a surprise/a mess** c'est un peu surprenant/en désordre; **he's a ~ of a brute/a Tory** il a un côté brute/Conservateur; **for a ~ of a change** pour changer un peu; **a ~ of a disappointment** un peu décevant; **to have a ~ of a headache** avoir un peu mal à la tête; **a ~ of a problem** un petit problème; **it was a ~ of a shock to me** ça m'a un peu choqué; **it was a ~ of a joke** ce n'était pas très sérieux; **we had a ~ of a giggle** nous avons bien ri

(Idioms) **a ~ of this and a ~ of that** un peu de tout; **a ~ of stuff**○ une gonzesse○; **~ by ~** petit à petit; **~s and bobs**○ affaires *fpl*; **~s and pieces** (fragments) morceaux *mpl*; (belongings) affaires *fpl*; **every ~ as good/clever** tout aussi bon/intelligent; **he's every ~ a lawyer** c'est le type même de l'avocat; **not a ~!** de rien!; **not a ~ of it**○**!** pas du tout!; **that's a ~ off**○**!** c'est pas très réglo○!; **to do one's ~** faire sa part (de boulot○); **to have/take the ~ between one's teeth** avoir/prendre le mors aux dents; ▸ **bite**

bitch /bɪtʃ/

A *n* **1** Zool chienne *f*; **a labrador ~** une chienne labrador; **2** ◑(as insult) garce◑ *f*, salope◑ *f*; **you son of a ~**◑**!** espèce de salaud◑!; **3** ○(malicious woman) **to be a ~** être vache○; **don't be a ~!** sois pas vache○!; **4** ○ (aggravation) **a ~ of a job** un sale boulot○; **life's a ~** la vie n'est pas un cadeau○

B ○*vi* **1** (gossip spitefully) dire du mal (**about** de); **2** US (complain) pester○ (**about** contre)

bitchy○ /'bɪtʃɪ/ *adj* **1** (malicious) [*person, comment*] malveillant; **to be ~ about sb** débiner○ qn; **2** US (aggressive) hargneux/-euse

bite /baɪt/

A *n* **1** (mouthful) bouchée *f*; **in one ~** en une bouchée; **to have** *ou* **take a ~ of sth** prendre une bouchée de qch; **to take a ~ out of sth** fig faire un trou dans qch; **that will take a big ~ out of our budget/profits** cela va faire un grand trou dans notre budget/marge bénéficiaire; **2** ○(snack) morceau *m* (à manger); **to have a ~ (to eat)** manger un morceau; **to have** *ou* **grab a quick ~ (to eat)** manger un morceau en vitesse; **3** fig (impact, keen edge) (of wind, cold) morsure *f*; (of food) piquant *m*; (of argument, performance, style, film) mordant *m*; **his speech/film has ~** son discours/film a du mordant; **4** (from insect) piqûre *f*; (from dog, snake) morsure *f*; **insect ~** piqûre *f* d'insecte; **5** Fishg touche *f*; **to have a ~** lit avoir une touche; fig trouver amateur; **the house is up for sale but we haven't had any ~s yet** la maison est en vente mais nous n'avons pas encore trouvé amateur; **6** Dent occlusion *f*

B *vtr* (*prét* **bit**, *pp* **bitten**) [*person, animal*] mordre; [*insect*] piquer; **to ~ sth in two** couper [qch] en deux d'un coup de dent; **to ~ one's nails** se ronger les ongles

C *vi* (*prét* **bit**, *pp* **bitten**) **1** (take effect) [*measure, policy, rule, new rates, strike, shortage*] se faire sentir; **2** Fishg [*fish*] mordre

(Idioms) **he/she won't ~ you**○! il/elle ne va pas te manger○!; **to ~ one's lip** se mordre les lèvres; **to ~ the hand that feeds you** cracher dans la soupe; **the biter bit** tel est pris qui croyait prendre; **to be bitten by the DIY/health food bug**○ attraper le virus○ du bricolage/de la diététique; ▸ **bullet**

(Phrasal verbs) ■ **bite back**: ▸ **~ back [sth]** ravaler [*rude comment, reply*]

■ **bite into**: ▸ **~ into [sth]** lit mordre dans [*fruit, sandwich etc*]; fig (affect) avoir un effet sur [*economy, finances*]

■ **bite off**: ▸ **~ off [sth]**, **~ [sth] off** arracher [qch] d'un coup de dent

■ **bite on**: ▸ **~ on [sth]** mordre sur

■ **bite through**: ▸ **~ through [sth]** [*person, animal*] percer [qch] avec ses dents

bite mark *n* marque *f* de morsure

bite-sized /'baɪtsaɪzd/ *adj* de la taille d'une bouchée; **~ chunks** *ou* **pieces of chicken** des bouchées de poulet

biting /'baɪtɪŋ/ *adj* **1** (penetrating) [*wind*] cinglant; [*cold*] pénétrant; **2** fig [*comment, irony, sarcasm, satire, wit*] mordant; **3** (capable of biting) [*insect*] qui pique

bitingly /'baɪtɪŋlɪ/ *adv* d'un ton mordant

bit: **~map** *n* Comput image *f* bitmap, image *f* point par point; **~ part** *n* Theat petit rôle *m*; **~ rate** *n* Comput débit *m* (d'un réseau); **~ slice (micro)processor** *n* Comput (micro)processeur *m* en tranches; **~ slicing** *n* Comput découpage *m* bit par bit

bitten /'bɪtn/ *pp* ▸ **bite**

(Idiom) **once ~ twice shy** Prov chat échaudé craint l'eau froide Prov

bitter /'bɪtə(r)/

A *n* GB (beer) bière *f* (*au fort pourcentage de houblon, légèrement amère*)

B **bitters** *npl* bitter *m*

C *adj* **1** (sour) amer/-ère; **2** (resentful) [*person, tone, memory, comment*] amer/-ère; **she felt ~ about the way they had treated her/about his accusation** la façon dont ils l'avaient traitée/son accusation la remplissait d'amertume; **3** (fierce) [*critic*] acerbe; [*hatred*] profond; [*opposition, rivalry*] farouche; [*attack, battle*] féroce; [*argument, feud*] violent; **they are ~ enemies** ils se haïssent farouchement; **4** (very cold) [*weather, wind*] glacial; **5** (hard to accept) [*disappointment, truth*] cruel/-elle; [*legacy*] littér lourd; [*harvest*] littér dur; [*blow*] dur; **the result was a ~ blow to the party** le résultat a porté un coup dur au parti; **I know from ~ experience that** ma triste expérience m'a appris que

(Idioms) **it's a ~ pill to swallow** la pilule est dure à avaler; **to fight/carry on to the ~ end** lutter/aller jusqu'au bout

bitter: **~ almond** *n* amande *f* amère; **~ aloes** *n* aloès *m* médicinal; **~ lemon** *n* Schweppes® *m* (citron)

bitterly /'bɪtəlɪ/ *adv* **1** (resentfully) [*complain, resent, laugh, speak*] amèrement; **2** (intensely) [*unhappy, angry*] extrêmement; [*criticized, disappointed*] cruellement; [*regret*] profondément; [*fight, contest*] farouchement; [*weep*] amèrement; **a ~ divided party** un parti profondément divisé; **a ~ cold wind** un vent glacial; **it's ~ cold** il fait un froid terrible

bittern /'bɪtən/ *n* butor *m*

bitterness /'bɪtənɪs/ *n* lit, fig amertume *f*

bitter orange *n* Bot, Culin bigarade *f*

bittersweet /ˌbɪtə'swiːt/

A *n* Bot douce-amère *f*

B *adj* lit aigre-doux/aigre-douce; fig doux-amer/douce-amère

bitty /'bɪtɪ/ *adj* **1** (scrappy) [*account*] fragmentaire; **2** ○(tiny) (*also* **little ~**, **itty ~**) **a little ~ baby** un petit bout de chou○; **a little ~ piece of** un petit bout de

bitumen /'bɪtjʊmɪn, US bə'tuːmən/ *n* bitume *m*

bituminous /bɪ'tjuːmɪnəs, US -'tuː-/ *adj* bitumineux/-euse

bivalent /baɪ'veɪlənt/ *n, adj* bivalent (*m*)

bivalve /'baɪvælv/ *n, adj* bivalve (*m*)

bivouac /'bɪvʊæk/

A *n* bivouac *m*

B *vi* (*p prés etc* **-ck-**) bivouaquer

biweekly /baɪ'wiːklɪ/

A *adj* [*publication*] (twice weekly) bihebdomadaire; (every two weeks) bimensuel/-elle

B *adv* [*appear*] (twice weekly) deux fois par semaine; (every two weeks) toutes les deux semaines

biz○ /bɪz/ *n* = **business**

(Idiom) **to be just the ~**○ être au quart de poil○

bizarre /bɪ'zɑː(r)/ *adj* bizarre

bizarrely /bɪ'zɑːlɪ/ *adv* bizarrement

blab○ /blæb/ (*p prés etc* **-bb-**)

A *vtr* = **blab out**

B *vi* **1** (reveal secret) vendre la mèche○, parler; **2** US (talk idly) jacasser (**about** sur)

(Phrasal verb) ■ **blab out**: ▸ **~ out [sth]**, **~ [sth] out** aller raconter [*secret*]

blabbermouth○ /'blæbəmaʊθ/ *n* péj pipelette○ *f*

black /blæk/ ▸ **p. 1067**

A *n* **1** (colour) noir *m*; **in ~** en noir; **to wear ~** gen porter du noir, s'habiller en noir; (in mourning) porter le deuil; **2** (*also* **Black**) (person) Noir/-e *m/f*; **3** Fin **to be in the ~** être créditeur/-trice; **to stay in the ~** maintenir un solde créditeur; **to put sb back in the ~** permettre à qn de sortir du rouge; **4** Games (in chess, draughts) noirs *mpl*; (in roulette) noir *m*; **I'll be ~** je prends les noirs; **5** (snooker or pool ball) (bille *f*) noire *f*

B *adj* **1** (dark) [*car, cloud, hair, paint*] noir; [*night*] obscur; **to paint/dye sth ~** peindre/teindre qch en noir; **to go** *ou* **turn ~** devenir noir, noircir; **2** (African, Afro-Caribbean) (*also* **Black**) [*skin, community, culture, president*] noir; [*school*] pour les Noirs; **a ~ man/woman** un Noir/une Noire; **3** (without milk) [*coffee*] noir; [*tea*] nature; **4** (dirty) [*face, mark, towel*] noir; **5** (macabre) [*comedy, humour*] noir; **6** (gloomy) [*mood, picture, thoughts*] noir; [*despair*] profond; [*future, prospect*] sombre; [*news, day, week*] mauvais; **it was a ~ day for us when he left** le jour où il est parti a été un mauvais jour pour nous; **she's in one of her ~ moods** elle est d'humeur noire; **things are looking ~ for us** les choses se présentent mal pour nous; **Black Monday** Fin Lundi noir; **7** (angry) [*look*] meurtrier/-ière; [*mood*] massacrant; **his face was as ~ as thunder** on lisait dans ses yeux une colère noire; **8** (evil) [*deed, heart, magic, thought*] noir; ▸ **black and white**

C *vtr* **1** (put black onto) noircir [*sb's face, hands*]; cirer [*boots*]; **to ~ one's face/hands** se noircir le visage/les mains; **2** GB (bruise) **to ~ sb's eye** faire un œil au beurre noir à qn; **3** GB (boycott) boycotter

(Idiom) **as ~ as coal/soot** noir comme du charbon/de la suie. ▸ **blue**

(Phrasal verbs) ■ **black out**: ▸ **~ out** [*person*] s'évanouir; ▸ **~ [sth] out**, **~ out [sth]** **1** (hide all lights) faire le black-out dans [*house*];

b

faire l'obscurité sur [*stage*]; **2** (cut power) couper le courant dans [*area*]; **3** (suspend broadcasting) interrompre la diffusion de [*programme*]; **4** (obliterate) rayer (d'un gros trait noir) [*name, word*]
■ **black up** [*actor*] se noircir le visage

black: **Black Africa** *pr n* Geog Afrique *f* noire; **~ American** *n* noir/-e *m/f* américain/-e

blackamoor‡ /ˈblækəmɔː(r), -mʊə(r)/ *n* péj nègre *m* pej

black and white ▸ p. 1067
A *n* **1** Cin, Phot noir et blanc *m*; **in ~** en noir et blanc; **2** (in writing) **here it is in ~** le voici écrit noir sur blanc
B *adj* **1** Cin, Phot, TV [*TV, camera film*] noir et blanc (*inv*); [*movie, print, photo, photography*] (en) noir et blanc (*inv*); **2** (clear-cut) [*matter, situation*] nettement défini
(Idiom) **he sees everything in ~** pour lui c'est tout noir ou tout blanc

black: **~ arts** *npl* sciences *fpl* occultes; **~ball** *vtr* blackbouler (**from** de); **~ bass** *n* Fishg black-bass *m*; **~ bear** *n* ours *m* noir d'Amérique; **~ beetle** *n* Zool cafard *m*

black belt *n* ceinture *f* noire (**in** de); **to be a ~** être ceinture noire

blackberry /ˈblækbrɪ, -berɪ/
A *n* mûre *f*
B *modif* [*tart, pie*] aux mûres; [*juice, jam*] de mûres

blackberry bush *n* Bot mûre *f*

blackberrying /ˈblækberɪɪŋ/ *n* cueillette *f* des mûres; **to go ~** aller cueillir des mûres

blackbird /ˈblækbɜːd/ *n* merle *m*

blackboard /ˈblækbɔːd/ *n* tableau *m* (noir); **on the ~** au tableau

black: **~board duster** *n* (cloth) chiffon *m*; (brush) brosse *f*; **~board jungle** *n* GB Sch enfer *m* scolaire

black book *n* fig liste *f* noire; **to be in sb's ~** *ou* **~s** ne pas être dans les petits papiers de qn, ne pas avoir la cote auprès de qn

black: **~ box** *n* Aviat, Comput boîte *f* noire; **~bread** *n* pain *m* de seigle; **~ cab** *n* grand taxi *m* noir; **~cap** *n* fauvette *f* à tête noire; **~cock** *n* coq *m* de bruyère, tétras *m* lyre; **Black Country** *pr n* Black Country *m* (*nom donné à la région industrielle d'Angleterre située au nord-ouest de Birmingham*)

blackcurrant /ˌblækˈkʌrənt/ Bot, Culin
A *n* cassis *m*
B *modif* [*tart*] aux cassis; [*drink, sweet, yoghurt*] au cassis; [*jam, bush*] de cassis

black: **Black Death** *n* peste *f* noire; **~ economy** *n* économie *f* parallèle

blacken /ˈblækən/
A *vtr* **1** [*actor, soldier*] se barbouiller [qch] de noir [*face*]; [*smoke*] noircir [*brick, wood*]; [*disease, frost*] brûler [*plant*]; [*dirt*] salir [*towel*]; **the ~ed remains of** les restes calcinés de [*car, roast*]; **2** (diminish) ternir [*reputation, name*]; noircir [*person*]; **3** US (bruise) **to ~ sb's eye** faire un œil au beurre noir à qn
B *vi* **1** (grow darker) [*sky, stove*] noircir; **2** [*mood*] s'assombrir

black eye /ˌblækˈaɪ/ *n* œil *m* poché, œil *m* au beurre noir○; **to give sb a ~** pocher l'œil à qn; **to get a ~** se faire pocher l'œil

blackfly /ˈblækflaɪ/ *n* **1** (aphid) puceron *m*; **2** (bloodsucker) simulie *f*

black: **Black Forest** *pr n* Geog Forêt-Noire *f*; **Black Forest gateau** GB, **Black Forest cake** US *n* Culin gâteau *m* de la Forêt-Noire; **Black Friar** *n* Relig dominicain *m*, Frère *m* prêcheur; **~ frost** *n* gel *m* noir; **~ gold**○ *n* or *m* noir○, pétrole *m*; **~ grouse** *n* petit coq *m* de bruyère, tétras-lyre *m*

blackguard /ˈblægɑːd/ *n* ‡ *ou* hum canaille *f*

black: **~head** *n* Med point *m* noir, comédon *m* spec; **~-headed gull** *n* mouette *f* rieuse; **~-hearted** *adj* littér mauvais, vil; **~ hole** *n* Astron trou *m* noir; **~ ice** *n* verglas *m*

blacking /ˈblækɪŋ/ *n* **1** GB (boycotting) boycottage *m* (**of** de); **2** †(polish) cirage *m* noir

blackish /ˈblækɪʃ/ ▸ p. 1067 *adj* [*shade, hair*] qui tire sur le noir (*after n*); [*stain, substance*] noirâtre

blackjack /ˈblækdʒæk/ *n* **1** ▸ p. 1253 Games black jack *m*; **2** US (club) matraque *f*; **3** Miner blende *f*, sphalérite *f*

blacklead /ˈblækled/
A *n* (for stove) mine *f* de plomb; (in pencil) graphite *m*
B *vtr* frotter [qch] à la mine de plomb

blackleg○ /ˈblækleg/ GB
A *n* péj jaune○ *m* pej, briseur/-euse *m/f* de grève
B *vi* (*p prés etc* **-gg-**) briser la grève

blacklist /ˈblæklɪst/
A *n* liste *f* noire; **to put sb on a ~** mettre qn sur une liste noire *or* à l'index
B *vtr* mettre [qn] à l'index

blackly /ˈblæklɪ/ *adv* [*glower, stare*] d'un air furieux

black magic *n* magie *f* noire

blackmail /ˈblækmeɪl/
A *n* chantage *m*
B *vtr* faire chanter; **to ~ sb into doing** lit faire chanter qn pour qu'il/elle fasse; fig, hum soudoyer qn pour qu'il/elle fasse

blackmailer /ˈblækmeɪlə(r)/ *n* maître-chanteur *m*

black: **Black Maria**○ *n* GB panier *m* à salade○, voiture *f* cellulaire; **~ mark** *n* fig mauvais point *m*

black market
A *n* marché *m* noir; **on the ~** au marché noir
B *modif* [*price, goods*] du marché noir; [*goods, trade, trader*] au noir

black: **~ marketeer** *n* personne *f* qui vend au marché noir; **~ mass** *n* messe *f* noire; **Black Monk** *n* dominicain *m*; **Black Muslim** *n* US Relig Black Muslim *mf*, membre *m* de la Nation d'Islam

blackness /ˈblæknɪs/ *n* **1** (darkness, night) obscurité *f*; **2** (dark colour) (of hair, ink) noir *m*; (of water, clouds) couleur *f* noire; **3** (gloominess) (of outlook, thoughts) caractère *m* sombre; **4** (evilness) (of heart, thoughts) noirceur *f*; (of deeds) atrocité *f*

blackout /ˈblækaʊt/ *n* **1** (in wartime) black-out *m*; **2** (power cut) panne *f* de courant; **3** Radio, TV interruption *f* des émissions; **4** Journ black-out *m*; **to impose a news ~** imposer le black-out aux organes de presse; **5** (faint) étourdissement *m*; **6** (loss of memory) trou *m* de mémoire

black: **Black Panthers** *npl* US Pol Black Panthers *mpl* (*groupe de libération des Noirs revendiquant le partage du pouvoir blanc*); **~ pepper** *n* poivre *m* noir; **Black Power (movement)** *n* US Pol Black Power *m* (*mouvement politique des Noirs américains se battant pour l'égalité avec les Blancs*); **~ pudding** *n* GB Culin boudin *m* noir; **Black Rod** *n* GB Pol *huissier de la Chambre des Lords*; **Black Sea** *pr n* Geog mer *f* Noire; **~ sheep** *n* fig brebis *f* galeuse; **Blackshirt** *n* Hist Chemise *f* noire; **~smith** ▸ p. 1683 *n* forgeron *m*

blackspot /ˈblækspɒt/ *n* fig point *m* noir; **unemployment/accident ~** endroit *m* connu pour son taux élevé de chômage/d'accidents

black: **Black Studies** *npl* études *fpl* afro-américaines; **~ swan** *n* Zool cygne *m* noir, cygne *m* d'Australie; **~ taxi** *n* = **black cab**; **~thorn** *n* prunellier *m*

black tie
A *n* (on invitation) '**~**' 'tenue de soirée'
B *modif* [*dinner, function*] en tenue de soirée

black: **Black velvet** *n* cocktail *m* de stout et de champagne; **~water fever** ▸ p. 1327 *n* fièvre *f* bilieuse hémoglobinurique; **~ widow (spider)** *n* Zool veuve *f* noire

bladder /ˈblædə(r)/ *n* **1** Anat vessie *f*; **2** (in ball) vessie *f*; **3** Bot vésicule *f*

bladder: **~wort** *n* utriculaire *f*; **~wrack** *n* fucus *m* vésiculeux

blade /bleɪd/ *n* **1** (cutting edge) (of knife, sword, axe) lame *f*; **2** (for propulsion) (of fan, propeller, oar) pale *f*; (of turbine) aube *f*; (of windscreen wiper) balai *m*; **3** Bot (of grass) brin *m*; **4** Sport (oar) pale *f*; **5** littér (sword) lame *f*; **6** Phon (of tongue) plat *m*; **7** † (man) gaillard *m*

blah○ /blɑː/
A *n* also onomat **~ ~ ~** blablabla *m*
B US **blahs** *npl* **the ~s** le cafard○ *m*

Blairite /ˈbleəraɪt/ GB Pol
A *n* supporter *mf* de Tony Blair
B *adj* [*policies, ideas*] de Tony Blair

blamable /ˈbleɪməbl/ *adj* = **blameworthy**

blame /bleɪm/
A *n* **1** (responsibility) responsabilité *f* (**for** de); **to accept/share the ~** accepter/partager la responsabilité; **to take the ~**, **to bear the ~** sout prendre *or* assumer la responsabilité; **to put** *ou* **place** *ou* **lay the ~ for sth on sb** attribuer la responsabilité de qch à qn; **the ~ lies with the government** la faute en revient au gouvernement; **don't put the ~ on me** ne m'accuse pas; **he got the ~ for the broken vase/for leaking the information** on l'a accusé d'avoir cassé le vase/d'avoir divulgué l'information; **why do I always get the ~?** pourquoi est-ce toujours moi qu'on accuse?; **she did it but I got the ~** c'est elle qui l'a fait mais c'est moi qui ai payé les pots cassés○; **2** (criticism) reproches *mpl*; **to deserve some of the ~** mériter des reproches; **to be free from ~** n'avoir rien à se reprocher; **without ~** irréprochable
B *vtr* en vouloir à [*person, group*]; accuser [*weather, recession, system*]; **she has always ~d me** elle m'en a toujours voulu; **he has resigned and who can ~ him?** il a démissionné et on ne peut pas lui en vouloir; **to ~ sb for sth** reprocher qch à qn; **I ~d her for the accident** je lui ai reproché l'accident; **to ~ sth on sb** attribuer la responsabilité de qch à qn; **she ~d her tiredness on the heat** elle a mis sa fatigue sur le compte de la chaleur; **to be to ~ for** être responsable de [*accident, crisis, problem*]
C *v refl* **to ~ oneself** s'en vouloir; **to ~ oneself for** se sentir responsable de [*tragedy, outcome*]; **you mustn't ~ yourself** tu n'as rien à te reprocher; **you've only yourself to ~** tu ne peux t'en prendre qu'à toi-même

blameless /ˈbleɪmlɪs/ *adj* [*person*] innocent; [*activity, life*] irréprochable; **the government is not entirely ~** le gouvernement n'est pas entièrement innocent

blamelessly /ˈbleɪmlɪslɪ/ *adv* [*act, behave*] de façon irréprochable

blameworthy /ˈbleɪmwɜːðɪ/ *adj* **1** (responsible) [*person*] responsable; **2** (reprehensible) [*action, conduct*] répréhensible

blanch /blɑːntʃ, US blæntʃ/
A *vtr* (all contexts) blanchir
B *vi* [*person*] blêmir

blanched almonds *npl* amandes *fpl* blanchies

blancmange /bləˈmɒnʒ/ *n* blanc-manger *m*

bland /blænd/ *adj* [*food, flavour, diet*] fade; [*person, character*] terne; [*account, interview*] insipide; [*intonation*] sans relief

blandish† /ˈblændɪʃ/ *vtr* enjôler

blandishment† /ˈblændɪʃmənt/ *n* flatterie *f*

blandly /ˈblændlɪ/ *adv* platement

blandness /ˈblændnɪs/ *n* platitude *f*

blank /blæŋk/
A *n* **1** (empty space) blanc *m*; **to fill in the ~s** remplir les blancs; **leave a ~ if you don't know the answer** laisse un blanc si tu ne sais pas la réponse; **my mind's a ~** j'ai la tête vide; **2** US (clean form) fiche *f* vierge; **3** (dummy bullet) balle *f* à blanc; **to fire ~s** lit

tirer à blanc; fig hum être stérile; **4** Ind pièce *f* brute
B *adj* **1** (without writing, pictures) [*paper, page*] blanc/ blanche; [*wall*] nu; [*screen*] vide; [*form, canvas*] vierge; **a ~ piece of paper** une feuille blanche; **2** (unused) [*cassette, disk*] vierge; **3** (expressionless) **a ~ look** un air absent; **a row of ~ faces** des visages à l'air absent; **4** (uncomprehending) [*look, expression*] ébahi; **to look ~** avoir l'air ébahi; **he gave me a ~ look** il m'a lancé un regard ébahi; **5** (without memory) **my mind went ~** j'ai eu un trou de mémoire; **6** (imitation) [*door, window*] faux/ fausse; **7** (absolute) [*refusal, rejection*] catégorique; [*astonishment*] absolu
C *vtr* US Sport **we ~ed the opposition** nous n'avons pas laissé l'équipe adverse marquer un point
(Idiom) **to draw a ~** faire chou blanc
(Phrasal verb) ■ **blank out**: ▸ **~ out** [*person*] avoir un trou de mémoire; ▸ **~ [sth] out, ~ out [sth]** effacer [*word*]; fig rayer [qch] de sa mémoire [*memory, event*]

blank cheque GB, **blank check** US *n* **1** Fin chèque *m* en blanc; **2** fig carte *f* blanche; **to give/write sb a ~** donner/laisser carte blanche à qn; **I've got a ~ to reorganize the factory** j'ai reçu carte blanche pour réorganiser l'usine

blanket /ˈblæŋkɪt/
A *n* **1** (bedcover) couverture *f*; **electric ~** couverture chauffante; **2** (layer) (of snow, ash) couche *f*; (of cloud, fog) nappe *f*; (of smoke) nuage *m*; (of flowers, weeds) tapis *m*; **3** Nucl couche *f* fertile
B *modif* (global) [*ban, condemnation, policy*] global; [*use*] excessif/-ive
C *vtr* **1** Naut déventer; **2** (cover) couvrir; **the fields were ~ed in fog** les champs étaient couverts de brouillard
(Idioms) **to be a wet ~** être un rabat-joie; **to be born on the wrong side of the ~†** euph être un enfant illégitime

blanket: **~ bath** *n* toilette *f* couchée; **~ box, ~ chest** *n* GB coffre *m* à linge; **~ clause** *n* Jur, Insur condition *f* générale; **~ cover** *n* Insur couverture *f* globale; **~ coverage** *n* Journ reportage *m* intégral; **~ finish** *n* Sport arrivée *f* serrée; **~ insurance** *n* assurance *f* globale; **~ rate** *n* taux *m* forfaitaire; **~ stitch** *n* point *m* de feston

blankety-blank○ /ˌblæŋkətɪˈblæŋk/ *adj* hum euph US (damned) **that ~ dog!** ce fichu chien!

blankly /ˈblæŋklɪ/ *adv* **1** (uncomprehendingly) [*stare, look*] d'un air ébahi; **2** (without expression) [*stare, look*] d'un air absent

blankness /ˈblæŋknɪs/ *n* (puzzled look) air *m* décontenancé; (lack of expression) vacuité *f*

blank: **~ space** *n* blanc *m*; **~ verse** *n* Literat vers *mpl* blancs *or* non rimés

blare /bleə(r)/
A *n* beuglement *m*
B *vi* = **blare out**
(Phrasal verb) ■ **blare out**: ▸ **~ out** [*music, radio*] jouer à plein volume; **the music was blaring out from his bedroom** de sa chambre on entendait la radio qui jouait à plein volume; ▸ **~ out [sth]** déverser [*music, advertising*]

blarney○ /ˈblɑːnɪ/
A *n* baratin○ *m*
B *vtr, vi* baratiner○
(Idiom) **to have kissed the ~ stone** avoir la parole facile

blasé /ˈblɑːzeɪ, US blɑːˈzeɪ/ *adj* blasé (**about** sur)

blaspheme /blæsˈfiːm/ *vtr, vi* blasphémer

blasphemer /blæsˈfiːmə(r)/ *n* blasphémateur/-trice *m/f*

blasphemous /ˈblæsfəməs/ *adj* [*person*] blasphémateur/-trice; [*statement*] blasphématoire

blasphemously /ˈblæsfəməslɪ/ *adv* de façon blasphématoire

blasphemy /ˈblæsfəmɪ/ *n* blasphème *m* (**against** contre); **it is ~ to say** c'est un blasphème de dire; **~ law** loi *f* contre le blasphème

blast /blɑːst, US blæst/
A *n* **1** (explosion) explosion *f*; **2** (gust) rafale *f*; **a ~ of wind** une rafale de vent; **3** (air current from explosion) souffle *m* (**from** dégagé par); **4** (noise) (on trumpet) sonnerie *f*; (on whistle, car horn) coup *m*; **to give a ~ on** faire sonner [*trumpet*]; donner un coup de [*whistle, car-horn*]; **a ~ of pop music** un morceau de musique pop à plein volume; **he plays his records at full ~** il met ses disques à plein volume; **the radio is on at full ~** la radio est à fond; **5** ○(fun) **to have a ~** bien se marrer○; **the party was a ~** on s'est bien marré à la fête
B *excl* zut!○
C *vtr* **1** (blow up) faire sauter [*building*]; dynamiter [*rockface*]; **to ~ a hole in a wall** percer un mur à l'explosif; **2** (damage) [*wind*] endommager [*tree*]; [*frost, disease*] détruire [*plant, crop*]; **3** ○(criticize) [*article, review*] descendre [qn/qch] en flammes○ [*person, performance, work*]; **4** (strike hard) [*golfer, soccer player*] frapper [qch] de toutes ses forces [*ball*]; **5** Tech = **sandblast**
D *vi* **1** Mining utiliser des explosifs; **we ~ed through the rock wall** nous avons fait sauter la paroi rocheuse à l'explosif; **2** (make a noise) [*trumpets*] retentir
(Idioms) **the song was a ~ from the past**○ **for me** cette chanson me replongeait dans le passé; **to ~ sb/sth out of the water**○ fig descendre qn/qch en flammes○
(Phrasal verbs) ■ **blast away**: ▸ **~ away** (with gun) mitrailler; **to ~ away at** mitrailler [*person, target*]
■ **blast off**: ▸ **~ off** [*rocket*] décoller; ▸ **~ [sth] off, ~ off [sth]** **1** (fire) [*gunman*] tirer avec [*rifle*]; **2** (lift off) [*explosion*] faire sauter [*roof*]
■ **blast out**: ▸ **~ out** [*music*] retentir; ▸ **~ [sth] out, ~ out [sth]** [*radio, speaker*] cracher○ [*music*]

blasted /ˈblɑːstɪd, US ˈblæst-/ *adj* **1** (withered) [*foliage*] flétri; [*crop*] endommagé; **2** ○(for emphasis) fichu; **where's the ~ screwdriver?** où est ce fichu tournevis?; **some ~ idiot locked the door!** il y a une espèce d'idiot qui a fermé la porte à clé!

blast: **~ furnace** *n* haut-fourneau *m*; **~ furnaceman** ▸ p. 1683 *n* ouvrier *m* des hauts-fourneaux

blasting /ˈblɑːstɪŋ, US ˈblæst-/ *n* **1** Mining travail *m* à l'explosif; **2** Audio distortion *f*

blast injection *n* Mech injection *f* sous pression

blastoderm /ˈblɑːstədɜːm, US ˈblæst-/ *n* blastoderme *m*

blast-off /ˈblɑːstɒf, US ˈblæst-/ *n* lancement *m*; **three, two, one, ~!** trois, deux, un, feu!

blatancy /ˈbleɪtnsɪ/ *n* (of advertising, attitude) caractère *m* éhonté

blatant /ˈbleɪtnt/ *adj* [*lie, bias, disregard*] éhonté; [*example, abuse*] flagrant; **to be ~ about** [*person*] être direct à propos de

blatantly /ˈbleɪtntlɪ/ *adv* [*copy, disregard*] ouvertement; **to be ~ obvious** être l'évidence même

blather○ /ˈblæðə(r)/
A *n* bêtises *fpl*
B *vtr* raconter [*idiocies*]
C *vi* dire n'importe quoi

blaze /bleɪz/
A *n* **1** (fire) (in hearth) feu *m*, flambée *f*; (accidental) incendie *m*; **firemen got the ~ under control** les pompiers ont maîtrisé l'incendie; **2** (sudden burst) (of flames) embrasement *m*; **the garden is a ~ of colour** le jardin est éclatant de couleurs; **there was a sudden ~ of colour in the sky** le ciel a brusquement changé de couleur; **she left in a ~ of glory/in a ~ of publicity** fig elle est partie couronnée de gloire/sous les feux des médias; **3** Equit liste *f*; **4** (cut in tree) encoche *f*, griffe *f*
B **blazes**○ *npl* (hell) **what the ~s are you up to?** qu'est-ce que tu fabriques○?; **how the ~s did he do it?** comment diable a-t-il fait ça?; **to run like ~s** courir comme un dératé/une dératée; **go to ~s!** allez au diable!
C *vtr* **1** (mark) griffer, marquer [*tree*]; **to ~ a trail** lit baliser une voie; fig faire œuvre de pionnier; **2** (spread) **to ~ sth abroad** sout crier qch sur tous les toits
D *vi* **1** (*also* **~ away**) (burn furiously) [*fire*] brûler, flamber; [*house, car*] brûler; **2** (*also* **~ away**) (give out light) [*lights*] briller; **3** (shoot) [*gun, cannon*] pétarader; **the troops advanced, all guns blazing** lit les troupes avançaient en tirant; **she went into the meeting all guns blazing** fig elle est entrée dans la réunion tout feu tout flamme
E **blazing** *pres p adj* **1** (violent) [*argument*] violent; [*heat*] accablant; [*fire*] ronflant; [*building, car*] embrasé; [*sun, sunshine*] plein (*before n*); **2** ○(furious) furax○ *inv*, fou/folle de rage; **she was blazing (mad)** elle était furax○
(Phrasal verbs) ■ **blaze down** [*sun*] taper (**on** sur)
■ **blaze up** [*fat, fire*] s'embraser

blazer /ˈbleɪzə(r)/ *n* blazer *m*

blazon /ˈbleɪzn/
A *n* Herald blason *m*
B *vtr* **1** Herald blasonner; **2** gen claironner [*details, news*]; arborer [*name, slogan*]
(Phrasal verb) ■ **blazon forth, blazon out**: ▸ **~ forth [sth], ~ [sth] forth** claironner

bleach /bliːtʃ/
A *n* **1** (*also* **household ~**) (liquid) ≈ eau *f* de javel; (powder, cream) agent *m* blanchissant et désinfectant; **2** (for hair) décolorant *m*
B *vtr* décolorer [*hair*]; blanchir [*linen*]; **~ed hair** cheveux décolorés; **to ~ one's hair** se décolorer les cheveux
(Phrasal verb) ■ **bleach out**: ▸ **~ [sth] out, ~ out [sth]** effacer [*image*]; faire disparaître [*colour, stain*]

bleachers /ˈbliːtʃəz/ *npl* gradins *mpl* (découverts)

bleak /bliːk/
A *n* (fish) ablette *f*
B *adj* **1** (cold, raw) [*landscape, region*] désolé; [*weather, season*] maussade; **2** (miserable, discouraging) [*prospect, outlook, future*] sombre; [*existence, world, surroundings*] sinistre; **to paint a ~ picture of** peindre un sombre tableau de

bleakly /ˈbliːklɪ/ *adv* **1** [*stare, say*] sombrement; **2** [*snow, blow*] lugubrement

bleakness /ˈbliːknɪs/ *n* **1** (of weather, landscape, surroundings) sévérité *f*; **2** (of prospects, future) noirceur *f*

bleary /ˈblɪərɪ/ *adj* [*eyes*] bouffi; **to be ~-eyed** avoir les yeux bouffis; **to feel ~** se sentir vaseux/-euse

bleat /bliːt/
A *n* **1** (of sheep, goat) bêlement *m*; **2** péj (of person) jérémiades *fpl*
B *vi* **1** [*sheep, goat*] bêler; **2** péj [*person*] se lamenter (**about** sur)

bleb /bleb/ *n* **1** (on skin) cloque *f*; **2** (on water, glass) bulle *f*

bled /bled/ *pp* ▸ **bleed**

bleed /bliːd/ (*prét, pp* **bled**)
A *vtr* **1** Med saigner; **2** fig **to ~ sb for sth** soutirer qch à qn; **to ~ sb white** *ou* **dry** saigner qn à blanc; **3** Tech purger [*radiator*]; **4** Print faire déborder
B *vi* **1** saigner; **my finger's ~ing** j'ai le doigt qui saigne; **he was ~ing from the head** il saignait d'une blessure à la tête; **is my nose ~ing?** est-ce que je saigne du nez?; **to stop sth ~ing** arrêter qch de saigner; **he was ~ing to death** il perdait tout son sang; **he bled to death** il est mort d'une hémorragie; **2** fig **to ~ for one's country** verser son sang pour sa patrie; **my heart ~s for the baby's**

mother mon cœur saigne pour la mère du bébé; **my heart ~s!** iron ça me fend le cœur!; **3** [*tree, plant*] pleurer; **4** [*colour, dye*] déteindre; **5** Print déborder

bleeder /ˈbliːdə(r)/ *n* **1** ◑GB bougre○ *m*; (in anger) salaud◑ *m*; **lucky ~!** sacré veinard○!; **2** ○(hemophiliac) hémophile *mf*

bleeding /ˈbliːdɪŋ/
A *n* **1** ₵ saignement *m*; (heavy) hémorragie *f*; **to stop the ~** arrêter le saignement *or* l'hémorragie; **2** (deliberate) saignée *f*
B *adj* **1** [*wound*] saignant; [*corpse, victim*] ensanglanté; [*hand, leg etc*] qui saigne; **2** ◑GB **this ~ car!** cette foutue◑ voiture!; **~ idiot!** bougre de con◑!
C ◑GB *adv* sacrément

bleeding heart
A *n* **1** Bot cœur-de-Jeannette *m*, cœur-de-Marie *m*; **2** fig péj cœur *m* sensible pej
B *modif* US **a ~ liberal** péj libéral/-e *m/f* au cœur sensible

bleed valve *n* robinet *m* de purge

bleep /bliːp/
A *n* **1** (signal) bip *m*, bip-bip *m*; Radio, TV top *m*; **2** GB = **bleeper**
B *vtr* **1** GB **to ~ sb** appeler qn (au bip), biper qn; **2** Radio, TV censurer par un bip [*word, person*]
C *vi* émettre un signal sonore *or* des signaux sonores
D *excl* US euph zut!

bleeper /ˈbliːpə(r)/ *n* GB bip *m* (*appareil*)

bleeping○ /ˈbliːpɪŋ/ *adj* US euph sacré○ (*before n*)

blemish /ˈblemɪʃ/
A *n* **1** lit gen imperfection *f*; (on fruit) tache *f*; (pimple) bouton *m*, défaut *m* (**on** dans); (on reputation) tache *f* (**on** à); **2** fig (on beauty, happiness) ombre *f*
B *vtr* tacher [*fruit*]; ternir [*beauty, happiness*]; entacher [*reputation*]

blench /blentʃ/ *vi* **1** (quail) frémir (de peur); **2** (pale) blêmir

blend /blend/
A *n* **1** (fusion) (of sounds, smells) mélange *m* (**of** de); (of styles, colours, ideas) mariage *m* (**of** de); (of qualities, skills) combinaison *f* (**of** de); **2** (mixture) (of coffees, teas, whiskies) mélange *m*; (of wines) coupage *m* (**of** de); **our own special ~** notre mélange maison; **3** (fabric) **cotton ~** coton *m* mélangé
B *vtr* mélanger, marier [*foods, colours, styles, sounds, tastes*]; allier [*qualities, ideas*] (**with** à); **~ all the ingredients together** mélanger tous les ingrédients
C *vi* **to ~ (together)** [*colours, tastes, styles*] se fondre ensemble; **to ~ with** [*colours, tastes, sounds*] se marier à; [*smells, visual effects*] se mêler à; [*buildings, styles, ideas*] s'accorder à
(Phrasal verbs) ■ **blend in**: ▸ **~ in** [*colour, building*] s'harmoniser (**with** avec); ▸ **~ in [sth], ~ [sth] in** incorporer
■ **blend into**: ▸ **~ into sth** se fondre dans [*setting, landscape*]; **to ~ into the background** se fondre dans le paysage

blended whisky *n* whisky *m* (*mélange de malts et de whisky de grains*)

blender /ˈblendə(r)/ *n* **1** mixeur *m*, mixer *m*; **2** (person) (of coffee) torréfacteur *m*; **3** Constr (brush) brosse *f* plate

blending /ˈblendɪŋ/ *n* (of coffees) torréfaction *f*; (of wines) coupage *m*; (of whiskies) mélange *m*

blenny /ˈblenɪ/ *n* blennie *f*

bless /bles/
A *vtr* **1** Relig bénir [*building, congregation, food, marriage, person, sacrament*]; **God ~ America/the Queen** que Dieu bénisse l'Amérique/la Reine; **God ~ you** que Dieu vous bénisse; **we ~ you for your great mercy** nous vous rendons grâce pour votre grande miséricorde; **goodbye, God ~!** au revoir!; **2** ○(affectionately) **~ her** *ou* **~ her heart!** c'est un ange!; **~ you!** (after sneeze) à vos souhaits!; **3** ○†(in surprise) **~ me!** *ou* **~ my soul!** *ou* **well I'm ~ed!** ça alors!; **4** (favour) **to ~ sb with** doter qn de; **to be ~ed with** jouir de [*health, luck, skill, intelligence, beauty*]; **we were never ~ed with children** le ciel a voulu que nous n'ayons jamais eu d'enfants; **to be ~ed with six children** avoir le bonheur d'avoir eu six enfants; **5** (be grateful to) **~ you for answering so quickly** merci d'avoir répondu si vite; **you paid the bill? ~ you!** tu as réglé la facture? tu es un ange!
B *v refl* **to ~ oneself** se signer
(Idioms) **(I'm) ~ed if I know** je ne sais absolument pas; **(I'm) ~ed if I can remember** je ne m'en souviens absolument pas

blessed /ˈblesɪd/
A *n* Relig **the ~** (+ *v pl*) les bienheureux
B *adj* **1** (holy) [*place*] béni; **the Blessed Sacrament** le saint sacrement; **the Blessed Virgin** la Sainte Vierge; **our Blessed Lord** Notre Seigneur; **of ~ memory** d'heureuse mémoire; **2** (beatified) bienheureux/-euse (*before n*); **~ are the poor** Bible heureux les pauvres; **3** (welcome) [*warmth, quiet*] bienfaisant; [*relief*] heureux/-euse; **4** ○(damned) fichu◑; **every ~ day** tous les jours que Dieu fait; **the whole ~ day** toute la sainte journée

blessedly /ˈblesɪdlɪ/ *adv* **~ warm/quiet** délicieusement chaud/calme; **~, everything was working properly** par bonheur, tout marchait bien

blessedness /ˈblesɪdnɪs/ *n* **1** Relig béatitude *f*; **2** (good fortune) bonheur *m*; **single ~** célibat *m*

blessing /ˈblesɪŋ/ *n* **1** (asset, favour) bienfait *m*; **it is a ~ (for him) that he is healthy** heureusement, il est en bonne santé; **dishwashers are a ~ for busy people** les lave-vaisselle sont une bénédiction pour les personnes actives; **a mixed ~** un bienfait relatif; **a ~ in disguise** un bienfait caché; **count your ~s!** estime-toi heureux!; **2** (relief) soulagement *m*; **it is a ~ to know (that) he's safe** c'est un soulagement de savoir qu'il est sauf; **3** (approval) **with the ~ of sb, with sb's ~** avec la bénédiction de qn; **to give one's ~ to sth** approuver qch sans réserve; **4** Relig bénédiction *f*; **to give sb one's ~** donner sa bénédiction à qn; **to say a ~ over sth** bénir qch; **to ask God's ~ on sth/sb** demander à Dieu de bénir qch/qn; **a service of ~** un office de bénédiction

blether /ˈbleðə(r)/ *n*, *vi* = **blather**

blew /bluː/ *prét* ▸ **blow B, C**

blewits /ˈbluːɪts/ *n* (+ *v sg*) pied-bleu *m*

blight /blaɪt/
A *n* **1** Bot (of cereals, roses) rouille *f*; **potato ~** mildiou *m* (de la pomme de terre); **2** fig (on society) plaie *f* (**on** de); **urban ~, inner city ~** délabrement *m* urbain; **planning ~** nuisance *f* (*produite par les excès de l'urbanisme*); **to cast a ~ on sth** gâcher qch
B *vtr* attaquer [*crop*]; fig briser [*marriage*]; gâcher [*childhood*]; compromettre [*chances*]; faire s'envoler [*hopes*]

blighter†○ /ˈblaɪtə(r)/ *n* GB andouille○ *f*; **poor ~** pauvre andouille○; **you lucky ~!** sacré veinard○!; **little ~!** petite peste○!

Blighty† /ˈblaɪtɪ/ *n* GB argot des militaires l'Angleterre *f*, 'le pays'

blimey○ /ˈblaɪmɪ/ *excl* GB mince alors!○

blimp /blɪmp/ *n* **1** ○GB pej **Colonel Blimp** vieux réactionnaire *m* bougon; **2** Aviat dirigeable *m*; **3** Cin blindage *m* insonorisant; **4** ○US (fat person) gros lard○ *m*

blimpish /ˈblɪmpɪʃ/ *adj* GB péj réactionnaire

blind /blaɪnd/
A *n* **1** **the ~** (+ *v pl*) les aveugles *mpl* voir note; **school for the ~** école pour aveugles *or* non-voyants *mpl*; **2** (at window) store *m*; **3** (front) façade *f*; (subterfuge) feinte *f*; **it was just a ~** ce n'était qu'une façade; **4** US (hide) affût *m*
B *adj* **1** lit [*person*] aveugle voir note; **a ~ man/woman** un/-e aveugle; **to go ~** perdre la vue; **to be ~ in one eye** être borgne; **are you ~**○**?** tu es aveugle ou quoi○?; **2** (unaware) [*person, panic, rage, acceptance, obedience*] aveugle; **to be ~ to** être aveugle à [*fault, defect*]; être insensible à [*quality, virtue*]; être inconscient de [*risk, danger*]; **3** (from which one can't see) [*corner, brow of hill*] sans visibilité; **on my ~ side** dans mon angle mort; **~ entrance** entrée dérobée; **4** (without looking) [*tasting*] en aveugle; **5** (blank) [*wall, facade*] aveugle; **6** Aviat [*landing*] sans visibilité; **7** ○(slightest) **he doesn't know a ~ thing about it** il n'y connaît strictement rien
C *adv* **1** (without seeing) [*fly, land*] sans visibilité; [*taste*] en aveugle; **2** Culin [*bake*] à blanc; ▸ **rob, swear**
D *vtr* **1** lit [*injury, accident*] rendre aveugle [*person*]; **to be ~ed in an accident** perdre la vue dans un accident; **to be ~ed in one eye** perdre un œil; **2** (dazzle) [*sun, light*] éblouir [*person*]; **3** (mislead, overwhelm) [*pride, love*] aveugler; **to be ~ed by** être aveuglé par [*passion, love*]
E *vi* GB ▸ **eff**
(Idioms) **love is ~** l'amour est aveugle; **it's a case of the ~ leading the ~** ils n'en savent pas plus long l'un que l'autre; **to turn a ~ eye** fermer les yeux (**to** sur); ▸ **bat**

> ⚠ Ce mot peut être perçu comme injurieux dans cette acception. Lui préférer *visually handicapped* ou *visually impaired*

blind alley *n* lit, fig voie *f* sans issue; **to lead up a ~** ne mener nulle part

blind date *n* **1** (meeting) rendez-vous *m* avec un/-e inconnu/-e; **to go on a ~** avoir rendez-vous avec un/-e inconnu/-e; **2** (person) inconnu/-e *m/f* avec qui l'on a rendez-vous

blind drunk○ *adj* complètement bourré○

blinder /ˈblaɪndə(r)/ *n* **1** ○GB Sport coup *m* fumant○; **2** US (for horse) œillère *f*

blindfold /ˈblaɪndfəʊld/
A *n* bandeau *m*
B *adj* (*also* **~ed**) [*person*] aux yeux bandés; **to be ~** avoir les yeux bandés
C *adv* (*also* **~ed**) [*find way*] les yeux fermés
D *vtr* bander les yeux à [*person*]

blinding /ˈblaɪndɪŋ/ *adj* [*intensity, light, flash*] aveuglant; [*headache, pain*] atroce; **the solution came to me in a ~ flash** fig la solution m'est apparue dans un éclair de lucidité

blindingly /ˈblaɪndɪŋlɪ/ *adv* [*shine*] d'un éclat aveuglant; **to be ~ obvious** sauter aux yeux

blindly /ˈblaɪndlɪ/ *adv* **1** fig [*obey, follow*] aveuglément; **2** lit [*advance, grope*] à l'aveuglette

blind man's buff ▸ **p. 1253** *n* Games colin-maillard *m*

blindness /ˈblaɪndnɪs/ *n* **1** Med, lit cécité *f*; **2** fig aveuglement *m*

blind spot *n* **1** Med (in eye) point *m* aveugle; **2** (in car, on hill) angle *m* mort; **to be in sb's ~** être dans l'angle mort de qn; **3** fig (point of ignorance) ignorance *f* ₵; **to have a ~ as far as sth is concerned** ne rien comprendre à qch

blind: **~ test** *n* Comm test *m* en aveugle, blind-test *m*; **~worm** /ˈblaɪndwɜːm/ *n* orvet *m*

bling○ /blɪŋ/ *n*: *vêtements, accessoires et bijoux coûteux, voyants et ostentatoires et le fait de les porter*

blink /blɪŋk/
A *n* (of eye) battement *m* des paupières; **without a ~** fig sans ciller
B *vtr* **to ~ one's eyes** cligner des yeux
C *vi* [*person*] cligner des yeux; [*light*] clignoter; **without ~ing** sans ciller also fig
(Idioms) **in the ~ of an eye** en un clin d'œil; **it's (gone) on the ~**○ c'est détraqué○
(Phrasal verbs) ■ **blink away**: **to ~ away one's tears** battre des paupières pour s'arrêter de pleurer
■ **blink at**: ▸ **~ at [sth]** **1** (overlook) fermer les yeux sur; **2** (be taken aback) **he ~ed at the size of the bill** il a tiqué en voyant la note○
■ **blink back**: **to ~ back one's tears** retenir ses larmes en clignant des yeux

blinker /ˈblɪŋkə(r)/
A n **1** Aut clignotant m; (emergency light) gyrophare m; US (at crossing) (feu m) clignotant m; **2** (on horse) gén pl œillère f; **to wear ~s** avoir des œillères also fig
B vtr mettre des œillères à [horse]
C **blinkered** pp adj [attitude, approach] borné

blinking /ˈblɪŋkɪŋ/
A n ¢ (of eye) battement m des paupières; (of light) clignotement m
B °GB adj sacré (before n); **~ idiot** idiot m de première°
C °GB adv **you'll ~ well do it now!** c'est maintenant, et plus vite que ça°!; **no I ~ well won't!** ça sûrement pas!

blinty /ˈblɪntɪ/ n US crêpe f

blip /blɪp/ n **1** (on screen) spot m; (on graph, line) accident m (d'une courbe); **2** (sound) bip m; **3** (hitch) contretemps m; **4** Econ, Fin (drop) fléchissement m

bliss /blɪs/ n **1** Relig, liter béatitude f; **2** °fig délice m; **what ~!** quel délice!; **wedded ~, domestic ~** sérénité f conjugale

blissful /ˈblɪsfl/ adj **1** (wonderful) délicieux/-ieuse; **~ ignorance** une douce ignorance; **2** Relig bienheureux/-euse

blissfully /ˈblɪsfəlɪ/ adv voluptueusement; **to be ~ happy** être au comble du bonheur; **a ~ happy month** un mois de bonheur parfait; **to be ~ unaware of/that** être à cent lieues de se douter de/que; **~ ignorant** dans la plus parfaite ignorance

blister /ˈblɪstə(r)/
A n (on skin) ampoule f; (on paint) cloque f; (in glass, on metal) soufflure f
B vtr faire peler [skin]; faire cloquer [paint]; **relief for ~ed feet** un remède pour les ampoules aux pieds; **~ed paint** peinture cloquée; **~ed glass** verre à soufflures
C vi [skin, paint] cloquer; [person] peler; **my feet ~ easily** j'ai facilement des ampoules aux pieds

blistering /ˈblɪstərɪŋ/
A n (of skin) formation f d'ampoules; (of paint) formation f de cloques; **it helps to avoid ~** ça permet d'éviter les ampoules or les cloques
B adj [heat] caniculaire; [sun] torride; [attack, criticism] féroce; [tongue] acéré; [reply] cinglant; **at a ~ speed** ou **pace** à une allure foudroyante

blisteringly /ˈblɪstərɪŋlɪ/ adv **~ hot** torride; **~ sarcastic** extrêmement cinglant; **~ fast** à une allure foudroyante

blister pack
A n blister m, habillage m transparent
B vtr mettre [qch] sous blister or sous habillage transparent

blithe /blaɪð/ adj (nonchalant) insouciant; (cheerful) allègre

blithely /ˈblaɪðlɪ/ adv (nonchalantly) avec insouciance; (cheerfully) allègrement; **~ ignorant of sth** parfaitement inconscient de qch

blithering° /ˈblɪðərɪŋ/ adj **a ~ idiot** un/-e idiot/-e m/f de première°; **you ~ idiot!** espèce d'idiot!

blithesome /ˈblaɪðsəm/ adj liter béat

blitz /blɪts/
A n **1** Mil Aviat bombardement m aérien; **the Blitz** GB Hist le Blitz; **2** fig vaste campagne f; **to have a ~ on sth** s'attaquer à qch
B vtr lit, fig bombarder; **to ~ sb with questions** bombarder qn de questions

blitzed° /blɪtst/ adj (drunk) bourré°

blitzkrieg /ˈblɪtskriːg/ n (war) guerre f éclair inv; (attack) attaque f éclair

blizzard /ˈblɪzəd/ n tempête f de neige; (in Arctic regions) blizzard m

bloat /bləʊt/ n Vet ballonnement m

bloated /ˈbləʊtɪd/ adj **1** lit [face, body] bouffi; [stomach] ballonné; **to feel ~** se sentir ballonné; **2** fig [estimate, imagery] gonflé; [style] ampoulé; [bureaucracy, sector] surgonflé; [capitalist] bouffi

bloater /ˈbləʊtə(r)/ n ≈ hareng m saur

blob /blɒb/ n **1** (of paint, cream etc) grosse goutte f; **2** (indistinct shape) forme f floue

bloc /blɒk/ n Pol bloc m; **en ~** en bloc

block /blɒk/
A n **1** (slab) bloc m; **a ~ of ice/marble** un bloc de glace/marbre; **a ~ of ice cream** une glace f (au litre); **2** (building) **~ of flats** immeuble m (d'habitation); **office/residential ~** immeuble de bureaux/d'habitation; **administration ~** bâtiment m administratif; **science ~** bloc m scientifique; **3** (group of buildings) pâté m de maisons; **to drive round the ~** faire le tour du pâté de maisons; **he lives three ~s away** US il habite à trois rues d'ici; **the bank is two ~s south** US la banque est à deux rues d'ici au sud; **4** (for butcher, executioner) billot m; **to put** ou **lay one's head on the ~** fig donner sa tête à couper; **5** (group) (of seats, tickets) groupe m; (of stamps) bloc m; (of shares) paquet m, tranche f; **a ~ of three lessons** trois cours d'affilée; **6** (obstruction) **to be a ~ to** être un obstacle à [reform, agreement]; **to be a ~ to progress** être une entrave au progrès; **to put a ~ on** bloquer [price, sale]; entraver [initiative]; **7** Print cliché m; **8** Comput bloc m; **9** Tech (housing pulleys) palan m; **10** °(head) caboche° f, tête f; **I'll knock your ~ off**◑ je vais te casser la figure°; **11** Rail canton m; **12** Sport obstruction f
B **blocks** npl Dance chaussons mpl à pointes
C vtr **1** (obstruct) bloquer [exit, road, pass]; boucher [drain, gutter, hole, artery]; gêner [traffic]; **to ~ sb's way** ou **path** barrer le passage à qn; **to have a ~ed nose** avoir le nez bouché; **2** (impede) bloquer [market, project]; faire obstacle à [advance, escape, progress]; faire opposition à [bill]; **you're ~ing my light** tu me caches la lumière; **you're ~ing my view** tu me bouches la vue; **3** Fin bloquer [assets, currency, funds]; **4** Sport bloquer [ball, opponent, rope]

(Phrasal verbs) ■ **block in**: ▸ **~ [sb/sth] in** **1** (when parking) bloquer [car, driver]; **2** Art colorer [area, figure]
■ **block off**: ▸ **~ [sth] off, ~ off [sth]** **1** (seal off) barrer [road, path]; **2** Phot (mask) masquer [negative]
■ **block out**: ▸ **~ out [sth], ~ [sth] out** **1** (hide) boucher [view]; cacher [light, sun]; **2** (suppress) refouler [memory, problem]
■ **block up**: ▸ **~ up [sth], ~ [sth] up** boucher [artery, drain, gutter, hole, street]

blockade /blɒˈkeɪd/
A n Mil blocus m
B vtr bloquer, faire le blocus de [port]

blockade runner n Mil briseur m de blocus

blockage /ˈblɒkɪdʒ/ n (in artery) obstruction f; (in pipe, drain, distribution) blocage m; (in river) engorgement m; **intestinal ~** occlusion f intestinale

block: **~ and tackle** n Tech moufle f; **~board** n latté m; **~book** vtr louer [qch] en groupe [seats, rooms]; **~-booking** n location f de groupe

blockbuster° /ˈblɒkbʌstə(r)/ n **1** (book) livre m à succès, bestseller m; **2** (film) superproduction f; **3** Mil bombe f de très grande puissance

block capital n Print majuscule f d'imprimerie; **in ~s** (on form) en caractères mpl or capitales fpl d'imprimerie

block diagram n **1** Comput, Electron schéma m fonctionnel; **2** Geol, Geog bloc-diagramme m

block: **~ grant** n GB Admin subvention f gouvernementale (aux autorités locales pour assurer les services publics); **~head**° n péj âne° m, imbécile° mf

blockhouse /ˈblɒkhaʊs/ n **1** Mil blockhaus m; **2** US Hist (fort) fortin m; **3** Aerosp poste m de lancement

blocking software /ˈblɒkɪŋ ˌsɒftweə(r), US sɔːft-/ n Comput logiciel m de filtrage

block: **~ lava** n Geol lave f pétrifiée; **~ letter** n = **block capital**; **~ printing** n Print impression f sur cliché bois; **~ release course** n cours m de formation continue; **~ tin** n lingot m d'étain; **~ vote** n GB Pol vote m groupé; ▸ **One man one vote**; **~ voting** n GB Pol système m du vote groupé

blog /blɒg/
A n Comput blog m, weblog m
B vi bloguer

blogger /ˈblɒgə(r)/ n Comput bloguer/-euse m/f, blogger m

blogosphere /ˈblɒgə(ʊ)sfɪə(r)/ n blogosphère m

bloke° /bləʊk/ n GB type° m, mec° m

blond /blɒnd/ ▸ **p. 1067** adj [person, hair] blond; [wood] clair

blonde /blɒnd/ ▸ **p. 1067**
A n blonde f
B adj blond

blood /blʌd/
A n **1** Biol, Physiol sang m; **to give ~** donner son sang; **the ~ rushed to his cheeks** il a rougi; **the ~ rushed to my head** le sang m'est monté au visage; **the sound made my ~ run cold** le bruit m'a glacé le sang; **to kill sb in cold ~** tuer qn de sang-froid; **to have sb's ~ on one's hands** fig avoir la mort de qn sur la conscience; **to draw first ~** faire couler le premier sang; **to do ~s** faire des analyses de sang; **2** (breeding) sang; **royal ~** sang royal; **there is Danish ~ on his mother's side** il y a du sang danois du côté de sa mère; **music is in her ~** elle a la musique dans le sang; **a prince of the ~** un prince de sang; **~ tells** bon sang ne saurait mentir; **3** (anger) **his ~ is up** il est furieux; **my ~ was boiling** je bouillais de rage; **it makes my ~ boil!** ça me fait bouillir!; **4** (vigour) **new** ou **fresh** ou **young ~** sang neuf
B vtr Hunt barbouiller le visage de [qn] de sang de renard tué [hunter]; donner le goût du sang à [hound]

(Idioms) **~ is thicker than water** la voix du sang est la plus forte; **he's after my ~!**° il veut ma peau!°; **it's like getting ~ out of a stone** (making someone speak) autant essayer de faire parler un muet; (making someone pay) autant faire pleurer les pierres, il/elle est tellement radin/-e°!

blood: **~-and-thunder**† adj [novel, film] d'aventures; **~ bank** n banque f du sang; **~bath** n bain m de sang; **~ blister** n pinçon m; **~ brother** n frère m de sang; **~ cell** n globule m (du sang); **~-cholesterol** n taux m de cholestérol du sang; **~ clot** n caillot m de sang; **~ clotting agent** n agent m coagulant du sang; **~ corpuscle** n globule m (du sang); **~ count** n Med numération f globulaire

bloodcurdling /ˈblʌdkɜːdlɪŋ/ n **a ~ scream** un cri à vous figer le sang dans les veines

blood: **~ donor** n donneur/-euse m/f de sang; **~ feud** n lutte f à mort; **~ flow** n débit m sanguin; **~ group** n groupe m sanguin; **~ heat** n température f du sang; **~hound** n limier m

bloodless /ˈblʌdlɪs/ adj **1** (peaceful) [revolution, coup] sans effusion de sang; **2** (pale) blême; **3** (drained of blood) exsangue

bloodletting /ˈblʌdletɪŋ/ n **1** Med saignée f; **2** (killing) massacre m

blood: **~line** n lignée f; **~ lust** n soif f de sang; **~mobile** n US Med centre m mobile de collecte du sang; **~ money** n argent m versé pour un meurtre; **~ orange** n orange f sanguine; **~ plasma** n plasma m sanguin; **~ poisoning** n septicémie f

blood pressure n Med tension f artérielle; **high ~** hypertension f; **low ~** hypotension f; **my ~ rose/fell** ma tension a monté/baissé

blood: **~ product** n Med produit m sanguin; **~ pudding** n Culin boudin m noir;

b

~red *n, adj* rouge (*m*) sang (*inv*); **~ relation**, **~ relative** *n* parent/-e *m/f* par le sang; **~root** *n* Bot sanguinaire *f*; **~ sausage** *n* US = **blood pudding**; **~ serum** *n* sérum *m* sanguin; **~shed** *n* effusion *f* de sang; **~shot** *adj* injecté de sang; **~-soaked** *adj* trempé de sang; **~ sport** *n* Hunt sport *m* sanguinaire; **~stain** *n* tache *f* de sang; **~stained** *adj* taché de sang; **~stock** *n* Equit (+ *v sg ou pl*) bêtes *fpl* de race; **~stone** *n* Miner jaspe *m* sanguin; **~stream** *n* Med courant *m* sanguin; **~sucker** *n* lit, fig sangsue *f*; **~ sugar** *n* glucide *m*; **~ test** *n* Med analyse *f* de sang; **~thirstiness** *n* soif *f* de sang

bloodthirsty /ˈblʌdθɜːstɪ/ *adj* [1] [*murderer, tiger*] assoiffé de sang; [2] [*film, novel*] sanguinaire

blood: **~ ties** *npl* liens *mpl* de sang; **~ transfusion** *n* transfusion *f* sanguine; **~ type** *n* groupe *m* sanguin; **~ vessel** *n* vaisseau *m* sanguin; **~worm** *n* Zool ver *m* de vase

bloody /ˈblʌdɪ/

[A] *adj* [1] (covered in blood) [*hand, sword, rag*] ensanglanté; **to have a ~ nose** avoir le nez en sang; **to give sb a ~ nose** lit faire saigner le nez de qn; fig faire souffrir qn; [2] (violent) [*battle, deed*] sanglant; [*regime, tyrant*] sanguinaire; [3] ◑GB (expressing anger, frustration) sacré○; **this ~ car!** cette sacrée○ voiture!; **what a ~ miracle!** c'est un sacré○ miracle!; **you ~ fool!** espèce d'idiot○!; **you've got a ~ nerve!** tu as un sacré culot○!; **~ hell!** merde◑!; **what the ~ hell are you doing here?** qu'est-ce que tu fous là?◑; [4] ○(unpleasant) **the interview was ~** l'entretien a été atroce; **he was perfectly ~ to me** il a été parfaitement dégueulasse◑ avec moi○; [5] (red) rouge sang (*inv*)

[B] ◑*adv* GB (for emphasis) [*dangerous, difficult, expensive*] sacrément○; **she sings ~ well** elle chante sacrément○ bien; **the film was ~ awful** le film était absolument nul○; **a ~ good film** un super○ film; **what a ~ stupid idea!** quelle idée débile○!; **don't be so ~ stupid!** arrête tes conneries◑!; **it's ~ ridiculous!** c'est vraiment con◑!; **you had ~ well better do** tu as intérêt à faire

(Idiom) **~ but unbowed** le corps meurtri mais la tête haute

Bloody Mary *n* vodka *f* avec du jus de tomate

bloody-minded /ˌblʌdɪˈmaɪndɪd/ *adj* GB **don't be so ~** ne fais pas ta tête de mule; **he's just being ~** il fait ça pour embêter le monde

blooey○ /ˈbluːɪ/ *adv* US **to go ~** foirer○

bloom /bluːm/

[A] *n* [1] (flower) fleur *f*; [2] (flowering) floraison *f*; **in ~** en fleur; **in full ~** en pleine floraison; **to come into ~** fleurir; [3] (on skin, fruit) velouté *m*; [4] fig **in the ~ of youth** dans la fleur de l'âge; fig **to take the ~ off sth** jeter une ombre sur qch

[B] *vi* (be in flower) être fleuri; (come into flower) fleurir

bloomer /ˈbluːmə(r)/ *n* [1] ○†GB bévue *f*; [2] (plant) **late/early ~** plante *f* à floraison tardive/précoce; [3] GB Culin gros pain *m*

bloomers /ˈbluːməz/ *npl* culotte *f* bouffante (*portée autrefois par les femmes*)

blooming /ˈbluːmɪŋ/

[A] *adj* [1] (healthy) [*person*] resplendissant; [*plant*] magnifique; [*friendship*] florissant; **~ with health** resplendissant de santé; **~ period** floraison *f*; [2] ○GB fichu○; **~ idiot!** espèce d'idiot○!

[B] ○GB *adv* **it ~ well isn't!** sûrement pas!

Bloomsbury group /ˈbluːmzbrɪ gruːp/ *n*: *cercle d'artistes et d'écrivains londoniens (dont Virginia Woolf et Duncan Grant) entre 1907 et 1930*

blooper○ /ˈbluːpə(r)/ *n* US gaffe○ *f*

blossom /ˈblɒsəm/

[A] *n* [1] (flowers) fleurs *fpl*; **in ~** en fleur(s); **in full ~** en pleine floraison; **the valley is full of ~** la vallée est pleine d'arbres en fleur; **to come into ~** fleurir; **~ time** floraison *f*; [2] (flower) fleur *f*

[B] *vi* fleurir; fig **to ~ (out)** s'épanouir; **she is ~ing into a lovely woman** elle devient une très belle femme

blot /blɒt/

[A] *n* gen tache *f*; (of ink) pâté *m*; fig ombre *f*

[B] *vtr* (*p prés etc* **-tt-**) [1] (dry) sécher [qch] au buvard [*writing*]; **to ~ one's lipstick** enlever le rouge à lèvres superflu; [2] (stain) tacher; fig ternir; [3] = **blot out**

(Idioms) **to ~ one's copybook** se faire mal voir; **to be a ~ on the escutcheon** ternir le blason de qn; **to be a ~ on the landscape** lit gâter le paysage; fig faire une ombre au tableau

(Phrasal verbs) ■ **blot out**: ► **~ out [sth]** [*person*] effacer; [*mist, rain*] masquer

■ **blot up**: ► **~ up [sth]**, **~ [sth] up** éponger

blotch /blɒtʃ/

[A] *n* [1] (on skin) plaque *f* rouge; [2] (of ink, colour) grosse tache *f*

[B] *vtr* barbouiller [*paper, face*]

[C] *vi* [*pen*] faire des taches

blotchiness /ˈblɒtʃɪnɪs/ *n* (on skin) rougeurs *fpl*

blotchy /ˈblɒtʃɪ/ *adj* [*complexion*] marbré; [*leaf, paper etc*] tacheté

blotter /ˈblɒtə(r)/ *n* [1] (for ink) (small) tampon *m* buvard; (on desk) sous-main *m inv*; [2] US (police, commercial) registre *m*

blotting paper *n* papier *m* buvard

blotto○ /ˈblɒtəʊ/ *adj* cuité○

blouse /blaʊz, US blaʊs/ ▸ **p. 1694** *n* [1] (woman's) chemisier *m*; [2] US Mil vareuse *f*

blouson /ˈbluːzɒn/ *n* blouson *m*

blow /bləʊ/

[A] *n* [1] (stroke) coup *m*; **killed by a ~ to the back of the head** tué d'un coup derrière la tête; **to fell sb with a ~** (with fist) abattre qn d'un coup de poing; (with stick) abattre qn d'un coup de bâton; **to exchange ~s** échanger des coups; **to come to ~s** en venir aux mains (**over** au sujet de); **to strike a ~ for** fig frapper un grand coup pour [*freedom, rights*]

[2] fig (shock, knock) coup *m*; **to deal sb a savage ~** porter un très mauvais coup à qn; **the ~ fell** le coup est tombé; **to be a ~** être un coup terrible (**to sth** porté à qch; **to, for sb** pour qn)

[3] (of nose) **to give one's nose a ~** se moucher; **give your nose a good ~** mouche-toi un bon coup

[4] ○GB (marijuana) herbe○ *f*

[5] (cocaine) blanche○ *f*, cocaïne *f*

[B] *vtr* (*prét* **blew**; *pp* **blown**) [1] [*wind*] **to ~ sth out of** faire voler qch par [*window*]; **the wind blew the door open/shut** un coup de vent a ouvert/fermé la porte; **to be blown off course/onto the rocks** être dévié/poussé sur les rochers par le vent; **it's ~ing a gale** il y a de la tempête

[2] [*person*] faire [*bubble, smoke ring*]; **to ~ smoke in sb's face** envoyer *ou* souffler la fumée dans la figure de qn; **to ~ an egg** vider un œuf (en soufflant dedans); **to ~ glass** souffler du verre; **to ~ sb a kiss** envoyer un baiser à qn

[3] **to ~ one's nose** se moucher

[4] gen, Mus souffler dans [*trumpet, whistle, flute*]; **to ~ the whistle for half-time** siffler la mi-temps

[5] [*explosion*] provoquer [*hole*] (**in** dans); **to be blown to pieces** *ou* **bits by** être réduit en poussière par; **to ~ a safe** faire sauter un coffre-fort

[6] Elec, Mech faire sauter [*fuse, gasket*]; griller [*lightbulb*]

[7] ○(spend) claquer○ [*money*] (**on** dans)

[8] ○(expose) faire tomber [*cover*]; découvrir [*operation*]

[9] ○(make a mess of) **to ~ it** tout ficher en l'air○; **to ~ one's chances** ficher ses chances en l'air○; **to ~ one's lines** se mélanger les pinceaux○; **that's really blown it**○**!** c'est fichu○ cette fois!

[10] ○† (*pp* **blowed**) **~ it!** zut○!; **~ him!** qu'il aille au diable; **well, ~ me down** *ou* **I'll be ~ed!** mince alors○!; **I'll be ~ed if I'll pay!** pas question que je paye!○

[11] ○US **to ~ town** se tirer○ vite fait

[12] US (exaggerate) ▸ **blow up**

[13] ○(drugs slang) **to ~ grass** fumer (de l'herbe)

[14] ●(fellate) tailler une pipe à●

[C] *vi* (*prét* **blew**; *pp* **blown**) [1] [*wind*] souffler; **the wind's ~ing from the north** le vent vient *or* souffle du nord; **it's ~ing hard tonight** le vent souffle fort ce soir

[2] (move with wind) **to ~ in the wind** [*leaves, clothes*] voler au vent

[3] [*person*] souffler (**into** dans; **on** sur)

[4] (sound) [*whistle*] retentir; [*trumpet*] sonner, retentir; [*foghorn*] rugir; **when the whistle ~s** au coup de sifflet

[5] [*whale*] souffler

[6] (break, explode) [*fuse, gasket*] sauter; [*bulb*] griller; [*tyre*] éclater

[7] ○(leave quickly) filer○

(Idioms) **to ~ a fuse**○ *ou* **a gasket**○ *ou* **one's lid**○ *ou* **one's stack**○ *ou* **one' s top**○ piquer une crise○; **it really blew my mind**○ *ou* **blew me away!**○ (with admiration, astonishment) j'en suis resté baba○

(Phrasal verbs) ■ **blow around, blow about** GB: ► **~ around** [*leaves, papers, litter*] voler dans tous les sens; ► **~ [sth] around**, **~ around [sth]** faire voler [qch] dans tous les sens

■ **blow away**: ► **~ away** [*object, hat, paper*] s'envoler; ► **~ [sth] away**, **~ away [sth]** [*wind*] emporter [*object*]; [*explosion*] souffler [*roof*]; **to ~ the dust away** souffler sur la poussière; ► **~ [sb] away**○ (kill) descendre○ [*person*]; (defeat) écraser○

■ **blow down**: ► **~ down** [*tree, fence, house*] tomber (à cause du vent); ► **~ [sth] down**, **~ down [sth]** [*wind*] faire tomber [*chimney, tree, house*]

■ **blow in**: ► **~ in** [1] [*snow, rain*] entrer; [2] (in explosion) [*door, window*] être enfoncé; ► **~ [sth] in**, **~ in [sth]** [1] [*wind*] faire entrer [*snow, rain*]; [2] [*explosion*] enfoncer [*door, window*]

■ **blow off**: ► **~ off** [1] [*hat*] s'envoler; [2] (gush out) [*gas, liquid*] s'échapper; ► **~ [sth] off**, **~ off [sth]** [*wind*] emporter [*hat*]; [*explosion*] emporter [*hand, limb, roof*]; **to ~ sb's head off** faire sauter la tête de qn; **he had his leg blown off** il a perdu sa jambe; **to ~ the leaves off the trees** [*wind*] faire tomber les feuilles des arbres; **to ~ the dust off sth** [*person*] enlever la poussière de qch en soufflant dessus

■ **blow out**: ► **~ out** [1] [*candle, flame*] s'éteindre; [2] [*oil well*] laisser échapper du pétrole; [*gas well*] laisser échapper du gaz; ► **~ [sth] out**, **~ out [sth]** [1] (extinguish) souffler [*candle*]; éteindre [*flames*]; [2] (inflate) **to ~ one's cheeks out** gonfler les *or* ses joues; **to ~ itself out** [*gale, storm*] tomber

■ **blow over**: ► **~ over** [1] (pass, die down) [*storm*] tomber; [*affair*] être oublié; [*discontent, protest*] se calmer; [*anger*] passer, tomber; [2] (topple) [*fence, tree*] tomber (à cause du vent); ► **~ [sb/sth] over** [*wind*] renverser [*person, tree, fence*]

■ **blow up**: ► **~ up** [1] (in explosion) [*building*] sauter; [*bomb*] exploser; [2] [*wind, storm*] se lever; [3] [*trouble, problem, affair*] éclater; [4] ○(become angry) [*person*] s'emporter; **to ~ up at sb** s'emporter après qn, engueuler○ qn; [5] (inflate) **it ~s up** c'est gonflable; **it won't ~ up!** je n'arrive pas à le/la gonfler!; ► **~ [sth/sb] up**, **~ up [sb/sth]** (in explosion) faire sauter [*building, person*]; faire exploser [*bomb*]; ► **~ [sth] up**, **~ up [sth]** [1] (inflate) gonfler [*tyre, balloon*]; [2] Phot (enlarge) agrandir; [3] (exaggerate) exagérer; **the story has**

been blown (up) out of all proportion l'histoire a été exagérément grossie
blow: **~-by-blow** *adj* [*account*] par le menu; **~down** *n* Nucl dépressurisation *f*
blow-dry /'bləʊdraɪ/
A *n* brushing *m*; **a cut and ~** une coupe avec brushing
B *vtr* **to ~ sb's hair** faire un brushing à qn; **to ~ one's hair** se faire un brushing
blower○† /'bləʊə(r)/ *n* (telephone) téléphone *m*; **to get on the ~** passer un coup de fil○ (to à)
blow: **~fly** *n* mouche *f* bleue; **~gun** *n* US sarbacane *f*; **~hard**○ *n* US vantard/-e *m/f*
blowhole /'bləʊhəʊl/ *n* **1** Zool (of whale) évent *m*; **2** (in ice) trou *m* d'air
blow job● /'bləʊdʒɒb/ *n* **to give sb a ~** tailler une pipe à qn●
blowlamp /'bləʊlæmp/ *n* GB = **blowtorch**
blown /bləʊn/
A *pp* ▸ **blow B, C**
B *adj* [*rose*] épanoui
blowout /'bləʊaʊt/ *n* **1** Elec court-circuit *m*; **2** Aut (of tyre) crevaison *f*; **3** Mining (in oil or gas well) jaillissement *m*; **4** Aviat (of jet engine) panne *f*; **to have a ~** tomber en panne; **5** ○ (meal) gueuleton○ *m*; **to have a ~** faire un gueuleton○
blowpipe /'bləʊpaɪp/ *n* **1** GB (for darts) sarbacane *f*; **2** (of blowtorch) chalumeau *m*; **3** (in glassmaking) tube *m* de soufflage
blowtorch /'bləʊtɔːtʃ/ *n* lampe *f* à souder
blow-up /'bləʊʌp/
A *n* **1** Phot agrandissement *m*; **2** ○(argument) engueulade◑ *f*
B *adj* (inflatable) [*doll, toy, dinghy*] gonflable
blowy○ /'bləʊɪ/ *adj* venteux/-euse, venté
blowzy /'blaʊzɪ/ *adj* péj [*woman*] à l'aspect négligé
blub○ /blʌb/ *vi* (*p prés etc* **-bb-**) GB chialer○
blubber /'blʌbə(r)/
A *n* (of whale) graisse *f* de baleine; ○fig hum (of person) graisse *f*, lard○ *m*; **~-faced** au visage boursouflé; **~-lipped** lippu
B ○*vi* pleurer comme un veau
blubbery /'blʌbərɪ/ *adj* adipeux/-euse; **to have ~ lips** être lippu
bludgeon /'blʌdʒən/
A *n* matraque *f*
B *vtr* matraquer; **to ~ sb to death** tuer qn à coups de matraque; **she ~ed him into doing it** fig elle l'a harcelé pour qu'il le fasse
blue /bluː/ ▸ **p. 1067**
A *n* **1** (colour) bleu *m*; **to go** *ou* **turn ~** bleuir, devenir bleu; **2** (sky) littér **the ~** l'azur *m* liter; **3** GB Univ (honour) **to be/get an Oxford/Cambridge ~** être/devenir membre d'une équipe sportive d'Oxford/de Cambridge; **4** ○GB Pol **a true ~** un partisan ardent du parti Conservateur; **5** US Hist (in civil war) nordiste *mf*
B **blues** *npl* **1** Mus **the ~s** le blues *m*; **to sing/play the ~s** chanter/jouer du blues; **2** ○ (depression) **the ~s** le cafard○; **to have the ~s** avoir le cafard○
C **blues** *modif* Mus [*music, musician, fan, festival*] de blues
D *adj* **1** (in colour) bleu; fig **to be ~ from** *ou* **with the cold** être bleu de froid; **2** (depressed) **to feel ~** avoir le cafard○; **to look ~** avoir l'air déprimé; **3** ○(smutty) [*film*] porno○; [*joke*] osé, cochon/-onne○; **4** ○GB Pol conservateur/-trice
E *vtr*○ GB (squander) **to ~ (all) one's money on sth** dépenser tout son fric sur qch○
(Idioms) **to say sth out of the ~** dire qch à brûle-pourpoint; **to appear/happen out of the ~** apparaître/se passer à l'improviste; **to go off into the ~** partir à l'aventure; **to vanish into the ~** s'évanouir dans la nature; **the air was ~!** les gros mots fusaient!; **black and ~** couvert de bleus; **to beat sb black and ~**○ battre qn comme plâtre○; **to throw a ~ fit** piquer une crise○; **to tell sb sth/repeat sth (to sb) until one is ~ in the face** se tuer à dire qch à qn/à répéter qch (à qn); **you can shout until you're ~ in the face, I'm going anyway!** cause toujours, j'y vais quand même○!; ▸ **moon, murder**
blue: **~ baby** *n* enfant *m* bleu; **~ baby syndrome** *n* maladie *f* bleue; **Bluebeard** *pr n* Mythol, fig Barbe-bleue *m*
bluebell /'bluːbel/ *n* Bot **1** (wood hyacinth) jacinthe *f* des bois; **2** (harebell) campanule *f*
blue: **~berry** *n* US Bot myrtille *f*; **~bird** *n* rouge-gorge *m* bleu; **~-black** ▸ **p. 1067** *n, adj* [*hair*] noir (*m*) à reflets bleus; [*material*] bleu (*m*) foncé *inv*; **~ blood** *n* sang *m* bleu *or* noble; **~-blooded** *adj* de sang bleu *or* noble
blue book *n* **1** Pol livre *m* blanc; **2** US Sch cahier *m* bleu (*utilisé pour les examens*); **3** US (society listing) ≈ bottin *m* mondain
bluebottle /'bluːbɒtl/ *n* **1** Zool mouche *f* bleue; **2** Bot bleuet *m*; **3** ○†GB flic○ *m*
blue: **~ cheese** *n* (fromage *m*) bleu *m*; **~ cheese dressing**, **~ cheese sauce** *n* sauce *f* salade au fromage bleu
blue chip
A *n* **1** Fin valeur *f* vedette; **2** Games (in poker) jeton *m* de grande valeur
B *modif* Fin [*company, customer*] de premier ordre; **~ (share)** valeur *f* de premier ordre; **~ investment** placement *m* sûr *or* de tout repos
blue collar *adj* **~ worker** ouvrier *m*, col *m* bleu; **~ union** syndicat *m* ouvrier; **~ vote** vote *m* des cols bleus
blue-eyed /'bluːaɪd/ *adj* aux yeux bleus
blue-eyed boy○ *n* GB fig (of public, media, teacher) chouchou *m*○, chéri *m*○; (of influential person) protégé *m*
bluegrass /'bluːgrɑːs, US -græs/ *n* **1** Bot pâturin *m*; **2** Mus blue grass *m* (*musique folklorique du Kentucky*)
blue: **~-green** ▸ **p. 1067** *n, adj* turquoise (*m*) *inv*; **Blue Helmets**, **Blue Berets** *npl* Mil Casques *mpl* bleus; **~ jay** *n* geai *m* bleu; **~ jeans** *npl* jean *m*; **~ law** *n* US Jur *loi limitant les activités publiques le dimanche*; **~ light** *n* (on emergency vehicles) gyrophare *m*; **~ mould** GB, **~ mold** US *n* pénicillium *m*
blueness /'bluːnɪs/ *n* bleu *m* ¢
blue: **~nose**○ *n* péj bien-pensant/-e *m/f* pej; **~ note** *n* (in jazz) blue note *f*
blue pencil
A *n* **to go through sth with the ~** (edit) corriger qch; (censor) censurer qch
B **blue-pencil** *vtr* (*p prés etc* GB **-ll-**, US **-l-**) (edit) corriger [*text*]; (censor) censurer [*film, book*]
Blue Peter /ˌbluː'piːtə(r)/ *n* Naut pavillon *m* de partance
blueprint /'bluːprɪnt/ *n* **1** Archit, Tech bleu *m*; **2** fig (plan) projet *m*, propositions *fpl* (**for** pour; **for doing** pour faire); **it's a ~ for success/disaster** cela mène tout droit au succès/à la catastrophe; **monetarist/industrial ~** politique *f* monétariste/industrielle
blue ribbon
A *n* premier prix *m*
B *modif* **1** US Jur [*jury, panel*] d'experts; **2** (premier) [*event*] grand (*before n*)
blue: **~ rinse** *n* Cosmet rinçage *m* à reflets argent; **~ rinse brigade** *n* GB hum péj vieilles bourgeoises *fpl* bien-pensantes pej; **~ shark** *n* requin *m* bleu; **~-sky** *adj* [*project*] qui en est encore à ses balbutiements; **~stocking** *n* péj bas-bleu *m* pej
blue streak○ *n* US **to talk a ~** parler à toute vitesse; **to run a ~** courir comme une flèche
bluesy /'bluːzɪ/ *adj* Mus inspiré du blues
blue: **~ tit** *n* mésange *f* bleue; **~ whale** *n* baleine *f* bleue
bluff /blʌf/
A *n* **1** (ruse) bluff *m* (also in cards); **2** (bank) escarpement *m*; (cliff) falaise *f*
B *adj* [*person, manner*] carré
C *vtr* bluffer○; **to ~ sb into thinking sth** faire croire qch à qn; **to ~ one's way out of a situation** se tirer d'une situation en bluffant
D *vi* bluffer (also in cards); **he's (only) ~ing** il bluffe
(Idioms) **to call sb's ~** prendre qn au mot (*sachant qu'il bluffe*); **it's time we called his ~** il est temps qu'on le mette au pied du mur; **to ~ it (out)** s'en tirer en bluffant *or* au bluff
bluffer /'blʌfə(r)/ *n* bluffeur/-euse *m/f*
bluish /'bluːɪʃ/ ▸ **p. 1067** *adj* bleuté
blunder /'blʌndə(r)/
A *n* bourde *f*
B *vi* **1** (make mistake) faire une bourde; **~ badly** faire une grosse bourde; **2** (move clumsily) **he ~ed into the table** il s'est cogné à la table
(Phrasal verbs) ■ **blunder about**: **she ~ed about in the dark** elle avançait dans l'obscurité en se cognant
■ **blunder on**: ▸ **~ on [sth]** découvrir qch sans le vouloir
blunderbuss /'blʌndəbʌs/ *n* tromblon *m*
blunderer /'blʌndərə(r)/ *n* balourd *m*
blundering /'blʌndərɪŋ/
A *n* balourdise *f*
B *adj* balourd; **~ idiot!** triple idiot!
blunt /blʌnt/
A *adj* **1** [*knife, scissors*] émoussé; [*pencil*] mal taillé; [*needle*] épointé; **this knife is ~** ce couteau ne coupe plus; **a ~ instrument** un instrument contondant; **2** (frank) [*person, manner*] abrupt; [*refusal, reply*] catégorique; [*criticism*] direct; **to be ~ with you** pour être tout à fait franc avec toi
B *vtr* émousser [*knife, scissors*]; épointer [*pencil, needle*]; couper [*appetite*]; endurcir [*feeling*]; émousser [*intelligence*]; tempérer [*enthusiasm*]
blunt cut
A *n* US (hairstyle) coupe *f* carrée
B *vtr* couper [qch] au carré [*hair*]
bluntly /'blʌntlɪ/ *adv* franchement; **to put it ~** pour parler franchement
bluntness /'blʌntnɪs/ *n* (of person) franc-parler *m*; (of manner, answer) rudesse *f*
blur /blɜː(r)/
A *n* image *f* floue; **the writing was just a ~ to me** l'écriture me semblait brouillée; **after that it all became a ~** ensuite les choses se sont un peu brouillées; **her memories are just a ~** ses souvenirs sont extrêmement confus
B *vtr* (*p prés etc* **-rr-**) brouiller; **to ~ the distinction between X and Y** confondre X et Y
C *vi* (*p prés etc* **-rr-**) se brouiller
blurb /blɜːb/
A *n* gen descriptif *m* (promotionnel); (on book cover) texte *m* de présentation (*sur la couverture*); péj baratin *m*
B *vtr* décrire
blurred /blɜːd/ *adj* indistinct; [*image, photo, idea*] flou; [*memory*] confus; **to have ~ vision** avoir des troubles de la vue; **a ~ memory** un souvenir confus (**of** de); **to become ~** [*eyes*] se voiler
blurt /blɜːt/ *vtr* ▸ **blurt out**
(Phrasal verb) ■ **blurt out**: ▸ **~ [sth] out, ~ out [sth]** laisser échapper; **he ~ed everything out** il a craché le morceau○
blush /blʌʃ/
A *n* **1** (flush) rougeur *f*; **without a ~** sans scrupules; **to spare sb's ~es** ménager (la modestie de) qn; **at first ~** sout à première vue; **to hide one's ~es** dissimuler son embarras; **2** US = **blusher**
B *vi* rougir (**at** devant; **with** de); **to ~ for sb** avoir honte pour qn; **I ~ to admit it** j'ai honte de le dire
blusher /'blʌʃə(r)/ *n* Cosmet fard *m* à joues
blushing /'blʌʃɪŋ/
A *n* rougissement *m*
B *adj* [*person*] rougissant
blush wine /blʌʃ waɪn/ *n* vin *m* gris

b

b

bluster /ˈblʌstə(r)/
A *n* 1 (of wind) bourrasque *f*; 2 fig (angry) fulminations *fpl*; (boasting) fanfaronnades *fpl*
B *vi* 1 [*wind*] souffler en bourrasques; (violently) souffler en tempête; 2 fig [*person*] (angrily) fulminer (**at sb** contre qn); (boastfully) fanfaronner

blusterer /ˈblʌstərə(r)/ *n* (boastful person) fanfaron/-onne *m/f*; (angry) braillard/-e *m/f*

blustering /ˈblʌstərɪŋ/
A *n* ₵ (boasting) fanfaronnades *fpl*; (rage) fulminations *fpl*
B *adj* (boastful) fanfaron/-onne; (angry) braillard

blustery /ˈblʌstərɪ/ *adj* ~ **wind** bourrasque *f*; **it's a ~ day** le vent souffle en bourrasques

blu-tak® /ˈbluːtæk/ *n* patafix® *m*

BM *n* 1 *abrév* ▸ **British Museum**; 2 (*abrév* = **Bachelor of Medicine**) diplôme *m* universitaire de médecine; 3 ○US *abrév* ▸ **bowel movement**

BMA *n* (*abrév* = **British Medical Association**) association *f* britannique des médecins

B movie /ˈbiː muːvɪ/ *n* film *m* de série B

BMus (*abrév* = **Bachelor of Music**) diplôme *m* universitaire d'études musicales

BO *n* 1 ○(*abrév* = **body odour**) odeur *f* corporelle; **he's got ~** il sent○; 2 US *abrév* ▸ **box office**

boa /ˈbəʊə/ *n* 1 Zool boa *m*; 2 **(feather) ~** boa *m*

boa constrictor *n* (boa) constricteur *m*

Boadicea /ˌbəʊədɪˈsiːə/ *pr n* Boadicée

boar /bɔː(r)/ *n* 1 (wild) sanglier *m*; **young (wild) ~** marcassin *m*; Culin **~'s head** hure *f* (de sanglier); 2 (male pig) verrat *m*

board /bɔːd/
A *n* 1 (plank) planche *f*; 2 Admin conseil *m*; **~ of directors** conseil d'administration; **to sit** *ou* **be on the board (of directors)** siéger au conseil d'administration; **disciplinary ~** conseil de discipline; **~ of inquiry** commission *f* d'enquête; **~ of editors** comité *m* de rédaction; **~ of examiners** jury *m* d'examen; **~ of governors** Sch comité *m* de gestion d'une école; 3 Games (playing surface) tableau *m*; (in poker) tapis *m* de jeu; 4 Sch tableau *m* (noir); 5 (notice board) (for information) panneau *m* d'affichage; (to advertise) panneau *m*; 6 Comput, Electron plaquette *f*; 7 (accommodation) **full ~** pension *f* complète; **half ~** demi-pension *f*; **to pay £30 a week ~** payer 30 livres par semaine pour sa pension; **~ and lodging, room and ~** le gîte et le couvert
B **boards** *npl* 1 (floor) plancher *m*; **bare ~s** plancher nu; 2 Print plats *mpl*; **limp ~s** cartonnage *m* souple; **in paper ~s** cartonné; 3 Theat estrade *f*; **to tread the ~s** faire du théâtre; 4 US (+ *v sg*) (entrance exam) examen *m* d'entrée; (final exam) examen *m* de fin d'année
C *modif* Admin [*meeting, member*] du conseil d'administration
D **on board** *adv phr* **to be on ~** *ou* **on ~ ship** être à bord; **to go on ~** embarquer, monter à bord; **to get on ~** monter dans [*bus, train*]; monter à bord de [*plane, ship*]; **there were 200 passengers on ~ the ship/plane** il y avait 200 passagers à bord du bateau/de l'avion; **to take sth on ~** lit embarquer [*cargo, passengers*]; fig prendre [qch] en compte [*changes, facts*]; adopter [*proposal*]; assumer [*problem*]
E *vtr* 1 (get on) monter à bord de [*boat, plane*]; monter dans [*bus, train*]; **she ~ed the ship at Athens** elle est montée à bord du navire à Athènes; 2 Naut [*customs officer*] arraisonner [*vessel*]; [*pirates, marines*] aborder [*vessel*]
F *vi* être en pension (**with** chez); Sch [*pupil*] être interne
(Idioms) **above ~** légal; **across the ~** à tous les niveaux; **to go by the ~** tomber à l'eau; **to sweep the ~** tout gagner, tout rafler○
(Phrasal verbs) ■ **board over**: ▸ **~ [sth] over, ~ over [sth]** boucher [qch] avec des planches [*hole, shaft*]
■ **board out**: ▸ **~ [sb] out, ~ out [sb]** mettre [qn] en pension [*child*]
■ **board up**: ▸ **~ [sth] up, ~ up [sth]** boucher [qch] avec des planches [*door, window*]; barricader [qch] avec des planches [*house, shop*]

boarder /ˈbɔːdə(r)/ *n* 1 (lodger) pensionnaire *mf*; 2 Sch interne *mf*

board game ▸ **p. 1253** *n* jeu *m* de société (à damier)

boarding /ˈbɔːdɪŋ/ *n* 1 Aviat, Naut embarquement *m*; 2 Naut (by customs officer) arraisonnement *m*; 3 Mil abordage *m*

boarding: **~ card** *n* Aviat, Naut carte *f* d'embarquement; **~ house** *n* pension *f*; **~ party** *n* Naut, Mil groupe *m* d'abordage; **~ school** *n* école *f* privée avec internat

boardroom /ˈbɔːdruːm, -rʊm/ *n* (room) salle *f* du conseil; **everyone from shopfloor to ~** tous, des ouvriers jusqu'à la direction

board: **~ sailing** ▸ **p. 1253** *n* Sport planche *f* à voile; **~walk** *n* US chemin *m* fait de planches

boarhound /ˈbɔːhaʊnd/ *n* vautre *m*; **pack of ~s** vautrait *m*

boar hunting /ˈbɔːhʌntɪŋ/ *n* chasse *f* au sanglier

boast /bəʊst/
A *n* 1 vantardise *f*; **it is his ~ that he is never late** il se vante de ne jamais être en retard; **it was an empty** *ou* **idle ~** c'était du bluff; **it is our proud ~ that...** nous sommes fiers que...; 2 Sport (in squash) double-mur *m*
B *vtr*: **the town ~s a beautiful church** la ville s'enorgueillit d'une belle église; **the computer ~s two floppy disk drives** l'ordinateur est équipé de deux lecteurs de disquettes; **'I have six medals', she ~ed** 'j'ai six médailles', dit-elle en fanfaronnant
C *vi* 1 se vanter (**about** de); **to ~ of being** se vanter d'être; **she said it quite without ~ing** elle l'a dit sans vouloir se vanter; **without ~ing** sans vouloir me/se etc vanter; **nothing to ~ about** (sth good) rien de bien extraordinaire; (sth bad) pas de quoi se vanter; 2 (in squash) faire un boast

boaster /ˈbəʊstə(r)/ *n* vantard/-e *m/f*

boastful /ˈbəʊstfl/ *adj* [*person*] vantard; **without being ~** sans se vanter; **to make ~ remarks** faire de l'épate

boastfully /ˈbəʊstfəlɪ/ *adv* [*speak*] en fanfaronnant; [*write*] en se vantant

boastfulness /ˈbəʊstflnɪs/ *n* vantardise *f*

boasting /ˈbəʊstɪŋ/ *n* vantardise *f*

boat /bəʊt/
A *n* 1 (vessel) bateau *m*; (sailing) voilier *m*; (rowing) barque *f*; (liner) paquebot *m*; **he crossed the lake in a ~** il a traversé le lac en bateau; 2 (ferry) bateau *m*; **by ~** en bateau
B *modif* [*journey, trip*] en bateau; [*building, builder, hire*] de bateaux
(Idioms) **to be in the same ~**○ être tous dans la même galère; **to miss the ~** manquer le coche; **to push the ~ out**○ GB faire les choses en grand; **to rock the ~**○ jouer les trouble-fête○; **don't rock the ~**○! ne fais pas de vagues○!

boat deck *n* pont *m* des embarcations

boater /ˈbəʊtə(r)/ *n* 1 (hat) canotier *m*; 2 US (person) canoteur *m*

boat: **~hook** *n* Naut gaffe *f*; **~house** *n* abri *m* à bateaux

boating /ˈbəʊtɪŋ/
A *n* gen navigation *f* de plaisance; (in rowing boat) canotage *m*
B *modif* [*accident, enthusiast, gear*] de bateau; [*holiday, trip*] en bateau

boatload /ˈbəʊtləʊd/ *n* (of goods) cargaison *f*; **~s of tourists** des bateaux pleins de touristes

boat: **~man** *n* (on ferry) batelier *m*; (hiring) loueur *m* de bateaux; **~ neck** *n* col *m* bateau; **~ people** *npl* boat people *mpl*; **Boat Race** *n* GB course *f* d'aviron (*entre les universités d'Oxford et de Cambridge*)

boatswain /ˈbəʊsn/ *n* maître *m* d'équipage

boat: **~ train** *n*: *train faisant correspondance avec le bateau*; **~yard** *n* chantier *m* de construction de bateaux

bob /bɒb/
A *n* 1 (haircut) coupe *f* au carré; 2 (nod) **a ~ of the head** un signe de tête; 3 (curtsy) petite révérence *f*; 4 (weight) (on plumb line) plomb *m*; (on pendulum) poids *m*; (on fishing line) bouchon *m*; 5 (tail) queue *f* écourtée; 6 ○GB (money) (*pl* ~) shilling *m*; **I bet that costs a ~ or two** je parie que cela coûte une fortune; **he's not short of a ~ or two** il n'est pas à quelques euros près; 7 Sport (*also* **bobsleigh**) bobsleigh *m*
B *vtr* (*p prés etc* **-bb-**) 1 (cut) couper [qch] au carré [*hair*]; couper [qch] court [*tail*]; 2 (nod) **to ~ one's head** faire un signe de tête; 3 **to ~ a curtsy** faire une petite révérence (**to** à)
C *vi* (*p prés etc* **-bb-**) 1 (move) [*boat, float*] danser; **to ~ down** [*person*] se baisser subitement; **to ~ up** [*person, float*] refaire surface; **to ~ up and down** [*person, boat*] s'agiter; [*heads*] apparaître et disparaître; 2 Games **to ~ for apples**: *chercher à saisir avec les dents des pommes flottant dans un baquet d'eau*
D **bobbed** *pp adj* [*hair, tail*] coupé court

bob-a-job /ˈbɒbədʒɒb/ *n* GB *système par lequel les scouts gagnent de l'argent en faisant de petits travaux*

bobbin /ˈbɒbɪn/ *n* bobine *f*; (for lace-making) fuseau *m*

bobbin lace *n* dentelle *f* au fuseau

bobble /ˈbɒbl/
A *n* 1 (on hat etc) pompon *m*; 2 US (blunder) bévue *f*
B *vtr* US mal attraper [*ball*]
C *vi* US commettre une bévue

bobble hat *n* bonnet *m* à pompon

bobby○† /ˈbɒbɪ/ GB *n* agent *m* (de police)

bobby: **~ pin** US *n* barrette *f*, pince *f* à cheveux; **~ socks**, **~ sox** *npl* socquettes *fpl*

bobbysoxer○ /ˈbɒbɪsɒksə(r)/ *n* US péj minette○ *f*, jeune fille *f*

bobcat /ˈbɒbkæt/ *n* lynx *m* roux

bobsled /ˈbɒbsled/ *n* = **bobsleigh**

bobsleigh /ˈbɒbsleɪ/ ▸ **p. 1253**
A *n* bobsleigh *m*
B *vi* faire du bobsleigh

bobtail /ˈbɒbteɪl/ *n* 1 (tail) queue *f* écourtée; 2 (dog) bobtail *m*; 3 (horse) cheval *m* à la queue écourtée

Boche○† /bɒʃ/ *npl* injur **the ~** les boches○ *mpl*○† offensive

bock /bɒk/ *n* bière *f* brune

bod○ /bɒd/ *n* 1 GB (person) type○ *m*, mec○ *m*; 2 US (body) corps *m*

bode /bəʊd/ *vi* littér **to ~ well/ill** être de bon/mauvais augure (**for** pour)

bodega /bəʊˈdiːgə/ *n* 1 (storehouse) *entrepôt de vins espagnols*; 2 US (grocery) épicerie *f* (hispano-américaine)

bodge GB = **botch**

bodice /ˈbɒdɪs/ *n* (of dress) corsage *m*; **fitted ~** corsage *m* ajusté

bodice ripper *n* hum roman *m* de cape et d'épée

bodily /ˈbɒdɪlɪ/
A *adj* [*function*] physiologique; [*fluid*] organique; [*need, welfare, well-being*] physique; [*injury*] corporel/-elle
B *adv* [*carry, pick up*] à bras-le-corps; **to throw sb out ~** prendre qn à bras-le-corps et le/la jeter dehors

bodkin /ˈbɒdkɪn/ *n* (for threading tape etc) passe-lacet *m*; (for making holes) poinçon *m*

body /ˈbɒdɪ/
A *n* 1 (of person, animal) corps *m*; **~ and soul** corps et âme; **to have just enough to keep ~ and soul together** avoir juste assez pour survivre; **to sell one's ~** se prostituer; **all he wants is your ~**○ tout ce qu'il veut, c'est coucher avec toi○; 2 (corpse) corps *m*, cadavre

b

The human body

■ *When it is clear who owns the part of the body mentioned, French tends to use the definite article where English uses a possessive adjective:*

he raised his hand
= il a levé la main

she closed her eyes
= elle a fermé les yeux

■ *Note, for instance, the use of* la *and* mon *here:*

she ran her hand over my forehead
= elle a passé la main sur mon front

■ *For expressions such as* he hurt his foot *or* she hit her head on the beam, *where the owner of the body part is the subject of the verb, i.e. the person doing the action, use a reflexive verb in French:*

she has broken her leg
= elle s'est cassé la jambe
(*literally* she has broken to herself the leg *– there is no past participle agreement because the preceding reflexive pronoun* se *is the indirect object*).

he was rubbing his hands
= il se frottait les mains

she was holding her head
= elle se tenait la tête

■ *Note also the following:*

she broke his leg
= elle lui a cassé la jambe
(*literally* she broke to him the leg)

the stone split his lip
= le caillou lui a fendu la lèvre
(*literally* the stone split to him the lip)

Describing people

■ *For ways of saying how tall someone is* ▸ **p. 1389**, *of stating someone's weight* ▸ **p. 1883**, *and of talking about the colour of hair and eyes* ▸ **p. 1068**.

■ *Here are some ways of describing people in French:*

his hair is long
= il a les cheveux longs

he has long hair
= il a les cheveux longs

a boy with long hair
= un garçon aux cheveux longs

a long-haired boy
= un garçon aux cheveux longs

the boy with long hair
= le garçon aux cheveux longs

her eyes are blue
= elle a les yeux bleus

she has blue eyes
= elle a les yeux bleus

she is blue-eyed
= elle a les yeux bleus

the girl with blue eyes
= la fille aux yeux bleus

a blue-eyed girl
= une fille aux yeux bleus

his nose is red
= il a le nez rouge

he has a red nose
= il a le nez rouge

a man with a red nose
= un homme au nez rouge

a red-nosed man
= un homme au nez rouge

■ *When referring to a temporary state, the following phrases are useful:*

his leg is broken
= il a la jambe cassée

the man with the broken leg
= l'homme à la jambe cassée

but note

a man with a broken leg
= un homme avec une jambe cassée

m; **a dead ~** un cadavre; **3** (main section) (of car) carrosserie *f*; (of boat) coque *f*; (of aircraft) fuselage *m*; (of camera) boîtier *m*; (of violin, guitar) caisse *f* de résonance; (of text, type) corps *m*; (of dress) corsage *m*; **the ~ of the church** la nef; **4** (large quantity) (of water) étendue *f*; (of laws) recueil *m* or corps *m* (de lois); **a large ~ of evidence** un vaste faisceau de preuves; **there is a ~ of opinion in favour of** l'ensemble *m* de l'opinion est en faveur de; **the ~ of support for her is growing** le soutien en sa faveur va croissant; **5** (group) (of troops, students) corps *m*; **the student ~** la masse des étudiants; **the main ~ of demonstrators** le gros des manifestants; **in a ~** en masse; **6** (organization) organisme *m*; **advisory/official ~** organisme consultatif/officiel; **disciplinary ~** commission *f* disciplinaire; **7** Phys corps *m*; **8** (fullness) (of wine) corps *m*; (of hair) volume *m*; **9** Fashn (garment) body *m*; **10** ○†(person) bonhomme○/bonne femme○ *m/f*
B *modif* **1** Cosmet [*lotion, scrub*] pour le corps; [*care, paint*] corporel/-elle; **2** Aut [*repair*] de carrosserie
(Idioms) **over my dead ~!** plutôt mourir!; **you'll do that over my dead ~!** plutôt mourir que te laisser faire ça!

body: **~ armour** GB, **~ armor** US *n* tenue *f* pare-balles; **~ art** *n* art *m* corporel; **~ bag** *n* housse *f* mortuaire; **~ belt** *n* ceinture *f* d'haltérophilie

body blow *n* lit coup *m* porté au corps; **to deal a ~ to** fig porter un coup sérieux à

bodyboard *n* bodyboard *m*

bodybuilder /ˈbɒdɪbɪldə(r)/ *n* **1** Sport culturiste *mf*; **2** ▸ **p. 1683** Aut carrossier *m*

body-building /ˈbɒdɪbɪldɪŋ/ ▸ **p. 1253**
A *n* culturisme *m*
B *adj* [*exercise*] musculaire; [*food*] énergétique

body cavity *n* cavité *f* corporelle

bodycheck /ˈbɒdɪtʃek/
A *n* (in ice-hockey) interception *f*
B *vtr* intercepter [*opponent*]

body: **~ clock** *n* horloge *f* corporelle; **~ corporate** *n* Jur personne *f* morale; **~ count** *n* décompte *m* des morts; **~ double** *n* Cin doublure *f* érotique; **~ fat** *n* tissus *mpl* adipeux; **~ filler** *n* Aut mastic *m* de finition; **~ fluids** *npl* fluides *mpl* organiques

bodyguard /ˈbɒdɪgɑːd/ *n* **1** (individual) garde *m* du corps; **2** (group) protection *f* rapprochée

body: **~ hair** *n* poils *mpl*; **~ heat** *n* chaleur *f* corporelle; **~ image** *n* schéma *m* corporel; **~ language** *n* langage *m* corporel; **~ mike**○ *n* micro○ *m* portatif; **~ odour** GB, **~ odor** US, **BO**○ *n* odeur *f* corporelle; **~ part** *n* partie *f* du corps; **~ piercing** *n* piercing *m*; **~ politic** *n* corps *m* social; **~-popping** *n* Dance *danse de rue aux mouvements mécaniques et saccadés*; **~ scan** *n* examen *m* corporel au scanner; **~-scanner** *n* scanner *m*

body search
A *n* fouille *f* corporelle; **intimate ~** fouille *f* intime
B *vtr* fouiller

body: **~ shell** *n* Aut coque *f*; **~ shop** *n* Aut atelier *m* de carrosserie

body snatching *n* **1** (of corpses) vol *m* de cadavres; **2** ○Mgmt *recrutement de candidats par chasseur de têtes*

body: **~ stocking**, **~ suit** *n* body *m*, justaucorps *m*; **~ surfing** *n* surf *m* sans planche; **~ type** *n* Print caractère *m* principal; **~ warmer** *n* gilet *m* matelassé; **~ weight** *n* poids *m*; **~work** *n* carrosserie *f*

Boer /bɔː(r)/ *n* Boer *mf*; **the ~ War** la guerre des Boers

boffin○ /ˈbɒfɪn/ *n* GB expert *m*; **computer ~** expert *m* en informatique

boffo◐ /ˈbɒfəʊ/ *adj* US [*play, movie*] à succès

bog /bɒg/ *n* **1** (marshy ground) marais *m*; **2** (also **peat ~**) tourbière *f*; **3** ◐GB (toilet) chiottes◐ *fpl*
(Idiom) **to get ~ged down in sth** s'enliser dans qch

bogey /ˈbəʊgɪ/
A *n* **1** (evil spirit) croquemitaine *m*; **2** (imagined fear) spectre *m*; (to frighten people) épouvantail *m*; **3** (in golf) bogey *m*; **to make** *ou* **take a ~** faire un au dessus du par, faire un bogey; **4** ◐GB (in nose) crotte○ *f* de nez
B *vtr* (in golf) **to ~ the 2nd hole** faire un au dessus du par au 2ème

bogeyman /ˈbəʊgɪmæn/ *n* croquemitaine *m*

boggle /ˈbɒgl/
A *vtr* **it ~s the mind** ça dépasse l'imagination
B *vi* **the mind ~s!** c'est époustouflant!; **the mind** *ou* **imagination ~s at the idea** on a du mal à imaginer ça; **mind-boggling** époustouflant

boggy /ˈbɒgɪ/ *adj* [*ground*] (swampy) marécageux/-euse; (muddy) bourbeux/-euse; (peaty) [*soil*] tourbeux/-euse

bogie /ˈbəʊgɪ/ *n* **1** GB Rail bog(g)ie *m*; **2** = **bogey**

bog: **~ oak** *n* chêne *m* de tourbière; **~ roll**◐ *n* GB papier-chiottes◐ *m*

BOGOF○ /ˈbɒgɒf/ *n* Comm (*abrév* = **Buy One, Get One Free**) (offer) *offre commerciale selon laquelle un article est offert pour le même article acheté*; (item) *un article gratuit pour un article acheté*

bog-standard○ /ˌbɒgˈstændəd/ *adj* GB tout à fait ordinaire

bogus /ˈbəʊgəs/ *adj* [*official, doctor, invoice*] faux/fausse (*before n*); [*claim*] bidon; [*company*] factice

bogyman *n* = **bogeyman**

bohemia /bəʊˈhiːmɪə/ *n* (community) bohème *f*; (district) quartier *m* bohème

Bohemia /bəʊˈhiːmɪə/ ▸ **p. 1096** *pr n* Geog Bohême *f*

bohemian /bəʊˈhiːmɪən/
A *n* bohémien/-ienne *m/f*
B *adj* [*lifestyle*] de bohème; [*person*] bohème *inv*

Bohemian /bəʊˈhiːmɪən/ ▸ **p. 1467**
A *n* Geog Bohémien/-ienne *m/f*
B *adj* Geog bohémien/-ienne

bohemianism /bəʊˈhiːmɪənɪzəm/ *n* vie *f* de bohème

boho○ /ˈbəʊhəʊ/ *adj* [*fashion*] bohème; [*lifestyle*] de bohème

boil /bɔɪl/
A *n* **1** **to be on the ~** GB lit, fig être en ébullition; **to bring sth to the ~** porter qch à ébullition; **to come to the ~** commencer à bouillir; **to go off the ~** GB [*water*] cesser de bouillir; [*person*] baisser; [*performance*] baisser en qualité; **to be off the ~** [*water*] avoir cessé

de bouillir; [*project*] être au ralenti; [*situation*] être moins tendu; **2** Med furoncle *m*
B *vtr* **1** (*also* ~ **up**) faire bouillir, porter [qch] à ébullition [*liquid*]; **to ~ the kettle** faire bouillir l'eau dans la bouilloire; **2** (cook) faire bouillir, faire cuire [qch] à l'eau; **to ~ an egg** faire cuire un œuf; **3** (*also* **~-wash**) faire bouillir [*linen*]
C *vi* **1** [*water, vegetables etc*] bouillir; **the kettle is ~ing** l'eau bout (dans la bouilloire); **wait for the kettle to ~** attends que l'eau bouille (dans la bouilloire); **the saucepan ~ed dry** toute l'eau de la casserole s'est évaporée; **2** fig [*sea*] bouillonner; [*person*] bouillir (**with** de); **to make sb's blood ~** faire sortir qn de ses gonds
D **boiled** *pp adj* Culin **~ed chicken** poule *f* au pot; **~ed egg** œuf *m* à la coque; **~ed fish** poisson *m* au court-bouillon; **~ed ham** jambon *m* cuit à l'eau; **~ed potatoes** pommes *fpl* de terre à l'anglaise; **~ed sweet**† GB bonbon *m* à sucer

(Phrasal verbs) ■ **boil away** **1** (go on boiling) bouillir à gros bouillons; **2** (evaporate) s'évaporer
■ **boil down**: ▸ **~ down** Culin se réaliser (par ébullition); ▸ **~ down to** se ramener *or* se résumer à; ▸ **~ down [sth]**, **~ [sth] down** **1** faire réduire [qch] (par ébullition) [*liquid, sauce*]; **2** (condense) réduire [*text*] (**to** à)
■ **boil over** **1** lit [*water*] déborder; [*milk*] déborder, se sauver○; **2** fig [*anger, tension, excitement*] déborder
■ **boil up**: ▸ **~ up** lit, fig monter; ▸ **~ up [sth]**, **~ [sth] up** faire bouillir

boiler /ˈbɔɪlə(r)/ *n* **1** Tech (in central heating system, steam generator, locomotive) chaudière *f*; (for storing hot water) chauffe-eau *m inv*; **2** (for laundry) GB lessiveuse *f*; **3** Culin (chicken) poule *f* (*à faire au pot*); **4** (saucepan) casserole *f*

boiler: **~ house** *n* bâtiment *m* des chaudières; **~maker** ▸ **p. 1683** *n* chaudronnier *m*; **~making** *n* chaudronnerie *f*; **~man** ▸ **p. 1683** *n* chauffeur *m*; **~ room** *n* salle *f* des chaudières, chaufferie *f*; **~ suit** *n* GB (workman's) bleu *m* de travail *or* de chauffe; (woman's) combinaison *f*

boiling /ˈbɔɪlɪŋ/ *adj* **1** (at boiling point) [*water, milk, oil*] bouillant; **2** ○fig **it's ~ in here**○! il fait une chaleur infernale ici!; **I'm ~**○! je crève de chaud○!, je meurs de chaleur○!; **to be ~ with rage** bouillir de rage; **3** (for cooking) (*épith*) [*fowl*] à faire au pot; [*beef*] pour pot-au-feu; [*bacon*] à faire bouillir

boiling hot○ *adj* [*day*] torride; **to be ~** lit être tout bouillant○; fig crever de chaud○

boiling point *n* lit point *m* d'ébullition; fig point *m* limite

boisterous /ˈbɔɪstərəs/ *adj* **1** [*adult*] bruyant; [*child*] turbulent; [*crowd*] exubérant; [*meeting, game*] bruyant; **2** (tempestuous) [*wind*] violent; [*sea*] houleux/-euse

boisterously /ˈbɔɪstərəslɪ/ *adv* [*laugh, play*] bruyamment

bold /bəʊld/
A *n* GB Print (*also* **boldface** US) caractères *mpl* gras; **in ~** en (caractères) gras
B *adj* **1** (daring) [*person*] intrépide; [*attempt, decision, plan, step*] audacieux/-ieuse; **2** (cheeky) [*person, look, stare*] effronté; [*behaviour*] hardi; **if I may make so ~ as to suggest...** sout si je peux me permettre de proposer...; **3** US, Ir (naughty) [*child*] vilain, méchant; **4** (strong) [*colour*] vif/vive; [*design*] voyant; [*handwriting, signature*] assuré; [*outline*] net/nette; **to paint with ~ strokes of the brush** peindre à grands coups de pinceau; **5** Print gras/grasse

(Idioms) **to be as ~ as brass** avoir un culot monstre○; **to put on** *ou* **up a ~ front** faire front bravement

boldly /ˈbəʊldlɪ/ *adv* **1** (daringly) hardiment; (cheekily) avec effronterie; **2** [*designed*] de manière voyante; [*outlined*] nettement; **~ coloured** aux couleurs vives

boldness /ˈbəʊldnɪs/ *n* **1** (intrepidity) hardiesse *f*; (cheek) effronterie *f*; **2** (of design, colour) netteté *f*

bole /bəʊl/ *n* Bot tronc *m*

bolero /bəˈleərəʊ Mus/, /ˈbɒlərəʊ Fashn/ *n* (*pl* **~s**) Mus, Fashn boléro *m*

boletus /bəʊˈliːtəs/ *n* (*pl* **-tuses** *ou* **-ti**) bolet *m*

bolide /ˈbəʊlaɪd/ *n* Astron bolide *m*

Bolivia /bəˈlɪvɪə/ ▸ **p. 1096** *pr n* Bolivie *f*

Bolivian /bəˈlɪvɪən/ ▸ **p. 1467**
A *n* Bolivien/-ienne *m/f*
B *adj* bolivien/-ienne

boll /bəʊl/ *n* (of flax, cotton) capsule *f*

bollard /ˈbɒlɑːd/ *n* **1** Naut (on quay, ship) bollard *m*; **2** GB (in road etc) balise *f*

bollix◐ /ˈbɒlɪks/ *vtr* US (*also* **~ up**) bâcler○

bollocking● GB /ˈbɒləkɪŋ/ *n* engueulade○ *f*; **to give sb a ~** engueuler qn○; **to get a ~** se faire engueuler○

bollocks● GB /ˈbɒləks/
A *n* (rubbish) ₵ conneries● *fpl*; **it's a load of ~!** rien que des conneries●; **oh ~!** et mon cul●!
B *npl* (testicles) couilles● *fpl*

boll weevil *n* charançon *m* du cotonnier

Bollywood /ˈbɒlɪwʊd/ *pr n* Bollywood, le Hollywood de Bombay

Bologna /bəˈləʊnjə/ ▸ **p. 1815** *pr n* Bologne

Bolognese /ˌbɒləˈneɪz/
A *n* (*pl* **~**) Bolognais/-aise *m/f*
B *adj* **~ sauce** sauce *f* bolognaise; **spaghetti ~** spaghettis *mpl* (à la) bolognaise

boloney○ /bəˈləʊnɪ/ *n* ₵ balivernes *fpl*

Bolshevik /ˈbɒlʃəvɪk, US *also* ˈbəʊl-/
A *n* bolchevique *mf*
B *adj* bolchevique

Bolshevism /ˈbɒlʃəvɪzəm/ *n* bolchevisme *m*

Bolshevist /ˈbɒlʃəvɪst/ *n, adj* bolcheviste (*mf*)

bolshy○ GB /ˈbɒlʃɪ/ *adj* **1** (on one occasion) [*child*] buté; [*adult*] pas commode; **to get ~** se braquer; **2** (by temperament) **he's/she's ~** c'est un râleur○/une râleuse○

bolster /ˈbəʊlstə(r)/
A *n* traversin *m*
B *vtr* (*also* **~ up**) **1** (boost) renforcer [*confidence*]; **to ~ sb's ego** donner de l'assurance à qn; **2** (shore up) soutenir [*economy*]; appuyer [*argument*]

bolt /bəʊlt/
A *n* **1** (lock) verrou *m*; **2** (screw) boulon *m*; **3** **~ of lightning** coup *m* de foudre; **4** (of cloth) rouleau *m* (de tissu); **5** (for crossbow) carreau *m*; **6** (for rifle) culasse *f* mobile; **7** (in mountaineering) (*also* **expansion ~**) piton *m* à expansion; **8** (dash) départ *m* précipité; **to make a ~ for it** décamper○; **to make a ~ for the door/the garden** foncer○ vers la porte/le jardin
B **bolt upright** *adj phr* droit comme un i
C *vtr* **1** (lock) verrouiller [*window, door*]; **to be ~ed shut** être fermé au verrou; **2** Constr boulonner [*plate, girder, section*]; **3** (*also* **~ down**) (swallow) engloutir [*food*]; **4** US (abandon) lâcher [*political party, candidate*]
D *vi* **1** (flee) [*horse*] s'emballer; [*rabbit*] détaler; [*person*] décamper○, détaler○; **to ~ in/out/off** entrer/sortir/partir à toute allure; **2** Hort [*plant*] monter en graine

(Idioms) **a ~ from** *ou* **out of the blue** un coup de tonnerre; **to have shot one's ~**○ avoir brûlé ses dernières cartouches

bolt hole *n* GB lit, fig refuge *m*

bolus /ˈbəʊləs/ *n* (*pl* **-luses**) Physiol bol *m* alimentaire

bomb /bɒm/
A *n* **1** (explosive device) bombe *f*; **the Bomb** la bombe atomique; **this room looks like a ~'s hit it**○ cette pièce ressemble à un champ de bataille; **2** ○GB (large amount of money) **to cost/spend a ~** coûter/dépenser un argent fou○; **3** ○(flop) (of play, film) fiasco *m*
B *vtr* bombarder [*town, house*]
C *vi* **1** ○GB (move fast) filer○; **to ~ up/down the road** remonter/descendre la rue à fond de train○; **2** ○(fail) échouer

(Phrasal verb) ■ **bomb out**: ▸ **~ [sb/sth] out**, **~ out [sb/sth]** détruire la maison de [*person*]; ravager [qch] par des bombardements [*building, street*]; **we were ~ed out** nous avons été forcés de quitter notre maison à cause des bombardements

bomb: **~ aimer** *n* Mil, Aviat bombardier *m*; **~ alert** *n* alerte *f* à la bombe

bombard /bɒmˈbɑːd/ *vtr* **1** Mil, Phys bombarder (**with** de); **2** fig assaillir [*person*] (**with** de)

bombardier /ˌbɒmbəˈdɪə(r)/ ▸ **p. 1599** *n* GB brigadier-chef *m*; US bombardier *m*

bombardment /bɒmˈbɑːdmənt/ *n* Mil, Phys bombardement *m* (**with** de)

bombast /ˈbɒmbæst/ *n* grandiloquence *f*

bombastic /ˌbɒmˈbæstɪk/ *adj* ampoulé, grandiloquent

bombastically /ˌbɒmˈbæstɪklɪ/ *adv* avec grandiloquence

bomb attack *n* attentat *m* à la bombe

Bombay: **~ duck** *n*: *poisson salé qui peut accompagner un curry*; **~ mix** *n* Culin mélange *m* Bombay, amuse-gueule *mpl* indiens

bombazine /ˈbɒmbəziːn/ *n* alépine *f*

bomb: **~ bay** *n* soute *f* à bombes; **~ blast** *n* explosion *f*; **~ crater** *n* cratère *m* causé par une bombe; **~ disposal** *n* déminage *m*; **~ disposal expert** ▸ **p. 1683** *n* démineur *m*; **~ disposal squad**, **~ disposal unit** *n* équipe *f* de déminage

bombed○ /bɒmd/ *adj* US bourré○, soûl

bomber /ˈbɒmə(r)/
A *n* **1** Mil, Aviat bombardier *m*; **2** (terrorist) poseur/-euse *m/f* de bombes
B *modif* Mil, Aviat [*crew, pilot*] de bombardier; [*raid, squadron*] de bombardiers

bomber: **~ command** *n* commandement *m* tactique aérien; **~ jacket** *n* blouson *m* d'aviateur

bombing /ˈbɒmɪŋ/
A *n* **1** Mil bombardement *m*; **2** (by terrorists) attentat *m* à la bombe
B *modif* **1** Mil [*raid, mission, campaign*] de bombardement; **2** (by terrorists) [*campaign*] d'attentats à la bombe

bomb: **~proof** *adj* à l'épreuve des bombes; **~ scare** *n* alerte *f* à la bombe

bombshell /ˈbɒmʃel/ *n* **1** fig (shock) bombe *f*; **to drop a ~** fig lâcher une bombe; **2** ○(woman) **a blonde ~** une blonde explosive○

bomb: **~ shelter** *n* abri *m* antiaérien; **~sight** *n* viseur *m* de bombardement

bombsite /ˈbɒmsaɪt/ *n* **1** lit zone *f* touchée par une explosion; **2** fig (mess) champ *m* de bataille

Bomb Squad /ˈbɒmskwɒd/ *n* brigade *f* antiterroriste

bona fide /ˌbəʊnə ˈfaɪdɪ/ *adj* [*attempt*] sincère; [*member, refugee*] vrai (*before n*); [*offer*] sérieux/-ieuse; [*agreement, contract*] de bonne foi

bona fides /ˌbəʊnə ˈfaɪdiːz/ *n* (+ *v sg ou pl*) bonne foi *f*

bonanza /bəˈnænzə/
A *n* **1** (windfall) pactole *f*, filon *m*; **2** (performance, festival etc) événement *m* exceptionnel; **3** Mining riche filon *m*
B *modif*: **a ~ year** une année en or

bonbon /ˈbɒnbɒn/ *n* bonbon *m* (fondant)

bond /bɒnd/
A *n* **1** (link) lien(s) *m(pl)* (**of** de; **between** entre); **the experience forged a ~ between them** l'expérience a créé un lien entre eux; **to strengthen a ~** resserrer des liens; **to feel a strong ~ with sb** se sentir très proche de qn; **2** (fetter) lit lien *m*; fig chaîne *f* (**of** de); **to break the ~s of routine** rompre les chaînes de la

routine; 3 Fin obligation *f*; **government ~** obligation d'État; **savings/treasury ~** bon *m* d'épargne/du trésor; 4 (adhesion) adhérence *f*; 5 Chem liaison *f*; 6 Jur (guarantee) engagement *m* écrit; (deposit) caution *f*; **to set ~ at** fixer la caution à; **my word is my ~** je n'ai qu'une parole; 7 Constr appareil *m*; 8 (at customs) **in ~** en dépôt de douane; 9 = **bonded paper**
B *modif* [*market, prices*] des obligations; [*dealer*] en obligations
C *vtr* 1 (*also* **~ together**) [*glue, adhesive*] faire adhérer [*materials, surfaces*]; Constr enlier [*bricks, timber*]; 2 (*also* **~ together**) [*experience, suffering*] créer des liens entre [*people*]; 3 (at customs) entreposer (en douane) [*goods*]
D *vi* 1 gen, Psych s'attacher (**with** à); **the mother and baby ~ quickly** les liens maternels se créent rapidement; 2 [*materials*] adhérer (**with** à); 3 Chem [*atoms*] s'associer (**with** à)

bondage /ˈbɒndɪdʒ/ *n* 1 (slavery) lit, fig esclavage *m*; (serfdom) servage *m*; **to be in ~ to sb/sth** être l'esclave de qn/qch; 2 (sexual practice) *pratique sexuelle où l'on ligote son partenaire*

bond: **~ed paper** *n* papier *m* à lettres de luxe; **~ed warehouse** *n* entrepôt *m* en douane; **~holder** *n* porteur *m* d'obligations, obligataire *m*

bonding /ˈbɒndɪŋ/ *n* 1 (between mother and baby) (process) formation *f* des liens maternels; (resulting bond) liens *mpl* maternels; 2 (between people) (process) formation *f* du lien affectif (**between** entre); (resulting bond) lien *m* affectif; **male ~** amitié *f* virile; 3 (adhesion) collage *m*; 4 Chem, Constr liaison *f*; 5 (of goods at customs) entreposage *m*

bond: **~sman** *n* (serf) serf *m*; (slave) esclave *m*; **~swoman** *n* (serf) serve *f*; (slave) esclave *f*

bone /bəʊn/
A *n* 1 (of human, animal) os *m*; (of fish) arête *f*; **made of ~** en os; **chicken on/off the ~** poulet à l'os/désossé; **to break a ~** casser un os; **to break every ~ in one's body** se rompre les os; **I'll break every ~ in his body!** je vais lui tordre le cou!; **no ~s broken** rien de cassé; **he hasn't got a romantic/jealous ~ in his body** il n'a pas une once de romantisme/jalousie; 2 (in corset etc) baleine *f*; 3 ○(trombone) trombone *m*
B bones *npl* 1 (animal skeleton) ossements *mpl*; 2 (human remains) (in archeology) ossements *mpl* humains; **to lay sb's ~s to rest** enterrer la dépouille de qn; **my old ~s**○ mes vieux os○; **he'll never make old ~s** il ne fera pas de vieux os; 3 (dice) dés *mpl*
C *modif* [*handle, button*] en os
D *vtr* 1 Culin désosser [*joint, chicken*]; enlever les arêtes de [*fish*]; 2 (reinforce) consolider [*corset, bodice*]
(Idioms) **~ of contention** sujet *m* de dispute, pomme *f* de discorde; **close to the ~** (wounding) blessant; (racy) osé; **to be a bag of ~s** être un sac d'os○; **to cut sth to the ~** réduire qch au minimum; **to feel sth in one's ~s** avoir le pressentiment de qch; **to have a ~ to pick with sb** avoir un compte à régler avec qn; **to make no ~s about sth** ne pas cacher qch; **sticks and stones may break my ~s (but words will never harm me)** Prov ≈ les chiens aboient, la caravane passe Prov; **to work one's fingers to the ~** se crever à la tâche○
(Phrasal verb) ■ **bone up on**○: ▸ **~ up on [sth]** potasser○ [*subject*]

bone: **~ china** *n* porcelaine *f* tendre *or* à l'os; **~-crunching**○ *adj* fracassant

boned /bəʊnd/
A *adj* 1 [*joint, leg, chicken*] désossé; [*fish*] sans arête; 2 [*corset, bodice*] à armature
B -boned (*dans composés*) **fine/strong-~** à la charpente délicate/robuste

bone: **~ dry** *adj* complètement desséché; **~head**○ *n* abruti/-e○ *m/f*; **~headed**○ *adj* débile○; **~ idle**○ *adj* flemmard○

boneless /ˈbəʊnlɪs/ *adj* [*chicken breast, joint*] sans os; [*fish fillet*] sans arête

bone: **~ marrow** *n* moelle *f* osseuse; **~-marrow transplant** *n* greffe *f* de moelle osseuse

bonemeal /ˈbəʊnmiːl/ *n* 1 (fertilizer) engrais *m* phosphaté; 2 (feed) fourrage *m* phosphaté (*de cendres d'os*)

boner /ˈbəʊnə(r)/ *n* US 1 ○(blunder) gaffe *f*; **to pull a ~** faire une gaffe; 2 ●(erection) **to have a ~** triquer●

bone scan *n* scintigraphie *f* osseuse

bone shaker○ *n* 1 (old vehicle) (vieille) caisse○ *f*; 2 (bicycle) (vieux) biclou◑ *m*

bone: **~ structure** *n* structure *f* du visage; **~yard**○ US *n* cimetière *m*

bonfire /ˈbɒnfaɪə(r)/ *n* (of rubbish) feu *m* de jardin; (for celebration) feu *m* de joie

Bonfire Night *n* GB la soirée du 5 novembre

> **Bonfire Night**
> Fête britannique qui commémore l'échec de la Conspiration des Poudres. Le 5 novembre 1605, des conspirateurs catholiques menés par Guy Fawkes tentèrent de faire sauter le Parlement pour se débarrasser du roi et de son gouvernement, mais ils furent découverts et exécutés. Aujourd'hui, on brûle des effigies du *Guy* dans de grands feux de joie (*bonfires*), et on tire des feux d'artifice.

bongo /ˈbɒŋgəʊ/ ▸ p. 1462 *n* (*pl* **~s** *ou* **~**) (*also* **~ drum**) bongo *m*

bonhomie /ˌbɒnəˈmiː/ *n* bonhomie *f*; **false ~** fausse bonhomie *f*

bonk /bɒŋk/
A *n* 1 ○(blow) coup *m*; 2 ●hum GB **to have a ~** baiser●
B *vtr* 1 ○(hit) cogner; **to ~ one's head against sth** se cogner la tête contre qch; 2 ●hum GB (have sex with) baiser●
C *vi*● hum GB (have sex) baiser●

bonkbuster○ /ˈbɒŋkbʌstə(r)/ *n* roman *m* à grand succès à caractère pornographique

bonkers○ /ˈbɒŋkəz/ *adj* dingue○

bonnet /ˈbɒnɪt/ *n* 1 (hat) bonnet *m*; 2 GB Aut capot *m*; 3 Naut bonnette *f*
(Idiom) **to have a bee in one's ~** avoir une idée fixe (**about** à propos de)

bonny /ˈbɒnɪ/ *adj* Scot beau/belle

bonsai /ˈbɒnsaɪ/ *n* (art) art *m* du bonsai; (plant) bonsai *m*; **a ~ garden** un jardin bonsai

bonus /ˈbəʊnəs/ *n* 1 Comm, Fin (payment) prime *f*; **Christmas/productivity ~** prime *f* de Noël/de productivité; **no claims ~** GB Insur bonus *m*; **cash ~** prime *f*; 2 (advantage) avantage *m* (**of being** d'être)

bonus issue *n* GB Fin émission *f* d'actions gratuites

bonus point *n* (in quiz, sports) bonus *m* d'un point; **five ~s** un bonus de cinq points

bony /ˈbəʊnɪ/ *adj* 1 [*person, body, shoulders, face, features*] anguleux/-euse; [*finger, arm, knee*] osseux/-euse; 2 [*fish*] plein d'arêtes; 3 [*substance*] osseux/-euse

bony fish *n* Zool poisson *m* osseux

bonzer○ /ˈbɒnzə(r)/ *adj* Austral extra○, génial○

boo /buː/
A *n* (jeer) huée *f*
B *excl* (to give sb a fright) hou!; (to jeer) hou! hou!
C *vtr* (3ᵉ *pers sg prés* **boos**, *prét, pp* **booed**) huer [*actor, speaker*]; **to be ~ed off the stage** quitter la scène sous les huées
D *vi* (3ᵉ *pers sg prés* **boos**, *prét, pp* **booed**) pousser des huées
(Idioms) **he wouldn't say ~ to a goose** c'est un grand timide; **he didn't say ~ (about it)** US il n'a pas pipé mot

boob○ /buːb/
A *n* 1 GB (mistake) bêtise *f*; 2 (breast) nichon○ *m*; 3 ○US (idiot) nigaud/-e *m/f*
B *vi* GB faire une bêtise

boo-boo○ /ˈbuːbuː/ *n* (mistake) boulette○ *f*; **to make a ~** faire une boulette

boob tube○ /ˈbuːbtjuːb, US -tuːb/ *n* 1 (television) US télé○ *f*; 2 (garment) bustier *m*

booby /ˈbuːbɪ/ *n* 1 †○(silly person) nigaud/-e *m/f*; 2 Zool (gannet) fou *m*; 3 ○US = **boob A 2**

booby: **~ hatch**○ *n* US cabanon○ *m*; **~ prize** *n* prix *m* de consolation (*décerné au dernier*)

booby trap
A *n* 1 Mil mécanisme *m* piégé; 2 (joke) traquenard *m*
B *modif* [*bomb*] piégé
C *vtr* (*p prés etc* **-pp-**) Mil piéger [*car, bodies, building*]

boodle○ /ˈbuːdl/ *n* US (money) oseille○ *f*

boogie○ /ˈbuːgɪ/ *vi* danser

boogie-woogie /ˌbuːgɪˈwuːgɪ, US -ˈwʊgɪ/ *n* boogie-woogie *m*

boogy board *n* (in surfing) body *m*

boohoo /ˌbuːˈhuː/ *excl* ouin!

booing /ˈbuːɪŋ/ *n* ¢ huées *fpl*; **loud ~** des huées *fpl* stridentes

book /bʊk/
A *n* 1 (reading matter) livre *m*, bouquin○ *m* (**about** sur); **history ~** livre d'histoire; **a ~ of** un recueil de [*quotations, poems, proverbs*]; **'Carlton Books'** (title of firm) 'Éditions *fpl* Carlton'
2 (division, part) (of novel, trilogy) livre *m*, tome *m*; (of poem, epic, bible) livre *m*; **the Book of Genesis/of Kings** le livre de la Genèse/des Rois
3 Fin (for recording deposits, withdrawals) livret *m* bancaire
4 Sch (exercise book) cahier *m*; **drawing ~** cahier de dessin
5 (of cheques, tickets, vouchers, stamps) carnet *m*; **~ of matches** pochette *f* d'allumettes; **~ of needles** porte-aiguilles *m*
6 (in betting) **to keep a ~ on** prendre des paris sur; **to open** *ou* **start a ~ on** ouvrir les paris sur
7 (directory) annuaire *m*; **our number's** *ou* **we're in the ~** on est dans l'annuaire
8 (rulebook) règlement *m*; **to do things by the ~** fig suivre le règlement
9 (opera libretto) livret *m*
B books *npl* 1 Accts, Comm livres *mpl* de comptes, comptabilité *f* ¢; **to keep the firm's ~s** tenir les livres *or* les comptes de l'entreprise, s'occuper de la comptabilité de l'entreprise
2 Admin (records) registre *m*; **to be on the ~s of** être inscrit à [*club, organization*]; **we have many small businesses on our ~s** nous avons beaucoup de petites entreprises dans nos fichiers
C *vtr* 1 (reserve) réserver, retenir [*table, seat, room, cabin, ticket*]; faire les réservations pour [*holiday*]; réserver [*taxi*]; engager [*babysitter, driver, entertainer*]; **to ~ sth for sb, to ~ sb sth** réserver qch pour qn; **to ~ sb into a hotel** réserver une chambre dans un hôtel pour qn; **I've ~ed him a room, I've ~ed him into a hotel** je lui ai reservé une chambre (dans un hôtel); **to be fully ~ed** être complet/-ète; **Saturday's performance is fully ~ed** c'est complet pour samedi soir, on joue à guichets fermés samedi soir; **my Tuesday afternoons are ~ed** je suis pris le mardi après-midi; **I'm fully ~ed this week** je suis pris tous les jours cette semaine
2 (charge) [*policeman*] dresser un procès-verbal *or* un P.V.○ à [*motorist, offender*]; US (arrest) arrêter [*suspect*]; **he was ~ed for speeding** il a été poursuivi pour excès de vitesse
3 GB Sport [*referee*] donner un carton jaune à [*player*]; **two players were ~ed** deux joueurs ont reçu un carton jaune
4 Comm, Fin inscrire [*order*]; **to ~ goods to sb's account** mettre des marchandises sur le compte de qn
D *vi* réserver; **you are advised to ~** il est conseillé de réserver

b

(Idioms) **I can read her like a ~, she is (like) an open ~ to me** elle ne peut rien me cacher; **his past is an open ~** il n'a rien à cacher sur son passé; **economics is a closed ~ to me** je ne connais rien à l'économie; **she is a closed ~ to me** je n'arrive pas à la comprendre; **to throw the ~ at sb** (reprimand) passer un savon○ à qn; (accuse) n'omettre aucun chef d'accusation (*quand on arrête qn*); (punish or sentence) donner le maximum à qn; **to be in sb's good ~s** être dans les petits papiers de qn○; **to be in sb's bad ~s** ne pas avoir la cote avec qn; **in my ~○ it's a crime** à mon avis *or* d'après moi c'est un crime; **to bring sb to ~** demander des comptes à qn, faire rendre des comptes à qn (**for** pour); **here's one for the ~!** on s'en souviendra!; **you shouldn't judge a ~ by its cover** ≈ l'habit ne fait pas le moine

(Phrasal verbs) ■ **book in**: ▶ **~ in** GB (at hotel) (check in) se présenter à la réception; (make reservation) réserver une chambre; **we ~ed into the hotel at 3 o'clock** nous sommes arrivés à l'hôtel à trois heures; ▶ **~ [sb] in** réserver une chambre pour

■ **book up**: **tourists have ~ed up all the rooms** avec les touristes, il n'y a plus une chambre de libre; **to be ~ed up** être complet/-ète; **the hotel is ~ed up until next month** l'hôtel est complet jusqu'au mois prochain; **I'm ~ed up every evening next week** je suis pris tous les soirs la semaine prochaine

bookable /'bʊkəbl/ *adj* **1** [*seat*] qu'on peut retenir *or* réserver; **all seats ~ in advance** possibilité de réserver ses places à l'avance; **2** Sport (infringement) passible d'un avertissement

book: **~binder** ▸ **p. 1683** *n* relieur/-euse *m/f*; **~binding** *n* reliure *f*; **~-burning** *n* autodafé *m*; **~case** *n* bibliothèque *f*; **~ club** *n* club *m* du livre; **~-club edition** *n* édition *f* club (*d'un livre*)

bookend /'bʊkend/ *n* serre-livres *m*; **two ~s** deux serre-livres

Booker Prize (for Fiction) // *pr n* ▸ **Man Booker Prize**

book fair *n* salon *m* du livre

bookie○ /'bʊkɪ/ *n* bookmaker *m*

booking ➡📖

/'bʊkɪŋ/ *n* **1** GB (reservation) réservation *f*; **to make a ~** faire une réservation; **2** (engagement for performance) engagement *m*; **3** GB Sport (from referee) **to get a ~** recevoir un carton jaune; **there were two ~s** l'arbitre a donné deux cartons jaunes

booking: **~ clerk** ▸ **p. 1683** *n* GB préposé/-e *m/f* aux réservations; **~ form** *n* GB bon *m* de réservation; **~ office** *n* GB bureau *m* de location

bookish /'bʊkɪʃ/ *adj* [*person*] studieux/-ieuse

bookishness /'bʊkɪʃnɪs/ *n* (of person) côté *m* studieux

book: **~ jacket** *n* jaquette *f*; **~keeper** ▸ **p. 1683** *n* comptable *mf*; **~keeping** *n* comptabilité *f*; **~-learning** *n* ¢ connaissances *fpl* livresques

booklet /'bʊklɪt/ *n* brochure *f*

book: **~list** *n* liste *f* de livres; **~ lover** *n* bibliophile *mf*; **~maker** ▸ **p. 1683** *n* bookmaker *m*; **~making** *n* activité *f* de bookmaker (*qui consiste à prendre des paris*); **~man** *n* homme *m* de lettres

bookmark /'bʊkmɑːk/

A *n* **1** (for books) marque-page *m*, signet *m*; **2** (for website) signet *m*

B *vtr* marquer [qch] d'un signet, mettre [qch] dans la liste des favoris [*website*]

book: **~mobile** *n* US bibliobus *m*; **~plate** *n* ex-libris *m*; **~rest** *n* lutrin *m*; **~seller** ▸ **p. 1683** *n* (person) libraire *mf*; (shop) librairie *f*; **~selling** *n* commerce *m* de livres; **~shelf** *n* (*pl* **-shelves**) (single) étagère *f*; (in bookcase) rayon *m*; **~shop** ▸ **p. 1683** *n* librairie *f*; **~stall** *n* (in street market) étalage *m* de livres; GB (at airport, station) kiosque *m* à journaux; **~store** ▸ **p. 1683** *n* US librairie *f*; **~ token** *n* GB chèque-livre *m*; **~ value** *n* valeur *f* comptable

bookworm /'bʊkwɜːm/ *n* **1** ○(person) mordu/-e○ *m/f* de la lecture; **he's a real ~** il adore la lecture, il a toujours le nez dans un livre○; **2** (insect) pou *m* des livres

Boolean /'buːlɪən/ *adj* booléen/-éenne; **~ logic** la logique booléenne

boom /buːm/

A *n* **1** (noise) (of voices, cannon, thunder) grondement *m*; (of waves) mugissement *m*; (of organ) ronflement *m*; (of drum) boum *m*; (of explosion) détonation *f*; **2** onomat badaboum!; **3** Econ, Fin (period of prosperity) boom *m*, période *f* de forte expansion; (in demand, prices, sales etc) explosion *f* (**in** de); **baby ~** baby-boom *m*; **export/consumer ~** boom des exportations/de la consommation; **property/credit ~** boom immobilier/du crédit; **a ~ and bust economy** une économie *f* en dents de scie; **4** (increase in popularity) boom *m* (**in** de); **5** Naut (spar) bôme *f*; (barrage) estacade *f*; **6** (on crane) gui *m*; **7** Cin, Radio, TV perche *f*

B *modif* [*economy, industry, sector, town*] en pleine expansion; [*period, year*] de croissance; [*share*] à la hausse

C *vtr* **1** US (cause to grow) donner un coup de fouet à; **2** US (publicize, push) pousser; **3** (shout) **'welcome!' he ~ed** 'bienvenue!' dit-il d'une voix de stentor

D *vi* **1** (make a noise) [*cannon, thunder*] gronder; [*bell, voice*] retentir; [*organ*] ronfler; [*sea*] mugir; **2** (prosper) [*economy, trade*] prospérer; [*exports, prices, sales*] monter en flèche; [*industry*] être en plein essor; [*hobby, sport*] être en plein boom; **business is ~ing** les affaires vont bien

(Idiom) **to lower the ~ on sb**○ US serrer la vis à qn

(Phrasal verb) ■ **boom out**: ▶ **~ out** [*music, sound*] retentir; ▶ **~ [sth] out, ~ out [sth]** [*person*] brailler [*speech*]; [*loudspeaker*] faire retentir [*announcement*]; [*drum*] faire retentir [*rhythm*]

boom: **~ baby** *n* bébé *m* du baby boom; **~box**○ *n* (grand) radiocassette *m* portatif

boomerang /'buːməræŋ/

A *n* boomerang *m*

B *modif* [*effect*] boomerang

C *vi* (backfire) [*plan, campaign*] faire boomerang; **to ~ on sb** se retourner contre qn

booming /'buːmɪŋ/ *adj* **1** (loud) [*echo, sound*] retentissant; [*laugh, voice*] tonitruant; **2** (flourishing) [*economy, industry, market, town*] en plein essor; [*demand, exports, market, sales*] en forte progression

boom microphone *n* micro *m* à perche

boon /buːn/ *n* **1** (advantage) avantage *m*; **2** (invaluable asset) aide *f* précieuse (**to** à); **to be a great ~ to sb** apporter une aide précieuse à qn; **central heating is a ~ in winter** le chauffage central est (quelque chose de) précieux en hiver; **3** (stroke of luck) aubaine *f* (**for** pour)

boon companion *n* ami/-e *m/f* inséparable

boondocks /'buːndɒks/ *npl* US **1** (rural area) **the ~** la cambrousse○; **out in the ~** en pleine cambrousse○; **2** (rough country) maquis *m*

boondoggle○ /'buːndɒgl/ US

A *n* projet *m* futile (*généralement gaspillant des fonds publics*)

B *vi* gaspiller des fonds publics (*en projets futiles*)

boonies○ /'buːniːz/ *npl* US **the ~** la cambrousse○

boor /'bʊə(r), bɔː(r)/ *n* grossier personnage *m*; (man only) malotru *m*

boorish /'bʊərɪʃ, bɔː-/ *adj* grossier/-ière

boorishly /'bʊərɪʃlɪ, bɔː-/ *adv* [*behave*] grossièrement

boorishness /'bʊərɪʃnɪs, bɔː-/ *n* manque *m* d'éducation

boost /buːst/

A *n* **1** (stimulus) coup *m* de fouet (**to** à); **to give sth a ~** stimuler qch; **2** (encouragement) encouragement *m* (**to sb** pour qn; **to sth** à qch; **to do** à faire); **to give sb a ~** encourager qn; **3** (publicity) publicité *f*; **to give sth a ~** faire du battage pour qch; **4** (upward push) **to give sb a ~** soulever qn (**up to** jusqu'à)

B *vtr* **1** (stimulate) stimuler [*aid, economy, efficiency, exports, productivity, sales*]; encourager [*investment, lending*]; augmenter [*capacity, intake, number, pay, profit, value*]; relancer [*interest*]; **to ~ sb's confidence** redonner confiance à qn; **to ~ morale** remonter le moral; **2** (enhance) améliorer [*image, performance*]; **3** Advertg faire la promotion de, promouvoir [*product*]; **4** Electron, Telecom amplifier [*signal, voltage*]; **5** Aut augmenter [*vitesse*]; rendre [qch] plus puissant [*engine*]; **6** (push up) soulever [*person*]; **7** Aerosp propulser [*rocket*]

booster /'buːstə(r)/

A *n* **1** Radio, Telecom amplificateur *m*; **2** Electron survolteur *m*; **3** Aut compresseur *m*; **4** Med vaccin *m* de rappel; **5** Aerosp fusée *f* d'appoint; **6** ○US (fan) fan *m/f*

B *modif* [*dose, injection*] de rappel

booster cushion *n* Aut réhausseur *m*

boosterism /'buːstərɪzəm/ *n* US promotion *f* d'une ville

booster: **~ rocket** *n* Aerosp fusée *f* d'appoint; **~ seat** *n* réhausseur *m*; **~ station** *n* Radio, Telecom station *f* d'amplification

boot /buːt/ ▸ **p. 1694**

A *n* **1** (footwear) botte *f*; (for workman, soldier) brodequin *m*; **ankle ~** bottine *f*; **calf-length ~** demi-botte *f*; **thigh ~** cuissarde *f*; **climbing/hiking ~** chaussure *f* de montagne/randonnée; **football/rugby ~** GB chaussure *f* de football/rugby; **to put the ~ in** lit rouer qn de coups de pied; fig y aller fort; **a ~ up the backside** un bon coup de pied au derrière also fig; **2** GB Aut coffre *m*; **3** ○(dismissal) **to get the ~** se faire virer; **to give sb the ~** virer qn; **4** ○(kick) coup *m* de pied; **to give sth a ~** donner un coup de pied dans qch; **5** US Aut (wheel clamp) sabot *m* de Denver; **6** US (puncture patch) rustine® *f*; **7** ○US (recruit) bleu○ *m*, recrue *f*

B *vtr* **1** ○(kick) envoyer un coup de pied à [*person*]; donner un coup de pied dans [*ball*]; **2** Comput = **boot up**

(Idioms) **as tough as old ~s** [*meat*] dur comme la semelle (de facteur); **the ~ is on the other foot** GB les rôles sont renversés; **to be/get too big for one's ~s** GB avoir/prendre la grosse tête; **to ~** par dessus le marché; **to lick sb's ~s** lécher les bottes à qn; **you can bet your ~s that** je te parie tout ce que tu veux que

(Phrasal verbs) ■ **boot out**: ▶ **~ [sb] out, ~ out [sb]** (from club, institution) renvoyer; (from company, house) mettre à la porte

■ **boot up** Comput: ▶ **~ [sth] up, ~ up [sth]** amorcer [*computer, system*]

boot: **~black** *n* cireur *m* de chaussures; **~ camp** *n* US Mil Naut camp *m* d'entraînement; **~ device** *n* Comput unité *f* d'initialisation; **~ disk** *n* Comput disque *m* de démarrage; **~ drive** *n* = **boot device**

bootee /buː'tiː/ *n* **1** (knitted) chausson *m*; **2** (leather) bottine *f*

booth /buːð, US buːθ/ *n* (in language lab) cabine *f*; (in restaurant) alcôve *f*; (at fairground) baraque *f*; **polling** *or* **voting ~** isoloir *m*; **telephone ~** cabine *f* (téléphonique)

boot: **~jack** *n* tire-botte *m*; **~lace** *n* lacet *m* (de chaussure); **~legger** *n* US bootlegger *m*

bootless‡ /'buːtlɪs/ *adj* [*attempt, search*] vain; [*cry*] inutile

boot: **~licker** *n* lèche-bottes *mf inv*; **~maker** ▸ **p. 1683** *n* bottier *m*; **~ polish**

➡📖 *see* French correspondence

n cirage *m*; ~ **sale** *n* GB brocante *f* (*d'objets apportés dans le coffre de sa voiture*); ~ **scraper** *n* décrottoir *m*

bootstrap /ˈbuːtstræp/ *n* [1] (on boot) tirant *m* de botte; [2] Comput programme *m* d'amorce

(Idiom) **to pull oneself up by one's ~s** se faire tout seul

bootstrap: ~ **loader** *n* Comput chargeur *m* d'instructions initiales; ~ **program** *n* Comput programme *m* d'amorçage

booty /ˈbuːtɪ/ *n* butin *m*

booze○ /buːz/
A *n* bibine○ *f*; (wine only) pinard○ *m*; **to be on the ~** picoler○; **he's off the ~**○ il a cessé de picoler
B *vi* picoler○

booze cruise○ *n* expédition *f* alcool à gogo, aller-retour *m* en ferry pour acheter de l'alcool à bas prix à l'étranger

boozed○ /buːzd/ *adj* bourré○

boozer○ /ˈbuːzə(r)/ *n* (person) poivrot/-ote○ *m/f*; (pub) GB pub○ *m*, bistrot *m*; **he's a bit of a ~** il aime bien picoler

booze-up○ /ˈbuːzʌp/ *n* GB beuverie *f*

boozy○ /ˈbuːzɪ/ *adj* [*meal*] bien arrosé; [*laughter*] aviné; **we had a ~ evening/weekend** on a passé la soirée/le weekend à picoler○; **his ~ uncle** son oncle poivrot

bop /bɒp/
A *n* [1] ○(blow) coup *m*; [2] (dance form) bebop *m*; [3] ○(disco-dancing) **to go for a ~** aller en boîte○
B *vtr* (*p prés etc* **-pp-**) [1] ○(hit) cogner; [2] ◑US (have sex with) baiser◑
C *vi* (*p prés etc* **-pp-**) [1] ○GB (dance) aller en boîte○; [2] ○US (walk) se pavaner; (go) faire un saut○; [3] ◑US (have sex) baiser◑

boracic /bəˈræsɪk/ *adj* borique

borage /ˈbɒrɪdʒ, US ˈbɔːrɪdʒ/ *n* bourrache *f*

borax /ˈbɔːræks/ *n* borax *m*

Bordeaux /bɔːˈdəʊ/ ▸ **p. 1815** *n* [1] (town) Bordeaux; [2] (wine) bordeaux *m*

bordello /bɔːˈdeləʊ/ *n* maison *f* close

border /ˈbɔːdə(r)/ ▸ **p. 1612**
A *n* [1] (frontier) frontière *f* (**between** entre); **France's ~ with Spain** la frontière entre la France et l'Espagne; **on the Swiss ~** sur la frontière suisse; **to have ~s with six countries** avoir une frontière commune avec six pays; **to cross the ~** passer la frontière; **to escape over** *ou* **across the ~** s'échapper en passant la frontière; **our allies across the ~** nos alliés de l'autre côté de la frontière; **north of the ~** gen au nord de la frontière; (when in England) en Écosse; (when in Ireland) en Irlande du Nord; **south of the ~** gen au sud de la frontière; (when in Scotland) en Angleterre; (when in Northern Ireland) en République d'Irlande; (when in US) au Mexique; [2] (outer edge) (of forest) lisière *f*; (of estate, lake, road) bord *m*; [3] (decorative edge) (on crockery, paper) liseré *m*; (on dress, picture, cloth) bordure *f*; [4] Hort plate-bande *f*; [5] (hypothetical limit) frontière *f* (**between** entre); **to cross the ~ into bad taste** franchir la limite du bon goût; [6] Comput (of window) bordure *f*
B **Borders** *pr npl* (*also* **Borders Region**) (in Scotland) les Borders *mpl*
C *modif* [*control*] aux frontières; [*crossing, patrol, state*] frontalier/-ière; [*area, post, town, zone*] frontière (*after n, inv*); [*police*] des frontières
D *vtr* [1] (lie alongside) [*road, land*] longer [*lake, forest*]; [*country*] border [*ocean*]; **France ~s Italy** la France a une frontière commune avec l'Italie; **to be ~ed by** avoir une frontière commune avec; [2] (surround) border; **to be ~ed on three sides by trees** être bordé d'arbres sur trois côtés; **to be ~ed with lace** être bordé de dentelle

(Phrasal verb) ■ **border on**: ▸ ~ **on [sth]** [1] (have a frontier with) [*country*] avoir une frontière commune avec; [*garden, land*] toucher; [2] (verge on) friser [*rudeness, madness*]; **the accusation ~s on the absurd** l'accusation frise l'absurde

border: **Border collie** *n* colley *m* écossais; ~ **dispute** *n* différend *m* frontalier; ~ **guard** *n* garde-frontière *m*; ~ **incident** *n* incident *m* de frontière; ~**land** *n* région *f* frontalière

borderline /ˈbɔːdəlaɪn/
A *n* frontière *f*, limite *f* (**between** entre); **on the ~** à la frontière
B *modif* [*case*] limite (*after n*); **he's a ~ schizophrenic** c'est un cas limite de schizophrénie; **to be a ~ fail/pass** être juste en dessous de/au-dessus de la moyenne

border raid *n* incursion *f* armée

bore /bɔː(r)/
A *prét* ▸ **bear**
B *n* [1] (person) raseur○/-euse *m/f*; **wine/cricket ~** raseur qui ne parle que de vin/de cricket; **he's such a ~** quel raseur○; [2] (situation) barbe *f*; **what a ~!** quelle barbe!; **it's an awful ~ having to wait** quelle barbe de devoir attendre; [3] (*also* ~**hole**) trou *m* de forage; [4] (diameter) (of gun barrel, pipe) calibre *m*; **small-~ rifle** carabine *f* de petit calibre; **12-~ shotgun** fusil *m* de calibre 12; [5] (wave) mascaret *m*
C *vtr* [1] (annoy) ennuyer (**with** avec); [2] (drill) [*person, machine, insect*] percer [*hole*]; creuser [*well, tunnel*]
D *vi* **to ~ into/through** [*person, machine, insect*] forer dans/à travers; **her eyes ~d into me** elle me perçait de son regard

(Idioms) **to ~ sb stiff** *ou* **to death** *ou* **to tears** faire mourir qn d'ennui; **to ~ the pants off sb**○ faire mourir qn d'ennui

bored /bɔːd/ *adj* [*person*] qui s'ennuie; [*expression, glance, voice*] ennuyé; **to get** *ou* **be ~** s'ennuyer (**with** de; **with doing** de faire); **to look ~** avoir l'air de s'ennuyer; **I'm so ~!** qu'est-ce que je m'ennuie!

boredom /ˈbɔːdəm/ *n* [1] (feeling) ennui *m* (**with** devant); **the ~ of having to wait** l'ennui d'avoir à attendre; [2] (of activity, job, lifestyle) monotonie *f*

borer /ˈbɔːrə(r)/ *n* [1] (tool) (for wood) vrille *f*; (for shaft, tunnel) foret *m*; (for metal cylinders) alésoir *m*; [2] (worker) foreur *m*, perceur *m*; [3] (insect) insecte *m* térébrant

boric /ˈbɔːrɪk/ *adj* borique

boring /ˈbɔːrɪŋ/
A *n* (drilling) (in wood) perforation *f*; (in rock) forage *m*
B *adj* [*person, place, activity, event*] ennuyeux/-euse; [*colour, food*] fade; **it's ~ being/doing** c'est assommant d'être/de faire

boringly /ˈbɔːrɪŋlɪ/ *adv* [*predictable, practical*] platement; [*arranged, presented*] de façon peu intéressante

born /bɔːn/
A *adj* [*person, animal*] né (**of** de; **to do** pour faire; **with** avec); **to be ~** naître; **she was ~ in Paris/in 1976** elle est née à Paris/en 1976; **when the baby is ~** quand le bébé sera né; **~ a Catholic** d'origine catholique; **she was ~ into a Jewish family** elle est née d'une famille juive; **to be ~ deaf/blind** être sourd/aveugle de naissance; **the children ~ to them** les enfants qu'ils auront (*or* qu'ils ont eus); **to be a ~ leader** être un chef né; **a ~ liar** un parfait menteur; **she's a ~ loser** elle est née perdante; **I wish I'd never been ~!** je voudrais ne jamais être né!; **to be ~ out of one's time** se tromper d'époque; **to be ~ (out) of sth** fig [*emotion, idea, group etc*] naître de qch
B **-born** (*dans composés*) **London-/Irish-~** né à Londres/en Irlande, originaire de Londres/d'Irlande

(Idioms) **in all my ~ days**○ de toute ma vie; **I wasn't ~ yesterday**○ je ne suis pas né de la dernière pluie; **she hasn't got the sense she was ~ with**○ elle est sosotte○; **there's one ~ every minute**○! quel idiot/quelle idiote!

born-again /ˌbɔːnəˈgeɪn/ *adj* [1] [*Christian*] régénéré; [2] hum nouvellement converti

borne /bɔːn/ *pp* ▸ **bear**

Borneo /ˈbɔːnɪəʊ/ ▸ **p. 1096** *pr n* Bornéo *m*

boron /ˈbɔːrɒn/ *n* bore *m*

borough /ˈbʌrə, US -rəʊ/ *n* (in London, New York) arrondissement *m* urbain; **county ~** GB *municipalité qui est administrativement indépendante du comté*

borough: ~ **council** *n* GB conseil *m* municipal; ~ **president** *n* US maire *m* d'arrondissement (*à New York*)

borrow /ˈbɒrəʊ/
A *vtr* emprunter [*object, money, idea, word*] (**from** à)
B *vi* Fin faire un emprunt (**from** à); **to ~ against** emprunter en fonction de [*income*]

(Idiom) **he/she is living on ~ed time** ses jours sont comptés

borrower /ˈbɒrəʊə(r)/ *n* emprunteur/-euse *m/f*

(Idiom) **neither a ~ nor a lender be** Prov il ne faut ni emprunter ni prêter

borrowing /ˈbɒrəʊɪŋ/ *n* [1] Fin ¢ emprunt *m*; **certain aspects of ~** certains aspects de l'emprunt; **increase in ~** augmentation des emprunts; **~ costs** le coût de l'emprunt; [2] Ling, Literat emprunt *m* (**from** à)

borrowing: ~ **requirements** *npl* besoins *mpl* d'emprunts; ~ **rights** *npl* droit *m* à l'emprunt

borstal† /ˈbɔːstəl/ *n* GB maison *f* de correction

borzoi /ˈbɔːzɔɪ/ *n* barzoï *m*

bosh○ /bɒʃ/ *n* n'importe quoi○

bos'n *n* = **boatswain**

Bosnia-Herzegovina /ˌbɒznɪə ˌhɜːtsəgəʊˈviːnə/ ▸ **p. 1096** *pr n* Bosnie-Herzégovine *f*

Bosnian /ˈbɒznɪən/ ▸ **p. 1467**
A *n* Bosniaque *mf*
B *adj* bosniaque

Bosnian: ~ **Muslim** *n* Musulman/-e *m/f* de Bosnie; ~ **Serb** *n* Serbe *mf* de Bosnie

bosom /ˈbʊzəm/ *n* littér [1] (chest) poitrine *f*; **to hug sb to one's ~** serrer qn contre sa poitrine; [2] (breasts) **to have a large ~** avoir beaucoup de poitrine; **an ample ~** une poitrine opulente; [3] fig (heart, soul) cœur *m*; **to be in the ~ of one's family/of the community** être au sein de sa famille/de la communauté; **to take sb to one's ~** se prendre d'affection pour qn

bosom buddy○, **bosom friend** *n* ami/-e *m/f* intime

Bosphorus /ˈbɒspərəs/ *pr n* **the ~** le Bosphore

boss /bɒs/
A *n* [1] ○(person in charge) gen patron/-onne *m/f*; (in politics, underworld) chef *m*; **go ahead, you're the ~** iron vas-y, c'est toi le patron; **she's the ~ in the house** c'est elle qui porte la culotte○; **we'll show them who's ~** on va leur montrer qui commande ici; [2] (stud) (on shield) umbo *m*; (on ceiling) bossage *m*; (on wheel) tourteau *m*; (on propeller) moyeu *m*
B ○*adj* US beau/belle; **this work is ~** c'est du beau boulot○

(Phrasal verb) ■ **boss about**○, **boss around**○: ▸ ~ **[sb] about** mener [qn] par le bout du nez

BOSS /bɒs/ *n* (*abrév* = **Bureau of State Security**) *branche des services de sécurité sud-africains*

boss-eyed○ /ˈbɒsaɪd/ *adj* GB qui louche; **to be ~** avoir un œil qui dit zut à l'autre○

bossiness○ /ˈbɒsɪnɪs/ *n* caractère *m* autoritaire

bossy○ /ˈbɒsɪ/ *adj* autoritaire

Boston baked beans US *npl* haricots *mpl* blancs (*à la sauce tomate*)

Bostonian /bɒsˈtəʊnɪən/ *n* Bostonien/-ienne *m/f*

bosun *n* = **boatswain**

b

botanic(al) /bəˈtænɪk(l)/ *adj* [*studies, drawing, term*] botanique; [*name*] latin; **~ gardens** jardin *m* botanique

botanist /ˈbɒtənɪst/ ▸ **p. 1683** *n* botaniste *mf*

botanize /ˈbɒtənaɪz/ *vi* herboriser

botany /ˈbɒtənɪ/ *n* botanique *f*

botany wool *n* laine *f* mérinos

botch○ /bɒtʃ/

A *n* (*also* **~-up**) **to make a ~ of sth** saboter qch; **it was a real ~** c'était complètement bâclé

B *vtr* bâcler

botched /bɒtʃt/ *adj* [*legislation, reform*] mal conçu; [*attempt*] raté; [*translation*] mal fait; **a ~ job** (repair, piece of work) un travail bâclé; (legislation, reform etc) un gâchis

both /bəʊθ/

A *adj* **~ sides of the road** les deux côtés de la rue; **~ her eyes/parents** ses deux yeux/parents; **~ their faces/lives** leurs visages/vies; **~ children came** les enfants sont venus tous les deux; **I like ~ brothers** j'aime les deux frères; **to hold sth in ~ hands** tenir qch entre ses mains

B *conj* **~ you and I saw him** tu l'as vu comme moi; **~ here and abroad** ici comme à l'étranger; **to show ~ firmness and tact** faire preuve à la fois de fermeté et de tact; **to act ~ wisely and swiftly** agir sagement et rapidement à la fois; **~ Paris and London have their advantages** aussi bien Paris que Londres a ses avantages

C *pron* (+ *v pl*) (of things) les deux; (of people) tous les deux; **let's do ~** faisons les deux; **French, or German, or ~** français, allemand, ou les deux; **'which do you want?'—'~'** 'lequel veux-tu?'–'les deux'; **I know them ~** je les connais tous les deux; **~ are young, they are ~ young** ils sont jeunes tous les deux; **we ~ won something** nous avons tous les deux gagné quelque chose

D **both of** *pron phr* (+ *v pl*) **let's take ~ of them** prenons les deux; **~ of you are wrong** vous avez tort tous les deux; **~ of us think that** nous pensons tous les deux que

bother /ˈbɒðə(r)/

A *n* **1** (inconvenience) ennui *m*, embêtement○ *m*; **to do sth without any ~** faire qch sans aucune difficulté; **it's too much ~** c'est trop de tracas; **to have the ~ of doing** avoir le tracas de faire; **it saves me the ~ of doing** cela m'évite le tracas de faire; **to go to the ~ of doing** se donner le mal de faire; **don't go to too much ~** ne te donne pas trop de mal; **it's no ~** ce n'est pas un problème; **2** ○¢ GB (trouble) ennuis *mpl*; **a bit** *ou* **a spot of ~** des embêtements○ *mpl*; **to be in a bit** *ou* **spot of ~** avoir des ennuis; **3** (person) casse-pieds○ *mf inv*, enquiquineur/-euse○ *m/f*; **he's no ~ at all** il ne dérange pas du tout

B ○*excl* zut alors!

C *vtr* **1** (worry) tracasser; **what's ~ing you?** qu'est-ce qui te tracasse?; **it doesn't ~ me in the least** ça ne me tracasse pas le moins du monde; **don't let it ~ you** ne te tracasse pas avec ça; **to be ~ed by noise** être dérangé par le bruit; **it ~s me that** cela m'ennuie que (+ *subj*); **they won't be ~ing you again** ils ne t'embêteront plus; **2** (inconvenience) déranger; **does it ~ you if I smoke?** cela vous dérange-t-il que je fume (*subj*)?; **I'm sorry to ~ you** je suis désolé de vous déranger; **oh stop ~ing me!**○ mais arrête de m'embêter à la fin!○; **to ~ sb with** ennuyer qn avec [*details, problems, questions*]; **3** (hurt) faire souffrir; **her knee is still ~ing her** son genou la fait encore souffrir; **4** ○†GB **~ the money/the neighbours!** au diable l'argent/les voisins○†!

D *vi* **1** (take trouble) s'en faire; **please don't ~** s'il te plaît, ne te dérange pas; **why ~?** pourquoi se tracasser?; **I don't think I'll ~** je ne vais pas m'embêter avec ça; **I wouldn't ~** ce n'est pas la peine; **to ~ doing** *ou* **to do** prendre la peine de faire; **he doesn't ~ voting** *ou* **to vote** il ne prend pas la peine de voter; **don't** *ou* **you needn't ~ doing** ce n'est pas la peine de faire; **I won't ~ with a hat** ce n'est pas la peine de prendre un chapeau; **to ~ about** se tracasser au sujet de; **it's not worth ~ing about the details** ça ne vaut pas la peine de s'embêter avec des détails; **I don't know why I ~** je ne sais pas pourquoi je me tracasse; **'I want to apologize'—'don't ~!'** 'Il faut que je m'excuse'–'ce n'est pas la peine!'; **you needn't** *ou* **don't ~ coming back!** ce n'est pas la peine de revenir!; **2** (worry) **to ~ about** se soucier de; **it's/he's not worth ~ing about** ça/il ne vaut pas la peine qu'on s'en occupe; **don't ~ about me, I'll be fine** ne t'inquiète pas pour moi, tout ira bien

E **bothered** *pp adj* (concerned) **to be ~ed that** être ennuyé que (+ *subj*); **to be ~ed with** s'embêter avec [*detail, problem*]; **he's not ~ed about money** *ou* **about having money** ça ne l'intéresse pas d'avoir de l'argent; **I'm not ~ed** GB ça m'est égal; **I can't be ~ed** je m'en fiche○ complètement; **you just couldn't be ~ed to turn up!** tu ne t'es même pas donné la peine de venir!

F *v refl* **to ~ oneself about** se tracasser avec [*problem*]; ▸ **hot**

botheration○† /ˌbɒðəˈreɪʃn/ *excl* la barbe!

bothersome /ˈbɒðəsəm/ *adj* ennuyeux/-euse

Bothnia /ˈbɒθnɪə/ *pr n* **the Gulf of ~** le golfe de Botnie

Botswana /bɒtˈswɑːnə/ ▸ **p. 1096** *pr n* Botswana *m*

bottle /ˈbɒtl/

A *n* **1** (container) (for drinks) bouteille *f*; (for perfume, medicine, tablets) flacon *m*; (for baby) biberon *m*; (for gas) bouteille *f*; **milk/whisky ~** bouteille *f* de lait/de whisky; **a ~ of wine** une bouteille de vin; **'bring a ~'** (to party) 'prière d'apporter une bouteille'; **2** ○fig (alcohol) **to hit the ~** caresser la bouteille○; **to be on the ~** caresser la bouteille○; **to go back on the ~** se remettre à boire; **to take to the ~** se mettre à boire *or* à picoler○; **3** ○GB (courage) courage *m*, cran○ *m*; **to lose one's ~** se dégonfler○; **have you lost your ~?** alors, tu te dégonfles○?

B *vtr* **1** (put in bottles) embouteiller, mettre [qch] en bouteilles [*milk, wine*]; **2** GB (preserve) mettre [qch] en bocal *or* en conserve [*fruit*]

C **bottled** *pp adj* [*beer, gas*] en bouteille; [*fruit*] conservé en bocaux; **~d water** eau *f* minérale

(Phrasal verbs) ■ **bottle out**○ GB se dégonfler○

■ **bottle up**: ▸ **~ [sth] up, ~ up [sth]** **1** (hide) étouffer [*anger, despair, grief*]; **you shouldn't ~ things** *ou* **your feelings up** tu devrais exprimer tes sentiments; **2** Mil Naut embouteiller [*fleet*]

bottle: **~ bank** *n* réceptacle *m* à verre; **~brush** *n* goupillon *m*; **~-fed** *adj* nourri au biberon; **~ feed** *vtr* nourrir [qn] au biberon; **~ feeding** *n* alimentation *f* au biberon; **~ glass** *n* verre *m* de bouteille; **~ green** ▸ **p. 1067** *n, adj* vert (*m*) bouteille *inv*

bottleneck /ˈbɒtlnek/ *n* **1** (traffic jam) embouteillage *m*; **2** (narrow part of road) rétrécissement *m* de la chaussée; **3** (hold-up) goulet *m* d'étranglement (**in** dans)

bottle: **~-opener** *n* décapsuleur *m*; **~ party** *n* soirée *f* (*à laquelle chacun apporte une bouteille*); **~ rack** *n* casier *m* à bouteilles; **~ top** *n* capsule *f* (de bouteille); **~ warmer** *n* chauffe-biberon *m*

bottlewasher /ˈbɒtlwɒʃə(r)/ *n* **chief cook and ~** hum factotum *m*

bottom /ˈbɒtəm/

A *n* **1** (base) (of hill, pile, steps, wall) pied *m*; (of page) bas *m*; (of bag, bottle, hole, river, sea) fond *m*; **at the ~ of the page** en bas de la page; **to touch ~** toucher le fond; **to sink** *ou* **go to the ~** [*ship*] couler; **from the ~ of one's heart** du fond du cœur; **to knock the ~ out of** défoncer [*box*]; démolir [*argument*]; **the ~ has fallen** *ou* **dropped out of the market** le marché s'est effondré; **2** (underside) (of boat) œuvres *fpl* vives, carène *f*; (of vase, box) dessous *m*; **3** (lowest position) (of list) bas *m*; (of league) dernière place *f*; (of hierarchy) dernier rang *m*, bas *m*; **at the ~ of the list** en bas de la liste; **to be at the ~ of the heap** *ou* **pile** fig être au bas de l'échelle; **to be** *ou* **come ~ of the class** être dernier/-ière de la classe; **I started at the ~ of the company** j'ai débuté dans cette entreprise au bas de l'échelle; **to hit rock ~** fig toucher le fond; **4** (far end) (of garden, field) fond *m*; (of street) bout *m*; **5** ○(buttocks) derrière○ *m*, fesses *fpl*; **6** fig (root) fond *m*; **to get to the ~ of a mystery/of a matter** découvrir le fin fond d'un mystère/d'une affaire; **at ~, he's not reliable** dans le fond, on ne peut pas lui faire confiance; **to be** *ou* **lie at the ~ of sth** être à l'origine de qch; **7** Comm, Naut navire *m*

B ○**bottoms** *npl* **pyjama/tracksuit ~s** pantalon *m* de pyjama/de survêtement; **bikini ~s** bas *m* de maillot de bain

C *adj* **1** (lowest) [*layer, rung, shelf*] du bas; [*sheet*] de dessous; [*apartment*] du rez-de-chaussée; [*bunk*] inférieur; [*division, half, part*] dernier/-ière; **~ of the range** bas de gamme; **2** (last) [*place, pupil, team*] dernier/-ière; [*score*] le plus bas

(Idiom) **~s up**○! (drink up) cul sec○!; (cheers) santé!

(Phrasal verb) ■ **bottom out** [*recession*] atteindre son point le plus bas

bottom drawer *n* lit tiroir *m* du bas; fig trousseau *m* de mariée

bottom end *n* **1** lit (far end) (of street) bout *m*; **2** fig (of league, division) partie *f* inférieure; (of market) bas *m* de gamme

bottom: **~ gear** *n* GB Aut première *f*; **~land** *n* US Geog basses terres *fpl*

bottomless /ˈbɒtəmlɪs/ *adj* [*chasm, well*] sans fond; **a ~ pit** lit, fig un gouffre sans fond

bottom line

A *n* **1** Accts, Fin lit dernière ligne *f* du bilan; (results) résultats *mpl*; **2** (decisive factor) **the ~ is that** la vérité c'est que; **that's the ~** ça c'est le vrai problème

B *modif* [*cost, loss*] définitif/-ive

bottom: **~most** *adj* tout/-e dernier/-ière (*before n*); **~ry** *n* Fin, Naut prêt *m* à la grosse

bottom-up /ˌbɒtəmˈʌp/ *adj* (*tjrs épith*) **1** Comput [*design, development*] ascendant; **2** gen [*approach, methods*] ≈ consultatif/-ive (*du bas vers le haut dans une hiérarchie*)

botulism /ˈbɒtjʊlɪzəm/ ▸ **p. 1327** *n* botulisme *m*

Bouches-du-Rhône *pr n* Bouches-du-Rhône *fpl*; **in/to the ~** dans les Bouches-du-Rhône

bouclé /ˈbuːkleɪ/

A *n* (tissu *m*) bouclette *f*

B *adj* Tex en bouclette; **a ~ wool coat** un manteau en bouclette; **~ knitting wool** laine *f* bouclette

boudoir /ˈbuːdwɑː(r)/ *n* boudoir *m*, petit salon *m*

bouffant /ˈbuːfɑːn/ *adj* [*hair, hairstyle*] crêpé; [*sleeve*] bouffant

bougainvillea /ˌbuːgənˈvɪlɪə/ *n* bougainvillier *m*

bough /baʊ/ *n* branche *f*

bought /bɔːt/ *prét, pp* ▸ **buy**

bouillon /ˈbuːjɒn/ *n* bouillon *m*

boulder /ˈbəʊldə(r)/ *n* rocher *m*

boulder clay *n* Geol dépôt *m* argileux erratique

boulevard /ˈbuːləvɑːd, US ˈbʊl-/ *n* boulevard *m*

bounce /baʊns/

A *n* **1** (rebound of ball) rebond *m*; **2** (of mattress, ball, material) élasticité *f*; (of hair) souplesse *f*; **3** fig (vigour) allant *m*; **4** (in email) retour *m* à l'expéditeur

B *vtr* **1** faire rebondir [*ball*]; retransmettre

[*signal, radiowave*]; **to ~ a baby on one's knee** faire sauter un bébé sur ses genoux; **2** ○**to ~ a cheque** [*bank*] GB refuser d'honorer un chèque; [*person*] US faire un chèque sans provision; **3** ○(hurry) **to ~ sb into sth/into doing sth** pousser qn dans qch/à faire qch; **4** ○(eject) vider○ [*person*]; **5** Comput renvoyer [qch] à l'expéditeur [*email*]
C *vi* **1** [*ball, object*] rebondir (**off** sur; **over** au dessus de); [*person*] (on trampoline, bed) faire des bonds, sauter; **the ball ~d down the steps** la balle a descendu les marches en rebondissant; **to ~ up and down on sth** faire des bonds *or* sauter sur qch; **the car ~d along the track** la voiture rebondissait sur le chemin; **2** fig (move energetically) **to ~ in/along** entrer/marcher avec énergie; **3** ○[*cheque*] être sans provision; **4** Comput [*email*] revenir à l'expéditeur
(Idioms) **to give sb the ~**○ US [*employer*] virer○ qn; **to get the ~**○ US [*employee*] être viré○
(Phrasal verb) ■ **bounce back** [*person*] (after illness) se remettre; (after lapse in career) faire un retour en force; [*currency*] remonter

bouncer○ /ˈbaʊnsə(r)/ *n* videur *m*

bouncing baby *n* beau bébé *m* (en pleine santé)

bouncy /ˈbaʊnsɪ/ *adj* **1** [*ball*] qui rebondit bien; [*mattress*] élastique; [*pitch, turf*] souple; [*stride, walk*] sautillant; **2** fig [*person*] dynamique

bouncy castle *n* château *m* gonflable (*pour enfants*)

bound /baʊnd/
A *prét, pp* ▸ **bind**
B *n* bond *m*; **in a ~, with one ~** d'un bond
C **bounds** *npl* lit, fig limites *fpl*; **to be out of ~s** Mil, Sch [*place*] être interdit d'accès; Sport être hors du terrain; **this area is out of ~s to civilians** l'accès de cette zone est interdit aux civils; **to be within/beyond the ~s of sth** fig rester dans/dépasser les limites de qch; **it's not beyond the ~s of possibility** ce n'est pas impossible; **to keep sth within ~s** maintenir qch dans des limites acceptables; **there are no ~s to her curiosity** il n'y a pas de limites à sa curiosité; **his folly knew no ~s** sa bêtise était sans bornes; **her fury knew no ~s** elle était hors d'elle
D *adj* **1** (certain) **to be ~ to do sth** aller sûrement faire qch; **they're ~ to ask** ils vont sûrement demander; **she's ~ to know** elle doit sûrement savoir; **it was ~ to happen** cela devait arriver; **2** (obliged) (by promise, conditions, rules, terms) tenu (**by** par; **to do** de faire); **I am ~ to say I think it's unlikely** je dois dire que cela me semble peu probable; **he's up to no good, I'll be ~** il prépare un mauvais coup, j'en suis sûr; **3** [*book*] relié; **cloth-/leather-~** relié en toile/en cuir; **4** (heading for) **~ for** [*person, bus, train*] en route pour; [*aeroplane*] à destination de; **5** (connected) **to be ~ up with sth** être lié à qch; **her problems are ~ up with her illness** ses problèmes sont liés à sa maladie; **she is so ~ up with her family that she never goes out** sa famille lui prend tellement de temps qu'elle ne sort jamais
E *vtr* (border) borner; **~ed by** lit, fig borné par
F *vi* bondir; **she ~ed into the room** elle est entrée dans la pièce en coup de vent
G **-bound** *dans composés* **1** (heading for) **to be London-/Paris-~** être à destination de Londres/Paris; **homeward-~** sur le chemin du retour; **outward-~** en partance; **2** (confined) immobilisé; **wheelchair-~** immobilisé sur une chaise roulante; **fog-/strike-~** immobilisé par le brouillard/la grève

boundary /ˈbaʊndrɪ/
A *n* **1** gen, Geog limite *f* (**between** entre); **city ~** limites de la ville; **national ~** frontières *fpl* du pays; **2** fig (defining) limite *f*; (dividing) ligne *f*; **3** Sport limites *fpl* du terrain
B *modif* [*fence, post*] qui marque la limite

boundary: **Boundary Commission** *n* GB commission *f* qui décide du redécoupage électoral; **~ line** *n* gen frontière *f*; (in basketball) ligne *f* de touche

bounden† /ˈbaʊndən/ *adj* **~ duty** devoir *m* impérieux

bounder† /ˈbaʊndə(r)/ *n* GB goujat *m*

boundless /ˈbaʊndlɪs/ *adj* [*terrain, space*] infini; [*enthusiasm, energy, ambition, generosity*] sans bornes

bounteous /ˈbaʊntɪəs/ *adj* littér **1** (generous) généreux/-euse; **2** (abundant) abondant

bountiful /ˈbaʊntɪfl/ *adj* littér **1** (ample) abondant; **2** (generous) généreux/-euse

bounty /ˈbaʊntɪ/ *n* **1** (generosity) générosité *f*; **food from Nature's ~** de la nourriture qui vient de la nature généreuse; **2** (gift) don *m*; **3** (reward) prime *f*

bounty hunter *n* chasseur *m* de primes

bouquet /bʊˈkeɪ/ *n* (all contexts) bouquet *m*

bourbon /ˈbɜːbən/ *n* bourbon *m*

bourgeois /ˈbɔːʒwɑː, US ˌbʊərˈʒwɑː/
A *n* bourgeois/-e *m/f*
B *adj* bourgeois; **a ~ woman** une bourgeoise

bourgeoisie /ˌbɔːʒwɑːˈziː, US ˌbʊəʒwɑːˈziː/ *n* bourgeoisie *f*

bout /baʊt/ *n* **1** (attack) (of fever, malaria) accès *m*; **a ~ of insomnia** une crise d'insomnie; **a ~ of coughing** une quinte de toux; **to have** *ou* **go on a drinking ~** se livrer à des excès de boisson; **during one of his drinking ~s** pendant une de ses soûleries○; **to have a ~ of flu/nausea** avoir une grippe/des nausées; **to have a ~ of depression** faire une dépression; **2** Sport combat *m*; **3** (outbreak) crise *f*; **4** (period of activity) période *f*

boutique /buːˈtiːk/ ▸ p. 1683 *n* boutique *f*; **fashion ~** boutique de mode

bovine /ˈbəʊvaɪn/ *adj* lit, fig bovin

bovver○ /ˈbɒvə(r)/ *n* ¢ GB **1** (fighting) bagarre *f*; **2** (problems) ennuis *mpl*

bovver: **~ boot**○ *n* Fashn ranger *m*; **~ boy**○ *n* voyou *m*

bow[1] /bəʊ/
A *n* **1** (weapon) arc *m*; **2** Mus archet *m*; **3** (knot) nœud *m*; **to tie a ~** faire un nœud
B *vi* manier l'archet
(Idiom) **to have more than one string** *ou* **several strings to one's ~** avoir plus d'une corde *or* plusieurs cordes à son arc

bow[2] /baʊ/
A *n* **1** (forward movement) salut *m*; **to make a ~** faire un salut; **to take a ~** Theat saluer; **to make one's ~** fig faire ses débuts; **2** Naut avant *m*, proue *f*; **on the starboard ~** par tribord devant; **to go down by the ~s** sombrer par l'avant; **3** Sport rameur/-euse *m/f* avant
B *vtr* baisser [*head*]; courber [*branch*]; incliner [*tree*]; **to ~ the knee** fig se soumettre (**to** à); **to ~ one's head in prayer** prier les yeux baissés
C *vi* **1** (bend forward) saluer; **to ~ to** saluer; **2** (give way) **to ~ to** s'incliner devant [*wisdom, knowledge, necessity, majority*]; **to ~ to pressure** céder à la pression; **to ~ to sb's opinion** se ranger à l'avis de qn; **3** (sag) [*plant, shelf*] se courber (**under** sous)
D **bowed** *pp adj* [*head*] penché; [*back*] courbé
(Idioms) **to ~ and scrape** fig faire des courbettes (**to** devant); **there was a lot of ~ing and scraping** il y a eu beaucoup de courbettes; **to fire a shot across sb's ~s** fig tirer un coup de semonce à qn
(Phrasal verbs) ■ **bow down**: ▸ **~ down** lit se prosterner (**before** devant); fig se soumettre (**before** devant); ▸ **~ [sb/sth] down** [*wind*] courber [*tree*]; [*weight*] plier, courber [*person*]; **to be ~ed down by** être plié *or* courbé sous [*weight, load*]; **they were ~ed down by the burden of debt** le fardeau des dettes les écrasait
■ **bow out** (resign) prendre congé, tirer sa révérence○

Bow bells /ˌbəʊ ˈbelz/ *npl* GB **to be born within the sound of ~** *naître en plein quartier cockney*. ▸ **Cockney**

bow compass *n* compas *m* à balustre

bowdlerization /ˌbaʊdləraɪˈzeɪʃn, US -rɪˈz-/ *n* Literat expurgation *f*

bowdlerize /ˈbaʊdləraɪz/ *vtr* Literat expurger

bow doors *npl* porte *f* d'étrave

bowel /ˈbaʊəl/
A *n* Med intestin *m*
B **bowels** *npl* **1** Med intestins *mpl*; **to have upset ~s** avoir les intestins détraqués; **to move one's ~s** aller à la selle; **2** fig (inner depths) profondeurs *fpl*
C *modif* [*cancer, disease*] de l'intestin

bowel movement *n* selles *fpl*; **to have a ~** aller à la selle

bower /ˈbaʊə(r)/ *n* **1** (in garden) tonnelle *f*; **2** liter (chamber) boudoir *m*

bowery /ˈbaʊərɪ/ *n* US quartier *m* fréquenté par des clochards

bow-front(ed) *adj* [*house*] à la façade bombée; [*cabinet, chest*] bombé

bowing /ˈbəʊɪŋ/ *n* Mus coup *m* d'archet

bowl /bəʊl/
A *n* **1** (basin) (for food) bol *m*; (large) saladier *m*; (for soup) assiette *f* creuse; (for washing) cuvette *f*; (of lavatory) cuvette *f*; (of lamp) globe *m*; **a ~(ful) of milk** un bol de lait; **a ~(ful) of water** une cuvette d'eau; **2** (hollow part) (of pipe) fourneau *m*; (of spoon) creux *m*; **3** Sport boule *f* (en bois)
B *vtr* **1** (roll) faire rouler [*hoop, ball*]; **2** (throw) lancer [*ball*]; **3** GB Sport = **bowl out**
C *vi* **1** Sport lancer; **to ~ to sb** lancer la balle à qn; **2** US (go bowling) aller au bowling; **3** (move fast) **to ~ along** [*person*] filer à toute allure; [*vehicle*] rouler à toute vitesse
(Phrasal verbs) ■ **bowl out**: ▸ **~ [sb] out** mettre [qn] hors jeu
■ **bowl over**: ▸ **~ [sb] over** **1** (knock down) renverser [*person*]; **2** (impress) stupéfier [*person*]; **she was totally ~ed over** elle était sidérée

bowlegged /ˌbəʊˈlegɪd/ *adj* [*person*] aux jambes arquées; **to be ~** avoir les jambes arquées

bowlegs /ˌbəʊˈlegz/ *npl* jambes *fpl* arquées

bowler /ˈbəʊlə(r)/ *n* **1** Sport (in cricket) lanceur *m*; (in bowls) joueur/-euse *m/f* de boules (*sur gazon*); **2** Fashn = **bowler hat**

bowler hat *n* chapeau *m* melon

bowl game *n* US match *m* de championnat de football américain

> **Bowl games**
> Les équipes de football des universités américaines s'affrontent dans un championnat amateur consistant en une série de matchs, les *college bowl games*. Ces matchs doivent leur nom à la forme particulière (*bowl*) du stade où ils sont joués. Chacun d'entre eux est en général associé à une ville américaine : le *Cotton Bowl* à Dallas, le *Sugar Bowl* à New Orleans, le *Orange Bowl* à Miami, etc. Le *Superbowl*, finale du championnat professionnel, a lieu chaque année dans une ville différente.

bowline /ˈbəʊlɪn/ *n* **1** (rope) bouline *f*; **2** (knot) nœud *m* de chaise

bowling /ˈbəʊlɪŋ/ ▸ p. 1253 *n* Sport **1** (ten-pin) bowling *m*; **2** (on grass) jeu *m* de boules (*sur gazon*); **3** (in cricket) service *m*

bowling: **~ alley** *n* (building) bowling *m*; (lane) piste *f* de bowling; **~ green** *n* terrain *m* de boules (*sur gazon*)

bowls /bəʊlz/ ▸ p. 1253
A *n* (+ *v sg*) jeu *m* de boules (*sur gazon*)
B *modif* [*club, tournament*] de boules (*sur gazon*)

bowman /ˈbəʊmən/ *n* archer *m*

bowsprit /ˈbəʊsprɪt/ *n* beaupré *m*

bow bəʊ: **~string** *n* corde *f* d'arc; **~ tie** *n* nœud-papillon *m*

bow-wave *n* vague *f* de proue

bow window *n* bow-window *m*

b

bow-wow /ˌbaʊˈwaʊ/ *n* **1** lang enfantin (dog) toutou *m* baby talk; **2** onomat ouah! ouah!

box /bɒks/

A *n* **1** (small, cardboard) boîte *f*; (larger, crate) caisse *f*; **~ of matches/of chocolates** boîte d'allumettes/de chocolats; **to sell apples by the ~** vendre des pommes par caisses; **it comes in a ~** cela se vend en boîte; **2** (on page) case *f*; **put a tick in the ~** cocher la case; **3** (seating area) Theat loge *f*; Sport tribune *f*; **4** (in stable) box *m*; **5** GB Sport (for protection) coquille *f*; **6** °(television) **the ~** la télé; **7** Sport (in soccer) surface *f* de réparation; (in baseball) emplacement *m*; **8** (in gymnastics) cheval *m* de saut; **9** Post (*also* **Box**) boîte *f* postale; **Box 20** BP 20; **10** Aut (for gears, steering, axle) boîte *f*; **11** (slap) **a ~ on the ear** une gifle; **12** Bot buis *m*; **13** GB Transp = **box junction**; **14** °(dilemma) impasse *f*; **15** °Comput machine *f*

B *modif* [*hedge, furniture*] en buis

C *vtr* **1** (pack) ▸ **box up**; **2** (fight) boxer [*opponent*]; **3** (strike) **to ~ sb's ears** gifler qn; **4** Naut **to ~ the compass** réciter la rose des vents

D *vi* Sport boxer

E boxed *pp adj* [*note, information*] en encadré; **~ed set** coffret *m*; **~ed advert** encadré *m*

(Phrasal verbs) ■ **box in**: ▸ **~ in [sth/sb]**, **~ [sth/sb] in** coincer° [*runner, car*]; **to be ~ed in** [*person*] être coincé°; [*yard, area*] être encaissé *or* encadré; **to feel ~ed in** se sentir enfermé

■ **box off**: ▸ **~ off [sth]**, **~ [sth] off** cloisonner [*space*]

■ **box up**: ▸ **~ up [sth]**, **~ [sth] up** mettre [qch] en caisse, encaisser

box: **~board** *n* carton *m* d'emballage; **~ calf** *n* box *m*, box-calf *m*; **~ camera** *n* appareil-photo *m* box; **~car** *n* US wagon *m* de marchandises

boxer /ˈbɒksə(r)/ ▸ **p. 1683** *n* **1** Sport boxeur *m*; **2** (dog) boxer *m*

boxer shorts *npl* caleçon *m* (court)

box: **~ful** *n* pleine boîte *f* (**of** de); **~ girder** *n* poutre-caisson *f*

boxing /ˈbɒksɪŋ/ ▸ **p. 1253**

A *n* boxe *f*; **to take up ~** se mettre à la boxe

B *modif* [*champion, fan, glove, match, promoter*] de boxe.

Boxing Day /ˈbɒksɪŋ deɪ/ *n* GB lendemain *m* de Noël

> **Boxing Day**
>
> Le lendemain de Noël est un jour férié en Grande-Bretagne. Cette dénomination est issue de la tradition qui consistait à distribuer ce jour-là aux employés de maison leurs étrennes présentées dans une boîte.

boxing ring *n* ring *m*

box: **~ junction** *n* GB Transp milieu *m* d'intersection (*délimité par des bandes jaunes*); **~ kite** *n* cerf-volant *m* cellulaire; **~ lunch** *n* US panier-repas *m*; **~ number** *n* numéro *m* de boîte postale

box office

A *n* Cin, Theat **1** (ticket office) guichet *m*; **2** fig **to do well/badly at the ~** être bien/mal accueilli au box office; **to be good ~** [*show*] faire recette; [*person*] attirer les foules

B *modif* **a ~ success/failure** un succès/échec au box office; **~ takings** recettes *fpl* des guichets; **to be a ~ attraction** attirer les foules

box: **~ pleat** *n* pli *m* creux; **~ room** *n* GB petite chambre *f* (*servant de débarras*)

box spring *n* **1** GB (bed spring) ressort *m* de sommier; **2** US (bed base, set of springs) sommier *m* à ressorts

box stall *n* US box *m*

boxwood /ˈbɒkswʊd/

A *n* (bois *m* de) buis *m*

B *modif* [*hedge, furniture*] en buis

boy /bɔɪ/

A *n* **1** (young male) garçon *m*; **the ~s' toilet** les toilettes des garçons; **a ~'s bike** un vélo pour garçon; **come here ~!** viens ici, mon garçon; **be polite ~s!** soyez polis, les garçons!; **when I was a ~** quand j'étais petit; **the big ~s** les grands; **a new ~** gen, Sch un nouveau; **there's a good ~!** voilà, c'est bien mon petit!; **look ~s and girls** regardez, les enfants; **~s will be ~s!** il faut que jeunesse se passe!; **2** (son) fils *m*; **the Smith ~** le fils Smith; **3** °GB (man) gars° *m*; **to be a local ~** être un gars du coin°; **to be one of the ~s** faire partie de la bande; **to have a drink with the ~s** boire un coup avec les copains°; **an old ~** Sch un ancien élève *m*; (old man) un vieillard *m*; **the old ~**° le vieux° *m*; **how are you old ~?** comment ça va mon vieux?; **my dear ~** mon cher; **4** †(colonial servant) boy *m*; **5** (male animal) **down ~!** doucement, mon vieux!; **easy ~!** tout doux, mon vieux!; **6** °US injur (black man) nègre *m* offensive

B °**boys** *npl* **1** (experts) gars° *mpl*; **the legal ~s** les gars° du service juridique; **2** (soldiers) gars° *mpl*; **our brave ~s at the front** nos braves gars au front

C *modif* [*detective, genius, soprano*] jeune (*before n*)

D °*excl* **~, it's cold here!** bon sang! ce qu'il fait froid ici!; **~ oh ~, was I scared!** eh ben° mon vieux, ce que j'avais peur!

(Idioms) **to sort out the men from the ~s** décider des plus forts et des plus faibles; **the ~s in blue**° GB la police; **the ~s uptown**° US les caïds *mpl*

boy band *n* boys band *m*

boycott /ˈbɔɪkɒt/

A *n* boycottage *m*, boycott *m* (**against**, **of**, **on** de)

B *vtr* boycotter

boyfriend /ˈbɔɪfrend/ *n* (petit) copain *m or* ami *m*

boyhood /ˈbɔɪhʊd/

A *n* enfance *f*

B *modif* [*dream, experience, friend*] d'enfance

boyish /ˈbɔɪɪʃ/ *adj* **1** (youthful) [*figure, looks*] d'adolescent; **to look ~** avoir l'air d'un adolescent; **her ~ figure/looks** sa silhouette/son air de garçon; **2** (endearingly young) [*grin, charm, enthusiasm*] enfantin

boy: **~-meets-girl** *adj* [*film, story*] du genre rencontre romantique (*after n*); **~ racer**° *n* jeune chauffard° *m*; **~ scout** *n* scout *m*; **~ toy**° *n* gadget *m* pour gamin

bozo° /ˈbəʊzəʊ/ *n* US rigolo *m*

Br *adj* (*abrév écrite* = **British**) britannique

BR *n*: *abrév* ▸ **British Rail**

bra /brɑː/ ▸ **p. 1694** *n* soutien-gorge *m*

brace /breɪs/

A *n* **1** (for teeth) appareil *m* dentaire; **to wear a ~** avoir un appareil dentaire; **2** Med (for broken limb) attelle *f*; (permanent support) appareil *m* orthopédique; **3** Constr support *m*; **4** (pair) (of birds, animals) couple *m* (**of** de); (of pistols) paire *f* (**of** de); **5** (tool) vilebrequin *m*; **6** (symbol) accolade *f*

B *vtr* **1** [*person*] arc-bouter [*body, back*] (**against** contre); **to ~ one's legs/feet against sth** appuyer les jambes/pieds contre qch; **2** Constr renforcer, consolider [*wall, structure*]

C braces *npl* GB Fashn bretelles *fpl*

D *vi* **1** fig **to ~ for sth** [*person, organization*] se préparer à qch; **2** lit (for crash) se recroqueviller

E *v refl* **to ~ oneself** (physically) s'arc-bouter (**for** en prévision de); fig se préparer (**for** à; **to do** à faire); **~ yourself!** prépare-toi!

F braced *pp adj* [*wall, structure*] renforcé, consolidé (**with** avec); **to be ~ for sth/to do** [*person*] être préparé à qch/à faire

(Phrasal verb) ■ **brace up**: ▸ **~ up** se ressaisir; ▸ **~ up [sb]**, **~ [sb] up** réconforter qn

bracelet /ˈbreɪslɪt/ *n* **1** (jewellery) bracelet *m*; **2** (watchstrap) bracelet *m* (de montre)

bracer° /ˈbreɪsə(r)/ *n* remontant *m*

brachycephalic /ˌbrækɪsɪˈfælɪk/ *adj* brachycéphale

bracing /ˈbreɪsɪŋ/ *adj* vivifiant, tonifiant

bracken /ˈbrækən/ *n* fougère *f*

bracket /ˈbrækɪt/

A *n* **1** (in typography) (round) parenthèse *f*; (square) crochet *m*; **in ~s** entre parenthèses *or* crochets; **2** (support) (for shelf) équerre *f*; (for lamp) applique *f*; **3** Archit saillie *f*; **4** (category) tranche *f*, catégorie *f*; **age/income/tax ~** tranche d'âge/de revenus/d'impôts; **price ~** catégorie de prix

B *vtr* **1** (put in brackets) (round) mettre [qch] entre parenthèses [*word, phrase*]; (square) mettre [qch] entre crochets [*word, phrase*]; **2** (put in category) (*also* **~ together**) accoler [*names, items*]; mettre [qn] dans le même groupe [*people*]; **to ~ sb/sth with** assimiler qn/qch à; **3** Mil encadrer [*target*]

brackish /ˈbrækɪʃ/ *adj* saumâtre

bract /brækt/ *n* Bot bractée *f*

brad /bræd/ *n* pointe *f* à tête perdue

bradawl /ˈbrædɔːl/ *n* poinçon *m*

brae /breɪ/ *n* Scot versant *m*

brag /bræg/

A *n* **1** (boast) fanfaronnade *f*; **2** (card game) ≈ poker *m*

B *vi* (*p prés etc* **-gg-**) se vanter (**to** auprès de; **about** de; **about doing** de faire)

braggart† /ˈbrægət/ *n* fanfaron/-onne *m/f*

bragging /ˈbrægɪŋ/ *n* fanfaronnade *f* (**about** au sujet de)

Brahma /ˈbrɑːmə/ *pr n* Relig Brahma

Brahman /ˈbrɑːmən/ *n* Relig brahmane *m*

Brahmaputra /ˌbrɑːməˈputrə/ ▸ **p. 1633** *pr n* Brahmapoutre *m*

Brahmin /ˈbrɑːmɪn/ *n* **1** Relig brahmane *m*; **2** (cultural snob) souvent péj mandarin *m* péj

braid /breɪd/

A *n* **1** US (of hair) tresse *f*, natte *f*; **2** ¢ (trimming) galon *m*; **gold ~** galon doré

B *vtr* **1** US tresser [*hair*]; **2** galonner [*cushion, uniform*]

C braided /ˈbreɪdɪd/ *pp adj* [*cushion etc*] galonné; [*rug*] tressé

Braille /breɪl/

A *n* braille *m*

B *modif* [*alphabet*] braille; [*book*] en braille

brain /breɪn/

A *n* **1** Anat (living organ) cerveau *m*; **2** (*also* **~s**) (substance) **~s** cervelle *f*; **to blow one's ~s out**° se faire sauter la cervelle°; **3** Culin cervelle *f*; **calves' ~s** cervelle de veau; **4** (mind) **to have a good ~** être intelligent; **to have football on the ~**° ne penser qu'au football; **5** °(intelligent person) tête° *f*

B brains *npl* (intelligence) intelligence *f*; **to have ~s** être intelligent; **he's the ~s of the family** c'est lui le cerveau de la famille; **to use one's ~s** faire marcher ses cellules grises; **she was the ~s behind the operation** c'était elle le cerveau de l'affaire

C *modif* [*cell, tissue*] du cerveau, cérébral; [*tumour*] au cerveau; [*haemorrhage*] cérébral

D °*vtr* (knock out) assommer, estourbir°

(Idioms) **to dance/study one's ~s out**° US danser/travailler jusqu'à épuisement; **to beat sb's ~s out** défoncer le crâne de qn°; **to pick sb's ~s** avoir recours aux lumières de qn; **I need to pick your ~s** j'ai besoin de vos lumières; ▸ **rack**

brain: **~box**° *n* grosse tête° *f*; **~child** *n* grande idée *f*; **~ damage** *n* ¢ lésions *fpl* cérébrales; **~-damaged** *adj* qui a des lésions cérébrales

brain dead /ˈbreɪnded/ *adj* **1** Med dans un coma dépassé; **2** °fig péj abruti

brain: **~ death** *n* mort *f* cérébrale; **~ drain** *n* fuite *f* des cerveaux; **~ fever** *n* fièvre *f* cérébrale

brainless /ˈbreɪnlɪs/ *adj* [*person, scheme*] idiot; **he's completely ~** il n'a rien dans la tête

brain: **~pan** *n* crâne *m*; **~ scan** *n* scanographie *f* du cerveau; **~ scanner** *n* scanographe *m*

b

brainstorm /ˈbreɪnstɔːm/ *n* **1** Med, fig coup *m* de folie; **2** ○ = **brainwave**.

brain: **~storming** *n* brainstorming *m*, remue-méninges *m inv*; **~s trust** GB, **~ trust** US *n* (all contexts) brain-trust *m*; comité *m* d'experts; **~ surgeon** *n* ▸ **p. 1683** neurochirurgien/-ienne *m/f*; **~ surgery** *n* neurochirurgie *f*; **~ teaser**○ *n* casse-tête *m inv*

brainwash /ˈbreɪnwɒʃ/ *vtr* faire subir un lavage de cerveau à; **they were ~ed into thinking that...** on a fini par leur faire croire que...

brainwashing /ˈbreɪnwɒʃɪŋ/ *n* (of prisoners) lavage *m* de cerveau; fig péj (of public, consumers etc) bourrage○ *m* de crâne

brainwave /ˈbreɪnweɪv/ *n* **1** ○(inspiration) idée *f* géniale, illumination *f*; **2** Med onde *f* cérébrale

brainwork /ˈbreɪnwɜːk/ *n* travail *m* intellectuel

brainy○ /ˈbreɪnɪ/ *adj* doué

braise /breɪz/ *vtr* braiser; **braising beef** bœuf *m* à braiser

brake /breɪk/

A *n* **1** Aut, Transp frein *m*; **to apply the ~(s)** freiner; **2** fig (curb) frein *m*; **to put a ~ on price rises** freiner la hausse des prix; **3** GB Hist (carriage) break *m*; **4** (thicket) fourré *m*

B *vi* lit, fig freiner

brake: **~ block** *n* patin *m* de frein; **~ disc** *n* disque *m* de frein; **~ drum** *n* tambour *m* de frein; **~ fluid** *n* liquide *m* de frein; **~ horsepower** *n* puissance *f* au frein; **~ lever** *n* levier *m* de frein à main; **~ light** *n* feu *m* stop; **~ lining** *n* garniture *f* de frein

brakeman /ˈbreɪkmən/ *n* **1** Sport freineur *m*; **2** US Rail chef *m* de train

brake: **~ pad** *n* plaquette *f* de frein; **~ pedal** *n* pédale *f* de frein; **~ shoe** *n* segment *m* de frein

braking /ˈbreɪkɪŋ/ *n* freinage *m*

braking: **~ distance** *n* distance *f* de freinage; **~ power** *n* puissance *f* de freinage; **~ system** *n* système *m* de freinage

bramble /ˈbræmbl/

A *n* **1** (plant) ronce *f*; **2** GB (berry) mûre *f*

B *modif* GB [*jam, jelly*] de mûres; [*tart*] aux mûres

brambling /ˈbræmblɪŋ/ *n* pinson *m* du Nord

bran /bræn/ *n* Bot, Culin son *m*

branch /brɑːntʃ, US bræntʃ/

A *n* **1** (of tree) branche *f*; fig (of pipe, road, railway) embranchement *m*; (of river) bras *m*; (of candlestick, lamp) branche *f*; (of antlers) ramure *f*; (of family, language) rameau *m*; (of study, subject) domaine *m*; **2** Comm, Ind, Admin (of shop) succursale *f*; (of bank) agence *f*; (of company) filiale *f*; (of organization) division *f*, secteur *m*; (of union) section *f*; (of library) antenne *f*; **main ~** (of company) maison *f* mère; **3** US (stream) ruisseau *m*; **4** Comput branchement *m*

B *vi* [*tree, river, nerve*] se ramifier; [*road, railway*] se diviser

(Phrasal verbs) ■ **branch off**: ▸ **~ off** [*road, river, railway*] bifurquer; ▸ **~ off (from)** se séparer de, s'embrancher sur [*road, railway*]; fig dévier de [*topic*]

■ **branch out**: ▸ **~ out** [*business*] se diversifier; **to ~ out into** [*business, person*] se lancer dans [*new area*]; **to ~ out on one's own** se mettre à son compte

branch: **~ed candlestick** *n* chandelier *m* à plusieurs branches; **~ed chain** *n* Chem chaîne *f* ramifiée

branching /ˈbrɑːntʃɪŋ, US ˈbræntʃ-/ *n* Ling ramification *f*

branch: **~ line** *n* ligne *f* secondaire; **~ manager** *n* (of shop) directeur *m* de succursale; (of company) directeur *m* de filiale; (of bank) directeur *m* d'agence; **~ office** *n* agence *f*; **~ water** *n* US (from stream) eau *f* du ruisseau; (from tap) eau *f* du robinet

brand /brænd/

A *n* **1** (make) marque *f*; **a well-known ~ of whisky** une grande marque de whisky; **own ~ products** produits à la marque de la maison; **2** (type) (of humour) type *m*; (of belief) conception *f*; (of art, of music) genre *m*; **3** (for identification) (on animal) marque *f* (au fer rouge); (on prisoner) marque *f*; fig (stigma) stigmates *mpl*; **4** littér (in fire) tison *m*; **5** littér (torch) torche *f*

B *vtr* **1** (mark) lit marquer (au fer) [*animal*]; **2** fig marquer [*person*]; **to ~ sb as sth** désigner qn comme qch; **3** fig graver [*name, experience*]; **the experience is ~ed in my memory** l'expérience est gravée dans ma mémoire

brand: **~ acceptance** *n* accueil *m* (réservé à une marque); **~ awareness** *n* notoriété *f* (d'une marque)

branded /ˈbrændɪd/ *adj* [*article, goods*] de marque *inv*

brand: **~ identification** *n* identification *f* de la marque; **~ image** *n* Advertg, Comm image *f* de marque; **~ing iron** *n* fer *m* à marquer

brandish /ˈbrændɪʃ/ *vtr* brandir

brand: **~ leader** *n* Advertg, Comm leader *m* du marché; **~ loyalty** *n* fidélité *f* (à une marque); **~ management** *n* gestion *f* d'une marque, structure *f* par marque; **~ manager** *n* chef *m* de marque; **~ name** *n* marque *f* déposée; **~ name recall** *n* (spontaneous) notoriété *f* spontanée; (with prompting) notoriété *f* assistée; **~-new** *adj* tout neuf/toute neuve; **~ recognition** *n* identification *f* (d'une marque); **~ switching** *n* passage *m* d'une marque à une autre, zapping○ *m*

brandy /ˈbrændɪ/ *n* **1** (grape) cognac *m*; **2** (other fruit) eau-de-vie *f*; **plum/peach ~** eau-de-vie de prune/pêche

brandy: **~ glass** *n* verre *m* à cognac; **~ snap** *n* Culin ≈ cigarette *f* russe

bran: **~ loaf** *n* pain *m* au son; **~ tub** *n*: *jeu où l'on pêche à la main un cadeau dans un tonneau*, ≈ pêche *f* miraculeuse

brash /bræʃ/ *adj* **1** (self-confident) [*person, manner, tone*] bravache; **2** (garish) [*colour, decor, design*] tape-à-l'œil (*inv*); **3** (harsh) [*music, sound*] agressif/-ive

brashly /ˈbræʃlɪ/ *adv* [*behave, speak*] de façon impudente

brashness /ˈbræʃnɪs/ *n* **1** (self-confidence) bravacherie *f*; **2** (garishness) (aspect) tape-à-l'œil *m inv*; **3** (harshness) agressivité *f*

Brasilia /brəˈzɪljə/ ▸ **p. 1815** *pr n* Brasilia

brass /brɑːs, US bræs/

A *n* **1** (metal) laiton *m*, cuivre *m* jaune; **2** (fittings, objects) cuivres *mpl*; **3** Mus (*also* **brass section**) cuivres *mpl*; **4** (in church) plaque *f* commémorative; **5** ○(nerve) culot○ *m*; **6** ○(money) GB pognon○ *m*; **7** ○Mil (+ *v pl*) **the top ~** les galonnés; fig les huiles○

B *modif* [*button, candlestick, plaque*] en cuivre jaune

(Idioms) **to get down to ~ tacks** passer aux choses sérieuses; **it's not worth a ~ farthing** ça ne vaut pas un clou; **to be as bold as ~** avoir un drôle de culot○

(Phrasal verb) ■ **brass off**○ GB: ▸ **~ [sb] off** casser les pieds à qn○; **to be ~ed off with** avoir ras le bol de○

brass: **~ band** *n* orchestre *m* de cuivres, fanfare *f*; **~ foundry** *n* fonderie *f* de cuivre; **~ hat**○ *n* argot des militaires officier *m* de haut rang

brassica /ˈbræsɪkə/ *n* brassicacée *f*

brassière† /ˈbræzɪə(r), US brəˈzɪər/ *n* soutien-gorge *m*

brass: **~ instrument** ▸ **p. 1462** *n* Mus cuivre *m*; **~ knuckles** *npl* US coup-de-poing *m* américain

brass monkey *n* singe *m* en cuivre jaune

(Idiom) **it's ~ weather outside**◑ on se les gèle dehors◑

brass: **~ neck**○ *n* GB culot○ *m*; **~-necked**○ *adj* GB [*person*] culotté○; [*cheek, impudence*] suprême; **~ rubbing** *n* Art (activity) estampage *m* de plaques en laiton; (impression) estampe *f* d'une plaque en laiton; **~ware** *n* objets *mpl* en cuivre jaune; **~work** *n* travail *m* du cuivre

brassy /ˈbrɑːsɪ, US ˈbræsɪ/ *adj* **1** ▸ **p. 1067** (shiny yellow) cuivré; **2** [*sound*] (harsh) agressif/-ive; (musical) cuivré; **3** péj [*appearance, woman*] provocant

bra strap *n* bretelle *f* (de soutien-gorge)

brat○ /bræt/ *n* péj marmot○ *m*, môme○ *mf*; **you little ~!** sale marmot!

Bratislava /ˌbrætɪˈslɑːvə/ ▸ **p. 1815** *pr n* Bratislava

brat pack○ *n*: *groupe d'artistes ou de sportifs jeunes et brillants*

bravado /brəˈvɑːdəʊ/ *n* bravade *f*

brave /breɪv/

A *n* **1** (Indian warrior) brave *m*; **2** **the ~** (+ *v pl*) les courageux; **none but the ~** littér seuls les courageux

B *adj* **1** (courageous) [*person, effort*] courageux/-euse; [*smile*] brave; **be ~!** courage!; **he was very ~ about it** il a été très courageux; **it was ~ of her to do it** c'était courageux de sa part de le faire; **2** (fine) littér [*sight*] beau/belle (*before n*); **in a ~ new world** iron dans le meilleur des mondes

C *vtr* (all contexts) braver

(Idioms) **to put on a ~ face, to put a ~ face on things** faire bonne contenance; **to put a ~ face on [sth]** faire bonne contenance devant [*report, rumour*]; **to be as ~ as a lion** être courageux comme un lion

bravely /ˈbreɪvlɪ/ *adv* courageusement; hum vaillamment

bravery /ˈbreɪvərɪ/ *n* courage *m*, bravoure *f*

bravery award *n* médaille *f* du courage

bravo /ˌbrɑːˈvəʊ/ *excl* bravo!

bravura /brəˈvʊərə/

A *n* bravoure *f*

B *modif* [*passage*] de bravoure; [*performance*] plein de bravoure

brawl /brɔːl/

A *n* bagarre *f*

B *vi* se bagarrer (**with** avec)

brawn /brɔːn/ *n* **1** GB Culin fromage *m* de tête; **2** (muscle) muscles *mpl*

(Idiom) **all ~ no brains** tout dans les muscles, rien dans la tête

brawny /ˈbrɔːnɪ/ *adj* musclé

bray /breɪ/

A *n* (of donkey) braiment *m*; péj (of person) braillement *m*

B *vi* [*donkey*] braire; péj [*person*] brailler; **to ~ with laughter** hurler de rire

braze /breɪz/ *vtr* braser

brazen /ˈbreɪzn/ *adj* **1** (shameless) éhonté; **a ~ hussy**○ une dévergondée; **2** (of brass) d'airain

(Phrasal verb) ■ **brazen out**: ▸ **~ it out** payer d'audace

brazenly /ˈbreɪznlɪ/ *adv* de façon éhontée

brazier /ˈbreɪzɪə(r)/ *n* **1** (container) brasero *m*; **2** ▸ **p. 1683** (worker) chaudronnier *m*

Brazil /brəˈzɪl/ ▸ **p. 1096** *pr n* Brésil *m*

Brazilian /brəˈzɪljən/ ▸ **p. 1467**

A *n* (person) Brésilien/-ienne *m/f*

B *adj* brésilien/-ienne

Brazil nut *n* noix *f* du Brésil

breach /briːtʃ/

A *n* **1** gen, Jur (infringement) (by breaking rule) infraction *f* (**of** à); (by failure to comply) manquement *m* (**of** à); (of copyright, privilege) violation *f*; **security ~** (of safety) manquement *m* aux règles de sécurité; (of official secret) atteinte *f* à la sûreté nationale; (of industrial secret) violation *f* du

b

secret professionnel; **a ~ of good manners** une inconvenance; **to be in ~ of** enfreindre [*law*]; violer [*agreement*]; **2** Mil brèche *f* also fig; **3** (in relationship) rupture *f*

B *vtr* **1** faire une brèche dans [*wall, defence*]; **2** fig ne pas respecter [*law, rule, protocol*]

(Idioms) **to be honoured in the ~** ne pas être respecté; **to step into the ~** faire un remplacement au pied levé

breach: **~ of contract** *n* Jur rupture *f* de contrat; **~ of duty** *n* Jur manquement *m* au devoir professionnel; **~ of promise** *n* Jur (by fiancé) rupture *f* de promesse de mariage; **~ of the peace** *n* Jur atteinte *f* à l'ordre public; **~ of trust** *n* Jur abus *m* de confiance

bread /bred/

A *n* **1** Culin pain *m*; **a loaf/slice of ~** une miche/tranche de pain; **to be on ~ and water** être au pain sec et à l'eau; **2** °(money) fric° *m*, argent *m*; **3** (livelihood) **to earn one's (daily) ~** gagner sa vie

B *modif* [*oven, plate*] à pain; [*sauce*] au pain

C *vtr* Culin paner [*cutlet, fish, etc*]; **~ed cutlets** côtelettes panées

(Idioms) **to break ~ with sb** partager un repas avec qn; **to cast one's ~ upon the waters** se comporter de façon altruiste; **to know which side one's ~ is buttered on** savoir où est son intérêt; **to put ~ on the table** faire bouillir la marmite; **to put jam on the ~** mettre du beurre dans les épinards; **to take the ~ out of sb's mouth** retirer le pain de la bouche de qn; **the best thing since sliced ~** hum l'invention la plus géniale de ces dernières années

bread and butter

A *n* tartine *f* de pain beurré; fig gagne-pain *m inv*

B **bread-and-butter** *adj* (*tjrs épith*) [*job, issue, routine, work*] de tous les jours; [*letter*] de château; **~ pudding** ≈ pudding *m* au pain

breadbasket /'bredbɑːskɪt/ *n* **1** lit corbeille *f* à pain; **2** fig (granary) grenier *m*; **3** °(belly) ventre *m*

bread: **~bin** *n* GB boîte *f* à pain, huche *f* à pain; **~board** *n* planche *f* à pain; **~box** *n* huche *f* à pain

breadcrumb /'bredkrʌm/

A *n* miette *f* de pain

B **breadcrumbs** *npl* Culin chapelure *f*; **to coat sth in ~s** passer qch à la chapelure; **escalopes coated in ~s** escalopes panées

breadfruit /'bredfruːt/ *n* Bot, Culin **1** (fruit) fruit *m* de l'arbre à pain; **2** (*also* **~ tree**) arbre *m* à pain

breadknife /'brednaɪf/ *n* couteau *m* à pain

breadline /'bredlaɪn/ *n* **to be on the ~** être au seuil de l'indigence; **to live above/below the ~** vivre au-dessus/au-dessous du seuil de la pauvreté

bread: **~ maker** *n* machine *f* à pain; **~ roll** *n* Culin petit pain *m*; **~stick** *n* gressin *m*, longuet *m*

breadth /bretθ/ ▸ p. 1389 *n* **1** Meas largeur *f*; **the length and ~ of** d'un bout à l'autre de; **2** fig (of experience, knowledge, provisions, regulations) étendue *f* (**of** de); (of mind, opinions, vision) largeur *f* (**of** de); **the course has great ~** le cours offre un large éventail de matières

(Idioms) **to be** *ou* **come within a hair's ~ of** être à deux doigts de; **to search the length and ~ of the country for sb/sth** parcourir le pays à la recherche de qn/qch

breadwinner /'bredwɪnə(r)/ *n* soutien *m* de famille

break /breɪk/

A *n* **1** (fracture) fracture *f*

2 (crack) (in plate, plank, surface) fêlure *f*

3 (gap) (in fence, wall) brèche *f*; (in row, line) espace *m*; (in circuit, chain, sequence) rupture *f*; (in conversation, match) pause *f*; (in performance) entracte *m*; (in traffic, procession) trou *m*, espace *m*; **a ~ in the clouds** une éclaircie; **a ~ in transmission** une interruption dans la retransmission

4 Radio, TV (*also* **commercial ~**) page *f* de publicité; **we're going to take a ~ now** tout de suite, une page de publicité

5 (pause) gen pause *f*; Sch récréation *f*; **to take a ~** faire une pause; **I walked/worked for six hours without a ~** j'ai marché/travaillé pendant six heures sans m'arrêter; **to have a ~ from work** arrêter de travailler; **to take** *ou* **have a ~ from working/driving** ne plus travailler/conduire pendant un temps; **to take** *ou* **have a ~ from nursing/teaching** arrêter le métier d'infirmière/d'enseignant pendant un temps; **I often give her a ~ from looking after the kids** je m'occupe souvent des enfants pour qu'elle se repose; **give us a ~°!** fiche-nous la paix°!

6 (holiday) vacances *fpl*; **the Christmas ~** les vacances de Noël; **a weekend ~ in Milan** un week-end à Milan

7 fig (departure) rupture *f* (**with** avec); **a ~ with tradition/the past** une rupture avec la tradition/le passé; **it's time to make a** *ou* **the ~** (from family) il est temps de voler de ses propres ailes; (from job) il est temps de passer à autre chose

8 °(opportunity) chance *f*; **her big ~ came in 1973** 1973 a été l'année de sa veine°; **he gave me a ~** il m'a donné ma chance; **a lucky ~** un coup de veine°; **a bad ~** des déboires *mpl*; **to give sb an even ~** donner sa chance à qn

9 (dawn) **at the ~ of day** au lever du jour, à l'aube *f*

10 (escape bid) **to make a ~ for it°** (from prison) se faire la belle°; **to make a ~ for the door/the trees** se précipiter vers la porte/les arbres

11 Print **line ~** fin *f* d'alinéa; **page ~** changement *m* de page; **paragraph ~** fin *f* de paragraphe

12 (in tennis) (*also* **service ~**) break *m*

13 (in snooker, pool) (first shot) **it's your ~** c'est à toi de casser; (series of shots) **to make a 50 point ~** marquer une série de 50 points

14 Mus (in jazz) break *m*

B *vtr* (*prét* **broke**; *pp* **broken**) **1** (damage) casser [*chair, eggs, rope, stick, toy*]; casser, briser [*glass, plate, window*]; casser [*machine*]; **to ~ a tooth/a nail/a bone** se casser une dent/un ongle/un os; **to ~ one's leg/arm** se casser la jambe/le bras; **to ~ one's back** lit se casser la colonne vertébrale; **I nearly broke my back moving the piano** fig j'ai failli me briser les reins en déplaçant le piano; **to ~ one's neck** lit avoir une rupture des vertèbres cervicales; **somebody is going to ~ their neck on those steps** fig quelqu'un va se casser la figure sur ces marches°; **she broke the bottle over his head** elle lui a cassé la bouteille sur la tête

2 (split, rupture) briser [*seal*]; couper [*sentence, word*]; **the skin is not broken** il n'y a pas de plaie; **not a ripple broke the surface of the water** pas une ride ne troublait la surface de l'eau; **to ~ surface** [*diver, submarine*] remonter à la surface; **the river broke its banks** la rivière a débordé

3 (interrupt) [*person*] rompre [*silence*]; [*shout, siren*] déchirer [*silence*]; couper [*circuit, current*]; rompre [*monotony, spell*]; rompre [*ties, links*] (**with** avec); **to ~ one's silence** sortir de son silence (**on** à propos de); **to ~ sb's concentration** déconcentrer qn; **we broke our journey in Milan** nous avons fait un arrêt à Milan; **the tower ~s the line of the roof/of the horizon** la tour rompt la ligne du toit/de l'horizon; **to ~ step** rompre le pas

4 (disobey) enfreindre [*law*]; ne pas respecter [*embargo, blockade, conditions, terms*]; violer [*treaty*]; désobéir à [*commandment, rule*]; briser [*strike*]; rompre [*vow*]; manquer [*appointment*]; **he broke his word/promise** il a manqué à sa parole/promesse

5 (exceed, surpass) dépasser [*speed limit, bounds*]; battre [*record, opponent*]; franchir [*speed barrier*]; briser [*class barrier*]

6 (lessen the impact of) couper [*wind*]; [*branches*] freiner [*fall*]; [*hay*] amortir [*fall*]

7 fig (destroy) [*troops*] briser [*rebellion*]; briser [*person, resistance, determination, will*]; **to ~ sb's spirit** saper le moral de qn; **to ~ sb's hold over sb** débarrasser qn de l'emprise de qn; **discussions which aim to ~ this deadlock** des discussions qui visent à nous sortir de cette impasse; **to ~ a habit** se défaire d'une habitude

8 (ruin) ruiner [*person*]; **this contract will make or ~ the company** (financially) ce contrat fera la fortune ou la ruine de l'entreprise; **this decision will make or ~ me** (personally) cette décision sera mon salut ou ma perte

9 Equit débourrer [*young horse*]

10 (in tennis) **to ~ sb's serve** faire le break

11 Mil casser [*officer*]

12 (decipher) déchiffrer [*cipher, code*]

13 (leave) **to ~ camp** lever le camp

14 (announce) annoncer [*news*]; révéler [*truth*]; **to ~ the news to sb** apprendre la nouvelle à qn; **~ it to her gently** annonce-lui la nouvelle avec douceur

C *vi* (*prét* **broke**; *pp* **broken**) **1** (be damaged) [*branch, chair, egg, handle, tooth, string*] se casser; [*plate, glass, window*] se briser; [*arm, bone, leg*] se fracturer; [*bag*] se déchirer; **china ~s easily** la porcelaine se casse facilement; **the vase broke in two/into a thousand pieces** le vase s'est brisé en deux/en mille morceaux; **the sound of ~ing glass** le bruit de verre brisé

2 (separate) [*clouds*] se disperser; [*waves*] se briser (**against** contre; **on, over** sur)

3 Sport [*boxers*] se séparer; **'~!'** (referee 's command) 'break!'

4 (stop for a rest) faire une pause

5 (change) [*good weather*] se gâter; [*drought, heatwave*] cesser; [*luck*] tourner

6 (begin) [*day*] se lever; [*storm*] éclater; [*scandal, news story*] éclater

7 (discontinue) **to ~ with sb** rompre les relations avec qn; **to ~ with a party/the church** quitter un parti/l'église; **to ~ with tradition/convention** rompre avec la tradition/les conventions

8 (weaken) **their spirit never broke** leur moral n'a jamais faibli; **to ~ under torture/interrogation** céder sous la torture/l'interrogation

9 (change tone) [*boy's voice*] muer; **her voice ~s on the high notes** sa voix s'éraille dans les aigus; **in a voice ~ing with emotion** d 'une voix brisée par l'émotion

10 (in snooker, pool) casser

(Phrasal verbs) ■ **break away**: ▸ **~ away** **1** (become detached) [*island, shell*] se détacher (**from** de); **to ~ away from** [*group, person*] rompre avec [*family, party, organization*]; [*state*] se séparer de [*union*]; [*animal*] se détacher de [*herd*]; [*boat*] rompre [*moorings*]; **2** (escape) échapper (**from** à); **3** Sport [*runner, cyclist*] se détacher (**from** de); ▸ **~ away [sth], ~ [sth] away** enlever [*outer shell, casing*]

■ **break down**: ▸ **~ down** **1** (stop functioning) [*car, elevator, machine*] tomber en panne; **we broke down on the main street** nous sommes tombés en panne sur la grand-rue; **2** (collapse) fig [*alliance, coalition*] éclater; [*negotiations*] échouer; [*contact, communication*] cesser; [*law and order*] se dégrader; [*argument*] ne pas tenir debout; [*system*] s'effondrer; [*person*] s'effondrer, craquer; **he broke down under the strain** il a craqué sous la pression; **3** (cry) fondre en larmes; **4** (be classified) [*cost findings, statistics*] se décomposer (**into** en); **the cost of the repair ~s down as follows** le prix de la réparation se décompose ainsi; **5** (decompose) [*compound*] se décomposer (**en** into); **6** (confess) (under interrogation) céder; ▸ **~ [sth] down, ~ down [sth]** **1** (demolish) lit enfoncer [*door*]; démolir [*fence, wall*]; fig faire tomber [*barriers*]; vaincre [*opposition, resistance, shyness*]; **2** (analyse) ventiler [*budget, cost, expenses, statistics*]; décomposer [*word*] (**into** en); décomposer [*data, findings*] (**into** par);

décomposer [*argument*]; 3▸ (cause to decompose) décomposer [*compound, gas*] (**into** en); [*enzyme, catalyst*] dissoudre [*protein, starch*]; [*gastric juices*] dissoudre [*food*]

■ **break even** Fin rentrer dans ses frais

■ **break forth** littér [*sun, water*] jaillir (**from** de)

■ **break free**: ▸ **~ free** [*prisoner*] s'évader; **to ~ free of** se couper de [*family*]; échapper à [*captor*]

■ **break in** 1▸ (enter forcibly) [*thief*] entrer (par effraction); [*police*] entrer de force; **the burglar broke in through a window** le cambrioleur est entré par une fenêtre; 2▸ (interrupt) interrompre; **'I don't want to go,' he broke in** 'je ne veux pas y aller,' a-t-il interrompu; **to ~ in on sb/sth** interrompre qn/qch; ▸ **~ [sth] in** débourrer [*young horse*]; assouplir [*shoe*]; **to ~ in one's glasses** s'habituer à ses lunettes; ▸ **~ [sb] in** accoutumer [qn] au travail [*recruit, newcomer*]; **to ~ sb in gently** donner le temps à qn de s'accoutumer au travail

■ **break into**: ▸ **~ into [sth]** 1▸ (enter by force) entrer dans [qch] (par effraction) [*building*]; forcer la portière de [*car*]; forcer [*safe, till*]; **her car was broken into** sa voiture a été cambriolée; 2▸ (start to use) entamer [*new packet, new bottle, banknote, savings*]; 3▸ (encroach on) empiéter sur [*leisure time, working day*]; couper [*morning, day*]; 4▸ (begin to do) **to ~ into song/cheers** se mettre à chanter/acclamer; **to ~ into peals of laughter** éclater de rire; **to ~ into a run/gallop** se mettre à courir/au galop; 5▸ (make headway) [*company*] s'implanter sur [*market*]; [*person*] s'introduire dans [*job market*]; [*person*] percer dans [*show business*]

■ **break loose** [*dog, horse*] s'échapper (**from** de)

■ **break off**: ▸ **~ off** 1▸ (snap off) [*end, mast, tip*] se casser; [*handle, piece*] se détacher; 2▸ (stop speaking) s'interrompre; **she broke off to answer the phone** elle s'est interrompue pour répondre au téléphone; 3▸ (pause) faire une pause, s'arrêter; ▸ **~ off [sth], ~ [sth] off** 1▸ (snap) casser [*branch, piece, segment, mast*]; 2▸ (terminate) rompre [*engagement, relationship, contact, negotiations, ties*]; interrompre [*conversation*]; **they decided to ~ it off** (relationship, engagement) ils ont décidé de rompre; **to ~ off doing** arrêter de faire

■ **break out**: ▸ **~ out** 1▸ (erupt) [*epidemic, fire*] se déclarer; [*fight, panic, riot, storm*] éclater; [*rash*] apparaître; **to ~ out in a rash** *ou* **in spots** [*person*] avoir une éruption de boutons; [*face*] se couvrir de boutons; **to ~ out in a sweat** se mettre à transpirer; 2▸ (escape) [*prisoner*] s'évader; **to ~ out of** s'échapper de [*cage, prison*]; sortir de [*routine, vicious circle*]; se libérer de [*chains, straitjacket*]

■ **break through**: ▸ **~ through** [*army*] faire une percée; ▸ **~ through [sth]** percer [*defences, reserve*]; franchir [*barrier, cordon*]; se frayer un passage à travers [*crowd*]; traverser [*mur*]; [*sun*] percer [*clouds*]

■ **break up**: ▸ **~ up** 1▸ (disintegrate) lit [*wreck*] se désagréger; fig [*empire*] s'effondrer; [*alliance*] éclater; [*group, family, couple*] se séparer; **their marriage/relationship is ~ing up** leur mariage/relation va mal; 2▸ (disperse) [*crowd*] se disperser; [*cloud, slick*] se disperser; [*meeting*] se terminer; 3▸ GB Sch **schools ~ up on Friday** les cours finissent vendredi; **we ~ up for Christmas on Tuesday** pour Noël, nous finissons mardi; ▸ **~ [sth] up, ~ up [sth]** (split up) disperser [*demonstrators*]; démanteler [*spy ring, drugs ring*]; séparer [*team, couple*]; désunir [*family*]; briser [*alliance, marriage*]; démembrer [*empire*]; diviser [*sentence, word*] (**into** en); morceler [*land*]; [*diagrams*] aérer [*text*]; mettre fin à [*party, fight, demonstration*]; **~ it up!** (stop fighting) ça suffit maintenant!

breakable /ˈbreɪkəbl/

A **breakables** *npl* objets *mpl* fragiles

B *adj* fragile

breakage /ˈbreɪkɪdʒ/ *n* 1▸ ¢ (damage) gen casse *f*; **to prevent ~** pour éviter la casse; 2▸ C (damaged item) article *m* cassé; **'~s must be paid for'** (in shop) 'tout article cassé doit être payé'

breakaway /ˈbreɪkəweɪ/

A *n* 1▸ (separation) (from organization) séparation *f* (**from** de); (from person, family) rupture *f* (**from** avec); 2▸ Sport échappée *f*; **to make a ~** faire une échappée

B *modif* Pol (*épith*) [*faction, group, state*] séparatiste

break clause *n* Jur (in a contract) *type de clause résolutoire*

break dance

A *n* smurf *m*

B *vi* smurfer

break: **~ dancer** *n* smurfeur/-euse *m/f*; **~ dancing** *n* smurf *m*

breakdown /ˈbreɪkdaʊn/

A *n* 1▸ Aut, Mech, Tech panne *f* (**in, of** de); **in the event of a ~** en cas de panne; **he had a ~ on the motorway** il est tombé en panne sur l'autoroute; 2▸ (collapse) (of communications, negotiations) rupture *f*; (of discipline, order) dégradation *f*; (of alliance, coalition) éclatement *m*; (of plan) échec *m*; 3▸ Med dépression *f*; **to have a (nervous) ~** faire une dépression (nerveuse); **to be on the verge of a ~** être au bord de la dépression; **it's enough to give you a nervous ~!** hum il y a de quoi faire une dépression!; 4▸ (detailed account) (of figures, statistics, costs, budget) ventilation *f*; (of argument) décomposition *f*; (by sex, age, nationality) **a ~ of the voters according to sex/age** une répartition de l'ensemble des votants par sexe/tranche d'âge; **a ~ of how I spent the week** un emploi du temps détaillé de ma semaine passée; 5▸ Biol, Chem décomposition *f*

B *modif* [*vehicle, truck*] de dépannage

breakdown of marriage *n* Jur non-respect *m* des clauses matrimoniales

breaker /ˈbreɪkə(r)/ *n* 1▸ (wave) brisant *m*; 2▸ ▸ p. 1683 (scrap merchant) casseur *m*; 3▸ (CB radio user) cibiste *mf*

breaker's yard *n* Aut casse *f*

break: **~-even** *n* Accts seuil *m* de rentabilité; **~-even point** *n* Accts point *m* mort; **~-even price** *n* Comm, Accts prix *m* de revient

breakfast /ˈbrekfəst/

A *n* petit déjeuner *m*; **to have** *ou* **eat ~** prendre le petit déjeuner; **a ~ of cereal and toast** un petit déjeuner composé de céréales et de toasts

B *vi* prendre le petit déjeuner

(Idiom) **she eats men like you for ~**○ les hommes comme toi elle n'en fait qu'une bouchée○

breakfast: **~ bar** *n* bar *m* de cuisine; **~ bowl** *n* assiette *f* creuse; **~ cereals** *npl* céréales *fpl* (pour le petit déjeuner); **~ meeting** *n* réunion *f* tôt le matin; **~ room** *n* petite salle *f* à manger; **~ television** *n* télévision *f* à l'heure du petit déjeuner; **~ time** *n* heure *f* du petit déjeuner

break-in /ˈbreɪkɪn/ *n* cambriolage *m*

breaking /ˈbreɪkɪŋ/ *n* 1▸ (smashing) lit (of bone) fracture *f*; (of rope, chain) rupture *f*; (of glass) bris *m*; (of seal) bris *m*; fig (of waves) déferlement *m*; 2▸ (break) (of promise) manquement *m* (**of** à); (of law, treaty) violation *f* (**of** de); (of contract) rupture *f* (**of** de); (of link, sequence, tie) rupture *f* (**of** de); 3▸ Ling diphtongaison *f*; 4▸ Equit débourrage *m*; 5▸ Relig **the ~ of the bread** le partage du pain; 6▸ Med (of voice) mue *f*

breaking and entering *n* Jur effraction *f*

breaking point *n* 1▸ Tech point *m* de rupture; 2▸ fig (collapse) **to be at ~** [*person*] être à bout; **to be close to ~** [*person*] être sur le point de craquer; **my patience had reached ~** ma patience était à bout

breaking: **~ strength** *n* Tech résistance *f* à la rupture; **~ stress** *n* Tech charge *f* de rupture

break: **~neck** *adj* [*pace, speed*] fou/folle, insensé; **~-out** *n* évasion *f*; **~point** *n* Comput point *m* d'interruption; Sport balle *f* de break

breakthrough /ˈbreɪkθruː/ *n* Mil percée *f*; (in science, medicine) percée *f*; (in negotiations, investigation) progrès *m*; (in career, competition) percée *f*

break-up /ˈbreɪkʌp/

A *n* (of empire) démembrement *m*; (of alliance, relationship) rupture *f*; (of political party, family, group) éclatement *m*; (of marriage) échec *m*; (of a company) morcellement *m*

B *modif* Fin [*price, value*] de liquidation

breakwater /ˈbreɪkwɔːtə(r)/ *n* (in harbour) brise-lames *m inv*; (on coastline) brise-mer *m inv*

bream /briːm/ *n* (*pl* **~**) 1▸ (freshwater) brème *f*; 2▸ (*also* **sea ~**) daurade *f*

breast /brest/

A *n* 1▸ Anat (woman's) sein *m*; **a baby at the** *ou* **her ~** un enfant au sein; **large ~s** une grosse poitrine; **small ~s** une poitrine plate; 2▸ (of poultry) blanc *m*; (in shop) filet *m*; 3▸ (of lamb) poitrine *f*; (of veal) tendron *m*; (of duck, pigeon) filet *m*; 4▸ (chest) littér poitrine *f*; 5▸ (heart) littér cœur *m*; 6▸ Mining front *m* de taille

B *vtr* affronter [*wave*]; atteindre le sommet de [*hill*]; Sport franchir [*tape*]

C **-breasted** (*dans composés*) 1▸ (woman) **small-/large-~ed** avec une poitrine plate/une forte poitrine; 2▸ (coat) **double-~ed** croisé; **single-~ed** droit

(Idioms) **to beat one's ~** faire son mea-culpa; **to make a clean ~ of sth** soulager sa conscience en avouant qch

breast: **~-beating** *n* mea-culpa *mpl*; **~ bone** *n* sternum *m*; **~ cancer** ▸ p. 1327 *n* cancer *m* du sein

breast-feed /ˈbrestfiːd/ (*prét, pp* **-fed**)

A *vtr* allaiter; **a breast-fed baby** un bébé nourri au sein

B *vi* allaiter

breast: **~-feeding** *n* allaitement *m* maternel; **~ pad** *n* coussinet *m* d'allaitement; **~-plate** *n* plastron *m* (d'une cuirasse); **~ pocket** *n* poche *f* de poitrine; **~ stroke** *n* brasse *f*; **~work** *n* Archit parapet *m*

breath /breθ/ *n* 1▸ (air taken into lungs) souffle *m*; **to stop** *ou* **pause for ~** s'arrêter pour reprendre son souffle; **to get one's ~ back** reprendre son souffle; **out of ~** à bout de souffle; **to be short of ~** avoir le souffle court; **to catch one's ~** (breathe) reprendre souffle; (gasp) retenir son souffle; **to hold one's ~** lit retenir sa respiration; fig retenir son souffle; **to draw ~** reprendre (son) souffle; **he's as kind a man as ever drew ~** il n'y a pas plus gentil que lui; **as long as I have ~ in my body** *ou* **as I draw ~** tant que je vivrai; 2▸ (air in or leaving mouth) (with smell) haleine *f*; (visible) respiration *f*; **sb's hot ~** le souffle chaud de qn; **to have bad ~** avoir (une) mauvaise haleine; **his ~ smells of beer** son haleine sent la bière; **I could smell alcohol on his ~** je sentais à son haleine qu'il avait bu; 3▸ (single act) respiration *f*; **to take a deep ~** respirer profondément *or* à fond; **take a deep ~!** fig assieds-toi○!; **in a single ~** sans respirer; **in the same ~** dans la foulée; **with one's last** *ou* **dying ~** dans son dernier soupir; **to draw one's last ~** rendre son dernier soupir; 4▸ (of air, wind) **a ~ of** un souffle de; **to go out for a ~ of (fresh) air** sortir prendre l'air; **sb/sth is like a ~ of fresh air** qn/qch est une vraie bouffée de fraîcheur; **the first ~ of spring** le premier signe du printemps; 5▸ (word) **a ~ of** un soupçon de [*complaint, opposition, scandal*]

(Idioms) **don't hold your ~**○**!** ce n'est pas demain la veille○!; **to take sb's ~ away** couper le souffle à qn; **save your ~**○**, don't waste your ~**○ ne gaspille pas ta salive○; **it's the ~ of life to him** c'est toute sa vie; **to say sth under one's ~** dire qch à voix basse; **to laugh under one's ~** rire sous cape

breathalyse GB, **breathalyze** US /ˈbreθəlaɪz/ *vtr* faire subir un alcootest à [*driver*]; **to be ~d** subir un alcootest

Breathalyzer® /ˈbreθəlaɪzə(r)/ *n* alcootest *m*

breathe /briːð/

A *vtr* **1** (inhale, respire) respirer [*air, oxygen, gas, scent*]; **to ~ one's last** lit rendre son dernier soupir; **to ~ its last** fig dire son dernier mot; **2** (exhale, blow) souffler [*air, smoke, germs*] (**on** sur); cracher [*fire, vapour*]; **3** (whisper) murmurer (**to** à); **I won't ~ a word** je n'en soufflerai pas un mot; **don't ~ a word!** pas un mot!; **4** (inspire with) **to ~ hope into sb** redonner de l'espoir à qn; **to ~ (some) life into sth** animer qch; **to ~ life into** [*God*] insuffler la vie dans; **to ~ new life into sth** donner un second souffle à qch

B *vi* **1** (respire) respirer; **to ~ hard** *ou* **heavily** souffler fort, haleter; **to ~ easily** *or* **freely** lit respirer librement; **to ~ more easily** fig respirer; **2** (exhale, blow) **to ~ over sb/on sth** souffler sur qn/sur qch; **3** (wine) s'aérer

(Idioms) **to ~ down sb's neck**○ (watch closely) être sur le dos de qn○; (be close behind) être sur les talons de qn○; **to ~ fire** fulminer; **to live and ~ sth** ne vivre que pour qch

(Phrasal verbs) ■ **breathe in**: ▸ **~ in** inspirer; ▸ **~ in [sth]**, **~ [sth] in** inhaler [*gas, fumes*]
■ **breathe out**: ▸ **~ out** expirer; ▸ **~ out [sth]**, **~ [sth] out** exhaler

breather /ˈbriːðə(r)/ *n* **1** (from work) pause *f*; **to have** *ou* **take a ~** faire une pause; **2** (from pressure) répit *m*

breathing /ˈbriːðɪŋ/

A *n* **1** (respiration) respiration *f*; **2** Ling (diacritic) esprit *m*; **rough/smooth ~** esprit rude/doux

B *modif* [*difficulty, exercise*] respiratoire, de respiration

breathing apparatus *n* masque *m* à oxygène

breathing space *n* **1** (respite) répit *m*; **to give sb/to give oneself a ~** donner à qn/s'accorder un répit; **2** (postponement) délai *m* (**in which to do** pour faire)

breathless /ˈbreθlɪs/ *adj* **1** (out of breath) [*person, runner*] à bout de souffle; [*patient, asthmatic*] haletant; **to make** *ou* **leave sb ~** essouffler qn; **to be ~ from sth/from doing** être essoufflé par qch/après avoir fait; **2** (excited) [*hush, fascination*] extasié; [*enthusiasm*] extatique; **to be ~ with** avoir le souffle coupé par; **it left them ~** cela leur a coupé le souffle; **3** (fast) **at a ~ pace** à toute allure; **with ~ haste** en toute hâte; **4** littér [*day, night*] sans un souffle d'air; [*air*] immobile

breathlessly /ˈbreθlɪslɪ/ *adv* **1** (out of breath) [*speak*] d'une voix haletante; [*collapse*] à bout de souffle; **2** (excitedly) [*explain, gabble*] précipitamment

breathlessness /ˈbreθlɪsnɪs/ *n* essoufflement *m*

breathtaking /ˈbreθteɪkɪŋ/ *adj* [*audacity, feat, pace, skill*] stupéfiant; [*scenery, view*] à vous couper le souffle

breathtakingly /ˈbreθteɪkɪŋlɪ/ *adv* **~ beautiful** d'une beauté à vous couper le souffle; **~ audacious** d'une audace stupéfiante

breath test

A *n* alcootest *m*

B *vtr* faire subir un alcootest à [*driver*]; **to be ~ed** subir un alcootest

breath testing *n* alcootest *m*

breathy /ˈbreθɪ/ *adj* voilé

Brechtian /ˈbrektɪən/ *n, adj* brechtien/-ienne (*m/f*)

bred /bred/ *prét, pp* ▸ **breed**

breech /briːtʃ/

A *n* **1** Med (*also* **~ delivery**) accouchement *m* par le siège; **2** (of gun) culasse *f*

B *modif* [*birth, delivery, presentation*] par le siège

C *vtr* munir [qch] d'une culasse [*gun*]

breechblock /ˈbriːtʃblɒk/ *n* bloc *m* de culasse

breeches /ˈbrɪtʃɪz/ *npl* **1** (*also* **knee ~**) culotte *f*; **a pair of ~** une culotte; **2** (*also* **riding ~**) culotte *f* (de cheval); **3** ○US pantalon *m*

(Idiom) **to be too big for one's ~** avoir la grosse tête

breeches buoy /ˈbriːtʃɪzbɔɪ/ *n* bouée-culotte *f*

breechloading /ˈbriːtʃləʊdɪŋ/ *adj* chargé par la culasse

breed /briːd/

A *n* **1** Zool race *f*; **2** (type of person, thing) génération *f*

B *vtr* (*prét, pp* **bred**) **1** Agric, Zool élever [*animals*]; produire [*plants*]; **2** fig engendrer [*disease, feeling, rumours, unrest*]; produire [*person*]

C *vi* (*prét, pp* **bred**) [*animals, people*] se reproduire; [*microorganisms*] se multiplier

D -bred *pp adj* **ill-/well-~** mal/bien élevé; **country-/city-~** élevé à la campagne/en ville

(Idioms) **he was born and bred in Oxford, he's Oxford born and bred** il est né à Oxford et il y a grandi

(Phrasal verb) ■ **breed out**: ▸ **~ out [sth]**, **~ [sth] out** éliminer [qch] par la sélection

breeder /ˈbriːdə(r)/ *n* **1** Agric, Zool (of animals) éleveur *m*; (of plants) producteur *m*; **2** (*also* **~ reactor**) Nucl surgénérateur *m*

breeding /ˈbriːdɪŋ/

A *n* **1** Agric, Hort, Zool reproduction *f*; **2** (good manners) bonnes manières *fpl*; **a man of ~** un homme bien élevé; **3** Nucl surrégénération *f*

B *adj* Zool reproducteur/-trice

breeding ground *n* **1** Zool lieu *m* de reproduction (**for** de); **2** fig foyer *m* (**for** de)

breeding: **~ period**, **~ season** *n* saison *f* de reproduction; **~ stock** *n* Agric ¢ reproducteurs *mpl*

breeze /briːz/

A *n* **1** Meteorol brise *f*; **sea ~** brise de mer; **in the ~** dans la brise; **a stiff/light ~** une forte/légère brise; **2** ○**it's a ~** c'est un jeu d'enfant; **3** Constr fraisil *m*

B *vi* **to ~ in/out** entrer/sortir d'un air dégagé; **to ~ through life** traverser la vie avec insouciance; **to ~ through an exam** réussir un examen sans difficulté

(Idiom) **to shoot the ~** US papoter

breeze block /ˈbriːzblɒk/ *n* GB parpaing *m*, moellon *m*

breezeway /ˈbriːzweɪ/ *n* US abri *m* (*entre maison et garage*)

breezily /ˈbriːzɪlɪ/ *adv* **1** (casually) de façon désinvolte; **2** (cheerfully) jovialement; **3** (confidently) avec assurance

breezy /ˈbriːzɪ/ *adj* **1** Meteorol **it will be ~** il y aura de la brise; **it's a ~ morning** il y a une bonne brise ce matin; **2** [*place*] exposé au vent; **3** (cheerful) jovial; (confident) qui a de l'aplomb; **bright and ~** enjoué

brekkie○, **brekky**○ /ˈbrekɪ/ *n* GB petit déj'○ *m*, petit déjeuner *m*

Bremen /ˈbreɪmən/ ▸ **p. 1815** *pr n* Brême

Bren /bren/ *n* (*also* **~ gun**) fusil-mitrailleur *m*

Bren (gun) carrier *n* chenillette *f*

Brent crude /ˈbrent kruːd/ *n* Ind, Econ Brent *m*

brent goose *n* (*pl* **brent geese**) bernache *f* cravant

brethren /ˈbreðrən/ *npl* **1** Hist, Relig, hum frères *mpl*; **2** (in trades union) hum camarades *mpl*

Breton /ˈbretən/ ▸ **p. 1378**

A *n* **1** (person) Breton/-onne *m/f*; **2** Ling breton *m*

B *adj* breton/-onne

Breton-speaking /ˌbretənˈspiːkɪŋ/ *adj* bretonnant

breve /briːv/ *n* **1** Mus double ronde *f*; **2** Ling brève *f*

brevet /ˈbrevɪt/ *n* ≈ lettre *f* de service

breviary /ˈbriːvɪərɪ, US -ɪerɪ/ *n* bréviaire *m*

brevity /ˈbrevətɪ/ *n* (of event) brièveté *f*; (of speech) concision *f*; (of reply) laconisme *m*

(Idiom) **~ is the soul of wit** Prov les plaisanteries les plus courtes sont toujours les meilleures

brew /bruː/

A *n* **1** (beer) bière *f*; **special ~** cuvée *f* spéciale; ▸ **home brew**; **2** (tea) thé *m*, infusion *f*; **3** (unpleasant mixture) mixture *f*; **4** fig (of ideas, styles) mélange *m*

B *vtr* brasser [*beer*]; préparer [*tea, mixture*]; fig préparer, mijoter○ [*plot, scandal*]; **home ~ed beer** bière brassée à la maison; **freshly ~ed coffee** café fraîchement passé

C *vi* **1** [*beer*] fermenter; [*tea*] infuser; [*brewer*] brasser; **2** fig [*storm, crisis*] se préparer; [*quarrel, revolt*] se tramer; **there's something ~ing** il y a quelque chose qui se trame; **there's trouble ~ing** il y a de l'orage dans l'air

(Phrasal verb) ■ **brew up** GB faire du thé

brewer /ˈbruːə(r)/ ▸ **p. 1683** *n* brasseur *m*

brewer: **~'s droop**○ *n* GB hum impuissance *f* sexuelle passagère (due à l'alcool); **~'s yeast** *n* levure *f* de bière

brewery /ˈbruːərɪ/ *n* brasserie *f*

brewing /ˈbruːɪŋ/

A *n* brasserie *f*

B *modif* [*group, company*] qui fabrique de la bière; [*business, industry, magnate*] de la bière; [*method*] de brassage; [*equipment*] pour la fabrication de la bière

brew-up○ /ˈbruːʌp/ *n* GB thé *m*; **to have a ~** prendre le thé

briar /ˈbraɪə(r)/

A *n* **1** (*also* **~ rose**) églantier *m*; **2** (heather) bruyère *f*; **3** (*also* **~ pipe**) pipe *f* en bruyère

B briars *npl* (thorns) ronces *fpl*

bribe /braɪb/

A *n* pot-de-vin *m*; **to offer sb a ~ to do sth** proposer un pot-de-vin à qn pour qu'il/elle fasse qch; **to give sb a ~** graisser la patte○ à qn; **to offer/accept a ~** offrir/accepter un pot-de-vin; **he was accused of taking ~s** il a été accusé de corruption

B *vtr* **1** (large-scale) soudoyer [*police, person in authority*] (**with** avec; **to do** de faire); suborner [*witness*] (**to do** de faire); acheter [*voter*]; **2** (small-scale) graisser la patte à○ [*official*] (**to do** pour faire); **to ~ one's way into somewhere/past sb** graisser la patte à qn pour entrer quelque part/pour passer qn

bribery /ˈbraɪbərɪ/ *n* corruption *f*; **to be open to ~** être ouvert à la corruption; **~ and corruption** tentative *f* de corruption

bric-à-brac /ˈbrɪkəbræk/ *n* bric-à-brac *m*; **~ stall** éventaire *m* de brocanteur

brick /brɪk/

A *n* **1** Constr brique *f*; **made of ~** en brique; **2** GB (child's toy) cube *m*; **3** ○†(kind person) type○/fille *m/f* sympa○; **you're a ~!** t'es un amour○!

B *modif* [*wall*] de briques; [*building*] en briques

(Idioms) **it's like banging one's head against** *ou* **talking to a ~ wall** autant parler à un mur; **to ~ it**◑, **to shit ~s**◑ avoir les jetons◑; **to put one's money into ~s and mortar** investir dans la pierre; **to run up against** *ou* **run into a ~ wall** se heurter à un mur; **to be thick as a ~**○ être bête comme ses pieds

(Phrasal verb) ■ **brick up**: ▸ **~ [sth] up**, **~ up [sth]** murer [*fireplace, window*]; boucher [*hole*]

brick: **~bat** *n* fig violente critique *f*; **~-built** *adj* en briques; **~ cheese** *n* US fromage *m* à pâte dure

brickie○ /ˈbrɪkɪ/ ▸ **p. 1683** *n* GB maçon *m*

brick: **~ kiln** *n* four *m* à briques; **~layer** ▸ **p. 1683** *n* maçon *m*; **~laying** *n* maçonnerie *f*; **~ red** ▸ **p. 1067** *n, adj* rouge (*m*) brique *inv*; **~work** *n* briquetage *m*; **~works** *n* briqueterie *f*; **~yard** *n* fabrique-entrepôt *f* de briques

bridal /ˈbraɪdl/ *adj* [*dress etc*] de mariée; [*car, procession, bed, chamber*] des mariés; [*feast*] de noce

bridal: **~ gown** *n* robe *f* de mariée; **~ party** *n* (+ *v sg ou pl*) proches *mpl* de la mariée; **~ suite** *n* suite *f* nuptiale; **~ wear** *n* robes *fpl* de mariée

bride /braɪd/ *n* [1] (jeune) mariée *f*; **his ~** (during, after wedding) son épouse *f*; (before wedding) sa future épouse *f*; **the ~ and (bride)groom** les (jeunes) mariés *mpl*; **the Bride of Christ** l'épouse *f* du Christ; [2] (*also* **~-to-be**) future mariée *f*

bridegroom /ˈbraɪdgru:m, -grʊm/ *n* [1] jeune marié *m*; [2] (*also* **~-to-be**) futur marié *m*

bridesmaid /ˈbraɪdzmeɪd/ *n* demoiselle *f* d'honneur

(Idiom) **always the ~ never the bride** l'éternel/-elle second/-e *m/f*

bridge /brɪdʒ/

A *n* [1] Constr pont *m* (**over** sur; **across** au-dessus de); [2] fig (link) rapprochement *m*; **to build ~s** établir des relations (**between** entre); [3] (intermediate stage) (transitional) passerelle *f* (**between** entre); (springboard) tremplin *m* (**to** vers); **a ~ between school and university** une passerelle entre l'école et l'université; **a ~ to a new career** un tremplin vers une nouvelle carrière; [4] (on ship) passerelle *f*; [5] (of nose) arête *f*; [6] (of spectacles) arcade *f*; [7] (on guitar, violin) chevalet *m*; [8] Dent bridge *m*; [9] ▸ **p. 1253** Games bridge *m*; [10] Mus (link) couplet *m*

B *modif* [*game, player*] de bridge

C *vtr* [1] lit construire un pont sur [*river*]; [2] fig **to ~ the gap between two countries/adversaries** effectuer un rapprochement entre *or* rapprocher deux pays/adversaires; **to ~ the gap between the two lifestyles/levels** réduire l'écart entre les deux modes de vie/niveaux; **a snack ~s the gap between lunch and dinner** un goûter comble l'attente entre le déjeuner et le dîner; **to ~ a gap in [sth]** combler un vide dans [*conversation*]; combler un trou dans [*budget*]; combler une lacune dans [*knowledge*]; [3] (span) enjamber [*two eras*]; se maintenir tout au long de [*several periods*]

(Idioms) **a lot of water has flowed under the ~** beaucoup d'eau a coulé sous les ponts; **it's all water under the ~** c'est du passé; **don't cross your ~s before you come to them** Prov chaque chose en son temps Prov; **we'll cross that ~ when we come to it** on s'occupera de ce problème en temps voulu

bridge: **~-builder** *n* Mil pontonnier *m*; fig (mediator) médiateur/-trice *m/f* (**between** entre); **~-building** *n* Mil installation *f* de ponts provisoires; fig médiation *f* (**between** entre); **~head** *n* Mil tête *f* de pont; **~ loan** *n* US Fin prêt *m* relais; **Bridge of Sighs** *pr n* Pont *m* des Soupirs; **~ party** *n* soirée *f* de bridge; **~ roll** *n* petit pain *m* brioché; **~work** *n* Dent bridge *m*

bridging /ˈbrɪdʒɪŋ/ *n* (when climbing) opposition *f*

bridging: **~ course** *n* GB Univ cours *m* de mise à niveau; **~ loan** *n* GB Fin prêt *m* relais

bridle /ˈbraɪdl/

A *n* [1] Equit bride *f*; [2] fig frein *m*; **to put a ~ on** brider [*power, emotions*]

B *vtr* [1] (restrain) brider [*emotions, temper*]; **to ~ one's tongue** tenir sa langue; [2] Equit brider

C *vi* (in anger) se cabrer (**at** contre; **with** sous l'effet de)

bridle path, **bridle track**, **bridleway** *n* piste *f* cavalière

brief /bri:f/ ▸ **p. 1694**

A *n* [1] GB gen (remit) attributions *fpl*; (role) tâche *f*; **it is your ~** *ou* **your ~ is to do** votre tâche consiste à faire; **with a ~ for** charge de [*environment, immigration*]; **with a ~ to do** dont la tâche consiste à faire; **to fall within/to exceed sb's ~** faire partie des/dépasser les attributions de qn; [2] Jur dossier *m*; **to take** *ou* **accept a ~** accepter un dossier; [3] GB (instructions) directives *fpl*; **designer's ~** directives du concepteur; **to prepare a ~** préparer un dossier (**for** pour); **to work to a ~** suivre des directives

B **briefs** *npl* (undergarment) slip *m*; **a pair of ~s** un slip

C *adj* [1] (concise) [*account, event, summary, speech*] bref/brève; [*reply*] laconique; **to be ~, I will be ~** je serai bref; **the news in ~** les brèves; [2] (short) [*skirt*] court; [*swimwear*] minuscule; [3] (abrupt) [*manner, reply*] brusque (**with** avec)

D **in brief** *adv phr* en bref

E *vtr* [1] gen, Mil informer [*journalist, politician, worker*] (**on** de); donner des instructions à [*police, troops*] (**on** sur); donner des directives à [*artist, designer*] (**on** sur); **to be well ~ed** être bien au courant; [2] Jur confier une cause à [*lawyer*]; **to ~ sb to do** engager qn pour faire

F *v refl* **to ~ oneself on sth** se renseigner sur qch

(Idioms) **to hold a watching ~ on sb** tenir qn à l'œil; **to hold no ~ for sb** ne pas se faire l'avocat de qn

briefcase /ˈbri:fkeɪs/ *n* (with handle) serviette *f*; (without handle) porte-documents *m inv*

briefing /ˈbri:fɪŋ/

A *n* [1] (meeting) briefing *m* (**on** sur), réunion *f* d'information (**on** sur); **press ~** briefing *m* de presse; [2] (information) (*sans pl*) informations *fpl*; **to give sb a ~ on sth** mettre qn au courant de qch

B *modif* [*document, session*] d'information; [*officer*] chargé de l'information

briefly /ˈbri:flɪ/ *adv* [1] (concisely) [*describe, speak*] brièvement; [*reply, say*] laconiquement; [2] (for short time) [*affect, look, pause*] un bref instant; [*work, meet*] brièvement; [3] (in short) en bref

brier *n* = **briar**

brig /brɪg/ *n* [1] Naut brick *m*; [2] US Naut (prison) cale *f*; [3] °US argot des militaires (prison) taule◐ *f*

Brig /brɪg/ ▸ **p. 1237** (*abrév écrite* = **Brigadier**) **~ M. Sands** le général M. Sands

brigade /brɪˈgeɪd/ *n* [1] (+ *v sg ou pl*) brigade *f* also hum, pej; **cavalry ~** brigade de cavalerie; **the anti-smoking ~** la brigade anti-tabac; **he is one of the old ~** hum il fait partie de la vieille garde; [2] (team) équipe *f*

brigadier /ˌbrɪgəˈdɪə(r)/ ▸ **p. 1599** *n* général *m* de brigade

brigand‡ /ˈbrɪgənd/ *n* brigand *m*

brigandage‡ /ˈbrɪgəndɪdʒ/ *n* brigandage *m*

bright /braɪt/

A *adj* [1] (vivid) [*colour, blue, red*] vif/vive; [*garment, carpet, wallpaper*] (of one colour) de couleur vive; (of several colours) aux couleurs vives; **he went ~ red** il est devenu tout rouge; [2] (clear) [*sun, sunshine*] éclatant; [*room, location, day*] clair; [*weather*] radieux/-ieuse; [*sky*] lumineux/-euse; **~ spell** éclaircie *f*; **it will become ~er later** le temps doit s'éclaircir plus tard; [3] (shiny) [*star, moon, eye, coin, metal*] brillant; [*jewel*] étincelant; [4] (clever) intelligent; **that wasn't very ~ (of you)** ce n'était pas très malin (de ta part); **a ~ idea** une idée lumineuse; [5] (cheerful) [*person, mood*] joyeux/-euse; [*smile, face*] radieux/-ieuse; [*greeting*] chaleureux/-euse; **to look on the ~ side** voir le bon côté des choses; [6] (promising) [*future, prospect, outlook, picture*] brillant (*never predic*); **one of our ~est hopes in athletics** l'un de nos meilleurs espoirs en athlétisme; **in ~er days** en des jours meilleurs

B **brights**° *npl* US Aut pleins phares *mpl*

C *adv* [*shine, burn*] d'un vif éclat

D **bright and early** *adv phr* [*get up, set off*] de bonne heure

brighten /ˈbraɪtn/ *vtr, vi* ▸ **brighten up**

(Phrasal verb) ■ **brighten up**: ▸ **~ up** [1] (become cheerful) [*person, mood*] s'égayer (**at** à); [*face, expression*] s'illuminer (**at** à); [*eyes*] s'allumer (**at** à; **with** de); [2] (improve) [*prospect, outlook, situation*] s'améliorer; [*weather, sky*] s'éclaircir; ▸ **~ up [sth]**, **~ [sth] up** [1] (make colourful, cheerful) égayer [*room, home, atmosphere, day, life*]; [2] (illuminate) [*sun, light*] éclairer; [3] (improve) rendre [qch] plus réjouissant [*prospects, future*]

bright-eyed /ˌbraɪtˈaɪd/ *adj* aux yeux brillants

(Idiom) **~ and bushy-tailed** frais et dispos

bright lights *npl* fig **the ~** les lumières *fpl* de la ville

brightly /ˈbraɪtlɪ/ *adv* [1] (vividly) [*dressed*] de couleurs vives; **~ coloured** (several colours) aux couleurs vives; (of one colour) de couleur vive; **a ~ painted mural** une peinture murale aux couleurs vives; [2] (of sun, fire) [*shine, burn*] d'un éclat vif; (of eyes, metal) [*shine, sparkle, twinkle*] intensément; [3] (intensely) [*lit, illuminated*] brillamment; [4] (cheerfully) [*smile, say, greet*] joyeusement

brightness /ˈbraɪtnɪs/ *n* [1] (of colour, light, sunshine, star, sky, smile) éclat *m*; [2] (of room, place) clarté *f*; [3] (of metal, eyes) brillant *m*; [4] (cheerfulness) vivacité *f*; [5] TV luminosité *f*; **to adjust the ~** régler la luminosité

Bright's disease /ˈbraɪts dɪzi:z/ ▸ **p. 1327** *n* néphrite *f* chronique

bright spark° *n* GB petit/-e futé/-e° *m/f*; **some ~** iron un petit malin/une petite maligne *m/f*

bright young thing *n* GB **to be a ~** faire partie de la jeunesse dorée; **the ~s** la jeunesse dorée

brill /ˈbrɪl/

A *n* Zool barbue *f*

B °*adj, excl* GB (*abrév* = **brilliant**) super°

brilliance /ˈbrɪlɪəns/ *n* (of light, poetry, music) éclat *m*; (of person) génie *m*

brilliant /ˈbrɪlɪənt/

A *n* (diamond) brillant *m*

B *adj* [1] (clever, successful) [*student, mind, invention, career, success*] brillant; [2] (bright) [*colour, jewel, plumage*] éclatant; [3] GB °(fantastic) [*holiday, party, evening*] génial°; [*person*] super°; **we had a ~ time** c'était génial; **to be ~ at sth** être douée en qch; **to be ~ at doing** avoir le don de faire

C *excl* super°! also iron

brilliantine /ˈbrɪlɪənti:n/ *n* brillantine *f*

brilliantly /ˈbrɪlɪəntlɪ/ *adv* [1] (very well) [*write, perform, argue*] brillamment; [2] (particularly) [*witty, clever, inventive*] extrêmement; [3] (very brightly) [*shine, sparkle*] avec éclat; [*lit, illuminated*] vivement; **~ coloured**, **~ colourful** aux couleurs éclatantes

Brillo pad® /ˈbrɪləʊ pæd/ *n* tampon *m* Jex®

brim /brɪm/

A *n* (all contexts) bord *m*; **a wide-brimmed hat** un chapeau à large bord; **to fill sth to the ~** remplir qch à ras bord; **filled to the ~ with** rempli jusqu'au bord de [*liquid, objects*]; plein à craquer de [*people*]

B *vi* (*p prés etc* **-mm-**) **to ~ with** lit [*receptacle*] être plein à ras bord de; fig déborder de; **~ming with** débordant de; **his eyes ~med with tears** ses yeux se remplirent de larmes

(Phrasal verb) ■ **brim over** lit, fig déborder (**with** de)

brimful /ˈbrɪmfʊl/ *adj* [1] [*cup, pan, bath*] plein à déborder; [2] fig **~ of** débordant de

brimstone /ˈbrɪmstəʊn/ *n* [1] †(sulphur) soufre *m*; [2] Zool (butterfly) citron *m*

brindled /ˈbrɪndld/ *adj* tacheté

brine /braɪn/ *n* [1] (sea water) eau *f* de mer; [2] Culin saumure *f*; [3] liter (sea) mer *f*

bring /brɪŋ/ (*prét, pp* **brought**)

A *vtr* [1] (convey, carry) apporter [*present, powers, supplies, message, news, rain, destruction, change, happiness, consolation, hope*]; **have you brought your camera?** as-tu pris *or* apporté ton appareil-photo?; **wait and see what tomorrow**

~s attends de voir ce que demain nous apportera; **to ~ sth with one** apporter qch; **to ~ sb flowers/a cake** apporter des fleurs/un gâteau à qn; **the case has brought him publicity** l'affaire lui a fait de la publicité; **to ~ sb wealth/fame** rendre qn riche/célèbre; **to ~ sth to** (contribute) apporter qch à [*school, work, area*]; **it has brought prosperity to the region** cela a rendu la région prospère; **to ~ one's talents to sth** apporter son talent à qch; **to ~ one's experience to sth** faire bénéficier qch de son expérience; **that ~s the total to 100** cela fait un total de 100; **to ~ a smile to sb's face** faire sourire qn; **to ~ a blush to sb's cheeks** faire rougir qn; **to ~ sth to a halt** arrêter qch; **to ~ the conversation round** *ou* **around to** amener la conversation à; **to ~ sth into** faire entrer qch dans [*house, room*]; introduire qch dans [*conversation, story*]; **to ~ sth into existence** créer qch; **to ~ sth upstairs** monter qch; **the wind brought the tree down** le vent a fait tomber l'arbre; **don't forget to ~ it home** n'oublie pas de le rapporter; **to ~ shame/disgrace on sb** attirer la honte/le déshonneur sur qn; **to ~ sth on** *ou* **upon oneself** attirer qch; **you brought it on yourself** tu l'as cherché; **her remarks brought gasps of surprise from the audience** ses propos ont provoqué l'étonnement dans le public; **his novel brought praise from the critics** son roman lui a valu les louanges de la critique

2 (come with) amener [*friend, relative, dog*]; **to ~ sb with one** amener qn (avec soi); **to ~ sb to** amener qn à [*wedding, party, office*]

3 (lead, draw) **the path ~s you to the church** le chemin te conduit jusqu'à l'église; **the Games brought people to the city** les Jeux ont attiré du monde vers la ville; **the noise brought them to the window** le bruit les a attirés à la fenêtre; **I brought him to the ground** je l'ai fait tomber; **that ~s me to the question of** ceci m'amène à la question de; **to ~ sb to himself/herself** ramener qn à la réalité; **what ~s you here?** qu'est-ce qui t'amène?; **to ~ sb to do sth** faire faire qch à qn; **I couldn't ~ him to accept** je n'ai pas pu lui faire accepter; **to ~ sb/a dog into the country** faire entrer *or* introduire qn/un chien dans le pays; **to ~ sb into the room** faire entrer qn dans la pièce; **to ~ sb into contact with sth** faire connaître qch à qn; **to ~ sb into contact with sb** mettre qn en contact avec qn; **to ~ sb home** (transport home) raccompagner qn, ramener qn; (to meet family) amener qn à la maison

4 TV, Radio **the game will be brought to you live from Sydney** le match sera retransmis en direct de Sydney; **modern technology ~s the war into your living room** la technologie moderne fait entrer la guerre jusque chez vous; **we ~ you all the latest news** on vous donne les dernières nouvelles; **'brought to you by Sudso Soap'** 'qui vous est offert par Sudso Soap'

5 Jur, Admin **to ~ a case/a dispute before the court** porter une affaire/un litige devant le tribunal; **to ~ sb before the court** faire comparaître qn devant le tribunal; **to ~ a matter before the committee/a bill before parliament** soumettre une question au comité/un projet de loi au parlement

B *v refl* **to ~ oneself to do** se décider à faire; **I couldn't ~ myself to get up/to tell him** je n'ai pas pu me lever/le lui dire

(Phrasal verbs) ■ **bring about**: ▸ **~ about [sth]**, **~ [sth] about** provoquer [*change, reform, war, disaster, death*]; amener [*settlement, reconciliation*]; entraîner [*success, failure, defeat*]

■ **bring along**: ▸ **~ along [sth]**, **~ [sth] along** apporter [*object*]; ▸ **~ along [sb]**, **~ [sb] along** amener, venir avec [*friend, partner*]

■ **bring back**: ▸ **~ back [sth]**, **~ [sth] back** **1** (return with) rapporter [*souvenir, gift*] (**from** de); **to ~ sb back sth** rapporter qch à qn; **2** (restore) redonner [*colour, shine*]; **to ~ sb's memory/sight back** rendre la mémoire/vue à qn; **3** (reintroduce) rétablir [*currency, custom*]; restaurer [*monarchy, democracy*]; **4** (restore memory of) rappeler [*night, time, occasion*]; **seeing her brought it all back to me** tout m'est revenu lorsque je l'ai vue; **to ~ back memories** ranimer des souvenirs; **to ~ back memories of sth** ranimer le souvenir de qch

■ **bring down**: ▸ **~ down [sth]**, **~ [sth] down** **1** (cause collapse of) renverser [*government, dictator*]; **2** (reduce) réduire [*inflation, unemployment, expenditure*]; faire baisser [*rate, level, price, temperature*]; diminuer [*cost of living, swelling*]; **3** (shoot down) abattre [*plane, grouse, tiger*]; **4** (cause to hit) **to ~ [sth] down on sb/sth** abattre [qch] sur qn/qch [*cane, hammer*]; **to ~ sb's wrath down on sb** littér *ou* hum attirer la colère de qn sur qn; ▸ **~ [sb] down**° déprimer [*person*]

■ **bring forth**: ▸ **~ forth [sth]**, **~ [sth] forth** **1** (provoke) susciter [*question, protest, scorn*]; **2** littér (produce) produire [*object, fruit, blossom*]; faire jaillir [*water*]; **3** littér donner naissance à [*child*]

■ **bring forward**: ▸ **~ forward [sth]**, **~ [sth] forward** **1** (make sooner) avancer [*meeting, wedding, election*] (**by** de); **2** (propose) avancer [*proposals, plan*]; proposer [*bill, amendment, motion*]; **3** Accts reporter [*total, balance, deficit*]; **balance brought forward: £354.90** report: £354.90; **4** (bring in) présenter [*witness, person*]

■ **bring in**: ▸ **~ in [sth]** rapporter [*amount, money, interest*]; introduire [*custom*]; ▸ **~ in [sth]**, **~ [sth] in** **1** (introduce) introduire [*legislation, measure, reference, new character*]; **2** Agric rentrer [*crop, harvest*]; récolter [*wheat, corn, fruit*]; ▸ **~ in [sb]**, **~ [sb] in** **1** (involve) faire appel à [*consultant, expert, reinforcements, police, army*] (**from** de; **as** pour être); **if I could ~ in Mrs Cox at this point...** j'aimerais faire intervenir Mme Cox sur ce point...; **2** (to police station) amener [qn] (au poste) [*suspect*]; **to be brought in for questioning** être amené au poste pour être interrogé

■ **bring into**: ▸ **~ [sb] into** faire participer [qn] à [*conversation, organization*]; **don't ~ my mother into this!** laisse ma mère en dehors de ça!

■ **bring off**: ▸ **~ off [sth]**, **~ [sth] off** réussir [*feat, performance*]; conclure [*deal*]; décrocher [*victory*]

■ **bring on**: ▸ **~ on [sth]**, **~ [sth] on** **1** (provoke) provoquer [*attack, migraine, fit, labour*]; être à l'origine de [*bronchitis, rheumatism, pneumonia*]; **what brought that on?** (to someone) qu'est-ce qui t'a pris?; **2** (encourage) accélérer la pousse de [*plant, crop*]; ▸ **~ on [sb]**, **~ [sb] on** **1** (to stage, field) faire entrer [*dancer, substitute*]; **2** (encourage) pousser [*player, child*]

■ **bring out**: ▸ **~ out [sth]**, **~ [sth] out** **1** sortir [*gun, handkerchief etc*]; **2** Comm sortir [*edition, volume, new model*]; **3** (highlight) faire ressortir [*detail, colour, melody, flavour, meaning, instinct, spirit*]; **to ~ out the artist/the child in sb** faire ressortir l'artiste/l'enfant en qn; ▸ **~ out [sb]**, **~ [sb] out** **1** (draw out) faire parler [*guest, interviewee*]; **2** (on strike) mettre [qn] en grève [*workers*]; **3** **to ~ sb out in spots** donner des boutons à qn

■ **bring round**: ▸ **~ [sb] round** **1** (revive) faire revenir [qn] à soi; **2** (convince) convaincre; **to ~ sb round to one's way of thinking** amener qn à partager ses vues

■ **bring to** = **bring round**

■ **bring together**: ▸ **~ together [sth/sb]**, **~ [sth/sb] together** **1** (assemble) réunir [*family, experts, sides, themes*]; **2** (create bond between) rapprocher [*couple, lovers, siblings*]; **it brought us closer together** cela nous a rapprochés

■ **bring up**: ▸ **~ up [sth]**, **~ [sth] up** **1** (mention) aborder, parler de [*question, subject*]; **2** (vomit) vomir, rendre [*food*]; ▸ **~ up [sb]**, **~ [sb] up** élever; **to ~ sb up to do** apprendre à [qn] à faire; **to be brought up by sb/in China** être élevé par qn/en Chine; **to be brought up as a Catholic** recevoir une éducation catholique; **to be brought up on stories of war** être nourri de récits de guerre; **it's the way I was brought up** c'est comme ça que j'ai été élevé; **well/badly brought up** bien/mal élevé

bring and buy sale *n* GB vente *f* de charité

brink /brɪŋk/ *n* lit, fig (edge) bord *m*; **on the ~ of doing** sur le point de faire; **on the ~ of disaster/success** à deux doigts du désastre/succès; **to bring sb to the ~ of sth** conduire qn au bord de qch; **to pull back from the ~ of war** renoncer à la guerre au dernier moment

brinkmanship /ˈbrɪŋkmənʃɪp/ *n* art *m* d'aller jusqu'aux limites du possible

briny /ˈbraɪnɪ/

A *n* **the ~**°† hum la grande bleue *f*

B *adj* saumâtre

brio /ˈbriːəʊ/ *n* brio *m*

briquet(te) /brɪˈket/ *n* briquette *f*

brisk /brɪsk/ *adj* **1** (efficient) [*manner, tone, gesture*] vif/vive; [*person*] efficace; **2** (energetic) [*pace, trot, movements*] rapide; [*debate*] animé; **to go for a ~ walk/swim** faire une bonne marche/quelques longueurs; **they were walking/working at a ~ pace** ils marchaient/travaillaient à vive allure; **3** (good) [*business, sales, trade*] florissant; **~ trading on the stock exchange** un marché actif à la Bourse; **business/betting was ~** les affaires/les paris marchaient bien; **the hamburger stall is doing a ~ trade** le stand des hamburgers marche bien; **we've been doing a ~ trade in suitcases** nos valises se sont bien vendues; **4** (invigorating) [*air, climate*] vivifiant; [*wind*] vif/vive; **a ~ March morning** un frais matin de mars

brisket /ˈbrɪskɪt/ *n* Culin poitrine *f*

briskly /ˈbrɪsklɪ/ *adv* **1** (efficiently) [*say, ask, reply*] vivement, avec vivacité; [*work*] rapidement; **she moved ~ on to the next point** elle s'est attaquée sans tarder au point suivant; **to deal ~ with a problem** résoudre un problème de façon efficace; **2** (quickly) [*walk*] d'un bon pas, à vive allure; **3** (well) [*sell*] très vite, très bien

briskness /ˈbrɪsknɪs/ *n* (in manner, tone) vivacité *f*; (in activity, movements) dynamisme *m*

brisling /ˈbrɪzlɪŋ/ *n* sprat *m*

bristle /ˈbrɪsl/

A *n* **1** (single hair) (on brush, chin, animal, plant) poil *m*; (on pig) soie *f*; **2** (material) (on brush, mat) (real) soies *fpl*; (synthetic) poils *mpl*

B *vi* **1** lit [*fur*] se hérisser; [*hairs*] se dresser; **2** (react angrily) se hérisser (**at** à; **with** de)

(Phrasal verb) ■ **bristle with**: ▸ **~ with [sth]** être hérissé de [*spikes, arms, pins, problems*]; grouiller de [*police, soldiers*]

bristly /ˈbrɪslɪ/ *adj* [*hair, beard, fibres*] dru; [*skin, surface*] couvert de poils durs; **Daddy, you're all ~!** Papa, tu piques!

Bristol board *n* bristol *m*

bristols° /ˈbrɪstlz/ *npl* GB nichons◑ *mpl*, seins *mpl*

Brit° /brɪt/ *n* Britannique *mf*

Britain /ˈbrɪtn/ *pr n* (*also* **Great ~**) Grande-Bretagne *f*. ▸ **Great Britain**

Britannia /brɪˈtænjə/ *pr n* Britannia

> **Britannia**
>
> Nom romain de la Grande-Bretagne, *Britannia* est aussi la représentation symbolique de ce pays sous les traits d'une femme casquée qui tient un trident et un bouclier. Son effigie est reproduite sur les pièces de *50 pence*. *Rule, Britannia!* est un air patriotique que l'on chante traditionnellement au cours de la soirée de clotûre des *Proms*. ▸ **Proms**

Britannia metal *n* métal *m* anglais

Britannic /brɪˈtænɪk/ *adj* britannique; **His/Her ~ Majesty** Sa Majesté britannique

britches○ *n* US = **breeches 3**

Briticism /ˈbrɪtɪsɪzəm/ *n* anglicisme *m*

British /ˈbrɪtɪʃ/ ▸ **p. 1467**
A *npl* **the ~** les Britanniques *mpl*
B *adj* britannique; **the ~ embassy/ambassador** l'ambassade *f*/l'ambassadeur *m* de Grande-Bretagne
(Idiom) **the best of ~ (luck)**○**!** GB bonne chance!

British: **~ Airports Authority**, **BAA** *n* administration *f* des aéroports britanniques; **~ Antarctic Territory** *n* Territoire *m* britannique de l'Antarctique; **~ Army of the Rhine**, **BAOR** *n* GB Mil forces *fpl* britanniques en Allemagne; **~ Broadcasting Corporation**, **BBC** *n* BBC *f*; **~ Columbia**, **BC** *n* Colombie *f* britannique; **~ disease** *n* mal *m* britannique; **~ English** *n, adj* anglais (*m*) britannique

Britisher /ˈbrɪtɪʃə(r)/ *n* US Britannique *mf*

British Gas *n* GB société *f* de distribution de gaz britannique

British Isles *npl* îles *fpl* britanniques

> **British Isles**
>
> Les Îles britanniques comprennent la Grande-Bretagne, l'Irlande (République d'Irlande et Irlande du Nord) et toutes les petites îles qui les entourent : *the Shetland Islands, the Orkney Islands, the Hebrides, the Isle of Man, the Scilly Isles, the Channel Islands*.

British: **~ Legion** *n* association *f* britannique d'anciens militaires; **~ Museum**, **BM** *n* British Museum *m*; **~ Rail**, **BR** *n* société *f* nationale des chemins de fer britanniques; **~ Telecom**, **BT** *n* GB société *f* britannique de télécommunications

Briton /ˈbrɪtn/ *n* Britannique *mf*; Hist Breton/-onne *m/f* (*anciens habitants de la Grande-Bretagne*)

Brittany /ˈbrɪtənɪ/ ▸ **p. 1243** *pr n* Bretagne *f*; **in ~** en Bretagne

brittle /ˈbrɪtl/
A *n* (sweet) praline *f*
B *adj* **1** lit [*twig*] cassant; [*fingernails, hair*] fragile; **2** fig [*relationship, confidence*] fragile; [*personality*] brusque; [*tone, laughter*] cassant

brittle bones, **brittle-bone disease** *n* décalcification *f*

bro /brəʊ/
A *n*○† (*abrév* = **brother**) frère *m*
B **Bro** *n* Relig *abrév écrite* = **Brother**

broach /brəʊtʃ/
A *n* **1** Tech foret *m*; **2** Culin broche *f*
B *vtr* aborder [*subject*]; entamer [*bottle etc*]

broad /brɔːd/ ▸ **p. 1389**
A *n* **1** ○US (woman) grosse○ *f*, femme *f*; **2** Anat **the ~ of the back** le haut *m* du dos
B *adj* **1** (wide) [*chest, face, grin, ribbon, river, street*] large; **to have a ~ back** lit, fig avoir le dos large; **to be ~ in the hips** être large de hanches; **to grow ~er** s'élargir; **2** (extensive) [*area, expanse, plain*] vaste; **3** (wide-ranging) [*choice, range*] grand; [*introduction, invitation, syllabus, consensus, feeling, implication*] général; [*alliance, coalition, movement*] large; **there is ~ support for the law** la loi a été largement approuvée; **4** (general) [*interpretation, meaning, term*] large; [*aim, base, notion, option, outline, principle*] général; **5** (liberal) [*opinion, view*] large; **to have a ~ mind** avoir l'esprit large; **6** (unsubtle) [*wink*] bien visible; **to drop ~ hints about** faire des allusions évidentes à; **to drop sb a ~ hint that** faire comprendre à qn que; **7** (pronounced) [*accent*] fort (*before n*); **to speak with** *ou* **in a ~ Welsh accent** parler avec un fort accent gallois; **a poem in ~ Scots** une poésie en dialecte écossais; **8** (complete) **in ~ daylight** en plein jour; **9** (vulgar) [*joke, humour*] grossier/-ière; **10** Ling [*transcription*] phonétique
(Idiom) **it's as ~ as it's long** c'est du pareil au même○

B road *n* GB Transp route *f* secondaire

broadband /ˈbrɔːdbænd/
A *n* Comput **to have ~** avoir le haut débit *or* avoir l'ADSL
B *modif* [*access, connection*] ADSL, à haut debit, à large bande

broad-based /ˌbrɔːdˈbeɪst/ *adj* [*approach, campaign*] global; [*education*] généralisé; [*coalition*] d'origine très variée; [*consensus*] général; **the party has a ~ membership** les membres du parti sont d'origine très variée

broad: **~ bean** *n* Bot, Culin fève *f*; **~brush** *adj* [*approach, sketch, survey*] sommaire

broadcast /ˈbrɔːdkɑːst, US -kæst/
A *n* émission *f*; **TV/radio ~** émission télévisée/radiophonique; **sports/live ~** émission sportive/en direct; **news ~** bulletin *m* d'informations; **the ~ of sth** la diffusion de qch; **sb's ~ to the nation** l'allocution radiotélévisée de qn à la nation
B *vtr* (*prét, pp* **~** *ou* **~ed**) **1** [*station, person*] diffuser [*programme, message*] (**to** à); **2** (tell) péj raconter; **there's no need to ~ it!** ce n'est pas la peine de le crier sur les toits!; **3** Agric disséminer [*seeds*]
C *vi* (*prét, pp* **~** *ou* **~ed**) **1** [*station, channel*] émettre (**on** sur); **2** [*person*] faire une émission; **to ~ on the radio/on gardening** faire des émissions à la radio/sur le jardinage
D *adv* Agric [*sow*] en dispersion
E *pp adj* (on TV) télévisé; (on radio) radiodiffusé; (on both) radiotélévisé

broadcaster /ˈbrɔːdkɑːstə(r), US -kæst-/ ▸ **p. 1683** *n* animateur/-trice *m/f*; **news ~** journaliste *mf* de radio *or* télévision; **a ~ on opera** un animateur spécialiste d'opéra

broadcasting /brɔːdkɑːstɪŋ, US -kæst-/
A *n* (field) communication *f* audiovisuelle; **to work in ~** travailler dans l'audiovisuel; (action) diffusion *f*; **religious/children's ~** programmes *mpl* religieux/pour les enfants
B *modif* [*authorities, executive, legislation, restriction, service, technology, union*] de la communication audiovisuelle

broadcasting: **~ ban** *n* interdiction *f* d'antenne; **Broadcasting Standards Council** *n* GB *organisme responsable du maintien de certaines normes dans l'audiovisuel*; ≈ CSA

broad: **~-chested** *adj* au torse large; **Broad Church** *n* lit *groupe de l'église anglicane défendant la liberté d'interprétation de la doctrine*; **~cloth** *n* Tex drap *m* fin

broaden /ˈbrɔːdn/
A *vtr* **1** (extend) étendre [*appeal, experience, scope*]; élargir [*horizons, knowledge, outlook*]; **travel ~s the mind** les voyages ouvrent l'esprit; **2** (widen) élargir [*path, road*]
B *vi* **1** (expand) [*appeal, horizons, outlook, scope*] s'élargir; **2** (widen) [*river, road, pipe, smile*] s'élargir; [*skirt*] s'évaser
(Phrasal verb) ■ **broaden out** [*river, road, pipe*] s'élargir; [*conversation*] s'étendre; **to ~ out into** [*river*] s'élargir en; [*conversation*] s'étendre à

broad: **~ jump** *n* US Sport saut *m* en longueur; **~-leaved** *adj* Bot feuillu; **~ left** *n* GB Pol coalition *f* de gauche; **~loom** *n* (*also* **~loom carpet**) tapis *m* en grande largeur

broadly /ˈbrɔːdlɪ/ *adv* **1** (in general) [*agree, conform, correspond*] en gros; [*compatible, similar, true*] globalement; **~ speaking** en règle générale; **2** (widely) [*grin, smile*] largement

broadly-based *adj* = **broad-based**

broadminded /ˌbrɔːdˈmaɪndɪd/ *adj* [*person*] large d'esprit; [*attitude*] libéral

broadness /ˈbrɔːdnɪs/ *n* (width) largeur *f*; **the ~ of her mind** sa largeur d'esprit

broad: **~sheet** *n* journal *m* de grand format; ▸ **Newspapers**; **~-shouldered** *adj* large d'épaules

broadside /ˈbrɔːdsaɪd/
A *n* **1** (criticism) attaque *f* cinglante; **to aim** *ou* **deliver a ~ at** lancer une attaque cinglante contre; **2** Naut (of ship) flanc *m*; (enemy fire) bordée *f*; **to deliver a ~** lâcher une bordée
B *adv* (*also* **~ on**) par le travers; **a ship seen ~** un bateau vu de flanc

broad: **~-spectrum** *adj* [*antibiotic*] à large spectre; **~sword** *n* épée *f* de chevalerie

Broadway /ˈbrɔːdweɪ/ *pr n* Theat Broadway; **on ~** à Broadway; **an off-~ production** *pièce donnée dans une salle à proximité de Broadway*

> **Broadway**
>
> Grande avenue de New York, célèbre pour son animation, ses salles de spectacle et ses cinémas. Lieu des grandes créations théâtrales, *Broadway* est devenu le symbole de l'industrie du spectacle. L'expression *Off-Broadway* désigne les théâtres new-yorkais qui ne sont pas situés dans le quartier de *Broadway*, ainsi que leurs productions d'avant-garde ou moins commerciales. *Off-off-Broadway* désigne le théâtre expérimental ou d'avant-garde mis en scène dans des petites salles à New York.

brocade /brəˈkeɪd/
A *n* brocart *m*
B *modif* [*curtain, cushion*] de brocart; [*sofa*] recouvert de brocart
C *vtr* brocher

broccoli /ˈbrɒkəlɪ/ *n* ¢ Bot brocoli *m*; Culin brocolis *mpl*

brochure /ˈbrəʊʃə(r), US brəʊˈʃʊər/ *n* gen, Tourism, Comm (booklet) brochure *f*; (larger) catalogue *m*; (leaflet) dépliant *m*; (for hotel) prospectus *m*

brogue /brəʊg/ *n* **1** (shoe) richelieu *m*; **2** (accent) accent *m* du terroir; **Irish ~** accent irlandais

broil /brɔɪl/
A *vtr* **1** US Culin faire griller [*meat*]; [*barbecue*] griller [*meat*]; **2** fig [*sun, heat*] griller○
B *vi* Culin, fig griller

broiler /ˈbrɔɪlə(r)/ *n* **1** (*also* **~ chicken**) poulet *m* d'élevage; **2** US (grill) gril *m*; **3** ○(hot day) journée *f* torride

broiler: **~ house** *n* éleveuse *f*; **~ pan** *n* US gril *m*

broiling /ˈbrɔɪlɪŋ/ *adj* [*heat, weather*] étouffant

broke /brəʊk/
A *prét* ▸ **break**
B ○*adj* (insolvent) [*person*] fauché○; [*company, Treasury*] insolvable; **to go ~** [*company*] faire faillite
(Idiom) **to go for ~** jouer le tout pour le tout

broken /ˈbrəʊkən/
A *pp* ▸ **break**
B *adj* **1** (damaged) [*glass, window*] brisé; [*fingernail, tooth, bone, leg*] cassé; [*bottle, chair, handle, hinge, toy*] cassé; [*radio, washing machine*] détraqué; **'do not use on [illegible] skin'** (of skin product) 'ne pas utiliser en cas de plaies ouvertes'; **2** (interrupted) [*circle, line*] brisé; [*voice*] brisé; **a warm day with ~ cloud** un temps chaud, couvert avec éclaircies; **3** (irregular) [*coastline*] découpé; [*ground*] accidenté; **4** (depressed) [*man, woman*] brisé; [*spirit*] abattu; **5** (not honoured) [*contract, engagement, promise, vow*] rompu; [*appointment*] manqué; **6** (flawed) (*épith*) [*French*] mauvais (*before n*); [*sentence*] maladroit

broken: **~ amount** *n* Fin paquet *m* d'actions hors quotité; **~ chord** *n* Mus accord *m* arpégé

broken-down /ˌbrəʊkənˈdaʊn/ *adj* (*épith*) **1** (non-functional) [*vehicle, machine*] en panne; **2** (damaged) [*building, wall*] délabré; [*shoe*] éculé

broken heart /ˌbrəʊkən ˈhɑːt/ *n* cœur *m* brisé; **she has a ~** elle a le cœur brisé; **to die of a ~** mourir de chagrin

broken-hearted /ˌbrəʊkənˈhɑːtɪd/ *adj* [*person*] au cœur brisé; **to be ~** avoir le cœur brisé

b

broken: **~ home** *n* Sociol famille *f* désunie; **~ lot** *n* Fin = **broken amount**

brokenly /ˈbrəʊkənlɪ/ *adv* [*say*] d'une voix brisée

broken marriage *n* foyer *m* désuni

broken reed *n* fig **to be a ~** [*person*] être incapable

broken: **~ vowel** *n* Ling diphtongue *f*; **~ wind** *n* Vet pousse *f*; **~-winded** *adj* Vet poussif/-ive

broker /ˈbrəʊkə(r)/ ▸ **p. 1683**
A *n* Fin, Comm courtier *m*; (on stock exchange) courtier *m* en Bourse; Naut courtier *m* maritime; **commodity ~** courtier *m* de marchandises; **foreign exchange ~** cambiste *mf*; **insurance ~** courtier *m* d'assurance; **note ~** US opérateur/-trice *m/f* sur effets de commerce; **real-estate ~** US agent *m* immobilier; **power ~** négociateur/-trice *m/f* influent/-e; **an honest ~** fig un médiateur sincère
B *vtr* Pol négocier
C *vi* agir en médiateur (**between** entre)

brokerage /ˈbrəʊkərɪdʒ/
A *n* (fee, business) courtage *m*
B *modif* [*company*] de courtage

broking /ˈbrəʊkɪŋ/ GB, **brokering** /ˈbrəʊkərɪŋ/ US *n* courtage *m*; **commodity/insurance ~** courtage *m* de marchandises/en assurance

brolly○ /ˈbrɒlɪ/ *n* GB pépin○ *m*, parapluie *m*

bromide /ˈbrəʊmaɪd/
A *n* 1 Pharm bromure *m*; **potassium ~** bromure de potassium; 2 fig (comment) platitude *f* (lénifiante); 3 Phot gélatino-bromure *m* d'argent; 4 Print bromure *m*
B *modif* [*printer, paper, printing*] au gélatino-bromure d'argent

bromine /ˈbrəʊmiːn/
A *n* brome *m*
B *modif* [*fumes, atom*] de brome; [*compound*] du brome

bronchi /ˈbrɒŋkaɪ/ *npl* bronches *fpl*

bronchial /ˈbrɒŋkɪəl/ *adj* [*infection*] des bronches; [*asthma*] bronchique; [*wheeze, cough*] bronchitique; **~ tubes** bronches *fpl*; **~ pneumonia** broncho-pneumonie *f*

bronchiole /ˈbrɒŋkɪəʊl/ *n* bronchiole *f*

bronchiolitis /ˌbrɒŋkɪəʊˈlaɪtɪs/ ▸ **p. 1327** *n* bronchiolite *f*

bronchitis /brɒŋˈkaɪtɪs/ ▸ **p. 1327**
A *n* bronchite *f*; **to have ~** avoir une bronchite; **an attack of ~** une bronchite
B *modif* **~ sufferer** bronchitique *mf*

bronchodilator /ˌbrɒŋkəʊdaɪˈleɪtə(r)/ *n* bronchodilatateur *m*

bronchopneumonia /ˌbrɒŋkəʊnjuːˈməʊnɪə, US -nuː-/ ▸ **p. 1327** *n* broncho-pneumonie *f*

bronco /ˈbrɒŋkəʊ/ *n* (*pl* **-cos**) cheval *m* semi-sauvage (*de l'Ouest des États-Unis*)

broncobuster /ˈbrɒŋkəʊbʌstə(r)/ *n*: *cowboy qui dompte les chevaux sauvages*

brontosaurus /ˌbrɒntəˈsɔːrəs/ *n* (*pl* **-ruses** *ou* **-ri**) brontosaure *m*

Bronx cheer /ˌbrɒŋks ˈtʃɪə(r)/ *n* US **to give a ~** ≈ faire pouah

bronze /brɒnz/
A *n* 1 (statue, metal) bronze *m*; 2 (colour) (couleur *f* de) bronze *m*; 3 = **bronze medal**
B *modif* [*coin, ornament*] en bronze
C *vtr, vi* (all contexts) bronzer

Bronze Age
A *n* âge *m* du bronze
B *modif* [*tool, settlement*] de l'âge du bronze

bronze-coloured GB, **bronze-colored** US /ˈbrɒnzkʌləd/ ▸ **p. 1067** *adj* [*object*] couleur de bronze *inv*

bronzed /brɒnzd/ *adj* (all contexts) bronzé

bronze medal *n* médaille *f* de bronze

bronzer /ˈbrɒnzə(r)/ *n* Cosmet brunissant *m*

brooch /brəʊtʃ/ *n* broche *f*

brood /bruːd/
A *n* 1 Zool (of birds) couvée *f*, nichée *f*; (of mammals) nichée *f*; 2 hum (of children) nichée *f*, progéniture *f* hum
B *vi* 1 (ponder) broyer du noir; **to ~ about** *ou* **on** *ou* **over** ressasser, ruminer [*problem, event, disappointment*]; **there's no point (in) ~ing about things** ça ne sert à rien de ressasser toutes ces choses; 2 Zool [*bird*] couver

broodiness /ˈbruːdɪnɪs/ *n* 1 ○GB (of women) désir *m* d'avoir un enfant; 2 (moodiness) mélancolie *f*

brooding /ˈbruːdɪŋ/
A *n* **all this ~ is pointless** ça ne sert à rien de ressasser *or* de ruminer tout ça
B *adj* [*atmosphere, presence, landscape*] menaçant; [*person, figure, face*] sombre; [*unease, menace*] pesant

brood mare *n* (jument *f*) poulinière *f*

broody /ˈbruːdɪ/ *adj* 1 (depressed) mélancolique, cafardeux/-euse○; 2 Agric **a ~ hen** une poule qui cherche à couver; 3 ○GB **to feel** *ou* **be ~** [*woman*] désirer avoir un enfant

brook /brʊk/
A *n* ruisseau *m*
B *vtr* sout tolérer [*argument, refusal*]

brooklet /ˈbrʊklɪt/ *n* littér ruisselet *m*

broom /bruːm, brʊm/
A *n* 1 (for sweeping) balai *m*; 2 Bot genêt *m*
B *modif* [*flower, petal*] de genêt
(Idiom) **a new ~ sweeps clean** Prov nouveau chef, nouvelles méthodes

broom: **~ cupboard** *n* GB lit cagibi○ *m*; **~ handle** *n* GB manche *m* à balai; **~stick** *n* manche *m* à balai

Bros. *npl* Comm (*abrév écrite* = **Brothers**) Frères

broth /brɒθ, US brɔːθ/ *n* bouillon *m*; **chicken ~** bouillon *m* de poule
(Idiom) **too many cooks spoil the ~** Prov on n'arrive à rien quand tout le monde s'en mêle

brothel /ˈbrɒθl/ *n* maison *f* close

brothel: **~-creepers** *n* GB chaussures *fpl* à semelles de crêpe; **~-keeper** *n* tenancier/-ière *m/f* de maison close

brother /ˈbrʌðə(r)/
A *n* 1 (relative) frère *m*; **a younger/older ~** un frère cadet/plus âgé; **my eldest ~** mon frère aîné; **the Kennedy ~s** les frères Kennedy; 2 (trade unionist) camarade *m*; 3 (fellow man) frère *m*; **~s in arms** frères d'armes; **a ~ officer** un compagnon d'armes; 4 ○**'hey brother!'** 'hé camarade!'; 5 Relig frère *m*; **Brother Richard** Frère Richard
B ○*excl* **oh ~!** oh bon sang!

brotherhood /ˈbrʌðəhʊd/ *n* 1 (bond) fraternité *f*; 2 (organization) gen, US Rail corporation *f*; (of idealists) confrérie *f*; (trade-union) association *f*; 3 (of monks) communauté *f*; 4 (of freemasons) **the Brotherhood** la franc-maçonnerie

brother-in-law (*pl* **brothers-in-law**) beau-frère *m*

brotherly /ˈbrʌðəlɪ/ *adj* (all contexts) fraternel/-elle

brougham /ˈbruːəm/ *n* coupé *m*

brought /brɔːt/ *prét, pp* ▸ **bring**

brouhaha /ˈbruːhɑːhɑː, US bruːˈhɑːhɑː/ *n* brouhaha *m*

brow /braʊ/ *n* 1 (forehead) front *m*; 2 (eyebrow) sourcil *m*; **to knit** *ou* **furrow one's ~s** froncer les sourcils; 3 (of hill) sommet *m*

browbeat /ˈbraʊbiːt/
A (*prét* **-beat**; *pp* **-beaten**) *vtr* intimider; **to ~ sb into doing** forcer qn à faire; **to ~ sb into submission** forcer qn à se soumettre; **to ~ sb into silence** réduire qn au silence
B **browbeaten** *pp adj* tyrannisé

brown /braʊn/ ▸ **p. 1067**
A *n* 1 (colour) (of object) marron *m*; (of hair, skin, eyes) brun *m*; **I don't like ~** je n'aime pas le marron; **in ~** en marron; **to be a deep ~** être d'un marron foncé; 2 Sport (in snooker) bille *f* marron
B *adj* 1 (in colour) [*suit, shoes, leaves, paint, sofa, car, eyes*] marron *inv*; [*hair*] brun, châtain; **to go** *ou* **turn ~** [*leaf, paint*] devenir marron; **to paint/dye sth ~** peindre/teindre qch en marron; **to turn the water ~** rendre l'eau marron; **dark** *ou* **deep ~** marron foncé *inv*; **light** *ou* **pale ~** marron clair *inv*; 2 (tanned) [*person, skin*] bronzé, bruni; **to be very ~** être très bronzé; **to go ~** bronzer; **to go ~ easily** bronzer facilement; 3 (as racial feature) [*skin, face, person, race*] basané
C *vtr* 1 Culin (in cooking) faire roussir [*sauce, gravy*]; faire dorer [*meat, onion, potato*]; **to ~ sth under the grill** faire dorer qch au gril; 2 (tan) brunir [*skin, face, body*]; **~ed by the sun** bruni *or* bronzé par le soleil
D *vi* [*meat, potatoes*] dorer; **leave to ~ in the oven** faire dorer au four

brown ale *n* GB bière *f* brune

brownbag○ /ˈbraʊnbæg/
(Idiom) **to ~ it** (bring lunch) apporter son casse-croûte dans un sac en papier; (bring drink) *apporter une bouteille d'alcool dans un restaurant*

brown: **~ bear** *n* ours *m* brun; **~ bread** *n* pain *m* complet; **~ coal** *n* lignite *m*

browned-off○ /ˌbraʊndˈɒf/ *adj* GB **to be ~** en avoir marre○ (**with, about** de; **with doing, about doing** de faire)

brown: **~ envelope** *n* enveloppe *f* kraft; **~ fat** *n* graisse *f* brune

brownfield site *n* zone *f* industrielle urbaine destinée à être réaménagée

Brownian motion, **Brownian movement** /ˈbraʊnɪən/ *n* Phys mouvement *m* brownien

brownie /ˈbraʊnɪ/
A *n* 1 US (cake) brownie *m* (*petit gâteau au chocolat et aux noix*); 2 (elf) lutin *m*
B **Brownie** *n* jeannette *f*
C **Brownie** *modif* [*pack, leader*] des jeannettes

brownie point○ *n* hum bon point *m*

browning /ˈbraʊnɪŋ/ *n* GB colorant *m* brun (pour les sauces)

brownish /ˈbraʊnɪʃ/ ▸ **p. 1067** *adj* brunâtre

brown-nose○ /ˈbraʊnnəʊz/ US
A *n* lèche-cul◑ *mf inv*, lèche-bottes○ *mf inv*
B *vtr* lécher les bottes○ de

brown: **~out** *n* US black-out *m* partiel; **~ owl** *n* chat-huant *m*; **~ paper** *n* papier *m* kraft; **~ paper bag** *n* sac *m* en papier kraft; **~ rice** *n* riz *m* complet; **Brownshirt** *n* Hist Chemise *f* brune; **~-skinned** *adj* basané, brun de peau

brownstone /ˈbraʊnstəʊn/ *n* 1 (sandstone) grès *m* rouge; 2 US (house) maison *f* à façade de grès rouge

brown study† *n* **to be in a ~** être plongé dans ses pensées

brown: **~ sugar** *n* Culin sucre *m* brun, cassonade *f*; **~ trout** *n* truite *f* de mer

browse /braʊz/
A *n* **to have a ~ in a bookshop** flâner dans une librairie; **to have a ~ through a book** feuilleter un livre
B *vtr* Comput naviguer sur, consulter [*Web*]
C *vi* 1 (potter, stroll around) flâner; (look at objects in shop) regarder; 2 (graze) brouter
(Phrasal verb) ■ **browse through**: ▸ **~ through [sth]** feuilleter [*book*]; faire [*market stall, shop*]

browser /ˈbraʊzə(r)/ *n* Comput navigateur *m*, fureteur *m* Can

brucellosis /ˌbruːsəˈləʊsɪs/ ▸ **p. 1327**
A *n* brucellose *f*
B *modif* [*epidemic*] de brucellose; [*vaccine*] contre la brucellose

bruise /bruːz/
A *n* (on skin) bleu *m*, ecchymose *f* spec (**on** sur); (on fruit) tache *f*, talure *f* (**on** sur); **covered in ~s** [*skin, limb*] couvert de bleus; **to suffer cuts and ~s** avoir des blessures légères
B *vtr* 1 meurtrir [*person*]; **to ~ one's knee/arm** se meurtrir le genou/bras; **his fingers were badly ~d** il avait les doigts sérieusement

meurtris; **he ~d my arm** il m'a meurtri le bras; **2** (damage) taler [*fruit*]; **3** (emotionally) meurtrir, blesser
C *vi* [*person*] se faire facilement des bleus; [*arm, lips, skin*] se meurtrir; [*fruit*] se taler facilement
D *v refl* **to ~ oneself** (in one spot) se faire un bleu; (extensively) se meurtrir

bruised /bru:zd/ *adj* **1** (physically) [*arm, leg, knee, elbow, shin*] contusionné; [*eye, cheek, ribs, back, muscle*] meurtri; [*fruit*] talé; **he was badly ~** il était sérieusement contusionné; **2** (emotionally) [*ego, spirit*] blessé; [*heart*] meurtri, blessé; **I feel a bit ~** je me sens un peu fragile

bruiser○ /'bru:zə(r)/ *n* **1** (burly man) malabar○ *m*, balèze○ *m*; **2** (boxer) cogneur *m*

bruising /'bru:zɪŋ/
A *n* contusions *fpl*, ecchymoses *fpl* (**on** sur); **there is some ~ to the throat** il y a quelques contusions à la gorge
B *adj* **1** (emotionally) [*row, battle, campaign, encounter*] violent; [*remark*] blessant; [*defeat*] écrasant; **2** (physically) [*game, encounter*] acharné
(Idiom) **to be cruising for a ~**○ US chercher une raclée○

Brum○ /brʌm/ *n* GB (*abrév* = **Birmingham**) Birmingham

Brummie○ /'brʌmɪ/ GB
A *n* (resident) habitant/-e *m/f* de Birmingham; (native) originaire *mf* de Birmingham
B *modif* [*accent, girl*] de Birmingham

brunch /brʌntʃ/ *n* brunch *m* (*petit déjeuner tardif et copieux remplaçant le déjeuner*)

Brunei /bru:'naɪ/ ▸ **p. 1096** *pr n* Brunei *m*

brunette /bru:'net/
A *n* (person) brune *f*
B ▸ **p. 1067** *adj* [*hair*] brun

brunt /brʌnt/ *n* **to bear** *ou* **take the ~ of** être le plus touché par [*disaster, unemployment*]; subir le plus fort de [*fighting*]; subir tout le poids de [*anger*]

brush /brʌʃ/
A *n* **1** (implement) (for hair, clothes, shoes etc) brosse *f*; (small, for sweeping up) balayette *f*; (broom) balai *m*; (for paint) pinceau *m*; (chimney sweep's) hérisson *m*; **to clean sth with a ~** nettoyer qch à la brosse; **soft/hard/wire ~** brosse souple/dure/métallique; **2** (act of brushing) coup *m* de brosse; **to give one's teeth a quick ~** se brosser rapidement les dents; **3** (encounter) (confrontation with person) accrochage *m* (**with** avec); (contact with person, celebrity) contact *m* (**with** avec); **to have a ~ with the police/with the authorities** avoir affaire à la police/aux autorités; **to have a ~ with death** frôler la mort; **4** (light touch) frôlement *m*; **I felt the ~ of a bird's wing** j'ai senti un oiseau m'effleurer de son aile; **5** (vegetation or twigs) broussailles *fpl*; **6** (fox's tail) queue *f* de renard; **7** Elec (in motor) balai *m*
B *vtr* **1** (sweep, clean) brosser [*carpet, clothes, shoes*]; **to ~ one's hair/teeth** se brosser les cheveux/les dents; **to ~ sb's hair/teeth** brosser les cheveux/les dents de qn; **to ~ sth off/into sth** (with brush or hand) brosser qch de/dans qch; **to ~ the knots out of one's hair** se démêler les cheveux; **2** (touch lightly) effleurer [*person, part of body, object*] (**with** avec); **her skirt ~ed the floor** sa jupe balayait le sol; **3** Culin **to ~ sth with** badigeonner qch avec [*water, milk, egg, oil*]
C *vi* **to ~ against** frôler [*person, part of body, object*]; **to ~ past sb** frôler qn en passant; **he ~ed past me into/out of the room** il m'a frôlé en entrant dans/en quittant la pièce
D brushed *pp adj* Tex [*cotton, denim, nylon*] gratté
(Phrasal verbs) ■ **brush aside**: ▸ **~ aside [sth/sb]**, **~ [sb/sth] aside** **1** (dismiss) balayer, repousser [*idea, thought, feeling*]; repousser [*argument, criticism, person*]; **2** (move away) écarter [*cobweb, branch, curtain*]; **3** (beat) balayer, écraser [*team, opponent, defences*]
■ **brush away**: ▸ **~ away [sth]**, **~ [sth] away** brosser, enlever [*crumbs, dirt*]; essuyer [*tear*]; écarter [*hand*]
■ **brush back**: ▸ **~ back [sth]**, **~ [sth] back** brosser [qch] en arrière [*hair*]
■ **brush down**: ▸ **~ down [sth]**, **~ [sth] down** brosser [*coat, skirt, suit, horse*]
■ **brush off**: ▸ **~ off [sth/sb]**, **~ [sth/sb] off** repousser [*person, offer, allegation, challenge*]; écarter [*threat, incident, disagreement*]
■ **brush up (on)**: ▸ **~ up (on) [sth]**, **~ [sth] up** se remettre à [*language, skill, subject*]; **I must ~ up on it** *ou* **~ it up** je dois m'y remettre

brush discharge *n* Elec (décharge *f* en) aigrette *f*

brush-off○ /'brʌʃɒf/ *n* **to give sb the ~** rembarrer○ qn; **to get the ~** se faire rembarrer○

brushstroke /'brʌʃstrəʊk/ *n* coup *m* de pinceau

brushup /'brʌʃʌp/ *n* GB **1** **to have a (wash and) ~** se rafraîchir; **2** **to give one's French/piano-playing a ~** se remettre au français/à étudier le piano

brushwood /'brʌʃwʊd/ *n* **1** (firewood) brindilles *fpl*; **2** (brush) broussailles *fpl*

brushwork /'brʌʃwɜ:k/ *n* Art facture *f*

brusque /bru:sk, US brʌsk/ *adj* brusque (**with** avec)

brusquely /'bru:sklɪ, US 'brʌsklɪ/ *adv* avec brusquerie, avec rudesse

brusqueness /'bru:sknɪs, US 'brʌsk-/ *n* brusquerie *f*, rudesse *f*

Brussels /'brʌslz/ ▸ **p. 1815** *pr n* Bruxelles

Brussels sprout *n* chou *m* de Bruxelles

brutal /'bru:tl/ *adj* [*dictator, honesty, reply, image*] brutal; [*murderer, act, treatment, régime*] cruel/-elle; [*attack, murder*] sauvage; [*film, scene*] violent

brutality /bru:'tælətɪ/ *n* brutalité *f* (**of** de)

brutalize /'bru:təlaɪz/ *vtr* **1** (make brutal) rendre [qn] brutal; **2** (treat brutally) brutaliser

brutally /'bru:təlɪ/ *adv* [*murder, torture, treat*] sauvagement; [*say, reply*] brutalement; **~ honest/frank** d'une honnêteté/franchise brutale; **to be ~ honest** pour être honnête

brute /bru:t/
A *n* **1** (man) brute *f*; **2** (animal) bête *f*
B *adj* **1** (physical) [*strength*] simple (*before n*); **by (sheer) ~ force** par la force; **2** (animal-like) [*instinct, passion*] bestial; **3** (simple) [*fact, question*] simple (*before n*)

brutish /'bru:tɪʃ/ *adj* bestial

BS *n* **1** GB Comm (*abrév* = **British Standard**) norme *f* britannique; *cf* NF *f*; **2** US Univ (*abrév* = **Bachelor of Science**) ≈ (degree) diplôme *m* universitaire de sciences; (person) diplômé/-e *m/f* en sciences; **3** ●US *abrév* ▸ **bullshit**

BSA *n* **1** US (*abrév* = **Boy Scouts of America**) Association *f* des scouts américains; **2** GB (*abrév* = **Building Societies Association**) association *f* britannique des sociétés de crédit immobilier

BSc *n* GB Univ (*abrév* = **Bachelor of Science**) diplôme *m* universitaire en sciences

B-school○ *n* US école *f* commerciale

BSE *n* Vet (*abrév* = **Bovine Spongiform Encephalopathy**) ESB *f*, encéphalopathie *f* spongiforme bovine

BSI *n* GB Comm (*abrév* = **British Standards Institution**) *organisme britannique fixant les critères d'agrément des produits industriels*; *cf* AFNOR *f*

B side /'bi:saɪd/ *n* Audio face *f* B

BST *n* (*abrév* = **British Summer Time**) *heure d'été britannique*

BT *n*: *abrév* ▸ **British Telecom**

BTech *n* GB Univ (*abrév* = **Bachelor of Technology**) ≈ BTS *m*

Btu GB, **Bthu** GB, **BTU** US *n* Meas (*abrév* = **British thermal unit**) unité *f* calorifique

bub● /bʌb/ *n* US mec○ *m*

bubble /'bʌbl/
A *n* **1** (in air, liquid, glass) bulle *f* (**in** dans); (in paintwork) boursouflure *f*; **air ~**, **~ of air** bulle *f* d'air; **to blow ~s** faire des bulles; **2** Fin, Comm prix *m* gonflé; **the house price ~** les prix gonflés de l'immobilier; **3** (germ-free chamber) chambre *f* stérile; **a baby in a ~** un bébé-bulle; **4** (sound) glouglou *m*
B *vi* **1** (form bubbles) gen faire des bulles; [*fizzy drink*] pétiller; [*boiling liquid*] bouillonner; **to ~ out of the ground** jaillir du sol à gros bouillons; **2** fig (boil) **to ~ beneath the surface** bouillonner sous la surface; **to keep the issue bubbling** alimenter l'affaire; **3** (be lively, happy) être en effervescence; **to ~ with** déborder de [*enthusiasm, ideas*]; **4** (make bubbling sound) glouglouter
(Idiom) **I'm waiting for the ~ to burst** je pense que c'est trop beau pour durer
(Phrasal verbs) ■ **bubble over** déborder (**with** de)
■ **bubble up** [*boiling liquid*] bouillonner; [*spring water*] jaillir en bouillonnant

bubble: **~ and squeak** *n* GB *restes de chou et de purée de pommes de terre cuits à la poêle avec de l'oignon*; **~ bath** *n* bain *m* moussant; **~ car** *n* GB œuf○ *m* (*voiture monoplace des années 60*); **~ chamber** *n* chambre *f* à bulles; **~gum** *n* bubble-gum *m*; **~head**○ *n* US tête *f* de linotte○; **~ memory** *n* mémoire *f* à bulles; **~ pack** *n* GB (for small item) blister *m*; (for pills) emballage *m* pelliculé; **~ sort** *n* tri *m* par permutation; **~-wrap** *n* film *m* à bulles, bulle-pack® *m*; **~-wrapped** *adj* emballé dans du film à bulles

bubbling /'bʌblɪŋ/
A *n* (sound) glouglou *m*, gargouillis *m*
B *adj* **1** [*stream, source*] glougloutant; [*boiling liquid*] bouillonnant; **2** [*person*] débordant; [*city, atmosphere*] effervescent

bubbly /'bʌblɪ/
A *n*○ (champagne) champagne *m*; (sparkling wine) mousseux○ *m*
B *adj* **1** [*personality*] pétillant de vitalité; **2** [*liquid*] pétillant

bubonic plague /bju:,bɒnɪk 'pleɪg/ ▸ **p. 1327** *n* peste *f* bubonique

buccaneer /,bʌkə'nɪə(r)/ *n* **1** (pirate) boucanier *m*; **2** (unscrupulous businessman) requin *m* fig

buccaneering /,bʌkə'nɪərɪŋ/ *adj* fig [*businessman, venture*] aventureux/-euse

Bucharest /,bju:kə'rest/ ▸ **p. 1815** *pr n* Bucarest

buck /bʌk/
A *n* **1** US○ (dollar) dollar *m*; **2** ○(money) fric○ *m*; **to make a fast** *ou* **quick ~** se faire du fric facile○; **to make a few ~s** se faire un peu de fric○; **3** Zool mâle *m*; **4** Equit ruade *f*; **to give a ~** lancer une ruade; **5** ○(man) **a young ~** un jeune
B *modif* [*antelope, hare, rabbit*] mâle
C *adj* US Mil [*private, sergeant*] simple (*before n*)
D *vtr* **1** (throw) [*horse*] désarçonner [*rider*]; **2** (go against) aller contre [*trend, market*]; **to ~ the system** lutter contre l'ordre établi
E *vi* **1** Equit ruer; **2** (oppose) **to ~ at** *ou* **against sth** regimber devant *or* contre [*changes, rule*]
(Idioms) **to ~ up one's ideas** se secouer○; **the ~ stops here/with the president** c'est moi/c'est le président qui hérite de la responsabilité; **to pass the ~** refiler la responsabilité à quelqu'un d'autre
(Phrasal verb) ■ **buck up**: ▸ **~ up** **1** ○(cheer up) se dérider; **~ up!** courage!; **2** ○(hurry up) se grouiller○; ▸ **~ [sb] up** (cheer up) [*news, person*] remonter le moral à [*person*]

bucked○ /bʌkt/ *adj* tout content

bucket /'bʌkɪt/
A *n* **1** gen seau *m* (**of** de); **2** Tech (of scoop, dredger, waterwheel) godet *m*; (of pump) piston *m*
B ○**buckets** *npl* **to rain ~s** pleuvoir à seaux; **to cry ~s** pleurer comme une Madeleine○; **to sweat ~s** suer à grosses gouttes

C ○*vi* GB (*also* ~ **down**) pleuvoir à seaux

(Idiom) **to kick the** ~ mourir, casser sa pipe○

bucket: ~ **dredge(r)** *n* drague *f* à godets; ~ **elevator** *n* élévateur *m* à godets

bucketful /ˈbʌkɪtfʊl/ *n* seau *m* (**of** de)

bucket seat *n* Aut, Aviat siège-baquet *m*

bucket shop○ *n* **1** GB Tourism agence *f* de voyage (*proposant des billets d'avion à prix réduit*); **2** Fin société *f* frauduleuse d'agents de change

buckeye /ˈbʌkaɪ/ *n* **1** (tree) marronnier *m* d'Inde; **2** (fruit) marron *m* (d'Inde)

Buck House○ *n* GB hum *résidence de la reine à Londres*

bucking bronco /ˌbʌkɪŋ ˈbrɒŋkəʊ/ *n* **1** (animal) cheval *m* de rodéo; **2** Sport appareil *m* d'entraînement au rodéo

Buckinghamshire /ˈbʌkɪŋəmʃə(r)/ ▸ **p. 1612** *pr n* Buckinghamshire *m*

buckle /ˈbʌkl/

A *n* **1** (clasp) boucle *f*; **2** (dent) (in metal) gondolage *m*; (in wheel) voilure *f*

B *vtr* **1** (fasten) attacher, boucler [*belt, shoe, strap*]; ~**ed** bien attaché; **to** ~ **sb into sth** attacher qn dans qch; **safely** ~**d in** bien attaché; **2** (damage) gondoler [*material, surface*]

C *vi* **1** (give way) lit [*metal, surface*] se gondoler; [*wheel*] se voiler; [*pillar, wall*] se déformer; [*knees, legs*] céder; fig [*person*] céder; **2** (fasten) [*belt, shoe, strap*] s'attacher, se boucler

(Phrasal verbs) ■ **buckle down** se mettre au boulot○; **to** ~ **down to sth** s'atteler à qch

■ **buckle on**: ▸ ~ **on [sth]**, ~ **[sth] on** ceindre [*sword*]; attacher [*holster*]; revêtir [*armour*]

■ **buckle to** s'y mettre

buck naked○ /bʌk ˈneɪkɪd/ *adj* US complètement à poil○

buck-passing /ˈbʌkpɑːsɪŋ/ *n* transfert *m* de responsabilité

buckra○ /ˈbʌkrə/ *n* US injur Blanc *m*

buckram /ˈbʌkrəm/ *n* bougran *m*

Bucks *n* GB Post *abrév écrite* ▸ **Buckinghamshire**

buck's fizz /ˌbʌks ˈfɪz/ *n* GB cocktail *m* au champagne et jus d'orange

buckshee○ /ˌbʌkˈʃiː/ *adj, adv* GB gratis *inv*

buckshot /ˈbʌkʃɒt/ *n* chevrotine *f*

buckskin /ˈbʌkskɪn/

A *n* daim *m*

B *modif* [*shoes, trousers*] en daim

buck: ~**'s night**, ~**'s party** *n* Austral *soirée pour enterrer une vie de garçon*; ~ **teeth** *npl* péj dents *fpl* de lapin péj

buckthorn /ˈbʌkθɔːn/ *n* Bot nerprun *m* purgatif

buckwheat /ˈbʌkwiːt, US -hwiːt/ *n* sarrasin *m*, blé *m* noir

bucolic /bjuːˈkɒlɪk/ *n, adj* bucolique (*f*)

bud /bʌd/

A *n* **1** Bot (of leaf) bourgeon *m*; (of flower) bouton *m*; **in** ~ [*leaf*] en bourgeon; [*flower*] en bouton; **2** Biol bourgeon *m*; **3** ○US mec○ *m*

B *vtr* (*p prés etc* **-dd-**) Hort (graft) greffer [*plant*]

C *vi* (*p prés etc* **-dd-**) **1** Bot (develop leaf buds) bourgeonner; (develop flower buds) boutonner; **2** (develop) [*leaf, flower, breast, horns*] pointer

(Idiom) **to nip sth in the** ~ tuer qch dans l'œuf

Budapest /ˌbjuːdəˈpest/ ▸ **p. 1815** *pr n* Budapest

Buddha /ˈbʊdə/

A *pr n* (god) Bouddha *m*

B *n* (representation) bouddha *m*

Buddhism /ˈbʊdɪzəm/ *n* bouddhisme *m*

Buddhist /ˈbʊdɪst/

A *n* bouddhiste *mf*

B *adj* [*monk, temple, country*] bouddhiste; [*art, civilization*] bouddhique

budding /ˈbʌdɪŋ/ *adj* **1** Bot (into leaf) bourgeonnant; (into flower) boutonnant; **2** fig [*athlete, poet, champion*] en herbe; [*talent, career, romance, interest, industry*] naissant

buddleia /ˈbʌdlɪə/ *n* buddleia *m*

buddy○ /ˈbʌdɪ/

A *n* **1** (friend) copain *m*, pote○ *m*; **2** US (form of address) mec○ *m*; **3** (in Aids care) volontaire *mf* (*attaché à un sidéen*)

B *vi* US aider les autres

buddy: ~ **buddy**○ *adj* copain-copain *inv*; ~ **movie** *n* film *m* d'amitié virile; ~ **system** *n* US Mil, gen organisation *f* en équipe de deux (*pour l'aide mutuelle dans des situations dangereuses*)

budge /bʌdʒ/

A *vtr* **1** lit bouger; **2** fig faire changer d'avis à

B *vi* lit bouger (**from, off** de); fig changer d'avis (**on** sur); **he won't** ~ **from his position** fig il ne changera pas d'avis; **she will not** ~ **an inch** fig elle ne changera pas son opinion d'un iota (**on** sur)

(Phrasal verb) ■ **budge over**○, **budge up**○ se pousser

budgerigar /ˈbʌdʒərɪɡɑː(r)/ *n* perruche *f*

budget /ˈbʌdʒɪt/

A *n* **1** (personal, commercial) budget *m* (**for** pour); **annual/education** ~ budget annuel/de l'éducation; **to go over/stay within** ~ dépasser/ne pas dépasser le budget; **to be/operate on a tight** ~ avoir/gérer un petit budget; **to balance a** ~ équilibrer un budget; **a family on a** ~ **cannot afford luxuries** une famille au budget serré ne peut pas se permettre des extras; **2** GB Pol (*also* **Budget**) Budget *m*; **in the Budget** dans le Budget

B *modif* **1** [*cut, deficit*] budgétaire; [*target, estimate, constraints, increase*] du budget; **2** (cheap) [*holiday, offer, price*] pour petits budgets; **a low-/high-**~ **film** un film au petit budget/au budget énorme

C *vtr* budgétiser [*money*] (**for** pour); US budgétiser [*time*] (**for** pour)

D *vi* **to** ~ **for** [*company, government*] budgétiser ses dépenses en fonction de [*increase, needs*]; **I hadn't** ~**ed for a new car** je n'avais pas prévu d'acheter une nouvelle voiture

budget account *n* GB (with bank, shop) compte-crédit *m*

budgetary /ˈbʌdʒɪtərɪ, US -terɪ/ *adj* [*policy, control, priority*] budgétaire

budget: ~ **day** *n* GB Pol jour *m* de la présentation du Budget; ~ **debate** *n* Pol débat *m* autour du Budget; ~ **director** ▸ **p. 1683** *n* US responsable *mf* du budget; ~ **forecast** *n* prévisions *fpl* du budget; ~ **heading** *n* Fin, Comm poste *m* budgétaire

budgeting /ˈbʌdʒɪtɪŋ/ *n* budget *m*; **as a result of careful** ~**, I have paid off my debts** en planifiant soigneusement mon budget, j'ai remboursé mes dettes

Budget speech *n* GB Pol discours *m* de présentation du Budget

budgie○ /ˈbʌdʒɪ/ *n* = **budgerigar**

Buenos Aires /ˌbwenəs ˈeərɪz/ ▸ **p. 1815** *pr n* Buenos Aires

buff /bʌf/

A *n* **1** ○(enthusiast) mordu/-e *m/f*; **he's a film** ~ c'est un mordu du cinéma; **2** (colour) chamois *m inv*; **3** (leather) peau *m* de buffle; **4** ○hum (nakedness) **in the** ~ à poil○; **to strip down to the** ~ se mettre à poil○; **5** Tech polissoir *m*

B *adj* chamois

C *vtr* lustrer [*shoes*]; polir [*fingernails, metal*]

buffalo /ˈbʌfələʊ/ *n* (*pl* **-oes** *or collect* ~) buffle *m*; US bison *m*

buffalo grass *n* herbe *f* de prairie

buff-coloured GB, **buff-colored** US /ˈbʌfkʌləd/ ▸ **p. 1067** *adj* couleur *f* chamois *inv*

buffer /ˈbʌfə(r)/

A *n* **1** fig (protection) tampon *m* (**against** contre; **between** entre); **2** Rail (on line) butoir *m*; (on train) tampon *m*; **3** ○GB **old** ~ vieux bonhomme *m*; **4** Comput (*also* ~ **memory**) mémoire-tampon *f*; **5** (for polishing) polissoir *m*; **6** (for massage) brosse *f* de massage

B *vtr* Chem tamponner [*solution*]

(Idiom) **to run into the** ~**s** finir en queue de poisson

buffer: ~ **solution** *n* Chem solution *f* tampon; ~ **state** *n* État *m* tampon; ~ **stock** *n* Comm stock *m* régulateur; ~ **store** *n* Comput mémoire *f* tampon; ~ **zone** *n* zone *f* tampon

buffet¹ /ˈbʊfeɪ, US bəˈfeɪ/ *n* (all contexts) buffet *m*; ~ **lunch/dinner/supper** buffet *m*

buffet² /ˈbʌfɪt/

A *vtr* **1** lit [*wind, sea*] secouer; **2** fig [*misfortune*] frapper

B *vi* **to** ~ **against sth** battre contre qch

buffet car *n* GB Rail voiture-buffet *f*

buffeting /ˈbʌfɪtɪŋ/

A *n* (of waves, sea) déferlement *m*; (of wind) rafales *fpl*

B *adj* violent

buffing /ˈbʌfɪŋ/ *n* (of leather) lustrage *m*; (of fingernails, metal) polissage *m*

buffoon /bəˈfuːn/ *n* bouffon/-onne *m/f*

buffoonery /bəˈfuːnərɪ/ *n* bouffonnerie *f*

bug /bʌɡ/

A *n* **1** ○(any insect) bestiole○ *f*; **2** (bedbug) punaise *f*; **3** ○(*also* **stomach** ~ *ou* **tummy** ~) ennuis *mpl* gastriques; **4** (germ) microbe *m*; **5** (fault) gen défaut *m*; Comput bogue *f or m*, bug *m*; **6** (hidden microphone) micro *m* caché; **7** ○(craze) virus *m*, manie *f*; **to be bitten by the golf** ~ attraper le virus du golf; **8** ○US (enthusiast) mordu/-e *m/f*; **a jogging** ~ un mordu du jogging

B *vtr* (*p prés etc* **-gg-**) **1** (hide microphones in) poser des micros dans [*room, building*]; **the room is** ~**ged** il y a un micro (caché) dans la pièce; **2** ○(annoy) embêter○ [*person*]

(Phrasal verbs) ■ **bug off**◑ US foutre le camp◑

■ **bug out**○ US **her eyes** ~ **out** elle a les yeux exorbités

bugaboo /ˈbʌɡəbuː/ *n* (*pl* ~**s**) croquemitaine *m*

bugbear /ˈbʌɡbeə(r)/ *n* (problem, annoyance) plaie○ *f*; **to be a** ~ **for sb** être une plaie pour qn

bug-eyed /ˈbʌɡaɪd/ *adj* aux yeux exorbités

bugger /ˈbʌɡə(r)/

A *n* **1** ◑GB (person) pej con/conne◑ *m/f*; hum couillon○ *m*; (sympathetic) bougre *m*○; **2** ○GB (difficult or annoying thing) galère○ *f*; **what a** ~**!** (situation) quelle merde●!; **3** Jur, gen (sodomite) sodomite *m*

B ◑*excl* GB merde alors◑!

C *vtr* **1** ◑(expressing surprise) ~ **me!** merde◑!; **I'll be** ~**ed!** merde alors◑!; (expressing lack of importance) ~ **that!** des clous○!; ~ **him/her!** qu'il/elle aille se faire voir!; **I'm** ~**ed if I'm going to do that!** je serais bien con◑ de faire ça!◑; **I'm** ~**ed if I know!** je n'en ai aucune idée!; **2** (have anal sex with) sodomiser

(Idiom) **to play silly** ~**s**◑ GB faire le con◑, faire l'idiot

(Phrasal verbs) ■ **bugger about**◑ GB: ▸ ~ **about** déconner○; ▸ ~ **[sb] about** emmerder◑

■ **bugger off**◑ GB se casser◑

■ **bugger up**: ▸ ~ **[sth] up**, ~ **up [sth]** bousiller○

bugger all◑ GB /ˌbʌɡər ˈɔːl/

A *pron* que dalle◑, rien

B *adj* **he's got** ~ **qualifications** il a que dalle○ comme diplômes

buggered◑ /ˈbʌɡəd/ *adj* (*jamais épith*) GB **1** (broken) foutu◑, cassé; **2** (tired) canné◑, fatigué

buggery /ˈbʌɡərɪ/ *n* sodomie *f*

bugging /ˈbʌɡɪŋ/ *n* pose *f* de micros

bugging device *n* micro *m* d'écoute

buggy /ˈbʌɡɪ/ *n* **1** GB (pushchair) poussette *f*; **2** US (pram) landau *m*; **3** Hist (carriage) boghei *m*; **4** ○†(car) bagnole○ *f*

bugle /ˈbjuːɡl/ ▸ **p. 1462** *n* clairon *m* (*instrument*)

bugler /ˈbjuːglə(r)/ *n* clairon *m* (*joueur*)

build /bɪld/

A *n* carrure *f*; **a man of stocky/average ~** un homme carré/de carrure moyenne; **he has the ~ of an athlete** il a la carrure d'un athlète; **she is slender in ~** elle est mince

B *vtr* (*prét, pp* **built**) **1** (construct) construire [*factory, city, railway*]; édifier [*church, monument*]; construire [*nest*]; **to ~ sb a house, to ~ a house for sb** construire une maison pour qn; **to ~ a wall from** *ou* **out of bricks** construire un mur en briques; **to ~ a nest out of twigs** construire un nid avec des brindilles; **to ~ an extension onto a house** agrandir une maison; **2** (assemble) construire [*car, engine, ship*]; **3** Comput construire [*monitor*]; créer [*software, interface*]; **4** (establish) bâtir [*career, future*]; établir [*relations, relationship*]; fonder [*empire*]; créer [*prosperity*]; former [*team*]; **to ~ a new China** bâtir une Chine nouvelle; **to ~ a future for our country/our children** bâtir un avenir pour notre pays/nos enfants; **to ~ one's hopes on sth** fonder ses espoirs sur qch; **to ~ a presence in the European market** faire sentir sa présence sur le marché européen; **5** Games former [*sequence, set, word*]

C *vi* (*prét, pp* **built**) **1** (construct) construire; **2** fig (use as a foundation) **to ~ on** tirer parti de [*popularity, success*]; **to ~ on the excitement generated by the first film** tirer parti de l'enthousiasme suscité par le premier film; **the scheme would ~ on the existing system** le projet se fonderait sur le système existant; **the company wishes to ~ on its Asian base** la société souhaite se développer à partir de sa base en Asie

(Phrasal verbs) ■ **build in:** ▶ **~ [sth] in, ~ in [sth] 1** (construct) encastrer [*mirror, bookcase*]; **to ~ a wardrobe into a wall** encastrer une penderie dans un mur; **2** (incorporate) introduire [*clause, provision, guarantee*]; **to ~ a safeguard into a contract** introduire une garantie dans un contrat

■ **build up:** ▶ **~ up** [*gas, silt, deposits*] s'accumuler; [*traffic*] s'intensifier; [*business, trade*] se développer; [*tension, pressure, excitement*] monter; ▶ **~ up [sth], ~ [sth] up 1** (accumulate) accumuler [*weapons, wealth*]; **2** (boost) établir [*self-confidence, trust*]; gonfler [*morale*]; **don't ~ your hopes up too high** ne te fais pas d'illusions; **3** (establish) constituer [*collection*]; créer [*business, organization*]; constituer [*army*]; établir [*picture, profile*]; créer [*database*]; se faire [*reputation*]; **the college built up a large library** le collège s'est constitué une importante bibliothèque; ▶ **~ [sth/sb] up, ~ up [sth/sb] 1** (through eating, exercise) affermir [*muscles*]; **to ~ up one's forearms** se muscler les avant-bras; **to ~ oneself up, to ~ up one's strength** prendre des forces; **2** (promote) **they built him up to be a star** ils l'ont lancé pour en faire une star

builder /ˈbɪldə(r)/ ▸ **p. 1683** *n* (contractor) entrepreneur *m* en bâtiment; (worker) ouvrier/-ière *m/f* du bâtiment; **a firm of ~s** une entreprise de bâtiment; **house/road ~** entrepreneur *m* immobilier/des ponts et chaussées

builder: **~'s labourer** ▸ **p. 1683** *n* ouvrier/-ière *m/f* du bâtiment; **~'s merchant** ▸ **p. 1683** *n* fournisseur *m* de matériaux de construction; **~'s yard** *n* dépôt *m* de matériaux de construction

building /ˈbɪldɪŋ/ *n* **1** (structure) bâtiment *m*; (with offices, apartments) immeuble *m*; (palace, church) édifice *m*; **school ~** bâtiment *m* d'école; **a ~ improvement scheme** un programme de rénovation du bâtiment; **2** (industry) bâtiment *m*; **the ~ industry** le bâtiment; **3** (action) construction *f*; **the ~ of new homes** la construction de nouvelles maisons

building block *n* **1** (child's toy) cube *m*; **a set of ~s** un jeu de cubes; **2** fig (basic element) élément *m* de base

building: **~ contractor** ▸ **p. 1683** *n* entrepreneur *m* en bâtiment; **~ costs** *npl* frais *mpl* de construction; **~ land** *n* terrain *m* à bâtir; **~ materials** *npl* matériaux *mpl* de construction; **~ permit** *n* permis *m* de construire; **~ plot** *n* terrain *m* à bâtir; **~ site** *n* lit, fig chantier *m* (de construction); **~ society** *n* GB société *f* d'investissement et de crédit immobilier; **~ surveyor** ▸ **p. 1683** *n* expert *m* géomètre; **~ trade** *n* bâtiment *m*; **~ worker** ▸ **p. 1683** *n* GB ouvrier/-ière *m/f* du bâtiment

build quality /ˈbɪld ˌkwɒlətɪ/ *n* qualité *f* de fabrication

build-up /ˈbɪldʌp/ *n* **1** (increase) (in tartar, deposits) accumulation *f* (**of** de); (in traffic) intensification *f* (**of** de); (in weapons, stocks) accumulation *f* (**of** de); (in tension, excitement) accroissement *m* (**of** de); **a ~ of carbon dioxide** une augmentation du taux de bioxide de carbone; **a military ~** une concentration de troupes; **a ~ of pressures within the government** une intensification des pressions à l'intérieur du gouvernement; **2** (publicity) **¢** préparatifs *mpl*; **the ~ to sth** les préparatifs de qch; **to give sth a good ~** faire du battage○ autour de qch

built /bɪlt/

A *prét, pp* ▸ **build**

B *adj* **1** (made) **he's powerfully ~** il a une puissante carrure; **he's slightly ~** il est frêle; **he's ~ for hard work** il est bâti pour les gros travaux; **2** (designed) **to be ~ for** [*car, equipment*] être conçu pour [*efficiency, speed*]; **these houses were ~ to last** ces maisons sont construites pour durer; **3** Archit **the ~ environment** la zone bâtie

C -built (*dans composés*) **a Russian-~ car/factory** une voiture/usine de construction russe; **a stone-~ house** une maison en pierre

built-in /ˌbɪltˈɪn/ *adj* **1** [*wardrobe, shelves*] encastré; **2** [*guarantee, clause*] intégré; [*bias, racism*] inhérent; **~ obsolescence** obsolescence *f* planifiée

built-up /ˌbɪltˈʌp/ *adj* **1** [*region*] urbanisé; **the centre of the town has become very ~** on a beaucoup construit dans le centre de la ville; **~ area** agglomération *f*; **2** [*shoes, heels*] à semelles compensées; **a ~ nose** Theat un nez en latex

bulb /bʌlb/ *n* **1** Elec ampoule *f* (électrique); **2** Bot bulbe *m*; **3** (of thermometer, test-tube) réservoir *m*

bulbous /ˈbʌlbəs/ *adj* **1** (fat) [*nose, head*] gros/grosse; **2** Bot [*plant*] bulbeux/-euse

bulgar (wheat) /ˈbʌlgɑː(r)/ *n* boulgour *m*

Bulgaria /bʌlˈgeərɪə/ ▸ **p. 1096** *pr n* Bulgarie *f*

Bulgarian /bʌlˈgeərɪən/ ▸ **p. 1467, p. 1378**

A *n* **1** (person) Bulgare *mf*; **2** Ling bulgare *m*

B *adj* bulgare

bulge /bʌldʒ/

A *n* **1** (swelling) (in clothing, carpet) bosse *f*; (in vase, column) renflement *m*; (in pipe, tube) bombement *m*; (in tyre) hernie *f*; (in plaster) boursouflure *f*; (in cheek) bosse *f*; (in stomach) **the ~ of his belly**○ son gros ventre; **2** Stat poussée *f*; **a demographic/statistical ~** une poussée démographique/statistique; **3** (increase) augmentation *f* (**in** de); **a ~ in the birth/unemployment rate** une augmentation du taux de natalité/chômage; **4** Mil saillant *m*; **the battle of the Bulge** Hist, Mil la bataille des Ardennes; fig hum la bataille contre les kilos superflus; **5** ○US (advantage) avantage *m*, dessus○ *m*

B *vi* [*bag, pocket*] être gonflé; [*wallet*] être bourré; [*surface*] se boursoufler; [*stomach*] ballonner; [*cheeks*] être gonflé; **his eyes were bulging out of their sockets** ses yeux sortaient de leurs orbites; **to be bulging with** [*bag, vehicle, wardrobe*] être bourré de; [*book, building*] être rempli de

bulging /ˈbʌldʒɪŋ/ *adj* [*eye*] exorbité; [*cheek, stomach, vein*] gonflé; [*chest, muscle*] saillant; [*surface, wall*] bombé; [*bag, file, wallet*] plein à craquer○ (*after n*)

bulimia (nervosa) /bjuːˌlɪmɪə nɜːˈvəʊsə/ *n* boulimie *f*

bulimic /bjuːˈlɪmɪk/ *n, adj* boulimique (*mf*)

bulk /bʌlk/

A *n* **1** (large size) (of package, correspondence, writings) volume *m*; (of building, vehicle) masse *f*; **2** (large body) corps *m* massif; **3** (large quantity) **in ~** [*buy, sell*] en gros; [*transport, ship*] en vrac; **4** (majority) **the ~ of** la majeure partie de [*imports, research, fortune, applications*]; le plus gros de [*forces, army, workforce*]; la plupart des [*nationals, workers, voters*]; **5** (dietary fibre) fibre *f*

B *modif* **1** Comm [*delivery, export, order, purchase, sale, supplies, supplier*] en gros; [*mailing*] en nombre; **2** Naut [*cargo, shipment, transport*] en vrac

C *vi* **to ~ large in** occuper une place importante dans

bulk: **~-buy** *vtr, vi* [*individual*] acheter en grosses quantités; [*company*] acheter en gros; **~-buying** *n* (by individual) achat *m* en grosses quantités; (by company) achat *m* en gros; **~ carrier** *n* cargo *m*, vraquier *m*

bulkhead /ˈbʌlkhed/ *n* Naut, Aviat cloison *f*

bulk-loading system *n* système *m* de chargement de gros

bulky /ˈbʌlkɪ/ *adj* [*person*] corpulent; [*package, equipment, item*] volumineux/-euse; [*book*] épais/-aisse

bull /bʊl/

A *n* **1** Zool taureau *m*; **2** (large man) mâle *m*; **3** Astrol **the Bull** le Taureau; **4** Relig bulle *f*; **5** Fin spéculateur *m* à la hausse, haussier *m*; **6** ◑*abrév* = **bullshit**◑; **7** GB *abrév* ▸ **bull's-eye 1**

B *modif* [*elephant, whale*] mâle *m*

C *adj* Fin [*market*] à la hausse

D *vtr*○ = **bullshit C**

E *vi* **1** Fin [*speculator*] spéculer à la hausse; [*shares, stock*] être en hausse; **2** ◑ = **bullshit D**

(Idioms) **to shoot the ~**◑ US tailler une bavette○, causer; **to go at sb/sth like a ~ at a gate** foncer tête baissée sur qn/qch; ▸ **china**

bull: **~ calf** *n* jeune taureau *m*, taurillon *m*; **~ campaign** *n* Fin campagne *f* de spéculation à la hausse

bulldog /ˈbʊldɒg/

A *n* bouledogue *m*

B *modif* fig [*spirit, determination*] opiniâtre

bulldog: **~ clip** *n* pince *f* à dessin; **~ edition** *n* US première édition *f* matinale (*d'un journal*)

bulldoze /ˈbʊldəʊz/ *vtr* **1** lit (knock down) détruire [qch] au bulldozer [*building, wall, forest*]; (move) nettoyer [qch] au bulldozer [*earth, rubble*]; **the village was ~d to the ground** le village a été rasé au bulldozer; **they ~d a track through the forest** ils ont percé un chemin au bulldozer dans la forêt; **2** fig (force) forcer (**into doing** à faire); **to ~ (one's way) through a crowd** se frayer un chemin dans la foule; **the government is trying to ~ the bill through parliament** le gouvernement essaie de faire passer la loi au forcing○

bulldozer /ˈbʊldəʊzə(r)/

A *n* bulldozer *m*, bouteur *m*

B ○*vtr* = **bulldoze**

bullet /ˈbʊlɪt/

A *n* balle *f*; **plastic/rubber ~** balle en plastique/en caoutchouc; **to put a ~ in sb/in sb's head**○ tirer une balle sur qn/dans la tête de qn

B *modif* [*wound*] par balle; [*hole, mark*] de balle; **a door riddled with ~ holes** une porte criblée de balles

(Idiom) **to bite (on) the ~** prendre le taureau par les cornes

bullet-headed /ˌbʊlɪtˈhedɪd/ *adj* au crâne en forme d'obus

bulletin /'bʊlətɪn/ *n* (all contexts) bulletin *m*; **news/sports ~** bulletin d'informations/ sportif; **weather ~** bulletin météorologique

bulletin board *n* **1** US (noticeboard) tableau *m* d'affichage; **2** Comput messagerie *f*

bullet point *n* Print puce *f*

bulletproof /'bʊlɪtpru:f/

A *adj* [*glass, vehicle*] blindé; **~ vest** *ou* **jacket** gilet *m* pare-balles *inv*

B *vtr* blinder [*glass, vehicle*]

bullet train *n* train *m* à grande vitesse (japonais)

bull: **~fight** *n* corrida *f*; **~fighter** ▸ p. 1683 *n* torero *m*; **~fighting** *n* gen corridas *fpl*; (art) tauromachie *f*

bullfinch /'bʊlfɪntʃ/ *n* bouvreuil *m*

bull: **~frog** *n* grenouille *f* taureau; **~horn** *n* US mégaphone *m*

bullion /'bʊliən/ *n* ¢ **1** gen lingots *mpl*; **gold/ silver ~ (bars)** lingots d'or/d'argent; **2** Fin **gold ~** or *m* monétaire; **~ reserve** réserve *f* métallique; **3** Tex (braid) frange *f* de cannetille

bullish /'bʊlɪʃ/ *adj* **1** Fin [*market, shares, stocks*] en hausse, haussier/-ière; [*trend*] à la hausse; **2** (optimistic) franchement optimiste

bull: **~ neck** *n* cou *m* de taureau; **~-necked** *adj* avec un cou de taureau; **~ note** *n* Fin obligation *f* à la hausse

bullock /'bʊlək/

A *n* (young) bouvillon *m*; (mature) bœuf *m*

B *modif* **~ cart** char *m* à bœufs

bull: **~ position** *n* Fin position *f* à la hausse; **~ring** *n* (arena) arène *f*; (building) arènes *fpl*; **~ run** *n* Fin marché *m* à la hausse; **~ session**○ *n* US causerie *f* entre hommes○

bull's-eye /'bʊlzaɪ/ *n* **1** (on a target) mille *m*; **to hit the ~** lit, fig taper en plein dans le mille; **to score a ~** lit, fig mettre dans le mille; **2** (sweet) *gros bonbon à la menthe* ≈ berlingot *m*; **3** Archit œil-de-bœuf *m*

bull's-eye glass *n* verre *m* en cul de bouteille

bullshit◑ /'bʊlʃɪt/

A *n* conneries◑ *fpl*, bêtises *fpl*; **to talk ~** déconner◑, dire des bêtises

B *excl* des conneries◑ tout ça!

C *vtr* (*p prés etc* **-tt-**) rouler○, berner [*person*]; **to ~ one's way out of a tricky situation** se tirer d'une situation en bluffant

D *vi* (*p prés etc* **-tt-**) déconner◑, dire des bêtises

bull: **~shitter**◑ *n* baratineur○ *m*, menteur *m*; **~ terrier** *n* bull-terrier *m*

bully /'bʊlɪ/

A *n* **1** (child) petite brute *f*; (adult) tyran *m*; **the class ~** la terreur *f* de la classe; **2** ○† (*also* **~ beef**) singe◑ *m*

B ○†*adj* épatant

C ○*excl* **~ for you!** tant mieux pour toi!

D *vtr* [*person, child*] maltraiter; [*country*] intimider; **to ~ sb into doing sth** forcer qn à faire qch; **I won't be bullied!** je ne me laisserai pas intimider!

E *vi* jouer les tyrans

(Phrasal verb) ■ **bully off** Sport donner le coup d'envoi

bully boy○ pej

A *n* (aggressive male) dur *m*; (paid) homme *m* de main

B *modif* **~ tactics** manœuvres *fpl* d'intimidation

bullying /'bʊlɪɪŋ/

A *n* (of person, child) mauvais traitements *mpl*; (of country) intimidation *f*

B *adj* [*person, behaviour*] brutal; [*tactics*] d'intimidation

bully-off /'bʊlɪɒf/ *n* Sport coup *m* d'envoi

bulrush /'bʊlrʌʃ/ *n* jonc *m* (des chaisiers)

bulwark /'bʊlwək/ *n* Mil, fig rempart *m* (**against** contre); Naut bastingage *m*; (breakwater) brise-lames *m inv*

bum○ /bʌm/

A *n* **1** GB (buttocks) derrière *m*; **2** surtout US (vagrant) clodo○ *m*, clochard *m*; **3** (lazy person) fainéant/-e *m/f*; **4** US **to be on the ~** vivre de la manche○

B *adj* **1** US (bad) nase○; **~ rap** accusation *f* mensongère; **to get a ~ deal** se faire rouler dans la gadoue; **to give sb a ~ steer** donner un mauvais tuyau à qn; **2** US (injured) blessé

C *vtr* (*p prés etc* **-mm-**) (scrounge) taper○ [*cigarette, money*] (**off, from** à); **to ~ a ride, to ~ a lift** se faire emmener en voiture

D *vi* (*p prés etc* **-mm-**) vivre de la manche○

(Idioms) **to give sb/to get the ~'s rush** vider qn/être vidé à coups de pied aux fesses○; **to put ~s on seats** GB attirer les gens

(Phrasal verb) ■ **bum around** **1** (travel aimlessly) vadrouiller○; **2** (be lazy) traînasser

bumbag /'bʌmbæg/ *n* GB (sacoche *f*) banane *f*

bumbershoot○ /'bʌmbəʃu:t/ *n* US riflard○ *m*

bumble /'bʌmbl/ *vi* **1** (*also* **~ on**) (mumble) marmonner; **to ~ (on) about sth** radoter à propos de qch; **2** (move) **to ~ around**, **to ~ about** déambuler

bumblebee /'bʌmblbi:/ *n* bourdon *m*

bumbler○ /'bʌmblə(r)/ *n* cafouilleur/-euse○ *m/f*

bumbling○ /'bʌmblɪŋ/ *adj* **1** (incompetent) [*person*] empoté○; [*behaviour, attempt*] maladroit; **2** (mumbling) [*person*] radoteur/-euse; [*speech*] cafouilleux/-euse○

bumboat /'bʌmbəʊt/ *n* canot *m* d'approvisionnement

bumf○, **bumph**○ /'bʌmf/ *n* GB (documents) paperasserie○ *f*; (toilet paper) PQ○, papier *m* hygiénique

bumfluff○ /'bʌmflʌf/ *n* GB duvet *m*, barbe *f* naissante

bumfreezer○ /'bʌmfri:zə(r)/ *n* GB blouson *m* court

bummer◑ /'bʌmə(r)/ *n* **1** (useless thing) nullité○ *f*; (annoying) **this job's a real ~!** ce boulot est vraiment chiant◑!; **what a ~!** quelle poisse○!; **2** argot des drogués (trip) **to be on a ~** flipper○

bump /bʌmp/

A *n* **1** (lump) (on body) bosse *f* (**on** à); (on road surface) bosse *f* (**on, in** sur); **2** (jolt) secousse *f*; **to come down with a ~** fig dégringoler○; **3** (sound of fall) bruit *m* sourd; **4** onomat boum *m*; **to go ~** faire boum; **5** euph hum (of pregnant woman) ventre *m*; **6** ○(of stripper) **~s and grinds** déhanchements *mpl* érotiques

B *vtr* **1** (knock) cogner (**against, on** contre); **to ~ one's head** se cogner la tête; **to ~ the car** cabosser la voiture; **to ~ sb off** *ou* **from** faire tomber qn de [*wall, seat*]; **2** ○US (remove) **to ~ sb from** virer○ qn de [*passenger list, job*]; **3** ○US Sport déloger (**out of, from** de); **4** ○US (promote) **to ~ sb to** catapulter○ qn au poste de [*manager, professor*]; **5** ○US (raise) = **bump up**

C *vi* **1** (knock) **to ~ against** buter contre; **2** (move jerkily) **to ~ along** [*vehicle*] brinquebaler sur [*road*]; **to ~ over** [*vehicle*] cahoter sur [*road*]; **to ~ up and down in** [*person*] se faire secouer dans [*vehicle*]

(Idioms) **to come down to earth with a ~** revenir sur terre; **to feel** *ou* **read sb's ~s** interpréter les bosses crâniennes de qn; **things that go ~ in the night** les bruits effrayants de la nuit

(Phrasal verbs) ■ **bump into**: ▸ **~ into [sb/ sth]** (collide) rentrer dans [*person, object*]; **he ~ed into me** il m'est rentré dedans; ▸ **to ~ into [sb]**○ (meet) tomber sur○

■ **bump off**○: ▸ **~ off [sb]**, **~ [sb] off** liquider○

■ **bump up**○: ▸ **~ up [sth]** **1** (increase) faire grimper○ [*price, tax, wage*] (**from** de, **to** à); **2** (exaggerate) gonfler○ [*real number*]

bumper /'bʌmpə(r)/

A *n* **1** Aut pare-chocs *m inv*; **~ to ~** pare-chocs contre pare-chocs; **2** US Rail butoir *m*; **3** (tankard) plein verre *m*

B *adj* (*épith*) (large) [*crop, sales, year*] record *inv*; [*crowd, edition*] exceptionnel/-elle

bumper: **~ car** *n* auto *f* tamponneuse; **~ sticker** *n* autocollant *m*

bumph *n* = **bumf**

bumpkin○ /'bʌmpkɪn/ *n* pej (*also* **country ~**) péquenaud/-e○ *m/f*, plouc○ *mf*

bumptious /'bʌmpʃəs/ *adj* guindé

bumpy /'bʌmpɪ/ *adj* lit [*road surface*] accidenté; [*wall, ceiling*] irrégulier/-ière; [*journey, flight, landing*] agité

(Idiom) **to be in for a ~ ride** entrer dans une mauvaise passe

bum rap○ /bʌm 'ræp/ *n* US fausse accusation *f*

bun /bʌn/

A *n* **1** Culin (bread roll) petit pain *m*; (cake) petit cake *m*; **currant ~** ≈ brioche *f* au raisin; **2** (hairstyle) chignon *m*; **to put/wear one's hair in a ~** se faire/avoir un chignon

B **buns**○ *npl* US miches◑ *fpl*, fesses *fpl*

(Idiom) **to have a ~ in the oven**○ euph hum avoir un polichinelle dans le tiroir, être enceinte

bunch /bʌntʃ/

A *n* **1** ○(of people) groupe *m*; pej bande *f*; **a ~ of friends** un groupe d'amis; **a ~ of idiots** une bande d'imbéciles; **a mixed ~** un groupe de gens différents; **a great ~** des gens sympas○; **2** (of flowers) bouquet *m* (**of** de); **3** (of vegetables) botte *f*; (of bananas) régime *m*; **to tie [sth] in a ~** attacher [qch] en botte [*onions, carrots, radishes*]; **4** (of objects) **a ~ of feathers** une touffe de plumes; **a ~ of keys** un trousseau de clés; **a ~ of wires** un faisceau de fils; **a ~ of twigs** un fagot de brindilles; **5** ○(lot) tas○ *m* (**of** de); **a whole ~ of things** tout un tas○ de choses; **the best** *ou* **pick of the ~** le meilleur du lot; **6** GB (of hair) couette *f*; **to wear one's hair in ~es** porter des couettes; **7** Sport peloton *m*

B *vtr* **1** (put in bunches) mettre [qch] en bottes [*vegetables*]; mettre [qch] en bouquets [*flowers*]; **2** Aviat, Transp faire partir [qch] à la queue leu leu [*aircraft, buses*]

C *vi* [*fabric, skirt*] faire des plis, plisser

D **bunched** *pp adj* [*skirt, fabric*] plissé; [*people*] entassé; [*buses*] à la queue leu leu

(Phrasal verbs) ■ **bunch together** [*people*] s'entasser; **to be all ~ed together** être entassés

■ **bunch up**: ▸ **~ up** [*people*] s'entasser; [*fabric, garment*] plisser; ▸ **~ up [sth]**, **~ [sth] up** plisser [*fabric, garment*]; **to be all ~ed up** [*skirt*] faire des plis; **to stay ~ed up** [*runners*] rester groupés

bunco○ /'bʊŋkəʊ/ US

A *n* (*pl* **~s**) arnaque○ *f*, escroquerie *f*

B *modif* **~ thief** arnaqueur○ *m*; **~ trick** arnaque○ *f*; **~ card game** partie *f* d'entourloupe○

C *vtr* (*3e pers sg prés* **~s**; *prét, pp* **~ed**) arnaquer○; **to ~ sb out of sth** arnaquer qn de qch

buncombe *n* US = **bunkum**

bundle /'bandl/

A *n* **1** (collection) (of objects) ballot *m*; (of clothes, cloth) balluchon *m*; (of papers, letters, banknotes) liasse *f*; (of books) paquet *m*; (of straw) botte *f*; **a ~ of sticks** un fagot de branches; **2** (baby, person) paquet *m*; **~ of joy** petit ange *m*; iron petit trésor *m*; **~ of fun** gen, iron marrant/-e○ *m/f*; **~ of nerves** boule *f* de nerfs; **to be a ~ of mischief** être malin comme un singe○

B ○*vtr* **1** **to ~ sb into** fourrer○ qn dans [*plane, aircraft*]; **to ~ sth into** fourrer qch dans [*container, drawer*]; **to ~ sb outside** *ou* **through the door** pousser qn dehors sans ménagement; **2** = **bundle up**; **3** Comput offrir (**with** avec)

C ○*vi* **to ~ into a car** (hurry) se ruer dans une voiture; (cram) s'entasser dans une voiture

(Idioms) **I don't go a ~ on him/on jazz** GB il/le jazz ne me botte pas○; **to cost/to make a ~**○

coûter/gagner un paquet○

(Phrasal verbs) ■ **bundle off**: ▸ **~ [sb] off** (remove) faire sortir [qn] sans ménagement; [*police, secret service*] embarquer○; **to ~ sb off to school/to sb's house** expédier qn à l'école/chez qn

■ **bundle up**: ▸ **~ [sth] up, ~ up [sth]** mettre [qch] en paquet [*letters, newspapers*]; mettre [qch] en fagot [*sticks, wood*]; faire un ballot de [*clothes, knitting*]; mettre [qch] en liasse [*banknotes*]; ▸ **~ [sb] up** emmitoufler (**in** dans); **to ~ oneself up** s'emmitoufler (**in** dans)

bundled software /ˌbʌndld ˈsɒftweə(r), US ˈsɔːft-/ *n* Comput ensemble *m* de logiciels, bundle *m*

bunfight○ /ˈbʌnfaɪt/ *n* GB hum pot○ *m*, pince-fesses◐ *m inv*

bung /bʌŋ/

A *n* **1** (plug) tampon *m*, bouchon *m*; **2** ○(bribe) pot-de-vin *m*

B *vtr* **1** (stop up) boucher [*hole, barrel, bottle*]; **2** ○GB (put, throw) balancer○

(Phrasal verbs) ■ **bung in**○ GB: ▸ **~ [sth] in, ~ in [sth]** donner [qch] en prime [*free gift, extra*]; glisser [*question, remark*]; envoyer [*application*]

■ **bung out**○ GB: ▸ **~ [sth] out, ~ out [sth]** balancer○

■ **bung up**○ GB: ▸ **~ [sth] up, ~ up [sth]** (block) boucher [*sink, drain, nose*]; (raise) augmenter [*prices, interest rates*]

bungalow /ˈbʌŋɡələʊ/ *n* gen pavillon *m* (sans étage); (in India) bungalow *m*

bungee jumping /ˈbʌndʒiː dʒʌmpɪŋ/ ▸ **p. 1253** *n* saut *m* à l'élastique

bunghole /ˈbʌŋhəʊl/ *n* bonde *f*

bungle /ˈbʌŋɡl/

A *n* gaffe *f*

B *vtr* rater○ [*attempt, opportunity, burglary, investigation*]; **the whole job was ~d** tout le travail a été fait en dépit du bon sens; **he ~d it** il a fait ça en dépit du bon sens

C *vi* rater son coup○

D bungled *pp adj* raté○

bungler○ /ˈbʌŋɡlə(r)/ *n* manche○ *m*, maladroit/-e *m/f*

bungling /ˈbʌŋɡlɪŋ/

A *n* maladresse *f*

B *adj* maladroit; **you ~ idiot!** espèce de maladroit!

bunion /ˈbʌnjən/ *n* Med oignon *m*

bunk /bʌŋk/

A *n* **1** Naut, Rail couchette *f*; **2** gen (also **~ bed**) (whole unit) lits *mpl* superposés; **the top/lower ~** le lit du haut/du bas; **3** ○ = **bunkum**

B ○*vi* (also **~ down**) dormir

(Idiom) **to do a ~** prendre le large○

(Phrasal verb) ■ **bunk off**○ gen s'éclipser; **to ~ off school** sécher l'école

bunk bed *n* = **bunk A 2**

bunker /ˈbʌŋkə(r)/

A *n* **1** Mil, gen (shelter) (for commander) bunker *m*; (for gun) blockhaus *m*; (beneath building) abri *m*; **command ~** bunker *m* du PC; **2** (in golf) bunker *m*; **3** (container) Naut, gen soute *f*

B *vtr* **1** (in golf) lancer [qch] dans un bunker [*ball*]; (of person) **to be ~ed** se trouver dans un bunker; **2** Naut mettre [qch] en soute [*coal, oil*]

bunker mentality *n* attitude *f* défensive obsessionnelle

bunkhouse /ˈbʌŋkhaʊs/ *n* US Agric ≈ dortoir *m*

bunkum○ /ˈbʌŋkəm/ *n* fadaises *fpl*; **to talk ~** dire des fadaises

bunk up *n* GB courte échelle *f*; **to give sb a ~** faire la courte échelle à qn

bunny /ˈbʌnɪ/ *n* **1** (also **~ rabbit**) lang enfantin (Jeannot) lapin *m*; **2** (also **~ girl**) hôtesse *f* (*du club Playboy®, déguisée en lapin*)

Bunsen (burner) /ˈbʌnsn/ *n* (bec *m*) Bunsen *m*

bunting /ˈbʌntɪŋ/ *n* **1** (flags) guirlandes *fpl*; (material) étamine *f*; **2** Zool bruant *m*

buoy /bɔɪ/

A *n* gen bouée *f*; (for marking) balise *f* (flottante)

B *vtr* **1** (also **~ up**) (make cheerful) revigorer [*person, team, morale*] (**by** par); **2** (also **~ up**) Fin stimuler [*share prices, sales levels, results*] (**by** par); **3** (also **~ up**) lit (keep afloat) maintenir à flot [*person, raft, object*]; **4** Naut (mark out) baliser [*channel, rocks*]

buoyancy /ˈbɔɪənsɪ/ *n* **1** lit (of floating object) flottabilité *f*; (of supporting medium) poussée *f*; **2** fig (cheerfulness) entrain *m*; **3** Fin (of exports, market, demand) fermeté *f*

buoyancy aid *n* bouée *f*

buoyant /ˈbɔɪənt/ *adj* **1** [*object*] qui flotte; [*supporting medium*] qui porte; **sea water is more ~ than fresh water** l'eau de mer porte davantage que l'eau douce; **2** (cheerful) [*person, personality*] vif/vive; [*mood, spirits*] enjoué; [*tread, step*] allègre; [*effect*] revigorant; **3** Fin [*market, demand, currency*] soutenu; [*economy*] en expansion; [*prices, profits, sales*] soutenu

buoyantly /ˈbɔɪəntlɪ/ *adv* **1** (cheerfully) [*speak*] avec enjouement; [*walk*] d'un pas allègre; **2** (lightly) [*rise, float*] vivement

buoy rope *n* orin *m*

BUPA /ˈbuːpə/ *n* GB (*abrév* = **British United Provident Association**) *organisme d'assurance médicale privée*

bur *n* = **burr A 1, 3, 4**

burble /ˈbɜːbl/

A *n* = **burbling**

B *vi* **1** [*stream, water*] glouglouter; **2** (also **~ on**) marmonner; **to ~ (on) about sth** radoter à propos de qch

burbling /ˈbɜːblɪŋ/

A *n* **1** (of stream, voices) gargouillis *m*; **2** (rambling talk) galimatias *m*

B *adj* **1** [*stream, voice*] qui gargouille; **2** (rambling) [*speech, speaker*] cafouilleux/-euse

burbot /ˈbɜːbət/ *n* lotte *f* (de rivière)

burbs○ /bɜːbz/ *n* US banlieue *f*

burden /ˈbɜːdn/

A *n* **1** (responsibility) fardeau *m* (**to sb** pour qn); **the ~ of guilt/responsibility** le poids de la culpabilité/responsabilité; **the ~ of taxation** la pression fiscale; **the Third World's debt ~** le poids de la dette du Tiers-Monde; **to ease the ~ on sb** alléger le fardeau qui pèse sur qn; **this law imposes an extra ~ on mothers** cette loi constitue un fardeau supplémentaire pour les mères; **the ~ of proof** Jur la charge de la preuve; **2** lit (load) fardeau *m*; **3** (central theme) **the ~ of** la substance de [*argument etc*]; **4** Mus refrain *m*; **5** Naut jauge *f*

B *vtr* (also **~ down**) **1** fig accabler (**with** de); **2** lit surcharger (**with** de)

C burdened *pp adj* **1** fig accablé (**with** de); **2** lit surchargé (**with** de)

D *v refl* **to ~ oneself with sth** se charger de qch

burdensome /ˈbɜːdnsəm/ *adj* pesant

burdock /ˈbɜːdɒk/ *n* bardane *f*

bureau /ˈbjʊərəʊ, US -ˈrəʊ/ *n* (*pl* **~s** *ou* **~x**) **1** (agency) agence *f*; (local office) bureau *m*; **information ~** bureau *m* de renseignements; **2** surtout US (government department) service *m*; **immigration/census ~** service de l'immigration/du recensement; **3** GB (writing desk) secrétaire *m*; **4** US (chest of drawers) commode *f*

bureaucracy /bjʊəˈrɒkrəsɪ/ *n* bureaucratie *f*

bureaucrat /ˈbjʊərəkræt/ *n* bureaucrate *mf*

bureaucratic /ˌbjʊərəˈkrætɪk/ *adj* bureaucratique

bureaucratically /ˌbjʊərəˈkrætɪklɪ/ *adv* bureaucratiquement

bureaucratization /bjʊəˌrɒkrətaɪˈzeɪʃn, US -tɪˈz-/ *n* bureaucratisation *f*

bureaucratize /bjʊəˈrɒkrətaɪz/ *vtr* bureaucratiser

burette /bjʊəˈret/ *n* Chem burette *f*

burg○ /bɜːɡ/ *n* US patelin○ *m*

burgeon /ˈbɜːdʒən/ *vi* sout **1** fig (grow) [*talent, love, industry, crime*] croître; (multiply) [*population*] se multiplier; [*projects, industries*] voir le jour; **2** fig (flourish) [*talent, love, industry, crime*] fleurir; [*population*] être prospère; **3** lit [*plant, flower*] bourgeonner

burgeoning /ˈbɜːdʒənɪŋ/ *adj* **1** fig (growing) [*talent, love, industry, crime*] croissant; (multiplying) [*population, projects, industries*] en plein essor; **2** fig (flourishing) [*talent, love, industry, crime*] florissant; [*population*] prospère; **3** lit [*plant, flower*] bourgeonnant

burger /ˈbɜːɡə(r)/ *n* (also **hamburger**) hamburger *m*; **beef~** beefburger *m*

burger bar *n* fast-food *m*

burger bun *n* petit pain *m* pour hamburger

burgher‡ /ˈbɜːɡə(r)/ *n* Hist *ou* hum bourgeois *m*

burglar /ˈbɜːɡlə(r)/ *n* cambrioleur/-euse *m/f*

burglar alarm *n* sonnerie *f* d'alarme

burglarize /ˈbɜːɡləraɪz/ *vtr* US cambrioler

burglar-proof /ˈbɜːɡləpruːf/ *adj* [*house*] protégé contre les cambrioleurs; [*safe*] inviolable; [*lock*] incrochetable

burglary /ˈbɜːɡlərɪ/ *n* gen cambriolage *m*; Jur vol *m* avec effraction

burgle /ˈbɜːɡl/ *vtr* cambrioler

burgomaster /ˈbɜːɡəmɑːstə(r)/ *n* bourgmestre *m*

Burgundian /bɜːˈɡʌndɪən/

A *n* Bourguignon/-onne *m/f*

B *adj* bourguignon/-onne

Burgundy /ˈbɜːɡəndɪ/ ▸ **p. 1243**

A *n* **1** Geog Bourgogne *f*; **in ~** en Bourgogne; **2** (wine) bourgogne *m*, vin *m* de Bourgogne; **3** ▸ **p. 1067** (colour) (couleur *f*) bordeaux *m*

B *adj* **1** Geog de Bourgogne; **2** (colour) bordeaux

burial /ˈberɪəl/

A *n* **1** Relig (ceremony) enterrement *m*; **~ at sea** funérailles *fpl* en mer; **2** (placing in ground) (of body) inhumation *f*; (of object, waste) ensevelissement *m*

B *modif* [*site*] de sépulture; [*service*] funèbre; [*rites*] funéraire

burial: **~ chamber** *n* tombeau *m*; **~ ground** *n* cimetière *m*; **~ mound** *n* tumulus *m*; **~ vault** *n* caveau *m*

burin /ˈbjʊərɪn/ *n* burin *m* de graveur

burka, burqa /ˈbɜːkə/ *n* burqa *f*

Burkina Faso /ˌbɜːkɪnə ˈfæsəʊ/ ▸ **p. 1096** *pr n* Burkina *m*

burlap /ˈbɜːlæp/ *n* toile *f* à sac

burlesque /bɜːˈlesk/

A *n* **1** Literat (piece of writing) parodie *f*; (genre) (genre *m*) burlesque *m*; **2** (sham) parodie *f*; **3** †US (comedy show) burlesque *m*

B *adj* **1** [*style, show, performer*] burlesque; **2** (sham) [*ceremony, speech*] caricatural

C *vtr* parodier

burly /ˈbɜːlɪ/ *adj* [*person*] solidement charpenté; [*build*] imposant

Burma /ˈbɜːmə/ ▸ **p. 1096** *pr n* Birmanie *f*

Burman /ˈbɜːmən/ *n* = **Burmese A**

Burmese /bɜːˈmiːz/ ▸ **p. 1467, p. 1378**

A *n* **1** (person) Birman/-e *m/f*; **2** (language) birman *m*

B *adj* birman; **~ cat** chat *m* birman

burn /bɜːn/

A *n* **1** gen, Med brûlure *f*; **cigarette ~s** brûlures de cigarette; **2** Aerosp combustion *f*; **3** dial (stream) ruisseau *m*

B *vtr* (*prét, pp* **burned** *ou* **burnt** GB) **1** (damage by heat or fire) brûler [*papers, rubbish*]; incendier, faire brûler [*building, city*]; [*sun*] brûler [*person, skin*]; [*acid*] ronger, brûler [*surface, substance*]; [*alcohol, food*] brûler [*mouth*]; **to be ~ed to the ground** *ou* **to ashes** être détruit par le feu; **to**

be ~ed alive être brûlé vif; to be ~ed to death mourir carbonisé; to ~ one's finger/arm se brûler le doigt/le bras; to ~ a hole in sth faire un trou dans qch; **2** (use) to ~ coal/gas [*boiler*] chauffer *or* marcher au charbon/au gaz; the system ~s too much oil le système consomme trop de mazout; **3** Culin laisser brûler [*food*]; brûler [*pan*]; **4** ○US (electrocute) électrocuter; **5** ○US (swindle) escroquer; **6** Comput graver [*CD*]
C *vi* (*prét, pp* **burned** *ou* **burnt** GB) **1** (be consumed by fire) brûler; to ~ to a cinder être carbonisé; the house ~ed to the ground la maison a complètement brûlé *or* a été réduite en cendres; **2** (be turned on) [*light*] être allumé; **3** (be painful) [*blister, wound*] cuire; (from sun) [*skin, part of body*] brûler; he has the kind of skin that ~s easily il attrape facilement des coups de soleil; my throat is ~ing! la gorge me brûle!; his cheeks were ~ing (with embarrassment) il était rouge de honte; **4** Culin [*toast, meat*] brûler; [*sauce*] prendre au fond; **5** fig (be eager) to be ~ing to do [*person*] brûler d'envie de faire; to be ~ing with desire/with impatience brûler de désir/d'impatience; **6** Aerosp brûler
D *v refl* (*prét, pp* **burned** *ou* **burnt** GB) to ~ oneself se brûler

(Idiom) to ~ one's boats brûler ses vaisseaux

(Phrasal verbs) ■ **burn away** [*candle, log*] se consumer

■ **burn down**: ▸ ~ **down** **1** [*house*] brûler complètement, être réduit en cendres; **2** [*candle, fire*] baisser; ▸ ~ **down [sth]**, ~ **[sth] down** incendier, réduire [qch] en cendres [*house etc*]

■ **burn off**: ▸ ~ **off** [*alcohol*] s'évaporer; ▸ ~ **off [sth]**, ~ **[sth] off** décaper [qch] au chalumeau [*paint, varnish*]; Med cautériser [*wart*]; Ind faire brûler [*unwanted gas*]; fig dépenser [*energy*]

■ **burn out**: ▸ ~ **out** [*candle, fire*] s'éteindre; [*light bulb*] griller; [*fuse*] sauter; fig [*person*] (through overwork) s'user; at the rate he's working, he'll ~ himself out il va s'user à force de travailler à ce rythme; ▸ ~ **out [sth]**, ~ **[sth] out** (destroy by fire) incendier [*building, vehicle*]; Aut, Mech faire griller [*clutch, engine, motor*]; ▸ ~ **out [sb]**, ~ **[sb] out** gen, Mil forcer [qn] à sortir par l'incendie [*besieged citizens, troops*]

■ **burn up**: ▸ ~ **up** **1** [*fire, flames*] flamber; **2** Aerosp [*satellite, meteorite*] se volatiliser; **3** ○US (get angry) se mettre en rogne; **4** (get feverish) [*child*] brûler; ▸ ~ **up [sth]**, ~ **[sth] up** brûler [*calories, fuel, waste*]; [*sun*] griller [*lawn, vegetation*]; she ~s up all her energy worrying elle dépense toute son énergie à se faire du souci; to be ~ed up with hatred/with envy fig être dévoré par la haine/l'envie; ▸ ~ **up [sb]**, ~ **[sb] up**○ US (make angry) mettre [qn] en rogne

burned-out *adj* = **burnt-out**

burner /ˈbɜːnə(r)/ *n* (on gas cooker) brûleur *m*; (of lamp) bec *m* (de gaz); (of CDs, etc) graveur *m*

(Idiom) to put sth on the back ~ mettre qch en veilleuse *or* en attente [*question, issue*]

burning /ˈbɜːnɪŋ/
A *n* **1** there's a smell of ~ ça sent le brûlé; I can smell ~! je sens une odeur de brûlé!; **2** (setting on fire) (of building, town) incendie *m*; ▸ **book-burning**
B *adj* **1** (on fire) [*building, vehicle, town, forest*] en flammes, en feu; (alight) [*candle, lamp, fire*] allumé; [*ember, coal*] embrasé, ardent; fig (very hot) [*heat*] brûlant, torride; [*sun*] brûlant; a ~ feeling *ou* sensation une sensation de brûlure; **2** fig (intense) [*fever, thirst, desire*] brûlant; [*passion, enthusiasm*] ardent; a ~ question *ou* issue une question brûlante

burning: ~ **bush** *n* Bible buisson *m* ardent; ~ **glass** *n* loupe *f* (*pour enflammer du papier, du bois*)

burnish /ˈbɜːnɪʃ/ littér
A *vtr* brunir
B **burnished** *pp adj* [*copper, skin, leaves*] bruni

burnisher /ˈbɜːnɪʃə(r)/ *n* (tool) brunissoir *m*

burnous /bɜːˈnuːs/ *n* burnous *m*

burn-out /ˈbɜːnaʊt/ *n* **1** (of worker, staff) surmenage *m*, épuisement *m*; **2** Aerosp phase *f* finale de combustion

burns unit *n* Med service *m* des grands brûlés

burnt /bɜːnt/
A *prét, pp* ▸ **burn**
B *adj* gen brûlé; [*smell, taste*] de brûlé, de roussi

burnt: ~ **almond** *n* amande *f* grillée, praline *f*; ~ **lime** *n* chaux *f* vive; ~ **offering** *n* holocauste *m*; hum (burnt meal) repas *m* brûlé; ~ **orange** ▸ **p. 1067** *n* orange *m* foncé *inv*; ~**-out** *adj* lit [*building, car*] calciné; fig [*person*] usé (par le travail); ~ **sacrifice** *n* = **burnt offering**; ~ **sienna** ▸ **p. 1067** *n* terre *f* de Sienne brûlée; ~ **sugar** *n* caramel *m*; ~ **umber** ▸ **p. 1067** *n* terre *f* d'ombre brûlée

burp○ /bɜːp/
A *n* rot○ *m*, renvoi *m*
B *vtr* faire faire un rot○ à [*baby*]
C *vi* [*person*] roter○; [*baby*] faire son rot○

burp gun○ *n* US (pistol) revolver *m* à répétition; (rifle) fusil *m* à répétition

burr /bɜː(r)/
A *n* **1** Bot *partie de certaines plantes qui s'accroche aux vêtements, au pelage des animaux*; **2** (sound) (of machine) ronronnement *m*; (of phone, car) bruit *m* assourdi; Ling grasseyement *m* spec; **3** (of tree) loupe *f* (*d'arbre*); **4** Tech ébarboir *m*
B *vtr* Tech ébarber
C *vi* [*machine*] ronronner; [*phone*] sonner sourdement

burrito /bʊˈriːtəʊ/ *n* tortilla *f*

burro /ˈbʊrəʊ/ *n* US petit âne *m*

burrow /ˈbʌrəʊ/
A *n* terrier *m*
B *vtr* [*animal*] creuser [*hole, tunnel*]; to ~ one's way into sth [*animal, person*] se creuser un chemin dans qch
C *vi* [*animal*] creuser un terrier; to ~ into/under sth (in ground) creuser dans/sous qch; (in blankets) se blottir dans/sous qch

burr walnut *n* ronce *f* de noyer

bursa /ˈbɜːsə/ *n* (*pl* ~s *ou* ~ae) Anat bourse *f*

bursar /ˈbɜːsə(r)/ ▸ **p. 1683** *n* (administrator) Sch, Univ intendant/-e *m/f*

bursary /ˈbɜːsərɪ/ *n* GB Sch, Univ **1** (grant) bourse *f* (d'études); **2** (office) bureau *m* de l'intendant

bursitis /bɜːˈsaɪtɪs/ ▸ **p. 1327** *n* hygroma *m*

burst /bɜːst/
A *n* (of flame) jaillissement *m*, jet *m*; (of bomb, shell) éclatement *m*; (of gunfire) rafale *f*; (of activity, energy, enthusiasm) accès *m*; a ~ of growth une poussée; a ~ of weeping une crise de larmes; a ~ of laughter un éclat de rire; a ~ of anger un accès de colère; a ~ of applause un tonnerre d'applaudissements; a ~ of colour une explosion de couleurs; a ~ of inspiration un éclat de génie; there has been a ~ of interest in the 1920s/in her work il y a eu un regain d'intérêt subit pour les années 20/pour son œuvre; to put on a ~ of speed Aut faire une pointe de vitesse
B *vtr* (*prét, pp* **burst**) crever [*balloon, bubble, tyre*]; to ~ a blood vessel Med rompre un vaisseau sanguin; the river burst its banks le fleuve a rompu ses digues; a burst pipe un tuyau qui a éclaté
C *vi* (*prét, pp* **burst**) **1** [*balloon, bubble, tyre*] crever; [*abscess*] crever, percer; [*pipe, boiler*] éclater; [*dam*] rompre; [*bomb, shell, firework*] éclater; to be ~ing at the seams, to be full to ~ing point [*bag, room, building*] être plein à craquer; hum [*person*] (from too much food) n'en pouvoir plus, être plein comme une outre; to be laughing fit to ~ se tordre de rire; to be ~ing to do mourir d'envie de faire; to be ~ing (for the toilet)○ avoir besoin de faire pipi○; to be ~ing with health/enthusiasm/pride déborder de santé/d'enthousiasme/de fierté; **2** (emerge suddenly) [*people*] surgir; [*water etc*] jaillir; the sun burst through the clouds le soleil a percé les nuages; soldiers burst from behind the hedgerows des soldats ont surgi brusquement de derrière les haies; they burst onto the rock scene in 1982 ils ont fait irruption dans le monde du rock en 1982

(Phrasal verbs) ■ **burst forth** littér [*buds, blossom*] éclore liter; [*sun*] surgir

■ **burst in**: ▸ ~ **in** faire irruption, entrer en trombe; to ~ in on a meeting/conversation interrompre brusquement une réunion/conversation

■ **burst into**: ▸ ~ **into [sth]** **1** entrer dans [qch] en trombe, faire irruption dans [*room, building, meeting*]; **2** to ~ into blossom *ou* bloom s'épanouir; to ~ into leaf se couvrir de feuilles; to ~ into flames s'enflammer; to ~ into song se mettre à chanter; to ~ into tears fondre en larmes; to ~ into laughter éclater de rire

■ **burst open**: ▸ ~ **open** [*door*] s'ouvrir violemment *or* brusquement; [*bag, sack*] éclater; ▸ ~ **open [sth]**, ~ **[sth] open** ouvrir [qch] violemment

■ **burst out** **1** (come out) to ~ out of a room/building sortir en trombe d'une pièce/d'un immeuble; he was ~ing out of his waistcoat fig il était boudiné dans son gilet; the straw was ~ing out of the mattress la paille sortait du matelas éventré; **2** (start) to ~ out laughing éclater de rire; to ~ out crying fondre en larmes; to ~ out singing se mettre (tout d'un coup) à chanter; **3** (exclaim) s'écrier, s'exclamer; 'you're lying!' he ~ out angrily 'tu mens!' s'écria-t-il en colère

■ **burst through**: ▸ ~ **through [sth]** rompre [*barricade, road block*]; she ~ through the door elle est entrée violemment *or* brusquement

burster /ˈbɜːstə(r)/ *n* Comput, Print rupteur *m*

burthen ‡ = **burden**

burton /ˈbɜːtn/ *n* GB to go for a ~○† [*plan, enterprise*] tomber à l'eau○; [*person*] (be killed) casser sa pipe○; (fall over) prendre un gadin○

Burundi /bəˈrʊndɪ/ ▸ **p. 1096** *pr n* Burundi *m*

bury /ˈberɪ/ *vtr* **1** (after death) enterrer, inhumer [*person*]; enterrer [*animal*]; **2** [*avalanche etc*] ensevelir [*person, building, town*]; to be buried alive être enterré vivant; **3** (hide) enterrer, enfouir [*treasure, valuable, bone*]; to ~ oneself in the countryside aller s'enterrer à la campagne; a village buried deep in the countryside un village perdu dans la campagne; to ~ one's face in one's hands se cacher le visage dans ses mains; **4** (suppress) enterrer [*differences, hatred, memories*]; **5** (engross) (*gén au passif*) to be buried in être plongé dans [*book, work, thoughts*]; to ~ oneself in one's work se plonger dans son travail; **6** (plunge) enfoncer [*dagger, teeth*] (into dans) ; to ~ one's hands in one's pockets plonger ses mains dans ses poches

(Idiom) let the dead ~ the dead il faut laisser les morts ensevelir les morts

bus /bʌs/
A *n* (*pl* **buses**) **1** (vehicle) autobus *m*, bus *m*; (long-distance) autocar *m*, car *m*; by ~ [*come, go, travel*] en (auto)bus, par le bus; on the ~ dans le bus; **2** Comput (*also* ~**bar**) bus *m*; address/data/memory ~ bus *m* d'adresses/de données/de mémoire; input/output ~ bus *m* des entrées/sorties
B *modif* [*depot, service, stop, ticket*] d'autobus
C *vtr* (*p prés etc* **-ss-** GB, **-s-** US) acheminer [qn] par *or* en bus
D *vi* (*p prés etc* **-ss-** GB, **-s-** US) **1** ○(travel) to ~ back/to work revenir/aller au travail en bus; **2** (in restaurant) travailler comme aide-serveur

(Idiom) we'll have to ~ it il faudra y aller en bus

busboy /ˈbʌsbɔɪ/ *n* US aide-serveur *m*

busby /ˈbʌzbɪ/ *n* bonnet *m* à poil (*de soldat*)

bus: ~ **conductor** ▸ p. 1683 *n* receveur *m* d'autobus; ~ **conductress** ▸ p. 1683 *n* receveuse *f* d'autobus; ~ **driver** ▸ p. 1683 *n* conducteur/-trice *m/f* d'autobus

bush /bʊʃ/ *n* 1 (shrub) buisson *m*; **a ~ of hair** fig une épaisse tignasse; 2 (in Australia, Africa) **the ~** la brousse *f*; 3 (fox's brush) queue *f*; 4 Tech bague *f*

(Idioms) **he doesn't beat about the ~** il n'y va pas par quatre chemins; **don't beat about the ~** cessez de tourner autour du pot; **a bird in the hand is worth two in the ~** Prov un tiens vaut mieux que deux tu l'auras Prov

bush baby *n* galago *m*

bushed○ /bʊʃt/ *adj* (tired) crevé○, vanné○

bushel /ˈbʊʃl/ *n* boisseau *m*; **~s of**○ US des quantités de

(Idiom) **to hide one's light under a ~** ne pas se mettre en valeur

bush: **~fighter** *n* Mil combattant/-e *m/f* de brousse; **~fighting** *n* Mil combat *m* de brousse; **~fire** *n* feu *m* de brousse

bushing /ˈbʊʃɪŋ/ *n* Tech (in engine, machine) bagne *f*; (for tubes, pipes) manchon *m*

bush jacket *n* saharienne *f*

bush league○ US

A *n* pej dernière division *f* (*en baseball*)

B *adj* pej médiocre

bush: ~ **leaguer**○ *n* US Sport joueur *m* de dernière division; fig, pej minable *mf*; **~man** *n* (*pl* **-men**) Austral broussard *m*; **Bushman** *n* (*pl* **Bushmen**) Boschiman *m*; **~ranger** *n* US (backwoodsman) broussard/-e *m/f*; ~ **telegraph** *n* lit téléphone *m* de brousse; fig hum téléphone *m* arabe

bushwhack /ˈbʊʃwæk/ US, Austral

A *vtr* tendre une embuscade à

B *vi* 1 (beat path) se frayer un chemin à travers la brousse; 2 (live in the bush) vivre dans la brousse; 3 Mil faire la guérilla

bushwhacker /ˈbʊʃwækə(r)/ *n* 1 US, Austral broussard/-e *m/f*; (outlaw) hors-la-loi *m inv*; 2 Mil (guerilla) guérillero *m*; 3 Austral pej (boor) rustre *m*

bushy /ˈbʊʃɪ/ *adj* 1 [*hair*] touffu; [*beard*] épais/-aisse; [*eyebrows*] broussailleux/-euse; [*tail*] touffu; 2 [*land, garden*] broussailleux/-euse

busies○ /ˈbɪzɪz/ *npl* GB dial (police) flics○ *mpl*

busily /ˈbɪzɪlɪ/ *adv* **~ working/writing** activement occupé à travailler/à écrire

business /ˈbɪznɪs/

A *n* 1 ¢ (commerce) affaires *fpl*; **to be in ~** être dans les affaires; **to go into ~** se lancer dans les affaires; **they made a lot of money in ~** ils ont gagné beaucoup d'argent dans les affaires; **to be honest in ~** être toujours honnête en affaires; **to set up in ~** s'établir à son compte; **she went into** *ou* **set up in ~ as a translator** elle s'est établie comme traductrice; **the firm is no longer in ~** l'entreprise a fermé; **to do ~ with sb** traiter avec qn, faire des affaires avec qn; **they do a lot of ~ with Germany** ils font beaucoup d'affaires avec l'Allemagne; **they're in ~ together** ils sont associés; **he is a man I can do ~ with** c'est un homme avec qui je peux travailler; **to go out of ~** faire faillite; **they're back in ~** Comm ils ont repris leurs activités; **she's gone to Brussels on ~** elle est allée à Bruxelles pour affaires *or* en voyage d'affaires; **he's away on ~ at the moment** en ce moment il est en déplacement pour affaires; **the recession has put them out of ~** la récession les a obligés à cesser leurs activités; **it's good/bad for ~** ça fait marcher/ne fait pas marcher les affaires; **to talk ~** parler affaires; **now we're talking ~!** fig maintenant on commence à parler sérieusement!; **are you in London for ~ or pleasure?** êtes-vous à Londres pour affaires ou pour le plaisir?; **to mix ~ with pleasure** joindre l'utile à l'agréable; **~ is ~** les affaires sont les affaires; **'~ as usual'** (on shop window) 'nous restons ouverts pendant les travaux'; **it is/it was ~ as usual** fig c'est/c'était comme à l'habitude

2 (custom, trade) **to lose ~** perdre de la clientèle; **how's ~** comment vont les affaires?; **~ is slow at the moment** les affaires marchent au ralenti *or* ne vont pas fort en ce moment; **most of our ~ comes from tourists** la plupart de nos clients sont des touristes; **we are doing twice as much ~ as last summer** notre chiffre d'affaires a doublé par rapport à l'été dernier

3 (trade, profession) métier *m*; **what's your line of ~?, what (line of) ~ are you in?** vous travaillez dans quelle branche?, qu'est-ce que vous faites dans la vie?; **he's in the hotel/insurance ~** il travaille dans l'hôtellerie/les assurances; **he's the best comedian/chef in the ~**○ fig c'est le meilleur comique/chef qui existe

4 (company, firm) affaire *f*, entreprise *f*; (shop) commerce *m*, boutique *f*; **small ~es** les petites entreprises; **she runs a small dressmaking/mail-order ~** elle dirige une petite affaire de confection/de vente par correspondance

5 ¢ (important matters) questions *fpl* importantes; (duties, tasks) devoirs *mpl*, occupations *fpl*; **let's get down to ~** passons aux choses sérieuses; **the ~ before a meeting** Admin l'ordre *m* du jour; **we got through a lot of ~ at the meeting** on a réglé beaucoup de questions au cours de la réunion; **can we get down to ~?** on peut s'y mettre?; **to go about one's ~** vaquer à ses occupations; **to deal with daily ~** expédier les affaires courantes; **we still have some unfinished ~ to discuss** nous avons encore des choses à discuter; **he got on with the ~ of tidying up/letterwriting** il s'est mis à faire le rangement/la correspondance; **'any other ~'** (on agenda) 'questions diverses'

6 (concern) **that's her ~** ça la regarde, c'est son affaire; **it's none of your ~!** ça ne te regarde pas!, ce n'est pas ton affaire!; **it's no ~ of yours what he does in his private life** sa vie privée ne te regarde pas; **to make it one's ~ to find out** se charger de découvrir la vérité; **mind your own ~**○! occupe-toi *or* mêle-toi de tes affaires○!; **he had no ~ telling her!** ce n'était pas à lui de le lui dire!; **she had no ~ to be there** elle n'avait rien à faire là-bas; **there I was minding my own ~ when ...** j'étais là tranquille dans mon coin, quand ...

7 (affair) histoire *f*, affaire *f*; **it's a bad** *ou* **sorry ~** c'est une triste affaire; **the newspapers are full of this murder/drugs ~** les journaux ne parlent que de cette histoire de meurtre/de drogue; **what a dreadful ~!** quelle histoire horrible!; **no funny ~!** et pas d'histoires!; **a nasty ~** une sale affaire; **I'm fed up with the whole ~** j'en ai ras le bol○

8 (bother, nuisance) histoire *f*; **moving house is quite a ~!** c'est toute une histoire de déménager!; **what a ~!** quelle histoire!

9 ○euph **to do its ~** [*animal*] faire ses besoins

B *modif* [*address, law, letter, transaction*] commercial; [*pages*] affaires; [*meeting, travel, consortium*] d'affaires; **~ people** hommes *mpl* d'affaires; **the ~ community** le monde des affaires

(Idioms) **now we're in ~!** maintenant nous sommes prêts!, maintenant on peut y aller!; **to be in the ~ of doing** avoir pour habitude de faire; **she can sing/play the piano like nobody's ~**○ elle chante/joue du piano comme personne; **to work like nobody's ~**○ travailler d'arrache-pied; **that's the ~**○! c'est super○!; **she means ~!** elle ne plaisante pas!; **to send sb about his ~** envoyer promener qn○; **to give sb the ~**○ US en faire voir de toutes les couleurs à qn○

business: ~ **account** *n* compte *m* professionnel; ~ **accounting** *n* comptabilité *f* d'entreprise; ~ **activity** *n* activité *f* industrielle et commerciale; ~ **administration** *n* administration *f* commerciale *or* industrielle; ~ **agent** *n* gen agent *m* d'affaires; US (union leader) délégué/-e *m/f* syndical/-e; ~ **analyst** ▸ p. 1683 *n* analyste *mf* financier/-ière; ~ **associate** *n* associé/-e *m/f*; ~ **call** *n* (visit) visite *f* d'affaires; (phone call) communication *f* d'affaires; ~ **card** *n* carte *f* de visite; ~ **centre** GB, ~ **center** US *n* centre *m* d'affaires

business class *n* Aviat classe *f* affaires; **to travel ~** voyager en classe affaires

business: ~ **college** *n* école *f* de commerce; ~ **contact** *n* relation *f* d'affaires; ~ **cycle** *n* cycle *m* économique; ~ **deal** *n* affaire *f*; ~ **economics** *n* (+ *v sg*) économie *f* de l'entreprise; ~ **end** *n* hum (of firearm) côté *m* opérant; (of knife) côté *m* coupant; ~ **ethics** *npl* déontologie *f* commerciale; ~ **expenses** *npl* frais *mpl* professionnels; ~ **failures** *npl* faillites *fpl* d'entreprises; ~ **hours** *npl* gen heures *fpl* ouvrables; (in office) heures *fpl* de bureau; (of shop) heures *fpl* d'ouverture

businesslike /ˈbɪznɪslaɪk/ *adj* [*person, manner*] sérieux/-ieuse; [*transaction*] régulier/-ière, sérieux/-ieuse; fig hum [*knife, tool*] sérieux/-ieuse; **her approach was extremely ~** sa façon de s'y prendre était très sérieuse *or* efficace

business: ~ **lunch** *n* déjeuner *m* d'affaires; ~ **machine** *n* machine *f* de bureau

businessman /ˈbɪznɪsmən/ ▸ p. 1683 *n* (*pl* **-men**) homme *m* d'affaires; **big ~** brasseur *m* d'affaires, affairiste *m* pej; **he's a good ~** il a le sens des affaires

business: ~ **manager** ▸ p. 1683 *n* Comm, Ind directeur commercial/directrice commerciale *m/f*; (in showbusiness) agent *m*; ~ **park** *n* parc *m* d'affaires *or* d'activités; ~ **plan** *n* projet *m* commercial, business plan *m*; ~ **premises** *npl* locaux *mpl* commerciaux; ~ **process re-engineering** *n* reengineering *m*; ~ **proposition** *n* proposition *f*; ~ **rate** *n* GB taxe *f* professionnelle; ~ **reply envelope** *n* enveloppe *f* pré-affranchie, enveloppe-réponse *f*; ~ **reply service** *n* service *m* de pré-affranchissement d'enveloppes-réponses; ~ **school** *n* école *f* de commerce

business sense *n* **to have ~** avoir le sens des affaires; **this decision makes good ~** sur le plan commercial c'est une bonne décision

business: ~ **services** *npl* services *mpl* aux entreprises; ~ **software** *n* logiciel *m* de gestion; ~ **studies** *npl* études *fpl* commerciales *or* de commerce; ~ **suit** *n* costume *m* de ville, complet *m*; **~-to-~** *adj* interentreprise; ~ **trip** *n* voyage *m* d'affaires; ~ **unit** *n* local *m* à usage commercial; **~woman** *n* femme *f* d'affaires

bus(s)ing /ˈbʌsɪŋ/ *n* US ramassage *m* scolaire

Bussing

Ce système, instauré aux États-Unis en 1971, consiste à organiser le transport en car scolaire d'élèves de couleur dans une école à majorité blanche et inversement, afin de favoriser un plus grand mixage ethnique. Cette réglementation fut assouplie par la Cour suprême en 1992 qui déclara que l'équilibre racial n'était pas le seul critère à prendre en considération pour réussir un processus d'intégration.

busk /bʌsk/ *vi* GB [*musician*] jouer dans la rue; [*singer*] chanter dans la rue

busker /ˈbʌskə(r)/ *n* GB (musician) musicien/-ienne *m/f* ambulant/-e; (singer) chanteur/-euse *m/f* ambulant/-e

bus lane *n* couloir *m* d'autobus

busload /ˈbʌsləʊd/ *n* car *m*; **a ~ of tourists** un car plein de voyageurs; **by the ~, by ~s** par cars entiers

b

busman /ˈbʌsmən/ *n* employé *m* des autobus
(Idiom) **a ~'s holiday** GB vacances *fpl* qui n'en sont pas vraiment

bus: **~ pass** *n* carte *f* de bus; **~ route** *n* ligne *f* d'autobus; **~ shelter** *n* abribus® *m*; **~ station** *n* gare *f* routière

bust /bʌst/
A *n* **1** (breasts) poitrine *f*; **2** Art buste *m*; **3** ○US (binge) **to go on the ~** faire la bringue○; **beer ~** boum○ *f*; **4** ○US (failure) (person) raté/-e *m/f*; (business, career) échec *m*; Econ effondrement *m*; **5** ○(police raid) rafle *f*; (arrest) arrestation *f*; **6** ○US (punch) coup *m*
B *modif*: **~ size, ~ measurement** tour *m* de poitrine
C *adj*○ **1** (broken) fichu○, foutu◑; **2** (bankrupt) **to go ~** faire faillite; **to be ~** être à sec○
D ○*vtr* (*prét, pp* **~** *ou* **~ed**) **1** (break) bousiller○ [*machine, object*]; **2** [*police*] (break up) démanteler [*organization, drugs ring etc*]; (raid) faire une descente dans [*premises*]; (arrest) épingler○ [*suspect*]; **3** (financially) ruiner [*person, firm*]; **4** ○US (demote) rétrograder [*soldier, policeman*] (**to** au rang de); **5** surtout US (hit) flanquer○ un coup (*or* des coups) à; **6** US dresser [*horse*]; **7** ○= **burst B**
E ○*vi* (*prét, pp* **~** *ou* **~ed**) **1** **Brighton or ~!** c'est parti pour Brighton, quoi qu'il arrive!; **2** = **burst C**
(Idioms) **to ~ a gut doing sth**○ se donner un mal de chien○ pour faire qch; **to ~ one's ass doing sth**◑ se casser le cul◑ pour faire qch
(Phrasal verb) ■ **bust up**○: ▸ **~ up** [*couple*] rompre; [*friends*] se brouiller; ▸ **~ [sth] up, ~ up [sth]** flanquer en l'air○ [*meeting, party, relationship*]

bustard /ˈbʌstəd/ *n* outarde *f*

buster○ /ˈbʌstə(r)/ *n* US **move over, ~!** pousse-toi de là, mon pote○!

bus terminus *n* GB terminus *m* des bus

bustier /ˈbʌstɪeɪ/ *n* bustier *m*

bustle /ˈbʌsl/
A *n* **1** (activity) effervescence *f* (**of** de); **hustle and ~** effervescence *f*; **2** Hist Fashn faux cul○ *m*, tournure *f*
B *vi* [*person, crowd*] (*also* **~ about**) s'affairer; **to ~ in/out** entrer/sortir d'un air affairé; **to ~ with activity** être plein d'animation

bustling /ˈbʌslɪŋ/ *adj* [*street, shop, town*] animé; [*person*] affairé

bust-up○ /ˈbʌstʌp/ *n* engueulade○ *f*; **to have a ~ with sb** avoir une engueulade avec qn

busty○ /ˈbʌstɪ/ *adj* à la poitrine plantureuse

busy /ˈbɪzɪ/
A *adj* **1** [*person*] occupé (**with** avec; **doing** à faire); **to look ~** avoir l'air occupé; **to be too ~ to do** être trop occupé pour faire; **to keep oneself/sb ~** trouver de quoi s'occuper/occuper qn; **I try to keep ~** je tâche de trouver de quoi m'occuper; **that should keep them ~!** cela devrait les occuper!; **to get ~**○ s'y mettre○; **get ~!** allez, au travail!; **2** [*shop, office, airport, junction*] actif/-ive; [*square, street, town*] animé; [*day, week*] chargé; **to lead a ~ life** mener une vie très active; **the busiest time of year** c'est la période la plus active de l'année; **were the shops ~?** est-ce qu' il y avait beaucoup de monde dans les magasins?; **3** (engaged) [*line, photocopier*] occupé; **4** (overelaborate) [*design, wallpaper*] chargé; **5** US (prying) indiscret/-ète
B *v refl* **to ~ oneself doing sth** faire qch pour se donner une contenance

busy bee US
A *n* (person) personne *f* débordant d'activité, mouche *f* du coche *pej*
B **busy bees** *npl* (gossip) cancans *mpl*

busybody○ *n* **he's a real ~** il se mêle de tout

busy: **~ Lizzie** *n* GB impatiente *f*; **~ signal** *n* US Telecom tonalité *f* 'occupé'; **~work** *n* US Sch ¢ activité *f* (*dont le but est d'occuper les élèves*)

but /bʌt, bət/
A *adv* (only, just) **if I had ~ known** si seulement j'avais su; **if I could ~ remember his name** si seulement je pouvais me rappeler son nom; **these are ~ two of the possibilities** ce ne sont qu'deux possibilités; **he's ~ a child** ce n'est qu'un enfant; **I can ~ try** je peux toujours essayer; **one can't help ~ admire her** on ne peut pas s'empêcher de l'admirer; **he couldn't help ~ feel sad** il ne pouvait s'empêcher d'être triste
B *prep* **anything ~ that** tout, sauf ça; **anybody ~ him** n'importe qui sauf lui; **anywhere ~ Australia** n'importe où sauf en Australie; **everybody ~ Paul will be there** tout le monde sera là sauf Paul; **nobody ~ me knows how to do it** personne d'autre que moi ne sait le faire, il n'y a que moi qui sache le faire; **it's nothing ~ an insult** ce n'est qu'une insulte; **he's nothing ~ a coward** ce n'est qu'un lâche; **to do nothing ~ disturb people** ne rien faire d'autre que déranger les gens; **there's nothing for it ~ to leave** il n'y a plus qu'une solution, c'est de partir; **where ~ in France?** où sinon en France?; **who could do it ~ you?** qui pourrait le faire sinon toi?; **and whom should I meet in town ~ Steven!** et devine qui j'ai rencontré en ville, Steven!; **the last ~ one** l'avant-dernier; **the next road ~ one** la deuxième rue; ▸ **all**
C **but for** *prep phr* sans; **~ for you, I would have died** sans toi je serais mort; **we would have married ~ for the war** sans la guerre *or* s'il n'y avait pas eu la guerre, nous nous serions mariés; **I'd have won ~ for him** sans lui *or* s'il n'avait pas été là, j'aurais gagné; **he would have gone ~ for me** si je n'avais pas été là il serait parti
D *conj* **1** (expressing contrast, contradiction) mais; **it's not an asset ~ a disadvantage** ce n'est pas un atout mais un désavantage; **I'll do it, ~ not yet** je le ferai, mais pas tout de suite; **I agree, ~ I may be wrong** je suis d'accord, mais j'ai peut-être tort; **2** (yet) mais; **cheap ~ nourishing** bon marché mais nourrissant; **he's about your height ~ fatter** il est à peu près de ta taille mais plus gros; **3** (expressing reluctance, protest, surprise) **~ that's ridiculous/wonderful!** mais c'est ridicule/formidable!; **~ we can't afford it!** mais nous n'avons pas les moyens!; **4** (except that) **never a day passes ~ she visits him** il n'y a pas de jour qu'elle ne lui rende visite; **there's no doubt ~ he'll come** il ne fait aucun doute qu'il viendra; **5** (in apologies) mais; **excuse me, ~** excusez-moi, mais; **I may be old-fashioned, ~** je suis peut-être vieux-jeu, mais; **6** (for emphasis) **not twice, ~ three times** pas deux mais trois fois; **I've searched everywhere, ~ everywhere** j'ai cherché absolument partout; **nothing, ~ nothing will persuade him to leave** il n'y a absolument rien qui puisse le persuader de partir; **7** (adding to the discussion) **~ to continue…** mais, pour continuer…; **~ first, let's consider the advantages** mais voyons tout d'abord les avantages
(Idiom) **no ~s (about it)** il n'y a pas de 'mais' qui tienne, pas de discussion; ▸ **if**

butane /ˈbjuːteɪn/ *n* butane *m*

butch○ /bʊtʃ/ *adj* [*woman, appearance, manner*] offensive hommasse○; [*man*] macho○

butcher /ˈbʊtʃə(r)/ ▸ **p. 1683**
A *n* **1** (person) lit, fig boucher *m*; **~'s (shop)** boucherie *f*; **~'s boy** GB garçon *m* boucher; **~'s meat** viande *f* de boucherie; **2** US (candy-seller) vendeur *m* ambulant
B *vtr* **1** abattre [*animal*]; débiter [*meat*]; fig (all contexts) massacrer; **2** US vendre [*sweets, candy*]
(Idiom) **to have** *ou* **take a ~'s (hook) at sth/sb**○ GB jeter un œil○ à qch/qn

butchery /ˈbʊtʃərɪ/ *n* **1** (of meat) découpage *m*; (trade) boucherie *f*; **2** †GB (shop) boucherie *f*; **3** (of people) (slaughter) massacre *m*

butler /ˈbʌtlə(r)/ ▸ **p. 1683** *n* maître *m* d'hôtel, majordome *m*; **~'s pantry** office *m*

butt /bʌt/
A *n* **1** (end) gen bout *m*; (of rifle) crosse *f*; (of cigarette) mégot○ *m*; **2** ○surtout US (buttocks) derrière○ *m*; **get off your ~**○**!** remue tes fesses○!; **3** (barrel) (gros) tonneau *m*; **4** (person: target) **to be the ~ of sb's jokes/of criticism** être la cible des blagues de qn/des critiques; **5** (on shooting range) (mound) butte *f* (de tir); (target) cible *f*; **the ~s** le champ de tir; **6** (blow) (by person) coup *m* de tête; (by goat, ram etc) coup *m* de corne
B *vtr* **1** [*person*] donner un coup de tête à; [*goat, ram etc*] donner un coup de corne à; **to ~ one's way through sth** se frayer un chemin à travers qch; **2** Constr abouter
(Phrasal verbs) ■ **butt in** (on conversation) interrompre; (during meeting) intervenir; **he kept ~ing in on our conversation** il n'arrêtait pas de mettre son grain de sel○; **there's no need for you to ~ in** tu n'as pas besoin de t'en mêler; **sorry to ~ in but** navré de vous interrompre mais; **to ~ into sb's business** US se mêler des affaires de qn
■ **butt out**○ US **~ out!** occupe-toi de tes oignons!

butter /ˈbʌtə(r)/
A *n* beurre *m*
B *vtr* beurrer [*bread*]; mettre du beurre dans [*vegetables*]
(Idioms) **it's her bread and ~** c'est son gagne-pain; **(she looks as if) ~ wouldn't melt in her mouth** on lui donnerait le bon Dieu sans confession; **to go through sth like a knife through ~** rentrer dans qch comme dans du beurre
(Phrasal verb) ■ **butter up**○: ▸ **~ [sb] up, ~ up [sb]** passer de la pommade à○

butterball /ˈbʌtəbɔːl/ *n* **1** Culin coquille *f* de beurre; **2** ○US rondouillard/-e○ *m/f*

butter: **~bean** *n* haricot *m* de Lima, pois *m* de sept ans; **~cup** *n* Bot bouton *m* d'or; **~ dish** *n* beurrier *m*; **~fingered** *adj* maladroit, empoté; **~fingers** *n* empoté/-e *m/f*

butterfly /ˈbʌtəflaɪ/ *n* **1** Zool papillon *m* (*pl* **-ies**); **she's a bit of a social ~** elle papillonne en société; **2** Sport = **butterfly stroke**
(Idiom) **to have butterflies (in one's stomach)** avoir le trac○

butterfly: **~ kiss** *n* baiser *m* de papillon; **~ net** *n* filet *m* à papillons; **~ nut** *n* papillon *m*, écrou *m* à ailettes; **~ stroke** *n* brasse *f* papillon; **~ valve** *n* soupape *f* à papillon

butter: **~head lettuce** *n* US laitue *f*; **~ knife** *n* couteau *m* à beurre; **~milk** *n* babeurre *m*; **~ muslin** *n* étamine *f*

butterscotch /ˈbʌtəskɒtʃ/
A *n* (sweet) caramel *m* dur; (flavour) caramel *m*
B *modif* [*ice cream, sauce*] au caramel

butterwort /ˈbʌtəwɜːt/ *n* Bot grassette *f*

buttery /ˈbʌtərɪ/
A *n* **1** GB Univ ≈ cafétéria *m*; **2** (teashop) salon *m* de thé; **3** (storeroom) dépense *f*
B *adj* [*taste*] de beurre; [*cake*] au goût de beurre; [*fingers*] plein de beurre

buttock /ˈbʌtək/ *n* fesse *f*

button /ˈbʌtn/
A *n* **1** (on coat, bell, switch, sword) bouton *m*; **to do up/to undo a ~** boutonner/déboutonner un bouton; **chocolate ~s** pastilles *fpl* de chocolat; **2** ○US (chin) pointe *f* du menton; **3** US (badge) insigne *m*, badge *m*; **4** Comput bouton *m*
B *vtr* = **button up**
C *vi* [*dress etc*] se boutonner
(Idioms) **as bright as a ~** vif/vive d'esprit; **he's a ~ short**○ il lui manque une case○; **on the ~**○ (exactly) au petit poil○; (on time) à l'heure pile○; **to have all one's ~s**○ avoir toute sa tête

(Phrasal verb) ■ **button up**: ▸ ~ **[sth] up**, ~ **up [sth]** boutonner [*garment*]; ~ **(up) your lip**○! la ferme○!; **the deal is all ~ed up**○! l'affaire est dans le sac○!

button: **~-down** *adj* [*collar*] à pointes boutonnées; [*shirt*] avec col à pointes boutonnées; **~ed up** *adj* [*person*] coincé○

buttonhole /'bʌtnhəʊl/

A *n* **1** Fashn boutonnière *f*; **2** GB (flower) fleur *f* (*portée à la boutonnière*)

B *vtr* **1** Sewing border [qch] au point de boutonnière; **2** ○(accost) accrocher○

button: **~holer** *n* pied *m* de biche pour boutonnières; **~hole stitch** *n* point *m* de boutonnière; **~hook** *n* tire-bouton *m*; ~ **mushroom** *n* champignon *m* de Paris

Buttons† /'bʌtnz/ *pr n* GB groom† *m*

button-through /,bʌtn'θru:/ *adj* GB [*dress*] toute boutonnée; [*skirt*] boutonnée

buttress /'bʌtrɪs/

A *n* **1** gen contrefort *m*; fig soutien *m*; **2** (*also* **flying** ~) arc-boutant *m*

B *vtr* lit, fig étayer

butty /'bʌtɪ/ *n* GB dial sandwich *m*

buxom /'bʌksəm/ *adj* plantureux/-euse

buy /baɪ/

A *n* **1** (bargain) **a good/bad buy** une bonne/mauvaise affaire; **2** (purchase) acquisition *f*; **sb's latest** ~ l'acquisition la plus récente de qn

B *vtr* (*prét, pp* **bought**) **1** (purchase) acheter [*food, car, shares, house*] (**from sb** à qn); **to ~ sth from the supermarket/from the baker's/from Buymore** acheter qch au supermarché/chez le boulanger/chez Buymore; **to ~ sth for sb** acheter qch pour qn; **to ~ sb sth** acheter qch à qn; **the best that money can** ~ ce qui se fait de mieux; **the best car that money can** ~ la meilleure voiture qui soit; **2** (obtain with money) acheter [*fame, freedom, friends*]; **happiness can't be bought** le bonheur ne s'achète pas; **we managed to ~ some time** nous avons réussi à gagner du temps; **3** (bribe) acheter [*loyalty, silence, person*]; **she can't be bought** elle est incorruptible; **4** ○(believe) avaler○, croire [*story, excuse*]; **I'm not ~ing that!** on ne me fera pas avaler ça○!; **she bought it** elle a marché○

C *v refl* (*prét, pp* **bought**) **to ~ oneself sth** s'acheter qch

(Idiom) **to ~ it**○ (die) casser sa pipe○

(Phrasal verbs) ■ **buy in** GB: ▸ ~ **[sth] in**, ~ **in [sth]** s'approvisionner en [*food, coal*]

■ **buy into**: ▸ ~ **into [sth]** Comm acheter *or* acquérir une part dans [*firm, partnership*]

■ **buy off**: ▸ ~ **[sb] off**, ~ **off [sb]** acheter [*person, witness*]

■ **buy out**: ▸ ~ **[sb] out**, ~ **out [sb]** Comm racheter la part de [*co-owner*]; Mil racheter [*soldier*]; **to ~ oneself out of** racheter son engagement dans [*army*]

■ **buy up**: ▸ ~ **up [sth]**, ~ **[sth] up** acheter systématiquement [*shares, property*]

buyback /'baɪbæk/ *n* rachat *m*

buyer /'baɪə(r)/ *n* ▸ p. 1683 **1** (purchaser) acquéreur *m*, acheteur/-euse *m/f*; **~'s market** marché *m* d'acheteurs, marché *m* où la demande est faible; **2** (profession) acheteur/-euse *m/f*

buying /'baɪɪŋ/ *n* achat *m*

buying power *n* Comm pouvoir *m* d'achat

buyout /'baɪaʊt/ *n* Comm rachat *m* d'entreprise; ▸ **leveraged buyout**

buzz /bʌz/

A *n* **1** (of insect, conversation) bourdonnement *m*; **2** ○(phone call) coup *m* de fil; **to give sb a** ~ passer un coup de fil à qn; **3** ○(thrill) **I get a ~ from it, it gives me a** ~ (from alcohol) ça me fait planer○; (atmosphere) **a party with a real** ~ une fête vraiment pleine d'entrain; **to get a ~ out of doing** prendre son pied○ en faisant; **4** ○(rumour, news) **the ~ is that...** à ce qu'on raconte...; **what's the ~?** alors, quoi de neuf?

B *vtr* **1** (call) **to ~ sb** appeler qn au bip, biper; **2** [*plane*] raser [*crowd, building*]; frôler [*other plane*]

C *vi* **1** [*bee*] bourdonner; [*fly*] vrombir; [*buzzer*] sonner; ~ **if you know the answer** appuyez sur la sonnette si vous connaissez la réponse; **2** [*head*] **her head ~ed with thoughts** les idées se bousculaient dans son esprit; **3** [*place*] **the house was ~ing with activity** tout le monde s'affairait dans la maison; **the town ~ed with rumours** la ville bourdonnait de rumeurs

(Phrasal verb) ■ **buzz off**○ s'en aller; ~ **off!** dégage○!

buzzard /'bʌzəd/ *n* **1** Zool buse *f*; **2** †péj (person) sale bougre○ *m* pej

buzz bomb○ /'bʌzbɒm/ *n* V1 *m*

buzzer /'bʌzə(r)/ *n* gen sonnerie *f*; (on pocket, etc) bip *m*

buzzing /'bʌzɪŋ/

A *n* (of insects) bourdonnement *m*; (of buzzer) vibration *f*; **to have a ~ in one's ears** avoir les oreilles qui bourdonnent

B ○*adj* (lively) [*town*] animé; [*party, atmosphere*] planant○

buzz: **~ saw** *n* scie *f* circulaire; **~word**○ *n* mot *m* à la mode

BVDs® /bi:vi:'di:z/ *npl* US sous-vêtements *mpl* masculins

BVM *n* (*abrév* = **Blessed Virgin Mary**) **the** ~ la Sainte Vierge *f*

by /baɪ/

A *prep* **1** (showing agent, result) par; **he was bitten ~ a snake** il a été mordu par un serpent; **the house was designed ~ an architect** la maison a été conçue par un architecte; **a building destroyed ~ fire** un bâtiment détruit par le feu; **we were overwhelmed ~ the news** nous avons été bouleversés par la nouvelle; ~ **working extra hours, he was able to earn more money** en faisant des heures supplémentaires, il a pu gagner plus d'argent; ~ **selling some valuables, she was able to raise some money** en vendant quelques objets de valeur, elle a pu rassembler des fonds; **to begin ~ saying that** commencer par dire que; **any money paid ~ you will be reimbursed** tout ce que vous avez payé vous sera remboursé

2 (through the means of) **to travel ~ bus/train** voyager en bus/train; ~ **bicycle** à bicyclette, en vélo; **to pay ~ cheque** payer par chèque; **you can reach me ~ phone** vous pouvez me contacter par téléphone; ~ **candlelight** [*dine*] aux chandelles; [*read*] à la bougie; **I know her ~ sight** je la connais de vue; **I took him ~ the hand** je l'ai pris par la main; **he grabbed me ~ the hair** il m'a attrapé par les cheveux; **she was holding it ~ the handle** elle le tenait par le manche; **he has two children ~ his first wife** il a deux enfants de sa première femme

3 (according to, from evidence of) à; ~ **my watch it is three o'clock** à ma montre, il est trois heures; **I could tell ~ the look on her face that she was angry** rien qu'à la regarder je savais qu'elle était fâchée; **what did you understand ~ her remarks?** comment est-ce que tu as compris ses remarques?; **I knew him ~ his walk** je l'ai reconnu à sa démarche; **it's all right ~ me** ça me va

4 (via, passing through) par; **we entered ~ the back door** nous sommes entrés par la porte de derrière; **we'll get there quicker if we go ~ Birmingham** nous y arriverons plus rapidement si nous passons par Birmingham; **we travelled to Rome ~ Venice and Florence** nous sommes allés à Rome en passant par Venise et Florence

5 (near, beside) à côté de, près de; ~ **the bed/the window** à côté du lit/de la fenêtre; ~ **the sea** au bord de la mer; **come and sit ~ me** viens t'asseoir à côté de moi

6 (past) **to go** *ou* **pass ~ sb** passer devant qn; **she walked ~ me** elle est passée devant moi; **they passed us ~ in their car** ils nous ont dépassés dans leur voiture; **please let us get** ~ s'il vous plaît, laissez-nous passer

7 (showing authorship) de; **a film ~ Claude Chabrol** un film de Claude Chabrol; **a novel ~ Virginia Woolf** un roman de Virginia Woolf; **who is it ~?** c'est de qui?

8 (before, not later than) avant; **it must be done ~ four o'clock/next Thursday** il faut que ce soit fait avant quatre heures/jeudi prochain; ~ **this time next week** d'ici la semaine prochaine; ~ **the time she had got downstairs he was gone** le temps qu'elle descende, il était parti; **he ought to be here ~ now** il devrait être déjà là; ~ **now it was clear that they were going to win** à ce moment-là il était clair qu'ils allaient gagner; **but ~ then it was too late** mais il était déjà trop tard

9 (during) ~ **day as well as ~ night** de jour comme de nuit; ~ **daylight** au jour; ~ **moonlight** au clair de lune

10 (according to) **forbidden ~ law** interdit par la loi; **to play ~ the rules** jouer selon les règles; **it seems primitive ~ western standards** cela a l'air primitif selon *or* d'après les critères occidentaux

11 (to the extent or degree of) de; **prices have risen ~ 20%** les prix ont augmenté de 20%; **he's taller than me ~ two centimetres** il fait deux centimètres de plus que moi, il est plus grand que moi de deux centimètres; ~ **far** de loin; **she is ~ far the cleverest/the youngest** elle est de loin la plus intelligente/la plus jeune; **it's better ~ far** c'est beaucoup mieux

12 (in measurements) sur; **a room 20 metres ~ 10 metres** une pièce de 20 mètres sur 10

> ### ℹ by
>
> When *by* is used with a passive verb, it is translated by *par*:
>
> ***he was killed by a tiger***
> = il a été tué par un tigre
>
> ***she was horrified by the news***
> = elle a été horrifiée par la nouvelle
>
> For particular usages, see the entry **by**.
>
> When *by* is used with a present participle to mean *by means of*, it is translated by *en*:
>
> ***she learned French by listening to the radio***
> = elle a appris le français en écoutant la radio
>
> For particular usages, see the entry **by**.
>
> When *by* is used with a noun to mean *by means of* or *using*, it is translated by *par*:
>
> ***by telephone***
> = par téléphone
>
> ***to hold something by the handle***
> = tenir quelque chose par la poignée
>
> Note, however:
>
> ***to travel by bus/train/plane***
> = voyager en bus/train/avion
>
> In time expressions *by* is translated by *avant*:
>
> ***it must be finished by Friday***
> = il faut que ce soit fini avant vendredi
>
> For particular usages, see the entry **by**.
>
> *by* often appears as the second element in phrasal verbs (*get by*, *put by*, *stand by* etc.). For translations, consult the appropriate verb entry (**get, put, stand** etc.).
>
> For translations of fixed phrases and expressions such as *to learn something by heart*, *to deliver something by hand* etc. consult the appropriate noun entry (**heart, hand** etc.).
>
> For all other uses of *by* see the entry **by**.

b

13 Math (in multiplication, division) par; **10 multiplied ~ 5 is 50** 10 multiplié par 5 égale 50
14 (showing rate, quantity) à; **to be paid ~ the hour** être payé à l'heure; **~ the dozen** à la douzaine
15 (in successive degrees, units) **little ~ little** peu à peu; **day ~ day** jour après jour; **one ~ one** un par un, un à un
16 (with regard to) de; **he is an architect ~ profession** *ou* **trade** il est architecte de son métier; **~ birth** de naissance
17 (as a result of) par; **~ accident/mistake** par accident/erreur; **~ chance** par hasard
18 (used with reflexive pronouns) **he did it all ~ himself** il l'a fait tout seul; **she was sitting ~ herself** elle était assise toute seule
19 (in promises, oaths) **~ God, I could kill him!** je le jure, je pourrais le tuer!; **I swear ~ heaven** je jure devant Dieu
20 Naut (in compass directions) quart; **south ~ south-west** sud quart sud-ouest
B *adv* 1 (past) **to go ~** passer; **the people walking ~** les gens *mpl* qui passent/passaient, les passants *mpl*; **he walked on ~ without stopping** il est passé sans s'arrêter; **a lot of time has gone ~ since then** il s'est écoulé beaucoup de temps depuis lors; **as time goes ~** avec le temps
2 (near) près; **he lives close ~** il habite tout près
3 (aside, in reserve) **to put money ~** mettre de l'argent de côté
4 (to one's house) **come ~ for a drink** passe prendre un verre; **she called ~ during the week** elle est passée dans la semaine
(Idioms) **~ and ~** bientôt; **~ the ~, ~ the bye** à propos; **but that's ~ the ~** mais ça c'est un détail, mais ça c'est autre chose

bye /baɪ/
A *n* 1 GB Sport **to have** *ou* **get a ~** gagner par défaut
B ○*excl* au revoir!; **~ for now!** à bientôt!

bye-bye○ /ˈbaɪbaɪ, bəˈbaɪ/
A *excl* au revoir!
B *adv* lang enfantin **to go ~** US partir; **to go ~s** GB aller au lit

byelaw *n* = **bylaw**

by(e)-election /ˈbaɪɪlekʃn/ *n* GB élection *f* partielle

Byelorussia /ˌbjeləʊˈrʊʃə/ ▸ **p. 1096** *pr n* Biélorussie *f*

bygone /ˈbaɪɡɒn/
A **bygones** *npl* (mementos) objets *mpl* du passé
B *adj* [*days, years, scene, etc*] d'antan; **a ~ age** *ou* **era** une époque révolue
(Idiom) **to let ~s be ~s** enterrer le passé

bylaw /ˈbaɪlɔː/ *n* 1 (of local authority) arrêté *m* municipal; 2 Comm règlement *m* intérieur

by-line /ˈbaɪlaɪn/ *n* 1 Journ nom *m* de journaliste (*en tête d'un article*); 2 Sport ligne *f* de touche

bypass /ˈbaɪpɑːs/
A *n* 1 Aut rocade *f*; 2 (pipe, channel) by-pass *m inv*; 3 Elec dérivation *f*; 4 Med pontage *m*
B *vtr* Aut contourner [*town, city*]; fig éviter [*issue, question*]; contourner [*law, procedure*]; éviter de passer par [*manager, chief*]; **we ~ed France on our way to Italy** nous sommes allés en Italie sans passer par la France

bypass operation *n* Med pontage *m*; **he had a ~** on lui a fait un pontage

bypass surgery *n* pontage *m*

by: ~play *n* Theat action *f* secondaire; **~-product** *n* Biol, Ind dérivé *m*; fig effet *m* secondaire

byre /ˈbaɪə(r)/ *n* GB étable *f*

by: ~road *n* petite route *f*, petit chemin *m*; **~stander** *n* passant *m*

byte /baɪt/ *n* Comput octet *m*

byway /ˈbaɪweɪ/ *n* lit petite route *f*, petit chemin *m*; fig (of history, literature etc) périphérie *f*

byword /ˈbaɪwɜːd/ *n* **the party is a ~ for fanaticism** le parti est synonyme de fanatisme; **caution is his ~** sa devise, c'est la prudence

by-your-leave *n* **without so much as a ~** sans même demander la permission

Byzantine /baɪˈzæntaɪn, ˈbɪzəntaɪn/
A *n* Byzantin/-e *m/f*
B *adj* [*art, civilization, empire*] byzantin also fig; [*emperor*] de Byzance

Byzantium /bɪˈzæntɪəm/ *pr n* Hist Byzance

C

c, C /siː/ *n* 1▶ (letter) c, C *m*; 2▶ **C** Mus do *m*, ut *m*; 3▶ (*abrév écrite* = **century**) **c19th**, **C19th** XIXe siècle; 4▶ **c** (*abrév écrite* = **circa**) vers; **c1890** vers 1890; 5▶ **c** *abrév écrite* = **carat**; 6▶ **c** US *abrév écrite* = **cent(s)**; 7▶ **C** GB Sch (grade) ≈ note *f* de 12 sur 20; 8▶ **C** *abrév* = **Celsius**, **centigrade**

CA 1▶ US Post *abrév écrite* = **California**; 2▶ *abrév* ▸ **Central America**; 3▶ GB Fin *abrév* ▸ **chartered accountant**

C/A 1▶ Fin *abrév* ▸ **capital account**; 2▶ Fin *abrév* ▸ **credit account**; 3▶ Fin *abrév* ▸ **current account**

CAA *n* GB *abrév* ▸ **Civil Aviation Authority**

cab /kæb/ *n* 1▶ (taxi) taxi *m*; (horse-drawn) fiacre *m*; 2▶ (driver's compartment) cabine *f*

CAB 1▶ GB *abrév* ▸ **Citizens' Advice Bureau**; 2▶ US *abrév* ▸ **Civil Aeronautics Board**

cabal /kəˈbæl/ *n* (all contexts) cabale *f*

cabana /kəˈbɑːnə/ *n* US (tent) tente *f* de plage; (hut) cabine *f* de plage

cabaret /ˈkæbəreɪ, US ˌkæbəˈreɪ/
A *n* 1▶ (genre) cabaret *m*; **to do ~** faire du cabaret; 2▶ (show) spectacle *m* de cabaret; 3▶ (nightclub, restaurant) cabaret *m*
B *modif* [*performance, number*] de cabaret

cabbage /ˈkæbɪdʒ/ *n* 1▶ Bot, Culin chou *m*; 2▶ ○GB injur (brain-damaged person) *personne réduite à l'état végétatif*; 3▶ ○GB (dull person) légume○ *m*

cabbage: **~ lettuce** *n* GB laitue *f* pommée; **~ rose** *n* grande rose *f*; **~ white (butterfly)** *n* piéride *f* du chou

cabbala /kəˈbɑːlə/ *n* lit kabbale *f*; fig cabale *f*

cabbalistic /ˌkæbəˈlɪstɪk/ *adj* lit cabalistique; **~ signs** des signes cabalistiques

cabby○ /ˈkæbɪ/ *n* 1▶ (taxi driver) chauffeur *m* de taxi; 2▶ Hist (coachman) cocher *m* de fiacre

cab-driver /ˈkæbdraɪvə(r)/ *n* (taxi-driver) chauffeur *m* de taxi; Hist (coachman) cocher *m* de fiacre

caber /ˈkeɪbə(r)/ *n* tronc *m*; **to toss the ~** lancer le tronc (*jeu écossais*)

cabin /ˈkæbɪn/ *n* 1▶ (hut) cabane *f*; (in holiday camp etc) chalet *m*; 2▶ Naut cabine *f*; 3▶ Aviat (containing passengers, crew) cabine *f*; (cockpit) cabine *f* de pilotage; (for cargo) soute *f*; 4▶ Aerosp habitacle *m*; 5▶ GB Rail (signal box) cabine *f* d'aiguillage; 6▶ GB (driver's compartment) cabine *f*

cabin: **~ boy** *n* Hist mousse *m*; **~ class** *n*: *classe intermédiaire entre première et touriste sur les bateaux*; **~ crew** *n* Aviat personnel *m* de bord, navigants *mpl* commerciaux; **~ cruiser** *n* cruiser *m*

cabinet /ˈkæbɪnɪt/
A *n* 1▶ (cupboard) petit placard *m*; (glass-fronted) vitrine *f*; (decorative, on legs) cabinet *m*; **cocktail** *ou* **drinks ~** meuble *m* bar; **display ~** vitrine *f*; **television ~** meuble *m* télévision; 2▶ GB Pol cabinet *m*; ≈ Conseil *m* des ministres
B *modif* Pol [*crisis, decision, post*] ministériel/-ielle

> **Cabinet**
>
> Au Royaume-Uni, le *Cabinet* est un comité composé d'une vingtaine de ministres et du Premier ministre qui se réunit toutes les semaines au *10 Downing St* pour décider de la politique du gouvernement. Certains membres y appartiennent de droit (*Home Secretary, Chancellor of the Exchequer*, etc.) et d'autres sont choisis par le Premier ministre. Les membres du *Cabinet* ont un devoir de réserve et sont collectivement responsables des décisions prises. Une fois qu'une mesure a été prise, un ministre qui ne l'approuve pas doit cependant s'y rallier ou démissionner. ▸ **Downing St**

cabinet: **~maker** ▸ **p. 1683** *n* ébéniste *m*; **~making** *n* ébénisterie *f*; **~ meeting** *n* GB ≈ Conseil des ministres; **~ minister** *n* GB ministre *m* (*faisant partie du Cabinet du premier ministre*); **~ reshuffle** *n* GB remaniement *m* ministériel; **~work** *n* ébénisterie *f*

cabin trunk *n* malle *f* de voyage

cable /ˈkeɪbl/
A *n* 1▶ (rope) câble *m*; **anchor/steel/suspension ~** câble d'ancre/d'acier/de suspension; **accelerator/brake ~** câble d'accélérateur/de frein; 2▶ (electric) câble *m*; **to lay a ~** poser un câble; **fibre-optic ~** GB, **fiber-optic ~** US câble en fibres optiques; **high-voltage ~** câble à haute tension; **overhead/power ~** câble aérien/électrique; 3▶ (television) câble *m*; 4▶ (telegram) câble *m*
B *vtr* 1▶ (telegraph) câbler (**that** que + *indic*); **to ~ sb sth, to ~ sth to sb** câbler qch à qn; 2▶ (provide with cables) câbler [*house, area*]
C *modif* [*programme, channel, network*] câblé

cable: **~ car** *n* téléphérique *m*; **~ channel** *n* TV chaîne *f* câblée; **~gram** *n* câblogramme *m*; **~-knit** *adj* [*sweater*] à torsades; **~ layer** ▸ **p. 1683** *n* câblier *m*; **~ railway** *n* funiculaire *m*; **~ release** *n* déclencheur *m* souple

cable stitch *n* point *m* torsade; **a ~ sweater** un tricot à torsades

cable: **~ television**, **~ TV** *n* télévision *f* par câble; **~ tray** *n* Comput, Elec chemin *m* de câbles; **~way** *n* téléphérique *m*

caboodle○ /kəˈbuːdl/ *n* **the whole (kit and) ~** tout le bazar○, tout le bataclan○

caboose /kəˈbuːs/ *n* 1▶ GB Naut coquerie *f*; 2▶ US Rail fourgon *m* de queue

cab-rank, **cabstand** *n* station *f* de taxis

ca'canny strike /kɑːˌkænɪ ˈstraɪk/ *n* GB grève *f* perlée

cacao (tree) /kəˈkɑːəʊ, kəˈkeɪəʊ/ *n* cacaoyer *m*, cacaotier *m*

cache /kæʃ/
A *n* 1▶ (hoard) cache *f*; **an arms ~, a ~ of arms** une cache d'armes; 2▶ (place) cachette *f*
B *vtr* cacher

cache memory *n* Comput antémémoire *f*

cachet /ˈkæʃeɪ, US kæˈʃeɪ/ *n* (all contexts) cachet *m*

cack-handed○ /ˌkækˈhændɪd/ *adj* GB maladroit, gauche

cackle /ˈkækl/
A *n* (of hen) caquet *m*; (of person) **a ~ of amusement** un ricanement; **cut the ~**○! arrêtez de jacasser!
B *vi* [*hen*] caqueter; [*person*] (talk) caqueter; (laugh) ricaner

cackling /ˈkæklɪŋ/ *n* ¢ (of hens) caquetage *m* also fig; (laughter) péj ricanements *mpl*

cacophonous /kəˈkɒfənəs/ *adj* sout cacophonique

cacophony /kəˈkɒfənɪ/ *n* sout cacophonie *f*

cactus /ˈkæktəs/ *n* (*pl* **-ti**) cactus *m*

cad○† /kæd/ *n* GB goujat *m*, malotru† *m*

Cad○ /kæd/, **Caddy**○ /ˈkædɪ/ *n* US (*abrév* = **Cadillac**) Cad○ *f*, Cadillac *f*

CAD *n*: *abrév* ▸ **computer-aided design**

cadaver /kəˈdɑːvə(r), -ˈdeɪv-, US kəˈdævər/ *n* sout cadavre *m*

cadaverous /kəˈdævərəs/ *adj* [*face, figure*] cadavérique

CADCAM /ˈkædkæm/ *n* Comput (*abrév* = **computer-aided design and computer-aided manufacture**) CFAO *f*

caddie, caddy /ˈkædɪ/
A *n* caddie *m*
B *vi* **to ~ for sb** être le caddie de qn

caddie car(t) *n* Golf chariot *m*

caddish○† /ˈkædɪʃ/ *adj* GB mufle

caddy /ˈkædɪ/
A *n* 1▶ US (shopping trolley) chariot *m*, caddie® *m*; 2▶ GB (*also* **tea ~**) boîte *f* à thé; 3▶ Sport = **caddie A**
B *vi* Sport = **caddie B**

cadence /ˈkeɪdns/ *n* (intonation) inflexion *f*; (rhythm) cadence *f*, rythme *m*; Mus cadence *f*

cadenza /kəˈdenzə/ *n* Mus cadence *f*

cadet /kəˈdet/ *n* Mil (*also* **officer ~**) élève *mf* officier; (in police force) élève *mf* agent de police

cadet: **~ corps** *n* Mil unité *f* de préparation militaire (*jusqu'à 18 ans*); **~ school** *n* école *f* militaire

cadetship /kəˈdetʃɪp/ *n*: *bourse pour faire une préparation militaire*

cadge○ /kædʒ/ *vtr* péj **to ~ sth off** *ou* **from sb** taper○ qn de qch [*sum*]; taper○ qch à qn [*cigarette, money*]; **to ~ a meal/a lift** se faire inviter/emmener en voiture; **can I ~ a lift?** je peux profiter de la voiture?

cadger○ /ˈkædʒə(r)/ *n* pej gen parasite *m*; (of money) tapeur/-euse○ *m/f*; (of meals) pique-assiette○ *mf inv*

Cadiz /kəˈdɪz/ ▸ **p. 1815** *pr n* Cadix

cadmium /ˈkædmɪəm/ *n* cadmium *m*

cadre /ˈkɑːdə(r), US ˈkædrɪ/ *n* 1▶ (group) Mil cadre *m*; Admin, Pol noyau *m* (d'hommes); 2▶ Pol (person) cadre *m*

CAE *n* Comput (*abrév* = **computer-aided engineering**) IAO *f*

caecum GB, **cecum** US /ˈsiːkəm/ *n* cæcum *m*

Caesar /ˈsiːzə(r)/ *pr n* César

(Idiom) **render unto ~ what is ~'s** rendez à César ce qui est à César

Caesarea /ˌsiːzəˈrɪə/ ▸ **p. 1815** *pr n* Césarée *f*

C

Caesarean, Caesarian /sɪ'zeərɪən/ *n* Med (*also* ~ **section**) césarienne *f*

caesium GB, **cesium** US /'si:zɪəm/ *n* césium *m*

caesura /sɪ'zjʊərə, US sɪ'ʒʊərə/ *n* (*pl* **-ras**, **-rae**) césure *f*

CAF *abrév* ▸ **cost and freight**

café /'kæfeɪ, US kæ'feɪ/ *n* **1** gen ≈ snack-bar *m* (*ne vendant pas de boissons alcoolisées*); **pavement** ~ GB, **sidewalk** ~ US café *m*; **2** US (restaurant) bistro *m*

café: ~ **curtains** *npl* brise-brise *m inv*; ~ **society** *n* le beau monde

cafeteria /ˌkæfə'tɪərɪə/ *n* gen cafétéria *f*; Sch cantine *f*; Univ restaurant *m* universitaire

cafetière /kæf'tjeə(r)/ *n* cafetière *f* à piston

caff○† /kæf/ GB *n* ≈ snack-bar *m*

caffein(e) /'kæfi:n/ *n* caféine *f*; **~-free** décaféiné

caftan /'kæftæn/ *n* caftan *m*

cage /keɪdʒ/

A *n* **1** (for bird, animal) cage *f*; (of lift) cabine *f*; (in mine) cage *f*; (in prison) cellule *f*; **2** ○Sport (basketball) panier *m*; (ice-hockey) cage *f* (de buts)

B *vtr* mettre en cage [*bird, animal*]; **a ~d animal** un animal en cage; **to pace up and down like a ~d animal** tourner comme un animal en cage

(Phrasal verb) ■ **cage in**: ▸ ~ **[sb] in**, ~ **in [sb]** encager; **to feel ~d in** étouffer

cagebird /'keɪdʒbɜ:d/ *n* oiseau *m* d'appartement *or* d'agrément

cagey○, **cagy**○ /'keɪdʒɪ/ *adj* **1** (wary) méfiant; **to be ~ about doing** hésiter à faire; **she's very ~ about her family** elle n'aime pas beaucoup parler de sa famille; **2** US (shrewd) astucieux/-ieuse, malin/maligne

cagily○ /'keɪdʒɪlɪ/ *adv* **1** (warily) avec méfiance; **2** US (shrewdly) astucieusement

caginess○ /'keɪdʒɪnɪs/ *n* **1** (wariness) réticence *f* (**about** à l'égard de); **2** US (shrewdness) astuce *f*

cagoule /kə'gu:l/ *n* GB K-way® *m*

cahoots○ /kə'hu:ts/ *npl* **to be in** ~ être de mèche○ (**with** avec)

caiman *n* = **cayman**

Cain /keɪn/ *pr n* Caïn

(Idiom) **to raise** ~○ (make a noise) faire du boucan○; (get angry) piquer une crise○

caïque /kaɪ'i:k/ *n* caïque *m*

cairn /keən/ *n* **1** (of stones) cairn *m*; **2** (*also* ~ **terrier**) cairn-terrier *m*

cairngorm /'keəngɔ:m/

A *n* Miner quartz *m* fumé

B *pr n* **the Cairngorms** les monts *mpl* Cairngorm

Cairo /'kaɪərəʊ/ ▸ **p. 1815** *pr n* Le Caire

caisson /'keɪsn/ *n* Mil, Naut, Constr caisson *m*

cajole /kə'dʒəʊl/ *vtr* cajoler; **to ~ sb into doing sth** amener qn à faire qch par la cajolerie; **'give him half,' she ~d** 'donne-lui la moitié' dit-elle d'un ton cajoleur

cajolery /kə'dʒəʊlərɪ/ *n* ¢ cajoleries *fpl*

Cajun /'keɪdʒən/ ▸ **p. 1467, p. 1378**

A *n* **1** (person) Cajun *mf*; **2** (language) cajun *m*

B *adj* cajun

> **Cajun**
>
> Établis en Louisiane, les Cajuns sont la communauté francophone la plus importante des États-Unis. Ils descendent majoritairement des Acadiens qui furent contraints de quitter le Canada au XVIIIe siècle. La langue qu'ils parlent est un mélange de français du XIXe siècle, d'anglais, de créole et d'espagnol, mais elle disparaît peu à peu au profit de l'anglais. Pour préserver cette langue ainsi ▸▸▸ que la culture francophone de plus en plus soumise à l'américanisation, les écoliers cajuns qui le souhaitent ont la possibilité de suivre un enseignement bilingue.

cake /keɪk/

A *n* **1** Culin gâteau *m*; (sponge) génoise *f*; **2** (of soap, wax) pain *m*; **3** (of fish, potato) croquette *f*

B *vtr* [*mud, blood*] former une croûte sur [*clothes, person*]

C *vi* [*mud, blood*] former une croûte (**on** sur)

D **caked** *pp adj* [*mud, blood*] qui forme une croûte; **~d in mud** couvert de boue séchée

(Idioms) **it's a piece of ~**○ c'est du gâteau○; **to get a** *ou* **one's slice** *ou* **share of the ~** avoir sa part du gâteau; **you can't have your ~ and eat it** on ne peut pas tout avoir, on ne peut pas avoir le beurre et l'argent du beurre; **that takes the ~**○! ça c'est le pompon!; ▸ **hot cake**

cake: ~ **decoration** *n* décoration *f* pour gâteau; ~ **flour** *n* farine *f* à gâteaux; ~ **mix** *n* préparation *f or* mélange *m* pour gâteau; ~ **pan** *n* US = **cake tin 1**; ~ **shop** *n* ≈ pâtisserie *f*; ~ **stand** *n* plat *m* à gâteaux; ~ **tin** *n* (for baking) moule *m* à gâteaux; (for storing) boîte *f* à gâteaux

cakewalk /'keɪkwɔ:k/ *n* cake-walk *m*

(Idiom) **it's a ~**○! US c'est du gâteau○!

CAL *n*: *abrév* ▸ **computer-aided learning**

calabash /'kæləbæʃ/ *n* (fruit) calebasse *f*; (tree) calebassier *m*

calaboose○ /ˌkælə'bu:s/ *n* US taule○ *f*

calabrese /ˌkælə'breɪzɪ/ *n* broccoli *m*

Calabria /kə'læbrɪə/ *pr n* Calabre *f*

Calabrian /kə'læbrɪən/ *adj* calabrais

calamine /'kæləmaɪn/ *n* calamine *f*

calamine lotion *n* lotion *f* calmante à la calamine

calamitous /kə'læmɪtəs/ *adj* catastrophique, désastreux/-euse

calamity /kə'læmətɪ/ *n* calamité *f*

calcareous /kæl'keərɪəs/ *adj* calcaire; ~ **clay** marne *f*

calcification /ˌkælsɪfɪ'keɪʃn/ *n* calcification *f*

calcify /'kælsɪfaɪ/

A *vtr* calcifier

B *vi* se calcifier.

calcination /ˌkælsɪ'neɪʃn/ *n* calcination *f*

calcine /'kælsɪn/

A *vtr* calciner

B *vi* se calciner

calcium /'kælsɪəm/

A *n* calcium *m*

B *modif* [*carbonate, chloride, hydroxide*] de calcium

calculable /'kælkjʊləbl/ *adj* calculable

calculate /'kælkjʊleɪt/ *vtr* **1** (work out) calculer [*cost, distance, price, size*]; **to ~ that** calculer que; **2** (estimate) évaluer [*consequences, effect, probability, rise*]; **to ~ that** estimer que; **3** (intend) **to be ~d to do** avoir été conçu pour faire

calculated /'kælkjʊleɪtɪd/ *adj* [*crime*] prémédité; [*attempt, decision, insult, malice*] délibéré; [*risk*] calculé

calculating /'kælkjʊleɪtɪŋ/ *adj* **1** (scheming) [*manner, cheat, killer, politician*] calculateur/-trice; **2** (shrewd) [*approach, policy*] prudent

calculating machine *n* machine *f* à calculer

calculation /ˌkælkjʊ'leɪʃn/ *n* **1** (operation) calcul *m*; **to make** *ou* **do ~s** faire des calculs; **by my ~s** d'après mes calculs; **to get one's ~s wrong** se tromper dans ses calculs; **2** (process) calculs *mpl*; **after much ~** après de nombreux calculs; **3** (scheming) préméditation *f*

calculator /'kælkjʊleɪtə(r)/ *n* calculatrice *f*, calculette *f*; (larger) machine *f* à calculer; **pocket ~** calculatrice *f* de poche, calculette *f*

calculus /'kælkjʊləs/ *n* Math, Med calcul *m*

Calcutta /kæl'kʌtə/ ▸ **p. 1815** *pr n* Calcutta

calendar /'kælɪndə(r)/ *n* **1** gen calendrier *m*; **a major event in the sporting/social ~** un grand événement de la saison sportive/au chapitre des mondanités; **2** Jur (list) rôle *m*

calendar: ~ **month** *n* mois *m* calendaire; ~ **year** *n* année *f* civile

calf /kɑ:f, US kæf/ *n* (*pl* **calves**) **1** Zool (cow) veau *m*; (deer) faon *m*; (buffalo) buffletin *m*; (elephant) éléphanteau *m*; (whale) baleineau *m*; **to be in ~** être pleine; **calves' liver** Culin foie *m* de veau; **2** (leather) vachette *f*; **3** Anat mollet *m*

(Idiom) **to kill the fatted ~** tuer le veau gras

calf: ~ **love** *n* amour *m* juvénile; **~skin** *n* vachette *f*

caliber *n* US = **calibre**

calibrate /'kælɪbreɪt/ *vtr* étalonner [*scales*]; calibrer [*instrument, tube, gun*]

calibration /ˌkælɪ'breɪʃn/ *n* (process) (of instrument, tube, gun) calibrage *m*; (of measure, scales) étalonnage *m*

calibre GB, **caliber** US /'kælɪbə(r)/ *n* (all contexts) calibre *m*; **of exceptional ~** d'un calibre exceptionnel

calico /'kælɪkəʊ/

A *n* GB calicot *m*; US indienne *f*

B *modif* [*garment*] en calicot, en indienne

C *adj* US tacheté

Calif /'keɪlɪf/ *n* calife *m*

California /ˌkælɪ'fɔ:nɪə/ ▸ **p. 1737** *pr n* Californie *f*

Californian /ˌkælɪ'fɔ:nɪən/

A *n* Californien/-ienne *m/f*

B *adj* californien/-ienne

caliper *n* US = **calliper**

Caliph *n* = **Calif**

calisthenics *n* = **callisthenics**

calk /cælk/ *vtr* Art, Tech décalquer

call /kɔ:l/

A *n* **1** Telecom appel *m* (téléphonique) (**from** de); **business ~** appel professionnel; **private** *ou* **personal ~** appel privé; **(tele)phone ~** appel *m* (téléphonique); **I have a ~ for you** j'ai un appel pour vous; **to make a ~** appeler, téléphoner; **to make a ~ to Italy** appeler l'Italie, téléphoner en Italie; **to receive/take a ~** recevoir/prendre un appel; **to give sb a ~** appeler qn; **to return sb's ~** rappeler qn; **to put a ~ through to sb** passer un appel à qn

2 (audible cry) (human) appel *m* (**for** à); (animal) cri *m*; **to give sb a ~** appeler qn

3 (summons) appel *m*, **this is the last ~ for passengers to Berlin** Aviat ceci est le dernier appel pour les passagers à destination de Berlin; **this is your ten minute ~** Theat en scène dans dix minutes; **to put out a ~ for sb** (over public address) faire appeler qn; (over radio) lancer un appel à qn; **the Red Cross has put out a ~ for blankets** la Croix Rouge a lancé un appel pour obtenir des couvertures

4 (visit) visite *f*; **social ~** visite *f* de courtoisie; **to make** *ou* **pay a ~** lit rendre visite (**on** à); **to pay a ~** euph aller aux toilettes; **to return sb's ~** rendre sa visite à qn

5 (demand) demande *f*; **the strikers' ~ for a pay rise** la demande d'augmentation de salaire de la part des grévistes; **there were ~s for his resignation** sa démission a été réclamée; **a ~ for reform** une demande de réforme; **she has many ~s on her time** elle est très sollicitée; **there's no ~ for it** Comm il n'y a pas de demande (pour cet article); **we don't get much ~ for that** nous n'avons guère de demande pour cela; **to have first ~ on sth** avoir la priorité sur qch

6 (need) **there's no ~ for sth/to do** il n'y a pas de raison pour qch/de faire; **there was no ~ for her to say that** elle n'avait aucune raison *or* aucun besoin de dire cela

7 (allure) (of mountains, sea, the unknown) appel *m* (**of de**)

8 Sport décision *f*

9▸ Fin (for repayment of loan) demande *f* de remboursement; (request) appel *m*; (right to buy) option *f* d'achat; **money at** *ou* **on ~** argent à court terme *or* au jour le jour; **on three months' ~** à trois mois; **payable at ~** remboursable sur présentation *or* à vue; **a ~ for capital/tenders** un appel de fonds/d'offres
10▸ (duty) **to be on ~** *[doctor]* être de garde; *[engineer]* être de service
11▸ Relig (vocation) vocation *f*
B *vtr* **1▸** (say loudly) (*also* **~ out**) appeler *[name, number]*; crier *[answer, instructions]*; annoncer *[result]*; Games parier *[heads, tails]*; annoncer *[flight]*; **to ~ the register** Sch faire l'appel; **he ~ed (out) 'Goodbye'** il a crié 'au revoir'
2▸ (summon) appeler *[lift]*; (by shouting) appeler *[person, animal, witness]*; (by phone) appeler *[person, police, taxi]*; (by letter) convoquer *[applicant, candidate]*; **he was ~ed before the committee** il a été convoqué devant la commission; **the boss ~ed me into his office** le chef m'a fait venir dans son bureau; **the police were ~ed to the scene** la police a été appelée sur les lieux; **I've ~ed you a taxi** je vous ai appelé un taxi; **come when you're ~ed** venez quand on vous appelle; **~ the next witness** appelez le témoin suivant; **you may be ~ed to give evidence** il se peut que vous soyez convoqué pour témoigner
3▸ (telephone) (*also* **~ up**) appeler *[person, institution, number]* (**at** à; **from** de); **don't ~ us, we'll ~ you** hum (n'appelez pas) nous vous appellerons; **~ me on my mobile** appelle-moi sur mon portable
4▸ (give a name) appeler *[person, baby, animal, place, product]* (**by** par); intituler *[book, film, music, play]*; **she prefers to be ~ed by her maiden name** elle préfère qu'on l'appelle par son nom de jeune fille
5▸ (arrange) organiser *[strike]*; convoquer *[conference, meeting, rehearsal]*; fixer *[election]*
6▸ (waken) réveiller *[person]*; **what time shall I ~ you in the morning?** à quelle heure voulez-vous que je vous réveille?
7▸ (describe as) **to ~ sb stupid/a liar** traiter qn d'imbécile/de menteur/-euse; **I wouldn't ~ it spacious/beautiful** je ne dirais pas que c'est vaste/beau; **do you ~ that plate clean?** tu appelles ça une assiette propre?; **it's not what you'd ~ an exciting film** on ne peut pas dire que ce film soit passionnant; **it's what you might ~ a delicate situation** c'est ce qui s'appelle une situation délicate; **~ that a garden**○! tu appelles ça un jardin!; **~ it what you will** appelle ça comme tu veux; **parapsychology or whatever they** *ou* **you ~ it**○ la métapsychologie ou quelque chose dans ce goût-là○; **(let's) ~ it £5** disons cinq livres sterling; **he hasn't a place to ~ his own** il n'a pas de chez-lui
8▸ Sport *[referee, linesman]* déclarer; **the linesman ~ed the ball in** le juge de ligne a déclaré que la balle était bonne
9▸ Fin demander le remboursement de *[loan]*
10▸ Comput appeler *[file, program]*
C *vi* **1▸** (cry out) (*also* **~ out**) *[person, animal]* appeler; (louder) crier; *[bird]* crier; **London ~ing** Radio ici Londres
2▸ (telephone) appeler; **where are you ~ing from?** d'où appelez-vous?; **I'm ~ing about your advertisement** j'appelle au sujet de votre annonce; **thank you for ~ing** merci d'avoir appelé; **please ~ back in an hour** rappelez dans une heure s'il vous plaît, veuillez rappeler dans une heure fml; **to ~ home** appeler chez soi *or* à la maison; **who's ~ing?** qui est à l'appareil?
3▸ (visit) passer; **to ~ at** *[person]* passer chez *[person, shop]*; *[person]* passer à *[bank, library, town]*; *[train]* s'arrêter à *[town, station]*; *[boat]* faire escale à *[port]*; **the London train ~ing at Reading and Slough** le train à destination de Londres desservant les gares de Reading et Slough
4▸ (tossing coins, racquet) parier; **you ~, heads or tails?** à toi de parier, pile ou face?
D *v refl* **to ~ oneself** se faire appeler *[Smith, Bob]*; (claim to be) se dire, se prétendre *[poet, designer]*; **he ~s himself a writer but…** il se dit *or* se prétend écrivain mais…; **~ yourself a sailor**○**?** et tu te prétends marin?; **I am proud to ~ myself European** je suis fier d'être européen

(Idiom) **it was a close ~** c'était de justesse

(Phrasal verbs) ■ **call away: ▸ ~ [sb] away** appeler; **to be ~ed away** être obligé de s'absenter
■ **call back: ▸ ~ back 1▸** (on phone) rappeler; **2▸** (return) repasser; **▸ ~ [sb] back 1▸** (summon by shouting, phone back) rappeler *[person]*; **2▸** (recall) rappeler *[representative, diplomat]*
■ **call by** passer
■ **call down: ▸ ~ down** (shout from above) appeler; **▸ ~ down [sth], ~ [sth] down** appeler *[blessing, curse, vengeance]* (**on** sur)
■ **call for: ▸ ~ for [sth] 1▸** (shout) appeler à *[help]*; appeler *[ambulance, doctor]*; **2▸** (demand) *[person]* demander *[food, drink, equipment, tool]*; *[report, article, politician, protesters]* réclamer *[changes, improvements]*; **they are ~ing for talks to be extended** ils réclament la prolongation des négociations; **3▸** (require) *[situation, problem, conditions]* exiger *[treatment, skill, action, understanding]*; nécessiter *[change, intervention, improvements]*; **this ~s for a celebration!** ça se fête!; **that was not ~ed for** c'était déplacé; **4▸** (collect) passer prendre *[person]*; passer chercher *[object]*
■ **call forth** littér: **▸ ~ forth [sth], ~ [sth] forth** susciter
■ **call in: ▸ ~ in 1▸** (visit) passer; **2▸** (telephone) appeler; **to ~ in sick** *[employee]* appeler pour dire qu'on est malade; **▸ ~ in [sb], ~ [sb] in 1▸** lit (summon inside) faire rentrer *[person, animal]*; faire entrer *[candidate, client, patient]*; **2▸** (send for) faire appel à *[expert, police, engineer]*; **▸ ~ in [sth], ~ [sth] in 1▸** (recall) demander le retour de *[library book, ticket, surplus, supplies]*; retirer [qch] de la circulation *[currency]*; retirer [qch] du commerce *[product]*; **2▸** Fin demander le remboursement de *[loan]*
■ **call off: ▸ ~ off [sth], ~ [sth] off 1▸** lit rappeler *[dog, attacker]*; **2▸** fig (halt) interrompre *[arrangement, deal, plan, search, investigation, strike]*; (cancel) annuler *[show, meeting, wedding]*; **to ~ off one's engagement** rompre ses fiançailles; **to ~ off a strike** annuler un ordre de grève; **let's ~ the whole thing off** laissons tomber
■ **call on: ▸ ~ on [sb/sth] 1▸** (visit) (*also* **~ in on**) rendre visite à *[relative, friend]*; visiter *[patient, client]*; **2▸** (invite) demander à *[speaker, lecturer]* (**to do** de faire); **3▸** (urge) demander à (**to do** de faire); (stronger) enjoindre fml (**to do** de faire); **he ~ed on his colleagues to oppose it** il a demandé à ses collègues de s'y opposer; **4▸** (appeal to, resort to) s'adresser à *[person]*; avoir recours à *[services]*; faire appel à *[moral quality]*; **neighbours she can ~ on** des voisins à qui elle peut s'adresser; **we will ~ on your services** nous aurons recours à vos services; **you will have to ~ on all your patience and courage** il faudra faire appel à toute ta patience et tout ton courage
■ **call out: ▸ ~ out** (cry aloud) appeler; (louder) crier; **▸ ~ out [sb], ~ [sb] out 1▸** (summon outside) appeler; **the teacher ~ed me out to the front of the class** le professeur m'a fait venir devant le reste de la classe; **2▸** (send for) appeler *[expert, doctor, emergency service, repairman, troops]*; **3▸** Ind *[union]* lancer un ordre de grève à *[members]*; **to ~ sb out on strike** lancer un ordre de grève à qn; **▸ ~ [sth] out, ~ out [sth]** appeler *[name, number]*
■ **call over: ▸ ~ over to [sb]** appeler; **▸ ~ [sb] over** appeler
■ **call round** (visit) venir
■ **call up: ▸ ~ up** appeler; **▸ ~ up [sb/sth], ~ [sb/sth] up 1▸** (on phone) appeler; **2▸** (summon) appeler *[reserves, reinforcements]*; appeler [qn] sous les drapeaux *[soldier]*; invoquer *[ghost, spirit]*; **3▸** (evoke) rappeler *[memory, past event, scene]*; **4▸** Comput appeler (à l'écran), afficher *[data, file, menu]*; **5▸** Sport sélectionner *[player]*
■ **call upon** = **call on**

CALL *n: abrév* ▸ **computer-aided language learning**

callable /ˈkɔːləbl/ *adj* Fin *[bond, stock]* remboursable par anticipation; *[capital]* exigible; *[loan]* révocable

Callanetics /ˌkælənˈetɪks/ *n* (+ *v sg*) *méthode de gymnastique basée sur les micro-mouvements musculaires*

callback facility *n* Telecom rappel *m* automatique

call box *n* GB cabine *f* téléphonique; US poste *m* téléphonique

call boy *n* (in hotel) chasseur *m*; (in theatre) régisseur *m*

call: ~ button *n* (for lift) bouton *m* d'appel; **~ centre** GB, **~ center** US *n* centre *m* d'appel; **~ charge** *n* montant *m* de la communication téléphonique

caller /ˈkɔːlə(r)/ *n* **1▸** Telecom personne *f* qui appelle; **we've had 15 ~s today** nous avons reçu 15 appels aujourd'hui; **2▸** (visitor) visiteur/-euse *m/f*; **3▸** (in country dance) meneur *m* de jeu

caller display *n* Telecom présentation *f* du numéro

call girl *n* call-girl *f*

calligrapher /kəˈlɪgrəfə(r)/, **calligraphist** /kəˈlɪgrəfɪst/ ▸ p. 1683 *n* calligraphe *mf*

calligraphic /ˌkælɪˈgræfɪk/ *adj* calligraphique

calligraphist /kəˈlɪgrəfɪst/ *n* = **calligrapher**

calligraphy /kəˈlɪgrəfɪ/ *n* calligraphie *f*

call-in (programme) /ˈkɔːlɪn/ *n* US, Radio émission *f* avec appels en direct

calling /ˈkɔːlɪŋ/ *n* (vocation) vocation *f*; (profession) métier *m*

calling card *n* carte *f* de visite

calliper GB, **caliper** US /ˈkælɪpə(r)/ **1▸** Med (leg support) appareil *m* orthopédique; **2▸ callipers** *npl* (for measuring) compas *m* d'épaisseur

callisthenics /ˌkælɪsˈθenɪks/ *n* (+ *v sg*) gymnastique *f* suédoise

call: ~ letters *npl* US Radio = **call sign**; **~ loan** *n* prêt *m* remboursable sur demande; **~ money** *n* Fin argent *m* au jour le jour; **~ option** *n* Fin option *f* d'achat

callosity /kəˈlɒsətɪ/ *n* callosité *f*

callous /ˈkæləs/ *adj [person]* inhumain, insensible; *[attitude, brutality, crime]* inhumain

callously /ˈkæləslɪ/ *adv [act, speak]* durement; *[suggest]* cyniquement

callousness /ˈkæləsnɪs/ *n* (of person) dureté *f*; (of attitude) inhumanité *f*

call: ~-out *n* (from repairman) dépannage *m*; **~-out charge** *n* frais *mpl* de déplacement

callow /ˈkæləʊ/ *adj* gauche; **a ~ youth** un jeune homme encore gauche

call: ~ queuing *n* Telecom mise *f* en file d'attente des appels; **~ sign** *n* Radio indicatif *m*; **~ slip** *n* (in library) (to consult) fiche *f* de consultation; (to borrow) fiche *f* de prêt; **~-up** *n* Mil (general) appel *m*; (of reservists) rappel *m*; **~-up papers** *npl* Mil ordre *m* d'appel

callus /ˈkæləs/ *n* cal *m*

callused /ˈkæləst/ *adj [hands]* calleux/-euse; **to have ~ feet** avoir des durillons aux pieds

call waiting *n* Telecom signal *m* d'appel

calm /kɑːm, US *also* kɑːlm/
A *n* **1▸** (of place, atmosphere) tranquillité *f*, calme *m*; **2▸** (of person) calme *m*; (in adversity) sang-froid *m*; **to keep one's ~** garder son sang-froid; **3▸** Naut calme *m*
B *adj* calme; **keep ~!** du calme!

C *vtr* (all contexts) calmer

(Idiom) **the ~ before the storm** le calme avant la tempête

(Phrasal verb) ■ **calm down:** ■ **~ down** [*person, situation*] se calmer; **~ down!** du calme!, calmez-vous!; ► **~ [sth/sb] down, ~ down [sth/sb]** calmer [*crowd, situation*]

calming /ˈkɑːmɪŋ, US *also* ˈkɑːlm-/ *adj* [*environment, influence, sound, speech*] apaisant; [*sensation*] d'apaisement

calmly /ˈkɑːmlɪ, US *also* ˈkɑːlmlɪ/ *adv* **1** (quietly) [*act, behave, react, speak*] calmement; [*sleep, smoke, read, wait*] tranquillement; **she took the news ~** elle a pris la nouvelle avec calme; **2** (brazenly) tranquillement

calmness /ˈkɑːmnɪs, US *also* ˈkɑːlm-/ *n* **1** (of person) gen calme *m*; (in adversity) sang-froid *m*; **2** (of place, sea, weather) calme *m*

Calor gas® /ˈkælə gæs/ *n* GB butane *m*; **~ container, ~ bottle** bouteille *f* de butane

caloric /ˈkælərɪk/ *adj* thermique

calorie /ˈkælərɪ/ *n* calorie *f*; **low-~ diet/drink** régime/boisson à basses calories; **to count ~s** compter les calories; **to be ~-conscious** faire attention aux calories

calorific /ˌkæləˈrɪfɪk/ *adj* calorifique; **~ value** valeur *f* calorifique

calque /kælk/ *n* Ling calque *m*

CALT *n*: *abrév* ► **computer-aided language teaching**

calumniate /kəˈlʌmnɪeɪt/ *vtr* sout calomnier

calumny /ˈkæləmnɪ/ *n* sout calomnie *f*

Calvados /ˈkælvədɒs/ ► **p. 1243** *pr n* Calvados *m*; **in/to ~** dans le Calvados

calvary /ˈkælvərɪ/

A *n* (all contexts) calvaire *m*

B Calvary *pr n* le Calvaire

calve /kɑːv, US kæv/ *vi* mettre bas

calves /kɑːvz/ *npl* ► **calf**

Calvin /ˈkælvɪn/ *pr n* Calvin

Calvinism /ˈkælvɪnɪzəm/ *n* calvinisme *m*

Calvinist /ˈkælvɪnɪst/ *n, adj* calviniste (*mf*)

Calvinistic /ˌkælvɪˈnɪstɪk/ *adj* calviniste

calypso /kəˈlɪpsəʊ/ *n* calypso *m*

calyx /ˈkeɪlɪks/ *n* (*pl* **-xes** *ou* **-ces**) calice *m*

cam /kæm/ *n* Tech came *f*

CAM *n*: *abrév* ► **computer-aided manufacturing**

camaraderie /ˌkæməˈrɑːdərɪ, US -ˈræd-/ *n* camaraderie *f*

camber /ˈkæmbə(r)/

A *n* (of road) bombement *m*; (of ship's deck) tonture *f*; (of beam) contre-flèche *f*; (of wheels) carrossage *m*

B *vtr* bomber [*road*]; cintrer [*beam*]

Cambodia /kæmˈbəʊdɪə/ ► **p. 1096** *pr n* Cambodge *m*

Cambodian /kæmˈbəʊdɪən/ ► **p. 1467**

A *n* Cambodgien/-ienne *m/f*

B *adj* cambodgien/-ienne

Cambrian /ˈkæmbrɪən/ Geol

A *n* **the ~** le cambrien *m*

B *adj* cambrien/-ienne

cambric /ˈkeɪmbrɪk/ *n* batiste *f*

Cambridgeshire /ˈkeɪmbrɪdʒʃə(r)/ ► **p. 1612** *pr n* Cambridgeshire *m*

Cambs *n* GB Post *abrév écrite* = **Cambridgeshire**

camcorder /ˈkæmkɔːdə(r)/ *n* caméscope® *m*

came /keɪm/ *prét* ► **come**

camel /ˈkæml/ ► **p. 1067**

A *n* **1** chameau *m*; (female) chamelle *f*; (for racing) méhari *m*; **2** (colour) couleur *f* caramel

B *modif* **~ train** caravane *f* de chameaux; **~ driver** chamelier *m*

C *adj* [*coat, dress*] couleur caramel *inv*

(Idiom) **that was the straw that broke the ~'s back** c'est la goutte d'eau qui a fait déborder le vase

camel hair

A *n* poil *m* de chameau

B *modif* [*coat, jacket*] en poil de chameau

camellia /kəˈmiːlɪə/ *n* camélia *m*

Camelot /ˈkæmɪlɒt/ *pr n* **1** Mythol *capitale légendaire du Roi Arthur en Angleterre*; **2** US Pol *l'administration de John F. Kennedy*

camembert /ˈkæməmbeə(r)/ *n* camembert *m*

cameo /ˈkæmɪəʊ/ *n* **1** camée *m*; **~ brooch** camée monté en broche; **2** Theat, Cin **a ~ role** un camée

camera /ˈkæmərə/ *n* **1** Phot appareil *m* photo; Cin, TV caméra *f*; **2** Jur **in ~** à huis clos

camera bag *n* gen sac *m* photo; (professional) sac *m* de photographe

camera: **~ case** *n* étui *m* (d'appareil photo); **~ crew** *n* équipe *f* de télévision; **~man** ► **p. 1683** *n* (*pl* **-men**) cadreur *m*, cameraman *m*; **~ obscura** *n* chambre *f* noire, chambre *f* obscure; **~ phone** *n* téléphone *m* portable avec appareil photo numérique; **~-ready copy, CRC** *n* document *m* prêt pour la photogravure

camera-shy /ˈkæmərəʃaɪ/ *adj* **she's ~** elle n'aime pas qu'on la prenne en photo

camerawork /ˈkæmərəwɜːk/ *n* prise *f* de vues

Cameroon /ˌkæməˈruːn/ ► **p. 1096** *pr n* Cameroun *m*

Cameroonian /ˌkæməˈruːnɪən/ ► **p. 1467**

A *n* Camerounais/-aise *m/f*

B *adj* camerounais

camiknickers /ˈkæmɪnɪkəz/ *npl* GB chemise-culotte *f*

camisole /ˈkæmɪsəʊl/ *n* caraco *m*

camomile /ˈkæməmaɪl/ *n* camomille *f*; **~ tea** infusion *f* de camomille

camouflage /ˈkæməflɑːʒ/

A *n* (all contexts) camouflage *m*

B *modif* [*gear, jacket, netting*] de camouflage

C *vtr* (all contexts) camoufler (**with** avec)

D *v refl* **to ~ oneself** se camoufler

camp /kæmp/

A *n* **1** gen (of tents, buildings etc) camp *m*; (of nomads) campement *m*; **to make** *ou* **pitch ~** planter son camp; **to strike ~** lever le camp; **to go to ~** [*scout etc*] partir en camp; **2** fig (group) camp *m*, parti *m*; **to go over to the other ~** changer de camp; **3** °péj (mannered style etc) cabotinage° *m*; **it's high ~** c'est du pur cabotinage°; **4** (holiday centre) centre *m* de vacances, colonie *f* de vacances

B *adj* péj **1** (exaggerated) [*person*] cabotin°; [*gesture, performance*] théâtral; **2** (effeminate) efféminé; **3** (in bad taste) kitsch

C *vi* camper; **to go ~ing** faire du camping

(Idioms) **to have a foot in both ~s** avoir un pied dans chaque camp; **to ~ it up°** (overact) cabotiner°; (act effeminately) forcer dans le genre efféminé

(Phrasal verbs) ■ **camp on** Telecom effectuer un rappel automatique

■ **camp out** dormir sous la tente; **he's ~ing out in the lounge** il campe dans le salon

campaign /kæmˈpeɪn/

A *n* (all contexts) campagne *f* (**for** pour; **against** contre); **to mount** *ou* **launch a ~** lancer une campagne

B *vi* faire campagne (**for** pour; **against** contre); **after ten years of ~ing** au bout de dix ans de campagne

campaigner /kæmˈpeɪnə(r)/ *n* gen militant/-e *m/f* (**for** pour; **against** contre); Pol candidat/-e *m/f* en campagne (électorale); **animal rights ~** militant pour les droits de l'animal; **old ~** Mil vétéran *m*

campaign: **~ headquarters** *n* GB Pol (+ *v sg ou pl*) état-major *m*; **~ literature** *n* ¢ tracts *mpl*; **~ medal** *n* médaille *f* militaire

campaign trail *n* **on the ~** en tournée électorale

campaign worker *n* GB Pol membre *m* de l'état-major

campanile /ˌkæmpəˈniːlɪ/ *n* campanile *m*

camp: **~ bed** *n* lit *m* de camp; **~ chair** *n* US chaise *f* pliante; **~ commandant** *n* commandant *m* de camp

camper /ˈkæmpə(r)/ *n* **1** (person) campeur/-euse *m/f*; **2** (*also* **~ van**) camping-car *m*; **3** US (folding caravan) caravane *f* pliante

campfire /ˈkæmpfaɪə(r)/ *n* feu *m* de camp

camp follower *n* **1** Mil civil *m* (*qui suit une armée*); (prostitute) prostituée *f*; **2** (sympathizer) sympathisant/-e *m/f*

camphor /ˈkæmfə(r)/ *n* camphre *m*

camphorated oil /ˌkæmfəreɪtɪd ˈɔɪl/ *n* huile *f* camphrée

camping /ˈkæmpɪŋ/ *n* camping *m*; **to go ~** faire du camping

camping: **~ equipment** *n* matériel *m* de camping; **~ gas** *n* camping-gaz® *m*; **~ ground** *n* = **campsite**; **~ holiday** *n* vacances *fpl* sous la tente; **~ stool** *n* GB pliant *m*; **~ stove** *n* réchaud *m*

campion /ˈkæmpɪən/ *n* Bot lychnis *m*

camp: **~ meeting** *n* US Relig camp *m* biblique; **~ on** *n* GB Telecom rappel *m* automatique; **~site, ~ing site** *n* (official) terrain *m* de camping, camping *m*; **~ stool** *n* US pliant *m*

campus /ˈkæmpəs/ (*pl* **-puses** /ˈkæmpəsɪz/)

A *n* campus *m*; **to live on/off ~** vivre sur le/en dehors du campus

B *modif* [*life*] de campus; [*facilities*] du campus; **~ police** US vigiles *mpl*; **a ~ university** université *f* bâtie autour d'un campus

CAMRA /ˈkæmrə/ *n* GB (*abrév* = **Campaign for Real Ale**) *campagne pour l'amélioration de la qualité de la bière*

camshaft /ˈkæmʃɑːft, US -ʃæft/ *n* arbre *m* à cames

can¹ /kæn, kən/ *modal aux* (*prét, cond* **could**; *nég au prés* **cannot, can't**) **1** (expressing possibility) **we ~ rent a house** nous pouvons louer une maison; **anyone ~ enrol** n'importe qui peut s'inscrire; **they can't** *ou* **cannot afford to fly** ils ne peuvent pas se permettre de prendre l'avion; **it ~ also be used to dry clothes** on peut aussi s'en servir pour faire sécher le linge; **how ~ one know in advance?** comment peut-on savoir à l'avance?; **we are confident that the job ~ be completed in time** nous sommes convaincus que le travail peut être fini à temps; **you can't have forgotten!** tu ne peux pas avoir oublié!; **it ~ be described as** on peut le décrire comme étant; **it cannot be explained logically** ça n'a pas d'explication logique; **it could be that...** il se peut que... (+ *subj*); **could be°** peut-être; **they could be dead** ils sont peut-être morts; **it could be a trap** c'est peut-être un piège, ça pourrait être un piège; **I could be wrong** je me trompe peut-être, il se peut que j'aie tort; **this could be our most important match** c'est peut-être *or* ça pourrait être le match le plus important pour nous; **the engine could explode** le moteur pourrait exploser; **it could be seen as an insult** ça pourrait être considéré comme une insulte; **it could be argued that** on pourrait dire que; **could it have something to do with the delay?** est-ce que ça pourrait avoir un rapport avec le retard?; **you could have been electrocuted!** tu aurais pu t'électrocuter!; **'did she know?'—'no, how could she?'** 'est-ce qu'elle était au courant?'—'non, comment est-ce qu'elle aurait pu l'être?'; **the computer couldn't** *ou* **can't have made an error** l'ordinateur n'a pas pu faire d'erreur, il est impossible que l'ordinateur ait fait une erreur; **they couldn't** *ou* **can't have found out so soon** ils ne peuvent pas avoir compris si vite, il est impossible qu'ils aient compris si vite; **nothing could be simpler** il n'y a rien de plus simple

2 (expressing permission) **you ~ turn right here** vous pouvez tourner à droite ici; **I can't leave**

ℹ can¹

can and *could* are usually translated by the verb *pouvoir*. For the conjugation of *pouvoir*, see the French verb tables.

he can wait until tomorrow
= il peut attendre jusqu'à demain

you can go out now
= vous pouvez sortir maintenant

The two notable exceptions to this are as follows:

When *can* or *could* is used to mean *know how to*, the verb *savoir* is used:

she can speak French
= elle sait parler français

he could read at the age of four
= à l'âge de quatre ans il savait lire

When *can* or *could* is used with a verb of perception such as *see*, *hear* or *feel* it is not translated at all:

I can't see her
= je ne la vois pas

she couldn't feel anything
= elle ne sentait rien

In requests *can* is translated by the present tense of *pouvoir* and the more polite *could* by the conditional tense of *pouvoir*:

can you help me?
= peux-tu m'aider?

could you help me?
= pourrais-tu m'aider?

For particular usages of *could* when it is not simply the preterite or conditional of *can* see **13, 15, 16** in the entry **can¹**.

See also the entry **able**.

yet je ne peux pas partir pour le moment; **we cannot allow dogs in the café** nous ne pouvons pas autoriser les chiens dans le café; **~ we park here?** est-ce que nous pouvons nous garer ici?; **people could travel without a passport** on pouvait voyager sans passeport; **we could only go out at weekends** nous ne pouvions sortir *ou* nous n'avions le droit de sortir que le week-end; **could I interrupt?** puis-je vous interrompre?
3 (when making requests) **~ you leave us a message?** est-ce que tu peux nous laisser un message?; **~ you do me a favour?** est-ce que tu peux me rendre un service?; **~ I ask you a question?** puis-je poser une question?; **can't you get home earlier?** est-ce que tu ne peux pas rentrer plus tôt?; **could I speak to Annie?** est-ce que je pourrais parler à Annie?, puis-je parler à Annie?; **could she spend the night with you?** est-ce qu'elle pourrait dormir chez toi?; **you couldn't come earlier, could you?** est-ce que tu pourrais venir un peu plus tôt?; **couldn't you give us another chance?** est-ce que vous ne pourriez pas nous donner une autre chance?
4 (when making an offer) **~ I give you a hand?** est-ce que je peux te donner un coup de main?; **what ~ I do for you?** qu'est-ce que je peux faire pour vous aider?; **you ~ borrow it if you like** tu peux l'emprunter si tu veux
5 (when making suggestions) **you ~ always exchange it** tu peux toujours l'échanger; **I ~ call round later if you prefer** je peux passer plus tard si ça t'arrange; **we could try and phone him** nous pourrions essayer de lui téléphoner; **couldn't they go camping instead?** est-ce qu'ils ne pourraient pas faire du camping à la place?
6 (have skill, knowledge to) **she can't drive yet** elle ne sait pas encore conduire; **~ he type?** est-ce qu'il sait taper à la machine?; **few people could read or write** peu de gens savaient lire ou écrire; **she never told us she could speak Chinese** elle ne nous a jamais dit qu'elle savait parler chinois
7 (have ability, power to) **computers ~ process data rapidly** les ordinateurs peuvent traiter rapidement les données; **to do all one ~** faire tout ce qu'on peut *or* tout son possible; **he couldn't sleep for weeks** il n'a pas pu dormir pendant des semaines; **if only we could stay** si seulement nous pouvions rester; **I wish I could have been there** j'aurais aimé (pouvoir) être là; **I wish I could go to Japan** j'aimerais (pouvoir) visiter le Japon; **I can't** *ou* **cannot understand why** je ne comprends pas pourquoi, je n'arrive pas à comprendre pourquoi
8 (have ability, using senses, to) **~ you see it?** est-ce que tu le vois?; **I can't hear anything** je n'entends rien; **we could hear them laughing** on les entendait rire; **I could feel my heart beating** je sentais mon cœur battre
9 (indicating capability, tendency) **she could be quite abrupt** elle pouvait être assez brusque; **it ~ make life difficult** ça peut rendre la vie difficile; **Italy ~ be very warm at that time of year** il peut faire très chaud en Italie à cette période de l'année
10 (expressing likelihood, assumption) **the cease-fire can't last** le cessez-le-feu ne peut pas durer; **it can't be as bad as that!** ça ne peut pas être aussi terrible que ça!; **it can't have been easy for her** ça n'a pas dû être facile pour elle; **he couldn't be more than 10 years old** il ne peut pas avoir plus de 10 ans
11 (expressing willingness to act) **I cannot give up work** je ne peux pas laisser tomber le travail; **we ~ take you home** nous pouvons te déposer chez toi; **I couldn't leave the children** (didn't want to) je ne pouvais pas laisser les enfants; (wouldn't want to) je ne pourrais pas laisser les enfants
12 (be in a position to) **one ~ hardly blame her** on peut difficilement le lui reprocher; **they ~ hardly refuse to listen** ils peuvent difficilement refuser d'écouter; **I can't say I agree** je ne peux pas dire que je suis d'accord; **I couldn't possibly accept the money** je ne peux vraiment pas accepter cet argent
13 (expressing a reproach) **they could have warned us** ils auraient pu nous prévenir; **you could at least say sorry!** tu pourrais au moins t'excuser!; **how could you!** comment as-tu pu faire une chose pareille!
14 (expressing surprise) **what ~ she possibly want from me?** qu'est-ce qu'elle peut bien me vouloir?; **who could it be?** qui est-ce que ça peut bien être?; **where could they have hidden it?** où est-ce qu'ils ont bien pu le cacher?; **you can't** *ou* **cannot be serious!** tu veux rire○!; **~ you believe it!** tu te rends compte?
15 (for emphasis) **I couldn't agree more!** je suis entièrement d'accord!; **they couldn't have been nicer** ils ont été extrêmement gentils; **you couldn't be more mistaken** tu te trompes complètement
16 (expressing exasperation) **I was so mad I could have screamed!** j'aurais crié tellement j'étais en colère!; **I could murder him○!** je le tuerais○!
17 (expressing obligation) **if she wants it she ~ ask me herself** si elle le veut elle peut venir me le demander elle-même; **you ~ get lost○!** tu peux toujours courir○!; **if you want to chat, you ~ leave** si vous voulez bavarder allez faire ça dehors; **if he doesn't like it he ~ lump it○** même si ça ne lui plaît pas il va falloir qu'il fasse avec○
18 (avoiding repetition of verb) **'~ we borrow it?'—'you ~'** 'est-ce que nous pouvons l'emprunter?'—'bien sûr'; **leave as soon as you ~** partez dès que vous pourrez; **'~ anyone give me a lift home?'—'we ~'** 'est-ce que quelqu'un peut me déposer chez moi?'—'oui, nous'
(Idioms) **as happy/excited as ~** *ou* **could be** très heureux/excité; **no ~ do○** non, je ne peux pas

can² /kæn/
A *n* **1** (of tinned food) boîte *f*; (aerosol) bombe *f*; (for petrol) bidon *m*; (of drink) cannette *f*; **2** ◐(lavatory) chiottes◐ *fpl*, toilettes *fpl*; **3** ○(prison) taule○ *f*; **4** ○US (rump) fesses *fpl*; **to kick sb in the ~** botter les fesses à qn○; **5** ○US Naut destroyer *m*
B *vtr* (*p prés etc* **-nn-**) **1** Culin mettre [qch] en conserve [*fruit, vegetables*]; **2** ○**~ it! I'm trying to sleep** ferme-la○, j'essaie de dormir!; **3** ○US (dismiss) virer○
C canned *pp adj* **1** [*food*] en boîte; **2** ○[*music, laughter, applause*] enregistré; **3** ○(drunk) bourré○
(Idioms) **a ~ of worms** une affaire dans laquelle il vaut mieux ne pas trop fouiller; **in the ~○** Cin (of film) dans la boîte; (of negotiations) dans la poche; **to carry the ~ for sb○** porter le chapeau à la place de qn○

Canada /'kænədə/ ▸ **p. 1096** *pr n* Canada *m*

Canada goose *n* (*pl* **Canada geese**) bernache *f* du Canada

Canadian /kə'neɪdɪən/ ▸ **p. 1467**
A *n* Canadien/-ienne *m/f*
B *adj* canadien/-ienne; **to speak ~ French/English** parler le français/l'anglais du Canada; **~ bacon** US bacon *m*

canal /kə'næl/ *n* **1** (waterway) canal *m*; **2** Anat (in ear) conduit *m*; **alimentary ~** tube *m* digestif; **central** *ou* **spinal ~** canal *m* médullaire

canal: **~ boat**, **~ barge** *n* péniche *f*; **~ holiday** *n* GB croisière *f* en péniche

canalization /ˌkænəlaɪ'zeɪʃn, US -lɪ'z-/ *n* (of river) canalisation *f*; (of region) construction *f* de canaux d'irrigation

canalize /'kænəlaɪz/ *vtr* (all contexts) canaliser

canapé /'kænəpɪ, US ˌkænə'peɪ/ *n* canapé *m*

canard /kæ'nɑːd, 'kænɑːd/ *n* (rumour) canard○ *m*

Canaries /kə'neərɪz/ ▸ **p. 1355** *pr npl* (*also* **Canary Islands**) **the ~** les Canaries *fpl*

canary /kə'neərɪ/ *n* **1** Zool canari *m*, serin *m*; **2** = **Canary wine**

canary: **Canary wine** *n* vin *m* des Canaries; **~ yellow** ▸ **p. 1067** *n*, *adj* jaune (*m*) canari *inv*

canasta /kə'næstə/ ▸ **p. 1253** *n* canasta *f*

can bank *n* (benne *f* de) dépôt *m* de cannettes

Canberra /'kænbərə/ ▸ **p. 1815** *pr n* Canberra

cancan /'kænkæn/ *n* French-cancan *m*

cancel /'kænsl/ (*p prés etc* **-ll-**, **-l-** US)
A *vtr* **1** (call off) annuler [*event, order, booking, train, flight*]; **2** Fin, Insur (nullify) résilier [*contract, policy*]; annuler [*loan, debt, invoice*]; mettre une opposition à [*cheque, credit card*]; **3** Jur lever [*order*]; révoquer [*decree, will*]; **4** Math = **cancel out**; **5** Post oblitérer [*stamp*]; **6** Comput annuler [*command, instruction*]
B *vi* **1** (from meal, function, meeting) se décommander; (after booking) annuler; **2** Math = **cancel out**
(Phrasal verb) ■ **cancel out**: ▸ **~ out** [*figures*] s'annuler; [*arguments, views*] s'annuler; ▸ **~ out [sth]** **1** gen neutraliser [*emotion, effect, trend, gain*]; **the arguments ~ each other out** les arguments se neutralisent; **2** Math éliminer [*equation*]

cancellation /ˌkænsə'leɪʃn/ *n* **1** (of event, order, booking, train, flight) annulation *f*; **we have three ~s** nous avons trois annulations; **2** Fin, Insur (of contract, policy) résiliation *f*; (of debt, loan, invoice) annulation *f*; **3** Jur (of will) révocation *f*; (of order, decree) levée *f*

cancellation charge *n* frais *mpl* d'annulation

cancer /'kænsə(r)/ ▸ **p. 1327**
A *n* Med, fig cancer *m*; **to have ~** avoir un cancer; **to have lung/stomach ~** avoir un cancer du poumon/de l'estomac; **a ~ sufferer** un/-e cancéreux/-euse *m/f*

C

B *modif* [*risk*] de cancer; [*treatment*] du cancer

Cancer /ˈkænsə(r)/ ▸ **p. 1917** *n* **1** Astrol Cancer *m*; **2** Geog **tropic of ~** tropique *m* du Cancer

cancer: **~-causing** *adj* cancérigène; **~ hospital** *n* centre *m* anticancéreux

cancerous /ˈkænsərəs/ *adj* cancéreux/-euse

cancer: **~ patient** *n* cancéreux/-euse *m/f*; **~ research** *n* cancérologie *f*; **~ screening** *n* dépistage *m* du cancer; **~ specialist** ▸ **p. 1683** *n* cancérologue *mf*; **~ stick**◑ *n* GB cigarette *f*; **~ ward** *n* service *m* de cancérologie

candelabra /ˌkændɪˈlɑːbrə/ *n* (*pl* **~** *ou* **~s**) candélabre *m*

candid /ˈkændɪd/ *adj* franc/franche; **a ~ biography** une biographie qui ne cache rien; **~ camera** caméra *f* invisible

candidacy /ˈkændɪdəsɪ/, **candidature** /ˈkændɪdətʃə/ *n* GB candidature *f*

candidate /ˈkændɪdət, US -deɪt/ *n* **1** Pol candidat/-e *m/f*; **the ~ for mayor/for Oxford** le candidat à la mairie/pour Oxford; **a ~ for the presidency, a presidential ~** un candidat à la présidence; **parliamentary ~** candidat au parlement; **the Conservative ~** le candidat du parti conservateur; **to stand as a ~ (in an election)** se porter candidat (à une élection); **a strong/weak ~** un candidat bien/mal placé; **2** (for job) candidat/-e *m/f*, postulant/-e *m/f*; **to be a likely ~ (for the job)** être bien placé (pour obtenir le poste); **the successful ~ will have a university degree** (in ad) le candidat retenu devra avoir un diplôme universitaire; **3** Sch, Univ (in exam, for admission) candidat/-e *m/f*; **4** Sport (for selection, title) candidat/-e *m/f*; **5** fig **the sector is a ~ for restructuring/privatization** le secteur est bien placé pour être restructuré/privatisé

candidature /ˈkændɪdətʃə/ *n* GB = **candidacy**

candidly /ˈkændɪdlɪ/ *adv* franchement

candidness /ˈkændɪdnɪs/ *n* franchise *f*; **with perfect ~** en toute franchise

candied /ˈkændɪd/ *adj* (cooked in sugar) confit; (covered in sugar) enrobé de sucre; **~ peel** écorce *f* d'orange et de citron confite

candle /ˈkændl/ *n* bougie *f*; (in church) cierge *m*; **household ~s** bougies *fpl* de ménage

(Idioms) **to burn the ~ at both ends** brûler la chandelle par les deux bouts; **the game's not worth the ~** le jeu n'en vaut pas la chandelle; **he can't hold a ~ to his sister** il n'arrive pas à la cheville de sa sœur

candle grease *n* (wax) cire *f*; (tallow) suif *m*

candlelight /ˈkændllaɪt/ *n* lueur *f* de bougie; **by ~** à la lueur d'une bougie *or* des bougies

candlelit dinner /ˌkændllɪt ˈdɪnə(r)/ *n* dîner *m* aux chandelles

Candlemas /ˈkændlməs/ *n* la Chandeleur

candle: **~ pin** *n* quille *f*; **~ pins** *n* jeu *m* de quilles; **~power** *n* puissance *f* lumineuse; **~stick** *n* bougeoir *m*; (more ornate) chandelier *m*; **~tree** *n* Bot arbre *m* à cire

candlewick /ˈkændlwɪk/ *n* tuft *m*; **~ bedspread** couvre-lit *m* en tuft

candour GB, **candor** US /ˈkændə(r)/ *n* = **candidness**

candy /ˈkændɪ/

A *n* US **1** (sweets) bonbons *mpl*; **a piece of ~** un bonbon; **2** (sweet) bonbon *m*

B *vtr* (cook in sugar) confire; (cover with sugar) enrober [qch] de sucre

C *vi* être confit

candy: **~ass**◑ *n* US couille-molle◑ *f*; **~ bar** *n* US barre *f* (de confiserie); **~ floss** *n* GB barbe *f* à papa; **~ store** *n* US confiserie *f* (*souvent avec bureau de tabac*); **~ striped** *adj* (pink) à rayures rose bonbon; (blue) à rayures bleu pâle; **~ striper** *n* US jeune fille *f* travaillant bénévolement dans un hôpital

cane /keɪn/

A *n* **1** (material) rotin *m*; **a ~-backed chair** une chaise au dossier canné; **2** (of sugar, bamboo) canne *f*; **3** (for walking) canne *f*; (plant support) tuteur *m*; (officer's) badine *f*; GB Sch (for punishment) badine *f*

B *modif* [*basket, blind, furniture*] en rotin

C *vtr* **1** canner [*chair*]; **2** GB **to ~ a pupil** punir un élève en lui donnant des coups de badine

cane sugar *n* sucre *m* de canne

canine /ˈkeɪnaɪn/

A *n* **1** (tooth) canine *f*; **2** (animal) canidé *m*

B *adj* **1** [*species*] canin; **2** Dent **a ~ tooth** une canine; **3** (using dogs) **~ corps** (in army, police) corps *m* des maîtres chiens

caning /ˈkeɪnɪŋ/ *n* GB châtiment *m* corporel (à l'école)

canister /ˈkænɪstə(r)/ *n* boîte *f* métallique; **a ~ of tear gas, a tear gas ~** une bombe lacrymogène

canker /ˈkæŋkə(r)/ *n* **1** Bot, Med, fig chancre *m*; **2** Vet otite *f* externe; (of horses) crapaud *m*

cankered /ˈkæŋkəd/, **cankerous** /ˈkæŋkərəs/ *adj* Bot nécrosé; fig corrompu

cannabis /ˈkænəbɪs/ *n* cannabis *m*; **~ resin** résine *f* de cannabis

cannelloni /ˌkænɪˈləʊnɪ/ *n* ₵ canelloni *mpl*

cannery /ˈkænərɪ/ *n* conserverie *f*

cannibal /ˈkænɪbl/ *n* cannibale *mf*, anthropophage *mf*

cannibalism /ˈkænɪbəlɪzəm/ *n* cannibalisme *m*, anthropophagie *f*

cannibalization /ˌkænɪbəlaɪˈzeɪʃn/ *n* cannibalisation *f*

cannibalize /ˈkænɪbəlaɪz/ *vtr* piller [*text, film etc*]; **to ~ a vehicle** enlever des pièces à un véhicule pour les utiliser ailleurs

canning /ˈkænɪŋ/

A *n* mise *f* en conserve

B *modif* [*industry*] de la conserve; [*process*] de mise en conserve

canning factory *n* conserverie *f*

cannon /ˈkænən/

A *n* **1** (*pl* **~** *ou* **~s**) Mil Hist canon *m*; (on aircraft) canon *m*; **2** Tech douille *f*; **3** GB Billiards carambolage *m*

B *vtr* GB Billiards caramboler

C *vi* **1** GB Billiards caramboler; **2** (collide) **to ~ into sb/sth** se heurter contre qn/qch

cannonade /ˌkænəˈneɪd/

A *n* canonnade *f*

B *vtr* canonner

cannonball /ˈkænənbɔːl/ *n* **1** (missile) boulet *m* de canon; **2** (dive) **to do a ~** faire la bombe; **3** (*also* **~ serve**) (in tennis) service *m* canon

cannon: **~ bone** *n* canon *m*; **~ fodder** *n* chair *f* à canon

cannot /ˈkænɒt/ ▸ **can¹**

canny /ˈkænɪ/ *adj* futé, malin/-igne

canoe /kəˈnuː/ ▸ **p. 1253**

A *n* gen canoë *m*; (African) pirogue *f*; Sport canoë-kayac *m*

B *vi* faire du canoë; **they ~d down the river** ils ont descendu la rivière en canoë

(Idiom) **to paddle one's own ~** se débrouiller tout seul

canoeing /kəˈnuːɪŋ/ ▸ **p. 1253** **to go ~** faire du canoë-kayac; **she loves ~** elle adore faire du canoë-kayac

canoeist /kəˈnuːɪst/ *n* canoéiste *mf*

canon /ˈkænən/ ▸ **p. 1237** *n* **1** (rule) gen critère *m*; (of church) canon *m*; **2** Relig (priest) chanoine *m*; **Canon Foy** le chanoine Foy; **good morning, Canon Foy** bonjour, mon Père; **3** Literat (complete works) œuvre *m*; **4** Mus canon; **in ~** en canon

canonical /kəˈnɒnɪkl/

A **canonicals** *npl* Relig vêtements *mpl* sacerdotaux

B *adj* canonique

canonization /ˌkænənaɪˈzeɪʃn, US -nɪˈz-/ *n* canonisation *f*

canonize /ˈkænənaɪz/ *vtr* canoniser

canon law *n* droit *m* canon

canoodle○ /kəˈnuːdl/ *vi* se faire des mamours○

can-opener *n* ouvre-boîtes *m inv*

canopied /ˈkænəpɪd/ *adj* [*bed*] à baldaquin; [*throne*] surmonté d'un dais; [*entrance, balcony*] surmonté d'un auvent

canopy /ˈkænəpɪ/ *n* **1** (for bed) baldaquin *m*; (for throne, altar, procession) dais *m*; (for hammock) toit *m*; (of glass) verrière *f*; **2** Aviat (cockpit) verrière *f*; (for parachute) voilure *f*; fig littér (sky, leaves) voûte *f*; **3** Ecol canopée *f*; **4** Mil **air ~** couverture aérienne serrée

cant /kænt/

A *n* **1** (false words) paroles *fpl* creuses; (ideas) notions *fpl* creuses; **2** (prisoners', thieves') argot *m*; (lawyers') jargon *m*; **3** (sloping surface) (of road) déclivité *f*; (of rails) dévers *m*; **4** Naut gîte *f*

B *modif* [*phrase, expression*] tout fait

C *vtr* **1** (bevel) biseauter; **the corner was ~ed off** l'angle était taillé en biseau; **2** (tip) basculer

D *vi* **1** gen (tip) basculer; **2** [*ship*] (tilt) gîter

can't /kɑːnt/ *abrév* = **cannot**

Cantab. /ˈkæntæb/ *adj* GB Univ (*abrév écrite* = **Cantabrigiensis**) de Cambridge

Cantal ▸ **p. 1129** *pr n* Cantal *m*; **in/to ~** dans le Cantal

cantaloup(e) /ˈkæntəluːp/ *n* (melon *m*) cantaloup *m*

cantankerous /kænˈtæŋkərəs/ *adj* acariâtre

cantata /kænˈtɑːtə/ *n* cantate *f*

canteen /kænˈtiːn/ *n* **1** GB (dining room) cantine *f*; **in the ~** à la cantine; **a mobile ~** une cantine ambulante; **2** Mil (flask) bidon *m*; (mess tin) gamelle *f*; **3** **a ~ of cutlery** une ménagère

canter /ˈkæntə(r)/

A *n* gen petit galop *m*; Turf canter *m* d'entraînement; **at a ~** au petit galop; **to go for a ~** aller faire une promenade au galop; **to win at a ~** fig gagner haut-la-main

B *vtr* mettre [qch] au petit galop

C *vi* [*rider*] faire un petit galop; [*horse*] galoper

canterbury /ˈkæntəbərɪ/ *n* porte-journaux *m*

Canterbury /ˈkæntəbərɪ/ ▸ **p. 1815** *pr n* Cantorbéry; **the ~ Tales** les Contes de Cantorbéry

Canterbury bell *n* Bot campanule *f*

canticle /ˈkæntɪkl/ *n* cantique *m*

cantilever /ˈkæntɪliːvə(r)/

A *n* cantilever *m*, porte-à-faux *m inv*

B *modif* [*beam*] en porte-à-faux; [*bridge, suspension*] cantilever *inv*; [*chair*] à piètement traîneau

cantilevered /ˈkæntɪliːvəd/ *adj* en cantilever

canting /ˈkæntɪŋ/ *adj* **~ talk** paroles *fpl* creuses

canto /ˈkæntəʊ/ *n* Literat chant *m*

canton /ˈkæntɒn/ *n* canton *m*

cantonal /ˈkæntənl, kænˈtɒnl/ *adj* cantonal

Cantonese /ˌkæntəˈniːz/ ▸ **p. 1467, p. 1378**

A *n* **1** (*pl* **~**) (person) Cantonais/-e *m/f*; **2** (language) cantonais *m*

B *adj* cantonais

cantonment /kænˈtuːnmənt, US -ˈtəʊn-/ *n* cantonnement *m*

cantor /ˈkæntɔː(r)/ *n* chantre *m*

Cantuar. *n* (*abrév écrite* = **Cantuarensis**) de Cantorbéry

Canuck○ /kəˈnʌk/ *n* injur Canadien/-ienne *m/f* (français)

Canute /kəˈnjuːt/ *pr n* Canut

canvas /ˈkænvəs/

A *n* **1** (fabric) toile *f*; (for tapestry) canevas *m*; **under ~** (in a tent) sous la tente; (under sail) sous

ℹ Capacity measurement

■ *For cubic measurements* ▸ **p. 1883.**

British liquid measurements

20 fl oz = 0,57l (*litre*)
1 qt = 1,13l* (*litres*)
1 pt = 0,57l
1 gal = 4,54l

* *There are three ways of saying* 1,13l, *and other measurements like it:* un virgule treize litres, *or* (*less formally*) un litre virgule treize, *or* un litre treize. *For more details on how to say numbers* ▸ **p. 1487.**

American liquid measurements

16 fl oz = 0,47l
1 qt = 0,94l
1 pt = 0,47l
1 gal = 3,78l

Phrases

what does the tank hold?
= combien le réservoir contient-il?

what's its capacity?
= quelle est sa contenance?

it's 200 litres
= il fait 200 litres

its capacity is 200 litres
= il fait 200 litres

my car does 28 miles to the gallon
= ma voiture fait dix litres aux cent† *or* ma voiture fait du dix litres aux cent

they use 20,000 litres a day
= ils utilisent 20000 litres par jour

† Note that the French calculate petrol consumption in litres per 100 km. To convert miles per gallon to litres per 100 km and vice versa simply divide the factor 280 by the known figure.

A holds more than B
= A contient plus que B

B holds less than A
= B contient moins que A

A has a greater capacity than B
= A a une plus grande contenance que B

B has a smaller capacity than A
= B a une moins grande contenance que A

A and B have the same capacity
= A et B ont la même contenance

20 litres of wine
= 20 litres de vin

it's sold by the litre
= cela se vend au litre

■ *Note the French construction with* de, *coming after the noun it describes:*

a 200-litre tank
= un réservoir de 200 litres

---

voiles; **2** Art toile *f*; **3** fig **a broad (historical) ~** un panorama (historique); **to work/operate on a broader** *ou* **wider ~** travailler/agir sur une plus grande échelle; **4** (in boxing) tapis *m*
B *modif* [*shoes, bag, chair*] en toile

canvasback /ˈkænvəsbæk/ *n* Zool morillon *m* à dos blanc

canvass /ˈkænvəs/
A *n* **1** (for votes) tournée *f* électorale; **2** (of opinion) sondage *m*; **3** Comm prospection *f*
B *vtr* **1** Pol **to ~ voters/an area** faire du démarchage électoral auprès des électeurs/dans une région; **to ~ people for their votes/support** solliciter les voix/le soutien des électeurs; **2** (in survey) sonder [*public*] (**for, to get** pour savoir); **to ~ opinion** *ou* **views on sth** sonder l'opinion au sujet de qch; **3** (discuss) débattre [*idea, proposal*]; **4** Comm prospecter [*area*] (**to do** pour faire; **for** pour); **to ~ door to door** faire du démarchage
C *vi* **1** Pol faire du démarchage électoral (**for** pour); **2** Comm faire du démarchage (**for** pour)

canvasser /ˈkænvəsə(r)/ *n* (for party) agent *m* électoral

canvassing /ˈkænvəsɪŋ/ *n* **1** (door to door) démarchage *m*; **~ for votes/business** démarchage électoral/commercial; **2** **~ of opinion** sondage *m* d'opinion

canyon /ˈkænjən/ *n* cañon *m*

canyoning /ˈkænjənɪŋ/ ▸ **p. 1253** *n* canyoning *m*

cap /kæp/
A *n* **1** (headgear) (of nurse) coiffe *f*; (of schoolboy) casquette *f*; (of uniformed official, soldier) képi *m*; (of jockey) toque *f*; **baseball ~** casquette de baseball; **2** GB Sport **he's got his Scottish ~** il a été selectionné pour l'équipe écossaise; **he's an England ~** il joue pour l'Angleterre; **3** (cover) (of pen, valve) capuchon *m*; (of bottle) capsule *f*; (for camera lens) bouchon *m*; **4** (of mushroom) chapeau *m*; **5** (for toy gun) amorce *f*; **6** Dent couronne *f*; **7** GB (*also* **Dutch ~**) diaphragme *m* (contraceptif); **to be fitted for a ~** se faire poser un diaphragme; **8** Archit chapiteau *m*; **9** (bird's plumage) capuchon *m*
B *vtr* (*p prés etc* **-pp-**) **1** Admin, Fin [*government*] imposer une limite budgétaire à [*local authority*]; plafonner [*budget*]; **2** Dent couronner [*tooth*]; **3** GB Sport sélectionner [qn] pour l'équipe nationale [*footballer*]; **to be ~ped for Wales** être sélectionné pour l'équipe galloise; **4** (cover) couronner; **the hills were ~ped with snow** les collines étaient couronnées de neige

(Idioms) **to ~ it all** pour couronner le tout; **to go to sb ~ in hand** se présenter à qn chapeau bas; **to set one's ~ at** GB *ou* **for** US **sb†** jeter son dévolu sur qn; **if the ~ fits, wear it!** qui se sent morveux se mouche!

cap. /kæp/ *n* (*abrév* = **capital letter**) maj

CAP *n*: *abrév* ▸ **Common Agricultural Policy**

capability /ˌkeɪpəˈbɪlətɪ/ *n* **1** (capacity) (of intellect, machine, system) capacité *f* (**to do** de faire); **intellectual/load ~** capacité intellectuelle/de chargement; **2** (potential strength) capacité *f* (**to do** de faire); **nuclear/military ~** capacité nucléaire/militaire; **3** (aptitude) aptitude *f* (**for** à); **management ~** aptitude à la gestion; **within/outside my capabilities** dans/au-dessus de mes moyens

capable /ˈkeɪpəbl/ *adj* **1** (competent) compétent; **in the ~ hands of** dans les mains compétentes de; **2** (able) [*person*] capable (**of** de); **to be ~ of doing** (have potential to) être capable de faire; (be in danger of) risquer de faire; **~ of a better result** capable d'un meilleur résultat; **the bomb is ~ of exploding** la bombe risque d'exploser

capably /ˈkeɪpəblɪ/ *adv* avec compétence

capacious /kəˈpeɪʃəs/ *adj* [*pocket, car boot*] vaste; [*appetite*] énorme

capacitance /kəˈpæsɪtəns/ *n* Elec capacitance *f*

capacitor /kəˈpæsɪtə(r)/ *n* Elec condensateur *m*

capacity /kəˈpæsətɪ/ *n* **1** (ability to hold) (of box, bottle) contenance *f*; (of barrel) capacité *f* (**of** de); (of concert, theatre building) capacité *f* d'accueil; (of road) capacité *f*; **the theatre has a ~ of 500** le théâtre peut accueillir 500 personnes; **seating/storage ~** capacité d'accueil/de stockage; **the theatre was packed** *ou* **full to ~** le théâtre était comble; **to have a great ~ for alcohol** hum avoir une bonne descente○; **2** (ability to produce) capacité *f*; **processing ~** capacité de traitement; **manufacturing** *ou* **production ~** capacité de production; **to operate at full ~** opérer au maximum de ses capacités; **the plant is stretched to ~** l'usine tourne au maximum de ses capacités; **3** (role) **in my ~ as a doctor** en ma qualité de médecin; **she was employed in an advisory/in a private ~** elle était employée à titre consultatif/à titre privé; **I have been employed in various capacities** j'ai été employé à divers titres; **4** (ability) **to have a ~ for** avoir un don pour [*learning, maths*]; **a ~ for doing** une aptitude à faire; **she has a great ~ for friendship/hard work** elle a une grande aptitude à se faire des amis/bien travailler; **to have the ~ to do** avoir les moyens de faire; **he has the ~ to do well** il a les moyens de bien faire; **the task/exam is well within your capacities** ce travail/examen est tout à fait à votre portée; **5** Aut cylindrée *f*; **6** Electron capacité *f*; **7** Jur capacité *f*

cap: **~ and bells** *n* costume *m* de bouffon; **~ and gown** *n* Univ costume *m* universitaire

caparison /kəˈpærɪsn/ Hist
A *n* caparaçon *m*
B *vtr* caparaçonner

cape /keɪp/ *n* **1** (for cyclist, fisherman, fashion) cape *f*; (for child, policeman) pèlerine *f*; **2** Geog promontoire *m*

cape: **Cape Coloureds** *npl* (in South Africa) métis *mpl* sud-africains; **Cape Horn** *n* le cap Horn *m*; **Cape Kennedy** *pr n* cap *m* Kennedy; **Cape of Good Hope** *pr n* cap *m* de Bonne-Espérance; **Cape Province** *n* province *f* du Cap

caper /ˈkeɪpə(r)/
A *n* **1** (playful leap) cabriole *f*; **to cut a ~†** faire des cabrioles; **2** ○(funny film) comédie *f*; **romantic/cop ~** comédie romantique/policière; **3** ○(dishonest scheme) combine○ *f*; **4** Bot, Culin (tree) câprier *m*; (berry) câpre *f*; **5** ○GB (hassle) **what a ~!** quel bazar○!; **you have to fill out forms and all that ~** tu dois remplir des formulaires et tout le bazar○
B **capers** *npl* (antics) aventures *fpl*; **cartoon ~s with Mickey Mouse** les aventures de Mickey en bande dessinée; **the comic ~s of two teenagers** les aventures comiques de deux adolescents; **his classroom ~s amuse his friends** ses pitreries en classe amusent ses camarades
C *vi* gambader

(Phrasal verbs) ■ **caper about, caper around** **1** (leap around) gambader; **2** ○(act foolishly) faire le pitre

capercaillie /ˌkæpəˈkeɪlɪ/ *n* (*also* **capercailzie**) grand tétras *m*

Capernaum /kəˈpɜːnjəm/ ▸ **p. 1815** *pr n* Capharnaüm

capeskin /ˈkeɪpskɪn/ *n* peau *f* souple (*d'agneau ou de chevreau*)

cape: **Cape Town** ▸ **p. 1815** *pr n* Le Cap; **Cape Verde Islands** ▸ **p. 1355, p. 1096** *npl* Cap-Vert *m*

cap: **~ful** *n* (contenu *m* d'un) bouchon *m*; **~ gun** *n* pistolet *m* à amorces

capillary /kəˈpɪlərɪ, US ˈkæpɪlərɪ/ *n, adj* (all contexts) capillaire (*m*)

capital /ˈkæpɪtl/
A *n* **1** (letter) majuscule *f*; **2** (*also* **~ city**) capitale *f*; **fashion ~ of the world** capitale mondiale de la mode; **3** ¢ gen, Comm, Fin (wealth) capital *m*; (funds) capitaux *mpl*, capital *m*; **with a ~ of £500,000** au capital de 500 000 livres sterling; **to make ~ out of sth** fig tirer pro[fit] de qch; **to make political ~ out of sth** ti[rer]

C

profit de qch dans un but politique; 4 (capitalist interests) capital m; ~ and labour le capital et le travail; 5 Archit chapiteau m
B modif [amount, base, loss, outlay, turnover] de capital
C adj 1 [letter] majuscule; ~ A A majuscule; crazy with a ~ C° dingue avec un D majuscule or un grand D°; 2 Jur [offence, crime, sentence] capital; ~ charge accusation f entraînant la peine capitale; ~ murder meurtre m passible de la peine capitale; 3 (essential) capital; to be of ~ importance être d'une importance capitale; 4 °† GB (excellent) épatant

capital: ~ **account**, **C/A** n compte m capital; ~ **adequacy** n adéquation f du capital; ~ **allowances** npl déduction f fiscale pour amortissement; ~ **assets** n capitaux mpl fixes; ~ **bonds** n bons mpl de capitalisation; ~ **budget** n budget m d'investissement; ~ **city** n capitale f; ~ **cost** n coût m d'investissement; ~ **equipment** n équipement m; ~ **expenditure** n Fin dépenses fpl d'investissement; (personal) apport m personnel (en capital); ~ **gain** n revenu m des capitaux; ~ **gains tax** n impôt m sur les revenus des capitaux; ~ **goods** n biens mpl d'équipement; **~-intensive industry** n industrie f de capitaux; ~ **investment** n dépenses fpl d'investissement

capitalism /ˈkæpɪtəlɪzəm/ n capitalisme m; under ~ en régime capitaliste

capitalist /ˈkæpɪtəlɪst/ n, adj capitaliste (m) also pej

capitalistic /ˌkæpɪtəˈlɪstɪk/ adj capitaliste

capitalization /ˌkæpɪtəlaɪˈzeɪʃn, US -lɪˈz-/ n 1 Fin (market value) capitalisation f; (par value) capital m nominal; 2 Ling emploi m de lettres majuscules

capitalize /ˈkæpɪtəlaɪz/
A vtr 1 Fin capitaliser [assets]; over-/under-~d sur-/sous-capitalisé; 2 Ling écrire [qch] en majuscules
B vi to ~ on tirer parti de [situation, advantage]

capital: ~ **levy** n impôt m sur le capital; ~ **market** n marché m financier; ~ **outlay** n = capital expenditure; ~ **punishment** n peine f capitale; ~ **reserves** npl réserves fpl de capitaux; ~ **ship** n bâtiment m de guerre; ~ **spending** n dépenses fpl d'investissement; ~ **stock** n (of firm, industry) capital m social; ~ **structure** n composition f du capital; ~ **sum** n gen capital m; (of loan) principal m; ~ **taxation** n impôt m sur le capital; ~ **transfer tax** n droits mpl de mutation

capitation /ˌkæpɪˈteɪʃn/ n Tax capitation f

capitation: **~-based payment** n système m de paiement par tête; ~ **fee** n Sch dotation f forfaitaire par élève

Capitol /ˈkæpɪtl/ pr n the ~ US Admin, Antiq le Capitole. ▸ Congress

Capitol Hill n US 1 (hill) colline f du Capitole; 2 (congress) congrès m américain. ▸ Congress

capitulate /kəˈpɪtʃʊleɪt/ vi gen, Mil capituler (to devant)

capitulation /kəˌpɪtʃʊˈleɪʃn/ n gen, Mil capitulation f (to devant)

caplet® /ˈkæplɪt/ n comprimé m (allongé)

capo /ˈkæpəʊ/ n 1 (in Mafia) capo m, chef m de la mafia; 2 Mus (also ~ tasto) capodastre m

capon /ˈkeɪpən, -ɒn/ n chapon m

cappuccino /ˌkæpʊˈtʃiːnəʊ/ n cappuccino m

caprice /kəˈpriːs/ n 1 (whim) caprice m; 2 Mus capriccio m

capricious /kəˈprɪʃəs/ adj [person, weather, fortune] capricieux/-ieuse; [whim, decision] extravagant

capriciously /kəˈprɪʃəslɪ/ adv [behave, decide] capricieusement

Capricorn /ˈkæprɪkɔːn/ ▸ p. 1917 n 1 Astrol Capricorne m; 2 Geog tropic of ~ tropique m du Capricorne

caps (abrév = capital letters) majuscules fpl

capsicum /ˈkæpsɪkəm/ n poivron m

capsize /kæpˈsaɪz, US ˈkæpsaɪz/
A vtr faire chavirer [boat]
B vi chavirer

cap sleeve n Fashn mancheron m

caps lock n (abrév = capitals lock) verr m maj

capstan /ˈkæpstən/ n 1 Naut cabestan m; 2 Tech galet m d'entraînement

capstan lathe n Ind tour m revolver

capsule /ˈkæpsjuːl, US ˈkæpsl/ n (all contexts) capsule f

Capt Mil abrév écrite = Captain

captain /ˈkæptɪn/ ▸ p. 1599
A n gen, Mil, Sport capitaine m; US (precinct commander) (in police) commissaire m de quartier; (in fire service) capitaine m des pompiers; naval/army ~ capitaine de vaisseau/de l'armée de terre; ~ of industry fig capitaine d'industrie; this is your ~ speaking (on plane) ici votre commandant de bord
B vtr être le capitaine de [team]; commander [ship, platoon]

captaincy /ˈkæptnsɪ/ n 1 Mil (rank) grade m de capitaine; 2 Sport poste m de capitaine; to get ~ of the side Sport être désigné comme capitaine; under the ~ of X avec X comme capitaine

caption /ˈkæpʃn/
A n 1 Journ légende f (to, for accompagnant); 2 TV, Cin (sub-title) sous-titre m; 3 Jur mention en tête d'acte de l'origine, du lieu et de la date
B vtr 1 to be ~ed 'ode to joy' avoir pour légende 'ode à la joie'; he ~ed the photo 'souvenirs' il mit comme légende à la photo 'souvenirs'; 2 Cin, TV sous-titrer [film]

captious /ˈkæpʃəs/ adj sout [person] ergoteur/-euse; ~ remark ergotage m

captivate /ˈkæptɪveɪt/ vtr captiver, fasciner; he was ~d by her elle le fascinait

captivating /ˈkæptɪveɪtɪŋ/ adj fascinant

captive /ˈkæptɪv/
A n captif/-ive m/f; to hold sb ~ garder qn en captivité; to take sb ~ faire qn prisonnier
B adj captif/-ive; ~ audience/market public/marché captif

captivity /kæpˈtɪvətɪ/ n captivité f; in ~ en captivité

captor /ˈkæptə(r)/ n (of person) ravisseur/-euse m/f; the lion attacked its ~ le lion a attaqué celui qui l'avait capturé

capture /ˈkæptʃə(r)/
A n 1 gen (of person, animal) capture f; (of stronghold) prise f; 2 Phys, Geog capture f
B vtr 1 lit capturer [person, animal]; prendre [stronghold, chess piece]; to ~ the market Comm s'emparer du marché; 2 fig saisir [moment, likeness]; rendre [feeling, essence, beauty]; to ~ sth on film rendre qch à l'écran

capuchin /ˈkæpjuːtʃɪn/
A n 1 (monkey) capucin m; 2 Relig capucin m; 3 (cape) cape f avec capuche
B adj [monastery] de capucins; [monk] capucin

car ➡📖 /kɑː(r)/
A n 1 Aut voiture f; 2 Rail wagon m, voiture f; restaurant ~ wagon-restaurant m; 3 US (also street~) tramway m; 4 (compartment) (of lift) cabine f; (of hot-air balloon) nacelle f
B modif Aut [industry, loan, insurance] automobile; [journey, chase] en voiture; [accident, phone] de voiture; [maintenance, emissions] des voitures

carafe /kəˈræf/ n carafe f

car allowance n indemnité f de déplacement

caramel /ˈkærəmel/
A n (toffee, sugar) caramel m
B modif [dessert, cake] au caramel

caramelize /ˈkærəməlaɪz/
A vtr caraméliser [sugar, sauce]
B vi se caraméliser

carapace /ˈkærəpeɪs/ n carapace f also fig

carat /ˈkærət/
A n carat m
B modif 18/24 ~ gold or m 18/24 carats

caravan /ˈkærəvæn/
A n gen caravane f; (for circus, gypsies) roulotte f; desert ~ caravane du désert; holiday ~ GB caravane f de vacances
B modif GB [holiday] en caravane; [site, park] pour caravanes; [company] (selling) de vente de caravanes; (manufacturing) de fabrication de caravanes
C vi (p prés etc -nn-) to go ~ning GB faire du caravanage

caravanette /ˌkærəvæˈnet/ n GB camping-car m, auto-caravane f

caravel /ˈkærəvel/ n (also carvel) Hist caravelle f

caraway /ˈkærəweɪ/
A n (plant) carvi m
B modif [seed] de carvi

carbide /ˈkɑːbaɪd/ n carbure m

carbine /ˈkɑːbaɪn/ n 1 Mil Hist carabine f (à canon court); 2 (modern rifle) carabine f automatique

carbohydrate /ˌkɑːbəˈhaɪdreɪt/
A n hydrate m de carbone
B modif low-/high-~ diet alimentation f pauvre/riche en hydrates de carbone

carbolic /kɑːˈbɒlɪk/ adj phéniqué

carbolic: ~ **acid** n phénol m; ~ **soap** n savon m phéniqué

car bomb n bombe f dissimulée dans une voiture

carbon /ˈkɑːbən/
A n carbone m
B modif [atom, compound] de carbone

carbonaceous /ˌkɑːbəˈneɪʃəs/ adj carboné

carbonade /ˌkɑːbəˈneɪd/ adj (après n) à la carbonnade

carbon arc lamp n lampe f à arc

carbonate /ˈkɑːbəneɪt/
A n carbonate m
B vtr carbonater

carbonated /ˈkɑːbəneɪtɪd/ adj [drink] gazéifié

carbonation /ˌkɑːbəˈneɪʃn/ n (of drinks) gazéification f

carbon: ~ **black** n noir m de carbone; ~ **brakes** npl freins mpl au carbone; ~ **copy** n Print copie f carbone; fig réplique f exacte; ~ **cycle** n cycle m du carbone; **~-date** vtr dater [qch] au carbone 14; ~ **dating** n datation f au carbone 14; ~ **dioxide** n dioxyde m de carbone; ~ **disulphide** n bisulfure m de carbone; ~ **fibre** GB, ~ **fiber** US n fibre f de carbone; ~ **filter** n filtre m au carbone

carbonic /kɑːˈbɒnɪk/ adj carbonique

carboniferous /ˌkɑːbəˈnɪfərəs/ adj carbonifère; ~ period carbonifère m

carbonization /ˌkɑːbənaɪˈzeɪʃn, US -nɪˈz-/ n carbonisation f

carbonize /ˈkɑːbənaɪz/ vtr 1 carboniser also hum; 2 (also carburize) carburer [iron]

carbon microphone n microphone m à charbon

carbon monoxide /ˌkɑːbən mənˈɒksaɪd/
A n monoxyde m de carbone
B modif [poisoning] au monoxyde de carbone; [monitor] du taux de monoxyde de carbone

carbon: ~ **paper** n (papier m) carbone m; ~ **snow** n neige f carbonique; ~ **steel** n acier m au carbone; ~ **tetrachloride** n tétrachlorure m de carbone

car boot sale n GB brocante f (d'objets apportés dans le coffre de sa voiture)

➡📖 see Life in France

Carborundum® /ˌkɑːbəˈrʌndəm/
A *n* carbure *m* de silicium, carborundum® *m*
B *modif* [*wheel*] en carborundum®

carboy /ˈkɑːbɔɪ/ *n* bonbonne *f*

carbuncle /ˈkɑːbʌŋkl/ *n* **1▸** Med anthrax *m*; **2▸** (gem) escarboucle *f*

carburation /ˌkɑːbjʊˈreɪʃn/ *n* carburation *f*

carburettor /ˌkɑːbəˈretə(r)/ GB, **carburetor** /ˈkɑːrbəreɪtər/ US *n* carburateur *m*

carcass /ˈkɑːkəs/ *n* carcasse *f* also hum; **move your ~** hum pousse ta carcasse de là

car chase *n* poursuite *f* en voiture

carcinogen /kɑːˈsɪnədʒən/ *n* substance *f* cancérigène

carcinogenic /ˌkɑːsɪnəˈdʒenɪk/ *adj* cancérigène

carcinoma /ˌkɑːsɪˈnəʊmə/ *n* carcinome *m*

card /kɑːd/
A *n* **1▸** (for correspondence, greetings, business etc) carte *f*; (for indexing) fiche *f*; Sport (at races) programme *m*; (in golf) carte *f* (de parcours); **membership/library ~** carte *f* de membre/de bibliothèque; **Christmas/birthday ~** carte *f* de Noël/d'anniversaire; ▸ **postcard**, **business card etc**; **2▸** Games carte *f* (à jouer); **to play ~s** jouer aux cartes; **a pack of ~s** un jeu de cartes; **one's last ~** fig sa dernière carte; **one's strongest ~** fig sa carte maîtresse; **to play the race/law and order ~** fig jouer la carte raciale/de la loi et de l'ordre; **3▸** ○† GB (person) original/-e *m/f*; **4▸** Tex (comb) peigne *m*
B *vtr* Tex carder
(Idioms) **a ~ up one's sleeve** un atout dans sa manche; **it is on** GB *ou* **in** US **the ~s that** il est bien possible que (+ *subj*); **they think an election is on** *ou* **in the ~s** ils pensent qu'il va y avoir une élection, ils pensent qu'il y a une élection dans l'air; **to get** *ou* **be given one's ~s**○† GB être renvoyé; **to hold all the ~s** avoir tous les atouts; **to play one's ~s right** bien se débrouiller○

cardamom /ˈkɑːdəməm/, **cardamon** /-mən/
A *n* cardamome *f*
B *modif* [*seed*] de cardamome

cardboard /ˈkɑːdbɔːd/
A *n* carton *m*
B *modif* [*box, cut-out*] en carton; **~ box** (boîte *f* en) carton *m*; [*character*] fig de carton-pâte

card: **~board city** *n*: *zone urbaine où les sans-abri logent dans des cartons*; **~-carrying** *adj* [*member etc*] militant; **~ catalogue**, **~ catalog** US *n* fichier *m*

carder /ˈkɑːdə(r)/ *n* cardeuse *f*

card file *n* = **card index**

card game *n* **1▸** (type of game) jeu *m* de cartes; **2▸** (as activity) partie *f* de cartes

card: **~holder** *n* titulaire *mf* d'une carte; **~ hopper** *n* Comput magasin *m* d'alimentation

cardiac /ˈkɑːdɪæk/ *adj* cardiaque

cardiac arrest *n* arrêt *m* du cœur

cardie○ /ˈkɑːdɪ/ *n* ▸ **cardy**

cardigan /ˈkɑːdɪgən/ ▸ **p. 1694** *n* cardigan *m*

cardinal /ˈkɑːdɪnl/
A *n* Relig cardinal *m*; **Cardinal Wolsey** le cardinal Wolsey
B *adj* [*sin, principle*] capital

cardinal: **~ number** *n* nombre *m* cardinal; **~ point** *n* point *m* cardinal; **~ red** ▸ **p. 1067** *n* rouge *m* cardinal; **~ virtue** *n* vertu *f* cardinale; **~ vowel** *n* voyelle *f* cardinale

card index
A *n* fichier *m*
B **card-index** *vtr* mettre [qch] sur fiche

cardiofunk /ˈkɑːdɪəʊfʌŋk/ *n* danse *f* aérobique

cardiogram /ˈkɑːdɪəʊgræm/ *n* cardiogramme *m*

cardiograph /ˈkɑːdɪəʊgrɑːf, US -græf/ *n* cardiographe *m*

cardiography /ˌkɑːdɪˈɒgrəfɪ/
A *n* cardiographie *f*
B *modif* **~ department** service *m* de cardiographie

cardiological /ˌkɑːdɪəˈlɒdʒɪkl/ *adj* cardiologique

cardiologist /ˌkɑːdɪˈɒlədʒɪst/ ▸ **p. 1683** *n* cardiologue *mf*

cardiology /ˌkɑːdɪˈɒlədʒɪ/ *n* cardiologie *f*

cardiopulmonary /ˌkɑːdɪəʊˈpʌlmənərɪ/ *adj* cardio-pulmonaire

cardio-training /ˌkɑːdɪəʊˈtreɪnɪŋ/ *n* Sport cardio-training *m*

cardiovascular /ˌkɑːdɪəʊˈvæskjʊlə(r)/ *adj* cardio-vasculaire

card: **~ key** *n* carte *f* magnétique; **~phone** *n* téléphone *m* à carte; **~ punch** *n* perforatrice *f* de cartes; **~ reader** *n* lecteur *m* de carte mémoire; **~sharp(er)** *n* tricheur/-euse *m/f* (professionnel/-elle); **~ stacker** *n* Comput récepteur *m* de cartes; **~ swipe** *n* lecteur *m* de carte magnétique; **~ table** *n* table *f* de jeu; **~ trick** *n* tour *m* de cartes; **~ vote** *n* GB *vote par le biais de représentants*

cardy○ /ˈkɑːdɪ/ *n* GB cardigan *m*

care /keə(r)/
A *n* **1▸** (attention) attention *f*, soin *m*; **to take ~ to do** prendre soin de faire; **to take ~ not to do** faire attention de ne pas faire; **to take ~ when doing** faire attention en faisant; **to take ~ that** faire attention que (+ *subj*); **he took (great) ~ over** *ou* **with his work** il a pris (grand) soin de son travail; **to take ~ in doing** mettre soin à faire; **she always takes (great) ~ in choosing the wine/preparing to go out** elle met (le plus grand) soin à choisir le vin/à se préparer pour sortir; **'take ~!'** 'fais attention!'; (expression of farewell) 'à bientôt!'; **with ~** avec soin, en faisant attention; **'handle with ~'** 'fragile'; **have a ~!** GB, **give a ~!** US fais attention!; **to exercise due** *ou* **proper ~** Admin, Jur prendre les précautions nécessaires
2▸ (looking after) (of person, animal) soins *mpl*; (of car, plant, house, clothes) entretien *m* (**of** de); **to take ~ of** (deal with) gen s'occuper de [*child, client*]; Med soigner [*patient, invalid*]; (be responsible for) s'occuper de [*house, garden, details, tickets, arrangements*]; (be careful with) prendre soin de [*machine, car*]; (keep in good condition) entretenir [*machine, car, teeth*]; (look after for safekeeping) garder [*shop, watch*]; **to take good ~ of sb/sth** prendre soin de qn/qch; **customer ~** service *m* auprès des clients; **to put** *ou* **leave sb/sth in sb's ~** confier qn/qch à qn; **in his/your ~** à sa/ta garde; **the pupils/patients in my ~** les élèves/malades dont j'ai la responsabilité; **in the ~ of his father/teacher** à la garde de son père/professeur; **John Smith, ~ of Mr and Mrs L. Smith** (on letter) John Smith, chez *or* aux bons soins de M et Mme L. Smith; **to take ~ of oneself** (look after oneself) prendre soin de soi; (cope) se débrouiller tout seul; (defend oneself) se défendre; **that takes ~ of that** c'est réglé
3▸ Med, Psych soins *mpl*; **a policy of ~ in the community** une politique de soins en dehors du milieu hospitalier; **medical ~** soins *mpl* médicaux; **patient ~** soins *mpl*; **preventive ~** soins *mpl* préventifs
4▸ GB Soc Admin **to be in ~** être à l'assistance publique; **to take** *ou* **put a child into ~** mettre un enfant à l'assistance publique
5▸ (worry) souci *m*; **without a ~ in the world** parfaitement insouciant
B *vtr* **I don't ~ to do** cela ne me plaît pas de faire, cela ne me dit rien de faire; **if you ~ to examine the report, you'll find that...** iron si vous voulez avoir l'obligeance d'examiner le rapport, vous constaterez que...; (as polite formula) **would you ~ to sit down?** voulez-vous vous asseoir?; **he has more money than he ~s to admit** il a plus d'argent qu'il ne veut bien le dire
C *vi* **1▸** (feel concerned) **she really ~s** elle prend ça à cœur; **to ~ about** s'intéresser à [*art, culture, money, environment*]; se soucier du bien-être de [*staff, pupils, the elderly*]; se soucier de [*injustice, inequality*]; **I don't ~!** ça m'est égal!, je m'en moque!; **what do I ~ if...?** qu'est-ce que ça peut me faire que... (+ *subj*)?; **as if I/he ~d!** comme si ça me/lui faisait quelque chose!; **I/he couldn't ~ less!** ça m'est/ça lui est complètement égal!; **she couldn't ~ less about...** elle se moque *or* se fiche○ complètement de...; **I couldn't ~ less who wins/what happened** je me moque *or* me fiche○ de savoir qui va gagner/ce qui s'est passé; **they could all have died, for all he ~d** ils auraient pu mourir tous, cela lui était égal; **I don't ~ who he marries** il peut épouser qui il veut, ça m'est égal; **I'm past caring** ça m'est égal; **who ~s?** qu'est-ce que ça peut faire?
2▸ (love) **to ~ about sb** aimer qn; **show him that you ~** montre-lui que tu l'aimes; **I didn't know you ~d!** hum je ne connaissais pas tes sentiments! hum
(Idiom) **he doesn't ~ a fig** *ou* **a damn**○ il s'en fiche○ complètement
(Phrasal verb) ■ **care for**: ▸ **~ for [sb/sth]** **1▸** (like) aimer [*person*]; **I don't ~ for chocolate/whisky** je n'aime pas le chocolat/le whisky; (as polite formula) **would you ~ for a drink?** voulez-vous boire quelque chose?; **2▸** (look after) s'occuper de [*child, elderly person, animal*]; soigner [*patient, wounded animal*]; **3▸** (maintain) entretenir [*car, garden, house*]; prendre soin de [*hair, teeth, skin, plant*]

care: **~ assistant** ▸ **p. 1683** *n* GB Med aide-soignant/-e *m/f*; **~ attendant** ▸ **p. 1683** *n* GB Soc Admin aide *f* familiale

careen /kəˈriːn/
A *vtr* abattre [qch] en carène [*boat*]
B *vi* [*boat*] se coucher sur le côté

career /kəˈrɪə(r)/
A *n* carrière *f*; **political/musical ~** carrière politique/musicale; **a ~ in television/in teaching** une carrière à la télévision/dans l'enseignement; **a ~ as a journalist** une carrière de journaliste; **~s in the media** les métiers de l'information; **throughout his school ~** pendant toute sa scolarité
B *modif* **1▸** [*choice, move, opportunity, prospect*] de carrière; **2▸** [*diplomat, railwayman*] de carrière; [*soldier*] de métier
C *vi* **to ~ in/out** entrer/sortir à toute vitesse; **to ~ off the road** sortir de la route à toute vitesse, foncer dans le décor○; **to ~ out of control** s'emballer

career: **~break** *n* interruption *f* de carrière; **~ girl** *n* = **career woman**

careerism /kəˈrɪərɪzəm/ *n* carriérisme *m*

careerist /kəˈrɪərɪst/ *n* carriériste *mf*

career: **~ move** *n* pas *m* en avant dans son évolution professionnelle; **~s adviser** GB, **~ advisor** US ▸ **p. 1683** *n* conseiller/-ère *m/f* d'orientation; **~s guidance** *n* orientation *f* professionnelle; **~s library** *n* centre *m* d'information et d'orientation professionnelle; **~s master** ▸ **p. 1683** *n* GB Sch conseiller *m* d'orientation; **~s mistress** ▸ **p. 1683** *n* GB Sch conseillère *f* d'orientation; **~s office** *n* service *m* d'orientation professionnelle; **~s officer** *n* GB = **careers adviser**; **~s service** GB, **~ service** US *n* service *m* d'orientation professionnelle; **~ woman** *n* femme *f* qui se consacre à sa vie professionnelle

carefree /ˈkeəfriː/ *adj* [*person, smile, life*] insouciant; [*feeling*] d'insouciance

careful /ˈkeəfl/ *adj* **1▸** (prudent) [*person, driving*] prudent; (meticulous) [*planning, preparation*] minutieux/-ieuse; [*work, research, monitoring, examination*] méticuleux/-euse; **this chemical/equipment needs ~ handling** ce produit chimique/cet appareil est à manipuler avec soin; **this matter needs ~ handling** cette affaire doit être conduite avec soin; **to be ~ to do** *ou* **about doing** faire attention de faire; **to be ~ that** faire attention que (+ *subj*), faire en sorte que (+ *subj*); **to be ~ of sth** faire attention à qch; **to be ~ with sth** faire attention à qch; **to be ~ (when) doing** faire attention en faisant; **to be ~ how/where** faire attention comment/où; **to be ~ what one says** faire attention à ce qu'on dit; **'be ~!'** '(fais) attention!'; **'you can't be too ~!'** 'on n'est jamais trop prudent!'; **2** (thrifty) (*jamais épith*) [*person*] prudent; **to be ~ with money** euph, péj faire attention à l'argent

carefully /'keəfəlɪ/ *adv* [*go, walk, drive*] prudemment; [*open, remove, handle*] prudemment, avec précaution; [*say, reply*] prudemment; [*write, choose words, phrase*] soigneusement, avec soin; [*plan, organize, choose, wash, place*] soigneusement, avec soin; [*arranged, controlled, chosen, built*] soigneusement; [*listen, read, look*] attentivement; [*designed, made*] méticuleusement; **drive ~!** soyez prudent!; **go ~!** soyez prudent!; **listen/think ~!** écoutez/réfléchissez bien!

carefulness /'keəflnɪs/ *n* (of person, work) soin *m*; (of driving) prudence *f*; **the ~ of his work** le soin avec lequel il travaille

care label *n* (on clothing etc) conseils *mpl* d'entretien

careless /'keəlɪs/ *adj* **1** (negligent) [*person*] négligent, imprudent; [*work, workmanship*] bâclé; [*writing*] négligé; [*driving, handling*] négligent; [*talk*] imprudent; **~ mistake** faute d'étourderie *or* d'inattention; **his spelling is ~** quand il écrit il fait des fautes d'étourderie; **that was ~ of her** ce qu'elle est négligente!; **it was ~ of me to do** c'était de la négligence de ma part de faire; **to be ~ about sth/about doing** négliger qch/de faire; **to be ~ with sth** ne pas faire attention à qch; **to be ~ in sth** être négligent dans qch; **to be ~ in doing** ne pas faire attention en faisant; **to be ~ of one's appearance** ne pas se soigner; **2** (carefree) [*smile, wave, reply*] insouciant; [*gesture*] dégagé; [*grace, elegance*] naturel/-elle; **to do sth ~ of the risks** faire qch sans se soucier des risques

carelessly /'keəlɪslɪ/ *adv* **1** (negligently) [*do, act*] avec négligence; [*make, repair, write*] sans soin, à la va-vite; [*drive*] avec imprudence; [*break, drop, lose, spill*] par manque d'attention; [*dressed, arranged*] avec négligence, négligemment; **2** (in carefree way) [*walk, dance, say, wave*] avec insouciance

carelessness /'keəlɪsnɪs/ *n* **1** (negligence) négligence *f*; **2** (carefree attitude) insouciance *f*, nonchalance *f*

care order *n* GB ordre *m* de placement à l'assistance publique

carer /'keərə(r)/ ▸ **p. 1683** *n* GB **1** (relative or friend) *personne ayant un parent handicapé ou malade à charge*; **2** Soc Admin (professional) aide *f* familiale, aidant/e *m/f*

caress /kə'res/
A *n* caresse *f*
B *vtr* caresser

caret /'kærət/ *n* (*also* **~ sign**) lambda *m*, signe *m* d'insertion

caretaker /'keəteɪkə(r)/ ▸ **p. 1683**
A *n* GB (at school, club) concierge *mf*; (in apartments) gardien/-ienne *m/f*, concierge *mf*; (of building while owner absent) gardien/-ienne *m/f*
B *modif* [*government, administration*] intérimaire; [*president, prime minister, manager*] par intérim

care worker ▸ **p. 1683** *n* GB Soc Admin assistant/-e *m/f* social/-e

careworn /'keəwɔ:n/ *adj* [*face*] marqué (par les soucis); **to look ~, to have a ~ expression** avoir l'air d'avoir beaucoup souffert

car: **~fare** *n* US prix *m* du trajet; **~ ferry** *n* ferry *m*

cargo /'kɑ:gəʊ/
A *n* (*pl* **~es** *ou* **~s**) gen chargement *m* (**of** de); Naut cargaison *f*, chargement *m* (**of** de)
B *modif* [*bay, handler*] de chargement; [*inspection*] du chargement

cargo pants *npl* cargo *m*; **a pair of ~** un cargo

cargo: **~ plane** *n* avion *m* cargo; **~ ship** *n* cargo *m*

car: **~ hire** *n* location *f* de voitures; **~ hire company** *n* société *f* de location de voitures; **~hop** /'kɑ:hɒp/ ▸ **p. 1683** *n* US serveur/-euse *m/f* de drive-in

Caribbean /ˌkærɪ'bi:ən/ ▸ **p. 1493**
A *n* **1** (sea) mer *f* des Antilles; **2** (person) habitant/-e *m/f* des Caraïbes
B *modif* [*climate, cookery*] des Caraïbes; [*carnival*] des Antilles

Caribbean Islands ▸ **p. 1355** *pr npl* petites Antilles *fpl*

caribou /'kærɪbu:/ *n* caribou *m*

caricatural /'kærɪkətʃʊərəl/ *adj* caricatural

caricature /'kærɪkətʃʊə(r)/
A *n* caricature *f*
B *vtr* caricaturer

caricaturist /'kærɪkətʃʊərɪst/ ▸ **p. 1683** *n* caricaturiste *mf*

caries /'keəri:z/ *n* (*pl* **~**) carie *f*

carillon /kə'rɪljən, US 'kærələn/ ▸ **p. 1462**
A *n* (all contexts) carillon *m*
B *vi* (*p prés etc* **-nn-**) carillonner

caring /'keərɪŋ/
A *n* travail *m* social
B *modif* Med, Soc Admin [*profession, service*] paramédical; **~ professionals** le personnel paramédical
C *adj* **1** (loving) [*parent, husband, wife*] affectueux/-euse; [*atmosphere, environment, home*] chaleureux/-euse; **2** (compassionate) [*person, approach, attitude*] compréhensif/-ive; [*party, government, company, society*] humain

carious /'keərɪəs/ *adj* carié

carjacking /'kɑ:dʒækɪŋ/ *n* vol *m* de voiture (avec agression du conducteur)

carload /'kɑ:ləʊd/ *n* **we moved his things in two ~s** on a déménagé ses affaires en deux voitures; **a ~ of people/boxes** une voiture pleine de gens/de cartons

Carmelite /'kɑ:məlaɪt/
A *n* (monk) carme *m*; (nun) carmélite *f*
B *modif* [*monastery*] de carmes; [*convent*] de carmélites; **~ order** (of monks) ordre *m* des carmes; (of nuns) ordre *m* des carmélites

carmine /'kɑ:maɪn/ ▸ **p. 1067**
A *n* carmin *m*
B *adj* [*point*] carmin *inv*

carnage /'kɑ:nɪdʒ/ *n* carnage *m* also fig

carnal /'kɑ:nl/ *adj* [*pleasure, desire*] charnel/-elle; **to have ~ knowledge of sb** Bible, sout connaître qn; hum connaître qn bibliquement

carnation /kɑ:'neɪʃn/ *n* œillet *m*

carnation: **~ pink** ▸ **p. 1067** *n* rose *m* incarnat; **~ red** ▸ **p. 1067** *n* rouge *m* incarnat

carnet /'kɑ:neɪ/ *n* GB **1** Tax, Admin (for goods) passavant *m*; **2** Tourism (for campsite entry) autorisation *f* d'entrée; **3** (of coupons) carnet *m*

carnival /'kɑ:nɪvl/
A *n* **1** GB (festive procession) carnaval *m*; **street/charity ~** carnaval de rue/de bienfaisance; **2** (funfair) fête *f* foraine
B *modif* GB [*parade, atmosphere, float*] de carnaval

carnivora /kɑ:'nɪvɔ:rə/ *npl* carnivores *mpl*

carnivore /'kɑ:nɪvɔ:(r)/ *n* carnivore *m*

carnivorous /kɑ:'nɪvərəs/ *adj* carnivore

carny° /'kɑ:nɪ/ *n* (*also* **carney**) US **1** (funfair) fête *f* foraine; **2** (person) forain *m*

carob /'kærəb/
A *n* **1** (tree) caroubier *m*; **2** (pod) caroube *f*
B *modif* Culin [*bar, powder*] de caroube

carol /'kærəl/
A *n* chant de Noël
B *vi* (*p prés etc* **-ll-**) littér [*choirsingers*] chanter joyeusement; [*bird*] gazouiller; [*flute, piccolo*] siffler

caroller† /'kærələ(r)/ *n* chanteur/-euse *m/f* de chants de Noël

carol: **~ service** *n* célébration *f* de Noël; **~ singer** *n* chanteur/-euse *m/f* de chants de Noël

carom /'kærəm/ US (in billiards)
A *n* carambolage *m*
B *vi* [*ball*] faire un carambolage; [*player*] caramboler

carotene /'kærəti:n/, **carotin** /'kærətɪn/ *n* carotène *m*

carotid /kə'rɒtɪd/
A *n* carotide *f*
B *adj* [*artery*] carotidien/-ienne

carousal /kə'raʊzl/ *n* sout beuverie *f*

carouse /kə'raʊz/ *vi* sout faire la noce; **carousing businessmen** hommes d'affaires qui font la noce

carousel /ˌkærə'sel/ *n* **1** US (merry-go-round) manège *m*; **2** (for luggage) carrousel *m*; **3** Phot (for slides) carrousel *m*; **4** Hist (tournament) carrousel *m*

carp /kɑ:p/
A *n* (fish) carpe *f*
B °*vi* maugréer (**about** contre)

carpal /'kɑ:pl/
A *n* carpe *m*
B *adj* [*bone*] carpien/-ienne

car park /'kɑ:pɑ:k/ *n* GB parc *m* de stationnement

Carpathians /kɑ:'peɪθjəns/ *pr npl* Carpates *fpl*

carpel /'kɑ:pl/ *n* carpelle *m*

Carpentaria /ˌkɑ:pən'teərɪə/ ▸ **p. 1493** *pr n* **Gulf of ~** golfe *m* de Carpentarie

carpenter /'kɑ:pəntə(r)/ ▸ **p. 1683** *n* (joiner) menuisier *m*; (on building site) charpentier *m*

carpentry /'kɑ:pəntrɪ/
A *n* gen menuiserie *f*; (structural) charpenterie *f*
B *modif* [*tool*] de menuisier, de charpentier; [*course*] de menuiserie, de charpenterie

carpet /'kɑ:pɪt/
A *n* **1** (fitted) moquette *f*; (loose) tapis *m*; **2** fig tapis *m*; **~ of flowers/snow** tapis de fleurs/neige
B *modif* [*beater*] à tapis; [*sale, showroom*] de tapis; [*shampoo*] pour tapis
C *vtr* **1** lit mettre de la moquette dans [*room*]; **to ~ the living-room floor** mettre de la moquette dans le séjour; **~ed with flowers** fig, littér tapissé de fleurs; **2** fig (reprimand) passer un savon à [*employee*]

(Idioms) **to be on the ~**° être sur la sellette; **to brush** *ou* **push** *ou* **sweep sth under the ~** enterrer *or* étouffer qch

carpetbag /'kɑ:pɪtbæg/ *n* sac *m* de voyage

carpetbagger /'kɑ:pɪtbægə(r)/ *n* **1** US Hist profiteur *m* nordiste (*après la guerre civile*); **2** Pol candidat *m* parachuté

carpet: **~ beetle** *n* anthrène *m*; **~ bombing** *n* Mil Hist technique *f* du tapis de bombes; **~ bowls** ▸ **p. 1253** *npl* jeu *m* de boules sur tapis; **~ fitter** ▸ **p. 1683** *n* poseur *m* de moquette

carpeting /'kɑ:pɪtɪŋ/ *n* moquette *f*

carpet: **~ slipper** *n* charentaise *f*; **~ sweeper** *n* balai *m* mécanique; **~ tile** *n* dalle *f* de moquette

car phone *n* téléphone *m* de voiture

carping /'kɑ:pɪŋ/
A *n* ¢ chicaneries *fpl*
B *adj* [*criticism, person*] malveillant

car pool *n* **to be in a ~** *s'arranger entre parents, collègues etc pour faire les trajets quotidiens avec une seule voiture*

carport /'kɑ:pɔ:t/ *n* auvent *m* pour voitures

carpus /'kɑ:pəs/ *n* (*pl* **-pi**) Anat carpe *m*

car radio *n* autoradio *m*

carrageen, **carragheen** /'kærəgi:n/ *n* carragheen *m*

car rental *n* ▸ **car hire**

carriage /ˈkærɪdʒ/ *n* 1 (vehicle) (ceremonial) carrosse *m*; (for transport) attelage *m*; 2 (of train) wagon *m*, voiture *f*; 3 ¢ (of goods, passenger) transport *m* (**by** par); **~ free/forward** port *m* gratuit/dû; **~ paid** port *m* payé; 4 Tech (of typewriter) chariot *m*; ▸ **gun carriage**; 5 (person's bearing) maintien *m*; (of head) port *m*

carriage: **~ clock** *n* pendulette *f*; **~way** *n* chaussée *f*

carrier /ˈkærɪə(r)/ *n* 1 (transport company) transporteur *m*; (airline) compagnie *f* aérienne; **to send sth by ~** expédier qch; 2 (of disease) porteur/-euse *m/f*; 3 GB (*also* **~ bag**) sac *m* (*en papier ou en plastique*). ▸ **troop carrier etc**

carrier pigeon *n* pigeon *m* voyageur

carrion /ˈkærɪən/ *n* (*also* **~ flesh**) charogne *f*

carrion: **~ crow** *n* corneille *f* noire; **~ feeder** *n* charognard *m*

carrot /ˈkærət/ *n* carotte *f* also fig

carrot: **~ and stick** *adj* fig [*approach, tactics*] de la carotte et du bâton; **~ cake** *n* gâteau *m* à la carotte; **~ top**○ *n* hum *ou* péj poil *m* de carotte

carroty○ /ˈkærətɪ/ *adj* [*hair*] rouquin○; **to have ~ hair** être rouquin○

carry /ˈkærɪ/

A *n* (range) portée *f*

B *vtr* 1 [*person, animal*] porter [*bag, shopping, load, news, message*] (**in** dans; **on** sur); **to ~ sth up/down** porter qch en haut/en bas; **to ~ sth in/out** apporter/emporter qch; **to ~ the bags over the road** traverser la route en portant les bagages; **to ~ the child across the river** porter l'enfant pour traverser la rivière; **to ~ cash/a gun** avoir de l'argent liquide/un revolver sur soi; **to ~ a memory/a picture in one's mind** avoir un sentiment/une image toujours en tête; **to ~ sth too far** fig pousser qch trop loin; **we can't afford to ~ anyone** fig nous ne pouvons pas nous permettre de traîner des poids morts

2 [*vehicle, pipe, wire, vein*] transporter; [*wind, tide, current, stream*] emporter; **licensed to ~ passengers** autorisé à transporter des passagers; **to be carried on the wind** être porté *or* transporté par le vent; **to be carried along by the tide** être poussé par la marée; **the wind carried the ash towards the town** le vent a transporté les cendres vers la ville; **to ~ sth off** *ou* **away** emporter qch; **to ~ sb off** *ou* **away** emmener qn; **to ~ sth/sb back** ramener qch/qn; **to ~ one's audience with one** avoir son public derrière soi; **his quest carried him to India** sa quête l'a amené en Inde; **her talent will ~ her a long way** son talent la mènera loin; **to be carried along with the general enthusiasm** être emporté par l'enthousiasme général

3 (feature) comporter [*warning, guarantee, review, report*]; porter [*symbol, label*]; **'The Gazette' will ~ the ad** 'La Gazette' publiera l'annonce

4 (entail) comporter [*risk, danger, responsibility*]; être passible de [*penalty, fine*]; **to ~ conviction** être convaincant

5 (bear, support) [*bridge, road*] supporter [*weight, load, traffic*]; **the field will not ~ that herd/crop** le champ ne convient pas à ce troupeau/cette culture

6 Mil, Pol (win) l'emporter dans [*state, region, constituency*]; remporter [*battle, match*]; faire voter [*bill, amendment*]; **the motion was carried by 20 votes to 13** la motion l'a emporté par 20 votes contre 13; **to ~ all before one/it** [*person, argument*] l'emporter haut la main

7 Med être porteur/-euse de [*disease*]; **she is ~ing the HIV virus** elle est porteuse du virus VIH

8 (be pregnant with) [*woman*] être enceinte de [*boy, girl, twins*]; [*female animal*] porter [*young*]; **she is ~ing a child** elle est enceinte; **I am ~ing his child** je porte son enfant

9 Comm (stock, sell) faire [*item, brand*]; **we ~ a wide range of** nous offrons un grand choix de

10 (hold, bear) (permanently) porter [*tail, head*]; **he was ~ing his arm awkwardly** il se tenait le bras de façon curieuse

11 Math retenir [*one, two*]

C *vi* [*sound, voice*] porter; **to ~ well** porter bien; **the noise carried (for) several kilometres** le bruit a porté à plusieurs kilomètres

D *v refl* **to ~ oneself** se tenir (**like** comme; **with** avec)

(Idioms) **to be carried away by sth** être emballé○ par qch; **to get carried away**○ s'emballer○, se laisser emporter

(Phrasal verbs) ■ **carry back**: ▸ **~ back [sth]**, **~ [sth] back** Tax reporter [qch] en arrière [*sum, loss*]; ▸ **~ [sb] back** (in memory) ramener [*person*] (**to** à)

■ **carry forward**: ▸ **~ forward [sth]**, **~ [sth] forward** 1 Accts reporter [*balance, total, sum*]; 2 Tax reporter [qch] en avant [*sum, loss*]

■ **carry off**: ▸ **~ off [sth]** remporter [*prize, medal*]; **to ~ it off**○ (succeed) réussir, y arriver; ▸ **~ off [sb]**, **~ [sb] off** [*illness, disease*] emporter [*person, animal*]

■ **carry on**: ▸ **~ on** 1 (continue) continuer (**doing** à faire); **~ on!** continue!; **to ~ on down** *ou* **along the road** (in car) continuer la route; (on foot) poursuivre son chemin; **if it carries on like this** si ça continue comme ça; **to ~ on as if nothing had happened** continuer comme si de rien n'était; **to ~ on with sth** continuer *or* poursuivre qch; 2 ○(behave) se conduire; **that's no way to ~ on** ce n'est pas une façon de se conduire; **to ~ on as if** se conduire comme si; 3 ○(have affair) fricoter○, avoir une liaison (**with** avec); 4 ○(talk, go on) jacasser○; **to ~ on about sth** déblatérer○ sur qch; ▸ **~ on [sth]** 1 (conduct) conduire [*business, trade*]; entretenir [*correspondence*]; mener [*conversation, negotiations, normal life*]; 2 (continue) maintenir [*tradition, custom*]; reprendre [*family firm*]; poursuivre [*activity, discussion*]

■ **carry out**: ▸ **~ out [sth]**, **~ [sth] out** réaliser [*plan, experiment, study, audit, reform, robbery*]; effectuer [*raid, attack, operation, repairs*]; exécuter [*orders, punishment, recommendations, restoration*]; mener [*investigation, campaign*]; accomplir [*execution, killing*]; remplir [*duties, function, mission*]; mettre [qch] à exécution [*threat*]; tenir [*promise*]

■ **carry over**: ▸ **~ over into** [*problem, attitude, rivalry*] s'étendre à [*area of activity, personal life*]; ▸ **~ sth over into** transférer qch dans [*private life, area of activity, adulthood*]; ▸ **~ over [sth]**, **~ [sth] over** 1 gen **to be carried over from** [*custom, habit, feeling*] remonter à [*period, childhood*]; **an item carried over from the last meeting** un point laissé en attente à la dernière réunion; 2 Fin (on stock exchange) reporter [*debt*]; 3 Accts, Tax = **carry forward**

■ **carry through**: ▸ **~ through [sth]**, **~ [sth] through** mener [qch] à bien [*reform, policy, task*]; ▸ **~ [sb] through** [*humour, courage*] soutenir [*person*]; [*instincts*] guider [*person*]

carry: **~all** *n* US fourre-tout *m inv*; **~-back** *n* Accts report *m* en arrière; **~cot** *n* GB porte-bébé *m*; **~-forward** *n* Accts report *m* en avant; **~ing-on**○ *n* (*pl* **carryings-on**) incartade *f*; **~-on**○ *n* cirque○ *m*

carryout /ˈkærɪaʊt/ GB *n* 1 (food) repas *m* à emporter; 2 Scot dial (alcohol) alcool *m* à emporter

carry-over /ˈkærɪəʊvə(r)/ *n* Fin report *m*

car seat *n* siège-auto *m*

carsick /ˈkɑːsɪk/ *adj* **to be ~** avoir le mal de la route

car sickness ▸ **p. 1327** *n* mal *m* de la route

cart /kɑːt/

A *n* (for hay, goods) charrette *f*; (two-wheel, for passengers) carriole *f*

B *vtr* 1 (*also* **~ around**, **~ about**)○ (drag, lug) trimballer○ [*luggage, shopping*]; **to ~ sth up/down the stairs** trimballer qch en haut/en bas de l'escalier; 2 Agric charrier [*hay, turnips*]

(Idiom) **to put the ~ before the horse** mettre la charrue avant les bœufs

(Phrasal verb) ■ **cart off**○: ▸ **~ [sb] off** emmener [qn] de force

cartage /ˈkɑːtɪdʒ/ *n* charroi *m*

carte blanche /ˌkɑːt ˈblɑːnʃ/ *n* carte *f* blanche; **to have/be given ~ to do** avoir/recevoir carte blanche pour faire

cartel /kɑːˈtel/ *n* (all contexts) cartel *m*; **drug/price ~** cartel *m* de la drogue/des prix

carter /ˈkɑːtə(r)/ ▸ **p. 1683** *n* charretier/-ière *m/f*

Cartesian /kɑːˈtiːzjən/ *n, adj* cartésien/-ienne (*m/f*)

Cartesianism /kɑːˈtiːzjənɪzəm/ *n* cartésianisme *m*

cartful /ˈkɑːtfʊl/ *n* charretée *f*

Carthage /ˈkɑːθɪdʒ/ ▸ **p. 1815** *pr n* Carthage

Carthaginian /ˌkɑːθəˈdʒɪnɪən/

A *n* Carthaginois/-e *m/f*

B *adj* carthaginois

carthorse /ˈkɑːthɔːs/ *n* cheval *m* de trait

Carthusian /kɑːˈθjuːzjən/ Relig

A *n* chartreux/-euse *m/f*

B *modif* [*monk, nun*] chartreux/-euse; [*monastery*] de chartreux

cartilage /ˈkɑːtɪlɪdʒ/

A *n* cartilage *m*

B *modif* [*operation*] du cartilage; [*problems*] de cartilage

cartload /ˈkɑːtləʊd/ *n* charretée *f*

cartographer /kɑːˈtɒgrəfə(r)/ ▸ **p. 1683** *n* cartographe *mf*

cartography /kɑːˈtɒgrəfɪ/ *n* cartographie *f*

cartomancy /ˈkɑːtəmænsɪ/ *n* cartomancie *f*

carton /ˈkɑːtn/

A *n* gen (small) boîte *f*; US (for house removals) carton *m*; (of yoghurt, cream) pot *m*; (of juice, milk, ice cream) carton *m*, brique *f*; (of cigarettes) cartouche *f*

B *vtr* US (pack up) mettre [qch] dans des cartons [*belongings*]

cartoon /kɑːˈtuːn/

A *n* 1 Cin dessin *m* animé, film *m* d'animation; 2 (drawing) dessin *m* humoristique; (in comic) (*also* **strip ~**) bande *f* dessinée; 3 Art (sketch) carton *m*

B *modif* [*character*] de dessin animé; [*adventure, series*] de dessins animés

cartoonist /kɑːˈtuːnɪst/ ▸ **p. 1683** *n* 1 Cin dessinateur/-trice *m/f* de films d'animation; 2 Journ dessinateur/-trice *m/f* humoristique; (of strip cartoons) dessinateur/-trice *m/f* de bandes dessinées

cartouche /kɑːˈtuːʃ/ *n* Archeol cartouche *f*

car transporter *n* camion *m* à plateforme

cartridge /ˈkɑːtrɪdʒ/ *n* 1 (for pen, gun) cartouche *f*; 2 Audio, Elec (for video, typewriter etc) cartouche *f*; (for stylus) cellule *f*; 3 Phot (for camera) chargeur *m*

cartridge: **~ belt** *n* Hunt cartouchière *f*; **~ clip** *n* (for gun) chargeur *m* (d'arme à feu); **~ drive** *n* Comput porte-disquette *m*; **~ paper** *n* Art papier *m* à dessin; Print papier *m* fort; **~ pen** *n* stylo *m* à cartouche

cart-track /ˈkɑːttræk/ *n* chemin *m* charretier

cartwheel /ˈkɑːtwiːl, US -hwiːl/ *n* 1 (in gymnastics) roue *f*; **to do** *ou* **turn a ~** faire la roue; 2 lit roue *f* de charrette

carve /kɑːv/

A *vtr* 1 (shape, sculpt) tailler, sculpter [*wood, stone, figure*]; creuser [*channel*] (**out of, from** dans); **to ~ sth into** tailler qch en forme de [*motif, figure*]; 2 (inscribe) graver [*letters, name, motif*] (**onto** sur; **in** dans); 3 Culin découper

C

[*meat, joint*]; **to ~ a slice off the joint** découper une tranche dans le rôti; 4 (create) = **carve out**
B *vi* découper; **will you ~?** voulez-vous découper la viande?
C carved *pp adj* [*figure, mantelpiece, wood*] sculpté
(Phrasal verbs) ■ **carve out**: ▶ **~ out [sth]**, **~ [sth] out** 1 fig se faire [*niche, name*]; se tailler [*reputation, market*]; se construire [*career*]; 2 lit creuser [*gorge, channel*]
■ **carve up**: ▶ **~ up [sth]**, **~ [sth] up** 1 °péj (share) partager [*territory, market, industry, spoils*]; 2 Culin découper [*meat*]; ▶ **~ up [sb]**° 1 (with knife, razor) taillader le visage à; 2 Aut faire une queue de poisson à

carvers /'kɑːvəz/ *npl* service *m* à découper

carvery /'kɑːvərɪ/ *n* GB buffet *m* (de viandes rôties)

carve-up° /'kɑːvʌp/ *n* GB péj partage *m*

carving /'kɑːvɪŋ/ *n* 1 (figure, sculpture) sculpture *f*; 2 (technique) gravure *f*; 3 Culin découpage *m*; **who'll do the ~?** qui va découper?

carving knife *n* couteau *m* à découper

car: **~ wash** *n* lavage *m* automatique; **~ worker** ▸ p. 1683 *n* ouvrier/-ière *m/f* de l'industrie automobile

caryatid /,kærɪ'ætɪd/ *n* caryatide *f*

cascade /kæ'skeɪd/
A *n* 1 (of water, fireworks) cascade *f*; (of hair, silk, music) flot *m*; 2 Comput cascade *f*
B *vi* tomber en cascade

cascading /,kæs'keɪdɪŋ/ *adj* Comput [*window*] en cascade; **~ menu** menus *mpl* en cascade

cascara /kæs'kɑːrə/ *n* Pharm cascara *f*

case¹ /keɪs/
A *n* 1 (instance, example) cas *m*; **in several ~s** dans plusieurs cas; **a ~ of mistaken identity** un cas d'erreur sur la personne; **on a ~ by ~ basis** au cas par cas; **in which ~, in that ~** en ce cas, dans ce cas-là; **in such** *ou* **these ~s** dans un cas pareil; **in 7 out of 10 ~s** 7 fois sur 10, dans 7 cas sur 10; **a ~ in point** un cas d'espèce, un exemple typique; **it was a ~ of making a quick decision** il s'agissait de prendre une décision rapide; **it's a ~ of substituting X for Y** il s'agit de substituer X à Y; **it's simply a ~ of waiting** il n'y a plus qu'à attendre
2 (state of affairs, situation) cas *m*; **that's not the ~ here** ce n'est pas le cas ici; **such** *ou* **this being the ~** en ce cas, dans ce cas-là; **is it the ~ that...?** est-il vrai que...?; **as** *ou* **whatever the ~ may be** selon le(s) cas; **should this be the ~** *ou* **if this is the ~, contact your doctor** si c'est le cas, consultez votre médecin; **in no ~ will customers be refunded** en aucun cas les clients ne pourront être remboursés
3 (legal arguments) **the ~ for the Crown** GB, **the ~ for the State** US l'accusation *f*; **the ~ for the defence** la défense; **to state the ~** exposer les faits; **to put the ~ for the prosecution** représenter le ministère public; **to put the ~ for the defence** assurer la défense du prévenu; **the ~ against Foster** les faits qui sont reprochés à Foster; **there is a ~ to answer** il y a assez de preuves; **the ~ is closed** Jur, fig l'affaire *or* la cause est entendue; ▸ **rest**
4 (convincing argument) arguments *mpl*; **to put the ~ for sth** trouver des arguments en faveur de qch; **to make a good ~ for sth** donner des arguments convaincants en faveur de qch; **to argue the ~ for privatization** donner des arguments en faveur de la privatisation; **there's a strong ~ against it** il y a beaucoup d'arguments contre cela; **there's a strong ~ for/against doing** il y a de bonnes raisons pour/pour ne pas faire
5 (trial) affaire *f*, procès *m*; **criminal/civil ~** affaire criminelle/civile; **divorce ~** procès en divorce; **murder ~** procès pour meurtre; **to win one's ~** gagner son procès, avoir gain de cause; **to lose/plead a ~** plaider/perdre une cause; **the ~ before the court** l'affaire en jugement; **his ~ comes up next week** il passe en jugement la semaine prochaine; **to decide a ~** rendre un jugement; **famous ~s** causes *fpl* célèbres
6 (criminal investigation) **the Burgess ~** l'affaire Burgess; **to work** *ou* **be on a ~** enquêter sur une affaire; **a murder/blackmail ~** une affaire de meurtre/de chantage; **the ~s of Sherlock Holmes** les enquêtes de Sherlock Holmes
7 Med (instance of disease) cas *m*; (patient) malade *mf*; **30 ~s of chickenpox** 30 cas de varicelle; **he's a psychiatric ~** c'est un malade mental
8 Soc Admin (client) cas *m*; **to deal with a lot of difficult ~s** avoir affaire à des cas difficiles; **a problem ~** un cas à problème
9 °(person) **he's a real ~!** c'est vraiment un cas!; **a hopeless ~** un cas désespéré; **a hard ~** un dur; ▸ **head case**
10 Ling cas *m*; **in the accusative ~** à l'accusatif
B in any case *adv phr* (besides, anyway) de toute façon; (at any rate) en tout cas; **and in any ~, I've no intention of staying** et de toute façon, je n'ai pas l'intention de rester; **the effect of the recession, or in any ~ of high inflation, is that...** l'effet de la récession, ou en tout cas de la forte inflation, est que...
C in case *conj phr* au cas où (+ *conditional*); **in ~ it rains** au cas où il pleuvrait; **take the street map just in ~** prends le plan au cas où; **your report, in ~ you've forgotten, was due yesterday** votre rapport, au cas où vous l'auriez oublié, était pour hier
D in case of *prep phr* **in ~ of fire/emergency** en cas d'incendie/d'urgence
(Idiom) **get off my ~**°! fiche-moi la paix°!

case² /keɪs/
A *n* 1 (suitcase) valise *f*; 2 (crate, chest) caisse *f*; **to buy wine by the ~** acheter du vin par la caisse; 3 (display cabinet) vitrine *f*; **to display sth in a ~** exposer qch dans une vitrine; 4 (protective container) (for spectacles, binoculars, cartridge, weapon) étui *m*; (for jewels) écrin *m*; (of camera, watch) boîtier *m*; (of piano, clock) caisse *f*; 5 Print casse *f*; ▸ **lower case**, **upper case**; 6 (bookcover) couverture *f*
B °*vtr* (reconnoitre) **to ~ the joint** [*thief*] faire du repérage

CASE /keɪs/ *n* (*abrév* = **computer-aided software engineering**) CPAO *f*

case keɪs: **~book** *n* Jur, Med dossiers *mpl*; (of essays, articles) recueil *m*; **~ conference** *n*: *réunion de professionnels pour parler d'un cas social*; **~ file** *n* dossier *m*; **~ grammar** *n* grammaire *f* des cas

case-harden
A *vtr* Ind cémenter [*steel*]; fig endurcir [*person*]
B case-hardened *pp adj* Ind cémenté; fig endurci

case history *n* 1 Med antécédents *mpl*; 2 (exemplary study) = **case study**

case keɪs: **~ knife** *n* US couteau *m* à gaine; **~ law** *n* droit *m* jurisprudentiel

caseload /'keɪsləʊd/ *n* clientèle *f*; **to have a heavy ~** avoir une clientèle nombreuse

casement /'keɪsmənt/ *n* littér fenêtre *f*, croisée *f* liter

casement window *n* fenêtre *f* à battants

case keɪs: **~ notes** *npl* dossier *m*; **~ study** *n* étude *f* de cas

case system *n* Ling système *m* casuel

casework /'keɪswɜːk/ *n* **to be involved in** *ou* **to do ~** s'occuper des cas sociaux

caseworker /'keɪswɜːkə(r)/ ▸ p. 1683 *n* ≈ assistant/-e *m/f* social/-e

cash /kæʃ/
A *n* 1 (notes and coins) espèces *fpl*, argent *m* liquide; **to pay in ~** payer en espèces; **£3,000 (in) ~** 3 000 livres sterling en espèces; **to be paid ~ in hand** être payé en espèces; **I haven't got any ~ on me** je n'ai pas d'argent liquide; 2 (money in general) argent *m*; **to be short of ~** être à court d'argent; 3 (immediate payment) comptant *m*; **will it be ~ or credit?** est-ce que vous payez (au) comptant ou à crédit?; **discount for ~** remise *f* pour paiement comptant; **£50 ~ in hand** *ou* **~ down** 50 livres sterling en liquide
B *modif* [*advance, book, float*] de caisse; [*bid, offer, sale, terms, discount, transaction*] au comptant; [*allowance, alternative, compensation, deposit, grant, sum, refund, prize*] en espèces; [*price*] comptant
C *vtr* encaisser [*cheque*]
(Phrasal verbs) ■ **cash in**: ▶ **~ in** en profiter; **to ~ in on** tirer profit de, profiter de [*popularity, publicity, event, death*]; ▶ **~ in [sth]**, **~ [sth] in** se faire rembourser, réaliser [*bond, token, insurance policy*]; US encaisser [*check*]; encaisser [*gambling chips*]
■ **cash up** faire la caisse

cashable /'kæʃəbl/ *adj* encaissable

cash-and-carry /,kæʃən'kærɪ/
A *n* libre-service *m* de vente en gros
B *adj* [*store, warehouse*] de vente en gros; [*price*] de grossiste

cash: **~ assets** *n* Fin avoirs *mpl* en caisse; **~ box** *n* caisse *f*; **~ buyer** *n* acheteur/-euse *m/f* qui paye comptant; **~ card** *n* carte *f* de retrait; **~ contribution** *n* Fin apport *m* en numéraire; **~ cow** *n* Comm, fig vache *f* à lait; **~ crop** *n* culture *f* commerciale *or* de rente; **~ deficit** *n* déficit *m* de trésorerie; **~ desk** *n* caisse *f*; **~ dispenser** *n* distributeur *m* automatique de billets de banque, billetterie *f*

cash-back /'kæʃbæk/ *n* 1 (in shops) retrait *m* d'argent; **would you like ~?** voulez-vous retirer de l'argent?; 2 (cash refund) reprise *f*

cashew /'kæʃuː/ *n* (*also* **~ nut**) cajou *m*

cash flow
A *n* marge *f* brute d'auto-financement, MBA *f*, cash flow *m*
B *modif* [*analysis, crisis, forecast, problem*] de cash-flow, de MBA; **I've got a bit of a ~ problem!** hum j'ai des petits problèmes de finance!

cashier /kæ'ʃɪə(r)/ ▸ **p. 1683**
A *n* caissier/-ière *m/f*
B *vtr* Mil casser [*officer*]; gen congédier [*employee*]

cash: **~ inflow** *n* recettes *fpl*, rentrée *f* de fonds; **~ injection** *n* injection *f* de capitaux

cashless /'kæʃlɪs/ *adj* [*transaction, pay*] par virement; [*society*] sans argent liquide

cash limit *n* limite *f* budgétaire

cashmere /,kæʃ'mɪə(r)/
A *n* (lainage *m* en) cachemire *m*
B *modif* [*sweater, material*] en cachemire

cash: **~ offer** *n* offre *f* d'achat au comptant; **~ on delivery**, **COD** *n* envoi *m* contre remboursement; **~ outflow** *n* dépenses *fpl*, sortie *f* de fonds; **~point** *n* = **cash dispenser**; **~point card** *n* = **cash card**; **~ ratio** *n* coéfficient *m* de trésorerie; **~ register** *n* caisse *f* enregistreuse; **~ reserves** *npl* trésorerie *f*; **~ squeeze** *n* restriction *f* de crédit; **~ with order**, **c.w.o.** *n* règlement *m* à la commande

casing /'keɪsɪŋ/ *n* 1 (outer shell) (of bomb, cylinder, turbine, machinery) revêtement *m*; (of gearbox) carter *m*; (of tyre) enveloppe *f* extérieure; (of cable, telephone) boîtier *m*; 2 (of shaft, chimney) cuvelage *m*; 3 (of window, door) chambranle *m*; 4 (sausage skin) boyau *m*; 5 Print emboîtage *m*

casino /kə'siːnəʊ/ *n* casino *m*

cask /kɑːsk, US kæsk/ *n* fût *m*, tonneau *m*; **wine from the ~** vin au tonneau

casket /'kɑːskɪt, US 'kæskɪt/ *n* 1 (jewel box) coffret *m*; 2 (coffin) cercueil *m*

Caspian Sea /,kæspɪən 'siː/ ▸ **p. 1493** *pr n* **the ~** la (mer) Caspienne

Cassandra /kə'sændrə/ *pr n* Mythol, fig Cassandre

cassava /kə'sɑːvə/ *n* Bot manioc *m*; Culin farine *f* de manioc

casserole /ˈkæsərəʊl/
A *n* Culin **1** (container) daubière *f*, cocotte *f*; **2** GB (food) ragoût *m* cuit au four
B *vtr* cuire [qch] à four doux

cassette /kəˈset/ *n* Audio, Video cassette *f*; **to record on ~** enregistrer sur cassette; **to sell/be available on ~** vendre/être disponible en cassette

cassette: **~ deck** *n* platine *f* à cassettes; **~ player** *n* lecteur *m* de cassettes; **~ recorder** *n* magnétophone *m* à cassettes; **~ recording** *n* enregistrement *m* sur cassette; **~ tape** *n* cassette *f* audio

cassock /ˈkæsək/ *n* soutane *f*

cassowary /ˈkæsəweərɪ/ *n* casoar *m*

cast /kɑːst, US kæst/
A *n* **1** Cin, Theat, TV (list of actors) distribution *f*; (actors) acteurs *mpl*; **the members of the ~** les acteurs; **~ and credits** générique *m*; **~ of characters** (in play, novel) liste *f* des personnages; **Bogart and Bacall head a strong ~** Bogart et Bacall apparaissent en tête d'une brillante distribution; **the film has an all-star ~** il n'y a que des vedettes *or* des acteurs très connus dans ce film; **she was in the ~ of 'The Birds'** elle a joué dans 'Les Oiseaux'
2 Art, Tech (mould) moule *m*; (moulded object) moulage *m*
3 (arrangement) **~ of features** traits *mpl* du visage, physionomie *f*; **~ of mind** tournure *f* d'esprit
4 (act of throwing) (of dice, net) coup *m*; (of stone) jet *m*; Fishg lancer *m*
5 Med (squint) strabisme *m*; **to have a ~ in one eye** avoir un œil qui louche, loucher d'un œil
6 Med (*also* **plaster ~**) plâtre *m*; **to have one's arm in a ~** avoir un bras dans le plâtre
7 Zool (skin of snake, insect) dépouille *f*; (owl pellet) boulette *f* (de déchets régurgités); (of worm) déjections *fpl*
8 (colour, tinge) nuance *f*; **with a greenish ~** tirant sur le vert
B *vtr* (*prét, pp* **cast**) **1** (throw) jeter, lancer [*stone, net, fishing line*]; jeter [*dice*]; projeter [*light, shadow*]; **to be cast into prison** être jeté en prison; **to ~ doubt on** émettre des doutes sur; **to ~ light on** éclairer; **to ~ (a) new light on** éclairer [qch] d'un jour nouveau; **to ~ a spell on** jeter un sort à
2 (direct) jeter [*glance, look*] (**at** sur); **her eyes were cast downwards** elle avait les yeux baissés; **to ~ one's eyes around the room/over a letter** parcourir la pièce/une lettre des yeux; **to ~ a glance over one's shoulder** jeter un coup d'œil par-dessus son épaule; **to ~ one's mind back over sth** se remémorer qch; **if you ~ your mind back to last week** si tu te rappelles ce qui s'est passé la semaine dernière
3 Cin, Theat, TV distribuer les rôles de [*play, film*]; **she was cast in the role of** *ou* **as Blanche** on lui a donné le rôle de Blanche, elle a joué Blanche
4 (shed) se dépouiller de [*leaves, feathers*]; **the snake ~s its skin** le serpent mue; **the horse cast a shoe** le cheval a perdu un fer
5 Art, Tech couler [*plaster*]; couler, fondre [*metal*]; **statue cast in bronze** statue coulée dans le bronze
6 Pol **to ~ one's vote** voter
7 Astrol **to ~ sb's horoscope** faire l'horoscope de qn
C *vi* (*prét, pp* **cast**) Fishg lancer sa ligne

(Phrasal verbs) ■ **cast about** GB, **cast around**: ▶ **~ about for** chercher [*excuse, remark*]
■ **cast aside**: ▶ **~ aside [sth/sb]**, **~ [sth/sb] aside** rejeter [*object*]; se défaire de [*anxieties, doubts, inhibitions*]; répudier, rejeter [*spouse, lover*]
■ **cast away**: ▶ **~ away [sth]**, **~ [sth] away** mettre [qch] au rebut [*old clothes, objects*]; se débarrasser de [*cares, inhibitions*]; **to be cast away** (shipwrecked) être naufragé
■ **cast down**: ▶ **~ down [sth]**, **~ [sth] down** **1** lit jeter [qch] par terre [*object*]; déposer [*weapons*]; baisser [*eyes, head*]; **2** fig faire tomber [*tyrant*]; **to be cast down** (depressed) littér être abattu
■ **cast off**: ▶ **~ off** **1** Naut larguer les amarres; **2** (in knitting) rabattre les mailles restantes; ▶ **~ off [sth]**, **~ [sth] off** **1** (discard) ôter, enlever [*garment*]; se libérer de [*chains*]; abandonner, rejeter [*lover, friend*]; **2** Naut larguer les amarres de; **3** (in knitting) rabattre [*stitches*]
■ **cast on**: ▶ **~ on** (in knitting) monter les mailles; ▶ **~ on [sth]** monter [*stitch*]
■ **cast out**: ▶ **~ out [sth/sb]**, **~ [sth/sb] out** littér chasser
■ **cast up**: ▶ **~ up [sth]**, **~ [sth] up** **1** [*tide, sea*] rejeter [*body, flotsam*]; **2** (in air) lancer [qch] en l'air [*ball*]; **to ~ one's eyes up (to heaven)** lever les yeux au ciel; **to ~ sth up at sb** ressortir qch à qn [*accusation, misdeed*]

castanets /ˌkæstəˈnets/ ▸ p. 1462 *npl* castagnettes *fpl*

castaway /ˈkɑːstəweɪ, US ˈkæst-/ *n* naufragé/-e *m/f*

caste /kɑːst/ *n* caste *f*; **the ~ system** le système des castes; **to lose ~** fig déroger

castellated /ˈkæstəleɪtɪd/ *adj* Archit, gen crénelé

caster /ˈkɑːstə(r), US ˈkæstər/ *n* **1** (shaker) saupoudreuse *f*; **2** (wheel) roulette *f*; **3** US (cruet) flacon *m* à condiments; **4** US (cruet stand) ménagère *f*, plateau *m* à condiments

caster sugar GB *n* sucre *m* en poudre

castigate /ˈkæstɪgeɪt/ *vtr* sout fustiger fml (**for sth** pour qch; **for doing** pour avoir fait)

castigation /ˌkæstɪˈgeɪʃn/ *n* sout critique *f* sévère (**of** de)

Castile /kæˈstiːl/ *pr n* Castille *f*

Castilian /kəˈstɪlɪən/
A *n* Castillan/-e *m/f*
B *adj* castillan

casting /ˈkɑːstɪŋ, US ˈkæst-/ *n* **1** (throwing) lancement *m*, jet *m*; Fishg pêche *f* au lancer; **2** (in metallurgy) (act) coulée *f*, moulage *m*; (object) pièce *f*; Art moulage *m*; **3** Cin, Theat, TV distribution *f*

casting: **~ agent** ▸ p. 1683 *n* responsable *mf* de la distribution; **~ couch** *n* Cin ≈ droit *m* de cuissage (*du directeur de distribution*); **~ director** ▸ p. 1683 *n* directeur/-trice *m/f* de la distribution

casting vote *n* voix *f* prépondérante; **to have a** *ou* **the ~** avoir voix prépondérante

cast iron
A *n* fonte *f*
B **cast-iron** *modif* **1** lit [*object*] de *or* en fonte; **2** fig [*alibi, excuse, guarantee*] en béton○

castle /ˈkɑːsl, US ˈkæsl/
A *n* **1** gen, Archit château *m*; **2** (in chess) tour *f*
B *modif* [*grounds, keep*] du château
C *vi* (in chess) roquer

(Idioms) **an Englishman's** GB *ou* **a man's** US **home is his ~** charbonnier est maître chez lui; **~s in the air** *ou* **in Spain** US des châteaux en Espagne

castling /ˈkɑːslɪŋ, US ˈkæslɪŋ/ *n* (in chess) roque *m*

cast-off /ˈkɑːstɒf, US ˈkæst-/
A **cast-offs** *npl* (clothes) vêtements *mpl* dont on n'a plus besoin, vieux vêtements; **society's ~s** fig les laissés *mpl* pour compte de la société
B *adj* [*object, garment*] mis au rebut

castor /ˈkɑːstə(r), US ˈkæs-/ *n* **1** Pharm castoréum *m*; **2** (wheel) (*also* **caster**) roulette *f*

castor: **~ oil** *n* huile *f* de ricin; **~ oil plant** *n* ricin *m*

castrate /kæˈstreɪt, US ˈkæstreɪt/ *vtr* castrer [*man, animal*]; fig expurger [*book, article*]

castration /kæˈstreɪʃn/ *n* castration *f*

castrato /kæˈstrɑːtəʊ/ *n* castrat *m*

casual /ˈkæʒʊəl/
A *n* (temporary worker) travailleur/-euse *m/f* temporaire; (occasional worker) travailleur/-euse *m/f* occasionnel/-elle
B **casuals** *npl* (clothes) vêtements *mpl* sport; (shoes) chaussures *fpl* sport
C *adj* **1** (informal) [*clothes, dress, person, manner, greeting*] décontracté; **to have a ~ chat** bavarder, causer○; **to come up in ~ conversation** surgir par hasard dans la conversation; **2** (occasional) [*acquaintance, relationship*] de passage; **~ sex** relations *fpl* sexuelles non suivies; **~ drug users** drogués *mpl* occasionnels; **3** (nonchalant) [*attitude, gesture, mention, approach, tone*] désinvolte; **to make a question sound ~** poser une question d'un ton détaché; **4** péj [*racism, cruelty, violence*] ordinaire; [*remark, assumption, insult*] désinvolte; **her ~ treatment of me** sa désinvolture à mon égard; **5** [*inspection, glance, onlooker*] superficiel/-ielle; **to the ~ eye it seems that** l'observateur superficiel dirait que; **6** (chance) [*encounter, error*] fortuit; **7** [*worker, labour*] (temporary) temporaire; (occasional) occasionnel/-elle; **8** Biol adventice

casual contract
A *n* contrat *m* temporaire
B *modif* (temporary) temporaire; (occasional) occasionnel/-elle

casually /ˈkæʒʊəlɪ/ *adv* **1** [*inquire, remark, mention*] d'un air détaché; [*stroll, greet*] nonchalamment; [*glance, leaf through*] superficiellement; **2** [*dressed*] simplement; **3** [*hurt, condemn, offend*] sans y penser; **4** [*employed*] temporairement

casualness /ˈkæʒʊəlnɪs/ *n* **1** (of manner, tone, remark) désinvolture *f*; **2** (of clothes, dress) décontraction *f*

casualty /ˈkæʒʊəltɪ/
A *n* **1** gen (person) victime *f*; **2** (part of hospital) urgences *fpl*; **in ~** aux urgences; **3** fig (person, plan) victime *f*; **to be a ~ of sth** être victime de qch
B **casualties** *npl* (soldiers) pertes *fpl*; (civilians) victimes *fpl*; **there were heavy/light casualties** Mil il y a eu de lourdes pertes/des pertes légères
C *modif* [*department, nurse* GB] des urgences; [*ward* GB] d'urgence; Mil [*list, figures*] des victimes; **~ insurance** US assurance *f* risques divers

casuist /ˈkæʒjʊɪst/ *n* Relig, fig casuiste *mf*

casuistry /ˈkæzjʊɪstrɪ/ *n* Relig, fig casuistique *f*

cat /kæt/
A *n* **1** (domestic) chat *m*; (female) chatte *f*; **2** (feline) félin *m*; **big ~** grand félin; **3** ○péj (woman) chipie *f*; **4** ○†(guy) type○ *m*; **5** ○*abrév* ▸ **catalytic converter**
B *modif* [*basket*] pour chat; [*litter, food*] pour chats; **the ~ family** les félins *mpl*

(Idioms) **it was enough to make a ~ laugh**○ c'était à se tordre○; **there are more ways than one to kill** *ou* **skin a ~** il y a plus d'une façon de s'y prendre; **to be like a ~ on a hot tin roof** *ou* **on hot bricks** être sur des charbons ardents; **to fight like ~ and dog** se battre comme des chiffonniers; **to grin like a Cheshire ~** avoir un sourire fendu jusqu'aux oreilles; **to let the ~ out of the bag** vendre la mèche; **the cat's out of the bag** ce n'est plus un secret pour personne; **to look like something the ~ brought** *ou* **dragged in** être en piteux état; **to rain ~s and dogs** pleuvoir des cordes; **there's hardly enough room to swing a ~** il y a à peine la place de se retourner; **to think one is the ~'s whiskers** GB *ou* **pajamas** US *ou* **meow** US se croire sorti de la cuisse de Jupiter; **to (wait and) see which way the ~ jumps** attendre de voir d'où vient le vent; **when the ~'s away, the mice will play** quand le chat n'est pas là, les souris dansent; **to play ~ and mouse with sb** jouer au chat et à la souris avec qn

(Phrasal verb) ■ **cat around**○ US draguer○

cat. *abrév* = **catalogue**

CAT *n* 1 GB (*abrév* = **College of Advanced Technology**) *cf* IUT; 2 Comput (*abrév* = **computer-assisted teaching**) enseignement *m* assisté par ordinateur; 3 Comput (*abrév* = **computer-assisted testing**) essais *mpl* assistés par ordinateur; 4 Comput (*abrév* = **computer-assisted training**) formation *f* assistée par ordinateur; 5 Med (*abrév* = **computerized axial tomography**) scannographie *f*

cataclysm /ˈkætəklɪzəm/ *n* Geol, fig cataclysme *m*

cataclysmic /ˌkætəˈklɪzmɪk/ *adj* cataclysmique

catacombs /ˈkætəku:mz, US -kəʊmz/ *npl* catacombes *fpl*

catafalque /ˈkætəfælk/ *n* catafalque *m*

Catalan /ˈkætəlæn/ ▸ **p. 1467, p. 1378** *n, adj* catalan (*m*)

catalepsy /ˈkætəlepsɪ/ *n* catalepsie *f*

cataleptic /ˌkætəˈleptɪk/ *adj* cataleptique

catalogue /ˈkætəlɒg, US -lɔ:g/

A *n* 1 (of goods, books etc) catalogue *m*; 2 (series) **a ~ of disasters/complaints** une série de catastrophes/plaintes; 3 US Univ brochure *f* (universitaire)

B *modif* [*number, price*] de catalogue

C *vtr* dresser un catalogue de

Catalonia /ˌkætəˈləʊnɪə/ *pr n* Catalogne *f*

catalysis /kəˈtæləsɪs/ *n* (*pl* **-lyses**) catalyse *f*

catalyst /ˈkætəlɪst/ *n* 1 Chem, fig catalyseur *m*; 2 = **catalytic converter**

catalytic /ˌkætəˈlɪtɪk/ *adj* catalytique

catalytic: **~ converter** *n* pot *m* catalytique; **~ cracker** *n* craqueur *m* catalytique

catamaran /ˌkætəməˈræn/ *n* 1 (boat) catamaran *m*; 2 (raft) radeau *m*

catamite /ˈkætəmaɪt/ *n* littér giton *m*

cataphora /kəˈtæfərə/ *n* anaphore *f*

cataphoric /ˌkætəˈfɒrɪk/ *adj* anaphorique

catapult /ˈkætəpʌlt/

A *n* 1 GB lance-pierres *m inv*; 2 Mil, Aviat (*also* **~ launcher**) catapulte *f*; 3 Mil, Hist catapulte *f*

B *vtr* 1 [*force, explosion*] projeter; 2 fig **to be ~ed to** être catapulté vers [*success, power*]

cataract /ˈkætərækt/ *n* 1 Med cataracte *f*; 2 (waterfall) cataracte *f*

catarrh /kəˈtɑ:(r)/ *n* catarrhe *m*

catarrhal /kəˈtɑ:rəl/ *adj* catarrheux/-euse

catastrophe /kəˈtæstrəfɪ/ *n* catastrophe *f*

catastrophe theory *n* théorie *f* des catastrophes

catastrophic /ˌkætəˈstrɒfɪk/ *adj* catastrophique

catastrophically /ˌkætəˈstrɒfɪklɪ/ *adv* [*fail*] de façon catastrophique; **~ bad** catastrophique

catatonia /ˌkætəˈtəʊnɪə/ *n* Med catatonie *f*

catatonic /ˌkætəˈtɒnɪk/ *adj* Med catatonique

catbird /ˈkætbɜ:d/ *n* US **to be in the ~ seat**° trôner

cat burglar *n* GB monte-en-l'air *m inv*

catcall /ˈkætkɔ:l/

A *n* sifflet *m*

B *vi* siffler

catch /kætʃ/

A *n* 1 (fastening) (on purse, brooch) fermoir *m*, fermeture *f*; (on window, door) fermeture *f*

2 (drawback) piège *m* fig; **what's the ~?** où est le piège?

3 (break in voice) **with a ~ in his voice** d'une voix émue

4 (act of catching) prise *f*; **to take a ~** GB, **to make a ~** US Sport prendre la balle; **to play ~** jouer à la balle

5 Fishg (haul) pêche *f*; (one fish) prise *f*; **to have a good ~** avoir une belle pêche

6 Mus Hist *chanson grivoise en canon*

7 (marriage partner) **to be a good ~** être un beau parti

B *vtr* (*prét, pp* **caught**) 1 (hold and retain) [*person*] attraper [*ball, fish, mouse*]; [*container*] recueillir [*water, dust*]; (by running) [*person*] attraper [*person*]; **I managed to ~ her in** (at home) j'ai réussi à la trouver

2 (take by surprise) prendre, attraper [*person, thief*]; **to ~ sb doing** surprendre qn en train de faire; **to be** *ou* **get caught** se faire prendre; **to ~ sb in the act, to ~ sb at it**° prendre qn sur le fait; **you wouldn't ~ me smoking/arriving late!** ce n'est pas moi qui fumerais/arriverais en retard!; **you won't ~ me at it again!** on ne m'y reprendra plus!; **we got caught in the rain/in the storm** nous avons été surpris par la pluie/par la tempête; **you've caught me at an awkward moment** vous tombez mal; ▸ **balance**, **foot**, **short**, **unawares**

3 (be in time for) attraper, prendre [*bus, train, plane*]; **to ~ the last post** *ou* **mail** avoir la dernière levée

4 (manage to see) regarder [*programme*]; aller voir [*show, play*]

5 (grasp) prendre [*hand, arm*]; agripper [*branch, rope*]; captiver, éveiller [*interest, imagination*]; **to ~ hold of sth** attraper qch; **to ~ sb's attention** *ou* **eye** attirer l'attention de qn; **to ~ the Speaker's eye** GB Pol obtenir la parole; **to ~ the chairman's eye** Admin obtenir la parole; **to ~ some sleep**° dormir un peu

6 (hear) saisir°, comprendre [*word, name*]; **do you ~ my meaning?** tu comprends ce que je veux dire?

7 (perceive) sentir [*smell*]; discerner [*sound*]; surprendre [*look*]; **to ~ sight of sb/sth** apercevoir qn/qch

8 (get stuck) **to ~ one's fingers/foot in** se prendre les doigts/le pied dans [*drawer, door*]; **to ~ one's shirt/sleeve on** accrocher sa chemise/manche à [*nail*]; **to get one's head/hand caught** se coincer la tête/main (**in** dans; **between** entre); **to get one's shirt/sweater caught** accrocher sa chemise/son pull-over (**on** à); **to get caught in** [*person*] se prendre dans [*net, thorns, barbed wire*]

9 Med attraper [*disease, virus, flu*]; ▸ **cold**, **chill**

10 (hit) heurter [*object, person*]; **the ball/stone caught him on the head** la balle/pierre l'a heurté à la tête; **to ~ sth with** heurter qch avec [*elbow, broom handle*]; **to ~ sb (with) a blow** donner un coup à qn

11 (have an effect on) [*sun, light*] faire briller [*object, raindrops*]; [*wind*] emporter [*paper, bag*]; **to ~ one's breath** retenir son souffle

12 (be affected by) **to ~ the sun** prendre le soleil; **to ~ fire** *ou* **light** prendre feu, s'enflammer; **to ~ the light** refléter la lumière

13 (capture) rendre [*atmosphere, mood, spirit*]; **to ~ sth on film** filmer qch

14 Sport ▸ **catch out**

15 (trick) ▸ **catch out**

16 (manage to reach) ▸ **catch up**

C *vi* (*prét, pp* **caught**) 1 (become stuck) **to ~ on sth** [*shirt, sleeve*] s'accrocher à qch; [*wheel*] frotter contre [*frame*]

2 (start to burn) [*wood, coal, fire*] prendre

(Idiom) **you'll ~ it**°! tu vas en prendre une°!

(Phrasal verbs) ■ **catch on** 1 (become popular) [*fashion, song, TV programme, activity, idea*] devenir populaire (**with** auprès de); 2 (understand) comprendre, saisir; **to ~ on to sth** comprendre *or* saisir qch

■ **catch out**: ▸ **~ [sb] out** 1 (take by surprise) prendre [qn] de court; (doing something wrong) prendre [qn] sur le fait; 2 (trick) attraper, jouer un tour à; 3 (in cricket, baseball) éliminer [*batsman*]

■ **catch up**: ▸ **~ up** (in race) regagner du terrain; (in work) rattraper son retard; **to ~ up with** rattraper [*person, vehicle*]; **to ~ up on** rattraper [*work, sleep*]; se remettre au courant de [*news, gossip*]; ▸ **~ [sb/sth] up** 1 (manage to reach) rattraper; 2 (pick up) attraper [*bag, child*] (**in** dans); ▸ **~ [sth] up in** (tangle) prendre [qch] dans [*barbed wire, thorns, chain*]; **to get one's feet caught up in sth** se prendre les pieds dans qch; **I got my skirt caught up in the thorns** j'ai pris ma jupe dans les ronces; **to get caught up in** se laisser entraîner par [*enthusiasm, excitement*]; se trouver pris dans [*traffic*]; se trouver pris au milieu de [*war, bombing*]; se trouver mêlé à [*scandal, fight, argument*]

catch-22 situation *n* situation *f* inextricable

catch-all /ˈkætʃɔ:l/

A *n* expression *f* passe-partout

B *modif* [*term, word, expression*] passe-partout *inv*; [*clause*] couvrant tous les cas de figure; [*category, list*] exhaustif/-ive

catch: **~-as-catch-can** ▸ **p. 1253** *n* catch *m*; **~ crop** *n* Agric (planted consecutively) culture *f* dérobée; (planted in same season) culture *f* intercalaire

catcher /ˈkætʃə(r)/ *n* Sport receveur *m*

catchfly /ˈkætʃflaɪ/ *n* Bot silène *m*

catching /ˈkætʃɪŋ/ *adj* Med, fig contagieux/-ieuse

catchline /ˈkætʃlaɪn/ *n* 1 (slogan) accroche *f* publicitaire, slogan *m* publicitaire; 2 (headline) gros titre *m* (accrocheur)

catchment /ˈkætʃmənt/ *n* 1 (collecting of water) captage *m*; 2 (body of water collected) réserve *f* d'eau

catchment area *n* 1 Geog (of river, basin) bassin *m* hydrographique; 2 Admin, Sch secteur *m*

catchpenny /ˈkætʃpenɪ/ *adj* péj racoleur/-euse péj

catch: **~phrase** *n* formule *f* favorite, rengaine *f*; **~ question** *n* question *f* piège; **~up** *n* = **ketchup**

catch-up /ˈkætʃʌp/ *n*

(Idiom) **to be playing ~** avoir du retard à rattraper

catch-up: **~ demand** *n* rattrapage *m* de la demande; **~ effect** *n* effet *m* de rattrapage

catchword /ˈkætʃwɜ:d/ *n* 1 (popular word) mot *m* d'ordre; 2 Print mot-vedette *m*; 3 Theat mot-clé *m*

catchy /ˈkætʃɪ/ *adj* [*jingle, tune*] entraînant; [*slogan*] accrocheur/-euse

catechism /ˈkætəkɪzəm/ *n* catéchisme *m*

catechist /ˈkætəkɪst/ *n* catéchiste *mf*

catechize /ˈkætəkaɪz/ *vtr* catéchiser

categorical /ˌkætəˈgɒrɪkl, US -ˈgɔ:r-/, **categoric** /ˌkætəˈgɒrɪk, US -ˈgɔ:r-/ *adj* catégorique

categorical imperative *n* Philos impératif *m* catégorique

categorically /ˌkætəˈgɒrɪklɪ, US -ˈgɔ:r-/ *adv* catégoriquement

categorize /ˈkætəgəraɪz/ *vtr* classer [*book, person*] (**by, according to** d'après); **he has been ~d as a surrealist** on l'a rangé parmi les surréalistes

category /ˈkætəgərɪ, US -gɔ:rɪ/ *n* catégorie *f*

cater /ˈkeɪtə(r)/

A *vtr* US fournir la nourriture pour

B *vi* 1 (cook) préparer des repas (**for** pour); 2 **to ~ for** GB *ou* **to** US (accommodate) accueillir [*children, guests*]; (aim at) [*newspaper, programme*] s'adresser à; **to ~ for the needs/tastes of** pourvoir aux besoins/goûts de; **we ~ for private parties** nous assurons l'organisation de soirées privées; 3 (fulfil) **to ~ to** satisfaire [*whim, taste*]

cater-corner(ed) /ˌkeɪtəˈkɔ:nəd/ *adj, adv* US = **catty-corner(ed)**

caterer /ˈkeɪtərə(r)/ ▸ **p. 1683** *n* traiteur *m*

catering /ˈkeɪtərɪŋ/

A *n* (provision) approvisionnement *m*; (trade, career) restauration *f*

B *modif* [*industry, company, staff*] de restauration; **~ course** études *fpl* spécialisées dans la restauration; **~ worker** employé/-e *m/f* travaillant dans la restauration

caterpillar /ˈkætəpɪlə(r)/ *n* [1] Zool chenille *f*; [2] Tech (*also* ~ **track**) chenille *f*
Caterpillar® /ˈkætəpɪlə(r)/ *n* engin *m* à chenilles
caterwaul /ˈkætəwɔːl/
A *n* miaulement *m*
B *vi* miauler
caterwauling /ˈkætəwɔːlɪŋ/ *n* ¢ miaulements *mpl*
cat: ~ **fight**○ *n* US crêpage *m* de chignon○; ~**fish** *n* poisson-chat *m*; ~**flap** *n* chattière *f*; ~ **food** *n* aliments *mpl* pour chats; ~**gut** *n* boyau *m* (de chat), catgut *m*
Cathar /ˈkæθə(r)/
A *n* Cathare *mf*.
B *adj* cathare
catharsis /kəˈθɑːsɪs/ *n* Literat, Psych catharsis *f*
cathartic /kəˈθɑːtɪk/
A *n* Med cathartique *m*.
B *adj* (all contexts) cathartique
Cathay /kæˈθeɪ/ *pr n* littér Cathay liter *m*, Chine *f*
cathedral /kəˈθiːdrəl/ *n* cathédrale *f*
cathedral: ~ **choir** *n* chœur *m* de cathédrale; ~ **city** *n* siège *m* d'un évêché; ~ **school** *n* école *f* (*de la maîtrise d'une cathédrale*)
Catherine wheel /ˈkæθrɪn wiːl, US -hwiːl/ *n* soleil *m* (*feu d'artifice*)
catheter /ˈkæθɪtə(r)/ *n* cathéter *m*
catheterize /ˈkæθɪtəraɪz/ *vtr* introduire une sonde dans [*bladder*]
cathode /ˈkæθəʊd/ *n* sonde *f*, cathode *f*
cathode: ~ **ray** *n* rayon *m* cathodique; ~**-ray tube** *n* tube *m* cathodique
catholic /ˈkæθəlɪk/ *adj* éclectique
Catholic /ˈkæθəlɪk/ *n, adj* catholique (*mf*)
Catholicism /kəˈθɒlɪsɪzəm/ *n* catholicisme *m*
cathouse○ /ˈkæthaʊs/ *n* US maison *f* de passe○
cation /ˈkætaɪən/ *n* cation *m*
catkin /ˈkætkɪn/ *n* chaton *m*
catlick /ˈkætlɪk/ *n* GB toilette *f* de chat
catlike /ˈkætlaɪk/
A *adj* [*characteristic, movement*] félin
B *adv* [*walk, stalk*] comme un chat
cat: ~ **litter** *n* litière *f* pour chats; ~**mint** *n* GB herbe-aux-chats *f*, chataire *f* spéc
catnap /ˈkætnæp/
A *n* somme *m*
B *vi* (*p prés etc* **-pp-**) faire un somme, sommeiller
catnip /ˈkætnɪp/ *n* US = **catmint**
Cato /ˈkeɪtəʊ/ *pr n* Caton
cat: ~**-o'-nine-tails** *n* (*pl* ~) martinet *m*; ~**'s cradle** *n* jeu *m* de ficelle; ~**'s-eye** *n* (gem) œil-de-chat *m*; **Catseye®** *n* GB Aut plot *m* rétroréfléchissant; ~**'s paw** *n* dupe *f*; ~**suit** *n* combinaison-pantalon *f*
catsup /ˈkætsəp/ *n* US = **ketchup**
cat's whisker *n* Radio chercheur *m* de détecteur à galène
cattery /ˈkætərɪ/ *n* pension *f* pour chats
cattiness /ˈkætɪnɪs/ *n* méchanceté *f*
cattle /ˈkætl/
A *n* (+ *v pl*) bovins *mpl*
B *modif* [*breeder, raising, rustler*] de bétail
cattle: ~ **call**○ *n* US Theat audition *f*; ~ **grid** GB, ~ **guard** US *n* grille *f* (*au sol qui empêche le passage du bétail*)
cattleman /ˈkætlmən/ ▸ **p. 1683** [1] GB (herdsman) vacher *m*; [2] US (breeder) (grand) éleveur *m* de bétail
cattle: ~ **market** *n* lit marché *m* aux bestiaux; fig○ (for sexual encounters) lieu *m* de drague○; ~ **shed** *n* étable *f*; ~ **truck** *n* Aut fourgon *m* à bestiaux
catty /ˈkætɪ/ *adj* méchant (**about** envers)
catty-corner(ed) /ˌkætɪˈkɔːnəd/ US
A *adj* diagonal
B *adv* en diagonale
Catullus /kəˈtʌləs/ *pr n* Catulle
catwalk /ˈkætwɔːk/
A *n* [1] (narrow walkway) passerelle *f*; [2] (at fashion show) podium *m*
B *modif* [*model, show*] de mode
Caucasian /kɔːˈkeɪʒn, -ˈkeɪzɪən/
A *n* [1] (white person) personne *f* de race blanche; [2] Geog (inhabitant) Caucasien/-ienne *m/f*
B *adj* [1] [*race, man*] blanc/blanche; [2] Geog caucasien/-ienne
Caucasus /ˈkɔːkəsəs/ *pr n* **the** ~ le Caucase
caucus /ˈkɔːkəs/
A *n* (*pl* **-es**) [1] (meeting) réunion *f* des instances dirigeantes; [2] (faction) groupe *m*
B *vi* se réunir

> **Caucus**
>
> Aux États-Unis, réunion des cadres d'un parti politique pour définir un programme, choisir parmi les candidats à un poste ou un candidat à la présidence (*Nominating caucus*). Ce mot fait aussi référence à un groupe parlementaire au Congrès ou à une réunion des cadres d'un parti dans une assemblée d'État. ▸ **Primaries**

caudal /ˈkɔːdl/ *adj* Zool caudal
caught /kɔːt/ *prét, pp* ▸ **catch**
caul /kɔːl/ *n* [1] (of uterus) coiffe *f*; [2] (of stomach) grand épiploon *m*; [3] Culin crépine *f*
cauldron /ˈkɔːldrən/ *n* chaudron *m*
cauliflower /ˈkɒlɪflaʊə(r), US ˈkɔːlɪ-/
A *n* Bot, Culin chou-fleur *m*; **to have a** ~ **ear**○ fig avoir l'oreille en chou-fleur○
B *modif* [*leaf, stalk*] de chou-fleur
cauliflower cheese US *n* gratin *m* de chou-fleur
caulk /kɔːk/
A *n* mastic *m*
B *vtr* gen mastiquer; Naut calfater
causal /ˈkɔːzl/ *adj* gen, Ling causal
causality /kɔːˈzælətɪ/ *n* causalité *f*
causation /kɔːˈzeɪʃn/ *n* causalité *f*
causative /ˈkɔːzətɪv/
A *n* Ling causatif *m*, mot *m* causal
B *adj* [1] gen causal; [2] Ling [*verb*] causatif/-ive; [*conjunction*] causatif/-ive, causal; [*phrase*] causal
cause /kɔːz/
A *n* [1] (reason) cause *f*, raison *f* (**of** de); **there is/he has** ~ **for concern/optimism/alarm/complaint** il y a/il a des raisons de s'inquiéter/d'être optimiste/de s'alarmer/de se plaindre; **to give sb** ~ **to do** donner à qn des raisons de faire; **to have** ~ **to do** avoir des raisons de faire; **to give** ~ **for concern** susciter des inquiétudes; **the immediate/root** ~ la cause directe/première; **with good** ~ pour cause, à juste titre; **without good** ~ sans motif valable; [2] (objective) cause *f*; **a lost** ~ une cause perdue; **for a good** ~ pour une bonne cause; **all in a good** ~ pour la bonne cause; **in the** ~ **of equality/freedom** pour la cause de l'égalité/la liberté; **to make common** ~ **with sb** faire cause commune avec qn; [3] Jur (grounds) cause *f*; **a challenge for/without** ~ une récusation pour/sans motif déterminé; **contributory** ~ cause accessoire; **primary** ~ cause première; **to show** ~ exposer ses raisons; [4] Jur (court action) action *f*; ~ **of action** motif *m* d'action en justice; **matrimonial** ~**s** affaires *fpl* matrimoniales
B *vtr* causer, occasionner [*damage, flooding, grief, problem*]; provoquer [*chaos, delay, controversy, reaction*]; susciter [*excitement, surprise*]; entraîner [*suffering*]; amener [*dismay, confusion*]; **to** ~ **sb to cry/leave** faire pleurer/partir qn; **to** ~ **sb problems/anxiety** causer des problèmes/de l'inquiétude à qn; **to** ~ **trouble** créer des problèmes; **to** ~ **cancer/migraine** donner *or* provoquer un cancer/la migraine
cause célèbre *n* cause *f* célèbre
causeway /ˈkɔːzweɪ/ *n* chaussée *f* (*vers une île*)
caustic /ˈkɔːstɪk/ *adj* Chem, fig caustique
caustic: ~ **potash** *n* hydroxyde *m* de potassium; ~ **soda** *n* soude *f* caustique
cauterize /ˈkɔːtəraɪz/ *vtr* cautériser
cautery /ˈkɔːtərɪ/ *n* [1] (instrument) cautère *m*; [2] (process) cautérisation *f*
caution /ˈkɔːʃn/
A *n* [1] (care) prudence *f*; **to drive/proceed with** ~ conduire/avancer avec prudence; **to err on the side of** ~ pécher par excès de prudence; **great** ~ **should be exercised** la prudence est de mise; [2] (wariness) circonspection *f*; **the reports should be treated with some** ~ les reportages devraient être traités avec beaucoup de circonspection; [3] (warning) avertissement *m*; **a word of** ~ un petit conseil; **'Caution! Drive slowly!'** 'Attention! Conduire lentement!'; [4] GB Jur (given to suspect) **to be under** ~ faire l'objet d'une mise en garde; [5] Jur (admonition) avertissement *m*; **to issue** *ou* **administer a** ~ donner un avertissement; **to get off** *ou* **be let off with a** ~ s'en tirer avec un avertissement; [6] ○†(funny person) **she's a** ~! c'est un sacré numéro○!
B *vtr* [1] (warn) avertir (**that** que); **'he's dangerous,' she** ~**ed** 'il est dangereux,' a-t-elle dit en guise de mise en garde; **to** ~ **sb against doing** avertir qn de ne pas faire; **to** ~ **sb against** *ou* **about** mettre qn en garde contre [*danger, risk, problem*]; [2] Jur [*policeman*] informer [qn] de ses droits [*suspect*]; [3] Jur (admonish) réprimander; **to be** ~**ed for speeding** être réprimandé pour excès de vitesse; [4] Sport (by referee) donner un avertissement à [*player*]
(Idiom) **to throw** *ou* **cast** ~ **to the wind(s)** oublier toute prudence
cautionary /ˈkɔːʃənərɪ, US -nerɪ/ *adj* (*épith*) [*look, gesture*] d'avertissement; **a** ~ **word** *ou* **comment** un avertissement; **she gave me some** ~ **advice** elle m'a donné un conseil en guise d'avertissement; **to end on a** ~ **note** [*speech, analysis*] se terminer par un avertissement; **a** ~ **tale** un conte moral
caution money *n* GB caution *f*
cautious /ˈkɔːʃəs/ *adj* [1] (careful) [*person, attitude, approach, action*] prudent; **he's** ~ **about spending money** il est prudent en ce qui concerne les dépenses; **to be** ~ **in one's dealings with sb** être prudent quand on traite avec qn; [2] (wary) [*person, welcome, reception, response, agreement, statement*] réservé; [*optimism*] prudent; **to be** ~ **about doing** ne pas aimer faire; **he's** ~ **about committing himself** il n'aime pas se prononcer
cautiously /ˈkɔːʃəslɪ/ *adv* [1] (carefully) [*act, approach, say, move*] prudemment; [2] (warily) [*react, welcome, respond, state*] avec circonspection; [*optimistic, confident*] raisonnablement
cautiousness /ˈkɔːʃəsnɪs/ *n* [1] (care) prudence *f* habituelle; [2] (wariness) circonspection *f*
cavalcade /ˌkævlˈkeɪd/ *n* (on horseback) cavalcade *f*; (motorized) cortège *m*
cavalier /ˌkævəˈlɪə(r)/
A **Cavalier** *pr n* GB Hist cavalier *m* (*partisan de Charles Premier*)
B *adj* cavalier/-ière
cavalierly /ˌkævəˈlɪəlɪ/ *adv* de façon cavalière
cavalry /ˈkævlrɪ/
A *n* cavalerie *f*
B *modif* [*charge*] de la cavalerie; [*officer, regiment*] de cavalerie
cavalryman /ˈkævlrɪmən/ *n* cavalier *m*
cavalry twill /ˌkævlrɪ ˈtwɪl/
A *n* (fabric) sergé *m*
B **cavalry twills** *npl* pantalon *m* en sergé
cave /keɪv/
A *n* grotte *f*; **underwater** ~**s** grottes sous-marines
B *vi* faire de la spéléologie

C

(Phrasal verb) ■ **cave in**: ▸ **~ in** **1** lit [*tunnel, roof, building*] s'effondrer; [*beam*] s'infléchir; **his ribs ~d in under the impact** il a eu les côtes enfoncées par l'impact; **2** fig [*person*] céder; ▸ **~ [sth] in, ~ in [sth]** défoncer [*roof*]; enfoncer [*skull, rib cage*]

caveat /ˈkæviæt, US ˈkeɪviæt/ *n* **1** gen mise *f* en garde; **2** Jur notification *f* d'opposition

cave: **~ dweller** *n* troglodyte *m*; **~-in** *n* effondrement *m*

caveman /ˈkeɪvmæn/ *n* (*pl* **-men**) **1** Archeol homme *m* des cavernes; **2** ○(boor) rustre *m*

cave painting *n* peinture *f* rupestre

caver /ˈkeɪvə(r)/ *n* spéléologue *mf*

cavern /ˈkævən/ *n* caverne *f*

cavernous /ˈkævənəs/ *adj* **1** fig [*groan, voice, room*] caverneux/-euse; [*mouth, yawn*] profond; [*eyes*] cave; **2** [*cliffs*] riche en cavernes *fpl*

caviar(e) /ˈkæviɑː(r), ˌkæviˈɑː(r)/ *n* caviar *m*

(Idiom) **to be ~ to the general** être réservé à l'élite

cavil /ˈkævl/

A *n* point *m* de détail

B *vi* (*p prés etc* **-ll-**, **-l-** US) ergoter (**about, at** sur)

caving /ˈkeɪvɪŋ/ *n* spéléologie *f*; **to go ~** faire de la spéléologie

cavity /ˈkævətɪ/ *n* gen, Dent, Med cavité *f*; **the chest/nasal ~** la cavité pulmonaire/nasale

cavity: **~ block** *n* GB Constr moellon *m* creux; **~ brick** *n* GB brique *f* creuse; **~ wall** *n* mur *m* creux; **~ wall insulation** *n* isolation *f* des murs creux

cavort /kəˈvɔːt/ *vi* (*also* **~ about, ~ around**) hum faire des cabrioles *fpl*

cavy /ˈkeɪvɪ/ *n* Zool cobaye *m*

caw /kɔː/

A *n* **1** (noise) croassement *m*; **2** (cry) croa!

B *vi* croasser

cawing /ˈkɔːɪŋ/ *n* (of crow, rook) croassement *m*

cay /keɪ/ *n* = **key A 9**

cayenne (pepper) /keɪˈen/ *n* poivre *m* de Cayenne

Cayenne /keɪˈen/ ▸ **p. 1815** *pr n* Cayenne

cayman /ˈkeɪmən/ *n* Zool caïman *m*

Cayman Islands /ˈkeɪmən aɪləndz/ ▸ **p. 1355** *pr npl* **the ~** les îles *fpl* Caïmans

CB (*abrév* = **Citizens' Band**)

A *n* bande *f* banalisée, bande *f* publique, bande *f* CB

B *modif* [*equipment, radio, wavelength*] CB; **~ user** cibiste *mf*

CBE *n* GB (*abrév* = **Commander of the Order of the British Empire**) commandeur de l'ordre de l'empire britannique

CBer○ /ˌsiːˈbɪə(r)/ *n* US cibiste *mf*

CBI *n* GB (*abrév* = **Confederation of British Industry**) patronat *m* britannique; *cf* CNPF

CBS *n* US (*abrév* = **Columbia Broadcasting System**) *réseau de télévision américain*

cc ▸ **p. 1868** *n* (*abrév* = **cubic centimeter**) cm^3; **a 500 ~ engine** un moteur de 500 cm^3

CC *n* GB *abrév* ▸ **County Council**

CD *n* **1** (*abrév* = **compact disc**) (disque *m*) compact *m*; **on ~** sur (disque) compact; **2** (*abrév* = **corps diplomatique**) CD; **3** Mil *abrév* ▸ **Civil Defence**; **4** US *abrév* ▸ **Congressional District**; **5** US Fin *abrév* ▸ **Certificate of Deposit**

CD: **~ burner** *n* Comput graveur *m* de CD-ROM; **~ caddy** *n* Comput caddie *m*

CDI *n* (*abrév* = **compact disc interactive**) CD-I *m*, disque *m* compact interactif

CD: **~ library** *n* cédéthèque *f*; **~ plate** *n* ≈ immatriculation *f* diplomatique; **~ player** *n* platine *f* laser

Cdr *n* Mil (*abrév écrite* = **Commander**) *cf* capitaine *m* de frégate

CD-R *n* Comput CD-R *m*

CD-ROM /ˌsiːdiːˈrɒm/ *n* Comput CD-ROM *m*; cédérom *m*, disque *m* optique compact; **on ~** sur CD-ROM

CD-RW *n* Comput CD-RW *m*

CD system *n* = **CD player**

CDT *n* US *abrév* ▸ **Central Daylight Time**

cease /siːs/

A *n* **without ~** sans cesse

B *vtr* cesser; **to ~ doing** cesser de faire; **to ~ to do** cesser de faire; **you never ~ to amaze me!** tu m'étonneras toujours!; **to ~ fire** cesser le feu

C *vi* cesser

(Idiom) **wonders** *ou* **miracles will never ~** comme quoi, il ne faut jamais désespérer

cease-fire /ˈsiːsfaɪə(r)/

A *n* cessez-le-feu *m inv*

B *modif* [*agreement, negotiations*] de cessez-le-feu; [*call*] au cessez-le-feu

ceaseless /ˈsiːslɪs/ *adj* incessant

ceaselessly /ˈsiːslɪslɪ/ *adv* [*labour, talk*] sans cesse; [*active, vigilant*] continuellement

cecum /ˈsiːkəm/ *n* (*pl* **-ca**) cæcum *m*

cedar /ˈsiːdə(r)/

A *n* **1** (*also* **~ tree**) cèdre *m*; **2** (*also* **~wood**) (bois *m* de) cèdre *m*

B *modif* [*forest*] de cèdres *mpl*; [*box, chest*] en (bois *m* de) cèdre

cede /siːd/

A *vtr* **1** gen, Jur céder [*control, land, rights*] (**to** à); **2** Sport concéder [*goal, match, point*] (**to** à)

B *vi* céder (**to** à)

cedilla /sɪˈdɪlə/ *n* cédille *f*

Ceefax® /ˈsiːfæks/ *n* TV GB *messagerie électronique de la BBC accessible sur le téléviseur; cf* Antiope

ceilidh /ˈkeɪlɪ/ *n*: *en Écosse et Irlande, rassemblement autour de musique et danse traditionnelles*

ceiling /ˈsiːlɪŋ/ *n* **1** Aviat, Constr, Meteorol plafond *m*; **a high-~ed room** une pièce avec un haut plafond; **2** (upper limit) plafond *m*; **to set a ~ of 10% on wage rises** fixer un plafond de 10% d'augmentation des salaires; **to set a ~ on the number of shareholders** imposer une limite sur le nombre d'actionnaires

(Idiom) **to hit the ~** US sortir de ses gonds

ceiling: **~ joist** *n* Constr solive *f* de plafond; **~ light** *n* plafonnier *m*; **~ price** *n* Comm, Econ prix *m* plafond

ceiling rate *n* gen taux *m* plafond; (of currency) cours *m* maximum

celandine /ˈseləndaɪn/ *n* **greater ~** chélidoine *f*; **lesser ~** ficaire *f*

celeb○ /ˈseleb/ *n* US célébrité *f*, personne *f* célèbre

celebrant /ˈselɪbrənt/ *n* Relig **1** (participant) participant/-e *m/f*; **2** (officiating priest) célébrant *m*, officiant *m*

celebrate /ˈselɪbreɪt/

A *vtr* **1** fêter [*occasion*]; (more formally) célébrer; **there's nothing/there's something to ~** il n'y a pas de quoi/il y a de quoi se réjouir; **2** Relig célébrer [*mass*]; **to ~ Easter** célébrer Pâques; **3** (pay tribute to) célébrer [*person, life, love*]

B *vi* faire la fête; **let's ~!** il faut fêter ça!

celebrated /ˈselɪbreɪtɪd/ *adj* célèbre (**as** comme; **for** pour)

celebration /ˌselɪˈbreɪʃn/

A *n* **1** ¢ (action of celebrating) célébration *f*; **2** (party) fête *f*; **to have a ~** faire une fête; **his wife's birthday ~s** les festivités à l'occasion de l'anniversaire de sa femme; **3** (public festivities) **~s** cérémonies *fpl*; **4** (tribute) hommage *m* (**of** à); **5** Relig (of mass, marriage) célébration *f*

B *modif* [*dinner, fireworks*] (small-scale) de fête; (public) commémoratif/-ive

celebratory /ˌselɪˈbreɪtərɪ, US -tɔːrɪ/ *adj* [*air, mood*] de fête; **to have a ~ drink after the match** boire un verre pour fêter le résultat du match

celebrity /sɪˈlebrətɪ/

A *n* (all contexts) célébrité *f*

B *modif* [*guest*] célèbre; [*panel*] de célébrités; [*golf, match*] joué par des célébrités; [*novel*] écrit par une personne célèbre

celeriac /sɪˈlerɪæk/ *n* Bot, Culin céleri-rave *m*

celerity /sɪˈlerətɪ/ *n* sout célérité *f*

celery /ˈselərɪ/

A *n* Bot, Culin céleri *m*; **a stick/head of ~** une côte/un pied de céleri; **braised ~** céleris *mpl* braisés

B *modif* [*salad, salt, seeds*] de céleri

celestial /sɪˈlestɪəl/ *adj* céleste

celiac *n, adj* US = **coeliac**

celibacy /ˈselɪbəsɪ/ *n* (being unmarried) célibat *m*; (abstaining from sex) chasteté *f*; **a vow of ~** un vœu de chasteté

celibate /ˈselɪbət/

A *n* (unmarried) célibataire *mf*; (abstaining from sex) personne *f* chaste

B *adj* (unmarried) célibataire; (abstaining from sex) chaste

cell /sel/ *n* **1** (for prisoner, monk) cellule *f*; **2** Biol, Bot cellule *f*; **3** (in honeycomb) alvéole *m*; **4** Elec, Chem élément *m*; **5** Pol cellule *f*; **6** Telecom cellule *f*

cellar /ˈselə(r)/ *n* (all contexts) cave *f*

cell: **~ biologist** ▸ **p. 1683** *n* cytobiologiste *mf*; **~block** *n* bloc *m* cellulaire; **~ culture** *n* culture *f* de tissus; **~ division** *n* division *f* cellulaire; **~ formation** *n* formation *f* des cellules

cellist /ˈtʃelɪst/ ▸ **p. 1683, p. 1462** *n* violoncelliste *mf*

cellmate /ˈselmeɪt/ *n* compagnon/compagne *m/f* de cellule

cello /ˈtʃeləʊ/ ▸ **p. 1462** *n* violoncelle *m*

Cellophane® /ˈseləʊfeɪn/ *n* cellophane® *f*

cell phone *n* US téléphone *m* portable

cellular /ˈseljʊlə(r)/ *adj* Biol cellulaire

cellular: **~ blanket** *n* couverture *f* en maille aérée; **~ network** *n* réseau *m* cellulaire; **~ phone, ~ telephone** *n* téléphone *m* portable

cellulite /ˈseljʊlaɪt/ *n* cellulite *f*, peau *f* d'orange○

cellulitis /ˌseljʊˈlaɪtɪs/ ▸ **p. 1327** *n* Med cellulite *f*

celluloid® /ˈseljʊlɔɪd/

A *n* celluloïd® *m*

B *modif* **1** [*sheet, object*] en celluloïd; **2** Cin [*heroine, world*] du cinéma

cellulose /ˈseljʊləʊs/

A *n* cellulose *f*

B *modif* [*paint, varnish*] cellulosique; [*acetate, nitrate*] de cellulose

cell wall *n* Biol paroi *f* cellulaire

Celsius /ˈselsɪəs/ *adj* Celsius *inv*

Celt /kelt, US selt/ *n* Celte *mf*

Celtic /ˈkeltɪk, US ˈseltɪk/ *adj* celtique, celte; **~ cross** croix *f* celtique

Celtic fringe *n régions celtes des Îles britanniques.*

> **Celtic fringe**
>
> Sont ainsi dénommés collectivement les pays ou les régions des Îles britanniques où la population est d'origine celte: l'Irlande, le pays de Galles, l'Écosse et la Cornouailles.

Celtic Tiger *n* Tigre *m* celtique *or* celte

> **Celtic Tiger**
>
> Formée sur le modèle d'*Asian Tiger*, l'expression désigne la République d'Irlande et fait référence à la forte expansion économique et au taux de croissance exceptionnel de l'Irlande par rapport aux autres pays de l'Union européenne et de l'OCDE.

cembalo /ˈtʃembələʊ/ ▸ **p. 1462** *n* clavecin *m*

cement /sɪ'ment/
A *n* **1** Constr gen ciment *m*; (for tiles) mastic *m*; **2** Dent amalgame *m*; **3** Anat = **cementum**; **4** fig ciment *m*
B *modif* [*slab, floor, step*] en ciment
C *vtr* **1** Constr cimenter; **2** Dent obturer; **3** fig cimenter [*alliance, relations, deal*]

cementation /ˌsi:men'teɪʃn/ *n* cémentation *f*

cementite /sɪ'mentaɪt/ *n* cémentite *f*

cement mixer *n* bétonnière *f*

cementum /sɪ'mentəm/ *n* Anat cément *m*

cemetery /'semətrɪ, US -terɪ/ *n* cimetière *m*

cenotaph /'senətɑ:f, US -tæf/ *n* cénotaphe *m*

censer /'sensə(r)/ *n* encensoir *m*

censor /'sensə(r)/
A *n* (all contexts) censeur *mf*; **to act as a ~** agir en censeur
B *vtr* (all contexts) censurer

censorious /sen'sɔ:rɪəs/ *adj* sévère (**of, about** envers)

censorship /'sensəʃɪp/ *n* (all contexts) censure *f*; **to exercise/lift ~** pratiquer/lever la censure

censorware /'sensəweə(r)/ *n* Comput logiciel *m* de filtrage

censurable /'senʃərəbl/ *adj* censurable

censure /'senʃə(r)/
A *n* sout *ou* Pol censure *f*; **vote of ~** vote *m* de censure
B *vtr* critiquer

census /'sensəs/ *n* recensement *m*; **traffic ~** étude *f* chiffrée de la circulation

cent /sent/ ▸ **p. 1108** *n* (*of dollar*) cent *m*; (*of euro*) centime *m* (d'euro); *Belg* cent *m*; **I haven't got a ~** je n'ai pas un sou

centaur /'sentɔ:(r)/ *n* centaure *m*

centenarian /ˌsentɪ'neərɪən/ *n, adj* centenaire (*mf*)

centenary /sen'ti:nərɪ/
A *n* centenaire *m*
B *modif* [*year, celebration*] du centenaire

centennial /sen'tenɪəl/
A *n* US centenaire *m*
B *adj* (every 100 years) séculaire; (lasting 100 years) centenaire

center *n, modif, vtr, vi* US = **centre**

centesimal /sen'tesɪml/ *adj* centésimal

centigrade /'sentɪgreɪd/ *adj* [*thermometer*] Celsius; **in degrees ~** en degrés Celsius

centigram(me) /'sentɪgræm/ ▸ **p. 1883** *n* centigramme *m*

centilitre GB, **centiliter** US /'sentɪli:tə(r)/ ▸ **p. 1868** *n* centilitre *m*

centimetre GB, **centimeter** US /'sentɪmi:tə(r)/ ▸ **p. 1389** *n* centimètre *m*

centipede /'sentɪpi:d/ *n* mille-pattes *m inv*, scolopendre *f* spec

CENTO /'sentəʊ/ *n* (*abrév* = **Central Treaty Organization**) CENTO *f*

central /'sentrəl/
A **Central** *pr n* (*also* **Central Region**) (in Scotland) la région Central
B *adj* **1** (in the middle) [*area, courtyard, district*] central; **in ~ London** dans le centre de Londres; **2** (in the town centre) [*house, apartment etc*] situé en centre-ville; **we need a ~ location for the office** il nous faut un bureau situé au centre-ville; **3** (key) [*argument, feature, message, role*] principal; **to be ~ to sth** être essentiel à qch; **4** Admin, Pol [*control, management, government, funding, planning*] central

central: **Central African Republic** ▸ **p. 1096** *pr n* République *f* centrafricaine; **Central America** *pr n* Amérique *f* centrale; **Central American** *adj* d'Amérique centrale; **Central Asia** *pr n* Asie *f* centrale; **~ bank** *n* Fin banque *f* centrale; **~ city** *n* US quartiers *mpl* du centre; **Central Committee** *n* Pol comité *m* central; **Central Europe** *n* Europe *f* centrale; **Central European** *adj* d'Europe centrale; **Central European Time**, **CET** *n*: *heure des pays d'Europe centrale*; **~ heating** *n* chauffage *m* central

centralism /'sentrəlɪzəm/ *n* centralisme *m*

centralist /'sentrəlɪst/
A *n* centraliste *mf*
B *adj* centralisateur/-trice

centralization /ˌsentrəlaɪ'zeɪʃn, US -lɪ'z-/ *n* centralisation *f*

centralize /'sentrəlaɪz/ *vtr* centraliser

central locking *n* Aut verrouillage *m* central *or* centralisé

centrally /'sentrəlɪ/ *adv* [*live, work*] en centre-ville; [*situated*] en centre-ville; [*funded, managed*] de façon centralisée; **~ heated** [*flat*] avec chauffage central; **a ~ planned economy** une économie à planification centralisée

central: **~ nervous system** *n* système *m* nerveux central; **~ office** *n* Comm (of company) siège *m* (social); **~ processing unit**, **CPU**, **~ processor** *n* Comput unité *f* centrale; **~ reservation** *n* GB Transp terre-plein *m* central; **Central Standard Time**, **CST** *n* US heure *f* légale des États du Centre des États-Unis; **~ vowel** *n* Ling voyelle *f* centrale

centre GB, **center** US /'sentə(r)/
A *n* **1** (middle) centre *m* (**of** de); **in the ~** au centre; **I live near the ~ of London** j'habite près du centre de Londres; **town ~, city ~** centre-ville *m*; **sweets with soft ~s** bonbons *mpl* fourrés; **2** (focus) centre *m*; **to be at the ~ of a campaign/row** être au centre d'une campagne/dispute; **to be the ~ of attention** être le centre de l'attention; **3** (seat) siège *m*; **the ~ of power/government** le siège du pouvoir/gouvernement; **4** (designated area) centre *m*; **business ~** quartier *m* des affaires; **shopping/sports/leisure ~** centre *m* commercial/sportif/de loisirs; **5** Pol centre *m*; **to be left/right of ~** [*person, politics*] être à gauche/à droite du centre; **a ~-left party** un parti du centre gauche; **6** Sport (player) centre *m*; ▸ **left**
B *modif* [*aisle, lane, line, section*] central; [*parting*] au milieu
C *vtr, vi* Comput, Sport, Tech centrer
D **-centred** (*dans composés*) centré sur; **child-~d education** enseignement *m* centré sur l'enfant

(Phrasal verbs) ■ **centre around**: ▸ **~ around [sth]** [*activities, person*] se concentrer sur; [*people, industry*] se situer autour de [*town*]; [*life, plans, thoughts*] être centré sur [*holidays, person, work*]; [*demands*] viser [*conditions, pay*]; ▸ **~ [sth] around** [*person*] concentrer [qch] sur [*feelings, thoughts*]
■ **centre on, centre upon**: ▸ **~ on [sth]** [*activities, feelings, thoughts, work*] se concentrer sur [*person, problem, subject*]

Centre ▸ **p. 1243** *pr n* Centre *m*; **in the ~** dans le Centre

centre: **~ bit** *n* mèche *f* à bois; **~board** *n* dérive *f*; **Centre Court** *n* (in tennis) court *m* central

centred /'sentəd/ *adj* concentré

centre-fold /'sentəfəʊld/ *n* **1** Print feuillet *m* central; **2** (pin-up) (picture) photo *f* de pin-up (sur double page); **3** (model) pin-up *f*

centre-forward /ˌsentə'fɔ:wəd/ *n* Sport avant-centre *m*

centre ground *n* Pol centre *m*; **to occupy the ~ of French politics** être au centre dans la politique française

centre-half /ˌsentə'hɑ:f, US -'hæf/ *n* Sport demi-centre *m*

centre-hung window *n* (vertical) fenêtre *f* pivotante; (horizontal) fenêtre *f* basculante

centre of gravity GB, **center of gravity** US, **cg** *n* centre *m* de gravité

centre-piece /'sentəpi:s/ *n* (of table) décoration *f* centrale; (of exhibition) clou *m*

centre spread *n* Journ double page *f* du milieu

centre-stage /ˌsentə'steɪdʒ/
A *n* **1** Theat centre *m* de la scène; **2** fig (prime position) **to take/occupy ~** devenir/être le point de mire
B *adv* **to stand ~** se tenir au centre de la scène

centre three-quarter *n* Sport trois-quarts *m inv* centre

centrifugal /ˌsentrɪ'fju:gl, sen'trɪfjʊgl/ *adj* centrifuge

centrifuge /'sentrɪfju:dʒ/ *n* centrifugeuse *f*

centring /'sentrɪŋ/ *n* **1** Archit cintre *m*; **2** Tech centrage *m*

centripetal /ˌsentrɪ'pi:tl, sen'trɪpɪtl/ *adj* centripète

centrism /'sentrɪzəm/ *n* centrisme *m*

centrist /'sentrɪst/ *n, adj* centriste (*mf*)

centurion /sen'tjʊərɪən, US -tʊər-/ *n* centurion *m*

century /'sentʃərɪ/ ▸ **p. 1804** *n* **1** gen siècle *m*; **in the 20th ~** au XXe siècle; **at the turn of the ~** au début du siècle; **through the centuries** à travers les siècles; **half a ~** un demi-siècle; **centuries-old** séculaire; **2** (in cricket) score *m* de cent (*au cricket*)

CEO *n*: *abrév* ▸ **Chief Executive Officer**

cephalic /sɪ'fælɪk/ *adj* céphalique

ceramic /sɪ'ræmɪk/
A *n* (all contexts) céramique *f*
B *adj* [*tile, pot*] en céramique; [*hob*] en vitrocéramique; [*design, art*] de la céramique

ceramicist /sɪ'ræmɪsɪst/ ▸ **p. 1683** *n* céramiste *mf*

ceramics /sɪ'ræmɪks/ *n* **1** (+ *v sg*) (study) la céramique *f*; **2** (+ *v pl*) (artefacts) céramiques *fpl*

ceramist /'serəmɪst/ *n* = **ceramicist**

Cerberus /'sɜ:bərəs/ *pr n* Cerbère

(Idiom) **it's a sop to ~** cela les fera patienter

cereal /'sɪərɪəl/
A *n* céréale *f*; (for breakfast) céréales *fpl*; **breakfast ~** céréales pour le petit déjeuner
B *adj* [*harvest, imports*] de céréales; [*crop, production*] céréalier/-ière

cerebellum /ˌserɪ'beləm/ *n* cervelet *m*

cerebral /'serɪbrəl, US sə'ri:brəl/ *adj* Med cérébral; [*person, writing, music*] intellectuel/-elle

cerebral palsy /ˌserɪbrəl 'pɔ:lzɪ, US sə'ri:brəl/ ▸ **p. 1327** *n* infirmité *f* motrice cérébrale

cerebration /ˌserɪ'breɪʃn/ *n* sout cogitation *f*

cerebrum /'serɪbrəm/ *n* (*pl* **-brums** *ou* **-bra**) Med cerveau *m*

ceremonial /ˌserɪ'məʊnɪəl/
A *n* gen cérémonial *m*; (religious) rites *mpl*
B *adj* **1** [*dress*] de cérémonie; **2** (ritual) cérémoniel/-ielle; (solemn) solennel/-elle; (official) officiel/-ielle

ceremonially /ˌserɪ'məʊnɪəlɪ/ *adv* selon le cérémonial d'usage

ceremonious /ˌserɪ'məʊnɪəs/ *adj* [*event*] solennel/-elle; [*behaviour*] cérémonieux/-ieuse

ceremoniously /ˌserɪ'məʊnɪəslɪ/ *adv* avec cérémonie

ceremony /'serɪmənɪ, US -məʊnɪ/ *n* **1** (formal event) cérémonie *f*; **marriage ~** cérémonie *f* du mariage; **2** ₵ (protocol) cérémonies *fpl*; **to stand on ~** faire des cérémonies

cerise /sə'ri:z, -ri:s/
A *n* rouge *m inv* cerise
B *adj* cerise *inv*

cerium /'sɪərɪəm/ *n* cérium *m*

CERN /sɜ:n/ *n* (*abrév* = **Conseil Européen pour la Recherche Nucléaire**) CERN *m*

cert○ /sɜ:t/ *n* GB **it's a (dead) ~**○**!** ça ne fait pas un pli○**!**; **he's a (dead) ~**○ **for the next**

race! il va gagner la prochaine course, ça ne fait pas un pli!

certain /'sɜːtn/

A *pron* **~ of our members/friends** certains de nos adhérents/amis

B *adj* **1** (sure, definite) certain, sûr (**about, of** de); **I'm ~ of it** *ou* **that** j'en suis certain *or* sûr; **of that you can be ~** tu peux en être sûr; **absolutely ~** sûr et certain; **I'm ~ that I checked** je suis sûr d'avoir vérifié; **I'm ~ that he refused** je suis sûr qu'il a refusé; **I feel ~ that he'll come** je suis certain qu'il viendra; **she's not ~ that you'll be able to do it** elle n'est pas sûre que tu sois capable de le faire; **to make ~** s'en assurer, vérifier; **to make ~ of** s'assurer de [*cooperation, trust, support*]; vérifier [*facts, time, details*]; **to make ~ to do** faire bien attention de faire; **to make ~ that** (ascertain) vérifier que, s'assurer que; (ensure) faire en sorte que (+ *subj*); **as soon as I leave the phone is ~ to ring** dès que je m'en vais, je peux être sûr que le téléphone va sonner; **he's ~ to be there** il y sera certainement *or* sûrement; **the strike seems ~ to continue** il est presque certain que la grève continuera; **the committee is ~ to approve the measure** il est certain que le comité approuvera la mesure; **I know for ~ that** je sais de façon sûre que; **be ~ to tell him that** n'oublie pas de lui dire que; **nobody knows for ~** personne ne sait au juste; **it isn't known for ~ if he's dead** on ne sait pas au juste s'il est mort ou non; **I can't say for ~** je ne sais pas au juste; **it will be ready tomorrow, for ~** ce sera prêt demain, sans faute; **2** (assured, guaranteed) [*death, defeat, success*] certain (*after n*); [*guarantee*] sûr; **to be ~ of doing** être sûr *or* certain de faire; **it is ~ that** il est certain que; **this method is ~ to work** cette méthode est efficace à 100%; **he's ~ to agree** il sera d'accord, il n'y a aucun doute là-dessus; **the changes are ~ to provoke anger** ces changements provoqueront sûrement des réactions violentes; **nothing could be more ~ to offend him** c'est vraiment ce qui peut le vexer le plus facilement; **one thing is ~, you'll never succeed** une chose est sûre, tu ne réussiras jamais; **to my ~ knowledge** à ma connaissance; **I let him do it in the ~ knowledge that he would fail** je l'ai laissé faire tout en sachant très bien qu'il allait échouer; **go early to be ~ of a seat** arrivez de bonne heure pour être sûr d'avoir une place assise; **3** (specific) [*amount, number, quantity, sum*] certain (*before n*); **on ~ conditions** à certaines conditions; **~ people** certains *mpl*; **4** (slight) [*coldness, confusion, shyness, difficulty*] certain (*before n*); **to a ~ extent** *ou* **degree** dans une certaine mesure; **a ~ amount of time** un certain temps; **a ~ amount of frivolity/confusion/introspection** une certaine frivolité/confusion/introspection; **5** (named but not known) **a ~ Mr Cassels** un certain M. Cassels

certainly /'sɜːtnlɪ/ *adv* (without doubt) certainement; (indicating assent) certainement, bien sûr; **~ not!** certainement pas!; **it's ~ possible that** il est tout à fait possible que (+ *subj*); **'may I borrow your pen?'—'~'** 'je peux vous emprunter votre stylo?'—'bien sûr'; **this exercise is ~ very difficult** cet exercice est vraiment très difficile; **we shall ~ attend the meeting** nous serons à la réunion sans faute; **~ sir/madam** (mais) certainement, monsieur/madame; **she was almost ~ innocent** elle était presque certainement innocente; **he ~ got his revenge!** iron c'est sûr qu'il a pris sa revanche!; **it is ~ true that they treated him unfairly** c'est bien vrai qu'il a été injustement traité; **'are you annoyed?'—'I most ~ am!'** 'tu es fâché?'—'ah! ça, oui alors!'

certainty /'sɜːtntɪ/ *n* **1** (sure thing) certitude *f* (**about** quant à); **moral certainties** certitudes morales; **for a ~** à coup sûr; **it's by no means a ~** ce n'est pas du tout sûr (**that** que + *subj*); **this candidate is a ~ for election** ce candidat est sûr d'être élu, ce candidat est une valeur sûre pour les élections; **she is a ~ to play at next week's concert** elle est sûre de jouer au concert la semaine prochaine; **2** ¢ (guarantee) certitude *f* (**of** de); **we have no ~ of success** nous ne sommes pas certains de réussir; **we cannot say with any ~ whether he will recover** nous ne pouvons dire avec certitude s'il va se rétablir

certifiable /ˌsɜːtɪ'faɪəbl/ *adj* **1** (mad) [*person*] dont l'état justifie l'internement; hum fou/folle à lier; **2** (verifiable) [*statement, evidence*] vérifiable

certificate

A /sə'tɪfɪkət/ *n* **1** (academic) certificat *m*; (more advanced) diplôme *m*; **2** (for electrician, instructor, first-aider etc) brevet *m*; **3** (of child's proficiency in sth) brevet *m*; **4** (of safety, building standards etc) certificat *m*; **test ~, MOT ~** GB certificat *m* de contrôle technique; **5** Admin (of birth, death, marriage) acte *m*; **6** Comm (of authenticity, quality) certificat *m*; **7** Cin **18-~ film** film interdit aux moins de 18 ans

B /sə'tɪfɪkeɪt/ *vtr* certifier

certificated /sə'tɪfɪkeɪtɪd/ *adj* diplômé

certificate: **Certificate in Education** *n* Univ certificat *m* d'aptitude au professorat de l'enseignement du second degré; **~ of deposit, CD** *n* US Fin certificat *m* de dépôt; **Certificate of Incorporation** *n* Comm Jur acte *m* constitutif; **Certificate of Secondary Education, CSE** *n* GB Sch (avant 1988) ≈ brevet *m* des collèges

certification /ˌsɜːtɪfɪ'keɪʃn/ *n* **1** Jur (of document) authentification *f*; (of ship) certification *f*; (of ownership) certificat *m*; **2** (document) certificat *m*; **3** (of mental patient) mandat *m* d'internement psychiatrique

certified: **~ bankrupt** *n* débiteur *m* (failli); **~ public accountant, CPA** *n* US Accts expert-comptable *m* agréé

certify /'sɜːtɪfaɪ/

A *vtr* **1** Jur, Med (confirm) certifier, constater [*death*]; **to ~ sth a true copy** certifier qch pour copie conforme; **to ~ sb insane** certifier que qn est atteint d'aliénation mentale; **2** (authenticate) authentifier [*document, objet d'art*]; **3** (issue certificate to) délivrer un certificat d'aptitude professionnelle à; **4** Comm garantir [*goods*]

B *vi* **to ~ as to** attester [*authenticity, truth*]

C **certified** *pp adj* certifié; [*teacher*] US Sch qualifié; **to send by certified mail** US Post envoyer en recommandé

certitude /'sɜːtɪtjuːd, US -tuːd/ *n* certitude *f*, conviction *f*

cerulean /sə'ruːlɪən/ *adj* littér ceruléen/-éenne liter

cerumen /sə'ruːmen/ *n* cérumen *m*

ceruminous /sɪ'ruːmɪnəs/ *adj* cérumineux/-euse

cervical /'sɜːvɪkl/ *adj* cervical

cervical: **~ cancer** ▸ p. 1327 *n* cancer *m* du col de l'utérus; **~ smear** *n* frottis *m* vaginal

cervix /'sɜːvɪks/ *n* col *m* de l'utérus

cesium *n* US = **caesium**

cessation /se'seɪʃn/ *n* sout cessation *f*; **~ of hostilities** cessation des hostilités; **without ~** sans interruption

cession /'seʃn/ *n* Jur (act, process) cession *f*; (item ceded) bien *m* acquis par cession

cessionary /'seʃənərɪ/

A *n* cessionnaire *mf*

B *adj* de cession

cesspit /'sespɪt/, **cesspool** /'sespuːl/ *n* lit fosse *f* d'aisances; fig cloaque *m*

CET *n*: *abrév* ▸ **Central European Time**

cetacean /sɪ'teɪʃn/ *n* cétacé *m*

Ceylon /sɪ'lɒn/

A *pr n* Hist Ceylan *m*

B *modif* **~ tea** thé *m* de Ceylan

cf (*abrév* = **confer**) cf

c/f Accts (*abrév* = **carried forward**) à reporter

CFC *n* Ecol (*abrév* = **chlorofluorocarbon**) CFC *m*; **'contains no ~s'** 'sans CFC'

CFE *n* **1** GB (*abrév* = **College of Further Education**) ≈ centre *m* de formation continue; **2** *abrév* ▸ **Conventional Forces in Europe**

CFI *npl* EU: *abrév* ▸ **Court of First Instance**

cg **1** (*abrév* = **centigram**) cg; **2** *abrév* ▸ **centre of gravity**

CGA *n* Comput *abrév* ▸ **colour graphics adaptor**

ch. *abrév écrite* = **chapter**

CH *n* **1** Aut (*abrév* = **Confédération Helvétique**) CH; **2** GB (*abrév* = **Companion of Honour**) ≈ chevalier *m* (*membre d'un ordre honorifique*)

cha-cha /'tʃɑː tʃɑː/

A *n* cha-cha-cha *m*

B *vi* danser le cha-cha-cha

chad /tʃæd/ *n* Comput confetti *m*

Chad /tʃæd/ ▸ p. 1096 *pr n* Tchad *m*; **Lake ~** le lac Tchad

Chadian /'tʃædɪən/ ▸ p. 1467

A *n* Tchadien/-ienne *m/f*

B *adj* tchadien/-ienne

chador /tʃʌdə(r)/ *n* tchador *m*

chafe /tʃeɪf/

A *vtr* (rub) irriter; (breaking skin) entamer; (to restore circulation) frictionner

B *vi* **1** (rub) frotter (**on, against** sur); **2** (feel irritated) [*person*] s'irriter (**at** de)

(Idiom) **to ~ at the bit** ronger son frein

chaff /tʃɑːf, tʃæf, US tʃæf/

A *n* **1** Agric (husks) balle *f*; (fodder) menue paille *f*; **2** Aviat leurres *mpl* passifs, chaffs *mpl*; **to drop ~** larguer des leurres

B *vtr* plaisanter (**about** sur)

chaffinch /'tʃæfɪntʃ/ *n* pinson *m*

chafing-dish /'tʃeɪfɪŋ dɪʃ/ *n* réchaud *m* de table

chafing-plate /'tʃeɪfɪŋ pleɪt/ *n* plaque *f* de friction

chagrin /'ʃægrɪn, US ʃə'griːn/ *n* dépit *m*; **(much) to his ~** à son grand dépit

chagrined /'ʃægrɪnd, US ʃə'griːnd/ *adj* sout désappointé (**at, by** par)

chain /tʃeɪn/

A *n* **1** (metal links) chaîne *f*; **a length of ~** une chaîne; **a gold ~** une chaîne en or; **to put** *ou* **keep sb in ~s** enchaîner qn; **to keep a dog on a ~** tenir un chien à la chaîne; **to break free of** *ou* **from one's ~s** fig rompre ses chaînes; **2** (on lavatory) chasse *f* (d'eau); **to pull the ~** tirer la chasse; **3** (on door) chaîne *f* de sûreté; **to put the ~ on (the door)** mettre la chaîne de sûreté (à la porte); **4** Comm chaîne *f* (**of** de); **supermarket/hotel ~** chaîne *f* de supermarchés/d'hôtels; **5** (series) (of events) série *f*; (of ideas) enchaînement *m*; **~ of causation** rapport *m or* relation *f* de cause à effet; **he's only a link in the ~** il n'est qu'un maillon de la chaîne; **to make** *ou* **form a (human) ~** faire la chaîne, faire une chaîne humaine; **6** Biol, Geog, Phys chaîne *f*; **7** Meas = 20,12 m

B *vtr* enchaîner [*person*]; **to ~ sb's legs/wrists** attacher les jambes/poignets de qn avec des chaînes; **to ~ two people together** enchaîner deux personnes l'une à l'autre; **to ~ a dog/a bicycle to sth** attacher un chien/une bicyclette à qch avec une chaîne

C **chained** *pp adj* enchaîné; **to keep sb ~ed** tenir qn enchaîné; **to be ~ed to one's desk/the kitchen sink** fig être esclave de son bureau/ses casseroles

(Phrasal verbs) ■ **chain down**: ▸ **~ down [sth/sb]**, **~ [sth/sb] down** fixer [qch] avec une chaîne [*object*]; attacher [qch] avec une chaîne [*animal*]; enchaîner [*person*] (**to** à)

■ **chain up**: ▸ **~ up [sth/sb]**, **~ [sth/sb] up** attacher [qch] avec une chaîne [*animal, bicycle*]; enchaîner [*person*]

chain: **~ bridge** *n* pont *m* suspendu à chaînes; **~ drive** *n* transmission *f* par chaîne;

~ gang *n* chaîne *f* de forçats; **~ guard** *n* carter *m* (de bicyclette); **~ letter** *n* (lettre *f* de) chaîne *f*; **~ mail** *n* cotte *f* de mailles; **~man** ▸ **p. 1683** *n* arpenteur *m*; **~ of command** *n* hiérarchie *f*; **~ of office** *n*: *chaîne portée par le maire pour les fonctions officielles*; **~ of survival** *n* US Med chaîne *f* de survie; **~ reaction** *n* réaction *f* en chaîne; **~ saw** *n* tronçonneuse *f*

chain-smoke /ˈtʃeɪnsməʊk/
A *vtr* **to ~ cigarettes** fumer des cigarettes les unes après les autres
B *vi* fumer comme un sapeur°, fumer sans arrêt

chain: **~-smoker** *n* gros fumeur/grosse fumeuse *m/f*; **~ stitch** *n* point *m* de chaînette

chain store
A *n* (single shop) magasin *m* faisant partie d'une chaîne; (retail group) magasin *m* à succursales multiples
B *modif* [*garment*] de confection

chair /tʃeə(r)/
A *n* **1** (seat) (wooden) chaise *f*; (upholstered) fauteuil *m*; **dentist's ~** fauteuil de dentiste; **to take a ~** s'asseoir; **2** (chairperson) président/-e *m/f*; **to take** *ou* **be in the ~** présider; **Chair! Chair!** Messieurs s'il vous plaît!; **to address one's remarks to** *ou* **through the ~** adresser ses remarques au président; **3** Univ (professorship) chaire *f* (**of, in** de); **to hold the ~ of...** être titulaire de la chaire de...; **4** US (*also* **electric ~**) **to go to the ~** passer sur la chaise électrique
B *vtr* **1** présider [*meeting*]; **2** GB porter [qn] en triomphe [*hero*]

chairbound /ˈtʃeəbaʊnd/ *adj* **to be ~** être dans un fauteuil roulant.

> ⚠ L'usage moderne préfère *in a wheelchair*

chair lift *n* (in skiing) télésiège *m*

chairman /ˈtʃeəmən/ ▸ **p. 1237** *n* (all contexts) président/-e *m/f*; **Chairman Mao** le président Mao; **Mr Chairman** monsieur le Président; **Madam Chairman** madame la Présidente; **the ~'s report** le rapport annuel.

> ⚠ L'usage moderne préfère *chairperson*

chairmanship /ˈtʃeəmənʃɪp/ *n* présidence *f*

chairperson /ˈtʃeəpɜːsn/ *n* président/-e *m/f*

chairwarmer° /ˈtʃeəwɔːmə(r)/ *n* US péj rond-de-cuir *m* pej

chairwoman /ˈtʃeəwʊmən/ ▸ **p. 1237** *n* présidente *f*

chaise /ʃeɪz/ *n* cabriolet *m*

chaise longue /ˌʃeɪz ˈlɒŋ, US ˈlɔːŋ/ *n* (*pl* **chaise(s) longues**) chaise *f* longue

chalcedony /kælˈsedənɪ/ *n* calcédoine *f*

chalet /ˈʃæleɪ/ *n* (mountain) chalet *m*; (in holiday camp) bungalow *m*

chalet: **~ girl** ▸ **p. 1683** *n* responsable *f* de chalet (*jeune fille qui fait la cuisine et le ménage dans un chalet loué par des skieurs*); **~ style** *adj* style chalet (*after n*)

chalice /ˈtʃælɪs/ *n* calice *m*

chalk /tʃɔːk/
A *n* gen, Miner craie *f*; **a stick** *ou* **piece of ~** un bâton de craie; **on ~** Hort sur un sol crayeux
B *modif* **1** gen, Art [*drawing*] à la craie; **~ mark** (on blackboard) trace de craie; Sewing repère à la craie; **2** [*cliff, landscape*] de craie; **3** Geol [*layer, period*] crétacé
C *vtr* **1** (write) écrire [qch] à la craie; **2** (apply chalk to) frotter [qch] avec de la craie

(Idioms) **not by a long ~**°! loin de là°!; **not to be able to tell ~ from cheese** ne pas savoir reconnaître un chat d'un chien; **to be as different as ~ and cheese** être comme le jour et la nuit; **to be as white as ~** être blanc comme un linge

(Phrasal verbs) ■ **chalk out**: ▸ **~ out [sth]**, **~ [sth] out** tracer [qch] à la craie [*line, map*]
■ **chalk up**: ▸ **~ [sth] up**, **~ up [sth]** lit, fig marquer [*score, points*]; **~ them up to me, barman**° marquez-les sur mon compte, barman°; **~ it up to experience** la prochaine fois vous saurez

chalk and talk
A *n* GB Sch cours *m* magistral
B *modif* **to use the ~ method** ne faire que des cours magistraux

chalkboard /ˈtʃɔːkbɔːd/ *n* US tableau *m* (noir)

chalkface *n* GB Sch hum **at the ~** dans la classe

chalkiness /ˈtʃɔːkɪnɪs/ *n* état *m* crayeux

chalkpit /ˈtʃɔːkpɪt/ *n* carrière *f* de craie

chalky /ˈtʃɔːkɪ/ *adj* [*soil, water, complexion, white*] crayeux/-euse; [*hands, clothing*] couvert de craie

challenge /ˈtʃælɪndʒ/
A *n* **1** (provocation) défi *m*; **to put out** *ou* **issue a ~** lancer un défi; **to take up** *ou* **respond to a ~** relever un défi; **2** (demanding situation or opportunity) (considered stimulating) challenge *m*; (considered difficult) épreuve *f*; **to present a ~** représenter un challenge; **to rise to** *ou* **meet the ~** relever le challenge; **the ~ of doing** *ou* **to do** le challenge de faire; **to face a ~** affronter une épreuve; **unemployment is a ~ for us** le chômage nous met à l'épreuve; **I'm looking for a ~** je cherche un défi à relever; **the ~ of new ideas** la stimulation des idées nouvelles; **3** (contest) **to make a ~ for** [*competitor*] essayer de s'emparer de [*title*]; [*candidate*] entrer dans la course à [*presidency etc*]; **leadership ~** Pol tentative *f* pour s'emparer de la direction du parti; **4** (questioning) (of claim, authority) contestation *f* (**to** de); (by sentry) sommation *f*; **5** Jur récusation *f*; **6** Sport attaque *f*
B *vtr* **1** (invite to contest or justify) défier [*person*] (**to** à; **to do** de faire); **she ~d him to prove it** elle l'a défié de le prouver; **to ~ sb to a duel** provoquer qn en duel; **'I ~ you to a duel'** 'je demande réparation'; **2** (question) débattre [*ideas*]; contester [*statement, authority*]; [*sentry*] faire une sommation à; **he ~d me on what I said** il a contesté ce que j'ai dit; **I was ~d at the gate** j'ai été interpellé au portail; **3** (test) (by proving difficult) mettre à l'épreuve [*skill, endurance, person*]; (by stimulating) stimuler [*person*]; **4** Jur récuser [*jury, witness*]; contester [*authority*]

challenge cup *n* Sport trophée *m*

challenger /ˈtʃælɪndʒə(r)/ *n* Sport, Pol challenger *m* (**for** de)

challenging /ˈtʃælɪndʒɪŋ/ *adj* **1** (stimulating) [*ideas, career*] stimulant; [*task, role*] qui représente un challenge; [*work*] difficile mais motivant; [*book*] d'un abord difficile; **2** (confrontational) [*statement, look*] provocateur/-trice

chamber /ˈtʃeɪmbə(r)/
A *n* **1** (room) chambre *f*; **council ~** GB salle *f* de réunion; **2** GB Pol **the upper/lower ~** la Chambre des lords/des communes; **3** Anat (of heart) cavité *f*; (of eye) chambre *f*; **4** (in caving) salle *f*; **5** Tech chambre *f*
B **chambers** *npl* Jur cabinet *m*; **to hear a case in ~s** juger une affaire en cabinet

chamberlain /ˈtʃeɪmbəlɪn/ *n* chambellan *m*

chamber: **~maid** ▸ **p. 1683** *n* femme *f* de chambre; **~ music** *n* musique *f* de chambre; **Chamber of Commerce, C of C** *n* Comm chambre *f* de commerce et d'industrie; **Chamber of Deputies** *n* Chambre *f* des Députés; **Chamber of Horrors** *n* Chambre *f* des Horreurs; **Chamber of Trade** *n* assemblée *f* permanente des Chambres de commerce et d'industrie; **~ orchestra** *n* orchestre *m* de chambre; **~ pot** *n* pot *m* de chambre

chambray /ˈʃæmbreɪ/ *n* chambray *m*

chameleon /kəˈmiːlɪən/ *n* caméléon *m* also fig

chamfer /ˈtʃæmfə(r)/
A *n* chanfrein *m*
B *vtr* chanfreiner

chamois /ˈʃæmwɑː, US ˈʃæmɪ/ *n* (*pl* **~**) Zool chamois *m*

chamois: **~ cloth** US **~ leather** *n* peau *f* de chamois

champ /tʃæmp/
A °*n* champion *m*
B *vtr* mâchonner
C *vi* **to be ~ing to do** brûler (d'impatience) de faire; **to ~ at the bit** [*horse*] piaffer d'impatience; [*person*] fig ronger son frein

champagne /ʃæmˈpeɪn/
A *n* Wine champagne *m*; **a glass of ~** une coupe *or* une flûte de champagne; **pink ~** champagne rosé
B ▸ **p. 1067** *adj* (colour) champagne *inv*

Champagne /ʃæmˈpeɪn/ ▸ **p. 1243** *pr n* Champagne *f*; **in/to ~** en Champagne

champagne: **~ cocktail** *n* cocktail *m* champagne brandy; **~-coloured** *adj* champagne *inv*; **~-cup** *n* coupe *f* au champagne; **~ glass** *n* (tall) flûte *f* à champagne; (open) coupe *f* à champagne

champers° /ˈʃæmpəz/ *n* GB champ'° *m*, champagne *m*

champion /ˈtʃæmpɪən/
A *n* (all contexts) champion/-ionne *m/f*; **reigning ~** champion/-ionne *m/f* en titre; **world ~** champion/-ionne *m/f* du monde; **~ boxer, boxing ~** champion *m* de boxe
B °*adj* GB dial super°
C *vtr* se faire le champion de [*cause*]; prendre fait et cause pour [*person*]

championship /ˈtʃæmpɪənʃɪp/ *n* championnat *m*; (over several rounds) tournoi *m*; **the swimming ~s** (one competition) le championnat de natation

chance /tʃɑːns, US tʃæns/
A *n* **1** (opportunity) occasion *f*; **to have** *ou* **get the ~ to do** avoir l'occasion de faire; **I had the ~ of a job in China** on m'a offert la possibilité de travailler en Chine; **this was the ~ (that) she was waiting for** c'était l'occasion qu'elle attendait; **to give sb a** *ou* **the ~ to do** donner à qn l'occasion de faire; **the trip gave me a ~ to speak Greek** le voyage m'a donné l'occasion de parler grec; **give me a ~ to explain** laisse-moi t'expliquer; **give the tablets a ~ to work** laisse aux cachets le temps d'agir; **to take one's ~** saisir l'occasion; **you've missed your ~** tu as laissé passer l'occasion; **now's your ~!** c'est l'occasion ou jamais!; **I haven't had a ~ yet** je n'en ai pas encore eu l'occasion; **this is your last ~** c'est ta dernière chance; **this is your big ~** c'est l'occasion ou jamais; **if you get a ~** si tu en as la possibilité; **when you get a** *ou* **the ~, can you...?** quand tu auras le temps est-ce que tu pourras...?; **'can you do it?' 'yes, given a** *ou* **the ~'** 'est-ce que tu peux le faire?' 'oui, si on me laisse essayer'; **2** (likelihood) chance *f*; **there's little ~ of sb doing** il y a peu de chances que qn fasse; **there's little ~ of winning** il y a peu de chances de gagner; **the ~s of catching the thief are slim** il y a peu de chances qu'on attrape le voleur; **there is a ~ that sb will do** il y a des chances que qn fasse; **the ~s are that** il y a de grandes chances que (+ *subj*); **the ~s of sb doing are poor** il y a peu de chances que qn fasse; **she has a good ~** elle a de bonnes chances; **I have no ~** je n'ai aucune chance; **what are his ~s of recovery?** a-t-il des chances de s'en tirer?; **what are my ~s?** quelles sont mes chances?; **any ~ of a coffee**°? est-ce que c'est possible d'avoir un café?; **3** (luck) hasard *m*; **a game of ~** un jeu de hasard; **it happened by ~** ça s'est produit par hasard; **by a lucky ~** comme par hasard; **as ~ would have it** par coïncidence; **4** (risk) risque *m*; **to take a ~** prendre un risque; **to take a ~ on doing** prendre le risque de faire; **I'm taking no ~s** je ne prends

pas de risques; **it's a ~ I'm willing to take** c'est un risque à prendre; **5** (possibility) chance *f*; **not to stand a ~** n'avoir aucune chance (**of doing** de faire); **to be still in with a ~ of doing** avoir encore une chance de faire; **are you by any ~ Juliet West?** seriez-vous, par hasard, Juliet West?; **do you have his address by any ~?** auriez-vous, par hasard, son adresse?

B *modif* [*encounter, occurrence*] fortuit; [*discovery*] accidentel/-elle; **a ~ acquaintance** une personne rencontrée par hasard

C *vtr* **1** (risk) **to ~ doing** courir le risque de faire; **to ~ one's luck** *ou* **arm** tenter sa chance; **we'll just have to ~ it** il faudra tenter notre chance *or* le coup; **I shouldn't ~ it if I were you** à ta place je ne risquerais pas le coup; **2** sout (happen to do) **I ~d to see it** je l'ai vu par hasard; **if you should ~ to do** si tu venais à faire

(Idiom) **no ~**○**!** (I won't do it) pas question○!; (it can't be done) impossible!

(Phrasal verbs) ■ **chance upon, chance on**: ▸ **~ upon [sb]** rencontrer [qn] par hasard; ▸ **~ upon [sth]** trouver [qch] par hasard

chancel /ˈtʃɑːnsl, US tʃænsl/ *n* chœur *m*; **~ screen** clôture *f* de chœur

chancellery /ˈtʃɑːnsələrɪ, US ˈtʃæns-/ *n* chancellerie *f*

chancellor /ˈtʃɑːnsələ(r), US ˈtʃæns-/ *n* **1** (head of government) chancelier/-ière *m/f*; **2** Univ ≈ président *m*; **3** GB Jur **the Lord Chancellor** grand chancelier *m*, ministre *m* de la Justice

Chancellor of the Exchequer *n* GB Pol Chancelier *m* de l'Échiquier. ▸ **Cabinet, Downing Street**

chancellorship /ˈtʃɑːnsələʃɪp/ *n* fonction *f* de chancelier

chancer○ /ˈtʃɑːnsə(r)/ *n* profiteur/-euse *m/f*

chancery /ˈtʃɑːnsərɪ, US ˈtʃæns-/ *n* **1** GB Jur cour *f* de la chancellerie; **ward in ~** pupille *mf* sous tutelle judiciaire; **2** US Jur cour *f* d'équité

chancre /ˈʃæŋkə(r)/ *n* Med chancre *m*

chancy○ /ˈtʃɑːnsɪ, US ˈtʃænsɪ/ *adj* [*method*] aléatoire; [*project, plan*] risqué; **it's a ~ business** c'est une entreprise risquée

chandelier /ˌʃændəˈlɪə(r)/ *n* lustre *m*

chandler /ˈtʃɑːndlə(r), US ˈtʃæn-/ ▸ **p. 1683** *n* (*also* **ship's ~**) vendeur *m* de matériel pour bateaux

change /tʃeɪndʒ/

A *n* **1** (alteration) (by replacement) changement *m*; (by adjustment) modification *f*; **the ~ in the schedule** la modification du programme; **~ of air/of diet** changement d'air/de régime; **~ of direction** changement de direction; **~ of plan** changement de programme; **a ~ for the better/worse** un changement en mieux/pire; **a time of economic/social ~** une époque de changements économiques/sociaux; **to make a ~ in sth** changer qch; **to make a small/big ~ in sth** faire un petit/grand changement dans qch; **to make ~s in** apporter des changements à [*text*]; faire des changements dans [*room, company*]; **there will have to be a ~ in your attitude** il va falloir que vous changiez d'attitude; **people opposed to ~** les personnes qui sont contre le progrès

2 (substitution, replacement) changement *m* (**of** de); **costume/scene ~** Theat changement de costume/scène; **~ of leader/government** Pol changement de dirigeant/gouvernement

3 (fresh, different experience) changement *m*; **the ~ will do you good** le changement vous fera du bien; **it makes** *ou* **is a ~ from television/from staying at home** cela change un peu de la télévision/de rester chez soi; **to make a ~** pour changer un peu; **that makes a nice** *ou* **refreshing ~** ça change agréablement; **she needs a ~** elle a besoin de se changer les idées; **to need a ~ of air** fig avoir besoin de changer d'air; **for a ~** (for variety, as improvement) pour changer; **the train was late, for a ~** iron pour changer, le train était en retard

4 (of clothes) vêtements *mpl* de rechange; **a ~ of socks** des chaussettes de rechange; **a ~ of suit** un costume de rechange; **take a ~ of clothes** emportez des vêtements de rechange

5 (cash) monnaie *f*; **small ~** petite monnaie; **she gave me 6p ~** elle m'a rendu 6 pence; **don't forget your ~!** n'oubliez pas votre monnaie!; **have you got ~ for £10?** pouvez-vous me changer un billet de 10 livres?; **have you any ~ for the meter?** as-tu de la monnaie pour le parcmètre?; **60p in ~** 60 pence en petite monnaie; **'no ~ given'** (on machine) 'ne rend pas la monnaie'; **keep the ~!** gardez la monnaie; **'exact ~ please'** (on bus) 'faites l'appoint, s'il vous plaît'; **you won't get much ~ out of £20**○ tu vas payer près de 20 livres

6 (in bell-ringing) **to ring the ~s** lit carillonner; fig introduire des changements

7 ‡Fin la Bourse

B *vtr* **1** (alter) (completely) changer; (in part) modifier; **the baby has ~d my life** le bébé a changé ma vie; **we have ~d the shape of the lawn/the look of the town** nous avons modifié la forme de la pelouse/l'aspect de la ville; **to ~ X into Y** transformer X en Y; **the road has been ~d from a quiet street into a motorway** d'une rue calme la route a été transformée en autoroute; **to ~ one's mind** changer d'avis (**about** à propos de); **to ~ one's mind about doing** abandonner l'idée de faire; **to ~ sb's mind** faire changer qn d'avis; **to ~ one's ways** changer de mode de vie; **that won't ~ anything** ça n'y changera rien

2 (exchange for sth different) gen changer de [*clothes, name, car*]; (in shop) échanger [*faulty item, unsuitable purchase*] (**for** pour); **can I ~ it for a size 12?** est-ce que je peux l'échanger contre une taille 12?; **if it's too big, we'll ~ it for you** s'il est trop grand, nous vous l'échangerons; **to ~ colour** changer de couleur; **he ~d the colour** il a changé la couleur; **hurry up and get ~d!** dépêche-toi de te changer!; **to ~ sth from X to Y** (of numbers, letters, words) remplacer X par Y; (of building, area etc) transformer X en Y; **to ~ X for Y** (in shop) échanger X contre Y; **they ~d their car for a smaller one** ils ont remplacé leur voiture par un modèle plus petit

3 (replace sth dirty, old, broken) changer [*battery, bulb, fuse, linen, accessory, wheel*]; **to ~ a bed** changer les draps

4 (exchange with sb) échanger [*clothes, seats*]; **she ~d hats with her sister** sa sœur et elle ont échangé leurs chapeaux; **to ~ places** changer de place (**with** avec); fig (roles) intervertir les rôles; **I wouldn't ~ places with the Queen** je ne voudrais pas être à la place de la Reine; **to ~ ends** Sport changer de côté

5 (actively switch) changer de [*course, side, job, direction, transport, TV channel, hands, feet, doctor, dentist, agent, supplier*]; **I'm tired, I have to ~ hands/feet** je suis fatigué, il me faut changer de main/pied; **to ~ hands** fig changer de propriétaire; **the hotel has ~d hands** l'hôtel a changé de propriétaire; **no money ~d hands** il n'y a pas eu d'échange d'argent; **she ~d her bag from her left hand to her right** elle a fait passer son sac de la main gauche à la main droite

6 (alter character) changer; **to ~ sb/sth into** changer qn/qch en [*frog, prince*]; **sugar is ~d into alcohol** le sucre se transforme en alcool; **the accident ~d him from an active young man into an invalid** l'accident a transformé le jeune homme actif qu'il était en invalide

7 (replace nappy of) changer [*baby*]

8 Fin changer [*cheque, currency*] (**into, for** en); **to ~ some money** changer de l'argent

9 Comput modifier

C *vi* **1** (alter) gen changer; [*wind*] tourner; **the price hasn't ~d much** le prix a peu changé; **times ~** les temps changent; **some things never ~** il y a des choses qui ne changent jamais; **to ~ from X (in)to Y** passer de X à Y; Chem virer de X à Y; **the lights ~d from red to orange** les feux sont passés du rouge à l'orange; **she ~d from a friendly child into a sullen adolescent** l'enfant aimable qu'elle était s'est transformée en adolescente maussade

2 (into different clothes) se changer; **he went upstairs to ~ for dinner** il monta se changer pour le dîner; **to ~ into** passer [*different garment*]; **I'm going to ~ into my jeans** je vais passer un jean; **to ~ out of** ôter, enlever [*garment*]

3 (from bus, train) changer; **you must ~ at Sheffield** vous devez changer à Sheffield; **do I have to ~?** est-ce qu'il y a un changement?; **'~ at Tours for Paris'** (over loudspeaker) 'correspondance à Tours pour Paris'; **we ~d from a train to a bus** après un voyage en train nous avons pris le car; **all ~!** tout le monde descend!

4 (become transformed) [*person, face, Europe*] se métamorphoser (**from** de; **into** en)

D **changed** *pp adj* [*man, woman, child, animal*] autre (*before n*)

(Idiom) **you'll get no ~ out of him/her**○ c'est peine perdue

(Phrasal verbs) ■ **change around = change round**

■ **change down** GB Aut rétrograder

■ **change over**: ▸ **~ over** (swap) [*drivers*] changer; **I don't like my part, let's ~!** je n'aime pas mon rôle, échangeons!; **to ~ over from sth to sth** passer de qch à qch; **we ~d over from gas to electric heating** nous sommes passés du gaz à l'électricité pour le chauffage; ▸ **~ over [sth/sb], ~ [sth/sb] over** intervertir [*sequence, roles, people*]

■ **change round** GB changer de place; ▸ **~ [sth/sb] round, ~ round [sth/sb]** déplacer [*furniture, large objects*]; changer [qn/qch] de place [*employers, workers, small objects, words, letters*]; **she's ~d the pictures round** elle a changé les tableaux de place

■ **change up** GB Aut passer à une vitesse supérieure

changeability /ˌtʃeɪndʒəˈbɪlətɪ/ *n* variabilité *f*

changeable /ˈtʃeɪndʒəbl/ *adj* [*circumstances, condition, behaviour, character, colour, situation, opinion, weather*] changeant; [*price, rate, size, speed*] variable; **her ~ moods** ses sautes *fpl* d'humeur

changeless /ˈtʃeɪndʒlɪs/ *adj* [*law, rite, routine, passion*] immuable; [*appearance, image*] inaltérable; [*character*] constant

changelessness /ˈtʃeɪndʒlɪsnɪs/ *n* immuabilité *f*

changeling (child) /ˈtʃeɪndʒlɪŋ/ *n* enfant *mf* substitué/-e (*à un autre par des fées*)

change: **~ machine** *n* distributeur *m* de monnaie; **~ management** *n* gestion *f* du changement

change of address

A *n* Admin changement *m* d'adresse

B *modif* [*card*] de changement d'adresse; [*details*] de son/votre etc changement d'adresse

change of life *n* retour *m* d'âge

changeover /ˈtʃeɪndʒəʊvə(r)/ *n* **1** (time period) phase *f* de changement; **2** (transition) passage *m*; **the ~ to computers** le passage à l'informatique; **3** gen, Pol (of leaders) remaniement *m*; (of employees, guards) relève *f*; **4** Sport (of ends) changement *m*; (in relay) passage *m* du témoin; **after the half-time ~** après le changement à la mi-temps

change: **~ purse** *n* US porte-monnaie *m inv*, bourse *f*; **~-ringing** *n* carillon *m*

changing /ˈtʃeɪndʒɪŋ/

A *n* changement *m*

B *adj* [*colours, environment*] changeant; [*attitude, world*] en évolution

changing room /ˈtʃeɪndʒɪŋ ruːm, rʊm/ *n* Sport vestiaire *m*; US (fitting room) cabine *f* d'essayage

channel /ˈtʃænl/
A *n* 1 (passage cut by or for liquid) canal *m*; **to cut a ~** creuser un canal (**in** à travers); 2 (deep, navigable part of water) chenal *m*; 3 fig (diplomatic, commercial) canal *m*; **distribution ~s** canaux *mpl* de distribution; **to do sth through the proper** *ou* **usual** *ou* **normal ~s** faire qch par la voie normale; **to go through official ~s** passer par la voie officielle; **diplomatic/legal ~s** voie *f* diplomatique/légale; **to open ~s of communication** ouvrir un réseau de communication; 4 TV chaîne *f*; **to change ~s** changer de chaîne; **to flick ~s**○ zapper; **~ one/two** la première/deuxième chaîne; 5 Radio canal *m*; 6 Archit (flute) cannelure *f*; 7 Tech (groove) rainure *f*; 8 Comput canal *m*, voie *f* de transmission
B *vtr* (*p prés etc* **-ll-**, **-l-** US) 1 (carry) acheminer, canaliser [*water, liquid*] (**to, into** dans; **through** par l'intermédiaire de); 2 fig (direct) concentrer, canaliser [*efforts, energy*] (**into** dans; **into doing** pour faire); affecter [*funds, capital*] (**into** à); **to ~ funds into doing** débloquer des crédits pour faire; **to ~ aid through official bodies** canaliser l'aide par l'intermédiaire d'organismes officiels; **to ~ sth towards** canaliser qch vers [*industry, business*]; 3 (cut) creuser [*groove, gorge*] (**in** dans); 4 Archit canneler [*column*]
(Phrasal verb) ■ **channel off**: ▸ **~ off [sth], ~ [sth] off** canaliser [*liquid, energy*] (**into** dans); affecter [*funds, resources*] (**into** à)

Channel /ˈtʃænl/ ▸ **p. 1493**
A *pr n* (*also* **English ~**) **the ~** la Manche
B *modif* [*crossing, port*] de la Manche

channel: **~ bar** *n* fer *m* en U; **~ capacity** *n* capacité *f* de transmission *or* de débit; **~ ferry** *n* ferry *m* trans-Manche; **~-flick**○ *vi* zapper; **~-hop** *vi* (*p prés etc* **-pp-**) zapper; **~ iron** *n* fer *m* en U; **Channel Islander** *n* habitant/-e *m/f* des îles Anglo-Normandes; **Channel Islands** ▸ **p. 1355** *pr npl* îles *fpl* Anglo-Normandes; **~ selector** *n* sélecteur *m* de canal *or* de voie; **Channel Tunnel** *pr n* tunnel *m* sous la Manche

chant /tʃɑːnt, US tʃænt/
A *n* 1 gen chant *m* scandé; **a victory ~** un chant de victoire; 2 Mus, Relig mélopée *f*; **Gregorian ~** chant *m* grégorien
B *vtr* 1 scander [*name, slogan*]; 2 Mus, Relig chanter [*psalm*]; psalmodier [*prayer, liturgy, schoolwork*]
C *vi* [*crowd*] scander des slogans; Mus, Relig psalmodier

chantey /ˈʃæntɪ/ *n* US = **shanty**

chantry /ˈtʃɑːntrɪ, US ˈtʃæntrɪ/ *n* petite chapelle *f*

chaos /ˈkeɪɒs/ *n* 1 gen, journ (on roads, at home, at work) pagaille○ *f*; (political) confusion *f*, désordre *m*; (economic) chaos *m*; **in a state of ~** [*house, room*] sens dessus dessous; [*country*] en plein chaos; **to cause ~** semer la pagaille; 2 littér (cosmic) chaos *m*

chaos theory *n* théorie *f* du chaos

chaotic /keɪˈɒtɪk/ *adj* [*life*] désordonné; [*place, arrangements*] désordonné; **it's absolutely ~**○ c'est la pagaille○

chap /tʃæp/
A ○*n* GB gen type○ *m*; (boy) garçon *m*; (young man) gars○ *m*; **a nice ~** un chouette type; **an old ~** un vieux; **I say old ~...** dis donc mon vieux...; **come on ~s!** allez les gars!
B *vtr* (*p prés etc* **-pp-**) gercer; (deeply) crevasser; **~ped lips** lèvres gercées
C *vi* (*p prés etc* **-pp-**) se gercer; (deeply) se crevasser

chap. *abrév écrite* = **chapter**

chapatti /tʃəˈpɑːtɪ/ *n* chapati *m*

chapel /ˈtʃæpl/ *n* 1 Relig (building) chapelle *f*; (service) culte *m*; **lady ~** chapelle de la Sainte Vierge; **to be church or ~** GB être anglican ou nonconformiste; 2 Journ syndicat *m* national des journalistes

chaperone /ˈʃæpərəʊn/
A *n* chaperon *m*; **to be a ~ to sb** servir de chaperon à qn
B *vtr* chaperonner

chaplain /ˈtʃæplɪn/ *n* gen aumônier *m*; (to a person) chapelain *m*

chaplaincy /ˈtʃæplɪnsɪ/ *n* gen aumônerie *f* (also building); (to a person) chapellenie *f*

chaplet† /ˈtʃæplɪt/ *n* 1 littér (wreath) couronne *f* de fleurs; 2 (beads) chapelet *m*

chappie○, **chappy**○ /ˈtʃæpɪ/ *n* GB = **chap**

chaps /tʃæps, ʃæps/ *npl* jambières *fpl* de cuir (*portées par les cowboys*)

Chap Stick® /ˈtʃæpstɪk/ *n* baume *m* pour les lèvres

chapter /ˈtʃæptə(r)/ *n* 1 (in book) chapitre *m*; **in ~ 3** au chapitre 3; 2 fig (stage) chapitre *m*; **a new ~ in** un nouveau chapitre de; 3 (of association, union) section *f*; 4 Relig (*also* **~ house**) chapitre *m*; 5 US Fin Jur **to go ~ 11** faire faillite (*avec délai de grâce pour redresser la situation*)
(Idioms) **a ~ of accidents** une série d'accidents; **to give ~ and verse** donner la référence exacte

char /tʃɑː(r)/
A *n* 1 ○GB (cleaner) femme *f* de ménage; 2 †○GB (tea) thé *m*; 3 Zool omble chevalier *m*
B *vtr* (*p prés etc* **-rr-**) carboniser; **the ~red remains** les restes carbonisés
C *vi* (*p prés etc* **-rr-**) 1 ○GB (clean) faire des ménages; 2 (scorch) se carboniser

charabanc† /ˈʃærəbæŋ/ *n* ≈ omnibus *m*

character /ˈkærəktə(r)/
A *n* 1 (personality) caractère *m*; **to have a pleasant ~** être d'un caractère agréable; **a house with ~** une maison qui a du caractère; **to act in/out of ~** agir de façon habituelle/surprenante; **his remarks are totally in ~/out of ~** ces remarques ne me surprennent pas/me surprennent de sa part; 2 (reputation) réputation *f*; **a person of good/bad ~** une personne d'une bonne/mauvaise réputation; 3 (nature) caractère *m*; 4 Literat, Theat, TV personnage *m* (**from** de); **to play the ~ of Romeo** jouer le rôle *m* de Roméo; **I hardly recognize her in ~** je la reconnais à peine sous son rôle; 5 (person) (in general) individu *m*; (appreciative) numéro○ *m*; **a real ~** un sacré numéro○; **a local ~** une figure *f* locale; 6 (moral strength) caractère *m*; **strength of ~** force *f* de caractère; 7 Comput, Print caractère *m*
B *modif* Comput [*density, generator, reader, recognition, string*] de caractères

character: **~ actor** *n* acteur *m* de genre; **~ actress** *n* actrice *f* de genre; **~ assassination** *n* dénigrement *m*

characteristic /ˌkærəktəˈrɪstɪk/
A *n* 1 (trait) (of person) trait *m* de caractère; (of place, theory, work) caractéristique *f*; **family ~** trait *m* héréditaire; 2 Math caractéristique *f*
B *adj* caractéristique; **~ of** [*style, quality*] caractéristique de [*person, artist*]; **it was ~ of them to do** c'était typique de leur part de faire

characteristically /ˌkærəktəˈrɪstɪklɪ/ *adv* [*calm, helpful, mean, selfish*] typiquement; **~, he said nothing** comme d'habitude il n'a rien dit

characterization /ˌkærəktəraɪˈzeɪʃn/ *n* 1 (character portrait) (by dramatist) représentation *f* des personnages; (by writer) peinture *f* des personnages; (by actor) interprétation *f*; 2 (depiction) peinture *f*

characterize /ˈkærəktəraɪz/ *vtr* 1 Literat [*artist, writer, work*] dépeindre [*era, place, person*]; **to ~ sb as** dépeindre qn comme; 2 (typify) caractériser; **to be ~d by** se caractériser par; 3 (sum up) représenter [*era, place*]; faire le portrait de [*person*]

characterless /ˈkærəktəlɪs/ *adj* sans caractère

character: **~ part** *n* Theat rôle *m* de composition; **~ reference** *n* références *fpl*; **~ set** *n* Comput, Print police *f* de caractères; **~ sketch** *n* portrait *m* rapide; **~ type** *n* Psych type *m* de caractère

charade /ʃəˈrɑːd, US ʃəˈreɪd/ *n* 1 (in game) charade *f* mimée; **to play ~s** jouer aux charades; 2 pej (pretence) comédie *f*

charbroiled /ˈtʃɑːbrɔɪld/ *adj* US = **chargrilled**

charcoal /ˈtʃɑːkəʊl/
A *n* 1 (fuel) charbon *m* de bois; 2 Art fusain *m*; **a stick of ~** un morceau de fusain; 3 (colour) gris *m* anthracite
B ▸ **p. 1067** *adj* (colour) (*also* **~ grey**) (gris) anthracite *inv*
C *modif* [*drawing, portrait*] au fusain; [*filter*] à charbon; **~ test** essai *m* sur le charbon

charcoal burner *n* 1 ▸ **p. 1683** (person) charbonnier *m*; 2 (for cooking) réchaud *m* à charbon de bois; (for heating) poêle *m* à charbon de bois

Charente ▸ **p. 1129** *pr n* Charente *f*; **in/to ~** en Charente

Charente-Maritime ▸ **p. 1129** *pr n* Charente-Maritime *f*; **in/to ~** en Charente-Maritime

charge /tʃɑːdʒ/
A *n* 1 (fee) frais *mpl*; **delivery/handling ~** frais de livraison/manutention; **electricity/telephone ~s** prix *mpl* d'électricité/du téléphone; **additional ~** supplément *m*; **small** *ou* **token ~** participation *f*; **there's a ~ of £2 for postage** il y a 2 livres de frais de port; **there's no ~ for installation** l'installation est gratuite; **free of ~** gratuitement; **at no extra ~** sans supplément
2 Jur inculpation *f*; **murder/robbery ~** inculpation d'assassinat/de vol; **to be arrested on a ~ of sth** être arrêté sous l'inculpation de qch; **criminal ~s** poursuites *fpl* criminelles; **to bring ~s** porter plainte; **to prefer** *ou* **press ~s against sth** engager des poursuites contre qch; **to drop the ~s** abandonner les poursuites; **all ~s against him have been dropped** on a abandonné toutes les poursuites lancées contre lui; **to put sb on a ~ for theft** Mil accuser qn de vol
3 (accusation) accusation *f* (**of** de); **this leaves you open to ~s of** cela laisse la porte ouverte aux accusations de [*nepotism, cynicism*]
4 Mil (attack) charge *f* (**against** contre)
5 Comm (credit account) **is it cash or ~?** vous payez en liquide ou je le mets sur votre compte?
6 (control) **to be in ~** gen être responsable; Mil commander; **the person in ~** le/la responsable; **the officer in ~ of the enquiry** l'officier responsable de l'enquête; **to be in ~ of doing** être responsable de faire; **to put sb in ~ of sth** confier la charge de qch à qn [*company, plane, project*]; confier qch à qn [*transport, training*]; **to take ~ of** assumer la charge de; **to have ~ of** être chargé de; **the pupils in my ~** les élèves à ma charge; **to take ~** prendre les choses en main; **I've left Paul in ~** c'est Paul qui sera responsable
7 (person in one's care) (child) enfant *m* dont on s'occupe; (pupil) élève *mf*; (patient) malade *mf*
8 (explosive) charge *f*
9 Elec, Phys charge *f*
10 (burden) fardeau *m* (**on** pour)
11 Relig cure *f*
B *vtr* 1 Comm, Fin faire payer [*customer*]; prélever [*commission*]; percevoir [*interest*] (**on** sur); **to ~ sb for sth** faire payer qch à qn [*postage, call*]; **we ~ postage to the customer** nous facturons les frais d'envois au client; **how much do you ~?** vous prenez combien?; **I ~ £20 an hour** je prends 20 livres de l'heure; **my agent ~s 10% commission** mon agent prélève 10% de commission; **interest is ~d at 2% a month** l'intérêt perçu sera de 2% par mois; **labour is ~d at £25 per hour** il faut compter 25 livres de l'heure pour la main-d'œuvre; **what do you ~ for doing...?** combien faut-il compter pour faire...?; **to ~ sb extra** faire payer un supplément à qn; **I ~ double at weekends** le week-end je fais payer le double

2 (pay on account) **to ~ sth to** mettre qch sur [*account*]; **I ~ everything** je mets tout sur mon compte
3 Jur [*police*] inculper [*suspect*]; **to ~ sb with** inculper qn de [*crime*]; **to ~ sb with doing** inculper qn pour avoir fait
4 (accuse) accuser (**with** de); **to ~ sb with doing** accuser qn de faire
5 (rush at) charger [*enemy, gates*]; [*bull*] foncer sur [*person*]
6 Elec, Phys charger [*battery, particle*]
7 sout (order) **to ~ sb to do** ordonner à qn de faire; **to ~ sb with doing** charger qn de faire
C *vi* **1** (demand payment) **to ~ for** faire payer [*delivery, admission*]; **I don't ~ for that** je ne fais pas payer ça
2 (rush at) **to ~ at** [*troops*] charger [*enemy, gates*]; [*bull*] foncer sur [*person*]; **~!** à l'attaque!
3 (run) se précipiter (**into** dans; **out of** de); **to ~ across** *ou* **through** traverser [qch] à toute vitesse [*room, garden*]; **to ~ up/down** monter/descendre [qch] à toute vitesse [*stairs, road*]

chargeable /ˈtʃɑːdʒəbl/ *adj* **1** (payable) **a fee of 20 dollars is ~** un supplément de 20 dollars sera perçu; **tax is ~ at 25%** le taux des impôts à régler est de 25%; **2** Admin **to be a ~ expense** être aux frais de la société; **business travel is ~ to the company** le paiement des frais de déplacement sont pris en charge par la société

charge: **~ account** *n* US Comm compte-client *m*; **~-cap** *vtr* GB Pol imposer une limite budgétaire à [*local authority*]; **~ card** *n* (credit card) carte *f* de crédit; (store card) carte *f* d'achat; **~-coupled device** *n* dispositif *m* à couplage de charge

charged /tʃɑːdʒd/ *adj* **1** Phys [*battery, particle*] chargé; **a negatively ~ particle** une particule chargée négativement; **2** (intense) **a highly ~ atmosphere** une atmosphère très tendue; **a highly ~ meeting** une réunion très tendue; **an emotionally ~ scene** une scène chargée d'émotion

chargé d'affaires /ˌʃɑːʒeɪ dæˈfeə(r)/ ▸ **p. 1683** *n* Admin chargé *m* d'affaires

charge: **~ hand** ▸ **p. 1683** *n* sous-chef *m* d'équipe; **~ nurse** ▸ **p. 1683** *n* infirmier/-ière *m/f* en chef

charger /ˈtʃɑːdʒə(r)/ *n* **1** Electron chargeur *m*; **2** †Equit Hist cheval *m* de bataille

charge sheet *n* GB Jur acte *m* d'accusation

char-grilled /ˈtʃɑːgrɪld/ *adj* [*steak, burger*] grillé au charbon de bois

charily /ˈtʃeərɪlɪ/ *adv* avec méfiance

chariot /ˈtʃærɪət/ *n* char *m*

charioteer /ˌtʃærɪəˈtɪə(r)/ *n* aurige *m*

chariot race *n* course *f* de chars

charisma /kəˈrɪzmə/ *n* gen, Relig charisme *m*

charismatic /ˌkærɪzˈmætɪk/
A *n* chrétien/-ienne *m/f* faisant partie du mouvement charismatique
B *adj* gen, Relig charismatique

charitable /ˈtʃærɪtəbl/ *adj* [*person, act, explanation*] charitable (**to** envers); [*organization*] caritatif/-ive; **a company having ~ status** Tax ≈ une association reconnue d'utilité publique; **~ trust** Fin fondation *f* d'utilité publique; **~ work** bonnes œuvres *fpl*

charitably /ˈtʃærɪtəblɪ/ *adv* charitablement

charity /ˈtʃærətɪ/
A *n* **1** (virtue) charité *f*; **to do sth out of ~** faire qch par charité; **2** (aid, aid organizations) bénévolat *m*; **to give to/collect money for ~** donner à/collecter des fonds pour des œuvres de bienfaisance; **to accept/refuse ~** accepter/refuser l'aumône *f*; **3** (individual organization) organisation *f* caritative
B *modif* [*sale, event, concert, match*] au profit d'œuvres de bienfaisance

(Idiom) **~ begins at home** charité bien ordonnée commence par soi-même

> **Charities**
>
> Plus nombreuses qu'en France, les associations caritatives britanniques ont aussi des activités plus variées : elles organisent notamment des ventes de charité (*jumble sales*), des kermesses, des collectes, des manifestations sportives dont les participants sont parrainés par leur entourage ou par des entreprises locales. Certaines d'entre elles possèdent également un réseau de boutiques (*charity shops*) situées en centre-ville. De nombreuses associations de renommée internationale, comme *Amnesty International* et *Oxfam*, sont nées en Grande-Bretagne.

charity: **~ box** *n* (in church) tronc *m*; **Charity Commissioners** *npl* GB fonctionnaires *mpl* chargés du contrôle des organisations caritatives; **~ shop** *n* magasin *m* d'articles d'occasion (*vendus au profit d'une œuvre de bienfaisance*); **~ work** *n* travail *m* bénévole (*au profit d'une œuvre de bienfaisance*); **~ worker** ▸ **p. 1683** *n* bénévole *mf*

charivari /ˌʃɑːrɪˈvɑːrɪ/ *n* charivari *m*

charlady† /ˈtʃɑːleɪdɪ/ ▸ **p. 1683** *n* GB femme *f* de ménage

charlatan /ˈʃɑːlətən/ *n* charlatan *m*

Charles /tʃɑːlz/ *pr n* Charles

charleston /ˈtʃɑːlstən/ *n* charleston *m*

charley horse○ /ˈtʃɑːlɪ hɔːs/ *n* US courbature *f* (*dans les muscles des jambes*)

charlie○ /ˈtʃɑːlɪ/ *n* **1** GB (fool) imbécile *mf*; **to look/feel a right ~** avoir l'air/se sentir ridicule; **2** US **a good-time ~** péj fêtard *m*; **3** ○(cocaine) argot des drogués cocaïne *f*

charlotte /ˈʃɑːlɒt/ *n* Culin charlotte *f*; **strawberry ~** charlotte aux fraises

charm /tʃɑːm/
A *n* **1** (capacity to please) charme *m*; **a man/town of great ~** un homme/une ville d'un grand charme; **susceptible to her ~s** sensible à ses charmes; **to use all one's ~** user de tout son charme; **to turn on the ~** péj se mettre à faire du charme; **2** (jewellery) amulette *f*; **~ bracelet** bracelet *m* à breloques; **lucky ~** porte-bonheur *m inv*; **3** (magic words) charme *m*
B *vtr* charmer; **he ~ed his way into Head Office** il usa de tout son charme pour parvenir jusqu'à la direction; **she ~ed him into signing** elle a su si bien l'enjôler qu'il a fini par signer
C **charmed** /tʃɑːmd/ *pp adj* charmé; **the ~ed (inner) circle** les initiés *mpl*

(Idioms) **to be able to ~ the birds from the trees** être un/une véritable ensorceleur/-euse *m/f*; **to lead a ~ed life** être béni des dieux; **to work like a ~** faire merveille

charmer /ˈtʃɑːmə(r)/ *n* **he is a real ~** il est adorable

charming /ˈtʃɑːmɪŋ/ *adj* [*person, place, book*] charmant; [*clothing, poem*] ravissant; [*child, animal*] adorable; [*manners*] engageant; **~!** iron mais c'est gentil ça!

charmingly /ˈtʃɑːmɪŋlɪ/ *adv* [*decorate, speak, sing, behave*] de façon charmante; **~ simple** d'une simplicité charmante

charm: **~ offensive** *n* offensive *f* de charme; **~ school** *n*: *école où les jeunes filles vont apprendre l'étiquette*

charnel house /ˈtʃɑːnl haʊs/ *n* charnier *m*

charr *n* ▸ **char A 3**

chart /tʃɑːt/
A *n* **1** (graph) graphique *m*; **temperature ~** Med feuille *f* de température; **2** (table) tableau *m*; **3** (map) carte *f*; **weather ~** carte du temps; **4** Mus **the ~s** le hit-parade; **to be number one in the ~s** être numéro un au hit-parade
B *vtr* **1** (on map) porter [qch] sur la carte [*geographical feature*]; tracer [*route*]; **2** enregistrer [*changes, progress*]

charter /ˈtʃɑːtə(r)/
A *n* **1** gen, Pol charte *f*; (for company) acte *m* constitutif; **to be granted a ~** bénéficier d'une charte; **the Charter of Fundamental Rights** la Charte des droits fondamentaux (de l'Union européenne); **2** Comm (hiring) affrètement *m*; **on ~ to** sous contrat d'affrètement avec
B *vtr* **1** affréter [*plane, coach etc*]; **2** Jur, Admin accorder une charte à [*corporation*]
C **chartered** *pp adj* [*professional*] agréé; [*corporation*] à charte

charter: **~ed accountant**, **CA** ▸ **p. 1683** *n* GB ≈ expert-comptable *m*; **~ed bank** *n* GB banque *f* privilégié/-e; **~ed surveyor** ▸ **p. 1683** *n* GB expert *m* immobilier; **~ flight** *n* GB vol *m* charter; **~ plane** *n* GB charter *m*

charter school *n* US école *f* à charte

> **Charter schools**
>
> Écoles subventionnées par l'État mais dirigées conjointement par des conseils de parents et d'enseignants. L'école et l'État s'entendent sur une 'charte' dans laquelle sont fixés les résultats scolaires à atteindre, le contenu pédagogique des enseignements et la gestion de l'établissement. Les écoles à charte sont affranchies des réglementations scolaires communes aux écoles d'état, mais en échange de cette autonomie, elles sont tenues responsables du taux de réussite des élèves.

chartist /ˈtʃɑːtɪst/ *n* US Fin chartiste *mf*

Chartist /ˈtʃɑːtɪst/ *n* Hist chartiste *mf*

charwoman† /ˈtʃɑːwʊmən/ ▸ **p. 1683** *n* femme *f* de ménage

chary /ˈtʃeərɪ/ *adj* méfiant; **to be ~** se méfier (**of** de; **of doing** de faire)

chase /tʃeɪs/
A *n* **1** (pursuit) poursuite *f* (**after** de); **car/police ~** poursuite *f* en voiture/par la police; **to give ~ to sb** se lancer à la poursuite de qn; **2** fig (race) course *f* (**for** à); **the ~ for the prize/jobs** la course au prix/aux emplois; **3** Equit = **steeplechase**; **4** Hunt chasse *f*; **5** GB (deer park) chasse *f*
B *vtr* **1** (*also* **~ after**) (pursue) pourchasser [*person, animal*]; courir après [*contract, job, success*]; **to ~ sb/sth up** *ou* **down the street** courir après qn/qch dans la rue; **2** (*also* **~ after**) (make advances) courir après [*man, girl*]; **3** ○(*also* **~ after**) (try to win) viser [*target, title*]; **4** (remove) **to ~ sb/sth from** chasser qn/qch de [*room, field etc*]; **5** (engrave) ciseler [*metal*]; **~ed silver dish** plat en argent ciselé
C *vi* = **chase about, chase around**

(Idiom) **to ~ one's (own) tail** tourner en rond

(Phrasal verbs) ■ **chase about, chase around**: ▶ **~ about** courir en tous sens; ▶ **~ around**○ **[sth]** parcourir [qch] dans tous les sens [*building, town*]; **we ~d all around the library looking for the book** on a parcouru la bibliothèque dans tous les sens pour trouver le livre; ▶ **~ [sb] around** poursuivre qn
■ **chase away**: ▶ **~ [sb/sth] away, ~ away [sb/sth]** chasser [*intruder, predator*]; fig chasser [*anxiety, fear*]
■ **chase down** US = **chase up**
■ **chase off**: ▶ **~ [sb/sth] off, ~ off [sb/sth]** chasser [*animal, person*]
■ **chase up** GB: ▶ **~ [sth] up, ~ up [sth]** retrouver [*details, statistics*]; ▶ **~ [sb] up, ~ up [sb]** activer [*person*]

chaser○ /ˈtʃeɪsə(r)/ *n* (between beers) petit coup *m* entre deux verres○; (between spirits) verre *m* entre deux petits coups○

chasm /ˈkæzəm/ *n* **1** gouffre *m*; (deeper) abîme *m*; **2** fig abîme *m* (**between** entre)

chassis /ˈʃæsɪ/ *n* (*pl* **~**) **1** Aut, Radio, TV châssis *m*; Aviat train *m* d'atterrissage; **2** ○US (body) **she's got quite a ~** c'est un beau châssis◑

chaste /tʃeɪst/ *adj* **1** (celibate) chaste; **2** (innocent) *[relationship]* innocent; *[kiss]* chaste; **3** (sober) *[style]* sobre

chastely /ˈtʃeɪstlɪ/ *adv* **1** (in celibacy) chastement; **2** *[written, decorated]* avec sobriété

chasten /ˈtʃeɪsn/
A †*vtr* réprimander
B **chastened** *pp adj* assagi; **they were suitably ~ed** comme il se doit cela les a fait réfléchir; **~ed and subdued** assagi et moins expansif

chasteness /ˈtʃeɪstnɪs/ *n* sout **1** (celibacy) chasteté *f*; **2** (faithfulness) fidélité *f*; **3** (innocence) innocence *f*; **4** (of style, playing) sobriété *f*

chastening /ˈtʃeɪstnɪŋ/ *adj* **to have a ~ effect on sb** faire réfléchir qn

chastise /tʃæˈstaɪz/ *vtr* sout (physically) châtier liter; (verbally) admonester liter; **to ~ sb for sth/for doing** (verbally) admonester qn pour qch/pour avoir fait

chastisement† /tʃæˈstaɪzmənt/ *n* (physical) châtiment *m* liter; (verbal) admonition *f* liter

chastity /ˈtʃæstətɪ/ *n* chasteté *f*

chastity belt *n* ceinture *f* de chasteté

chasuble /ˈtʃæzjʊbl/ *n* chasuble *f*

chat /tʃæt/
A *n* **1** (talk) conversation *f*; **to have a ~** bavarder (**with** avec; **about** sur); **we had a ~ on the phone** on a bavardé au téléphone; **I must have a ~ with her about her work** il faut que je lui parle de son travail; **2** (on Internet) causette *f*, chat *m*
B *vi* (*p prés etc* **-tt-**) gen bavarder (**with, to** avec); Internet chatter○

(Phrasal verb) ■ **chat up**○: ▸ **~ up [sb]**, **~ [sb] up** GB (flirtatiously) draguer○; (to obtain sth) baratiner○

chat: **~line** *n* GB gen réseau *m* téléphonique; (for sexual encounters etc) cf téléphone *m* rose; **~room** *n* salle *f* de causette, chat *m*; **~ show** *n* GB talk-show *m*

chattel /ˈtʃætl/ *n* Jur bien *m*, possession *f*; **he treats his wife/child as a ~** il traite sa femme/son enfant comme si elle/s'il était sa propriété; **goods and ~s** biens et effets

chattel mortgage *n* US gage *m*, nantissement *m*

chatter /ˈtʃætə(r)/
A *n* (of person) bavardage *m*; (of crowd, audience) bourdonnement *m*; (of birds) gen gazouillis *m*; (of magpies) jacassement *m*; (of machine) cliquetis *m*
B *vi* (also **~ away**, **~ on**) *[person]* bavarder; *[birds]* gazouiller; *[magpies]* jacasser; *[machine]* cliqueter; **her teeth were ~ing** elle claquait des dents; **his teeth were ~ing with the cold** le froid le faisait claquer des dents

chatterbox /ˈtʃætəbɒks/ *n* moulin *m* à paroles○

chatterer /ˈtʃætərə(r)/ *n* moulin *m* à paroles○

chattering /ˈtʃætərɪŋ/
A *n* bavardage *m*
B *adj [person]* qui bavarde

chattering classes *npl* péj bourgeois *mpl* de gauche péj

chatty /ˈtʃætɪ/ *adj [person]* ouvert; *[letter, style]* vivant

Chaucerian /tʃɔːˈsɪərɪən/ *adj* de Chaucer

chauffeur /ˈʃəʊfə(r), US ʃəʊˈfɜːr/ ▸ **p. 1683**
A *n* chauffeur *m*; **a ~-driven car** une voiture avec chauffeur
B *vtr* conduire

chauvinism /ˈʃəʊvɪnɪzəm/ *n* **1** gen chauvinisme *m*; **2** (also **male ~**) machisme *m*

chauvinist /ˈʃəʊvɪnɪst/ *n, adj* **1** gen chauvin/-e (*m/f*); **2** (also **male ~**) macho○ (*m*)

chauvinistic /ˌʃəʊvɪˈnɪstɪk/ *adj* chauvin

chav○ /tʃæv/ *n* GB: *jeune issu des classes sociales les moins favorisées, souvent associé à la délinquence, aux choix vestimentaires tenus comme voyants et vulgaires*

ChB *n* GB (*abrév* = **chirurgiae baccalaureus**) (person) *diplômé en chirurgie*; (diploma) *diplôme en chirurgie*

cheap /tʃiːp/
A *adj* **1** *[article, meal, cut of meat, flight, service]* bon marché *inv*; **to be ~** être bon marché *inv*, ne pas coûter cher *inv*; **quality doesn't come ~** la qualité se paye; **it's ~ to produce** cela ne revient pas cher de le/la produire; **it works out ~er to take the train** cela revient moins cher de prendre le train; **the ~ seats** les places moins chères; **at a ~ rate** à bas prix; **it's ~ at the price** c'est une occasion à ce prix-là; **victory was ~ at the price** la victoire aurait pu coûter plus cher; **~ and cheerful** sans prétentions; **life is ~** la vie est sans importance; **to hold sth ~** ne pas respecter qch; **2** Econ *[labour, money]* bon marché; **3** péj (shoddy) *[furniture, shoe, wine]* de mauvaise qualité; *[jewellery]* de pacotille; **it's ~ and nasty** c'est de la camelote; **4** (easy) péj *[success, joke, jibe, laugh, gimmick, stunt, woman]* facile; **a ~ thrill** une sensation forte; **talk is ~** bavarder est facile; **5** péj (mean) *[trick, crook, liar]* sale (*before n*); **a ~ shot** un coup bas; **6** (with money) avare
B *adv*○ *[buy, get, sell]* pour rien; **he can do the job ~** il peut faire le boulot pour pas grand-chose○; **they're going ~** ils sont au rabais
C **on the cheap** *adv phr [buy, sell]* au rabais; **to do sth on the ~** péj y aller à l'économie

cheapen /ˈtʃiːpən/
A *vtr* **1** (make less expensive) rendre [qch] moins cher *[process]*; faire baisser *[production costs]*; **2** (make less valuable) dévaloriser *[life, liberty]*; **3** (degrade) rabaisser *[person]*
B *v refl* **to ~ oneself** se rabaisser

cheapie○ /ˈtʃiːpɪ/
A *n* **1** GB (bargain) occasion *f*, **2** US (mean person) radin○ *m*
B *adj* US pas cher/chère○

cheapjack /ˈtʃiːpdʒæk/
A *n* camelot† *m*
B *adj* **~ goods** camelote *f*

cheaply /ˈtʃiːplɪ/ *adv [produce, do, provide, sell]* à bas prix; *[available, accessible]* à un prix raisonnable; *[borrow]* à un faible taux d'intérêt; **to eat/live ~** manger/vivre pour pas cher; **two can live as ~ as one** vivre à deux ne coûte pas plus cher que de vivre tout seul

cheapness /ˈtʃiːpnɪs/ *n* **1** (of article, plan, system) bas prix *m*; **2** (of joke, jibe, trick) bassesse *f*; **3** (of borrowing) faible taux *m* d'intérêt

cheapo○ /ˈtʃiːpəʊ/ *adj* pas cher/chère○

cheap rate *adj, adv* Telecom à tarif réduit; **to cost 25 pence a minute ~** coûter 25 pence la minute au tarif réduit

cheapskate○ /ˈtʃiːpskeɪt/ *n* radin○ *m*

cheat /tʃiːt/
A *n* **1** (person) tricheur/-euse *m/f*; **2** (dishonest action) tricherie *f*
B *vtr* tromper *[person, company]*; **to feel ~ed** se sentir lésé; **to ~ sb (out) of** dépouiller qn de
C *vi* tricher; **to ~ in** tricher à *[exam, test]*; **to ~ at cards** tricher aux cartes; **to ~ on** tromper *[person]*

(Idiom) **to ~ death** frôler la mort

cheating /ˈtʃiːtɪŋ/
A *n* tricherie *f*; **to accuse sb of ~** accuser qn de tricher; (in past) accuser qn d'avoir triché
B *adj [player]* tricheur/-euse; *[shopkeeper]* escroc *inv*

Chechen /ˈtʃetʃen/ ▸ **p. 1467**
A *n* Tchétchène *mf*
B *adj* tchétchène

Chechnya /ˌtʃetʃˈnjɑː/ ▸ **p. 1096** *pr n* Tchétchénie *f*

check /tʃek/
A *n* **1** (inspection) (for quality, security) contrôle *m* (**on** sur); **security ~** contrôle de sécurité; **to carry out ~s** exercer des contrôles; **to give sth a ~** vérifier qch; **to keep a (close) ~ on sb/sth** surveiller qn/qch (de près) **2** Med examen *m*; **eye/breast ~** examen des yeux/des seins **3** (restraint) frein *m* (**on** à); **to put** *ou* **place a ~ on** mettre un frein à *[immigration, production, growth]*; **to hold** *ou* **keep sb/sth in ~** contrôler qn/qch; **to hold oneself in ~** se maîtriser **4** (in chess) **in ~** en échec; **to put the King in ~** faire échec au roi; **your king is in ~** échec au roi **5** Tex (fabric) tissu *m* à carreaux; (pattern) carreaux *mpl*; (square) carreau *m* **6** US (cheque) chèque *m* ➔ **7** US (bill) addition *f*; **to pick up the ~** payer l'addition **8** US (receipt) ticket *m* **9** US (tick) croix *f* (*pour cocher*)
B *modif [fabric, garment etc]* à carreaux
C *vtr* **1** (for security) vérifier *[vehicle, mechanism, fuse]*; contrôler *[person, baggage, product, ticket, passport, area]*; **to ~ that/ whether** vérifier que/si; **to ~ the toys for potential dangers** vérifier que les jouets ne sont pas dangereux; **they ~ed the hotel for bombs/gas leaks** ils se sont assurés qu'il n'y avait pas de bombe/fuite de gaz dans l'hôtel **2** (for accuracy, reliability) vérifier *[bill, data, statement, terms, signature, banknote]*; contrôler *[accounts, invoice, output, work]*; corriger *[proofs, spelling, translation]*; **to ~ sth for accuracy** vérifier l'exactitude de qch; **to ~ sth for defects** contrôler la qualité de qch; **to ~ that/whether** vérifier que/si; **to ~ sth against** collationner qch avec *[original document]*; vérifier qch par rapport à *[recorded data, inventory]*; comparer qch avec *[signature]* **3** (for health, progress) prendre *[temperature, blood pressure]*; tester *[reflexes]*; examiner *[eyesight]*; **to ~ that/whether** vérifier que/si; **to ~ sb's progress** vérifier les progrès de qn **4** (inspect) examiner *[watch, map, pocket, wallet]* **5** (find out) vérifier *[times, details, information]*; **to ~ if** *ou* **whether** vérifier si; **to ~ the availability of sth** vérifier si qch est disponible; **I need to ~ how cold it is/where the station is** je dois vérifier s'il fait froid/où se trouve la gare; **to ~ with sb that** demander à qn si; **I had to ~ with him that it was OK** j'ai dû lui demander si ça ne posait pas de problèmes **6** (curb) contrôler *[price rises, inflation]*; freiner *[increase, growth, progress]*; réduire *[abuse, emigration, influence]*; démentir *[rumour]*; déjouer *[plans]* **7** (restrain, keep in) maîtriser *[emotions]*; retenir *[tears, exclamation]*; **she ~ed an impulse to laugh** elle s'est retenue pour ne pas rire **8** (stop) arrêter *[person, animal, enemy advance, rebellion]* **9** (in chess) faire échec à *[player, chesspiece]* **10** Comput cocher **11** (in hockey) bloquer *[shot]* **12** US (for safekeeping) mettre [qch] au vestiaire *[coat]*; mettre [qch] à la consigne *[baggage]* **13** US (register) enregistrer *[baggage]* **14** US (tick) = **check off**
D *vi* **1** (verify) vérifier (**whether, if** si); **to ~ with sb** demander à qn **2** (examine) **to ~ for** dépister *[problems, disease, defects]*; chercher *[leaks, flaws, danger signs]* **3** (register) **to ~ into** arriver à *[hotel]* **4** US (tally) *[accounts]* être exact **5** (in poker) passer
E *v refl* **1** (restrain) **to ~ oneself** se retenir **2** (inspect) **to ~ oneself in the mirror** se regarder dans la glace
F *excl* **1** (in chess) **~!** échec au roi! **2** ○US (expressing agreement) d'ac○, d'accord
G **checked** *pp adj* **1** Tex *[fabric, pattern, garment]* à carreaux **2** Ling *[vowel, syllable]* entravé

(Phrasal verbs) ■ **check in**: ▸ **~ in** (at airport) enregistrer; (at hotel) remplir la fiche (**at** à); US (clock in) pointer (à l'entrée); ▸ **~ [sb/sth] in,**

➔ *see* Life in France

C

~ **in [sb/sth]** 1 Aviat, Tourism enregistrer [*baggage, passengers*]; accueillir [*hotel guest*]; 2 US (for safekeeping) (give) mettre [qch] à la consigne [*baggage*]; mettre [qch] au vestiaire [*coat*]; (take) [*attendant*] prendre [qch] en consigne [*baggage*]; prendre [qch] au vestiaire [*coat*]

■ **check off**: ▶ ~ **off [sth]**, ~ **[sth] off** cocher [*items, names*]

■ **check on**: ▶ ~ **on [sb/sth]** 1 (observe) surveiller [*person*]; **to ~ on sb's progress** vérifier les progrès de qn; 2 (investigate) faire une enquête sur [*person*]; vérifier [*information*]; **to ~ on how/whether** voir comment/si

■ **check out**: ▶ ~ **out** 1 (leave) partir; **to ~ out of** quitter [*hotel etc*]; 2 (be correct) [*information, story*] être correct; [*figures, details*] correspondre; 3 US (clock out) pointer (à la sortie); 4 ○euph (die) mourir, casser sa pipe○; ▶ ~ **out [sth]**, ~ **[sth] out** 1 (investigate) vérifier [*information*]; examiner [*package, area, building*]; prendre [*blood pressure*]; se renseigner sur [*club, scheme*]; 2 ○(try) essayer [*place, food*]; 3 US (remove) (from library) emprunter (**from** de); (from cloakroom, left luggage) retirer (**from** de); ▶ ~ **[sb] out**, ~ **out [sb]** 1 (screen) faire une enquête sur [*person*]; **he's been ~ed out** il a fait l'objet d'une enquête; 2 (from hotel) **to ~ out the guests** s'occuper des formalités de départ des clients; 3 US (at supermarket) s'occuper de [*customer*]; 4 ○US (take a look at) regarder, viser○; ~ **him out!** vise un peu○!

■ **check over**: ▶ ~ **[sth] over** vérifier [*document, wiring, machine*]; ▶ ~ **[sb] over** Med faire un examen médical à [*person*]

■ **check through**: ▶ ~ **[sth] through** 1 vérifier [*data, work*]; 2 US Aviat enregistrer [*luggage*]; **I've ~ed her luggage through to Chicago** j'ai enregistré ses bagages pour Chicago

■ **check up**: ▶ ~ **up** vérifier (**that** que); ▶ ~ **up [sth]** vérifier [*story*]; contrôler [*accounts*]

■ **check up on**: ▶ ~ **up on [sb]** (observe) surveiller [*person*]; (investigate) faire une enquête sur [*person*]; ▶ ~ **up on [sth]** vérifier [*story, details*]

checkbook /ˈtʃekbʊk/ *n* US carnet *m* de chèques, chéquier *m*

checker /ˈtʃekə(r)/ ▸ p. 1683
A *n* 1 (employee) vérificateur/-trice *m/f*; 2 US (cashier) caissier/-ière *m/f*; 3 US (in fabric) carreau *m*; 4 US (attendant) (in left-luggage) préposé/-e *m/f* à la consigne; (in cloakroom) préposé/-e *m/f* au vestiaire; 5 US Games (piece) pion *m*
B checkers *npl* ▸ p. 1253 jeu *m* de dames; **to play ~s** jouer aux dames

checkerboard /ˈtʃekəbɔːd/ *n* US damier *m*

checkered *adj* US = **chequered**

check-in /ˈtʃekɪn/
A *n* 1 (*also* ~ **desk**) enregistrement *m*; 2 (procedure) enregistrement *m*
B *modif* [*point, counter*] d'enregistrement; ~ **time** enregistrement *m*

checking /ˈtʃekɪŋ/ *n* vérification *f*

checking account *n* US compte *m* courant

checklist /ˈtʃeklɪst/ *n* liste *f* de contrôle

checkmate /ˈtʃekmeɪt/
A *n* échec *m* et mat; fig échec *m*
B *excl* ~! échec et mat!
C *vtr* faire échec à [*opponent*]; fig battre [qn] à plates coutures○

check-off /ˈtʃekɒf/ *n* prélèvement *m* des contributions syndicales à la source

checkout /ˈtʃekaʊt/
A *n* (*also* ~ **counter**) caisse *f*; **on the ~** à la caisse
B *modif* [*procedure*] de caisse; [*queue*] à la caisse

checkout assistant, **checkout operator** ▸ p. 1683 *n* GB caissier/-ière *m/f*

checkpoint /ˈtʃekpɔɪnt/ *n* poste *m* de contrôle; **army/police ~** contrôle *m* militaire/de police

checkroom /ˈtʃekruːm, -rʊm/ *n* US 1 (cloakroom) vestiaire *m*; 2 (for baggage) consigne *f*

checks and balances *npl* garde-fous *mpl*

> **Checks and balances**
>
> L'équilibre des pouvoirs est un principe constitutionnel américain. Chaque branche du gouvernement (exécutif, législatif et judiciaire) exerce un contrôle sur les autres : le Congrès élabore les projets de lois que le président doit ratifier, et la Cour suprême décide de leur constitutionnalité. Le Congrès peut également enquêter sur le président et même le destituer. Ce principe se retrouve dans la répartition des responsabilités entre le pouvoir fédéral et les gouvernements de chaque État.
>
> ▸ **Congress, Supreme Court, White House**

checkup /ˈtʃekʌp/ *n* 1 Med examen *m* médical, bilan *m* de santé; **to go for/have a ~** passer/se faire faire un examen médical; **to give sb a ~** faire un examen médical à qn; 2 Dent visite *f* de routine (chez le dentiste)

cheddar /ˈtʃedə(r)/ *n* cheddar *m* (*fromage*)

cheek /tʃiːk/
A *n* 1 (of face) joue *f*; **to dance ~ to ~** danser joue contre joue; 2 ○(buttock) fesse *f*; 3 (impudence) culot○ *m*; **to have the ~ to do** avoir le culot○ de faire; **what a ~!** quel culot○!; **she's got a (bit of a) ~** elle a un sacré○ culot○
B *vtr*○ GB être insolent envers [*person*]

(Idiom) **to turn the other ~** tendre l'autre joue

cheekbone /ˈtʃiːkbəʊn/ *n* pommette *f*

cheekily /ˈtʃiːkɪlɪ/ *adv* [*ask, say*] effrontément; [*arranged, perched*] crânement

cheekiness /ˈtʃiːkɪnɪs/ *n* insolence *f* (**to, with** envers)

cheek: ~**piece** *n* Equit montant *m* de bride; ~ **pouch** *n* Zool abajoue *f*

cheeky /ˈtʃiːkɪ/ *adj* 1 (impudent) [*person*] effronté, insolent; [*question*] impoli; 2 (pert) [*outfit, grin*] espiègle, coquin

cheep /tʃiːp/
A *n* piaulement *m*
B *vi* piauler

cheer /ˈtʃɪə(r)/
A *n* 1 (shout of joy, praise) acclamation *f*; **to give a ~** pousser une acclamation *or* un hourra; **to get a big ~** être vigoureusement acclamé; **there were ~s when** il y a eu des acclamations quand; **to give three ~s for** faire un ban à; **three ~s!** un ban!, hourra!; 2 (happiness) réjouissance *f*, liesse† *f*; **be of good ~‡!** prenez espoir *or* courage!
B cheers *excl* 1 (toast) à la vôtre○!; (to close friend) à la tienne○!; 2 ○GB (thanks) merci!; 3 ○GB (goodbye) salut!
C *vtr* 1 (applaud) acclamer, applaudir [*person, team*]; **to be loudly ~ed** être accueilli par de vives acclamations; 2 (hearten) réjouir, remonter le moral à [*person*]
D *vi* applaudir, lancer des acclamations; **to ~ for** acclamer, applaudir

(Phrasal verbs) ■ **cheer on**: ▶ ~ **on [sb]**, ~ **[sb] on** encourager [qn] (par des acclamations) [*person, team*]

■ **cheer up**: ▶ ~ **up** reprendre courage, se ressaisir; ~ **up!** courage!; ▶ ~ **up [sb]**, ~ **[sb] up** remonter le moral à [*person*]; ▶ ~ **up [sth]**, ~ **[sth] up** égayer [*room*]

cheerful /ˈtʃɪəfl/ *adj* [*person, smile, mood, music*] joyeux/-euse; [*news, prospect*] réconfortant, réjouissant; [*fire*] réconfortant; [*remark, tone*] enjoué; [*colour, room, curtains*] gai; [*belief, conviction, optimism*] inébranlable; **to be ~ about** se réjouir de

cheerfully /ˈtʃɪəfəlɪ/ *adv* 1 (joyfully) joyeusement; 2 (blithely) [*admit, confess, declare*] allégrement

cheerfulness /ˈtʃɪəflnɪs/ *n* gaieté *f*

cheerily /ˈtʃɪərɪlɪ/ *adv* joyeusement, gaiement

cheering /ˈtʃɪərɪŋ/
A *n* ₵ acclamations *fpl*
B *adj* 1 [*message, news, words*] réconfortant, réjouissant; 2 ~ **crowds** des foules en délire

cheerio○ /ˌtʃɪərɪˈəʊ/ *excl* 1 (goodbye) salut○; 2 (when drinking) à la vôtre○; (to close friend) à la tienne○

cheerleader /ˈtʃɪəliːdə(r)/ *n* majorette *f* (*qui encourage une équipe sportive sur le terrain*)

cheerless /ˈtʃɪəlɪs/ *adj* [*room, place, landscape*] triste, morne; [*outlook, prospect*] sombre

cheery /ˈtʃɪərɪ/ *adj* joyeux/-euse, gai

cheese /tʃiːz/
A *n* (substance, variety) fromage *m*
B *modif* [*sandwich, soufflé*] au fromage

(Idioms) **to be a big ~**○ être un gros bonnet (**in** dans le domaine de); **they are as different as chalk and ~** c'est le jour et la nuit; **say ~!** (for photo) souriez!

(Phrasal verb) ■ **cheese off**○: ▶ ~ **[sb] off**, ~ **off [sb]** faire suer○; **to be ~d off with** en avoir marre○ de

cheese: ~**board** *n* (object) plateau *m* à fromage; (selection) plateau *m* de fromages; ~**burger** *n* hamburger *m* au fromage

cheesecake /ˈtʃiːzkeɪk/
A *n* 1 Culin cheesecake *m*; 2 ○US nana○ *f*
B ○*modif* US [*photo, ad*] aguicheur/-euse

cheese: ~**cloth** *n* étamine *f*; ~ **counter** *n* fromagerie *f*, rayon *m* fromagerie; ~**paring** *n* économies *fpl* de bouts de chandelle; ~ **spread** *n* fromage *m* à tartiner; ~ **straw** *n* allumette *f* au fromage; ~ **wire** *n* fil *m* à fromage

cheesy /ˈtʃiːzɪ/ *adj* 1 [*taste, smell*] de fromage; 2 [*grin*] large; 3 ○US (tacky) louche

cheetah /ˈtʃiːtə/ *n* guépard *m*

chef /ʃef/ ▸ p. 1683 *n* chef *m* cuisinier

chef-d'œuvre /ʃeˈdɜːvrə/ *n* (*pl* **chefs-d'œuvre**) chef-d'œuvre *m*

Chekhov /ˈtʃekɒf/ *pr n* Tchekhov

Chelsea bun /ˌtʃelsɪ ˈbʌn/ *n* GB petit pain *m* aux raisins

Chelsea tractor○ /ˌtʃelsɪˈtræktə(r)/ *n* GB: *gros 4x4 de luxe destiné à une utilisation urbaine*

chemical /ˈkemɪkl/
A *n* produit *m* chimique
B *adj* [*process, reaction, industry, substance, formula*] chimique; [*equipment, experiment*] de chimie

chemical: ~ **engineer** ▸ p. 1683 *n* ingénieur *m* chimiste; ~ **engineering** *n* génie *m* chimique

chemically /ˈkemɪklɪ/ *adv* (all contexts) chimiquement

chemical: ~ **warfare** *n* guerre *f* chimique; ~ **waste** *n* déchets *mpl* chimiques; ~ **weapon** *n* arme *f* chimique

chemise /ʃəˈmiːz/ *n* 1 (dress) robe-combinaison *f*; 2 Hist (undergarment) chemise *f*

chemist /ˈkemɪst/ ▸ p. 1683 *n* 1 GB (person) pharmacien/-ienne *m/f*; ~**'s (shop)** pharmacie *f*; 2 (scientist) chimiste *mf*

chemistry /ˈkemɪstrɪ/ *n* 1 (science, subject) chimie *f*; 2 (structure, properties) propriétés *fpl* chimiques; 3 fig (rapport) affinités *fpl*; **sexual ~** attirance *f* sexuelle

chemistry set *n* coffret *m* de jeune chimiste

chemoprevention /kiːməʊprɪˈvenʃn/ *n* chimioprévention *f*

chemotherapy /ˌkiːməʊˈθerəpɪ/ *n* chimiothérapie *f*; **a course of ~** un traitement de chimiothérapie

chenille /ʃəˈniːl/ *n* Tex chenille *f*

cheque GB, **check** US ➔
/tʃek/ *n* chèque *m*; **by ~** par chèque; **to make**

➔ *see* Life in France

out *ou* **write a ~ for £20** faire un chèque de 20 livres sterling; **to cash a ~** encaisser un chèque; **to stop a ~** faire opposition à un chèque. ▸ **Bank card**

(Idiom) **to give sb a blank ~** fig donner carte blanche à qn

cheque: **~book** GB, **checkbook** US *n* chéquier *m*, carnet *m* de chèques; **~book journalism** *n* péj journalisme *m* à sensation (*payant à prix d'or des exclusivités*); **~ card** *n* carte *f* de garantie bancaire

chequer GB, **checker** US /ˈtʃekə(r)/ *n* 1 Games pion *m*; 2 (square) carreau *m*; (pattern of squares) damier *m*

chequered GB, **checkered** US /ˈtʃekəd/ *adj* 1 (with pattern of squares) à damiers; 2 fig [*career, history*] en dents de scie

chequered flag *n* Sport drapeau *m* à damiers

chequers GB, **checkers** US /ˈtʃekəz/ ▸ **p. 1253** *n* (+ *v sg*) dames *fpl*

cheque stub *n* talon *m* de chèque

Cher ▸ **p. 1129** *pr n* Cher *m*; **in/to the ~** dans le Cher

cherish /ˈtʃerɪʃ/ *vtr* 1 (nurture) caresser [*hope, ambition*]; chérir [*memory, idea*]; **her most ~ed ambition** son ambition la plus chère; 2 †(treasure, love) chérir [*person*]

Chernobyl /tʃeəˈnəʊbl, *also* tʃeəˈnɒbl/ ▸ **p. 1815** *pr n* Tchernobyl

cheroot /ʃəˈruːt/ *n* cigare *m*

cherry /ˈtʃerɪ/

A *n* 1 (fruit) cerise *f*; 2 (tree, wood) cerisier *m*; 3 (colour) rouge *m* cerise

B *adj* (*also* **~-red**) rouge cerise *inv*

(Idioms) **life is not a bowl of cherries** la vie n'est pas rose; **to get the first bite of the ~** avoir priorité; **to get two bites at the ~** pouvoir retenter sa chance; **to lose one's ~**○ perdre sa virginité

cherry: **~ blossom** *n* ₵ fleurs *fpl* de cerisier; **~ bomb** *n* US pétard *m*; **~ brandy** *n* cherry *m*; **~ laurel** *n* laurier *m* cerise; **~ orchard** *n* cerisaie *f*; **~-pick** *vtr* écrémer; **~ picker** *n* (machine) nacelle *f* élévatrice; (person) cueilleur/-euse *m/f* de cerises

cherrypie /ˌtʃerɪˈpaɪ/ *n* 1 (flower) héliotrope *m* du Pérou; 2 (tart) tarte *f* aux cerises

cherry: **~ plum** *n* prunier *m*, myrobolan *m*; **~ stone** *n* US Zool clam *m*; **~ tomato** *n* tomate *f* cerise; **~ tree** *n* cerisier *m*

cherub /ˈtʃerəb/ *n* 1 Relig, Art chérubin *m*; 2 (pretty child) angelot *m*

cherubic /tʃɪˈruːbɪk/ *adj* [*face, smile*] de chérubin; [*child*] angélique

chervil /ˈtʃɜːvɪl/ *n* cerfeuil *m*

Cheshire /ˈtʃeʃə(r)/ ▸ **p. 1612** *pr n* Cheshire *m*

chess /tʃes/ ▸ **p. 1253** *n* échecs *mpl*; **a game of ~** une partie d'échecs

chess: **~board** *n* échiquier *m*; **~man**, **~piece** *n* pièce *f* (de jeu d'échecs); **~player** *n* joueur/-euse *m/f* d'échecs; **~ set** *n* jeu *m* d'échecs

chest /tʃest/

A *n* 1 Anat poitrine *f*; 2 (container) (furniture) coffre *m*; (for packing) caisse *f*; 3 Fin (fund) caisse *f*

B *modif* Med [*pains*] de poitrine; [*infection, specialist*] des voies respiratoires; [*X-ray*] des poumons

(Idioms) **to get something off one's ~**○ vider son sac○; **to hold** *ou* **keep one's cards close to one's ~** ne pas jouer cartes sur table

chest cold ▸ **p. 1327** *n* rhume *m* (*accompagné de toux*)

chesterfield /ˈtʃestəfiːld/ *n* canapé *m*

chest: **~ expander** *n* extenseur *m*; **~ freezer** *n* congélateur *m* coffre; **~ measurement** ▸ **p. 1694** *n* tour *m* de poitrine

chestnut /ˈtʃesnʌt/

A *n* 1 (*also* **~ tree**) (horse) marronnier *m* (d'Inde); (sweet) châtaignier *m*; 2 (wood) châtaignier *m*; 3 (nut) (edible) marron *m*, châtaigne *f*; (conker) marron *m* d'Inde; 4 (horse) alezan *m*; 5 fig (joke) **an old ~** une plaisanterie éculée

B *modif* [*cream, puree*] de marrons; [*stuffing*] aux marrons

C *adj* [*hair*] châtain; **a ~ horse** un (cheval) alezan

chest of drawers *n* commode *f*

chesty○ /ˈtʃestɪ/ *adj* [*person*] fragile des bronches; [*cough*] de poitrine

cheval glass /ʃəˈvæl glɑːs/ *n* psyché *f*

chevron /ˈʃevrən/

A *n* (all contexts) chevron *m*

B *modif* [*pattern, paving*] en chevrons

chew /tʃuː/

A *n* 1 (act) mâchement *m*; 2 (sweet) bonbon *m*; 3 (of tobacco) chique *f*

B *vtr* 1 [*person*] mâcher [*food, chewing gum*]; ronger [*fingernails*]; mordiller [*pencil etc*]; **to ~ tobacco** chiquer; **to ~ one's lip** se mordiller les lèvres; **to ~ a hole in sth** faire un trou dans qch (en rongeant); 2 [*animal*] ronger [*bone*]; mordiller [*carpet etc*]

C *vi* mâcher

(Idioms) **to bite off more than one can ~** s'exagérer son talent *or* ses capacités; **to ~ the fat**○ tailler une bavette○

(Phrasal verbs) ■ **chew on**: ▸ **~ on [sth]** mâcher [*food*]; ronger [*bone*]; fig○ cogiter sur○ [*problem*]

■ **chew out**○: ▸ **~ [sb] out**○ US passer un savon à○

■ **chew over**○: ▸ **~ over [sth]**, **~ [sth] over**○ cogiter sur○ [*problem*]

■ **chew up**: ▸ **~ up [sth]**, **~ [sth] up** (bien) mâcher [*food*]

chewable /ˈtʃuːəbl/ *adj* [*tablet*] à croquer

chew: **~ing gum** *n* chewing-gum *m*; **~ing tobacco** *n* tabac *m* à chiquer

chewy /ˈtʃuːɪ/ *adj* difficile à mâcher; **a ~ toffee** un caramel mou

chiaroscuro /kɪˌɑːrəˈskʊərəʊ/

A *n* clair-obscur *m*

B *adj* [*effect*] de clair-obscur; [*lighting*] en clair-obscur

chiasma /kaɪˈæzmə/ *n* (*pl* **-mata**) Anat chiasma *m*

chiasmus /kaɪˈæzməs/ *n* Literat chiasme *m*

chic /ʃiːk/

A *n* chic *m*; **to have ~** avoir du chic

B *adj* chic *inv*

chicanery /ʃɪˈkeɪnərɪ/ *n* chicane *f*

Chicano /tʃɪˈkɑːnəʊ/ *n* chicano *mf*

> **Chicano**
>
> Citoyen américain d'origine mexicaine. Le terme avait, à l'origine, une connotation péjorative, mais aujourd'hui ce sont les Américano-Mexicains eux-mêmes qui revendiquent cette dénomination pour affirmer leur identité culturelle.

chichi○ /ˈʃiːʃiː/ *adj* chochotte○

chick /tʃɪk/ *n* 1 (fledgling) oisillon *m*; (of fowl) poussin *m*; 2 ○(young woman) nana○ *f*, gonzesse◑ *f*

chickadee /ˈtʃɪkədiː/ *n* US mésange *f*

chicken /ˈtʃɪkɪn/

A *n* 1 Agric, Zool (fowl) poulet *m*, poule *f*; **to keep ~s** élever des poules; 2 Culin (*also* **~ meat**) poulet *m*; 3 ○(coward) trouillard/-e○ *m/f*, poule *f* mouillée; 4 (game) **to play ~** jouer au premier qui se dégonfle○

B *modif* [*wing, salad, stock*] de poulet; [*sandwich, soup*] au poulet

C ○*adj* trouillard○, froussard○

(Idioms) **it's a ~ and egg situation** c'est l'histoire de l'œuf et de la poule; **to count one's ~s (before they are hatched)** vendre la peau de l'ours avant de l'avoir tué; **he/she is no spring ~**○ il/elle n'est plus de la première jeunesse

(Phrasal verb) ■ **chicken out**○ se dégonfler○; **he ~ed out of his dental appointment** il s'est dégonflé○ et il n'est pas allé chez le dentiste

chicken: **~ breast** *n* filet *m* de poulet; **~ casserole** *n* poulet *m* à la cocotte; **~ curry** *n* poulet *m* au curry; **~ drumstick** *n* pilon *m*; **~ farmer** ▸ **p. 1683** *n* éleveur *m* de volailles; **~ farming** *n* élevage *m* de volailles

chicken feed *n* ₵ 1 Agric nourriture *f* pour volaille; 2 ○(paltry sum) bagatelle *f*, somme *f* dérisoire; **it's ~** c'est une bagatelle

chicken: **~-fried steak** *n* US steak *m* pané; **~-hearted** *adj* peureux/-euse; **~ livers** *npl* foies *mpl* de volaille; **~ noodle soup** *n* soupe *f* de poulet au vermicelle; **~ pox** ▸ **p. 1327** *n* varicelle *f*; **~ run** *n* basse-cour *f*

chickenshit◑ /ˈtʃɪkɪnʃɪt/ US péj

A *n* 1 (coward) trouillard/-e○ *m/f*, poule *f* mouillée; 2 (petty details) tracasseries *fpl*

B *adj* 1 (cowardly) trouillard; 2 (worthless, petty) merdique◑

chicken: **~ thigh** *n* cuisse *f* de poulet; **~ wire** *n* grillage *m* (à mailles fines)

chick: **~pea** *n* pois *m* chiche; **~weed** *n* mouron *m* blanc, mouron *m* des oiseaux

chicory /ˈtʃɪkərɪ/

A *n* 1 (vegetable) endive *f*; 2 (in coffee) chicorée *f*

B *modif* [*soup, salad*] aux endives

chide† /tʃaɪd/ *vtr* réprimander (**for** pour; **for doing** pour avoir fait)

chief /tʃiːf/

A *n* 1 (leader) gen chef *m*; **party ~** Pol dirigeant/-e *m/f* de parti; **defence ~s** Pol responsables *mpl* de la défense; 2 ○(boss) chef○ *m*, patron○ *m*

B *modif* 1 (primary) [*reason*] principal; 2 (highest in rank) [*editor*] en chef

C **in chief** *adv phr* (chiefly) notamment, surtout

D **-in-chief** (*dans composés*) en chef; **commander-in-~** commandant en chef

(Idiom) **too many ~s and not enough indians** trop de têtes et pas assez de bras

chief: **~ accountant** *n* chef comptable *m*; **~ administrator** *n* administrateur/-trice *m/f* principal/-e; **~ assistant** *n* premier/-ière *m/f* adjoint/-e; **~ constable** *n* GB ≈ directeur *m* de police; **~ education officer** *n* ≈ recteur/-trice *m/f* d'académie; **~ engineer** *n* ingénieur *m* en chef

chief executive *n* 1 Admin, Comm directeur *m* général; 2 US Pol Chef *m* de l'Exécutif (*le Président des États-Unis*)

chief: **~ executive officer**, **CEO** *n* directeur *m* général; **~ inspector** *n* gen inspecteur/-trice *m/f* principal/-e; GB (of police) inspecteur *m* de police divisionnaire; **~ justice** *n* US Président *m* de la Cour Suprême; GB Président *m* de la Cour Supérieure de Justice

chiefly /ˈtʃiːflɪ/ *adv* notamment, surtout

chief: **~ master sergeant** ▸ **p. 1599** *n* US major *m*; **~ of police** *n* ≈ préfet *m* de police; **Chief of Staff**, **C of S** ▸ **p. 1599** *n* Mil chef *m* d'état-major; (of White House) secrétaire *m* général; **~ of state** *n* US chef *m* d'État; **~ petty officer**, **CPO** ▸ **p. 1599** *n* premier maître *m*; **Chief Rabbi** *n* Grand Rabbin *m*; **~ secretary (to the Treasury)** *n* GB ministre *m* délégué au budget; **~ superintendent** *n* GB ≈ commissaire *m* divisionnaire

chieftain /ˈtʃiːftən/ *n* chef *m* (*de clan ou tribu*)

chief: **~ technician** ▸ **p. 1599** *n* sergent *m*; **~ warrant officer**, **c.w.o** ▸ **p. 1599** *n* adjudant-chef *m*; **~ whip** *n* GB Pol député *m* principal parmi les whips (*députés chargés* *d'assurer la discipline de vote*)

chiffchaff /ˈtʃɪftʃæf/ *n* pouillot *m* véloce

chiffon /ˈʃɪfɒn, US ʃɪˈfɒn/

A *n* mousseline *f*

B *modif* [*dress, scarf*] en mousseline

chiffonier /ˈʃɪfɒnɪə(r), US ʃɪˈfɒnɪər/ *n* (sideboard) chiffonnier *m*

chignon /ˈʃiːnjɒn/ *n* chignon *m*

chihuahua /tʃɪˈwɑːwɑː/ *n* chihuahua *m*

chilblain /ˈtʃɪlbleɪn/ *n* engelure *f*

child /tʃaɪld/

A *n* (*pl* **children**) **1** (non-adult) enfant *mf*; **when I was a ~** quand j'étais enfant; **to be with ~**‡ porter un enfant (en son sein)†; **2** fig (product) **a ~ of the 60s/of nature** un enfant des années soixante/de la nature

B *modif* **~ star/prodigy** enfant *mf* vedette/prodige

(Idioms) **it's ~'s play** c'est un jeu d'enfant; **the ~ is father to the man** Prov l'enfant fait l'homme Prov

child abuse *n* gen mauvais traitements *mpl* infligés à un enfant; (sexual) sévices *mpl* sexuels exercés sur l'enfant

childbearing /ˈtʃaɪldbeərɪŋ/ *n* maternité *f*; **of ~ age** en âge d'avoir des enfants, nubile; **constant ~** grossesses *fpl* répétées; **to have ~ hips** hum avoir les hanches larges

child benefit *n* GB ≈ allocations *fpl* familiales

childbirth /ˈtʃaɪldbɜːθ/ *n* accouchement *m*; **to die in ~** mourir en couches

child: **~care** *n* (nurseries etc) structures *fpl* d'accueil pour les enfants d'âge préscolaire; (bringing up children) éducation *f* des enfants; **~care facilities** *npl* crèche *f*; **~ guidance** *n* GB Soc Admin assistance *f* sociopsychologique de l'enfance

childhood /ˈtʃaɪldhʊd/

A *n* enfance *f*; **in (his) early ~** dans sa prime enfance; **in (his) late ~** tard dans son enfance

B *modif* [*home, friend, memory*] d'enfance; [*illness*] infantile; [*event, experience*] survenu dans mon/son etc enfance

childish /ˈtʃaɪldɪʃ/ *adj* **1** (of child) d'enfant; **2** péj (immature) puéril

childishly /ˈtsaɪldɪʃlɪ/ *adv* [*behave, say*] de façon puérile; [*simple, naïve*] comme un enfant

childishness /ˈtʃaɪldɪʃnɪs/ *n* puérilité *f*

child labour *n* travail *m* des enfants

childless /ˈtʃaɪldlɪs/ *adj* sans enfants

childlike /ˈtʃaɪldlaɪk/ *adj* enfantin

child: **~minder** ► **p. 1683** *n* GB nourrice *f*; **~ molester** *n* agresseur *m* d'enfants; **~ pornography** *n* pédopornographie *f*; **~-proof** *adj* [*container, lock*] de sécurité (*à l'épreuve des enfants*); **~ protection register** *n* GB Soc Admin *registre des enfants qui selon les services sociaux risquent de subir des violences*; **~ psychiatrist** *n* pédopsychiatre *mf*; **~ psychiatry** *n* pédopsychiatrie *f*

children /ˈtʃɪldrən/ *pl* ► **child**

children's home *n* maison *f* d'enfants

Chile /ˈtʃɪlɪ/ ► **p. 1096** *pr n* Chili *m*

Chilean /ˈtʃɪlɪən/ ► **p. 1467**

A *n* Chilien/-ienne *m/f*

B *adj* [*wine, customs, refugee etc*] chilien/-ienne

Chile: **~ nitre** *n* salpêtre *m* du Chili; **~ pine** *n* araucaria *m*; **~ saltpetre** = **Chile nitre**

chill /tʃɪl/

A *n* **1** (coldness) fraîcheur *f*; **there is a ~ in the air** le fond de l'air est frais; **2** (illness) coup *m* de froid; **to catch a ~** prendre *or* attraper un coup de froid; **3** fig frisson *m*; **to send a ~ through sb** *ou* **down sb's spine** donner des frissons à qn; **4** (in foundry) coquille *f*

B *adj* **1** [*wind, air*] frais/fraîche; **2** fig (causing fear) [*reminder, words*] brutal

C *vtr* **1** Culin (make cool) mettre [qch] à refroidir [*dessert, soup*]; rafraîchir [*wine*]; (keep cool) réfrigérer [*meat, fish*]; **2** [*wind*] refroidir [*air, atmosphere*]; faire frissonner [*person*]; **3** fig (cause to fear) faire frissonner [*person*]; **to ~ sb's** *ou* **the blood** glacer le sang à qn; **4** Tech refroidir [*casting*]

D *vi* [*dessert*] refroidir; [*wine*] rafraîchir

E chilled *pp adj* (cool) [*wine*] bien frais; [*soup*] froid; (refrigerated) [*food*] réfrigéré

(Phrasal verb) ■ **chill out**° décompresser°; **~ out!** laisse faire!

chill cabinet *n* GB rayonnage *m* réfrigéré

chill casting *n* Tech **1** (process) coulée *f* en coquille; **2** (object) pièce *f* coulée en coquille

chiller° /ˈtʃɪlə(r)/ *n* Cin film *m* d'épouvante

chilli, **chili** /ˈtʃɪlɪ/ *n* **1** (pod) piment *m* rouge; (powder, substance) chili *m*; **2** (*also* **~ con carne**) chili *m* con carne

chilli con carne /ˌtʃɪlɪ kɒn ˈkɑːnɪ/ *n* chili *m* con carne

chilliness = **chillness**

chilling /ˈtʃɪlɪŋ/

A *n* Tech trempe *f*

B *adj* [*story, thought, look*] effrayant

chillingly /ˈtʃɪlɪŋlɪ/ *adv* [*speak, remind*] d'une manière terrifiante; [*obvious*] effroyablement

chilli: **~ pepper** *n* piment *m* rouge; **~ powder** *n* chili *m* (en poudre); **~ sauce** *n* sauce *f* au chili

chillness /ˈtʃɪlnɪs/ *n* **1** lit (of wind, air, house) fraîcheur *f*; **2** fig (of welcome, words, look) froideur *f*

chilly /ˈtʃɪlɪ/ *adj* **1** lit froid; **it's ~ today** il fait froid aujourd'hui; **2** fig [*look, response, smile*] froid

chime /tʃaɪm/

A *n* (of clock, church bell) carillon *m*; **the ~s of the clock** (sound) le carillon de l'horloge; (set of bells) carillon *m*

B chimes *npl* (doorbell, mobile) carillon *m*

C *vi* **1** (strike) sonner; (play a tune) carillonner; **the clock ~d three** la pendule a sonné trois heures; **2** **to ~ with** [*viewpoint, experience*] s'accorder avec

(Phrasal verb) ■ **chime in** interrompre

chimera /kaɪˈmɪərə/ *n* littér (beast, idea) chimère *f*

chimeric /kaɪˈmerɪk/ *adj* **1** gen chimérique; **2** Biol [*gene, DNA*] chimère

chimney /ˈtʃɪmnɪ/ *n* (*pl* **-neys**) cheminée *f*; (on oil lamp) verre *m* (de lampe); (in mountaineering) cheminée *f*; **in the ~ corner** au coin du feu

chimney: **~breast** *n* manteau *m* de cheminée; **~ corner** *n* coin *m* du feu; **~ fire** *n* incendie *m* de cheminée; **~piece** *n* tablette *f* de cheminée; **~pot** *n* mitron *m* (*sur cheminée*); **~stack** *n* cheminée *f*; **~ sweep** ► **p. 1683** *n* ramoneur *m*

chimp° /tʃɪmp/ *n* = **chimpanzee**

chimpanzee /ˌtʃɪmpənˈziː, ˌtʃɪmpænˈziː/ *n* chimpanzé *m*; **female ~** chimpanzé *m* femelle

chin /tʃɪn/

A *n* menton *m*; **double ~** double menton; **weak ~** menton fuyant

B *vtr* (*p prés etc* **-nn-**) **1** (gym) **to ~ the bar** mettre le menton au niveau de la barre; **2** °**to ~ sb** frapper qn au menton

C *vi*° (*p prés etc* **-nn-**) US bavarder

(Idioms) **to keep one's ~ up**° tenir le coup°; **~ up!** tiens bon!; **to take it on the ~**° encaisser° bravement

china /ˈtʃaɪnə/

A *n* ȼ porcelaine *f*; **a piece of ~** une porcelaine; **rare ~** porcelaines *fpl* rares

B *modif* [*cup, plate*] en porcelaine

(Idiom) **like a bull in a ~ shop** comme un éléphant dans un magasin de porcelaine

China /ˈtʃaɪnə/ ► **p. 1096** *pr n* Chine *f*; **red ~** Chine communiste

(Idiom) **not for all the tea in ~** pour rien au monde

china: **~ cabinet** *n* vitrine *f* (*meuble*); **~ clay** *n* kaolin *m*; **~ closet** *n* US = **china cabinet, china cupboard**; **~ cupboard** *n* placard *m* à vaisselle

China: **~man** *n* ‡ *ou* péj Chinois *m*; **~ Sea** *pr n* mer *f* de Chine; **~ tea** *n* thé *m* de Chine; **~town** *n* le quartier chinois

chinaware /ˈtʃaɪnəweə(r)/ *n* objets *mpl* en porcelaine

chinchilla /tʃɪnˈtʃɪlə/ *n* (animal, fur) chinchilla *m*; **a ~ (coat)** un manteau de chinchilla

chin-chin /ˌtʃɪnˈtʃɪn/ *excl* tchin-tchin!

chine /tʃaɪn/ *n* **1** (cut of meat) échine *f*; **2** (ridge) crête *f*; **3** Naut bouchain *m*

Chinese /tʃaɪˈniːz/ ► **p. 1467, p. 1378**

A *n* **1** (native, inhabitant) Chinois/-oise *m/f*; **2** (language) chinois *m*; **to speak ~** parler le chinois; **in ~** en chinois; **to translate into ~** traduire en chinois; **3** °GB (meal) repas *m* chinois

B *adj* chinois/-oise; **to eat ~** manger chinois

Chinese: **~ cabbage** *n* US = **Chinese leaves**; **~ gooseberry** *n* kiwi *m*

Chinese lantern *n* **1** (light) lanterne *f* vénitienne; **2** Bot physalis *m*

Chinese: **~ leaves** *npl* GB chou *m* de Chine; **~ puzzle** *n* lit, fig casse-tête *m* chinois

chink /tʃɪŋk/

A *n* **1** (slit) (in wall) fente *f*; (in door, curtain) entrebâillement *m*; **2** (sound) tintement *m*

B *vtr* faire tinter [*glasses, coins*]

C *vi* [*glasses, coins*] tinter

(Idiom) **it's the ~ in his armour** c'est le défaut de sa cuirasse

Chink° /tʃɪŋk/ *n* injur Chinetoque° *mf* offensive

chinless /ˈtʃɪnlɪs/ *adj* **1** (weak-chinned) au menton fuyant; **2** °GB (weak) mollasson°/-onne; **a ~ wonder** un abruti° *m* du beau monde

chinoiserie /ʃiːnˈwɑːzərɪ/ *n* ȼ (style) chinoiserie *f*; (objects) chinoiseries *fpl*

chinos /ˈtʃiːnəʊs/ *npl* chino® *m*; pantalon *m* kaki; **a pair of ~** un chino®

chinstrap /ˈtʃɪnstræp/ *n* jugulaire *f*

chintz /tʃɪnts/ *n* chintz *m*

chintzy /ˈtʃɪntsɪ/ *adj* **1** [*room, curtains*] en chintz; [*furniture*] recouvert de chintz; **2** [*style*] (rustic) GB rustique; (fussy) chichi *inv*; (gaudy) US toc *inv*; **3** US (mean) radin°

chin-up /ˈtʃɪnʌp/ *n* traction *f* (à la barre)

chin-wag /ˈtʃɪnwæg/

A *n* causette° *f*; **to have a ~** faire la causette

B *vi* (*p prés etc* **-gg-**) faire la causette

chip /tʃɪp/

A *n* **1** (fragment) gen fragment *m* (**of** de); (of wood) copeau *m*; (of glass) éclat *m*; **2** (mark, flaw) (in wood, china, glass) ébréchure *f*; **this cup has a ~ in it** cette tasse est ébréchée; **3** GB Culin (fried potato) frite *f*; **4** US (potato crisp) chips *f*; **a packet of ~s** un paquet de chips; **5** Comput puce *f* (électronique); **6** Sport (in golf) coup *m* d'approche; (in football) chandelle *f*; **to play a ~** (in golf) faire une approche; **7** Games (in gambling) plaque *f*; (smaller) jeton *m*; **to cash in one's ~s** lit encaisser ses plaques; fig ramasser ses billes°

B *vtr* (*p prés etc* **-pp-**) **1** (damage) ébrécher [*glass, cup, plate*]; écorner [*precious stone*]; écailler [*paint*]; **to ~ a tooth/bone** se casser une dent/un os; **a ~ped cup** une tasse ébréchée; **2** (carve) tailler [*wood, stone*]; **3** Culin couper [*potatoes*]

C *vi* (*p prés etc* **-pp-**) **1** (damage) [*plate, glass*] s'ébrécher; [*paint, varnish*] s'écailler; [*tooth*] se casser; [*precious stone*] s'écorner; **2** Sport (in golf) faire une approche

(Idioms) **to have a ~ on one's shoulder** être amer/-ère; **he's got a ~ on his shoulder about not having gone to university** il n'est jamais allé à l'université et il en veut à tout le monde à cause de cela; **to be a ~ off the old block** être bien le fils de son père/la fille de sa mère; **when the ~s are down** dans les moments difficiles; **he's had his ~s**○ GB il est cuit○

(Phrasal verbs) ■ **chip away**: ▸ **~ away** [*paint, plaster*] s'écailler; **to ~ away at** (carve) tailler [*marble, rock*]; fig affaiblir [qch] progressivement [*power, authority*]; miner [*confidence*]; ▸ **~ away [sth], ~ [sth] away** enlever [qch] petit à petit [*paint, plaster*]

■ **chip in** GB○ [1] (in conversation) gen interrompre; (officiously) mettre son grain de sel○; [2] (contribute money) donner un peu d'argent; **she ~ped in with £5** elle a mis cinq livres de sa poche

■ **chip off**: ▸ **~ off** [*paint, plaster*] s'écailler; ▸ **~ off [sth], ~ [sth] off** écailler [*plaster*] **(from** de); **he ~ped a piece off** il a enlevé un éclat; **to ~ a piece off a tooth** ébrécher une dent

chip: **~ basket** *n* panier *m* à frites; **~board** *n* aggloméré *m*

chipmunk /ˈtʃɪpmʌŋk/ *n* tamia *m*

chipolata /ˌtʃɪpəˈlɑːtə/ *n* GB chipolata *f*

chip: **~ pan** *n* friteuse *f*; **~ped potatoes** *npl* frites *fpl*

Chippendale /ˈtʃɪpəndeɪl/ *adj* chippendale *inv*

chipper○† /ˈtʃɪpə(r)/ *adj* en pleine forme

chippings /ˈtʃɪpɪŋz/ *npl* gravillons *mpl*; **'loose ~!'** 'danger: gravillons!'

chippy○ /ˈtʃɪpɪ/ *n* GB friterie *f*

chip shop ▸ **p. 1683** *n* marchand *m* de frites

chiromancer /ˈkaɪərəʊmænsə(r)/ ▸ **p. 1683** *n* chiromancien/-ienne *m/f*

chiromancy /ˈkaɪərəʊmænsɪ/ *n* chiromancie *f*

chiropodist /kɪˈrɒpədɪst/ ▸ **p. 1683** *n* pédicure *mf*

chiropody /kɪˈrɒpədɪ/ *n* podologie *f*

chiropractic /ˌkaɪərəʊˈpræktɪk/ *n* chiropraxie *f*

chiropractor /ˈkaɪərəʊpræktə(r)/ ▸ **p. 1683** *n* chiropraticien/-ienne *m/f*, chiropracteur *m*

chirp /tʃɜːp/
A *n* pépiement *m*; **to give a ~** lancer un pépiement
B *vi* [*bird*] pépier

chirpily /tʃɜːpɪlɪ/ *adv* avec une gaieté pétillante

chirpy○ /ˈtʃɜːpɪ/ *adj* pétillant

chirrup /ˈtʃɪrəp/
A *n* (of bird) pépiement *m*
B *vi* [*cricket, grasshopper*] chanter; [*bird*] pépier

chisel /ˈtʃɪzl/
A *n* ciseau *m*
B *vtr* [1] (*p prés etc* **-ll-**, US **-l-**) (shape) tailler au ciseau; (finely) ciseler; **to ~ a figure out of a piece of wood** tailler une silhouette dans un morceau de bois; [*sculptor*] sculpter une silhouette dans un morceau de bois; **~led features** fig traits burinés; **finely ~led features** fig traits finement ciselés; [2] ○US rouler○ **(out of** de)

(Phrasal verb) ■ **chisel in**○ US **~ in on sb** tomber sur qn○

chiseler○ /ˈtʃɪzlə(r)/ *n* US (cheat) escroc *m*

chit /tʃɪt/ *n* [1] GB (voucher) bon *m*; (bill, note, memo) note *f*; [2] ○péj **a ~ of a girl** une gamine

chitchat○ /ˈtʃɪttʃæt/ *n* bavardage *m*; **to spend one's time in idle ~** perdre son temps en bavardages

chitterlings /ˈtʃɪtəlɪŋz/ *npl* tripes *fpl* (*de porc*)

chivalric /ˈʃɪvəlrɪk/ *adj* littér chevaleresque

chivalrous /ˈʃɪvəlrəs/ *adj* [1] (heroic) [*deeds, conduct*] chevaleresque; [2] (polite) galant

chivalrously /ˈʃɪvəlrəslɪ/ *adv* galamment

chivalry /ˈʃɪvəlrɪ/ *n* [1] ¢ (qualities, system of values) chevalerie *f*; **the age of ~** l'âge de la chevalerie; **the age of ~ is not dead** hum la galanterie n'est pas morte; [2] (courtesy) galanterie *f*; [3] (knights) la chevalerie

chive /tʃaɪv/
A *n* (*gén pl*) ciboulette *f*
B *modif* [*dressing*] à la ciboulette

chivvy○, US **chivy**○ /ˈtʃɪvɪ/ *vtr* harceler; **to ~ sb into doing** harceler qn jusqu'à ce qu'il fasse

chlamydia /kləˈmɪdɪə/ *n* Med chlamydia *f*

chloral /ˈklɔːrəl/ *n* chloral *m*

chlorate /ˈklɔːreɪt/ *n* chlorate *m*

chloric /ˈklɔːrɪk/ *adj* chlorique

chloric acid *n* acide *m* chlorique

chloride /ˈklɔːraɪd/ *n* chlorure *m*

chlorinate /ˈklɔːrɪneɪt/ *vtr* [1] Chem chlorer; [2] (disinfect) javelliser [*water, swimming pool*]

chlorination /ˌklɔːrɪˈneɪʃn/ *n* [1] Chem chloration *f*; [2] (disinfection) javellisation *f*

chlorine /ˈklɔːriːn/ *n* chlore *m*

chlorofluorocarbon, **CFC** /ˌklɔːrəˌflʊərəʊˈkɑːbən/ *n* chlorofluorocarbone *m*, CFC *m*

chloroform /ˈklɒrəfɔːm, US ˈklɔːr-/
A *n* chloroforme *m*
B *vtr* chloroformer

chlorophyll /ˈklɒrəfɪl/
A *n* chlorophylle *f*
B *modif* [*colouring, toothpaste*] à la chlorophylle

ChM *n* GB (*abrév* = **Master of surgery**) (qualification) diplôme *m* supérieur de chirurgie

choc○ /tʃɒk/ *n* GB chocolat *m*

chocaholic○ /ˌtʃɒkəˈhɒlɪk/ *n* grand/-e mangeur/-euse *m/f* de chocolat

choc-ice /ˈtsɒkaɪs/ *n* GB esquimau *m*

chock /tʃɒk/
A *n* (for boat, plane, vehicle) cale *f*; **to put a ~ under sth** mettre une cale sous qch; **to put sth on ~s** mettre qch sur cales; **~s away!** enlevez les cales!
B *vtr* caler [*wheel*]; Naut mettre en cale

chock-a-block /ˌtʃɒkəˈblɒk/ *adj* (*après v*) plein à craquer **(with** de)

chock-full /ˌtʃɒkˈfʊl/ *adj* (*après v*) archiplein **(of** de)

chocolate /ˈtʃɒklət/ ▸ **p. 1067**
A *n* [1] (substance) chocolat *m*; **cooking ~** chocolat *m* de ménage; **plain** *ou* **dark ~** chocolat *m* noir; **milk ~** chocolat *m* au lait; **a bar of ~** une tablette de chocolat; [2] (sweet) chocolat *m*; [3] (drink) chocolat *m*; **drinking ~** chocolat *m*; **hot ~** chocolat *m* chaud; [4] (colour) chocolat *m*; **dark ~** tête-de-nègre *m*
B *modif* [*eggs, sweets*] en chocolat; [*biscuit, cake, eclair, ice cream, sauce*] au chocolat

chocolate: **~ chip cookie** *n* cookie *m* (*biscuit avec pépites de chocolat*); **~-coated**, **~-covered** *adj* enrobé de chocolat

choice /tʃɔɪs/
A *n* [1] (selection) choix *m*; **to make a ~** faire un choix, choisir; **it was my ~ to do** c'est moi qui ai choisi de faire; **it's your ~** c'est à toi de choisir; [2] ¢ (right to select) choix *m*; **to have the ~** avoir le choix; **to have a free ~** être libre de choisir; [3] (option) choix *m* **(between,** entre); **you have a ~ of three colours** tu as le choix entre trois couleurs; **to have no ~ but to do** se voir contraint de faire; **you have two ~s open to you** vous avez deux possibilités; [4] (range of options) choix *m*; **a wide ~** un grand choix; **a narrow ~** un choix limité; **to be spoilt for ~** avoir l'embarras du choix; [5] ¢ (preference) choix *m*; **I approve of your ~** j'approuve ton choix; **a car of my ~** une voiture de mon choix; **out of** *ou* **from ~** par choix; **to be the people's ~** être choisi par le peuple; **my first ~ would be a Rolls Royce** en premier je choisirais une Rolls Royce
B *adj* [1] (quality) [*cut, example, steak*] de choix; [2] (well-chosen) [*phrase, word*] bien choisi; **~ language** euph langage de charretier

(Idiom) **you pays your money and you takes your ~**○ hum c'est à vous de voir

choir /ˈkwaɪə(r)/ *n* [1] Mus (of church, school) chorale *f*; (professional) chœur *m*; (of boys at cathedral) maîtrise *f*; **to be** *ou* **sing in the church/school ~** faire partie de la chorale de l'église/de l'école; [2] Archit chœur *m*

choir: **~boy** *n* petit chanteur *m*, jeune choriste *m*; **~ festival** *n* festival *m* de chant choral; **~girl** *n* jeune choriste *f*; **~master** *n* gen chef *m* des chœurs; (in church) maître *m* de chapelle; **~ organ** *n* positif *m*; **~ practice** *n* répétition *f* de la chorale; **~ school** *n* GB maîtrise *f*, manécanterie *f*; **~ screen** *n* grille *f* de chœur; **~stall** *n* stalle *f*

choke /tʃəʊk/
A *n* [1] Aut starter *m*; **to pull out/use the ~** tirer/mettre le starter; [2] (sound) étouffement *m*; [3] (of emotion) **with a ~ in one's voice** la voix étranglée
B *vtr* [1] (throttle) étrangler [*person*]; **to ~ sb to death** étrangler qn; [2] (impede breathing) [*fumes, smoke*] étouffer; [3] (render speechless) **~d with** [*voice*] étranglé par [*emotion*]; [4] (block) = **choke up**
C *vi* [1] (be unable to breathe) s'étouffer; **to ~ on a fish bone/on a drink** s'étouffer avec une arête/en buvant; **to ~ to death** mourir étouffé; [2] (become speechless) **to ~ with** étouffer de [*rage, emotion*]; [3] ○US (tense up) [*athlete, player*] craquer○
D **choked**○ *pp adj* [1] (angry) furieux/-ieuse **(about** au sujet de); [2] (upset) affecté **(over, about** par)

(Phrasal verbs) ■ **choke back**: ▸ **~ back [sth]** étouffer [*cough, sob*]; **to ~ back one's tears** retenir ses larmes; **to ~ back one's anger** ravaler sa colère

■ **choke off**: ▸ **~ off [sth]** stopper [*buying, lending, growth, supplies*]; faire taire [*opposition, protest*]

■ **choke up**: ▸ **~ [sth] up, ~ up [sth]** (block) boucher [*drain, road, town centre*]; [*weeds*] étouffer [*garden*]; [*plants*] envahir [*pond*]; **the town/street was ~d up with traffic** la ville/rue était embouteillée

choker /ˈtʃəʊkə(r)/ *n* collier *m* ras de cou; **a pearl ~** un collier de perles ras de cou

choking /ˈtʃəʊkɪŋ/
A *n* étouffement *m*
B *adj* [*gas, fumes*] asphyxiant; [*sensation*] d'étouffement; [*sound*] de suffocation

cholera /ˈkɒlərə/ ▸ **p. 1327**
A *n* choléra *m*
B *modif* [*victim, epidemic*] de choléra; [*vaccination*] contre le choléra

choleric /ˈkɒlərɪk/ *adj* colérique, coléreux/-euse

cholesterol /kəˈlestərɒl/ *n* cholestérol *m*

cholesterol: **~ count**, **~ level** *n* taux *m* de cholestérol; **~ screening** *n* dépistage *m* du cholestérol; **~ test** *n* analyse *f* de sang pour déterminer le taux de cholestérol

chomp○ /tʃɒmp/
A *vtr* mâcher bruyamment
B *vi* mâcher bruyamment; **to ~ on sth** ronger qch

Chomskyan /ˈtʃɒmskɪən/ *adj* chomskyien/-ienne

choo-choo /ˈtʃuːtʃuː/ *n* lang enfantin teuf-teuf *m* baby talk, train *m*

choose /tʃuːz/
A *vtr* (*prét* **chose**, *pp* **chosen**) [1] (select) choisir [*book, career, person, option*] **(from** parmi); **to ~ which car/hat one wants** choisir quelle voiture/quel chapeau on veut; **to ~ sb as** choisir qn comme [*adviser, friend, manager*]; élire qn [*leader*]; **we chose him as our representative** nous l'avons choisi comme délégué; **we cannot ~ but do** nous n'avons pas d'autre choix que de faire; [2] (decide) **to ~ to do** décider de faire; **to ~ when/how/whether** décider quand/comment/si
B *vi* (*prét* **chose**, *pp* **chosen**) [1] (select) choisir **(between** entre; **between doing** entre faire);

C

there are many models to ~ from il y a un grand choix de modèles; **there's not much to ~ from** il y a très peu de choix; **there's nothing to ~ between X and Y** il y a très peu de différence entre X et Y; **2** (prefer) vouloir; **whenever you ~** quand tu voudras; **to do as one ~s** faire ce qu'on veut; **to ~ to do** préférer faire; **if you (so) ~** si telle est votre décision.

(Phrasal verb) ■ **choose up**○ US: ▸ **~ up [sb]** choisir *[team members]*

choosy /'tʃu:zɪ/ *adj* difficile (**about** en ce qui concerne); **I can't afford to be ~** je ne peux pas me permettre d'être difficile

chop /tʃɒp/

A *n* **1** (blow with axe, tool, hand) coup *m*; **to cut sth off with one ~** trancher qch d'un seul coup; **2** Culin côtelette *f*; **pork ~** côtelette *f* de porc; **3** ○GB fig (axe) **to get the ~** *[person]* se faire sacquer○; *[scheme, service, programme]* être supprimé; **he's afraid of the ~** il a peur de se faire sacquer○; **4** (in table tennis) revers *m* coupé

B chops○ *npl* gueule◑ *f*; **a slap across the ~s** une baffe dans la gueule◑; **to lick one's ~s** (at food) se lécher les babines; (at idea) se frotter les mains

C *vtr* (*p prés etc* **-pp-**) **1** (cut up) couper *[wood, log]*; couper, émincer *[vegetable, meat]*; hacher *[parsley, onion]*; **to ~ sth into cubes/rounds** couper qch en cubes/rondelles; **to ~ sth to pieces** *ou* **bits** couper qch en morceaux; **to ~ sth finely** hacher qch; **2** fig (cut, reduce) réduire *[service, deficit, subsidy]*; (cut out) couper *[quote, footage]*; **3** Sport (give chopping blow to) frapper [qn] du tranchant de la main *[person]*; couper *[ball]*

D chopped *pp adj [parsley, nuts, meat]* haché

(Idioms) **~**○**!** GB et que ça saute○!; **to ~ and change** *[person]* changer d'avis comme de chemise; *[situation]* évoluer par à-coups

(Phrasal verbs) ■ **chop down**: ▸ **~ down [sth]**, **~ [sth] down** abattre

■ **chop off**: ▸ **~ off [sth]**, **~ [sth] off** couper *[branch, end]*; trancher *[head, hand, finger]*

■ **chop through**: ▸ **~ through [sth]** trancher *[bone, cable]*; **to ~ one's way through** se frayer un passage à la hache à travers *[undergrowth, forest]*

■ **chop up**: ▸ **~ up [sth]**, **~ [sth] up** couper *[wood, log]*; émincer *[meat, onion]* (**into** en)

chophouse /'tʃɒphaʊs/ *n* grill *m*

chopped liver○ *n* US **1** Culin foie *m* haché; **2** ○fig **to be ~** compter pour du beurre○; **she's not ~** elle n'est pas mal; **to make ~ of sb** (beat up) mettre qn en bouilli○

chopper /'tʃɒpə(r)/

A *n* **1** (axe) hache *f*; (for kitchen) hachoir *m*; **2** ○(helicopter) hélico○ *m*; **3** Elec interrupteur *m* périodique; **4** ○(motorbike) chopper○ *m*; **5** ●GB (penis) pine● *f*, pénis *m*

B choppers○ *npl* (real) dents *fpl*; (false) râtelier○ *m*, dentier *m*; **a set of ~s** un râtelier○

Chopper® /'tʃɒpə(r)/ *n* GB vélo *m* à guidon haut

chopping block *n* billot *m*

(Idioms) **to be on the ~** *[business, service]* être menacé de suppression; **to put one's head on the ~** prendre des risques

chop: **~ping board** *n* planche *f* à découper; **~ping knife** *n* couteau *m* de cuisine

choppy /'tʃɒpɪ/ *adj [sea, water]* agité; *[wind]* instable

chopstick /'tʃɒpstɪk/ *n* baguette *f* (chinoise)

chop suey /tʃɒp'su:ɪ/ *n* Culin chop suey *m*

choral /'kɔ:rəl/ *adj* choral

chorale /kə'rɑ:l/ *n* **1** (hymn, tune) choral *m*; **2** US (choir) chorale *f*, chœur *m*

choral: **~ society** *n* chorale *f*; **~ symphony** *n* symphonie *f* pour chœur

chord /kɔ:d/ *n* **1** Mus accord *m*; **2** fig (emotional response) **it struck a ~ in** *ou* **with him/his listeners** cela a trouvé un écho en lui/chez ses auditeurs; **to strike** *ou* **touch the right ~** toucher la corde sensible; **3** Math corde *f*; **4** (of harp) corde *f*

chore /tʃɔ:(r)/ *n* **1** (routine task) tâche *f*; **the (household) ~s** les tâches ménagères; **to do the/one's ~s** faire le/son ménage; **2** (unpleasant task) corvée *f*; **shopping is such a ~!** les courses sont une vraie corvée!; **it's a real ~ having to...** c'est une vraie corvée de devoir...

choreograph /'kɒrɪəgrɑ:f, -græf, US -græf/ *vtr* lit chorégraphier; fig orchestrer

choreographer /,kɒrɪə'ɒgrəfə(r)/ ▸ p. 1683 *n* chorégraphe *mf*

choreographic /,kɒrɪə'græfɪk/ *adj* chorégraphique

choreography /,kɒrɪ'ɒgrəfɪ/ *n* chorégraphie *f*

chorister /'kɒrɪstə(r), US 'kɔ:r-/ *n* choriste *mf*

chortle /'tʃɔ:tl/

A *n* gloussement *m*

B *vi* glousser, rire; **to ~ at** *ou* **about** *ou* **over sth** rire de qch; **to ~ with pleasure** glousser de plaisir

chortling /'tʃɔ:tlɪŋ/ *n* gloussements *mpl*

chorus /'kɔ:rəs/

A *n* **1** (people) (supporting singers) chœur *m*; (dancers, actors) troupe *f*; (of town, village etc) chorale *f*; **2** (piece of music) chœur *m*; **3** (refrain) refrain *m*; (in jazz) chorus *m*; **to join in the ~** (one person) reprendre le refrain; (several people) reprendre le refrain en chœur; **4** (of birdsong, yells) concert *m*; **the usual ~ of protest** l'habituelle tempête de protestations; **in ~** en chœur; **5** Theat chœur *m*

B *vtr* (utter in unison) crier [qch] à l'unisson

chorus: **~ girl** *n* danseuse *f* de revue; **~ line** *n* troupe *f* de danseurs (*de comédie musicale*)

chose /tʃəʊz/ *prét* ▸ **choose**

chosen /'tʃəʊzn/

A *pp* ▸ **choose**

B *adj* élu; **the ~ few** les privilégiés; **I was not one of the ~ few** iron je ne faisais pas partie des heureux élus; **the Chosen One** Bible l'Élu; **the Chosen People** Bible le peuple élu

chough /tʃʌf/ *n* crave *m*

choux pastry /,ʃu: 'peɪstrɪ/ *n* pâte *f* à choux

chow /tʃaʊ/ *n* **1** †○(food) rata○ *m*; **2** (dog) chow-chow *m*

chowder /'tʃaʊdə(r)/ *n*: *soupe épaisse à base de fruits de mer et de légumes*

chow mein /,tʃaʊ 'meɪn/ *n* ¢ nouilles *fpl* frites

chrism /'krɪzəm/ *n* chrême *m*

Christ /kraɪst/

A *n* le Christ, Jésus-Christ

B ◑*excl* bon Dieu (de bon Dieu)○, bon sang (de bon sang *or* de bonsoir)○

Christadelphian /,krɪstə'delfɪən/ *n, adj* christadelphe *(mf)*

Christ child *n* **the ~** l'enfant *m* Jésus

christen /'krɪsn/ *vtr* **1** Relig, Naut baptiser; fig (name, nickname) baptiser, nommer *[person, pet, place]*; **I was ~ed John, but everybody calls me Jack** mon nom de baptême est John, mais tout le monde m'appelle Jack; **they ~ed the dog Max** ils ont baptisé le chien du nom de Max; **2** hum (use for the first time) inaugurer *[glasses, car, dance hall]*; (soil for the first time) baptiser *[tablecloth, dress]*

Christendom /'krɪsndəm/ *n* chrétienté *f*

christening /'krɪsnɪŋ/ *n* baptême *m*

Christian /'krɪstʃən/

A *n* chrétien/-ienne *m/f*; **to become a ~** se faire chrétien

B *adj* **1** Relig chrétien/-ienne; **early ~** paléochrétien/-ienne; **2** *[attitude]* charitable; **a ~ burial** un enterrement convenable

Christian: **~ Brother** *n* frère *m* des Écoles chrétiennes; **~ era** *n* ère *f* chrétienne

christiania /,krɪstɪ'ɑ:nə/ *n* christiania *m*

Christianity /,krɪstɪ'ænətɪ/ *n* **1** (religion) christianisme *m*; **2** (fact of being a Christian) fait *m* d'être chrétien, qualité *f* de chrétien

Christianize /'krɪstʃənaɪz/ *vtr* christianiser

Christian: **~ name** *n* nom *m* de baptême; **~ Science** *n* science *f* chrétienne; **~ Scientist** *n* scientiste *mf* chrétien/-ienne

Christlike /'kraɪstlaɪk/ *adj* évocateur/-trice du Christ; **he was ~ in his humility** il évoquait le Christ par son humilité

Christmas /'krɪsməs/

A *n* (day) Noël *m*; (period) période *f* de Noël; **at ~** à Noël; **over ~** pendant la période de Noël; **to spend ~ at home/away** passer Noël chez soi/partir pour Noël; **Merry ~, Happy ~!** Joyeux Noël!

B *modif [cake, card, holiday, party, present, shopping]* de Noël

Christmas: **~ bonus** *n* prime *f* de fin d'année; **~ box** *n* GB étrennes *fpl*; **~ cactus** *n* épiphyllum *m*; **~ carol** *n* (song) chant *m* de Noël; Relig cantique *m* de Noël; **~ cracker** *n* GB diablotin *m*; **~ day** *n* jour *m* de Noël; **~ dinner** *n* repas *m* de Noël; **~ eve** *n* veille *f* de Noël; **~ pudding** *n* GB pudding *m* de Noël (*dessert à base de fruits secs et d'épices*); **~ rose** *n* rose *f* de Noël; **~ stocking** *n* bas *m* de Noël (*contenant de petits cadeaux*)

Christmassy○ /'krɪsməsɪ/ *adj* typique de Noël; **I'm not feeling very ~** je ne suis pas (vraiment) d'humeur à fêter Noël

Christmastime /'krɪsməstaɪm/ *n* période *f* de Noël

Christmas tree *n* sapin *m* de Noël

(Idiom) **to be lit up like a ~**◑ (drunk) être rond comme une queue de pelle◑

Christopher /'krɪstəfə(r)/ *pr n* Christophe

chromatic /krəʊ'mætɪk/ *adj* Phys, Art, Mus chromatique

chromatic printing *n* Print impression *f* polychrome

chromatics /krə'mætɪks/ *n* (+ *v sg*) science *f* des couleurs

chromatic scale *n* Mus échelle *f or* gamme *f* chromatique

chromatid /'krəʊmətɪd/ *n* Biol chromatide *f*

chromatography /,krəʊmə'tɒgrəfɪ/ *n* chromatographie *f*

chromatology /,krəʊmətɒlədʒɪ/ *n* = **chromatics**

chrome /krəʊm/

A *n* chrome *m*

B *modif [article]* chromé, en chrome

chrome: **~ steel** *n* acier *m* chromé, chromé *m*; **~ yellow** *n* jaune *m* de chrome

chromium /'krəʊmɪəm/ *n* chrome *m*

chromium: **~-plated** *adj* chromé, en chrome; **~ plating** *n* (process) chromage *m*; (coating) couche *f* de chrome

chromosome /'krəʊməsəʊm/ *n* chromosome *m*

chronic /'krɒnɪk/ *adj* **1** Med *[illness, state]* chronique; **2** fig *[liar]* invétéré; *[problem, situation]* chronique; *[shortage]* chronique, permanent; **3** ○GB (bad) nul/nulle○

chronically /'krɒnɪklɪ/ *adv* **1** Med **to be ~ ill** souffrir d'une maladie chronique; **the ~ sick** ceux qui sont atteints d'une affection chronique; **2** fig *[jealous, stupid, underfunded, overloaded]* extrêmement; **the country is ~ short of...** le pays souffre d'un manque chronique de...

chronicle /'krɒnɪkl/

A *n* (tale) chronique *f*; **a ~ of misfortunes/misunderstandings** fig une suite de mésaventures/malentendus

B Chronicles *npl* Bible (*also* **the Book of Chronicles**) le Livre des Chroniques

C *vtr [person]* écrire une chronique de; *[book]*

être une chronique de [*event, period*]; **to ~ events** [*historian*] faire la chronique des événements; [*diarist*] noter les événements (au jour le jour); **to ~ the growth of feminism/the life of Marx** retracer l'évolution du féminisme/de la vie de Marx

chronicler /'krɒnɪklə(r)/ ▸ p. 1683 *n* chroniqueur/-euse *m/f*

chronological /ˌkrɒnə'lɒdʒɪkl/ *adj* chronologique

chronologically /ˌkrɒnə'lɒdʒɪklɪ/ *adv* chronologiquement, par ordre chronologique

chronology /krə'nɒlədʒɪ/ *n* chronologie *f*

chronometer /krə'nɒmɪtə(r)/ *n* chronomètre *m*

chrysalis /'krɪsəlɪs/ *n* chrysalide *f*

chrysanth○ /krɪ'sænθ/ *n* = **chrysanthemum**

chrysanthemum /krɪ'sænθəməm/ *n* chrysanthème *m*

chub /tʃʌb/ *n* chevenne *m*

chubby /'tʃʌbɪ/ *adj* [*child, finger*] potelé; [*cheek*] rebondi; [*face, cherub*] joufflu; [*adult*] rondelet/-ette

chubby-cheeked, **chubby-faced** *adj* joufflu, aux joues rebondies

chuck /tʃʌk/
A *n* **1** (stroke) caresse *f* (sous le menton); **2** Culin (*also* **~ steak**) macreuse *f*; **3** Tech mandrin *m*
B *vtr* **1** ○(throw) balancer○, jeter [*ball, book*] (**to** à); **~ me the newspaper** balance-moi le journal; **2** ○(get rid of) larguer○ [*boyfriend, girlfriend*]; **3** (stroke) **to ~ sb under the chin** caresser qn sous le menton; **4** ○(give up) = **chuck in**

(Phrasal verbs) ■ **chuck away**○: ▸ **~ [sth] away, ~ away [sth]** **1** (discard) balancer○, jeter [*food, papers*]; **2** (squander) gâcher [*chance, life*]; gaspiller [*money*]
■ **chuck down**○: **it's ~ing it down** il pleut à verse
■ **chuck in**○: ▸ **~ [sth] in, ~ in [sth]** laisser tomber [*job, studies*]
■ **chuck out**○: ▸ **~ [sth] out, ~ out [sth]** balancer○, jeter [*rubbish, clothes*]; ▸ **~ [sb] out, ~ out [sb]** vider, éjecter; **to be ~ed out of** se faire vider de [*college, club*]
■ **chuck up**◑: ▸ **~ up** dégueuler◑, vomir; ▸ **~ [sth] up, ~ up [sth]** dégueuler◑, vomir [*meal, food*]

chuck: **~er-out**○ *n* (*pl* **chuckers-out**) GB videur *m*; **~ing-out time**○ *n* GB heure *f* de fermeture (*d'un pub, club etc*); **~ key** *n* Tech clé *f* de mandrin

chuckle /'tʃʌkl/
A *n* gloussement *m*, petit rire *m*
B *vi* [*person*] glousser, rire; **to ~ at** *ou* **over sth** rire de qch; **to ~ with pleasure** glousser *or* rire de plaisir; **to ~ to oneself** rire sous cape

chuck wagon *n* US cantine *f* ambulante (*dans un ranch*)

chuffed○ /tʃʌft/ *adj* GB vachement○ *or* super○ content (**about, at, with** de)

chug /tʃʌg/
A *n* halètement *m*, teuf-teuf *m*
B *vi* (*p prés etc* **-gg-**) **1** (make noise) [*train*] haleter, faire teuf-teuf; **the train ~ged into/out of the station** le train est entré en gare/est sorti de la gare en haletant; **2** US○ = **chug-a-lug**

(Phrasal verb) ■ **chug along** [*train, car*] avancer en haletant *or* en faisant teuf-teuf; **the project is ~ging along nicely** fig le projet suit son cours

chug-a-lug○ /'tʃʌgəlʌg/ *vtr* US descendre○ [qch] d'un (seul) trait [*beer*]

chukka /'tʃʌkə/ *n* Sport temps *m* de jeu (*au polo*)

chum○† /tʃʌm/ *n* copain/copine○ *m/f*, pote○ *m*; **watch it, ~!** fais gaffe, mon vieux○!

(Phrasal verb) ■ **chum up**○† copiner○, faire équipe (**with** avec)

chummy○† /'tʃʌmɪ/ *adj* [*person*] sociable, péj familier/-ière; **to be ~ with sb** être intime *or* très lié avec qn; **they're very ~** ils sont très copain copain○

chump /tʃʌmp/ *n* **1** ○† idiot/-e *m/f*; **2** Culin selle *f* d'agneau; **3** (log) tronçon *m* (de bois)

(Idiom) **to be off one's ~**○† GB avoir perdu la boule○

chump chop *n* tranche *f* de selle

chunk /tʃʌŋk/ *n* **1** (piece) (of meat, fruit) morceau *m*; (of wood) tronçon *m*; (of bread) quignon *m*; **pineapple ~s** ananas *m* en morceaux; **2** (portion) (of population, text, day) partie *f*; **a fair ~** une bonne partie

chunkily /'tʃʌŋkɪlɪ/ *adv* **~ built** solidement bâti, costaud○

chunky /'tʃʌŋkɪ/ *adj* **1** [*soup, stew*] riche en morceaux; **2** (bulky) [*sweater, jewellery*] gros/grosse; [*person*] costaud○, trapu

Chunnel○ /'tʃʌnl/ *n* GB tunnel *m* sous la Manche

church /tʃɜːtʃ/
A *n* (*pl* **~es**) **1** (building) (Catholic, Anglican) Église *f*; (Protestant) temple *m*; **2** (*also* **Church**) (religious body) Église *f*; **the Orthodox ~** l'Église orthodoxe; **the Church of England** l'Église d'Angleterre; **the Early Church** Hist l'Église primitive; **to go into the ~** entrer dans les ordres; **3** (service) (in general) office *m*; (Catholic) messe *f*; **to go to ~** (in general) aller à l'office; (Catholic) aller à la messe
B *modif* [*bell, choir, clock, steeple*] d'église; [*land*] ecclésiastique; [*fête*] paroissial; [*wedding*] religieux/-ieuse

(Idiom) **as poor as a ~ mouse** pauvre comme Job

church: **Church Army** *pr n* Relig *organisation anglicane joignant le zèle évangélique à l'action charitable et sociale*; **Church Commissioners** *npl* Relig *conseil de clercs et de laïcs chargé d'administrer les biens de l'Église d'Angleterre*; **Church Fathers** *npl* Relig Pères *mpl* de l'Église; **~goer** *n* Relig pratiquant/-e *m/f*; **~going** *adj* pratiquant; **~ hall** *n* salle *f* paroissiale

Churchillian /tʃə'tʃɪlɪən/ *adj* churchillien/-ienne

church leader *n* Relig chef *m* d'une Église

churchman /'tʃɜːtʃmən/ *n* (*pl* **-men**) **1** (clergyman) homme *m* d'église; **2** (churchgoer) pratiquant *m*

church: **~ school** *n* école *f* religieuse; **~ service** *n* gen office *m*; (Catholic) messe *f*; **~warden** *n* marguillier *m*; **~woman** *n* pratiquante *f*

churchy○ /'tʃɜːtʃɪ/ *adj* péj bigot

churchyard /'tʃɜːtʃjɑːd/ *n* cimetière *m* (*autour d'une église*)

churl† /tʃɜːl/ *n* goujat† *m*

churlish /'tʃɜːlɪʃ/ *adj* (surly) revêche; (rude) grossier/-ière

churlishly /'tʃɜːlɪʃlɪ/ *adv* (impolitely) grossièrement; (surlily) d'un ton bourru

churlishness /'tʃɜːlɪʃnɪs/ *n* (impoliteness) impolitesse *f*; (surliness) attitude *f* désagréable

churn /tʃɜːn/
A *n* **1** (for butter) baratte *f*; **2** GB (container) (small) bidon *m*; (large) tank *m* à lait
B *vtr* **1** **to ~ butter** baratter; **2** fig faire tourbillonner [*water, air*]
C *vi* [*ideas*] tourbillonner; [*engine*] tourner sur place; **my stomach was ~ing** (with nausea) mon cœur se soulevait; (with nerves) j'avais l'estomac noué

(Phrasal verbs) ■ **churn out**: ▸ **~ [sth] out, ~ out [sth]** débiter [*speeches*]; pondre [qch] en série [*plays, novels, ideas, publicity, legislation*]; produire [qch] en série [*goods*]
■ **churn up**: ▸ **~ [sth] up, ~ up [sth]** faire des remous dans [*water*]; labourer [*earth*]

chute /ʃuːt/ *n* **1** (slide) (in plane, swimming pool, playground) toboggan *m inv*; **2** (channel) (for rubbish) vide-ordures *m*; (for coal) trémie *f*; **3** Sport (for toboggan) piste *f* de toboggan; **4** ○(parachute) pépin○ *m*, parachute *m*; **5** Geog rapide *m*

chutney /'tʃʌtnɪ/ *n* condiment *m* aigre-doux; **tomato ~** condiment à la tomate

chutzpa, **chutzpah** /'hʊtspə/ *n* culot○ *m*, toupet *m*

chyme /kaɪm/ *n* chyme *m*

CI *n*: *abrév écrite* ▸ **Channel Islands**

CIA *n* (*abrév* = **Central Intelligence Agency**) CIA *f*

ciabatta /tʃə'bɑːtə/ *n* Culin (pain) ciabatta *m*

ciao /tʃaʊ/ *excl* tchao

cicada /sɪ'kɑːdə, US -'keɪdə/ *n* cigale *f*

cicatrix /'sɪkətrɪks/ *n* (*pl* **-trices**) spéc cicatrice *f*

Cicero /'sɪsərəʊ/ *pr n* Cicéron

cicerone /ˌtʃitʃə'rəʊnɪ/ *n* littér cicérone *m*

CID *n* GB (*abrév* = **Criminal Investigation Department**) police *f* criminelle

cider /'saɪdə(r)/ *n* cidre *m*

cider: **~ apple** *n* pomme *f* à cidre; **~ press** *n* pressoir *m* à cidre *or* à pommes; **~ vinegar** *n* vinaigre *m* de cidre

CIF *n* (*abrév* = **cost, insurance, and freight**) CAF

cigar /sɪ'gɑː(r)/
A *n* cigare *m*
B *modif* [*box, case*] à cigares; [*smoker*] de cigares

cigar cutter *n* coupe-cigare *m*

cigarette /ˌsɪgə'ret, US 'sɪgərət/
A *n* cigarette *f*
B *modif* [*ash, smoke*] de cigarette; [*case, paper*] à cigarettes; [*smoker*] de cigarettes

cigarette: **~ butt**, **~ end** *n* mégot *m*; **~ card** *n*: *image offerte dans les paquets de cigarettes*; **~ holder** *n* fume-cigarette *m inv*; **~ lighter** *n* (portable) briquet *m*; (in car) allume-cigares *m inv*; **~ packet** GB, **~ pack** US *n* paquet *m* de cigarettes

cigar: **~ holder** *n* fume-cigare *m inv*; **~-shaped** *adj* oblong/-longue

ciggie○, **ciggy**○ /'sɪgɪ/ *n* clope○ *f*

cilium /'sɪlɪəm/ *n* (*pl* **cilia**) cil *m*

CIM *n* (*abrév* = **computer-integrated manufacturing**) FIO *f*

C-in-C /ˌsiː ɪn 'siː/ *n* (*abrév* = **Commander in Chief**) commandant *m* en chef

cinch○ /sɪntʃ/
A *n* **1** (easy task) **sth/doing sth was a ~** qch/faire qch a été facile comme bonjour; **it's a ~** c'est du gâteau○; **2** (certainty) **to be a ~ to do** être sûr de faire; **that horse is a ~ to win** ce cheval va gagner la course à coup sûr; **3** US Equit sangle *f* (de selle)
B *vtr* Equit US sangler [*horse*]; attacher [qch] par une sangle [*saddle*]

cinder /'sɪndə(r)/ *n* (glowing) braise *f*; (ash) cendre *f*; (in volcano) scorie *f*; **to burn sth to a ~** réduire qch en cendres

cinder block *n* US parpaing *m*

Cinderella /ˌsɪndə'relə/ *pr n* Cendrillon

cinder track *n* (piste *f*) cendrée *f*

cineaste /'sɪnɪæst/ *n* cinéphile *mf*

cine: **~camera** *n* caméra *f* (d'amateur); **~ club** *n* ciné-club *m*; **~ film** *n* pellicule *f* cinématographique

cinema /'sɪnəmɑː, 'sɪnəmə/ *n* (all contexts) cinéma *m*; **to go to the ~** aller au cinéma; **to be interested in (the) ~** s'intéresser au cinéma; **a wonderful piece of ~** un merveilleux moment de cinéma

cinema: **~ complex** *n* complexe *m* multisalles; **~goer** *n* (regular) cinéphile *mf*, amateur *m* de cinéma; (spectator) spectateur/-trice *m/f*

Cinemascope® /'sɪnəməskəʊp/ *n* Cinémascope® *m*

cinematic /ˌsɪnəˈmætɪk/ *adj* [*technique, work*] cinématographique; [*genius*] du cinéma; [*scene, novel, beauty*] fait pour le cinéma

cinematographer /ˌsɪnəməˈtɒgrəfə(r)/ ▸ p. 1683 *n* directeur *m* de la photo, cameraman *m*

cinematographic /ˌsɪnəˌmætəˈgræfɪk/ *adj* cinématographique

cinematography /ˌsɪnəməˈtɒgrəfɪ/ *n* technique *f* cinématographique; **the ~ is superb** le film est merveilleusement photographié

cinema-vérité /ˌsɪnəməˈverɪteɪ/ *n* cinéma-vérité *m*

cinerary urn /ˌsɪnərərɪ ˈɜːn/ *n* urne *f* cinéraire

cinnabar /ˈsɪnəbɑː(r)/ *n* cinabre *m*

cinnamon /ˈsɪnəmən/
A *n* **1** Culin cannelle *f*; **2** (tree) cannelier *m*; **3** ▸ p. 1067 (colour) (couleur *f*) cannelle *f*
B *adj* **1** Culin [*cake, cookie*] à la cannelle; [*stick*] de cannelle; **2** (colour) cannelle *inv*

cipher /ˈsaɪfə(r)/
A *n* **1** (code) chiffre *m*; **in ~** en chiffre, en code; **to write a message in ~** chiffrer *or* coder un message; **2** (nonentity) pantin *m*; **3** Math, Comput zéro *m*; **4** (Arabic numeral) chiffre *m* (arabe); **5** (monogram) chiffre *m*
B *vtr* chiffrer, coder

circa /ˈsɜːkə/ *prep* environ

circadian /sɜːˈkeɪdɪən/ *adj* circadien/-ienne

circle /ˈsɜːkl/
A *n* **1** (shape) cercle *m*; (of spectators, trees, chairs, flowers) cercle *m*; (of fabric, paper, colour) rond *m*; **to form a ~** [*objects*] former un cercle; [*people*] faire un cercle (**around** autour de); **to sit in a ~** s'asseoir en cercle; **to move/swim in ~s** tourner/nager en rond; **to go round in ~s** lit, fig tourner en rond; **2** (group) cercle *m*, groupe *m* (**of** de); **to be in sb's ~** faire partie du cercle de qn; **his ~ of friends** le cercle de ses amis; **in business/theatrical ~s** dans les milieux d'affaires/du théâtre; **literary ~s** le monde littéraire; **to move in fashionable ~s** fréquenter le beau monde; **3** Theat balcon *m*; **to sit in the ~** être au balcon
B *vtr* **1** (move round) [*plane, helicopter*] tourner autour de [*airport, tower*]; [*satellite*] graviter autour de [*planet*]; [*person, animal, vehicle*] faire le tour de [*square, building*]; tourner autour de [*person, animal*]; **they ~d each other** ils se tournaient autour; **2** (encircle) encercler [*word, mistake, answer*]
C *vi* [*helicopter, plane, vulture*] décrire des cercles (**above, over** au-dessus de); [*predator, vehicle, horseman*] tourner en rond (**around** autour de); **as we walked along, the helicopter ~d overhead** on marchait, et l'hélicoptère décrivait des cercles au-dessus de nous
(Idioms) **to come full ~** [*person*] boucler la boucle; [*situation*] revenir à son point de départ; **the wheel has come** *ou* **turned full ~** la boucle est bouclée; **to have ~s under one's eyes** avoir les yeux cernés; **to square the ~** résoudre (le problème de) la quadrature du cercle

circlet /ˈsɜːklɪt/ *n* **1** (wreath) bandeau *m*; **2** (circle) petit cercle *m*

circuit /ˈsɜːkɪt/
A *n* **1** (race track) (for vehicles) circuit *m*; (for athletes) piste *f*; **2** (lap) tour *m*; **to do 15 ~s of the track** faire 15 tours de circuit; **3** (regular round) circuit *m*; **the cabaret/tennis ~** le circuit de boîtes de nuit○/du tennis; **he's well-known on the ~** il est connu dans le circuit; **4** (round trip) circuit *m*; **5** Jur (periodic journey) tournée *f*; **to be on the ~** être en tournée; **6** US Jur (district) circonscription *f* judiciaire; **7** Electron circuit *m*; **to complete/break the ~** fermer/ouvrir le circuit
B *vtr* faire le circuit de [*course, town*]

circuit: **~ board** *n* carte *f* de circuit imprimé; **~ breaker** *n* disjoncteur *m*; **~ court** *n* Jur tribunal *m* itinérant (*qui siège à divers endroits de sa circonscription*); **~ diagram** *n* schéma *m* de circuit; **~ judge** ▸ p. 1683 *n* Jur juge *m* itinérant

circuitous /sɜːˈkjuːɪtəs/ *adj* [*route, means, method*] indirect; [*argument*] tortueux/-euse, alambiqué; [*procedure*] compliqué

circuitously /sɜːˈkjuːɪtəslɪ/ *adv* [*proceed*] par des voies détournées; [*argue*] indirectement, de manière compliquée

circuitry /ˈsɜːkɪtrɪ/ *n* ensemble *m* de circuits

circuit training *n* série *f* d'exercices physiques (*pour l'entraînement sportif*)

circular /ˈsɜːkjʊlə(r)/
A *n* (newsletter) circulaire *f*; (advertisement) prospectus *m*
B *adj* **1** gen [*object*] rond; [*argument, route*] circulaire; **2** Biol [*DNA*] circulaire

circular breathing *n* Mus respiration *f* circulaire

circularity /ˌsɜːkjʊˈlærətɪ/ *n* circularité *f*

circular: **~ letter** *n* circulaire *f*; **~ saw** *n* scie *f* circulaire

circulate /ˈsɜːkjʊleɪt/
A *vtr* **1** (spread) (to limited circle) faire circuler; (widely) diffuser [*list, documents, information*] (**to** entre); **the report was ~d to the members** le rapport a été transmis aux membres; **2** GB (inform) mettre [qn] au courant [*members, staff*]; **3** faire circuler [*blood, water etc*]
B *vi* **1** [*water, air, rumour, pamphlet, banknote*] circuler; **2** (at party) **let's ~** on va aller faire connaissance

circulating decimal *n* fraction *f* périodique

circulating library *n* **1** (mobile) (in hospitals, schools) bibliothèque *f* (mobile); **2** US (lending library) bibliothèque *f* de prêt

circulating medium *n* capital *m* de roulement

circulation /ˌsɜːkjʊˈleɪʃn/ *n* **1** (of blood, air, water, fuel) circulation *f*; **to have good/bad ~** avoir une bonne/mauvaise circulation; **2** (distribution) (of newspaper) tirage *m*; **a ~ of 2 million** un tirage de 2 millions d'exemplaires; **3** (of coins, books) circulation *f*; **in ~** en circulation; **to withdraw from ~** retirer de la circulation; **4** (of document, information) circulation *f*; (to wide public) diffusion *f*; **for ~ to** (on document) à transmettre à; **5** (use) **a word which has entered ~** un mot qui est passé dans l'usage; **6** (social group) **she's back in ~** elle est de nouveau dans le circuit

circulation area *n* **1** (of newspaper) zone *f* de circulation; **2** (in railway station) salle *f* des pas perdus

circulation: **~ department** *n* Journ service *m* de circulation; **~ figures** *npl* chiffres *mpl* de tirage; **~ manager** *n* responsable *mf* du service de distribution

circulatory /ˌsɜːkjʊˈleɪtərɪ, US ˈsɜːkjələtɔːrɪ/ *adj* circulatoire; **~ system** appareil *m* circulatoire

circumcise /ˈsɜːkəmsaɪz/ *vtr* circoncire [*boy*]; exciser [*girl*]

circumcision /ˌsɜːkəmˈsɪʒn/ *n* (of boy) circoncision *f*; (of girl) excision *f*

circumference /səˈkʌmfərəns/ *n* circonférence *f*; **to be 4 km in ~** avoir une circonférence de 4 km

circumflex /ˈsɜːkəmfleks/
A *n* (*also* **~ accent**) accent *m* circonflexe (**on, over** sur)
B *adj* circonflexe; **e ~** e accent circonflexe

circumlocution /ˌsɜːkəmləˈkjuːʃn/ *n* circonlocution *f*, périphrase *f*

circumlocutory /ˌsɜːkəmˈlɒkjʊtərɪ/ *adj* périphrastique

circumlunar /ˌsɜːkəmˈluːnə(r)/ *adj* circumlunaire

circumnavigate /ˌsɜːkəmˈnævɪgeɪt/ *vtr* faire le tour de [*world*]; faire la circumnavigation de [*continent*]; passer [qch] au large [*cape*]

circumnavigation /ˌsɜːkəmˌnævɪˈgeɪʃn/ *n* circumnavigation *f*

circumpolar /ˌsɜːkəmˈpəʊlə(r)/ *adj* circumpolaire

circumscribe /ˈsɜːkəmskraɪb/ *vtr* **1** gen (define) circonscrire; (limit) limiter; **2** Math circonscrire

circumspect /ˈsɜːkəmspekt/ *adj* sout circonspect; **to be ~ about** être circonspect quant à [*likelihood, chance*]; **to be ~ about predicting/making a commitment** ne pas vouloir prédire/s'engager

circumspection /ˌsɜːkəmˈspekʃn/ *n* sout circonspection *f*

circumspectly /ˈsɜːkəmspektlɪ/ *adv* sout avec circonspection

circumstance /ˈsɜːkəmstəns/
A *n* (event) circonstance *f*; **a strange ~** un événement étrange
B **circumstances** *npl* **1** (state of affairs) circonstances *fpl*; **in** *ou* **under the ~s** dans ces circonstances; **under no ~s** en aucun cas; **if ~s permit** si les circonstances le permettent; **due to ~s beyond our control** pour des raisons indépendantes de notre volonté; **2** (conditions of life) situation *f*; **their ~s do not permit them to travel** leurs moyens ne leur permettent pas de voyager; **in easy ~s** dans l'aisance; **in poor ~s** dans la gêne

circumstantial /ˌsɜːkəmˈstænʃl/ *adj* **1** Jur [*evidence*] indirect; **2** (detailed) circonstancié

circumstantiate /ˌsɜːkəmˈstænʃɪeɪt/ *vtr* sout corroborer [*statement*]; donner des détails circonstanciés sur [*incident*]

circumvent /ˌsɜːkəmˈvent/ *vtr* sout **1** (avoid) contourner [*law, problem, embargo, sanctions*]; circonvenir [*official*]; **2** (frustrate) déjouer, faire échec à [*plot*]; faire échec à [*adversary*]

circus /ˈsɜːkəs/
A *n* (all contexts) cirque *m*
B *modif* [*tent, performer*] de cirque; **~ atmosphere** ambiance *f* de fête foraine

cirque /sɜːk/ *n* cirque *m*

cirrhosis /sɪˈrəʊsɪs/ ▸ p. 1327 *n* cirrhose *f*

cirrus /ˈsɪrəs/ *n* (*pl* **cirri**) cirrus *m*

CIS *n* (*abrév* = **Commonwealth of Independent States**) CEI *f*

cissy *n, adj* = **sissy**

Cistercian /sɪˈstɜːʃn/ *n, adj* cistercien/-ienne (*m/f*)

cistern /ˈsɪstən/ *n* (of lavatory) réservoir *m* de chasse d'eau; (in loft or underground) citerne *f*

citadel /ˈsɪtədəl/ *n* citadelle *f*

citation /saɪˈteɪʃn/ *n* (all contexts) citation *f*

cite /saɪt/ *vtr* **1** (quote) citer; (adduce) avancer; **2** Mil (commend) citer (**for** pour); **3** Jur citer; **to be ~d in divorce proceedings** être cité dans une procédure de divorce

citizen /ˈsɪtɪzn/ *n* **1** (of state) gen citoyen/-enne *m/f*; (when abroad) ressortissant/-e *m/f*; **~ Robespierre** le citoyen Robespierre; **a British ~** un ressortissant britannique; **2** (of town) habitant/-e *m/f*

citizenry /ˈsɪtɪznrɪ/ *n* communauté *f*, ensemble *m* des habitants

citizen: **Citizens' Advice Bureau**, **CAB** *n* service *m* bénévole d'assistance sur des problèmes juridiques; **~'s arrest** *n* arrestation *f* par un particulier; **~'s band**, **CB** *n* Radio bande *f* banalisée, bande *f* CB, bande *f* publique, citizen's band *f*

citizenship /ˈsɪtɪznʃɪp/
A *n* nationalité *f*
B *modif* [*papers*] de naturalisation

citrate /ˈsaɪtreɪt/ *n* citrate *m*

citric /ˈsɪtrɪk/ *adj* citrique

citric acid *n* acide *m* citrique

citron /ˈsɪtrən/ *n* citron *m*, citrus *m* medica

citrus /ˈsɪtrəs/
A *n* (*pl* **-ruses**) (tree) citrus *m*; (fruit) agrume *m*
B *adj* [*colour*] acidulé; **~ trees** les citrus *mpl*

citrus fruit *n* (individual) agrume *m*; (collectively) les agrumes *mpl*

city /ˈsɪtɪ/
A *n* **1** (town) (grande) ville *f*; **the medieval ~** la

cité médiévale; ~ **streets/people** rues/gens de la ville; ~ **life** vie citadine; 2 GB **the City** la City; 3 (population) ville *f*
B *modif* [*street, people*] de la ville; [*life*] citadin

the City

Quartier londonien des affaires et de la finance, la *City* est le siège des grandes banques, des compagnies d'assurance et de la plupart des sociétés d'agents de change. 500 000 personnes viennent y travailler chaque jour.

city: **City and Guilds certificate** *n* ≈ certificat *m* d'aptitude professionnelle; ~ **centre** GB, ~ **center** US *n* centre-ville *m*; ~ **college** *n* US université *f* (*financée par la municipalité*); ~ **council** *n* conseil *m* municipal; ~ **councillor** *n* GB conseiller/-ère *m/f* municipal/-e; ~ **councilman**, ~ **councilwoman** *n* US = **city councillor**

city desk *n* Journ 1 US service *m* chargé de la chronique locale; 2 GB service *m* chargé de la chronique financière

city dweller *n* citadin/-e *m/f*

city editor *n* Journ 1 US rédacteur/-trice *m/f* chargé/-e de la chronique locale; 2 GB rédacteur/-trice *m/f* chargé/-e de la chronique financière

city fathers *npl* édiles *mpl*

city hall *n* US 1 (building) (in large town) hôtel *m* de ville; (in small town) mairie *f*; 2 Admin administration *f* municipale

(Idiom) **you can't fight** ~○ on ne peut rien faire contre une bureaucratie mesquine

city: ~ **limits** *npl* limites *fpl* de la ville; ~ **manager** *n* US personne *f* chargée d'administrer une municipalité; ~ **news** *n* GB rubrique *f* financière; ~ **planner** ▸ p. 1683 *n* urbaniste *mf*; ~ **planning** *n* urbanisme *m*; ~**scape** *n* paysage *m* urbain; ~ **slicker**○ *n* citadin/-e *m/f* branché/-e; ~ **state** *n* Hist cité *f*; ~ **technology college**, **CTC** *n* ≈ collège *m* technique

civet /ˈsɪvɪt/ *n* Zool civette *f*

civic /ˈsɪvɪk/ *adj* [*administration, official*] municipal; [*pride, responsibility*] civique

civic centre GB, **civic center** US *n* centre *m* municipal (culturel et administratif)

civics /ˈsɪvɪks/ *n* (+ *v sg*) instruction *f* civique

civies *npl* US = **civvies**

civil /ˈsɪvl/ *adj* 1 (civic, not military) [*affairs, aviation, disorder, wedding*] civil; 2 Jur [*case, court, offence*] civil; [*claim*] au civil; 3 (polite) [*person*] courtois; **it was** ~ **of him to do that** c'était aimable de sa part de faire cela

(Idiom) **to keep a** ~ **tongue in one's head** mesurer ses paroles

civil: **Civil Aeronautics Board**, **CAB** *n* US administration *f* de l'aviation civile; **Civil Aviation Authority**, **CAA** *n* GB administration *f* de l'aviation civile

civil defence, **civil defense** US, **CD**
A *n* défense *f* passive
B *modif* [*authority, grant, measures, team*] de défense passive

civil disobedience
A *n* résistance *f* passive
B *modif* [*campaign*] de résistance passive

civil: ~ **engineer** ▸ p. 1683 *n* ingénieur *m* des travaux publics; ~ **engineering** *n* génie *m* civil

civilian /sɪˈvɪlɪən/
A *n* civil/-e *m/f*
B *adj* civil

civility /sɪˈvɪlətɪ/ *n* 1 (manners) courtoisie *f*, politesse *f* (**to, towards** à l'égard de, envers); 2 (forms) civilité *f*, politesse *f*; **the usual civilities** les civilités *or* politesses d'usage

civilization /ˌsɪvəlaɪˈzeɪʃn, US -əlɪˈz-/ *n* civilisation *f*

civilize /ˈsɪvəlaɪz/ *vtr* civiliser, rendre [qch/qn] plus civilisé [*manners, person*]

civilized /ˈsɪvəlaɪzd/ *adj* civilisé; **to become** ~ se civiliser

civilizing /ˈsɪvəlaɪzɪŋ/ *adj* civilisateur/-trice; **she is a** ~ **influence on him** il s'est civilisé sous son influence

civil: ~ **law** *n* droit *m* civil; ~ **liability** *n* Jur responsabilité *f* civile

civil liberty
A *n* libertés *fpl* individuelles
B *modif* [*campaign, group, lawyer*] de libertés individuelles

Civil List *n* GB liste *f* civile

Civil List

Dotation fixée par le Parlement britannique, versée chaque année au souverain et à certains membres de la famille royale pour faire face aux dépenses liées à leur fonction.

civilly /ˈsɪvəlɪ/ *adv* poliment, courtoisement

civil: ~ **marriage** *n* Jur mariage *m* civil; ~ **partnership** *n* Jur union *f* civile *entre partenaires de même sexe*

civil rights
A *npl* droits *mpl* civils
B *modif* [*campaign, march, activist*] pour les droits civils

civil servant ▸ p. 1683 *n* fonctionnaire *mf*

civil service
A *n* fonction *f* publique
B *modif* [*department*] de la fonction publique; [*post*] dans la fonction publique; [*recruitment*] de fonctionnaires

civil: **Civil Service Commission**, **CSC** *n* GB commission *f* de recrutement dans la fonction publique; ~ **service examination** *n* GB concours *m* d'entrée dans la fonction publique; ~ **war** *n* guerre *f* civile; ~ **wedding** *n* mariage *m* civil

civvies○ /ˈsɪvɪz/ *npl* vêtements *mpl* civils; **to be in** ~ être en civil

civvy○ /ˈsɪvɪ/ *n* civil/-e *m/f*

civvy street○ *n* vie *f* civile; **in** ~ dans le civil

CJD *n* Med *abrév* ▸ **Creutzfeld-Jakob disease**

cl *n* (*abrév écrite* = **centilitre(s)**) cl

clack /klæk/
A *n* cliquetis *m*
B *vi* [*machine*] cliqueter; [*tongue*] claquer; **tongues were** ~**ing** les gens ont commencé à jacasser

clad /klæd/
A *adj* ~ **in** habillé en, vêtu de
B **-clad** (*dans composés*) **black-**~ habillé en *or* vêtu de noir

cladding /ˈklædɪŋ/ *n* Constr revêtement *m*

claim /kleɪm/
A *n* 1 (demand) revendication *f*; **to make** ~**s** *ou* **lay** ~ **to** revendiquer [*land, share*]; prétendre à [*throne*]; revendiquer [*right, title*]; **rival** *ou* **competing** ~**s** revendications *fpl* rivales; **wage** ~ revendications *fpl* salariales; **to make a wage** ~ faire connaître ses revendications salariales; **she has no** ~ **to the throne** elle n'a aucune prétention au trône; **there are too many** ~**s on her generosity** on abuse de sa générosité; **there are many** ~**s on my time** je suis très pris; **I've got first** ~ **on the money** c'est moi qui ai la priorité sur l'argent; 2 Insur (against a person) réclamation *f*; (for fire, theft) demande *f* d'indemnisation; **to make** *ou* **lodge** *ou* **put in a** ~ faire une demande d'indemnisation; **a** ~ **for damages** une réclamation pour dommages et intérêts; **they settled their** ~**s out of court** ils ont convenu d'un règlement à l'amiable; 3 Soc Admin demande *f* d'allocation; **to make** *ou* **put in a** ~ faire une demande d'allocation; **a** ~ **for unemployment benefit** une demande d'allocation de chômage; 4 Admin (refund request) demande *f* de remboursement; **travel** ~ demande *f* de remboursement des frais de déplacement; 5 (allegation, assertion) affirmation *f* (**about** au sujet de; **by** de la part de; **of** de); **his** ~ **that he is innocent, his** ~**s of innocence, his** ~**s to be innocent** ses protestations d'innocence; **her** ~**(s) to be able to do** ses affirmations selon lesquelles elle peut faire; **some extraordinary** ~**s have been made for this drug** on a affirmé des choses extraordinaires sur ce médicament; **my** ~ **to fame** ma prétention à la gloire; 6 (piece of land) concession *f*
B *vtr* 1 (assert) **to** ~ **to be able to do** prétendre pouvoir faire; **to** ~ **to be innocent/sincere** prétendre être innocent/sincère; **I don't** ~ **to be an expert** je ne prétends pas être un expert; **she** ~**s to know nothing about it** elle prétend n'être au courant de rien; **to** ~ **innocence** affirmer son innocence; **to** ~ **ignorance of the law** affirmer ignorer la loi; **to** ~ **responsibility for an attack** revendiquer un attentat; **to** ~ **acquaintance with sb** prétendre connaître qn; **I can** ~ **some credit for the success of the dictionary** je suis en droit de dire que j'ai contribué au succès du dictionnaire; 2 (assert right to) revendiquer [*money, land, property*]; **to** ~ **sth as a right, to** ~ **the right to sth** revendiquer le droit à qch; **she** ~**ed that the land was hers, she** ~**ed the land as hers** elle a prétendu que le terrain lui appartenait; 3 (apply for) faire une demande de [*free dental care, unemployment benefit*]; faire une demande de remboursement de [*expenses*]; 4 (cause) **the accident** ~**ed 50 lives** l'accident a fait 50 victimes *or* morts; 5 (require) demander [*attention*]
C *vi* 1 Insur **to** ~ **for damages** faire une demande pour dommages et intérêts; 2 Soc Admin (apply for benefit) faire une demande d'allocation

(Phrasal verb) ■ **claim back**: ▸ ~ **back [sth]**, ~ **[sth] back** se faire rembourser [*cost, expenses*]; **you should** ~ **your money back** vous devriez demander à être remboursé; **to** ~ **sth back on the insurance** se faire rembourser qch par la compagnie d'assurances; **to** ~ **sth back on expenses** faire passer qch sur sa note de frais

claimant /ˈkleɪmənt/ *n* 1 Admin (for benefit, grant) demandeur/-euse *m/f* (**to** à); 2 Jur (to title, estate) prétendant/-e *m/f* (**to** à); (for compensation) demandeur/-euse *m/f*

claim: ~ **form** *n* Insur déclaration *f* de sinistre; ~**s department** *n* Insur service *m* des sinistres

clairvoyance /kleəˈvɔɪəns/ *n* voyance *f*, don *m* de seconde vue

clairvoyant /kleəˈvɔɪənt/
A *n* voyant/-e *m/f*, extralucide *mf*
B *adj* [*person*] doué de seconde vue; [*powers*] de voyance, de seconde vue

clam /klæm/
A *n* 1 Zool, Culin palourde *f*; 2 ○†US dollar *m*
B *modif* [*fishing, sauce*] aux palourdes
C *vi* US (*p prés etc* **-mm-**) aller à la pêche aux palourdes

(Idioms) **as happy as a** ~ heureux comme un poisson dans l'eau; **to shut up like a** ~ ne plus piper○ mot

(Phrasal verb) ■ **clam up** ne plus piper mot (**on sb** à qn)

clambake /ˈklæmbeɪk/ *n* US 1 (outdoor party) pique-nique *m* (*composé de fruits de mer au barbecue*); 2 (noisy party) fête *f*, bringue○ *f*

clamber /ˈklæmbə(r)/
A *n* (up) escalade *f*; (down) descente *f*
B *vi* grimper, se hisser (péniblement) (**into** dans; **out of** hors de); **to** ~ **over/up/across** escalader; **to** ~ **down the cliff** descendre la falaise en s'aidant de ses mains

clam chowder /ˌklæm ˈtʃaʊdə(r)/ *n* soupe *f* aux palourdes

clamdiggers /ˈklæmdɪɡəz/ *npl* US Fashn corsaire *m*

clammy /ˈklæmɪ/ *adj* [*skin, hand*] moite (**with** de); [*surface, fish, cloth*] collant; [*weather*] moite

clamorous /ˈklæmərəs/ *adj* 1 (loud) [*voice*] sonore, retentissant; [*crowd*] vociférant; 2 (demanding) [*protest*] violent, bruyant; [*demand*] impérieux/-ieuse

clamour GB, **clamor** US /ˈklæmə(r)/
A *n* 1 (loud shouting) clameur *f*; 2 (demands) réclamations *fpl*
B *vtr* (shout) **to ~ that** hurler que
C *vi* 1 (demand) **to ~ for sth** réclamer qch; **to ~ for sb to do sth** réclamer à qn de faire qch; 2 (rush, fight) **to ~ to do sth** se bousculer pour faire qch; **to ~ for sth** se bousculer pour avoir qch; 3 (shout together) pousser des cris (**about**, **over** au sujet de); (talk noisily) vociférer

clamp /klæmp/
A *n* 1 Tech (on bench) valet *m*; (unattached) presse *f*; Chem pince *f*; (for lid) système *m* d'attache (*pour fermer hermétiquement un couvercle*); 2 fig frein *m* (**on** à); **a ~ on public spending** un frein à la dépense publique; 3 Aut (*also* **wheel~**) sabot *m* de Denver; 4 GB Agric silo *m*; 5 US (heavy footstep) pas *m* lourd
B *vtr* 1 Tech cramponner [*two parts*]; (at bench) fixer [qch] à l'aide d'un valet (**onto** à); 2 (clench) serrer [*jaw, teeth*]; **a pipe ~ed between his teeth** une pipe serrée entre les dents; **his jaws were ~ed shut** il serrait les mâchoires; 3 Aut (*also* **wheel~**) mettre un sabot de Denver à [*car*]; 4 US (tread heavily) marcher d'un pas lourd

(Phrasal verbs) ■ **clamp down**: ▸ **~ down** prendre des mesures; **to ~ down on** faire de la répression contre [*crime, drugs, criminals*]; mettre un frein à [*extravagance*]
■ **clamp on**: ▸ **~ on [sth], ~ [sth] on** 1 lit fermer [*lid*]; 2 fig imposer [*curfew, restriction, sanction*]

clampdown /ˈklæmpdaʊn/ *n* mesures *fpl* de répression (**on sb** contre qn; **on sth** de qch)

clan /klæn/ *n* lit, fig clan *m*

clandestine /klænˈdestɪn/ *adj* clandestin

clang /klæŋ/
A *n* fracas *m*, bruit *m* métallique
B *vtr* faire sonner [qch] à toute volée [*bell*]; refermer [qch] bruyamment [*door*]
C *vi* [*gate*] claquer avec un son métallique; [*bell*] retentir (avec fracas); **to ~ shut** se refermer avec fracas

clanger○ /ˈklæŋə(r)/ *n* GB boulette○ *f*, gaffe *f*

clanging /ˈklæŋɪŋ/ *n* bruit *m* métallique, fracas *m*

clangour GB, **clangor** US /ˈklæŋgə(r)/ *n* littér bruit *m* métallique, fracas *m*

clank /klæŋk/
A *n* bruit *m* métallique
B *vtr* faire cliqueter [*heavy object*]; entrechoquer [*chains*]
C *vi* [*heavy object*] cliqueter; [*chains*] s'entrechoquer; **to ~ along** avancer avec un grincement métallique

clanking /ˈklæŋkɪŋ/
A *n* bruit *m* métallique
B *adj* [*chains*] qui s'entrechoquent (*after n*)

clannish /ˈklænɪʃ/ *adj* péj [*family, profession*] fermé; [*person*] qui a l'esprit de clan

clansman /ˈklænzmən/ *n* (*pl* **-men**) membre *m* d'un clan

clap /klæp/
A *n* 1 (of hands) battement *m* de mains; (round of applause) applaudissements *mpl*; (friendly slap) tape *f*; **to get a ~** être applaudi; **to give sb a ~** applaudir qn; **a ~ of thunder** un coup de tonnerre; 2 ◑(venereal disease) chtouille◑ *f*; **to get a dose of the ~** ramasser la chtouille◑
B *vtr* (*p prés etc* **-pp-**) 1 **to ~ one's hands** battre *or* taper des mains, frapper dans ses mains; **~ your hands!** tapez dans vos mains!; **to ~ one's hands over one's ears** se mettre *or* se plaquer les mains sur les oreilles; **to ~ one's hand over sb's mouth** mettre *or* plaquer la main sur la bouche de qn; **to ~ sb on the back** taper qn dans le dos; **to ~ sth shut** fermer qch d'un coup sec; 2 (applaud) applaudir [*actor, performance*]; 3 ○(set) **to ~ sb in irons/in jail** mettre qn aux fers/en prison
C *vi* (*p prés etc* **-pp-**) applaudir

(Idiom) **to ~ eyes on** voir, poser les yeux sur; **I've never ~ped eyes on her before** c'est la première fois que je la vois

(Phrasal verbs) ■ **clap along** battre des mains en mesure (**to** avec)
■ **clap on**: **to ~ on one's hat** enfoncer son chapeau sur sa tête; **to ~ on the brakes**○ Aut freiner brusquement, piler○; **to ~ on sail** Naut mettre toutes voiles dehors

clapboard /ˈklæpbɔːd/
A *n* planche *f* en clin
B *modif* [*house*] en bois

clapped-out○ /ˌklæptˈaʊt/ *adj* [*car*] pourri; [*machine*] mort○, foutu◑; [*idea*] complètement dépassé; [*economy*] sur les genoux (*jamais épith*); [*horse*] claqué; [*person*] (exhausted) crevé○; (past it) fichu○, fini

clapper /ˈklæpə(r)/ *n* battant *m*

(Idiom) **to run/go like the ~s**○ GB aller à fond de train

clapperboard /ˈklæpəbɔːd/ *n* GB Cin clap *m*

clapping /ˈklæpɪŋ/ *n* ¢ applaudissements *mpl*

claptrap○ /ˈklæptræp/ *n* ¢ âneries *fpl*

claque /klæk, klɑːk/ *n* claque *f*

claret /ˈklærət/ ▸ **p. 1067**
A *n* 1 (wine) bordeaux *m* (rouge); 2 (colour) bordeaux *m*
B *adj* (*also* **~-coloured**) bordeaux *inv*

clarification /ˌklærɪfɪˈkeɪʃn/ *n* 1 (explanation) éclaircissement *m*, clarification *f*; 2 Culin (of butter, stock) clarification *f*; (of wine) collage *m*

clarify /ˈklærɪfaɪ/
A *vtr* 1 (explain) éclaircir, clarifier [*point*]; **a ~ing statement** une mise au point; **to become clarified** s'éclaircir; 2 Culin clarifier [*butter, stock*]; coller [*wine*]
B *vi* [*person*] s'expliquer

clarinet /ˌklærəˈnet/ ▸ **p. 1462** *n* clarinette *f*

clarinettist /ˌklærəˈnetɪst/ ▸ **p. 1462, p. 1683** *n* clarinettiste *mf*

clarion /ˈklærɪən/
A *n* clairon *m*
B *vtr* littér claironner

clarion call *n* lit appel *m* de clairon; fig appel *m* à l'action

clarity /ˈklærətɪ/ *n* (of sound) clarté *f*; (of vision, thought) clarté *f*, précision *f*

clash /klæʃ/
A *n* 1 (confrontation) affrontement *m* (**between** entre; **with** avec); fig (disagreement) querelle *f* (**between** entre; **with** avec); 2 Sport (contest) affrontement *m* (**between** entre; **with** avec); 3 (contradiction) conflit *m*, incompatibilité *f* (**between** entre); **a ~ of beliefs/cultures/interests** un conflit de croyances/de cultures/d'intérêts; **a personality ~** un conflit de personnalités; **a ~ of wills** un conflit; 4 (inconvenient coincidence) **there's a ~ of meetings/classes** les réunions/cours ont lieu en même temps; 5 (noise) (of swords) cliquetis *m*; **a ~ of cymbals** un coup *m* de cymbales
B *vtr* (bang) (*also* **~ together**) entrechoquer [*dustbin lids*]; frapper [*cymbals*]
C *vi* 1 (meet and fight) [*armies, rival groups*] s'affronter; fig (disagree) [*ministers, leaders*] s'affronter; **to ~ with sb** (fight) se heurter à qn; (disagree) se quereller avec qn (**on, over** au sujet de); 2 (be in conflict) [*interests, beliefs, wishes*] être incompatibles; 3 (coincide inconveniently) [*meetings, concerts, parties*] avoir lieu en même temps; **to ~ with sth** avoir lieu en même temps que qch; 4 (not match) [*colours*] jurer (**with** avec); 5 (bang) (*also* **~ together**) [*dustbin lids*] s'entrechoquer

clasp /klɑːsp, US klæsp/
A *n* 1 (on bracelet, bag, purse) fermoir *m*; (on belt) boucle *f*; 2 (grip) étreinte *f*
B *vtr* 1 (hold tightly) serrer [qch] dans la main [*purse, knife*]; **he ~ed her hand** il lui a serré la main; **to ~ sth to one's breast** serrer qch contre sa poitrine; **to ~ one's hands around one's knees** prendre ses genoux dans les mains; 2 (embrace) étreindre; **to ~ sb to one's breast** prendre qn dans ses bras; 3 (fasten) **to ~ a handbag shut** refermer un sac à main

clasp knife *n* couteau *m* à virole

class /klɑːs, US klæs/
A *n* 1 Sociol classe *f*; **the working ~es** la classe ouvrière; 2 Sch, Univ (group of students) classe *f*; (lesson) cours *m* (**in** de); **in ~** en cours *or* classe; **to give a ~** assurer un cours; **to take a ~** GB assurer un cours; US suivre un cours; 3 US Sch, Univ (year group) promotion *f*, classe *f*; 4 (category) gen classe *f*, catégorie *f*; Jur (of offence) type *m*; (of vehicle) catégorie *f*; Naut (of ship, submarine) classe *f*; **to be in a ~ of one's own** *ou* **by oneself** être hors catégorie; **she's in a different ~ from** il n'y a aucune comparaison possible entre elle et; **he's not in the same ~ as** il n'arrive pas à la cheville de; 5 ○(elegance) classe *f*; **to have ~** avoir de la classe; **to add a touch of ~ to sth** donner un peu de distinction à qch; 6 Tourism classe *f*; **to travel first/second ~** voyager en première/deuxième classe; **a first/second ~ seat** une place de première/deuxième classe; 7 GB Univ ≈ mention *f*; **what was the ~ of your degree?** ≈ est-ce que vous avez eu votre licence avec mention?; **a first-/second-~ degree** ≈ licence avec mention très bien/bien; 8 Biol, Math classe *f*
B ○*adj* (excellent) de classe
C *vtr* **to ~ sb/sth among/with** classer qn/qch parmi/avec; **to ~ sb/sth as** assimiler qn/qch à

class: **~ action** *n* Jur action *f* collective; **~ conscious** *adj* gen soucieux/-ieuse des distinctions sociales; (in Marxist discourse) conscient; **~ consciousness** *n* gen sentiment *m* de classe; (in Marxist discourse) conscience *f* de classe; **~ distinction** *n* distinction *f* sociale; **~ divisions** *npl* divisions *fpl* entre les classes

classic /ˈklæsɪk/
A *n* 1 (literary, sporting) classique *m*; **the ~s** Literat, Cin les classiques; 2 ○(hilarious example) **it was a real ~!** (of gaffe, blunder) c'était un chef-d'œuvre du genre!; (of error) c'était une vraie perle!; (of comment, situation) c'était trop drôle!
B *adj* (all contexts) classique

classical /ˈklæsɪkl/ *adj* [*author, dance, beauty*] classique; **~ scholar** philologue *mf*

classically /ˈklæsɪklɪ/ *adv* [*dress, design*] dans un style classique; **~ elegant** d'une élégance classique; **~ proportioned** aux proportions classiques; **~ trained** de formation classique

classical music *n* classique *m*, musique *f* classique

classicism /ˈklæsɪsɪzəm/ *n* classicisme *m*

classicist /ˈklæsɪsɪst/ *n* (student) étudiant/-e *m/f* en lettres classiques; (teacher) professeur *m* de lettres classiques; (scholar) spécialiste *mf* de lettres classiques, philologue *mf*

classics /ˈklæsɪks/ *n* (+ *v sg*) lettres *fpl* classiques

classifiable /ˈklæsɪfaɪəbl/ *adj* classifiable

classification /ˌklæsɪfɪˈkeɪʃn/ *n* 1 (category) classification *f*, catégorie *f*; 2 (categorization) classement *m*

classified /ˈklæsɪfaɪd/
A *n* (*also* **~ ad**) petite annonce *f*
B *adj* 1 (categorized) classifié; 2 (secret) confidentiel/-ielle

classified: ~ **ad** *n* petite annonce *f*; ~ **results** *npl* GB Sport résultats *mpl* complets; ~ **section** *n* rubrique *f* des petites annonces

classify /ˈklæsɪfaɪ/ *vtr* **1** (file) classer; **to ~ sth under 'personal'** classer qch sous la rubrique 'personnel'; **2** (declare secret) classer confidentiel/-ielle

classless /ˈklɑːslɪs, US ˈklæs-/ *adj* [*society*] sans classes; [*person*] d'une classe sociale indéfinissable; [*accent*] neutre

class: ~ **list** *n* Sch liste *f* des élèves d'une classe; ~ **mark** *n* cote *f* (*d'un ouvrage en bibliothèque*); **~mate** *n* camarade *mf* de classe; ~ **number** *n* = **class mark**; ~ **president** *n* US chef *m* de classe; ~ **rank** *n* US Sch classement *m*; Univ rang *m*; **~-ridden** *adj* marqué par les divisions entre classes; **~room** *n* salle *f* de classe; ~ **structure** *n* structure *f* de classes; ~ **struggle** *n* lutte *f* des classes; ~ **system** *n* système *m* de classes; ~ **teacher** *n* GB professeur *m* principal; ~ **trip** *n* sortie *f* scolaire; ~ **war(fare)** *n* lutte *f* des classes

classy° /ˈklɑːsɪ, US ˈklæsɪ/ *adj* [*person, dress*] qui a de la classe; [*car, hotel*] de luxe; [*actor, performance*] de grande classe; **she's really ~** elle a vraiment de la classe°

clatter /ˈklætə(r)/
A *n* cliquetis *m*; (loud) fracas *m*; **a ~ of dishes** un cliquetis de vaisselle
B *vtr* entrechoquer; **stop ~ing those dishes!** arrête ce fracas avec la vaisselle!
C *vi* [*typewriter*] cliqueter; [*dishes*] s'entrechoquer; [*vehicle*] rouler avec fracas; **to ~ in/out/down etc** entrer/sortir/descendre etc avec fracas

clause /klɔːz/ *n* **1** Ling proposition *f*; **2** Jur, Pol clause *f*; (in will, act of Parliament) disposition *f*; **opt-out ~** clause *f* d'exemption

claustrophobia /ˌklɔːstrəˈfəʊbɪə/ *n* claustrophobie *f*

claustrophobic /ˌklɔːstrəˈfəʊbɪk/
A *n* claustrophobe *mf*
B *adj* [*person*] claustrophobe; [*feeling*] de claustrophobie; **it's ~ in here** il y a une atmosphère oppressante ici; **to get ~** avoir une sensation de claustrophobie, faire de la claustrophobie°

clavichord /ˈklævɪkɔːd/ ▸ **p. 1462** *n* clavicorde *m*

clavicle /ˈklævɪkl/ *n* clavicule *f*

claw /klɔː/
A *n* **1** Zool (of animal) griffe *f*; (of bird of prey) serre *f*; (of crab, lobster) pince *f*; **2** °fig (hand) patte° *f*; **to get one's ~s into sb** mettre le grappin° sur qn; **3** (on hammer) arrache-clou *m*, pied-de-biche *m*
B *vtr* **1** (scratch) griffer; **2** (tear) [*animal*] déchirer [qch] avec ses griffes; [*bird of prey*] déchirer [qch] avec ses serres; **3** fig **to ~ sb's eyes out** arracher les yeux de qn; **he ~ed his way to the top** il est arrivé en employant tous les moyens; **she ~ed her way out of the slums** elle s'est sortie de son milieu misérable à la force du poignet
(Phrasal verbs) ■ **claw at**: ► ~ **at [sth/sb]** [*animal*] essayer de griffer [*person*]; essayer d'agripper [*person*]
■ **claw back**: ► ~ **[sth] back**, ~ **back [sth]** **1** GB Pol, Econ, Tax récupérer [*allowance, benefit*] (*reprendre une somme allouée par un moyen indirect*); récupérer [*investment*]; **2** Comm, Sport regagner péniblement [*position*]

clawback /ˈklɔːbæk/ *n* GB *récupération totale ou partielle par des moyens indirects d'une somme allouée*; **the ~ represents 2% of the excess income** la somme récupérée représente 2% de l'excès de revenu

claw hammer *n* marteau *m* à panne fendue

clay /kleɪ/
A *n* **1** (for sculpture) argile *f*, terre *f* glaise; **2** (soil) argile *f*; **3** (in tennis) terre *f* battue
B *modif* **1** [*pot*] en terre; **2** Sport [*court*] en terre battue
(Idiom) **to have feet of ~** avoir des pieds d'argile

clayey /ˈkleɪɪ/ *adj* argileux/-euse

clay: **~more** *n* claymore *f* (*épée écossaise à deux tranchants*); ~ **pigeon** *n* pigeon *m* d'argile *or* de ball-trap; ~ **pigeon shooting** ▸ **p. 1253** *n* ball-trap *m*, tir *m* aux pigeons d'argile; ~ **pipe** *n* pipe *f* en terre; ~ **pit** *n* argilière *f*, glaisière *f*

clean /kliːn/
A *n* **to give sth a ~** nettoyer qch
B *adj* **1** (not dirty) [*clothes, dishes, floor, window, habits*] propre; [*air, water*] pur; [*wound, syringe*] désinfecté; **it is not very ~ to do** ce n'est pas très propre de faire; **she keeps her house ~** elle tient sa maison propre; **my hands are ~** lit, fig j'ai les mains propres; **~ and tidy** impeccable de propreté; **a ~ sheet of paper** une feuille blanche; **to rinse/wash sth ~** rincer/laver qch; **to lick one's plate ~** [*person*] fig ne pas en laisser une miette; [*animal*] nettoyer son assiette; **keep your shoes ~** ne salis pas tes chaussures
2 (with no pollution) [*bomb, environment, process*] propre
3 (not obscene) [*joke*] anodin; [*comedian*] jamais vulgaire; **keep it** *ou* **the conversation ~!** restons décents!
4 (unsullied) [*reputation*] sans tache; [*record, driving licence*] vierge; **I've checked him out, he's ~**° je me suis renseigné sur lui, il est réglo°
5 (no longer addicted) désintoxiqué
6 °(without illicit property) argot des policiers **he's ~** gen il n'a rien; (no gun) il n'a pas d'arme; **the car/room is ~** on n'a rien trouvé dans la voiture/pièce
7 Sport [*match*] sans débordements; [*tackle*] sans faute; [*player*] fair-play *inv*; [*serve, hit, throw*] précis; [*jump*] sans toucher l'obstacle; **keep it ~** (in match) pas de bavures
8 (elegant, neat) [*lines, profile*] pur; [*edge*] net/nette; **~ break** Med fracture *f* simple; **to make a ~ break with the past** fig rompre définitivement avec le passé
C *adv* littéralement; **the bullet went ~ through his shoulder** la balle lui a littéralement traversé l'épaule; **to jump ~ over the wall** sauter par-dessus le mur sans le toucher; **we're ~ out of bread** on n'a plus une miette de pain
D *vtr* **1** nettoyer [*room, shoes, gun*]; **to ~ sth from** *ou* **off** enlever qch de [*hands, wall, car*]; **to ~ the blackboard** effacer le tableau; **to have sth ~ed** donner qch à nettoyer; **to ~ one's teeth** se brosser les dents
2 Culin vider [*chicken, fish*]; laver [*vegetables*]
E *vi* **1** (do housework) [*person*] faire le ménage; **I've been ~ing all morning** j'ai fait le ménage toute la matinée
2 (become cleansed) **these handles ~ easily** ces poignées se nettoient facilement
F *v refl* **to ~ itself** [*animal*] faire sa toilette
(Idioms) **to ~ up one's act** [*person*] devenir plus sérieux; **to come ~**° **about sth** avouer qch; **I'll have to come ~**° il va falloir que je dise la vérité; **to make a ~ sweep of sth** gagner qch haut la main
(Phrasal verbs) ■ **clean down**: ► ~ **[sth] down**, ~ **down [sth]** nettoyer [qch] à fond
■ **clean off**: ► ~ **off** [*stain*] partir; **this mark won't ~ off** cette tache ne part pas; ► ~ **[sth] off**, ~ **off [sth]** effacer [*chalk mark*]; enlever [*stain, graffiti*]; **to ~ sth off** effacer qch de [*blackboard*]; enlever qch de [*car, wall*]
■ **clean out**: ► ~ **[sth] out**, ~ **out [sth]** (cleanse thoroughly) nettoyer [qch] à fond [*cupboard, stable, toilets*]; **you should ~ out your ears**° tu devrais te déboucher les oreilles; ► ~ **[sb/sth] out**, ~ **out [sb/sth]** (leave empty, penniless) [*thief*] mettre [qch] à sac [*house*]; [*thief, shopping trip, holiday*] mettre [qn] à sec [*person*]; **'another game?'—'no, I'm ~ed out**°' 'encore une partie?'—'non, je suis nettoyé°';
► ~ **[sb] out of** délester qn de [*jewellery, money*]
■ **clean up**: ► ~ **up** **1** (remove dirt) tout nettoyer; **2** (tidy) tout remettre en ordre (**after sb** derrière qn); **3** (wash oneself) se débarbouiller; **4** °(make profit) [*dealer*] faire son beurre° (**on** avec); [*gambler*] rafler la mise°; ► ~ **[sb] up** faire la toilette de [*patient*]; **come and let me ~ you up** (to child) viens que je te fasse un brin de toilette; ► ~ **[sth] up**, ~ **up [sth]** **1** (remove dirt) nettoyer [*mess, rubbish, area, spillage*]; **~ that rubbish up off** *ou* **from the floor** débarrasse le sol de ces saletés; **2** fig (remove crime) nettoyer° [*street, city*]; (make less obscene) expurger [*TV programme, comedy act*]

clean: **Clean Air Act** *n* Pol loi *f* antipollution; ~ **and jerk** *n* Sport (in weight-lifting) épaulé-jeté *m*; **~-cut** *adj* [*image, person*] soigné

cleaner /ˈkliːnə(r)/ ▸ **p. 1683** *n* **1** (person) (in workplace) agent *m* de nettoyage; (in home) (woman) femme *f* de ménage; (man) agent *m* de nettoyage; **office ~** agent *m* de nettoyage; **2** (machine) nettoyeur *m*; **air ~** purificateur *m* d'air; **carpet ~** shampouineuse *f* (de tapis); **3** (detergent) produit *m* de nettoyage; **fabric/suede ~** produit *m* pour nettoyer les tissus/le daim; **biodegradable ~** produit *m* d'entretien biodégradable; **liquid ~** produit *m* d'entretien liquide; **cream ~** crème *f* de nettoyage liquide; **4** (shop) (*also* **cleaner's**) pressing *m*
(Idioms) **to take sb to the ~s**° (swindle) plumer qn°; (defeat) **Scotland took England to the ~s**° l'Écosse a battu l'Angleterre à plates coutures; (in divorce cases) **his wife took him to the ~s**° il s'est fait nettoyer par son ex-femme°

clean fuel *n* Ecol biocarburant *m*

cleaning /ˈkliːnɪŋ/ *n* (domestic) ménage *m*; (commercial) nettoyage *m*, entretien *m*; **to do the ~** faire le ménage

cleaning: ~ **cloth** *n* chiffon *m*; ~ **lady** ▸ **p. 1683** *n* femme *f* de ménage; ~ **product** *n* produit *m* d'entretien

cleanliness /ˈklenlɪnɪs/ *n* propreté *f*
(Idiom) ~ **is next to godliness** Prov le chemin de la sainteté passe par la propreté

clean-living /ˌkliːnˈlɪvɪŋ/
A *n* vie *f* saine
B *adj* [*person, community*] aux habitudes saines

cleanly¹ /ˈklenlɪ/ *adj* littér propre

cleanly² /ˈkliːnlɪ/ *adv* [*cut*] bien, franchement; [*catch, hit*] avec précision; **to break off ~** se casser net; **she hits the notes ~** ses attaques sont justes

cleanness /ˈkliːnnɪs/ *n* propreté *f*

clean: **~-out**° *n* nettoyage *m* à fond; ~ **room** *n* Comput, Ind salle *f* blanche

cleanse /klenz/ *vtr* **1** lit nettoyer [*skin*]; nettoyer, laver [*wound*]; épurer [*blood*]; **2** fig littér laver, purifier [*person, mind*] (**of** de); nettoyer [*society*] (**of** de)

cleanser /ˈklenzə(r)/ *n* **1** Cosmet démaquillant *m*; **2** (household) produit *m* d'entretien

clean-shaven /ˌkliːnˈʃeɪvn/ *adj* [*features*] glabre; **he's ~** il n'a ni barbe ni moustache

clean sheet *n* fig (record) casier *m* vierge; **to have kept a ~** gen avoir un casier vierge; Sport [*goalkeeper*] n'avoir encaissé aucun but

cleansing /ˈklenzɪŋ/
A *n* nettoyage *m*
B *adj* **1** Cosmet [*product*] démaquillant; **2** [*action*] lit nettoyant; fig purifiant

cleansing department *n* GB Admin (service *m* de la) voirie *f*

cleanup /ˈkliːnʌp/ *n* **1** gen nettoyage *m*; **to give sth a ~**° nettoyer qch; **2** US (profit) joli

C

coup *m*; **to make a ~**○ ramasser un paquet○

cleanup campaign *n* (of city) campagne *f* de nettoyage; (of internal politics) campagne *f* d'épuration

clear /klɪə(r)/

A *n* **1** (*also* **~ text**) Comput, Mil **in ~** en clair **2** Sport (in football) dégagement *m*

B *adj* **1** (transparent) [*glass, liquid*] transparent; [*blue*] limpide; [*lens, varnish*] incolore **2** (distinct) [*image, outline, impression*] net/nette; [*writing*] lisible; [*sound, voice*] clair; **I didn't get a ~ look at the car** je n'ai pas bien vu la voiture; **he had a ~ view of the man** il voyait très bien l'homme **3** (comprehensibly plain) [*description, instruction, text*] clair; **to make sth ~ to sb** faire comprendre qch à qn; **he made it ~ to her that he disapproved** il lui a bien fait comprendre qu'il désapprouvait; **I wish to make it ~ that** je tiens à préciser que; **is that ~?, do I make myself ~?** est-ce que c'est clair?; **to make one's views/intentions ~** exprimer clairement ses opinions/intentions; **let's get this ~** que les choses soient claires **4** (obvious) [*lack, need, sign*] évident; [*advantage, lead*] net/nette; [*example*] beau (*before n*); [*majority*] large (*before n*); **it is ~ that** il est clair que; **it's a ~ case of fraud** il est clair qu'il s'agit d'une fraude **5** (not confused) [*idea, memory*] clair; [*plan*] précis; **to have a ~ picture in one's mind of sth** avoir une idée très claire de qch; **to have/keep a ~ head** avoir/garder les idées claires; **we need someone with a ~ head** on a besoin de quelqu'un qui a les idées claires; **a ~ thinker** un esprit lucide; **I'm not ~ what to do/how to start** je ne sais pas très bien quoi faire/par où commencer; **I have no ~ idea how it happened** je ne sais pas très bien comment ça s'est passé; **he had a ~ understanding of the problem** il comprenait très bien le problème; **she's quite ~ about what the job involves** elle sait exactement en quoi consiste le travail **6** (empty) [*road, view, area*] dégagé; [*table*] débarrassé; [*space*] libre; **the road is ~ of obstacles/snow** il n'y a plus d'obstacles/de neige sur la route **7** (not guilty) [*conscience*] tranquille **8** (unblemished) [*skin, complexion*] net/nette **9** Med [*X-ray, scan*] normal **10** (cloudless) [*sky*] sans nuage, clair (*after n*); [*day, night*] clair; **on a ~ day** par temps clair **11** (frank) [*gaze, look*] franc/franche **12** (pure) [*sound, tone, voice*] clair **13** Culin [*honey*] liquide; **~ soup** consommé *m* **14** (exempt from) **to be ~ of** être libre de [*debt*]; être exempt de [*blame*]; être lavé de [*suspicion*] **15** (free) [*day, diary*] libre; **keep the 24th ~, I'm having a party** ne prévois rien d'autre le 24, je fais une fête **16** (whole) [*week, day*] entier/-ière; **you must allow three ~ days** il faut compter trois jours entiers **17** (net) [*gain, profit*] net *inv* (*after n*) **18** Ling clair

C *adv* (away from) **to jump ~** sauter sur le côté; **to jump ~ of** (jump out of) sauter hors de [*vehicle*]; (avoid) **he leapt ~ of the car/rock** il a évité la voiture/pierre en sautant sur le côté; **to pull sb ~ of** extraire qn de [*wreckage*]; **to stay** *ou* **steer ~ of** éviter [*town centre, rocks*]; éviter [*alcohol, trouble, troublemakers*]; **he kept the boat ~ of the rocks** il a gardé le bateau au large des rochers; **stand ~ of the gates!** éloignez-vous des portes!; **to get ~ of** sortir de [*traffic, town*]

D *vtr* **1** (remove) abattre [*trees*]; arracher [*weeds*]; enlever [*debris, papers, mines*]; dégager [*snow*] (**from, off** de); **to ~ demonstrators from the streets, to ~ the streets of demonstrators** débarrasser les rues des manifestants **2** (free from obstruction) déboucher [*drains*]; dégager [*road*]; débarrasser [*table, surface*]; déblayer [*site*]; défricher [*land*]; **to ~ the road of snow/obstacles** dégager la neige/les obstacles de la route; **to ~ sth out of the way** (from table, seat) enlever qch; (from floor) enlever qch du passsage; **to ~ the way for sth/sb** lit libérer le passage pour qch/qn; fig ouvrir la voie pour [*developments*]; fig laisser la place à [*person*] **3** (freshen) **to ~ the air** lit aérer; fig apaiser les tensions **4** (empty) vider [*desk, drawer*] (**of** de); débarrasser [*room, surface*] (**of** de); lever [*post box*]; évacuer [*area, building*]; **the judge ~ed the court** le juge a fait évacuer la salle; **to ~ the office of furniture** débarrasser le bureau de tous ses meubles; **you're fired, ~ your desk** vous êtes renvoyé, débarrassez votre bureau; **his singing ~ed the room** la pièce se vida au son de sa voix **5** (create) faire [*space*]; **to ~ a path through sth** se frayer un chemin à travers qch **6** (disperse) dissiper [*fog, smoke*]; disperser [*crowd*] **7** (unblock) dégager [*nose*]; **to ~ one's throat** se racler la gorge; **the fresh air will ~ your head** un peu d'air frais t'éclaircira les idées **8** Cosmet faire disparaître [*dandruff, spots*] **9** Wine clarifier **10** (destroy) détruire [*building*] **11** Comput effacer [*screen, data*] **12** (dispose of) liquider [*stock*]; **to ~ the backlog** rattraper le retard sur le travail; **'reduced to ~'** 'solde' **13** (pay off) s'acquitter de [*debt*]; rembourser [*loan*]; purger [*mortgage*] **14** Fin [*bank*] compenser [*cheque*] **15** (make) se faire [*profit*] **16** (free from blame) [*jury*] innocenter [*accused*] (**of** de); **to be ~ed of suspicion** être lavé de tout soupçon; **to ~ one's name/reputation** blanchir son nom/sa réputation **17** Admin, Mil (vet) mener une enquête administrative sur [*employee*]; **I've been ~ed** j'ai fait l'objet d'une enquête administrative; **she's been ~ed to see the documents** elle a été déclarée apte à consulter les documents **18** (officially approve) approuver [*proposal, request*]; dédouaner [*goods*]; **to ~ sth with sb** obtenir l'accord de qn pour qch; **to be ~ed for take-off/landing** recevoir l'autorisation de décoller/atterrir **19** (jump over) franchir [*fence, hurdle, wall*]; **she ~ed 2 m at the high jump** elle a réussi 2 m au saut en hauteur **20** (pass through) passer sous [*bridge*]; passer entre [*gateposts*]; **to ~ customs** passer à la douane **21** Sport dégager [*ball*]

E *vi* **1** (become transparent, unclouded) [*liquid, sky*] s'éclaircir **2** (disappear) [*smoke, fog, cloud*] se dissiper **3** (become pure) [*air*] se purifier **4** (go away) [*rash, pimples*] disparaître; [*skin*] devenir net/nette **5** Fin [*cheque*] être compensé

(Idioms) **the coast is ~** fig le champ est libre; **to be in the ~** (safe) être hors de danger; (free from suspicion) être lavé de tout soupçon

(Phrasal verbs) ■ **clear away**: ▸ **~ away** débarrasser; ▸ **~ [sth] away, ~ away [sth]** balayer [*snow, leaves*]; enlever [*debris, rubbish*]; ranger [*papers, toys*]

■ **clear off**: ▸ **~ off**○ GB **1** (run away) filer○, se sauver; **2** (go away) ficher le camp○; **~ off, I'm busy** fiche le camp○, je suis occupé; **~ off!** fichez le camp○!; ▸ **~ off [sth]** US débarrasser [*table*]

■ **clear out**: ▸ **~ out** (run away) filer○, se sauver; ▸ **~ [sth] out, ~ out [sth]** **1** (tidy) ranger [*room*]; faire le tri dans [*drawer, cupboard*]; **2** (empty) vider [*room, house*]; **3** (throw away) jeter [*old clothes, newspapers*]

■ **clear up**: ▸ **~ up** **1** (tidy up) faire du rangement; **they must ~ up after themselves** ils doivent tout ranger derrière eux; **2** (improve) [*weather*] s'éclaircir; [*rash, infection*] disparaître; ▸ **~ up [sth], ~ [sth] up** **1** (tidy) ranger [*mess, toys, papers*]; ramasser [*litter, broken glass*]; ranger [*room*]; nettoyer [*beach, garden*]; **2** (resolve) résoudre [*problem, difficulty*]; dissiper [*misunderstanding*]; tirer [qch] au clair [*mystery*]

clearance /ˈklɪərəns/

A *n* **1** (permission) autorisation *f*; **flight ~** autorisation de vol; **to have ~ for take-off** [*plane*] avoir l'autorisation de décoller; **you need ~ for your plans** tu as besoin d'une autorisation pour ton projet; **to have ~ to do** être autorisé à faire; **2** (customs certificate) déclaration *f* en douane; **~ inwards/outwards** manifeste *m* d'entrée/de sortie; **3** Admin Mil habilitation *f* sécuritaire; **4** (removal) (of trees) abattage *m*; (of buildings) démolition *f*; (of vegetation) défrichage *m*; **land ~, site ~** défrichement *m* du terrain; **5** Comm liquidation *f*; **stock ~** liquidation de stock; **6** (gap) (below a bridge, barrier) hauteur *f* (libre); (between two objects) espace *m*; **a 10 cm ~ between the van and the wall** un espace de 10 cm entre le fourgon et le mur; **the bridge has a 4 metre ~** l'arche du pont fait 4 mètres de haut; **7** Fin compensation *f*; **8** Sport (in football, rugby) dégagement *m*; (in snooker, pool) sans faute *m*

B **Clearances** *npl* Scot Hist *expulsion des habitants des Highlands en Écosse aux XVIII*[e] *et XIX*[e] *siècles pour faciliter l'élevage des moutons*

clearance: **~ order** *n* Admin permis *m* de démolition; **~ sale** *n* Comm (total) liquidation *f*; (partial) soldes *mpl*

clear-cut /ˌklɪəˈkʌt/ *adj* [*category, division*] précis; [*distinction, difference, outline*] net/nette; [*question, problem, rule*] clair; [*idea, plan, example*] précis; **~ features** traits bien dessinés; **the matter is not so ~** l'affaire n'est pas si simple

clear: **~-headed** *adj* lucide; **~-headedly** *adv* avec lucidité; **~-headedness** *n* lucidité *f*

clearing /ˈklɪərɪŋ/ *n* **1** (glade) clairière *f*; **2** (removal) (of obstacles) enlèvement *m*; (of road, mines, debris) déblaiement *m*; **3** (levelling) (of forest) abattage *m*; (of buildings) démolition *f*; (of land) défrichage *m*; **4** (eradication) (of pimples, toxins) suppression *f*; **5** Fin compensation *f*

clearing: **~ bank** *n* GB Fin banque *f* affiliée à une chambre de compensation; **~ house** *n* Fin chambre *f* de compensation; Admin bureau *m* central

clearing-up *n* rangement *m*; **I've got some ~ to do** je dois faire du rangement

clearly /ˈklɪəlɪ/ *adv* **1** (distinctly) [*speak, hear, remember, write*] clairement; [*audible*] nettement; [*visible*] bien; [*see*] lit bien; fig clairement; [*labelled, signposted*] clairement; **2** (intelligibly) [*describe, explain*] clairement; **3** (lucidly) [*think*] clairement; **4** (obviously) [*drunk, worried, wrong*] manifestement; [*believe, hope, love, want*] manifestement

clearness /ˈklɪənɪs/ *n* **1** (transparency) (of glass, water, varnish) transparence *f*; **2** Meteorol (of day, sky) clarté *f*; **3** (purity) (of air) pureté *f*; (of note, voice) clarté *f*; (of skin) pureté *f*; **4** (brightness) (of colour) clarté *f*; **5** (distinctness) (of outline, image, writing) netteté *f*; (of memory) précision *f*; **6** (candour) (of gaze, eyes) innocence *f*; **7** (intelligibility) (of style, message) clarté *f*

clear-out○ /ˈklɪəraʊt/ *n* GB **to have a ~** faire du rangement; **to give sth a ~** faire du rangement dans qch

clear: **~ round** *n* Equit parcours *m* sans faute; **~-sighted** *adj* perspicace; **~-sightedly** *adv* avec perspicacité; **~-sightedness** *n* perspicacité *f*; **~way** *n* GB Transp route *f* à stationnement interdit

cleat /kliːt/ *n* **1** (on sole) striure *f*, rainure *f*; **2** (shoe) chaussure *f* à crampons; **3** Naut taquet *m*; **4** (in carpentry) tasseau *m*

cleated /ˈkliːtɪd/ *adj* [*sole*] cranté

cleavage /ˈkliːvɪdʒ/ *n* **1** (of breasts) décolleté *m*; **to show a lot of ~** avoir un décolleté plongeant; **2** (of opinion) clivage *m*, division *f* (**between** entre)

cleave /kliːv/
A *vtr* (*prét* **clove** *ou* **cleaved**; *pp* **cleft** *ou* **cleaved**) 1 littér fendre; **to ~ sth in two** fendre qch en deux; 2 Geol cliver [*stone*]
B *vi* littér 1 (*prét* **cleaved** *ou* **clave**†; *pp* **cleaved**) **to ~ to** (be loyal to) être foncièrement attaché à; (stick to) adhérer à; 2 (split) se fendre

cleaver /ˈkliːvə(r)/ *n* fendoir *m*

clef /klef/ *n* clé *f*; **in the treble ~** en clé de sol

cleft /kleft/
A *pp* ▸ **cleave**
B *n* fente *f*
C *adj* [*chin*] marqué d'un sillon
(Idiom) **to be in a ~ stick** être pris dans un dilemme, être pris entre le marteau et l'enclume

cleft palate *n* palais *m* fendu

clematis /ˈklemətɪs, kləˈmeɪtɪs/ *n* clématite *f*

clemency /ˈklemənsɪ/ *n* 1 (mercy) clémence *f* (**towards** envers, à l'égard de); 2 (of weather) clémence *f*

clement /ˈklemənt/ *adj* [*weather, judge*] clément

clementine /ˈklementiːn/ *n* clémentine *f*

clenbuterol /klenˈbjuːtərɒl/ *n* Med clenbutérol *m*

clench /klentʃ/ *vtr* serrer; **to ~ one's fist** serrer le poing; **to ~ one's teeth/jaws** serrer les dents/mâchoires; **to ~ sth between one's teeth** serrer qch entre les dents; **to say sth between ~ed teeth** dire qch sans desserrer les dents; **~ed-fist salute** salut *m* le poing levé

Cleopatra /ˌkliːəˈpætrə/ *pr n* Cléopâtre

clerestory /ˈklɪəstɔːrɪ/ *n* claire-voie *f*

clergy /ˈklɜːdʒɪ/ *n* clergé *m*

clergyman /ˈklɜːdʒɪmən/ ▸ **p. 1683** *n* (*pl* **-men**) gen ecclésiastique *m*; (Protestant) pasteur *m*; (Catholic) prêtre *m*

cleric /ˈklerɪk/ *n* ecclésiastique *m*

clerical /ˈklerɪkl/ *adj* (*avant n*) 1 Relig [*matters, faction*] clérical; [*control, influence*] du clergé; [*manner*] d'ecclésiastique; 2 [*staff, employee*] de bureau; **~ work** travail *m* de bureau; **she has a ~ post** elle est employée dans un bureau

clerical assistant ▸ **p. 1683** *n* commis *m*

clerical collar *n* (Catholic) col *m* romain; (Protestant) col *m* de clergyman

clerical error *n* erreur *f* d'écriture (*dans les comptes*)

clericalism /ˈklerɪkəlɪzəm/ *n* cléricalisme *m*

clerical: **~ student** *n* séminariste *m*; **~ worker** ▸ **p. 1683** *n* employé/-e *m/f* de bureau

clerihew /ˈklerɪhjuː/ *n* petit poème *m* humoristique (*sur une personne connue*)

clerk /klɑːk, US klɜːrk/ ▸ **p. 1683**
A *n* 1 (in office, bank etc) employé/-e *m/f*; **bank ~** employé/-e *m/f* de banque; **booking ~** employé/-e *m/f* aux réservations; **head ~** Admin chef *m* de bureau; Comm premier commis *m*; 2 (in UK) (to lawyer) ≈ clerc *m*; (in court) greffier/-ière *m/f*; 3 US (in hotel) réceptionniste *mf*; (in shop) vendeur/-euse *m/f*
B *vi* 1 US Jur **to ~ for a judge** être stagiaire d'un juge; 2 US (in shop) travailler comme vendeur/-euse *m/f*

clerk: **~ of the course** *n* GB Turf commissaire *m* des courses; (in motor-racing) directeur/-trice *m/f* des courses; **~ of the court** *n* GB Jur greffier *m*; **~ of the House of Commons** *n* GB greffier/-ière *m/f* de la chambre des communes; **~ of the works** *n* GB conducteur/-trice *m/f* de travaux; **~ to the justices** *n* GB conseil *m* attaché aux magistrats

Cleveland /ˈkliːvlənd/ ▸ **p. 1612** *pr n* Cleveland *m*

clever /ˈklevə(r)/ *adj* 1 (intelligent) [*person*] intelligent; [*mind*] agile; **to be ~ at sth/at doing** être doué pour qch/pour faire; **to be ~ with figures** être doué pour le calcul; **that wasn't very ~!** ce n'était pas malin!; 2 (ingenious) [*solution, gadget, plot*] astucieux/-ieuse; [*person*] astucieux/-ieuse, futé; **how ~ of you!** félicitations!; **how ~ of you to find the solution** je te félicite d'avoir trouvé la solution; 3 (shrewd) astucieux/-ieuse; 4 (skilful) [*player, workman*] habile, adroit; [*manoeuvre, kick*] adroit; **to be ~ at doing** être habile à faire; **he's ~ with his hands** il est adroit de ses mains; **~ workmanship** travail fait avec beaucoup d'adresse; 5 péj (persuasive) [*argument, advertisement*] astucieux/-ieuse; [*lawyer, salesperson*] malin/-igne; 6 GB péj (cunning) **to be too ~ for sb** être trop malin/-igne pour qn; **to be too ~ by half** être beaucoup trop intelligent

clever: **~-clever**○ *adj* GB péj [*person*] malin/-igne; [*ideas*] un peu trop ingénieux/-ieuse; **~ clogs**○, **~ dick**○ *n* GB péj gros malin *m*

cleverly /ˈklevəlɪ/ *adv* (intelligently) intelligemment; (astutely, cunningly) astucieusement; (dextrously) adroitement; **he ~ avoided doing** il s'est bien débrouillé pour ne pas faire

cleverness /ˈklevənɪs/ *n* (intelligence) intelligence *f*; (ingenuity) ingéniosité *f*; (quick-wittedness) vivacité *f* d'esprit; (dexterity) adresse *f*, habileté *f*; **the ~ of his replies** ses réponses futées○ *ou* malignes○

cliché /ˈkliːʃeɪ, US kliːˈʃeɪ/ *n* cliché *m*, lieu *m* commun; **the car chase is a cinema ~** la course poursuite est un poncif cinématographique; **to become a ~** devenir parfaitement banal

clichéd /ˈkliːʃeɪd, US kliːˈʃeɪd/ *adj* [*expression*] rebattu; [*idea, technique*] éculé; [*art, music*] bourré○ de clichés

click /klɪk/
A *n* 1 (sound) (of wood, metal, china) petit bruit *m* sec; (of mechanism) déclic *m*; (of fingers, heels, tongue) claquement *m*; Ling clic *m*; **with a ~ of her fingers/heels** d'un claquement de doigts/de talons; 2 Comput clic *m*
B *vtr* 1 (make sound) **to ~ one's fingers/tongue** faire claquer ses doigts/sa langue; **to ~ one's heels** claquer des talons; 2 **to ~ sth open/shut** ouvrir/fermer qch avec un bruit sec
C *vi* 1 [*camera, lock*] faire un déclic; [*door*] faire un petit bruit sec; **I heard the cameras ~ing all at once** j'ai entendu les appareils photo se déclencher tous ensemble; 2 ○(become clear) **suddenly something ~ed** tout d'un coup ça a fait tilt○; 3 (work out perfectly) **everything ~ed for them** tout a bien marché pour eux○; 4 ○(strike a rapport) **we just ~ed** (as friends) on a sympathisé du premier coup; (sexually) on s'est plu du premier coup; 5 Comput cliquer (**on** sur)

clickable /ˈklɪkəbl/ *adj* [*image*] cliquable, sensible

clickety-click /ˌklɪkətɪˈklɪk/ *n* 1 **to go ~** [*machine*] cliqueter; 2 GB (in bingo) soixante-six

clicking /ˈklɪkɪŋ/
A *n* (of machine, cameras) cliquetis *m*
B *adj* [*machine*] qui fait un cliquetis; **~ noise** cliquetis *m*

click: **~ language** *n* langue *f* à clics; **~s and mortar** *adj* [*company*] qui combine méthodes traditionnelles et Internet; **~through** *n* (on Internet) clic *m*

client /ˈklaɪənt/ *n* (all contexts) client/-e *m/f*

client base *n* Comm clientèle *f*; (for a larger business) marché *m*; **a shrinking/expanding ~ base** un marché en baisse/en expansion

clientele /ˌkliːɒnˈtel, US ˌklaɪənˈtel/ *n* clientèle *f*

client: **~ group** *n* segment *m* de clientèle; **~-server** *adj* Comput client-serveur; **~ state** *n* pays *m* satellite

cliff /klɪf/ *n* (by sea) falaise *f*; (inland) escarpement *m*; **sandstone/chalk ~s** (by sea) falaises *fpl* de grès/de craie; **steep ~s, vertical ~s** (by sea) falaises *fpl* à pic; (inland) escarpements *mpl* abrupts

cliffhanger○ /ˈklɪfhæŋə(r)/ *n* (film) film *m* à suspense; (story) récit *m* à suspense; (situation) situation *f* à suspense; (moment) moment *m* d'angoisse; **the match was a real ~** le match a été un véritable suspense

cliff: **~side** *n* paroi *f* d'une *or* de la falaise; **~top** *n* sommet *m* d'une *or* de la falaise

climacteric /klaɪˈmæktərɪk/ *n* 1 Physiol climatère *m*; 2 fig point *m* crucial

climactic /klaɪˈmæktɪk/ *adj* [*event, moment*] crucial

climate /ˈklaɪmɪt/ *n* 1 Meteorol climat *m*; 2 fig (surroundings) atmosphère *f*; 3 Econ, Pol climat *m*

climate: **~ change** *n* Meteorol changement *m* climatique; **~ control** *n* climatisation *f*

climatic /klaɪˈmætɪk/ *adj* climatique

climatology /ˌklaɪməˈtɒlədʒɪ/ *n* climatologie *f*

climax /ˈklaɪmæks/
A *n* 1 (culmination, end) (of career) apogée *m*; (of war, frenzy, conflict) paroxysme *m*; (of plot, speech, play) point *m* culminant; **to reach its ~** [*argument, crisis, battle*] atteindre son paroxysme; [*contest*] atteindre son point culminant; [*symphony, performance*] atteindre son grand moment; **it's a fitting ~ to a long career** c'est le couronnement d'une longue carrière; **the exciting ~ of the tournament** la finale passionnante du tournoi; 2 (orgasm) orgasme *m*; 3 (in rhetoric) gradation *f*
B *vtr* être l'apothéose de [*festival, match, week*]
C *vi* 1 (reach a high point) atteindre son grand moment; 2 (sexually) jouir

climb /klaɪm/
A *n* 1 (ascent) (of hill) escalade *f* (**up** de; **to** jusqu'à); (of tower) montée *f*; (of mountain, rockface) ascension *f* (**up** de; **to** jusqu'à); **it's a steep ~ to the top of the tower** il y a une montée raide jusqu'en haut de la tour; 2 (steep hill) montée *f*; **to stall on the ~** caler dans la montée; 3 Aviat montée *f*; 4 fig (rise) ascension *f* (**from** de, **to** à)
B *vtr* 1 [*car, person*] grimper [*hill, slope*]; faire l'ascension de [*cliff, mountain*]; [*person*] escalader [*lamppost, mast, wall*]; grimper à [*ladder, rope, tree*]; monter [*steps, staircase*]; 2 Bot [*plant*] grimper à [*trellis, wall*]
C *vi* 1 (scale) gen grimper (**along** le long de, **to** jusqu'à); Sport faire de l'escalade; **to ~ down** descendre [*rockface*]; **to ~ into** monter dans [*car*]; **to ~ into bed** se mettre au lit; **to ~ over** (step over) enjamber [*log, stile*]; (clamber over) passer par-dessus [*fence, wall*]; escalader [*debris, rocks*]; **to ~ up** grimper à [*ladder, tree*]; monter [*steps*]; 2 (rise) [*sun*] se lever; [*aircraft*] monter; 3 (slope up) [*path, road*] monter; 4 (increase) [*birthrate, currency, price, temperature*] monter; [*profits*] augmenter
(Idiom) **to ~ the wall** US grimper au mur○
(Phrasal verb) ■ **climb down** revenir sur sa décision; **to ~ down over** céder sur [*issue, plan, matter*]

climb-down /ˈklaɪmdaʊn/ *n* reculade *f* (**over** sur)

climber /ˈklaɪmə(r)/ *n* 1 (mountaineer) grimpeur/-euse *m/f*, alpiniste *mf*; (rock-climber) varappeur/-euse *m/f*; 2 (plant) plante *f* grimpante

climbing /ˈklaɪmɪŋ/ ▸ **p. 1253**
A *n* escalade *f*; ▸ **mountain climbing, rock climbing**
B *adj* 1 Bot [*ivy, rose*] grimpant; 2 Zool grimpeur/-euse

climbing: **~ boot** *n* chaussure *f* de randonnée; **~ expedition** *n* expédition *f* en montagne; **~ frame** *n* (in playground) cage *f* à poules; **~ irons** *npl* crampons *mpl*;

C

~ **shoe** *n* chausson *m* d'escalade; ~ **speed** *n* vitesse *f* ascensionnelle; ~ **wall** *n* mur *m* d'escalade

clime /klaɪm/ *n* littér cieux *mpl*; **in sunnier ~s** sous des cieux plus ensoleillés

clinch /klɪntʃ/
A *n* **1** (in boxing) corps-à-corps *m*; **2** ○(embrace) **to be in a ~** être enlacés; **3** (nail) rivet *m*; (part of nail) pointe *f* de clou rabattue
B *vtr* **1** Fin, Comm, Pol (secure) décrocher [*funding, holding, loan, market, order*]; **to ~ a deal** Comm conclure une affaire; Pol conclure un accord; **2** (resolve) décider de [*argument, discussion*]; **the ~ing argument** l'argument décisif; **what ~ed it was...** ce qui a été décisif c'est...; **3** Sport décrocher○ [*promotion, victory*]
C *vi* Sport combattre corps-à-corps

clincher○ /ˈklɪntʃə(r)/ *n* (act, remark) facteur *m* décisif; (argument) argument *m* décisif; **as a ~ they offered him a company car** pour le décider ils lui ont offert une voiture de fonction

cline /klaɪn/ *n* cline *m*

cling /klɪŋ/ (*prét, pp* **clung**) *vi* **1** (physically) **to ~ (on) to** se cramponner à [*person, rail, raft etc*]; **to ~ together** se cramponner l'un à l'autre; **to ~ on to sth for dear life** se cramponner de toutes ses forces à qch; **2** (emotionally) **to ~ to** se cramponner à [*parent, beliefs, myth, hope, habit, lifestyle, power*]; **he ~s to me all the time** c'est un vrai crampon; **she ~s to people for support** elle s'appuie sur les autres; **3** (adhere) [*leaf, moss*] coller (**to** à); [*smell*] résister; **the road clung to the mountain** la route s'accrochait au flanc de la montagne
(Phrasal verb) ■ **cling on** [*custom, myth*] survivre obstinément; **to ~ on to sth** se cramponner à qch

clingfilm /ˈklɪŋfɪlm/ *n* GB scellofrais® *m*

clinging /ˈklɪŋɪŋ/ *adj* [*plant*] à crampons; [*person*] fig collant

cling peaches GB, **clingstone peaches** US *npl* pêches *fpl* jaunes

clingy /ˈklɪŋɪ/ *adj* [*child*] collant

clinic /ˈklɪnɪk/ *n* **1** (treatment centre) centre *m* médical; **Dr X's ~** le service *m* du Dr X; **2** GB (nursing-home) clinique *f*; **3** (advice or teaching session) clinique *f*

clinical /ˈklɪnɪkl/ *adj* **1** Med [*research, test, judgment*] clinique; **2** fig (scientific) [*approach*] objectif/-ive; [*efficiency*] irréprochable; [*precision*] clinique; **3** péj (unfeeling) froid

clinically /ˈklɪnɪklɪ/ *adv* **1** (medically) cliniquement, d'un point de vue clinique; **~ dead** cliniquement mort; **~ depressed** dépressif/-ive au sens médical du terme; **2** (unemotionally) avec une précision clinique

clinical: **~ psychologist** ▸ p. 1683 *n* psychologue *mf* clinicien/-ienne, psychoclinicien/-ienne *m/f*; **~ psychology** *n* psychologie *f* clinique; **~ thermometer** *n* thermomètre *m* médical

clinician /klɪˈnɪʃn/ ▸ p. 1683 *n* praticien/-ienne *m/f*, clinicien/-ienne *m/f*

clink /klɪŋk/
A *n* **1** (noise) tintement *m*; **2** ○(prison) taule○ *f*, trou○ *m*; **in the ~** en taule○, au trou○
B *vtr* faire tinter [*glass, keys*]; **to ~ glasses with** trinquer avec
C *vi* [*glass, keys*] tinter

clinker /ˈklɪŋkə(r)/ *n* **1** ¢ (ash) scories *fpl*, mâchefer *m*; **2** GB (brick) brique *f* vitrifiée; **3** ○US (blunder) bourde○ *f*, gaffe *f*; (wrong note) couac○ *m*, fausse note *f*; (failed film) bide○ *m*, navet○ *m*; (failed play) four *m*

clip /klɪp/
A *n* **1** (spring-loaded) (in surgery, on clipboard etc) pince *f*; (on earring) clip *m*; **2** (grip) (for hair) barrette *f*; (on pen) agrafe *f*; (on bow tie) clip *m*; (jewellery) clip(s) *m*; **3** Elec (for wire) cavalier *m*; **4** TV, Cin (excerpt) extrait *m* (**from** de); **5** Mil (*also* **cartridge ~**) chargeur *m*; **6** Agric (wool) tonte *f*; **7** (notch) encoche *f*; **8** Ling forme *f* tronquée
B *vtr* (*p prés etc* **-pp-**) **1** (cut, trim) tailler [*hedge, grass verge*]; couper [*cigar, fingernails, hair, moustache*]; tondre [*dog, sheep*]; rogner [*coin*]; rogner [*bird's wing*]; **to ~ an article out of the paper** découper un article dans un journal; **2** (by hooking) accrocher [*pen, microphone*] (**to** à); (by securing) fixer [*electric wire, brooch*] (**to** à); **there was a bill ~ped to the letter** il y avait une facture attachée à la lettre (avec un trombone); **3** GB poinçonner [*ticket*]; **4** **to ~ one's speech** parler d'une manière hachée; **5** Ling tronquer; **6** ○US (swindle) arnaquer; **7** (hit, glance off) heurter
C *vi* (*p prés etc* **-pp-**) (by hooking on) [*pen, personal stereo etc*] s'accrocher (**to** à); (by fastening on) [*lamp, brooch etc*] se fixer (**to** à)
(Idioms) **to ~ sb's wings** rogner les ailes à qn; **to give sb a ~ on the ear**○ flanquer une taloche à qn○; **to travel at a fair** *ou* **a brisk ~** aller à une bonne vitesse

clip: **~ art** *n* Comput images *fpl* clipart, clipart *m*; **~board** *n* gen porte-bloc *m inv* à pince; Comput presse-papiers *m*; **~-clop** *n* bruit *m* de sabots; **~ frame** *n* sous-verre *m*; **~ joint**○ *n*: *boîte de nuit qui exploite la clientèle*

clip-on /ˈklɪpɒn/
A **clip-ons** *npl* (earrings) clips *mpl*; (sunglasses) faces *fpl* additives
B *adj* [*bow tie*] agrafable; [*lamp*] à fixation par pince(-étau); [*cover*] amovible

clip-on microphone *n* micro-cravate *m*

clipped /klɪpt/ *adj* [*speech*] haché

clipper /ˈklɪpə(r)/
A *n* Aviat, Naut clipper *m*
B **clippers** *npl* (for nails) coupe-ongles *m inv*; (for hair, hedge) tondeuse *f*

clipping /ˈklɪpɪŋ/
A *n* (from newspaper etc) coupure *f* de presse
B **clippings** *npl* (trimmings) (hair) cheveux *mpl* coupés; (nails) bouts *mpl* d'ongles; (hedge) branches *fpl* coupées; (of fabric) tombées *fpl*

clippings library *n* bureau *m* qui recense les coupures de presse

clippity-clop /ˌklɪpətɪˈklɒp/ *n* = **clip-clop**

clique /kliːk/ *n* clique *f* péj, bande *f*

cliquey, **cliquish** /ˈkliːkɪ/ *adj* [*profession, group*] fermé; [*atmosphere*] exclusif/-ive; **the office is very ~** (exclusive) l'esprit de clan est très fort dans le bureau; (divided) il y a beaucoup de clans dans le bureau

cliquishness /ˈkliːkɪʃnɪs/ *n* esprit *m* de clan *or* de chapelle

clitoral /ˈklɪtərəl/ *adj* clitoridien/-ienne

clitoridectomy /ˌklɪtərɪˈdektəmɪ/ *n* clitoridectomie *f*

clitoris /ˈklɪtərɪs/ *n* (*pl* **-rides**) clitoris *m*

Cllr GB *abrév écrite* = **councillor**

cloaca /kləʊˈeɪkə/ *n* (*pl* **~e**) cloaque *m*

cloak /kləʊk/
A *n* **1** (garment) cape *f*; (long, worn by men) houppelande *f*; **2** fig (front, cover) **to be a ~ for** servir de couverture à [*operation etc*]; **a ~ of respectability** un voile de respectabilité
B *vtr* **1** (surround) **to ~ sth in** *ou* **with** entourer qch de [*anonymity, secrecy, humour*]; **to ~ sth in respectability** jeter un voile de respectabilité sur qch; **~ed in** enveloppé dans [*darkness*]; enrobé de [*language, style*]; enveloppé de [*ambiguity, secrecy*]; **2** (hide, disguise) masquer [*belief, intentions*]

cloak-and-dagger *adj* [*story, thriller*] d'espionnage; [*affair, tactics, operation*] clandestin; **the ~ brigade**○ GB hum les services *mpl* secrets

cloakroom /ˈkləʊkrʊm/ *n* **1** (for coats) vestiaire *m*; **2** GB (lavatory) toilettes *fpl*

cloak: **~room attendant** ▸ p. 1683 *n* (in hotel) préposé/-e *m/f* au vestiaire; GB (at toilets) préposé/-e *m/f* à l'entretien des toilettes; **~room ticket** *n* ticket *m* de vestiaire; **~s cupboard** *n* GB placard *m* (à habits)

clobber○ /ˈklɒbə(r)/
A *n* GB (gear) attirail○ *m*, barda○ *m*
B *vtr* **1** (hit) tabasser○; **2** (penalize) [*police, law*] porter un coup dur à, tomber à bras raccourcis sur○; **3** (defeat) démolir○, enfoncer○ [*opponent*]

cloche /klɒʃ/ *n* **1** Hort cloche *f*; **2** (*also* **~ hat**) chapeau *m* cloche

clock /klɒk/ ▸ p. 1059
A *n* **1** (timepiece) (large) horloge *f*; (small) pendule *f*; **what time does the ~ say?** quelle heure indique l'horloge *or* la pendule?; **to set a ~** mettre une pendule à l'heure; **to put the ~s forward/back one hour** avancer/reculer les pendules d'une heure; **he does everything by the ~** tout est minuté chez lui; **to work/watch sb around the ~** travailler/surveiller qn 24 heures sur 24; **to work against the ~** faire une course contre la montre; **the biological ~** l'horloge biologique; **the twenty-four hour ~** l'horloge de vingt-quatre heures; **2** (timer) (in computer) horloge *f* (interne); (for central heating system) horloge *f* (incorporée); **3** ○Aut compteur *m*; **a car with 40,000 kilometers on the ~** une voiture qui a 40 000 kilomètres au compteur; **4** Ind (in workplace) pointeuse *f*; **to punch the ~** pointer; **5** Sport chronomètre *m*; **to complete the course against the ~** Equit finir la course dans le temps limite; **to beat the ~** (in games) jouer dans les temps; **a race against the ~** une course contre la montre
B *vtr* **1** Sport **he ~ed 9.6 seconds in the 100 metres** il a fait le 100 mètres en 9,6 secondes; **to ~ 5 minutes 2.987 seconds** faire un temps de 5 minutes et 2,987 secondes; **2** ○GB (hit) **to ~ sb (one)** flanquer un marron○ à qn; **3** (catch) **the police ~ed him doing 150 km an hour** la police l'a arrêté alors qu'il roulait à 150 km à l'heure; **4** ○GB Aut trafiquer le compteur de [*car*]
(Idiom) **they want to turn** *ou* **put the ~ back 600 years** ils veulent revenir 600 ans en arrière
(Phrasal verbs) ■ **clock in** GB pointer
■ **clock off** GB = **clock out**
■ **clock on** GB = **clock in**
■ **clock out** pointer (à la sortie)
■ **clock up**: **~ up [sth]** **1** [*driver, car*] faire [*30,000 km*]; **2** [*worker*] travailler [*hours*]

clock face *n* cadran *m*

clocking-in /ˌklɒkɪŋˈɪn/ *n* pointage *m*

clock: **~ing-in time** *n* heure *f* de pointage (à l'arrivée); **~maker** ▸ p. 1683 *n* horloger/-ère *m/f*; **~ patience** ▸ p. 1253 *n* réussite *f*, patience *f*; **~ radio** *n* radio-réveil *m*; **~ tower** *n* beffroi *m*; **~-watch** *vi* regarder tout le temps l'heure

clock-watcher /ˈklɒkwɒtʃə(r)/ *n* **to be a ~** regarder tout le temps l'heure

clockwise /ˈklɒkwaɪz/
A *adj* **in a ~ direction** dans le sens des aiguilles d'une montre; **the ~ carriageway** GB Transp la chaussée sur laquelle on circule dans le sens des aiguilles d'une montre
B *adv* dans le sens des aiguilles d'une montre

clockwork /ˈklɒkwɜːk/
A *n* (in clock) mécanisme *m* *or* mouvement *m* d'horloge; (in toy) mécanisme *m*
B *adj* [*toy*] mécanique; **with ~ precision** (on time) avec une précision *or* une exactitude d'horloge
(Idioms) **to be as regular as ~** être réglé comme une horloge; **to go like ~** aller comme sur des roulettes

clod /klɒd/ *n* **1** (of earth) motte *f* (de terre); **2** ○(fool) plouc○ *m*

clodhopper○ /ˈklɒdhɒpə(r)/ *n* **1** (person) balourd/-e *m/f*, empoté/-e○ *m/f*; **2** (shoe) croquenot○ *m*

clog /klɒg/
A *n* sabot *m*
B *vtr, vi* (*p prés etc* **-gg-**) = **clog up**
(Idiom) **to pop one's ~s**○ casser sa pipe○
(Phrasal verb) ■ **clog up**: ▸ **~ up** [*drain*] se

ℹ The clock

What time is it?

It is…	Il est…	say…
4 o'clock	4 heures *or* 4 h	quatre heures
4 o'clock in the morning *or* 4 am	4 h 00	quatre heures du matin
4 o'clock in the afternoon *or* 4 pm	16 h 00	quatre heures de l'après-midi *or* seize heures*
0400	4 h 00	quatre heures
4.02	4 h 02	quatre heures deux
two minutes past four	4 h 02	*or* quatre heures deux minutes†
4.05	4 h 05	quatre heures cinq
five past four	4 h 05	quatre heures cinq
4.10	4 h 10	quatre heures dix
ten past four	4 h 10	quatre heures dix
4.15	4 h 15	quatre heures quinze‡
a quarter past four	4 h 15	quatre heures et quart‡
4.20	4 h 20	quatre heures vingt
4.25	4 h 25	quatre heures vingt-cinq
4.30	4 h 30	quatre heures trente‡
half past four	4 h 30	quatre heures et demie§
4.35	4 h 35	quatre heures trente-cinq
twenty-five to five	4 h 35	cinq heures moins vingt-cinq
4.37	4 h 37	quatre heures trente-sept
twenty-three minutes to five	4 h 37	cinq heures moins vingt-trois
4.40	4 h 40	quatre heures quarante
twenty to five	4 h 40	cinq heures moins vingt
4.45	4 h 45	cinq heures moins le quart
4.50	4 h 50	quatre heures cinquante
ten to five	4 h 50	cinq heures moins dix
4.55	4 h 55	quatre heures cinquante cinq
five to five	4 h 55	cinq heures moins cinq
5 o'clock	5 h	cinq heures
16.15	16 h 15	seize heures quinze
16.25	16 h 25	seize heures vingt-cinq
8 o'clock in the evening	8 h du soir	huit heures du soir
8 pm	20 h 00	vingt heures
12.00	12 h 00	douze heures
noon *or* 12 noon	12 h 00	midi
midnight *or* 12 midnight	24 h 00	minuit

* *In timetables etc., the twenty-four hour clock is used, so that 4 pm is* seize heures. *In ordinary usage, one says* quatre heures (de l'après-midi).

what time is it?
= quelle heure est-il?

my watch says five o'clock
= il est cinq heures à ma montre

could you tell me the time?
= pouvez-vous me donner l'heure?

it's exactly four o'clock
= il est quatre heures juste
or il est exactement quatre heures

it's about four
= il est environ quatre heures

it's almost three o'clock
= il est presque trois heures

it's just before six o'clock
= il va être six heures

it's just after five o'clock
= il est à peine plus de cinq heures

it's gone five
= il est cinq heures passées

When?

■ *French never drops the word* heures: at five *is* à cinq heures *and so on.*

■ *French always uses* à, *whether or not English includes the word* at. *The only exception is when there is another preposition present, as in* vers cinq heures (*towards five o'clock*), avant cinq heures (*before five o'clock*) etc.

what time did it happen?
= à quelle heure cela s'est-il passé?

what time will he come at?
= à quelle heure va-t-il venir?

it happened at two o'clock
= c'est arrivé à deux heures

he'll come at four
= il viendra à quatre heures

at ten past four
= à quatre heures dix

at half past eight
= à huit heures et demie

at three o'clock exactly
= à trois heures précises

at about five
= vers cinq heures
or à cinq heures environ

at five at the latest
= à cinq heures au plus tard

a little after nine
= un peu après neuf heures

it must be ready by ten
= il faut que ce soit prêt avant dix heures

I'll be here until 6 pm
= je serai là jusqu'à six heures du soir

I won't be here until 6 pm
= je ne serai pas là avant six heures du soir

it lasts from seven till nine
= cela dure de sept à neuf heures

closed from 1 to 2 pm
= fermé entre treize et quatorze heures

every hour on the hour
= toutes les heures à l'heure juste

at ten past every hour
= toutes les heures à dix

† *This fuller form is possible in all similar cases in this list. It is used only in 'official' styles.*

‡ Quatre heures et quart *sounds less official than* quatre heures quinze (*and similarly* et demie *and* moins le quart *are the less official forms*). *The* demie *and* quart *forms are not used with the 24-hour clock.*

§ Demi *agrees when it follows its noun, but not when it comes before the noun to which it is hyphenated, e.g.* quatre heures et demie *but* les demi-heures *etc. Note that* midi *and* minuit *are masculine, so* midi et demi *and* minuit et demi.

---

boucher; [*machinery, pores*] se boucher, s'encrasser; **the roads ~ up with traffic** des bouchons se forment sur les routes; ▸ **~ up [sth], ~ [sth] up** boucher [*drain*]; boucher, encrasser [*machinery, pores*]; **to be ~ged up with traffic** être paralysé par la circulation, être embouteillé

cloister /ˈklɔɪstə(r)/
A *n* cloître *m*
B *vtr* isoler, cloîtrer; **to lead a ~ed existence** mener une vie très protégée
C *v refl* **to ~ oneself up** *ou* **away** se cloîtrer, s'enfermer

clone /kləʊn/
A *n* Biol, Comput, fig clone *m*
B *vtr* cloner

cloning /ˈkləʊnɪŋ/ *n* clonage *m*

close¹ /kləʊs/
A *n* **1** (road) passage *m*
2 (of cathedral) enceinte *f*
B *adj* **1** (with close links) [*relative*] proche; [*resemblance*] frappant; **to bear a ~ resemblance to sb/sth** ressembler beaucoup à qn/qch; **~ links with** Pol liens étroits avec [*country*]; liens d'amitié avec [*group, twinned town etc*]; **to work in ~ collaboration with sb** collaborer étroitement avec qn; **in ~ contact with** en contact permanent avec [*government department etc*]; en contact avec [*friend etc*]; **in ~ harmony** Mus dans une tessiture rapprochée
2 (intimate) [*friend, adviser*] proche (**to** de); **they have a ~ friendship** ils sont très bons amis
3 (almost equal) [*contest, finish, result, vote*] serré; **'is it the same?'—'no but it's ~'** 'c'est le même?'—'non mais c'est proche'; **a ~ copy of his signature** une imitation presque parfaite de sa signature; **it's a ~ match** (of colour, hairpiece) c'est presque la même couleur
4 (careful, rigorous) [*scrutiny, examination, study*] minutieux/-ieuse; [*supervision*] étroit; **to pay ~ attention to sth** faire une attention toute particulière à qch; **to keep a ~ watch** *ou* **eye on sb/sth** surveiller étroitement qn/qch
5 (compactly aligned) [*texture, grain*] dense; [*print, military formation*] serré; [*handwriting*] ramassé
6 (stuffy) [*weather*] lourd; **it's ~** il fait lourd
7 ○(secretive) **she's been very ~ about it** elle n'a rien voulu dire
C *adv* **1** (nearby) **to live/work quite ~ (by)** habiter/travailler tout près; **they look ~r than they are** ils semblent plus près qu'ils ne le sont; **how ~ is the town?** est-ce que la ville est loin?; **it's ~, I can hear it** il ne doit pas être loin, je l'entends; **the closer he came** plus il approchait; **to bring sth closer** approcher qch; **to follow ~ behind** suivre de près; **to hold sb ~** serrer qn; **~ together** serrés les uns contre les autres; **to come closer together** se rapprocher; ▸ **draw**
2 (close temporally) **the time is ~ when** dans peu de temps; **how ~ are they in age?** combien ont-ils de différence d'âge?; **Christmas is ~** Noël approche; ▸ **draw**
3 (almost) **that's closer (to) the truth** ça c'est

plus proche de la vérité; **'is the answer three?'—'~!'** 'est-ce que la réponse est trois?' –'tu y es presque'

D close enough *adv phr* **1** (sufficiently near) **that's ~ enough** (no nearer) tu es assez près; (acceptable as answer) ça ira; **to be/come ~ enough to do** être assez près/s'approcher suffisamment pour faire

2 (approximately) **there were 20 yachts or ~ enough** il y avait à peu près 20 yachts

E close to *prep phr, adv phr* **1** lit près de [*place, person, object*]; **~ to where** près de l'endroit où; **closer to** plus près de; **how ~ are we to...?** à quelle distance sommes-nous de...?

2 (on point of) au bord de [*tears, hysteria, collapse*]; **to be ~ to doing** être sur le point de faire

3 (almost at) **closer to 30 than 40** plus proche *or* plus près de 40 ans que de 30; **to come closest to** s'approcher le plus de [*ideal, conception*]; **to come ~ to doing** faillir faire; **he came ~ to giving up** il a failli abandonner; **how ~ are you to completing...?** est-ce que vous êtes sur le point de finir...?; **~ to the time when** à peu près au moment où; **it's coming ~ to the time when we must decide** l'heure de nous décider approche

4 (*also* **~ on**○) (approximately) **~ to** *ou* **on**○ **60 people** près de *or* presque 60 personnes; **~ to** *ou* **on**○ **a century ago** il y a près d'un siècle

F close by *prep phr, adv phr* près de [*wall, bridge*]; **the ambulance is ~ by** l'ambulance n'est pas loin

(Idioms) **(from) ~ to**○, **(from) ~ up** de près; **it was a ~ call**○ *ou* **shave**○ *ou* **thing** je l'ai/tu l'as etc échappé belle

close² /kləʊz/

A *n* **1** gen, Sport fin *f*; **to bring sth to a ~** mettre fin à qch; **to draw to a ~** tirer à sa fin; **to come to a ~** se terminer; **at the ~ of day** littér à la tombée du jour liter

2 Fin **~ (of trading)** clôture *f*; **at the ~** à la clôture

B *vtr* **1** (shut) fermer [*container, door, window, eyes, mouth, mind, book, file, museum, office, shop*]

2 (block) fermer [*border, port, airport*]; boucher [*pipe, opening*]; barrer [*road*]; interdire l'accès à [*area of town*]

3 = **close down**

4 (bring to an end) mettre fin à [*meeting, discussion, investigation, case*]; fermer [*account*]; **to ~ the meeting, we have** pour clore la réunion nous avons; **the subject is now ~d** le sujet est clos; **'this correspondence is now ~d'** journ 'cette rubrique est interrompue'

5 (reduce) **to ~ the gap** fig réduire l'écart **(between** entre); **to ~ the gap on sb/sth** lit, fig rattraper qn/qch; **to ~ the gaps** (improve fault) remédier aux lacunes **(in** dans)

6 (agree) conclure [*deal, contract, sale*]

7 Elec fermer [*circuit*]

C *vi* **1** (shut) [*airport, factory, office, polls, shop, station*] fermer **(for** pour); [*door, window, container, lid, eyes, mouth*] se fermer; [*hand, arms*] se (re)fermer **(around** sur); **the museum has ~d** le musée est fermé au public

2 (cease to operate) [*business, factory, mine, institution*] fermer définitivement

3 (end) [*meeting, enquiry, play, concert, season*] prendre fin; **to ~ with** se terminer par [*scene, event, song*]

4 Fin [*currency, index, shares, market*] clôturer **(at** à); **the market ~d down/up** le marché a clôturé en baisse/en hausse; **the pound ~d up against the euro** la livre (sterling) a clôturé en hausse contre le euro

5 (get smaller) se réduire; **the gap is closing between X and Y** fig l'écart entre X et Y se réduit; lit la distance entre X et Y se réduit

6 (get closer) [*pursuer, enemy*] se rapprocher **(on** de)

7 (heal) [*wound*] se refermer

D closed *pp adj* **1** (shut) [*door, window, container, business, public building, shop*] fermé; [*fist, mouth, eyes*] fermé; **'~d'** (sign in shop) 'fermé'; (in theatre) 'relâche'; **'~d for lunch/for repairs'** 'fermé pour le déjeuner/pour cause de réparations'; **'road ~d'** 'route barrée'; **'~d to the public'** 'interdit au public'; **'~d to traffic'** 'circulation interdite'; **behind ~d doors** fig à huis clos

2 (restricted) [*community, circle, meeting, organization, economy*] fermé; **to have a ~d mind** avoir l'esprit fermé

3 Math [*set*] fermé

4 Ling [*syllable*] fermé

(Phrasal verbs) ■ **close down**: ▶ **~ down** [*shop, business, club, institution*] fermer définitivement; GB, Radio, TV **we are now closing down** nos émissions sont terminées pour ce soir; ▶ **~ down [sth]**, **~ [sth] down** fermer [qch] définitivement [*business, factory*]

■ **close in** [*pursuers, enemy*] se rapprocher **(on** de); [*winter, night*] approcher; [*darkness, fog*] descendre **(on** sur); [*jungle, forest*] se refermer; **the nights are closing in** les jours commencent à raccourcir

■ **close off**: ▶ **~ off [sth]**, **~ [sth] off** fermer [qch] au public [*district, street, wing*]

■ **close out**: ▶ **~ out [sth]**, **~ [sth] out** US Comm liquider [*stock*]; vendre [*part of business*]

■ **close up**: ▶ **~ up** **1** [*flower, petals, wound*] se refermer; [*group*] se serrer; [*troops*] serrer les rangs; **2** [*shopkeeper, caretaker*] fermer; **3** **he just ~s up** il refuse d'en parler; ▶ **~ up [sth]**, **~ [sth] up** **1** fermer [*bank, office, shop*]; **2** boucher [*hole, entrance, pipe*]

■ **close with**: ▶ **~ with [sb]** **1** Comm tomber d'accord avec [*dealer, trader*] **(for** pour); **2** Mil engager le combat avec [*enemy*]; ▶ **~ with [sth]** Fin accepter [*deal, offer*]

close kləʊs: **~ combat** *n* corps-à-corps *m*; **~ company, ~ corporation** *n* Comm *société contrôlée par un maximum de cinq actionnaires et à régime fiscal particulier*; **~-cropped** *adj* [*hair*] coupé ras; [*grass*] ras *inv*

closed caption *n* TV sous-titres *mpl* cryptés

closed-circuit television, CCTV /kləʊzd/ *n* télévision *f* en circuit fermé

closedown /kləʊzdaʊn/ *n* **1** Comm, Ind fermeture *f* (définitive); **2** GB Radio, TV fin *f* des émissions

closed primary /kləʊzd/ *n* US Pol élection *f* primaire réservée aux électeurs déclarés des partis

closed scholarship /kləʊzd/ *n* bourse *f* réservée à une certaine catégorie d'étudiants

closed season /kləʊzd/ *n* période *f* de fermeture de la chasse et de la pêche

closed shop /kləʊzd/ *n* Mgmt *industrie employant exclusivement les membres des syndicats*

close kləʊs: **~-fitting** *adj* [*garment*] ajusté, près du corps; **~-grained** *adj* [*texture*] dense

close-hauled /ˌkləʊsˈhɔːld/ *adj* Naut **to be ~** lofer, venir au lof

close-knit /ˌkləʊsˈnɪt/ *adj* fig [*family, group*] très uni

closely /ˈkləʊslɪ/ *adv* **1** (in close proximity) [*follow, look*] lit, fig de près; **crowded ~ around the painting** assemblés tout autour de la peinture; **to work ~ together** travailler en étroite collaboration; **~ written** écrit très serré; **the script was so ~ typed that** les caractères étaient si serrés que; **to be ~ packed** [*people, boxed items*] être entassés; **the houses were ~ spaced** il y avait très peu d'espace entre les maisons; **2** (not distantly) [*resemble*] beaucoup; [*identify*] tellement; [*conform*] tout à fait; [*integrated, coordinated*] bien; **the more ~ you look, the more ~ it seems to resemble him** plus on regarde, plus on trouve que la ressemblance est frappante; **which photo fits the rapist most ~?** quelle photo ressemble le plus au violeur?; **her description ~ fits that of the thief** sa description correspond parfaitement à celle du voleur; **to be ~ akin to sth** ressembler beaucoup à qch; **to be ~ related** gen être étroitement lié (**to** à); (of people) être proches parents; **3** (rigorously, in detail) [*study, monitor, observe*] de près; [*listen*] attentivement; [*question*] avec attention; **4** (evenly) **~ contested** *ou* **fought** serré; **to be so ~ matched that** [*competitors*] se suivre de si près que; **5** (near to body) [*shaven*] de près; **to fit ~** [*garment*] être très ajusté; **he held her ~ to him** il l'a serrée fort; **~ guarded secret** fig secret bien gardé

close-mouthed *adj* taciturne

closeness /ˈkləʊsnɪs/ *n* **1** (emotionally) intimité *f*; **2** (in mutual understanding) (of peoples) bonnes relations *fpl*; **the ~ of their alliance** les liens étroits qui les unissent/unissaient etc; **3** (rapport) rapport *m* (**to** à); **~ to nature** rapport à la nature; **4** (proximity) (of place) proximité *f*; (of event) approche *f*; **5** (of atmosphere) (inside) manque *m* d'air; (outside) **the ~ of the weather** le temps lourd; **6** (accuracy, similarity) (of copy) fidélité *f*; **the ~ of the resemblance** la ressemblance frappante

close kləʊs: **~-run** *adj* [*race, contest*] très serré; **~-set** *adj* [*eyes, buildings*] très rapproché; **~stool** *n* Hist chaise *f* percée

closet /ˈklɒzɪt/

A *n* **1** (cupboard) placard *m*; (for clothes) penderie *f*; **linen ~** placard *m* à linge; **2** (room) cabinet *m*; **3** †(lavatory) cabinet *m*

B *modif* (secret) [*alcoholic, fascist*] inavoué, qui s'en cache

C *vtr* enfermer; **to be ~ed with sb** être en tête-à-tête avec qn; **a ~ed world** un univers clos

(Idiom) **to come out of the ~** [*homosexual*] déclarer publiquement son homosexualité; gen se révéler sous son propre jour

closet drama *n*: *pièce écrite pour être lue plutôt que jouée*

close-up

A /ˈkləʊsʌp/ *n* gros plan *m*; **in ~** en gros plan

B close up /ˌkləʊsˈʌp/ *adv* **(from) ~** de près

closing /ˈkləʊzɪŋ/

A *n* fermeture *f*; **Sunday ~** fermeture *f* dominicale (des magasins); **a ~ of ranks** fig un resserrement des rangs

B *adj* [*minutes, months, days, words*] dernier/-ière; [*scene, pages, stage*] final; [*speech*] de clôture

closing: **~ bid** *n* Fin dernière enchère *f*; **~ date** *n* date *f* limite (**for** de); **~-down sale, ~-out sale** US *n* liquidation *f*; **~ price** *n* Fin prix *m* de clôture

closing time *n* heure *f* de fermeture; **'~!'** 'on ferme!'

closure /ˈkləʊʒə(r)/ *n* **1** (of road, lane, factory) fermeture *f*; **2** Pol clôture *f*; **to move the ~** demander la clôture; **3** (fastening) fermeture *f*; (lid) couvercle *m*; (strip) lien *m*; **4** Ling occlusion *f*

clot /klɒt/

A *n* **1** (in blood, milk) caillot *m*; **~ in an artery** caillot obstruant une artère; **~ on the lung/on the brain** embolie *f* pulmonaire/cérébrale; **2** ○GB (idiot) balourd/-e *m/f*, empoté/-e○ *m/f*

B *vtr* (*p prés etc* **-tt-**) coaguler, cailler

C *vi* (*p prés etc* **-tt-**) (se) coaguler, (se) cailler

cloth /klɒθ, US klɔːθ/

A *n* **1** (fabric) tissu *m*; **wool/silk/cotton ~** tissu *m* de laine/de soie/de coton; **2** (piece of fabric) (for polishing, dusting) chiffon *m*; (for floor) serpillière *f*; (for drying dishes) torchon *m*; (for table) nappe *f*; **altar ~** nappe *f* d'autel; **damp ~** (for cleaning) chiffon *m* humide; (for ironing) pattemouille *f*; **dish ~** (for washing dishes) chiffon *m* pour la vaisselle; **wrap it in a damp ~** enveloppez-le dans un linge humide; **3** Relig **the ~** l'habit *m* ecclésiastique; **a man of the ~** un ecclésiastique

B *modif* [*cover, blind etc*] en tissu; **hey ~ ears**○**!** alors, tu es sourd?

(Idiom) **to cut one's coat according to one's ~** GB vivre selon ses moyens

cloth: **~backed, ~bound** *adj* [*book*] relié toile; **~ cap** *n* GB lit casquette *f* de drap; fig casquette *f* (*qui symbolise la classe ouvrière*)

clothe /kləʊð/
A *vtr* habiller, vêtir; **to feed and ~** nourrir et habiller *ou* vêtir [*family, refugees*]; **to be ~d in** être habillé en *or* vêtu de; **fully ~d** tout habillé
B *v refl* **to ~ oneself** s'habiller, se vêtir
cloth-eared○ *adj* bouché○, sourd
clothes /kləʊðz, US kləʊz/ ▸ **p. 1694**
A *npl* **1** (garments) vêtements *mpl*; **children's/work ~** vêtements *mpl* d'enfants/de travail; **to put on/take off one's ~** s'habiller/se déshabiller; **to change one's ~** se changer; **without any ~ on** tout nu; **to make one's own ~** faire ses vêtements; **2** (washing) linge *m*
B *modif* [*basket, line, peg, pin*] à linge
(Idiom) **with only the ~ he stood up in** sans rien d'autre que les vêtements qu'il avait sur le dos
clothes: **~ airer** *n* séchoir *m* à linge; **~ brush** *n* brosse *f* à habits; **~ drier** *n* (machine) sèche-linge *m inv*; (airer) séchoir *m* à linge; **~hanger** *n* cintre *m*; **~ horse** *n* lit séchoir *m* à linge; fig péj○ (fashionable person) minet/minette○ *m/f*; **~ moth** *n* mite *f*; **~ prop** *n* béquille *f* de corde à linge; **~ shop** *n* GB magasin *m* de vêtements; **~ tree** *n* US portemanteau *m*
clothier† /'kləʊðɪə(r)/ ▸ **p. 1683** *n* (seller) confectionneur *m*; (designer) habilleur/-euse *m/f*
clothing /'kləʊðɪŋ/ *n* ¢ vêtements *mpl*; **an item** *ou* **article of ~** un vêtement
clothing: **~ allowance** *n* (worker's) indemnité *f* vestimentaire; (child's) allocation *f* vêtements; **~ industry**, **~ trade** *n* habillement *m*, confection *f*
clotted cream *n* GB ≈ crème *f* fraîche épaisse
cloture /'kləʊtʃə(r)/ *n* US Pol = **closure 2**
cloud /klaʊd/
A *n* **1** C (in sky) nuage *m*, nuée *f* liter; **2** ¢ Meteorol (*also* **~ mass**) nuages *mpl*; **some patches of ~** quelques nuages; **there's a lot of ~ about** il fait un temps très nuageux; **3** (mass) (of smoke, dust, gas) nuage *m*; (of ash, insects) nuage *m*, nuée *f*; **4** fig (negative feature) **a ~ of gloom/uncertainty** un voile de tristesse/d'incertitude; **to cast a ~ over sth** jeter une ombre sur qch; **5** (blur) (in liquid, marble, gem) nuage *m*; (in glass, on mirror) buée *f*
B *vtr* **1** (blur) [*steam, breath*] embuer [*mirror*]; [*substance*] rendre [qch] trouble [*liquid*]; [*tears*] brouiller [*vision*]; **~ed with tears** [*eyes*] voilé *or* brouillé de larmes; **2** (confuse) obscurcir [*judgment*]; brouiller [*memory*]; **to ~ the issue** brouiller les cartes; **3** (blight) assombrir [*atmosphere, occasion etc*]
C *vi* = **cloud over**
(Idioms) **to be living in ~-cuckoo-land** croire au père Noël; **to have one's head in the ~s** avoir la tête dans les nuages; **to be on ~ nine**○ être aux anges; **to be/leave under a ~** être/partir en état de disgrâce
(Phrasal verb) ■ **cloud over** [*sky*] se couvrir (de nuages); [*face*] s'assombrir
cloud: **~berry** *n* (fruit) mûre *f* rose; (plant) faux-mûrier *m*; **~burst** *n* violente averse *f*; **~ chamber** *n* Phys chambre *f* de Wilson, chambre *f* à bulles; **~ cover** *n* couverture *f* nuageuse
clouded /'klaʊdɪd/ *adj* **1** [*sky, weather*] couvert, nuageux/-euse; **2** fig [*eyes, expression*] attristé, assombri
cloudiness /'klaʊdɪnɪs/ *n* **1** (of sky) aspect *m* nuageux; **2** (of liquid, glass) aspect *m* terne
cloudless /'klaʊdlɪs/ *adj* sans nuages, limpide
cloudy /'klaʊdɪ/ *adj* **1** [*weather*] couvert; **it's ~** le temps est couvert; **2** [*liquid*] trouble; [*glass*] (misted) embué; (opaque) terni
clout /klaʊt/
A *n* **1** (blow) claque *f*, coup *m*; **to give sth a ~** frapper qch; **to give sb a ~** donner un coup *or* une claque à qn; **2** fig (weight) influence *f* (with auprès de, sur); **to have** *ou* **carry a great deal of ~** avoir beaucoup d'influence, avoir du poids; **to have emotional ~** [*play, film*] avoir un impact émotionnel; **3** dial (cloth) chiffon *m*
B ○*vtr* donner un coup *or* une claque à [*person*]; taper dans○, frapper [*ball*]
(Idiom) **ne'er cast a ~ till May be out** Prov ≈ en avril ne te découvre pas d'un fil, en mai fais ce qu'il te plaît
clove /kləʊv/
A *pret* ▸ **cleave**
B *n* Culin **1** (spice) clou *m* de girofle; **oil of ~s** essence *f* de girofle; **2** (of garlic) gousse *f*
clove hitch *n* demi-clé *f*
cloven /'kləʊvn/ *pp* ▸ **cleave**
cloven foot, **cloven hoof** *n* (of animal) sabot *m* fendu; (of devil) pied *m* fourchu
clover /'kləʊvə(r)/ *n* trèfle *m*
(Idioms) **to be/live in ~**, **to be/live like a pig in ~** être/vivre comme un coq en pâte
clover: **~leaf** *n* feuille *f* de trèfle; **~leaf junction** *n* Transp (croisement *m* en) trèfle *m*
clown /klaʊn/
A *n* **1** (in circus) clown *m*; (jester) bouffon *m*; **2** péj (fool) clown *m*, pitre *m*
B *vi* **1** = **clown around**; **2** (perform) **he taught me how to ~** il m'a appris le métier de clown
(Phrasal verb) ■ **clown around** GB faire le clown *or* le pitre
clowning /'klaʊnɪŋ/ *n* **1** (professional) métier *m* de clown; **2** (fooling) clowneries *fpl*, pitreries *fpl*
cloy /klɔɪ/ *vi* [*pleasure, food*] finir par lasser; [*pleasure, fame*] perdre son charme
cloying /'klɔɪɪŋ/ *adj* mièvre, mielleux/-euse
club /klʌb/
A *n* ▸ **p. 1253** **1** (society) (+ *v sg ou pl*) club *m*; **chess/tennis ~** club *m* d'échecs/de tennis; **book/record ~** club *m* de livres/de disques; **to be in a ~** faire partie d'un club; **2** ○(nightclub) boîte *f* de nuit○; **3** Sport club *m*; **football ~** club *m* de football; **4** (stick, weapon) massue *f*; (for golf) club *m*; **5** (at cards) trèfle *m*; **the Ace of ~s** l'as de trèfle; **to play a low/high ~** jouer un petit/gros trèfle; **two tricks in ~s, two ~ tricks** deux levées à trèfle
B *modif* [*captain, committee, coach, member, official, rules*] du club; [*DJ, aficionado, atmosphere*] de boîte de nuit○; **on the ~ scene** dans les boîtes de nuit○; **the London ~ scene** les boîtes de nuit○ de Londres
C *vtr* (*p prés etc* **-bb-**) frapper [qn/qch] à coups de massue; assommer [*seal*]; **to ~ sb with a brick/spade** frapper qn avec une brique/bêche; **to ~ sb with a truncheon** matraquer qn; **to ~ sb to death** tuer qn à coups de massue
(Idioms) **join the ~**○**!**, **welcome to the ~**○**!** tu n'es pas le seul/la seule!; **to be in the ~**○ GB être enceinte
(Phrasal verb) ■ **club together** cotiser (**for** pour; **to do** pour faire)

> **Clubs**
>
> Lieux de rencontre de l'élite intellectuelle et de l'*Establishment*, les *Gentlemen's clubs* londoniens connurent leur apogée au XIXe siècle. Aujourd'hui certains d'entre eux sont ouverts aux femmes et à un public plus large, mais la plupart ont conservé un règlement hérité du passé avec des procédures d'admission très sélectives et des cotisations élevées.

clubbable /'klʌbəbl/ *adj* sociable
clubber○ /'klʌbə(r)/ *n* habitué/-e *m/f* des boîtes○
clubbing○ /'klʌbɪŋ/ *n* **to go ~** faire la tournée des boîtes○
club: **~ car** *n* US wagon-bar *m* de première classe; **~ chair** *n* US fauteuil *m* club
club class *n* classe *f* club *or* affaires; **to fly ~** voyager en classe club *or* affaires
club foot *n* pied *m* bot; **to have a ~** être pied-bot
club: **~-footed** *adj* pied-bot *inv*; **~goer**○ *n* habitué/-e *m/f* des boîtes○; **~house** *n* (for changing) US vestiaire *m*; (for socializing) maison *f* de club, club-house *m*
clubland /'klʌblænd/ *n* **1** (nightclubs) quartier *m* des boîtes de nuit○; **2** (gentlemen's clubs) quartier *m* des clubs
club: **~ sandwich** *n* sandwich *m* mixte, club sandwich *m*; **~ soda** *n* US eau *f* de seltz; **~ steak** *n* US petit bifteck *m* (*coupé dans la queue du filet*); **~ subscription** *n* cotisation *f*
cluck /klʌk/
A *n* gloussement *m*; **to give a ~** glousser; **the hen goes ~! ~!** la poule fait cot! cot!
B *vtr* **to ~ one's tongue** claquer de la langue
C *vi* **1** [*hen*] glousser; **a ~ing sound** un gloussement; **2** fig **to ~ over** (fuss) s'affairer comme une mère poule autour de; (in annoyance) faire des petits bruits d'agacement devant
clucking /'klʌkɪŋ/ *n* gloussements *mpl*
clue /klu:/
A *n* **1** (in investigation) indice *m* (**to** quant à); **to provide sb with a ~ (as) to where/how etc** permettre à qn d'établir où/comment etc; **2** (hint, suggestion) indication *f* (**to, as to** quant à); **I'll give you a ~** je vais vous mettre sur la piste; **come on, give me a ~** allons, aide-moi; **3** ○(idea, notion) **I haven't (got) a ~** je n'ai aucune idée; **they haven't (got) a ~** (incompetent) ils n'(en) ont pas la moindre idée; (unsuspecting) ils ne se doutent de rien; **he hasn't (got) a ~ about history** il ne connaît rien de rien à l'histoire; **4** (to crossword) définition *f*
B *vtr* US **to ~ sb to sth** permettre à qn d'établir qch
clued-up○ /ˌklu:d'ʌp/ GB *adj* calé○ (**about** sur)
clueless /'klu:lɪs/ *adj* GB nul/nulle○ (**about** en)
clump /klʌmp/
A *n* **1** (of flowers, grass) touffe *f*; (of trees) massif *m*; (of earth) motte *f*; **2** (thud) bruit *m* sourd
B *vtr* (*also* **~ together**) planter [qch] en groupes [*plants*]
C *vi* (thud) tomber avec fracas (**on** sur); **to ~ upstairs/downstairs** monter/descendre l'escalier d'un pas lourd
(Phrasal verb) ■ **clump about**, **clump around** marcher d'un pas lourd
clumsily /'klʌmzɪlɪ/ *adv* [*move*] gauchement; [*break sth*] par maladresse; [*painted, expressed*] de façon maladroite
clumsiness /'klʌmzɪnɪs/ *n* (carelessness) maladresse *f*; (awkwardness) gaucherie *f*; (of style) lourdeur *f*; (of device, system) côté *m* peu pratique
clumsy /'klʌmzɪ/ *adj* [*person, attempt, effort*] maladroit; [*body, limbs*] gauche; [*object*] grossier/-ière; [*animal*] pataud; [*tool*] peu maniable; [*style*] lourd; **to be ~ at sports/drawing** ne pas être très adroit en sport/dessin; **to be ~ at tennis/volleyball** ne pas être très adroit au tennis/volley; **to be ~ with one's hands/a knife** ne pas être très adroit de ses mains/avec un couteau dans les mains; **how ~ of me!** que je suis maladroit!
clung /klʌŋ/ *prét, pp* ▸ **cling**
clunk○ /klʌŋk/
A *n* **1** (sound) bruit *m* sourd; **2** ○US (idiot) imbécile *mf*
B *vi* faire un bruit sourd
clunker○ /'klʌŋkə(r)/ *n* US **1** (car, machine) épave○ *f*; **2** (book, play etc) nullité○ *f*
clunky○ /'klʌŋkɪ/ *adj* **1** (clumsy) maladroit; **2** (shabby) minable○; **3** (clunking) [*bangles etc*] qui s'entrechoquent

C

cluster /'klʌstə(r)/
A n **1** (group) (of flowers, grapes, berries) grappe *f*; (of people, islands, insects, trees) groupe *m*; (of flowers) touffe *f*; (of houses) ensemble *m*; (of ideas) ensemble *m*; (of diamonds) entourage *m*; **2** Astron amas *m*; **3** Stat grappe *f*; **4** Ling **(consonant)** ~ agglomérat *m*
B vi [*people*] se rassembler (**around** autour de); **they (were) ~ed in front of the shop window** ils s'agglutinaient devant la vitrine; **the trees were ~ed around the church** les arbres étaient groupés tout autour de l'église

cluster bomb n bombe *f* à fragmentation

clutch /klʌtʃ/
A n **1** Aut (mechanism) embrayage *m*; (pedal) (pédale *f* d')embrayage *m*; **to let in** *ou* **disengage the ~** débrayer; **to let out** *ou* **engage the ~** embrayer; **to release the ~** embrayer; **2** (cluster) (of eggs, chicks) couvée *f*; fig (of books, awards, companies) ensemble *m*; (of people) groupe *m*; **3** (grab) **to make a ~ at sth** tenter d'attraper qch; **4** US (tight situation) moment *m* difficile; **5** US (bag) pochette *f*
B clutches npl (power) **to be in sb's ~es** être tombé sous les griffes de qn; **to fall into the ~es of** tomber sous les griffes *or* la patte○ de
C vtr **1** (hold tightly) tenir fermement [*object, child*] (**in** dans); **to ~ sb/sth to** serrer qn/qch contre [*chest, body, oneself*]; **2** (grab at) = **clutch at**
Phrasal verb ■ **clutch at**: ► **~ at [sth/sb]** tenter d'attraper [*branch, lifebelt, rail, person*]; fig s'accrocher à [*hope*]; sauter sur [*opportunity, excuse*]; **she ~ed at my arm** elle m'a saisi le bras. ► **straw**

clutch: **~ bag** n pochette *f*; **~ cable** n câble *m* de commande d'embrayage; **~ disc** n disque *m* d'embrayage; **~ linkage** n embrayage *m*; **~ linkage play**, **~ pedal play** n garde *f* d'embrayage

clutter /'klʌtə(r)/
A n **1** (jumbled objects) fatras *m*; **in a ~** en désordre; **2** ₵ (on radar) échos *mpl* fixes *or* parasites
B vtr = **clutter up**
Phrasal verb ■ **clutter up**: ► **~ up [sth]**, **~ [sth] up** encombrer

cluttered /'klʌtəd/ adj [*room, desk, mind*] encombré (**with** de); **the presentation is ~** la présentation est fouillis (*inv*)

Clwyd /'klu:ɪd/ ► **p. 1612** pr n Clwyd *m*

Clyt(a)emnestra /,klaɪtɪm'nestrə/ pr n Clytemnestre

cm (*abrév écrite* = **centimetre**) cm

Cmdr n Mil *abrév écrite* = **Commander**

CNAA n (*abrév* = **Council for National Academic Awards**) *organisme chargé jusqu'en 1992 du contrôle des établissements d'enseignement supérieur (non universitaires)*

CND n (*abrév* = **Campaign for Nuclear Disarmament**) mouvement *m* pour le désarmement nucléaire

c/o Post (*abrév écrite* = **care of**) chez

Co n **1** Comm (*abrév* = **company**) Cie; **...and co** ...et Cie; hum et compagnie; **2** Geog (*abrév* = **county**) comté *m*

CO n **1** Mil *abrév* ► **commanding officer**; **2** US Post *abrév écrite* = **Colorado**; **3** *abrév* ► **conscientious objector**

coach /kəʊtʃ/
A n **1** (bus) (auto)car *m*; **to go by ~**, **to go on the ~** aller en (auto)car; **2** GB (of train) wagon *m*; **3** Sport entraîneur/-euse *m/f*; **4** (for drama, voice) répétiteur/-trice *m/f*; **5** (tutor) professeur *m* particulier; **6** (horse-drawn) (for royalty) carrosse *m*; (for passengers) diligence *f*; **7** US Aviat classe *f* touriste
B modif [*holiday, journey, travel*] en (auto)car
C vtr **1** Sport entraîner [*team*]; être entraîneur/-euse de [*sport*]; **2** (teach) **to ~ sb** donner des leçons particulières à qn (**in** en); **to ~ sb for an exam/for a rôle** préparer qn à un examen/pour un rôle; **to ~ sb in what to say** faire répéter à qn ce qu'il/elle doit dire
Idiom **to drive a ~ and horses through sth** démolir qch

coach: **~builder** ► **p. 1683** n GB carrossier *m*; **~building** n GB carrosserie *f* (*fabrication*); **~ driver** ► **p. 1683** n GB chauffeur *m* d'autocar

coaching /'kəʊtʃɪŋ/ n ₵ **1** (in sport) entraînement *m*; **to receive ~** recevoir un entraînement; **2** (lessons) cours *mpl* particuliers

coach: **~load** n GB car *m* (**of** de); **~man** n cocher *m*; **~ operator** n GB compagnie *f* d'autocars; **~ park** n GB parking *m* réservé aux autocars (de tourisme); **~ party** n GB groupe *m* voyageant en autocar; **~ station** n GB gare *f* routière; **~ terminus** n GB terminus *m* (des cars); **~ trip** n excursion *f* en autocar; **~work** n GB carrosserie *f* (*caisse d'automobile*)

coagulant /kəʊ'ægjʊlənt/ n, adj coagulant (*m*)

coagulate /kəʊ'ægjʊleɪt/
A vtr coaguler
B vi coaguler

coagulation /,kəʊægjʊ'leɪʃn/ n coagulation *f*

coal /kəʊl/
A n **1** ₵ (mineral) charbon *m*; **a piece** *ou* **lump of ~** un morceau de charbon; **2** (individual piece) charbon *m*; **hot** *ou* **live ~s** charbons *mpl* ardents; **brown ~** lignite *m*; **soft ~** houille *f* grasse; **hard ~** anthracite *m*
B modif [*cellar, shed, shovel*] à charbon
C vtr ravitailler [qch] en charbon
D vi [*ship*] être ravitaillé en charbon
Idioms **as black as ~** noir comme du charbon; **to carry ~s to Newcastle** porter de l'eau à la rivière; **to haul sb over the ~s**○ passer un savon à qn○

coal: **~-based** adj à base de charbon; **~ basin** n bassin *m* houiller; **~-black** adj noir comme du charbon; **~ box** n coffre *m* à charbon; **~ bunker** n réserve *f* à charbon; **~-burning** adj à charbon

coal cutter n **1** (man) haveur *m*; **2** (machine) haveuse *f* à charbon

coal: **~ deposit** n gisement *m* houiller; **~ depot** n dépôt *m* de charbon; **~ dust** n poussière *f* de charbon

coalesce /,kəʊə'les/ vi [*groups of people, ideas*] fusionner; [*substances*] se mélanger

coalescence /,kəʊə'lesns/ n fusion *f*

coalface /'kəʊlfeɪs/ n front *m* de taille *or* d'abattage; **at the ~** lit au front de taille *or* d'abattage; fig au front

coal: **~field** n bassin *m* houiller; **~ fire** n GB cheminée *f* (*où brûle un feu de charbon*); **~-fired** adj à charbon; **~ gas** n gas *m* de houille; **~ hole**○ n GB cave *f* à charbon; **~ industry** n industrie *f* minière

coalition /,kəʊə'lɪʃn/
A n **1** Pol coalition *f* (**between** entre; **with** avec); **2** gen mélange *m*
B modif [*government, party, partner*] de coalition

coal man, **coal merchant** ► **p. 1683** n charbonnier *m*, marchand *m* de charbon

Coal Measures n Geol **the ~** (beds) gisements *mpl* huiliers; (sub-system) le Houiller, le Silésien

coal: **~mine** n mine *f* de charbon; **~miner** ► **p. 1683** n mineur *m*

coalmining /'kəʊlmaɪnɪŋ/
A n extraction *f* du charbon
B modif [*family, region, town*] de mineurs

coal oil n **1** US (kerosene) kérosène *m*; **2** (from coal) huile *f* lourde de houille

coal: **~ pit** n mine *f* de charbon; **~ scuttle** n seau *m* à charbon; **~ seam** n gisement *m* houiller; **~ tar** n coaltar *m*; **~ tit** n Zool mésange *f* noire; **~ yard** n dépôt *m* de charbon

coarse /kɔ:s/ adj **1** [*texture, linen, wool*] grossier/-ière; [*skin*] épais/-aisse; [*hair, grass*] dru; [*sand, salt*] gros/grosse (*before n*); [*sandpaper*] à gros grains; [*paper*] rugueux/-euse; **2** (not refined) [*laugh, manners*] grossier/-ière; [*accent*] vulgaire; **~ features** des traits grossiers; **3** (indecent) [*language, joke*] cru; **4** [*food, wine*] ordinaire; **5** Geol [*sediment*] grossier/-ière

coarse: **~ fishing** n GB pêche *f* à la ligne (*de poissons d'eau douce, sauf le saumon et la truite*); **~-grained** adj (of texture) à gros grains; (of person) grossier/-ière

coarsely /'kɔ:slɪ/ adv [*speak*] grossièrement; **~ woven** à tissage grossier; **~ ground** à grosse mouture

coarsen /'kɔ:sn/
A vtr rendre [qch] rêche [*skin*]; rendre [qn] grossier [*person*]
B vi [*person*] devenir vulgaire; [*speech, manners*] se dégrader; [*skin*] devenir rêche; [*features*] devenir lourd

coarseness /'kɔ:snɪs/ n **1** (of manners) grossièreté *f*; **2** (of sand, salt) grosseur *f*; (of cloth) grossièreté *f*; (of features) grosseur *f*

coast /kəʊst/
A n **1** côte *f*; **off the ~** près de la côte; **the east/west ~** la côte est/ouest; **from ~ to ~** dans tout le pays; **the ~ is clear** fig la voie est libre; **2** US **the Coast** la côte pacifique
B modif [*road, path*] côtier/-ière
C vi **1** (freewheel) **to ~ downhill** [*car, bicycle*] descendre en roue libre; **2** (travel effortlessly) **to ~ along at 50 mph** rouler à une vitesse de croisière de 80 km/h; **they ~ed home** fig ils ont gagné facilement; **to ~ through an exam** être reçu à un examen sans effort; **3** Naut caboter

coastal /'kəʊstl/ adj côtier/-ière

coaster /'kəʊstə(r)/ n **1** (mat) dessous-de-verre *m inv*; **2** (for decanter) présentoir *m*; **3** (boat) caboteur *m*; **4** US (sledge) luge *f*; (roller coaster) montagnes *fpl* russes

coastguard /'kəʊstgɑ:d/ ► **p. 1683** n **1** (organization) gendarmerie *f* maritime; **2** (person) garde-côte *m*

coastguard: **~ station** n poste *m* de la gendarmerie maritime; **~ vessel** n (vedette *f*) garde-côte *m*

coast: **~line** n littoral *m*; **~-to-coast** adj [*broadcast*] national; [*search*] sur tout le territoire

coat /kəʊt/ ► **p. 1694**
A n **1** (garment) (full-length) manteau *m*; (for men) pardessus *m*; (jacket) veste *f*; **three-quarter length ~** trois-quarts *m*; **2** Zool (of dog) poil *m*, pelage *m*; (of cat) fourrure *f*, pelage *m*; (of horse, ox, leopard) robe *f*; **3** (layer) (of paint, varnish, polish, dust, frost) couche *f*; (of bitumen) enduit *m*; **a ~ of icing** un glaçage
B modif [*button, pocket etc*] de manteau
C vtr **1** gen, Tech (cover) **to ~ sth with** enduire qch de [*paint, tar, adhesive, varnish*]; badigeonner qch de [*whitewash*]; revêtir qch de [*rubber*]; couvrir qch de [*dust, silt, oil, frost*]; **2** Culin **to ~ sth in** *ou* **with** enrober qch de [*breadcrumbs, batter, chocolate, sauce*]; dorer qch à [*egg*]; **~ed with sugar**, **sugar-~ed** [*sweet*] glacé; [*pill*] dragéifié

coatdress /'kəʊtdres/ n robe-manteau *f*

coated /'kəʊtɪd/ adj **1** Med [*tongue*] chargé; **2** Print [*paper*] couché

coated lens n Phot objectif *m* bleuté *or* traité

coat hanger n cintre *m*

coating /'kəʊtɪŋ/ n **1** (edible) enrobage *m* (**of** de); **2** Constr, Tech, Ind (covering) revêtement *m*; **protective ~** enduit *m* protecteur

coat: **~ of arms** n blason *m*, armoiries *fpl*; **~ of mail** n Hist cotte *f* de mailles; **~ rack** n portemanteau *m*; **~room** n US vestiaire *m*; **~ stand** n portemanteau *m*

coat-tails /'kəʊtteɪlz/ npl queue *f* d'un habit
Idioms **to be always hanging on sb's ~** être toujours pendu aux basques de qn○; **to ride**

on sb's ~ gen profiter des efforts de qn; péj Pol se faire élire à la traîne de qn

coat tree *n* US portemanteau *m*

co-author /ˌkəʊ'ɔ:θə(r)/
A *n* coauteur *m*
B *vtr* coproduire

coax /kəʊks/ *vtr* cajoler [*person*]; attirer [qch] par la ruse [*animal*]; **to ~ sb to do** *ou* **into doing sth** persuader qn (gentiment) de faire qch; **to ~ sth out of sb** réussir à tirer qch de qn; **to ~ sb out of a bad mood** parvenir à dérider qn à force de cajoleries; **to ~ a car into starting** bichonner une voiture pour qu'elle démarre; **'do come,' he ~ed** 'allez, viens,' dit-il d'une manière câline

coaxial /kəʊ'æksɪəl/ *adj* coaxial

coaxing /'kəʊksɪŋ/
A *n* efforts *mpl* de persuasion; **no amount of ~ would make him drink it** aucun effort de persuasion ne l'amènerait à le boire
B *adj* câlin

coaxingly /'kəʊksɪŋlɪ/ *adv* d'une manière câline

cob /kɒb/ *n* **1** (horse) cob *m*; **2** (swan) cygne *m* mâle; **3** GB (loaf) miche *f*; **4** (of maize) épi *m* de maïs; **5** GB (nut) noisette *f*; **6** GB Constr torchis *m*

cobalt /'kəʊbɔ:lt/ *n* cobalt *m*; **~ 60** cobalt 60

cobalt: **~ blue** *n* bleu *m* de cobalt; **~ bomb** *n* Med, Mil bombe *f* au cobalt

cobber○ /'kɒbə(r)/ *n* Austral copain○ *m*

cobble /'kɒbl/
A cobbles *npl* pavés *mpl*
B *vtr* **1** paver [*road*]; **2** faire [*shoes*]
C *vi* (make) faire des chaussures; (mend) réparer des chaussures

(Phrasal verb) ■ **cobble together**: ▸ **~ [sth] together, ~ together [sth]** concocter [qch] à la hâte [*statement, excuse, plan*]

cobbled /'kɒbld/ *adj* pavé

cobbler /'kɒblə(r)/ ▸ **p. 1683** *n* **1** (shoemaker) cordonnier *m*; **2** Culin (pie) ≈ tourte *f*; (punch) punch *m* glacé

cobblers○ /'kɒbləz/ *n* GB âneries *fpl*; **'and ~ to them!'** 'et merde pour eux◐!'

cobblestones /'kɒblstəʊnz/ *npl* pavés *mpl*

cobnut /'kɒbnʌt/ *n* noisette *f*

COBOL /'kəʊbɒl/ *n* (*abrév* = **common business oriented language**) COBOL *m*

cobra /'kəʊbrə/ *n* cobra *m*; (Indian) serpent *m* à lunettes

cobweb /'kɒbweb/ *n* toile *f* d'araignée; **that will blow away the ~s** fig ça me/te etc rafraîchira les idées

cobwebbed /'kɒbwebd/, **cobwebby** /'kɒbwebɪ/ *adj* couvert de toiles d'araignée

coca /'kəʊkə/ *n* coca *f*

Coca-Cola® /ˌkəʊkə'kəʊlə/ coca-cola® *m*; **two ~s please** deux cocas s'il vous plaît

cocaine /kəʊ'keɪn/
A *n* cocaïne *f*
B *modif* [*dealer, dealing*] de cocaïne; **~ addict** cocaïnomane *mf*; **~ addiction** cocaïnomanie *f*

coccus /'kɒkəs/ *n* (*pl* **-ci**) coccidie *f*

coccyx /'kɒksɪks/ *n* (*pl* **-yxes** *ou* **-yges**) coccyx *m*

cochair /'kəʊtʃeə(r)/
A *n* coprésident/-e *m/f*
B *vtr* coprésider

cochairman /'kəʊtʃeəmən/ *n* (*pl* **-men**) coprésident *m*

cochairmanship /'kəʊtʃeəmənʃɪp/ *n* coprésidence *f*

Cochin China /ˌkəʊtʃɪn 'tʃaɪnə/ *pr n* Cochinchine *f*

cochineal /ˌkɒtʃɪ'ni:l/ *n* **1** Culin carmin *m*; **2** Zool cochenille *f*

cochlea /'kɒklɪə/ *n* (*pl* **-leae**) cochlée *f*

cochlear /'kɒklɪə(r)/ *adj* cochléaire

cock /kɒk/
A *n* **1** (rooster) coq *m*; **2** Zool (male bird) (oiseau *m*) mâle *m*; **3** ●(penis) bitte● *f*, pénis *m*; **4** ◐GB (nonsense) foutaises◐ *fpl*, âneries *fpl*; **that's a load of old ~** c'est de la foutaise◐; **5** ◐GB dial (term of address) **well, old ~?** alors mon vieux○?; **6** (of hay, straw) meulon *m*; **7** (weathervane) girouette *f*; **8** (of gun) chien *m* de fusil; **at full/half ~** [*pistol, gun*] armé/au cran de repos
B *modif* [*pheasant, sparrow*] mâle; **~ bird** mâle *m*
C *vtr* **1** (raise) **to ~ an eyebrow** hausser les sourcils; **the dog ~ed its leg** le chien a levé la patte; **to ~ an ear** dresser l'oreille; **to keep an ear ~ed** dresser l'oreille; **he ~ed an eye at the clock** il a jeté un coup d'œil à l'horloge; **2** (tilt) pencher [*head*]; mettre [qch] sur le côté [*hat*]; **3** Mil armer [*gun*]

(Idioms) **to be ~ of the walk** péj être le roi de la basse-cour; **to go off at half ~**○ (be hasty) être impulsif/-ive; (be disappointing) partir en eau de boudin; **to live like fighting ~s** vivre comme des coqs en pâte

(Phrasal verb) ■ **cock up**◐ GB: ▸ **~ up** cafouiller○; ▸ **~ [sth] up, ~ up [sth]** faire foirer◐ [*plan, schedule, assignment*]; **to ~ things up** tout faire foirer◐

cockade /kɒ'keɪd/ *n* cocarde *f*

cock-a-doodle-doo /ˌkɒkəˌdu:dl'du:/ *n* cocorico *m*; **to go ~** pousser son cocorico

cock-a-hoop○ /ˌkɒkə'hu:p/ *adj* fier/fière comme Artaban

Cockaigne /kɒ'keɪn/ *pr n* pays *m* de cocagne

cock a leekie soup /'kɒkəli:kɪ/ *n* GB *soupe écossaise au poulet et aux poireaux*

cockamamie○, **cockamamy**○ /ˌkɒkə'mæmɪ/ *adj* farfelu○

cock-and-bull story *n* histoire *f* abracadabrante *or* à dormir debout; **they told some ~ about being burgled** ils ont raconté une histoire abracadabrante selon laquelle ils avaient été cambriolés

cockatoo /ˌkɒkə'tu:/ *n* cacatoès *m*

cockchafer /'kɒktʃeɪfə(r)/ *n* hanneton *m*

cockcrow /'kɒkkrəʊ/ *n* **at ~** au chant du coq

cocked hat *n* (two points) bicorne *m*; (three points) tricorne *m*

(Idiom) **to knock sb/sth into a ~**○ (defeat) enfoncer○ qn/qch; US (ruin) mettre en l'air○ [*case etc*]

cocker (spaniel) /'kɒkə(r)/ *n* cocker *m*

cockerel /'kɒkərəl/ *n* jeune coq *m*

cock: **~eyed**○ *adj* [*plans, ideas*] tordu; **~fight** *n* combat *m* de coqs; **~fighting** *n* combats *mpl* de coqs

cockily /'kɒkɪlɪ/ *adv* effrontément

cockiness /'kɒkɪnɪs/ *n* impudence *f*

cockle /'kɒkl/ *n* (mollusc) coque *f*

(Idioms) **it warmed the ~s of my heart to hear it** ça m'a réjoui le cœur de l'entendre; **this brandy will warm the ~s of your heart!** ce cognac va te réchauffer l'âme!

cockleshell /'kɒklʃel/ *n* **1** (shell) coquille *f* de coque; **2** (boat) coquille *f* de noix○

cock lobster *n* homard *m* mâle

cockney /'kɒknɪ/
A *n* cockney *mf*
B *adj* cockney *inv*

> **Cockney**
> Le mot désigne deux réalités: les personnes nées dans l'est de Londres, 'à portée du son des cloches de l'église de St Mary-le-Bow', et l'anglais parlé par ces personnes dont l'argot (*rhyming slang*) est caractéristique. ▸ **Rhyming slang**

cock: **~pit** *n* Aviat cockpit *m*, poste *m* de pilotage; Naut, Aut cockpit *m*; **~roach** *n* cafard *m*

cockscomb /'kɒkskəʊm/ *n* **1** Bot crête-de-coq *f*; **2** = **coxcomb**

cocksucker● /'kɒksʌkə(r)/ *n* injur salaud◐ *m*

cocksure /ˌkɒk'ʃɔ:(r), US ˌkɒk'ʃʊər/ *adj* péj [*person, manner, attitude*] présomptueux/-euse; **she's far too ~** elle est beaucoup trop sûre d'elle-même; **to be ~ about** être trop sûr de soi quant à [*abilities, prospects*]

cocktail /'kɒkteɪl/ *n* **1** (drink) cocktail *m*; **gin ~** cocktail à base de gin; **to mix a ~** préparer un cocktail; **to have ~s** prendre l'apéritif; **2** (mixture) **fruit ~** salade *f* de fruits; **seafood ~** cocktail de fruits de mer; **3** fig (of elements, ideas, drugs) cocktail *m*

cocktail bar *n* **1** (*also* **~ lounge**) bar *m*; **2** (chic bar) bar *m* américain

cocktail: **~ biscuit** *n* biscuit *m* pour l'apéritif; **~ cabinet** *n* GB bar *m* (*meuble*); **~ dress** *n* robe *f* de cocktail; **~ hour** *n* heure *f* des cocktails; **~ party** *n* cocktail *m*; **~ sausage** *n* petite saucisse *f* (à apéritif); **~ shaker** *n* shaker *m*; **~ stick** *n* pique *f* (à apéritif); **~ table** *n* US table *f* basse; **~ waitress** ▸ **p. 1683** *n* barmaid *f* (*sachant préparer les cocktails*)

cocktease(r)● /'kɒkti:zə(r)/ *n* injur allumeuse○ *f* offensive

cock-up◐ /'kɒkʌp/ *n* GB cafouillage○ *m*; **what a ~!** quel cafouillage○!; **a complete ~** un foutoir◐ absolu; **to make a ~ of sth** faire foirer◐ qch; **you made a real ~ of that!** t'as tout fait foirer◐!

cocky /'kɒkɪ/ *adj* impudent

cocoa /'kəʊkəʊ/
A *n* **1** (substance) cacao *m*; **2** (drink) chocolat *m*
B *modif* **~ powder** cacao en poudre; **~ butter** beurre *m* de cacao

coconut /'kəʊkənʌt/
A *n* noix *f* de coco; **desiccated ~** noix de coco râpée; **creamed ~** crème *f* de coco
B *modif* [*milk, oil, butter*] de coco; [*ice cream, yogurt, cake*] à la noix de coco

coconut: **~ ice** *n* confiserie *f* à la noix de coco; **~ matting** *n* natte *f* en coco; **~ palm** *n* cocotier *m*; **~ pyramid** *n* GB congolais *m*; **~ shy** *n* GB jeu *m* de massacre

cocoon /kə'ku:n/
A *n* Zool, fig cocon *m*; **wrapped in a ~ of blankets** enfoui douillettement sous des couvertures
B *vtr* envelopper douillettement; **a ~ed existence** une existence surprotégée

cod /'kɒd/
A *n* **1** Zool (*also* **~fish**) (*pl* **~**) morue *f*; **2** Culin cabillaud *m*; **3** ○(nonsense) balivernes *fpl*
B *adj* péj [*psychology, sociology etc*] de cuisine; [*music, theatre*] de second ordre

COD (*abrév* = **cash on delivery, collect on delivery** US) envoi *m* contre remboursement

coda /'kəʊdə/ *n* Mus coda *f*; (to book) épilogue *m*

coddle /'kɒdl/ *vtr* dorloter; **~d eggs** œufs *mpl* mollets

code /kəʊd/
A *n* **1** (laws, rules) code *m*; **safety ~** règlement *m* de sécurité; **penal ~** code *m* pénal; **~ of practice** Med déontologie *f* (médicale); (in advertising) code *m* de bonne conduite; (in banking) conditions *fpl* générales; **~ of ethics** Psych, Sociol moralité *f*; **2** (of behaviour) code *m* de conduite; **to break the ~** enfreindre les règles de la bonne conduite; **~ of honour** code *m* d'honneur; **3** (cipher, message) code *m*; **to break** *ou* **crack the ~** déchiffrer le code; **it's in ~** c'est en code; **4** Fin **branch (sorting) ~** code *m* de succursale; **5** Telecom **(dialling) ~** indicatif *m*; **area/country ~** indicatif de zone/de pays; **6** Comput code *m*
B *vtr* gen, Comput coder
C *vi* (in genetics) **to ~ for** déterminer le code de

code: **~ area** *n* Comput zone-code *f*; **~ book** *n* dictionnaire *m* chiffré

C

coded /'kəʊdɪd/ *adj* **1** [*message*] lit codé; fig caché; [*criticism*] déguisé; **2** Comput codé; ~ **decimal** décimal *m* codé binaire

co-defendant /kəʊdɪ'fendənt/ *n* Jur co-prévenu/-e *m/f*

codeine /'kəʊdiːn/ *n* Pharm codéine *f*

code name
A *n* nom *m* de code
B *vtr* donner un nom de code à; **the operation was ~ed Neptune** l'opération était baptisée Neptune

code: ~ **number** *n* Telecom indicatif *m*; ~ **of conduct** *n* code *m* de conduite

codependency /kəʊdɪ'pendənsɪ/ *n* Psych codépendance *f*

coder /'kəʊdə(r)/ *n* Comput, Electron codeur *m*

codeword /'kəʊdwɜːd/ *n* lit (name) nom *m* de code; (password) mot *m* de passe; fig expression *f* codifiée

codger° /'kɒdʒə(r)/ *n* **old** ~ vieux bonhomme *m*

codicil /'kəʊdɪsɪl, US 'kɒdəsl/ *n* Jur codicille *m*

codify /'kəʊdɪfaɪ, US 'kɒd-/ *vtr* codifier [*laws*]; faire un code de [*procedures*]; établir [*rules of game*]

coding /'kəʊdɪŋ/ *n* (of message) codage *m*; Comput codage *m* (d'un programme)

coding sheet *n* Comput feuille *f* de programmation

cod-liver oil *n* huile *f* de foie de morue

codpiece /'kɒdpiːs/ *n* Hist braguette *f*, brayette *f*

co-driver /kəʊ'draɪvə(r)/ *n* copilote *mf*

codswallop° /'kɒdzwɒləp/ *n* GB âneries *fpl*

Co Durham *n* GB Post *abrév écrite* ▸ **County Durham**

coed (*abrév* = **coeducational**) /ˌkəʊ'ed/
A *n* US Univ étudiante *f*
B *adj* Sch, Univ mixte; **to go ~** devenir mixte

coedit /kəʊ'edɪt/ *vtr* [*scholar, writer*] coéditer

coeditor /kəʊ'edɪtə(r)/ *n* (scholar, writer) coéditeur/-trice *m/f*

coeducation /ˌkəʊedʒuː'keɪʃn/ *n* enseignement *m* mixte

coeducational /ˌkəʊedʒuː'keɪʃənl/ *adj* mixte

coefficient /ˌkəʊɪ'fɪʃnt/ *n* Math, Phys coefficient *m*

coelacanth /'siːləkænθ/ *n* cœlacanthe *m*

coeliac, **celiac** US /'siːlɪæk/
A *n* (sufferer) personne *f* atteinte de la maladie coeliaque
B *adj* coeliaque; ~ **disease** maladie *f* coeliaque

coelioscopy /ˌsiːlɪ'ɒskəpɪ/ *n* Med cœlioscopie *f*

coequal /kəʊ'iːkwl/ *n, adj* égal/-e (*m/f*)

coerce /kəʊ'ɜːs/ *vtr* exercer des pressions sur [*person, group*]; **to ~ sb into doing sth** contraindre qn à faire qch

coercion /kəʊ'ɜːʃn, US -ʒn/ *n* coercition *f*

coercive /kəʊ'ɜːsɪv/ *adj* coercitif/-ive

coeval /ˌkəʊ'iːvl/ sout
A *n* contemporain/-e *m/f*
B *adj* contemporain (**with** de)

coexist /ˌkəʊɪg'zɪst/ *vi* coexister (**with** avec)

coexistence /ˌkəʊɪg'zɪstəns/ *n* coexistence *f*

coexistent /ˌkəʊɪg'zɪstənt/ *adj* coexistant

C of C *abrév* ▸ **Chamber of Commerce**

C of E (*abrév* = **Church of England**) Église *f* d'Angleterre

coffee /'kɒfɪ, US 'kɔːfɪ/
A *n* **1** (commodity, liquid) café *m*; **a cup of ~** une tasse de café; **2** (cup of coffee) café *m*; **three ~s, please** trois cafés, s'il vous plaît; **to have a ~** prendre un café; **a black/white ~** un café (noir)/au lait
B *modif* [*cake, ice cream, dessert*] au café; [*crop, drinker, grower, plantation*] de café; [*cup, filter, grinder, spoon*] à café

coffee: ~ **bag** *n* sachet *m* de café moulu; ~ **bar** *n* café *m*

coffee bean *n* grain *m* de café; **a kilo of ~s** un kilo de café en grains

coffee: ~ **break** *n* pause(-)café *f*; **~cake** *n* US gâteau *m* au café; **~-coloured** GB, **~-colored** US *adj* café-au-lait (*inv*); ~ **grounds** *n* marc *m* de café; ~ **house** *n* café *m*; ~ **klatsch** *n* US *réunion entre amies pour boire le café et discuter*

coffee machine *n* (in café) percolateur *m*; (domestic) cafetière *f* électrique; (vending machine) machine *f* à café

coffee maker, **coffee percolator** *n* (electric) cafetière *f* électrique; (on stove) cafetière *f*

coffee: ~ **morning** *n* GB *réunion entre amies pour boire le café et discuter*; ~ **pot** *n* cafetière *f*; ~ **service**, ~ **set** service *m* à café

coffee shop ▸ p. 1683 *n* **1** (merchant's) brûlerie *f*; **2** (café) café *m*

coffee: ~ **table** *n* table *f* basse; **~-table book** *n* beau livre *m* (*sorti en grand format*); ~ **tree** *n* caféier *m*

coffer /'kɒfə(r)/ *n* **1** coffre *m*, caisse *f*; **the nation's ~s** les coffres du pays; **2** Archit caisson *m*

cofferdam /'kɒfədæm/ *n* bâtardeau *m*

coffered /'kɒfəd/ *adj* [*ceiling*] à caissons

coffin /'kɒfɪn/ *n* cercueil *m*

(Idiom) **that's another nail in their ~** cela va encore plus les enfoncer

coffin nail° *n* (cigarette) sèche° *f*

C of I (*abrév* = **Church of Ireland**) Église *f* d'Irlande

C of S **1** (*abrév* = **Church of Scotland**) Église *f* d'Écosse; **2** *abrév* ▸ **Chief of Staff**

cog /kɒg/ *n* Tech (tooth) dent *f* d'engrenage; (wheel) pignon *m*; **a (tiny) ~ in the machine** fig un (simple) rouage de la machine

cogency /'kəʊdʒənsɪ/ *n* puissance *f*

cogent /'kəʊdʒənt/ *adj* convaincant

cogently /kəʊdʒəntlɪ/ *adv* de façon convaincante

cogitate /'kɒdʒɪteɪt/ *vi* réfléchir (**about, on** à)

cogitation /ˌkɒdʒɪ'teɪʃn/ *n* réflexion *f*

cognac /'kɒnjæk/ *n* cognac *m*

cognate /'kɒgneɪt/
A *n* **1** Ling mot *m* apparenté; **2** Jur cognat *m*
B *adj* apparenté

cognition /kɒg'nɪʃn/ *n* **1** gen connaissance *f*; **2** Psych, Philos cognition *f*

cognitive /'kɒgnɪtɪv/ *adj* cognitif/-ive

cognizance /'kɒgnɪzəns/ *n* **1** gen sout connaissance *f*; **to take ~ of sth** prendre connaissance de qch; **2** Jur compétence *f*

cognizant /'kɒgnɪzənt/ *adj* gen, Jur instruit (**of** de)

cognomen /kɒg'nəʊmen/ *n* Antiq nom *m* de famille

cognoscenti /ˌkɒgnə'ʃentɪ/ *npl* connaisseurs *mpl*

cog: ~ **railway** *n* train *m* à crémaillère; **~wheel** *n* Tech pignon *m*

cohabit /kəʊ'hæbɪt/ *vi* cohabiter (**with** avec)

cohabitation /ˌkəʊhæbɪ'teɪʃn/ *n* union *f* libre

cohabitee /ˌkəʊhæbɪ'tiː/ *n* concubin/-e *m/f*

coheir /kəʊ'eə(r)/ *n* cohéritier/-ière *m/f*

cohere /kəʊ'hɪə(r)/ *vi* [*substance*] adhérer; [*reasoning*] être cohérent

coherence /kəʊ'hɪərəns/ *n* (of thought) cohérence *f*; (of artistic approach) harmonie *f*; **to give ~ to sth** apporter une cohérence à qch

coherent /kəʊ'hɪərənt/ *adj* [*argument, plan*] cohérent; **he was barely ~** (through fatigue, alcohol) on avait peine à le comprendre

coherently /kəʊ'hɪərəntlɪ/ *adv* de façon cohérente

cohesion /kəʊ'hiːʒn/ *n* cohésion *f*

Cohesion Fund *n* EU Fonds *mpl* de cohésion

cohesive /kəʊ'hiːsɪv/ *adj* [*group*] uni; [*force*] cohésif/-ive

cohort /'kəʊhɔːt/ *n* Antiq, fig cohorte *f*

COHSE, **Cohse** /'kəʊzə/ GB (*abrév* = **Confederation of Health Service Employees**) *syndicat des employés de la santé publique*

COI GB (*abrév* = **Central Office of Information**) *service d'information gouvernemental*

coif /kɔɪf/
A *n* **1** (cap) coiffe *f*; **2** °(hairstyle) coiffure *f*
B °*vtr* (*p prés etc* **-ff-**) coiffer

coiffure /kwɑː'fɜː(r)/ *n* coiffure *f*

coil /kɔɪl/
A *n* **1** (of rope, barbed wire) rouleau *m*; (of electric wire) bobine *f*; (of smoke) volute *f*; (of hair) boucle *f*; (of snake) anneau *m*; **2** (of petrol engine) bobine *f*; **3** (contraceptive) stérilet *m*; **to have a ~ fitted** se faire poser un stérilet
B *vtr* enrouler [*hair, rope, wire*]
C *vi* [*river, procession*] serpenter; **to ~ upwards** [*smoke*] monter en volutes
D *v refl* **to ~ itself** s'enrouler (**round** autour de)

(Phrasal verb) ■ **coil up**: ▸ ~ **up** [*snake*] se lover; ▸ ~ **[sth] up**, ~ **up [sth]** enrouler [*rope, hosepipe, wire*]

coil spring *n* ressort *m* hélicoïdal

coin /kɔɪn/
A *n* **1** pièce *f* (de monnaie); **a gold/nickel ~** une pièce d'or/de nickel; **a pound ~** une pièce d'une livre; **2** ¢ (coinage) monnaie *f*; **£5 in ~** 5 livres sterling en pièces
B *vtr* **1** frapper [*coins*]; **she's really ~ing it** *ou* **money**° elle fait des affaires en or°; **2** fig forger [*word, term*]; **money isn't everything, to ~ a phrase** l'argent ne fait pas le bonheur, comme on dit

(Idioms) **to pay sb back in their own ~** rendre à qn la monnaie de sa pièce; **two sides of the same ~** les deux facettes d'un même problème; **the other side of the ~ is that** (sth negative) le revers de la médaille, c'est que; (sth positive) le bon côté de la chose, c'est que

coinage /'kɔɪnɪdʒ/ *n* **1** ¢ (coins, currency) monnaie *f*; (making coins) frappe *f*; **2** (word, phrase) création *f*; **a recent ~** un néologisme

coin box *n* (pay phone) cabine *f* (téléphonique) à pièces; (money box) (on pay phone, in laundromat) caisse *f*

coincide /ˌkəʊɪn'saɪd/ *vi* coïncider (**with** avec)

coincidence /kəʊ'ɪnsɪdəns/ *n* **1** (chance) coïncidence *f*, hasard *m*; **it is/was a ~ that** c'est/c'était par coïncidence que; **it was quite a ~** cela a été vraiment une coïncidence; **a happy ~** un heureux hasard; **by ~** par hasard; **by sheer ~** par pure coïncidence; **what a ~!** quelle coïncidence!; **2** sout (co-occurrence) coïncidence *f*

coincident /kəʊ'ɪnsɪdənt/ *adj* sout coïncident; **to be ~ with sth** coïncider avec qch

coincidental /kəʊˌɪnsɪ'dentl/ *adj* fortuit; **any similarity is purely ~** toute ressemblance est purement fortuite

coincidentally /kəʊˌɪnsɪ'dentəlɪ/ *adv* tout à fait par hasard

coin: **~-op**° *n* laverie *f* automatique; **~ operated** *adj* qui marche avec des pièces

coinsurance /ˌkəʊɪn'ʃɔːrəns/ *n* coassurance *f*

coir /'kɔɪə(r)/
A *n* fibre *f* de coco
B *modif* ~ **matting** natte *f* en coco

coitus /'kəʊɪtəs/ *n* coït *m*; ~ **interruptus** coït interrompu

coke /kəʊk/ *n* **1** (fuel) coke *m*; **2** ○(cocaine) coke◑ *f*, cocaïne *f*

Coke® /kəʊk/ *n* coca *m*

Col *abrév écrite* = **Colonel**; **Col X** (on envelope) le Colonel X

cola /ˈkəʊlə/ *n* **1** Bot cola *f*, colatier *m*; **2** (drink) coca *m*

colander /ˈkʌləndə(r)/ *n* passoire *f*

cola nut *n* noix *f* de cola

cold /kəʊld/

A *n* **1** ¢ (chilliness) froid *m*; **to feel the ~** être sensible au froid, être frileux/-euse; **to be out in the ~** lit être dehors dans le froid; **to come in from** *ou* **out of the ~** lit se mettre à l'abri du froid; fig rentrer en grâce; **to be left out in the ~** fig être isolé; **he was trembling with ~** il grelottait de froid; **2** **C** Med rhume *m*; **to have a ~** être enrhumé, avoir un rhume; **to catch** *ou* **get a ~** attraper un rhume; **a bad ~** un gros rhume; **a ~ in the head** un rhume de cerveau

B *adj* **1** (chilly) froid; fig [*colour, light*] froid; **to be** *ou* **feel ~** [*person*] avoir froid; **the room was** *ou* **felt ~** il faisait froid dans la pièce; **the wind is** *ou* **feels ~** le vent est froid; **it's ~ outside** il fait froid dehors; **it's** *ou* **the weather's ~** il fait froid; **it's** *ou* **the weather's getting ~er** le temps se refroidit; **to go ~** [*food, tea, water*] se refroidir; **don't let the baby get ~** ne laisse pas le bébé prendre froid; **to keep sth ~** tenir [qch] au frais [*food*]; **2** (unemotional) [*expression, manner, smile, heart, logic etc*] froid; **to be ~ to** *ou* **towards sb** être froid avec qn; **to leave sb ~** laisser qn froid; **pop music/golf leaves me ~** la musique pop/le golf me laisse froid; **3** (not recent) [*news*] déjà dépassé; **the trail has gone ~** la piste s'est effacée; **4** (unconscious) **to be out ~** être sans connaissance; **to knock** *ou* **lay sb out ~** assommer qn, mettre qn KO○

C *adv* **1** ○(without preparation) [*speak, perform*] à froid○; **2** US (thoroughly) [*learn, know*] par cœur; **to turn sb down ~** envoyer qn promener○

(Idioms) **~ hands, warm heart** mains froides, cœur chaud; **to have** *ou* **get ~ feet** avoir les jetons○; **in ~ blood** de sang-froid; **my blood runs ~** fig mon sang se fige; **in the ~ light of day** à tête reposée; **to be as ~ as ice** [*person, part of body*] être gelé; [*room*] être glacial; **to pour** *ou* **throw ~ water on sth** descendre qch en flammes○; **you're getting ~er!** Games tu refroidis!

cold-blooded /ˌkəʊldˈblʌdɪd/ *adj* **1** lit [*animal*] à sang froid; **2** fig [*criminal, killer*] sans pitié; [*crime, massacre, attack*] commis de sang-froid; [*account, description*] sans émotion

cold: **~-bloodedly** *adv* de sang-froid; **~-bloodedness** *n* sang-froid *m*; **~ call** *n* Comm visite *f* sans préavis *or* d'un démarcheur; Telecom appel *m* d'un démarcheur; **~ calling** *n* Comm démarchage *m* par téléphone; **~ chisel** *n* ciseau *m* à froid; **~ comfort** *n* piètre consolation *f* (**for** pour); **~ cream** *n* cold-cream *m*; **~ cuts** *npl* assiette *f* anglaise; **~ fish**○ *n* péj pisse-froid○ *m*; **~ frame** *n* Hort châssis *m*; **~ front** *n* front *m* froid; **~-hearted** *adj* impitoyable

coldly /ˈkəʊldlɪ/ *adv* [*enquire, reply, say*] froidement; [*receive, stare*] avec froideur; **~ polite** d'une politesse glaciale; **~ classical** d'un classicisme froid

coldness /ˈkəʊldnɪs/ *n* lit, fig froideur *f*

cold: **~-pressed** *adj* Culin [*oil*] pressé à froid; **~ remedy** *n* médicament *m* pour le rhume; **~ room** *n* Culin chambre *f* froide; **~ sell** *n* Comm vente *f* sans préavis

cold shoulder

A *n* **to give sb the ~** snober qn, battre froid à qn; **to get the ~** se faire snober

B *vtr* snober, battre froid à

cold: **~ snap** *n* brève vague *f* de froid; **~ sore** *n* bouton *m* de fièvre; **~ start** *n* Aut démarrage *m* à froid; **~ steel** *n* ¢ armes *fpl* blanches

cold storage *n* **1** (process) gen conservation *f* par le froid; Chem conservation *f* cryogénique; **2** (place) chambre *f* froide *or* frigorifique; **to put sth into ~** lit mettre qch en chambre froide; fig mettre qch de côté

cold store *n* chambre *f* froide *or* frigorifique

cold sweat *n* sueurs *fpl* froides; **to be in a ~ about sth** avoir des sueurs froides à propos de qch; **to bring sb out in a ~** donner des sueurs froides à qn

cold: **~ table** *n* Culin buffet *m* froid; **~ tap** *n* robinet *m* d'eau froide

cold turkey○ *n* (treatment) sevrage *m*; (reaction) réaction *f* de manque; **to go ~** s'abstenir (**on** de); **to be ~** être en manque

Cold War

A *n* guerre *f* froide

B *modif* [*era, mentality, politics*] de la guerre froide

cold warrior *n* partisan/-e *m/f* de la guerre froide

coleslaw /ˈkəʊlslɔː/ *n* salade *f* à base de chou cru

coley /ˈkəʊlɪ/ *n* GB lieu noir *m*

colic /ˈkɒlɪk/ *n* ¢ coliques *fpl*

colicky /ˈkɒlɪkɪ/ *adj* [*baby*] qui souffre de coliques; [*pain*] provoqué par des coliques

Coliseum /ˌkɒlɪˈsɪəm/ *n* **1** **the ~** le Colisée; **2** US (exhibition hall) hall *m* d'exposition; **3** US (stadium) stade *m*

colitis /kəˈlaɪtɪs/ ▸ p. 1327 *n* colite *f*

collaborate /kəˈlæbəreɪt/ *vi* collaborer (**on, in** à; **with** avec); **they ~d with him in producing the film** ils ont collaboré avec lui à la production du film

collaboration /kəˌlæbəˈreɪʃn/ *n* collaboration *f* (**between** entre; **with** avec; **in sth** à qch)

collaborative /kəˈlæbərətɪv/ *adj* [*project, task*] en collaboration; [*approach*] de collaboration

collaborator /kəˈlæbəreɪtə(r)/ *n* (all contexts) collaborateur/-trice *m/f*

collage /ˈkɒlɑːʒ, US kəˈlɑːʒ/ *n* **1** Art collage *m*; **2** (film) montage *m*; (book) mélange *m*

collapse /kəˈlæps/

A *n* **1** (of regime, system, empire, bank, front, price, currency, economy, market, hopes) effondrement *m* (**of, in** de); **to be on the point** *ou* **brink of ~** être sur le point de s'effondrer; **2** (of deals, talks, relationship) échec *m* (**of** de); **3** (of company, newspaper) faillite *f* (**of** de); **4** (of person) (physical) écroulement *m*; (mental) effondrement *m*; **to be close to ~** être sur le point de s'écrouler; **to be on the verge** *ou* **brink** *ou* **point of ~** être sur le point de s'effondrer; **5** (of building, bridge) effondrement *m*; (of tunnel, wall, roof) écroulement *m*; (of chair, bed) affaissement *m*; **6** Med (of lung) collapsus *m*; **7** (of balloon) dégonflement *m*

B *vtr* **1** (fold) plier [*bike, umbrella*]; **2** (combine) synthétiser [*ideas, paragraphs*]; **3** Comput réduire

C *vi* **1** (founder) [*regime, system, empire, bank, currency, economy, hopes, plan*] s'effondrer; [*case, trial, prosecution*] échouer; [*deal, talks*] échouer; **to ~ in chaos** finir dans le chaos; **2** (go bankrupt) [*company, business*] faire faillite (**through** à cause de); **3** (slump) [*person*] s'écrouler (**due to** à cause de; **under** sous); **to ~ onto the bed/into sb's arms** s'effondrer sur le lit/dans les bras de qn; **to ~ and die** mourir subitement; **to ~ in tears** s'effondrer en larmes; **to ~ into giggles** avoir le fou-rire; **4** (fall down) [*building, bridge*] s'effondrer (**on, on top of** sur); [*tunnel, roof, wall*] s'écrouler (**on, on top of** sur); [*chair, bed*] s'affaisser (**under** sous); **5** (deflate) [*balloon*] se dégonfler; [*soufflé, pastry*] tomber; **6** Med [*lung*] se dégonfler; **a ~d lung** un collapsus pulmonaire; **7** (fold) [*bike, umbrella*] se plier

collapsible /kəˈlæpsəbl/ *adj* pliant

collar /ˈkɒlə(r)/ ▸ p. 1694

A *n* **1** (on garment) col *m*; **soft/stiff/wing ~** col souple/dur/cassé; **blue-/white-~ workers** les cols bleus/blancs; **to grab sb by the ~** prendre qn au collet; **2** (for dog, cat, horse) collier *m*; **3** (cut of meat) collier *m*; **4** Mech (ring) bague *f* d'arrêt; (bearing seat) collet *m*

B ○*vtr* alpaguer◑ [*thief, runaway*]; (detain in conversation) coincer○

(Idioms) **to get hot under the ~** se mettre en rogne○; **to have one's ~ felt** hum être pris au collet

collarbone /ˈkɒləbəʊn/ *n* clavicule *f*

collar size ▸ p. 1694 *n* encolure *f*; **his ~ is 15** il fait 39 de tour de cou; **what's your ~?** quelle encolure faites-vous?

collar stud *n* bouton *m* de col

collate /kəˈleɪt/ *vtr* collationner

collateral /kəˈlætərəl/

A *n* **1** Fin (security) nantissement *m*; **to put up ~ for a loan** offrir une garantie supplémentaire pour obtenir un prêt; **2** Jur (relation) collatéral *m*

B *adj* **1** Jur (relative) collatéral; (subordinate) secondaire; **2** Mil **~ damage** dommages *mpl* collatéraux, dégâts *mpl* parmi la population civile; **3** [*species, branch of family*] collatéral; **4** Fin **~ loan** prêt *m* nanti; **~ security** nantissement *m* subsidiaire; **5** Med collatéral

collation /kəˈleɪʃn/ *n* **1** (of evidence) collation *f*; **2** sout (meal) collation *f*

colleague /ˈkɒliːg/ *n* gen collègue *mf*; (among doctors, lawyers) (of man) confrère *m*; (of woman) consœur *f*

collect /kəˈlekt/

A *n* Relig collecte *f* (*prière*)

B *adv* US Telecom **to call sb ~** appeler qn en PCV

C *vtr* **1** (gather) ramasser [*wood, leaves, litter, eggs*]; rassembler [*information, facts, evidence, documents*]; recueillir [*signatures*]; **she ~ed (up) her belongings** elle a ramassé ses affaires; **to ~ one's wits** rassembler ses esprits; **to ~ one's strength** rassembler *or* ramasser ses forces; **to ~ one's thoughts** se recueillir; **2** (as hobby) collectionner, faire collection de [*stamps, coins, antiques*]; **she ~s artists/stray cats** hum elle collectionne les artistes/les chats perdus; **3** (receive, contain) (intentionally) recueillir [*rain water, drips*]; (accidentally) [*objects*] prendre, ramasser [*dust*]; **4** (obtain) percevoir, encaisser [*rent*]; encaisser [*fares, money*]; recouvrer [*debt*]; toucher [*pension*]; recevoir [*degree, diploma*]; Admin percevoir [*tax, fine*]; **to ~ money for charity** collecter de l'argent pour les bonnes œuvres; **the winner ~s £2,000** le gagnant remporte 2 000 livres sterling; **5** (take away) ramasser [*tickets, empty bottles, rubbish*]; faire la levée de [*mail, post*]; **I arranged to have the parcel ~ed** j'ai pris des dispositions pour qu'on aille chercher le paquet; **what time is the post ~ed?** à quelle heure est la levée (du courrier)?; **'buyer ~s'** (in small ad) 'à venir chercher sur place'; **6** (pick up) aller chercher, passer prendre [*person*]; récupérer [*keys, book etc*]; **I have to ~ the children from school** il faut que j'aille chercher *or* que je passe prendre les enfants à l'école; **she ~ed the keys from a neighbour** elle a récupéré les clés chez un voisin; **to ~ a suit from the cleaners** passer prendre un costume chez le teinturier

D *vi* **1** (accumulate, gather) [*substance, dust, leaves*] s'accumuler; [*crowd*] se rassembler, se réunir; **2** (raise money) **to ~ for charity/famine victims** faire la quête pour des bonnes œuvres/les victimes de la famine

E **collected** *pp adj* **1** [*person*] calme; **she remained cool, calm and ~ed** elle a gardé son sang-froid; **2** (assembled) **the ~ed works**

of Dickens les œuvres complètes de Dickens; **the ~ed poems of W. B. Yeats** la collection complète des poèmes de W. B. Yeats
F *v refl* **to ~ oneself** se reprendre

collectable /kəˈlektəbl/ *adj* **to be very ~** [*rare objects*] être très prisé par les collectionneurs

collectables /kəˈlektəblz/ *npl* objets *mpl* de collection; **'antiques and ~'** 'antiquités et brocante'

collect call *n* US Telecom appel *m* en PCV

collection /kəˈlekʃn/ *n* ① ¢ (collecting) (of objects) ramassage *m*; (of old clothes, newspapers etc) collecte *f*; (of information, facts, evidence, data) rassemblement *m*; (of rent) encaissement *m*; (of debt) recouvrement *m*; (of tax) perception *f*; Post levée *f*; **the ~ of money** la collecte; **your suit/bicycle is ready for ~** votre costume/vélo est prêt; **refuse ~** ramassage *m* des ordures; ② (set of collected items) (of coins, stamps, books, records etc) collection *f*; (anthology) recueil *m*; **art ~** collection *f* (de tableaux); **an odd ~ of people** un mélange curieux de gens; **autumn/spring ~** Fashn collection d'automne/de printemps; ③ (sum of money collected) gen collecte *f* (**for** pour); (in church) quête *f*; (for charity) quête *f*, collecte *f* (**for** au profit de); **to make** *ou* **organize a ~** faire la quête, organiser une collecte

collection: **~ plate** *n* plat *m* de quête; **~ point** *n* (for parcels) guichet *m* de retrait des paquets; (for goods) guichet *m* de retrait des marchandises; (for donations, recycling) dépôt *m* (**for** de)

collective /kəˈlektɪv/
A *n* entreprise *f* collective
B *adj* (all contexts) collectif/-ive

collective: **~ agreement** *n* convention *f* collective; **~ bargaining** *n* ¢ *négociations entre le syndicat et le patronat*; **~ farm** *n* ferme *f* collective

collectively /kəˈlektɪvlɪ/ *adv* collectivement; **~ owned** en copropriété; **they're known ~ as...** ils sont connus sous le nom de...

collective: **~ noun** *n* Ling (nom *m*) collectif *m*; **~ ownership** *n* copropriété *f*; **~ security** *n* sécurité *f* collective; **~ unconscious** *n* inconscient *m* collectif

collectivism /kəˈlektɪvɪzəm/ *n* collectivisme *m*

collectivist /kəˈlektɪvɪst/ *n, adj* collectiviste (*mf*)

collectivize /kəˈlektɪvaɪz/ *vtr* collectiviser

collector /kəˈlektə(r)/ *n* ① (of coins, stamps, antiques etc) collectionneur/-euse *m/f*; **to be a stamp ~** collectionner les timbres; ② (official) (of taxes) percepteur *m*; (of rates) receveur *m*; (of rent, debts) encaisseur *m*; (of funds) quêteur/-euse *m/f*; ③ Elec, Radio collecteur *m*

collector's item *n* pièce *f* de collection

colleen† /ˈkɒliːn/ *n* jeune Irlandaise *f*

college /ˈkɒlɪdʒ/
A *n* ① Sch, Univ (place of tertiary education) établissement *m* d'enseignement supérieur; (school, part of university) collège *m*; US Univ faculté *f*; **to live in/out of ~** GB vivre au/hors du collège; **to go to ~**, **to be at** *ou* **in** US **~** faire des études supérieures; **to enter/leave ~** commencer/terminer ses études supérieures; **to put a child through ~** payer des études supérieures à un enfant; **to drop out of ~**, **to be a ~ dropout** abandonner ses études; ② (professional body) (of arms, cardinals) collège *m*; (of doctors, surgeons) académie *f*; (of midwives, nurses) association *f*; ③ °US (prison) prison *f*
B *modif* [*governor, servant*] du collège; [*building*] de collège
(Idiom) **to give sth the old ~ try** US essayer de tout son cœur

> **Colleges**
>
> Aux États-Unis, on emploie ce terme pour divers types d'établissements d'enseignement supérieur qui proposent des études en deux ans (*community college, technical college, junior college*), ou en quatre ans (*four-year college, university*) qui préparent au *Bachelor's Degree* puis à un diplôme de troisième cycle. L'admission dans ces établissements se fait en fonction du dossier scolaire des élèves, des matières qu'ils ont étudiées en *high school*, et de leurs résultats aux examens de fin d'études secondaires. ▸ **High school**

college-bound /ˌkɒlɪdʒˈbaʊnd/ *adj* US Sch [*student*] qui se destine aux études universitaires; [*program*] de préparation aux études universitaires

college education *n* études *fpl* supérieures; **to have a ~** faire des études supérieures

college: **~ fellow** *n* GB membre *m* du personnel académique (*dans un collège*); **~ of advanced technology, CAT** *n* GB ≈ Institut *m* Universitaire de Technologie; **~ of agriculture** *n* institut *m* agronomique; **~ of education** *n* GB ≈ École *f* normale; **~ of further education, CFE** *n* GB *école ouverte aux adultes et aux jeunes pour terminer un cycle d'études secondaires*; **~ staff** *n* (+ *v sg ou pl*) corps *m* académique; **~ student** *n* étudiant/-e *m/f*

collegiate /kəˈliːdʒət/ *adj* [*life*] de collège; [*university*] composé de plusieurs collèges; [*church*] collégial

collide /kəˈlaɪd/ *vi* ① [*vehicle, plane, ship*] entrer en collision (**with** avec); **I ~d with a tree** j'ai heurté un arbre; **we ~d (with each other) in the corridor** nous nous sommes heurtés dans le couloir; ② (disagree) se heurter (**over** à propos de)

collie /ˈkɒlɪ/ *n* colley *m*

collier /ˈkɒlɪə(r)/ ▸ **p. 1683** *n* (worker) mineur *m*; (ship) charbonnier *m*

colliery /ˈkɒlɪərɪ/ *n* houillère *f*

collision /kəˈlɪʒn/ *n* ① (crash) collision *f*; **to come into ~ with** entrer en collision avec; **head-on ~** collision frontale; **mid-air ~** collision en plein ciel; ② (clash) affrontement *m* (**between** entre)

collision course *n* ① Naut, Aviat **the planes were on a ~** les avions allaient se percuter; ② fig **to be on a ~** [*people, groups*] aller droit à l'affrontement

collision damage waiver *n* Insur prime-collision *f* sans franchise

collocate /ˈkɒləkeɪt/ Ling
A *n* collocation *f*
B *vi* **to ~ with sth** être une collocation de qch

collocation /ˌkɒləˈkeɪʃn/ *n* Ling ① ¢ (combining) cooccurrence *f*; ② (phrase) locution *f*

colloquial /kəˈləʊkwɪəl/ *adj* familier/-ière; **~ English** anglais parlé

colloquialism /kəˈləʊkwɪəlɪzəm/ *n* expression *f* familière

colloquially /kəˈləʊkwɪəlɪ/ *adv* familièrement

colloquium /kəˈləʊkwɪəm/ *n* (*pl* **-quiums** *ou* **-quia**) colloque *m* (**on** sur)

colloquy /ˈkɒləkwɪ/ *n* sout colloque *m*, entretien *m*

collude /kəˈluːd/ *vi* comploter (**with** avec)

collusion /kəˈluːʒn/ *n* ¢ connivence *f*; **to act in ~ with sb to do sth** agir de connivence avec qn pour faire qch

collywobbles° /ˈkɒlɪwɒblz/ *npl* ① (nerves) **to have** *or* **get the ~** avoir la frousse; ② (indigestion) coliques *fpl*

cologne /kəˈləʊn/ *n* eau *f* de Cologne

Colombia /kəˈlɒmbɪə/ ▸ **p. 1096** *pr n* Colombie *f*

Colombian /kəˈlɒmbɪən/ ▸ **p. 1467**
A *n* (person) Colombien/-ienne *m/f*
B *adj* colombien/-ienne

colon /ˈkəʊlən/ *n* ① Anat côlon *m*; ② Ling deux points *mpl*

colonel /ˈkɜːnl/ ▸ **p. 1599** *n* colonel *m*

colonial /kəˈləʊnɪəl/
A *n* colonial/-e *m/f*
B *adj* colonial; US Archit en style colonial

colonialism /kəˈləʊnɪəlɪzəm/ *n* colonialisme *m*

colonialist /kəˈləʊnɪəlɪst/ *n, adj* colonialiste (*mf*)

colonic /kəˈlɒnɪk/ *adj* du côlon; **~ irrigation** lavement *m*

colonist /ˈkɒlənɪst/ *n* colon *m*

colonization /ˌkɒlənaɪˈzeɪʃn, US -nɪˈz-/ *n* colonisation *f*

colonize /ˈkɒlənaɪz/ *vtr* coloniser also fig

colonizer /ˈkɒlənaɪzə(r)/ *n* colon *m*

colonnade /ˌkɒləˈneɪd/ *n* colonnade *f*

colonnaded /ˌkɒləˈneɪdɪd/ *adj* à colonnade

colony /ˈkɒlənɪ/ *n* (all contexts) colonie *f*; **the colonies** GB Pol Hist les colonies

color US *n, vtr, vi* = **colour**

Colorado /ˌkɒləˈrɑːdəʊ/ ▸ **p. 1737, p. 1633** *pr n* Colorado *m*

Colorado beetle *n* doryphore *m*

colorant /ˈkʌlərənt/ *n* colorant *m*

coloration /ˌkʌləˈreɪʃn/ *n* coloration *f*, coloris *m*

coloratura /ˌkɒlərəˈtʊərə/ *n* (cadenza) colorature *f*; (singer) soprano *f* colorature

colorize /ˈkʌləraɪz/ *vtr* Cin coloriser

color line *n* US discrimination *f* raciale

colossal /kəˈlɒsl/ *adj* colossal

Colossians /kəˈlɒʃnz/ *n* (+ *v sg*) les Colossiens *mpl*

colossus /kəˈlɒsəs/ *n* (*pl* **-ssi** *ou* **-ssuses**) colosse *m*

colostomy /kəˈlɒstəmɪ/
A *n* colostomie *f*
B *modif* **~ bag** poche *f*

colostrum /kəˈlɒstrəm/ *n* colostrum *m*

colour GB, **color** US /ˈkʌlə(r)/ ▸ **p. 1067**
A *n* ① (hue) couleur *f*; **what ~ is it?** de quelle couleur est-il?; **do you have it in a different ~?** est-ce que vous l'avez dans une autre couleur?; **the sky was the ~ of lead** le ciel était de la couleur du plomb; **in ~** Cin, TV en couleur; **the artist's use of ~** l'usage que l'artiste fait de la couleur; **the garden was a mass of ~** le jardin était une symphonie de couleurs; **to take the ~ out of sth** décolorer qch; **to give** *ou* **lend ~ to sth** colorer qch; **to paint sth in glowing ~s** fig brosser un tableau brillant de qch; **'available in 12 ~s'** 'existe en 12 coloris'; ② (vividness) (in writing, description) couleur *f*; **period ~** couleur *f* d'époque; **a work full of ~** une œuvre haute en couleur; ③ (dye) (for food) colorant *m*; (for hair) teinture *f*; (shampoo) shampooing *m* colorant; ④ Cosmet **cheek ~** fard *m* à joues; **eye ~** fard *m* à paupières; **lip ~** rouge *m* à lèvres; ⑤ (racial pigmentation) couleur *f* de peau; **people of all races and ~s** des gens de toutes races et de toutes couleurs; ⑥ (complexion) couleur *f*; **to change ~** changer de couleur; **to lose (one's) ~** perdre ses couleurs; **to put ~ into sb's cheeks** redonner des couleurs à qn; **that should put a bit of ~ into her cheeks!** cela devrait lui redonner un peu de couleur!; **to have a high ~** (naturally) être rubicond; (from illness or embarrassment) être très rouge; **her face was drained of ~** son visage était livide; **her ~ rose** elle a rougi; **he's getting his ~ back at last** il reprend enfin des couleurs
B **colours** *npl* Mil, Sport, Turf couleurs *fpl*; Naut

C

ℹ Colours

■ *Not all English colour terms have a single exact equivalent in French: for instance, in some circumstances* brown *is* marron, *in others* brun. *If in doubt, look the word up in the dictionary.*

Colour terms

what colour is it?
= c'est de quelle couleur?
or (more formally) de quelle couleur est-il?

it's green
= il est vert
or elle est verte

to paint sth green
= peindre qch en vert

to dye sth green
= teindre qch en vert

to wear green
= porter du vert

dressed in green
= habillé de vert

■ *Colour nouns are all masculine in French:*

I like green
= j'aime le vert

I prefer blue
= je préfère le bleu

red suits her
= le rouge lui va bien

it's a pretty yellow!
= c'est un joli jaune!

have you got it in white?
= est ce que vous l'avez en blanc?

a pretty shade of blue
= un joli ton de bleu

it was a dreadful green
= c'était un vert affreux

a range of greens
= une gamme de verts

■ *Most adjectives of colour agree with the noun they modify:*

a blue coat
= un manteau bleu

a blue dress
= une robe bleue

blue clothes
= des vêtements bleus

■ *Some that don't agree are explained below.*

Words that are not true adjectives

■ *Some words that translate English adjectives are really nouns in French, and so don't show agreement:*

a brown shoe
= une chaussure marron

orange tablecloths
= des nappes *fpl* orange

hazel eyes
= des yeux *mpl* noisette

■ *Other French words like this include:* cerise (*cherry-red*), chocolat (*chocolate-brown*) *and* émeraude (*emerald-green*).

Shades of colour

■ *Expressions like* pale blue, dark green *or* light yellow *are also invariable in French and show no agreement:*

a pale blue shirt
= une chemise bleu pâle

dark green blankets
= des couvertures *fpl* vert foncé

a light yellow tie
= une cravate jaune clair

bright yellow socks
= des chaussettes *fpl* jaune vif

■ *French can also use the colour nouns here: instead of* une chemise bleu pâle *you could say* une chemise d'un bleu pâle; *and similarly* des couvertures d'un vert foncé (*etc*). *The nouns in French are normally used to translate English adjectives of this type ending in -er and -est:*

a darker blue
= un bleu plus foncé

the dress was a darker blue
= la robe était d'un bleu plus foncé

Similarly:

a lighter blue
= un bleu plus clair (*etc*)

■ *In the following examples,* blue *stands for most basic colour terms:*

pale blue
= bleu pâle

light blue
= bleu clair

bright blue
= bleu vif

dark blue
= bleu foncé

deep blue
= bleu profond

strong blue
= bleu soutenu

■ *Other types of compound in French are also invariable, and do not agree with their nouns:*

a navy-blue jacket
= une veste bleu marine

■ *These compounds include:* bleu ciel (*sky-blue*), vert pomme (*apple-green*), bleu nuit (*midnight-blue*), rouge sang (*blood-red*) *etc. However, all English compounds do not translate directly into French. If in doubt, check in the dictionary.*

■ *French compounds consisting of two colour terms linked with a hyphen are also invariable:*

a blue-black material
= une étoffe bleu-noir

a greenish-blue cup
= une tasse bleu-vert

a greeny-yellow dress
= une robe vert-jaune

■ *English uses the ending -ish, or sometimes -y, to show that something is approximately a certain colour, e.g. a* reddish hat *or a* greenish paint. *The French equivalent is* -âtre:

blue-ish
= bleuâtre

greenish *or* ***greeny***
= verdâtre

greyish
= grisâtre

reddish
= rougeâtre

yellowish *or* ***yellowy***
= jaunâtre
etc.

■ *Other similar French words are* rosâtre, noirâtre *and* blanchâtre. *Note however that these words are often rather negative in French. It is better not to use them if you want to be complimentary about something. Use instead* tirant sur le rouge/jaune *etc.*

■ *To describe a special colour, English can add* -coloured *to a noun such as* raspberry (framboise) *or* flesh (chair). *Note how this is said in French, where the two-word compound with* couleur *is invariable, and, unlike English, never has a hyphen:*

a chocolate-coloured skirt
= une jupe couleur chocolat

raspberry-coloured fabric
= du tissu couleur framboise

flesh-coloured tights
= un collant couleur chair

Colour verbs

■ *English makes some colour verbs by adding* -en (*e.g.* blacken). *Similarly French has some verbs in -ir made from colour terms:*

to blacken
= noircir

to redden
= rougir

to whiten
= blanchir

■ *The other French colour terms that behave like this are:* bleu (bleuir), jaune (jaunir), rose (rosir) *and* vert (verdir). *It is always safe, however, to use* devenir, *thus:*

to turn purple
= devenir violet

☛ See next page

pavillon *m*; **racing ~s** Turf couleurs de l'écurie; **the ~s of the regiment** les couleurs du régiment; **he's playing in England's ~s** il porte les couleurs de l'Angleterre; **under false ~s** Naut sous un faux pavillon; fig sous un faux jour; **to get one's tennis/football ~s** GB Sport être sélectionné pour l'équipe de tennis/football; **a scarf in the club ~s** une écharpe aux couleurs du club
C *modif* **1** Phot, TV [*picture, photo, photography, slide*] (en) couleur; [*copier, printer*] couleur; **~ film** (for camera) pellicule *f* couleur; Cin film *m* en couleur; **2** Sociol [*prejudice, problem*] racial
D *vtr* **1** lit (with paints, crayons) colorier; (with commercial paints) peindre; (with food dye) colorer; (with hair dye) teindre; **to ~ sth blue** colorier *or* colorer *or* peindre *or* teindre qch en bleu; **2** fig (prejudice) fausser [*attitude, judgment, opinion*]; **3** fig (enhance) péj enjoliver pej [*account, story*]
E *vi* [*plant, fruit*] changer de couleur; [*person*] (*also* **~ up**) rougir; **to ~ (up) with** devenir rouge de [*anger, embarrassment*]
(Idioms) **let's see the ~ of your money** voyons un peu la couleur de ton argent; **to be off ~** ne pas être en forme; **to pass with flying ~s** réussir haut la main; **to show one's true ~s** se montrer sous son vrai jour

colour: **~ analyst** ▸ **p. 1683** *n* Fashn analyste *mf* des couleurs; **~ bar** *n* GB discrimination *f* raciale; **~ blind** *adj* daltonien/-ienne; **~ blindness** *n* daltonisme *m*

C

ℹ Colours *continued*

Describing people

■ *Note the use of the definite article in the following:*

to have black hair
= avoir les cheveux noirs

to have blue eyes
= avoir les yeux bleus

Note the use of à *in the following:*

a girl with blue eyes
= une jeune fille aux yeux bleus

the man with black hair
= l'homme aux cheveux noirs

■ *Not all colours have direct equivalents in French. The following words are used for describing the colour of someone's hair (note that* les cheveux *is plural in French):*

fair
= blond

dark
= brun

blonde** or **blond
= blond

brown
= châtain *inv*

red
= roux

black
= noir

grey
= gris

white
= blanc

■ *Check other terms such as* yellow, ginger, auburn, mousey *etc. in the dictionary.*

■ *Note these nouns in French:*

a fair-haired man
= un blond

a fair-haired woman
= une blonde

a dark-haired man
= un brun

a dark-haired woman
= une brune

■ *The following words are useful for describing the colour of someone's eyes:*

blue
= bleu

light blue
= bleu clair *inv*

light brown
= marron clair *inv*

brown
= marron *inv*

hazel
= noisette *inv*

green
= vert

grey
= gris

greyish-green
= gris-vert *inv*

dark
= noir

colour code GB, **color code** US
A *n* système *m* de classement par couleurs
B *vtr* classer [qch] par couleurs [*files*]; identifier [qch] par des couleurs [*wires, switches*]
C **colour-coded** *pp adj* [*wire, switch, file*] identifié par une couleur; **each file/wire is colour-coded** chaque dossier/fil est identifié par une couleur

coloured GB, **colored** US /ˈkʌləd/
A *n* injur GB, US personne *f* de couleur; (in South Africa) métis/-isse *m/f*
B **coloureds** *npl* (laundry) couleurs *fpl*; **'wash ~s separately'** 'laver les couleurs séparément'
C *adj* **1** lit [*pen, chalk, ink, paper, label, bead*] de couleur; [*picture, drawing, page*] en couleur; [*light, glass, icing*] coloré; **a brightly ~ shirt** une chemise aux couleurs vives; **2** Sociol (non-white) injur GB, US de couleur; (in South Africa) métis/-isse
D **-coloured** (*dans composés*) **a raspberry-~ dress** une robe (couleur) framboise; **copper-~ hair** des cheveux couleur cuivre; **a highly-~ account** fig un récit très enjolivé

colour: **~-fast** *adj* grand teint *inv*; **~ filter** *n* Phot filtre *m* coloré

colourful GB, **colorful** US /ˈkʌləfl/ *adj* **1** lit aux couleurs vives; **2** fig [*story, career, life*] haut en couleur; [*character, person*] pittoresque

colourfully GB, **colorfully** US /ˈkʌləfəlɪ/ *adv* [*painted, dressed*] en couleurs vives

colour graphics adaptor, **CGA** *n* Comput adaptateur *m* de graphique couleur

colouring GB, **coloring** US /ˈkʌlərɪŋ/ *n* **1** (hue) (of plant, animal) couleurs *fpl*; (of pattern) combinaison *f* des couleurs; (complexion) teint *m*; **2** ¢ Art coloriage *m*; **3** (dye) (for food) colorant *m*; (for hair) teinture *f*; **artificial ~** Culin colorant *m* artificiel

colouring book *n* album *m* à colorier

colourless GB, **colorless** US /ˈkʌləlɪs/ *adj* **1** lit [*liquid, substance, gas*] incolore; [*face, cheeks, hands*] blanc/blanche; **2** fig (bland) [*personality, description, life, voice*] terne

colour: **~ magazine** *n* Journ revue *f* en couleur; **~ reproduction** *n* Art reproduction *f* en couleur; **~ scheme** *n* couleurs *fpl*, coloris *m*; **~ sense** *n* sens *m* des couleurs; **~ sergeant** ▸ **p. 1599** *n* GB sergent-chef *m*; **~ set** *n* TV appareil *m* (en) couleur; **~ supplement** *n* Journ supplément *m* illustré; **~ television** *n* télévision *f* (en) couleur; **~ therapist** ▸ **p. 1683** *n* Psych chromothérapeute *mf*, spécialiste *mf* en chromothérapie; **~ therapy** *n* chromothérapie *f*; **~way** *n* coloris *m*

colt /kəʊlt/ *n* **1** Zool poulain *m*; **2** (boy) jeunot *m*; GB Sport poulain *m*

Colt® /kəʊlt/ *n* (pistol) colt *m*

coltish /ˈkəʊltɪʃ/ *adj* [*person*] folâtre

coltsfoot /ˈkəʊltsfʊt/ *n* pas-d'âne *m inv*

Columbia† /kəˈlʌmbɪə/ *n* Hist *nom poétique des États-Unis*

columbine /ˈkɒləmbaɪn/
A *n* Bot ancolie *f*
B **Columbine** *pr n* Theat Colombine

Columbus /kəˈlʌmbəs/ *pr n* Christophe Colomb

column /ˈkɒləm/ *n* **1** gen colonne *f*; **2** Journ rubrique *f*; **sports/political ~** rubrique sportive/politique; **letters ~** le courrier *m* des lecteurs

column inch *n* Print, Journ ≈ millimètre *m* colonne

columnist /ˈkɒləmnɪst/ *n* journaliste *mf*; **political ~** journaliste politique

coma /ˈkəʊmə/ *n* coma *m*; **in a ~** dans le coma; **to go into a ~** entrer dans le coma

comatose /ˈkəʊmətəʊs/ *adj* **1** Med comateux/-euse; **2** fig (with alcohol, apathy) abruti

comb /kəʊm/
A *n* **1** (for hair) peigne *m*; **to run a ~ through one's hair, to give one's hair a (quick) ~** se donner un coup de peigne; **2** Tex carde *f*; **3** (honeycomb) rayon *m*; **4** (cock's crest) crête *f*
B *vtr* **1** **to ~ sb's hair** peigner qn; **to ~ one's hair** se peigner; **2** (search) **to ~ a place (looking) for sth** passer un lieu au peigne fin à la recherche de qch; **3** Tex carder [*wool, textile*]

(Phrasal verbs) ■ **comb out**: ▸ **~ out [sth], ~ [sth] out** démêler [*knots, hair*]; **to ~ fleas/lice out of a dog** épucer/épouiller un chien
■ **comb through**: ▸ **~ through [sth]** passer [qch] au peigne fin [*book, article*] **(for sth, looking for sth** à la recherche de qch)

combat /ˈkɒmbæt/
A *n* Mil combat *m*; **in ~** au combat; **to send sb into ~** envoyer qn au combat; **close/single ~** combat rapproché/singulier
B *modif* [*aircraft, helmet, troops, zone*] de combat
C *vtr* (*p prés etc* **-tt-**) combattre [*violence, racism, crime, inflation*]; lutter contre [*hunger, disease, poverty, fear*]

combatant /ˈkɒmbətənt/
A *n* combattant/-e *m/f*
B *adj* combattant

combative /ˈkɒmbətɪv/ *adj* combatif/-ive

combat: **~ jacket** *n* veste *f* de treillis; **~ mission** *n* mission *f* commandée; **~ pants** *npl* treillis *m*; **~ police** *n* GB brigade *f* mobile d'arrondissement

combe *n* GB = **coomb**

combination /ˌkɒmbɪˈneɪʃn/
A *n* **1** (mixture, blend) gen combinaison *f* (**of** de); (of factors, events) conjonction *f*; **for a ~ of reasons** pour de multiples raisons; **2** (mixing) mélange *m* (**of** de; **with** avec); **in ~ with** en association avec; **3** (of numbers, chemicals) combinaison *f*; **4** GB Aut side-car *m*
B **combinations**† *npl* GB combinaison-caleçon *f*

combination lock *n* serrure *f* à combinaison

combine
A /ˈkɒmbaɪn/ *n* **1** Comm groupe *m*; **2** Agric = **combine harvester**
B /kəmˈbaɪn/ *vtr* **1** (pair up, link) combiner [*activities, colours, components, items, qualities, elements*] (**with** avec); associer [*ideas, aims*] (**with** à); **to ~ two companies** regrouper deux sociétés; **to ~ fantasy with realism** allier la fantaisie au réalisme; **to ~ forces** [*countries, people*] (merge) s'allier; (cooperate) collaborer; **2** Culin mélanger (**with** avec); **3** Chem combiner (**with** avec); **4** /ˈkɒmbaɪn/ Agric moissonner, battre [*crops*]
C /kəmˈbaɪn/ *vi* **1** (go together) [*activities, colours, styles, factors, events*] se combiner (**with** avec; **to do** pour faire); **to ~ well with** se combiner bien avec; **2** (join) [*people, groups*] s'associer (**against** contre; **to do** pour faire; **into** en); [*institutions, firms*] fusionner (**into** en); **3** Chem se combiner (**with** avec; **to do** pour faire); **to ~ easily** se combiner facilement

combined /kəmˈbaɪnd/ *adj* **1** (joint) **~ operation** gen collaboration *f*; Mil opération *f* interarmées; **a ~ effort** une collaboration; **their ~ strength wasn't enough to move it** même en alliant leurs forces ils n'ont pas pu le déplacer; **2** (total) [*loss, salary, age, capacity, population*] total; **two men whose ~ age is 150** deux hommes ayant à eux deux 150 ans; **3** (put together) [*effects*] combiné; [*forces*] conjoint; **~ with** combiné avec; **more than all the rest ~** plus que tous les autres réunis

combined: **~ drug therapy** *n* bithérapie *f*; **~ honours** *n* GB Univ (+ *v sg ou pl*) double licence *f*; **~ pill** *n* pilule *f* combinée

combine harvester *n* moissonneuse-batteuse *f*

combo○ /ˈkɒmbəʊ/ *n* 1▸ Mus petit groupe *m*; jazz ~ petit groupe *m* de jazz; 2▸ US (menu) *menu composé de deux plats au choix*

combustible /kəmˈbʌstəbl/ *adj* [*substance*] combustible; fig [*temperament*] explosif/-ive

combustion /kəmˈbʌstʃn/
A *n* combustion *f*; internal ~ engine moteur *m* à combustion interne
B *modif* [*chamber, temperature, pressure*] de combustion

come /kʌm/
A ◑*n* sperme *m*
B *excl* (reassuringly) ~ (now)! allons!; ~, ~! (in warning, reproach) allons, allons!
C *vtr* (*prét* came; *pp* come) 1▸ (travel) faire; to ~ 100 km to see faire 100 km pour voir 2▸ ○GB (act) don't ~ the innocent with me ne fais pas l'innocent; to ~ the heavy-handed father jouer les pères autoritaires
D *vi* (*prét* came; *pp* come) 1▸ (arrive) [*person, day, success, fame*] venir; [*bus, letter, news, results, rains, winter, war*] arriver; the letter came on Monday la lettre est arrivée lundi; your turn will ~ ton tour arrivera; to ~ after sb (chase) poursuivre qn; to ~ by (take) prendre [*bus, taxi, plane*]; I came on foot/by bike je suis venu à pied/à bicyclette; to ~ down descendre [*stairs, street*]; to ~ up monter [*stairs, street*]; to ~ down from Scotland/from Alaska venir d'Écosse/de l'Alaska; to ~ from venir de [*airport, hospital*]; to ~ into entrer dans [*house, room*]; the train came into the station le train est entré en gare; to ~ past [*car, person*] passer; to ~ through [*person*] passer par [*town centre, tunnel*]; [*water, object*] traverser [*window etc*]; to ~ to venir à [*school, telephone*]; to ~ to the door venir ouvrir; to ~ to the surface remonter à la surface; to ~ to the company as entrer dans l'entreprise comme [*apprentice, consultant*]; to ~ to do venir faire; to ~ running arriver en courant; to ~ limping down the street descendre la rue en boitant; to ~ crashing to the ground [*structure*] s'écraser au sol; to ~ streaming through the window [*light*] entrer à flots par la fenêtre; lunch is ready, ~ and get it! le déjeuner est prêt, à table!; when the time ~s lorsque le moment sera venu; the time has come to do le moment est venu de faire; I'm coming! j'arrive!; ~ to mummy viens voir maman; to ~ and go aller et venir; you can ~ and go as you please tu es libre de tes mouvements; fashions ~ and go les modes vont et viennent; ~ next week/year la semaine/l'année prochaine; ~ Christmas/Summer à Noël/en été; there may ~ a time *ou* day when you regret it tu pourrais le regretter un jour; for some time to ~ encore quelque temps; there's still the meal/speech to ~ il y a encore le repas/discours
2▸ (approach) s'approcher; to ~ and see/help sb venir voir/aider qn; to ~ to sb for venir demander [qch] à qn [*money, advice*]; I could see it coming (of accident) je le voyais venir; don't ~ any closer ne vous approchez pas (plus); he came to the job with preconceived ideas quand il a commencé ce travail il avait des idées préconçues; to ~ close *ou* near to doing faillir faire
3▸ (call, visit) [*dustman, postman*] passer; [*cleaner*] venir; I've come to do je viens faire; I've come about je viens au sujet de; I've come for je viens chercher; my brother is coming for me at 10 am mon frère passe me prendre à 10 heures; they're coming for the weekend ils viennent pour le week-end; I've got six people coming to dinner j'ai six personnes à dîner; my sister is coming to stay with us ma sœur vient passer quelques jours chez nous
4▸ (attend) venir; I can't *ou* won't be able to ~ je ne pourrai pas venir; ~ as you are venez comme vous êtes; to ~ to venir à [*meeting, party, wedding*]; to ~ with sb venir avec qn, accompagner qn; do you want to ~ fishing? est-ce que tu veux venir à la pêche?
5▸ (reach) to ~ to, to ~ up/down to [*water*] venir jusqu'à; [*dress, carpet, curtain*] arriver à; I've just come to the chapter where... j'en suis juste au chapitre où...
6▸ (happen) how did you ~ to do? comment as-tu fait pour faire?; that's what ~s of doing/not doing voilà ce qui arrive quand on fait/ne fait pas; how ~? comment ça se fait?; how ~ you lost? comment ça se fait que tu aies perdu?; ~ what may advienne que pourra; to take things as they ~ prendre les choses comme elles viennent; when you ~ to think of it à la réflexion; ~ to think of it, you're right en fait, tu as raison
7▸ (begin) to ~ to believe/hate/understand finir par croire/détester/comprendre
8▸ (originate) to ~ from [*person*] être originaire de, venir de [*city, country etc*]; [*word, song, legend*] venir de [*country, language*]; [*substance, food*] provenir de [*raw material*]; [*coins, stamps*] provenir de [*place, collection*]; [*smell, sound*] venir de [*place*]; to ~ from France [*fruit, painting*] provenir de France; [*person*] être français/-e; to ~ from a long line of artists être issu d'une longue lignée d'artistes
9▸ (be available) to ~ in exister en [*sizes, colours*]; to ~ with a radio/sunroof être livré avec radio/toit ouvrant; to ~ with chips être servi avec des frites; to ~ with matching napkins être vendu avec les serviettes assorties; calculators don't ~ smaller/cheaper than this il n'existe pas de calculatrice plus petite/moins chère que celle-là
10▸ (tackle) to ~ to aborder [*problem, subject*]; I'll ~ to that in a moment je reviendrai sur ce point dans un moment; to ~ to sth *ou* to doing sth late in life se mettre à faire qch sur le tard
11▸ (develop) it ~s with practice/experience cela s'apprend avec la pratique/l'expérience; wisdom ~s with age la sagesse vient en vieillissant
12▸ (be situated) venir; to ~ after suivre, venir après; to ~ before (in time, list, queue) précéder; (in importance) passer avant; to ~ within faire partie de [*terms*]; to ~ first/last [*athlete, horse*] arriver premier/dernier; where did you ~? tu es arrivé combien○?, tu es arrivé à quelle place?; my family ~s first ma famille passe avant tout; nothing can ~ between us rien ne peut nous séparer; don't let this ~ between us on ne va pas se fâcher pour ça; to try to ~ between two people essayer de s'interposer entre deux personnes; nothing ~s between me and my football! pour moi le foot c'est sacré!
13▸ (be due) the house ~s to me when they die la maison me reviendra quand ils mourront; death/old age ~s to us all tout le monde meurt/vieillit; he had it coming (to him)○ ça lui pendait au nez; they got what was coming to them○ ils ont fini par avoir ce qu'ils méritaient
14▸ (be a question of) when it ~s to sth/to doing lorsqu'il s'agit de qch/de faire
15▸ ○(have orgasm) jouir

Idioms ~ again○? pardon?; I don't know if I'm coming or going je ne sais plus où j'en suis; 'how do you like your tea?'—'as it ~s' 'tu le prends comment ton thé?'—'ça m'est égal'; he's as stupid/honest as they ~ il n'y a pas plus stupide/honnête que lui; ~ to that *ou* if it ~s to that, you may be right en fait, tu as peut-être raison; to ~ as a shock/a surprise être un choc/une surprise

Phrasal verbs ■ **come about** 1▸ (happen) [*problems, reforms*] survenir; [*situation, change*] se produire; the discovery came about by accident on a fait la découverte par hasard; 2▸ Naut virer de bord

■ **come across**: ▸ ~ across (be conveyed) [*meaning, message*] passer; [*feelings*] transparaître; the message of the film ~s across clearly le message du film est clair; his love of animals ~s across strongly on sent bien qu'il adore les animaux; she ~s across well on TV elle passe bien à la télé; ~ across as donner l'impression d'être [*liar, expert*]; paraître [*enthusiastic, honest*]; ▸ ~ across [sth] tomber sur [*article, reference, example*]; découvrir [qch] par hasard [*village*]; we rarely ~ across cases of nous avons rarement affaire à des cas de; ▸ ~ across [sb] rencontrer [*person*]; one of the nicest people I've ever come across une des personnes les plus sympathiques que j'aie jamais rencontrées

■ **come along** 1▸ (arrive) [*bus, person*] arriver; [*opportunity*] se présenter; to wait for the right person to ~ along attendre que la personne idéale se présente; 2▸ (hurry up) ~ along! dépêche-toi!; 3▸ (attend) venir; why don't you ~ along? tu veux venir?; to ~ along to venir à [*lecture, party*]; to ~ along with sb venir avec qn, accompagner qn; 4▸ (make progress) [*pupil, trainee*] faire des progrès; [*book, building work, project*] avancer; [*painting, tennis*] progresser; [*plant, seedling*] pousser; your Spanish is coming along votre espagnol a progressé; how's the thesis coming along? est-ce que ta thèse avance?

■ **come apart** 1▸ (accidentally) [*book, parcel, box*] se déchirer; [*shoes*] craquer; [*toy, camera*] se casser; the toy just came apart in my hands le jouet m'est resté dans les mains; 2▸ (intentionally) [*sections, components*] se séparer; [*machine, equipment*] se démonter

■ **come around** US = come round

■ **come at**: ▸ ~ at [sb] 1▸ (attack) [*person*] attaquer (with avec); [*bull, rhino*] foncer sur; 2▸ fig there were criticisms/questions coming at me from all sides j'étais assailli de critiques/questions

■ **come away** 1▸ (leave) lit partir; to ~ away from quitter [*cinema, match, show*]; sortir de [*interview, meeting*]; fig to ~ away from the match/from the meeting disappointed/satisfied sortir déçu/satisfait du stade/de la réunion; to ~ away with the feeling that rester sur l'impression que; 2▸ (move away) s'éloigner; ~ away! (said by parent) pousse-toi de là!; (said by official) circulez!; ~ away from the edge éloigne-toi du bord; 3▸ (become detached) [*handle, plaster, cover*] se détacher (from de)

■ **come back** 1▸ (return) gen [*letter, person, memories, feeling, good weather*] revenir (from de; to à); (to one's house) rentrer; to ~ running back revenir en courant; the memories came flooding back les souvenirs me sont revenus d'un seul coup; to ~ back to revenir à [*topic, problem*]; retourner auprès de [*spouse, lover*]; to ~ back with sb raccompagner qn; to ~ back with (return) revenir avec [*present, idea, flu*]; (reply) répondre par [*offer, suggestion*]; can I ~ back to you on that tomorrow? est-ce que nous pourrions en reparler demain?; it's all coming back to me now tout me revient maintenant; the name will ~ back to me le nom me reviendra; to ~ back to what you were saying pour en revenir à ce que tu disais; 2▸ (become popular) [*law, system*] être rétabli; [*trend, method, hairstyle*] revenir à la mode; to ~ back into fashion revenir à la mode

■ **come by**: ▸ ~ by [*person*] passer; you must ~ by and see us passez donc nous voir; ▸ ~ by [sth] trouver [*book, job, money*]

■ **come down** 1▸ (move lower) [*person*] descendre (from de); [*lift, barrier, blind*] descendre; [*curtain*] tomber; to ~ down by parachute descendre en parachute; to ~ down in the lift prendre l'ascenseur pour descendre; he's really come down in the world fig il est vraiment tombé bas; his trousers barely came down to his ankles son pantalon lui arrivait à peine aux chevilles; 2▸ (drop) [*price, inflation, unemployment, temperature*] baisser (from de; to à); [*cost*] diminuer; cars are coming down in price le prix des voitures baisse; 3▸ Meteorol [*snow, rain*] tomber; the fog came down overnight le brouillard est apparu pendant la nuit; 4▸ (land) [*helicopter*] se poser; [*aircraft*] atterrir; 5▸ (crash) [*plane*] s'écraser; 6▸ (fall) [*ceiling, wall*] s'écrouler; [*curtain rail*] tomber;

[*hem*] se défaire; 7 fig (be resumed by) se ramener à [*question, problem, fact*]; **it all really ~s down to the fact that** ça se ramène au fait que

■ **come forward** 1 (step forward) s'avancer; 2 (volunteer) se présenter (**to do** pour faire); **to ~ forward with** présenter [*proof, proposal*]; offrir [*help, money, suggestions*]; **to ask witnesses to ~ forward** lancer un appel à témoins

■ **come in** 1 (enter) [*person, rain*] entrer (**through** par); 2 (return) rentrer (**from** de); **she ~s in from work at five** elle rentre du travail à cinq heures; 3 (come inland) [*tide*] monter; **a wind coming in from the sea** un vent soufflant de la mer; 4 (arrive) [*plane, train, bill, complaint, delivery, letter*] arriver; **which horse came in first?** quel cheval est arrivé premier?; **we've got £2,000 a month coming in** nous avons une rentrée de 2 000 livres sterling par mois; 5 (become current) [*trend, invention, style*] faire son apparition; [*habit, practice*] commencer à se répandre; 6 (interject) intervenir; **to ~ in with an opinion** exprimer son opinion; 7 Radio, Telecom (in radio transmission) **~ in, Delta Bravo!** c'est à vous, Delta Bravo!; 8 (participate) **to ~ in with sb** s'associer à qn; **to ~ in on the deal** participer à l'affaire; 9 (serve a particular purpose) **where do I ~ in?** à quel moment est-ce que j'interviens?; **where does the extra money ~ in?** à quel moment est-ce qu'on introduira l'argent en plus?; **to ~ in useful** *ou* **handy** [*box, compass, string etc*] être utile, servir; [*skill, qualification*] être utile; 10 (receive) **to ~ in for criticism** [*person*] être critiqué; [*plan*] faire l'objet de nombreuses critiques; **to ~ in for praise** recevoir des éloges

■ **come into**: ▸ **~ into [sth]** 1 (inherit) hériter de [*money*]; entrer en possession de [*inheritance*]; 2 (be relevant) **to ~ into it** [*age, experience*] entrer en ligne de compte, jouer; **luck/skill doesn't ~ into it** ce n'est pas une question de hasard/d'habileté

■ **come off**: ▸ **~ off** 1 (become detached) (accidentally) [*button, label, handle*] se détacher; [*lid*] s'enlever; [*paint*] s'écailler; [*wallpaper*] se décoller; (intentionally) [*handle, panel, lid*] s'enlever; **the knob came off in my hand** la poignée m'est restée dans la main; **the lid won't ~ off** je n'arrive pas à enlever le couvercle; 2 (fall) [*rider*] tomber; 3 (wash, rub off) [*ink*] s'effacer; [*stain*] partir; **the mark won't ~ off** la tache ne part pas; 4 (take place) [*deal*] se réaliser; [*merger, trip*] avoir lieu; 5 (succeed) [*plan, trick, project*] réussir; [*parody*] être réussi; 6 Theat, TV (be taken off) [*play*] être retiré de l'affiche; [*TV show*] être déprogrammé; 7 (fare) **she came off well** (in deal) elle s'en est très bien tirée; **who came off worst?** (in fight) lequel des deux a été le plus touché?; ▸ **~ off [sth]** 1 (stop using) arrêter [*pill, tablet, heroin*]; 2 (fall off) tomber de [*bicycle, horse*]; 3 (get off) descendre de [*wall*]; **~ off the lawn!** sors de la pelouse!

■ **come on** 1 (follow) **I'll ~ on later** je vous rejoindrai plus tard; 2 (exhortation) (encouraging) **~ on, try it!** allez, essaie!; **~ on, follow me!** allez, suivez-moi!; (impatient) **~ on, hurry up!** allez, dépêche-toi!; (wearily) **~ on, somebody must know the answer!** enfin, il y a sûrement quelqu'un qui connaît la réponse!; **~ on, you don't expect me to believe that!** non mais franchement, tu ne t'attends pas à ce que je croie ça!; 3 (make progress) [*person, player, patient*] faire des progrès; [*bridge, road, novel*] avancer; [*plant*] pousser; **how are the recruits coming on?** est-ce que les recrues font des progrès?; **her tennis is coming on well** elle fait des progrès en tennis; 4 (begin) [*asthma, attack, headache*] commencer; [*winter*] arriver; [*programme, film*] commencer; [*rain*] se mettre à tomber; **it came on to snow** il s'est mis à neiger; 5 (start to work) [*light*] s'allumer; [*heating, fan*] se mettre en route; **the power came on again at 11** le courant est revenu à 11 heures; 6 Theat [*actor*] entrer en scène

■ **come out** 1 (emerge) [*person, animal, vehicle*] sortir (**of** de); [*star*] apparaître; [*sun, moon*] se montrer; [*flowers, bulbs*] sortir de terre; [*spot, rash*] apparaître; **~ out with your hands up!** sortez les mains en l'air; **when does he ~ out?** (of prison, hospital) quand est-ce qu'il sort?; **he came out of it rather well** fig il ne s'en est pas mal tiré; 2 (originate) **to ~ out of** [*person*] être originaire de; [*song*] venir de; [*news report*] provenir de; **the money will have to ~ out of your savings** il faudra prendre l'argent sur tes économies; 3 (result) **to ~ out of** [*breakthrough*] sortir de; **something good came out of the disaster** il est sorti quelque chose de bon du désastre; 4 (strike) faire la grève; **to ~ out on strike** faire la grève; 5 [*homosexual*] déclarer publiquement son homosexualité; 6 (fall out) [*contact lens, tooth, key, screw, nail*] tomber; [*electrical plug*] se débrancher; [*sink plug*] sortir; [*contents, stuffing*] sortir; [*cork*] s'enlever; **his hair is coming out** il commence à perdre ses cheveux; 7 (be emitted) [*water, air, smoke*] sortir (**through** par); **the water ~s out of this hole** l'eau sort par ce trou; 8 (wash out) [*stain, ink, grease*] s'en aller, partir (**of** de); **it won't ~ out** ça ne part pas; 9 (be deleted) [*reference, sentence*] être éliminé; 10 (be published, issued) [*magazine, novel*] paraître; [*album, film, model, product*] sortir; 11 (become known) [*feelings*] se manifester; [*message, meaning*] ressortir; [*details, facts, full story*] être révélé; [*results*] être connu; [*secret*] être divulgué; **it came out that** on a appris que; **if it ever ~s out that it was my fault** si on découvre un jour que c'était de ma faute; **the truth is bound to ~ out** la vérité finira forcément par se savoir; **so that's what you think—it's all coming out now!** c'est ça que tu penses—tu finis par l'avouer!; 12 Phot, Print [*photo, photocopy*] être réussi; **the photos didn't ~ out (well)** les photos ne sont pas réussies; **red ink won't ~ out on the photocopy** l'encre rouge ne donnera rien sur la photocopie; 13 (end up) **to ~ out at 200 dollars** [*cost, bill*] s'élever à 200 dollars; **the jumper came out too big** le pull était trop grand; **the total always ~s out the same** le total est toujours le même; 14 (say) **to ~ out with** sortir [*excuse*]; raconter [*nonsense, rubbish*]; **I knew what I wanted to say but it came out wrong** je savais ce que je voulais dire mais je me suis mal exprimé; **whatever will she ~ out with next?** qu'est-ce qu'elle va encore nous sortir○?; **to ~ straight out with it** le dire franchement; 15 (enter society) faire ses débuts dans le monde

■ **come over**: ▸ **~ over** 1 (drop in) venir; **~ over for a drink** venez prendre un verre; **to ~ over to do** venir faire; 2 (travel) venir; **they came over on the ferry** ils sont venus en ferry; **she's coming over on the 10 am flight** elle arrive par l'avion de 10 heures; **she often ~s over to France** elle vient souvent en France; **their ancestors came over with the Normans** leurs ancêtres sont venus ici au temps des Normands; 3 (convey impression) [*message, meaning*] passer; [*feelings, love*] transparaître; **to make one's feelings ~ over** exprimer ses sentiments; **to ~ over very well** [*person*] donner une très bonne impression; **to ~ over as** donner l'impression d'être [*lazy, honest*]; 4 ○(suddenly become) **to ~ over all embarrassed** se sentir gêné tout à coup; **to ~ over all shivery** se sentir fiévreux/-euse tout à coup; **to ~ over all faint** être pris de vertige tout d'un coup; ▸ **~ over [sb]** [*feeling*] envahir; **what's come over you?** qu'est-ce qui te prend?; **I don't know what came over me** je ne sais pas ce qui m'a pris

■ **come round** GB, **come around** US 1 (regain consciousness) reprendre connaissance; 2 (make a detour) faire un détour (**by** par); 3 (circulate) [*steward, waitress*] passer; 4 (visit) venir; **to ~ round and do** venir faire; **to ~ round for dinner/drinks** venir dîner/prendre un verre; 5 (occur) [*event*] avoir lieu; **the elections are coming round again** les élections auront bientôt lieu; **by the time Christmas ~s round** à Noël; 6 (change one's mind) changer d'avis; **to ~ round to an idea/to my way of thinking** se faire à une idée/à ma façon de voir les choses; 7 Naut [*boat*] venir au vent

■ **come through**: ▸ **~ through** 1 (survive) s'en tirer; 2 (penetrate) [*heat, ink*] traverser; [*light*] passer; 3 (arrive) **the fax/the call came through at midday** nous avons reçu le fax/l'appel à midi; **my posting has just come through** je viens de recevoir ma mutation; **she's still waiting for her visa/her results to ~ through** elle n'a toujours pas reçu son visa/ses résultats; 4 (emerge) [*personality, qualities*] apparaître; ▸ **~ through [sth]** 1 (survive) se tirer de [*crisis*]; se sortir de [*recession*]; survivre à [*operation, ordeal, war*]; 2 (penetrate) [*ink, dye*] traverser [*paper, cloth*]; [*light*] passer au travers de [*curtains*]

■ **come to**: ▸ **~ to** (regain consciousness) (from faint) reprendre connaissance; (from trance) se réveiller; ▸ **~ to [sth]** 1 (total) [*shopping*] revenir à; [*bill, expenditure, total*] s'élever à; **both columns should ~ to the same figure** les deux colonnes devraient donner le même total; **that ~s to £40** cela fait 40 livres sterling; 2 (result in) aboutir à; **if it ~s to a fight** si on en vient à se battre; **all her plans came to nothing** aucun de ses projets ne s'est réalisé; **did the plans ~ to anything?** est-ce que les projets ont abouti?; **all our efforts came to nothing** tous nos efforts ont été vains; **I never thought it would ~ to this** je n'aurais jamais imaginé que les choses en arriveraient là; **it may not ~ to that** ce ne sera peut-être pas nécessaire

■ **come under**: ▸ **~ under [sth]** 1 (be subjected to) **to ~ under scrutiny** faire l'objet d'un examen minutieux; **to ~ under suspicion** être soupçonné; **to ~ under threat** être menacé; **we're coming under pressure to do** on fait pression sur nous pour faire; 2 (be classified under) (in library, shop) être classé dans le rayon [*reference, history*]; **Dali ~s under Surrealism** Dali fait partie des surréalistes

■ **come up**: ▸ **~ up** 1 (arise) [*problem, issue, matter*] être soulevé; [*name*] être mentionné; **to ~ up in conversation** [*subject*] être abordé dans la conversation; **this type of question may ~ up** c'est le genre de question qui pourrait être posée; 2 (be due, eligible) **to ~ up for re-election** se représenter aux élections; **my salary ~s up for review in April** mon salaire sera révisé en avril; **the car is coming up for its annual service** la voiture va avoir sa révision annuelle; 3 (occur) [*opportunity*] se présenter; **something urgent has come up** j'ai quelque chose d'urgent à faire; **a vacancy has come up** une place s'est libérée; 4 (rise) [*sun, moon*] sortir; [*tide*] monter; [*bulb, seeds*] germer; [*daffodils, beans*] sortir; 5 Jur [*case, hearing*] passer au tribunal; **to ~ up before** [*case*] passer devant; [*person*] comparaître devant

■ **come up against**: ▸ **~ up against [sth]** se heurter à [*problem, prejudice, opposition*]

■ **come up with**: ▸ **~ up with [sth]** trouver [*answer, idea, money*]

■ **come upon**: ▸ **~ upon [sth]** tomber sur [*book, reference*]; trouver [*idea*]; ▸ **~ upon [sb]** rencontrer, tomber○ sur [*friend*]

comeback /ˈkʌmbæk/

A *n* 1 (bid for success) (of musician, actor, boxer) come-back *m*; (of politician) rentrée *f*; **to make** *ou* **stage a ~** faire un come-back *or* une rentrée; **mini-skirts are making a ~** les mini-jupes reviennent à la mode; 2 (redress) recours *m*; **to have no ~** n'avoir aucun recours; 3 (retort) réplique *f*; 4 (repercussions) répercussions *fpl*

B *modif* [*album*] de come-back; [*campaign*] de rentrée; **~ bid** (of singer, actor) come-back *m*; (of politician) rentrée *f*

Comecon /ˈkɒmɪkɒn/ *n* Comecon *m*

comedian /kəˈmiːdɪən/ ▸ **p. 1683** *n* 1 (actor) (male) comique *m*; (female) actrice *f* comique; 2 (joker) pitre *m*; **he/she is a bit of a ~** il/elle est assez pitre

comedienne /kə,miːdɪ'en/ ▸ p. 1683 *n* actrice *f* comique

comedown○ /'kʌmdaʊn/ *n* 1 (decline in status) claque○ *f*, déchéance *f*; **it's quite a ~ for her to have to do** elle trouve humiliant d'avoir à faire; 2 (disappointment) déception *f*; **it was rather a ~ for her** elle a été assez déçue

comedy /'kɒmədɪ/ *n* 1 (genre) comédie *f*; **black/light ~** comédie *f* macabre/légère; 2 (play) comédie *f*; **situation ~** comédie *f* d'intrigues; (on TV) sitcom *f*; 3 (funny aspect) comique *m*; **moments of high ~** des moments de haut comique

come-hither○ /,kʌm'hɪðə(r)/ *adj* [*look*] aguichant

comeliness /'kʌmlɪnɪs/ *n* littér beauté *f*

comely /'kʌmlɪ/ *adj* littér beau/belle

come-on○ /'kʌmɒn/ *n* 1 (sexual) **to give sb the ~** draguer qn; 2 (in sales jargon) (product) produit *m* d'appel; (claim) accroche *f*

comer /'kʌmə(r)/ *n* (arrival) arrivant/-e *m/f*; **to take on all ~s** [*champion, boxer*] se battre contre tous les challengeurs; **the contest is open to all ~s** le concours est ouvert à tout le monde

comestible /kə'mestəbl/ *adj* sout comestible

comestibles /kə'mestəblz/ *npl* sout comestibles *mpl*

comet /'kɒmɪt/ *n* comète *f*

comeuppance○ /kʌm'ʌpəns/ *n* **to get one's ~** avoir ce qu'on mérite

comfit† /'kʌmfɪt/ *n* dragée *f*

comfort /'kʌmfət/

A *n* 1 (well-being) confort *m*; (emphasizing wealth) aisance *f*; **to live in ~** vivre dans l'aisance; **he likes his ~** il aime son confort; 2 (amenity) confort *m*; **every modern ~** tout le confort moderne; **home ~s** le confort du foyer; **the ~s of civilization** les conforts *or* agréments *mpl* de la civilisation; 3 (consolation) réconfort *m*, consolation *f*; (relief from pain) soulagement *m*; **it's a ~ to know that** il est consolant de savoir que; **to be a great ~ to sb** [*person*] être un grand réconfort pour qn; [*knowledge, belief*] apporter beaucoup de réconfort à qn; **to take ~ from** trouver un réconfort dans; **we can take ~ from the fact that** nous pouvons nous consoler à l'idée que; **to give** *ou* **bring ~ to** (emotionally) procurer du réconfort à; (physically) procurer du soulagement à; **if it's any ~ to you** si cela peut vous réconforter *or* consoler; **to be small ~ for sb** n'être qu'une maigre consolation pour qn

B *vtr* consoler; (stronger) réconforter; **to be ~ed by sb** se faire consoler par qn; **to be ~ed by the thought that** être réconforté à l'idée que

(Idioms) **it's (a bit) too close for ~** (of where sb is, lives) ça fait un peu trop près; (of fighting, war) c'est dangereusement proche, ça devient inquiétant; **that's outside my ~ zone** ce n'est pas quelque chose que je pourrais faire

comfortable /'kʌmftəbl, US -fərt-/ *adj* 1 [*room, house, chair, bed, shoes, clothes, journey*] confortable; [*temperature*] agréable; 2 (relaxed) [*person*] à l'aise; **to make oneself ~** (in chair) s'installer confortablement; (at ease) se mettre à son aise; **are you ~ in that chair?** est-ce que vous êtes bien dans cette chaise?; **she made everybody feel ~** elle mettait tout le monde à l'aise; **the patient's condition is described as ~** l'état du malade est jugé satisfaisant; **the patient had a ~ night** le malade a passé une bonne nuit; 3 (financially) [*person, family*] aisé; [*income*] conséquent; 4 (reassuring) [*idea, thought, belief*] sécurisant; [*victory, majority, lead*] confortable; **to live at a ~ distance from** (far enough) habiter à bonne distance *or* assez loin de; 5 (happy) **I don't feel ~ doing** ça m'embête○ de faire; **I would feel more ~ about leaving if...** je partirais plus volontiers si...

comfortably /'kʌmftəblɪ, US -fərt-/ *adv* 1 (physically) [*sit*] confortablement; [*rest*] tranquillement; [*dressed, furnished*] confortablement; 2 (financially) **you can live ~ on that** cela est suffisant pour vivre confortablement; **to be ~ off** être à l'aise; 3 (easily) [*win, reach*] facilement, aisément

comfort eat *vi* (*prét* **ate**; *pp* **eaten**) manger pour se réconforter

comforter /'kʌmfətə(r)/ *n* 1 (scarf) cache-nez *m inv*; 2 (person) consolateur/-trice *m/f*; 3 US (quilt) édredon *m*

comfort food *n* nourriture *f* qui réconforte

comforting /'kʌmfətɪŋ/ *adj* [*sight, news, thought*] réconfortant; **it is ~ to know that** il est réconfortant de savoir que

comfortless /'kʌmfətlɪs/ *adj* [*room*] sans confort, peu confortable; [*thought*] triste; [*person*] démuni

comfort: **~ station** *n* US toilettes *fpl*; **~ zone** *n situation dans laquelle un individu se sent à l'aise*

comfy○ /'kʌmfɪ/ *adj* confortable

comic /'kɒmɪk/ ▸ p. 1683

A *n* 1 (man) comique *m*; (woman) actrice *f* comique; 2 (magazine etc) bande *f* dessinée

B *adj* [*event, actor, appearance*] comique

comical /'kɒmɪkl/ *adj* [*situation, clothes, expression*] cocasse, comique

comically /'kɒmɪklɪ/ *adj* de manière comique

comic: **~ book** *n* bande *f* dessinée; **~ opera** *n* opéra *m* comique

comic relief *n* **to provide some ~** Theat, fig détendre l'atmosphère

Comic Relief Day *n* ≈ téléthon *m*

> **Comic Relief Day**
>
> *Comic Relief* est une association caritative britannique qui organise tous les deux ans une journée nationale de collecte de fonds destinés à financer des projets humanitaires au Royaume-Uni et en Afrique. Des comiques et des artistes enregistrent les promesses de dons au cours de soirées-spectacles à la télévision et les membres du public sont encouragés à y participer en se faisant sponsoriser pour organiser des manifestations spectaculaires ou burlesques. Tous portent un nez rouge de clown, ce qui vaut à cet événement d'être également appelé *Red Nose Day*. Aux États-Unis, une association du même nom organise aussi une journée d'action à la télévision en faveur des sans-abri.
>
> ▸ **Charities**

comic strip *n* bande *f* dessinée

coming /'kʌmɪŋ/

A *n* 1 (arrival) arrivée *f*; **~ and going** va-et-vient *m inv*; **~s and goings** allées et venues *fpl*; 2 (approach) (of winter, old age) approche *f*; (of new era, event) arrivée *f*; 3 Relig avènement *m*

B *pres p adj* [*election, event*] prochain (*before n*); [*strike*] qui s'annonce (*after n*); [*war, campaign*] qui se prépare (*after n*); [*months, weeks*] à venir (*after n*); **I leave this ~ Monday** je pars (ce) lundi

coming-out /,kʌmɪŋ'aʊt/ *n* 1 (of homosexual) déclaration *f* publique de son homosexualité; 2 †(of debutante) débuts *mpl* (dans la société)

Comintern /'kɒmɪntɜːn/ *n* Komintern *m*

comity /'kɒmətɪ/ *n* sout courtoisie *f*; **the ~ of nations** la courtoisie internationale

comma /'kɒmə/ *n* (in punctuation) virgule *f*

command /kə'mɑːnd, US -'mænd/

A *n* 1 (order) ordre *m*; **to carry out/give a ~** exécuter/donner un ordre; **I did it at his ~** j'ai agi sur son ordre; **at the ~ 'shoot' fire at the enemy!** tirez sur l'ennemi au commandement 'feu'!; 2 (military control) commandement *m*; **to have/take ~ of a regiment** avoir/prendre le commandement d'un régiment; **to give sb ~ of sth** confier le commandement de qch à qn; **to be in ~** commander; **to be under the ~ of sb** [*person*] être sous les ordres de qn; [*regiment*] être sous le commandement de qn; **I'm in ~ of the troops** les troupes sont sous mes ordres; **the enemy has ~ of the air** l'ennemi a la maîtrise du ciel; 3 (mastery) (control) maîtrise *f*; **to have full ~ of one's emotions/faculties** maîtriser parfaitement ses émotions/facultés; **to have an excellent ~ of Russian** avoir une excellente maîtrise du russe; **to be in ~ of events/the situation** avoir les événements/la situation en main; **to have sth at one's ~** avoir qch à sa disposition; **to be in ~ of oneself** être maître/maîtresse *m/f* de soi; 4 Mil (group of officers) commandement *m*; (group of soldiers) unité *f* commandée; (section of the forces) commandement *m*; (district) région *f* militaire; **air ~** commandement *m* aérien; 5 Comput commande *f*

B *modif* Comput de commande

C *vtr* 1 (order) ordonner à [*person*]; **to ~ sb to do** ordonner à qn de faire; **to ~ that** ordonner que (+ *subj*); **I ~ed the release of the prisoner** j'ai ordonné la libération du prisonnier; **'stop,' he ~ed** 'arrêtez,' ordonna-t-il; 2 (obtain as one's due) inspirer [*affection, obedience, respect*]; forcer [*admiration*]; **to ~ a good price** se vendre cher; 3 (dispose of) disposer de [*funds, resources, support, majority*]; 4 (dominate) [*fortress*] dominer [*valley*]; (overlook) [*place, house*] avoir vue sur; **to ~ a view of** avoir vue sur; 5 Mil commander [*regiment*]; fig [*nation, army*] maîtriser [*air, sea*]

D *vi* commander

commandant /,kɒmən'dænt/ *n* Mil commandant *m*

command economy *n* économie *f* dirigiste

commandeer /,kɒmən'dɪə(r)/ *vtr* Mil réquisitionner

commander /kə'mɑːndə(r), US -mæn-/ ▸ p. 1599 *n* 1 gen chef *m*; Mil commandant *m*; Mil Naut *cf* capitaine *m* de frégate; **~ in chief** commandant en chef; **tank ~** chef *m* de char; 2 GB (in police) *officier responsable d'un secteur de la police londonienne*; cf commissaire *m* divisionnaire

command file *n* Comput fichier *m* de commandes

commanding /kə'mɑːndɪŋ, US -'mæn-/ *adj* 1 (authoritative) [*look, manner, voice*] impérieux/-ieuse; [*presence*] imposant; 2 (dominant) [*position*] dominant; **to have a ~ lead in the polls** être en tête des sondages; 3 (elevated) [*position*] surélevé; **the house has a ~ view over the lake** la maison domine le lac

commanding officer, CO ▸ p. 1599 *n* commandant *m*

commandment /kə'mɑːndmənt, US -'mæn/ *n* 1 (order) injonction *f*; 2 Relig (*also* **Commandment**) commandement *m*; **the Ten Commandments** les dix commandements; **to keep the ~s** observer les commandements

command module *n* Aerosp module *m* de commande

commando /kə'mɑːndəʊ, US -'mæn-/

A *n* (*pl* **-os**, **-oes**) 1 (unit) commando *m*; **a ~ raid** une opération commando; 2 (member) (membre *m* d'un) commando *m*

B *modif* [*operation*] commando

command: **~ performance** *n* GB Theat représentation *f* de gala (*donnée en présence d'un membre de la famille royale*); **~ post, CP** *n* Mil poste *m* de commandement; **~ structure** *n* structure *f* hiérarchique

commemorate /kə'meməreɪt/ *vtr* commémorer

commemoration /kə,memə'reɪʃn/

A *n* commémoration *f* (**of, for** de); **in ~ of** en commémoration de

B *modif* [*ceremony, service*] commémoratif/-ive

C

commemorative /kəˈmemərətɪv, US -ˈmemәreɪt-/ *adj* commémoratif/-ive

commence /kəˈmens/ sout
A *vtr* commencer [*story, proceedings*]; **'well,' he ~d** 'eh bien,' commença-t-il; **to ~ doing** commencer à faire
B *vi* commencer; **to ~ with a song** commencer par une chanson

commencement /kəˈmensmənt/ *n* **1** sout (start) commencement *m*; **2** US Univ (ceremony) *cérémonie de remise des diplômes*; (day) *jour de remise des diplômes*

commend /kəˈmend/
A *vtr* **1** (praise) louer (**for, on** pour); **she was ~ed for bravery** on l'a louée pour son courage; **'highly ~ed'** 'louangé'; **2** (recommend) sout recommander (**sb/sth to sb** qn/qch à qn); **to have much to ~ it** avoir de grandes qualités; **3** (entrust) confier; **to ~ one's soul to God** recommander son âme à Dieu; **4** †(give regards to) sout **~ me to him** rappelez-moi à son bon souvenir
B *v refl* **to ~ itself** (be acceptable) être acceptable (**to** à)

commendable /kəˈmendəbl/ *adj* louable; **highly ~** très louable

commendably /kəˈmendəblɪ/ *adv* **~ quick/restrained** avec une louable promptitude/retenue

commendation /ˌkɒmenˈdeɪʃn/ *n* **1** (praise, award) éloge *m*; **with the ~ of** avec les éloges de; **2** Mil (medal, citation) citation *f*; **3** (recommendation) approbation *f*

commensurable /kəˈmenʃərəbl/ *adj* commensurable

commensurate /kəˈmenʃərət/ *adj* **1** sout (proportionate) proportionné (**with** à); **2** sout (appropriate) **to be ~ with** être à la mesure de; **3** Math commensurable

comment /ˈkɒment/
A *n* **1** (remark) (public) commentaire *m* (**on** sur); (in conversation) remarque *f* (**on** sur); (written) annotation *f*; **to make ~s** faire des commentaires (**about** au sujet de); **2** ⊄ (discussion) commentaires *mpl* (**about** portant sur); **without ~** [*act, listen*] sans commentaire; [*occur, pass*] sans susciter des commentaires; **to be open to ~** être ouvert aux suggestions; **he was unavailable for ~** il s'est refusé à toute déclaration; **'no ~'** 'je n'ai pas de déclaration à faire'; **what she said was fair ~** ses remarques étaient justifiées; **3** (unfavourable image) **to be a ~ on** [*situation*] être une critique de [*society etc*]
B *vtr* (orally) remarquer (**that** que); (in writing) constater, observer (**that** que)
C *vi* **1** (remark) faire des commentaires; **to ~ on sth/sb** (neutrally) faire des commentaires sur qch/qn; (negatively) faire des observations sur qch/qn; **2** (discuss) **to ~ on** commenter [*text etc*]

commentary /ˈkɒməntrɪ, US -terɪ/ *n* **1** gen, Radio, TV (description) commentaire *m* (**on** de); **a running ~** un commentaire détaillé; **2** Journ (analysis) analyse *f* (**on** de); **3** Literat (criticism) commentaire *m* (**on** de); **'notes and ~ by...'** 'annoté et commenté par...'

commentary box *n* cabine *f* de reportage

commentate /ˈkɒmənteɪt/
A *vtr* commenter
B *vi* faire le commentaire; **to ~ on** commenter [*sporting event*]

commentator /ˈkɒmənteɪtə(r)/ ▸ **p. 1683** *n* **1** (sports) commentateur/-trice *m/f*; **football ~** GB commentateur spécialiste de football; **2** (current affairs) journaliste *mf*; **political ~** journaliste politique; **3** (scholar) commentateur/-trice *m/f*

commerce /ˈkɒmɜːs/ *n* commerce *m*; **to be** *ou* **work in ~** être dans les affaires

commercial /kəˈmɜːʃl/
A *n* annonce *f* publicitaire; **television/radio ~** annonce publicitaire à la télévision/à la radio; **beer/car ~** annonce publicitaire pour de la bière/pour une voiture
B *adj* **1** [*airline, bank, sector, organization*] commercial; **2** (profitable) commercial péj; qui se vend bien; **3** (large-scale) [*agriculture, production*] industriel/-ielle; **4** (for the public) [*product, use*] commercial; **5** [*TV, radio*] commercial

commercial: **~ art** *n* arts *mpl* graphiques appliqués; **~ artist** *n* graphiste *mf*; **~ break** *n* publicité *f*

commercialism /kəˈmɜːʃəlɪzəm/ *n* **1** péj mercantilisme *m* péj; **2** (principles of commerce) esprit *m* commercial

commercialization /kəˌmɜːʃəlaɪˈzeɪʃn, US -lɪˈz-/ *n* péj commercialisation *f*

commercialize /kəˈmɜːʃəlaɪz/ *vtr* souvent péj commercialiser

commercialized /kəˈmɜːʃəlaɪzd/ *adj* péj commercialisé

commercial law *n* droit *m* commercial

commercially /kəˈmɜːʃəlɪ/ *adv* commercialement; **~ available** disponible en commerce

commercial: **~ traveller** ▸ **p. 1683** *n* voyageur *m* de commerce; **~ vehicle** *n* véhicule *m* utilitaire

commie○ /ˈkɒmɪ/ *n, adj* coco◐ (*mf*), communiste (*mf*)

commiserate /kəˈmɪzəreɪt/
A *vtr* **'how awful,' she ~d** 'c'est affreux,' dit-elle, compatissante
B *vi* compatir (**with** avec; **about, over** à propos de)

commiseration /kəˌmɪzəˈreɪʃn/ *n* commisération *f* fml, compassion *f*; **a look of ~** un air compatissant

commissar /ˈkɒmɪsɑː(r)/ *n* Pol Hist (in USSR) commissaire *m*

commissariat /ˌkɒmɪˈseərɪət/ *n* **1** Mil intendance *f*; **2** Pol Hist (in USSR) commissariat *m*

commissary /ˈkɒmɪsərɪ/ *n* **1** US Mil (shop) magasin *m* (*dans une base militaire, une prison etc*); (officer) officier *m* d'intendance; **2** US Cin restaurant *m* de studio

commission /kəˈmɪʃn/
A *n* **1** (payment for goods sold) commission *f*; **to get a 5% ~ on each item** recevoir *or* toucher une commission de 5% sur chaque article vendu; **to work on a ~ basis** *ou* **on ~** travailler à la commission; **2** (professional fee) commission *f*; **we charge 1% ~ on travellers' cheques** nous prenons 1% de commission sur les chèques de voyage; **3** (advance order) commande *f* (**for** de); **to give a painter a ~** passer une commande à un peintre; **to work to ~** travailler sur commande; **4** (committee) commission *f* (**on** sur); **~ of inquiry** commission d'enquête; **5** Mil ≈ brevet *m*; **to get one's ~** être nommé officier; **to resign one's ~** démissionner; **6** sout (carrying out) (of crime, sin) perpétration *f*; **7** (authority to act) mandat *m* (**to do** pour faire); **8** (mission) mission *f*; **I have a ~ to begin negotiations** j'ai pour mission de commencer les négociations; **9** (operation) **to be in ~** [*ship*] être en service; **to be out of ~** [*ship*] être désarmé; [*machine*] être hors service; **to put a boat out of ~** désarmer un bateau; **he'll be out of ~ for the World Cup** il ne participera pas à la Coupe du Monde
B *vtr* **1** (order) commander [*opera, portrait, report*] (**from** à); **to ~ an author to write a novel** commander un roman à un écrivain; **to ~ an artist to paint a portrait** commander un portrait à un peintre; **a ~ed portrait** un portrait sur commande; **2** (instruct) **to ~ sb to do** charger qn de faire; **3** Mil nommer [qn] à un commandement [*officer*]; **to be ~ed (as) an officer** être nommé officier; **a ~ed officer** un officier; **4** (prepare for service) armer [*ship*]; mettre [qch] en service [*plane, equipment, weapon system*]; **the power station is ~ed for next March** la centrale entrera en service en mars prochain

commission agent ▸ **p. 1683** *n* GB **1** Comm commissionnaire *mf*; **2** (bookmaker) bookmaker *m*

commissionaire /kəˌmɪʃəˈneə(r)/ ▸ **p. 1683** *n* GB portier *m*

commissioner /kəˈmɪʃənə(r)/ *n* **1** Admin membre *m* d'une commission; **2** GB (in police) ≈ préfet *m* de police; **3** (*also* **Commissioner**) (in the EU Commission) membre *m* de la Commission européenne; **4** US Sport *président d'une fédération sportive*

commissioner: **Commissioner for Local Administration** *n* GB Admin *commissaire chargé d'enquêter sur les décisions prises par l'administration locale*; **Commissioner for Oaths** *n* GB Jur *officier habilité à enregistrer les déclarations sous serment*; **Commissioner of Customs and Excise** *n* GB Admin *commissaire chargé de percevoir les droits de douane et de TVA*; **Commissioner of Inland Revenue** *n* GB Tax ≈ Percepteur *m* des Impôts

Commission for Racial Equality, CRE *n* GB organisation *f* gouvernementale contre la discrimination raciale

commissioning editor ▸ **p. 1683** *n* **1** Publg directeur/-trice *m/f* éditorial/-e; **2** TV programmateur *m*, responsable *mf* d'une unité de programme

commission: **~ing parent** *n* parent *m* qui a recours à une mère porteuse; **~ merchant** ▸ **p. 1683** *n* Comm intermédiaire *mf* à la commission; **~ sale** *n* Comm vente *f* à la commission

commit /kəˈmɪt/ (*p prés etc* **-tt-**)
A *vtr* **1** (perpetrate) commettre [*crime, offence, sin, sacrilege, error*]; **to ~ adultery** commettre un adultère; **to ~ perjury** se parjurer; **2** (engage, promise) engager [*person*] (**to do** à faire); **this doesn't ~ you to anything** cela ne vous engage à rien; **3** (assign) consacrer [*money, time*] (**to** à); **all our funds are already ~ted** tous nos fonds sont déjà attribués; **4** Jur **to ~ sb for trial** mettre qn en accusation; **to ~ sb to a court for trial** renvoyer qn devant un tribunal; **to ~ sb to jail/to a psychiatric hospital** faire incarcérer/interner qn; **to have sb ~ted** faire interner qn; **5** (consign) sout confier (**to** à; **to sb's care** à la garde de qn); **to ~ sth to the flames** livrer qch aux flammes; **to ~ sth to paper** consigner qch; **to ~ sth to memory** confier qch à la mémoire; **to ~ sb's body to the deep** livrer le corps de qn à la mer; **6** Pol renvoyer en commission [*bill*]
B *v refl* **to ~ oneself** s'engager (**to sth** à qch; **to do** à faire); **I can't** *ou* **I won't ~ myself** je ne peux rien promettre (**as to** quant à); **to ~ oneself to sb** se vouer à qn

commitment /kəˈmɪtmənt/ *n* **1** (obligation) engagement *m* (**to do** à faire); **a previous/financial ~** un engagement antérieur/financier; **to meet one's ~s** honorer ses engagements; **to give a firm ~ that** s'engager fermement à ce que (+ *subj*); **to take on a ~** prendre un engagement; **absent due to family ~s** absent en raison d'obligations familiales; **2** (sense of duty) attachement *m* (**to** à); **to have a strong ~ to doing** être particulièrement attaché à faire; **the job demands complete ~** ce travail exige un total don de soi; **3** Jur = **committal**

committal /kəˈmɪtl/ *n* **1** Jur (to prison) incarcération *f*; (to psychiatric hospital) internement *m*; (to court) renvoi *m* devant un tribunal; **2** sout (consigning) **the ~ of X to Y's care** la remise *f* de X aux soins de Y; **the ~ of sb's body to the deep** l'immersion *f* du corps de qn

committal: **~ for trial** *n* Jur renvoi *m* devant un tribunal; **~ order** *n* Jur condamnation *f* pour outrage à magistrat; **~ proceedings** *npl* Jur audience *f* préliminaire

committed /kəˈmɪtɪd/ *adj* **1** (devoted) [*parent, carer, teacher*] dévoué; [*Christian, Socialist*] fervent; **to be ~ to/to doing** se consacrer à/à faire; **to be politically/emotionally ~** être engagé politiquement/affectivement;

2 (with commitments) pris (**to doing** pour faire); **I am heavily ~** (timewise) je suis très pris; (financially) j'ai de lourds engagements; 3 [*funds, time*] attribué

committee /kə'mɪtɪ/ *n* gen comité *m*; (to investigate, report) commission *f*; **in ~** en comité

committee: **~man** *n* US Pol conseiller *m* municipal; **~ meeting** *n* réunion *f* du comité; **~ of the whole** *n* US comité *m* plénier; **~ stage** *n*: *phase pendant laquelle une commission discute un projet de loi*; **~woman** *n* US Pol conseillère *f* municipale

commode /kə'məʊd/ *n* 1 (chest of drawers) commode *f*; 2 (chair) chaise *f* percée; 3 US (toilet) toilettes *fpl*

commodious /kə'məʊdɪəs/ *adj* sout [*lodgings, bed, cupboard*] spacieux/-ieuse; [*chair*] grand

commodities broker /kə'mɒdətɪz/ ▸ p. 1683 *n* ≈ courtier/-ière *m/f* en matières premières

commodities market /kə'mɒdətɪz/ *n* Fin marché *m* des matières premières

commodity /kə'mɒdətɪ/ *n* 1 Comm, gen article *m*; (of food) denrée *f*; **household commodities** articles *mpl* de ménage; **a rare ~** fig une denrée rare; 2 Fin matière *f* première

commodity dollar *n* US dollar *m* marchandise

commodore /'kɒmədɔ:(r)/ ▸ p. 1599 *n* 1 (in navy) contre-amiral *m*; 2 (of yacht club) président *m*

common /'kɒmən/

A *n* (public land) terrain *m* communal; **Clapham Common** le terrain communal de Clapham

B commons *npl* 1 (the people) **the ~s** le peuple; 2 Pol (*also* **Commons**) **the ~s** les Communes *fpl*; 3 US Univ (refectory) réfectoire *m*

C *adj* 1 (often encountered) [*crime, illness, mistake, name, problem, reaction*] courant, fréquent; **in ~ use** d'un usage courant; **in ~ parlance** dans le langage courant; **it is ~ for sb to do** il est courant que qn fasse; **to be ~ among** être répandu chez [*children, mammals etc*]; 2 (shared) [*aim, approach, attributes, border, enemy, language, interest, ownership*] commun (**to** à); **for the ~ good** pour le bien commun; **by ~ agreement** d'un commun accord; **it is ~ property** c'est la propriété de tous; **it is ~ knowledge** c'est de notoriété publique; 3 (ordinary) [*man, woman*] du peuple (*after n*); **the ~ people** le peuple; **a ~ soldier** un simple soldat; **the ~ herd** péj la masse; **a ~ criminal** péj un criminel ordinaire; 4 péj (low-class) commun; **it looks/sounds ~** ça fait commun; 5 (minimum expected) [*courtesy, decency, humanity*] le/la plus élémentaire; 6 Zool, Bot [*frog, daisy, algae*] commun; **a ~ variety** une variété commune; 7 Math [*denominator, factor, multiple*] commun

D in common *adv phr* en commun; **to have sth in ~** avoir qch en commun; **to hold sth in ~** Jur posséder qch en commun

(Idioms) **to be as ~ as muck** *ou* **dirt**○ (vulgar) être d'une vulgarité crasse○; **they are as ~ as muck**○ (widespread) on en ramasse à la pelle; **to be on short ~s** GB être rationné, faire maigre hum; **to have the ~ touch** avoir de la simplicité

common: **Common Agricultural Policy, CAP** *n* politique *f* agricole commune; **~ assault** *n* Jur coups *mpl* et blessures *fpl*; **~ carrier** *n* US entreprise *f* de transport public; **~ chord** *n* accord *m* parfait; **~ cold** ▸ p. 1327 *n* rhume *m* de cerveau; **~ core** *n* Sch disciplines *fpl* de base

common currency *n* 1 Fin monnaie *f* commune; 2 fig **to make sth ~** (widely used) banaliser qch; **given ~** (widely accepted) [*opinion, fact*] généralement accepté

Common Entrance (examination) *n* GB Sch *examen d'entrée dans l'enseignement secondaire privé*

commoner /'kɒmənə(r)/ *n* 1 (non-aristocrat) roturier/-ière *m/f*; 2 Hist Jur personne *f* qui a le droit de vaine pâture

Common European Security and Defence Policy *n* EU Politique *f* Européenne Commune de Sécurité et de Défense

common: **~ fraction** *n* fraction *f*; **~ gender** *modif* [*noun*] épicène; **~ ground** *n* fig terrain *m* d'entente

common law *n* droit *m* coutumier; **at ~** selon le droit coutumier

> **Common law**
>
> Partie de la loi anglaise fondée sur le droit coutumier et sur des décisions de justice qui font jurisprudence. Les expressions *common-law husband* et *common-law wife* s'appliquent à des concubins qui, bien que n'étant pas mari et femme devant la loi, vivent ensemble depuis suffisamment longtemps pour être reconnus comme tels.

common: **~-law husband** *n* concubin *m*; **~-law marriage** *n* concubinage *m*; **~-law wife** *n* concubine *f*

commonly /'kɒmənlɪ/ *adv* communément; **~ known as** communément appelé

common market, Common Market *n* Marché *m* commun

commonness /'kɒmənnɪs/ *n* (widespread occurrence) fréquence *f*

common: **~ noun** *n* nom *m* commun; **~-or-garden** *adj* [*variety, plant, animal*] commun; [*event, item, object*] ordinaire

commonplace /'kɒmənpleɪs/

A *n* lieu *m* commun; **it is a ~ that** c'est un lieu commun de dire que

B *adj* (widespread) commun; (banal, trite) banal

commonplace book *n* recueil *m* personnel de citations

common: **~ prostitute** *n* Jur prostituée *f*; **~ room** *n* foyer *m*, salle *f* de détente; **~ salt** *n* sel *m* ordinaire

common sense

A *n* bon sens *m*, sens *m* commun

B commonsense *adj* (*also* **commonsensical**)○ [*attitude, approach, action*] plein de bon sens

common: **~ share** *n* US Fin action *f* ordinaire; **~ stock** *n* US ₵ Fin actions *fpl* ordinaires; **~ time** *n* Mus mesure *f* à quatre temps

Commonwealth /'kɒmənwelθ/

A *n* 1 GB Pol **the (British) ~ (of Nations)** le Commonwealth *m*; 2 GB Hist **the ~** le Commonwealth *m*, la République *f* de Cromwell; 3 Geog **the ~ of Australia** le Commonwealth *m* d'Australie; **the ~ of Kentucky/of Virginia** l'État *m* du Kentucky/de la Virginie; **the ~ of Puerto Rico** l'État *m* libre associé de Porto Rico

B *modif* [*country*] du Commonwealth; [*leader, head of State*] d'un pays du Commonwealth; [*summit*] des pays du Commonwealth

> **Commonwealth**
>
> Le *British Commonwealth of Nations* est une association de 54 nations indépendantes, pour la plupart d'anciennes colonies, présidée par le souverain britannique. Leurs Premiers ministres se rencontrent tous les deux ans lors de la *Commonwealth Conference* pour décider d'une politique d'aide et de coopération dans les domaines de la culture, de l'économie et de l'éducation. Des championnats d'athlétisme (*Commonwealth Games*) se déroulent tous les quatre ans entre les pays membres. Le mot *Commonwealth* figure aussi dans le nom officiel de certains États américains (*Kentucky, Virginia, Pennsylvania, Massachusetts*).

Commonwealth: **~ Day** *n* fête *f* du Commonwealth (*24 mai*); **~ Games** *npl* Jeux *mpl* du Commonwealth; ▸ **Commonwealth**; **~ of Independent States** *pr n* Communauté *f* des États indépendants

common year *n* année *f* non bissextile

commotion /kə'məʊʃn/ *n* 1 (noise) vacarme *m*, brouhaha *m*; **to make a ~** faire du vacarme; **what's all this ~?** que signifie tout ce vacarme?; 2 (upheaval, disturbance) émoi *m*, agitation *f*; **to cause a ~** causer un grand émoi; **to be in a state of ~** [*crowd*] être agité; [*town*] être en émoi

communal /'kɒmjʊnl, kə'mju:nl/ *adj* 1 (shared in common) [*property, area, room, showers*] commun; [*garden*] collectif/-ive; [*facilities*] commun, collectif/-ive; **~ ownership** copropriété *f*; 2 (done collectively) [*prayer*] collectif/-ive; 3 (of a community) [*life*] communautaire; 4 (within a community) **~ violence** *ou* **clashes** affrontements *mpl* communautaires

communally /'kɒmjʊnəlɪ, kə'mju:nəlɪ/ *adv* en commun, collectivement

commune

A /'kɒmju:n/ *n* 1 (group of people) communauté *f*; **to live in a ~** vivre en communauté; 2 Admin (in continental Europe) commune *f*; 3 Hist **the Commune** la Commune

B /kə'mju:n/ *vi* 1 (relate to) **to ~ with** communier avec, être en communion avec [*nature*]; s'unir à [qn] par la prière [*God*]; converser intimement avec [*person*]; 2 †Relig communier

communicable /kə'mju:nɪkəbl/ *adj* 1 [*idea, concept, emotion*] communicable; 2 Med [*disease, virus*] contagieux/-ieuse

communicant /kə'mju:nɪkənt/ *n* 1 Relig communiant/-e *m/f*; 2 (informant) sout informateur/-trice *m/f*

communicate /kə'mju:nɪkeɪt/

A *vtr* 1 (convey) communiquer [*ideas, feelings*] (**to** à); transmettre [*instructions, news, information, values*] (**to** à); **his anxiety ~s itself to others** son angoisse est communicative; **to ~ one's displeasure to sb** faire part de son mécontentement à qn; 2 (transmit) transmettre [*disease, virus*]

B *vi* 1 (relate) communiquer (**with** avec); **how do they ~ (with each other)?** comment communiquent-ils?; **to ~ through dance/by gestures** communiquer au moyen de la danse/par des gestes; 2 (be in contact) communiquer (**with** avec); **to ~ by radio** communiquer par radio; **we no longer ~ with each other** nous avons perdu tout contact; 3 (connect) **to ~ with** communiquer avec [*room, apartment*]; 4 Relig communier

communicating door *n* porte *f* de communication

communication /kə,mju:nɪ'keɪʃn/

A *n* 1 (of information) transmission *f*; (of ideas, feelings) communication *f*; **a means/system of ~** un moyen/système de communication; 2 (contact) communication *f* (**between** entre); **a lack of ~** un manque de communication; **the lines of ~** les voies *fpl* de communication; **to be in ~ with sb** être en communication *or* en contact avec qn; **she's been in radio/telephone ~ with them** elle a communiqué avec eux par radio/téléphone; 3 (message) communication *f*

B communications *npl* 1 Telecom, Transp (infrastructure) communications *fpl*; **a breakdown in ~s** une rupture des communications; **radio/telephone ~s** les communications radiophoniques/téléphoniques; **to have good ~s with** avoir de bonnes communications avec [*port, city*]; 2 Mil communications *fpl*, liaison *f*

C *modif* [*channel, problem, system*] de communication; **~ skills** gen la communication; (in job ad) **'good ~ skills required'** 'le candidat aura le sens de la communication'

communication: **~ cord** *n* GB sonnette *f* d'alarme; **~ interface** *n* interface *f* de communication; **~ line** *n* ligne *f* de communication; **~ science** *n* sciences *fpl* de la communication; **~s company** *n* société *f* de communications; **~s crossroads** *n* carrefour *m* de communications

communications director ▸ **p. 1683** *n* Pol *consultant en communication attaché à un parti politique*

communication: **~s industry** *n* industrie *f* des communications; **~s link** *n* liaison *f*; **~s network** *n* réseau *m* de communications; **~s satellite** *n* satellite *m* de communication; **~ studies** *n* études *fpl* en communication

communicative /kə'mju:nɪkətɪv, US -keɪtɪv/ *adj* **1** (talkative) expansif/-ive (**about, on the subject of** au sujet de); **2** [*abilities, problems, skills*] de communication; **3** Ling, Sch [*approach, skills*] de communication

communicator /kə'mju:nɪkeɪtə(r)/ *n* **to be a good ~** avoir le sens de la communication

communion /kə'mju:nɪən/ *n* **1** Relig **the Anglican/Roman ~** la communion de l'Église anglicane/romaine; **the ~ of saints** la communion des saints; **2** littér (with nature, fellow man etc) communion *f*

Communion /kə'mju:nɪən/ *n* (*also* **Holy ~**) (sainte) communion *f*, Eucharistie *f*; **to make one's First ~** faire sa première communion; **to go to/take ~** aller à/recevoir la communion

Communion: **~ cup** *n* calice *m*; **~ rail** *n* sainte table *f*; **~ service** *n* eucharistie *f*, office *m*; **~ table** *n* autel *m*; **~ wine** *n* vin *m* de messe

communiqué /kə'mju:nɪkeɪ, US kə,mju:nə'keɪ/ *n* communiqué *m*

Communism, **communism** /'kɒmjʊnɪzəm/ *n* communisme *m*

Communist, **communist** /'kɒmjʊnɪst/ *n, adj* communiste (*mf*)

communistic /,kɒmjʊ'nɪstɪk/ *adj* communisant

Communist Party, **CP** *n* parti *m* communiste

communitarianism /kə,mju:nɪ'teərɪənɪzəm/ *n* communautarisme *m*

community /kə'mju:nətɪ/

A *n* **1** (social, cultural grouping) communauté *f*; **the student/Italian ~** la communauté estudiantine/italienne; **the business ~** le monde des affaires; **research ~** communauté *f* des chercheurs; **relations between the police and the ~** (at local level) les relations entre la police et les habitants; (at national level) les relations entre la police et le public; **in the ~ interest** dans l'intérêt de la communauté; **sense of ~** esprit *m* communautaire; **2** Relig (**religious**) **~** communauté *f* (religieuse); **3** Jur communauté *f*; **~ of goods/interests** communauté de biens/d'intérêts; **4** (on the Internet) communauté *f*

B **Community** *pr n* **the (European) Community** la Communauté (Européenne)

C **Community** *modif* [*budget, body, regulation*] communautaire, de la Communauté

community: **~ care** *n*: *soins en dehors du milieu hospitalier*; **~ centre** *n* centre *m* de loisirs; **~ charge** *n* GB Hist impôt *m* local; **~ chest** *n* US fonds *m* de secours; **~ college** *n* US centre *m* universitaire (de premier cycle); ▸ **Colleges**; **~ education** *n* GB *cours ouverts à tous organisés par la municipalité*; **~ health centre** *n* centre *m* médico-social; **~ home** *n* établissement *m* d'éducation surveillée; **~ life** *n* vie *f* associative; **~ medicine** *n* médecine *f* générale; **~ policeman** ▸ **p. 1683** *n* ≈ îlotier *m*; **~ policing** *n* ≈ îlotage *m*; **~ property** *n* US Jur communauté *f* de biens entre époux; **~ school** *n*: *établissement scolaire utilisé en dehors des heures de cours pour les activités proposées par la municipalité*; **~ service** *n* Jur travail *m* d'intérêt public; **~ singing** *n* chants *mpl* populaires (*repris en chœur par l'assistance*); **~ spirit** *n* esprit *m* communautaire; **~ worker** *n* animateur/-trice *m/f* socio-culturel/-elle

communize /'kɒmjʊnaɪz/ *vtr* collectiviser [*property*]; imposer le communisme à [*people*]

commutable /kə'mju:təbl/ *adj* [*pension*] convertible; [*sentence*] commuable (**into** en)

commutation /,kɒmju:'teɪʃn/ *n* **1** (replacement) Fin convertissement *m*; Jur, Ling commutation *f*; **2** US (journey) trajet *m* journalier

commutation ticket *n* US carte *f* d'abonnement

commutative /kə'mju:tətɪv/ *adj* Math commutatif/-ive

commute /kə'mju:t/

A *n* US trajet *m* journalier

B *vtr* Fin convertir; Jur commuer (**to** en)

C *vi* **to ~ between Oxford and London** faire le trajet entre Oxford et Londres tous les jours; **she ~s to Glasgow** elle se rend à Glasgow tous les jours; **he didn't want to ~** il ne voulait pas travailler loin de chez lui

commuter /kə'mju:tə(r)/ *n* navetteur/-euse *m/f*, migrant/-e *m/f* journalier/-ière

commuter: **~ belt** *n* grande banlieue *f*; **~ train** *n* train *m* de banlieue

commuting /kə'mju:tɪŋ/ *n* trajets *mpl* quotidiens pour se rendre au travail, migrations *fpl* quotidiennes

Comoros /'kɒmərəʊz/ ▸ **p. 1096** *pr n* (îles *fpl*) Comores *fpl*

comp◐ /kɒmp/ US *n* (free ticket) billet *m* gratuit; (person) invité/-e *m/f*; (free gift) cadeau *m*

compact

A /'kɒmpækt/ *n* **1** (agreement) (written) accord *m*, contrat *m*, convention *f*; (verbal) entente *f*; **2** Cosmet poudrier *m*; **3** US Aut (voiture *f*) compacte *f*, voiture *f* de faible encombrement

B /kəm'pækt/ *adj* **1** (compressed) [*snow, mass*] compact, dense; [*style, sentence*] concis, ramassé; **2** (neatly constructed) [*kitchen, house*] sans espace perdu, compact; [*camera, equipment, kit*] compact; **of ~ build** [*man*] râblé, trapu; [*woman*] bien fait

C /kəm'pækt/ *vtr* comprimer [*waste, rubbish*]; tasser [*soil, snow*]; compacter [*data*]

compact: **~ disc** *n* disque *m* compact; **~ disc player** *n* platine *f* laser; **~ fluorescent light** *n* lampe *f* fluorescente compacte

compactly /kəm'pæktlɪ/ *adj* [*written, expressed*] dans un style concis, d'une manière concise; **~ built** [*person*] trapu; **~ designed** compact

compactness /kəm'pæktnɪs/ *n* (of design) compacité *f*, caractère *m* compact; (of style) concision *f*; **the ~ of his build** son corps trapu

compactor /kəm'pæktə(r)/ *n* US ≈ broyeur *m* d'ordures

Companies Act /'kʌmpənɪz/ *n* GB Jur loi *f* sur les sociétés

Companies House /'kʌmpənɪz/ *n* GB Comm Jur ≈ greffe *m* du tribunal de commerce

companion /kəm'pænɪən/ *n* **1** (friend) compagnon/compagne *m/f*; **to be sb's constant ~** [*hunger, fear*] être le perpétuel compagnon de qn; **a ~ in arms** un compagnon d'armes; **2** (*also* **paid ~**) dame *f* de compagnie; **3** (item of matching pair) pendant *m* (**to** de); **4** Literat, Publg guide *m*; **the fisherman's ~** le guide du pêcheur; **5** Naut capot *m*

companionable /kəm'pænɪənəbl/ *adj* [*person*] sociable; [*chat, meal*] amical; [*silence, smile*] sympathique

companion: **~ hatch** *n* Naut panneau *m* de descente; **~ ladder** *n* Naut descente *f*; **~ piece** *n* morceau *m* d'accompagnement

companionship /kəm'pænɪənʃɪp/ *n* compagnie *f*; **I have a dog for ~** j'ai un chien pour me tenir compagnie

companion: **~ volume** *n* Publg pendant *m*; **~way** *n* Naut escalier *m*

company /'kʌmpənɪ/

A *n* **1** Comm, Jur société *f*; **airline ~** compagnie *f* aérienne; **2** Mus, Theat troupe *f*, compagnie *f*; **theatre ~** troupe *f* de théâtre, compagnie *f* théâtrale; **3** Mil compagnie *f*; **4** (companionship) compagnie *f*; **to keep sb ~** tenir compagnie à qn; **to enjoy sb's ~** apprécier la compagnie de qn; **to be good ~** être d'une compagnie agréable; **I have a cat for ~** j'ai un chat pour me tenir compagnie; **to be seen in sb's ~** *ou* **in ~ with sb** être vu en compagnie de qn; **to part ~ with** [*person*] gen, hum se séparer de [*person, bike, horse*]; **on political matters they part ~** en ce qui concerne la politique, ils divergent complètement; **to keep bad ~** avoir de mauvaises fréquentations; **5** (visitors) visiteurs *mpl*; **to have/expect ~** avoir/attendre du monde; **6** (society) **in ~** en société; **in mixed ~** quand les dames sont présentes; **to be fit ~ for sb** être une fréquentation pour qn; **to keep ~ with sb** fréquenter qn; **Lisa and ~** souvent péj Lisa et compagnie○; **7** (similar circumstances) **to be in good ~** ne pas être le seul/la seule; **don't worry, you're in good ~** ne t'inquiète pas, tu n'es pas le seul; **Marie, in ~ with many others, complained** Marie, ainsi que bien d'autres, s'est plainte; **8** (gathering) compagnie *f*; **the assembled ~** l'assemblée; **9** Naut équipage *m*; **10** ○euph (CIA) **the Company** la CIA

B *modif* (of all businesses) [*earnings, profits, records*] des sociétés; (of a particular business) [*accountant, car park, headquarters, newsletter*] de la société

company: **~ car** *n* voiture *f* de fonction; **~ commander** ▸ **p. 1599** *n* Mil commandant *m* de compagnie; **~ director** *n* directeur/-trice *m/f* général/-e

company doctor ▸ **p. 1683** *n* **1** Med médecin *m* d'entreprise; **2** (business analyst) redresseur *m* d'entreprise

company: **~ headquarters** *npl* Mil compagnie *f* de commandement et des services; **~ law** *n* GB Jur droit *m* des sociétés

company lawyer ▸ **p. 1683** *n* GB Jur **1** (attached to a firm) avocat/-e *m/f* d'entreprise; **2** (business law expert) juriste *mf* d'entreprise

company: **~ man** *n* employé *m* dévoué (*à son entreprise*); **~ meeting** *n* assemblée *f* des actionnaires; **~ name** *n* Jur raison *f* sociale; **~ officer** *n* dirigeant *m* d'entreprise; **~ pension scheme** *n* régime *m* de retraite de l'entreprise

company policy *n* ¢ politique *f* de l'entreprise; **it is/is not ~ to do** c'est/ce n'est pas dans la politique de l'entreprise de faire

company: **~ promoter** *n* lanceur *m* d'entreprise; **~ secretary** ▸ **p. 1683** *n* Admin secrétaire *mf* général/-e; **~ sergeant major**, **CSM** ▸ **p. 1599** *n* Mil adjudant *m* de compagnie; **~ tax** *n* surtout GB impôt *m* sur les sociétés; **~ union** *n* US syndicat *m* d'entreprise

comparability /,kɒmpərə'bɪlətɪ/ *n* **1** (comparison) comparabilité *f*; **2** (equivalence) harmonisation *f*; **pay ~** harmonisation des salaires

comparable /'kɒmpərəbl/ *adj* **1** (similar) [*pay, quantity, skill*] comparable (**to, with** à); **2** (equivalent) comparable (**to, with** à)

comparative /kəm'pærətɪv/

A *n* Ling comparatif *m*; **in the ~** au comparatif

B *adj* **1** Ling comparatif/-ive; **2** (relative) relatif/-ive; **in ~ terms** en termes relatifs; **he's a ~ stranger to me** je le connais à peine; **3** (based on comparison) [*method, study*] comparatif/-ive; [*linguistics, religion*] comparé

comparative: **Comparative Cost Principle** *n* Econ théorie *f* des coûts comparatifs; **~ literature** *n* littérature *f* comparée

comparatively /kəm'pærətɪvlɪ/ *adv* **1** (relatively) [*safe, small, recent, young*] relativement; **~ speaking** en termes relatifs; **2** (by comparison) [*analyse, examine, judge*] comparativement

compare /kəm'peə(r)/
A *n* **a beauty/leader beyond ~** une beauté/un chef incomparable; **to be brave beyond ~** être incomparablement courageux/-euse
B *vtr* **1** (contrast) comparer; **to ~ sb/sth with** *ou* **to** comparer qn/qch à *or* avec; **to ~ notes with sb** fig échanger ses impressions avec qn; **2** (liken) comparer (**to** à); **3** Ling former les degrés de comparaison de [*adjective, adverb*]
C compared with *prep phr* **~d with sb/sth** par rapport à qn/qch
D *vi* être comparable (**with** à); **the two televisions ~ well for price** les deux téléviseurs sont comparables du point de vue du prix; **to ~ favourably/unfavourably with sth** soutenir/ne pas soutenir la comparaison avec qch; **how do they ~?** et si on les compare?; **how does this job ~ with your last one?** comment trouvez-vous cet emploi par rapport au précédent?
E *v refl* **to ~ oneself with** *ou* **to** se comparer à

comparison /kəm'pærɪsn/ *n* **1** (likening) comparaison *f* (**between** entre); **beyond ~** sans comparaison; **the ~ of sth to sth** la comparaison entre qch et qch; **to draw a ~ between sth and sth** comparer qch avec qch; **to stand ~** soutenir la comparaison (**with** avec); **2** (contrast) comparaison *f*; **for ~** à titre de comparaison; **in** *ou* **by ~ with** par rapport à; **3** Ling comparaison *f*; **the rules of ~** les règles de formation du comparatif

comparison test *n* test *m* comparatif

compartment /kəm'pɑːtmənt/ *n* (all contexts) compartiment *m*

compartmentalize /ˌkɒmpɑːt'mentəlaɪz/ *vtr* lit, fig compartimenter

compass /'kʌmpəs/
A *n* **1** gen boussole *f*; Naut compas *m*; **the points of the ~** les points *mpl* cardinaux; **2** (extent) étendue *f*; (range, scope) portée *f*, rayon *m*; **within the narrow ~ of our research** dans le champ restreint de nos recherches; **within the ~ of this article/the law** dans les limites de cet article/la loi; **the concept is beyond the ~ of most minds** le concept dépasse la portée de la plupart des esprits; **3** Mus étendue *f*
B compasses *npl* **a pair of ~es** un compas
C *vtr* littér **1** (encircle) encercler, entourer; **2** (comprehend) saisir, appréhender; **3** ‡(go around) faire le tour de [*earth, oceans*]

compass: **~ bearing** *n* relèvement *m* au compas; **~ card** *n* rose *f* des vents; **~ course** *n* route *f* magnétique

compassion /kəm'pæʃn/ *n* compassion *f* (**for** pour)

compassionate /kəm'pæʃənət/ *adj* [*person, act*] compatissant; **on ~ grounds** pour raisons familiales

compassionate leave *n* gen congé *m* exceptionnel (*pour décès familial*); Mil permission *f* exceptionnelle (*pour décès familial*)

compassionately /kəm'pæʃənətlɪ/ *adv* [*act, treat*] avec compassion

compass rose *n* rose *f* des vents

compatibility /kəmˌpætə'bɪlətɪ/ *n* gen, Comput compatibilité *f*

compatible /kəm'pætəbl/
A *n* Comput compatible *m*
B *adj* compatible (**with** avec); **X-~** Comput compatible X

compatriot /kəm'pætrɪət, US -'peɪt-/ *n* sout compatriote *mf*

compel /kəm'pel/ *vtr* (*p prés etc* **-ll-**) **1** (force) contraindre (**to do** à faire), obliger (**to do** de faire); **to feel ~led to do** se sentir obligé de faire; **2** (win) **to ~ sb's respect** imposer le respect à qn; **to ~ sb's attention** retenir l'attention de qn

compelling /kəm'pelɪŋ/ *adj* [*reason, argument*] indiscutable; [*performance, film, speaker, novel*] fascinant

compellingly /kəm'pelɪŋlɪ/ *adv* [*argue*] de façon convaincante; [*speak, write*] de manière fascinante

compendium /kəm'pendɪəm/ *n* (*pl* **-diums** *ou* **-dia**) **1** (handbook) manuel *m*; (encyclopedia) petite encyclopédie *f*; **2** GB (box of games) mallette *f* de jeux

compensate /'kɒmpenseɪt/
A *vtr* **1** (financially) indemniser [*person, loss*]; **to ~ sb for** indemniser *or* compenser qn de; **I will be ~d for** on m'indemnisera de; **2** (offset) compenser [*imbalance, change*]
B *vi* compenser; **to ~ for** compenser [*loss, difficulty*]

compensation /ˌkɒmpen'seɪʃn/ *n* **1** gen compensation *f*; **to be no ~ for sth** ne pas compenser qch; **in** *ou* **as** *ou* **by way of ~** en compensation (**for** de); **2** Jur indemnisation *f*; **to award ~** accorder une indemnisation; **she was awarded £3,000 ~** on lui accorda 3 000 livres d'indemnisation

compensatory /ˌkɒmpen'seɪtərɪ, US kəm'pensətɔːrɪ/ *adj* compensatoire

comper° /'kɒmpə(r)/ *n* amateur *m* de jeux publicitaires

compère /'kɒmpeə(r)/ *n* GB
A *n* animateur/-trice *m/f*
B *vtr* présenter

compete /kəm'piːt/
A *vi* **1** (for prominence, job, prize) [*person, voices, smells*] rivaliser; **to ~ against** *ou* **with** rivaliser avec (**for** pour obtenir); **they were competing (with each other) for the same job** ils se disputaient le même emploi; **I just can't ~ (with her)** je ne peux pas lui faire concurrence; **2** Comm [*companies*] se faire concurrence; **to ~ against** *ou* **with** faire concurrence à (**for** pour obtenir); **to ~ in the European market** se faire concurrence sur le marché européen; **we can't ~ with multinationals** nous ne pouvons pas entrer en concurrence avec les multinationales; **3** Sport être en compétition (**with** avec); **to ~ against** être en compétition avec; **to ~ in the 100 metres/the Olympics** participer aux 100 mètres/aux jeux Olympiques; **there were 12 horses competing** il y avait 12 chevaux en compétition
B competing *pres p adj* rival; **competing shops** des magasins rivaux

competence /'kɒmpɪtəns/ *n* **1** (ability) compétence *f*; **to have the ~ to do** avoir la compétence voulue pour faire; **I doubt his ~ to do the work/lead the team** je doute qu'il soit capable de faire le travail/diriger l'équipe; **to require professional/scientific ~** [*task*] nécessiter une compétence professionnelle/scientifique; **2** (skill) compétences *fpl*; **her ~ as an accountant is not in question** on ne remet pas en cause ses compétences de comptable; **I don't doubt his ~ as a sailor** je ne doute pas de ses compétences de marin; **~ in word-processing is necessary for this job** il est nécessaire d'avoir des connaissances en traitement de texte pour ce travail; **we require ~ in Spanish** une bonne connaissance de l'espagnol est exigée; **3** Jur compétence *f* (**to do** pour faire); **to be within the ~ of the court** relever de la compétence du tribunal; **4** Ling compétence *f*; **5** (means) revenu *m* suffisant, aisance *f*

competent /'kɒmpɪtənt/ *adj* **1** (capable, efficient) [*teacher, swimmer, player*] compétent, capable; (trained) qualifié; **to be ~ to do** être compétent *or* qualifié pour faire, être capable de faire; **2** (adequate, satisfactory) [*performance, piece of work*] honorable; [*knowledge*] suffisant; [*answer*] satisfaisant; **3** Jur [*court*] compétent (**to do** pour faire); [*person*] compétent, habile (**to do** à faire)

competently /'kɒmpɪtəntlɪ/ *adv* avec compétence, d'une manière compétente

competition /ˌkɒmpə'tɪʃn/ *n* **1** ¢ gen, Comm concurrence *f*, compétition *f* (**between** entre); **in ~ with** en concurrence *or* compétition avec (**for** pour); **unfair/keen ~** concurrence déloyale/acharnée; **2** C (contest) (for medal, prize, award, job) concours *m*; (race) compétition *f*; **3** (competitors) concurrence *f*, compétition *f*; **what's the ~ like?** à quoi ressemblent nos concurrents?

competition car *n* Sport voiture *f* de course

competitive /kəm'petɪtɪv/ *adj* **1** (enjoying rivalry) [*person, personality*] qui a l'esprit de compétition; [*environment*] compétitif/-ive; **2** Comm [*company, price, product, market*] compétitif/-ive; [*advantage, disadvantage*] concurrentiel/-ielle; **~ edge** avantage *m* concurrentiel; **~ tender** appel *m* d'offres; **3** (decided by competition) [*sport*] de compétition; **by ~ examination** sur concours

competitively /kəm'petɪtɪvlɪ/ *adv* **1** (in spirit of rivalry) [*play, behave*] dans un esprit de compétition; **2** Comm [*operate*] compétitivement; **~ priced** à des prix compétitifs

competitiveness /kəm'petɪtɪvnɪs/ *n* **1** (of person) esprit *m* de compétition; **2** Comm (of product, price, salary, company) compétitivité *f*

competitor /kəm'petɪtə(r)/ *n* (all contexts) concurrent/-e *m/f*

compilation /ˌkɒmpɪ'leɪʃn/ *n* **1** (collection on record, video) compilation *f*; **2** (act of compiling) (of reference book) rédaction *f*; (of dossier) constitution *f*; **3** Comput compilation *f*

compile /kəm'paɪl/ *vtr* **1** (draw up) dresser [*list, index, catalogue*]; établir [*report*]; rédiger [*reference book, entry*]; **2** Comput compiler

compiler /kəm'paɪlə(r)/ *n* **1** gen compilateur/-trice *m/f*; **2** Comput compilateur *m*

complacency /kəm'pleɪsnsɪ/ *n* suffisance *f*, assurance *f* excessive; **there is no room for ~** se sentir trop confiant serait une grave erreur

complacent /kəm'pleɪsnt/ *adj* suffisant, trop confiant; **to be ~ about** être trop confiant de [*success, future*]; **to grow ~ about** perdre sa vigilance en ce qui concerne [*danger, threat*]

complacently /kəm'pleɪsntlɪ/ *adv* avec suffisance, avec une confiance excessive

complain /kəm'pleɪn/ *vi* (informally) se plaindre (**to** à; **about** de); (officially) se plaindre (**to** auprès de), faire une réclamation (**to** à); (of pain, illness, symptom) se plaindre (**of** de); **to ~ that** se plaindre parce que; **I ~ed that the water was cold** je me suis plaint parce que l'eau était froide; **stop ~ing!** arrête de te plaindre; **to ~ to the police about sth** porter plainte à la police au sujet de qch; **'how's life?'—'oh, I can't ~'** 'comment ça va?'—'oh, je n'ai pas à me plaindre'

complainant /kəm'pleɪnənt/ *n* Jur plaignant/-e *m/f*, demandeur/demanderesse *m/f*

complaint /kəm'pleɪnt/ *n* **1** (protest, objection) gen plainte *f* (**about** concernant, au sujet de); (official) réclamation *f* (**about** concernant, au sujet de); **there have been ~s about the noise** on s'est plaint du bruit; **there have been ~s of nepotism/discrimination** on s'est plaint de népotisme/discrimination; **I have received a written ~ about your behaviour** on m'a écrit pour se plaindre de votre conduite; **there have been ~s that the service is slow** on a reproché au service d'être lent, on s'est plaint de la lenteur du service; **tiredness is a common ~** les gens se plaignent souvent de fatigue; **the workers' ~s that they are badly paid are justified** les réclamations des travailleurs concernant leur basse rémunération sont justifiées; **the canteen was closed after** *ou* **following ~ about poor hygiene** la cantine a été fermée suite à des plaintes concernant le manque d'hygiène; **in case of ~, contact the management** en cas de réclamation, adressez-vous à la direction; **to have grounds** *ou* **cause for ~** avoir lieu de se plaindre, avoir des motifs de plainte; **to lay** *ou* **lodge** *ou* **file a ~ against sb** déposer une plainte *or* porter plainte contre qn; **to make a ~** se plaindre, faire une réclamation; **to make** *ou* **submit a ~ to sb** adresser une réclamation à qn; **I've no ~s** je n'ai rien

C

C

à redire; **I've no ~s about the service** je n'ai pas à me plaindre du service; **2** Med maladie *f*; **skin ~** maladie de peau; **nervous ~** maladie nerveuse; **common ~s** maladies ordinaires

complaints procedure *n* procédure *f* de réclamation

complaisant /kəm'pleɪzənt/ *adj* littér complaisant

-complected /kəm'plektɪd/ US (*dans composés*) = **-complexioned**

complement /'kɒmplɪmənt/

A *n* **1** gen, Math, Ling complément *m* (**to** à); **2** (quota) effectif *m*; **with a full ~ of staff** avec le personnel au complet

B *vtr* compléter; **to ~ one another** se compléter; **wine ~s cheese** le vin accompagne bien le fromage

complementary /ˌkɒmplɪ'mentrɪ/ *adj* (all contexts) complémentaire (**to** de)

complementary: **~ distribution** *n* distribution *f* complémentaire; **~ medicine** *n* médecine *f* parallèle

complete /kəm'pli:t/

A *adj* **1** (total, utter) (*épith*) [*abolition, chaos, darkness, freedom, rejection*] complet/-ète, total; **he's a ~ fool** il est complètement idiot; **it's the ~ opposite** c'est tout à fait le contraire; **with ~ accuracy/confidence** avec une précision/confiance totale; **~ and utter** [*despair, disaster*] total; **it's ~ and utter rubbish** c'est complètement absurde; **2** (finished) achevé; **far from/not yet ~** loin d'être/pas encore achevé; **3** (entire, full) [*collection, edition, works, record, set*] complet/-ète; **~ with** avec; **~ with batteries/instructions** avec piles/mode d'emploi; **to make my happiness ~** pour que rien ne manque à mon bonheur; **4** (consummate) [*artist, star*] complet/-ète; [*gentleman, sportsman*] parfait (*before n*)

B *vtr* **1** (finish) terminer [*building, investigation, degree course, exercise*]; achever [*task, journey*]; **to ~ a jail sentence** finir de purger une peine; **2** (make whole) compléter [*collection, trilogy, group, victory, grand slam*]; compléter [*outfit*]; compléter [*quotation, phrase*]; **to ~ an outfit with a beret** mettre un beret pour compléter une tenue; **3** (fill in) remplir [*form, questionnaire*]

C **completed** *pp adj* [*creation, project*] achevé; **the recently/newly ~d office building** les bureaux terminés récemment/depuis peu; **half ~d** inachevé

completely /kəm'pli:tlɪ/ *adv* [*changed, different, forgotten, free, mad, rebuilt, unexpected*] complètement; [*failed, understandable*] totalement; [*convincing, honest*] tout à fait

completeness /kəm'pli:tnɪs/ *n* état *m* complet (**of** de); **to ensure the ~ of your information** pour être sûr que vos informations sont complètes

completion /kəm'pli:ʃn/ *n* **1** (finishing) achèvement *m* (**of** de); **it is due for ~ by the summer** l'achèvement est prévu pour l'été; **on ~ (of the works)** à l'achèvement des travaux; **nearing ~** près d'être achevé; **2** Jur (of house sale) signature *f* de la vente; **on ~** à la signature de la vente

completion date *n* **1** (for works) date *f* d'achèvement; **2** (for contract, sale, order) date *f* d'exécution; **3** (for house purchase) date *f* de signature de la vente

complex /'kɒmpleks, US kəm'pleks/

A *n* **1** (building development) complexe *m*; **leisure ~** complexe *m* de loisirs; **housing ~** complexe *m* résidentiel; **sports ~** complexe *m* sportif; **2** Psych complexe *m*; **persecution ~** complexe *m* de persécution; **he's got a ~ about his weight** son poids lui donne un complexe; **3** Med complexe *m*

B *adj* complexe

complexion /kəm'plekʃn/ *n* **1** (skin colour) teint *m*; **to have a clear/bad ~** avoir une peau nette/à problèmes; **to have a fair/dark ~** avoir un teint clair/mat; **2** (nature) aspect *m*; **to change the ~ of sth, to put a new ~ on sth** présenter qch sous un jour nouveau; **of a different ~** d'une autre nature

-complexioned /kəm'plekʃnd/ (*dans composés*) **light/dark-~** au teint clair/mat

complexity /kəm'pleksətɪ/ *n* complexité *f*

compliance /kəm'plaɪəns/ *n* **1** (conformity) (with ruling, standard, wishes) conformité *f* (**with** à); **to do sth in ~ with procedure/the law** faire qch conformément à la procédure/la loi; **to bring sth into ~ with** mettre qch en conformité avec; **2** (yielding disposition) caractère *m* conciliant

compliance costs *npl* frais *mpl* de mise en conformité

compliant /kəm'plaɪənt/ *adj* conciliant (**with, to** envers)

complicate /'kɒmplɪkeɪt/ *vtr* compliquer; **to ~ matters** *ou* **life** compliquer les choses

complicated /'kɒmplɪkeɪtɪd/ *adj* compliqué

complication /ˌkɒmplɪ'keɪʃn/ *n* **1** (problem) inconvénient *m*; **there is a further ~** il y a un autre problème; **to make ~s** compliquer les choses; **2** Med complication *f*

complicit /kəm'plɪsɪt/ *adj* complice (**in** de)

complicity /kəm'plɪsətɪ/ *n* complicité *f*

compliment /'kɒmplɪmənt/

A *n* compliment *m*; **to pay sb a ~** faire un compliment à qn; **to return the ~** lit retourner le compliment; fig répondre de la même façon; **coming from him, that's quite a ~** venant de lui c'est un beau compliment

B **compliments** *npl* **1** (in expressions of praise) compliments *mpl*; **to give sb one's ~s** faire ses compliments à qn; **my ~s to the chef** mes compliments au chef; **2** (in expressions of politeness) **'with ~s'** (on transmission slip) 'avec tous nos compliments'; **'with the ~s of the management'** 'avec les compliments de la direction'; **'with the ~s of the author'** 'avec les hommages de l'auteur'; **3** (in greetings) **'with the ~s of the season'** (on Christmas cards) 'meilleurs vœux'; **my ~s to your wife** sout mes hommages à votre femme

C *vtr* complimenter (**on** sur), faire des compliments à (**on** sur)

complimentary /ˌkɒmplɪ'mentrɪ/ *adj* **1** (flattering) [*remark, letter, review*] flatteur/-euse; **he wasn't very ~ about my poems** il s'est montré plutôt critique à l'égard de mes poèmes; **she was very ~ about my work** elle m'a fait des compliments sur mon travail; **2** (free) gratuit, à titre gracieux

complimentary: **~ close** *n* US (in letter writing) formule *f* de politesse; **~ copy** *n* Publg exemplaire *m* donné en hommage; **~ ticket** *n* billet *m* gratuit

compliments slip *n* carte *f* avec les compliments de l'expéditeur

compline /'kɒmplɪn/ *n* complies *fpl*

comply /kəm'plaɪ/ *vi* s'exécuter, obtempérer Jur; **to ~ with** se plier à [*sb's wishes*]; accéder à, Jur faire droit à [*request*]; se conformer à [*directive, orders, instructions, regulations, criteria, standards*]; respecter, observer [*rules*]; **failure to ~ with the rules may result in prosecution** le non-respect des règles pourrait entraîner des poursuites

component /kəm'pəʊnənt/ *n* gen, Math composante *f*; Aut, Tech pièce *f*; Electron composant *m*; Chem constituant *m*

componential /ˌkɒmpə'nenʃl/ *adj* componentiel/-ielle; **~ analysis** Ling analyse *f* componentielle

component: **~ part** *n* élément *m* (**of** de); **~s factory** *n* usine *f* de pièces détachées

comport /kəm'pɔ:t/ *v refl* sout **to ~ oneself** se conduire

comportment /kəm'pɔ:tmənt/ *n* sout conduite *f* (**towards** envers)

compose /kəm'pəʊz/

A *vtr* **1** (write) gen, Literat, Mus composer; **2** (arrange) composer [*painting, still-life, salad*]; agencer [*elements of work*]; **3** (order) composer [*features, face*]; rassembler [*thoughts, ideas*]; **4** (constitute) composer [*whole*]; **to be ~d of** être composé de; **5** Print composer

B *vi* **1** Mus, Print composer; **2** Jur venir à composition, composer

C *v refl* **to ~ oneself** se ressaisir; **to ~ oneself for sleep** se préparer au sommeil

composed /kəm'pəʊzd/ *adj* [*person, features, appearance*] calme

composedly /kəm'pəʊzɪdlɪ/ *adv* [*act, react, speak*] calmement

composer /kəm'pəʊzə(r)/ ▸ **p. 1683** *n* Mus compositeur/-trice *m/f* (**of** de)

composite /'kɒmpəzɪt/

A *n* **1** (substance) composite *m*; **a ceramic/a metallic ~** une céramique/un métal composite; **2** (character, photo, word) composite *m* (**of** de); **3** Comm entreprise *f* diversifiée; **4** Archit (*also* **~ order**) (ordre *m*) composite *m*; **5** Bot composée *f*

B *adj* **1** gen, Archit, Chem, Phot composite; **2** Bot, Math composé; **3** Comm [*company, group*] diversifié

composite: **~ rate (of) tax** *n* GB taux *m* de prélèvement à la source (*sur les dépôts bancaires*); **~ school** *n* école *f* polyvalente (*au Canada*)

composition /ˌkɒmpə'zɪʃn/ *n* **1** (make-up) composition *f* (**of** de); **metallic/similar in ~** d'une composition métallique/similaire; **the racial/religious ~ of a jury** la composition raciale/religieuse d'un jury; **2** Mus, Literat composition *f* (**of** de); **this is my own ~** cela est ma propre composition; **of my/her own ~** de ma/sa composition; **3** Sch rédaction *f* (**about, on** sur); **to get good marks for ~** avoir de bonnes notes en rédaction; **4** Print composition *f*; **5** Art composition *f*; **6** Jur accommodement *m*, composition *f*; **to come to ~** venir à composition, composer

compositor /kəm'pɒzɪtə(r)/ ▸ **p. 1683** *n* Print compositeur/-trice *m/f*

compos mentis /ˌkɒmpəs 'mentɪs/ *adj* **to be ~** être en possession de toutes ses facultés

compost /'kɒmpɒst/ Hort

A *n* compost *m*

B *vtr* faire du compost avec

compostable /'kɒmpɒstəbl/ *adj* Agric, Ecol compostable

compost heap *n* terreau *m*

composure /kəm'pəʊʒə(r)/ *n* calme *m*; **to lose/regain one's ~** perdre/retrouver son calme

compote /'kɒmpəʊt, -pɒt/ *n* **1** (dessert) compote *f*; **2** US (plate) compotier *m*

compound

A /'kɒmpaʊnd/ *n* **1** (enclosure) enceinte *f*; **diplomatic/industrial/military/prison ~** enceinte *f* diplomatique/industrielle/militaire/de prison; **workers'/miners' ~** quartier *m* de travailleurs/de mineurs; **2** Chem composé *m* (**of** de); **carbon ~s** les composés du carbone; **3** (word) mot *m* composé; **4** (mixture) composé *m* (**of** de)

B /'kɒmpaʊnd/ *adj* **1** gen, Biol, Bot, Chem [*leaf, flower, eye, substance*] composé; **2** Ling [*tense, noun, adjective*] composé; [*sentence*] complexe; **3** Med [*fracture*] multiple

C /kəm'paʊnd/ *vtr* **1** (exacerbate) aggraver [*difficulty, error, offence, problem, damage, anxiety*] (**by** par; **by doing** en faisant); **to ~ misfortune with error** ajouter l'erreur au malheur; **2** (combine) combiner (**with** à); **~ed of** composé de; **3** Jur **to ~ a debt** transiger sur une dette; **to ~ an offence** *ou* **a felony** accepter de ne pas porter plainte en contrepartie d'un dédommagement

D /kəm'paʊnd/ *vi* Jur (come to terms) composer (*avec ses créanciers*)

compounding /ˌkəm'paʊndɪŋ/ *n* composition *f*

compound: **~ interest** *n* intérêt *m* composé; **~ meter** *n* US mesure *f* ternaire; **~ microscope** *n* microscope *m* composé; **~ time** *n* GB mesure *f* ternaire

comprehend /ˌkɒmprɪˈhend/ *vtr* **1** (understand) comprendre, saisir; **2** (include, comprise) sout comprendre, englober

comprehensible /ˌkɒmprɪˈhensəbl/ *adj* compréhensible, intelligible

comprehension /ˌkɒmprɪˈhenʃn/ *n* **1** (understanding) compréhension *f*, entendement *m*; **that is beyond my ~** cela dépasse mon entendement; **he has no ~ of the real nature of politics** il n'entend rien à la nature réelle de la politique; **2** Sch, Univ exercice *m* de compréhension

comprehensive /ˌkɒmprɪˈhensɪv/
A *n* GB Sch école *f* (publique) secondaire. ▸ **Secondary schools**
B comprehensives *npl* US Univ examens *mpl* de fin d'études
C *adj* **1** (all-embracing) [*report, survey, list*] complet/-ète, détaillé; [*knowledge*] vaste, étendu; [*planning*] global; [*coverage, training*] complet/-ète; [*measures*] d'ensemble; [*rule*] détaillé; **~ insurance policy** assurance *f* tous risques; **2** GB Sch [*education, school*] secondaire; **the ~ system** le système scolaire secondaire nonsélectif; **to go ~** abandonner la sélection à l'entrée en sixième; **3** US Sch [*examination*] de fin d'études

compress
A /ˈkɒmpres/ *n* compresse *f*
B /kəmˈpres/ *vtr* **1** (condense) comprimer [*object, substance*]; **~ed air** air comprimé; **2 to ~ one's lips** pincer les lèvres; **3** fig (shorten) condenser [*text, style*]; réduire [*period of time*]

compression /kəmˈpreʃn/ *n* **1** gen, Phys compression *f*; **2** (condensing) (of book, chapters) réduction *f*; **3** (concision) (of style) concision *f*; **4** Comput (of data) condensation *f*, compression *f*

compression ratio *n* taux *m* de compression

compressor /kəmˈpresə(r)/ *n* compresseur *m*

comprise /kəmˈpraɪz/ *vtr* **1** (include) comprendre; (consist of) être composé de; **the apartment ~s...** l'appartement comprend...; **2** (compose) composer; **to be ~d of** être composé de

compromise /ˈkɒmprəmaɪz/
A *n* compromis *m*; **to come to** *ou* **reach a ~** arriver *or* aboutir à un compromis; **to agree to a ~** accepter un compromis; **to have a liking for ~** avoir l'esprit du compromis
B *modif* [*agreement, solution, decision*] de compromis
C *vtr* **1** (threaten) compromettre [*person*]; compromettre, mettre [qch] en péril *or* en danger [*principles, negotiations, reputation, chances*]; **2** US (settle) régler [*disagreement*]
D *vi* transiger, arriver à un compromis; **to ~ on sth** trouver un compromis sur qch
E *v refl* **to ~ oneself** se compromettre

compromising /ˈkɒmprəmaɪzɪŋ/ *adj* compromettant

comptroller /kənˈtrəʊlə(r)/ ▸ **p. 1683** *n* contrôleur/-euse *m/f* des finances

Comptroller General *n* US président *m* de la cour des comptes

compulsion /kəmˈpʌlʃn/ *n* **1** (urge) compulsion *f*; **to feel a ~ to do** avoir une envie irrésistible de faire; **2** (force) force *f*; **there is no ~ on you to do** tu n'es pas obligé de faire; **to act under ~** agir sous la contrainte

compulsive /kəmˈpʌlsɪv/ *adj* **1** [*liar, gambler*] gen (inveterate) invétéré; Psych compulsif/-ive; **~ eater** boulimique *mf*; **~ gardener** maniaque *m* du jardinage; **2** (fascinating) [*book, story*] fascinant; **to be ~ viewing** être fascinant

compulsively /kəmˈpʌlsɪvlɪ/ *adv* **1** Psych [*lie, gamble, wash*] de façon compulsive; **2 to be ~ readable** être d'un intérêt irrésistible

compulsories /kəmˈpʌlsərɪz/ *npl* Sport (in skating) figures *fpl* imposées

compulsorily /kəmˈpʌlsərɪlɪ/ *adv* [*purchased, retired, made redundant*] d'office

compulsory /kəmˈpʌlsərɪ/ *adj* **1** (enforced) [*subject, games, attendance, education, military service*] obligatoire; [*loan*] obligatoire, forcé; [*redundancy, retirement*] d'office; [*liquidation*] forcé; **to be forced to take ~ redundancy/retirement** être mis au chômage/à la retraite d'office; **2** (absolute) [*powers, authority, regulations*] coercitif/-ive

compulsory: **~ purchase** *n* GB expropriation *f* (*pour cause d'utilité publique*); **~ purchase order** *n* GB ordre *m* d'expropriation (*pour cause d'utilité publique*)

compunction /kəmˈpʌŋkʃn/ *n* ¢ scrupule *m*; **to have no ~ in** *ou* **about doing** n'avoir aucun scrupule à faire; **without the slightest ~** sans le moindre scrupule

computation /ˌkɒmpjuːˈteɪʃn/ *n* calcul *m*

computational /ˌkɒmpjuːˈteɪʃənl/ *adj* Math, Stat quantificatif/-ive; Comput sur ordinateur

computational linguistics *n* (+ *v sg*) linguistique *f* computationnelle

compute /kəmˈpjuːt/ *vtr* calculer

computer /kəmˈpjuːtə(r)/ *n* ordinateur *m*; **to do sth by ~/on a ~** faire qch par ordinateur/sur ordinateur; **to have sth on ~** avoir qch sur ordinateur; **to put sth on ~** mettre qch sur ordinateur; **the ~ is up/down** l'ordinateur fonctionne/est en panne

computer: **~-aided** *adj* assisté par ordinateur; **~-aided design, CAD** *n* conception *f* assistée par ordinateur, CAO *f*; **~-aided language learning, CALL** *n* apprentissage *m* des langues assisté par ordinateur; **~-aided language teaching, CALT** *n* enseignement *m* des langues assisté par ordinateur; **~-aided learning, CAL** *n* enseignement *m* assisté par ordinateur, EAO *m*; **~-aided manufacturing, CAM** *n* production *f* assistée par ordinateur, PAO *f*, fabrication *f* assistée par ordinateur, FAO *f*; **~ animation** *n* imagerie *f* de synthèse

computerate /kəmˈpjuːtərət/ *adj* ayant des notions d'informatique

computer: **~ code** *n* code *m* informatique; **~ dating** *n* organisation *f* de rencontres (*en utilisant un ordinateur*); **~ dating service** *n* club *m* de rencontres (*utilisant un ordinateur*); **~ engineer** ▸ **p. 1683** *n* technicien/-ienne *m/f* en informatique; **~ error** *n* erreur *f* informatique

computerese /kəmˈpjuːtəriːz/ *n* jargon *m* informatique

computer: **~ game** *n* jeu *m* informatique; **~ graphics** *n* (+ *v sg*) infographie *f*; **~ hacker** *n* (illegal) pirate *m* informatique; (legal) passionné/-e *m/f* d'informatique; **~ hacking** *n* piratage *m* informatique; **~-integrated manufacturing** *n* fabrication *f* intégrée par ordinateur

computerization /kəmˌpjuːtəraɪˈzeɪʃn, US -rɪˈz-/ *n* (of records, accounts) mise *f* sur ordinateur; (of work, workplace) informatisation *f*

computerize /kəmˈpjuːtəraɪz/ *vtr* **1** (store) mettre [qch] sur ordinateur [*records, accounts*]; **2** (treat by computer) informatiser [*list, system*]

computer: **~ keyboard** *n* clavier *m* d'ordinateur; **~ keyboarder** ▸ **p. 1683** *n* claviste *mf*, opérateur/-trice *m/f* de saisie; **~ language** *n* langage *m* de programmation; **~ literacy** *n* maîtrise *f* de l'outil informatique

computer-literate *adj* [*person*] avec une bonne maîtrise de l'outil informatique; **to be ~** avoir une bonne maîtrise de l'outil informatique

computer: **~ operator** ▸ **p. 1683** *n* opérateur/-trice *m/f* sur ordinateur; **~ program** *n* programme *m* informatique; **~ programmer** ▸ **p. 1683** *n* programmeur/-euse *m/f*; **~ programming** *n* programmation *f*; **~ room** *n* salle *f* d'informatique; **~ science** *n* informatique *f*; **~ scientist** ▸ **p. 1683** *n* informaticien/-ienne *m/f*; **~ studies** *n* Sch, Univ informatique *f*; **~-telephony integration, CTI** *n* couplage *m* téléphonie-informatique, CTI *m*; **~ typesetting** *n* composition *f* automatique; **~ virus** *n* virus *m* informatique

computing /kəmˈpjuːtɪŋ/ *n* informatique *f*

comrade /ˈkɒmreɪd, US -ræd/ *n* † *ou* Pol camarade *mf*; **~-in-arms** compagnon *m* d'armes

comradeship /ˈkɒmreɪdʃɪp, US -ræd-/ *n* camaraderie *f*

comsat /ˈkɒmsæt/ *n* US *abrév* = **communications satellite**

con /kɒn/
A *n* **1** °(swindle) escroquerie *f*, arnaque° *f*; **it was all a ~** c'était une escroquerie; **2** °(convict) taulard° *m*; **3** (disadvantage) désavantage *m*; ▸ **pro**
B °*vtr* (*p prés etc* **-nn-**) (trick) rouler°, escroquer; **to ~ sb into doing sth**° amener qn à faire qch en abusant de sa crédulité; **to ~ sb out of sth**° obtenir qch de qn par la ruse; **I was ~ned out of £5** on m'a eu° de 5 livres sterling
C ‡*vi* (*p prés etc* **-nn-**) étudier

Con. *n* GB Pol *abrév* ▸ **Conservative**

con artist *n* = **con man**

concatenation /kənˌkætɪˈneɪʃn/ *n* gen (of ideas, events) enchaînement *m*; Philos, Comput concaténation *f*

concave /ˈkɒŋkeɪv/ *adj* concave

concavity /kɒnˈkævətɪ/ *n* concavité *f*

conceal /kənˈsiːl/
A *vtr* dissimuler [*object, building, fact, emotion*] (**from** à)
B concealed *pp adj* [*entrance, turning, camera*] caché

concealer /kənˈsiːlə(r)/ *n* Cosmet anticerne *m*

concealment /kənˈsiːlmənt/ *n* gen, Jur dissimulation *f*; **place of ~** cache *f*

concede /kənˈsiːd/
A *vtr* **1** (admit) concéder [*point*]; **to ~ that** reconnaître que; **'perhaps,' he ~d** 'peut-être,' a-t-il reconnu; **2** (surrender) accorder [*liberty, right*] (**to** à); céder [*territory*] (**to** à); **3** Sport concéder [*point, goal*] (**to** à); **to ~ the match** abandonner le match par forfait; **4** Pol **to ~ an election** concéder la victoire électorale (**to** à)
B *vi* **1** gen céder; **2** Pol reconnaître une défaite électorale; **he ~d at 2 am** il a reconnu sa défaite à 2 heures du matin

conceit /kənˈsiːt/ *n* **1** (vanity) suffisance *f*; **2** (affectation) afféterie *f* liter; **3** (literary figure) métaphore *f* élaborée; (poem) compliment *m*

conceited /kənˈsiːtɪd/ *adj* [*person*] vaniteux/-euse; [*remark*] suffisant; **a ~ expression** une expression de suffisance

conceitedly /kənˈsiːtɪdlɪ/ *adv* avec vanité

conceivable /kənˈsiːvəbl/ *adj* concevable, imaginable; **it is ~ that** il est concevable que (+ *subj*)

conceivably /kənˈsiːvəblɪ/ *adv* **I suppose it might just ~ cost more than £100** je suppose qu'il est concevable que cela coûte plus de 100 livres; **it could ~ be true/a fake** il est concevable que ce soit vrai/un faux; **they could ~ win** il est concevable qu'ils puissent gagner; **could he ~ have finished?** est-il vraisemblable qu'il ait fini?; **~, I might arrive before 10 am** il se pourrait que j'arrive avant 10 heures; **women (and ~ men) can be selected** les femmes (et en principe les hommes) peuvent être sélectionnés; **I can't ~ eat all that** je ne vois pas comment je pourrai manger tout ça; **you can't ~ expect me to do it now** tu ne peux vraiment pas t'attendre à ce que je le fasse maintenant

conceive /kənˈsiːv/
A *vtr* **1** concevoir [*child*]; **2** (develop) concevoir [*hatred, idea, passion, method*]; **to ~ a hatred for sb/sth** concevoir de la haine pour qn/qch; **3** (believe) concevoir; **I cannot ~ that he would leave without saying goodbye** je ne peux concevoir qu'il parte sans dire au revoir

B *vi* **1** (become pregnant) concevoir, devenir enceinte; **2** (imagine) **to ~ of sth** imaginer *or* concevoir qch; **I cannot ~ of any better solution** je ne peux pas imaginer de meilleure solution

concentrate /ˈkɒnsntreɪt/
A *n* Chem, Culin concentré *m*; **orange/tomato ~** concentré d'oranges/de tomates
B *vtr* **1** (focus) concentrer [*effort*] (**on** sur; **on doing** pour faire); employer [*resources*] (**on** sur; **on doing** à faire); centrer [*attention*] (**on** sur); **fear/pain ~s the mind** la peur/douleur fait réfléchir; **2** Chem, Culin concentrer
C *vi* **1** (pay attention) [*person*] se concentrer (**on** sur); **to ~ on doing** s'appliquer à faire; **2** (focus) **to ~ on** [*film, report, journalist*] s'intéresser surtout à; **3** (congregate) [*animals, people*] se concentrer; **to be ~d** [*ownership, power, industry, population*] être concentré; **power is ~d in the hands of the wealthy** le pouvoir est concentré dans les mains des riches

concentrated /ˈkɒnsntreɪtɪd/ *adj* **1** Chem, Culin concentré; **2** fig [*effort, emotion*] intense

concentration /ˌkɒnsnˈtreɪʃn/ *n* **1** (attention) concentration *f* (**on** sur); **with great ~** avec une grande concentration; **my powers of ~** mon pouvoir de concentration; **to lose one's ~** se déconcentrer; **2** (specialization) spécialisation *f*; **~ on sales/on electrical goods** spécialisation dans le domaine de la vente/en appareillage électrique; **3** Chem concentration *f*; **high/low ~** forte/faible concentration; **4** (accumulation) concentration *f*; **the ~ of troops/power** la concentration de troupes/du pouvoir

concentration camp *n* camp *m* de concentration

concentric /kənˈsentrɪk/ *adj* concentrique

concept /ˈkɒnsept/ *n* concept *m*

concept car *n* concept-car *m*

conception /kənˈsepʃn/ *n* Med, fig conception *f* (**of** de); **you can have no ~ of** tu ne peux pas imaginer

conceptual /kənˈseptʃʊəl/ *adj* conceptuel/-elle

conceptual art *n* art *m* conceptuel

conceptualism /kənˈseptʃʊəlɪzəm/ *n* conceptualisme *m*

conceptualize /kənˈseptʃʊəlaɪz/ *vtr* conceptualiser

conceptually /kənˈseptʃʊəlɪ/ *adv* [*simple, difficult*] conceptuellement

concern /kənˈsɜːn/
A *n* **1** (worry) inquiétude *f* (**about, over** à propos de); **there is growing ~ about crime** la criminalité suscite de plus en plus d'inquiétude; **there is ~ for her safety** on s'inquiète pour sa sécurité; **to give rise to** *ou* **cause ~** être inquiétant; **there is no cause for ~** il n'y a pas lieu d'être inquiet; **there is cause for ~** il y a des raisons d'être inquiet; **he expressed ~ at my results/for my health** il m'a fait part de son inquiétude quant à mes résultats/ma santé; **my ~ that he might be in danger** mon inquiétude à l'idée qu'il puisse être en danger; **an expression of ~** (on face) une expression inquiète; **2** (preoccupation) préoccupation *f*; **environmental/petty ~s** des préoccupations écologiques/mesquines; **our main ~ is to do** notre principal souci est de faire; **3** (care) (for person) prévenance *f*; **I did it out of ~ for him** je l'ai fait par égard pour lui; **you have no ~ for safety** tu ne te préoccupes pas de la sécurité; **4** (company) entreprise *f*; **a going ~** une affaire rentable; **5** (personal business) **that's her ~** cela la regarde; **your private life is no ~ of mine** ta vie privée ne me regarde pas; **it's none of your ~, it's of no ~ to you** cela ne te regarde pas; **what ~ is it of yours?** en quoi est-ce que cela te regarde?; **6** Fin intérêts *mpl* (**in** dans)
B *vtr* **1** (worry) inquiéter [*parent, public*]; **2** (affect, interest) concerner, intéresser; **to whom it may ~** à qui de droit; **the matter doesn't ~ you** l'affaire ne te concerne pas; **as far as I'm ~ed it's a waste of time** pour moi, c'est du temps perdu; **as far as the pay is ~ed, I'm happy** en ce qui concerne le salaire, je suis satisfait; **3** (involve) **to be ~ed with** s'occuper de [*security, publicity*]; **to be ~ed in** être impliqué dans [*scandal*]; **4** (be about) [*book, programme*] traiter de; [*fax, letter*] concerner; **a book ~ed with** *ou* **concerning gardening** un livre qui traite de jardinage
C *v refl* **to ~ oneself with sth/with doing** s'occuper de qch/de faire

concerned /kənˈsɜːnd/ *adj* **1** (anxious) inquiet/-ète (**about** à propos de); **I was ~ by** *ou* **at the decision** la décision m'inquiétait; **to be ~ at the news** trouver la nouvelle inquiétante; **to be ~ to hear that** apprendre avec inquiétude que; **to be ~ that sb may** *ou* **might do** être inquiet/-iète à l'idée que qn fasse; **to be ~ for sb** se faire du souci pour qn; **2** (involved) (*tjrs épith, après n*) concerné; **all (those) ~** toutes les personnes concernées

concerning /kənˈsɜːnɪŋ/ *prep* concernant

concert /ˈkɒnsət/
A *n* **1** Mus concert *m* (**for** en faveur de); **a Madonna ~** un concert de Madonna; **in ~ at/with** en concert à/avec; **2** sout (cooperation) concert *m*; **a ~ of praise** un concert de louanges; **to act in ~** agir de concert *or* d'un commun accord; **in ~ with** de concert avec
B *modif* [*music, ticket, pianist*] de concert

concerted /kənˈsɜːtɪd/ *adj* [*action, campaign*] concerté; **to make a ~ effort to do** faire un sérieux effort pour faire

concert: **~goer** *n* habitué/-e *m/f* des concerts; **~ grand** ▸ p. 1462 *n* piano *m* de concert; **~ hall** *n* salle *f* de concert

concertina /ˌkɒnsəˈtiːnə/ ▸ p. 1462
A *n* concertina *m*
B *vi* GB [*vehicle, part of vehicle*] se plier en accordéon; **three carriages had ~ed (together)** trois wagons s'étaient télescopés

concertmaster /ˈkɒnsətmɑːstə(r)/ *n* US premier violon *m*

concerto /kənˈtʃeətəʊ, -ˈtʃɜːt-/ *n* (*pl* **-tos** *ou* **-tia**) concerto *m*; **piano/violin ~** concerto pour piano/violon

concert: **~ party** *n* Jur Fin alliance *f* occulte (*en vue d'une prise de contrôle*); **~ performance** *n* concert *m*; **~ performer** *n* concertiste *mf*; **~ pitch** *n* Mus diapason *m*; **~ tour** *n* tournée *f*

concession /kənˈseʃn/ *n* **1** (compromise) concession *f* (**on** sur); **as a ~** à titre de concession; **to make ~s** faire des concessions (**to** à); **her sole ~ to fashion** sa seule concession à la mode; **to make no ~s to** ne pas céder aux exigeances de [*tourism, comfort*]; **2** ¢ (yielding) concession *f*; **3** (discount) réduction *f*; **'~s'** 'tarif réduit'; **tax ~** dégrèvement *m*; **travel ~s** participation *f* aux frais de transport; **4** Mining (property rights) concession *f*; **mining/oil ~** concession *f* minière/pétrolière; **5** Comm (marketing rights) **to run a perfume ~** être concessionnaire de parfumerie

concessionaire /kənˌseʃəˈneə(r)/ *n* concessionnaire *mf*

concessional /kənˈseʃənl/ *adj* **on ~ terms** [*sell, supply*] à tarif préférentiel

concessionary /kənˈseʃənərɪ/ *adj* [*fare, price, rate*] réduit

concessive /kənˈsesɪv/ *adj* Ling concessif/-ive

conch /kɒŋk, kɒntʃ/ *n* **1** (shell, creature) conque *f*; **2** Archit abside *f* voûtée en cul-de-four

concha /ˈkɒŋkə/ *n* (*pl* **-ae**) Anat conque *f*

conchology /kɒŋˈkɒlədʒɪ/ *n* conchyliologie *f*

conciliate /kənˈsɪlɪeɪt/
A *vtr* apaiser
B *vi* jouer les conciliateurs

conciliation /kənˌsɪlɪˈeɪʃn/
A *n* (all contexts) conciliation *f*
B *modif* Ind [*board, meeting, scheme*] de conciliation; **~ service** commission *f* de conciliation

conciliator /kənˈsɪlɪeɪtə(r)/ *n* médiateur/-trice *m/f*

conciliatory /kənˈsɪlɪətərɪ, US -tɔːrɪ/ *adj* [*attitude, gesture, mood, terms*] conciliant; [*measures, policy, speech*] conciliatoire

concise /kənˈsaɪs/ *adj* **1** (succinct) concis; **2** (abridged) **A Concise History of Celtic Art** Précis *m* d'histoire de l'art celte

concisely /kənˈsaɪslɪ/ *adv* [*answer, analyse, write*] avec concision

conciseness /kənˈsaɪsnɪs/, **concision** /kənˈsɪʒn/ *n* concision *f*

conclave /ˈkɒnkleɪv/ *n* **1** (private meeting) réunion *f* à huis clos; **2** Relig conclave *m*; **to be in ~** tenir conclave

conclude /kənˈkluːd/
A *vtr* **1** (finish, end) conclure, terminer [*discussion, chapter, performance*]; **'finally...,' he ~d** 'enfin...,' dit-il pour conclure; **'to be ~d'** TV 'suite et fin au prochain épisode'; Journ 'suite et fin au prochain numéro'; **2** (settle) conclure [*treaty, deal, agreement*]; **3** (deduce) conclure (**from** de; **that** que); **to ~ that sb is innocent** Jur conclure à l'innocence de qn
B *vi* [*story, event*] se terminer (**with** par, sur), s'achever (**with** sur, par); [*speaker*] conclure (**with** par); **to ~,...** pour conclure,...; **he ~d by saying that** il a conclu en disant que

concluding /kənˈkluːdɪŋ/ *adj* final

conclusion /kənˈkluːʒn/ *n* **1** (end) (of event, book, performance) fin *f*; **in ~** en conclusion, pour terminer; **2** (opinion, resolution) conclusion *f*; **to come to** *ou* **to reach a ~** arriver à une conclusion; **to draw a ~ from sth** tirer une conclusion de qch; **I don't think we can draw any ~s from this** je ne pense pas que l'on puisse en conclure quoi que ce soit; **this leads us to the ~ that** ceci nous amène à conclure que; **he jumped** *ou* **leapt to the ~ that she was dead** il en a conclu un peu trop hâtivement qu'elle était morte; **don't jump** *ou* **leap to ~s!** ne tire pas de conclusions hâtives!; **3** (of agreement, deal, treaty) conclusion *f*; **4** gen, Philos (outcome) conclusion *f*; **taken to its logical ~, this would mean that** poussé à l'extrême, ceci signifierait que

conclusive /kənˈkluːsɪv/ *adj* [*argument, evidence, proof*] concluant

conclusively /kənˈkluːsɪvlɪ/ *adv* de façon concluante

concoct /kənˈkɒkt/ *vtr* (all contexts) concocter

concoction /kənˈkɒkʃn/ *n* **1** **C** lit (drink, tonic) breuvage *m*; (dish) mélange *m* (**of** de); **2** fig (style, effect) mélange *m* (**of** de); **3** ¢ lit, fig (preparation) élaboration *f*

concomitant /kənˈkɒmɪtənt/ sout
A *n* élément *m* (**of** qui coïncide avec)
B *adj* [*change, problem*] concomitant fml; **to be ~ with** aller de pair avec, être concomitant avec fml

concord /ˈkɒŋkɔːd/ *n* **1** sout (harmony) concorde *f*; **2** Ling accord *m*; **3** Mus accord *m*

concordance /kənˈkɔːdəns/ *n* **1** sout (agreement) accord *m*; **to be in ~ with** s'accorder avec; **2** (index) concordance *f*

concordancing programme *n* Comput, Ling logiciel *m* d'indexation *or* de concordances

concordant /kənˈkɔːdənt/ *adj* concordant; **to be ~ with** concorder avec

concordat /kənˈkɔːdæt/ *n* concordat *m*

Concorde /ˈkɒŋkɔːd/ *pr n* Concorde *m*

concourse /ˈkɒŋkɔːs/ *n* **1** Archit, Rail (large interior area) hall *m*; **2** sout (gathering) assemblée *f*

concrete /ˈkɒŋkriːt/
A *n* béton *m*
B *adj* **1** Constr [*block*] de béton; [*base*] en béton; **2** fig (all contexts) concret/-ète; **in ~ terms** en

termes concrets, concrètement
C *vtr* = **concrete over**
(Phrasal verb) ■ **concrete over**: ▸ ~ **over [sth]** recouvrir [qch] de béton, bétonner [*road, lawn*]
concrete: ~ **jungle** *n* pej univers *m* de béton; ~ **mixer** *n* bétonnière *f*
concretion /kən'kriːʃn/ *n* Geol concrétion *f*
concubine /'kɒŋkjʊbaɪn/ *n* (of potentate) concubine *f*
concupiscence /kən'kjuːpɪsns/ *n* concupiscence *f*
concupiscent /kən'kjuːpɪsnt/ *adj* concupiscent
concur /kən'kɜː(r)/ (*p prés etc* **-rr-**)
A *vtr* convenir (**that** que)
B *vi* **1** (agree) être d'accord (**with** avec); **2** (act together) **to** ~ **in** participer à [*action, measure, decision*]; **to** ~ **with sb in condemning** se joindre à qn pour condamner; **3** (tally) [*data, results, views*] concorder (**with** avec); **4** (combine) **to** ~ **to do** contribuer à faire; **everything** ~**red to make the show a success** tout a contribué à faire du spectacle un succès
concurrence /kən'kʌrəns/ *n* **1** sout (agreement) accord *m*, agrément *m* fml; **in** ~ **with** en accord avec; **2** (combination) ~ **of events** concours *m* de circonstances
concurrent /kən'kʌrənt/ *adj* **1** (simultaneous) gen simultané; **to be given two** ~ **sentences of six months** Jur être condamné à deux fois six mois avec confusion des peines; **2** sout (in agreement) **to be** ~ **with** [*views*] concorder avec; **3** Math [*lines*] concourant
concurrently /kən'kʌrəntlɪ/ *adv* gen simultanément; **the sentences to run** ~ Jur avec confusion des peines
concuss /kən'kʌs/ *vtr* **to be** ~**ed** être commotionné
concussion /kən'kʌʃn/ *n* Med commotion *f* cérébrale
condemn /kən'dem/
A *vtr* **1** (censure) condamner (**for doing** pour avoir fait); ~**ed for human rights abuses** condamné pour le non respect des droits de l'homme; **to** ~ **sth as pointless/provocative** condamner la futilité/l'aspect provocateur de qch; **to** ~ **sb as an opportunist** dénoncer l'opportunisme de qn; **2** Jur (sentence) **to** ~ **sb to death/life imprisonment** condamner qn à mort/à perpétuité; **3** (doom) **to be** ~**ed to do** être condamné à faire; **to** ~ **sb to** condamner qn à [*isolation, poverty*]; **4** (declare unsafe) déclarer [qch] inhabitable [*building*]; déclarer [qch] impropre à la consommation [*meat*]; **5** (betray) condamner
B condemned *pp adj* **1** [*cell*] des condamnés à mort; ~**ed man/woman** condamné/-e *m/f* à mort; **2** [*building*] déclaré inhabitable
condemnation /ˌkɒndem'neɪʃn/ *n* **1** ₵ (censure) condamnation *f* (**of** de); **2** (indictment) **to be a** ~ **of sb/sth** remettre qn/qch en question; **3** C (declaration) condamnation *f*
condemnatory /ˌkɒndem'neɪtərɪ/ *adj* dénonciateur/-trice
condensation /ˌkɒnden'seɪʃn/ *n* **1** (droplets) (on walls) condensation *f*; (on windows) buée *f*; **2** Chem (process) condensation *f*; **3** (abridged version) version *f* condensée
condense /kən'dens/
A *vtr* **1** (compress) condenser (**into** en); **2** Chem condenser
B *vi* Chem se condenser
condensed /kən'denst/ *adj* (*épith*) condensé
condensed: ~ **milk** *n* lait *m* concentré sucré *or* condensé; ~ **type** *n* Print caractère *m* étroit
condenser /kən'densə(r)/ *n* Chem, Elec, Phys condenseur *m*
condescend /ˌkɒndɪ'send/
A *vtr* (deign) **to** ~ **to do** condescendre à faire
B *vi* (patronize) **to** ~ **to sb** être condescendant envers qn
condescending /ˌkɒndɪ'sendɪŋ/ *adj* condescendant
condescendingly /ˌkɒndɪ'sendɪŋlɪ/ *adv* [*reply, smile*] avec condescendance
condescension /ˌkɒndɪ'senʃn/ *n* condescendance *f*
condiment /'kɒndɪmənt/ *n* condiment *m*
condition /kən'dɪʃn/
A *n* **1** (stipulation) condition *f*; **what are the** ~**s of the contract/loan?** quelles sont les conditions du contrat/prêt?; **to fulfil** *ou* **meet** *ou* **satisfy the** ~**s** remplir les conditions; **the offer had several** ~**s attached to it** l'offre était soumise à plusieurs conditions; **I'll sell it under certain** ~**s** je le vendrai sous certaines conditions; **on** ~ **that** à condition que (+ *subj*); **I lent it to her on** ~ **that she return it on Tuesday** je le lui ai prêté à condition qu'elle me le rende mardi; **it is a** ~ **of the contract that you work 37 hours per week** votre contrat stipule que vous devez travailler 37 heures par semaine; **investment is an essential** ~ **for economic growth** l'investissement est une condition essentielle de la croissance économique; **I agree, on one** ~, **namely that you pay in cash** je suis d'accord, mais à une condition, que vous payiez en liquide; **general** ~**s** conditions générales; ~ **subsequent/precedent** Jur condition suspensive/préalable; **2** (state) état *m*, condition *f*; **to be in good/bad** ~ [*house, car, manuscript etc*] être en bon/mauvais état; **to keep sth in good** ~ maintenir qch en bon état; **your hair is in poor** ~ tes cheveux sont abîmés; **he's in good** ~ **for a man of 80** il est en bonne santé pour un homme de 80 ans; **to be in a stable/critical** ~ être dans un état stable/critique; **her** ~ **is serious** elle est dans un état grave; **to be in no** ~ **to do** ne pas être en état de faire; **to be in an interesting** ~† euph être enceinte; **3** (disease) maladie *f*; **a heart/skin** ~ une maladie cardiaque/de la peau; **a fatal/an incurable** ~ une maladie mortelle/incurable; **4** (fitness) forme *f*; **to be out of** ~ ne pas être en forme; **to get one's body into** ~ se mettre en forme; **5** (situation) condition *f*; **the feminine/human** ~ la condition féminine/humaine; **6** (in philosophy, logic) condition *f*
B conditions *npl* (circumstances) conditions *fpl*; **to work under difficult** ~**s** travailler dans des conditions difficiles; **housing/living/working** ~**s** conditions de logement/vie/travail; **weather** ~**s** conditions météorologiques
C *vtr* **1** gen, Psych conditionner; ~**ed reflex** *ou* **response** lit, fig réflexe *m* conditionné; **people are** ~**ed into believing that** les gens sont conditionnés à croire que; **she argues that women are** ~**ed to be altruistic** elle soutient que de par leur éducation les femmes sont amenées à se comporter de façon altruiste; **2** (treat) traiter [*skin, hair*]; **this shampoo** ~**s the hair** ce shampooing contient un après-shampooing
conditional /kən'dɪʃənl/
A *n* Ling conditionnel *m*; **in the** ~ au conditionnel
B *adj* **1** [*agreement, acceptance, approval, support*] conditionnel/-elle; **the offer is** ~ **on** *ou* **upon the name of the donor remaining secret** l'offre a pour condition que le nom du donateur demeure (*subj*) secret; **to make sth** ~ **on** *ou* **upon sth** faire dépendre qch de qch; **the sale is** ~ **on** *ou* **upon signing the contract** la vente n'est effective qu'à la signature du contrat; **economic aid is** ~ **on** *ou* **upon democratic reform** l'aide économique ne sera accordée qu'en cas de réforme démocratique; **2** Ling [*clause, sentence*] conditionnel/-elle; **in the** ~ **tense** au conditionnel; **3** (in logic) [*proposition*] conditionnel/-elle
conditional: ~ **bail** *n* GB Jur mise *f* en liberté sous caution; ~ **discharge** *n* GB Jur sursis *m* simple
conditionality /ˌkəndɪʃə'nælətɪ/ *n* Econ, Fin conditionnalité *f*
conditionally /kən'dɪʃənəlɪ/ *adv* **1** (with stipulations) [*agree, accept, propose*] sous conditions; **2** Jur **to be** ~ **discharged** bénéficier d'une libération conditionnelle.
conditional sale *n* Comm vente *f* soumise à certaines conditions
conditioner /kən'dɪʃənə(r)/ *n* (for hair) après-shampooing *m*, démêlant *m*; (for laundry) assouplisseur *m*; (for leather) crème *f* nourrissante
conditioning /kən'dɪʃənɪŋ/
A *n* **1** Psych conditionnement *m*; **2** Cosmet (of hair) traitement *m*
B *pres p adj* Cosmet [*shampoo, lotion etc*] démêlant
condo○ /'kɒndəʊ/ *n* US *abrév* = **condominium 1**
condole /kən'dəʊl/ *vi* **to** ~ **with sb** présenter ses condoléances à qn
condolence /kən'dəʊləns/
A *n* **letter of** ~ lettre *f* de condoléance
B condolences *npl* condoléances *fpl*
condom /'kɒndɒm/ *n* préservatif *m*
condominium /ˌkɒndə'mɪnɪəm/ *n* **1** US (*also* ~ **unit**) appartement *m* (dans une copropriété); **2** US (complex) (immeuble *m* en) copropriété *f*; **3** Pol (joint territory) condominium *m*
condone /kən'dəʊn/ *vtr* tolérer [*behaviour, exploitation, use of violence*]
condor /'kɒndɔː(r)/ *n* condor *m*
conduce /kən'djuːs, US -'duː-/ *vi* sout **to** ~ **to** conduire à
conducive /kən'djuːsɪv, US -'duː-/ *adj* **to be** ~ **to** être favorable à
conduct
A /'kɒndʌkt/ *n* **1** (behaviour) conduite *f* (**towards** envers); **2** (handling) (of campaign, business) conduite *f* (**of** de)
B /kən'dʌkt/ *vtr* **1** (lead) conduire [*visitor, group*]; **she** ~**ed us around the house** elle nous a fait faire le tour de la maison; ~**ed tour** *ou* **visit** visite guidée; **2** (manage) mener [*life, business, campaign, election*]; **to** ~ **sb's defence** Jur assurer la défense de qn; **3** (carry out) mener [*experiment, research*]; faire [*poll*]; célébrer [*religious ceremony*]; **to** ~ **an inquiry** mener une enquête (**into** sur); **4** Mus diriger [*orchestra, choir, concert*]; **5** Elec, Phys conduire, être conducteur/-trice de
C /kən'dʌkt/ *vi* Mus diriger
D /kən'dʌkt/ *v refl* **to** ~ **oneself** se comporter
conductance /kən'dʌktəns/ *n* conductance *f*
conduction /kən'dʌkʃn/ *n* conduction *f*
conductive /kən'dʌktɪv/ *adj* conducteur/-trice
conductivity /ˌkɒndʌk'tɪvətɪ/ *n* conductibilité *f*
conduct mark *n* Sch note *f* de conduite
conductor /kən'dʌktə(r)/ ▸ **p. 1683** *n* **1** Mus chef *m* d'orchestre; **2** Transp (on bus) receveur *m*; Rail chef *m* de train; **3** Elec, Phys conducteur *m*
conductress /kən'dʌktrɪs/ ▸ **p. 1683** *n* Transp (on bus) receveuse *f*
conduct sheet *n* Mil, Naut feuille *f* de note
conduit /'kɒndɪt, 'kɒndjuːɪt, US 'kɒndwɪt/ *n* **1** (pipe) conduit *m*; **2** Elec gaine *f* électrique
condyle /'kɒndɪl/ *n* Anat condyle *m*
cone /kəʊn/ *n* **1** Math, gen cône *m*; ~**-shaped** en forme de cône; **paper** ~ cornet *m* (en papier); **2** Bot (of conifer) cône *m*; **3** (*also* **ice-cream** ~) cornet *m*; **4** Aut (for traffic) balise *f*; **5** Geol (of volcano) cône *m*; **6** Anat (in retina) cône *m*; **7** Zool cône *m*
(Phrasal verb) ■ **cone off**: ▸ ~ **[sth] off**, ~ **off [sth]** baliser [*road, route*]
coney = **cony**
confab○ /'kɒnfæb/ *n* **to have a** ~ **about sth** discuter de qch
confabulate /kən'fæbjʊleɪt/ *vi* **1** sout converser; **2** Psych confabuler
confection /kən'fekʃn/ *n* **1** Culin (cake) pâtisserie *f*, gâteau *m*; (sweetmeat) confiserie *f*;

(dessert) dessert *m*; **2** hum (dress etc) robe *f*; **3** (combination) **a ~ of** une savante combinaison de; **4** (act, process) confection *f*

confectioner /kən'fekʃənə(r)/ ▸ p. 1683 *n* (making sweets) confiseur/-euse *m/f*; (making cakes) pâtissier-confiseur *m*; **~'s custard** crème *f* pâtissière; **~'s (shop)** pâtisserie-confiserie *f*; **~'s sugar** US sucre *m* glace

confectionery /kən'fekʃənərɪ, US -ʃənerɪ/ *n* ₵ (sweets) gen sucreries *fpl*; (high quality) confiserie *f*; (cakes) pâtisserie *f*

confederacy /kən'fedərəsɪ/ *n* **1** Pol confédération *f*; **the (Southern) Confederacy** US Hist les États confédérés (d'Amérique); ▸ **American Civil War**; **2** (conspiracy) conspiration *f*

confederate
A /kən'fedərət/ *n* **1** (in conspiracy) complice *mf*; **2** Pol confédéré/-e *m/f*
B /kən'fedərət/ *adj* Pol confédéré
C /kən'fedəreɪt/ *vtr* confédérer
D /kən'fedəreɪt/ *vi* **1** (unite) se confédérer (**with** avec); **2** (conspire) conspirer (**with** avec; **against** contre)

Confederate /kən'fedərət/ *n, adj* Confédéré (*m*); ▸ **American Civil War**

confederation /kən,fedə'reɪʃn/ *n* confédération *f*

confer /kən'fɜː(r)/
A *vtr* (*p prés etc* **-rr-**) conférer [*right, status, honour, degree*] (**on, upon** à)
B *vi* (*p prés etc* **-rr-**) conférer; **to ~ with sb about sth** conférer de qch avec qn

conference /'kɒnfərəns/
A *n* **1** (meeting, symposium) conférence *f*; Pol congrès *m*; **to be in ~** être en conférence (**with** avec); **a ~ on** (concerning) une conférence sur; (to promote) une conférence pour; **peace/disarmament ~** conférence pour la paix/le désarmement; **(the) ~ voted to reject the motion** les participants ont rejeté la proposition; **2** US Sport groupe *m* sportif inter-universités
B *modif* [*room, centre*] de conférences; **~ member** participant/-e *m/f*

conference: **~ call** *n* téléconférence *f*; **~ committee** *n* US Pol *commission chargée de l'uniformisation des lois auprès du Sénat et de la Chambre des représentants*; **~ table** *n* lit table *f* de conférence; fig table *f* de négociation

conferment /kən'fɜːmənt/ *n* (of title) octroi *m*; Univ remise *f*

confess /kən'fes/
A *vtr* **1** avouer, confesser [*crime, truth, mistake*]; avouer, reconnaître [*desire, liking, weakness*]; **to ~ that** avouer que; **I must ~ I don't like him** j'avoue qu'il ne me plaît pas; **2** Relig [*penitent*] confesser, se confesser de [*sins*]; [*heretic etc*] confesser [*faith, belief*]; [*priest*] (hear confession of) confesser
B *vi* **1** (admit) avouer; **to ~ to a crime** avouer (avoir commis) un crime; **to ~ to a liking for sth** avouer avoir un faible pour qch; **2** Relig se confesser

confessedly /kən'fesɪdlɪ/ *adv* (by one's own admission) de son propre aveu; (by general admission) de l'aveu de tous

confession /kən'feʃn/ *n* **1** gen, Jur aveu *m* (**of** de); **to make a full ~** faire des aveux complets; **2** (in title) **'Confessions of...'** 'Les confessions de...'; **3** Relig confession *f*; **to go to ~** aller se confesser; **to make one's ~** se confesser; **to hear sb's ~** confesser qn

confessional /kən'feʃənl/
A *n* **1** (in church) confessionnal *m*; **the seal of the ~** le secret de la confession; **2** (book) livre *m* de prières pénitentielles
B *adj* **1** Relig pénitentiel/-ielle; **2** [*writing*] autobiographique

confessor /kən'fesə(r)/ *n* confesseur *m*

confetti /kən'fetɪ/ *n* ₵ confettis *mpl*

confidant /,kɒnfɪ'dænt/ *n* confident *m*

confidante /,kɒnfɪ'dænt/ *n* confidente *f*

confide /kən'faɪd/
A *vtr* **1** (entrust) confier (**to** à); **to ~ sth/sb to sb's care** confier qch/qn aux soins de qn; **2** (tell) confier [*secret, hope, fear*] (**to** à)
B *vi* **to ~ in** se confier à [*person*]

confidence /'kɒnfɪdəns/ *n* **1** (faith) confiance *f* (**in** en); **to have (every) ~ in sb/sth** avoir (pleine) confiance en qn/qch; **to put one's ~ in sb** mettre sa confiance en qn; **2** Pol **vote of ~** vote *m* de confiance; **to pass a vote of ~** voter la confiance; **motion of no ~** motion *f* de censure; **to pass a vote of no ~** voter la censure *or* une motion de censure (**in** à l'égard de); **3** (self-assurance) assurance *f*, confiance *f* en soi; **he lacks ~** il manque d'assurance, il n'est pas sûr de lui; **4** (certainty) assurance *f*; **in the full ~ that** avec la certitude que; **I have every ~ that she will succeed** je suis sûr *or* persuadé qu'elle réussira; **I can say with ~ that** je suis sûr *or* certain *or* convaincu que; **5** (confidentiality) **to take sb into one's ~** se confier à qn; **to tell sb sth in (strict) ~** dire qch à qn (tout à fait) confidentiellement; **write in strictest ~ to...** écrivez-nous–nous vous promettons de respecter l'anonymat; **6** (secret) confidence *f*

confidence: **~ game** *n* US = **confidence trick**; **~ interval** *n* intervalle *m* de confiance; **~ level** *n* Stat niveau *m* de confiance; **~ man**, **~ trickster**† *n* GB escroc *m*; **~ trick** *n* escroquerie *f*

confident /'kɒnfɪdənt/ *adj* **1** (sure) sûr, confiant; **to be ~ that** être sûr *or* persuadé que; **to be ~ of success** *ou* **of succeeding** avoir la certitude de réussir; **she felt ~ about the future** elle avait confiance en l'avenir; **2** (self-assured) assuré, sûr de soi

confidential /,kɒnfɪ'denʃl/ *adj* **1** [*advice, agreement, information, matter, document, service*] confidentiel/-ielle *m/f*; **~ secretary** secrétaire *mf* privé/-e; **private and ~** privé et confidentiel; **2** (confiding) [*tone, voice*] confidentiel/-ielle; **he became very ~ with me** il s'est ouvert tout entier à moi

confidentiality /,kɒnfɪdenʃɪ'ælətɪ/ *n* confidentialité *f*

confidentially /,kɒnfɪ'denʃəlɪ/ *adv* confidentiellement

confidently /'kɒnfɪdəntlɪ/ *adv* [*speak, behave*] avec assurance; [*expect, predict*] en toute confiance

confiding /kɒn'faɪdɪŋ/ *adj* confiant

confidingly /kən'faɪdɪŋlɪ/ *adv* [*say*] d'un ton confiant; [*look*] d'un air confiant

configuration /kən,fɪgə'reɪʃn, US -,fɪgjʊ'reɪʃn/ *n* (all contexts) configuration *f*

configure /kən'fɪgə(r), US -'fɪgjər/ *vtr* configurer

confine /kən'faɪn/
A *vtr* **1** (in room, cell, prison, ghetto) confiner [*person*] (**in, to** dans); interner [*mental patient*] (**in, to** dans); enfermer [*animal*] (**in** dans); **to be ~d to bed** être alité; **to be ~d to the house** être obligé de rester à la maison; **to be ~d to barracks** Mil être consigné au quartier; **2** (limit) limiter [*comments etc*] (**to** à); **the problem is not ~d to old people** le problème ne concerne pas uniquement les personnes âgées; **3** †Med **to be ~d** être en couches
B *v refl* **to ~ oneself to/to doing** se contenter de/de faire

confined /kən'faɪnd/ *adj* [*atmosphere, area*] confiné; [*space*] restreint

confinement /kən'faɪnmənt/ *n* **1** (detention) (in cell, prison) détention *f* (**in, to** dans); Jur réclusion *f*; (in institution) internement *m* (**in, to** dans); **~ to barracks** Mil consigne *f*; **2** †Med (labour) couches *fpl*; (birth) accouchement *m*

confines /'kɒnfaɪnz/ *npl* **1** (constraints) contraintes *fpl*; **2** **within the ~ of** dans le cadre de [*situation, regulations*]; dans l'enceinte de [*building*]

confirm /kən'fɜːm/ *vtr* **1** (state as true, validate) confirmer [*statement, event, identity, booking, belief, fear*]; **to ~ that** confirmer que; **two people were ~ed dead** on a confirmé que deux personnes ont trouvé la mort; **to ~ receipt of** Comm accuser réception de [*cheque, goods*]; **2** Admin approuver [*appointment*]; **to ~ sb as** confirmer qn dans son rôle de [*director etc*]; **to be ~ed in one's post** être confirmé dans ses fonctions; **3** (justify) **to ~ sb in** conforter qn dans [*belief, opinion*]; **4** Jur homologuer [*decree*]; **5** Relig confirmer

confirmation /,kɒnfə'meɪʃn/ *n* **1** (of belief, statement, theory, news, suspicion, fear) confirmation *f* (**of** de; **that** que); (official) (of appointment, booking) confirmation *f* (**of** de; **that** que); **2** Jur entérinement *m*; **3** Admin, Pol (of appointment) approbation *f*; **4** Relig confirmation *f*

confirmed /kən'fɜːmd/ *adj* [*alcoholic, smoker, liar, habit*] invétéré; [*bachelor, sinner*] endurci; [*admirer*] inconditionnel/-elle

confiscate /'kɒnfɪskeɪt/ *vtr* confisquer (**from** à)

confiscation /,kɒnfɪ'skeɪʃn/ *n* confiscation *f*

conflagration /,kɒnflə'greɪʃn/ *n* conflagration *f*

conflate /kən'fleɪt/ *vtr* regrouper

conflation /kən'fleɪʃən/ *n* regroupement *m*

conflict
A /'kɒnflɪkt/ *n* **1** Mil conflit *m*; **armed ~** conflit armé; **the Middle East ~** le conflit au Proche Orient; **to be in/come into ~** lit, fig être/entrer en conflit (**with** avec); **2** (dispute) conflit *m* (**between** entre); **his campaign brought him into ~ with the party** il est entré en conflit avec le parti à cause de sa campagne; **3** (dilemma) conflit *m* (**between** entre); **~ of interests** conflit d'intérêts; **to have a ~ of loyalties** être déchiré par des loyautés contradictoires
B /kən'flɪkt/ *vi* (contradict) [*statement, feeling, attitude*] être en contradiction (**with** avec); (clash) [*events, programme*] tomber au même moment (**with** que)

conflicting /kən'flɪktɪŋ/ *adj* **1** (incompatible) [*views, feelings, interests*] contradictoire; **2** (coinciding) **I have two ~ engagements for 7 July** le 7 juillet j'ai deux rendez-vous qui tombent en même temps

confluence /'kɒnflʊəns/ *n* **1** (of rivers) confluent *m*; **2** (of ideas, people) confluence *f*

conform /kən'fɔːm/
A *vtr* conformer (**to** à)
B *vi* **1** (to rules, conventions, standards) [*person*] se conformer (**with, to** à); [*model, machine etc*] être conforme (**to** à); **she has always ~ed** elle s'est toujours conformée aux règles; **to ~ to type** se conformer à la norme; **2** (correspond) [*ideas, beliefs*] se conformer (**with, to** à); [*situation*] être conforme (**with, to** à); **3** Relig faire acte de soumission à la religion d'État

conformable /kən'fɔːməbl/ *adj* sout (compatible, in agreement) conforme (**to, with** à); **to be ~ to sb's will** respecter la volonté de qn

conformation /,kɒnfɔː'meɪʃn/ *n* **1** gen, Anat, Geol conformation *f*; **2** Chem conformation *f* (moléculaire)

conformist /kən'fɔːmɪst/ *n, adj* gen, Relig conformiste (*mf*)

conformity /kən'fɔːmətɪ/ *n* **1** conformité *f* (**to** à); **in ~ with** conformément à; **2** Relig conformisme *m*

confound /kən'faʊnd/ *vtr* **1** (perplex) déconcerter; **2** (mix up) confondre (**with** avec); **3** (discredit) démentir [*rumours*]; donner tort à, confondre† [*arguments, critics*]; **4** littér (defeat) confondre [*enemy*]; déjouer [*plans*]; **5** ○† **~ it!** la barbe○!; **~ him!** qu'il aille au diable○!; **that ~ed dog** ce maudit chien○

confront /kən'frʌnt/ *vtr* **1** (face) affronter [*danger, enemy*]; faire face à [*problem*]; **to ~ the truth** voir la réalité en face; **to be ~ed by sth** être confronté à qch; **a new problem ~ed us** nous étions confrontés à un nouveau problème; **to be ~ed by the police** se retrouver face à la police; **the cases that ~ lawyers** les affaires dont les juristes doivent se charger; **the task which ~ed us** le travail qui se présentait à nous; **2** (bring together) **to ~ sb with**

sth/sb mettre qn en présence de qch/qn

confrontation /ˌkɒnfrʌn'teɪʃn/ *n* **1** (violent encounter) affrontement *m* (**between** entre; **with** avec); **2** (dispute) affrontement *m*; **we had a ~ with our teachers** nous nous sommes disputés avec nos professeurs; **3** (encounter) **it was my first ~ with the truth** c'était la première fois que j'étais confronté à la vérité

confrontational /ˌkɒnfrən'teɪʃənəl/ *adj* provocateur/-trice

Confucian /kən'fju:ʃn/
A *n* Confucianiste *mf*
B *adj* confucianiste

Confucianism /kən'fju:ʃənɪzəm/ *n* confucianisme *m*

Confucius /kən'fju:ʃəs/ *pr n* Confucius

confuse /kən'fju:z/
A *vtr* **1** (bewilder) troubler [*person*]; **to ~ the enemy troops** semer la confusion dans les troupes ennemies; **2** (fail to distinguish) confondre (**with** avec); **3** (complicate) compliquer [*argument, explanation*]; **to ~ the issue** compliquer les choses; **to ~ matters even more...** pour rendre les choses encore plus compliquées...
B *vi* rendre perplexe

confused /kən'fju:zd/ *adj* **1** [*person*] troublé; [*thoughts, mind*] confus; **to get ~** s'embrouiller; **he was ~ about the instructions** il ne comprenait pas bien le mode d'emploi; **I'm ~ about what to do** je ne sais pas trop ce que je dois faire; **2** (muddled) [*account, reasoning*] confus; [*memories, sounds*] confus; [*voices*] indistinct; [*impression*] vague

confusedly /kən'fju:zɪdlɪ/ *adv* **1** (in bewilderment) confusément; **2** (unclearly) [*think, understand*] confusément; **he spoke ~ of his plans** il parla de ses projets de façon confuse; **3** (in embarrassment) [*blush*] de confusion; **he took the money ~** il prit l'argent l'air confus

confusing /kən'fju:zɪŋ/ *adj* **1** (perplexing) déroutant; **2** (complicated) [*account, instructions*] peu clair

confusion /kən'fju:ʒn/ *n* **1** (in idea, in sb's mind) confusion *f*; **to create ~** jeter la confusion (dans les esprits); **I was in a state of total ~** j'étais complètement embrouillé; **2** (lack of distinction) confusion *f*; **because of the ~ between the two names** parce qu'on avait confondu les deux noms; **to avoid ~** pour éviter toute confusion; **3** (chaos) confusion *f*; **to throw sb/sth into ~** plonger qn/qch dans la confusion; **the meeting broke up in ~** la réunion s'est terminée dans la confusion la plus totale; **4** (embarrassment) confusion *f*

confute /kən'fju:t/ *vtr* sout réfuter

conga /'kɒŋgə/ *n* conga *f*

con game *n* escroquerie *f*

congeal /kən'dʒi:l/
A *vtr* figer [*oil, fat*]; cailler [*milk*]; coaguler [*blood*]
B *vi* [*oil, fat*] se figer; [*milk*] cailler; [*blood*] se coaguler

congenial /kən'dʒi:nɪəl/ *adj* [*person, company*] sympathique, agréable; [*surroundings, arrangement*] agréable

congenital /kən'dʒenɪtl/ *adj* **1** Med congénital; **2** fig [*fear, dislike*] congénital; [*liar*] invétéré

congenitally /kən'dʒenɪtəlɪ/ *adv* **1** Med **to be ~ deformed** avoir une malformation congénitale; **2** fig [*dishonest, lazy*] congénitalement

conger /'kɒŋgə(r)/ *n* congre *m*

congested /kən'dʒestɪd/ *adj* **1** [*road*] embouteillé; [*pavement, passage*] encombré; [*district*] surpeuplé; **2** Med congestionné

congestion /kən'dʒestʃn/ *n* **1** (of district) surpeuplement *m*; (of road, street) encombrement *m*; **traffic ~** embouteillages *mpl*; **2** Med congestion *f*

conglomerate
A /kən'glɒmərət/ *n* (all contexts) conglomérat *m*
B /kən'glɒmərət/ *adj* aggloméré
C /kən'glɒməreɪt/ *vtr* conglomérer
D /kən'glɒməreɪt/ *vi* s'agglomérer

conglomeration /kənˌglɒmə'reɪʃn/ *n* **1** péj (jumble) fatras *m*; **2** Comm (process) conglomération *f*; (association) conglomérat *m*

Congo /'kɒŋgəʊ/ ▸ p. 1096, p. 1633 *pr n* Congo *m*

Congolese /ˌkɒŋgə'li:z/ ▸ p. 1467
A *n* Congolais/-e *m/f*
B *adj* congolais

congratulate /kən'grætʃʊleɪt/
A *vtr* féliciter (**on** de; **on doing** d'avoir fait); **may we ~ you on your success/engagement?** permettez-nous de vous féliciter de votre succès/à l'occasion de vos fiançailles
B *v refl* **to ~ oneself** se féliciter (**on** de; **on doing** d'avoir fait)

congratulation /kənˌgrætʃʊ'leɪʃn/
A *n* **letter of ~** lettre *f* de félicitations
B congratulations *npl* félicitations *fpl*; **~s!** félicitations!; **~s on your success/on the birth of your new baby** (toutes mes *or* nos) félicitations pour votre succès/à l'occasion de la naissance de votre bébé; **to offer one's ~s to sb** adresser ses félicitations à qn

congratulatory /kən'grætʃʊlətərɪ, US -tɔ:rɪ/ *adj* [*letter, telegram, speech*] de félicitations

congregate /'kɒŋgrɪgeɪt/
A *vtr* rassembler
B *vi* se rassembler (**around** autour de)

congregation /ˌkɒŋgrɪ'geɪʃn/ *n* (+ *v sg ou pl*) **1** Relig (in church) assemblée *f* des fidèles; (in parish) paroissiens *mpl*; (of cardinals, ecclesiastics) congrégation *f*; **2** GB Univ assemblée *f* générale des professeurs

congregational /ˌkɒŋgrɪ'geɪʃənl/ *adj* [*prayer, singing*] des fidèles; **the Congregational Church** l'Église congrégationaliste

Congregationalist /ˌkɒŋgrɪ'geɪʃənəlɪst/
A *n* Congrégationaliste *mf*
B *adj* congrégationaliste

congress /'kɒŋgres, US 'kɒŋgrəs/ *n* (conference) congrès *m* (**on** sur); **party ~** congrès *m* d'un parti politique

Congress /'kɒŋgres, US 'kɒŋgrəs/ *n* Pol **1** US Congrès *m*; **in ~** au Congrès; **she has been criticized in ~** elle a été critiquée par les membres du Congrès; **2** (in India) Congrès *m*

> **Congress**
>
> Le Congrès est le corps législatif des États-Unis. Il est composé de la Chambre des représentants (*House of Representatives*) qui compte 435 membres élus pour un mandat de deux ans, et du Sénat (*Senate*) qui compte 100 sénateurs, deux par État, élus pour six ans. Un tiers des sénateurs est renouvelé tous les deux ans. Pour devenir loi (*act*), un projet de loi (*bill*) doit être examiné puis approuvé par les deux chambres, et ratifié par le président. Le Congrès siège au Capitole, situé sur *Capitol Hill* à Washington DC. Par métonymie, *the Capitol* ou *the Hill* font donc référence au Congrès.
> ▸ **Checks and balances, Washington DC**

Congressional /kən'greʃənl/ *adj* US [*candidate*] au Congrès; [*committee*] du Congrès

Congressional District, CD *n* US circonscription *f* d'un membre du Congrès

congress: ~man *n* (*pl* **-men**) US membre *m* du Congrès; **~person** *n* US membre *m* du Congrès; **~woman** *n* (*pl* **-women**) US membre *m* du Congrès

congruent /'kɒŋgrʊənt/ *adj* **1** sout adéquat; **to be ~ with** être en harmonie avec; **the two theories are not ~** les deux théories ne sont pas en harmonie; **2** Math, gen congru (**to** à); (in geometry) [*triangles*] isométriques

congruity /kəŋ'gru:ətɪ/ *n* sout **1** (correspondence) conformité *f* (**between** entre); **2** (aptness) pertinence *f*

congruous /'kɒŋgrʊəs/ *adj* sout adéquat; **to be ~ with** être en harmonie avec

conical /'kɒnɪkl/ *adj* conique

conifer /'kɒnɪfə(r), 'kəʊn-/ *n* conifère *m*

coniferous /kə'nɪfərəs, US kəʊ'n-/ *adj* [*tree*] conifère; [*forest*] de conifères

conjectural /kən'dʒektʃərəl/ *adj* conjectural, hypothétique

conjecture /kən'dʒektʃə(r)/
A *n* hypothèse *f*; **to be a matter for ~** être hypothétique
B *vtr* supposer; **to ~ sb/sth to be** émettre l'hypothèse que qn/qch est
C *vi* faire des conjectures (**about** sur)

conjoin /kən'dʒɔɪn/ sout
A *vtr* lier (**with** à)
B *vi* s'unir

conjoint /kən'dʒɔɪnt/ *adj* sout conjoint

conjointly /kən'dʒɔɪntlɪ/ *adv* sout conjointement

conjugal /'kɒndʒʊgl/ *adj* conjugal

conjugate /'kɒndʒʊgeɪt/
A *vtr* conjuguer
B *vi* **1** Ling se conjuguer; **2** Biol se reproduire

conjugation /ˌkɒndʒʊ'geɪʃn/ *n* Ling, Biol conjugaison *f*

conjunct /kən'dʒʌŋkt/ *adj* conjoint

conjunction /kən'dʒʌŋkʃn/ *n* **1** (of circumstances, events) concours *m*; **in ~** ensemble; **in ~ with** conjointement avec; **2** Astron, Ling conjonction *f*

conjunctiva /ˌkɒndʒʌŋk'taɪvə, kən'dʒʌŋktɪvə/ *n* (*pl* **-vas, -vae**) conjonctive *f*

conjunctive /kən'dʒʌŋktɪv/ *adj* Anat, Ling conjonctif/-ive

conjunctivitis /kənˌdʒʌŋktɪ'vaɪtɪs/ ▸ p. 1327 *n* conjonctivite *f*

conjure /'kʌndʒə(r)/
A *vtr* **1** (by magic) faire apparaître (en faisant de la prestidigitation) [*rabbit, spirits*]; **he ~d a dinner out of thin air** fig il a préparé un dîner comme par magie à partir de rien; **a name to ~ with** fig un nom qu'on évoque avec respect; **2** /kən'dʒʊə(r)/ (implore) **to ~ sb to do** sout conjurer qn de faire fml
B *vi* faire des tours de prestidigitation

(Phrasal verbs) ■ **conjure away**: ▸ **~ away [sth], ~ [sth] away** faire disparaître [qch] comme par magie
■ **conjure up**: ▸ **~ up [sth]** faire apparaître [qch] comme par magie; **to ~ up an image of sth** évoquer qch

conjurer /'kʌndʒərə(r)/ *n* prestidigitateur/-trice *m/f*

conjuring /'kʌndʒərɪŋ/ *n* prestidigitation *f*

conjuring trick *n* tour *m* de prestidigitation

conjuror = **conjurer**

conk○ /kɒŋk/
A *n* **1** GB (nose) pif◑ *m*; **2** US coiffure *f* décrêpée
B *vtr* **1** frapper; **2** US décrêper [*hair*]

(Phrasal verb) ■ **conk out**○ [*person*] s'endormir; [*car, machine*] tomber en panne

conker○ /'kɒŋkə(r)/ *n* GB **1** marron *m*; **2 conkers** *jeu de marrons*

con man *n* arnaqueur◑ *m*, escroc *m*

connect /kə'nekt/
A *vtr* **1** (attach) raccorder [*end, object, hose, tap*] (**to** à); accrocher [*wagon, coach*] (**to** à); **to ~ two tubes** raccorder deux tubes; **2** (link) [*road, bridge, railway*] relier [*place, road*] (**to, with** à); **I always ~ rain with Oxford** j'associe toujours la pluie à Oxford; **to ~ sb with a crime/a person** faire la connexion entre qn et un crime/une personne; **3** (to mains) brancher [*appliance*] (**to** à); brancher [qch] sur le secteur [*household, town*]; **we will ~ you on Monday** (electrically) vous aurez l'électricité lundi; (to gas) vous aurez le gaz lundi; **4** Telecom raccorder [*phone*]; **we will ~ you on Monday** nous vous raccorderons lundi; **to ~ sb to**

C

passer [qch] à qn [*reception, department*]; **her telephone ~s her to the White House** son téléphone est relié à la Maison Blanche; **'trying to ~ you'** 'ne quittez pas'; 5 (wire up, link technically) = **connect up**

B *vi* 1 [*room*] communiquer (**with** avec); 2 Transp [*service, bus, plane*] assurer la correspondance (**with** avec); **do the flights ~?** y a-t-il correspondance entre les vols?; 3 ○(work smoothly) [*service, system*] bien marcher; 4 US Sport frapper un bon coup; 5 ○US **to ~ with** (feel rapport) avoir des affinités avec; 6 ○US (buy drugs) se procurer de la drogue

(Phrasal verb) ■ **connect up**: ▸ **~ up [sth], ~ [sth] up** faire les branchements de [*video, computer*]; **to ~ sth up to** brancher qch sur; **to ~ two machines up** connecter deux machines

connected /kəˈnektɪd/ *adj* 1 (related) [*matter, idea, event*] lié (**to, with** à); **the events are ~** les événements sont liés; **everything ~ with music** tout ce qui se rapporte à la musique; 2 (in family) apparenté (**to** à); **~ by marriage** apparenté par le mariage; **to be well ~** (through family) être de bonne famille; (having influence) avoir des relations; 3 (joined, linked) [*road, town*] relié (**to, with** à); [*pipe*] raccordé (**to, with** à); 4 (electrically) branché; 5 Comput connecté; **to be ~ to the Internet** être connecté à Internet

Connecticut /kəˈnetɪkət/ ▸ **p. 1737** *pr n* Connecticut *m*

connecting /kəˈnektɪŋ/ *adj* 1 [*flight*] de correspondance; 2 [*room*] attenant

connecting rod *n* Aut bielle *f*

connection, connexion† GB /kəˈnekʃn/ *n* 1 (logical link) rapport *m* (**between** entre; **with** avec); **to have a** *ou* **some ~ with** avoir un rapport avec; **to have no ~ with** n'avoir aucun rapport *or* n'avoir rien à voir avec; **is there any ~?** existe-t-il un rapport?; **to make the ~** faire le rapprochement (**between** entre); **in ~ with** au sujet de, à propos de; **in this ~...** à ce sujet...; 2 (personal link) lien *m* (**between** entre; **with** avec); **to have close ~s with** avoir des liens étroits avec [*town, country, family*]; 3 (person) (contact) relation *f*; (relative) parent *m*; **to have useful ~s** avoir des relations; **to have ~s in high places** avoir des relations haut placées; 4 (connecting up) (to mains) branchement *m*; (of pipes, tubes) raccord *m*; (of wheels) embrayage *m*; (of wires) câblage *m*; 5 Telecom (of household to network) raccordement *m*; (of caller to number) mise *f* en communication (**to** avec); **to get a ~** avoir une ligne; **bad ~** mauvaise communication *f*; 6 Transp correspondance *f*; **to miss one's ~** rater sa correspondance; 7 ○US argot des drogués (dealer) dealer○ *m*; (transaction) échange *m* entre dealer○ et client; 8 Comput connexion *f*; **Internet ~** connexion à Internet

connection charge *n* Telecom taxe *f* de raccordement

connective /kəˈnektɪv/

A *n* conjonction *f*

B *adj* [*tissue*] conjonctif/-ive

connectivity /kɒnekˈtɪvətɪ/ *n* connectivité *f*

conning tower /ˈkɒnɪŋ taʊə(r)/ *n* Naut kiosque *m*

conniption○ /kəˈnɪpʃn/ *n* US accès *m* de colère; **to go into ~s** se mettre en rogne○

connivance /kəˈnaɪvəns/ *n* connivence *f*; **with the ~ of sb** avec la connivence de qn; **in ~ with sb** en connivence avec qn

connive /kəˈnaɪv/

A *vi* 1 **to ~ at** contribuer délibérément à [*theft, betrayal, escape*]; 2 (participate) **to ~ (with sb) to do sth** être de connivence *or* de mèche○ (avec qn) pour faire qch

B **conniving** *pres p adj* [*person*] fourbe; **a conniving glance** un regard de connivence

connoisseur /ˌkɒnəˈsɜː(r)/ *n* connaisseur/-euse *m/f* (**of** de)

connotation /ˌkɒnəˈteɪʃn/ *n* connotation *f* (**of** de)

connotative /ˈkɒnəteɪtɪv/ *adj* connotatif/-ive

connote /kəˈnəʊt/ *vtr* 1 (summon up) évoquer; 2 Ling connoter

connubial /kəˈnjuːbɪəl, US -ˈnuː-/ *adj* sout conjugal

conquer /ˈkɒŋkə(r)/

A *vtr* conquérir [*territory, people, outer space*]; vaincre [*enemy, unemployment, disease*]; surmonter [*habit, fear, jealousy*]; maîtriser [*skill, technology*]; surmonter [*deficit*]; **to ~ the world** fig conquérir le monde entier

B **conquered** *pp adj* vaincu

C **conquering** *pres p adj* victorieux/-ieuse

conqueror /ˈkɒŋkərə(r)/ *n gen* vainqueur *m*; Sport gagnant/-e *m/f*; Mil conquérant/-e *m/f*; **William the Conqueror** Guillaume le Conquérant

conquest /ˈkɒŋkwest/ *n* 1 ₵ (of country, mountain) conquête *f*; (of disease) éradication *f*; (of person) fig hum conquête *f*; 2 (territory) terre *f* conquise; (person) fig hum conquête *f*

consanguinity /ˌkɒnsæŋˈgwɪnətɪ/ *n* consanguinité *f*

conscience /ˈkɒnʃəns/ *n* conscience *f*; **it's a matter for your own ~** c'est à toi de décider en ton âme et conscience; **in all ~** en mon/son etc âme et conscience; **they have no ~** ils n'ont aucun sens moral; **he is the ~ of the nation** c'est la voix de la conscience nationale; **to have sth on one's ~** avoir qch sur la conscience; **to have a guilty** *ou* **bad ~** avoir mauvaise conscience; **to have a clear ~** avoir la conscience tranquille; **to do sth with a clear ~** faire qch la conscience tranquille; **they will have to live with their ~s** ils devront vivre avec un poids sur la conscience

conscience: **~ clause** *n* clause *f* de conscience; **~ money** *n*: *argent donné pour avoir bonne conscience*; **~-stricken** *adj* bourrelé de remords

conscientious /ˌkɒnʃɪˈenʃəs/ *adj* (all contexts) consciencieux/-ieuse

conscientiously /ˌkɒnʃɪˈenʃəslɪ/ *adv* consciencieusement

conscientiousness /ˌkɒnʃɪˈenʃəsnɪs/ *n* application *f*, soin *m*

conscientious: **~ objection** *n* objection *f* de conscience; **~ objector, CO** *n* objecteur *m* de conscience

conscious /ˈkɒnʃəs/

A *n* Psych **the ~** le conscient *m*

B *adj* 1 (aware) conscient (**of** de; **that** du fait que); **I wasn't ~ of having hurt their feelings** je ne savais pas que je les avais offensés; **to be politically ~** être politisé; **to be environmentally/socially ~** avoir une conscience écologique/sociale; 2 (deliberate) [*decision*] réfléchi; [*effort*] consciencieux; 3 Med conscient; **I wasn't fully ~** je n'étais qu'en partie conscient; 4 Psych conscient

C **-conscious** (*dans composés*) **art-~** amateur d'art; **health-~** soucieux/-ieuse de sa santé; **class-~** conscient de la hiérarchie sociale

consciously /ˈkɒnʃəslɪ/ *adv* consciemment

consciousness /ˈkɒnʃəsnɪs/ *n* 1 (awareness) conscience *f* (**of** de); (undefined) sentiment *m* (**of** de); **the ~ that** le sentiment que; **class ~** conscience *f* de classe; **the truth dawned upon my ~** j'ai commencé à entrevoir la vérité; **the idea penetrated public ~** l'idée a fait son chemin dans la conscience des gens; **safety ~** souci *m* en matière de sécurité; 2 (shared beliefs) conscience *f* collective; 3 Med **to lose/regain ~** perdre/reprendre connaissance

consciousness raising *n* sensibilisation *f*

conscript

A /ˈkɒnskrɪpt/ *n* appelé *m*, conscrit† *m*

B /ˈkɒnskrɪpt/ *modif* [*army*] de conscription; **~ soldier** appelé *m*

C /kənˈskrɪpt/ *vtr* appeler [*soldier*]; enrôler [qn] de force [*worker*]

conscription /kənˈskrɪpʃn/ *n* 1 (system) conscription *f*; 2 (process) incorporation *f* (**into** dans)

consecrate /ˈkɒnsɪkreɪt/ *vtr* consacrer [*church, bishop*]; **~d ground** terre *f* consacrée; **a day ~d to their memory** une journée dédiée à leur souvenir

consecration /ˌkɒnsɪˈkreɪʃn/ *n* 1 (of church, bishop) consécration *f*; 2 (Catholicism) **the Consecration** la Consécration

consecutive /kənˈsekjʊtɪv/ *adj* consécutif/-ive; **her tenth ~ win** sa dixième victoire consécutive; **~ clause** Ling clause *f* consécutive

consecutively /kənˈsekjʊtɪvlɪ/ *adv* consécutivement; **the sentences to run ~** Jur peines à purger consécutivement

consensual /kənˈsensjʊəl, -ˈsenʃʊəl/ *adj* 1 Jur [*sex, act, crime*] où les deux parties sont consentantes; 2 (of consensus) [*politics, approach*] consensuel/-elle

consensus /kənˈsensəs/ *n* consensus *m* (**among** au sein de; **about, as to** quant à; **for** en faveur de; **of** de; **on** sur; **that** selon lequel; **to do** pour faire); **a broad ~** un large consensus; **what's the ~?** quelle est l'opinion générale?; **the ~ is that** tout le monde est d'accord pour reconnaître que; **to reach a ~** parvenir à un consensus

consensus politics *n* politique *f* de consensus

consent /kənˈsent/

A *n* 1 (permission) (by person in authority) consentement *m*; (other) accord *m*; **without the owner's ~** Jur sans l'accord du propriétaire; **age of ~** âge *m* légal; 2 (agreement) **by common/mutual ~ we left** d'un commun accord nous avons tous/tous les deux décidé de partir

B *vi* consentir; **to ~ to sth** consentir à qch; **to ~ to sb doing sth** consentir à ce que qn fasse qch; **between ~ing adults** entre adultes consentants

C *vtr* **to ~ to do** consentir à faire

consent form *n* GB autorisation *f*

consequence /ˈkɒnsɪkwəns, US -kwens/ *n* 1 (result) conséquence *f*; **as a ~ of** du fait de [*change, process, system*]; à la suite de [*event*]; **in ~** par conséquent; **to take/face the ~s** accepter les conséquences; **to suffer the ~s** subir les conséquences; 2 (importance) sout importance *f*; **it's a matter of some ~** cela est très important; **he is a man of no ~** c'est quelqu'un sans importance; **he's a man of ~** c'est quelqu'un d'important; **it's of no ~ to me** cela m'est complètement indifférent

consequent /ˈkɒnsɪkwənt, US -kwent/ *adj* 1 (resulting) **the strike and the ~ redundancies** la grève et les licenciements qu'elle a entraînés; 2 **~ upon** sout (because of) en raison de; **to be ~ upon sth** (the result of) être la conséquence de qch; **the rise in prices ~ upon the fall in the dollar** l'augmentation des prix entraînée par la baisse du dollar

consequential /ˌkɒnsɪˈkwenʃl/ *adj* sout 1 (significant) important; 2 (self-important) péj suffisant; 3 ‡= **consequent**

consequential loss *n* perte *f* indirecte

consequently /ˈkɒnsɪkwentlɪ/ *adv* par conséquent

conservancy /kənˈsɜːvənsɪ/ *n* protection *f*

conservation /ˌkɒnsəˈveɪʃn/

A *n* 1 (of nature, natural resources) protection *f* (**of** de); **energy ~** maîtrise *f* de l'énergie; 2 (of heritage) conservation *f*; 3 Phys conservation *f*

B *modif* [*group, issue, measure*] de protection

conservation area *n* zone *f* protégée

conservationist /ˌkɒnsəˈveɪʃənɪst/

A *n* défenseur *m* des ressources naturelles

B *adj* de la défense des ressources naturelles

conservation: **~ officer** ▸ **p. 1683** *n* GB ≈ conservateur/-trice *m/f* des monuments historiques; **~ site** *n* site *m* protégé

conservatism /kənˈsɜːvətɪzəm/ *n* gen, Pol conservatisme *m*

conservative /kən'sɜːvətɪv/
A *n* Pol conservateur/-trice *m/f*
B *adj* **1** Pol [*person, society, policy*] conservateur/-trice; **2** (cautious) [*attitude*] prudent; [*estimate*] minimal; **at a ~ estimate** au bas mot; **3** [*taste, dress, style*] classique

Conservative /kən'sɜːvətɪv/ GB Pol
A *n* Conservateur/-trice *m/f*
B *adj* conservateur/-trice; **the ~ Party** le parti conservateur; **~ MP** député *m* conservateur; **to vote ~** voter pour le parti conservateur

conservatoire /kən'sɜːvətwɑː(r)/ *n* conservatoire *m*

conservator /'kɒnsəveɪtə(r)/ ▸ **p. 1683** *n* **1** (in museum) conservateur/-trice *m/f*; **2** US Jur tuteur/tutrice *m/f*

conservatorship /'kɒnsəveɪtəʃɪp/ *n* US tutelle *f*

conservatory /kən'sɜːvətrɪ, US -tɔːrɪ/ *n* **1** (for plants) jardin *m* d'hiver; **2** US Mus conservatoire *m*

conserve /kən'sɜːv/
A *n* (jam) confiture *f*
B *vtr* **1** (protect) protéger [*landscape, forest*]; sauvegarder [*wildlife*]; conserver [*remains, ruins*]; **2** (save up) économiser [*natural resources*]; garder [*moisture*]; ménager [*strength, energy*]; **3** Fin économiser [*cash, stocks*]

consider /kən'sɪdə(r)/
A *vtr* **1** (give thought to, study) considérer [*alternatives, options, facts, proposal, question, beauty*]; examiner [*case, evidence, letter, problem*]; étudier [*offer*]; **to ~ how** réfléchir à la façon dont; **to ~ why** examiner les raisons pour lesquelles; **to ~ whether** décider si; **~ this** sachez que; **the jury is ~ing its verdict** le jury délibère; **2** (take into account, bear in mind) prendre [qch] en considération [*risk, cost, difficulty, matter*]; songer à [*person*]; faire attention à [*person's feelings, wishes*]; **when you ~ that** quand on songe que; **all things ~ed** tout compte fait; **3** (envisage, contemplate) envisager [*course of action, purchase*]; **to ~ doing** envisager de faire; **to ~ sb for a role** penser à qn pour un rôle; **she ~ed me for second prize** elle a pensé à moi pour le deuxième prix; **to ~ sb/sth as sth** penser à qn/qch comme qch; **4** (regard) **I ~ her (to be) a good teacher/choice** je pense que c'est un bon professeur/choix; **to ~ that** considérer *or* estimer que; **I ~ it my duty to warn him** j'estime de mon devoir de le prévenir; **to ~ sb/sth favourably** voir qn/qch sous un jour favorable; **~ the matter closed** considérez que l'affaire est close; **~ it done/forgotten/a deal** tiens-le pour fait/oublié/affaire conclue
B *vi* réfléchir; **I need some time to ~** j'ai besoin d'un peu de temps pour réfléchir
C **considered** *pp adj* [*answer, view, manner*] réfléchi; **it is my ~ed opinion that** c'est ma conviction que; **in my ~ed opinion** selon ma conviction
D *v refl* **to ~ oneself (to be) a writer/genius** se prendre pour *pej or* se considérer comme un écrivain/génie

considerable /kən'sɪdərəbl/ *adj* considérable; **at ~ expense** à un prix considérable; **to a ~ degree** *ou* **extent** dans une large mesure

considerably /kən'sɪdərəblɪ/ *adv* [*improve, vary, less, more*] considérablement

considerate /kən'sɪdərət/ *adj* [*person, nature*] attentionné; [*remark, behaviour, driver, motorist*] courtois; **to be ~ of sb's position/feelings/point of view** respecter la position/les sensibilités/les opinions de qn; **to be ~ towards sb** avoir des égards pour qn; **it was ~ of you to wait** c'était aimable à vous d'avoir attendu

considerately /kən'sɪdərətlɪ/ *adv* [*act, behave*] de manière attentionnée; **he ~ saved me a seat** il m'a aimablement gardé une place; **to behave ~ towards sb** avoir des égards pour qn

consideration /kən,sɪdə'reɪʃn/ *n* **1** (thought, deliberation) considération *f*, réflexion *f*; **after careful ~** après mûre réflexion; **to give ~ to sth** réfléchir à qch; **to give sth careful/serious ~** réfléchir longuement/sérieusement à qch; **to submit sth for sb's ~** soumettre qch à l'examen de qn; **~ is being given to…** on examine actuellement…; **further ~ will be given to…** on examinera de plus près…; **to take sth into ~** prendre qch en considération; **in ~ of** en considération de fml, compte tenu de; **to be under ~** [*matter*] être à l'étude; **she's under ~ for the job** on est en train d'étudier sa candidature; **2** (thoughtfulness, care) considération *f* (**for** envers); **to show ~** montrer de la considération; **to do sth out of ~** faire qch par considération; **with no ~ for others** sans aucune considération envers les autres; **3** (factor, thing to be considered) considération *f*; (concern) (objet *m* de) souci *m*; **commercial/political ~s** considérations commerciales/politiques; **it outweighs any ~ of cost/risk** cela l'emporte sur toute considération de coût/risque; **safety is the overriding ~** la sécurité constitue le souci dominant; **my family is my only ~** je ne me soucie que de ma famille; **4** (fee) **for a ~** moyennant finance; **for a small ~** moyennant une petite somme en contrepartie

considering /kən'sɪdərɪŋ/
A *prep, conj* étant donné, compte tenu de; **it's not bad, ~ the price/how cheap it was** ce n'est pas mal, étant donné le prix/le peu que ça a coûté; **he did well, ~ (that) he was tired** étant donné sa fatigue, il s'en est bien sorti
B ○*adv* tout compte fait; **it wasn't bad, ~** tout compte fait, ce n'était pas mal; **you did well, ~** tout compte fait, tu t'en es bien sorti

consign /kən'saɪn/ *vtr* **1** (get rid of) reléguer (**to** à); **to ~ sth to the flames** livrer qch aux flammes; **2** (entrust) **to ~ sth to sb's care** confier qch aux soins de qn; **3** Comm (send) expédier [*goods*] (**to** à)

consignee /,kɒnsaɪ'niː/ *n* Comm, gen (of goods on consignment) dépositaire *mf*, destinataire *mf*

consignment /kən'saɪnmənt/ *n* Comm (sending) expédition *f*; (goods) lot *m*, livraison *f*; **~ note** bordereau *m* d'expédition; **for ~** à expédier; **on ~** en dépôt

consignor /'kən'saɪnə(r)/ *n* Comm expéditeur/-trice *m/f*

consist /kən'sɪst/ *vi* **to ~ of** se composer de; **to ~ in** résider dans; **to ~ in doing** consister à faire

consistency /kən'sɪstənsɪ/ *n* **1** (texture) consistance *f*; **2** (of view, policy) cohérence *f*; (of achievement) qualité *f* suivie

consistent /kən'sɪstənt/ *adj* **1** [*growth, level, quality*] régulier/-ière; [*kindness, help, criticism etc*] constant; [*performance, recording*] homogène; [*sportsman, playing*] régulier/-ière; **2** (repeated) [*attempts, demands etc*] répété; **3** (logical) [*argument, position*] cohérent; [*basis, method*] systématique; **4** **~ with** en accord avec [*account, belief, decision etc*]; **she had injuries ~ with a fall** elle avait des blessures correspondant à une chute

consistently /kən'sɪstəntlɪ/ *adv* (invariably) systématiquement, invariablement; (repeatedly) à maintes reprises

consistory /kən'sɪstərɪ, US -tɔːrɪ/ *n* consistoire *m*

consolation /,kɒnsə'leɪʃn/ *n* consolation *f* (**to** à); **~ prize** lit, fig prix *m* de consolation; **it's no ~ that the car is intact** ce n'est pas une consolation que la voiture soit intacte

consolatory /kən'sɒlətərɪ, US -tɔːrɪ/ *adj* consolant; **a ~ offer** une offre en guise de consolation

console
A /'kɒnsəʊl/ *n* **1** (controls) (all contexts) console *f*; **2** (cabinet) meuble *m* (hi-fi, vidéo etc); **3** (table) console *f* also Archit
B /kən'səʊl/ *vtr* consoler (**with** avec); **to ~ sb on** *ou* **for sth** consoler qn de qch
C /kən'səʊl/ *v refl* **to ~ oneself** se consoler

consolidate /kən'sɒlɪdeɪt/
A *vtr* **1** consolider [*knowledge, position*]; **2** US Sch regrouper [*schools*]; **3** Comm, Fin réunir [*resources*]; fusionner [*companies*]
B *vi* **1** (become stronger) s'affermir; **2** (unite) [*companies*] fusionner
C **consolidated** *pp adj* **1** Fin consolidé; **~d fund** fonds *m* d'amortissement de la dette publique; **2** Jur **~d laws** codification *f* des lois; **3** US Sch **~d school** *école régionale regroupant les élèves des alentours*

consolidation /kən,sɒlɪ'deɪʃn/ *n* **1** (of knowledge, position) consolidation *f*; **2** Fin, Comm (of companies) fusion *f*

consoling /kən'səʊlɪŋ/ *adj* consolant

consols /'kɒnsəlz/ *npl* GB Fin consolidés *mpl*

consommé /kən'sɒmeɪ/ *n* consommé *m*

consonance /'kɒnsənəns/ *n* **1** sout (agreement) accord *m*; **in ~ with** en accord avec; **2** Literat, Mus consonance *f*

consonant /'kɒnsənənt/
A *n* Ling consonne *f*
B *adj* sout **1** (in agreement) en accord (**with** avec); **2** Mus harmonieux/-ieuse

consonantal /,kɒnsə'næntl/ *adj* consonantique

consonant shift *n* Ling mutation *f* consonantique

consort
A /'kɒnsɔːt/ *n* **1** (queen's) époux *m*; **the prince ~** le prince consort; **2** †(spouse) époux/épouse *m/f*; **3** Mus petit ensemble *m*
B /kən'sɔːt/ *vi* sout **1** (socially) **to ~ with** fréquenter; **2** (be in keeping) **to ~ with** s'accorder avec

consortium /kən'sɔːtɪəm/ *n* (*pl* **-tiums** *ou* **-tia**) Fin consortium *m*

conspicuous /kən'spɪkjʊəs/ *adj* **1** (to the eye) [*feature, sign*] visible; [*garment*] voyant; **~ consumption** consommations *fpl* ostentatoires; **to be ~** se remarquer (**for** à cause de); **to make oneself ~** se faire remarquer; **to feel ~** avoir l'impression de détonner; **to be ~ by one's absence** iron briller par son absence; **in a ~ position** bien en évidence; **2** (unusual) [*success, gallantry*] remarquable; [*failure*] flagrant; **to be ~ for** être remarquable pour [*bravery, honesty, precision*]; **she was ~ for being** elle était remarquable par le fait qu'elle était; **a ~ lack of** iron un manque total de

conspicuously /kən'spɪkjʊəslɪ/ *adv* [*placed*] bien en évidence; [*dressed*] de façon voyante; [*silent, empty, nervous*] remarquablement; **to be ~ absent** iron briller par son absence

conspiracy /kən'spɪrəsɪ/ *n* conspiration *f* (**against** contre); **a ~ to do sth** une conspiration en vue de faire qch; **to enter into a ~** participer à *or* tremper dans une conspiration; **they are charged with ~ to murder** ils sont inculpés de complot pour meurtre; **a ~ of silence** une conspiration du silence

conspiracy theory *n* théorie *f* de la conspiration

conspirator /kən'spɪrətə(r)/ *n* conspirateur/-trice *m/f*

conspiratorial /kən,spɪrə'tɔːrɪəl/ *adj* [*glance, whisper, air*] entendu; [*meeting, discussion*] entre conspirateurs

conspire /kən'spaɪə(r)/ *vi* **1** (plot) conspirer (**against** contre; **with** avec); **to ~ to do** conspirer en vue de faire; **2** (combine) **to ~ to do** [*circumstances*] conspirer à faire

constable /'kʌnstəbl, US 'kɒn-/ ▸ **p. 1237** *n* GB Police (urban) agent *m* (de police); (rural) gendarme *m*

constabulary /kən'stæbjʊlərɪ, US -lerɪ/ *n* GB police *f*

constancy /'kɒnstənsɪ/ *n* (to person) constance *f* (**to** envers); (of will, belief) fermeté *f*

constant /'kɒnstənt/
A *n* **1** gen facteur *m* constant (**in** de); **2** Math, Phys constante *f*
B *adj* [*source, pressure, problem, protection, remind-*

C

er, temptation, fear, threat] permanent; [*care, growth, improvement, speed, temperature*] constant; [*demands, disputes, questions*] incessant; [*attempts, visits*] répété; [*companion*] éternel/-elle

constantly /'kɒnstəntlɪ/ *adv* constamment

constellation /ˌkɒnstə'leɪʃn/ *n* 1 Astron constellation *f*; 2 fig, littér (of celebrities) pléiade *f*

consternation /ˌkɒnstə'neɪʃn/ *n* consternation *f*; **in ~** frappé de consternation; **to my/his etc ~** à ma/sa etc grande consternation

constipate /'kɒnstɪpeɪt/ *vtr* constiper

constipated /'kɒnstɪpeɪtɪd/ *adj* constipé

constipation /ˌkɒnstɪ'peɪʃn/ ▸ **p. 1327** *n* constipation *f*; **to have ~** être constipé

constituency /kən'stɪtjʊənsɪ/ *n* 1 Pol (district) circonscription *f* électorale; (voters) électeurs *mpl*; **~ party** GB section *f* locale du parti; 2 US Pol (supporters) groupe *m* de supporters

constituent /kən'stɪtjʊənt/
A *n* 1 Pol électeur/-trice *m/f*; 2 gen (element) (of character) trait *m*; (of event, work of art) élément *m*; 3 Chem composant *m*; 4 Ling **~ analysis** analyse *f* en constituants
B *adj* [*element, part*] constitutif/-ive; Pol [*assembly, member, power*] constituant

constitute /'kɒnstɪtjuːt/ *vtr* 1 (represent) constituer [*threat, challenge, offence, revolution*]; 2 (make up) constituer [*percentage, figure*]; 3 (set up) créer [*committee, body*]; 4 (elect) nommer [*person*]

constitution /ˌkɒnstɪ'tjuːʃn, US -'tuːʃn/ *n* (all contexts) Constitution *f*; **a written ~** une Constitution écrite

> **Constitution**
>
> Texte fondateur de la démocratie américaine, la Constitution fut ratifiée en 1789 par les représentants des treize colonies. Elle instaura le système du partage des pouvoirs entre l'exécutif, le législatif et le judiciaire (*Checks and balances*). Son texte n'a jamais changé, mais a été complété d'amendements. ▸ **Checks and balances, Thirteen Colonies**

constitutional /ˌkɒnstɪ'tjuːʃənl, US -'tuː-/
A †*n* promenade *f*
B *adj* 1 Pol [*amendment, law, crisis, reform, right, monarchy*] constitutionnel/-elle; [*action*] conforme à la loi; 2 (innate) [*physical characteristic*] constitutionnel/-elle; [*tendency, inability*] inné

constitutionality /ˌkɒnstɪˌtjuːʃə'nælətɪ, US -tuː-/ *n* Jur constitutionnalité *f*

constitutionally /ˌkɒnstɪ'tjuːʃənəlɪ, US -'tuː-/ *adv* 1 Pol (legally) constitutionnellement; 2 gen (physically) physiquement; (psychologically) par nature

constitutive /'kɒnstɪtjuːtɪv, US -tuː-/ *adj* 1 Admin constituant; 2 Biol [*gene, mutation*] constitutif/-ive

constrain /kən'streɪn/ sout
A *vtr* 1 (compel) contraindre (**to do** à faire); **I am ~ed to ask you to do** je me vois dans l'obligation de vous demander de faire; 2 (limit) entraver [*research, development*]
B **constrained** *pp adj* [*smile*] contraint; [*silence, air*] gêné; [*atmosphere*] de gêne

constraint /kən'streɪnt/ *n* sout 1 (compulsion) contrainte *f*; **to put a ~ on** imposer une contrainte à; **under ~** sous la contrainte; **you are under no ~** vous n'êtes en rien obligé; 2 (uneasiness) contrainte *f*

constrict /kən'strɪkt/
A *vtr* 1 comprimer [*flow, blood vessel*]; gêner [*breathing, movement*]; 2 fig être une entrave pour [*person*]
B **constricted** *pp adj* [*voice*] étranglé; [*breathing*] gêné; [*space*] restreint; [*life*] étriqué

constricting /kən'strɪktɪŋ/ *adj* [*garment*] serré; [*attitude*] restrictif/-ive; [*job, lifestyle*] contraignant

constriction /kən'strɪkʃn/ *n* 1 (constraint) (of job, lifestyle etc) contrainte *f*; **a feeling of ~** un sentiment d'étouffement; 2 (of chest, throat) resserrement *m*; (of blood vessel) constriction *f*; 3 (by snake) étranglement *m*

construct
A /'kɒnstrʌkt/ *n* 1 sout, gen construction *f*; 2 Psych concept *m*
B /kən'strʌkt/ *vtr* construire (**of** avec; **in** en)

construction /kən'strʌkʃn/
A *n* 1 (composition) construction *f*; **under ~** en construction; **of simple ~** construit de façon simple; 2 ₵ (*also* **~ industry**) bâtiment *m*; **to work in ~** *ou* **in the ~ industry** travailler dans le bâtiment; 3 C (structure) construction *f*; 4 (interpretation) **to put a ~ on sth** donner une interprétation de qch; 5 Ling construction *f*
B *modif* [*work, equipment, toy*] de construction

constructional /kən'strʌkʃənl/ *adj* [*fault*] de construction

construction: **~ engineer** ▸ **p. 1683** *n* ingénieur *m* en génie civil; **~ paper** *n* papier *m* canson®; **~ site** *n* chantier *m*; **~ worker** ▸ **p. 1683** *n* ouvrier/-ière *m/f* du bâtiment

constructive /kən'strʌktɪv/ *n* 1 gen constructif/-ive; 2 Ind, Jur Admin **~ dismissal** fausse démission *f*, licenciement *m* implicite

constructively /kən'strʌktɪvlɪ/ *adv* [*criticize, act*] de manière constructive

constructor /kən'strʌktə(r)/ ▸ **p. 1683** *n* constructeur/-trice *m/f*

construe /kən'struː/ *vtr* 1 (interpret) interpréter [*remark, reaction, phrase*] (**as sth** comme qch); **wrongly ~d** mal interprété; 2 ‡Sch faire une analyse grammaticale de [*sentence*]

consul /'kɒnsl/ *n* Antiq, Pol consul *m*; **~ general** consul général; **the French ~** le consul de France

consular /'kɒnsjʊlə(r), US -səl-/ *adj* consulaire

consulate /'kɒnsjʊlət, US -səl-/ *n* consulat *m*

consulship /'kɒnslʃɪp/ *n* consulat *m*

consult /kən'sʌlt/
A *vtr* 1 (refer to) consulter [*expert, document, dictionary*] (**about** sur); 2 (take account of) consulter [*person*]; **to ~ sb's interests** sout prendre en considération les intérêts de qn
B *vi* (*also* **~ together**) s'entretenir (**about** sur); **to ~ with sb** s'entretenir avec qn
C **consulting** *pres p adj* [*fees, service, work*] de conseil

consultancy /kən'sʌltənsɪ/
A *n* 1 Admin (*also* **~ firm**) cabinet-conseil *m*; 2 ₵ Admin (advice) conseils *mpl*; **to work in ~** travailler comme consultant; 3 GB Med (job) poste *m* de spécialiste (*dans un hôpital*)
B *modif* [*fees, service, work*] de conseil

consultant /kən'sʌltənt/ ▸ **p. 1683**
A *n* 1 gen, Admin (expert) consultant/-e *m/f*, conseiller/-ère *m/f* (**on, in** en; **to** de); **careers ~** conseiller/-ère *m/f* d'orientation professionnelle; **beauty ~** esthéticienne-conseil *f*; **legal ~** avocat-conseil/avocate-conseil *m/f*; 2 GB Med spécialiste *mf* (*attaché à un hôpital*)
B *modif* GB Med **~ obstetrician/psychiatrist** chef *m* du service d'obstétrique/de psychiatrie

consultation /ˌkɒnsl'teɪʃn/ *n* 1 (meeting) (for advice) consultation *f* (**about** sur); (for discussion) entretien *m* (**about** sur); **to have a ~** *ou* **~s with sb** (for advice) conférer avec qn; (for discussion) s'entretenir avec qn; 2 ₵ (process) consultation *f* (**of** de); **after ~ with sb** après avoir consulté qn

consultative /kən'sʌltətɪv/ *adj* [*role, committee*] consultatif/-ive; **in a ~ capacity** à titre consultatif

consult: **~ing engineer** ▸ **p. 1683** *n* ingénieur-conseil *m*; **~ing hours** *npl* Med heures *fpl* de consultation; **~ing room** *n* Med cabinet *m*

consumables /kən'sjuːməblz, US -'suːm-/ *npl* Comm consommables *mpl*

consume /kən'sjuːm, US -'suːm-/ *vtr* 1 manger [*food*]; boire [*drink*]; [*animal*] dévorer [*prey*]; 2 (use up) consommer [*fuel, food, drink*]; absorber [*time*]; **this testing ~s a major share of the resources** une majeure partie des ressources est consacrée à ces tests; 3 (destroy) [*flames*] consumer [*building etc*]; [*illness*] ronger [*person*]; 4 (overwhelm) **to be ~d by** *ou* **with** être dévoré par [*envy*]; brûler de [*desire*]; être rongé par [*guilt*]

consumer /kən'sjuːmə(r), US -'suːm-/ *n* gen consommateur/-trice *m/f*; (of electricity, gas, etc) abonné/-e *m/f*

consumer: **~ advice** *n* conseils *mpl* au consommateurs; **~ advice centre** *n* GB bureau *m* de défense du consommateur; **~ confidence** *n* Comm confiance *f* du consommateur; **~ credit** *n* crédit *m* à la consommation; **~ demand** *n* demande *f* des consommateurs; **~ durables** *npl* biens *mpl* durables; **~ electronics** *npl* électronique *f* grand public; **~ goods** *npl* biens *mpl* de consommation; **~ group** *n* association *f* de consommateurs

consumerism /kən'sjuːmərɪzəm, US -'suːm-/ *n* consumérisme *m*; **the excesses of ~** les excès de la société de consommation

consumerist /kən'sjuːmərɪst, US -'suːm-/ péj *adj* [*society, culture*] de consommation

consumer: **Consumer Price Index, CPI** *n* indice *m* des prix à la consommation; **~ products** *npl* produits *mpl* de consommation; **~ protection** *n* défense *f* du consommateur; **~ research** *n* étude *f* de consommation, études *fpl* de marché; **~ society** *n* société *f* de consommation; **~ spending** *n* dépenses *fpl* des ménages; **~ survey** *n* Comm enquête *f* auprès des consommateurs

consuming /kən'sjuːmɪŋ, US -suːm-/ *adj* [*passion*] dévorant; [*urge, desire*] brûlant; [*hatred*] insatiable

consummate
A /kən'sʌmət/ *adj* sout parfait
B /'kɒnsəmeɪt/ *vtr* sout consommer fml [*marriage*]

consummation /ˌkɒnsə'meɪʃn/ *n* sout (of marriage) consommation *f* fml; (of efforts) aboutissement *m*; (of desire) accomplissement *m*

consumption /kən'sʌmpʃn/ ▸ **p. 1327** *n* 1 (of food, alcohol, fuel, goods) consommation *f*; **electricity ~, ~ of electricity** la consommation d'électricité; **unfit for human ~** impropre à la consommation; 2 ‡Med (tuberculosis) tuberculose *f* (pulmonaire), consomption† *f*

consumptive‡ /kən'sʌmptɪv/ *n, adj* tuberculeux/-euse (*m/f*)

cont. *abrév écrite* = **continued**

contact
A /'kɒntækt/ *n* 1 (touch) lit *or* fig contact *m* (**between** entre; **with** avec); **direct ~** contact direct; **to be in/come in(to)/make ~** être en/entrer en/se mettre en contact; **to get in(to) ~** prendre contact; **to maintain/lose ~** garder/perdre contact; **to explode on ~** exploser au contact (**with** de); **to be in constant ~** être en rapports constants; **diplomatic/sporting/secret ~s** relations *fpl* diplomatiques/sportives/secrètes; 2 (by radar, radio) contact *m*; **to make/lose ~** établir/perdre contact; **to be in ~** être en contact; 3 (acquaintance) gen connaissance *f*; (professional) contact *m*; (for drugs, spy) contact *m*; 4 Elec contact *m*; 5 = **contact lens**; 6 Phot = **contact print**; 7 Med *personne ayant approché un malade contagieux*; **sexual ~** partenaire *mf* sexuel/-elle
B /kən'tækt, 'kɒntækt/ *vtr* contacter, se mettre en rapport avec (**by** par); **he could not be ~ed** on n'a pas pu le contacter *or* se mettre en rapport avec lui

contactable /kən'tæktəbl, 'kɒn-/ *adj* **she is not ~ by phone/at the moment** on ne peut pas la joindre par téléphone/en ce moment

contact: **~ adhesive** *n* adhésif *m* de contact; **~ breaker** *n* disjoncteur *m*; **~ lens** *n* lentille *f or* verre *m* de contact; **~ print** *n* épreuve *f* par contact, planche *f* contact *inv*; **~ sport** *n* sport *m* de contact

contagion /kən'teɪdʒən/ *n* lit, fig contagion *f*

contagious /kən'teɪdʒəs/ *adj* Med, fig contagieux/-ieuse

contain /kən'teɪn/
A *vtr* 1▸ (hold) contenir [*amount, ingredients*]; contenir, comporter [*information, mistakes*]; 2▸ (curb) maîtriser [*blaze*]; enrayer [*epidemic*]; limiter [*costs, problem*]; canaliser [*strike, terrorism*]; 3▸ (within boundary) endiguer [*river*]; retenir [*flood*]; 4▸ (control) contenir [*grief, joy etc*]; 5▸ Mil contenir [*enemy, offensive*]; 6▸ Math être un multiple de
B *v refl* **to ~ oneself** se contenir

container /kən'teɪnə(r)/ *n* 1▸ gen (for food, liquids) récipient *m*; (for plants) bac *m*; (skip, for waste) conteneur *m*; **plastic/glass ~** récipient *m* en plastique/en verre; **water ~** récipient *m* à eau; 2▸ Transp conteneur *m*

container depot *n* entrepôt *m* de conteneurs

containerization /kən,teɪnəraɪ'zeɪʃn/ *n* (loading into containers) mise *f* en conteneur; (method of transport) conteneurisation *f*

containerize /kən'teɪnəraɪz/ *vtr* conteneuriser

container: **~ lorry** *n* = **container truck**; **~ port** *n* terminal *m* à conteneurs; **~ ship** *n* porte-conteneurs *m inv*; **~ terminal** *n* terminal *m* à conteneurs; **~ transport** *n* transport *m* par conteneurs; **~ truck** *n* porte-conteneur *m*

containment /kən'teɪnmənt/ *n* US Pol Hist *politique de limitation de l'expansion du communisme*

contaminate /kən'tæmɪneɪt/
A *vtr* contaminer
B **contaminated** *pp adj* contaminé

contamination /kən,tæmɪ'neɪʃn/ *n* gen, Ling contamination *f*

contd *abrév écrite* = **continued**

contemplate /'kɒntəmpleɪt/
A *vtr* 1▸ (consider deeply) réfléchir sur, contempler [*situation*]; **to ~ the day's events** réfléchir sur les événements de la journée; 2▸ (envisage) envisager [*option, prospect*]; **to ~ doing** envisager de faire; **it's too awful to ~** je préfère ne pas y penser; 3▸ (look at) contempler [*picture, scene*]
B *vi* méditer

contemplation /,kɒntem'pleɪʃn/ *n* 1▸ (deep thought) contemplation *f*; **to be deep** *ou* **lost in ~** être plongé dans ses pensées; 2▸ (looking) contemplation *f* (**of** de); 3▸ (expectation) **in ~ of the imminent disaster** en prévision du désastre imminent

contemplative /kən'templətɪv, 'kɒntempleɪtɪv/
A *n* contemplatif/-ive *m/f*
B *adj* [*person, mood*] songeur/-euse; Relig [*life, vocation, order*] contemplatif/-ive

contemporaneity /kən,tempərə'ni:ətɪ/ *n* sout contemporanéité *f*

contemporaneous /kən,tempə'reɪnɪəs/ *adj* contemporain (**with** de)

contemporaneously /kən,tempə'reɪnɪəslɪ/ *adv* en même temps (**with** que)

contemporary /kən'temprərɪ, US -pərerɪ/
A *n* contemporain/-e *m/f*; **he was a ~ of mine at university** nous étions à l'université à la même époque; **our contemporaries** les gens de notre âge
B *adj* 1▸ (present-day) [*history, music, artist*] contemporain; (up-to-date) moderne; 2▸ (of same period) [*witness, style, documents*] de l'époque; [*account*] de la même époque; **to be ~ with** [*event*] coïncider avec

contempt /kən'tempt/ *n* mépris *m*; **to feel ~ for sb** éprouver du mépris pour qn; **his ~ for truth** son mépris de la vérité; **to hold sb/sth in ~** mépriser qn/qch, avoir du mépris pour qn/qch; **to be beneath ~** être en-dessous de tout

contemptible /kən'temptəbl/ *adj* [*cowardice, person*] méprisable; **it was a really ~ thing to do** c'était en-dessous de tout que de faire cela

contempt: **~ of congress** *n* US Pol outrage *m* au Congrès; **~ of court** *n* Jur outrage *m* à magistrat

contemptuous /kən'temptjʊəs/ *adj* méprisant; **to be ~ of sth/sb** mépriser qch/qn

contemptuously /kən'temptjʊəslɪ/ *adv* [*smile, say, treat*] avec mépris; [*behave*] de façon méprisante

contend /kən'tend/
A *vtr* soutenir (**that** que); **'to succeed,' she ~ed, 'we must...'** 'pour réussir,' affirma-t-elle, 'nous devons...'
B *vi* 1▸ **to ~ with** affronter; **he's got a lot/enough to ~ with** il a beaucoup/assez de problèmes; 2▸ (compete) **she was ~ing with him for first place** elle lui disputait la première place; **two teams are ~ing for the cup** deux équipes se disputent la coupe

contender /kən'tendə(r)/ *n* 1▸ Sport concurrent/-e *m/f*; **the top ~** le favori/la favorite *m/f*; **the main ~s** les principaux concurrents; **she's a ~ for first place** elle est bien placée pour gagner; **there are three ~s for first place** trois personnes se disputent la première place; 2▸ (for job, political post) candidat/-e *m/f* (**for** à); **is he a serious ~?** est-ce que c'est un candidat sérieux?

content
A *n* 1▸ /'kɒntent/ (relative quantity) teneur *f*; **the fat/vitamin ~** la teneur en matières grasses/en vitamines; **low/high lead ~** (in soil, metal etc) faible/forte teneur en plomb; **to have a low/high fat ~** être pauvre/riche en matières grasses; 2▸ /'kɒntent/ (meaning) (of essay, article) fond *m*, matière *f*; **form and ~** Literat le fond et la forme; 3▸ /kən'tent/ (happiness) contentement *m*
B **contents** /'kɒntents/ *npl* 1▸ (of jar, bag) contenu *m*; (of house, for insurance) biens *mpl* mobiliers; **he emptied the drawer of its ~s** il a vidé le tiroir de tout ce qu'il contenait; 2▸ (of book, file) **list** *ou* **table of ~s** table *f* des matières; **what were the ~s of the letter?** que contenait cette lettre?
C /kən'tent/ *adj* satisfait (**with** de); **to be ~ to do** se contenter de faire; **not ~ with doing** non content de faire; **she's ~ with her life** sa vie lui convient; **he's ~ with what he has** il se contente de ce qu'il a; **I'm quite ~ here** je suis bien ici
D /kən'tent/ *vtr* (please) contenter; **to be easily ~ed** se contenter de peu
E /kən'tent/ *v refl* **to ~ oneself with sth/with doing** se contenter de qch/de faire
(Idiom) **to do sth to one's heart's ~** faire qch autant que l'on veut

contented /kən'tentɪd/ *adj* [*person*] content (**with** de); [*feeling*] de bien-être; **he gave a ~ sigh** il a poussé un soupir de bien-être; **he's a ~ child** c'est un enfant heureux

contentedly /kən'tentɪdlɪ/ *adv* [*sigh, smile*] de bien-être; [*read*] d'un air content

contention /kən'tenʃn/ *n* sout 1▸ (opinion) assertion *f*; **it is my ~ that** je soutiens que; 2▸ (dispute) dispute *f*, différend *m* (**about** au sujet de); **matter** *ou* **point of ~** sujet *m* de dispute; 3▸ gen, Sport (competition) compétition *f*; **to be in ~** être en compétition

contentious /kən'tenʃəs/ *adj* 1▸ [*issue, subject*] controversé; **to hold ~ views on sth** avoir des vues discutables sur qch; 2▸ [*person, group*] sout discuteur/-euse

contentment /kən'tentmənt/ *n* contentement *m*; **with ~** [*sigh, smile*] de bien-être; **there was a look of ~ on his face** il avait l'air satisfait

conterminous /kɒn'tɜ:mɪnəs/ *adj* sout [*country, state*] limitrophe (**with** de); [*boundaries*] qui coïncident

contest
A /'kɒntest/ *n* 1▸ (competition) concours *m*; **fishing ~** concours *m* de pêche; **sports ~** rencontre *f* sportive; **to enter/hold a ~** prendre part à/organiser un concours; **it's no ~** c'est couru○ d'avance; 2▸ (struggle) lutte *f* (**with** avec; **between** entre); 3▸ (in election) **the presidential ~** la course à la présidence
B /kən'test/ *vtr* 1▸ (object to) contester [*decision, point, result*]; Jur contester [*will*]; Jur attaquer [*decision*]; 2▸ (compete for) Sport disputer [*match*]; **a strongly ~ed seat** Pol un siège âprement disputé; **to ~ an election** Pol se présenter à une élection

contestant /kən'testənt/ *n* (in competition, game) concurrent/-e *m/f*; (in fight) adversaire *mf*; (for job, in election) candidat/-e *m/f*

contestation /,kɒntes'teɪʃn/ *n* sout contestation *f*

context /'kɒntekst/ *n* gen, Ling contexte *m*; **in ~** [*study, understand*] dans son contexte; **out of ~** [*quote, examine*] hors contexte; **to put sth into ~** replacer qch dans son contexte

context-sensitive help *n* aide *f* contextuelle

contextual /kən'tekstʃʊəl/ *adj* contextuel/-elle

contextualize /kən'tekstʃʊəlaɪz/ *vtr* contextualiser

contiguous /kən'tɪgjʊəs/ *adj* sout contigu/-uë (**to, with** à)

continence /'kɒntɪnəns/ *n* sout continence *f* fml

continent /'kɒntɪnənt/
A *n* (land mass) continent *m*; **the Continent** GB l'Europe *f* continentale; **on the Continent** GB en Europe continentale
B *adj* 1▸ Med ne souffrant pas d'incontinence; 2▸ (sexually) sout continent fml

continental /,kɒntɪ'nentl/
A *n* Européen/-éenne *m/f* du continent
B *modif* 1▸ Geog [*vegetation, climate*] continental; 2▸ GB [*universities, philosophy*] d'Europe continentale; **~ car** voiture *f* fabriquée en Europe continentale; **~ holiday** vacances *fpl* en Europe continentale
(Idiom) **it's not worth a ~**○ US ça ne vaut pas un sou

continental: **~ breakfast** *n* petit déjeuner *m* (*avec café, pain, beurre et confiture*); **Continental Divide** *n* US ligne *f* de partage des eaux (dans les montagnes Rocheuses); **~ drift** *n* dérive *f* des continents; **Continental Europe** *pr n* Europe *f* continentale; **~ quilt** GB *n* couette *f*; **~ shelf** *n* plateau *m* continental

contingency /kən'tɪndʒənsɪ/ *n* 1▸ gen imprévu *m*; **to provide for** *ou* **be prepared for contingencies** parer d'avance aux imprévus; **to cover the same contingencies** Insur couvrir les mêmes risques; 2▸ Philos contingence *f*

contingency: **~ fund** *n* fonds *m* de secours; **~ plan** *n* plan *m* de réserve; **~ planning** *n* établissement *m* de plans de réserve; **~ reserve** *n* Fin réserves *fpl* de secours

contingent /kən'tɪndʒənt/
A *n* gen, Mil, Philos contingent *m*
B *adj* 1▸ (fortuitous) contingent; 2▸ sout **to be ~ on** *ou* **upon** dépendre de

continual /kən'tɪnjʊəl/ *adj* continuel/-elle

continually /kən'tɪnjʊəlɪ/ *adv* continuellement

continuance /kən'tɪnjʊəns/ *n* 1▸ (of war, regime) continuation *f*; 2▸ (of species) continuité *f*; 3▸ US Jur ajournement *m*

continuant /kən'tɪnjʊənt/ *adj* continu

continuation /kən,tɪnjʊ'eɪʃn/ *n* 1▸ (of situation, process) continuation *f*; 2▸ (resumption) continuation *f*, reprise *f*; 3▸ (in book) suite *f*; (of contract) prolongation *f*; (of route) prolongement *m*; 4▸ GB Fin report *m*

C

continue /kən'tɪnju:/
A *vtr* **1** continuer, poursuivre [*career, studies, enquiry, TV series*]; **2** (resume) continuer; **'to be ~d'** (in film) 'à suivre'; **'~d overleaf'** 'suite page suivante'; **'if I may ~'** iron 'si vous me permettez de continuer'; **'what's more,' she ~d** 'de plus,' reprit-elle; **3** continuer, poursuivre [*journey*]; **4** (preserve) maintenir [*tradition, culture, measures, standards*]
B *vi* **1** [*noise, weather, debate, strike, film*] se poursuivre; **the trial ~s** le procès se poursuit; **repair work is continuing on** les travaux se poursuivent sur; **2** (keep on) continuer (**doing, to do** à *or* de faire); **it ~d raining** *ou* **to rain** il a continué à *or* de pleuvoir; **3** [*person, route*] continuer; **he ~d across/down the street** il a continué de traverser/descendre la rue; **4** (in career, role) rester (**in** dans); **she will ~ as minister** elle restera ministre; **5** (in speech) poursuivre; **he ~d by citing** (in debate) il a poursuivi en citant; **6** **to ~ with** continuer, poursuivre [*task, duties, treatment*]; **to ~ with the ironing** continuer de repasser
C **continuing** *pres p adj* [*advance, trend, effort, debate*] continuel/-elle; **on a continuing basis** de façon permanente

continuity /ˌkɒntɪ'nju:ɪtɪ/ *n* **1** continuité *f*; **to provide ~ of services** assurer la continuité des services; **2** Cin, TV (flow) continuité *f*; **3** Cin (continuous projection) projection *f* permanente

continuity: **~ announcer** ▸ p. 1683 *n* speaker/speakerine *m/f*; **~ girl** ▸ p. 1683 *n* scripte *f*; **~ man** ▸ p. 1683 *n* scripte *m*

continuo /kən'tɪnjʊəʊ/ *n* (*pl* **-os**) Mus continuo *m*

continuous /kən'tɪnjʊəs/ *adj* **1** [*growth, flow, decline*] continu; [*love, care*] constant; [*line, surface*] ininterrompu; [*noise*] continu; **~ assessment** GB Sch, Univ contrôle *m* continu; **~ performance** Cin cinéma *m* permanent; **2** Ling [*tense*] progressif/-ive; **it's in the present ~** c'est à la forme progressive du présent; **3** Biol [*gene*] continu

continuously /kən'tɪnjʊəslɪ/ *adv* **1** (without a break) [*sing, talk*] sans interruption; [*breathe*] de façon continue; **2** (repeatedly) continuellement

continuum /kən'tɪnjʊəm/ *n* (*pl* **-nuums** *ou* **-nua**) continuum *m*; **time-space ~** continuum espace-temps

contort /kən'tɔ:t/
A *vtr* **1** tordre [*limbs*]; **to ~ one's body** se contortionner; **his features were ~ed with rage** son visage était déformé par la colère; **2** (distort) déformer [*message, truth*]
B *vi* [*face, features, mouth*] se crisper

contortion /kən'tɔ:ʃn/ *n* contorsion *f*

contortionist /kən'tɔ:ʃənɪst/ *n* contorsionniste *m*

contour /'kɒntʊə(r)/ *n* **1** (outline) contour *m*; **2** Geog = **contour line**

contour: **~ line** *n* courbe *f* hypsométrique *or* de niveau; **~ map** *n* carte *f* hypsométrique

contra /'kɒntrə/
A *n* (soldier) Contra *m*
B *modif* **~ rebels** Contras *mpl*; **the ~ army** la Contra

contraband /'kɒntrəbænd/
A *n* contrebande *f*
B *modif* [*perfume, petrol*] de contrebande

contrabass /ˌkɒntrə'beɪs/ ▸ p. 1462 *n* Mus contrebasse *f*

contrabassoon /ˌkɒntrəbə'su:n/ ▸ p. 1462 *n* Mus contrebasson *m*

contraception /ˌkɒntrə'sepʃn/ *n* contraception *f*; **to practise ~** employer un moyen de contraception

contraceptive /ˌkɒntrə'septɪv/
A *n* contraceptif *m*
B *adj* [*method*] contraceptif/-ive; **~ device** contraceptif *m*

contract
A /'kɒntrækt/ *n* **1** Admin, Jur (agreement) contrat *m* (**for** pour; **with** avec); **employment ~**, **~ of employment** contrat *m* de travail; **a two-year ~** un contrat de deux ans; **to enter into a ~ with** passer un contrat avec; **to be on a ~** être sous contrat; **to be under ~ with** être sous contrat avec; **to be under ~ to** travailler sous contrat avec; **to be out of ~** être libre de tout contrat; **2** Comm (tender) contrat *m*; **to win/lose a ~** remporter/perdre un contrat; **to award a ~ to** octroyer un contrat à; **to place a ~ for sth with** octroyer un contrat pour qch à; **a ~ to maintain** *ou* **for the maintenance of** un contrat d'entretien de; **to do work under ~** faire un travail par *or* sur contrat; **to put work out to ~** donner un travail en sous-traitance; **3** ◑(for assassination) **to put out a ~ on** payer un tueur à gages pour abattre [*person*]; **there's a ~ out on him** un tueur a été engagé pour l'abattre; **4** Games (in bridge) contrat *m*
B /'kɒntrækt/ *modif* [*labour, worker*] contractuel/-elle; **the work is done on a ~ basis** le travail est effectué en sous-traitance
C /kən'trækt/ *vtr* **1** Med (develop) contracter [*virus, disease*] (**from** par le contact avec); **2** Jur (arrange) contracter [*marriage, alliance, debt, duty, loan*]; **3** Comm, Jur **to be ~ed to do** être tenu par contrat de faire; **4** (tighten) contracter [*muscles*]
D /kən'trækt/ *vi* **1** Comm, Jur (undertake) **to ~ to do** s'engager par contrat à faire; **to ~ with sb to do** passer un contrat avec qn pour faire; **2** (shrink) [*wood, metal*] se contracter; [*power, influence, support, funds, market*] diminuer; **3** Med, Physiol se contracter

(Phrasal verbs) ■ **contract into** GB: ▸ **~ into [sth]** souscrire à [*group, scheme*]
■ **contract out** GB: ▸ **~ out** Fin, Jur renoncer par contrat; **to ~ out of** se retirer de [*scheme*]; ▸ **~ out [sth]**, **~ [sth] out** donner [qch] en sous-traitance [*building maintenance, work*] (**to** à)

contract: **~ agreement** *n* contrat *m*; **~ bridge** ▸ p. 1253 *n* Games bridge *m* contrat; **~ cleaners** *npl* entreprise *f* de nettoyage

contractile /kən'træktaɪl, US -tl/ *adj* contractile

contraction /kən'trækʃn/ *n* **1** (shrinkage) (of metal, wood) contraction *f*; (of industry, market, sector) réduction *f*; **2** Med, Physiol (muscular) contraction *f*; **the ~s have started** les contractions ont commencé; **3** Ling contraction *f*

contract killer *n* tueur/-euse *m/f* à gages

contract killing *n* meurtre *m* commandité

contractor /kən'træktə(r)/ ▸ p. 1683 *n* **1** (business) (from private sector) entrepreneur/-euse *m/f*; **defence ~** fournisseur *m* de l'armée; **2** (worker) contractuel/-elle *m/f*; **3** Jur (party) partie *f* contractante; **4** Games (in bridge) demandeur/-euse *m/f*

contractual /kən'træktʃʊəl/ *adj* contractuel/-elle

contractually /kən'træktʃʊəlɪ/ *adv* contractuellement; **to be ~ bound to do** être obligé par contrat de faire

contract: **~ work** *n* prestation *f* de service; **~ worker** *n* contractuel/-elle *m/f*

contradict /ˌkɒntrə'dɪkt/
A *vtr* contredire [*statement, person*]; **all the reports ~ each other** tous les rapports se contredisent
B *vi* contredire; **don't ~!** ne me contredis pas!

contradiction /ˌkɒntrə'dɪkʃn/ *n* contradiction *f* (**between** entre); **to be in ~ with** être en contradiction avec; **it's a ~ in terms!** c'est une contradiction criante!

contradictory /ˌkɒntrə'dɪktərɪ/ *adj* [*statement, ideas, wishes*] (intrinsically) contradictoire; [*idea, wishes*] (to something else) opposé (**to** à)

contradistinction /ˌkɒntrədɪ'stɪŋkʃn/ *n* sout distinction *f*; **in ~ to** en contraste avec

contraflow /'kɒntrəfləʊ/ GB
A *n* circulation *f* à sens alterné; **~** (on sign) circulation alternée
B *modif* [*lane, traffic*] à sens alterné; **~ system** système *m* de circulation à sens alterné

contraindicated /ˌkɒntrə'ɪndɪkeɪtɪd/ *adj* contre-indiqué

contraindication /ˌkɒntrəɪndɪ'keɪʃn/ *n* contre-indication *f* (**against** à)

contralto /kən'træltəʊ/ ▸ p. 1868
A *n* (*pl* **-tos** *ou* **-ti**) **1** (voice) contralto *m*; **2** (singer) contralto *mf*
B *adj* [*voice*] de contralto; [*solo*] pour contralto

contraption○ /kən'træpʃn/ *n* péj *ou* hum (machine) engin○ *m*; (device) machin○ *m*

contrapuntal /ˌkɒntrə'pʌntl/ *adj* [*style, piece*] en contrepoint

contrarily /'kɒntreərɪlɪ/ *adv* [*behave, act, say*] par esprit de contradiction

contrariness /'kɒntreərɪnɪs/ *n* esprit *m* de contrariété; **out of sheer ~** par pur esprit de contrariété

contrariwise /'kɒntrərɪwaɪz, US -trerɪ/ *adv* **1** (conversely) inversement; **2** (in the opposite direction) en sens inverse

contrary /'kɒntrərɪ, US -trerɪ/
A *n* contraire *m*; **the ~ is the case** c'est le contraire qui est vrai; **quite the ~** bien au contraire; **on the ~** (bien) au contraire; **despite views/claims to the ~** contrairement à ce que certains pensent/disent; **unless there is evidence to the ~** à moins qu'il n'y ait une preuve du contraire; **no-one said anything to the ~** personne n'a dit le contraire; **unless you hear anything to the ~** sauf contrordre
B *adj* **1** [*idea, view*] contraire; **to be ~ to** [*activity, proposal, opinion, measure*] être contraire à; **2** [*direction, movement*] contraire (**to** à); **3** /kən'treərɪ/ [*person*] contrariant
C **contrary to** *prep phr* contrairement à; **~ to popular belief/to rumours** (in spite of) contrairement à ce que l'on peut croire/à la rumeur; **~ to expectations** contre toute attente

contrast
A /'kɒntrɑ:st, US -træst/ *n* **1** (difference) contraste *m* (**between** entre; **with** avec); **in ~ to sth, by ~ with sth** par contraste avec qch; **in ~ to sb** à la différence de qn; **to be a ~ to** *ou* **with** présenter un contraste avec [*thing, event*]; **by** *ou* **in ~** par contre; **2** (opposition) contraste *m* (**between** entre; **with sth** avec qch); **in ~ to** par opposition à; **3** Phot, TV contraste *m*
B /kən'trɑ:st, US -'træst/ *vtr* **to ~ X with Y** faire ressortir le contraste (qui existe) entre X et Y
C *vi* contraster (**with** avec)
D **contrasting** *adj* [*examples*] opposé; [*colour, material*] contrasté; [*view, landscape*] riche en contrastes; [*views, opinions*] très différents

contrastive /kən'trɑ:stɪv, US -'træst-/ *adj* contrastif/-ive

contravene /ˌkɒntrə'vi:n/ *vtr* sout **1** enfreindre [*law, ban*]; **to ~ article 15** enfreindre les termes de l'article 15; **2** contredire [*theory, argument*]

contravention /ˌkɒntrə'venʃn/ *n* sout infraction *f* (**of** à); **in ~ of** en violation de [*rule, law*]

contribute /kən'trɪbju:t/
A *vtr* **1** Insur, Tax verser [*sum, bonus, percentage of salary*] (**to** à); financer [*costs, expenses*]; **2** (to gift, charity) donner (**to** à; **towards** pour); **3** Comm, Fin contribuer; **to ~ £5m** contribuer pour 5 millions de livres; **4** (to project, undertaking) apporter [*ideas, experience*] (**to** à); **he ~s nothing to discussions** il n'apporte rien aux discussions; **they have much to ~** ils peuvent beaucoup apporter; **5** Journ, Radio écrire [*article, column*] (**to** pour)
B *vi* **1** (be a factor in) **to ~ to** *ou* **towards** contribuer à [*change, awareness, productivity, decline, well-being*]; **2** (to community life, company expansion, research) participer (**to** à); **an opportunity to ~** une occasion pour participer; **3** Insur, Tax **to**

~ to participer financièrement à [*maintenance of facilities, services*]; cotiser à [*pension fund, insurance scheme*]; **4** (to charity, gift) donner (de l'argent) (**to** à); (to campaign, orchestra) participer financièrement (**to** à); **would you like to ~?** (for gift) voulez-vous participer?; **5** Journ, Radio collaborer (**to** à)

contribution /ˌkɒntrɪˈbjuːʃn/ *n* **1** (to tax, pension) contribution *f* (**towards** à); Insur cotisation *f* (**towards, to** auprès de); **we'd like you to make some ~** (payment) nous aimerions que vous participiez financièrement; **2** (to charity, campaign) don *m*; **to make a ~** faire un don (**to** à); **'all ~s gratefully received'** 'merci d'avance pour vos dons'; **3** (role played) **sb's ~ to** le rôle que qn a joué dans [*success, undertaking, decline, expansion*]; ce que qn a apporté à [*science, sport, art form*]; **you have a ~ to make** vous avez un rôle à jouer; **his outstanding ~ to politics** sa participation marquante à la vie politique; **a pathetic ~** (by team, performer) une prestation lamentable; **4** Comm (to profits, costs) contribution *f*; **5** Radio, TV participation *f*; Journ article *m*; **with ~s from** avec la collaboration de

contributor /kənˈtrɪbjʊtə(r)/ *n* **1** (to charity) donateur/-trice *m/f*; **2** (in discussion) participant/-e *m/f*; **3** (to magazine, book) collaborateur/-trice *m/f*; **4** (cause) facteur *m* (**to** de)

contributory /kənˈtrɪbjʊtərɪ, US -tɔːrɪ/ *adj* **1** **to be ~ to** [*success, failure*] contribuer à; **to be a ~ cause** être partiellement responsable (**of** de); **~ negligence** Jur *faute de la victime entraînant un partage de la responsabilité*; **a ~ factor in** un facteur de; **2** **~ pension scheme** GB *ou* **plan** US plan *m* de retraite (*fondé sur la participation des employés*)

con trick *n* escroquerie *f*, duperie *f*

contrite /ˈkɒntraɪt/ *adj* sout [*person, expression*] contrit

contritely /kənˈtraɪtlɪ/ *adv* d'un air contrit

contrition /kənˈtrɪʃn/ *n* sout **1** (remorse) remords *m*; **2** Relig contrition *f*

contrivance /kənˈtraɪvəns/ *n* sout **1** (contraption) engin *m*; **2** (ploy) stratagème *m*; **3** (ingenuity) ingéniosité *f*

contrive /kənˈtraɪv/ *vtr* **1** (arrange) organiser [*meeting, event*]; **to ~ to do sth** sout parvenir à faire qch; hum trouver moyen de faire qch hum; **2** (invent) fabriquer (avec ingéniosité) [*machine, device*]; inventer [*play, plot*]; créer [*costume, dress*]

contrived /kənˈtraɪvd/ *adj* pej **1** [*incident, meeting*] manigancé; **2** (forced) [*plot, ending*] tiré par les cheveux; **3** (artificial) [*style, effect, behaviour*] étudié

control /kənˈtrəʊl/

A *n* **1** ȼ (domination) (of animals, children, crowd, country, organization, party, situation) contrôle *m* (**of** de); (of investigation, operation, project) direction *f* (**of** de); (of others' behaviour) influence *f* (**over** sur); (of life, fate) maîtrise *f* (**of, over** de); (of disease, pests, social problem) lutte *f* (**of** contre); **state ~** contrôle *m* de l'État; **to be in ~ of** contrôler [*territory, town*]; diriger [*operation, organization, project*]; maîtriser [*problem*]; **to have ~ over** contrôler [*territory, town*]; avoir du pouvoir sur [*animals, crowd, children, others' behaviour*]; maîtriser [*fate, life*]; **to take ~ of** prendre le contrôle de [*territory, town*]; prendre la direction de [*operation, organization, project*]; prendre [qch] en main [*situation*]; **to be under sb's ~, to be under the ~ of sb** [*person*] être sous la direction de qn; [*army, government, organization, party*] être sous le contrôle de qn; **to be under ~** [*fire, problem, riot, situation*] être maîtrisé; **is the situation under ~?** est-ce que nous maîtrisons la situation?; **everything's under ~** tout va bien; **to bring** *ou* **get** *ou* **keep [sth] under ~** maîtriser [*animals, crowd, fire, problem, riot*]; discipliner [*hair*]; **to be out of ~** [*animals, children, crowd, riot*] être déchaîné; [*fire*] ne plus être maîtrisable; **the situation is out of ~** la situation est devenue incontrôlable; **to let sth get out of ~, to lose ~ of sth** perdre le contrôle de qch; **to be beyond** *ou* **outside sb's ~** [*animal, child*] échapper au contrôle de qn; **the situation is beyond ~** la situation échappe à tout contrôle; **due to circumstances beyond our ~** pour des raisons indépendantes de notre volonté

2 ȼ (restraint) (of self, appetite, bodily function, emotion, urge) maîtrise *f*; **to have** *ou* **exercise ~ over sth** maîtriser qch; **to keep ~ of oneself, to be in ~ of oneself** se maîtriser; **to lose ~ (of oneself)** perdre le contrôle (de soi)

3 ȼ (physical mastery) (of vehicle, machine, ball) contrôle *m*; (of body, process, system) maîtrise *f*; **to be in ~ of** avoir le contrôle de; **to keep/lose ~ of a car** garder/perdre le contrôle d'une voiture; **to take ~** (of car) prendre le volant; (of plane) prendre les commandes; **his car went out of ~** il a perdu le contrôle de son véhicule

4 (lever, switch etc) (*souvent pl*) (on vehicle, equipment) commande *f*; (on TV) bouton *m* de réglage; **brightness/volume ~** TV bouton *m* de réglage de luminosité/du son; **to be at the ~s** être aux commandes

5 Admin, Econ (regulation) contrôle *m* (**on** de); **cost/immigration ~** contrôle *m* des coûts/de l'immigration

6 Sci (in experiment) contrôle *m*

B *modif* [*button, knob, switch*] de commande

C *vtr* (*p prés etc* **-ll-**) **1** (dominate) dominer [*council, government, market, organization, situation*]; contrôler [*territory, town*]; diriger [*air traffic, investigation, operation, project*]; régler [*road traffic*]; s'emparer de [*mind*]; Fin [*shareholder*] être majoritaire dans [*company*]

2 (discipline) maîtriser [*person, animal, crowd, urge, bodily function, temper, voice, pain, inflation, unemployment, riot, fire, pests*]; endiguer [*disease, epidemic*]; dominer [*emotion, nerves, impulse*]; retenir [*laughter, tears*]; commander à [*limbs*]; discipliner [*hair*]

3 (operate) commander [*machine, equipment, lever, cursor, movement, process, system*]; manœuvrer [*boat, vehicle*]; piloter [*plane*]; contrôler [*ball*]

4 (regulate) régler [*speed, pressure, intensity, volume, temperature*]; réglementer [*trade, import, export*]; contrôler [*immigration, prices, wages*]; régulariser [*blood pressure*]

5 (check) contrôler [*quality*]; vérifier [*accounts*]

6 Sci comparer [*experimental material*] (**against** à)

D *v refl* (*p prés etc* **-ll-**) **to ~ oneself** se contrôler

control: **~ character** *n* Comput caractère *m* de contrôle; **~ column** *n* Aviat manche *m* à balai; **~ experiment** *n* test *m* de contrôle; **~ freak**° *n* maniaque *mf* qui veut tout contrôler; **~ group** *n* groupe *m* témoin; **~ key** *n* Comput touche *f* de contrôle

controllable /kənˈtrəʊləbl/ *adj* contrôlable; [*vehicle*] manœuvrable

controlled /kənˈtrəʊld/

A *adj* lit [*explosion, landing, skid*] contrôlé; [*person, expression*] impassible; [*voice*] calme; [*economy*] dirigé; [*performance*] maîtrisé; **manually/electronically ~** contrôlé manuellement/électroniquement; **under ~ conditions** Sci sous contrôle; **~ drug** Pharm ≈ médicament inscrit au tableau B

B -controlled (*dans composés*) **Conservative/Labour-~** dominé par les Conservateurs/les Travaillistes; **computer-~** commandé par ordinateur

controller /kənˈtrəʊlə(r)/ *n* **1** gen, Radio, TV directeur/-trice *m/f*; **2** Comm, Fin planificateur/-trice *m/f*; **3** (machine) contrôleur *m*

controlling /kənˈtrəʊlɪŋ/ *adj* **1** [*authority, group, organization*] de contrôle; [*factor*] décisif/-ive; **~ power** contrôle *m*; **2** Fin **~ interest, ~ share, ~ stake** majorité *f* de contrôle

control: **~ menu** *n* Comput menu *m* système; **~ panel** *n* (for plane, car) tableau *m* de bord; (on machine) tableau *m* de contrôle; (on television) (panneau *m* de) commandes *fpl*; **~ point** *n* Sport point *m* de contrôle; **~ room** *n* poste *m* de commande; Radio, TV (salle *f* de) régie *f*; **~ tower** *n* Aviat tour *f* de contrôle

controversial /ˌkɒntrəˈvɜːʃl/ *adj* **1** [*area, decision, plan, law, film*] (criticized) controversé; (open to criticism) discutable; **2** [*person, group*] (much discussed) controversé; (dubious) douteux/-euse

controversially /ˌkɒntrəˈvɜːʃəlɪ/ *adv* de façon controversée

controversy /ˈkɒntrəvɜːsɪ, kənˈtrɒvəsɪ/ *n* controverse *f* (**about, over** sur; **between** entre); **the extradition ~** la controverse sur l'extradition; **to arouse bitter ~** provoquer une vive controverse; **to be the subject of much ~** soulever beaucoup de controverses

controvert /ˌkɒntrəˈvɜːt/ *vtr* sout **1** réfuter [*theory, findings*]; **2** mettre en question [*point of view*]

contusion /kənˈtjuːʒn, US -ˈtuː-/ *n* Med contusion *f* (**to** à)

conundrum /kəˈnʌndrəm/ *n* énigme *f*

conurbation /ˌkɒnɜːˈbeɪʃn/ *n* conurbation *f*

convalesce /ˌkɒnvəˈles/ *vi* se remettre; **he's convalescing** il est en convalescence

convalescence /ˌkɒnvəˈlesns/ *n* **(period of) ~** convalescence *f*

convalescent /ˌkɒnvəˈlesnt/

A *n* convalescent/-e *m/f*

B *modif* [*leave, home*] de convalescence; [*ward*] des convalescents; **during his ~ stay** pendant sa convalescence

C *adj* [*person*] convalescent

convection /kənˈvekʃn/

A *n* convection *f*

B *modif* [*current*] de convection; [*heating*] par convecteurs; **~ heater** convecteur *m*

convector (heater) /kənˈvektə hiːtə(r)/ *n* convecteur *m*

convene /kənˈviːn/

A *vtr* organiser [*meeting*]; convoquer [*group*]

B *vi* se réunir

convener /kənˈviːnə(r)/ *n* **1** (organizer) organisateur/-trice *m/f* (d'une réunion); (chairperson) président/-e *m/f*; **2** GB Mgmt délégué/-e *m/f* syndical/-e

convenience /kənˈviːnɪəns/ *n* **1** ȼ (advantage) avantage *m* (**of doing** de faire); **the ~ of** les avantages de [*lifestyle, work, practice, method of payment*]; la commodité de [*instant food, electrical device, local shop, garment*]; **the comfort and ~ of modern tourism** le confort et les avantages du tourisme moderne; **for (the sake of) ~** pour raisons de commodité; **for his/our etc ~** pour sa/notre etc convenance; **at your ~** (when it suits) quand cela vous conviendra; **at your earliest ~** Comm dès que cela vous sera possible; **2** (practical feature, device) avantage *m*; **'modern ~s'** (in ad) 'tout confort'; **3** GB sout (toilet) toilettes *fpl*

convenience foods *npl* plats *mpl* (tout) préparés; (frozen) surgelés *mpl*; (tinned) conserves *fpl*

convenience store *n* épicerie *f* (*ouverte tard le soir*)

convenient /kənˈviːnɪənt/ *adj* **1** (suitable) [*place, date, time, arrangement*] commode; **now is not a very ~ time** ce n'est pas vraiment le moment maintenant; **to be ~ for sb** convenir à qn; **I hope this is ~ (for you)** j'espère que cela ne vous dérange pas; **to be ~ for sb to do** convenir à qn de faire; **when would be ~ for you to come?** quand est-ce que cela vous conviendrait de venir?; **if it's more ~ for her to do** si ça l'arrange de faire; **a ~ place for sth** un endroit approprié pour qch; **2** (useful, practical) [*tool, system, method etc*] pratique, commode; **it is ~** c'est pratique *ou* commode (**that** que + *subj*; **to do** de faire); **a ~ way to do** *ou* **of doing** un moyen pratique de faire; **3** (in location) [*shops, amenities*] situé tout près; [*chair, table*] à portée de main; **to be ~ for** GB, **to be ~ to** US être commode pour [*station, shops, facilities*]; **4** iron péj (expedient) [*excuse, explanation, target*] commode; **it's ~ for them to ignore the facts** ça les arrange de ne pas reconnaître les faits; **how** *ou* **very ~!** comme c'est commode!

conveniently /kən'vi:nɪəntlɪ/ *adv* **1** (in practical terms) [*arrange, borrow, repay*] de façon pratique *or* commode; [*arrive, leave*] opportunément, au bon moment; [*arranged, planned*] de façon pratique *or* commode; **the conference was ~ timed to coincide with** la date de la conférence était bien choisie pour coïncider avec; **2** (in location) **~ situated, ~ located** bien situé, bien placé; **~ placed** bien placé; **it's ~ near the beach** c'est bien placé, près de la plage; **3** iron péj (expediently) comme par hasard

convenor = **convener**

convent /'kɒnvənt, US -vent/ *n* couvent *m*; **to enter a ~** entrer au couvent

conventicle /kən'ventɪkl/ *n* **1** (meeting) assemblée *f* religieuse secrète; **2** (meeting house) lieu *m* où se tient une assemblée religieuse secrète

convention /kən'venʃn/ *n* **1** (meeting) (of party, profession, union) convention *f*, congrès *m*; (of society, fans) assemblée *f*; **2** ¢ (social norms) convenances *fpl*, conventions *fpl*; **to flout** *ou* **defy ~** braver les convenances; **3** (usual practice) convention *f*; **a literary/theatrical ~** une convention littéraire/du théâtre; **4** (agreement) convention *f* (**on** sur)

conventional /kən'venʃənl/ *adj* **1** (conformist) [*person*] conformiste; [*idea, remark, belief, role*] conventionnel/-elle; [*clothes*] classique; **2** (traditionally accepted) [*approach, means, method, practice*] conventionnel/-elle; [*medicine, agriculture*] traditionnel/-elle; **the ~ wisdom about sth** ce qui est communément admis au sujet de qch; **3** Mil [*arms, weapons, war*] conventionnel/-elle

Conventional Forces in Europe, CFE *n* Mil forces *fpl* conventionnelles en Europe

conventionality /ˌkənvenʃə'nælətɪ/ *n* conformisme *m*

conventionally /kən'venʃənəlɪ/ *adv* [*dress, behave*] de façon conventionnelle; [*measure, divide, consider*] par convention; **a ~ armed missile** Mil un missile conventionnel

convention centre GB, **convention center** US *n* centre *m* de congrès

conventioneer /kənˌvenʃə'nɪə(r)/ *n* US délégué/-e *m/f*

convent school *n* école *f* de religieuses

converge /kən'vɜ:dʒ/ *vi* converger (**at** à); **to ~ on** [*people*] converger sur [*place*]; [*rays, paths etc*] converger vers [*point*]

convergence /kən'vɜ:dʒəns/ *n* convergence *f*

convergent /kən'vɜ:dʒənt/ *adj* (all contexts) convergent

convergent: **~ evolution** *n* évolution *f* convergente; **~ lens** *n* lentille *f* convergente; **~ thinking** *n* pensée *f* convergente

conversant /kən'vɜ:snt/ *adj* **to be ~ with sth** être versé dans qch

conversation /ˌkɒnvə'seɪʃn/ *n* conversation *f* (**about** sur, au sujet de); **to have** *ou* **hold a ~** avoir une conversation; **to strike up/break off a ~** engager/interrompre la conversation; **to make ~** faire la conversation; **(deep) in ~** en (grande) conversation

conversational /ˌkɒnvə'seɪʃənl/ *adj* [*ability, skill, class, exercise*] de conversation; **in a ~ tone** sur le ton de la conversation

conversationalist /ˌkɒnvə'seɪʃənəlɪst/ *n* personne *f* qui excelle dans l'art de la conversation

conversationally /ˌkɒnvə'seɪʃənəlɪ/ *adv* [*say, observe*] sur le ton de la conversation

conversational mode *n* Comput mode *m* dialogué

conversation piece *n* **1** **to be a ~** susciter des remarques; **2** Theat *pièce de théâtre comportant essentiellement des dialogues*

converse

A /'kɒnvɜ:s/ *n* **1** gen contraire *m*; **2** Math, Philos converse *f*

B /'kɒnvɜ:s/ *adj* [*opinion, statement*] contraire; [*proposition*] inverse

C /kən'vɜ:s/ *vi* converser (**with** avec; **in** en)

conversely /'kɒnvɜ:slɪ/ *adv* inversement

conversion /kən'vɜ:ʃn, US kən'vɜ:rʒn/ *n* **1** (of salt water, raw material, land, vehicle, object) transformation *f* (**from** de; **to, into** en); (of energy, fuel) transformation *f* (**from** de; **to, into** en); (in reactor) conversion *f*; **2** Math, Comput (of currency, measurement, weight) conversion *f* (**from** de; **into** en); **3** (of building) aménagement *m* (**to, into** en); **barn ~** grange *f* aménagée; **4** Relig, Pol conversion *f* (**from** de; **to** à); **to undergo a ~** se convertir; **5** Sport (in rugby) transformation *f*

conversion: **~ course** *n* programme *m* de transition; **~ disorder, ~ hysteria†** *n* hystérie *f* de conversion; **~ rate** *n* Fin taux *m* de change; **~ table** *n* table *f* de conversion

convert

A /'kɒnvɜ:t/ *n* converti/-e *m/f* (**to** à); **to become a ~** se convertir; **to win/make ~s** faire des adeptes

B /kən'vɜ:t/ *vtr* **1** gen (change into sth else) transformer; **2** (modify) adapter [*car, cooker, product*]; **3** Math, Comput convertir [*currency, measurement*] (**from** de; **to, into** en); **4** Archit aménager, reconvertir [*building, loft*] (**to, into** en); **5** Relig, Pol *etc* convertir [*person*] (**to** à; **from** de); **6** Sport (in rugby) transformer [*try*]

C /kən'vɜ:t/ *vi* **1** gen (change) **to ~ to sth** passer à qch; **I've ~ed to unleaded (petrol)** je suis passé au sans plomb; **2** (be convertible) [*sofa, object*] être convertible (**into** en); **3** Relig, Pol *etc* se convertir (**to** à; **from** de); **4** Sport (in rugby) transformer

(Idiom) **to preach to the ~** prêcher un converti *ou* des convertis

converter /kən'vɜ:tə(r)/ *n* **1** Elec, gen convertisseur *m*; (AC to DC) redresseur *m*; **2** Radio changeur *m* de fréquence; **3** Ind, Comput convertisseur *m*

convertibility /kənˌvɜ:tə'bɪlətɪ/ *n* gen adaptabilité *f* (**to, into** à); (of currency) convertibilité *f* (**to, into** en)

convertible /kən'vɜ:təbl/

A *n* Aut décapotable *f*

B *adj* **1** [*sofa, divan*] convertible; **2** Fin [*bond, currency, stock*] convertible; **3** [*car*] décapotable

convertor /kən'vertə(r)/ *n* = **converter**

convex /'kɒnveks/ *adj* convexe

convexity /kɒn'veksətɪ/ *n* convexité *f*

convey /kən'veɪ/ *vtr* **1** (transmit) [*person*] transmettre [*order, message, news, information*] (**to** à); exprimer [*opinion, judgment, feeling, idea*] (**to** à); transmettre [*regards, thanks, congratulations, condolences*] (**to** à); **to ~ to sb that/how** faire savoir à qn que/comment; **to ~ the impression of/that** donner l'impression de/que; **2** (communicate) [*words, images, gestures, music*] traduire [*mood, emotion, impression*]; **to ~ a sense** *ou* **feeling of** traduire une sensation *ou* un sentiment de; **3** (transport) [*vehicle*] transporter, acheminer [*people, goods*] (**from** de; **to** à); [*pipes, network*] amener [*water*] (**to** à); [*postal system*] acheminer [*mail*] (**to** à); [*person*] transmettre [*letter, message*] (**to** à); **4** Jur transmettre [*property, legal title*] (**to** à)

conveyance /kən'veɪəns/ *n* **1** (of goods, passengers) transport *m*, acheminement *m*; **2** †(vehicle) véhicule *m*, moyen *m* de transport; **3** Jur (transfer of property, title) transfert *m*, cession *f*; **4** Jur (document) **(deed of) ~** acte *m* de cession *or* de propriété

conveyancer /kən'veɪənsə(r)/ ▸ **p. 1683** *n* notaire *m* rédacteur des actes de cession *or* de propriété

conveyancing /kən'veɪənsɪŋ/ *n* rédaction *f* des actes de cession *or* de propriété; **to carry out ~ for sb** rédiger un acte de cession pour qn

conveyor /kən'veɪə(r)/ *n* **1** (*also* **~ belt**) (in factory) transporteur *m* à bande *or* à courroie; (for luggage) tapis *m* roulant; **2** (of goods, persons) transporteur *m*

convict

A /'kɒnvɪkt/ *n* (imprisoned criminal) détenu/-e *m/f*; (deported criminal) bagnard *m*; **ex-~** ancien détenu; **escaped ~** détenu évadé

B /kən'vɪkt/ *vtr* **1** [*jury, court*] reconnaître *or* déclarer [qn] coupable (**of** de; **of doing** d'avoir fait); **to be ~ed on a charge of sth** être reconnu *or* déclaré coupable de qch; **a ~ed murderer/drug dealer** (in prison) un condamné pour meurtre/trafic de drogue; (now released) un ancien condamné pour meurtre/trafic de drogue; **2** [*evidence*] condamner

conviction /kən'vɪkʃn/ *n* **1** Jur condamnation *f* (**for** pour); **to obtain/quash/uphold a ~** obtenir/annuler/maintenir une condamnation; **~ on fraud charges** condamnation pour fraude; **2** (belief) conviction *f* (**that** que); **to lack ~** manquer de conviction

conviction: **~ politician** *n* politicien/-ienne *m/f* ayant de fortes convictions; **~ politics** *n* politique *f* basée sur des convictions

convince /kən'vɪns/

A *vtr* **1** (gain credibility of) convaincre [*person, jury, reader*] (**of** de; **that** que; **about** au sujet de); **the story fails to ~** *ou* **does not ~** l'histoire ne convainc personne; **2** (persuade) persuader [*voter, consumer*] (**to do** de faire)

B *v refl* **to ~ oneself** se convaincre

convinced /kən'vɪnst/ *adj* convaincu, persuadé

convincing /kən'vɪnsɪŋ/ *adj* [*account, evidence, proof, theory*] convaincant; [*victory, lead, win*] indiscutable

convincingly /kən'vɪnsɪŋlɪ/ *adv* [*argue, claim, demonstrate, portray*] de façon convaincante; [*win, beat*] de façon indiscutable

convivial /kən'vɪvɪəl/ *adj* **1** [*atmosphere, evening*] cordial; **2** [*person*] chaleureux/-euse

conviviality /kənˌvɪvɪ'ælətɪ/ *n* **1** (of atmosphere, evening) cordialité *f*; **2** (of person) caractère *m* chaleureux

convocation /ˌkɒnvə'keɪʃn/ *n* **1** GB Relig convocation *f* (*convention nationale du clergé anglican*); **2** GB Univ conseil *m* des anciens étudiants; **3** (convoking) convocation *f*; **4** US Univ *assemblée de membres d'une université réunie à l'occasion d'une cérémonie*

convoke /kən'vəʊk/ *vtr* convoquer

convoluted /'kɒnvəlu:tɪd/ *adj* **1** [*argument, speech, sentence, style*] alambiqué; **2** [*vine, tendril*] convoluté; [*design, pattern*] vrillé

convolution /ˌkɒnvə'lu:ʃn/ *n* circonvolution *f*; fig méandre *m*

convolvulus /kən'vɒlvjʊləs/ *n* (*pl* **-luses** *ou* **-li**) liseron *m*

convoy /'kɒnvɔɪ/

A *n* convoi *m* (**of** de); **in ~** en convoi; **under ~** sous escorte

B *vtr* convoyer [*ship*]; escorter [*person*]

convulsant /kən'vʌlsənt/

A *n* **1** Med médicament *m* convulsivant; **2** (drug) drogue *f* convulsivante

B *adj* qui provoque des convulsions, convulsivant spec

convulse /kən'vʌls/ *vtr* **1** [*pain, sobs, grief, laughter*] convulser [*person, body*]; [*joke, comic*] faire tordre de rire [*person*]; **~d with pain** convulsé de douleur; **2** [*riots, unrest*] secouer [*country*]

convulsion /kən'vʌlʃn/ *n* convulsion *f*; **to go into ~s** entrer en convulsions; **to be in**

~s fig se tordre de rire

convulsive /kən'vʌlsɪv/ *adj* 1 [*movement, spasm*] convulsif/-ive; 2 [*change, disturbance, riot*] perturbateur/-trice

convulsively /kən'vʌlsɪvlɪ/ *adv* convulsivement

cony, coney /'kəʊnɪ/ *n* 1 (fur) peau *f* de lapin; 2 ‡lapin *m*

coo /ku:/

A *n* (of dove) roucoulement *m*

B †○*excl* GB ça alors○!

C *vtr* murmurer

D *vi* [*lover, dove*] roucouler; **to ~ over a baby** s'extasier devant un bébé

(Idiom) **to bill and ~** roucouler

co-occur /ˌkəʊə'kɜ:(r)/ *vi* être cooccurrent

co-occurrence /ˌkəʊə'kʌrəns/ *n* cooccurrence *f*

cooing /'ku:ɪŋ/

A *n* roucoulement *m*, roucoulade *f*

B *adj* **a ~ voice** un roucoulement

cook /kʊk/ ▸ **p. 1683**

A *n* cuisinier/-ière *m/f*; **he's a good ~** c'est un bon cuisinier

B *vtr* 1 Culin faire cuire [*vegetables, pasta, eggs*]; préparer [*meal, meat, fish*] (**for** pour); **~ for 10 minutes** faire cuire pendant 10 minutes; 2 ○(falsify) trafiquer○, falsifier [*data, evidence, figures*]; **to ~ the books** trafiquer○ la comptabilité; 3 ○US gâcher [*chances*]

C *vi* 1 [*person*] cuisiner, faire la cuisine; 2 [*vegetable, meat, meal*] cuire; **the carrots are ~ing** les carottes sont en train de cuire; 3 ○(happen) **to be ~ing** se mijoter○; **there's something ~ing** il y a quelque chose qui se mijote○

D cooked *pp adj* [*food*] cuit; **to be lightly/well ~ed** être à peine/bien cuit.

(Phrasal verb) ■ **cook up**○: ▸ **~ up [sth]** préparer [*dish, meal*]; inventer [*excuse, story*]; mijoter○ [*plan, scheme*]

cook: **~book** *n* livre *m* de cuisine; **~-chill foods** *npl* plats *mpl* préparés; **~ed ham** *n* jambon *m* blanc *or* de Paris; **~ed meats** *npl* ≈ charcuterie *f*

cooker /'kʊkə(r)/ *n* 1 GB (appliance) cuisinière *f*; **gas/electric ~** cuisinière à gaz/électrique; 2 ○(apple) pomme *f* à cuire

cookery /'kʊkərɪ/

A GB *n* cuisine *f*

B *modif* [*book, lesson, teacher*] de cuisine

cookhouse /'kʊkhaʊs/ *n* Mil cuisine *f*

cookie /'kʊkɪ/ *n* 1 US (biscuit) gâteau *m* sec, biscuit *m* (sec); 2 ○(person) **tough ~** dur/-e *m/f* à cuire; **smart ~** petit malin/petite maligne *m/f*; 3 ○US (woman) jolie fille *f*; 4 Comput mouchard *m*, cookie *m*

(Idioms) **that's the way the ~ crumbles**○ c'est la vie!; **to toss** *ou* **shoot one's ~s**◑ US dégueuler◑

cookie cutter US

A *n* Culin forme *f* à biscuits

B *adj* [*plan, project*] sans originalité

cookie sheet *n* US Culin plaque *f* à biscuits

cooking /'kʊkɪŋ/

A *n* (all contexts) cuisine *f*; **to do the ~** faire la cuisine; **to be good at ~** bien cuisiner; **Chinese/plain ~** cuisine chinoise/bourgeoise

B *modif* [*oil, wine*] de cuisine

cooking: **~ apple** *n* pomme *f* à cuire; **~ chocolate** *n* chocolat *m* pâtissier; **~ foil** *n* papier *m* aluminium; **~ salt** *n* gros sel *m*

cook: **~-off** *n* US concours *m* de cuisine; **~out** *n* US barbecue *m*; **~top** *n* US table *f* de cuisson; **~ware** *n* ustensiles *mpl* de cuisine

cool /ku:l/

A *n* 1 (coldness) fraîcheur *f*; 2 ○(calm) sang-froid *m*; **to keep one's ~** (stay calm) garder son sang-froid; (not get angry) ne pas s'énerver; **to lose one's ~** (get angry) s'énerver; (panic) perdre son sang-froid

B *adj* 1 [*breeze, day, drink, water, weather*] frais/fraîche; [*fabric, dress*] léger/-ère; [*colour*] froid; **it's ~ today** il fait frais aujourd'hui; **the fan keeps the room ~** le ventilateur maintient la pièce fraîche; **to feel ~** [*surface, wine*] être frais/fraîche; **I feel ~er now** j'ai moins chaud maintenant; **your brow is ~er** ton front est un peu moins chaud; **it's getting ~, let's go in** il commence à faire frais, rentrons; 2 (calm) [*approach, handling*] calme; **to stay ~** garder son sang-froid; **to keep a ~ head** garder la tête froide; **keep ~!** reste calme; 3 (unemotional) [*manner*] détaché; [*logic, reasoning, response*] froid; 4 (unfriendly) [*reception, welcome*] froid; **to be ~ with** *ou* **towards sb** être froid avec qn; 5 (casual) [*person*] décontracté, cool○; [*attitude*] sans gêne; **she went up to him as ~ as you please and slapped him** elle s'est approchée de lui totalement décontractée et l'a giflé; **he's a ~ customer** il n'a pas froid aux yeux; 6 (for emphasis) **a ~ million dollars** la coquette somme d'un million de dollars○; 7 ○(sophisticated) [*clothes, car*] branché○; [*person*] branché○; **he thinks it's ~ to smoke** il pense que ça fait bien de fumer; **it's not ~ to wear a tie** ça fait nul○ de porter une cravate; **~, man○!** génial!; 8 ○US (great) **that's a ~ idea!** c'est une super idée○!; **that's ~!** super○!; 9 ○Mus [*jazz*] cool○ *inv*

C *vtr* 1 (lower the temperature of) refroidir [*soup, pan*]; rafraîchir [*wine*]; [*fan*] rafraîchir [*room*]; [*air-conditioning*] refroidir [*building*]; **to ~ one's hands** se rafraîchir les mains; 2 fig calmer [*anger, ardour, passion*]

D *vi* 1 (get colder) [*air, iron, soup, water*] refroidir; **to leave sth to ~** laisser qch refroidir; 2 (subside) [*passion*] tiédir; [*enthusiasm*] faiblir; [*friendship*] se dégrader; **relations between them have ~ed** ils sont moins proches qu'avant; **wait until tempers have ~ed** attends que les esprits se calment

E -cooled *dans composés* **air-/water-~ed** Tech à refroidissement à air/eau

(Idioms) **~ it○!** (stay calm) ne t'énerve pas!; **OK guys, ~ it○!** (stop fighting) ça suffit les gars, on se calme○!; **to play it ~**○ rester calme

(Phrasal verbs) ■ **cool down**: ▸ **~ down** 1 (grow cold) [*engine, iron, water*] refroidir; 2 fig [*person, situation*] se calmer; ▸ **~ [sth] down** refroidir [*mixture*]; rafraîchir [*wine*]; ▸ **~ [sb] down** 1 (make colder) rafraîchir [*person*]; 2 fig calmer [*person*]

■ **cool off** [*person*] (get colder) se rafraîchir; fig (calm down) [*person*] se calmer

coolant /'ku:lənt/ *n* Tech fluide *m* caloporteur, liquide *m* de refroidissement

cool: **~ bag** *n* GB sac *m* isotherme; **~ box** *n* GB glacière *f*

cooler○ /'ku:lə(r)/ *n* (prison) taule○ *f*, prison *f*; **he got five years in the ~** il a pris cinq ans de taule

cool-headed /ˌku:l'hedɪd/ *adj* [*person*] qui garde la tête froide; [*decision, approach*] réfléchi

coolie† /'ku:lɪ/ *n* injur coolie *m*

cooling /'ku:lɪŋ/

A *n* refroidissement *m*

B *pres p adj* [*drink, swim*] rafraîchissant; [*breeze*] frais/fraîche; [*agent*] réfrigérant

cool: **~ing-off period** *n* (in industrial relations) délai *m* de conciliation; Comm, Insur délai *m* de réflexion; **~ing rack** *n* Culin grille *f* pour faire refroidir les gâteaux; **~ing system** *n* système *m* de refroidissement; **~ing tower** *n* tour *f* de refroidissement

coolly /'ku:llɪ/ *adv* 1 (lightly) [*dressed*] légèrement; 2 (without warmth) [*greet, react, say*] froidement; 3 (calmly) calmement; 4 (boldly) [*announce, demand*] sans la moindre gêne

coolness /'ku:lnɪs/ *n* 1 (coldness) fraîcheur *f*; 2 (unfriendliness) froideur *f* (**between** entre); 3 (calmness) calme *m*

coomb /ku:m/ *n* GB combe *f*

coon /ku:n/ *n* 1 ○US, Zool raton laveur *m*; 2 ●injur nègre/négresse *m/f* offensive

(Idiom) **a ~'s age** US un bail○

coonskin /'ku:nskɪn/ *n* US peau *f* de raton laveur

coop /ku:p/

A *n* (*also* **chicken ~, hen ~**) poulailler *m*

B *vtr* mettre [qch] dans le poulailler [*hen*]

(Idiom) **to fly the ~**○ prendre la clé des champs

(Phrasal verb) ■ **coop up**: ▸ **~ [sb/sth] up** enfermer, cloîtrer; **to keep sb/sth ~ed up** garder qn/qch enfermé

co-op /'kəʊɒp/ *n* 1 ○(*abrév* = **cooperative**) coopé○ *f*; 2 US (apartment) appartement *m* en copropriété; (building) immeuble *m* en copropriété; **to go ~** être mis en copropriété

cooper /'ku:pə(r)/ ▸ **p. 1683** *n* tonnelier *m*

cooperage /'ku:pərɪdʒ/ *n* tonnellerie *f*

cooperate /kəʊ'ɒpəreɪt/ *vi* coopérer (**with** avec; **in** à; **in doing** pour faire)

cooperation /kəʊˌɒpə'reɪʃn/ *n* coopération *f* (**on** à); **in (close) ~** en (étroite) coopération; **he promised full ~** il a promis son entière coopération

cooperative /kəʊ'ɒpərətɪv/

A *n* 1 (organisation) coopérative *f*; **workers' ~** coopérative ouvrière; 2 US (apartment house) immeuble *m* en copropriété

B *adj* 1 (joint) [*venture, effort*] conjoint; **to take ~ action** agir conjointement; 2 (helpful) [*person*] coopératif/-ive (**with** avec); **to organize sth along ~ lines** organiser qch dans un cadre coopératif; 3 Comm, Pol [*movement, society*] coopératif/-ive; 4 US [*apartment, building*] en copropriété

cooperative: **~ bank** *n* US ≈ société *f* de crédit immobilier; **~ farm** *n* (collective farm) exploitation *f* (agricole) collective

cooperatively /kəʊ'ɒpərətɪvlɪ/ *adv* [*work*] en coopération; **to act ~** se montrer coopératif/-ive

cooperative: **Cooperative Party** *n* GB Pol parti *m* coopératiste; **~ society** *n* coopérative *f*

coopetition /kəʊˌɒpə'tɪʃn/ *n* coopération *f* et concurrence

co-opt /ˌkəʊ'ɒpt/ *vtr* 1 (onto committee) coopter [*person*] (**onto** dans); 2 (commandeer) s'emparer de [*celebrity*] (**to pour soutenir**); 3 Pol rallier [*person, group, country*] (**to** à); récupérer [*opinion, issue*]

co-option /ˌkəʊ'ɒpʃn/ *n* 1 (onto committee) cooptation *f*; 2 Pol (of group) ralliement *m*; (of opinion, issue) récupération *f*

coordinate

A /ˌkəʊ'ɔ:dɪnət/ *n* (on graph, map) coordonnée *f*

B coordinates *npl* Fashn ensemble *m*

C coordinating *pres p adj* 1 [*clothes, garment*] assorti, coordonné; 2 [*authority, committee*] de coordination

D /ˌkəʊ'ɔ:dɪneɪt/ *vtr* coordonner [*movements, effort, action, policy, response*] (**with** avec)

E /ˌkəʊ'ɔ:dɪneɪt/ *vi* agir en coordination (**with** avec)

coordinate clause *n* (proposition *f*) coordonnée *f*

coordinated /ˌkəʊ'ɔ:dɪneɪtɪd/ *adj* [*response, policy, clothes, garment*] coordonné; **he's very ~** ses mouvements sont très coordonnés

coordinate geometry *n* géométrie *f* analytique

coordinating conjunction *n* conjonction *f* de coordination

coordination /ˌkəʊˌɔ:dɪ'neɪʃn/ *n* (all contexts) coordination *f*; **in ~** en coordination

coordinator /ˌkəʊ'ɔ:dɪneɪtə(r)/ *n* coordinateur/-trice *m/f*

coot /ku:t/ *n* 1 Zool foulque *f*; 2 ○idiot/-e *m/f*

(Idiom) **as bald as a ~**○ chauve comme une boule de billard○

co-owner /kəʊ'əʊnə(r)/ *n* copropriétaire *mf*

cop /kɒp/

A *n* 1 ○(police officer) flic○ *m*; **traffic ~** flic○,

C

agent *m* de la circulation; **motor cycle ~** motard *m*; **to play ~s and robbers** jouer aux gendarmes et aux voleurs; **2** ○GB (arrest) **it's a fair ~!** bien joué, je me rends○!; **3** ○GB (use) **to be not much ~** ne pas valoir grand-chose; **4** Tex canette *f*
B *vtr* (*p prés etc* **-pp-**) **1** ○(arrest) pincer○ [*person*]; **to get ~ped doing** se faire pincer en train de faire○; **2** ○(receive) écoper de○ [*punch, punishment*]; **3** ○GB (be punished) **to ~ it** trinquer○; **4** ○(*also* **~ hold of**) (catch) attraper; **~ hold of the rope** attrape la corde; **5** ○(listen) écouter; **~ a load of this!** écoute-moi ça!; **6** Jur (plead guilty) **to ~ a plea** plaider coupable (*pour une charge mineure afin d'en éviter une plus grave*)
(Idioms) **to ~ a feel**○ US peloter○; **to ~ some Z's**○ US piquer un roupillon○
(Phrasal verb) ■ **cop out**○ se dégonfler○; **to ~ out on a promise** manquer à une promesse; **to ~ out of doing** se défiler○ au moment de faire

copacetic○† /ˌkəʊpəˈsetɪk, -ˈsiːtɪk/ *adj* US génial○

co-parenting /ˈkəʊˌpeərəntɪŋ/ *n* coparentalité *f*

copartner /ˌkəʊˈpɑːtnə(r)/ *n* associé/-e *m/f*, coassocié/-e *m/f*

copartnership /ˌkəʊˈpɑːtnəʃɪp/ *n* **1** (co-ownership) participation *f*; **2** (partnership) association *f*

cope /kəʊp/
A *n* (cloak) chape *f*
B *vtr* Constr chaperonner [*wall*]
C *vi* **1** (manage practically) [*person*] s'en sortir○, se débrouiller; [*government, police, services, system*] faire face; **to ~ with** [*person*] s'occuper de [*person, correspondence, work*]; [*government, police, industry, system*] faire face à [*demand, disaster, inflation, inquiries*]; **to learn to ~ alone** apprendre à se débrouiller tout seul; **how do you ~, with all those kids?** comment t'en sors-tu, avec tous ces gosses○?; **it's more than I can ~ with** je ne m'en sors plus; **the organization can't ~** l'organisation ne s'en sort plus *or* ne peut pas faire face; **2** (manage financially) s'en sortir; **to ~ on £60 a week** s'en sortir avec 60 livres sterling par semaine; **to ~ with a loan/mortgage** arriver à rembourser un prêt/prêt immobilier; **3** (manage emotionally) **to ~ with** supporter [*bereavement, depression*]; **to ~ with sb** supporter qn; **if you left me, I couldn't ~** si tu me quittais, je ne pourrais pas le supporter

copeck *n* = **kopeck**

Copenhagen /ˌkəʊpnˈheɪgən/ ▸ **p. 1815** *pr n* Copenhague

Copernican /kəˈpɜːnɪkən/ *adj* copernicien/-ienne

Copernicus /kəˈpɜːnɪkəs/ *pr n* Copernic

copestone /ˈkəʊpstəʊn/ *n* **1** (coping stone) pierre *f* de chaperon; **2** (top stone, capstone) pierre *f* de couronnement

copier /ˈkɒpɪə(r)/ *n* **1** (photocopier) photocopieuse *f*; **2** (imitator) imitateur/-trice *m/f*

co-pilot /ˌkəʊˈpaɪlət/ *n* copilote *mf*

coping /ˈkəʊpɪŋ/ *n* Archit chaperon *m*

coping stone *n* pierre *f* de chaperon

copious /ˈkəʊpɪəs/ *adj* **1** (plentiful) [*crop, supply, tears*] abondant; **~ notes/data** une quantité abondante de notes/données; **2** (generous) [*quantity, serving*] copieux/-ieuse

copiously /ˈkəʊpɪəslɪ/ *adv* abondamment; **to weep ~** pleurer à chaudes larmes

cop-out○ /ˈkɒpaʊt/ *n* (excuse) excuse *f* bidon○; (evasive act) échappatoire *f*

copper /ˈkɒpə(r)/ ▸ **p. 1067**
A *n* **1** Chem cuivre *m*; **2** ○(policeman) flic○ *m*; **3** ○GB (coin) petite monnaie *f* ₵; **to save a few ~s** économiser quelques sous; **4** GB Hist (for washing) lessiveuse *f*; **5** (colour) couleur *f* cuivre
B *modif* [*alloy, deposit, mine, miner, ore*] de cuivre; [*bracelet, coin, nail, dome, pipe, wire*] de *or* en cuivre; [*kettle, pan*] en cuivre
C *adj* [*hair, leaf, lipstick*] couleur cuivre *inv*

copper beech *n* hêtre *m* pourpre

Copper Belt /ˈkɒpəbelt/ *pr n* Copper Belt *f*, Ceinture *f* de cuivre

copper: **~-bottomed** *adj* sûr; **~-coloured** GB, **-colored** US ▸ **p. 1067** *adj* [*hair*] cuivré; [*leaf, lipstick, metal*] couleur cuivre *inv*; **~head** *n* mocassin *m* à tête cuivrée

copperplate /ˈkɒpəpleɪt/ *n* **1** cuivre *m*; **2** (*also* **~ handwriting**) écriture *f* ronde

copper: **~-rich** *adj* riche en cuivre; **~smith** ▸ **p. 1683** *n* chaudronnier *m*; **~'s nark**○† *n* GB mouchard/-e○ *m/f*; **~ sulphate** *n* sulfate *m* de cuivre; **~ware** *n* cuivres *mpl*

coppery /ˈkɒpərɪ/ ▸ **p. 1067** *adj* [*colour*] cuivré

coppice /ˈkɒpɪs/ *n* taillis *m*

copra /ˈkɒprə/ *n* copra(h) *m*

co-presidency /kəʊˈprezɪdənsɪ/ *n* coprésidence *f*

co-president /kəʊˈprezɪdənt/ *n* coprésident/-e *m/f*

coprocessor /kəʊˈprəʊsesə(r), US -ˈprɒ-/ *n* coprocesseur *m*

co-product /kəʊˈprɒdʌkt/ *n* coproduit *m*

co-property /kəʊˈprɒpətɪ/ *n* copropriété *f*

copse /kɒps/ *n* taillis *m*

cop-shop○ /ˈkɒpʃɒp/ *n* GB poste *m* de police

Copt /kɒpt/ *n* Relig Copte *mf*

copter○ /ˈkɒptə(r)/ *n* (*abrév* = **helicopter**) hélico○ *m*

Coptic /ˈkɒptɪk/ *adj* [*church, tradition*] copté

copula /ˈkɒpjʊlə/ *n* (*pl* **-las** *ou* **-lae**) copule *f*

copulate /ˈkɒpjʊleɪt/ *vi* s'accoupler, copuler (**with** avec)

copulation /ˌkɒpjʊˈleɪʃn/ *n* copulation *f*

copulative /ˈkɒpjʊlətɪv, US -leɪtɪv/
A *n* terme *m* copulatif
B *adj* copulatif/-ive

copy /ˈkɒpɪ/
A *n* **1** (reproduction, imitation) copie *f* (**of** de); **to make a ~** faire une copie; **certified ~** copie *f* certifiée conforme; **2** (issue, edition) (of book, newspaper, record, report) exemplaire *m*; **3** (journalist's, advertiser's text) copie *f*; **to be** *ou* **make good ~** être un bon sujet d'article; **to file (one's) ~** présenter sa copie *or* son papier○ journ
B *vtr* **1** (imitate) copier [*person, style, design, system*] (**from** sur); **2** (duplicate) copier [*document, letter, disk, file*]; **to ~ sth onto a disk** copier qch sur disquette; **to ~ onto paper** sortir qch sur papier; **to have sth copied** faire faire une copie de qch; **3** (write out by hand) recopier [*exercise, answers, inscription, text*] (**from** sur); **to ~ sth into one's book** recopier qch sur son cahier
C *vi* [*person, candidate, pupil*] copier (**from** sur); **to ~ in a test** copier à un examen
(Phrasal verbs) ■ **copy down**: ▸ **~ down [sth], ~ [sth] down** recopier (**from** sur; **into** sur)
■ **copy out**: ▸ **~ out [sth], ~ [sth] out** recopier

copy and paste Comput
A *n* copier-coller *m*
B *vtr* copier-coller

copybook /ˈkɒpɪbʊk/
A *n* cahier *m* d'écriture
B *modif* **1** (model) [*answer, solution*] modèle (*after n*); **~ perfect** impeccable; **2** US (trite) banal
(Idiom) **to blot one's ~** faire des bêtises

copycat○ /ˈkɒpɪkæt/
A *n* péj copieur/-ieuse *m/f*
B *adj* [*crime, murder*] inspiré par un autre (*after n*); **a wave of ~ crimes** une épidémie de crimes similaires

copy: **~ desk** *n* service *m* de correction; **~ edit** *vtr* Journ corriger (*pour la publication*); **~ editor** *n* Journ secrétaire *mf* de rédaction

copyholder /ˈkɒpɪhəʊldə(r)/ *n* Print **1** (device) porte-copie *m*; **2** (person) aide-correcteur *mf*

copy: **~ing ink** *n* encre *f* à copier; **~ing machine** *n* photocopieuse *f*

copyist /ˈkɒpɪɪst/ *n* **1** (of old texts) copiste *mf*; **2** (imitator) imitateur/-trice *m/f*, plagiaire *mf*; **3** (forger of paintings etc) faussaire *mf*

copy platform *n* Advertg base *f* de campagne

copyread /ˈkɒpɪriːd/ *vtr* (*prét, pp* **-read**) US Journ corriger (*pour la publication*)

copyreader /ˈkɒpɪriːdə(r)/ ▸ **p. 1683** *n* US Journ correcteur/-trice *m/f*

copyright /ˈkɒpɪraɪt/
A *n* copyright *m*, droit *m* d'auteur; **to have** *ou* **hold the ~** détenir le copyright *or* les droits; **the ~ of** *ou* **on sth** le copyright de qch, les droits sur qch; **to be in ~** être protégé par copyright; **to be out of ~** être tombé dans le domaine public
B *adj* [*book, work*] protégé par un copyright
C *vtr* déposer [*work*]

copy: **~ typist** ▸ **p. 1683** *n* dactylo *mf*; **~writer** ▸ **p. 1683** *n* rédacteur/-trice *m/f* publicitaire

coquetry /ˈkɒkɪtrɪ/ *n* coquetterie *f*

coquette /kɒˈket/ *n* coquette *f*

coquettish /kɒˈketɪʃ/ *adj* [*person*] coquet/-ette; [*smile, look, manner*] aguichant

coquettishly /kɒˈketɪʃlɪ/ *adv* de façon aguichante

cor○ /kɔː(r)/ *excl* GB ça alors○; **~ blimey**○! mince alors○!

coracle /ˈkɒrəkl/ *n* coracle *m*

coral /ˈkɒrəl, US ˈkɔːrəl/
A *n* corail *m*
B *modif* [*earring, necklace, paperweight*] de *or* en corail
C *adj* ▸ **p. 1067** (colour) corail *inv*

coral: **~ atoll** *n* atoll *m*; **~-coloured** ▸ **p. 1067** *adj* (couleur) corail *inv*; **~ island** *n* île *f* corallienne; **~ pink** ▸ **p. 1067** *n, adj* (rouge *m*) corail (*m*); **~ reef** *n* récif *m* corallien *or* de corail; **Coral Sea** *pr n* mer *f* de Corail; **~ snake** *n* serpent *m* corail

cor anglais /ˌkɔːr ˈɒŋgleɪ/ ▸ **p. 1462** *n* cor *m* anglais

corbel /ˈkɔːbl/ *n* Constr corbeau *m*

cord /kɔːd/
A *n* **1** (of pyjamas, dressing gown, light switch, curtains etc) cordon *m*; **sash ~** corde *f* (de fenêtre à guillotine); **2** Elec fil *m*, cordon *m*; **3** ○(*abrév* = **corduroy**) velours *m* côtelé; **4** (umbilical) cordon *m*
B *npl* **cords**○ pantalon *m* en velours (côtelé)
C ○*modif* [*garment*] en *or* de velours côtelé

cordage /ˈkɔːdɪdʒ/ *n* ₵ cordages *mpl*

corded /ˈkɔːdɪd/ *adj* [*fabric*] côtelé

cordial /ˈkɔːdɪəl, US ˈkɔːrdʒəl/
A *n* **1** (fruit) sirop *m* de fruits; **2** US (liqueur) liqueur *m*
B *adj* cordial (**to, with** avec)

cordiality /ˌkɔːdɪˈælətɪ, US ˌkɔːrdʒɪ-/ *n* cordialité *f*

cordially /ˈkɔːdɪəlɪ, US -dʒəlɪ/ *adv* cordialement

cordite /ˈkɔːdaɪt/ *n* cordite *f*

cordless /ˈkɔːdlɪs/ *adj* sans fil, sans cordon; **~ telephone** téléphone *m* sans fil, poste *m* téléphonique sans cordon

cordon /ˈkɔːdn/
A *n* (all contexts) cordon *m*; **police ~** cordon *m* de police
B *vtr* = **cordon off**
(Phrasal verb) ■ **cordon off**: ▸ **~ off [sth], ~ [sth] off** boucler [*street, area*]; contenir [*crowd*]

cordon: **~ bleu** *n, adj* cordon-bleu (*m*); **~ sanitaire** *n* cordon *m* sanitaire

Cordova /'kɔːdəvə/, **Cordoba** /'kɔːdəbə/ ▸ **p. 1815** *pr n* Cordoue

corduroy /'kɔːdərɔɪ/
A *n* velours *m* côtelé; **~s** un pantalon *m* en velours côtelé
B *modif* [*garment*] en velours côtelé

corduroy road *n* US route *f* de rondins

core /kɔː(r)/
A *n* **1** (of apple, pear) trognon *m*; **2** fig (of problem, issue) cœur *m*; **3** (inner being) **rotten to the ~** pourri jusqu'à l'os; **selfish to the ~** foncièrement égoïste; **English to the ~** anglais jusqu'au bout des ongles; **it shook me to the ~** cela m'a remué jusqu'au fond de l'âme; **4** (of magnet) noyau *m*; **5** (of cable) âme *f*; **6** (of planet) noyau *m*; **7** Nucl cœur *m*; **8** Ind (in casting) noyau *m*; **9** Comput tore *m* magnétique; **10** (small group) noyau *m*
B *modif* [*vocabulary*] de base; [*issue, concept, principle*] fondamental; [*activity*] principal
C *vtr* Culin évider [*apple*]; enlever le cœur de [*apple segment*]

CORE *n* US (*abrév* = **Congress of Racial Equality**) *organisation pour la défense des droits des minorités ethniques*

core curriculum /ˌkɔːkə'rɪkjʊləm/ *n* Sch, Univ tronc *m* commun

co-religionist /ˌkəʊrɪ'lɪdʒənɪst/ *n* coreligionnaire *mf*

coreopsis /ˌkɒrɪ'ɒpsɪs/ *n* coréopsis *m*

Coreper /'kəʊrəpeə/ *n* EU (*abrév* = **Comité des représentants permanents**) Coreper *m*

corer /'kɔːrə(r)/ *n* (*also* **apple ~**) vide-pomme *m*

core: **~ sample** *n* Geol carotte *f*; **~ skill** *n* compétences *fpl* de base

co-respondent /ˌkəʊrɪ'spɒndənt/ *n* Jur complice *mf* d'adultère

core: **~ subject** *n* Sch, Univ matière *f* du tronc commun; **~ time** *n* plage *f* horaire fixe

Corfu /kɔː'fuː/ ▸ **p. 1355** *pr n* Corfou *f*

corgi /'kɔːgɪ/ *n* corgi *m*

coriander /ˌkɒrɪ'ændə(r), US ˌkɔːr-/ *n* coriandre *f*

Corinth /'kɒrɪnθ/ ▸ **p. 1815** *pr n* Corinthe; **~ Canal** canal *m* de Corinthe; **Gulf of ~** golfe *m* de Corinthe

Corinthian /kə'rɪnθɪən/
A *n* Corinthien/-ienne *m/f*
B **Corinthians** *npl* Bible l'Épître *f* aux Corinthiens
C *adj* gen, Archit corinthien/-ienne

Coriolanus /ˌkɒrɪə'leɪnəs/ *pr n* Coriolan

cork /kɔːk/
A *n* **1** (substance) liège *m*; **2** (of bottle) also Fishg bouchon *m*
B *modif* [*tile, table-mat*] en liège
C *vtr* boucher [*bottle*]
(Idiom) **to blow one's ~**○ US se mettre en rogne○
(Phrasal verb) ■ **cork up**: ▸ **~ [sth] up, ~ up [sth]** boucher [*bottle*]; fig refouler [*feelings*]

corkage /'kɔːkɪdʒ/ *n* droit *m* de bouchon

corked /kɔːkt/ *adj* **1** [*wine*] bouchonné; **2** ○GB (drunk) bourré○, ivre

corker○† /'kɔːkə(r)/ *n* GB (story) histoire *f* épatante○; (stroke, shot) coup *m* de maître; **she's a real ~!** c'est un beau brin de fille○!

corking○† /'kɔːkɪŋ/ *adj* GB épatant○

cork: **~ oak** *n* chêne-liège *m*; **~screw** *n* tire-bouchon *m*; **~screw curls** *npl* anglaises *fpl*

corm /kɔːm/ *n* Bot bulbe *m*

cormorant /'kɔːmərənt/ *n* cormoran *m*

corn /kɔːn/ *n* **1** (wheat) blé *m*; **2** US (maize) maïs *m*; **3** (seed) grain *m* (*de céréale*); **4** Med (on foot) cor *m*; **5** ○pej (in book, film etc) mièvrerie *f*
(Idiom) **to tread on sb's ~s** froisser qn

cornball○ /'kɔːnbɔːl/ US péj
A *n* sensiblard/-e○ *m/f*
B *adj* = **corny**

corn: **Corn Belt** *n* US *région céréalière des plaines du centre des États-Unis*; **~ bread** *n* US pain *m* à base de farine de maïs; **~ bunting** *n* proyer *m*; **~cob** *n* épi *m* de maïs; **~cob pipe** *n* pipe *f* en rafle de maïs; **~crake** *n* râle *m* des genêts; **~crib** *n* US séchoir *m* à maïs; **~ dog** *n* US *saucisse enrobée de farine de maïs frite*; **~ dolly** GB *n* poupée *f* de paille

cornea /'kɔːnɪə/ *n* (*pl* **~s** *ou* **-neae**) cornée *f*

corneal /'kɔːnɪəl/ *adj* cornéen/-éenne

corned beef *n* corned-beef *m*

cornelian /kɔː'niːlɪən/ *n* cornaline *f*

corner /'kɔːnə(r)/
A *n* **1** lit (in geometry) angle *m*; (of street, building) angle *m*, coin *m*; (of table, box, page, fabric, field, room) coin *m*; Aut (bend) virage *m*; **the house on the ~** la maison qui fait l'angle; **at the ~ of the street** au coin de la rue; **to turn** *ou* **go round the ~** tourner au coin de la rue; **to put a child in the ~** Sch mettre un enfant au coin; **she wiped her eyes with a ~ of her apron** elle s'est essuyé les yeux avec un coin *or* le bord de son tablier; **to fold sth from ~ to ~** plier qch en diagonale; **to turn down the ~ of a page** corner une page; **the car took the ~ too fast** la voiture a pris le virage trop vite; **he lives around the ~ from me** (nearby) il habite tout près de chez moi; **the post office is just around the ~** (around the bend) la poste est juste au coin; **she disappeared round the ~** elle a disparu au coin de la rue; **Christmas is just around the ~** Noël approche; **you never know what's around the ~** on ne sait jamais ce qui peut arriver; **2** (side) (of eye, mouth) coin *m*; **to watch/see sb out of the ~ of one's eye** regarder/voir qn du coin de l'œil; **3** (remote place) coin *m*; fig (of mind) coin *m*, recoin *m*; **a quiet ~ of Brittany/the office** un coin tranquille de Bretagne/du bureau; **in a remote ~ of India** dans une région reculée de l'Inde; **I searched every ~ of the house** j'ai cherché partout dans la maison; **from all four ~s of the world** des quatre coins du monde; **4** Sport (in boxing) coin *m* (de repos); (in football, hockey) corner *m*; **to take a ~** tirer un corner; **5** (column) coin *m*; **kids'/collectors' ~** le coin des enfants/des collectionneurs
B *modif* [*cupboard, shelf, table*] de coin; **a ~ seat** (on a train) un coin fenêtre
C *vtr* **1** (trap) lit acculer [*animal, enemy*]; fig coincer○ [*person*]; **2** (monopolize) accaparer [*supply, best seats*]; **she's ~ed the market in fashion jewellery** elle a accaparé le marché du bijou fantaisie
D *vi* Aut [*car*] prendre un virage; **this car ~s well** cette voiture prend bien les virages
E **-cornered** *dans composés* **three-/four-~ed** à trois/quatre coins
(Idioms) **to be in a tight ~** être dans une impasse; **to hold** *ou* **fight one's ~** se défendre; **to paint** *ou* **box oneself into a ~** se mettre dans une impasse; **to cut ~s** (financially) faire des économies; (in a procedure) simplifier les choses

corner: **~ cupboard** *n* encoignure *f*; **~ flag** *n* Sport piquet *m* de coin

cornering /'kɔːnərɪŋ/ *n* Aut tenue *f* de route (dans les virages)

corner: **~ shop** *n* petite épicerie *f*; **~stone** *n* Archit, fig pierre *f* angulaire; **~ways**, **~wise** *adj, adv* en diagonale

cornet /'kɔːnɪt/ ▸ **p. 1462** *n* **1** Mus cornet *m* (à pistons); **2** GB (for ice cream, sweets) cornet *m*

cornetist, **cornettist** /kɔː'netɪst/ ▸ **p. 1683, p. 1462** *n* cornettiste *mf*

corn exchange *n* GB halle *f* aux grains

cornfed /'kɔːnfed/ *adj* [*livestock*] nourri de maïs; **~ chicken** poulet *m* de grain

corn: **~field** *n* GB champ *m* de blé; US champ *m* de maïs; **~flakes** *npl* corn flakes *mpl*; **~flour** *n* farine *f* de maïs; **~flower** *n* bleuet *m*, barbeau *m*; **~flower blue** ▸ **p. 1067** *n* bleu *m* barbeau; **~husking** *n* US *fête qui suit la récolte du maïs*

cornice /'kɔːnɪs/ *n* (all contexts) corniche *f*

Cornish /'kɔːnɪʃ/ ▸ **p. 1378**
A *n* **1** Ling cornique *m*; **2** **the ~** (+ *v pl*) les habitants *mpl* de Cornouailles
B *adj* de Cornouailles, cornique

Cornish pasty *n*: *petit pâté de viande et légumes*

corn: **~meal** *n* farine *f* de maïs; **~ oil** *n* huile *f* de maïs; **~ on the cob** *n* maïs *m* en épi; **~ picker** *n* US moissonneuse-batteuse *f*; **~ plaster** *n* pansement *m* pour cors; **~ pone** *n* US pain *m* de maïs; **~ poppy** *n* coquelicot *m*; **~row** *n* (hairstyle) tresses *fpl* plaquées; **~ salad** *n* mâche *f*; **~ shock** *n* GB gerbe *f* de blé; **~ shuck** *n* US enveloppe *f* d'un épi de maïs; **~ starch** *n* US = **cornflour**; **~ syrup** *n* US sirop *m* de maïs

cornucopia /ˌkɔːnjʊ'kəʊpɪə/ *n* littér lit, fig corne *f* d'abondance

Cornwall /'kɔːnwɔːl/ ▸ **p. 1612** *pr n* (comté *m* de) Cornouailles *f*

corn whisk(e)y /'kɔːn wɪskɪ, US hwɪskɪ/ *n* bourbon *m*

corny○ /'kɔːnɪ/ *adj* péj [*joke*] (old) éculé; (feeble) faiblard○; [*film, story*] à la guimauve

corolla /kə'rɒlə/ *n* corolle *f*

corollary /kə'rɒlərɪ, US 'kɒrəlerɪ/ *n* corollaire *m* (**of, to** de)

corona /kə'rəʊnə/ *n* **1** Astron, Anat, Archit, Bot couronne *f*; **2** Phys (*also* **~ discharge**) effet *m* couronne; **3** (cigar) corona *m*

coronary /'kɒrənrɪ, US 'kɔːrənerɪ/
A *n* Med infarctus *m*
B *adj* [*vein, artery*] coronaire

coronary: **~ care unit** *n* unité *f* de soins intensifs cardiologiques; **~ thrombosis** *n* infarctus *m* du myocarde

coronation /ˌkɒrə'neɪʃn, US ˌkɔːr-/
A *n* couronnement *m*
B *modif* [*ceremony, day, robe*] du couronnement

coroner /'kɒrənə(r), US 'kɔːr-/ *n* coroner *m* (*officier de police judiciaire chargé d'enquêter sur les décès suspects*); **~'s inquest** enquête *f* judiciaire (*confiée à un coroner*)

coronet /'kɒrənet, US 'kɔːr-/ *n* (for prince, nobleman etc) (petite) couronne *f*; (woman's) diadème *m*; (of flowers) couronne *f*

corp *n* **1** *abrév* ▸ **corporal**; **2** US *abrév* ▸ **corporation**

corporal /'kɔːpərəl/ ▸ **p. 1599**
A *n* (in infantry, air force) caporal-chef *m*; (in cavalry, artillery) brigadier-chef *m*
B *adj* sout corporel/-elle

corporal punishment *n* châtiment *m* corporel

corporate /'kɔːpərət/ *adj* **1** Comm, Fin [*accounts, funds*] appartenant à une société; [*clients, employees*] d'une société (*or* de sociétés); **~ assets** actif *m* social; **2** (collective) [*action*] commun; [*ownership*] en commun; [*decision, responsibility, existence*] collectif/-ive

corporate: **~ advertising** *n* publicité *f* institutionnelle; **~ body** *n* personne *f* morale; **~ culture** *n* culture *f* d'entreprise; **~ identity**, **~ image** *n* image *f* de marque (d'une société); **~ law** *n* US Jur droit *m* des sociétés; **~ lawyer** *n* US Jur (attached to firm) avocat/-e *m/f* d'entreprise; (business law expert) juriste *mf* d'entreprise

corporately /'kɔːpərətlɪ/ *adv* collectivement

corporate: **~ name** *n* raison *f* sociale; **~ planning** *n* planification *f* d'entreprise; **~ raider** *n* Fin raider *m* (*organisateur d'OPA*); **~ state** *n* Pol *État fondé sur les principes du corporatisme d'État*; **~ tax** *n* impôt *m* sur les sociétés

corporation /ˌkɔːpə'reɪʃn/
A *n* **1** Comm (grande) société *f*; **2** GB (town council) conseil *m* municipal; **3** ○GB hum (paunch) bedaine○ *f*

C

B *modif [services, property]* municipal
corporation: ~ **lawyer** ▸ **p. 1683** *n* avocat/-e *m/f* d'entreprise; ~ **tax** *n* GB impôt *m* sur les sociétés
corporatism /'kɔːpərətɪzəm/ *n* corporatisme *m*
corporatist /'kɔːpərətɪst/ *n* corporatiste *mf*
corporeal /kɔː'pɔːrɪəl/ *adj* sout (bodily) corporel/-elle; (not spiritual) matériel/-ielle
corporeal hereditaments *npl* Jur biens *mpl* corporels transmissibles par héritage
corps /kɔː(r)/ *n* gen, Mil corps *m*; (technical branch) service *m*; ~ **de ballet** corps de ballet
corpse /kɔːps/ *n* cadavre *m*
corpulence /'kɔːpjʊləns/ *n* sout corpulence *f*
corpulent /'kɔːpjʊlənt/ *adj* sout corpulent
corpus /'kɔːpəs/ *n* (*pl* **-pora**) **1** Literat, Ling corpus *m*; **2** Fin capital *m*
Corpus Christi /ˌkɔːpəs 'krɪstɪ/ *n* la Fête-Dieu
corpuscle /'kɔːpʌsl/ *n* **1** Anat, Biol **(blood)** ~ globule *m* sanguin; **red/white (blood)** ~ globule *m* rouge/blanc; **2** Anat (nerve ending) corpuscule *m*; **3** Phys particule *f*
corral /kə'rɑːl, US -'ræl/
A *n* US (enclosure) corral *m*
B *vtr* parquer *[cattle, horses]*; (surround) cerner *[demonstrator]*
correct /kə'rekt/
A *adj* **1** (right) *[amount, answer]* correct, bon/bonne; *[figure]* exact; *[decision, method, order, number]* bon/bonne; **that is** ~ c'est exact; **the** ~ **time** l'heure exacte; **to be** ~ **in every detail** être exact jusque dans le moindre détail; **you are quite** ~ tu as parfaitement raison; **you are quite** ~ **in what you say** ce que tu dis est tout à fait juste; **would I be** ~ **in thinking that...?** aurais-je raison de croire que...?; **her suspicions proved** ~ ses soupçons se sont avérés exacts *or* justes; **2** (proper) *[behaviour, manner, dress, person]* correct, convenable; **according to the** ~ **procedures** selon l'usage
B *vtr* **1** *[teacher, proofreader]* corriger *[text, spelling, pronunciation]*; rectifier, corriger *[error]*; **2** (put right) corriger, reprendre *[person]*; corriger *[false impression]*; ~ **me if I'm wrong, but...** arrêtez-moi si je me trompe, mais...; **I stand** ~**ed** je reconnais mon erreur; **3** Med corriger *[eyesight]*; **4** sout (punish) corriger, châtier
C *v refl* **to** ~ **oneself** se reprendre
correcting fluid *n* correcteur *m* liquide
correction /kə'rekʃn/ *n* **1** (act) (of text, pronunciation) correction *f*; (of error) correction *f*, rectification *f*; **2** (on manuscript) correction *f*; (in dictation) rectification *f*; **to make a** ~ faire une correction; **3** sout (punishment) correction *f*, châtiment *m*; **house of** ~† maison *f* de correction†
correction fluid *n* liquide *m* correcteur
corrective /kə'rektɪv/
A *n* correctif *m*, rectificatif *m*; **this is a** ~ **to the idea that** ceci apporte un démenti à l'idée que
B *adj* **1** gen *[action]* correcteur/-trice; *[measure]* de redressement; **2** Med *[treatment]* curatif/-ive; *[shoe, lens]* correcteur/-trice; ~ **surgery** chirurgie *f* réparatrice
correctly /kə'rektlɪ/ *adv* (all contexts) correctement
correctness /kə'rektnɪs/ *n* correction *f*
Correggio /kə'redʒɪəʊ/ *pr n* le Corrège
correlate /'kɒrəleɪt, US 'kɔːr-/
A *vtr* corréler, mettre en corrélation (**with** avec)
B *vi* être en corrélation (**with** avec)
correlation /ˌkɒrə'leɪʃn/ *n* corrélation *f* (**between** entre; **with** avec); **a high/poor** ~ une corrélation étroite/faible
correlative /kɒ'relətɪv/
A *n* corrélatif *m*
B *adj* corrélatif/-ive
correspond /ˌkɒrɪ'spɒnd, US ˌkɔːr-/ *vi* **1** (match up) concorder, correspondre (**with** à); **to** ~ **to sample** Comm être conforme à l'échantillon; **2** (be equivalent) être équivalent (**to** à); **they roughly** ~ ils sont à peu près équivalents; **3** (exchange letters) correspondre (**with** avec; **about** au sujet de)
correspondence ➡
/ˌkɒrɪ'spɒndəns, US ˌkɔːr-/ *n* **1** (match) concordance *f* (**between** entre); **2** (relationship) correspondance *f* (**between** entre); **3** (similarity) similitude *f* (**with** avec); **4** (exchange of letters) correspondance *f*; **to be in** ~ **with sb** correspondre avec qn (**about** au sujet de); **to enter into** ~ engager une correspondance (**about** au sujet de)
correspondence: ~ **clerk**† ▸ **p. 1683** *n* Comm secrétaire *mf*; ~ **college** *n* établissement *m* d'enseignement par correspondance; ~ **column** *n* Journ courrier *m* des lecteurs; ~ **course** *n* cours *m* par correspondance
correspondent /ˌkɒrɪ'spɒndənt, US ˌkɔːr-/ ▸ **p. 1683** *n* **1** (journalist) gen journaliste *mf*; (abroad) correspondant/-e *m/f*; **political/sports** ~ journaliste *mf* politique/sportif/-ive; **2** (letter writer) correspondant/-e *m/f*
corresponding /ˌkɒrɪ'spɒndɪŋ, US ˌkɔːr-/ *adj* **1** (matching) correspondant; **on the** ~ **day last season** le même jour la saison dernière; **2** (similar) équivalent
correspondingly /ˌkɒrɪ'spɒndɪŋlɪ, US ˌkɔːr-/ *adv* **1** (consequently) par conséquent; **2** (proportionately) proportionnellement
Corrèze ▸ **p. 1129** *pr n* Corrèze *f*; **in/to** ~ en Corrèze
corrida /kɔː'riːdə/ *n* corrida *f*
corridor /'kɒrɪdɔː(r), US 'kɔːr-/ *n* **1** (in building, train) couloir *m*; **the** ~**s of power** fig les hautes sphères *fpl* du pouvoir; **2** Geog, Pol corridor *m*
corridor train *n* GB train *m* à compartiments
corrigendum /ˌkɒrɪ'gendəm, US ˌkɔːr-/ *n* (*pl* **-da**) erratum *m*
corroborate /kə'rɒbəreɪt/ *vtr* corroborer
corroboration /kəˌrɒbə'reɪʃn/ *n* corroboration *f* (**of** de)
corroborative /kə'rɒbərətɪv, US -reɪtɪv/ *adj* corroborant
corrode /kə'rəʊd/
A *vtr* lit, fig corroder
B *vi* se corroder
corrosion /kə'rəʊʒn/ *n* corrosion *f*
corrosive /kə'rəʊsɪv/
A *n* corrosif *m*
B *adj* lit, fig corrosif/-ive
corrugated /'kɒrəgeɪtɪd, US 'kɔːr-/ *adj [roof]* de tôle ondulée; *[road, surface]* ondulé; *[brow, surface of lake etc]* plissé
corrugated: ~ **iron** *n* tôle *f* ondulée; ~ **paper** *n* carton *m* ondulé
corrugation /ˌkɒrə'geɪʃn, US ˌkɔːr-/ *n* ondulation *f*
corrupt /kə'rʌpt/
A *adj* **1** (immoral) gen *[person, behaviour, system]* corrompu; (sexually) dépravé, corrompu; ~ **practices** malversations *fpl*; **2** *[text, manuscript, language]* corrompu; Comput *[data]* corrompu; **3** †(decomposed) corrompu†
B *vtr* **1** (pervert) pervertir; (through bribery) corrompre; **to** ~ **sb's morals** dépraver qn; **2** (alter) altérer *[text, manuscript]*; **3** †(decompose) corrompre†
C *vi* **1** *[book, film, lifestyle]* corrompre; **power** ~**s** le pouvoir corrompt; **2** †(decompose) se décomposer
corruptible /kə'rʌptəbl/ *adj* corruptible
corruption /kə'rʌpʃn/ *n* **1** (immorality) gen corruption *f*; (sexual) corruption *f*, dépravation *f*; **2** (act of corrupting) corruption *f*; ~ **of a minor** Jur détournement *m* de mineur; **3** (of text) altération *f*; (of computer data) altération *f*; **4** †(decay) corruption *f*
corsage /kɔː'sɑːʒ/ *n* **1** (flowers) petit bouquet *m* de fleurs (*porté au corsage*); **2** (bodice) corsage *m*
corsair /'kɔːseə(r)/ *n* corsaire *m*
Corse-du-Sud ▸ **p. 1129** *pr n* Corse-du-Sud *f*; **in/to** ~ en Corse-du-Sud
corselet /'kɔːslɪt/ *n* corselet *m*
corset /'kɔːsɪt/ *n* corset *m*; Med corset *m* orthopédique
Corsica /'kɔːsɪkə/ ▸ **p. 1355, p. 1243** *pr n* Corse *f*; **in** ~ en Corse
Corsican /'kɔːsɪkən/
A *n* Corse *mf*
B *adj* corse
cortege /kɔː'teɪʒ/ *n* cortège *m*
cortex /'kɔːteks/ *n* (*pl* **-tices**) Anat, Bot cortex *m*
cortical /'kɔːtɪkl/ *adj* Anat, Bot cortical
corticoid /'kɔːtɪkɔɪd/, **corticosteroid** /ˌkɔːtɪ'kɒstərɔɪd/ *n* corticoïde *m*
cortisone /'kɔːtɪzəʊn/ *n* cortisone *f*
corundum /kə'rʌndəm/ *n* corindon *m*
coruscate /'kɒrəskeɪt, US 'kɔːr-/ *vi* sout étinceler
coruscating /'kɒrəskeɪtɪŋ, US 'kɔːr-/ *adj* sout étincelant
corvette /kɔː'vet/ *n* corvette *f*
cos *n* **1** /kɒz/ (*abrév* = **cosine**) cos *m*; **2** /kɒz/ = **cos lettuce**; **3** °/kəz/ *abrév* = **because**
cosec /'kəʊsek/ *n* (*abrév* = **cosecant**) cosec *f*
cosecant /ˌkəʊ'siːkənt/ *n* cosécante *f*
cosh /kɒʃ/ GB
A *n* matraque *f*
B *vtr* matraquer
cosign /ˌkəʊ'saɪn/ *vtr* Fin, Pol cosigner
cosignatory /ˌkəʊ'sɪgnətərɪ, US -tɔːrɪ/ *n* cosignataire *mf* (**to, of** de)
cosily /'kəʊzɪlɪ/ *adv [sit, lie]* confortablement; *[warm]* agréablement
cosine /'kəʊsaɪn/ *n* cosinus *m*
cosiness /'kəʊzɪnɪs/ *n* **1** (comfort) (of room) atmosphère *f* douillette; (of clothing, chair) confort *m*; **2** (intimacy) (of conversation, gathering) intimité *f*
cos lettuce /ˌkɒz 'letɪs/ *n* (salade *f*) romaine *f*
cosmeceutical /ˌkɒzmə'sjuːtɪkl/ *n* produit *m* de dermo-pharmacie
cosmetic /kɒz'metɪk/
A *n* produit *m* de beauté
B *adj* **1** lit cosmétique; **2** fig péj *[change, reform etc]* superficiel/-ielle
cosmetician /ˌkɒzme'tɪʃn/ ▸ **p. 1683** *n* cosmétologue *mf*
cosmetic surgery *n* chirurgie *f* esthétique
cosmic /'kɒzmɪk/ *adj* **1** lit cosmique; **2** fig (vast) *[event, struggle, battle etc]* prodigieux/-ieuse; **3** °(wonderful) super°
cosmic: ~ **dust** *n* poussière *f* interstellaire; ~ **rays** *npl* rayons *mpl* cosmiques
cosmogony /kɒz'mɒgənɪ/ *n* cosmogonie *f*
cosmographer /kɒz'mɒgrəfə(r)/ ▸ **p. 1683** *n* cosmographe *mf*
cosmography /kɒz'mɒgrəfɪ/ *n* cosmographie *f*
cosmology /kɒz'mɒlədʒɪ/ *n* cosmologie *f*
cosmonaut /'kɒzmənɔːt/ ▸ **p. 1683** *n* cosmonaute *mf*
cosmopolitan /ˌkɒzmə'pɒlɪtn/ *n, adj* cosmopolite (*mf*)
cosmos /'kɒzmɒs/ *n* cosmos *m*
Cossack /'kɒsæk/ *n, adj* cosaque (*m*)
cosset /'kɒsɪt/ *vtr* choyer *[person]*; protéger *[industry, group]*
cossie° /'kɒzɪ/ *n* GB maillot *m* de bain
cost /kɒst, US kɔːst/
A *n* **1** (price) coût *m*, prix *m* (**of** de); **the total**

➡ *see* French correspondence

~ comes to £500 le coût total revient à 500 livres; **at a ~ of £100** au prix de 100 livres; **at ~** au prix coûtant; **you must bear the ~ of any repairs** tous les frais de réparation sont à votre charge; **the ~ of renovating a house is high** la rénovation d'une maison coûte *or* revient cher; **at his own ~** à ses frais; **at no ~ to the taxpayer** sans que les contribuables aient à payer; **at no extra ~** sans frais supplémentaires; **at great ~** à grands frais; **he studied abroad, at great ~ to his parents** il a étudié à l'étranger, ce qui a coûté très cher à ses parents; **to count the ~ of sth** estimer le coût des dégâts causés par [*flood, earthquake*]; mesurer les conséquences de [*decision*]; **2** fig prix *m*; **at all ~s** à tout prix; **at the ~ of her own life** au prix de sa propre vie; **she's been very successful but at what ~ to her health?** elle a eu beaucoup de succès mais à quel prix pour sa santé?; **I'll do it, but not at any ~** je le ferai, mais pas à n'importe quel prix; **he knows to his ~ that** il a appris à ses dépens que; **we can generate power at little ~ to the environment** on peut produire de l'énergie sans nuire à l'environnement; **the ~ in human lives was great** beaucoup de vies ont été perdues; **whatever the ~** coûte que coûte
B costs *npl* **1** Jur frais *mpl* de l'instance; **to pay ~s** être condamné aux dépens; **to be awarded ~s** se voir accorder le remboursement des frais; **2** Comm, Fin frais *mpl*; **transport/labour ~s** frais *mpl* de transport/de main-d'œuvre; **production ~s** coûts *mpl* de production; **to cut ~s** réduire les frais généraux; **to cover ~s** couvrir les frais
C *vtr* **1** (*prét, pp* **cost**) coûter; **the camera ~s £250** cet appareil photo coûte 250 livres; **how much does it ~?** combien ça coûte?; **the tickets ~ too much** les billets coûtent trop cher; **silver ~s less than gold** l'argent coûte moins cher que l'or; **the meal cost us £40** le repas nous a coûté 40 livres; **the TV will ~ £100 to repair** cela coûtera 100 livres de faire réparer la télé; **a good wine ~s money** un bon vin coûte cher; **I can mend it but it will ~ you**○ je peux le réparer mais cela vous coûtera cher; **2** (*prét, pp* **cost**) fig **that decision cost him his job** cette décision lui a coûté son travail; **high inflation cost us the election** le fort taux d'inflation nous a fait perdre les élections; **politeness ~s nothing** ça ne coûte rien d'être poli; **3** (*prét, pp* **~ed**) Accts, Fin (*also* **~ out**) calculer le prix de revient de [*product*]; calculer le coût de [*project, work*]; **the project was ~ed at £3 million** le coût du projet a été évalué à 3 millions de livres

cost: **~ accountant** ▸ **p. 1683** *n* Accts analyste *mf* des coûts; **~-accounting** *n* Accts comptabilité *f* analytique; **~ and freight, CAF** *n* coût *m* et fret *m*

co-star /ˈkəʊstɑː(r)/ Cin, Theat
A *n* co-vedette *f*
B *vtr* **a film ~ring X and Y** un film avec X et Y
C *vi* (*p prés etc* **-rr-**) **to ~ with sb** partager la vedette avec qn

Costa Rica /ˌkɒstəˈriːkə/ ▸ **p. 1096** *pr n* Costa Rica *m*

Costa Rican /ˌkɒstəˈriːkən/ ▸ **p. 1467**
A *n* Costaricain/-e *m/f*
B *adj* costaricain

cost: **~-benefit analysis** *n* Accts, Comm analyse *f* coût-bénéfice; **~ centre** *n* Accts centre *m* de coûts

cost-cutting /ˈkɒstkʌtɪŋ, US ˈkɔːst-/
A *n* réduction *f* des frais
B *modif* [*exercise, strategy*] de réduction des frais; [*measures*] pour réduire les frais; **we've got rid of the fax machine as a ~ exercise** on s'est débarrassé du télécopieur pour réduire les frais

cost: **~-effective** *adj* Mgmt rentable; **~-effectiveness** *n* rentabilité *f*

costermonger‡ /ˈkɒstəmʌŋgə(r), US ˈkɔːst-/ ▸ **p. 1683** *n* (*also* **coster**) GB marchand/-e *m/f* des quatre saisons

costing /ˈkɒstɪŋ, US ˈkɔːstɪŋ/
A *n* **1** (discipline) comptabilité *f* analytique *or* d'exploitation; **2** (process) (for project) établissement *m* des coûts; (for product) établissement *m* des coûts de production
B costings *npl* (projected figures) évaluation *f* des coûts (**for** de)

costive /ˈkɒstɪv, US ˈkɔːstɪv/ *adj* **1** Med (constipated) constipé; **2** sout (sluggish) empoté

costliness /ˈkɒstlɪnɪs, US ˈkɔːst-/ *n* prix *m* élevé

costly /ˈkɒstlɪ, US ˈkɔːstlɪ/ *adj* **1** (expensive) [*scheme, exercise*] coûteux/-euse; [*error*] coûteux/-euse; [*taste, habit*] de luxe; **the decision proved to be ~** la décision lui/leur etc a coûté beaucoup; **2** (valuable) [*jewellery*] précieux/-ieuse

cost: **~ of living** *n* Econ, Fin coût *m* de la vie; **~ of living adjustment** *n* indexation *f* des salaires; **~ of living allowance** *n* indemnité *f* de vie chère; **~ of living bonus** *n* prime *f* de vie chère; **~ of living index** *n* indice *m* du coût de la vie; **~ of money** *n* Fin loyer *m* de l'argent; **~ overrun** *n* Accts, Fin dépassement *m* du budget, surcoût *m*; **~-plus** *n* coût *m* majoré

cost price *n* Comm (for producer) prix *m* de revient; (for consumer) prix *m* coûtant; **at ~** au prix coûtant

cost-push inflation *n* Fin inflation *f* par les coûts

costume /ˈkɒstjuːm, US -tuːm/
A *n* **1** (outfit) costume *m*; **national/period ~** costume national/d'époque; **in ~** costumé; **2** †GB (*also* **swimming ~**) maillot *m* de bain; **3** †(woman's suit) tailleur *m*
B *modif* [*designer, collection, change*] de costumes
C *vtr* costumer

costume: **~ ball** *n* bal *m* costumé; **~ drama** *n* pièce *f* en costume d'époque; **~ jewellery** *n* ¢ bijoux *mpl* fantaisie

costumier /kɒˈstjuːmɪə(r), US -ˈstuː-/ ▸ **p. 1683** *n* costumier/-ière *m/f*

cosy GB, **cozy** US /ˈkəʊzɪ/
A *n* (*also* **tea-~**) couvre-théière *m*
B *adj* **1** (comfortable) [*chair, room, atmosphere*] douillet/-ette; [*clothing*] confortable; **to feel ~** [*person*] être confortablement installé; [*room, blanket*] être douillet/-ette; **it's ~ here** on est bien ici; **2** (intimate) [*chat, evening, meeting*] intime; **3** fig [*situation, belief*] rassurant; [*world*] protégé

(Idiom) **to play it ~**○ US agir en douceur

(Phrasal verb) ■ **cosy up**○ GB, **cozy up**○ US [*person*] se mettre bien (**to** avec)

cot /kɒt/ *n* **1** GB (for baby) lit *m* de bébé; **2** US (camp bed) lit *m* de camp; **3** (on ship) couchette *f*

cotangent /kəʊˈtændʒənt/ *n* cotangente *f*

cot death *n* GB mort *f* subite du nourrisson

Côte d'Ivoire /ˌkəʊt dɪˈvwɑː(r)/ ▸ **p. 1096** *pr n* Côte d'Ivoire *f*

Côte-d'Or /ˌkəʊtˈdɔː(r)/ ▸ **p. 1129** *pr n* Côte-d'Or *f*; **in/to ~** en Côte-d'Or

cotenant /ˌkəʊˈtenənt/ *n* colocataire *mf*

coterie /ˈkəʊtərɪ/ *n* cercle *m*; pej coterie *f*

coterminous /ˌkəʊˈtɜːmɪnəs/ *adj* sout mitoyen/-enne (**with** avec)

Côtes-d'Armor /ˌkəʊtdɑːˈmɔː(r)/ ▸ **p. 1129** *pr n* Côtes-d'Armor *fpl*; **in/to ~** dans les Côtes-d'Armor

cotillion /kəˈtɪlɪən/ *n* cotillon *m*; US quadrille *m*

cottage /ˈkɒtɪdʒ/ *n* petite maison *f*, maisonnette *f*; (thatched) chaumière *f*; **weekend ~** maison *f* de campagne

cottage: **~ cheese** *n* cottage cheese *m*; **~ hospital** *n* GB ≈ polyclinique *f*; **~ industry** *n* travail *m* artisanal à domicile; **~ loaf** *n* GB miche *f* de pain; **~ piano** *n* (petit) piano *m* droit; **~ pie** *n* GB hachis *m* Parmentier

cottager /ˈkɒtɪdʒə(r)/ *n* **1** villageois/-e *m/f*; **2** US (vacationer) vacancier/-ière *m/f* en location

cottaging /ˈkɒtɪdʒɪŋ/ *n* drague○ *f* homosexuelle dans les WC publics

cotter /ˈkɒtə(r)/ *n* **1** Hist (*also* **cottier**) valet *m* de ferme; **2** Scot (*also* **cottar**) paysan/-anne *m/f*; **3** Tech (*also* **~ pin**) goupille *f* fendue

cotton /ˈkɒtn/
A *n* **1** Bot, Tex coton *m*; **2** (thread) fil *m* de coton
B *modif* [*clothing, fabric, field*] de coton; [*industry, town*] cotonnier/-ière

(Phrasal verbs) ■ **cotton on**○ piger○; **to ~ on to sth** piger○ qch, saisir qch
■ **cotton to**○ US **1** (take a liking to) s'emballer pour; **2** (approve) approuver [*plan, idea*]
■ **cotton up**○ US essayer de se mettre bien (**to** avec)

cotton: **~ batting** *n* US = **cotton wool**; **~ belt** *n* US Cotton Belt *m* (*région cotonnière des États-Unis*); **~ bud** *n* Coton-Tige® *m*; **~ cake** *n* tourteau *m* de graines de coton; **~ candy** *n* US barbe *f* à papa

cotton drill
A *n* Tex coutil *m*
B *modif* [*clothing*] en coutil

cotton: **~ gin** *n* égreneuse *f* de coton; **~ grass** *n* linaigrette *f*; **~ mill** *n* filature *f* de coton

cotton picker ▸ **p. 1683** *n* **1** (machine) ramasseuse *f* de coton; **2** (person) cueilleur/-euse *m/f* de coton

cotton-picking○ *adj* US péj sale○ (*before n*), sacré○ (*before n*)

cotton: **~ reel** *n* bobine *f* de coton; **~seed** *n* graine *f* de coton; **~seed cake** *n* = **cotton cake**; **~seed oil** *n* huile *f* de coton; **~tail** *n* US lapin *m* de garenne; **~ waste** *n* gen étoupe *f* de coton; (for cleaning) coton *m* d'essuyage

cotton wool *n* ouate *f* (de coton); **absorbent ~** ouate hydrophile

(Idiom) **to wrap sb in ~** élever qn dans du coton

cotton worker ▸ **p. 1683** *n* cotonnier/-ière *m/f*

cotyledon /ˌkɒtɪˈliːdn/ *n* cotylédon *m*

couch /kaʊtʃ/
A *n* **1** (sofa) canapé *m*; **2** (doctor's) lit *m*; (psychoanalyst's) divan *m*; **to be on the ~** US être en analyse; **3** littér (bed) couche *f*; **4** Bot = **couch grass**
B *vtr* formuler [*idea, response*]; **a reply ~ed in conciliatory terms** une réponse formulée en termes conciliants
C *vi* littér [*animal*] être couché

couchant /ˈkaʊtʃənt/ *adj* Herald couché

couchette /kuːˈʃet/ *n* couchette *f*

couch: **~ grass** /ˈkaʊtʃgrɑːs, ˈkuːtʃ, US -græs/ *n* chiendent *m*; **~ potato**○ *n* péj pantouflard/-e○ *m/f* (*qui passe son temps devant la télévision*)

cougar /ˈkuːgə(r)/ *n* puma *m*

cough /kɒf, US kɔːf/
A *n* toux *f*; **dry/smoker's ~** toux sèche/de fumeur; **to have a ~** tousser; **she has a bad ~** elle a une mauvaise toux
B *vi* tousser

(Phrasal verb) ■ **cough up**: ▸ **~ up [sth]** **1** lit cracher [*blood*]; **2** ○fig cracher○ [*information*]; **to ~ up (the money)** cracher○

cough drop, cough lozenge *n* pastille *f* pour la toux

coughing /ˈkɒfɪŋ, US ˈkɔːfɪŋ/ *n* toux *f*; **~ fit** accès *m* de toux

cough mixture, cough syrup *n* (sirop *m*) antitussif *m*

could /kʊd, kəd/ ▸ **can¹**

couldn't /ˈkʊdnt/ = **could not**

could've /ˈkʊdəv/ = **could have**

coulee /ˈkuːlɪ/ *n* US **1** (ravine) ravine *f*; **2** (stream) ruisseau *m* intermittent

couloir /ˈkuːlwɑː(r)/ *n* Geog couloir *m*

council /ˈkaʊnsl/

A *n* conseil *m*; **parish/city/international ~** conseil paroissial/municipal/international; **the Council of Europe** le Conseil de l'Europe; **in ~** en assemblée

B *modif* [*employee, workman*] municipal; [*grant*] de la municipalité

council: **~ chamber** *n* salle *f* du conseil; **~ estate** *n* lotissement *m* de logements sociaux; **~ flat** *n* appartement *m* à loyer modéré; **~ house** *n* habitation *f* à loyer modéré; **~ housing** *n* logements *mpl* sociaux

councillor /ˈkaʊnsələ(r)/ *n* conseiller/-ère *m/f*; **Councillor Brown** Monsieur le conseiller/Madame la conseillère Brown

council: **~man** *n* US conseiller *m* municipal; **the Council of Ministers** EU le Conseil des ministres; **~ tax** *n* ≈ impôts *mpl* locaux; **~ tenant** *n* habitant *m* de logement social; **~woman** *n* US conseillère *f* municipale

counsel /ˈkaʊnsl/

A *n* **1** sout (advice) conseil *m*; **to keep one's own ~** garder ses intentions pour soi; **to take ~ (together)** se consulter; **2** Jur avocat/-e *m/f*; **~ for the defence** avocat/-e *m/f* de la défense; **~ for the prosecution** procureur *m*

B *vtr* **1** (give advice to) conseiller [*person, family*] (**about, on** sur); **2** sout (recommend) conseiller [*caution, silence*]; **to ~ sb to do** conseiller à qn de faire

counselling, **counseling** US /ˈkaʊnsəlɪŋ/

A *n* **1** (psychological advice) aide *f* psychosociale; **bereavement ~** aide psychosociale aux personnes endeuillées; **2** (practical advice) assistance *f*; **debt ~** assistance aux personnes endettées; **careers ~** orientation *f* professionnelle; **3** Sch orientation *f* scolaire

B *modif* [*group, centre, service*] d'aide psychosociale, d'assistance

counselling service *n* US Sch service *m* d'aide aux élèves

counsellor, **counselor** US /ˈkaʊnsələ(r)/ ▸ p. 1683 *n* **1** (adviser) conseiller/-ère *m/f*; **trained ~** conseiller/-ère qualifié/-e; **2** US Sch conseiller/-ère *m/f* d'éducation; **3** US Jur (*also* **~-at-law**) avocat/-e *m/f*; **4** US (in holiday camp) moniteur/-trice *m/f*

count /kaʊnt/ ▸ p. 1237

A *n* **1** (numerical record) gen décompte *m*; Pol (at election) dépouillement *m*; **to make a ~ of sth** compter qch; **there were 60 guests at the last ~** il y avait 60 invités au dernier décompte; **to keep (a) ~ of** tenir compte de qch; **to lose ~** se perdre dans ses comptes; **I've lost ~** je ne sais plus où j'en suis; **I've lost ~ of the number of times I've tried** j'ai essayé je ne sais combien de fois; **I've lost ~ of the number of complaints I've received** je ne compte plus le nombre de plaintes que j'ai reçues

2 (level) taux *m*; **bacteria/cholesterol ~** taux de bactéries/de cholestérol

3 (figure) chiffre *m*; **the official ~ was three million unemployed** le chiffre officiel était de trois millions de chômeurs

4 (call) **on the ~ of three, fire!** à trois, tirez!; **I'll give you a ~ of 50** je compterai jusqu'à 50

5 Jur chef *m* d'accusation; **he was convicted on three ~s** on l'a condamné pour trois chefs d'accusation

6 (point) **you're wrong on both ~s** vous avez tort sur les deux points; **we're satisfied on all three ~s** les trois points qui posaient problème sont maintenant éclaircis

7 Sport (in boxing) **to be out for the ~**○ être KO○ also fig

8 (*also* **Count**) (nobleman) comte *m*

B *vtr* **1** (add up) compter [*points, people, words, mistakes, objects*]; vérifier [*one's change*]; énumérer [*reasons, causes*]; **to ~ how much one has spent** calculer combien on a dépensé; **to ~ the votes** Pol dépouiller le scrutin; gen compter les votes; **I'm ~ing the days until Christmas** je compte les jours jusqu'à Noël; **the teacher ~ed heads** le professeur a compté les présents; **55 people, ~ing the children** 55 personnes en comptant les enfants; **20, not ~ing my sister** 20, sans compter ma sœur; **to ~ the cost of sth** fig faire le bilan de qch

2 (consider) **to ~ sb as sth** considérer qn comme qch; **children over 15 are ~ed as adults** on considère les enfants de plus de 15 ans comme des adultes

C *vi* **1** gen, Math compter; **to ~ (up) to 50** compter jusqu'à 50; **to ~ in fives** compter de cinq en cinq; **I've had six drinks, but who's ~ing?** j'ai bu six verres, et alors?

2 (be relevant) compter; **this ~s towards your final mark** cela compte pour votre note finale

3 (be of importance) compter; **qualifications ~ for little** les qualifications ne comptent guère; **all my work ~s for nothing** mon travail ne compte pour rien; **every second ~s** chaque seconde compte

4 (be considered) **children over 15 ~ as adults** les enfants de plus de 15 ans sont considérés comme des adultes; **handbags don't ~ as luggage** les sacs à main ne sont pas considérés comme des bagages

(Idioms) **to ~ sheep** compter les moutons; **to ~ the pennies** regarder à la dépense; **to ~ oneself lucky** *ou* **fortunate** s'estimer heureux; **to ~ yourself lucky (that) you only got a fine** estime-toi heureux de n'avoir eu qu'une amende; **it's the thought that ~s** c'est l'intention qui compte; **to stand up and be ~ed** se faire entendre

(Phrasal verbs) ■ **count against**: ▸ **~ against [sb]** [*criminal record, past*] être un handicap pour; [*age, background, mistakes*] jouer contre

■ **count down** déclencher le compte à rebours (**to** avant)

■ **count in**: ▸ **~ [sb] in** **1** (include) **if you're organizing an outing, ~ me in!** si tu organises une sortie, j'en suis!; **we're going on strike, can we ~ you in?** on fait la grève, est-ce qu'on peut compter sur vous?; **2** Mus faire entrer [qn] en mesure

■ **count on, count upon**: ▸ **~ on [sb/sth]** compter sur [*person, event*]; **don't ~ on it!** ne comptez pas (trop) dessus!; **I was ~ing on the train being late** je comptais sur le retard du train; **I 'm ~ing on you to help me** je compte sur toi pour m'aider

■ **count out**: ▸ **~ out [sth]** compter [*money, cards*]; **he ~ed out the money** il a compté l'argent (pièce par pièce *or* billet par billet): ▸ **~ [sb] out** **1** (exclude) **if it's dangerous you can ~ me out!** si c'est dangereux ne comptez pas sur moi!; **~ me out, I'm not interested** ne compte pas sur moi, ça ne m'intéresse pas; **~ [sb] out of** exclure [qn] de [*plans, calculations*]; **2** Sport **to be ~ed out** [*boxer*] aller au tapis

■ **count up**: ▸ **~ up [sth]** calculer [*cost*]; compter [*money, boxes*]; **~ up how many hours you spend on the work** calculez le temps que vous aurez passé sur ce travail

countability /ˌkaʊntəˈbɪlətɪ/ *n* Ling fait *m* d'être comptable

countable /ˈkaʊntəbl/ *adj* **1** Ling dénombrable, comptable; **2** (quantifiable) dénombrable

countdown /ˈkaʊntdaʊn/ *n* lit, fig compte *m* à rebours (**to** avant)

countenance /ˈkaʊntənəns/

A *n* littér (face) visage *m*; (expression) expression *f*

B *vtr* sout (tolerate) admettre [*misuse, slander*]; **to ~ sb doing** admettre que qn fasse

(Idioms) **to keep one's ~** ne pas se laisser décontenancer; **to put sb out of ~** décontenancer qn

counter /ˈkaʊntə(r)/

A *n* **1** (service area) (in shop, snack bar) comptoir *m*; (in bank, post office) guichet *m*; (in pub, bar) bar *m*; **he works behind the ~** (in bank etc) il travaille au guichet; (in shop, bar) il est derrière le comptoir; **the man/girl behind the ~** (in shop) le vendeur/la vendeuse; (in bank, post office) le caissier/la caissière; **this medicine is available over the ~** ce médicament est vendu sans ordonnance; **guns are not sold over the ~** les armes ne sont pas en vente libre; **to buy shares over the ~** acheter des actions hors cote; **these magazines are sold under the ~** on vend ces magazines en sous-main; **to do a deal under the ~** conclure un accord en sous-main; **2** (section of a shop) rayon *m*; **perfume/glove ~** rayon parfumerie/ganterie; **cheese ~** fromagerie *f*, rayon *m* fromagerie; **3** Games pion *m*; **4** (token) jeton *m*; **5** (counting device) compteur *m*; **6** (on shoe) contrefort *m*

B **counter to** *prep phr* [*be, go, run*] à l'encontre de; [*act, behave*] contrairement à; **this trend runs ~ to forecasts** cette tendance va à l'encontre des prévisions

C *vtr* répondre à [*accusation, claim*]; réagir à [*threat, attack*]; s'opposer à [*trend*]; neutraliser [*effet*]; parer [*blow*]; enrayer [*inflation, increase*]

D *vi* (retaliate) riposter; **I ~ed by accusing him of theft** j'ai riposté *or* répondu en l'accusant de vol; **she ~ed with a new proposal** elle a répondu par une nouvelle proposition; **he ~ed with a left hook** il a riposté par un crochet du gauche

E **counter+** (*dans composés*) contre-

counteract /ˌkaʊntəˈrækt/ *vtr* **1** (work against) contrer [*decision, influence, effects*]; **2** (thwart) contrecarrer [*strike, negative publicity*]; **3** (counterbalance) contrebalancer [*tendency*]

counter-argument /ˌkaʊntərˈɑːgjʊmənt/ *n* contre-argument *m*

counter-attack /ˈkaʊntərətæk/

A *n* contre-attaque *f* (**against** sur)

B *vtr, vi* contre-attaquer

counter-attraction /ˌkaʊntərəˈtrækʃn/ *n* attraction *f* concurrente (**to** de)

counterbalance

A /ˈkaʊntəbæləns/ *n* contrepoids *m* (**to** à)

B /ˌkaʊntəˈbæləns/ *vtr* contrebalancer

counter-bid /ˈkaʊntəbɪd/ *n* contre-offre *f*

counterblast /ˈkaʊntəblɑːst, US -blæst/ *n* riposte *f* énergique (**to** à)

counter-charge

A /ˈkaʊntətʃɑːdʒ/ *n* **1** Jur contre-accusation *f*; **2** Mil contre-offensive *f*

B /ˌkaʊntəˈtʃɑːdʒ/ *vtr* **1** Jur riposter à [*accuser*]; **2** Mil **to ~ the enemy** lancer une contre-offensive

countercheck

A /ˈkaʊntətʃek/ *n* (double check) deuxième vérification *f*

B /ˌkaʊntəˈtʃek/ *vtr* revérifier

counter cheque GB, **counter check** US *n* chèque-guichet *m*

counter-claim /ˈkaʊntəkleɪm/ *n* gen rétorsion *f*; Jur demande *f* reconventionnelle

counter clerk ▸ p. 1683 *n* US Fin, Post caissier/-ière *m/f*

counter-clockwise /ˌkaʊntəˈklɒkwaɪz/ *adj, adv* US dans le sens inverse des aiguilles d'une montre

counter-culture /ˈkaʊntəkʌltʃə(r)/ *n* contre-culture *f*

counter-current /ˈkaʊntəkʌrənt/ *n* contre-courant *m*

counter-espionage /ˌkaʊntərˈespɪənɑːʒ/ *n* contre-espionnage *m*

counter-example /ˈkaʊntərɪgzɑːmpl, US -zæmpl/ *n* contre-exemple *m*

counterfeit /ˈkaʊntəfɪt/

A *n* contrefaçon *f*

B *adj* [*signature, note*] contrefait; **~ money** fausse monnaie *f*

C *vtr* contrefaire

counterfeiter /ˈkaʊntəfɪtə(r)/ *n* faussaire *mf*

counterfoil /'kaʊntəfɔɪl/ *n* talon *m*, souche *f*

counter-inflationary /ˌkaʊntərɪnfleɪʃnrɪ, US -nerɪ/ *adj* anti-inflationniste

counter-insurgency /ˌkaʊntərɪn'sɜːdʒənsɪ/ *n* contre-insurrection *f*

counter-insurgent /ˌkaʊntərɪn'sɜːdʒənt/ *n* contre-insurgé/-e *m/f*

counter-intelligence /ˌkaʊntərɪn'telɪdʒəns/
A *n* contre-espionnage *m*
B *modif* [*activity, personnel, agency*] de contre-espionnage

counter-intuitive /ˌkaʊntərɪn'tjuːɪtɪv, US -'tuː-/ *adj* paradoxal

counter-irritant /ˌkaʊntər'ɪrɪtənt/ *n* révulsif *m*

countermand /ˌkaʊntə'mɑːnd, US -'mænd/ *vtr* annuler [*order, decision*]; **unless ~ed** sauf contrordre

countermarch /'kaʊntəmɑːtʃ/ Mil
A *n* défilé *m* en sens inverse
B *vi* défiler en sens inverse

counter-measure /'kaʊntəmeʒə(r)/ *n* contre-mesure *f*

counter-move /'kaʊntəmuːv/ *n* mouvement *m* contraire

counter-offensive /ˌkaʊntərə'fensɪv/ *n* contre-offensive *f* (**against** sur)

counter-offer /'kaʊntərɒfə(r)/ *n* contre-proposition *f*

counterpane† /'kaʊntəpeɪn/ *n* couvre-lit *m*

counterpart /'kaʊntəpɑːt/ *n* (of person) homologue *mf*; (of company, institution etc) équivalent *m* (**of, to** de); (of document) double *m*

counterpoint /'kaʊntəpɔɪnt/
A *n* (all contexts) contrepoint *m*
B *vtr* fournir un contrepoint à

counterpoise /'kaʊntəpɔɪz/
A *n* **1** (weight) contrepoids *m* (**to** à); **2** (equilibrium) équilibre *m*
B *vtr* **1** (oppose) faire contrepoids à; **2** (balance) rééquilibrer

counter-productive /ˌkaʊntəprə'dʌktɪv/ *adj* contre-productif/-ive

counter-productiveness /ˌkaʊntəprə'dʌktɪvnɪs/ *n* contre-productivité *f*

counter-proposal /ˌkaʊntəprə'pəʊzl/ *n* contre-proposition *f*

counter punch
A *n* contre *m*
B **counter-punch** *vtr, vi* contrer

Counter-Reformation /ˌkaʊntəˌrefə'meɪʃn/ *n* Hist Contre-Réforme *f*

counter-revolution /ˌkaʊntəˌrevə'luːʃn/ *n* contre-révolution *f*

counter-revolutionary /ˌkaʊntəˌrevə'luːʃənərɪ, US -nerɪ/ *n, adj* contre-révolutionnaire (*mf*)

countersign /'kaʊntəsaɪn/
A *n* Mil mot *m* de passe
B *vtr* contresigner

countersink /'kaʊntəsɪŋk/ *vtr* fraiser [*hole*]; noyer [*screw, bolt*]

counter staff *n* Fin, Post caissiers/-ières *mpl/fpl*

counter-summit /'kaʊntəsʌmɪt/ *n* contre-sommet *m*

counter-tenor /ˌkaʊntə'tenə(r)/ ▸ **p. 1868** *n* (person) haute-contre *m*; (voice) haute-contre *f*

counter-terrorism /ˌkaʊntə'terərɪzəm/ *n* contre-terrorisme *m*

counter-terrorist /ˌkaʊntə'terərɪst/ *n, adj* contre-terroriste (*mf*)

countervailing /'kaʊntəvaɪlɪŋ/ *adj* sout compensatoire

counterweight /'kaʊntəweɪt/ *n* contrepoids *m* (**to** à)

countess /'kaʊntɪs/ ▸ **p. 1237** *n* (*also* **Countess**) comtesse *f*

counting /'kaʊntɪŋ/
A *n* gen calcul *m*; (of votes) dépouillement *m*; **the ~ of votes** le dépouillement du scrutin
B *modif* [*game, rhyme, song*] pour apprendre à compter

counting house† *n* GB bureau *m* des comptables

countless /'kaʊntlɪs/ *adj* **~ cars/letters** un nombre incalculable de voitures/de lettres; **he has forgotten his key on ~ occasions** il a oublié sa clé je ne sais combien de fois; **~ millions of** des millions et des millions de

count noun *n* Ling nom *m* comptable

countrified /'kʌntrɪfaɪd/ *adj* rustique; péj rustaud

country /'kʌntrɪ/
A *n* **1** (nation, people) pays *m*; **developing/Third World ~** pays en voie de développement/du tiers-monde; **to go to the ~** GB Pol appeler le pays aux urnes; **2** (native land) patrie *f*; **to die for one's ~** mourir pour sa patrie; **the old ~** le pays natal; **3** (*also* **~side**) (out of town) campagne *f*; **across ~** à travers la campagne; **in the ~** à la campagne; **open ~** rase campagne; **4** (area) région *f*; **fishing/walking ~** une région bonne pour la pêche/la marche; **cattle ~** une région d'élevage de bétail; **Brontë ~** le pays des Brontë; **cowboy ~** la terre des cowboys; **5** (*also* **~ music**) country (music) *f*
B *modif* **1** [*person, road, life*] de campagne; [*scene*] campagnard; **2** Mus (*also* **~ and western**) [*music, singer*] de country (music)

(Idioms) **it's a free ~!** on est en république!, on est libre de faire ce qu'on veut!; **it's my line of ~** ça me connaît; **it's not really my line of ~** ce n'est pas vraiment mon fort

country and western
A *n* musique *f* country et western
B *modif* [*singer*] de musique country et western

country: **~ blues** *n* country blues *m*; **~-bred** *adj* élevé à la campagne; **~ bumpkin** *n* péj plouc○ *mf*; **~ club** *n* club *m* de loisirs (*à la campagne*); **~ cousin** *n* péj *ou* hum personne *f* qui débarque de la campagne; **~ dance** *n* danse *f* folklorique; **~ dancer** *n* danseur/-euse *m/f* de danses folkloriques

country dancing *n* danse *f* folklorique; **to go ~** danser des danses folkloriques

country: **~ gentleman** *n* gentilhomme *m* campagnard; **~ house** *n* manoir *m*

countryman /'kʌntrɪmən/ *n* (*pl* **-men**) **1** (*also* **fellow ~**) compatriote *m*; **2** (living out of town) campagnard *m*

country mile○ *n* longue distance *f*; **it's a ~!** c'est bien plus loin qu'un mile!

country: **~ music** *n* country music *f*; **~ park** *n* parc *m* régional; **~ rock** *n* Geol roche *f* encaissante; Mus country rock *m*; **~ seat** *n* domaine *m*

countryside /'kʌntrɪsaɪd/ *n* campagne *f*; **there is some lovely ~ around here** il y a de beaux paysages par ici

country: **Countryside Commission** *n* GB commission *f* des espaces naturels; **~wide** *adj, adv* dans tout le pays

countrywoman /'kʌntrɪwʊmən/ *n* (*pl* **-women**) **1** (*also* **fellow ~**) compatriote *f*; **2** (living out of town) campagnarde *f*

county /'kaʊntɪ/
A *n* comté *m*
B *modif* GB [*boundary, team, agent, jail*] du comté
C ○*adj* GB péj [*accent*] ≈ d'aristocrate; **he's very ~** il fait très gentleman-farmer

> **County**
>
> Le Royaume-Uni est divisé en unités administratives dont la plupart sont des *counties* progressivement remplacés par des *unitary authorities*. L'ancienne appellation est cependant souvent utilisée. La plupart des États américains sont également divisés en comtés. Il y en a plus de 3 000 aux États-Unis. Dans les deux pays, le comté est la base du gouvernement local.

county: **~ agent** ▸ **p. 1683** *n* US conseiller *m* en agriculture; **~ council, CC** *n* GB Pol ≈ conseil *m* régional; **~ councillor** *n* GB Pol ≈ conseiller/-ère *m/f* régional/-e; **~ court** *n* GB Jur ≈ tribunal *m* d'instance

County Durham /ˌkaʊntɪ 'dʌrəm/ ▸ **p. 1612** *pr n* Comté *m* de Durham

county: **~ seat** *n* US chef-lieu *m* de comté; **~ town** *n* GB chef-lieu *m* de comté

coup /kuː/
A *n* **1** (*also* **~ d'état**) coup *m* d'État; **2** (successful move) beau coup *m*; **to pull off/score a ~** réussir/faire un beau coup
B *modif* [*attempt*] de coup (d'État)

coup: **~ de foudre** *n* coup *m* de tonnerre; **~ de grâce** *n* coup *m* de grâce; **~ d'état** *n* coup *m* d'État

coupé /'kuːpeɪ/ *n* coupé *m*

couple /'kʌpl/
A *n* **1** gen, Phys, Sport (pair) couple *m*; **young (married) ~** jeune couple; **2** **a ~ of** (two) deux [*people, objects*]; (a few) deux ou trois; **a ~ of times** deux ou trois fois
B *vtr* **1** coupler [*circuits, wheels*]; Rail atteler [*coaches*]; **2** fig (associate) associer [*names, ideas*]; **~d with** s'ajoutant à
C *vi* [*person, animal*] s'accoupler

coupler /'kʌplə(r)/ *n* (all contexts) coupleur *m*

couplet /'kʌplɪt/ *n* distique *m*

coupling /'kʌplɪŋ/ *n* **1** gen accouplement *m*; **2** Rail attelage *m*; **3** Elec couplage *m*

coupon /'kuːpɒn/ *n* **1** (for goods) bon *m*; **petrol/clothes ~** bon d'essence/de vêtements; **2** (form) coupon *m*; **reply ~** coupon-réponse *m*; **entry ~** (for competition) bulletin *m* de participation; **3** Fin coupon *m*; **4** (in football) grille *f* de paris

courage /'kʌrɪdʒ/ *n* courage *m* (**to do** de faire); **to have/lack the ~ of one's convictions** avoir/ne pas avoir le courage de ses opinions; **to pluck up the ~ to do** trouver le courage de faire; **to show ~** faire preuve de courage; **to take one's ~ in both hands** prendre son courage à deux mains; **it takes ~ to do** il faut du courage pour faire; **to take ~ from sth** être encouragé par qch

courageous /kə'reɪdʒəs/ *adj* courageux/-euse; **it is/was ~ of him to do it** c'est/c'était courageux de sa part de le faire

courageously /kə'reɪdʒəslɪ/ *adv* courageusement

courageousness /kə'reɪdʒəsnɪs/ *n* courage *m*, bravoure *f*

courgette /kɔː'ʒet/ *n* courgette *f*

courier /'kʊrɪə(r)/ ▸ **p. 1683** *n* **1** (*also* **travel ~**) guide *m*; **2** (for parcels, documents) coursier *m*; (for drugs) transporteur *m*

courier company *n* Comm messagerie *f* (rapide)

course /kɔːs/
A *n* **1** (progression) (of time, event, history, nature) cours *m* (**of** de); **in the ~ of** au cours de; **in the ~ of time** avec le temps; **in the normal** *ou* **ordinary ~ of things** *ou* **events** normalement; **in the ~ of doing** en faisant; **in the ~ of construction/development** en cours de construction/développement; **to take its ~** se mettre en train; **to run** *ou* **follow its ~** suivre son cours; **in due ~** en temps utile; **to change the ~ of sth** changer le cours de qch; **2** (route) (of river, road, planet, star) cours *m*; (of boat, plane) cap *m*; **to be on** *ou* **hold** *ou* **steer a ~** Aviat, Naut tenir un cap; **to be on ~ for** lit être en route pour; fig aller vers; **the economy is back on ~** l'économie s'est restabilisée; **to be** *ou* **go off ~** faire fausse route; **to change ~** gen, lit changer de direction; Aviat, Naut changer de cap; fig changer d'avis; **to set (a) ~ for** Aviat, Naut mettre le cap sur; **~ of action** moyen *m* d'action, parti *m*; **to take a ~ of action** prendre un parti; **this is the only ~ open to us** c'est le seul parti qui s'offre à nous; **3** Sch, Univ cours *m* (**in** en; **of** de); **art/French ~** cours

C

Countries and continents

■ *Most countries and all continents are used with the definite article in French:*

France is a beautiful country
= la France est un beau pays

I like Canada
= j'aime le Canada

to visit the United States
= visiter les États-Unis

to know Iran
= connaître l'Iran

A very few countries do not:

to visit Israel
= visiter Israël

■ *When in doubt, check in the dictionary.*

■ *All the continent names are feminine in French. Most names of countries are feminine e.g.* la France, *but some are masculine e.g.* le Canada.

■ *Most names of countries are singular in French, but some are plural (usually, but not always, those that are plural in English) e.g.* les États-Unis *mpl (the United States), and* les Philippines *fpl (the Philippines). Note, however, the plural verb* sont*:*

the Philippines is a lovely country
= les Philippines sont un beau pays

In, to and from somewhere

■ *With continent names, feminine singular names of countries and masculine singular names of countries beginning with a vowel, for* in *and* to, *use* en, *and for* from, *use* de*:*

to live in Europe
= vivre en Europe

to go to Europe
= aller en Europe

to come from Europe
= venir d'Europe

to live in France
= vivre en France

to go to France
= aller en France

to come from France
= venir de France

to live in Afghanistan
= vivre en Afghanistan

to go to Afghanistan
= aller en Afghanistan

to come from Afghanistan
= venir d'Afghanistan

■ *Note that names of countries and continents that include North, South, East, or West work in the same way:*

to live in North Korea
= vivre en Corée du Nord

to go to North Korea
= aller en Corée du Nord

to come from North Korea
= venir de Corée du Nord

■ *With masculine countries beginning with a consonant, and with plurals, use* au *or* aux *for* in *and* to, *and* du *or* des *for* from*:*

to live in Canada
= vivre au Canada

to go to Canada
= aller au Canada

to come from Canada
= venir du Canada

to live in the United States
= vivre aux États-Unis

to go to the United States
= aller aux États-Unis

to come from the United States
= venir des États-Unis

to live in the Philippines
= vivre aux Philippines

to go to the Philippines
= aller aux Philippines

to come from the Philippines
= venir des Philippines

Adjective uses: *français* or *de France* or *de la France?*

■ *For French, the translation* français *is usually safe; here are some typical examples:*

the French army
= l'armée française

the French coast
= la côte française

French cooking
= la cuisine française

French currency
= la monnaie française

the French Customs
= la douane française

the French government
= le gouvernement français

the French language
= la langue française

French literature
= la littérature française

French money
= l'argent français

the French nation
= le peuple français

French politics
= la politique française

a French town
= une ville française

French traditions
= les traditions françaises

■ *Some nouns, however, occur more commonly with* de France *(usually, but not always, their English equivalents can have* of France *as well as* French*):*

the Ambassador of France *or* ***the French Ambassador***
= l'ambassadeur de France

the French Embassy
= l'ambassade de France

the history of France *or* ***French history***
= l'histoire de France

the King of France *or* ***the French king***
= le roi de France

the rivers of France
= les fleuves et rivières de France

the French team
= l'équipe de France

but note:

the capital of France *or* ***the French capital***
= la capitale de la France

■ *Note that many geopolitical adjectives like* French *can also refer to nationality, e.g.* a French tourist ▸ **p. 1467**, *or to the language, e.g.* a French word ▸ **p. 1378**.

m d'art/de français; **beginners' ~** cours *m* pour débutants; **introductory/advanced ~** cours *m* inaugural/avancé; **a ~ of study** Sch programme *m* scolaire; Univ cursus *m* universitaire; **to go on a ~** (aller) suivre un cours; **to be on a ~** suivre un cours; **4** Med, Vet (of drug) traitement *m*; (of injections) série *f*; **a ~ of treatment** un traitement; **5** Sport (in golf, athletics) parcours *m*; Turf cours *m*; **to stay the ~** lit finir la course; fig tenir bon; **6** (part of meal) plat *m*; **second/third ~** deuxième/troisième plat *m*; **the fish ~** le plat de poisson; **the cheese ~** le plateau de fromages; **7** Constr assise *f*

B *vtr* Hunt [*dog*] courir [*quarry*]; [*person*] faire courir [*hounds*]

C *vi* **1** (rush) couler; **the tears ~d down her cheeks** les larmes coulaient sur ses joues; **the blood was coursing through** *ou* **in her veins** le sang coulait dans ses veines; **ideas were coursing through his mind** les idées se bousculaient dans son esprit; **2** Sport [*dogs*] courir le lièvre; [*person*] chasser

D -course (*dans composés*) **three/five-~** [*meal*] de trois/cinq plats

E of course *adv phr* bien sûr, évidemment; **of ~ I do!** bien sûr que oui!; **of ~ he doesn't!** bien sûr que non!; **'did you lock the door?'—'of ~ I did!'** 'tu as fermé la porte à clé?'—'mais oui, enfin!'; **'you didn't believe him?'—'of ~ not!'** 'tu ne l'as pas cru?'—'mais non, voyons!'; **it might rain/it's too expensive, of ~** évidemment il pourrait pleuvoir/c'est trop cher; **you'll stay for dinner, of ~?** vous allez bien rester dîner?

course: **~ book** *n* méthode *f*; **~ material** *n* support *m* de cours

courser /ˈkɔːsə(r)/ *n* **1** Hunt (person) chasseur *m*; (dog) chien *m* courant; **2** †(horse) littér coursier *m* liter

course: **~ware** *n* logiciel *m* d'enseignement à distance; **~work** *n* Sch, Univ devoirs *mpl* (de contrôle continu)

coursing /ˈkɔːsɪŋ/ *n* chasse *f* (*où les chiens utilisent leur vue plutôt que leur flair*)

court /kɔːt/

A *n* **1** Jur cour *f*, tribunal *m*; **to appear in ~** comparaître devant un tribunal; **to say in ~ that** dire au tribunal que; **to bring sth to ~** amener qch devant le tribunal; **to go to ~** aller devant les tribunaux *or* en justice (over pour); **to take sb to ~** poursuivre qn en justice; **to rule sth out of ~** décréter que qch est irrecevable; **to settle sth out of ~** régler qch à l'amiable; **in open ~** en audience publique; **in closed ~** à huis clos; **2** Sport (for tennis, squash) court *m*; (for basketball) terrain *m*; **X is on ~ at the moment** X joue en ce moment; **3** (of sovereign) cour *f*; **to hold ~** fig tenir cour; **4** (*also* **~yard**) cour *f*

B *modif* Jur [*case, action*] judiciaire; [*decision, hearing, ruling*] du tribunal; **~ appearance** comparution *f* en justice

C *vtr* **1** † *ou* fig (try to gain love of) courtiser [*woman, voters, customers*]; **2** (seek) rechercher [*affection, favour, controversy*]; courir à [*failure, disaster*]; chercher [*trouble*]

D †*vi* [*couple*] se fréquenter; **he's ~ing** il a une petite amie; **a ~ing couple** un couple d'amoureux; **in our ~ing days** avant notre mariage

(Idioms) **to get laughed out of ~** se rendre complètement ridicule; **to laugh sb out of ~** tourner qn en ridicule; **to pay ~ to sb**† faire la cour à qn

court: **~ card** *n* GB Games figure *f* (*aux cartes*); **~ circular** *n* bulletin *m* quotidien de la cour; **~ dress** *n* ₵ habit *m* de cour

Courtelle® /kɔːˈtel/ *n* Courtelle® *f*

courteous /'kɜːtɪəs/ *adj* courtois (**to** envers); **it is/was ~ of them to do it** c'est/c'était courtois de leur part de le faire

courteously /'kɜːtɪəslɪ/ *adv* courtoisement

courtesan /ˌkɔːtɪ'zæn, US 'kɔːtɪzn/ *n* courtisane *f*

courtesy /'kɜːtəsɪ/ *n* [1] courtoisie *f*; **to have the ~ to do** avoir la courtoisie de faire; **it is only common ~ to do** c'est la moindre des politesses de faire; **to do sb the ~ of doing** iron faire à qn le plaisir de faire; **to exchange courtesies** faire des échanges de politesse; [2] **(by) ~ of** (with permission from) avec la gracieuse permission de [*rightful owner*]; (with funds from) grâce à la générosité de [*sponsor*]; (through the good offices of) grâce à [*colleagues, police, employer*]; **a free trip/flight ~ of the airline** un voyage/vol gratuit offert par la compagnie aérienne

courtesy call *n* visite *f* de courtoisie

courtesy car *n* voiture *f* (mise à la disposition de qn); **to give sb a ~** mettre une voiture à la disposition de qn

courtesy: **~ coach** *n* navette *f* gratuite; **~ delay** *n* Aut plafonnier *m* à extinction différée; **~ light** *n* Aut plafonnier *m*; **~ title** *n* titre *m* de courtoisie; **~ visit** = **courtesy call**

courthouse /'kɔːthaʊs/ *n* [1] Jur palais *m* de justice; [2] US Admin ≈ préfecture *f* (*d'un comté*)

courtier /'kɔːtɪə(r)/ *n* courtisan/dame de cour *m/f*

courtly /'kɔːtlɪ/ *adj* [1] (polite) [*person, act, behaviour*] courtois; [2] (of a royal court) [*custom, ceremony*] de la cour

courtly love *n* Literat amour *m* courtois

court-martial /ˌkɔːt'mɑːʃl/ Mil, Jur

A *n* (*pl* **courts-martial**) cour *f* martiale; **to be tried by ~** passer en cour martiale

B *vtr* (*p prés etc* **-ll-**) faire passer [qn] en cour martiale [*soldier*]; **to be ~led** passer en cour martiale

court: **~ of appeal** GB, **court of appeals** US *n* Jur cour *f* d'appel; **Court of Auditors** *n* (in EU) Cour *f* des comptes; **~ of domestic relations** *n* US Jur = **family court**; **~ of first instance** *n* gen Jur tribunal *m* de première instance; **Court of First Instance, CFI** *n* EU Tribunal *m* de Première Instance des Communautés Européennes, TPI CE *m*; **~ of honour** GB, **~ of honor** US *n* Mil, Jur tribunal *m* d'honneur

court of inquiry *n* [1] Mil tribunal *m* militaire; [2] gen (into accident, disaster) commission *f* d'enquête

court: **~ of law** *n* Jur cour *f* de justice; **Court of Session** *n* GB Jur cour *f* de cassation (*en Écosse*); **Court of St James** *n* cour *f* de Saint James; **~ order** *n* Jur décision *f* judiciaire; **~ reporter** ▸ p. 1683 *n* Jur ≈ greffier/-ière *m/f* sténotypiste; **~room** *n* Jur salle *f* d'audience

courtship /'kɔːtʃɪp/ *n* [1] (period of courting) fréquentation *f*; [2] (act of courting) cour *f*; **Tom's ~ of Sara** la cour que Tom fait à Sara

court: **~ shoe** *n* escarpin *m*; **~yard** *n* cour *f*

cousin /'kʌzn/ *n* cousin/-e *m/f*

cove /kəʊv/ *n* [1] (bay) anse *f*; [2] US (pass) gorge *f*; [3] (*also* **coving**) voussure *f*; [4] ○†(man) type○ *m*

coven /'kʌvn/ *n* bande *f* de sorcières

covenant /'kʌvənənt/

A *n* [1] (agreement) convention *f*; [2] Jur (payment agreement) engagement *m*; [3] Bible alliance *f*

B *vtr* [1] (agree) sout **to ~ to do sth** convenir de faire qch; [2] Jur s'engager à verser [*money*] (**to** à)

covenanter /'kʌvənəntə(r)/ *n* Jur partie *f* contractante

Coventry /'kɒvəntrɪ/ *pr n*

(Idiom) **to send sb to ~** mettre qn en quarantaine

cover /'kʌvə(r)/

A *n* [1] (protective lid, sheath) couverture *f*; (for duvet, cushion, birdcage) housse *f*; (for table, furniture) protection *f*; (for umbrella, blade, knife) fourreau *m*; (for typewriter, record player, pan, bowl) couvercle *m*
[2] (blanket) couverture *f*
[3] (of book, magazine) couverture *f*; (of record) pochette *f*; **on the ~** (of book) sur la couverture; (of magazine) en couverture; **she's made the ~ of 'Time'** elle a fait la couverture de 'Time'; **from ~ to ~** de la première à la dernière page
[4] (shelter) abri *m*; **to provide ~** servir d'abri (**for** à); **to take ~** se mettre à l'abri; **to run for ~** courir se mettre à l'abri; **take ~!** aux abris!; **to break ~** quitter son abri; **under ~** à l'abri; **under ~ of darkness** à la faveur de la nuit; **under ~ of the confusion he escaped** il a profité de la confusion pour s'évader; **open land with no ~** terrain découvert sans abri possible
[5] (for spy, agent, operation, crime) couverture *f* (**for** pour); **that's her ~** c'est sa couverture; **to work under ~** travailler sous une identité d'emprunt; **under ~ of sth** sous le couvert de qch; **under ~ of doing** sous prétexte de faire; **to blow sb's ~**○ griller○ qn
[6] Mil couverture *f*; **air ~** couverture aérienne; **to give sb ~** couvrir qn; **I gave ~ as he advanced** je l'ai couvert tandis qu'il avançait
[7] (replacement) (for teacher, doctor) remplacement *m*; **to provide emergency ~** parer aux urgences
[8] GB Insur assurance *f* (**for** pour; **against** contre); **to give** *or* **provide ~ against** garantir contre; **she has ~ for fire and theft** elle est couverte contre l'incendie et le vol
[9] Fin (collateral) provision *f*
[10] (table setting) couvert *m*
[11] Mus = **cover version**

B *modif* [*design, illustration, text*] de couverture

C *vtr* [1] (to conceal or protect) couvrir [*table, bed, pan, legs, wound*] (**with** avec); recouvrir [*cushion, sofa, corpse*] (**with** de); boucher [*hole*] (**with** avec); **we had the sofa ~ed** on a fait recouvrir le canapé; **~ your mouth when you yawn** mets la main devant la bouche quand tu bâilles; **~ one eye and read the chart** cachez un œil et lisez le tableau; **to ~ one's ears** se boucher les oreilles
[2] (coat) [*person, dust, snow, water, layer*] recouvrir [*ground, surface, person, cake*] (**with** de); **the ground was ~ed with snow, snow ~ed the ground** le sol était recouvert de neige, la neige recouvrait le sol; **everything got ~ed with** *ou* **in sand** tout a été recouvert de sable; **the animal is ~ed in scales** l'animal est couvert d'écailles; **to ~ one's face with cream** s'enduire le visage de crème; **to be ~ed in glory** être couvert de gloire
[3] (be strewn over) [*litter, graffiti, blossom, bruises, scratches*] couvrir; **the tree was ~ed with blossom, blossom ~ed the tree** l'arbre était couvert de fleurs; **to ~ sb's face with kisses** couvrir le visage de qn de baisers
[4] (travel over) parcourir [*distance, area*]; (extend over) s'étendre sur [*distance, area*]; **we ~ed a lot of miles on holiday** nous avons fait beaucoup de kilomètres pendant les vacances
[5] (deal with, include) [*article, book, speaker*] traiter [*subject, field*]; [*word, term, item*] englober [*meaning, aspect*]; [*teacher*] faire [*chapter*]; [*rule, law*] s'appliquer à [*situation, person, organization*]; [*department, office*] s'occuper de [*area, region, activity*]; [*rep*] couvrir [*area*]; **that price ~s everything** le prix comprend tout, tout est inclus dans le prix; **we will ~ half the syllabus this term** nous ferons *or* couvrirons la moitié du programme ce trimestre
[6] (report on) [*journalist, reporter, station*] couvrir [*event, angle, story, subject, match*]; **the game will be ~ed live on BBC1** le match sera diffusé en direct par BBC1
[7] (pay for) [*amount, salary, company, person*] couvrir [*costs, outgoings*]; combler [*loss, deficit*]; **£20 should ~ it**○ 20 livres sterling devraient suffire; **to ~ one's costs** rentrer dans ses frais
[8] Insur assurer, couvrir [*person, possession*] (**for, against** contre; **for doing** pour faire); [*guarantee*] couvrir [*costs, parts*]; **are you adequately ~ed?** est-ce que vous êtes suffisamment assuré?
[9] Mil, Sport (protect) couvrir [*person, advance, retreat, exit, area of pitch*]; **I'll ~ you** je te couvre; **I've got you ~ed!** (threat) ne bougez pas ou je tire!; **keep him ~ed** tenez-le en joue; **to ~ one's back** fig se couvrir
[10] (conceal) cacher [*emotion, ignorance*]; couvrir [*noise*]; masquer [*smell*]
[11] Mus (make version of) faire sa version de [*song*]
[12] Zool (mate with) couvrir, saillir

D *v refl* **to ~ oneself** se protéger (**against** contre; **by doing** en faisant); **to ~ oneself with** se couvrir de [*glory, praise, shame*]

E **-covered** (*dans composés*) **snow-/scrub-~ed** couvert de neige/de broussailles; **chocolate-~ed** enrobé de chocolat

F **covered** *pp adj* [*porch, passage, courtyard*] couvert; [*dish, pan*] à couvercle

(Phrasal verbs) ■ **cover for**: ▸ **~ for [sb]** [1] (replace) remplacer, faire un remplacement pour [*colleague, employee*]; [2] (protect) couvrir [*person*]; **'I'm going to be late, ~ for me!'** 'je vais être en retard, trouve-moi une excuse!'

■ **cover in** = **cover over**

■ **cover over**: ▸ **~ over [sth], ~ [sth] over** couvrir [*passage, yard, area, pool*] (**with** avec); recouvrir [*painting, mark, stain*] (**with** de)

■ **cover up**: ▸ **~ up** [1] (put clothes on) se couvrir; [2] **to ~ oneself up** se couvrir (**with** de); [3] (conceal truth) étouffer une affaire; **to ~ up for** couvrir [*colleague, friend, mistakes*]; **they're ~ing up for each other** ils se couvrent l'un l'autre; ▸ **~ up [sth], ~ [sth] up** [1] lit recouvrir [*window, body, footprints*] (**with** avec); cacher [*answers*] (**with** avec); [2] fig dissimuler [*mistake, loss, crime, affair, truth*]; cacher [*emotion*]; étouffer [*scandal*]

coverage /'kʌvərɪdʒ/ *n* [1] (in media) couverture *f*; **television/newspaper ~** couverture par la télévision/les journaux; **they don't give much ~ to** *ou* **have much ~ of foreign news** ils donnent peu de nouvelles de l'étranger; **there will be live ~ of the elections** il y aura une émission en direct sur les élections; **sport gets too much TV ~** on consacre trop de temps au sport à la télé; [2] (in book, dictionary, programme) traitement *m*; **its ~ of technical terms is good/poor** il couvre bien/mal l'ensemble des termes techniques; **the programme's ~ of modern music is good** la musique moderne est bien représentée dans le programme; [3] Insur = **cover A 8**; [4] (scope of service, mobile phone, radar, radio station) couverture *f*

cover: **~alls** *npl* US (for worker) bleu *m* de travail; (for child) salopette *f*; **~ charge** *n* prix *m* de couvert; **~ed market** *n* marché *m* couvert; **~ed wagon** *n* chariot *m* bâché; **~ girl** *n* cover-girl *f*

covering /'kʌvərɪŋ/ *n* [1] (for wall, floor) revêtement *m*; (wrapping) enveloppe *f*; **you'll need some sort of ~ for your head** il faudra vous couvrir la tête; [2] (layer of snow, dust, moss etc) couche *f*

covering: **~ fire** *n* tir *m* de couverture; **~ letter** *n* lettre *f* explicative

coverlet /'kʌvəlɪt/ *n* couvre-lit *m*

cover: **~ letter** *n* US lettre *f* explicative; **~ note** *n* GB Insur attestation *f* d'assurance; **~ sheet** *n* (for fax) page *f* de garde

cover story *n* [1] Journ article *m* annoncé en couverture; [2] (in espionage) couverture *f*; [3] fig (excuse) prétexte *m*

covert

A /'kʌvə(r)/ *n* (thicket) fourré *m*

B /'kʌvət, US 'kəʊvɜːrt/ *adj* [*operation, activity*] secret/-ète; [*payment*] clandestin; [*glance*] furtif/-ive; [*threat*] voilé

C

covert coat *n* Hunt paletot *m*
covertly /ˈkʌvətlɪ, US ˈkəʊvɜːrtlɪ/ *adv* secrètement
cover: **~-up** *n* opération *f* de camouflage; **~ version** *n* Mus version *f*
covet /ˈkʌvɪt/ *vtr* convoiter
covetous /ˈkʌvɪtəs/ *adj* cupide; **to be ~ of sth** convoiter qch
covetously /ˈkʌvɪtəslɪ/ *adv* avec convoitise
covetousness /ˈkʌvɪtəsnɪs/ *n* convoitise *f*
covey /ˈkʌvɪ/ *n* lit volée *f* (de perdrix); fig groupe *m*
cow /kaʊ/
A *n* **1** (cattle family) vache *f*; (other animals) femelle *f*; **2** ○(woman) péj grognasse○ *f*, vache○ *f*
B *vtr* intimider; **a ~ed look** un air de chien battu
(Idiom) **till the ~s come home** jusqu'à la saint-glinglin○
coward /ˈkaʊəd/ *n* lâche *mf*
cowardice /ˈkaʊədɪs/ *n* lâcheté *f*
cowardliness /ˈkaʊədlɪnɪs/ *n* = **cowardice**
cowardly /ˈkaʊədlɪ/ *adj* lâche; **it was ~ of you to do it** c'était lâche de ta part de le faire
cowbell *n* sonnaille *f*
cowboy /ˈkaʊbɔɪ/
A *n* **1** ▸ **p. 1683** US cowboy *m*; **to play ~s and indians** jouer aux cowboys et aux indiens; **2** (incompetent worker) péj fumiste *m*
B *modif* **1** [*boots, hat, film*] de cowboy; **2** péj [*workman*] fumiste; [*practices*] non-professionnel/-elle; [*company, outfit*] pas sérieux/-ieuse
cowcatcher /ˈkaʊkætʃə(r)/ *n* US Rail chasse-pierres *m inv*
cower /ˈkaʊə(r)/ *vi* se recroqueviller (de peur) (**behind** derrière); **to ~ away from sb** trembler de peur devant qn
cow: **~girl** ▸ **p. 1683** *n* vachère *f*; **~hand**, **~herd** ▸ **p. 1683** *n* vacher/-ère *m/f*; **~hide** *n* (leather) peau *f* de vache; US (whip) fouet *m* à lanière(s) de cuir
cowl /kaʊl/ *n* **1** (hood) capuchon *m*; **2** (*also* **chimney ~**) capuchon *m*
cowlick○ /ˈkaʊlɪk/ *n* US mèche *f* (de cheveux)
cowl neck /ˌkaʊl ˈnek/ *n* col *m* boule
cowman /ˈkaʊmæn/ ▸ **p. 1683** *n* vacher *m*
co-worker /kəʊˈwɜːkə(r)/ *n* collègue *mf*
cow: **~ parsley** *n* cerfeuil *m* sauvage; **~pat** *n* bouse *f* de vache; **~pea** *n* dolique *m*; **~poke**○ *n* US cowboy *m*; **~pox** *n* variole *f* des bovidés; **~puncher**○ *n* cowboy *m*
cowrie, **cowry** /ˈkaʊrɪ/ *n* cauri *m*
co-write /kəʊˈraɪt/ *vtr* (*prét* **wrote**; *pp* **written**) co-écrire [*book, song*]
cow: **~shed** *n* étable *f*; **~slip** *n* Bot coucou *m*
cox /kɒks/ Sport
A *n* barreur *m*
B *vtr, vi* barrer; **~ed pairs/fours** deux/quatre avec barreur
coxcomb‡ /ˈkɒkskəʊm/ *n* plastronneur *m*
Cox's Orange Pippin /ˌkɒksɪz ɒrɪndʒ ˈpɪpɪn/ *n* (pomme *f*) reinette *f*
coxswain /ˈkɒksn/ *n* gen capitaine *m*; (in rowing) barreur *m*
coy /kɔɪ/ *adj* **1** (bashful) [*person*] faussement modeste; [*smile, look*] de fausse modestie; **2** (reticent) réservé (**about** à propos de)
coyly /ˈkɔɪlɪ/ *adv* avec fausse modestie
coyness /ˈkɔɪnɪs/ *n* **1** (shyness) fausse modestie *f*; **2** (reticence) réserve *f* (**about** à propos de)
coyote /kɔɪˈəʊtɪ, US ˈkaɪəʊt/ *n* (*pl* **~s** *ou* **~**) Zool coyote *m*
coypu /ˈkɔɪpuː/ *n* (*pl* **~s** *ou* **~**) ragondin *m*
cozy *adj* US = **cosy**

CP *n* **1** Pol (*abrév* = **Communist Party**) PC *m*; **2** Mil *abrév* ▸ **command post**
CPA *n* US *abrév* ▸ **certified public accountant**
cpd *n*: *abrév écrite*= **compound A 2, 3**
CPI *n* Fin *abrév* ▸ **Consumer Price Index**
Cpl *abrév écrite* = **corporal A**
CPO *n*: *abrév* ▸ **chief petty officer**
cps Phys *abrév écrite* = **cycles per second**
CPS *n* GB Jur *abrév* ▸ **Crown Prosecution Service**
CPSA *n* GB (*abrév* = **Civil and Public Servants' Association**) *association des employés du secteur public*
CPU *n* Comput *abrév* ▸ **central processing unit**
cr Fin **1** *abrév écrite* = **credit A 3**; **2** *abrév écrite* = **creditor**
crab /kræb/
A *n* **1** Zool, Culin crabe *m*; **dressed ~** crabe farci; **2** (in zodiac) **the Crab** le Cancer; **3** (louse) = **crab louse**; **4** Tech (hoist) chariot *m*
B **crabs** *npl* Publg invendus *mpl*
C *vtr* (*p prés etc* **-bb-**) **1** Aviat faire voler [qch] en crabe [*plane*]; **2** ○US gâcher; **to ~ sb's act** gâcher les effets de qn
D *vi* (*p prés etc* **-bb-**) **1** ○(complain) rouspéter (**about** sur); **2** Naut [*boat*] progresser en crabe
(Idiom) **to catch a ~** (in rowing) plonger la rame trop profond, aller à la pêche○
crab apple *n* (tree) pommier *m* sauvage; (fruit) pomme *f* sauvage
crabbed /ˈkræbɪd/ *adj* **1** (surly) grincheux/-euse; **2** [*handwriting*] en pattes de mouche
crabbing /ˈkræbɪŋ/ *n* pêche *f* aux crabes; **to go ~** aller à la pêche aux crabes
crabby○ /ˈkræbɪ/ *adj* grincheux/-euse
crab: **~ louse** *n* pou *m* du pubis, morpion◑ *m*; **Crab Nebula** *pr n* Astron le Crabe
crack /kræk/
A *n* **1** (part of fine network in paint, varnish, cup, ground) craquelure *f* (**in** dans); (single marked line in wall, cup, mirror, ground, bone) fêlure *f* (**in** dans); **~s are appearing in the policy/the relationship** on commence à déceler des fêlures dans la politique/leurs relations
2 (narrow opening) (in door) entrebâillement *m*; (in curtains) fente *f*; (in rock, wall) fissure *f*; **to open the door a ~** entrebâiller la porte; **leave the door open a ~** laisse la porte entrebâillée
3 (drug) (*also* **~ cocaine**) crack *m*
4 (sharp noise of twig, bone, whip, shot) craquement *m*
5 ○(attempt) essai *m*, tentative *f*; **to have a ~ at doing** essayer de faire; **to have a ~ at** essayer de remporter [*title*]; essayer de battre [*record*]; tenter [*gold medal*]; **to have a ~ at (playing) Hamlet** s'essayer à jouer Hamlet; **she wants (to have) a ~ at the champion** elle veut se mesurer au champion; **it's his third ~ at the title** c'est sa troisième tentative de remporter le titre
6 ○(jibe) moquerie *f* (**about** à propos de); (joke) plaisanterie *f* (**about** à propos de); **a cheap ~** une plaisanterie facile; **to have a ~ at sb** se moquer de qn
7 ○GB dial (laugh, good time) rigolade *f*○
B *adj* (*tjrs épith*) [*player*] de première; [*troops, regiment, shot*] d'élite
C *vtr* **1** (make a crack in) fêler [*mirror, bone, wall, cup*]; (make fine cracks in) fendiller, faire craqueler [*paint, varnish, cup*]
2 (break) casser [*nut, egg, casing*]; **to ~ a safe** cambrioler un coffre-fort; **to ~ sth open** ouvrir qch; **let's ~ open a bottle of wine** ouvrons une bouteille de vin; **to ~ one's head open**○ se fendre le crâne; **she didn't ~ a book for that class**○ US elle n'a même pas ouvert un livre pour cette matière; **to ~ the market** percer sur le marché
3 (solve) résoudre [*problem, case*]; **to ~ a code** déchiffrer un code; **to ~ a spy/crime network** démanteler un réseau d'espions/criminel; **I think I've ~ed it**○ je crois que j'ai pigé○ *or* compris
4 (make cracking sound with) faire claquer [*whip*]; faire craquer [*knuckles, joints, twig*]; **to ~ sth over sb's head, to ~ sb on the head with sth** asséner un coup sur la tête de qn avec qch; **to ~ one's head on sth** se cogner la tête sur qch; **to ~ the whip** fig agiter le fouet
5 (overcome) faire craquer [*resistance, defences, opposition*]
6 **to ~ a joke** sortir une blague○
7 Chem craquer [*oil*]
D *vi* **1** (develop crack(s)) [*bone, mirror, cup, wall, ice*] se fêler; [*paint, varnish*] se craqueler; [*skin*] se crevasser; [*ground*] (slightly) se fendiller; (severely) se fendre; **the earth ~ed in the heat** la terre s'est fendillée sous l'effet de la chaleur
2 (cease to resist) [*person, opposition*] craquer; **to ~ under interrogation** craquer à la suite d'un interrogatoire; **he tends to ~ under pressure** il a tendance à craquer quand la pression monte
3 (make sharp sound) [*knuckles, joint, twig*] craquer; [*whip*] claquer
4 [*voice*] se casser; **her voice ~ed with emotion** sa voix s'est cassée tellement elle était émue
5 **her face ~ed into a smile** elle a souri jusqu'aux oreilles
(Idioms) **not all** *ou* **not as good as it's ~ed up to be** pas aussi bon qu'on le prétend; **to get ~ing** s'y mettre; **go on, get ~ing!** vas-y, remue-toi!; **to get ~ing on** *ou* **with a job** se mettre au travail; **to have a fair ~ of the whip** avoir sa chance; **to give sb a fair ~ of the whip** donner sa chance à qn
(Phrasal verbs) ■ **crack down** prendre des mesures énergiques, sévir (**on** contre)
■ **crack up**○: ▸ **~ up** **1** (have breakdown) craquer; **2** (laugh) rire; **3** argot des drogués **to ~ (it) up** fumer du crack; ▸ **~ [sb] up** faire rire
crack-brained○ /ˈkrækbreɪnd/ *adj* saugrenu
crackdown /ˈkrækdaʊn/ *n* mesure *f* sévère (**on** contre); **the police ~ on drug-dealing** les mesures sévères prises par la police contre le trafic des stupéfiants
cracked /krækt/ *adj* **1** [*varnish, paint, leather, pavement*] craquelé; [*bone, kneecap, basin*] fêlé; [*skin*] crevassé; [*egg, shell*] fendu; **2** ○(mad) cinglé○
cracked: **~ olive** *n* olive *f* cassée; **~ wheat** *n* blé *m* concassé
cracker /ˈkrækə(r)/ *n* **1** (biscuit) cracker *m*, biscuit *m* salé; **2** (firework) pétard *m*; **3** (for Christmas) diablotin *m*; **4** US injur pauvre Blanc/Blanche *m/f*; **5** ○GB (beauty) **she's a ~!, what a ~!** c'est un canon○!; **6** Comput pirate *m* informatique, fouineur/-euse *m/f* Can
cracker: **~-barrel** *adj* US [*philosopher*] de bistrot; **~jack**† *adj* US de premier ordre
crackers○ /ˈkrækəz/ *adj* GB cinglé○
crack factory *n* laboratoire *m* clandestin de fabrication de crack
crackhead○ /ˈkrækhed/ *n* drogué/-e *m/f* au crack; **they're ~s** ils se droguent au crack
crack house○ *n* endroit *m* où l'on peut se procurer du crack
cracking /ˈkrækɪŋ/
A *n* **1** Chem craquage *m*, cracking *m*; **2** (in varnish, paint, plaster) craquelures *fpl*
B ○*adj* GB [*game, goal, start*] excellent; **at a ~ pace** à toute vitesse
C ○*adv* GB **a ~ good shot** un coup formidablement bien joué; **it was a ~ good lunch** on a formidablement bien déjeuné
crackle /ˈkrækl/
A *n* **1** (sound) crépitement *m*; **2** (in pottery) (crazing) craquelure *f*
B *vtr* faire crisser [*foil, paper*]; faire des craquelures à [*pottery*]

C *vi* [*twig, fire, radio*] crépiter; [*hot fat, burning wood*] grésiller

crackleware /ˈkræklweə(r)/ *n* vaisselle *f* en porcelaine craquelée

crackling /ˈkræklɪŋ/ *n* **1** (sound) (of fire) crépitement *m*; (of foil, cellophane) crissement *m*; (on radio) friture○ *f*; **2** Culin (crisp pork) couenne *f* grillée

cracknel /ˈkræknl/ *n* **1** (biscuit) craquelin *m*; **2** ₵ US Culin morceaux *mpl* de porc frit

crack: ~ **pipe** *n* pipe *f* à crack; ~**pot**○ *n*, *adj* cinglé/-e○ (*m/f*)

Cracow /ˈkrækɒv/ ▸ p. 1815 *pr n* Cracovie

cradle /ˈkreɪdl/

A *n* **1** (for baby) berceau *m* also fig; **from the ~** depuis le berceau; **from the ~ to the grave** du berceau à la tombe; **2** (framework) Naut ber *m*; Med (under bedclothes) arceau *m*; **3** (telephone rest) fourche *f* de combiné; **4** (hoistable platform) nacelle *f* suspendue

B *vtr* bercer [*baby*]; tenir [qch] délicatement [*object*]; **to ~ sth in one's arms** tenir qch dans ses bras

(Idioms) **the hand that rocks the ~ rules the world** qui mène la jeunesse dirige le monde; **to rob the ~** les prendre au berceau○

cradle Catholic *n* Relig *catholique mf né d'une famille catholique*

cradlesnatcher○ /ˈkreɪdlsnætʃə(r)/ *n* **he's/she's a ~** il/elle les prend au berceau○

cradlesong /ˈkreɪdlsɒŋ/ *n* berceuse *f*

craft /krɑːft, US kræft/

A *n* **1** (skill) (art-related) art *m*; (job-related) métier *m*, **the potter's ~** l'art du potier; **the journalist's ~** ≈ le métier du journaliste; **2** (handiwork) artisanat *m*; **arts and ~s** artisanat (d'art); **3** (cunning) ruse *f*; **4** (boat) embarcation *f*; **5** Aerosp (*also* **space ~**) vaisseau *m* spatial

B *modif* [*exhibition, guild*] artisanal

C *vtr* faire [qch] à la main

craftily /ˈkrɑːftɪlɪ, US ˈkræftɪlɪ/ *adv* astucieusement

craftiness /ˈkrɑːftɪnɪs, US ˈkræftɪnɪs/ *n* astuce *f*

craft: ~**sman** *n* (skilled manually) artisan *m*; (skilled artistically) artiste *m*; ~**smanship** *n* (manual) dextérité *f*; (artistic) art *m*; ~**swoman** *n* (skilled manually) artisane *f*; (skilled artistically) artiste *f*; ~ **union** *n* syndicat *m* professionnel; ~**work** *n* artisanat *m*

crafty /ˈkrɑːftɪ, US ˈkræftɪ/ *adj* astucieux/-ieuse; **it was ~ of you to do it** c'était astucieux de ta part de le faire

crag /kræg/ *n* rocher *m* escarpé

craggy /ˈkrægɪ/ *adj* **1** [*coastline, mountain*] escarpé; **2** [*face, features*] taillé à coups de serpe

craic /kræk/ *n* ₵ Ir (talk, good times) **there's great ~ tonight** on s'amuse super○ bien ce soir; **her party was good ~** on s'est bien marré○ à sa soirée; (person) **Colleen's good ~** Colleen est super sympa○

cram /kræm/ (*p prés etc* **-mm-**)

A *vtr* **1** (pack) **to ~ sth into** enfoncer *or* fourrer○ qch dans [*case, bag, drawer, car*]; **to ~ sb into** entasser qn dans [*room, vehicle*]; **to ~ sth into one's mouth** se fourrer qch dans la bouche, enfourner qch; **they were 60 people ~med into one room** il y avait 60 personnes entassées dans une seule pièce; **to ~ a lot into one day** réussir à faire beaucoup de choses dans une seule journée; **to ~ three meetings into a morning** caser○ trois rendez-vous dans la matinée; **2** (fill) bourrer [*room, car*] (**with** de); **to be ~med full of furniture** être plein à craquer de *or* bourré de meubles

B *vi* **1** (pack) **to ~ into** s'empiler *or* s'entasser dans [*bus, car, room*]; **2** †Sch bachoter (**for** pour)

C *v refl* **to ~ oneself with** se bourrer de [*sweets, chips*]

D crammed *pp adj* [*room, closet*] plein à craquer; [*timetable*] surchargé

crammer○ /ˈkræmə(r)/ *n* GB (school) ≈ boîte *f* à bac○

cramp /kræmp/

A *n* **1** (pain) crampe *f*; **to have ~** GB, **a ~** US avoir une crampe; **a ~ in one's foot/leg** une crampe dans le pied/à la jambe; **writer's ~** crampe de l'écrivain; **2** (*souvent pl*) **stomach ~s** crampes *fpl* d'estomac; **3** (*also* **~ iron**) crampon *m* coudé; **4** = **clamp**

B *vtr* gêner [*progress, development*]

(Idiom) **to ~ sb's style**○ faire perdre ses moyens à qn

cramped /kræmpt/ *pp adj* **1** [*cell, house, office*] exigu/-uë; **~ conditions** conditions d'exiguïté; **to be ~ for space** être à l'étroit; **we're very ~ in here** nous sommes très à l'étroit ici; **2** [*handwriting*] en pattes de mouche

crampon /ˈkræmpən/ *n* Sport crampon *m*

cranberry /ˈkrænbərɪ, US -berɪ/ *n* Bot canneberge *f*

cranberry: ~ **jelly** *n* gelée *f* de canneberge; ~ **sauce** *n* sauce *f* à la canneberge

crane /kreɪn/

A *n* Constr, Cin, Zool grue *f*

B *vtr* **to ~ one's neck** tendre le cou

(Phrasal verb) ■ **crane forward** tendre le cou

crane: ~ **driver** ▸ p. 1683 *n* conducteur/-trice *m/f* de grue, grutier/-ière *mf*; ~ **fly** *n* tipule *f*; ~ **operator** ▸ p. 1683 *n* conducteur/-trice *m/f* de grue; ~**sbill** *n* géranium *m* (sauvage)

crania /ˈkreɪmɪə/ *pl* ▸ **cranium**

cranial /ˈkreɪnɪəl/ *adj* Anat crânien/-ienne

cranial: ~ **index** *n* indice *m* crânien; ~ **nerve** *n* nerf *m* crânien

cranium /ˈkreɪmɪəm/ *n* (*pl* **~s, -ia**) crâne *m*, boîte *f* crânienne

crank /kræŋk/

A *n* **1** ○péj (freak) fanatique *mf*, fana○ *mf*; **a health-food ~** un/une fanatique *or* fana○ d'aliments naturels; **2** Tech manivelle *f*; **3** ○US (grouch) grincheux/-euse *m/f*

B *vtr* faire démarrer [qch] à la manivelle [*car, engine*]; remonter [qch] (à la manivelle) [*gramophone*]

(Phrasal verbs) ■ **crank out**: ▸ **~ out [sth]**, **~ [sth] out** produire [*essay, novel, film*]

■ **crank up**: ▸ **~ up [sth]**, **~ [sth] up** lit remonter (à la manivelle); fig mettre en marche

crank: ~**case** *n* carter *m*; ~**shaft** *n* vilebrequin *m*

cranky○ /ˈkræŋkɪ/ *adj* **1** (grumpy) grincheux/-euse; **2** (eccentric) loufoque○; **3** [*machine*] en mauvais état

cranny /ˈkrænɪ/ *n* petite fente *f*. ▸ **nook**

crap◑ /kræp/

A *n* ₵ **1** (nonsense) conneries● *fpl*; **to talk a load of ~** débiter des conneries●; **2** (of film, book, food etc) foutaise◑ *f*; **this film is ~!** c'est de la foutaise ce film!; **3** (faeces) merde● *f*; **to have a ~** chier●

B *adj* merdique◑, nul/nulle○; **to be ~ at chemistry** être nul en chimie

C *vtr* (*p prés etc* **-pp-**) US débiter des conneries● à

D *vi* (*p prés etc* **-pp-**) chier●

crape /kreɪp/ *n* crêpe *m* (de deuil)

crappy◑ /ˈkræpɪ/ *adj* merdique◑, nul○/nulle

craps /kræps/ *n* craps *m*; **to shoot ~** jouer au craps

crapulent /ˈkræpjʊlənt/, **crapulous** /ˈkræpjʊləs/ *adj* sout **1** (given to drink) intempérant sout; **2** (drunk) ivre

crash /kræʃ/

A *n* **1** (noise) fracas *m*; **the ~ of thunder** le fracas du tonnerre; **a ~ of breaking glass** un fracas de verre brisé; **to hit the ground with a ~** se fracasser sur le sol; **2** Aut, Aviat, Rail (accident) accident *m*; **car ~** accident de voiture; **train/air ~** catastrophe *f* ferroviaire/aérienne; **to have a ~** avoir un accident; **3** Fin (of stock market) krach *m*; (of company) faillite *f* (**of** de); **4** Comput plantage○ *m*

B *vtr* **1** (involve in accident) **he ~ed the car** il a eu un accident de voiture; **to ~ a car into a bus** rentrer dans *ou* percuter un bus; **he's ~ed the car twice already** il a déjà eu deux accidents avec la voiture; **2** ○(gatecrash) **to ~ a party** s'introduire dans une fête sans y être invité

C *vi* **1** (have accident) [*car, plane*] s'écraser; (collide) [*vehicles, planes*] se rentrer dedans, se percuter; **to ~ into sth** rentrer dans *or* percuter qch; **I thought we were going to ~** Aut je croyais qu'on allait avoir un accident; Aviat je croyais que l'avion allait s'écraser; **2** Fin [*firm, company*] faire faillite; [*share prices*] s'effondrer; **3** (move loudly) **I could hear him ~ing around downstairs** je l'ai entendu faire du boucan○ en bas; **the shells ~ed all around me** les obus éclataient tout autour de moi; **to ~ through the undergrowth** s'enfoncer bruyamment dans la broussaille; **4** (fall) **to ~ to the ground** [*cup, tray, picture*] se fracasser sur le sol; [*tree*] s'abattre; **5** ○Comput [*computer, system*] planter○; **6** ○(go to sleep) = **crash out**

(Phrasal verb) ■ **crash out**○ (go to sleep) pioncer◑; (collapse) s'écrouler○; (of competition, race) se faire sortir de

crash barrier *n* **1** (on road) glissière *f* de sécurité; **2** (for crowd control) barrière *f*

crash course *n* cours *m* intensif; **to take a ~ in Latin** suivre un cours intensif de latin

crash: ~ **diet** *n* régime *m* d'amaigrissement intensif; ~ **helmet** *n* casque *m*

crashing○† /ˈkræʃɪŋ/ *adj* **to be a ~ bore** [*person*] être un/une sacré/-e raseur/-euse○ *m/f*; [*event*] être barbant○ à mourir

crash-land /ˌkræʃˈlænd/

A *vtr* **to ~ a plane** poser un avion en catastrophe

B *vi* atterrir en catastrophe

crash: ~ **landing** *n* atterrissage *m* en catastrophe; ~ **pad**○ *n* US piaule○ *f*

crash-test /kræʃˈtest/ *vtr* effectuer des tests de collision sur [*car*]

crash-test dummy *n* mannequin *m* pour tests de collision

crass /kræs/ *adj* gen grossier/-ière; **~ ignorance** ignorance *f* crasse

crassly /ˈkræslɪ/ *adv* [*say, ask*] de façon grossière; [*insensitive*] grossièrement

crate /kreɪt/

A *n* **1** (for bottles, china) caisse *f*; (for fruit, vegetables) cageot *m*; **2** ○(car) caisse○ *f*; (plane) zinc○ *m*

B *vtr* mettre [qch] en caisse [*bottles*]; mettre [qch] en cageot [*fruit*]

crater /ˈkreɪtə(r)/ *n* **1** Astron, Geol cratère *m*; **2** (caused by explosion) entonnoir *m*

cravat /krəˈvæt/ *n* foulard *m* (pour homme)

crave /kreɪv/ *vtr* **1** (*also* **~ for**) avoir un besoin maladif de [*drug*]; avoir soif de [*affection, change, fame*]; [*pregnant woman*] avoir envie de [*food*]; **2** fml implorer [*pardon, mercy*]; solliciter [*attention, permission*]

craven /ˈkreɪvn/ *adj* sout lâche

craving /ˈkreɪvɪŋ/ *n* (for drug) besoin *m* maladif (**for** de); (for fame, love, freedom) soif *f* (**for** de); (for food) envie *f* (**for** de)

craw /krɔː/ *n* **1** (crop of bird, insect) jabot *m*; **2** (stomach of animal) estomac *m*

(Idiom) **it sticks in my ~** ça me reste en travers de la gorge

crawfish /ˈkrɔːfɪʃ/

A *n* = **crayfish**

B *vi*○ US se dégonfler○

crawl /krɔːl/

A *n* **1** Sport crawl *m*; **to do/swim the ~** faire/nager le crawl; **2** (slow pace) **at a ~** au pas; **to slow/be reduced to a ~** [*vehicle*] ralentir

C

C

jusqu'à rouler au pas; [*growth*] ralentir; [*output*] être presque stagnant

B *vi* 1 [*insect, snake, person*] ramper; **to ~ in/out** entrer/sortir en rampant; **to ~ out from under sth** sortir de sous qch; **to ~ into bed** se traîner au lit; **to ~ to the door** se traîner jusqu'à la porte; **to ~ into a hole** se glisser dans un trou; 2 (on all fours) marcher à quatre pattes; **she can ~ now** (baby) elle marche à quatre pattes maintenant; 3 (move slowly) [*vehicle*] rouler au pas; **to ~ along/in** avancer/entrer au pas; **to ~ down/up sth** descendre/monter lentement qch; 4 (pass slowly) [*time, days*] se traîner; 5 °(seethe) **to be ~ing with** grouiller° de [*insects, tourists, reporters*]; 6 °(flatter, creep) faire du lèche-bottes° (**to** à); **don't come ~ing to me** inutile de venir pleurer auprès de moi

(Idiom) **to make sb's skin** *or* **flesh ~** donner la chair de poule à qn°

crawler /ˈkrɔːlə(r)/ *n* 1 °GB (person) lèche-bottes° *mf*; 2 °(slow vehicle) tortue° *f*; 3 °US (earthworm) ver *m* de terre; 4 (on the Internet) robot *m* de recherche

crawler lane *n* GB voie *f* pour véhicules lents

crawl space *n* Constr (under house) vide *m* sanitaire; (under large building) galerie *f* technique

crayfish /ˈkreɪfɪʃ/ *n* 1 (freshwater) écrevisse *f*; 2 (spiny lobster) langouste *f*

crayon /ˈkreɪən/

A *n* 1 (*also* **wax ~**) craie *f* grasse; **in ~s** à la craie grasse; 2 (*also* **pencil ~**) crayon *m* de couleur

B *vtr* colorier; **to ~ sth red** colorier qch en rouge

craze /kreɪz/

A *n* vogue *f*; **the ~ for sports cars, the sports car ~** la vogue des voitures de sport; **to be the latest ~** faire fureur; **it's just a ~** c'est une toquade *or* une folie

B *vi* (*also* **~ over**) [*china, glaze*] se craqueler; [*glass*] s'étoiler

crazed /kreɪzd/ *adj* 1 (mad) [*animal, person*] fou/folle; **power-~** ivre de pouvoir; 2 (cracked) [*china, glaze, varnish*] craquelé; [*glass*] étoilé

crazily /ˈkreɪzɪlɪ/ *adv* 1 (madly) [*act*] d'une manière insensée; [*drive, run, shout*] comme un fou/une folle; 2 (at an angle) [*lean, tilt*] dangereusement

crazy° /ˈkreɪzɪ/

A *adj* 1 (insane) [*person, scheme*] fou/folle; [*behaviour, idea*] insensé; **to go ~** devenir fou/folle; **he/it would be ~ to do** il/ce serait fou de faire; **~ with** fou/folle de [*grief, worry*]; **you must be ~!** t'es complètement fou°!; 2 (infatuated) **to be ~ about** être fou/folle de [*person*]; être passionné de [*activity*]; 3 (startling) [*height, price, speed*] fou/folle; **to be at a ~ angle** pencher dangereusement; 4 °US (excellent) formidable

B °**like crazy** *adv phr* [*shout, laugh, run*] comme un fou/une folle; **they used to fight like ~** ils n'arrêtaient pas de se battre

crazy: **~ bone** *n* US petit juif *m* (*os sensible du coude*); **~ golf** ▸ **p. 1253** *n* GB mini-golf *m*; **~ golf course** *n* GB parcours *m* de mini-golf; **~ paving** *n* GB *pavage avec des pierres de forme irrégulière*; **~ quilt** *n* US Sewing édredon *m* en patchwork; fig patchwork *m*

CRC *n*: *abrév* ▸ **camera-ready copy**

CRE *n* GB *abrév* ▸ **Commission for Racial Equality**

creak /kriːk/

A *n* (of hinge, gate, door) grincement *m*; (of wood, floorboard, bone) craquement *m*; (of leather) crissement *m*

B *vi* [*hinge, gate, door*] grincer; [*floorboard, bone, joint*] craquer; [*leather*] crisser; fig [*régime, organization*] craquer; **the door ~ed open** la porte s'ouvrit en grinçant

creaking /ˈkriːkɪŋ/

A *n* = **creak A**

B *adj* (*épith*) 1 lit [*hinge, gate, door*] grinçant; [*chair, floorboard, bone*] qui craque; [*leather*] qui crisse; 2 fig [*regime, structure*] déliquescent, qui commence à craquer

creaky /ˈkriːkɪ/ *adj* 1 [*door, hinge*] grinçant; [*leather*] qui crisse; [*joint, bone, floorboard*] qui craque; 2 fig [*alibi, policy*] bancal°

cream /kriːm/ ▸ **p. 1067**

A *n* 1 (dairy product) crème *f*; **strawberries and ~** fraises *fpl* à la crème; 2 fig **the ~ of** la crème de [*students, graduates etc*]; **the ~ of society** fig la crème *or* la fine fleur de la société; 3 Cosmet crème *f*; **sun ~** crème solaire; 4 (soup) **~ of** crème *f or* velouté *m* de [*mushroom, chicken, asparagus*]; 5 (chocolate) chocolat *m* fourré; (biscuit) biscuit *m* fourré; **orange ~** chocolat *or* biscuit fourré à l'orange; 6 (colour) (couleur *f*) crème *m*; 7 (polish) crème *f*; **shoe ~** crème à chaussures

B *modif* Culin [*cake, bun*] à la crème

C *adj* (colour) crème *inv*

D *vtr* 1 Culin travailler; **~ the butter and sugar** travailler le beurre et le sucre en pâte lisse; **~ed potatoes** purée *f* de pommes de terre; 2 (skim) écrémer [*milk*]; 3 °US (thrash) battre [qn] à plates coutures°, écraser [*opponents*]

E ●*vi* US (climax) jouir; (become excited) [*woman*] mouiller◑

(Idiom) **to look like the cat that's got the ~** avoir l'air très content de soi

(Phrasal verb) ■ **cream off**: ▸ **~ off [sth], ~ [sth] off** garder [qch] pour soi [*best pupils, profits*]; (illegally) détourner [*funds, profits*]

cream: **~ cheese** *n* fromage *m* à tartiner; **~ cleaner** *n* crème *f* de nettoyage liquide; **~ cracker** *n* GB cracker *m*

creamer /ˈkriːmə(r)/ *n* 1 (for separating cream) écrémeuse *f*; 2 US (jug) pot *m* à crème; 3 (coffee whitener) succédané *m* de crème

creamery /ˈkriːmərɪ/ *n* 1 (dairy, factory) laiterie *f*; 2 (shop) crémerie *f*

cream: **~ jug** *n* GB pot *m* à crème; **~ of tartar** *n* crème *f* de tartre, tartre *m* blanc; **~ pitcher** *n* US = **creamer 2**

cream puff *n* 1 Culin chou *m* à la crème; 2 °US péj (weakling) lavette° *f* pej; 3 °US (secondhand bargain) excellente occase° *f*

cream: **~ soda** *n* soda *m* parfumé à la vanille; **~ tea** *n* GB thé *m* complet (*accompagné de scones avec de la crème fraîche et de la confiture*)

creamy /ˈkriːmɪ/ *adj* [*texture, taste*] crémeux/-euse; [*colour*] (couleur) crème *inv*; **to have a ~ complexion** avoir un teint laiteux

crease /kriːs/

A *n* 1 (in cloth, paper) (regular) pli *m*; (irregular: with iron) faux pli *m*; **to put a ~ in a pair of trousers** marquer les plis d'un pantalon; 2 (in face) pli *m*; (in palm) ligne *f*; 3 Sport *ligne qui marque la position du batteur ou du lanceur au cricket*; **to be at the ~** être batteur

B *vtr* (crumple) froisser [*paper, cloth*]

C *vi* 1 [*cloth*] se froisser; 2 [*face*] se plisser

(Phrasal verb) ■ **crease up**°: ▸ **~ up** (in amusement) plier° (de rire); ▸ **~ [sb] up** faire plier° (de rire)

creased /kriːst/ *adj* [*cloth, paper*] froissé; [*face, brow*] plissé

crease-resistant /ˈkriːsrɪsɪstənt/ *adj* [*fabric*] infroissable

create /kriːˈeɪt/

A *vtr* 1 (make) créer [*character, product, precedent, job, system, work of art*]; lancer [*fashion*]; 2 (cause) provoquer [*disorder, crisis, interest, scandal, repercussion*]; poser [*problem*]; **to ~ a good/bad impression** faire (une) bonne/mauvaise impression; 3 (appoint) nommer

B °*vi* GB faire une scène

creation /kriːˈeɪʃn/ *n* (all contexts) création *f*; **job/wealth ~** création d'emplois/de richesses; **her latest ~** sa dernière création; **the Creation** la Création

creationism /kriːˈeɪʃənɪzəm/ *n* créationnisme *m*

creationist /ˌkriːˈeɪʃnɪst/ *n* créationniste *mf*

creative /kriːˈeɪtɪv/ *adj* 1 (inventive) [*person, solution, cookery, use*] créatif/-ive; 2 (which creates) [*process, act, energy, imagination*] créateur/-trice

creative accountancy, **creative accounting** *n* manipulations *fpl* comptables

creatively /kriːˈeɪtɪvlɪ/ *adv* de façon créative

creative writing *n* (school subject) ≈ composition *f*; (general) création *f* littéraire

creativity /ˌkriːeɪˈtɪvətɪ/ *n* créativité *f*

creator /kriːˈeɪtə(r)/ *n* créateur/-trice *m/f* (**of** de); **the Creator** le Créateur

creature /ˈkriːtʃə(r)/ *n* 1 (living being) créature *f*; 2 (animal) animal *m*; **sea/water ~** animal marin/aquatique; **~ from outer space** créature (qui vient) du cosmos; 3 †(person) **charming ~** charmante créature; **(the) poor ~!** le/la pauvre!; 4 (creation) littér **a ~ of his times** une créature de son époque; **to be sb's ~** péj être la créature de qn

creature comforts *n* confort *m* matériel ₵; **to like one's ~** aimer ses aises

crèche /kreʃ, kreɪʃ/ *n* 1 GB (nursery) crèche *f*; (in hotel, shop etc) garderie *f*; **workplace ~, company ~** crèche *f* d'entreprise; 2 (Christmas crib) crèche *f*

cred° /kred/ *n*: *abrév* = **credibility**. ▸ **street cred**

credence /ˈkriːdns/ *n* sout crédit *m*; **to give ~ to sth** (believe) accorder du crédit à qch; (make believable) donner du crédit à qch; **to lend ~ to sth** donner du crédit à qch; **to gain ~** acquérir du crédit; **letters of ~** Pol Admin lettres de créance

credentials /krɪˈdenʃlz/ *npl* 1 (qualifications) qualifications *fpl*; **to establish one's ~ as a writer** s'affirmer comme un écrivain; 2 gen pièce *f* d'identité; (of ambassador) lettres *fpl* de créance

credibility /ˌkredəˈbɪlətɪ/ *n* crédibilité *f* (**as** comme); **to retain/lose one's ~** conserver/perdre sa crédibilité

credibility gap *n* écart *m* entre les apparences et la réalité

credible /ˈkredəbl/ *adj* (all contexts) crédible

credit /ˈkredɪt/

A *n* 1 (approval) mérite *m* (**for** de); **to get the ~ for sth/for doing** se voir attribuer le mérite de qch/d'avoir fait; **to give sb (the) ~ for sth/for doing** attribuer à qn le mérite de qch/d'avoir fait; **to take the ~ for sth/for doing** s'attribuer le mérite de qch/d'avoir fait; **to be a ~ to sb/sth** faire honneur à qn/qch; **to do sb ~, to do ~ to sb** être tout à l'honneur de qn; **it is to your ~ that** c'est tout à votre honneur que; **to her ~, she admitted her mistake** c'est tout à son honneur d'avoir reconnu sa faute; **she has two medals to her ~** elle a deux médailles à son actif; **he is more intelligent than he is given ~ for** il est plus intelligent qu'on ne le croit; **~ where ~ is due, they have managed to score 20 points** il faut mettre à leur crédit qu'ils ont réussi à marquer 20 points; 2 (credence) crédit *m*; **to gain ~** acquérir du crédit; **to place ~ in sth** ajouter foi à qch; 3 Comm, Fin (borrowing) crédit *m*; **to buy sth on ~** acheter qch à crédit; **to live on ~** vivre de crédits; **to give sb ~** faire crédit à qn; **her ~ is good** elle a une réputation de bonne payeuse; 4 Fin (positive balance) crédit *m*; **to be in ~** être créditeur; **to be £25 in ~** avoir un crédit de 25 livres sterling, être créditeur de 25 livres sterling; 5 US Univ unité *f* de valeur

B **credits** *npl* Cin, TV générique *m*; **to roll the ~s** faire défiler le générique

C *vtr* 1 (attribute) **to ~ sb with** attribuer [qch] à qn [*discovery, power, achievement*]; **to ~ sb with intelligence/honesty** croire *or* supposer qn intelligent/honnête; **to ~ sb with doing** reconnaître que qn a fait; 2 Fin créditer [*account*] (**with** de); **to ~ sth to an account**

porter qch sur un compte; 3 (believe) croire, ajouter foi à [*story, assertion*]; **would you ~ it!** le croirais-tu!

creditable /'kredɪtəbl/ *adj* (all contexts) honorable

creditably /'kredɪtəblɪ/ *adv* d'une manière honorable

credit: **~ account, C/A** *n* Comm, Fin compte *m* personnel; **~ agency** *n* Comm, Fin agence *f* de renseignements commerciaux; **~ arrangements** *npl* Fin crédits *mpl*; **~ balance** *n* Accts solde *m* créditeur; **~ broker** ▸ p. 1683 *n* Fin établissement *m* de crédit; **~ bureau** *n* US Fin = **credit agency**; **~ card** *n* Comm, Fin carte *f* de crédit; **~ control** *n* encadrement *m* du crédit; **~ entry** *n* inscription *f* au crédit; **~ facilities** *npl* facilités *fpl* de crédit; **~ freeze** *n* Econ gel *m* des crédits; **~ hour** *n* US Univ heure *f* de cours comptabilisée pour l'obtention d'un diplôme; **~ limit** *n* Fin autorisation *f* de découvert

credit line *n* 1 Cin, TV mention *f* au générique; 2 Fin ligne *f* de crédit

credit: **~ money** *n* argent *m* fiduciaire; **~ note** *n* Comm avoir *m*

creditor /'kredɪtə(r)/ *n* Comm, Fin créancier/-ière *m/f*

credit: **~ rating** *n* Fin réputation *f* de solvabilité; **~ reference agency** *n* agence *f* de renseignements commerciaux; **~ sale** *n* Comm vente *f* à crédit

credit side *n* 1 Accts actif *m*, crédit *m*; 2 fig bon côté *m*; **on the ~...** le bon côté des choses, c'est que...

credit: **~ squeeze** *n* Econ restrictions *fpl* de crédits; **~ standing, ~ status** *n* Fin réputation *f* de solvabilité; **~ terms** *npl* Comm, Fin conditions *fpl* de crédit; **~ transfer** *n* Fin virement *m*; **~ union** *n* Fin association *f* coopérative d'épargne et de crédit

creditworthiness /'kredɪtwɜːðɪnɪs/ *n* Fin solvabilité *f*

creditworthy /'kredɪtwɜːðɪ/ *adj* Fin solvable

credo /'kreɪdəʊ, 'kriː-/ *n* credo *m*

credulity /krɪ'djuːlətɪ, US -'duː-/ *n* crédulité *f*; **to strain** *ou* **stretch sb's ~** aller trop loin

credulous /'kredjʊləs, US -dʒə-/ *adj* crédule, naïf/naïve

credulously /'kredjʊləslɪ, US -dʒə-/ *adv* [*believe, accept*] avec crédulité

creed /kriːd/ *n* 1 (religious persuasion) croyance *f*; 2 (opinions) principes *mpl*; **political ~** credo *m* politique; 3 Relig (prayer) symbole *m*

creek /kriːk, US *also* krɪk/ *n* 1 GB (inlet) (from sea) bras *m* de mer; (from river) bras *m* mort; 2 US, Austral (stream) ruisseau *m*

(Idioms) **to be up the ~ (without a paddle)**° être mal barré◐; **to be up shit ~**● être dans la merde●

creel /kriːl/ *n* panier *m* de pêche, bourriche *f*

creep /kriːp/

A *n*° 1 GB (flatterer) lèche-bottes° *mf inv*; 2 (repellent person) raclure *f*; **he's a ~** c'est une raclure

B *vi* (*prét, pp* **crept**) 1 (furtively) **to ~ in/out** entrer/sortir à pas de loup; **to ~ behind/under sth** se glisser derrière/sous qch; 2 fig **a threatening tone had crept into his voice** petit à petit il avait pris un ton menaçant; **a blush crept over her face** le rouge lui est monté au visage; 3 (slowly) **to ~ forward** *ou* **along** [*vehicle*] avancer lentement; 4 [*insect*] grimper; [*cat*] ramper; 5 [*plant*] (horizontally) ramper; (climb) grimper; 6 °GB faire du lèche-bottes° (**to sb** à qn)

(Idiom) **to give sb the ~s**° donner la chair de poule à qn°

(Phrasal verbs) ■ **creep in** 1 [*wrong note, error, influence*] se glisser; 2 [*feeling, prejudice*] intervenir

■ **creep over**: ▸ **~ over [sb]** [*feeling*] gagner

■ **creep through**: ▸ **~ through [sb]** s'insinuer en; ▸ **~ through [sth]** s'insinuer dans

■ **creep up**: ▸ **~ up** [*inflation, debt, unemployment*] grimper; **to ~ up on sb** lit s'approcher de qn à pas de loup; fig prendre qn par surprise

creeper /'kriːpə(r)/

A *n* 1 (in jungle) liane *f*; 2 (creeping plant) plante *f* rampante; (climbing plant) plante *f* grimpante; 3 US Tech (wheeled frame) (*also* **floor ~**) chariot *m* de visite

B creepers *npl* US (babysuit) grenouillère *f*, pyjama *m* de bébé

creeping /'kriːpɪŋ/ *adj* 1 [*change, menace, resurgence*] insidieux/-ieuse; 2 [*plant, animal*] rampant

creeping buttercup *n* renoncule *f* terrestre

creepy° /'kriːpɪ/ *adj* 1 [*film, feeling*] qui donne la chair de poule°; 2 [*person*] affreux/-euse°

creepy-crawly° /ˌkriːpɪ'krɔːlɪ/ *n* bestiole *f*

cremate /krɪ'meɪt/ *vtr* incinérer

cremation /krɪ'meɪʃn/ *n* (ceremony) crémation *f*; (practice) incinération *f*

crematorium /ˌkremə'tɔːrɪəm/ GB, **crematory** /'kremətərɪ, US -tɔːrɪ/ US *n* (*pl* **-oria** *ou* **-oriums**) (building) crématorium *m*; (oven) four *m* crématoire

crenellated /'krenəleɪtɪd/ *adj* à créneaux; crénelé

crenellation /ˌkrenə'leɪʃən/ *n* Archit créneau *m*

Creole /'kriːəʊl/

A ▸ p. 1378 *n* (person) Créole *mf*; (language) créole *m*

B *adj* Culin, Ling créole

creosote /'kriːəsəʊt/

A *n* créosote *f*

B *vtr* créosoter

crepe, crêpe /kreɪp/

A *n* 1 Tex crêpe *m*; **wool/silk ~** crêpe de laine/de soie; 2 (for soles) (*also* **~ rubber**) crêpe *m*; 3 Culin crêpe *f*

B *modif* [*dress*] en crêpe; [*sole*] (de) crêpe

crepe: **~ bandage** *n* bande *f* Velpeau®; **~ de Chine** *n* crêpe *m* de Chine; **~hanger, crapehanger** *n* US pessimiste *mf*; **~ paper** *n* papier *m* crépon

crept /krept/ *prét, pp* ▸ **creep**

crepuscular /krɪ'pʌskjʊlə(r)/ *adj* crépusculaire

crescendo /krɪ'ʃendəʊ/

A *n* 1 Mus crescendo *m inv*; 2 fig **to reach a ~** [*campaign*] atteindre son apogée; [*noise, violence, protest*] atteindre son paroxysme

B *adj, adv* Mus crescendo *inv*

C *vi* Mus faire un crescendo

crescent /'kresnt/ *n* 1 (shape) croissant *m*; Relig **the Crescent** le Croissant; 2 *rangée de maisons en arc de cercle*

crescent moon *n* croissant *m* de (la) lune

cress /kres/ *n* Bot, Culin cresson *m*

crest /krest/

A *n* 1 gen, Zool crête *f*; 2 Herald (coat of arms) armoiries *fpl*; (above coat of arms) timbre *m*

B *vtr* franchir la crête de [*hill, wave*]

C *vi* US atteindre son niveau maximum

D crested *pp adj* [*bird*] huppé; [*stationery*] armorié

(Idiom) **to be on the ~ of a wave** être en période de réussite

crestfallen /'krestfɔːlən/ *adj* déconfit

cretaceous /krɪ'teɪʃəs/ *adj* Geol crétacé; **the Cretaceous period** le crétacé

Cretan /'kriːtn/

A *n* Crétois/-e *m/f*

B *adj* crétois

Crete /kriːt/ ▸ p. 1355 *pr n* Crète *f*; **in** *ou* **on ~** en Crète

cretin /'kretɪn, US 'kriːtn/ *n* Med, pej crétin/-e *m/f*

cretinism /'kretɪnɪzəm, US 'kriːt-/ *n* crétinisme *m*

cretinous /'kretɪnəs, US 'kriːt-/ *adj* Med, péj crétin

cretonne /'kretɒn/ *n* cretonne *f*

Creuse ▸ p. 1129 *pr n* Creuse *f*; **in/to ~** dans la Creuse

Creutzfeld-Jakob disease, CJD /ˌkrɔɪtsfeld'jækɒb/ ▸ p. 1327 *n* Med maladie *f* de Creutzfeld-Jakob

crevasse /krɪ'væs/ *n* crevasse *f*

crevice /'krevɪs/ *n* fissure *f*

crew /kruː/

A *pret* ▸ **crow**

B *n* 1 Aviat, Naut équipage *m*; 2 (in rowing) équipe *f*; 3 Cin, Radio, Rail, TV équipe *f*; **fire ~** équipe des pompiers; 4 °(gang) péj *ou* hum bande *f*

C *vtr* Naut être membre de l'équipage de [*boat*]

D *vi* Naut **to ~ for sb** être l'équipier de qn

crewcut *n* coupe *f* (de cheveux) en brosse

crewel work /'kruːəlwɜːk/ *n* tapisserie *f* sur canevas

crew: **~man** *n* (*pl* **-men**) équipier *m*; **~ neck** *n* ras-de-cou *m inv*; **~ neck sweater** *n* pull *m* ras du cou

crib /krɪb/

A *n* 1 lit *m* d'enfant; 2 GB (Nativity) crèche *f*; 3 Agric râtelier *m*; 4 (borrowing) emprunt *m*; 5 Sch, Univ (illicit aid) antisèche° *f*; (translation) traduction *f*; 6 *abrév* ▸ **cribbage**

B *vtr* (*p prés etc* **-bb-**) copier

C *vi* (*p prés etc* **-bb-**) gen faire des emprunts; Sch, Univ copier (**from** sur)

cribbage /'krɪbɪdʒ/ *n*: *jeu de cartes pour deux personnes*

crib death *n* US Med = **cot death**

crick /krɪk/

A *n* **a ~ in one's back** un tour de reins; **a ~ in one's neck** un torticolis

B *vtr* **to ~ one's back** se faire un tour de reins; **to ~ one's neck** attraper un torticolis

cricket /'krɪkɪt/ ▸ **p. 1253**

A *n* 1 Zool grillon *m*; 2 Sport cricket *m*

B *modif* Sport [*equipment, ground, match*] de cricket

(Idiom) **it's not ~**† *ou* hum ce n'est pas franc-jeu

cricketer /'krɪkɪtə(r)/ *n* joueur *m* de cricket

crikey†° /'kraɪkɪ/ *excl* mince alors°

crime /kraɪm/

A *n* 1 (offence) (minor) délit *m*; (serious) crime *m* (**against** contre); **the ~ of murder/theft** le meurtre/vol; **a ~ of violence** un crime violent; **~s against property/the person** atteintes à la propriété/la personne; 2 ₵ (criminal activity) criminalité *f*; **drug ~** criminalité *f* liée à la drogue; **car ~** vol *m* de voiture; **computer ~** piratage *m* informatique; **~ doesn't pay** le crime ne paie pas; 3 fig (immoral act) crime *m*; **it's a ~ to waste food** c'est un crime de gaspiller la nourriture

B *modif* [*fiction, novel, writing*] policier/-ière; [*wave, rate*] de criminalité

Crimea /kraɪ'mɪə/ *pr n* Crimée *f*

Crimean /kraɪ'mɪən/ *adj* de Crimée

crime: **~ buster**° *n* = **crime fighter**; **~-busting**° *adj* = **crime fighting**; **~ correspondent** ▸ p. 1683 *n* journaliste *mf* spécialisé/-e dans les affaires criminelles; **~ desk** *n* bureau *m* des affaires criminelles; **~ fighter** *n* (police officer) policier *m* (chargé de la lutte contre le crime); **~ fighting** *adj* [*body, detective*] chargé de la lutte contre le crime; [*career, days*] de lutte contre le crime; **~ figures** *npl* statistiques *fpl* de la criminalité et de la délinquance; **~ of passion** *n* crime *m* passionnel

crime prevention

A *n* lutte *f* contre le crime

B *modif* [*campaign, effort, poster*] pour lutter contre le crime

crime: **~ prevention officer** *n* commissaire *m* (*chargé de la lutte contre le crime;*

C

C

~ **squad** *n* brigade *f* criminelle; ~ **writer** ▸ p. 1683 *n* auteur *m* de romans policiers

criminal /ˈkrɪmɪnl/

A *n* criminel/-elle *m/f*

B *adj* **1** [*activity, behaviour, history, tendency*] criminel/-elle; **the ~ element in society** la minorité criminelle dans la société; **2** fig **it's ~ to do** c'est un crime de faire

criminal: ~ **act** *n* infraction *f*; ~ **assault** *n* agression *f* criminelle; ~ **bankruptcy** *n* faillite *f* frauduleuse; ~ **bankruptcy order** *n*: *jugement du tribunal correctionnel à l'encontre d'une personne ayant fait banqueroute*; ~ **case** *n* affaire *f* criminelle

criminal charges *npl* charges *fpl*; **to press/drop ~ (against sb)** produire/abandonner les charges (contre qn); **to face ~** être sous le coup d'une inculpation

criminal: ~ **code** *n* code *m* pénal; ~ **conspiracy** *n* association *f* de malfaiteurs; ~ **conversation** *n* adultère *m*; ~ **conviction** *n* condamnation *f*; ~ **court** *n* cour *f* d'assises; ~ **damage** *n* dégradations *fpl*, dommages *mpl*; ~ **injuries compensation** *n* GB *dommages et intérêts versés par l'État*; ~ **inquiry** *n* enquête *f* criminelle; ~ **intent** *n* intention *f* criminelle; ~ **investigation** *n* = **criminal inquiry**; **Criminal Investigation Department**, **CID** *n* GB ≈ police *f* judiciaire

criminality /ˌkrɪmɪˈnælətɪ/ *n* criminalité *f*

criminalization /ˌkrɪmɪnəlaɪˈzeɪʃn, US -lɪˈz-/ *n* criminalisation *f*

criminalize /ˈkrɪmɪnəlaɪz/ *vtr* criminaliser

criminal: ~ **justice** *n* justice *f* pénale; ~ **justice system** *n* système *m* de justice pénale; ~ **law** *n* droit *m* pénal; ~ **lawyer** ▸ p. 1683 *n* avocat/-e *m/f* spécialisé/-e en matière pénale, pénaliste *mf* spec; ~ **liability** *n* responsabilité *f* pénale; ~ **libel** *n* diffamation *f*

criminally /ˈkrɪmɪnəlɪ/ *adv* gen Jur **a ~ motivated act** un acte commis avec l'intention de nuire; **a ~ motivated minority** un petit groupe de gens décidé à commettre un crime; **to be ~ negligent** Jur être coupable de négligence criminelle

criminally insane *adj* dément; **to be ~** être en état de démence

criminal: ~ **negligence** *n* négligence *f* criminelle; ~ **offence** *n* délit *m*; ~ **procedure** *n* procédure *f* pénale; ~ **proceedings** *npl* poursuites *fpl* judiciaires

criminal record *n* casier *m* judiciaire; **to have no ~** avoir un casier judiciaire vierge

Criminal Records Office *n* GB Jur service *m* d'identité judiciaire

criminologist /ˌkrɪmɪˈnɒlədʒɪst/ ▸ p. 1683 *n* criminologue *mf*

criminology /ˌkrɪmɪˈnɒlədʒɪ/ *n* criminologie *f*

crimp /krɪmp/ *vtr* friser [*hair*]; pincer [*pastry*]; plisser [*fabric*]

(Idiom) **to put a ~ in sth**○ US mettre des bâtons dans les roues de qch

Crimplene® /ˈkrɪmpliːn/ *n*: *tissu synthétique infroissable*

crimson /ˈkrɪmzn/ ▸ p. 1067

A *n* cramoisi *m*

B *adj* [*lips, nails*] pourpre; [*fabric, flower, fruit*] cramoisi; **to go** *ou* **blush ~** devenir cramoisi

cringe /krɪndʒ/

A *vi* **1** (physically) avoir un mouvement de recul; **to make sb ~** provoquer un mouvement de recul chez qn; **2** (in embarrassment) avoir envie de rentrer sous terre; **to make sb ~** donner envie à qn de rentrer sous terre; **3** (grovel) se comporter de manière servile; **4** (in disgust) **it makes me ~** ça me hérisse

B **cringing** *pres p adj* servile

cringe-making /ˈkrɪndʒmeɪkɪŋ/ *adj* [*speech, comment*] à te faire rentrer sous terre

crinkle /ˈkrɪŋkl/

A *n* (in skin) ride *f*; (in fabric, paper) pli *m*

B *vtr* gaufrer [*paper, material*]; plisser [*eyes*]

C *vi* [*leaf*] se froisser; [*face, paper*] se plisser

crinkle-cut /ˈkrɪŋklkʌt/ *adj* [*chips*] coupe ondulée

crinkly /ˈkrɪŋklɪ/ *adj* [*hair*] frisé; [*paper, material*] gaufré

crinoline /ˈkrɪnəlɪn/ *n* crinoline *f*

cripple /ˈkrɪpl/

A *n* **1** (lame) offensive impotent/-e *m/f*; **2** (inadequate) **emotional ~** personne *f* bloquée sur le plan émotionnel; **social ~** handicapé/-e *m/f* social/-e

B *vtr* **1** (physically) estropier; (emotionally) traumatiser; **~d for life** infirme à vie; **2** fig paralyser [*country, industry, economy*]; désemparer [*ship*]; mettre [qch] hors d'usage [*vehicle, equipment*]; [*debt, burden*] écraser [*person, company*]

crippled /ˈkrɪpld/ *adj* **1** (physically) [*person*] impotent; **to be ~ with sth** être perclus de qch; **2** fig [*person*] (by debt) écrasé (**by** par); (by emotion) effondré (**by** de); [*country, industry, economy*] paralysé (**by** par); [*vehicle*] hors d'usage; [*ship*] désemparé

crippling /ˈkrɪplɪŋ/ *adj* **1** lit [*disease*] invalidant; **2** fig [*taxes, debts, burden*] écrasant; [*emotion, inability, strike, effect*] paralysant

crisis /ˈkraɪsɪs/ *n* (*pl* **-ses**) crise *f* (**in** dans; **over** à cause de); **cabinet/managerial ~** crise au sein du gouvernement/de la direction; **domestic ~** Pol crise interne; **housing ~** crise du logement; **cash ~** gen, Fin crise de trésorerie; **energy ~** crise d'énergie; **the Gulf ~** la crise du Golfe; **midlife ~** crise des cinquante ans; **personal** *ou* **emotional ~** crise émotionnelle; **to be in ~** être en crise; **to reach a ~** devenir critique; **to be at/to reach ~ point** être à/atteindre un point critique; **~ of confidence** crise de confiance; **to be at ~ level** [*stocks etc*] être à un niveau critique

crisis centre GB, **crisis center** US *n* (after disaster) cellule *f* de crise; (for alcoholics, battered wives etc) association *f* d'entraide

crisis: ~ **intervention** *n* Soc Admin intervention *f* d'urgence; ~ **management** *n* Pol gestion *f* de crise

crisp /krɪsp/

A *n* GB (*also* **potato ~**) chip *f*; **smoky bacon ~s** chips goût bacon fumé

B *adj* **1** [*batter, biscuit, chips, pastry*] croustillant; [*fruit, vegetable*] croquant; **'to keep biscuits ~'** 'pour conserver aux biscuits leur croustillant'; **2** [*fabric, garment*] frais/fraîche; [*banknote, paper, snow*] craquant; **3** [*air*] vif/vive; [*morning*] froid et piquant; **4** fig (concise) [*order, words*] bref/brève; [*manner*] brusque; [*design*] net/nette; [*musical performance*] enlevé

(Idiom) **to be burnt to a ~**○ être carbonisé

(Phrasal verb) ■ **crisp up**: ▸ **~ up** devenir croustillant; ▸ **~ up [sth], ~ [sth] up** réchauffer (pour rendre croustillant)

crispbread /ˈkrɪspbred/ *n* GB pain *m* grillé suédois

crisper /ˈkrɪspə(r)/ *n* US compartiment *m* à légumes

crisply /ˈkrɪsplɪ/ *adv* [*ironed*] fraîchement; [*reply, speak*] brusquement

crispness /ˈkrɪspnɪs/ *n* (of biscuits) croustillant *m*; (of vegetables, fabric) fraîcheur *f*; (of air, weather) froid *m* piquant; (of design) netteté *f*; (of speech) brièveté *f*

crispy /ˈkrɪspɪ/ *adj* croustillant; **~ noodles** nouilles *fpl* sautées

crisscross /ˈkrɪskrɒs, US -krɔːs/

A *n* (of streets) enchevêtrement *m*

B *adj* [*design, pattern*] en croisillons

C *adv* en croisillons; **the streets run ~** les rues s'entrecroisent

D *vtr* sillonner; **to ~ sth with sth** sillonner qch de qch

E *vi* s'entrecroiser

crit○ /krɪt/ *n* GB papier○ *m*, critique *f*

criteria /kraɪˈtɪərɪə/ *npl* ▸ **criterion**

criterion /kraɪˈtɪərɪən/ *n* (*pl* **-ia**) critère *m* (**for** de); **to meet a ~** répondre à un critère

critic /ˈkrɪtɪk/ ▸ p. 1683 *n* **1** (reviewer, analyst) critique *m*; **2** (opponent) détracteur/-trice *m/f*

critical /ˈkrɪtɪkl/ *adj* **1** (crucial) [*moment*] décisif/-ive; [*point*] critique; [*stage*] crucial; **to be ~ to** être essentiel/-ielle pour assurer [*future, success*]; **2** (acute) [*condition*] critique; **to be on the ~ list** être dans un état critique; **3** (disapproving) critique; **to be ~ of sb/sth** critiquer qn/qch; **4** (analytical) [*approach, angle, study, theory*] critique; **5** (of reviewers) [*acclaim*] de la critique; **the film was a ~ success** le film a été acclamé par les critiques; **6** (discriminating) [*reader, viewer*] critique; **to take a ~ look at sth** examiner qch d'un œil critique; **7** Nucl, Phys critique

critically /ˈkrɪtɪklɪ/ *adv* **1** (using judgment) [*evaluate, examine*] d'un œil critique; **2** (with disapproval) [*view*] sévèrement; [*speak*] avec animosité; **3** (seriously) [*ill, injured*] grièvement, très gravement; **~ important** capital

critical: ~ **path** *n* chemin *m* critique; ~ **path analysis** *n* analyse *f* du chemin critique

criticism /ˈkrɪtɪsɪzəm/ *n* **1** (remark, evaluation) critique *f*; **2** (study) étude *f* critique (**of** sur); **3** (analysis) critique *f*; **literary ~** critique *f* littéraire

criticize /ˈkrɪtɪsaɪz/ *vtr* **1** (find fault with) critiquer; **to ~ sb for sth** reprocher qch à qn; **to ~ sb for doing** reprocher à qn de faire; **2** (analyse) critiquer

critique /krɪˈtiːk/

A *n* critique *f*

B *vtr* US (analyse) critiquer

critter○ /ˈkrɪtə(r)/ *n* US (animal) créature *f*; (person) personne *f*

CRM *n* (*abrév* = **customer relationship management**) gestion *f* des relations clientèle

croak /krəʊk/

A *n* (of frog) coassement *m*; (of crow) croassement *m*; (of person) voix *f* rauque

B *vtr* dire [qch] d'une voix rauque; **to ~ a reply** répondre d'une voix rauque

C *vi* **1** (frog) coasser; (person) parler d'une voix rauque; **2** ◑(die) crever◑

croaker○ /ˈkrəʊkə(r)/ *n* US toubib○ *m*

Croat /ˈkrəʊæt/ *n* Croate *mf*

Croatia /krəʊˈeɪʃə/ ▸ p. 1096 *pr n* Croatie *f*

Croatian /krəʊˈeɪʃn/ ▸ p. 1467 *adj* croate

crochet /ˈkrəʊʃeɪ, US krəʊˈʃeɪ/

A *n* (art) crochet *m*; (work) ouvrage *m* au crochet

B *vtr* faire [qch] au crochet; **a ~ed sweater** un pull au crochet

C *vi* faire du crochet

crochet hook *n* crochet *m*

crock /krɒk/

A *n* **1** ○(car) tacot○ *m*; (person) croulant/-e○ *m/f*; **2** †(pot) pot *m*; **3** Hort (shard) tesson *m*; **4** ◑US conneries◑ *fpl*

B **crocks** *npl* vaisselle *f*

crocked○ /krɒkt/ *adj* US bourré○

crockery /ˈkrɒkərɪ/ *n* vaisselle *f*

crocodile /ˈkrɒkədaɪl/

A *n* **1** (animal, leather) crocodile *m*; **2** GB (line) rang *m* par deux

B *modif* [*shoes, bag*] en crocodile, en croco○; **~ clip** pince *f* crocodile

(Idiom) **to shed ~ tears** verser des larmes de crocodile

crocus /ˈkrəʊkəs/ *n* (*pl* **-uses** *ou* **-i**) crocus *m*

Croesus /ˈkriːsəs/ *pr n* Crésus

(Idiom) **as rich as ~** riche comme Crésus

croft /krɒft, US krɔːft/ *n* petite ferme *f* (*en Écosse*)

crofter /ˈkrɒftə(r), US ˈkrɔːft-/ *n* petit/-e fermier/-ière *m/f* (*en Écosse*)

Crohn's disease /ˈkrəʊnz dɪziːz/ ▸ p. 1327 *n* maladie *f* de Crohn

cromlech /'krɒmlek/ *n* cromlech *m*
Cromwellian /krɒm'welɪən/ *adj* de Cromwell
crone /krəʊn/ *n* péj vieille bique *f* pej
crony /'krəʊnɪ/ *n* souvent péj (petit/-e) copain/copine *m/f*
cronyism /'krəʊnɪɪzəm/ *n* Pol copinage *m*
crook /krʊk/
A *n* **1** (rogue) escroc *m*; **2** (of road, river) courbe *f*; (of arm) creux *m*; **3** (shepherd's) houlette *f*; (bishop's) crosse *f*; **4** Mus (of horn) ton *m* de rechange
B ○*adj* Austral [*person*] mal fichu○; [*food*] mauvais
C *vtr* recourber [*finger*]; plier [*arm*]; **to ~ one's little finger** lever le petit doigt
(Idiom) **by hook or by ~** coûte que coûte
crooked /'krʊkɪd/
A *adj* **1** (with a bend) [*line*] brisé; [*limb*] tors; [*back, person*] difforme; [*stick, finger*] crochu; [*path*] tortueux/-euse; **a ~ smile** un sourire en coin; **2** (off-centre) de travers; [*house*] de guingois *inv*; **3** ○(dishonest) malhonnête
B *adv* de travers
crookedly /'krʊkɪdlɪ/ *adv* de travers
croon /kru:n/ *vtr, vi* chantonner
crooner /'kru:nə(r)/ *n* crooner *m*
crop /krɒp/
A *n* **1** (type of produce) culture *f*; **export/cereal ~** culture d'exportation/céréalière; **2** (growing in field) (*souvent pl*) culture *f*; **the ~s have been trampled/will fail** les cultures ont été piétinées/seront perdues; **3** (harvest) (of fruit, vegetables) récolte *f*; (of cereals) récolte *f*, moisson *f*; **bumper ~** récolte exceptionnelle; **second ~** deuxième récolte; **the oat/rice ~** la récolte d'avoine/de riz; **4** fig (collection of prizes, medals) moisson *f*; (of people, novels, films) cuvée *f*; **this year's ~ of graduates** la cuvée des diplômés de cette année; **they are the cream of the ~** ce sont les meilleurs du lot; **5** fig, souvent hum (of weeds, spots) paquet○ *m*; **6** (short haircut) coupe *f* courte; **7** (of bird) jabot *m*; **8** (whip) cravache *f*
B *vtr* (*p prés etc* **-pp-**) **1** (cut short) couper [qch] court [*hair*]; tailler [*tail, ears*]; **2** [*animal*] brouter [*grass, field*]; **3** Phot rogner [*photograph*]; **4** (harvest) récolter [*cereal, vegetable, fruit*]; moissonner [*wheat, corn*]; cueillir [*cherries, strawberries*]; **5** (grow produce on) cultiver [*land*]; **6** (grow) cultiver [*vegetable, cereal*]
C *vi* (*p prés etc* **-pp-**) [*produce, plant*] produire une récolte; **this variety ~s late** c'est une variété tardive
(Phrasal verbs) ■ **crop out** [*rock*] affleurer
■ **crop up** [*matter, subject*] surgir; [*person, name*] être mentionné; [*problem, difficulty*] surgir; [*opportunity*] se présenter; **something's ~ped up** il y a un contretemps; **she's always ~ping up in the papers** on ne voit qu'elle dans les journaux
crop: **~ circle** *n* cercle *m* dans les cultures (*souvent attribué à une intervention extraterrestre*); **~ duster** *n* = **crop sprayer**; **~ dusting** *n* = **crop spraying**; **~land** *n* terre *f* en culture
cropped /krɒpt/ *adj* **1** [*hair, curl*] coupé court; [*grass, lawn*] taillé; **2** Fashn [*jacket, top*] court; **3** [*photograph*] rogné
cropper /'krɒpə(r)/ *n* variété *f*; **late/early ~** variété tardive/précoce
(Idiom) **to come a ~**○ GB se casser la figure○
crop: **~ rotation** *n* rotation *f* des cultures; **~ spray** *n* pesticide *m*
crop sprayer *n* **1** (machine) pulvérisateur *m* de pesticides; **2** (plane) avion *m* de pulvérisation de pesticides
crop: **~ spraying** *n* pulvérisation *f* de pesticides; **~-spraying helicopter** *n* hélicoptère *m* de pulvérisation de pesticides; **~ top** *n* Fashn brassière *f*
croquet /'krəʊkeɪ, US krəʊ'keɪ/ ► **p. 1253**
A *n* croquet *m*
B *modif* [*equipment, game*] de croquet

croquette /krə'ket/ *n* croquette *f*; **potato ~s**, **~ potatoes** croquettes de pommes de terre
crosier /'krəʊzɪə(r), US 'krəʊʒər/ *n* crosse *f*
cross /krɒs, US krɔ:s/
A *n* **1** (shape) croix *f*; **the Cross** Relig la Croix; **to put a ~ against** cocher [*name, item*]; **'put a ~ in the box'** 'faites une croix dans la case', 'cochez la case'
2 Biol, Bot, Zool (hybrid) croisement *m* (**between** entre); **a ~ between Hitler and Napoleon/Biarritz and Brighton** fig un mélange d'Hitler et de Napoléon/de Biarritz et de Brighton
3 Sewing biais *m*; **to cut sth on the ~** couper qch dans le biais
4 Sport (in football) centre *m*
B *adj* **1** (angry) fâché; **to be ~ with sb** être fâché contre qn; **to be ~ about sth** être agacé par qch; **to get ~** se fâcher (**with** contre); **to make sb ~** mettre qn en colère, agacer qn; **we've never had a ~ word (in 20 years)** nous ne nous sommes jamais disputés (en 20 ans)
2 (transverse) [*timber*] transversal
3 (contrary to general direction) [*breeze, swell*] contraire
C *vtr* **1** (go across) lit traverser [*road, country, room, sea*]; traverser, passer [*river*]; franchir [*border, line, threshold, mountains, ditch*]; [*bridge*] franchir, enjamber [*river, road*]; [*road, railway line, river*] traverser [*garden, country, desert*]; [*line*] barrer [*page*]; fig dépasser [*limit, boundary*]; **it ~ed his mind that** il lui est venu à l'esprit *or* l'idée que; **the thought had ~ed my mind** l'idée m'avait traversé l'esprit (**that** que); **a slight frown ~ed her features** une expression renfrognée est passée sur son visage; **to ~ the class/race divide** surmonter la barrière des classes/races; **the programme ~ed the bounds of decency** l'émission a dépassé les limites de la décence
2 (meet) [*road, path, railway line, river*] couper [*road, path, railway line, river*]; **to ~ each other** se couper
3 (place in shape of a cross) croiser [*spoons, knives, ropes*]; **to ~ one's legs/arms** croiser les jambes/bras
4 Biol, Bot, Zool croiser [*plants, animals, species*]; **to ~ sth with sth** croiser qch avec qch
5 (oppose) contrarier [*person*]; **to be ~ed in love** avoir une déception amoureuse
6 (draw line across) barrer; **to ~ a 't'** barrer un 't'; **to ~ a cheque** GB barrer un chèque
7 (mark to indicate) [*teacher*] ≈ souligner [qch] en rouge [*answer*]; (to indicate choice) cocher [*box*]
8 Sport (in football) centrer [*ball*]
D *vi* **1** (*also* **~ over**) (go across) traverser; **to ~ into Italy/Austria** passer en Italie/Autriche
2 (meet) [*roads, railway lines, cars, trains*] se croiser; [*lines*] se couper; [*letters*] se croiser; **to ~ with sth** [*letter*] croiser qch
3 (lie in shape of cross) [*straps, ropes, beams, bars*] se croiser
E *v refl* **to ~ oneself** Relig se signer, faire le signe de la croix
F **crossed** *pp adj* Telecom [*line*] brouillé
(Idioms) **we seem to have got our wires** *ou* **lines ~ed** il semble y avoir un malentendu (quelque part); **X and Y have got their wires** *ou* **lines ~ed** X et Y ne se sont pas compris; **to have a** *ou* **one's ~ to bear** porter sa croix; ► **heart**
(Phrasal verbs) ■ **cross off**: ► **~ [sth/sb] off, ~ off [sth/sb]** barrer, rayer [*name, thing*]; radier [*person*]; **to ~ sb's name off a list** rayer qn d'une liste
■ **cross out**: ► **~ out [sth], ~ [sth] out** rayer, barrer [qch]
■ **cross over** **1** (go across) traverser; **to ~ over to sth** (change allegiance) passer à qch [*party*]; se convertir à [*religion*]; **2** (be placed across) [*straps*] se croiser
■ **cross through**: ► **~ through [sth]** rayer, barrer [qch]

cross: **~ action** *n* Jur action *f* reconventionnelle; **~bar** *n* gen barre *f*; (in football, rugby) barre *f* transversale; **~beam** *n* Constr traverse *f*; **~-bench** *n* (*gén pl*) GB Pol banc *m* d'un député noninscrit; **~-bencher** *n* député *m* noninscrit; **~bill** *n* Zool bec-croisé *m*; **~bones** *npl* ► **skull**; **~-border** *adj* transfrontalier/-ière; **~bow** *n* arbalète *f*; **~bred** *n, adj* hybride (*m*)
crossbreed /'krɒsbri:d, US 'krɔ:s-/
A *n* (animal) hybride *m*; (person) injur métis/-isse *m/f*
B *vtr* (*prét, pp* **-bred**) croiser [*animals*]; hybrider [*plants*]; **to ~ sth with** croiser qch avec [*animal*]; hybrider qch avec [*plant*]
C *vi* (*prét, pp* **-bred**) **to ~ with sth** se croiser avec qch
cross: **~breeding** *n* (of animal) croisement *m*; (of plant) hybridation *f*; **~-Channel** *adj* trans-Manche
cross-check
A /'krɒstʃek, US 'krɔ:s-/ *n* recoupement *m*
B /,krɒs'tʃek, US ,krɔ:s-/ *vtr* vérifier [qch] par recoupement
C *vi* faire des recoupements
cross: **~-compiler** *n* Comput compilateur *m* croisé; **~-correlation** *n* Stat corrélation *f* croisée
cross-country /,krɒs'kʌntrɪ, US ,krɔ:s-/
A ► **p. 1253** *n* Sport (in running) cross *m*; (in skiing) ski *m* de fond
B *adj* **1** Sport (in running) [*race, champion, event*] de cross; [*runner*] de fond; (skiing) [*skier*] de fond; **~ skiing** ski *m* de fond; **2** gen (by way of fields etc) [*trip, walk, hike, run*] à travers champs; **3** (across a country) [*railway, road, route*] qui traverse le pays (*d'est en ouest*)
C *adv* [*run, walk, hike*] à travers champs
cross: **~-court** *adj* Sport [*shot, volley*] droit croisé; **~-cultural** *adj* inter-culturel/-elle; **~current** *n* lit, fig contre-courant *m*; **~-curricular** *adj* multidisciplinaire
crosscut /'krɒskʌt, US 'krɔ:s-/
A *n* Tech coupe *f* en travers
B *adj* Tech en travers
cross: **~cut file** *n* Tech lime *f* à double taille; **~cut saw** *n* Tech scie *f* de travers; **~-disciplinary** *adj* Sch, Univ [*course, syllabus*] pluridisciplinaire; **~-dress** *vi* [*man*] s'habiller en femme; [*woman*] s'habiller en homme; **~-dresser** *n* travesti/-e *m/f*; **~-dressing** *n* travestissement *m*
crosse /krɒs/ *n* Sport crosse *f* (*au jeu de lacrosse*)
cross-examination /,krɒsɪg,zæmɪ'neɪʃn, US ,krɔ:s-/ *n* Jur, gen contre-interrogatoire *m*
cross-examine /,krɒsɪg'zæmɪn, US ,krɔ:s-/ *vtr* **1** Jur faire subir un contre-interrogatoire à [*person*]; **2** gen interroger, harceler [qn] de questions
cross-eye /'krɒsaɪ, US 'krɔ:s-/ *n* Med strabisme *m*
cross-eyed /'krɒsaɪd, US 'krɔ:s-/ *adj* [*person*] atteint de strabisme, qui louche; **to be ~** loucher, avoir un strabisme; **to make sb ~** faire loucher qn
cross-fertilization /,krɒs,fɜ:təlaɪ'zeɪʃn, US ,krɔ:s-/ *n* Bot hybridation *f*
cross-fertilize /,krɒs'fɜ:tɪlaɪz, US ,krɔ:s-/
A *vtr* Bot hybrider
B *vi* Bot s'hybrider
crossfire /'krɒsfaɪə(r), US 'krɔ:s-/ *n* Mil, fig feux *mpl* croisés; **to be** *ou* **get caught in the ~** lit, fig être pris entre deux feux; **to be** *ou* **get caught in the ~ of questions/criticism** fig être pris sous les feux croisés des questions/de la critique
cross: **~-grained** *adj* [*wood, timber*] aux fibres irrégulières; **~ hairs** *npl* réticule *m*; **~hatch** *vtr* hachurer (*en croisillons*)
crosshatching /'krɒshætʃɪŋ, US 'krɔ:s-/ *n* **1** (act) hachurage *m* (*croisé*); **2** (pattern) hachures *fpl* (*croisées*)
cross-index /,krɒs'ɪndeks, US ,krɔ:s-/ *vtr* faire référence à, renvoyer à

C

crossing /ˈkrɒsɪŋ, US ˈkrɔːsɪŋ/ *n* 1 (journey) (over sea, lake) traversée *f*; (over border) passage *m*; 2 (for pedestrians) passage *m* (pour) piétons, passage *m* clouté; Rail (*also* **level ~**) passage *m* à niveau; 3 Rail, Transp (junction) croisement *m*; 4 Biol, Bot, Zool croisement *m*
crossing-out /ˌkrɒsɪŋˈaʊt, US ˌkrɔːs-/ *n* (*pl* **~s-out**) rature *f*
cross-legged /ˌkrɒsˈlegɪd, US ˌkrɔːs-/
A *adj* assis en tailleur
B *adv* [*sit*] en tailleur
crossly /ˈkrɒslɪ, US ˈkrɔːslɪ/ *adv* avec humeur
crossover /ˈkrɒsəʊvə(r), US ˈkrɔːs-/
A *n* 1 Mus mélange *m* de genres; 2 Rail voie *f* de croisement
B *adj* Fashn [*bodice, straps*] croisé
cross: **~over network** *n* Electron pont *m* diviseur; **~-party** *adj* Pol [*amendment, approach, initiative*] commun à plusieurs partis; [*group*] comprenant des membres de différents partis; [*support*] de différents partis; **~patch**° *n* grognon° *mf*; **~piece** *n* traverse *f*
crossply /ˈkrɒsplaɪ, US ˈkrɔːs-/
A *n* Aut pneu *m* à carcasse croisée
B *adj* Aut à carcasse croisée
cross-pollinate /ˌkrɒsˈpɒlɪneɪt, US ˌkrɔːs-/
A *vtr* Bot féconder [qch] par pollinisation croisée
B *vi* subir une pollinisation croisée
cross-pollination /ˌkrɒspɒlɪˈneɪʃn, US ˌkrɔːs-/ *n* Bot pollinisation *f* croisée
cross-purposes /ˌkrɒsˈpɜːpəsɪz, US ˌkrɔːs-/ *npl* **we are at ~ (with each other)** (misunderstanding) il y a un malentendu (entre nous); (disagreement) nous sommes en désaccord; **to talk at ~** se comprendre mal
cross-question /ˌkrɒsˈkwestʃən, US ˌkrɔːs-/ *vtr* faire subir un interrogatoire à [*person*]
cross-refer /ˌkrɒsrɪˈfɜː(r), US ˌkrɔːs-/ *vtr* renvoyer [*person*] (**to** à); **to ~ sth to sth** mettre un renvoi à qch sous qch
cross-reference /ˌkrɒsˈrefrəns, US ˌkrɔːs-/
A *n* renvoi *m* (**to** à)
B *vtr* faire les renvois de [*book, dictionary*]; mettre un renvoi sous [*entry, item*] (**to** à)
crossroads /ˈkrɒsrəʊdz, US ˈkrɔːs-/ *n* (*pl* **~**) lit carrefour *m*; fig carrefour *m*, moment *m* décisif
cross-section /ˌkrɒsˈsekʃn, US ˌkrɔːs-/ *n* 1 lit coupe *f* transversale; **in ~** en coupe transversale; 2 fig (selection) échantillon *m* (**of** de)
cross-shaped /ˈkrɒsʃeɪpt, US ˈkrɔːs-/ *adj* en forme de croix
cross-stitch /ˈkrɒsstɪtʃ, US ˈkrɔːs-/
A *n* point *m* de croix
B *vtr, vi* broder au point de croix
crosstalk /ˈkrɒstɔːk, US ˈkrɔːs-/ *n* 1 Radio, Telecom diaphonie *f*; 2 GB (repartee) joutes *fpl* oratoires
cross: **~tie** *n* US, Rail traverse *f* (de voie); **~-town** *adj* US qui traverse la ville; **~tree** *n* Naut barre *f* de flèche; **~walk** *n* US passage *m* (pour) piétons; **~way** *n* US croisement *m*; **~wind** *n* vent *m* de travers
crosswise /ˈkrɒswaɪz, US ˈkrɔːs-/
A *adj* 1 (diagonal) en diagonale; 2 (transverse) transversal
B *adv* 1 (diagonally) en diagonale; 2 (transversely) transversalement
crossword /ˈkrɒswɜːd, US ˈkrɔːs-/
A *n* (*also* **~ puzzle**) (grille *f* de) mots *mpl* croisés; **to do the ~** faire les mots croisés
B *modif* [*competition, book*] de mots croisés
crotch /krɒtʃ/ *n* 1 Anat entrecuisse *m*; 2 (in trousers) entrejambe *m*; **too tight in the ~** trop serré à l'entrejambe
crotchet /ˈkrɒtʃɪt/ *n* GB Mus noire *f*
crotchet rest *n* GB Mus soupir *m*
crotchety /ˈkrɒtʃɪtɪ/ *adj* grincheux/-euse
crotchless /ˈkrɒtʃlɪs/ *adj* avec ouverture à l'entrejambe
crouch /kraʊtʃ/
A *n* position *f* accroupie
B *vi* (*also* **~ down**) [*person*] s'accroupir; [*person, animal*] (in order to hide) se tapir; (for attack) se ramasser
croup /kruːp/ *n* 1 Med croup *m*; 2 (of horse) croupe *f*
croupier /ˈkruːpɪə(r)/ ▸ **p. 1683** *n* croupier *m*
crouton /ˈkruːtɒn/ *n* croûton *m*
crow /krəʊ/
A *n* 1 (bird) corbeau *m*; **hooded ~** corneille *f* mantelée; 2 (cock's cry) chant *m* du coq
B *vi* 1 (exult) exulter; 2 [*baby*] gazouiller; 3 (*prét* **crowed** *ou* **crew**†) [*cock*] chanter
(Idioms) **as the ~ flies** à vol d'oiseau; **to make sb eat ~**° US faire rentrer à qn ses mots dans la gorge; **stone the ~s**°! eh bien ça alors!
(Phrasal verbs) ■ **crow about**: ▸ **~ about [sth]** se vanter de
■ **crow over**: ▸ **~ over [sb]** crier victoire sur; ▸ **~ over [sth]** se vanter de
crowbar /ˈkrəʊbɑː(r)/ *n* pince-monseigneur *f*
crowd /kraʊd/
A *n* 1 (mass of people) gen foule *f*; Sport spectateurs *mpl*; (audience) public *m*; **a ~ of 10,000** gen une foule de 10 000 personnes; Sport une foule de 10 000 spectateurs; **~s of people** une foule de gens; **to draw** *ou* **attract a ~** attirer la foule; **a ~ gathered at the scene** un attroupement s'est formé sur les lieux; **we are hoping for a big ~ at the concert** nous espérons que le public viendra nombreux au concert; **the president waved to the ~(s)** le président a salué la foule; **we ski in Norway to avoid the ~s** nous skions en Norvège pour éviter la foule; **people came in ~s to hear him** les gens sont venus l'écouter en masse; **it's not very good, but it'll pass in a ~**° ce n'est pas terrible°, mais ça peut passer si on ne regarde pas de trop près; **to follow** *ou* **go** *ou* **move with the ~** suivre la foule; **to stand out from the ~** sortir du commun; 2 °(group) bande *f*; **'who's coming?'—'the usual ~'** 'qui est-ce qui vient?'—'toujours la même bande'; **the ~ from the office** les copains° du bureau; **they're a friendly ~** ils sont tous très sympa°
B *modif* [*behaviour, reaction*] de masse
C *vtr* 1 (fill) se presser sur [*pavement, platform, road*]; s'entasser sur [*beach*]; **tourists ~ed the bars/trains** les bars/trains étaient pleins de touristes; **the roads were ~ed with cars** la circulation était très dense; 2 (squash) entasser [*people, animals, cars, furniture*] (**into** dans); **they have ~ed as many lines as possible onto the page** ils ont fait tenir un maximum de lignes dans la page; **they have ~ed a lot of information into this brochure** cette brochure est bourrée° d'informations; **she ~s too much detail into her pictures** elle surcharge ses tableaux d'une foule de détails; **we always try to ~ as much as possible into our visits to Paris** nous essayons toujours de voir le plus de choses possible quand nous allons à Paris; 3 (fill to excess) remplir [*room, house, mind*] (**with** de); surcharger [*design, page*] (**with** de); **the house was ~ed with furniture/paintings** la maison était encombrée de meubles/tableaux; 4 (jostle) serrer, bousculer [*person, animal*]; serrer [*vehicle, boat*]; 5 °(put pressure on) tanner°; **stop ~ing me! let me think!** arrête de me tanner°! laisse-moi réfléchir!
D *vi* 1 lit **to ~ into** s'entasser dans [*room, lift, vehicle*]; **to ~ onto** s'entasser dans [*bus, train*]; **to ~ through** passer en foule par [*door, gates*]; **to ~ up/down sth** monter/descendre qch en foule [*stairs*]; **to ~ (up) against** se presser contre [*barrier*]; 2 fig **to ~ into** [*thoughts, memories, ideas*] se presser dans [*mind, memory*]
(Phrasal verbs) ■ **crowd around**, **crowd round** s'attrouper; ▸ **~ around [sth]** se presser autour de; **don't ~ around the entrance** ne bloquez pas l'entrée
■ **crowd in**: ▸ **~ in** [*people, animals*] s'entasser; **to ~ in on sb** lit [*people*] encercler qn; fig [*hills, walls*] oppresser qn; fig [*thoughts, memories*] assaillir qn; ▸ **~ in [sth/sb]**, **~ [sth/sb] in** entasser [*people, animals, furniture*]; accumuler [*words, lines, illustrations*]
■ **crowd out**: ▸ **~ out [sth/sb]**, **~ [sth/sb] out** évincer [*person, business*]
■ **crowd together**: ▸ **~ together** se serrer; ▸ **~ [sth] together**, **~ together [sth]** entasser
crowd: **~ control** *n* contrôle *m* de la foule; **~ control barrier** *n* barrière *f* de contrôle
crowded /ˈkraʊdɪd/ *adj* 1 (full of people) [*train, hall, restaurant, shop*] bondé; [*private room, house*] plein à craquer; [*beach, park, street, pavement*] noir de monde; [*church*] plein; [*area, town*] plein de monde; **to be ~ with** être plein de [*people*]; 2 (cluttered) [*house, room, area, surface, table*] encombré (**with** de); [*car park*] plein (**with** de); [*display, arrangement, design*] surchargé (**with** de); 3 (busy) [*diary, holiday, life, day, week*] rempli (**with** de); [*timetable*] chargé
crowd: **~-puller** *n* (event) grosse attraction *f*; (person) vedette *f*; **~-pulling** *adj* à succès; **~ safety** *n* sécurité *f* du public; **~ scene** *n* Cin, Theat scène *f* de foule; **~ trouble** *n* agitation *f* dans la foule
crowfoot /ˈkrəʊfʊt/ *n* renoncule *f* aquatique
crowing /krəʊɪŋ/ *n* 1 (of cock) cocoricos *mpl*; 2 (boasting) vantardises *fpl*
crown /kraʊn/
A *n* 1 (of monarch) couronne *f*; **a ~ of flowers/of thorns** une couronne de fleurs/d'épines; **the Crown** la Couronne *f*; 2 GB Jur ministère *m* public; **a witness for the Crown** un temoin à charge; 3 Sport championnat *m*; 4 (top) (of hill) crête *f*; (of tree) cime *f*; (of hat) fond *m*; (of road) sommet *m*; 5 (head) crâne *m*; 6 Dent couronne *f*; 7 Bot (of tree) couronne *f*; 8 GB (old coin) *ancienne pièce de monnaie*; 9 Naut diamant *m*; 10 Archit (of bridge) clé *f* d'arc; (of arch) clé *f* de voûte
B *vtr* 1 couronner [*queen, champion*]; **to ~ sb emperor/champion** couronner qn empereur/champion; 2 (bring to worthy end) couronner; **the prize ~ed her career** le prix a couronné sa carrière; **her efforts were ~ed by success** ses efforts furent couronnés de succès; **to ~ it all, I won/the car broke down** pour couronner le tout, j'ai gagné/la voiture est tombée en panne; 3 °(hit) taper [*person*]; 4 Dent couronner [*tooth*]; 5 Culin couronner [*cake*] (**with** de); 6 Games (in draughts) damer [*pièce*]
C °*v refl* **to ~ oneself** se cogner violemment (**on** contre)
crown: **Crown Agents** *npl* GB Pol *organisme d'aide financière et commerciale d'échelle internationale*; **~ cap** *n* capsule *f*; **~ colony** *n* GB Pol colonie *f* britannique; **Crown court** *n* GB Jur ≈ cour *f* d'assises; **~ed head** *n* Pol tête *f* couronnée; **~ green bowling** ▸ **p. 1253** *n* GB Sport *jeu de boules sur terrain légèrement bosselé*
crowning /ˈkraʊnɪŋ/
A *n* couronnement *m*
B *adj* [*touch*] final; [*irony*] suprême; [*moment*] grand; [*success, victory*] définitif/-ive; **the ~ achievement of his career** le couronnement de sa carrière
crowning glory *n* 1 (achievement) couronnement *m*; 2 (hair) **her hair is her ~** sa chevelure la rend resplendissante
crown: **~ jewels** *npl* joyaux *mpl* de la Couronne; **Crown land** *n* GB Jur terre *f* appartenant à la Couronne; **~ prince** *n* prince *m* héritier
crown princess *n* 1 (heir) princesse *f* héritière; 2 (wife of heir) épouse *f* du prince héritier

crown: **Crown Prosecution Service, CPS** *n* GB Jur *organisme chargé de décider si un dossier criminel doit passer devant le tribunal*; ≈ Ministère *m* Public; **Crown prosecutor** *n* GB Jur procureur *m*; **~ roast** *n* Culin côtes *fpl* de bœuf (*disposées en forme de couronne*); **Crown servant** *n* GB Admin fonctionnaire *mf*

crown wheel *n* **1** (in clock) roue *f* de couronne; **2** Mech couronne *f*; **~ and pinion** couple *m* conique

crow: **~'s feet** *npl* (on face) pattes-d'oie *fpl*; **~'s nest** *n* nid *m* de pie

crozier *n* = **crosier**

crucial /'kru:ʃl/ *adj* **1** [*role, importance, moment*] crucial; [*witness*] capital (**to, for** pour); **it is ~ that** il est essentiel que (+ *subj*); **2** ○GB (great) super○

crucially /'kru:ʃəlɪ/ *adv* **~ important** d'une importance cruciale; **~, he was there** fait décisif, il était là

crucible /'kru:sɪbl/ *n* **1** lit creuset *m*; **2** fig épreuve *f*

crucifix /'kru:sɪfɪks/ *n* crucifix *m*

crucifixion /,kru:sɪ'fɪkʃn/ *n* crucifixion *f*; **the Crucifixion** la Crucifixion

cruciform /'kru:sɪfɔ:m/ *adj* cruciforme

crucify /'kru:sɪfaɪ/ *vtr* **1** (execute) crucifier; **2** ○(criticize, defeat, punish) démolir○

crud● /krʌd/ *n* **1** ȼ (dirt) saletés *fpl*; **2** US (illness) crève○ *f*; **3** US péj (contemptible person) minable○ *mf* pej

crude /kru:d/
A *n* (oil) pétrole *m* brut
B *adj* **1** (rough) [*tool, method*] rudimentaire; [*estimate*] approximatif/-ive; **2** (unsophisticated) [*person, manners*] fruste; [*attempt, belief, metaphor, expression*] grossier/-ière; **3** (vulgar, rude) [*laughter, language, joke*] grossier/-ière; [*person*] vulgaire; **4** (raw, unprocessed) [*rubber, ore, data, statistic*] brut; **~ oil** pétrole *m* brut; **~ birth rate** taux *m* brut de natalité

crudely /'kru:dlɪ/ *adv* **1** (simply) [*describe, express*] de manière schématique; **~ speaking,...** grosso modo...; **2** (roughly) [*painted, made*] grossièrement; [*assembled*] sommairement; **3** (vulgarly) [*behave*] de façon grossière; [*speak*] crûment

crudeness /'kru:dnɪs/ *n* = **crudity**

crudity /'kru:dɪtɪ/ *n* **1** (vulgarity) grossièreté *f*; **2** (of method) caractère *m* rudimentaire; **3** (of metaphor) crudité *f*

cruel /'kru:əl/ *adj* [*person, fate, treatment, world*] cruel/-elle (**to** envers); [*joke, irony*] cruel/-elle; [*winter, climate*] rigoureux/-euse; **a ~ blow** un coup très dur

(Idiom) **you have to be ~ to be kind** Prov qui aime bien châtie bien Prov

cruelly /'kru:əlɪ/ *adv* cruellement

cruelty /'kru:əltɪ/ *n* **1** (of person, fate, treatment) cruauté *f* (**to** envers); **2** (cruel act) cruauté *f*

cruet /'kru:ɪt/ *n* **1** GB (*also* **~ stand**) service *m* à condiments; **2** US (small bottle) flacon *m* (*d'huile ou de vinaigre*); **3** Relig burette *f*

cruise /kru:z/
A *n* **1** Naut croisière *f*; **to be on a/to go on a ~** être en/faire une croisière; **2** Mil = **cruise missile**
B *vtr* **1** **to ~ a sea/a river** [*ship, liner*] croiser en mer/sur un fleuve; [*tourist, sailor*] être en croisière en mer/sur un fleuve; **2** [*car, driver, taxi*] parcourir [*street, city*]; **3** ○[*homosexual*] aller draguer dans○ [*place*]
C *vi* **1** [*liner, tourist*] faire une croisière (**in** en; **on** sur; **along** le long de; **around** aux abords de; **into** vers); **2** [*plane*] voler à sa vitesse de croisière; **to ~ at 10,000 metres/at 500 km/h** voler à une altitude de croisière de 10 000 mètres/à une vitesse de croisière de 500 km/h; **3** [*car*] rouler à sa vitesse de croisière; **to ~ at 80 km/h** rouler à une vitesse de croisière de 80 km/h; **4** ○[*competitor, team, candidate*] **to ~ to victory/into first place** se diriger sans problème vers la victoire/vers la première place; **to ~ through an exam** passer un examen sans problème; **5** ○[*taxi, police, car*] être en maraude; [*homosexual, teenager*] draguer○; **a cruising taxi** un taxi en maraude

(Idiom) **to be cruising for a bruising**○ US [*child, troublemaker*] chercher des noises○

cruise: **~ control** *n* Aut limiteur *m* de vitesse; **~ liner** *n* paquebot *m*; **~ missile** *n* missile *m* de croisière

cruiser /'kru:zə(r)/ *n* **1** Mil croiseur *m*; **2** (cabin-cruiser) petit bateau *m* de croisière; **3** US (police car) voiture *f* de police

cruiserweight /'kru:zəweɪt/ *n* Sport poids *m* lourd (*mais pesant moins de 86,2 kg*)

cruising: **~ range** *n* Aviat autonomie *f* de vol; **~ speed** *n* vitesse *f* de croisière; **~ yacht** *n* yacht *m* (de croisière)

cruller /'krʌlə(r)/ *n* US ≈ beignet *m* (*torsadé*)

crumb /krʌm/ *n* **1** (of food) miette *f*; **2** (tiny amount) **a ~ of** une bribe de [*information, conversation*]; **a ~ of comfort** une maigre consolation; **3** ○(person) péj minable○ *mf* pej; **4** (*also* **~ rubber**) caoutchouc *m* pulvérisé pour recyclage

crumble /'krʌmbl/
A *n* GB **apple ~** crumble *m* aux pommes
B *vtr* (*also* **~ up**) émietter [*bread*]; écraser [*cheese, biscuit etc*]; réduire [qch] en poussière [*soil*]
C *vi* **1** lit [*bread*] s'émietter; [*soil, facade*] s'effriter; [*building*] se délabrer; [*cliff*] s'ébouler; **2** fig [*relationship, economy*] se désagréger; [*empire*] s'écrouler; [*opposition, hope, determination*] s'effondrer

crumbling /'krʌmblɪŋ/
A *n* effondrement *m*
B *adj* **1** lit [*building*] délabré; [*facade, concrete*] qui s'effrite; [*cliff*] prêt à s'effondrer; **2** [*economy, empire*] prêt à s'effondrer

crumbly /'krʌmblɪ/
A *n*○ (old person) injur croulant/-e○ *m/f*
B *adj* [*bread, cheese*] qui s'émiette facilement; [*pastry, earth*] friable

crumbs○† /krʌmz/ *excl* mince○!

crummy○ /'krʌmɪ/ *adj* péj **1** (seedy, substandard) minable○ pej; **2** US (unwell) **to feel ~** se sentir patraque○

crump /krʌmp/ *n* **1** onomat boum; **2** US argot des militaires obus *m*

crumpet /'krʌmpɪt/ *n* **1** Culin *petite galette épaisse à griller*; **2** ○ȼ GB hum **a bit of ~** une belle nana○ *f*; **the thinking woman's ~** hum le mâle pour intellectuelle

crumple /'krʌmpl/
A *vtr* froisser [*paper*]; écraser [*can*]; **to ~ sth into a ball** rouler qch en boule
B *vi* **1** (crush up) [*paper, garment*] se froisser; **his face ~d** ses traits se sont décomposés; **the car ~s on impact** la voiture se plie sous le choc; **2** (collapse) [*opposition, resistance*] s'effondrer; **he ~d onto the floor** il s'affaissa au sol.

(Phrasal verb) ■ **crumple up**: ▸ **~ [sth] up, ~ up [sth]** froisser

crumpled /'krʌmpld/ *adj* [*dress, page*] froissé; [*car*] écrasé; **to get ~** se froisser

crunch /krʌntʃ/
A *n* **1** (sound) (of gravel, snow) crissement *m*; (of gears, broken wood, bone, glass) craquement *m*; **2** Econ, Fin (squeeze) crise *f*; **credit ~** crise *f* du crédit; **energy ~** crise *f* de l'énergie; **housing ~** crise *f* du logement
B *vtr* **1** (eat) croquer [*apple, toast, biscuit*]; [*animal*] broyer [*bone*]; **2** (crush) craquer [*nuts*]; **3** (making noise) **she ~ed her way across the gravel** le gravier crissait sous ses pas; **4** Aut **to ~ the gears**○ faire craquer les vitesses○; **5** ○Comput traiter [*data*]
C *vi* [*snow, gravel, glass*] crisser; **his shoes ~ed on the gravel** le gravier crissait sous ses chaussures
D **crunching** *pres p adj* **a ~ing sound** *ou* **noise** (of gravel, snow, glass) un crissement; (of wood, bone, gears) un craquement

(Idioms) **when** *ou* **if it comes to the ~** au moment critique; **the ~ came when** le moment critique est arrivé lorsque; **when it came to the ~ I...** quand je me suis retrouvé au pied du mur, je...

(Phrasal verb) ■ **crunch up**: ▸ **~ up [sth]** broyer [*glass, stones, metal*] (**into** en)

crunchy /'krʌntʃɪ/ *adj* [*vegetables, biscuits*] croquant; [*snow*] qui craque sous les pieds; [*gravel*] qui crisse sous les pieds

crupper /'krʌpə(r)/ *n* Equit **1** (strap) croupière *f*; **2** (horse's rump) croupe *f*

crusade /kru:'seɪd/
A *n* **1** (*also* **Crusade**) Hist croisade *f*; **to go/be on a ~** partir/être en croisade; **2** (campaign) croisade *f* (**for** pour; **against** contre)
B *vi* (campaign) être en croisade (**against** contre; **for** pour)

crusader /kru:'seɪdə(r)/ *n* **1** (*also* **Crusader**) Hist croisé *m*; **2** (campaigner) militant/-e *m/f* (**against** contre, **for** pour); **moral ~** moralisateur/-trice *m/f* militant/-e

crusading /kru:'seɪdɪŋ/ *adj* combatif/-ive

crush /krʌʃ/
A *n* **1** (crowd) bousculade *f*; **in the ~** dans la bousculade; **it was a ~**○ **in the car** on était à l'étroit dans la voiture; **2** ○ (infatuation) toquade *f*; **to have a ~ on sb** avoir une toquade pour qn, avoir le cœur qui bat pour qn; **3** GB (drink) **orange/lemon ~** boisson *f* à l'orange/au citron
B *vtr* **1** fig (by force, argument) écraser [*enemy, protester, uprising*]; étouffer [*protest*]; anéantir [*hopes*]; (by ridicule) anéantir [*person*]; **to be ~ed by** être accablé par [*ill-treatment, sorrow, tragedy*]; **2** (squash) (deliberately) écraser [*can, fruit, vegetable*]; concasser [*stone*]; piler [*ice*]; (in accident) écraser [*person, vehicle*] (**against** contre); broyer [*part of body*]; **to ~ sth to a powder** réduire qch en poudre; **to be ~ed to death** (by vehicle) se faire écraser; (by masonry) être écrasé sous les décombres; **3** (crease) chiffonner [*garment, fabric*]; **4** (clasp) serrer; **he ~ed her to him** il l'a serrée contre lui
C *vi* **1** **to ~ forward** se ruer en foule; **to ~ together** se serrer les uns contre les autres; **to ~ into** s'entasser dans [*room, vehicle*]; **2** [*fabrics, garments*] se froisser

(Phrasal verbs) ■ **crush out**: ▸ **~ [sth] out, ~ out [sth]** extraire [*juice*]
■ **crush up**: ▸ **~ [sth] up, ~ up [sth]** écraser [*biscuits*]; concasser [*rock*]

crush: **~ bar** *n* GB bar *m* (*de théâtre*); **~ barrier** *n* GB barrière *f* de sécurité; **~ed velvet** *n* velours *m* frappé

crushing /'krʌʃɪŋ/ *adj* **1** (overpowering) [*defeat, majority, weight*] écrasant; [*blow*] percutant; [*news*] accablant; **2** (humiliating) [*remark, criticism*] percutant; [*look*] écrasant de supériorité

crushingly /'krʌʃɪŋlɪ/ *adv* [*say*] d'un ton percutant; [*look*] d'un air écrasant de supériorité

crushproof /'krʌʃpru:f/ *adj* [*fabric*] infroissable; [*packing*] rigide

crust /krʌst/ *n* **1** (on bread, pie) croûte *f*; **a ~ of bread** lit, fig une croûte de pain; **to earn one's ~**○ GB gagner sa croûte○; **he'd share his last ~** il donnerait sa chemise; **2** (of mud, blood, snow) croûte *f*; **to form a ~** former une croûte; **the earth's ~** l'écorce *f* terrestre; **3** (of wine, port) dépôt *m* (de cristaux de tartre); **4** ○US culot○ *m*; **to have the ~ to do**○ avoir le culot○ de faire

crustacean /krʌ'steɪʃn/ *n* crustacé *m*

crusty /'krʌstɪ/ *adj* **1** [*bread*] croustillant; **2** (irritable) grincheux/-euse

crutch /krʌtʃ/ *n* **1** Med béquille *f*; **to walk** *ou* **be on ~es** marcher avec des béquilles; **2** fig (prop) béquille *f*; **religion is a ~** *ou* **to her** la religion lui sert de béquille; **3** GB (crotch) Anat entrecuisse *m*; (in trousers) entrejambe *m*; **4** Naut (for oar) dame *f* de nage

crux /krʌks/ *n* point *m* essentiel; **the ~ of the matter** l'essentiel *m*

C

cry /kraɪ/
A *n* [1] (shout, call) (of person, bird) cri *m*; **a great ~ went up** un grand cri s'est élevé; **to utter a ~** pousser un cri; **nobody heard his cries for help** personne ne l'a entendu crier au secours; **a ~ for help** fig un appel à l'aide; **there were cries of 'shame!'** les gens criaient au scandale; **there have been cries for reprisals** on a réclamé des représailles; [2] (weep) **to have a good ~**○ pleurer un bon coup○; [3] (slogan) slogan *m*; **their ~ was 'we shall overcome!'** leur slogan était 'nous vaincrons!'; [4] Hunt (of hounds) aboiements *mpl*; **to be in full ~** [*pack*] donner de la voix; **the crowd/press were in full ~ against them** GB fig la foule/presse s'acharnait contre eux
B *vtr* [1] (shout) **'look out!' he cried** 'attention!' cria-t-il; [2] (weep) **to ~ bitter tears/tears of joy** pleurer à chaudes larmes/de joie; **how many tears I have cried over you!** combien de larmes j'ai versées à cause de toi!
C *vi* [1] (weep) pleurer (**about** à cause de); **to ~ for joy** pleurer de joie; **don't ~ about that!** ne pleure pas pour ça!; **he was ~ing for his mother** il réclamait sa mère en pleurant; **to ~ with laughter** rire aux larmes; **that'll give you something to ~ about**○! maintenant tu sauras pourquoi tu pleures!; [2] (call out) = **cry out**
(Idioms) **for ~ing out loud!** mais ce n'est pas vrai, nom de Dieu○!; **it's a far ~ from the days when** il est loin le temps où; **it's a far ~ from the luxury to which they were accustomed** on est loin du luxe auquel ils étaient habitués; **this small house is a far ~ from the palace where she was born** cette maisonnette est sans comparaison avec le palais dans lequel elle est née; **to ~ one's eyes** *ou* **heart out** pleurer à chaudes larmes
(Phrasal verbs) ■ **cry down** GB: ▸ **~ down [sth]** tourner [qch] en dérision [*opposition, view*]
■ **cry off** GB: (cancel appointment) se décommander; (retract promise) se dédire; **they cried off at the last minute** ils se sont décommandés au dernier moment; **to ~ off from** s'excuser de [*meeting*]
■ **cry out** (with pain, grief etc) pousser un cri *or* des cris; (call) crier, s'écrier; **to ~ out in anguish** pousser un cri d'angoisse; **to ~ out to sb** interpeller qn, appeler qn à haute voix; **to ~ out for** (beg for) implorer [*mercy*]; réclamer [*attention, assistance*]; (need desperately) avoir grand besoin de [*help, reforms, renovation*]; **the country is ~ing out for aid** le pays a grand besoin d'aide; **these windows are ~ing out to be cleaned** hum ces fenêtres ont grand besoin d'être nettoyées

crybaby○ /'kraɪbeɪbɪ/ *n* pleurnicheur/-euse○ *m/f*

crying /'kraɪɪŋ/
A *n* ¢ pleurs *mpl*
B *adj* [1] (blatant) [*injustice*] criant; [*need*] urgent; **it's a ~ shame!** c'est une honte!; [2] (weeping) [*person*] en pleurs

cryobiology /ˌkraɪəʊbaɪ'ɒlədʒɪ/ *n* cryobiologie *f*

cryogenics /ˌkraɪə'dʒenɪks/ *n* Biol (+ *v sg*) cryogénie *f*

cryonics /ˌkraɪ'ɒnɪks/ *n* Med (+ *v sg*) cryoconservation *f*

cryosurgery /ˌkraɪə'sɜːdʒərɪ/ *n* Med cryochirurgie *f*

cryotherapy /ˌkraɪə'θerəpɪ/ *n* Med cryothérapie *f*

crypt /krɪpt/ *n* crypte *f*

cryptanalysis /ˌkrɪptə'næləsɪs/ *n* cryptoanalyse *f*

cryptic /'krɪptɪk/ *adj* [1] gen [*remark, allusion*] énigmatique; [*code, message*] sybillin; [2] Games [*crossword, clue*] crypté

cryptically /'krɪptɪklɪ/ *adv* [*say, speak*] de façon énigmatique; **~ worded** en termes sibyllins

crypto+ (*dans composés*) crypto-

cryptogram /'krɪptəgræm/ *n* cryptogramme *m*

cryptographer /ˌkrɪp'tɒgrəfə(r)/ ▸ p. 1683 *n* cryptographe *mf*

cryptographic(al) /ˌkrɪptəʊ'græfɪk(l)/ *adj* cryptographique

cryptography /ˌkrɪp'tɒgrəfɪ/ *n* cryptographie *f*

crystal /'krɪstl/
A *n* [1] Chem cristal *m*; **wine ~s** cristaux *mpl* de tartre; [2] Miner cristal *m*; **rock ~** cristal de roche; [3] (glass) cristal *m*; **made of ~** en cristal; [4] (on watch) verre *m*
B *modif* [1] [*chandelier, carafe*] en cristal; [*jewellery*] en cristal de roche; [2] [*water*] cristallin
(Idiom) **as clear as ~** [*water, sound*] cristallin; [*explanation*] clair comme de l'eau de roche

crystal ball *n* boule *f* de cristal; **to look into one's ~** fig essayer de deviner l'avenir

crystal clear *adj* [1] [*water, acoustics*] cristallin; [2] [*explanation*] clair comme de l'eau de roche; **let me make it ~** je vais être complètement clair là-dessus

crystal: **~ gazing** *n* tentatives *fpl* pour prévoir l'avenir; **~ lattice** *n* réseau *m* cristallin

crystalline /'krɪstəlaɪn/ *adj* (all contexts) cristallin

crystalline lens *n* cristallin *m*

crystallize /'krɪstəlaɪz/
A *vtr* [1] fig concrétiser [*views, ideas*]; cristalliser [*identity, divisions*]; [2] lit cristalliser [*syrup, solution, molten rock*]
B *vi* [1] [*ideas*] se concrétiser (**around** autour de); [2] [*solution, molten rock*] se cristalliser
C **crystallized** *pp adj* [*fruit, ginger*] confit

crystallography /ˌkrɪstə'lɒgrəfɪ/ *n* cristallographie *f*

crystal: **~ set** *n* poste *m* à galène; **~ structure** *n* système *m* cristallin; **~ therapy** *n* cristallothérapie *f*

CSC *n* GB *abrév* ▸ **Civil Service Commission**

CSE *n* GB (*abrév* = **Certificate of Secondary Education**) certificat *m* d'études secondaires (*passé à 16 ans*)

CSEU *n* GB (*abrév* = **Confederation of Shipbuilding and Engineering Unions**) *confédération des syndicats de la construction navale*

CS gas *n* GB gaz *m* lacrymogène

CSM *n*: *abrév* ▸ **company sergeant major**

CST *n*: *abrév écrite* = **Central Standard Time**

CSU *n* GB (*abrév* = **Civil Service Union**) syndicat *m* de fonctionnaires

ct *abrév écrite* = **carat**

CT *n* (*abrév* = **computerized tomography**) tomographie *f*

CTC *n* GB (*abrév* = **City Technology College**) ≈ collège *m* technique

CTI *n*: *abrév* ▸ **computer-telephony integration**

cub /kʌb/ *n* [1] Zool petit *m*; [2] (*also* **Cub scout**) louveteau *m*

Cuba /'kjuːbə/ ▸ p. 1096 *pr n* Cuba *f*

Cuban /'kjuːbən/ ▸ p. 1467
A *n* Cubain/-e *m/f*
B *adj* cubain

Cuban heel *n* talon *m* biseauté

cubby-hole○ /'kʌbɪhəʊl/ *n* [1] (cramped space) réduit *m*; (snug room) piaule○ *f*; [2] (storage space) cagibi○ *m*; [3] (in desk) casier *m*

cube /kjuːb/
A *n* [1] gen, Math cube *m*; [2] Culin (of meat, stock) cube *m*; (of sugar) morceau *m*; **ice ~** glaçon *m*
B *vtr* [1] Math mettre [qch] au cube; **what is five ~d?** quel est le cube de cinq?; [2] Culin couper [qch] en cubes

cube root *n* racine *f* cubique (**of** de)

cubic /'kjuːbɪk/ ▸ p. 1868, p. 1029 *adj* [1] gen, Math [*form*] cubique; [2] (measurement) [*metre, centimetre*] cube *inv*; **two ~ metres** deux mètres cube; [3] Math [*equation, expression*] du troisième degré

cubic capacity *n* (of container) volume *m*; (of engine) cylindrée *f*

cubicle /'kjuːbɪkl/ *n* (in changing room) cabine *f*; (in public toilets) cabinet *m*; (in dormitory) box *m*; (in library, office) US box *m*

cubic measure *n* mesure *f* de volume

cubism /'kjuːbɪzəm/ *n* cubisme *m*

cubist /'kjuːbɪst/ *n, adj* cubiste (*mf*)

cub: **Cub pack** *n* meute *f* (en scoutisme); **~ reporter** ▸ p. 1683 *n* journaliste *mf* stagiaire

cuckold‡ /'kʌkəʊld/
A *n* mari *m* trompé
B *vtr* tromper

cuckoo /'kʊkuː/
A *n* coucou *m*; **he's the ~ in the nest** fig, pej c'est un parasite
B ○*adj* hum (mad) maboul○

cuckoo: **~ clock** *n* pendule *f* à coucou; **~ pint** *n* Bot arum *m* d'Italie

cucumber /'kjuːkʌmbə(r)/
A *n* Hort, Culin concombre *m*
B *modif* [*sandwich*] au concombre; [*salad*] de concombre
(Idiom) **to be as cool as a ~** être d'un calme absolu

cud /kʌd/ *n* **to chew the ~** lit, fig ruminer

cuddle /'kʌdl/
A *n* câlin *m*; **to have a ~** se faire un câlin; **to give sb a ~** faire un câlin à qn
B *vtr* câliner
C *vi* se câliner
(Phrasal verb) ■ **cuddle up** se blottir (**against** contre); **to ~ up for warmth** se blottir l'un contre l'autre pour se réchauffer

cuddly /'kʌdlɪ/ *adj* [1] (huggable) (sweet) adorable; (soft) doux/douce; (plump) potelé; **he's very ~** on a vraiment envie de le câliner; [2] (fond of hugging) câlin

cuddly toy *n* GB peluche *f*

cudgel† /'kʌdʒl/
A *n* gourdin *m*
B *vtr* (*p prés etc* **-ll-**, **-l-** US) matraquer
(Idioms) **to ~ one's brains**○ se creuser la tête○ (**for**, **to** pour); **to take up the ~s for** *ou* **on behalf of sb/sth** se battre pour défendre qn/qch

cue /kjuː/
A *n* [1] lit Theat (line) réplique *f*; (action) signal *m*; Mus signal *m* d'entrée; TV, Radio, Cin signal *m*; **on ~** (after word) après la réplique; (after action) après le signal; **to come in on ~** [*instrument*] faire son entrée au signal; **to give sb the ~ to enter** donner la réplique à qn afin qu'il/elle fasse son entrée; [2] fig (signal) signal *m*; **to be sb's ~ to do** être le signal pour que qn fasse; **to take one's ~ from sb** faire comme qn; **as if on ~** iron comme par hasard; **right on ~** à ce moment précis; **(that's a) ~ for a song!** le moment est venu pour une chanson; [3] Sport queue *f* de billard
B *vtr* [1] Sport frapper [*ball*]; [2] = **cue in**
(Phrasal verb) ■ **cue in**: ▸ **~ [sb] in**, **~ in [sb]** TV, Cin, Radio donner le signal à

cue: **~ ball** *n* Sport bille *f* à jouer; **~ card** *n* TV prompteur *m*

cuesta /'kwestə/ *n* Geog, Geol cuesta *f*

cuff /kʌf/
A *n* [1] (at wrist) gen poignet *m*; (turned back) revers *m*; (on shirt) poignet *m*; [2] US (on trousers) revers *m*; [3] Med (for blood-pressure) manchon *m* (de tensiomètre); [4] (blow) tape *f*; [5] ○(handcuff) menotte *f*
B *vtr* [1] (strike) donner une tape à; (on head) calotter○; [2] ○(handcuff) mettre les menottes à
(Idioms) **to speak off the ~** faire un discours au pied levé; **an off the ~ remark/discussion** une remarque/discussion impromptue; **to buy on the ~**○ US acheter à crédit

cuff link *n* bouton *m* de manchette

cuisine /kwɪ'ziːn/ *n* cuisine *f*; **haute ~** la grande cuisine

cul-de-sac /'kʌldəsæk/ *n* (street) impasse *f*, cul-de-sac *m*; (on roadsign) voie *f* sans issue

culinary /'kʌlɪnərɪ, US -nerɪ/ *adj* culinaire

cull /kʌl/

A *n* 1 Agric (for livestock) réforme *f*; (of foxes) battue *f*; 2 Hunt (for skin, meat) massacre *m*; 3 (animals killed) prise *f* de chasse

B *modif* [*animal, cow, sow*] de réforme

C *vtr* 1 Agric réformer [*livestock*]; faire une battue à [*fox*]; 2 Hunt massacrer [*seal, whale*]; 3 (gather) puiser [*information, details*] (**from sth** dans qch)

culminate /'kʌlmɪneɪt/ *vtr* aboutir (**in** à)

culmination /ˌkʌlmɪ'neɪʃn/ *n* 1 (outcome) résultat *m* (**of** de); 2 (high point: of work, career) couronnement *m* (**of** de); 3 Astron point *m* culminant

culottes /kjuː'lɒts/ *npl* jupe-culotte *f*; **a pair of ~** une jupe-culotte

culpability /ˌkʌlpə'bɪlətɪ/ *n* culpabilité *f*

culpable /'kʌlpəbl/ *adj* coupable (**for** de)

culpable: **~ homicide** *n* Jur homicide *m* volontaire; **~ negligence** *n* Jur négligence *f* coupable, faute *f* grave

culprit /'kʌlprɪt/ *n* 1 (guilty person) coupable *mf*; 2 (main cause) principal/-e *m/f* responsable

cult /kʌlt/

A *n* 1 Relig (primitive) culte *m*; (contemporary) secte *f*; 2 ¢ (worship) culte *m* (**of** de); **~ of personality** culte de la personnalité; 3 (craze) culte *m*

B *modif* **a ~ band/film** un groupe-/film-culte; **to be a ~ figure** faire l'objet d'un culte

cultbuster /'kʌltbʌstə(r)/ *n*: *spécialiste qui libère des personnes de l'emprise d'une secte (à la demande de leur famille)*

cultivable /'kʌltɪvəbl/ *adj* cultivable

cultivar /'kʌltɪvɑː(r)/ *n* cultivar *m*

cultivate /'kʌltɪveɪt/ *vtr* 1 cultiver [*land, soil*]; 2 (develop) **to ~ one's image/memory** cultiver son image/sa mémoire; **to ~ one's mind** se cultiver l'esprit; **to ~ the right people** cultiver de bonnes relations

cultivation /ˌkʌltɪ'veɪʃn/ *n* 1 Agric, Hort culture *f*; **under ~** en culture; 2 (development): **he considered the ~ of certain mannerisms essential to his image** il considérait que cultiver certains tics était essentiel à son image

cultivator /'kʌltɪveɪtə(r)/ ▸ **p. 1683** *n* 1 (mechanical) cultivateur *m*; (motorized) motoculteur *m*; 2 (person) cultivateur/-trice *m/f*

cultural /'kʌltʃərəl/ *adj* culturel/-elle

cultural attaché ▸ p. 1683 *n* attaché/-e *m/f* culturel/-elle

culturally /'kʌltʃərəlɪ/ *adv* [*similar, different*] culturellement; **a ~ diverse country** un pays qui présente une variété de cultures; **~ (speaking)** du point de vue culturel; **to be ~ determined** être lié à la culture

Cultural Revolution *n* Hist Révolution *f* culturelle

culture /'kʌltʃə(r)/

A *n* 1 ¢ (art and thought) culture *f*; **high/popular ~** culture classique/populaire; **to bring ~ to the masses** mettre la culture à la portée de tous; 2 (way of life) culture *f*; **minority/dominant ~s** cultures minoritaires/dominantes; **street ~** culture qui vient de la rue; **drug ~** l'univers *m* de la drogue; 3 (cultivation) culture *f*; **sand ~** la culture dans le sable; **olive ~** la culture des olives; 4 Biol (of bacteria) culture *f* bactérienne; **tissue ~** la culture des tissus; 5 Sport **physical ~** culture *f* physique

B *vtr* Biol faire une culture de [*bacteria, tissue*]

culture-bound /'kʌltʃəbaʊnd/ *adj* 1 [*test*] qui favorise un groupe culturel; 2 Ling [*term*] spécifique à une culture

cultured /'kʌltʃəd/ *adj* cultivé

cultured pearl *n* perle *f* de culture

culture: **~-fair** *adj* US [*test, method, approach*] qui ne défavorise aucun groupe culturel; **~ medium** *n* Biol bouillon *m* de culture; **~ shock** *n* choc *m* culturel; **~-specific** *adj* spécifique à une culture; **~ vulture**○ *n* fana *mf* de culture○

culvert /'kʌlvət/ *n* buse *f*, passage *m* hydraulique

cum◑ /kʌm/ *n* sperme *m*

-cum- /kʌm/ (*dans composés*) **garage~workshop** garage-atelier *m*; **gardener~handyman** jardinier-homme *m* à tout faire

cumbersome /'kʌmbəsəm/ *adj* [*luggage, furniture*] encombrant; [*method, phrase*] lourd

Cumbria /'kʌmbrɪə/ ▸ **p. 1612** *pr n* Cumbria *m*

cumbrous /'kʌmbrəs/ *adj* littér pesant

cumin /'kʌmɪn/ *n* cumin *m*

cum laude /ˌkʌm 'lɔːdɪ, ˌkʊm 'laʊdeɪ/ *adv* US Univ avec mention

cummerbund /'kʌməbʌnd/ *n* large ceinture *f* (*d'habit de soirée ou de costume hindou*)

cumulative /'kjuːmjʊlətɪv, US -leɪtɪv/ *adj* cumulatif/-ive

cumulative: **~ action** *n* Med accumulation *f*; **~ evidence** *n* témoignages *mpl* concordants

cumulatively /'kjuːmjʊlətɪvlɪ, US -leɪtɪvlɪ/ *adv* de façon cumulative

cumulative voting *n* vote *m* multiple et cumulatif

cumulonimbus /ˌkjuːmjʊləʊ'nɪmbəs/ *n* (*pl* **-bi** *ou* **-buses**) cumulo-nimbus *m*

cumulus /'kjuːmjʊləs/ *n* cumulus *m*

cuneiform /'kjuːnɪfɔːm, US kjʊə'nɪəfɔːrm/

A *n* écriture *f* cunéiforme

B *adj* cunéiforme

cunnilingus /ˌkʌnɪ'lɪŋgəs/ *n* cunnilingus *m*

cunning /'kʌnɪŋ/

A *n* 1 péj (of person) ruse *f*; (nastier) fourberie *f*; (of animal) ruse *f*; **he had a reputation for ~** il avait la réputation d'être fourbe

B *adj* 1 péj [*person*] rusé; (nastier) fourbe; [*animal*] rusé; [*look, smile*] sournois; **he's a ~ old fox** c'est un vieux renard; 2 (clever) [*trick, plot*] habile; [*device*] astucieux/-ieuse

cunningly /'kʌnɪŋlɪ/ *adv* 1 [*disguised, concealed*] habilement; [*devised*] astucieusement; 2 [*look, smile, say*] d'un air rusé; pej d'un air sournois

cunt● /kʌnt/ *n* 1 (person) con◑/conne◑ *m/f*, connard●/connasse● *m/f*; 2 (female genitals) con● *m*

cup /kʌp/

A *n* 1 (container) tasse *f*; **a ~ and saucer** une tasse et une soucoupe; 2 (cupful) tasse *f*; **a ~ of tea** une tasse de thé; **two ~s of flour** deux tasses de farine; 3 Sport coupe *f*; **to win a ~ for swimming/golf** remporter une coupe en natation/en golf; 4 (in bra) bonnet *m*; **to be a B ~** prendre un bonnet B; 5 (of flower) corolle *f*; (of acorn) cupule *f*; 6 (drink) cocktail *m*; **cider ~** cocktail *m* au cidre; 7 Relig (for communion) calice *m*

B *vtr* (*p prés etc* **-pp-**) **to ~ sth in one's hands** prendre qch dans le creux de ses mains [*butterfly, water*]; prendre qch dans les mains [*chin*]; **to ~ one's hands around** entourer [qch] de ses mains [*insect*]; mettre ses mains en paravent autour de [*flame, match*]; **to ~ one's hands around one's mouth** mettre ses mains en porte-voix; **to ~ one's hand over** couvrir [qch] de sa main [*receiver*]

C cupped *pp adj* **in one's ~ped hand** dans le creux de sa main

(Idiom) **to be in one's ~s**† être dans les vignes du Seigneur†

cupbearer /'kʌpbeərə(r)/ *n* échanson *m* (**to** de)

cupboard /'kʌbəd/ *n* placard *m*

(Idiom) **the ~ is bare** les caisses sont vides

cupboard: **~ love** *n* GB hum amour *m* intéressé; **~ space** *n* espace *m* de rangement

cupcake /'kʌpkeɪk/ *n* 1 Culin petite génoise *f* individuelle; 2 ○US (girl) beau morceau *m*○

cupful /'kʌpfʊl/ *n* tasse *f*; **three ~s of milk** trois tasses de lait

cupid /'kjuːpɪd/ *n* Art amour *m*

Cupid /'kjuːpɪd/ *pr n* Cupidon; **~'s darts**, **~'s arrows** les flèches *fpl* de Cupidon

cupidity /kjuː'pɪdətɪ/ *n* sout cupidité *f*

cupola /'kjuːpələ/ *n* 1 Archit (domed roof) coupole *f*; (lantern) lanternon *m*; 2 Mil, Mil Naut coupole *f*; 3 Ind (furnace) cubilot *m*

cuppa○ /'kʌpə/ *n* GB tasse *f* de thé; **let's have a ~** on se prend un thé○

cupping glass *n* Med ventouse *f*

cupric /'kjuːprɪk/ *adj* cuivrique

cupronickel /ˌkjuːprəʊ'nɪkl/ *n* cupronickel *m*

cup tie *n* GB match *m* de coupe

cur /kɜː(r)/ *n* littér, péj 1 (dog) corniaud *m*; 2 (person) (cowardly) pleutre *m*; (worthless) misérable *m*

curable /'kjʊərəbl/ *adj* guérissable

curaçao /ˌkjʊərə'səʊ, US -'saʊ/ *n* curaçao *m*

curare /kjʊ'rɑːrɪ/ *n* curare *m*

curate /'kjʊərət/

A *n* vicaire *m*

B *vtr* organiser [*exhibition*]

(Idiom) **it's like the ~'s egg** tout n'est pas mauvais

curative /'kjʊərətɪv/ *adj* curatif/-ive

curator /kjʊə'reɪtə(r), US *also* 'kjʊərətər/ ▸ **p. 1683** *n* (of museum, gallery) conservateur/-trice *m/f*

curb /kɜːb/

A *n* 1 (control) restriction *f* (**on** à); 2 US (sidewalk) bord *m* du trottoir; 3 Equit (chain) gourmette *f*; (bit) mors *m*

B *vtr* 1 (control) refréner [*desires*]; limiter [*powers, influence*]; juguler [*spending*]; restreindre [*consumption*]; **to ~ one's temper** se dominer; 2 Equit mettre un mors à; 3 US **~ your dog!** apprenez le caniveau à votre chien!

curb: **~ bit** *n* mors *m* de bride; **~ service** *n* US service *m* au volant; **~stone** *n* US pierre *f* (*de bord du trottoir*); **~ weight** *n* US Aut poids *m* à vide

curd /kɜːd/

A *n* = **curds**; ▸ **bean curd**

B curds *npl* lait *m* caillé

curd cheese *n* fromage *m* blanc (*lait caillé égoutté*)

curdle /'kɜːdl/

A *vtr* faire cailler [*milk*]; faire tourner [*sauce*]

B *vi* [*milk*] se cailler; [*sauce*] tourner

cure /'kjʊə(r)/

A *n* 1 Med, Pharm (remedy) remède *m* (**for** contre); 2 Med (recovery) guérison *f*; **to effect a ~** sout amener une guérison; **beyond ~** [*patient*] incurable; [*condition*] désespéré; 3 fig (solution) remède *m* (**for** pour); **the situation is beyond ~** la situation est irrémédiable; 4 Med (at spa etc) cure *f*; **to take a ~** faire une cure; 5 Relig (*also* **~ of souls**) cure *f*

B *vtr* 1 Med guérir [*disease, patient*] (**of** de); 2 fig guérir [*bad habit, person*] (**of** de); remédier à [*unemployment, inflation, shortage*]; **the economy is ~d of inflation** l'économie est débarrassée de l'inflation; 3 Culin (dry) sécher; (salt) saler; (smoke) fumer; 4 (treat) saler [*hide*]; traiter [*tobacco*]

cure-all /'kjʊərɔːl/ *n* panacée *f* (**for** contre)

curettage /ˌkjʊərɪ'tɑːʒ/ *n* curetage *m*

curfew /'kɜːfjuː/ *n* couvre-feu *m*; **to impose a (ten o'clock) ~** imposer le couvre-feu (à partir de dix heures); **to lift the ~** lever le couvre-feu

curie /'kjʊərɪ/ *n* curie *m*

curing /'kjʊərɪŋ/ *n* Culin (drying) séchage *m*; (salting) salaison *f*; (smoking) fumage *m*

curio /'kjʊərɪəʊ/ *n* curiosité *f*, objet *m* rare

curiosity /ˌkjʊərɪ'ɒsətɪ/ *n* 1 (desire to know) curiosité *f* (**about** sur, au sujet de); **to arouse/**

ℹ Currencies and money

■ *For how to say numbers in French* ▸ **p. 1487**.

French money

write	say
25 c	vingt-cinq cents
1 €*	un euro
1,50† €	un euro cinquante *or* un euro cinquante centimes
2 €	deux euros
2,75 €	deux euros soixante-quinze
20 €	vingt euros
100 €	cent euros
1000 €	mille euros
1000000 €	un million d'euros

* *Note that French normally puts the abbreviation after the amount, unlike British (£1) or American ($1) English. However, in some official documents amounts may be given as € 10 000 etc.*

† *French uses a comma to separate units (e.g. 2,75 €), where English normally has a period (e.g. £5.50).*

there are 100 cents in one euro
= il y a 100 centimes dans un euro

a hundred-euro note
= un billet de cent euros

a twenty-euro note
= un billet de vingt euros

a two-euro coin
= une pièce de deux euros

a 50-cent piece
= une pièce de cinquante centimes

British money

write	say
1p	un penny [pɛnı]
25p	vingt-cinq pence [pɛns] *or* vingt-cinq pennies [pɛnı]
50p	cinquante pence *or* cinquante pennies
£1	une livre
£1.50	une livre cinquante *or* une livre cinquante pence
£2.00	deux livres

a five-pound note
= un billet de cinq livres

a pound coin
= une pièce d'une livre

a 50p piece
= une pièce de cinquante pence

American money

write	say
12c	douze cents [sɛnts]
$1	un dollar
$1.50	un dollar cinquante *or* un dollar cinquante cents

a ten-dollar bill
= un billet de dix dollars

a dollar bill
= un billet d'un dollar

a dollar coin
= une pièce d'un dollar

How much?

how much is it? *or* ***how much does it cost?***
= combien est-ce que cela coûte?

it's 15 euros
= cela coûte 15 euros

the price of the book is 30 euros
= le prix du livre est de§ 30 euros

the car costs 15,000 euros
= la voiture coûte 15 000 euros

it costs over 500 euros
= ça coûte plus de 500 euros

just under 1,000 euros
= un peu moins de 1000 euros

more than 200 euros
= plus de 200 euros

less than 200 euros
= moins de 200 euros

it costs 15 euros a metre
= cela coûte 15 euros le mètre

another ten pounds
= encore dix livres

§ *The* de *is obligatory here.*

■ *In the following examples, note the use of* à *in French to introduce the amount that something costs:*

a two-euro stamp
= un timbre à deux euros

a £10 ticket
= un billet à 10 livres

■ *and the use of* de *to introduce the amount that something consists of:*

a £500 cheque
= un chèque de 500 livres

a two-thousand-pound grant
= une bourse de deux mille livres

Handling money

200 euros in cash
= 200 euros en liquide

a cheque for 500 euros
= un chèque de 500 euros

to change a 100-euro note
= faire la monnaie d'un billet de 100 euros

a dollar travellers' check
= un chèque de voyage en dollars

a sterling travellers' cheque
= un chèque de voyage en livres

a £100 travellers' cheque
= un chèque de voyage de 100 livres

there are 1.12 euros to the dollar
= le dollar vaut 1,12 euros

to pay in pounds
= payer en livres

to make a transaction in euros
= faire une transaction en euros

---

satisfy sb's ~ piquer/satisfaire la curiosité de qn; **out of (idle) ~** par (simple) curiosité; **2** (nosiness) curiosité *f*; **3** (*object, text*) curiosité *f*; **4** (person) original/-e *m/f*

(Idiom) **~ killed the cat** *Prov* la curiosité est un vilain défaut

curious /ˈkjʊərɪəs/ *adj* **1** (interested) curieux/-ieuse; **~ to know how/why** curieux de savoir comment/pourquoi; **to be ~ about sth** éprouver de la curiosité au sujet de qch; **I'm just ~!** j'aurais aimé savoir, c'est tout!; **2** pej (nosy) curieux/-ieuse; **3** (odd) [*person, case, effect*] curieux/-ieuse; [*place, phenomenon*] étrange; **a ~ mixture** un curieux mélange

curiously /ˈkjʊərɪəslɪ/ *adv* **1** (oddly) [*silent, detached*] étrangement; **~ shaped** d'une forme bizarre; **~ enough,...** chose assez curieuse,...; **2** [*ask*] avec curiosité

curl /kɜːl/

A *n* **1** (of hair) boucle *f*; **to wear one's hair in ~s** avoir les cheveux bouclés; **2** (of wood) copeau *m*; (of smoke) volute *f*; **with a ~ of one's lip** avec une moue dédaigneuse

B *vtr* **1** friser [*hair*]; **2** (wind, coil) [*person, animal*] **to ~ one's fingers around sth** saisir qch; **to ~ one's toes around sth** saisir qch avec ses orteils; **to ~ oneself** *ou* **one's body around sth** [*person, cat*] se pelotonner contre qch; **to ~ itself around sth** [*snake, caterpillar*] s'enrouler autour de qch; **to ~ one's legs under oneself** replier les jambes sous soi; **to ~ one's lip** [*person*] faire une moue dédaigneuse; [*dog*] retrousser ses babines

C *vi* [*hair*] friser; [*paper*] (se) gondoler; [*edges, corner, leaf*] se racornir; **to ~ around sth** s'enrouler autour de qch; **smoke ~ed upwards** la fumée montait en volutes; **his lip ~ed** il fit une moue dédaigneuse

(Idioms) **to ~ up and die**○ rentrer dans un trou de souris○; **to make sb's hair ~**○ (in shock) faire dresser les cheveux sur la tête de qn

(Phrasal verb) ■ **curl up**: ▸ **~ up** [*person*] se pelotonner; [*cat, dog*] se mettre en rond; [*paper*] (se) gondoler; [*edges, corner, leaf*] se racornir; **to ~ up in bed/in a chair** se blottir dans son lit/dans un fauteuil; **to be ~ed up on the sofa** être blotti sur le canapé; **to ~ up into a ball** [*person*] se recroqueviller; [*hedgehog*] se mettre en boule; **to ~ up with laughter**○ se tordre de rire○; **to ~ up at the edges** [*photo, paper*] (se) gondoler; ▸ **~ up [sth], ~ [sth] up** [*heat, moisture*] gondoler [*paper, leaf*]; racornir [*edges, corner*]; **to ~ oneself up** se recroqueviller

curler /ˈkɜːlə(r)/ *n* **1** (roller) bigoudi *m*; **to be in ~s, to have one's hair in ~s** avoir des bigoudis dans les cheveux; **to put one's ~s in** se mettre des bigoudis; **2** Sport joueur/-euse *m/f* de curling

curlew /ˈkɜːljuː/ *n* courlis *m*

curlicue /ˈkɜːlɪkjuː/ *n* fioriture *f*

curling /ˈkɜːlɪŋ/ ▸ **p. 1253** *n* Sport curling *m*

curling: **~ irons** *npl* fer *m* à friser; **~ rink** *n* piste *f* de curling; **~ tongs** *npl* fer *m* à friser

curlpaper /ˈkɜːlpeɪpə(r)/ *n* papillote *f* (*pour les cheveux*)

curly /ˈkɜːlɪ/ *adj* [*hair*] (tight curls) frisé; (loose curls) bouclé; [*moustache*] frisé; [*tail, edge, eyelashes*] recourbé

curly-haired /ˌkɜːlɪˈheəd/, **curly-headed** /ˌkɜːlɪˈhedɪd/ *adj* (tight curls) frisé; (loose curls) bouclé

curly: **~ kale** *n* chou *m* frisé; **~ lettuce** *n* frisée *f*

curmudgeonly† /kɜːˈmʌdʒənlɪ/ *adj* pej grincheux/-euse

currant /ˈkʌrənt/

A *n* raisin *m* de Corinthe

B *modif*: **~ bun** ≈ brioche *f* aux raisins; **~ loaf** ≈ pain *m* brioché aux raisins

currency /ˈkʌrənsɪ/ ▸ **p. 1108** *n* **1** Fin monnaie *f*, devise *f*; **what is the ~ of Poland?** quelle est la monnaie polonaise?; **to buy foreign ~** acheter des devises étrangères; **have you any German ~?** avez-vous de l'argent allemand?; **2** (of word, term) fréquence *f*; (of idea, opinion) crédibilité *f*; **to gain ~** [*word, term*] devenir courant; [*idea, opinion*] se répandre; **to give ~ to sth** accréditer qch

currency: **~ converter** *n* convertisseur *m* de devises; **~ devaluation** *n* dévaluation *f* de la monnaie; **~ market** *n* marché *m* monétaire; **~ unit** *n* unité *f* monétaire

current /ˈkʌrənt/

A *n* **1** lit (of electricity, water) courant *m*; (of air) flux *m*; **2** fig (trend) tendance *f*; **a ~ of opinion** un courant d'opinion

B *adj* **1** (present) [*leader, situation, policy, value*] actuel/-elle; [*developments, crisis, year, research*] en cours; [*estimate*] présent; **2** (in common use)

[*term, word*] usité; **in ~ use** usité
current account, C/A *n* 1 GB Fin compte *m* courant; 2 Econ balance *f* des paiements
current: **~ account deficit** *n* balance *f* des paiements déficitaire; **~ account surplus** *n* balance *f* des paiements excédentaire; **~ affairs** *n* (+ *v sg*) actualité *f*; **~ assets** *npl* actifs *mpl* de roulement; **~ liabilities** *npl* passif *m* exigible
currently /ˈkʌrəntlɪ/ *adv* actuellement, en ce moment
curriculum /kəˈrɪkjʊləm/ *n* (*pl* **-lums** *ou* **-la**) Sch programme *m*; **in the ~** au programme
curriculum: **~ development** *n* Sch développement *m* des programmes
curriculum vitae ➡
n Ling curriculum vitae *m*, CV *m*
curry /ˈkʌrɪ/
A *n* 1 (dish) curry *m*; **chicken/prawn ~** curry de poulet/de crevettes; **hot/mild ~** curry épicé/peu épicé; 2 (*also* **~ powder**) curry *m*
B *vtr* 1 faire un curry de [*chicken, meat*]; **curried chicken** poulet au curry; 2 (groom) étriller [*horse*]; 3 corroyer [*leather*]
(Idiom) **to ~ favour** chercher à se faire bien voir (**with sb** de qn)
curry: **~ comb** *n* étrille *f*; **~ powder** *n* curry *m*
curse /kɜːs/
A *n* 1 (problem) fléau *m*; **the ~ of poverty** le fléau de la misère; **that car is a ~!** cette voiture est une vraie plaie!; 2 (swearword) juron *m*; **~s†!** diable†!; 3 (spell) malédiction *f*; **to put a ~ on** appeler la malédiction sur; **a ~ on them!** maudits soient-ils!; 4 †GB euph **to have the ~** être indisposée euph
B *vtr* maudire; **~d be the day that…†** maudit soit le jour où…
C *vi* jurer (**at** après); **to ~ and swear** jurer comme un charretier
D cursed *pp adj* 1 /ˈkɜːsɪd, kɜːst/ [*man, car*] maudit; 2 /kɜːst/ **to be ~d with** gen, iron être affligé de [*bad eyes, perfect hearing*]
cursive /ˈkɜːsɪv/
A *n* cursive *f*
B *adj* cursif/-ive; **in ~ script** en cursive
cursor /ˈkɜːsə(r)/ *n* curseur *m*
cursorily /ˈkɜːsərəlɪ/ *adv* rapidement; **to glance ~ at** jeter un coup d'œil rapide à
cursory /ˈkɜːsərɪ/ *adj* [*glance, inspection*] rapide; **to give sth a ~ glance** jeter un coup d'œil rapide à qch
curt /kɜːt/ *adj* [*person*] sec/sèche (**with** avec); [*manner, greeting, tone*] sec/sèche
curtail /kɜːˈteɪl/ *vtr* 1 (restrict) mettre une entrave à [*freedom, right*]; 2 (cut back) réduire [*service, expenditure*]; 3 (cut short) écourter [*holiday*]
curtailment /kɜːˈteɪlmənt/ *n* 1 (of rights, freedom) limitation *f*; 2 (of expenditure, service) réduction *f*; 3 (of holiday) interruption *f*
curtain /ˈkɜːtn/
A *n* 1 (drape) rideau *m*; **a pair of ~s** des rideaux; **to open/draw the ~s** ouvrir/tirer les rideaux; **a ~ of rain** un rideau de pluie; 2 Theat rideau *m*; **after the final ~** après la chute du rideau; **the ~ has fallen on** fig c'est la fin de [*career, era*]
B *modif* [*hook, ring*] de rideau; [*rail*] à rideaux
C *vtr* mettre des rideaux à [*room, window*]; installer des rideaux dans [*house*]
(Idioms) **it will be ~s**○ ce sera la fin (**for** de); **to bring down the ~ on** mettre fin à
(Phrasal verb) ■ **curtain off**: ▸ **~ [sth] off, ~ off [sth]** fermer [qch] par un rideau; **to be ~ed off from sth** être séparé de qch par un rideau
curtain: **~ call** *n* Theat rappel *m*; **~ pole** *n* tringle *f* (à rideaux); **~ raiser** *n* lit, fig lever *m* de rideau; **~ tape** *n* ruban *m* fronceur; **~ wall** *n* Mil courtine *f*; Archit mur *m* rideau
curtly /ˈkɜːtlɪ/ *adv* sèchement

curtness /ˈkɜːtnɪs/ *n* (all contexts) sécheresse *f*
curtsey /ˈkɜːtsɪ/
A *n* (*pl* **-ies**) révérence *f*; **to make** *ou* **drop a ~** faire une révérence
B *vi* (*prét, pp* **-seyed** *or* **-sied**) faire la révérence (**to** à)
curvaceous /kɜːˈveɪʃəs/ *adj* surtout hum [*woman*] bien roulée○, bien faite
curvature /ˈkɜːvətʃə(r), US -tʃʊər/ *n* gen, Phys courbure *f*; **~ of the spine** Med déviation *f* de la colonne vertébrale, scoliose *f* spec
curve /kɜːv/
A *n* (in line, graph) courbe *f*; (of arch) voussure *f*; (of beam) cambrure *f*; (in road) (gentle) courbe *f*; (sharper) virage *m*; (of landscape, cheek, hips) courbe *f*; **learning ~** courbe *f* d'apprentissage; **price ~** Econ courbe *f* des prix
B *vtr* gen courber; Tech cintrer
C *vi* [*line, wall, arch*] s'incurver; [*edge*] se recourber; [*road, railway*] faire une courbe; **the road ~s down to the sea** le chemin descend en courbe vers la mer; **the stream ~s through the valley** le ruisseau décrit une courbe à travers la vallée
curved /kɜːvd/ *adj* [*line, surface*] courbe, incurvé; [*wall, flowerbed*] courbe; [*staircase*] incurvé; [*chairback, table edge*] arrondi; [*brim, blade*] incurvé; [*arch*] cintré; [*nose*] busqué; [*eyebrows*] arqué; [*beak*] crochu
curvet /kɜːˈvet/ Equit
A *n* saut-de-mouton *m*
B *vi* (*p prés etc* **-tt-**) faire un saut-de-mouton/des sauts-de-mouton
curvilinear /ˌkɜːvɪˈlɪnɪə(r)/ *adj* curviligne
curvy /ˈkɜːvɪ/ *adj* [*woman*] bien roulé
cushion /ˈkʊʃn/
A *n* lit 1 coussin *m*; **a ~ of air** un coussin d'air; 2 fig (protection, reserve) garantie *f* (**against** contre); 3 (in snooker) bande *f*; **to play off the ~** jouer (par) la bande
B *vtr* amortir [*blow, impact, costs, effects*]; **to ~ sb against sth** protéger qn contre qch; **to ~ sb's fall** amortir la chute de qn
C cushioned *pp adj* 1 (padded) matelassé; (covered in cushions) couvert de coussins; 2 fig [*youth, era*] hyperprotégé
cushion cover *n* housse *f* de coussin
cushy○ /ˈkʊʃɪ/ *adj* peinard○; **a ~ number** GB (job) un boulot peinard○
cusp /kʌsp/ *n* 1 Math sommet *m*; 2 Astron corne *f*; 3 Astrol conjonction *f*; 4 Dent cuspide *f*
(Idiom) **on the ~ of** au bord de; **on the ~ of war/success** à deux doigts de la guerre/du succès; **on the ~ of doing sth** sur le point de faire qch
cuspidor /ˈkʌspɪdɔː(r)/ *n* US crachoir *m*
cuss○† /kʌs/
A *n* 1 (oath) juron *m*; 2 (person) **a queer old ~** un vieux bonhomme bizarre
B *vi* jurer
cussed○† /ˈkʌsɪd/ *adj* 1 (obstinate) entêté; 2 (damned) sale○, sacré○
cussedness○† /ˈkʌsɪdnɪs/ *n* esprit *m* de contradiction
cussword /ˈkʌswɜːd/ *n* US gros mot *m*
custard /ˈkʌstəd/ *n* GB (creamy) ≈ crème *f* anglaise; (set, baked) flan *m*
(Idiom) **cowardy ~**○ poule *f* mouillée
custard: **~ cream** *n* GB biscuit *m* fourré; **~ pie** *n* tarte *f* à la crème; **~ pie humour** *n* humour *m* tarte à la crème; **~ powder** *n* GB préparation *f* pour crème anglaise; **~ tart** *n* tarte *f* à la crème
custodial /kʌˈstəʊdɪəl/ *adj* 1 **~ sentence** Jur peine *f* de prison; **non-~ sentence** peine *f* non privative de liberté; **to be put in ~ care** [*child*] être placé dans une maison d'enfants; 2 (in museum etc) **~ staff** personnel *m* de surveillance
custodian /kʌˈstəʊdɪən/ ▸ p. 1683 *n* (of building, collection) gardien/-ienne *m/f*; (in museum) conservateur/-trice *m/f*; (of morals, tradition etc) gardien/-ienne *m/f*

custody /ˈkʌstədɪ/ *n* 1 Jur (detention) détention *f*; **in ~** en détention; **to take sb into ~** arrêter qn; **to be remanded in ~** être détenu; **to escape from ~** s'évader de prison; 2 Jur (of minor) garde *f*; **in the ~ of** sous la garde de; 3 sout (keeping) garde *f*; **in the ~ of** à la garde de; **in safe ~** en mains sûres
custom /ˈkʌstəm/
A *n* 1 (personal habit) coutume *f*, habitude *f*; **it is/was her ~ to do** elle a/avait l'habitude de faire; **as is/was his ~** selon sa coutume; 2 (convention) coutume *f*, usage *m*; **it is/was the ~ to do** il est/était d'usage de faire; **~ requires that** l'usage veut que (+ *subj*); 3 Comm (patronage) clientèle *f*; **they've lost a lot of ~** ils ont perdu beaucoup de clients; **I shall take my ~ elsewhere** j'irai me faire servir ailleurs; 4 Jur coutume *f*
B *adj* [*article, equipment, system*] personnalisé
customarily /ˈkʌstəmərəlɪ, US ˌkʌstəˈmerəlɪ/ *adv* généralement, habituellement
customary /ˈkʌstəmərɪ, US -merɪ/ *adj* 1 gen habituel/-elle; (more formal) coutumier/-ière; **it is/was ~ for sb to do sth** la coutume veut/voulait que qn fasse qch; **as is/was ~** comme de coutume; 2 Jur coutumier; **~ law** droit coutumier
custom-built /ˌkʌstəmˈbɪlt/ *adj* [*car*] fabriqué sur commande; [*house*] fait sur plans
custom: **~ car** *n* voiture *f* personnalisée; **~-designed** *adj* personnalisé
customer /ˈkʌstəmə(r)/ *n* 1 Comm client/-e *m/f*; **'~ services'** 'service *m* clientèle'; 2 ○(person) type○ *m*; **a nasty ~** un sale type○; **she's a difficult ~** elle n'est pas facile à vivre; **he's an odd ~** c'est un drôle d'oiseau○
customer careline *n* Comm service *m* d'assistance téléphonique
customize /ˈkʌstəmaɪz/ *vtr* personnaliser; **~d holidays** GB, **~d vacation** US vacances *fpl* à la carte; **~d software** logiciel *m* personnalisé
custom-made /ˌkʌstəmˈmeɪd/ *adj* personnalisé
customs /ˈkʌstəmz/ *n* (+ *v sg ou pl*) (authority, place) douane *f*; **at ~** à la douane; **to go through ~** passer à la douane
customs: **Customs and Excise** *n* GB douane *f* (britannique); **~ border patrol** *n* brigade *f* volante des services de la douane; **~ clearance** *n* dédouanement *m*; **~ declaration** *n* déclaration *f* en douane; **~ duties** *npl* droits *mpl* de douane; **~ hall** *n* douane *f*; **~ house** *n* bureau *m* de douane; **~ inspection** *n* contrôle *m* douanier; **~ officer, ~ official** ▸ p. 1683 *n* douanier/-ière *m/f*; **~ post** *n* poste *m* de douane; **~ service** *n* administration *f* des douanes; **~ shed** *n* poste *m* de douane; **~ union** *n* union *f* douanière
cut /kʌt/
A *n* 1 (incision) gen entaille *f*; (in surgery) incision *f*; **to make a ~ in** faire une entaille dans [*cloth, wood*]; [*surgeon*] faire une incision dans [*flesh*]
2 (wound) coupure *f*; **to get a ~ from sth** se couper sur qch
3 (hairstyle) coupe *f*; **a ~ and blow-dry** une coupe-brushing
4 ○(share) part *f*; **a ~ of the profits/takings** une part des bénéfices/recettes; **she takes a 25% ~ of the total sum** elle prend 25% de la somme globale
5 (reduction) réduction *f* (**in** de); **a ~ in prices, a price ~** une baisse des prix; **a ~ in the interest/unemployment rate** une baisse du taux d'intérêt/de chômage; **job ~s** suppression *f* d'emplois; **he agreed to take a ~ in salary** il a accepté qu'on lui diminue son salaire
6 (trim) **to give [sth] a ~** couper [*hair, grass*]

➡ *see* Seeking employment

7▸ Culin morceau *m*; **fillet is the most tender ~** le filet est le morceau le plus tendre
8▸ (shape) (of gem) taille *f*; (of suit, jacket) coupe *f*
9▸ Cin (removal of footage) coupure *f*; (shot) plan *m* de raccord (**from** de; **to** à); **final ~** final cut *m*
10▸ (in editing) coupure *f*; **to make ~s in** faire des coupures dans [*article, story*]
11▸ (shorter route) raccourci *m*
12▸ Art, Print cliché *m*, gravure *f*
13▸ Sport coup *m* tranchant
14▸ ○Mus (track) morceau *m*; **classic ~s from the 60's** des morceaux classiques des années 60

B *vtr* (*p prés* **-tt-**; *prét, pp* **cut**) 1▸ (slice) couper [*bread, fabric, metal, paper, slice, wood*]; faire [*hole, slit*]; **to ~ sth out of** couper qch dans [*fabric*]; découper qch dans [*magazine*]; **to ~ sth in half** *ou* **in two** couper qch en deux; **to ~ sth into quarters/slices/pieces** couper qch en quartiers/tranches/morceaux; **to ~ sth to shreds** *ou* **ribbons** mettre [qch] en pièces [*fabric, document*]; **my hands were cut to shreds** mes mains étaient tout abîmées
2▸ (sever) couper [*rope, ribbon, throat, wire*]; ouvrir [*vein*]; couper [*flower, stem*]; faucher, couper [*wheat*]; fig rompre [*ties, links*]
3▸ (carve out) faire [*notch*]; creuser [*channel, tunnel*]; graver [*initials*] (**in** dans); **to ~ sth open** ouvrir [*packet, sack*]; [*surgeon*] ouvrir [*chest, stomach*]; **to ~ one's way through** se frayer un chemin dans [*undergrowth*]
4▸ (wound) lit (once) blesser [*victim*]; (repeatedly) taillader [*victim*]; fig [*remark*] blesser [*person*]; **to ~ one's finger/lip** se couper le doigt/la lèvre; **the rocks cut their feet** les rochers leur ont tailladé les pieds; **the wind cut me like a knife** le vent était mordant
5▸ (trim) couper [*grass, hair*]; tailler [*hedge*]; **to ~ one's fringe/finger nails** se couper la frange/les ongles; **to have one's hair cut** se faire couper les cheveux
6▸ (shape, fashion) tailler [*gem, marble, wood*]; découper [*pastry*]; tailler [*suit*]; [*locksmith*] refaire [*key*]; **to ~ sth into triangles/strips** couper qch en triangles/bandes; **to ~ sth into the shape of a bird** découper qch en forme d'oiseau
7▸ (liberate) **to ~ sb from sth** dégager qn de [*wreckage*]; **to ~ sb/sth free** *ou* **loose** libérer qn/qch (**from** de)
8▸ (edit) couper [*article, film*]; supprimer [*scene*]; **we cut the film to 90 minutes** nous avons réduit le film à 90 minutes; **I cut the article from 3,000 to 2,000 words** j'ai réduit l'article de 3 000 à 2 000 mots
9▸ (reduce) baisser [*price, rate*]; réduire [*cost, expenditure, inflation, list, number, staff, wages*] (**by** de); diminuer [*length, size, working day, salary*]; comprimer [*budget*]; **we've cut prices by 10%** on a baissé les prix de 10%; **we've cut the amount of time we spend on the phone** nous passons moins de temps au téléphone
10▸ (grow) **to ~ a tooth** percer une dent; **to ~ one's teeth** faire ses dents
11▸ (switch off) éteindre [*headlights*]
12▸ (record) faire, graver [*album*]; tracer [*track*]
13▸ Comput couper [*paragraph, section*]; **~ and paste** couper-coller; **~ the first paragraph and paste it in at the end** coupez le premier paragraphe et collez-le à la fin
14▸ Games couper [*cards, deck*]
15▸ (dilute) couper [*drink, drugs*] (**with** avec)
16▸ (intersect) [*line*] couper [*circle*]; [*track*] couper [*road*]
17▸ ○(stop) **~ the chatter** arrêtez de jacasser; **~ the flattery/sarcasm!** assez de flatteries/sarcasme!; **~ the crap**◑**!** arrête de déconner◑!
18▸ ○(fail to attend) sécher○ [*class, lesson*]; ne pas aller à [*meeting, conference*]
19▸ (snub) ignorer, snober [*person*]; **she cut me dead in the street** elle m'a complètement ignoré dans la rue
20▸ Cin (splice) monter

C *vi* (*p prés* **-tt-**; *prét, pp* **cut**) 1▸ (slice, make an incision) couper; **this knife ~s well** ce couteau coupe bien; **cardboard ~s easily** le carton est facile à couper; **~ along the dotted line** coupez suivant les pointillés; **will the cake ~ into six?** tu crois que le gâteau fera pour six?; **to ~ into** entamer [*cake, pie*]; couper [*fabric, paper*]; inciser [*flesh, organ*]
2▸ (move, go) **to ~ across the park** couper à travers le parc; **our route ~s across Belgium** notre itinéraire traverse la Belgique; **the lorry cut across my path** le camion m'a coupé la route; **to ~ down a sidestreet** couper par une petite rue; **to ~ in front of sb** (in a queue) passer devant qn; (in a car) faire une queue de poisson à qn
3▸ Cin **the camera cut to the president** la caméra s'est braquée sans transition sur le président; **to ~ from the street to the courtroom** [*camera*] passer de la rue à la salle d'audience
4▸ Games couper; **to ~ for the deal** couper les cartes pour déterminer qui va donner
5▸ fig **to ~ into** (impinge on) empiéter sur [*leisure time, working day*]

D *v refl* (*p prés* **-tt-**; *prét, pp* **cut**) **to ~ oneself** se couper; **to ~ oneself on the foot/chin** se couper au pied/menton; **to ~ oneself on broken glass** se couper avec un morceau de verre; **to ~ oneself a slice of meat** se couper une tranche de viande; **~ yourself some cake** coupe-toi un morceau de gâteau

E **cut** *pp adj* 1▸ (sliced, sawn) [*fabric, rope, pages, timber*] coupé; **ready-cut slices** tranches prédécoupées
2▸ (shaped) [*gem, stone*] taillé; **a well-cut jacket** une veste bien coupée; **the trousers are cut wide** le pantalon est coupé large
3▸ (injured) [*lip*] coupé; **to have a cut finger/knee** avoir une coupure au doigt/genou
4▸ Agric, Hort [*hay*] fauché; [*grass, flowers*] coupé
5▸ (edited) [*film, text*] avec coupures (*after n*)

(Idioms) **to be a ~ above sb/sth** être supérieur à qn/qch; **to ~ and run** fig fuir, partir en courant; **to ~ both ways** [*argument, measure*] être à double tranchant; **to have one's work cut out to do** avoir du mal à faire

(Phrasal verbs) ■ **cut across**: ▸ **~ across [sth]** 1▸ (bisect) [*path*] traverser [*field*]; 2▸ (transcend) [*issue, disease*] ne pas tenir compte de [*class barriers, boundaries, distinctions*]; ▸ **~ across [sb]** interrompre
■ **cut along** se dépêcher
■ **cut at**: ▸ **~ at [sth]** attaquer [*trunk, branches*]; taillader [*rope*]; tailler dans [*hair, stone*]
■ **cut away**: ▸ **~ away [sth]** enlever [*dead wood, diseased tissue*]
■ **cut back**: ▸ **~ back** faire des économies (**on** de); ▸ **~ back [sth], ~ [sth] back** 1▸ (reduce) réduire [*production, spending, staffing levels*] (**to** à); limiter [*expansion*] (**to** à); 2▸ (prune) tailler
■ **cut down**: ▸ **~ down** réduire sa consommation; **'would you like a cigarette?'—'no, I'm trying to ~ down'** 'veux-tu une cigarette?' —'non merci, j'essaie de fumer moins'; **to ~ down on** réduire sa consommation de [*alcohol, fatty foods*]; ▸ **~ down [sth], ~ [sth] down** 1▸ (chop down) abattre [*forest, tree*]; 2▸ (reduce) réduire [*consumption, spending, number, time, scale*] (**from** de, **to** à); 3▸ (trim) couper [*carpet, curtains*]; couper [*article, film*]; ▸ **~ [sb] down** littér [*disease*] emporter liter [*person*]; **to ~ sb down to size** rabattre le caquet à qn
■ **cut in**: ▸ **~ in** 1▸ (interrupt) (in conversation) intervenir; (in dancing) s'interposer; **'what about me?' he cut in** 'et moi, alors?' dit-il en interrompant la discussion; **'may I ~ in?'** (on dance floor) 'vous permettez (que je danse avec madame)?'; **to ~ in on sb** (in conversation) interrompre qn; 2▸ (in vehicle) **the taxi cut in in front of me** le taxi m'a fait une queue de poisson; ▸ **~ [sb] in** mettre qn dans le coup; **they cut me in on the deal** ils m'ont mis dans le coup
■ **cut off**: ▸ **~ off [sth], ~ [sth] off** 1▸ (remove) couper [*hair, piece, slice, top, corner*]; enlever [*excess, crusts*]; **to ~ off one's finger** se couper le doigt; **to ~ off sb's head/fingers** couper la tête/les doigts à qn; **she had all her hair cut off** elle s'est fait couper les cheveux très court; 2▸ (reduce) **to ~ 1% off inflation** réduire l'inflation de 1%; **they've cut 10% off their prices** ils ont baissé leurs prix de 10%; **it cut 20 minutes off the journey** cela a raccourci le trajet de 20 minutes; **she cut ten seconds off the world record** elle a amélioré le record mondial de dix secondes; 3▸ (disconnect) couper [*gas, power, telephone, water, supply lines*]; ▸ **~ off [sth]** 1▸ (suspend) supprimer [*allowance, grant*]; suspendre [*financial aid*]; 2▸ (isolate) [*tide, army*] couper [*area, town*]; 3▸ (block) bloquer [*retreat, escape route*]; ▸ **~ [sb] off** 1▸ Telecom couper qn; 2▸ (disinherit) déshériter qn; **he cut me off without a penny** il ne m'a pas laissé un sou; 3▸ (interrupt) interrompre qn; **she cut me off in mid-phrase** elle m'a interrompu en plein milieu d'une phrase; ▸ **~ [sb] off, ~ off [sb]** (isolate) [*group, person*] couper [*person*]; **to be cut off by the tide** se faire surprendre par la marée; **to feel cut off** se sentir coupé; **to ~ oneself off** se couper (**from** de)
■ **cut out**: ▸ **~ out** [*engine, fan*] s'arrêter; ▸ **~ out [sth]** supprimer [*alcohol, fatty food*]; ▸ **~ [sth] out, ~ out [sth]** 1▸ (snip out) découper [*article, piece, shape*] (**from** dans); 2▸ (remove) enlever [*tumour*] (**from** de); couper [*reference, sentence*]; supprimer [*scene, chapter*]; 3▸ (block out) boucher [*view*]; éliminer [*draught, noise, vibration*]; 4▸ ○(stop) **~ the noise out!** arrêtez de faire du bruit! **~ out the laughing/fighting!** arrêtez de rire/de vous disputer!; **~ it out!** ça suffit!; ▸ **~ [sb] out** 1▸ (isolate) exclure qn; **to ~ sb out of one's will** déshériter qn; 2▸ **to be cut out for teaching/nursing** être fait pour être professeur/infirmière; **he's not cut out to be a teacher** il n'est pas fait pour être professeur
■ **cut short**: ▸ **~ short [sth], ~ [sth] short** abréger [*holiday, visit, discussion*]; **to ~ the conversation short** couper court; ▸ **~ [sb] short** interrompre
■ **cut through**: ▸ **~ through [sth]** [*knife, scissors*] couper [*cardboard, plastic*]; [*detergent*] attaquer [*grease*]; [*whip*] fendre [*air*]; [*boat*] fendre [*water*]; [*person*] éviter [*red tape*]; [*voice*] traverser [*noise*]
■ **cut up**: ▸ **~ up**○ US chahuter; ▸ **~ [sth] up, ~ up [sth]** couper [*food, meat, onions*]; disséquer [*specimen*]; [*murderer*] couper [qch] en morceaux [*corpse*]; **to ~ sth up into strips/pieces** couper qch en bandes/morceaux; ▸ **~ [sb] up** 1▸ (wound) [*gangster*] taillader [*victim*]; 2▸ (upset) **to be very cut up** être très affecté (**about, by** par); 3▸ ○Aut faire une queue de poisson à

cut-and-dried *adj* [*procedure, formula*] fixe; [*idea, opinion*] arrêté; [*answer, solution*] tout fait; **a ~ case** une affaire simple; **I like everything to be ~** j'aime que tout soit fin prêt

cut and paste
A *n* coupe-colle *m*
B *vtr* couper-coller

cut and thrust *n* **the ~ of debate** les échanges animés du débat; **the ~ of professional sport** l'esprit compétitif du sport professionnel

cutaneous /kjuːˈteɪnɪəs/ *adj* cutané

cutaway /ˈkʌtəweɪ/
A *n* 1▸ Archit, Tech écorché *m*; 2▸ Cin plan *m* de coupe
B *modif* [*diagram, drawing*] en écorché

cutback /ˈkʌtbæk/ *n* 1▸ Econ réduction *f*; **~s in** réductions dans le budget de [*defence, health, education*]; réductions de [*credit, production*]; **government ~s** réductions budgétaires du gouvernement; 2▸ US Cin retour *m* en arrière

cute○ /kjuːt/ *adj* surtout US 1▸ (sweet, attractive) mignon/-onne; pej mièvre; 2▸ (clever) précoce; pej malin/-igne; **to get ~** faire le malin; **to get**

~ **with sb** répondre avec insolence à qn
cutely /ˈkju:tlɪ/ *adv* [1] pej (sweetly) avec une grâce étudiée; **to smile ~** faire un mignon sourire; [2] (cleverly) avec astuce
cutesy○ /ˈkju:tsɪ/ *adj* mièvre
cut glass
A *n* verre *m* taillé
B **cut-glass** *modif* lit *[decanter, fruit bowl]* en verre taillé; fig○ *[accent]* raffiné, distingué
cuticle /ˈkju:tɪkl/ *n* Anat, Bot cuticule *f*
cuticle remover *n* crème *f* émolliente
cutie○ /ˈkju:tɪ/, **cutie-pie**○ /ˈkju:tɪpaɪ/ US *n* (attractive child) enfant *mf* mignon/-onne; (clever child) malin/-igne *m/f*
cutlass /ˈkʌtləs/ *n* sabre *m* d'abordage
cutler /ˈkʌtlə(r)/ ▸ **p. 1683** *n* coutelier/-ière *m/f*
cutlery /ˈkʌtlərɪ/ *n* ¢ couverts *mpl*; **a set of ~** (for one) un couvert; (complete suite) ménagère *f*
cutlet /ˈkʌtlɪt/ *n* (meat) côtelette *f*; (fish) darne *f*, tranche *f*; **a lamb ~** une côtelette d'agneau
cut-off /ˈkʌtɒf/
A *n* [1] (upper limit) limite *f*; [2] (automatic switch) (for power) coupe-circuit *m inv*; (for water-flow) robinet *m*; [3] US (shorter route) raccourci *m*
B **cut-offs** *npl* jean *m* coupé
cut: **~-off date** *n* date-limite *f*; **~-off point** *n* gen limite *f*; Fin, Tax plafond *m*
cut-out /ˈkʌtaʊt/
A *n* [1] (outline) silhouette *f*; **cardboard ~** silhouette *f* en carton; [2] Electron coupe-circuit *m inv*
B *adj [doll, character, drawing]* découpé
cut-price /ˌkʌtˈpraɪs/
A *adj* GB à prix réduit (*after n*)
B *adv [offer, sell]* à prix réduit
cut-rate *adj* US = **cut-price**
cutter /ˈkʌtə(r)/ *n* [1] (sharp tool) (for mining) haveuse *f*; (for lino, carpet) couteau *m*, cutter *m*; **glass-~** coupe-verre *m*; **tile-~** coupe-carrelage *m*; [2] Naut cotre *m*; [3] Sewing tailleur/-euse *m/f*
cutter bar *n* Agric, Hort barre *f* de coupe
cut-throat /ˈkʌtθrəʊt/
A †*n* coupe-jarret† *m*, assassin *m*
B *adj* [1] (ruthless) *[battle, competition, rivalry]* acharné; *[world]* dur; **a ~ business** un milieu très dur; [2] Sport **a ~ game** un match à trois personnes
cut-throat razor *n* GB rasoir *m* (à lame), coupe-choux○ *m inv*
cutting /ˈkʌtɪŋ/
A *n* [1] (newspaper extract) coupure *f* (**from** de); [2] Hort bouture *f*; **to take a ~** faire une bouture; [3] Rail tranchée *f*; [4] (shaping) (of gem, glass) taille *f*; [5] (digging) (of a tunnel) perçage *m*; [6] (slicing) (of cake, meat) découpage *m*; [7] Cin montage *m*; [8] Comput **~ and pasting** coupé-collé *m*
B **cuttings** *npl* (of wood, metal) copeaux *mpl*; **grass ~s** herbe *f* coupée
C *adj* [1] (sharp) *[pain]* aigu/-uë; *[wind]* cinglant; **to deal sb a ~ blow** lit asséner un coup violent à qn; fig descendre qn en flèche; [2] (hurtful) *[remark]* désobligeant
cutting: **~ board** *n* (for food) planche *f* à découper; (for sewing, crafts) planche *f* de travail; **~ disc** *n* (on saw) disque *m*; (on food processor) disque *m*
cutting edge
A *n* [1] (blade) tranchant *m*; [2] fig avant-garde *f*; **to be at the ~ of** être à l'avant-garde de *[technology, fashion]*
B *modif [film, industry, technology]* d'avant-garde
cutting equipment *n* matériel *m* de désincarcération

cuttingly /ˈkʌtɪŋlɪ/ *adv [say, speak, reply]* d'un ton cassant
cutting room *n* Cin salle *f* de montage; **to end up on the ~ floor** être coupé au montage
cutting: **~s library**, **~s service** *n* Journ *bureau qui recense les coupures de presse*; **~ table** *n* Cin table *f* de montage
cuttlefish /ˈkʌtlfɪʃ/ *n* (*pl* **~** *ou* **-fishes**) seiche *f*
CV, **cv** (*abrév* = **curriculum vitae**) cv, CV
c.w.o., **CWO** [1] *abrév* ▸ **cash with order**; [2] US Mil *abrév* ▸ **chief warrant officer**
cwt *abrév écrite* = **hundredweight**
cyan /ˈsaɪæn/ *n* cyan *m*
cyanide /ˈsaɪənaɪd/ *n* cyanure *m*
cyberart /ˈsaɪbərɑ:t/ *n* cyberart *m*
cybercitizen /ˈsaɪbəˌsɪtɪzn/ *n* cybercitoyen/-enne *m/f*
cybercrime /ˈsaɪbəkraɪm/ *n* cybercriminalité *f*
cyberculture /ˈsaɪbəkʌltʃə(r)/ *n* cyberculture *f*
cybernaut /ˈsaɪbənɔ:t/ *n* internaute *mf*
cybernetics /ˌsaɪbəˈnetɪks/ *n* (+ *v sg*) cybernétique *f*
cyberpunk /ˈsaɪbəpʌŋk/ *n* [1] Comput pirate *m* informatique; [2] (sci-fi genre) science-fiction *f* cyberpunk
cybersex /ˈsaɪbəseks/ *n* cybersexe *m*, sexe *m* virtuel
cyberspace /ˈsaɪbəspeɪs/ *n* Comput cyberespace *m*
cybersquatting /ˈsaɪbəskwɒtɪŋ/ *n* accaparement *m* de nom de domaine
cyberstalker /ˈsaɪbəstɔ:kə(r)/ *n* auteur *m* de violences qui harcèle ses victimes sur Internet
cyborg /ˈsaɪbɔ:g/ *n* cyborg *m*
cybrarian /saɪˈbreərɪən/ *n* cyberdocumentaliste *mf*
cyclamate /ˈsaɪkləmeɪt, ˈsɪk-/ *n* cyclamate *m*
cyclamen /ˈsɪkləmən, US ˈsaɪk-/ *n* cyclamen *m*
cycle /ˈsaɪkl/
A *n* [1] (movement, series) cycle *m*; **washing ~** cycle *m* de lavage; [2] (bicycle) vélo *m*, bicyclette *f*
B *vi* aller à vélo; **to go cycling** faire du vélo; **she ~s to work** elle va au travail à vélo
C *vtr* **to ~ 15 miles** parcourir *or* faire 24 km à vélo
cycle: **~ clip** *n* pince *f* à vélo; **~ computer** *n* compteur *m* cycle; **~ lane** *n* piste *f* cyclable; **~ race** *n* course *f* cycliste; **~ rack** *n* parking *m* à vélos; **~ shed** *n* hangar *m* à vélos; **~ shop** *n* magasin *m* de vélos; **~ track** *n* piste *f* cyclable
cyclic(al) /ˈsaɪklɪk(l)/ *adj* cyclique
cycling /ˈsaɪklɪŋ/ ▸ **p. 1253** *n* cyclisme *m*; **to do a lot of ~** gen faire beaucoup de vélo
cycling holiday GB *n* vacances *fpl* à vélo; **to go on a ~** faire du cyclotourisme
Cycling Proficiency Test GB *n* certificat *m* de jeune cycliste
cycling shorts *npl* Sport cuissard *m*; Fashn (short *m* de) cycliste *m*
cycling: **~ tour** *n* randonnée *f* à vélo; **~ track** *n* (professional) vélodrome *m*; **~ vacation** US = **cycling holiday**
cyclist /ˈsaɪklɪst/ *n* gen cycliste *mf*; Sport coureur/-euse *m/f* cycliste
cyclo-cross /ˈsaɪkləkrɒs/ ▸ **p. 1253** *n* cyclo-cross *m*

cyclone /ˈsaɪkləʊn/ *n* cyclone *m*; **~ fence** US barrière *f* en grillage
cyclonic /saɪˈklɒnɪk/ *adj* cyclonal
Cyclops /ˈsaɪklɒps/ *pr n* Cyclope
cyclorama /ˌsaɪkləˈrɑ:mə/ *n* cyclorama *m*
cyclothymia /ˌsaɪkləʊˈθaɪmɪə/ *n* Psych cyclothymie *f*
cyclotron /ˈsaɪklətrɒn/ *n* cyclotron *m*
cygnet /ˈsɪgnɪt/ *n* jeune cygne *m*
cylinder /ˈsɪlɪndə(r)/ *n* [1] Aut, Math, Tech, Print cylindre *m*; **a four-~ engine** un moteur à quatre cylindres; [2] (of revolver, watch, lock) barillet *m*; [3] GB (*also* **hot water ~**) ballon *m* d'eau chaude
(Idiom) **to be firing** *ou* **working on all ~s**○ être au meilleur de sa forme
cylinder: **~ block** *n* bloc-cylindres *m*; **~ capacity** *n* cylindrée *f*; **~ desk** *n* bureau *m* à cylindre; **~ head** *n* culasse *f*; **~ head gasket** *n* joint *m* de culasse
cylindrical /sɪˈlɪndrɪkl/ *adj* cylindrique
cymbal /ˈsɪmbl/ ▸ **p. 1462** *n* cymbale *f*; **antique ~s** crotales *mpl*; **finger ~s** cymbales à doigts
cynic /ˈsɪnɪk/
A *n* [1] gen cynique *mf*; [2] **Cynic** Philos Cynique *mf*
B *adj* (all contexts) cynique
cynical /ˈsɪnɪkl/ *adj* cynique (**about** en ce qui concerne)
cynically /ˈsɪnɪklɪ/ *adv* cyniquement
cynicism /ˈsɪnɪsɪzəm/ *n* (attitude) cynisme *m* also Philos; (remark) remarque *f* cynique
cynosure /ˈsaɪnəzjʊə(r), US ˈsaɪnəʃʊər/ *n* **to be the ~ of all eyes** attirer tous les regards
cypher *n*, *vtr* = **cipher**
cypress (tree) /ˈsaɪprəs/ *n* cyprès *m*
Cypriot /ˈsɪprɪət/ ▸ **p. 1467**
A *n* Chypriote *mf*; **a Greek ~** un/une Chypriote grec/grecque
B *adj* chypriote
Cyprus /ˈsaɪprəs/ ▸ **p. 1355**, **p. 1096** *pr n* Chypre *f*
Cyrillic /sɪˈrɪlɪk/ *adj* cyrillique
cyst /sɪst/ *n* Med, Biol kyste *m*
cystic fibrosis /ˌsɪstɪk faɪˈbrəʊsɪs/ ▸ **p. 1327** *n* mucoviscidose *f*
cystitis /sɪˈstaɪtɪs/ ▸ **p. 1327** *n* cystite *f*; **to have ~** avoir une cystite
cytobiology /ˌsaɪtəʊbaɪˈɒlədʒɪ/ *n* cytobiologie *f*
cytogenetics /ˌsaɪtəʊdʒəˈnetɪks/ *n* (+ *v sg*) cytogénétique *f*
cytological /ˌsaɪtəˈlɒdʒɪkl/ *adj* cytologique
cytologist /saɪˈtɒlədʒɪst/ *n* cytologiste *mf*
cytology /saɪˈtɒlədʒɪ/ *n* cytologie *f*
czar, **Czar** /zɑ:(r)/ ▸ **p. 1237** *n* tsar *m*; **Czar Nicolas** le tsar Nicolas
czarevitch /ˈzɑ:rɪvɪtʃ/ *n* tsarévitch *m*
czarina /zɑ:ˈri:nə/ ▸ **p. 1237** *n* tsarine *f*
czarist /ˈzɑ:rɪst/ *n*, *adj* tsariste (*mf*)
Czech /tʃek/ ▸ **p. 1467**, **p. 1378**
A *n* [1] (person) Tchèque *mf*; [2] (language) tchèque *m*
B *adj* tchèque
Czechoslovak(ian) /ˌtʃekəˈsləʊvæk, ˌtʃekəsləˈvækɪən/ ▸ **p. 1467**, **p. 1378**
A *n* Tchécoslovaque *mf*
B *adj* tchécoslovaque
Czechoslovakia /ˌtʃekəsləʊˈvækɪə/ ▸ **p. 1096** *pr n* Hist Tchécoslovaquie *f*
Czech Republic ▸ **p. 1096** *pr n* République *f* tchèque

C

Dd

d

d, D /diː/ *n* 1 (letter) d, D *m*; 2 **D** Mus ré *m*; 3 **d** GB† *abrév écrite* = **penny**; 4 **d** *abrév écrite* = **died**

DA *n* US Jur *abrév* ▸ **District Attorney**

dab /dæb/

A *n* 1 touche *f*; **a ~ of** une touche de [*paint, powder*]; une goutte de [*glue*]; un petit morceau de [*butter*]; 2 (fish) limande *f*; 3 (blow) petit coup *m*

B **dabs**○ *npl* GB (fingerprints) empreintes *fpl* digitales

C *vtr* se tamponner [*one's eyes, mouth*]; tamponner [*wound*]; **to ~ sth on sth** appliquer qch à qch par petites touches; **to ~ sth with sth** tamponner qch de qch

(Idiom) **to be a ~ hand**○ **at (doing) sth** GB être doué pour (faire) qch

(Phrasal verbs) ■ **dab at**: ▸ **~ at [sth]** se tamponner [*eyes*]; tamponner [*stains, wound*].

■ **dab on**: ▸ **~ on [sth], ~ [sth] on** appliquer [qch] par touches légères [*paint, ointment*]; s'appliquer [*perfume*].

■ **dab off**: ▸ **~ off [sth], ~ [sth] off** enlever [qch] en tamponnant

dabble /ˈdæbl/

A *vtr* **to ~ one's fingers/toes in sth** tremper ses doigts/ses orteils dans qch

B *vi* = **dabble in**

(Phrasal verb) ■ **dabble in**: ▸ **~ in [sth]** faire [qch] en amateur [*painting, writing, politics*]; flirter avec [*ideology*]; **painting? I just ~ in** la peinture? j'en fais un peu; **to ~ in the Stock Exchange** boursicoter○

dabbler /ˈdæblə(r)/ *n* dilettante *mf*

dabchick /ˈdæbtʃɪk/ *n* grèbe *m* castagneux

Dacca /ˈdækə/ ▸ **p. 1815** *pr n* Dacca

dace /deɪs/ *n* (*pl* **~** *ou* **~s**) vandoise *f*

dacha /ˈdætʃə/ *n* datcha *f*

dachshund /ˈdækshʊnd/ *n* teckel *m*

Dacron® /ˈdækrɒn, ˈdeɪkrɒn/ *n* dacron® *m*

dactyl /ˈdæktɪl/ *n* dactyle *m*

dactylic /dækˈtɪlɪk/ *adj* dactylique

dad○, **Dad**○ /dæd/ *n* (child speaker) papa *m*; (adult speaker) père *m*; (old man) hum pépé○ *m*

Dada /ˈdɑːdɑː/ Art

A *n* Dada *m*

B *adj* dada *inv*

dadaism /ˈdɑːdəɪzəm/ *n* Art dadaïsme *m*

dadaist /ˈdɑːdəɪst/ Art

A *n* dadaïste *mf*

B *adj* dada *inv*, dadaïste

daddy○, **Daddy**○ /ˈdædɪ/ *n* papa○ *m*

daddy-long-legs /ˌdædɪˈlɒŋlegz/ *n* (*pl* **~**) GB tipule *f*; US faucheux *m*

dado /ˈdeɪdəʊ/ *n* (*pl* **-does** *ou* **-dos**) (wainscot) lambris *m* d'appui; (rail) cimaise *f*

Dad's army○ *n* GB Mil, hum milice *f* populaire (*formée pendant la guerre de 1939-44*)

Daedalus /ˈdiːdələs/ *pr n* Dédale

daff○ /dæf/ *n* GB *abrév* ▸ **daffodil**

daffodil /ˈdæfədɪl/

A *n* jonquille *f*

B *modif* [*bulb*] de jonquille

daffodil yellow *n, adj* jonquille (*m*) (*inv*)

daffy○ /ˈdæfɪ/ *adj* farfelu○

daft○ /dɑːft, US dæft/

A *adj* 1 (silly) bête; 2 **to be ~ about sth/sb** être toqué○ de qch/qn

B *adv* **to talk ~** dire des bêtises

(Idiom) **~ as a brush**○ GB givré○, cinglé○

Dagestan /ˌdægɪˈstɑːn/ ▸ **p. 1096** *pr n* Daguestan *m*, Daghestan *m*

dagger /ˈdægə(r)/ *n* 1 (weapon) (narrow) dague *f*; (wider) poignard *m*; 2 Print croix *f*

(Idioms) **to be at ~s drawn** être à couteaux tirés (**with** avec); **to look ~s at sb** fusiller qn du regard

dago● /ˈdeɪgəʊ/ *n* injur métèque *m* offensive

daguerreotype /dəˈgerətaɪp/ *n* daguerréotype *m*

dáhlia /ˈdeɪlɪə, US ˈdælɪə/ *n* dahlia *m*

Dáil Éireann /dɔɪl ˈerən/ *n* Pol ≈ Chambre *f* des Députés (*du parlement irlandais*)

> **Dáil Éireann**
>
> Ces mots de gaélique irlandais, prononcés /dɔɪl/, désignent la Chambre des Représentants (appelée Oireachtas) au Parlement de la république d'Irlande. Les 166 députés du Dáil (qu'on appelle les TDs, abréviation pour Teachtaí Dála) représentent 41 circonscriptions électorales et sont élus pour cinq ans par un scrutin à la représentation proportionnelle.

daily /ˈdeɪlɪ/

A *n* (*pl* **dailies**) 1 (newspaper) quotidien *m*; **the national dailies** les grands quotidiens. ▸ **Newspapers**; 2 ○GB (*also* **~ help, ~ maid**) femme *f* de ménage

B *adj* [*routine, visit, journey, delivery*] quotidien/-ienne; [*wage, rate, intake*] journalier/-ière; [*sight, phenomenon*] quotidien/-ienne, de tous les jours; **~ newspaper** (journal *m*) quotidien *m*; **on a ~ basis** gen tous les jours; **to be paid on a ~ basis** être payé à la journée; **to earn one's ~ bread** gagner son pain quotidien; **the ~ grind** le labeur quotidien; **the ~ round** le train-train de la vie quotidienne

C *adv* quotidiennement, tous les jours; **to be taken twice ~** à prendre deux fois par jour; **he is expected ~** sout on l'attend d'un jour à l'autre

daintily /ˈdeɪntɪlɪ/ *adv* délicatement

daintiness /ˈdeɪntɪnɪs/ *n* délicatesse *f*, finesse *f*

dainty /ˈdeɪntɪ/

A *n* mets *m* délicat

B *adj* 1 [*porcelain, handkerchief*] délicat; [*shoe, hat, hand, foot*] mignon/-onne; [*figure*] menu; [*movement*] délicat; 2 [*dish, cake*] délicat; **a ~ morsel** un morceau de choix

daiquiri /ˈdækərɪ, ˈdaɪ-/ *n* daiquiri *m*

dairy /ˈdeərɪ/ *n* 1 (on farm etc) laiterie *f*; (shop) crémerie *f*; 2 Comm (company) société *f* laitière

dairy: **~ butter** *n* beurre *m* fermier; **~ cattle** *n* (+ *v pl*) vaches *fpl* laitières; **~ cow** *n* vache *f* laitière; **~ cream** *n* ≈ crème *f* fraîche; **~ farm** *n* exploitation *f* laitière; **~ farming** *n* élevage *m* de vaches laitières; **~ ice cream** *n* glace *f* faite à la crème; **~maid** *n* fille *f* de ferme (qui s'occupe de la laiterie)

dairyman /ˈdeərɪmən/ *n* (on farm etc) ouvrier *m* de laiterie; (in shop) crémier *m*; US (farmer) éleveur *m* de vaches laitières

dairy produce, dairy products *n* produits *mpl* laitiers

dais /ˈdeɪɪs/ *n* estrade *f*

daisy /ˈdeɪzɪ/ *n* (common) pâquerette *f*; (garden) marguerite *f*

(Idioms) **to be as fresh as a ~** être frais/fraîche comme une rose; **to be pushing up (the) daisies**○ manger les pissenlits par la racine○

daisy chain *n* guirlande *f* de pâquerettes

daisy wheel

A *n* Comput, Print marguerite *f*

B *modif* [*printer, terminal*] à marguerite

Dalai Lama /ˌdælaɪ ˈlɑːmə/ *pr n* dalaï-lama *m*

dale /deɪl/ *n* vallée *f*, val *m* liter

(Idioms) **up hill and down ~** GB, **over hill and ~** US par monts et par vaux

dalliance /ˈdælɪəns/ *n* littér badinage *m* (galant); fig (with idea, political party) flirt *m*

dally /ˈdælɪ/ *vi* 1 **to ~ with**† flirter avec [*person*]; 2 **to ~ with** fig caresser, jouer avec [*idea, plan*]; flirter avec [*political party*]; 3 (linger) traîner (**over** sur)

dalmatian, Dalmatian /dælˈmeɪʃn/ *n* (dog) dalmatien *m*

dalmatic /dælˈmætɪk/ *n* dalmatique *f*

dam /dæm/

A *n* 1 (construction) barrage *m*; (to prevent flooding) digue *f*; 2 (body of water) lac *m* de barrage, (lac *m* de) retenue *f*; 3 (animal) mère *f*

B ○*adj, adv* = **damn**

C *vtr* Constr construire un barrage sur [*river, lake*]; (to prevent flooding) endiguer

(Phrasal verb) ■ **dam up**: ▸ **~ up [sth], ~ [sth] up** 1 = **dam C**; 2 (block up) bloquer, obstruer [*river, canal*]; étouffer [*feelings*]; endiguer [*flow of words, money, supplies*]

damage /ˈdæmɪdʒ/

A *n* ¢ 1 (physical) (to building, machine, goods, environment) dégâts *mpl* (**to** causés à; **from** causés par); **to do** *ou* **cause ~** causer des dégâts; **not much ~ was done to the car** la voiture n'a pas été très endommagée; **~ of £300 was done to the car** la voiture a subi pour 300 livres sterling de dégâts; **storm ~** dégâts dûs aux intempéries; **water/frost ~** dégâts des eaux/du gel; **criminal ~** Jur (actes de) vandalisme; **~ to property** Jur dégâts matériels; **~ or loss** Insur dégâts et pertes; 2 (medical) lésions *fpl*; **to cause ~ to** abîmer [*health, part of body*]; **(irreversible) brain ~** lésions *fpl* cérébrales (irréversibles); **psychological ~** traumatisme *m* psychologique; 3 fig **to do ~ to** porter atteinte à [*cause, relationship, reputation, self-confidence, trade*]; **political ~** dommage *m* politique; **(a lot of) ~ was done to sth** qch a été (sérieusement) atteint; **it's too late, the ~ is done** trop tard, le mal est fait

B **damages** *npl* Jur dommages-intérêts *mpl*, dommages *mpl* et intérêts *mpl*; **to claim for ~s** réclamer des dommages-intérêts (**against sb** à qn); **a claim for ~s** une demande de

dommages-intérêts; **he paid £700 (in) ~s** il a payé 700 livres sterling de dommages-intérêts; **~s for loss of earnings** dommages-intérêts pour manque à gagner; **agreed ~s** dommages-intérêts fixés; **to be liable for ~s** être civilement responsable
C *vtr* **1** (physically) endommager [*building, machine, furniture*]; abîmer [*health, part of body*]; nuire à [*environment, crop*]; **2** fig porter atteinte à [*reputation, career, relationship, confidence, organization, negotiations*]; **~d child** Psych enfant traumatisé
(Idiom) **what's the ~°?** à combien se monte la douloureuse°?

damageable /'dæmɪdʒəbl/ *adj* Insur dommageable

damaging /'dæmɪdʒɪŋ/ *adj* **1** (to reputation, career, person) préjudiciable (**to** à, pour); [*effect*] préjudiciable; [*consequences*] désastreux/-euse; **2** (to health, environment) nuisible (**to** pour)

damagingly /'dæmɪdʒɪŋlɪ/ *adv* **1** [*harsh, lax*] regrettablement; **2** [*do, say*] de façon regrettable

Damascus /də'mæskəs/ ▸ **p. 1815** *pr n* Damas; **the road to ~** le chemin de Damas

damask /'dæməsk/
A *n* **1** Tex damas *m*; **2** Hist (metal) acier *m* damassé; **3** (colour) vieux rose *m inv*
B *modif* [*cloth, robe*] damassé
C *adj* (colour) vieux rose *inv*

damask rose *n* rose *f* de Damas

Dam Busters /'dæmbʌstəz/ *npl* GB Mil Hist **the ~** les briseurs *mpl* de barrage (*aviateurs britanniques chargés d'une mission de bombardement en Allemagne pendant la deuxième guerre mondiale*)

dame /deɪm/ *n* **1** ‡GB dame *f*; **the ~** Theat la vieille dame (*rôle bouffon joué par un homme dans les farces traditionnelles*); **~ Fortune** Dame Fortune; **2** **Dame** GB *titre octroyé à une femme décorée d'un ordre de chevalerie*; ▸ **Knight/Dame**; **3** °US gonzesse° *f*

dame school *n* école *f* enfantine (*tenue autrefois par une dame à son domicile*)

damfool° /'dæmfu:l/ *adj* idiot

dammit° /'dæmɪt/ *excl* zut°!, merde◑!; **(or) as near as ~°** GB (ou) c'est tout comme°

damn /dæm/
A °*n* **not to give a ~** s'en ficher°; **not to give a ~ about sb/sth** se ficher de qn/qch; **it's not worth a ~°** ça ne vaut pas un clou°; **he can't sing worth a ~** US il chante comme un pied°
B °*adj* **1** [*object*] fichu°; **your ~ husband** ton fichu° mari; **you ~ lunatic!** espèce de fou°!; **I can't see a ~ thing** je n'y vois que dalle◑
C °*adv* sacrément°; **a ~ good film/meal** un super° film/repas; **it's just ~ stupid/unfair** c'est vraiment idiot/injuste; **I should ~ well hope so!** j'espère bien!
D °**damn near** *adv phr* **he ~ near killed me/ran me over** il a bien failli me tuer/m'écraser
E °*excl* merde◑!, zut°!
F *vtr* **1** °(curse) **~ you!** tu m'énerves!; **~ the weather/car!** saleté de temps/de voiture°!; **homework be ~ed, I'm going out!** au diable les devoirs, je sors!; **~ the consequences/the expense** les conséquences/la dépense on s'en moque; **I 'll be ~ed!** ça alors!, je suis scié°!; **I'll be** *ou* **I'm ~ed if I'm going to pay!** pas question de payer!; **I'm ~ed if I know!** comme si je savais!; **~ it!** merde◑!; **2** Relig damner [*sinner, soul*]; **3** (condemn) condamner [*person, action, behaviour*] (**for** pour); **to ~ sb for doing** blâmer qn d'avoir fait; **to ~ sb with faint praise** faire des critiques à qn sous forme d'éloges

damnable /'dæmnəbl/ *adj* **1** (disgraceful) condamnable; **2** †°(awful) [*weather, person*] fichu° (*before n*)

damnably /'dæmnəblɪ/ *adv* **1** (disgracefully) **~ cruel/wicked** d'une cruauté/d'une méchanceté condamnable; **2** †°(extremely) sacrément°

damnation /dæm'neɪʃn/
A *n* Relig damnation *f*
B *excl*° merde◑!, zut°!

damned /dæmd/
A *n* (+ *v pl*) **the ~** les damnés *mpl*
B *adj* **1** Relig damné; **2** °▸ **damn B**
C *adv* ▸ **damn C**

damnedest° /'dæmdɪst/ *n* **1** (hardest) **to do** *ou* **try one's ~ (to do/for sb)** faire tout son possible (pour faire/pour qn); **2** (surprising) **the ~ thing happened yesterday** quelque chose d'incroyable s'est produit hier; **it was the ~ thing** c'était incroyable

damning /'dæmɪŋ/ *adj* accablant

Damocles /'dæməkli:z/ *pr n* Damoclès; **the Sword of ~** l'épée de Damoclès

damp /dæmp/
A *n* **1** (atmosphere, conditions) humidité *f*; **2** Mining (*also* **fire ~**) grisou *m*; **3** Mining (*also* **black ~**) mofette *f*
B *adj* [*atmosphere, building, cloth, clothes etc*] humide; [*skin*] moite
C *vtr* **1** = **dampen**; **2** = **damp down**; **3** Mus étouffer
(Phrasal verb) ■ **damp down**: ▸ **~ [sth] down, ~ down [sth]** couvrir [*fire*]; étouffer [*flames*]; apaiser [*anger*]; dédramatiser [*crisis, situation*]

damp(-proof) course *n* barrière *f* d'étanchéité

dampen /'dæmpən/ *vtr* **1** humecter [*cloth, sponge, ironing*]; **2** fig refroidir [*enthusiasm, optimism, ardour*]; amenuiser [*hopes, resolve*]; **to ~ sb's spirits** décourager qn

dampener *n* US = **damper 4**

damper /'dæmpə(r)/ *n* **1** (in fireplace, stove) registre *m*; **2** Mus étouffoir *m*; **3** Audio, Electron, Mech amortisseur *m*; **4** (for stamps, ironing) mouilleur *m*
(Idioms) **the news put a ~ on the evening°** la nouvelle a jeté un froid dans l'assistance; **he always puts a ~ on everything°** c'est un rabat-joie

dampness /'dæmpnɪs/ *n* (of climate, ground, room, clothes etc) humidité *f*; (of skin) moiteur *f*

damp: **~-proof** *adj* imperméable, hydrofuge spec; **~ squib** *n* fig pétard *m* mouillé

damsel /'dæmzl/ *n* littér demoiselle *f*; **a ~ in distress** hum une demoiselle en détresse

damselfly /'dæmzlflaɪ/ *n* demoiselle *f*, libellule *f*

damson /'dæmzn/ *n* **1** (fruit) prune *f* de Damas; **2** (tree) prunier *m* de Damas

dan /dæn/ *n* dan *m*

dance /dɑ:ns, US dæns/
A *n* **1** (movement) danse *f*; (art form) ¢ la danse; **modern ~** la danse moderne; **to ask sb for a ~** inviter qn à danser; **may I have the next ~?** voulez-vous m'accorder la prochaine danse?; **the Dance of Death** la danse macabre; **2** (social occasion) soirée *f* dansante; **to give** *ou* **hold a ~** donner une soirée dansante
B *modif* [*band, company, floor, music, shoes, step, studio, wear*] de danse
C *vtr* **1** danser [*steps, dance*]; **he ~d her away** il l'a emmenée en dansant; **2** (dandle) faire danser
D *vi* lit, fig danser (**with** avec); **to ~ for joy** danser de joie; **to ~ with rage** trépigner de rage; **to ~ to music** danser sur de la musique
(Idioms) **to ~ the night away** passer la nuit à danser; **to lead sb a merry ~** donner du fil à retordre à qn
(Phrasal verbs) ■ **dance about, dance up and down** sautiller sur place

dance: **~ hall** *n* dancing *m*; **~ notation** *n* notation *f* chorégraphique; **~ programme** *n* carnet *m* de bal

dancer /'dɑ:nsə(r), US 'dænsər/ *n* danseur/-euse *m/f*

dance step *n* pas *m* de danse

dancing /'dɑ:nsɪŋ, US 'dænsɪŋ/
A ▸ **p. 1253** *n* danse *f*; **will there be ~?** est-ce qu'on dansera?
B *modif* [*class, school, shoes, teacher*] de danse
C *pres p adj* littér [*waves, sunbeams*] dansant; [*eyes*] pétillant

dancing: **~ girl** *n* danseuse *f*; **~ partner** *n* cavalier/-ière *m/f*

D and C *n* Med (*abrév* = **dilation and curettage**) curetage *m*

dandelion /'dændɪlaɪən/ *n* pissenlit *m*

dander° /'dændə(r)/ *n* **to get sb's ~ up** faire sortir qn de ses gonds°; **to get one's ~ up** se mettre en boule° (**over, about** à cause de)

dandified /'dændɪfaɪd/ *adj* [*person*] vêtu comme un dandy; [*appearance*] de dandy

dandle /'dændl/ *vtr* **1** **to ~ a baby on one's knee** faire sauter un bébé sur ses genoux; **2** (fondle) câliner

dandruff /'dændrʌf/ *n* ¢ pellicules *fpl*; **to have ~** avoir des pellicules; **anti-~ shampoo** shampooing *m* antipelliculaire

dandy /'dændɪ/
A *n* dandy *m*
B °*adj* chouette°, au poil°
(Idiom) **that's all fine and ~** c'est parfait

Dane /deɪn/ ▸ **p. 1467** *n* Danois/-e *m/f*

dang /dæŋ/ *adj, adv, excl* US ▸ **darn B, C, D**

danger /'deɪndʒə(r)/ *n* danger *m* (**of** de; **to** pour); (from different sources) dangers *mpl*; **to be in ~ of doing sth** risquer de faire qch; **there is no ~ in doing sth** il n'y a pas de danger à faire qch; **the ~ is that** le danger est que (+ *subj*); **there is a ~ that** il y a un risque que (+ *subj*); **there is a ~/no ~ that he will come** il risque/ne risque pas de venir; **to put sb in ~** mettre qn en danger; **the road is a ~ to children** la rue constitue un danger pour les enfants; **out of ~** hors de danger; **~!** danger!

danger area *n* zone *f* dangereuse

danger list *n* **on the ~** Med dans un état critique

danger money *n* prime *f* de risque

dangerous /'deɪndʒərəs/ *adj* dangereux/-euse (**for** pour; **to do** de faire); **~ driving** Aut conduite *f* dangereuse
(Idiom) **to be on ~ ground** être sur un terrain miné

dangerously /'deɪndʒərəslɪ/ *adv* gen dangereusement; [*ill*] gravement; **to live ~** prendre des risques

danger: **~ signal** *n* lit, fig signal *m* de danger; **~ zone** *n* = **danger area**

dangle /'dæŋgl/
A *vi* [*puppet, keys, rope etc*] se balancer (**from** à); [*earrings*] pendiller; **with legs dangling** les jambes ballantes; **to keep sb dangling°** tenir qn en suspens
B *vtr* balancer [*puppet, keys etc*]; laisser pendre [*legs*]; fig faire miroiter [*prospect, reward*] (**before, in front of** à)

Danish /'deɪnɪʃ/ ▸ **p. 1467, p. 1378**
A *n* **1** Ling danois *m*; **2** US Culin = **Danish pastry**
B *adj* danois

Danish: **~ blue (cheese)** *n* bleu *m* du Danemark, danablu *m*; **~ pastry** *n* feuilleté *m* sucré (aux fruits)

dank /dæŋk/ *adj* froid et humide

Dante /'dæntɪ/ *pr n* Dante

Dantean /'dæntɪən/, **Dantesque** /,dænti'esk/ *adj* dantesque

Danube /'dænju:b/ ▸ **p. 1633** *pr n* Danube *m*; **the Blue ~** Mus le (Beau) Danube Bleu

daphne /'dæfnɪ/ *n* Bot daphné *m*

daphnia /'dæfnɪə/ *n* daphnie *f*

dapper /'dæpə(r)/ *adj* soigné

d

dapple /ˈdæpl/
A *vtr* tacheter
B dappled *pp adj* [*horse*] (grey) pommelé; (bay) miroité; [*cow*] moucheté; [*sky*] pommelé; [*shade, surface*] tacheté de lumière

dapple-grey GB, **dapple-gray** US /ˌdæplˈgreɪ/
A *n* cheval *m* gris-pommelé
B *adj* gris-pommelé

DAR US (*abrév* = **Daughters of the American Revolution**) *association patriotique composée des descendantes des combattants de la Révolution américaine*

Darby and Joan /ˌdɑːbɪ ən ˈdʒəʊn/
A *n* **like ~** ≈ comme Philémon et Baucis
B *modif* **~ Club** GB club *m* du troisième âge

Dardanelles /ˌdɑːdəˈnelz/ *pr npl* **the ~** les Dardanelles *fpl*

dare /deə(r)/
A *n* défi *m*; **to do sth for a ~** faire qch pour répondre à un défi
B *modal aux* **1** (to have the courage to) oser (**do, to** do faire); **few ~ (to) speak out** peu de personnes osent s'exprimer; **nobody ~d ask** personne n'a osé demander; **the article ~s to criticize** l'article n'hésite pas à critiquer; **I'd never ~ say it to her** je n'oserais jamais le lui dire; **we wanted to watch but didn't ~** nous aurions voulu regarder mais n'avons pas osé; **they don't ~** *ou* **daren't** GB **take the risk** ils n'osent pas prendre le risque; **read on if you ~** hum continuez, si vous l'osez; **~ we follow their example?** sout aurons-nous le courage de suivre leur exemple?; **~ I say it** il faut bien le dire; **I ~ say, I daresay** GB je pense (**that** que); **2** (expressing anger, indignation) oser (**do** faire); **they wouldn't ~!** (rejecting suggestion) ils n'oseraient pas!; **he wouldn't ~ show his face here!** il n'oserait pas se pointer ici○!; **don't (you) ~ speak to me like that!** je t'interdis de me parler sur ce ton!; **don't you ~!** (warning) ne t'avise pas de faire ça!; **how ~ you suggest that** comment oses-tu insinuer que; **how ~ you!** comment tu oses!, comment osez-vous!
C *vtr* **to ~ sb to do** défier qn de faire; **I ~ you to say it to her!** chiche que tu le lui dises○!; **go on, I ~ you!** chiche que tu y vas○!
(Idiom) **who ~s wins** la fortune appartient aux audacieux Prov

daredevil /ˈdeədevl/ *n, adj* casse-cou (*mf*) *inv*

daren't = **dare not**

daresay GB ▸ **dare B 1**

daring /ˈdeərɪŋ/
A *n* audace *f*
B *adj* **1** (courageous) audacieux/-ieuse; **it was ~ of her to do it** elle a fait preuve d'audace en faisant cela; **2** (innovative) audacieux/-ieuse; **3** (shocking) [*suggestion, dress*] osé

daringly /ˈdeərɪŋlɪ/ *adv* [*suggest, adapt*] de manière audacieuse

dark /dɑːk/
A *n* **the ~** le noir, l'obscurité *f*; **in the ~** dans le noir *or* l'obscurité; **before/until ~** avant/jusqu'à la (tombée de la) nuit; **after ~** après la tombée de la nuit
B *adj* **1** (lacking in light) [*room, alley, forest, day, sky*] sombre; **it is getting** *ou* **growing ~** il commence à faire noir *or* nuit; **it's ~** il fait noir *or* nuit; **it's very ~ in here** c'est très sombre ici; **the sky went ~** le ciel s'est assombri; **the ~ side of the moon** la face cachée de la lune; **in ~est Africa** au fin fond de l'Afrique; **2** (in colour) [*colour, suit, liquid*] sombre; **~ blue/green** bleu/vert foncé *inv*; **~ grey socks** des chaussettes gris foncé; **3** (physically) [*hair, eyes*] brun; [*skin, complexion*] brun; **she's ~** elle est brune, elle a les cheveux bruns; **his hair is getting ~er** ses cheveux ont foncé; **a small ~** *ou* **~-skinned woman** une petite femme à la peau brune; **4** (gloomy) [*period, mood*] sombre; **the ~ days of the recession** les sombres jours de la récession; **to look on the ~ side** voir les choses en noir; **5** (sinister) [*secret, thought, prejudice*] noir (*before n*); [*influence, threat, warning*] sombre; **the ~ side of** le côté sinistre de [*person, regime*]; **6** (evil) [*influence, force, power*] maléfique; **7** (angry) [*look*] noir; **I got a ~ look from him** il m'a jeté un regard noir; **8** Ling **~ l** l dur
(Idioms) **to be in the ~** être dans le noir (**about** à propos de); **I was completely in the ~** j'étais dans le noir le plus complet; **to leave sb in the ~** laisser qn dans l'ignorance; **to keep sb in the ~ about sth** cacher qch à qn; **keep it ~** garde ça pour toi○; **to take a leap** *ou* **shot in the ~** (guess) deviner à tout hasard; (risk) prendre un grand risque; **to work in the ~** GB progresser à tâtons

dark: **~ age** *n* fig période *f* sombre; **Dark Ages** *n* Hist Haut Moyen-Âge *m*; **~ chocolate** *n* US chocolat *m* noir; **~-complexioned** *adj* basané; **Dark Continent**† *n* continent *m* Noir

darken /ˈdɑːkən/
A *vtr* **1** (reduce light in) obscurcir [*sky, landscape*]; assombrir [*house, room*]; **2** (in colour) foncer [*liquid, colour*], brunir [*skin, complexion*]; **3** (cloud) assombrir [*atmosphere, future*]
B *vi* **1** (lose light) [*sky, room*] s'obscurcir; **2** (in colour) [*liquid*] foncer; [*skin, hair*] brunir; **3** (show anger) [*eyes, face*] se rembrunir; **4** (become gloomy) [*atmosphere, mood, outlook*] s'assombrir
C darkened *pp adj* [*room, house*] obscur, sombre
D darkening *pres p adj* [*sky, wood*] gagné par l'obscurité; **the ~ing evenings** les soirées où la nuit tombe vite
(Idiom) **don't ever ~ my door again!** hum ne remettez plus les pieds ici!

dark-eyed /ˌdɑːkˈaɪd/ *adj* [*person*] aux yeux sombres *or* noirs; **she was pale and ~** elle était pâle et avait les yeux noirs

dark glasses *npl* lunettes *fpl* noires

dark horse *n* **1** ○GB (enigmatic person) mystère *m*; **you're a bit of a ~○!** tu es vraiment énigmatique!; **2** (in sports) outsider *m*; **3** US Pol candidat-surprise/candidate-surprise *m/f*

darkly /ˈdɑːklɪ/ *adv* **1** (grimly) [*mutter, say, hint*] sombrement; **~ humorous** d'un humour noir; **2** (in tones) **~ coloured** de couleur foncée; **3** (ominously) [*eye, watch*] d'un air sombre

darkness /ˈdɑːknɪs/ *n* **1** (blackness) obscurité *f*; **to be in/to be plunged into ~** être dans/être plongé dans l'obscurité; **as ~ fell** à la tombée de la nuit; **in/out of the ~** dans/de l'obscurité; **2** (evil) **the forces of ~** les puissances *fpl* des ténèbres

dark: **~room** /ˈdɑːkruːm, -rʊm/ *n* chambre *f* noire; **~-skinned** *adj* [*person*] à peau noire

darky○, **darkey**○ /ˈdɑːkɪ/ *n* injur noir/-e *m/f*

darling /ˈdɑːlɪŋ/
A *n* **1** (term of address) (to loved one) chéri/-e *m/f*; (to child) mon chou○; (affectedly: to acquaintance) mon cher/ma chère *m/f*; **you poor ~** (to adult) mon/ma pauvre *m/f*; (to child) mon pauvre chou○; **~ Rosie** ma Rosie chérie; **2** (kind, lovable person) amour *m*, ange *m*; **her father is a ~** son père est un amour; **the children have been little ~s** les enfants ont été des anges; **be a ~ and pour me a drink** sois un ange et sers-moi à boire; **3** (favourite) (of circle, public) coqueluche *f*; (of family, parent, teacher) chouchou/-te *m/f*
B *adj* **1** (expressing attachment) [*child, husband*] chéri; **2** (expressing approval, admiration) **a ~ little baby/kitten** un amour de bébé/chaton; **what a ~ little house!** quelle petite maison adorable!

darn /dɑːn/
A *n* reprise *f*, raccommodage *m* (**in** à)
B ○*adj* (*also* **darned**) sacré○ (*before n*)
C ○*adv* sacrément○; **~ good** super○
D ○*excl* zut○!
E *vtr* repriser, raccommoder

darnel /ˈdɑːnl/ *n* ivraie *f*, ray-grass *m*

darning /ˈdɑːnɪŋ/
A *n* (all contexts) raccommodage *m*
B *modif* [*wool, needle, egg*] à repriser; [*stitch*] de reprise

dart /dɑːt/
A *n* **1** ▸ p. 1253 Sport fléchette *f*; **(game of) ~s** partie *f* de fléchettes; **to play ~s** jouer aux fléchettes; **2** (arrow) flèche *f* (courte); fig flèche *f*; **poisoned ~** flèche empoisonnée; **3** (movement) **to make a ~ for/at sth** se précipiter vers/sur qch; **4** Sewing pince *f*
B *vi* s'élancer comme une flèche (**at** sur); **to ~ in/out/away** entrer/sortir/filer comme une flèche
C *vtr* décocher [*glance*]; darder [*tongue, rays*]

dartboard /ˈdɑːtbɔːd/ *n* cible *f*

darting /ˈdɑːtɪŋ/ *adj* [*glance, movement*] vif/vive

Darwinian /dɑːˈwɪnɪən/ *adj* darwinien/-ienne

Darwinism /ˈdɑːwɪnɪzəm/ *n* darwinisme *m*

DASD *n*: *abrév* ▸ **direct access storage device**

dash /dæʃ/
A *n* **1** (rush) course *f* folle; **it has been a mad ~ to do** on a dû se presser *or* foncer○ pour faire; **to make a ~ for it** (run off) s'enfuir; **shall we make a ~ for it?** (to shelter) on y va?; **to make a ~ for the train** courir pour attraper le train; **2** (small amount) (of liquid) goutte *f* (**of** de); (of pepper, powder) pincée *f* (**of** de); (of colour) touche *f* (**of** de); **a ~ of humour** un rien d'humour; **3** (flair) panache *m*; **to have ~** avoir du panache; **4** (punctuation mark) tiret *m*; **5** (in morse code) trait *m*; **dot dot ~** point point trait; **6** ○Aut (dashboard) tableau *m* de bord; **7** †Sport **the 100 yard ~** le 100 mètres
B †*excl* (exasperated) zut○!; **~ it all!** (indignant) après tout!
C *vtr* **1** (smash) **to ~ sb/sth against** [*sea, person*] projeter qn/qch contre [*rocks*]; **to ~ sth to the ground** lancer violemment qch par terre; **to ~ sb's brains out against sth** éclater la tête de qn contre qch; **2** fig (crush) anéantir [*hope*]; **hopes of success were ~ed when** tout espoir de succès a été anéanti lorsque
D *vi* (hurry) se précipiter, foncer○; **to ~ into** se précipiter dans; **to ~ out of** sortir en courant de; **to ~ for cover** courir se mettre à l'abri; **to ~ around** *ou* **about** courir de tous les côtés, courir un peu partout; **I must ~!** je me sauve!
(Idiom) **to cut a ~** avoir grande allure
(Phrasal verb) ■ **dash off**: ▸ **~ off** se sauver; ▸ **~ off [sth]**, **~ [sth] off** écrire [qch] en vitesse [*letter, essay*]

dashboard /ˈdæʃbɔːd/ *n* tableau *m* de bord

dashed○† /dæʃt/ *adj* sacré

dashiki /ˈdɑːʃɪkɪ/ *n* tunique *f* africaine

dashing /ˈdæʃɪŋ/ *adj* [*person*] fringant; [*outfit*] superbe

dastardly /ˈdæstədlɪ/ littér *adj* infâme

DAT /dat/ *n*: *abrév* ▸ **digital audio tape**

data /ˈdeɪtə/ *npl* gen, Comput données *fpl*

data: **~ acquisition** *n* acquisition *f* de données; **~ analysis** *n* analyse *f* de données; **~ bank** *n* banque *f* de données; **~base** *n* base *f* de données; **~base management system**, **DBMS** *n* système *m* de gestion de bases de données, SGBD *m*; **~ capture** *n* saisie *f* de données; **~ carrier** *n* support *m* d'information; **~ collection** *n* collecte *f* de données; **~ communications** *npl* transmission *f* de données; **~ corruption** *n* altération *f* de données; **~ dictionary** *n* dictionnaire *m* de données; **~ directory** *n* répertoire *m* de données; **~ disk** *n* disque *m* enregistré; **~ encryption** *n* chiffrement *m* de données; ~ **entry** *n* introduction *f* de données; ~ **file** *n* fichier *m* de données; ~ **handling** *n* manipulation *f* de données; ~ **highway** *n* autoroute *f* de l'information; ~ **input** *n* introduction *f* de données; ~ **item** *n* donnée *f* élémentaire; ~ **link** *n* liaison *f* de données; ~ **management** *n* gestion *f* de données; ~ **mining** *n* exploitation *f* de données

Datapost /ˈdeɪtəpəʊst/ *n* GB Post cf Chronopost *m*; **by** ~ par Chronopost

data preparation *n* préparation *f* des données

data processing *n* (procedure) traitement *m* des données; (career) informatique *f*; (department) service *m* informatique

data processing manager *n* chef *m* du service informatique

data processor *n* (machine) machine *f* de traitement de l'information, ordinateur *m*; (worker) informaticien/-ienne *m/f*

data: ~ **protection** *n* protection *f* de l'information; ~ **protection act** *n* Jur loi *f* sur l'informatique et les libertés; ~ **retrieval** *n* extraction *f* de données; ~ **security** *n* sécurité *f* des données; ~ **storage** *n* (process) stockage *m* des données; (medium) support *m* d'information; ~ **storage device** *n* périphérique *m* de stockage; ~ **structure** *n* structure *f* de données; ~ **transmission**, **DT** *n* transmission *f* de données; ~ **type** *n* type *m* de données; ~ **warehouse** *n* entrepôt *m* de données

date /deɪt/ ▸ **p. 1116**

A *n* **1** (day of the month) date *f*; ~ **of birth** date de naissance; ~ **of delivery/of expiry** date de livraison/d'expiration; **what ~ is your birthday?** quelle est la date de ton anniversaire?; **what ~ is it today?, what's the ~ today?** on est le combien aujourd'hui?; **today's ~ is May 2** aujourd'hui nous sommes le 2 mai; **there's no ~ on the letter** la lettre n'est pas datée; '**~ as postmark**' 'date: voir cachet de la poste'; **to fix** *ou* **set a ~** fixer une date; **let's set a ~ now** prenons date maintenant; **the ~ of the next meeting is...** la prochaine réunion est fixée au...; **the ~ for the match is June 5** le match aura lieu le 5 juin; **at a later ~** à une date ultérieure, plus tard; (in past tense) plus tard, par la suite; **at a** *ou* **some future ~** plus tard; **of recent ~** récent; **2** (year: of event) date *f*; (on coin) millésime *m*; **3** (meeting) rendez-vous *m*; **he has a ~ with Jane tonight** il sort avec Jane ce soir; **on our first ~** la première fois que nous sommes sortis ensemble; **I have a lunch ~ on Friday** je suis pris à déjeuner vendredi; **to make a ~ for Monday** prendre rendez-vous pour lundi; **4** (person one is going out with) **John is her ~ for the party** c'est John qui l'emmène à la soirée; **who's your ~ for tonight?** avec qui sors-tu ce soir?; **5** (pop concert) date *f*; **they're playing five ~s in Britain** ils font cinq dates en Grande-Bretagne; **6** (fruit) datte *f*; **7** (tree) (also ~ **palm**) (palmier-)dattier *m*

B **to date** *adv phr* à ce jour, jusqu'ici

C *vtr* **1** (mark with date) [*person*] dater [*letter, cheque*]; [*machine*] imprimer la date sur [*envelope, document*]; **a cheque/letter ~d March 21st** un cheque daté/une lettre datée du 21 mars; **a statuette ~d 1875** une statuette portant la date 1875; **2** (identify age of) dater [*skeleton, building, object*]; **scientists have ~d the skeleton at 300 BC** d'après les scientifiques le squelette date de 300 ans avant J.-C.; **3** (reveal age of) **the style of clothing ~s the film** le style vestimentaire trahit l'âge du film; **4** (go out with) sortir avec [*person*]

D *vi* **1** (originate) **to ~ from, to ~ back to** dater de, remonter à; **the church ~s from** *ou* **back to the 17th century** l'église date du XVIIe siècle; **her problems ~ from** *ou* **back to the accident** ses problèmes datent du jour *or* remontent au jour de l'accident; **these customs ~ from** *ou* **back to the Middle Ages** ces coutumes remontent à l'époque médiévale; **their friendship ~s from** *ou* **back to childhood** leur amitié remonte à l'enfance; **2** (become dated) [*clothes, style, slang*] se démoder. ▸ **out of date, up to date**

dated /ˈdeɪtɪd/ *adj* [*clothes, style*] démodé; [*idea, convention, custom*] dépassé; [*word, expression, language*] vieilli; **the book/film seems** *ou* **looks rather ~ now** le livre/film a mal vieilli; **this style is becoming ~** ce style commence à dater

dateline /ˈdeɪtlaɪn/ *n* **1** (on document, newspaper article) *lieu et date en tête d'article, de dépêche etc*; **2** Geog (also **date line**) ligne *f* de changement de date

date: ~ **palm** *n* (palmier-)dattier *m*; ~ **rape** *n* viol *m* par une personne connue de la victime

date stamp

A *n* **1** (device) timbre *m* dateur; **2** (mark) cachet *m*, tampon *m*

B **date-stamp** *vtr* dater, apposer la date sur [qch] (avec un timbre dateur) [*bill, envelope, receipt*]; (in post office) apposer le cachet de la poste sur [*envelope, letter*]

dating agency *n* club *m* de rencontres

dative /ˈdeɪtɪv/

A *n* datif *m*; **in the ~** au datif

B *adj* [*case*] datif/-ive; [*ending, noun*] au datif

daub /dɔːb/

A ○*n* péj (painting) croûte○ *f* pej

B *vtr* **to ~ sth on a wall, to ~ a wall with sth** couvrir *or* barbouiller○ un mur de qch; **she had ~ed makeup on her face, she had ~ed her face with makeup** péj elle s'était peinturlurée

daughter /ˈdɔːtə(r)/ *n* lit, fig fille *f*

daughter: ~**board** *n* Comput carte-fille *f*; ~ **cell** *n* Biol cellule *f* fille; ~ **chromatide** *n* Biol chromatide *f* fille; ~ **chromosome** *n* Biol chromosome *m* fils; ~**-in-law** *n* (*pl* **daughters-in-law**) belle-fille *f*, bru *f*; ~ **language** *n* Ling langue *f* fille

daughterly /ˈdɔːtəlɪ/ *adj* filial

daughter nucleus *n* Biol noyau-fils *m*

daunt /dɔːnt/ *vtr* décourager; **to be ~ed by sth** être découragé par qch; **not to be ~ed by sth** ne pas se laisser décourager *or* démonter par qch; **nothing ~ed, she continued on her way** elle a continué sans se laisser démonter *or* abattre

daunting /ˈdɔːntɪŋ/ *adj* [*task, prospect*] décourageant; [*person*] intimidant; **it is ~ to think/read** c'est affolant de penser/lire; **starting a new job/leaving home can be (quite) ~** c'est un pas difficile de commencer un nouveau travail/partir de chez soi; **they were faced with a ~ amount of work/range of possibilities** ils étaient découragés par tout le travail à faire/toutes les possibilités qui s'offraient à eux

dauntless /ˈdɔːntlɪs/ *adj* intrépide, hardi

dauntlessly /ˈdɔːntlɪslɪ/ *adv* avec intrépidité

davenport /ˈdævnpɔːt/ *n* **1** GB (desk) secrétaire *m*; **2** US (sofa) canapé-lit *m*

David /ˈdeɪvɪd/ *pr n* David

(Idiom) **to be like ~ and Jonathan** être comme les deux doigts de la main

davit /ˈdævɪt/ *n* Naut bossoir *m*

Davy Jones's Locker /ˌdeɪvɪ dʒəʊnzɪz ˈlɒkə(r)/ *n* fig, hum **to go to ~** boire la grande tasse†○, se noyer

Davy lamp /ˈdeɪvɪ læmp/ *n* lampe *f* Davy, lampe *f* de sûreté (*des mineurs*)

dawdle /ˈdɔːdl/ *vi* **1** (waste time) traîner, traînasser○; **he ~d over breakfast/his homework** il a traîné en prenant son petit déjeuner/en faisant ses devoirs; **2** (amble along) flâner; **he ~d along the road/around the streets** il a flâné sur la route/dans les rues; **she ~d back to the house/up the hill** elle est rentrée à la maison/a remonté la colline en flânant

dawdler /ˈdɔːdlə(r)/ *n* traînard/-e *m/f*

dawdling /ˈdɔːdlɪŋ/ *n* **no ~ on the way home!** ne traînez *ou* traînassez○ pas sur le chemin de retour!

dawn /dɔːn/

A *n* **1** lit aube *f*, aurore *f* liter; **at ~** à l'aube; **before** *ou* **by ~** avant l'aube; **at the crack of ~** lit, fig à l'aube; **~ broke** le jour se leva; **(I have to work) from ~ to** *ou* **till dusk** (je dois travailler) toute la sainte journée *or* du matin au soir; **2** fig (beginning) aube *f*; **the ~ of a new era/of a new century** l'aube d'une époque nouvelle/d'un nouveau siècle; **the ~ of socialism/Thatcherism** la naissance du socialisme/thatchérisme; **the ~ of a revolution** l'aube d'une révolution; **a new ~ in computer technology/in Europe** le début d'une nouvelle ère pour la technologie informatique/pour l'Europe; **the change in government was a false ~** le remaniement ministériel n'était porteur que de faux espoirs; **since the ~ of time** depuis la nuit des temps

B *vi* **1** (become light) [*day*] se lever; **the day ~ed sunny and warm** le jour s'annonçait chaud et ensoleillé; **the day will ~ when** fig un jour viendra où; **a new age has ~ed** une nouvelle ère a vu le jour; **hope ~ed on the horizon** l'espoir commençait à poindre; **2** (become apparent) **it ~ed on me/him etc that** je me suis/il s'est etc rendu compte que; **it suddenly ~ed on him why/how** il a compris soudain pourquoi/comment

dawn chorus *n* concert *m* matinal des oiseaux

dawning /ˈdɔːnɪŋ/

A *n* fig naissance *f* fig

B *adj* naissant

dawn raid *n* descente *f* de police très tôt le matin

day /deɪ/ ▸ **p. 1804**

A *n* **1** (24-hour period) jour *m*; **one summer's ~** un jour d'été; **what ~ is it today?** quel jour sommes-nous aujourd'hui?; **~ after ~, ~ in ~ out** jour après jour; **every ~** tous les jours; **every other ~** tous les deux jours; **from ~ to ~** d'un jour à l'autre; **from one ~ to the next** d'un jour à l'autre; **from that ~ to this** depuis ce jour-là; **any ~ now** d'un jour à l'autre; **on a ~ to ~ basis** au jour le jour; **one ~, some ~** un jour; **one fine ~** fig un beau jour; **within ~s** en quelques jours; **it's not every ~ that...** ce n'est pas tous les jours que...; **the ~ when** *ou* **that** le jour où; **it's ~s since I've seen him** ça fait des jours que je ne l'ai pas vu, je ne l'ai pas vu depuis des jours; **it's 15 years to the ~ since...** ça fait 15 ans jour pour jour que...; **to come on the wrong ~** se tromper de jour; **it had to happen today of all ~s!** il fallait que cela arrive *or* que ça tombe○ aujourd'hui!; **to this ~** aujourd'hui encore; **all ~ and every ~** sans arrêt tous les jours; **the ~ after** le lendemain; **the ~ before** la veille; **the ~ before yesterday** avant-hier; **the ~ after tomorrow** après-demain; **two ~s after/two ~s before the wedding** le surlendemain/l'avant-veille du mariage; **from that ~ onwards** dès lors; **from this ~ forth** littér désormais; **she becomes more proficient by the ~** elle devient chaque jour plus compétente

2 (until evening) journée *f*; **working/school ~** journée de travail/scolaire; **a hard/busy ~** une journée difficile/occupée; **a ~ at the seaside/shops** une journée à la mer/dans les magasins; **an enjoyable ~'s tennis/golf** une agréable journée de tennis/golf; **all ~** toute la journée; **all that ~** tout le long de cette journée; **before the ~ was out** avant la fin de la journée; **during/for the ~** pendant/pour la journée; **to be paid by the ~** être payé à la journée; **to spend the ~ doing** passer la journée à faire; **to take all ~ doing** mettre la journée à faire; **pleased with their ~'s work** contents de leur journée; **we**

d

ⓘ Date

■ *Where English has several ways of writing dates, such as* May 10, 10 May, 10th May *etc. French has only one generally accepted way:* le 10 mai, *(say* le dix mai*). However, as in English, dates in French may be written informally:* 10.5.68 *or* 31/7/65 *etc.*

■ *The general pattern in French is:*

le	*cardinal number*	*month*	*year*
le	10	mai	1901

■ *But if the date is the first of the month, use* premier*, abbreviated as* 1er*:*

May 1st 1901
= le 1er mai 1901

■ *Note that French does not use capital letters for months, or for days of the week* ▸ **p. 1452** *and* ▸ **p. 1882***; also French does not usually abbreviate the names of the months:*

Sept 10
= le 10 septembre *etc.*

■ *If the day of the week is included, put it after the* le*:*

Monday, May 1st 1901
= le lundi 1er mai 1901

Monday the 25th
= lundi 25 (*say* lundi vingt-cinq)

Saying and writing dates

what's the date?
= quel jour sommes-nous?

it's the tenth
= nous sommes le dix
or (less formally) on est le dix

it's the tenth of May
= nous sommes le dix mai
or (less formally) on est le dix mai

	Write	**Say**
May 1	le 1er mai	le premier mai
May 2	le 2 mai	le deux mai
May 11	le 11 mai	le onze mai
May 21	le 21 mai	le vingt et un mai
May 30	le 30 mai	le trente mai
May 6 1968	le 6 mai 1968	le six mai mille neuf cent soixante-huit
Monday May 6 1968	le lundi 6 mai 1968	le lundi six mai mille neuf cent soixante-huit
16.5.68 GB *or* 5.16.68 US	16.5.68	le seize cinq soixante-huit
AD 230	230 apr. J.-C.	deux cent trente après Jésus-Christ
2500 BC	2500 av. J.-C.	deux mille cinq cents ans avant Jésus-Christ*
the 16th century	le XVIe siècle†	le seizième siècle

* *(i) There are two ways of saying hundreds and thousands in dates:*

1968
= mille neuf cent soixante-huit
or dix-neuf cent soixante-huit

(ii) The spelling mil *is used in legal French, otherwise* mille *is used in dates, except when a round number of thousands is involved, in which case the words* l'an *are added:*

1900
= mille neuf cents

2000
= l'an deux mille

† *French prefers Roman numerals for centuries:*

the 16th century
= le XVIe

Saying *on*

■ *French uses only the definite article, without any word for* on*:*

it happened on 6th March
= c'est arrivé le 6 mars (*say* le six mars)

he came on the 21st
= il est arrivé le 21 (*say* le vingt et un)

see you on the 6th
= on se voit le 6 (*say* le six)

on the 2nd of every month
= le 2 de chaque mois (*say* le deux ...)

he'll be here on the 3rd
= il sera là le 3 (*say* le trois)

Saying *in*

■ *French normally uses* en *for years but prefers* l'an *for out-of-the-ordinary dates:*

in 1968
= en 1968 (*say* en mille neuf cent soixante-huit *or* en dix-neuf cent ...)

in 1896
= en 1896 (*say* en mille huit cent quatre-vingt-seize *or* en dix-huit cent ...)

in the year 2000
= en l'an deux mille

in AD 27
= en l'an 27 (*say* l'an vingt-sept) de notre ère

in 132 BC
= en l'an 132 (*say* l'an cent trente-deux) avant Jésus-Christ

■ *With names of months,* in *is translated by* en *or* au mois de*:*

in May 1970
= en mai mille neuf cent soixante-dix
or au mois de mai mille neuf cent soixante-dix

■ *With centuries, French uses* au*:*

in the seventeenth century
= au dix-septième siècle

■ *The word* siècle *is often omitted in colloquial French:*

in the eighteenth century
= au dix-huitième siècle
or (less formally) au dix-huitième

■ *Note also:*

in the early 12th century
= au début du XIIe siècle (*say* du douzième siècle)

in the late 14th century
= à *or* vers la fin du XIVe siècle (*say* du quatorzième siècle)

Phrases

■ *Remember that the date in French always has the definite article, so, in combined forms,* au *and* du *are required:*

from the 10th onwards
= à partir du 10 (*say* du dix)

stay until the 14th
= reste jusqu'au 14 (*say* au quatorze)

from 21st to 30th May
= du 21 au 30 mai (*say* du vingt et un au trente mai)

around 16th May
= le 16 mai environ/vers le 16 mai (*say* le seize mai) *or* aux environs du seize mai (*say* du seize mai)

not until 1999
= pas avant 1999 (*say* mille neuf cent quatre-vingt-dix-neuf)

Shakespeare (1564–1616)
= Shakespeare (1564–1616) (*say* Shakespeare, quinze cent soixante-quatre – seize cent seize)

Shakespeare b. 1564 d.1616
= Shakespeare, né en 1564, mort en 1616 (*say* Shakespeare, né en quinze cent soixante-quatre, mort en seize cent seize).

■ *Note that French has no abbreviations for* né *and* mort*.*

in May '45
= en mai 45 (*say* en mai quarante-cinq)

in the 1980s
= dans les années 80 (*say* dans les années quatre-vingts)

in the early sixties
= au début des années 60 (*say* des années soixante)

in the late seventies
= à la fin des années 70 (*say* des années soixante-dix)

the riots of '68
= les émeutes de 68 (*say* de soixante-huit)

the 14–18 war
= la guerre de 14
or de 14–18 (*say* de quatorze *or* de quatorze-dix-huit)

the 1912 uprising
= le soulèvement de 1912 (*say* de mille neuf cent douze)

haven't got all ~! nous n'avons pas la journée devant nous!; **it was a hot ~!** il faisait chaud; **have a nice ~!** bonne journée!; **what a ~!** quelle journée!
3 (as opposed to night) jour *m*; **it's almost ~** il fait presque jour; **the ~s are getting longer/shorter** les jours s'allongent/raccourcissent; **to be on** *ou* **to work ~s** être *ou* travailler de jour; **we rested by ~** nous nous reposions de jour; **at close of ~** littér à la tombée du jour
4 (specific) jour *m*; **Independence/Ascension Day** jour de l'Indépendance/de l'Ascension; **Tuesday is my shopping ~** le mardi est mon jour de courses; **decision ~ for the government** le jour décisif pour le gouvernement; **the ~ of judgment** le jour du jugement dernier; **to her dying ~** jusqu'à son dernier jour; **I might forget my lines on the ~** j'oublierai peut-être mon texte, le jour venu; **it's not your ~ is it?** décidément c'est ton jour! iron; **I never thought I'd see the ~ when sb would do** je n'aurais jamais cru qu'il me serait donné de voir un jour quelqu'un faire
5 (as historical period) (*gén pl*) époque *f*; **the ~s of rationing** l'époque du rationnement; **in those ~s** à cette époque; **of his ~** de son époque; **in his/their ~** (at that time) à son/leur époque; (at height of success, vitality) à son/leur heure; **in her younger ~s** dans sa jeunesse; **his early ~s as...** ses débuts en tant que...; **his fighting/dancing ~s** sa carrière de boxeur/de danseur; **these ~s** ces temps-ci; **to date from the ~s before sth** dater d'avant qch
B *modif* [*job, nurse*] de jour

(Idioms) **in ~s gone by** autrefois; **it's all in a ~'s work** c'est du quotidien; **not to give sb the time of ~** ne pas se donner la peine de saluer qn; **to pass the time of ~ with sb** échanger quelques mots avec qn; **it's one of those ~s!** il y a des jours comme ça!; **those were the ~s** c'était le bon temps; **to be a bit late in the ~** être un peu tard; **that'll be the ~!** je voudrais voir ça!; **to call it a ~** s'arrêter là; **to carry** *ou* **win/to lose the ~** avoir le dessus/dessous; **to have an off ~** ne pas être soi-même; **to have had its ~** avoir fait son temps; **to have seen better ~s** avoir connu des jours meilleurs; **he's 50 if he's a ~** il a 50 ans bien tassés○!; **to make a ~ of it** profiter de la journée; **to save the ~** sauver la situation; **to see the light of ~** apparaître au grand jour; **to take one ~ at a time** prendre les choses comme elles se présentent; **your ~ will come** ton heure arrivera. ▸ **week**

day: **~bed** *n* Med (in hospital) lit *m* de jour; **~book** *n* Comm livre *m* de caisse; **~boy** *n* GB Sch externe *m*; **~break** *n* aube *f*

day-care /ˌdeɪˈkeə(r)/

A *n* Soc Admin **1)** (for infirm) (in centre) assistance *f* (sociale) de jour; (in own home) aide *f* familiale; **2)** (for young children) service *m* de garderie

B *adj* [*services*] d'assistance sociale

day centre GB, **day center** US *n* centre *m* d'accueil

daydream /ˈdeɪdriːm/

A *n* rêves *mpl*; **she was lost in a ~** elle était perdue dans ses rêves

B *vi* rêver (**about** de; **about doing** de faire); péj rêvasser

day: **~dreamer** *n* rêveur/-euse *m/f*; **~girl** *n* Sch externe *f*; **~ labourer** GB, **~ laborer** US *n* journalier *m*

daylight /ˈdeɪlaɪt/

A *n* **1)** (light) jour *m*, lumière *f* du jour; **it was still ~** il faisait encore jour; **we have two hours of ~ left** on a encore deux heures avant la tombée de la nuit; **in (the) ~** (by day) de jour; (in natural light) à la lumière du jour; **2)** (dawn) lever *m* du jour, point *m* du jour; **they left before ~** ils sont partis avant le lever du jour

B *modif* [*attack, bombing, raid*] de jour; **during ~ hours** pendant qu'il fait jour

(Idioms) **to see ~** (understand) y voir clair; (finish) voir le bout du tunnel; **to beat** *ou* **knock the living ~s out of sb**○ tabasser○ qn; **I'll beat** *ou* **knock the living ~s out of you**○**!** je vais te flanquer une (bonne) raclée○!

daylight robbery○ *n* **it's ~!** c'est de l'arnaque○!, c'est du vol manifeste!

daylight saving time, DST *n* heure *f* d'été

day: **~ nursery** *n* garderie *f*; **~ pass** *n* (in skiing) forfait *m* pour la journée; **~ patient** *n* patient/-e *m/f* ambulatoire

day release

A *n* **on ~** en formation

B **day-release** *modif* **day-release course** stage *m* de formation en alternance

day: **~ return (ticket)** *n* GB Rail aller-retour *m* valable une journée; **~room** *n* foyer *m*; **~ school** *n* externat *m*

day shift *n* **1)** (time period) service *m* de jour; **to be on ~** être de jour; **2)** (team) équipe *f* de jour

day surgery *n* chirurgie *f* ambulatoire

daytime /ˈdeɪtaɪm/

A *n* journée *f*; **during** *ou* **in the ~** pendant la journée

B *modif* [*hours, supervision, activity*] de jour

day-to-day /ˌdeɪtəˈdeɪ/ *adj* quotidien/-ienne; **on a ~ basis** au jour le jour

day: **~-trip** *n* excursion *f* pour la journée; **~-tripper** *n* excursionniste *mf*; **~wear** *n* tenues *fpl* de ville

daze /deɪz/

A *n* **in a ~** (from blow) étourdi; (from drug) hébété; (from news) ahuri; **I am in a complete ~ this morning** je suis dans le brouillard ce matin; **to be going around in a ~** (after bad news) avoir l'air un peu secoué; (after good news) avoir l'air aux anges

B *vtr* **to be ~d by** être étourdi par [*fall*]; être ahuri *or* abasourdi par [*news*]

dazed /deɪzd/ *adj* (by blow) hébété; (by news) ahuri; **he looks a bit ~** il a l'air tout étourdi

dazzle /ˈdæzl/

A *n* (of sth shiny) éclat *m*; (of sunlight, torch) lumière *f* aveuglante

B *vtr* [*sun, torch*] éblouir, aveugler; [*skill, beauty, wealth*] éblouir; **my eyes were** *ou* **I was ~d by the sun** j'étais ébloui *or* aveuglé par la lumière du soleil; **to ~ sb with** fig éblouir qn par

dazzling /ˈdæzlɪŋ/ *adj* [*beauty, achievement, performance*] éblouissant; [*sun, light*] aveuglant, éblouissant

dazzlingly /ˈdæzlɪŋlɪ/ *adv* **~ beautiful/white** d'une beauté/blancheur éblouissante; **a ~ successful career** une carrière éblouissante

dB (*abrév écrite* = **decibel**) dB

DBMS *n* Comput *abrév* ▸ **database management system**

DBS *n* TV *abrév* ▸ **direct broadcasting by satellite**

DC **1)** Elec *abrév* ▸ **direct current**; **2)** Geog *abrév* ▸ **District of Columbia**; **3)** Mus (*abrév écrite* = **da capo**) DC

dd Comm **1)** *abrév écrite* ▸ **direct debit**; **2)** *abrév écrite* ▸ **demand deposit**

DD *n* Univ *abrév* ▸ **Doctor of Divinity**

D-day /ˈdiː deɪ/ *n* **1)** (important day) jour *m* J; **2)** Mil Hist le 6 juin 1944 (*jour du débarquement des Alliés en Normandie*)

DDP *n*: *abrév* ▸ **distributed data processing**

DDT *n* Chem DDT *m*

DE US Post *abrév écrite* = **Delaware**

DEA *n* US (*abrév* = **Drug Enforcement Agency**) *organisme de répression du trafic de drogue* ≈ Brigade des stupéfiants

deacon /ˈdiːkən/ *n* diacre *m*

deaconess /ˌdiːkəˈnes, ˈdiːkənɪs/ *n* (female deacon) femme *f* diacre; (in early church) diaconesse *f*

dead /ded/

A *n* **1)** **the ~** (+ *v pl*) (people) les morts *mpl*; **a monument to the ~** un monument aux morts

2) (death) **to rise/be raised from the ~** ressusciter/être ressuscité d'entre les morts

3) fig (depths) **at ~ of night, in the ~ of night** en pleine nuit, au cœur de la nuit; **in the ~ of winter** en plein hiver, au cœur de l'hiver

B *adj* **1)** (no longer living) [*person*] mort, décédé; [*animal, tree, flower, leaf, skin*] mort; **the ~ man/woman** le mort/la morte; **a ~ body** un cadavre; **to drop (down) ~** tomber raide mort; **to play ~** faire le mort/la morte; **drop ~**○**!** va te faire voir○!; **to shoot sb ~** abattre qn; **~ and buried** lit, fig mort et enterré; **they're all ~ and gone now** ils nous ont tous quittés maintenant; **more ~ than alive** plus mort que vif; **'wanted, ~ or alive'** 'recherché, mort ou vif'; **to leave sb for ~** laisser qn pour mort; **to give sb up for ~** tenir qn pour mort; **I'm absolutely ~**○ **after that walk!** (exhausted) je suis absolument mort○ après cette marche!

2) (extinct) [*language*] mort; [*custom, law*] désuet/-ète, tombé en désuétude; [*issue, debate*] dépassé; [*cigarette*] éteint; [*fire*] éteint, mort; [*match*] usagé; **are these glasses ~?** GB avez-vous fini avec ces verres?

3) (dull, not lively) [*place*] mort; [*audience*] apathique; **the ~ season** la morte-saison

4) (not functioning, idle) [*battery*] à plat; [*bank account*] dormant; [*capital, money*] improductif/-ive, inactif/-ive; [*file*] qu'on ne consulte plus; **the phone went ~** tout d'un coup il n'y avait plus de tonalité (sur la ligne)

5) (impervious) **to be ~ to sth** être insensible à qch

6) (numb) [*limb*] engourdi; **my arm has gone ~** mon bras s'est engourdi

7) (absolute) **a ~ calm** un calme plat; **~ silence** silence de mort; **to be a ~ shot**○ être un tireur d'élite; **to come to a ~ stop** s'arrêter net; **she hit the target in the ~ centre** elle a atteint la cible en plein milieu

C *adv* surtout GB (absolutely, completely) absolument; **are you ~ certain?** est-ce que tu es absolument sûr?, est-ce que tu es sûr et certain?; **he was staring ~ ahead** il regardait droit devant lui; **sail ~ ahead** navigue droit devant; **~ in the middle of the street** en plein milieu de la rue; **to be ~ level** être parfaitement plat; **to be ~ on time** être pile○ à l'heure; **I left (at) ~ on six o'clock** je suis parti à six heures pile○ *or* sonnantes; **it's ~ easy**○**!** c'est simple comme bonjour○!; **his shot was ~ on target** son coup était en plein dans le mille; **they were ~ lucky**○ **not to get caught!** ils ont eu du pot○ de ne pas se faire prendre!; **~ drunk**○ ivre mort; **~ tired**○ crevé○, claqué○; **I was ~ scared**○**!** j'avais une trouille bleue○!; **you're ~ right**○**!** tu as parfaitement raison!; **~ good!** génial○!; **'~ slow'** Aut 'roulez au pas'; **to drive ~ slow** rouler au pas; **~ straight** absolument *or* tout à fait droit; **to be ~ against** être totalement opposé à [*idea, plan*]; **to be ~ set on doing** être tout à fait décidé à faire; **he's ~ on**○ **for that job** US il est sûr de décrocher ce poste; **you're ~ on**○**!** US tu as tout à fait raison!; **to stop ~** s'arrêter net; **to cut sb ~** snober qn

(Idioms) **to be ~ to the world** dormir comme une souche, être dans les bras de Morphée liter; **I wouldn't be seen ~ wearing that hat!** je ne porterais ce chapeau pour rien au monde!; **I wouldn't be seen ~ in a place like that!** pour rien au monde je ne voudrais être vu dans un endroit pareil!; **the affair is ~ but it won't lie down** l'affaire est loin d'être enterrée; **~ men tell no tales** Prov les morts ne parlent pas; **the only good traitor is a ~ traitor** un bon traître est un traître mort; **you do that and you're ~ meat**○**!** US tu fais ça et je te tue!

dead: **~ air** *n* ¢ Radio, TV blancs *mpl*; **~-and-alive** *adj* GB péj [*place*] mort; **~ ball** *n* ballon *m* sorti; **~-ball line** *n* (in rugby) ligne *f* du ballon mort; **~beat**○ *n* fainéant/-e *m/f*; **~-beat**○ *adj* éreinté, claqué○; **~bolt** *n* verrou *m* à bouton; **~ centre** *n* Tech point *m* mort

dead duck○ *n* GB **to be a ~** [*scheme, proposal, person*] être fichu○

deaden /ˈdedn/ *vtr* calmer, endormir [*pain*]; amortir [*blow, shock*]; assourdir [*sound*]; émousser [*enthusiasm, passion*]; [*anaesthetic*] endormir [*nerve*]

dead end /ˌdedˈend/

A *n* lit, fig impasse *f*; **to come to a ~** aboutir à une impasse

B **dead-end** /ˈdedend/ *adj* [*job etc*] sans perspectives

deadening /ˈdednɪŋ/

A *n* (of blow) amortissement *m*; (of sound) assourdissement *m*

B *adj* Med [*effect*] anesthésiant; **the ~ effect of television on the imagination** l'effet abrutissant de la télévision sur l'imagination

dead hand *n* péj **the ~ of bureaucracy/of the past** le poids de la bureaucratie/du passé

deadhead /ˈdedhed/

A *n* **1)** GB péj (stupid person) nullité *f*; **2)** US (hippy) hippie *mf*; **3)** US (person with free ticket) personne *f* munie d'un billet gratuit; **4)** US Transp (truck) camion *m* roulant à vide; (train) train *m* roulant à vide

B *vtr* enlever les fleurs fanées de [*plant*]

d

dead heat *n* (in athletics) arrivée *f* ex-aequo; (in horseracing) dead-heat *m inv*; **it was a ~** ils ont fini ex-aequo

dead letter *n* Post lettre *f* au rebut; **to become a ~** fig [*law, custom, rule etc*] tomber en désuétude, devenir lettre morte

dead: **~ letter box**, **~ letter drop** *n* boîte *f* aux lettres; **~-letter office** *n* Post bureau *m* des rebuts

deadline /ˈdedlaɪn/ *n* date *f or* heure *f* limite, délai *m*; **to meet a ~** respecter un délai; **to miss a ~** dépasser la date *or* l'heure limite, dépasser les délais; **I have a 10 o'clock ~ for this article** je dois avoir fini cet article pour dix heures; **applicants must be able to meet ~s** les candidats doivent être capables de travailler dans des délais très courts; **they have to work to very tight ~s** ils doivent travailler dans des délais très serrés; **the ~ for applications is the 15th** les candidatures doivent être déposées avant le 15

deadliness /ˈdedlɪnɪs/ *n* (of poison, disease, blow) caractère *m* mortel; (of weapon) caractère *m* meurtrier

deadlock /ˈdedlɒk/
A *n* **1** (impasse) impasse *f*; **to reach (a) ~** aboutir à une impasse; **to be at (a) ~** être dans une impasse; **to break the ~ between management and unions** sortir la direction et les syndicats de l'impasse; **2** (lock) verrou *m* haute sécurité
B **deadlocked** *pp adj* [*negotiations, situation*] dans l'impasse

dead loss *n* **1** °pej (person) zéro° *m*, bon à rien *m*; **the film was a ~** le film ne valait rien, le film était nul°; **these scissors are a ~!** ces ciseaux ne valent rien!; **2** Comm perte *f* sèche

deadly /ˈdedlɪ/
A *adj* **1** (lethal) [*poison, disease, attack*] mortel/-elle; [*weapon*] meurtrier/-ière; fig [*enemy*] mortel/-elle; [*hatred*] meurtrier/-ière; [*rivalry*] acharné; [*insult*] dévastateur/-trice; **his aim is ~** [*gunman*] il tire avec une précision mortelle; [*sports player*] ses coups sont extrêmement précis; **the cold was ~** il faisait terriblement froid; **2** (absolute, extreme) **in ~ earnest** avec le plus grand sérieux; **with ~ accuracy** avec la plus grande précision; **3** °(dull, boring) [*person, event*] mortel/-elle°, rasant°; **4** (deathlike) [*pallor, silence*] de mort
B *adv* [*dull, boring*] mortellement, terriblement; **~ pale** pâle comme la mort; **to be ~ serious** être des plus sérieux

deadly nightshade *n* belladone *f*

deadly sin *n* péché *m* capital; **the seven ~s** les sept péchés capitaux

dead: **~ man's fingers** *n* (+ *v sg*) (coral) alcyon *m*; **~ man's handle** *n* Tech poignée *f* de sécurité; Rail manette *f*; **~ matter** *n* matière *f* inanimée *or* inerte; **~ men**° *npl* GB (empty bottles) bouteilles *fpl* vides, cadavres° *mpl*

deadness /ˈdednɪs/ *n* (of place) tristesse *f*, caractère *m* morne; (of expression, eyes) tristesse *f*

dead: **~nettle** *n* ortie *f* blanche; **~ on arrival**, **DOA** *adj* Med mort avant d'arriver à l'hôpital

deadpan /ˈdedpæn/
A *adj* [*humour*] pince-sans-rire *inv*; [*expression, face*] de marbre
B *adv* d'un air pince-sans-rire

dead reckoning *n* Naut estime *f*; **by ~** à l'estime

dead ringer° *n* **to be a ~ for sb** être le sosie de qn

dead: **Dead Sea** *pr n* mer *f* Morte; **Dead Sea Scrolls** *npl* manuscrits *mpl* de la mer Morte

dead set *n* GB **to make a ~ at sb** chercher à mettre le grappin sur qn°; **to make a ~ at sth** s'acharner comme un fou pour obtenir qch

dead stock *n* ¢ **1** Comm invendus *mpl*; **2** Agric bâtiments *mpl* et matériel *m*

dead weight *n* **1** gen lit poids *m* mort; fig (burden) poids *m*; **2** Naut charge *f* en lourd; **3** US fig (unproductive staff) personnel *m* inutile

dead wood *n* lit bois *m* mort; GB fig personnel *m* inutile

deaf /def/
A *n* **the ~** (+ *v pl*) les sourds *mpl*, les malentendants *mpl* voir note
B *adj* **1** [*person, animal*] sourd voir note; **to go ~** devenir sourd; **to be ~ in one ear** être sourd d'une oreille; **that's his ~ ear** il n'entend pas de cette oreille, il est sourd de cette oreille; **2** fig **to be ~ to** être sourd à; **to turn a ~ ear to** faire la sourde oreille à, rester sourd à; **to fall on ~ ears** [*request, advice*] ne pas trouver d'écho

(Idioms) **to be as ~ as a post**° être sourd comme un pot°; **there are none so ~ as those who will not hear** Prov il n'est pire sourd que celui qui ne veut pas entendre Prov.

> ⚠ Ce mot peut être perçu comme injurieux dans cette acception. Lui préférer *hearing-impaired*

deaf: **~ aid** *n* GB prothèse *f* auditive, appareil *m* de correction auditive; **~-and-dumb** *n, adj* injur = **deaf without speech**

deafen /ˈdefn/ *vtr* assourdir, rendre [*qn*] sourd

deafening /ˈdefnɪŋ/ *adj* assourdissant

deafeningly /ˈdefnɪŋlɪ/ *adv* **~ loud** assourdissant

deaf-mute /ˌdefˈmjuːt/ *n, adj* sourd-muet/sourde-muette (*m/f*)

deafness /ˈdefnɪs/ *n* surdité *f*

deaf without speech
A *n* (+ *v pl*) **the ~** les sourds-muets *mpl*
B *adj* sourd-muet/sourde-muette

deal /diːl/
A *n* **1** (agreement) gen accord *m*; (in commerce, finance) affaire *f*; (with friend, criminal) marché *m*; **the pay/OPEC ~** l'accord salarial/de l'OPEC; **to make** *ou* **strike a ~ with sb** gen passer un accord avec qn; (in business) conclure une affaire avec qn; **to do a ~ with** faire un marché avec [*friend, kidnapper, criminal*]; négocier une affaire avec [*client, company*]; **to do a ~** (in business) conclure une affaire; (with friend, colleague) s'arranger; (with criminal) faire un marché; **to pull off a ~** mener à bien une affaire; **it's a ~!** marché conclu!; **the ~'s off** le marché est rompu; **it's no ~!** pas question!; **a good ~** une bonne affaire; **to get the best of a ~** se tirer au mieux d'une affaire; **it's all part of the ~** (part of the arrangement) ça fait partie du marché; (part of the price, package) c'est inclus dans le reste; **to be in on the ~** être dans le coup°
2 (sale) vente *f*; **cash/credit ~** vente au comptant/à crédit; **property/arms ~** vente immobilière/d'armes
3 (special offer, bargain) **for the best ~(s) in** *ou* **on electrical goods come to Electrotech** pour les meilleurs prix *or* les prix les plus bas en électroménager venez à Electrotech; **I got a good ~ on a used Fiat** j'ai fait une bonne affaire en achetant une Fiat d'occasion
4 (amount) **a great** *ou* **good ~** beaucoup (**of** de); **he's a good ~ older than me** il est beaucoup plus âgé que moi; **they have a great ~ in common** ils ont beaucoup de choses en commun; **she travels a great ~** elle voyage beaucoup; **she means a great ~ to me** je l'aime beaucoup; **this job means a great ~ to me** ce travail est très important pour moi
5 (treatment) **to get a good/bad ~** (**from sb**) être bien/mal traité (par qn); **to give sb a fair ~** agir loyalement envers qn; **he got a raw** *ou* **rotten ~** il n'a vraiment pas eu de chance
6 Games (in cards) donne *f*; **it's my ~** c'est à moi de donner
7 (timber) bois *m* blanc
B *vtr* (*prét, pp* **dealt**) **1** gen **to ~ a blow to sb/sth** *ou* **to ~ sb/sth a blow** lit, fig porter un coup à qn/qch (**with** avec)
2 Games (*also* **~ out**) distribuer [*cards*]; donner [*hand*]
C *vi* (*prét, pp* **dealt**) Comm, Fin (carry on business) [*person, firm*] être en activité; (operate on stock exchange) faire des opérations boursières; **to ~ in** être dans le commerce de [*commodity, product, shares*]; **we ~ in software** nous sommes dans le commerce des logiciels; **we don't ~ in blackmail** fig le chantage n'est pas notre affaire

(Idioms) **big ~**°**!** iron la belle affaire! iron; **it's no big ~**° (modestly) il n'y a pas de quoi en faire un plat°; **if I lose it's no big ~**° si je perds ce n'est pas dramatique; **to make a big ~ out of sth** faire tout un plat° de qch

(Phrasal verbs) ■ **deal out**: ▸ **~ out [sth]**, **~ [sth] out** **1** (distribute) distribuer [*money, profit, cards*]; **2** (mete out) administrer [*punishment, fine*]
■ **deal with**: ▸ **~ with [sth]** **1** (sort out) s'occuper de [*complaint, emergency, matter, request, situation, work*]; faire face à [*social problem*]; **leave it to James, he'll ~ with it** laisse ça à James, il s'en occupera; **new measures to ~ with vandalism** de nouvelles mesures pour faire face au vandalisme; **2** (consider, discuss) traiter de [*topic, question, issue*]; ▸ **~ with [sb]** **1** (attend to, handle) s'occuper de [*client, customer, patient, public, troublemaker*]; **she's a difficult person to ~ with** elle est difficile (à vivre), elle n'est pas commode; **he did not ~ fairly with us** il n'a pas été correct avec nous; **2** (do business with) traiter avec [*person, company, terrorist organization*]; [*supplier*] vendre à [*public*]; [*customer*] se fournir chez [*stockist*]

dealer /ˈdiːlə(r)/ ▸ **p. 1683** *n* **1** Comm marchand/-e *m/f*; (on a large scale) négociant/-e *m/f*; (for a specific make of car, product) concessionnaire *m*; **art/carpet ~** marchand/-e *m/f* de tableaux/tapis; **authorized ~**, **licensed ~** revendeur *m* agréé; **second-hand car ~** marchand/-e *m/f* de voitures d'occasion; **2** (trafficker) gen trafiquant/-e *m/f*; **arms ~** trafiquant/-e d'armes; **3** (on stock exchange) opérateur/-trice *m/f*; **4** Games donneur/-euse *m/f*; **5** (drug pusher) revendeur/-euse *m/f* de drogue, dealer° *m*

dealership /ˈdiːləʃɪp/ *n* Comm concession *f* (**for** de)

dealing /ˈdiːlɪŋ/
A *n* **1** Comm vente *f*; (on stock exchange) opération *f*; **foreign exchange ~** les opérations de change; **~ resumed this morning** les transactions ont repris ce matin; **~ is slow on the London Stock Exchange** la Bourse de Londres est calme; **there's heavy ~ in oil shares** les actions pétrolières sont très actives; **share ~** transactions *fpl* boursières; **the company has a reputation for fair ~** la compagnie a la réputation d'être honnête en affaires; **~ in luxury goods is profitable** le commerce de luxe est rentable; **2** Games donne *f*; **3** (trafficking) trafic *m*; **arms/drugs ~** le trafic d'armes/de drogue
B **dealings** *npl* gen relations *fpl* (**with** avec); Comm relations *fpl* commerciales (**with** avec); **to have ~s with sb** traiter avec qn; **we've had business ~s with him for five years** nous traitons avec lui depuis cinq ans; **I don't want any further ~s with her** je ne veux plus rien avoir à faire avec elle
C *modif* [*cost, firm, service*] commercial

dealing room *n* Fin salle *f* des opérations

dealmaker /ˈdiːlmeɪkə(r)/ *n* opérateur/-trice *m/f*

dealt /delt/ *prét, pp* ▸ **deal**

dean /diːn/ *n* Univ, Relig doyen *m*

deanery /ˈdiːnərɪ/ *n* Relig (residence) doyenné *m*, presbytère *m*; (jurisdiction) doyenné *m*; (duties) décanat *m*

deanship /ˈdiːnʃɪp/ *n* 1 Univ poste *m* de doyen; 2 Relig décanat *m*

dear /dɪə(r)/
A *n* (term of address) (affectionate) mon chéri/ma chérie *m/f*; (more formal, old-fashioned) mon cher/ma chère *m/f*; **Anne ~,...** (affectionate) Anne chérie...; (less close) ma chère Anne...; **that's 50 pence, ~**○ c'est 50 pence ma petite dame○; **you poor ~** (to child) mon pauvre chou○; (to adult) mon/ma pauvre; **all the old ~s**○ toutes les petites vieilles○; **our uncle is a ~** notre oncle est adorable; **be a ~ and answer the phone** sois gentil *or* (more affectionate) sois un amour, réponds au téléphone
B *adj* 1 (expressing attachment) [*friend, mother*] cher/chère; **my ~** *ou* **~est girl/Anne** (patronizing) ma fille/ma chère Anne; **my ~ fellow** (insisting) cher ami; **she's a very ~ friend of mine** c'est une très bonne amie à moi; **he's my ~est friend** c'est mon meilleur ami; **~ old Richard** ce bon vieux Richard; **to hold sb/sth very ~** être très attaché à *or* chérir qn/qch; **their niece/freedom is very ~ to them** leur nièce/la liberté leur est très chère; **the project is ~ to his heart** le projet lui tient vraiment à cœur; **her ~est wish is to do** son vœu le plus cher est de faire; 2 (expressing admiration) [*dress, house*] mignon/-onne; [*puppy*] adorable; **a ~ old lady** une vieille dame adorable; **she's a ~ child** (in appearance) elle est mignonne; (in behaviour) c'est un amour d'enfant; 3 (in letter) cher/chère; **Dear Sir/Madam** Monsieur/Madame; **Dear Sirs** Messieurs; **Dear Mr Jones** Cher Monsieur; **Dear Mr and Mrs Jones** Cher Monsieur, Chère Madame; **Dear Anne** Chère Anne; **Dear Anne and Paul** Chère Anne, cher Paul *or* Chers Anne et Paul; **My ~ Catherine** Ma chère Catherine; **Dearest Robert** Mon très cher Robert; 4 (expensive) [*article, shop, workman*] cher/chère; **to get ~er** augmenter
C *adv* lit, fig [*buy, cost*] cher
D *excl* **oh ~!** (dismay, surprise) oh mon Dieu!; (less serious) aïe!, oh là là!; **~ me** *ou* **~ ~, what a mess!** oh là là, quel désordre!; **~ me, no!** certainement pas!

dear heart *n* mon chéri/ma chérie *m/f*

dearie○ /ˈdɪərɪ/
A *n* (term of address) (to friend) mon chéri/ma chérie *m/f*; (to customer) ma petite dame○
B *excl* **~ me!** *or* hum oh là là!

Dear John letter *n* lettre *f* de rupture

dearly /ˈdɪəlɪ/ *adv* 1 (very much) **to love sb ~** aimer tendrement qn; **to love sth ~** être très attaché à qch; **they would ~ love to see you** ils seraient ravis de te voir; **I would ~ love to know** je payerais cher pour savoir; **our ~ beloved son** fml notre fils bien-aimé; **'~ beloved,...'** Relig 'mes bien chers frères,...'; 2 fig [*pay, buy*] chèrement; **~ bought** chèrement payé
(Idiom) **to sell one's life ~** vendre chèrement sa vie

dearth /dɜːθ/ *n* (of books, young people, ideas) manque *m*, pénurie *f* (**of** de); **there is a ~ of funds** ce sont les fonds qui manquent

deary○ *n, excl* = **dearie**

death /deθ/ *n* (of person) mort *f*, décès *m*; (of animal) mort *f*; fig (of hopes, plans, dreams, civilization, democracy) anéantissement *m*; **at (the time of) his ~** à sa mort; **a ~ in the family** un décès dans la famille; **~ by hanging/drowning** mort par pendaison/noyade; **to starve/freeze to ~** mourir de faim/de froid; **to burn to ~** mourir carbonisé; **to put sb to ~** exécuter qn; **to sentence sb to ~** Jur condamner qn à mort; **~ to the king!** mort au roi!; **a fight to the ~** un combat à mort; **they fought to the ~** ils se sont battus à mort; **to drink oneself to ~** se tuer en buvant; **to work oneself to ~** se tuer au travail *or* à la tâche; **she's working herself to ~!** elle se tue au travail!; **she fell to her ~** elle s'est tuée en tombant; **she jumped to her ~** elle s'est tuée en sautant dans le vide; **he met his ~ in a skiing accident** il a trouvé la mort dans un accident de ski; **to come close to ~** friser la mort; **he remains a controversial figure in ~ as in life** il reste un personnage controversé aussi bien mort que vivant; **to die a violent ~** mourir de mort violente; **to do sb to ~** assassiner qn; **that excuse/joke has been done to ~** fig cette excuse/blague est éculée *or* est vieille comme le monde; **that play has been done to ~** cette pièce a été jouée tant de fois qu'on finit par s'en lasser; **they were united in ~** ils ont été unis dans la mort; **till ~ do us part** jusqu'à ce que la mort nous sépare; **'Deaths'** Journ 'Rubrique Nécrologique'; **a fall would mean** *ou* **spell ~** une chute serait fatale; **this means** *ou* **spells the ~ of the old industries** cela va être la mort des vieilles industries
(Idioms) **to die a** *ou* **the ~** [*fashion*] disparaître complètement; [*entertainer, play*] faire un bide○; **he died the ~** il aurait voulu rentrer sous terre; **those children will be the ~ of me!** ces enfants me tueront!; **that thesis/car will be the ~ of her!** cette thèse/voiture la tuera!; **don't tell him, it will be the ~ of him** ne le lui dis pas, ça l'achèvera; **it's a matter of life or ~** c'est une question de vie ou de mort; **to look like ~ warmed up** avoir l'air d'un cadavre ambulant; **I feel like ~ (warmed up)!** je ne me sens pas bien du tout!; **to be at ~'s door** être à (l'article de) la mort; **to be worried to ~**○ se ronger les sangs (**about** au sujet de) ; **to be frightened to ~**○ être mort de peur; **to frighten** *ou* **scare sb to ~** faire une peur bleue à qn○; **to be bored to ~**○ s'ennuyer à mourir; **I'm sick** *ou* **tired to ~**○ **of this!** j'en ai par-dessus la tête!, j'en ai ras le bol○!; **you'll catch your ~ (of cold)**○ tu vas crever○ *or* mourir de froid; ▸ **thousand**

deathbed /ˈdeθbed/
A *n* lit *m* de mort; **on one's ~** sur son lit de mort
B *modif* **to make a ~ conversion/confession** se convertir/se confesser sur son lit de mort; **~ scene** Cin, Theat scène *f* de l'agonie

death benefit *n* GB capital décès *m*

death blow *n* lit, fig coup *m* de grâce; **to deal sb/sth a ~** lit, fig donner le coup de grâce à qn/qch

death: **~ camp** *n* camp *m* de la mort; **~ cell** *n* cellule *f* de condamné à mort; **~ certificate** *n* Jur acte *m* de décès; **~ duties** *npl* droits *mpl* de succession; **~ duty** *n* GB = **death duties**; **~ grant** *n* GB allocation *f* de décès; **~house** *n* US quartier *m* des condamnés à mort

death knell /ˈdeθnel/ *n* lit, fig glas *m*; **to sound** *ou* **toll the ~ for** *ou* **of** fig sonner le glas de [*democracy, régime*]

deathless /ˈdeθlɪs/ *adj* immortel/-elle; **~ prose** iron prose *f* inoubliable

death: **~like** *adj* = **deathly A**; **~ list** *n* liste *f* noire

deathly /ˈdeθlɪ/
A *adj* [*pallor*] cadavérique; [*calm, silence*] de mort
B *adv* **~ pale** d'une pâleur cadavérique, pâle comme la mort; **the house was ~ quiet** il y avait un silence de mort dans la maison

death: **Death March** *n* Mus marche *f* funèbre; **~ mask** *n* masque *m* mortuaire *or* funéraire; **~ penalty** *n* peine *f* de mort; **~ rate** *n* taux *m* de mortalité; **~ rattle** *n* râle *m* d'agonie; **~ ray** *n* rayon *m* mortel; **~ roll** *n* liste *f* des morts

death row *n* US couloir *m* de la mort; **to be on ~** être dans le quartier des condamnés à mort

death sentence *n* lit, fig condamnation *f* à mort; **to pass a ~** prononcer une condamnation à mort

death: **~'s head** *n* tête *f* de mort; **~'s head moth** *n* Zool sphinx *m* tête-de-mort; **~ squad** *n* escadron *m* de la mort; **~ threat** *n* menaces *fpl* de mort

death throes *npl* lit, fig agonie *f*; **in one's ~** à l'agonie

death toll *n* nombre *m* de morts; **the ~ has risen to thirty** le nombre de morts est passé à trente

death trap *n* **to be a ~** être très dangereux

death warrant *n* ordre *m* d'exécution; **to sign one's own ~** fig signer son propre arrêt de mort

death watch beetle *n* vrillette *f*

death wish *n* gen, Psych pulsion *f* de mort; **to have a ~** fig [*government, organization*] courir à sa perte

deb○ /deb/ *n* = **debutante**

debacle /deɪˈbɑːkl/ *n* fiasco *m*, débâcle *f*

debag○ /ˌdiːˈbæg/ *vtr* GB déculotter

debar /dɪˈbɑː(r)/ (*p prés etc* **-rr-**) *vtr* **to ~ sb from** exclure qn de [*club, ceremony, race*]; **to be ~red from voting** ne pas avoir le droit de voter

debark /dɪˈbɑːk/ *vtr, vi* débarquer

debarkation /ˌdiːbɑːˈkeɪʃn/ *n* débarquement *m*

debase /dɪˈbeɪs/
A *vtr* 1 (lower value, quality of) dégrader [*emotion, ideal*]; abâtardir [*word*]; déprécier [*metal, currency*]; 2 (degrade) rabaisser [*person*]
B **debased** *pp adj* [*language*] appauvri; [*version*] appauvri, dégradé
C *v refl* **to ~ oneself** se rabaisser (**by doing** en faisant)

debasement /dɪˈbeɪsmənt/ *n* 1 (of person, emotion) rabaissement *m*; (of word) abâtardissement *m*; 2 (of metal, currency) dépréciation *f*

debatable /dɪˈbeɪtəbl/ *adj* discutable; **that's ~!** cela se discute!; **it is ~ whether** on peut se demander si

debate /dɪˈbeɪt/
A *n* (formal) débat *m* (**on, about** sur); (more informal) discussion *f* (**about** à propos de); **parliamentary ~** débats *mpl* parlementaires; **the abortion ~** le débat sur l'avortement; **to hold a ~** organiser un débat; **to hold a ~ on** débattre de [*issue, proposal*]; **after (a) lengthy ~** après avoir longuement discuté; **to be open to ~** être discutable; **the plan is still under ~** on discute encore du plan
B *vtr* gen, Pol (formally) débattre de [*issue, proposal, bill*]; (more informally) discuter de [*question*] (**with** avec); **I am debating whether to leave** je me demande si je dois partir; **a much ~d issue** un sujet très controversé
C *vi* **to ~ about sth** discuter de qch (**with** avec)

debater /dɪˈbeɪtə(r)/ *n* débatteur/-euse *m/f*; **she's a good ~** elle excelle dans les débats

debating /dɪˈbeɪtɪŋ/ *n* art *m* du débat

debating: **~ point** *n* argument *m*; **~ society** *n* association *f* qui organise des débats

debauch /dɪˈbɔːtʃ/
A *n* partie *f* de débauche
B *vtr* dépraver

debauched /dɪˈbɔːtʃt/ *adj* [*person*] débauché; **a ~ life** une vie de débauché

debauchery /dɪˈbɔːtʃərɪ/ *n* débauche *f*

debenture /dɪˈbentʃə(r)/ *n* 1 Fin obligation *f*; 2 Comm (*also* **customs ~**) autorisation *f* de perfectionnement actif.

debenture: **~ bond** *n* certificat *m* d'obligation; **~ holder** *n* obligataire *mf*; **~ stock** *n* obligations *fpl* non garanties

debilitate /dɪˈbɪlɪteɪt/ *vtr* 1 (physically) débiliter; 2 (morally) démoraliser

debilitating /dɪˈbɪlɪteɪtɪŋ/ *adj* 1 [*disease*] débilitant; 2 [*economic conditions, wrangling*] démoralisant

debility /dɪˈbɪlətɪ/ *n* Med débilité *f* (physique)

debit /ˈdebɪt/ Accts, Fin
A *n* débit *m*
B *modif* [*account, balance*] débiteur/-trice; **~ entries** sommes *fpl* inscrites au débit; **on the ~ side** Accts au débit; **on the ~ side...** fig l'inconvénient c'est que...
C *vtr* débiter; **to ~ a sum to sb's account, to ~ sb** *ou* **sb's account with a sum** débiter le

d

compte de qn d'une somme

debit card *n* GB ≈ carte *f* bancaire (*sans paiement différé*)

debonair /ˌdebəˈneə(r)/ *adj* [*person*] élégant et plein d'assurance; [*manner*] insouciant

debouch /dɪˈbaʊtʃ/ *vi* **1** Geog déboucher (**into** dans); **2** Mil déboucher (**into** dans, sur)

debrief /ˌdiːˈbriːf/ *vtr* interroger; **to be ~ed** [*diplomat, agent*] rendre compte (oralement) d'une mission; [*defector, freed hostage*] être interrogé

debriefing /ˌdiːˈbriːfɪŋ/ *n* **1** ¢ (of freed hostage, defector) critique *f*; **the soldiers will remain here for ~** les soldats resteront ici pour rendre compte de leur mission; **2** C (report) compte rendu *m* (oral), critique *f*

debris /ˈdeɪbriː, ˈde-, US dəˈbriː/ *n* ¢ **1** (remains) (of plane) débris *mpl*; (of building) décombres *mpl*; hum (of meal) décombres *mpl*; **2** Geol dépôts *mpl* clastiques; **3** (waste) déchets *mpl*

debt /det/
A *n* **1** Fin dette *f* (**to** envers); **bad ~s** créances *fpl* douteuses; **to cancel a ~** annuler une créance; **Third World ~** la dette du tiers monde; **to run up a ~** *ou* **~s** faire des dettes; **to get into ~** s'endetter; **to be in ~** avoir des dettes; **she is $2,000 in ~** elle a 2 000 dollars de dettes; **to be in ~ to sb** devoir de l'argent à qn; **I'm in ~ (to the bank) to the tune of £7,000** je dois 7 000 livres sterling à la banque; **to get out of ~** acquitter ses dettes; **to pay off one's ~s** rembourser ses dettes; **2** (obligation) dette *f* (**to** envers); **a ~ of honour** une dette d'honneur; **to pay one's ~ to society** payer sa dette envers la société; **to acknowledge one's ~ to sb** reconnaître qu'on doit beaucoup à qn; **I'm forever in your ~** je vous suis infiniment reconnaissant
B *modif* Fin [*collection, recovery, relief*] des créances; [*burden, interest, payment*] de la dette; [*capacity, level, ratio*] d'endettement; [*crisis*] de l'endettement

debt: **~ collector** *n* agent *m* de recouvrement; **~-laden** *adj* [*country, company*] lourdement endetté; [*person*] couvert de dettes

debtor /ˈdetə(r)/ Fin
A *n* débiteur/-trice *m/f*
B *modif* [*country, nation*] débiteur/-trice, endetté

debt-ridden /ˈdetrɪdn/ *adj* criblé de dettes

debug /ˌdiːˈbʌg/ *vtr* (*p prés etc* **-gg-**) **1** Comput déboguer; **2** Telecom enlever les micros cachés dans [*room, building*]

debugging /ˌdiːˈbʌgɪŋ/ *n* Comput débogage *m*

debunk /ˌdiːˈbʌŋk/ *vtr* démystifier [*theory, tradition*]; briser [*myth*]

debut /ˈdeɪbjuː, US dɪˈbjuː/
A *n* **1** (artistic, sporting) débuts *mpl*; **to make one's screen ~** faire ses débuts à l'écran; **to make one's ~ as** faire ses débuts comme [*musician, director, politician, player*]; [*actor, opera singer*] débuter dans le rôle de; **2** (social) entrée *f* *or* débuts *mpl* dans le monde
B *modif* [*album, concert, role*] premier/-ière (*before n*)
C *vi* [*film*] passer pour la première fois; **to ~ as** faire ses débuts comme

debutant /ˈdebjuːtɑːnt/ *n* débutant *m*

debutante /ˈdebjuːtɑːnt/ *n* débutante *f*

Dec *abrév écrite* = **December**

decade /ˈdekeɪd, dɪˈkeɪd, US dɪˈkeɪd/ *n* **1** (period) décennie *f*; **a ~ ago** il y a dix ans; **2** Relig (of rosary) dizaine *f*

decadence /ˈdekədəns/ *n* décadence *f*

decadent /ˈdekədənt/
A Decadent *n* Literat décadent/-e *m/f*
B *adj* **1** décadent; **2** *also* **Decadent** Literat décadent

decaf○ /ˈdiːkæf/ *n* déca○ *m*

decaffeinated /ˌdiːˈkæfɪneɪtɪd/ *adj* décaféiné

decal /ˈdiːkæl/ *n* surtout US décalcomanie *f*

decalcification /diːˌkælsɪfɪˈkeɪʃn/ *n* décalcification *f*

decalcify /diːˈkælsɪfaɪ/ *vtr* décalcifier

decalitre GB, **decaliter** US /ˈdekəliːtə(r)/ ▸ **p. 1029** *n* décalitre *m*

Decalogue /ˈdekəlɒg/ *n* Décalogue *m*

decametre GB, **decameter** US /ˈdekəmiːtə(r)/ ▸ **p. 1389** *n* décamètre *m*

decamp /dɪˈkæmp/ *vi* **1** (leave) partir; (furtively) filer; **to ~ with sth** s'éclipser en emportant qch; **2** Mil lever le camp

decant /dɪˈkænt/ *vtr* **1** lit décanter [*wine*]; transvaser [*other liquid*]; **2** fig transbahuter○ [*people*]

decanter /dɪˈkæntə(r)/ *n* (for wine, port) carafe *f* (à décanter); (for whisky) flacon *m* à whisky

decapitate /dɪˈkæpɪteɪt/ *vtr* décapiter

decapitation /dɪˌkæpɪˈteɪʃn/ *n* décapitation *f*

decapod /ˈdekəpɒd/ *n* Zool décapode *m*

decarbonization /diːˌkɑːbənaɪˈzeɪʃn, US -nɪˈz-/ *n* Aut décalaminage *m*

decarbonize /diːˈkɑːbənaɪz/ *vtr* Aut décalaminer

decarburization /diːˌkɑːbjʊraɪˈzeɪʃn, US -rɪˈz-/ *n* Tech décarburation *f*

decarburize /ˌdiːˈkɑːbjʊraɪz/ *vtr* Tech décarburer

decathlete /dɪˈkæθliːt/ *n* décathlonien *m*

decathlon /dɪˈkæθlɒn/ *n* décathlon *m*

decay /dɪˈkeɪ/
A *n* **1** (rot) (of timber, meat, vegetation) pourriture *f*; (of building, area, façade) délabrement *m*; **to fall into ~** [*building*] se délabrer; **2** Dent carie *f*; **tooth** *ou* **dental ~** la carie dentaire; **to have ~** avoir des caries; **to prevent ~** éviter les caries; **3** Geol décomposition *f*; **4** Phys désintégration *f*; **5** fig (of society, culture) déclin *m*; (of economy, institution, industry) délabrement *m*, déclin *m*; (of nation, civilization) décadence *f*, déchéance *f*; **moral ~** déchéance morale
B *vtr* pourrir, faire pourrir [*timber*]; gâter, carier [*teeth*]
C *vi* **1** (rot) [*timber, vegetation, food*] pourrir; [*corpse*] se décomposer, se putréfier; [*tooth*] se gâter, se carier; [*bone*] se détériorer, se carier spec; **2** (disintegrate) [*statue, façade*] se dégrader; [*building*] se détériorer, se délabrer; **3** fig (decline) [*civilization, institution*] décliner; [*beauty*] se faner; **4** Geol se décomposer; **5** Phys se désintégrer

decayed /dɪˈkeɪd/ *adj* **1** [*timber, vegetation*] pourri; [*flesh*] décomposé, pourri; [*tooth*] carié; [*building*] délabré; **2** fig [*society*] en déclin; [*beauty*] fané; **3** Phys désintégré; **4** Geol décomposé

decaying /dɪˈkeɪɪŋ/ *adj* **1** [*timber, vegetation*] en train de pourrir; [*tooth*] en train de se carier *or* se gâter; [*corpse, carcass*] en décomposition, en train de pourrir; Med [*bone*] en train de se détériorer *or* se carier spec; **2** [*building, street, suburb*] qui se dégrade, qui se détériore; **3** [*civilization, order, nation*] en déclin

decease /dɪˈsiːs/ *n* décès *m*

deceased /dɪˈsiːst/
A *n* **the ~** (dead person) le défunt/la défunte *m/f*; (the dead collectively) (+ *v pl*) les défunts *mpl*
B *adj* décédé, défunt (*never predic*); **Anne Jones, ~** feue Anne Jones

deceit /dɪˈsiːt/ *n* **1** (deceitfulness) mensonge *m*, fausseté *f*; **2** (act) tromperie *f*; **3** Jur fraude *f*

deceitful /dɪˈsiːtfl/ *adj* [*person*] menteur/-euse; [*word*] mensonger/-ère; [*behaviour*] malhonnête; **it was ~ of him** c'était malhonnête de sa part

deceitfully /dɪˈsiːtfəlɪ/ *adv* [*speak*] de façon malhonnête

deceitfulness /dɪˈsiːtflnɪs/ *n* fausseté *f*

deceive /dɪˈsiːv/
A *vtr* **1** (lie to and mislead) tromper, duper [*parent, friend*]; **to ~ sb into doing** amener qn à faire qch par la ruse; **to ~ sb into thinking that** faire croire à qn que; **to be ~d** (fooled) être dupe; (disappointed) être déçu; **to be ~d in sb** se tromper sur le compte de qn; **don't be ~d** ne te laisse pas avoir; **don't be ~d by his mildness/good-humour** ne te laisse pas abuser par sa douceur/bonne humeur; **don't be ~d by appearances** ne vous fiez pas aux apparences; **do my eyes ~ me?** est-ce que j'ai la berlue○?; **I thought my ears were deceiving me** j'ai cru que j'avais mal entendu; **2** (be unfaithful to) tromper [*spouse, lover*] (**with** avec)
B *vi* **he likes to ~** il aime tromper les gens; **with intent to ~** avec l'intention de tromper les gens; **appearances often ~** les apparences sont souvent trompeuses
C *v refl* **to ~ oneself** se faire des illusions; **to ~ oneself into believing that** se convaincre à tort que

deceiver /dɪˈsiːvə(r)/ *n* trompeur/-euse *m/f*

decelerate /diːˈseləreɪt/ *vi* **1** Aut, Mech ralentir, décélérer spec; **2** fig [*economic growth*] ralentir

deceleration /diːˌseləˈreɪʃn/ *n* Aut, Mech ralentissement *m*, décélération *f* spec; fig (of economic growth) ralentissement *m*

December /dɪˈsembə(r)/ ▸ **p. 1452** *n* décembre *m*

decency /ˈdiːsnsɪ/ *n* **1** (good manners) politesse *f*; **common ~** la simple politesse; **they might have had the ~ to thank us** ils auraient pu avoir la politesse *or* la correction de nous remercier; **you can't in all ~ ask him to pay** tu ne peux décemment pas lui demander de payer; **2** (morality) **he hasn't an ounce of ~** il n'a pas le moindre sens moral; **3** (propriety) convenances *fpl*; (in sexual matters) décence *f*; **he has no sense of ~** il n'a aucun sens des convenances; **for the sake of ~** par souci *or* respect des convenances; **to observe the decencies** fml observer *or* respecter les convenances

decent /ˈdiːsnt/ *adj* **1** (respectable) [*family, man, woman*] comme il faut, bien *inv*; **no ~ person would do a thing like that** quelqu'un de correct ne ferait jamais une chose pareille; **she wanted to give him a ~ burial** (not cheap) elle voulait qu'il ait un enterrement convenable; (with due respect) elle voulait qu'il soit enterré comme il se doit; **after a ~ interval, he remarried** par souci des convenances il a laissé écouler un certain temps avant de se remarier; **he did the ~ thing and resigned** il a fait ce qu'on attendait de lui en démissionnant; **try to persuade him to do the ~ thing** essaye de le persuader de faire ce que tout le monde attend de lui; **2** (pleasant) sympathique, bien○ *inv*; **he's a ~ sort of chap**○ c'est un type bien○; **it's ~ of him to help you** c'est très sympathique de sa part de t'aider; **3** (adequate) [*housing, wages, facilities*] convenable, décent; [*standard, level*] bon/bonne (*before n*); **4** (not shabby) [*garment, shoes*] correct; **I've nothing ~ to wear** je n'ai rien de mettable; **5** (good) [*camera, choice, education, food, holiday, score, result*] bon/bonne (*before n*); [*profit*] appréciable; **to make a ~ living** bien gagner sa vie; **I need a ~ night's sleep** j'ai besoin d'une bonne nuit de sommeil; **they do a ~ fish soup at the Nautilus** la soupe de poisson n'est pas mauvaise au Nautilus; **he serves a ~ claret** son bordeaux (rouge) n'est pas mauvais; **6** (not indecent) [*clothes, behaviour, language*] décent, correct; **are you ~?** es-tu habillé?

decently /ˈdiːsntlɪ/ *adv* **1** (fairly) [*paid, treated, housed*] convenablement, correctement; **2** (respectably) [*behave, treat*] convenablement; [*dress*] (discreetly) décemment; (presentably) correctement; **we left as soon as we ~ could** nous sommes partis aussi tôt que la décence le permettait; **we'll leave as soon as ~ possible** nous partirons dès que ce sera décemment possible; **she was ~ brought up** elle a reçu une bonne éducation

decentralization /diːˌsentrəlaɪˈzeɪʃn, US -lɪˈz-/ *n* décentralisation *f*

decentralize /diːˈsentrəlaɪz/
A *vtr* décentraliser
B *vi* se décentraliser

decent-sized *adj* assez grand

deception /dɪˈsepʃn/ *n* **1** ¢ (deceiving) gen tromperie *f*, duperie *f*; Jur fraude *f*, tromperie *f*; **is she capable of such ~?** est-elle capable d'une telle duplicité?; **to obtain sth by ~** obtenir qch par fraude; **2** (trick) supercherie *f*; (to gain money, property etc) escroquerie *f*

deceptive /dɪˈseptɪv/ *adj* [*appearance, impression*] trompeur/-euse; **her mild manner is ~** sa douceur est trompeuse; **appearances can be ~** les apparences sont parfois trompeuses, il ne faut pas se fier aux apparences

deceptively /dɪˈseptɪvlɪ/ *adv* **1** gen **it's ~ easy** c'est plus difficile que ça ne paraît; **2** Advertg **the house is ~ spacious** la maison est plus spacieuse qu'elle ne paraît

decibel /ˈdesɪbel/ *n* décibel *m*

decide /dɪˈsaɪd/
A *vtr* **1** (reach a decision) **to ~ to do** décider de faire; (after much thought) se décider à faire; **I ~d that I would leave** j'ai décidé de partir; **I ~d that he should leave** j'ai décidé qu'il devait partir; **to ~ how to do** décider comment faire; **to ~ where/when** décider où/quand; **he hasn't ~d whether to resign/sign** il n'a pas encore décidé s'il va démissionner/signer; **it was ~d to wait** on a décidé d'attendre; **have you ~d what you're going to do?** est-ce que tu as décidé ce que tu vas faire?; **nothing has been ~d yet** rien n'a encore été décidé; **2** (settle) régler [*dispute, matter*]; décider de [*fate, outcome*]; [*goal, penalty*] être décisif/-ive pour l'issue de [*match*]; **to ~ a case** [*jury*] statuer sur une affaire; **3** (persuade) **to ~ sb to do** décider qn à faire; **what finally ~d you to buy it?** qu'est-ce qui t'a décidé à l'acheter?; **it was his selfishness that finally ~d me to leave** c'est à cause de son égoïsme que je me suis décidée à partir; **that's what ~d him against moving house** c'est pour cela qu'il a décidé de ne pas déménager
B *vi* décider; **let her ~** laisse-la décider *or* prendre la décision; **it's up to him to ~** c'est à lui de décider; **I can't ~** je n'arrive pas à me décider; **fate ~d otherwise** le hasard en a décidé autrement; **have you ~d?** as-tu pris une décision?; **to ~ against doing** décider de ne pas faire; **to ~ against** ne pas adopter [*plan, idea*]; rejeter [*candidate*]; **to ~ against the red dress** (choose not to buy) décider de ne pas acheter la robe rouge; (choose not to wear) décider de ne pas mettre la robe rouge; **to ~ between** choisir, faire un choix entre [*applicants, books*]; **to ~ in favour of doing** décider de faire; **to ~ in favour of** [*jury, judge*] se prononcer pour [*plaintiff*]; [*panel, judges*] choisir [*candidate, applicant*]
(Phrasal verb) ■ **decide on**: ▸ **~ on [sth]** **1** (choose) se décider pour [*hat, wallpaper, holiday*]; fixer [*date*]; **to ~ on a career in medicine/law** se diriger vers la médecine/le droit; **2** (come to a decision on) décider de [*measure, policy, course of action, size, budget*]; ▸ **~ on [sb]** choisir [*member, applicant*]; sélectionner [*team*]

decided /dɪˈsaɪdɪd/ *adj* **1** (noticeable) [*change*] incontestable; [*increase, drop*] net/nette; [*tendency*] net/nette, marqué; [*interest, effort*] réel/réelle; **2** (determined) [*manner, tone*] décidé, résolu; [*views*] arrêté; **to be quite ~ about doing** être bien décidé à faire

decidedly /dɪˈsaɪdɪdlɪ/ *adv* **1** (distinctly) [*smaller, better, happier*] nettement; [*unwell, violent, odd*] vraiment, franchement; **2** (resolutely) [*say, declare*] résolument

decider /dɪˈsaɪdə(r)/ *n* (point) point *m* décisif; (race) course *f* décisive; (goal) but *m* décisif; **the ~** (game) la belle

deciding /dɪˈsaɪdɪŋ/ *adj* [*factor, goal, race*] décisif/-ive

deciduous /dɪˈsɪdjʊəs, dɪˈsɪdʒʊəs/ *adj* [*tree*] à feuilles caduques; [*forest*] d'arbres à feuilles caduques; [*antlers, teeth, leaves*] caduc/caduque

decigram(me) /ˈdesɪɡræm/ ▸ **p. 1883** *n* décigramme *m*

decilitre GB, **deciliter** US /ˈdesɪliːtə(r)/ ▸ **p. 1029** *n* décilitre *m*

decimal /ˈdesɪml/
A *n* décimale *f*; ▸ **circulating decimal etc**
B *adj* [*system, currency, number*] décimal; **~ coinage** les pièces *fpl* du système décimal; **~ fraction** fraction *f* décimale; **~ point** virgule *f*; **to calculate to two ~ places** calculer à deux décimales; **to go ~** adopter le système décimal

decimalization /ˌdesɪməlaɪˈzeɪʃn, US -lɪˈz-/ *n* (of currency, unit) décimalisation *f*; Math (of number) conversion *f* en fraction décimale

decimalize /ˈdesɪməlaɪz/ *vtr* décimaliser [*currency, system*]; (convert to decimal system) transposer [qch] dans le système décimal [*unit*]; Math convertir [qch] en fraction décimale

decimate /ˈdesɪmeɪt/ *vtr* lit, fig décimer

decimation /ˌdesɪˈmeɪʃn/ *n* lit, fig décimation *f*

decimetre GB, **decimeter** US /ˈdesɪmiːtə(r)/ ▸ **p. 1389** *n* décimètre *m*

decipher /dɪˈsaɪfə(r)/ *vtr* déchiffrer [*code, writing, message*]

decipherable /dɪˈsaɪfrəbl/ *adj* (all contexts) déchiffrable

decision /dɪˈsɪʒn/ *n* (all contexts) décision *f*; **my ~ to leave** la décision que j'ai prise de partir; **to make** *ou* **take a ~** prendre une décision; **to reach** *or* **come to a ~** se décider; **the right/wrong ~** la bonne/mauvaise décision; **the judges' ~ is final** la décision du jury est sans appel; **a woman of ~** une femme qui sait ce qu'elle veut

decision-maker *n* décideur/-euse *m/f*

decision-making
A *n* **to be good at ~** savoir prendre des décisions
B *modif* **~ skills** compétences *fpl* en matière de décision; **the ~ processes** les processus décisionnels

decision table *n* Comput table *f* de décision

decisive /dɪˈsaɪsɪv/ *adj* **1** (firm) [*manner*] très ferme, résolu; [*tone, reply*] catégorique; **he is not ~ enough** il n'a pas l'esprit de décision, il est trop indécis; **a more ~ leader** un dirigeant plus ferme; **2** (conclusive) [*battle, factor, influence*] décisif/-ive; [*argument*] concluant; **it was ~ in forcing** *ou* **persuading him to resign** cela l'a décidé à démissionner

decisively /dɪˈsaɪsɪvlɪ/ *adv* [*speak*] fermement, d'un ton catégorique; [*act*] de manière résolue, avec fermeté

decisiveness /dɪˈsaɪsɪvnɪs/ *n* (of character) esprit *m* de décision, capacité *f* à prendre des décisions; (of approach) attitude *f* tranchée, air *m* décidé; (of answer, gesture) fermeté *f*

deck /dek/
A *n* **1** Naut (on ship) pont *m*; **upper/car ~** pont supérieur/des voitures; **on ~** sur le pont; **to go (up** *ou* **out) on ~** monter sur le pont; **below ~(s)** sur le pont inférieur; **2** US (terrace) terrasse *f*; **3** (on bus, plane) étage *m*; **upper/lower ~** étage supérieur/inférieur; **4** Audio (for records) platine *f* tourne-disque; (for cassettes) platine *f* cassettes; **5** Games **~ of cards** jeu *m* de cartes; **6** ᴼUS argot des drogués petite dose *f* d'héroïne
B *vtr* **1** (decorate) orner [*building, room, table*] **(with** de); décorer [*tree*] **(with** de); **2** (dress up) parer [*person*] **(with, in** de); **3** ᴼUS (floor) envoyer [qn] par terre
(Idioms) **all hands on ~!** Naut tout le monde sur le pont!; gen tout le monde à la rescousse!; **to clear the ~s** déblayer le terrain; **to hit the ~**ᴼ tomber par terre; **he's not playing with a full ~**ᴼ il est simplet
(Phrasal verb) ■ **deck out**: ▸ **~ [sth] out, ~ out [sth]** décorer [*place*] **(with, in** de); ▸ **~ [sb] out** parer (in de); **he was ~ed out in his best suit** il s'était vêtu de son plus beau costume

deck: **~chair** *n* transatlantique *m*, transatᴼ *m*; **~hand** *n* matelot *m*; **~house** *n* rouf *m*

decking /ˈdekɪŋ/ *n* terrasse *f* en bois

deckle-edged /ˌdeklˈedʒd/ *adj* Print non affranchi

declaim /dɪˈkleɪm/
A *vtr* déclamer
B *vi* **1** (speak aloud) déclamer; **2** (protest) **to ~ against sth** (in speech) déclamer contre qch; (in writing) écrire une diatribe contre qch

declamation /ˌdekləˈmeɪʃn/ *n* **1** (protest) diatribe *f*, tirade *f* **(against** contre); **2** (rhetorical style) déclamation *f*

declamatory /dɪˈklæmətərɪ, US -tɔːrɪ/ *adj* déclamatoire, emphatique

declarable /dɪˈkleərəbl/ *adj* (*avant n*) [*goods, duty*] à déclarer; [*income*] imposable

declaration /ˌdekləˈreɪʃn/ *n* **1** (proclamation) déclaration *f*; **the Declaration of Independence** la Déclaration d'indépendance des États-Unis d'Amérique; **their ~s of innocence** leurs protestations d'innocence; **the ~ of the poll** la proclamation des résultats; **2** (formal statement) déclaration *f*; **a ~ of income** Tax une déclaration de revenus *or* d'impôts; **to make a false ~** Jur faire une fausse déclaration; **a customs ~** une déclaration en douane; **3** (in cards) déclaration *f*

> **Declaration of Independence**
>
> Document rédigé en 1776 par Thomas Jefferson pour affirmer l'indépendance des treize colonies américaines vis-à-vis de la Grande-Bretagne. Y sont déjà posés le principe d'égalité entre les hommes ainsi que 'le droit à la vie, à la liberté et à la poursuite du bonheur'.
> ▸ **Independence Day, Thirteen Colonies**

declaration: **~ of association** *n* acte *m* déclaratif d'association; **~ of bankruptcy** *n* jugement *m* déclaratif de faillite; **~ of intent** *n* déclaration *f* de principe; **~ of solvency** *n* déclaration *f* de solvabilité

declarative /dɪˈklærətɪv/ *adj* Ling assertif/-ive, déclaratif/-ive

declaratory /dɪˈklærətrɪ, US -tɔːrɪ/ *adj* Jur [*act, judgment*] déclaratif/-ive

declare /dɪˈkleə(r)/
A *vtr* **1** (state firmly) déclarer **(that** que); (state openly) annoncer [*intention, support*]; (in cards) annoncer [*trumps*]; **2** (proclaim) déclarer [*war*]; proclamer [*independence, siege*]; **to ~ war on a country** déclarer la guerre à un pays; **to ~ a state of emergency** déclarer l'état d'urgence; **to ~ sb the winner/guilty** déclarer qn vainqueur/coupable; **I ~ the meeting closed** je clôture la séance; Wine **to ~ a vintage** déclarer un millésime; **3** Tax, Jur, Fin déclarer [*income*]; communiquer [*dividend*]; **nothing to ~** rien à déclarer; **to ~ one's interest in a company** déclarer ses intérêts dans une compagnie
B *vi* **1** (make choice) se déclarer **(for** pour; **against** contre); **2** US Pol annoncer sa candidature (à la présidence); **3** Games (in cards) annoncer
C *v refl* **to ~ oneself** se déclarer; **they ~d themselves (to be) supporters of the rebels** ils ont déclaré leur soutien pour les rebelles
D **declared** *pp adj* [*enemy, atheist*] déclaré; [*intention*] avoué, déclaré
(Idiom) **well, I ~!**† eh bien, dites donc!

declaredly /dɪˈkleərɪdlɪ/ *adv* ouvertement

declarer /dɪˈkleərə(r)/ *n* Games demandeur *m*

declassification /ˌdiːklæsɪfɪˈkeɪʃn/ *n* Admin levée *f* du secret (**of** à propos de); Mil déclassification *f*

declassify /ˌdiːˈklæsɪfaɪ/ *vtr* Admin rendre [qch] communicable *or* accessible [*document, information*]; Mil déclassifier

declension /dɪˈklenʃn/ *n* déclinaison *f*

declinable /dɪˈklaɪnəbl/ *adj* déclinable

declination /ˌdeklɪˈneɪʃn/ *n* **1** Geog déclinaison *f* magnétique; **2** Astron déclinaison *f*

decline /dɪˈklaɪn/
A *n* **1** (of empire, civilization, economy, industry, party, politician) déclin *m* (**of** de); **to be in ~** être sur le déclin; **to go into** *ou* **fall into ~** tomber en déclin; **there has been a ~ in the popularity of sth** qch a perdu sa popularité; **there has been a ~ in support for the party** le parti a perdu une partie de son électorat; **2** (of trade, demand, support) baisse *f* (**in, of** de); **to be on the** *ou* **in ~** être en baisse; **a 5% ~ to 175** une baisse de 5% pour atteindre 175; **to go/fall into ~** tomber en déclin; **3** (of health, condition, person) déclin *m* (**in, of** de); **to go/fall into (a) ~** dépérir; **his ~ into madness** sa chute dans la folie
B *vtr* **1** (refuse) décliner [*offer, honour*]; **to ~ to do** refuser de faire; **2** Ling décliner
C *vi* **1** (drop) [*number, rate, demand, sales, quality*] baisser (**by** de); [*support*] être en baisse; [*business, trade*] ralentir; **2** (wane) [*influence, empire, status, career, team*] être sur le déclin; **3** (refuse) refuser; **4** Ling se décliner; **5** littér [*sun*] se coucher
D declining *pres p adj* **1** (getting fewer, less) **a declining birth/inflation rate** un taux de natalité/d'inflation en baisse; **declining sales** la baisse des ventes; **the declining interest in sth** le désintérêt croissant pour qch; **2** (in decline) [*empire, industry, influence etc*] en déclin; **in her declining years** au déclin de sa vie; **3** (getting worse) [*health, quality*] déclinant

declivity /dɪˈklɪvətɪ/ *n* déclivité *f*

declutch /ˌdiːˈklʌtʃ/ *vi* GB débrayer

decoction /dɪˈkɒkʃn/ *n* décoction *f*

decode /ˌdiːˈkəʊd/ *vtr* décoder [*code, message, signal*]; déchiffrer [*handwriting, text*]

decoder /ˌdiːˈkəʊdə(r)/ *n* (all contexts) décodeur *m*

decoding /ˌdiːˈkəʊdɪŋ/ *n* (all contexts) décodage *m*

decoke /ˌdiːˈkəʊk/ GB Aut *vtr* décalaminer

decollate /dɪˈkɒleɪt/ *vtr* déliasser

décolleté /deɪˈkɒlteɪ, US -kɒlˈteɪ/ *n, adj* décolleté (*m*)

decolonize /diːˈkɒlənaɪz/ *vtr* décoloniser

decompartmentalization /ˌdiːkɒmpɑːtˌmentəlaɪˈzeɪʃn, US -lɪˈz-/ *n* Admin décloisonnement *m*

decompartmentalize /ˌdiːkɒmpɑːtˈmentəlaɪz/ *vtr* Admin décloisonner

decompose /ˌdiːkəmˈpəʊz/
A *vtr* **1** décomposer, faire pourrir [*leaves, wood*]; décomposer, putréfier [*corpse*]; **2** Phys, Chem décomposer (**into** en)
B *vi* se décomposer

decomposition /ˌdiːkɒmpəˈzɪʃn/ *n* décomposition *f*

decompress /ˌdiːkəmˈpres/ *vtr* Comput décompacter

decompression /ˌdiːkəmˈpreʃn/ *n* décompression *f*

decompression: **~ chamber** *n* caisson *m* de décompression, caisson *m* hyperbare; **~ sickness** *n* maladie *f* des caissons

decongestant /ˌdiːkənˈdʒestənt/
A *n* décongestif *m*
B *adj* décongestionnant

decontaminate /ˌdiːkənˈtæmɪneɪt/ *vtr* décontaminer

decontamination /ˌdiːkənˌtæmɪˈneɪʃn/ *n* décontamination *f*

decontrol /ˌdiːkənˈtrəʊl/
A *n* Econ, Fin déréglementation *f*
B *vtr* (*p prés etc* **-ll-**) Econ, Fin déréglementer

decor /ˈdeɪkɔː(r), US deɪˈkɔːr/ *n* (specific style) décoration *f*, décor *m*; (of house) décoration *f*; Theat décor *m*

decorate /ˈdekəreɪt/
A *vtr* **1** (adorn) décorer [*room, street, Christmas tree, cake*] (**with** de, avec); **2** (paint and paper) gen refaire; (paint only) peindre; (paper only) tapisser; **the whole house needs to be ~d** il faudra refaire toute la décoration de la maison; **decorating the kitchen will be our next task** (with paint) refaire les peintures dans la cuisine sera notre prochaine tâche; (with paper) tapisser la cuisine sera notre prochaine tâche; **3** Mil décorer (**for** pour); **the soldier was ~d for bravery** le soldat a été décoré pour son acte de bravoure; **they were ~d for their services to industry** ils ont été décorés pour services rendus à l'industrie; **to be ~d with** être décoré de, recevoir [*medal*]
B *vi* (in house) faire des travaux de décoration

decorating /ˈdekəreɪtɪŋ/ *n* (of room, house) travaux *mpl* de décoration; **'painting and ~'** 'peinture-décoration'

decoration /ˌdekəˈreɪʃn/ *n* **1** (for festivities) décoration *f*; (on garment) ornement *m*; **to put up/take down ~s** mettre/enlever les décorations; **2** (act or result) (for festivities) décoration *f*; (by painter) travaux *mpl* de décoration; **he helped us with the ~ of the study** il nous a aidés à refaire les peintures dans le bureau; **the fireplace is only for ~** la cheminée est purement ornementale; **3** Mil décoration *f*

decorative /ˈdekərətɪv, US ˈdekəreɪtɪv/ *adj* [*border, frill*] décoratif/-ive; [*sculpture, design*] ornemental

decorator /ˈdekəreɪtə(r)/ *n* peintre *m*, décorateur/-trice *m/f*; **'John Brown, painter and ~'** 'John Brown, peintre-décorateur *or* peinture-décoration'

decorous /ˈdekərəs/ *adj* [*behaviour*] convenable; [*language, manners*] bienséant, correct

decorously /ˈdekərəslɪ/ *adv* [*behave*] convenablement; [*dress*] strictement

decorum /dɪˈkɔːrəm/ *n* **with ~** avec bienséance, en respectant les convenances; **a sense of ~** un sens des convenances *or* du décorum

decoy
A /ˈdiːkɔɪ/ *n* **1** gen, Mil (person, vehicle etc) leurre *m*; **2** Hunt appeau *m*
B /dɪˈkɔɪ/ *vtr* **1** gen, Mil attirer [qn] dans un piège; **2** Hunt attirer [qch] avec un appeau

decrease
A /ˈdiːkriːs/ *n* gen diminution *f* (**in** de); (in price) baisse *f* (**in** de); **~ in spending** baisse de la consommation; **~ in strength** affaiblissement *m*
B /dɪˈkriːs/ *vtr* diminuer, réduire
C /dɪˈkriːs/ *vi* [*size, weight, population*] diminuer; [*price, cost*] baisser; [*popularity, rate*] baisser, diminuer

decreasing /dɪˈkriːsɪŋ/ *adj* [*size, amount, population*] décroissant; [*strength*] déclinant, diminuant; [*temperature, price*] en baisse

decreasingly /dɪˈkriːsɪŋlɪ/ *adv* de moins en moins

decree /dɪˈkriː/
A *n* **1** (order) décret *m*; **by royal ~** par décret du roi; **2** (judgment) jugement *m*, arrêt *m*; **~ absolute/nisi** (in divorce) jugement définitif/provisoire (de divorce)
B *vtr* **1** gen (order, announce) décréter [*amnesty, punishment*]; **to ~ that** décréter que (+ *indic*); **2** Jur ordonner (**that** que + *subj*)
(Idiom) **fate had ~d otherwise** le sort en avait décidé autrement

decrepit /dɪˈkrepɪt/ *adj* [*chair, table*] en mauvais état; [*building*] délabré; [*horse, old person*] décrépit

decrepitude /dɪˈkrepɪtjuːd, US -tuːd/ *n* (of object) vétusté *f*; (of building) délabrement *m*; (of horse, old person) décrépitude *f*

decretal /dɪˈkriːtl/ *n* Relig décrétale *f*

decriminalization /dɪˌkrɪmɪnəlaɪˈzeɪʃn, US -lɪˈz-/ *n* décriminalisation *f*, légalisation *f*

decriminalize /dɪˈkrɪmɪnəlaɪz/ *vtr* décriminaliser, légaliser

decry /dɪˈkraɪ/ *vtr* décrier

decrypt /diːˈkrɪpt/ *vtr* décoder, déchiffrer

decryption /diːˈkrɪpʃn/ *n* décodage *m*, déchiffrement *m*

dedicate /ˈdedɪkeɪt/
A *vtr* **1** (devote) consacrer, dédier [*life, time*] (**to** à); dédier [*book, performance, film*] (**to** à); **she ~d her life to helping the poor** elle a consacré sa vie *or* elle s'est consacrée aux pauvres; **2** Relig consacrer [*church, shrine*] (**to** à)
B *v refl* **to ~ oneself to sth** se consacrer à qch; **to ~ oneself to doing** consacrer sa vie *or* son temps à faire

dedicated /ˈdedɪkeɪtɪd/ *adj* **1** (keen, devoted) [*teacher, mother, doctor, fan*] dévoué; [*worker, secretary, minister*] zélé; [*disciple*] enthousiaste; [*socialist, opponent*] convaincu; [*musician, student, attitude*] sérieux/-ieuse; **we only take on people who are really ~** nous n'embauchons que des gens sérieux; **she is ~ to looking after her old parents** elle est entièrement dévouée à ses parents âgés; **he is ~ to social reform** il consacre tous ses efforts aux réformes sociales; **2** Comput, Electron spécialisé, dédié; **3** (personalized) [*copy*] dédicacé; [*area, zone*] réservé

dedication /ˌdedɪˈkeɪʃn/ *n* **1** (devoted attitude) dévouement *m* (**to** à); **thanks to the ~ of the surgeon who performed the operation** grâce au dévouement du chirurgien qui a fait l'opération; **her ~ to duty** son attachement à son devoir, son sens du devoir; **2** (in a book, on music programme) dédicace *f*; **there are several ~s for this record** ce disque est dédié à plusieurs auditeurs; **3** (act of dedicating) (of book, performance) dédicace *f*; **4** Relig consécration *f*, dédicace *f*

deduce /dɪˈdjuːs, US -ˈduːs/ *vtr* déduire (**from** de; **that** que)

deducible /dɪˈdjuːsəbl, US -ˈduːs-/ *adj* [*conclusion, theory*] qui peut se déduire; **this theory is not ~ from the limited evidence that we have** on ne peut déduire cette théorie des quelques faits qui sont à notre disposition

deduct /dɪˈdʌkt/ *vtr* prélever [*subscription*] (**from** sur); déduire [*sum, expenses*] (**from** de); **income tax is ~ed at source** les impôts sont prélevés à la source

deductible /dɪˈdʌktəbl/
A *n* US Fin franchise *f*
B *adj* Fin, Comm déductible

deduction /dɪˈdʌkʃn/ *n* **1** Fin, Econ (on wages) retenue *f*; (on bill) déduction *f*; **after ~s** une fois les retenues effectuées; **to make a ~ from** faire *or* effectuer une retenue *or* une déduction sur; Tax faire un prélèvement sur; **I made a ~ of 10% from the invoice** je vous ai fait une déduction de 10% sur la facture; **2** (conclusion) déduction *f*, conclusion *f*; **to make a ~** tirer une conclusion (**from** de); **3** (reasoning) déduction *f*; **by ~** par déduction

deductive /dɪˈdʌktɪv/ *adj* déductif/-ive

deed /diːd/
A *n* **1** (action) acte *m*; **a brave ~** un acte de courage; **to do one's good ~ for the day** faire sa bonne action *or* sa B.A.○; **2** littér (heroic feat) exploit *m*; **3** Jur (document) gen acte *m* notarié; (for property) acte *m* de propriété
B *vtr* US Jur transférer [qch] par acte notarié
(Idioms) **in word and ~** en parole et en fait; **in ~ if not in name** de fait sinon en titre

deed: **~ box** *n* coffre *m* à documents; **~ of covenant** *n* Jur acte *m* de donation; **~ of partnership** *n* Comm Jur contrat *m* de société

deed poll *n* (*pl* **deeds poll**) Jur acte *m* unilatéral; **to change one's name by ~** changer légalement son nom

deejay○ /ˈdiːdʒeɪ/ *n* disc-jockey *m*, animateur/-trice *m/f* (*de radio, de discothèque*)

deem /diːm/ *vtr* considérer, estimer (**that** que); **your essay was ~ed the best** votre dissertation a été considérée comme *or* jugée la meilleure; **we ~ed her worthy** nous l'avons estimée digne; **it was ~ed necessary/advisable to do** on a jugé nécessaire/préférable de faire

deep /diːp/ ▸ p. 1389
A *n* littér (sea) **the ~** l'océan *m*
B *adj* **1** (vertically) [*hole, ditch, water, wound, wrinkle, breath, sigh, curtsey, armchair*] profond; [*mud, snow, carpet*] épais/épaisse; [*container, drawer, saucepan, grass*] haut; **~ roots** Bot racines *fpl* profondes; fig bases *fpl*; **~ cleansing** Cosmet nettoyage en profondeur; **a ~-pile carpet** une moquette de haute laine; **how ~ is the river/wound?** quelle est la profondeur de la rivière/blessure?; **the lake is 13 m ~** le lac a 13 m de profondeur; **a hole 5 cm ~, a 5 cm ~ hole** un trou de 5 cm; **the floor was 10 cm ~ in water** le sol se trouvait sous 10 cm d'eau; **the sound/spring came from a source ~ in the earth** le son/la fontaine provenait des profondeurs de la terre
2 (horizontally) [*border, band, strip*] large; [*shelf, drawer, cupboard, alcove, stage*] profond; **a shelf 30 cm ~** une étagère de 30 cm de profondeur; **people were standing six ~** les gens étaient debout sur six rangées; **cars were parked three ~** les voitures étaient garées sur trois files
3 fig (intense) [*admiration, concern, depression, dismay, love, faith, impression, sorrow*] profond; [*interest, regret, shame*] profond, grand; [*desire, need, pleasure*] grand; [*difficulty, trouble*] gros/grosse; Physiol [*coma, sleep*] profond; **my ~est sympathy** parfois hum toutes mes condoléances
4 (impenetrable) [*darkness, forest, jungle, mystery*] profond; [*secret*] grand; [*person*] réservé; **they live in ~est Wales** hum ils habitent au fin fond du pays de Galles; **you're a ~ one**○! tu caches bien ton jeu○!
5 (intellectually profound) [*idea, insight, meaning, truth, book, thinker*] profond; [*knowledge, discussion*] approfondi; [*thought*] (concentrated) profond; (intimate) intime; **at a ~er level** plus en profondeur
6 (dark) [*colour*] intense; [*tan*] prononcé; **~ blue eyes** des yeux d'un bleu intense
7 (low) [*voice*] profond; [*note, sound*] grave
8 (involved, absorbed) **to be ~ in** être absorbé dans [*thought, entertainment*]; être plongé dans [*book, conversation, work*]; **to be ~ in debt** être endetté jusqu'au cou
9 [*shot, serve*] en profondeur
C *adv* **1** (a long way down) [*dig, bury, cut*] profondément; **he thrust his hands ~ into his pockets/the snow** il a enfoncé ses mains dans ses poches/la neige; **she dived ~ into the lake** elle a plongé dans les profondeurs du lac; **he plunged the knife ~ into her body** il lui a planté le couteau dans le corps; **~ in the cellars** tout au fond des caves; **~ beneath the sea/the earth's surface** à une grande profondeur sous la mer/la surface de la terre; **to sink/dig ~er** s'enfoncer/creuser plus profondément; **to dig ~er into an affair** fig creuser (plus loin) une affaire; **to sink ~er into debt** fig s'endetter davantage; **he drank ~ of the wine** littér il a bu une large rasade de vin
2 (a long way in) **~ in** *ou* **into** au cœur de; **~ in the forest, all was still** au cœur de la forêt, le silence régnait; **to go ~ into the woods** s'enfoncer au cœur des bois; **~ in the heart of the maquis/of Texas** au cœur du maquis/du Texas; **~ in space** loin dans l'espace; **~ in my heart** tout au fond de mon cœur; **to be ~ in thought/discussion** être plongé dans ses pensées/dans une discussion; **to work/talk ~ into the night** travailler/causer jusque tard dans la nuit; **he gazed ~ into my eyes** littér il s'est noyé dans mon regard
3 fig (emotionally, in psyche) **~ down** *ou* **inside** dans mon/ton etc for intérieur; **~ down she was frightened** dans son for intérieur elle avait peur; **~ down she's a nice woman** elle a un bon fond; **to go ~** [*faith, emotion, loyalty, instinct*] être profond; **his problems go ~er than that** ses problèmes sont bien plus graves que cela; **to run ~** [*belief, feeling, prejudice*] être bien enraciné
4 Sport [*hit, kick, serve*] en profondeur
(Idioms) **to be in ~**○ y être jusqu'au cou○; **to be in ~ water** être dans de beaux draps○

deep-dyed /ˌdiːpˈdaɪd/ *adj* **1** Tex grand teint *inv*; **2** fig [*villain*] irrécupérable

deepen /ˈdiːpən/
A *vtr* **1** (dig out) creuser [*channel, hollow*]; **2** fig (intensify) augmenter [*admiration, concern, dismay, interest, love, shame*]; approfondir [*knowledge, awareness, understanding*]; **3** (make lower) rendre [qch] plus grave [*voice, pitch, tone*]; **4** (make darker) foncer [*colour*]; améliorer [*tan*]
B *vi* **1** [*river, water*] devenir plus profond; [*snow, mud*] s'épaissir; [*wrinkle, line*] se creuser; **2** fig (intensify) [*admiration, concern, dismay, interest, love, shame*] augmenter; [*knowledge, awareness, understanding*] s'approfondir; [*crisis, difficulties*] s'aggraver; [*mystery*] s'épaissir; [*silence*] se faire plus profond; [*rift, gap*] s'élargir; **3** (grow lower) [*voice, pitch, tone*] devenir plus grave; **4** (grow darker) [*colour*] foncer; [*tan*] devenir de plus en plus foncé; [*darkness, night*] s'épaissir
C deepening *pres p adj* **1** fig (intensifying) [*darkness, emotion, interest, mystery, need, rift*] croissant; [*crisis*] de plus en plus grave; [*awareness, understanding*] de plus en plus approfondi; [*confusion*] de plus en plus grand; [*conviction*] de plus en plus profond; **2** lit [*water*] de plus en plus haut; [*snow, mud*] de plus en plus épais/épaisse; **3** (becoming lower) [*pitch, tone*] de plus en plus grave; **4** (becoming darker) [*colour*] de plus en plus foncé

deep end /ˈdiːpend/ *n* grand bassin *m*
(Idioms) **to go off at the ~**○ sortir de ses gonds○; **to go** *ou* **jump in at the ~** fig prendre le taureau par les cornes; **to throw sb in at the ~** fig forcer qn à prendre le taureau par les cornes

deep-felt /ˌdiːpˈfelt/ *adj* [*admiration*] sincère; [*hatred*] profond

deep-freeze /ˌdiːpˈfriːz/
A *n* congélateur *m*
B *vtr* (*prét* **-froze**, *pp* **-frozen**) congeler

deep: **~-fried** *adj* [*meat, vegetable*] frit; **~-frozen** *adj* congelé; **~-fry** *vtr* faire frire; **~-(fat-)fryer** *n* friteuse *f*; **~-laid** *adj* [*plan*] habilement ourdi

deeply /ˈdiːplɪ/ *adv* **1** fig (intensely) [*felt, moving*] profondément; [*involved, committed*] à fond; **our most ~ held convictions** nos convictions les plus solides; **2** (analytically) [*think, reflect*] profondément; [*discuss, examine, study*] en profondeur; **to go ~ into sth** analyser qch en profondeur; **~ meaningful** très significatif/-ive; **3** [*breathe, sigh, sleep*] profondément; **4** [*dig, cut, thrust*] profondément; [*drink*] à grands traits; [*blush*] intensément; [*tanned*] extrêmement

deep: **~-rooted** *adj* [*fear, problem, belief, custom*] profondément enraciné; [*loyalty, affection*] profond; [*habit*] ancré; **~-sea** *adj* [*animal, plant*] de haute mer (*after n*); [*current, exploration*] sous-marin; **~-sea diver** ▸ p. 1683 *n* plongeur/-euse *m/f* sous-marin/-e; **~-sea diving** *n* plongée *f* sous-marine; **~-sea fisherman** ▸ p. 1683 *n* hauturier *m*; **~-sea fishing** *n* pêche *f* hauturière; **~-seated** *adj* = **deep-rooted**; **~-set** *adj* (très) enfoncé; **~-six**, **~-6** *vtr* US Journ enterrer [*document etc*]; **~ South** *n* US Sud *m* profond; **~ space** *n* espace *m* lointain; **~ structure** *n* Ling structure *f* profonde; **~ therapy** *n* Med radiothérapie *f* profonde; **~-vein thrombosis**, **DVT** *n* Med thrombose *f* veineuse profonde, phlébite *f*

deer /dɪə(r)/
A *n* (*pl* **~**) **1** (species, male of species) (red) cerf *m*; (roe) chevreuil *m*; (fallow) daim *m*; **2** (female of all species) biche *f*
B *modif* **the ~ family** la famille des cervidés, les cervidés *mpl*

deer: **~hound** *n* limier *m*; **~skin** *n* peau *f* de daim; **~stalker** *n* (person) chasseur *m* (de cerfs); (hat) casquette *f* à la Sherlock Holmes; **~stalking** *n* chasse *f* au cerf (*à pied*)

de-escalate /ˌdiːˈeskəleɪt/
A *vtr* faire baisser [*tension, violence*]; désamorcer [*crisis*]; faire entrer [qch] dans la phase de désescalade [*war*]; enrayer l'escalade de [*arms race*]
B *vi* [*tension, violence*] baisser; [*arms race*] ralentir; [*crisis*] se désamorcer; [*war*] entrer en phase de désescalade

de-escalation /diːˌeskəˈleɪʃn/ *n* désescalade *f*

deface /dɪˈfeɪs/ *vtr* **1** (damage) abîmer [*wall, door, furniture*]; dégrader, couvrir [qch] d'inscriptions [*painting, monument, poster*]; **do not ~ the book by writing in the margins** n'abîmez pas le livre en écrivant dans la marge; **to ~ sth with** barbouiller qch de, couvrir qch de [*graffiti, slogans*]; (scratch) abîmer qch avec [*penknife*]; **2** (make illegible) barbouiller

defacement /dɪˈfeɪsmənt/ *n* (of monument, painting) dégradation *f*; (of inscription) barbouillage *m*

de facto /ˌdeɪ ˈfæktəʊ/ *adj, adv* de facto

defamation /ˌdefəˈmeɪʃn/ *n* Jur diffamation *f*; **~ of character** diffamation *f*

defamatory /dɪˈfæmətrɪ, US -tɔːrɪ/ *adj* diffamatoire, diffamant

defame /dɪˈfeɪm/ *vtr* diffamer

default /dɪˈfɔːlt/
A *n* **1** (failure to keep up payments on mortgage, loan) non-remboursement *m* (**on** de); (failure to pay fine, debt) non-paiement *m* (**on** de); **your home is at risk in the event of a ~** votre habitation est menacée en cas de non-paiement; **to be in ~ of payment** être en cessation de paiement; **the company is in ~** la compagnie manque à ses engagements; **2** Jur (non-appearance in court) non-comparution *f*
B *modif* [*attribute, case, option, position*] implicite; [*font, setting, value*] par défaut
C *vi* **1** (fail to make payments) ne pas régler ses échéances; **to ~ on payments** *ou* **on a loan** ne pas régler les échéances d'un emprunt; **to ~ on a fine** ne pas payer une amende; **to ~ on one's obligations** manquer à ses engagements; **to ~ on a promise** ne pas tenir une promesse; **2** Jur (fail to appear in court) ne pas comparaître
D by default *adv phr* (automatically) [*choose, select*] par défaut; **to win by ~** gagner par forfait; **to be elected by ~** être élu en l'absence de tout autre candidat
E in default of *prep phr* en l'absence de

defaulter /dɪˈfɔːltə(r)/ *n* **1** (nonpayer) personne *f* qui n'acquitte pas ses dettes; **mortgage/fine ~** personne qui ne règle pas les échéances de son prêt immobilier/qui ne paie pas ses amendes; **2** (nonattender) partie *f* défaillante

defaulting /dɪˈfɔːltɪŋ/ *adj* **1** [*mortgagor, ratepayer, party*] qui n'acquitte pas ses dettes; **2** [*party, defendant, witness*] défaillant; [*team, player*] qui déclare forfait

defeat /dɪˈfiːt/
A *n* **1** (in battle, election, contest) défaite *f*; **to suffer a ~, to meet with ~** essuyer une défaite; **to accept ~** accepter la défaite; **to concede** *ou* **admit ~** [*team, troops*] concéder la défaite; [*person*] avouer son échec; **England's 3–2 ~ at the hands of** *ou* **by Italy** la défaite de l'Angleterre 2–3 contre l'Italie; **election ~** défaite électorale; **an air of ~** un air défait; **an admission of ~** un aveu d'échec; **a personal ~** un échec personnel; **2** (of proposal, bill) rejet *m* (**of** de)
B *vtr* **1** (beat) vaincre [*enemy, army*]; battre [*team, opposition, candidate*]; faire subir une défaite à [*government*]; **he has been ~ed by the republican candidate** il a été battu par le

d

candidat républicain; **the government was ~ed by a majority of 20** le gouvernement a été mis en échec par une majorité de 20 voix; **don't let yourself be ~ed** ne te laisse pas abattre; **2** (reject) rejeter [*bill, proposal*]; **3** (thwart) faire échouer [*attempt, plan, takeover bid*]; mettre fin à [*ambitions*]; vaincre [*inflation*]; **that ~s the whole purpose of doing** cela va à l'encontre du but recherché en faisant; **he was ~ed in his attempts to win** toutes ses tentatitves pour gagner ont échoué; **4** (seem incomprehensible to) **it's a problem that has ~ed many great minds** c'est un problème qui a tenu en échec de nombreux savants; **it ~s me** ça me dépasse

defeated /dɪ'fi:tɪd/ *adj* [*troops*] vaincu; [*party, candidate, competitor*] vaincu, perdant; **to look ~** avoir l'air vaincu

defeatism /dɪ'fi:tɪzəm/ *n* défaitisme *m*

defeatist /dɪ'fi:tɪst/
A *n* défaitiste *mf*; **don't be such a ~!** ne sois pas si défaitiste!
B *adj* défaitiste

defecate /'defəkeɪt/ *vi* sout déféquer

defecation /,defə'keɪʃn/ *n* sout défécation *f*

defect
A /'di:fekt/ *n* **1** (flaw) défaut *m*; (minor) imperfection *f*; **character ~** défaut (de caractère); **mechanical ~** faute *f* mécanique; **structural ~** vice *m* de construction; **2** (disability) **a hearing/sight/speech ~** un défaut de l'ouïe/de la vue/d'élocution; **birth ~, congenital ~** malformation *f* congénitale
B /dɪ'fekt/ *vi* faire défection; **to ~ from** abandonner [*cause, party*]; s'enfuir de [*country*]; **to ~ to the West/to the republican side** passer à l'Ouest/dans le camp des républicains

defection /dɪ'fekʃn/ *n* défection *f* (**from** de); **after her ~ to the West** après son passage à l'Ouest

defective /dɪ'fektɪv/
A *n* (person) péj débile (mental) *mf* péj
B *adj* **1** (faulty) [*reasoning, part, structure, work, method*] défectueux/-euse; [*sight, hearing, intelligence*] déficient; **a breakdown caused by ~ workmanship** une panne provoquée par des défauts de fabrication; **the building is structurally ~** le bâtiment présente des vices de construction; **2** péj (mentally deficient) débile péj; **3** Ling défectif/-ive

defector /dɪ'fektə(r)/ *n* transfuge *mf* (**from** de)

defence GB, **defense** US /dɪ'fens/
A *n* **1** (act of protecting) défense *f* (**against** contre; **from, of** de); **to come to sb's ~** lit (help) venir à l'aide de qn; fig (support) prendre la défense de qn; **to put up a spirited ~** [*competitor, troops*] se défendre vaillamment; **the cat uses its claws for ~** le chat utilise ses griffes pour se défendre; **he has begun his ~ of his Wimbledon title** il a commencé à défendre son titre de Wimbledon; **they marched in ~ of the right to strike** ils ont manifesté pour défendre leur droit de grève; **in the ~ of freedom** pour défendre la liberté; **to die in the ~ of one's country** donner sa vie pour sa patrie; **2** (means of protection) défense *f* (**against** contre); **a line of ~** une ligne de défense; **a means of ~** gen un moyen de défense; Psych, Zool un mécanisme de défense; **a ~ against** un moyen de lutter contre [*anxiety, boredom, cheating*]; **3** (support) défense *f*; **I have nothing to say in his ~** je n'ai rien à dire pour sa défense; **she spoke in his ~** elle a parlé en sa défense; **in my own ~ I must say that** je dois dire pour ma propre défense que; **an article in ~of monetarism** un article défendant *or* faisant l'apologie du monétarisme; **to come to sb's ~** prendre la défense de qn; **4** Jur **the ~** (representatives of the accused) la défense *f*; (case, argument) la défense *f*; **the case for the ~** la défense; **to conduct one's own ~** assurer sa propre défense; **the ~ argued that** la défense a argumenté que; **her ~ was that she was provoked** pour sa défense elle a dit qu'elle avait été provoquée; **in her ~** à sa décharge; **counsel for the ~** avocat de la défense; **witness for the ~** témoin à décharge; **to give evidence for the ~** témoigner *or* déposer pour la défense; **5** Sport défense *f*; **to play in ~** jouer en défense; **6** Univ soutenance *f* (de thèse)
B **defences** *npl* **1** Mil défenses *fpl*; **air ~s** défenses aériennes; **2** Biol, Psych défenses *fpl*; **the body's natural ~s** les défenses naturelles du corps; **to break down sb's ~s** faire tomber les défenses de qn
C *modif* **1** Mil [*adviser, chief, budget, expenditure, industry*] de la défense; [*contract*] pour la défense; [*electronics, policy, forces*] de défense; [*cuts*] dans la défense; **2** Jur [*counsel, lawyer*] pour la défense; [*witness*] à décharge

Defence Department GB, **Defense Ministry** US *n* ≈ ministère *m* de la Défense nationale

defenceless GB, **defenseless** US /dɪ'fenslɪs/ *adj* [*person, animal*] sans défense; [*town, country*] sans défenses

defencelessness GB, **defenselessness** US /dɪ'fenslɪsnɪs/ *n* (of person, animal) vulnérabilité *f*, incapacité *f* à se défendre; (of town, country) vulnérabilité *f*, absence *f* de défenses

defence: **~ mechanism** GB, **defense mechanism** US *n* (of body) système *m* immunitaire; Psych mécanisme *m* de défense; **Defence minister** GB, **Defense Secretary** US *n* ≈ Ministre *m* de la défense nationale

defend /dɪ'fend/
A *vtr* **1** (guard, protect) défendre [*fort, town, country*] (**against** contre; **from** de); défendre [*freedom, interests, rights*]; [*lawyer*] défendre [*client*]; **the government must ~ its majority** le gouvernement doit tout faire pour conserver sa majorité; **2** (justify) défendre [*argument, belief, doctrine, opinion*]; justifier [*actions, behaviour, decision*]; **3** Sport défendre [*title, record*]; **4** Univ **to ~ a thesis** soutenir une thèse
B *vi* Sport défendre
C *v refl* **to ~ oneself** **1** (protect oneself) lit, fig se défendre; **2** Jur [*accused*] assurer sa propre défense
D **defending** *pres p adj* [*counsel*] de la défense; **the ~ing champion** le tenant du titre

defendant /dɪ'fendənt/ *n* gen défendeur/-eresse *m/f*; (in an appeal court) intimé/-e *m/f*; (in criminal court) prévenu/-e *m/f*; (in assize court) accusé/-e *m/f*

defender /dɪ'fendə(r)/ *n* gen, Sport défenseur *m*; **Defender of the Faith** Défenseur de la foi

defense *n* US = **defence**

defensible /dɪ'fensəbl/ *adj* défendable

defensive /dɪ'fensɪv/
A *n* gen, Sport, Mil défensive *f*; **to be on the ~** être *or* se tenir sur la défensive; **to put sb on the ~** mettre qn sur la défensive
B *adj* [*barrier, weapon, alliance*] défensif/-ive; [*movement, reaction, behaviour*] de défense; [*person*] sur la défensive (*after v*); **they were very ~ about the new proposals** ces nouvelles propositions les ont mis sur la défensive

defer /dɪ'fɜ:(r)/
A *vtr* (*p prés etc* **-rr-**) (postpone) reporter [*decision, meeting, match, publication date*] (**until** à); suspendre [*judgment*] (**until** jusqu'à); remettre [qch] à plus tard [*departure, journey*]; différer [*payment*]; **to ~ selling the house** remettre la vente de la maison à plus tard; **to ~ making a decision** remettre une décision à plus tard; **to ~ sentence** Jur accorder une peine assortie du sursis avec mise à l'épreuve; **to ~ sb's military service** mettre qn en sursis d'incorporation
B *vi* (*p prés etc* **-rr-**) **to ~ to sb** s'incliner devant qn; **to ~ to sb's judgment/experience** s'en remettre au jugement/à l'expérience de qn; **to ~ to sb's will** *ou* **wishes** s'incliner devant la volonté de qn
C **deferred** *pp adj* **1** gen [*departure, closure, purchase*] différé; **2** Fin [*annuity, interest*] différé; [*sale*] à tempérament, à crédit; **~red payment** (postponed) paiement *m* différé; (staggered) paiement *m* par versements échelonnés; **~red payment plan** contrat *m* de vente à tempérament *ou* à crédit; **a two-year ~red loan** un prêt avec franchise de deux ans; **~red share** action *f* à dividende différé; **~red sentence** peine *f* assortie du sursis avec mise à l'épreuve

deference /'defərəns/ *n* déférence *f*; **in ~ to**, **out of ~ to** *ou* **for** par déférence pour; **with all due ~ to X** n'en déplaise à X

deferential /,defə'renʃl/ *adj* [*person*] déférent (**to** à l'égard de); [*behaviour*] déférent, de déférence

deferentially /,defə'renʃəlɪ/ *adv* avec déférence

deferment /dɪ'fɜ:mənt/, **deferral** /dɪ'fɜ:rəl/ *n* **1** (postponement) (of meeting, journey) report *m*; (of decision) report *m*; (judgment) suspension *f*; **~ of a debt** sursis *m* de paiement d'une dette; **2** US Mil **~ of draft** sursis *m* d'incorporation; **to apply for ~** demander un sursis d'incorporation

defiance /dɪ'faɪəns/ *n* ¢ défi *m* (**of** à); **their ~ of danger** leur mépris du danger; **their ~ of orders** leur refus d'obéir aux ordres; **in ~ of sth/sb** au mépris de qch/qn; **a gesture/act of ~** un geste/acte de défi; **in ~** [*look, say*] avec défi

defiant /dɪ'faɪənt/ *adj* [*person*] arrogant; [*behaviour*] provocant

defiantly /dɪ'faɪəntlɪ/ *adv* [*say*] avec défi; [*stare*] d'un air de défi; **she slammed the door ~** elle a claqué la porte d'un air de défi

defibrillation /,di:fɪbrɪ'leɪʃn/ *n* défibrillation *f*

defibrillator /di:'fɪbrɪleɪtə(r)/ *n* défibrillateur *m*

deficiency /dɪ'fɪʃənsɪ/ *n* **1** (shortage) (of funds, resources etc) manque *m*, insuffisance *f* (**of, in** de); Med carence *f* (**of** en); **iron/vitamin ~** carence en fer/vitamines; **~ disease** maladie de *or* par carence; **2** (weakness) (of argument, answer) faiblesse *f*; **his deficiencies as a poet** ses faiblesses en tant que poète; **3** Med (defect) défaut *m*; **a hearing ~** un défaut de l'ouïe; **liver/heart ~** insuffisance *f* hépatique/cardiaque

deficient /dɪ'fɪʃnt/ *adj* (inadequate) insuffisant; (faulty, flawed) déficient; **~ in sth** pauvre *or* déficient en qch; **a ~ service** un service qui n'est pas à la hauteur

deficit /'defɪsɪt/ *n* Comm, Fin déficit *m*; **in ~** en déficit, déficitaire; **budget ~** déficit *m* budgétaire

deficit spending *n* financement *m* par l'emprunt

defile
A /'di:faɪl/ *n* **1** (valley) défilé *m*; **2** (procession) file *f*
B /dɪ'faɪl/ *vtr* **1** (pollute) lit, fig souiller; **2** Relig profaner

defilement /dɪ'faɪlmənt/ *n* littér **1** (pollution) lit, fig souillure *f*; **2** Relig profanation *f*

definable /dɪ'faɪnəbl/ *adj* définissable

define /dɪ'faɪn/ *vtr* **1** (give definition of) définir [*term, concept*] (**as** comme); **2** (specify) définir, déterminer [*limits*]; définir, délimiter [*duties, powers*]; **clearly ~d responsibilities** des responsabilités bien définies; **3** (express clearly) déterminer [*problem*]; **I can't ~ how I feel about him** je ne saurais dire exactement ce que je ressens pour lui; **4** **to be ~d against** (stand out) (tree, building etc) se détacher nettement sur [*sky, background*]

definite /'defɪnɪt/ *adj* **1** (not vague) [*view, plan, criteria*] précis; [*result*] sans équivoque; [*amount, sum, boundary*] précis, bien déterminé; **a ~ answer** une réponse claire et nette; **~ evidence** preuves *fpl* formelles; **to have a ~ feeling that** avoir la nette impression que; **it is ~ that** il est certain que; **there's nothing ~ yet, nothing is ~ yet** rien n'est encore sûr; **2** (firm) [*contract, offer*] ferme, définitif/-ive; [*agreement, decision*] formel/-elle, ferme; [*intention*] ferme; [*refusal*] formel/-elle, catégorique; **3** (obvious) (*before n*) [*change, improvement, increase*] net/nette; [*advantage*] certain (*after n*), évident; [*smell*] très net/nette; **4** (decided) (*before n*) [*manner, tone*] résolu; **5** **to be ~** [*person*] (sure) être certain (**about** de); (firm) être formel/-elle (**about** sur)

definite: **~ article** *n* Ling article *m* défini; **~ integral** *n* Math intégrale *f* définie

definitely /ˈdefɪnɪtlɪ/ *adv* **1** (certainly) sans aucun doute; **he ~ said he wasn't coming** il a bien dit qu'il ne viendrait pas; **she's ~ not there** elle n'est pas là, c'est sûr; **I'm ~ not going** c'est décidé, je n'y vais pas; **is she ~ going to be there?** est-ce que c'est sûr qu'elle y sera?; **it's ~ colder today** il fait nettement plus froid aujourd'hui; **this one is ~ the best/cheapest etc** celui-ci est sans conteste le meilleur/le moins cher etc; **this ~ isn't going to work** manifestement ça ne va pas marcher; **he's ~ not my type** ce n'est vraiment pas mon genre; **'do you support them?'—'~!'** 'vous leur donnez votre soutien?'—'absolument!'; **2** (categorically) [*answer*] d'une manière formelle *or* bien déterminée; [*commit oneself, arrange*] formellement, de manière définitive; **she stated her opinion most** *ou* **very ~** elle a donné son opinion de la manière la plus catégorique

definition /ˌdefɪˈnɪʃn/ *n* **1** (of word) définition *f*; (of feeling, quality) analyse *f*; (of role, duties) clarification *f*; **by ~** par définition; **2** TV, Comput, Phot définition *f*; **a photo with good/bad ~** une photo nette/floue; **3** (of telescope) pouvoir *m* de résolution

definitive /dɪˈfɪnətɪv/ *adj* **1** gen [*statement, version, answer, solution etc*] définitif/-ive; [*decision*] irrévocable; [*interpretation*] de référence, insurpassable; **2** Post [*stamp*] ordinaire; [*issue*] de timbres ordinaires

definitively /dɪˈfɪnətɪvlɪ/ *adv* [*decide*] irrévocablement; [*solve, eradicate*] définitivement; [*answer*] de manière définitive

deflate /dɪˈfleɪt/
A *vtr* **1** lit dégonfler [*tyre, balloon, ball, airbed*]; **2** fig saper [*confidence, reputation*]; rabattre [*conceit*]; dégonfler [*importance*]; démonter [*person*]; mettre fin à [*hopes*]; **3** Econ faire baisser [*prices*]; **to ~ the economy** pratiquer une politique déflationniste
B *vi* [*tyre, balloon etc*] se dégonfler
C **deflated** *pp adj* **1** lit [*tyre, balloon etc*] dégonflé; **2** fig [*person*] déprimé

deflation /dɪˈfleɪʃn/ *n* **1** Econ déflation *f*; **2** lit (of tyre, balloon etc) dégonflement *m*; **3** fig **a feeling of ~** une sensation d'abattement

deflationary /ˌdiːˈfleɪʃənərɪ, US -nerɪ/ *adj* déflationniste

deflationist /dɪˈfleɪʃənɪst/
A *n* partisan *m* d'une politique de déflation
B *adj* favorable à une politique de déflation

deflect /dɪˈflekt/
A *vtr* **1** défléchir, dévier [*missile*]; détourner [*water, air*]; dévier [*light*]; **the ball was ~ed into the goal** la balle a rebondi jusque dans le but; **2** fig détourner [*blame, criticism, attention*]; **3** (dissuade) **to ~ sb from** détourner qn de [*aim, action*]; **to ~ sb from doing** dissuader qn de faire
B *vi* [*missile, indicator, needle*] dévier (**from** de)

deflection /dɪˈflekʃn/ *n* (of missile) déviation *f*; (of river) détournement *m*, dérivation *f*; (of indicator needle) déviation *f*; (of angle) déclinaison *f*; Phys (of air) déflexion *f*; (of light) déviation *f*

deflector /dɪˈflektə(r)/ *n* déflecteur *m*

deflower /ˌdiːˈflaʊə(r)/ *vtr* littér déflorer [*girl*]; flétrir [*beauty*]

defoliant /ˌdiːˈfəʊlɪənt/ *n* défoliant *m*

defoliate /ˌdiːˈfəʊlɪeɪt/ *vtr* défolier

defoliation /ˌdiːfəʊlɪˈeɪʃn/ *n* défoliation *f*

deforest /ˌdiːˈfɒrɪst/ *vtr* déboiser

deforestation /ˌdiːfɒrɪˈsteɪʃn/ *n* déboisement *m*

deform /dɪˈfɔːm/
A *vtr* (all contexts) déformer
B *vi* (by arthritis etc) se déformer
C **deformed** *pp adj* **1** Med déformé; (from birth) difforme; **2** [*metal, structure*] déformé

deformation /ˌdiːfɔːˈmeɪʃn/ *n* **1** Med (by arthritis etc) déformation *f*; (congenital) malformation *f*; **2** (of metal, structure) déformation *f*

deformity /dɪˈfɔːmətɪ/ *n* Med difformité *f*

defraud /dɪˈfrɔːd/ *vtr* escroquer [*client, employer*]; frauder [*tax authority*]; **to ~ sb of sth** escroquer qch à qn; **to ~ the taxman of £20,000** escroquer 20 000 livres sterling au fisc

defrauder /dɪˈfrɔːdə(r)/ *n* (professional) escroc *m*; (amateur) fraudeur/-euse *m/f*

defray /dɪˈfreɪ/ *vtr* couvrir [*expenses*]; rembourser [*cost*]

defrayal /dɪˈfreɪəl/, **defrayment** /dɪˈfreɪmənt/ *n* remboursement *m*

defrock /ˌdiːˈfrɒk/ *vtr* défroquer

defrost /ˌdiːˈfrɒst/
A *vtr* décongeler [*food*]; dégivrer [*refrigerator, window*]
B *vi* [*refrigerator*] dégivrer; [*food*] décongeler
C *v refl* **to ~ itself** [*freezer*] se dégivrer

defroster /ˌdiːˈfrɒstə(r)/ *n* dégivreur *m*

deft /deft/ *adj* adroit de ses mains, habile; **to be ~ at sth/at doing** être doué pour qch/pour faire

deftly /ˈdeftlɪ/ *adv* adroitement

deftness /ˈdeftnɪs/ *n* dextérité *f*

defunct /dɪˈfʌŋkt/ *adj* [*organization, person*] défunt; [*practice*] révolu

defuse /ˌdiːˈfjuːz/ *vtr* lit, fig désamorcer

defy /dɪˈfaɪ/ *vtr* **1** (disobey) défier [*authority, law, person*]; ne pas tenir compte de [*advice*]; faire mentir [*expectations, predictions*]; défier [*death, gravity, reality*]; **2** (challenge) [*person*] jeter un défi à [*person*]; braver [*danger*]; **to ~ sb to do** mettre qn au défi de faire; **3** (elude, resist) défier [*description, logic, analysis*] échapper à [*categorization*]; **to ~ sb's efforts/attempts to do** résister à tous les efforts/toutes les tentatives de qn à faire

degeneracy /dɪˈdʒenərəsɪ/ *n* (of society) dégénérescence *f*; (of person, way of life) décadence *f*

degenerate
A /dɪˈdʒenərət/ *n* dégénéré/-e *m/f*
B /dɪˈdʒenərət/ *adj* **1** [*person*] dégénéré; [*society*] dégénéré, complètement décadent; [*life*] dépravé; **2** Biol, Phys dégénéré
C /dɪˈdʒenəreɪt/ *vi* [*race, morals, intellect*] dégénérer; [*health, quality*] se dégrader; **to ~ into** dégénérer en [*chaos, war*]; **the debate ~d into a bitter argument** le débat a dégénéré en violente querelle; **to ~ into farce** tourner à la farce

degeneration /dɪˌdʒenəˈreɪʃn/ *n* **1** (of quality of life, goods, economy) dégradation *f*; (of health) déclin *m*; **2** Biol dégénérescence *f*

degenerative /dɪˈdʒenərətɪv/ *adj* Med dégénératif/-ive

degradation /ˌdegrəˈdeɪʃn/ *n* **1** (humiliation) humiliation *f* (**of** de; **of doing** de faire); **2** (debasement) (of person) (imposed) déchéance *f*; (voluntary) avilissement *m*; (of culture, knowledge, work) dégradation *f*; **3** (of environment, facilities) dégradation *f* (**of** de); **4** (squalor) misère *f*; **5** Biol, Chem, Geol dégradation *f*

degrade /dɪˈgreɪd/
A *vtr* **1** (humiliate) humilier [*person*]; **2** (debase) être dégradant pour [*person, person's body, culture, artist*]; **films which ~ women** les films qui donnent une image dégradante de la femme; **3** (demote) dégrader [*person*]; **4** Ecol dégrader [*environment*]
B *vi* Biol, Chem, Geol se dégrader

degrading /dɪˈgreɪdɪŋ/ *adj* [*portrayal, conditions, film etc*] dégradant (**to** pour); [*job, work*] avilissant; [*treatment, punishment*] humiliant; (stronger) dégradant

degree /dɪˈgriː/ *n* **1** Geog, Math, Meas degré *m*; **at an angle of 40 ~s to the vertical** à un angle de 40 degrés par rapport à la verticale; **turn the knob through 180 ~s** tournez le bouton de 180 degrés; **ten ~s of latitude/longitude** 10 degrés de latitude/longitude; **20 ~s south of the equator** par 20 degrés au sud de l'équateur; **2** Meteorol, Phys degré *m*; **30 ~s Celsius** *ou* **centigrade** 30 degrés Celsius *or* centigrades; **it was 40 ~s in the shade** il faisait 40 (degrés) à l'ombre; **I had a temperature of 104 ~s** j'avais 39 de fièvre; **3** Univ diplôme *m* universitaire; **first** *ou* **bachelor's ~** ≈ licence *f*; **higher ~** (master's) ≈ maîtrise *f*; (doctorate) doctorat *m*; **to take/get a ~** préparer/obtenir un diplôme (universitaire); **to have a ~** être diplômé; **4** (amount) degré *m*; **this gives me a ~ of control** cela me procure un certain degré de contrôle; **a high ~ of efficiency** beaucoup de compétence; **the exact ~ of his influence is unknown** on ignore à quel point il est influent; **to such a ~ that** à un tel point que; **an alarming ~ of ignorance** un degré d'ignorance inquiétant; **to a ~, to some ~** dans une certaine mesure; **to a lesser ~** dans une moindre mesure; **I enjoy a** *ou* **some ~ of autonomy** je jouis d'une certaine autonomie; **I was not in the slightest ~ anxious** je n'étais pas le moins du monde inquiet; **by ~s** petit à petit; **with varying ~s of accuracy/success** avec une précision/un succès variable; **5** US Jur **murder in the first ~** homicide *m* volontaire avec préméditation; **6** Math, Mus degré *m*; **7** Ling degré *m*; **the ~s of comparison** les degrés de la comparaison; **8** †(rank) extraction *f*; **a man of high/low ~** un homme de haute/basse extraction

degree: **~ ceremony** *n* GB Univ cérémonie *f* de remise des diplômes; **~ certificate** *n* GB Univ diplôme *m*; **~ course** *n* GB Univ programme *m* d'études universitaires; **~ examinations** *npl* GB Univ examens *mpl* de fin d'études universitaires; **~ factory**○ GB, **~-mill**○ US *n* péj boîte○ *f* à diplômes

dehumanization /ˌdiːhjuːmənaɪˈzeɪʃn, US -nɪˈz-/ *n* déshumanisation *f*

dehumanize /ˌdiːˈhjuːmənaɪz/ *vtr* déshumaniser

dehumidifier /ˌdiːˈhjuːmɪdɪfaɪə(r)/ *n* déshumidificateur *m*

dehumidify /ˌdiːˈhjuːmɪdɪfaɪ/ *vtr* déshumidifier

dehydrate /ˌdiːˈhaɪdreɪt/
A *vtr* déshydrater
B *vi* se déshydrater

dehydrated /ˌdiːˈhaɪdreɪtɪd/ *adj* **1** (dried) [*food*] déshydraté; [*powdered*] en poudre; **2** (lacking fluids) [*person*] déshydraté; **to become ~** se déshydrater; **to feel ~** être déshydraté

dehydration /ˌdiːhaɪˈdreɪʃn/ *n* **1** (of food) déshydratation *f*; **2** Med déshydratation *f*

de-ice /ˌdiːˈaɪs/ *vtr* dégivrer

de-icer /ˌdiːˈaɪsə(r)/ *n* **1** Aut dégivrant *m*; **2** Aviat dégivreur *m*

de-icing /ˌdiːˈaɪsɪŋ/
A *n* dégivrage *m*
B *modif* [*product*] dégivrant; [*device, process*] de dégivrage

deictic /ˈdeɪktɪk/ *n, adj* déictique (*m*)

deification /ˌdiːɪfɪˈkeɪʃn/ *n* déification *f*

deify /ˈdiːɪfaɪ/ *vtr* déifier

deign /deɪn/ *vtr* **to ~ to do** condescendre à faire, daigner faire

deism /ˈdiːɪzəm/ *n* déisme *m*

deist /ˈdiːɪst/ *n* déiste *mf*

deistic /ˈdiːɪstɪk/ *adj* déiste

deity /ˈdiːətɪ/ *n* divinité *f*, déité *f* liter; **the Deity** Dieu

deixis /ˈdeɪksɪs/ *n* déixis *f*

déjà vu /ˌdeɪʒɑː ˈvjuː/ *n* déjà-vu *m*; **a feeling of ~** une impression de déjà-vu

dejected /dɪˈdʒektɪd/ *adj* déprimé, abattu, découragé; **to become** *ou* **get ~** se laisser

d

abattre, se décourager; **to look ~** avoir l'air abattu *or* déprimé

dejectedly /dɪ'dʒektɪdlɪ/ *adv* [*look, stare*] avec découragement, d'un air découragé; [*say*] d'un ton découragé, avec découragement

de jure /ˌdeɪ 'dʒʊərɪ/ *adj, adv* de jure

dekko○ /'dekəʊ/ *n* GB coup *m* d'œil; **to have** *ou* **take a ~** jeter un coup d'œil (**at** à)

Delaware /'deləweə(r)/ ► p. 1737 *pr n* Delaware *m*

delay /dɪ'leɪ/

A *n* 1 (of train, plane, post) retard *m* (**of** de; **to, on** sur); (in traffic) ralentissement *m* (**of** de); **~ in taking off** retard au décollage; **we apologize for the ~** nous vous prions de nous excuser pour ce retard; 2 (slowness) **without (further) ~** sans (plus) tarder; **to apologize for one's ~ in replying** s'excuser d'avoir tardé à répondre; **the government's inexcusable ~ in publishing the report** le retard inexcusable du gouvernement à publier le rapport; **there's no time for ~** il n'y a pas de temps à perdre; 3 (time lapse) délai *m* (**of** de; **between** entre); **a few minutes' ~** un délai de quelques minutes

B *vtr* 1 (postpone, put off) différer [*decision, publication, departure*] (**until, to** jusqu'à); **to ~ doing** attendre pour faire; 2 (hold up) retarder [*train, arrival, post, change, process*]; ralentir [*traffic*]; **bad weather ~ed us, we were ~ed by bad weather** le mauvais temps nous a retardés; **flights were ~ed by up to 12 hours** les vols ont eu jusqu'à 12 heures de retard

C *vi* s'attarder; **don't ~!** fais vite!

D delayed *pp adj* [*flight, train*] qui a été retardé; [*passenger*] en retard; **to have a ~ed reaction** réagir après coup (**to** à); **to have a ~ed effect** agir après un certain délai

E delaying *pres p adj* [*action, tactic*] dilatoire

delayed action *adj* [*shutter, fuse*] à retardement

dele /di:lɪ/ *n* deleatur *m*

delectable /dɪ'lektəbl/ *adj* [*meal, dish, drink*] délicieux/-ieuse; [*dress, room, child*] délicieux/-ieuse

delectation /ˌdi:lek'teɪʃn/ *n* délectation *f*, délice *m*; **for the ~ of** pour le plus grand plaisir de

delegate

A /'delɪgət/ *n* 1 (to conference, meeting) délégué/-e *m/f*; 2 US Pol **~ (to the Convention)** délégué/-e *m/f*

B /'delɪgeɪt/ *vtr* déléguer [*power, responsibility, task*] (**to** à; **to do** pour faire); **you've been ~d to make the tea** hum nous avons décidé que c'est toi qui auras l'honneur de faire le thé

C /'delɪgeɪt/ *vi* déléguer ses responsabilités

delegation /ˌdelɪ'geɪʃn/ *n* (all contexts) délégation *f*

delete /dɪ'li:t/ *vtr* gen supprimer (**from** de); (with pen) rayer, barrer; Comput supprimer, effacer [*character, file*]; **~ where inapplicable** rayer les mentions inutiles

delete key *n* Comput touche *f* effacement

deleterious /ˌdelɪ'tɪərɪəs/ *adj* sout [*effect, influence*] délétère liter, nuisible; **to be ~ to sth** nuire à qch

deletion /dɪ'li:ʃn/ *n* 1 (act) suppression *f*; 2 (word, line taken out) suppression *f*; (word, line crossed out) rature *f*

delft /delft/ *n* faïence *f* de Delft

deli○ /delɪ/ *n* 1 (shop) épicerie *f* fine; 2 US (eating place) restaurant-traiteur *m*

deliberate

A /dɪ'lɪbərət/ *adj* 1 (intentional) [*act, attempt, choice, cruelty, decision, policy, provocation etc*] délibéré; [*aggression*] réfléchi, délibéré; [*vandalism, violation*] intentionnel/-elle, délibéré; **it's ~** c'est fait exprès; **it wasn't ~** ce n'était pas fait exprès; 2 (measured) [*manner, movement etc*] mesuré

B /dɪ'lɪbəreɪt/ *vtr* 1 (discuss) délibérer sur; 2 (consider) considérer, réfléchir sur

C /dɪ'lɪbəreɪt/ *vi* 1 (discuss) délibérer; 2 (reflect) réfléchir, délibérer (**over, about** sur)

deliberately /dɪ'lɪbərətlɪ/ *adv* 1 (intentionally) [*do, say*] exprès, à dessein, délibérément; [*sarcastic, provocative etc*] délibérément; **I ~ addressed her by her first name** c'est exprès que je l'ai appelée par son prénom; 2 (slowly and carefully) [*speak*] posément; [*walk*] délibérément

deliberation /dɪˌlɪbə'reɪʃn/ *n* 1 (reflection) réflexion *f*, délibération *f*; **after careful/long ~** après mûre réflexion/une longue délibération; 2 (discussion, debate) gen délibération *f*, débat *m*; Jur délibération *f*; 3 (slowness) mesure *f*, manière *f* posée; **with ~** posément, avec mesure

deliberative /dɪ'lɪbərətɪv/ *adj* 1 [*assembly, council*] délibérant; 2 [*conclusion, decision, speech*] mûrement réfléchi

delicacy /'delɪkəsɪ/ *n* 1 (of features) finesse *f*; (of beauty, china) délicatesse *f*, fragilité *f*; (of colour, design, craftsmanship, touch) délicatesse *f*; 2 (of health) délicatesse *f*, fragilité *f*; 3 (of mechanism, instrument) sensibilité *f*; 4 (awkwardness) (of situation, subject) délicatesse *f*; **a matter of great ~** une affaire qui demande beaucoup de tact; 5 (tact) (of person) délicatesse *f*, tact *m*; 6 Culin (savoury) mets *m* raffiné *or* délicat; (sweet) friandise *f*; **caviar is a great ~** le caviar est un mets très raffiné

delicate /'delɪkət/

A *adj* 1 (fine) [*features, hands*] fin; [*patterning*] délicat; (subtle) [*shade, perfume*] délicat; [*gesture*] gracieux/-ieuse; [*touch*] léger; 2 (easily damaged) [*china*] fragile; [*fabric*] délicat; 3 (finely tuned) [*mechanism*] délicat; [*balance*] précaire; 4 (not robust) [*health, stomach*] fragile, délicat; **I feel a bit ~ this morning** je me sens un peu patraque○ ce matin; 5 (requiring skill or tact) [*operation, problem, moment, situation, subject*] délicat; **her ~ handling of the problem** sa manière habile de traiter le problème

B delicates *npl* (fabrics) linge *m* délicat

delicately /'delɪkətlɪ/ *adv* 1 [*crafted, embroidered, flavoured*] délicatement; 2 [*handle, treat*] avec délicatesse; [*phrase*] avec tact, avec délicatesse

delicatessen /ˌdelɪkə'tesn/ *n* 1 (shop) épicerie *f* fine; 2 US (eating-place) restaurant-traiteur *m*

delicious /dɪ'lɪʃəs/ *adj* 1 [*meal, smell*] délicieux/-ieuse, exquis; 2 [*feeling, person, story*] délicieux/-ieuse

deliciously /dɪ'lɪʃəslɪ/ *adv* délicieusement; **the water was ~ cool** l'eau était délicieusement fraîche *or* d'une fraîcheur exquise

delight /dɪ'laɪt/

A *n* joie *f*, plaisir *m*; **to take ~ in sth/in doing** prendre plaisir à qch/à faire; **to take ~ in tormenting sb** se faire un plaisir de tourmenter qn; **her ~ at sth/at doing** son plaisir pour qch/à faire; **a cry of ~** un cri de joie; **to laugh in sheer ~** rire de plaisir; **it is a ~ to do** c'est un plaisir (que) de faire; **it gives me great ~ to do** c'est un grand plaisir pour moi de faire; **(much) to my ~** à ma plus grande joie; **he is his mother's ~** il est la plus grande joie de sa mère; **it's a gardener's/gastronomic ~** c'est un plaisir pour l'œil du jardinier/pour le palais; **it's a ~ to the senses** c'est un régal pour les sens; **the ~s of camping/of Paris** les joies du camping/de Paris

B *vtr* ravir [*person*] (**with** par) ; **it ~s me that** je suis ravi que (+ *subj*)

C *vi* **to ~ in sth/in doing** prendre plaisir à qch/à faire; **I ~ed in his failure** son échec m'a ravi

delighted /dɪ'laɪtɪd/ *adj* [*smile, expression, person*] ravi (**about, at, by, with** de; **at doing, to do** de faire); **to be ~ that** être ravi que (+ *subj*); **to be ~ with sb** être très content de qn; **I'm ~ for you** j'en suis ravi pour toi; **(I should be) ~!** j'en serais ravi!; **~ to meet you** enchanté

delightedly /dɪ'laɪtɪdlɪ/ *adv* [*announce, agree, smile*] d'un air ravi; [*laugh, applaud, shriek*] avec ravissement

delightful /dɪ'laɪtfl/ *adj* 1 [*house, hotel, village, expression, laugh, story, party*] charmant; [*atmosphere, setting, weather, countryside, meal*] agréable; [*idea, sight, book, ballet*] merveilleux/-euse; **it is ~ to do, it is ~ doing** c'est agréable de faire; 2 [*person, personality, smile*] charmant

delightfully /dɪ'laɪtfəlɪ/ *adv* [*warm, peaceful*] agréablement; [*sing, play*] à merveille; **he is ~ eccentric/shy** il est délicieusement excentrique/timide

Delilah /dɪ'laɪlə/ *pr n* Bible Dalila

delimit /ˌdi:'lɪmɪt/ *vtr* délimiter

delimitation /ˌdi:lɪmɪ'teɪʃn/ *n* délimitation *f*

delineate /dɪ'lɪnɪeɪt/ *vtr* 1 (determine, specify) déterminer [*concerns, strategy, terms, subject, area*]; décrire [*aspects, features, character*]; 2 (mark boundaries of) lit, fig délimiter [*area, space*]

delineation /dɪˌlɪnɪ'eɪʃn/ *n* sout (of problem, plan) présentation *f*; Literat (of character) portrait *m* (psychologique); (of line, picture) tracé *m*

delinquency /dɪ'lɪŋkwənsɪ/ *n* 1 (behaviour) délinquance *f*; 2 (offence) délit *m*; 3 US Fin défaut *m* de paiement

delinquent /dɪ'lɪŋkwənt/

A *n* délinquant/-e *m/f*

B *adj* 1 [*behaviour, child, youth*] délinquant; [*act*] de délinquance; 2 US Fin [*tax*] non payé; [*debtor*] défaillant

deliquesce /ˌdelɪ'kwes/ *vi* tomber en déliquescence

deliquescence /ˌdelɪ'kwesns/ *n* déliquescence *f*

deliquescent /ˌdelɪ'kwesnt/ *adj* déliquescent

delirious /dɪ'lɪrɪəs/ *adj* 1 Med délirant; **to become ~** être pris de délire; **to be ~** délirer; 2 fig [*crowd*] délirant, en délire; [*fan*] hystérique; **~ with joy** délirant de joie; **the crowd grew ~ with excitement** l'excitation de la foule tournait au délire

deliriously /dɪ'lɪrɪəslɪ/ *adv* fig follement, frénétiquement; **~ happy** ivre de joie, follement heureux/-euse

delirium /dɪ'lɪrɪəm/ *n* Med, fig délire *m*

delirium tremens /dɪˌlɪrɪəm 'tri:menz/ *n* delirium tremens *m*

deliver /dɪ'lɪvə(r)/

A *vtr* 1 (take to address) livrer [*goods, milk, groceries*] (**to** à); (to several houses) distribuer [*newspaper, mail*]; (to an individual) apporter [*newspaper, mail*] (**to** à); remettre [*note, written message*]; transmettre [*oral message*]; **'~ed to your door'** 'livraison à domicile'; 2 Med [*doctor, midwife*] mettre au monde [*baby*]; [*vet*] délivrer [*baby animal*]; **to be ~ed** [*baby*] être né; **she was ~ed of a son**† elle a accouché d'un garçon; 3 (utter) faire, prononcer [*speech, lecture, sermon*]; faire [*reprimand, rebuke*]; donner [*ultimatum, decision*]; rendre [*verdict, ruling*]; réciter [*line, speech in play*]; lancer [*verbal attack, joke*]; 4 (hand over) céder [*property, money, goods*] (**over to, up to** à); livrer [*town, ship*] (**over to, up to** à); **to ~ sth/sb into sb's care** confier qch/qn à qn; 5 (give, strike) asséner [*blow, punch*]; donner [*knife thrust*]; tirer [*bullets, round*]; fournir [*voltage*] (**to** à); **to ~ the final blow to sth** fig porter le coup fatal à qch; 6 (rescue) délivrer [*person*] (**from** de); **'~ us from evil'** 'délivrez-nous du mal'

B *vi* 1 [*tradesman, company*] livrer; **the postman doesn't ~ on Sundays** le facteur ne distribue pas le courrier le dimanche; 2 ○tenir ses engagements (**on** quant à); **ultimately, the film doesn't ~** au bout du compte, le film déçoit

C *v refl* **to ~ oneself of** sout émettre [*opinion*]

(Idioms) **stand and ~!** la bourse ou la vie!; **to ~ the goods**○ tenir ses engagements

deliverance /dɪˈlɪvərəns/ *n* délivrance *f*

deliverer /dɪˈlɪvərə(r)/ *n* 1 (of goods, groceries) (person) livreur/-euse *m/f*; (company) service *m* de livraison; 2 (saviour) libérateur/-trice *m/f*

delivery /dɪˈlɪvərɪ/
A *n* 1 (of goods, milk) livraison *f*; (of mail, newspaper) (to several houses) distribution *f*; (to individual) livraison *f*; **to take ~ of sth** prendre livraison de qch; **on ~** à la livraison; 2 (way of speaking) élocution *f*; (speed of speaking) débit *m*; 3 (pronouncement) (of judgment, ruling) énonciation *f*; 4 (of baby) accouchement *m*; 5 Sport lancer *m*; 6 (handing over of property) remise *f*
B *modif* [*cost, date, delay, lorry, note, order, schedule, service, time, vehicle*] de livraison

delivery: ~ **address** *n* adresse *f* du destinataire; ~ **boy** *n* garçon *m* de courses; ~ **charge** *n* (frais *mpl* de) port *m*; ~ **girl** *n* livreuse *f*; ~ **man** *n* livreur *m*; ~ **room** *n* Med salle *f* d'accouchement; ~ **suite** *n* GB Med salles *fpl* d'accouchement; ~ **woman** *n* livreuse *f*

dell /del/ *n* littér vallon *m* boisé

delouse /ˌdiːˈlaʊs/ *vtr* épouiller

Delphi /ˈdelfɪ/ *pr n* Delphes

Delphic /ˈdelfɪk/ *adj* 1 Mythol de Delphes; **~ oracle** oracle *m* de Delphes; 2 (mysterious) sibyllin

delphinium /delˈfɪnɪəm/ *n* delphinium *m*

delta /ˈdeltə/ *n* 1 (Greek letter) delta *m* also Math; 2 Geog delta *m*; 3 GB Univ *note la plus basse*

delta wing *n* aile *f* delta

deltoid /ˈdeltɔɪd/
A *n* (*also* **~ muscle**) deltoïde *m*
B *adj* deltoïde

delude /dɪˈluːd/
A *vtr* tromper (**with** par); **he ~d them into believing that...** il a réussi à leur faire croire que...
B *v refl* **to ~ oneself** se faire des illusions; **to ~ oneself into believing that...** se persuader que...
C **deluded** *pp adj* **to be ~d** se tromper; **a ~d person** un naïf/une naïve *m/f*

deluge /ˈdeljuːdʒ/
A *n* lit, fig déluge *m*
B *vtr* lit, fig submerger (**with** de); **to be ~d with** être submergé par

delusion /dɪˈluːʒn/ *n* gen illusion *f*; Psych délire *m*; **to be under the ~ that...** s'imaginer que...; **to be under a ~** se faire des illusions; **to suffer from ~s** Psych souffrir de crises de délire; **~s of grandeur** la folie des grandeurs

delusive /dɪˈluːsɪv/ *adj* trompeur/-euse

de luxe /dəˈlʌks, ˈlʊks/ *adj* [*model, version, edition*] de luxe; [*accommodation*] luxueux/-euse

delve /delv/ *vi* 1 **to ~ into** fouiller dans [*pocket, records, memory, subject, past*]; examiner [*motive*]; **he ~d into the book for some quotations** il a cherché dans le livre pour trouver des citations; **to ~ further** *ou* **deeper into** fouiller un peu [*records, subject etc*]; étudier d'un peu plus près [*book*]; 2 GB littér (dig) creuser (**into** dans)

Dem US *abrév écrite* = **Democrat, Democratic**

demagnetize /diːˈmægnɪtaɪz/ *vtr* démagnétiser

demagogic /ˌdeməˈgɒgɪk/ *adj* [*person*] démagogue; [*speech, manner*] démagogique

demagogue /ˈdeməgɒg/ *n* démagogue *mf*

demagogy /ˈdeməgɒgɪ/ *n* démagogie *f*

de-man /ˌdiːˈmæn/ *vtr* GB réduire la main-d'œuvre de

demand /dɪˈmɑːnd, US dɪˈmænd/
A *n* 1 (request) demande *f*; **there have been many ~s for his resignation** un grand nombre de personnes ont demandé sa démission; **on ~** [*divorce, abortion, access*] à la demande; Fin [*payable, available*] à vue; 2 (pressure) exigence *f*; **the ~s of** les exigences de; **I have many ~s on my time** mon temps est très pris; **the purchase will make extra ~s on our finances** cet achat va entamer encore plus nos finances; 3 Econ demande *f* (**for** de); **supply and ~** l'offre et la demande; 4 (favour) **to be in ~** être très demandé; **he's in great ~ as a singer** c'est un chanteur très demandé
B *vtr* 1 (request) demander [*reform, release*]; (very forcefully) exiger [*payment, attention, ransom*]; **to ~ an inquiry** réclamer une enquête; **to ~ one's money back** exiger d'être remboursé; **to ~ sth from sb** exiger qch de qn; **I ~ to know the truth** je demande à savoir la vérité; (stronger) j'exige de savoir la vérité; **to ~ to see sb's licence** demander à voir le permis de qn; **she ~ed to be let in** elle a exigé qu'on la laisse entrer; **to ~ that sb do** exiger que qn fasse; **we ~ that we be included** nous demandons à être inclus; 2 (require) [*work, situation, employer*] demander [*patience, skill, time*] (**of sb** de qn); (more imperatively) exiger [*punctuality, qualities*]; **to ~ of sb that** exiger de qn que (+ *subj*)

demand: ~ **deposit** *n* dépôt *m* à vue; ~ **feeding** *n* allaitement *m* à la demande

demanding /dɪˈmɑːndɪŋ, US -ˈmænd-/ *adj* 1 [*person*] exigeant; 2 [*work, course*] ardu; [*schedule*] chargé

demand note *n* 1 GB demande *f* de paiement; 2 US effet *m* à vue

demand-pull inflation *n* inflation *f* par la demande

demanning /ˌdiːˈmænɪŋ/ *n* GB réduction *f* de main-d'œuvre, dégraissage○ *m*

demarcate /ˈdiːmɑːkeɪt/ *vtr* délimiter [*space, scope*]; tracer [*boundary*]

demarcation /ˌdiːmɑːˈkeɪʃn/ *n* 1 (physical) (action, boundary) démarcation *f*; 2 Jur, Admin délimitation *f*

demarcation dispute *n* querelle *f* de compétence (*entre syndicats*)

démarche /ˈdeɪmɑːʃ/ *n* démarche *f*

demean /dɪˈmiːn/ *v refl* **to ~ oneself** s'abaisser (**to do** à faire)

demeaning /dɪˈmiːnɪŋ/ *adj* humiliant

demeanour GB, **demeanor** US /dɪˈmiːnə(r)/ *n* sout (behaviour) comportement *m*; (bearing) maintien *m*

demented /dɪˈmentɪd/ *adj* fou/folle; **to drive sb ~**○ rendre qn fou

dementedly /dɪˈmentɪdlɪ/ *adv* comme un fou/une folle

dementia /dɪˈmenʃə/ *n* démence *f*

demerara (sugar) /ˌdeməˈreərə/ *n* sucre *m* roux cristallisé

demerge /diːˈmɜːdʒ/
A *vtr* scinder
B *vi* se scinder

demerger /diːˈmɜːdʒə(r)/ *n* scission *f*

demerit /ˌdiːˈmerɪt/ *n* 1 gen démérite fml *m*; 2 US Sch (*also* **~ point**) avertissement *m*

demi+ /demɪ-/ (*dans composés*) demi-

demigod /ˈdemɪgɒd/ *n* demi-dieu *m*

demijohn /ˈdemɪdʒɒn/ *n* dame-jeanne *f*, bonbonne *f*

demilitarization /diːˌmɪlɪtəraɪˈzeɪʃn, US -rɪˈz-/ *n* démilitarisation *f*

demilitarize /ˌdiːˈmɪlɪtəraɪz/ *vtr* démilitariser; **~d zone** zone *f* démilitarisée

demise /dɪˈmaɪz/ sout
A *n* 1 (of institution, system, movement) disparition *f*; (of aspirations) mort *f*; **her political ~** sa disparition de la scène politique; 2 euph, hum (death) disparition *f*; 3 Jur (lease) cession *f* à bail, affermage *m*; (by inheritance) legs *m*, transmission *f*; **~ of the crown** Pol transmission de la couronne (*lors de la mort ou de la déposition du souverain*)
B *vtr* 1 Jur (by lease) céder à bail; (by will) transmettre; 2 Pol transmettre [*sovereignty, the Crown*]

demisemiquaver /ˌdemɪˈsemɪkweɪvə(r)/ *n* GB triple croche *f*

demist /ˌdiːˈmɪst/ GB *vtr* désembuer

demister /ˌdiːˈmɪstə(r)/ GB *n* dispositif *m* antibuée

demo○ /ˈdeməʊ/
A *n* (*pl* **-mos**) (*abrév* = **demonstration**) 1 Pol manif○ *f*; 2 Aut modèle *m* de démonstration
B *modif* [*tape, disk, cassette*] de démonstration

demob○ /ˌdiːˈmɒb/ GB
A *n* démobilisation *f*
B *vtr* (*p prés etc* **-bb-**) démobiliser

demobilization /diːˌməʊbɪlaɪˈzeɪʃn, US -lɪˈz-/ *n* démobilisation *f*

demobilize /diːˈməʊbɪlaɪz/ *vtr* démobiliser

democracy /dɪˈmɒkrəsɪ/ *n* démocratie *f*

democrat /ˈdeməkræt/ *n* démocrate *mf*

Democrat /ˈdeməkræt/
A *pr n* GB, US Pol Démocrate *mf*
B *modif* [*politician*] du parti démocrate

democratic /ˌdeməˈkrætɪk/ *adj* 1 [*institution, country*] démocratique; 2 (believing in freedom) démocrate

Democratic /ˌdeməˈkrætɪk/ *adj* US Pol **the ~ party** le parti démocrate

democratically /ˌdeməˈkrætɪklɪ/ *adv* démocratiquement

democratization /dɪˌmɒkrətaɪˈzeɪʃn, US -tɪˈz-/ *n* démocratisation *f*

democratize /dɪˈmɒkrətaɪz/ *vtr* démocratiser

demographer /dɪˈmɒgrəfə(r)/ *n* démographe *mf*

demographic /ˌdeməˈgræfɪk/ *adj* démographique

demography /dɪˈmɒgrəfɪ/ *n* démographie *f*

demolish /dɪˈmɒlɪʃ/ *vtr* 1 démolir [*building, argument, person*]; 2 ○hum engloutir [*food*]; 3 ○Sport battre [qn] à plates coutures

demolition /ˌdeməˈlɪʃn/
A *n* lit, fig démolition *f*
B *modif* [*area, squad, work*] de démolition; **~ worker** démolisseur *m*

demon /ˈdiːmən/
A *n* Relig, fig démon *m*; **the ~ drink** le démon de l'alcool; **the ~ of inflation** le démon inflation
B *modif* [*drummer, sportsman etc*] diabolique

demonetization /diːˌmʌnɪtaɪˈzeɪʃn, US -tɪˈz-/ *n* démonétisation *f*

demonetize /ˌdiːˈmʌnɪtaɪz/ *vtr* démonétiser

demoniac /dɪˈməʊnɪæk/
A *n* diable *m*
B *adj* = **demonic**

demonic /dɪˈmɒnɪk/ *adj* [*aspect, person, power, etc*] diabolique; [*music, noise*] infernal

demonize /ˈdiːmənaɪz/ *vtr* diaboliser

demonology /ˌdiːməˈnɒlədʒɪ/ *n* démonologie *f*

demonstrable /ˈdemɒnstrəbl, US dɪˈmɒnstrəbl/ *adj* démontrable; **the candidate will have ~ organizing skills** le candidat saura faire preuve d'un sens de l'organisation

demonstrably /ˈdemɒnstrəblɪ, dɪˈmɒnstrəblɪ/ *adv* (obviously) manifestement

demonstrate /ˈdemənstreɪt/
A *vtr* 1 (illustrate, prove) démontrer [*theory, principle, truth*]; **to ~ that** démontrer que; **to ~ the principle/concept that** démontrer le principe/concept selon lequel; **as ~d by this experiment** comme le démontre cette expérience; 2 (show, reveal) manifester [*emotion, concern, support*]; montrer [*skill*]; **to ~ one's concern/one's support for sth** manifester son intérêt pour/son soutien à qch; **as ~d by...** ainsi qu'en atteste...; 3 (display) faire la démonstration de [*machine, gadget, product*]; **to ~ how to do** montrer comment faire; **to ~ how sth works** montrer comment marche *or* fonctionne qch
B *vi* Pol manifester (**for** en faveur de; **against** contre)

d

demonstration /ˌdemənˈstreɪʃn/
A *n* 1 Pol manifestation *f* (**against** contre; **for** en faveur de); **to stage a ~** organiser une manifestation; 2 (of emotion, support) manifestation *f*; 3 (of machine, gadget etc) démonstration *f*; **cookery ~** démonstration culinaire; **to give a ~** faire une démonstration; 4 (of theory, principle) démonstration *f*
B *modif* [*model, match, sport*] de démonstration

demonstrative /dɪˈmɒnstrətɪv/
A *n* Ling démonstratif *m*
B *adj* 1 [*person, behaviour*] démonstratif/-ive; 2 sout **to be ~ of** être significatif/-ive de [*belief, attitude, state of mind*]; 3 Ling démonstratif/-ive

demonstrator /ˈdemənstreɪtə(r)/ *n* 1 Pol manifestant/-e *m/f*; 2 Comm démonstrateur/-trice *m/f*; 3 GB Univ préparateur/-trice *m/f*; 4 ○Aut voiture *f* de démonstration

demoralization /dɪˌmɒrəlaɪˈzeɪʃn, US dɪˌmɔːrəlɪˈzeɪʃn/ *n* démoralisation *f*

demoralize /dɪˈmɒrəlaɪz, US -ˈmɔːr-/ *vtr* démoraliser; **to become ~d** se démoraliser

demoralizing /dɪˈmɒrəlaɪzɪŋ, US -ˈmɔːr-/ *adj* démoralisant

demote /ˌdiːˈməʊt/ *vtr* rétrograder [*person*]; ramener [qch] au deuxième plan [*idea, principle, policy etc*]; reléguer [qn] dans la division inférieure [*football team*]

demotic /dɪˈmɒtɪk/ *adj* 1 sout (of the populace) populaire; 2 Ling démotique

demotion /dɪˈməʊʃn/ *n* (of person) rétrogradation *f*; (of idea, principle, policy) relégation *f*; (of football team) relégation *f*

demotivate /diːˈməʊtɪveɪt/ *vtr* démotiver

demur /dɪˈmɜː(r)/ sout
A *n* **without ~** sans objection(s)
B *vi* (*p prés etc* **-rr-**) 1 (disagree) soulever des objections (**at** contre); 2 (complain) rechigner (**at doing** à faire)

demure /dɪˈmjʊə(r)/ *adj* 1 [*behaviour, dress*] discret/-ète; [*girl*] sage et modeste; 2 pej (coy) faussement modeste

demurely /dɪˈmjʊəlɪ/ *adv* 1 (modestly) de façon modeste; 2 pej (coyly) avec une fausse modestie

demureness /dɪˈmjʊənɪs/ *n* 1 (modesty) modestie *f*; 2 pej (coyness) fausse modestie *f*

demurrage /dɪˈmʌrɪdʒ/ *n* Comm Jur surestarie *f*

demutualization /diːˈmjuːtʃʊəlaɪˈzeɪʃn/ *n* démutualisation *f*

demutualize /diːˈmjuːtʃʊəlaɪz/ *vi* démutualiser

demystification /diːˌmɪstɪfɪˈkeɪʃn/ *n* démystification *f*

demystify /ˌdiːˈmɪstɪfaɪ/ *vtr* démystifier

demythologize /ˌdiːmɪˈθɒlədʒaɪz/ *vtr* démythifier

den /den/ *n* 1 (of lion) antre *m*; (of fox) tanière *f*; 2 fig pej (of thieves, gamblers etc) repaire *m*; **~ of vice** *ou* **iniquity** lieu *m* de débauche; **drugs ~** haut-lieu *m* de la drogue; 3 fig (room) tanière *f*

denationalization /diːˌnæʃənəlaɪˈzeɪʃn, US -lɪˈz-/ *n* dénationalisation *f*

denationalize /ˌdiːˈnæʃənəlaɪz/ *vtr* dénationaliser

denaturalization /diːˌnætʃərəlaɪˈzeɪʃn, US -lɪˈz-/ *n* dénaturalisation *f*

denaturalize /ˌdiːˈnætʃərəlaɪz/ *vtr* dénaturaliser

denature /ˌdiːˈneɪtʃə(r)/ *vtr* dénaturer

dengue /ˈdeŋgɪ/ *n* dengue *f*

denial /dɪˈnaɪəl/ *n* 1 (of accusation, rumour) démenti *m*; (of guilt) négation *f*; (of doctrine, rights, freedom) négation *f*; (of request) rejet *m*; **he issued a ~ of his involvement in the scandal** il a démenti être impliqué dans le scandale; **despite her ~ that she had met him** bien qu'elle ait nié l'avoir rencontré; **Peter's ~ of Christ** Bible le reniement du Christ par St Pierre; 2 Psych dénégation *f*; **to be in ~** refuser de faire face; 3 = **self-denial**

denial of justice *n* Jur déni *m* (de justice)

denier /ˈdenɪə(r)/ *n* Tex denier *m*; **15 ~ tights** GB, **15 ~ pantyhose** US collant *m* de 15 deniers

denigrate /ˈdenɪgreɪt/ *vtr* dénigrer

denigration /ˌdenɪˈgreɪʃn/ *n* dénigrement *m* (**of** de)

denim /ˈdenɪm/
A *n* (material) jean *m*
B *modif* [*jacket, shirt*] en jean; **~ jeans** jean *m*
C **denims** /ˈdenɪmz/ *npl* (trousers) jean *m*; (suit) ensemble *m* en jean; (overalls) bleu *m* de travail

denizen /ˈdenɪzn/ *n* 1 (inhabitant) (person) habitant/-e *m/f*; (animal) habitant *m*; 2 (naturalized) (animal) animal *m* acclimaté; (plant) plante *f* acclimatée; 3 Jur titulaire *mf* d'une naturalisation à effets juridiques restreints

Denmark /ˈdenmɑːk/ ▸ p. 1096 *pr n* Danemark *m*

denominate /dɪˈnɒmɪneɪt/ *vtr* 1 gen dénommer; 2 Fin libeller; **~d in** libellé en [*dollars, ecus*]

denomination /dɪˌnɒmɪˈneɪʃn/ *n* 1 gen dénomination *f*; 2 Relig confession *f*; 3 Fin valeur *f*; **high/low ~ coin** pièce de forte/faible valeur; **high/low ~ banknote** grosse/petite coupure

> **Denominations in the USA**
>
> Bien que les États-Unis soient un pays sans religion officielle, la référence à Dieu y est constante : le président prête serment sur la bible, la devise nationale est *One Nation Under God*, et la phrase *In God We Trust* est gravée sur les pièces de monnaie. La religion dominante est le protestantisme, mais elle a éclaté en une multitude de confessions. Il y aurait en tout près de 1500 cultes différents provenant du monde entier (islam, bouddhisme, hindouisme, etc.).

denominational /dɪˌnɒmɪˈneɪʃənl/ *adj* [*school*] confessionnel/-elle

denominative /dɪˈnɒmɪnətɪv/
A *n* Ling dénominatif *m*
B *adj* Ling, gen dénominatif/-ive

denominator /dɪˈnɒmɪneɪtə(r)/ *n* dénominateur *m*

denotation /ˌdiːnəʊˈteɪʃn/ *n* 1 Ling dénotation *f*; 2 gen (symbol used) représentation *f*; (process) dénotation *f*

denotative /dɪˈnəʊtətɪv/ *adj* Ling dénotatif/-ive

denote /dɪˈnəʊt/ *vtr* 1 (stand for) [*written symbol*] (on map etc) indiquer; Math désigner; [*word, phrase, notice, picture*] signifier; 2 (show proof of) dénoter [*taste, intelligence etc*]

denouement /ˌdeɪˈnuːmɒŋ, US ˌdeɪnuːˈmɔːŋ/ *n* dénouement *m*

denounce /dɪˈnaʊns/ *vtr* 1 (inform on) dénoncer (**to** à); 2 (criticize) dénoncer; 3 (accuse) accuser (**for doing** d'avoir fait); **to be ~d as a traitor/thief** être accusé de trahison/vol

denouncer /dɪˈnaʊnsə(r)/ *n* dénonciateur/-trice *m/f*

dense /dens/ *adj* 1 gen, Phys dense; 2 fig [*style*] dense; 3 ○(stupid) bouché○, obtus; 4 US [*book, statement*] profond

densely /ˈdenslɪ/ *adv* **~ populated/wooded** très peuplé/boisé

denseness /ˈdensnɪs/ *n* 1 = **density**; 2 ○bêtise *f*

densimeter /denˈsɪmɪtə(r)/ *n* densimètre *m*

densitometer /ˌdensɪˈtɒmɪtə(r)/ *n* Phot densitomètre *m*

density /ˈdensətɪ/ *n* 1 Phys, Comput, Electron densité *f*; 2 (of housing, population) densité *f*; **high/low ~ housing** habitat *m* à forte/faible densité

dent /dent/
A *n* (in wood) entaille *f*; (in metal) bosse *f*; **to make a ~ in** faire une entaille dans [*wood*]; cabosser, bosseler [*car*]; fig○ faire un trou dans○ [*savings*]
B *vtr* faire une entaille dans [*wood*]; cabosser, bosseler [*car*]; entamer [*pride*]

dental /ˈdentl/
A *n* Ling dentale *f*
B *adj* 1 [*treatment, record, hygiene, decay*] dentaire; [*problem*] de dents; 2 Ling [*consonant*] dental

dental: **~ appointment** *n* rendez-vous *m* chez le dentiste; **~ clinic** *n* centre *m* de soins dentaires; **~ floss** *n* fil *m* dentaire; **~ hygienist** ▸ p. 1683 *n* auxiliaire *mf* dentaire; **~ nurse** ▸ p. 1683 *n* assistant/-e *m/f* dentaire; **~ plate** *n* dentier *m*; **~ receptionist** ▸ p. 1683 *n* réceptionniste *mf* de cabinet dentaire; **~ school** *n*: *école de médecine pour les futurs dentistes*; **~ surgeon** ▸ p. 1683 *n* chirurgien-dentiste *m*; **~ surgery** *n* GB (premises) cabinet *m* dentaire; (treatment) chirurgie *f* dentaire; **~ technician** ▸ p. 1683 *n* mécanicien-dentiste *m*

dentifrice /ˈdentɪfrɪs/ *n* dentifrice *m*

dentin(e) /ˈdentiːn/ *n* dentine *f*

dentist /ˈdentɪst/ ▸ p. 1683 *n* dentiste *mf*; **to go to the ~'s** aller chez le dentiste

dentistry /ˈdentɪstrɪ/ *n* médecine *f* dentaire, dentisterie *f* spec; **to study ~** faire des études dentaires

dentition /ˌdenˈtɪʃn/ *n* dentition *f*, denture *f* spec

denture /ˈdentʃə(r)/
A *n* (prosthesis) prothèse *f* dentaire
B **dentures** *npl* dentier *m*

denude /dɪˈnjuːd, US -ˈnuːd/ *vtr* 1 lit dénuder [*land, tree*] (**of** de); 2 fig **~d of** privé de

denunciation /dɪˌnʌnsɪˈeɪʃn/ *n* dénonciation *f* (**of** de)

deny /dɪˈnaɪ/ *vtr* 1 démentir [*rumour, report*]; nier [*charge, accusation*]; **to ~ that** nier que; **she denies that this is true** elle nie que cela soit vrai; **to ~ the rumour/news that** démentir la rumeur/nouvelle selon laquelle; **to ~ doing** *ou* **having done** nier avoir fait; **to ~ all knowledge of sth** nier savoir quoi que ce soit de qch; **there's no ~ing his popularity** nul ne peut nier sa popularité; 2 (refuse) **to ~ sb sth** refuser qch à qn; **to ~ sb admittance to a building/club** refuser l'accès d'un bâtiment/club à qn; **to ~ oneself sth** se priver de qch; **he was denied bail** Jur on a rejeté sa demande de mise en liberté sous caution; 3 (renounce) renier [*God, religion*]; 4 Comm **to ~ a signature** contester une signature

deodorant /diːˈəʊdərənt/
A *n* (personal) déodorant *m*; (for room) déodorisant *m*; **underarm/foot ~** déodorant pour les aisselles/les pieds; **roll-on/spray ~** déodorant à bille/en bombe.
B *adj* déodorant

deodorize /diːˈəʊdəraɪz/ *vtr* désodoriser

deontology /ˌdiːɒnˈtɒlədʒɪ/ *n* déontologie *f*

deoxidize /diːˈɒksɪdaɪz/ *vtr* désoxygéner

deoxyribonucleic acid /dɪˌɒksɪˌraɪbəʊnjuːˌkleɪɪk ˈæsɪd, US -nuː-/ *n* acide *m* désoxyribonucléique

depart /dɪˈpɑːt/
A *vtr* **to ~ this life** littér quitter ce monde
B *vi* 1 sout [*person, train, bus*] partir (**from** de; **for** pour); **the train for London is about to ~** le train à destination de Londres va partir; **the train now ~ing from platform one** le train au départ du quai numéro un; 2 (deviate) **to ~ from** s'éloigner de [*attitude, position, truth*]; abandonner [*practice*]

departed /dɪˈpɑːtɪd/
A *n* **the ~** euph (dead person) le/la défunt/-e *m/f*; (dead people) les défunts *mpl*

French departments

■ The names of French departments usually have the definite article, except when used after the preposition en.

In, to and from somewhere

■ For in and to, use dans le or dans les for masculine and plural names of departments:

to live in the Loiret
= vivre dans le Loiret

to go to the Loiret
= aller dans le Loiret

to live in the Landes
= vivre dans les Landes

to go to the Landes
= aller dans les Landes

to live in the Loir-et-Cher
= vivre dans le Loir-et-Cher

to go to the Loir-et-Cher
= aller dans le Loir-et-Cher

■ For in and to, use en for feminine names of departments:

to live in Savoy
= vivre en Savoie

to go to Savoy
= aller en Savoie

to live in Seine-et-Marne
= vivre en Seine-et-Marne

to go to Seine-et-Marne
= aller en Seine-et-Marne

■ For from, use du (or de l' before a vowel) for masculine and des for plural names of departments:

to come from the Loiret
= venir du Loiret

to come from the Landes
= venir des Landes

to come from the Loir-et-Cher
= venir du Loir-et-Cher

■ For from, use de without the definite article for feminine names of departments:

to come from Savoy
= venir de Savoie

to come from Seine-et-Marne
= venir de Seine-et-Marne

Uses with nouns

■ Use de with the definite article in most cases:

a Cantal accent
= un accent du Cantal

the Var area
= la région du Var

the Creuse countryside
= les paysages de la Creuse

Loiret people
= les gens du Loiret

Yonne representatives
= les représentants de l'Yonne

Landes restaurants
= les restaurants des Landes

the Calvados team
= l'équipe du Calvados

Ardennes towns
= les villes des Ardennes

■ but use de without the definite article with feminine names that include et:

Seine-et-Marne hotels
= les hôtels de Seine-et-Marne

Some cases are undecided:

Savoy roads
= les routes de Savoie or de la Savoie

B *adj* **1** (dead) euph défunt; **2** littér (vanished) [*glory, youth*] passé

departing /dɪˈpɑːtɪŋ/ *adj* [*chairman, government*] sortant; [*guest*] s'apprêtant à partir

department /dɪˈpɑːtmənt/ *n* **1** Comm, Fin (section) service *m*; **personnel ~** service *m* du personnel; **2** Admin Pol (governmental) ministère *m*; (administrative) service *m*; **social services ~** les services sociaux; **3** Comm (in store) rayon *m*; **electrical ~** rayon *m* électricité; **4** (in hospital) service *m*; **casualty ~** GB service *m* des urgences; **X ray ~** radiologie *f*; **5** (in university) département *m*; cf UFR *f*; **French ~** département de français; **6** Sch section *f* (*dans les écoles secondaires, regroupement des professeurs par matière sous la responsabilité d'un enseignant*); **7** Admin, Geog (district) département *m*; **8** °(area) domaine *m*; **that's not my ~!** ce n'est pas mon domaine or rayon°!

departmental /ˌdiːpɑːtˈmentl/ *adj* (*épith*) **1** Pol (ministerial) [*colleague, committee, meeting*] de ministère; **her ~ colleagues** ses collègues du ministère; **2** Admin (of organization, business) [*chief, head, meeting*] de service, de département

departmentalization /ˌdiːpɑːtˌmentəlaɪˈzeɪʃn, US -lɪˈz-/ *n* départementalisation *f*

departmentalize /ˌdiːpɑːtˈmentəlaɪz/ *vtr* départementaliser

department: **Department for Culture, Media and Sport** *n* GB ministère *m* de la Culture, des Médias et des Sports; **Department for Education and Skills**, **DfES** *n* GB ministère *m* de l'Éducation et de l'Emploi; **Department for International Development** *n* GB ministère *m* du Développement international

department head *n* **1** Admin, Comm chef *m* de service, directeur/-trice *m/f* du service; **2** Univ directeur/-trice *m/f* de département

department manager *n* **1** (of business) chef *m* de service, directeur/-trice *m/f* du service; **2** (of store) chef *m* de rayon

department: **Department of Defense**, **DOD** *n* US ministère *m* de la Défense; **Department of Health**, **DOH** GB, **Department of Health and Human Services** US *n* ministère *m* de la Santé; **Department of Social Security**, **DSS** *n* GB ministère *m* des Affaires sociales; **Department of the Environment, Transport and the Regions**, **DETR** *n* GB ministère *m* de l'Environnement, du Transport et des Régions; **Department of Trade and Industry**, **DTI** *n* GB ministère *m* du Commerce et de l'Industrie; **~ store** *n* grand magasin *m*

departure /dɪˈpɑːtʃə(r)/
A *n* **1** (of person, bus, train) départ *m* (**from** de; **for** pour); (from job, office) départ *m*; **2** fig (start) **this marks a new ~ in physics** ceci marque un nouveau départ en physique; **3** (from truth, regulation) entorse *f* (**from** à); (from policy, tradition etc) rupture *f* (**from** par rapport à); **this technique is a total ~ from traditional methods** cette technique s'éloigne totalement des méthodes traditionnelles; **in a ~ from standard practice...** contrairement aux usages établis...; **because of her frequent ~s from the truth** parce qu'elle s'éloigne/s'éloignait souvent de la vérité
B *modif* [*date, time*] de départ

departure: **~ gate** *n* porte *f* de départ; **~ lounge** *n* salle *f* d'embarquement; **~ platform** *n* Rail quai *m* de départ; **~s board** *n* tableau *m* des départs; **~s tax** *n* taxes *fpl* d'aéroport

depend /dɪˈpend/ *vi* **1** (rely) **to depend on sb/sth** dépendre de qn/qch, compter sur qn/qch (**for** pour); **to ~ on sb/sth to do** compter sur qn/qch pour faire; **you can ~ on him to spoil the evening** tu peux compter sur lui pour gâcher la soirée; **you can't ~ on the bus arriving on time** tu ne peux pas être sûr que le bus sera à l'heure; **you can ~ on it!** tu peux compter là dessus!; **you choose, ~ing on how much you can afford** tu as le choix, ça dépend du prix que tu veux y mettre; **the temperature varies ~ing on the season** la température varie suivant la saison; **that ~s** cela dépend; **2** (be financially dependent on) **to ~ on sb** vivre à la charge de qn

dependability /dɪˌpendəˈbɪlətɪ/ *n* **1** (of equipment) fiabilité *f*; **2** (of person) **~ is important in an employee** il est important de pouvoir compter sur un employé

dependable /dɪˈpendəbl/ *adj* [*person*] digne de confiance; [*car, machine*] fiable; [*forecast, news, source*] sûr

dependant /dɪˈpendənt/ *n* Jur, Soc Admin personne *f* à charge

dependence, **dependance** US /dɪˈpendəns/ *n* **1** (reliance) dépendance *f* (**on** vis-à-vis de); **2** (addiction) dépendance *f* (**on** à); **alcohol ~** alcoolisme *m*; **drug ~** toxicomanie *f*

dependency /dɪˈpendənsɪ/ *n* **1** Pol (territory) territoire *m* dépendant; **2** (reliance) dépendance *f*; **his ~ on his mother/on heroin** sa dépendance vis-à-vis de sa mère/à l'héroïne; **alcohol/drug ~** dépendance à l'alcool/à la drogue

dependency: **~ culture** *n* société *f* d'assistés; **~ grammar** *n* Ling grammaire *f* de dépendance; **~ leave** *n* GB Soc Admin *congé permettant de s'occuper d'une personne à charge*

dependent /dɪˈpendənt/ *adj* **1** (reliant) [*relative*] à charge; **to be ~ on** ou **upon sb/sth** gen dépendre de qn/qch; (financially) vivre à la charge de qn; **a drug-~ patient** un malade ayant un traitement à vie; **an insulin-~ patient** un malade sous insuline; **2** Ling [*clause*] subordonné; **3** Math [*variable*] dépendant

depersonalize /ˌdiːˈpɜːsənəlaɪz/ *vtr* dépersonnaliser

depict /dɪˈpɪkt/ *vtr* (visually) représenter (**as** comme); (in writing) dépeindre (**as** comme)

depiction /dɪˈpɪkʃn/ *n* peinture *f*, représentation *f*

depilate /ˈdepɪleɪt/ *vtr* épiler

depilatory /dɪˈpɪlətrɪ, US -tɔːrɪ/
A *n* dépilatoire *m*
B *adj* dépilatoire; **~ wax** cire *f* à épiler

deplane /ˌdiːˈpleɪn/ *vi* US quitter l'avion

deplete /dɪˈpliːt/ *vtr* réduire [*reserves, resources, funds, numbers*]; **a population ~d by war** une population dont l'effectif a été réduit par la guerre; **reservoirs ~d of water** des reservoirs qui sont presque à sec; **a lake ~d of fish** un lac devenu pauvre en poissons

depletion /dɪˈpliːʃn/ *n* (of resources, funds, stock) baisse *f*, diminution *f*

deplorable /dɪˈplɔːrəbl/ *adj* déplorable

deplorably /dɪˈplɔːrəblɪ/ *adv* [*treat, behave*] de façon déplorable; [*late, negligent*] affreusement

deplore /dɪˈplɔː(r)/ *vtr* déplorer; **to ~ the fact that** déplorer le fait que (+ *subj*)

deploy /dɪˈplɔɪ/ *vtr* gen, Mil déployer

deployment /dɪˈplɔɪmənt/ *n* Admin, Mil déploiement *m*

depolarization /diːˌpəʊləraɪˈzeɪʃn, US -rɪˈz-/ *n* 1 Pol compromis *m*; 2 Med, Phys dépolarisation *f*

depolarize /diːˈpəʊləraɪz/
A *vtr* 1 Mgmt, Pol rapprocher [*attitudes, parties*]; débloquer [*discussion*]; 2 Med, Phys dépolariser
B *vi* Pol rechercher un compromis

deponent /dɪˈpəʊnənt/ *n, adj* déponent (*m*)

depopulate /ˌdiːˈpɒpjʊleɪt/ *vtr* dépeupler

depopulation /diːˌpɒpjʊˈleɪʃn/ *n* dépeuplement *m*

deport /dɪˈpɔːt/
A *vtr* Jur expulser [*immigrant, criminal*] (**to** vers); Hist déporter [*slaves*]
B *v refl* sout **to ~ oneself** se comporter

deportation /ˌdiːpɔːˈteɪʃn/ *n* Jur (of immigrant, criminal) expulsion *f*; Hist (of slaves) déportation *f*

deportation order *n* arrêté *m* d'expulsion

deportee /ˌdiːpɔːˈtiː/ *n* déporté/-e *m/f*

deportment /dɪˈpɔːtmənt/ *n* 1 (posture) sout maintien *m*; 2 ‡(behaviour) conduite *f*

depose /dɪˈpəʊz/
A *vtr* Pol, Jur (all contexts) déposer
B *vi* Jur faire une déposition

deposit ➡▭ /dɪˈpɒzɪt/
A *n* 1 (to bank account) dépôt *m*; **to make a ~** faire *or* effectuer un dépôt; **on ~** en dépôt; 2 (part payment) (on house, hire purchase goods) versement *m* initial; (on holiday, goods) acompte *m*; **to put down a ~ on a house** effectuer un versement initial sur une maison; **to leave a ~ on sth** verser des arrhes *ou* un acompte sur qch; 3 (to secure goods, hotel room) arrhes *fpl*, acompte *m*; **'a small ~ will secure any item'** 'vous pouvez réserver un article en versant des arrhes *ou* un acompte'; 4 (against damage) caution *f*; 5 (on bottle) consigne *f*; 6 GB Pol cautionnement *m*; **to lose one's ~** perdre son cautionnement; 7 Geol, Geog (of silt, mud) dépôt *m*; (of coal, mineral) gisement *m*; 8 Chem, Wine (sediment) dépôt *m*
B *vtr* 1 (put down) déposer [*object*]; 2 (entrust) déposer [*money, valuables*]; **to ~ sth with the bank/solicitor** déposer qch à la banque/auprès de l'avocat; **to ~ sth with sb** confier qch à qn

deposit account *n* GB Fin compte *m* de dépôt

depositary /dɪˈpɒzɪtərɪ/ *n* 1 Jur dépositaire *mf*; 2 = **depository**

deposition /ˌdepəˈzɪʃn/ *n* (all contexts) déposition *f*

depositor /dɪˈpɒzɪtə(r)/ *n* Fin déposant/-e *m/f*

depository /dɪˈpɒzɪtrɪ, US -tɔːrɪ/ *n* entrepôt *m*

deposit slip *n* bordereau *m* de versement

depot /ˈdepəʊ, US ˈdiːpəʊ/ *n* 1 Comm, Mil (for storage) dépôt *m*; 2 Transp, Rail **bus/railway ~** dépôt *m* d'autobus/de chemin de fer; 3 US Transp (bus station) gare *f* routière; Rail gare *f* ferroviaire

deprave /dɪˈpreɪv/ *vtr* dépraver

depraved /dɪˈpreɪvd/ *adj* dépravé

depravity /dɪˈprævətɪ/ *n* dépravation *f*

deprecate /ˈdeprɪkeɪt/ *vtr* sout (disapprove of) désapprouver

deprecating /ˈdeprɪkeɪtɪŋ/ *adj* (disapproving) désapprobateur/-trice; (disparaging) controv réprobateur/-trice

deprecatingly /ˈdeprɪkeɪtɪŋlɪ/ *adv* [*smile, speak*] (about oneself) avec modestie; (about sb else) avec condescendance

deprecatory /ˌdeprɪˈkeɪtərɪ, US -tɔːrɪ/ *adj* 1 (disapproving) désapprobateur/-trice; 2 (apologetic) d'excuse

depreciate /dɪˈpriːʃɪeɪt/ *vi* se déprécier (**against** par rapport à)

depreciation /dɪˌpriːʃɪˈeɪʃn/ *n* dépréciation *f*

depredation /ˌdeprəˈdeɪʃn/ *n* déprédation *f*

depress /dɪˈpres/ *vtr* 1 gen, Psych déprimer [*person*]; 2 Comm, Fin faire baisser [*profits, investment, prices, currency*]; affaiblir [*trading, stock market*]; 3 (press) abaisser [*lever*]; appuyer sur [*button, switch*]

depressant /dɪˈpresənt/ *n, adj* Med dépresseur *m*

depressed /dɪˈprest/ *adj* 1 [*person, mood*] déprimé; **to be** *ou* **get ~** être déprimé; **I got very ~ about it** cela m'a beaucoup déprimé; 2 Econ, Comm [*region, district, trade, industry, sector*] en déclin; [*sales, prices*] très bas/basse; [*market*] en déclin, en crise

depressing /dɪˈpresɪŋ/ *adj* déprimant; **that's what I find ~** c'est ce qui me déprime

depressingly /dɪˈpresɪŋlɪ/ *adv* [*talk, describe*] de manière déprimante; **~ slow** d'une lenteur déprimante

depression /dɪˈpreʃn/ *n* 1 Med, Psych dépression *f*; **to suffer from ~** (permanently) être dépressif/-ive; (temporarily) avoir une dépression nerveuse; 2 Econ (slump) récession *f*, crise *f* (**in** de); **the (Great) Depression** Hist la grande dépression; 3 (hollow) gen creux *m*; Geol dépression *f*; 4 Meteorol dépression *f*

depressive /dɪˈpresɪv/
A *n* dépressif/-ive *m/f*
B *adj* 1 Med dépressif/-ive; **a ~ illness** une dépression; 2 Econ [*effect, policy*] dépressif/-ive

depressurization /diːˌpreʃəraɪˈzeɪʃn, US -rɪˈz-/ *n* dépressurisation *f*

depressurize /ˌdiːˈpreʃəraɪz/
A *vtr* dépressuriser [*aircraft, container, machine*]; décompresser [*gas, liquid*]
B *vi* [*aircraft, machine*] se dépressuriser

deprivation /ˌdeprɪˈveɪʃn/ *n* 1 (poverty) (of person) privations *fpl*; (of society) dénuement *m*; 2 Psych carence *f* affective; 3 (removal) (of right, privilege) privation *f*

deprive /dɪˈpraɪv/
A *vtr* priver (**of** de); **to be ~d of** être privé de
B **deprived** *pp adj* [*area, child, family*] démuni; [*childhood, existence*] malheureux/-euse

deprogramme /diːˈprəʊgræm/ *vtr* déprogrammer

deprogrammer /diːˈprəʊgræmə(r)/ *n* déprogrammeur/-euse *m/f*

dept *abrév écrite* = **department**

depth /depθ/
A *n* 1 (measurement) (of hole, box, water) profondeur *f*; (of layer) épaisseur *f*; **to dive/dig to a ~ of 10 m** plonger/creuser à une profondeur de 10 m; **at a ~ of 30 m** à 30 m de profondeur; **12 m in ~** profond de 12 m; **to be out of one's ~** (in water) ne plus avoir pied; fig être complètement perdu; 2 (degree of intensity) (of colour) intensité *f*; (of crisis, recession) gravité *f*; (of ignorance) étendue *f*; (of emotion) intensité *f*; (of despair) fond *m*; **to be in the ~s of despair** toucher le fond du désespoir; **with ~ of feeling** avec émotion; 3 (complexity) (of knowledge) étendue *f*; (of analysis, hero, novel, work) profondeur *f*; **to examine/study sth in ~** examiner/étudier qch en détail; 4 (lowness of pitch) gravité *f*; 5 Cin, Phot **~ of focus** distance *f* focale; **~ of field** profondeur *f* de champ
B **depths** *npl* (remote part) **the ~s of the sea** les profondeurs *fpl* de la mer; **in the ~s of the countryside** en pleine campagne; **in the ~s of the woods** au milieu des bois; **in the ~s of his consciousness** au fond de lui-même; **in the ~s of winter** au plus profond de l'hiver

depth charge *n* Mil grenade *f* sous-marine

deputation /ˌdepjʊˈteɪʃn/ *n* délégation *f*

depute /dɪˈpjuːt/ *vtr* sout 1 charger [*person*] (**for** de; **to do** de faire); 2 assigner [*task*] (**to** à)

deputize /ˈdepjʊtaɪz/ *vi* **to ~ for sb** remplacer qn

deputy /ˈdepjʊtɪ/
A *n* 1 (aide) adjoint/-e *m/f* (**to sb** de qn); (replacement) remplaçant/-e *m/f*; **to act as (a) ~ for sb** remplacer qn; **to be appointed as a ~ for sb** être nommé pour remplacer qn; 2 (politician) député *m*; 3 US (*also* **~ sheriff**) shérif *m* adjoint
B *modif* [*chief executive, director, editor, head, manager, mayor*] adjoint

deputy: **~ chairman** *n* vice-président *m*; **~ chief constable** *n* GB Police ≈ commissaire *m* divisionnaire adjoint; **~ judge** *n* Jur juge *m* suppléant; **~ leader** *n* GB Pol vice-président *m*; **~ premier**, **~ prime minister** *n* Pol vice-premier ministre *m*; **~ president** *n* Pol, Mgmt vice-président *m*; **Deputy Speaker** *n* GB Pol Vice-président/-e *m/f* des Communes

derail /dɪˈreɪl/
A *vtr* faire dérailler; **the train has been ~ed** (unintentionally) le train a déraillé
B *vi* dérailler

derailleur gears /dəˈreɪljə(r)/ *npl* dérailleur *m*

derailment /dɪˈreɪlmənt/ *n* déraillement *m*

derange /dɪˈreɪndʒ/
A *vtr* (all contexts) déranger
B **deranged** *pp adj* dérangé also hum

derangement /dɪˈreɪndʒmənt/ *n* Psych déséquilibre *m* (mental)

derby /ˈdɑːbɪ, US ˈdɜːrbɪ/ *n* 1 (hat) chapeau *m* melon; 2 Turf (competition) course *f* de chevaux; 3 **the Derby** GB le derby *m* (d'Epsom)

Derbyshire /ˈdɑːbɪʃə(r)/ ▸ **p. 1612** *pr n* Derbyshire *m*

derecognition /ˌdiːrekəgˈnɪʃn/ *n* GB (of body, union) retrait *m* du droit de représentativité

derecognize /ˌdiːˈrekəgnaɪz/ *vtr* GB retirer le droit de représentativité de [*body, union*]

deregulate /ˌdiːˈregjʊleɪt/ *vtr* 1 Fin libérer [*prices*]; déréguler [*trade, market*]; 2 Jur déréglementer

deregulation /diːˌregjʊˈleɪʃn/ *n* 1 Fin (of prices) libération *f*; (of trade, market) dérégulation *f*; 2 Jur déréglementation *f*

derelict /ˈderəlɪkt/
A *n* 1 (tramp) clochard/-e *m/f*; 2 Naut épave *f*
B *adj* [*building*] (abandoned) abandonné; (ruined) en ruines; **to let sth go ~** laisser qch à l'abandon

dereliction /ˌderɪˈlɪkʃn/ *n* abandon *m*; **~ of duty** Jur manquement *m* au devoir

derestrict /ˌdiːrɪˈstrɪkt/ *vtr* déréglementer; **~ed road** GB Aut route sans limitation de vitesse

deride /dɪˈraɪd/ *vtr* ridiculiser

de rigueur /də rɪˈgɜː(r)/ *adj* (as etiquette) de rigueur; (as fashion) très à la mode

derision /dɪˈrɪʒn/ *n* moqueries *fpl*

derisive /dɪˈraɪsɪv/ *adj* moqueur/-euse

derisively /dɪˈraɪsɪvlɪ/ *adv* [*speak, write*] sur un ton moqueur; **to laugh/smile ~** avoir un rire/sourire moqueur

derisory /dɪˈraɪsərɪ/ *adj* dérisoire

derivation /ˌderɪˈveɪʃn/ *n* 1 (source) origine *f*; 2 (process) dérivation *f*

derivative /dəˈrɪvətɪv/
A *n* 1 Chem, Ling dérivé *m*; 2 Math dérivée *f*; 3 Fin dérivé *m*
B *adj* 1 Chem, Ling, Math dérivé; 2 pej [*style*] sans originalité

derive /dɪˈraɪv/
A *vtr* tirer [*benefit, income, amount*] (**from** de); retirer [*satisfaction, pleasure*] (**from** de); **to be ~d from** [*name, word*] dériver *or* être un dérivé de; [*enzyme, vitamin*] être un dérivé de; [*rock, data*] provenir de
B *vi* **to ~ from** [*value, right, power*] découler de; [*idea, custom*] provenir de; [*word*] dériver de

dermatitis /ˌdɜːməˈtaɪtɪs/ ▸ **p. 1327** *n* dermatite *f*; **to have ~** avoir une dermatite

dermatologist /ˌdɜːməˈtɒlədʒɪst/ ▸ **p. 1683** *n* dermatologue *mf*

➡▭ *see* Life in France

dermatology /ˌdɜːməˈtɒlədʒɪ/ *n* dermatologie *f*

dermis /ˈdɜːmɪs/ *n* derme *m*

derogate /ˈderəgeɪt/ *vi* sout **to ~ from** (detract from) porter atteinte à; (deviate from) se soustraire à

derogatory /dɪˈrɒgətrɪ, US -tɔːrɪ/ *adj* [*remark, review, person*] désobligeant (**about** envers); [*term*] péjoratif/-ive

derrick /ˈderɪk/ *n* (crane) mât *m* de charge; (on oil-well) tour *f* de forage

derring-do‡ /ˌderɪŋˈduː/ *n* bravoure *f*

derringer /ˈderɪndʒə(r)/ *n* pistolet *m* (*de poche*)

derris /ˈderɪs/ *n* Hort roténone *f*

Derry /ˈderɪ/ ▸ **p. 1612** *pr n* (county) comté *m* de Derry; (town) Derry

derv /dɜːv/ *n* GB Aut gazole *m*

dervish /ˈdɜːvɪʃ/ *n* derviche *m*

DES *n* GB *abrév* ▸ **Department of Education and Science**

desalinate /ˌdiːˈsælɪneɪt/ *vtr* dessaler

desalination /diːˌsælɪˈneɪʃn/
A *n* dessalement *m*
B *modif* [*equipment, plant*] de dessalement

desalinator /diːˈsælɪneɪtə(r)/ *n* désalinisateur *m*

desalt /ˌdiːˈsɔːlt/ *vtr* dessaler

descale /ˌdiːˈskeɪl/ *vtr* GB détartrer

descaler /ˌdiːˈskeɪlə(r)/ GB *n* détartrant *m*

descant /ˈdeskænt/ *n* déchant *m*

descant recorder *n* flûte *f* à bec soprano

descend /dɪˈsend/
A *vtr* descendre [*steps, slope, path*]
B *vi* **1** (go down) [*person, path, plane*] descendre (**from** de); **in ~ing order of importance** en *or* par ordre décroissant d'importance; **2** (fall) [*darkness, rain, mist*] tomber (**on, over** sur); **3** (be felt) [*gloom, chill, exhaustion*] s'abattre (**on** sur); [*calm, peace*] s'étendre (**on** sur); **4** (arrive) [*tourists, family*] arriver, débarquer○; **to ~ on sb/Oxford/the village** débarquer chez qn/à Oxford/dans le village; **to ~ on the enemy** fondre sur l'ennemi; **5** (be related to) **to ~ from, to be ~ed from** [*person, family*] descendre de; **6** (sink) **to ~ to doing** s'abaisser à faire; **to ~ so low** *ou* **far as to do** s'abaisser jusqu'à faire; **to ~ into** s'enfoncer dans [*chaos, sentimentality*]; sombrer dans [*alcoholism, crime*]

descendant /dɪˈsendənt/ *n* descendant/-e *m/f* (**of** de)

descent /dɪˈsent/ *n* **1** (downward motion) descente *f* (**on, upon** sur); **to make one's ~** faire sa descente; **the aircraft began its ~** l'avion a commencé sa descente; **his ~ into crime/alcoholism started in 1964** c'est en 1964 qu'il a versé dans la criminalité/qu'il a sombré dans l'alcoolisme; **2** (extraction) descendance *f*; **of Irish ~** de descendance *or* d'origine irlandaise; **to claim ~ from** prétendre descendre de; **a British citizen by ~** un citoyen britannique par filiation; **to trace one's line of ~ back to Henry VIII** faire remonter sa généalogie jusqu'à Henri VIII

descramble /ˌdiːˈskræmbl/ *vtr* Telecom, TV désembrouiller

descrambler /ˌdiːˈskræmblə(r)/ *n* Telecom, TV désembrouilleur *m*

descrambling /ˌdiːˈskræmblɪŋ/ *n* Telecom, TV désembrouillage *m*

describe /dɪˈskraɪb/ *vtr* **1** (give details of) décrire [*person, event, object*]; **police ~ him as...** la police le décrit comme étant...; **2** (characterize) qualifier; **to ~ sb as an idiot/sth as useless** qualifier qn d'idiot/qch d'inutile; **he's ~d as generous/as a recluse** on dit de lui qu'il est généreux/que c'est un reclus; **I wouldn't ~ him as an artist** je ne le décrirais pas comme un artiste; **it could be ~d as pretty** on pourrait dire que c'est joli; **3** Math, Tech décrire [*circle, curve*]

description /dɪˈskrɪpʃn/ *n* **1** (of person, event, object) description *f* (**of** de; **as** comme étant); (for police) signalement *m* (**of** de); **to be beyond ~** être indescriptible; **2** (type, kind) genre *m*; **of every ~, of all ~s** de toutes sortes; **items of a similar ~** articles du même genre; **I need a table of some ~** j'ai besoin de quelque chose qui puisse faire office de table. ▸ **job description**

descriptive /dɪˈskrɪptɪv/ *adj* descriptif/-ive

descriptive: **~ geometry** *n* géométrie *f* descriptive; **~ linguistics** *n* (+ *v sg*) linguistique *f* descriptive

descriptivism /dɪˈskrɪptɪvɪzəm/ *n* descriptivisme *m*

descriptivist /dɪˈskrɪptɪvɪst/ *adj* descriptiviste

descry‡ /dɪˈskraɪ/ *vtr* apercevoir

desecrate /ˈdesɪkreɪt/ *vtr* **1** gen défigurer [*area, landscape*]; **2** Relig profaner [*altar, shrine*]

desecration /ˌdesɪˈkreɪʃn/ *n* **1** gen (of area, landscape) enlaidissement *m*; **2** Relig (of altar, shrine) profanation *f*

deseed /ˌdiːˈsiːd/ *vtr* épépiner

desegregate /ˌdiːˈsegrɪgeɪt/ *vtr* **to ~ a school/beach/neighbourhood** abolir la ségrégation dans une école/sur une plage/dans un quartier

desegregation /diːˌsegrɪˈgeɪʃn/ *n* déségrégation *f*. ▸ **Bussing**

deselect /ˌdiːsɪˈlekt/ *vtr* **1** GB Pol retirer l'investiture de [*person*]; **to be ~ed** perdre l'investiture du parti; **2** Comput désélectionner

deselection /ˌdiːsɪˈlekʃn/ *n* GB retrait *m* de l'investiture

desensitize /ˌdiːˈsensɪtaɪz/ *vtr* (all contexts) désensibiliser (**to** à)

desert
A /ˈdezət/ *n* (all contexts) désert *m*
B /ˈdezət/ *modif* [*region*] désertique; [*flora, fauna*] du désert
C /dɪˈzɜːt/ *vtr* abandonner [*person, group, place*] (**for** pour); déserter [*cause*]; Mil abandonner [*post*]; **our luck ~ed us** la chance nous a abandonnés; **his appetite ~ed him** il a perdu l'appétit; **has she ~ed you again?** hum elle t'a encore abandonné? hum
D /dɪˈzɜːt/ *vi* [*soldier*] déserter; [*politician*] faire défection; **to ~ to the enemy camp** passer à l'ennemi

desert: **~ boot** *n* pataugas® *m*; **~ campaign** *n* campagne *f* menée dans le désert; **~ crossing** *n* traversée *f* du désert

deserted /dɪˈzɜːtɪd/ *adj* **1** (empty) désert; **2** Soc Admin [*person*] abandonné

deserter /dɪˈzɜːtə(r)/ *n* déserteur *m* (**from** de)

desertification /dɪˌzɜːtɪfɪˈkeɪʃn/ *n* désertification *f*

desertion /dɪˈzɜːʃn/ *n* **1** gen, Mil désertion *f*; **2** Jur abandon *m* du domicile conjugal; **to sue for divorce on the grounds of ~** demander le divorce pour cause d'abandon du domicile conjugal

desert: **~ island** *n* île *f* déserte; **~ rat** *n* Zool gerboise *f*; **Desert Rat** *n* GB Mil Rat *m* du désert (*soldat britannique combattant dans le désert*)

deserts /dɪˈzɜːts/ *npl* **to get one's (just) ~** avoir ce qu'on mérite; **he got his just ~** il a eu ce qu'il méritait

deserve /dɪˈzɜːv/
A *vtr* mériter (**to do** de faire); **to ~ well/ill of sb** sout mériter/ne pas mériter d'être bien traité par qn; **she ~s to be remembered as...** elle mérite que l'on se souvienne d'elle comme...; **you ~ better than this!** tu mérites mieux que ça!; **they only got what they ~d, it was no more than they ~d** ils n'ont eu que ce qu'ils méritaient; **what did we do to ~ this?** qu'avons-nous fait pour mériter cela?
B **deserved** *pp adj* [*victory, reward, success*] mérité; **richly ~d** largement mérité

deservedly /dɪˈzɜːvɪdlɪ/ *adv* à juste titre

deserving /dɪˈzɜːvɪŋ/ *adj* **1** [*winner*] méritant; [*cause, charity*] louable, méritoire; **2** **to be ~ of** sout être digne de [*respect, consideration*]

desiccant /ˈdesɪkənt/ *n* dessiccatif *m*

desiccate /ˈdesɪkeɪt/
A *vtr* **1** sécher [*food*]; **2** dessécher [*skin*]
B *vi* se dessécher

desiccated /ˈdesɪkeɪtɪd/ *adj* **1** [*food stuff*] séché; **2** péj (dried up) desséché

desiccation /ˌdesɪˈkeɪʃn/ *n* dessiccation *f*

desiderata /dɪˌzɪdəˈrɑːtə/ *npl* desiderata *mpl*

design /dɪˈzaɪn/
A *n* **1** (idea, conception) conception *f*; **of faulty ~** de conception défectueuse; **2** (planning, development) (of object, appliance) conception *f*; (of building, room) agencement *m*; (of clothing) création *f*; **3** (drawing, plan) (detailed) plan *m* (**for** de); (sketch) croquis *m* (**for** de); (for dress) croquis *m*; **4** (model, completed object) modèle *m*; **this car is a very modern ~** cette voiture est un modèle très moderne; **this season's new ~s** les nouveaux modèles de cette saison; **an exclusive ~ by Nino** Fashn une création originale de Nino; **5** (art of designing) gen design *m*; (fashion) stylisme *m*; **to study ~** étudier le design; ▸ **interior design etc**; **6** (decorative pattern) motif *m*; **cup with a leaf ~** tasse avec un motif de feuilles; **7** (intention) dessein *m* (**to do** de faire); **by ~** à dessein; **to have ~s on** avoir des vues *fpl or* des visées *fpl* sur [*job, title, car*]; **to have (evil) ~s on sb/sth** avoir des vues (mal intentionnées) sur qn/qch
B *vtr* **1** (conceive, plan out) concevoir [*object, appliance, building, garment, experiment, course*]; **well/badly ~ed** bien/mal conçu; **2** (intend) **to be ~ed for sth/to do** (destined for) être destiné à qch/à faire; (made for) être conçu pour qch/pour faire; **a course ~ed for foreign students** un cours conçu pour *or* destiné aux étudiants étrangers; **a track ~ed for the use of cyclists** une piste destinée aux cyclistes; **a bowl ~ed to hold four litres/for the microwave** un bol prévu *or* fait pour contenir quatre litres/pour le micro-onde; **to be ~ed as** (for particular purpose) être prévu *or* conçu comme; (in the style of) représenter, être conçu comme; **3** (draw plan for) [*draughtsman*] dessiner le patron de [*garment*]; [*designer, stylist*] créer [*costume, garment, wardrobe*]; dessiner *or* faire les plans de [*building, bridge, object, appliance*]

designate
A /ˈdezɪgneɪt, -nət/ *adj* [*president, director, chairperson*] en titre
B /ˈdezɪgneɪt/ *vtr* [*word*] désigner; **to ~ sb (as) sth** désigner qn (comme) qch; **to ~ sth (as) sth** classer qch (comme) qch; **they ~d the area (as) a nature reserve** on a classé la région comme réserve naturelle; **a room ~d (as) a nonsmoking area** une salle destinée aux non-fumeurs; **to ~ sth for sb/sth** destiner qch à qn/qch; **the funds ~d for this project** les fonds destinés à ce projet; **to ~ sb to do** désigner qn pour faire

designated driver *n* US (at a party) conducteur/-trice *m/f* qui ne boit pas (pour une sortie)

designation /ˌdezɪgˈneɪʃn/ *n* désignation *f*, dénomination *f*; **the ~ of sth as** le classement de qch comme [*national park, nonsmoking area*]; **his ~ as ambassador** sa nomination au poste d'ambassadeur

design: **~ award** *n* (for finished product) prix *m* de la meilleure réalisation *or* conception; (for idea) prix *m* du meilleur projet; **~ centre** *n* (for exhibiting) salon *m* permanent; (for planning, conception) bureau *m* d'études; **~ consultant** *n* conseiller/-ère *m/f* en aménagement; **~ department** *n* Ind bureau *m* d'études; Theat scénographie *f*; **~ engineering** *n* étude *f* de conception

designer /dɪˈzaɪnə(r)/ ▸ **p. 1683**
A *n* gen concepteur/-trice *m/f*, designer *m*; (of

cars) concepteur/-trice *m/f*; (of computers, software) créateur/-trice *m/f*, concepteur/-trice *m/f*; (of furniture) créateur/-trice *m/f*; (of sets) décorateur/-trice *m/f*; (in fashion) couturier/-ière *m/f*; **hat ~** (for women) modiste *f*; (for men) chapelier *m*; **costume ~** Theat, Cin costumier/-ière *m/f*; ▸ **interior designer etc**
B *modif* [*drink, cocktail, hi-fi, sunglasses*] de dernière mode; **~ clothes**, **~ labels** (made to order) vêtements *mpl* de haute couture; (available in various outlets) vêtements *mpl* griffés; **~ jeans** jean *m* couture; **~ label** griffe *f*; **~ stubble** hum barbe *f* de deux jours (*volontairement négligée*)

designer drug *n* drogue *f* de synthèse

design: **~ fault** *n* faute *f* de conception, vice *m* caché; **~ feature** *n* caractéristique *f* (nominale)

designing /dɪˈzaɪnɪŋ/ *adj* péj intrigant

design: **~ specification** *n* spécification *f* du modèle; **~ student** *n* étudiant/-e *m/f* en arts appliqués

desirability /dɪˌzaɪərəˈbɪlətɪ/ *n* ¢ **1** (of plan, option, apartment, property) avantages *mpl*; **2** (sexual) attraits *mpl*, charmes *mpl*

desirable /dɪˈzaɪərəbl/ *adj* **1** [*outcome, course of action, solution*] souhaitable; [*area, position*] convoité; [*job, gift*] séduisant, tentant; **it is ~ that** il est souhaitable que (+ *subj*); **it was ~ to do** c'était souhaitable de faire; **~ residence**, **~ property** (in ad) maison *f* de standing; **2** (sexually) désirable

desire /dɪˈzaɪə(r)/
A *n* **1** gen désir *m* (**for** de; **to do** de faire); **to have no ~ to do** n'avoir aucune envie de faire; **it is my earnest ~ that** mon plus vif désir est que (+ *subj*); **her heart's ~** littér son plus cher désir; **2** (sexual) désir *m*
B *vtr* gen avoir envie de, désirer [*object, reward*]; (sexually) désirer; **to ~ to do** désirer faire; **to ~ sb to do sth, to ~ that sb (should) do sth** désirer que qn fasse qch; **if you so ~** sout si tel est votre désir; **it leaves a lot to be ~d** cela laisse beaucoup à désirer; **to obtain the ~d effect** obtenir l'effet désiré

desirous /dɪˈzaɪərəs/ *adj* sout désireux/-euse (**of** de)

desist /dɪˈzɪst/ *vi* sout cesser (**from doing** de faire); **to ~ from sth** cesser qch

desk /desk/
A *n* **1** (furniture) bureau *m*; Mus pupitre *m*; **writing ~** secrétaire *m*; **2** (in classroom) (pupil's) table *f*; (old-fashioned) pupitre *m*; (teacher's) bureau *m*; **3** (in public building) **reception ~** réception *f*; **information/advice ~** bureau *m* de renseignements/d'assistance; **cash ~** caisse *f*; **4** (in newspaper office) **the ~** la rédaction; **picture/sports ~** service *m* photos/des sports; **news ~** service *m* des informations; **5** (in organization, government office) (department) département *m*; **he has a ~ at the Foreign Office** (post) il travaille au ministère des Affaires étrangères
B *modif* [*accessories, calendar, lamp, diary, job*] de bureau; **~ pad** (blotter) sous-main *m*; (notebook) bloc-notes *m*

deskbound /ˈdeskbaʊnd/ *adj* [*job*] sédentaire; **we are ~ all week** nous ne bougeons pas de nos bureaux de toute la semaine

desk clerk *n* US réceptionniste *mf*

deskill /ˌdiːˈskɪl/ *vtr* automatiser [*job, process*]; déqualifier [*person*]

deskilling /ˌdiːˈskɪlɪŋ/ *n* (of workforce) baisse *f* de qualifications; (of job, process) automatisation *f*

desk research *n* étude *f* sur documents

desktop /ˈdesktɒp/
A *n* **1** (dessus *m* de) bureau *m*; **2** (*also* **~ computer**, **~ PC**) ordinateur *m* de bureau
B *modif* [*model*] de bureau

desk: **~top computer**, **~top PC** *n* ordinateur *m* de bureau; **~top publishing**, **DTP** *n* micro-édition *f*, publication *f* assistée par ordinateur, PAO

desolate
A /ˈdesələt/ *adj* **1** (deserted) [*place, landscape*] désolé, désert; [*house*] abandonné; **2** (devastated) [*building, city*] dévasté; **3** (forlorn) [*person, life*] désespérément triste; [*cry*] désolé; **4** (grief-stricken) accablé de chagrin, affligé
B /ˈdeseleɪt/ *vtr* dévaster, ravager [*town, country*]; affliger, accabler de chagrin [*person*]

desolately /ˈdesələtlɪ/ *adv* [*say, look*] d'un air accablé

desolation /ˌdesəˈleɪʃn/ *n* **1** (loneliness, bareness) (of place, landscape) aspect *m* désolé *or* désert; (of person, life) désolation *f*; **a scene of utter ~** une scène de profonde désolation; **2** (grief, misery) affliction *f*; **3** (devastation) (of city, country) dévastation *f*

despair /dɪˈspeə(r)/
A *n* **1** (emotion) désespoir *m*; **to be in ~ about** *ou* **over sth** être désespéré par qch; **to do sth in** *ou* **out of ~** faire qch par désespoir; **in ~ he phoned her** désespéré, il lui a téléphoné; **to be in the depths of ~** être au désespoir; **to drive sb to ~** réduire qn au désespoir; **2** [*person*] **to be the ~ of sb** faire le désespoir de qn
B *vi* désespérer (**of** de; **of doing** de faire); **don't ~** ne désespérez pas!

despairing /dɪˈspeərɪŋ/ *adj* désespéré

despairingly /dɪˈspeərɪŋlɪ/ *adv* [*look*] d'un air désespéré; [*say*] d'un ton désespéré

despatch = **dispatch**

desperado /ˌdespəˈrɑːdəʊ/ *n* desperado *m*

desperate /ˈdespərət/ *adj* **1** [*person, act, attempt, measure, plea, situation*] désespéré; [*criminal*] prêt à tout; **to be ~ to do** avoir très envie de faire; **to be ~ for** avoir désespérément besoin de [*affection, money, help, trade*]; attendre désespérément [*news*]; **the refugees are ~** les réfugiés sont à bout; **a ~ case** un cas désespéré; **to do something ~** commettre un acte de désespoir; **2** ○(terrible) affreux/-euse, terrible

desperately /ˈdespərətlɪ/ *adv* **1** [*plead, struggle, fight*] désespérément; [*look*] d'un air désespéré, désespérément; [*love*] éperdument; **to need/want sth ~** avoir très besoin/très envie de qch; **2** (as intensifier) [*poor, hungry, anxious*] terriblement; [*ill*] très gravement; **~ in love** éperdument amoureux/-euse

desperation /ˌdespəˈreɪʃn/ *n* désespoir *m*; **in (sheer) ~ she phoned the police** en désespoir de cause elle a appelé la police; **to act out of ~** agir par désespoir; **her ~ to win/for another victory** son désir intense de gagner/de remporter une nouvelle victoire; **to drive sb to ~** réduire qn au désespoir

despicable /dɪˈspɪkəbl, ˈdespɪkəbl/ *adj* méprisable

despicably /dɪˈspɪkəblɪ, ˈdespɪkəblɪ/ *adv* ignoblement

despise /dɪˈspaɪz/ *vtr* mépriser (**for** pour; **for doing** pour avoir fait)

despite /dɪˈspaɪt/ *prep* malgré, en dépit de; **~ the fact that** bien que (+ *subj*); **~ oneself** malgré soi

despoil /dɪˈspɔɪl/ *vtr* sout littér dévaster [*area, country*]

despondency /dɪˈspɒndənsɪ/, **despondence** /dɪˈspɒndəns/ *n* abattement *m*, découragement *m*

despondent /dɪˈspɒndənt/ *adj* abattu, déprimé, découragé; **she is ~ about her results** elle est déprimée par ses résultats

despondently /dɪˈspɒndəntlɪ/ *adv* [*say, look, walk*] d'un air abattu *or* découragé

despot /ˈdespɒt/ *n* despote *m*

despotic /deˈspɒtɪk/ *adj* despotique

despotically /deˈspɒtɪklɪ/ *adv* [*act, behave*] en despote

despotism /ˈdespətɪzəm/ *n* despotisme *m*

des res○ /ˌdez ˈrez/ *n* (in ad) maison *f* de standing

dessert /dɪˈzɜːt/
A *n* dessert *m*
B *modif* [*fork, plate etc*] à dessert

dessert: **~ apple** *n* pomme *f* à couteau; **~ chocolate** *n* chocolat *m* à croquer; **~spoon** *n* cuillère *f* à dessert; **~ wine** *n* vin *m* doux

destabilization /ˌdiːsteɪbəlaɪˈzeɪʃn, US -lɪˈz-/ *n* déstabilisation *f*

destabilize /ˌdiːˈsteɪbəlaɪz/ *vtr* déstabiliser

destalinization /diːˌstɑːlɪnaɪˈzeɪʃn, US -nɪˈz-/ *n* déstalinisation *f*

destalinize /diːˈstɑːlɪnaɪz/ *vtr* déstaliniser

destination /ˌdestɪˈneɪʃn/ *n* destination *f*; **we reached our ~ at 3 o'clock** nous sommes arrivés à destination à 3 heures

destine /ˈdestɪn/ *vtr* destiner (**for** à)

destined /ˈdestɪnd/ *adj* **1** (preordained) destiné (**for, to** à; **to do** à faire); **it was ~ that** il était écrit que; **they were ~ never to meet again** ils n'étaient pas destinés à se revoir; **it was ~ to happen** cela devait arriver; **to be ~ for higher things** être destiné à un grand avenir; **2** [*plane, train, traveller, letter etc*] **~ for Paris** à destination de Paris, pour Paris

destiny /ˈdestɪnɪ/ *n* (past events) destin *m*; (future events) destinée *f*; **it was her ~ to become queen** son destin était de devenir reine; **nobody knows her/his ~** personne ne connaît sa destinée; **a man of ~** (saviour) un envoyé du destin; (full of promise) un homme destiné à un grand avenir; **Destiny had decreed that...** le destin avait décrété que...

destitute /ˈdestɪtjuːt, US -tuːt/
A *n* **the ~** (+ *v pl*) les indigents *mpl*
B *adj* **1** [*person, family, community*] sans ressources; **to leave sb ~** laisser qn dans le dénuement; **2** sout **to be ~ of** être dénué de [*feeling, common sense, funds*]

destitution /ˌdestɪˈtjuːʃn, US -tuːt-/ *n* misère *f* extrême, indigence *f*

de-stress /diːˈstres/ *vtr* déstresser

destroy /dɪˈstrɔɪ/ *vtr* **1** détruire [*building, town, landscape, data, letter, evidence, bacteria*]; détruire, mettre fin à [*hopes, happiness, love, relationship, reputation, career*]; anéantir [*person*]; faire exploser [*bomb, suspicious package*]; *brain/ozone-~ing* qui détruit le cerveau/la couche d'ozone; **2** (kill) abattre [*animal*]; détruire, anéantir [*population, enemy*]; **3** ○Sport écraser [*opponent*]

destroyer /dɪˈstrɔɪə(r)/ *n* **1** Naut contre-torpilleur *m*, destroyer *m*; **2** (person) destructeur/-trice *m/f*; (killer) meurtrier/-ière *m/f*; **3** (fire, flood, earthquake) fléau *m*

destruct /dɪˈstrʌkt/
A *n* autodestruction *f*
B *modif* [*mechanism*] d'autodestruction; **~ button** télécommande *f* de destruction
C *vtr* détruire, faire s'autodétruire
D *vi* s'autodétruire

destructible /dɪˈstrʌktəbl/ *adj* destructible

destruction /dɪˈstrʌkʃn/ *n* (of building, town, environment, letter, evidence) destruction *f*; (of hopes, happiness, reputation, career) ruine *f*, anéantissement *m*; (of enemy, population) destruction *f*; **the gales caused widespread ~** la tempête a fait des dégâts considérables

destructive /dɪˈstrʌktɪv/ *adj* **1** (causing destruction) [*force, behaviour, policy, method*] destructeur/-trice; [*storm, fire*] destructeur/-trice, dévastateur/-trice; **to be ~ of** *ou* **to sth** être nuisible à qch; **a ~ child** un brise-fer; **2** (having potential to destroy) [*weapon, capacity*] destructif/-ive; [*urge, emotion, criticism*] destructeur/-trice

destructively /dɪˈstrʌktɪvlɪ/ *adv* [*behave*] de façon destructrice

destructiveness /dɪˈstrʌktɪvnɪs/ *n* (of storm, weapon, emotion, behaviour) effet *m* destructeur; (of child) penchant *m* destructeur; (of argument, régime, theory) caractère *m* destructeur

d

destructor /dɪˈstrʌktə(r)/ *n* **1** GB (incinerator) gen incinérateur *m* à ordures; Ind incinérateur *m* de déchets; **2** Mil charge *f* d'autodestruction

desuetude /dɪˈsjuːɪtjuːd, US -tuːd/ *n* sout désuétude *f*

desultory /ˈdesəltrɪ, US -tɔːrɪ/ *adj* [*conversation*] décousu; [*attempt, effort*] sporadique; [*reading*] superficiel/-ielle; [*friendship, contact*] épisodique; **she wandered about in a ~ fashion** elle se promenait au hasard

Det *abrév écrite* = **Detective**

detach /dɪˈtætʃ/
A *vtr* gen, Mil détacher (**from** de)
B *v refl* **to ~ oneself** se détacher (**from** de)

detachable /dɪˈtætʃəbl/ *adj* [*coupon, portion of bill, section of form, strap*] détachable; [*handle, lever, collar, cuff, lining*] amovible; Phot [*lens*] mobile

detached /dɪˈtætʃt/ *adj* **1** (separate) détaché, séparé; **2** (emotionally, intellectually) [*person, view*] détaché; [*attitude, manner*] détaché, dégagé; [*observer*] indépendant

detached: **~ garage** *n* garage *m* indépendant; **~ house** *n* maison *f* (individuelle), pavillon *m*; **~ retina** *n* Med rétine *f* décollée

detachment /dɪˈtætʃmənt/ *n* **1** (separation) séparation *f* (**from** de); **~ of the retina** Med décollement *m* de la rétine; **2** (emotional, intellectual) détachement *m*; **3** Mil (unit) détachement *m*

detail /ˈdiːteɪl, US dɪˈteɪl/
A *n* **1** (of story, account etc) détail *m*; (decorative) détail *m*; (insignificant) (point *m* de) détail *m*; **point of ~** point *m* de détail; **in (some) ~** en détail; **in more** *ou* **greater ~** plus en détail; **in great** *ou* **minute ~** dans les moindres détails; **to go into ~s** entrer dans les détails (**about** au sujet de); **to have an eye for ~, to show attention to ~** prêter attention aux détails; **I'll spare you the ~s** je vous fais grâce des détails; **2** Art détail *m*; **3** Mil détachement *m*
B details *npl* (information) renseignements *mpl*; **for further ~s...** Comm pour de plus amples renseignements...
C *vtr* **1** (list) exposer [qch] en détail [*plans, changes*]; énumérer [*items*]; **2** **to ~ sb to sth** affecter qn à qch

detail drawing *n* épure *f*

detailed /ˈdiːteɪld, US dɪˈteɪld/ *adj* détaillé

detain /dɪˈteɪn/ *vtr* **1** (delay) retenir; **I won't ~ you any longer** je ne vous retiendrai pas plus longtemps; **2** (keep in custody) placer [qn] en détention [*prisoner*]; **to be ~ed for questioning** être placé en garde à vue pour être interrogé; **3** (in hospital) garder

detainee /ˌdiːteɪˈniː/ *n* (general) détenu/-e *m/f*; (political) prisonnier/-ière *m/f* (politique)

detect /dɪˈtekt/ *vtr* **1** (find, locate) découvrir [*error*]; déceler [*traces, trend, change, evidence*]; détecter [*crime, disease, leak, enemy plane*]; **2** (sense) détecter [*sound, smell*]; sentir [*mood*]; **I ~ed a note of impatience in her voice** j'ai perçu une note d'impatience dans sa voix

detectable /dɪˈtektəbl/ *adj* discernable

detection /dɪˈtekʃn/
A *n* (of crime, disease, error) détection *f*; **the ~ of crime, crime ~** la lutte contre la criminalité; **to escape ~** [*criminal*] ne pas être découvert; [*error*] ne pas être décelé; **radar ~** détection *f* radar; **submarine ~** détection *f* sous-marine
B *modif* (**crime**) **~ rate** taux *m* d'arrestations de criminels

detective /dɪˈtektɪv/ *n* ≈ inspecteur/-trice *m/f* (de police); (private) détective *m*; **store ~** inspecteur/-trice *m/f*

detective: **~ constable** *n* GB ≈ enquêteur *m*; **~ inspector, DI** *n* GB ≈ inspecteur *m* principal; **~ sergeant** *n* GB ≈ inspecteur *m* de police; **~ story** *n* roman *m* policier, polar○ *m*; **~ superintendent** *n* GB ≈ commissaire *m* de police judiciaire; **~ work** *n* enquêtes *fpl* also fig

detector /dɪˈtektə(r)/ *n* détecteur *m*

detente /ˌdeɪˈtɑːnt/ *n* Pol détente *f*

detention /dɪˈtenʃn/ *n* **1** (confinement) détention *f*; **to be/die in ~** être/mourir en détention; **2** (prison sentence) détention *f* criminelle; (awaiting trial) détention *f* provisoire; **3** Sch retenue *f*, colle○ *f*

detention centre GB, **detention home** US *n* centre *m* de détention pour mineurs

deter /dɪˈtɜː(r)/ *vtr* (*p prés etc* **-rr-**) **1** (dissuade) dissuader; **a scheme to ~ burglars/vandalism** un projet pour décourager les cambrioleurs/le vandalisme; **nothing will ~ her** rien ne la fera reculer; **2** (prevent) empêcher (**from doing** de faire)

detergent /dɪˈtɜːdʒənt/ *n, adj* détergent (*m*), détersif (*m*) spec

deteriorate /dɪˈtɪərɪəreɪt/ *vi* [*weather*] se gâter; [*health, relationship, situation*] se détériorer; [*economy, market, sales*] décliner; [*work, building, area*] se dégrader; [*leather, wood*] se détériorer; **to ~ into** [*discussion, debate etc*] dégénérer en

deterioration /dɪˌtɪərɪəˈreɪʃn/ *n* (in weather) dégradation *f* (**in** de); (in health, situation, relationship) détérioration *f* (**in** de); (in work, performance) baisse *f* de qualité (**in** de); (of building, area) dégradation *f*; (of leather, wood) détérioration *f*; **~ in living standards** baisse *f* du niveau de vie

determinable /dɪˈtɜːmɪnəbl/ *adj* **1** [*amount, fact*] déterminable; **2** Jur [*contract, right*] résoluble

determinant /dɪˈtɜːmɪnənt/ *n, adj* gen, Math déterminant (*m*)

determination /dɪˌtɜːmɪˈneɪʃn/ *n* **1** (quality) détermination *f* (**to do** à faire); **2** (of amount, date etc) détermination *f*; **3** Jur, Admin (ruling) décision *f*

determine /dɪˈtɜːmɪn/ *vtr* **1** (find out) déterminer [*cause, fact*]; **to ~ how/when etc** établir comment/quand etc; **2** (decide) déterminer, fixer [*date, price*]; **to ~ to do** résoudre de faire; **to ~ that/when etc** décider que/quand etc; **to ~ (up)on sth** se résoudre à qch; **it was ~ed that** il a été établi que; **3** (control) [*factor*] déterminer [*outcome, progress*]

determined /dɪˈtɜːmɪnd/ *adj* [*person*] fermement décidé (**to do** à faire); [*air, expression*] résolu; [*attempt, approach*] ferme; **to be ~ that** être résolu à ce que (+ *subj*)

determiner /dɪˈtɜːmɪnə(r)/ *n* Ling déterminant *m*

determining /dɪˈtɜːmɪnɪŋ/ *adj* (*épith*) déterminant

determinism /dɪˈtɜːmɪnɪzəm/ *n* déterminisme *m*

determinist /dɪˈtɜːmɪnɪst/ *n, adj* déterministe (*mf*)

deterrent /dɪˈterənt, US -ˈtɜː-/
A *n* gen moyen *m* de dissuasion; Mil force *f* de dissuasion; **to be a ~ to sb** dissuader qn; **to act as a ~** Mil jouer un rôle de dissuasion
B *adj* [*effect*] dissuasif/-ive; [*measure*] de dissuasion

detest /dɪˈtest/ *vtr* détester (**doing** faire)

detestable /dɪˈtestəbl/ *adj* détestable; (stronger) odieux/-ieuse

detestably /dɪˈtestəblɪ/ *adv* détestablement

detestation /ˌdiːteˈsteɪʃn/ *n* **1** (hatred) haine *f*; **2** (object of hatred) objet *m* de haine

dethrone /ˌdiːˈθrəʊn/ *vtr* détrôner

dethronement /ˌdiːˈθrəʊnmənt/ *n* déposition *f*

detonate /ˈdetəneɪt/
A *vtr* faire exploser
B *vi* exploser

detonation /ˌdetəˈneɪʃn/ *n* détonation *f*, explosion *f*

detonator /ˈdetəneɪtə(r)/ *n* détonateur *m*

detour /ˈdiːtʊə(r), US dɪˈtʊər/
A *n* détour *m*; **it's worth a** *ou* **the ~** lit, fig ça vaut le détour
B *vtr* US **1** (redirect) dévier, détourner [*traffic*]; **2** (bypass) contourner
C *vi* faire un détour

detox /ˌdiːˈtɒks/ = **detoxify**, **detoxi(fi)cation**

detoxicate /ˌdiːˈtɒksɪkeɪt/ *vtr* désintoxiquer

detoxi(fi)cation /ˌdiːˌtɒksɪ(fɪ)ˈkeɪʃn/
A *n* désintoxication *f*; **to be in ~** être en cure de désintoxication
B *modif* [*centre, treatment*] de désintoxication

detoxify /ˌdiːˈtɒksɪfaɪ/ *vtr* désintoxiquer

DETR *n*: *abrév* GB ▸ **Department of the Environment, Transport and the Regions**

detract /dɪˈtrækt/ *vi* **to ~ from** porter atteinte à [*achievement, success, support, value*]; nuire à, porter atteinte à [*harmony, image, publicity*]; diminuer [*pleasure, happiness*]

detraction /dɪˈtrækʃn/ *n* dénigrement *m*

detractor /dɪˈtræktə(r)/ *n* détracteur/-trice *m/f*

detrain /ˌdiːˈtreɪn/ Mil
A *vtr* faire descendre [qn] d'un train [*troops*]
B *vi* descendre d'un train

detriment /ˈdetrɪmənt/ *n* **to the ~ of** au détriment de; **to their ~** à leur détriment; **to the great ~ of sth** au grand dommage de qch; **without ~ to** sans dommage pour

detrimental /ˌdetrɪˈmentl/ *adj* nuisible (**to** à); **to be ~ to, to have a ~ effect on** nuire à, être nuisible à [*person, environment, wildlife*]

detritus /dɪˈtraɪtəs/ *n* ₵ **1** gen détritus *mpl* (**of** de); **2** Geol dépôts *mpl* détritiques

deuce /djuːs, US duːs/ *n* **1** (in tennis) **~!** égalité!; **2** (in cards) deux *m*; **3** ○† **what/where the ~?** que/où diable○?

deuced○† /ˈdjuːsɪd, djuːst, US duːst/
A *adj* satané (*before n*)
B *adv* diablement

Deuteronomy /ˌdjuːtəˈrɒnəmɪ, US ˌduː-/ *pr n* Deutéronome *m*

Deux-Sèvres ▸ p. 1129 *pr n* Deux-Sèvres *fpl*; **in/to ~** dans les Deux-Sèvres

devaluate /ˌdiːˈvæljʊeɪt/ *vtr* = **devalue**

devaluation /ˌdiːvæljʊˈeɪʃn/ *n* **1** Econ, Fin (of currency) dévaluation *f*; (of shares) baisse *f*; **a 12% ~** une dévaluation de 12%; **2** gen dévalorisation *f*

devalue /ˌdiːˈvæljuː/
A *vtr* **1** Econ, Fin dévaluer (**against** contre); **to be ~d by 6%** être dévalué de 6%; **2** gen (underestimate) dévaloriser
B *vi* Econ, Fin [*currency*] être dévalué (**against** par rapport à); [*property*] baisser; [*shares*] dévaloriser; [*government, country*] dévaluer

devastate /ˈdevəsteɪt/
A *vtr* **1** lit ravager [*land, town*]; **2** fig anéantir [*person*]
B devastated *pp adj* **1** lit ravagé; **2** [*person*] anéanti (**by** par)

devastating /ˈdevəsteɪtɪŋ/ *adj* **1** lit [*attack, power, effect, storm*] dévastateur/-trice; fig [*beauty, charm*] ravageur/-euse; **2** (crushing) [*news, loss, grief*] accablant; [*comment, criticism, reply*] cinglant; [*argument*] écrasant; **to be ~ about sb/sth** fustiger qn/qch

devastatingly /ˌdevəsteɪtɪŋlɪ/ *adv* terriblement

devastation /ˌdevəˈsteɪʃn/ *n* **1** (of land, town) dévastation *f*; **2** (of person) anéantissement *m*

develop /dɪˈveləp/
A *vtr* **1** (acquire) acquérir [*skill, knowledge*]; attraper [*illness*]; prendre [*habit*]; présenter [*symptom*]; **to ~ an awareness of sth** prendre conscience de qch; **to ~ a taste** *ou* **liking for sth** prendre goût à qch; **to ~ cancer** développer un cancer; **the engine ~ed a fault** le moteur a commencé à mal fonctionner; **2** (evolve) élaborer [*plan, project*]; mettre au

point [*technique, procedures, invention*]; exposer [*theory, idea*]; développer [*argument*]; **3** Comm, Ind (create) créer [*market*]; établir [*close ties, links*]; **4** (expand, build up) développer [*mind, physique*]; Comm développer [*business, market*]; **5** (improve) mettre en valeur [*land, site etc*]; aménager [*city centre*]; **6** Phot développer
B *vi* **1** (evolve) [*child, seed, embryo*] se développer; [*intelligence*] s'épanouir; [*skills*] s'améliorer; [*society, country, region*] se développer; [*plot, play*] se développer; **to ~ into** devenir; **2** (come into being) [*friendship*] naître; [*trouble, difficulty*] naître; [*crack, hole*] se former; [*illness, symptom*] se déclarer; **3** (progress, advance) [*friendship*] se développer; [*difficulty*] s'aggraver; [*crack, fault*] s'accentuer; [*war, illness*] s'aggraver; [*game, story*] se dérouler; **4** (in size, extent) [*town, business*] se développer

d

developed /dɪ'veləpt/ *adj* [*country, economy*] développé

developer /dɪ'veləpə(r)/ *n* **1** (*also* **property ~**) promoteur *m* (immobilier); **2** Phot révélateur *m*; **3** Psych, Sch **early ~** enfant *m* précoce; **late ~** individu *m* qui se développe tard

developing /dɪ'veləpɪŋ/ *adj* [*area, economy*] en expansion

developing: **~ bath** *n* Phot bain *m* révélateur; **~ country** *n* pays *m* en voie de développement; **~ tank** *n* Phot cuve *f* à développement; **~ world** *n* pays *mpl* en voie de développement

development /dɪ'veləpmənt/ *n* **1** (creation) (of commercial product) mise *f* au point; (of new housing, industry etc) création *f*; **new ~** nouveauté *f*; **2** (evolution, growth) (human, economic, industrial etc) développement *m*; **3** (fostering) (of links) développement *m*; (of the arts, sport, industry) développement *m*; **4** (of land) mise *f* en valeur; (of site, city centre etc) aménagement *m*; **5** (land etc developed) **housing ~** ensemble *m* d'habitation; (individual houses) lotissement *m*; **office ~** immeuble *m* de bureaux; **commercial ~** (ensemble de) commerces et bureaux à bâtir; **6** (innovation) progrès *m*; **major ~s in surgery** des découvertes *fpl* majeures dans le domaine de la chirurgie; **7** (event) changement *m*; **recent ~s in Europe/in the pay dispute** les derniers événements en Europe/dans le conflit salarial; **the latest ~s** les dernières nouvelles *fpl*; **to await ~s** attendre la suite des événements; **8** (of idea, theme etc) développement *m*

developmental /dɪ,veləp'mentl/ *adj* Psych du développement

development: **~ area** *n* zone *f* d'aménagement; **~ bank** *n* banque *f* de développement; **~ company** *n* groupe *m* immobilier; **~ costs** *npl* coûts *mpl* de développement; **~ period** *n* période *f* de démarrage; **~ planning** *n* planification *f* d'aménagement

deviance /'di:viəns/, **deviancy** /'di:viənsɪ/ *n* déviance *f*

deviant /'di:viənt/
A *n* déviant/-e *m/f*
B *adj* déviant

deviate /'di:vieɪt/ *vi* **1** (from principles, intentions, norm) s'écarter (**from** de); **2** [*ship, plane, missile*] dévier (**from** de)

deviation /,di:vɪ'eɪʃn/ *n* **1** (from course, route) déviation *f* (**from** par rapport à); **2** (from norm, custom) écart *m*, déviation *f* (**from** par rapport à); Pol déviation *f* (**from** par rapport à); **3** (sexual) déviance *f*; **4** (of compass needle) déviation *f*, écart *m*; **5** Stat écart *m*; **standard ~** écart *m* type

deviationism /,di:vɪ'eɪʃənɪzəm/ *n* Pol déviationnisme *m*

deviationist /,di:vɪ'eɪʃənɪst/ *n, adj* Pol déviationniste (*mf*)

device /dɪ'vaɪs/ *n* **1** (household) appareil *m*; **labour-saving ~** appareil *m* électroménager; **2** Tech dispositif *m*; **a ~ for measuring/to measure** un dispositif pour mesurer; **3** (system) système *m*; **security ~** système *m* or dispositif *m* de sécurité; **4** Comput périphérique *m*; **5** (*also* **explosive ~, incendiary ~**) (bomb) engin *m* explosif; **6** fig (means) gen moyen *m* (**for doing, to do** de *or* pour faire); Econ mesure *f* (**for doing, to do** pour faire); **7** Literat procédé *m*; **8** Herald emblème *m*

(Idioms) **to be left to one's own ~s** être laissé à soi-même; **to leave sb to their own ~s** laisser qn se débrouiller tout seul

devil /'devl/
A *n* **1** (*also* **Devil**) Relig (Satan) **the ~** le Diable; **2** (evil spirit) démon *m*; **possessed by ~s** possédé du démon; **3** ○(for emphasis) **what the ~ do you mean?** que diable veux-tu dire?; **why the ~ do you think I invited her?** pourquoi diable est-ce-que tu crois que je l'ai invitée?; **I wondered what the ~ he was talking about/why the ~ he had come** je me demandais de quoi il pouvait bien parler/pourquoi donc il était venu; **how the ~ should I know?** comment veux-tu que je le sache?; **we'll have a ~ of a job cleaning the house** ça va être sacrément○ dur de nettoyer la maison; **4** ○(expressing affection, sympathy) **a lucky ~** un sacré○ veinard○; **he's a handsome/cheeky ~** il est sacrément○ beau/effronté; **the poor ~** le pauvre diable; **that child is a little ~** cet enfant est un vrai petit diable; **some poor ~ of a soldier** un pauvre (diable de) soldat; **5** ○†(nuisance) **to be a ~ for doing** avoir la manie de faire; **she's a ~ for contradicting people** elle a la manie de contredire les autres; **these pans are a ~ to clean** ces casseroles sont une vraie plaie○ à nettoyer; **he's a ~ for gambling** c'est un joueur invétéré; **6** GB Jur *avocat stagiaire non rémunéré*
B *vi* (*pp etc* **-ll-**) GB Jur **to ~ for sb** travailler comme avocat stagiaire pour qn
C **devilled** GB, **deviled** US *adj* Culin à la diable

(Idioms) **be a ~**○! allez, laisse-toi tenter!; **the ~ you know is better than the ~ you don't** un danger connu est préférable à un danger inconnu; **to be caught between the ~ and the deep blue sea** être pris entre l'enclume et le marteau; **we won—the ~ looks after his own** hum on a gagné—on a eu une sacrée veine○; **the ~ only knows where/why etc** Dieu seul sait où/pourquoi etc; **to have the luck of the ~**○ GB avoir une veine de cocu○ *or* de pendu○; **like the ~**○ [*scream, run*] comme un fou/une folle○; **speak of the ~!** quand on parle du loup (on en voit la queue)○!; **there will be the ~ to pay when he finds out!** ça va barder○ quand il l'apprendra!; **go to the ~**○! va au diable○!; **the ~ you did**○! sans blague○!; **to give the ~ his due...** il faut quand même l'admettre...

devilfish /'devlfɪʃ/ *n* **1** (octopus) poulpe *m*; **2** US (manta) mante *f*

devilish /'devəlɪʃ/
A *adj* **1** (heinous) [*crime, act, plan*] diabolique; **2** fig [*smile, cunning*] diabolique; [*good looks*] insolent
B ○†*adv* GB = **devilishly 2**

devilishly /'devəlɪʃlɪ/ *adv* **1** (horribly) **~ cruel** d'une cruauté diabolique; **2** ○[*clever, cunning, handsome*] sacrément○; **it's ~ hard work** c'est un travail sacrément○ difficile; **it was ~ hot** il faisait une chaleur infernale

devil-may-care /,devlmeɪ'keə(r)/ *adj* insouciant

devilment /'devlmənt/ *n* GB malice *f*; **out of sheer ~** par pure malice; **they're up to some ~ or other** ils mijotent○ quelque chose

devilry /'devlrɪ/, **deviltry** /'devltrɪ/ US *n* malice *f*

devil's advocate *n* avocat *m* du diable; **to play ~** se faire l'avocat du diable

devil: **~'s food cake** *n* US gâteau *m* au chocolat; **~ worship** *n* satanisme *m*; **~ worshipper** *n* pratiquant/-e *m/f* du satanisme

devious /'di:vɪəs/ *adj* **1** (sly) [*person, mind, plan*] retors; [*method*] détourné; **2** (winding) [*road, path*] tortueux/-euse

deviously /'di:vɪəslɪ/ *adv* de façon retorse

deviousness /'di:vɪəsnɪs/ *n* **1** (of person, plan) caractère *m* retors; **2** (of route) complexité *f*

devise /dɪ'vaɪz/
A *n* Jur legs *m*
B *vtr* **1** (invent) concevoir [*scheme, course*]; inventer [*product, machine*]; **his problems are (entirely) of his own devising** c'est lui qui crée ses propres problèmes; **2** Jur léguer [*land, property*]; **3** Theat écrire [qch] en groupe

devisee /,dɪvaɪ'zi:/ *n* Jur légataire *mf*

deviser /dɪ'vaɪzə(r)/ *n* inventeur *m*

devisor /dɪ'vaɪzə(r)/ *n* Jur testateur/-trice *m/f*

devitalization /,di:,vaɪtəlaɪ'zeɪʃn, US -lɪ'z-/ *n* affaiblissement *m*

devitalize /,di:'vaɪtəlaɪz/ *vtr* affaiblir

devocalization /,di:,vəʊkəlaɪ'zeɪʃn, US -lɪ'z-/ *n* dévocalisation *f*

devocalize /,di:'vəʊkəlaɪz/ *vtr* dévocaliser

devoice /dɪ'vɔɪs/ *vtr* dévoiser

devoicing /dɪ'vɔɪsɪŋ/ *n* dévoisement *m*

devoid /dɪ'vɔɪd/: **devoid of** *prep phr* dépourvu de [*talent, compassion*]; sans [*vanity, self-interest*]

devolution /,di:və'lu:ʃn, US ,dev-/ *n* **1** (transfer) transfert *m* (**from** de; **to** à); **2** Pol régionalisation *f*; **3** Jur dévolution *f*; **4** Biol dégénérescence *f*

> **Devolution**
>
> Au Royaume-Uni, ce terme désigne le transfert du pouvoir politique de Londres vers de nouvelles structures parlementaires en Écosse et au pays de Galles. Le Parlement d'Écosse et l'Assemblée du Pays de Galles ont été institués après consultation des populations concernées par référendum (1997). ▸ **Scottish Parliament; Welsh Assembly**

devolve /dɪ'vɒlv/
A *vtr* déléguer; **to ~ sth to** *ou* **on sb/sth** transmettre qch à qn/qch
B *vi* **1** (be the responsibility of) [*responsibility, duty*] incomber (**on** à); **it ~s on sb to do** il incombe à qn de faire; **2** Jur passer (**on, to** à); **3** Biol dégénérer
C **devolved** *pp adj* décentralisé

Devon /'devn/ ▸ **p. 1612** *pr n* Devon *m*

Devonian /dɪ'vəʊnɪən/ *adj* dévonien/-ienne

devote /dɪ'vəʊt/
A *vtr* consacrer (**to** à; **to doing** à faire); **a chapter ~d to...** un chapitre consacré à...
B *v refl* **to ~ oneself** se consacrer (**to** à; **to doing** à faire)

devoted /dɪ'vəʊtɪd/ *adj* [*person, animal*] dévoué (**to** à); [*friendship, service*] loyal; [*fan, following*] fervent; [*couple*] très uni; **they're ~ to each other** ils sont très attachés l'un à l'autre

devotedly /dɪ'vəʊtɪdlɪ/ *adv* avec dévouement

devotee /,devə'ti:/ *n* (of music, sport etc) passionné/-e *m/f* (**of** de); (of political cause) partisan/-e *m/f* (**of** de); (of person) admirateur/-trice *m/f* (**of** de); (of religious sect) adepte *mf*

devotion /dɪ'vəʊʃn/
A *n* (to person, work, homeland) dévouement *m* (**to** à); (to doctrine, cause) attachement *m* (**to** à); (to God) dévotion *f* (**to** à); **her ~ to duty/to detail** son attachement au devoir/aux détails; **his ~ to the arts** (love) son amour des arts; (support) son soutien des arts
B **devotions** *npl* dévotions *fpl*

devotional /dɪ'vəʊʃənl/ *adj* [*activity, attitude*] pieux/pieuse; [*writings*] de piété

devour /dɪ'vaʊə(r)/ *vtr* **1** (consume) lit, fig dévorer [*food, book*]; consommer beaucoup de [*petrol, resources*]; **to be ~ed by** être dévoré par [*passion, jealousy*]; **to ~ sb with one's eyes**

dévorer qn des yeux; 2▸ (destroy) [*fire*] dévorer [*house, forest*]

devourer /dɪ'vaʊərə(r)/ *n* lit, fig dévoreur/-euse *m/f*

devout /dɪ'vaʊt/ *adj* 1▸ Relig [*Catholic, prayer*] fervent; [*act, person*] pieux/pieuse; **a ~ believer** un fervent croyant; 2▸ (sincere) [*hope, wish*] ardent; **it is my ~ hope/wish that** c'est mon espoir/vœu le plus ardent que (+ *subj*)

devoutly /dɪ'vaʊtlɪ/ *adv* 1▸ Relig [*pray, kneel*] pieusement; 2▸ (sincerely) [*wish, hope*] ardemment

devoutness /dɪ'vaʊtnɪs/ *n* dévotion *f*

dew /dju:, US du:/ *n* rosée *f*

DEW *n* US Mil (*abrév* = **distant early warning**) **~ line** couverture *f* radar (*de l'Arctique*)

Dewar flask /,dju:ə(r), US ,du:-/ *n* vase *m* de Dewar

dew: **~claw** *n* ergot *m*; **~drop** *n* goutte *f* de rosée

Dewey decimal system /'dju:ɪ, US 'du:-/ *n* système *m* de classification décimale (*pour le classement des livres*)

dew: **~fall** *n* formation *f* de rosée; **~lap** *n* fanon *m*; **~ point** *n* point *m* de rosée; **~ pond** *n* mare *f* artificielle

dewy /'dju:ɪ, US 'du:-/ *adj* humide de rosée

dewy-eyed /,dju:ɪ'aɪd, US ,du:-/ *adj* 1▸ (emotional) ému; 2▸ (naive) ingénu

Dexedrine® /'deksədri:n/ *n* Dexédrine® *f*

dexie○ /'deksɪ/ *n* argot des drogués comprimé *m* de Dexédrine®

dexter /'dekstə(r)/ *adj* Herald dextre

dexterity /dek'sterətɪ/ *n* dextérité *f* (**at** *ou* **in sth** pour qch; **at doing** à faire)

dexterous /'dekstrəs/ *adj* [*person, movement*] adroit; [*hand*] habile; [*mind*] agile; [*politician, manager*] habile (**at doing** pour faire); **he's ~ with a needle/brush** il manie bien l'aiguille/le pinceau

dexterously /'dekstrəslɪ/ *adv* [*move*] (of person) adroitement; (of animal) agilement; [*think, manage*] habilement

dextrin(e) /'dekstrɪn/ *n* dextrine *f*

dextrose /'dekstrəʊs, -əʊz/ *n* dextrose *m*

dextrous *adj* ▸ **dexterous**

dextrously *adv* ▸ **dexterously**

DFC *n* GB Mil (*abrév* = **Distinguished Flying Cross**) *décoration décernée par l'armée de l'air britannique*

DFM *n* GB Mil (*abrév* = **Distinguished Flying Medal**) *médaille décernée par l'armée de l'air britannique*

DfES *n*: *abrév* GB ▸ **Department for Education and Skills**

dg *n* (*abrév écrite* = **decigram**) dg *m*

DG *n*: 1▸ *abrév* ▸ **director general**; 2▸ EU (*abrév* = **Directorate-General**) DG *f*

dharma /'dɑ:mə/ *n* dharma *m*

dhoti /'dəʊtɪ/ *n* dhoti *m*

dhow /daʊ/ *n* boutre *m*

DI *n* (*abrév* = **direct injection**) injection *f* directe

diabetes /,daɪə'bi:ti:z/ ▸ **p. 1327** *n* diabète *m*

diabetic /,daɪə'betɪk/

A *n* diabétique *mf*

B *adj* [*person, symptom*] diabétique; [*chocolate, jam*] pour diabétiques

diabolic /,daɪə'bɒlɪk/ *adj* diabolique

diabolical /,daɪə'bɒlɪkl/ *adj* 1▸ ○(terrible) [*food, weather*] infect; [*result, behaviour*] lamentable; **it is ~ that** il est scandaleux que (+ *subj*); 2▸ (evil) [*cruelty, crime, lie*] diabolique; 3▸ ○(as intensifier) sacré○ (*before n*)

diabolically /,daɪə'bɒlɪklɪ/ *adv* 1▸ (badly) [*sing, perform*] de façon épouvantable; [*behave*] de façon odieuse; 2▸ (wickedly) [*laugh*] de façon diabolique; **~ cruel** d'une cruauté diabolique

diabolo /dɪ'æbələʊ, daɪ-/ *n* diabolo *m*

diachronic /,daɪə'krɒnɪk/ *adj* diachronique

diachronically /,daɪə'krɒnɪklɪ/ *adv* diachroniquement

diacid /,daɪ'æsɪd/ *n, adj* diacide (*m*)

diacritic /,daɪə'krɪtɪk/

A *n* Ling (*also* **diacritical mark**) signe *m* diacritique

B *adj* (*also* **diacritical**) 1▸ Ling diacritique; 2▸ gen distinctif/-ive

diadem /'daɪədem/ *n* diadème *m*

diaeresis GB, **dieresis** US /daɪ'erəsɪs/ *n* (*pl* **-ses**) 1▸ (phenomenon) diérèse *f*; 2▸ (mark) tréma *m*

diagnose /'daɪəgnəʊz, US ,daɪəg'nəʊs/ *vtr* 1▸ Med diagnostiquer [*illness*]; **the illness was ~d as cancer** les médecins ont diagnostiqué un cancer; **he was ~ed (as a) diabetic/as having Aids** on a découvert qu'il était diabétique/qu'il avait le sida; **to ~ that** diagnostiquer que; 2▸ gen identifier [*problem, fault*]

diagnosis /,daɪəg'nəʊsɪs/ *n* (*pl* **-ses**) 1▸ Med, gen diagnostic *m*; 2▸ Bot diagnose *f*

diagnostic /,daɪəg'nɒstɪk/ *adj* diagnostique

diagnostician /,daɪəgnɒ'stɪʃn/ *n* diagnosticien/-ienne *m/f*

diagnostics /,daɪəg'nɒstɪks/ *n* 1▸ Med diagnose *f*; 2▸ Comput (+ *v pl*) diagnostic *m*

diagonal /daɪ'ægənl/

A *n* (all contexts) diagonale *f*

B *adj* [*line, stripe*] diagonal; **our street is ~ to the main road** notre rue part en biais de la rue principale; **a ~ path across a field** un chemin qui coupe le champ en diagonale

diagonally /daɪ'ægənəlɪ/ *adv* (all contexts) en diagonale (**to** par rapport à)

diagram /'daɪəgræm/

A *n* 1▸ gen schéma *m*; **in the ~** sur le schéma; 2▸ Math figure *f*; 3▸ Stat diagramme *m*

B *vtr* (*p prés etc* **-mm-** *ou* **-m-**) US présenter [qch] sous forme de schéma

diagrammatic /,daɪəgrə'mætɪk/ *adj* schématique

diagrammatically /,daɪəgrə'mætɪklɪ/ *adv* schématiquement

dial /'daɪəl/

A *n* cadran *m*

B *vtr* (*p prés* **etc -ll-** GB, **-l-** US) faire; (more formal) composer [*number*]; appeler [*person, city, country*]; **she ~led 73-35-49** elle a fait le 73-35-49; **to ~ 999** ≈ (for police, ambulance) appeler police secours; (for fire brigade) appeler les pompiers; **to ~ the wrong number** faire un faux *ou* mauvais numéro

C **dial+** (*dans composés*) **~-a-disc/-a-recipe** (service) disque/recette du jour par téléphone

dialect /'daɪəlekt/

A *n* dialecte *m*; **to speak ~** parler en dialecte

B *modif* [*word, form*] dialectal; [*atlas, geography*] linguistique

dialectal /,daɪə'lektl/ *adj* dialectal

dialectic /,daɪə'lektɪk/ *n, adj* dialectique (*f*)

dialectical /,daɪə'lektɪkl/ *adj* dialectique

dialectically /,daɪə'lektɪklɪ/ *adv* [*interpret*] dialectiquement; [*proceed, argue*] par la méthode dialectique

dialectical: **~ materialism** *n* matérialisme *m* dialectique; **~ materialist** *n* matérialiste *mf* dialectique

dialectician /,daɪəlek'tɪʃn/ *n* dialecticien/-ienne *m/f*

dialectics /,daɪə'lektɪks/ *n* (+ *v sg*) dialectique *f*

dialectologist /,daɪəlek'tɒlədʒɪst/ *n* dialectologue *mf*

dialectology /,daɪəlek'tɒlədʒɪ/ *n* dialectologie *f*

dialling GB, **dialing** US /'daɪəlɪŋ/ *n* **abbreviated ~** utilisation *f* de numéros abrégés; **direct ~** appel *m* direct

dialling: **~ code** *n* GB indicatif *m*; **~ tone** *n* GB tonalité *f*

dialogue /'daɪəlɒg, US -lɔ:g/

A *n* (all contexts) dialogue *m* (**between** entre; **with** avec)

B *vi* dialoguer (**with** avec)

dialogue box *n* Comput boîte *f* de dialogue

dial: **~ tone** *n* US = **dialling tone**; **~-up** *adj* [*line, network*] commuté; [*connection*] par ligne téléphonique

dialysis /,daɪ'æləsɪs/ *n* (*pl* **-lyses**) dialyse *f*; **to undergo kidney ~** se faire faire une dialyse

dialysis machine *n* Med rein *m* artificiel

diamagnetic /,daɪəmæg'netɪk/ *adj* diamagnétique

diamagnetism /,daɪə'mægnɪtɪzəm/ *n* diamagnétisme *m*

diamanté /,daɪə'mæntɪ, dɪə'mɒnteɪ/

A *n* (decorative trim, jewellery, material) strass *m*; (fabric) tissu *m* pailleté

B *modif* [*earrings*] en strass; [*fabric*] pailleté

diameter /daɪ'æmɪtə(r)/ *n* Math diamètre *m*; **the circle is 2 m in ~** le cercle a 2 m de diamètre; **a circle with a ~ of 2 m** un cercle de 2 m de diamètre; **to magnify 15 ~s** Sci grossir 15 fois

diametric(al) /,daɪə'metrɪk(l)/ *adj* gen, Math diamétral

diametrically /,daɪə'metrɪklɪ/ *adv* (all contexts) diamétralement; fig **~ opposed to** diamétralement opposé à

diamond /'daɪəmənd/ ▸ **p. 1253**

A *n* 1▸ (stone) diamant *m*; **industrial ~** diamant *m* industriel; 2▸ (shape) losange *m*; 3▸ (in cards) carreau *m*; **the five of ~s** le cinq de carreau; **to play a ~** jouer carreau; 4▸ (in baseball) terrain *m* (de baseball)

B *modif* [*ring, brooch*] de diamants; [*dust, mine*] de diamant; **~ necklace** rivière *f* de diamants

diamond: **~back (rattlesnake)** *n* diamantin *m*; **~ cutter** *n* tailleur *m* de diamants; **~ jubilee** *n* soixantenaire *m*, soixantième anniversaire *m*; **~ merchant** *n* diamantaire *m*; **~-shaped** *adj* en (forme de) losange; **~ wedding (anniversary)** *n* noces *fpl* de diamant

Diana /daɪ'ænə/ *pr n* Diane

diapason /,daɪə'peɪsn/ *n* diapason *m*; **open/stopped ~** diapason large/étroit

diaper /'daɪəpə(r), US 'daɪpər/ US

A *n* couche *f* (*pour bébé*)

B *vtr* changer la couche de [*baby*]

diaphanous /daɪ'æfənəs/ *adj* diaphane

diaphoretic /,daɪəfə'retɪk/ *n, adj* diaphorétique (*m*)

diaphragm /'daɪəfræm/ *n* (all contexts) diaphragme *m*

diarist /'daɪərɪst/ *n* 1▸ (author) auteur *m* d'un journal (intime); 2▸ Journ (journalist) chroniqueur/-euse *m/f*

diarrhoea GB, **diarrhea** US /,daɪə'rɪə/ *n* diarrhée *f*; **to have ~** avoir la diarrhée

diarrhoeal GB, **diarrheal** US /,daɪə'rɪəl/ *adj* diarrhéique

diary /'daɪərɪ/ *n* 1▸ (for appointments) agenda *m*; **to put sth in one's ~** noter qch dans son agenda; **my ~ is full** je suis très pris; 2▸ (journal) journal *m* intime; **to keep a ~** tenir un journal (intime); 3▸ Journ chronique *f*; **sports ~** chronique sportive

diaspora /daɪ'æspərə/ *n* gen diaspora *f*; Relig, Hist **the Diaspora** la Diaspora

diastase /'daɪəsteɪz/ *n* diastase *f*

diastole /daɪ'æstəlɪ/ *n* diastole *f*

diatom /'daɪətəm, US -tɒm/ *n* diatomée *f*

diatomic /,daɪə'tɒmɪk/ *adj* diatomique

diatonic /,daɪə'tɒnɪk/ *adj* diatonique

diatribe /'daɪətraɪb/ *n* diatribe *f* (**against** contre)

diazepam /daɪ'æzɪpæm/ *n* diazépam *m*

dibasic /daɪ'beɪsɪk/ *adj* dibasique

dibber /'dɪbə(r)/ *n* Hort plantoir *m*

dibble /ˈdɪbl/
A *n* = **dibber**
B *vtr* repiquer (au plantoir)
C *vi* faire un trou au plantoir

dibs○ /dɪbz/ US *npl* lang enfantin **~ on the potato crisps** à moi les chips

dice /daɪs/
A *n* (*pl* ~) Games (object) dé *m*; (game) dés *mpl*; **to throw/roll the ~** jeter/lancer le dé *or* les dés; **no ~**○**!** (refusal) pas question!; (no luck) pas de chance
B *vtr* Culin couper [qch] en cubes
(Idioms) **to ~ with death** risquer sa vie; **the ~ are loaded** les dés sont pipés

dicey○ /ˈdaɪsɪ/ *adj* **1** (risky) risqué; **it's a ~ business** c'est risqué; **2** (uncertain, unreliable) douteux/-euse

dichloride /daɪˈklɔːraɪd/ *n* bichlorure *m*

dichotomy /daɪˈkɒtəmɪ/ *n* dichotomie *f*

dichromate /daɪˈkrəʊmeɪt/ *n* bichromate *m*

dichromatic /ˌdaɪkrəʊˈmætɪk/ *adj* dichromatique

dick /dɪk/
A *n* **1** ●(penis) bite● *f*, pénis *m*; **2** ○US (detective) détective *m*; **3** ●US = **dickhead**●
B ◑*vi* US (*also* **~ around**) faire le con◑
C ●*vtr* baiser●

dickens○† /ˈdɪkɪnz/ *n* **where/who/what the ~...?** où/qui/que diable○†...? **to have the ~ of a time doing sth** avoir un mal fou à faire qch

Dickensian /dɪˈkenzɪən/ *adj* [*character, world*] à la Dickens; [*evening*] en costume du XIXᵉ; pej [*conditions, buildings*] insalubre

dicker○ /ˈdɪkə(r)/ *vi* marchander

dickhead● /ˈdɪkhed/ *n* couillon◑ *m*, abruti *m*

dickie bow ○*n* nœud *m* papillon

dicky /ˈdɪkɪ/
A *n* faux plastron *m*
B ○*adj* GB [*heart*] qui flanche; [*condition*] précaire

dicky-bird○ /ˈdɪkɪbɜːd/ **1** (bird) lang enfantin zoziau *m* baby talk; **2** hum **not a ~** que dalle○, pas un mot

dicta /ˈdɪktə/ *pl* ▸ **dictum**

Dictaphone® /ˈdɪktəfəʊn/ *n* dictaphone® *m*

dictate
A /ˈdɪkteɪt/ *n* (decree) ordre *m*; **to follow the ~s of one's conscience** suivre ce que dicte sa conscience
B /dɪkˈteɪt, US ˈdɪkteɪt/ *vtr* **1** dicter [*text, letter*] (**to** à); **2** (prescribe) imposer [*terms, choices*] (**to** à); décider de, déterminer [*outcome*]; régenter [*economy, policy*] (**to** à); **to ~ that** imposer que (+ *subj*); **to ~ how** prescrire comment
C /dɪkˈteɪt, US ˈdɪkteɪt/ *vi* **1** (out loud) **to ~ to one's secretary/into a machine** dicter une lettre (*or* un texte etc) à sa secrétaire/à une machine; **2** (boss sb around) **to ~ to sb** imposer sa volonté à qn; **I won't be ~d to (by someone like him)!** je n'ai pas d'ordres à recevoir (de quelqu'un comme lui)!

dictating machine *n* machine *f* à dicter

dictation /dɪkˈteɪʃn/ *n* **1** Sch, Comm dictée *f*; **to take ~** Comm écrire sous la dictée; **2** sout (authority) autorité *f*

dictator /dɪkˈteɪtə(r), US ˈdɪkteɪtər/ *n* Pol dictateur *m*; fig tyran *m*

dictatorial /ˌdɪktəˈtɔːrɪəl/ *adj* [*person*] tyrannique; [*regime, powers*] dictatorial

dictatorially /ˌdɪktəˈtɔːrɪəlɪ/ *adv* de façon dictatoriale

dictatorship /dɪkˈteɪtəʃɪp, US ˈdɪkt-/ *n* Pol dictature *f*; fig tyrannie *f*

diction /ˈdɪkʃn/ *n* (articulation) diction *f*; (choice of words) langage *m*; **poetic ~** langage poétique

dictionary /ˈdɪkʃənrɪ, US -nerɪ/
A *n* dictionnaire *m*; **to look up sth in a ~** chercher qch dans un dictionnaire; **English ~** dictionnaire *m* d'anglais
B *modif* [*definition, page*] de dictionnaire; [*publisher*] de dictionnaires; **~ entry** entrée *f or* article *m* de dictionnaire

dictum /ˈdɪktəm/ *n* (*pl* **-ums** *ou* **-a**) **1** gen (saying) phrase *f* célèbre; **2** Jur ▸ **obiter dicta**

did /dɪd/ *prét* ▸ **do**

didactic /daɪˈdæktɪk, dɪ-/ *adj* didactique

diddle○ /ˈdɪdl/ *vtr* **1** (swindle) rouler○, escroquer [*person, company*]; **to ~ sb out of sth, to ~ sth out of sb** extorquer *or* carotter○ qch à qn; **2** US (dawdle) traînasser○

diddly○ /ˈdɪdlɪ/ *n* US (*also* **~ squat**○)
(Idiom) **to know ~** savoir que dalle◑, ne rien savoir (**about** au sujet de)

didgeridoo /ˌdɪdʒərɪˈduː/ ▸ **p. 1462** *n* Mus didsheridou *m*

didn't /ˈdɪdnt/ = **did not**

Dido /ˈdaɪdəʊ/ *pr n* Didon

die /daɪ/
A *n* **1** Games (*pl* **dice**) dé *m* (à jouer)
2 Tech (for stamping metal) étampe *f*
3 Tech (for screw threads) lunette *f* à fileter
B *vtr* (*p prés* **dying**; *prét, pp* **died**) **to ~ a slow/natural/violent death** mourir de mort lente/naturelle/violente; **to ~ a noble death** mourir d'une mort noble; **to ~ a hero's/soldier's death** mourir en héros/en soldat
C *vi* (*p prés* **dying**; *prét, pp* **died**) **1** (expire, end one's life) [*person, animal*] mourir; [*person*] décéder fml; **he was dying** il était en train de mourir; **when I ~** quand je mourrai; **she ~d a year ago** elle est morte il y a un an; **as she lay dying** alors qu'elle se mourait; **to be left to ~** être abandonné à la mort; **to ~ in one's sleep/bed** mourir dans son sommeil/lit; **to ~ young/happy** mourir jeune/heureux; **to ~ a hero** mourir en héros; **to ~ a pauper** mourir pauvre; **I'll ~ a happy man** je mourrai heureux; **to ~ without doing** mourir sans avoir fait; **to ~ of** *ou* **from** mourir de [*starvation, disease*]; **to ~ of natural causes** mourir de causes naturelles; **to ~ of a broken heart** mourir de chagrin; **nobody ever ~d of hard work** le travail n'a jamais tué personne
2 (be killed) périr (**doing** en faisant); **to ~ in the attempt** périr dans cette tentative; **to ~ in action** mourir au combat; **he'd sooner** *ou* **rather ~ than do** il mourrait plutôt que de faire; **I'd sooner ~!** plutôt périr!; **to ~ by one's own hand** littér périr de sa propre main; **to ~ for** mourir pour [*beliefs, country, person*]
3 (wither) [*plant, crop*] crever
4 fig (of boredom, shame, fright) mourir (**of** de); **we nearly ~d!** on a failli mourir!; **I'll ~ if I have to go there!** j'en mourrai si je dois y aller!; **I wanted to ~** *ou* **I could have ~d when** je ne savais plus où me mettre quand; **I thought I'd/he'd ~ of shock** j'ai cru mourir/qu'il allait mourir sous l'effet du choc; **I nearly** *ou* **could have ~d laughing** j'ai failli mourir de rire; **clothes to ~ for**○ des vêtements à craquer○
5 ○(long) **to be dying to do** mourir d'envie de faire; **to be dying for** avoir une envie folle de [*coffee, break, change*]; **to be dying for sb/sth to do** souhaiter désespérément que qn/qch fasse
6 (go out) [*light, flame, spark*] s'éteindre
7 (fade) [*love, hatred, resentment, memory, knowledge, glory, fame*] s'éteindre; [*enthusiasm*] tomber; **the secret ~d with her** elle a emporté son secret dans la tombe
8 hum (cease functioning) [*machine, engine*] s'arrêter; **the car suddenly ~d on me** la voiture m'a soudain lâché
9 ○(on stage) [*comedian, entertainer*] faire un bide○
(Idioms) **never say ~!** il ne faut jamais baisser les bras!; **the ~ is cast** le sort en est jeté; **to be as straight as a ~** fig être foncièrement honnête; **to ~ hard** avoir la vie dure
(Phrasal verbs) ■ **die away** [*sounds*] disparaître; [*applause, wind, rain*] s'arrêter
■ **die back** [*plant, flower*] se flétrir; [*leaves*] se dessécher
■ **die down** **1** (in intensity) [*emotion, row*] s'apaiser; [*scandal, rumours, opposition, publicity*] disparaître; [*fighting*] s'achever; [*tremors, storm, wind*] se calmer; [*pain, swelling*] diminuer; **when all the fuss ~s down** quand tout le tapage se sera apaisé; **2** (in volume) [*noise, laughter, chatter*] diminuer; [*applause, cheers*] se calmer; **3** Bot, Hort se flétrir
■ **die off** [*people*] mourir peu à peu; [*plant, bacteria*] mourir
■ **die out** **1** (become extinct) [*family, species, tradition, practice, language, skill*] disparaître; **2** (ease off) [*showers, rain*] s'arrêter

die: **~-cast** *adj* moulé sous pression; **~-casting** *n* moulage *m* sous pression

diehard /ˈdaɪhɑːd/
A *n* **1** Pol (in party) réactionnaire *mf*; **2** péj (conservative) ultraconservateur/-trice *m/f*; **3** (stubborn person) irréductible *mf*
B *adj* **1** Pol (in party) réactionnaire; **2** péj (conservative) rétrograde; **3** (stubborn) buté

dielectric /ˌdaɪɪˈlektrɪk/ *n, adj* Phys diélectrique (*m*)

dieresis /daɪˈerəsɪs/ *n* (*pl* **-ses**) **1** (phenomenon) diérèse *f*; **2** (mark) tréma *m*

diesel /ˈdiːzl/ *n* **1** (*also* **~ fuel**, **~ oil**) gazole *m*; **2** (*also* **~ car**) diesel *m*

diesel: **~-electric** *adj* diesel-électrique; **~ engine** *n* Tech (in train) motrice *f* Diesel; (in car) moteur *m* Diesel; **~ train** *n* train *m* Diesel

die: **~sinker** *n* graveur *m* de matrices; **~ stamping** *n* estampage *m*; **~stock** *n* filière *f*

diet /ˈdaɪət/
A *n* **1** (food habits) (of person) alimentation *f* (**of** à base de); (of animal) nourriture *f* (**of** à base de); **~ is very important** il est très important de bien se nourrir; **2** Med (limiting food) régime *m*; **3** fig cure *f* (**of** de); **4** Hist, Pol diète *f*
B *modif* [*biscuit, drink*] de régime; [*pill*] pour maigrir
C *vi* être au régime

dietary /ˈdaɪətrɪ, US -terɪ/ *adj* [*need, problem, habit*] alimentaire; [*method*] diététique

dietary: **~ fibre** GB, **~ fiber** US *n* fibres *fpl* alimentaires; **~ supplement** *n* complément *m* vitaminique

diet doctor ▸ **p. 1683** *n* US nutritionniste *mf*

dietetic /ˌdaɪəˈtetɪk/ *adj* diététique

dietetics /ˌdaɪəˈtetɪks/ *n* (+ *v sg*) diététique *f*

dietician, **dietitian** /ˌdaɪəˈtɪʃn/ ▸ **p. 1683** *n* diététicien/-ienne *m/f*

diff○ /dɪf/ *n* US (*abrév* = **difference**) **what's the ~?** quelle est la différence?

differ /ˈdɪfə(r)/ *vi* **1** (be different) différer (**from** de; **in** par; **in that** en ce que); **to ~ widely** *ou* **markedly** être complètement différent; **tastes ~** tous les goûts sont dans la nature; **2** (disagree) différer (d'opinion) (**on sth** sur qch; **from sb** de qn; **with sb** avec qn); **I beg to ~** permettez-moi d'être d'un avis différent; **we must agree to ~** nous devrons accepter nos différences d'opinion

difference /ˈdɪfrəns/ *n* **1** (dissimilarity) différence *f* (**between** entre; **in, of** de); **age ~** différence d'âge; **what's the ~ between...?** quelle est la différence entre...?; **what's the ~?** (it doesn't matter) qu'est-ce que ça change?; **to tell the ~ between** faire la différence entre; **I can't tell** *ou* **see the ~** je ne vois pas la différence; **to make a ~** changer quelque chose; **it makes no ~ what I do** quoi que je fasse ça ne change rien; **it makes all the** *ou* **a world of ~** ça change tout; **what a ~ that makes!** comme c'est différent avec ça!; **it makes no ~ to me** cela m'est égal; **what ~ does it make if...?** qu'est-ce que ça change si...?; **as near as makes no ~** peu s'en faut; **a vacation with a ~** des vacances pas comme les autres; **2** (disagreement) différend *m* (**between** entre; **over** à propos de; **with** avec); **to settle one ~s**

régler ses différends; **a ~ of opinion** une divergence *f* d'opinion; **~s within sth** divergences dans qch

different /ˈdɪfrənt/ *adj* 1 (dissimilar) différent (**from, to** GB, **than** US de); **they are ~ in this respect/in their views** ils diffèrent à cet égard/dans leurs opinions; **it's very ~** c'est complètement différent; **you're no ~ from them** tu es pareil qu'eux○; **but I know ~**○ mais je sais que ce n'est pas vrai; 2 (other) autre; **to be/feel a ~ person** être/se sentir une tout autre personne; **that's ~** c'est autre chose; **that's a ~ matter** c'est tout autre chose; **it would have been a ~ story if...** cela aurait été tout autre chose si...; **it's a ~ world!** c'est un autre monde!; 3 (distinct) différent; **I've visited many ~ countries** j'ai visité beaucoup de pays différents; 4 (unusual) différent; **it's certainly ~!** c'est vraiment original!; **he always has to be ~** il faut toujours qu'il se distingue

differential /ˌdɪfəˈrenʃl/
A *n* 1 (in price, rate, pay) écart *m*; **pay** *ou* **wage ~s** écart des salaires; **tax ~ between two products** écart entre les taux de taxation de deux produits; 2 Math différentielle *f*; 3 Aut différentiel *m*
B *adj* (all contexts) différentiel/-ielle

differential: **~ calculus** *n* calcul *m* différentiel; **~ equation** *n* équation *f* différentielle; **~ gear** *n* engrenage *m* différentiel

differentially /ˌdɪfəˈrenʃəlɪ/ *adv* [*affect, benefit*] différentiellement; **to tax sth ~** appliquer une taxe à taux différentiel à qch

differential: **~ operator** *n* opérateur *m* différentiel; **~ pricing** *n* différenciation *f* des prix

differentiate /ˌdɪfəˈrenʃɪeɪt/
A *vtr* 1 (tell the difference) différencier (**from** de); 2 (make the difference) différencier (**from** de); **to be ~d by sth** se différencier par qch; 3 Math calculer la différentielle de
B *vi* 1 (tell the difference) faire la différence (**between** entre); 2 (show the difference) [*person, analyst*] faire la distinction (**between** entre); 3 (discriminate) faire des différences (**between** entre)
C **differentiated** *pp adj* [*product*] distinct; **the characters are clearly ~d** les personnages sont nettement distincts

differentiation /ˌdɪfərenʃɪˈeɪʃn/ *n* 1 (distinction) différenciation *f* (**of** de; **between** entre); **product ~** Comm différenciation du produit; 2 Math différentiation *f*

differently /ˈdɪfrəntlɪ/ *adv* 1 (in another way) autrement (**from** que); **I'd have done it ~** je l'aurais fait autrement; **when you're older you'll think ~** quand tu seras plus âgé tu penseras autrement; 2 (in different ways) différemment (**from** de); **it affects men and women ~** cela touche les hommes et les femmes différemment; **we all see this ~** nous voyons tous cela différemment

difficult /ˈdɪfɪkəlt/ *adj* 1 (hard, not easy to do) [*task, choice, question, puzzle*] difficile; **it is ~ to learn Russian** il est difficile d'apprendre le russe; **Russian is ~ to learn** le russe est difficile à apprendre; **it will be ~ to decide** il sera difficile de décider; **it will be ~ for me to decide** il me sera difficile de décider; **to find it ~ to do** avoir du mal à faire; **it's ~ to accept that** on a du mal à accepter que (+ *subj*); 2 (complex, inaccessible) [*author, novel, piece, concept*] difficile; 3 (awkward) [*period, age, position, personality, client, case*] difficile; **to make life ~ for** rendre la vie difficile à; **it's a ~ area** (of law, policy, ethics) c'est un sujet délicat; **~ to live with**, **~ to get on with** difficile à vivre

difficulty /ˈdɪfɪkəltɪ/ *n* 1 (of task, activity, situation) difficulté *f*; **the ~ of doing** la difficulté de faire; **to have ~ (in) doing sth** avoir du mal à faire qch; **to have great ~ (in) doing** avoir beaucoup de mal à faire; **to have ~ with one's eyesight** avoir des problèmes de vue; **I have ~ with that idea** cette idée me pose un problème; 2 (problem) difficulté *f*, problème *m*; **the difficulties of forming a government/of living here** les difficultés de la formation d'un gouvernement/de la vie ici; **the ~ is that** le problème est que; **to run into difficulties** se heurter à des difficultés; **I can't see any ~ in doing** je ne vois aucune difficulté à faire; 3 (of puzzle, author, style) difficulté *f* (**of** de); 4 (trouble) **in ~** en difficulté

diffidence /ˈdɪfɪdəns/ *n* manque *m* d'assurance; **~ about doing** hésitation *f* à faire

diffident /ˈdɪfɪdənt/ *adj* [*person*] qui manque d'assurance *or* de confiance; [*smile, gesture*] timide; **to be ~ about doing** hésiter à faire

diffidently /ˈdɪfɪdəntlɪ/ *adv* [*do*] d'un air mal assuré; [*speak, say*] d'un ton mal assuré

diffract /dɪˈfrækt/ *vtr* diffracter

diffraction /dɪˈfrækʃn/ *n* diffraction *f*

diffraction grating *n* réseau *m* de diffraction

diffuse
A /dɪˈfjuːs/ *adj* (all contexts) diffus
B /dɪˈfjuːz/ *vtr* diffuser (**in** dans)
C /dɪˈfjuːz/ *vi* se diffuser (**into** dans)
D **diffused** *pp adj* [*light, lighting*] diffus

diffusely /dɪˈfjuːslɪ/ *adv* de façon diffuse

diffuseness /dɪˈfjuːsnɪs/ *n* 1 (of argument) prolixité *f*; 2 (of organization) éparpillement *m*

diffuser /dɪˈfjuːzə(r)/ *n* réflecteur *m*

diffusion /dɪˈfjuːʒn/ *n* diffusion *f*

dig /dɪɡ/
A *n* 1 (poke) (with elbow) coup *m* de coude (**in** dans); (with fist) coup *m* de poing (**in** dans); **to give sb a ~ in the ribs** donner à qn un coup de coude dans les côtes; 2 ○ (jibe) pique○ *f* (**at** à); **to take** *ou* **get in a ~ at sb** lancer une pique○ à qn; **that was a ~ at you** tu étais visé par cette remarque; 3 Archeol fouilles *fpl*; **go on a ~** aller faire des fouilles; 4 Hort coup *m* de bêche; **to give the garden a ~** donner un coup de bêche au jardin
B **digs** *npl* GB (lodgings) chambre *f* (meublée) (*chez des particuliers*); **to live in ~s** habiter dans une chambre (meublée)
C *vtr* (*p prés* **-gg-**, *pp* **dug**) 1 (excavate) creuser [*ditch, tunnel, grave, trench*] (**in** dans); **to ~ a path through the snow** creuser un chemin dans la neige; **to ~ one's way** *ou* **oneself out of sth** se creuser un chemin pour sortir de qch; 2 Hort bêcher [*garden, plot*]; fouiller [*site*]; 3 (extract) arracher [*potatoes, root crops*]; extraire [*coal, turf*] (**out of** de); 4 (embed) enfoncer, planter [*knife, needle etc*] (**into** dans); **you're ~ging your nails into my arm!** tu m'enfonces tes ongles dans le bras!; 5 ○surtout US (like) **she really ~s that guy** ce mec la botte○; **I don't ~ westerns** je n'adore pas les westerns; 6 ○†US (look at) viser○, regarder; **~ that tie!** vise un peu la cravate○!
D *vi* (*p prés* **-gg-**, *pp* **dug**) 1 (excavate) gen creuser (**into** dans); Hort bêcher; [*animal, bird*] fouir (**for** pour trouver); Archeol fouiller, faire des fouilles (**into** dans); **to ~ for** creuser pour trouver [*ore, treasure, remains*]; **to ~ into one's reserves** piocher○ dans ses réserves; 2 (search) **to ~ in** *ou* **into** fouiller dans [*pockets, bag, records*]; **she dug into her bag for the ticket** elle a fouillé dans son sac pour trouver le billet; **to ~ into sb's past** fouiller dans le passé de qn; 3 **to ~ into** (uncomfortably) [*springs, thorns*] s'enfoncer dans [*body part*]

Phrasal verbs ■ **dig in** 1 Mil, fig se retrancher; 2 ○(eat) attaquer○ un repas; **~ in everybody!** (at meal) servez-vous!; ► **~ in [sth]**, **~ [sth] in** Hort enterrer [*compost etc*]; (embed) enfoncer [*teeth, weapon, stake*]; **to ~ oneself in** Mil, fig se retrancher
■ **dig into**: ► **~ into [sth]** 1 fouiller dans [*bag, pockets*]; 2 fig fouiller dans [*sb's past*]; 3 ○(eat) attaquer○ [*meal, cake*]
■ **dig out**: ► **~ out [sth]**, **~ [sth] out** lit déterrer [*animal*] (**of** de); arracher [*root, weed*] (**of** de); enlever [*splinter, nail*] (**of** de); dégager [*body*] (**of** de); fig dénicher○ [*book, facts, information*] (**of** dans)
■ **dig up**: ► **~ up [sth]**, **~ [sth] up** (unearth) déterrer [*body, ruin, treasure*]; arracher [*roots, crops, plant*]; excaver [*road*]; (turn over) retourner [*ground, soil*]; bêcher [*garden*]; fig (discover) dénicher○ [*information, facts*]; déterrer [*scandal*]

digest
A /ˈdaɪdʒest/ *n* 1 (periodical) digest *m*, revue *f*; 2 (summary) résumé *m*
B /daɪˈdʒest, dɪ-/ *vtr* digérer [*food*]; assimiler [*information*]
C /daɪˈdʒest, dɪ-/ *vi* [*food*] se digérer

digestible /dɪˈdʒestəbl/ *adj* [*food*] digeste; [*information*] assimilable, digeste

digestion /daɪˈdʒestʃn, dɪ-/ *n* (of food) digestion *f*; (of information) assimilation *f*

digestive /dɪˈdʒestɪv, daɪ-/
A *n* GB (*also* **~ biscuit**) ≈ biscuit *m* (sablé)
B *adj* digestif/-ive

digestive: **~ system** *n* système *m* digestif; **~ tract** *n* appareil *m* digestif

digger /ˈdɪɡə(r)/ *n* 1 (excavator) excavateur *m*; 2 (worker) terrassier *m*; 3 ○(*also* **Digger**) (Australian) Australien *m*

digging /ˈdɪɡɪŋ/
A *n* 1 (in garden) bêchage *m*; **to do some ~** bêcher; 2 Civ Eng, Constr creusement *m*, terrassement *m*; **it will require several days' ~** il faudra creuser pendant plusieurs jours; 3 Mining forage *m* (**for** pour trouver); 4 Archeol fouilles *fpl*
B **diggings** *npl* (material) Archeol fouilles *fpl*; Mining déblais *mpl*

digit /ˈdɪdʒɪt/ *n* 1 (number) chiffre *m*; **a two-~ number** un nombre à deux chiffres; 2 Anat (finger) doigt *m*; (toe) orteil *m*

digital /ˈdɪdʒɪtl/ *adj* 1 Comput [*display, recording*] numérique; [*clock, watch*] à affichage numérique; [*camera, TV*] numérique; 2 Anat digital

digital: **~ access lock**, **~ lock** *n* digicode® *m*; **~ audio tape**, **DAT** *n* cassette *f* audionumérique, DAT *f*; **~ certificate** *n* Comput certificat *m* électronique; **~ computer** *n* calculateur *m* numérique; **~ terrestrial television** *n* TV télévision *f* numérique de terre

digitalin /ˌdɪdʒɪˈteɪlɪn/ *n* Chem digitaline *f*

digitalis /ˌdɪdʒɪˈteɪlɪs/ *n* 1 Bot digitale *f*; 2 Pharm digitaline *f*

digitalization /ˌdɪdʒɪtəlaɪˈzeɪʃn/ *n* numérisation *f*

digital signature *n* Comput signature *f* électronique

digitize /ˈdɪdʒɪtaɪz/ *vtr* Comput numériser

digitizer /ˈdɪdʒɪtaɪzə(r)/ *n* Comput numériseur *m*, convertisseur *m* analogique *or* numérique

diglossia /daɪˈɡlɒsɪə/ *n* Ling diglossie *f*

dignified /ˈdɪɡnɪfaɪd/ *adj* [*person, status*] digne; [*manner*] empreint de dignité

dignify /ˈdɪɡnɪfaɪ/ *vtr* donner du faste à [*occasion, building*]; **I wouldn't ~ that painting by calling it art** je n'honorerais pas cette toile du nom d'art

dignitary /ˈdɪɡnɪtərɪ/ *n* dignitaire *m*

dignity /ˈdɪɡnətɪ/ *n* 1 (of person, occasion) dignité *f*; **to be beneath sb's ~** être une atteinte à la dignité de qn; **to stand on one's ~** prendre de grands airs; 2 (title) titre *m*, dignité *f*

digraph /ˈdaɪɡrɑːf, US -ɡræf/ *n* Ling digramme *m*

digress /daɪˈɡres/ *vi* faire une digression; **to ~ from** s'écarter de [*subject*]

digression /daɪˈɡreʃn/ *n* digression *f*

digressive /daɪˈɡresɪv/ *adj* [*writer, speaker*] enclin à la digression; [*style*] riche en digressions

dihedral /daɪˈhiːdrəl/ *n*, *adj* Math dièdre (*m*)

dike *n* ► **dyke 1, 3**

diktat /ˈdɪktæt/ *n* diktat *m*

dilapidated /dɪˈlæpɪdeɪtɪd/ *adj* délabré
dilapidation /dɪˌlæpɪˈdeɪʃn/ *n* délabrement *m*
dilate /daɪˈleɪt/
A *vtr* dilater
B *vi* **1** (widen) se dilater; **2** (discuss at length) **to ~ on a subject** s'étendre sur un sujet
C dilated *pp adj* [*pupils, nostrils*] dilaté; **to be 5 cm ~d** (in labour) être dilaté de 5 cm
dilation /daɪˈleɪʃn/ *n* dilatation *f*
dilatoriness /ˈdɪlətərɪnɪs, US -tɔːrɪ-/ *n* sout lenteur *f* (**in doing** à faire)
dilatory /ˈdɪlətərɪ, US -tɔːrɪ/ *adj* sout **1** (slow) lent; **2** (time-wasting) dilatoire also Jur
dilatory plea *n* Jur exception *f* dilatoire
dildo /ˈdɪldəʊ/ *n* **1** (object) godemiché *m*; **2** ◑(idiot) con/conne◑ *m/f*, imbécile *mf*
dilemma /daɪˈlemə, dɪ-/ *n* dilemme *m* (**about, over** à propos de); **in a ~** devant un dilemme
(Idiom) **to be on the horns of a ~** se trouver confronté à un dilemme
dilettante /ˌdɪlɪˈtæntɪ/
A *n* dilettante *mf*
B *adj* [*person*] dilettante; [*attitude*] de dilettante
dilettantism /ˌdɪlɪˈtæntɪɪzəm/ *n* dilettantisme *m*
diligence /ˈdɪlɪdʒəns/ *n* **1** gen zèle *m*, diligence *f* sout (**in** dans; **in doing** à faire); **2** Jur **to exercise due ~** éviter des actes de négligence
diligent /ˈdɪlɪdʒənt/ *adj* appliqué; **to be ~ in doing sth** faire qch avec application
diligently /ˈdɪlɪdʒəntlɪ/ *adv* [*work*] avec zèle
dill /dɪl/ *n* aneth *m*
dill pickle *n* concombres *mpl* au vinaigre et à l'aneth
dilly○ /ˈdɪlɪ/ *n* US (person) personne *f* sensass○; (thing) chose *f* sensass○; **a ~ of an earthquake** un sacré○ tremblement de terre
dillydally○ /ˈdɪlɪdælɪ/ *vi* **1** (dawdle) lambiner○; **2** (be indecisive) tergiverser
dillydallying○ /ˈdɪlɪdælɪɪŋ/ *n* ₵ hésitations *fpl*
dilute /daɪˈljuːt, US -ˈluːt/
A *adj* dilué
B *vtr* **1** lit diluer [*liquid*] (**with** avec); éclaircir [*colour*]; **2** fig diluer
C diluted *pp adj* lit, fig dilué (**with** avec)
diluted shares *npl* Fin actions *fpl* émises
diluter /daɪˈljuːtə(r), US -ˈluːt-/ *n* diluant *m*
dilution /daɪˈljuːʃn, US -ˈluːt-/ *n* **1** lit, fig dilution *f* (**of** de); **2** Fin **~ of equity** dilution *f* d'action
dim /dɪm/
A *adj* **1** (badly lit) [*office, room, interior*] sombre; **2** (weak) [*light, flame, eye, eyesight*] faible; **to grow ~** s'affaiblir; **3** (hard to see) [*shape, figure*] vague; **4** (vague) [*recollection, appreciation*] vague (*before n*); **to have a ~ memory of** avoir un vague souvenir de; **5** ○(stupid) [*person, remark*] bouché○; **6** (not favourable) [*prospect, future*] sombre
B *vtr* (*p prés etc* **-mm-**) **1** (turn down) baisser [*light*]; mettre [qch] en veilleuse [*oil lamp*]; **2** (cause to fade) ternir [*beauty, colour*]; **3** US baisser [*headlights*]
C *vi* (*p prés etc* **-mm-**) **1** [*lights, lamp*] baisser; **2** [*memory*] s'estomper; **3** [*eyes, sight*] s'affaiblir; **4** [*colour, beauty, hope*] se ternir
(Idiom) **to take a ~ view of sth/of people doing** n'apprécier guère qch/que les gens fassent
dime /daɪm/ *n* US (pièce *f* de) dix cents *mpl*
(Idioms) **I haven't got a ~** je n'ai pas un sou; **they're a ~ a dozen**○ on en trouve à la pelle○; **it isn't worth a ~**○ ça ne vaut pas un clou○; **to stop on a ~**○ s'arrêter pile
dime: **~ bag**○ *n* US sachet *m* de drogue (*à 10 dollars*); **~ novel** US *n* roman *m* à quatre sous
dimension /dɪˈmenʃn/
A *n* **1** (aspect) dimension *f*; **to take on a whole new ~** prendre une toute autre dimension; **to bring** *ou* **add a new ~ to** donner une nouvelle dimension à [*discussion, problem*]; **2** (measurement) gen dimension *f*; Archit, Math, Tech cote *f*; **of huge ~s** aux dimensions énormes
B dimensions *npl* (scope) étendue *f* ₵ (**of** de)
-dimensional /-dɪmenʃənl/ (*dans composés*) **two/three~** à deux/trois dimensions; ▸ **one-dimensional**
dime store US *n* bazar *m*
diminish /dɪˈmɪnɪʃ/
A *vtr* **1** (reduce) diminuer [*numbers, popularity, quantity, resources*]; **2** (weaken) amoindrir [*authority, influence, strength*]; diminuer [*emotion*]; **3** (denigrate) dénigrer; **4** Mus diminuer
B *vi* **1** (decrease) [*funds, resources, numbers*] diminuer; **2** (weaken) [*emotion*] s'amenuiser; [*authority, influence, strength*] s'amoindrir
C diminished *pp adj* **1** [*amount, enthusiasm, income, force, level, rate*] réduit; [*awareness, support*] amoindri; **to feel ~ed** se sentir rabaissé; **2** Jur **on grounds of ~ed responsibility** pour raisons de responsabilité atténuée; **3** Mus diminué
D diminishing *pres p adj* [*number*] de moins en moins élevé; [*funds, resources, group*] de moins en moins important; [*influence*] de moins en moins fort; **the law of ~ing returns** la loi des rendements décroissants
diminuendo /dɪˌmɪnjʊˈendəʊ/ *n, adv* diminuendo (*m*)
diminution /ˌdɪmɪˈnjuːʃn, US -ˈnuːʃn/ *n* (of size, quantity, wages) diminution *f* (**in, of** de); (of level, intensity, power, role) affaiblissement *m* (**in, of** de)
diminutive /dɪˈmɪnjʊtɪv/
A *n* Ling diminutif *m*
B *adj* [*object*] minuscule; [*person*] tout petit
dimity /ˈdɪmətɪ/ *n* basin *m*
dimly /ˈdɪmlɪ/ *adv* **1** [*lit*] faiblement; **2** [*perceive, make out*] vaguement; **~ visible** à peine visible; **3** [*recall, register, sense*] vaguement; **to be ~ aware of** avoir vaguement conscience de
dimmer /ˈdɪmə(r)/ *n* (*also* **~ switch**) variateur *m* d'ambiance
dimming /ˈdɪmɪŋ/ *n* **1** (of lights) atténuation *f*; **2** (of hope, glory) ternissement *m*
dimness /ˈdɪmnɪs/ *n* **1** (of interior) obscurité *f*; (of light, lamp) faiblesse *f*; **2** (of recollection, figure, outline) imprécision *f*
dimorphism /daɪˈmɔːfɪzəm/ *n* Biol, Chem dimorphisme *m*
dimple /ˈdɪmpl/
A *n* (in flesh) fossette *f*; (on water) ride *f*
B *vtr* [*smile*] faire apparaître des fossettes dans [*cheeks*]; [*wind*] rider [*water*]
C *vi* [*flesh*] former des fossettes; [*water*] se rider
D dimpled *pp adj* [*cheek, chin*] à fossette(s); [*limb*] potelé; [*surface*] bosselé; [*water*] ridé; [*glass*] dépoli
dim: **~wit**○ *n* andouille○ *f*, imbécile○ *mf*; **~-witted**○ *adj* bouché○, obtus
din /dɪn/ *n* (of machines) vacarme *m*; (of people) chahut *m*
(Idiom) **to ~ sth into sb**○ enfoncer qch dans la tête de qn○
dine /daɪn/
A *vtr* ▸ **wine C**
B *vi* dîner; ▸ **wine D**
(Phrasal verbs) ■ **dine in** dîner à la maison
■ **dine off, dine on**: ▸ **~ off [sth]** dîner de qch
■ **dine out** dîner dehors; **to ~ out on** resservir [*story, anecdote*]
diner /ˈdaɪnə(r)/ *n* **1** (person) dîneur/-euse *m/f*; **2** US (restaurant) café-restaurant *m*; **3** (in train) wagon-restaurant *m*
dinero○ /dɪˈnerəʊ/ *n* US fric○ *m*
dinette /daɪˈnet/ *n* US **1** (room) coin-repas *m*; **2** (*also* **~ set**) mobilier *m* de cuisine
dingaling /ˌdɪŋəˈlɪŋ/ *n* **1** onomat dring dring; **2** ○US (fool) benêt○ *m*
dingbat○ /ˈdɪŋbæt/ *n* (idiot) andouille○ *f*, imbécile *mf*
dingdong /ˈdɪŋdɒŋ/
A ○*n* **1** GB (quarrel) échange *m* vif de mots; **2** onomat ding dong; **3** **DingDong**® US Culin *gâteau au chocolat fourré à la crème*
B *adj* GB **a ~ argument** une dispute en règle
dinge◑ /dɪndʒ/ *n* US injur nègre *m* offensive
dinghy /ˈdɪŋgɪ/ *n* **1** (*also* **sailing ~**) dériveur *m*; **2** (inflatable) canot *m*
dingo /ˈdɪŋgəʊ/ *n* dingo *m*
dingus○ /ˈdɪŋgəs/ *n* US truc○ *m*
dingy /ˈdɪndʒɪ/ *adj* [*colour, surroundings*] défraîchi; [*street, building, room*] minable
dining: **~ car** *n* wagon-restaurant *m*; **~ chair** *n* chaise *f* de salle à manger; **~ hall** *n* (private) salle *f* à manger; (in institution) réfectoire *m*
dining room
A *n* (in house) salle *f* à manger; (in hotel) salle *f* de restaurant
B *modif* [*furniture*] de salle à manger
dining table *n* table *f* de salle à manger
dink /dɪŋk/ *n* Sport amorti *m*
dinkum○ /ˈdɪŋkʌm/ *adj* Austral (thing) vrai; (person) sincère, honnête
dinky○ /ˈdɪŋkɪ/ *adj* **1** GB (sweet) mignon/-onne; **2** (small) petit
DINKY○ /ˈdɪŋkɪ/ *n* (*abrév* = **dual income no kids**) *homme ou femme qui vit en couple, sans enfants, et qui gagne bien sa vie*
dinner /ˈdɪnə(r)/ *n* **1** (meal) (evening) dîner *m*; (midday) déjeuner *m*; **at ~** au dîner *or* déjeuner; **to have friends to ~** avoir des amis à dîner; **to go out/be invited out to ~** dîner/être invité à dîner dehors; **to be invited to ~ at sb's** être invité à dîner chez qn; **to have ~** dîner; **we'll be ten for ~** nous serons dix à dîner; **we're having chicken for ~** on va manger du poulet au dîner; **to give the dog its ~** donner à manger au chien; **'~!'** 'à table!'; **2** (banquet) dîner *m* (**for sb** en l'honneur de qn); **3** (baby food) aliment *m* pour bébé; **vegetable ~** aliment pour bébé à base de légumes
(Idiom) **he's had more affairs/problems than you've had hot ~s**○ des histoires amoureuses/des ennuis, il en a eu à la pelle○
dinner: **~ bell** *n* (in house) sonnerie *f* du dîner; (in school) sonnerie *f* du déjeuner; **~ dance** *n* dîner-dansant *m*; **~ duty** *n* GB Sch surveillance *f* au réfectoire; **~ fork** *n* grande fourchette *f*; **~ hour** *n* GB Sch heure *f* du déjeuner; **~ jacket, DJ** *n* smoking *m*; **~ knife** *n* grand couteau *m*; **~ lady** *n* GB Sch femme *f* de service (à la cantine); **~ money** *n* GB Sch argent *m* pour la cantine; **~ party** *n* dîner *m*; **~ party conversation** *n* conversation *f* de salon; **~ plate** *n* grande assiette *f*; **~ roll** *n* petit pain *m*; **~ service**, **~ set** *n* service *m* de table
dinner table *n* **at the ~** [*discuss, tell*] à table
dinner: **~ theater** *n* US ≈ cabaret *m* (*où sont données des pièces de théâtre*); **~time** *n* heure *f* du dîner; **~ware** *n* US vaisselle *f*
dinosaur /ˈdaɪnəsɔː(r)/ *n* lit, fig dinosaure *m*
dint /dɪnt/: **by dint of** *prep phr* grâce à [*effort, wit, support*]
diocesan /daɪˈɒsɪsn/ *n, adj* diocésain (*m*)
diocese /ˈdaɪəsɪs/ *n* diocèse *m*
diode /ˈdaɪəʊd/ *n* diode *f*
dioptre, diopter US /daɪˈɒptə(r)/ *n* dioptrie *f*
diorama /ˌdaɪəˈrɑːmə/ *n* diorama *m*
dioxide /daɪˈɒksaɪd/ *n* dioxyde *m*
dioxin /daɪˈɒksɪn/ *n* dioxine *f*
dip /dɪp/
A *n* **1** (bathe) trempette *f*; **to go for** *ou* **have a**

quick ~ faire trempette; 2 (hollow) (in ground, road) déclivité *f*; 3 (downward movement) (of plane, head) inclinaison *f*; 4 fig (in prices, rate, sales) (mouvement *m* de) baisse *f* (**in** dans); 5 Culin sauce *f* froide (*pour crudités*); 6 Agric (*also* **sheep ~**) bain *m* parasiticide; 7 Geol (of stratum) pendage *m*; 8 Phys (*also* **angle of ~, magnetic ~**) inclinaison *f* magnétique
B *vtr* (*p prés etc* **-pp-**) 1 (put partially) tremper [*finger, toe, stick, brush*] (**in, into** dans); 2 (immerse) plonger [*garment*] (**in, into** dans); tremper [*food*] (**in, into** dans); Agric baigner [*sheep*]; 3 (bend) **to ~ one's head/knee** plier la tête/le genou; 4 GB Aut **to ~ one's headlights** baisser les phares; **~ped headlights** codes *mpl*, feux *mpl* de croisement; **to drive with ~ped headlights** rouler en code; 5 Tech (galvanize) tremper [*metal*]
C *vi* (*p prés etc* **-pp-**) 1 (move downwards) [*bird, plane*] piquer; **to ~ below the horizon** [*sun*] disparaître derrière l'horizon; 2 (slope downwards) [*land, field, road*] être en pente; 3 fig (decrease) [*price, value, exchange rate*] descendre, baisser; [*speed, rate*] descendre; 4 (put hand) **to ~ into one's bag for sth** chercher qch dans son sac; fig **to ~ into the till/one's savings for sth** puiser dans la caisse/ses économies pour qch; 5 (read a little) **to ~ into** parcourir [*book, report*]

Dip *n*: *abrév écrite* = **diploma**

DIP /dɪp/ *n* Comput (*abrév* = **dual in-line package**) boîtier *m* à double rangée de connexions

diphtheria /dɪf'θɪərɪə/ ▸ **p. 1327** *n* diphtérie *f*

diphthong /'dɪfθɒŋ, US -θɔːŋ/ *n* diphtongue *f*

diphthongize /'dɪfθɒŋaɪz, US -θɔːŋ-/
A *vtr* diphtonguer
B *vi* se diphtonguer

diploid /'dɪplɔɪd/ Biol
A *n* diploïdie *f*
B *adj* diploïde

diploma /dɪ'pləʊmə/ *n* diplôme *m* (**in** en)

diplomacy /dɪp'ləʊməsɪ/ *n* gen, Pol diplomatie *f*

diploma mill○ *n* US péj *école supérieure peu cotée distribuant des diplômes sans valeur*

diplomat /'dɪpləmæt/ ▸ **p. 1683** *n* gen, Pol diplomate *mf*

diplomatic /ˌdɪplə'mætɪk/ *adj* 1 Pol diplomatique; **a ~ presence** une représentation diplomatique; **through ~ channels** par voies diplomatiques; 2 (astute) [*person*] diplomate; [*behaviour*] diplomatique; 3 (tactful) [*remark, person*] plein de tact; **to be ~** avoir du tact

diplomatically /ˌdɪplə'mætɪklɪ/ *adv* (all contexts) diplomatiquement; **~ embarrassing** gênant du point de vue diplomatique

diplomatic: **~ bag** *n* GB valise *f* diplomatique; **~ corps** *n* corps *m* diplomatique; **~ immunity** *n* immunité *f* diplomatique; **~ passport** *n* passeport *m* diplomatique; **~ pouch** *n* US valise *f* diplomatique; **~ relations** *npl* relations *fpl* diplomatiques (**with** avec)

diplomatist /dɪ'pləʊmətɪst/ *n* diplomate *mf*

dip needle *n* Phys aiguille *f* aimantée

dipole /'daɪpəʊl/ *n* 1 Elec, Phys dipôle *m*; 2 (*also* **~ aerial**) antenne *f* dipôle

dipper /'dɪpə(r)/ *n* 1 Zool cincle *m*; 2 US (ladle) louche *f*; 3 US Astron ▸ **Big Dipper, Little Dipper**

dippy○ /'dɪpɪ/ *adj* farfelu○

dipso○ /'dɪpsəʊ/ *n* péj (*abrév* = **dipsomaniac**) soûlard/-e○ *m/f*

dipsomania /ˌdɪpsə'meɪnɪə/ *n* dipsomanie *f*

dipsomaniac /ˌdɪpsə'meɪnɪæk/ *n* dipsomane *mf*

dipstick /'dɪpstɪk/ *n* 1 Aut jauge *f* de niveau d'huile; 2 ○(idiot) cloche *f*

dip switch *n* interrupteur *m* à positions multiples

diptera /'dɪptərə/ *npl* diptères *mpl*

dipterous /'dɪptərəs/ *adj* 1 Zool diptère; 2 Bot ailé

diptych /'dɪptɪk/ *n* diptyque *m*

dire /'daɪə(r)/ *adj* 1 (terrible) [*consequence*] terrible; [*situation*] désespéré; [*poverty*] extrême; [*warning*] sinistre; **to be in ~ need of** avoir un besoin urgent de; **in ~ straits** dans une situation désespérée; 2 ○(awful) [*food, performance*] affreux/-euse

direct /daɪ'rekt, dɪ-/
A *adj* 1 (without intermediary) [*appeal, aid, control, link, participation, talks*] direct; **in ~ contact with** (touching) en contact direct avec; (communicating) directement en contact avec; **to keep sth away from ~ heat/sunlight** ne pas exposer qch directement à la chaleur/la lumière; 2 (without detour) [*access, route, flight, train*] direct; **to be a ~ descendant of** descendre en droite ligne de; 3 (clear) [*cause, comparison, impact, influence, reference, result, threat*] direct; [*contrast, evidence*] flagrant; **to be the ~ opposite of** être tout le contraire de; **to be of no ~ value** ne pas avoir de valeur évidente; **to be in no ~ danger** ne pas être directement en danger; 4 (straightforward) [*approach, answer, method, question, response*] direct; [*person*] franc/franche; **to be ~ with sb** être franc/franche avec qn
B *adv* 1 (without intermediary) [*deal, negotiate, speak, write, dial*] directement; **available ~ from the manufacturer** disponible directement chez le fabricant; **to pay sth ~ into sb's account** créditer qch à qn par virement automatique; 2 (without detour) [*come, go*] directement (**from** de); **to fly ~** prendre un vol direct
C *vtr* 1 fig (address, aim) adresser [*appeal, criticism, protest, remark*] (**at** à; **against** contre); cibler [*campaign*] (**at** sur); orienter [*effort, resource*] (**to, towards** vers); **to ~ one's attention to** concentrer son attention sur; **to ~ sb's attention to** attirer l'attention de qn sur; 2 (control) diriger [*company, operation, project*]; régler [*traffic*]; 3 lit (point, aim) diriger [*attack, light, car, look, steps*] (**at** vers); pointer [*gun*] (**at** sur); 4 Cin, Radio, TV réaliser [*film, play, drama*]; Theat mettre [qch] en scène [*play*]; diriger [*actor, cameraman, musician, opera*]; **~ed by Hitchcock** réalisé par Hitchcock; 5 (instruct) **to ~ sb to do** gen ordonner à qn de faire; Jur imposer à qn de faire; **to ~ that sth (should) be done** ordonner que qch soit fait; **he ~ed that the money be repaid** il a ordonné le remboursement de l'argent; **he did it as ~ed** il l'a fait comme on le lui avait indiqué; **'to be taken as ~ed'** Pharm 'à consommer selon la prescription médicale'; 6 (show route) **to ~ sb to sth** indiquer le chemin de qch à qn; **can you ~ me to the station?** pouvez-vous m'indiquer le chemin de la gare?
D *vi* Cin, Radio, TV faire de la réalisation; Theat faire de la mise en scène; **Lee ~ed** Lee a fait la réalisation

direct: **~ access** *n* Comput accès *m* direct; **~ access device** *n* unité *f* à accès direct; **~ access file** *n* fichier *m* à accès direct; **~ access storage device, DASD** *n* unité *f* de stockage à accès direct; **~ action** *n* action *f* directe; **~ broadcasting by satellite, DBS** *n* TV télévision *f* directe par satellite; **~ current, DC** *n* Elec courant *m* continu

direct debit *n* prélèvement *m* automatique; **by ~** par prélèvement automatique

direct: **~ discourse** *n* US = **direct speech**; **~ election** *n* élection *f* directe; **~ grant school** *n* GB établissement *m* scolaire privé en contrat avec l'État

direct hit *n* Mil coup *m* au but; (in archery, game) tir *m* au but; **to make a ~** Mil atteindre son objectif; **the hospital received** *ou* **sustained a ~** une bombe est tombée sur l'hôpital

direction /daɪ'rekʃn, dɪ-/
A *n* 1 (left, right, north, south) direction *f*; **in the ~ of** en direction de; **to gesture in sb's ~** faire un geste dans la direction de qn; **in the right/wrong ~** dans la bonne/mauvaise direction; **in this** *ou* **that ~** dans cette direction; **to go in the opposite ~** aller en sens inverse; **in the opposite ~ to me** dans le sens opposé au mien; **from all ~s** de tous les côtés *mpl*; **a step in the right ~** fig un pas dans la bonne direction; 2 (taken by company, government, career) orientation *f*; **a change of ~** un changement d'orientation; **the right/wrong ~ for sb** la bonne/mauvaise option pour qn; **we have taken different ~s** nous avons pris des chemins différents; **to lack ~** manquer d'objectifs; 3 Cin, Radio, TV réalisation *f*; Theat mise *f* en scène; Mus direction *f*; **under the ~ of** [*orchestra*] sous la direction de; 4 (control) direction *f*; (guidance) conseils *mpl*
B **directions** *npl* 1 (for route) indications *fpl*; **to give sb ~s** donner des indications à qn; **to ask for ~s** demander son chemin (**from** à); 2 (for use) instructions *fpl* (**as to, about** sur); **~s for use** mode *m* d'emploi

directional /daɪ'rekʃənl, dɪ-/ *adj* directionnel/-elle

direction finder *n* radiogoniomètre *m*

directive /daɪ'rektɪv, dɪ-/
A *n* 1 Admin directive *f* (**on** relative à); **an EU ~** une directive de la UE; 2 Comput directive *f*
B *adj* directif/-ive

direct labour GB, **direct labor** US *n* main-d'œuvre *f* directe

directly /daɪ'rektlɪ, dɪ-/
A *adv* 1 (without a detour) [*connect, contact, challenge, come, go, negotiate, quote, refer*] directement; [*aim, point*] droit; [*move*] tout droit; **to look ~ at** regarder directement; **to look ~ at sb** regarder qn droit dans les yeux; **to be ~ descended from** descendre en droite ligne de; 2 (exactly) [*above, behind, opposite*] juste; [*compare, contradict*] totalement; **to be ~ proportional to** être directement proportionnel/-elle à; 3 (at once) aussitôt; **~ after** aussitôt après; **~ before** juste avant; 4 (very soon) d'ici peu; **he'll be back ~** il va revenir d'ici peu; 5 (frankly) [*speak*] franchement; [*refuse, deny*] catégoriquement
B *conj* GB (as soon as) dès que; **~ he saw me he stopped** dès qu'il m'a vu il s'est arrêté

direct: **~ mail** *n* mailing *m*, publipostage *m*; **~ marketing** *n* marketing *m* direct; **~ memory access, DMA** *n* accès *m*

ℹ Street directions

How do I get there?

En sortant de la gare, allez tout droit, traversez la place où attendent les taxis, puis le parking. Vous déboucherez dans la Grand-Rue. Continuez dans la même direction sur plusieurs centaines de mètres. Vous passerez trois feux rouges. Tournez à droite au troisième, et vous vous trouverez dans la rue Maginot. Prenez la troisième rue à gauche (il y a une banque qui fait l'angle) et continuez jusqu'au bout de cette rue. Vous verrez le théâtre en face de vous. Empruntez le passage à gauche du théâtre, descendez les escaliers et vous vous retrouverez dans l'avenue des Marronniers. Prenez-la sur votre gauche en marchant sur le trottoir de gauche. Vous verrez une boucherie chevaline sur la droite de la rue juste avant le deuxième carrefour. Traversez le carrefour en diagonale. Vous apercevrez une sorte de terrain vague sur votre droite après le carrefour. Le dernier magasin, juste avant le terrain vague, est celui d'un tailleur, et il y a un café dans une cour derrière. Je vous y attendrai avec la valise et toutes les instructions. Mais attention: pas un mot à qui que ce soit!

direct mémoire; ~ **method** *n* méthode *f* directe

directness /daɪ'rektnɪs, dɪ-/ *n* 1 (of person, attitude) franchise *f*; 2 (of play, work, writing) authenticité *f*

direct object *n* objet *m* direct

director /daɪ'rektə(r), dɪ-/ *n* 1 Admin, Comm (of company, organization, programme) (solely in control) directeur/-trice *m/f*; (one of board) administrateur/-trice *m/f*; ~ **of Education/of Social Services** GB Soc Admin responsable *mf* régional/-e de l'Enseignement/des Services Sociaux; 2 gen (of project, investigation) responsable *mf*; 3 Cin, TV, Radio (of film) réalisateur/-trice *m/f*, metteur *m* en scène; (of play) metteur *m* en scène; (of orchestra) chef *m* d'orchestre; (of choir) chef *m* des chœurs; **artistic** ~ directeur/-trice *m/f* artistique; ~ **of programmes** TV directeur/-trice *m/f* des programmes télévisés; 4 Sch, Univ ~ **of studies** directeur/-trice *m/f* des études; ~ **of admissions** responsable *mf* du service des inscriptions

directorate /daɪ'rektərət, dɪ-/ *n* (board) conseil *m* d'administration; **member of the social security** ~ membre de la direction de la sécurité sociale

Directorate General, DG *n* EU Direction *f* générale, DG *f*

director general, DG *n* directeur *m* général

directorial /ˌdarek'tɔːrɪəl, ˌdɪ-/ *adj* 1 Admin [*duties*] de directeur/-trice; 2 Cin, Theat [*debut*] de metteur en scène; [*style*] de direction

director: **Director of Public Prosecutions, DPP** *n* GB ≈ procureur *m* général; ~**'s chair** *n* fauteuil *m* de metteur en scène

directorship /daɪ'rektəʃɪp, dɪ-/ *n* (in organization, institution) direction *f*; (in company) poste *m* d'administrateur; **to hold a** ~ occuper le poste d'administrateur

directors' report *n* rapport *m* annuel

directory /daɪ'rektərɪ, dɪ-/ *n* 1 Telecom annuaire *m*; **local** ~ annuaire local; 2 Comm répertoire *m* d'adresses; **street** ~ répertoire *m* des rues; 3 Comput répertoire *m*

directory assistance *n* US = **directory enquiries**

directory enquiries *npl* GB (service *m* des) renseignements *mpl*; **to call** ~ appeler les renseignements

direct: ~ **primary** *n* US élection *f* primaire directe; ~ **question** *n* Ling question *f* au style direct; ~ **rule** *n* Pol gouvernement *m* direct; ~ **sales** *n* vente *f* directe; ~ **speech** *n* style *m* direct; ~ **tax** *n* impôt *m* direct; ~ **taxation** *n* imposition *f* directe; ~ **transfer** *n* virement *m* automatique

dirge /dɜːdʒ/ *n* 1 Mus, Literat hymne *m* funèbre; 2 (mournful song) chant *m* lugubre; 3 hum péj (lengthy complaint) chanson *f* lugubre

dirigible /'dɪrɪdʒəbl/ *n* dirigeable *m*

dirndl /'dɜːndl/ *n* 1 (costume) robe *f* tyrolienne; 2 (*also* ~ **skirt**) jupe *f* paysanne

dirt /dɜːt/ *n* 1 (mess) (on clothing, in room) saleté *f*; (on body, cooker) crasse *f*; (in carpet, engine, filter) saletés *fpl*; **wash the** ~ **off your face!** décrasse-toi la figure!; **to show the** ~ être salissant; 2 (soil) terre *f*; (mud) boue *f*; 3 ○péj (gossip) ragots *mpl*; **to dig up** ~ **on** dénicher des ragots sur; **to dish the** ~ **on** *ou* **about** répandre des ragots sur; 4 euph (obscenity) obscénités *fpl*; (excrement) excréments *mpl*; **dog** ~ crottes *fpl* de chien

(Idioms) **to make sb eat** ~○ US faire mordre la poussière à qn○; **to treat sb like** ~ traiter qn comme un moins que rien○

dirtbike /'dɜːtbaɪk/ *n* moto *f* tous terrains, ≈ enduro *f*

dirt cheap○
A *adj* [*item*] donné○
B *adv* [*get, buy*] pour trois fois rien

dirt farmer *n* US petit fermier *m*

dirtiness /'dɜːtɪnɪs/ *n* 1 (of person, conditions, surroundings) saleté *f*; 2 (obscenity) grossièreté *f*

dirt road *n* chemin *m* de terre battue

dirt track *n* 1 Sport cendrée *f*; 2 (road) = **dirt road**

dirty /dɜːtɪ/
A *adj* 1 (messy, soiled) [*face, clothing, dish, carpet, mark, nappy, car, street, beach*] sale; [*work, job*] salissant; **to get** ~ se salir; **to get** *ou* **make sth** ~ salir qch; **to get one's hands** ~ fig mettre la main à la pâte; 2 Med (not sterile) [*needle*] qui a déjà servi; [*wound*] infecté; 3 ○ (obscene) [*book, joke, idea, word*] cochon/-onne○; [*mind*] mal tourné; **to have a** ~ **mind** ne penser qu'à ça○; 4 (unhygienic, disgusting) [*habit, child*] sale; **you** ~ **pig**○! cochon/-onne○! *m/f*; 5 ○(dishonest) [*contest, election, fighter, player*] déloyal; [*cheat, liar, rascal*] sale (*before n*); [*lie*] grossier/-ière; **you** ~ **rat!** sale type○!; **that was a** ~ **trick** c'était un sale coup; **it's a** ~ **business** c'est une affaire louche; 6 [*colour*] sale, terne; ~ **green/white** vert/blanc sale *or* terne; 7 (stormy) [*weather, night*] sale○ (*before n*)
B ○*adv* 1 (dishonestly) **to play** *ou* **fight** ~ donner des coups en traître; 2 (obscenely) [*talk*] grossièrement; **to think** ~ avoir des pensées obscènes; 3 (as intensifier) **a** ~ **great dog** un chien vachement○ gros
C *vtr* lit, fig salir [*carpet, nappy*]; **to** ~ **one's hands doing** fig se salir les mains en faisant

(Idioms) **his name seems to be a** ~ **word around here** son nom semble être un mot tabou ici; **to do the** ~ **on**○ faire une crasse○ à; **to give sb a** ~ **look**○ regarder qn d'un sale œil; **to send sb to do one's** ~ **work**○ faire faire le sale boulot○ à qn; **do your own** ~ **work**○! fais ton sale boulot○ toi-même

dirty: ~**-minded**○ *adj* à l'esprit mal tourné; ~ **old man**○ *n* vieux cochon○ *m*; ~ **protest** *n* GB *manifestation où les détenus marquent leur mécontentement en souillant leur cellule*; ~ **tricks** *npl* Pol diffamation *f*; ~ **tricks campaign** *n* campagne *f* diffamatoire; ~ **war** *n* guerre *f* sale; ~ **weekend**○ *n* week-end *m* de débauche

disability /ˌdɪsə'bɪlətɪ/
A *n* 1 Med (handicap) infirmité *f*; **multiple disabilities** multiples infirmités *fpl*; **mental/physical** ~ handicap *m* mental/physique; **partial/total** ~ incapacité *f* partielle/totale; ~ **for work** incapacité de travail; 2 fig (disadvantage) handicap *m*; 3 Jur (disqualification) incapacité *f*
B *modif* [*benefit, pension*] d'invalidité

disability cover *n* Insur assurance *f* invalidité

disable /dɪs'eɪbl/
A *vtr* 1 Med [*accident, sudden illness*] rendre [qn] infirme; [*chronic illness, permanent handicap*] handicaper; **to be** ~**d by arthritis** être handicapé par l'arthrite; 2 (render useless) immobiliser [*machine*]; avarier [*ship*]; 3 Mil mettre [qch] hors d'action [*weapon, ship, vehicle*]; 4 Comput désactiver; 5 Jur (disqualify) **to be** ~**d from doing** être incapable de faire
B **disabling** *pres p adj* [*illness, defect*] invalidant

disabled /dɪs'eɪbld/
A *n* **the** ~ (+ *v pl*) les handicapés *mpl*
B *adj* 1 Med handicapé; **severely** ~ gravement handicapé; **to be mentally** ~ être handicapé mental; 2 Soc Admin (*épith*) [*facility, equipment*] pour handicapés; ~ **access** voie *f* d'accès pour handicapés

disabled: ~ **driver** *n* conducteur/-trice *m/f* invalide; ~ **list** *n* US Sport liste *f* des joueurs blessés; ~ **person** *n* invalide *mf*

disablement /dɪs'eɪblmənt/
A *n* 1 gen, Med invalidité *f*; 2 Jur incapacité *f*
B *modif* [*benefit, pension*] d'invalidité

disabuse /ˌdɪsə'bjuːz/ *vtr* sout détromper (**of** de)

disaccharide /daɪ'sækəraɪd/ *n* disaccharide *m*

disadvantage /ˌdɪsəd'vɑːntɪdʒ, US -'væn-/
A *n* 1 (drawback) inconvénient *m*; **the** ~ **is that** l'inconvénient, c'est que; 2 (position of weakness) **to be at a** ~ être désavantagé; **to put sb at a** ~ désavantager qn; **to catch sb at a** ~ prendre qn au dépourvu; **to get sb at a** ~ avoir l'avantage sur qn; **to my/his** ~ à mon/son désavantage; **to sell at a** ~ vendre à perte; 3 (discrimination) inégalité *f*
B *vtr* désavantager

disadvantaged /ˌdɪsəd'vɑːntɪdʒd, US -'væn-/
A *n* **the** ~ (+ *v pl*) les déshérités *mpl*
B *adj* défavorisé

disadvantageous /dɪsˌædvɑː'nteɪdʒəs, US -væn-/ *adj* défavorable (**to** à)

disaffected /ˌdɪsə'fektɪd/ *adj* mécontent (**with** de)

disaffection /ˌdɪsə'fekʃn/ *n* mécontentement *m* (**with** à propos de)

disagree /ˌdɪsə'griː/ *vi* 1 (differ) ne pas être d'accord (**with** avec; **on, about** sur); **I** ~ **completely** je ne suis pas du tout d'accord; **to** ~ **about what time to leave/which was the best restaurant** ne pas être d'accord sur l'heure du départ/le meilleur restaurant; **we often** ~ nous avons souvent des avis différents; **to agree to** ~ [*two people*] accepter ses désaccords; [*group*] accepter de ne pas faire l'unanimité; 2 (oppose) **to** ~ **with** s'opposer à [*plan, proposal*]; 3 (conflict) [*facts, results, statistics*] être en désaccord, ne pas concorder (**with** avec); 4 **to** ~ **with sb** (upset) [*food*] ne pas réussir à qn; [*weather*] ne pas convenir à qn; **work** ~**s with me** hum je ne suis pas fait pour le travail

disagreeable /ˌdɪsə'griːəbl/ *adj* [*person, reaction*] désagréable; [*remark*] désobligeant; [*appearance*] désagréable, déplaisant

disagreeableness /ˌdɪsə'griːəblnɪs/ *n* (of task) nature *f* désagréable; (of person) manières *fpl* désagréables; (of remark) caractère *m* désagréable

disagreeably /ˌdɪsə'griːəblɪ/ *adv* désagréablement

disagreement /ˌdɪsə'griːmənt/ *n* 1 (difference of opinion) désaccord *m* (**about, on** sur; **as to** quant à); **to be in total** ~ **with sb** être en total désaccord avec qn; **there was a** ~ **about who was to be leader/about what method to use** il y avait un désaccord sur le dirigeant à désigner/sur la méthode à employer; **there was (serious)** ~ **among the participants** les participants étaient en (sérieux) désaccord; **there is some/no** ~ **as to the aims of the project** les avis divergent/convergent quant aux objectifs du projet; 2 (argument) différend *m* (**about, over** sur); 3 (inconsistency) divergence *f* (**between** entre)

disallow /ˌdɪsə'laʊ/ *vtr* 1 Sport refuser [*goal*]; 2 gen, Admin, Jur rejeter [*appeal, claim, decision*]

disambiguate /ˌdɪsæm'bɪgjʊeɪt/ *vtr* désambiguïser

disappear /ˌdɪsə'pɪə(r)/
A *vtr* Pol euph faire disparaître [*dissident*]
B *vi* (all contexts) disparaître; **to** ~ **from view** disparaître de la vue; **to** ~ **without trace** disparaître sans laisser de trace; **to be fast** ~**ing** être en voie de disparition

(Idiom) **to do a** ~**ing act** se volatiliser

disappearance /ˌdɪsə'pɪərəns/ *n* disparition *f* (**of** de)

disappeared /ˌdɪsə'pɪəd/ *npl* Pol euph **the** ~ (+ *v pl*) les personnes *fpl* disparues

disappoint /ˌdɪsə'pɔɪnt/ *vtr* 1 (let down) décevoir [*person*]; 2 (upset) décevoir [*hopes, dream*]; contrecarrer [*plan*]

disappointed /ˌdɪsə'pɔɪntɪd/ *adj* 1 (let down) déçu (**about, at, by, with sth** par qch); **to be** ~ **that** être déçu que (+ *subj*); **to be** ~ **to see that** être déçu de voir que; **I am** ~ **in you** tu me déçois; 2 (unfulfilled) déçu

disappointing /ˌdɪsəˈpɔɪntɪŋ/ *adj* décevant; **it is ~ that** c'est décevant que (+ *subj*); **how ~!** quelle déception!

disappointment /ˌdɪsəˈpɔɪntmənt/ *n* **1** (feeling) déception *f*; **to sb's ~** à la grande déception de qn; **there was general ~ at the results** à l'annonce des résultats tout le monde a été déçu; **2** (source of upset) **to be a ~ to sb** décevoir qn; **he is a real ~ to us** il nous a vraiment déçus

disapprobation /dɪsˌæprəˈbeɪʃn/ *n* sout désapprobation *f*

disapproval /ˌdɪsəˈpruːvl/ *n* désapprobation *f* (**of** de)

disapprove /ˌdɪsəˈpruːv/ *vi* ne pas être d'accord; **to ~ of** désapprouver [*person, behaviour, lifestyle*]; être contre [*smoking, hunting*]; **to ~ of sb doing** désapprouver *or* ne pas être d'accord que qn fasse

disapproving /ˌdɪsəˈpruːvɪŋ/ *adj* [*look, gesture*] désapprobateur/-trice; **to be ~** ne pas être d'accord

disapprovingly /ˌdɪsəˈpruːvɪŋlɪ/ *adv* [*frown, look, say*] avec désapprobation

disarm /dɪsˈɑːm/
A *vtr* **1** désarmer [*criminal*]; démilitariser [*country*]; **2** fig désarmer [*critic, opponent*]
B *vi* [*country*] désarmer

disarmament /dɪsˈɑːməmənt/
A *n* désarmement *m*
B *modif* [*conference*] sur le désarmement; [*proposals*] de désarmement

disarming /dɪsˈɑːmɪŋ/
A *n* désarmement *m*
B *adj* [*smile, frankness*] désarmant

disarmingly /dɪsˈɑːmɪŋlɪ/ *adv* [*smile, apologize*] d'une manière désarmante; **~ frank** d'une franchise désarmante

disarrange /ˌdɪsəˈreɪndʒ/ *vtr* déranger

disarranged /ˌdɪsəˈreɪndʒd/ *adj* défait

disarray /ˌdɪsəˈreɪ/ *n* **1** (confusion) confusion *f*; **in complete ~** en pleine confusion; **in total ~** dans une confusion totale; **2** (disorder) désordre *m*; **in ~** en désordre

disassemble /ˌdɪsəˈsembl/ *vtr* démonter [*gun, engine*]

disassociate /ˌdɪsəˈsəʊʃɪeɪt/ *vtr, vi* = **dissociate**

disassociation /ˌdɪsəˌsəʊʃɪˈeɪʃn/ *n* = **dissociation**

disaster /dɪˈzɑːstə(r), US -ˈzæs-/ *n* gen catastrophe *f* also fig; (long-term) désastre *m*; **environmental ~** désastre écologique; **air/rail ~** catastrophe aérienne/ferroviaire; **financial ~** désastre financier; **to be heading for ~** courir à la catastrophe; **the maths teacher is a ~**○ le prof de math est une catastrophe○; **~ struck** le malheur a frappé

disaster: **~ area** *n* lit région *f* sinistrée; fig catastrophe *f*; **~ fund** *n* fonds *m* de soutien; **~ movie** *n* film *m* catastrophe; **~ victim** *n* sinistré/-e *m/f*

disastrous /dɪˈzɑːstrəs, US -ˈzæs-/ *adj* désastreux/-euse, catastrophique

disastrously /dɪˈzɑːstrəslɪ, US -ˈzæs-/ *adv* [*end, turn out*] d'une manière désastreuse; [*fail*] lamentablement; [*expensive, extravagant etc*] terriblement; **to go ~ wrong** tourner à la catastrophe

disavow /ˌdɪsəˈvaʊ/ *vtr* sout renier [*opinion, commitment*]; désavouer, nier [*connection*]

disavowal /ˌdɪsəˈvaʊəl/ *n* désaveu *m*

disband /dɪsˈbænd/
A *vtr* gen dissoudre [*group*]; Mil licencier [*regiment, unit*]
B *vi* se disperser

disbanding /dɪsˈbændɪŋ/ *n* (of group) dissolution *f* (**of** de); (of troops) licenciement *m* (**of** de)

disbar /dɪsˈbɑː(r)/ *vtr* (*p prés etc* **-rr-**) Jur radier

disbarment /dɪsˈbɑːmənt/ *n* radiation *f* (du barreau)

disbelief /ˌdɪsbɪˈliːf/ *n* incrédulité *f*; **in ~** avec incrédulité

disbelieve /ˌdɪsbɪˈliːv/ *vtr* sout ne pas croire

disbeliever /ˌdɪsbɪˈliːvə(r)/ *n* incrédule *mf*

disbelieving /ˌdɪsbɪˈliːvɪŋ/ *adj* incrédule

disbud /dɪsˈbʌd/ *vtr* ébourgeonner

disburse /dɪsˈbɜːs/ *vtr* sout débourser

disbursement /dɪsˈbɜːsmənt/ *n* sout **1** (sum) débours *m*; **2** (act) déboursement *m*

disc /dɪsk/ *n* **1** gen, Mus disque *m*; **on ~** sur disque; **2** Anat disque *m* (intervertébral); **to have a slipped ~** avoir une hernie discale; **3** gen, Mil **identity ~** plaque *f* d'identité; **4** Aut **tax ~** vignette *f* (automobile)

discard /dɪsˈkɑːd/
A *n* (in cards) défausse *f*; (cast-off garment, item) objet *m* mis au rebut
B *vtr* **1** (get rid of) se débarrasser de [*clothes, possessions*]; jeter [qch] par terre [*litter*]; Culin jeter [*stalks, bones etc*]; mettre [qch] au rebut [*appliance, furniture*]; **2** (drop) abandonner [*idea, plan, policy*]; laisser tomber [*person*]; **3** (take off) enlever [*garment*]; **4** (in cards) se défausser de
C *vi* (in cards) se défausser (d'une carte)

disc brakes *npl* Aut freins *mpl* à disques

discern /dɪˈsɜːn/ *vtr* sout discerner [*object*]; percevoir [*meaning, truth, intention*]

discernible /dɪˈsɜːnəbl/ *adj* perceptible

discernibly /dɪˈsɜːnəblɪ/ *adv* sensiblement

discerning /dɪˈsɜːnɪŋ/ *adj* perspicace

discernment /dɪˈsɜːnmənt/ *n* discernement *m*

discharge
A /ˈdɪstʃɑːdʒ/ *n* **1** (release) (of soldiers) libération *f*; (of patient) autorisation *f* de sortie; **to get one's ~** être libéré; **2** (pouring out) (of gas, liquid) déversement *m*; (of waste) déchargement *m*; Med suppuration *f*; **3** (substance released) (waste) déchets *mpl*; Med (from eye, wound etc) sécrétions *fpl*; **4** Jur relaxe *f*; **5** (repayment) règlement *m*; **in ~ of a debt** en règlement d'une dette; **6** Elec décharge *f*; **7** (performance) exercice *m*; **the ~ of his duties as manager** l'exercice de ses fonctions de directeur; **8** (firing) décharge *f*; **9** (unloading) déchargement *m*; **10** (termination) (of bankrupt) réhabilitation *f*; (of contract) annulation *f*; **a ~d bankrupt** une faillite réhabilitée
B /dɪsˈtʃɑːdʒ/ *vtr* **1** (release) renvoyer [*patient*]; donner son congé à [*soldier*]; décharger [*accused*]; **to be ~d from hospital** être autorisé à quitter l'hôpital; **to be ~d from the army** être libéré de l'armée; **2** (dismiss) renvoyer [*employee*]; **to ~ sb from his duties** démettre qn de ses fonctions; **3** (give off) émettre [*gas, smoke*]; déverser [*sewage, water*]; décharger [*waste*]; **4** Med **to ~ pus** *ou* **fluid** suppurer; **to ~ blood** saigner; **5** Fin s'acquitter de [*debt*]; réhabiliter [*bankrupt*]; **6** (perform) s'acquitter de [*duty*]; remplir [*obligation*]; **to ~ one's responsibilities** assumer ses responsabilités; **7** (unload) décharger [*cargo*]; débarquer [*passengers*]; **8** Electron, Phys [*battery*] émettre [*current*]; **9** (fire) décharger [*rifle*]
C /dɪsˈtʃɑːdʒ/ *vi* [*wound*] suppurer
D /dɪsˈtʃɑːdʒ/ *v refl* **to ~ oneself (from hospital)** [*patient*] quitter l'hôpital

disc harrow *n* Agric pulvériseur *m*

disciple /dɪˈsaɪpl/ *n* gen, Bible disciple *mf*

disciplinarian /ˌdɪsɪplɪˈneərɪən/ *n* partisan/-e *m/f* d'une discipline stricte; **to be a ~** être strict en matière de discipline

disciplinary /ˈdɪsɪplɪnərɪ, US -nerɪ/ *adj* [*action, measure*] disciplinaire; [*problem*] concernant la discipline

discipline /ˈdɪsɪplɪn/
A *n* **1** (controlled behaviour) discipline *f*; **2** (punishment) punitions *fpl*; **3** (academic subject) discipline *f*
B *vtr* (control) discipliner; (punish) punir
C *v refl* **to ~ oneself** se discipliner

disciplined /ˈdɪsɪplɪnd/ *adj* [*person, group, manner*] discipliné; [*approach*] méthodique

disc jockey ▸ p. 1683 *n* disc jockey *m*

disclaim /dɪsˈkleɪm/ *vtr* nier

disclaimer /dɪsˈkleɪmə(r)/ *n* démenti *m*; **to issue a ~** publier un démenti

disclose /dɪsˈkləʊz/ *vtr* laisser voir [*sight, scene*]; révéler [*information, secret*]; **disclosing tablets** Dent comprimés *mpl* révélateurs de plaque dentaire

disclosure /dɪsˈkləʊʒə(r)/ *n* révélation *f* (**of** de)

disco /ˈdɪskəʊ/
A *n* (event) soirée *f* disco; (club) discothèque *f*; (music) disco *m*
B *vi* danser

discography /dɪsˈkɒgrəfɪ/ *n* discographie *f*

discoloration /ˌdɪskʌləˈreɪʃn/ *n* gen décoloration *f*; (of teeth) jaunissement *m*

discolour GB, **discolor** US /dɪsˈkʌlə(r)/
A *vtr* gen décolorer; jaunir [*teeth*]
B *vi* se décolorer

discombobulate /ˌdɪskəmˈbɒbjʊleɪt/ *vtr* hum bouleverser

discomfit /dɪsˈkʌmfɪt/ *vtr* littér déconcerter, décontenancer (**by** par)

discomfiture /dɪsˈkʌmfɪtʃə(r)/ *n* littér embarras *m*

discomfort /dɪsˈkʌmfət/ *n* **1** (physical) sensation *f* de gêne; **2** (embarrassment) sentiment *m* de gêne

discomposure /ˌdɪskəmˈpəʊʒə(r)/ *n* littér confusion *f*

disconcert /ˌdɪskənˈsɜːt/ *vtr* décontenancer

disconcerting /ˌdɪskənˈsɜːtɪŋ/ *adj* (worrying) troublant; (unnerving) déconcertant

disconcertingly /ˌdɪskənˈsɜːtɪŋlɪ/ *adv* [*behave*] d'une manière déconcertante; **to be ~ frank/self-assured** être d'une franchise/assurance déconcertante

disconnect /ˌdɪskəˈnekt/
A *vtr* débrancher [*pipe, flex, appliance*]; couper [*telephone, gas, electricity*]; décrocher [*carriage*]; **to have** *ou* **get sth ~ed** faire couper qch; **I've been ~ed** (on telephone) j'ai été coupé; (because of nonpayment of bill etc) on m'a coupé le téléphone
B *vi* Comput se déconnecter

disconnected /ˌdɪskəˈnektɪd/ *adj* [*remarks*] décousu

disconsolate /dɪsˈkɒnsələt/ *adj* **1** (depressed) désespéré; **2** littér (inconsolable) inconsolable

disconsolately /dɪsˈkɒnsələtlɪ/ *adv* d'un air désespéré

discontent /ˌdɪskənˈtent/ *n* mécontentement *m*; **the winter of ~** *hiver de grèves en 1978–79 en Grande-Bretagne*

discontented /ˌdɪskənˈtentɪd/ *adj* mécontent (**with** de)

discontentment /ˌdɪskənˈtentmənt/ *n* mécontentement *m*

discontinuation /ˌdɪskəntɪnjʊˈeɪʃn/ *n* sout (of service) suppression *f*; (of product) arrêt *m* (de production)

discontinue /ˌdɪskənˈtɪnjuː/ *vtr* supprimer [*service*]; arrêter [*production*]; cesser [*visits*]; **'~d line'** Comm fin *f* de série

discontinuity /dɪsˌkɒntɪˈnjuːətɪ/ *n* sout (incoherence) discontinuité *f*; (interruption) interruption *f*

discontinuous /ˌdɪskənˈtɪnjʊəs/ *adj* sout discontinu

discord /ˈdɪskɔːd/ *n* **1** ¢ dissensions *fpl*; **a note of ~** une note de discorde; **2** Mus discordance *f*
(Idiom) **apple of ~** pomme *f* de discorde

discordant /dɪˈskɔːdənt/ *adj* gen, Mus discordant; **to strike a ~ note** produire un effet discordant

discotheque /ˈdɪskətek/ *n* discothèque *f*

d

d

discount
A /ˈdɪskaʊnt/ *n* Comm remise *f* (**on** sur); (on minor purchase) rabais *m* (**on** sur); Fin escompte *m*; **to give sb a ~** faire une remise à qn; **I got a ~ on the chairs** on m'a fait une remise sur les chaises; **~ for cash** escompte de caisse (pour paiement au comptant); **to buy sth at a ~** acheter qch au rabais; **to be sold at a ~** Fin [*shares*] être vendu avec une décote
B /dɪsˈkaʊnt, US ˈdɪskaʊnt/ *vtr* **1** (reject) écarter [*idea, theory, claim, possibility*], ne pas tenir compte de [*advice, report*]; **2** /ˈdɪskaʊnt/ Comm solder [*goods*]; faire une remise de [*sum of money*]
discount flight *n* vol *m* à tarif réduit
discount house *n* **1** GB Fin banque *f* d'escompte; **2** US = **discount store**
discount: **~ rate** *n* taux *m* d'escompte; **~ store** *n* solderie *f*
discourage /dɪˈskʌrɪdʒ/ *vtr* **1** (dishearten) décourager; **to become ~d** se décourager; **don't be ~d!** ne te laisse pas décourager!; **2** (deter) décourager (**from** de; **from doing** de faire)
discouragement /dɪˈskʌrɪdʒmənt/ *n* **1** (despondency) découragement *m*; **2** (disincentive) **it's more of a ~ than an incentive** cela décourage plutôt que cela ne motive; **3** (disapproval) désapprobation *f*
discouraging /dɪˈskʌrɪdʒɪŋ/ *adj* décourageant
discourse sout
A /ˈdɪskɔːs/ *n* (speech) discours *m* also Ling; (conversation) conversation *f*
B /dɪˈskɔːs/ *vi* discourir (**on** sur; **about** à propos de)
discourse analysis *n* Ling analyse *f* du discours
discourteous /dɪsˈkɜːtɪəs/ *adj* peu courtois
discourteously /dɪsˈkɜːtɪəslɪ/ *adv* d'une manière peu courtoise
discourtesy /dɪsˈkɜːtəsɪ/ *n* **1** ¢ (rudeness) manque *m* de courtoisie; **2** (rude remark or act) impolitesse *f*
discover /dɪsˈkʌvə(r)/ *vtr* (all contexts) découvrir
discoverer /dɪsˈkʌvərə(r)/ *n* **1** (of process, phenomenon) **the ~ of sth** celui/celle *m/f* qui a découvert qch; **2** (of new land) découvreur *m*
discovery /dɪˈskʌvərɪ/ *n* **1** gen découverte *f*; **a voyage of ~** un voyage d'exploration; **she's a real ~** elle est une vraie révélation; **2** Jur communication *f* des pièces
discredit /dɪsˈkredɪt/
A *n* discrédit *m*; **to bring ~ on sb** jeter le discrédit sur qn; **to his ~** à sa défaveur
B *vtr* discréditer [*person, organization*]; mettre en doute [*idea, report, theory*]; **he ~ed the theory** il a mis en doute la théorie
discreditable /dɪsˈkredɪtəbl/ *adj* [*behaviour*] indigne
discreet /dɪˈskriːt/ *adj* [*action, behaviour*] discret/-ète; [*colour, elegance*] sobre
discreetly /dɪˈskriːtlɪ/ *adv* [*act, behave*] discrètement; [*dress*] sobrement; [*make up*] d'une façon discrète
discrepancy /dɪsˈkrepənsɪ/ *n* divergence *f* (**in** dans; **between** entre)
discrete /dɪˈskriːt/ *adj* gen distinct; Math, Phys, Ling discret/-ète
discretion /dɪˈskreʃn/ *n* **1** (authority) discrétion *f*; **in** *ou* **at my/his ~** à ma/sa discrétion; **in** *ou* **at the committee's ~** à la discrétion du comité; **to use one's ~** agir à sa discrétion; **absolute ~** discrétion absolue; **I have ~ over that decision** cette décision est à ma discrétion; **the age of ~** l'âge de raison; **2** (tact) discrétion *f*; **the soul of ~** la discrétion même
discretionary /dɪˈskreʃənərɪ, US -nerɪ/ *adj* discrétionnaire
discriminate /dɪˈskrɪmɪneɪt/ *vi* **1** (act with prejudice) établir une discrimination (**against** envers; **in favour of** en faveur de); **2** (distinguish) **to ~ between X and Y** faire une *or* la distinction entre X et Y
discriminating /dɪˈskrɪmɪneɪtɪŋ/ *adj* plein de discernement
discrimination /dɪˌskrɪmɪˈneɪʃn/ *n* **1** souvent péj (prejudice) discrimination *f* (**against** envers; **in favour of** en faveur de); **positive ~** discrimination positive; **racial/sexual ~** discrimination raciale/sexuelle; **tax ~** discrimination par l'impôt; **2** (taste) discernement *m*; **3** (ability to differentiate) capacité *f* d'établir des distinctions
discriminatory /dɪˈskrɪmɪnətərɪ, US -tɔːrɪ/ *adj* discriminatoire
discursive /dɪˈskɜːsɪv/ *adj* discursif/-ive
discus /ˈdɪskəs/ *n* (object) disque *m*; (event) lancer *m* du disque
discuss /dɪˈskʌs/
A *vtr* (talk about) discuter de; (in book, article, lecture) examiner; **we'll have to ~ it** il faut qu'on en discute; **there's nothing to ~** il n'y a rien à dire
B *vi* discuter
discussant /dɪˈskʌsənt/ *n* intervenant/-e *m/f*
discussion /dɪˈskʌʃn/ *n* gen discussion *f*; (in public) débat *m* (**on, about** sur; **of** de); (in lecture, book, article) analyse *f* (**of** de); **to be under ~** être en discussion; **to bring sth up for ~** soumettre qch à la discussion; **the plans are coming up for ~** les projets vont être discutés bientôt; **to be open to ~** être à discuter
discussion: **~ document**, **~ paper** *n* avant-projet *m*; **~ group** *n* groupe *m* de discussion
discus thrower *n* lanceur *m* de disque
disdain /dɪsˈdeɪn/
A *n* dédain *m* (**for** pour)
B *vtr* dédaigner; **to ~ to do sth** ne pas daigner faire qch
disdainful /dɪsˈdeɪnfl/ *adj* dédaigneux/-euse (**to** envers; **of** de)
disdainfully /dɪsˈdeɪnfəlɪ/ *adv* dédaigneusement
disease /dɪˈziːz/ *n* Hort, Med **1** (specific illness) maladie *f*; **2** ¢ (range of infections) maladies *fpl*; **to spread ~** propager les maladies
diseased /dɪˈziːzd/ *adj* lit, fig malade
disembark /ˌdɪsɪmˈbɑːk/ *vtr, vi* débarquer
disembarkation /dɪsˌembɑːˈkeɪʃn/ *n* débarquement *m*
disembodied /ˌdɪsɪmˈbɒdɪd/ *adj* désincarné
disembowel /ˌdɪsɪmˈbaʊəl/ *vtr* (*p prés etc* **-ll-** GB, **-l-** US) éviscérer
disenchanted /ˌdɪsɪnˈtʃɑːntɪd, US -ˈtʃænt-/ *adj* désabusé; **to become ~ with sth** perdre ses illusions sur qch
disenchantment /ˌdɪsɪnˈtʃɑːntmənt, US -ˈtʃænt-/ *n* désenchantement *m*
disenfranchise /ˌdɪsɪnˈfræntʃaɪz/ *vtr* **to ~ sb** priver qn du droit électoral
disengage /ˌdɪsɪnˈgeɪdʒ/
A *vtr* gen dégager (**from** de); **to ~ the clutch** Aut débrayer
B *vi* **1** Mil cesser le combat; **2** gen, Mil **to ~ from sth** se retirer de qch
C *v refl* **to ~ oneself** se dégager (**from** de)
D disengaged *pp adj* sout libre
disengagement /ˌdɪsɪnˈgeɪdʒmənt/ *n* Mil, Pol désengagement *m*
disentangle /ˌdɪsɪnˈtæŋgl/ *vtr* lit, fig démêler (**from** de)
disequilibrium /ˌdɪsiːkwɪˈlɪbrɪəm/ *n* déséquilibre *m*
disestablish /ˌdɪsɪˈstæblɪʃ/ *vtr* **to ~ the Church** séparer l'Église de l'État
disestablishment /ˌdɪsɪˈstæblɪʃmənt/ *n* séparation *f* de l'Église et de l'État
disfavour GB, **disfavor** US /dɪsˈfeɪvə(r)/ sout
A *n* **1** (disapproval) désapprobation *f*; **to look on sb/sth with ~** considérer qn/qch avec désapprobation; **2** **to be in ~** être mal vu (**with** de); **to fall into ~** tomber en disgrâce
B *vtr* désapprouver
disfigure /dɪsˈfɪgə(r), US dɪsˈfɪgjər/
A *vtr* lit, fig défigurer
B disfigured *pp adj* défiguré (**by** par)
disfigurement /dɪsˈfɪgəmənt, US dɪsˈfɪgjə-/ *n* (all contexts) défigurement *m*
disfranchise *vtr* = **disenfranchise**
disgorge /dɪsˈgɔːdʒ/
A *vtr* déverser [*crowd, liquid*]; Med rendre [*obstruction*]
B *v refl* **to ~ itself** [*river*] se déverser
disgrace /dɪsˈgreɪs/
A *n* **1** (shame) honte *f* (**of doing** de faire); **to bring ~ on sb** déshonorer qn; **to be in ~** (officially) être en disgrâce; hum ne pas être en odeur de sainteté; **there's no ~ in that** il n'y a pas de honte à cela; **2** (scandal) honte *f*; **it's a ~ that** c'est une honte que (+ *subj*); **he's a ~ to the school** il est la honte de l'école; **it's a ~!** c'est une honte!; **it's an absolute ~!** c'est scandaleux!
B *vtr* déshonorer [*team, family*]
C disgraced *pp adj* [*leader, player*] disgracié
D *v refl* **to ~ oneself** (dishonour oneself) se déshonorer; (behave badly) se conduire mal; **he ~d himself** il s'est mal conduit
disgraceful /dɪsˈgreɪsfl/ *adj* [*conduct, situation*] scandaleux/-euse; **it's ~** (shameful) c'est une honte; (intolerable) c'est un scandale
disgracefully /dɪsˈgreɪsfəlɪ/ *adv* scandaleusement
disgruntled /dɪsˈgrʌntld/ *adj* mécontent
disguise /dɪsˈgaɪz/
A *n* (costume) déguisement *m*; **in ~** lit, fig déguisé; **a master of ~** un maître du déguisement
B *vtr* déguiser [*person, voice*]; camoufler [*blemish*]; cacher [*emotion, fact*]; **~d as a priest** déguisé en prêtre; **there's no disguising the fact that** on ne peut pas cacher le fait que
C *v refl* **to ~ oneself** se déguiser (**as** en)
(Idiom) **it was a blessing in ~ for her** elle a eu de la chance dans son malheur
disgust /dɪsˈgʌst/
A *n* (physical) dégoût *m*; (moral) écœurement *m* (**at** devant); **in ~** dégoûté, écœuré; **to his ~** à son grand écœurement
B *vtr* (physically) dégoûter; (morally) écœurer
C disgusted *pp adj* (physically) dégoûté; (morally) écœuré (**at, by, with** par); **I am ~ed with him for cheating** je suis écœuré qu'il ait triché
disgustedly /dɪsˈgʌstɪdlɪ/ *adv* d'un air dégoûté
disgusting /dɪsˈgʌstɪŋ/ *adj* (morally) écœurant; (physically) répugnant
disgustingly /dɪsˈgʌstɪŋlɪ/ *adv* **1** lit **to be ~ dirty/fat** être sale/gros et répugnant; **to be ~ smelly** puer de façon répugnante; **2** °fig **he is ~ rich** il est tellement riche que c'en est écœurant
dish /dɪʃ/
A *n* **1** (plate) (for eating) assiette *f*; (for serving) plat *m*; **meat/vegetable ~** plat à viande/à légumes; **a set of ~es** un service *m*; **2** Culin (food) plat *m*; **chicken/fish ~** plat de poulet/de poisson; **side ~** garniture *f*; **3** TV (*also* **satellite ~**) antenne *f* parabolique; **4** °(good-looking person) (male) beau mec° *m*, (female) belle fille *f*
B dishes *npl* vaisselle *f*; **to do the ~es** faire la vaisselle
C °*vtr* **1** †(ruin) flanquer [qch] en l'air° [*hopes, plans*]; **2** (gossip) **to ~ the dirt on sb** répandre des ragots sur qn
D °*vi* US causer°
(Idiom) **this is just my ~**° US c'est tout à fait mon truc°
(Phrasal verbs) ■ **dish out**: ▸ **~ out [sth]** distribuer [*advice, compliments, money, punishments, rebukes, rewards, supplies*]; servir [*food*];

she knows how to ~ it out○ elle est bonne pour critiquer
■ **dish up**: ► **~ up [sth]** servir [*meal*]

disharmony /dɪsˈhɑːmənɪ/ *n* désaccord *m*

dishcloth /ˈdɪʃklɒθ/ *n* (for washing) lavette *f*; (for drying) torchon *m* (à vaisselle)

dishearten /dɪsˈhɑːtn/ *vtr* démoraliser; **don't be ~ed!** ne te démoralise pas!

disheartening /dɪsˈhɑːtnɪŋ/ *adj* démoralisant

dishevelled /dɪˈʃevld/ *adj* [*person*] débraillé; [*hair*] décoiffé; [*clothes*] en désordre

dishonest /dɪsˈɒnɪst/ *adj* malhonnête

dishonestly /dɪsˈɒnɪstlɪ/ *adv* malhonnêtement

dishonesty /dɪsˈɒnɪstɪ/ *n* (financial) malhonnêteté *f*; (moral, intellectual) mauvaise foi *f*; Jur escroquerie *f*

dishonour GB, **dishonor** US /dɪsˈɒnə(r)/
A *n* déshonneur *m*; **to bring ~ on sb** déshonorer qn
B *vtr* **1** déshonorer [*memory, person*]; **2** Fin ne pas honorer [*cheque etc*]

dishonourable GB, **dishonorable** US /dɪsˈɒnərəbl/ *adj* [*act, behaviour*] déshonorant

dishonourable discharge *n* exclusion *f* de l'armée (*pour conduite déshonorante*)

dishonourably GB, **dishonorably** US /dɪsˈɒnərəblɪ/ *adv* [*behave, act*] de façon déshonorante

dish: **~pan** *n* US cuvette *f*; **~rag** *n* US lavette *f*; **~towel** *n* torchon *m*; **~washer** *n* (machine) lave-vaisselle *m inv*; (person) plongeur/-euse *m/f*; **~washer detergent** *n* détergent *m* pour lave-vaisselle; **~washer powder** *n* poudre *f* pour lave-vaisselle; **~washer salt** *n* sel *m* pour lave-vaisselle

dishwater /ˈdɪʃwɔːtə(r)/ *n* lit eau *f* de vaisselle; fig (weak drink) péj lavasse○ *f* pej; **as dull as ~** US ennuyeux/-euse comme la pluie

dishy○ /ˈdɪʃɪ/ *adj* GB séduisant, beau/belle (*before n*)

disillusion /ˌdɪsɪˈluːʒn/
A *n* désillusion *f* (**with** de)
B *vtr* **to ~ sb** faire perdre à qn ses illusions; **I hate to ~ you, but...** je ne voudrais pas te décevoir, mais...

disillusioned /ˌdɪsɪˈluːʒnd/ *adj* désabusé; **to be ~ with sth/sb** perdre ses illusions sur qch/qn

disillusionment /ˌdɪsɪˈluːʒnmənt/ *n* désillusion *f* (**with** de)

disincentive /ˌdɪsɪnˈsentɪv/ *n* démotivation *f*; **it acts as** *ou* **is a ~ to work/to investment** cela n'incite pas à travailler/à l'investissement

disinclination /ˌdɪsɪnklɪˈneɪʃn/ *n* sout **a ~ to do** un manque d'enthousiasme pour faire

disinclined /ˌdɪsɪnˈklaɪnd/ *adj* sout **~ to do** peu disposé à faire

disinfect /ˌdɪsɪnˈfekt/ *vtr* désinfecter

disinfectant /ˌdɪsɪnˈfektənt/ *n* désinfectant *m*

disinfection /ˌdɪsɪnˈfekʃn/ *n* désinfection *f*

disinflation /ˌdɪsɪnˈfleɪʃn/ *n* déflation *f*

disinflationary /ˌdɪsɪnˈfleɪʃənərɪ, US -nerɪ/ *adj* déflationniste

disinformation /ˌdɪsɪnfəˈmeɪʃn/ *n* désinformation *f*

disingenuous /ˌdɪsɪnˈdʒenjʊəs/ *adj* [*comment, reply*] peu sincère; [*smile*] faux/fausse; **you're being ~** vous ne dites pas toute la vérité

disingenuously /ˌdɪsɪnˈdʒenjʊəslɪ/ *adv* sout [*say, answer*] de manière peu sincère

disingenuousness /ˌdɪsɪnˈdʒenjʊəsnɪs/ *n* sout manque *m* de sincérité

disinherit /ˌdɪsɪnˈherɪt/ *vtr* déshériter

disinhibit /dɪsɪnˈhɪbɪt/ *vtr* désinhiber

disinhibiting /dɪsɪnˈhɪbɪtɪŋ/ *adj* désinhibant

disintegrate /dɪsˈɪntɪgreɪt/ *vi* **1** [*aircraft*] se désintégrer; [*cloth, paper, wood*] se désagréger; **2** [*power, organization, relationship, mind*] se désagréger

disintegration /dɪsˌɪntɪˈgreɪʃn/ *n* **1** (of aircraft) désintégration *f*; (of cloth, wood) désagrégation *f*; **2** (of organization, relationship) désintégration *f*, désagrégation *f*

disinter /ˌdɪsɪnˈtɜː(r)/ *vtr* (*p prés etc* **-rr-**) exhumer

disinterested /dɪsˈɪntrəstɪd/ *adj* **1** (impartial) [*observer, party, stance, advice*] impartial; **2** (uninterested) usage critiqué: *voir note* indifférent (**in** à).

> ⚠ Dans ce sens, utiliser de préférence *uninterested*

disintermediation /ˌdɪsɪntəmiːdɪˈeɪʃn/ *n* désintermédiation *f*

disinterment /ˌdɪsɪnˈtɜːmənt/ *n* exhumation *f*

disinvestment /dɪsɪnˈvestmənt/ *n* désinvestissement *m*

disjoint /dɪsˈdʒɔɪnt/ *adj* disjoint

disjointed /dɪsˈdʒɔɪntɪd/ *adj* [*programme, speech, report*] décousu; [*organization, effort*] incohérent

disjunction /dɪsˈdʒʌŋkʃn/ *n* sout disjonction *f*

disk /dɪsk/ *n* **1** Comput disque *m*; **on ~** sur disque; **2** US = **disc**

disk: **~ directory** *n* répertoire *m* disques; **~ drive (unit)** *n* unité *f* de disques

diskette /dɪˈsket/ *n* disquette *f*

disk: **~ management** *n* gestion *f* disques; **~ operating system**, **DOS** *n* système *m* d'exploitation à disques, DOS *m*; **~ player** *n* lecteur *m* de disques; **~ space** *n* espace *m* disque

dislike /dɪsˈlaɪk/
A *n* aversion *f*; **her ~ of sb/sth** l'aversion qu'elle ressent (*or* ressentait) pour qn/qch; **to take a ~ to sb/sth** prendre qn/qch en grippe, (stronger) prendre qn/qch en aversion; **I took an instant ~ to him** il m'a déplu tout de suite; **one's likes and ~s** ce que l'on aime et ce que l'on n'aime pas; **we all have our likes and ~s** on a tous nos préférences
B *vtr* ne pas aimer; **to ~ doing** ne pas aimer faire; **I have always ~d him** je ne l'ai jamais aimé; **I ~ her intensely** je la déteste cordialement; **I don't ~ city life** je n'ai rien contre la vie urbaine

dislocate /ˈdɪsləkeɪt, US ˈdɪsləʊkeɪt/
A *vtr* **1** Med **to ~ one's shoulder/hip** se démettre l'épaule/la hanche; **2** sout (disrupt) désorganiser [*transport, system*]; bouleverser [*economy, social structure*]; disperser [*population*]
B **dislocated** *pp adj* Med démis

dislocation /ˌdɪsləˈkeɪʃn, US ˌdɪsləʊˈkeɪʃn/ *n* **1** (of hip, knee) luxation *f*; **2** sout (disruption) (of transport) désorganisation *f*; (of economy, social structure) bouleversement *m*; (of population) dispersion *f*

dislodge /dɪsˈlɒdʒ/ *vtr* déplacer [*rock, tile, obstacle*] (**from** de); déloger [*foreign body*] (**from** de); déloger [*dictator, sniper*] (**from** de)

disloyal /dɪsˈlɔɪəl/ *adj* déloyal (**to** envers)

disloyalty /dɪsˈlɔɪəltɪ/ *n* déloyauté *f* (**to** envers)

dismal /ˈdɪzməl/ *adj* **1** [*place, sight*] lugubre; **2** ○[*failure, attempt*] lamentable

dismally /ˈdɪzməlɪ/ *adv* **1** [*stare, wander*] d'un air lugubre; **2** [*fail*] lamentablement; **they failed ~ to attract investment** ils ont échoué lamentablement dans leurs efforts pour attirer les investissements; **to perform ~** [*business*] faire un chiffre d'affaires exécrable

dismantle /dɪsˈmæntl/ *vtr* **1** (take apart) démonter [*construction, machine, missile*]; **2** (phase out) démanteler [*structure, organization, service*]

dismantling /dɪsˈmæntlɪŋ/ *n* **1** (of machine, construction) démontage *m*; **2** (of organization, system) démantèlement *m*

dismast /dɪsˈmɑːst, US -ˈmæst/ *vtr* démâter

dismay /dɪsˈmeɪ/
A *n* consternation *f* (**at** devant); **with ~** avec consternation; **to my/her ~** à ma/sa (grande) consternation; **'No!', he said in ~** 'Non!' dit-il, consterné
B *vtr* consterner

dismayed /dɪsˈmeɪd/ *adj* consterné (**at sth** devant qch; **to do** de faire); **~ that** consterné que (+ *subj*)

dismember /dɪsˈmembə(r)/
A *vtr* **1** démembrer [*corpse*]; **it ~s its prey** il met sa proie en pièces; **2** fig démembrer [*country*]; démanteler [*organization*]
B **dismembered** /dɪsˈmembəd/ *pp adj* [*corpse*] démembré

dismemberment /dɪsˈmembəmənt/ *n* lit démembrement *m*; fig (of organization) démantèlement *m*

dismiss /dɪsˈmɪs/ *vtr* **1** (reject) écarter [*idea, suggestion*]; exclure [*possibility*]; **to ~ sth as insignificant** écarter qch d'emblée; **2** (put out of mind) chasser [*thought, worry*]; **3** (sack) licencier [*employee, worker*] (**for** pour; **for doing** pour avoir fait); renvoyer [*servant*] (**for** pour; **for doing** pour avoir fait); révoquer [*civil servant*] (**for** pour; **for doing** pour avoir fait); démettre [qn] de ses fonctions [*director, official*]; **to be ~ed as head of...** être démis de ses fonctions de chef de...; **4** (end interview with) congédier [*person*]; (send out) [*teacher*] laisser sortir [*class*]; **5** Jur rejeter [*appeal, claim*]; **the charges against him were ~ed** les charges qui pesaient contre lui ont été rejetées; **the case was ~ed** il y a eu non-lieu; **6** (in cricket) sortir [*team, player*]

dismissal /dɪsˈmɪsl/ *n* **1** (of employee, worker) licenciement *m*; (of servant) révocation *f*; (of civil servant) révocation *f*; (of manager, director, minister) destitution *f*; **unfair ~**, **wrongful ~** licenciement abusif; **2** (of idea, threat) refus *m* de prendre [qch] en considération; **3** Jur (of appeal, claim) rejet *m*

dismissive /dɪsˈmɪsɪv/ *adj* [*person, attitude*] dédaigneux/-euse; [*gesture*] de dédain; **to be ~ of** faire peu de cas de

dismissively /dɪsˈmɪsɪvlɪ/ *adv* [*say, shrug*] d'un air dédaigneux; [*speak*] d'un ton dédaigneux; [*describe, label*] de façon dédaigneuse

dismount /dɪsˈmaʊnt/
A *vtr* démonter [*gun*]
B *vi* mettre pied à terre; **to ~ from** descendre de [*horse, bicycle*]

disobedience /ˌdɪsəˈbiːdɪəns/ *n* désobéissance *f*

disobedient /ˌdɪsəˈbiːdɪənt/ *adj* [*child*] désobéissant (**to** à); **if they were ~, he...** s'ils ne lui obéissaient pas, il...

disobey /ˌdɪsəˈbeɪ/
A *vtr* désobéir à [*person*]; enfreindre [*law, order, rule*]
B *vi* désobéir

disobliging /ˌdɪsəˈblaɪdʒɪŋ/ *adj* désobligeant

disorder /dɪsˈɔːdə(r)/
A *n* **1** ₵ (lack of order) désordre *m*; **in ~** en désordre; **to retreat in ~** Mil être mis en déroute; **2** ₵ gen, Pol (disturbances) émeutes *fpl*; **civil ~** émeutes *fpl*; **the march ended in ~** la manifestation s'est terminée en émeute; **3** C Med, Psych (malfunction) troubles *mpl*; (disease) maladie *f*; **blood/lung ~** maladie *f* du sang/des poumons; **eating ~** troubles *mpl* de l'alimentation; **mental/personality ~** troubles *mpl* psychiques/de la personnalité
B *vtr* Med, Psych troubler

disordered /dɪsˈɔːdəd/ *adj* [*life*] désordonné; Med [*mind, brain*] déséquilibré

d

disorderly /dɪs'ɔːdəlɪ/ *adj* **1** (untidy) [*room*] en désordre; **2** (disorganized) [*person, arrangement, existence*] désordonné; Mil [*retreat*] désordonné; **3** (unruly) [*crowd, demonstration, meeting*] turbulent; fig [*imagination*] débridé
disorderly: ~ **behaviour**, ~ **conduct** *n* Jur perturbation *f* de l'ordre public; ~ **house** *n* Jur (brothel) maison *f* close; (gaming house) maison *f* de jeu
disorganization /dɪs,ɔːɡənaɪ'zeɪʃn, US -nɪ'z-/ *n* désorganisation *f*
disorganize /dɪs'ɔːɡənaɪz/ *vtr* désorganiser
disorganized /dɪs'ɔːɡənaɪzd/ *adj* désorganisé
disorient = **disorientate**
disorientate /dɪs'ɔːrɪənteɪt/
A *vtr* désorienter
B **disorientated** *pp adj* désorienté
disown /dɪs'əʊn/ *vtr* **1** renier [*person*]; désavouer [*politician*]; **2** désavouer [*document, article, play*]
disparage /dɪ'spærɪdʒ/ *vtr* sout dénigrer
disparagement /dɪ'spærɪdʒmənt/ *n* sout dénigrement *m*
disparaging /dɪ'spærɪdʒɪŋ/ *adj* désobligeant (**about** à propos de)
disparagingly /dɪ'spærɪdʒɪŋlɪ/ *adv* [*say, comment*] de façon désobligeante; **she referred to them ~ as amateurs** elle a parlé d'eux en termes désobligeants, disant qu'ils étaient des amateurs
disparate /'dɪspərət/ *adj* **1** (very different) complètement différent; **a ~ group** un groupe hétérogène; **2** (incompatible) incompatible
disparity /dɪ'spærətɪ/ *n* disparité *f* (**between** entre)
dispassionate /dɪ'spæʃənət/ *adj* **1** (impartial) objectif/-ive (**about** au sujet de); **2** (unemotional) froid
dispassionately /dɪ'spæʃənətlɪ/ *adv* **1** [*observe, assess, react*] objectivement; **2** (unemotionally) froidement
dispatch /dɪ'spætʃ/
A *n* **1** (report) dépêche *f*; **mentioned in ~es** Mil cité à l'ordre du jour; **2** (sending) expédition *f*; **date of ~** date d'expédition; **3** (speed) promptitude *f*; **with ~** avec promptitude
B *vtr* **1** (send) envoyer [*person, troops*] (**to** à); expédier [*letter, parcel*] (**to** à); **2** (consume) hum expédier [*plateful*]; descendre [*drink*]; **3** (complete) expédier [*work*]; régler [*problem*]; **4** euph (kill) expédier [qn] six pieds sous terre
dispatch box *n* **1** valise *f* diplomatique; **2** **Dispatch Box** GB Pol tribune *f* (*d'où parlent les membres du gouvernement*)
dispatch rider *n* **1** Mil estafette *f*; **2** Comm dispatcher *m*
dispel /dɪ'spel/ *vtr* (*p prés etc* **-ll-**) **1** chasser [*doubt, fear, rumour*]; dissiper [*illusion, myth, notion*]; **2** sout dissiper [*mist, cloud*]
dispensable /dɪ'spensəbl/ *adj* [*person, thing*] dont on peut se passer; **to be ~** [*thing, idea*] être superflu; [*person*] être une quantité négligeable
dispensary /dɪ'spensərɪ/ *n* **1** (clinic) dispensaire *m*; **2** GB (in hospital) pharmacie *f*; (in chemist's) officine *f*
dispensation /,dɪspen'seɪʃn/ *n* sout **1** (dispensing) (of justice) exercice *m*; (of alms) distribution *f*; (of funds) attribution *f*; **2** (permission) Jur, Relig dispense *f*; **3** (system) Pol, Relig système *m*
dispense /dɪ'spens/ *vtr* **1** [*machine*] distribuer [*food, drinks, money*]; **2** sout exercer [*justice*]; faire [*charity*]; prodiguer [*advice*]; attribuer [*funds*]; **3** Pharm préparer [*medicine, prescription*]; **4** (exempt) gen, Relig dispenser (**from** de)
(Phrasal verb) ■ **dispense with** (manage without) se passer de [*services, formalities*]; (get rid of) abandonner [*policy, regulations etc*]; (make unnecessary) rendre inutile [*resource, facility*]; **this ~s with the need for a dictionary** grâce à cela, on peut se passer du dictionnaire
dispenser /dɪ'spensə(r)/ *n* distributeur *m*
dispensing: ~ **chemist** *n* GB pharmacien/-ienne *m/f*; ~ **optician** *n* opticien/-ienne *m/f*
dispersal /dɪ'spɜːsl/ *n* **1** (scattering) (of people, birds, fumes) dispersion *f*; (of seeds) dissémination *f*; **2** (spread) (of industry, factories, installations) dissémination *f*
dispersant /dɪ'spɜːsənt/ *n* dispersant *m*
disperse /dɪ'spɜːs/
A *vtr* **1** (scatter) disperser [*crowd, seeds, fumes*]; **2** (distribute) disséminer [*agents, troops, factories*]; **3** Chem décomposer [*particle*]
B *vi* **1** [*crowd*] se disperser; **2** [*fumes, pollution, mist*] se dissiper; **3** Chem se décomposer
dispersion /dɪ'spɜːʃn, US dɪ'spɜːrʒn/ *n* **1** (of light) décomposition *f*; **2** (of radiation) dispersion *f*; **3** sout (of people) dispersion *f*; **4** Stat dispersion *f*
dispirit /dɪ'spɪrɪt/ *vtr* décourager
dispirited /dɪ'spɪrɪtɪd/ *adj* [*look, air*] découragé; [*mood*] abattu
dispiritedly /dɪ'spɪrɪtɪdlɪ/ *adv* [*speak, sigh, trudge*] avec découragement
dispiriting /dɪ'spɪrɪtɪŋ/ *adj* [*results, progress, remark*] décourageant (**to do** de faire); [*attitude*] déprimant
displace /dɪs'pleɪs/ *vtr* **1** (replace) supplanter [*competitor, leader*]; déplacer [*worker*]; **2** (expel) chasser [*person, population*]; **3** Naut, Phys déplacer
displaced person *n* réfugié/-e *m/f*
displacement /dɪs'pleɪsmənt/ *n* **1** (of workers, jobs) déplacement *m*; **2** (of population) déplacement *m*; **3** Naut, Phys déplacement *m*; **4** Psych transfert *m*
displacement: ~ **activity** *n* déplacement *m*; ~ **tonnage** *n* déplacement *m*
display /dɪ'spleɪ/
A *n* **1** Comm (for sale) (of food, small objects) étalage *m*; (of furniture, equipment, vehicles) exposition *f*; **window ~** vitrine *f*; **to be on ~** être exposé; **on ~ in the window** exposé en vitrine; **to put sth on ~** exposer qch; **'for ~ purposes'** Comm (book) 'exemplaire *m* de présentation'; (object) 'article *m* de présentation'; **2** (for decoration, to look at) (showing) exposition *f*; **to be** *ou* **go on ~** être exposé; **to put sth on ~** exposer qch; **what a lovely ~ of flowers** quel bel arrangement de fleurs; **'do not touch the ~'** 'prière de ne pas toucher'; **3** (demonstration) (of art, craft, skill) démonstration *f*; (of dance, sport) exhibition *f*; **to put on** *ou* **mount a ~ of** organiser une démonstration *or* une exhibition de; **air ~** fête *f* aéronautique; **4** (of emotion, failing, quality) démonstration *f*; (of strength, wealth) déploiement *m*; **in a ~ of** dans un geste de [*anger, impatience*]; **in a ~ of solidarity/affection** pour manifester sa solidarité/son affection; **to make a ~ of** péj faire étalage de [*wealth, knowledge*]; **5** Aut, Aviat, Comput écran *m*, affichage *m*; **digital ~** affichage numérique; **6** Print, Journ **full page ~** page *f* entière de publicité; **7** Zool parade *f*
B *vtr* **1** gen, Comm, Comput (show, set out) afficher [*information, notice, price, times, poster*]; exposer [*object*]; **the total is ~ed here** le total s'affiche ici; **2** (reveal) faire preuve de [*enthusiasm, intelligence, interest, skill*]; révéler [*emotion, ignorance, vice, virtue, strength*]; **3** péj (flaunt) faire étalage de [*beauty, knowledge, wealth*]; exhiber [*legs, chest*]
C *vi* Zool parader; [*peacock*] faire la roue
display: ~ **advertisement** *n* grande annonce *f*; ~ **artist** ▸ p. 1683 *n* Comm étalagiste *mf*; ~ **cabinet**, ~ **case** *n* (in house) vitrine *f*; (in museum) vitrine *f* d'exposition; ~ **panel** *n* écran *m* d'affichage; ~ **rack** *n* Comm présentoir *m*; ~ **type** *n* caractères *mpl* vedettes
display unit *n* **1** Comput écran *m* de visualisation; **2** Comm = **display rack**
display window *n* vitrine *f*
displease /dɪs'pliːz/ *vtr* mécontenter
displeased /dɪs'pliːzd/ *adj* mécontent (**with, at** de; **to do** de faire)
displeasing /dɪs'pliːzɪŋ/ *adj* déplaisant; **to be ~ to sb/sth** déplaire à qn/qch
displeasure /dɪs'pleʒə(r)/ *n* mécontentement *m* (**at** causé par); **to my great ~** à mon grand mécontentement; **much to the ~ of** au grand mécontentement de
disport /dɪ'spɔːt/ *v refl* littér, hum **to ~ oneself** s'ébattre
disposable /dɪ'spəʊzəbl/
A **disposables** *npl* articles *mpl* jetables
B *adj* **1** (throwaway) [*lighter, nappy, plate, razor*] jetable; **2** (available) disponible
disposable: ~ **income** *n* revenu *m* disponible; ~ **load** *n* Aviat charge *f* utilisable
disposal /dɪ'spəʊzl/ *n* **1** (removal) (of waste product) élimination *f*; **waste ~** élimination des déchets; **for ~** à jeter; **2** (sale) (of company, property) vente *f*; (of deeds, securities) cession *f*; **3** (completion) exécution *f*; **4** (for use, access) **to be at sb's ~** être à la disposition de qn; **to put** *ou* **place sth at sb's ~** mettre qch à la disposition de qn; **to have sth at one's ~** avoir qch à sa disposition; **all the means at my ~** tous les moyens dont je dispose; **5** (arrangement) disposition *f*
disposal value *n* Fin valeur *f* de cession
dispose /dɪ'spəʊz/
A *vtr* **1** (arrange) disposer [*furniture, ornaments, troops*]; **2** (encourage) **to ~ sb to sth/to do** disposer qn à qch/à faire
B **disposed** *pp adj* **to be ~d to sth/to do** être disposé à qch/à faire; **ill-/well-~d** mal/bien disposé; **should you feel so ~d** sout si vous en avez envie
(Phrasal verb) ■ **dispose of**: ▸ ~ **of [sth/sb]** **1** (get rid of) se débarrasser de [*body, rival, rubbish, victim, waste*]; détruire [*evidence*]; désarmer [*bomb*]; **2** Comm écouler [*stock*]; (sell) vendre [*car, house, shares*]; **3** (deal with speedily) expédier [*business, problem, theory*]
disposer /dɪ'spəʊzə(r)/ *n* US broyeur *m* d'ordures
disposition /,dɪspə'zɪʃn/ *n* **1** (temperament) tempérament *m*; **a friendly/irritable ~** un tempérament amical/irritable; **to be of a nervous ~** avoir un tempérament nerveux; **to have a cheerful ~** être d'un naturel gai, être épanoui; **2** (tendency) tendance *f*; **to have a ~ to be/to do** avoir tendance à être/à faire; **3** (arrangement) disposition *f*; **4** Jur disposition *f*
dispossess /,dɪspə'zes/ *vtr* **1** Jur **to ~ sb of** déposséder qn de [*land, property*]; exproprier qn de [*house*]; **2** (in football) **to ~ sb** déposséder qn du ballon; **to be ~ed** perdre le ballon
dispossessed /,dɪspə'zest/
A *n* **the ~** (+ *v pl*) les déshérités *mpl*
B *adj* (*tjrs épith*) [*family*] exproprié; [*son*] déshérité; **a ~ people** (poor) un peuple déshérité; (politically) un peuple dépossédé de sa terre
dispossession /,dɪspə'zeʃn/ *n* expropriation *f*
disproportion /,dɪsprə'pɔːʃn/ *n* disproportion *f* (**between** entre)
disproportionate /,dɪsprə'pɔːʃənət/ *adj* disproportionné (**to** par rapport à)
disproportionately /,dɪsprə'pɔːʃənətlɪ/ *adv* **~ high** [*costs, expectations*] disproportionné; **he had ~ long legs** ses jambes étaient d'une longueur disproportionnée; **the city's population is ~ young** la ville compte un nombre disproportionné de jeunes; **ethnic minorities are ~ affected by...** les minorités ethniques sont touchées de façon disproportionnée par...
disprove /dɪs'pruːv/ *vtr* réfuter
disputant /dɪ'spjuːtənt, 'dɪspjʊtənt/ *n* sout discuteur/-euse *m/f*
disputation /,dɪspjuː'teɪʃn/ *n* sout débat *m*

dispute /dɪ'spju:t/
A *n* **1** (quarrel) (between individuals) dispute *f* (**between** entre; **with** avec); (between groups) conflit *m* (**over, about** à propos de; **between** entre; **with** avec); **border/pay ~** conflit frontalier/salarial; **to be in ~ with** être en conflit avec; **to have a ~ with** se disputer avec; **to enter into a ~ with** entrer en conflit avec; **2** ¢ (controversy) controverse *f* (**over, about** sur); **to be/not to be in ~** [*cause, fact, problem*] être/ne pas être controversé; **beyond ~** incontestable; **without ~** sans conteste; **there is some ~ about the cause** la cause est controversée; **it is a matter of ~** c'est une question controversée; **to be open to ~** être matière à discussion; **it is open to ~ whether this solution would work** l'efficacité de cette solution est discutable
B *vtr* **1** (question truth of) contester [*claim, figures, result, theory*]; **I ~ that!** je m'inscris en faux!; **2** (claim possession of) se disputer [*property, territory, title*]
C *vi* débattre; **to ~ with sb about** se disputer avec qn à propos de
D disputed *pp adj* [*fact, theory, territory*] contesté; Jur litigieux/-ieuse

disqualification /dɪs,kwɒlɪfɪ'keɪʃn/ *n* **1** gen (from post, career) exclusion *f* (**from** de); **2** Sport disqualification *f* (**from** de; **for doing** pour avoir fait); **3** GB Jur suspension *f*; **a six months' ~ for sth** une suspension de six mois pour qch; **4** Aut, Jur **~ from driving** (*also* **driving ~**) retrait *m* du permis de conduire; **5** (thing which disqualifies) **his lack of experience is not a ~ for the post** son manque d'expérience ne l'exclut pas du poste

disqualify /dɪs'kwɒlɪfaɪ/ *vtr* **1** gen (from post, career) exclure (**from** de); **to ~ sb from doing** interdire à qn de faire; **your age disqualifies you from this post** votre âge ne vous permet pas d'accéder à ce poste; **2** Sport [*regulation*] (before event) interdire (**from** de; **from doing** de faire); (after event) disqualifier (**from** de); [*physical condition*] empêcher (**from doing** de faire); **he was disqualified for taking drugs** il a été disqualifié pour avoir pris de la drogue; **3** GB Aut, Jur **to ~ sb from driving** retirer à qn son permis de conduire; **he's been disqualified for six months** on lui a retiré son permis de conduire pour six mois; **driving while disqualified** conduite *f* sans permis

disquiet /dɪs'kwaɪət/ sout
A *n* inquiétude *f* (**about, over** au sujet de); **public ~** les craintes *fpl* de la population
B *vtr* troubler

disquieting /dɪs'kwaɪətɪŋ/ *adj* sout troublant

disquietingly /dɪs'kwaɪətɪŋlɪ/ *adv* sout étrangement

disquisition /,dɪskwɪ'zɪʃn/ *n* sout (oral) discours *m* (**on** sur); (written) dissertation *f* (**on** sur)

disregard /,dɪsrɪ'gɑ:d/
A *n* (for problem, feelings, person) indifférence *f* (**for sth** à qch; **for sb** envers qn); (for danger, convention, human life, law, right) mépris *m* (**for** de); **to show ~** faire preuve d'indifférence *or* de mépris (**for** à l'égard de)
B *vtr* **1** (discount) ne pas tenir compte de [*irrelevance, trivia, problem, evidence, remark*]; fermer les yeux sur [*wrongdoing*]; mépriser [*danger*]; **2** (disobey) ne pas respecter [*law, instruction*]

disrepair /,dɪsrɪ'peə(r)/ *n* délabrement *m*; **in (a state of) ~** dans un état de délabrement avancé; **to fall into ~** [*building, machinery*] se délabrer

disreputable /dɪs'repjʊtəbl/ *adj* **1** (unsavoury) [*person*] peu recommandable; [*district, establishment*] mal famé; [*behaviour*] déshonorant; **2** (tatty) [*clothes, appearance*] miteux/-euse; **3** (discredited) [*method*] douteux/-euse

disreputably /dɪs'repjʊtəblɪ/ *adv* [*behave*] de manière peu honorable

disrepute /,dɪsrɪ'pju:t/ *n* **to be held in ~** [*person, work, method*] être discrédité; **to bring sb/sth into ~** jeter le discrédit sur qn/qch; **to be brought into ~** tomber dans le discrédit

disrespect /,dɪsrɪ'spekt/ *n* manque *m* de respect (**for** envers); **to show ~ to** *ou* **towards sb** manquer de respect envers qn; **he meant no ~** il n'avait pas l'intention de manquer de respect; **no ~ (to you)** sauf votre respect; **no ~ (to him/her)** avec tout le respect que je lui dois

disrespectful /,dɪsrɪ'spektfl/ *adj* [*person*] irrespectueux/-euse (**to, towards** envers); [*remark, behaviour*] irrévérencieux/-ieuse (**to, towards** envers); **it was most ~ of her to do** c'était très irrévérencieux de sa part de faire

disrespectfully /,dɪsrɪ'spektfəlɪ/ *adv* [*behave, act*] de manière irrespectueuse; [*speak*] avec insolence

disrobe /dɪs'rəʊb/ *vi* [*official, monarch*] retirer ses vêtements de cérémonie; hum (undress) se dévêtir

disrupt /dɪs'rʌpt/ *vtr* perturber [*communications, traffic, trade, meeting*]; bouleverser [*lifestyle, schedule, routine, plan*]; interrompre [*electricity supply*]

disruption /dɪs'rʌpʃn/ *n* **1** ¢ (disorder) perturbations *fpl* (**in** dans); **to cause ~ to sth** perturber qch; **2** (disrupting) (of service, trade, meeting) perturbation *f*; (of schedule, routine, plan) bouleversement *m*; (of electricity supply) interruption *f*; **3** (upheaval) bouleversement *m*

disruptive /dɪs'rʌptɪv/ *adj* **1** gen perturbateur/-trice; **a ~ influence** un élément perturbateur; **2** Elec **~ discharge** décharge *f* disruptive

disruptively /dɪs'rʌptɪvlɪ/ *adv* [*behave*] de manière perturbatrice

disruptiveness /dɪs'rʌptɪvnɪs/ *n* indiscipline *f*

diss○ /dɪs/ *vtr* débiner○ [*person*]

dissatisfaction /dɪ,sætɪs'fækʃn/ *n* (discontent) mécontentement *m* (**with** vis-à-vis de); (milder) frustration *f*

dissatisfied /dɪ'sætɪsfaɪd/ *adj* mécontent (**with, at** de; **that** que + *subj*)

dissect /dɪ'sekt/
A *vtr* **1** (cut up) disséquer [*cadaver, animal, plant*]; décomposer [*molecule, gene*]; **2** (analyse) péj disséquer [*performance, relationship, system*]; éplucher [*book, play*]
B dissected *pp adj* Bot, Geol découpé

dissection /dɪ'sekʃn/ *n* (all contexts) dissection *f*

dissemble /dɪ'sembl/ *vtr, vi* sout dissimuler

disseminate /dɪ'semɪneɪt/ *vtr* diffuser [*information, products*]; propager [*ideas, views*]

dissemination /dɪ,semɪ'neɪʃn/ *n* (of information, products) diffusion *f*; (of ideas) propagation *f*

dissension /dɪ'senʃn/ *n* (discord) discorde *f*, dissensions *fpl* (**among** entre)

dissent /dɪ'sent/
A *n* ¢ **1** gen, Pol contestation *f*, dissensions *fpl* sout; Sport contestation *f*; **~ from** désaccord *m* avec [*policy, decision, opinion*]; **2** Relig désaccord *m*; **3** (*also* **~ing opinion**) US Jur dissentiment *m*
B *vi* **1** gen, Jur (disagree) contester; **to ~ from sth** contester qch; **2** Relig **to ~ from sth** s'écarter de qch
C dissenting *pres p adj* **1** gen, Pol [*group, opinion, voice*] contestataire; **2** GB Hist Relig non conformiste

dissenter /dɪ'sentə(r)/ *n* contestataire *mf*

Dissenter /dɪ'sentə(r)/ *n* GB Hist Relig non conformiste *mf*

dissentient /dɪ'senʃənt/ *n* sout Pol dissident/-e *m/f*

dissertation ➔▭
/,dɪsə'teɪʃn/ *n* **1** GB Univ mémoire *m* (**on** sur); **2** US Univ thèse *f* (**on** sur); **3** sout (treatise) traité *m* (**on** sur)

disservice /dɪs'sɜ:vɪs/ *n* **to do a ~ to sb**, **to do sb a ~** rendre un mauvais service à qn; **to do a ~ to** desservir fml [*country, cause, ideal*]

dissidence /'dɪsɪdəns/ *n* dissidence *f*

dissident /'dɪsɪdənt/
A *n* dissident/-e *m/f*
B *adj* dissident

dissimilar /dɪ'sɪmɪlə(r)/ *adj* dissemblable; **~ to** différent de; **a painter not ~ in style to...** un peintre dont le style rappelle...

dissimilarity /,dɪsɪmɪ'lærətɪ/ *n* **1** ¢ (lack of similarity) dissemblance *f* (**in** de; **between** entre); **2** (difference) différence *f* (**in** de; **between** entre)

dissimulate /dɪ'sɪmjʊleɪt/ *vtr, vi* sout dissimuler

dissimulation /dɪ,sɪmjʊ'leɪʃn/ *n* sout dissimulation *f*

dissipate /'dɪsɪpeɪt/ sout
A *vtr* dissiper [*fear, anger, mist*]; anéantir [*hope, enthusiasm*]; gaspiller [*fortune, advantage, energy, talent*]
B *vi* (all contexts) se dissiper

dissipated /'dɪsɪpeɪtɪd/ *adj* [*person, behaviour*] dissolu; **to lead a ~ life** mener une vie de débauche

dissipation /,dɪsɪ'peɪʃn/ *n* sout **1** (of fears, anger, mist) dissipation *f*; (of hopes) anéantissement *m*; (of energy, wealth) gaspillage *m*; **2** (debauchery) débauche *f*

dissociate /dɪ'səʊʃɪeɪt/
A *vtr* gen, Chem dissocier (**from** de)
B *vi* Chem se dissocier
C *v refl* **to ~ oneself** se dissocier (**from** de)

dissociation /dɪ,səʊʃɪ'eɪʃn/ *n* **1** gen, Chem dissociation *f* (**from** de); **2** Psych dissociation *f* (mentale)

dissolute /'dɪsəlu:t/ *adj* [*lifestyle*] dissolu; **a ~ man** un débauché; **she was denounced as ~** elle a été dénoncée comme une débauchée; **to lead a ~ life** mener une vie dissolue *or* de débauche

dissolution /,dɪsə'lu:ʃn/ *n* **1** (of Parliament, assembly, partnership, marriage) dissolution *f*; **the Dissolution (of the Monasteries)** GB Hist la dissolution des monastères; **2** (disappearance) dissolution *f*; **3** (dissoluteness) dissolution *f* (des mœurs)

dissolve /dɪ'zɒlv/
A *n* Cin fondu *m* enchaîné
B *vtr* **1** [*acid, water*] dissoudre [*solid, grease, dirt, powder*]; **2** [*person*] faire dissoudre [*tablet, sugar, powder*] (**in** dans); **3** (break up) dissoudre [*assembly, parliament, partnership, marriage*]
C *vi* **1** (liquefy) se dissoudre (**in** dans; **into** en); **2** (fade) [*hope, feeling, opposition*] s'évanouir; [*outline, image*] disparaître; **one scene ~s into another** Cin les scènes se succèdent par fondu enchaîné; **3** (collapse) **to ~ into tears** fondre en larmes; **to ~ into giggles** *ou* **laughter** avoir le fou rire; **4** (break up) [*assembly, party, organization*] être dissous/-oute

dissonance /'dɪsənəns/ *n* **1** Mus dissonance *f*; **2** sout (of sounds, colours, beliefs etc) discordance *f*

dissonant /'dɪsənənt/ *adj* **1** Mus dissonant; **2** sout [*sounds, colours, beliefs etc*] discordant

dissuade /dɪ'sweɪd/ *vtr* dissuader (**from doing** de faire)

dissuasion /dɪ'sweɪʒn/ *n* dissuasion *f*

dissuasive /dɪ'sweɪsɪv/ *adj* dissuasif/-ive

distaff /'dɪstɑ:f, US 'dɪstæf/ *n* quenouille *f*
(Idiom) **on the ~ side** du côté maternel

distance /'dɪstəns/ ▸ **p. 1389**
A *n* lit, fig distance *f* (**between** entre; **from** de; **to** à); **a ~ of** à une distance de; **at a ~ of 50 metres** à (une distance de) 50 mètres; **at a** *ou* **some ~ from** à bonne distance de; **at** *ou* **from this ~** à cette distance; **at a safe ~** à bonne distance; **at an equal ~** à égale distance; **a long/short ~ away** loin/pas loin; **to keep sb at a ~** tenir qn à distance; **to keep one's ~** lit, fig garder ses distances (**from** avec); **to go the ~** Sport, fig tenir la distance; **to put some ~ between oneself and Paris/the border**

➔▭ see Effective French

s'éloigner de Paris/de la frontière; **from a ~** de loin; **in the ~** au loin; **it's no ~** c'est tout près; **it's within walking ~** on peut y aller à pied; **call him, he's within shouting ~** appelle-le, il est assez près pour pouvoir t'entendre; **'free delivery, ~ no object'** 'livraison gratuite, toutes destinations'; **at a ~ it's easy to see that I made mistakes** avec du recul je vois très bien que j'ai commis des erreurs
B *modif* [*runner, race*] de fond
C *vtr* 1 créer une distance entre [*two people*]; **to ~ sb from sb/sth** (emotionally) créer une distance entre qn et qn/qch; **to become ~d from sb** se détacher de qn; **to ~ sb's remarks from the government view** distancier les observations de qn de l'optique gouvernementale; 2 (outdistance) distancier [*runner, rival*]
D *v refl* **to ~ oneself** (dissociate oneself) se distancier (**from** de); (stand back) prendre du recul (**from** par rapport à)

distance learning *n* Sch, Univ enseignement *m* à distance

distant /ˈdɪstənt/ *adj* 1 (remote) [*land, spire, hill, star*] lointain, éloigné; [*cry, voice, gunfire, bell*] éloigné, dans le lointain (*after n*); **the ~ shape/sound of sth** la forme/le bruit de qch dans le lointain; **~ from** loin de; **40 km ~ from** à 40 km de; **in the ~ past/future** dans un passé/avenir lointain; **in the dim and ~ past** dans un passé lointain; **in the not too ~ future** dans un avenir assez proche; 2 (faint) [*memory, prospect, hope, possibility*] lointain, éloigné; [*connection, concept, similarity*] lointain, vague; **~ from** éloigné de; 3 (far removed) [*relative, cousin, descendant*] éloigné; 4 (cool) [*person, manner*] distant

distantly /ˈdɪstəntlɪ/ *adv* [*remembered, connected*] vaguement; [*say, look, greet, act*] (coolly) d'un air distant; (vaguely) d'un air vague; **to be ~ related to sb** être vaguement apparenté à qn, être un parent éloigné de qn; **they're ~ related** ils sont vaguement parents

distaste /dɪsˈteɪst/ *n* aussi euph (slight) déplaisir *m*; (marked) dégoût *m*; **~ for** répugnance *f* pour [*person, regime, activity, idea*]

distasteful /dɪsˈteɪstfl/ *adj* aussi euph déplaisant; (markedly) répugnant; **to be ~ to sb** [*idea, incident, sight*] déplaire à qn; [*person*] être désagréable à qn; **I find the remark ~** je trouve cette réflexion de mauvais goût

distemper /dɪˈstempə(r)/
A *n* 1 Vet, Zool (in dogs) maladie *f* de Carré; (in horses) angine *f* des chevaux; 2 (paint) détrempe *f*; 3 Art (technique) peinture *f* à la détrempe
B *vtr* peindre à la détrempe

distend /dɪˈstend/
A *vtr* distendre
B *vi* se distendre
C distended *pp adj* **~ed stomach** ventre ballonné; **~ed bladder** vessie distendue

distension, **distention** US /dɪˈstenʃn/ *n* Med distension *f*

distich /ˈdɪstɪk/ *n* distique *m*

distil GB, **distill** US /dɪˈstɪl/
A *vtr* (*p prés etc* **-ll-** GB) 1 (purify) distiller [*liquid*]; **to ~ sth from sth** extraire qch par distillation de qch; 2 (make) distiller [*alcohol*] (**from** à partir de); 3 sout (cull) distiller [*thought, wisdom*]; **to ~ sth from** extraire qch de
B *vi* (*p prés etc* **-ll-** GB) (all contexts) distiller
C distilled *pp adj* [*knowledge, wisdom*] accumulé

Phrasal verb ■ **distil off**: ▸ **~ off [sth]** éliminer [qch] par distillation

distillation /ˌdɪstɪˈleɪʃn/ *n* 1 (of liquids) distillation *f*; 2 (of emotions, images, ideas) condensé *m*

distilled water *n* eau *f* distillée

distiller /dɪˈstɪlə(r)/ *n* distillateur *m*

distillery /dɪˈstɪlərɪ/ *n* distillerie *f*

distinct /dɪˈstɪŋkt/ *adj* 1 [*image, object*] (not blurred) net/nette; (easily visible) distinct; 2 (definite) [*resemblance, preference, progress, impression, memory*] net/nette; [*possibility, advantage, improvement*] indéniable; 3 (separable) distinct (**from** de); 4 (different) différent (**from** de); **X, as ~ from Y** X, par opposition à Y

distinction /dɪˈstɪŋkʃn/ *n* 1 (differentiation) distinction *f*; **a fine ~** une distinction subtile; **to make** ou **draw a ~ between A and B** faire une distinction entre A et B; **the ~ of A from B** la distinction de A et de B; **class ~** distinction *f* de niveau social; 2 (difference) différence *f* (**between** entre); **to blur the ~ between** estomper la différence entre; 3 (pre-eminence) mérite *m*; **with ~** avec mérite; **of ~** réputé; **to win ~** se distinguer; **to have the ~ of doing** (have the honour) avoir le mérite de faire; (to be the only one) avoir la particularité de faire; 4 (elegance) distinction *f*; **a woman of great ~** une femme d'une grande distinction; 5 (specific honour) distinction *f*; **to win a ~ for bravery** être décoré pour acte d'héroïsme; 6 Mus, Sch, Univ mention *f* très bien; **with ~** avec mention très bien

distinctive /dɪˈstɪŋktɪv/ *adj* 1 gen caractéristique (**of** de); 2 Ling [*feature*] pertinent

distinctly /dɪˈstɪŋktlɪ/ *adv* 1 [*speak, hear, see*] distinctement; [*remember*] nettement; [*say, tell*] explicitement; 2 (very noticeably) [*possible, embarrassing, odd*] vraiment

distinguish /dɪˈstɪŋgwɪʃ/
A *vtr* 1 (see, hear) distinguer; 2 (mark out, separate) distinguer (**from** de; **between** entre); **to be ~ed from** se distinguer de; **to be ~ed by** se caractériser par; **to ~ one from another** distinguer l'un de l'autre
B *v refl* **to ~ oneself** aussi iron se distinguer (**as** en tant que; **in** dans; **by doing** en faisant)
C distinguishing *pres p adj* [*factor, feature, mark*] distinctif/-ive; **~ing marks** (on passport) signes *mpl* particuliers; Zool caractéristiques *fpl*

distinguishable /dɪˈstɪŋgwɪʃəbl/ *adj* 1 (able to be told apart) que l'on peut distinguer (**from** de); **the two cars are not easily ~** il est difficile de distinguer les deux voitures; 2 (visible) visible; 3 (audible) perceptible

distinguished /dɪˈstɪŋgwɪʃt/ *adj* 1 (elegant) distingué; **~-looking** à l'air distingué; 2 (famous) éminent

distort /dɪˈstɔːt/
A *vtr* 1 (misrepresent) dénaturer [*statement, opinion, fact, understanding*]; déformer [*truth*]; fausser [*assessment*]; falsifier [*history*]; 2 (skew) fausser [*figures, competition*]; 3 (physically) déformer [*vision, features, sound, metal*]
B *vi* [*metal*] se déformer
C distorted *pp adj* 1 (skewed) [*report, interpretation*] dénaturé; [*figures*] faussé; 2 (twisted) [*face, features*] déformé; [*structure, metal*] tordu; [*image, sound*] déformé

distortion /dɪˈstɔːʃn/ *n* 1 (of truth, reality, opinion, facts) déformation *f*; 2 (of figures) distorsion *f*; 3 (physical) (of metal) déformation *f*; (of sound) distorsion *f*; (of features) distorsion *f*; 4 (visual) distorsion *f*

distract /dɪˈstrækt/ *vtr* 1 (break concentration) distraire [*driver, player, worker*]; **to be (easily) ~ed by** se laisser (facilement) distraire par; **to ~ sb from sth** distraire *or* détourner qn de qch; **to ~ sb from doing** empêcher qn de faire; **I was ~ed by the noise** le bruit m'a empêché de me concentrer; 2 (divert) **to ~ attention** détourner l'attention (**from** de); **to ~ sb's attention** détourner l'attention de qn (**from** de); 3 (amuse) distraire

distracted /dɪˈstræktɪd/ *adj* 1 (anxious) affolé; **~ with** fou/folle de [*grief, worry*]; 2 (abstracted) [*look*] égaré; 3 †(mad) fou/folle

distractedly /dɪˈstræktɪdlɪ/ *adv* 1 [*look, wander*] d'un air égaré; 2 [*run, weep*] comme un fou/une folle; **to love sb ~** aimer qn à la folie

distracting /dɪˈstræktɪŋ/ *adj* [*sound, presence, flicker*] gênant; **I found the noise too ~** le bruit m'empêchait de me concentrer

distraction /dɪˈstrækʃn/ *n* 1 (from concentration) distraction *f*; **I don't want any ~s** (environmental) je ne veux pas être distrait; (human) je ne veux pas qu'on me dérange; 2 (being distracted) inattention *f*; **a moment's ~** un moment d'inattention; 3 (diversion) diversion *f*; **to be a ~ from** détourner l'attention de [*problem, priority*]; 4 (entertainment) distraction *f*; **a ~ from** un dérivatif à; **to come as a welcome ~ from** être un dérivatif agréable à; 5 †(madness) folie *f*; **to drive sb to ~** rendre qn fou/folle; **to love sb to ~** aimer qn à la folie

distrain /dɪˈstreɪn/ *vi* Jur **to ~ upon sb** saisir les biens de qn; **to ~ upon sb's goods** opérer la saisie des biens de qn

distraint /dɪˈstreɪnt/ *n* saisie-exécution *f*

distraught /dɪˈstrɔːt/ *adj* [*person*] éperdu (**with** de); **to be ~ at** ou **over sth** être bouleversé par qch; **they were ~ to learn that** ils ont été bouleversés d'apprendre que

distress /dɪˈstres/
A *n* 1 (anguish) désarroi *m*, affliction *f*; **to be in ~** être complètement bouleversé, être désemparé; (stronger) être dans un grand désarroi; **to cause sb ~** faire de la peine à qn; **in his ~** dans son désarroi; **to my/his ~, they...** à mon/son grand chagrin, ils...; 2 (physical trouble) souffrance(s) *f(pl)*; **to be in ~** aller très mal; **foetal ~** Med souffrance *f* fœtale; 3 (poverty) détresse *f*; **in ~** [*person*] dans la détresse; 4 Naut **in ~** en détresse; 5 Jur saisie *f*
B *vtr* faire de la peine à [*person*] (**to do** de faire); (stronger) bouleverser [*person*] (**to do** de faire)
C *v refl* **to ~ oneself** s'inquiéter

distress call *n* appel *m* de détresse

distressed /dɪˈstrest/ *adj* 1 (upset) [*person*] peiné (**at, by** par; **to do** de faire); (stronger) bouleversé (**at, by** par; **to do** de faire); **to be ~ that** être peiné que (+ *subj*); **in a ~ state** dans un état de détresse; 2 (poor) [*area*] pauvre; **in ~ circumstances** sout dans une extrême pauvreté; **~ gentlewomen**† femmes *fpl* de bonne famille dans le besoin; 3 (artificially aged) [*furniture*] vieilli artificiellement

distressing /dɪˈstresɪŋ/ *adj* [*case, consequence, event, idea*] pénible; [*news*] navrant; [*sight*] affligeant; **it is ~ that** il est pénible que (+ *subj*); **it is/was ~ for him** il est/était pénible pour lui (**to do** de faire)

distress: **~ merchandise** *n* US marchandises *fpl* vendues à perte; **~ rocket** *n* fusée *f* de détresse; **~ sale** *n* Comm vente *f* au rabais; **~ signal** *n* signal *m* de détresse

distributary /dɪˈstrɪbjʊtərɪ, US -terɪ/ *n* défluent *m*

distribute /dɪˈstrɪbjuːt/ *vtr* 1 (share out) distribuer [*information, documents, supplies, money*] (**to** à; **among** entre); 2 Comm distribuer [*goods, books*]; 3 Cin distribuer [*films*]; 4 (spread out) répartir [*weight, load, tax burden*]; 5 (disperse) **to be ~d** [*flora, fauna, mineral deposits*] être réparti; 6 Journ, Print distribuer [*type*]

distribute: **~d data processing**, **DDP** *n* informatique *f* répartie; **~d system** *n* système *m* d'information réparti

distribution /ˌdɪstrɪˈbjuːʃn/
A *n* 1 (sharing) (of funds, information, food, resources) distribution *f* (**to sb** à qn; **to sth** dans qch); **for ~ to schools** pour être distribué dans les écoles; **the ~ of wealth** Pol la répartition des richesses; 2 Comm, Cin distribution *f*; 3 (of flora, fauna, minerals) répartition *f*; 4 Stat répartition *f*; 5 (of weight, burden) répartition *f*
B *modif* Comm, Econ [*channel, company, costs, network, system*] de distribution; Cin [*rights*] de distribution; Comput [*network*] de distribution

distribution list *n* liste *f* de distribution

distributor /dɪˈstrɪbjʊtə(r)/ *n* 1 Comm, Cin distributeur *m* (**for sth** de qch); **sole ~ for** concessionnaire *m* de; 2 Aut (engine part) distributeur *m*

district /ˈdɪstrɪkt/
A *n* 1 (in country) région *f*; 2 (in city) quartier *m*; 3 (sector) (administrative) district *m*; US (electoral) circonscription *f* électorale; (postal) secteur *m* postal; **health ~** GB *circonscription des services de santé*
B US Pol *vtr* découper [qch] en circonscriptions électorales

district attorney *n* US représentant *m* du ministère public

district council *n* GB ≈ conseil *m* général; **urban ~** conseil *m* de district urbain

district: **~ court** *n* US cour *f* fédérale; **~ manager** *n* directeur/-trice *m/f* régional/-e; **~ nurse** *n* GB infirmière *f* visiteuse; **District of Columbia**, **DC** ▸ **p. 1737** *pr n* District of Columbia *m*

distrust /dɪsˈtrʌst/
A *n* méfiance *f* (**of** à l'égard de)
B *vtr* se méfier de [*person, motive, government*]

distrustful /dɪsˈtrʌstfl/ *adj* méfiant (**of** à l'égard de); **to be ~ of sb/sth** se méfier de qn/qch

disturb /dɪˈstɜːb/
A *vtr* 1 (interrupt) déranger [*person, work, burglar*]; troubler [*silence, sleep*]; **'do not ~'** (on notice) 'ne pas déranger'; 2 (upset) troubler [*person*]; (concern) inquiéter [*person*]; **to ~ the peace** Jur troubler l'ordre public; **it ~s me that** cela m'inquiète que (+ *subj*); **they were ~ed to learn...** ils étaient troublés d'apprendre...; 3 (disarrange) déranger [*papers, bedclothes*]; troubler [*surface of water*]; remuer [*sediment*]
B *v refl* **to ~ oneself** (be inconvenienced) se déranger; **please don't ~ yourself on my account** ne vous dérangez pas pour moi

disturbance /dɪˈstɜːbəns/ *n* 1 (interruption, inconvenience) dérangement *m*; 2 (riot) troubles *mpl*, émeute *f*; (fight) altercation *f*; **to cause a ~ of the peace** troubler l'ordre public; 3 Meteorol perturbation *f*; 4 Psych trouble *m*; (more serious) perturbation *f*

disturbed /dɪˈstɜːbd/ *adj* 1 Psych perturbé; **emotionally ~** qui a des troubles psychologiques; **mentally ~** dérangé; 2 (concerned) (*jamais épith*) inquiété (**by** par; **to do** de faire); 3 (restless) [*sleep, night*] agité

disturbing /dɪˈstɜːbɪŋ/ *adj* [*book, film, painting*] dérangeant, troublant; [*report, increase, development*] inquiétant; (stronger) alarmant; **it is ~ that** il est inquiétant que (+ *subj*); **it is ~ to see/hear...** il est inquiétant de voir/d'entendre...

disturbingly /dɪˈstɜːbɪŋlɪ/ *adv* **the quality is ~ low** ce qui est inquiétant, c'est la mauvaise qualité; **~, unemployment has risen** le chômage a augmenté de façon inquiétante; **~ for them/the team, they lost again** ce qui était inquiétant pour eux/les joueurs de l'équipe c'est qu'ils avaient encore perdu

disunite /ˌdɪsjuːˈnaɪt/ sout
A *vtr* désunir
B **disunited** *pp adj* désuni

disunity /dɪsˈjuːnətɪ/ *n* sout désunion *f*

disuse /dɪsˈjuːs/ *n* (of machinery) abandon *m*; **to be in ~** [*plant, buildings*] être à l'abandon; **to fall into ~** [*plant, building*] être laissé à l'abandon; [*practice, tradition*] tomber en désuétude

disused /dɪsˈjuːzd/ *adj* abandonné, désaffecté

disyllabic /daɪsɪˈlæbɪk, dɪ-/ *n, adj* dissyllabe (*m*)

ditch /dɪtʃ/
A *n* fossé *m*
B ○*vtr* 1 (get rid of) laisser tomber [*friend, ally*]; virer○ [*employee*]; abandonner [*system, agreement, machine*]; plaquer○ [*girlfriend, boyfriend*]; 2 US (evade) échapper à [*police*]; **to ~ school** faire l'école buissonnière; 3 (crash-land) **to ~ a plane** faire un amerrissage forcé; 4 US (crash) emboutir○ [*voiture*]
C *vi* faire un amerrissage forcé

ditchdigger /ˈdɪtʃdɪgə(r)/ *n* US terrassier *m*

ditcher /ˈdɪtʃə(r)/ *n* terrassier *m*

ditching /ˈdɪtʃɪŋ/ *n* 1 Agric (digging) creusement *m* des fossés; (maintenance) curage *m* des fossés; **hedging and ~** entretien *m* des haies et fossés; 2 Aviat amerrissage *m* forcé

ditchwater /ˈdɪtʃwɔːtə(r)/ *n*
(Idiom) **as dull as ~** ennuyeux comme la pluie

dither /ˈdɪðə(r)/
A ○*n* (*sans pl*) **to be in a ~, to be all of a ~** être dans tous ses états
B *vi* tergiverser (**about, over** sur); **stop ~ing!** arrête de tergiverser!; **she's not one to ~** elle n'est pas du genre à se poser des questions

ditherer /ˈdɪðərə(r)/ *n* péj indécis/-e *m/f*

ditsy○, **ditzy**○ /ˈdɪtsɪ/ *adj* US péj [*woman*] évaporé

ditto /ˈdɪtəʊ/
A *n* US copie *f*
B ○*adv* idem; **the food is awful and ~ the nightlife** la nourriture est affreuse la vie nocturne idem; **'I'm fed up○'—'~'** 'j'en ai marre○'—'moi aussi'
C *vtr* US polycopier

ditto marks *npl* guillemets *mpl* de répétition

ditty† /ˈdɪtɪ/ *n* chansonnette *f*

diuretic /ˌdaɪjʊˈretɪk/ *n, adj* diurétique (*m*)

diurnal /daɪˈɜːnl/ *adj* diurne

diva /ˈdiːvə/ *n* (*pl* **~s** *ou* **~e**) diva *f*

divan /dɪˈvæn, US ˈdaɪvæn/ *n* divan *m*

divan bed *n* divan-lit *m*

dive /daɪv/
A *n* 1 gen, Sport (plunge into water) plongeon *m*; 2 (swimming under sea) plongée *f* sous-marine; **to be on a ~** être en plongée; 3 (descent) (of plane, bird) piqué *m*; **to pull out of a ~** sortir d'un piqué; **to take a ~** fig [*prices*] chuter; **the party's fortunes have taken a ~** le destin du parti a basculé; 4 (lunge) **to make a ~ for sth** foncer vers qch; 5 ○(deliberate fall) (in fixed fight) **to take a ~** aller au tapis; (in football) **that was a ~!** c'est du chiqué○!; 6 ○péj (bar, club) tripot○ *m*
B *vi* (*prét* **~d** GB, **dove** US) 1 gen, Sport (into water) plonger (**off, from** de; **into** dans; **down to** jusqu'à); 2 [*plane, bird*] plonger, descendre en piqué (**from** de); 3 (go diving) (as hobby) faire de la plongée; (as job) être plongeur; 4 (lunge, throw oneself) **to ~ into the bushes/under the bed** plonger dans les buissons/sous le lit; **to ~ into a bar/shop** s'engouffrer dans un bar/un magasin; **he ~d into his pocket and produced some money** il a plongé la main dans sa poche et a sorti de l'argent
(Phrasal verbs) ■ **dive for**: ▸ **~ for [sth]** 1 [*diver*] pêcher [*pearls, coral*]; 2 [*player*] plonger sur [*ball*]; 3 [*person*] foncer vers [*exit, door*]; **to ~ for cover** foncer à l'abri
■ **dive in** 1 lit plonger; 2 fig (act impulsively) se lancer○

dive: **~-bomb** *vtr* Mil bombarder [qch] en piqué; (in swimming pool) faire la bombe; **~-bomber** *n* bombardier *m*; **~-bombing** *n* bombardement *m* en piqué

diver /ˈdaɪvə(r)/ ▸ **p. 1683** *n* 1 (for sport or in flippers) plongeur/-euse *m/f*; 2 (deep-sea) scaphandrier *m*; 3 Zool (species of bird) plongeon *m*; (diving bird generally) plongeur *m*

diverge /daɪˈvɜːdʒ/ *vi* 1 [*interests, opinions, experiences*] diverger; 2 **to ~ from** s'écarter de [*truth, norm, belief, stance*]; 3 [*railway line, road*] se séparer (**from** de); **their paths ~d** fig leurs chemins ont divergé

divergence /daɪˈvɜːdʒəns/ *n* divergence *f* (**between** entre)

divergent /daɪˈvɜːdʒənt/ *adj* divergent; **~ thinking** raisonnement *m* divergent

divers† /ˈdaɪvəz/ *adj* littér divers

diverse /daɪˈvɜːs/ *adj* 1 (varied) divers; 2 (different) différent

diversification /daɪˌvɜːsɪfɪˈkeɪʃn/ *n* diversification *f*

diversify /daɪˈvɜːsɪfaɪ/
A *vtr* diversifier
B *vi* se diversifier

diversion /daɪˈvɜːʃn, US daɪˈvɜːrʒn/ *n* 1 (redirection) (of watercourse, money) détournement *m*; (of traffic) déviation *f*; **~ of funds** Fin Jur détournement *m* de fonds; 2 (distraction, break) diversion *f* (**from** à); **to create a ~** faire diversion; Mil opérer une diversion; 3 GB (detour) déviation *f*; 4 †(entertainment) divertissement *m*

diversionary /daɪˈvɜːʃənərɪ, US daɪˈvɜːrʒənerɪ/ *adj* [*tactic, attack, manoeuvre*] de diversion; [*argument, laughter*] destiné à faire diversion

diversion sign *n* GB panneau *m* de déviation

diversity /daɪˈvɜːsətɪ/ *n* diversité *f* (**of** de)

divert /daɪˈvɜːt/
A *vtr* 1 (redirect) détourner [*watercourse, flow*]; dévier [*traffic*] (**onto** vers; **through** par); dérouter [*flight, plane*] (**to** sur); détourner [*resources, supplies, funds, manpower*] (**from** de; **to** au profit de); **to ~ funds** Fin Jur détourner des fonds; 2 (distract) détourner [*attention, efforts, conversation*] (**from** de); détourner [*person, government, team*] (**from** de); 3 †(amuse) divertir
B *vi* **to ~ to** se détourner sur

diverting /daɪˈvɜːtɪŋ/ *adj* divertissant

divest /daɪˈvest/ sout
A *vtr* **to ~ sb of sth** (of power, rights etc) dépouiller qn de qch; (of robes, regalia) ôter qch à qn
B *v refl* **to ~ oneself of** se débarrasser de [*robes, regalia*]; se défaire de [*ideas, beliefs*]; Comm, Fin se défaire de [*asset, subsidiary*]

divestiture /daɪˈvestʃə(r)/, **divestment** /daɪˈvestmənt/ *n* dessaisissement *m*

divide /dɪˈvaɪd/
A *n* 1 (split) division *f* (**between** entre); **the North-South ~** l'opposition Nord-Sud; 2 (watershed) fig démarcation *f* (**between** entre); lit Geog ligne *f* de partage des eaux
B *vtr* 1 (split up into parts) partager [*area, food, money, time, work*]; diviser [*class, house, room*] (**into** en); **to ~ the house into flats/the class into three groups** diviser la maison en appartements/la classe en trois groupes; **he ~d the pupils into boys and girls** il a séparé les garçons des filles; 2 (share) partager (**between** entre); **he ~s his time** *ou* **attention between home and office** il partage son temps entre la maison et le bureau; **they ~d the profits among themselves** ils ont partagé les bénéfices; 3 (separate) séparer (**from** de); 4 (cause disagreement) diviser [*friends, management, nation, party*]; **~ and rule** diviser pour régner; 5 GB Pol faire voter [*House*]; 6 Math diviser [*number*]; **to ~ 2 into 14** *ou* **to ~ 14 by 2** diviser 14 par 2; **will 14 ~ by 2?** est-ce que 14 est divisible par 2?
C *vi* 1 lit [*road, river, train*] se séparer en deux; [*group*] se répartir; [*crowd*] s'écarter; [*cell, organism*] se diviser; 2 GB Pol [*House*] voter; 3 Math être divisible
D **divided** *pp adj* [*party, government, society*] divisé; [*interests, opinions*] divergent; **~d highway** US route *f* à quatre voies; **the party is ~d on the issue** le parti est divisé sur la question
(Idiom) **to cross the great ~** (death) faire le grand saut
(Phrasal verbs) ■ **divide off**: ▸ **~ [sth] off, ~ off [sth]** séparer (**from** de)
■ **divide out**: ▸ **~ [sth] out, ~ out [sth]** distribuer
■ **divide up**: ▸ **~ [sth] up, ~ up [sth]** partager (**among** entre)

divided skirt *n* jupe-culotte *f*

dividend /ˈdɪvɪdend/ *n* 1 Fin (share) dividende *m*; **final ~** dividende *m* annuel; **to raise/pass the ~** augmenter/ le dividende; **to pay ~s** lit, fig rapporter; 2 fig (bonus) avantage *m*; **peace ~** Pol dividendes *mpl* de la

d

paix; **3** Math dividende *m*; **4** (in football pools) gains *mpl*

dividend: **~ cover** *n* marge *f* de dividende; **~ yield** *n* rendement *m* d'une action

divider /dɪˈvaɪdə(r)/ *n* (in room) cloison *f*; (in file) intercalaire *m*

dividers /dɪˈvaɪdəz/ *npl* compas *m* à pointes sèches

dividing /dɪˈvaɪdɪŋ/ *adj* [*wall, fence*] mitoyen/-enne

dividing: **~ line** *n* ligne *f* de démarcation (**between** entre); **~ point** *n* point *m* de divergence

divination /ˌdɪvɪˈneɪʃn/ *n* divination *f*

divine /dɪˈvaɪn/
A *n* **1** (*also* **Divine**) (God) **the ~** le divin *m*; **2** (priest) ecclésiastique *m*
B *adj* **1** [*inspiration, retribution, service, intervention*] divin (*after n*); **~ providence** la divine Providence; **2** ○(wonderful) divin
C *vtr* **1** littér (intuit) deviner; **2** (dowse) découvrir [qch] par la radiesthésie

divinely /dɪˈvaɪnlɪ/ *adv* **1** (by God) [*revealed*] divinement; **to be ~ inspired** [*texts*] être d'inspiration divine; [*prophet*] être inspiré par Dieu; **a ~ ordained event** un événement résultant de la volonté divine; **2** ○(wonderfully) [*dance, smile*] divinement; **~ simple** d'une simplicité divine

diviner /dɪˈvaɪnə(r)/ *n* gen radiesthésiste *mf*; (for water only) sourcier/-ière *m/f*

divine right *n* droit *m* divin

diving /ˈdaɪvɪŋ/
A *n* **1** (from a board) plongeon *m*; **2** (swimming under the sea) plongée *f* sous-marine; **to go ~** faire de la plongée sous-marine
B *modif* [*club, equipment, gear, helmet*] de plongée

diving: **~ bell** *n* cloche *f* à plongeur; **~ board** *n* plongeoir *m*; **~ suit** *n* scaphandre *m*

divining rod *n* baguette *f* de sourcier

divinity /dɪˈvɪnətɪ/ *n* **1** (of deity, person) divinité *f*; **2** (deity) divinité *f*; **the Divinity** la Divinité; **3** (theology) théologie *f*

divisible /dɪˈvɪzəbl/ *adj* divisible (**by** par)

division /dɪˈvɪʒn/ *n* **1** (splitting) gen, Biol, Bot, Math division *f* (**into** en); **2** (sharing) (of one thing) répartition *f*; (of several things) distribution *f*; **3** Mil, Naut division *f*; Admin circonscription *f*; **4** Comm (branch, sector) division *f*; (department, team) service *m*; **chemicals ~** division chimique; **sales ~** service des ventes; **5** (in football) division *f*; **to be in ~ one** *ou* **in the first ~** être en première division; **a second ~ club** un club de deuxième division; **6** (dissent) désaccord *m* (**between** entre); **7** (in container) compartiment *m*; **8** GB Pol vote *m*; **to claim a ~** demander la mise aux voix; **9** US Univ faculté *f*

> **Division**
>
> Procédure adoptée à la Chambre des communes pour mieux compter les votes quand la répartition des voix n'est pas évidente. Les députés se divisent et quittent la salle par le couloir des 'oui' (*the Aye lobby*), ou par celui des 'non' (*the No lobby*), situés de chaque côté du siège du *Speaker*. ▸ **Speaker**

divisional /dɪˈvɪʒənl/ *adj* [*commander, officer*] Mil divisionnaire; [*championship*] Sport de division

Divisional Court *n* GB Jur tribunal *m* composé de deux juges ou plus qui se prononcent sur les appels

division: **~ bell** *n* GB Pol sonnerie *f* qui annonce la mise aux voix; **~ of labour** *n* division *f* du travail; **~ sign** *n* signe *m* de division

divisive /dɪˈvaɪsɪv/ *adj* [*measure, policy*] qui sème la discorde; **to be socially/racially ~** semer la discorde sociale/raciale

divisor /dɪˈvaɪzə(r)/ *n* diviseur *m*

divorce /dɪˈvɔːs/
A *n* lit, fig divorce *m* (**from** avec; **between** entre); **she's asked me for a ~** elle m'a dit qu'elle veut divorcer; **to file for ~, to sue for ~** Jur intenter une action en divorce; **to grant a ~** Jur prononcer le divorce
B *vtr* **1** lit **to ~** divorcer de *or* d'avec [*husband, wife*]; **she ~d him, she was ~d from him** elle a divorcé; **they were ~d in 1987** ils ont divorcé en 1987; **2** fig dissocier (**from** de); **to ~ science from morality** dissocier la science de la morale; **~d from reality** détaché de la réalité
C *vi* divorcer

divorce court *n*: *tribunal chargé des affaires matrimoniales*

divorcee /dɪˌvɔːˈsiː/ *n* divorcé/-e *m/f*

divorce proceedings *n* procédure *f* de divorce; **to start ~** intenter une action en divorce

divorce settlement *n* (conditions) conditions *fpl* de divorce; (sum of money) ≈ pension *f* alimentaire

divot /ˈdɪvət/ *n* motte *f* de gazon

divulge /daɪˈvʌldʒ/ *vtr* divulguer (**that** que; **to** à)

divvy○† /ˈdɪvɪ/ *n* GB (*abrév* = **dividend**) dividende *m*

(Phrasal verb) ■ **divvy up**: ▸ **~ [sth] up, ~ up [sth]** répartir

dixie /ˈdɪksɪ/ *n* GB Mil gamelle *f*

Dixie /ˈdɪksɪ/ *pr n* (*also* **~land**) États *mpl* du sud des États-Unis

(Idiom) **I'm not just whistling ~** US je ne plaisante pas

Dixie: **~ cup**® *n* US gobelet *m* en carton; **~land jazz** *n* dixieland *m*

DIY GB *n*: *abrév* ▸ **do-it-yourself**

dizzily /ˈdɪzɪlɪ/ *adv* [*stagger, reel*] pris de vertige; [*rise, spiral*] vertigineusement

dizziness /ˈdɪzɪnɪs/ *n* ¢ vertiges *mpl*; **to suffer from ~** souffrir de vertiges

dizzy /ˈdɪzɪ/
A *adj* **1** (physically) pris de vertige; **to make sb ~** donner le vertige à qn; **to suffer from ~ spells** avoir des vertiges; **to feel ~** avoir la tête qui tourne; **2** (mentally) **to be ~ with** être ivre de [*delight, surprise*]; **3** [*height, spell*] vertigineux/-euse; **4** (scatterbrained) écervelé
B *vtr* littér donner le vertige à [*person*]
C **dizzying** *pres p adj* [*height, drop*] vertigineux/-euse

DJ *n* **1** (*abrév* = **disc jockey**) DJ; **2** GB *abrév* ▸ **dinner jacket**

Djibouti /dʒɪˈbuːtɪ/ ▸ **p. 1096** *pr n* Djibouti *m*

DMA *n*: *abrév* ▸ **direct memory access**

DMZ *n* (*abrév* = **demilitarized zone**) zone *f* démilitarisée

DNA
A *n* (*abrév* = **deoxyribonucleic acid**) ADN *m*
B *modif* [*test, testing*] de l'empreinte *f* génétique; [*molecule, synthetizer*] d'ADN

DNA fingerprint, DNA profile *n* empreinte *f* génétique

DNA fingerprinting, DNA profiling *n* identification *f* génétique

D-notice *n* GB Pol, Journ *circulaire ministérielle portant interdiction de publier pour cause de secret défense*

do¹ /duː, də/
A *vtr* (3ᵉ *pers sg prés* **does**; *prét* **did**; *pp* **done**) **1** (perform task, be busy) faire [*washing up, ironing etc*]; **lots/nothing to ~** beaucoup/rien à faire; **it all had to be done again** il a fallu tout refaire; **what are you ~ing?** qu'est-ce que tu fais?; **are you ~ing anything tonight?** tu fais quelque chose ce soir?; **she's been ~ing too much lately** elle en fait trop ces derniers temps; **she does nothing but moan** elle ne fait que se plaindre; **what can I ~ for you?** que puis-je faire pour vous?; **will you ~ something for me?** peux-tu me rendre un service?
2 (make smart) **to ~ sb's hair** coiffer qn; **to ~ one's teeth** se laver les dents; **to ~ the living room in pink** peindre le salon en rose
3 (finish) faire [*military service, period of time*]; finir [*job*]; **I've already done three months** j'ai déjà fait trois mois; **the job's almost done** le travail est presque fini; **to have done**○ **doing sth** avoir fini de faire qch; **have you done**○ **complaining?** tu as fini de te plaindre?; **tell him now and have done with it** dis-lui maintenant, ce sera fait; **it's as good as done** c'est comme si c'était fait; **that's done it** (task successfully completed) ça y est; (expressing dismay) il ne manquait plus que ça
4 (complete through study) [*student*] faire [*subject, book, author, degree, homework*]
5 (write) faire [*translation, critique, biography*]
6 (effect change) faire; **to ~ sb good/harm** faire du bien/mal à qn; **what have you done to the kitchen?** qu'est-ce que vous avez fait à la cuisine?; **has she done something to her hair?** est-ce qu'elle a fait quelque chose à ses cheveux?; **I haven't done anything with your pen!** je n'ai pas touché à ton stylo!; **what are we to ~ with you!** qu'allons-nous faire de toi!; **that hat/dress etc does a lot for her** ce chapeau/cette robe etc lui va bien
7 (cause harm) **to ~ something to one's foot/arm** se faire mal au pied/bras; **I won't ~ anything to you** je ne te ferai rien; **I'll ~**○ **you!** ça va être ta fête!
8 ○(deal with) **the hairdresser says she can ~ you now** la coiffeuse dit qu'elle peut vous prendre maintenant; **they don't ~ theatre tickets** ils ne vendent pas de places de théâtre; **to ~ breakfasts** servir des petits déjeuners
9 (cook) faire [*sausages, spaghetti etc*]; **I'll ~ you an omelette** je te ferai une omelette; **well done** [*meat*] bien cuit
10 (prepare) préparer [*vegetables*]
11 (produce) monter [*play*]; faire [*film, programme*] (**on** sur)
12 (imitate) imiter [*celebrity, voice, mannerism*]
13 (travel at) faire; **to ~ 60** faire du 60 à l'heure
14 (cover distance of) faire; **we've done 30 km since lunch** nous avons fait 30 km depuis le déjeuner
15 ○(see as tourist) faire [*Venice, the Louvre etc*]
16 ○(satisfy needs of) **will this ~ you?** ça vous ira?
17 ○(cheat) **we've been done** on s'est fait avoir; **to ~ sb out of** escroquer qn de [*money*]; **he did me out of the job** il m'a pris la place
18 ○(sterilize) **to be done** [*person, animal*] être stérilisé
19 ○(rob) **to ~ a bank** faire un casse○ dans une banque
20 ○(arrest, convict) **to get done for** se faire prendre pour [*illegal parking etc*]; **to ~ sb for speeding** prendre qn pour excès de vitesse
B *vi* (3ᵉ *pers sg prés* **does**; *prét* **did**; *pp* **done**)
1 (behave) faire; **~ as you're told** (here and now) fais ce que je te dis; (when with others) fais ce qu'on te dit
2 (serve purpose) faire l'affaire; **that box/those trousers will ~** cette boîte/ce pantalon fera l'affaire
3 (be acceptable) **this really won't ~!** (as reprimand) ça ne peut pas continuer comme ça!
4 (be sufficient) suffire; **will five dollars ~?** cinq dollars, ça suffira?; **that'll ~!** (as reprimand) ça suffit!
5 (finish) finir; **have you done?** tu as fini?
6 (get on) (in competitive situation) [*person*] s'en sortir; [*business*] marcher; (in health) [*person*]

do[1]

The direct French equivalent of the verb *to do* in *subject + to do + object* sentences is *faire*:

she's doing her homework
= elle fait ses devoirs

what are you doing?
= qu'est-ce que tu fais?

what has he done with the newspaper?
= qu'est-ce qu'il a fait du journal?

faire functions in very much the same way as *to do* does in English and it is safe to assume it will work in the great majority of cases. For the conjugation of the verb *faire*, see the French verb tables.

Grammatical functions

In questions

In French there is no use of an auxiliary verb in questions equivalent to the use of *do* in English.

When the subject is a pronoun, the question is formed in French either by inverting the subject and verb and putting a hyphen between the two (*veux-tu?*) or by prefacing the *subject + verb* by *est-ce que* (literally *is it that*):

do you like Mozart?
= aimes-tu Mozart?
or est-ce que tu aimes Mozart?

did you put the glasses in the cupboard?
= as-tu mis les verres dans le placard?
or est-ce que tu as mis les verres dans le placard?

When the subject is a noun there are again two possibilities:

did your sister ring?
= est-ce que ta sœur a téléphoné?
or ta sœur a-t-elle téléphoné?

did Max find his keys?
= est-ce que Max a trouvé ses clés?
or Max a-t-il trouvé ses clés?

In negatives

Equally, auxiliaries are not used in negatives in French:

I don't like Mozart
= je n'aime pas Mozart

you didn't feed the cat
= tu n'as pas donné à manger au chat

don't do that!
= ne fais pas ça!

In emphatic uses

There is no verbal equivalent for the use of *do* in such expressions as *I DO like your dress*. A French speaker will find another way, according to the context, of expressing the force of the English *do*. Here are a few useful examples:

I DO like your dress
= j'aime beaucoup ta robe

I DO hope she remembers
= j'espère qu'elle n'oubliera pas

I DO think you should see a doctor
= je crois vraiment que tu devrais voir un médecin

When referring back to another verb

In this case the verb *to do* is not translated at all:

I don't like him any more than you do
= je ne l'aime pas plus que toi

I live in Oxford and so does Lily
= j'habite à Oxford et Lily aussi

she gets paid more than I do
= elle est payée plus que moi

I haven't written as much as I ought to have done
= je n'ai pas écrit autant que j'aurais dû

'I love strawberries' 'so do I'
= 'j'adore les fraises' 'moi aussi'

In polite requests

In polite requests the phrase *je vous en prie* can often be used to render the meaning of *do*:

do sit down
= asseyez-vous, je vous en prie

do have a piece of cake
= prenez un morceau de gâteau, je vous en prie

'may I take a peach?' 'yes, do'
= 'puis-je prendre une pêche?' 'je vous en prie'

In imperatives

In French there is no use of an auxiliary verb in imperatives:

don't shut the door
= ne ferme pas la porte

don't tell her anything
= ne lui dis rien

do be quiet!
= tais-toi!

In tag questions

French has no direct equivalent of tag questions like *doesn't he?* or *didn't it?* There is a general tag question *n'est-ce pas?* (literally *isn't it so?*) which will work in many cases:

you like fish, don't you?
= tu aimes le poisson, n'est-ce pas?

he lives in London, doesn't he?
= il habite à Londres, n'est-ce pas?

However, *n'est-ce pas* can very rarely be used for positive tag questions and some other way will be found to express the meaning contained in the tag: *par hasard* can often be useful as a translation:

Lola didn't phone, did she?
= Lola n'a pas téléphoné par hasard?

Paul doesn't work here, does he?
= Paul ne travaille pas ici par hasard?

In many cases the tag is not translated at all and the speaker's intonation will convey what is implied:

you didn't tidy your room, did you?
(*i.e.* ***you ought to have done***)
= tu n'as pas rangé ta chambre?

In short answers

Again, there is no direct French equivalent for short answers like *yes I do, no he doesn't* etc. Where the answer *yes* is given to contradict a negative question or statement, the most useful translation is *si*:

'Marion didn't say that' 'yes she did'
= 'Marion n'a pas dit ça' 'si'

'they don't sell vegetables at the baker's' 'yes they do'
= 'ils ne vendent pas les légumes à la boulangerie' 'si'

In response to a standard enquiry the tag will not be translated:

'do you like strawberries?' 'yes I do'
= 'aimez-vous les fraises?' 'oui'

For more examples and particular usages, see the entry **do[1]**.

aller; **how will they ~ in the elections?** comment est-ce qu'ils s'en sortiront aux élections?; **he's ~ing as well as can be expected** (of patient) il va aussi bien que possible; **my lettuces are ~ing well** mes laitues poussent bien

7 GB ○†(clean) faire le ménage; **the woman who does for us** la dame qui fait le ménage pour nous

8 ○GB (be active) **you'll be up and ~ing again in no time** tu seras sur pied très vite

C *v aux* (3e *pers sg prés* **does**; *prét* **did**; *pp* **done**)
1 (with questions, negatives) **did he like his present?** est-ce qu'il a aimé son cadeau?; **own up, did you or didn't you take my pen?** avoue, est-ce que c'est toi qui as pris mon stylo ou pas?; **didn't he look wonderful!** est-ce qu'il n'était pas merveilleux!

2 (for emphasis) **he did ~ it really!** il l'a vraiment fait!; **so you ~ want to go after all!** alors tu veux vraiment y aller finalement!; **I ~ wish you'd let me help you** j'aimerais tant que tu me laisses t'aider

3 (referring back to another verb) **he said he'd tell her and he did** il a dit qu'il le lui dirait et il l'a fait; **he says he'll come along but he never does** il dit toujours qu'il viendra mais il ne le fait jamais; **you draw better than I ~** tu dessines mieux que moi; **you either did or you didn't** de deux choses l'une soit tu l'as fait, soit tu ne l'as pas fait

4 (in requests, imperatives) **~ sit down** asseyez-vous, je vous en prie; **'may I take a leaflet?'—'~'** 'puis-je prendre un dépliant?'—'je vous en prie'; **~ shut up!** tais-toi veux-tu!; **don't you tell me what to do!** surtout ne me dis pas ce que j'ai à faire!

5 (in tag questions and responses) **he lives in France, doesn't he?** il habite en France, n'est-ce pas?; **'who wrote it?'—'I did'** 'qui l'a écrit?'—'moi'; **'shall I tell him?'—'no don't'** 'est-ce que je le lui dis?'—'non surtout pas'; **'he knows the President'—'does he?'** 'il connaît le Président'—'vraiment?'; **so ~ they/you** eux/vous aussi; **neither does he/she etc** lui/elle etc non plus

6 (with inversion) **only rarely does he write letters** il est très rare qu'il écrive des lettres; **little did he suspect/think that** il était loin de se douter/de penser que

D ○*n* GB fête *f*; **his leaving ~** son pot○ de départ

(Idioms) **~ as you would be done by** ne faites pas ce que vous ne voudriez pas qu'on vous fasse; **how ~ you ~** enchanté; **it doesn't ~ to be** ce n'est pas une bonne chose d'être; **it's a poor ~○ if** c'est vraiment grave si; **it was all I could ~ not to...** je me suis retenu pour ne pas...; **nothing ~ing!** (no way) pas question!; **there's nothing ~ing here** ici il ne se passe rien; **well done!** bravo!; **what are you ~ing with yourself these days?** qu'est-ce que tu deviens?; **what are you going to ~ for...?** comment est-ce que tu vas te débrouiller pour...? [*money, shelter etc*]; **what's done is done** ce qui est fait est fait; **what's this doing here?** qu'est-ce que ça fait ici?; **all the ~s and don'ts** tout ce qu'il faut/fallait faire et ne pas faire

(Phrasal verbs) ■ **do away with:** ► **~ away with [sth]** se débarrasser de [*procedure, custom,* rule, feature]; supprimer [bus service etc]; démolir [building]; ▸ **~ away with [sb]**○ (kill) se débarrasser de [person]

■ **do down**○ GB: ▸ **~ [sb] down** dire du mal de [person]; **don't ~ yourself down** ne te sous-estime pas

■ **do for**○: ▸ **~ for [sb/sth]** (kill) [illness] achever [person]; fig mettre fin à [ambition, project]; **I'm done for** fig je suis foutu○

■ **do in**○: ▸ **~ [sb] in** 1 (kill) tuer; 2 (exhaust) épuiser; **I feel done in** je suis crevé○

■ **do out**○: ▸ **~ [sth] out, ~ out [sth]** faire or nettoyer à fond [spare room, garage]

■ **do over**: ▸ **~ [sth] over** US (redo) refaire [job, work]; ▸ **~ [sb] over**○ passer [qn] à tabac○

■ **do up**: ▸ **~ up** [dress, coat] se fermer; ▸ **~ [sth] up, ~ up [sth]** 1 (fasten) refaire [laces]; fermer [zip]; **~ up your buttons** boutonne-toi; 2 (wrap) faire [parcel]; **to ~ one's hair up into a bun** se remonter les cheveux en chignon; 3 (renovate) restaurer [house, furniture]; ▸ **~ oneself up** se faire beau/belle; **I was all done up** je m'étais fait tout beau

■ **do with**: ▸ **~ with [sth/sb]** 1 (involve) **it has something/nothing to ~ with** ça a quelque chose à voir/n'a rien à voir avec; **what's that got to ~ with it?** qu'est-ce que cela a à voir là-dedans?; **what's it (got) to ~ with you?** en quoi est-ce que ça te regarde?; **it's got everything to ~ with it** c'est là qu'est tout le problème; **his shyness is to ~ with his childhood** sa timidité est liée à son enfance; (talk to) **he won't have anything to ~ with me any more** il ne veut plus rien avoir à faire avec moi; (concern) **it has nothing to ~ with you** cela ne vous concerne pas; 2 (tolerate) supporter; **I can't ~ with loud music/all these changes** je ne supporte pas la musique trop forte/tous ces changements; 3 (need) **I could ~ with a drink/with a holiday** j'aurais bien besoin d'un verre/de partir en vacances; 4 (finish) **it's all over and done with** c'est bien fini; **have you done with my pen/the photocopier?** tu n'as plus besoin de mon stylo/la photocopieuse?; **I've done with all that** fig j'en ai fini avec tout ça

■ **do without**: ▸ **~ without [sb/sth]** se passer de [person, advice etc]; **I can ~ without your sympathy** je me passe de ta pitié; **I can't ~ without the car** je ne peux pas me passer de la voiture; **you'll have to ~ without!** il va falloir que tu t'en passes!

do² /dəʊ/ n Mus = **doh**

do. abrév écrite = **ditto**

DOA adj: abrév ▸ **dead on arrival**

dob /dɒb/:

(Phrasal verb) ■ **dob in**○ **~ in [sb], ~ [sb] in** cafarder○, dénoncer [person]

d.o.b. abrév écrite = **date of birth**

Doberman (pinscher) /ˌdəʊbəmən'pɪnʃə/ n doberman m

doc○ /dɒk/ n (doctor) toubib○ m, docteur m

docile /'dəʊsaɪl, US 'dɒsl/ adj docile

docility /dəʊ'sɪlətɪ/ n docilité f

dock /dɒk/

A n 1 Naut, Ind dock m, bassin m; (for repairing ship) cale f; **to come into ~** entrer dans le dock or le bassin; **to be in ~** (for repairs) être en réparation; 2 US (wharf) appontement m; 3 GB Jur banc m des accusés or des prévenus; **the prisoner in the ~** l'accusé; **to put sb/sth in the ~** fig faire le procès de qn/qch; 4 US (also **loading ~**) zone f de chargement; 5 Bot patience f

B docks npl Naut, Ind docks mpl; **to work in** ou **at the ~s** travailler dans les docks

C modif (also **~s**) Naut, Ind [area] des docks; [strike] des dockers

D vtr 1 Naut mettre [qch] à quai [ship]; 2 GB (reduce) faire une retenue sur [wages]; enlever [points, marks]; **they had their pay ~ed for going on strike** on leur a fait une retenue sur leur salaire parce qu'ils avaient fait la grève; **to ~ £50 from sb's wages** faire une retenue de 50 livres sur le salaire de qn; 3 Aerosp amarrer, arrimer; 4 Vet écourter, couper [tail]

E vi 1 Naut [ship] (come into dock) arriver or entrer au port; (moor) accoster, se mettre à quai; **the ship ~ed at Southampton** (at end of voyage) le navire est arrivé à Southampton; (as stage on voyage) le navire a fait escale à Southampton; **they were refused permission to ~ in Britain** on leur a interdit d'entrer dans un port de Grande-Bretagne; 2 Aerosp s'arrimer

docker /'dɒkə(r)/ ▸ **p. 1683** n docker m

docket /'dɒkɪt/

A n 1 Comm, Admin (label) étiquette f de reconnaissance or de signalisation; (customs certificate) récépissé m de douane; 2 US (list) gen registre m; Jur registre m des jugements rendus; (list of cases to be tried) rôle m; **the court has several other cases on its ~** le tribunal a plusieurs autres cas à traiter

B vtr 1 Comm étiqueter [parcel, package]; 2 US Jur (summarize) faire un compte rendu de [case, proceedings]; (prepare for trial) porter [qch] sur le rôle (des causes) [case]

docking /'dɒkɪŋ/ n Naut, Aerosp amarrage m

dock labourer n = **dock worker**

dockland /'dɒklənd/ n (also **~s**) zone f des docks

Docklands /'dɒkləndz/ pr n: à Londres, ancien quartier des docks, entièrement rénové

dock: **~ leaf** n feuille f de patience; **~side(s)** n(pl) zone f des docks; **~ walloper**○ n US docker m; **~worker** n docker m; **~yard** n chantier m naval or de constructions navales

doctor /'dɒktə(r)/ ▸ **p. 1683, p. 1237**

A n 1 Med médecin m, docteur m; **thank you, ~** merci, docteur; **to go to the ~('s)** aller chez le médecin; **she's a ~** elle est médecin; **who is your ~?** qui est votre médecin (traitant)?; **he trained as a ~** il a fait des études de médecine; **to be under a ~** GB être suivi par un médecin; **Doctor Armstrong** le docteur Armstrong; **to play ~s and nurses** jouer au docteur; 2 Univ docteur m

B vtr 1 (tamper with) frelater [food, wine]; falsifier [accounts, figures]; altérer [document, text]; 2 GB Vet châtrer [animal]

(Idiom) **that's just what the ~ ordered!** c'est exactement ce qu'il me/te etc fallait!

doctoral /'dɒktərəl/ adj [thesis] de doctorat; [research] pour un doctorat; [student] en doctorat

doctorate /'dɒktərət/ n doctorat m; **~ in science/theology** doctorat ès sciences/en théologie

doctor: **Doctor of Divinity**, **DD** n doctorat m en Théologie; **Doctor of Philosophy**, **PhD**, **DPhil** n ≈ doctorat m; **~'s note** n certificat m médical

doctrinaire /ˌdɒktrɪ'neə(r)/ n, adj doctrinaire (mf)

doctrinal /dɒk'traɪnl, US 'dɒktrɪnl/ adj doctrinal

doctrine /'dɒktrɪn/ n doctrine f

docudrama /'dɒkjʊdrɑːmə/ n docudrame m

document /'dɒkjʊmənt/

A n gen document m; Jur acte m; **legal ~** acte judiciaire; **to study all the ~s in a case** Jur étudier le dossier d'une affaire; **travel/insurance/identity ~s** papiers mpl de voyage/d'assurance/d'identité; **policy ~** Pol déclaration f de politique générale

B vtr 1 (give account of, record) décrire [development, events]; **this chapter in her career is not well ~ed** on sait peu de choses sur cette période de sa carrière; **the only ~ed case of this phenomenon** le seul cas connu de ce phénomène; 2 (support or prove with documents) documenter [case, claim]; **all applications must be properly ~ed** toutes les demandes doivent être accompagnées des pièces justificatives requises; 3 Naut munir [qch] des papiers nécessaires [ship]

documentary /ˌdɒkjʊ'mentrɪ, US -terɪ/

A n documentaire m (**about, on** sur); **television/radio ~** documentaire m télévisé/radiophonique

B adj [film, realism, technique, source] documentaire; **~ evidence** Jur preuves fpl écrites; (in historical research) documents mpl de l'époque

documentary: **~ bill** n Comm, Fin traite f documentaire; **~ credit** n Comm, Fin crédit m documentaire; **~ letter of credit** n Comm, Fin lettre f de crédit documentaire

documentation /ˌdɒkjʊmen'teɪʃn/ n ¢ 1 (documents) gen documentation f; Comm documents mpl, pièces fpl justificatives; 2 (act of recording) **one of the historian's tasks is the ~ of social change** l'une des tâches de l'historien est de rendre compte des changements sociaux

document: **~ case**, **~ holder** n porte-documents m inv; **~ reader** Comput lecteur m de documents; **~ retrieval** n Comput recherche f documentaire; **~ wallet** n chemise f (en carton)

docusoap /'dɒkjʊsəʊp/ n TV feuilleton m documentaire

DOD n: abrév US ▸ **Department of Defense**

dodder /'dɒdə(r)/

A n Bot cuscute f

B vi tituber, marcher d'un pas titubant

dodderer /'dɒdərə(r)/ n croulant○/-e m/f pej

doddering /'dɒdərɪŋ/, **doddery** /'dɒdərɪ/ adj 1 [person] (unsteady) branlant; [movement] titubant, vacillant; 2 (senile) gaga○, gâteux/-euse○

doddle○ /'dɒdl/ n GB **it's a ~** c'est du gâteau○!, c'est simple comme bonjour!

dodecahedron /ˌdəʊdekə'hiːdrən, US -rɒn/ n dodécaèdre m

Dodecanese /ˌdəʊdɪkə'niːz/ pr npl Dodécanèse m

dodge /dɒdʒ/

A n 1 (movement) gen mouvement m de côté; Sport (in boxing, football) esquive f; **he made a quick ~ to the right** gen il a fait un saut vers la droite; (in boxing) il a fait une esquive vers la droite; 2 ○GB (trick) combine○ f, truc○ m; **a ~ for avoiding taxation** une combine○ pour éviter de payer les impôts; **to be up to all the ~s** connaître toutes les combines○

B vtr esquiver [bullet, blow]; échapper à [pursuers]; fig esquiver [difficulty, question, duty]; se dérober à [confrontation, accusation]; éviter de payer [tax]; éviter [person]; **to ~ the issue** escamoter la question; **to ~ military service**, **to ~ the draft** US se faire réformer

dodgem (car) /'dɒdʒəm/ n GB auto f tamponneuse; **to go on the ~s** faire un tour d'autos tamponneuses

dodger /'dɒdʒə(r)/ n 1 (trickster) combinard/-e○ m/f; (shirker) tire-au-flanc○ m inv; 2 Naut taud m. ▸ **draft dodger, tax dodger etc**

dodgy○ /'dɒdʒɪ/ adj GB 1 (untrustworthy) [person, business, establishment, method] louche○, douteux/-euse; 2 (risky, dangerous) [decision, plan, investment] risqué; [situation, moment] délicat; [finances] précaire; [weather] instable; **his health is a bit ~** sa santé est plutôt fragile

dodo /'dəʊdəʊ/ n Zool dronte m, dodo m

(Idiom) **to be as dead as a ~** être tombé aux oubliettes

doe /dəʊ/ n (deer) biche f; (rabbit) lapine f; (hare) hase f

DOE n US abrév ▸ **Department of Energy**

doe-eyed /'dəʊaɪd/ adj aux yeux de biche

doer /'duːə(r)/ n (active person) homme/femme m/f dynamique

does /dʌz, dəz/ (3ᵉ pers sg prés) ▸ **do**

doeskin /'dəʊskɪn/

A n daim m

B modif [gloves, jacket] de daim

doesn't /'dʌznt/ (= **does not**) ▸ **do**

doff† /dɒf, US dɔːf/ *vtr* ôter, enlever [*hat, coat*]; **to ~ one's hat to sb** se découvrir devant qn, soulever son chapeau devant qn (*en guise de salut*)

dog /dɒg, US dɔːg/
A *n* 1 Zool chien *m*; (female) chienne *f*; 2 (male fox, wolf, etc) mâle *m*; 3 ○(person) **you lucky ~!** sacré veinard○!; **you dirty** *ou* **vile ~!** sale type○!; **he's a crafty old ~!** c'est un vieux rusé!; 4 ◑(unattractive woman) mocheté○ *f*, cageot◑ *m* offensive; 5 ○US (poor quality machine, object etc) **it's a ~**○ c'est de la cochonnerie○; 6 Tech gen crampon *m*; (on roof) clameau *m*; (pawl) cliquet *m*
B ○**dogs** *npl* GB Sport (greyhound racing) **the ~s** les courses *fpl* de lévriers
C *vtr* (*p prés etc* **-gg-**) 1 (follow) talonner, suivre [qn] de près [*person*]; **to ~ sb's footsteps** être sur les talons de qn, être toujours derrière qn; 2 (plague) suivre; **to be ~ged by misfortune** être poursuivi par la malchance; **to be ~ged by uncertainty/controversy** être en proie à l'incertitude/la controverse; **poor health had ~ged his childhood** il avait été affligé d'une mauvaise santé pendant toute son enfance

(Idioms) **it's ~ eat ~** c'est chacun pour soi, c'est la foire d'empoigne; **every ~ has its day** à chacun vient sa chance, à chacun son heure de gloire; **give a ~ a bad name (and hang him)** Prov celui qui veut noyer son chien l'accuse de la rage Prov; **to put on the ~**○ US frimer○; **love me, love my ~** aime-moi tel que je suis; **to go and see a man about a ~** euph hum (relieve oneself) aller se soulager; (go on unspecified business) aller voir le pape hum; **they don't have a ~'s chance** ils n'ont pas la moindre chance *or* l'ombre d'une chance; **it's a ~'s life** c'est une vie de chien; **to lead a ~'s life** mener une vie de chien; **to lead sb a ~'s life** mener une vie de chien à qn; **there's life in the old ~ yet** (of oneself) je ne suis pas encore grabataire; (of sb else) il/elle n'est pas encore grabataire; **to go to the ~s**○ [*company, country*] aller à vau-l'eau; [*person*] filer un mauvais coton○; **to treat sb like a ~** traiter qn comme un chien; **to be dressed** *ou* **got up like a ~'s dinner**○ être accoutré de façon ridicule; **it's a real ~'s breakfast**○! c'est n'importe quoi!; **you wouldn't put a ~ out on a night like this!** il fait un temps de chien ce soir! ▸ **teach**

dog: **~ basket** *n* panier *m* pour chien; **~ biscuit** *n* biscuit *m* pour chien; **~ breeder** ▸ **p. 1683** *n* éleveur/-euse *m/f* de chiens; **~ cart** *n* dog-cart *m*, charrette *f* anglaise

dog collar *n* 1 lit collier *m* de chien; 2 ○hum (clergyman's collar) col *m* romain

dog days *npl* 1 (warm weather) canicule *f*; 2 fig (slack period) période *f* creuse

doge /dəʊdʒ/ *n* Hist doge *m*

dog: **~-eared** *adj* écorné; **~-end**○ *n* mégot○ *m*

dogfight /ˈdɒgfaɪt, US ˈdɔːg-/ *n* 1 lit bagarre *f* de chiens; (between people) bagarre *f*; 2 Mil Aviat combat *m* aérien

dog: **~fighting** *n* combat *m* de chiens; **~fish** *n* Zool chien *m* de mer; Culin roussette *f*; **~ food** *n* nourriture *f* pour chiens

dogged /ˈdɒgɪd, US ˈdɔːgɪd/ *adj* [*attempt*] obstiné, soutenu; [*persistence, insistence*] tenace; [*refusal*] obstiné, tenace; [*resistance*] opiniâtre; [*person*] tenace, persévérant; **a ~ campaigner for human rights** un militant acharné des droits de l'homme

doggedly /ˈdɒgɪdlɪ, US ˈdɔːg-/ *adv* [*persist*] obstinément; [*work*] avec ténacité; [*resist*] opiniâtrement

doggedness /ˈdɒgɪdnɪs, US ˈdɔːg-/ *n* obstination *f*, ténacité *f*

Dogger Bank /ˌdɒgəˈbæŋk/ *pr n* Dogger Bank *m*

doggerel /ˈdɒgərəl, US ˈdɔːg-/ *npl* Literat vers *mpl* de mirliton

doggie○ *n* = **doggy A**

doggo○ /ˈdɒgəʊ, US ˈdɔːgəʊ/ *adv* GB **to lie ~** faire le mort

doggone○ /ˈdɒgɒn, US ˈdɔːgɔːn/ US
A *adj* (*also* **~d**) sacré○ (*before n*), foutu◑ (*before n*)
B *adv* (*also* **~d**) sacrément○, vachement○
C *excl* **~ it**○! bon sang○!, merde◑!

doggy○ /ˈdɒgɪ, US ˈdɔːgɪ/
A *n* toutou○ *m*, chien *m*
B *adj* [*odour*] de chien

doggy: **~ bag** *n*: *petit sac pour emporter les restes*; **~ fashion**○ *adv* [*eat, swim*] comme un chien; [*make love*] en levrette; **~ paddle**○ *n, vi* = **dog paddle**

dog handler ▸ **p. 1683** *n* maître-chien *m*

doghouse /ˈdɒghaʊs, US ˈdɔːg-/ *n* US niche *f* (à chien)

(Idioms) **to be in the ~**○ être tombé en disgrâce; **to be in the ~ with sb**○ ne pas être dans les petits papiers de qn, ne plus avoir la cote○ avec qn

dogie /ˈdəʊgɪ/ *n* US veau *m* sans mère

dog in the manger
A *n* empêcheur/-euse *m/f* de tourner en rond
B **dog-in-the-manger** *modif* [*attitude, behaviour*] égoïste

dog: **~ Latin** *n* latin *m* de cuisine; **~leg** *n* Aut virage *m* brusque, coude *m*; **~ licence** *n*: *redevance payée pour la possession d'un chien*; **~like** *adj* [*devotion, fidelity*] de chien

dogma /ˈdɒgmə, US ˈdɔːgmə/ *n* dogme *m*

dogmatic /dɒgˈmætɪk, US dɔːg-/ *adj* dogmatique (**about** sur)

dogmatically /dɒgˈmætɪklɪ, US dɔːg-/ *adv* [*insist, maintain*] dogmatiquement; [*refuse, oppose, say*] d'une façon catégorique

dogmatism /ˈdɒgmətɪzəm, US ˈdɔːg-/ *n* dogmatisme *m*

dogmatist /ˈdɒgmətɪst, US ˈdɔːg-/ *n* dogmatique *mf*

dogmatize /ˈdɒgmətaɪz, US ˈdɔːg-/ *vi* dogmatiser (**about** sur)

do-gooder○ /duːˈgʊdə(r)/ *n* péj bonne âme *f*, pilier *m* de bonnes œuvres péj

dog paddle
A *n* nage *f* à la manière d'un chien
B *vi* nager à la manière d'un chien

dog rose *n* 1 (flower) églantine *f*; 2 (shrub) églantier *m* (commun)

dog: **~sbody**○ *n* GB (*also* **general ~**) (man, woman) bonne *f* à tout faire; **~'s home**○ *n* chenil *m*; **~show** *n* exposition *f* canine; **Dog Star** *n* Sirius *m*; **~ tag**○ *n* US Mil plaque *f* d'identification (*portée par le personnel militaire américain*); **~-tired**○ *adj* claqué○, crevé○; **~tooth** *n* (*pl* **~teeth**) Archit dent-de-chien *f*; **~-tooth check** *n, adj* pied-de-poule (*m*) *inv*; **~tooth violet** *n* dent-de-chien *f*, erythronium *m*; **~track** *n* piste *f* (pour les courses de lévriers); **~trot** *n* Equit petit trot *m*; **~watch** *n* Naut petit quart *m*; **~wood** *n* cornouiller *m*

dogy *n* US = **dogie**

doh /dəʊ/ *n* Mus do *m*, ut *m*

doily /ˈdɔɪlɪ/ *n* napperon *m*

doing /ˈduːɪŋ/
A *pres p* ▸ **do**
B *n* **this is her ~** c'est son ouvrage; **all of this is your ~** c'est toi qui es la cause de tout cela; **it's none of my ~** ce n'est pas moi qui l'ai fait; **it takes some ~!** ce n'est pas facile du tout!
C **doings** *npl* 1 (actions) faits et gestes *mpl*, agissements *mpl* péj; (events) événements *mpl*; 2 ○GB machin○ *m*, truc○ *m*

do-it-yourself /ˌduːɪtjɔːˈself/, **DIY**
A *n* bricolage *m*
B *modif* [*shop, book, materials*] de bricolage; [*enthusiast*] du bricolage; **~ kit** kit *m* (à monter soi-même)

do-it-yourselfer /ˌduːɪtjɔːˈselfə(r)/ *n* bricoleur/-euse *m/f*

dojo /ˈdəʊdʒəʊ/ *n* dojo *m*, salle *f* d'entraînement (*pour les arts martiaux*)

Dolby (stereo)® /ˈdɒlbɪ/ *n* (système) Dolby® *m*

doldrums /ˈdɒldrəmz/ *npl* 1 Meteorol (area) zone *f* des calmes équatoriaux; (weather) calme *m* équatorial; 2 fig (stagnation) **to be in the ~** [*person*] broyer du noir, être en pleine déprime; [*economy, company*] être en plein marasme

dole○ /dəʊl/ *n* GB Soc Admin allocation *f* de chômage; **to be/go on the ~** être/s'inscrire au chômage

(Phrasal verb) ■ **dole out**: ▶ **~ out [sth]**, **~ [sth] out** distribuer

doleful /ˈdəʊlfl/ *adj* dolent, triste

dolefully /ˈdəʊlfəlɪ/ *adv* [*say, remark*] d'un ton dolent; [*look, gesture*] d'un air triste

dole queue *n* GB 1 lit ≈ file *f* d'attente à l'agence pour l'emploi; 2 fig (*also* **~s**) nombre *m* de chômeurs

dolichocephalic /ˌdɒlɪˌkəʊsɪˈfælɪk/ *adj* dolichocéphale

doll /ˈdɒl, US dɔːl/ *n* 1 poupée *f*; **to play with a ~** *ou* **with one's ~s** jouer à la poupée; **~'s bed/clothes** lit *m*/vêtements *mpl* de poupée; 2 ○(pretty girl) jolie nana○ *f*; (attractive man) beau mec○ *m*; **hi, ~!** (to woman) salut, ma belle○! *or* poupée!; (to man) salut, beau mec○!; 3 (nice person) **you're a ~!** tu es un chou○!

(Phrasal verb) ■ **doll up**: ▶ **~ up [sb/sth]**○, **~ [sb/sth] up**○ pomponner○ [*person*]; bichonner○ [*room, house*]; **she was all ~ed up** elle était sur son trente et un○; **to ~ oneself up**, **to get ~ed up** se pomponner○, se faire beau/belle

dollar /ˈdɒlə(r)/ ▸ **p. 1108** *n* dollar *m*

(Idiom) **the 64 thousand ~ question** la question à mille francs *or* à mille balles

dollar: **~ area** *n* zone *f* dollar; **~ bill** *n* billet *m* d'un dollar; **~ diplomacy** *n* diplomatie *f* qui s'appuie sur le pouvoir financier; **~ sign** *n* symbole *m* du dollar

dollop○ /ˈdɒləp/ *n* lit cuillerée *f* (**of** de); fig bonne dose *f* (**of** de)

doll: **~'s hospital** *n* atelier *m* où on répare les poupées; **~'s house** *n* maison *f* de poupée

dolly /ˈdɒlɪ, US ˈdɔːlɪ/
A *n* 1 ○(doll) poupée *f*; 2 (mobile platform) chariot *m* *or* plate-forme *f* (de manutention); Cin, TV dolly *m*; 3 (for washing clothes) battoir *m*, batte *f* de blanchisseuse; 4 US Rail (locomotive) diabolo *m*, locotracteur *m*; 5 Tech (for rivet) enclumette *f*; 6 Constr avant-pieu *m* *inv*; 7 Sport coup *m* *or* passe *f* facile
B *vi* Cin, TV **to ~ in/out** faire un travelling avant/arrière

dolly: **~ bird**○ *n* GB péj ravissante idiote○ *f*; **~ mixture** *n* petit bonbon *m*

dolmades /dɒlˈmɑːðez/ *npl* dolmas *mpl*, feuilles *fpl* de vigne farcies

dolman sleeve /ˌdɒlmənˈsliːv/ *n* manche *f* chauve-souris

dolmen /ˈdɒlmən/ *n* dolmen *m*

dolomite /ˈdɒləmaɪt/ *n* (mineral) dolomie *f*; (rock) dolomite *f*

Dolomites /ˈdɒləmaɪts/ *pr npl* Dolomites *fpl*

dolphin /ˈdɒlfɪn/ *n* Zool dauphin *m*

dolphinarium /ˌdɒlfɪˈneərɪəm/ *n* delphinarium *m*

dolphin striker *n* Naut arc-boutant *m* de martingale

dolt /dəʊlt/ *n* péj abruti○ *m*, balourd *m*

domain /dəʊˈmeɪn/ *n* (all contexts) domaine *m* (**of** de)

domain: **~ name** *n* Comput nom *m* de domaine; **~ name system**, **DNS** *n* Comput système *m* d'adressage par domaines

dome /dəʊm/ *n* gen dôme *m*; Archit coupole *f*, dôme *m*

d

domed /dəʊmd/ *adj* [*skyline, tower, city*] à dômes, à coupoles; [*roof, ceiling*] en dôme; [*forehead, helmet*] bombé

Domesday Book /ˈduːmzdeɪ bʊk/ *n* GB Hist Domesday Book *m* (*recueil compilé à la fin du XIe siècle pour répertorier les terres anglaises*)

domestic /dəˈmestɪk/
A *n* 1 †(servant) domestique† *mf*; 2 ○(argument) dispute *f* conjugale
B *adj* 1 Pol (home) [*market, affairs, consumption, policy, flight, demand, price*] intérieur; [*consumer*] du pays; [*crisis, issue*] de politique intérieure; 2 (of house) [*activity, animal*] domestique; **~ chores** tâches *fpl* ménagères; **~ staff** domestiques *mfpl*; 3 (family) [*life, situation, harmony*] familial; [*dispute*] conjugal; **~ bliss** hum le bonheur familial

domestically /dəˈmestɪklɪ/ *adv* Pol, gen [*produced, sold*] à l'intérieur du pays; **these are difficult times for the president ~** le président doit faire face à une situation difficile à l'intérieur du pays; **~, the decision was a disaster** au niveau de la politique intérieure, la décision a été un désastre

domestic appliance *n* appareil *m* électroménager

domesticate /dəˈmestɪkeɪt/
A *vtr* domestiquer [*animal*]
B domesticated *pp adj* 1 [*animal*] domestiqué; [*countryside, landscape*] léché; 2 **to be ~d** [*person*] aimer s'occuper de la maison

domestication /dəˌmestɪˈkeɪʃn/ *n* domestication *f*

domestic help *n* aide *f* ménagère

domesticity /ˌdɒməˈstɪsətɪ, ˌdəʊ-/ *n* 1 (home life) vie *f* de famille, vie *f* familiale; 2 (household duties) tâches *fpl* ménagères

domestic science
A *n* GB arts *mpl* ménagers
B *modif* [*teacher, exam*] d'arts ménagers

domestic servant *n* domestique *mf*

domestic service
A *n* **to be in ~** être domestique
B domestic services *npl* services *mpl* d'entretien

domestic violence *n* violence *f* dans la famille

domicile /ˈdɒmɪsaɪl/ *n* Admin, Jur domicile *m*

domiciled /ˈdɒmɪsaɪld/ *adj* domicilié

domiciliary /ˌdɒmɪˈsɪlɪərɪ, US -erɪ/ *adj* [*visit, care, health service*] à domicile; [*rights, information*] relatif/-ive au domicile; [*premises*] du domicile

dominance /ˈdɒmɪnəns/ *n* 1 (fact of dominating group or individual) domination *f* (**of** de); 2 (numerical strength) prépondérance *f* (**of** de); 3 Biol, Zool dominance *f*

dominant /ˈdɒmɪnənt/
A *n* 1 Mus (fifth note) dominante *f*; (chord) accord *m* de dominante; (key) ton *m* de dominante; 2 Biol gène *m* dominant; 3 Ecol (animal species) espèce *f* dominante; (plant) dominante *f*
B *adj* gen, Biol dominant; Mus [*chord, key*] de dominante; **~ market position** situation *f* dominante sur le marché

dominate /ˈdɒmɪneɪt/
A *vtr* dominer [*person, region, town*]; **to ~ the market/industry** dominer le marché/dans l'industrie; **to be ~d by** [*market, industry*] être entre les mains de [*company, group*]; [*committee, university*] être dominé par [*group*]; **life in the West is ~d by the car/by television** c'est la voiture/la télévision qui prédomine dans les pays occidentaux; **an area ~d by factories/shops** une zone très industrielle/commerçante
B *vi* 1 (control others) [*person*] dominer; 2 (predominate) [*issue, topic, question*] prédominer

dominating /ˈdɒmɪneɪtɪŋ/ *adj* dominateur/-trice

domination /ˌdɒmɪˈneɪʃn/ *n* domination *f* (**of** de; **by** par); **the ~ of the curriculum by science subjects** la prépondérance des disciplines scientifiques dans le programme

dominatrix /ˌdɒmɪˈneɪtrɪks/ *n* femme *f* dominatrice

domineer /ˌdɒmɪˈnɪə(r)/ *vi* jouer le grand chef

domineering /ˌdɒmɪˈnɪərɪŋ/ *adj* [*person, behaviour, attitude*] despotique; [*ways*] de despote; [*tone, voice*] autoritaire

Dominica /dəˈmɪnɪkə/ ▸ **p. 1096** *pr n* Dominique *f*

Dominican /dəˈmɪnɪkən/ ▸ **p. 1467**
A *n* 1 Geog Dominicain/-e *m/f*; 2 Relig Dominicain *m*
B *adj* 1 Geog [*person, river, economy*] dominicain, de (la) Dominique; 2 Relig dominicain

Dominican Republic ▸ **p. 1096** *pr n* République *f* dominicaine

dominion /dəˈmɪnɪən/ *n* 1 (authority) domination *f* (**over** sur); 2 (area ruled) terres *fpl*; 3 GB Hist (of empire) (*also* **Dominion**) dominion *m*

domino /ˈdɒmɪnəʊ/ ▸ **p. 1253**
A *n* 1 Games (piece) domino *m*; 2 Hist Fashn (cloak) domino *m*; (eye-mask) loup *m*
B dominoes *npl* Games dominos *mpl*

domino: **~ effect** *n* réaction *f* en chaîne; **~ theory** *n* Pol théorie *f* des dominos

don /dɒn/
A *n* 1 GB Univ professeur *m* d'université; 2 US (in mafia) don *m*
B *vtr* (*p prés etc* **-nn-**) littér mettre [*hat, gloves*]

donate /dəʊˈneɪt, US ˈdəʊneɪt/
A *vtr* faire don de [*money, kidney, body*] (**to** à); **to be ~d by sb** être un don de qn
B *vi* faire un don

donation /dəʊˈneɪʃn/ *n* don *m* (**of** de; **à** to)

done /dʌn/
A *pp* ▸ **do**
B *pp adj* (socially acceptable) **it's not the ~ thing** ça ne se fait pas; **it's not ~ to do** ça ne se fait pas de faire
C *excl* (making deal) marché conclu!
(Idioms) **~ and dusted** terminé; **the deal was ~ and dusted in minutes** l'affaire fut conclue en quelques minutes

doner kebab /ˌdəʊnə kəˈbæb/ *n* ≈ sandwich *m* grec

dong /dɒŋ/ ▸ **p. 1108** *n* 1 (sound of bell) dong *m*; 2 (currency) dông *m*; 3 ◐(penis) bite● *f*, pénis *m*

dongle /ˈdɒŋgl/ *n* Comput clé *f* de sécurité *or* de protection, dongle *m*

donjon /ˈdɒndʒən/ *n* donjon *m*

Don Juan /ˌdɒn ˈdʒuːən/ *n* lit, fig Don Juan *m*

donkey /ˈdɒŋkɪ/ *n* Zool âne *m*
(Idioms) **she could talk the hind leg off a ~!** c'est un vrai moulin à paroles○!; **~'s years ago**○ il y a une éternité; **I've known him for ~'s years**○ je le connais depuis des années *or* une éternité

donkey engine *n* 1 Naut moteur *m* auxiliaire; 2 Mech petit cheval *m*, cheval *m* alimentaire

donkey: **~ jacket** *n* grosse veste *f* de travail; **~ ride** *n* promenade *f* à dos d'âne; **~ work** *n* travail *m* pénible

donnish /ˈdɒnɪʃ/ *adj* [*person*] intellectuel/-elle

donor /ˈdəʊnə(r)/ *n* (of organ) donneur/-euse *m/f*; (of money) donateur/-trice *m/f*; **blood/kidney ~** donneur/-euse de sang/de rein

donor: **~ card** *n* carte *f* de donneur d'organes; **~ organ** *n* transplant *m*

Don Quixote /ˌdɒnˈkwɪksət/ *pr n* Don Quichotte

don't /dəʊnt/ = **do not**

don't know *n* (in survey) sans opinion *mf inv*

donut *n* US = **doughnut**

doodah○ GB /ˈduːdɑː/, **doodad**○ US /ˈduːdæd/ *n* machin○ *m*, truc○ *m*

doodle /ˈduːdl/
A *n* gribouillage *m*
B *vi* gribouiller (**on** sur)

doodlebug /ˈduːdlbʌg/ *n* GB Mil Hist missile *m* sol-sol V1

doofus○ /ˈduːfəs/ *n* US imbécile *mf*

doolally○ /ˈduːlælɪ/ *adj* hum zinzin○, dérangé; **to go ~** devenir zinzin○

doom /duːm/
A *n* (death) mort *f*; (unhappy destiny) (of person) perte *f*; (of country, group) catastrophe *f*; **to have a sense of impending ~** avoir de sombres pressentiments; **to prophecy ~** prédire une catastrophe
B *vtr* condamner [*person, project*] (**to** à); **to be ~ed to do** être condamné à faire; **to be ~ed to failure** être voué à l'échec; **to be ~ed from the start** être voué à l'échec avant même de commencer
(Idiom) **to spread** *ou* **preach ~ and gloom** jouer les Cassandre; **it's not all ~ and gloom!** il reste une lueur d'espoir!

doom-laden /ˈduːmleɪdn/ *adj* [*pronouncement, forecast*] sombre, alarmiste

doomsday /ˈduːmzdeɪ/
A *n* fin *f* du monde; **until ~** hum jusqu'à la saint-glinglin○
B *modif* **a ~ scenario** un scénario catastrophe

doomwatch /ˈduːmwɒtʃ/ *n* Ecol catastrophisme *m*

door /dɔː(r)/ *n* 1 gen porte *f* (**to** de; **in** dans); **the ~ to the terrace/kitchen** la porte de la terrasse/de la cuisine; **their house is a few ~s down** ils habitent quelques maisons plus bas; **behind closed ~s** à huis clos; **to shut/slam the ~ on sb** *ou* **in sb's face** lit fermer/claquer la porte au nez de qn; **to shut** *ou* **close the ~ on sth** fig fermer la porte à qch; **to slam the ~ in sb's face** fig envoyer promener qn; 2 Aut, Rail porte *f*, portière *f*; **a four-~ car** une voiture à quatre portes; **'mind the ~s please'** 'attention à la fermeture automatique des portes'; 3 (entrance) entrée *f*; **to be on the ~** être à l'entrée; **'pay at the ~'** 'payez à l'entrée'
(Idioms) **to be at/look as if one is at death's ~** être/avoir l'air d'être à l'article de la mort; **to get a foot in the ~** mettre un pied dans la place; **to lay sth at sb's ~** imputer qch à qn; **to open the ~(s) to sth** ouvrir la voie à qch; **to leave the ~ open for** *ou* **to sth** laisser la porte ouverte à qch; **this will open ~s for him** cela va lui ouvrir des portes; **one ~ shuts, another opens** une porte se ferme, une autre s'ouvre; **to show sb the ~** mettre qn à la porte

door: **~ bell** *n* sonnette *f*; **~ chime** *n* carillon *m* de porte; **~ frame** *n* chambranle *m* (de porte); **~ handle** *n* gen (lever type) poignée *f* de porte; (turning type) bouton *m* de porte; Aut poignée *f*; **~ jamb** *n* jambage *m*; **~keeper** *n* portier *m*; **~-knob** *n* bouton *m* de porte; **~man** *n* (at hotel) portier *m*; (at cinema) contrôleur *m*; **~mat** *n* lit, fig paillasson *m*

doornail /ˈdɔːneɪl/
(Idiom) **to be as dead as a ~** être mort et bien mort

door: **~ plate** *n* (of doctor, lawyer) plaque *f* (de porte); **~post** *n* montant *m*

doorstep /ˈdɔːstep/
A *n* 1 (step) pas *m* de porte; 2 (threshold) seuil *m*; **on the** *ou* **one's ~** (nearby) tout près; (unpleasantly close) juste à côté; 3 ○(chunk of bread) grosse tartine *f*
B *vtr* GB Pol (canvass) **to ~ sb** aller chez qn pour faire du démarchage électoral

door: **~-stepping** *n* GB Pol démarchage *m* électoral à domicile; **~stop** *n* butoir *m* (de porte)

door-to-door /ˌdɔːtəˈdɔː/
A *adj* [*canvassing, car service, salesman*] à domicile; **~ selling** porte à porte *m inv*
B door to door *adv phr* [*sell*] à domicile; **it's 90 minutes ~** le trajet prend 90 minutes de porte à porte

doorway /ˈdɔːweɪ/ *n* **1** (frame of door) embrasure *f* (de porte); **2** (area in front of door) porche *m*; **to shelter in a shop ~** s'abriter sous le porche d'une boutique; **to block the ~** bloquer l'entrée

dopamine /ˈdəʊpəmiːn/ *n* dopamine *f*

dope /dəʊp/

A *n* **1** ○(cannabis) cannabis *m*, shit◑ *m*; **2** ○ (fool) andouille○ *f*, imbécile *mf*; **3** ○(information) tuyaux○ *mpl* (**on** sur); **OK, what's the ~ on Joe?** qu'est ce qu'on a comme tuyaux sur Joe○?; **4** Aut, Tech (additive) dope *m*; **5** Ind (in dynamite manufacture) absorbant *m*; **6** (varnish) enduit *m*

B *vtr* **1** (give drug to) Sport doper [*horse, athlete*]; gen droguer [*person*]; **2** (put drug in) mettre un somnifère dans [*food, drink*]

C doped *pp adj* (*also* **~d up**) [*horse, athlete*] dopé; [*person*] drogué

(Phrasal verb) ■ **dope out**: ► **~ out [sth], ~ [sth] out** découvrir [*plan, answer*]

dope: **~ fiend**○ *n* toxicomane *mf*; **~ peddler** *n* dealer○ *m*

dope test

A *n* Sport contrôle *m* antidopage

B dope-test *vtr* soumettre [qn/qch] à un contrôle antidopage [*horse, athlete*]

dopey○ /ˈdəʊpɪ/ *adj* **1** (silly) abruti; **2** (not fully awake) groggy○, vaseux/-euse○

doping /ˈdəʊpɪŋ/ *n* Sport dopage *m*

doppelganger /ˈdɒplgeŋə(r)/ *n* double *m*

Doppler effect /ˈdɒplə(r)/ *n* effet *m* Doppler

Dordogne /dɔːˈdɔɪn/ ► **p. 1129** *pr n* Dordogne *f*; **in/to the ~** en Dordogne

Doric /ˈdɒrɪk/ *adj* dorique

dork○ /dɔːk/ *n* US, Austral abruti/-e○ *m/f*

dorm○ /dɔːm/ *n* GB Sch *abrév* ► **dormitory A 1**

dormant /ˈdɔːmənt/ *adj* **1** (latent) [*emotion, sensuality, talent, potential*] latent, qui sommeille; **to lie ~** sommeiller; **2** Geol [*volcano*] au repos, en sommeil; **3** Herald couché; **4** Bot dormant

dormer /ˈdɔːmə(r)/ *n* (*also* **~ window**) lucarne *f*

dormitory /ˈdɔːmɪtrɪ, US -tɔːrɪ/

A *n* **1** GB dortoir *m*; **2** US Univ résidence *f*, foyer *m*

B *modif* [*suburb, town*] dortoir *inv*

Dormobile® /ˈdɔːməbiːl/ *n* auto-caravane *f*, camping-car *m*

dormouse /ˈdɔːmaʊs/ *n* (*pl* **dormice**) Zool muscardin *m*

dorsal /ˈdɔːsl/ *adj* dorsal

Dorset /ˈdɔːsɪt/ ► **p. 1612** *pr n* Dorset *m*

dory /ˈdɔːrɪ/ *n* **1** US Naut doris *m*; **2** Zool saint-pierre *m*

DOS /dɒs/ *n* Comput *abrév* ► **disk operating system**

dosage /ˈdəʊsɪdʒ/ *n* posologie *f*

dose /dəʊs/

A *n* Med, fig dose *f* (**of** de); **a ~ of originality/optimism** une dose d'originalité/d'optimisme; **to have a ~ of shingles/measles** avoir un zona/la rougeole; **a ~ of flu** une bonne grippe; **to catch a ~**○ (of VD) attraper la vérole◑

B *vtr* **to ~ sb with medicine** bourrer○ qn de médicaments

C *v refl* **to ~ oneself up** se bourrer○ de médicaments

(Idioms) **like a ~ of salts** à la vitesse grand V; **he's all right in small ~s** il est supportable à doses homéopathiques

dosh○ /dɒʃ/ *n* GB fric○ *m*, argent *m*

doss○ /dɒs/ *n* GB **it's a ~**○**!** facile!

(Phrasal verb) ■ **doss down**○ pieuter◑, dormir

dosser○ /ˈdɒsə(r)/ *n* **1** (tramp) clodo○ *m*, clochard/-e *m/f*; **2** (lazy person) glandeur/-euse◑ *m/f*, paresseux/-euse *m/f*

dosshouse○ /ˈdɒshaʊs/ *n* asile *m* de nuit

dossier /ˈdɒsɪə(r), -ɪeɪ/ *n* dossier *m* (**on** sur)

dost‡ = **do you**

Dostoevsky /ˌdɒstɔɪˈefskɪ/ *pr n* Dostoïevski

dot /dɒt/

A *n* gen point *m*; (on fabric, wallpaper) pois *m*; **'~, ~, ~'** 'points *mpl* de suspension'

B *vtr* (*p prés etc* **-tt-**) **1** (in writing) mettre un point sur [*letter*]; **2** Culin parsemer [*chicken, joint*] (**with** de); **3** (be scattered along) **fishing villages ~ the coast, the coast is ~ted with fishing villages** il y a des ports de pêche éparpillés le long de la côte; **there were houses/people ~ted around** il y avait des maisons/des gens ça et là; **they were ~ted around the town/square** ils étaient répartis dans la ville/sur la place

(Idioms) **since the year ~**○ depuis des siècles; **on the ~** pile; **at two o'clock on the ~** à deux heures pile

DOT *n* US (*abrév* = **Department of Transportation**) ministère *m* des transports

dotage /ˈdəʊtɪdʒ/ *n* **to be in one's ~** être dans ses vieux jours pej, devenir gâteux/-euse

dot-com /dɒtˈkɒm/

A *n* (Internet company) société *f* en ligne, société *f* point com

B *modif* [*millionaire, revolution*] de l'Internet; [*era*] Internet; [*society*] en ligne; [*shares*] des sociétés en ligne

dote /dəʊt/ *vi* **to ~ on sb/sth** adorer qn/qch

doth‡ /dʌθ/ = **does**

doting /ˈdəʊtɪŋ/ *adj* **her ~ parents** ses parents qui l'adorent/l'adoraient; **he's a ~ son** il adore ses parents

dotingly /ˈdəʊtɪŋlɪ/ *adv* [*look, gaze*] avec adoration

dot matrix printer *n* imprimante *f* matricielle

dotted /ˈdɒtɪd/ *adj* **1** Fashn (spotted) à pois; **2** Mus [*note*] pointé

dotted line *n* Print pointillé *m*; **'tear along ~'** 'découpez suivant le pointillé'; **to sign on the ~** lit signer à l'endroit indiqué; fig donner son accord

dotterel /ˈdɒtərəl/ *n* Zool pluvier *m* guignard

dotty○ /ˈdɒtɪ/ *adj* GB [*person*] toqué○, farfelu○; [*scheme*] farfelu○

double /ˈdʌbl/

A *n* **1 I'll have a ~ please** (drink) je prendrai un double, s'il vous plaît
2 (of person) sosie *m*; Cin, Theat doublure *f*; **he's your ~!** c'est ton sosie!
3 (in horseracing) (bet) pari *m* sur deux chevaux (*dans deux courses consécutives*)
4 Games (in bridge) contre *m*; (in dominoes) double *m*, doublet *m*; **to throw a ~** (in darts, board game) faire un double

B doubles *npl* (in tennis) double *m*; **ladies'/men's/mixed ~s** double dames/messieurs/mixte; **to play a game of ~s** faire un double

C *adj* **1** (twice as much) [*portion, dose*] double (*before n*); **he was given a ~ helping of strawberries** on lui a servi une double portion de fraises *or* deux fois plus de fraises; **a ~ vodka** une double vodka, une vodka double
2 (when spelling, giving number) **Anne is spelt** GB *ou* **spelled** US **with a ~ 'n'** Anne s'écrit avec deux 'n'; **eight ~ five four (8554)** quatre-vingt cinq, cinquante-quatre; **two ~ four (244)** deux cent quarante-quatre
3 (dual, twofold) **~ advantage** double avantage *m*; **to serve a ~ purpose** avoir une double fonction; **a remark with a ~ meaning** une remarque à double sens; **~ murder** double meurtre *m*; **~-page advertisement** publicité *f* sur double page
4 (intended for two people or things) [*sheet, blanket, garage etc*] double; [*ticket, invitation*] pour deux
5 Bot double

D *adv* **1** (twice) deux fois; **she earns ~ what I earn** elle gagne deux fois plus que moi; **I need ~ this amount** j'en ai besoin de deux fois plus; **it'll take ~ the time** ça va prendre le double de temps; **she's ~ his age** elle a deux fois son âge, elle a le double de son âge; **unemployment is ~ what it was last year** le chômage est deux fois plus important que l'année dernière; **~ three is six** deux fois trois égale six
2 [*fold, bend*] en deux; **to bend ~** se plier en deux; **to be bent ~ with pain/laughter** être plié en deux de douleur/rire; **to see ~** voir double

E *vtr* **1** (increase twofold) doubler [*amount, price, rent, dose etc*]; multiplier [qch] par deux [*number*]
2 (*also* **~ over**) (fold, bend) plier [qch] en deux *or* en double [*blanket, dressing etc*]; doubler [*thread*]
3 (in spelling) doubler [*letter*]
4 (in cards) (when making call in bridge) contrer; **to ~ the stakes** doubler la mise
5 Mus doubler; **to ~ a part** doubler une partie
6 Naut doubler [*cape*]

F *vi* **1** [*sales, prices, salaries etc*] doubler; **to ~ in value** doubler de valeur
2 (in bridge) contrer
3 to ~ for sb Cin, Theat doubler qn
4 (serve dual purpose) **the sofa ~s as a bed** le canapé fait aussi lit; **the study ~s as a bedroom** le bureau sert aussi de chambre; **the gardener ~s as a chauffeur** le jardinier a aussi la fonction de chauffeur; **this actor ~s as the king in Act II** cet acteur joue aussi le rôle du roi dans le deuxième acte

(Idioms) **on** *ou* **at the ~** fig au plus vite; Mil au pas redoublé, au pas de gymnastique; **~ or quits!** (in gambling) quitte ou double!

(Phrasal verbs) ■ **double back** [*person, animal*] rebrousser chemin, faire demi-tour; [*road, track etc*] former un demi-tour
■ **double over** = **double E 2**.
■ **double up**: ► **~ up 1** (bend one's body) se plier en deux; **to ~ up in pain/with laughter** être plié en deux de douleur/de rire; **2** (share sleeping accommodation) partager la même chambre; **3** GB (in betting) parier sur deux chevaux (*dans deux courses consécutives*); ► **to be ~d up** [*person, audience*] être plié en deux (**with** de)

double: **~ act** *n* Theat, fig duo *m*; **~-acting** *adj* à double effet; **~ agent** *n* agent *m* double; **~ album** *n* album *m* double; **~ bar** *n* Mus double barre *f*

double-barrelled GB, **double-barreled** US /ˌdʌblˈbærəld/ *adj* [*gun*] à deux coups; **~ name** GB fig nom *m* à rallonge, ≈ nom à particule

double: **~ bass** ► **p. 1462** *n* (instrument) contrebasse *f*; (player) contrebassiste *mf*; **~ bassoon** ► **p. 1462** *n* contrebasson *m*; **~ bed** *n* lit *m* double *or* à deux places, grand lit; **~-bedded** *adj* [*room*] avec *or* à lit double; **~ bend** *n* Aut virage *m* en S; **~ bill** *n* Theat représentation *f* avec deux œuvres au programme; Cin séance *f* avec deux films à la suite

double bind *n* **1** gen impasse *f*; **to be caught in a ~** être pris dans une impasse; **2** Psych double contrainte *f*, double-bind *m*; **to put sb in a ~** exercer la double contrainte sur qn

double: **~-blind** *adj* [*test, experiment, method*] en double aveugle; **~ bluff** *n*: *fait de dire la vérité à quelqu'un en faisant croire que c'est un mensonge*; **~ boiler** *n* US ≈ bain-marie *m*

double-book

A *vtr* **to ~ a room/seat etc** réserver la même chambre/place etc pour deux personnes; **they had ~ed the whole flight** (deliberately) ils avaient surbooké le vol

B *vi* [*hotel, airline, company*] (as practice) surbooker

double: **~ booking** *n* surbooking *m*; **~ bounce** *n* (in tennis) double rebond *m*;

d

d

~-breasted *adj* [*jacket*] croisé

double check
A *n* deuxième *or* nouveau contrôle *m*
B **double-check** *vtr* vérifier [qch] à nouveau [*figures, arrangements, date, time etc*]

double chin *n* double menton *m*; **to have several ~s** avoir plein de plis sous le menton

double: **~-chinned** *adj* qui a un double menton

double-click /dʌbl'klɪk/ Comput
A *n* double-clic *m*
B *vi* cliquer deux fois, double-cliquer (**on** sur)

double: **~-clutch** *vi* US Aut = **double-declutch**; **~ consonant** *n* consonne *f* double *or* géminée; **~ cream** *n* GB Culin ≈ crème *f* fraîche

double-cross○ /ˌdʌbl'krɒs/
A *n* trahison *f*
B *vtr* doubler, trahir [*person*]

double: **~-crosser**○ *n* traître *m*; **~ cuff** *n* poignet *m* mousquetaire; **~ daggers** *npl* Print croix *f* double

double date US
A *n* **to go on a ~** sortir à deux couples
B **double-date** *vi* sortir à deux couples

double-dealing
A *n* fourberie *f*
B *adj* hypocrite, fourbe

double-decker *n* **1** GB (bus) autobus *m* à impériale *or* à deux étages; **2** (sandwich) sandwich *m* double

double: **~-declutch** *vi* GB Aut faire un double débrayage; **~ density** *adj* double densité

double-digit *adj* à deux chiffres; **~ inflation** inflation *f* à deux chiffres

double door(s) *n(pl)* porte *f* à deux battants

double Dutch○ *n* baragouinage○ *m*; **to talk ~** baragouiner○; **it's all ~ to me!** c'est du chinois *or* de l'hébreu pour moi○!

double-edged *adj* lit, fig à double tranchant

double entendre /ˌduːbl ɑːn'tɑːndrə/ *n* **1** (word, phrase) sous-entendu *m* (grivois); **2** (act, practice) **to resort to ~** faire des sous-entendus grivois

double entry Accts
A *n* comptabilité *f* en partie double
B **double-entry** *modif* [*bookkeeping, accounts, system*] en partie double

double exposure *n* Phot (act, process) surimpression *f*; (photograph) photo *f* en surimpression

double-faced *adj* **1** [*fabric, material, shelving*] à double face; **2** péj [*person*] hypocrite

double fault
A *n* double faute *f*
B **double-fault** *vi* faire une double faute

double: **~ feature** *n* Cin séance *f* avec deux films à la suite; **~-figure** *adj* à deux chiffres

double figures *npl* **to go into ~** [*inflation*] passer la barre des 10%

double flat
A *n* double bémol *m*
B **double-flat** *adj* double bémol *inv*

double-fronted *adj* [*house*] avec une fenêtre de part et d'autre

double game *n* **to play a ~** jouer un double jeu

double-glaze *vtr* mettre du double vitrage à [*window*]; **all the houses are fully ~d** toutes les maisons sont équipées de double vitrage

double glazing *n* double vitrage *m*; **to put in ~** installer du double vitrage

double: **~ helix** *n* double hélice *f*; **~ indemnity** *n* US *clause d'une assurance-vie selon laquelle la prime est doublée en cas de mort accidentelle*; **~ jeopardy** *n* US Jur remise *f* en accusation; **~-jointed** *adj* [*person, limb, finger*] souple

double knit
A *n* double-étoffe *f*
B **double-knit** *modif* [*garment*] en double-étoffe

double: **~ knitting (wool)** *n* grosse laine *f*; **~ knot** *n* double nœud *m*; **~-length cassette** *n* cassette *f* double durée; **~ lesson** *n* Scol double cours *m*

double lock
A *n* serrure *f* de sécurité
B **double-lock** *vtr* fermer [qch] à double tour [*door*]

double negative *n* Ling double négation *f*

double-park
A *vtr* garer [qch] en double file [*vehicle*]
B *vi* se garer en double file

double: **~ parking** *n* stationnement *m* en double file; **~ period** *n* = **double lesson**; **~ pneumonia** ▸ p. 1327 *n* pneumonie *f* double

double-quick
A *adj* **in ~ time** en un rien de temps
B *adv* en vitesse, le plus vite possible

double: **~ room** *n* chambre *f* double, chambre *f* pour deux personnes; **~ saucepan** *n* GB ≈ bain-marie *m inv*

double sharp
A *n* double dièse *m*
B *adj* double dièse *inv*

double: **~-sided disk** *n* Comput disquette *f* double face; **~-sided tape** *n* scotch® *m* double-face; **~-space** *vtr* taper [qch] en double interligne [*letter, text*]; **~ spacing** *n* double interligne *m*; **~ spread** *n* Journ article *m* (*or* publicité *f*) sur double page

double standard *n* **to have ~s** faire deux poids deux mesures

double: **~ star** *n* étoile *f* double; **~-stop** *vtr, vi* jouer en double corde; **~ stopping** *n* double corde *f*

doublet /'dʌblɪt/ *n* **1** Fashn, Hist pourpoint *m*; **2** Ling doublet *m*

double take *n* **to do a ~** avoir une réaction (de surprise) à retardement

double: **~ talk** *n* péj langue *f* de bois; **~ taxation agreement** *n* convention *f* de double imposition

double think *n* **to do a ~** *tenir un raisonnement dont on sait qu'il est fondé sur une contradiction flagrante*

double time *n* **1** **to be paid ~** être payé double; **2** US Mil pas *m* redoublé, pas *m* de gymnastique; **in ~** au pas redoublé, au pas de gymnastique

doubleton /'dʌbltən/ *n* Games bigleton *m*

double vision *n* **to have ~** voir double

double wedding *n* **the sisters had a ~** les deux sœurs ont été mariées en même temps

double: **~ whammy**○ *n* double coup *m* de malchance; **~ yellow line(s)** *n(pl)* GB Aut *marquage au sol interdisant le stationnement*

double yolk *n* **an egg with a ~** un œuf double

doubling /'dʌblɪŋ/ *n* (of cost, salary, amount, size, strength) doublement *m*; (of number, letter) (re)doublement *m*; **the new tax will result in the ~ of prices** cette nouvelle taxe va faire doubler les prix

doubly /'dʌblɪ/ *adv* [*punished, deprived, disappointed*] doublement; [*difficult, confident*] deux fois plus (*before n*); **I made ~ sure that** j'ai bien vérifié que; **to be ~ careful** redoubler de prudence; **she is ~ gifted—as a writer and as an artist** elle a à la fois des dons d'écrivain et d'artiste

doubry○ /'duːbrɪ/ *n* (whatsit) truc○ *m*, machin○ *m*

Doubs ▸ p. 1129 *pr n* Doubs *m*; **in/to the ~** dans le Doubs

doubt /daʊt/
A *n* doute *m*; **there is no ~ (that)** il ne fait aucun doute que; **there is little ~ (that)** il est presque certain que; **there is no ~ about sth** il n'y a aucun doute sur qch; **there is no ~ about her guilt** *ou* **that she is guilty** il n'y a aucun doute sur sa culpabilité; **(there's) no ~ about it** il n'y a aucun doute là-dessus; **there is some ~ about its authenticity** son authenticité est mise en doute; **there's (some) ~ about** *ou* **as to whether he will be able to come** on ne sait pas s'il pourra venir; **there is no ~ in my mind that I'm right** je suis convaincu que j'ai raison *or* d'avoir raison; **to have no ~ (that)** ne pas douter que (+ *subj*); **I have no ~ about her guilt** *ou* **that she is guilty** je n'ai aucun doute sur sa culpabilité, je ne doute pas qu'elle soit coupable; **to have one's ~s about sth** avoir des doutes sur qch, douter de qch; **I have my ~s!** j'ai des doutes!, j'en doute!; **to have one's ~s (about) whether** douter que (+ *subj*); **I have my ~s about whether he's telling the truth** je doute qu'il dise la vérité; **to have one's ~s about doing** hésiter à faire; **no ~** sans doute; **no ~ the police will want to speak to you, the police will no ~ want to speak to you** la police voudra sans doute vous parler; **to leave sb in no ~ about sth** ne laisser à qn aucun doute quant à qch; **to be in ~** [*outcome, project, future*] être incertain; [*honesty, innocence, guilt*] gen être douteux; (on particular occasion) être mis en doute; [*person*] être dans le doute; **this report has put the whole project in ~** ce rapport a mis tout le projet en question; **the election result is not in any ~** le résultat de l'élection ne fait pas l'ombre d'un doute; **if/when in ~** dans le doute; **to be open to ~** [*evidence, testimony*] être sujet à caution; **to cast** *ou* **throw ~ on sth** [*person*] mettre qch en doute; [*evidence, book*] jeter le doute sur qch; **beyond (all) ~, without (a) ~** sans aucun doute; **to prove sth beyond (all) ~** prouver qch de façon indubitable; **without the slightest ~** sans l'ombre d'un doute; **there is room for ~** le doute n'est pas exclu; **there is no room for ~** il n'y a aucun doute à avoir. ▸ **benefit**
B *vtr* douter de [*fact, evidence, value, ability, honesty, person*]; **I ~ it (very much)!** j'en doute (beaucoup)!; **to ~ (if** *ou* **that** *ou* **whether)** douter que (+ *subj*); **I don't ~ that you're telling the truth** je ne doute pas que vous disiez la vérité; **I didn't ~ that she would succeed** je ne doutais pas qu'elle réussirait
C *vi* douter

doubter /'daʊtə(r)/ *n* sceptique *mf*, douteur/-euse *m/f* liter

doubtful /'daʊtfl/
A *n* Pol indécis *m*
B *adj* **1** (unsure) [*person, expression*] incertain, sceptique; [*future, weather, argument, evidence, result*] incertain; [*benefit*] douteux/-euse, incertain; **it is ~ if** *ou* **that** *ou* **whether** il n'est pas certain que (+ *subj*); **I am ~ that** *ou* **whether** je doute que (+ *subj*); **to be ~ about doing** hésiter à faire; **to be ~ about** *ou* **as to** être peu convaincu par [*idea, explanation, plan*]; avoir des doutes sur [*job, object, purchase*]; **she was ~ about this** elle était peu convaincue; **I am ~ as to his suitability for the job** je ne suis pas convaincu qu'il convienne pour ce poste; **to be ~** [*person*] avoir des doutes; **2** (questionable) [*character, past, activity, taste*] douteux/-euse

doubtfully /'daʊtfəlɪ/ *adv* **1** (hesitantly) [*speak, say*] d'un ton hésitant *or* incertain; [*look, listen*] d'un air hésitant *or* incertain; **2** (with disbelief) [*speak, say*] d'un ton sceptique; [*look, listen*] d'un air sceptique; **3** (not convincingly) [*argue*] de façon discutable

doubtfulness /'daʊtfəlnɪs/ *n* **1** (uncertainty) indécision *f*; (scepticism) scepticisme *m*; **2** (questionable nature) (of person's past, of taste) caractère *m* suspect *or* douteux

doubting Thomas /ˌdaʊtɪŋ 'tɒməs/ *n* incrédule *mf*; **to be a ~** être comme Saint Thomas

doubtless /'daʊtlɪs/ *adv* sans doute

douche /duːʃ/
A *n* gen, Med douche *f*
B *vtr* gen, Med doucher
C *v refl* **to ~ oneself** gen, Med se doucher

dough /dəʊ/ *n* **1** Culin pâte *f*; **bread/pizza ~** pâte à pain/à pizza; **2** °(money) fric° *m*, argent *m*

doughboy† /ˈdəʊbɔɪ/ *n* US argot des militaires sammy° *m* (*soldat américain, surtout dans la première guerre mondiale*)

doughnut, donut US /ˈdəʊnʌt/ *n* beignet *m*; **jam/cream ~** beignet à la confiture/à la crème

(Idiom) **it's dollars to ~s that**° je te parie que°

doughty† /ˈdaʊtɪ/ *adj* [*person, courage, defence*] vaillant; [*deed*] de bravoure

doughy /ˈdəʊɪ/ *adj* [*substance, consistency, bread, taste*] pâteux/-euse; [*skin, complexion*] terreux/-euse

Douglas fir /ˌdʌgləsˈfɜː(r)/ *n* (sapin *m* de) Douglas *m*

dour /dʊə(r)/ *adj* [*person, expression*] renfrogné; [*resentment, landscape*] morne; [*mood, indifference*] maussade; [*building*] austère

dourly /ˈdʊəlɪ/ *adv* [*say, speak*] d'un ton maussade; [*smile, frown*] d'un air renfrogné

douse, dowse /daʊs/ *vtr* tremper [*person, room*]; noyer, éteindre [*flame, fire*] (**with** avec); **to ~ sb/sth with water** tremper qn/qch; **to ~ sb/sth with** *ou* **in petrol** arroser qn/qch d'essence

dove
A /dʌv/ *n* Zool, Pol colombe *f*
B /dəʊv/ US *prét* ▸ **dive**

dovecot(e) /ˈdʌvkɒt, ˈdʌvkəʊt/ *n* pigeonnier *m*, colombier *m*

dove-grey ▸ **p. 1067** *n, adj* gris (*m*) perle *inv*

doveish, dovish /ˈdʌvɪʃ/ *adj* Pol [*person, policy, speech, opinion*] (à tendance) pacifiste

Dover /ˈdəʊvə(r)/ ▸ **p. 1815** *pr n* Douvres; **the Straits of ~** le Pas *m* de Calais

Dover sole *n* sole *f* de Douvres

dovetail /ˈdʌvteɪl/
A *n* Constr (joint) assemblage *m* à queue-d'aronde; (part of joint) queue-d'aronde *f*
B *vtr* **1** fig faire concorder [*plans, policies, research, arguments*] (**with** avec); **2** Constr assembler [qch] à queue-d'aronde [*pieces*]
C *vi* fig (*also* **~ together**) bien cadrer ensemble; **to ~ with sth** cadrer avec qch

dowager /ˈdaʊədʒə(r)/ *n, adj* douairière (*f*) also hum

dowdiness /ˈdaʊdɪnɪs/ *n* manque *m* d'élégance

dowdy /ˈdaʊdɪ/ *adj* [*woman*] sans élégance; [*clothes*] vieux jeu *inv*; [*image*] vieillotte°; **I look so ~!** j'ai l'air d'un sac°!

dowel /ˈdaʊəl/
A *n* cheville *f*
B *vtr* (*p prés etc* **-ll-** GB, **-l-** US) cheviller

Dow-Jones (industrial average) /ˌdaʊˈdʒəʊnz/ *n* indice *m* Dow Jones

down[1] /daʊn/

> ⚠ *Down* often occurs as the second element in verb combinations in English (*go down, fall down, get down, keep down, put down etc*).
> For translations, consult the appropriate verb entry (**go, fall, get, keep, put** etc).
> When used to indicate vague direction, *down* often has no explicit translation in French: *to go down to London* = aller à Londres; *down in Brighton* = à Brighton.
> For examples and further usages, see the entry below.

A *adv* **1** (from higher to lower level) **to go** *ou* **come ~** descendre; **to fall ~** tomber; **to sit ~ on the floor** s'asseoir par terre; **to pull ~ a blind** baisser un store; **I'm on my way ~** je descends; **I'll be right ~** je descends tout de suite; **~!** (to dog) couché!; **'~'** (in crossword) 'verticalement'; **read ~ to the end of the paragraph** lire jusqu'à la fin du paragraphe
2 (indicating position at lower level) **~ below** en bas; (when looking down from height) en contrebas; **the noise was coming from ~ below** le bruit venait d'en bas; **they could see the lake ~ below** ils voyaient le lac en contrebas; **~ there** là-bas; **'where are you?'—'~ here!'** 'où es-tu?'—'ici!'; **to keep one's head ~** garder la tête baissée; **the blinds were ~** les stores étaient baissés; **a sports car with the hood ~** une voiture de sport avec la capote baissée; **several trees were blown ~** plusieurs arbres ont été abattus par le vent; **a bit further ~** un peu plus bas; **their office is two floors ~** leur bureau est deux étages plus bas; **it's on the second shelf ~** c'est au deuxième rayon en partant du haut; **the coal lies 900 metres ~** le charbon se trouve neuf cents mètres plus bas; **it's ~ at the bottom of the lake** c'est tout au fond du lac; **the telephone lines are ~** les lignes téléphoniques sont coupées
3 (from upstairs) **is Tim ~ yet?** est-ce que Tim est déjà descendu?
4 (indicating direction) **to go ~ to Nice/Brighton** descendre à Nice/Brighton; **to go ~ to London** aller à Londres; **~ in Brighton** à Brighton; **they've gone ~ to the country for the day** ils sont allés passer la journée à la campagne; **they moved ~ here from Scotland a year ago** ils ont quitté l'Écosse pour venir s'installer ici il y a un an; **they live ~ south**° ils habitent dans le sud
5 (in a range, scale, hierarchy) **children from the age of 10 ~** les enfants de moins de dix ans; **everybody from the Prime Minister ~** tout le monde depuis le Premier Ministre; **everybody from the lady of the manor ~ to the lowliest servant** tout le monde, de la châtelaine au domestique le plus humble; **from the sixteenth century ~ to the present day** du seizième siècle à nos jours
6 (indicating loss of money, decrease in profits etc) **hotel bookings are ~ by a half this year** les réservations dans les hôtels ont baissé de moitié par rapport à l'année dernière; **this year's profits are well ~ on last year's** les bénéfices de cette année sont nettement inférieurs à ceux de l'année dernière; **I'm £10 ~** il me manque 10 livres sterling; **tourism is ~ 40% this year** le tourisme a chuté de 40% cette année
7 (indicating decrease in extent, volume, quality, process) **to get one's weight ~** maigrir; **we managed to get the price ~ to £200** nous avons réussi à faire baisser le prix à 200 livres sterling; **in the end she managed to get the article ~ to five pages** finalement elle a réussi à réduire l'article à cinq pages; **I'm ~ to my last fiver°/cigarette** il ne me reste plus que cinq livres sterling/qu'une cigarette; **he described her exactly, right ~ to the colour of her eyes** il l'a décrite très précisément, jusqu'à la couleur de ses yeux; **'dollar fever ~ on Wall St'** journ 'la spéculation sur le dollar en baisse à Wall Street'; **that's seven ~, three to go!** en voilà sept de faits, il n'en reste plus que trois à faire!
8 (in writing) **to put sth ~ (on paper** *ou* **in writing)** mettre qch par écrit; **it's set ~ here in black and white** c'est écrit ici noir sur blanc
9 (on list, programme, schedule) **to put sb's name ~ for sth** inscrire qn pour qch; **you're ~ to speak next** c'est toi qui es le prochain à intervenir; **I've got you ~ for next Thursday** (in appointment book) vous avez rendez-vous jeudi prochain
10 (incapacitated) **to be ~ with the flu/with malaria** avoir la grippe/la malaria
11 Sport (behind) **to be two sets/six points ~** [*tennis player*] avoir deux sets/six points de retard; **the team is ~ 12–6** l'équipe est menée 12 à 6
12 (as deposit) **to pay £40 ~** payer 40 livres sterling comptant
13 (downwards) **he was lying face ~** il était couché, le visage face au sol; **the bread fell with the buttered side ~** la tartine est tombée avec la face beurrée sur le sol
B *prep* **1** (from higher to lower point) **they came running ~ the hill** ils ont descendu la colline en courant; **tears ran ~ his face** les larmes coulaient le long de ses joues; **did you enjoy the journey ~?** est-ce que tu as fait bon voyage?; **she's gone ~ town** elle est allée en ville
2 (at a lower part of) **they live ~ the road** ils habitent un peu plus loin dans la rue; **it's ~ the corridor to your right** c'est dans le couloir sur la droite; **it's a few miles ~ the river from here** c'est à quelques kilomètres en aval de la rivière; **the kitchen is ~ those stairs** la cuisine est en bas de cet escalier
3 (along) **to go ~ the street** descendre la rue; **a dress with buttons all ~ the front** une robe boutonnée sur le devant; **he looked ~ her throat** il a regardé au fond de sa gorge; **to look ~ a tunnel/telescope** regarder dans un tunnel/télescope
4 (throughout) **~ the ages** *ou* **centuries** au cours des siècles, à travers les siècles
C *adj* **1** °(depressed) déprimé; **to feel ~** avoir le cafard°, être déprimé
2 [*escalator, elevator*] qui descend; GB Rail [*train, line*] descendant
3 Comput en panne
D °*vtr* **1** abattre, terrasser [*person*]; descendre [*plane*]
2 (drink) **he ~ed his beer** il a descendu° son verre de bière

(Idioms) **to have a ~ on sb, to be ~ on sb**° avoir une dent contre qn, en vouloir à qn; **you don't hit a man when he's ~** Prov on ne frappe pas un homme à terre; **it's ~ to you to do it** c'est à toi de le faire; **it's ~ to you now** c'est à toi de jouer maintenant; **~ with tyrants/the king!** à bas les tyrans/le roi!

down[2] /daʊn/ *n* (all contexts) duvet *m*

Down /daʊn/ ▸ **p. 1612** *pr n* comté *m* de Down

down-and-out /ˌdaʊnənˈaʊt/
A *n* clochard/-e *m/f*
B *adj* **to be ~** être à la rue

down-at-heel /ˌdaʊnətˈhiːl/ *adj* miteux/-euse

downbeat /ˈdaʊnbiːt/
A *n* Mus temps *m* fort
B *adj*° **1** (depressed) [*person*] abattu; (pessimistic) [*view, assessment*] pessimiste; **2** (laidback) décontracté

down-bow /ˈdaʊnbəʊ/ *n* Mus tiré *m*

downcast /ˈdaʊnkɑːst, US -kæst/ *adj* **1** (directed downwards) [*eyes, look*] baissé; **2** (dejected) découragé

downdraught /ˈdaʊndrɑːft, US -dræft/ *n* US courant *m* descendant

downer° /ˈdaʊnə(r)/ *n* **1** **to be on a ~** (be depressed) déprimer; **2** (pill) calmant *m*

downfall /ˈdaʊnfɔːl/ *n* **1** (of person, government, dynasty) chute *f*; **she/drink proved to be his ~** c'est elle/la boisson qui a causé sa perte; **2** (of rain, snow) chute *f*

downgrade /ˈdaʊngreɪd/
A *n* US (route *f* en) pente *f*; **to be on the ~** fig baisser, être sur le déclin
B *vtr* **1** (demote) rétrograder [*employee*]; **the hotel has been ~d to a guest house** l'hôtel a été déclassé et c'est maintenant une pension de famille; **2** (degrade) dévaloriser [*task, occupation*]

downhearted /ˌdaʊnˈhɑːtɪd/ *adj* abattu

downhill /ˌdaʊnˈhɪl/
A *adj* [*path, road*] en pente, qui descend
B *adv* **to go ~** [*path, road, person, vehicle*] descendre; fig [*person*] être sur le déclin; **she has gone ~ a lot since you saw her last** sa santé s'est beaucoup détériorée depuis la dernière fois que tu l'as vue; **since he took over as manager business has gone ~** depuis qu'il est directeur les affaires vont mal; **from now**

on it's ~ all the way fig (easy) à partir de maintenant il ne devrait plus y avoir de problèmes; (disastrous) à partir de maintenant c'est le déclin

down daʊn: **~hill race** *n* (épreuve *f* de) descente *f*; **~hill ski(ing)** *n* ski *m* de descente; **~-home**○ *adj* US (from Southern states) du Sud (des États-Unis); (rustic) campagnard, rustique

Downing Street /ˌdaʊnɪŋˈstriːt/ *n* GB Downing Street

Downing Street

Rue de Londres (dans le quartier de Westminster près du Parlement britannique) où se trouvent, au nº 10, la résidence officielle du Premier ministre et, au nº 11, celle du chancelier de l'Échiquier (ministre des Finances). Par métonymie, *Number 10 Downing Street* ou *Downing Street* désigne le Premier ministre ou le gouvernement britannique.

down daʊn: **~-in-the-mouth**○ *adj* abattu, triste; **~load** *vtr* Comput transférer, télécharger; **~loadable** *adj* Comput téléchargeable; **~loading** *n* Comput transfert *m*, téléchargement *m*; **~market** *adj* [*products, goods, hotel, restaurant*] bas de gamme *inv*; [*area, neighbourhood*] populaire; [*newspaper, programme*] grand public *inv*

down payment *n* acompte *m*; **to make a ~ of £50** verser un acompte de 50 livres sterling

down daʊn: **~pipe** *n* GB gouttière *f*; **~play**○ *vtr* minimiser l'importance de [*event, incident*]; **~pour** *n* averse *f*

downright /ˈdaʊnraɪt/
A *adj* **1** (absolute) [*insult*] véritable (*before n*); [*refusal*] catégorique; [*liar*] fieffé (*before n*); **he's a ~ fool** c'est un imbécile fini; **that's a ~ lie!** c'est un mensonge éhonté!; **2** (forthright) [*person*] franc/franche, direct
B *adv* [*stupid, rude*] carrément

downriver /ˌdaʊnˈrɪvə(r)/ *adj*, *adv* en aval

downs /daʊnz/ *npl* GB (hills) collines *fpl*; **the Downs** les Downs *fpl* (*collines du sud de l'Angleterre*)

downshift /ˈdaʊnʃɪft/ US Aut
A *n* passage *m* à une vitesse inférieure
B *vi* **1** Aut rétrograder; **2** (change lifestyle) opter pour un mode de vie plus simple

downshifter /ˈdaʊnʃɪftə(r)/ *n* personne qui choisit de vivre plus modestement (*en changeant d'emploi notamment*)

downside○ /ˈdaʊnsaɪd/
A *n* gen inconvénient *m* (**of** de)
B **downside up** *adj phr*, *adv phr* US sens dessus dessous

downspout *n* US = **downpipe**

Down's syndrome /ˈdaʊnz sɪndrəʊm/
A *n* trisomie *f* 21
B *modif* [*person*] trisomique

downstage /ˈdaʊnsteɪdʒ/ *adj*, *adv* vers le devant de la scène (**from** par rapport à)

downstairs /ˌdaʊnˈsteəz/
A *n* rez-de-chaussée *m inv*
B *adj* [*room*] gen en bas; (on ground-floor specifically) du rez-de-chaussée; **the ~ flat** GB *ou* **apartment** US l'appartement du rez-de-chaussée; **'with ~ bathroom'** 'avec salle de bains au rez-de-chaussée'
C *adv* en bas; **to go** *ou* **come ~** descendre (l'escalier); **a noise came from ~** il y a eu un bruit venant d'en bas

downstate /ˈdaʊnsteɪt/ US
A *n* **to come from ~** (south) venir du sud (*d'un État*); (rural) venir du fin fond d'un État
B *adj* du sud (*d'un État*)
C *adv* [*go*] vers le sud (*d'un État*)

downstream /ˈdaʊnstriːm/ *adj*, *adv* lit, fig en aval (**of** de); **to go ~** descendre le courant

down daʊn: **~stream industry** *n*: *secteur de l'industrie pétrolière en aval de la production*; **~stroke** *n* (in writing) *trait vers le bas*; **~swept** *adj* Aviat [*wings*] surbaissé

downswing /ˈdaʊnswɪŋ/ *n* **1** (in golf) downswing *m*; **2** Econ = **downtrend**

downtime /ˈdaʊntaɪm/ *n* **1** Comput temps *m* d'indisponibilité, temps *m* mort; **2** US (in factory, workplace) *temps pendant lequel les ouvriers ne sont pas productifs*

down-to-earth /ˈdaʊntəˈɜːθ/ *adj* [*person, approach*] pratique; **she's very ~** (practical) elle a les pieds sur terre; (unpretentious) elle est très simple

downtown /ˈdaʊntaʊn/ surtout US
A *adj* [*store, hotel, streets etc*] du centre ville; **~ New York/Boston** le centre de New York/Boston
B *adv* en ville

down daʊn: **~trend** *n* Econ tendance *f* à la baisse; **~trodden** *adj* [*person, country*] tyrannisé, opprimé; **~turn** *n* (in economy, career) déclin *m* (**in** de); (in demand, profits, spending) chute *f*, baisse *f* (**in** de)

down under○
A *n* (Australia) Australie *f*; (New Zealand) Nouvelle-Zélande *f*
B *adv* **to go ~** aller en Australie (*or* en Nouvelle-Zélande)

downward /ˈdaʊnwəd/
A *adj* [*movement, glance, stroke*] vers le bas; [*path*] en pente, qui descend; **to be on the ~ path** fig être sur une pente glissante
B *adv* = **downwards**

downward mobility *n* régression *f* sociale

downwards /ˈdaʊnwədz/ *adv* [*look*] en bas, vers le bas; [*gesture*] vers le bas; **to slope ~** descendre en pente (**to** vers); **read the list from the top ~** lire la liste de haut en bas; **she laid the cards face ~ on the table** elle a mis les cartes sur la table sans les retourner; **he was floating face ~** il flottait le visage dans l'eau; **from the 15th century ~** depuis le quinzième siècle; **everybody from the boss ~** tout le monde depuis le patron

downward trend *n* Econ tendance *f* à la baisse

downwind /ˌdaʊnˈwɪnd/ *adv* dans le sens du vent; **to be ~ of sth** Hunt avoir le vent de qch; **the ashes drifted ~ from the fire** les cendres étaient emportées par le vent

downy /ˈdaʊnɪ/ *adj* **1** [*skin, cheek, fruit*] duveté, duveteux/-euse; **2** [*pillow, bed*] duveteux/-euse

dowry /ˈdaʊərɪ/ *n* dot *f*

dowse /daʊz/
A *vtr* = **douse**
B *vi* (for water) faire de la rhabdomancie; Miner faire de la radiesthésie

dowser /ˈdaʊzə(r)/ *n* (water diviner) sourcier/-ière *m/f*; Miner radiesthésiste *mf*

doxology /dɒkˈsɒlədʒɪ/ *n* doxologie *f*

doxy◑‡ /ˈdɒksɪ/ *n* ribaude○† *f*

doyen /ˈdɔɪən/ *n* sout doyen *m* (d'âge)

doyenne /dɔɪˈen/ *n* sout doyenne *f*

doz *abrév écrite* = **dozen**

doze /dəʊz/
A *n* somme *m*; **to have a ~** faire un somme; **to fall into a ~** s'assoupir
B *vi* [*person, cat*] somnoler.

(Phrasal verb) ■ **doze off**: ▸ **~ off** (momentarily) s'assoupir; (to sleep) s'endormir

dozen /ˈdʌzn/ *n* **1** Meas (twelve) douzaine *f*; **two ~ eggs** deux douzaines d'œufs; **a ~ people** une douzaine de personnes; **'£1 a ~'** 'une livre sterling la douzaine'; **by the ~** à la douzaine; **2** (several) **I've told you a ~ times!** je te l'ai déjà dit cent fois!; **~s of** des dizaines de [*people, things, times*]; **I can think of a ~ good reasons (for doing)** je peux trouver dix bonnes raisons (pour faire)

dozer○ /ˈdəʊzə(r)/ *n* bulldozer *m*

dozy /ˈdəʊzɪ/ *adj* **1** (drowsy) somnolent; **2** ○GB (stupid) gourde○

DPhil *n*: *abrév* ▸ **Doctor of Philosophy**

DPP *n* GB *abrév* ▸ **Director of Public Prosecutions**

Dr *n* **1** *abrév écrite* = **Doctor**; **2** *abrév écrite* = **Drive**

drab /dræb/
A *n* **1** Tex (fabric) toile *f* bise
B *adj* [*colour, decor, lifestyle*] terne; [*day*] gris; [*building, suburb*] triste

drabness /ˈdræbnɪs/ *n* (of colour, decor, clothes) aspect *m* terne; (of building, place, life) grisaille *f*

drachm /dræm/ *n* **1** Pharm drachme *f*; **2** = **drachma**

drachma /ˈdrækmə/ *n* (*pl* **~s**, **~e**) Fin Hist drachme *f*

draconian /drəˈkəʊnɪən/ *adj* draconien/-ienne

draft /drɑːft, US dræft/
A *n* **1** (of letter, article, speech) brouillon *m*; (of novel, play) ébauche *f*; (of contract, law, plan) avant-projet *m*; **2** Fin traite *f* (**on** sur); **to make a ~ on a bank** tirer sur une banque; ▸ **bank draft**; **3** US Mil (conscription) service *m* militaire; **4** (intake) Mil contingent *m*; **5** US = **draught**
B *modif* gen, Jur [*agreement, resolution, version*] préliminaire; **~ directive** EU directive *f* préliminaire; **~ legislation/report** avant-projet *m* de loi/de rapport; **~ ruling** décision *f* préliminaire
C *vtr* **1** faire le brouillon de [*letter, article, speech*]; faire l'avant-projet de [*contract, law, plan*]; **2** US Mil (conscript) incorporer (**into** dans); **3** GB (transfer) détacher [*personnel*] (**to** auprès de; **from** de); **he's been ~ed to India** il a été détaché pour l'Inde; **4** Sport sélectionner; **5** US (choose) **to ~ sb to do** charger qn de faire

(Phrasal verb) ■ **draft in** GB: ▸ **~ in [sb]**, **~ [sb] in** faire venir, amener [*personnel, experts, police*] (**to do** pour faire)

draft: **~ board** *n* US Mil conseil *m* de révision; **~ card** *n* US Mil ordre *m* d'incorporation; **~ dodger** *n* US Mil insoumis *m*

draftee /ˌdrɑːfˈtiː, US ˌdræfˈtiː/ *n* US Mil recrue *f*

draftiness US = **draughtiness**

draft: **~ing table** *n* US table *f* à dessin; **~sman** US = **draughtsman 1, 2**; **~smanship** US = **draughtsmanship**

drafty US = **draughty**

drag /dræg/
A *n* **1** ○(bore) (person) raseur/-euse *m/f*; **Peter's a ~** Peter est un raseur○; **the lecture was a ~** la conférence était rasante○; **I know it's a ~ but** je sais que c'est embêtant○ mais; **it's such a ~ having to do** quelle barbe○ d'être obligé de faire; **what a ~!** quelle barbe○!; **2** Aviat, Phys traînée *f*; **3** fig (hindrance) frein *m* (**to** à); **4** (sledge) traîneau *m*; **5** (hook) grappin *m*, araignée *f*; **6** Hunt drag *m*; **7** ○(puff) taffe◑ *f*, bouffée *f*; **to have a ~ on** tirer une taffe sur; **8** (women's clothes worn by men) vêtements *mpl* de travesti; **to dress up in ~** se travestir; **to be in ~** être en travesti; **9** ○US (influence) piston○ *m*; **10** ○(road) **the main ~** la rue *f* principale
B *modif* **1** Theat [*act, artist, show*] de travesti; [*ball*] travesti; **2** Aut Sport [*race, racing*] de dragsters; [*racer*] de dragster
C *vtr* (*p prés etc* **-gg-**) **1** (pull) tirer [*boat, log, sledge*] (**to, up to** jusqu'à; **towards** vers); **to ~ a chair over to the window** tirer une chaise vers la fenêtre; **to ~ sth along the ground** faire traîner qch par terre; **to ~ sb from** arracher qn de [*chair, bed*]; **to ~ sb to** traîner qn à [*match*]; traîner qn chez [*dentist*]; **to ~ sb into** traîner qn dans [*room, bushes*]; vouloir mêler qn à [*argument, dispute*]; **don't ~ me into this** je ne veux pas me mêler de ça; **don't ~ my mother into this** ne mêle pas ma mère à ça; **to ~ sb through the courts** traîner qn devant les tribunaux; **to ~ sb's name through** *ou* **in the mud** traîner qn dans la boue; **2** (search) draguer [*river, pond*]; **3** Comput déplacer, faire glisser [*icon*]; **4** (trail) traîner; **to ~ sth in the**

dirt traîner qch dans la boue; **to ~ one's feet** *ou* **heels** lit traîner les pieds; fig faire preuve de mauvaise volonté (**on** quant à)

D *vi* (*p prés etc* **-gg-**) **1** (go slowly) [*hours, days*] traîner; [*story, plot*] traîner en longueur; **the third act ~ged** le troisième acte était interminable; **2** (trail) **to ~ in** [*hem, belt*] traîner dans [*mud*]; **3** (rub) [*brake*] frotter; **4** (inhale) **to ~ on** tirer une bouffée de [*cigarette*]

E *v refl* **to ~ oneself to** se traîner jusqu'à [*work*]

(Phrasal verbs) ■ **drag along**: ▸ **~ [sth] along** traîner; ▸ **~ [sb] along to** traîner [qn] à [*opera, show, lecture*]

■ **drag away**: ▸ **~ [sb] away** emmener [qn] de force; **to ~ sb away from** arracher qn à [*TV, party*]; ▸ **~ [oneself] away from [sth]** partir à regret de [*party*]; **I couldn't ~ myself away** j'étais cloué sur place

■ **drag down**: ▸ **~ [sth] down** rabaisser [*level, standard*]; **to be ~ged down to sb's level** être rabaissé au niveau de qn; **he ~ged me down with him** fig il m'a entraîné dans sa chute

■ **drag in**: ▸ **~ [sth] in, ~ in [sth]** mentionner, placer [*name, story*]

■ **drag on** [*conflict, speech*] traîner en longueur; **to let sth ~ on** laisser qch traîner en longueur; **the war ~ged on until 1918** la guerre s'est prolongée jusqu'en 1918

■ **drag out**: ▸ **~ [sth] out** faire traîner [*speech, meeting*]; ▸ **~ [sth] out of sb** arracher [qch] à qn [*apology, truth*]

■ **drag up**: ▸ **~ [sth] up, ~ up [sth]** déterrer [*secret, past*]; **where were you ~ged up?** hum où est-ce que tu as été élevé?

drag and drop *n* Comput glisser-déposer *m*

drag coefficient, drag factor *n* Aut, Aviat coefficient *m* de traînée

draggy○ /ˈdrægɪ/ *adj* rasoir○

drag: **~ harrow** *n* Agric herse *f*; **~ hunt** *n* Hunt drag *m*; **~ lift** *n* Sport tire-fesses○ *m inv*

dragnet /ˈdrægnet/ *n* **1** Fishg drège *f*; **2** Hunt tirasse *f*; **3** (raid) rafle *f*

dragoman‡ /ˈdrægəmən/ *n* drogman† *m*

dragon /ˈdrægən/ *n* **1** (creature) dragon *m* also pej or hum; **2** Econ dragon *m*

(Idiom) **to chase the ~** argot des drogués se camer○ (*à l'opium ou à l'héroïne*)

dragonfly /ˈdrægənflaɪ/ *n* libellule *f*

dragoon /drəˈguːn/

A *n* Mil dragon *m*

B *vtr* **to ~ sb into doing sth** forcer qn à faire qch

drag queen○ *n* Theat travesti *m*

dragster /ˈdrægstə(r)/ *n* Aut Sport dragster *m*

dragstrip /ˈdrægstrɪp/ *n* Aut Sport piste *f* de vitesse

drain /dreɪn/

A *n* **1** (in street) canalisation *f*; **to unblock the ~s** déboucher les canalisations; **open ~** canalisation à ciel ouvert; **to drop sth down a ~** faire tomber qch dans une bouche d'égout; **2** (in building) (sewer) canalisation *f* d'évacuation; (waste water pipe) descente *f* d'eau; **3** (ditch) fossé *m* d'écoulement; (on marshland) fossé *m* d'assainissement; **4** (loss) (of people, skills, money) hémorragie *f* (**of** de); **to be a ~ on** représenter une ponction sur [*profits, funds, resources*]; **5** Med drain *m*

B *vtr* **1** drainer [*land, lake*]; purger [*radiator, boiler*]; **2** Culin égoutter [*pasta, canned food, dishes*]; **3** (sap) épuiser [*strength, energy, resources, funds*]; **to ~ sb of strength/energy** vider qn de ses forces/son énergie; **to ~ sth of resources/funds** épuiser les ressources/les fonds de qch; **4** (drink) vider [*glass*]; boire [qch] jusqu'à la dernière goutte [*contents, drink*]; **5** [*river*] collecter les eaux de [*area, basin*]; **6** Med drainer [*wound*]

C *vi* **1** (empty) [*water, liquid*] s'écouler (**out of, from** de); [*bath, radiator, sink*] se vider; **to ~ into** s'écouler dans [*sea, river, gutter, ditch*]; s'infiltrer dans [*soil, rock*]; **the blood** *ou* **colour ~ed from her face** le sang reflua de son visage; **I can see the life ~ing out of him** je vois la vie le quitter peu à peu; **2** (become dry) [*dishes, food*] (s')égoutter; **to leave sth to ~** laisser qch (s')égoutter

(Idioms) **to go down the ~**○ fig tomber à l'eau○; **that's £100 down the ~**○ ça fait 100 livres sterling de fichues en l'air○; **to laugh like a ~**○ être mort de rire○

(Phrasal verbs) ■ **drain away**: **1** [*water, liquid*] s'écouler; **2** [*courage, hope, strength, funds*] s'épuiser

■ **drain off, drain out**: ▸ **~ off** [*water, liquid*] s'écouler; ▸ **~ [sth] off, ~ off [sth]** vider [*fluid, water*]

drainage /ˈdreɪnɪdʒ/

A *n* **1** (of land, marsh, wound) drainage *m*; **2** (system of pipes, ditches) tout-à-l'égout *m inv*

B *modif* [*channel, hole, pipe, technique*] de drainage

drainage: **~ area, ~ basin** *n* bassin *m* de drainage *or* hydrographique spec; **~ tube** *n* Med drain *m*

drainboard /ˈdreɪnbɔːd/ *n* US égouttoir *m*

drained /dreɪnd/ *adj* [*person, face*] épuisé, vidé○

drained weight *n* poids *m* net égoutté

drainer /ˈdreɪnə(r)/ *n* égouttoir *m*

draining /ˈdreɪnɪŋ/

A *n* (of marsh, land) assainissement *m*; (of rain, water in pipes) écoulement *m*

B *adj* (emotionally, physically) épuisant, vidant○

draining board *n* égouttoir *m*

drainpipe /ˈdreɪnpaɪp/

A *n* (for rain water) descente *f* de gouttière; (for waste water, sewage) descente *f*

B **drainpipes**○ *npl* GB (*also* **drainpipe trousers**) pantalon *m* moulant

drake /dreɪk/ *n* canard *m* (mâle)

dram /dræm/ *n* **1** Pharm drachme *f*; **2** ○Scot (drink) petit verre *m*

drama /ˈdrɑːmə/

A *n* **1** (genre) gen théâtre *m*; TV, Radio (as opposed to documentary programme) fiction *f*; **modern ~** le théâtre moderne; **2** (acting, directing) art *m* dramatique; **3** (play) drame *m*; TV, Radio dramatique *f*; **4** Journ hum (dramatic event) drame *m*; **a human ~** un drame humain; **5** (fuss) drame *m*; **to make a ~ out of sth** faire tout un drame de qch; **6** ¢ (excitement) **her life was full of ~** elle menait une vie très mouvementée

B *modif* [*school, course, student*] d'art dramatique; **~ critic** critique *m* dramatique; **~ documentary** TV reportage *m* fiction

dramatic /drəˈmætɪk/ *adj* **1** Literat, Theat [*literature, art, irony, effect*] dramatique; [*gesture, entrance, exit*] théâtral; **for ~ effect** pour produire un effet dramatique; **2** (tense, exciting) [*situation, event*] dramatique; **3** (sudden, radical) [*change, impact, goal, landscape*] spectaculaire

dramatically /drəˈmætɪklɪ/ *adv* **1** (radically) radicalement; **2** (causing excitement) de façon spectaculaire; **3** Literat, Theat du point de vue théâtral; **4** (in a theatrical way) [*gesture, pause*] de façon théâtrale

dramatics /drəˈmætɪks/ *npl* **1** art *m* dramatique; **2** péj cinéma *m* pej

dramatic society *n* groupe *m* de théâtre amateur

dramatis personae /ˌdræmətɪs pɜːˈsəʊnaɪ/ *npl* sout (characters) personnages *mpl* (d'une pièce); (actors) distribution *f*

dramatist /ˈdræmətɪst/ *n* auteur *m* dramatique

dramatization /ˌdræmətaɪˈzeɪʃn, US -tɪˈz-/ *n* **1** (dramatized version) (of novel, event) version *f* théâtrale; **TV/musical ~** version *f* pour la télévision/musicale; **2** (technique) (for stage) adaptation *f* pour la scène; (for screen) adaptation *f* pour l'écran; **3** (exaggeration) dramatisation *f*

dramatize /ˈdræmətaɪz/

A *vtr* **1** (adapt) Theat adapter [qch] pour la scène; Cin, TV adapter [qch] pour l'écran; Radio adapter [qch] pour la radio; **2** (enact, depict) dépeindre; **3** (make dramatic) donner un caractère dramatique à; pej dramatiser [*event, problem*]

B *vi* dramatiser

C **dramatized** *pp adj* [*account, series, version*] dramatique; **~d documentary** docudrame *m*

drank /dræŋk/ *prét* ▸ **drink**

drape /dreɪp/

A *n* **1** US (curtain) (*gén pl*) rideau *m*; **2** (of fabric) drapé *m*

B *vtr* **to ~ sth with sth, to ~ sth over sth** draper qch de qch; **walls ~d with...** murs tendus de...; **~d in sth** [*person, statue*] enveloppé dans qch; **to ~ oneself over an armchair** s'étaler sur un fauteuil; **she was ~d around his neck**○ hum elle était pendue à son cou○

draper† /ˈdreɪpə(r)/ GB *n* marchand/-e *m/f* de nouveautés; **~'s shop** magasin *m* de nouveautés

drapery /ˈdreɪpərɪ/

A *n* (decorative) tentures *fpl*

B **draperies** *npl* US rideaux *mpl*

drastic /ˈdræstɪk/ *adj* **1** (severe) [*policy, step, measure*] draconien/-ienne; [*reduction, remedy*] drastique; [*effect*] catastrophique; **2** (dramatic) [*change*] radical

drastically /ˈdræstɪklɪ/ *adv* **1** (profoundly) [*change, reduce*] radicalement; **2** (severely) [*reduce, limit*] sévèrement; **things went ~ wrong** les choses ont pris une très mauvaise tournure

drat○ /dræt/ *excl* **~ (it)!** diable†!, zut○!; **~ that man!** il m'agace cet homme○!; **you're right, ~ you!** tu as raison, sale bête○!

dratted○ /ˈdrætɪd/ *adj* [*person, thing*] maudit

draught GB, **draft** US /drɑːft, US dræft/

A *n* **1** (cold air) courant *m* d'air; **2** (in fireplace) tirage *m*; **3** **on ~** [*beer etc*] à la pression; **4** (of liquid, air) trait *m*; **in a single ~** d'un seul trait; **taking long ~s of cool air** aspirant l'air frais à longs traits; **5** ‡(potion) potion *f*; **6** (of ship) tirant *m* d'eau; **7** GB Games (piece) pion *m* (de jeu de dames)

B *modif* **1** [*beer, cider*] (à la) pression; **2** [*animal, horse*] de trait

(Idiom) **to feel the ~**○ en ressentir les effets

draught: **~board** *n* GB damier *m*; **~ excluder** *n* bourrelet *m* (de porte, de fenêtre)

draughtiness GB, **draftiness** US /ˈdrɑːftɪnɪs, US ˈdræftɪnɪs/ *n* courants *mpl* d'air

draughtproof GB, **draftproof** US /ˈdrɑːftpruːf, US ˈdræft-/

A *adj* calfeutré

B *vtr* calfeutrer

draughtproofing GB, **draftproofing** US /ˈdrɑːftpruːfɪŋ, US ˈdræft-/ *n* **1** (insulation) calfeutrage *m*; **2** (material) matériau *m* de calfeutrage

draughts /drɑːfts, US dræfts/ ▸ **p. 1253** *n* GB (+ *v sg*) (set) (jeu *m* de) dames *fpl*; **to play ~** jouer aux dames

draughtsman GB, **draftsman** US /ˈdrɑːftsmən, US ˈdræft-/ **1** Tech dessinateur/-trice *m/f* (industriel/-ielle); **2** Art dessinateur/-trice *m/f*; **3** GB Games pion *m* (de jeu de dames)

draughtsmanship GB, **draftsmanship** US /ˈdrɑːftsmənʃɪp, US ˈdræft-/ *n* **1** Tech art *m* du dessin industriel; **2** Art coup *m* de crayon

draughty GB, **drafty** US /ˈdrɑːftɪ, US ˈdræftɪ/ *adj* [*room*] plein de courants d'air; **I was sitting in a ~ seat** j'étais assis dans un courant d'air

draw /drɔː/

A *n* **1** (raffle) tirage *m* (au sort); **to win (sth in) a ~** gagner (qch) dans une loterie

2 (tie) (in match) match *m* nul; **it was a ~** (in match) ils ont fait match nul; (in race) ils sont arrivés ex aequo
3 (attraction) (person, film, event, place) attraction *f*; **Bob Dylan was the big ~** Bob Dylan était la grande attraction
4 (on cigarette, pipe) bouffée *f*
5 US (hand of cards) main *f*

B *vtr* (*prét* **drew**, *pp* **drawn**) **1** (on paper etc) faire [*picture, plan, portrait, sketch, cartoon*]; dessiner [*person, face, object, diagram*]; tracer [*line, circle, square*]; **to ~ a picture** lit faire un dessin, dessiner; **to ~ (a picture of) a boat** dessiner un bateau; **to ~ a map** (giving directions) faire un plan; (in school) dessiner une carte; **to ~ sb sth, to ~ sth for sb** faire qch à qn [*picture, plan, cartoon, sketch*]; dessiner qch à qn [*person, face, object, diagram*]
2 fig dépeindre [*character, picture*]; faire [*analogy, comparison, distinction, parallel*]
3 (pull) [*animal, car, engine*] tirer [*object, cart, rope, plough*]; [*machine, suction*] aspirer [*liquid, gas*]; **to ~ a plough along** tirer une charrue; **the water is drawn along the pipe** l'eau est aspirée dans le tuyau; **I drew the book towards me** j'ai tiré le livre vers moi; **he drew the child towards him** il a attiré l'enfant vers lui; **to ~ a bolt/the curtains** tirer un verrou/les rideaux; **I drew the string as tight as I could** j'ai tiré sur la ficelle aussi fort que j'ai pu; **she drew a ten pound note from her purse** elle a tiré un billet de dix livres de son porte-monnaie; **he drew his finger along the shelf** il a passé un doigt sur l'étagère; **to ~ a handkerchief across one's forehead/a comb through ones' hair** se passer un mouchoir sur le front/un peigne dans les cheveux; **she drew his arm through hers** elle a passé son bras sous le sien; **she drew her shawl round her shoulders** elle a resserré son châle autour de ses épaules; **to ~ water from a well** tirer de l'eau d'un puits; **to ~ a pint of beer** ≈ tirer un demi-litre de bière à la pression; **to ~ blood** lit provoquer un saignement; **to ~ a bow** bander un arc
4 (derive) tirer [*conclusion*] (**from** de); **I drew comfort from the fact that/from doing** cela m'a un peu réconforté de savoir que/de faire; **to ~ a lesson/a moral from sth** tirer une leçon/une morale de qch; **to ~ inspiration from sth** puiser de l'inspiration dans qch; **he drew hope/encouragement from this** cela lui a donné de l'espoir/du courage; **to be drawn from** [*energy, information*] provenir de; **his friends/our readers are drawn from all walks of life** ses amis/nos lecteurs viennent de tous les horizons
5 (cause to talk) faire parler [*person*] (**about, on** de); **I'd hoped she'd tell me, but she wouldn't be drawn** *ou* **she refused to be drawn** j'avais espéré qu'elle me le dirait, mais elle a refusé de parler; **to ~ sth from** *ou* **out of sb** obtenir qch de qn [*information*]; faire dire *or* arracher qch à qn [*truth*]; **she drew tears of laughter from the audience** elle a fait rire son public aux larmes; **I managed to ~ a smile from him** j'ai réussi à lui arracher un sourire
6 (attract) [*person, event, film*] attirer [*crowd, person*] (**to** vers); susciter [*reaction, criticism, praise, interest*]; **the idea drew much criticism from both sides/from the experts** l'idée a suscité de nombreuses critiques des deux côtés/chez les experts; **the course ~s students from all over the world** le cours attire des étudiants du monde entier; **his speech drew great applause** son discours a soulevé des applaudissements; **to ~ sb's attention to sth** attirer l'attention de qn sur qch; **to ~ attention to oneself** attirer l'attention sur soi; **to feel drawn to sb** se sentir attiré vers qn; **to ~ sb to** attirer qn vers [*person, religion*]; pousser qn vers [*profession*]; **the sound of the explosion drew her to the window** le bruit de l'explosion l'a attirée à la fenêtre; **to ~ sb into** mêler qn à [*conversation*]; entraîner qn dans [*argument, battle*]; **I'm not going to be drawn into an argument with you** je ne vais pas me laisser entraîner dans une dispute avec toi; **they were drawn together by their love of animals** leur amour des animaux les a rapprochés; **to ~ the enemy fire** offrir un cible au feu ennemi; **I'll ~ their fire** je ferai diversion
7 Fin (take out) retirer [*money*] (**from** de); tirer [*cheque, bill of exchange, promissory note*] (**on** sur); (receive) toucher [*wages, pension*]
8 Games (choose at random) tirer [qch] au sort [*name, ticket, winner*]; **they asked him to ~ the winner (out of the hat)** ils lui ont demandé de tirer au sort le gagnant; **to ~ a winning ticket** [*competitor*] tirer un billet gagnant; **Italy has been drawn against Spain** *ou* **to play Spain** le tirage au sort a désigné l'Italie comme adversaire de l'Espagne; **Jones drew Smith in the first round** le tirage au sort a désigné Smith comme adversaire de Jones au premier tour
9 Sport **to ~ a match** faire match nul
10 (remove, pull out) extraire [*tooth*]; retirer, enlever [*thorn, splinter, sting*] (**from** de); retirer [*cork*] (**from** de); dégainer, sortir [*sword, dagger*]; sortir [*knife, gun*]; tirer [*card*]; **to ~ a gun on sb** sortir un pistolet et le braquer sur qn; **to ~ a knife on sb** sortir un couteau pour en menacer qn; **with drawn sword** l'épée dégainée
11 (disembowel) vider [*chicken, turkey, goose*]; Hist étriper [*prisoner*]
12 Hunt suivre la voie de [*animal*]
13 Games **to ~ trumps** tirer ses atouts
14 Tech étirer [*wire, metal, glass*]
15 Naut **the ship ~s six metres** le navire a un tirant d'eau de six mètres
16 † (run) faire couler [*bath*]

C *vi* (*prét* **drew**, *pp* **drawn**) **1** (make picture) dessiner; **he ~s very well** il dessine très bien; **to ~ round** *ou* **around sth** dessiner en suivant les contours de [*hand, template*]
2 (move) **to ~ ahead (of sth/sb)** lit [*vehicle, person*] gagner du terrain (sur qch/qn); fig [*person, company*] prendre de l'avance (sur qch/qn); **to ~ alongside** [*boat*] accoster; **the car drew alongside the lorry** la voiture s'est mise à côté du camion; **to ~ close** *ou* **near** [*time, date, ordeal*] approcher; **the time/day is ~ing close when...** l'heure/le jour approche où...; **they drew nearer to listen** ils se sont rapprochés pour écouter; **to ~ into** [*bus*] arriver à [*station*]; **the train drew into the station** le train est entré en gare; **to ~ level** se retrouver au même niveau; **to ~ level with the other athletes** (in score) se retrouver au même niveau que les autres athlètes; (in race) rattraper les autres athlètes; **to ~ over** [*vehicle*] (stop) se ranger; (still moving) se rabattre vers le bas-côté; **the lorry drew over to the right-hand side of the road** le camion s'est rangé sur la voie de droite; **to ~ to one side** [*person*] s'écarter; **to ~ round** *ou* **around** [*people*] se rassembler; **they drew round the teacher** ils se sont rassemblés autour du professeur; **to ~ to a halt** s'arrêter; **to ~ to a close** *ou* **an end** [*day, event, life*] toucher à sa fin
3 gen, Sport (in match) [*teams*] faire match nul; (finish at same time in race) [*runners, racers*] arriver ex aequo; (finish equal, with same points) se retrouver ex aequo; **they drew for second place** ils sont arrivés deuxièmes ex aequo; **X drew with Y** (in match) X a fait match nul avec Y; (in race) X est arrivé ex aequo avec Y
4 (choose at random) **to ~ for sth** tirer qch (au sort); **they drew for partners** ils ont tiré leurs partenaires (au sort)
5 [*chimney, pipe*] tirer; [*pump, vacuum cleaner*] aspirer; **to ~ on** *ou* **at one's pipe/cigarette** tirer sur sa pipe/sa cigarette
6 [*tea*] infuser

(Idioms) **to be quick/slow on the ~**○ (in understanding) avoir l'esprit vif/lent; (in replying) avoir/ne pas avoir la repartie facile; [*cowboy*] dégainer/ne pas dégainer vite; **to beat sb to the ~** [*rival, competitor*] devancer qn; [*cowboy*] dégainer plus vite que qn; **to ~ the line** fixer des limites; **you've got to ~ the line somewhere** il faut savoir fixer des limites; **to ~ the line at doing** se refuser à faire; **she drew the line at blackmail** elle se refusait à faire du chantage; **I ~ the line at violence** je n'irai pas jusqu'à la violence; **the union agreed to longer working hours but drew the line at wage cuts** le syndicat a accepté une augmentation des heures de travail mais a refusé une baisse des salaires

(Phrasal verbs) ■ **draw apart**: ▸ **~ apart** [*two people*] se séparer; **the land masses drew apart** les masses de terre se sont éloignées les unes des autres
■ **draw aside**: ▸ **~ [sth] aside, ~ aside [sth]** écarter [*curtain, screen, object*]; ▸ **~ [sb] aside** prendre qn à part
■ **draw away**: ▸ **~ away** [*vehicle, train, person*] (move off) s'éloigner (**from** de); (move ahead) prendre de l'avance (**from** sur); [*person*] (move away, recoil) avoir un mouvement de recul; ▸ **~ [sth] away, ~ away [sth]** retirer [*hand, foot*]; **~ the chair away from the fire** éloigne la chaise du feu; ▸ **~ [sb] away from** éloigner qn de [*fire, scene*]; distraire qn de [*book, task*]
■ **draw back**: ▸ **~ back** (move back, recoil) reculer; ▸ **~ [sth] back, ~ back [sth]** ouvrir [*curtains*]; [*person*] retirer [*hand, foot*]; ▸ **~ [sb] back, ~ back [sb]** faire revenir [*person*]; **the company will have difficulty ~ing its customers back** la société aura du mal à récupérer ses clients
■ **draw down**: ▸ **~ [sth] down, ~ down [sth]** baisser [*blind, screen, veil*]
■ **draw in**: ▸ **~ in** **1** [*days*] raccourcir; **the nights are ~ing in** les jours raccourcissent; **2** (arrive) [*bus*] arriver; [*train*] entrer en gare; ▸ **~ [sth] in, ~ in [sth]** **1** gen, Art (in picture) ajouter [*background, detail*]; **2** tirer sur [*reins, rope, lead*]; rentrer [*stomach, claws*]; **3** (suck in) [*person*] aspirer [*air*]; [*pump, machine*] aspirer [*liquid, gas, air*]; **to ~ in one's breath** inspirer; **4** (attract) attirer [*people, funds*]
■ **draw off**: ▸ **~ off** [*vehicle, train*] partir; [*army*] battre en retraite; ▸ **~ [sth] off, ~ off [sth]** tirer [*beer, water*]; Med évacuer [*fluid*]; retirer, ôter [*gloves*]
■ **draw on**: ▸ **~ on** (approach) [*time, date, season*] approcher; (pass) [*time*] passer; [*evening, day, season*] (s')avancer; ▸ **~ on [sth]** puiser dans, exploiter [*skills, strength, reserves, savings*]; **in her novels she ~s on childhood memories** pour écrire ses romans elle s'inspire de ses souvenirs d'enfance; **the report ~s on information from...** le rapport tire des informations de...; **to ~ on one's experience** faire appel à son expérience; ▸ **~ on [sth], ~ [sth] on** enfiler [*gloves, shoes, garment*]
■ **draw out**: ▸ **~ out** **1** (leave) [*train, bus*] partir; **the train drew out of the station** le train a quitté la gare; **a car drew out in front of me** une voiture a déboîté devant moi; **2** (get longer) [*day, night*] rallonger; **the nights are ~ing out** les jours rallongent; ▸ **~ [sth] out, ~ out [sth]** **1** gen tirer [*handkerchief, purse, cigarette, knife*] (**from, out of** de); retirer [*splinter, nail, cork*] (**from, out of** de); extraire [*tooth*]; aspirer [*liquid, air*]; **2** Fin retirer [*cash, money, balance*]; **3** (cause to last longer) faire durer [*meeting, speech, meal*]; (unnecessarily) faire traîner [*meeting, speech, meal*]; **4** (extract) obtenir [*information, confession*]; (using force) soutirer [*information, confession*]; **they managed to ~ a confession out of him** ils ont réussi à lui soutirer des aveux; **5** Tech (stretch) étirer [*wire, thread, glass, metal*]; ▸ **~ [sb] out** (make less shy) faire sortir [qn] de sa coquille; **I managed to ~ him out of his silence** j'ai réussi à le sortir de son silence; **I drew the old man out about the war** j'ai fait parler le vieil homme de la guerre
■ **draw up**: ▸ **~ up** [*vehicle*] s'arrêter; [*boat*] accoster; ▸ **~ up [sth], ~ [sth] up** **1** établir [*contract, criteria, budget, programme, proposals, questionnaire*]; dresser, établir [*list, inventory, plan*]; rédiger, établir [*report*]; faire [*will*];

2 (pull upwards) hisser [*bucket*]; 3 (bring) approcher [*chair, stool*] (**to** de); 4 (gather up) tirer sur [*thread, drawstring*]; ▸ ~ **oneself up** se redresser; **she drew herself up to her full height** elle s'est redressée de toute sa hauteur

drawback /ˈdrɔːbæk/ *n* 1 gen inconvénient *m*, désavantage *m*; **it has its ~s** cela présente des inconvénients *or* des désavantages; **the ~ of doing that is that...** l'inconvénient de faire cela, c'est que...; 2 Comm (on exports) rembours *m*, drawback *m*

drawbridge /ˈdrɔːbrɪdʒ/ *n* (over moat) pont-levis *m*; (over river) pont *m* basculant

drawee /drɔːˈiː/ *n* Fin tiré *m*

drawer /ˈdrɔː(r)/

A *n* 1 (in chest, cabinet, table etc) tiroir *m*; **cutlery/desk ~** tiroir à couverts/de bureau; 2 (of pictures) dessinateur/-trice *m/f*; 3 Fin tireur/-euse *m/f*

B drawers† *npl* (for man) caleçon *m*; (for woman) culotte *f*

drawer liner *n* garniture *f* de tiroir

drawing /ˈdrɔːɪŋ/

A *n* 1 (picture) dessin *m*; **pencil/charcoal ~** dessin au crayon/au fusain; **a rough ~** une ébauche; 2 (action, occupation) le dessin *m*; **classes in ~** cours de dessin; **most of the ~ is done by Rolf** la plupart des dessins sont faits par Rolf

B *modif* [*course, class, teacher, tools*] de dessin; [*paper, pen, book*] à dessin

drawing account *n* (current account) compte *m* de prélèvement

drawing board *n* 1 lit (board) planche *f* à dessin; (table) table *f* à dessin; 2 fig **we'll have to go back to the ~** il faudra tout recommencer; **the project never got off the ~** le projet n'a jamais dépassé le stade de l'étude

drawing card *n* 1 (popular artiste, event) valeur *f* sûre; 2 US (marketable skill, asset) atout *m*

drawing: ~ **office** *n* bureau *m* de dessin industriel; ~ **pin** *n* punaise *f*; ~ **room** *n* salon *m*, salle *f* de réception

drawl /drɔːl/

A *n* voix *f* traînante; **in a thick Texas ~** avec un fort accent traînant du Texas

B *vtr* **'how about that!' she ~ed** 'ça alors!' dit-elle d'une voix traînante

C *vi* parler d'une voix traînante

drawn /drɔːn/

A *pp* ▸ **draw**

B *adj* 1 [*face, look*] tiré; **he looked pale and ~** il était pâle et avait les traits tirés; **her face ~ with sorrow** les traits tirés par le chagrin; 2 Sport [*game, match*] nul/nulle

drawn: ~ **butter** *n* beurre *m* fondu (assaisonné); **~(-thread) work** *n* ouvrage *m* à jours

draw: ~ **poker** ▸ **p. 1253** *n* US poker *m* (*joué en pariant sur les cartes retournées*); **~sheet** *n* alèse *f*

drawstring /ˈdrɔːstrɪŋ/

A *n* cordon *m* de serrage

B *modif* [*bag*] à coulisse; [*hood*] coulissé; **(with a) ~ waist** (à) ceinture coulissante

draw: ~ **ticket** *n* billet *m* de tombola; **~-top table** *n* table *f* à rallonge

dray /dreɪ/ *n* Hist Transp (for general use) fardier *m*; (at brewery) haquet *m*

drayhorse /ˈdreɪhɔːs/ *n* Hist cheval *m* de trait

dread /dred/

A *n* terreur *f*; **to have a ~ of sth** (real fear) être terrifié par qch; (weaker) avoir horreur de qch; **to live in ~ of sth/sb** redouter qch/qn; **to live in ~ of sth happening** redouter que qch n'arrive; **it's his constant ~** il le redoute constamment; **her ~ that her husband might return** sa crainte du retour de son mari

B *vtr* appréhender (**doing sth** de faire qch); (stronger) redouter (**doing sth** de faire qch); **to ~ that** redouter que (+ *subj*); **she ~s him coming** elle appréhende de le voir arriver; **'what would she say?'—'I ~ to think!'** 'qu'est-ce qu'elle dirait?'—'je préfère ne pas y penser!'

C dreaded *pp adj* (*épith*) (tant) redouté

dreadful /ˈdredfl/ *adj* 1 (unpleasant) [*weather, person*] affreux/-euse; [*day*] épouvantable; (emphatic) **what a ~ nuisance!** quelle barbe°!; **a ~ mess/waste of time** une pagaille/une perte de temps incroyable; **he made a ~ fuss** il a fait des histoires à n'en plus finir; **I had a ~ time trying to convince him** j'ai eu toutes les peines du monde à le convaincre; 2 (poor quality) [*film, book, meal*] lamentable; 3 (horrifying) [*accident, injury*] épouvantable; [*crime*] atroce; 4 (ill) **to feel/look ~** ne pas se sentir/ne pas avoir l'air bien du tout; 5 littér (inspiring fear) [*foe, weapon*] redoutable; 6 (embarrassed) **to feel ~ about sth/about doing/about having done** avoir honte de qch/de faire/d'avoir fait

dreadfully /ˈdredfəlɪ/ *adv* 1 (emphatic) [*disappointed, cross, short of money*] terriblement; [*sorry, wrong*] vraiment; **I miss her ~** elle me manque terriblement; 2 (horribly) [*suffer*] affreusement; [*treat*] affreusement mal; [*behave*] abominablement

dreadlocks /ˈdredlɒks/ *npl* dreadlocks *fpl* (*coiffure rasta*)

dreadnought /ˈdrednɔːt/ *n* Mil dreadnought *m*

dream /driːm/

A *n* 1 (while asleep) rêve *m*; **I had a ~ about sth/about doing** j'ai rêvé de qch/que je faisais; **to have a ~ that** rêver que; **'sweet** *ou* **pleasant ~s!'** 'fais de beaux rêves!'; **it was like a bad ~** c'était comme un mauvais rêve; 2 (while awake) rêverie *f*, rêve *m*; **to be in a ~** être dans les nuages *or* dans la lune; **to be living in a ~** (because of happiness) vivre dans un rêve; (because of shock) vivre dans un autre monde; 3 (hope) rêve *m*; **I have a ~ that** mon rêve, c'est que; **to have ~s of doing** rêver de faire; **it was (like) a ~ come true** c'était comme dans un rêve; **to make sb's ~ come true** faire que le rêve de qn devienne réalité; **the car/man of your ~s** la voiture/l'homme de tes rêves; **to have success beyond one's wildest ~s** avoir un succès qui dépasse ses rêves les plus fous; **to be rich beyond one's wildest ~s** être plus riche qu'on ne l'aurait jamais espéré; **never in her wildest ~s had she thought...** jamais, même dans ses rêves les plus fous, elle n'avait imaginé...; **you couldn't imagine a more vicious person, even in your wildest ~s** sa méchanceté dépasse l'imagination; 4 (wonderful person or thing) **the car is a ~ to drive** c'est un vrai plaisir de conduire cette voiture; **he's a ~** il est adorable; **the house/dress is a ~** la maison/robe est magnifique; **this cake is a ~** ce gâteau est délicieux; **to go like a ~** [*car, engine*] marcher à merveille; **it worked like a ~** ça a marché à merveille

B *modif* [*house, kitchen, car, vacation*] de rêve; [*job*] rêvé

C *vtr* (*prét, pp* **dreamt** /dremt/, **~ed**) 1 (while asleep) rêver (**that** que); 2 (imagine) **I never dreamt (that)** je n'aurais jamais pensé que; (stronger) je n'aurais jamais imaginé un seul instant que

D *vi* (*prét, pp* **dreamt** /dremt/, **~ed**) 1 (while asleep) rêver; **he dreamt about** *ou* **of sth/doing** il a rêvé de qch/qu'il faisait; 2 (while awake) rêver, être dans les nuages; péj rêvasser; **to ~ about** *ou* **of sth** rêver à qch; 3 (hope) rêver; **to ~ of sth/of doing** rêver de qch/de faire; **you're** *ou* **you must be ~ing if you think...** tu te fais des illusions si tu crois que...; **~ on!** iron l'espoir fait vivre!; 4 (consider) **I/he wouldn't ~ of doing** il ne me/lui viendrait jamais à l'esprit de faire; **'don't tell them!'—'I wouldn't ~ of it!'** 'ne le leur dis pas!'—'bien sûr que non!'

(Phrasal verbs) ■ **dream away**: **to ~ away the hours/the afternoon** passer son temps/l'après-midi à rêvasser

■ **dream up**: ▸ ~ **up [sth]** concevoir, inventer [*plan, excuse, idea, theory*]; imaginer [*character, plot*]

dreamboat° /ˈdriːmbəʊt/ *n* hum apollon *m*

dreamer /ˈdriːmə(r)/ *n* 1 (inattentive person) rêveur/-euse *m/f*, distrait/-e *m/f*; 2 (idealist) idéaliste *mf*, utopiste *mf*; 3 (person having dream) personne *f* qui rêve

dreamily /ˈdriːmɪlɪ/ *adv* 1 (in a dream) [*look, move, wander, smile, say*] d'un air rêveur; 2 (gently) suavement

dreamland /ˈdriːmlænd/ *n* pays *m* des rêves, monde *m* imaginaire

dreamless /ˈdriːmlɪs/ *adj* [*sleep*] sans rêves

dreamlessly /ˈdriːmlɪslɪ/ *adv* [*sleep*] d'un sommeil sans rêves

dreamlike /ˈdriːmlaɪk/ *adj* irréel/irréelle

dreamt /dremt/ *prét, pp* ▸ **dream**

dreamtime /ˈdriːmtaɪm/ *n* Austral Anthrop ≈ âge *m* d'or

dreamworld /ˈdriːmwɜːld/ *n* 1 (place of dreams) monde *m* de rêves; 2 (imagination) **to be (living) in a ~** être dans les nuages; **she's living in a ~ if she thinks...** elle se fait des illusions si elle croit que...

dreamy /ˈdriːmɪ/ *adj* 1 (distracted) rêveur/-euse, distrait; 2 (gentle) [*sound, music*] doux/douce; 3 (dreamlike) [*story, scene, day*] irréel/irréelle; 4 °†(attractive) [*person*] séduisant, attirant; [*house, car, dress*] ravissant

dreariness /ˈdrɪərɪnɪs/ *n* (of life, landscape) monotonie *f*; (of weather) aspect *m* maussade; (of person) côté *m* ennuyeux

dreary /ˈdrɪərɪ/ *adj* [*weather, landscape*] morne; [*person*] ennuyeux/-euse; [*life, routine*] monotone

dredge /dredʒ/

A *n* Naut 1 (machine) drague *f*; 2 (boat) = **dredger**

B *vtr* 1 draguer [*mud, river, channel*]; 2 Culin saupoudrer (**with** de)

C *vi* draguer

(Phrasal verb) ■ **dredge up**: ▸ ~ **up [sth]**, ~ **[sth] up** lit remonter qch (à la drague); fig retrouver [qch] enfoui au fond de sa mémoire [*memories*]; exhumer [*unpleasant story, idea etc*]

dredger /ˈdredʒə(r)/ *n* 1 (boat) dragueur *m*; 2 Culin saupoudreuse *f*

dregs /dregz/ *npl* 1 (of wine) lie *f* (*never pl*); (of coffee) marc *m* (*never pl*); (last drops) **she threw away the ~ of the tea** elle a jeté le thé qui restait dans la tasse; **to drink sth (down) to the ~s** boire qch jusqu'à la lie; 2 fig **the ~ of society/humanity** péj la lie de la société/l'humanité péj

drench /drentʃ/

A *vtr* (in rain, sweat) tremper [*person, clothes*] (**in** de); (in perfume) asperger (**in** de)

B drenched *pp adj* trempé (**in** de); **~ed to the skin** trempé jusqu'aux os; **she was ~ed in perfume** elle s'était aspergée de parfum

drenching /ˈdrentʃɪŋ/

A *n* **to get a ~** se faire tremper

B *adj* ~ **rain** pluie *f* battante

Dresden /ˈdrezdən/ *n* (also ~ **china**) (porcelaine *f* de) saxe *m*; **a piece of ~** un saxe

dress /dres/ ▸ **p. 1694**

A *n* 1 (item of women's clothing) robe *f*; **a silk/cotton ~** une robe de soie/de coton; 2 ¢ (clothing) vêtements *mpl*, tenue *f*; **his style of ~** son style vestimentaire; **casual/formal ~** tenue décontractée/habillée; **military ~** tenue militaire

B *modif* [*material, pattern, design*] de robe

C *vtr* 1 (put clothes on) habiller [*person*]; **to get ~ed** s'habiller; 2 (decorate) décorer [*Christmas tree*]; Naut pavoiser [*ship*]; **to ~ a shop window** faire une vitrine; 3 Culin assaisonner [*salad*]; préparer, parer [*chicken, crab, game*]; 4 Med panser [*wound*]; 5 (finish) dresser [*stone, timber*]; corroyer [*hide*]; 6 Agric (fertilize) fertiliser [*land*]; 7 Hort (prune) tailler [*tree, shrub*]; 8 Mil aligner [*troops*]

d

D vi **1** (put on clothes) s'habiller; **to ~ in a suit/uniform** mettre un costume/un uniforme; **to ~ in red/black** s'habiller en rouge/noir; **to ~ for dinner/for the theatre** s'habiller pour dîner/pour aller au théâtre; **2** Mil [*troops*] s'aligner

E *v refl* **to ~ oneself** s'habiller

F dressed *pp adj* habillé, vêtu (**in** de); **well ~ed** bien habillé

(Idiom) **~ed to kill** habillé de façon irrésistible; ▸ **nine**

(Phrasal verbs) ■ **dress down**: ► **~ down** [*person*] s'habiller 'décontracté'; ► **~ [sb] down**, **~ down [sb]** réprimander

■ **dress up**: ► **~ up** **1** (smartly) s'habiller, se mettre sur son trente et un○; **2** (in fancy dress) se déguiser (**as** en); ► **~ [sb] up**, **~ up [sb]** (disguise) déguiser; ► **~ [sth] up**, **~ up [sth]** (improve) agrémenter [*garment, outfit*]; fig agrémenter, enjoliver [*facts, policy*]

dressage /ˈdresɑːʒ/ *n* Equit dressage *m*

dress: **~ circle** *n* Theat premier balcon *m*; **~ clothes** *npl* US habits *mpl* du dimanche; **~ coat** *n* queue-de-pie *f*; **~ code** *n* code *m* vestimentaire; **~ designer** ▸ **p. 1683** *n* dessinateur/-trice *m/f* de mode, modéliste *mf*

dress-down Friday *n*: *port d'une tenue décontractée au travail le vendredi*

dresser /ˈdresə(r)/ *n* **1** (person) **to be a sloppy/stylish ~** s'habiller mal/avec chic; **2** (piece of furniture) (for dishes) buffet *m*, vaisselier *m*; US (for clothes) commode-coiffeuse *f*; **3** Theat habilleur/-euse *m/f*; **4** (tool) (for wood) raboteuse *f*; (for stone) chemin *m* de fer, rabotin *m*

dressing /ˈdresɪŋ/

A *n* **1** Med pansement *m*; **2** (sauce) assaisonnement *m*, sauce *f*; **3** US (stuffing) farce *f*; **4** Tech (of stone, wood) dressage *m*; **5** (of hide) corroyage *m*; **6** Agric (fertilizer) engrais *m*

B dressings *npl* Archit parements *mpl*

dressing case *n* vanity-case *m*

dressing-down *n* réprimande *f*; **to give sb a ~** réprimander qn

dressing: **~ gown** *n* robe *f* de chambre; **~ room** *n* Theat loge *f*; (in house) dressing *m*, vestiaire *m*; **~ station** *n* Mil Med poste *m* de secours; **~ table** *n* coiffeuse *f*; **~ table set** *n* accessoires *mpl* de toilette

dress: **~maker** ▸ **p. 1683** *n* couturière *f*; **~making** *n* couture *f*; **~ parade** *n* Mil défilé *m* en grande tenue; **~ rehearsal** *n* Theat, fig (répétition *f*) générale *f*

dress sense *n* **to have ~** s'habiller avec goût; **to have no ~** s'habiller sans aucun goût

dress: **~ shield** *n* dessous-de-bras *m inv*; **~ shirt** *n* chemise *f* habillée; **~ suit** *n* queue-de-pie *f*; **~ uniform** *n* uniforme *m* de cérémonie

dressy○ /ˈdresɪ/ *adj* habillé, élégant

drew /druː/ *prét* ▸ **draw**

dribble /ˈdrɪbl/

A *n* **1** (of liquid) filet *m*; **2** (of saliva) bave *f*; **3** Sport drible *m*

B *vtr* **1** (spill) laisser dégouliner [*paint*] (**on, onto** sur); **he's dribbling soup all down his bib** la soupe lui dégouline sur le bavoir; **2** Sport dribler [*ball*]; **he ~d the ball past two defenders** il a driblé deux défenseurs

C *vi* **1** [*liquid*] dégouliner (**on, onto** sur; **from** de); **soup ~d down his bib** la soupe dégoulinait sur son bavoir; **2** [*baby, old person*] baver; **3** Sport dribler

(Phrasal verbs) ■ **dribble in** [*money, contributions*] rentrer au compte-gouttes

■ **dribble out**: ► **~ [sth] out**, **~ out [sth]** distribuer [qch] au compte-gouttes [*cash, funds*]

dribbler /ˈdrɪblə(r)/ *n* **1** (baby) **he's a ~** il bave beaucoup; **2** Sport dribleur *m*

driblet /ˈdrɪblɪt/ *n* gouttelette *f*

dribs and drabs /ˌdrɪbz ən ˈdræbz/: **in ~** *adv phr* [*arrive, leave*] par petits groupes; [*pay, receive*] par petits bouts

dried /draɪd/

A *prét, pp* ▸ **dry**

B *adj* [*fruit, herb, bean, pulse*] sec/sèche; [*flower, vegetable*] séché; [*milk, egg*] en poudre

dried-up /ˌdraɪdˈʌp/ *adj* **1** lit [*river bed, reservoir etc*] à sec; **2** péj [*person*] desséché

drier /ˈdraɪə(r)/ *n* **1** (for clothes, hair) séchoir *m*; (helmet type for hair) casque *m*; **2** (for paint, varnish) siccatif *m*

drift /drɪft/

A *n* **1** (flow, movement) **the ~ of the current** le sens du courant; **to be carried downstream by the ~ of the current** être emporté en aval par le courant; **the ~ of events** fig le cours des événements; **the ~ from the land** l'exode *m* rural; **the ~ of refugees to the border** l'afflux *m* des réfugiés à la frontière; **the slow ~ of strikers back to work** le lent retour des grévistes au travail; **2** (ocean current) also Geol dérive *f*; **North Atlantic ~** dérive nord-atlantique; **3** (deviation) (of projectile) dérivation *f*; (of ship, plane) dérive *f*; **4** (mass) (of snow) congère *f*; (of leaves, sand) tas *m*, amoncellement *m*; (of smoke, mist) nuage *m*, traînée *f*; **the rain/snow was falling in ~s** il y avait des bourrasques de pluie/de neige; **5** (general meaning) sens *m* (général); **to catch the ~ of sb's argument** comprendre où quelqu'un veut en venir; **I don't catch** *ou* **follow your ~** je ne comprends pas où vous voulez en venir; **get the ~**○**?** tu piges○?; **6** Geol (glacial deposit) drift *m*, sédiments *mpl* glaciaires; **7** (in mining) galerie *f* en allongement; **8** Ling évolution *f*; **9** Elec, Radio dérive *f*

B *vi* **1** (be carried by tide, current) [*boat*] dériver; (by wind) [*balloon*] voler à la dérive; [*smoke, fog*] flotter; **to ~ out to sea** dériver vers le large; **to ~ off course** [*boat*] dériver hors-cap; [*plane*] dériver hors de route; **to ~ downstream** être emporté *or* entraîné en aval par le courant; **to ~ onto the rocks** s'échouer sur les rochers; **clouds ~ed across the sky** des nuages traversaient le ciel; **mist was ~ing in from the sea** il y avait de la brume qui venait de la mer; **voices ~ed into the garden** des voix parvenaient dans le jardin; **2** (pile up) [*snow*] former des congères *fpl*; [*leaves*] s'amonceler; **~ing snow** des bourrasques *fpl* de neige; **~ed snow** des congères; **3** **to ~ along** [*person*] lit flâner; fig se laisser aller; **to ~ around** *ou* **about the house** traîner sans but dans la maison; **the strikers are ~ing back to work** les grévistes retournent progressivement au travail; **to ~ into/out of the room** entrer dans une/sortir d'une pièce d'un pas nonchalant; **to ~ from job to job** passer d'un emploi à un autre; **to ~ from town to town** errer de ville en ville; **to ~ through life** errer sans but dans la vie; **the country is ~ing towards recession/war** le pays glisse vers la récession/la guerre; **I'm content to let things ~** je me borne à laisser les événements suivre leur cours; **4** fig (stray) **to ~ into teaching/publishing** se retrouver dans l'enseignement/l'édition; **to ~ into crime/prostitution** sombrer dans la criminalité/la prostitution; **the conversation ~ed onto politics** la conversation a dérivé vers la politique

(Phrasal verbs) ■ **drift apart** [*friends, couple, lovers*] se détacher progressivement (**from** de); **we have ~ed apart** nous sommes moins proches qu'avant

■ **drift away** [*crowd, spectators*] s'éloigner (**from** de); fig [*person*] (from belief etc) s'éloigner progressivement (**from** de)

■ **drift off** **1** (doze off) s'assoupir; **2** (leave) s'en aller lentement

drift anchor *n* ancre *f* flottante

drifter /ˈdrɪftə(r)/ *n* **1** Fishg harenguier *m*; **2** (aimless person) vagabond/-e *m/f*

drift: **~ ice** *n* ₵ glaces *fpl* flottantes; **~-net** *n* filet *m* dérivant; **~wood** *n* bois *m* flotté

drill /drɪl/

A *n* **1** (tool) (for wood, metal, masonry) perceuse *f*; (for oil) trépan *m*; (for mining) foreuse *f*; Dent roulette *f*, fraise *f* spec; **power/hand ~** perceuse *f* électrique/à main; **2** Mil exercice *m*; **rifle ~** maniement *m* d'armes; **3** (practice) **lifeboat/fire ~** exercice *m* de sauvetage/d'évacuation en cas d'incendie; **4** Sch (repetition) drill *m*; **5** ○†GB (procedure) **the ~** la marche à suivre; **6** (furrow) sillon *m*; **7** Agric (machine) semoir *m*; **8** Tex coutil *m*

B *vtr* **1** percer [*wood, metal, masonry*]; forer [*shaft, well, tunnel*]; Dent passer la roulette à [*tooth*]: **to ~ a hole** percer un trou (**in** dans); **2** Mil entraîner [*troops*]; **3** **to ~ sb in sth** former (intensivement) qn à qch; **4** Agric semer [qch] en sillons

C *vi* **1** (in wood, metal, masonry) percer un trou (**into** dans); Dent passer la roulette (**into** à); **to ~ for** faire des forages pour trouver [*oil, water*]; **2** Mil faire de l'exercice; **they're ~ing** ils sont à l'exercice; **3** **to ~ sth into sb** faire entrer qch dans la tête de qn; **we had good manners ~ed into us** on nous a inculqué à fond les bonnes manières

drilling /ˈdrɪlɪŋ/ *n* (for oil, gas, water) forage *m* (**for** pour trouver); (in wood, metal, masonry) perçage *m*; Dent fraisage *m*; **oil/gas ~** forage pétrolier/de gaz; **the ~ has been going on all day!** la perceuse a marché toute la journée!

drilling: **~ derrick** *n* tour *f* de forage; **~ platform** *n* plateforme *f* de forage; **~ rig** *n* (at sea) plateforme *f* de forage; (on land) derrick *m*, tour *f* de forage

drill sergeant *n* sergent *m* instructeur

drily /ˈdraɪlɪ/ *adv* **1** (with dry wit) d'un ton pince-sans-rire; **2** (coldly) sèchement

drink /drɪŋk/

A *n* **1** (nonalcoholic) boisson *f*; **orange/pineapple ~** boisson à l'orange/à l'ananas; **to have a ~** boire quelque chose; **could I have a ~ of water?** est-ce que je pourrais boire un verre d'eau; **to give sb a ~** donner à boire à qn; **to give a plant a ~** arroser une plante; **2** (alcoholic) boisson *f* (alcoolisée), verre *m*; **to have a ~** prendre *or* boire un verre; **would you like a ~?** tu veux prendre un verre?; **a quick ~** un petit verre; **to go for a ~** aller boire un verre; **he likes a ~** il aime bien la bouteille; **3** (act of drinking) **to take** *ou* **have a ~ of sth** boire une gorgée de qch; **4** ₵ (collectively) boisson *f*; (alcoholic) alcool *m*; **food and ~** la nourriture et la boisson; **to smell of ~** sentir l'alcool; **to be under the influence of ~** être en état d'ivresse; **to take to ~** se mettre à boire; **5** ○(sea) **in the ~** à la flotte○

B *vtr* (*prét* **drank**, *pp* **drunk**) boire [*liquid, glass*]; **he's had nothing to ~ all day** il n'a rien bu de toute la journée; **to ~ sth from a cup/glass/can** boire qch dans une tasse/un verre/une boîte; **you can ~ some red wines chilled** certains vins rouges se boivent frais; **to ~ a toast to sb** porter un toast à qn; **'...and what would you like to ~?'** (in restaurant) '...et comme boisson?'; **what are you ~ing?** qu'est-ce que vous voulez boire?

C *vi* (*prét* **drank**, *pp* **drunk**) **1** (consume liquid) boire (**from, out of** dans); **to ~ (straight) from the bottle** boire à la bouteille; **2** (consume alcohol) boire; **his mother drank** sa mère buvait; **have you been ~ing?** tu as bu?; **don't ~ and drive** ne conduisez pas si vous avez bu; **3** (as toast) **to ~ to the bride/to the health of Mr X** boire à la mariée/à la santé de M. X

D *v refl* **to ~ oneself stupid** *ou* **silly** se soûler

(Idioms) **to drive sb to ~** pousser qn à la boisson *or* à boire; **I'll ~ to that!** excellente idée!; **don't listen to him, it's the ~ talking** ne l'écoute pas, l'alcool lui fait dire n'importe quoi

(Phrasal verbs) ■ **drink away**: ► **~ away [sth]**, **~ [sth] away** noyer [qch] dans l'alcool [*troubles, sorrows*]; boire [*fortune, inheritance, wages*]; **to ~ the night away** passer la soirée à boire

■ **drink in**: ► **~ in [sth]** [*person*] respirer,

humer [*air*]; s'imbiber de [*atmosphere*]; boire [*words*]; [*plant, roots*] absorber [*water*]
■ **drink up**: ▸ ~ **up** finir son verre; ▸ ~ **up [sth]**, ~ **[sth] up** finir [*milk, beer etc*]

drinkable /'drɪŋkəbl/ *adj* 1 (safe to drink) potable; 2 (acceptable) buvable

drink-driver /ˌdrɪŋk'draɪvə(r)/ *n* GB personne *f* qui conduit en état d'ivresse

drink-driving /ˌdrɪŋk'draɪvɪŋ/ GB
A *n* conduite *f* en état d'ivresse
B *modif* [*offence, charge*] de conduite en état d'ivresse; [*fine*] pour conduite en état d'ivresse

drinker /'drɪŋkə(r)/ *n* 1 gen buveur/-euse *m/f*; **coffee/beer ~s** les buveurs de café/bière; 2 (habitual consumer of alcohol) **to be a ~** boire; **Bill's not much of a ~** Bill boit très peu d'alcool; **he's a heavy ~** c'est un grand buveur; 3 (person in bar) client *m*; (consumer) consommateur *m* d'alcool

drinking /'drɪŋkɪŋ/
A *n* (consumption of alcohol) consommation *f* d'alcool; **~ and driving** l'alcool au volant; **there was a lot of ~ at the party** on a beaucoup bu à la soirée
B *modif* [*laws*] sur l'alcool; [*companion*] de beuverie; **a ~ session** une beuverie; **you must change your ~ habits** vous devez réduire votre consommation d'alcool
C -drinking (*dans composés*) **beer/whisky-~** buveur/-euse de bière/de whisky

drinking: **~ chocolate** *n* GB chocolat *m* en poudre; **~ fountain** *n* (outdoor) fontaine *f* d'eau potable; (indoor) jet *m* d'eau potable; **~ problem** *n* US = **drink problem**; **~ song** *n* chanson *f* à boire; **~-up time** *n* GB *période de quelques minutes pour finir son verre avant la fermeture du pub*; **~ water** *n* eau *f* potable

drink problem GB *n* GB penchant *m* pour la boisson; **to have a ~** (serious) être alcoolique; (less serious) avoir un penchant pour la boisson

drink: **~s cabinet**, **~s cupboard** *n* GB bar *m*, meuble-bar *m*; **~s dispenser** *n* GB distributeur *m* de boissons; **~s machine** *n* GB machine *f* à boissons; **~s party** *n* GB cocktail *m*

drip /drɪp/
A *n* 1 (drop) goutte *f* (qui tombe); **to catch the ~s** recueillir les gouttes qui tombent; 2 (sound) ploc-ploc° *m*; **the constant ~ of rain/a tap** le bruit continuel de la pluie/d'un robinet qui goutte; 3 GB Med (device) goutte-à-goutte *m inv*; (solution) sérum *m*; **to be on a ~** être sous perfusion; 4 °(insipid person) péj mauviette° *f* pej
B *vtr* (*p prés etc* **-pp-**) 1 [*leak, roof, brush*] laisser tomber [qch] goutte à goutte [*rain, water, paint*]; [*person, fingers*] dégouliner de [*sweat, blood*]; **the engine was ~ping** le moteur avait une fuite d'huile; **to ~ sth onto** *ou* **down sth** faire goutter qch sur qch; **to ~ sth all over sth** cribler qch de gouttes de qch; 2 fig (ooze) **he ~ped contempt/charm** son mépris/son charme exsudait de toutes parts; **his voice ~ped smugness** la suffisance émanait de sa voix
C *vi* (*p prés etc* **-pp-**) 1 [*water, blood, oil, rain*] tomber goutte à goutte; **to ~ from** *ou* **off** dégouliner de, suinter de; **to ~ down sth** dégouliner le long de qch; **to ~ into/onto** tomber goutte à goutte dans/sur; 2 [*tap, branches*] goutter; [*washing, wet cloth*] s'égoutter (**onto** sur); [*engine*] fuir; [*wound*] suinter; **to be ~ping with** lit dégouliner de [*blood, oil, grease*]; ruisseler de [*sweat*]; fig exsuder liter [*sentiment, condescension*]; **~ping with greasy sauce** dégoulinant d'une sauce grasse

drip-dry /ˌdrɪp'draɪ/
A *adj* qui se lave et s'étend sans essorage
B *vtr* **'wash and ~'** 'laver et étendre sans essorer'

drip feed
A /'drɪpfiːd/ *n* alimentation *f* par perfusion
B /ˌdrɪp'fiːd/ *vtr* alimenter [qn] par perfusion

drip: **~ mat** *n* dessous-de-verre *m inv*; **~ pan** *n* lèchefrite *f*

dripping /'drɪpɪŋ/
A *n* Culin graisse *f* de rôti
B *adj* [*tap*] qui goutte; [*branches, eaves*] ruisselant; [*washing, clothes*] trempé

dripping: **~ pan** *n* lèchefrite *f*; **~ wet** *adj* [*cloth, clothes, person*] trempé

drive /draɪv/
A *n* 1 (car journey) **to go for a ~** faire un tour (en voiture); **to take sb for a ~** emmener qn faire un tour; **to take the car for a ~** faire un tour avec la voiture; **it's only five minutes' ~ from here** ce n'est qu'à cinq minutes d'ici en voiture; **it's a 40 km ~ to the hospital** il y a 40 km de route d'ici à l'hôpital; **it's an easy ~** le trajet ne pose aucun problème; **it's a magnificent ~** c'est un trajet magnifique
2 (campaign, effort) campagne *f* (**against** contre; **for, towards** pour; **to do** pour faire); (military) offensive *f*; **sales ~** campagne *f* de vente
3 (motivation, energy) dynamisme *m*, énergie *f*; **human ~s** instincts *mpl* humains; **the ~ to win** la volonté de vaincre; **her ~ for perfection** sa recherche acharnée de la perfection
4 Comput entraînement *m* de disques
5 Mech (mechanism to transmit power) transmission *f*
6 (path) (of house) allée *f*; **the car is in** *ou* **on the ~** la voiture est dans l'allée
7 Sport (in golf) drive *m*; (in tennis) drive *m*, coup *m* droit
B *modif* Mech [*mechanism, system*] de transmission
C *vtr* (*prét* **drove**, *pp* **driven**) 1 [*driver*] conduire [*car, bus, van, train, passenger*]; piloter [*racing car*]; transporter [*cargo, load*]; parcourir [qch] (en voiture) [*distance*]; **what (car) do you ~?** qu'est-ce que tu as comme voiture? **to ~ sb to school/to the station** conduire qn à l'école/à la gare; **to ~ tourists round town** faire visiter la ville à des touristes; **she drove me home** elle m'a reconduit chez moi; **he hates being driven** il a horreur de se faire conduire; **I ~ 15 km every day** je fais 15 km en voiture chaque jour; **to ~ sth into** rentrer qch dans [*garage, carpark, space*]; **he drove his truck into a wall** il a embouti un mur avec son camion; **he drove the car straight at me** il a dirigé la voiture droit sur moi; **she drove her car over a cliff** sa voiture s'est écrasée du haut d'une falaise
2 (force, compel) [*poverty, greed, urge*] pousser [*person*] (**to do** à faire); **he was driven to suicide/to drink** il a été poussé au suicide/à la boisson (**by** par); **hunger drove him to it** c'est la faim qui l'a poussé; **to be driven into debt** être contraint à s'endetter; **to be driven out of business** être conduit à la faillite; **to ~ the rate up/down** faire baisser/augmenter le taux; **to ~ sb mad** *ou* **crazy**° lit, fig rendre qn fou/folle *or* dingue°
3 (chase or herd) conduire [*herd, cattle*]; rabattre [*game*]; flotter [*logs*]; **to ~ sheep into a field** conduire des moutons dans un champ; **to ~ sb off one's land/out of her home** chasser qn de son terrain/de chez elle; **he was driven from** *ou* **out of the country** il a été chassé du pays; **to ~ evil thoughts from one's mind** écarter de mauvaises pensées de son esprit
4 (power, propel) actionner [*engine, pump, fan*]; **the generator is driven by steam** le générateur fonctionne à la vapeur; **what ~s the economy?** quel est le moteur de l'économie?; **what ~s you?** qu'est-ce qui vous fait courir?
5 (push) [*tide, wind*] pousser [*boat, snow, rain, clouds, person*]; **the wind drove the clouds along** le vent chassait les nuages; **to ~ a nail in(to)** enfoncer un clou (dans); **to ~ a tunnel through sth** percer un tunnel dans qch; **to ~ a road through an area** faire passer une route à travers une région; **to ~ sth into sb's head** fig faire rentrer qch dans la tête de qn
6 (force to work hard) pousser [*pupil, recruit*]; **you're driving that child too hard** tu pousses trop cet enfant
7 Sport (in golf) envoyer [*ball*]; (in tennis) envoyer [qch] d'un coup droit [*ball*]; **to ~ the ball into the rough** (in golf) envoyer son drive dans le rough
D *vi* (*prét* **drove**, *pp* **driven**) 1 Aut [*driver*] conduire; **can you ~?** est-ce que tu sais conduire?; **will you ~?** est-ce que tu peux conduire?; **he ~s for Ferrari** Sport il pilote pour Ferrari; **to ~ along** rouler; **I took pictures as we drove along** j'ai pris des photos en route; **you can't ~ along the High Street** on n'a pas le droit de circuler dans la grand-rue; **to ~ on the left/at 80 km per hour/on the main road** rouler à gauche/à 80 km à l'heure/sur la grand-route; **to ~ to work/to London** aller au travail/à Londres en voiture; **to ~ into** entrer dans [*garage, carpark, space*]; rentrer dans [*tree, lamppost*]; **I drove into a ditch** je suis allé dans le fossé; **to ~ up/down a hill** monter/descendre une côte; **to ~ past** passer; **to ~ at sb** se diriger sur qn; **the taxi drove out of the station** le taxi a quitté la gare; **you use a lot of petrol driving around town** la conduite en ville consomme beaucoup d'essence
2 Sport (in golf) driver; (in tennis) faire un drive
E *v refl* **to ~ oneself** 1 Aut conduire soi-même; **the Minister ~s himself** le Ministre conduit sa voiture lui-même; **to ~ oneself to hospital** se conduire soi-même à l'hôpital
2 (push oneself) **to ~ oneself to do** se forcer à faire; **to ~ oneself too hard** se surmener

(Phrasal verbs) ■ **drive away**: ▸ ~ **away** démarrer; ▸ ~ **away [sth/sb]**, ~ **[sth/sb] away** 1 Aut [*driver*] faire démarrer [*vehicle*]; 2 (get rid of) chasser, faire partir [*wolves, insects*]; faire partir [*tourists, visitors, thieves, clients*]; écarter [*lover, friend*]; dissiper [*doubt, suspicion*]; chasser [*fear, cares*]
■ **drive at**: **what are you driving at?** où veux-tu en venir?, que veux-tu dire?
■ **drive back**: ▸ ~ **back** rentrer; **to ~ there and back in one day** faire l'aller-retour dans la même journée; ▸ ~ **back [sth/sb]**, ~ **[sth/sb] back** 1 (repel) repousser [*crowd, enemy, animals*]; **we were driven back by bad weather** le mauvais temps nous a fait rebrousser chemin; 2 Aut ramener [*car, passenger*]
■ **drive forward** (in football) attaquer
■ **drive off** 1 Aut démarrer; 2 Sport jouer le premier drive
■ **drive on**: ▸ ~ **on** (continue) poursuivre sa route; (set off again) repartir; ▸ ~ **[sb] on** pousser; **to ~ sb on to do** pousser qn à faire
■ **drive out**: ▸ ~ **out [sth/sb]**, ~ **[sth/sb] out** chasser [*people, invader, spirits, thought*]

drive-by (shooting) *n* US attaque *f* criminelle (*exécutée d'une voiture en marche*)

drive-in /'draɪvɪn/
A *n* 1 (cinema) drive-in *m*, ciné-parc *m*; 2 (restaurant) restaurant *m* drive-in
B *modif* [*restaurant, bank*] drive-in, accessible aux clients sans qu'ils sortent de leur voiture

drivel° /'drɪvl/
A *n* ₵ bêtises *fpl*; **to talk ~** dire n'importe quoi
B *vi* (*p prés etc* **-ll-** GB, **-l-** US) (*also* **~ on**) dire n'importe quoi (**about** sur)

driveline /'draɪvlaɪn/ *n* transmission *f*

driven /'drɪvn/
A *pp* ▸ **drive**
B *adj* [*person*] passionné, motivé
C -driven (*dans composés*) **petrol-/motor-/steam-~** à essence/moteur/vapeur; **market-~** déterminé par le marché; ▸ **menu-driven**

driver /'draɪvə(r)/ *n* 1 gen conducteur/-trice *m/f*; Aut automobiliste *mf*; (for a living) chauffeur *m*; **to be a good/bad ~** être un bon/mauvais conducteur, conduire bien/mal; **a careful/reckless ~** un conducteur prudent/

imprudent; **2** (mechanical component) actionneur *m*; **3** (golf club) driver *m*, bois *m* n°1; **4** Comput pilote *m*, gestionnaire *m* de périphérique; **5** (agent, cause) moteur *m*; **the ~s of change** les moteurs de changement. ▸ **slave driver**

driver: **~'s education** *n* US cours *m* de conduite (*dans le cadre scolaire*); **~'s license** *n* US = **driving licence**; **~'s seat** *n* = **driving seat**

drive: **~ shaft** *n* Tech arbre *m* de transmission; **~-through** *n* US comptoir *m* de vente à l'extérieur; **~time** *n* heure *f* de pointe; **~-time music** *n* US Radio musique *f* passée à une heure de grande écoute; **~ unit** *n* unité *f* de disques; **~-up window** *n* US *guichet bancaire où on peut retirer de l'argent sans quitter sa voiture*; **~way** *n* allée *f*

driving /ˈdraɪvɪŋ/

A *n* conduite *f*; **motorway/night ~** conduite *f* sur autoroute/de nuit; **~ is difficult/fun** c'est difficile/amusant de conduire; **his ~ has improved** il conduit mieux qu'avant

B *modif* [*skills, habits, offence, position*] de conduite

C *adj* [*rain*] battant; [*wind, hail*] cinglant

driving: **~ belt** *n* courroie *f* de transmission; **~ examiner** *n* inspecteur/-trice *m/f* (du permis de conduire); **~ force** *n* (person) force *f* agissante (**behind** de); (money, ambition, belief) moteur *m* (**behind** de); **~ instructor** ▸ **p. 1683** *n* moniteur/-trice *m/f* d'auto-école; **~ lesson** *n* cours *m* de conduite; **~ licence** GB, **driver's license** US *n* permis *m* de conduire ➡; **~ mirror** *n* rétroviseur *m*; **~ range** *n* (in golf) practice *m*; **~ school** *n* auto-école *f*

driving seat *n* place *f* du conducteur

(Idiom) **to be in the ~** être aux commandes, tenir les rênes

driving test *n* examen *m* du permis de conduire; **to take/pass/fail one's ~** passer/réussir/rater son permis (de conduire)

driving wheel *n* Tech roue *f* motrice

drizzle /ˈdrɪzl/

A *n* bruine *f*

B *vtr* Culin **~ the salad with oil** verser un filet d'huile sur la salade

C *vi* Meteorol bruiner; **it's drizzling** il bruine

drizzly /ˈdrɪzlɪ/ *adj* [*day, weather*] de bruine

droll /drəʊl/ *adj* **1** (amusing) drôle; **2** †(quaint, odd) bizarre

Drôme ▸ **p. 1129** *pr n* Drôme *f*; **in/to the ~** dans la Drôme

dromedary /ˈdrɒmədərɪ, US -ederɪ/ *n* dromadaire *m*

drone /drəʊn/

A *n* **1** (of engine) ronronnement *m*; (loud) vrombissement *m*; (of insects) bourdonnement *m*; **I could hear his monotonous ~** j'entendais son murmure monotone; **2** Zool faux bourdon *m*; fig (parasite) parasite *m*; **3** (pilotless aircraft) drone *m*; **4** Mus (chord, pipe) bourdon *m*

B *vtr* **'as you like,' he ~d** 'comme vous voulez,' débita-t-il d'un ton monotone

C *vi* [*engine*] ronronner; (loudly) vrombir; [*person*] parler d'un ton monotone; [*insect*] bourdonner; **bombers ~d overhead** des bombardiers passaient en vrombissant dans le ciel

(Phrasal verb) ■ **drone on** péj faire de longs discours rasants○ (**about** sur)

drongo○ /ˈdrɒŋgəʊ/ *n* Austral péj imbécile *m*

drool /druːl/ *vi* lit baver; ○fig baver (d'envie); **to ~ over sth/sb** s'extasier (à n'en plus finir) sur qch/qn; **to ~ at the thought of sth** baver (d'envie) en pensant à qch; **to ~ at the mouth** (in admiration) en baver d'admiration; (in envy) en baver d'envie

droop /druːp/

A *n* affaissement *m*

B *vi* **1** (sag) [*eyelids, head*] tomber; [*branch, shoulders, wings*] s'affaisser; [*moustache*] retomber; [*flower, plant*] commencer à se faner; **2** (flag) [*person*] flancher

drooping /ˈdruːpɪŋ/ *adj* **1** lit [*eyelids, head, moustache*] tombant; [*shoulders, branch*] affaissé; [*flower, plant*] fané; **2** fig **~ spirits** abattement *m*

droopy /ˈdruːpɪ/ *adj* [*moustache*] tombant; [*flower, leaf*] fané; [*stomach, bottom*] flasque

drop /drɒp/

A *n* **1** (drip, globule) gen, Med goutte *f*; **~ by ~** goutte à goutte; **add the oil in ~s** ajouter l'huile goutte à goutte; **would you like a ~ of milk/whisky?** voulez-vous une goutte de lait/de whisky?; **just a ~** juste une goutte; **a ~ more milk** encore un peu de lait; **this isn't a bad ~ of wine/whisky** il n'est pas mauvais ce petit vin/whisky; **he's definitely had a ~ too much!** euph il a bu un verre de trop!

2 (decrease) (in prices, inflation, numbers, birthrate, exports, demand) baisse *f* (**in** de), diminution *f* (**in** de); (in speed, pressure, noise) diminution *f* (**in** de); (in temperature) baisse *f* (**in** de); **there has been a sharp ~ in unemployment** on constate une forte baisse *or* diminution du nombre de chômeurs; **a 5% ~ in sth, a ~ of 5% in sth** une baisse de 5% de qch

3 (vertical distance, slope) **there's a ~ of 100 m from the top to the water below** il y a une hauteur de 100 m du sommet jusqu'à l'eau; **don't lean out—it's a big ~** ne te penche pas —c'est haut; **it's quite a ~ from the top of the cliff/tower** la falaise/la tour est très haute; **there was a steep ~ on either side of the ridge** il y avait une pente abrupte de chaque côté de l'arête; **a sheer ~ (of 200 m) to the rocks below** une brusque dénivellation (de 200 m) jusqu'aux rochers en contrebas

4 (delivery) (from aircraft) largage *m*, parachutage *m*; (from lorry, van) livraison *f*; (parachute jump) saut *m* en parachute; **to make a ~** [*parachutist*] faire un saut en parachute; **a ~ of food and blankets was made to the stricken area** des denrées et des couvertures ont été larguées *or* parachutées sur la zone sinistrée

5 (on necklace, earring) goutte *f*; (on chandelier) pendeloque *f*

6 (sweet) **pear/lemon ~** bonbon *m* à la poire/au citron; **chocolate ~** crotte *f* en chocolat

7 (gallows) potence *f*

8 Theat = **drop curtain**

B *vtr* (*p prés etc* **-pp-**) **1** (allow to fall) (by accident) laisser tomber; (on purpose) mettre, lâcher; **mind you don't ~ it!** fais attention de ne pas le laisser tomber *or* le lâcher; **she ~ped a stone into the well** elle a laissé tomber *or* a lâché une pierre dans le puits; **~ it!** lit lâche ça!; **she ~ped a coin into the slot/a letter into the box** elle a mis une pièce dans la fente/une lettre dans la boîte; **he ~ped a 30-foot putt** ≈ il a rentré un putt de 9 mètres; **she ~ped the shuttlecock over the net** elle a fait passer le volant juste derrière le filet

2 (deliver) [*aircraft*] lâcher, parachuter [*supplies, equipment*]; parachuter [*person*]; larguer, lâcher [*bomb, shell*]

3 (leave) (*also* **~ off**) déposer [*person, object*]; **can you ~ me (off) at the post office/at Claire's, please?** est-ce que vous pouvez me déposer devant la Poste/chez Claire, s'il vous plaît?

4 (lower) baisser [*curtain, sail, hem, neckline, price*]; **to ~ one's eyes/gaze/voice** baisser les yeux/le regard/la voix; **to ~ one's trousers**○ baisser son pantalon; **to ~ one's speed** ralentir

5 (give casually) **to ~ a hint about sth** faire allusion à qch; **to ~ sb a card/a note/a letter** envoyer une carte/un mot/une lettre à qn; **he just ~ped it into the conversation that he was leaving** il a juste fait allusion, dans la conversation, à son départ

6 (exclude) (deliberately) supprimer [*article, episode, word*]; écarter [*team member, player*]; (by mistake) omettre [*figure, letter, digit, item on list*]; ne pas prononcer [*syllable, sound*]; **he's been ~ped from the team** il a été écarté de l'équipe

7 (abandon) laisser tomber○ [*friend, boyfriend*]; (give up) abandonner, laisser tomber○ [*school subject, work*]; renoncer à [*habit, custom, idea, plan*]; abandonner [*conversation, matter*]; retirer [*charges, accusation, claim*]; **to ~ everything** tout laisser tomber; **can we ~ that subject, please?** on ne pourrait pas parler d'autre chose?; **just ~ it**○**, will you!** laisse tomber, tu veux bien○!; **let's ~ the formalities** ne nous embarrassons pas de formalités

8 gen, Sport (lose) perdre [*money, point, game, serve*]

9 Zool (give birth to) mettre bas [*calf, foal, young*]

10 argot des drogués **to ~ acid** prendre du LSD

C *vi* (*p prés etc* **-pp-**) **1** (fall, descend) [*object, liquid, curtain, leaf*] tomber; [*person*] (deliberately) se laisser tomber; (by accident) tomber; **we ~ped to the ground as the plane flew over** nous nous sommes jetés par terre quand l'avion est passé au-dessus de nous; **to ~ to one's knees** tomber à genoux; **to ~ into a chair** se laisser tomber dans un fauteuil; **the pen ~ped from** *ou* **out of his hand** le stylo lui est tombé des mains; **the key must have ~ped out of the hole in my pocket** la clé a dû passer par le trou de ma poche; **his arm ~ped to his side** il a laissé retomber le bras; **his mouth ~ped open** (from surprise) il en est resté bouche bée; (in sleep) il a ouvert la bouche; **the sun ~ped below the horizon** le soleil a disparu à l'horizon; **the plane ~ped to an altitude of 1,000 m** l'avion est descendu à une altitude de 1 000 m

2 (fall away) **the cliff ~s into the sea** la falaise tombe dans la mer; **the road ~s steeply down the mountain** la route descend abruptement le long de la montagne; ▸ **drop away**

3 (decrease, lower) [*prices, inflation, noise, wind, temperature, level, speed*] baisser; **to ~ (from sth) to sth** [*prices, inflation, temperature, speed*] tomber (de qch) à qch; [*person*] descendre (de qch) à qch; **the temperature ~ped (from 6°C) to 0° C** la température est tombée (de 6°C) à 0°C; **she ~ped to third place** elle est descendue à la troisième place

4 ○(collapse) **he was ready** *ou* **fit to ~** il tombait de fatigue; **to do sth until one ~s** *ou* **is ready to ~** faire qch jusqu'à l'épuisement

5 (come to an end) **to let sth ~** laisser tomber qch [*matter, subject, conversation, course, job*]

6 Sewing [*curtain, garment*] s'allonger; **the hem of my skirt has ~ped** l'ourlet de ma jupe s'est défait

(Idioms) **to ~ a brick**○ *ou* **clanger**○ faire une gaffe○; **a ~ in the bucket** *ou* **ocean** une goutte d'eau dans la mer; **to ~ sb in it**○ mettre qn dans le pétrin○; **to get/have the ~ on sb** US prendre/avoir l'avantage sur qn

(Phrasal verbs) ■ **drop away** **1** (diminish) [*attendance, numbers, support, interest*] diminuer; [*concentration*] faiblir; **2** (fall steeply) [*path, road*] descendre brusquement; (end) s'arrêter brusquement

■ **drop back** (deliberately) rester en arrière, se laisser distancer; (because unable to keep up) prendre du retard

■ **drop behind** **1** = **drop back**; **2** fig (in school, at work) prendre du retard; **to ~ behind sb/sth** lit (deliberately) se laisser distancer par qn/qch; fig prendre du retard sur qn/qch

■ **drop by** passer; **if there's anything you need just ~ by** si vous avez besoin de quoi que ce soit, passez me/nous voir; **I ~ped by to see her today** je suis passé la voir aujourd'hui

■ **drop in**: ▸ **~ in** passer; **~ in and have a cup of tea** passez prendre une tasse de thé; **to ~ in on sb** passer voir qn; **to ~ in at the baker's** passer chez le boulanger; **I'll ~ it in (to you) later** je passerai te le donner plus tard

■ **drop off**: ▸ **~ off** **1** (fall off) [*handle, leaf,*

➡ *see* Life in France

label, hat] tomber; ② ~ **off (to sleep)** s'endormir; ③ (become weaker, fewer etc) [*attendance, numbers, business, demand, interest*] diminuer; ► ~ **[sth/sb] off**, ~ **off [sth/sb]** = **drop B 3**
■ **drop out** ① (fall out) [*object, handkerchief, contact lens, page*] tomber (**of** de); ② (withdraw) (from contest, race) se désister; (from project) se retirer; (from school, university) abandonner ses études; (from society) se marginaliser; **to ~ out of** se retirer de [*contest, race*]; abandonner [*politics*]; **to ~ out of school/university** abandonner l'école/ses études; **that word has virtually ~ped out of the language** ce mot a pratiquement disparu de la langue; **terms that ~ped out of usage years ago** des termes qui ne sont plus utilisés depuis de nombreuses années; **the coins will gradually ~ out of circulation** les pièces seront progressivement retirées de la circulation
■ **drop over** = **drop round**
■ **drop round**: ► ~ **round** passer; **I'll ~ round (to your house) later** je passerai te voir plus tard; **I'll ~ your books round after school** je passerai te donner tes livres après l'école

drop: **~-add period** *n* US Univ *période de réflexion pendant laquelle on peut changer son choix initial de cours*; **~cloth** *n* US bâche *f*; **~ curtain** *n* Theat rideau *m*

drop-dead○ /ˈdrɒpded/ *adv* prodigieusement, fabuleusement; ~ **gorgeous** canon○ *inv*

drop: **~-down menu** *n* Comput menu *m* déroulant; **~ forge** *n* marteau-pilon *m*

drop goal *n* drop *m*; **to score a ~** réussir un drop

drop: ~ **hammer** *n* = **drop forge**; ~ **handlebars** *npl* guidon *m* de course; ~ **kick** *n* coup *m* de pied tombé; ~ **leaf** *n* (of table) rallonge *f*; **~-leaf table** *n* table *f* pliante, table *f* anglaise

droplet /ˈdrɒplɪt/ *n* gouttelette *f*

drop-off /ˈdrɒpɒf/ *n* baisse *f*, diminution *f* (**in** de)

dropout /ˈdrɒpaʊt/ *n* ① (from society) marginal/-e *m/f*; (from school) étudiant/-e *m/f* qui abandonne ses études; ② Sport (in rugby) remise *f* en jeu

dropper /ˈdrɒpə(r)/ *n* compte-gouttes *m inv*

droppings /ˈdrɒpɪŋz/ *npl* (of mouse, rabbit, sheep) crottes *fpl*; (of horse) crottin *m*; (of bird) fiente *f*; (of insect) chiures *fpl*, crottes *fpl*

drop: **~ping zone** *n* = **drop zone**; ~ **scone** *n* crêpe *f* écossaise (*faite avec de la pâte à crêpes additionnée de levure et de sucre*); ~ **shipment** *n* livraison *f* directe (*facturée au grossiste mais livrée directement au détaillant*)

drop shot *n* Sport amorti *m*; **to play a ~** faire un amorti

dropsy /ˈdrɒpsɪ/ *n* hydropisie *f*

drop: ~ **tank** *n* Aviat réservoir *m* largable; ~ **zone**, **~ping zone** *n* (for supplies etc) zone *f* de largage; (for parachutist) zone *f* de saut

drosophila /drəˈsɒfɪlə/ *n* drosophile *f*

dross /drɒs/ *n* ① (rubbish) rebut *m*; **it's ~** ça ne vaut rien; ② Ind crasse *f*, laitier *m*

drought /draʊt/ *n* sécheresse *f*

drove /drəʊv/
A *pret* ▸ **drive**
B *n* (of animals) troupeau *m* en marche; **~s of people** des foules *fpl* de gens; **in ~s** fig en masse

drover /ˈdrəʊvə(r)/ *n* conducteur *m* de bestiaux

drown /draʊn/
A *vtr* ① (kill by immersion) noyer [*person, animal*]; **20 people were ~ed in the accident** 20 personnes sont mortes noyées dans l'accident; **the entire crew was ~ed** l'équipage entier est mort noyé; ② (make inaudible) couvrir [*song, sound, voice*]; ③ (flood) submerger, inonder [*land, village, valley*]; fig noyer [*drink, food*] (**in** dans)
B *vi* se noyer
C *v refl* **to ~ oneself** se noyer
(Idiom) **to ~ one's sorrows** noyer son chagrin dans l'alcool
(Phrasal verb) ■ **drown out**: ► ~ **[sth] out**, ~ **out [sth]** couvrir [*noise, sound, music*]; ► ~ **[sb] out** couvrir la voix de [*person*]

drowning /ˈdraʊnɪŋ/
A *n* noyade *f*
B *adj* [*person*] qui se noie
(Idiom) **a ~ man will clutch at a straw** Prov tout est bon à qui se noie

drowse /draʊz/
A *n* **to be in a ~** être à moitié endormi
B *vi* (be half asleep) être à moitié endormi; (sleep lightly) somnoler; **to ~ the afternoon away** passer l'après-midi à somnoler

drowsily /ˈdraʊzɪlɪ/ *adv* [*say*] d'un ton à moitié endormi; [*move*] d'un air à moitié endormi

drowsiness /ˈdraʊzɪnɪs/ *n* somnolence *f*; **'may cause ~'** (on medication) 'risque de somnolence'

drowsy /ˈdraʊzɪ/ *adj* ① [*person*] à moitié endormi; [*look, smile*] somnolent; **to feel ~** avoir envie de dormir; **to grow ~** s'assoupir; ② littér (sleep-inducing) assoupissant

drubbing○ /ˈdrʌbɪŋ/ *n* raclée○ *f*; **to give sb a (good) ~** administrer une (belle) raclée à qn; **to get a ~** prendre une raclée

drudge /drʌdʒ/
A *n* besogneux/-euse *m/f*; **to be the household ~** faire la bonne
B *vi* (physically) trimer; (in office) besogner

drudgery /ˈdrʌdʒərɪ/ *n* ₵ corvée *f*; **household ~** les corvées ménagères; **it's sheer ~** c'est une vraie corvée

drug /drʌg/
A *n* ① Med, Pharm médicament *m*; **a pain-relieving ~** un médicament pour calmer la douleur; **a ~ to fight infection** un médicament pour lutter contre l'infection; **to be on ~s** prendre des médicaments; ② (narcotic) lit, fig drogue *f*; **hard/soft ~s** drogues *fpl* dures/douces; **to be on** *ou* **to take ~s** gen se droguer, Sport se doper; **to do ~s**○ se camer○
B *modif* ① (narcotic) [*problem, shipment, smuggler, trafficking*] de drogue; [*culture, use*] de la drogue; [*crime*] lié à la drogue; ② Med, Pharm [*company, industry*] pharmaceutique
C *vtr* (*p prés etc* **-gg-**) ① (sedate) [*kidnapper*] administrer des somnifères à [*victim*]; [*vet*] endormir [*animal*]; ② (dope) [*person*] mettre un somnifère dans [*drink*]; [*vet*] mettre un narcotique dans [*meal*]; [*trainer*] doper [*horse*]
(Idiom) **a ~ on the market** un produit qui se vend mal

drug: ~ **abuse** *n* consommation *f* de stupéfiants; ~ **abuser** *n* drogué/-e *m/f*; ~ **addict** *n* toxicomane *mf*; ~ **addiction** *n* toxicomanie *f*; ~ **baron** *n* narco(-)trafiquant/-e *m/f* (*à grande échelle*)

drugged /drʌgd/ *adj* ① (under the influence of medicine) [*person*] drogué; [*state, feeling*] d'abrutissement; **to be ~ up to the eyeballs**○ être bourré○ de médicaments; **to be in a ~ sleep** dormir comme sous l'effet d'un somnifère; ② (poisoned) [*drink*] additionné d'un narcotique

drugget /ˈdrʌgɪt/ *n* Tex thibaude *f*

druggist /ˈdrʌgɪst/ ▸ **p. 1683** *n* US pharmacien/-ienne *m/f*

druggy○ /ˈdrʌgɪ/ *n* camé/-e○ *m/f*, toxicomane *mf*

drug: ~ **habit** *n* accoutumance *f* à la drogue; ~ **peddler**, ~ **pusher** *n* revendeur/-euse *m/f* de drogue

drug rape *n* viol *m* perpétré sur une victime préalablement droguée; **to be a victim of ~** être victime d'un viol après avoir été drogué/-e

drug: **~-related** *adj* lié à la drogue; **~s charges** *npl* infraction *f* à la législation sur les stupéfiants; **~s offence** *n* infraction *f* à la législation sur les stupéfiants; **Drug Squad**, **Drugs Squad** *n* GB brigade *f* des stupéfiants; **~s raid** *n* opération *f* antidrogue; **~s ring** *n* réseau *m* de trafiquants de drogue; **~s scene** *n* monde *m* de la drogue; **~store** *n* US drugstore *m*; **~store cowboy**○ *n* US traîne-savates○ *m inv*; ~ **taker** *n* toxicomane *mf*; **~-taking** *n* gen usage *m* de stupéfiants; Sport dopage *m*; ~ **test** *n* Med Sport contrôle *m* antidopage; ~ **user** *n* toxicomane *mf*

druid /ˈdruːɪd/ *n* druide *m*

druidism /ˈdruːɪdɪzəm/ *n* druidisme *m*

drum /drʌm/
A *n* ▸ **p. 1462** ① Mus, Mil tambour *m*; ② Ind, Comm bidon *m*; (larger) baril *m*; **a 10 litre ~** un bidon de 10 litres; ③ Tech, Aut tambour *m*; ④ (spool for rope, cable) tambour *m*
B **drums** *npl* batterie *f*; **Joe Morello on ~s** Joe Morello à la batterie
C *vtr* (*p prés etc* **-mm-**) **to ~ one's fingers/feet** tambouriner des doigts/des pieds (**on** sur); **to ~ sth into sb** fig enfoncer qch dans le crâne de qn○
D *vi* (*p prés etc* **-mm-**) ① (beat drum) jouer du tambour; ② (make drumming sound) [*rain*] tambouriner; **to ~ on the table with one's fingers** tambouriner sur la table avec les doigts
(Idiom) **to beat the ~ for sth** fig faire du battage pour qch.
(Phrasal verbs) ■ **drum home**: ► ~ **[sth] home** réussir à faire comprendre [*lesson, point*]; réussir à faire passer [*message*]
■ **drum out**: ► ~ **[sb] out** expulser [*person*]
■ **drum up**: ► ~ **up [sth]** trouver [*business, custom, trade*]: ► ~ **up [sb]** racoler [*clients, customers*]; **to ~ up sb's support for** obtenir le soutien de qn en faveur de [*candidate, plan*]

drum: **~beat** *n* battement *m* de tambour; **~beater**○ *n* US agent *m* publicitaire; ~ **brake** *n* frein *m* à tambour; **~head** *n* peau *f* de tambour; **~head court-martial** *n*: *tribunal militaire convoqué d'urgence pendant les combats*; ~ **kit** *n* batterie *f*

drumlin /ˈdrʌmlɪn/ *n* drumlin *m*

drum: ~ **machine** *n* batterie *f* électronique; ~ **major** *n* tambour-major *m*; ~ **majorette** *n* majorette *f*

drummer /ˈdrʌmə(r)/ ▸ **p. 1683, p. 1462** *n* ① (in military band) tambour *m*; ② (jazz or pop musician) batteur *m*; ③ (classical musician) percussionniste *mf*; ④ ○US (salesman) représentant *m* de commerce, commis *m* voyageur

drummer boy *n* jeune tambour *m*

drumming /ˈdrʌmɪŋ/ *n* ① (activity) jouer de la batterie; (in orchestra) jouer des percussions; ② (noise made on drum) bruit *m* de tambour; **the ~ faded away** le bruit du tambour s'est éteint; ③ (of fingers, feet, rain) tambourinement *m*

drumroll /ˈdrʌmrɒl/ *n* roulement *m* de tambour

drumstick /ˈdrʌmstɪk/ *n* ① Mus baguette *f* de tambour; ② Culin (of chicken) pilon *m*

drunk /drʌŋk/
A *pp* ▸ **drink**
B *n* ivrogne/-esse *m/f*
C *adj* ① lit ivre, soûl; **to get ~** s'enivrer (**on** de); **to get sb ~** faire boire qn; ~ **driver** conducteur/-trice *m/f* en état d'ivresse; ~ **driving** conduite *f* en état d'ivresse; **to be ~ and disorderly** Jur être en état d'ivresse publique; **it is illegal to be ~ in charge of a motor vehicle** Jur il est illégal de conduire en état d'ivresse; **to be arrested for being ~ in charge of a motor vehicle** Jur être arrêté pour conduite en état d'ivresse; ② fig ~ **with** ivre de [*power, passion, freedom*]
(Idiom) **as ~ as a lord** GB *ou* **skunk**○ US soûl comme une grive

drunkard /ˈdrʌŋkəd/ *n* ivrogne/-esse *m/f*

d

drunken /ˈdrʌŋkən/ *adj* [*person*] ivre, en état d'ivresse; [*party, evening*] bien arrosé; [*sleep, stupor*] éthylique; [*state*] d'ivresse; [*rage, fury*] causé par l'ivresse

drunkenly /ˈdrʌnkənlɪ/ *adv* lit [*say, shout, laugh*] d'une voix avinée; [*walk*] en titubant; fig (as if drunk) **to lurch ~** [*person*] tituber; [*vehicle*] zigzaguer

drunkenness /ˈdrʌŋkənnɪs/ *n* 1 (state) ivresse *f*, ébriété *f* fml; 2 (habit) ivrognerie *f*

drunkometer /ˌdrʌŋˈkɒmɪtə(r)/ *n* US alcootest *m*

druthers○ /ˈdrʌðəz/ *npl* US **if I had my ~** s'il ne tenait qu'à moi

dry /draɪ/

A *n* GB Pol ultraconservateur/-trice *m/f*

B *adj* 1 (not wet or moist) [*clothing, ground, hair, hand, paint, crackle, rustle*] sec/sèche; [*skin, hair, throat, mouth, cough*] sec/sèche; [*riverbed, well*] à sec; **to run ~** [*river, funds, supplies*] se tarir; **~ bread** pain sec; **to be** *ou* **feel ~** (thirsty) [*person*] avoir le gosier sec○; **to keep sth ~** tenir qch au sec; **to keep (oneself) ~** rester au sec; **to get ~** se sécher; **to get sth ~** (faire) sécher qch; **to wipe sth ~** essuyer qch; **the kettle has boiled ~** toute l'eau de la bouilloire s'est évaporée; **on ~ land** sur la terre ferme; 2 (not rainy) [*weather, climate, season, month, heat*] sec/sèche; [*day, spell*] sans pluie; **it will be ~ tomorrow** il ne pleuvra pas demain; 3 (not sweet) [*wine, sherry etc*] sec/sèche; 4 (ironic) [*wit, person, remark*] pince-sans-rire *inv*; (cold) [*person, remark*] sec/sèche; 5 (dull) [*book, reading, subject matter*] aride; 6 (forbidding alcohol) [*state, country*] qui interdit la vente de boissons alcoolisées; 7 GB Pol [*view, minister*] ultraconservateur/-trice; **a ~ Tory** un/-e ultraconservateur/-trice *m/f*

C *vtr* faire sécher [*clothes, washing*]; sécher [*fruit, meat, flowers*]; **to ~ the dishes** essuyer la vaisselle; **to ~ sb's hair** sécher les cheveux de qn; **to ~ one's hair/hands** se sécher les cheveux/les mains; **to ~ one's eyes** sécher ses larmes

D *vi* [*sheet, clothes, hair, paint, blood, concrete*] sécher

E *v refl* **to ~ oneself** se sécher

(Idioms) **(as) ~ as a bone** sec/sèche comme un coup de trique; **(as) ~ as dust** ennuyeux/-euse comme la pluie

(Phrasal verbs) ■ **dry off**: ▸ **~ off** [*material, object*] sécher; [*person*] se sécher; ▸ **~ off [sb/sth]**, **~ [sb/sth] off** sécher [*person, object*]; **to ~ oneself off** se sécher

■ **dry out**: ▸ **~ out** 1 lit [*wood, walls, clay, soil*] sécher; **don't let the plant ~ out** ne laissez pas la plante se dessécher; 2 ○[*alcoholic*] se faire désintoxiquer; ▸ **~ out [sth/sb]**, **~ [sth/sb] out** 1 lit sécher [*wood, clay*]; [*sun*] dessécher [*skin, earth*]; 2 ○désintoxiquer [*alcoholic*]

■ **dry up**: ▸ **~ up** 1 lit [*river, well, spring*] s'assécher, se tarir; [*ground, jar of liquid*] sécher; 2 fig (run out) [*supply, source, funds, money*] se tarir; 3 (wipe crockery etc) [*person*] essuyer la vaisselle; 4 ○(be unable to speak) [*speaker, actor, interviewee*] sécher○; **oh, ~ up will you!** GB boucle-la, tu veux bien○!; ▸ **~ up [sth]**, **~ [sth] up** 1 [*heat, drought*] assécher [*puddle, river, pond*]; 2 [*person*] essuyer [*plates, crockery*]

dryad /ˈdraɪæd, ˈdraɪəd/ *n* dryade *f*

dry: **~asdust** *adj* fig aride, dépourvu d'intérêt; **~ cell** *n* pile *f* sèche

dry-clean /ˌdraɪˈkliːn/ *vtr* nettoyer [qch] à sec; **to have sth ~ed** faire nettoyer qch (chez le teinturier); **'~ only'** 'nettoyage à sec'

dry: **~-cleaner's** ▸ **p. 1683** *n* teinturerie *f*; **~-cleaning** *n* nettoyage *m* à sec; **~ dock** *n* cale *f* sèche

dryer /ˈdraɪə(r)/ *n* = **drier**

dry-eyed /ˌdraɪˈaɪd/ *adj* [*person*] qui a les yeux secs; **to be/remain ~** avoir/garder les yeux secs

dry: **~ farming** *n* culture *f* sèche, dry-farming *m*; **~ fly** *n* mouche *f* sèche; **~ goods**† *npl* US articles *mpl* de mercerie; **~ goods store**† *n* US magasin *m* de nouveautés† *or* de tissus; **~ ice** *n* neige *f* carbonique

drying /ˈdraɪɪŋ/

A *n* (of fruit, clothes) séchage *m*

B *adj* [*wind, weather*] qui fait sécher; **a good ~ day** un beau temps pour faire sécher la lessive

drying: **~ rack** *n* séchoir *m*; **~ room** *n* séchoir *m*

drying-up /ˌdraɪɪŋˈʌp/ *n* GB **to do the ~** essuyer la vaisselle

drying-up cloth *n* GB torchon *m* à vaisselle

dryly /ˈdraɪlɪ/ *adv* = **drily**

dry: **~ martini** *n* martini-dry *m*; **~ measure** *n* mesure *f* de capacité pour matières sèches

dryness /ˈdraɪnɪs/ *n* 1 (of skin, weather, soil) sécheresse *f*; 2 (of wit, humour) causticité *f*

dry: **~ rot** *n* pourriture *f* sèche (*du bois*); **~ run** *n* répétition *f* d'essai; **~ shampoo** *n* shampooing *m* sec; **~ shave** *n* rasage *m* à sec; **~-shod**† *adj, adv* à pied sec; **~ ski slope** *n* piste *f* (de ski) artificielle; **~stone wall** *n* mur *m* de pierres sèches

DSc *n* (*abrév* = **Doctor of Science**) doctorat *m* de sciences

DSS *n* GB Soc Admin (*abrév* = **Department of Social Security**) 1 (ministry) ministère *m* des Affaires sociales; 2 (local office) *service social responsable des chômeurs*

DST *n*: *abrév* ▸ **daylight saving time**

DT *n*: *abrév* ▸ **data transmission**

DTI *n* GB *abrév* ▸ **Department of Trade and Industry**

DTP *n* (*abrév* = **desktop publishing**) PAO *f*

DT's○ *npl* (*abrév* = **delirium tremens**) **the ~** le delirium tremens

dual /ˈdjuːəl, US ˈduːəl/

A *n* Ling duel *m*

B *adj* double

dual: **~ carriageway** *n* GB route *f* pour automobiles, route *f* à quatre voies; **~-circuit brakes** *npl* freins *mpl* à double circuit; **~-control** *adj* à double commande; **~ controls** *npl* double commande *f*

dualism /ˈdjuːəlɪzəm, US duː-/ *n* dualisme *m*

duality /djuːˈælətɪ, US duː-/ *n* dualité *f*

dual: **~ nationality** *n* double nationalité *f*; **~ personality** *n* dédoublement *m* de la personnalité; **~-purpose** *adj* à double usage

dub /dʌb/

A *vtr* (*p prés etc* **-bb-**) 1 (into foreign language) doubler [*film*] (**into** en); (add soundtrack) postsynchroniser [*film*]; mixer [*sound effect*] (**onto** à); 2 Journ (nickname) surnommer [*person*]; (describe as) [*person, affair*] qualifier de; 3 (knight) **to ~ sb (a) knight** adouber qn

B **dubbed** *pp adj* [*film*] doublé

Dubai /duːˈbaɪ/ *pr n* Dubaï *m*

dubbin /ˈdʌbɪn/ *n* GB dégras *m*

dubbing /ˈdʌbɪŋ/ *n* 1 (into foreign language) doublage *m*; 2 (adding soundtrack) postsynchronisation *f*; (sound mixing) mixage *m*

dubious /ˈdjuːbɪəs, US ˈduː-/ *adj* 1 (showing doubt) [*response, look*] dubitatif/-ive; [*person*] **to be ~ (about sth)** avoir des doutes (en ce qui concerne qch); **I am ~ about accepting** il n'est pas sûr que j'accepte; **to be ~ whether sth is true** douter que qch soit vrai; 2 (arguable) [*translation, answer*] douteux/-euse; **that's a ~ point** c'est contestable; 3 (suspect) [*motive, claim*] suspect; [*reputation, person*] douteux/-euse; 4 (equivocal) [*distinction*] discutable; **a ~ honour/compliment** un honneur/un compliment qui n'en est pas un

dubiously /ˈdjuːbɪəslɪ, US ˈduː-/ *adv* 1 (expressing doubt) [*say*] dubitativement; [*look at*] d'un air incertain; 2 (arousing doubt) **he claims, ~, to be ill** il prétend être malade, ce qui semble peu probable

dubiousness /ˈdjuːbɪəsnɪs, US ˈduː-/ *n* ₵ 1 (doubt) doutes *mpl*; 2 (of claim, evidence, motive) caractère *m* douteux; 3 (of distinction) caractère *m* discutable

Dublin /ˈdʌblɪn/ ▸ **p. 1815** *pr n* Dublin

Dublin Bay prawn *n* GB langoustine *f*

Dubliner /ˈdʌblɪnə(r)/ *n* (native) natif/-ive *m/f* de Dublin; (living there) habitant/-e *m/f* de Dublin

ducal /ˈdjuːkl, US ˈduː-/ *adj* ducal

ducat /ˈdʌkət/ *n* Hist ducat *m*

duchess /ˈdʌtʃɪs/ ▸ **p. 1237** *n* duchesse *f*

duchy /ˈdʌtʃɪ/ *n* duché *m*

duck /dʌk/

A *n* 1 Zool, Culin (*pl* **~s**, *collect* **~**) canard *m*; (female of species) cane *f*; 2 (in cricket) **to be out for** *ou* **to make a ~** ne marquer aucun point; **to break one's ~** marquer son premier point; fig remporter sa première victoire; 3 ○GB dial (*also* **~s**) (form of address) (to child) mon chéri/ma chérie *m/f*; (to woman) ma petite dame; 4 Tex coutil *m*

B **ducks** *npl* Fashn pantalon *m* de coutil

C *vtr* 1 (lower) **to ~ one's head** baisser la tête; 2 (dodge) esquiver [*punch, ball*]; 3 fig (avoid) esquiver [*issue, question*]; se dérober à [*responsibility*]; 4 (push under water) faire boire la tasse à○ [*person*]

D *vi* [*person*] baisser la tête; [*boxer*] esquiver un coup; **I ~ed into a side-street to avoid meeting her** je me suis engouffré dans une ruelle pour éviter de la rencontrer; **to ~ behind sth** se cacher derrière qch

(Idioms) **he took to it like a ~ to water** il s'y est mis comme s'il avait fait ça toute sa vie; **(there's no point in telling him off) it's like water off a ~'s back** (c'est inutile de le réprimander) ça ne le touche absolument pas.

(Phrasal verb) ■ **duck out**○: ▸ **~ out of [sth]** quitter [*office, room*]; ▸ **~ out of doing** arriver à éviter de faire

duck: **~-billed platypus** *n* ornithorynque *m*; **~board** *n* caillebotis *m*; **~-egg blue** *n, adj* turquoise (*m*) clair *inv*

duckie○ *n* = **ducky A**

ducking /ˈdʌkɪŋ/ *n* **to get a ~** prendre un bain forcé

ducking stool *n* Hist sellette *f* à plongeon

duckling /ˈdʌklɪŋ/ *n* caneton/canette *m/f*

duck pond *n* mare *f* aux canards

ducks and drakes /ˌdʌks ən ˈdreɪks/ *n* Games **to play ~** s'amuser à faire des ricochets (sur l'eau); fig **to play ~ with sb** traiter qn avec désinvolture

duck shooting *n* chasse *f* aux canards

duck soup○ *n* US **it's ~!** (c'est) du gâteau○!

duckweed /ˈdʌkwiːd/ *n* Bot lentille *f* d'eau

ducky○ /ˈdʌkɪ/

A *n* GB dial = **duck A 3**

B ○*adj* US (cute) mignon/-onne

duct /dʌkt/ *n* 1 Tech (for air, water) conduit *m*; (for wiring) canalisation *f*; 2 Anat conduit *m*

ductile /ˈdʌktaɪl, US -tl/ *adj* 1 [*metal*] ductile; 2 fig sout [*person*] malléable

ductless gland *n* glande *f* endocrine

dud○ /dʌd/

A *n* **to be a ~** [*coin, banknote*] être faux/fausse; [*engine, machine*] être détraqué; [*battery*] être à plat; [*person, book, movie*] être nul/nulle○; [*firework*] être défectueux/-euse

B †○**duds** *npl* vêtements *mpl*

C *adj* [*coin, banknote*] faux/fausse; [*cheque*] en bois○; [*engine, radio etc*] détraqué; [*battery*] à plat; [*book, movie*] nul/nulle○; [*firework*] défectueux/-euse

dude○ /djuːd, US duːd/ *n* 1 (man) mec○ *m*; **a cool ~** un mec cool; 2 US (city dweller) citadin *m*; (dandy) dandy *m*

(Phrasal verb) ■ **dude up**: ▸ **~ [sth] up**, **~up**

[sth] habiller [*apartment, car*]; **to get ~d up** se fringuer○; **to be ~d up** être bien fringué

dude ranch *n* US ranch *m* de vacances

dudgeon /ˈdʌdʒən/ *n*
(Idiom) **in high ~**† (offended) profondément offensé; (angry) furieux/-ieuse

due /djuː, US duː/
A *n* dû *m*; **it was his ~** gen ce n'était que son dû; (of money, inheritance etc) ça devait lui revenir; (of praise, recognition etc) il le méritait; **I must give her her ~, she...** il faut lui rendre cette justice, elle...; **the Tax Office, give them their ~, actually refunded the money** il faut bien le reconnaître que le centre des impôts a finalement remboursé l'argent
B dues *npl* (for membership) cotisation *f*; (for import, taxes etc) droits *mpl*; **to pay one's ~s** lit payer sa cotisation; fig payer son dû
C *adj* [1] (payable) (*jamais épith*) **to be/fall ~** [*rent, next instalment*] arriver/venir à échéance; **when ~** à l'échéance; **the rent is ~ on/no later than the 6th** le loyer doit être payé le 6/avant le 6; **the balance ~** le solde dû; **debts ~ to the company/by the company** dettes actives/passives
[2] (entitled to) **they should pay him what is ~ to him** on devrait lui payer l'argent auquel il a droit; **the prisoner made the phone calls ~○ him** US le prisonnier a passé les coups de téléphone auxquels il avait droit
[3] ○(about to be paid, given) **I'm ~ some back pay/four days' holiday** on me doit des arriérés/quatre jours de congé; **we are ~ (for) a wage increase soon** (as is normal) nos salaires doivent bientôt être augmentés; (if all goes well) nos salaires devraient bientôt être augmentés
[4] (appropriate) (*tjrs épith*) **with ~ solemnity** avec toute la solennité qui s'impose/s'imposait etc; **after ~ consideration** après mûre réflexion; **with all ~ respect to a man of his age** malgré tout le respect que l'on doit à un homme de son âge; **to show ~ respect** *ou* **consideration for sb/sth** témoigner le respect dû à qn/qch; **to give all ~ praise to sb** rendre un hommage bien mérité à qn; **you will receive a letter in ~ course** vous recevrez une lettre en temps utile; **in ~ course it transpired that** à la longue il est apparu que
[5] Jur (in phrases) **in ~ form** en bonne et due forme; **~ diligence** diligence normale; **to be charged with driving without ~ care and attention** être inculpé de conduite imprudente
[6] (scheduled, expected) **to be ~ to do** devoir faire; **we are ~ to leave there in the evening** nous devons partir de là-bas le soir; **the changes ~ in the year 2000** les changements qui doivent se produire en l'an 2000; **to be ~ (in)** *ou* **~ to arrive** [*train, bus*] être attendu; [*person*] devoir arriver; **to be ~ back soon/at 8** devoir revenir bientôt/à 8 heures; **to be ~ out** [*coach, boat etc*] devoir partir; [*book*] devoir sortir; **the book is ~ out in the shops soon** le livre doit sortir bientôt (en librairie); **to be ~ for completion/demolition** devoir être terminé/démoli
D *adv* (directly) **to face ~ north/east etc** [*building*] être orienté plein nord/est etc; [*hiker etc*] regarder vers le nord/l'est etc; **to go ~ south/west etc** aller droit vers le sud/l'ouest etc; **to sail ~ south** avoir le cap au sud; **to march ~ north** marcher tout droit en direction du nord; **~ east there is...** à l'est il y a...
E due to *prep phr* [1] (because of) en raison de; **~ to bad weather/a fall in demand** en raison du mauvais temps/d'une baisse de la demande; **~ to the fact that the satellite link had broken down** en raison d'une rupture de liaison avec le satellite; **he resigned ~ to the fact that** il a démissionné parce que; **to be ~ to** [*delay, cancellation etc*] être dû/due à; **~ to unforeseen circumstances** pour des raisons indépendantes de notre volonté; **'closed ~ to illness'** 'fermé pour cause de maladie'; **'cancelled ~ to high winds'** 'annulé pour cause de vent trop fort'
[2] (thanks to) grâce à; **it's all ~ to you** c'est uniquement grâce à toi

due: **~ bill** *n* US Fin reconnaissance *f* de dette; **~ date** *n* échéance *f*, date *f* d'échéance

duel /ˈdjuːəl, US ˈduːəl/
A *n* lit, fig duel *m*; **to fight a ~** se battre en duel
B *vi* (*p prés etc* **-ll-**) lit se battre en duel; fig se livrer à un duel

duellist /ˈdjuːəlɪst, US ˈduː-/ *n* duelliste *m*

duenna /djuːˈenə, US ˈduː-/ *n* duègne *f*

due process of law *n* US Jur *clauses de sauvegarde des libertés individuelles*

duet /djuːˈet, US duː-/ *n* (composition) duo *m* also fig; **to play a duet** jouer en duo; **guitar/piano ~** duo pour guitare/piano

duff○ /dʌf/
A *n* derrière *m*
B *adj* GB [1] (defective) [*machine*] déglingué○; [2] Mus [*note*] faux/fausse; [3] Sport **a ~ shot** un loupé○; [4] (stupid) [*idea, suggestion*] débile○
C *vtr* [1] (disguise stolen goods) maquiller; [2] GB Sport louper○ [*shot*]
(Phrasal verbs) ■ **duff in, duff up**: ▸ **~ [sb] in, ~ [sb] up** tabasser○

duffel, duffle /ˈdʌfl/ *n* molleton *m*

duffel: **~ bag** *n* sac *m* (de) marin; **~ coat** *n* duffel-coat *m*

duffer○† /ˈdʌfə(r)/ *n* (ungifted person) nullité *f*; **to be a ~ at** GB *ou* **in** US **French** être nul/nulle en français

dug /dʌg/
A *prét, pp* ▸ **dig C, D**
B *n* [1] (udder) mamelle *f*; [2] †(breast) péj mamelle *f* pej

dugong /ˈduːgɒŋ/ *n* Zool dugong *m*

dugout /ˈdʌgaʊt/ *n* [1] (boat) pirogue *f*; [2] Sport banc *m* des remplaçants et des officiels; [3] Mil tranchée-abri *f*

duke /djuːk, US duːk/
A ▸ **p. 1237** *n* duc *m*; **the Duke of York** le duc d'York
B ○**dukes** *npl* US poings *mpl*; **to put up one's ~s** se mettre en garde

dukedom /ˈdjuːkdəm, US ˈduːk-/ *n* (territory) duché *m*; (title) titre *m* de duc

dulcet /ˈdʌlsɪt/ *adj* littér (*épith*) mélodieux/-ieuse; **her ~ tones** hum sa voix suave

dulcimer /ˈdʌlsɪmə(r)/ *n* [1] (percussion instrument) tympanon *m*; [2] (in folk music) dulcimer *m*

dulia /ˈdjuːlɪə, US ˈduː-/ *n* dulie *f*

dull /dʌl/
A *adj* [1] (uninteresting) [*person, lecture, play, book*] ennuyeux/-euse; [*life, journey*] monotone; [*music*] sans intérêt; [*meal, dish*] médiocre; [*appearance, outfit, hairstyle*] triste, sans goût; **never a ~ moment!** on ne s'ennuie jamais!; [2] (not bright) [*eye, colour*] éteint; [*weather, day, sky*] maussade; [*glow, complexion*] terne; [3] (muffled) [*explosion, thud*] sourd; [4] (not sharp) [*ache, pain*] sourd; [*blade*] émoussé; **to have a ~ wit** ne pas avoir l'esprit vif; [5] Fin [*market*] terne, calme
B *vtr* [1] (make matt) ternir [*shine, finish*]; [2] (make blunt) émousser [*blade, senses, appetite, pain*]
C *vi* [*sound*] s'amortir; [*colour*] passer

dullard† /ˈdʌləd/ *n* péj empoté *m*

dullness /ˈdʌlnɪs/ *n* (of life) ennui *m*; (of routine) monotonie *f*; (of company, conversation) manque *m* d'intérêt; (of weather) grisaille *f*

dullsville○ /ˈdʌlsvɪl/ *n* (dull town) trou○ *m*; **~!** (of a situation) on s'ennuie comme des rats morts!

dully /ˈdʌllɪ/ *adv* [1] [*say, repeat*] d'un ton morne; [2] [*gleam*] faiblement; [3] [*move, trail*] lourdement

duly /ˈdjuːlɪ, US ˈduː-/ *adv* [1] (in proper fashion) gen, Jur dûment; [2] (as expected, as arranged) comme prévu

dumb /dʌm/ *adj* [1] (handicapped) muet/muette *voir note*; **a ~ person** un muet/une muette *m/f*; **~ animals** les bêtes; [2] (temporarily) muet/muette (**with** de); **to be struck ~** rester muet/muette; [3] ○(stupid) [*person*] bête; [*question, action, idea*] idiot; **to act ~** jouer les imbéciles
(Phrasal verb) ■ **dumb down**: ▸ **~ [sth] down, ~ down [sth]** baisser le niveau de [*course, TV programmes, news coverage*].

> ⚠ Ce mot peut être perçu comme injurieux dans cette acception. Lui préférer *speech impaired*

dumb-ass◑ /ˈdʌmæs/ *n* US con/conne◑ *m/f*

dumbbell /ˈdʌmbel/ *n* [1] Sport haltère *m*; [2] ○US abruti/-e *m/f*

dumb: **~ blonde** *n* péj blonde *f* évaporée pej; **~ cluck**○ *n* nullité *f*

dumbfound /dʌmˈfaʊnd/ *vtr* abasourdir

dumbfounded /dʌmˈfaʊndɪd/ *adj* abasourdi

dumbly /ˈdʌmlɪ/ *adv* sans mot dire

dumbness /ˈdʌmnɪs/ *n* [1] (handicap) injur mutité *f*; [2] ○(stupidity) bêtise *f*

dumbo○ /ˈdʊmbəʊ/ *n* empoté/-e○ *m/f*

dumb show *n* Theat pantomime *f*

dumbstruck /ˈdʌmstrʌk/ *adj* interloqué, ébahi

dumb terminal *n* Comput terminal *m* passif

dumbwaiter /ˌdʌmˈweɪtə(r)/ *n* [1] (elevator) monte-plats *m inv*; [2] (food trolley) table *f* roulante; [3] GB (revolving tray) plateau *m* tournant

dumdum /ˈdʌmdʌm/ *n* [1] Mil (*also* **~ bullet**) (balle *f*) dum-dum *f*; [2] ○andouille○ *f*, abruti/-e○ *m/f*

Dumfries and Galloway /dʌmˈfriːs/ ▸ **p. 1612** *pr n* (*also* **~ Region**) Dumfries and Galloway *m*

dummy /ˈdʌmɪ/
A *n* [1] (model) mannequin *m*; **tailor's ~** mannequin de couturier; **ventriloquist's ~** poupée *f* de ventriloque; [2] GB (for baby) tétine *f*, sucette *f*; [3] GB Sport feinte *f*; **to sell sb a ~** faire une feinte à qn; [4] ○(stupid person) abruti/-e○ *m/f*, andouille○ *f*; [5] (imitation, object) imitation *f*; [6] Publg, Print maquette *f*; [7] Fin prête-nom *m*; [8] (in Bridge) (hand) jeu *m* du mort; (player) mort *m*; **to play from ~** jouer du mort; [9] Ling explétif *m*
B *modif* [*fruit, furniture, drawer*] factice; [*passport, document*] faux/fausse; [*bullet*] à blanc; [*shell, bomb*] d'exercice; Fin [*company*] bidon○ *inv*
C GB *vtr, vi* Sport feinter
(Phrasal verb) ■ **dummy up**○ US refuser de parler

dummy: **~ bridge** ▸ **p. 1253** *n* Games bridge *m* à trois; **~ element** *n* Ling élément *m* explétif; **~ load** *n* Elec charge *f* fictive; **~ pass** *n* GB Sport feinte *f* de passe; **~ run** *n* gen (trial) essai *m*; Mil attaque *f* simulée; **~ symbol** *n* Ling symbole *m* postiche; **~ variable** *n* Math variable *f* muette

dump /dʌmp/
A *n* [1] (public) décharge *f* publique; **municipal ~, town ~** décharge *f* publique; **rubbish ~** GB, **garbage ~** US dépôt *m* d'ordures; [2] (rubbish heap) tas *m* d'ordures; [3] Mil **arms/munitions ~** dépôt *m* d'armes/de munitions; [4] ○péj (town, village) trou○ *m*; (house) baraque○ *f* minable; (hotel) hôtel *m* minable; [5] Comput vidage *m*; [6] ●US **to take a ~** chier●
B *vtr* [1] [*person*] jeter [*refuse*]; déverser [*sewage*]; ensevelir [*nuclear waste*]; [*factory, ship*] déverser [*waste, pollutants*]; [2] (sell) **to ~ goods on the market** (on home market) écouler des produits à bas prix; (abroad) faire du dumping; [3] ○(get rid of) plaquer○ [*boyfriend*]; larguer○ [*tedious person*]; se débarrasser de [*car, shopping*]; laisser tomber, abandonner [*idea, policy*]; [4] ○(put down) poser [*bag, object*]; [5] Comput clicher, faire un vidage de [*data*]; [6] Mil (store) entreposer [*weapons, explosives*]

d

(Idiom) **to be down in the ~s**○ avoir le cafard○

(Phrasal verb) ■ **dump on**○: ▸ **~ on [sb]**◑ US traiter [qn] comme du poisson pourri○

dumper /ˈdʌmpə(r)/ *n* **1** (small) motobasculeur *m*; **2** (large truck) tombereau *m*, dumper *m*

dumper truck, **dump truck** *n* = **dumper 2**

dumping /ˈdʌmpɪŋ/ *n* **1** (of liquid waste, sand) déversement *m*; **'no ~'**, **'~ prohibited'** 'interdiction de déposer des ordures'; **2** Fin, Comm dumping *m*

dumping ground *n* lit, fig dépotoir *m* (**for** pour)

dumpling /ˈdʌmplɪŋ/ *n* **1** Culin boulette *f* de pâte; **fruit ~** fruit *m* enrobé de pâte sucrée; **2** ○(person) patapouf○ *m*

dumpy /ˈdʌmpɪ/ *adj* **1** (plump) boulot/-otte; **2** ○US (run-down) moche○

dun /dʌn/

A *n* **1** (colour) gris brun *m*; **2** (horse) isabelle *mf*

B *adj* [*material*] bis; [*horse*] isabelle *inv*

C *vtr* (*p prés etc* **-nn-**) harceler (**for** pour)

dunce /dʌns/ *n* cancre *m*; **to be a ~ at maths** être nul/nulle en maths

dunce's cap *n* bonnet *m* d'âne

dunderhead† /ˈdʌndəhed/ *n* bêta/bêtasse○ *m/f*

dune /djuːn, US duːn/ *n* dune *f*

dune buggy *n* buggy *m*

dung /dʌŋ/ *n* ¢ gen excrément *m*; (for manure) fumier *m*; (of cow) bouse *f*; (of horse) crottin *m*; (of deer, gazelle) fumées *fpl*

dungarees /ˌdʌŋgəˈriːz/ *npl* **1** (fashionwear) salopette *f*; **2** (workwear) bleu *m* de travail

dung beetle *n* bousier *m*

dungeon /ˈdʌndʒən/ *n* cachot *m*, oubliettes *fpl*

dung heap /ˈdʌŋ hiːp/, **dunghill** /ˈdʌŋhɪl/ *n* tas *m* de fumier

dunk /dʌŋk/ *vtr* **1** (dip) tremper [*bread, biscuit*] (**in** dans); plonger [*person, head*] (**in** dans; **under** sous); **2** (in basketball) faire un lancer coulé

Dunkirk /dʌnˈkɜːk/ ▸ **p. 1815** *pr n* Dunkerque

dunk shot *n* lancer *m* coulé

dunlin /ˈdʌnlɪn/ *n* bécasseau *m* variable

dunno○ /dəˈnəʊ/ = **don't know**

dunnock /ˈdʌnək/ *n* accenteur *m* mouchet

dunny○ /ˈdʌnɪ/ *n* Austral, NZ chiottes◑ *fpl*, WC *mpl*

duo /ˈdjuːəʊ, US ˈduːəʊ/ *n* (*pl* **~s**) **1** Theat (double act) duo *m* also fig; **musical/comedy ~** duo musical/comique; **2** Mus (duet) duo *m*

duodecimal /ˌdjuːəʊˈdesɪml, US ˌduːəˈdesəml/ *adj* duodécimal

duodecimo /ˌdjuːəʊˈdesɪməʊ, US ˌduːəˈdesəməʊ/ *n* (*pl* **~s**) (book, format) in-douze *m*

duodenal /ˌdjuːəˈdiːnl, US ˌduːəˈdiːnl/ *adj* [*ulcer*] duodénal

duodenum /ˌdjuːəʊˈdiːnəm, US ˌduːəˈdiːnəm/ *n* duodénum *m*

duologue /ˈdjuːəlɒg, US ˈduː-/ *n* gen, Theat dialogue *m*

duopoly /djuːˈɒpəlɪ, US duː-/ *n* duopole *m*

dupe /djuːp, US duːp/

A *n* dupe *f*

B *vtr* duper [*victim, investor*]; **to be ~d** être dupé; **to ~ sb into doing sth** amener qn à faire qch en le/la dupant; **we've been ~d!** on nous a eus!○

duple time /ˌduːpl ˈtaɪm/ *n* rythme *m* binaire

duplex /ˈdjuːpleks, US ˈduː-/

A *n* US (apartment) duplex *m*; (house) maison *f* jumelée

B *adj* Comput duplex *inv*

duplicate

A /ˈdjuːplɪkət, US ˈduːpləkət/ *n* **1** (copy) (of document) double *m* (**of** de); Jur duplicata *m*; (of painting, cassette, video) copie *f*; (of film) contretype *m*; **in ~** en deux exemplaires; Jur en duplicata; **2** (photocopy) photocopie *f*; **3** (repetition) (of performance, action) réplique *f*

B /ˈdjuːplɪkət, US ˈduːpləkət/ *adj* **1** (copied) [*cheque, receipt*] en duplicata; **a ~ key/document** un double de clé/de document; **2** (in two parts) [*form, invoice*] en deux exemplaires

C /ˈdjuːplɪkeɪt, US ˈduːpləkeɪt/ *vtr* **1** (copy) faire un double de [*document*]; copier [*painting, cassette, video*]; faire un contretype de [*film*]; **2** (photocopy) photocopier; **3** (repeat) refaire [qch] inutilement [*work*]; répéter [*action, performance*]; **to ~ resources** avoir des ressources qui font double-emploi

D /ˈdjuːplɪkeɪt, US ˈduːpləkeɪt/ *vi* Biol se dédoubler

duplicating machine *n* duplicateur *m*

duplication /ˌdjuːplɪˈkeɪʃn, US ˌduːpləˈkeɪʃn/ *n* **1** (copying) reproduction *f*; **2** (copy) (of cassette, book etc) copie *f*; **3** (repeating) (of effort, work) répétition *f* inutile; **the ~ of resources** la multiplication (inutile) des ressources

duplicator /ˈdjuːplɪkeɪtə(r), US ˈduːpləkeɪtə(r)/ *n* duplicateur *m*

duplicitous /djuːˈplɪsətəs, US duː-/ *adj* fourbe

duplicity /djuːˈplɪsətɪ, US duː-/ *n* **1** (character trait) duplicité *f*; **2** (double-dealing) fourberie *f*

durability /ˌdjʊərəˈbɪlətɪ, US ˌdʊərə-/ *n* (of material) longévité *f*, durabilité *f*; (of friendship, marriage) solidité *f*

durable /ˈdjʊərəbl, US ˈdʊərəbl/

A durables *npl* biens *mpl* durables

B *adj* [*material*] résistant; [*equipment*] solide; [*friendship, tradition*] durable; **~ goods** biens *mpl* durables

Duralumin® /djʊəˈræljʊmɪn, US dʊə-/ *n* duralumin® *m*

duration /djʊˈreɪʃn, US dʊˈreɪʃn/ *n* durée *f*; **of long ~** de longue durée; **of two years' ~** d'une durée de deux ans; **for the ~ of the war/meeting** pendant toute la durée de la guerre/la réunion

(Idiom) **for the ~**○ (for ages) pour une durée indéterminée

duress /djʊˈres, US dʊˈres/ *n* gen, Jur contrainte *f*; **to do sth under ~** faire qch sous la contrainte

Durex® /ˈdjʊəreks, US ˈdʊəreks/ *n* préservatif *m*

during /ˈdjʊərɪŋ/ *prep* pendant, au cours de; **~ this time** pendant ce temps

dusk /dʌsk/ *n* (twilight) nuit *f* tombante, crépuscule *m* liter; (semidarkness) semi-obscurité *f*; **at ~** à la nuit tombante; **in the ~** dans la semi-obscurité; **~ was falling** la nuit tombait; **I don't like driving at ~** je n'aime pas conduire entre chien et loup; **~ to dawn curfew** couvre-feu du coucher au lever du soleil

duskiness /ˈdʌskɪnɪs/ *n* (of person, limbs, cheeks) peau *f* mate; (of room) semi-obscurité *f*

dusky /ˈdʌskɪ/ *adj* [*complexion*] mat; [*person, limbs*] à la peau mate; [*room, colour*] sombre

dusky pink *n*, *adj* vieux rose (*m*) *inv*

dust /dʌst/

A *n* **1** (grime, grit) poussière *f*; **chalk/coal ~** poussière de craie/charbon; **cosmic/radioactive/volcanic ~** poussières *fpl* cosmiques/radioactives/volcaniques; **thick with ~** couvert de poussière; **a speck of ~** (on a surface) un grain de poussière; (in the eye) une poussière; **to allow the ~ to settle** lit laisser retomber la poussière; fig laisser les choses se calmer; **2** (fine powder) Art, Ind poudre *f*; **gold ~** poudre d'or; **3** littér (ground) poussière *f*

B *vtr* **1** (clean) épousseter [*furniture, house*]; **2** (coat lightly) saupoudrer [*cake*] (**with** de, avec); poudrer [*face*] (**with** de, avec)

C *vi* épousseter, faire les poussières○

(Idioms) **to throw ~ in sb's eyes** embrouiller qn; **to shake the ~ (of sth) off one's feet** partir (de qch); **to bite the ~** [*person*] mordre la poussière; [*plan, idea*] tomber à l'eau

(Phrasal verbs) ■ **dust down**: ▸ **~ [sth] down**, **~ down [sth]** épousseter [*chair, table*]; ▸ **to ~ oneself down** s'épousseter

■ **dust off**: ▸ **~ [sth] off**, **~ off [sth]** **1** (clean) épousseter [*surface, table*]; **2** (brush off) brosser [*crumbs, powder*] (**from** de)

dust: **~ bag** *n* sac *m* d'aspirateur; **~ bath** *n* bain *m* de poussière; **~bin** *n* GB poubelle *f*; **~bin lid** *n* GB couvercle *m* de poubelle; **~bin man** *n* GB éboueur *m*

dust bowl

A *n* Geog zone *f* désertique

B Dust Bowl *pr n* US *zone des États-Unis affectée par des tempêtes de poussière*

dust: **~cart** *n* GB benne *f* à ordures; **~ cloth** *n* US chiffon *m* à poussière; **~ cloud** *n* nuage *m* de poussière; **~ cover** *n* (on book) jaquette *f*; (on furniture) housse *f* (de protection); **~ devil** *n* tourbillon *m* de poussière

duster /ˈdʌstə(r)/ *n* **1** (cloth) chiffon *m* à poussière; (for blackboard) chiffon *m*; (block) brosse *f*; ▸ **feather duster**; **2** US (housecoat) blouse *f*; **3** Agric avion *m* pulvérisateur

dust-free room *n* salle *f* blanche

dust heap *n* **1** lit tas *m* d'ordures; **2** fig rebut *m*; **to be thrown on the ~** être jeté au rebut

dusting /ˈdʌstɪŋ/ *n* **1** (cleaning) époussetage *m*; **to do the ~** épousseter, faire les poussières○; **2** (of snow) fine couche *f*; **3** Culin (of sugar, chocolate etc) saupoudrage *m*

dusting powder *n* talc *m*

dust: **~ jacket** *n* Publg jaquette *f*; **~man** *n* GB éboueur *m*; **~ mite** *n* acarien *m*; **~ mote** *n* grain *m* de poussière

dustpan /ˈdʌstpæn/ *n* pelle *f* (à poussière); **a ~ and brush** une pelle (à poussière) et une balayette

dust: **~ sheet** *n* drap *m* de protection (contre la poussière); **~ storm** *n* tempête *f* de poussière

dust-up○ /ˈdʌstʌp/ *n* **1** (quarrel) prise *f* de bec○; **2** (fight) bagarre *f*; **to get into** *ou* **have a ~ with sb** se bagarrer avec qn

dusty /ˈdʌstɪ/ *adj* [*house, table, road*] poussiéreux/-euse; [*climb, journey*] dans la poussière (*after n*); **to get ~** prendre la poussière

(Idiom) **to give sb a ~ answer** envoyer qn sur les roses○

dusty: **~ blue** *n*, *adj* bleu-gris (*m*) *inv*; **~ pink** *n*, *adj* vieux rose (*m*) *inv*

Dutch /dʌtʃ/ ▸ **p. 1467**, **p. 1378**

A *n* **1** Ling néerlandais *m*, hollandais *m*; **2 the ~** (+ *v pl*) les Néerlandais *mpl*, les Hollandais *mpl*

B *adj* [*culture, food, football, politics*] néerlandais, hollandais; [*teacher, lesson, textbook, dictionary*] de néerlandais

(Idioms) **to be in ~ with sb**○ être en disgrâce auprès de qn; **to go ~**○ payer chacun sa part; **to go ~ with sb**○ faire fifty-fifty avec qn○; **to talk to sb like a ~ uncle** sermonner qn.

> ⚠ *hollandais* is used to apply to the whole of the Netherlands as well as the Dutch language but this usage is incorrect. Strictly speaking it should be applied only to the province of the Netherlands called *Hollande* in French

Dutch: **~ auction** *n* enchères *fpl* au rabais; **~ barn** *n* hangar *m* à récoltes; **~ cap** *n* diaphragme *m* (*contraceptif*)

Dutch courage *n* courage *m* puisé dans l'alcool; **I need (some) ~** j'ai besoin d'alcool pour me donner du courage

Dutch: **~ door** *n* US porte *f* d'étable; **~ East Indies** *pr n* Hist Indes *fpl* orientales (néerlandaises); **~ elm disease** *n* maladie *f* parasitaire de l'orme, graphiose *f*

spec; ~ **Guiana** *pr n* Hist Guyane *f* hollandaise

Dutchman /'dʌtʃmən/ *n* (*pl* **-men**) Néerlandais *m*, Hollandais *m* controv

(Idiom) **'it's true, or I'm a ~,' said Bob** 'c'est vrai, ou je ne m'appelle plus Bob,' a dit Bob

Dutch: ~ **oven** *n* grosse marmite *f*, cocotte *f*; ~ **School** *n* Art école *f* hollandaise; ~ **treat** *n* sortie *f* où chacun paie sa part; ~ **West Indies** *pr n* Antilles *fpl* néerlandaises

Dutchwoman /'dʌtʃwʊmən/ *n* Néerlandaise *f*, Hollandaise *f* controv

dutiable /'dju:tɪəbl, US 'du:-/ *adj* Tax taxable; (at customs) passible de droits de douane

dutiful /'dju:tɪfl, US 'du:-/ *adj* [1] (obedient) [*person*] dévoué; [*act*] de dévouement; [*smile*] poli; [2] (conscientious) [*person*] consciencieux/-ieuse

dutifully /'dju:tɪfəlɪ, US 'du:-/ *adv* [1] (obediently) scrupuleusement; [2] (conscientiously) [*work*] consciencieusement

duty /'dju:tɪ, US 'du:tɪ/

A *n* [1] (obligation) devoir *m* (**to** envers); **to have a ~ to do** avoir le devoir de faire; **to make it one's ~ to do** considérer de son devoir de faire; **it is my ~ to do** il est de mon devoir de faire; **to do one's ~** accomplir son devoir; **to do one's ~ by sb** remplir son devoir envers qn; **in the course of ~** Mil en service; gen dans l'exercice de ses fonctions; **~ calls!** le devoir m'appelle!; **to feel ~ bound to do** se sentir le devoir de faire; **to neglect one's duties** manquer à ses devoirs; **out of a sense of ~** par devoir; **moral ~** obligation *f* morale; **legal ~, statutory ~** obligation *f* légale; [2] (task) (*gén pl*) fonction *f*; **to take up one's duties** prendre ses fonctions; **to perform** *ou* **carry out one's duties** remplir ses fonctions (**as** de); [3] ¢ (work) service *m*; **to be on/off ~** Mil, Med être/ne pas être de service; Sch être/ne pas être de surveillance; **to go on/off ~** commencer/finir son service; **day/night ~** service *m* de jour/de nuit; **to do ~ for** *ou* **as sth** servir de qch; **to do ~ for sb** remplacer qn; [4] Tax taxe *f*; **customs duties** droits *mpl* de douane; **to pay ~ on sth** payer des droits de douane sur qch

B *modif* [*nurse, security guard*] (during the day) de service; (outside hours) de permanence

duty: ~ **call** *n* visite *f* de politesse; ~ **chemist** *n* pharmacien/-ienne *m/f* de garde

duty-free /ˌdju:tɪ'fri:, US ˌdu:-/ *adj, adv* hors taxes *inv*

duty: **~-free allowance** *n* quantité *f* autorisée de marchandises hors taxes; **~-frees** *npl* marchandises *fpl* hors taxes; **~-free shop** *n* boutique *f* hors taxes *or* duty-free; **~-free shopping** *n* achat *m* de marchandises hors taxes; ~ **officer** *n* Mil officier *m* de service; (in police) officier *m* de permanence

duty-paid /ˌdju:tɪ'peɪd, US ˌdu:-/ *adj* [*sale*] à l'acquitté; [*goods*] dédouané

duty: ~ **roster**, ~ **rota** *n* Admin tableau *m* de service; ~ **solicitor** *n* GB Jur avocat/-e *m/f* de permanence (*auprès d'un tribunal ou poste de police*)

duvet /'du:veɪ/ *n* GB couette *f*

duvet cover *n* GB housse *f* de couette

DVD *n* (*abrév* = **Digital Video Disc, Digital Versatile Disc** DVD *m*

DVD: ~ **audio** *n* DVD-audio *m*; ~ **burner**, ~ **writer** *n* Comput graveur *m* de DVD; ~ **player** *n* Comput lecteur *m* de DVD; ~ **recorder** *n* Comput lecteur-enregistreur *m* de DVD; **~-ROM** *n* DVD-ROM *m*; ~ **video** *n* DVD-vidéo *m*

DVLA *n* GB (*abrév* = **Driver and Vehicle Licencing Agency**) *agence chargée de la gestion des permis de conduire et des immatriculations*

DVM *n* US Vet (*abrév* = **Doctor of Veterinary Medicine**) docteur *m* vétérinaire

DVT *n: abrév* ▸ **deep vein thrombosis**

dwarf /dwɔ:f/

A *n* nain/naine *m/f*

B *adj* (all contexts) nain/naine

C *vtr* (make appear small, insignificant) faire paraître [qn/qch] tout petit [*person, object etc*]; éclipser [*achievement, issue*]; **the houses were ~ed by the tower block** les maisons étaient écrasées par la tour

dwarfish /'dwɔ:fɪʃ/ *adj* nabot

dwell /dwel/ *vi* (*prét, pp* **dwelt**) littér [1] (live) habiter, demeurer liter (**in** dans); [2] fig littér ~ **in** demeurer dans [*mind, heart*]; habiter [*person*]

(Phrasal verb) ■ **dwell on**: ▸ ~ **on [sth]** (talk about) s'étendre sur; (think about) [*person, mind*] s'attarder sur; **to ~ on the past** ruminer le passé; **don't ~ on it!** ne rumine pas là-dessus!

dweller /'dwelə(r)/ *n* habitant/-e *m/f*; **city ~, town ~** citadin/-e *m/f*; **country ~** habitant/-e *m/f* de la campagne

dwelling /'dwelɪŋ/ *n* littér, Admin habitation *f*, domicile *m* Admin

dwelling: ~ **house** *n* maison *f* d'habitation; ~ **place** *n* lieu *m* d'habitation

dwelt /dwelt/ *prét, pp* ▸ **dwell**

DWI *n* US Jur (*abrév* = **driving while intoxicated**) conduite *f* en état d'ivresse

dwindle /'dwɪndl/ *vi* (*also* ~ **away**) [*numbers, resources, strength*] diminuer; [*interest, enthusiasm*] tomber; [*health*] décliner; **to ~ to** se réduire à

dwindling /'dwɪndlɪŋ/

A *n* (of numbers, resources, strength) diminution *f*; (of enthusiasm, interest) baisse *f*

B *adj* [*numbers, resources, audience, interest*] en baisse; [*strength, health*] déclinant

dye /daɪ/

A *n* [1] (commercial product) teinture *f*; **hair ~** teinture pour les cheveux; [2] (substance) colorant *m*; **vegetable/synthetic ~** colorant *m* végétal/artificiel

B *vtr* teindre [*fabric*]; **to ~ sth red/black** teindre qch en rouge/noir; **to ~ one's hair** se teindre les cheveux

C *vi* [*fabric*] se teindre

D **dyed** *pp adj* [*hair, fabric*] teint

dyed-in-the-wool /ˌdaɪdɪnðə'wʊl/ *adj* invétéré

dyeing /'daɪɪŋ/ *n* teinture *f*

dyer /'daɪə(r)/ *n* teinturier/-ière *m/f*

dye: **~stuff** *n* colorant *m*; **~works** *n* usine *f* de colorants

Dyfed /'dʌvɪd/ ▸ **p. 1612** *pr n* Dyfed *m*

dying /'daɪɪŋ/

A *pres p* ▸ **die**

B *n* [1] (people) **the ~** (+ *v pl*) les mourants *mpl*, les agonisants *mpl*; **prayer for the ~** prière pour les mourants; [2] (death) mort *f*

C *adj* [1] (about to die) [*person, animal, forest*] mourant; **the ~ man's wish** la dernière volonté du défunt; **the ~ woman** la mourante; **to his ~ day** jusqu'à sa dernière heure *or* son dernier jour; **with her ~ breath** dans son dernier souffle; [2] (disappearing) [*art, practice, industry, tradition*] en voie de disparition; [*town, community*] moribond; **she's one of a ~ breed** elle fait partie d'une espèce en voie de disparition; [3] (final) [*minutes, stages, moments*] dernier/-ière (*before n*); [4] (fading) [*sun, light, fire, embers*] mourant

(Idiom) **to look like a ~ duck (in a thunderstorm)**° hum avoir l'air piteux *or* pitoyable

dyke /daɪk/ *n* [1] (US **dike**) (embankment) (to prevent flooding) digue *f*; (beside ditch) remblai *m*; [2] GB (ditch) fossé *m*; [3] (US **dike**) Geol filon *m*; [4] Scot (wall) muret *m*; [5] ◑injur (lesbian) gouine◑ *f*, lesbienne *f*

dynamic /daɪ'næmɪk/

A *n* dynamique *f*

B **dynamics** *npl* (all contexts) dynamique *f*

C *adj* (all contexts) dynamique

dynamically /daɪ'næmɪklɪ/ *adv* [1] gen dynamiquement; [2] Phys **~-tested** soumis à des tests dynamiques

dynamism /'daɪnəmɪzəm/ *n* (all contexts) dynamisme *m*

dynamite /'daɪnəmaɪt/

A *n* [1] lit dynamite *f*; [2] fig **this story is political ~** cette affaire est une bombe politique; **he's ~** (sexy) il déborde de sensualité; (dynamic) il déborde d'énergie

B °*adj* US extra°

dynamo /'daɪnəməʊ/ *n* [1] Elec dynamo *f*; [2] °fig (person) **he's a real ~** il déborde d'énergie

dynast /'dɪnæst, US 'daɪ-/ *n* souverain/-e *m/f* héréditaire

dynastic /dɪ'næstɪk, US daɪ-/ *adj* dynastique

dynasty /'dɪnəstɪ, US 'daɪ-/ *n* dynastie *f*; **the Tudor ~** la dynastie des Tudor

dyne /daɪn/ *n* dyne *f*

dysenteric /ˌdɪsən'terɪk/ *adj* dysentérique

dysentery /'dɪsəntrɪ, US -terɪ/ ▸ **p. 1327** *n* dysenterie *f*

dysfunction /dɪs'fʌŋkʃn/ *n* dysfonctionnement *m*

dysfunctional /dɪs'fʌŋkʃənl/ *adj* dysfonctionnel/-elle

dyslexia /dɪs'leksɪə, US dɪs'lekʃə/ *n* dyslexie *f*; **to suffer from ~** être dyslexique

dyslexic /dɪs'leksɪk/ *n, adj* dyslexique (*mf*)

dysmenorrhea /ˌdɪsmenə'ri:ə/ *n* dysménorrhée *f*

dyspepsia /dɪs'pepsɪə/ ▸ **p. 1327** *n* dyspepsie *f*

dyspeptic /dɪs'peptɪk/ *adj* [1] (with indigestion) dyspepsique, dyspeptique; [2] †(irritable) atrabilaire†

dysphasia /dɪs'feɪzɪə/ *n* dysphasie *f*

dyspraxia /dɪs'præksɪə/ *n* Med dyspraxie *f*

dystopia /dɪs'təʊpɪə/ *n* contre-utopie *f*

dystrophy /'dɪstrəfɪ/ ▸ **p. 1327** *n* dystrophie *f*

Ee

e

e, E /iː/ *n* **1** (letter) e, E *m*; **2** **E** Mus mi *m*; **3** **E** Geog (*abrév* = **east**) E; **4** ○**E** (ecstasy) ecstasy *m*

e+ *(dans composés)* **~-book/text/catalogue** livre/texte/catalogue électronique; **~-shopping** les achats en ligne

each /iːtʃ/

> ⚠ When used as a determiner *each* is translated by *chaque* when an object or person is singled out: *each document was examined* = chaque document a été examiné. *Tout/toute* and *tous les/toutes les* are also used to express *each and every*: *each passport must be checked* = chaque passeport *or* tout passeport doit être contrôlé.
>
> When used as a pronoun *each* (= *each one*) is almost always translated by *chacun/chacune*. For examples and exceptions see below.

A *det* [*person, group, object*] chaque *inv*; **~ time I/you do** chaque fois que je/tu fais; **~ morning** chaque matin, tous les matins; **~ person will receive** chaque personne *or* tout le monde recevra; **~ and every day** tous les jours sans exception; (exasperatedly) tous les jours que Dieu fait○; **he lifted ~ box in turn, ~ one heavier than the last** il soulevait des boîtes de plus en plus lourdes
B *pron* chacun/-e *m/f*; **~ will receive** chacun recevra; **we ~ want something different** chacun de nous veut une chose différente; **~ of you/of them etc** chacun de vous/d'eux etc, chacun d'entre vous/d'entre eux etc; **three bundles of ten notes ~** trois liasses de dix billets chacune; **~ is equally desirable** (of two) les deux sont également souhaitables; (of several) tous/toutes sont également souhaitables; **I'll try a little of ~** je prendrais bien un peu de chaque; **oranges at 30p ~** des oranges à 30 pence pièce

each other /ˌiːtʃˈʌðə(r)/

> ⚠ *Each other* is very often translated by using a reflexive pronoun (*nous, vous, se*).
>
> For examples and particular usages see the entry below.

pron (*also* **one another**) **they know ~** ils se connaissent; **we hate ~** nous nous détestons; **they're fond of ~** ils s'aiment beaucoup; **to help ~** s'aider mutuellement, s'entraider; **they wear ~'s clothes** ils se prêtent leurs vêtements; **to worry about ~** s'inquiéter l'un pour l'autre; **kept apart from ~** séparés l'un de l'autre

each way /ˌiːtʃˈweɪ/ *adj, adv* Turf **to place an ~ bet on a horse/dog, to bet on a horse/dog ~** parier qu'un cheval/chien va arriver dans les trois premiers d'une course

eager /ˈiːgə(r)/ *adj* **1** (keen) désireux/-euse (**to do** de faire); **2** (impatient) pressé (**to do** de faire); **to be ~ for** être avide de [*wealth, experience, fame*]; **the people are ~ for change** les gens ont soif de changement; **to be ~ to please** chercher à faire plaisir; **3** (excited) [*supporter, crowd*] enthousiaste; [*face, look*] où se lit l'enthousiasme; [*acceptance*] enthousiaste; [*anticipation*] impatient; [*student*] plein d'enthousiasme

eager beaver○ *n* **to be an ~** être zélé

eagerly /ˈiːgəlɪ/ *adv* [*talk*] avec passion; [*listen*] avidement; [*seize upon*] avec enthousiasme; [*wait*] impatiemment; [*pursue*] ardemment; **~ awaited** impatiemment attendu

eagerness /ˈiːgənɪs/ *n* **1** (keenness) empressement *m* (**to do** à faire); **2** (impatience) impatience *f* (**to do** de faire); **their ~ for sacrifice** leur empressement au sacrifice; **3** (enthusiasm) enthousiasme *m*; **the ~ of their faces** l'enthousiasme qui se lisait sur leur visage

eagle /ˈiːgl/ *n* **1** Zool aigle *m*; **2** (emblem) aigle *f*; **3** (lectern) aigle *m*; **4** Sport eagle *m*

eagle: **~ eye** *n* (sharp) œil *m* perçant; (watchful) œil *m* vigilant; **~-eyed** *adj* (sharp-eyed) à l'œil *m* perçant; (vigilant) vigilant; **~ owl** *n* grand duc *m*; **~ ray** *n* aigle *m* de mer; **~ scout** *n* US scout *m*

eaglet /ˈiːglɪt/ *n* aiglon *m*

ear /ɪə(r)/ ▸ **p. 997**
A *n* **1** Anat, Zool oreille *f*; **inner/middle/outer ~** oreille *f* interne/moyenne/externe; **2** (hearing, perception) oreille *f*; **pleasant to the ~** agréable à l'oreille; **to the trained/untrained ~** pour une oreille exercée/qui n'est pas exercée; **to sound odd to the English ~** sonner bizarrement pour l'oreille d'un Anglais; **to play music by ~** jouer de la musique à l'oreille; **to have a good ~ for languages** avoir une bonne oreille pour les langues; **to have an ~ for music** avoir l'oreille musicale; **to have a good ~ for accents** reconnaître les accents; **to have good ~s** avoir une bonne ouïe; **3** Bot (of wheat, corn) épi *m*
B *modif* [*infection, operation*] (of one ear) de l'oreille; (of both ears) des oreilles
(Idioms) **he is wet behind the ~s** c'est un petit jeunot; **it has come to my ~s that** il m'est arrivé aux oreilles que; **about** *ou* **around one's ~s** tout autour de soi; **my ~s are burning** j'ai les oreilles qui sifflent; **to be all ~s**○ être tout ouïe; **to be on one's ~**○ Ir (drunk) être rond○ *or* ivre; **to bend sb's ~** insister auprès de qn; **to be out on one's ~**○ (from job) avoir été mis à la porte○; (from home) être *or* se retrouver à la rue; **to be up to one's ~s in debt/work** être endetté/avoir du travail jusqu'au cou; **to get a thick ~**○ recevoir une baffe○; **to give sb a thick ~**○ coller une baffe○ à qn; **to have a word in sb's ~** parler à qn en privé; **to close** *ou* **shut one's ~(s) to sth/sb** refuser d'écouter qch/qn; **to go in one ~ and out the other** entrer par une oreille et sortir par l'autre; **to have** *ou* **keep one's ~ to the ground** garder l'œil ouvert; **to have the ~ of sb** avoir l'oreille de qn; **I'll keep my ~s open** si j'entends parler de quelque chose, je te le dirai; **to lend** *ou* **give a sympathetic ~ to sb** prêter une oreille compatissante à qn; **to listen with (only) half an ~** n'écouter que d'une oreille; **to play it/sth by ~** fig improviser; **to set** *ou* **put sb on his/her ~**○ US provoquer la colère de qn; ▸ **deaf, bend, flap**

earache /ˈɪəreɪk/ *n* **to have ~** GB *ou* **an ~** avoir une otite

earbashing○ /ˈɪəbæʃɪŋ/ *n* **to give sb an ~** passer un savon○ à qn

ear: **~drops** *npl* Med gouttes *fpl* pour les oreilles; **~drum** *n* tympan *m*; **~flap** *n* (on hat) oreillette *f*

earful○ /ˈɪəfʊl/ *n* **to give sb an ~** (scold) passer un savon○ à qn; (talk excessively) assommer qn de paroles; **to get an ~** (be scolded) recevoir un savon○; **to get an ~ of sb's problems** subir les jérémiades de qn○; **get an ~ of this!** écoute un peu ça!

earl /ɜːl/ *n* comte *m*

earldom /ˈɜːldəm/ *n* **1** (title) titre *m* de comte; **2** (land) comté *m*

earlobe /ˈɪələʊb/ *n* lobe *m* de l'oreille

early /ˈɜːlɪ/
A *adj* **1** (one of the first) [*attempt, role, years, play*] premier/-ière; **in an ~ role** dans un de ses premiers rôles; **the author's ~ novels** les premiers romans de l'auteur; **the ~ weeks of the strike** les premières semaines de la grève; **one of the earliest attempts** une des premières tentatives; **~ man** les premiers hommes; **in an earlier life** dans une vie antérieure
2 (sooner than usual) [*death*] prématuré; [*delivery, settlement*] rapide; [*vegetable, fruit*] précoce; **to have an ~ lunch/night/lecture** déjeuner/se coucher/avoir cours tôt; **to catch the earlier train** prendre le train d'avant; **to take an ~ holiday** GB *ou* **vacation** US prendre des vacances tôt en saison; **to take ~ retirement** partir en préretraite; **at the earliest possible opportunity** le plus tôt possible, à la première occasion; **at your earliest convenience** sout à votre convenance fml
3 (in period of time) **in ~ childhood** dans la petite *ou* première enfance; **at an ~ age** à un très jeune âge; **to be in one's ~ thirties** avoir entre 30 et 35 ans; **to make an ~ start** partir tôt; **to take the ~ train** prendre le premier train; **at the earliest** au plus tôt; **the earliest I can manage is Monday** je ne peux rien faire avant lundi; **at an ~ hour** très tôt; **in the ~ hours** au petit matin; **in the ~ Middle Ages/60's** au début du Moyen Âge/des années 60; **in the ~ spring** au début du printemps; **in the ~ afternoon** en début d'après-midi; **at an ~ date** (in future) très bientôt *or* prochainement; **the earliest days of the cinema** les tout débuts du cinéma; **an earlier attempt/experience** une tentative/expérience précédente
4 Biol [*gene*] précoce
B *adv* **1** (in period of time) [*leave, arrive, book, start*] tôt; [*get up, go to bed*] tôt, de bonne heure; **it's still ~** il est encore tôt; **it's too ~ to say** il est trop tôt pour le dire; **Easter falls** *ou* **is ~ this year** Pâques tombe tôt cette année; **can you let me know as ~ as possible?** pouvez-vous me le dire aussitôt que possible?; **can you make it earlier?** (arranging date) pouvez-vous○ plus tôt?; **five minutes earlier** cinq minutes plus tôt; **Fred can't get there earlier than 3 pm** Fred ne peut pas y être avant 15 h; **as ~ as 1983** dès 1983; **~ next year/in the film** au début de l'année prochaine/du film; **~ in the afternoon** en début d'après-midi; **(very) ~ on** dès le début; **~ on in her career** au début de sa carrière; **I realized ~ on that** j'ai compris rapidement que; **as I said earlier** comme je l'ai déjà dit; **'post** GB **~ for Christmas'** Post envoyez vos vœux de Noël à l'avance

2▸ (before expected, too soon) [arrive, leave, ripen] en avance; **I'm sorry to arrive a bit ~, I'm sorry I'm a bit ~** je suis désolé d'arriver un peu en avance; **the postman called** *ou* **was ~ today** le facteur est passé tôt aujourd'hui; **the strawberries are ~ this year** les fraises sont en avance cette année; **to do sth two days/three weeks ~** faire qch avec deux jours/trois semaines d'avance; **to retire ~** partir en préretraite

(Idioms) **~ to bed ~ to rise** tôt couché tôt levé; **it's ~ days yet** ce n'est que le début; **it's the ~ bird that catches the worm!** Prov l'avenir appartient à ceux qui se lèvent tôt; **to be an ~ bird** être un/-e lève-tôt; **to be a bit ~ in the day to say** être un peu tôt pour le dire

Early American *adj* [*architecture, furniture*] de style pionnier

early closing day *n* GB **Thursday is ~** le jeudi, les magasins sont fermés l'après-midi

early: **Early English** *n, adj* Archit gothique (*m*) anglais; **~ riser** *n* lève-tôt *mf*

early warning
A *n* **to be** *ou* **come as an ~ of sth** être le signe avant-coureur de qch
B *modif* [*sign*] avant-coureur; [*symptom*] premier/-ière (*before n*)

early warning system *n* Mil système *m* d'alerte avancée

earmark /ˈɪəmɑːk/
A *n* (on livestock) marque *f*; fig caractéristique *f*
B *vtr* marquer [*animal*]; fig désigner [*money, person, site*] (**for** pour)

earmuffs /ˈɪəmʌfs/ *npl* cache-oreilles *m inv*

earn /ɜːn/ *vtr* 1▸ [*person*] lit gagner [*money, sum*] (**by doing** en faisant); toucher [*salary, wage*]; **to earn a** *ou* **one's living** gagner sa vie; 2▸ fig **it ~ed her the respect/admiration of her colleagues** cela lui a valu le respect/ l'admiration de ses collègues; **to ~ sb's respect** se faire respecter de qn; **he's ~ed it!** il l'a mérité!; **well-~ed** bien mérité; 3▸ Fin [*investment, shares*] rapporter [*interest, profit*]

earned income *n* revenus *mpl* professionnels

earner /ˈɜːnə(r)/ *n* 1▸ (person) salarié/-e *m/f*; 2▸ °GB (source of money) **a nice little ~** une belle petite source de revenus

earnest /ˈɜːnɪst/
A *n* 1▸ (seriousness) **to be in ~** être sérieux/ -ieuse; **to begin** *ou* **start in ~** commencer vraiment (**to do** à faire); 2▸ (*also* **~ money**) Comm acompte *m*; 3▸ Fin, Comm (guarantee) gage *m*
B *adj* 1▸ (serious) [*person*] sérieux/-ieuse; 2▸ (sincere) [*intention*] ferme; [*desire*] profond; [*promise, wish*] sincère; 3▸ (fervent) [*plea, prayer*] fervent

earnestly /ˈɜːnɪstlɪ/ *adv* 1▸ (seriously) [*speak, discuss, ask*] sérieusement; 2▸ (sincerely) [*hope, wish*] sincèrement; 3▸ (fervently) [*plead, pray*] avec ardeur

earnestness /ˈɜːnɪstnɪs/ *n* 1▸ (seriousness) sérieux *m*; 2▸ (sincerity) sincérité *f*; 3▸ (fervour) ardeur *f*

earning power *n* capacité *f* de gain

earnings /ˈɜːnɪŋz/ *npl* (of person) salaire *m*, revenu *m* (**from** de); (of company) profits *mpl*, gains *mpl* (**from** de); Fin (from shares) (taux *m* de) rendement *m*; **export ~** gains *mpl* à l'exportation

earnings: **~ growth** *n* augmentation *f* des revenus; **~-related** *adj* fonction du salaire

ear: **~ nose and throat department**, **ENT department** *n* service *m* d'oto-rhino-laryngologie, service *m* ORL; **~ nose and throat specialist**, **ENT specialist** ▸ p. 1683 *n* oto-rhino-laryngologiste *mf*; **~phones** *npl* (over ears) casque *m*; (in ears) écouteurs *mpl*

earpiece /ˈɪəpiːs/ *n* 1▸ Telecom écouteur *m*; 2▸ (of glasses) embout *m* (*d'une branche de lunettes*); 3▸ Journ oreille *f*

ear-piercing /ˈɪəˌpɪəsɪŋ/
A *n* perçage *m* d'oreille
B *adj* [*scream*] perçant

ear: **~plug** *n* (for noise) boule *f* Quiès®; (for water) bouchon *m* d'oreille; **~ring** *n* boucle *f* d'oreille; **~ shell** *n* ormeau *m*

earshot /ˈɪəʃɒt/ *n* **out of/within ~** hors de/à portée de voix; **out of/within ~ of** trop loin/ assez près pour entendre [*person, call, noise, conversation*]

earsplitting /ˈɪəsplɪtɪŋ/ *adj* [*scream, shout*] strident; [*noise*] fracassant

earth /ɜːθ/
A *n* 1▸ (*also* **Earth**) (planet) terre *f*, Terre *f*; **life on ~** la vie sur terre; **here on ~** Relig ici-bas; **the ~'s atmosphere/surface** l'atmosphère/la surface terrestre; **to vanish off the face of the ~** disparaître de la surface de la terre; **to the ends of the ~** jusqu'au bout du monde; **the oldest city on ~** la ville la plus ancienne du monde; **to come down to ~** lit, fig revenir sur terre; **to bring sb back down to ~** ramener qn sur terre; 2▸ °(as intensifier) **how/where/ who on ~...?** comment/où/qui...?; **what on ~ do you mean?** qu'est-ce que tu veux dire?; **nothing on ~ would persuade me to do** pour rien au monde je ne ferais; 3▸ (soil) terre *f*; 4▸ (foxhole) terrier *m*; **to go to ~** lit, fig se terrer; **to run sb/sth to ~** fig dénicher° qn/qch, trouver qn/qch; 5▸ GB Elec terre *f*; 6▸ Chem terre *f*; 7▸ °(huge amount) **to cost the ~** coûter les yeux de la tête°; **to expect the ~** demander la lune
B *modif* GB Elec [*electrode, cable, terminal, wire*] de terre
C *vtr* GB Elec mettre [qch] à la terre

(Idioms) **did the ~ move for you°?** hum euph tu as pris ton pied°?; **to look like nothing on ~** [*person*] ressembler à un épouvantail; [*food*] avoir l'air très louche; **I feel like nothing on ~** (ill) je me sens très mal

(Phrasal verb) ■ **earth up** Hort: ▸ **~ up [sth]**, **~ [sth] up** butter [*roots*]

earthborn /ˈɜːθbɔːn/ *adj* (mortal) humain

earthbound /ˈɜːθbaʊnd/ *adj* 1▸ (which cannot fly) terrestre; 2▸ [*meteorite, spaceship*] se dirigeant vers la Terre

earth closet *n* GB fosse *f* d'aisances

earthen /ˈɜːθn/ *adj* 1▸ (made of earth) en terre; 2▸ (made of clay) [*pot*] en faïence

earthenware /ˈɜːθnweə(r)/
A *n* faïence *f*
B *modif* [*crockery*] en faïence

earthiness /ˈɜːθɪnɪs/ *n* truculence *f*

earthing /ˈɜːθɪŋ/ *n* GB Elec mise *f* à la terre

earthling /ˈɜːθlɪŋ/ *n* Terrien/-ienne *m/f*

earthly /ˈɜːθlɪ/ *adj* 1▸ (terrestrial) terrestre; 2▸ °**it's no ~ use** ça ne sert à rien du tout; **there's no ~ reason** il n'y a aucune raison; **I haven't an ~ (idea)** GB aucune idée

earth mother *n* 1▸ °(maternal woman) image *f* de la maternité; 2▸ Relig (goddess) déesse *f* de la fertilité; (the earth) Terre *f* mère

earth: **~mover** *n* engin *m* de terrassement; **~-moving equipment** *n* engins *mpl* de terrassement; **~quake** *n* tremblement *m* de terre; **~quake-resistant construction** *n* construction *f* parasismique; **~ science** *n* science *f* de la Terre; **~shaking°**, **~shattering°** *adj* bouleversant; **~ sign** *n* Astrol signe *m* de terre; **~ tone** *n* Art, Fashn couleur *f* d'automne; **~ tremor** *n* secousse *f* sismique

earthwards /ˈɜːθwədz/ *adv* vers la Terre

earth: **~work** *n* (*pl* **~** *ou* **~s**) (embankment) rempart *m*, levée *f* de terre; (excavation work) terrassement *m*; **~worm** *n* ver *m* de terre

earthy /ˈɜːθɪ/ *adj* 1▸ (natural) [*person, wisdom, humour*] truculent; [*vigour*] primitif/-ive; 2▸ [*taste, smell, colour*] de terre; 3▸ (covered in soil) terreux/-euse

ear: **~ trumpet** *n* cornet *m* acoustique; **~wax** *n* cérumen *m*; **~wig** *n* perce-oreille *m*; **~-witness** *n* témoin *m* auditif

ease /iːz/
A *n* 1▸ (lack of difficulty) facilité *f*; **for ~ of** pour faciliter [*use, reference*]; **with ~** avec facilité, facilement; 2▸ (freedom from anxiety) **at ~** gen à l'aise; **at ~!** Mil repos!; **ill at ~** mal à l'aise; **to put sb at ~/at their ~** mettre qn à l'aise/à son aise; **to take one's ~** se détendre; **to put sb's mind at ~** rassurer qn (**about** à propos de); **her mind was at ~ at last** elle avait enfin l'esprit tranquille; 3▸ (confidence of manner) aisance *f*; 4▸ (affluence) aisance *f*; **to live a life of ~** vivre dans l'aisance
B *vtr* 1▸ (lessen) atténuer, soulager [*pain, tension, worry*]; atténuer [*crisis, shortage, problem*]; réduire [*congestion, restrictions*]; diminuer [*burden*]; 2▸ (make easier) détendre [*situation*]; faciliter [*communication, development, transition*]; 3▸ (move carefully) **to ~ sth into** introduire qch délicatement dans; **to ~ sth out of** sortir qch délicatement de
C *vi* 1▸ (lessen) [*tension, pain, pressure*] s'atténuer; [*congestion, overcrowding, rain, snow, rate*] diminuer; [*fog*] se dissiper; 2▸ (become less difficult) [*situation*] se détendre; [*problem*] s'atténuer; 3▸ Fin [*price*] être en légère baisse
D *v refl* **to ~ oneself into** se laisser glisser délicatement dans [*seat, bath*]; **to ~ oneself out of** se lever délicatement de [*chair*]; **to ~ oneself through** se glisser par [*gap*]

(Phrasal verbs) ■ **ease back**: ▸ **~ [sth] back**, **~ back [sth]** ôter délicatement [*cover, bandage*]
■ **ease off**: ▸ **~ off** 1▸ (lessen) [*business*] se ralentir; [*demand, congestion*] se réduire; [*traffic, rain, snow*] diminuer; [*fog*] se dissiper; 2▸ (work less hard) [*person*] relâcher son effort; ▸ **~ [sth] off**, **~ off [sth]** (remove gently) ôter délicatement [*lid, boot*]
■ **ease up** (relax) se détendre, se reposer; **to ~ up on sb/on sth** être moins sévère envers qn/pour qch

easel /ˈiːzl/ *n* chevalet *m*

easement /ˈiːzmənt/ *n* Jur droit *m* de passage

easily /ˈiːzɪlɪ/ *adv* 1▸ (with no difficulty) [*move, win, open*] facilement, aisément; **to be ~ forgotten/obtainable** être facile à oublier/ à obtenir; **~ accessible** facilement accessible; 2▸ (readily) [*trust, laugh, cry*] facilement, vite; **to get bored ~** s'ennuyer facilement *or* vite; 3▸ (comfortably) [*sleep, breathe*] bien; [*talk*] à l'aise; 4▸ (unquestionably) de loin, sans aucun doute; **~ the funniest film** de loin *or* sans aucun doute le film le plus amusant; **it's ~ 80 kilometres** ça fait facilement 80 kilomètres; 5▸ (probably) **she could ~ die** elle pourrait bien mourir

easiness /ˈiːzɪnɪs/ *n* 1▸ (lack of difficulty) (of question, problem, exam) simplicité *f*; (of task, job, walk, climb) facilité *f*; 2▸ (comfortableness) (of life, conditions) aisance *f*

east /iːst/ ▸ p. 1552
A *n* gen est *m*
B **East** *pr n* 1▸ Geog **the ~** (Orient) l'Orient *m*; (of country, continent) l'Est *m*; 2▸ (in cards) Est *m*
C *adj* [*side, face, coast, door*] est *inv*; [*wind*] d'est
D *adv* [*live, lie*] à l'est (**of** de); [*move*] vers l'est; **to go ~ of sth** passer à l'est de qch

(Idiom) **~ or west, home is best** Prov on n'est nulle part si bien que chez soi

East Africa *pr n* Afrique *f* de l'Est

East African
A *n* habitant/-e *m/f* de l'Afrique de l'Est
B *adj* [*state, town, river*] d'Afrique de l'Est

east: **East Anglia** *pr n* East Anglia *m*; **East Berlin** *pr n* Pol Hist Berlin-Est

eastbound /ˈiːstbaʊnd/ *adj* [*carriageway, traffic*] en direction de l'est; **the ~ platform/train** GB (in underground) le quai/la rame direction est

East End *pr n* quartiers *mpl* est de Londres

East Ender /iːst ˈendə(r)/ *n* GB habitant/-e *m/f* de l'est londonien

Easter /ˈiːstə(r)/
A *n* 1▸ Relig (festival) Pâques *m*; **at ~** à Pâques;

over ~ pendant les fêtes de Pâques; **2** (in greetings) pâques *fpl*; **Happy ~** joyeuses pâques
B *modif* [*Sunday, Monday, bunny, egg, bonnet*] de Pâques; [*candle*] pascal; [*parade*] de printemps

easterly /ˈiːstəlɪ/
A *n* (wind) vent *m* d'est
B *adj* [*wind*] d'est; [*point*] à l'est; [*area*] de l'est; [*breeze*] venant de l'est; **in an ~ direction** en direction de l'est

eastern /ˈiːstən/ ▸ **p. 1552** *adj* **1** [*coast, border*] est; [*town, custom, accent*] de l'est; [*Europe, United States*] de l'Est; **~ France** l'est de la France; **2** (*also* **Eastern**) (oriental) oriental

Eastern bloc *n* Pol Hist **the ~** le bloc *m* des pays de l'Est

eastern: **~ bloc country** *n* pays *m* du bloc de l'Est; **Eastern Church** *n* Église *f* de rite oriental; **Eastern Daylight Time, EDT** *n* US heure *f* d'été de l'Est

easterner /ˈiːstənə(r)/ *n* US homme/femme *m/f* de l'Est des États-Unis

eastern: **Eastern European Time, EET** *n* heure *f* de l'Europe orientale; **~most** *adj* à l'extrême est, le/la plus à l'est; **Eastern Standard Time, EST** *n* heure *f* normale de l'Est

east-facing /ˌiːstˈfeɪsɪŋ/ *adj* exposé à l'est

East German Pol Hist ▸ **p. 1467**
A *n* Allemand/-e *m/f* de l'Est
B *adj* est-allemand

east: **East Germany** ▸ **p. 1096** *pr n* Pol Hist Allemagne *f* de l'Est; **East Indies** *pr npl* Indes *fpl* orientales; **East Side** *pr n* quartiers *mpl* est de New-York

East Sussex /ˌiːst ˈsʌsɪks/ ▸ **p. 1612** *pr n* East Sussex *m*

East Timor /iːst ˈtiːmɔː(r)/ ▸ **p. 1096** *pr n* Timor *m* oriental

eastward /ˈiːstwəd/ ▸ **p. 1552**
A *adj* [*side*] est *inv*; [*wall, slope*] du côté est; [*journey, route, movement*] vers l'est; **in an ~ direction** en direction de l'est, vers l'est
B *adv* (*also* **~s**) vers l'est

East-West relations *npl* Pol relations *fpl* Est-Ouest

easy /ˈiːzɪ/
A *adj* **1** (not difficult) [*job, question, victory, life*] facile; **that's ~ to fix** c'est facile à réparer; **it's not ~ to talk to him, he's not an ~ man to talk to** ce n'est pas facile de lui parler; **that's ~ for you to say!** c'est facile à dire pour toi!; **it's all** *ou* **only too ~ to** il n'est que trop facile de; **she makes it look ~** cela a l'air facile avec elle; **it's an ~ walk from here** c'est facilement accessible à pied d'ici; **to be an ~ winner** gagner très facilement; **within ~ reach** tout près (**of** de); **that's easier said than done** c'est plus facile à dire qu'à faire, c'est vite dit; **to make it** *ou* **things easier** faciliter les choses (**for** pour); **to make life easier (for sb)** faciliter la vie à qn; **to make life** *ou* **things too ~ for** être trop complaisant avec [*criminal, regime*]; **to have an ~ ride** fig avoir la vie facile; **we didn't have an ~ time of it** ça a été une période difficile; **to take the ~ way out** choisir la solution de facilité; **2** (untroubled, relaxed) [*smile, grace, elegance*] décontracté; [*style, manner*] plein d'aisance; **at an ~ pace** d'un pas tranquille; **to feel ~ (in one's mind) about** ne pas se faire de souci à propos de; **3** (weak) [*victim, prey*] facile, tout trouvé; **he's ~ game** *ou* **meat** c'est une proie facile; **4** ○péj (promiscuous) [*person*] facile○; ▸ **lay**; **5** ○(having no preference) **I'm ~** ça m'est égal; **6** Fin [*market*] en légère baisse
B *adv* **1** (in a relaxed way) **to take it** *ou* **things ~** ne pas s'en faire; **take it ~!** (stay calm) du calme!, doucement!; **stand ~!** Mil repos!; **2** ○(in a careful way) **to go ~ on** *ou* **with** y aller doucement *or* mollo○ avec [*person*]; **go ~ on the milk/gin** vas-y doucement avec le lait/gin; **~ does it!** doucement!

(Idioms) **to be ~ on the eye** être agréable à regarder; **as ~ as pie** *ou* **ABC** *ou* **anything** *ou* **falling off a log** facile comme tout, simple comme bonjour; **~ come, ~ go** c'est de l'argent vite gagné vite dépensé; **~ does it** doucement

easy: **~-care** *adj* [*fabric, shirt, curtain*] d'entretien facile; **~ chair** *n* ≈ chauffeuse *f*; **~ going** *adj* [*person*] accommodant; [*manner, attitude*] souple; **~ listening** *n* musique *f* légère; **~ money** *n* argent *m* vite gagné; **~ over** *n* US œuf *m* au plat retourné à mi-cuisson; **~-peasy**○ *adj* langage enfantin facile, fastoche○

Easy Street○ *n* **to be on ~** se la couler douce○

easy terms *n* Fin, Comm facilités *fpl* de paiement

eat /iːt/
A *vtr* (*prét* **ate**; *pp* **eaten**) **1** (consume) [*person, animal*] manger [*cake, food, snack*]; prendre [*meal*]; **I don't ~ meat** je ne mange pas de viande; **to ~ (one's) breakfast** prendre le petit déjeuner; **to ~ (one's) lunch** déjeuner; **to ~ one's dinner** dîner; **I ate lunch in town** j'ai déjeuné en ville; **to ~ sth for lunch/dinner** manger qch pour le déjeuner/dîner; **to ~ oneself sick**○ s'empiffrer○, se donner une indigestion (**on** de); **it's not fit to ~** (poisonous) ce n'est pas comestible; (inedible) c'est immangeable; **it looks too good to ~** c'est si beau qu'on n'ose pas en manger; **she looks good enough to ~!** elle est belle à croquer○!; **to ~ one's way through a whole cake** engloutir un gâteau entier; **to ~ sb/sth alive** [*person, piranha, mosquitoes*] dévorer qn/qch; [*seductress*] **she'll ~ you alive**○! elle te mangera tout cru○!; **don't be afraid, I won't ~ you!** n'aie pas peur, je ne vais pas te manger; **to ~ one's words** fig ravaler ses paroles; **2** ○(guzzle) [*car*] bouffer○, consommer [*petrol*]; **3** ○(worry) chiffonner○; **what's ~ing you?** qu'est-ce qui te chiffonne○?
B *vi* (*prét* **ate**; *pp* **eaten**) **1** (take food) manger; **to ~ from** *ou* **out of** manger dans [*plate, bowl*]; **I'll soon have him ~ing out of my hand** fig bientôt j'en ferai ce que je voudrai!; **2** (have a meal) manger; **I never ~ in the canteen** je ne mange jamais à la cantine; **we ~ at six** nous dînons à 18 heures

(Idioms) **~ your heart out!** souffre en silence!; **to ~ sb out of house and home** manger la laine sur le dos de qn○

(Phrasal verbs) ■ **eat away**: ▸ **~ [sth] away, ~ away [sth]** [*water, wind*] ronger, éroder [*cliff, stone*]; [*acid, rust, termites*] ronger; ▸ **away at [sth]** lit [*acid, disease, rust, woodworm*] ronger; fig [*bills, fees*] manger [*profits, savings*]
■ **eat into**: ▸ **~ into [sth]** **1** (damage) [*acid, rust*] faire un trou dans [*metal, paint*]; **2** (encroach on) [*duties, interruptions*] empiéter sur [*day, leisure*]; **3** (use up) [*bills, fees*] entamer [*profits, savings*]
■ **eat out** aller au restaurant
■ **eat up**: ▸ **~ up** finir de manger; **~ up!** finis ce que tu as dans ton assiette!; ▸ **~ [sth] up, ~ up [sth]** **1** (finish) finir [*meal, vegetables*]; **2** (guzzle) [*car*] dévorer [*miles*]; bouffer○, consommer [*petrol*]; **3** (use up) [*bills*] engloutir [*savings*]; **4** fig **to be ~en up with** [*person*] être dévoré de [*curiosity, desire, envy*]; être dévoré par [*guilt*]; être rongé par [*worry*]

eatable /ˈiːtəbl/ *adj* = **edible**

eaten /ˈiːtn/ *pp* ▸ **eat**

eater /ˈiːtə(r)/ *n* **1** (consumer of food) mangeur/-euse *m/f*; **a big ~** un gros mangeur; **a big fruit ~** un gros mangeur de fruits; **she's a fussy ~** elle est difficile pour la nourriture; **he's a fast/messy ~** il mange vite/salement; **2** (apple) pomme *f* à couteau

eatery /ˈiːtərɪ/ *n* surtout US petit restaurant *m*

eat-in /iːtˈɪn/ *adj* [*meal*] à consommer sur place

eating /ˈiːtɪŋ/ *n* **~ is a pleasure** manger est un plaisir; **healthy ~ is essential** il est essentiel de manger sainement; **to make excellent/poor ~** être excellent/mauvais

eating: **~ apple** *n* pomme *f* à couteau; **~ disorder** *n* Med trouble *m* du comportement alimentaire; **~ habits** *npl* habitudes *fpl* alimentaires; **~ house** restaurant *m*

eating out *n* **I love ~** j'adore manger au restaurant

eating place *n* restaurant *m*

eats○ /iːts/ *npl* bouffe○ *f*, nourriture *f*

eau de cologne /ˌəʊ də kəˈləʊn/ *n* eau *f* de Cologne

eaves /iːvz/ *npl* avant-toit *m*

eavesdrop /ˈiːvzdrɒp/ *vi* (*p prés etc* **-pp-**) écouter aux portes; **to ~ on** écouter [qch] de manière indiscrète [*person, conversation*]; **to ~ on sb** (electronically) mettre qn sur table d'écoute

ebb /eb/
A *n* reflux *m*; **the tide is on the ~** la marée descend; **the ~ and flow** le flux et le reflux also fig
B *vi* **1** [*tide*] descendre, refluer; **to ~ and flow** monter et descendre; **2** fig [*support*] décliner

(Idiom) **to be at a low ~** être au plus bas

(Phrasal verb) ■ **ebb away** [*strength, enthusiasm, support*] décliner

ebb tide *n* marée *f* descendante

EBCDIC *n* (*abrév* = **extended binary-coded decimal interchange code**) code *m* décimal codé binaire étendu

EBD *n* (*abrév* = **emotional and behavioural disorder**) troubles *mpl* affectifs et du comportement

EBITDA *n* Fin (*abrév* = **Earnings before Interest, Taxes, Depreciation and Amortization**) EBE *m*

Ebonics /eˈbɒnɪks/ *n* US Ling Ébonique *m*

ebonite /ˈebənaɪt/ *n* ébonite *f*

ebony /ˈebənɪ/
A *n* **1** (wood) ébène *f*; **2** (tree) ébénier *m*; **3** ▸ **p. 1067** (colour) noir *m* d'ébène
B *modif* [*casket, veneer*] d'ébène *ou* en ébène; [*branch, bark*] d'ébénier; [*skin, eyes*] d'un noir d'ébène

e-book /ˈiːbʊk/ *n* livre *m* électronique

EBRD *n*: *abrév* ▸ **European Bank for Reconstruction and Development**

EBU *n* TV (*abrév* = **European Broadcasting Union**) UER *f*

ebullience /ɪˈbʌlɪəns, ɪˈbʊlɪəns/ *n* exubérance *f*

ebullient /ɪˈbʌlɪənt, ɪˈbʊlɪənt/ *adj* exubérant

e-business /ˈiːbɪznɪs/ *n* cyber-business *m*

EC *n* **1** EU *abrév* ▸ **European Commission**; **2** (*abrév* = **European Community**) CE *f*

e-cash /ˈiːkæʃ/ *n* monnaie *f* électronique

ECB *n* EU *abrév* ▸ **European Central Bank**

eccentric /ɪkˈsentrɪk/
A *n* **1** (person) excentrique *mf*; **2** Tech excentrique *m*
B *adj* (all contexts) excentrique

eccentrically /ɪkˈsentrɪklɪ/ *adv* de manière excentrique

eccentricity /ˌeksenˈtrɪsətɪ/ *n* excentricité *f*

Eccles cake /ˈekəlz/ *n* GB pâtisserie *f* aux raisins secs

Ecclesiastes /ɪˌkliːzɪˈæstiːz/ *pr n* Ecclésiaste *m*

ecclesiastic /ɪˌkliːzɪˈæstɪk/ *n* ecclésiastique *m*

ecclesiastical /ɪˌkliːzɪˈæstɪkl/ *adj* ecclésiastique

ecclesiology /ɪˌkliːzɪˈɒlədʒɪ/ *n* ecclésiologie *f*

ECG *n* (*abrév* = **electrocardiogram, electrocardiograph**) ECG *m*

echelon /'eʃəlɒn/ *n* gen, Mil échelon *m*
echinoderm /ɪ'kaɪnədɜ:m, 'ekɪn-/ *n* échinoderme *m*
echo /'ekəʊ/
A *n* (*pl* **~es**) **1** (of sound) écho *m*; **to cheer to the ~** applaudir à tout rompre; **2** (overtone) écho *m*; **3** (of idea, opinion etc) **to have ~es of sth** rappeler qch
B *vtr* **1** lit répercuter, renvoyer [qch] en écho; **2** (repeat) reprendre [*idea, opinion etc*]; **3** (resemble) rappeler [*artist, style*]
C *vi* retentir, résonner (**to, with** de; **around** dans)
echo chamber *n* Radio, TV chambre *f* résonnante
echoing /'ekəʊɪŋ/ *adj* sonore
echolocation /'ekəʊləʊ,keɪʃn/ *n* Zool écholocation *f*
echo sounder *n* sondeur *m* à ultrasons
ECJ *n* EU *abrév* ▸ **European Court of Justice**
éclair /eɪ'kleə(r), ɪ'kleə(r)/ *n* Culin éclair *m*
eclampsia /ɪ'klæmpsɪə/ ▸ **p. 1327** *n* éclampsie *f*
éclat /'eɪklɑ:/ *n* éclat *m*
eclectic /ɪ'klektɪk/ *n, adj* éclectique (*mf*)
eclecticism /ɪ'klektɪsɪzəm/ *n* éclectisme *m*
eclipse /ɪ'klɪps/
A *n* **1** Astron éclipse *f* (**of** de); **partial/total ~** éclipse partielle/totale; **solar/lunar ~** éclipse solaire/de lune; **the moon is in ~** il y a une éclipse de lune; **2** fig éclipse *f* (**of** de); **to be in, to go into ~** [*person, movement*] connaître une éclipse
B *vtr* (all contexts) éclipser
eclipsing binary *n* binaire *f* à éclipse
ecliptic /ɪ'klɪptɪk/ *adj* écliptique
eclogue /'eklɒg/ *n* églogue *f*
eclosion /ɪ'kləʊʒn/ *n* éclosion *f*
eco /'i:kəʊ-/
A *n*: *abrév* = **ecology**
B *modif* [*group*] écologiste
C **eco+** (*dans composés*) éco-
eco-audit /'i:kəʊ,ɔ:dɪt/ *n* éco-audit *m*
eco-aware /,i:kəʊə'weə(r)/ *adj* sensibilisé aux problèmes de l'environnement
ecocatastrophe /,i:kəkə'tæstrəfɪ/ *n* catastrophe *f* écologique
ecocide /'i:kəsaɪd/ *n* écocide *m*
Ecofin /ekəʊ'fɪn/ *n* EU (*abrév* = **Economic and Financial Affairs Council**) Ecofin *m*
eco: **~-freak**○ *n* péj fana○ *mf* de l'écologie; **~-friendly** *adj* qui ne nuit pas à l'environnement; **~-label** *n* écolabel *m*; **~-labelling** *n* étiquetage *m* écologique
E. coli /i:'kəʊlaɪ/ *n* E. coli *m*
ecological /,i:kə'lɒdʒɪkl/ *adj* écologique
ecologically /,i:kə'lɒdʒɪklɪ/ *adj* écologiquement
ecologist /i:'kɒlədʒɪst/ *n, adj* écologiste (*mf*)
ecology /ɪ'kɒlədʒɪ/
A *n* (all contexts) écologie *f*
B *modif* Pol [*movement, issue*] écologique
Ecology Party *n* Pol parti *m* écologique
e-commerce /'i:kɒmɜ:s/ *n* commerce *m* électronique, commerce *m* en ligne, cyberbusiness *m*
econometric /ɪ,kɒnə'metrɪk/ *adj* économétrique
econometrician /ɪ,kɒnəmə'trɪʃn/ ▸ **p. 1683** *n* économétricien/-ienne *m/f*
econometrics /ɪ,kɒnə'metrɪks/ *n* (+ *v sg*) économétrie *f*
econometrist /ɪ,kɒnə'metrɪst/ *n* = **econometrician**
economic /,i:kə'nɒmɪk, ,ek-/ *adj* **1** [*change, crisis, forecast, performance, policy, sanction*] économique; **to make ~ sense** être intéressant d'un point de vue économique; **2** (profitable) [*proposition, business*] rentable; **to make ~ sense** être financièrement intéressant
economical /,i:kə'nɒmɪkl, ,ek-/ *adj* **1** [*car, machine, method*] économique; **to be ~ to run** être économique à utiliser; **to be ~ on petrol** consommer peu d'essence; **2** [*person*] économe; **3** fig [*style, writer*] concis; **to be ~ with words** s'exprimer avec concision; **to be ~ with the truth** iron ne pas dire toute la vérité
economically /,i:kə'nɒmɪklɪ, ek-/ *adv* **1** [*strong, weak, viable, united*] économiquement; **2** (sparingly) [*run, operate*] de façon économique; **3** [*write, convey*] avec concision
economic: **~ analyst** ▸ **p. 1683** *n* analyste *mf* économique; **~ and monetary union, EMU** *n* Union *f* économique et monétaire; **~ cost** *n* coût *m* économique; **~ development** *n* développement *m* économique; **~ geography** *n* géographie *f* économique; **~ growth** *n* croissance *f* économique; **~ history** *n* histoire *f* de l'économie; **~ indicator** *n* indicateur *m* économique *or* de conjoncture; **~ management** *n* gestion *f* de l'économie; **~ migrant** *n* Econ migrant *mf* pour raisons économiques
economics /,i:kə'nɒmɪks, ,ek-/
A *n* **1** (science) (+ *v sg*) économie *f*; **an expert on ~** un/une spécialiste en économie; **2** Sch, Univ (subject of study) (+ *v sg*) sciences *fpl* économiques; **to study ~** étudier les sciences économiques; **3** (financial aspects) (+ *v pl*) aspects *mpl* économiques (**of** de)
B *modif* [*degree, textbook, faculty*] de sciences économiques; [*editor, expert, correspondent*] en économie
economic: **~ system** *n* système *m* économique; **~ theory** *n* théorie *f* économique
economist /ɪ'kɒnəmɪst, ,ek-/ ▸ **p. 1683** *n* économiste *mf*; **business ~** économiste *mf* d'entreprise
economize /ɪ'kɒnəmaɪz/
A *vtr* économiser
B *vi* économiser (**on** sur)
economy /ɪ'kɒnəmɪ/ *n* (all contexts) économie *f*; **to make economies** faire des économies; **for reasons of ~** pour des raisons d'économie; **with (an) ~ of effort** à moindre effort; **economies of scale** économies d'échelle; **the ~** l'économie du pays
economy: **~ class** *n* Aviat classe *f* économique; **~ drive** *n* campagne *f* de restriction; **~ pack**, **~ size** *n* paquet *m* économique
ecosphere /'i:kəʊsfɪə(r)/ *n* écosphère *f*
ecosystem /'i:kəʊsɪstəm/ *n* écosystème *m*
eco-terrorist /,i:kə'terərɪst/ *n* terroriste *mf* écologiste
ecotone /'i:kətəʊn/ *n* écotone *m*
ecotourism /'i:kəʊtʊərɪzəm, -tɔ:r-/ *n* tourisme *m* vert, écotourisme *m*
ecotoxic /'i:kəʊtɒksɪk/ *adj* écotoxique
ecotype /'i:kətaɪp/ *n* écotype *m*
eco-warrior /'i:kəʊwɒrɪə(r), US -wɔ:r-/ *n* éco-guerrier/-ière *m/f*, écologiste *mf* ultra
ecru /'eɪkru:/ ▸ **p. 1067** *n, adj* écru (*m*)
ECSC *n* (*abrév* = **European Coal and Steel Community**) CECA *f*
ecstasy /'ekstəsɪ/ *n* **1** extase *f*; **religious/sexual ~** extase religieuse/sexuelle; **to be in ~** *ou* **ecstasies** être en extase (**over** sur); **2** (*also* **Ecstasy, E, XTC**) (drug) ecstasy *m*
ecstatic /ɪk'stætɪk/ *adj* **1** (happy) [*person*] enchanté (**about** par); **2** [*happiness, joy, trance, state, smile*] extatique; [*welcome, reception, crowd, fan*] enthousiaste
ecstatically /ɪk'stætɪklɪ/ *adv* [*applaud, read, welcomed*] avec un enthousiasme délirant; **~ happy** radieux/-ieuse; **to be ~ reviewed** recevoir des critiques délirantes
ECT *n* Med *abrév* ▸ **electroconvulsive therapy**
ectomorph /'ektəʊmɔ:f/ *n* ectomorphe *mf*
ectopic pregnancy /ek,tɒpɪk 'pregnənsɪ/ *n* grossesse *f* extra-utérine
ectoplasm /'ektəplæzəm/ *n* ectoplasme *m*
ecu, ECU /eɪ'ku:/ ▸ **p. 1108**
A *n* Hist (*abrév* = **European Currency Unit**) ÉCU *m*, écu *m*; **hard ~** écu *m* dur
B *modif* [*value*] en écus; **~ bond** euro-obligation *f* libellée en écus
Ecuador /'ekwədɔ:(r)/ ▸ **p. 1096** *pr n* Équateur *m*
Ecuadorian /,ekwə'dɔ:rɪən/ ▸ **p. 1467**
A *n* Équatorien/-ienne *m/f*
B *adj* équatorien/-ienne
ecumenical /,i:kju:'menɪkl, 'ek-/ *adj* œcuménique
ecumenism /i:'kju:mənɪzəm/ *n* œcuménisme *m*
eczema /'eksɪmə, US ɪg'zi:mə/ ▸ **p. 1327** *n* eczéma *m*; **to suffer from ~** avoir de l'eczéma
eczema sufferer *n* eczémateux/-euse *m/f*
Ed.B *n* US Univ (*abrév* = **Bachelor of Education**) diplôme *m* universitaire de pédagogie
EDD *n*: *abrév* ▸ **estimated date of delivery**
eddy /'edɪ/
A *n* tourbillon *m*
B *vi* [*tide, liquid*] faire des tourbillons, tourbillonner; [*smoke, crowd*] tournoyer
EDF *n* EU *abrév* ▸ **European Development Fund**
edelweiss /'eɪdlvaɪs/ *n* (*pl* **~**) edelweiss *m*
edema *n* US = **oedema**
Eden /'i:dn/ *pr n* Bible, fig Éden *m*, paradis *m* terrestre also fig; **the garden of ~** le jardin d'Éden
edentate /ɪ'denteɪt/ *n, adj* Zool édenté (*m*)
edge /edʒ/
A *n* **1** (outer limit) (of table, road, lake, field) bord *m*; (of coin) bordure *f*; (of wood, clearing) lisière *f*; **at the water's ~** au bord de l'eau; **on the ~ of the city** en bordure de la ville; **the film had us on the ~ of our seats** le film nous a tenus en haleine; **2** (sharp side) tranchant *m*; **a blade with a sharp ~** une lame bien aiguisée; **to put an ~ on** aiguiser, affûter [*blade*]; **3** (side) (of book, plank) tranche *f*; **4** (sharpness) **to give an ~ to** aiguiser [*appetite*]; **to take the ~ off** gâter [*pleasure*]; calmer [*anger, appetite*]; soulager [*pain*]; **there was an ~ to his voice** sa voix avait quelque chose de tendu; **to lose one's ~** [*writing, style*] perdre sa vivacité; [*person*] perdre sa vigueur; **5** (advantage) **to have the ~ over** *ou* **on** avoir l'avantage sur [*competitor, rival*]; **to give sb the ~ over** donner à qn l'avantage sur; **to have a slight ~** avoir une légère avance (**over** sur); **6** (touchy) **to be on ~** [*person*] être énervé; **my nerves are on ~** j'ai les nerfs fatigués; **that sound sets my teeth on ~** ce bruit me fait grincer des dents; **7** fig (extremity) **to live on the ~** vivre dangereusement; **the news pushed him over the ~** cette nouvelle l'a achevé
B *vtr* **1** (move slowly) **to ~ sth towards** approcher qch de; **he ~d the car closer to the kerb** il a rapproché la voiture du trottoir; **to ~ one's way along** longer la bordure de [*cliff, parapet*]; **2** (trim) border [*collar, handkerchief*]; **3** Hort border [*lawn*]
C *vi* (advance) **to ~ forward** avancer doucement; **to ~ up to** s'approcher doucement de; **to ~ out of a parking space** se dégager lentement d'une place de parking; **to ~ closer to** se rapprocher de [*victory, independence*]; **to ~ towards** s'approcher à petits pas de [*door, victory*]

Phrasal verbs ■ **edge out** [*car, driver*] (of space) se dégager petit à petit (**of** de); (of side street) sortir petit à petit (**of** de); **I ~d out of the room/door** je me suis glissé hors de la pièce/par la porte; **to ~ sb out of** évincer qn de [*job*]; **we've ~d our competitors out of the market** nous avons éliminé tous nos concurrents du marché

■ **edge up**: ▸ ~ **up** 1 [*prices, figure*] augmenter lentement; 2 **to ~ up to sb** s'approcher à petits pas de qn

edgeways /'edʒweɪz/, **edgewise** /'edʒwaɪz/ *adv* (sideways) [*move*] latéralement; (along its side) [*lay, put*] sur le côté

(Idiom) **I can't get a word in ~** je n'arrive pas à placer un mot

edgily /'edʒɪlɪ/ *adv* nerveusement

edginess /'edʒɪnɪs/ *n* nervosité *f*

edging /'edʒɪŋ/ *n* 1 (border) bordure *f*; 2 (making a border) (in garden) entretien *m* des bordures; (on fabric) pose *f* d'une bordure

edging shears *n* cisaille *f* de jardinier

edgy /'edʒɪ/ *adj* énervé, anxieux/-ieuse

EDI *n* (*abrév* = **electronic data interchange**) EDI *m*, échange *m* de données informatisé

edible /'edɪbl/ *adj* [*fruit, plant, mushroom, snail*] comestible; [*meal*] mangeable

edict /'i:dɪkt/ *n* 1 Hist édit *m*; 2 Jur, Pol décret *m*; **to issue an ~** faire paraître un décret

edification /,edɪfɪ'keɪʃn/ *n* sout édification *f*

edifice /'edɪfɪs/ *n* édifice *m* also fig

edify /'edɪfaɪ/ *vtr* édifier, porter [qn] à la vertu

edifying /'edɪfaɪɪŋ/ *adj* édifiant

Edinburgh /'edɪnbərə/ ▸ **p. 1815** *pr n* Édimbourg

Edinburgh Festival *n* GB festival *m* d'Édimbourg

> **Edinburgh Festival**
>
> Festival international des Arts qui se déroule tous les étés depuis 1947. Pendant trois semaines, au programme du festival institutionnel et du festival parallèle (*Fringe festival*), se côtoient les plus grands noms de la musique, de la danse, du théâtre, les artistes d'avant-garde et les nouveaux talents.

edit /'edɪt/

A *n* (of film) montage *m*; (for publication) mise *f* au point

B *vtr* 1 (check for publishing) réviser [*text, novel*]; 2 (annotate, select) éditer [*essays, letters, anthology, author, works*]; 3 (cut down) couper [*account, version, reader's letter*]; 4 Journ être le rédacteur/la rédactrice *m/f* en chef de [*newspaper, journal*]; être le rédacteur/la rédactrice *m/f* adjoint/-e de [*section, page*]; 5 TV, Cin réaliser le montage de [*film, programme*]; 6 Comput éditer [*data*]

(Phrasal verb) ■ **edit out**: Cin ▸ ~ **out [sth]**, ~ **[sth] out** couper [qch] au montage

editing /'edɪtɪŋ/ *n* 1 (tidying for publication) mise *f* au point; 2 (of essays, letters, author, collection, anthology) édition *f*; 3 (of film) montage *m*; 4 (of newspaper) rédaction *f*; 5 Comput (of data) édition *f*

edition /ɪ'dɪʃn/ *n* 1 Publg, Journ édition *f*; **first/new ~** première/nouvelle édition; **morning/evening ~** édition du matin/du soir; 2 TV (of soap opera) feuilleton *m*; (of news) édition *f*; (generally) émission *f*; 3 (of coins, porcelain) série *f*

editor /'edɪtə(r)/ ▸ **p. 1683** *n* 1 (of newspaper) rédacteur/-trice *m/f* en chef (**of** de); **political/sports/fashion ~** rédacteur politique/sportif/de mode; 2 (of book, manuscript) correcteur/-trice *m/f*; 3 (of writer, works, anthology) éditeur/-trice *m/f*; **he's the ~ of Keats' letters** il a édité les lettres de Keats; 4 (of dictionary) rédacteur/-trice *m/f*; 5 (of film) monteur/-euse *m/f*

editorial /,edɪ'tɔ:rɪəl/

A *n* éditorial *m* (**on** sur)

B *adj* 1 Journ [*policy, office, staff, freedom, independence*] de la rédaction; [*interference*] dans la rédaction; **to have ~ control** avoir la direction de la rédaction; **the ~ page** la page de l'éditorial; 2 Publg [*policy, decision*] éditorial; **to have ~ control** avoir le contrôle du texte; **to do ~ work** faire du travail d'édition

editorialist /,edɪ'tɔ:rɪəlɪst/ *n* US éditorialiste *mf*

editorialize /,edɪ'tɔ:rɪəlaɪz/ *vi* lit [*newspaper*] déclarer dans son éditorial; fig déclarer

editorship /'edɪtəʃɪp/ *n* direction *f*; **under the ~ of** sous la direction de

EDP *n* (*abrév* = **electronic data processing**) informatique *f*, traitement *m* électronique des données

EDS *n*: *abrév* ▸ **exchangeable disk storage**

EDT *n* US *abrév* ▸ **Eastern Daylight Time**

educable /'edʒʊkəbl/ *adj* éducable

educate /'edʒʊkeɪt/

A *vtr* 1 (teach) [*teacher*] instruire [*pupil, student*]; 2 (provide education for) [*school, parent*] assurer l'instruction de [*child, pupil*]; **to ~ one's children privately/at a state school** mettre ses enfants dans une école privée/publique; **to be ~d at Oxford/in Paris** faire ses études à Oxford/à Paris; 3 (inform) [*campaign, person, book*] informer [*public, smokers, drivers*] (**about, in** sur); **to ~ sb to do** montrer à qn comment faire; 4 (refine) éduquer [*palate, tastes, mind*]

B *v refl* **to ~ oneself** s'instruire tout seul; **to ~ oneself to do** apprendre tout seul à faire

educated /'edʒʊkeɪtɪd/

A *n* **the ~** (+ *v pl*) (having an education) les gens *mpl* instruits; (cultivated) les gens *mpl* cultivés

B *adj* [*person*] (having an education) instruit; (cultivated) cultivé; [*mind, palate, taste, judgment*] raffiné; [*language, style*] dénotant un certain niveau d'instruction; [*accent*] élégant; **to be very poorly ~** ne pas avoir fait beaucoup d'études

(Idiom) **to make an ~ guess** avancer une hypothèse

education /,edʒʊ'keɪʃn/

A *n* 1 (training) gen éducation *f*, instruction *f*; (in health, road safety) information *f*; **musical/political/moral ~** éducation musicale/politique/morale; **~ is the key to success** l'éducation est la clé de la réussite; 2 (formal schooling) études *fpl*; **private/state school ~** études dans une école privée/dans une école publique; **to continue one's ~** poursuivre ses études; **~ should be available to all** l'instruction devrait être accessible à tous; **to have had a university** *ou* **college ~** avoir fait des études supérieures; **to get a good ~** faire de solides études; **she has had little ~** elle n'a pas beaucoup d'instruction; 3 (national system) enseignement *m*; **primary/secondary ~** enseignement primaire/secondaire; **government spending on ~** le budget de l'éducation; 4 Univ (field of study) sciences *fpl* de l'éducation

B *modif* [*budget, spending, crisis*] de l'enseignement; [*method*] Sch, Univ d'enseignement; [*Minister, Ministry*] Admin de l'Éducation; [*department*] Univ des sciences de l'éducation; [*diploma*] Univ en sciences de l'éducation; [*allowance*] d'études; **~ standards** Sch niveau *m* scolaire; Univ niveau *m* universitaire; **the ~ system in France/Britain** le système éducatif français/britannique

education: **~ act** *n* loi *f* sur l'éducation; **~ adviser** *n* ≈ conseiller/-ère *m/f* pédagogique

educational /,edʒʊ'keɪʃənl/ *adj* 1 [*establishment, system*] d'enseignement; [*method*] d'enseignement, pédagogique; [*developments*] de l'enseignement; [*policy*] en matière de l'éducation; [*standards, supplies*] Sch scolaire; Univ universitaire; **what kind of ~ background does she have?** quelles études a-t-elle faites?; 2 (instructive) [*toy, game, programme, value*] éducatif/-ive; [*experience, talk*] instructif/-ive

educationalist /,edʒʊ'keɪʃənəlɪst/ *n* spécialiste *mf* des sciences de l'éducation

educationally /,edʒʊ'keɪʃənəlɪ/ *adv* 1 gen [*worthless, useful*] pédagogiquement; 2 Sch [*disadvantaged, privileged*] sur le plan scolaire

educationally subnormal, **ESN**

A *n* **the ~** (+ *v pl*) les arriérés *mpl*

B *adj* arriéré

educational: **~ psychologist** ▸ **p. 1683** *n* psychologue *mf* scolaire; **~ psychology** *n* psychologie *f* scolaire; **~ television**, **ETV** US télévision *f* scolaire; **Educational Welfare Officer** *n* GB ≈ assistante sociale en milieu scolaire

education: **~ authority** *n* GB *administration locale ou régionale qui gère les affaires scolaires*; **~ committee** *n* GB *comité de membres élus et de membres choisis gérant les affaires scolaires ordinaires d'une région*

education department *n* 1 GB **Education Department** (*also* **Department of Education and Science**) ministère *m* de l'éducation; 2 GB (in local government) service *m* chargé des affaires d'enseignement; 3 (in university, college) département *m* des sciences de l'éducation

education officer *n*: *membre du comité gérant les affaires scolaires ordinaires d'une région*

educative /'edʒʊkətɪv/ *adj* éducatif/-ive

educator /'edʒʊkeɪtə(r)/ *n* éducateur/-trice *m/f*

educe /ɪ'dʒu:s/ *vtr* sout mettre [qch] à jour

edutainment /,edjʊ'teɪnmənt/ *n* logiciel *m* ludo-éducatif

Edward /'edwəd/ *pr n* Édouard

Edwardian /ed'wɔ:dɪən/

A *n* Hist contemporain/-e *m/f* d'Édouard VII

B *adj* de l'époque d'Édouard VII; **in ~ times** à l'époque d'Édouard VII; **the ~ Age** *ou* **Era** ≈ la Belle Époque *f*

EEA *n* EU 1 (*abrév* = **European Economic Area**) EEE *m*; 2 (*abrév* = **European Environment Agency**) AEE *f*

EEC

A *n* (*abrév* ▸ **European Economic Community**) CEE *f*

B *modif* [*policy, directive*] de la CEE, communautaire; [*country*] de la CEE

EEG *n*: *abrév* ▸ **electroencephalogram, electroencephalograph**

eel /i:l/ *n* anguille *f*

(Idiom) **he's as slippery as an ~** il vous glisse entre les doigts

eelworm /'i:lwɜ:m/ *n* anguillule *f*

e'en /i:n/ *adv* ‡ *ou* littér = **even**[1]

EEOC *n* US (*abrév* = **Equal Employment Opportunity Commission**) *commission chargée de veiller sur l'égalité des chances dans le monde du travail*

e'er‡ /eə(r)/ *adv* = **ever**

eerie /'ɪərɪ/ *adj* [*scream, silence*] angoissant; [*place, feeling*] étrange

eerily /'ɪərɪlɪ/ *adv* étrangement

eeriness /'ɪərɪnɪs/ *n* atmosphère *f* angoissante

EET *n*: *abrév* ▸ **Eastern European Time**

eff○ /ef/ *vi* **to ~ and blind** jurer comme un charretier; **~ off**○**!** vas te faire voir○!

efface /ɪ'feɪs/ *vtr* effacer also fig

effect /ɪ'fekt/

A *n* 1 (net result) effet *m* (**of** de; **on** sur); **to have the ~ of doing** avoir pour effet de faire; **the ~ of advertising is to increase demand** la publicité a pour effet d'accroître la demande; **to have an ~ on sth/sb** avoir un effet sur qch/qn; **to have a damaging ~ on sth** avoir un effet néfaste sur qch; **to have little ~ on sth/sb** avoir peu d'effet sur qch/qn; **criticism doesn't seem to have any ~ on him** la critique semble n'avoir aucun effet sur lui; **the film had quite an ~ on me** ce film m'a fait forte impression; **to use sth to good ~** employer qch avec succès; **to use sth to dramatic ~** obtenir un effet spectaculaire en utilisant qch; **to feel the ~(s) of sth** sentir les effets de qch; 2 (repercussions) répercussions *fpl* (**of** de; **on** sur); 3 (power, efficacity) efficacité

f; **the treatment loses ~ over time** le traitement cesse de faire effet avec le temps; **my advice was of no ~** mes conseils ont été sans effet; **she warned him, but to little ~** elle l'a averti, mais sans grand résultat; **we took precautions, to no ~** nous avons pris des précautions mais en vain; **to take ~** [*price increases*] prendre effet; [*law, ruling*] entrer en vigueur; [*pills, anaesthetic*] commencer à agir; **to come into ~** Jur, Admin entrer en vigueur; **to put policies into ~** appliquer des directives; **with ~ from January 1, contributions will increase by 5%** à dater du 1er janvier, les cotisations augmenteront de 5%; **4** (theme) **the ~ of what he is saying is that** il veut dire par là que; **she left a note to the ~ that** elle a laissé un mot pour dire que; **rumours to this ~** des rumeurs en ce sens; **yes, she made a remark to that ~** oui, elle a fait une remarque en ce sens; **she said 'I do not intend to resign' or words to that ~** elle a dit 'je n'ai pas l'intention de démissionner' ou quelque chose de ce genre; **5** (impression) effet *m*; **the overall ~** l'effet d'ensemble; **the lighting gives** *ou* **creates the ~ of moonlight** l'éclairage crée un effet de clair de lune; **to achieve an ~** obtenir un effet; **she uses her wit to deadly ~** elle a un sens de l'humour ravageur; **he paused for ~** il a fait une pause théâtrale; **she dresses like that for ~** elle s'habille comme ça pour faire de l'effet; **a beautiful marbled ~** un bel effet de marbre; **6** Sci effet *m*; **the Doppler/placebo ~** l'effet Doppler/placebo
B effects *npl* Jur (belongings) effets *mpl*
C in effect *adv phr* dans le fond
D *vtr* effectuer [*reduction, repair, sale, transformation, reform*]; apporter [*improvement*]; parvenir à [*reconciliation, settlement*]

effective /ɪ'fektɪv/ *adj* **1** [*deterrent, drug, protest, device, treatment*] efficace (**against** contre; **in doing** pour faire); **it's more ~ to replace the whole system** il est plus efficace de remplacer tout le système; **I'm only 50% ~** je ne suis efficace qu'à 50%; **2** (operational) [*legislation, regulation*] en vigueur; **to become ~** entrer en vigueur; **the new rates will be ~ from August 27** les nouveaux taux entreront en vigueur à partir du 27 août; **3** (striking, impressive) [*speech, contrast, demonstration*] percutant; **4** (actual) [*exchange rate, value, income*] Fin réel/réelle; [*control*] effectif/-ive; **they have lost ~ power** ils ont perdu le pouvoir réel

effectively /ɪ'fektɪvlɪ/ *adv* **1** (efficiently) [*work, solve, cure, compete, communicate*] efficacement; **2** (in effect) en réalité; **3** (impressively) **the design works very ~** la conception est très réussie; **the statistics ~ demonstrate the failure of the policy** les statistiques démontrent avec force l'échec de la politique mise en œuvre

effectiveness /ɪ'fektɪvnɪs/ *n* **1** (efficiency) efficacité *f* (**of** de); **2** (impressiveness) **the ~ of the decor/of the lecture** l'effet *m* réussi du décor/de la conférence

effector /ɪ'fektə(r)/ *n* effecteur *m*

effects man *n* Cin bruiteur *m*

effectual /ɪ'fektʃʊəl/ *adj* **1** (effective) sout [*method, cure, punishment*] efficace; **2** Jur [*agreement, document*] valide

effectually /ɪ'fektʃʊəlɪ/ *adv* efficacement

effectuate /ɪ'fektjʊeɪt/ *vtr* mener [qch] à bien [*change, reform*]; **to ~ the policies of the Act** Jur appliquer les mesures prévues par la loi

effeminacy /ɪ'femɪnəsɪ/ *n* caractère *m* efféminé

effeminate /ɪ'femɪnət/ *adj* efféminé

efferent /'efərənt/ *adj* efférent

effervesce /,efə'ves/ *vi* **1** [*liquid*] être en effervescence; [*drink*] pétiller; [*gas*] se dégager par effervescence; **2** fig [*person*] être exubérant

effervescence /,efə'vesns/ *n* lit effervescence *f*

effervescent /,efə'vesnt/ *adj* **1** lit effervescent; **2** fig [*person, personality*] exubérant

effete /ɪ'fi:t/ *adj* **1** pej [*person*] mou/molle; [*civilization*] déliquescent; [*philosophy*] inefficace; **2** Zool, Bot stérile

effeteness /ɪ'fi:tnɪs/ *n* **1** péj (of person) mollesse *f*; (of civilization) déliquescence *f*; (of philosophy) inefficacité *f*; **2** Zool, Bot stérilité *f*

efficacious /,efɪ'keɪʃəs/ *adj* efficace (**to do** de faire)

efficaciously /,efɪ'keɪʃəslɪ/ *adv* de manière efficace

efficacy /'efɪkəsɪ/ *n* efficacité *f* (**of** de); **the drug's ~ in curing TB** l'efficacité du médicament dans le traitement de la tuberculose

efficiency /ɪ'fɪʃnsɪ/ *n* **1** (of person, staff, method, organization) efficacité *f* (**in doing** à faire); **to improve/impair ~** améliorer/diminuer l'efficacité; **2** (of machine, engine) rendement *m*; **the (fuel) ~ of a car** le rendement d'une voiture; **to produce electricity at 50% ~** produire de l'électricité avec un rendement de 50%

efficiency apartment *n* US studio *m* (meublé)

efficient /ɪ'fɪʃnt/ *adj* **1** [*person, employee, management*] efficace (**at doing** pour ce qui est de faire); **to make ~ use of energy** faire une utilisation rationnelle de l'énergie; **2** [*machine, engine*] économique; **to be 40% ~** avoir un rendement de 40%

efficiently /ɪ'fɪʃntlɪ/ *adv* [*work, deal with, carry out*] de façon efficace; **the machine operates ~** la machine a un bon rendement

effigy /'efɪdʒɪ/ *n* (all contexts) effigie *f*; **to burn an ~ of sb** brûler l'effigie de qn

effing◐ /'efɪŋ/ *adj, adv* **the ~ computer is down again** cette saleté○ d'ordinateur est encore en panne; **what ~ business is it of yours?** qu'est-ce que ça peut bien te faire○?

efflorescence /,eflɔ:'resns/ *n* **1** Chem, Geol, Med, fig efflorescence *f*; **2** Bot floraison *f*

efflorescent /,eflɔ:'resnt/ *adj* Chem, Bot efflorescent

effluence /'efluəns/ *n* émanation *f*

effluent /'efluənt/
A *n* (all contexts) effluent *m*
B *modif* [*treatment, management*] des effluents

effluvium /ɪ'flu:vɪəm/ *n* **1** (waste) effluent *m*; **2** (offensive gas) effluves *mpl*

effort /'efət/ *n* **1** (energy) efforts *mpl*; **all our ~** *ou* **~s** tous nos efforts; **to put a lot of ~ into sth/into doing** se donner beaucoup de peine *or* de mal pour qch/pour faire; **to put all one's ~(s) into doing** consacrer tous ses efforts pour faire; **to redouble one's ~** redoubler d'efforts; **to spare no ~** ne ménager aucun effort; **it's a waste of ~** c'est du travail pour rien; **to be worth the ~** en valoir la peine; **2** (difficulty) effort *m*; **with ~** avec difficulté; **without ~** sans effort; **it is/was an ~ to do** il est/était pénible de faire; **3** (attempt) **to make the ~** faire l'effort; **he made no ~ to apologize** il n'a fait aucun effort pour s'excuser; **his ~s at doing** ses tentatives pour faire; **her ~s on my behalf** ses efforts pour m'aider; **to make every ~** faire tout son possible; **in an ~ to do** pour essayer de faire; **joint ~** initiative *f* commune; **this painting is my latest/first ~** cette peinture est ma toute dernière/première œuvre; **not a bad ~ for a first try** pas mal pour un début; **4** (initiative) initiative *f*; **peace ~** initiative de paix; **war ~** effort de guerre; **5** fig (exercise) effort *m*; **an ~ of will/imagination** un effort de volonté/d'imagination

effortless /'efətlɪs/ *adj* **1** (easy) aisé; **2** (innate) [*grace, skill, superiority*] naturel/-elle

effortlessly /'efətlɪslɪ/ *adv* sans effort, sans peine

effortlessness /'efətlɪsnɪs/ *n* **1** (ease) facilité *f*; **2** (naturalness) aisance *f*, facilité *f*

effrontery /ɪ'frʌntərɪ/ *n* effronterie *f*

effulgence /ɪ'fʌldʒəns/ *n* littér effulgence *f*

effusion /ɪ'fju:ʒn/ *n* **1** (flowing) (of blood) épanchement *m*; (of liquid) écoulement *m*; (of gas) fuite *f*; **2** fig (enthusiasm) débordements *mpl*; **3** (emotional outpouring) effusion *f*; (written) épanchement *m*

effusive /ɪ'fju:sɪv/ *adj* [*person, style*] expansif/-ive; [*thanks*] très chaleureux/-euse; **to bestow ~ praise on sb** se répandre en éloges sur qn; **to give sb an ~ welcome** accueillir qn très chaleureusement

effusively /ɪ'fju:sɪvlɪ/ *adv* [*speak*] avec effusion; [*welcome*] très chaleureusement; **to thank sb ~** prodiguer des remerciements à qn

effusiveness /ɪ'fju:sɪvnɪs/ *n* (of welcome) chaleur *f*; (in manner) expansivité *f*; (stylistic) débordements *mpl*

EFL
A *n* (*abrév* = **English as a Foreign Language**) anglais *m* langue étrangère
B *modif* [*teacher, course*] d'anglais langue étrangère

eft /eft/ *n* triton *m*

EFT *n*: *abrév* ▸ **electronic funds transfer**

EFTA /'eftə/ *n* (*abrév* = **European Free Trade Association**) AELE *f*

EFTPOS /'eftpɒs/ *n* (*abrév* = **electronic funds transfer at point of sale**) transfert *m* électronique de fonds

eg (*abrév* = **exempli gratia**) par ex

egalitarian /ɪ,gælɪ'teərɪən/
A *n* égalitariste *mf*
B *adj* [*person*] égalitariste; [*principles, tradition*] égalitaire

egalitarianism /ɪ,gælɪ'teərɪənɪzəm/ *n* égalitarisme *m*

egest /i:'dʒest/ *vtr* évacuer

egg /eg/
A *n* **1** Culin, Biol, Zool œuf *m*; **a chocolate ~** un œuf en chocolat; **2** †○(fellow) **he's a good/bad ~** c'est un brave/sale type○
B *modif* [*sandwich*] à l'œuf; [*collector*] d'œufs; [*farm*] producteur/-trice d'œufs; [*mayonnaise, noodles, sauce*] aux œufs
C ○*vtr* US (throw eggs at) jeter des œufs sur [*person*]

(Idioms) **to kill sth in the ~** tuer qch dans l'œuf; **to put all one's ~s in one basket** mettre tous ses œufs dans le même panier; **to have ~ on one's face**○ avoir l'air fin○; **as sure as ~s is ~s** aussi vrai que deux et deux font quatre; **to lay an ~**○ US Theat faire un four○

(Phrasal verb) ■ **egg on**: ▸ **~ [sb] on** forcer qn; **to ~ sb on to do** pousser qn à faire

egg-and-spoon race *n*: *course dans laquelle on tient un œuf dans une cuillère*

eggbeater /'egbi:tə(r)/ *n* **1** Culin fouet *m* à œufs; **2** ○US (helicopter) hélico○ *m*, hélicoptère *m*

egg: **~ box** *n* (*pl* **~es**) boîte *f* à œufs; **~ cream** *n* US milk-shake *m* au chocolat; **~cup** *n* coquetier *m*; **~ custard** *n* (baked) flan *m* aux œufs; **~ donation** *n* don *m* d'ovocytes; **~ donor** *n* donneuse *f* d'ovocytes; **~ flip** *n* = **eggnog**; **~ foo yong** *n* US omelette *f* foo young; **~ fried rice** *n* riz *m* cantonnais; **~head**○ *n* péj grosse tête○ *f*, intellectuel/-elle *m/f*; **~nog** *n* (with milk) lait *m* de poule; (with alcohol) flip *m*; **~plant** *n* US aubergine *f*; **~s Benedict** *n* (+ *v sg*) US *œufs pochés sur un toast avec du jambon*; **~-shaped** *adj* ovoïde

eggshell /'egʃel/ *n* coquille *f* d'œuf

egg: **~shell blue** *n* bleu *m* pâle; **~shell china** *n* porcelaine *f* coquille d'œuf; **~shell finish** *n* peinture *f* coquille d'œuf (*inv*); **~ slicer** *n* coupe-œuf *m*; **~ timer** *n* sablier *m*; **~ whisk** *n* fouet *m* à œufs; **~ white** *n* blanc *m* d'œuf

e

eggy○ /ˈegɪ/ *adj* GB **to be ~** être de mauvais poil○; **to get ~ with sb** se mettre en rogne contre qn○

egg yolk *n* jaune *m* d'œuf

eglantine /ˈegləntaɪn/ *n* (flower) églantine *f*; (bush) églantier *m*

ego /ˈegəʊ, ˈiːgəʊ, US ˈiːgəʊ/ *n* [1] (self-esteem) amour-propre *m*; **it was a real ~ trip for her** ça flattait terriblement sa vanité; **to be on an ~-trip** chercher à se faire voir *or* mousser○; **it boosted his ~** ça lui a redonné confiance en lui-même; **to have an inflated ~** avoir une très haute opinion de soi-même; [2] Psych moi *m*, ego *m*

egocentric /ˌegəʊˈsentrɪk, ˈiːgəʊ-, US ˈiːg-/ *adj* égocentrique

egocentricity /ˌegəʊsənˈtrɪsətɪ, ˌiːgəʊ-, US ˌiːg-/ *n* égocentrisme *m*

egoism /ˈegəʊɪzəm, ˈiːg-, US ˈiːg-/ *n* égoïsme *m*

egoist /ˈegəʊɪst, ˈiːg-, US ˈiːg-/ *n* égoïste *mf*

egoistic(al) /ˌegəʊˈɪstɪk(l), ˌiːg-, US ˌiːg-/ *adj* égoïste

egomania /ˌegəʊˈmeɪnɪə, ˌiːg-, US ˌiːg-/ *n* manie *f* égocentrique

egomaniac /ˌegəʊˈmeɪnɪæk, ˌiːg-, US ˌiːg-/
A *n* égocentrique *mf*
B *adj* égocentrique

egotism /ˈegəʊtɪzəm, ˈiːg-, US ˈiːg-/ *n* égotisme *m*

egotist /ˈegəʊtɪst, ˈiːg-, US ˈiːg-/ *n* égotiste *mf*

egotistic(al) /ˌegəʊˈtɪstɪk, ˌiːg-, US ˌiːg-/ *adj* égotiste

egregious /ɪˈgriːdʒɪəs/ *adj* [*error, exception*] flagrant

egress /ˈiːgres/ *n* sout (action) sortie *f*; (exit point) issue *f*; **right of ~** Jur droit *m* de sortie

egret /ˈiːgrɪt/ *n* aigrette *f*

Egypt /ˈiːdʒɪpt/ ▸ **p. 1096** *pr n* Égypte *f*

Egyptian /ɪˈdʒɪpʃn/ ▸ **p. 1467, p. 1378**
A *n* Égyptien/-ienne *m/f*
B *adj* égyptien/-ienne

Egyptologist /ˌiːdʒɪpˈtɒlədʒɪst/ ▸ **p. 1683** *n* égyptologue *mf*

Egyptology /ˌiːdʒɪpˈtɒlədʒɪ/ *n* égyptologie *f*

eh○ /eɪ/ *excl* hein○

EHIC ➡📖
n EU (*abrév* = **European Health Insurance Certificate**) CEAM *m*

EIB *n*: *abrév* ▸ **European Investment Bank**

eider /ˈaɪdə(r)/ *n* eider *m*

eiderdown /ˈaɪdədaʊn/ *n* [1] (quilt) édredon *m*; [2] (down) duvet *m* (de canard)

eidetic /aɪˈdetɪk/ *adj* eidétique

Eid ul-Fitr /ˌiːdʊlˈfɪtrə/ *n* Aïd-el-Fitr *f*

Eiffel Tower /ˈaɪfl/ *pr n* tour *f* Eiffel

eight /eɪt/ ▸ **p. 1487, p. 927, p. 1059**
A *n* (number, rowing team) huit *m inv*
B *adj* huit *inv*; **~-hour day** journée *f* de huit heures; **to work ~-hour shifts** faire les trois-huit

(Idiom) **to have had** *ou* **to be one over the ~**○ avoir un verre dans le nez○

eighteen /eɪˈtiːn/ ▸ **p. 1487, p. 927**
A *n* dix-huit *m*
B *adj* dix-huit *inv*; **~-hole golf course** golf à dix-huit trous

eighteenth /eɪˈtiːnθ/ ▸ **p. 1487, p. 1116**
A *n* [1] (in order) dix-huitième *mf*; [2] (of month) dix-huit *m*; [3] (fraction) dix-huitième *m*
B *adj* dix-huitième
C *adv* [*come, finish*] dix-huitième, en dix-huitième position

eighth /eɪtθ/ ▸ **p. 1487, p. 1116**
A *n* [1] (in order) huitième *mf*; [2] (of month) huit *m inv*; [3] (fraction) huitième *m*; [4] Mus octave *f*
B *adj* huitième
C *adv* [*come, finish*] huitième, en huitième position

eighth note *n* US Mus croche *f*

eightieth /ˈeɪtɪəθ/ ▸ **p. 1487**
A *n* [1] (in order) quatre-vingtième *mf*; [2] (fraction) quatre-vingtième *m*
B *adj, adv* quatre-vingtième

eighty /ˈeɪtɪ/ ▸ **p. 1487, p. 927**
A *n* quatre-vingts *m*
B *adj* quatre-vingts

eighty-one ▸ **p. 1487** *n, adj* quatre-vingt-un (*m*)

eighty-six ▸ **p. 1487**
A *n, adj* quatre-vingt-six (*m inv*)
B ○*vtr* US expédier○ [*person*]

einsteinium /aɪnˈstaɪnɪəm/ *n* einsteinium *m*

Éire /ˈeərə/ ▸ **p. 1096** *pr n* République *f* d'Irlande

> **Éire**
>
> Nom de la République d'Irlande en gaélique. Depuis 1949, l'appellation officielle de ce pays est *Republic of Ireland*. ▸ **Celtic Tiger**

Eisteddfod /ˌaɪˈstedfəd, ˌaɪˈsteðvɒd/ *n* Eisteddfod *m*

> **Eisteddfod**
>
> Ce mot, qui signifie 'présidence', désigne toute fête galloise au cours de laquelle sont organisés des concours de poésie et de musique. Le festival culturel le plus prestigieux de l'année est le *National Eisteddfod* dont les participants viennent de tout le pays de Galles. Les *Eisteddfods* sont apparus au XIIe siècle.

either /ˈaɪðər, US ˈiːðər/
A *pron* [1] (one or other) l'un/l'une ou l'autre; **you can take ~ (of them)** tu peux prendre l'un ou l'autre; **I don't like ~ (of them)** je n'aime ni l'un ni l'autre; **I don't believe ~ of you** je ne vous crois ni l'un ni l'autre; **without ~ (of them)** sans l'un ni l'autre; **there was no sound from ~ of the rooms** aucun bruit ne provenait ni d'une chambre ni de l'autre; **~ or both of you can do it** l'un de vous peut le faire *or* vous pouvez le faire tous les deux; [2] (both) **~ of the two is possible** les deux sont possibles; **~ would be difficult to repair** les deux seraient aussi difficiles à réparer l'un que l'autre; **~ of us could win** nous avons tous les deux les mêmes chances de gagner; **'which book do you want?'—'~'** 'quel livre veux- tu?'—'l'un ou l'autre'
B *det* [1] (one or the other) n'importe lequel/ laquelle; **you can take ~ road** tu peux prendre n'importe laquelle des deux routes; **~ one will do** n'importe lequel fera l'affaire; (in the negative) **I can't see ~ child** je ne vois aucun des deux enfants; [2] (both) **~ one of the solutions is acceptable** les deux solutions sont acceptables; **in ~ case** dans les deux cas; **at ~ side of the street** des deux côtés de la rue; **at ~ side of the fire** de part et d'autre de la cheminée; **in ~ hand** dans chaque main; **~ way, you win** vous gagnez dans les deux cas; **~ way, it will be difficult** de toute manière, ce sera difficile; **I don't care ~ way** ça m'est égal; **I don't have strong views ~ way** je ne suis ni pour ni contre; **~ way, you can't confirm it** de toute manière, vous ne pouvez pas le confirmer
C *adv* non plus; **I can't do it ~** je ne peux pas le faire non plus; **there's no answer to that question ~** il n'y a pas de réponse à cette question non plus; **not only was it expensive, but it didn't work ~** non seulement c'était cher, mais en plus ça ne marchait pas
D *conj* [1] (as alternatives) **I was expecting him ~ Tuesday or Wednesday** je l'attendais soit mardi, soit mercredi, je l'attendais (ou) mardi ou mercredi; **you ~ love him or hate him** soit on l'adore, soit on le déteste, on l'adore ou on le déteste; **~ by cheating or by lying** soit en trichant soit en mentant, (ou) en trichant ou en mentant; **it's ~ him or me** c'est lui ou moi; **available in ~ pink or blue** disponible en rose ou en bleu; **I confessed, it was ~ that or be tortured** j'ai avoué, c'était ça ou la torture; [2] (in the negative) **I wouldn't reward ~ Patrick or Emily** je ne donnerais de récompense ni à Patrick ni à Emily; **you're not being ~ truthful or fair** tu n'es ni honnête ni juste; [3] (as an ultimatum) **~ you finish your work or you will be punished!** ou tu finis ton travail ou je te punis!; **put the gun down, ~ that or I call the police** pose ton arme sinon j'appelle la police

either-or *adj* **it's an ~ situation, you have to decide** c'est l'un ou l'autre, il faut que tu te décides

ejaculate /ɪˈdʒækjʊleɪt/
A *vtr* [1] (exclaim) s'exclamer; [2] Physiol éjaculer
B *vi* éjaculer

ejaculation /ɪˌdʒækjʊˈleɪʃn/ *n* [1] (verbal) exclamation *f*; [2] Physiol éjaculation *f*

ejaculatory /ɪˈdʒækjʊleɪtərɪ, US -tɔːrɪ/ *adj* [*function*] éjaculatoire; [*vessel, muscle*] éjaculateur/-trice

eject /ɪˈdʒekt/
A *vtr* [1] (give out) [*machine, system*] rejeter [*gases, waste*] (**from** de); [*volcano*] cracher [*lava, rocks*]; [2] Audio faire sortir [*cassette*]; [3] (throw out) expulser, éjecter○ [*troublemaker, intruder, enemy*] (**from** de)
B *vi* [*pilot*] s'éjecter

eject button *n* Audio touche *f* d'éjection

ejection /ɪˈdʒekʃn/ *n* [1] (of gases, waste) rejet *m*; (of lava) éruption *f*; [2] (of troublemaker, enemy) expulsion *f*, éjection○ *f* (**from** de); [3] Aviat (of pilot) éjection *f*

ejection seat *n* US Aviat siège *m* éjectable

ejector /ɪˈdʒektə(r)/ *n* Tech éjecteur *m*

ejector seat *n* siège *m* éjectable

eke /iːk/ *vtr*:
(Phrasal verb) ■ **eke out**: ▶ **~ out sth, ~ sth out** (by saving) faire durer [*income, supplies*] (**by** à force de; **by doing** en faisant); (by supplementing) accroître un peu [*income, supplies*] (**with** par; **by doing** en faisant); **to ~ out a living** *ou* **an existence** essayer de joindre les deux bouts

el /el/ *n* US (*abrév* = **elevated railroad**) métro *m* aérien

elaborate
A /ɪˈlæbərət/ *adj* [1] [*system, network, apparatus, plan*] complexe; [*solution, compromise, attempt, meal, ritual, game*] compliqué; [2] [*architecture, design, carving*] travaillé; [*painting, sculpture*] ouvragé; [*costume, clothes*] recherché; [3] [*joke, excuse, explanation, anecdote, question*] compliqué; [*precaution, preparation*] minutieux/ -ieuse
B /ɪˈlæbəreɪt/ *vtr* élaborer [*theory, hypothesis, scheme*]; développer [*point, statement, idea*]
C /ɪˈlæbəreɪt/ *vi* entrer dans les détails; **to ~ on** s'étendre sur [*plan, proposal*]; développer [*remark, offer, statement*]
D elaborated *pp adj* [*theory, hypothesis, idea, view, plan, proposal*] développé

elaborately /ɪˈlæbərətlɪ/ *adv* [1] [*carved, decorated, dressed*] de manière recherchée; [2] [*defined, described, arranged, constructed*] minutieusement

elaborateness /ɪˈlæbərətnɪs/ *n* (complexity) complexité *f*

elaboration /ɪˌlæbəˈreɪʃn/ *n* (of plan, theory, point etc) élaboration *f* (**of** de)

elapse /ɪˈlæps/ *vi* s'écouler; **~d time** le temps écoulé

elastane /ɪˈlæsteɪn/ *n* élasthanne *m*

elastic /ɪˈlæstɪk/ *n, adj* élastique (*m*)

elasticated /ɪˈlæstɪkeɪtɪd/ *adj* [*waistband, bandage*] élastique, élastiqué

elastic band *n* élastique *m*

elasticity /ˌelæsˈtɪsətɪ, US ɪˌlæ-/ *n* élasticité *f*

elate /ɪˈleɪt/ *vtr* transporter [qn] de joie

elated /ɪˈleɪtɪd/ *adj* au comble de l'allégresse liter, transporté de joie; **I was ~ at having won**

j'exultais d'avoir gagné; **she was ~ by this success** ce succès la transportait de joie

elation /ɪ'leɪʃn/ *n* joie *f*, allégresse *f*; **to be filled with ~** être au comble de l'allégresse

Elba /'elbə/ ▸ **p. 1355** *pr n* île *f* d'Elbe

elbow /'elbəʊ/
A *n* (all contexts) coude *m*; **to lean on one's ~s** être accoudé; **at sb's ~** à portée de main; **to wear sth through at the ~s** percer *or* trouer qch aux coudes; **there is an ~ in the pipe** le tuyau est coudé
B *vtr* **to ~ sb in the stomach** donner un coup de coude dans l'estomac de qn; **to ~ sb aside** *ou* **out of the way** écarter qn du coude *or* d'un coup de coude
C *vi* **to ~ through sth** jouer des coudes à travers qch; **to ~ (one's way) forward** avancer en jouant des coudes
(Idioms) **more power to your/his etc ~** GB je te/lui souhaite bien du courage○; **to be out at (the) ~(s)** [*person*] être loqueteux; [*garment*] être miteux; **to be up to the ~s in sth** être dans qch jusqu'au cou; **to bend the** *ou* **an ~**○ lever le coude○; **to give sb the ~**○ se débarrasser de qn; **to rub ~s with sb**○ US fréquenter qn

elbow: **~ grease** *n* huile *f* de coude○; **~ joint** *n* articulation *f* du coude

elbowroom /'elbəʊru:m/ *n* **1** (room to move, work) espace *m* vital; **there isn't much ~ in this kitchen/office** on est un peu à l'étroit dans cette cuisine/ce bureau; **2** fig (room for manoeuvre) marge *f* de manœuvre

elder /'eldə(r)/
A *n* **1** (older person) aîné/-e *m/f*; **respect your ~s and betters** respecte tes aînés; **2** (in tribe etc) ancien *m*; **village ~** aîné *or* ancien du village; **party ~** Pol ancien du parti; **3** Relig (in early church) ancien *m*; **4** Relig (in Presbyterian church) ancien *m* (*qui assiste le pasteur dans l'administration d'une église*); **5** Bot sureau *m*
B *adj* aîné; **the ~ girl** l'aînée *f*, la fille aînée *f*

elder: **~berry** *n* baie *f* de sureau; **~berry wine** *n* vin *m* de sureau; **~flower** *n* fleur *f* de sureau

elderly /'eldəlɪ/
A *n* **the ~** (+ *v pl*) les personnes *fpl* âgées; **care of the ~** soins *mpl* aux personnes âgées
B *adj* **1** [*person, population*] âgé; **her ~ father** son vieux père; **an ~ couple** un couple de personnes âgées; **2** [*vehicle, machinery, aircraft*] vieux/vieille (*before n*)

elder statesman *n* (*pl* **-men**) (all contexts) doyen *m*

eldest /'eldɪst/
A *n* aîné/-e *m/f*; **my ~** mon aîné/-e
B *adj* aîné; **the ~ child** l'aîné/-e; **I'm the ~ girl** je suis l'aînée des filles

elect /ɪ'lekt/
A *n* **the ~** (+ *v pl*) les élus
B *vtr* **1** (by vote) élire [*representative, president etc*] **(from, from among** au sein de); **to be ~ed to a post/an assembly** être élu à un poste/à une assemblée; **to ~ sb (as) president** élire qn président; **2** (choose) choisir [*method, system etc*]; **to ~ to do** choisir de faire; **to be ~ed a member/as leader** être élu membre/chef
C **elected** *pp adj* [*authority, government, officer, representative*] élu; **~ office** fonction *f* élective
D *adj* (*after n*) futur (*before n*) **the president ~** le président élu n'ayant pas encore pris ses fonctions

electable /ɪ'lektəbl/ *adj* [*party*] en position de gagner les élections; **to make sb more ~** améliorer la popularité de qn

election /ɪ'lekʃn/
A *n* **1** (ballot) élection *f*, scrutin *m*; **in** *ou* **at the ~** aux élections; **to win/lose an ~** gagner/perdre aux élections; **2** (appointment) élection *f* **(to** à); **to stand for ~** se porter candidat aux élections
B *modif* [*agent, campaign, manifesto, fever*] électoral; [*day, results*] du scrutin

electioneering /ɪ,lekʃə'nɪərɪŋ/ *n* (campaigning) campagne *f* électorale; pej électoralisme *m*

elective /ɪ'lektɪv/
A *n* US Sch, Univ cours *m* facultatif
B *adj* **1** (elected) [*office, official, committee*] électif/-ive, élu; (empowered to elect) [*assembly, body*] électoral; **2** Sch, Univ [*course, subject*] facultatif/-ive

elector /ɪ'lektə(r)/ *n* **1** (voter) électeur/-trice *m/f*; **2** US Pol membre *m* du collège électoral

electoral /ɪ'lektərəl/ *adj* électoral

electoral: **~ boundary** *n* limite *f* de circonscription électorale; **~ college** *n* collège *m* électoral; **~ district** *n* circonscription *f* électorale

electorally /ɪ'lektərəlɪ/ *adv* [*necessary, damaging*] sur le plan électoral

electoral: **~ register**, **~ roll** *n* listes *fpl* électorales; **~ vote** *n* US vote *m* des grands électeurs

electorate /ɪ'lektərət/ *n* électorat *m*, électeurs *mpl*

Electra /ɪ'lektrə/ *pr n* Électre

Electra complex *n* complexe *m* d'Électre

electric /ɪ'lektrɪk/
A ○**electrics** *npl* GB Aut circuits *mpl* électriques (d'une voiture)
B *adj* électrique also fig

electrical /ɪ'lektrɪkl/ *adj* électrique

electrical: **~ engineer** ▸ **p. 1683** *n* ingénieur *m* électricien, électrotechnicien *m*; **~ engineering** *n* électrotechnique *f*

electrically /ɪ'lektrɪklɪ/ *adv* électriquement

electric blanket *n* couverture *f* chauffante

electric blue ▸ **p. 1067** *n*, *adj* bleu (*m*) électrique *inv*

electric: **~ chair** *n* chaise *f* électrique; **~ eel** *n* anguille *f* électrique; **~ eye** *n* cellule *f* photoélectrique; **~ fence** *n* clôture *f* électrique; **~ field** *n* champ *m* électrique; **~ guitar** *n* guitare *f* électrique

electrician /,ɪlek'trɪʃn/ ▸ **p. 1683** *n* électricien/-ienne *m/f*

electricity /,ɪlek'trɪsətɪ/
A *n* lit, fig électricité *f*; **to turn off/on the ~** couper/rétablir le courant (électrique)
B *modif* [*generator, cable*] électrique; [*bill, charges*] d'électricité

electricity: **~ board** *n* GB compagnie *f* d'électricité; **~ supply** *n* alimentation *f* en électricité

electric shock *n* décharge *f* électrique; **to get an ~** prendre le courant

electric: **~ storm** *n* orage *m*; **~ window** *n* lève-glaces *m* électronique

electrification /ɪ,lektrɪfɪ'keɪʃn/ *n* **1** (of railway, region etc) électrification *f*; **2** Phys électrisation *f*

electrify /ɪ'lektrɪfaɪ/ *vtr* **1** gen électrifier [*railway, region*]; **2** Phys électriser; **3** fig électriser, galvaniser [*audience*]

electrifying /ɪ'lektrɪfaɪɪŋ/ *adj* [*speech*] électrisant

electroanalysis /ɪ'lektrəʊə'nælɪsɪs/ *n* électroanalyse *f*

electrocardiogram, **ECG** /ɪ,lektrəʊ'kɑ:dɪəgræm/ *n* électrocardiogramme *m*

electrocardiograph, **ECG** /ɪ,lektrəʊ'kɑ:dɪəgrɑ:f, US -græf/ *n* électrocardiographe *m*

electrochemical /ɪ,lektrəʊ'kemɪkl/ *adj* électrochimique

electrochromatography /ɪ,lektrəʊ,krəʊmə'tɒgrəfɪ/ *n* électrochromatographie *f*

electroconvulsive therapy, **ECT** /ɪ,lektrəʊkən,vʌlsɪv 'θerəpɪ/ *n* électroconvulsivothérapie *f*, électrochocs *mpl*; **he had ~** on lui a fait des électrochocs

electrocute /ɪ'lektrəkju:t/
A *vtr* électrocuter; **to be ~d** (accidentally) s'électrocuter; (in electric chair) être électrocuté, passer sur la chaise électrique
B *v refl* **to ~ oneself** s'électrocuter

electrocution /ɪ,lektrə'kju:ʃn/ *n* électrocution *f*

electrode /ɪ'lektrəʊd/ *n* électrode *f*

electrodialysis /ɪ,lektrəʊdaɪ'ælɪsɪs/ *n* électrodialyse *f*

electrodynamics /ɪ,lektrəʊdaɪ'næmɪks/ *n* (+ *v sg*) électrodynamique *f*

electroencephalogram /ɪ,lektrəʊɪn'sefələgræm/ *n* électroencéphalogramme *m*

electroencephalograph /ɪ,lektrəʊɪn'sefələgrɑ:f, US -græf/ *n* électroencéphalographie *f*

electrolyse /ɪ'lektrəlaɪz/ *vtr* électrolyser

electrolysis /,ɪlek'trɒləsɪs/ *n* **1** Chem électrolyse *f*; **2** (hair removal) épilation *f* électrique

electrolyte /ɪ'lektrəlaɪt/ *n* électrolyte *m*

electrolyze *vtr* US = **electrolyse**

electromagnet /ɪ,lektrəʊ'mægnɪt/ *n* électro-aimant *m*

electromagnetic /ɪ,lektrəʊmæg'netɪk/ *adj* électromagnétique

electromagnetism /ɪ,lektrəʊ'mægnɪtɪzəm/ *n* électromagnétisme *m*

electromechanical /ɪ,lektrəʊmɪ'kænɪkl/ *adj* électromécanique

electrometer /,ɪlek'trɒmɪtə(r)/ *n* électromètre *m*

electromotive force /ɪ,lektrəʊ,məʊtɪv 'fɔ:s/ *adj* force *f* électromotrice

electron /ɪ'lektrɒn/ *n* électron *m*

electronegative /ɪ,lektrəʊ'negətɪv/ *adj* électronégatif/-ive

electron gun *n* canon *m* à électrons

electronic /,ɪlek'trɒnɪk/ *adj* (all contexts) électronique

electronically /,ɪlek'trɒnɪklɪ/ *adv* électroniquement

electronic: **~ directory** *n* annuaire *m* électronique; **~ engineer** ▸ **p. 1683** *n* électronicien/-ienne *m/f*; **~ engineering** *n* électronique *f*; **~ eye** *n* cellule *f* photoélectrique; **~ funds transfer**, **EFT** *n* transfert *m* électronique de fonds; **~ funds transfer system** *n* système *m* de transfert électronique de fonds; **~ media** *npl* moyens *mpl* électroniques de diffusion de l'information; **~ news gathering** *n* journalisme *m* électronique; **~ office** *n* bureau *m* équipé de moyens informatiques; **~ organizer** *n* (diary, address book) agenda *m* électronique; (pocket PC) ordinateur *m* de poche; **~ pointer** *n* = **electronic stylus**; **~ publishing** *n* édition *f* électronique, éditique *f*

electronics /,ɪlek'trɒnɪks/ *n* (+ *v sg*) électronique *f*

electronic: **~ stylus** *n* photostyle *m*; **~ surveillance** *n* surveillance *f* électronique; **~ tag** *n* bracelet *m* électronique

electron: **~ microscope** *n* microscope *m* électronique; **~ volt** *n* électronvolt *m*

electrophysiology /ɪ,lektrəʊ,fɪsɪ'ɒlədʒɪ/ *n* électrophysiologie *f*

electroplate /ɪ'lektrəpleɪt/ *vtr* recouvrir [qch] d'une couche de métal par galvanoplastie

electroplating /ɪ,lektrə'pleɪtɪŋ/ *n* **1** (technique, process) galvanoplastie *f*; **2** (coating) couche *f* galvanoplastique

electropositive /ɪ,lektrəʊ'pɒsɪtɪv/ *adj* électropositif/-ive

electroshock therapy, **electroshock treatment**, **EST** /ɪ,lektrəʊ'ʃɒk/ *n* électroconvulsivothérapie *f*, électrochocs *mpl*; **he had ~** on lui a fait des électrochocs

electrostatics /ɪˌlektrəʊ'stætɪks/ *n* (+ *v sg*) électrostatique *f*

electrosurgery /ɪˌlektrəʊ'sɜːdʒərɪ/ *n* électrochirurgie *f*

electrotechnology /ɪˌlektrəʊtek'nɒlədʒɪ/ *n* électrotechnique *f*

electrotherapist /ɪˌlektrəʊ'θerəpɪst/ ▸ **p. 1683** *n* électrothérapeute *mf*

electrotherapy /ɪˌlektrəʊ'θerəpɪ/ *n* électrothérapie *f*

electrotype /ɪ'lektrəʊtaɪp/
A *n* galvanotype *m*
B *vtr* clicher [qch] par galvanotypie

electrovalency /ɪˌlektrəʊ'veɪlənsɪ/ *n* électrovalence *f*

electrovalent /ɪˌlektrəʊ'veɪlənt/ *adj* [*bond*] électrovalent

electrum /ɪ'lektrəm/ *n* électrum *m*

elegance /'elɪgəns/ *n* élégance *f*

elegant /'elɪgənt/ *adj* **1** (refined, graceful) [*person, gesture*] élégant; [*manners*] distingué; [*clothes*] élégant, chic (*inv*); [*restaurant*] chic (*inv*); **2** (neat) [*solution, proof*] élégant; [*novel, essay*] plein d'élégance

elegantly /'elɪgəntlɪ/ *adv* [*dress, write*] avec élégance; [*dressed, furnished*] élégamment

elegiac /ˌelɪ'dʒaɪək/ *adj* [*lament, couplet*] élégiaque

elegy /'elədʒɪ/ *n* élégie *f* (**for** à)

element /'elɪmənt/ *n* **1** (constituent) élément *m*; **a key/important ~ in her philosophy** un élément essentiel/important de sa philosophie; **the key ~ in his success** l'élément clé de son succès; **the poor salary was just one ~ in my dissatisfaction** le salaire médiocre n'expliquait que partiellement mon mécontentement; **2** (factor) facteur *m*; **the time ~** le facteur temps; **the ~ of luck** le facteur chance; **3** (small part) part *f*; **an ~ of risk/danger** une part de risque/danger; **4** (rudiment) (of courtesy, diplomacy) élément *m*, rudiment *m*; (of grammar, mathematics etc) base *f*; **5** (constituent group) élément *m*; **the violent ~ in the audience** l'élément violent du public; **6** (air, water etc) élément *m*; **the four ~s** les quatre éléments; **the ~s** (weather) les éléments; **to brave the ~s** hum affronter les éléments; **exposed to the ~s** exposé aux intempéries; **7** Chem, Math, Radio élément *m*; **8** Elec résistance *f*
(Idiom) **to be in/out of one's ~** être/ne pas être dans son élément

elemental /ˌelɪ'mentl/ *adj* (all contexts) élémentaire

elementary /ˌelɪ'mentrɪ/ *adj* **1** gen, Sci (basic, simple, fundamental) élémentaire; **2** GB Hist, US Sch [*school*] primaire; [*teacher*] de primaire

elephant /'elɪfənt/ *n* éléphant *m*; **baby ~** éléphanteau *m*
(Idioms) **to have a memory like an ~** avoir une mémoire d'éléphant; **to see pink ~s** voir des éléphants roses, avoir des hallucinations

elephantiasis /ˌelɪfən'taɪəsɪs/ ▸ **p. 1327** *n* éléphantiasis *m*

elephantine /ˌelɪ'fæntaɪn/ *adj* **1** fig [*joke, humour*] lourd; [*person*] éléphantesque; **2** Zool éléphantin

elephant seal *n* éléphant *m* de mer

elevate /'elɪveɪt/ *vtr* **1** (in rank, status) élever [*person, principle, quality*] (**to** au rang de); **to ~ sth to (the status of) a religion** élever qch au rang d'une religion; **to ~ sb to the status of a star** élever qn au rang de vedette; **to ~ sb to the peerage** élever qn à la pairie; **2** (uplift) élever [*mind, soul*]

elevated /'elɪveɪtɪd/ *adj* **1** [*tone, language, rank*] élevé; **2** [*site*] élevé; [*railway, canal*] surélevé

elevated: **~ highway** *n* US autoroute *f* surélevée; **~ railroad** *n* US métro *m* aérien

elevation /ˌelɪ'veɪʃn/ *n* **1** (in rank, status) élévation *f* (**to** au rang de); **2** Archit élévation *f*; **side/front ~** élévation latérale/de la façade; **3** (height) altitude *f*; **at an ~ of 200 metres** à 200 mètres d'altitude; **angle of ~** angle *m* d'élévation; **4** (of gun) élévation *f*; **5** (*also* **Elevation**) Relig Élévation *f*; **6** (hill) hauteur *f*, éminence *f*

elevator /'elɪveɪtə(r)/ *n* **1** US (in building) ascenseur *m*; **2** (hoist) élévateur *m*; **3** US (for grain) silo *m* à grain; **4** (of aircraft) gouvernail *m* de profondeur

elevator operator *n* US liftier/-ière *m/f*

eleven /ɪ'levn/ ▸ **p. 1487, p. 927, p. 1059**
A *n* **1** onze *m*; **2** Sport **the football ~** le onze; **a football ~** une équipe de football; **the first/second ~** la première/seconde équipe; **to play for the first ~** jouer en première équipe; **a cricket ~** une équipe de cricket; GB Sch **~ plus** ≈ examen *m* à la fin du primaire
B *adj* onze *inv*

elevenses○ /ɪ'levnzɪz/ *n* GB pause-café *f* (*dans la matinée*)

eleventh /ɪ'levnθ/ ▸ **p. 1487, p. 1116**
A *n* **1** (in order) onzième *mf*; **2** (of month) onze *m inv*; **3** (fraction) onzième *m*; **4** Mus onzième *f*
B *adj* onzième
C *adv* [*come, finish*] onzième, en onzième position

eleventh hour
A *n* **at the ~** à la toute dernière minute
B **eleventh-hour** *modif* [*intervention, decision*] de dernière minute

elf /elf/ *n* (*pl* **elves**) lit, fig lutin *m*

elfin /'elfɪn/ *adj* [*charm, magic, features*] de lutin

elicit /ɪ'lɪsɪt/ *vtr* obtenir [*judgment, opinion*] (**from** de); provoquer [*reaction, response*] (**from** de); tirer [*explanation*] (**from** de)

elide /ɪ'laɪd/ *vtr* Ling élider

eligibility /ˌelɪdʒə'bɪlətɪ/ *n* (to sit exam, for pension, benefit, award) droit *m* (**for** à; **to do** de faire); **this may affect your ~** ceci pourrait modifier vos droits; **to determine sb's ~ for** décider si qn a droit à

eligible /'elɪdʒəbl/ *adj* **1** (qualifying) **to be ~ for** avoir droit à [*allowance, benefit, membership*]; **to be ~ for appointment** remplir les conditions pour être nommé; **to be ~ to do** être en droit de faire; **the ~ candidates/students** les candidats/étudiants qui remplissent les conditions requises; **the 4 million ~ voters** les 4 millions de personnes en droit de voter; **2** † (marriageable) **an ~ bachelor** un beau *or* bon parti

Elijah /ɪ'laɪdʒə/ *pr n* Élie

eliminate /ɪ'lɪmɪneɪt/ *vtr* **1** (omit from consideration) éliminer [*candidate, team*]; éliminer, exclure [*hypothesis, possibility*]; écarter [*suspect*]; **2** (eradicate) éliminer [*costs, fat, disease*]; **3** (kill) éliminer, supprimer [*person*]; **4** Math, Physiol éliminer

elimination /ɪˌlɪmɪ'neɪʃn/ *n* élimination *f*; **by a process of ~** en procédant par élimination

Elisha /ɪ'laɪʃə/ *pr n* Élisée

elision /ɪ'lɪʒn/ *n* Ling élision *f*

élite /eɪ'liːt/
A *n* **1** (group) (+ *v sg ou pl*) élite *f*; **2** Print caractère *m* élite
B *adj* [*group, minority*] élitaire; [*restaurant, club*] réservé à l'élite; [*troop, team, squad*] d'élite

élitism /eɪ'liːtɪzəm/ *n* élitisme *m*

élitist /eɪ'liːtɪst/ *n, adj* élitiste (*mf*)

elixir /ɪ'lɪksɪə(r)/ *n* élixir *m*; **the ~ of life** l'élixir de longue vie

elk /elk/ *n* **1** (European, Asian) élan *m*; **2** US (wapiti) wapiti *m*

ellipse /ɪ'lɪps/ *n* Math, Ling ellipse *f*

ellipsis /ɪ'lɪpsɪs/ *n* (*pl* **-ses**) **1** Ling ellipse *f*; **2** Print points *mpl* de suspension

ellipsoid /ɪ'lɪpsɔɪd/ *n, adj* ellipsoïde (*m*)

elliptic(al) /ɪ'lɪptɪk(l)/ *adj* (all contexts) elliptique

Ellis Island /elɪs'aɪlənd/ *pr n* US Ellis Island

> **Ellis Island**
>
> Petite île située dans la baie de New York qui fut, de 1891 à 1943, la première étape américaine d'environ 20 millions d'immigrants. Aujourd'hui, on peut y visiter le Musée de l'Immigration.

elm /elm/ *n* (tree, wood) orme *m*

elocution /ˌelə'kjuːʃn/ *n* élocution *f*, diction *f*

elongate /'iːlɒŋgeɪt, US ɪ'lɔːŋ-/
A *vtr* (lengthen) allonger; (stretch) étirer
B *vi* s'allonger

elongated /'iːlɒŋgeɪtɪd, US ɪ'lɔːŋ-/ *adj* allongé; **to become ~** s'allonger

elongation /ˌiːlɒŋ'geɪʃən/ *n* gen, Astron élongation *f*

elope /ɪ'ləʊp/ *vi* [*couple*] s'enfuir ensemble; [*man, woman*] s'enfuir (**with** avec)

elopement /ɪ'ləʊpmənt/ *n* fugue *f* amoureuse

eloquence /'eləkwəns/ *n* éloquence *f*

eloquent /'eləkwənt/ *adj* [*orator, speech, praise, gesture*] éloquent; **her silence was ~** son silence en disait long

eloquently /'eləkwəntlɪ/ *adv* [*speak, argue, express*] éloquemment, avec éloquence

El Salvador /ˌel 'sælvədɔː(r)/ ▸ **p. 1096** *pr n* Salvador *m*; **in ~** au Salvador

else /els/
A *adv* d'autre; **somebody ~** quelqu'un d'autre; **nobody/nothing ~** personne/rien d'autre; **something ~** autre chose; **somewhere** *ou* **someplace** US **~** ailleurs, autre part; **where ~ can it be?** où est-ce que ça peut être d'autre?; **who ~ is coming?** qui d'autre vient?; **who ~'s can we borrow?** celui de qui d'autre pouvons-nous emprunter?; **how ~ can we do it/explain it?** comment le faire/l'expliquer autrement?; **what ~ would you like?** qu'est-ce que tu voudrais d'autre?; **there's little** *ou* **not much ~ to do/say** il n'y a pas grand-chose d'autre à faire/dire; **he talks of little ~** il ne parle presque que de ça; **everyone ~ but me went to the football match** tout le monde est allé voir le match de football sauf moi; **was anyone ~ there?** y avait-il quelqu'un d'autre?; **anyone ~ would go to bed early, but you...** à ta place n'importe qui irait se coucher tôt, mais toi, tu...; **if it were** *ou* **was anybody ~ but him I'd help** si c'était n'importe qui d'autre je l'aiderais; **anywhere ~ it wouldn't matter** en tout autre lieu ça n'aurait aucune importance; **he didn't see anybody ~** il n'a vu personne d'autre; **she didn't say anything ~** elle n'a rien dit d'autre; **nothing ~ but a change of government can save the economy** seul un changement de gouvernement peut sauver l'économie; **if nothing ~ he's polite** à défaut d'autre chose il est poli; **whatever ~ he might be he's not a liar** il a peut-être d'autres défauts, mais en tout cas il n'est pas menteur; **she's something ~**○**!** (very nice) elle est géniale!; (unusual) elle est spéciale!; **'is that you, David?'—'who ~?'** 'c'est toi, David?'—'à ton avis!'; **'so what ~ is new?'** iron 'comme si on ne le savait pas!'
B **or else** *conj phr* sinon, ou; **eat this or ~ you'll be hungry later** mange ça ou *or* sinon tu vas avoir faim plus tard; **either he's already left or ~ he can't hear the phone** soit il est déjà sorti, soit il n'entend pas le téléphone, ou bien il est déjà sorti, ou bien il n'entend pas le téléphone; **stop that now, or ~...**○**!** arrête tout de suite, sinon...

elsewhere /ˌels'weə(r), US ˌels'hweər/ *adv* ailleurs, autre part; **from ~** venu/-e d'ailleurs

ELT *n*: *abrév* ▸ **English Language Teaching**
elucidate /ɪ'lu:sɪdeɪt/
A *vtr* élucider [*mystery, problem*]; expliquer [*text, concept*]
B *vi* expliquer
elucidation /ˌɪlu:sɪ'deɪʃn/ *n* explication *f*
elude /ɪ'lu:d/ *vtr* **1** (escape) échapper à [*pursuer, observer, attention*]; se dérober à [*police*]; esquiver [*blow*]; **2** (be beyond the reach of) échapper à [*person, understanding, definition*]; **her name ~s me** son nom m'échappe
elusive /ɪ'lu:sɪv/ *adj* [*person, animal, happiness, concept*] insaisissable; [*prize, victory*] hors d'atteinte; [*scent, memory, dream*] évanescent liter, fugace
elusively /ɪ'lu:sɪvlɪ/ *adv* de façon élusive
elusiveness /ɪ'lu:sɪvnɪs/ *n* (of person, victory, concept) nature *f* insaisissable; (of dream, scent, memory) fugacité *f*, nature *f* fugace
elver /'elvə(r)/ *n* civelle *f*
elves /elvz/ *pl* ▸ **elf**
Elysian /ɪ'lɪzɪən/ *adj* Mythol élyséen/-éenne; **the ~ fields** les champs *mpl* Élysées
Elysium /ɪ'lɪzɪəm/ *pr n* Mythol Élysée *m*
elytron /'elɪtrɒn/ *n* (*pl* **-tra**) élytre *m*
em /em/ *n* Print **1** (piece of type) cadratin *m*; **2** (pica) cicéro *m*
'em○ /əm/ = **them**
emaciated /ɪ'meɪʃɪeɪtɪd/ *adj* [*person, face, feature*] émacié; [*limb, body*] décharné; [*animal*] étique; **to become ~** [*person, face*] s'émacier; [*limbs, body*] se décharner
emaciation /ɪˌmeɪsɪ'eɪʃn/ *n* émaciation *f*, amaigrissement *m*
email, e-mail ➡ /'i:meɪl/
A *n* **1** (medium) courrier *m* électronique, messagerie *f* électronique, courriel *m*; **to be on ~** avoir une adresse électronique; **2** (mail item) message *m* électronique, e-mail *m*; **to send sb an ~** envoyer un message électronique à qn; **3** (on letterhead, business card) mél *m*
B *modif* [*address, message*] électronique
C *vtr* envoyer un message électronique à [*person*]; envoyer [*document*]; **to ~ sth to sb** envoyer qch à qn par courrier électronique
emanate /'eməneɪt/
A *vtr* émettre, dégager [*radiation*]; rayonner de [*serenity*]
B *vi* [*light, gas, heat*] émaner (**from** de); [*order, report, rumour, tradition*] émaner, provenir (**from** de)
emanation /ˌemə'neɪʃn/ *n* (all contexts) émanation *f*
emancipate /ɪ'mænsɪpeɪt/ *vtr* émanciper, affranchir [*slave, serf*]; émanciper [*women*]; **to become ~d** [*woman*] s'émanciper
emancipated /ɪ'mænsɪpeɪtɪd/ *adj* [*woman*] émancipé
emancipation /ɪˌmænsɪ'peɪʃn/ *n* (of slaves, serfs) émancipation *f*, affranchissement *m*; (of women) émancipation *f*
emasculate /ɪ'mæskjʊleɪt/ *vtr* lit, fig émasculer
emasculation /ɪˌmæskjʊ'leɪʃn/ *n* lit, fig émasculation *f*
embalm /ɪm'bɑ:m, US -bɑ:lm/ *vtr* lit, fig embaumer
embalmer /ɪm'bɑ:mə(r)/ ▸ **p. 1683** *n* embaumeur/-euse *m/f*
embalming /ɪm'bɑ:mɪŋ/ *n* embaumement *m*
embankment /ɪm'bæŋkmənt/ *n* **1** (to carry railway, road) talus *m*, remblai *m*; **2** (to hold back water) quai *m*, digue *f*
embargo /ɪm'bɑ:gəʊ/
A *n* Pol, Econ embargo *m* (**on** sur; **against** contre); **trade/oil ~** embargo *m* commercial/pétrolier; **arms ~** embargo *m* sur les livraisons d'armes; **to impose an ~ on sb/on sth** instaurer un embargo contre qn/sur qch; **to lift an ~** lever un embargo
B *vtr* instaurer un embargo sur [*trade*]
embark /ɪm'bɑ:k/
A *vtr* Naut embarquer
B *vi* **1** Naut (board) s'embarquer (**for pour**); **2** **to ~ on** entreprendre [*journey, tour, visit*]; se lancer dans [*campaign, career, reform, relationship, process, project*]; pej s'embarquer sur [*dubious path*]; s'embarquer dans [*dubious process*]
embarkation /ˌembɑ:'keɪʃn/ *n* (of passengers, goods, vehicles) embarquement *m*
embarrass /ɪm'bærəs/ *vtr* gêner, embarrasser, plonger [qn] dans l'embarras [*person, government, celebrity*]; **to be/feel ~ed** être/se sentir gêné; **to be ~ed by** *ou* **about** être embarrassé *or* gêné par [*situation, remark, joke, compliment*]; avoir honte de [*person, spouse, ignorance*]; **to be ~ed about doing** trouver gênant de faire; **I feel ~ed about doing** ça me gêne de faire; **to be financially ~ed** avoir des embarras d'argent, être gêné euph
embarrassing /ɪm'bærəsɪŋ/ *adj* [*situation, experience, question*] embarrassant; [*person*] gênant; [*performance, attempt*] gênant, embarrassant; **to put sb in an ~ position** mettre qn dans l'embarras; **how ~!** comme c'est gênant!
embarrassingly /ɪm'bærəsɪŋlɪ/ *adv* [*behave*] de façon gênante; **~ frank** d'une franchise embarrassante; **it was ~ obvious** c'était tellement évident que cela en était gênant; **most ~...** chose on ne peut plus embarrassante...
embarrassment /ɪm'bærəsmənt/ *n* **1** (feeling) embarras *m*, confusion *f*, gêne *f* (**about, at** devant); **to cause sb ~** mettre qn dans l'embarras; **to my ~** à ma grande confusion *or* mon grand embarras; **she left the room in ~** confuse, elle a quitté la pièce; **2** (person, action, event etc) **to be an ~ to sb** [*person*] faire honte à qn; **his past is an ~ to him** il a honte de son passé; **3** (superfluity) sout embarras *m*; **an ~ of riches** l'embarras du choix
embassy /'embəsɪ/ *n* ambassade *f*; **the Italian ~** l'ambassade d'Italie
embattled /ɪm'bætld/ *adj* **1** fig [*person*] harcelé; [*government, organization*] assailli; **2** Mil [*city, country*] assiégé; [*army, forces*] encerclé
embed /ɪm'bed/ *vtr* (*p prés etc* **-dd-**) **1** lit (fix) **to be ~ded in** [*thorn, splinter, nail, screw*] être enfoncé dans [*paw, flesh, wood, wall*]; [*plant*] être ancré dans [*soil*]; [*plaque*] être encastré dans [*floor, paving*]; [*rock*] être enfoncé dans [*mud, lawn*]; **to be ~ded in sb's eye** s'être logé dans l'œil de qn; **2** fig [*notion, belief, value*] **to be ~ded in** être ancré dans [*language, thinking, memory*]; **3** Ling enchâsser [*clause*] (**in** dans); **4** Comput incorporer (**in** dans)
embedding /ɪm'bedɪŋ/ *n* Ling enchâssement *m*
embellish /ɪm'belɪʃ/ *vtr* **1** (exaggerate) enjoliver, embellir [*account, description, story*]; embellir [*truth*]; **2** (decorate) enjoliver [*garment, manuscript*]; orner, embellir [*building, architecture*]
embellishment /ɪm'belɪʃmənt/ *n* **1** (of story) enjolivement *m*; **2** (ornament) ornement *m*
ember /'embə(r)/ *n* morceau *m* de braise; **the ~s** les braises *fpl*
embezzle /ɪm'bezl/ *vtr* détourner [*funds*] (**from** de)
embezzlement /ɪm'bezlmənt/ *n* détournement *m* de fonds
embezzler /ɪm'bezlə(r)/ *n* escroc *m*
embitter /ɪm'bɪtə(r)/ *vtr* aigrir, remplir [qn] d'amertume [*person*]
embittered /ɪm'bɪtəd/ *adj* [*person*] aigri; **to become ~** s'aigrir
emblazon /ɪm'bleɪzn/ *vtr* **1** (decorate) décorer [*shirt, flag*] (**with** de); **to be ~ed with a crest** porter un blason; **to be ~ed across** [*logo, name*] s'étaler sur [*garment, newspapers*]; **2** Herald blasonner
emblem /'embləm/ *n* emblème *m*
emblematic /ˌemblə'mætɪk/ *adj* emblématique (**of** de)
embodiment /ɪm'bɒdɪmənt/ *n* (incarnation of quality, idea) incarnation *f*
embody /ɪm'bɒdɪ/ *vtr* **1** (incarnate) [*person, institution*] incarner, être l'incarnation de [*virtue, evil, ideal*]; **to be embodied in** s'incarner dans; **2** [*work, chapter*] donner corps à [*theory, philosophy*]; **3** (legally incorporate) incorporer [*rights, proposals, statutes*] (**in** dans)
embolden /ɪm'bəʊldən/
A *vtr* enhardir; **to ~ sb to do** donner à qn le courage de faire
B **emboldened** *pp adj* enhardi
embolism /'embəlɪzəm/ *n* Med embolie *f*
emboss /ɪm'bɒs/ *vtr* gaufrer [*fabric, paper*]; estamper [*leather*]; repousser, travailler [qch] en relief [*metal*]
embossed /ɪm'bɒst/ *adj* [*fabric, paper*] gaufré; [*leather*] estampé; [*metal*] repoussé; **~ lettering** caractères *mpl* en relief
embouchure /'ɒmbʊʃʊə(r)/ *n* Mus embouchure *f*
embrace /ɪm'breɪs/
A *n* **1** lit (affectionate) étreinte *f*; **to hold sb in a warm/fond ~** étreindre qn chaleureusement/affectueusement; **2** fig (of ideology etc) soutien *m*
B *vtr* **1** lit (hug) embrasser, étreindre; **2** fig (espouse, adopt) embrasser [*religion, ideology*]; épouser [*cause*]; s'engager dans [*policy*]; adopter [*principle, technology, method*]; **to ~ the challenge of Europe** relever le défi de l'Europe; **3** fig (include) comprendre [*subject areas*]; englober [*cultures, opinions, beliefs*]
C *vi* s'embrasser, s'étreindre
embrasure /ɪm'breɪʒə(r)/ *n* embrasure *f*
embrocation /ˌembrəʊ'keɪʃn/ *n* embrocation *f*
embroider /ɪm'brɔɪdə(r)/
A *vtr* **1** lit broder (**with** de); **2** fig enjoliver, embellir [*story*]; broder sur [*fact*]; embellir [*truth*]
B *vi* broder, faire de la broderie
embroidered /ɪm'brɔɪdəd/ *adj* brodé
embroidery /ɪm'brɔɪdərɪ/
A *n* broderie *f*
B *modif* [*frame, silk, thread*] à broder
embroil /ɪm'brɔɪl/ *vtr* entraîner (**in** dans); **to become ~ed in** se laisser entraîner dans [*dispute, controversy*]
embryo /'embrɪəʊ/
A *n* Biol, fig embryon *m*; **in ~** à l'état embryonnaire
B *adj* = **embryonic**
embryological /ˌembrɪə'lɒdʒɪkl/ *adj* embryologique
embryologist /ˌembrɪ'ɒlədʒɪst/ ▸ **p. 1683** *n* embryologiste *mf*
embryology /ˌembrɪ'ɒlədʒɪ/ *n* embryologie *f*
embryonic /ˌembrɪ'ɒnɪk/ *adj* **1** Biol embryonnaire; **2** fig embryonnaire, en germe
emcee /ˌem'si:/ US
A *n* animateur/-trice *m/f*
B *vtr* animer
em dash /'emdæʃ/ *n* Print tiret *m* de douze points
emend /ɪ'mend/ *vtr* corriger
emendation /ˌi:men'deɪʃn/ *n* correction *f*
emerald /'emərəld/
A *n* **1** (stone) émeraude *f*; **2** ▸ **p. 1067** (colour) émeraude *m*
B *adj* **1** [*ring, necklace*] d'émeraudes; **2** (colour) émeraude *inv*
emerald: **~ green** ▸ **p. 1067** *n, adj* vert (*m*) émeraude *inv*; **Emerald Isle** *n* île *f* d'Émeraude, Irlande *f*
emerge /ɪ'mɜ:dʒ/
A *vi* **1** lit [*person, animal*] sortir (**from** de); **2** fig

➡ *see* Using email and the Internet

[*issue, news, problem, result*] se faire jour; [*trend, pattern*] se dégager; [*design, model, truth, doubt, surprise*] apparaître; [*talent*] voir le jour; [*evidence, message*] ressortir; [*new nation, ideology, religion*] naître; **a picture is beginning to ~** (of situation) on commence à avoir une vision plus claire de la situation; **to ~ as an influence/priority** ressortir comme une influence/une priorité; **to ~ from the education system** sortir du système d'éducation; **to ~ victorious** ressortir vainqueur; **it ~ed that** il est apparu que

B **emerging** *pres p adj* [*market*] naissant, émergent; [*democracy*] qui émerge; [*opportunity*] qui apparaît; [*writer, actor etc*] qui devient connu; [*nation*] émergent

emergence /ɪ'mɜ:dʒəns/ *n* (of truth, ideas, problem) apparition *f*; (of religion, movement, literary genre) apparition *f*, naissance *f*

emergency /ɪ'mɜ:dʒənsɪ/
A *n* 1 (crisis) cas *m* d'urgence; **in an ~, in case of ~** en cas d'urgence; **in times of ~** en temps de crise; **state of ~** Pol état *m* d'urgence; **to declare a state of ~** déclarer l'état d'urgence; 2 Med (hospital case) urgence *f*
B *modif* [*plan, measures, operation, repairs, situation, accommodation*] d'urgence; [*stores*] pour dépanner; Pol [*meeting, session*] extraordinaire; Aut [*brakes, vehicle*] de secours

emergency: **~ aid** *n* secours *m* d'urgence; **~ ambulance service** *n* service *m* ambulancier de secours d'urgence; *cf* SAMU; **~ blanket** *n* couverture *f* de survie; **~ call** *n* appel *m* d'urgence; **~ case** *n* Med urgence *f*

emergency centre GB, **emergency center** US *n* (for refugees etc) centre *m* d'accueil (*pour sinistrés*); Med poste *m* de secours; Aut poste *m* de dépannage

emergency: **~ cord** *n* sonnette *f* d'alarme; **~ exit** *n* issue *f* de secours, sortie *f* de secours; **~ landing** *n* Aviat atterrissage *m* forcé; **~ laws** *npl* Pol lois *fpl* d'exception; **~ medical service, EMS** *n* US service *m* ambulancier de secours d'urgence; ≈ SAMU; **~ number** *n* numéro *m* des urgences; **~ powers** *npl* Pol ≈ pleins pouvoirs *mpl*; **~ rations** *npl* vivres *mpl* de secours; **~ room** *n* US = **emergency ward**

emergency service *n* Med service *m* de garde; Aut service *m* de dépannage

emergency services *npl* (police) police *f* secours; (ambulance) service *m* d'aide médicale d'urgence; (fire brigade) (sapeurs-)pompiers *mpl*

emergency stop *n* arrêt *m* d'urgence

emergency surgery *n* **to undergo ~** être opéré d'urgence

emergency: **~ ward** *n* salle *f* des urgences; **~ worker** *n* secouriste *mf*

emergent /ɪ'mɜ:dʒənt/ *adj* 1 [*industry, nation*] jeune; [*superpower, artist, literary genre*] naissant; 2 Philos émergent

emerging /ɪ'mɜ:dʒɪŋ/ *adj* = **emergent 1**

emeritus /ɪ'merɪtəs/ *adj* honoraire

emery /'emərɪ/ *n* émeri *m*

emery: **~ board** *n* lime *f* à ongles; **~ cloth** *n* toile *f* émeri; **~ paper** *n* papier-émeri *m*

emetic /ɪ'metɪk/ *n, adj* émétique (*m*)

emigrant /'emɪgrənt/
A *n* (about to leave) émigrant/-e *m/f*; (settled elsewhere) émigré/-e *m/f*
B *modif* [*worker*] émigré; [*family*] d'émigrés

emigrate /'emɪgreɪt/ *vi* émigrer

emigration /ˌemɪ'greɪʃn/ *n* émigration *f*

émigré /'emɪgreɪ, US ˌemɪ'greɪ/ *n* émigré/-e *m/f*

eminence /'emɪnəns/ *n* 1 (distinction, fame) renommée; 2 (honour) distinction *f*; 3 liter (hill, height) éminence *f*

eminency /'emɪnənsɪ/ *n* = **eminence**

eminent /'emɪnənt/ *adj* [*person, scholar, career*] éminent; **to be ~ in one's field** être une personnalité éminente

eminently /'emɪnəntlɪ/ *adv* [*respectable*] éminemment; [*capable, fair, sensible, suitable*] parfaitement; [*desirable, plausible*] hautement

emir /e'mɪə(r)/ *n* émir *m*

emirate /'emɪərеɪt/ *n* émirat *m*

emissary /'emɪsərɪ/ *n* émissaire *m* (**to** auprès de)

emission /ɪ'mɪʃn/ *n* (all contexts) émission *f* (**from** provenant de)

emission spectrum *n* spectre *m* d'émission

emit /ɪ'mɪt/ *vtr* 1 (discharge) émettre [*gas, heat, radiation, lava, signal*]; dégager [*smell, vapour*]; lancer [*spark*]; 2 (utter) émettre, rendre [*sound*]; laisser échapper [*cry*]; 3 (issue) émettre [*banknote*]

emitter /ɪ'mɪtə(r)/ *n* Electron émetteur *m*

Emmy /'emɪ/ *n* US TV *récompense décernée par la télévision américaine*

emollient /ɪ'mɒlɪənt/ *n, adj* émollient (*m*)

emoluments /ɪ'mɒljʊmənts/ *npl* sout (salary) émoluments *mpl*, rémunération *f*; (fee) honoraires *mpl*

emote /ɪ'məʊt/ *vi* donner dans le sentiment°

emoticon /ɪ'məʊtɪkɒn, -'mɒtɪ-/ *n* Comput frimousse *f*, binette *f* Can

emotion /ɪ'məʊʃn/ *n* 1 (reaction such as anger, joy, fear) émotion *f*; (feeling such as love, hate, jealousy) sentiment *m*; **he won't talk about his ~s** il ne veut pas parler de ses sentiments; 2 (strong feeling) émotion *f*; **to show no ~** ne manifester aucune émotion *or* aucun émoi

emotional /ɪ'məʊʃənl/ *adj* [*development, impact, need, problem*] émotif/-ive; [*distress, charge, content, power, reaction, state*] émotionnel/-elle; [*tie, response*] affectif/-ive; [*film*] émouvant; [*campaign, speech*] passionné; [*atmosphere, farewell, occasion, scene*] chargé d'émotion; **to feel ~** se sentir ému (**about** par); **she's rather ~** elle est facilement émue; **he gets rather ~** (cries easily) il a la larme facile; (gets irrational) il a tendance à s'énerver; **~ health** santé *f* mentale; **~ abuse** Psych sévices *mpl* psychologiques

emotionalism /ɪ'məʊʃənəlɪzəm/ *n* émotivité *f*

emotionally /ɪ'məʊʃənəlɪ/ *adv* 1 (with emotion) [*speak, react*] avec émotion; **~ charged** [*relationship*] intense; [*atmosphere*] chargée d'émotion; [*language*] vibrant d'émotion; **an ~ worded tribute** un hommage vibrant; 2 (from an emotional standpoint) [*drained, involved*] émotionnellement; [*immature*] sur le plan affectif; **~ deprived** privé d'affection; **~ disturbed** caractériel/-ielle

emotionless /ɪ'məʊʃnlɪs/ *adj* impassible

emotionlessly /ɪ'məʊʃnlɪslɪ/ *adv* impassiblement

emotionlessness /ɪ'məʊʃnlɪsnɪs/ *n* impassibilité *f*

emotive /ɪ'məʊtɪv/ *adj* [*issue*] brûlant, qui soulève les passions; [*word*] chargé de connotations

empanel /ɪm'pænl/ *vtr* (*p prés etc* **-ll-**, **-l-** US) (place on list) inscrire sur une liste [*juror*]; (select) constituer [*jury*]

empathetic /ˌempæ'θetɪk/ *adj* = **empathic**

empathic /em'pæθɪk/ *adj* [*person*] empathique, qui sait s'identifier aux autres

empathize /'empəθaɪz/ *vi* **to ~ with** s'identifier à [*person*]

empathy /'empəθɪ/ *n* empathie *f*

emperor /'empərə(r)/ *n* empereur *m*

emphasis /'emfəsɪs/ *n* (*pl* **-ses**) 1 (importance) accent *m*; **to lay** *ou* **place** *ou* **put the ~ on sth** mettre l'accent sur qch; **to shift the ~ from sth to sth** mettre l'accent sur qch plutôt que sur qch; **the ~ is on sth** on met l'accent sur qch; **the government is placing more ~ on training** le gouvernement accorde plus d'importance à la formation; **the new ~ on training** l'importance récemment accordée à la formation; **to put special ~ on sth** insister sur l'importance de qch; 2 (vocal stress) accentuation *f*

emphasize /'emfəsaɪz/ *vtr* 1 (give importance to) mettre l'accent sur [*policy, need, support, etc*]; **to ~ that** insister sur le fait que; **to ~ the importance of sth** insister sur l'importance de qch; 2 (stress vocally) accentuer; 3 (highlight) mettre [qch] en valeur [*eyes etc*]

emphatic /ɪm'fætɪk/ *adj* 1 (insistent, firm) [*statement, refusal, denial*] catégorique; [*voice, manner*] énergique; [*tone, style*] vigoureux/-euse; **to be ~ about** insister sur, être formel/-elle sur; **to be ~ that** insister pour que (+ *subj*); **he was most ~ that I should go** il a insisté pour que j'y aille; 2 (clear) [*victory*] écrasant; 3 Ling (with emphasis) emphatique

emphatically /ɪm'fætɪklɪ/ *adv* 1 (vehemently) [*speak*] énergiquement; [*insist*] lourdement; [*condemn, refuse, deny*] catégoriquement, énergiquement; **and I say this most ~** et je ne saurais trop insister là-dessus; 2 (undeniably) [*win*] haut la main; [*be defeated*] de manière spectaculaire; **he is most ~ not a genius** il n'a vraiment rien d'un génie

emphysema /ˌemfɪ'si:mə/ ▸ p. 1327 *n* emphysème *m*

empire /'empaɪə(r)/ *n* lit, fig empire *m*

Empire /'empaɪə(r)/ *adj* [*furniture, fashions*] style Empire *inv*

empire builder *n* lit, fig bâtisseur/-euse *m/f* d'empire

Empire: **~ line** *adj* [*dress*] à taille haute; **~ State** *pr n* État *m* de New York

empirical /ɪm'pɪrɪkl/ *adj* empirique

empirically /ɪm'pɪrɪklɪ/ *adv* empiriquement

empiricism /ɪm'pɪrɪsɪzəm/ *n* empirisme *m*

empiricist /ɪm'pɪrɪsɪst/ *n, adj* empiriste (*mf*)

emplacement /ɪm'pleɪsmənt/ *n* Mil emplacement *m* (d'une arme lourde)

employ /ɪm'plɔɪ/
A *n* sout **the firm has 40 workers in its ~** l'entreprise emploie 40 personnes, l'entreprise compte 40 employés; **in his ~** à son service
B *vtr* 1 employer [*person, company*]; **to ~ sb as** employer qn en qualité de [*driver, accountant etc*]; **she is ~ed as a secretary** elle est employée comme secrétaire; 2 (use) utiliser [*machine, tool*]; employer [*method, practice, strategy, tactics, technique*]; recourir à [*measures*]; utiliser, employer [*expression, term, metaphor*]; **to be ~ed in doing** (busy) être en train de faire; **her talents/skills would be better ~ed in advertising** son talent/savoir faire serait mieux utilisé dans la publicité

employable /ɪm'plɔɪəbl/ *adj* [*person*] capable de travailler

employed /ɪm'plɔɪd/
A *n* **the ~** (+ *v pl*) les actifs *mpl*
B *adj* (in work) qui a un emploi; (an employee) salarié

employee /ˌemplɔɪ'i:, ɪm'plɔɪi:/ *n* salarié/-e *m/f*

employer /ɪm'plɔɪə(r)/ *n* employeur/-euse *m/f*; **~s' organizations** associations *fpl* patronales

employment ➔
/ɪm'plɔɪmənt/ *n* (paid activity) travail *m*, emploi *m*; (action) emploi *m*; **to take up ~** commencer un travail; **to seek ~** chercher du travail, rechercher un emploi; **to find ~** trouver du travail *or* un emploi; **to be in ~** avoir un emploi, travailler; **without ~** sans emploi; **people in ~** les actifs *mpl*; **conditions of ~** conditions *fpl* d'emploi; **place of ~** lieu de travail; **the ~ of sb as sth/to do** l'emploi de qn comme qch/pour faire; **the service industries give ~ to several million people** le secteur tertiaire fournit un emploi à *or* emploie plusieurs millions de personnes

---

➔ *see* Seeking employment

employment: ~ **agency** *n* bureau *m* de recrutement; ~ **contract** *n* contrat *m* de travail; ~ **exchange** *n* agence *f* pour l'emploi; **Employment Minister**, **Employment Secretary** *n* ministre *m* du Travail

emporium /ɪmˈpɔːrɪəm/ *n* (*pl* ~**s** *ou* **-ria**) sout *ou* hum grand magasin *m*

empower /ɪmˈpaʊə(r)/ *vtr* 1 (legally) **to ~ sb to do** donner le droit à qn de faire; **the police are ~ed to do** la police a pleins pouvoirs pour faire; 2 (politically) donner du pouvoir à [*women, young, consumer*]; **to feel ~ed** se sentir moins impuissant (**by** grâce à)

empowering /ɪmˈpaʊərɪŋ/ *adj* inspirateur/-trice, libérateur/-trice

empress /ˈemprɪs/ *n* impératrice *f*

emptiness /ˈemptɪnɪs/ *n* (of ideas, hopes) inanité *f*; (of space, house, life) vide *m*; (of promise, threat) vacuité *f*; (in stomach) creux *m*; **I was surprised by the ~ of the cinema/train** j'étais surpris de voir le cinéma/train aussi désert

empty /ˈemptɪ/

A empties○ *npl* GB (bottles) bouteilles *fpl* vides; (glasses) verres *mpl* vides

B *adj* 1 (lacking people) [*room, building, theatre, beach, street*] désert; [*desk*] libre; **to stand ~** [*house, office*] être inoccupé; 2 (lacking contents) [*container, pocket*] vide; [*desktop*] débarrassé; [*diary, page*] vierge; [*stomach*] vide; 3 (unfulfilled) [*promise, threat*] en l'air; [*argument, dream, rhetoric*] creux/creuse; [*gesture*] vide de sens, dénué de sens; ~ **of meaning** vide de sens, dénué de sens; 4 (purposeless) [*life, days, person*] vide (**of de**)

C *vtr* = **empty out**

D *vi* = **empty out**

(Phrasal verb) ■ **empty out** [*building, container, public place, vehicle*] se vider; [*river*] se jeter; [*contents*] se répandre; ▸ ~ **[sth] out**, ~ **out [sth]** 1 (clear) vider [*building, theatre, container, mind*]; 2 (pour) verser [*liquid*]; vider [*substance, contents*]

empty-handed /ˌemptɪˈhændɪd/ *adj* [*arrive, leave*] les mains vides; [*return*] bredouille *inv*; **to be ~** avoir les mains vides

empty-headed /ˌemptɪˈhedɪd/ *adj* écervelé

empyema /ˌempaɪˈiːmə, ˌempɪ-/ *n* empyème *m*

EMS *n* 1 (*abrév* = **European Monetary System**) SME *m*; 2 *abrév* ▸ **emergency medical service**

emu /ˈiːmjuː/ *n* émeu *m*

EMU *n*: *abrév* ▸ **European Monetary Union**

emulate /ˈemjʊleɪt/ *vtr* fml 1 (imitate) imiter; (rival) rivaliser avec; 2 Comput émuler

emulation /ˌemjʊˈleɪʃn/ *n* gen Comput émulation *f*; **in ~ of sb/sth** à l'imitation de qn/qch

emulator /ˈemjʊleɪtə(r)/ *n* Comput émulateur *m*

emulsifier /ɪˈmʌlsɪfaɪə(r)/ *n* émulsifiant *m*

emulsify /ɪˈmʌlsɪfaɪ/

A *vtr* émulsionner, émulsifier

B *vi* être émulsionné *or* émulsifié

emulsion /ɪˈmʌlʃn/ *n* 1 Chem, Phot émulsion *f*; 2 ~ **(paint)** émulsion *f*, peinture *f* acrylique

en /en/ *n* Print demi-cadratin *m*

enable /ɪˈneɪbl/ *vtr* 1 **to ~ sb to do** (allow) permettre à qn de faire; (give opportunity) donner à qn la possibilité de faire; (give right) donner à qn le droit de faire; 2 (facilitate) faciliter [*development, growth*]; favoriser [*learning*]; 3 (encourage) **to ~ sb** donner à qn les moyens de se réaliser

enabler /ɪˈneɪblə(r)/ *n* **to be an ~** [*teacher, trainer*] favoriser l'apprentissage

enabling /ɪˈneɪblɪŋ/ *adj* 1 Jur ~ **act** *ou* **legislation** loi *f* d'habilitation; 2 [*teaching method etc*] favorisant l'épanouissement

enact /ɪˈnækt/ *vtr* 1 (perform) jouer [*scene, play, part*]; **the scene that was being ~ed before us** la scène qui se déroulait devant nous; 2 Jur Pol (pass) voter; (bring into effect) promulguer; **to ~ that** statuer que; **as by law ~ed** aux termes de la loi

enactment /ɪˈnæktmənt/ *n* 1 (of play, scene) interprétation *f*; 2 Jur Pol promulgation *f*

enamel /ɪˈnæml/

A *n* 1 ₵ gen, Dent (substance, coating) émail *m*; 2 (object) émail *m*; 3 †(*also* ~ **paint**) peinture *f* laquée

B *modif* [*bowl, pan*] en émail; [*ring, box*] en émaux

C *vtr* émailler

D enamelled, **enameled** US *pp adj* [*glass, pottery*] émaillé; [*saucepan*] en émail; [*ornament*] en émaux; **enamelled cast iron** fonte *f* émaillée

enamelling, **enameling** US /ɪˈnæmlɪŋ/ *n* (process) émaillage *m*; (art) émaillerie *f*

enamel: ~**ware** *n* vaisselle *f* en métal émaillé; ~**work** *n* Art émaillerie *f*

enamoured GB, **enamored** US /ɪˈnæməd/ *adj* **to be ~ of** être épris/-e *or* amoureux/-euse de [*person*]; avoir une passion pour [*activity*]; **his boss is not too ~ with him at the moment** ce n'est pas le grand amour entre lui et son patron en ce moment!; **I'm not too ~ of the idea of spending a whole day with him** l'idée de passer toute une journée avec lui ne m'emballe○ pas

en bloc /ˌɒn ˈblɒk/ *adv* en bloc

enc. *abrév* = **encl.**

encamp /ɪnˈkæmp/ *vi* établir son camp

encampment /ɪnˈkæmpmənt/ *n* gen campement *m*; Mil cantonnement *m*

encapsulate /ɪnˈkæpsjʊleɪt/ *vtr* 1 (summarize) résumer, renfermer; 2 (include, incorporate) contenir, inclure; **more information than can be ~d in one article** plus de détails que n'en peut contenir un seul article

encase /ɪnˈkeɪs/ *vtr* revêtir, recouvrir (**in** de); **to be ~d in** être pris dans [*concrete*]; être serré dans [*plaster*]

encash /ɪnˈkæʃ/ *n* GB encaisser [*money order*]

encashment /ɪnˈkæʃmənt/ *n* GB encaissement *m*

encaustic /ɪnˈkɔːstɪk/

A *n* Art encaustique *f*

B *adj* [*tile*] émaillé

encephalic /ˌenkɪˈfælɪk/ *adj* encéphalique

encephalitis /ˌenkefəˈlaɪtɪs/ *n* encéphalite *f*

encephalogram /enˈkefələɡræm/ *n* encéphalogramme *m*

encephalomyelitis /enˌsefələʊmaɪəˈlaɪtɪs, -kef-/ *n* Med encéphalomyélite *f*

encephalon /enˈkefəlɒn/ *n* encéphale *m*

enchain /ɪnˈtʃeɪn/ *vtr* lit, fig enchaîner

enchant /ɪnˈtʃɑːnt, US -tʃænt/

A *vtr* 1 (delight) enchanter, ravir; 2 (cast spell on) enchanter

B enchanted *pp adj* [*garden, wood*] enchanté; [*ring*] magique; [*place*] merveilleux/-euse

enchanter /ɪnˈtʃɑːntə(r), US -tʃæntər/ *n* enchanteur *m*

enchanting /ɪnˈtʃɑːntɪŋ, US -tʃænt-/ *adj* [*vision, place*] merveilleux/-euse, enchanteur/-eresse; [*person, smile, village*] ravissant, enchanteur/-eresse

enchantingly /ɪnˈtʃɑːntɪŋlɪ, US -tʃænt-/ *adj* [*sing, dance*] à ravir; [*smile*] d'une façon charmante *or* ravissante; **she is ~ beautiful** elle est belle à ravir

enchantment /ɪnˈtʃɑːntmənt, US -tʃænt-/ *n* 1 (delight) enchantement *m*, ravissement *m*; 2 (spell) charme *m*, enchantement *m*

enchantress /ɪnˈtʃɑːntrɪs, US -tʃænt-/ *n* lit, fig enchanteresse *f*

enchilada /ˌentʃɪˈlɑːdə/ *n* 1 Culin enchilada *f*; 2 ○US (big shot) **big ~** huile◐ *f*, grosse légume○ *f*

encircle /ɪnˈsɜːkl/ *vtr* [*troops, police*] encercler [*building*]; [*fence, wall*] entourer; [*belt, bracelet*] enserrer, ceindre littér

encirclement /ɪnˈsɜːklmənt/ *n* encerclement *m*

encl.

A *n* (*abrév* = **enclosure**) PJ *f*

B *adj* (*abrév* = **enclosed**) ci-joint

enclave /ˈenkleɪv/ *n* enclave *f*

enclitic /enˈklɪtɪk/ *n, adj* enclitique (*m*)

enclose /ɪnˈkləʊz/ *vtr* 1 (surround) gen entourer (**with, by** de); (with fence, wall) clôturer (**with, by** avec); (in outer casing) enfermer (**in** dans); (within brackets) insérer (**in** dans); 2 (insert in letter) joindre (**with, in** à); **a cheque for £10 is ~d** veuillez trouver ci-joint un chèque de dix livres; **I'll ~ your letter with mine** je mettrai votre lettre dans la même enveloppe que la mienne; **a letter enclosing a cheque** une lettre accompagnée d'un chèque; **please find ~d** veuillez trouver ci-joint

enclosed /ɪnˈkləʊzd/ *adj* [*shelter, cabin, sea*] fermé; [*passage, precinct*] couvert; [*bath, appliance*] encastré; [*life*] cloîtré; [*garden*] clos; ~ **space** espace clos; ~ **order** Relig ordre cloîtré

enclosure /ɪnˈkləʊʒə(r)/ *n* 1 (space) (for animals) enclos *m*; (for racehorses) paddock *m*; (for officials) enceinte *f*; 2 (fence) clôture *f*; 3 GB Hist Agric enclosure *f*; 4 (with letter) pièce *f* jointe

encode /ɪnˈkəʊd/ *vtr, vi* gen coder, chiffrer; Comput, Ling encoder

encoder /ɪnˈkəʊdə(r)/ *n* Comput, Ling encodeur *m*

encoding /ɪnˈkəʊdɪŋ/ *n* Comput, Ling encodage *m*

encomium /enˈkəʊmɪəm/ *n* (*pl* ~**s** *or* **-mia**) sout panégyrique *m*

encompass /ɪnˈkʌmpəs/ *vtr* 1 (include) couvrir, comprendre; [*activities, aspects, range of subjects*]; couvrir, contenir [*themes*]; regrouper [*people, ideas, theories*]; 2 (cover) [*empire, state*] englober, regrouper [*districts, territories, empire, estate*]; couvrir [*acres, hectares*]

encore /ˈɒŋkɔː(r)/ Theat

A *n* bis *m*; **to give** *ou* **play an ~** jouer un bis; **to get** *ou* **receive an ~** être bissé

B *excl* ~! bis!

encounter /ɪnˈkaʊntə(r)/

A *n* 1 gen rencontre *f* (**with** avec); **brief ~** brève rencontre; **chance ~** rencontre inattendue; **through a chance ~** au hasard d'une rencontre; **his frequent ~s with the law** ses démêlés fréquents avec la police; **I had a close ~ with a lamppost** hum je suis rentré dans un réverbère; 2 Mil affrontement *m*

B *vtr* rencontrer; se heurter à [*resistance*]; essuyer [*setback*]; rencontrer [*problem, difficulties*]; croiser [*person*]; Sport rencontrer

encounter group *n* Psych atelier *m* relationnel

encourage /ɪnˈkʌrɪdʒ/ *vtr* 1 (boost, support) encourager; (raise morale of) encourager, réconforter; (reassure) rassurer; **to ~ sb to do** gen encourager qn à faire; [*parent, government, policy*] inciter qn à faire; **this only ~d him in his desire to do** cela n'a fait qu'accroître son désir de faire; **these observations ~d him in his belief that** ces observations l'ont conforté dans l'idée que; **don't laugh at his jokes, it'll only ~ him!** ne ris pas de ses blagues, on ne l'arrêtera plus!; **to ~ sb to do** encourager *or* inciter qn à faire; 2 (foster) stimuler [*investment*]; favoriser [*rise, growth*]

encouragement /ɪnˈkʌrɪdʒmənt/ *n* (support) encouragement *m* (**to** pour); (inducement) incitation *f* (**to** à); **she needs no ~ to do** elle ne se fait pas prier pour faire; **to give ~ to sb, to be an ~ to sb** encourager qn; **without ~ from me** sans mon soutien

encouraging /ɪnˈkʌrɪdʒɪŋ/ *adj* encourageant

encouragingly /ɪnˈkʌrɪdʒɪŋlɪ/ *adv* [*say, smile*] d'un air encourageant; **complaints are**

~ **few** heureusement, il y a peu de réclamations; **an ~ high percentage** un pourcentage encourageant

encroach /ɪn'krəʊtʃ/ *vi* **to ~ on** [*vegetation*] gagner du terrain sur, envahir; [*sea*] gagner (du terrain) sur, avancer sur; [*enemy*] empiéter *or* déborder sur [*territory*]; empiéter sur [*rights*]; **to ~ on sb's privacy** violer l'intimité de qn; **to ~ on sb's territory** *ou* **turf** fig empiéter sur le territoire de qn, marcher sur les plates-bandes de qn○

encroachment /ɪn'krəʊtʃmənt/ *n* (of sea, enemy) empiètement *m* (**on** sur); fig (on sb's rights) empiètement *m* (**on** sur); (on sb's privacy) intrusion *f* (**on** dans)

encrust /ɪn'krʌst/ *vtr* **to be ~ed with** être recouvert de [*moss, ice, dried blood*]; être incrusté de [*jewels*]

encrustation /ˌɪnkrʌs'teɪʃn/ *n* 1 (of blood, earth) croûte *f*; 2 (of jewels) incrustation *f*

encrypt /en'krɪpt/ *vtr* encrypter

encryption /en'krɪpʃən/ *n* Telecom cryptage *m*

enculturation /ˌenkʌltjʊə'reɪʃn/ *n* enculturation *f*

encumber /ɪn'kʌmbə(r)/ *vtr* encombrer [*person, traffic, room, street*] (**with** de); **to be ~ed with debts** [*estate*] être grevé de dettes

encumbrance /ɪn'kʌmbrəns/ *n* 1 (to movement) gêne *f*, entrave *f* (**to** à); (to one's freedom) entrave *f*, handicap *m* (**to** pour); 2 (burden) (person) charge *f* (**to** pour); (possession) embarras *m* (**to** pour); 3 Jur **an estate free from ~(s)** un bien sans servitudes ni hypothèques

encyclical /en'sɪklɪkl/ *n, adj* encyclique (*f*)

encyclop(a)edia /ɪnˌsaɪklə'piːdɪə/ *n* encyclopédie *f*; **she's a walking ~** hum c'est une encyclopédie vivante

encyclop(a)edic /ɪnˌsaɪklə'piːdɪk/ *adj* encyclopédique

encyclop(a)edist /ɪnˌsaɪklə'piːdɪst/ *n* encyclopédiste *mf*

end /end/

A *n* 1 (finish, final part) (of week, holiday, journey, game, story, sentence) fin *f*; **'The End'** (of film, book etc) 'Fin'; **at the ~ of** à la fin de [*year, story*]; **at the ~ of May** fin mai; **by the ~ of** à la fin de [*year, journey, game*]; **to put an ~ to sth, to bring sth to an ~** mettre fin à qch, mettre un terme à qch; **to get to the ~ of** arriver à la fin de [*holiday*]; arriver au bout de [*story, work*]; **to come to an ~** se terminer; **to be at an ~** être terminé; **in the ~ I went home** finalement je suis rentré chez moi; **in the ~, at the ~ of the day** (all things considered) en fin de compte; **it's the ~ of the line** *ou* **road for the project** le projet arrive en fin de course; **for days/months on ~** pendant des jours et des jours/des mois et des mois; **there is no ~ to his talent** son talent n'a pas de limites; **no ~ of**○ **letters/trouble** énormément de lettres/problèmes; **that really is the ~**○! c'est vraiment le comble○!; **you really are the ~**○! tu exagères!; **I'm not going and that's the ~ of that!** je n'y vais pas, un point c'est tout!

2 (extremity) (of nose, tail, branch, string, queue, bed, table, road) bout *m*, extrémité *f*; **at the ~ of, on the ~ of** au bout de [*bed, road, nose*]; **at the ~ of the garden** au fond du jardin; **from one ~ to another** d'un bout à l'autre; **from ~ to ~** de bout en bout, d'un bout à l'autre; **to lay sth ~ to ~** poser qch bout à bout; **the lower ~ of the street** le bas de la rue; **the northern ~ of the town** la partie nord de la ville; **the front/back ~ of the car** l'avant/l'arrière de la voiture; **the third from the ~** le/la troisième avant la fin; **to look at sth ~ on** regarder qch de front; **to stand sth on its ~** *ou* **on end** mettre qch debout; **it will come out the other ~** hum (of swallowed object) ça va sortir à l'autre bout

3 (side of conversation, transaction) côté *m*; **things are fine at my** *ou* **this ~** de mon côté tout va bien; **how does it look from your ~?** qu'en est-il de ton côté?; **she takes care of the business ~** c'est elle qui s'occupe du côté commercial; **to keep one's ~ of the bargain** remplir sa moitié du contrat; **there was silence at the other ~** c'était le silence au bout du fil

4 (of scale, spectrum) extrémité *f*; **at the lower ~ of the scale** au plus bas de l'échelle; **this suit is from the cheaper** *ou* **bottom ~ of the range** ce costume est un des moins chers de la gamme

5 (aim) but *m*; **to this** *ou* **that ~** dans ce but, à cette fin; **an ~ in itself** une fin en soi; **a means to an ~** un moyen d'arriver à ses fins

6 Sport côté *m*, camp *m*; **to change ~s** changer de camp

7 (scrap) (of rope, string) bout *m*; (of loaf, joint of meat) reste *m*; **candle ~** bout de chandelle

8 (death) mort *f*; **to meet one's ~** trouver la mort; **to be nearing one's ~** sentir sa fin proche; **to come to a bad** *ou* **sticky ~** mal finir; **and that was the ~ of the witch!** et ce fut la fin de la sorcière!

B *modif* [*house, seat*] du bout; [*carriage*] de queue

C *vtr* mettre fin à [*strike, war, friendship, rumour, search*]; mettre fin à, conclure [*meeting, debate, programme*]; rompre [*marriage*]; achever [*match*]; **to ~ sth with** conclure *or* terminer qch par; **to ~ sth by doing** terminer qch en faisant; **he ~ed his days in hospital** il a fini ses jours à l'hôpital; **they ~ed the day in a restaurant** ils ont fini la journée au restaurant; **we ~ed the first half ahead** on avait l'avantage à la fin de la première mi-temps; **to ~ one's life** mettre fin à ses jours; **to ~ it all** en finir avec la vie; **the sale to ~ all sales** ce qu'il y a de mieux comme soldes

D *vi* 1 (finish in time) [*day, meeting, career, relationship, book, war*] finir, se terminer; [*contract, agreement*] expirer; **to ~ in** se terminer par [*failure, tragedy, divorce*]; **it ~ed in a fight/in victory** cela s'est terminé par une bagarre/une victoire; **to ~ with** se terminer par; **it ~s with him being murdered** cela se termine par son assassinat; **the word ~s in** *ou* **with an 'e'** le mot finit par 'e'; **where will it all ~?** comment tout cela finira-t-il?

2 (finish in space) [*path, line, queue, river*] se terminer, s'arrêter

(Idioms) **all's well that ~s well** tout est bien qui finit bien; **to get one's ~ away**◐ s'envoyer en l'air○; **to keep one's ~ up**○ ne pas se laisser impressionner; ▸ **justify, stick**

(Phrasal verb) ■ **end up**: ▸ **~ up [sth]** finir par devenir [*president, alcoholic*]; finir par être [*rich, bored*]; **to ~ up as** finir par devenir; **I don't know how he'll ~ up** je ne sais pas comment il va finir; **to ~ up (by) doing** finir par faire; **to ~ up in** se retrouver à [*London, hospital*]; **to ~ up at home** se retrouver chez soi; **to ~ up with** se retrouver avec [*person, prize*]

endanger /ɪn'deɪndʒə(r)/ *vtr* mettre [qch] en danger [*health, life*]; constituer une menace pour [*environment, species*]; compromettre [*reputation, career, prospects*]; **~ed species** espèce menacée; fig, hum race qui se perd

en dash /'endæʃ/ *n* Print tiret *m* court

endear /ɪn'dɪə(r)/

A *vtr* **to ~ sb to** faire aimer qn de [*person*]; **his humanity ~ed him to the nation** son humanité l'a fait aimer de tout le pays; **what ~s her to me is her simplicity** ce qui me touche chez elle *or* ce qui me la rend chère c'est sa simplicité

B *v refl* **to ~ oneself to sb** se faire aimer *or* apprécier de qn

endearing /ɪn'dɪərɪŋ/ *adj* [*child, personality, habit*] attachant; [*quality*] attachant, touchant; [*remark*] touchant; [*smile*] séduisant; **there's nothing very ~ about him** il n'a rien de bien attachant

endearingly /ɪn'dɪərɪŋlɪ/ *adv* [*smile, remark*] de manière touchante; **~ honest** d'une honnêteté touchante

endearment /ɪn'dɪəmənt/ *n* terme *m* d'affection; **terms of ~** termes *mpl* d'affection; **words of ~** paroles *fpl* affectueuses, mots *mpl* doux

endeavour, endeavor US /ɪn'devə(r)/

A *n* 1 (attempt) tentative *f* (**to do** de faire); **to make every ~ to do** faire tout son possible pour faire; 2 (industriousness) effort *m*; 3 (project) projet *m*

B *vtr* **to ~ to do** (do one's best) faire tout son possible pour faire; (find a means) trouver un moyen de faire; (succeed) réussir à faire

endemic /en'demɪk/

A *n* endémie *f*

B *adj* endémique (**in, to** dans)

endgame /'endgeɪm/ *n* Games fin *f* de partie

ending /'endɪŋ/ *n* 1 (of book, play, film) fin *f*, dénouement *m*; 2 Ling terminaison *f*, désinence *f* spec

endive /'endɪv, US -daɪv/ *n* 1 (curly lettuce) frisée *f*, chicorée *f* frisée; 2 (blanched chicory) endive *f*

endless /'endlɪs/ *adj* 1 (unlimited) [*patience, energy, choice, possibility*] infini; [*supply, stock*] inépuisable; **to go to ~ trouble to do** se donner une peine infinie pour faire; 2 (interminable) [*line, path, drop, list, meeting, search, journey*] interminable; **~ letters** une lettre après l'autre

endlessly /'endlɪslɪ/ *adv* 1 (unlimitedly) infiniment; **~ patient/tolerant** infiniment patient/tolérant; 2 (without stopping) [*talk, cry, argue*] sans s'arrêter; [*search, play, try*] inlassablement; 3 (to infinity) [*stretch, extend*] à perte de vue, à l'infini

end: **~line** *n* US Sport ligne *f* de fond; **~ matter** *n* Publg appendices *mpl*

endocarditis /ˌendəʊkɑː'daɪtɪs/ ▸ **p. 1327** *n* endocardite *f*

endocardium /ˌendəʊ'kɑːdɪəm/ *n* (*pl* **-cardia**) endocarde *m*

endocarp /'endəʊkɑːp/ *n* endocarpe *m*

endocrine /'endəʊkraɪn, -krɪn/ *adj* [*glands, secretions*] endocrine; [*system, disorder*] endocrinien/-ienne

endocrinologist /ˌendəʊkrɪ'nɒlədʒɪst/ ▸ **p. 1683** *n* endocrinologue *mf*

endocrinology /ˌendəʊkrɪ'nɒlədʒɪ/ *n* endocrinologie *f*

end of term

A *n* GB Sch, Univ fin *m* de trimestre

B **end-of-term** *modif* GB Sch, Univ [*party, ball, exam, report*] de fin de trimestre

endogamous /en'dɒgəməs/ *adj* endogame

endogamy /en'dɒgəmɪ/ *n* endogamie *f*

endogenous /en'dɒdʒɪnəs/ *adj* endogène

endolymph /'endəʊlɪmf/ *n* endolymphe *f*

endometriosis /ˌendəʊmiːtrɪ'əʊsɪs/ ▸ **p. 1327** *n* endométriose *f*

endometrium /ˌendəʊ'miːtrɪəm/ *n* (*pl* **-metria**) endomètre *m*

endomorph /'endəʊmɔːf/ *n* endomorphe *mf*

endorphin /en'dɔːfɪn/ *n* endorphine *f*

endorse /ɪn'dɔːs/ *vtr* 1 donner son aval à [*view, policy, principle*]; appuyer [*candidate, decision*]; Comm approuver [*product*]; endosser [*cheque, bill*]; approuver [*claim*]; 2 GB Aut **to have one's licence ~d** ≈ perdre des points sur son permis de conduire

endorsement /ɪn'dɔːsmənt/ *n* 1 (of opinion) approbation *f* (**of** de); (of candidate) appui *m* (**of** à); (of decision) sanction *f* (**of** à propos de); (of claim) approbation *f* (**of** de); (of cheque) endossement *m*; **expenses claims should be submitted to your superior for ~** les notes de frais doivent être portées à votre supérieur pour être approuvées; 2 Aut **he has had two ~s for speeding** ≈ il a perdu des points pour excès de vitesse

endoskeleton /ˈendəʊskelɪtn/ *n* endosquelette *m*
endothermic /ˌendəʊˈθɜːmɪk/ *adj* endothermique
endow /ɪnˈdaʊ/ *vtr* **1** (with money) doter [*hospital, charity*]; subventionner [*hospital bed, ward*]; fonder [*academic post*]; **2** (bestow) doter [*person*] (**with** de); **she is well-~ed**○ il y a du monde au balcon○, elle a une poitrine opulente; **he's well-~ed**○ il est bien monté◑
endowment /ɪnˈdaʊmənt/ *n* **1** (action) (of hospital, school) dotation *f*; (of prize, academic post) fondation *f*; **2** (money given) dotation *f*; **capital ~** dotation *f* en capital; **3** (talent, ability) don *m*, talent *m* (naturel)
endowment: **~ insurance** *n* assurance *f* à capital différé *or* en cas de vie; **~ mortgage** *n* hypothèque *f* liée à une assurance en cas de vie; **~ policy** *n* = **endowment insurance**
end: **~paper** *n* Publg page *f* de garde, garde *f*; **~ product** *n* Comm produit *m* fini; **~ result** *n* résultat *m* final; **~ table** *n* US table *f* basse
endurable /ɪnˈdjʊərəbl, US -ˈdʊə-/ *adj* supportable, endurable
endurance /ɪnˈdjʊərəns, US -dʊə-/ *n* (physical) endurance *f*; (moral) courage *m* (**of** face à); (of cold) résistance *f* (**of** à); **to test your powers of ~ to the full** pour mettre votre endurance à l'épreuve; **to show great powers of ~** faire preuve d'une grande endurance; **past** *ou* **beyond (all) ~** intolérable; **to provoke sb beyond ~** pousser qn à bout
endurance test *n* Sport, Mil épreuve *f* d'endurance; péj hum vrai supplice *m*
endure /ɪnˈdjʊə(r), US -ˈdʊər/
A *vtr* endurer [*personal experience, humiliation, hardship*]; supporter [*behaviour, sight, lifestyle, person*]; subir [*attack, defeat, imprisonment*]
B *vi* (last) durer
enduring /ɪnˈdjʊərɪŋ, US -ˈdʊə-/ *adj* [*influence, fame*] durable; [*ability, grudge*] constant; [*government*] stable; [*charm*] immuable
enduringly /ɪnˈdjʊərɪŋlɪ, US -ˈdʊə-/ *adv* **to be ~ popular** rester populaire
end user *n* Comm, Comput utilisateur *m* final
enema /ˈenɪmə/ *n* Med lavement *m*; **to give sb an ~** faire un lavement à qn
enemy /ˈenəmɪ/
A *n* (*pl* **-mies**) **1** gen, fig ennemi/-e *m/f*; **to make enemies** se faire des ennemis; **to make an ~ of sb** se faire un ennemi de qn; **his arrogance made him many enemies** son arrogance lui a valu beaucoup d'ennemis; **public ~ number one** l'ennemi public numéro un; **to be one's own worst ~** être son pire ennemi; **the ~ within** l'ennemi intérieur; **2** Mil **the ~** (+ *v sg ou pl*) l'ennemi; **to go over to the ~** passer à l'ennemi
B *modif* [*forces, aircraft, propaganda, territory*] ennemi; [*agent*] de l'ennemi; **~ alien** ressortissant/-e *m/f* d'un pays ennemi; **killed by ~ action** tombé sous le feu de l'ennemi; **under ~ occupation** occupé par l'ennemi
energetic /ˌenəˈdʒetɪk/ *adj* **1** (full of life) [*person*] énergique, dynamique; [*exercise*] vigoureux/-euse; [*child*] débordant d'énergie; **I'm not feeling very ~ today** je ne me sens pas d'attaque aujourd'hui; **2** (vigorous) [*reforms, programme, administration, campaign*] énergique; [*debate*] animé
energetically /ˌenəˈdʒetɪklɪ/ *adv* [*work, exercise*] avec vigueur; [*argue, speak*] énergiquement, avec force; [*deny*] énergiquement, vigoureusement; [*promote, publicize*] avec force; **to stride ~** marcher d'un pas énergique
energetics /ˌenəˈdʒetɪks/ *n* Phys (+ *v sg*) énergétique *f*
energize /ˈenədʒaɪz/ *vtr* **1** (invigorate) stimuler; **2** Elec alimenter [qch] en courant
energizing /ˈenədʒaɪzɪŋ/ *adj* [*influence, work*] stimulant
energy /ˈenədʒɪ/ *n* **1** (strength, vitality) énergie *f*; **to have the ~ to do** avoir l'énergie *or* le courage de faire; **to devote all one's ~ to sth/to doing** consacrer toute son énergie à qch/à faire; **it would be a waste of ~** ce serait se donner du mal pour rien; **2** (power, fuel) énergie *f*; **nuclear ~** énergie *f* nucléaire; **to save/waste ~** conserver/gaspiller l'énergie; **3** **Department of Energy** ministère *m* de l'Énergie; **Energy Secretary, Energy Minister** ministre *m* de l'Énergie; **4** Phys énergie *f*
energy: **~ audit** *n* audit *m* énergétique; **~ consumption** *n* consommation *f* d'énergie; **~ efficiency** *n* économies *fpl* d'énergie; **~ level** *n* Phys niveau *m* énergétique; **~ resources** *npl* ressources *fpl* énergétiques
energy saving
A *n* économies *fpl* d'énergie
B **energy-saving** *adj* [*device, measure*] anti-gaspillage d'énergie
enervate /ˈenəveɪt/ *vtr* débiliter
enervating /ˈenəveɪtɪŋ/ *adj* (all contexts) débilitant
enfant terrible /ˌɒnfɒn teˈriːbl/ *n* enfant *mf* terrible
enfeeble /ɪnˈfiːbl/ *vtr* affaiblir
enfeeblement /ɪnˈfiːblmənt/ *n* affaiblissement *m*
enfilade /ˌenfɪˈleɪd/ Mil
A *n* tir *m* d'enfilade
B *vtr* soumettre [qch] à un tir d'enfilade
enfold /ɪnˈfəʊld/ *vtr* envelopper; **to ~ sb in one's arms** étreindre qn
enforce /ɪnˈfɔːs/ *vtr* **1** (impose) appliquer [*rule, policy, decision*]; faire respecter [*law, court order*]; faire valoir [*legal rights*]; imposer [*silence, discipline*]; exiger [*payment*]; faire exécuter [*contract*]; **2** (strengthen) renforcer [*opinion, hypothesis*]; appuyer [*argument, theory*]
enforceable /ɪnˈfɔːsəbl/ *adj* gen qui peut être imposé; Jur [*law, ruling, verdict*] exécutoire, [*rule*] applicable; **to be ~** Jur avoir force exécutoire
enforced /ɪnˈfɔːst/ *adj* [*acceptance, abstinence, redundancy*] forcé; [*discipline*] imposé par la force
enforcement /ɪnˈfɔːsmənt/ *n* (of law, regulation) application *f*, exécution *f*; (of policy, decision) application *f*; (of discipline) imposition *f*; **~ action**, **~ measures** Jur mesures *fpl* d'exécution
enfranchise /ɪnˈfræntʃaɪz/ *vtr* **1** (give right to vote to) admettre [qn] au suffrage; (give political rights to) donner *or* octroyer des droits politiques à; **2** (emancipate) affranchir
enfranchisement /ɪnˈfræntʃaɪzmənt/ *n* **1** Pol admission *f* au suffrage; **2** (emancipation) affranchissement *m*
engage /ɪnˈgeɪdʒ/
A *vtr* **1** sout (interest, attract) retenir [*person, attention*]; éveiller [*interest, sympathy*]; séduire [*imagination*]; **to ~ sb in conversation** engager la conversation avec qn; **to be otherwise ~d** être pris ailleurs; **2** (involve) **to be ~d in** se livrer à [*activity, practice, search*]; prendre part à [*conspiracy*]; **to be ~d in discussions/negotiations** être en discussion/négociations; **to be ~d in doing** être en train de faire; **3** (employ) prendre [*lawyer*]; engager [*cleaner, secretary, interpreter*]; embaucher [*worker*]; **4** Mech passer, enclencher [*gear*]; **to ~ the clutch** embrayer; **5** Mil engager le combat avec [*enemy*]
B *vi* sout (be, become involved) **to ~ in** se livrer à [*activity, practice*]; se lancer dans [*argument, research*]; engager, entamer [*discussion, dialogue, negotiations*]; Mil engager [*combat, hostilities*]
engaged /ɪnˈgeɪdʒd/ *adj* **1** (before marriage) **to be ~** être fiancé (**to** à); **to get ~d** se fiancer (**to** à); **we were ~ for three years before getting married** nous sommes restés fiancés pendant trois ans avant de nous marier; **2** [*toilet*] occupé; [*phone, line*] occupé; [*taxi*] pris
engaged tone *n* GB tonalité *f* 'occupé'; **I keep getting an ~** ça sonne toujours occupé
engagement /ɪnˈgeɪdʒmənt/ *n* **1** sout (appointment) rendez-vous *m*; (for performer, artist) engagement *m*; **official** *ou* **public ~** obligation *f* officielle; **social ~** obligation *f* sociale; **prior ~** obligation *f*; **I have a dinner ~ tomorrow evening** j'ai un dîner demain soir; **2** (before marriage) fiançailles *fpl*; **to break off one's ~** rompre ses fiançailles; **3** Mil (initial skirmish) engagement *m* (**with** avec); (battle) combat *m* (**with** avec); **the rules of ~** les règles d'engagement
engagement: **~ book** *n* agenda *m*; **~ ring** *n* bague *f* de fiançailles
engaging /ɪnˈgeɪdʒɪŋ/ *adj* [*shyness, character*] attachant; [*person, laugh, tale*] charmant; [*smile*] engageant; [*performance*] intéressant
engagingly /ɪnˈgeɪdʒɪŋlɪ/ *adv* [*behave, smile, write*] de façon charmante; **he is ~ frank** sa franchise est charmante
engender /ɪnˈdʒendə(r)/ *vtr* engendrer, causer
engine /ˈendʒɪn/ *n* **1** (motor) (in car, train, aeroplane, boat) moteur *m*; (in jet aircraft) réacteur *m*; (in ship) machines *fpl*; **steam ~** machine *f* à vapeur; **jet ~** moteur à réaction; **2** Rail (locomotive) locomotive *f*; **diesel/steam ~** locomotive diesel/à vapeur; **to sit facing/with one's back to the ~** être assis dans le sens de la marche/dans le sens contraire à la marche
engine driver *n* mécanicien *m*
engineer /ˌendʒɪˈnɪə(r)/ ▸ **p. 1683**
A *n* (graduate) ingénieur *m*; (in factory) mécanicien *m* monteur; (repairer) dépanneur *m*, réparateur *m*, technicien *m*; (on ship) mécanicien *m*; US Rail mécanicien *m*; **the (Royal) Engineers** Mil le génie; **chief ~** Naut mécanicien *m* chef; **heating ~** chauffagiste *m*; **telephone ~** technicien *m* des télécommunications; ▸ **civil engineer etc**
B *vtr* **1** (plot) manigancer [*revolt, fall, success, conspiracy*]; ourdir [*plot*]; **2** (build) construire
engineering /ˌendʒɪˈnɪərɪŋ/ *n* **1** (subject, science) gen ingénierie *f*; **civil/chemical ~** génie *m* civil/chimique; **to study ~** faire des études d'ingénieur; **an extraordinary feat of ~** une belle réalisation technologique; **2** (industry) industrie *f* mécanique; **light/heavy ~** génie *m* léger/lourd; **3** (structure) construction *f* mécanique
engineering: **~ and design department** *n* Ind bureau *m* d'études techniques; **~ company** *n* société *f* de constructions mécaniques; **~ course** *n* Univ école *f* d'ingénieurs; **~ degree** *n* Univ diplôme *m* d'ingénieur; **~ department** *n* Univ département *m* d'ingénierie; **~ drawing** *n* dessin *m* industriel; **~ factory**, **~ works** *n* usine *f* de constructions mécaniques; **~ industry** *n* industrie *f* mécanique; **~ science** *n* Univ ingénierie *f*; **~ student** *n* Univ élève *mf* ingénieur; **~ worker** *n* métallurgiste *m*
engine: **~ failure** *n* gen, Aut, Aviat panne *f* de moteur; (in jet aircraft) panne *f* de réacteur; **~ oil** *n* huile *f*; **~ room** *n* salle *f* des machines; **~ shed** *n* Rail dépôt *m*
England /ˈɪŋglənd/ ▸ **p. 1096** *pr n* Angleterre *f*
english /ˈɪŋglɪʃ/ *n* US (in billiards) effet *m*
English /ˈɪŋglɪʃ/ ▸ **p. 1467, p. 1378**
A *n* **1** Ling anglais *m*; **the King's** *ou* **Queen's ~** l'anglais correct; **2** **the ~** (+ *v pl*) les Anglais *mpl*
B *adj* anglais
English: **~ as a Foreign Language**, **EFL** *n* anglais *m* langue étrangère; **~ as a Second Language**, **ESL** *n* anglais *m* deuxième langue; **~ breakfast** *n* petit déjeuner *m* anglais
English Channel *n* **the ~** la Manche

English: **~ for Special Purposes, ESP** *n* anglais *m* de spécialités
English Heritage *pr n* GB *organisme de protection du patrimoine historique*

English Heritage
Organisation créée par le parlement britannique en 1984, dont le rôle est de protéger le patrimoine historique anglais et d'en promouvoir l'accès au public. Elle possède plus de 400 châteaux, manoirs, églises et monuments à travers toute l'Angleterre. ▸ **National Trust**

e

English Language Teaching, ELT *n* enseignement *m* de l'anglais
Englishman /'ɪŋglɪʃmən/ *n* (*pl* **-men**) Anglais *m*
(Idiom) **an ~'s home is his castle** Prov ≈ charbonnier est maître dans sa maison Prov
Englishness /'ɪŋglɪʃnɪs/ *n* (of custom, behaviour etc) caractère *m* typiquement anglais; (of person) côté *m* typiquement anglais
English: **~ rose** *n* jeune fille *f* au teint frais; **~ speaker** *n* anglophone *mf*; **~-speaking** *adj* [*country, community, world*] anglophone; [*person*] qui parle anglais, anglophone; **~ walnut** *n* US noix *f*; **~woman** *n* Anglaise *f*
Eng Lit /'ɪŋ lɪt/ *n* (*abrév* = **English Literature**) littérature *f* anglaise
engraft /ɪn'grɑːft, US -græft/ *vtr* greffer (**on** sur)
engram /'engræm/ *n* engramme *m*
engrave /ɪn'greɪv/ *vtr* gen, Print graver; **~d on the heart/mind** gravé dans le cœur/la mémoire
engraver /ɪn'greɪvə(r)/ ▸ **p. 1683** *n* graveur/-euse *m/f*
engraving /ɪn'greɪvɪŋ/ *n* gravure *f*
engraving plate *n* planche *f* à graver *or* d'imprimerie
engross /ɪn'grəʊs/ *vtr* **1** captiver [*audience*]; **to be ~ed in** être absorbé *or* plongé dans [*book, spectacle, work*]; être absorbé dans [*problems*]; **2** Jur rédiger; **3** US (dominate) accaparer [*market*]
engrossing /ɪn'grəʊsɪŋ/ *adj* [*book, programme*] absorbant, captivant; [*activity, problem*] absorbant
engrossment /ɪn'grəʊsmənt/ *n* rédaction *f* définitive
engulf /ɪn'gʌlf/ *vtr* [*sea, waves, fire*] engloutir; [*silence*] envelopper; [*panic*] s'emparer de; **to be ~ed by hatred/grief** être déchiré par la haine/accablé de chagrin
enhance /ɪn'hɑːns, US -hæns/ *vtr* **1** (improve) améliorer [*prospects, status, reputation*]; accroître [*rights, privileges, authority, power*]; retoucher [*image, photo*]; rehausser, mettre [qch] en valeur [*appearance, beauty*]; mettre en valeur, faire valoir [*qualities*]; **2** (increase) augmenter [*value*]; majorer [*pension, salary*]
enhancement /ɪn'hɑːnsmənt, US -hæns-/ *n* (of reputation, prospects, status) amélioration *f*; (of rights, privileges, power) accroissement *m*; (of beauty, quality) mise *f* en valeur; (of pension, salary) majoration *f*
enharmonic /ˌenhɑː'mɒnɪk/ *adj* enharmonique
enigma /ɪ'nɪgmə/ *n* énigme *f*
enigmatic /ˌenɪg'mætɪk/ *adj* énigmatique
enigmatically /ˌenɪg'mætɪklɪ/ *adv* de façon énigmatique
enjambement /ɪn'dʒæmmənt/ *n* Literat enjambement *m*
enjoin /ɪn'dʒɔɪn/ *vtr* **1** (impose, urge) imposer [*silence, obedience, discipline*] (**on** à); prescrire [*discretion, caution*] (**on** à); **to ~ sb to do** ordonner *or* enjoindre liter à qn de faire; **2** US (prohibit) **to ~ sb from doing** interdire à qn de faire
enjoy /ɪn'dʒɔɪ/
A *vtr* **1** (get pleasure from) aimer [*reading, swimming, sport, hobby etc*]; aimer, apprécier [*art, music, wine*]; aimer, s'amuser à [*party*]; **I ~ gardening/cooking** j'aime jardiner/faire la cuisine; **don't worry, I'll ~ looking after Paul** ne vous inquiétez pas, ça me fait plaisir de m'occuper de Paul; **she ~s life** elle aime la vie; **he knows how to ~ life** il sait vivre; **I ~ed the match/film** le match/le film m'a plu, j'ai bien aimé le match/film; **I ~ed my day/stay in London** j'ai passé une bonne journée/un bon séjour à Londres; **I didn't ~ the party** je ne me suis pas bien amusé à la soirée; **we ~ed it immensely** cela nous a beaucoup plu, nous avons beaucoup aimé; **the tourists are ~ing the good weather** les touristes profitent du beau temps; **~ your meal!** bon appétit!; **~ our hotel's excellent restaurant** appréciez l'excellent restaurant de notre hôtel; **he ~ed a meal/coffee in the restaurant** il a pris un repas/café au restaurant; **2** (benefit from) jouir de [*privilege, right, advantage, good health, popularity, success*]
B *vi* **~!** US amusez-vous (*or* amuse-toi) bien!
C *v refl* **to ~ oneself** s'amuser; **to ~ oneself doing** s'amuser à faire; **~ yourselves!** amusez-vous bien!
enjoyable /ɪn'dʒɔɪəbl/ *adj* agréable
enjoyably /ɪn'dʒɔɪəblɪ/ *adv* [*chat, dine*] d'une manière agréable; **we spent the morning ~ in the museum** nous avons passé une matinée agréable au musée
enjoyment /ɪn'dʒɔɪmənt/ *n* **1** ¢ (pleasure) plaisir *m*; **much to the ~ of** au grand plaisir de; **my ~ of sport/reading** le plaisir que je prends au sport/à la lecture; **to get ~ from chess/television** prendre plaisir à jouer aux échecs/regarder la télévision; **he never reads for ~** il ne lit jamais pour le plaisir; **2** sout (of privileges, rights) jouissance *f* (**of** de)
enlarge /ɪn'lɑːdʒ/
A *vtr* agrandir [*space, opening, document, photograph*]; élargir [*empire*]; développer [*business*]; augmenter [*capacity*]; **to have a photograph ~d** faire agrandir une photo
B *vi* **1** (get bigger) [*space, opening*] s'agrandir; [*influence, majority, population*] s'accroître; **2** Med [*pupil*] se dilater; [*tonsils, joint*] enfler; **3** **to ~ on** (explain) s'étendre sur [*subject*]; développer [*theory, idea*]; **can you ~ on what has just been said?** pouvez-vous développer un peu ce qui vient d'être dit?
C enlarged *pp adj* Med [*pupil, pore*] dilaté; [*tonsils, joint*] enflé; [*heart, liver*] hypertrophié
enlargement /ɪn'lɑːdʒmənt/ *n* **1** (of space, opening) agrandissement *m*; (of territory, EU) élargissement *m*; (of business) accroissement *m*; (of index) augmentation *f*; (of photograph, document) agrandissement *m*; **2** Med (of pupil) dilatation *f*; (of heart, liver) hypertrophie *f*
enlarger /ɪn'lɑːdʒə(r)/ *n* Phot agrandisseur *m*
enlighten /ɪn'laɪtn/ *vtr* éclairer (**on** sur); **I'm waiting to be ~ed** iron j'attends qu'on éclaire ma lanterne iron; **I'm no more ~ed now than I was at the beginning** je n'en sais pas plus long *or* je ne suis pas plus avancé qu'au début
enlightened /ɪn'laɪtnd/ *adj* [*person, mind, opinions*] éclairé; **in these ~ days** iron dans ce siècle de lumières, dans ce siècle éclairé
enlightening /ɪn'laɪtnɪŋ/ *adj* [*book*] instructif/-ive; **that conversation was most ~** iron cette conversation était très instructive *or* édifiante
enlightenment /ɪn'laɪtnmənt/
A *n* **1** (edification) instruction *f*, édification *f*; **2** (clarification) éclaircissement *m* (**on** sur); **for your ~** pour votre instruction
B Enlightenment *pr n* (*also* **Age of the Enlightenment**) Hist Siècle *m* des lumières
enlist /ɪn'lɪst/
A *vtr* Mil enrôler, recruter [*soldier*]; fig recruter [*volunteer, helper*]; **to ~ sb's help/co-operation** s'assurer l'aide/le concours de qn
B *vi* Mil s'enrôler, s'engager
enlisted man *n* US Mil simple soldat *m*
enlistment /ɪn'lɪstmənt/ *n* Mil enrôlement *m*, recrutement *m*
enliven /ɪn'laɪvn/ *vtr* animer [*conversation, meal*]; colorer [*speech*]
enmesh /ɪn'meʃ/ *vtr* **to become ~ed in** [*person*] s'empêtrer dans [*net, rope*]; [*fish*] se prendre dans les mailles de [*net*]; **to be ~ed in a family feud** se trouver mêlé à une querelle de famille
enmity /'enmətɪ/ *n* inimitié *f*, hostilité *f* (**towards** envers; **for** pour)
ennoble /ɪ'nəʊbl/ *vtr* lit anoblir [*person*]; fig ennoblir [*person, mind, spirit*]
enologist *n* US = **oenologist**
enology *n* US = **oenology**
enormity /ɪ'nɔːmətɪ/ *n* **1** (of crime, problem, task) énormité *f*; **2** sout (crime) atrocité *f*; **3** (mistake) énormité *f*
enormous /ɪ'nɔːməs/ *adj* [*house, animal, difference, problem*] énorme; [*effort*] prodigieux/-ieuse; **an ~ amount of** énormément de; **an ~ number of people** un monde fou; **to his ~ delight** à sa très grande joie
enormously /ɪ'nɔːməslɪ/ *adv* [*change, enjoy, vary*] énormément; [*big, long, complex, impressed*] extrêmement; **we enjoyed ourselves ~** on s'est beaucoup *or* follement amusé○
enough /ɪ'nʌf/

⚠ When *enough* is used as an adverb or a pronoun, it is most frequently translated by *assez*: *is the house big enough?* = est-ce que la maison est assez grande? (Note that *assez* comes before the adjective); *will there be enough?* = est-ce qu'il y en aura assez? Note that if the sentence does not specify what it is enough of, the pronoun *en*, meaning *of it/of them*, must be added before the verb in French.
When used as a determiner, *enough* is generally translated by *assez de*: *we haven't bought enough meat* = nous n'avons pas acheté assez de viande; *there's enough meat for two meals/six people* = il y a assez de viande pour deux repas/six personnes; *have you got enough chairs?* = avez-vous assez de chaises?
For more examples and particular usages, see the entry below.

adv, det, pron assez; **tall/sweet ~** assez grand/sucré; **big ~ for us** assez grand pour nous; **big ~ to hold 50 people** assez grand pour contenir 50 personnes; **quite big ~** bien assez grand (**for** pour; **to do** pour faire); **just wide ~** juste assez large (**for** pour; **to do** pour faire); **to eat/have ~** manger/en avoir assez; **have you had ~ to eat?** avez-vous assez mangé?; **~ money/seats** assez d'argent/de sièges; **he has ~ money to buy a car** il a assez d'argent pour acheter une voiture; **there's more than ~ for everybody** il y en a plus qu'assez *or* largement assez pour tout le monde; **she seems happy ~** elle a l'air assez heureuse; **it's a common ~ complaint** c'est un sujet de plainte assez courant; **there was hardly ~** il y en avait à peine assez; **is there ~?** y en a-t-il assez?; **is he old ~ to vote?** a-t-il l'âge de voter?; **you're not trying hard ~** tu ne fais pas assez d'efforts; **curiously ~, I like her** aussi bizarre que cela puisse paraître, je l'aime bien; **will that be ~ (money)?** est-ce que ça suffira?; **I've had ~ of him/of his rudeness** j'en ai assez de lui/de sa grossièreté; **I've had ~ of working for one day** j'ai assez travaillé pour aujourd'hui; **I've got ~ to worry about** j'ai assez de soucis (comme ça); **I think you have said ~** je crois que vous en avez dit assez; **once was ~ for me!** une fois m'a suffi!; **that's ~ (from you)!** assez!; **~ said!** j'ai compris!; **it's ~ to put you off** ça suffirait à vous dégoûter; **he's ~ of a fool** *ou* **he's fool ~ to believe it** il est suffisamment *or* assez bête pour le croire; **she's a nice ~ woman** elle n'est pas désagréable; **~'s ~** ça suffit (comme ça); **and sure ~...!** et ça n'a pas manqué...!

(Idiom) **~ is as good as a feast** Prov ≈ il ne faut pas abuser des bonnes choses

enquire *vtr, vi* = **inquire**

enquiry *n* = **inquiry**

enrage /ɪn'reɪdʒ/ *vtr* mettre [qn] en rage, rendre [qn] furieux/-ieuse; **to be ~d at sb** être furieux/-ieuse contre qn

enraged /ɪn'reɪdʒd/ *adj* [*person*] enragé, furieux/-ieuse; [*bull, dog*] furieux/-ieuse

enrapture /ɪn'ræptʃə(r)/ *vtr* enchanter, ravir

enrich /ɪn'rɪtʃ/ *vtr* (all contexts) enrichir; **this experience has ~ed her** cette expérience a été très enrichissante pour elle

enriched nuclear fuel *n* combustible *m* nucléaire enrichi

enrichment /ɪn'rɪtʃmənt/ *n* enrichissement *m*

enrol, enroll US /ɪn'rəʊl/ (*p prés etc* **-ll-**)
A *vtr* inscrire [*member, student, child*]; Mil enrôler [*recruit*]
B *vi* gen s'inscrire; Mil s'engager (**in** dans); **to ~ on a course/at a university** s'inscrire à un cours/à une université; **to ~ in history** s'inscrire en histoire

enrolment, enrollment US /ɪn'rəʊlmənt/ *n* gen inscription *f* (**in, on** à); Mil enrôlement *m*; **school ~s** les inscriptions à l'école; **the total ~ in each class** le total des inscriptions dans chaque classe; **the drop in ~s** la baisse des inscriptions

en route /ˌɒn 'ru:t/ *adv* en route

ensconce /ɪn'skɒns/
A *vtr* **to be ~d** (in a room) être bien installé; (in an armchair) être bien installé; (in a job, situation) être casé
B *v refl* **to ~ oneself** bien s'installer

ensemble /ɒn'sɒmbl/ *n* (all contexts) ensemble *m*

enshrine /ɪn'ʃraɪn/ *vtr* Relig enchâsser [*relic*]; fig conserver [qch] pieusement [*memory*]; renfermer [*principle, tradition*]; **~d in law** consacré par la loi

ensign /'ensən/ *n* **1** (flag) pavillon *m*; **to fly the ~** battre pavillon; **red ~** pavillon de la marine marchande; **white ~** pavillon de la marine de guerre; **blue ~** pavillon des bâtiments de soutien; **2** US Naut, GB Mil Hist (officer) enseigne *m*

enslave /ɪn'sleɪv/ *vtr* lit asservir, réduire [qn] à l'esclavage; fig asservir; **to be ~d by passion** être l'esclave de la passion

enslavement /ɪn'sleɪvmənt/ *n* asservissement *m*

ensnare /ɪn'sneə(r)/ *vtr* lit prendre [qn/qch] au piège, attraper; **he was ~d by her charms** fig il s'est laissé prendre par ses charmes

ensue /ɪn'sju:, US -'su:/ *vi* s'ensuivre; **to ~ from** résulter de

ensuing /ɪn'sju:ɪŋ, US -'su:-/ *adj* qui s'ensuivit

en suite /ˌɒn 'swi:t/
A *n* Tourism salle *f* de bains attenante
B *adj* attenant, contigu/-uë; **with an ~ bathroom, with bathroom ~** avec salle de bains (attenante)

ensure /ɪn'ʃɔ:(r), US ɪn'ʃʊər/ *vtr* garantir; **to ~ that** s'assurer que, faire en sorte que (+ *subj*); **to ~ sb** garantir *or* assurer [qch] à qn [*place, ticket*]

ENT *n* (*abrév* = **Ear, Nose and Throat**) ORL *f*

entail /ɪn'teɪl/
A *n* Jur substitution *f* (d'un héritage)
B *vtr* **1** impliquer [*travel, action, work*]; exiger [*patience, sacrifice, discretion*]; entraîner [*change, development, expense, responsibility, study*]; nécessiter [*effort, time, journey, modification*]; **to ~ sb doing** impliquer que qn fasse; **to ~ that** impliquer que (+ *subj*); **2** Jur substituer; **3** Philos, Math impliquer

entailment /ɪn'teɪlmənt/ *n* Philos, Math, Ling implication *f*

entangle /ɪn'tæŋgl/ *vtr* **1** lit **to become ~d** s'enchevêtrer (**in** dans); **to be ~d in sth** être pris dans qch; **2** fig (involve) **to be ~d with** [*person*] être étroitement lié à [*ideology*]; (sexually) se compromettre avec [*person*]; **to be ~d in** [*person*] être mêlé de près à [*conspiracy*]

entanglement /ɪn'tæŋglmənt/ *n* **1** (complicated situation) imbroglio *m*; **the legal ~s** l'imbroglio juridique; **2** (involvement) liaison *f* (**with** avec); **his sexual ~s** ses aventures sexuelles; **3** Mil **barbed wire ~s** réseaux *mpl* de barbelés

enter /'entə(r)/
A *vtr* **1** (go into) entrer dans, pénétrer dans [*room, building*]; **to ~ the house by the back door** entrer dans la maison par la porte de derrière; **here the river ~s the sea** ici le fleuve se jette dans la mer; **2** (commence) entrer dans [*phase, period*]; entamer [*new term, final year*]; **she is ~ing her third year as president** elle entame sa troisième année comme présidente; **he is ~ing his fiftieth year** il entre dans sa cinquantième année; **the country is ~ing a recession** le pays s'engage dans la récession; **3** (join, sign up for) entrer dans [*profession, firm*]; participer à, prendre part à [*race, competition*]; entrer à [*school, university, convent, army, party, EU*]; **to ~ parliament** entrer au parlement; **to ~ the war** entrer en guerre; **to ~ the Church** entrer en religion *or* dans les ordres; **4** (put forward) inscrire [*competitor, candidate, pupil*] (**for** à); engager [*horse*] (**for** dans); présenter [*poem, picture*] (**for** à); **5** (register, record) (on form, list, ledger) inscrire [*detail, figure, fact*] (**in** dans); (in diary, notebook) noter [*fact, appointment*] (**in** dans); **to ~ an item in the books** Accts porter un article *or* passer une écriture (sur le livre de comptes); **to ~ an objection** élever une objection; **to ~ a plea of guilty** plaider coupable; **6** (penetrate) pénétrer dans, entrer dans; **the bullet ~ed the lung** la balle a pénétré dans le poumon; **7** fig (come into) **to ~ sb's mind** *ou* **head** venir à l'idée *or* à l'esprit de qn; **it never ~ed my mind that** il ne m'était jamais venu à l'idée que; **a note of anger ~ed her voice** il y avait une pointe de colère dans sa voix; **8** Comput entrer [*data*]
B *vi* **1** [*person, animal*] entrer; **the bullet ~ed above the ear** la balle est entrée *or* a pénétré au-dessus de l'oreille; **'~ Ophelia'** Theat 'entre Ophélie'; **2** (enrol) **to ~ for** s'inscrire à [*exam*]; s'inscrire pour [*race*]; **I hope they don't ~** j'espère qu'ils ne participeront pas à l'épreuve

(Phrasal verbs) ■ **enter into**: ▶ **~ into [sth]** **1** (embark on) entrer en [*correspondence, conversation*]; entamer [*negotiations, debate, argument*]; se lancer dans [*explanations, apologies*]; conclure [*deal, alliance*]; passer [*agreement, contract*]; **to ~ into detail** entrer dans les détails; **2** (become involved in) entrer dans, se laisser gagner par [*spirit*]; partager [*problem*]; **to ~ into the spirit of the game** entrer dans le jeu; **3** (be part of) faire partie de [*plans, calculations*]; **that doesn't ~ into it** c'est sans rapport
■ **enter on** = **enter upon**
■ **enter up**: ▶ **~ up [sth], ~ [sth] up** inscrire [*figure, total, detail*]
■ **enter upon**: ▶ **~ upon [sth]** **1** (undertake) s'engager dans [*war, marriage*]; **2** Jur prendre possession de [*inheritance*]

enteric /en'terɪk/ *adj* entérique

enteric fever ▸ **p. 1327** *n* fièvre *f* typhoïde

enteritis /ˌentə'raɪtɪs/ ▸ **p. 1327** *n* entérite *f*

enterobacteria /ˌentərəʊbæk'tɪərɪə/ *npl* entérobactéries *fpl*

enterostomy /ˌentə'rɒstəmɪ/ *n* entérostomie *f*

enterotomy /ˌentə'rɒtəmɪ/ *n* entérotomie *f*

enterovirus /ˌentərəʊ'vaɪərəs/ *n* entérovirus *m*

enterprise /'entəpraɪz/ *n* **1** (undertaking) entreprise *f*; (venture) aventure *f*; **business ~** affaire *f* commerciale; **2** (initiative) esprit *m* d'initiative *or* d'entreprise; **3** (company, firm) entreprise *f*, affaire *f*; **4** Econ entreprise *f*; **private ~** l'entreprise privée

enterprise: **~ allowance** *n* GB Admin *allocation pour la création d'une entreprise*; **~ culture** *n* culture *f* entrepreneuriale; **~ zone** *n* zone *f* de développement économique

enterprising /'entəpraɪzɪŋ/ *adj* [*person*] entreprenant; [*plan*] audacieux/-ieuse; **it was very ~ of you to organize a concert** vous avez fait preuve de beaucoup d'initiative en organisant ce concert

enterprisingly /'entəpraɪzɪŋlɪ/ *adv* [*act, say*] de sa propre initiative, de son propre chef

entertain /ˌentə'teɪn/
A *vtr* **1** (keep amused) divertir; (make laugh) amuser; (keep occupied) distraire, occuper; (keep company with) tenir compagnie à; **2** (play host to) recevoir; **to ~ sb to dinner** recevoir qn à dîner; **she's being ~ed to dinner by some friends** elle est invitée à dîner chez des amis; **3** (nurture) entretenir [*idea*]; retenir [*suggestion*]; nourrir [*doubt, hope, ambition, passion, illusion*]; **I couldn't ~ the thought that** je n'arrivais pas à me faire à l'idée que
B *vi* recevoir; **we don't ~ much** nous ne recevons pas souvent

entertainer /ˌentə'teɪnə(r)/ ▸ **p. 1683** *n* (comic) comique *mf*; (performer, raconteur) amuseur/-euse *m/f*; **an all-round ~** une bête de spectacle

entertaining /ˌentə'teɪnɪŋ/
A *adj* divertissant
B *n* (art) art *m* de recevoir; **they do a lot of ~** ils reçoivent beaucoup; **I love ~** j'adore recevoir; **ideal for ~!** parfait pour recevoir vos amis!

entertainingly /ˌentə'teɪnɪŋlɪ/ *adv* de façon divertissante

entertainment /ˌentə'teɪnmənt/ *n* **1** ₵ divertissement *m*, distractions *fpl*; **what do you do for ~ here?** qu'est-ce qu'il y a comme distractions ici?; **television is her only ~** la télévision est sa seule distraction; **for sb's ~** pour l'amusement *or* le divertissement de qn; **for her own ~** pour le plaisir; **(much) to the ~ of sb** à la grande joie de qn; **the world of ~, the ~ world** le monde du spectacle; **2** (performance, event) spectacle *m*

entertainment: **~ allowance** *n* indemnité *f* *or* prime *f* de représentation; **~ expenses** *n* frais *mpl* de représentation; **~ industry** *n* industrie *f* du spectacle

enthral(l) /ɪn'θrɔ:l/ *vtr* (*p prés etc* **-ll-**) **1** (captivate) [*performance, novel, scenery*] captiver, passionner; [*beauty, charm*] séduire, charmer; **to be ~ed by sb's beauty** être captivé *or* saisi par la beauté de qn; **2** †(enslave) asservir

enthralling /ɪn'θrɔ:lɪŋ/ *adj* [*novel, performance*] captivant, passionnant; [*beauty*] saisissant

enthrone /ɪn'θrəʊn/ *vtr* introniser, placer [qn] sur le trône [*monarch*]; introniser [*bishop*]; **to sit ~d** littér trôner; **~d in the hearts of millions** vénéré par des millions d'admirateurs

enthronement /ɪn'θrəʊnmənt/ *n* lit, fig intronisation *f*

enthuse /ɪn'θju:z, US -θu:z/
A *vtr* enthousiasmer; **'superb!' he ~d** 'magnifique!' dit-il enthousiaste *or* en s'extasiant
B *vi* s'extasier (**about, over** devant); iron s'enflammer

enthusiasm /ɪn'θju:zɪæzəm, US -'θu:z-/ *n* **1** ₵ enthousiasme *m* (**for** pour); **to show ~ for** *ou* **about doing** faire preuve d'enthousiasme pour faire; **to arouse ~ in sb** susciter l'enthousiasme de qn; **to arouse sb to ~** enthousiasmer qn; **to feel ~ for sth** être tout enthousiasmé par qch; **to fill sb with ~** remplir qn d'enthousiasme; **I haven't much ~ for**

e

going je n'ai guère envie d'y aller; **2** (hobby) passion *f*

enthusiast /ɪn'θjuːzɪæst, US -'θuːz-/ *n* (for sport, gardening, DIY) passionné/-e *m/f*; (for music, composer) fervent/-e *m/f*; **a rugby ~** un passionné de rugby; **to be an ~ for sth** se passionner pour qch *or* être passionné de qch

enthusiastic /ɪn,θjuːzɪ'æstɪk, US -,θuːz-/ *adj* [*crowd, response, welcome*] enthousiaste; [*singing, discussion*] exalté; [*worker, gardener*] passionné; [*member*] fervent; **to be ~ about sth** (present or future activity) être enthousiasmé par qch; (past event) parler de qch avec enthousiasme; **they were not very ~ about going to the museum** ils n'étaient pas très enthousiasmés à l'idée d'aller au musée; **he's not very ~ about his work** il ne montre pas beaucoup d'enthousiasme pour son travail

enthusiastically /ɪn,θjuːzɪ'æstɪklɪ, US -,θuːz-/ *adv* avec enthousiasme

entice /ɪn'taɪs/ *vtr* (with offer, charms, prospects) attirer, tenter; (with food, money) appâter, allécher; **to ~ sb to do** persuader qn de faire; **the sunshine ~d them into the water** le soleil les incitait à la baignade.

(Phrasal verb) ■ **entice away**: ▸ **~ [sb] away** détourner; **to ~ sb away from** détourner qn de [*activity, work*]

enticement /ɪn'taɪsmənt/ *n* **1** (offer, prospect) attrait *m*; **2** (act) **the ~ of new recruits into the army is no easy matter** il n'est pas facile d'attirer de nouvelles recrues dans l'armée

enticing /ɪn'taɪsɪŋ/ *adj* [*prospect, offer*] attrayant, tentant; [*person, look*] séduisant; [*food, smell*] alléchant, appétissant

enticingly /ɪn'taɪsɪŋlɪ/ *adv* de manière séduisante; **~ picturesque** d'un pittoresque séduisant; **~ cool** d'une fraîcheur tentante

entire /ɪn'taɪə(r)/ *adj* **1** **the ~ family** toute la famille, la famille (tout) entière; **our ~ support** notre soutien absolu; **2** (of time) tout, entier/-ière; **an ~ day** toute une journée, une journée entière; **throughout her ~ career** pendant toute sa carrière; **3** **the ~ world** le monde entier; **throughout the ~ house** dans toute la maison; **the ~ length of the street** toute la longueur de la rue; **4** [*number, sum*] **the ~ 50,000 dollars** les 50 000 dollars dans leur totalité; **the ~ three million population** toute la population de trois millions d'habitants; **5** (emphasizing) **the ~ atmosphere changed** l'atmosphère a complètement changé; **the ~ purpose of his visit** le seul objet de sa visite; **we are in ~ agreement with you** nous sommes entièrement d'accord avec vous

entirely /ɪn'taɪəlɪ/ *adv* [*destroy, escape, cancel*] entièrement; [*reject*] totalement; [*innocent, different, unnecessary*] complètement; **that changes things ~** ça change tout; **I ~ agree** je suis entièrement d'accord; **I was ~ to blame** c'était entièrement ma faute; **that's ~ up to you** cela dépend entièrement de vous; **~ free of additives** sans additifs; **~ at your own risk** entièrement à vos risques et périls; **not ~** pas tout à fait

entirety /ɪn'taɪərətɪ/ *n sans pl* ensemble *m*, totalité *f*; **in its ~** dans son ensemble; **the film will be shown in its ~** le film sera présenté en version intégrale; **they have not rejected the report in its ~** ils n'ont pas rejeté la totalité du rapport

entitle /ɪn'taɪtl/ *vtr* **1** (authorize) **to ~ sb to sth** donner droit à qch à qn; **to ~ sb to do** autoriser qn à faire; **to be ~d to sth** avoir droit à qch; **to be ~d to do** avoir le droit de faire; **I'm only claiming what I'm ~d to** je ne réclame que mon dû *or* ce à quoi j'ai droit; **after three hours she's ~d to a rest** après trois heures elle a bien le droit de se reposer; **everyone's ~d to their own opinion** à chacun ses opinions; **2** (call) intituler [*text, music*]; donner un titre à [*work of art*]; **the sculpture is ~d 'The Apple Tree'** la sculpture s'intitule 'le Pommier'; **the poem is ~d 'Love'** le poème s'intitule 'L'amour'

entitlement /ɪn'taɪtlmənt/ *n* droit *m* (**to sth** à qch; **to do** de faire); **~ to vote** droit de vote

entity /'entətɪ/ *n* entité *f*

entomb /ɪn'tuːm/ *vtr* littér enterrer, mettre au tombeau; fig ensevelir, enfouir

entombment /ɪn'tuːmənt/ *n* littér ensevelissement *m*, mise *f* au tombeau; fig ensevelissement *m*

entomological /,entəmə'lɒdʒɪkl/ *adj* entomologique

entomologist /,entə'mɒlədʒɪst/ ▸ **p. 1683** *n* entomologiste *mf*

entomology /,entə'mɒlədʒɪ/ *n* entomologie *f*

entourage /,ɒntʊ'rɑːʒ/ *n* entourage *m*

entr'acte /'ɒntrækt/ *n* entracte *m*

entrails /'entreɪlz/ *npl* lit, fig entrailles *fpl*

entrain /ɪn'treɪn/ US

A *vtr* faire monter [qn] dans un train

B *vi* monter dans un train

entrance

A /'entrəns/ *n* **1** (door, gate, passage) entrée *f*; (hallway) entrée *f*, vestibule *m*; **main ~** entrée principale; **2** (act of entering) entrée *f*; **to make an ~** Theat, fig faire son entrée; **to give ~ to** donner accès à; **3** (right of way) admission *f*; **to gain ~ to** être admis à *or* dans [*club, university*]; **to deny** *ou* **refuse sb ~** refuser de laisser entrer qn

B /ɪn'trɑːns, US -'træns/ *vtr* transporter, ravir

entrance examination *n* GB **1** Sch, Univ examen *m* d'entrée; **2** (for civil service) concours *m* d'entrée

entrance 'entrəns: **~ fee** *n* droit *m* d'entrée; **~ hall** *n* (in house) vestibule *m*; (in public building, mansion) hall *m*; **~ requirements** *npl* diplômes *mpl* requis; **~ ticket** *n* billet *m* d'entrée

entrancing /ɪn'trɑːnsɪŋ, US -træns-/ *adj* enchanteur/-eresse, ravissant

entrancingly /ɪn'trɑːnsɪŋlɪ, US -træns-/ *adv* [*smile*] de façon séduisante; [*dance, sing*] à ravir; **she is ~ beautiful** elle est belle à ravir

entrant /'entrənt/ *n* (in race, competition) participant/-e *m/f*; (in exam) candidat/-e *m/f*; (to profession) nouveau venu/nouvelle venue *m/f*; (to police force) nouvelle recrue *f*

entrap /ɪn'træp/ *vtr* (*p prés etc* **-pp-**) prendre [qn] au piège; **to ~ sb into doing** pousser qn à faire par la ruse

entrapment /ɪn'træpmənt/ *n* US Jur *incitation par la police à faire commettre un délit par une personne dans le seul but de la faire arrêter*

entreat /ɪn'triːt/ *vtr* implorer, supplier (**to do** de faire); **to ~ sth of sb** implorer qch de qn; **spare his life, I ~ you!** épargnez-le, je vous en supplie!

entreating /ɪn'triːtɪŋ/ *adj* suppliant, implorant

entreatingly /ɪn'triːtɪŋlɪ/ *adv* [*beg, ask*] d'une voix suppliante *or* implorante; [*gaze*] d'un air suppliant *or* implorant

entreaty /ɪn'triːtɪ/ *n* prière *f*, supplication *f*; **at sb's ~** aux instances *fpl* de qn, à la requête de qn; **a look/gesture of ~** un regard/geste suppliant; **he was deaf to all ~** il était sourd à toutes les supplications

entrée /'ɒntreɪ/ *n* **1** GB Culin entrée *f*; **2** US (main course) plat *m* principal; **3** (into society) **her wealth gave her an ~ into high society** sa fortune lui a ouvert les portes de la haute société

entrench /ɪn'trentʃ/ *vtr* Mil retrancher

entrenched /ɪn'trentʃt/ *adj* **1** Mil retranché; **2** fig [*opinion*] inébranlable, ferme; [*idea*] bien arrêté; [*tradition*] bien établi, vivace; [*rights, powers*] bien établi; **he is ~ in his views** il a des opinions bien arrêtées; **a society ~ in superstition** une société figée dans la superstition

entrenchment /ɪn'trentʃmənt/ *n* Mil, fig retranchement *m*

entrepôt /'ɒntrəpəʊ/ *n* entrepôt *m*

entrepreneur /,ɒntrəprə'nɜː(r)/ *n* Comm entrepreneur/-euse *m/f*

entrepreneurial /,ɒntrəprə'nɜːrɪəl/ *adj* **to have ~ spirit/skills** avoir le sens/le don des affaires

entropy /'entrəpɪ/ *n* entropie *f*

entropy diagram *n* diagramme *m* entropique

entrust /ɪn'trʌst/ *vtr* confier; **to ~ sb with sth, to ~ sth to sb** confier qch à qn; **to ~ sb with the task of doing sth** confier à qn le soin de faire qch; **I ~ed the child to her (care)** je lui ai confié la garde de l'enfant

entry /'entrɪ/ *n* **1** (act of entering) entrée *f*; **sb's ~ into** l'entrée de qn dans [*room, politics, profession, EU*]; **to gain ~ to** *ou* **into** s'introduire dans [*building*]; accéder à [*computer file*]; **he failed to gain ~** (to building) il n'a pas réussi à entrer; **to force ~ to** *ou* **into** s'introduire de force dans; **2** (admission) (to club, institution, university) admission *f*; (to country) entrée *f*; **he was refused ~** on a refusé de le laisser entrer (**to** dans); **free ~** entrée gratuite; **'no ~'** (on door) 'défense d'entrer'; (in one way street) 'sens interdit'; **3** (door, gate, passage) entrée *f*; **4** (recorded item) (in dictionary, ship's log) entrée *f*; (in encyclopedia) article *m*; (in diary) note *f*; (in register) inscription *f*; (in ledger, accounts book) écriture *f*; **to make an ~ in one's diary** écrire *or* noter quelque chose dans son journal; **there is no ~ in his diary for July 13** il n'a rien noté dans son journal à la date du 13 juillet; **to make an ~ in a ledger** passer une écriture; **5** (for poetry, painting, writing competition) œuvre *f* présentée à un concours; (for song contest) titre *m*; **the winning ~** le titre gagnant, l'œuvre gagnante; **this is my ~ for the fancy dress contest** c'est le déguisement que je présente au concours; **we received 1,000 entries for the crossword competition** il y a eu 1 000 réponses au concours de mots croisés; **send your ~ to...** envoyez votre réponse à...; **there was a large ~ for the contest** la participation au concours a été élevée

entry: **~ fee** *n* droit *m* d'entrée; **~ form** *n* fiche *f* d'inscription

entryism /'entrɪɪzəm/ *n* entrisme *m*, noyautage *m*

entry: **~-level** *adj* [*product*] entrée de gamme; **~ permit** *n* visa *m* d'entrée; **~ phone** *n* interphone *m*; **~ requirements** *npl* diplômes *mpl* requis; **~ word** *n* US entrée *f*, adresse *f*; **~ wound** *n* orifice *m* d'entrée

ents° /ents/ *npl* GB Univ (*abrév* = **entertainments**) animation *f* culturelle (*dans une université*)

entwine /ɪn'twaɪn/

A *vtr* entrelacer [*ribbon, stems, initials*]; mêler [*fate, lives*] (**with** à)

B *vi* [*ribbons, stems, initials*] s'entrelacer; [*bodies, arms*] s'enlacer; [*memories, lives*] s'entremêler; **to ~ around** enlacer [*pole, tree, body*]

E number *n* GB (number) *numéro d'additif alimentaire (approuvé par la UE)*; (additive) additif *m* alimentaire

enumerate /ɪ'njuːməreɪt, US -'nuː-/ *vtr* sout énumérer

enumeration /ɪ,njuːmə'reɪʃn, US -,nuː-/ *n* sout (list) énumération *f*; (counting) dénombrement *m*

enunciate /ɪ'nʌnsɪeɪt/ *vtr* articuler [*words, lines*]; énoncer [*truth, clause*]; exposer [*principle, policy*]

enunciation /ɪ,nʌnsɪ'eɪʃn/ *n* (of sound, word) articulation *f*; (of facts, clause) énonciation *f*; (of law, problem) énoncé *m*; (of principle, policy) exposé *m*

enuresis /,enjʊə'riːsɪs, US ,enʊə-/ *n* énurésie *f*

enuretic /,enjʊə'retɪk, US ,enʊə-/ *adj* énurétique

envelop /ɪn'veləp/ *vtr* envelopper; **~ed in** enveloppé dans [*cape, blanket*]; enveloppé par [*flames, smoke*]

envelope /'envələʊp, 'ɒn-/ *n* **1** Post enveloppe *f*; **to put sth in an ~** mettre qch sous enveloppe; **in the same ~** dans la même enveloppe, sous le même pli; **in a sealed ~** sous enveloppe cachetée, sous pli cacheté; **2** (membrane) Aviat enveloppe *f*; Anat tunique *f*; Biol, Bot enveloppe *f*, membrane *f*; **3** Math enveloppe *f*

(Idiom) **to push the ~** faire œuvre nouvelle, innover

envelopment /ɪn'veləpmənt/ *n* Mil enveloppement *m*

envenom /ɪn'venəm/ *vtr* envenimer

enviable /'envɪəbl/ *adj* enviable

enviably /'envɪəblɪ/ *adv* **he was ~ slim/rich** sa minceur/sa richesse faisait envie

envious /'envɪəs/ *adj* [*person*] envieux/-ieuse; [*look*] d'envie, envieux/-ieuse; **to be ~ of sb/sth** envier qn/qch; **to make sb ~** rendre qn jaloux/-ouse; **some people were ~ of her good fortune** son bonheur faisait des envieux

enviously /'envɪəslɪ/ *adv* avec envie

environment /ɪn'vaɪərənmənt/ *n* **1** gen, Biol, Zool (physical) environnement *m*; **2** (cultural, moral) climat *m*, environnement *m*; (social) milieu *m*; **friendly ~** ambiance *f* amicale; **working ~** conditions *fpl* de travail; **3** GB Ecol **the ~** l'environnement *m*; **4** Psych environnement *m*; **5** Comput environnement *m*

environmental /ɪn,vaɪərən'mentl/ *adj* **1** gen, Biol, Zool [*conditions, changes*] du milieu; **2** Ecol [*concern, issue*] lié à l'environnement, écologique; [*damage, protection, pollution*] de l'environnement; **~ effect** conséquences *fpl* sur l'environnement; **~ group** groupe *m* écologiste; **~ disaster** catastrophe *f* écologique; **3** Psych lié à l'environnement

environmental: **~ audit** *n* audit *m* environnemental; **~ health** *n* hygiène *f* publique; **Environmental Health Officer** *n* ≈ inspecteur *m* de l'Hygiène publique

environmentalist /ɪn,vaɪərən'mentəlɪst/ *n* Pol, Ecol écologiste *mf*

environmentally /ɪn,vaɪərən'mentəlɪ/ *adv* **~ safe**, **~ sound** qui ne nuit pas à l'environnement; **~ speaking** en ce qui concerne l'environnement; **~ friendly product** produit qui respecte l'environnement; **~ aware** sensibilisé au problème de l'environnement

environmental: **Environmental Protection Agency**, **EPA** *n* commission *f* pour la protection de l'Environnement; **~ scientist** *n* écologiste *mf*; **Environmental Studies** *npl* GB Sch études *fpl* géographiques et biologiques de l'environnement

environs /ɪn'vaɪərənz/ *npl* environs *mpl*; **in the ~ of** dans les environs de

envisage /ɪn'vɪzɪdʒ/ *vtr* (anticipate) prévoir (**doing** de faire); (visualize) envisager (**doing** de faire); **it is ~d that** (anticipated) il est prévu que, on envisage que

envision /en'vɪʒn/ *vtr* envisager

envoy /'envɔɪ/ *n* **1** gen envoyé/-e *m/f*, émissaire *m*; **2** (*also* **extraordinary**) ministre *m* plénipotentiaire; **3** (*also* **envoi**) Literat envoi *m*

envy /'envɪ/

A *n* (brief) envie *f*; (long-term) jalousie *f*; **out of ~** par jalousie; **in ~** par envie; **to be the ~ of sb** faire envie à qn; **her success caused considerable ~** sa réussite a fait beaucoup de jaloux

B *vtr* envier; **to ~ sb sth** envier qch à qn

(Idiom) **to be green with ~** être vert de jalousie

enzyme /'enzaɪm/ *n* enzyme *f*

EOC *n* GB *abrév* ▸ **Equal Opportunities Commission**

eon *n* = **aeon**

eosin(e) /'i:əsɪn/ *n* éosine *f*

EPA *n*: *abrév* ▸ **Environmental Protection Agency**

epaulet(te) /'epəlet/ *n* gen, Mil épaulette *f*

ephedrine /'efədrɪn/ *n* éphédrine *f*

ephemeral /ɪ'femərəl/ *adj* (all contexts) éphémère

ephemerid /ɪ'femərɪd/ *n* éphémère *m*

ephemeris /ɪ'femərɪs/ *n* (*pl* **-ides**) Astron éphémérides *fpl*

Ephesian /ɪ'fi:ʒən/

A *n* Éphésien/-ienne *m/f*

B Ephesians *npl* Bible l'Épître *f* aux Éphésiens

C *adj* éphésien/-ienne

epic /'epɪk/

A *n* Literat gen épopée *f*; (poem) épopée *f*, poème *m* épique; (prose) récit *m* épique; (film) film *m* à grand spectacle; (novel) roman-fleuve *m*

B *adj* Literat épique; fig [*task*] herculéen/-éenne; [*struggle, undertaking, voyage*] épique

epicarp /'epɪkɑ:p/ *n* épicarpe *m*

epicene /'epɪsi:n/ *adj* **1** sout (effeminate) [*person, tastes*] efféminé; **2** Ling épicène

epicentre GB, **epicenter** US /'epɪsentə(r)/ *n* épicentre *m*

epicure /'epɪkjʊə(r)/ *n* gourmet *m*

epicurean /,epɪkjʊ'ri:ən/ *n, adj* épicurien/-ienne (*m/f*)

epicureanism /,epɪkjʊ'ri:ənɪzəm/ *n* épicurisme *m*

Epicurus /epɪ'kjʊərəs/ *pr n* Épicure

epidemic /,epɪ'demɪk/

A *n* lit, fig épidémie *f*

B *adj* épidémique

epidermis /,epɪ'dɜ:mɪs/ *n* épiderme *m*

epidiascope /,epɪ'daɪəskəʊp/ *n* épidiascope *m*

epidural /,epɪ'djʊərəl/

A *n* Med (anaesthetic) péridurale *f*

B *adj* épidural; Med [*anaesthetic*] péridural

epiglottis /,epɪ'glɒtɪs/ *n* épiglotte *f*

epigram /'epɪgræm/ *n* gen, Literat épigramme *f*

epigrammatic(al) /,epɪgrə'mætɪk(l)/ *adj* épigrammatique

epigraph /'epɪgrɑ:f, US -græf/ *n* épigraphe *f*

epigraphy /ɪ'pɪgrəfɪ, e-/ *n* épigraphie *f*

epilepsy /'epɪlepsɪ/ ▸ **p. 1327** *n* épilepsie *f*

epileptic /,epɪ'leptɪk/

A *n* épileptique *mf*

B *adj* [*person*] épileptique; **~ fit** crise *f* d'épilepsie

epilogue /'epɪlɒg/ *n* épilogue *m* also fig

epinephrine /,epɪ'nefrɪn/ *n* US Med adrénaline *f*

Epiphany /ɪ'pɪfənɪ/ *n* Épiphanie *f*, jour *m* des Rois

epiphenomenon /,epɪfɪ'nɒmɪnən/ *n* (*pl* **-na**) épiphénomène *m*

epiphytic /,epɪ'fɪtɪk/ *adj* épiphyte

episcopacy /ɪ'pɪskəpəsɪ/ *n* épiscopat *m*

episcopal /ɪ'pɪskəpl/ *adj* épiscopal; **~ ring** anneau *m* pastoral *or* épiscopal

Episcopal Church *pr n* Église *f* épiscopalienne

Episcopalian /ɪ,pɪskə'peɪlɪən/ *n, adj* épiscopalien/-ienne (*m/f*)

episcopate /ɪ'pɪskəpət/ *n* épiscopat *m*

episcope /'epɪskəʊp/ *n* GB épiscope *m*

episiotomy /ə,pi:zɪ'ɒtəmɪ/ *n* épisiotomie *f*

episode /'epɪsəʊd/ *n* (all contexts) épisode *m*

episodic /,epɪ'sɒdɪk/ *adj* épisodique

epistemological /ɪ,pɪstɪmə'lɒdʒɪkl/ *adj* épistémologique

epistemology /ɪ,pɪstɪ'mɒlədʒɪ/ *n* épistémologie *f*

epistle /ɪ'pɪsl/ *n* Literat épître *f* also hum; **Epistle to the Corinthians** Bible Épître aux Corinthiens

epistolary /ɪ'pɪstələrɪ, US -lerɪ/ *adj* épistolaire

epitaph /'epɪtɑ:f, US -tæf/ *n* épitaphe *f* also fig

epithelium /,epɪ'θi:lɪəm/ *n* (*pl* **-liums** *ou* **-lia**) épithélium *m*

epithet /'epɪθet/ *n* épithète *f*

epitome /ɪ'pɪtəmɪ/ *n* (abstract) épitomé *m*; fig **the ~ of kindness** la bonté incarnée; **the ~ of a philosopher** le philosophe par excellence

epitomize /ɪ'pɪtəmaɪz/ *vtr* (embody) personnifier, incarner

EPNS *n* (*abrév* = **electroplated nickel silver**) ruolz *m*

epoch /'i:pɒk, US 'epək/ *n* gen, Geol époque *f*; **to mark an ~** marquer une époque

epoch-making *adj* [*invention, event*] marquant

eponym /'epənɪm/ *n* éponyme *m*

eponymous /ɪ'pɒnɪməs/ *adj* Literat éponyme

EPOS /'i:pɒs/ *n* (*abrév* = **electronic point of sale**) TPV *m*; **~ terminal** terminal *m* point de vente, TPV *m*

epoxy /ɪ'pɒksɪ/ *adj* époxy *inv*

epoxy resin *n* résine *f* époxy

EPROM /'i:prɒm/ *n* (*abrév* = **erasable programmable read-only memory**) EPROM *f*

eps *npl* (*abrév* = **earnings per share**) bénéfice *m* par action

Epsom salts /'epsəm/ *npl* (+ *v sg ou pl*) sel *m* d'Epsom, epsomite *f*

equable /'ekwəbl/ *adj* [*climate*] tempéré; [*temperament*] égal

equably /'ekwəblɪ/ *adv* calmement

equal /'i:kwəl/

A *n* égal/-e *m/f*; **to be the ~ of** être l'égal de; **to treat sb as an ~** traiter qn en égal

B *adj* **1** (numerically the same) [*number, quantity*] égal (**to** à); **a sum ~ to one month's salary** une somme égale à un mois de salaire; **'~ work ~ pay'** 'à travail égal salaire égal'; **to fight for ~ pay** lutter pour l'égalité des salaires; **to demand ~ time on television** demander le même temps d'antenne; **2** (equivalent, similar) [*skill, ease, delight*] même, égal; **with ~ pleasure/violence** avec le même plaisir/la même violence; **to have ~ difficulty** avoir autant de difficulté; **they're about ~** [*candidates*] ils se valent à peu près; **3** (not inferior or superior) [*partner*] égal; **on ~ terms** [*fight, compete*] à armes égales; [*judge, place*] sur un pied d'égalité; **to have an ~ relationship** avoir des rapports d'égal à égal; **4** (up to) **to be/feel ~ to** être/se sentir à la hauteur de [*task, job*]; **to feel ~ to doing** se sentir à même de faire

C *adv* Sport [*finish*] à égalité; **to come ~ third** arriver troisième ex aequo (**with** avec)

D *vtr* **1** (add up to) égaler; **health plus money ~s happiness** la santé plus la richesse, c'est le bonheur; **2** (match) égaler [*record, time*]

(Idiom) **all things being ~** sauf imprévu

equality /ɪ'kwɒlətɪ/ *n* égalité *f*; **sexual ~** égalité des sexes; **~ of opportunity** égalité des chances

equalize /'i:kwəlaɪz/ *vtr, vi* égaliser

equalizer /'i:kwəlaɪzə(r)/ *n* **1** Sport but *m* égalisateur; **2** Audio correcteur *m* de fréquence; **3** °US (gun) pétard° *m*, flingue◐ *m*

equally /'i:kwəlɪ/ *adv* **1** [*divide, share*] en parts égales; **~ difficult/pretty** tout aussi difficile/joli; **2** (in the same way) de même; **~, we might say that...** de même, on pourrait dire que...

Equal Opportunities Commission, **EOC** *n* GB Commission *f* de l'égalité de traitement. ▸ **Quango**

equal opportunity

A **equal opportunities** *npl* égalité *f* des chances

B *modif* [*employer*] appliquant la non-discrimination; [*legislation*] qui assure l'égalité d'accès

equal: **~ rights** *npl* égalité *f* des droits; **Equal Rights Amendment**, **ERA** *n* US Amendement *m* sur l'égalité des droits;

~s sign GB, **~ sign** US *n* signe *m* égal
equanimity /ˌekwəˈnɪmətɪ/ *n* sérénité *f*, équanimité *f* liter
equate /ɪˈkweɪt/ *vtr* 1 (identify) assimiler (**with** à); 2 (compare) comparer (**with** à); 3 Math mettre en équation (**with** avec)
equation /ɪˈkweɪʒn/ *n* 1 Math équation *f*; 2 fig **the ~ of wealth with happiness is misguided** on aurait tort d'assimiler la richesse au bonheur; **the other side of the ~ is...** l'autre aspect du problème, c'est...; **there is an ~ between...** il y a un rapport direct entre...
equator /ɪˈkweɪtə(r)/ *n* équateur *m*
equatorial /ˌekwəˈtɔːrɪəl/ *adj* équatorial
Equatorial Guinea *pr n* Guinée *f* équatoriale
equerry /ˈekwərɪ, ɪˈkwerɪ/ *n* écuyer *m* (*à la cour d'Angleterre*)
equestrian /ɪˈkwestrɪən/
A *n* gen cavalier/-ière *m/f*; (acrobat) écuyer/-ère *m/f*
B *adj* [*statue, portrait*] équestre; [*dress, gloves, studies*] d'équitation; [*event, competition*] hippique
equidistant /ˌiːkwɪˈdɪstənt/ *adj* 1 gen à égale distance (**from** de); 2 Math équidistant (**from** de)
equilateral /ˌiːkwɪˈlætərəl/ *adj* équilatéral
equilibrist /ɪˈkwɪlɪbrɪst/ *n* équilibriste *mf*
equilibrium /ˌiːkwɪˈlɪbrɪəm/ *n* (*pl* **-riums** *ou* **-ria**) (all contexts) équilibre *m*; **in ~** en équilibre
equine /ˈekwaɪn/ *adj* [*disease*] équin; [*species, face, features*] chevalin
equinoctial /ˌiːkwɪˈnɒkʃl, ˌek-/ *adj* [*year, line*] équinoxial; [*gales, tides*] d'équinoxe
equinox /ˈiːkwɪnɒks, ˈek-/ *n* équinoxe *m*; **spring/autumnal ~** équinoxe de printemps/d'automne
equip /ɪˈkwɪp/ *vtr* (*p prés etc* **-pp-**) 1 lit équiper [*person, building, factory, room*] (**for** pour); **to ~ sth with sth** équiper qch de qch; **to ~ sb with sth** munir qn de qch; **to ~ a room/building as sth** aménager une pièce/un bâtiment en qch; **well ~ped** bien équipé; **well ~ped with sth** bien pourvu en qch; **fully ~ped kitchen** cuisine équipée; 2 fig (psychologically) préparer [*person*]; **~ped for life** préparé à la vie; **she wasn't ~ped to cope with the problem** elle n'avait pas les ressources nécessaires pour faire face au problème; **we were well-~ped to answer their questions** nous étions à même de répondre à leurs questions
equipment /ɪˈkwɪpmənt/ *n* 1 Mil, Sport, Ind équipement *m*; 2 (office, electrical, photographic) matériel *m*; **a piece** *ou* **item of ~** un article
equisetum /ˌekwɪˈsiːtəm/ *n* (*pl* **-tums** *ou* **-ta**) prêle *f*
equitable /ˈekwɪtəbl/ *adj* équitable
equitably /ˈekwɪtəblɪ/ *adv* de manière équitable, équitablement
equitation /ˌekwɪˈteɪʃn/ *n* sout équitation *f*
equity /ˈekwətɪ/
A *n* 1 (fairness) équité *f*; 2 Fin (investment) participation *f*; **shareholders' ~** participation des actionnaires
B **equities** *npl* Fin actions *fpl* ordinaires
C **Equity** *pr n* Theat syndicat *m* des acteurs
equity: **~ capital** *n* Fin capital *m* en actions; **Equity card** *n* carte *f* d'adhérent au syndicat des acteurs; **~ financing** *n* Fin financement *m* par émission d'actions; **~ market** *n* Fin marché *m* des actions; **~ of redemption** *n* Jur droit *m* de grâce
equivalence /ɪˈkwɪvələns/ *n* équivalence *f*
equivalent /ɪˈkwɪvələnt/
A *n* équivalent *m*
B *adj* équivalent; **to be ~ to sth** être équivalent à qch, équivaloir à qch
equivocal /ɪˈkwɪvəkl/ *adj* 1 (ambiguous) [*words, reply, attitude*] équivoque; [*result, conclusion*] incertain, ambigu/-uë; 2 (dubious) [*behaviour, circumstances*] suspect; [*reputation*] équivoque
equivocally /ɪˈkwɪvəklɪ/ *adv* d'une manière équivoque
equivocate /ɪˈkwɪvəkeɪt/ *vi* user de faux-fuyants
equivocation /ɪˌkwɪvəˈkeɪʃn/ *n* faux-fuyants *mpl*; **without ~** sans équivoque
er /ə, ɜː/ *excl* euh
ER (*abrév* = **Elizabeth Regina**) la Reine Élisabeth
era /ˈɪərə/ *n* Geol, Hist ère *f*; (in politics, fashion etc) époque *f*; **the ~ of the mini-skirt** l'époque de la mini-jupe; **the Christian ~** l'ère chrétienne; **to mark the end of an ~** marquer la fin d'une époque; **the Hollywood ~** l'époque hollywoodienne
ERA *n*: *abrév* ▸ **Equal Rights Amendment**
eradicate /ɪˈrædɪkeɪt/ *vtr* éradiquer [*disease*]; éliminer, faire disparaître [*poverty, weeds, crime, superstition*]
eradication /ɪˌrædɪˈkeɪʃn/ *n* (of disease) éradication *f*; (of weeds, superstition, crime) élimination *f*
erase /ɪˈreɪz, US ɪˈreɪs/ *vtr* 1 gen, Comput, Audio effacer; (with rubber) gommer, effacer; 2 fig éliminer [*hunger, poverty*]; effacer [*memory*]; 3 ○US (kill) liquider○
erase head *n* Audio, Comput tête *f* d'effacement
eraser /ɪˈreɪzə(r), US -sər/ *n* (for paper) gomme *f*; (for blackboard) brosse *f* feutrée
eraser head *n* = **erase head**
Erasmus /ɪˈræzməs/ *pr n* Érasme
Erasmus scheme *n* Univ programme *m* Erasmus
erasure /ɪˈreɪʒə(r)/ *n* (act) effacement *m*; (result) rature *f*
ere /eə(r)/‡ *ou* littér
A *prep* avant; **~ long** (future) sous peu; (past) peu après; **~ now** jusque-là
B *conj* avant que (+ *subj*)
erect /ɪˈrekt/
A *adj* [*posture*] droit; [*tail*] dressé; [*ears*] droit, dressé; [*construction*] debout; [*penis*] en érection; **with head ~** la tête haute; **to hold oneself ~** se tenir droit; **to stand ~** se tenir debout
B *vtr* 1 ériger [*monument, building*]; monter [*scaffolding*]; dresser, monter [*tent*]; placer, monter [*sign, screen*]; 2 fig ériger [*system*]
erectile /ɪˈrektaɪl, US -tl/ *adj* érectile
erection /ɪˈrekʃn/ *n* 1 (putting up) (of monument) érection *f*; (of building, bridge) construction *f*; (of tent) installation *f*, montage *m*; (of sign) mise *f* en place; 2 (edifice) édifice *m*; 3 (of penis) érection *f*
erector /ɪˈrektə(r)/ *n* 1 (muscle) érecteur *m*; 2 (person) monteur *m*
erector set *n* US meccano® *m*
erg /ɜːg/ *n* erg *m*
ergative /ˈɜːgətɪv/
A *n* ergatif *m*
B *adj* Ling ergatif/-ive
ergo /ˈɜːgəʊ/ *adv* sout par conséquent
ergonomics /ˌɜːgəˈnɒmɪks/ *n* (+ *v sg*) ergonomie *f*
ergonomist /ɜːˈgɒnəmɪst/ ▸ **p. 1683** *n* ergonome *mf*
ergot /ˈɜːgət/ *n* 1 Agric ergot *m*; 2 Pharm ergot *m* de seigle, ergotine *f*
ergotherapy /ˌɜːgəʊˈθerəpɪ/ *n* ergothérapie *f*
ergotism /ˈɜːgətɪzəm/ *n* ergotisme *m*
Erie /ˈɪərɪː/ *pr n* **Lake ~** le lac Érié
Erin /ˈerɪn, ˈɪərɪn/ *pr n* ‡ *ou* littér Erin *f* liter, l'Irlande *f*
Eritrea /erɪˈtreɪə/ ▸ **p. 1096** *pr n* Érythrée *f*
Eritrean /erɪˈtreɪən/
A *n* Erythréen/-éenne *m/f*
B *adj* érythréen/-éenne
erk○ /ɜːk/ *n* GB Aviat soldat *m* de l'armée de l'air; GB Naut mataf○ *m*
ERM *n* EU *abrév* ▸ **Exchange Rate Mechanism**
ermine /ˈɜːmɪn/ *n* (animal, fur) hermine *f*
Ernie /ˈɜːnɪ/ *n* GB (*abrév* = **Electronic random number indicator equipment**) *ordinateur qui sert au tirage au sort des numéros gagnants des bons à lots*
erode /ɪˈrəʊd/ *vtr* éroder [*coastline, rock*]; éroder, ronger [*metal*]; fig saper [*confidence, authority*]
erogenous /ɪˈrɒdʒənəs/ *adj* érogène
Eros /ˈɪərɒs/ *pr n* 1 Mythol Éros; 2 Psych éros *m*
erosion /ɪˈrəʊʒn/ *n* 1 (of coastline) érosion *f*; 2 (of metal) corrosion *f*; **soil ~** érosion des sols; 3 fig érosion *f*
erotic /ɪˈrɒtɪk/ *adj* érotique
erotica /ɪˈrɒtɪkə/ *npl* Literat littérature *f* érotique; Cin films *mpl* érotiques; Art art *m* érotique
eroticism /ɪˈrɒtɪsɪzəm/ *n* érotisme *m*
eroticize /ɪˈrɒtɪsaɪz/ *vtr* érotiser
erotomania /ɪˌrɒtəʊˈmeɪnɪə/ *n* érotomanie *f*
err /ɜː(r)/ *vi* 1 (make mistake) faire erreur; **to ~ in one's judgment** faire une erreur de jugement; 2 (stray) pécher; **to ~ on the side of caution/generosity** pécher par excès de prudence/générosité
(Idiom) **to ~ is human** Prov l'erreur est humaine
errand /ˈerənd/ *n* commission *f*, course *f*; **to go on** *ou* **to run an ~ for sb** aller faire une commission pour qn; **to send sb on an ~** envoyer qn faire une commission; **~ of mercy** mission *f* de charité
(Idiom) **to go** *ou* **be sent on a fool's ~** se dépenser pour rien
errand boy *n* garçon *m* de courses
errant /ˈerənt/ *adj* sout (misbehaving) dévoyé
errata /eˈrɑːtə/ *pl* ▸ **erratum**
erratic /ɪˈrætɪk/
A *n* Geol bloc *m* erratique
B *adj* [*behaviour*] imprévisible; [*performance*] inégal; [*person, driver*] lunatique, imprévisible; [*moods*] changeant; [*movements, attempts*] désordonné; [*timetable*] fantaisiste; [*deliveries*] irrégulier/-ière; **the clock is rather ~** l'horloge n'est pas très fiable; **he's a very ~ player** son jeu est très inégal
erratically /ɪˈrætɪklɪ/ *adv* [*play, perform*] de façon inégale; [*work, drive*] de manière fantaisiste *or* imprévisible
erratum /eˈrɑːtəm/ *n* (*pl* **-ta**) erratum *m*
erroneous /ɪˈrəʊnɪəs/ *adj* erroné, faux/fausse
erroneously /ɪˈrəʊnɪəslɪ/ *adv* à tort
error /ˈerə(r)/ *n* 1 (in spelling, grammar, typing) faute *f*; (in arithmetic) erreur *f*; **to make a serious ~** (in arithmetic) faire une erreur grave; (of judgment) commettre une grave erreur; **an ~ of/in sth** une erreur de/dans qch; **by ~**, **in ~** par erreur; **~ of judgment** erreur *f* de jugement; **~ of 10%, 10% ~** erreur de 10%; **margin of ~** marge *f* d'erreur; **human ~** erreur *f* humaine; **~s and omissions excepted** Comm sauf erreur ou omission; 2 Comput erreur *f*; **~ message** message *f* d'erreur; **~ correction** correction *f* d'erreur
(Idiom) **to see the ~ of one's ways** revenir de ses erreurs
ersatz /ˈeəzæts, ˈɜːsɑːts/
A *n* ersatz *m*, succédané *m*
B *adj* **it's ~ tobacco/culture** c'est de l'ersatz de tabac/de culture
erstwhile /ˈɜːstwaɪl/ littér
A *adj* ancien/-ienne (*avant n*), d'autrefois
B *adv* jadis, autrefois
eruct *vi* US = **eructate**
eructate /eˈrʌkteɪt/ *vi* sout éructer

erudite /ˈeruːdaɪt/ *adj* [*person*] érudit; [*book, discussion*] savant
eruditely /ˈeruːdaɪtlɪ/ *adv* avec érudition
erudition /ˌeruːˈdɪʃn/ *n* érudition *f*
erupt /ɪˈrʌpt/ *vi* 1 [*volcano*] entrer en éruption; 2 fig [*war, violence, gunfire*] éclater; [*laughter, cry*] jaillir, éclater; [*person*] (with anger) éclater (**with** de); 3 Med [*rash*] apparaître; Dent [*tooth*] percer
eruption /ɪˈrʌpʃn/ *n* 1 (of volcano) éruption *f*; 2 fig (of violence, laughter) accès *m*, explosion *f*; (of hostilities) déclenchement *m*; (of political movement) apparition *f*; 3 Med, Dent éruption *f*
erysipelas /ˌerɪˈsɪpɪləs/ ▸ **p. 1327** *n* érysipèle *m*
erythrocyte /ɪˈrɪθrəʊsaɪt/ *n* érythrocyte *m*
ESA *n* (*abrév* = **European Space Agency**) ASE *f*
Esau /ˈiːsɔː/ *pr n* Ésaü
escalate /ˈeskəleɪt/
A *vtr* intensifier [*war, problem, efforts*]; aggraver [*inflation*]
B *vi* [*conflict, violence*] s'intensifier; [*prices, inflation*] monter en flèche, s'envoler; [*unemployment*] augmenter rapidement; **to ~ into a major crisis** se transformer en crise grave
escalation /ˌeskəˈleɪʃn/ *n* (of violence, war) intensification *f*, escalade *f* (**in, of** de); (of prices, inflation) montée *f* en flèche (**in, of** de)
escalation clause *n* = **escalator clause**
escalator /ˈeskəleɪtə(r)/ *n* escalier *m* mécanique, escalator® *m*
escalator clause *n* clause *f* d'indexation
escalope /ˈeskələʊp/ *n* escalope *f*
escapade /ˈeskəpeɪd, ˌeskəˈpeɪd/ *n* (adventure) équipée *f*; (prank) frasque *f*
escape /ɪˈskeɪp/
A *n* 1 (of person) lit évasion *f*, fuite *f* (**from** de; **to** vers); fig fuite *f*; **to make good one's ~** lit réussir son évasion; fig réussir à se sauver; **to make an** *ou* **one's ~** s'évader; **to have a narrow** *ou* **lucky ~** l'échapper belle; 2 (leak) (of water, gas) fuite *f* (**from** de)
B *vtr* 1 (avoid) **to ~ death/danger/persecution** échapper à la mort/au danger/aux persécutions; **to ~ responsibility/defeat** éviter une responsabilité/la défaite; **to ~ detection** [*person*] échapper aux recherches (de la police); [*fault*] ne pas être détecté; **we cannot ~ the fact that** on ne peut pas ignorer le fait que; **he cannot ~ the accusation** *ou* **charge** il ne peut pas échapper à l'accusation; **to ~ reality** fuir la réalité; 2 (elude) [*name, fact*] échapper à [*person*]; **to ~ sb's attention** *ou* **notice** échapper à (l'attention de) qn
C *vi* 1 (get away) lit [*person*] s'enfuir, s'évader; [*animal*] s'échapper (**from** de); fig s'évader; **to ~ into** *ou* **to somewhere** se réfugier quelque part; **to ~ unharmed** *ou* **without a scratch** s'en sortir indemne; **to ~ by the skin of one's teeth** l'échapper belle; **to (manage to) ~ with one's life** s'en sortir vivant; 2 (leak) [*water*] fuir; [*gas*] fuir, s'échapper
D **escaped** *pp adj* [*prisoner, convict*] évadé; [*animal*] qui s'est enfui
escape: **~ artist** *n* spécialiste *mf* de l'évasion; **~ character** *n* Comput caractère *m* d'échappement; **~ chute** *n* Aviat toboggan *m*; **~ clause** *n* Jur Comm clause *f* dérogatoire; **~ cock** *n* Tech soupape *f* d'échappement
escapee /ɪˌskeɪˈpiː/ *n* évadé/-e *m/f*
escape: **~ hatch** *n* Naut sas *m* de secours; **~ key** *n* touche *f* d'échappement
escapement /ɪˈskeɪpmənt/ *n* Mech échappement *m*
escape: **~ plan** *n* projet *m* d'évasion; **~ road** *n* voie *f* de ralentissement d'urgence; **~ route** *n* (in case of fire etc) plan *m* d'évacuation; (for fugitives) itinéraire *m* d'évasion; **~ sequence** *n* Comput séquence *f* d'échappement; **~ shaft** *n* Mining galerie *f* de secours; **~ valve** *n* Tech soupape *f* d'échappement; **~ velocity** *n* Aerosp vitesse *f* de libération; **~ wheel** *n* Tech roue *f* d'échappement
escapism /ɪˈskeɪpɪzəm/ *n* péj (in literature, cinema, etc) évasion *f* (du réel); (of person) refus *m* d'affronter la réalité; **it's pure ~** c'est du pur divertissement
escapist /ɪˈskeɪpɪst/
A *n* **she's an ~** elle fuit la réalité
B *adj* [*literature, film*] d'évasion (*after n*), détaché du réel
escapologist /ˌeskəˈpɒlədʒɪst/ ▸ **p. 1683** *n*: *artiste dont la spécialité est de se libérer de liens*
escapology /ˌeskəˈpɒlədʒɪ/ *n*: *l'art de se libérer de liens*
escarpment /ɪˈskɑːpmənt/ *n* escarpement *m*
eschatological /ˌeskətəˈlɒdʒɪkl/ *adj* eschatologique
eschatology /ˌeskəˈtɒlədʒɪ/ *n* eschatologie *f*
eschew /ɪsˈtʃuː/ *vtr* sout éviter [*discussion, temptation*]; rejeter [*violence*]
escort
A /ˈeskɔːt/ *n* 1 Mil, Naut (in police) escorte *f*; **military ~** escorte militaire; **police ~** escorte de police; **armed ~** escorte de soldats; **to put under ~** placer sous escorte; 2 (companion) compagnon/compagne *m/f*; (to a dance) cavalier/-ière *m/f*; (in agency) hôtesse *f*
B /ˈeskɔːt/ *modif* **~ agency** agence *or* bureau d'hôtesses; Naut, Mil **~ duty** service *m* d'escorte; **~ vessel** bâtiment *m* d'escorte
C /ɪˈskɔːt/ *vtr* 1 Mil escorter, faire escorte à; **to ~ sb in/out** faire entrer/sortir qn sous escorte; 2 (to a function) accompagner; (home, to the door) raccompagner
escrow /eˈskrəʊ/ *n* Jur séquestre *m*; **in ~** en séquestre
escrow account *n* US Jur compte *m* séquestre
escutcheon /ɪˈskʌtʃən/ *n* 1 Herald écu *m*, écusson *m*; 2 (on lock) cache-entrée *m inv*
(Idiom) **to be a blot on the ~** être la honte de la famille
ESF *n* EU (*abrév* = **European Social Fund**) FSE *m*
esker /ˈeskə(r)/ *n* Geol os *m*
Eskimo /ˈeskɪməʊ/ ▸ **p. 1467, p. 1378**
A *n* 1 (person) Esquimau/-aude *m/f*; 2 Ling esquimau *m*
B *adj* esquimau/-aude; **~ dog** chien *m* esquimau
ESL *n*: *abrév* ▸ **English as a Second Language**
ESN *adj*: *abrév* ▸ **educationally subnormal**
ESOL /ˈiːsɒl/ *n* (*abrév* = **English for Speakers of Other Languages**) *programme de cours et d'examens sanctionnant le niveau d'apprentissage de l'anglais et reconnu mondialement*
esophagus *n* US = **oesophagus**
esoteric /ˌiːsəʊˈterɪk, ˌe-/ *adj* [*language, knowledge, practices*] ésotérique; [*argument*] obscur
esoterica /ˌiːsəʊˈterɪkə, ˌe-/ *npl* US objets *mpl* ésotériques
esp *abrév écrite* = **especially**
ESP *n* 1 *abrév* ▸ **extrasensory perception**; 2 *abrév* ▸ **English for Special Purposes**
espalier /ɪˈspælɪer, US ɪˈspæljər/
A *n* (tree) arbre *m* en espalier *m*; (trellis) treillis *m* d'espalier
B *vtr* cultiver [qch] en espalier
esparto /eˈspɑːtəʊ/ *n* (*also* **esparto grass**) alfa *m*
especial /ɪˈspeʃl/ *adj* sout exceptionnel/-elle; [*benefit*] particulier/-ière
especially /ɪˈspeʃəlɪ/ *adv* 1 (above all) surtout, en particulier; **~ as it's so hot** d'autant plus qu'il fait si chaud; **he ~ ought to be told** lui surtout devrait être informé; **why her ~?** pourquoi elle en particulier?; 2 (on purpose) exprès, spécialement; **he came ~ to see me** il est venu exprès pour me voir; 3 (unusually) particulièrement
Esperantist /ˌespəˈræntɪst/ *n* espérantiste *mf*
Esperanto /ˌespəˈræntəʊ/ ▸ **p. 1378** *n* espéranto *m*
espionage /ˈespɪənɑːʒ/ *n* espionnage *m*
esplanade /ˌespləˈneɪd/ *n* esplanade *f*
espouse /ɪˈspaʊz/ *vtr* 1 sout épouser, embrasser [*cause*]; 2 ‡(marry) épouser
espresso /eˈspresəʊ/ *n* (*pl* **~s**) express *m inv*, café *m* express
espy /ɪˈspaɪ/ *vtr* ‡ *ou* littér apercevoir, aviser
Esq GB (*abrév écrite* = **esquire**) (on letter) **John Roberts Esq** M. John Roberts
essay ➡📖 /ˈeseɪ/
A *n* 1 Sch rédaction *f*, composition *f* (**on, about** sur); (extended) dissertation *f* (**on** sur); US Univ mémoire *m* de maîtrise (**on** sur); Literat essai *m* (**on** sur); 2 littér (endeavour) tentative *f*
B *modif* **~ question** sujet *m* de dissertation; **~ test** US Univ épreuve *f* écrite
C *vtr* littér 1 (attempt) tenter, essayer (**to do** de faire); 2 (test) essayer, mettre à l'essai
essayist /ˈeseɪɪst/ ▸ **p. 1683** *n* essayiste *mf*
essence /ˈesns/
A *n* 1 (soul, kernel) Philos essence *f*; **the ~ of the problem/of the argument** l'essentiel du problème/de l'argumentation; **this is the very ~ of jazz** c'est l'essence même du jazz; **it's the ~ of stupidity/greed** c'est la stupidité/la gourmandise même; **time is of the ~** la vitesse s'impose; 2 Cosmet, Culin essence *f*
B **in ~** *adv phr* essentiellement
essential /ɪˈsenʃl/
A *n* (object) objet *m* indispensable; (quality, element) qualité *f* essentielle; **I packed a few ~s** j'ai emballé quelques objets indispensables; **food and other ~s** de la nourriture et d'autres articles indispensables; **a car is not an ~** une auto n'est pas indispensable; **there are two ~s in comedy** il y a deux éléments essentiels dans la comédie; **money is an ~** l'argent est un élément essentiel
B **essentials** *npl* **the ~s** l'essentiel *m*; **to get down to ~s** en venir à l'essentiel
C *adj* 1 (vital) [*services*] de base; [*role*] essentiel/-ielle; [*ingredient*] indispensable; **~ goods** produits de première nécessité; **~ maintenance work** les travaux d'entretien indispensables; **it is ~ to do** il est indispensable de faire; **it is ~ that** il est indispensable que (+ *subj*); **to be ~ for sth** être indispensable à qch; **it is ~ for us to agree** il est indispensable que nous soyons d'accord; 2 (basic) [*feature, element*] essentiel/-ielle; [*difference*] fondamental; [*reading*] indispensable; **humanity's ~ goodness** la bonté intrinsèque de l'humanité; **his ~ humility** son humilité intrinsèque
essentially /ɪˈsenʃəlɪ/ *adv* 1 (basically) essentiellement; **~, it's an old argument** en fait, c'est une vieille discussion; 2 (emphatic) (above all) avant tout; **our role is ~ supervisory** nous jouons avant tout un rôle de surveillance; 3 (more or less) [*correct, true*] en gros
essential oil *n* huile *f* essentielle
Essex /ˈesɪks/ ▸ **p. 1612** *pr n* Essex *m*
Essonne ▸ **p. 1129** *pr n* Essonne *f*; **in/to ~** dans l'Essonne
est *abrév écrite* = **established**
EST *n* 1 US *abrév* ▸ **Eastern Standard Time**; 2 Med *abrév* ▸ **electroshock therapy**
establish /ɪˈstæblɪʃ/
A *vtr* 1 (set up) établir [*firm, tribunal, state, guidelines, basis, relations*]; 2 (gain acceptance for) établir [*principle, theory, authority, supremacy*]; **to**

➡📖 *see* Effective French

e

~ **a reputation for oneself as** se faire connaître en tant que [*singer, actor, expert*]; se faire une réputation de [*cheat, liar*]; **3** (determine, prove) établir [*guilt, innocence, ownership, paternity, facts*]; déterminer [*cause*]; **to ~ that** montrer que; **to ~ what/why/whether** montrer ce que/pourquoi/si; **to ~ the cause of death** déterminer les causes du décès
B *v refl* **to ~ oneself** s'installer; **to ~ oneself as a butcher** s'installer boucher

established /ɪˈstæblɪʃt/ *adj* [*institution, artist, procedure, view*] établi; **it's a well ~ fact that** c'est un fait bien établi que; **~ in 1920** fondé en 1920; **the ~ church** l'église d'État *or* officielle

establishment /ɪˈstæblɪʃmənt/
A *n* **1** (setting up) (of business) création *f*, établissement *m* **(of** de); (of law, rule) institution *f*, instauration *f*; **2** (institution, organization) établissement *m*; **research ~** établissement *m* de recherche; **3** (shop, business) établissement *m*, maison *f* de commerce; **4** (staff) personnel *m* **(of** de); (of household) train *m* de maison
B Establishment *pr n* GB (ruling group) classe *f* dominante, establishment *m*; (social order) ordre *m* établi; **the literary/art ~** l'establishment littéraire/du monde de l'art; **the medical/legal ~** les institutions *fpl* médicales/judiciaires; **to join** *ou* **become part of the Establishment** s'embourgeoiser
C *modif* [*values, artist, figure, views*] de l'ordre établi

estate /ɪˈsteɪt/ *n* **1** (stately home and park) domaine *m*, propriété *f*; **2** = **housing estate**; **3** (assets) biens *mpl*; **to divide one's ~** partager ses biens; **a large ~** une grande fortune; **4** (condition) état *m*; **the (holy) ~ of matrimony** le saint état de mariage; **to reach man's ~**† atteindre l'âge adulte; **5** ‡*ou* Hist (class) état *m*; **the three ~s of the realm** les trois états; **of high/low ~** de haute/basse condition; **6** GB = **estate car**

estate: **~ agency** *n* GB agence *f* immobilière; **~ agent** *n* GB agent *m* immobilier ➡; **~ car** *n* GB break *m*; **~ duty** *n* GB droits *mpl* de succession; **Estates General** *npl* États *mpl* Généraux; **~ tax** *n* US droits *mpl* de succession

esteem /ɪˈstiːm/
A *n* estime *f*; **to hold sb in high ~** tenir qn en haute estime; **a book held in high ~** un livre très prisé; **to go up/down in sb's ~** remonter/baisser dans l'estime de qn
B *vtr* sout **1** (admire) avoir de l'estime pour, estimer [*person*]; apprécier [*quality*]; priser [*work*]; **our highly ~ed colleague** notre très estimé/-e collègue fml; **2** (think) considérer; **I ~ it an honour to be here** je considère comme un honneur d'être ici fml

esthete *n* US = **aesthete**

estimable /ˈestɪməbl/ *adj* sout estimable; **my ~ colleague** mon honorable collègue

estimate
A /ˈestɪmət/ *n* **1** (assessment of size, quantity etc) estimation *f*, évaluation *f*; **to make an ~** faire une estimation; **by the government's ~** selon une estimation du gouvernement; **by his own ~** à l'en croire; **at a rough ~** très approximativement, à vue de nez○; **at a conservative ~** sans exagération; **2** Comm (quote) devis *m*; **to put in an ~ for sth** établir un devis pour qch; **a higher/lower ~** un devis plus/moins élevé; **3** Admin (budget) (*souvent pl*) prévisions *fpl* budgétaires; **defence ~s** prévisions *fpl* budgétaires pour la défense; **4** (estimation) jugement *m* **(of sb** quant à qn)
B /ˈestɪmeɪt/ *vtr* **1** (guess) évaluer [*price, value*]; évaluer [*size, speed, distance*]; **to ~ that** estimer que; **to ~ sth to be** estimer que qch est; **the cost was ~d at 1,000 euros** le coût a été évalué à 1 000 euros; **2** (submit) [*builder, tenderer*] évaluer [*price, cost*]; **to ~ (a price) for sth** évaluer le prix de qch
C estimated *pp adj* [*cost, figure*] approximatif/-ive; **an ~ 300 people** environ 300 personnes; **the ~ 1,000 victims** les victimes, qu'on estime à 1 000

estimate: **~d date of delivery, EDD** *n* Med date *f* présumée de l'accouchement; **~d time of arrival, ETA** *n* heure *f* d'arrivée prévue; **~d time of departure, ETD** *n* heure *f* de départ prévue

estimation /ˌestɪˈmeɪʃn/ *n* **1** (esteem) estime *f*; **to go up/down in sb's ~** monter/descendre dans l'estime de qn; **2** (judgment) opinion *f*; **in her ~** à son avis, d'après elle; **3** ₵ (evaluating) évaluation *f*

Estonia /ɪˈstəʊnɪə/ ▸ **p. 1096** *pr n* Estonie *f*

Estonian /ɪˈstəʊnɪən/ ▸ **p. 1467, p. 1378**
A *n* **1** (person) Estonien/-ienne *m/f*; **2** Ling estonien *m*
B *adj* estonien/-ienne

estrange /ɪˈstreɪndʒ/
A *vtr* éloigner **(from** de), brouiller **(from** avec)
B estranged *pp adj* **to be ~d from sb** être séparé de qn; **her ~d husband** son mari dont elle est/était séparée

estrangement /ɪˈstreɪndʒmənt/ *n* séparation *f*

estrogen *n* US = **oestrogen**

estrone *n* US = **oestrone**

estrus *n* US = **oestrus**

estuary /ˈestʃʊərɪ, US -ʊerɪ/ *n* estuaire *m*

Estuary English *n* GB *mélange d'accent londonien et standard parlé dans le sud*

E Sussex *n* GB Post *abrév écrite* ▸ **East Sussex**

ETA *abrév* ▸ **estimated time of arrival**

e-tailer /ˈiːteɪlə(r)/ *n* cyber-vendeur/cybervendeuse *m/f*

e-tailing /ˈiːteɪlɪŋ/ *n* vente *f* en ligne

et al (*abrév* = **et alii**) et autres; hum et tutti quanti

etc *adv* (*abrév* = **et cetera**) etc

et cetera, etcetera /ɪt ˈsetərə, et-/ *adv* et cætera, et cetera

etceteras /ɪtˈsetərəz, et-/ *npl* extras *mpl*

etch /etʃ/
A *vtr* Art, Print graver [qch] à l'eau-forte; **~ed on her memory** fig gravé dans sa mémoire
B *vi* Art, Print graver à l'eau-forte

etching /ˈetʃɪŋ/ *n* **1** (technique) gravure *f* à l'eau-forte; **2** (picture) eau-forte *f*
(Idiom) **come up and see my ~s** hum viens voir mes estampes japonaises

ETD *n*: *abrév* ▸ **estimated time of departure**

eternal /ɪˈtɜːnl/
A *adj* gen, Philos, Relig éternel/-elle; [*chatter*] éternel/-elle (*before n*); [*complaints*] sempiternel/-elle pej (*before n*); **he's an ~ optimist** c'est un éternel optimiste; **the ~ feminine** l'éternel féminin; **it is to his eternal credit that** il faut reconnaître en son honneur que
B Eternal *n* Relig **the Eternal** l'Éternel *m*.

Eternal City *pr n* Ville *f* éternelle

eternally /ɪˈtɜːnəlɪ/ *adv* éternellement; **~ grateful** éternellement reconnaissant

eternal triangle *n* ≈ ménage *m* à trois

eternity /ɪˈtɜːnətɪ/ *n* gen, Relig éternité *f*; **for ~** [*remain, survive*] pour toujours; **to wait for an ~** attendre une éternité; **it seemed an ~ before he answered** il a mis une éternité à répondre

eternity ring *n*: *bague donnée en gage de fidélité*

ethane /ˈeθeɪn, ˈiːθ-/ *n* éthane *m*

ethanol /ˈeθənɒl/ *n* alcool *m* éthylique, éthanol *m*

ether /ˈiːθə(r)/ *n* (all contexts) éther *m*

ethereal /ɪˈθɪərɪəl/ *adj* éthéré, aérien/-ienne

ethic /ˈeθɪk/ *n* Philos éthique *f*, morale *f*; **the success ~** le culte du succès

ethical /ˈeθɪkl/ *adj* [*problem, objection, principle*] moral; [*theory*] éthique; [*fund, investment*] éthique; **~ code** code *m* déontologique; **not to be ~** être contraire à la morale

ethically /ˈeθɪklɪ/ *adv* moralement

ethics /ˈeθɪks/ *n* **1** (+ *v sg*) Philos éthique *f*, morale *f*; **2** (+ *v pl*) (moral code) morale *f*; (of group, profession) sens *m* moral; **professional ~** déontologie *f*; **medical ~** déontologie *f* médicale

Ethiopia /ˌiːθɪˈəʊpɪə/ ▸ **p. 1096** *pr n* Éthiopie *f*

Ethiopian /ˌiːθɪˈəʊpɪən/ ▸ **p. 1467, p. 1378**
A *n* Éthiopien/-ienne *m/f*
B *adj* éthiopien/-ienne

ethnic /ˈeθnɪk/
A *n* injur membre *m* d'une minorité ethnique
B *adj* [*group, unrest*] ethnique; [*food, music*] exotique; [*clothes*] inspiré du folklore (*indien, africain etc*)

ethnically /ˈeθnɪklɪ/ *adv* sur le plan ethnique

ethnic cleansing *n* purification *f* ethnique, nettoyage *m* ethnique

ethnicity /eθˈnɪsətɪ/ *n* origines *fpl* ethniques

ethnic minority *n* minorité *f* ethnique

ethnocentric /ˌeθnəʊˈsentrɪk/ *adj* ethnocentrique

ethnography /eθˈnɒɡrəfɪ/ *n* ethnographie *f*

ethnolinguistics /ˌeθnəʊlɪŋˈɡwɪstɪks/ *n* ethnolinguistique *f*

ethnologist /eθˈnɒlədʒɪst/ ▸ **p. 1683** *n* ethnologue *mf*

ethnology /eθˈnɒlədʒɪ/ *n* ethnologie *f*

ethology /iːˈθɒlədʒɪ/ *n* éthologie *f*

ethos /ˈiːθɒs/ *n* (spirit) esprit *m*; (approach) philosophie *f*; **company ~** philosophie de l'entreprise

ethyl /ˈiːθaɪl, ˈeθɪl/ *n* éthyle *m*

ethyl: **~ acetate** *n* acétate *m* d'éthyle; **~ alcohol** *n* alcool *m* éthylique

ethylene /ˈeθɪliːn/ *n* éthylène *m*

etiquette /ˈetɪket, -kət/ *n* **1** (social) bienséance *f*, étiquette *f*; **2** (professional, diplomatic) protocole *m*; **professional ~** déontologie *f*; **3** (ceremonial) étiquette *f*

Etna /ˈetnə/ *pr n* (*also* **Mount ~**) l'Etna *m*, le mont Etna

Etruria /ɪˈtrʊərɪə/ ▸ **p. 1096** *pr n* Hist Étrurie *f*

Etruscan /ɪˈtrʌskən/ ▸ **p. 1467, p. 1378**
A *n* **1** (person) Étrusque *mf*; **2** Ling étrusque *m*
B *adj* étrusque

ETV *n* US *abrév* ▸ **educational television**

etymological /ˌetɪməˈlɒdʒɪkl/ *adj* étymologique

etymologically /ˌetɪməˈlɒdʒɪklɪ/ *adv* étymologiquement

etymology /ˌetɪˈmɒlədʒɪ/ *n* étymologie *f*

EU *n* (*abrév* = **European Union**) UE *f*

eucalyptus /ˌjuːkəˈlɪptəs/
A *n* Bot, Pharm eucalyptus *m*
B *modif* [*oil, leaf*] d'eucalyptus

Eucharist /ˈjuːkərɪst/ *n* Eucharistie *f*

euchre /ˈjuːkə(r)/ ▸ **p. 1253**
A *n* US Games euchre *m*
B ○*vtr* US (trick) **to ~ sb out of sth** carotter○ qch à qn

Euclid /ˈjuːklɪd/ *pr n* Euclide

Euclidean /juːˈklɪdɪən/ *adj* euclidien/-ienne

eugenic /juːˈdʒenɪk/ *adj* eugénique

eugenics /juːˈdʒenɪks/ *n* (+ *v sg*) eugénisme *m*

eulogize /ˈjuːlədʒaɪz/
A *vtr* faire l'éloge *or* le panégyrique de
B *vi* **to ~ over sth** faire l'éloge *or* le panégyrique de qch

eulogy /ˈjuːlədʒɪ/ *n* gen panégyrique *m*; Relig éloge *m* funèbre; **to deliver** *ou* **say the ~ for**

➡ *see* Life in France

sb US faire l'éloge funèbre de qn
eunuch /ˈju:nək/ n eunuque m
euphemism /ˈju:fəmɪzəm/ n euphémisme m
euphemistic /ˌju:fəˈmɪstɪk/ adj euphémique
euphemistically /ˌju:fəˈmɪstɪklɪ/ adv par euphémisme
euphonium /ju:ˈfəʊnɪəm/ n euphonium m
euphony /ˈju:fənɪ/ n euphonie f
euphorbia /ju:ˈfɔ:bɪə/ n euphorbe f
euphoria /ju:ˈfɔ:rɪə/ n euphorie f
euphoric /ju:ˈforɪk, US -ˈfɔ:r-/ adj euphorique
Euphrates /ju:ˈfreɪti:z/ ▸ p. 1633 pr n Euphrate m
euphuism /ˈju:fju:ɪzəm/ n euphuisme m
Eurasia /jʊəˈreɪʒə/ pr n Eurasie f
Eurasian /jʊəˈreɪʒn/
A n Eurasien/-ienne m/f
B adj [people, region] eurasien/-ienne; [continent] eurasiatique
EURATOM /ˈjʊərətɒm/ n (abrév = **European Atomic Energy Community**) CEEA f
Eure ▸ p. 1129 pr n Eure m; **in/to ~** dans l'Eure
Eure-et-Loir ▸ p. 1129 pr n Eure-et-Loir m; **in/to ~** dans l'Eure-et-Loir
eureka /jʊəˈri:kə/ excl eurêka!
eurhythmics GB, **eurythmics** US /ju:ˈrɪðmɪks/ n (+ v sg) gymnastique f rythmique
Euripides /ju:ˈrɪpɪdiz/ pr n Euripide
euro /ˈjʊərəʊ/ ▸ p. 1108 n euro m
Euro+ /ˈjʊərəʊ-/ dans composés euro-
Eurobeach /ˈjʊərəʊbi:tʃ/ n plage f portant le label UE
Eurobond /ˈjʊərəʊbɒnd/ n euro-obligation f
eurocentric /ˌjʊərəʊˈsentrɪk/ adj eurocentrique
eurocentrism /ˌjʊərəʊˈsentrɪzəm/ n eurocentrisme m
eurocheque /ˈjʊərəʊtʃek/ n Eurochèque m; **~ card** carte f Eurochèque
Eurocrat /ˈjʊərəʊkræt/ n eurocrate mf
Eurocurrency /ˈjʊərəʊkʌrənsɪ/ n eurodevise f, euromonnaie f; **~ market** marché m des eurodevises
Eurodollar /ˈjʊərəʊdɒlə(r)/ n eurodollar m
Euroland /ˈjʊərəʊlænd/ n euroland m
Euromarket /ˈjʊərəʊmɑ:kɪt/ n marché m européen; **in the ~** au sein du marché européen
Euro-MP /ˌjʊərəʊemˈpi:/ n député m européen
Europe /ˈjʊərəp/ ▸ p. 1096 pr n Europe f; **to go into ~** entrer dans le Marché commun
European /ˌjʊərəˈpɪən/
A n Européen/-éenne m/f
B adj européen/-éenne
European: ~ Atomic Energy Community n Communauté f Européenne de l'Énergie Atomique; **~ Bank for Reconstruction and Development, EBRD** n Banque f européenne pour la reconstruction et le développement, BERD f; **~ Central Bank** n Banque f centrale européenne, BCE f; **~ Commission** n Commission f européenne; **~ Council** n Conseil m européen; **~ Court of Human Rights** n Cour f européenne des droits de l'homme; **~ Court of Justice** n Cour f européenne de justice, Cour f de justice des communautés européennes; **~ Cup** n Sport Coupe f d'Europe; **~ currency unit, ecu** n ▸ p. 1108 écu m; **~ Development Fund, EDF** n Fonds m européen de développement, FED m; **~ Economic Community, EEC** n Communauté f économique européenne f, CEE f; **~ Environment Agency, EEA** n EU Agence f européenne de l'environnement; **~ Free Trade Association, EFTA** n Association f européenne de libre échange, AELE f; **~ Investment Bank, EIB** n Banque f européenne d'investissement, BEI f
Europeanize /ˌjʊərəˈpɪənaɪz/ vtr européaniser; **to become ~d** s'européaniser
European: ~ Monetary System, EMS système m monétaire européen, SME m; **~ Monetary Union, EMU** n Union f monétaire européenne, UME; **~ Parliament** n Parlement m européen; **~ Social Fund, ESF** n Fonds m social européen, FSE m; **~ Space Agency** n Agence f spacial européen f; **~ standard** n EU Ind, Comm normes fpl européennes; **~ Union, EU** n Union f européenne, UE f
eurosceptic /ˈjʊərəʊskeptɪk/ n GB eurosceptique mf
Euroscepticism /ˌjʊərəʊˈskeptɪsɪzm/ n euroscepticisme m
Eurostar® /ˈjʊərəʊstɑ:(r)/ n Transp Eurostar® m
Eurotrash○ /ˈjʊərəʊtræʃ/ n péj europourris mpl (riches européens installés aux États-Unis)
Eurotunnel /ˈjʊərəʊˌtʌnl/ n Eurotunnel m
Eurovision /ˈjʊərəʊvɪʒn/ n Eurovision f
eurozone n zone f euro, euroland m
eurythmics n US = **eurhythmics**
Eustachian tube /ju:ˌsteɪʃn ˈtju:b, US ˈtu:b/ n trompe f d'Eustache
eustatic /ju:ˈstætɪk/ adj eustatique
euthanasia /ˌju:θəˈneɪzɪə, US -ˈneɪʒə/ n euthanasie f
eutrophication /ˌju:trəfɪˈkeɪʃn/ n Ecol eutrophisation f
evacuate /ɪˈvækjʊeɪt/ vtr gen, Physiol évacuer
evacuation /ɪˌvækjʊˈeɪʃn/ n évacuation f
evacuee /ɪˌvækju:ˈi:/ n évacué/-e m/f
evade /ɪˈveɪd/ vtr esquiver [look, blow]; éluder [question, problem]; se dérober à, fuir [responsibility]; échapper à [pursuer]; **to ~ taxes** se rendre coupable d'évasion fiscale; **so far he has ~d capture** il est toujours en fuite
evaluate /ɪˈvæljʊeɪt/ vtr évaluer [situation, performance, method, results, ability]; mesurer [progress]; déterminer [responsibilities]; juger, évaluer [person, application]
evaluation /ɪˌvæljʊˈeɪʃn/ n (all contexts) évaluation f
evanescent /ˌi:vəˈnesnt, US ˌe-/ adj littér évanescent
evangelical /ˌi:vænˈdʒelɪkl/ adj évangélique
evangelicalism /ˌi:vænˈdʒelɪkəlɪzəm/, **evangelism** /ɪˈvændʒəlɪzəm/ n évangélisme m
evangelist /ɪˈvændʒəlɪst/
A n (preacher, missionary) évangélisateur/-trice m/f
B **Evangelist** n Bible évangéliste m; **St John the Evangelist** St Jean l'Évangéliste
evangelize /ɪˈvændʒəlaɪz/
A vtr évangéliser
B vi prêcher l'Évangile
evaporate /ɪˈvæpəreɪt/
A vtr faire évaporer [liquid]
B vi 1 [liquid] s'évaporer; 2 fig [hopes, enthusiasm, confidence] s'évaporer; [anger, fears] se dissiper
evaporated milk n lait m condensé non sucré
evaporation /ɪˌvæpəˈreɪʃn/ n évaporation f
evasion /ɪˈveɪʒn/ n 1 (of responsibility) dérobade f (**of** à); **tax ~** évasion f fiscale; 2 (excuse) faux-fuyant m; 3 (making excuses) **he resorted to ~** il eut recours à des faux-fuyants
evasive /ɪˈveɪsɪv/ adj évasif/-ive; [look] fuyant; **an ~ answer** une réponse évasive; **to take ~ action** Naut, Aviat changer de cap pour éviter un accident; GB Aut donner un coup de volant pour éviter un accident; fig esquiver la difficulté
evasively /ɪˈveɪsɪvlɪ/ adv d'une manière évasive, évasivement
evasiveness /ɪˈveɪsɪvnɪs/ n (manner) manière f évasive; (remarks) faux-fuyants mpl
eve /i:v/ n 1 veille f; **on the ~ of** à la veille de; 2 ‡(evening) soir m. ▸ **Christmas eve, etc**
Eve /i:v/ pr n Bible Ève
even[1] /ˈi:vn/

> ⚠ *Even* can always be translated by *même* when it is used to express surprise or for emphasis. For examples and other uses, see below

A adv 1 (showing surprise) même; **he didn't ~ try** il n'a même pas essayé; **don't you ~ remember?** tu ne t'en souviens même pas?; **~ when I explained it to him** même quand je le lui ai expliqué; **without ~ apologizing** sans même s'excuser; 2 (emphasizing point) même; **disease or ~ death** la maladie ou même la mort; **I can't ~ swim, never mind dive** je ne sais même pas nager, encore moins plonger; **don't tell anyone, not ~ Bob** ne dis rien à personne, pas même à Bob; **not ~ you could believe that!** même toi, tu ne pourrais pas croire ça!; **~ scrubbing won't shift that stain** même si on frotte, la tache ne partira pas; **~ if** même si; **~ now** même maintenant; **~ today** même aujourd'hui; 3 (with comparative) encore; **it's ~ colder today** il fait encore plus froid aujourd'hui; **~ more carefully** avec encore plus de prudence, encore plus prudemment; 4 sout (just) **~ as I watched** alors même que je regardais; **she died ~ as she had lived** elle est morte comme elle a vécu
B **even so** adv phr quand même; **it was interesting ~ so** c'était quand même intéressant
C **even then** adv phr (at that time) même à ce moment-là; (all the same) de toute façon
D **even though** conj phr bien que (+ subj); **he rents his house ~ though he's so rich** riche comme il est, il loue quand même sa maison or il loue sa maison bien qu'il soit si riche
even[2] /ˈi:vn/
A n ‡ou littér soir m
B adj 1 (level) [ground, surface] égal; **to be ~ with** être au même niveau que [wall, floor]; 2 (regular) [teeth, hemline] régulier/-ière; [temperature] constant; 3 (calm) [voice, tone, disposition, temper] égal; 4 (equal) [contest] égal; **to be ~** [competitors] être à égalité (**with** avec); 5 (fair) [exchange, distribution] équitable; 6 (quits, owing nothing) **we're ~** nous sommes quittes; **to get ~ with sb** rendre à qn la monnaie de sa pièce; 7 Math [number] pair
(Phrasal verbs) ■ **even out**: ▸ **~ out** [differences, imbalance, inequalities] s'atténuer; ▸ **~ [sth] out, ~ out [sth]** répartir [distribution, burden]; réduire [disadvantage, inequalities]
■ **even up**: ▸ **~ [sth] up, ~ up [sth]** équilibrer [contest]; **it will ~ things up** ce sera plus équilibré
even-handed /ˌi:vnˈhændɪd/ adj impartial
evening /ˈi:vnɪŋ/ ▸ p. 1059
A n 1 soir m; (with emphasis on duration) soirée f; **in the ~** le soir; **during the ~** pendant la soirée; **at 6 o'clock in the ~** à six heures du soir; **this ~** ce soir; **later this ~** plus tard dans la soirée; **tomorrow/yesterday ~** demain/hier soir; **on the ~ of the 14th** le 14 au soir; **on Friday ~** vendredi soir; **on Friday ~s** le vendredi soir; **on the following** ou **next ~** le lendemain soir; **the previous ~, the ~ before** la veille au soir; **on the ~ of their arrival** le soir de leur arrivée; **every ~** tous les soirs; **every Thursday ~** tous les jeudis soir; **on a fine summer ~** par une belle soirée d'été; **the long winter ~s** les longues soirées d'hiver; **I'll be in all ~** je serai à la maison toute la soirée; **what do you do in the ~s?** qu'est-ce-que tu fais le soir?; **she came in the ~** elle est arrivée dans la soirée; **let's have an ~ in**

for a change passons la soirée à la maison pour une fois; **to work ~s** travailler le soir; **to be on ~s** être du soir; **2** **musical/theatrical ~** soirée musicale/théâtrale; **3** fig littér **in the ~ of one's life** au soir de sa vie
B *modif* [*bag, shoe*] habillé; [*meal, newspaper, walk*] du soir
C ○*excl* (*also* **good ~**) bonsoir!

evening class *n* cours *m* du soir

evening dress *n* **1** (formal clothes) tenue *f* de soirée; **in ~** en tenue de soirée; **2** (gown) robe *f* de soirée

evening: **~ fixture** *n* GB Sport nocturne *f*; **~ game**, **~ match** *n* = **evening fixture**; **~ meal** *n* repas *m* du soir; **~ paper** *n* journal *m* du soir; **~ performance** *n* représentation *f* en soirée; **~ prayers** *npl* vêpres *fpl*; **~ primrose** *n* onagre *f*; **~ service** office *m* du soir; **~ shift** *n* équipe *f* du soir; **~ showing** *n* Cin séance *f* du soir; **~ star** *n* étoile *f* du berger

e

evenly /ˈiːvnlɪ/ *adv* **1** [*spread, apply*] uniformément; [*breathe*] régulièrement; [*share, divide*] en parts égales; **~ distributed** [*money*] équitablement distribué; [*paint, colour*] uniformément étalé; [*disease, phenomenon*] également répandu; **to be ~ matched** être de force égale; **2** (placidly) [*say*] posément

evenness /ˈiːvnnɪs/ *n* (of ground, surface) uniformité *f*, égalité *f*; (of distribution) équité *f*; (of breathing, movement) régularité *f*; (of temperament) égalité *f*; (of quality) constance *f*

evens /ˈiːvnz/
A *npl* **I'll give you ~ that** pour moi il y a une chance sur deux que (+ *subj*)
B *modif* **to be ~ favourite** être favori et coté à un contre un

evensong /ˈiːvnsɒŋ/ *n* office *m* du soir

event /ɪˈvent/ *n* **1** (incident) événement *m*; **a chain of ~s** une suite d'événements; **~s are moving so fast** les événements se succèdent tellement vite; **the police were unable to control ~s** la police a été incapable de contrôler la situation; **the course of ~s** les circonstances; **2** (eventuality) cas *m*; **in the ~ of** en cas de [*fire, accident etc*]; **in the unlikely ~ that he (should) fail the exam** au cas improbable où il raterait son examen; **in that ~** dans ce cas; **in either ~** en tout cas; **in the ~** GB (as things turned out) en l'occurrence; **in any ~, at all ~s** de toute façon; **3** (occasion) **social ~** événement *m* mondain; **it was quite an ~** c'était un événement; **4** (in athletics) épreuve *f*; **field/track ~** épreuve *f* d'athlétisme/de vitesse; **men's/women's ~** épreuve *f* pour hommes/pour femmes; **5** Equit **three-day ~** concours *m* complet d'équitation (*se déroulant sur trois jours*)
(Idiom) **after the ~** après la bataille

even-tempered /ˌiːvnˈtempəd/ *adj* d'une humeur égale

eventer /ɪˈventə(r)/ *n* Equit (person) participant/-e *m/f* à un concours complet; **he's a good ~** (horse) c'est un bon cheval de concours complet

eventful /ɪˈventfl/ *adj* mouvementé, riche en événements

eventide /ˈiːvntaɪd/ *n* littér crépuscule *m*

eventide home *n* GB maison *f* de retraite

eventing /ɪˈventɪŋ/ *n* GB Equit concours *m* complet

eventual /ɪˈventʃʊəl/ *adj* [*aim, hope*] à long terme; **it led to the ~ collapse of the talks** cela a finalement entraîné l'échec des négociations; **his ~ success** le succès qu'il finit par remporter

eventuality /ɪˌventʃʊˈælətɪ/ *n* éventualité *f*

eventually /ɪˈventʃʊəlɪ/ *adv* (at last) finalement; (after series of events) finalement; **to do sth ~** finir par faire qch

eventuate /ɪˈventʃʊeɪt/ *vi* sout finir par se produire; **to ~ in** mener à

ever /ˈevə(r)/
A *adv* **1** (at any time) **nothing was ~ said** rien n'a jamais été dit; **no-one will ~ forget** personne n'oubliera jamais; **I don't think I'll ~ come back/she'll ~ come back** je ne pense pas revenir un jour/qu'elle revienne un jour; **I doubt if I'll ~ come back/he'll ~ come back** je ne suis pas sûr de revenir un jour/qu'il revienne un jour; **the money is unlikely ~ to be paid back** il est peu probable que l'argent soit remboursé un jour; **I don't remember ~ seeing them** je ne me souviens pas de les avoir (jamais) vus; **I don't remember her ~ saying that** je ne me souviens pas de l'avoir entendue dire ça; **I can't say I ~ noticed it** je ne l'ai jamais remarqué; **seldom** *ou* **rarely, if ~** rarement sinon jamais; **hardly ~** rarement; **we hardly ~ meet** nous nous rencontrons rarement, nous ne nous rencontrons presque jamais; **she never ~ comes** elle ne vient jamais; **something I would never ~ do** quelque chose que je ne ferais jamais de ma vie; **has he ~ lived abroad?** est-ce qu'il a déjà vécu à l'étranger?, a-t-il jamais vécu à l'étranger?; **haven't you ~ been to Greece?** est-ce que tu n'es jamais allé en Grèce?; **will she ~ forget?** est-ce qu'elle oubliera un jour?; **do you ~ make mistakes?** est-ce qu'il t'arrive de te tromper?; **if you ~ see, if ~ you see** si jamais tu vois; **he said if ~ I was passing through Oxford...** il m'a dit que si jamais je passais par Oxford...; **if ~ someone deserved a rise, she did** si jamais quelqu'un méritait une augmentation, c'était bien elle; **this was proof if ~ proof was needed** c'était la preuve, s'il fallait une preuve; **she's a genius if ~ I saw one** *ou* **if ~ there was one!** c'est un génie ou je ne m'y connais pas!
2 (when making comparisons) **more beautiful/difficult than ~** encore plus beau/difficile que jamais; **it's windier than ~ today** il y a encore plus de vent aujourd'hui; **more than ~ before** plus que jamais; **competition is tougher than ~ before** la concurrence n'a jamais été aussi acharnée; **more women than ~ before are working** les femmes n'ont jamais été aussi nombreuses à travailler; **we have more friends than ~ before** nous n'avons jamais eu autant d'amis; **he's happier than he's ~ been** il n'a jamais été aussi heureux; **she's more gifted than he'll ~ be!** elle est plus douée qu'il ne le sera jamais!; **you work harder than I ~ did** tu travailles plus que je n'ai jamais travaillé; **the worst mistake I ~ made** la pire erreur que j'aie jamais faite; **the best film ~ made** le meilleur film jamais fait *or* tourné; **she's the funniest actress ~!** c'est l'actrice la plus drôle que j'aie jamais vue!; **the first/last time anyone ~ saw him** la première/dernière fois qu'on l'a vu; **the first ~** le tout premier; **my first ~ car** ma toute première voiture
3 (at all times, always) toujours; **~ loyal/hopeful** toujours loyal/plein d'espérance; **to be as cheerful as ~** être toujours aussi gai; **peace seems as far away as ~** la paix paraît toujours aussi improbable; **the same as ~** toujours le même; **they're the same as ~** ils sont toujours les mêmes; **they lived happily ~ after** ils vécurent toujours heureux; **~ the optimist/diplomat** l'éternel optimiste/diplomate; **your ~ loving father**† ton père qui t'aime; **~ yours, yours ~** bien à toi *or* à vous
4 (expressing anger, irritation) **you never ~ write to me!** tu ne m'écris jamais!; **don't (you) ~ do that again!** ne refais jamais ça!; **if you ~ speak to me like that again** si jamais tu me reparles sur ce ton; **do you ~ think about anyone else?** ça ne t'arrive jamais de penser à quelqu'un d'autre?; **that's the last time he ~ comes here!** c'est la dernière fois qu'il vient ici!; **have you ~ heard such rubbish!** as-tu jamais entendu de telles âneries?; **did you ~ see such a mess?** as-tu jamais vu une telle pagaille?; **why did I ~ leave?** pourquoi est-ce que je suis parti?; **you were a fool ~ to believe it!** tu étais idiot de le croire (ne serait-ce qu'une minute)!; **that's all he ~ does!** c'est tout ce qu'il sait faire!; **all you ~ do is moan!** tout ce que tu sais faire c'est râler!
5 (expressing surprise) **why ~ not?** GB pourquoi pas?; **who ~ would have guessed?** qui donc aurait deviné?; **what ~ do you mean?** que voulez-vous dire par là?
6 GB (very) **~ so** si; **I'm ~ so glad you came!** je suis si heureux que tu sois venu!; **it's ~ so slightly damp** c'est très légèrement humide; **thanks ~ so much!** merci mille fois!; **he's ~ so much better** il va beaucoup mieux; **I've received ~ so many letters** j'ai reçu beaucoup de lettres; **be it ~ so humble** sout aussi humble soit-il fml; **she's ~ such a bright child** c'est une enfant si intelligente; **it's ~ such a shame!** c'est vraiment dommage!
7 ○(in exclamations) **is he ~ dumb!** ce qu'il peut être bête!; **am I ~ glad to see you!** qu'est-ce que je suis content de te voir!; **do I ~!** (emphatic yes) et comment!
B **ever-** (*dans composés*) toujours; **~-growing** *ou* **-increasing** toujours croissant; **~-present** toujours présent; **~-changing** qui évolue sans cesse
C **as ever** *adv phr* comme toujours; **they were, as ~, ready to...** comme toujours ils étaient prêts à...
D **ever more** *adv phr* de plus en plus
E **ever since** *adv phr, conj phr* depuis; **~ since we arrived** depuis que nous sommes arrivés, depuis notre arrivée
F **before ever** *conj phr* avant même (**doing** de faire); **she was unhappy before ~ we left** elle était malheureuse avant même que nous soyons partis

Everest /ˈevərɪst/ *pr n* **(Mount) ~** l'Everest *m*

evergreen /ˈevəgriːn/
A *n* Bot (tree) arbre *m* à feuillage persistant *or* à feuilles persistantes; (plant) plante *f* à feuillage persistant *or* à feuilles persistantes
B *adj* (*épith*) **1** Bot [*plant, tree*] à feuillage persistant, à feuilles persistantes; **2** fig (popular) [*song, programme*] toujours populaire, toujours en vogue

everlasting /ˌevəˈlɑːstɪŋ, US -ˈlæst-/ *adj* éternel/-elle

every /ˈevrɪ/

> ⚠ *Every* is most frequently translated by *tous les*/*toutes les* + plural noun: *every day* = tous les jours. When *every* is emphasized to mean *every single*, it can also be translated by *chaque*. For examples and exceptions, see the entry below

A *det* **1** (each) **~ house in the street** toutes les maisons de la rue; **she answered ~ (single) question** elle a répondu à chaque question *or* à toutes les questions; **~ time I go there** chaque fois que j'y vais; **I've read ~ one of her books** j'ai lu tous ses livres; **he ate ~ one of them** il les a tous mangés; **~ one of us is implicated** chacun de nous est impliqué, nous sommes tous impliqués; **that goes for ~ one of you!** c'est valable pour tout le monde!; **I enjoyed ~ minute of it** chaque minute a été un plaisir; **she ate ~ last crumb of the cake** elle a mangé le gâteau jusqu'à la dernière miette; **he spent ~ last penny of the money** il a dépensé jusqu'au dernier sou; **~ second/third day** tous les deux/trois jours; **he had none but ~ other child had one** il n'en avait pas mais tous les autres enfants en avaient un; **five out of ~ ten** cinq sur dix; **there are three women for ~ ten men** il y a trois femmes seulement pour dix hommes; **from ~ side** de toutes parts; **in ~ way** (from every point of view) à tous les égards; (using every method) par tous les moyens; **2** (emphatic) **her ~ word/action** ses moindres paroles/gestes; **your ~ wish** tout ce que vous désirez, votre moindre désir; **I have ~ confidence in you** j'ai toute confiance en vous; **there is ~ chance of a good harvest** il y a toutes les chances que la récolte soit bonne; **we have**

~ **expectation that** nous avons tous les espoirs que; **you have ~ reason to be pleased** tu as toutes les raisons d'être content; **they have ~ right to complain** ils ont tous les droits de se plaindre; **I wish you ~ success** je vous souhaite beaucoup de succès; **not ~ family is so lucky** toutes les familles n'ont pas autant de chance; **he is ~ bit as handsome as his father** il est tout aussi beau que son père; **it was ~ bit as good as her last film** c'était tout aussi bien que son dernier film; **~ bit as much as** tout autant que; **3** (indicating frequency) **~ day/Thursday** tous les jours/jeudis; **~ month/year** tous les mois/ans; **~ week** toutes les semaines; **once ~ few minutes** toutes les cinq minutes; **once ~ few days** plusieurs fois par semaine; **it's not ~ day that** ce n'est pas tous les jours que; **~ 20 kilometres** tous les 20 kilomètres
B every other *adj phr* (alternate) **~ other day** tous les deux jours; **~ other Sunday** un dimanche sur deux; **~ other page** toutes les deux pages

(Idioms) **~ now and then, ~ now and again, ~ so often, ~ once in a while** de temps en temps; **~ little (bit) helps** (when collecting money) tous les dons sont bienvenus; (when saving money) les petits ruisseaux font les grandes rivières; **it's ~ man for himself** c'est chacun pour soi; **~ man for himself!** sauve qui peut!; **~ man Jack of them** tous sans exception; **~ which way** dans tous les sens

everybody /ˈevrɪbɒdɪ/ *pron* tout le monde; **~ else** tous les autres; **~ knows ~ else around here** ici tout le monde se connaît; **you can't please ~** on ne peut pas faire plaisir à tout le monde; **he's mad, ~ knows that** il est fou, tout le monde le sait; **~ who is anybody** tous les gens importants

everyday /ˈevrɪdeɪ/ *adj* [*activity, routine*] quotidien/-ienne; [*clothes*] de tous les jours; **~ life** la vie de tous les jours, la vie quotidienne; **this is not an ~ occurrence** cela n'arrive pas tous les jours; **~ English** l'anglais de tous les jours; **in ~ use** [*object, device, word*] d'usage courant

Everyman /ˈevrɪmæn/ *n* Monsieur *m* Tout-le-Monde

everyone /ˈevrɪwʌn/ *pron* = **everybody**

everyplace○ /ˈevrɪpleɪs/ *adv* US = **everywhere**

everything /ˈevrɪθɪŋ/

> ⚠ *Everything* is almost always translated by *tout*. For examples and particular usages, see below

pron tout; **is ~ all right?** est-ce que tout va bien?; **you mustn't believe ~ you hear** il ne faut pas croire tout ce que tu entends; **they've eaten ~ else** ils ont mangé tout le reste; **money isn't ~** l'argent n'est pas tout; **he's got ~ going for him** il a tout pour lui; **she meant ~ to him** elle était tout pour lui; **have you got your papers and ~?** est-ce que vous avez vos papiers et tout le reste?; **I like him and ~**○**, but I wouldn't choose to go on holiday with him** je l'aime bien, c'est vrai, mais je ne choisirais pas de partir en vacances avec lui

everywhere /ˈevrɪweə(r), US -hweər/ *adv* partout; **~ else** partout ailleurs; **~ I go it's the same** partout où je vais, c'est la même chose; **she's been ~** elle a voyagé partout; **~ people are becoming concerned** partout les gens commencent à se sentir concernés; **~ looks different at night** n'importe quel endroit change d'aspect la nuit

evict /ɪˈvɪkt/ *vtr* expulser (**from** de)

eviction /ɪˈvɪkʃn/ *n* expulsion *f* (**from** de)

eviction notice, eviction order *n* mandat *m* d'expulsion

evidence /ˈevɪdəns/
A *n* **1** gen, Jur (proof) ¢ preuves *fpl* (**that** que; **of, for** de; **against** contre); **a piece of ~** une preuve; **insufficient ~** preuves insuffisantes; **video ~** preuves fournies par une bande-vidéo; **~ to support/show sth** preuves qui appuient/démontrent qch; **there is ~ to suggest that** il y a de bonnes raisons de penser que; **there is no ~ that** rien ne prouve que; **all the ~ is** *ou* **suggests that** tout indique que; **to show ~ of genius** faire preuve de génie; **to believe the ~ of one's own eyes** croire ce qu'on a vu de ses propres yeux; **on the ~ of his last performance he...** si on en juge par sa dernière performance, il...; **2** Jur (testimony) témoignage *m* (**from** de); **to take** *ou* **hear sb's ~** entendre le témoignage de qn; **on the ~ of sb** d'après qn; **to be convicted on the ~ of sb** être condamné sur le témoignage de qn; **to be used in ~ against sb** servir de témoignage contre qn; **to give ~** témoigner, déposer (**for sb** en faveur de qn; **against sb** contre qn); **to give ~ for the prosecution/the defence** être témoin à charge/à décharge; **3** (trace) trace *f* (**of** de); **to be (much) in ~** être (bien) visible; **she's not very much in ~ these days** on ne la voit pas beaucoup en ce moment; **he was nowhere in ~** il était invisible
B *vtr* sout attester; **(as) ~d by sth** comme l'atteste qch

evidence-based medicine, EBM *n* médecine *f* factuelle

evident /ˈevɪdənt/ *adj* [*anger, concern, relief*] manifeste; **to be ~ from sth that** être clair d'après qch que; **it is ~ to me that** pour moi il est évident que; **his fear is ~ in his behaviour/expression** son comportement/expression trahit sa peur; **this reaction is most ~ in men** cette réaction s'observe plus particulièrement chez les hommes

evidently /ˈevɪdəntlɪ/ *adv* **1** (obviously) [*afraid, happy*] manifestement; **2** (apparently) apparemment; **'isn't it illegal?'—'~ not!'** 'n'est-ce pas illégal?'—'il semblerait que non!' *or* 'apparemment, non'

evil /ˈiːvl/
A *n* **1** (wickedness) mal *m*; **to speak ~ of sb** dire du mal de qn; **the forces of ~** les forces du Mal; **2** (bad thing) (of war, disease, social problem) fléau *m*; (of doctrine, regime) mal *m*; **the ~s of drink/drugs** le fléau de l'alcool/la drogue; **the ~s of racism** les maux du racisme
B *adj* [*person*] méchant; [*act, destiny, intent, genius, smell, tongue, temper*] mauvais; [*plan, spirit*] maléfique; **The Evil One** le Malin

(Idioms) **to give sb the ~ eye** jeter le mauvais œil à qn; **the lesser of two ~s** le moindre mal; **hear no ~, see no ~, speak no ~** Prov il vaudrait mieux ne pas s'en mêler; **money is the root of all ~** l'argent est la source de tous les maux; **to put off the ~ hour** *ou* **day** repousser le moment fatidique; **to return good for ~** rendre le bien pour le mal

evil: **~doer** *n* littér malfaiteur *m*; **~-minded** *adj* porté au mal; **~-smelling** *adj* nauséabond

evince /ɪˈvɪns/ *vtr* sout faire preuve de, manifester [*intelligence, talent*]

eviscerate /ɪˈvɪsəreɪt/ *vtr* sout éviscérer

evocation /ˌevəˈkeɪʃn/ *n* évocation *f*

evocative /ɪˈvɒkətɪv/ *adj* évocateur/-trice

evocatively /ɪˈvɒkətɪvlɪ/ *adv* [*described*] de façon évocatrice

evoke /ɪˈvəʊk/ *vtr* **1** évoquer [*memory, feeling*]; **2** susciter [*response, interest, admiration*]

evolution /ˌiːvəˈluːʃn/ *n* évolution *f* (**from** à partir de)

evolutionary /ˌiːvəˈluːʃənərɪ, US -nerɪ/ *adj* évolutionniste

evolutionism /iːvəˈluːʃənɪzəm/ *n* évolutionnisme *m*

evolve /ɪˈvɒlv/
A *vtr* élaborer, mettre au point [*theory, system, policy*]
B *vi* **1** [*theory, situation*] évoluer; **to ~ from sth** se développer à partir de qch; **2** [*animal, organism*] évoluer; **to ~ from sth** descendre de qch

ewe /juː/ *n* brebis *f*; **~ lamb** agnelle *f*

ewer /ˈjuːə(r)/ *n* aiguière *f*

ex /eks/
A ○*n* (former partner) ex○ *mf*
B *prep* Comm **~ works, ~ factory** [*price*] départ usine; **~ wharf, ~ dock** à quai dédouané; **~ coupon** Fin ex coupon
C ex+ (*dans composés*) ex-, ancien/-ienne (*before n*)

exacerbate /ɪgˈzæsəbeɪt/ *vtr* exacerber [*pain, disease*]; aggraver [*situation*]

exact /ɪgˈzækt/
A *adj* [*amount, calculation, copy, description, detail, number, replica, time*] exact; [*moment, instant*] précis; **it's not an ~ science** ce n'est pas une science exacte; **it's the ~ opposite** c'est exactement le contraire; **tell me your ~ whereabouts** dis-moi où tu te trouves exactement; **those were her ~ words** voilà exactement ce qu'elle a dit; **to be (more) ~** plus précisément; **it was in summer, July to be ~** c'était en été, plus précisément en juillet; **can you be more ~?** pourriez-vous être plus précis?; **the ~ same**○ **hat** exactement le même chapeau; **he did the ~ same**○ **thing** il a fait exactement la même chose
B *vtr* exiger [*price, payment, ransom, obedience*] (**from** de); **to ~ revenge** prendre sa revanche

exacting /ɪgˈzæktɪŋ/ *adj* astreignant

exaction /ɪgˈzækʃn/ *n* exaction *f*

exactitude /ɪgˈzæktɪtjuːd, US -tuːd/ *n* exactitude *f*

exactly /ɪgˈzæktlɪ/ *adv* **1** (just, precisely) exactement; **~ as promised** exactement comme promis; **no-one knew ~ why/who** personne ne savait exactement pourquoi/qui; **not ~** pas exactement; **it would have been ~ the same** (of situation) ça aurait été exactement la même chose; **my feelings** *ou* **opinion ~!** exactement!; **what ~** *ou* **~ what were you doing?** que faisais-tu au juste?; **she wasn't ~ overjoyed/surprised** iron elle n'était pas précisément ravie/surprise; **2** (with exactitude) [*calculate, know, describe*] avec exactitude, exactement

exactness /ɪgˈzæktnɪs/ *n* exactitude *f*

exaggerate /ɪgˈzædʒəreɪt/
A *vtr* exagérer; (in one's own mind) s'exagérer [*problem, importance, risk*]; (highlight) exagérer [*effect, size, movement, expression*]
B *vi* exagérer

exaggerated /ɪgˈzædʒəreɪtɪd/ *adj* exagéré; **he has an ~ sense of his own importance** il se fait une idée exagérée de son importance

exaggeration /ɪgˌzædʒəˈreɪʃn/ *n* exagération *f*; **it's no ~ to say that** on peut dire sans exagération que; **...and that's no ~** sans exagérer

exalt /ɪgˈzɔːlt/ *vtr* sout **1** (glorify) exalter, glorifier; **2** (raise in rank, power) élever [qn] à un rang important

exaltation /ˌegzɔːlˈteɪʃn/ *n* exaltation *f*

exalted /ɪgˈzɔːltɪd/ *adj* sout **1** (elevated) [*rank, position*] élevé, haut; [*person*] haut placé; **2** (jubilant) [*person, mood*] exalté; **3** (exaggerated) **to have an ~ opinion of oneself** se faire des illusions sur soi-même

exam○ /ɪgˈzæm/ *n* examen *m*; ► **examination A 1, B**

examination /ɪgˌzæmɪˈneɪʃn/
A *n* **1** Sch, Univ examen *m* (**in** de); **French/Biology ~** examen *m* de français/de biologie; **to take an ~** passer un examen; **to pass an ~** réussir un examen; **2** (inspection) gen, Med examen *m*; Accts vérification *f*; **medical ~** examen *m* médical; **on ~** après examen; **under ~** à l'examen; **after close/further ~** après un examen attentif/approfondi; **to have an ~** Med passer un examen médical; **to give sb an ~** Med faire passer un examen médical à qn; **3** Jur (of accused, witness) interrogatoire *m*
B *modif* Sch, Univ [*certificate, question, results*] d'ex-

amen; [candidate] à un examen
examination: ~ **board** n comité m responsable de l'organisation des examens nationaux; ~ **paper** n sujets mpl d'examen; ~ **script** n copie f
examine /ɪɡ'zæmɪn/ vtr **1** (intellectually) considérer [facts]; examiner [evidence]; étudier [problem, question, theory]; **2** (visually) examiner [object, document, evidence]; fouiller [luggage]; vérifier [accounts]; Med examiner [person, part of body]; **to have sth ~ed** Med faire examiner qch; **3** Sch, Univ faire passer un examen à [candidate, pupil] (**in** en; **on** sur); **they are ~ed in maths every year** ils passent un examen en math chaque année; **4** Jur interroger [person]
(Idiom) **you need your head ~d**○**!** tu devrais te faire soigner○!
examinee /ɪɡ,zæmɪ'ni:/ n candidat/-e m/f (à un examen)
examiner /ɪɡ'zæmɪnə(r)/ n examinateur/-trice m/f
examining board, **examining body** n Sch comité m responsable de l'organisation des examens nationaux
examining justice, **examining magistrate** n juge m d'instruction
exam nerves npl stress m des examens
example /ɪɡ'zɑ:mpl, US -'zæmpl/ n exemple m; **for ~** par exemple; **to follow sb's ~** suivre l'exemple de qn; **following the ~ of Gandhi** à l'exemple de Gandhi; **to set a good ~** donner l'exemple; **he's an ~ to us all** c'est notre modèle à tous; **you're setting a bad ~ for the others** tu ne donnes pas le bon exemple aux autres; **to offer sth as an ~** proposer qch en exemple; **he was punished as an ~ to others** il a été puni pour que cela serve d'exemple aux autres; **to make an ~ of sb** punir qn pour l'exemple; **children learn by ~** les enfants apprennent par imitation
exasperate /ɪɡ'zæspəreɪt/ vtr exaspérer
exasperated /ɪɡ'zæspəreɪtɪd/ adj exaspéré (**by, at** par); **she was ~ with him** il l'avait portée à bout; **to get ~** s'énerver
exasperating /ɪɡ'zæspəreɪtɪŋ/ adj exaspérant
exasperatingly /ɪɡ'zæspəreɪtɪŋlɪ/ adv **~ clumsy/stupid** d'une maladresse/stupidité exaspérante
exasperation /ɪɡ,zæspə'reɪʃn/ n exaspération f; **he stamped his foot in ~** exaspéré, il a tapé du pied
ex cathedra /,eks kə'θi:drə/ adj, adv ex cathedra
excavate /'ekskəveɪt/
A vtr **1** Archeol fouiller [site]; exhumer [object]; **2** Constr creuser [ground, trench, tunnel]
B vi Archeol faire des fouilles
excavation /,ekskə'veɪʃn/
A n **1** (of land) excavation f, creusement m; **2** (tunnel) excavation f; **~ work** travaux mpl d'excavation
B excavations npl Archeol fouilles fpl
excavator /'ekskəveɪtə(r)/ n **1** (machine) excavateur m; **2** Archeol (person) fouilleur/-euse m/f
exceed /ɪk'si:d/ vtr outrepasser [functions, authority]; dépasser [speed limit, sum of money] (**by** de); **when expenses ~ income** quand les dépenses sont supérieures aux revenus; **to ~ all expectations** dépasser toute attente; **arrested for ~ing the speed limit** arrêté pour excès de vitesse
exceedingly /ɪk'si:dɪŋlɪ/ adv sout extrêmement
excel /ɪk'sel/
A vtr surpasser (**in** en)
B vi exceller (**at, in** en; **at** ou **in doing** à faire)
C v refl **to ~ oneself** se surpasser also iron
excellence /'eksələns/
A n excellence f
B Excellence n = **Excellency**
Excellency /'eksələnsɪ/ n Excellence f; **Your ~** Votre Excellence
excellent /'eksələnt/
A adj excellent
B excl parfait!
excellently /'eksələntlɪ/ adv admirablement, merveilleusement bien
excelsior /ɪk'selsɪɔ:(r)/ n US copeaux mpl d'emballage
except /ɪk'sept/

> ⚠ There are four frequently used translations for *except* when used as a preposition. By far the most frequent of these is *sauf*; the others are *excepté*, *à l'exception de* and *hormis*. Note, however, that in *what/where/who* questions, *except* is translated by *sinon*. For examples and the phrase *except for* see below

A prep **everybody ~ Lisa** tout le monde sauf Lisa, tout le monde à l'exception de or excepté or hormis Lisa, tout le monde Lisa exceptée; **nothing ~** rien d'autre que; **nobody ~** personne d'autre que; **~ if/when** sauf si/quand; **~ that** sauf que, si ce n'est que; **who could have done it ~ him?** qui aurait pu le faire sinon lui?; **where could she be ~ at home?** où est-ce qu'elle pourrait être sinon chez elle?
B except for prep phr à part, à l'exception de
C ‡conj **~ he be dead** à moins qu'il ne soit mort
D vtr excepter, exclure (**from** de); **not ~ing** sans oublier, y compris; **present company ~ed** exception faite des personnes présentes
excepting /ɪk'septɪŋ/ prep à l'exception de; **always ~** à l'exception bien sûr de
exception /ɪk'sepʃn/ n **1** (special case) exception f (**for** pour); **with the (possible) ~ of** à l'exception (peut-être) de; **the only ~ being** à la seule exception de; **without ~** sans exception; **with some ~s** à quelques exceptions près; **with certain ~s** à quelques exceptions près; **to make an ~** faire exception; **there can be no ~s** il n'y aura pas d'exception; **an ~ to the rule** une exception à la règle; **a notable ~** une exception remarquable; **the ~ proves the rule** c'est l'exception qui confirme la règle; **2 to take ~ to** (dislike) prendre [qch] comme une insulte [remark, suggestion]
exceptional /ɪk'sepʃənl/ adj **1** gen exceptionnel/-elle; **2** US Sch (handicapped) désavantagé; (gifted) particulièrement doué
exceptionally /ɪk'sepʃənəlɪ/ adv exceptionnellement
excerpt /'eksɜ:pt/ n extrait m
excess /ɪk'ses/
A n **1** gen excès m (**of** de); **to eat/drink to ~** faire des excès de table/de boisson, trop manger/boire; **carried to ~** poussé à l'excès; **a life of ~** une vie d'excès; **any ~ can be frozen** tout ce qui est en trop peut être congelé; **to be in ~ of** excéder, dépasser; **it is far in ~ of what is reasonable** cela dépasse largement les limites du raisonnable; **the ~ of supply over demand** Econ l'excès m or l'excédent m de l'offre sur la demande; **2** GB Insur (insurance) franchise f
B excesses npl excès mpl, abus mpl
C adj **~ alcohol/speed/weight** excès m d'alcool/de vitesse/de poids; **to drive with ~ alcohol** GB conduire en état d'ivresse; **drain off the ~ water** égoutter l'excédent d'eau; **remove ~ fat** (on meat) dégraisser
excess: **~ baggage**, **excess luggage** n excédent m de bagages; **~ fare** n supplément m
excessive /ɪk'sesɪv/ adj gen excessif/-ive; **~ drinking** abus m d'alcool
excessively /ɪk'sesɪvlɪ/ adv **1** (inordinately) [harsh, long, expensive] excessivement; [drink, spend] avec excès; **2** ○(very) [dull, embarrassing] excessivement controv, extrêmement
excess: **~ postage** n surtaxe f postale; **~ profits** npl superbénéfices mpl; **~ profits tax** n impôt m sur les superbénéfices; (in wartime) contribution f extraordinaire sur les bénéfices de guerre
exchange /ɪks'tʃeɪndʒ/
A n **1** (swap) échange m; **in ~** en échange (**for** de); **~ of ideas/information** échange d'idées/d'informations; **~ of contracts** Comm Jur ≈ signature f de l'acte de vente; **~ of vows** échange m des serments; **2** Comm, Fin change m; **the rate of ~** le taux de change; **bill of ~** lettre f de change; **first/second/third of ~** première/deuxième/troisième de change; **3** (discussion) discussion f; (in parliament) débat m; **a heated** ou **an angry ~** une discussion houleuse; **4** (visit) échange m; **to go on an ~** partir dans le cadre d'un échange; **~ student** étudiant/-e m/f participant à un échange; **~ visit** voyage m d'échange; **5** Comm, Fin (place of business) Bourse f; **6** Telecom (also **telephone ~**) central m (téléphonique)
B vtr échanger; **to ~ sth for sth** échanger qch contre qch; **to ~ sth with sb** échanger qch avec qn; **to ~ contracts** Comm Jur ≈ signer le contrat de vente; **to ~ looks/blows** échanger un regard/des coups (**with** avec); **they ~d hostages** ils ont échangé leurs otages
exchangeable /ɪks'tʃeɪndʒəbl/ adj échangeable (**for, against** contre)
exchangeable: **~ disk** n Comput disque m amovible; **~ disk storage, EDS** n Comput unité f de disques à chargeur
exchange: **~ bureau** n bureau m de change; **~ control** n contrôle m des changes; **~ controls** npl mesures fpl de contrôle des changes; **~ rate** n taux m de change; **Exchange Rate Mechanism, ERM** n (Mécanisme m de change du) système m monétaire européen
exchequer /ɪks'tʃekə(r)/
A n **1** Admin ministère m des finances; **2** hum (funds) fonds mpl
B Exchequer pr n ministère m britannique des finances
excisable /ɪk'saɪzəbl/ adj sujet/-ette aux droits de régie
excise
A /'eksaɪz/ n (also **excise duty**) excise f, taxe f
B /ɪk'saɪz/ vtr **1** Med exciser; **2** (from text) supprimer
excision /ɪk'sɪʒn/ n **1** Med excision f; **2** (from text) suppression f
excitable /ɪk'saɪtəbl/ adj [person, animal, disposition] nerveux/-euse; Med [nerve] excitable; **an ~ child** un enfant qui s'excite facilement
excitant /'eksɪtənt/ n excitant m
excite /ɪk'saɪt/ vtr **1** (make excited) exciter; (fire with enthusiasm) enthousiasmer; (sexually) exciter; **2** (stimulate) exciter [imagination]; susciter [interest, controversy, admiration, anger]; **3** (give rise to) éveiller [curiosity, suspicion, passion]; faire naître [envy]; **4** (incite) provoquer [rebellion, riot]; **5** Med, Physiol exciter
excited /ɪk'saɪtɪd/ adj [person, crowd, animal] excité; (sexually) excité; [voice, conversation, look] animé; [imagination] exalté; Physiol excité; **to be ~ about sth** (enthusiastic) s'enthousiasmer pour qch; (in anticipation) être emballé○ à l'idée de qch; **she's ~ about going to Greece** elle est emballée○ à l'idée de partir en Grèce; **to get ~** [person, crowd] s'exciter; **it's nothing to get ~ about!** il n'y a pas de quoi s'exciter; **don't get ~!** (cross) ne t'énerve pas!
excitedly /ɪk'saɪtɪdlɪ/ adv avec animation; **they were whispering ~** ils chuchotaient tout excités; **'listen!' she said ~** 'écoute!' dit-elle tout excitée
excitement /ɪk'saɪtmənt/ n **1** (emotion) excitation f; **what an ~!** quelle émotion!; **in the ~ we forgot to lock the car** dans l'agitation générale nous avons oublié de fermer la voiture; **the news caused great ~** la nouvelle a fait sensation; **I want some ~ out of life** je veux une vie plus excitante; **he was in a state**

of great ~ il était tout excité; **2** (exciting experience) événement *m* excitant

exciting /ɪk'saɪtɪŋ/ *adj* [*idea, event, experience, film*] passionnant; **an ~ new acting talent** un acteur qui promet; **that's not a very ~ prospect** ça promet de ne pas être bien excitant

excl. *abrév* = **excluding**

exclaim /ɪk'skleɪm/

A *vtr* s'écrier (**that** que); **'what?' he ~ed** 'quoi?' s'exclama-t-il

B *vi* gen s'exclamer (**at** devant); (in protest) se récrier (**at** devant); **to ~ in anger** s'exclamer avec colère

exclamation /ˌekskləˈmeɪʃn/ *n* exclamation *f*

exclamation mark, exclamation point US point *m* d'exclamation

exclamatory /ɪk'sklæmətrɪ, US -tɔːrɪ/ *adj* exclamatif/-ive

exclude /ɪk'skluːd/ *vtr* (keep out) exclure [*person, group*] (**from** de); (leave out) ne pas retenir, ne pas inclure [*name*]; exclure [*issue, possibility*]; exclure temporairement [*pupil*]; **~d from membership of the party** exclu du parti; **they are ~d from (applying for) these jobs** ils n'ont pas le droit de postuler ces emplois; **they have been ~d from the inquiry** ils ont été éliminés de l'enquête; **to ~ from the jurisdiction of a court** Jur soustraire à la compétence d'un tribunal

excluding /ɪk'skluːdɪŋ/ *prep* mis/-e à part; **£38 ~ breakfast** 38 livres petit déjeuner non compris

exclusion /ɪk'skluːʒn/ *n* **1** (expulsion) exclusion *f* (**from** de); (refusal of entry, participation) fait *m* d'être exclu (**from** de); **the ~ of women from...** le fait que les femmes soient exclues de...; **to the ~ of** à l'exclusion de; **2** Scol exclusion *f* temporaire

exclusion: **~ order** *n* Jur *disposition interdisant à un conjoint violent l'accès du domicile conjugal*; **~ zone** *n* (all contexts) zone *f* interdite

exclusive /ɪk'skluːsɪv/

A *n* Journ, TV, Radio exclusivité *f*; **a BBC ~** une exclusivité de la BBC

B *adj* **1** [*occasion*] choisi; [*club, social circle*] fermé; [*hotel, goods*] de luxe; [*school, district*] huppé; [*friendship*] exclusif/-ive; **2** Comm, Journ, TV [*story, report*] exclusif/-ive; **an ~ interview with sb** un entretien en exclusivité avec qn; **~ to Harrods** une exclusivité de Harrods; **to have ~ (marketing) rights for sth** avoir l'exclusivité (de vente) de qch; **to have ~ coverage of sth** avoir l'exclusivité de la couverture de qch; **to have ~ use of sth** être le seul à utiliser qch, avoir l'usage exclusif de; **to be mutually ~** s'exclure mutuellement; **~ of meals** les repas non compris

exclusively /ɪk'skluːsɪvlɪ/ *adv* exclusivement

exclusivism /ɪk'skluːsɪvɪzəm/ *n* exclusivisme *m*

excommunicate /ˌekskəˈmjuːnɪkeɪt/ *vtr* excommunier

excommunication /ˌekskəˌmjuːnɪˈkeɪʃn/ *n* excommunication *f*

ex-con○ /ˌeks'kɒn/ *n* ex-taulard○ *m*, ex-prisonnier *m*

excrement /'ekskrɪmənt/ *n* excrément *m*

excrescence /ɪk'skresns/ *n* lit excroissance *f*; fig verrue *f*

excreta /ɪk'skriːtə/ *n* sout (faeces) excréments *mpl*; (waste matter) excrétions *fpl*

excrete /ɪk'skriːt/ *vtr* Physiol excréter; Bot exsuder

excretion /ɪk'skriːʃn/ *n* Physiol excrétion *f*; Bot exsudation *f*

excretory /ɪk'skriːtərɪ, US -tɔːrɪ/ *adj* excréteur/-trice

excruciating /ɪk'skruːʃɪeɪtɪŋ/ *adj* **1** [*situation, pain, unhappiness*] atroce, insoutenable; [*noise*] infernal; **2** ○(awful) [*performance*] exécrable

excruciatingly /ɪk'skruːʃɪeɪtɪŋlɪ/ *adv* [*painful, embarrassing*] atrocement; [*boring*] mortellement; **~ funny** à mourir de rire

exculpate /'ekskʌlpeɪt/ *vtr* disculper

excursion /ɪk'skɜːʃn/ *n* **1** (organized) excursion *f*; (casual) promenade *f*; **2** (into subject, field) incursion *f* (**into** dans); **3** (digression) digression *f*

excursion: **~ ticket** *n* billet *m* d'excursion; **~ train** *n* train *m* spécial

excusable /ɪk'skjuːzəbl/ *adj* excusable

excuse

A /ɪk'skjuːs/ *n* **1** (reason) excuse *f*; (pretext) prétexte *m* (**for** à; **for doing** pour faire; **to do** pour faire); **to make** *ou* **find an ~** trouver une excuse; **you're always making ~s!** tu cherches toujours des prétextes!; **to be an ~ to do** *ou* **for doing** être *or* servir de prétexte pour faire; **I have a good ~ for not doing it** j'ai une bonne excuse pour ne pas le faire; **this gave me an ~ to leave early** ceci m'a fourni un bon prétexte pour partir tôt; **so what's his ~ this time?** alors c'est quoi son excuse, cette fois?; **is that the best ~ you can come up with?** c'est tout ce que tu as trouvé comme excuse?; **any ~ for a day off work!** toutes les excuses sont bonnes *or* tous les prétextes sont bons pour ne pas aller au travail!; **this is a poor ~ for a meal!** c'est un piètre repas!; **he's a poor ~ for a man!** c'est un homme minable!; **2** (justification) excuse *f*; **there's no ~ for cheating** rien n'excuse *or* ne justifie la tricherie; **there's no ~ for such behaviour** ce genre de conduite est inexcusable; **that's no ~** ce n'est pas une excuse *or* une raison; **without ~** sans excuse, sans motif valable

B **excuses** *npl* **to make one's ~s** présenter ses excuses (**to** à); **to make ~s to sb** s'excuser auprès de qn

C /ɪk'skjuːz/ *vtr* **1** (forgive) excuser [*person, error, rudeness*]; **to ~ sb for doing** excuser qn d'avoir fait; **you could be ~d for misinterpreting him** vous êtes excusable de l'avoir mal compris; **if you'll ~ the expression** pardonnez-moi l'expression; **~ me!** excusez-moi!, pardon!; **~ me, is this the London train?** excusez-moi, est-ce que c'est le train de Londres?; **~ me for asking, but do you live here?** excusez-moi, mais est-ce que vous habitez ici?; **you'll have to ~ me for not inviting you in** vous voudrez bien m'excuser de ne pas vous inviter à entrer; **~ me, but I think you're mistaken** excusez-moi, mais je crois que vous faites erreur; **~ me, but I did not get the sack!**○ je regrette, mais je n'ai pas été viré○; **if you'll ~ me, I have work to do** si vous voulez bien m'excuser, j'ai du travail à faire; **'would you like a drink?'—'~ me?'** US 'vous voulez un verre?'—'pardon?'; **may I be ~d?** GB euph (requesting permission from teacher) est-ce que je peux sortir?, est-ce que je peux aller aux toilettes?; **2** (justify) justifier [*action, measure*]; excuser, trouver des excuses à [*person*]; **3** (exempt) dispenser (**from** de; **from doing** de faire); **to be ~d from games** être dispensé des cours d'éducation physique

D /ɪk'skjuːz/ *v refl* **to ~ oneself** (from table, gathering) s'excuser; **to ~ oneself for sth/for doing** s'excuser de qch/d'avoir fait

ex-directory /ˌeksdaɪ'rektərɪ, -dɪ-/ *adj* GB **an ~ number** un numéro sur la liste rouge; **he's ~, his number is ~** il est sur la liste rouge; **to go ~** se faire mettre sur la liste rouge

ex dividend /ˌeks 'dɪvɪdend/ *adj* ex dividende

exec○ /ɪk'zek/ *n* US (*abrév* = **executive**) cadre *m*

execrable /'eksɪkrəbl/ *adj* sout exécrable

execrably /'eksɪkrəblɪ/ *adv* sout exécrablement

execrate /'eksɪkreɪt/ *vtr* sout **1** (abhor) exécrer; **2** (curse) maudire

execration /ˌeksɪ'kreɪʃn/ *n* sout **1** (abhorrence) exécration *f*; **2** (curse) malédiction *f*

executable file /ɪg'zekjʊtəbl/ *n* Comput fichier *m* exécutable

executant /ɪg'zekjʊtnt/ *n* Mus interprète *mf*

execute /'eksɪkjuːt/ *vtr* **1** (kill) exécuter; **to be ~d for sth** être exécuté pour qch; **2** (carry out) exécuter [*order, plan, task, wish, idea, artistic concept*]; **3** Comput exécuter

execution /ˌeksɪ'kjuːʃn/ *n* **1** (killing) exécution *f* (**by** par); **2** (of plan, task, artistic concept) exécution *f*; (by musician) interprétation *f*; **to put sth into ~** mettre qch à exécution; **in the ~ of his duty** dans l'exercice de ses fonctions; **3** Comput exécution *f*; **4** Jur exécution *f*

executioner /ˌeksɪ'kjuːʃənə(r)/ *n* bourreau *m*, exécuteur *m* (des hautes œuvres)

executive /ɪg'zekjʊtɪv/

A *n* **1** (administrator) Comm cadre *m*; (in Civil Service) cadre *m* administratif; **finance ~** cadre *m* financier; **sales ~** cadre *m* commercial; **top ~** cadre *m* supérieur; **he's an ~ with Cayard** il est cadre chez Cayard; **2** (committee) Admin, comité *m* directeur; instances *fpl* dirigeantes; Pol exécutif *m*, comité *m* exécutif; **party ~** bureau *m* du parti; **trade union ~** bureau *m* du syndicat; **3** US **the ~** le pouvoir exécutif

B *adj* **1** (administrative) [*power, section*] exécutif/-ive; [*status, post*] de cadre; **to have ~ ability/potential** avoir des aptitudes/des dispositions pour occuper un poste à responsabilité; **2** (luxury) [*chair, desk*] directorial, de luxe

executive: **~ agreement** *n* Pol accord *m* en forme simplifiée; **~ arm** *n* organe *m* exécutif; **~ board** *n* conseil *m* de direction; **~ branch** *n* = **executive arm**; **~ briefcase** *n* attaché-case *m*; **~ committee** *n* Pol comité *m* exécutif; **~ council** *n* (of company) conseil *m* de direction; (of trade union, political party) commission *f* exécutive; **~ director** *n* directeur/-trice *m/f* exécutif/-ive; **~ jet** *n* jet *m* privé, avion *m* privé

Executive Mansion *pr n* US (White House) **the ~** la Maison Blanche

executive: **~ member** *n* membre *m* du comité exécutif; **~ officer** *n* cadre *m* dirigeant; **~ order** *n* US décret *m* présidentiel; **~ privilege** *n* US *droit du président à ne pas divulguer certaines informations*; **~ producer** *n* Cin producteur *m* en chef *or* exécutif; **~ program** *n* Comput superviseur *m*; **~ secretary** *n* Admin secrétaire *m* exécutif; (manager's secretary) secrétaire *mf* de direction; **~ session** *n* séance *f* parlementaire à huis clos; **~ suite** *n* bureaux *mpl* de la direction; **~ toy** *n* gadget *m* antistress

executor /ɪg'zekjʊtə(r)/ *n* Jur exécuteur *m* testamentaire

executrix /ɪg'zekjʊtrɪks/ *n* exécutrice *f* testamentaire

exegesis /ˌeksɪ'dʒiːsɪs/ *n* exégèse *f*

exemplar /ɪg'zemplə(r), -plɑː(r)/ *n* sout modèle *m*

exemplary /ɪg'zemplərɪ, US -lerɪ/ *adj* **1** [*behaviour, virtue, life*] exemplaire; [*student*] modèle; **2** [*punishment*] exemplaire; **~ damages** Jur dommages et intérêts exemplaires

exemplify /ɪg'zemplɪfaɪ/ *vtr* (all contexts) exemplifier, illustrer

exempt /ɪg'zempt/

A *adj* exempt (**from** de)

B *vtr* exempter [*person*] (**from sth** de qch); **to ~ sb from doing** dispenser qn de faire

exemption /ɪg'zempʃn/ *n* exemption *f* (**from** de); (from exam) dispense *f* (**from** de); **tax ~** dégrèvement *m* d'impôts

exercise /'eksəsaɪz/

A *n* **1** (operation) gen, Admin, Comm, Pol opération *f*; (long-term or large-scale) stratégie *f*; **academic ~** (pointless) exercice *m* d'école; **marketing ~** opération *f* de marketing; **public relations ~** campagne *f* de relations publiques; **an**

~ **in democracy/diplomacy** un exercice de démocratie/de diplomatie; **2** ¢ (exertion) exercice *m*; **physical** ~ exercice *m* physique; **3** (training task) gen, Mus, Sch, Sport exercice *m*; **intellectual** ~ exercice intellectuel; **maths** ~ exercice de maths; **4** (application) (of duties, intellect, imagination, power, rights) exercice *m* (**of** de); **5** Mil manœuvres *fpl*; **to go on (an)** ~ partir en manœuvres; **6** Fin levée *f*
B **exercises** *npl* US cérémonie *f*
C *vtr* **1** (apply) faire preuve de [*authority, care, caution, control, patience, restraint, tolerance*]; exercer [*power, right*]; faire valoir, exercer [*rights*]; **2** (exert physically) exercer [*body, mind*]; faire travailler [*limb, muscles*]; promener [*dog*]; sortir [*horse*]; **3** (worry) préoccuper; **a problem which has ~d many great minds** un problème qui a préoccupé de nombreux savants; **4** Fin lever [*option*]
D *vi* faire de l'exercice

exercise: ~ **area** *n* terrain *m* d'exercice; ~ **bicycle** *n* (in gym) vélo *m* d'entraînement; (at home) vélo *m* d'appartement; ~ **book** *n* cahier *m*; ~ **programme** *n* Med, Sport programme *m* d'exercices

exerciser /ˈeksəsaɪzə(r)/ *n* US **1** = **exercise bicycle**; **2** (person) personne *f* qui fait de l'exercice

exert /ɪɡˈzɜːt/
A *vtr* exercer [*pressure, influence*] (**on** sur); employer [*force*]; **to ~ every effort** faire tout son possible (**to do** pour faire)
B *v refl* **to ~ oneself** se fatiguer; **you shouldn't ~ yourself** tu ne devrais pas faire trop d'efforts; **don't ~ yourself!** iron ne te fatigue pas!

exertion /ɪɡˈzɜːʃn/ *n* **1** (physical effort) effort *m*; **the ~s of the climb** les fatigues *fpl* de l'escalade; **2** (exercising) (of pressure) exercice *m*; (of force) emploi *m*; **the ~ of influence on sb** le fait d'exercer une influence sur qn

exeunt /ˈeksɪənt/ *vi* (*tjrs pl*) Theat ils sortent; ~ **soldiers** les soldats sortent

exfoliant /ˌeksˈfəʊlɪənt/ *n* gommage *m*, exfoliant *m*

exfoliate /ˌeksˈfəʊlɪeɪt/
A *vtr* exfolier [*bark, rock*]; gommer, exfolier [*skin*]
B *vi* [*bark, rock*] s'exfolier; [*skin*] se desquamer

exfoliating scrub *n* Cosmet exfoliant *m*

exfoliation /eksˌfəʊlɪˈeɪʃn/ *n* Geol exfoliation *f*; Med desquamation *f*; Cosmet gommage *m*

exfoliator /ˌeksˈfəʊlɪeɪtə(r)/ *n* Cosmet exfoliant *m*

ex gratia /ˌeks ˈɡreɪʃə/ *adj* [*award, payment*] à titre gracieux

exhalation /ˌekshəˈleɪʃn/ *n* (of breath) expiration *f*; (of fumes, smoke) émission *f*; (from soil) émanation *f*

exhale /eksˈheɪl/
A *vtr* [*person*] expirer [*air, smoke*]; [*chimney*] dégager [*smoke*]
B *vi* [*person*] expirer

exhaust /ɪɡˈzɔːst/
A *n* Aut **1** (pipe) pot *m* d'échappement; **2** (fumes) gaz *mpl* d'échappement
B *vtr* épuiser [*option, person, supply, topic*]
C *v refl* **to ~ oneself** s'épuiser
D **exhausted** *pp adj* épuisé

exhaust: ~ **centre** GB, ~ **center** US *n* centre *m* de réparation de pots d'échappement; ~ **emissions** *npl* gaz *mpl* d'échappement; ~ **fumes** *npl* gaz *mpl* d'échappement

exhausting /ɪɡˈzɔːstɪŋ/ *adj* épuisant

exhaustion /ɪɡˈzɔːstʃn/ *n* **1** (tiredness) épuisement *m*, extrême fatigue *f*; **2** (of supply) épuisement *m*

exhaustive /ɪɡˈzɔːstɪv/ *adj* [*inquiry, study, report*] exhaustif/-ive; [*coverage, list*] complet/-ète; [*analysis, description, notes, survey*] très détaillé, exhaustif/-ive; [*inspection, investigation, research*] approfondi

exhaustively /ɪɡˈzɔːstɪvlɪ/ *adv* exhaustivement

exhaust: ~ **pipe** *n* tuyau *m* d'échappement; ~ **system** *n* système *m* d'échappement; ~ **valve** *n* soupape *f* d'échappement

exhibit /ɪɡˈzɪbɪt/
A *n* **1** (work of art) œuvre *f* exposée; (item on display) objet *m* exposé; **2** US (exhibition) exposition *f*; **to be on ~** être exposé; **a Gauguin ~** une exposition Gauguin; **3** Jur pièce *f* à conviction; ~ **A** pièce à conviction numéro un
B *vtr* (display) exposer [*artefact, goods*]; manifester [*curiosity, preference, sign*] faire preuve de [*heroism, devotion*]
C *vi* exposer

exhibition /ˌeksɪˈbɪʃn/
A *n* **1** (of art, goods) exposition *f*; **art ~** exposition; **the Picasso ~** l'exposition Picasso; **to be on ~** être exposé; **to make an ~ of oneself** péj se faire remarquer; **2** (of skill, technique) démonstration *f*; **3** fig (of arrogance, rudeness) étalage *m*; **4** (of film) présentation *f*; **5** GB Univ bourse *f* d'études
B *modif* [*catalogue, gallery, hall, stand*] d'exposition

exhibition centre GB, **exhibition center** US *n* palais *m* des expositions

exhibitioner /ˌeksɪˈbɪʃənə(r)/ *n* GB Univ boursier/-ière *m/f*

exhibitionism /ˌeksɪˈbɪʃənɪzəm/ *n* gen, Psych exhibitionnisme *m*

exhibitionist /ˌeksɪˈbɪʃənɪst/ *n, adj* gen, Psych exhibitionniste (*mf*)

exhibitor /ɪɡˈzɪbɪtə(r)/ *n* **1** (of art, goods) exposant/-e *m/f*; **2** US (of cinema) exploitant *m* d'une salle de cinéma

exhilarate /ɪɡˈzɪləreɪt/ *vtr* [*breeze*] vivifier; [*atmosphere, music, speed*] griser; [*action, scene, thought*] exciter; **to be ~d at** *ou* **by the thought of** être transporté à la pensée de

exhilarating /ɪɡˈzɪləreɪtɪŋ/ *adj* [*breeze*] vivifiant; [*contest, game*] acharné; [*experience, ride, run*] exaltant; [*music, dance*] grisant; [*speed*] enivrant

exhilaration /ɪɡˌzɪləˈreɪʃn/ *n* joie *f* intense

exhort /ɪɡˈzɔːt/ *vtr* exhorter (**to do** à faire); **to ~ sb to action** exhorter qn à l'action

exhortation /ˌeɡzɔːˈteɪʃn/ *n* exhortation *f* (**to** à; **to do** à faire)

exhumation /eksˌhjuːˈmeɪʃn, US ɪɡˌzuːm-/ *n* exhumation *f*

exhumation order *n* Jur permis *m* d'exhumer

exhume /eksˈhjuːm, US ɪɡˈzuːm/ *vtr* exhumer

ex-husband /ˌeksˈhʌsbənd/ *n* ex-mari *m*

exigencies /ˈeksɪdʒənsɪz/ *npl* sout exigences *fpl*

exigent /ˈeksɪdʒənt/ *adj* sout exigeant

exiguity /ˌeɡzɪˈɡjuːətɪ/ *n* (of income, means) modicité *f*; (of room) exiguïté *f*

exiguous /eɡˈzɪɡjʊəs/ *adj* [*income, means*] modique; [*room*] exigu/-uë

exile /ˈeksaɪl/
A *n* **1** (person) exilé/-e *m/f*; **2** (expulsion) exil *m* (**from** de); **in ~** en exil; **political ~** exil politique; **to live in/go into ~** vivre/partir en exil; **a place of ~** un lieu d'exil
B **Exile** *pr n* Relig **the Exile** l'Exil *m*
C *vtr* exiler; **to ~ for life** exiler à vie; **to ~ sb from a country** bannir qn d'un pays
D **exiled** *pp adj* en exil; **the ~d Mr X today said...** M. X, qui est en exil, a dit aujourd'hui que...

exist /ɪɡˈzɪst/ *vi* **1** (be) exister; **it really does ~** ça existe vraiment; **2** (survive) survivre; **they can do no more than ~ on that wage** ce salaire leur permet tout juste de survivre; **3** (live) vivre; **to ~ on a diet of potatoes** ne vivre que de pommes de terre; **how can he ~ without friends?** comment peut-il vivre sans amis?

existence /ɪɡˈzɪstəns/ *n* **1** (being) existence *f* (**of** de); **the largest plane in ~** le plus grand avion qui existe (*subj*); **I wasn't aware of its ~** je ne connaissais pas son existence; **to come into/go out of ~** naître/mourir; **2** (life) existence *f*; **to struggle for one's very ~** lutter pour survivre

existent /ɪɡˈzɪstənt/ *adj* sout existant

existential /ˌeɡzɪˈstenʃl/ *adj* existentiel/-ielle

existentialism /ˌeɡzɪˈstenʃəlɪzəm/ *n* existentialisme *m*

existentialist /ˌeɡzɪˈstenʃəlɪst/ *n, adj* existentialiste (*mf*)

existing /ɪɡˈzɪstɪŋ/ *adj* [*product, laws, order, institution*] existant; [*policy, management, leadership*] actuel/-elle

exit /ˈeksɪt/
A *n* gen, Theat, Transp sortie *f*; **'no ~'** 'interdit'; **to make an ~** gen faire une sortie; Theat quitter la scène; Sport être éliminé; **to make a quick** *ou* **hasty ~** s'éclipser; **to make one's final ~** euph mourir
B **Exit** *pr n* GB *association en faveur de l'euthanasie*
C *vi* gen, Comput, Theat sortir; **to ~ stage left/right** sortir côté cour/jardin; **'~ Hamlet'** 'Hamlet sort'

exit: ~ **point** *n* Comput point *m* de sortie; ~ **poll** *n* Pol sondage *m* fait à la sortie des urnes; ~ **ramp** *n* US Transp bretelle *f* de sortie; ~ **sign** *n* panneau *m* (de) sortie; ~ **visa** *n* visa *m* de sortie; ~ **wound** *n* orifice *m* de sortie

Exocet /ˈeksəset/ *pr n* (*also* ~ **missile**) Mil (missile *m*) Exocet *m*

exocrine /ˈeksəʊkraɪn/ *adj* exocrine

exodus /ˈeksədəs/
A *n* exode *m*
B **Exodus** *pr n* **the book of Exodus** le livre de l'Exode; **the Exodus** Bible l'Exode *m*

ex officio /ˌeks əˈfɪʃɪəʊ/
A *adj* [*member*] de droit
B *adv* [*attend, speak*] ès qualités

exogenous /ekˈsɒdʒɪnəs/ *adj* exogène

exonerate /ɪɡˈzɒnəreɪt/ *vtr* disculper (**from** de); **to ~ sb from blame** disculper qn

exoneration /ɪɡˌzɒnəˈreɪʃn/ *n* disculpation *f*

exorbitance /ɪɡˈzɔːbɪtəns/ *n* extravagance *f*

exorbitant /ɪɡˈzɔːbɪtənt/ *adj* [*price, rent, increase*] exorbitant; [*demand*] excessif/-ive; **to go to ~ lengths to do** faire n'importe quoi pour faire; **to an ~ degree** à l'excès

exorbitantly /ɪɡˈzɔːbɪtəntlɪ/ *adv* [*charge, pay, reward, spend*] de façon excessive; [*paid*] de façon démesurée; [*expensive*] excessivement; ~ **priced** excessivement cher, à un prix exorbitant

exorcism /ˈeksɔːsɪzəm/ *n* exorcisme *m*; **to carry out an ~ of sth/on sb** exorciser qch/qn

exorcist /ˈeksɔːsɪst/ *n* exorciste *mf*

exorcize /ˈeksɔːsaɪz/ *vtr* exorciser [*demon, memory, past*]

exoskeleton /ˌeksəʊˈskelɪtn/ *n* exosquelette *m*

exosphere /ˈeksəʊsfɪə(r)/ *n* exosphère *f*

exoteric /ˌeksəʊˈterɪk/ *adj* exotérique

exothermic /ˌeksəʊˈθɜːmɪk/ *adj* exothermique

exotic /ɪɡˈzɒtɪk/
A *n* **1** (person) personnage *m* original; **2** (animal, plant) espèce *f* exotique
B *adj* **1** (foreign) exotique; **2** euph (erotic) [*appeal, pleasure*] sensuel/-elle; [*dancer, literature*] érotique

exotica /ɪɡˈzɒtɪkə/ *n* objets *mpl* exotiques

exoticism /ɪɡˈzɒtɪsɪzəm/ *n* exotisme *m*

expand /ɪkˈspænd/
A *vtr* **1** Comm, Fin, gen développer [*activity, business, network, provision, range, scope*]; élargir [*concept, horizon, knowledge*]; accroître [*influence, production, sales, workforce*]; étendre

[*empire*]; gonfler [*lungs, muscles*]; **2** Math, Comput développer

B *vi* **1** [*activity, business, provision, sector, skill, town*] se développer; [*capacity, population, production, sales*] s'accroître; [*market, economy*] être en expansion; [*gas, metal*] se dilater; [*accommodation, building, institution*] s'agrandir; [*chest*] se gonfler; [*universe*] être en expansion; **heat makes it ~** la chaleur le dilate; **the company is ~ing into overseas markets** Comm la société commence à s'implanter sur les marchés étrangers; **2** (relax) [*person*] se détendre

C expanded *pp adj* **1** gen [*programme*] élargi; [*article*] développé; [*version*] long/longue; **2** Tech [*metal*] déployé; [*plastic, polystyrene*] expansé

(Phrasal verb) ■ **expand (up)on:** ▶ **~ (up)on [sth]** s'étendre sur [*argument, aspect, theory*]

expandable /ɪk'spændəbl/ *adj* extensible

expanding /ɪk'spændɪŋ/ *adj* **1** fig (growing) [*business, economy, population, service, sector*] en expansion; [*area, town, project*] en développement; [*possibilities*] élargi; [*role*] de plus en plus grand; **2** lit [*file, bracelet, suitcase*] extensible

expanse /ɪk'spæns/ *n* (of land, water) étendue *f*; (of flesh) étalage *m*; (of fabric) surface *f*

expansion /ɪk'spænʃn/ *n* **1** gen, Fin, Comm (of business, production, range, trade) développement *m* (**in** de; **into** dans); (of economy) expansion *f*; (of population, membership, borrowing) accroissement *m*; (of buildings, site) agrandissement *m*; (of sales, sales figures) progression *f*; **rate of ~** taux d'accroissement; **2** Phys (of metal, gas) dilatation *f*; **3** Math (of expression) développement *m*; **4** Tech (in engine) détente *f*

expansionary /ɪk'spænʃənərɪ/ *adj* expansionniste

expansion: ~ board, ~ card *n* Comput carte *f* d'extension; **~ bolt** *n* vis *f* à cheville expansible

expansionism /ɪk'spænʃənɪzəm/ *n* Econ, Pol expansionnisme *m*

expansionist /ɪk'spænʃənɪst/ *n, adj* Econ, Pol expansionniste (*mf*)

expansion: ~ joint *n* joint *m* de dilatation; **~ programme, ~ scheme** *n* Comm programme *m* de développement; **~ slot** *n* Comput emplacement *m* libre (pour extension); **~ tank** *n* Aut réservoir *m* à expansion

expansive /ɪk'spænsɪv/ *adj* **1** (effusive) [*person, mood*] expansif/-ive; [*gesture*] large; (grand) [*theme, vision*] grandiose; **2** (extensive) [*brow, chest*] large; [*desert, square*] vaste; **3** (extendable) [*gas*] expansible; [*material*] extensible; **4** (exerting force) [*force*] expansif/-ive

expansively /ɪk'spænsɪvlɪ/ *adv* **1** (effusively) [*greet, smile, speak*] avec effusion; [*gesture, wave*] avec élan; **2** (in detail) [*describe*] avec profusion

expansiveness /ɪk'spænsɪvnɪs/ *n* (of person) expansivité *f*; (of gesture) largeur *f*; (of landscape) immensité *f*

expat○ /eks'pæt/ *n, adj*: *abrév* ▸ **expatriate**

expatiate /ɪk'speɪʃɪeɪt/ *vi* disserter (**upon, on** sur)

expatriate

A /ˌeks'pætrɪət/ *n* expatrié/-e *m/f*

B /ˌeks'pætrɪət/ *adj* expatrié

C /ˌeks'pætrɪeɪt/ *vtr* expatrier

expect /ɪk'spekt/

A *vtr* **1** (anticipate) s'attendre à [*event, victory, defeat, trouble*]; **to ~ the worst** s'attendre au pire; **we ~ fine weather** il devrait faire beau; **what did you ~?** qu'est-ce que tu croyais?; **I ~ed as much** je m'y attendais; **you knew what to ~** tu savais à quoi t'attendre; **to ~ sb to do** s'attendre à ce que qn fasse; **she is ~ed to win** on s'attend à ce qu'elle gagne, elle devrait gagner; **he is ~ed to arrive at six** son arrivée est prévue pour six heures, on l'attend pour six heures; **to ~ that** s'attendre à ce que (+ *subj*); **I ~ (that) I'll lose** je m'attends à perdre, je pense que je vais perdre; **it is only to be ~ed that he should go** il est bien naturel qu'il y aille; **it was hardly to be ~ed that she should agree** il n'était guère probable qu'elle accepterait; **more/worse than ~ed** plus/pire que prévu; **not as awful as I had ~ed** pas aussi terrible que je le craignais; **2** (rely on) s'attendre à [*sympathy, help*] (**from** de la part de); **don't ~ any sympathy from me!** ne t'attends à aucune compassion de ma part!; **I ~ you to be punctual** je vous demande d'être ponctuel; **3** (await) attendre [*baby, guest, company*]; **I'm ~ing someone** j'attends quelqu'un; **what time shall we ~ you?** à quelle heure penses-tu venir?; **~ me when you see me** GB je ne sais pas à quelle heure j'arriverai; **4** (require) demander, attendre [*commitment, hard work*] (**from** de); **to ~ sb to do** demander à qn de faire, attendre de qn qu'il/elle fasse; **you will be ~ed to work at weekends** vous devrez travailler le week-end, on attendra de vous que vous travailliez le week-end; **I can't be ~ed to know everything** je ne peux pas tout savoir; **it's too much to ~** c'est trop demander; **5** GB (suppose) **I ~ so** je pense que oui; **I don't ~ so** je ne pense pas; **I ~ you're tired** vous devez être fatigué; **I ~ you'd like a bath** voulez-vous prendre un bain?

B *vi* **1** (anticipate) **to ~ to do** s'attendre à faire; **I ~ to lose/to be working late** je m'attends à perdre/à devoir travailler tard; **I was ~ing to do better** je comptais faire mieux; **2** (require) **to ~ to do** bien compter faire; **I ~ to see you there** je compte bien vous y voir; **3** (be pregnant) **to be ~ing** attendre un enfant, être enceinte

C expected *pp adj* [*guest, letter*] attendu; [*attack, reaction*] prévu, escompté; [*income, price rise, sales*] prévu; **the ~ed $9 million loss** la perte prévue de neuf millions de dollars

expectancy /ɪk'spektənsɪ/ *n* **to have an air of ~** avoir l'air d'attendre quelque chose; **a feeling of ~** un sentiment d'attente

expectant /ɪk'spektənt/ *adj* **1** [*look, expression*] plein d'attente; **to look ~** avoir l'air d'attendre quelque chose; **2** [*mother, father*] futur (*before n*)

expectantly /ɪk'spektəntlɪ/ *adv* [*wait, look, listen*] avec l'air d'attendre quelque chose

expectation /ˌekspek'teɪʃn/ *n* **1** (assumption, prediction) prévision *f*; **it is my ~ that** je m'attends à ce que (+ *subj*); **to have ~s of success** avoir des espoirs de succès; **against all ~(s)** à l'encontre des prévisions générales; **beyond all ~(s)** au-delà de toute attente; **it is in line with ~(s)** c'est conforme à nos prévisions; **you have been chosen in the ~ that** on vous a choisi dans l'espoir que; **in the ~ of a shortage** en prévision d'une pénurie; **2** (aspiration, hope) aspiration *f*, attente *f*; **to live up to/fail to live up to sb's ~s** répondre à/ne pas répondre à l'attente de qn; **I don't want to raise their ~s** je ne veux pas trop leur promettre; **to have great ~s of** attendre beaucoup de; **an atmosphere of ~** une atmosphère d'attente; **3** (requirement, demand) exigence *f*; **to have certain ~s of** attendre *or* demander certaines choses de [*police, employee*]

expectorant /ɪk'spektərənt/ *n, adj* expectorant (*m*)

expectorate /ɪk'spektəreɪt/ *vtr, vi* expectorer

expediency /ɪk'spi:dɪənsɪ/ *n* **1** (appropriateness) opportunité *f*; **2** (self-interest) opportunisme *m*

expedient /ɪk'spi:dɪənt/

A *n* expédient *m*

B *adj* **1** (appropriate) opportun; **2** (advantageous) politique

expediently /ɪk'spi:dɪəntlɪ/ *adv* opportunément

expedite /'ekspɪdaɪt/ *vtr* sout **1** (speed up) accélérer [*operation, process*]; faciliter [*task, work*]; **2** (finish) expédier [*business*]; **3** (send) expédier [*data, document*]

expedition /ˌekspɪ'dɪʃn/ *n* **1** (to explore) expédition *f*; **to go on an ~** partir en expédition; **2** (for leisure) **climbing ~** expédition *f* en montagne; **hunting/fishing ~** partie *f* de chasse/pêche; **sightseeing ~** visite *f* touristique; **to go on a shopping ~** aller faire des courses; **3** sout (speed) **with ~** avec rapidité

expeditionary force *n* corps *m* expéditionnaire

expeditious /ˌekspɪ'dɪʃəs/ *adj* sout [*action, decision, response*] rapide; [*method, procedure*] expéditif/-ive

expeditiously /ˌekspɪ'dɪʃəslɪ/ *adv* sout [*act, respond*] promptement

expel /ɪk'spel/ *vtr* (*p prés etc* **-ll-**) **1** expulser [*alien, diplomat, dissident, tenant*]; chasser [*invader*]; exclure [*member, player, pupil*]; **2** expulser [*air, gas, water*]

expend /ɪk'spend/ *vtr* **1** (devote) consacrer [*effort, time*]; (spend) dépenser [*energy, money*]; prodiguer [*sympathy*]; **2** (exhaust) épuiser [*resources, supply*]

expendability /ɪkˌspendə'bɪlətɪ/ *n* **to make decisions about the ~ of troops and tanks** prendre des décisions quant aux taux de pertes acceptables en hommes et en chars; **the ~ of staff** le fait que le personnel ne soit pas indispensable

expendable /ɪk'spendəbl/ *adj* **1** Mil [*troops, equipment*] sacrifiable; **2** (disposable) [*booster, fuel tank, launcher*] largable; [*materials, stationery, stores*] consommable; **~ goods** biens non durables; **to be ~** [*worker*] ne pas être indispensable

expenditure /ɪk'spendɪtʃə(r)/ *n* **1** (amount spent) dépenses *fpl*; **~ on education/defence** dépenses *fpl* d'éducation/militaires *or* de défense; **income and ~** revenus *mpl* et dépenses *fpl*; **capital/consumer ~** dépenses *fpl* d'investissement/de consommation; **public ~** dépense *f* publique; **2** (in bookkeeping) sortie *f*; **3** (spending) (of energy, time, money) dépense *f*; (of resources) consommation *f*, utilisation *f*; **a useful ~ of time** du temps bien employé

expense /ɪk'spens/

A *n* **1** (cost) frais *mpl*; **at vast/at one's own ~** à grands/à ses propres frais; **at public ~** aux frais de l'État; **to go to some ~** faire des frais; **to go to great ~, to go to a great deal of ~** dépenser beaucoup d'argent (**to do** pour faire); **to put sb to ~** faire faire des frais à qn; **to spare no ~** ne pas regarder à la dépense; **no ~ has been spared** on n'a pas regardé à la dépense; **to go to the ~ of renting a villa** faire la dépense de la location d'une villa; **to save oneself the ~ of a hotel** éviter la dépense d'une nuit à l'hôtel; **2** (cause for expenditure) dépense *f*; **a wedding is a big ~** un mariage revient cher; **petrol is a big ~ for me** l'essence représente une grosse dépense pour moi; **3** (loss) **at the ~ of** au détriment de [*health, public, safety*]; **at the ~ of jobs** au risque de perdre des emplois; **at sb's ~** [*laugh, joke*] aux dépens de qn

B expenses *npl* Comm frais *mpl*; **tax-deductible ~s** frais déductibles; **to cover sb's ~s** [*person*] prendre à sa charge les frais de qn; [*sum*] couvrir les frais de qn; **to get one's ~s paid** se faire rembourser ses frais; **all ~s paid** tous frais payés; **to claim ~s** présenter sa note de frais; **to fiddle**○ **~s** trafiquer○ sa note de frais

expense account *n* frais *mpl* de représentation

expensive /ɪk'spensɪv/ *adj* [*area, car, coat, house*] cher/chère; [*holiday, procedure, mistake, repair*] coûteux/-euse; [*taste*] de luxe; **~ to maintain** cher à entretenir; **it's getting ~ to eat out** ça revient de plus en plus cher d'aller au restaurant

expensively /ɪk'spensɪvlɪ/ *adv* [*live, eat*] luxueusement; **~ furnished** luxueusement

e

meublé; **to be ~ dressed** porter des toilettes chères

expensiveness /ɪk'spensɪvnɪs/ *n* prix *m* élevé, cherté *f*

experience /ɪk'spɪərɪəns/

A *n* **1** (expertise) expérience *f*; **driving/management/teaching ~** expérience *f* de la conduite automobile/de la gestion/de l'enseignement; **from my/his etc own ~** d'après mon/son etc expérience; **in my ~** à ma connaissance; **in all my 20 years' ~ as headmistress, I have never...** depuis 20 ans que je suis directrice, je n'ai jamais...; **to have ~ of sth** avoir l'expérience de qch; **to have ~ with children/animals** avoir de l'expérience avec les enfants/les animaux; **to have ~ (in working) with computers/cars** avoir de l'expérience en informatique/dans le domaine des voitures; **to acquire** *ou* **gain ~** acquérir de l'expérience; **to know from/learn by ~** savoir/apprendre d'expérience; **to judge from ~** juger d'expérience; **2** (incident) expérience *f*; **to have** *ou* **go through a new experience** faire une nouvelle expérience; **a world tour: the ~ of a lifetime!** le tour du monde: l'aventure de toute une vie!; **that was quite an ~!** ça a été une expérience mémorable!

B *vtr* connaître [*change, difficulty, defeat, ill-treatment, loss, problem, misfortune*]; éprouver [*emotion, sensation*]; ressentir [*physical pleasure*]; **to ~ sth personally** *ou* **at first hand** faire l'expérience de qch soi-même

experienced /ɪk'spɪərɪənst/ *adj* [*worker, professional*] expérimenté; [*eye*] entraîné; **to be ~ in working with computers** avoir de l'expérience en informatique; **an ~ traveller** un grand voyageur

experiment /ɪk'sperɪmənt/

A *n* gen, Sci expérience *f* (**in** en; **on** sur); **to conduct** *ou* **carry out an ~** faire *ou* effectuer une expérience; **as** *ou* **by way of an ~** à titre d'expérience

B *vi* expérimenter, faire des expériences (**on** sur); **to ~ with sth** expérimenter qch, essayer qch

experimental /ɪkˌsperɪ'mentl/ *adj* [*design, method, music, scheme, theatre, psychology*] expérimental; [*season, week*] d'essai; [*laboratory*] d'essais; [*novelist, writing*] d'avant-garde; **~ model, ~ machine** prototype *m*; **on an ~ basis** à titre d'expérience

experimentally /ɪkˌsperɪ'mentəlɪ/ *adv* [*establish, test*] expérimentalement; [*lick, nibble*] pour goûter; [*touch, try*] à titre d'expérience

experimentation /ɪkˌsperɪmen'teɪʃn/ *n* **1** (use of experiments) expérimentation *f*; **2** (experiment) expériences *fpl*; **recent ~** des expériences *fpl* récentes; **animal ~** expériences *fpl* sur les animaux

expert /'ekspɜːt/

A *n* spécialiste *mf* (**in** en, de), expert *m* (**in** en); **to be an ~ in law** être spécialiste en droit; **to be an ~ at doing** être un expert dans l'art de faire; **forensic ~** expert *m* médico-légal; **computer ~** spécialiste *mf* en informatique; **to ask the ~s** s'adresser aux spécialistes; **you're the ~!** c'est toi qui t'y connais!

B *adj* [*knowledge*] spécialisé; [*opinion, advice*] autorisé; **an ~ cook** un cordon bleu; **to be ~ at doing** être expert dans l'art de faire; **an ~ eye** un œil exercé; **to require ~ handling** [*situation*] exiger beaucoup de doigté

expertise /ˌekspɜː'tiːz/ *n* compétences *fpl*; (very specialized) expertise *f* (**in** dans le domaine de); **~ in** compétence *f* dans le domaine de [*subject*]; **French ~ in telecommunications** l'expertise française dans le domaine des télécommunications; **his ~ as a builder** sa compétence dans le domaine du bâtiment; **to have/lack the ~ to do** avoir/ne pas avoir les compétences requises pour faire

expertly /'ekspɜːtlɪ/ *adv* [*constructed, cooked, presented*] de manière experte; **~ he knotted his tie** il a noué sa cravate d'une main experte

expert: **~ system** *n* système *m* expert; **~ witness** *n* témoin *m* expert

expiate /'ekspɪeɪt/ *vtr* expier [*crime, sin*]; réparer, racheter [*fault*]; effacer [*guilt*]

expiation /ˌekspɪ'eɪʃn/ *n* (of crime, guilt, sin) expiation *f*; (of fault) réparation *f*, rachat *m*

expiatory /'ekspɪətərɪ, US -tɔːrɪ/ *adj* expiatoire

expiration /ˌekspɪ'reɪʃn/ *n* **1** (termination) expiration *f*; **2** (exhalation) (of breath) expiration *f*; (of gas, vapour) rejet *m*

expiration date *n* US = **expiry date**

expire /ɪk'spaɪə(r)/ *vi* Admin, Comm **1** (end) [*document, contract, deadline, offer*] expirer; [*period*] arriver à terme; **my passport has ~d** mon passeport est périmé; **2** (exhale) expirer; **3** (die) (souvent hum) [*person, machine*] rendre l'âme, expirer; [*show*] s'essouffler

expiry /ɪk'spaɪərɪ/ *n* (of contract, document, time period) expiration *f*; (of deadline, mandate) terme *m*

expiry date GB *n* (of perishable item) date *f* de péremption; (on label) 'à utiliser avant...'; (of credit card, permit) date *f* d'expiration; (of contract) terme *m*; (of loan) date *f* d'échéance

explain /ɪk'spleɪn/

A *vtr* (all contexts) expliquer (**that** que; **to** à); **'it's like this,' he ~ed** 'c'est ainsi,' a-t-il expliqué; **can you ~?** peux-tu m'/lui etc expliquer?; **I can't ~** je ne peux pas l'expliquer; **that ~s it!** ça explique tout!

B *v refl* **to ~ oneself** s'expliquer

(Phrasal verb) ■ **explain away**: ▸ **~ away [sth], ~ [sth] away** trouver des justifications à [*problem, change*]

explainable /ɪk'spleɪnəbl/ *adj* explicable

explanation /ˌeksplə'neɪʃn/ *n* explication *f* (**of** de; **for** à); **to accept sb's ~ that** accepter l'explication de qn selon laquelle; **by way of ~, in ~** en guise d'explication; **there is no ~** il n'y a pas d'explication; **we want a full ~** nous voulons toutes les explications; **it needs no ~** c'est clair

explanatory /ɪk'splænətrɪ, US -tɔːrɪ/ *adj* [*notes, leaflet, film, diagram*] explicatif/-ive; [*letter, statement*] d'explication

expletive /ɪk'spliːtɪv, US 'eksplətɪv/ sout

A *n* (exclamation) exclamation *f*; euph (swearword) juron *m*; Ling explétif *m*

B *adj* explétif/-ive

explicable /ɪk'splɪkəbl, 'ek-/ *adj* explicable; **to be ~ in terms of/in the light of** s'expliquer par/à la lumière de

explicit /ɪk'splɪsɪt/ *adj* **1** (precise) [*instructions, directions, reasons*] explicite; **2** (open) [*denial, declaration, command*] formel/-elle; [*aim*] avoué; [*permission*] explicite; [*opposition, support*] déclaré; **to be ~** être explicite (**about** sur); **sexually ~** sexuellement explicite; **3** Math explicite

explicitly /ɪk'splɪsɪtlɪ/ *adv* [*mention, forbid, show*] explicitement; [*deny, order*] formellement; [*admit*] ouvertement

explode /ɪk'spləʊd/

A *vtr* faire exploser [*bomb*]; fig pulvériser [*theory, argument, rumour, myth*]

B *vi* **1** lit [*bomb, gas, firework, gunpowder*] exploser; [*boiler, building, ship*] sauter; [*thunder*] gronder; **2** fig [*person*] (with anger) exploser; [*issue, controversy*] éclater; [*population*] exploser; **to ~ with rage** exploser; **to ~ with laughter** éclater de rire; **the streets ~d into life** les rues s'animèrent subitement; **the country ~d into civil war** la guerre civile a éclaté dans le pays; **they ~d° onto the rock music scene in 1977** ils ont fait irruption dans le monde du rock en 1977

exploded /ɪk'spləʊdɪd/ *adj* Tech **~ drawing** *ou* **diagram** éclaté *m*

exploding star *n* étoile *f* variable

exploit

A /'eksplɔɪt/ *n* exploit *m*; **amorous ~s** hum exploits amoureux

B /ɪk'splɔɪt/ *vtr* (all contexts) exploiter

exploitable /ɪk'splɔɪtəbl/ *adj* exploitable

exploitation /ˌeksplɔɪ'teɪʃn/ *n* (all contexts) exploitation *f*

exploitative /ɪk'splɔɪtətɪv/ *adj* [*system*] fondé sur l'exploitation des individus; [*organization, firm*] qui exploite ses employés

exploration /ˌeksplə'reɪʃn/ *n* gen, Aerosp, Med exploration *f*; **oil ~** prospection *f* pétrolière

exploratory /ɪk'splɒrətrɪ, US -tɔːrɪ/ *adj* **1** (investigative) [*expedition*] d'exploration; **2** (preliminary) gen, Pol [*talks, calculations*] exploratoire; **3** Med [*surgery*] explorateur/-trice

explore /ɪk'splɔː(r)/ *vtr* **1** gen, Aerosp, Med explorer; **to go exploring** partir en exploration; **a few hours to ~ the city** quelques heures pour explorer *or* découvrir la ville; **2** fig étudier [*idea, issue, opportunity*]; **to ~ ways and means of doing** explorer tous les moyens de faire; **to ~ every avenue** examiner toutes les possibilités; **to ~ for oil** chercher du pétrole

explorer /ɪk'splɔːrə(r)/ *n* explorateur/-trice *m/f*

explosion /ɪk'spləʊʒn/ *n* **1** (of bomb, boiler, gas, building, ship, dynamite) explosion *f*; **to hear an ~** entendre une détonation; **2** fig (of mirth, rage, activity) explosion *f*; (of group, movement) essor *m*; (of prices) flambée *f*; **population ~** explosion *f* démographique

explosive /ɪk'spləʊsɪv/

A *n* **1** explosif *m*; **to be charged with possessing ~s** être inculpé de possession d'explosifs; **2** Ling = **plosive**

B *adj* **1** [*bomb, device, force*] explosif/-ive; [*substance, mixture*] explosible; **2** fig [*situation, violence, temperament, issue*] explosif/-ive; **3** Ling = **plosive**

exponent /ɪk'spəʊnənt/ *n* **1** (of policy, theory, method) avocat/-e *m/f*, défenseur *m*; **2** (of instrument, artform) interprète *mf*; (of sport) adepte *mf*; **3** Math (symbol) exposant *m*

exponential /ˌekspəʊ'nenʃl/ *adj* exponentiel/-ielle

exponentially /ˌekspəʊ'nenʃəlɪ/ *adv* gen [*expand, rise*] exponentiellement; Math exponentiellement

export

A /'ekspɔːt/ *n* exportation *f* (**of** de); **'for ~ only'** (on product) 'exportation'; **visible and invisible ~s** exportations visibles et invisibles; **a ban on ~s** un embargo sur les exportations; **it's our best-known ~** c'est notre meilleur produit d'exportation also fig

B /ɪk'spɔːt/ *vtr* (all contexts) exporter (**from** de); **to ~ sth to France/to several countries** exporter qch en France/dans plusieurs pays

C /ɪk'spɔːt/ *vi* exporter; **to ~ to France/to many countries** exporter vers la France/dans plusieurs pays

exportable /ɪk'spɔːtəbl/ *adj* exportable

export agent *n* agent *m* exportateur

exportation /ˌekspɔː'teɪʃn/ *n* exportation *f*; **for ~ only** pour l'exportation seulement

export: **~ control** *n* contrôle *m* des exportations; **~ credit** *n* crédit *m* à l'exportation; **~ drive** *n* campagne *f* d'exportation; **~ duty** *n* droit *m* à l'exportation; **~ earnings** *npl* gains *mpl* à l'exportation

exporter /ɪk'spɔːtə(r)/ *n* exportateur/-trice *m/f* (**of** de)

export: **~ finance** *n* financement *m* des exportations; **~-import company** *n* société *f* d'import-export; **~ licence** GB, **~ license** US *n* licence *f* d'exportation; **~ manager** *n* responsable *mf* du service export; **~ market** *n* marché *m* extérieur, marché *m* à l'exportation; **~-orientated** GB, **~-oriented** US *adj* à vocation exportatrice; **~ trade** *n* exportations *fpl*

expose /ɪk'spəʊz/

A *vtr* **1** (display) gen exposer [*body, skin*]; montrer [*teeth*]; (provocatively) exhiber [*chest, thighs*]; **to ~ one's ignorance** étaler son ignorance; **2** (make public) révéler [*fact, identity, secret*]; dénoncer [*injustice, person, scandal*]; **to ~ sb as**

a spy démasquer qn comme espion; **to ~ sb for what they are** dévoiler la vraie nature de qn; **3** (uncover) exposer [*contents, inside, dirt*]; dénuder [*wire*]; exposer [*nerve*]; [*low tide*] découvrir [*rocks*]; [*excavations*] mettre à jour [*fossil, remains*]; **4** (introduce) **to ~ sb to** initier qn à [*opera, politics*]; exposer qn à [*effect, influence, reality*]; **5** (make vulnerable) **to ~ sb/sth to** exposer qn/qch à [*danger, infection, light*]; livrer qn/qch à [*ridicule, temptation*]; **6** Phot exposer [*film*]; **7** Antiq (abandon) exposer [*baby*]

B *v refl* **1** **to ~ oneself** (exhibit one's body) s'exhiber (**to** à); Jur commettre un outrage à la pudeur; **2** **to ~ oneself to** (make oneself vulnerable) s'exposer à [*risk, danger*]

C exposed *pp adj* [*area, chest, film*] exposé; [*wire*] à nu; Constr [*beam, stonework*] apparent

exposé /ek'spəʊzeɪ, US ˌekspə'zeɪ/ *n* **1** (exposure) révélations *fpl* (**of sth** sur qch); **2** (study) exposé *m*

exposition /ˌekspə'zɪʃn/ *n* **1** (presentation) (of facts, theory) présentation *f*; Literat, Mus, Relig exposition *f*; **2** (exhibition) exposition *f*

expostulate /ɪk'spɒstjʊleɪt/ sout

A *vtr* **'no,' he ~d** 'non,' s'exclama-t-il, indigné

B *vi* (remonstrate) faire des remontrances (**with** à)

expostulation /ɪkˌspɒstjʊ'leɪʃn/ *n* sout remontrances *fpl*

exposure /ɪk'spəʊʒə(r)/ *n* **1** (disclosure) (of secret, crime) révélation *f*; **to fear ~** craindre d'être démasqué; **to threaten sb with ~** menacer qn de dénonciation; **2** (to light, sun, radiation) gen, Phot exposition *f* (**to** à); fig (to art, ideas, politics) contact *m* (**to** avec); **too much ~ to the sun is bad for you** il est dangereux de s'exposer trop longtemps au soleil; **3** (to cold, weather) **to die of ~** Med mourir de froid; **to suffer from ~** souffrir du froid; **4** Journ, TV, Radio couverture *f* médiatique; **film stars get a lot of press ~** la presse consacre beaucoup d'articles aux vedettes; **5** (orientation) exposition *f*; **to have a northern ~** être exposé *or* orienté au nord; **6** (display of body) exhibition *f* (**of** de); **7** Phot (aperture and shutter speed) temps *m* de pose; (picture) pose *f*; **a 24 ~ film** une pellicule de 24 poses; **8** Fin, Insur risque *m*

exposure: **~ meter** *n* Phot posemètre *m*; **~ time** *n* Phot temps *m* de pose

expound /ɪk'spaʊnd/

A *vtr* exposer [*theory, opinion*]

B *vi* **~ on** disserter sur

ex-president /ˌeks'prezɪdənt/ *n* gen, Pol ex-président/-e *m/f*

express /ɪk'spres/

A *n* (train *m*) express *m*, (train *m*) rapide *m*

B *adj* **1** (rapid) [*letter, parcel*] exprès; [*delivery, coach, train*] rapide; [*goods*] envoyé en exprès; **2** sout (explicit) [*instruction, order, promise, undertaking*] formel/-elle; **on the ~ condition that** à la condition expresse que (+ *subj*); **I left ~ instructions not to admit visitors** j'ai expressément demandé qu'on ne laisse entrer personne; **with the ~ aim** *ou* **purpose of doing** dans le but précis de faire

C *adv* **to send sth ~** Post envoyer qch en exprès

D *vtr* **1** (show) exprimer [*desire, doubt, hatred, fear, wish, thanks*]; exprimer, manifester [*interest, support*]; énoncer [*truth*]; **he ~ed anxiety about** il a exprimé son anxiété à propos de; **I can hardly ~ my gratitude** je ne sais comment exprimer ma reconnaissance; **words can't ~ how I feel** il n'y a pas de mots assez forts pour exprimer ce que je ressens; **2** Math exprimer [*number, quantity*]; **to ~ sth as a percentage** exprimer qch en pourcentage; **to ~ sth in its simplest form** réduire qch à sa plus simple expression; **3** (squeeze out) extraire, exprimer [*fluid*]; **4** US Comm expédier [qch] rapidement

E *v refl* **to ~ oneself** s'exprimer (**in** en; **through** à travers)

expressage /ɪk'spresɪdʒ/ *n* US Comm **1** (conveyance) transport *m* rapide; **2** (fee) frais *mpl* de transport rapide

expression /ɪk'spreʃn/ *n* **1** (phrase) expression *f*; **if you'll pardon the ~** si vous me passez l'expression; **2** (look) expression *f*; **from her ~ I knew she was sad** j'ai compris à son expression qu'elle était triste; **there was a puzzled ~ on her face** elle avait l'air perplexe; **not a flicker of ~ crossed his face** il est demeuré impassible; **3** (utterance) expression *f*; **freedom of ~** liberté *f* d'expression; **to give ~ to one's fears/feelings** exprimer ses craintes/sentiments; **beautiful beyond ~** d'une beauté indescriptible; **4** (manifestation) gen expression *f*; (of friendship, gratitude) témoignage *m*; **the riots are an ~ of social unrest** les émeutes sont l'expression du malaise social; **my feelings find their ~ in music** mes sentiments s'expriment dans la musique; **as an ~ of my gratitude** en témoignage de ma reconnaissance; **5** (feeling) expression *f*; **put some ~ into your playing!** sois un peu plus expressif!; **to read with ~** lire avec le ton; **6** Math expression *f*

expressionism /ɪk'spreʃənɪzəm/ *n* expressionnisme *m*

expressionist /ɪk'spreʃənɪst/ *n, adj* expressionniste (*mf*)

expressionless /ɪk'spreʃnlɪs/ *adj* [*eyes, face*] inexpressif/-ive; [*tone, voice*] monocorde; [*playing*] plat; **he remained ~ throughout the interview** il est resté impassible tout au long de l'entretien

expression mark *n* Mus consigne *f* pour l'exécution

expressive /ɪk'spresɪv/ *adj* [*eyes, face, features, function, language*] expressif/-ive; [*look*] éloquent; [*potential, power*] d'expression; **to be ~ of sth** exprimer qch

expressively /ɪk'spresɪvlɪ/ *adv* de façon expressive

expressiveness /ɪk'spresɪvnɪs/ *n* (of face) expressivité *f*; (of words) force *f* expressive; (of work of art, performance) (force *f* d')expression *f*

expressivity /ɪkˌspre'sɪvətɪ/ *n* **1** (of style, picture) force *f* d'expression; **2** Biol expressivité *f*

expressly /ɪk'spreslɪ/ *adv* **1** (explicitly) [*ask, authorize, promise, tell*] expressément; [*forbid*] formellement; **smoking is ~ forbidden** il est formellement interdit de fumer; **2** (specifically) [*designed, intended*] expressément, spécialement

express: **~ rifle** *n* Hunt fusil *m* de chasse express, express *m*; **~way** *n* US Transp autoroute *f*

expropriate /ˌeks'prəʊprɪeɪt/ *vtr* Jur exproprier; hum s'approprier

expropriation /ˌeksˌprəʊprɪ'eɪʃn/ *n* expropriation *f* (**of** de)

expulsion /ɪk'spʌlʃn/ *n* (of pupil) exclusion *f*, renvoi *m*; (of diplomat, alien, dissident) expulsion *f*; (of member, player) exclusion *f*

expunge /ɪk'spʌndʒ/ *vtr* **1** sout lit rayer (**from** de); **2** fig anéantir

expurgate /'ekspəgeɪt/ *vtr* expurger

exquisite /'ekskwɪzɪt, ɪk'skwɪzɪt/ *adj* **1** (lovely, perfect) [*face, features, manners, object*] exquis; [*setting*] charmant; [*tact, precision*] parfait; **she has ~ taste** elle a un goût exquis; **of ~ craftsmanship** finement ouvragé; **2** (intense) [*pleasure, pain, relief*] vif/vive

exquisitely /ek'skwɪzɪtlɪ/ *adv* **1** (perfectly) [*dressed, made, written*] d'une façon exquise; [*timed, judged*] parfaitement; **~ beautiful/polite** d'une beauté/politesse exquise; **2** (intensely) extrêmement

ex-serviceman /ˌeks'sɜːvɪsmən/ *n* ancien militaire *m*

ex-servicewoman /ˌeks'sɜːvɪswʊmən/ *n* ancienne combattante *f*

extant /ek'stænt, US 'ekstənt/ *adj* (surviving) encore existant; (currently existing) existant

extemporaneous /ɪkˌstempə'reɪnɪəs/, **extemporary** /ɪk'stempərərɪ, US -ərerɪ/ *adj* improvisé

extempore /ek'stempərɪ/ *adj, adv* impromptu

extemporize /ɪk'stempəraɪz/ *vi* improviser

extend /ɪk'stend/

A *vtr* **1** (enlarge) agrandir [*house, factory*]; prolonger [*road, runway*]; élargir [*knowledge, vocabulary*]; étendre [*circle of friends, influence, powers*]; élargir, étendre [*range, scope*]; accroître, élargir [*clientele*]; approfondir [*research, study*]; **2** (prolong) prolonger [*visit, visa*]; proroger [*loan, contract*]; prolonger [*show*]; **the deadline was ~ed by six months** un délai supplémentaire de six mois a été accordé; **3** (stretch) étendre [*arm, leg, wing*]; tendre [*neck*]; **to ~ one's hand** (in greeting) tendre la main; **4** (offer) sout présenter [*congratulations*]; accorder [*credit, loan*]; apporter [*help*]; faire [*invitation*]; **to ~ a welcome to sb** souhaiter la bienvenue à qn; **5** Accts reporter [*balance, total*]

B *vi* **1** (stretch) [*beach, carpet, damage, forest, lake, weather*] s'étendre (**as far as, up to** jusqu'à; **beyond** au-delà de; **from** de); **the railway ~s from Moscow to Vladivostok** la voie ferrée va de Moscou à Vladivostok; **the rail network ~s over the whole of England** le réseau ferroviaire couvre toute l'Angleterre; **2** (last) **to ~ into September/next week** se prolonger jusqu'en septembre/jusqu'à la semaine prochaine; **to ~ over a month/two weeks** [*course, strike*] s'étendre sur un mois/deux semaines; **3** (reach) **to ~ beyond** [*enthusiasm, interest*] aller au-delà de, dépasser [*politeness*]; [*experience, knowledge*] s'étendre au-delà de, dépasser; **4** fig (go as far as) **to ~ to doing** aller jusqu'à faire; **my charity doesn't ~ to writing cheques** ma générosité ne va pas jusqu'à signer des chèques

C extended *pp adj* [*stay, visit, warranty*] prolongé; [*contract, leave, programme, sentence*] de longue durée; [*area*] étendu; [*bulletin*] détaillé; [*family*] étendu; [*premises*] agrandi; [*credit*] à long terme

extendable /ɪk'stendəbl/ *adj* **1** (of adjustable length) [*handle, cable, lead*] extensible; [*ladder*] coulissant; **2** (renewable) [*contract, lease, visa*] renouvelable (**by** de)

extender /ɪk'stendə(r)/ *n* **1** (in paint) (to add body) matière *f* de charge; (to dilute) diluant *m*; **2** (in plastics) diluant *m*

extensible /ɪk'stensəbl/ *adj* gen, Comput extensible

extension /ɪk'stenʃn/ *n* **1** (extra section) (of cable, table) rallonge *f*; (of road, track) prolongement *m*; **the new ~ to the hospital** le nouveau bâtiment de l'hôpital; **I had a kitchen ~ built** j'ai fait agrandir ma cuisine; **a good tool functions as an ~ of the hand** un bon outil fonctionne comme un prolongement de la main; **2** Telecom (appliance) poste *m* supplémentaire; (number) (numéro *m* de) poste *m*; **he's on ~ 243** il est au poste 243; **3** (prolongation) (of contract, visa, loan) prorogation *f*; (for piece of work, essay) délai *m* supplémentaire; **4** (widening) (of powers, rights, scheme, services) extension *f*; (of knowledge) élargissement *m*; (of meaning) extension *f*; (of idea, theory) développement *m*; (of demand) augmentation *f*; (of business) développement *m*; **by ~** (logically) par extension; **5** Anat extension *f*; **6** (in hairdressing) tresse *f* artificielle; **7** Comput extension *f*

extension: **~ cable** *n* Electron rallonge *f*; **~ ladder** *n* échelle *f* coulissante; **~ lead** *n* Elec rallonge *f*; **~ ring** *n* Phot bague-allonge *f*; **~ tube** *n* Phot tube-allonge *m*

extensive /ɪk'stensɪv/ *adj* **1** (wide-ranging) [*network, range, programme*] vaste (*before n*); [*list*] long/longue (*before n*); [*investigation, study, knowledge, tests*] approfondi; [*operations, changes, developments*] de grande envergure; [*consultation, training*] complet/-ète; [*tour*] grand; [*powers*] étendu; **2** (substantial) [*garden,*

e

forest] vaste (*before n*); [*investment*] considérable; **we make ~ use of computers** nous utilisons beaucoup les ordinateurs; [*damage, loss*] grave, considérable; [*flooding*] important; [*burns*] grave; 3 Agric, Phys extensif/-ive

extensively /ɪk'stensɪvlɪ/ *adv* [*correct*] considérablement; [*discuss, quote, write*] abondamment; [*read, travel, advertise, publish*] énormément; [*damaged*] considérablement; [*used*] couramment

extensor /ɪk'stensə(r)/ *n* (muscle *m*) extenseur *m*

extent /ɪk'stent/ *n* 1 (size) (of park, garden, universe, empire, problem) étendue *f*; **to open to its full ~** s'ouvrir complètement; 2 (amount) (of damage) ampleur *f*; (of knowledge, power, influence) étendue *f*; (of commitment, involvement) importance *f*; 3 (degree) mesure *f*; **to what ~...?** dans quelle mesure...?; **to a certain** *ou* **to some ~** dans une certaine mesure; **to a great** *ou* **large ~** dans une large mesure; **to the ~ that we have any control over our lives** dans la mesure où nous contrôlons notre vie; **he did not participate to any great ~** il a très peu participé; **to do sth to such an ~ that** faire qch à tel point que

extenuate /ɪk'stenjʊeɪt/ *vtr* atténuer

extenuating /ɪk'stenjʊeɪtɪŋ/ *adj* atténuant; **~ circumstances** circonstances atténuantes

extenuation /ɪk,stenjʊ'eɪʃn/ *n* atténuation *f*

exterior /ɪk'stɪərɪə(r)/

A *n* 1 (of building, vehicle) extérieur *m* (**of** de); **on the ~** à l'extérieur; **beneath his tough ~ he's very sensitive** sous un extérieur rude c'est une âme sensible; **her liberal ~** péj son vernis libéral; 2 Art, Cin extérieur *m*

B *adj* 1 gen extérieur (**to** à); **~ decorating** peintures *fpl* extérieures; **for ~ use** (paint) pour extérieurs; 2 Cin, Phot **~ shots** prises *fpl* de vue en extérieur

exterior angle *n* angle *m* externe

exteriorize /ɪk'stɪərɪəraɪz/ *vtr* Med, Psych extérioriser

exterminate /ɪk'stɜːmɪneɪt/ *vtr* éliminer [*vermin*]; exterminer [*people, race*]

extermination /ɪk,stɜːmɪ'neɪʃn/ *n* (of vermin) élimination *f*; (of people, race) extermination *f*

extermination camp *n* camp *m* d'extermination

exterminator /ɪk'stɜːmɪneɪtə(r)/ *n* US (for insects) employé/-e *m/f* des services de désinsectisation; (for rats) employé/-e *m/f* des services de dératisation

extern /'ekstɜːn/ *n* US externe *mf*

external /ɪk'stɜːnl/ *adj* 1 (outer) [*appearance, world, object, reality*] extérieur (**to** à); [*surface, injury*] externe; **'for ~ use only'** 'usage externe'; 2 (from outside) [*auditor, examiner*] externe; [*student*] inscrit dans un autre établissement; [*examination*] *ouvert à des étudiants inscrits dans d'autres établissements*; [*source, force, influence, mail, call*] extérieur; 3 (foreign) [*affairs, trade, debt*] extérieur; 4 Comput externe

external: **~ angle** *n* angle *m* extérieur; **~ degree** *n*: *diplôme accordé sans assiduité aux cours*; **~ diameter** *n* diamètre *m* externe

externalize /ɪk'stɜːnəlaɪz/ *vtr* extérioriser

externally /ɪk'stɜːnəlɪ/ *adv* 1 (on the outside) [*calm, healthy*] en apparence; **in good condition ~** en bon état extérieurement; **to resemble sth ~** avoir l'apparence de qch; 2 [*examined, investigated*] par quelqu'un d'indépendant

externals /ɪk'stɜːnlz/ *npl* apparences *fpl*

extinct /ɪk'stɪŋkt/ *adj* [*species, animal, plant*] disparu; [*custom*] d'autrefois; [*value*] mort; [*fire, volcano, emotion, passion*] éteint; **to become ~** [*species, animal, plant, way of life*] disparaître; [*fire, volcano*] s'éteindre

extinction /ɪk'stɪŋkʃn/ *n* 1 (of species, plant, animal) extinction *f*, disparition *f*; (of fire, light) extinction *f*; (of hopes) anéantissement *m*; **to be threatened with ~** être en voie de *or* menacé d'extinction; 2 Comm, Fin (of debt) amortissement *m*

extinguish /ɪk'stɪŋgwɪʃ/ *vtr* 1 éteindre [*fire, light, cigarette*]; éteindre [*passion, enthusiasm*]; effacer [*memory*]; anéantir [*hope*]; 2 Comm, Fin éteindre [*debt*]

extinguisher /ɪk'stɪŋgwɪʃə(r)/ *n* extincteur *m*

extirpate /'ekstəpeɪt/ *vtr* extirper

extirpation /,ekstə'peɪʃn/ *n* extirpation *f*

extirpator /'ekstəpeɪtə(r)/ *n* Agric extirpateur *m*

extn *abrév écrite* = **extension**

extol GB, **extoll** US /ɪk'stəʊl/ *vtr* louer [*person, deity, deeds, merits, performance*]; prôner [*idea, system*]; **to ~ the virtues of** chanter les louanges de

extort /ɪk'stɔːt/ *vtr* extorquer [*money, promise, signature*] (**from** à); arracher [*confession*] (**from** à); exiger [*price*] (**from** de)

extortion /ɪk'stɔːʃn/ *n* gen, Jur extorsion *f*

extortionate /ɪk'stɔːʃənət/ *adj* exorbitant

extortionist /ɪk'stɔːʃənɪst/ *n* extorqueur/-euse *m/f* (de fonds)

extra /'ekstrə/

A *n* 1 (additional charge) supplément *m*; **there are no hidden ~s** il n'y a pas de faux frais; 2 (additional feature) option *f*; **the sunroof is an ~** le toit ouvrant est en option; **the little ~s in life** (luxuries) les petits agréments *mpl* de l'existence; 3 Cin, Theat figurant/-e *m/f*; 4 Journ édition *f* spéciale

B *adj* [*bus, expense, fabric, hour, staff*] supplémentaire; **it will cost an ~ £1,000** cela coûtera 1 000 livres de plus; **delivery/postage is ~** la livraison/l'expédition est en supplément *or* en sus; **to take ~ trouble** *ou* **pains to do** se donner beaucoup de mal pour faire; **you need to take ~ care when washing wool** il faut prendre des précautions particulières quand vous lavez de la laine

C *adv* **to be ~ careful/kind** être encore plus prudent/aimable (que d'habitude); **he tried ~ hard to be patient** il s'est efforcé d'être le plus patient possible; **she worked ~ hard today** elle a travaillé encore plus aujourd'hui; **we charge ~ for postage** nous demandons un supplément pour les frais d'expédition; **the deluxe model costs ~** le modèle de luxe coûte plus cher; **you have to pay ~ for a sunroof** il faut payer un supplément pour le toit ouvrant

extra charge *n* supplément *m*; **at no ~** sans supplément

extract

A /'ekstrækt/ *n* (all contexts) extrait *m* (**from** de); **meat/vanilla ~** extrait de viande/de vanille

B /ɪk'strækt/ *vtr* 1 (pull out) extraire [*tooth, bullet, splinter*] (**from** de); (from pile, drawer, pocket) sortir, extraire [*wallet, paper, object*] (**from** de); 2 fig (obtain) arracher [*confession, promise, secret*] (**from** à); tirer [*money, energy, heat, pleasure*] (**from sth** de qch); **to ~ money from sb** soutirer de l'argent à qn; 3 Chem extraire [*mineral, oil, essence*] (**from** de); 4 fig (derive) dégager [*sense, nuance*]

extraction /ɪk'strækʃn/ *n* 1 (of mineral, peat) extraction *f* (**of** de); (of fumes, air, smell) extraction *f*, évacuation *f* (**of** de); 2 Med, Dent (of tooth, bullet, etc) extraction *f*; **to have an ~** Dent se faire arracher une dent; 3 (origin) origine *f*; **of French ~** d'origine française

extractive /ɪk'stræktɪv/ *adj* [*industry, process*] extractif/-ive; **~ crop** culture *f* qui appauvrit les sols

extractor /ɪk'stræktə(r)/ *n* 1 gen extracteur *m*; 2 = **extractor fan**

extractor fan *n* ventilateur *m* d'extraction

extra-curricular /,ekstrəkə'rɪkjʊlə(r)/ *adj* Sch, Univ [*activity*] parascolaire

extraditable /'ekstrədaɪtəbl/ *adj* [*person*] passible d'extradition; [*offence, crime*] pouvant donner lieu à l'extradition

extradite /'ekstrədaɪt/ *vtr* extrader (**from** de; **to** vers)

extradition /,ekstrə'dɪʃn/

A *n* extradition *f* (**from** de; **to** vers)

B *modif* [*proceedings, treaty*] d'extradition

extra: **~-dry** *adj* [*sherry, wine*] extra-sec; [*champagne*] brut; **~-fast** *adj* ultrarapide; **~-fine** *adj* extra-fin

extragalactic /,ekstrəgə'læktɪk/ *adj* extragalactique

extra-large /,ekstrə'lɑːdʒ/ *adj* [*pullover, shirt*] extra-large, grand patron; [*coat*] grand patron, de grande taille; **an ~ bottle/tin** une maxi-bouteille/boîte

extralinguistic /,ekstrəlɪŋ'gwɪstɪk/ *adj* extralinguistique

extramarital /,ekstrə'mærɪtl/ *adj* extraconjugal

extra-mural /,ekstrə'mjʊərəl/ *adj* 1 GB Univ [*course, lecture*] ouvert à tous et assuré par un universitaire; 2 US Sch **~ sports** matchs *mpl* inter-établissements

extraneous /ɪk'streɪnɪəs/ *adj* 1 (outside) [*element, event*] extérieur; [*noise, people*] de l'extérieur; 2 (not essential) [*issue, detail, information*] superflu; [*considerations*] sans rapport avec la question; **to be ~ to sth** être étranger à *or* sans rapport avec qch

extranet /'ekstrənet/ *n* Comput extranet *m*

extraordinarily /ɪk'strɔːdnrəlɪ, US -dənerɪlɪ/ *adv* [*able, gifted, kind*] extraordinairement; [*large, difficult, complex*] extraordinairement, particulièrement

extraordinary /ɪk'strɔːdnrɪ, US -dənerɪ/ *adj* 1 (exceptional) [*person, ability, career*] extraordinaire; **to go to ~ lengths to do sth** se donner un mal extraordinaire pour faire qch; **there's nothing ~ about her playing** son jeu n'a rien d'extraordinaire; 2 (peculiar) extraordinaire, incroyable; **the most ~ thing has happened** il s'est passé quelque chose d'absolument extraordinaire; **to find it ~ that** trouver extraordinaire que (+ *subj*); **it seems ~ that he should resign** ça paraît incroyable qu'il démissionne; **isn't it ~ how people react** c'est incroyable de voir comment les gens réagissent; 3 (special) [*meeting, session*] extraordinaire; 4 Pol **ambassador ~** ambassadeur extraordinaire

extraordinary general meeting *n* assemblée *f* générale extraordinaire

extra pay *n* supplément *m* de salaire

extrapolate /ɪk'stræpəleɪt/ *vtr* extrapoler (**from** de)

extrapolation /ɪk,stræpə'leɪʃn/ *n* extrapolation *f* (**from** de)

extrasensory /,ekstrə'sensərɪ, US -sɔːrɪ/ *adj* extrasensoriel/-ielle

extrasensory perception, **ESP** *n* perception *f* extrasensorielle

extra: **~-special** *adj* exceptionnel/-elle; **~-strong** *adj* [*coffee*] très serré; [*paper*] extra-strong; [*thread*] extra-solide; [*disinfectant, weed killer*] super-puissant

extraterrestrial /,ekstrətə'restrɪəl/ *n, adj* extraterrestre (*mf*)

extraterritorial /,ekstrə,terɪ'tɔːrɪəl/ *adj* [*rights, privileges*] d'exterritorialité; [*water*] international

extraterritorial possessions *n* possessions *fpl* outre-mer

extra time *n* Sport prolongation *f*; **to go into** *ou* **play ~** jouer les prolongations

extravagance /ɪk'strævəgəns/ *n* 1 (prodigality) péj prodigalité *f*; 2 (luxury) luxe *m*; 3 (exaggeratedness) (of behaviour, claim) extravagance *f*

extravagant /ɪk'strævəgənt/ *adj* 1 [*person*] prodigue, dépensier/-ière; [*needs, tastes, way of life*] dispendieux/-ieuse; **to be ~ with sth** gaspiller qch; 2 (luxurious) [*meal, dish*] luxueux/-euse; [*plan*] coûteux/-euse; 3 [*praise, claim,*

demand, idea, behaviour] extravagant
extravagantly /ɪkˈstrævəgəntlɪ/ *adv* 1 [*furnished, decorated*] luxueusement; **to spend ~** dépenser sans compter; **to use sth ~** faire un usage immodéré de qch; 2 [*praise, claim*] à outrance; [*behave*] de façon extravagante
extravaganza /ɪkˌstrævəˈgænzə/ *n* spectacle *m* somptueux; **football ~** grande messe *f* du football
extravehicular /ˌekstrəviːˈhɪkjʊlə(r)/ *adj* [*activity*] extravéhiculaire
extra virgin olive oil *n* Culin huile *f* d'olive extra vierge
extreme /ɪkˈstriːm/
A *n* (all contexts) extrême *m*; **to go from one ~ to the other** passer d'un extrême à l'autre; **to take** *ou* **carry sth to its logical ~** pousser qch à l'extrême; **at one ~ of sth** à une extrémité de qch; **the ~s of love and hate** les extrêmes de l'amour et de la haine; **to withstand ~s of temperature** résister à des écarts extrêmes de température; **to take/carry sth to ~s** pousser/porter qch à l'extrême; **to go to ~s** pousser les choses à l'extrême; **to be driven to ~s** être poussé à bout; **~s of passion/cruelty** sommets *mpl* de la passion/la cruauté; **to go to any ~** ne s'arrêter devant rien; **cautious/naïve in the ~** prudent/naïf à l'extrême
B *adj* 1 (as intensifier) extrême; **to live in ~ poverty** vivre dans une extrême pauvreté; **to have ~ difficulty doing** avoir énormément de difficulté à faire; 2 (outside normal range) [*example, case, weather conditions, situation*] extrême; [*view, idea, step, measure, reaction, nationalist*] extrémiste; **this is Cubism at its most ~** c'est du cubisme poussé à l'extrême; **to believe sth to an ~ degree** être profondément convaincu de qch; **to be on the ~ right/left** être à l'extrême droite/gauche; **to go to ~ lengths to do** ne reculer devant rien pour faire; **to be ~ in one's views** avoir des opinions extrémistes; **I find him rather ~** je le trouve un peu trop extrémiste; 3 (furthest, highest, lowest etc) [*heat, cold, temperature, fringe, edge, limit*] extrême; **in the ~ north/south** à l'extrême nord/sud, tout au nord/sud
extremely /ɪkˈstriːmlɪ/ *adv* extrêmement, très; **to do ~ well** réussir extrêmement *or* très bien
extreme sport *n* sport *m* extrême
extreme unction *n* extrême-onction *f*
extremism /ɪkˈstriːmɪzəm/ *n* extrémisme *m*
extremist /ɪkˈstriːmɪst/ *n, adj* extrémiste (*mf*)
extremity /ɪkˈstremətɪ/ *n* 1 (furthest point) lit, fig extrémité *f* (**of** de); **they stand at opposite extremities** ils sont le contraire l'un de l'autre; 2 (of body) extrémité *f*; 3 (extremeness) degré *m* extrême (**of** de); 4 (dire situation) situation *f* désespérée; **to do sth in ~** faire qch en dernier recours; **to be reduced to extremities** être à bout
extricate /ˈekstrɪkeɪt/
A *vtr* (from trap, net) dégager (**from** de); (from situation) sortir (**from** de)
B *v refl* **to ~ oneself from** s'extirper de [*place*]; se dégager de [*embrace*]; se sortir de [*situation*]
extrinsic /ekˈstrɪnsɪk/ *adj* [*factor, advantage*] extrinsèque; [*stimulus, influence*] extérieur
extroversion /ˌekstrəˈvɜːʃn, US -vɜːrʒn/ *n* extraversion *f*
extrovert /ˈekstrəvɜːt/ *n, adj* extraverti/-e (*m/f*)
extrude /ɪkˈstruːd/ *vtr* 1 (force out) faire sortir [*glue, toothpaste*] (**from** de); 2 Ind extruder [*metal, plastic*]; **~d plastic** plastique extrudé
extrusion /ɪkˈstruːʒn/ *n* extrusion *f*
exuberance /ɪgˈzjuːbərəns, US -ˈzuː-/ *n* exubérance *f*
exuberant /ɪgˈzjuːbərənt, US -ˈzuː-/ *adj* (all contexts) exubérant
exuberantly /ɪgˈzjuːbərəntlɪ, US -ˈzuː-/ *adv* [*play, sing*] avec exubérance; [*shout, wave*] joyeusement
exude /ɪgˈzjuːd, US -ˈzuːd/
A *vtr* 1 (radiate) respirer [*charm, authority, affluence*]; 2 (give off) exsuder [*sap*]; exhaler [*smell*]
B *vi* 1 [*confidence, conviction*] se dégager (**from** de); 2 [*sap, gum*] exsuder (**from** de); [*smell*] se dégager (**from** de)
exult /ɪgˈzʌlt/ *vi* exulter (**in doing** de faire); **to ~ at** *ou* **in sth** se réjouir de qch; **to ~ over one's enemy** chanter victoire sur son ennemi
exultant /ɪgˈzʌltənt/ *adj* [*tone, mood, look*] triomphant; [*cry*] de triomphe; **to be ~** exulter
exultantly /ɪgˈzʌltəntlɪ/ *adv* triomphalement
exultation /ˌegzʌlˈteɪʃn/ *n* exultation *f*; **with** *ou* **in ~** avec exultation
exurbia /ˌeksˈɜːbɪə/ *n* US banlieue *f* résidentielle
ex-wife /ˌeksˈwaɪf/ *n* (*pl* **ex-wives**) ex-femme *f*
ex-works /ˌeksˈwɜːks/ *adj* [*price, value*] départ-usine
eye /aɪ/ ▸ **p. 997**
A *n* 1 Anat œil *m*; **with blue/green ~s** aux yeux bleus/verts; **to raise/lower one's ~s** lever/baisser les yeux; **in front of** *ou* **before your (very) ~s** sous vos yeux; **to the expert/untrained ~** pour un œil exercé/non exercé; **there was sorrow/fear in his ~s** son regard exprimait le chagrin/la crainte; **with sorrow/fear in his ~s** les yeux remplis de chagrin/crainte; **I wouldn't have believed it, if I hadn't seen it with my own ~s** je ne l'aurais pas cru, si je ne l'avais vu de mes propres yeux; **I could do it with my ~s closed** je pourrais le faire les yeux fermés; **keep your ~s on the road!** c'est la route qu'il faut regarder!, regarde la route!; **keep your ~ on the ball!** ne quitte pas la balle des yeux!; **to keep an ~ on sth** surveiller qch; **to keep an ~ on sb** surveiller qn; (suspiciously) avoir *or* tenir qn à l'œil; **under the watchful/critical ~ of sb** sous le regard vigilant/critique de qn; **to have one's ~ on sb/sth** (watch) surveiller qn/qch; (desire) avoir envie de [*dress, car, house*]; (lust after) loucher○ sur [*food, dress, car, person*]; (aim for) viser [*job*]; **with an ~ to doing** en vue de faire; **they have their ~ on you for the director's job** ils vous ont en vue pour le poste de directeur; **she had one ~ on her work and the other on the clock** elle travaillait en gardant un œil sur l'horloge; **to keep one** *ou* **half an ~ on sth/sb** garder un œil sur qch/qn; **I've never clapped**○ *ou* **laid** *ou* **set ~s on him before in my life** je ne l'ai jamais vu de ma vie; **the first time I clapped** *ou* **laid** *ou* **set ~s on it, I knew...** au premier coup d'œil, j'ai compris...; **all ~s were on him** tous les yeux *or* tous les regards étaient fixés sur lui; **to cast** *ou* **run one's ~ over sth** parcourir qch du regard; **to catch sb's ~** attirer l'attention de qn; **to close** *ou* **shut one's ~s** lit fermer les yeux; **to close** *ou* **shut one's ~s to sth** fig se refuser à reconnaître qch; **to open one's ~s** lit ouvrir les yeux; **to open sb's ~s to sth** fig ouvrir les yeux à qn sur qch; **to do sth with one's ~s open** fig faire qch en toute connaissance de cause; **to go around with one's ~s shut** vivre sans rien voir; **to keep an ~ out** *ou* **one's ~s open for sb/sth** essayer de repérer qn/qch; **to keep one's ~s peeled** *ou* **skinned** rester attentif *or* vigilant; **to keep one's ~ peeled** *ou* **skinned for sb/sth** ouvrir l'œil pour essayer de repérer qn/qch; **London, seen through the ~s of a child, a child's ~ view of London** Londres, vu par un enfant; **as far as the ~ can see** à perte de vue; **I've got ~s in my head!** j'ai des yeux pour voir!; **use your ~s! it's on the table in front of you!** tu es aveugle? c'est sur la table devant toi!; **to take one's ~ off sth/sb** quitter qch/qn des yeux; **she couldn't take her ~s off him** elle le dévorait des yeux, elle ne le quittait pas des yeux; **to get one's ~ in** GB Sport s'habituer aux conditions de jeu; **'my ~○!'** 'mon œil○!'; **'~s right/left!'** Mil 'tête à droite/à gauche!'
2 (opinion) **in the ~s of the church/law/world** aux yeux de l'église/de la loi/du monde; **in my father's/teacher's ~s...** aux yeux de mon père/mon professeur...; **in your/his ~s...** à tes/ses yeux...
3 (flair) **to have a good ~** avoir un bon coup d'œil; **to have an ~ for** avoir le sens de [*detail, colour*]; s'y connaître en [*antiques, livestock*]; **to have an ~ for a bargain** savoir flairer une bonne affaire
4 Sewing (hole in needle) chas *m*; (to attach hook to) œillet *m*
5 (on potato) œil *m*
6 (on peacock's tail) œil *m*, ocelle *m*
7 Meteorol (of hurricane, tornado, storm) œil *m*; **the ~ of the storm** fig (place of calm) l'œil de la tempête; (place of intense activity) le cœur de la tempête; **the ~ of the wind** le lit du vent
B *modif* [*operation*] de l'œil; [*muscle, tissue*] de l'œil, oculaire; [*movement*] des yeux, oculaire; [*ointment, lotion*] pour les yeux; **~ disease** maladie *f* des yeux; **to have ~ trouble** avoir des troubles oculaires
C **-eyed** (*dans composés*) **blue-/brown-~d** aux yeux bleus/marron
D *vtr* 1 (look at) regarder [*person, object*]; **to ~ sth/sb with suspicion/caution** regarder qch/qn d'un air soupçonneux/méfiant; **to ~ sth with envy** regarder qch avec envie
2 ○(ogle at) ▸ **eye up**
(Idioms) **to be all ~s** être tout yeux; **to be in it up to one's ~s** être compromis jusqu'au cou; **to be up to one's ~s in** être submergé de [*mail, complaints, work*]; **to be up to one's ~s in debt** être endetté jusqu'au cou; **an ~ for an ~ (a tooth for a tooth)** œil pour œil, (dent pour dent); **it was one in the ~ for him** c'était bien fait pour lui iron; **to have ~s in the back of one's head** avoir des yeux derrière la tête *or* dans le dos; **to make ~s at sb** faire les yeux doux à qn; **to give sb the glad ~** faire de l'œil à qn; **to see ~ to ~ with sb (about sth)** partager le point de vue de qn (au sujet de qch); **what the ~ doesn't see (the heart doesn't grieve over)** Prov bienheureux celui qui ne connaît pas la vérité
(Phrasal verbs) ■ **eye up**○: ▸ **~ [sb] up, ~ up [sb]** lorgner○, reluquer○
■ **eye up and down**: ▸ **~ [sb] up and down** (suspiciously) toiser [qn] de haut en bas; (appreciatively) dévorer [qn] des yeux
eyeball /ˈaɪbɔːl/
A *n* Anat globe *m* oculaire; **to be ~ to ~ with sb** faire face à qn
B *vtr* lancer des regards agressifs à [*person*]
eye: ~ bank *n* banque *f* des yeux; **~bath** *n* œillère *f*; **~bolt** *n* Tech boulon *m* à œil
eyebrow /ˈaɪbraʊ/ *n* sourcil *m*; **to raise one's** *ou* **an ~** (in surprise) hausser les sourcils; (in disapproval) froncer les sourcils; **to raise a few ~s** provoquer quelques froncements de sourcils
eyebrow pencil *n* Cosmet crayon *m* à sourcils
eye candy○ *n* 1 Comput image *f* fractale; 2 (man) beau mâle *m*; 3 (woman) belle fille *f*
eye-catching: *adj* [*colour, design, poster*] attrayant; [*dress, hat*] original; [*advertisement, headline*] accrocheur/-euse
eye contact *n* échange *m* de regards; **to make ~ with sb** croiser le regard de qn
eyecup /ˈaɪkʌp/ *n* 1 Phot œilleton *m*; 2 US (for bathing eyes) œillère *f*
eyedrops /ˈaɪdrɒps/ *npl* gouttes *fpl* pour les yeux
eyeful /ˈaɪfʊl/ *n* 1 (amount) **to get an ~ of** avoir [qch] plein les yeux [*dust, sand*]; 2 ○(good look) **to get an ~ (of sth)** se rincer l'œil○ (au spectacle de qch); **get an ~ of that!**

vise○ un peu ça!; **she's an ~!** US elle est mignonne!

eyeglass /ˈaɪglɑːs, US -glæs/ *n* **1** (monocle) monocle *m*; **2** = **eyepiece**

eye: **~glasses** *npl* US lunettes *fpl* (de vue); **~ hospital** *n* hôpital *m* ophtalmologique; **~lash** *n* cil *m*

eyelet /ˈaɪlɪt/ *n* œillet *m*

eye level /ˈaɪlevl/

A *n* niveau *m* de l'œil; **at ~** au niveau de l'œil, à hauteur des yeux

B **eye-level** *adj* [*grill, display, shelf*] à hauteur des yeux

eye: **~lid** *n* paupière *f*; **~liner** *n* Cosmet eye-liner *m*; **~ make-up** *n* Cosmet maquillage *m* pour les yeux; **~ make-up remover** *n* Cosmet démaquillant *m* pour les yeux; **~ mask** *n* masque *m* de relaxation

eye-opener○ /ˈaɪəʊpnə(r)/ *n* **1** (revelation) révélation *f*; **the trip was a real ~ for him** le voyage a été une véritable révélation pour lui, le voyage lui a ouvert les yeux; **2** US (drink) petit verre *m* du matin

eye: **~-patch** *n* bandeau *m*, coque *f* oculaire spec; **~ pencil** *n* crayon *m*; **~piece** *n* oculaire *m*; **~ rhyme** *n* Literat rime *f* pour l'œil; **~shade** *n* visière *f*; **~ shadow** *n* Cosmet fard *m* à paupières

eyesight /ˈaɪsaɪt/ *n* vue *f*; **to have good/poor ~** avoir une bonne/mauvaise vue

eye: **~ socket** *n* Anat orbite *f*; **~s-only** *adj* US confidentiel/-ielle

eyesore /ˈaɪsɔː(r)/ *n* **to be an ~** choquer la vue

eye: **~ specialist** ▸ p. 1683 *n* ophtalmologue *mf*, oculiste *mf*; **~ splice** *n* œil *m*, épissure *f* à œillet; **~ strain** *n* fatigue *f* oculaire; **~ surgeon** ▸ p. 1683 *n* chirurgien *m* oculiste; **~ test** *n* examen *m* de la vue

eyetooth /ˈaɪtuːθ/ *n* (*pl* **-teeth**) Dent canine *f* supérieure

Idiom **I'd give my eyeteeth for that job/car** je donnerais n'importe quoi pour obtenir ce poste/avoir cette voiture

eyewash /ˈaɪwɒʃ/ *n* **1** Med collyre *m*; **2** fig (nonsense) poudre *f* aux yeux, fadaises *fpl*

eyewitness /ˈaɪwɪtnɪs/

A *n* témoin *m* oculaire

B *modif* [*account, report*] d'un témoin oculaire

eyrie /ˈeərɪ, ˈaɪərɪ/ *n* aire *f*, nid *m* d'aigle

Ezekiel /ɪˈziːkjəl/ *pr n* Ézéchiel

e-zine /ˈiːziːn/ *n* cybermagazine *m*, revue *f* en ligne

f

f, F /ef/ *n* 1▸ (letter) f, F *m*; 2▸ **F** Mus (note, key) fa *m*; 3▸ **F** (*abrév* = **Fahrenheit**) F

fa /fɑː/ *n* Mus fa *m*

FA *n* GB 1▸ (*abrév* = **Football Association**) fédération *f* britannique de football; *cf* FFF; 2▸ ◑(*abrév* = **Fanny Adams**) **sweet ~** que dalle◑; 3▸ ◑(*abrév* = **fuck all**●) **sweet ~** que dalle◑

FAA *n* US (*abrév* = **Federal Aviation Association**) direction *f* générale de l'aviation civile américaine

fab○ /fæb/ *adj* GB (*abrév* = **fabulous**) sensas(s)○

Fabian Society /ˈfeɪbɪən/ *n* Fabian Society *f* (*association socialiste anglaise à l'origine du Labour Party*)

fable /ˈfeɪbl/ *n* 1▸ Literat (moral tale) fable *f*; (legend) légende *f*; 2▸ (play, film) apologue *m* liter, histoire *f* moraliste; 3▸ (lie) histoire *f*

fabled /ˈfeɪbld/ *adj* 1▸ (of legend) légendaire; 2▸ (acclaimed) fameux/-euse

Fablon® GB /ˈfæblɒn/ *n* ≈ Vénilia® *m* adhésif

fabric /ˈfæbrɪk/ *n* 1▸ (cloth) tissu *m*, étoffe *f*; 2▸ fig (basis) **the ~ of society** le tissu social; 3▸ (of building) structure *f*

fabricate /ˈfæbrɪkeɪt/ *vtr* 1▸ inventer [qch] de toutes pièces [*story, excuse, evidence*]; 2▸ fabriquer [*object, document*]

fabrication /ˌfæbrɪˈkeɪʃn/ *n* 1▸ (lie) fabrication *f*; 2▸ (invention) invention *f*; **that's pure** *ou* **complete ~** c'est de l'invention pure et simple; 3▸ (of object, document) fabrication *f*

fabric conditioner, **fabric softener** *n* (produit *m*) assouplissant *m*

fabulous /ˈfæbjʊləs/

A *adj* 1▸ ○(wonderful) sensationnel/-elle○; 2▸ ○[*price, income*] fabuleux/-euse; 3▸ [*beast, realm*] fabuleux/-euse

B ○*excl* génial!

fabulously /ˈfæbjʊləslɪ/ *adv* [*beautiful*] merveilleusement; [*rich*] fabuleusement; **~ expensive** hors de prix; **to be ~ successful** avoir un succès fou

façade, **facade** /fəˈsɑːd/ *n* lit, fig façade *f* (of de)

face /feɪs/

A *n* 1▸ Anat, gen (of person) visage *m*, figure *f*; (of animal) face *f*; **to have an honest ~** avoir un visage franc; **to have ink on one's ~** avoir de l'encre sur le visage; **he punched me in the ~** il m'a donné un coup de poing au visage; **to spit in sb's ~** cracher à la figure de qn; **to slam the door in sb's ~** claquer la porte au nez de qn; **to laugh in sb's ~** rire au nez de qn; **I know that ~!** je connais cette tête-là!; **to look sb in the ~** lit, fig regarder qn en face; **I told him to his ~ that he was lazy** je lui ai dit en face qu'il était paresseux; **I dare not show my ~** fig j'ai peur de me montrer; **don't you dare show your ~ in here again!** et que je ne vous revoie plus!; **to be ~ up/down** [*person*] être sur le dos/ventre; **to put one's ~ on**○ hum se maquiller

2▸ (expression) air *m*; **the smug ~ of the interviewer** l'air suffisant de l'interviewer; **she looked at me with a puzzled ~** elle m'a regardé d'un air perplexe; **a long ~** un air triste; **to pull** *ou* **make a ~** faire la grimace; **I can't wait to see his ~ when you tell him!** j'ai hâte de voir la tête qu'il va faire quand tu lui diras○!; **you should have seen their ~s!** tu aurais vu la tête qu'ils ont fait○!

3▸ fig (outward appearance) **to change the ~ of** changer le visage de [*industry, countryside*]; **the changing ~ of education/Europe** la face changeante de l'éducation/l'Europe; **the ugly ~ of the regime** l'aspect monstrueux du régime; **the acceptable ~ of capitalism** le bon côté du capitalisme; **on the ~ of it, it sounds easy** à première vue *or* au premier abord, ça paraît facile

4▸ (dignity) **to lose ~** perdre la face; **to save ~** sauver la face; **to avoid a loss of ~ he lied** pour ne pas perdre la face il a menti

5▸ ○GB (nerve) culot○ *m*, audace *f*; **they had the ~ to ask for more money!** ils ont eu le culot○ de redemander de l'argent!

6▸ (dial) (of clock, watch) cadran *m*

7▸ (surface) (of gem, dice) face *f*; (of coin) côté *m*; (of planet) surface *f*; **the largest island on the ~ of the earth** *ou* **globe** la plus grande île du monde; **to disappear** *ou* **vanish off the ~ of the earth**○ [*person, keys*] disparaître de la circulation; **the hidden ~ of the moon** la face cachée de la lune

8▸ Geol (of cliff, mountain) face *f*; (of rock) paroi *f*; (of mineral seam) face *f*

9▸ (printed surface) (of playing card) face *f*; (of document) recto *m*; **~ up/down** à l'endroit/l'envers

10▸ Print œil *m*

B **in the face of** *prep phr* 1▸ (despite) en dépit de [*overwhelming odds*]

2▸ (in confrontation with) face à, devant [*opposition, enemy, danger*]

C *vtr* 1▸ (look towards) [*person*] faire face à [*person, audience*]; [*building, room*] donner sur [*park, beach*]; **to ~ north/south** [*person*] regarder au nord/sud; [*building*] être orienté au nord/sud; **he turned to ~ the door/class** il se retourna vers la porte/la classe; **she stood facing the class** elle était debout face à la classe; **facing me/our house, there is...** en face de moi/de notre maison, il y a...; **a seat facing the engine** un siège dans le sens de la marche; **~ the front!** regarde devant toi!

2▸ (confront) se trouver face à [*challenge, crisis*]; se voir contraint de payer [*fine*]; se trouver menacé de [*defeat, redundancy, ruin*]; être contraint de faire [*choice*]; être contraint de prendre [*decision*]; affronter [*attacker*]; se retrouver face à [*rival, team*]; **to be ~d with** se trouver confronté à [*problem, decision*]; **~d with such a hard decision, I panicked** face à une décision aussi difficile, j'ai paniqué; **to be ~d with the task of doing** devoir faire qch; **~d with the prospect of having to resign/move house** devant la perspective d'avoir à démissionner/déménager; **to ~ sb with** confronter qn à [*truth, evidence*]; **he ~s 18 months in prison** il va devoir faire 18 mois de prison; **I'm facing the prospect of being unemployed** je vais me retrouver au chômage; **the president has agreed to ~ the press/cameras** le président a accepté de faire face à la Presse/aux caméras

3▸ (acknowledge) **~ the facts, you're finished!** regarde la réalité en face, tu es fini!; **let's ~ it, nobody's perfect** admettons-le, personne n'est parfait

4▸ (tolerate prospect) **I can't ~ doing** je n'ai pas le courage de faire; **I can't ~ him** je n'ai pas le courage de le voir; **he couldn't ~ the thought of walking/eating** l'idée de marcher/manger lui était insupportable; **I don't think I can ~ another curry tonight** l'idée de remanger du curry ce soir me rend malade

5▸ (run the risk of) risquer [*fine, suspension*]; **you ~ spending 20 years in jail** vous risquez vingt ans de prison

6▸ Sewing (reinforce) mettre des parements à [*armhole*]; (trim) mettre des revers à [*cuff, jacket*]

7▸ Constr revêtir [*façade, wall*] (**with** de)

8▸ Print, Publg [*photo etc*] être face à [*page*]

D *vi* 1▸ **to ~ towards** [*person*] regarder [*camera, audience*]; [*chair*] être tourné vers [*fire*]; [*window, house*] donner sur [*street, garden*]; **to ~ forward** regarder devant soi; **to ~ backwards** [*person*] tourner le dos; **to be facing forward/backwards** [*person*] être de face/de dos; **to be facing up/down** [*card, exam paper*] être à l'envers/à l'endroit

2▸ Mil **about ~!** demi-tour!; **left ~!** à gauche!

(Idioms) **in your ~**○**!** US bien fait pour toi!; **to feed** *ou* **fill** *ou* **stuff one's ~**○ s'empiffrer○ (**with** de); **to set one's ~ against sth** s'élever contre qch

(Phrasal verbs) ■ **face down** US: ▸ **~ [sb] down** intimider

■ **face out**: ▸ **~ [sb] out** tenir tête à [*opponent, critic*]; ▸ **~ [sth] out** faire front à [*criticism*]

■ **face up**: ▸ **~ up to [sth]** faire face à [*problem, responsibilities, fears*]; ▸ **~ up to [sb]** affronter

faceache○ /ˈfeɪseɪk/ *n* 1▸ Med (neuralgia) névralgie *f* faciale; 2▸ ◑GB (miserable person) face *f* de rat○

face: **~ card** *n* US Games figure *f*; **~cloth** *n* GB gant *m* de toilette; **~ cream** *n* crème *f* pour le visage; **~guard** *n* Ind, Tech visière *f* de protection; Sport masque *m* protecteur

faceless /ˈfeɪslɪs/ *adj* fig anonyme

face-lift /ˈfeɪslɪft/ *n* 1▸ Cosmet lifting *m*; **to have a ~** se faire faire un lifting; 2▸ fig rénovation *f*; **to give sth a ~** rénover qch [*building*]; réaménager qch [*town-centre*]; changer la formule de qch [*magazine*]; rénover qch [*political party*]

face-off /ˈfeɪsɒf/ *n* 1▸ US (confrontation) confrontation *f*; 2▸ Sport (in ice hockey) remise *f* en jeu

face: **~-pack** *n* masque *m* de beauté; **~ paint** *n* maquillage *m* (*pour déguisement*); **~ powder** *n* poudre *f* (de riz)

facer○ /ˈfeɪsə(r)/ *n* GB 1▸ (blow) coup *m* au visage; 2▸ fig tuile○ *f*; **what a ~!** quelle tuile!; **that's the ~** voilà le hic○

face-saver /ˈfeɪsseɪvə(r)/ *n* moyen *m* de sauver la face; **his resignation was nothing more than a ~** sa démission n'était qu'un moyen de sauver la face

face-saving /ˈfeɪsseɪvɪŋ/ *adj* [*plan, solution*] qui permet de sauver la face (*after n*); **he offered me a ~ solution** il m'a proposé une solution qui me permettait de sauver la face

facet /ˈfæsɪt/ *n* 1 (of gemstone) facette *f*; 2 (of question, problem) aspect *m*; 3 (of personality) facette *f*

facetious /fəˈsiːʃəs/ *adj* [*remark*] facétieux/-ieuse; **she's being ~** elle dit ça pour plaisanter

facetiously /fəˈsiːʃəslɪ/ *adv* [*laugh*] facétieusement; [*say, remark*] d'un ton facétieux

facetiousness /fəˈsiːʃəsnɪs/ *n* gouaillerie *f*

face-to-face /ˌfeɪstəˈfeɪs/

A *adj* **a ~ discussion** *ou* **interview** *ou* **meeting** un face-à-face *inv*

B **face to face** *adv* [*be seated*] face à face; **to come ~ with sb/sth** se retrouver face à [*person, death*]; **to meet sb ~** rencontrer qn en face-à-face; **to tell sb sth ~** dire qch à qn en face; **to talk to sb ~** parler à qn en personne

face value *n* 1 Fin valeur *f* nominale; 2 fig **to take sth at ~** prendre qch au pied de la lettre [*claim, figures*]; prendre qch pour argent comptant [*remark, compliment*]; **to take sb at ~** juger qn sur les apparences; **at ~ it looks like a good idea** au premier abord, ça paraît être une bonne idée

facial /ˈfeɪʃl/

A *n* soin *m* (complet) du visage; **to have a ~** se faire faire un soin du visage

B *adj* [*muscle, hair*] du visage; [*injury*] au visage; [*angle, massage, nerve*] facial; **~ expression** expression *f*

facial palsy /ˌfeɪʃl ˈpɔːlzɪ/ ▸ **p. 1327** *n* Med paralysie *f* faciale

facies /ˈfeɪʃiːz/ *npl* faciès *m*

facile /ˈfæsaɪl, US ˈfæsl/ *adj* 1 (specious, glib) [*assumption, comparison, suggestion*] spécieux/-ieuse, facile; 2 (easy) [*success, victory*] facile

facilitate /fəˈsɪlɪteɪt/ *vtr* faciliter [*change, choice, progress, talks, sale*]; favoriser [*development, growth*]; **his rudeness didn't exactly ~ matters** son impolitesse n'a guère arrangé les choses

facilitator /fəˈsɪlɪteɪtə(r)/ *n* facilitateur/-trice *m/f*, faciliteur *m*

facilities management *n* 1 (of infrastructure) gestion *f* des installations; 2 Comput infogérance *f*, gérance *f* des informations

facility /fəˈsɪlətɪ/

A *n* 1 (building) complexe *m*, installation *f*; **manufacturing ~** complexe industriel; **computer ~** installation informatique; **warehouse ~** entrepôt *m*; **cold-storage ~** entrepôt *m* frigorifique; 2 (ease) facilité *f*; **with ~** avec facilité; 3 (ability) talent *m*; **to have a ~ for** être doué pour [*languages, painting*]; 4 (feature) fonction *f*; **a pause/spell-check ~** une fonction pause/de dictionnaire orthographique; 5 Admin, Comm facilités *fpl*; **credit/overdraft ~** facilités de crédit/de découvert; **we have facilities to send books** nous avons les possibilités d'envoyer des livres; **I have no facilities for photocopying** je n'ai pas de possibilités de faire des photocopies; **'fax facilities available'** 'télécopieur disponible'; 6 (department) service *m*

B **facilities** *npl* 1 (equipment) équipement *m*, installation *f*; **medical/leisure facilities** équipement médical/de loisir; **computing facilities** installation *f* informatique; **facilities for the disabled** installations *fpl* pour les handicapés; **toilet facilities** toilettes; **to have cooking and washing facilities** être équipé d'une cuisine et d'une laverie; 2 (infrastructure) infrastructure *f*; **harbour facilities** installations *fpl* portuaires; **shopping facilities** magasins *mpl*, infrastructure commerciale; **tourist facilities** infrastructure touristique; **sporting facilities** infrastructure sportive; **postal facilities** service *m* postal; 3 (area) **changing facilities** vestiaire *m*; **parking facilities** (aire *f* de) parking *m*

facing /ˈfeɪsɪŋ/ *n* 1 Archit, Constr revêtement *m*; **stone/stucco ~** revêtement en pierres/stuc; 2 Sewing entoilage *m*; 3 Fashn revers *m*; **a jacket with contrasting ~s** une veste avec des revers d'une couleur différente

facsimile /fækˈsɪməlɪ/

A *n* 1 gen fac-similé *m*; **in ~** en fac-similé; 2 (sculpture) reproduction *f*; 3 (fax) sout télécopie *f*

B *modif* [*manuscript, edition*] en fac-similé; **~ machine** télécopieur *m*

fact /fækt/

A *n* 1 (accepted thing) fait *m*; **the ~ that** (beginning sentence) le fait que (+ *subj*); **it is a ~ that** c'est un fait que; **to know for a ~ that** savoir de source sûre que; **owing** *ou* **due to the ~ that** étant donné que; **the ~ (of the matter) is (that)** le fait est que; **the ~ remains (that)** toujours est-il que; **~s and figures** les faits et les chiffres; 2 ₵ (truth) réalité *f*, vrai *m*; **~ and fiction** la fiction et la réalité; **to mix (up) ~ and fiction** mélanger la fiction et la réalité; **it is not speculation it is ~** ce n'est pas une supposition c'est un fait; **to accept sth as ~** admettre que qch est vrai; **the story was presented as ~** l'histoire a été présentée comme véridique; **to be based on ~** être fondé sur des faits réels; 3 (thing which really exists) réalité *f*; **the ~ of recession means that** la réalité de la récession implique que; **space travel is now a ~** les voyages dans l'espace sont désormais une réalité; 4 Jur (deed) fait *m*

B **in fact, as a matter of fact** *adv phr* en fait; (when reinforcing point) en fait, effectivement; **they promised to pay and in ~ that's what they did** ils ont promis de payer et en fait *or* effectivement c'est ce qu'ils ont fait; (when contrasting, contradicting) en fait, au contraire; **I don't mind at all, in ~ I'm delighted** ça ne me fait rien, en fait *or* au contraire je suis ravi

(Idioms) **I'm bored and that's a ~** je suis ennuyé vraiment; **is that a ~?** aussi iron vraiment?; **to know/learn the ~s of life** (sex) savoir/apprendre comment les enfants viennent au monde; **the ~s of life** (unpalatable truths) les réalités de la vie; **the economic/political ~s of life** les réalités économiques/politiques

factfinder /ˈfæktfaɪndə(r)/ *n* guide *m* de poche; **London ~** guide de poche de Londres

fact-finding /ˈfæktfaɪndɪŋ/ *adj* [*mission, trip, tour*] d'information; **~ committee** commission *f* d'enquête

faction /ˈfækʃn/ *n* 1 (group) faction *f*; 2 (discord) dissension *f*; 3 Theat, TV docudrame *m*

factional /ˈfækʃənl/ *adj* 1 [*leader, activity*] de faction; 2 [*fighting, arguments*] entre factions

factionalize /ˈfækʃənəlaɪz/ *vi* se diviser en factions

factious /ˈfækʃəs/ *adj* factieux/-ieuse

factitious /fækˈtɪʃəs/ *adj* factice

factitive /ˈfæktɪtɪv/ *adj* factitif/-ive

factor /ˈfæktə(r)/

A *n* 1 gen, Math facteur *m*; **to rise by a ~ of** gen, Math être multiplié par; **common ~** gen point *m* commun; Math facteur commun; **human ~** élément *m* humain; **unknown ~** inconnue *f*; **plus ~** atout *m*; **~ of safety** Tech coefficient *m* de sécurité; **protection ~** (of suntan lotion) indice *m* de protection; 2 Comm (agent) courtier *m*; (of debts) facteur *m*; 3 (of commodities) commissionnaire *m*; 4 Scot (estate manager) régisseur *m*

B *vtr* US Math = **factorize**

C *vi* Comm agir en tant qu'agent à la commission

(Phrasal verb) ■ **factor in**: ▸ **~ [sb] in, ~ in [sb]** prendre [qn] en compte

factor: **~ 8** *n* Med facteur *m* 8; **~ analysis** *n* analyse *f* factorielle

factorial /fækˈtɔːrɪəl/

A *n* factorielle *f*

B *adj* factoriel/-ielle

factoring /ˈfæktərɪŋ/ *n* 1 (of debts) affacturage *m*; 2 (by agent) courtage *m*

factorize /ˈfæktəraɪz/ *vtr* Math mettre [qch] en facteurs

factory /ˈfæktərɪ/

A *n* 1 gen usine *f*; **car/shoe ~** usine d'automobiles/de chaussures; **tobacco ~** manufacture *f* de tabac; 2 (illegal) **bomb ~** atelier *m* clandestin (de fabrication de bombes); **drugs ~** laboratoire *m* clandestin (de fabrication de drogue)

B *modif* [*owner, chimney, price*] d'usine

Factory Acts *npl* GB Hist législation *f* industrielle (*du XIX*[e] *siècle*)

factory: **~ farm** *n* ferme *f* d'élevage industriel; **~ farming** *n* élevage *m* industriel; **~ floor** *n* (place) ateliers *mpl*; (workers) ouvriers/-ières *mpl/fpl*; **~ inspector** ▸ **p. 1683** *n* inspecteur/-trice *m/f* du travail; **~-made** *adj* fabriqué en usine; **~ outlet** *n* magasin *m* d'usine; **~ ship** *n* navire-usine *m*; **~ shop** *n* = **factory outlet**; **~ system** *n* production *f* en usine; **~ unit** *n* unité *f* de production; **~ worker** ▸ **p. 1683** *n* ouvrier/-ière *m/f* (d'usine)

factotum /fækˈtəʊtəm/ *n* factotum *m*; **general ~** hum homme/femme *m/f* à tout faire

fact sheet *n* bulletin *m* d'informations

factual /ˈfæktʃʊəl/ *adj* [*information, evidence*] factuel/-elle; [*account, description*] basé sur les faits; **~ error** erreur de fait; **~ programme** GB TV, Radio reportage *m*

factually /ˈfæktʃʊəlɪ/ *adv* [*incorrect, complete*] dans les faits

faculty /ˈfæklti/ *n* (*pl* **-ties**) 1 (power, ability) faculté *f* (**of** de; **for** de; **for doing** de faire); **to be in possession** *ou* **command of all one's faculties** jouir de toutes ses facultés; **critical faculties** esprit *m* critique; 2 GB Univ faculté *f*; **~ of Arts/Science** faculté des Lettres/des Sciences; 3 US Univ, Sch (staff) corps *m* enseignant

faculty advisor *n* 1 US Univ directeur/-trice *m/f* d'études; 2 Sch animateur/-trice *m/f*

Faculty Board *n* GB Univ conseil *m* de faculté

faculty: **~ lounge** *n* US Sch salle *f* des professeurs; **~ meeting** *n* US Sch, Univ réunion *f* des enseignants

fad /fæd/ *n* 1 (craze) engouement *m* (**for** pour); 2 (whim) (petite) manie *f*; 3 (person) **she's a food ~** elle fait très attention à ce qu'elle mange

faddish /ˈfædɪʃ/, **faddy** /ˈfædɪ/ *adj* GB difficile (**about** pour)

fade /feɪd/

A *vtr* [*light, age*] faner [*curtains, clothes, colour*]

B *vi* 1 (get lighter) [*fabric*] se décolorer, se faner; [*colour*] passer; [*lettering, typescript*] s'effacer; **to ~ in the wash** [*garment, fabric*] se décolorer au lavage; [*colour*] passer au lavage; **the cloth ~d to a dull blue** le bleu du tissu s'est fané; **jeans guaranteed to ~** jeans à délavage garanti; **guaranteed not to ~** garanti grand teint; 2 (wither) [*flowers*] se faner; 3 (disappear) [*image, drawing*] s'estomper; [*sound*] s'affaiblir; [*smile, memory*] s'effacer; [*interest, excitement, hope*] s'évanouir; [*credits*] disparaître en fondu; **to ~ into the crowd/background** se fondre dans la foule/dans l'arrière-plan; **her looks are beginning to ~** elle n'est plus aussi belle qu'autrefois; 4 (deteriorate) [*hearing, light, sight*] baisser

(Phrasal verbs) ■ **fade away** [*sound*] s'éteindre; [*sick person*] dépérir; [*actor, star*] disparaître de la circulation; [*distinction, division*] s'estomper.

■ **fade in**: ▸ **~ [sth] in** monter [*sound, voice*]; faire apparaître [qch] en fondu [*image*]; ouvrir [qch] en fondu [*scene*].

■ **fade out**: ▸ **~ out** [*speaker, scene*] disparaître en fondu: ▸ **~ [sth] out** Cin faire disparaître [qch] en fondu [*picture, scene*]

faded /'feɪdɪd/ *adj* [*clothing, carpet, decor*] décoloré; [*colour, glory*] passé; [*jeans*] délavé; [*drawing, picture*] estompé; [*photo, wallpaper*] jauni; [*flower, beauty*] fané; [*writing, lettering*] à demi effacé; [*aristocrat*] sur le déclin

fade: **~-in** *n* Cin, Radio, TV fondu *m*; **~-out** *n* Cin, Radio, TV fondu *m*

faecal, **fecal** US /'fiːkəl/ *adj* fécal

faeces, **feces** US /'fiːsiːz/ *npl* matières *fpl* fécales, fèces *fpl* spec

faerie‡ /'feərɪ/ *n* 1 (being) = **fairy 1**; 2 (land) royaume *m* des fées

faff /fæf/:

(Phrasal verb) ■ **faff about**○, **faff around**○ GB tournicoter○

fag /fæg/

A *n* 1 ○(cigarette) clope○ *f*; 2 ○GB (nuisance) corvée *f*; 3 ○US injur pédé○ *m* offensive; 4 †GB argot des écoliers jeune élève *m* au service d'un grand (*dans les écoles privées anglaises*)

B †*vi* (*p prés etc* **-gg-**) GB argot des écoliers être au service d'un grand élève

(Idiom) **I can't be ~ged**○ **to do it** je n'ai aucune envie de le faire.

(Phrasal verb) ■ **fag out**○: ▸ **~ [sb] out** éreinter; **I'm completely ~ged out** je suis complètement claqué○

fag end /'fægend/ *n* 1 ○(cigarette) mégot○ *m*; 2 fig (of material) restant *m*; (of decade, conversation) fin *f*

faggot /'fægət/ *n* 1 (meatball) boulette *f* de viande; 2 (firewood) fagot *m*; 3 ◑US injur (homosexual) pédale◑ *f* offensive

faggoting /'fægətɪŋ/ *n* Sewing broderie *f* en faisceau

fah /fɑː/ *n* Mus fa *m*

Fahrenheit /'færənhaɪt/ *adj* Fahrenheit *inv*

faience /ˌfaɪ'ɑːns/ *n* faïence *f*

fail /feɪl/

A *n* Sch, Univ échec *m*; **to get a ~** GB échouer, être collé (**in** en)

B **without fail** *adv phr* [*arrive, do*] sans faute; [*happen*] à coup sûr, immanquablement; **I'll be there at six o'clock without ~** je serai là à six heures sans faute

C *vtr* 1 Sch, Univ échouer à, rater○ [*exam, driving test*]; échouer *or* être collé○ en [*subject*]; coller○, refuser [*candidate, pupil*]; **to ~ sb** coller○ qn (**in** en); 2 (omit) **to ~ to do** manquer de faire; **to ~ to keep one's word** manquer à ses promesses; **it never ~s to annoy her** ça ne manque jamais de l'agacer; **it never ~s to work** ça marche à tous les coups; **to ~ to mention that...** omettre de signaler que...; **to ~ to appear (in court)** Jur ne pas comparaître (devant le juge); **if you ~ to complete/return the form** si vous ne remplissez/retournez pas ce formulaire; 3 (be unable) **to ~ to do** ne pas réussir à faire; **I ~ed to recognize her** je ne l'ai pas reconnue; **one could hardly ~ to notice that** il était évident que; **I ~ to see/understand why** je ne vois pas/je n'arrive pas à comprendre pourquoi; **the machine ~ed to meet our standards** la machine ne correspondait pas à nos critères; **to ~ to respond to treatment** ne pas réagir à un traitement; 4 (let down) laisser tomber [*friend*]; manquer à ses engagements envers [*dependant, supporter*]; [*courage*] manquer à [*person*]; [*memory*] faire défaut à [*person*]; **I've never ~ed you yet!** tu as toujours pu compter sur moi!; **the government has ~ed the nation** le gouvernement n'a pas tenu ses engagements envers la nation; **words ~ me!** les mots me manquent!

D *vi* 1 (be unsuccessful) [*exam candidate*] échouer, être collé○; [*attempt, technique, plan, negotiations*] échouer; **he ~ed in the exams/in history** il a échoué *or* il a été collé○ aux examens/en histoire; **to ~ in one's attempt to do** échouer dans sa tentative de faire; **to ~ miserably** échouer lamentablement; **to ~ in one's duty** manquer *or* faillir à son devoir; **if all else ~s** en dernier recours; 2 (weaken) [*eyesight, hearing*] baisser; [*health, person*] décliner; [*voice*] s'affaiblir; [*light*] baisser, décliner; **to be ~ing fast** [*person, health*] décliner à vue d'œil; 3 (not function) [*brakes*] lâcher; [*engine*] tomber en panne; [*power, electricity, water supply*] être coupé; [*food supply*] manquer; 4 Agric [*crop*] être mauvais; 5 (go bankrupt) faire faillite; 6 Med [*heart*] lâcher; **his liver/kidneys ~ed** il a eu une défaillance du foie/des reins

E **failed** *pp adj* [*actor, writer, coup d'état, project*] raté○

failing /'feɪlɪŋ/

A *n* défaut *m*

B *pres p adj* **to have ~ eyesight** avoir la vue qui baisse; **to be in ~ health** être en mauvaise santé

C *prep* **~ that**, **~ this** sinon

failing grade *n* US Sch échec *m*

fail: **~-safe** *adj* [*device, machine, system*] à sûreté *or* sécurité intégrée; **~ soft** *adj* [*system*] à dégradation progressive

failure /'feɪljə(r)/ *n* 1 (lack of success) gen échec *m* (**in** à); Fin faillite *f*; **his ~ to understand the problem** son incapacité à comprendre le problème; **to end in ~** se solder par un échec; 2 (unsuccessful person) raté/-e○ *m/f*; (unsuccessful venture or event) échec *m*; **he was a ~ as a teacher** comme professeur il ne valait rien; **to be a ~ at sports** ne pas être doué en sport; **to feel a ~** penser avoir raté sa vie; **the operation was a ~** l'opération a été un échec *or* a échoué; 3 (breakdown) (of engine, machine, power) panne *f*; Med (of organ) défaillance *f*; **crop ~** perte *f* de récolte; **power ~** panne de courant; **due to a mechanical ~** dû à une défaillance mécanique; 4 (omission) **~ to keep a promise** manquement *m* à une promesse; **~ to appear (in court)** Jur défaut *m* de comparution (en justice); **~ to comply with the rules** non-respect *m* de la réglementation; **~ to pay** non-paiement *m*; **they were surprised at his ~ to attend the meeting** ils étaient surpris qu'il n'assiste (*subj*) pas à la réunion

fain‡ /feɪn/ *adv* de bonne grâce‡, volontiers

faint /feɪnt/

A *n* évanouissement *m*; **to fall into a ~** s'évanouir; **to fall to the floor in a ~** tomber par terre évanoui; **a dead ~** une syncope

B *adj* 1 (slight) [*smell, trace, breeze*] léger/-ère; [*glow, sound*] faible; [*accent*] léger/-ère; [*markings, streak*] à peine visible; [*signature*] à peine lisible; 2 [*recollection, suspicion*] vague; [*chance*] minime; **there is only a ~ possibility that he'll come** il y a très peu d'espoir qu'il vienne; **I haven't the ~est idea** je n'en ai pas la moindre idée; **he hadn't the ~est idea who she was** il ne savait pas du tout qui elle était; **to give a ~ smile** esquisser un sourire; 3 (weak) [*voice, breathing*] faible; 4 (dizzy) **to feel ~** se sentir mal, défaillir; **I'm ~ with hunger** je vais défaillir de faim; 5 (ineffectual) [*attempt*] timide; [*protest*] faible

C *vi* s'évanouir; (more seriously) tomber en syncope; **to ~ from** s'évanouir de [*heat, exhaustion, hunger*]; **she ~ed from loss of blood** elle avait perdu tellement de sang qu'elle s'est évanouie

(Idioms) **~ heart never won fair lady** Prov qui n'ose rien n'a rien Prov; **to damn sb with ~ praise** éreinter qn sous couleur d'éloge

fainthearted /ˌfeɪnt'hɑːtɪd/

A *n* **the ~** (+ *v pl*) (cowardly) les timorés *mpl*; (oversensitive) les natures *fpl* sensibles

B *adj* [*attempt, reform*] timide

fainting /'feɪntɪŋ/ *n* évanouissements *mpl*

fainting fit *n* évanouissement *m*

faintly /'feɪntlɪ/ *adv* 1 (slightly) [*glisten, shine*] faiblement; [*coloured, tinged*] légèrement; [*disappointed, disgusted, silly*] légèrement; **not even ~ amusing** pas amusant du tout; **to be ~ reminiscent of sth** rappeler vaguement qch; 2 (weakly) [*breathe, smile*] faiblement; (gently) [*snore*] légèrement; [*murmur*] doucement

faintness /'feɪntnɪs/ *n* 1 (of sound, cry, breathing) faiblesse *f*; 2 (dizziness) vertiges *mpl*

fair /feə(r)/

A *n* 1 (funfair, market) foire *f*; (for charity) kermesse *f*; 2 Comm (exhibition) salon *m*; **book ~** gen foire *f* du livre; (in Paris, Montreal) salon du livre

B *adj* 1 (just, reasonable) [*arrangement, person, punishment, ruling, share, trial, wage*] équitable (**to** envers); [*comment, decision, point*] juste; **it's only ~ that he should go/that she should be first** ce n'est que justice qu'il parte/qu'elle soit la première; **to give sb a ~ deal** *ou* **shake** US être tout à fait honnête envers qn; **I give you ~ warning** je te préviens (gentiment○); **it's ~ to say that...** il est juste de dire que...; **that's a ~ question** c'est une question raisonnable; **a ~ sample** un échantillon représentatif; **to be ~ he did try to pay** il faut dire à sa décharge qu'il a essayé de payer; **it is** *ou* **seems only ~ to do** ce serait la moindre des choses de faire; **~'s ~** il faut être juste; **it (just) isn't ~!** ce n'est pas juste!; **~ enough!** bon d'accord!; **a plea of ~ comment** une invocation en défense (*du droit de commenter un fait d'intérêt général*); **that's a ~ comment** c'est vrai; 2 (moderately good) [*chance, condition, performance, skill*] assez bon/bonne; Sch passable; **it's a ~ bet**○ **that...** il est assez probable que...; 3 (quite large) [*amount, number, size*] important; **we were going at a ~ old**○ **pace** *ou* **speed** nous allions bon train; **he's had a ~ bit**○ **of luck/trouble** il a eu pas mal○ de chance/d'ennuis; **I've travelled around a ~ amount** j'ai pas mal○ voyagé; **the car was still a ~ way off** la voiture était encore à bonne distance; 4 Meteorol (fine) [*weather*] beau/belle; [*forecast*] bon/bonne; [*wind*] favorable; **to be set ~** [*weather, barometer*] être au beau fixe; fig [*arrangements*] être en ordre; 5 (light-coloured) [*hair*] blond; [*complexion, skin*] clair; 6 littér (beautiful) [*lady, maid, city, promises, words*] beau/belle; **with her own ~ hands** hum de ses belles mains; **the ~ sex** hum le beau sexe

C *adv* [*play*] franc jeu

(Idioms) **to be ~ game for sb** être une proie rêvée pour qn; **to be in a ~ way to do sth** avoir de bonnes chances de faire qch; **~ dos**○ à chacun son dû; **you can't say ~er than that**○ on ne saurait mieux dire; **~ and square** indiscutablement; **to win ~ and square** remporter une victoire indiscutable

fair copy *n* version *f* au propre; **to make a ~ of sth** recopier qch au propre

fair: **~ground** *n* champ *m* de foire; **~-haired** *adj* blond; **~-haired boy**○ *n* US fig (of public, media, teacher) chouchou○ *m*, chéri *m*; (of influential person) protégé *m*

fairing /'feərɪŋ/ *n* Aut, Aviat carénage *m*

fairly /'feəlɪ/ *adv* 1 (quite, rather) assez; [*sure*] pratiquement; **the hours ~ flew past** les heures semblaient vraiment passer à toute allure; **the house ~ shook to the loud music** le volume de la musique faisait pratiquement trembler la maison; 2 (justly) [*describe, obtain, win*] honnêtement; [*say*] à juste titre

fair-minded /ˌfeə'maɪndɪd/ *adj* impartial

fairness /'feənɪs/ *n* 1 (justness) (of person) équité *f*; (of judgment) impartialité *f*; **in all ~** en toute justice; **in ~ to him, he did phone** il faut dire à sa décharge qu'il a téléphoné; 2 (lightness) (of complexion) blancheur *f*; (of hair) blondeur *f*

fair play *n* **to have a sense of ~** jouer franc jeu, être fair-play; **to ensure ~** faire respecter les règles du jeu

fair: **~-sized** *adj* assez grand; **~-skinned** *adj* à la peau claire

fair trade *n* 1 Econ commerce *m* équitable; 2 US régime *m* des prix imposés

fairway /'feəweɪ/ *n* 1 (in golf) parcours *m* normal; 2 Naut chenal *m*

fair-weather friend *n* péj **he's a ~** dès qu'on a des ennuis, il n'est plus notre ami

fairy /'feərɪ/ *n* 1▸ (magical being) fée *f*; **the wicked ~** la fée Carabosse; 2▸ ◐injur (homosexual) tapette offensive *f*

(Idiom) **to be away with the fairies**○ être à côté de ses pompes○

fairy godmother *n* bonne fée *f*; **to play ~** jouer les bonnes fées

fairy: **~land** *n* royaume *m* des fées; **~ lights** GB guirlande *f* électrique; **~-like** *adj* féerique; **~ queen** *n* reine *f* des fées; **~ story** *n* conte *m* de fées

fairy tale

A *n* 1▸ lit conte *m* de fées; 2▸ euph (lie) histoire *f* à dormir debout

B (*also* **fairy-tale**, **fairytale**) *modif* [*romance, princess*] de conte de fées

faith /feɪθ/ *n* 1▸ (confidence) confiance *f*; **to have ~ in sb** avoir confiance en qn; **to have ~ in sb's ability** avoir confiance dans les compétences de qn; **to have ~ in a party** avoir confiance dans un parti; **to have ~ in a method** avoir foi dans une méthode; **to put one's ~ in sth** mettre sa confiance dans qch; **he has no ~ in socialism** il ne croit pas au socialisme; **I have no ~ in her** elle ne m'inspire pas confiance; **in good ~** en toute bonne foi; **to act in bad ~** agir avec mauvaise foi; 2▸ (belief) foi *f* (**in** en); 3▸ (system of beliefs) foi *f*; **the Christian/Muslim ~** la foi chrétienne/musulmane; 4▸ (denomination) religion *f*; **people of all ~s** les gens de toutes confessions

faithful /'feɪθfl/

A *n* **the ~** (+ *v pl*) lit, fig les fidèles *mpl*

B *adj* 1▸ (loyal) fidèle (**to** à); **the ~ few** les vrais fidèles; 2▸ (accurate) [*representation, adaptation*] fidèle (**of** de; **to** à); [*quotation*] exact

faithfully /'feɪθfəlɪ/ *adv* 1▸ [*follow, serve*] fidèlement; 2▸ (accurately) [*reproduced, adapted*] fidèlement; [*recreated*] avec exactitude; 3▸ (in letter writing) **yours ~** veuillez agréer, Monsieur/Madame, mes/nos sincères salutations

faithfulness /'feɪθflnɪs/ *n* 1▸ (loyalty) fidélité *f* (**to sb** envers qn; **to sth** à qch); 2▸ (accuracy) (of reproduction, adaptation) fidélité *f*; (of reconstruction) exactitude *f*

faith: **~ healer** *n* guérisseur *m*; **~ healing** *n* guérison *f* par la foi

faithless /'feɪθlɪs/ *adj* littér [*friend, husband*] infidèle; [*servant*] déloyal

fajitas /fə'hiːtəz, -'dʒiː-/ *npl* Culin fajitas *mpl*

fake /feɪk/

A *n* 1▸ (jewel, work of art etc) faux *m*; **to be a ~** être un faux; **the bomb was a ~** c'était une fausse bombe; 2▸ (person) imposteur *m*; 3▸ US Sport feinte *f*

B *adj* 1▸ [*fur, gem*] faux/fausse; [*flower*] artificiel/-ielle; **it's ~ wood/granite** c'est de l'imitation bois/granit; **~ Louis XV furniture** du faux Louis XV; 2▸ [*interview, trial*] truqué; [*emotion, smile*] feint; 3▸ (counterfeit) [*passport*] faux/fausse

C *vtr* 1▸ (forge) contrefaire [*signature, document*]; 2▸ ○(falsify) truquer○ [*election*]; falsifier [*results*]; 3▸ (pretend) feindre [*emotion, illness*]; **to ~ one's way through a speech** US réussir à faire illusion dans un discours; **to ~ it** (pretend illness etc) jouer la comédie; (pretend knowledge) US bluffer○; (ad-lib) US improviser; 4▸ US Sport **to ~ a pass** feindre une passe

(Phrasal verb) ■ **fake out**○ US: ▸ **~ [sb] out, ~ out [sb]** 1▸ Sport feinter; 2▸ fig feinter, bluffer○; **he really ~d me out** il m'a bien eu○

fakeout /'feɪkaʊt/ *n* US Sport, fig feinte *f*

fakir /'feɪkɪə(r), US fə'kɪə(r)/ *n* fakir *m*

falafel /fə'læfl/ *n* Culin falafel *m*

falcon /'fɔːlkən, US 'fælkən/ *n* faucon *m*

falconer /'fɔːlkənə(r), US 'fæl-/ *n* fauconnier *m*

falconry /'fɔːlkənrɪ, US 'fæl-/ *n* fauconnerie *f*

Falkland Islander /,fɔːklənd'aɪləndə(r)/ *n* habitant/-e *m/f* des îles Malouines

Falklands /'fɔːkləndz/ ▸ p. 1355 (*also* **Falkland Islands**) *pr npl* **the ~** les îles *fpl* Malouines

fall /fɔːl/ ▸ p. 1661

A *n* 1▸ lit (of person, horse, rocks, curtain) chute *f* (**from** de); (of snow, hail) chutes *fpl*; (of earth, soot) éboulement *m*; (of axe, hammer, dice) coup *m*; **a ~ of 20 metres, a 20-metre ~** une chute de 20 mètres; **a heavy ~ of rain** une grosse averse; **to have a ~** faire une chute, tomber 2▸ (in temperature, shares, production, demand, quality, popularity) baisse *f* (**in** de); (more drastic) chute *f* (**in** de); **the pound has suffered a sharp ~/a slight ~** la livre a subi une forte chute/une légère baisse; **a ~ in value** une dépréciation; **a ~ of 10% to 125** une baisse de 10% pour arriver à 125

3▸ (of leader, regime, empire, fortress, town) chute *f*; (of monarchy) renversement *m*; (of seat) perte *f*; **the government's ~ from power** la chute du gouvernement

4▸ **~ from grace** *ou* **favour** disgrâce *f*; **the Fall** Relig la chute

5▸ US (autumn) automne *m*; **in the ~ of 1992** à l'automne 1992

6▸ (in pitch, intonation) descente *f*

7▸ (in wrestling) tombé *m*; (in judo) chute *f*

B **falls** *npl* chutes *fpl*

C *vi* (*prét* **fell**, *pp* **fallen**) 1▸ (come down) tomber; **~ing rain** la pluie qui tombe; **he was hurt by ~ing masonry** il a été blessé par une pierre qui tombait de la façade; **to ~ 10 metres** tomber de 10 mètres; **five centimetres of snow fell** il est tombé cinq centimètres de neige; **to ~ from** *ou* **out of** tomber de [*boat, nest, bag, hands*]; **to ~ off** *ou* **from** tomber de [*chair, table, roof, bike, wall*]; **the skirt ~s in pleats from a waistband** la jupe tombe en plis à partir de la ceinture; **to ~ on** tomber sur [*person, town*]; **it fell on my head** cela m'est tombé sur la tête; **to ~ on the floor** tomber par terre; **to ~ on one's back** tomber sur le dos; **to ~ in** *ou* **into** tomber dans [*bath, river, sink*]; **to ~ down** tomber dans [*hole, shaft, stairs*]; **to ~ under** tomber sous [*table*]; passer sous [*bus, train*]; **to ~ through** passer à travers [*ceiling, hole*]; **to ~ through the air** tomber dans le vide; **to ~ to earth** tomber sur terre; **to ~ to the floor** *ou* **to the ground** tomber par terre

2▸ (drop) [*speed, volume, quality, standard, level*] diminuer; [*temperature, price, inflation, wages, production, number, attendance, morale*] baisser; (more dramatically) chuter○, tomber; **to ~ (by)** baisser de [*amount, percentage*]; **to ~ to** descendre à [*amount, place*]; **to ~ from** descendre de; **to ~ below zero/5%** descendre au-dessous de zéro/5%; **to ~ in the charts** perdre des places dans le hit-parade

3▸ (yield position) tomber; **to ~ from power** tomber; **to ~ to** tomber aux mains de [*enemy, allies*]; **the seat fell to Labour** le siège a été perdu au profit des travaillistes

4▸ euph (die) tomber; **to ~ on the battlefield** tomber au champ d'honneur

5▸ fig (descend) [*darkness, night, beam, silence, gaze*] tomber (**on** sur); [*blame*] retomber (**on** sur); [*shadow*] se projeter (**over** sur); **suspicion fell on her husband** les soupçons se sont portés sur son mari

6▸ (occur) [*stress*] tomber (**on** sur); **Christmas ~s on a Monday** Noël tombe un lundi; **to ~ into/outside a category** rentrer/ne pas rentrer dans une catégorie; **to ~ under the heading of...** se trouver sous la rubrique de...

7▸ (be incumbent on) **it ~s to sb to do** c'est à qn de faire, c'est à qn qu'il incombe de faire fml

8▸ (throw oneself) **to ~ into bed/into a chair** se laisser tomber sur son lit/dans un fauteuil; **to ~ to** *ou* **on one's knees** tomber à genoux; **to ~ at sb's feet** se jeter aux pieds de qn; **to ~ into sb's/each other's arms** tomber dans les bras de qn/l'un de l'autre; **to ~ on each other** s'embrasser, tomber dans les bras l'un de l'autre; **to ~ on sb's neck** se jeter au cou de qn

9▸ [*ground*] = **fall away 2**

10▸ Relig succomber

11▸ GB dial (get pregnant) tomber enceinte

(Idioms) **did he ~ or was he pushed?** hum est-ce qu'il est parti de lui-même ou est-ce qu'on l'a forcé?; **the bigger you are** *ou* **the higher you climb, the harder you ~** plus dure sera la chute; **to stand or ~ on sth** reposer sur qch, dépendre de qch

(Phrasal verbs) ■ **fall about**○ GB **to ~ about (laughing** *ou* **with laughter)** se tordre○ de rire

■ **fall apart** 1▸ [*bike, table*] être délabré; [*shoes*] être usé; [*car, house, hotel*] tomber en ruine; 2▸ [*marriage, country*] se désagréger; 3▸ ○[*person*] craquer○, perdre ses moyens

■ **fall away** 1▸ [*paint, plaster*] se détacher (**from** de); 2▸ [*ground*] descendre en pente (**to** vers); 3▸ [*demand, support, numbers*] diminuer

■ **fall back** gen reculer; Mil se replier (**to** sur)

■ **fall back on**: ▸ **~ back on [sth]** avoir recours à [*savings, parents, old method*]; **to have something to ~ back on** avoir quelque chose sur quoi se rabattre

■ **fall behind**: ▸ **~ behind** [*runner, country, student*] se laisser distancer; [*work, studies*] prendre du retard; **to ~ behind with** GB *ou* **in** US prendre du retard dans [*work, project*]; être en retard pour [*payments, rent, correspondence*]; ▸ **~ behind [sth/sb]** se laisser devancer par [*horses, classmates, competitors*]

■ **fall down**: ▸ **~ down** 1▸ lit [*person, child, tree, poster*] tomber; [*tent, wall, house, scaffolding*] s'effondrer; **this whole place is ~ing down** tout tombe en ruine ici; 2▸ GB fig [*argument, comparison, plan*] faiblir; **where he ~s down is...** là où il faiblit, c'est...; **to ~ down on** échouer à cause de [*detail, question, obstacle*]; **to ~ down on a promise/on the job** être incapable de tenir sa promesse/de faire le travail

■ **fall for**: ▸ **~ for [sth]** se laisser prendre à, se faire avoir○ par [*trick, story*]; ▸ **~ for [sb]** tomber amoureux/-euse de [*person*]

■ **fall in** 1▸ [*sides, walls, roof*] s'écrouler, s'effondrer; 2▸ Mil [*soldier*] rentrer dans les rangs; [*soldiers*] former les rangs; **~ in!** à vos rangs!

■ **fall in with**: ▸ **~ in with [sth/sb]** 1▸ (get involved with) faire la connaissance de [*group*]; **to ~ in with a bad crowd** avoir de mauvaises fréquentations; 2▸ (go along with) se conformer à [*timetable, plans, action*]; 3▸ (be consistent with) être conforme à [*expectations, concerns*]

■ **fall off** 1▸ lit [*person, leaf, hat, label*] tomber; 2▸ fig [*attendance, takings, sales, output*] diminuer; [*enthusiasm, standard, quality*] baisser; [*support, interest*] retomber; [*curve on graph*] décroître

■ **fall on**: ▸ **~ on [sth]** se jeter sur [*food, treasure*]; ▸ **~ on [sb]** attaquer, tomber sur [*person*]

■ **fall open** [*book*] tomber ouvert; [*robe*] s'entrebâiller

■ **fall out**: ▸ **~ out** 1▸ [*page, contact lens*] tomber; **his hair/tooth fell out** il a perdu ses cheveux/une dent; 2▸ Mil [*soldiers*] rompre les rangs; **~ out!** rompez!; 3▸ ○(quarrel) se brouiller, se fâcher (**over** à propos de); **to ~ out with sb** GB (quarrel) se brouiller *or* se fâcher avec qn; US (have fight) se disputer avec qn; **I've ~en out with him** GB je suis brouillé *or* fâché avec lui; 4▸ GB (turn out) se passer; **it fell out that...** il s'avéra que...

■ **fall over**: ▸ **~ over** [*person*] tomber (par terre); [*object*] se renverser; ▸ **~ over [sth]** trébucher sur [*object*]; **to ~ over oneself to help sb**○ se mettre en quatre○ pour aider qn; **people were ~ing over themselves to**

buy shares c'était à qui achèterait les actions

■ **fall through** *[plans, deal]* échouer, tomber à l'eau○

■ **fall to**: ▸ **~ to** attaquer; ▸ **~ to doing** se mettre à faire

■ **fall upon** = **fall on**

fallacious /fəˈleɪʃəs/ *adj* erroné

fallaciously /fəˈleɪʃəslɪ/ *adv* à tort

fallaciousness /fəˈleɪʃəsnɪs/ *n* caractère *m* erroné

fallacy /ˈfæləsɪ/ *n* (belief) erreur *f*; (argument) faux raisonnement *m*

fallback position *n* lit, fig position *f* de repli

fallen /ˈfɔːlən/

A *pp* ▸ **fall**

B *n* **the ~** (+ *v pl*) les morts *mpl* au champ d'honneur

C *pp adj* *[leaf, soldier]* mort; *[tree]* abattu; **~ woman**† fille perdue†

fall guy○ *n* (scapegoat) bouc *m* émissaire; (dupe) pigeon○ *m*

fallibility /ˌfæləˈbɪlətɪ/ *n* faillibilité *f*

fallible /ˈfæləbl/ *adj* faillible

falling-off /ˌfɔːlɪŋˈɒf/ *n* (also **falloff**) diminution *f* (**in** de)

falling-out /ˌfɔːlɪŋˈaʊt/ *n* brouille *f*, querelle *f*; **to have a ~** se brouiller (**with** avec)

falling star /ˌfɔːlɪŋ ˈstɑː(r)/ *n* étoile *f* filante

fall line *n* **1** (in skiing) ligne *f* de plus grande pente; **2** Geog ressaut *m*

Fallopian tube /fəˈləʊpɪən/ *n* trompe *f* de Fallope

fall: **~out** *n* ¢ (all contexts) retombées *fpl*; **~out shelter** *n* abri *m* antiatomique

fallow /ˈfæləʊ/ *adj* *[land]* en jachère; **to lie ~** *[land]* être en jachère; *[idea]* rester inexploité; **a ~ period** Comm un passage à vide

fallow deer *n* daim *m*

false /fɔːls/ *adj* **1** (mistaken) *[impression, idea, information]* faux/fausse (*after n*); *[belief]* erroné; (proved wrong) *[allegations, rumour, statement]* faux/fausse (*before n*); **their fears/expectations may well prove ~** il se peut fort bien que leurs craintes/espoirs s'avèrent sans fondement; **a ~ sense of security** une fausse impression de sécurité; **2** (fraudulent) *[banknotes, passport]* faux/fausse; *[tax returns, name, address]* faux/fausse; **to give ~ information** Jur donner de faux renseignements; **to give ~ evidence** Jur faire un faux témoignage; **to bear ~ witness** Jur porter un faux témoignage; **charged with ~ accounting** Accts, Jur inculpé de faux en écritures; **3** (artificial) *[eyelashes, nose, hem]* faux/fausse (*before n*); *[floor, ceiling]* faux/fausse (*before n*); **4** *[person]* (affected, disloyal) faux/fausse

false: **~ alarm** *n* lit, fig fausse alerte *f*; **~ bottom** *n* (in bag, box) double fond *m*; **~ economy** *n* fausse économie *f*

false friend ▸▯ *n* Ling faux ami *m*

falsehood /ˈfɔːlshʊd/ *n* **1** (dishonesty) **to tell truth from ~** faire la différence entre le vrai et le faux; **2** (lie) mensonge *m*; **to tell a ~** mentir

false imprisonment *n* sequestration *f*

falsely /ˈfɔːlslɪ/ *adv* **1** (wrongly) *[represent, state]* faussement; **~ accused** (accidentally) accusé à tort; (deliberately) faussement accusé; **to ~ imprison sb** Jur séquestrer qn; **2** (mistakenly) *[confident]* à tort; *[assume, believe]* à tort; **3** *[smile, laugh]* avec affectation

false: **~ memory syndrome** *n* Psych syndrome *m* du faux souvenir; **~ move** *n* fausse manœuvre *f*

falseness /ˈfɔːlsnɪs/ *n* fausseté *f*

false note *n* gen couac○ *m*; (in film, novel) son *m* discordant; **to strike a ~** *[person]* faire une gaffe

false pretences *npl* **on** *ou* **under ~** gen en utilisant un subterfuge; Jur (by an action) par des moyens frauduleux; (in speech, writing) grâce à de fausses allégations

false: **~ rib** *n* fausse côte *f*; **~ start** *n* lit, fig faux départ *m*; **~ step** *n* faux pas *m*

false teeth *npl* dentier *m*; **to put in/take out one's ~** mettre/enlever son dentier

falsetto /fɔːlˈsetəʊ/

A *n* (voice) voix *f* de fausset; (singer) fausset *m*

B *adj* *[voice, whine]* de fausset

falsies○† /ˈfɔːlsɪz/ *npl* faux seins *mpl*

falsification /ˌfɔːlsɪfɪˈkeɪʃn/ *n* **1** (alteration) (of document, of figures) falsification *f*; **~ of accounts** Jur faux en écritures; **2** (distortion) (of the truth, of facts) déformation *f*

falsify /ˈfɔːlsɪfaɪ/ *vtr* **1** (alter) falsifier *[documents, results, accounts]*; **2** (distort) déformer *[facts, story]*; fausser *[sb's judgment]*

falsity /ˈfɔːlsətɪ/ *n* (of accusation, statement) faux *m*; (of beliefs) caractère *m* erroné

falter /ˈfɔːltə(r)/

A *vtr* (also **~ out**) balbutier *[word, phrase]*

B *vi* **1** *[demand, economy]* fléchir; **2** *[person, team, courage]* faiblir; **3** (when speaking) *[person]* bafouiller; *[voice]* trembloter; **to speak without ~ing** parler avec assurance; **4** (when walking) *[person]* chanceler; *[footstep]* hésiter; **to walk without ~ing** marcher d'un pas assuré

faltering /ˈfɔːltərɪŋ/ *adj* *[economy, demand]* en déclin; *[footsteps, voice]* hésitant; **to make a ~ start** mal commencer

falteringly /ˈfɔːltərɪŋlɪ/ *adv* *[speak]* avec hésitation; *[walk]* d'un pas hésitant; **to start ~** mal commencer

fame /feɪm/ *n* renommée *f* (**as** en tant que); **to rise to ~** atteindre la renommée; **the film brought him ~** le film lui a valu la renommée; **to acquire ~** se faire une renommée; **this was her (chief) claim to ~** c'était son titre de gloire; **~ and fortune** la gloire et la fortune; **the road to ~** le chemin de la gloire

famed /feɪmd/ *adj* célèbre (**for** pour; **as** en tant que)

familiar /fəˈmɪlɪə(r)/

A *n* **1** (animal spirit) démon *m* familier; **2** (friend) intime *mf*

B *adj* **1** (well-known) *[landmark, phrase, sight, shape, sound]* familier/-ière (**to** à); *[face, figure, name, story, voice]* bien connu (**to** de); **her face looked ~ to me** il me semblait que je l'avais déjà vue quelque part; **that name has a ~ ring to it, that name sounds ~** ce nom me dit quelque chose; **I thought her voice sounded ~** il me semblait que j'avais déjà entendu sa voix quelque part, il me semblait reconnaître sa voix; **to be on ~ ground** fig être en terrain connu; **2** (customary) *[argument, complaint, excuse, feeling]* habituel/-elle; **3** (acquainted) **to be ~ with sb/sth** bien connaître qn/qch; **to make oneself ~ with sth** se familiariser avec qch; **4** (intimate) *[language, manner, tone]* familier/-ière; **to be on ~ terms with sb** être assez intime avec qn; **to be too ~ with sb** se montrer trop familier/-ière avec qn

familiarity /fəˌmɪlɪˈærətɪ/ *n* **1** (acquaintance) (with author, art, subject, politics etc) connaissance *f* (**with** de), familiarité *f* (**with** avec); **2** (of surroundings, place) caractère *m* familier; **3** (informality) familiarité *f*; **the ~ of his tone/style** son ton/style familier

(Idiom) **~ breeds contempt** Prov plus on est habitué à quelqu'un (ou à quelque chose) moins on l'apprécie

familiarize /fəˈmɪlɪəraɪz/

A *vtr* **to ~ sb with** familiariser qn avec *[area, fact, job, procedure]*; habituer qn à *[environment, person]*

B *v refl* **to ~ oneself with** se familiariser avec *[facts, system, work]*; s'habituer à *[person, place]*

familiarly /fəˈmɪlɪəlɪ/ *adv* *[address, speak]* avec familiarité; *[behave]* de façon familière (**towards** envers)

family /ˈfæməlɪ/

A *n* gen, Ling, Zool (group) famille *f*; (children) enfants *mpl*; **to run in the ~** tenir de famille; **to be one of the ~** faire partie de la famille; **to start a ~** avoir un (premier) enfant; **do you have any ~?** avez-vous des enfants?; **a ~ of four** une famille de quatre personnes

B *modif* *[affair, feud, home]* de famille; *[member, friend]* de la famille; *[responsibilities, accommodation]* familial; **for ~ reasons** pour raisons familiales

(Idiom) **to be in the ~ way**○ hum être enceinte

family: **Family Allowance** *n* GB Soc Admin ≈ allocations *fpl* familiales; **~ business** *n* entreprise *f* familiale; **~ butcher** *n* boucher *m* de quartier

family circle *n* **1** (group) cercle *m* familial; **2** US Theat deuxième balcon *m*

family: **~ court** *n* US Jur tribunal *m* des affaires familiales; **Family Credit** *n* GB Soc Admin ≈ complément *m* familial; **Family Crisis Intervention Unit** *n* police *f* secours (*cellule spécialisée agissant en cas de drames familiaux*)

family doctor *n* (profession) médecin *m* généraliste; (of a particular family) médecin *m* de famille

family: **~ entertainment** *n* spectacle *m* pour les petits et les grands; **~-friendly** *adj* *[policy]* en faveur de la famille; **~ grouping** *n* GB Sch *système de classes à double niveau dans les écoles maternelles*; **Family Health Service Authority, FHSA** *n* GB Soc Admin *cf* service des relations avec les professions de santé; **Family Income Supplement** *n* Soc Admin ≈ allocation *f* de soutien familial; **~ man** *n* bon père *m* de famille; **~ name** *n* nom *m* de famille; **~-owned** *adj* *[business]* familial; **~ planning** *n* planning *m* familial; **Family Planning Association, FPA** *n* ≈ Planning *m* Familial; **~ planning clinic** *n* centre *m* de planning familial

family practice *n* US **to have a ~** être médecin *m* généraliste

family: **~ practitioner** ▸ p. 1683 *n* Med médecin *m* généraliste; **Family Practitioner Committee** *n* Soc Admin (formerly) *cf* service des relations avec les professions de santé; **~ romance** *n* US Psych roman *m* familial; **~ room** *n* US salle *f* de jeu; **~-size(d)** *adj* *[packet]* familial; **~ style** *adj, adv* US ≈ table d'hôte; **~ tree** *n* arbre *m* généalogique; **~ unit** *n* Sociol cellule *f* familiale; **~ viewing** *n* émission *f* pour les petits et les grands

famine /ˈfæmɪn/ *n* famine *f*

famished○ /ˈfæmɪʃt/ *adj* **I'm ~** je meurs de faim, j'ai la fringale○

famous /ˈfeɪməs/ *adj* gen célèbre (**for** pour); *[school, university]* réputé (**for** pour); **a ~ victory** une grande victoire; **~ last words!** iron c'est ce que tu crois○!

famously /ˈfeɪməslɪ/ *adv* **1** (wonderfully) à merveille; **to get on** *ou* **along ~** s'entendre à merveille; **2** **Churchill is ~ quoted as saying...** tout le monde connaît les célèbres mots de Churchill...

fan /fæn/

A *n* **1** (enthusiast) gen fan○ *mf*; (of team) supporter *m*; **football/jazz ~** fan○ de football/de jazz; **2** (of star, actor etc) fan○ *mf*; (admirer) admirateur/-trice *m/f*; **he's a Presley ~** c'est un fan○ de Presley; **I'm not one of her ~s** je ne fais pas partie de ses admirateurs; **I'm a ~ of American TV** j'adore la télé américaine; **3** (for cooling) (electric) ventilateur *m*; (hand-held) éventail *m*; **4** Aut ventilateur *m*; **5** Agric (manual) van *m*; (mechanical) tarare *m*

B *vtr* (*p prés etc* **-nn-**) **1** (stimulate) attiser *[fire, hatred, passion, hostility, hysteria]*; aviver *[spark, flame, hopes, anxiety]*; **2** (cool) *[breeze]* rafraîchir; **to ~ one's face** s'éventer le visage; **3** ○US (spank) fesser○

C *v refl* (*p prés etc* **-nn-**) **to ~ oneself** s'éventer (**with** avec)

▸▯ *see* Difficulties in French

(Idiom) **to ~ the air** US battre l'air sans frapper

(Phrasal verb) ■ **fan out** [*lines, railway lines*] se diviser et partir dans toutes les directions; [*police*] se déployer (en éventail); **they ~ned out across the plain** ils se déployèrent dans la plaine; ▸ **~ [sth] out, ~ out [sth]** ouvrir [qch] en éventail [*cards, papers*]; **the bird ~ned out its feathers** l'oiseau déploya ses plumes

fanatic /fə'nætɪk/ *n* (all contexts) fanatique *mf*

fanatical /fə'nætɪkl/ *adj* (all contexts) fanatique; **to be ~ about sth** être un/une fanatique de qch

fanatically /fə'nætɪklɪ/ *adv* fanatiquement

fanaticism /fə'nætɪsɪzəm/ *n* fanatisme *m*

fan belt *n* Aut courroie *f* de ventilateur

f

fanciable○ /'fænsɪəbl/ *adj* GB [*person*] pas mal du tout○

fancier /'fænsɪə(r)/ *n* (of animals etc) (breeder) éleveur/-euse *m/f*; (lover) amateur *m*

fanciful /'fænsɪfl/ *adj* [*person*] fantasque; [*idea, name*] extravagant; [*explanation*] fantaisiste; [*building*] orné; **to be ~** [*person*] se faire des idées

fancifully /'fænsɪfəlɪ/ *adv* [*decorated*] d'une manière très ornée; [*named*] d'une manière fantaisiste; **to think** *ou* **imagine ~ that** s'imaginer que

fancily /'fænsɪlɪ/ *adv* [*dressed, displayed*] en grande pompe

fan club *n* lit, fig club *m* de fans○, fan-club *m*

fancy /'fænsɪ/

A *n* 1▸ (liking) **to catch** *ou* **take sb's ~** [*object*] faire envie à qn; **he had taken her ~** (sexually) il lui avait tapé dans l'œil○; (not sexually) il lui plaisait bien; **have whatever takes your ~** prenez tout ce qui vous chante; **to take a ~ to sb** (sexually) GB s'enticher de qn; (non-sexually) s'attacher à qn; **I've taken a ~ to that dress/car** cette robe/voiture m'a tapé dans l'œil○; 2▸ (whim) caprice *m*; **a passing ~** un caprice passager; **as/when the ~ takes me** comme/quand ça me prend; 3▸ (fantasy) imagination *f*; **is it fact or ~?** c'est vrai ou c'est une invention?; **a flight of ~** une lubie; 4▸ GB sout (vague idea) **to have a ~ (that)** avoir (dans l')idée que; 5▸ GB (cake) petit gâteau *m* (glacé)

B *adj* 1▸ (elaborate) [*lighting, equipment*] sophistiqué; **nothing ~** (meal) rien de spécial; 2▸ ○péj (pretentious) [*place*] snobinard○; [*price*] exorbitant; [*idea, project*] fantaisiste; [*name*] tordu; [*food, gadget, equipment*] compliqué; [*clothes*] chic; 3▸ (decorative) [*paper, box*] fantaisie *inv*; 4▸ Comm [*food*] de luxe; 5▸ Zool [*breed*] d'agrément

C *vtr* 1▸ ○(want) avoir (bien) envie de [*food, drink, object, plan, entertainment*]; **~ a coffee?** tu veux un café?; **what do you ~ for lunch?** qu'est-ce qui te plairait pour le déjeuner?; **to ~ doing** avoir envie de faire; **do you ~ going to the cinema/coming out with me?** ça te dirait○ d'aller au cinéma/de sortir avec moi?; **I don't ~ the idea of sharing a flat** l'idée de partager un appartement ne me dit rien; 2▸ ○GB (feel attracted to) **I ~ her** elle me plaît, elle m'a tapé dans l'œil○; 3▸ (expressing surprise) **~ her remembering my name!** figure-toi qu'elle se souvenait de mon nom!; **~ anyone buying that old car!** tu imagines quelqu'un acheter cette vieille bagnole○!; **~ seeing you here**○**!** tiens donc, toi ici?; **~ that**○**!** pas possible○!; 4▸ †(believe) croire, avoir l'impression; (imagine) s'imaginer; 5▸ Sport, Turf voir [qn/qch] gagnant [*athlete, horse*]

D *v refl* 1▸ ○péj (be conceited) **he fancies himself** il ne se prend pas pour rien; **she fancies herself in that hat** elle n'arrête pas de frimer○ avec ce chapeau; **she fancies herself with a tennis racquet** elle se croit très bonne au tennis; 2▸ ○(wrongly imagine) **to ~ oneself as** se prendre pour; **he fancies himself as James Bond** il se prend pour James Bond

E **fancied** *pp adj* Sport, Turf [*contender*] favori; **to be fancied for** [*competitor, horse*] être donné favori dans [*competition*]; [*candidate, party*] être donné gagnant de [*election*]

(Idioms) **a little of what you ~ does you good** ça ne peut pas te faire de mal; **to ~ one's chances**○ GB être très sûr de soi; **I don't ~ his chances**○ à mon avis il n'a aucune chance

fancy dress

A *n* ¢ GB déguisement *m*; **to wear ~** porter un déguisement; **in ~** déguisé

B (*also* **fancy-dress**) *modif* [*ball, party*] costumé; [*prize, competition*] de déguisement

fancy: **~ goods** *npl* GB articles *mpl* de fantaisie; **~ man**○† *n* péj jules○ *m*; **~ woman**○† *n* péj poule○ *f* péj; **~work** *n* Sewing ouvrages *mpl* d'agrément

fandango /fæn'dæŋgəʊ/ *n* (*pl* **~s**) fandango *m*

fanfare /'fænfeə(r)/ *n* lit fanfare *f*; **in** *ou* **with a ~ of publicity** fig en fanfare

fang /fæŋ/ *n* (of dog, wolf) croc *m*; (of snake) crochet *m* (à venin)

fan: **~ heater** *n* radiateur *m* soufflant; **~jet** *n* (engine) turbo *m*; (plane) turbojet *m*; **~ letter** *n* lettre *f* de fan; **~light** *n* fenêtre *f* en demi-lune; **~ magazine** *n* = **fanzine**; **~ mail** *n* ¢ lettres *fpl* envoyées par des admirateurs

fanny /'fænɪ/ *n* 1▸ ●GB (vagina) chatte● *f*, vagin *m*; 2▸ ○US (buttocks) fesses *fpl*

fanny pack *n* US (sacoche *f*) banane *f*

fan: **~(-assisted) oven** *n* four *m* à chaleur tournante; **~-shaped** *adj* [*leaf, stain*] en forme d'éventail; [*window*] en demi-lune; **~tail (pigeon)** *n* pigeon paon *m*

fantasia /fæn'teɪzɪə, US -'teɪʒə/ *n* Mus fantaisie *f*

fantasize /'fæntəsaɪz/

A *vtr* rêver (**that** que)

B *vi* fantasmer (**about** sur); **to ~ about doing** rêver de faire

fantastic /fæn'tæstɪk/ *adj* 1▸ ○(wonderful) [*holiday, news*] formidable; [*view, weather*] magnifique; **you look ~!** tu es superbe!; 2▸ (unrealistic) invraisemblable; 3▸ ○(huge) [*profit*] fabuleux/-euse; [*speed, increase*] vertigineux/-euse; 4▸ (magical) fabuleux/-euse

(Idiom) **to trip the light ~** hum danser

fantastically /fæn'tæstɪklɪ/ *adv* 1▸ ○[*wealthy*] immensément; [*expensive*] terriblement; 2▸ ○[*increase*] de façon vertigineuse; [*perform*] incroyablement; 3▸ [*coloured, portrayed*] fabuleusement

fantasy /'fæntəsɪ/

A *n* 1▸ (desired situation) rêve *m*; Psych fantasme *m*; 2▸ (imagination) imagination *f*; 3▸ (untruth) idée *f* fantaisiste; 4▸ (genre) fantastique *m*; 5▸ (story, film etc) histoire *f* fantastique; 6▸ Mus fantaisie *f*

B *modif* **a ~ world** un monde imaginaire

fantasy football *n* football *m* imaginaire

fan: **~ vault** *n* voûte *f* en éventail; **~ vaulting** *n* ¢ voûtes *fpl* en éventail

fanzine /'fænzi:n/ *n* magazine *m* des fans, fanzine *m*

FAO

A *n* (*abrév* = **Food and Agriculture Organization**) FAO *f*

B *prep phr* (*abrév écrite* = **for the attention of**) à l'attention de

FAQ *npl* (*abrév* = **frequently asked questions**) FAQ *f*, foire *f* aux questions

far /fɑ:(r)/

A *adv* 1▸ (to, at, from a long distance) loin; **is it ~?** c'est loin?; **it's not very ~** ce n'est pas loin; **have you come ~?** est-ce que vous venez de loin?; **is it ~ to York?** est-ce que York est loin d'ici?; **~ off, ~ away** au loin; **he doesn't live ~ away** il n'habite pas loin; **to be ~ from home/the city** être loin de chez soi/la ville; **~ beyond the city** bien au-delà de la ville; **~ above the trees** bien au-dessus des arbres; **~ out at sea** en pleine mer; **~ into the jungle** au fin fond de la jungle

2▸ (expressing specific distance) **how ~ is it to Leeds?** combien y a-t-il (de kilomètres) jusqu'à Leeds?; **how ~ is Glasgow from London?** Glasgow est à quelle distance de Londres?; **I don't know how ~ it is to Chicago from here** je ne sais pas combien il y a de kilomètres d'ici à Chicago; **he didn't go as ~ as the church** il n'est pas allé jusqu'à l'église; **he walked as ~ as her** *ou* **as she did** il a marché aussi loin qu'elle

3▸ (to, at a long time away) **back in the past** loin dans le passé; **I can't remember that ~ back** je ne peux pas me rappeler quelque chose qui s'est passé il y a si longtemps; **as ~ back as 1965** déjà en 1965; **as ~ back as he can remember** d'aussi loin qu'il s'en souvienne; **the holidays are not ~ off** c'est bientôt les vacances; **he's not ~ off 70** il n'a pas loin de 70 ans; **peace seems very ~ away** *ou* **off** on est bien loin d'arriver à un accord de paix; **a change in government cannot be ~ away** un changement de gouvernement ne va pas tarder; **he worked ~ into the night** il a travaillé tard dans la nuit

4▸ (to a great degree, very much) bien; **~ better/shorter/more expensive** bien mieux/plus court/plus cher; **~ too fast/cold** bien trop vite/froid; **~ too much money** bien trop d'argent; **~ too many people** bien trop de gens; **~ more** bien plus; **~ above/below the average** bien au-dessus/au-dessous de la moyenne; **the results fell ~ short of expectations** les résultats étaient bien loin de ce qu'on espérait; **interest rates haven't come down very ~** les taux d'intérêt n'ont pas beaucoup baissé; **they are ~ ahead of their competitors** ils sont largement en tête de leurs concurrents

5▸ (to what extent, to the extent that) **how ~ is it possible to...?** dans quelle mesure est-il possible de...?; **how ~ have they got with the work?** où en sont-ils dans leur travail?; **we must wait and see how ~ the policy is successful** nous devons attendre pour voir dans quelle mesure cette politique réussit; **I wouldn't trust him very ~** je ne lui ferais pas confiance; **as** *ou* **so ~ as we can, as** *ou* **so ~ as possible** autant que possible, dans la mesure du possible; **as** *ou* **so ~ as we know/can see** pour autant que nous le sachions/nous puissions le constater; **as** *ou* **so ~ as I can remember** pour autant que je me souvienne; **as** *ou* **so ~ as I am/they are concerned** quant à moi/eux; **as** *ou* **so ~ as the money is concerned** pour ce qui est de l'argent; **as** *ou* **so ~ as that goes** pour ce qui est de cela; **it's OK as ~ as it goes, but...** c'est bien dans une certaine limite, mais...

6▸ (to extreme degree) loin; **to go too ~** aller trop loin; **this has gone ~ enough!** ça ne peut pas continuer comme ça!; **she took** *ou* **carried the joke too ~** elle a poussé la plaisanterie un peu loin; **to push sb too ~** pousser qn à bout; **to go so ~ as to do** aller jusqu'à faire; **I wouldn't go so ~ as to say that...** je n'irais pas jusqu'à dire que...

B *adj* 1▸ (remote) **the ~ north/south (of)** l'extrême nord/sud (de); **the ~ east/west (of)** tout à fait à l'est/l'ouest (de); **a ~ country** un pays lointain

2▸ (further away, other) autre; **at the ~ end of the room** à l'autre bout de la pièce; **on the ~ side of the wall** de l'autre côté du mur

3▸ Pol **the ~ right/left** l'extrême droite/gauche

C **by far** *adv phr* de loin; **it's by ~ the nicest/the most expensive, it's the nicest/the most expensive by ~** c'est de loin le plus beau/le plus cher

D **far and away** *adv phr* de loin; **he's ~ and away the best/the most intelligent** il est de loin le meilleur/le plus intelligent

E **far from** *prep phr* loin de; **~ from satisfied/certain** loin d'être satisfait/certain; **~ from**

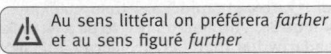

complaining, I am very pleased loin de me plaindre, je suis ravi; **I'm not tired, ~ from it!** je ne suis pas fatigué, loin de là!; **'are you angry?'—'~ from it!'** 'es-tu fâché?'—'pas du tout!'

F so far *adv phr* **1** (up till now) jusqu'ici, pour l'instant; **she's only written one book so ~** jusqu'ici elle n'a écrit qu'un livre; **we've managed so ~** nous nous sommes débrouillés jusqu'ici; **we have £3,000 so ~** pour l'instant *or* jusqu'ici nous avons 3 000 livres sterling; **so ~, so good** pour l'instant tout va bien

2 (up to a point) **the money will only go so ~** l'argent ne va pas durer éternellement; **they will only compromise so ~** ils ne sont prêts à accepter qu'un certain nombre de compromis; **you can only trust him so ~** tu ne peux pas lui faire entièrement confiance

G thus far *adv phr* jusqu'ici, jusqu'à présent; **thus ~ we don't have any information** jusqu'ici *or* jusqu'à présent nous n'avons pas d'informations

(Idioms) **not to be ~ off** *ou* **out** *ou* **wrong** ne pas être loin du compte; **~ and wide, ~ and near** partout; **~ be it from me to do** loin de moi l'idée de faire; **to be a ~ cry from** être bien loin de; **he is pretty ~ gone** (ill) il est vraiment dans un état grave; (drunk) il est complètement bourré○; **how ~ gone** *ou* US **along is she (in her pregnancy)?** à quel stade de sa grossesse est-ce qu'elle en est?; **she will go ~** elle ira loin; **this wine/food won't go very ~** on ne va pas aller loin avec ce vin/ce qu'on a à manger

farad /'færəd/ *n* farad *m*

faraway /'fɑːrəweɪ/ *adj* (*épith*) lit, fig lointain

farce /fɑːs/ *n* Theat, fig farce *f*; **the trial was a ~** fig le procès était une farce

farcical /'fɑːsɪkl/ *adj* ridicule

far-distant /,fɑː'dɪstənt/ *adj* [*land, mountains, region*] lointain; **in the ~ future** dans un lointain futur

fare /feə(r)/

A *n* **1** (cost of travelling) (on bus, underground) prix *m* du ticket *or* du billet; (on train, plane) prix du billet; **air/train/bus ~** prix d'un billet d'avion/de train/d'autobus; **taxi ~** prix *m* de la course; **child/adult ~** tarif *m* enfants/adultes; **half/full ~** demi-/plein tarif *m*; **return ~** prix *m* d'un aller-retour; **~s are going up** les tarifs augmentent; **the ~ to Piccadilly (on the underground) is 80p** le prix du ticket (de métro) pour Piccadilly est 80 pence; **he paid my (air) ~ to Tokyo** il a payé mon billet (d'avion) pour Tokyo; **how much is the ~ to London by train?** quel est le prix du billet de train pour Londres?; **I haven't got the ~ for the bus** je n'ai pas assez pour (acheter) un ticket d'autobus; **'please have the correct ~ ready'** 'les passagers sont priés d'avoir la monnaie exacte'; **2** (taxi passenger) client/-e *m/f* (d'un taxi); **3** †(food) nourriture *f*; **plain ~** nourriture simple; **hospital/prison ~** régime *m* d'hôpital/de prison; **bill of ~** menu *m*

B *vi* **1** (get on) **how did you ~?** comment ça s'est passé?; **we ~d badly/well** les choses se sont mal/bien passées pour nous; **the team ~d well in the final** l'équipe s'est bien comportée dans la finale; **2** (progress) [*economy, industry, political party*] se porter; **the company is faring well despite the recession** la société se porte bien malgré la récession

far: **Far East** *pr n* Extrême-Orient *m*; **Far Eastern** *adj* [*affairs, influence, markets*] de l'Extrême-Orient

fare: **~ dodger** *n* voyageur/-euse *m/f* sans billet; **~-paying passenger** *n* passager/-ère *m/f* muni/-e d'un billet; **~ stage** *n* Transp section *f*

fare-thee-well /,feəðiː'wel/: **to a fare-thee-well** *adv phr* US **1** (perfectly) à la perfection; **2** (very hard) [*thrash*] très sévèrement

farewell /,feə'wel/

A *n*, *excl* adieu *m*; **to say one's ~s** faire ses adieux

B *modif* [*party, gift, speech*] d'adieu

far-fetched /,fɑː'fetʃt/ *adj* tiré par les cheveux○

far-flung /,fɑː'flʌŋ/ *adj* **1** (remote) [*area, country, outpost*] lointain; **2** (widely distributed) [*countries, towns, regions etc*] éloignés les uns des autres; [*network*] étendu

farinaceous /,færɪ'neɪʃəs/ *adj* féculent

farm /fɑːm/

A *n* ferme *f*; **chicken/pig/sheep ~** élevage *m* de poulets/de porcs/de moutons; **to work on a ~** travailler sur une ferme

B *modif* [*building, animal*] de ferme

C *vtr* cultiver, exploiter [*land*]

D *vi* être fermier

E farmed *pp adj* [*fish*] élevé dans une pisciculture

(Phrasal verb) ■ **farm out**: ▸ **~ out [sth]** sous-traiter [*work*] (**to** à); ▸ **~ [sb] out** **1** confier [*child, pupil, guest*] (**to** à); **2** US Sport *envoyer un joueur de baseball à une équipe locale*

farm club *n* US Sport équipe *f* locale de baseball

farmer /'fɑːmə(r)/ ▸ p. 1683 *n* (in general) fermier *m*; (in official terminology) agriculteur *m*; (arable) cultivateur *m*; **chicken/pig/sheep ~** éleveur *m* de poulets/de porcs/de moutons; **~'s wife** fermière *f*

farm: **~ gate price** *n* prix *m* reçu par les producteurs; **~ hand** ▸ p. 1683 *n* = **farm worker**

farmhouse /'fɑːmhaʊs/ *n* (where farmer lives) habitation *f* du fermier; (house in country) ferme *f*

farmhouse loaf *n* GB ≈ pain *m* de campagne

farming /'fɑːmɪŋ/

A *n* **1** (profession) agriculture *f*; **2** (of area, land) exploitation *f*; **chicken/pig/sheep ~** élevage *m* de poulets/de porcs/de moutons

B *modif* [*community*] rural; [*method*] de culture; [*subsidy*] à l'agriculture

farm: **~ labourer** *n* = **farm worker**; **~land** *n* ¢ (for cultivation) terres *fpl* arables; (under cultivation) cultures *fpl*; **~ produce** *n* ¢ produits *mpl* de la ferme; **~ shop** *n* magasin *m* attaché à une ferme (*qui distribue directement les produits de celle-ci*); **~stead**† *n* ferme *f*; **~ worker** ▸ p. 1683 *n* ouvrier/-ière *m/f* agricole

farmyard /'fɑːmjɑːd/ *n* cour *f* de ferme

farmyard chicken *n* poulet *m* de basse-cour

Faroes /'feərəʊz/ ▸ p. 1355 (*also* **Faroe Islands**) *pr npl* **the ~** les îles *fpl* Féroé

far-off /'fɑːrɒf/ *adj* lointain

far out○

A *adj* (modern) d'avant-garde

B *excl* (great) super○!

farrago /fə'rɑːgəʊ/ *n* ramassis *m*

far-reaching /,fɑː'riːtʃɪŋ/ *adj* [*effect, implication*] considérable; [*change, reform*] radical; [*investigation*] approfondi; [*programme, plan, proposal*] d'une portée considérable

farrier /'færɪə(r)/ *n* GB maréchal-ferrant *m*

farrow /'færəʊ/

A *n* portée *f*

B *vi* mettre bas

far-seeing /,fɑː'siːɪŋ/ *adj* ▸ **far-sighted**

far-sighted /,fɑː'saɪtɪd/ *adj* **1** (prudent) [*person, policy, view, idea*] avisé; **2** US Med [*person*] presbyte

fart◑ /fɑːt/

A *n* **1** (wind) pet◑ *m*; **2** (stupid person) **you silly old ~!** espèce de vieux schnoque○!

B *vi* péter◑

(Phrasal verbs) ■ **fart about**◑, **fart around**◑ **1** (fool about) faire l'andouille○; **2** (do nothing) traînasser○

farther /'fɑːðə(r)/ (*comparative of* **far**)

A *adv* ▸ **further A 1, 2**

B *adj* ▸ **further B 2**.

⚠ Au sens littéral on préfèrera *farther* et au sens figuré *further*

farthest /'fɑːðɪst/ *adj*, *adv* (*superlative of* **far**) ▸ **furthest**.

⚠ Au sens littéral on préfèrera *farthest* et au sens figuré *furthest*

farthing /'fɑːðɪŋ/ *n* GB Hist *ancienne pièce de très petite valeur*; **I haven't got a ~**○ je n'ai pas le sou

FAS *n*: *abrév* ▸ **foetal alcohol syndrome**

fascia /'feɪʃə/ *n* **1** GB Aut (dashboard) tableau *m* de bord; **2** GB (over shop) panneau *m*; **3** Zool, Bot bande *f*; **4** Anat fascia *m*

fascicle /'fæsɪkl/ *n* **1** Anat, Bot faisceau *m*; **2** (*also* **fascicule**) Print fascicule *m*

fascinate /'fæsɪneɪt/ *vtr* **1** (interest) passionner; (stronger) fasciner; **2** (petrify) [*snake etc*] hypnotiser

fascinated /'fæsɪneɪtɪd/ *adj* (by spectacle) captivé (**by** par); (by person) fasciné (**by** par); (by subject) passionné (**by** par)

fascinating /'fæsɪneɪtɪŋ/ *adj* [*book, discussion*] passionnant; [*person*] fascinant

fascination /,fæsɪ'neɪʃn/ *n* **1** (interest) passion *f* (**with, for** pour); **in ~** captivé; (stronger) fasciné; **2** (power) (pouvoir *m* de) fascination *f*; **this subject has** *ou* **holds a great ~ for me** ce sujet me passionne

fascism /'fæʃɪzəm/ *n* fascisme *m*

fascist /'fæʃɪst/ *n*, *adj* fasciste (*mf*) also pej

fashion /'fæʃn/

A *n* **1** (manner) façon *f*, manière *f*; **in my own ~** à ma manière; **in the Chinese/French ~** à la chinoise/française; **I can swim/cook after a ~** je nage/cuisine plus ou moins bien; **2** (vogue, trend) mode *f*; **in ~** à la mode; **out of ~** démodé; **to come into ~** devenir à la mode; **to go out of ~** se démoder, passer de mode; **the ~ for mini-skirts** la mode *or* la vogue des mini-jupes; **the latest ~** la dernière mode; **the ~ is for long coats this winter** les manteaux longs sont à la mode *or* sont en vogue cet hiver; **to be a slave to ~** être l'esclave de la mode; **to start a ~** lancer une mode; **to be all the ~** faire fureur; **to set the ~** donner le ton

B *modif* [*accessory*] de mode; [*jewellery, tights*] fantaisie *inv*; **to make a ~ statement** essayer de lancer une mode

C fashions *npl* **ladies' ~s** vêtements *mpl* pour femmes; **Paris/1930s ~s** la mode parisienne/des années 30

D *vtr* **1** (mould) façonner [*clay, wood*] (**into** en); **2** (make) fabriquer [*artefact*] (**out of, from** de)

fashionable /'fæʃnəbl/ *adj* [*colour, garment, name, style*] à la mode (**among, with** parmi); [*area, resort, restaurant*] chic *inv* (**among, with** parmi); [*opinion, pastime, topic*] en vogue (**among, with** parmi); **it's ~ to be cynical about these theories** il est de bon ton de se montrer cynique à propos de ces théories; **it's no longer ~ to do** cela ne se fait plus de faire

fashionably /'fæʃnəblɪ/ *adv* à la mode

fashion: **~ business** *n* industrie *f* de la mode; **~ buyer** ▸ p. 1683 *n* acheteur/-euse *m/f* (*d'un magasin de mode*); **~-conscious** *adj* [*person*] qui suit la mode

fashion designer ▸ p. 1683 *n* modéliste *mf*; **the great ~s** les grands couturiers

fashion: **~ editor** ▸ p. 1683 *n* Journ rédacteur/-trice *m/f* de mode; **~ house** *n* maison *f* de couture; **~-magazine** *n* journal *m ou* revue *f* de mode; **~ model** ▸ p. 1683 *n* mannequin *m*; **~ parade** *n* défilé *m* de mannequins; **~-plate** *n* lit, fig gravure *f* de mode; **~ show** *n* présentation *f* de collection; **~ victim** *n* victime *f* de la mode

f

fast /fɑːst, US fæst/

A *n* (abstinence) jeûne *m*; **to break one's ~** rompre le jeûne

B *adj* **1** (speedy) rapide; **a ~ train** un express; **a ~ time** Sport un bon temps; **to be a ~ walker/reader/writer** marcher/lire/écrire vite; **he's a ~ worker**○ gen ça ne traîne pas avec lui○; (in seduction) il ne perd pas son temps; **2** Sport [*court, pitch, track*] rapide; **3** (ahead of time) **my watch is ~** ma montre avance; **you're five minutes ~** ta montre avance de cinq minutes; **4** (immoral) péj [*person*] léger/-ère; **to lead a ~ life** faire les quatre cents coups○; **5** Phot [*film, exposure*] rapide; **6** (firm) (*jamais épith*) [*door, lid*] bien fermé; [*rope*] bien attaché; **to make sth ~** amarrer qch [*boat*]; attacher [*rope*]; **7** (loyal) [*friend*] fidèle; [*friendship*] solide; **8** (permanent) **~ dye** grand teint *m*; **is this dye ~?** est-ce que c'est du grand teint?

C *adv* **1** (rapidly) [*move, speak, write*] vite, rapidement; **how ~ can you knit/read?** est-ce que tu tricotes/lis vite?; **I need help ~** j'ai besoin d'aide tout de suite; **I ran as ~ as my legs would carry me** je me suis sauvé à toutes jambes; **these customs are ~ disappearing** ces coutumes se perdent; **education is ~ becoming a luxury** l'éducation va bientôt devenir un luxe; **the time is ~ approaching when I will do** dans peu de temps je ferai; **not so ~!** minute○!; **as ~ as I make the toast, he eats it** il mange les toasts à mesure que je les fais; **I couldn't get out of there ~ enough**○! je n'avais qu'une hâte, c'était de partir!; **2** (firmly) [*hold*] ferme; [*stuck*] bel et bien (*before pp*); [*shut*] bien; **to stand ~** tenir ferme; **to be ~ asleep** dormir à poings fermés

D **fast by** *adv phr* littér tout à côté de

E *vi* (abstain from food) jeûner

(Idioms) **to pull a ~ one on sb** rouler qn○; **he pulled a ~ one on me** je me suis fait rouler○ *or* avoir; **to play ~ and loose** faire les quatre cents coups○; **to play ~ and loose with sb** traiter qn à la légère

fast: **~back** *n* GB Aut voiture *f* à l'arrière profilé; **~ breeder reactor** *n* Nucl surgénérateur *m*; **~ day** *n* Relig jour *m* maigre *or* de jeûne

fasten /ˈfɑːsn, US ˈfæsn/

A *vtr* **1** (close) fermer [*bolt, lid, case*]; attacher [*belt, sandals, necklace*]; boutonner [*coat*]; boucler [*buckle*]; **2** (attach) fixer [*notice, shelf*] (**to** à; **onto** sur); attacher [*lead, rope*] (**to** à); **to ~ the ends together** attacher les bouts ensemble; **to ~ onto sb** s'attacher *or* s'accrocher○ à qn; **3** fig (fix) **his eyes ~ed on me** son regard s'est fixé sur moi; **to ~ the blame/responsibility on** rejeter la faute/responsabilité sur

B *vi* [*box*] se fermer; [*necklace, belt, skirt*] s'attacher; **to ~ at the back/side** s'attacher dans le dos/sur le côté

(Phrasal verbs) ■ **fasten down**: ▸ **~ down [sth], ~ [sth] down** fermer [*hatch, lid*]

■ **fasten on**: ▸ **~ on** [*lid, handle*] s'attacher; ▸ **~ [sth] on** attacher [*lid, handle*]; ▸ **~ on [sth]** fig se mettre [qch] dans la tête [*idea*]; **he ~ed on the idea of escaping** il s'est mis dans la tête de s'évader

■ **fasten up**: ▸ **~ up [sth], ~ [sth] up** fermer [*case*]; attacher [*shoe*]; boutonner [*coat*]

fastener /ˈfɑːsnə(r), US ˈfæsnə(r)/ *n* **1** Sewing, Tech (hook) agrafe *f*; **2** (tie) attache *f*; (clasp) fermoir *m*; **snap ~** (fermoir *m* à) pression *f*

fastening /ˈfɑːsnɪŋ, US ˈfæsnɪŋ/

A *n* (hook) agrafe *f*; (tie) attache *f*; (clasp) fermoir *m*

B **-fastening** (*dans composés*) **front-/back-~** qui s'attache par devant/derrière (*after n*)

fast-flowing /ˌfɑːstˈfləʊɪŋ, US ˌfæst-/ *adj* au cours *m* rapide (*after n*)

fast food /ˌfɑːstˈfuːd, US ˌfæst-/

A *n* prêt-à-manger *m*, nourriture *f* de fast-food

B *modif* [*chain*] de restauration rapide *ou* de fast-food; [*outlet, counter*] de fast-food; [*industry*] de la restauration rapide *or* du fast-food; **a ~ restaurant** un fast-food

fast-forward /ˌfɑːstˈfɔːwəd, US ˌfæst-/

A *n* Audio avance *f* rapide

B *modif* [*key, button*] d'avance rapide (*after n*)

C *vtr* faire avancer rapidement

fast-growing /ˌfɑːstˈgrəʊɪŋ, US ˌfæst-/ *adj* en pleine expansion

fastidious /fæˈstɪdɪəs/ *adj* **1** (extremely careful) [*person*] méticuleux/-euse (**about** sur); **2** (easily disgusted) [*person*] délicat, vite dégoûté

fastidiously /fæˈstɪdɪəslɪ/ *adv* [*work*] méticuleusement; [*tidy*] extrêmement; [*dressed*] avec beaucoup de soin

fastidiousness /fæˈstɪdɪəsnɪs/ *n* méticulosité *f*

fastigiate /fæˈstɪdʒət/ *adj* fastigié

fasting /ˈfɑːstɪŋ, US ˈfæstɪŋ/ *n* jeûne *m*

fast lane /ˈfɑːstleɪn, US ˈfæst-/ *n* Aut voie *f* de dépassement; **to live in the ~** fig vivre à cent à l'heure○; **to enjoy life in the ~** fig aimer la vie à cent à l'heure○

fast: **~ living** *n* débauche *f*; **~-moving** *adj* rapide

fastness /ˈfɑːstnɪs, US ˈfæst-/ *n* **1** (speed) rapidité *f*; **2** (of dye) solidité *f*; **3** (*pl* **-es**) (stronghold) liter forteresse *f*

fast rewind *n* Audio rembobinage *m* rapide

fast-talk○ /ˌfɑːstˈtɔːk, US ˌfæst-/ *vtr* baratiner○ [*person*]; **to ~ sb into doing** baratiner○ qn pour qu'il fasse

fast-talking○ /ˌfɑːstˈtɔːkɪŋ, US ˌfæst-/ *adj* [*salesperson*] baratineur/-euse○

fast-track /ˈfɑːsttræk, US ˈfæst-/

A *n* promotion *f* accélérée; **to apply for the ~** vouloir entrer dans la promotion accélérée

B *modif* [*scheme, plan*] accéléré; [*place*] à promotion accélérée

C /ˌfɑːstˈtræk, US ˌfæst-/ *vtr* former [qn] de façon accélérée [*employee*]

fat /fæt/

A *n* **1** (in diet) matières *fpl* grasses; **~ intake** consommation *f* de matières grasses; **animal/vegetable ~s** graisses *fpl* animales/végétales; **2** (on meat) gras *m*; **you can leave the ~** tu peux laisser le gras; **3** (for cooking) gen matière *f* grasse; (from meat) graisse *f*; **beef/mutton/goose ~** graisse de bœuf/de mouton/d'oie; **fried in ~** frit dans de la matière grasse; **4** (in body) graisse *f*; **body ~** tissu adipeux; **to lay down reserves of ~** accumuler des réserves de graisse; **to run to ~** prendre du poids; **5** Chem corps *m* gras

B *adj* **1** (overweight) [*person, animal, body*] gros/grosse; [*cheek, tummy, bottom*] rebondi; [*thigh, arm, finger*] dodu; **to get ~** grossir; **to get ~ on chocolates** grossir à force de manger des chocolats; **to get** *ou* **grow ~ on sth** fig s'engraisser sur qch; **2** (full, swollen) [*wallet, envelope*] rebondi; [*file, novel, magazine*] épais/épaisse; [*cushion*] moelleux/-euse; [*fruit, peapod*] gros/grosse; **3** (remunerative) [*profit, cheque, fee*] gros/grosse; **a nice ~ job** un travail grassement payé; **4** (fertile) [*land, valley, year*] fertile; **5** (worthwhile) [*rôle*] beau/belle; **6** (fatty) [*meat, bacon*] gras/grasse; **7** ○iron (not much) **that's a ~ lot of good!** ça me/nous etc rend drôlement service!○ iron; **you're a ~ lot of use!** tu es vraiment d'un grand secours! iron; **a ~ lot you know!/you care!** pour ce que tu en sais!/que ça t'intéresse○!; **'will she go?'—'~ chance!'** 'elle ira?'—'tu crois au père Noël○!'

(Idioms) **the ~'s in the fire**○ ça va faire des étincelles○; **to be in ~ city**○ US être plein aux as○; **to live off the ~ of the land** vivre grassement

fatal /ˈfeɪtl/ *adj* **1** (lethal) [*accident, injury, blow, shot, toxin*] mortel/-elle (**to** pour); [*delay*] fatal (**to** pour); **2** (disastrous) [*weakness, flaw, mistake*] fatal; [*decision*] funeste; [*day, hour*] fatidique; **to be ~ to sb/sth** porter un coup fatal à qn/qch; **it would be ~ to do** ce serait une grave erreur de faire

fatalism /ˈfeɪtəlɪzəm/ *n* fatalisme *m*

fatalist /ˈfeɪtəlɪst/ *n* fataliste *mf*

fatalistic /ˌfeɪtəˈlɪstɪk/ *adj* fataliste

fatalistically /ˌfeɪtəˈlɪstɪklɪ/ *adv* [*react, accept*] avec fatalisme

fatality /fəˈtælətɪ/ *n* **1** (person killed) mort *m*; **there have been no fatalities** il n'y a pas eu de morts; **road fatalities** accidents *mpl* mortels de la route; **2** (deadliness) caractère *m* mortel; **3** (fate) fatalité *f*

fatally /ˈfeɪtəlɪ/ *adv* **1** [*injured, wounded*] mortellement; **to be ~ ill** être condamné; **2** fig [*flawed, compromised*] irrémédiablement

fat: **~-ass**○ *n* US péj gros lard○ *m*, grosse truie○ *f*; **~back** *n* US lard *m* maigre; **~ cat**○ *n* huile○ *f*

fate /feɪt/ *n* **1** (controlling power) (*also* **the ~s**) sort *m*; **~ was on my side/against me** le sort était avec moi/contre moi; **a (cruel) twist of ~** un (cruel) caprice du sort; **to tempt ~** tenter le sort; **2** (death) mort *f*; **to meet a sad ~** finir tristement; **3** (destiny) sort *m*; **to be resigned/left to one's ~** être résigné/abandonné à son sort; **his ~ is sealed** son sort est scellé; **a ~ worse than death** hum un sort pire que la mort; **4** Mythol **the Fates** les Parques *fpl*

fated /ˈfeɪtɪd/ *adj* **1** (destined) **to be ~ to do** être destiné à faire; **2** (doomed) voué (**to do** à faire); **3** (decreed by fate) prédestiné

fateful /ˈfeɪtfl/ *adj* [*decision, event, words*] fatal; [*day*] fatidique

fat: **~ farm**○ *n* clinique *f* d'amaigrissement; **~-free** *adj* sans matières grasses; **~head**○ *n* péj débile○ *mf*; **~-headed**○ *adj* péj débile○

father /ˈfɑːðə(r)/

A *n* **1** (parent) père *m*; **to be like a ~ to sb** être un vrai père pour qn; **from ~ to son** de père en fils; **2** (ancestor) père *m*, ancêtre *m*; **land of our ~s** patrie de nos pères *or* aïeux; **3** (originator) père *m*; **the ~ of the motor car/of English theatre** le père de l'automobile/du théâtre anglais

B *vtr* engendrer [*child*]

(Idioms) **like ~ like son** tel père tel fils; **the ~ and mother of a row**○ une prise de bec maison○

Father /ˈfɑːðə(r)/ ▸ **p. 1237** *n* **1** Relig (God) Père *m*; **the Our ~** (prayer) le Notre Père; **God the ~** Dieu le Père; **2** (title for priest) père *m*; **~ Smith** le père Smith; **thank you, ~** merci, mon père

Father Christmas GB *n* père *m* Noël

father confessor *n* Relig confesseur *m*; fig (confidant) directeur *m* de conscience

father figure *n* image *f* du père; **he's a ~ to her** pour elle, il incarne l'image du père

fatherhood /ˈfɑːðəhʊd/ *n* paternité *f*

father: **~-in-law** *n* (*pl* **~s-in-law**) beau-père *m*; **~land** *n* patrie *f*

fatherless /ˈfɑːðəlɪs/ *adj* sans père

fatherly /ˈfɑːðəlɪ/ *adj* paternel/-elle

father: **Father's Day** *n* fête *f* des pères; **Father Time** *n* le Temps *m*

fathom /ˈfæðəm/

A *n* Meas Naut brasse *f* anglaise (= 1,83 *m*)

B *vtr* **1** Meas Naut sonder; **2** (*also* GB **~ out**) (understand) comprendre

fathomless /ˈfæðəmlɪs/ *adj* [*ocean, eyes*] insondable

fatigue /fəˈtiːg/

A *n* **1** (of person) épuisement *m*; **muscle/mental ~** épuisement *m* musculaire/intellectuel; **battle ~** commotion *f*, état *m* de choc dû aux combats; **2** Tech **metal ~** fatigue *f* du métal; **3** US Mil corvée *f*

B **fatigues** *npl* Mil **1** (uniform) treillis *m*; **camouflage ~s** tenue *f* de camouflage; **2** (duties) corvée *f*; **to be on ~s** être de corvée

C *modif* Mil [*duty, detail, party*] de corvée

D *vtr* gen, Tech fatiguer [*person, metal*]

E **fatigued** *pp adj* épuisé

fatiguing /fə'ti:gɪŋ/ *adj* fatigant

fatless /'fætlɪs/ *adj* sans matières grasses

fatness /'fætnɪs/ *n* corpulence *f*

fatso○ /'fætsəʊ/ *n* péj (man) gros lard○ *m*; (woman) grosse truie○ *f* pej

fat: **~-soluble** *adj* soluble dans la graisse; **~stock** *n* GB animaux *mpl* de boucherie

fatten /'fætn/
A *vtr* = **fatten up**
B *vi* [*animal*] engraisser
(Phrasal verb) ■ **fatten up**: ▸ **~ [sb/sth] up**, **~ up [sb/sth]** **1** engraisser [*animal*]; faire grossir [*person*]; **2** fig investir gros dans [*industry*]

fattening /'fætnɪŋ/
A *n* engraissement *m*
B *adj* [*food, drink*] qui fait grossir (*after n*); **beer is very ~** la bière fait beaucoup grossir

fattism○ /'fætɪzəm/ *n* discrimination *f* contre les personnes obèses

fatty /'fætɪ/
A ○*n* péj (man) gros lard○ *m*; (woman) grosse truie○ *f*
B *adj* **1** [*tissue, deposit*] graisseux/-euse; **2** [*food, meat*] gras/grasse

fatty: **~ acid** *n* acide *m* gras; **~ degeneration** *n* dégénérescence *f* graisseuse

fatuity /fə'tju:ətɪ, US -'tu:ətɪ/ *n* (of person) fatuité *f*; (of remark) inanité *f*

fatuous /'fætʃʊəs/ *adj* [*attempt, comment, decision, smile*] stupide; [*exercise, activity*] futile

fatuousness /'fætʃʊəsnɪs/ *n* = **fatuity**

fatwa /'fætwɑ:/ *n* fatwa *f*

faucet /'fɔ:sɪt/ *n* US robinet *m*

fault /fɔ:lt/
A *n* **1** (flaw in system, wiring, machine, person) défaut *m* (**in** dans); (electrical failure, breakdown) panne *f*; **structural/design/software ~** défaut structurel/de conception/de logiciel; **my greatest ~** mon défaut principal; **for all his ~s** malgré tous ses défauts; **to be generous/scrupulous to a ~** être généreux/scrupuleux à l'excès; **2** (responsibility, guilt) faute *f*; **to be sb's ~, to be the ~ of sb** être (de) la faute de qn; **to be sb's ~ that** être à cause de qn que; **it's all your ~** c'est (de) ta faute; **it's my own ~** c'est de ma faute; **it's your own silly ~**○ c'est ta faute, idiot○; **it's not my ~** ce n'est pas (de) ma faute; **it's hardly their ~** ce n'est vraiment pas (de) leur faute; **whose ~ was it?** à qui la faute?; **whose ~ will it be if we're late?** iron à qui devra-t-on d'être en retard?; **my ~ entirely** c'est ma faute, je l'avoue; **the [illegible] him/the company** [illegible] lui/la compagnie qui est entièrement responsable; **through no ~ of his/her own** indépendamment de lui/d'elle; **to be at ~** être en tort, être à blamer; **he's always finding ~** il trouve toujours quelque chose à redire; **3** Sport (call) faute!; **to serve a ~** faire une faute au service; **4** Geol faille *f*; **5** Jur faute *f*; **no-~ compensation** indemnisation *f* sans égard à la responsabilité; **no-~ divorce** divorce *m* à l'amiable; **no-~ insurance** US Aut assurance *f* avec indemnisation automatique de l'assuré
B *vtr* prendre [qch/qn] en défaut; **you can't ~ her** on ne peut pas la prendre en défaut; **it cannot be ~ed** c'est irréprochable; **to ~ sb for sth** reprocher qch à qn; **to ~ sb for doing** reprocher à qn d'avoir fait

fault-finding /'fɔ:ltfaɪndɪŋ/
A *n* **1** Tech (locating built-in flaw) localisation *f* du défaut; (locating breakdown) localisation *f* de la panne; **2** (of person) habitude *f* de tout critiquer
B *adj* [*person*] qui critique tout; [*attitude*] négatif/-ive

faultless /'fɔ:ltlɪs/ *adj* **1** [*performance, German, manners*] impeccable; [*taste*] irréprochable; **2** Equit [*round*] sans faute

faultlessly /'fɔ:ltlɪslɪ/ *adv* de façon impeccable

fault: **~ line** *n* (ligne *f* de) faille *f*; **~ plane** *n* plan *m* de faille

faulty /'fɔ:ltɪ/ *adj* **1** [*wiring, car part, machine, product*] défectueux/-euse; **2** [*logic, policy, philosophy, argument*] erroné

faun /fɔ:n/ *n* faune *m*

fauna /'fɔ:nə/ *n* (*pl* **~s** *ou* **-ae**) faune *f*

Faust /faʊst/ *pr n* Faust *m*

Faustian /'faʊstɪən/ *adj* faustien/-ienne

fauvism /'fəʊvɪzəm/ *n* Art fauvisme *m*

faux pas /,fəʊ 'pɑ:/ *n* (*pl* **~**) sout impair *m*

favour GB, **favor** US /'feɪvə(r)/
A *n* **1** (approval) **to look with ~ on sb/sth, look on sb/sth with ~** approuver qn/qch; **to regard sb/sth with ~** considérer qn/qch avec bienveillance; **to win/lose ~ with sb ~** s'attirer/perdre les bonnes grâces de qn; **to find ~ with sb** trouver grâce aux yeux de qn; **to gain ~ with sb** remporter la faveur de qn; **to be out of ~ with sb** [*person*] ne plus être dans les bonnes grâces de qn; [*idea, fashion, method*] ne plus être en vogue auprès de qn; **to fall out of** *ou* **from ~ with sb** [*person*] tomber en disgrâce auprès de qn; **to fall** *ou* **go out of ~** [*idea, fashion, method*] passer de mode
2 (kindness) service *m*; **to do sb a ~** rendre service à qn; **in return for all your ~s** en remerciement de tous les services que vous m'avez rendus; **they're not doing themselves any ~s** ils desservent leur (propre) cause (**by doing** en faisant); **do me a ~!** lit fais-moi plaisir!; (as prelude to rebuff) tu veux me faire plaisir?; (ironic) qu'est-ce que tu crois!; (in exasperation) et quoi encore!; **as a (special) ~** à titre de service exceptionnel; **she did it as a ~ to her boss** elle l'a fait pour rendre service à son chef; **to ask a ~ of sb, to ask sb a ~** demander un service à qn; **to owe sb a ~** avoir une dette envers qn; **you owe me a ~** tu me dois bien ça; **to return a ~** lit, **to return the ~** iron rendre la pareille (**by doing** en faisant)
3 (favouritism) **to show ~ to sb, to show sb ~** accorder un traitement de faveur à qn
4 (advantage) **to be in sb's ~** [*situation*] être avantageux pour qn; [*financial rates, wind*] être favorable à qn; **to have sth in one's ~** avoir qch pour soi; **everything was in her ~** elle avait tout pour elle; **the plan has a lot in its ~** le projet présente beaucoup d'avantages; **if the case doesn't go in our ~** si nous n'obtenons pas gain de cause; **in your ~** [*money, balance*] à votre crédit
5 †(small gift) petit cadeau *m*
6 Hist (token) faveur *f*
B **favours** *npl* euph (sexual) faveurs *fpl*
C **in favour of** *prep phr* **1** (on the side of) en faveur de; **to be in ~ of sb/sth** être pour qn/qch; **to vote in ~ of sth** voter pour qch; **I'm in ~ of that** je suis pour; **to be in ~ of changing the law** être pour un changement de la loi; **to speak in ~ of** soutenir [*motion, idea, plan*]; **to speak in sb's ~** se prononcer en faveur de qn; **to come out in ~ of** exprimer son soutien à [*plan, person*]
2 (to the advantage of) **to work** *ou* **be weighted in ~ of sb** avantager qn; **to decide in sb's ~** gen donner raison à qn; Jur donner gain de cause à qn
3 (out of preference for) [*reject etc*] au profit de
D *vtr* **1** (prefer) être pour [*choice, method, solution, horse, team*]; préférer [*clothing, colour, date*]; être partisan de [*political party*]; **to ~ sb** gen montrer une préférence pour qn; (unfairly) accorder un traitement de faveur à qn; **I ~ closing the business** je suis pour la fermeture de l'entreprise
2 (benefit) [*plans, circumstances*] favoriser; [*law, balance of power*] privilégier
3 (approve of) être partisan de [*course of action*]; approuver [*proposal*]
4 sout *ou* iron (honour) **to ~ sb with sth** faire à qn la faveur *or* l'honneur de qch
E **favoured** *pp adj* **1** (most likely) [*course of action, date, plan, view*] privilégié; [*candidate*] favori/-ite
2 (favourite) favori/-ite

favourable GB, **favorable** US /'feɪvərəbl/ *adj* **1** (good) [*conditions, impression, reaction, reply, time, position, weather*] favorable (**to** à); [*report, result, sign*] bon/bonne (*before n*); **to have a ~ reception** être bien reçu; **in a ~ light** sous un jour favorable; **conditions are ~ to setting up a business** les conditions financières sont favorables à la création d'une entreprise; **2** (in agreement) **to be ~** être d'accord (**to sth** avec qch); **my father is not ~ to my going alone** mon père n'est pas d'accord pour que j'y aille toute seule

favourably GB, **favorably** US /'feɪvərəblɪ/ *adv* [*speak, write*] en termes favorables; [*look on, consider*] d'un œil favorable; [*impress, review*] favorablement; **to be ~ situated** être bien situé; **to be ~ disposed to sb/to sth** être bien disposé à l'égard de qn/en ce qui concerne qch; **to be ~ received** être accueilli favorablement; **to compare ~ with sth** soutenir la comparaison avec qch

favourite GB, **favorite** US /'feɪvərɪt/
A *n* **1** [*person, activity, thing*] préféré/-e *m/f*; **a ~ of his** un de ses préférés; **to be a great ~ with sb** avoir beaucoup de succès auprès de qn; **my ~!** c'est ce que je préfère!; **2** Sport, Turf favori/-ite *m/f*
B *adj* préféré, favori/-ite; **his ~ way of relaxing** ce qu'il préfère faire pour se détendre

favouritism GB, **favoritism** US /'feɪvərɪtɪzəm/ *n* favoritisme *m*

fawn /fɔ:n/ ▸ p. 1067
A *n* **1** Zool faon *m*; **2** (colour) beige *m* foncé
B *adj* beige foncé *inv*
C *vi* **to ~ on sb** [*dog*] faire la fête à qn; [*person*] péj flagorner qn

fawning /'fɔ:nɪŋ/ *adj* servile

fax /fæks/
A *n* (*pl* **~es**) **1** télécopie *f*, fax *m*; **2** **~ machine** télécopieur *m*, fax *m*
B *vtr* télécopier, faxer [*document*]; envoyer une télécopie *or* un fax à [*person*]

fax: **~ directory** *n* annuaire *m* de la télécopie; **~ message** *n* télécopie *f*, fax *m*; **~ number** *n* numéro *m* de télécopie *or* de fax

faze○ /feɪz/ *vtr* dérouter

FBI *n* US (*abrév* = **Federal Bureau of Investigation**) Police *f* judiciaire fédérale

FCA *n* US (*abrév* = **Farm Credit Administration**) *organisme d'État chargé de la gestion du crédit des agriculteurs*

FCC *n* US (*abrév* = **Federal Communications Commission**) *organisme gouvernemental chargé des télécommunications*

FCO *n* GB (*abrév* = **Foreign and Commonwealth Office**) ministère *m* des Affaires étrangères et du Commonwealth

FDA *n* US (*abrév* = **Food and Drug Administration**) *organisme gouvernemental de contrôle pharmaceutique et alimentaire*

FE *n* GB (*abrév* = **further education**) enseignement *m* supérieur

fealty‡ /'fi:əltɪ/ *n* fidélité *f*; **to take an oath of ~** faire serment de fidélité

fear /fɪə(r)/
A *n* **1** (dread, fright) peur *f*; **~ of death** peur de la mort; **I couldn't move for** *ou* **from ~** j'étais paralysé par la peur; **he accepted out of ~** c'est la peur qui l'a fait accepter; **have no ~!** littér *ou* hum n'ayez pas peur!; **to live in ~** vivre dans la peur; **to live** *ou* **go in ~ of one's life** craindre pour sa vie; **he lives in ~ of being found out** *ou* **that he will be found out** il vit dans la crainte perpétuelle d'être découvert; **for ~ of doing** de peur de faire; **for ~ that** de peur que (+ *subj*); **I kept quiet for ~ of waking them/that they would wake up** j'ai fait le moins de bruit possible de peur de les réveiller/de peur qu'ils (ne) se réveillent; **for ~ of death/punishment** de peur de mourir/d'être puni; **to have no ~ of sth** ne pas avoir

peur de qch; **to have no ~ that** ne pas avoir peur que (+ *subj*); **~ of God** crainte *f* de Dieu; **the news struck ~ into his heart** littér la nouvelle l'a rempli d'effroi
2 (worry, apprehension) crainte *f* (**for** pour); **their ~s for their son/the future** leurs craintes pour leur fils/pour l'avenir; **my ~s proved groundless** mes craintes se sont révélées injustifiées; **my worst ~s were confirmed (when...)** mes pires craintes se sont trouvées confirmées (quand...); **my ~s about the company collapsing** *ou* **that the company would collapse** mes craintes que la société (ne) fasse faillite; **~s are growing for sb** on craint de plus en plus pour qn; **~s are growing that his life may be in danger** on craint de plus en plus que sa vie (ne) soit en danger; **(grave) ~s have arisen that** on craint (fort) que; **I told him my ~s that** je lui ai dit que je craignais que (+ *subj*); **the future/the operation holds no ~s for her** elle n'a pas peur de l'avenir/de l'opération
3 (possibility) **there's not much ~ of sb('s) doing** il n'y a guère de danger que qn fasse; **there's no ~ of him** *ou* **his being late** il n'y a pas de danger qu'il soit en retard; **there's no ~ of that happening** il n'y a pas de danger que cela arrive; **no ~!** sûrement pas!
B *vtr* 1 (be afraid of) craindre; **to ~ to do** craindre de faire; **experts ~ a crisis if the situation continues to worsen** les experts craignent une crise si la situation continue à empirer; **to ~ that** craindre que (+ *subj*); **she ~ed that her proposals might not be accepted** elle craignait que ses propositions ne soient pas acceptées; **I ~ (that) she may be dead** j'ai (bien) peur *or* je crains qu'elle (ne) soit morte; **it is ~ed (that)** on craint que (+ *subj*); **it is ~ed (that) the recession may get worse** on craint que la récession empire *or* n'empire; **the substance is ~ed to cause cancer** on craint que la substance ne provoque le cancer; **20 people are ~ed to have died** *ou* **are ~ed dead in the accident** on craint que 20 personnes ne soient mortes dans l'accident; **a ruler who was greatly ~ed** un chef qui inspirait la crainte; **she's a woman to be ~ed** c'est une femme redoutable; **to ~ the worst** craindre le pire, s'attendre au pire
2 (think) **I ~ not** je crains (bien) que non; **I ~ so** (to positive question) je crains bien que oui; (to negative question) j'ai bien peur que si; **I ~ I'm late/it's raining** j'ai bien peur d'être en retard/qu'il (ne) pleuve
C *vi* **to ~ for sth/sb** craindre pour qch/qn; **I ~ for her safety/life** je crains pour sa sécurité/vie; **never ~!** ne craignez rien, n'ayez crainte!
(Idioms) **without ~ or favour** de façon impartiale; **in ~ and trembling** tremblant de peur

fearful /'fɪəfl/ *adj* 1 (afraid) craintif/-ive; **to be ~** avoir peur; **to be ~ of sth/of doing** avoir peur de qch/de faire; **to be ~ for sb** craindre pour qn; 2 (dreadful) [*noise, sight*] affreux/-euse; [*rage, argument, anxiety, heat*] terrible; **it's a ~ nuisance** c'est terriblement *or* affreusement gênant; **he's a ~ bore** il est terriblement ennuyeux

fearfully /'fɪəfəlɪ/ *adv* 1 (timidly) craintivement; 2 (dreadfully) [*cold, hot, complicated, old-fashioned*] terriblement; [*nice, discreet*] extrêmement; [*expensive*] horriblement

fearless /'fɪəlɪs/ *adj* sans peur, intrépide

fearlessly /'fɪəlɪslɪ/ *adv* sans peur, sans la moindre frayeur

fearlessness /'fɪəlɪsnɪs/ *n* intrépidité *f*

fearsome /'fɪəsəm/ *adj* 1 (frightening) effrayant; 2 (frightful) effroyable; 3 (formidable) redoutable

feasibility /ˌfiːzə'bɪlətɪ/ *n* 1 (of idea, plan, proposal) faisabilité *f* (**of** de); **the ~ of doing** la possibilité de faire; 2 (of claim, story) vraisemblance *f* (**of** de)

feasibility study *n* étude *f* de faisabilité

feasible /'fiːzəbl/ *adj* 1 (possible) [*project*] réalisable; **it is/was ~ that** il est/était possible que (+ *subj*); **to be ~ to do sth** être possible de faire qch; 2 [*excuse, explanation*] plausible

feast /fiːst/
A *n* 1 (sumptuous meal) festin *m*; (formal, celebratory) banquet *m*; **wedding ~** banquet de mariage; **midnight ~** festin nocturne (*organisé en cachette*); 2 fig (for eyes, senses) régal *m* (**to, for** pour); **there will be a ~ of music** il y aura de la musique à profusion; 3 Relig fête *f*; **~ day** jour *m* de fête
B *vtr* 1 fig **to ~ one's eyes on sth** se délecter à regarder qch; 2 lit régaler [*person*] (**on, with** de)
C *vi* se régaler (**on** de)
(Idiom) **enough is as good as a ~** il ne faut pas abuser des bonnes choses

feasting /'fiːstɪŋ/ *n* festoiement *m*

feat /fiːt/ *n* 1 (achievement) exploit *m*; **it was no mean ~ to do** cela n'a pas été une mince affaire de faire; 2 **a ~ of** une prouesse de [*technology, surgery etc*]

feather /'feðə(r)/
A *n* plume *f*
B *modif* [*boa, cushion, mattress*] de plumes
C *vtr* 1 (in rowing) plumer [*blade*]; 2 Aviat mettre [qch] en drapeau
D **feathered** *pp adj* [*garment*] à plumes; **our ~ed friends** nos amis les oiseaux
(Idioms) **as light as a ~** léger comme une plume; **birds of a ~ (flock together)** Prov qui se ressemble s'assemble Prov; **in full ~** en excellente forme; **that'll make the ~s fly** ils vont se voler dans les plumes; **that's a ~ in his cap** c'est un bon point pour lui; **you could have knocked me down with a ~** j'en avais le souffle coupé

feather bed
A *n* lit *m* de plumes
B **feather-bed** *vi* Ind réduire la productivité pour éviter le chômage

feather: **~-bedding** *n* Ind réduction *f* de la productivité (*d'une industrie*) pour éviter le chômage; **~brain** *n* écervelé/-e *m/f*; **~-brained** *adj* écervelé; **~ cut** *n* coupe *f* courte féminine; **~ duster** *n* plumeau *m*

featherstitch /'feðəstɪtʃ/
A *n* point *m* d'épine
B *vtr* coudre [qch] au point d'épine

featherweight /'feðəweɪt/
A *n* poids *m* plume
B *modif* [*champion, title*] (des) poids plume

feathery /'feðərɪ/ *adj* [*touch*] doux/douce comme de la plume; [*snowflake*] duveteux/-euse; [*leaf, shape*] plumeux/-euse

feature /'fiːtʃə(r)/
A *n* 1 (distinctive characteristic) trait *m*, caractéristique *f*; **a ~ of those times** une caractéristique de cette époque; **a stylistic/unique ~ of sth** un trait stylistique/exceptionnel de qch; **to become a permanent ~** devenir un trait permanent; **to make a ~ of sth** mettre qch en valeur; 2 (aspect) aspect *m*, côté *m*; **the plan has some good ~s** le plan a de bons côtés; **a worrying ~ of the incident** un aspect inquiétant de l'incident; **to have no redeeming ~s** n'avoir rien pour soi; 3 (of car, computer, product) accessoire *m*; **optional ~s** accessoires en option; **built-in safety ~s** équipement *m* de sécurité intégré; 4 (of face) trait *m*; **with sharp/coarse ~s** aux traits anguleux/grossiers; **his eyes are his best ~** ce qu'il a de mieux, ce sont ses yeux; 5 (film) long métrage *m*, film *m*; **a double ~** une double séance; 6 Journ article *m* de fond (**on** sur); **to have** *ou* **do a ~ on** publier un article de fond sur; **she does a ~ in the Times** elle est chroniqueuse au 'Times'; 7 TV, Radio reportage *m* (**on** sur); 8 Ling trait *m*
B **-featured** (*dans composés*) **coarse-/sharp-/fine-~d** aux traits grossiers/anguleux/fins
C *vtr* 1 (present) [*film, magazine, concert, event*] présenter [*story, photo, place, star, work*]; [*advert, poster*] représenter, montrer [*person, scene*]; **to be ~d in sth/on the cover of sth** figurer dans qch/sur la couverture de qch; 2 (highlight) [*car, computer, new model*] être équipé de [*facility, accessory*]; 3 ○US (imagine) se figurer
D *vi* 1 (figure) figurer; **Shakespeare ~s prominently** Shakespeare figure à la place d'honneur; 2 TV, Cin [*performer*] jouer (**in, on** dans)

feature: **~ article** *n* article *m* de fond; **~ film** *n* long métrage *m*; **~-length** *adj* long métrage *inv* (*after n*)

featureless /'fiːtʃəlɪs/ *adj* sans caractère

feature writer ▸ p. 1683 *n* chroniqueur/-euse *m/f*

Feb /feb/ *n*: *abrév écrite* = **February**

febrifuge /'febrɪfjuːdʒ/ *n, adj* fébrifuge (*m*)

febrile /'fiːbraɪl/ *adj* 1 gen [*condition, activity*] fébrile; 2 Med [*patient*] fiévreux/-euse; [*convulsion*] hyperpyrétique

February /'februərɪ, US -urɪ/ ▸ p. 1452 *n* février *m*

fecal *adj* US = **faecal**

feces *npl* US = **faeces**

feckless /'feklɪs/ *adj* 1 (improvident) irresponsable; 2 (helpless) incapable; 3 (inept) maladroit

fecund /'fiːkənd, 'fekənd/ *adj* littér (all contexts) fécond

fecundity /fɪ'kʌndətɪ/ *n* littér fécondité *f*

fed /fed/ *prét, pp* ▸ **feed**

Fed /fed/ 1 ○US agent *m* fédéral, fédé○ *m*; 2 *abrév* ▸ **federal, federation**; 3 *abrév* ▸ **Federal Reserve Board**

federal /'fedərəl/
A **Federal** *pr n* US 1 Hist (party supporter) Fédéraliste *mf*; (soldier) nordiste *m*; 2 = **Fed 1**○
B *adj* Admin, Pol [*court, judge, police*] fédéral; [*architecture*] US nordiste; **the ~ government** US le gouvernement fédéral
(Idiom) **to make a ~ case out of sth** US faire toute une histoire de qch○

federal: **Federal Communications Commission** *n* US organisme *m* exerçant un contrôle sur l'audiovisuel; **Federal Energy Regulating** *n* US Commission *f* nationale de contrôle de l'énergie; **~ holiday** *n* US jour *m* férié; **Federal Housing Administration**, **FHA** *n* mission *f* de contrôle des prêts au logement

federalism /'fedərəlɪzəm/ *n* fédéralisme *m*

federalist /'fedərəlɪst/ *n, adj* fédéraliste (*mf*)

Federal Land Bank *n* US *banque fédérale accordant des prêts aux agriculteurs*

federally /'fedərəlɪ/ *adv* 1 [*elect, govern*] à un niveau fédéral; 2 US [*funded, built*] par le gouvernement fédéral

federal: **Federal Republic of Germany** *n* République *f* fédérale d'Allemagne; **Federal Reserve Bank** *n* US ▸ **Federal Reserve System**; **Federal Reserve Board** *n* US le conseil de surveillance du *Federal Reserve System*; **Federal Reserve System** *n* US *système bancaire aux États-Unis qui divise le pays en 12* Federal Reserve Districts *ayant chacun leur propre* Federal Reserve Bank; **Federal Trade Commission**, **FTC** *n* US *cf* Direction *f* générale de la concurrence, de la consommation et de la répression des fraudes

federate /'fedəreɪt/
A *adj* fédéré
B *vtr* fédérer
C *vi* se fédérer

federation /ˌfedə'reɪʃn/ *n* fédération *f*

fedora /fɪ'dɔːrə/ *n* feutre *m* (*à larges bords*), chapeau *m*

fed up○ /ˌfed 'ʌp/ *adj* **to be ~** en avoir marre○ (**about, with, of** de; **with** *ou* **of doing** de faire); **he's ~ about her leaving** il ne digère pas○ qu'elle soit partie

fee /fiː/ *n* 1 (for professional, artistic service) honoraires *mpl*; **the ~ for the X-ray is £20** le coût de la radiographie est de 20 livres sterling; **school ~s** frais *mpl* de scolarité; **service ~** commission *f*; **to pay a ~** payer; **he charged us a ~ of $200** il nous a fait payer 200 dollars; **to be paid on a ~ basis** recevoir des honoraires; **he will do it for a ~** il le fera s'il est payé; **2** (for admission) droit *m* d'entrée; (for membership) cotisation *f*; **to pay/receive a ~** payer/recevoir une somme d'argent; **admission ~, entry ~** droit *m* d'entrée; **registration ~** frais *mpl* d'inscription; **what is the membership ~?** quel est le montant de la cotisation?

feeble /'fi:bl/ *adj* **1** [*person, animal, intellect, institution*] faible; **2** [*light, sound, increase, movement*] faible; **3** [*argument, excuse*] peu convaincant; [*joke, attempt, performance*] médiocre

feeble-minded /,fi:bl'maɪndɪd/ *adj* **1** (stupid) imbécile; **2** euph (handicapped) faible d'esprit; **3** (indecisive) irrésolu

feeble-mindedness /,fi:bl'maɪndɪdnɪs/ *n* **1** (stupidity) imbécilité *f*; **2** euph (handicap) faiblesse *f* d'esprit; **3** (indecision) irrésolution *f*

feebleness /'fi:blnɪs/ *n* faiblesse *f*; **the ~ of the light** le peu de lumière

feebly /'fi:blɪ/ *adv* **1** [*burn, cry, fight, smile, wave*] faiblement; **2** [*protest, explain, joke*] mollement

feed /fi:d/

A *n* GB **1** (meal) (for animal) ration *f* de nourriture; (for baby) (breast) tétée *f*; (bottle) biberon *m*; **2** ○(hearty meal) bouffe○ *f*; **to have a ~** se faire une bouffe○; **to have a good ~** bien bouffer○; **3** Agric (*also* **~ stuffs**) aliments *mpl* pour animaux; **4** Ind, Tech (material) alimentation *f*; (mechanism) mécanisme *m* d'alimentation; **sheet paper ~** Comput chargeur *m* feuille à feuille; **paper ~** (for photocopier) chargeur *m* de papier; **5** (in comedy) (actor) faire-valoir *m inv*; (*also* **~ line**) réplique *f*

B *vtr* (*prét, pp* **fed**) **1** (supply with food) nourrir [*animal, plant, family, starving people*] (**on** de); donner à manger à [*pet*]; ravitailler [*army*]; faire la cuisine pour [*guests*]; donner la becquée à [*fledgling*]; **to ~ a baby** (on breast) donner le sein à un bébé; (on bottle) donner le biberon à un bébé; **I shall have ten to ~** je ferai la cuisine pour dix; **2** (give food to) **to ~ sth to sb, ~ sb sth** donner qch à manger à qn; **she was ~ing bread to the ducks** *ou* **~ing the ducks bread** elle donnait du pain aux canards; **3** (supply) alimenter [*lake, fire, machine*]; mettre des pièces dans [*meter*]; fournir [*information, secrets*] (**to** à); **to ~ sth into** mettre qch dans [*meter, slot machine*]; introduire qch dans [*slot, hole, pipe, machine*]; rentrer qch dans [*computer*]; **to ~ a machine with** alimenter une machine en [*paper, materials*]; **4** fig (fuel) alimenter [*ambition, prejudice, desire*]; **to ~ a drug habit** se procurer de la drogue; **5** Sport faire passer [*ball*] (**to** à); **6** Theat donner la réplique à [*comedian*]

C *vi* (*prét, pp* **fed**) **1** (eat) manger; **the baby's ~ing** (on milk) le bébé prend son lait; (on solids) le bébé mange; **2** (survive) **to ~ on** se nourrir de [*substance, prey*]; **3** fig (thrive) **to ~ on** être alimenté par [*emotion, conditions*]; **4** (enter) **to ~ into** [*paper, tape*] s'introduire dans [*machine*]

D *v refl* **to ~ oneself** [*child, invalid*] manger tout seul

Phrasal verbs ■ **feed back**: ▸ **~ [sth] back, ~ back [sth]** retransmettre [*information, results*] (**to** à)

■ **feed up** GB: ▸ **~ [sth/sb] up** bien nourrir [*child, invalid*]; engraisser [*animal*]

feedback /'fi:dbæk/ *n* **1** gen (from people) remarques *fpl* (**on** sur; **from** de la part de); (from test, experiment) répercussion *f* (**from** de; **on** sur); **360-degree ~** évaluation *f* tous azimuts, rétroaction *f* tous azimuts Can; **2** Comput feed-back *m inv*; **3** Audio (on hifi) réaction *f* parasite

feedbag /'fi:dbæg/ *n* musette *f* mangeoire

feeder /'fi:də(r)/ *n* **1** (person, animal) **he's a good/poor ~** il a/n'a pas beaucoup d'appétit; **to be a noisy/slow ~** manger bruyamment/lentement; **2** (*also* **~ bib**) GB bavette *f*; **3** Transp (*also* **~ road** GB) bretelle *f* de raccordement; (*also* **~ canal**) canal *m* d'amenée; **4** (*also* **~ line**) Rail embranchement *m*; **5** (for printer, photocopier) chargeur *m*; **6** Agric mangeoire *f* automatique; **7** Elec (conductor) ligne *f* d'alimentation; **8** (*also* **~ stream**) Geog affluent *m*

feeder primary (school) *n* école *f* primaire (*associée avec une école secondaire*)

feed grains *npl* céréales *fpl* fourragères

feeding /'fi:dɪŋ/ *n* alimentation *f*

feeding: ~ bottle *n* GB biberon *m*; **~ stuffs** *npl* aliments *mpl* pour animaux; **~ time** *n* heure *f* de nourrir les animaux

feed pipe *n* tuyau *m* d'alimentation

fee income *n* revenus *mpl* d'un membre d'une profession libérale

feel /fi:l/

A *n* **1** (atmosphere, impression created) atmosphère *f*; **I like the ~ of the place** j'aime l'atmosphère de cet endroit; **there was a relaxed/conspiratorial ~ about it** il régnait une atmosphère détendue/de conspiration; **it has the ~ of a country cottage** cela a l'allure d'une maison de campagne; **the town has a friendly ~** il y a une atmosphère accueillante dans cette ville

2 (sensation to the touch) toucher *m*, sensation *f*; **the ~ of sand between one's toes** la sensation du sable entre les orteils; **you can tell by the ~ (that)** on voit bien au toucher que; **to have an oily/slimy ~** être huileux/gluant au toucher; **I like the ~ of leather** j'aime le contact du cuir

3 (act of touching, feeling) **to have a ~ of sth, to give sth a ~** tâter qch; **let me have a ~, give me a ~** (touch) laisse-moi toucher; (hold, weigh) laisse-moi soupeser

4 (familiarity, understanding) **to get the ~ of** se faire à [*controls, system*]; **to get the ~ of doing** s'habituer à faire; **it gives you a ~ of** *ou* **for the controls/the job market** cela vous donne une idée des commandes/du marché du travail

5 (flair) don *m* (**for** pour); **to have a ~ for languages** avoir le don des langues; **to have a ~ for language** bien savoir manier la langue

B *vtr* (*prét, pp* **felt**) **1** (experience) éprouver, ressentir [*affection, desire, envy, pride, unease*]; ressentir [*bond, hostility, obligation, effects, consequences, strain*]; **to ~ a sense of isolation** éprouver un sentiment de solitude; **I no longer ~ anything for her** je n'éprouve plus rien pour elle; **the impact of the legislation is still being felt** les effets de la loi se font encore sentir; **the effects will be felt throughout the country** les effets se feront sentir dans tout le pays; **to make one's displeasure felt** manifester son mécontentement; **to ~ sb's loss very deeply** être très affecté par la perte de qn; **I felt my spirits rise** j'ai senti que mon moral remontait

2 (believe, think) **to ~ (that)** estimer que; **she ~s she has no option** elle estime qu'elle n'a pas le choix; **I ~ I should warn you** je me sens dans l'obligation de vous prévenir; **I ~ he's hiding something** j'ai l'impression qu'il cache quelque chose; **I ~ deeply** *ou* **strongly that they are wrong** j'ai la profonde conviction qu'ils ont tort; **to ~ sth to be** estimer que qch est; **I felt it best to refuse** j'ai estimé qu'il valait mieux refuser; **we ~ it necessary to complain** nous pensons que nous devons nous plaindre

3 (physically) sentir [*blow, pressure, motion, draught, heat, object*]; ressentir [*twinge, ache, stiffness, effects*]; **I felt something soft** j'ai senti quelque chose de mou; **you can ~ the vibrations** on sent les vibrations; **I can't ~ anything in my leg** je ne sens plus rien dans la jambe; **she ~s/doesn't ~ the cold** elle est/n'est pas frileuse; **you'll ~ the cold when you go back to England** tu sentiras le froid quand tu rentreras en Angleterre; **I felt the house shake** j'ai senti la maison qui tremblait; **I felt something crawl(ing) up my arm** j'ai senti quelque chose qui grimpait le long de mon bras; **I can ~ it getting warmer** je sens que ça se réchauffe; **I felt the tablets doing me good** j'ai senti que les cachets me faisaient du bien

4 (touch deliberately) tâter, toucher [*carving, texture, washing, leaf, cloth*]; palper [*patient, body part, parcel*]; **to ~ the weight of sth** soupeser qch; **to tell what it is by ~ing it** dire ce que c'est au toucher; **to ~ how cold/soft sth is** sentir comme qch est froid/mou; **to ~ one's breasts for lumps** se palper les seins pour voir si on a des grosseurs; **to ~ sb for weapons** fouiller qn pour trouver des armes; **to ~ one's way** lit avancer à tâtons; fig tâter le terrain; **to ~ one's way out of the room** se diriger à tâtons vers la sortie; **to ~ one's way towards a solution** avancer à tâtons vers une solution

5 (sense, be aware of) sentir, avoir conscience de [*presence, tension, resentment*]; avoir conscience de [*importance, seriousness, justice, irony*]; **I could ~ her frustration** je ressentais sa frustration; **can't you ~ which notes come next?** ne peux-tu pas deviner quelles notes viennent ensuite?

C *vi* (*prét, pp* **felt**) **1** (emotionally) se sentir [*sad, happy, stupid, nervous, safe*]; être [*sure, angry, surprised*]; avoir l'impression d'être [*trapped, betrayed, cheated*]; **to ~ afraid/ashamed** avoir peur/honte; **to ~ like a star** avoir l'impression d'être une vedette; **to ~ as if** *ou* **as though** avoir l'impression que; **I felt as if nobody cared** j'avais l'impression que tout le monde s'en moquait; **how do you ~?** que ressens-tu?; **how do you feel about being in charge?** qu'est-ce que ça te fait d'être responsable?; **how do you ~ about marriage?** qu'est-ce que tu penses du mariage?; **how do you ~ about Tim?** (for a job, role) que penses-tu de Tim?; (emotionally) que ressens-tu pour Tim?; **how does it ~** *ou* **what does it ~ like to be a dad?** qu'est-ce que ça fait d'être papa?; **now you know how it ~s!** maintenant tu sais ce que ça fait!; **how would you ~?** qu'est-ce que ça te ferait, à toi?; **what made her ~ that way?** qu'est-ce qui lui a fait cet effet?; **if that's the way you ~...** si c'est comme ça que tu le prends...; ▸ **feel for**

2 (physically) se sentir [*ill, better, tired, young, fat*]; **to ~ hot/cold/hungry/thirsty** avoir chaud/froid/faim/soif; **how do you ~?, how are you ~ing?** comment te sens-tu?; **I'll see how I ~** *ou* **what I ~ like tomorrow** je verrai comment je me sens demain; **it ~s like being hit with a hammer** c'est comme si on te frappait avec un marteau; **I ~ as if** *ou* **as though I haven't slept a wink** j'ai l'impression de ne pas avoir fermé l'œil; **it felt as if I was floating** j'avais l'impression de flotter; **you're as young as you ~** l'important c'est de se sentir jeune; **she isn't ~ing herself today** elle n'est pas dans son assiette aujourd'hui○

3 (create certain sensation) être [*cold, soft, slimy, smooth*]; avoir l'air [*eerie*]; **the house ~s empty** la maison fait vide; **that ~s nice!** ça fait du bien!; **your arm will ~ sore at first** votre bras vous fera mal au début; **something doesn't ~ right** il y a quelque chose qui ne va pas; **it ~s strange living alone** ça me fait tout drôle de vivre seul; **it ~s like leather** on dirait du cuir; **it ~s like (a) Sunday** on se croirait un dimanche; **the bone ~s as if it's broken** on dirait que l'os est cassé; **it ~s as if it's going to rain, it ~s like rain** on dirait qu'il va pleuvoir; **it ~s to me as if there's a lump** j'ai l'impression qu'il y a une bosse

4 (want) **to ~ like sth/like doing** avoir envie de qch/de faire; **I ~ like crying** j'ai envie de pleurer; **I ~ like a drink** je prendrais bien un verre; **what do you ~ like for lunch?** qu'est-ce

qui te ferait envie pour le déjeuner?; **I don't ∼ like it** je n'en ai pas envie; **stop whenever you ∼ like it** arrête quand ça te chante°; **'why did you do that?'—'I just felt like it'** 'pourquoi as-tu fait ça?'—'ça m'a pris comme ça'
5 (touch, grope) **to ∼ in** fouiller dans [*bag, pocket, drawer*]; **to ∼ along** tâtonner le long de [*edge, wall*]; **to ∼ down the back of the sofa** chercher (à tâtons) derrière le canapé; ▸ **feel around, feel for**
D *v refl* **to ∼ oneself doing** se sentir faire; **she felt herself losing her temper** elle sentait la colère la gagner; **he felt himself falling in love** il sentait qu'il tombait amoureux
(Idiom) **to ∼ a fool** (ridiculous) se trouver ridicule; (stupid) se sentir bête°
(Phrasal verbs) ■ **feel around, feel about**: ▸ **∼ around** tâtonner; **to ∼ around in** fouiller dans [*bag, drawer*]; **to ∼ around for** chercher [qch] à tâtons
■ **feel for**: ▸ **∼ for [sth]** chercher; **to ∼ for a ledge with one's foot** chercher un appui du pied; **to ∼ for broken bones** examiner qn pour savoir s'il s'est cassé quelque chose; ▸ **∼ for [sb]** plaindre, compatir à la douleur de liter [*person*]
■ **feel out** US: ▸ **∼ out [sb], ∼ [sb] out** tester [*person*]
■ **feel up°**: ▸ **∼ up [sb/sth], ∼ [sb/sth] up** tripoter°, peloter° [*person, body part*]; **to be felt up** se faire peloter°; **to ∼ each other up** se peloter°
■ **feel up to**: ▸ **∼ up to [sth]** se sentir d'attaque° *or* assez bien pour; **to ∼ up to doing** se sentir d'attaque° *or* assez bien pour faire; **do you ∼ up to it?** est-ce que tu te sens d'attaque°?

feeler /'fi:lə(r)/ *n* gen antenne *f*; (of snail) corne *f*
(Idiom) **to put out ∼s** tâter le terrain, lancer un ballon d'essai

feeler gauge *n* calibre *m* (d'épaisseur)

feelgood /'fi:lgʊd/ *n* pej [*speech, rhetoric, imagery, atmosphere*] faussement rassurant; **the government is playing on the ∼ factor** le gouvernement essaie de créer un sentiment de bien-être illusoire

feeling /'fi:lɪŋ/
A *n* 1 (emotion) sentiment *m*; **∼ and reason** le cœur et la raison; **a guilty ∼** un sentiment de culpabilité; **it is a strange ∼ to be** c'est une sensation étrange que d'être; **to hide/show one's ∼s** cacher/montrer ses sentiments; **to put one's ∼s into words** trouver des mots pour dire ce que l'on ressent; **to spare sb's ∼s** ménager qn; **to hurt sb's ∼s** blesser qn; **what are your ∼s for her?** quels sont tes sentiments pour elle?; **to have tender ∼s for** *ou* **towards sb** éprouver de la tendresse pour qn; **I know the ∼!** je connais ça!; **'never!' she said with ∼** 'jamais!' dit-elle avec emportement; 2 (opinion, belief) sentiment *m*; **there is a growing ∼ that** on a de plus en plus le sentiment que; **the ∼ among Russians is that** le sentiment des Russes est que; **my own ∼ is that, my own ∼s are that** mon sentiment est que; **to have strong ∼s about sth** avoir des idées bien arrêtées sur qch; **popular/religious ∼** le sentiment populaire/religieux; **∼s are running high** les esprits s'échauffent; 3 (sensitivity) sensibilité *f*; **a person of ∼** une personne sensible; **have you no ∼?** n'as-tu pas de cœur?; **he played with ∼** son interprétation était pleine de sensibilité; **to speak with great ∼** parler avec beaucoup de passion; **to have no ∼ for nature** être insensible à la nature; 4 (impression) impression *f*; **it's just a ∼** ce n'est qu'une impression; **a ∼ of being trapped** l'impression d'être coincé; **I've got a horrible ∼ (that) I've forgotten my passport** j'ai l'horrible impression d'avoir oublié mon passeport; **I had a ∼ you'd say that** je sentais que tu allais dire ça; **I had a ∼ (that) I might see you** je me disais bien que j'aurais des chances de te voir; **I get the ∼ he doesn't like me** iron j'ai comme l'impression qu'il ne m'aime pas iron; **I've got a bad ∼ about this** j'ai le pressentiment que cela va mal se passer; **I've got a bad ∼ about her** je me méfie d'elle; 5 (physical sensation) sensation *f*; **a dizzy ∼** une sensation de vertige; **a loss of ∼ in sth** une perte de sensation dans qch; 6 (atmosphere) ambiance *f*; **an eerie ∼** une ambiance sinistre; **there was a general ∼ of tension** l'ambiance était tendue; **the general ∼ was that you were right** la majorité des gens te donnent raison; 7 (instinct) don *m* (**for** pour)
B *adj* [*person*] sensible; [*gesture, remark*] sympathique

feelingly /'fi:lɪŋlɪ/ *adv* [*describe, play, write, speak*] avec passion; [*say, comfort*] avec compassion

fee-paying /'fi:peɪɪŋ/
A *n* paiement *m* des frais de scolarité
B *adj* [*school*] payant; [*parent, pupil*] qui paie les frais de scolarité

fee: **∼ simple** *n* (*pl* **fees simple**) propriété *f* inconditionnelle; **∼-splitting** *n* US Med partage *m* des honoraires (*contraire à l'éthique médicale*)

feet /fi:t/ *pl* ▸ **foot**

feign /feɪn/ *vtr* sout feindre [*innocence, surprise*]; simuler [*illness, sleep*]; **with ∼ed surprise** avec une surprise feinte

feint /feɪnt/
A *n* 1 Sport, Mil feinte *f*; 2 Print réglure *f* fine; **narrow ∼ paper** papier à réglure fine
B *vi* Sport, Mil feinter

feisty° /'fi:stɪ/ *adj* 1 (lively) fougueux/-euse; 2 US (quarrelsome) bagarreur/-euse°

feldspar /'feldspɑ:(r)/ *n* feldspath *m*

felicitate /fə'lɪsɪteɪt/ *vtr* sout féliciter (**on** pour)

felicitation /fə,lɪsɪ'teɪʃn/ *n* sout félicitation *f* (**on** à l'occasion de)

felicitous /fə'lɪsɪtəs/ *adj* sout (all contexts) heureux/-euse

felicity /fə'lɪsətɪ/ sout
A *n* 1 (appropriateness) justesse *f*; 2 (happiness) félicité *f*
B **felicities** *npl* (remarks, effects) bonheurs *mpl* liter

feline /'fi:laɪn/
A *n* félin *m*
B *adj* lit, fig félin

fell /fel/
A *prét* ▸ **fall**
B *n* montagne *f* (*dans le nord de l'Angleterre*)
C *vtr* abattre [*tree*]; assommer [*person*]
(Idioms) **in one ∼ swoop** d'un seul coup; **with one ∼ blow** d'un seul coup

fella° /'felə/ *n* mec° *m*

fellatio /fə'leɪʃɪəʊ/ *n* fellation *f*

feller° /'felə(r)/ *n* mec° *m*

felling /'felɪŋ/ *n* coupe *f*

fellow /'feləʊ/
A *n* 1 °(man) type° *m*, homme *m*; **a nice ∼** un type sympa°; **an old ∼** un vieux; **poor old ∼** pauvre vieux; **poor little ∼** brave petit bonhomme; **my dear ∼** mon cher; **look here old ∼** écoute, mon vieux; **a strange ∼** un drôle de type; **what do you ∼s think?** qu'est-ce que vous en pensez, vous autres?; **some poor ∼ will have to do it** il y a un pauvre type° qui devra le faire; **give a ∼ a bit of room!** laissez-moi un peu de place!; 2 (of society, association) (also in titles) membre *m* (**of de**); 3 GB Univ (lecturer) *membre du corps enseignant d'un collège universitaire*; (governor) *membre du comité de direction d'un collège universitaire*; 4 US (researcher) universitaire *mf* titulaire d'une bourse de recherche; 5 °†(boyfriend) petit ami *m*, jules° *m*
B *modif* **her ∼ lawyers/teachers** ses collègues avocats/professeurs; **he and his ∼ students/sufferers** lui et les autres étudiants/malades; **a ∼ Englishman** un compatriote anglais

fellow: **∼ being** *n* semblable *mf*; **∼ citizen** *n* concitoyen/-enne *m/f*; **∼ countryman** *n* compatriote *m*; **∼ countrywoman** *n* compatriote *f*; **∼ creature** *n* semblable *mf*; **∼ drinker** *n* compagnon *m* de boisson; **∼ feeling** *n* (understanding) compréhension *f*; (solidarity) solidarité *f*; **∼ human being** *n* semblable *mf*; **∼ man** *n* semblable *mf*, frère *m*; **∼ member** *n* (of club) autre adhérent/-e *m/f*; (of learned society) confrère *m*, consœur *f*; **∼ passenger** *n* compagnon/compagne *m/f* de voyage

fellowship /'feləʊʃɪp/ *n* 1 (companionship) (social) camaraderie *f*; (religious) fraternité *f*; 2 (association) (social) association *f*; (religious) confrérie *f*; 3 Univ (post) poste *m* de recherche et d'enseignement universitaire; (funding) bourse *f* de recherche

fellow: **∼ traveller** GB, **∼ traveler** US *n* lit compagnon/compagne *m/f* de voyage; fig Pol compagnon *m* de route, communisant/-e *m/f*; **∼ worker** *n* collègue *mf*

fell-walking /'felwɔ:kɪŋ/ *n* GB randonnée *f* en montagne

felon /'felən/ *n* Hist, Jur criminel *m*

felony /'felənɪ/ *n* Hist, Jur crime *m*

felt /felt/
A *prét, pp* ▸ **feel**
B *n* (cloth) (thick) feutre *m*; (thinner) feutrine *f*
C *modif* [*cloth, cover*] (thick) en feutre; (thinner) en feutrine; **∼ hat** feutre *m*, chapeau *m* en feutre

felt-tip (pen) *n* feutre *m*

fem° /fem/ *n* (lesbian) lesbienne *f* (*qui a le rôle passif*)

female /'fi:meɪl/
A *n* 1 Biol, Zool femelle *f*; **in the ∼** chez la femelle; **the ∼s** (of species) la femelle; 2 (woman) femme *f*; pej bonne femme° *f*; (younger) greluche° *f*
B *adj* 1 Bot, Zool femelle; **∼ cat** chatte *f*; **∼ rabbit** lapine *f*; 2 (relating to women) [*condition, population, role, sex, trait*] féminin; [*company, emancipation*] des femmes; **a ∼ voice** une voix de femme; **the ∼ body/voice** le corps/la voix de la femme; **∼ singer** chanteuse *f*; **∼ student** étudiante *f*; **∼ employee** employée *f* (femme); 3 Elec femelle

female: **∼ circumcision** *n* excision *f*; **∼ condom** *n* préservatif *f* féminin

feminine /'femənɪn/
A *n* Ling féminin *m*; **in the ∼** au féminin
B *adj* 1 [*clothes, colour, style, features*] féminin; [*occupation*] de femme; [*issue*] concernant les femmes; **the ∼ side of his nature** son côté féminin; 2 Ling féminin

femininity /,femə'nɪnətɪ/ *n* féminité *f*

feminism /'femɪnɪzəm/ *n* féminisme *m*

feminist /'femɪnɪst/
A *n* féministe *mf*
B *modif* [*lobby, response*] féministe

feminize /'femɪnaɪz/ *vtr* féminiser

femme *n* US = **fem**

femoral /'femərəl/ *adj* fémoral

femur /'fi:mə(r)/ *n* fémur *m*

fen /fen/
A *n* marais *m*
B **the Fens** *pr npl*: *région de basses terres dans l'est de l'Angleterre*

fence /fens/
A *n* 1 (barrier) clôture *f*; **steel/wooden ∼** clôture métallique/en bois; **security ∼** enceinte *f* de sécurité; 2 (in showjumping) obstacle *m*; (in horseracing) haie *f*; 3 °(receiver of stolen goods) receleur/-euse *m/f*; 4 Tech (on saw) protection *f*
B *vtr* 1 clôturer [*area, garden*]; 2 ° fourguer◑ [*stolen goods*]
C *vi* 1 Sport faire de l'escrime; 2 (be evasive) se dérober; 3 °(receive stolen goods) receler des marchandises
(Idioms) **to mend ∼s** se raccommoder (**with**

avec); **to sit on the ~** ne pas prendre position

(Phrasal verbs) ■ **fence in**: ▸ **~ [sth] in, ~ in [sth]** entourer [qch] d'une clôture [*area, garden*]; parquer [*animals*]; ▸ **~ [sb] in** fig étouffer; **to feel ~d in** se sentir enfermé
■ **fence off**: ▸ **~ [sth] off, ~ off [sth]** clôturer [qch]

fencer /ˈfensə(r)/ *n* Sport escrimeur/-euse *m/f*

fencing /ˈfensɪŋ/ ▸ p. 1253
A *n* **1** Sport escrime *f*; **2** (fences) gen clôtures *fpl*; (wire) grillage *m*
B *modif* [*mask, lesson*] d'escrime; **~ teacher** maître *m* d'armes

fend /fend/ *v*
(Phrasal verbs) ■ **fend for**: ▸ **to ~ for oneself** se débrouiller (tout seul)
■ **fend off**: ▸ **~ off [sb/sth], ~ [sb/sth] off** repousser [*attacker*]; parer [*blow*]; écarter [*question*]

fender /ˈfendə(r)/ *n* **1** (for fire) garde-cendre *m*; **2** US Aut aile *f*; **3** US Rail chasse-pierres *m inv*; **4** Naut défense *f*

fender-bender○ *n* US Aut (accident) accrochage *m*

fenestration /ˌfenɪˈstreɪʃn/ *n* **1** Archit fenêtrage *m*; **2** Med fenestration *f*

feng shui /ˌfeŋˈʃuːɪ, ˌfʌŋˈʃweɪ/ *n* feng shui *m*

fennel /ˈfenl/ *n* fenouil *m*

fenugreek /ˈfenuːgriːk/ *n* fenugrec *m*

feral /ˈfɪərəl, US ˈferəl/ *adj* sauvage

Fermanagh /ˌfəˈmænə/ ▸ p. 1612 *pr n* comté *m* de Fermanagh

ferment
A /ˈfɜːment/ *n* (unrest) effervescence *f*; **in (a state of) ~** en effervescence; (political, racial) agitation *f*
B /fəˈment/ *vtr* faire fermenter [*beer, wine*]; fig fomenter [*trouble*]
C /fəˈment/ *vi* [*wine, beer, yeast, fruit etc*] fermenter

fermentation /ˌfɜːmenˈteɪʃn/ *n* fermentation *f*

fern /fɜːn/ *n* fougère *f*

ferocious /fəˈrəʊʃəs/ *adj* [*animal*] féroce; [*attack, violence*] sauvage; [*dagger, spike*] redoutable; [*vent*] violent; [*heat*] accablant; [*climate*] rude

ferociously /fəˈrəʊʃəslɪ/ *adv* [*attack*] (verbally) violemment; (physically) férocement; [*bark*] avec férocité; **a ~ fought campaign** une campagne impitoyable

ferocity /fəˈrɒsətɪ/ *n* férocité *f*

ferret /ˈferɪt/
A *n* Zool furet *m*
B *vi* (*p prés etc* **-tt-**) **1** Hunt chasser au furet; **2** (search) **to ~ for** chercher [qch] partout [*keys*]
(Phrasal verbs) ■ **ferret about** fureter, fouiller (**in** dans)
■ **ferret out**○: ▸ **~ [sth] out, ~ out [sth]** dégoter○ [*bargain*]; découvrir [*truth, information*]; ▸ **~ [sb] out** dénicher [*agent, thief*]

ferrety /ˈferətɪ/ *adj* [*features*] de fouine

ferrite /ˈferaɪt/ *n* ferrite *f*

ferroconcrete /ˌferəʊˈkɒŋkriːt/ *n* béton *m* armé

ferrous /ˈferəs/ *adj* ferreux/-euse

ferrule /ˈferuːl, US ˈferəl/ *n* virole *f*

ferry /ˈferɪ/
A *n* (over short distances) bac *m*; (long-distance) ferry *m*; **car ~** car-ferry *m*, transbordeur *m*
B *modif* [*crossing*] en ferry; [*disaster*] maritime; **~ sailing times** les horaires *mpl* des ferries; **~ services** les services *mpl* de ferry
C *vtr* transporter [*passenger, person, goods*]; **to ~ sb to** emmener qn à [*school, station*]; **to ~ sb away** emmener qn; **he's always ~ing them to and from school** il passe son temps à faire le trajet entre l'école et la maison

ferryman /ˈferɪmæn/ *n* passeur *m*

fertile /ˈfɜːtaɪl, US ˈfɜːrtl/ *adj* lit [*land, valley, soil*] fertile; [*human, animal, egg*] fécond; fig [*imagination, mind, environment*] fertile

fertility /fəˈtɪlətɪ/
A *n* **1** lit (of land) fertilité *f*, fécondité *f*; (of human, animal, egg) fécondité *f*; **2** fig (of mind, imagination) fertilité *f*
B *modif* [*symbol, rite*] de fertilité

fertility drug *n* médicament *m* contre la stérilité

fertility treatment *n* (gen) traitement *m* de la stérilité; **to have ~** suivre un traitement contre la stérilité

fertilization /ˌfɜːtɪlaɪˈzeɪʃn, US -lɪˈz-/ *n* (of land) fertilisation *f*; (of human, animal, plant, egg) fécondation *f*

fertilize /ˈfɜːtɪlaɪz/ *vtr* fertiliser, mettre de l'engrais sur [*land*]; féconder [*human, animal, plant, egg*]

fertilizer /ˈfɜːtɪlaɪzə(r)/ *n* engrais *m*; **organic/chemical ~** engrais organique/chimique

fervent /ˈfɜːvənt/ *adj* [*admirer*] fervent; [*support*] inconditionnel; **to be a ~ believer in sth** croire passionnément en qch

fervently /ˈfɜːvəntlɪ/ *adv* [*declare*] avec ferveur; [*hope*] vivement; **to believe ~ in sth** croire passionnément en qch

fervid /ˈfɜːvɪd/ *adj* sout passionné

fervour GB, **fervor** US /ˈfɜːvə(r)/ *n* ferveur *f*

fess /fes/:
(Phrasal verb) ■ **fess up**○ US avouer

fester /ˈfestə(r)/ *vi* [*wound, sore*] suppurer; [*situation*] pourrir; [*feeling*] s'envenimer

festival /ˈfestɪvl/ *n* gen fête *f*; (arts event) festival *m*

festive /ˈfestɪv/ *adj* [*occasion, person*] joyeux/-euse; **a festive air** un air de fête; **the ~ season** la saison des fêtes, les fêtes; **to be in (a) ~ mood** être plein d'entrain

festivity /feˈstɪvətɪ/
A *n* ¢ (merriment) réjouissance *f*; **the wedding was an occasion of great ~** le mariage donna lieu à toutes sortes de réjouissances
B festivities *npl* réjouissances *fpl*

festoon /feˈstuːn/
A *n* guirlande *f*
B *vtr* orner (**with** de)
C *modif* [*curtains*] en festons

feta /ˈfetə/ *n* Culin feta *f*

fetal *adj* US = **foetal**

fetch /fetʃ/ *vtr* **1** (bring) gen aller chercher; **(go and) ~ a ladder/the foreman** va chercher une échelle/le contremaître; **to ~ sth for sb** aller chercher qch pour qn; (carry back) (r)apporter qch à qn; **~ him a chair please** apporte-lui une chaise s'il te plaît; **she'll come and ~ you** elle viendra vous chercher; **~!** (to dog) rapporte!; **to ~ sb back** ramener qn; **2** (bring financially) [*goods*] rapporter; **to ~ a good price** rapporter un bon prix; **it won't ~ much** ça ne rapportera pas grand-chose; **these vases can ~ up to £600** le prix de ces vases peut atteindre 600 livres; **3** ○(hit) **to ~ sb a blow** flanquer○ un coup à qn
(Idiom) **to ~ and carry for sb** faire les quatre volontés de qn
(Phrasal verbs) ■ **fetch in**○: ▸ **~ [sth] in, ~ in [sth]** rentrer [*chairs, washing etc*]; ▸ **~ [sb] in** faire rentrer
■ **fetch out**○: ▸ **~ [sth] out, ~ out [sth]** sortir [*object*]; ▸ **~ [sb] out, ~ out [sb]** faire sortir [*person*]
■ **fetch up**○: **to ~ up in Rome** finir par débarquer○ à Rome

fetching /ˈfetʃɪŋ/ *adj* [*child, habit, photo*] charmant; [*outfit, hat*] ravissant

fetchingly /ˈfetʃɪŋlɪ/ *adv* [*smile, say*] avec charme; **she was dressed very ~** elle était délicieusement vêtue

fete /feɪt/
A *n* (church, village) kermesse *f* (paroissiale); **charity ~** fête *f* de bienfaisance
B *vtr* fêter [*celebrity, hero*]

fetid, **foetid** /ˈfetɪd, US ˈfiːtɪd/ *adj* fétide, nauséabond

fetish /ˈfetɪʃ/ *n* **1** (object) fétiche *m* (also sexual); **2** (obsessive interest) manie *f*; **3** (excessive devotion) culte *m*; **to make a ~ of sth** vouer un culte à qch; **4** Anthrop fétiche *m*, objet *m* de culte

fetishism /ˈfetɪʃɪzəm/ *n* fétichisme *m*

fetlock /ˈfetlɒk/ *n* **1** (joint) boulet *m*; **2** (tuft of hair) fanon *m*

fetter /ˈfetə(r)/
A fetters *npl* **1** (of prisoner, slave) fers *m*; **in ~s** aux fers; **2** fig **the ~s of authority/totalitarianism** les entraves de l'autorité/du totalitarisme
B *vtr* **1** mettre [qn] aux fers; **2** fig entraver l'influence de [*union, party*]

fettle /ˈfetl/ *n*
(Idiom) **in fine** *ou* **good ~** en excellente forme

fetus *n* US = **foetus**

feu /fjuː/ *n* Scot Jur bail *m* perpétuel

feud /fjuːd/
A *n* querelle *f* (**with** avec; **between** entre); **to carry on a ~ with sb** avoir une querelle avec qn; **family ~** querelle de famille; **blood ~** brouille *f* ancestrale
B *vi* se quereller (**with** avec; **about** au sujet de)

feudal /ˈfjuːdl/ *adj* féodal

feudalism /ˈfjuːdəlɪzəm/ *n* féodalisme *m*

feuding /ˈfjuːdɪŋ/
A *n* querelle *f*
B *adj* [*factions, families*] en conflit

feu duty *n* Scot Jur redevance *f* fixe annuelle

fever /ˈfiːvə(r)/ *n* **1** (temperature) fièvre *f*; **to have a ~** avoir de la fièvre; **her ~ has broken** *ou* **subsided** sa fièvre a baissé; **2** (excited state) fièvre *f*; **in a ~ of excitement** dans un état d'excitation fébrile; **3** (craze) fièvre *f*; **gold/rock-and-roll ~** la fièvre de l'or/du rock; **he's got gambling ~** le démon du jeu le poursuit

fevered /ˈfiːvəd/ *adj* [*brow*] fiévreux/-euse; [*imagination*] fébrile

feverfew /ˈfiːvəfjuː/ *n* grande camomille *f*

feverish /ˈfiːvərɪʃ/ *adj* **1** [*person, eyes*] fiévreux/-euse; [*dreams*] délirant; **2** [*excitement*] fébrile; **in a burst of ~ activity** dans un élan d'activité fébrile

feverishly /ˈfiːvərɪʃlɪ/ *adv* **1** Med fiévreusement; **2** (frenetically) fébrilement

fever pitch *n* **to bring sb to ~** [*music, orator*] déchaîner [*crowd*]; **our excitement had reached ~** notre excitation était à son comble

few /fjuː/ (*comp* **fewer**; *superl* **fewest**)

> ⚠ When *few* is used as a quantifier to indicate the smallness or insufficiency of a given number or quantity (*few houses, few shops, few people*) it is translated by *peu de*: *peu de maisons, peu de magasins, peu de gens*. Equally *the few* is translated by *le peu de*: *the few people who knew her* le peu de gens qui la connaissaient. For examples and particular usages see **A 1** in the entry.
> When *few* is used as a quantifier in certain expressions to mean *several*, translations vary according to the expression: see **A 2** in the entry.
> When *a few* is used as a quantifier (*a few books*), it can often be translated by *quelques*: quelques livres; however, for expressions such as *quite a few books, a good few books*, see **B** in the entry.
> For translations of *few* used as a pronoun (*few of us succeeded, I only need a few*) see **B, C** in the entry.
> For translations of *the few* used as a noun (*the few who voted for him*) see **D** in the entry.

A *quantif* **1** (not many) peu de; **~ visitors/letters** peu de visiteurs/lettres; **~ people came to**

f

the meeting peu de gens sont venus à la réunion; **very ~ houses/families** très peu de maisons/familles; **there are very ~ opportunities for graduates** il y a très peu de débouchés pour les diplômés; **one of my ~ pleasures** un de mes rares plaisirs; **on the ~ occasions that she has visited this country** les rares fois où elle a visité ce pays; **their needs are ~** ils ont peu de besoins; **their demands are ~** ils sont peu exigeants, ils revendiquent peu de chose; **to be ~ in number** être peu nombreux; **there are too ~ women in this profession** il y a trop peu de femmes dans ce métier; **with ~ exceptions** à quelques exceptions près; **a man of ~ words** gen un homme peu loquace; (approvingly) un homme qui ne se perd pas en paroles inutiles

2 (some, several) **every ~ days** tous les deux ou trois jours; **over the next ~ days/weeks** (in past) dans les jours/semaines qui ont suivi; (in future) dans les jours/semaines à venir; **these past ~ days** ces derniers jours; **the first ~ weeks** les premières semaines; **the ~ books she possessed** les quelques livres qu'elle possédait

B **a few** *quantif* quelques; **a ~ people/houses** quelques personnes/maisons; **I would like a ~ more** j'en voudrais quelques-uns (*or* quelques-unes) de plus; **quite a ~ people/houses** pas mal○ de gens/maisons, un bon nombre de gens/maisons; **we've lived here for a good ~ years** nous vivons ici depuis un bon nombre d'années; **a ~ weeks earlier** quelques semaines plus tôt; **in a ~ minutes** dans quelques minutes; **in a ~ more months** dans quelques mois; **a ~ more times** quelques fois de plus

C *pron* 1 (not many) peu; **~ of us succeeded** peu d'entre nous ont réussi; **~ of them could swim** ils n'étaient pas nombreux à savoir nager; **~ of them survived** peu d'entre eux ont survécu, il y a eu peu de survivants; **there are so ~ of them that** (objects) il y en a tellement peu que; (people) ils sont tellement peu nombreux que; **there are four too ~** il en manque quatre; **as ~ as four people turned up** quatre personnes seulement sont venues; **~ can deny that** il y a peu de gens qui nieraient que

2 (some) **a ~ of the soldiers/countries** quelques-uns *or* certains des soldats/pays; **I only need a ~** il ne m'en faut que quelques-uns/quelques-unes; **a ~ of us** un certain nombre d'entre nous; **there were only a ~ of them** (objects) il n'y en avait que quelques-uns/quelques-unes; (people) ils étaient peu nombreux; **quite a ~ of the tourists come from Germany** un bon nombre des touristes viennent d'Allemagne; **a good ~ of the houses were damaged** un bon nombre des maisons ont été endommagées; **there are only a very ~ left** (objects) il n'en reste que très peu; (people) il ne reste que quelques personnes; **a ~ wanted to go on strike** quelques-uns voulaient faire la grève

D *n* **the ~ who voted for him** les rares personnes qui ont voté pour lui; **great wealth in the hands of the ~** une grande richesse entre les mains d'une minorité; **music that appeals only to the ~** une musique qui ne s'adresse qu'à l'élite

(Idioms) **to be ~ and far between** être rarissimes; **such people/opportunities are ~ and far between** de telles personnes/occasions sont rarissimes; **villages in this area are ~ and far between** il y a très peu de villages dans cette région; **to have had a ~ (too many)**○ avoir bu quelques verres de trop, être bien parti○

fewer /'fju:ə(r)/ *comparative of* **few**

A *adj* moins de; **there are ~ trains on Sundays** il y a moins de trains le dimanche; **there were ~ people/cases than last time** il y avait moins de monde/cas que la dernière fois; **~ and ~ people** de moins en moins de gens; **there are ~ and ~ opportunities for doing this kind of thing** les occasions de faire ce genre de chose se font de plus en plus rares

B *pron* moins; **~ than 50 people** moins de 50 personnes; **no ~ than** pas moins de; **I have seen ~ recently** j'en ai moins vu récemment; **they were ~ than before** ils étaient moins nombreux qu'avant

fewest /'fju:ɪst/ *superlative of* **few**

A *adj* le moins de; **they have the ~ clothes** ce sont eux qui ont le moins de vêtements; **the ~ accidents happened in this area** c'est dans cette région qu'il y a eu le moins d'accidents

B *pron* **he sold the ~** c'est lui qui en a vendu le moins; **the country where the ~ survived** le pays où il y a eu le moins de survivants

fey /feɪ/ *adj* 1 (clairvoyant) extralucide; 2 (whimsical) loufoque○

fez /fez/ *n* (*pl* **~zes**) fez *m*

ff (*abrév écrite* = **following**) et les lignes (*ou* pages) qui suivent

FHA *n* US (*abrév* = **Federal Housing Administration**) *organisme gouvernemental de prêts immobiliers*

FHSA *n* GB Soc Admin *abrév* ▸ **Family Health Service Authority**

fiancé /fɪ'ɒnseɪ, US ˌfi:ɑ:n'seɪ/ *n* fiancé *m*

fiancée /fɪ'ɒnseɪ, US ˌfi:ɑ:n'seɪ/ *n* fiancée *f*

fiasco /fɪ'æskəʊ/ *n* fiasco *m*; **to turn into a ~** tourner au fiasco; **to end in ~** se terminer en fiasco; **a complete/an utter ~** un fiasco complet/total

fiat /'faɪæt, US 'fi:ət/ *n* sout 1 (decree) décret *m*, ordre *m*; 2 (permission) autorisation *f*

fiat money *n* Fin monnaie *f* fiduciaire

fib○ /fɪb/

A *n* bobard○ *m*, mensonge *m*; **to tell ~s**○ raconter des bobards○, mentir

B *vi* (*p prés etc* **-bb-**) raconter des bobards○, mentir

fibber○ /'fɪbə(r)/ *n* menteur/-euse *m/f*; **you ~!** espèce de menteur!

fibre GB, **fiber** US /'faɪbə(r)/ *n* 1 (filament, strand) (of thread, wood) fibre *f*; 2 Tex fibre *f*; **a synthetic/artificial ~** une fibre synthétique/artificielle; 3 (in diet) fibres *fpl*; **a high ~ diet** une alimentation riche en fibres; 4 Bot (cell) fibre *f*; Physiol (of muscle, nerve) fibre *f*; **root ~s** radicelles *fpl*; 5 fig (strength) courage *m*

fibreboard GB, **fiberboard** US /'faɪbəbɔ:d/ *n* aggloméré *m*; **a piece of ~** un panneau en fibres de verre

fibrefill GB, **fiberfill** US /'faɪbəfɪl/ *n* rembourrage *m* synthétique

fibreglass GB, **fiberglass** US /'faɪbəglɑ:s/ *n* ₵ fibres *fpl* de verre; **a ~ panel** un panneau en fibres de verre

fibre: **~ optic** GB, **fiber optic** US *adj* [*cable*] à fibres optiques; [*link*] par fibres optiques; **~optics** GB, **fiberoptics** US *n* (+ *v sg ou pl*) fibres *fpl* optiques; **~ tip** *n* feutre *m*

fibril /'faɪbrɪl/ *n* fibrille *f*

fibrillation /ˌfaɪbrɪ'leɪʃn/ *n* fibrillation *f*

fibrin /'faɪbrɪn/ *n* fibrine *f*

fibrinogen /faɪ'brɪnədʒən/ *n* fibrinogène *m*

fibroid /'faɪbrɔɪd/

A *n* fibrome *m*

B *adj* fibreux/-euse

fibroma /faɪ'brəʊmə/ *n* (*pl* **-mas** *ou* **-mata**) fibrome *m*

fibrosis /faɪ'brəʊsɪs/ ▸ **p. 1327** *n* fibrose *f*

fibrositis /ˌfaɪbrə'saɪtɪs/ ▸ **p. 1327** *n* rhumatismes *mpl* musculaires

fibrous /'faɪbrəs/ *adj* fibreux/-euse

fibula /'fɪbjʊlə/ *n* (*pl* **~s** *ou* **-ae**) 1 Anat péroné *m*; 2 (brooch) fibule *f*

fiche /fi:ʃ/ *n* microfiche *f*

fickle /'fɪkl/ *adj* [*lover*] inconstant; [*fate, follower, public opinion*] changeant; [*weather*] capricieux/-ieuse; [*friend*] imprévisible; [*stock market*] fluctuant; [*wine*] irrégulier/-ière

fickleness /'fɪklnɪs/ *n* (of lover, friend) inconstance *f*; (of behaviour) instabilité *f*; (of weather) caprices *mpl*; (of fortune, of stock market) fluctuations *fpl*; **the ~ of his moods** ses sautes d'humeur

fiction /'fɪkʃn/ *n* 1 (literary genre) romanesque *m*, roman *m*; 2 (books) romans *mpl*; **to write ~** écrire des romans; **light ~** romans *mpl* de lecture facile; **American ~** le roman américain; **in ~** dans les romans; **children's ~** littérature *f* pour enfants; 3 (delusion) illusion *f*; **liberty is a ~** la liberté est une illusion; 4 (untruth) histoire *f*; **his address is a ~** son adresse est fictive; **do you really believe that ~ that she was sick?** est-ce que tu crois vraiment à cette histoire de maladie?; 5 (creation of the imagination) fiction *f*; 6 (pretence) **they keep up the ~ that** ils font croire à tout le monde que

fictional /'fɪkʃənl/ *adj* 1 [*character, event*] imaginaire; 2 [*device*] romanesque; 3 (false) [*address, identity*] fictif/-ive

fictionalize /'fɪkʃənəlaɪz/ *vtr* romancer; **a ~d account** une histoire romancée

fiction: **~ list** *n* liste *f* des romans; **~ writer** ▸ **p. 1683** *n* romancier/-ière *m/f*

fictitious /fɪk'tɪʃəs/ *adj* 1 (false) [*name, address*] fictif/-ive; [*justification, report*] fallacieux/-ieuse; 2 (imaginary) imaginaire; **all the characters in this film are ~** tous les personnages dans ce film sont imaginaires

fiddle /'fɪdl/

A *n* 1 ○(dishonest scheme) magouille○ *f* ₵; **to work a ~** magouiller○ qch; **it's a complete ~!** c'est de la grosse magouille○!; **tax ~** fraude *f* fiscale; **to be on the ~** traficoter○; 2 ▸ **p. 1462** (violin) violon *m*

B *vtr*○ (illegally) truquer○, maquiller○ [*tax return*]; traficoter○ [*figures*]

C *vi* 1 (fidget) **to ~ with sth** tripoter qch; 2 (adjust) **to ~ with** tourner [*knobs, controls*]; 3 (interfere) **to ~ with sth** tripoter, jouer avec [*possessions*]

(Idioms) **to be as fit as a ~** être en pleine santé; **to ~ while Rome burns** se ficher de tout comme de l'an 40○; **to have a face as long as a ~** faire une tête d'enterrement *or* de six pieds de long○; **to play second ~ to sb** être le sous-fifre○ de qn

(Phrasal verb) ■ **fiddle around** 1 (be idle) traîner sa flemme○; 2 **to ~ around with sth** (readjust) bricoler [*typewriter, engine*]; (fidget) jouer avec [*corkscrew, elastic band*]

fiddle-faddle○ /'fɪdlfædl/ *n* **(what) ~!** (c'est de la) foutaise○!

fiddler /'fɪdlə(r)/ ▸ **p. 1683, p. 1462** *n* violoniste *mf*

fiddler crab *n* crabe *m* appelant

fiddlesticks○† /'fɪdlstɪks/ *excl* flûte alors○!

fiddling○ /'fɪdlɪŋ/ *n* embrouille○ *f*; **tax ~** embrouille *f* fiscale○

fiddly /'fɪdlɪ/ *adj* [*job, task*] délicat; [*clasp, fastening*] pas pratique; **~ to open/attach** difficile à ouvrir/attacher

fidelity /fɪ'delətɪ/ *n* gen, Electron, Telecom fidélité *f* (**of** de; **to** à)

fidget /'fɪdʒɪt/

A *n* **they're real ~s** ils n'arrêtent pas de gigoter○

B **fidgets** *npl* **to have the ~s** ne pas tenir en place

C *vi* (move about) ne pas tenir en place; (get impatient) s'impatienter; **he's always ~ing** il ne tient jamais en place; **stop ~ing!** tiens-toi tranquille!

(Phrasal verbs) ■ **fidget about, fidget around** gigoter○

fidgety /'fɪdʒɪtɪ/ *adj* (physically) (child) remuant; (adult) agité; (psychologically) nerveux/-euse; **meetings/concerts make me ~** je ne tiens pas en place aux réunions/concerts

fiduciary /fɪ'dju:ʃərɪ/ *adj* Jur fiduciaire

fief /fi:f/ *n* fief *m*

fiefdom /'fi:fdəm/ *n* fief *m*

f

field /fi:ld/
A *n* **1** Agric, Geog, gen champ *m* (**of** de); **ice/lava/snow ~** champ de glace/de lave/de neige; **wheat ~** champ de blé; **2** Sport (ground) terrain *m*; **football/sports ~** terrain de football/de sport; **to take to the ~** [*team*] arriver sur le terrain; **3** ₵ Sport (competitors) (athletes) concurrents *mpl*; (horses) partants *mpl*, champ *m*; Hunt chasseurs *mpl* (à courre); **to lead** *ou* **be ahead of the ~** Sport mener le peloton; fig être en tête; **4** (area of knowledge) domaine *m* (**of** de); **it's outside his ~** ça ne relève pas de sa compétence; **5** Ling champ *m* sémantique; **6** (real environment) **to test sth in the ~** faire des essais de qch sur le terrain; **to work in the ~** travailler sur le terrain; **7** Mil **the ~ of battle** le champ de bataille; **to die in the ~** tomber *or* mourir au champ d'honneur; **to take the ~** se mettre en campagne; **to hold the ~** se maintenir sur ses positions; fig [*theory*] dominer; **8** (range) champ *m*; **~ of force** Elec champ de force; **~ of vision** *ou* **view** champ de vision; **~ of fire** Mil secteur *m* de tir; **9** Comput, Math, Phys champ *m*; **10** Art, Herald champ *m*; **11** (airfield) terrain *m* d'aviation
B *vtr* **1** Sport attraper, réceptionner [*ball*]; **2** Sport, gen (select) faire jouer [*team, player*]; présenter [*candidate*]; **3** (put at disposal) mettre [qn/qch] en action [*equipment, nurses, soldiers*]; **4** (respond to) répondre à [*questions*]
C *vi* Sport jouer dans l'équipe de défense
(Idiom) **to play the ~** sortir avec tout le monde

field ambulance *n* Mil Med ambulance *f* de campagne

field day *n* **1** Sch, Univ sortie *f* (éducative); **a geography ~** une sortie pour le cours de géographie; **2** Mil journée *f* de manœuvres; **3** US (sports day) journée *f* sportive
(Idiom) **to have a ~** (have fun) s'amuser comme un fou/une folle; (maliciously) [*press, critics*] jubiler; (make money) [*bookmakers, ice-cream vendors*] faire d'excellentes affaires; **the press had a ~ with the story/scandal** la presse a fait ses choux gras° de l'affaire/du scandale

field drain *n* drain *m*

fielder /'fi:ldə(r)/ *n* Sport homme *m* de champ, défenseur *m*

field: **~ event** *n* Sport épreuve *f* sportive (*de saut et de lancer*); **~fare** *n* Zool (grive *f*) litorne *f*; **~ glasses** *npl* jumelles *fpl*; **~ goal** *n* US (in football, rugby) ≈ drop *m*; (in basket ball) panier *m*; **~ gun** *n* Mil canon *m* (de campagne); **~ hand** *n* US ouvrier/-ière *m/f* agricole; **~ hockey** ► **p. 1253** *n* US Sport hockey *m* sur gazon; **~ hospital** *n* Mil, Med hôpital *m* de campagne

field house *n* US Sport **1** (changing room) vestiaire *m*; **2** (sports centre) complexe *m* sportif

field: **~ kitchen** *n* cuisine *f* roulante; **~ label** *n* Ling marqueur *m* de champ sémantique; **~ marshal, FM** ► **p. 1599** *n* Mil maréchal *m*; **~mouse** *n* Zool mulot *m*; **~ officer** *n* Mil officier *m* supérieur; **~sman** *n* US Sport = **fielder**; **~ sports** *npl* Sport sports *mpl* de plein air; **~ strength** *n* Radio, TV intensité *f* du champ; **~strip** *vtr* Mil démonter [*firearm*]; **~ study** *n* études *fpl* sur le terrain

field test
A *n* essai *m* sur le terrain
B *vtr* soumettre [qch] à des essais sur le terrain [*weapon*]

field: **~ trials** *npl* essais *mpl* sur le terrain; **~ trip** *n* Sch, Univ (one day) sortie *f* éducative; (longer) voyage *m* d'études; **~work** *n* travail *m* de terrain; **~worker** ► **p. 1683** *n* Sci scientifique *mf* qui travaille sur le terrain; (for social organization) homme/femme *m/f* qui travaille sur le terrain

fiend /fi:nd/ *n* **1** (evil spirit) démon *m*; **2** (cruel person) monstre *m*; **a cruel/selfish ~** un monstre de cruauté/d'égoïsme; **3** °(mischievous person) petit monstre *m*; **4** °(fanatic) **he's a racing/football ~** c'est un fana° des courses/du football; **dope ~** amateur *m* de dope°; **fresh-air ~** maniaque *mf* de l'air frais

fiendish /'fi:ndɪʃ/ *adj* **1** (cruel) [*tyrant, cruelty*] monstrueux/-euse; [*expression, glee*] diabolique; **to take a ~ delight in sth/in doing** prendre un plaisir malin à qch/à faire; **2** (ingenious) [*plan, gadget*] diabolique; **3** °(difficult) [*problem, job*] épouvantable; **4** °(awful) [*traffic*] infernal

fiendishly /'fi:ndɪʃlɪ/ *adv* **1** [*smile, scheme, plot*] diaboliquement; **2** [*difficult, ambitious*] extrêmement

fierce /'fɪəs/ *adj* [*animal, expression, person*] féroce; [*battle, storm, hatred, anger*] violent; [*determination, loyalty*] farouche; [*advocate, supporter*] fervent; [*criticism, speech*] virulent; [*competition*] acharné; [*flames, heat*] intense; **he has a ~ temper** c'est un caractère explosif

fiercely /'fɪəslɪ/ *adv* **1** [*compete, defend, hit, oppose*] avec acharnement; [*fight*] sauvagement; [*stare*] férocement; [*shout, speak*] violemment; [*burn, blaze*] avec intensité; **2** [*competitive, critical, hot, jealous*] extrêmement; [*determined, loyal*] farouchement

fierceness /'fɪəsnɪs/ *n* **1** (ferocity) (of animal) férocité *f*; (of person, expression, storm, battle) violence *f*; **2** (intensity) (of heat, flames) intensité *f*; (of anger, criticism) violence *f*; (of competition) acharnement *m*; (of loyalty, determination) ardeur *f*

fiery /'faɪərɪ/ *adj* [*person, orator, wound, gas*] enflammé; [*speech, performance*] passionné; [*sunset, sky*] embrasé; [*eyes*] ardent; [*heat*] brûlant; [*food, drink*] qui emporte la bouche; [*volcano, furnace*] rougeoyant; **~ red/orange** rouge/orange feu; **he has a ~ temper** il a un caractère explosif

fiesta /fɪ'estə/ *n* fête *f*

FIFA /'fi:fə/ *n* (*abrév* = **Fédération internationale de football association**) FIFA *f*

fife /faɪf/ ► **p. 1462** *n* fifre *m*

Fife /faɪf/ ► **p. 1612** *pr n* (*also* **~ Region**) Fife *m*

fifteen /,fɪf'ti:n/ ► **p. 1487, p. 927, p. 1059**
A *n* **1** (number) quinze *m inv*; **2** (rugby) quinze *m*
B *adj* quinze *inv*

fifteenth /,fɪf'ti:nθ/ ► **p. 1487, p. 1116**
A *n* **1** (in order) quinzième *mf*; **2** (of month) quinze *m inv*; **3** (fraction) quinzième *m*
B *adj* quinzième
C *adv* [*come, finish*] quinzième, en quinzième position

fifth /fɪfθ/ ► **p. 1487, p. 1116**
A *n* **1** (in order) cinquième *mf*; **2** (of month) cinq *m*; **3** (fraction) cinquième *m*; **4** Mus quinte *f*; **5** (*also* **~ gear**) Aut cinquième *f*; **6** US Meas ≈ 75 cl
B *adj* cinquième
C *adv* [*come, finish*] cinquième, en cinquième position

Fifth Amendment *n* US Jur cinquième amendement *m*; **to take** *ou* **invoke the ~** invoquer le cinquième amendement pour ne pas répondre à une question

fifth: **~ column** *n* Hist cinquième colonne *f*; **~ columnist** *n* élément *m* subversif; **~ generation** *adj* Comput [*computer*] de cinquième génération

fifthly /'fɪfθlɪ/ *adv* cinquièmement, en cinquième lieu

fifth wheel *n*
(Idiom) **to be the ~** être la cinquième roue de la charrette

fiftieth /'fɪftɪəθ/ ► **p. 1487**
A *n* **1** (in sequence) cinquantième *mf*; **2** (fraction) cinquantième *m*
B *adj* [*person, birthday*] cinquantième
C *adv* [*come, finish*] cinquantième, en cinquantième position

fifty /'fɪftɪ/ ► **p. 1487, p. 927, p. 1059** *n, adj* cinquante (*m inv*)

fifty-fifty /,fɪftɪ'fɪftɪ/
A *adj* **her chances of success are only ~** elle n'a qu'une chance sur deux de réussir; **to have a ~ chance** avoir une chance sur deux (**of doing** de faire)
B *adv* **to split** *ou* **share sth ~** partager qch moitié-moitié; **to go ~** faire moitié-moitié; **to go ~ on sth** partager qch moitié-moitié *or* fifty-fifty°

fig /fɪg/
A *n* (fruit) figue *f*; **dried/fresh ~s** figues sèches/fraîches
B *adj* (*abrév* = **figurative**) figuré

fig. *n* (*abrév écrite* = **figure**) fig.; **see ~ 3** voir fig. 3

fight /faɪt/
A *n* **1** fig (struggle) lutte *f* (**against** contre; **for** pour; **to do** pour faire); **the ~ for survival** la lutte pour la survie; **the ~ for life** le combat contre la mort; **to keep up the ~** continuer le combat; **to put up a ~** se défendre (**against** contre); **a ~ to the death** lit, fig une lutte à mort; **2** (outbreak of fighting) (between civilians) bagarre *f* (**between** entre; **over** pour); Mil bataille *f* (**between** entre; **for** pour); (between animals) combat *m* (**between** entre); **to get into** *ou* **have a ~ with sb** se bagarrer contre *or* avec qn; **to start a ~** provoquer une bagarre (**with** contre *or* avec); **3** (in boxing) combat *m* (**between** entre); **to win/lose a ~** gagner/perdre un combat; **a straight ~ (between)** un combat loyal (entre) also fig; **4** (argument) dispute *f* (**over** au sujet de; **with** avec); **to have a ~ with sb** se disputer avec qn; **5** (combative spirit) (physical) envie *f* de se battre; (psychological) envie *f* de lutter; **there was no ~ left in her** elle n'avait plus envie de lutter
B *vtr* (*prét, pp* **fought**) **1** gen, fig lutter contre [*disease, evil, opponent, emotion, problem, proposal, tendency*]; combattre [*fire*]; mener [*campaign, war*] (**against** contre); **to ~ one's way through** se frayer un passage dans [*crowd*]; négocier [*difficulties, obstacles*]; **to ~ sb** lit, Sport se battre contre qn; fig lutter contre qn; **to ~ each other** se battre; **2** Pol [*candidate*] disputer [*seat, election*]; [*candidates*] se disputer [*seat, election*]; **3** Jur défendre [*case, cause*]
C *vi* (*prét, pp* **fought**) **1** fig (campaign) lutter (**for** pour; **against** contre; **to do** pour faire); **to ~ hard** lutter ferme; **2** lit, Mil se battre (**against** contre; **with** avec); **to ~ for one's country** se battre pour sa patrie; **to ~ in a battle** combattre dans une bataille; **to ~ for one's life** lutter pour la vie; **to ~ for breath** suffoquer; **to stand and ~** résister; **to go down ~ing** lit mourir au combat; fig lutter jusqu'à la mort; **to ~ over** se disputer [*land, possessions*]; **3** (squabble) se quereller (**over** à propos de)
(Idiom) **to ~ the good ~** se battre pour la bonne cause
(Phrasal verbs) ■ **fight back**: ► **~ back** (physically, tactically) se défendre (**against** contre); (emotionally) ne pas se laisser faire; ► **~ back [sth]** ravaler [*tears*]; refréner [*fear, anger*]
■ **fight down**: ► **~ down [sth]** refréner [*emotion*]
■ **fight off**: ► **~ off [sth], ~ [sth] off** lit se libérer de [*attacker*]; vaincre [*troops*]; repousser [*attack*]; ► **~ off [sth]** fig lutter contre [*illness, despair*]; rejeter [*challenge, criticism, proposal, takeover bid*]
■ **fight on** poursuivre la lutte
■ **fight out**: ► **~ out [sth], ~ [sth] out** se battre pour régler [*differences etc*]; **leave them to ~ it out** laissez-les régler cela entre eux

fighter /'faɪtə(r)/ *n* **1** (determined person) lutteur/-euse *m/f*; **to be a ~** avoir du ressort; **2** (*also* **~ plane**) avion *m* de chasse; **3** (boxer) boxeur *m*

fighter: **~ bomber** *n* Aviat chasseur-bombardier *m*; **~ pilot** ► **p. 1683** *n* pilote *m* de chasse

fighting /'faɪtɪŋ/
A *n* **1** Mil combat *m* (**between** entre); **heavy ~** combat intense; **~ has broken out** la bataille

a éclaté; 2 gen bagarre f; **no ~ in the playground** il est interdit de se battre dans la cour

B *pres p adj* 1 Mil [*unit, force*] de combat; **~ man** soldat m; **~ strength** effectifs *mpl* (militaires); 2 (aggressive) [*talk, words*] agressif/-ive; **to have a ~ spirit** être combatif

fighting chance *n* **to have a ~** avoir de bonnes chances (**of doing** de faire)

fighting cock *n* coq *m* de combat

(Idiom) **to live like ~s** vivre comme des coqs en pâte

fighting fit *adj* **to be ~** être en pleine forme○

fig leaf *n* Bot feuille *f* de figuier; (in painting) feuille *f* de vigne; fig **it's just a ~!** c'est juste pour la forme

figment /'fɪgmənt/ *n* **a ~ of the/of your imagination** un produit de l'imagination/de ton imagination

fig tree *n* figuier *m*

figurative /'fɪgərətɪv/ *adj* 1 Ling figuré; **in the ~ sense** au sens figuré; 2 Art figuratif/-ive

figuratively /'fɪgərətɪvlɪ/ *adv* [*speak, mean*] au (sens) figuré; **~ speaking,...** métaphoriquement parlant,...; **literally and ~** au sens propre comme au figuré

figure /'fɪgə(r), US 'fɪgjər/

A *n* 1 (number, amount) chiffre *m*; **a provisional/disappointing ~** un chiffre provisoire/décevant; **a ~ of 15 million** un chiffre de 15 millions; **a ~ of £150** la somme de 150 livres; **government/official ~s** les chiffres gouvernementaux/officiels; **a four-/six-~ sum** un montant de quatre/six chiffres; **her salary runs into six ~s** elle gagne plus de 100 000 livres GB *or* dollars US; **inflation is in single/double ~s** le taux d'inflation est à un chiffre/à deux chiffres; **to have a head for ~s, to be good with ~s** être doué pour le calcul; 2 (known or important person) personnalité *f*, personnage *m*; **controversial/well-known/political ~** personnalité controversée/célèbre/politique; **a minor** *ou* **marginal ~** une personnalité peu importante; **a legendary ~ in rugby/rock music** un personnage légendaire du rugby/du rock; 3 (person, human form) personnage *m*; (in painting, sculpture) figure *f*; **a familiar/imposing/diminutive ~** un personnage familier/imposant/minuscule; **human/reclining ~** Art figure humaine/allongée; **a ~ appeared through the mist** une silhouette est apparue dans le brouillard; **to cut a sorry/fine ~** faire piètre/bonne figure; **to cut a dashing ~** avoir l'air fringant; 4 (representative or symbol) **mother/father ~** image *f* de la mère/du père; **authority ~** symbole *m* de l'autorité; **hate ~** bête *f* noire; **she is something of a Cassandra/Lady Macbeth ~** c'est une sorte de Cassandre/Lady Macbeth; 5 (body shape) ligne *f*; **to keep one's ~** garder la ligne; **to lose one's ~** prendre de l'embonpoint; **to watch one's ~** surveiller sa ligne; **to have a great ~**○ avoir une silhouette sensationnelle○; **made for a man's/woman's ~** fait pour une silhouette masculine/féminine; 6 (geometric or other shape) figure *f*; **plane/solid ~** figure plane/à trois dimensions; 7 (diagram) figure *f*; **see ~ 4** voir figure 4; 8 (in dance, skating) figure *f* de style

B *vtr* 1 ○(suppose) **to ~ (that)** penser *or* se dire que; 2 Literat (express) symboliser

C *vi* 1 (feature, appear) figurer; **to ~ in** *ou* **on a list** figurer sur une liste; **to ~ in a novel/report** figurer dans un roman/rapport; 2 ○(make sense) se comprendre; **that ~s** ça se comprend; **it doesn't ~** ça n'a pas de sens

(Phrasal verbs) ■ **figure in** US: ▸ **~ in [sth], ~ [sth] in** inclure, compter

■ **figure on**○: **~ on [sth]** s'attendre à; **I hadn't ~d on that!** je ne m'attendais pas à ça!; **to ~ on doing** compter faire; **to ~ on sb doing** s'attendre à ce que qn fasse

■ **figure out**: ▸ **~ out [sth], ~ [sth] out** trouver [*answer, reason, best way*]; **to ~ out who/why/how etc** arriver à comprendre qui/pourquoi/comment etc; **I can't ~ him out** je ne comprends rien à cet homme-là; **she's got her future ~d out** elle a son avenir tout tracé

figured bass /,fɪgəd 'beɪs, US 'fɪgjəd/ *n* Mus basse *f* chiffrée

figurehead /'fɪgəhed, US 'fɪgjər-/ *n* 1 (symbolic leader) personnalité *f* de prestige; 2 (of ship) figure *f* de proue

figure of eight /,fɪgərəv'eɪt, US ,fɪgjər-/ *n* huit *m*; **to do a ~** [*skater, plane*] faire un huit

figure of speech /,fɪgə əv 'spiːtʃ, US ,fɪgjər-/ *n* Literat, Ling figure *f* de rhétorique; **it's just a ~** c'est juste une façon de parler

figure: **~ skater** *n* patineur/-euse *m/f* artistique; **~ skating** ▸ **p. 1253** *n* patinage *m* artistique

figurine /'fɪgəriːn, US ,fɪgjə'riːn/ *n* figurine *f*

figwort /'fɪgwɒːt/ *n* scrofulaire *f*

Fiji /,fiː'dʒiː/ ▸ **p. 1096, p. 1355** *pr n* Fidji *fpl*; **the ~ Islands** les îles Fidji; **in/to ~** aux Fidji

Fijian /fɪ'dʒiːən/ ▸ **p. 1467, p. 1378**

A *n* 1 (person) Fidjien/-ienne *m/f*; 2 Ling fidgien *m*

B *adj* fidgien/-ienne

filament /'fɪləmənt/ *n* 1 Elec, Electron filament *m*; 2 (of fibre) fil *m*

filbert /'fɪlbət/ *n* 1 (nut) aveline *f*; 2 (shrub) avelinier *m*

filch○ /fɪltʃ/ *vtr* chiper○, voler (**from** à)

file /faɪl/

A *n* 1 (for papers etc) gen dossier *m*; (cardboard) chemise *f*; (ring binder) classeur *m*; (card tray) fichier *m*; 2 (record) dossier *m* (**on** sur); **to have** *ou* **keep a ~ on sb** avoir/conserver un dossier sur qn; **his fingerprints/details are on ~** ses empreintes digitales/coordonnées sont classées; **she's on ~** elle est fichée; **to open a ~ on sb/sth** établir un dossier sur qn/qch; **it's time to close the ~** fig il est temps de classer l'affaire; 3 Comput fichier *m*; **computer ~** fichier; 4 (tool) lime *f*; 5 (line) file *f*; **to walk in single ~** marcher en file indienne

B *modif* Comput [*editing, management, name, organization, protection*] de fichiers

C *vtr* 1 Admin classer [*invoice, letter, record*]; **to ~ sth under (the heading) 'clients'** classer qch sous (la rubrique) 'clients'; 2 Jur déposer [*application, complaint, request*] (**with** auprès de); **to ~ a petition in bankruptcy** déposer son bilan; **to ~ a lawsuit (against sb)** intenter *or* faire un procès (à qn); **to ~ papers for adoption** faire une demande d'adoption; **to ~ a claim for damages against sb** intenter un procès pour dommages et intérêts à *or* contre qn; 3 Journ envoyer [*report*]; 4 limer [*wood, metal*]; **to ~ one's nails** se limer les ongles; **to ~ through a bar** couper un barreau à la lime

D *vi* 1 Jur **to ~ for (a) divorce** demander le divorce; 2 (walk) marcher en file; **they ~d into/out of the classroom** ils sont entrés dans/sortis de la salle l'un après l'autre; **we ~d past the coffin** nous avons défilé devant le cercueil

(Phrasal verb) ■ **file down**: ▸ **~ [sth] down, ~ down [sth]** niveler [qch] à la lime [*surface*]; égaliser [qch] à la lime [*tooth*]; limer [*claw*]

file: **~ cabinet** *n* US = **filing cabinet**; **~ card** *n* US fiche *f*; **~ clerk** *n* US = **filing clerk**; **~-closer** *n* Mil serre-file *m*; **~ copy** *n* copie *f* de classement; **~ extension** *n* Comput suffixe *m*; **~ manager** *n* Comput gestionnaire *m* de fichier; **~ server** *n* Comput serveur *m* de fichiers

filial /'fɪlɪəl/ *adj* filial

filibuster /'fɪlɪbʌstə(r)/

A *n* obstruction *f* parlementaire

B *vi* faire de l'obstruction parlementaire

filigree /'fɪlɪgriː/

A *n* filigrane *m*

B *modif* [*work, brooch*] en filigrane; **~ silver** argent *m* filigrané

filing /'faɪlɪŋ/ *n* classement *m*

filing: **~ box** *n* boîte *f* à fiches; **~ cabinet** *n* classeur *m* à tiroirs; **~ card** *n* fiche *f*; **~ clerk** ▸ **p. 1683** *n* employé/-e *m/f* de bureau chargé/-e du classement

filings /'faɪlɪŋz/ *npl* limaille *f* ¢

filing: **~ system** *n* système *m* de classement; **~ tray** *n* corbeille *f* de classement

Filipino /,fɪlɪ'piːnəʊ/ ▸ **p. 1467**

A *n* Philippin/-e *m/f*

B *adj* [*art, culture, food*] philippin; [*capital, embassy, industry, population*] des Philippines

fill /fɪl/

A *n* **to eat/drink one's ~** manger/boire tout son content; **to have had one's ~** en avoir assez (**of** de; **of doing** de faire)

B *vtr* 1 [*person, water, rain, fruit, soil*] remplir [*container*] (**with** de); **fruit ~ed the baskets, the baskets were ~ed with fruit** les paniers étaient remplis de fruits; **tears ~ed his eyes** ses yeux se sont remplis de larmes; **to ~ the kettle** mettre de l'eau dans la bouilloire; 2 [*crowd, audience, sound, laughter*] remplir [*building, room, street, train*]; [*smoke, gas, sunlight, protesters*] envahir [*building, room*]; **the speaker had ~ed the hall** l'orateur avait rempli la salle; **to ~ one's house with flowers/antiques** remplir sa maison de fleurs/d'antiquités; **the smell of flowers ~ed the house** l'odeur des fleurs s'est répandue dans toute la maison; 3 (plug) boucher [*crack, hole, hollow*] (**with** avec); boucher les trous de [*wall, doorframe*]; fig boucher [*vacuum, gap, void*] (**with** de); 4 (fulfil) répondre à [*need*]; 5 (occupy, take up) remplir [*page, chapter, volumes, tape*] (**with** de); occuper [*time, day, hours*]; **to ~ one's days with work** occuper ses journées en travaillant; **~ (one's) time doing** occuper son temps à faire; 6 [*company, university*] pourvoir [*post, vacancy, place, chair*]; [*applicant*] occuper [*post, vacancy*]; **there are still 10 places to ~** il reste encore 10 places à pourvoir; 7 [*emotion, thought*] remplir [*heart, mind, person*]; **to ~ sb's mind/heart with** remplir l'esprit/le cœur de qn de; **to ~ sb's head with nonsense** mettre des absurdités dans la tête de qn; 8 (stuff, put filling in) garnir [*cushion, quilt, pie, sandwich*] (**with** de); 9 [*dentist*] plomber, obturer spec [*tooth, cavity*]; 10 [*wind*] gonfler [*sail*]; 11 (carry out) exécuter [*order*]; 12 (with food) ▸ **fill up**

C *vi* 1 [*bath, bucket, theatre, hall, streets, eyes*] se remplir (**with** de); **to ~ with light/smoke** être envahi de lumière/de fumée; 2 [*sail*] se gonfler

D **-filled** (*dans composés*) rempli de; **smoke-/book-~ed room** pièce remplie de fumée/de livres

(Phrasal verbs) ■ **fill in**: ▸ **~ in** [*person*] faire un remplacement; **to ~ in for sb** remplacer qn; ▸ **~ in [sth]** passer [*time, hour, day*]; ▸ **~ in [sth], ~ [sth] in** 1 (complete) remplir [*form, box, section*]; 2 (plug) boucher [*hole, crack, gap*] (**with** avec); 3 (supply) donner [*detail, information, name, date*]; 4 (colour in) remplir [*shape, panel*]; **to ~ sth in with pencil/in red** remplir qch au crayon/en rouge; ▸ **~ in [sb], ~ [sb] in** 1 (inform) mettre [qn] au courant (**on** de); 2 ○ GB (beat up) tabasser○ [*person*]

■ **fill out**: ▸ **~ out** [*person*] prendre du poids; [*face, cheeks*] s'arrondir; ▸ **~ out [sth], ~ [sth] out** remplir [*form, application*]; faire [*certificate, prescription*]

■ **fill up**: ▸ **~ up** [*bath, theatre, bus*] se remplir (**with** de); [*person*] **to ~ up on** se bourrer○ de [*bread, sweets*]; ▸ **~ up [sth], ~ [sth] up** remplir [*kettle, box, room*] (**with** de); **to ~ up the whole room** occuper toute la pièce; **~ it** *ou* **her up!** (with petrol) faites le plein!; **to ~ up the time** tuer le temps; ▸ **~ up [sb], ~ [sb] up** bourrer○ qn (**with** de); **it ~s you up** c'est bourratif○; **to ~ oneself up** se bourrer○ **(with** de**)**

filler /ˈfɪlə(r)/

A *n* **1** (for wood) bouche-pores *m inv*; (for car body) mastic *m*; (for wall) enduit *m* de rebouchage, reboucheur *m*; **2** Journ, TV (article, photo, music) bouche-trou *m*; **to use sth as a ~** se servir de qch comme bouche-trou *or* pour faire du remplissage

B *modif* [*article, photo, material*] de remplissage

filler cap *n* GB Aut bouchon *m* de réservoir

fillet /ˈfɪlɪt/

A *n* filet *m*; **400 g of beef ~** 400 g de filet de bœuf; **a pork ~** un filet de porc; **three sole ~s** *ou* **three ~s of sole** trois filets de sole

B *vtr* enlever les arêtes de, fileter [*fish*]; **~ed cod** filets *mpl* de cabillaud

fillet steak *n* filet *m* de bœuf

fill-in○ /ˈfɪlɪn/ *n* remplaçant/-e *m/f*

filling /ˈfɪlɪŋ/

A *n* **1** Culin (of sandwich, baked potato) garniture *f*; (stuffing for vegetable, meat, pancake) farce *f*; **pie with blackberry/meat ~** tourte *f* fourrée aux mûres/à la viande; **use jam as a ~ for the cake** fourrez le gâteau à la confiture; **2** (for tooth) plombage *m*, obturation *f* spec; **to have a ~ (done)** se faire faire un plombage; **3** (of quilt, pillow, cushion) garnissage *m*; (of bed, mattress) garniture *f*

B *adj* [*food, dish*] bourratif/-ive○

filling station *n* station-service *f*

fillip /ˈfɪlɪp/ *n* coup *m* de fouet fig; **to give a ~ to** donner un coup de fouet à

filly /ˈfɪlɪ/ *n* pouliche *f*

film /fɪlm/

A *n* **1** Cin (movie) film *m*; **there's a new ~ on** un nouveau film passe; **to be** *ou* **work in ~s** travailler dans le cinéma; **short ~** court métrage *m*; **2** Phot (for snapshots) pellicule *f*; (for movies) film *m*; **a colour ~** une pellicule couleur; **to capture sth on ~** enregistrer qch sur film; **3** (layer) pellicule *f*; **a ~ of oil/of dust** une pellicule d'huile/de poussière; **to look at sb through a ~ of tears** regarder qn à travers un voile de larmes; **4** Culin scellofrais® *m*

B *vtr* [*person*] filmer [*event, programme*]; [*person*] adapter [qch] pour le cinéma [*novel, play*]; [*camera*] enregistrer [*action, scene*]

C *vi* [*camera man, crew*] tourner; **the cast are ~ing in Egypt** l'équipe tourne en Égypte

(Phrasal verb) ■ **film over** [*glass, windscreen*] s'embuer

film: **~ archive** *n* archives *fpl* cinématographiques; **~ award** *n* prix *m* de cinéma; **~ badge** *n* Tech dosimètre *m* photographique personnel; **~ buff**○ *n* mordu/-e○ *m/f* de cinéma; **~ camera** *n* caméra *f*; **~ club** *n* ciné-club *m*; **~ contract** *n* contrat *m* de tournage; **~ coverage** *n* couverture *f* cinématographique; **~ critic** ▸ p. 1683 *n* critique *m* de films; **~ director** ▸ p. 1683 *n* réalisateur/-trice *m/f*, metteur *m* en scène; **~ festival** *n* festival *m* de cinéma; **~goer** *n* cinéphile *mf*; **~ industry** *n* industrie *f* cinématographique

filming /ˈfɪlmɪŋ/ *n* Cin tournage *m*

film: **~ laboratory** *n* laboratoire *m* cinématographique; **~ library** *n* cinémathèque *f*; **~ magazine** *n* revue *f* de cinéma; **~-maker** ▸ p. 1683 *n* cinéaste *m*; **~-making** *n* cinéma *m*; **~ music** *n* musique *f* de film

filmography /fɪlˈmɒɡrəfɪ/ *n* filmographie *f*

film: **~ poster** *n* affiche *f* de film; **~ premiere** *n* première *f*; **~ producer** ▸ p. 1683 *n* producteur/-trice *m/f* de cinéma; **~ production** *n* production *f* de films; **~ rights** *n* droits *mpl* cinématographiques; **~ script** *n* scénario *m*; **~ sequence** *n* séquence *f* (filmée)

filmset /ˈfɪlmset/

A *n* Cin plateau *m* de tournage

B *vtr* (*p prés* **-tt-**, *prét, pp* **~**) Print photocomposer

film: **~setter** *n* Print photocomposeuse *f*; **~setting** *n* Print photocomposition *f*; **~ show** *n* présentation *f* de films; **~ star** ▸ p. 1683 *n* vedette *f* de cinéma; **~ strip** *n* film *m* pour projection fixe; **~ studio** *n* studio *m* de cinéma; **~ test** *n* bout *m* d'essai; **~ version** *n* version *f* filmée

filmy /ˈfɪlmɪ/ *adj* **1** (thin) [*dress*] très léger/-ère; [*fabric, screen*] transparent; [*cloud, layer*] léger/-ère; **2** (cloudy) [*glass, lens*] sale

filo pastry /ˈfiːləʊ/ *n* Culin filo *m*

filter /ˈfɪltə(r)/

A *n* **1** Sci, Tech filtre *m*; **air/oil/water ~** filtre à air/huile/eau; **2** Audio, Phot, Telecom filtre *m*; **3** Cosmet filtre *m*; **sun ~** filtre solaire; **4** (*also* **~ lane**) GB Transp voie *f* réservée aux véhicules qui tournent, voie *f* de stockage spéc; **5** GB Transp (arrow) flèche *f* (directionnelle)

B *vtr* filtrer [*liquid, gas*]; faire passer [*coffee*]

C *vi* **1** (*also* **~ off**) GB Transp **to ~ off to the left** passer sur la voie de gauche pour tourner; **2** (trickle) **to ~ into** [*light, sound, water*] pénétrer dans [*area*]; **to ~ back/out** [*crowd, people*] revenir/sortir par petits groupes.

(Phrasal verbs) ■ **filter in** [*light, sound, details*] filtrer

■ **filter out**: ▸ **~ out** [*details, news*] filtrer; [*light, noise*] filtrer à l'extérieur; ▸ **~ out [sth], ~ [sth] out** éliminer [*applicants, impurities, light, noise*]

■ **filter through**: ▸ **~ through** [*details, light, sound*] filtrer; **to ~ through to sb** [*news*] filtrer jusqu'à qn; ▸ **~ through [sth]** [*sound, light*] filtrer à travers [*screen, curtain*]

filter: **~ bed** *n* bassin *m* de filtration; **~ cigarette** *n* cigarette *f* (à bout) filtre; **~ coffee** *n* (cup of coffee) café *m* (filtre); (ground coffee) café *m* moulu pour filtres; **~ coffee maker**, **~ coffee machine** *n* cafetière *f* électrique; **~ funnel** *n* entonnoir *m* (à filtre)

filtering software *n* Comput logiciel *m* de filtrage Internet, filtre *m* Internet

filter: **~ paper** *n* Culin, Sci papier-filtre *m*; **~ pump** *n* Tech pompe *f* à filtrer; **~ tip** *n* (cigarette) filtre *m*; **~-tipped** *adj* [*cigarette*] (à bout) filtre *inv*

filth /fɪlθ/ *n* **1** (dirt) crasse *f*; **2** (vulgarity) obscénités *fpl*; (swearing) grossièretés *fpl*; **3** ◑GB injur (police) **the ~** les flics○ *mpl*

filthy /ˈfɪlθɪ/ *adj* **1** (dirty) crasseux/-euse; (revolting) répugnant; **that's a ~ habit** c'est dégoûtant; **2** (vulgar) [*language*] ordurier/-ière; [*mind*] mal tourné; **3** GB (unpleasant) [*weather*] épouvantable; [*look*] noir; **he's in a ~ humour** il est d'une humeur massacrante

filthy rich○ *adj* plein aux as○

filtrate /ˈfɪltreɪt/ *n* filtrat *m*

filtration /fɪlˈtreɪʃn/ *n* filtration *f*

fin /fɪn/ *n* **1** Zool (of fish, seal) nageoire *f*; (of shark) aileron *m*; **2** Aerosp empennage *m*; **3** Tech, Aut ailette *f*; **4** Naut dérive *f*

finagle○ /fɪˈneɪɡl/ *vtr* US **1** (wangle) se débrouiller pour avoir [*grade, ticket etc*]; **2** (trick) **to ~ sb into doing** se débrouiller pour que qn fasse

finagler○ /fɪˈneɪɡlə(r)/ *n* US péj magouilleur/-euse○ *m/f*

finagling○ /fɪˈneɪɡlɪŋ/ *n* US ¢ magouille○ *f*

final /ˈfaɪnl/

A *n* **1** Sport finale *f*; **2** Journ (edition) dernière édition *f*; **the late ~** la dernière édition du soir

B *adj* **1** (last) (*épith*) dernier/-ière [*day, question, book, meeting*]; **~ examinations** GB Univ examens *mpl* de fin d'études; US Univ examens *mpl* de fin de semestre; **~ instalment** Comm dernier versement *m*; **2** (definitive) [*decision, answer*] définitif/-ive; [*result*] final; [*judgment*] irrévocable; **that's ~!** un point, c'est tout○!; **to have the ~ word** avoir le dernier mot; **she has the ~ say** c'est à elle de décider; **the referee's decision is ~** la décision de l'arbitre est sans appel

final: **~ approach** *n* Aviat approche *f*; **~ cause** *n* Philos cause *f* finale; **~ demand** *n* Comm dernier rappel *m*; **~ dividend** *n* Fin superdividende *m*

finale /fɪˈnɑːlɪ, US -ˈnælɪ/ *n* Mus, Theat, gen finale *f*; **grand ~** apothéose *f*

final invoice *n* Comm facture *f* définitive

finalist /ˈfaɪnəlɪst/ *n* finaliste *mf*

finality /faɪˈnælətɪ/ *n* irrévocabilité *f*; **with ~** avec détermination

finalization /ˌfaɪnəlaɪˈzeɪʃn, US -lɪˈz-/ *n* finalisation *f*, dernière mise *f* au point

finalize /ˈfaɪnəlaɪz/ *vtr* conclure [*letter, purchase, contract, deal*]; arrêter [*plan, decision, details*]; finaliser [*report*]; boucler [*team*]; fixer [*timetable, route*]; prononcer [*divorce*]

finally /ˈfaɪnəlɪ/ *adv* **1** (eventually) [*decide, accept, arrive, happen*] finalement, enfin; **they ~ arrived** ils sont finalement arrivés, ils ont fini par arriver; **2** (lastly) finalement; **~ I would like to thank...** pour finir je voudrais remercier...; **3** (definitively) [*settle, resolve, decide*] définitivement

final notice *n* Comm dernier appel *m*

finals /ˈfaɪnlz/ *npl* **1** Univ GB examens *mpl* de fin d'études; US examens *mpl* de fin de semestre; **2** Sport (last few games) phase *f* finale; (last game) finale *f*

Final Solution *n* Solution *f* finale

finance /ˈfaɪnæns, fɪˈnæns/

A *n* **1** (banking, money systems) finance *f*; **high ~** la haute finance; **2** (funds) fonds *mpl*; **to get** *ou* **obtain ~** trouver les fonds **(for** pour; **from** auprès de**)**; **3** (credit) crédit *m*; **free ~!, 0% ~!** crédit gratuit!

B **finances** *npl* (financial situation) (of person) finances *fpl*; (of company, country) situation *f* financière

C *modif* [*minister, ministry*] des Finances; [*committee, director, page, correspondent*] financier/-ière

D *vtr* financer [*project*]

finance: **~ bill** *n* projet *m* de loi de finances; **~ company**, **~ house** *n* société *f* de financement

financial /faɪˈnænʃl, fɪ-/ *adj* [*adviser, backing, institution, problem, service*] financier/-ière

financial: **~ backer** *n* commanditaire *m*; **~ futures market** *n* marché *m* à terme d'instruments financiers, MATIF *m*

financially /faɪˈnænʃəlɪ, fɪ-/ *adv* financièrement

financial: **Financial Times (Industrial Ordinary Share) Index**, **FT Index** *n*; *indice du cours des actions de 30 sociétés britanniques sélectionnées par le Financial Times*; **Financial Times-Stock Exchange Index**, **FTSE 100** *n* indice *m* de la Bourse de Londres; **~ year** *n* GB exercice *m*, année *f* budgétaire

financier /faɪˈnænsɪə(r), US ˌfɪnənˈsɪər/ *n* financier *m*

financing /ˈfaɪnænsɪŋ, fɪˈnænsɪŋ/ *n* financement *m*

finch /fɪntʃ/ *n* fringillidé *m*

find /faɪnd/

A *n* (discovery) gen découverte *f*; (lucky purchase) trouvaille *f*; **an arms ~** la découverte d'une cache d'armes; **she's a real ~**○ c'est une vraie perle

B *vtr* (*prét, pp* **found**) **1** (discover by chance) trouver [*thing, person*]; **'found: black kitten'** 'trouvé: chaton noir'; **I found a letter lying on the table** j'ai trouvé une lettre sur la table; **to leave sth as one found it** laisser qch dans l'état où on l'a trouvé; **to ~ sb doing** trouver qn en train de faire; **to ~ sth locked/sb dead** trouver qch fermé/qn mort; **to ~ sth to be locked/sb to be dead** constater que qch est fermé/que qn est mort; **to ~ that** constater que; **she arrived (only) to ~ that the train had left** elle est arrivée pour constater que le train était parti

2 (discover by looking) trouver, retrouver [*thing,*

person]; **I can't ~ my keys** je ne trouve pas mes clés; **to ~ sth on a map** trouver qch sur un plan; **to ~ one's place in a book** retrouver sa page; **I found her glasses for her** je lui ai trouvé ses lunettes; **to ~ one's** *ou* **the way** trouver *or* retrouver son chemin; **to ~ one's way out of** arriver à sortir de [*building, forest, city*]; **to ~ one's own way home** se débrouiller tout seul pour rentrer chez soi
3▸ (discover desired thing) trouver [*job, vocation, flat, car, seat, solution*]; **you'll ~ lingerie downstairs** (in shop) vous trouverez la lingerie à l'étage inférieur; **to ~ room for** trouver de la place pour [*object, food*]; **to ~ (the) time/the energy/the money for** trouver le temps/l'énergie/l'argent pour; **to ~ sth for sb, to ~ sb sth** trouver qch pour qn; **to ~ something for sb to do, to ~ sb something to do** trouver quelque chose à faire pour qn; **to ~ oneself sth** se trouver qch
4▸ (encounter) trouver [*word, term, species*]; **it is not found in Europe** on ne le trouve pas en Europe; **it is to be found in the Louvre** on peut le voir au Louvre
5▸ (judge, consider) trouver (**that** que); **how did you ~ her?** comment l'as-tu trouvée?; **to ~ sb polite/a bore** trouver qn poli/ennuyeux; **to ~ sb/sth to be** trouver que qn/qch est; **to ~ sth easy/hard etc to do** trouver qch facile/difficile etc à faire; **to ~ it easy/painful/difficult to do** trouver que c'est facile/douloureux/difficile de faire; **to ~ it incredible/encouraging that** trouver cela incroyable/encourageant que (+ *subj*)
6▸ (experience) éprouver [*pleasure, satisfaction*] (**in** dans; **in doing** à faire); trouver [*comfort*] (**in** dans; **in doing** à faire)
7▸ (reach) **to ~ its mark/its target** toucher son but/sa cible; **to ~ its/one's (own) level** trouver son propre niveau; **to ~ its way to/into** arriver dans [*bin, pocket, area*]; **how did it ~ its way into your bag?** comment est-ce que c'est arrivé dans ton sac?
8▸ Jur **to ~ that** conclure que; **to ~ sb guilty/not guilty** déclarer qn coupable/non coupable; **to be found guilty** être déclaré coupable; **how do you ~ the accused?** quel est votre verdict?
9▸ (arrive to find) [*letter, card, day*] trouver [*person*]; **I hope this card ~s you well** j'espère que cette carte vous trouvera en bonne santé; **the next day found him feeling ill** le lendemain il se sentait malade
10▸ Comput rechercher
C *vi* Jur **to ~ for/against sb** se prononcer en faveur de/contre qn
D *v refl* **to ~ oneself** **1▸** (discover suddenly) se retrouver; **to ~ oneself in Crewe/trapped** se retrouver à Crewe/coincé; **to ~ oneself unable to do** se sentir incapable de faire; **to ~ oneself agreeing/wishing that** se surprendre à être d'accord/à souhaiter que; **to ~ oneself being swept along by the crowd** se retrouver entraîné par la foule
2▸ (discover one's vocation) se découvrir
(Idioms) **all found** logé et nourri; **to ~ one's feet** prendre pied; **to take sb as one ~s him/her** prendre qn comme il/elle est
(Phrasal verb) ■ **find out**: **~ out** apprendre; **I hope no-one ~s out** j'espère que personne ne l'apprendra; ▸ **~ out [sth], ~ [sth] out** découvrir [*fact, answer, name, cause, truth*]; ▸ **~ out who/why/where etc** trouver qui/pourquoi/où etc; ▸ **~ out that** découvrir *or* apprendre que; ▸ **~ [sb] out** découvrir [*person*]; **to be found out** être découvert; ▸ **~ out about** **1▸** (discover, learn by chance) découvrir [*plan, affair, breakage*]; **2▸** (research, investigate) faire des recherches sur [*subject, topic*]

finder /ˈfaɪndə(r)/
A *n* **1▸** (of treasure, lost thing) celui/celle *m/f* qui trouve; **the ~ will receive a reward** la personne qui trouvera recevra une récompense; **2▸** (telescope) chercheur *m* de télescope
B **-finder** (*dans composés*) **job-~** prospecteur-placier *m*; **house-~** agent *m* immobilier; **fact-~** ouvrage *m* de référence
(Idiom) **~s keepers (losers weepers)** celui qui le trouve le garde

finding /ˈfaɪndɪŋ/ *n* (of court, committee, research) conclusion *f*; **they made the following ~s** ils ont tiré les conclusions suivantes

fine /faɪn/
A *n* gen amende *f*; (for traffic offence) contravention *f* (**for** pour); **to get/be given a ~** recevoir/attraper une amende; **to impose a ~ of £50/the maximum ~ on sb** condamner qn à 50 livres sterling d'amende/à l'amende la plus lourde; **'no smoking—maximum ~ £50'** 'défense de fumer sous peine d'amende pouvant s'élever à 50 livres sterling'
B *adj* **1▸** (very good) [*performance, writer, example, specimen, quality, standard*] excellent; **to be in ~ form** être en pleine forme; **a ~ figure of a woman** † *ou* hum une superbe créature†; **2▸** (satisfactory) [*holiday, meal, arrangement*] bien; **that's ~** très bien; **to be/feel ~** aller/se sentir très bien; **'~, thanks'** 'très bien, merci'; **'we'll go now, OK?'—'~'** 'on y va maintenant?'—'d'accord'; **that's ~ by** *ou* **with me** je n'y vois pas d'inconvénient; **3▸** ○iron **a ~ friend you are!** en voilà un ami!; **you picked a ~ time to tell me!** tu as bien choisi le moment pour me le dire!; **you're/she's etc a ~ one to talk!** c'est bien à toi/elle etc de dire ça!; **that's all very ~, but...** c'est bien beau tout ça, mais...; **4▸** (nice) [*weather, morning, day*] beau/belle; **it's** *ou* **the weather's ~** il fait beau; **to keep** *ou* **stay ~** continuer à faire beau; **one ~ day, one of these ~ days** fig un beau jour; **5▸** (very thin, delicate) [*hair, thread, line, feature, comb, fabric, spray, mist, layer*] fin; [*sieve, net, mesh*] à mailles fines; **6▸** (small-grained) [*powder, soil, particles*] fin; **7▸** (subtle) [*adjustment, detail, distinction, judgment*] subtil; **8▸** (delicate and high quality) [*china, crystal, lace, linen, wine*] fin; **9▸** (refined, grand) [*lady, gentleman, clothes, manners*] beau/belle; **sb's finer feelings** la délicatesse de qn; **10▸** (commendable) [*person*] merveilleux/-euse; **he's a ~ man** c'est quelqu'un; **11▸** (pure) [*gold, silver*] pur
C *adv* **1▸** [*get along, come along, do*] très bien; **you're doing ~** tu te débrouilles○ très bien; **that suits me ~** ça me va très bien; **2▸** [*cut, chop, slice*] controv fin
D *vtr* gen condamner [qn] à une amende [*offender*] (**for** pour; **for doing** pour avoir fait); (for traffic offence) donner une contravention à [*offender*]; **to ~ sb £50** condamner qn à 50 livres sterling d'amende
(Idioms) **not to put too ~ a point on it** bref, à franchement parler; **a chance would be a ~ thing○!** ça serait trop beau○!; **to cut it a bit ~** faire trop juste, être un peu juste; **there is a ~ line between X and Y** il y a une distinction subtile entre X et Y; **to tread a ~ line** jouer serré

fine art *n* beaux-arts *mpl*; **to study ~** étudier les beaux-arts; **the ~s** les beaux-arts
(Idiom) **she's got lying down to a ~** elle est passée maître dans l'art de mentir

fine: **~-drawn** *adj* [*distinction*] subtil; **~ grain** *adj* Phot à grain fin

fine-grained /ˌfaɪnˈɡreɪnd/ *adj* **1▸** [*wood, leather*] au grain fin; **2▸** [*salt, sugar*] fin

finely /ˈfaɪnlɪ/ *adv* **1▸** [*chopped, grated, ground, minced*] finement; **2▸** [*balanced, controlled, judged, poised*] soigneusement; **3▸** [*carved, wrought*] délicatement; **4▸** [*written, painted, executed*] splendidement; **5▸** (sumptuously) [*dressed, furnished*] splendidement

fineness /ˈfaɪnnɪs/ *n* (of metal) titre *m*

fineness ratio *n* rapport *m* de finesse

fine print *n* ¢ petits caractères *mpl*

finery /ˈfaɪnərɪ/ *n* parure *f*; **in all her ~** dans ses plus beaux atours liter

finespun /ˈfaɪnspʌn/ *adj* [*notion, argument*] très subtil

finesse /fɪˈnes/ ▸ p. 1253
A *n* **1▸** gen finesse *f*; **2▸** (in cards) impasse *f*
B *vtr* **1▸** (handle adroitly) manipuler adroitement [*situation, person*]; contourner [*objections*]; **2▸** (in cards) faire l'impasse en jouant [*card, king, queen*]
C *vi* (in cards) faire une impasse

fine-tooth(ed) comb /ˌfaɪnˈtuːθkəʊm/ *n* peigne *m* fin
(Idiom) **to go over** *ou* **through sth with a ~** passer qch au peigne fin

fine: **~-tune** *vtr* ajuster; **~ tuning** *n* ajustement *m*

finger /ˈfɪŋɡə(r)/
A *n* ▸ p. 997 **1▸** Anat doigt *m*; **first** *ou* **index ~** index *m*; **second ~** majeur *m*, médius *m*; **third** *ou* **ring ~** annulaire *m*; **fourth** *ou* **little ~** auriculaire *m*; **to wear a ring on one's index ~** porter une bague à l'index; **he put a ring on her ~** il lui a passé une bague au doigt; **to point one's ~ at sb/sth** montrer qn/qch du doigt; **she ran her ~s through his hair** elle lui a passé la main dans les cheveux; **to run one's ~s over sth** passer les doigts sur qch; **something is wrong, but I can't quite put my ~ on it** fig quelque chose ne va pas mais je n'arrive pas à mettre le doigt dessus; **he didn't lift** *ou* **raise a ~ to help** il n'a pas levé le petit doigt pour aider; **I didn't lay a ~ on her** je ne l'ai pas touchée; **if you so much as lay a ~ on my hi-fi I'll...** si jamais tu touches à ma chaîne hi-fi, je...; **I didn't lay a ~ on it** je n'y ai pas touché; **to put two ~s up at sb**○ GB, **to give sb the ~**○ US ≈ faire un bras d'honneur à qn; **I can count the number of beers he has bought me on the ~s of one hand** iron je peux compter les bières qu'il m'a payées sur les doigts de la main; **2▸** (of glove) doigt *m*; **3▸** (narrow strip) (of land) bande *f*; (of mist, smoke) volute *f*; **4▸** (small amount) doigt *m*; **two ~s of whisky** deux doigts de whisky
B *vtr* toucher, tripoter○ [*fruit, goods*]; toucher [*fabric, silk*]; tripoter○ [*tie, necklace*]; **to ~ one' s beard** se tripoter la barbe○
(Idioms) **to get one's ~s burnt** se brûler les doigts; **to twist** *ou* **wrap sb around one's little ~** mener qn par le bout du nez; **to keep one's ~s crossed** croiser les doigts (**for sb** pour qn); **to point the ~ at sb** accuser qn; **to point the ~ of suspicion at sb** jeter des soupçons sur qn; **to put the ~ on sb**○ moucharder qn○; **to pull one's ~ out**◑ se grouiller○; **to slip through sb's ~s** [*opportunity*] passer sous le nez de qn; [*wanted man*] filer entre les doigts de qn

finger: **~ biscuit** *n* Culin ≈ boudoir *m*; **~board** *n* Mus touche *f*; **~ bowl** *n* rince-doigts *m inv*; **~ buffet** *n* Culin buffet *m* sans couverts; **~ cymbal** *n* Mus cymbale *f* de danseur égyptien

finger-dry /ˌfɪŋɡəˈdraɪ/ *vtr* **to ~ one's hair** passer les doigts dans ses cheveux pour les aider à sécher

finger: **~ exercises** *n* Mus exercices *mpl* de doigté; **~ food** *n* Culin buffet *m* froid à consommer sans couverts; **~ hole** *n* Mus trou *m* (*sur flûte, clarinette etc*)

fingering /ˈfɪŋɡərɪŋ/ *n* Mus doigté *m*

finger: **~less glove** *n* mitaine *f*; **~ mark** *n* trace *f* de doigt; **~-nail** *n* ongle *m*; **~-paint** *vi* peindre avec les doigts

finger painting *n* **1▸** (technique) peinture *f* avec les doigts; **2▸** (picture) peinture *f* faite avec les doigts

finger: **~ plate** *n* plaque *f* de propreté; **~ post** *n* panneau *m* indicateur (*en forme de doigt*)

fingerprint /ˈfɪŋɡəprɪnt/
A *n* empreinte *f* digitale; **to take sb's ~s** prendre les empreintes digitales de qn; **a set of ~s** une série d'empreintes digitales; **genetic ~, DNA ~** empreinte *f* génétique
B *modif* [*expert*] en empreintes digitales
C *vtr* prendre les empreintes digitales de [*person*]; relever les empreintes digitales sur [*glass, surface, weapon*]

finger: **~printing** *n* prise *f* d'empreintes digitales; **~printing kit** *n* nécessaire *m* utilisé pour relever des empreintes digitales; **~-stall** *n* doigtier *m*; **~ tight** *adj* vissé (à fond) à la main

fingertip /'fɪŋgətɪp/ *n* bout *m* du doigt; **to touch sth with one's ~s** toucher qch du bout des doigts
(Idioms) **to have sth at one's ~s** connaître qch sur le bout des doigts; **she's an aristocrat to her ~s** elle est aristocrate jusqu'au bout des ongles

fingertip control *n* contrôle *m* digital

finger trouble○ *n* Comput erreur *f* de manipulation des touches

fingerwagging /'fɪŋgəwægɪŋ/
A *n* fig accusation *f*
B *modif* [*memo, minister*] accusateur/-trice

finial /'fɪnɪəl/ *n* Archit fleuron *m*

finicky /'fɪnɪkɪ/ *adj* [*person*] difficile (**about** pour); [*job, task*] minutieux/-ieuse

finish /'fɪnɪʃ/
A *n* (*pl* **~es**) 1 (end) fin *f*; **from start to ~** du début (jusqu')à la fin; **it will be a fight to the ~** lit ce sera un combat à mort; fig la partie va être serrée; **to be in at the ~** assister au dénouement
2 Sport arrivée *f*; **it was a close ~** l'arrivée a été serrée; **an athlete with a good ~** un athlète bon au sprint final
3 (surface, aspect) (of clothing, wood, car) finition *f*; (of fabric, leather) apprêt *m*; **a car with a metallic ~** une voiture métallisée; **paint with a matt/silk ~** peinture mate/satinée; **a wine with a smooth ~** un vin épanoui
B *vtr* 1 (complete) finir, terminer [*chapter, sentence, task*]; terminer, achever [*building, novel, sculpture, opera*]; **to ~ doing** finir de faire; **I must get this report ~ed** il faut que je finisse *or* que je termine ce rapport
2 (leave) finir [*work, studies*]; **I ~ work at 5.30 pm** je finis (le travail) à 17 h 30; **she ~es school/university next year** elle finira l'école/l'université l'année prochaine
3 (consume) finir [*cigarette, drink, meal*]; **who ~ed all the biscuits?** qui a fini les biscuits?
4 (put an end to) briser [*career*]
5 ○(exhaust, demoralize) achever○ [*person*]; **that long walk ~ed me!** cette longue promenade m'a achevé○!; **this news nearly ~ed him** cette nouvelle a failli l'achever○
C *vi* 1 (end) [*conference, programme, term*] finir, se terminer; [*holidays*] prendre fin; **the meeting ~es at 3 pm** la réunion se termine à 15 h; **the film ~es on Thursday** le film ne passe plus à partir de jeudi; **I'll see you when the concert ~es** je te verrai à la fin du concert; **wait until the music ~es** attends la fin du morceau (de musique); **as the concert was ~ing** alors que le concert touchait à sa fin; **after the lecture ~es we'll have lunch** nous déjeunerons quand la conférence sera terminée; **I'm waiting for the washing machine to ~** j'attends que ma lessive soit finie
2 (reach end of race) arriver; **my horse ~ed first** mon cheval est arrivé premier; **the horse/the athlete failed to ~** le cheval/l'athlète n'a pas fini la course
3 (conclude) [*speaker*] finir, conclure; **he won't let me ~** il ne me laisse pas finir (de parler); **let me ~** laissez- moi finir (de parler); **she ~ed with a quotation** elle a conclu par une citation
4 (leave employment) **I ~ed at the bank yesterday** j'ai quitté mon travail à la banque hier
D **finished** *pp adj* 1 **beautifully ~ed** [*furniture, interior etc*] avec des finitions soignées; **interior ~ed in marble/grey** intérieur avec des finitions en marbre/finitions grises; **walls ~ed in blue gloss** murs laqués bleu; **the ~ed product** le produit fini
2 (accomplished) [*performance*] accompli
3 (ruined) fini, fichu○; **as a boxer he's ~ed** en tant que boxeur il est fini *or* fichu○; **after the scandal her career was ~ed** après le scandale, sa carrière était finie
(Phrasal verbs) ■ **finish off**: ▸ **~ [sth] off, ~ off [sth]** 1 (complete) finir, terminer [*letter, task*]; **I'll just ~ off the ironing** je vais juste finir le repassage; 2 (round off) **to ~ off the meal with a glass of brandy** terminer le repas avec un verre de cognac; ▸ **~ [sb] off** 1 (exhaust, demoralize) achever○ [*person*]; 2 (kill) achever [*person, animal*]
■ **finish up**: ▸ **~ up** [*person*] (at end of journey) se retrouver; (in situation) finir; **they ~ed up in London** il se sont retrouvés à Londres; **he ~ed up in prison** il a fini en prison; **to ~ up as a teacher** finir par devenir professeur; **to ~ up (by) doing** finir par faire; ▸ **~ [sth] up, ~ up [sth]** finir [*milk, paint, cake*]
■ **finish with**: ▸ **~ with [sth]** finir avec; **have you ~ed with the newspaper?** tu as fini avec le journal?; **hurry up and ~ with the scissors, I need them** dépêche-toi avec les ciseaux, j'en ai besoin; **pass the pen to me when you've ~ed with it** passe-moi le stylo quand tu auras fini; **I'm ~ed with school/politics!** j'en ai assez de l'école!/de la politique!; ▸ **~ with [sb]** 1 (split up) rompre avec [*girlfriend, boyfriend*]; 2 (stop punishing) **I haven't ~ed with you yet!** je n'en ai pas encore fini avec toi!; **you'll be sorry when I've ~ed with you!** tu vas voir ce que tu vas voir○!

finisher /'fɪnɪʃə(r)/ ▸ **p. 1683** *n* finisseur/-euse *m/f*, apprêteur/-euse *m/f*

finish: **~ing line** GB, **~ line** US *n* Sport, fig ligne *f* d'arrivée; **~ing post** *n* Sport poteau *m* d'arrivée; **~ing school** *n* Sch *pension pour jeunes filles de bonne famille*

finishing touch *n* touche *f* finale; **to put the ~es to** mettre la touche finale à [*painting, speech, room*]

Finistère ▸ **p. 1129** *pr n* Finistère *m*; **in/to ~** dans le Finistère

finite /'faɪnaɪt/ *adj* 1 gen [*resources*] limité; 2 Math, Philos, Ling fini

fink◑ /fɪŋk/ US péj
A *n* 1 (informer) mouchard/-e *m/f* pej; 2 (contemptible person) sale type○ *m*
B *vi* (inform) **to ~ on sb** dénoncer qn
(Phrasal verb) ■ **fink out**◑ se défiler○; **to ~ out on sb** laisser qn en plan○

Finland /'fɪnlənd/ ▸ **p. 1096** *pr n* Finlande *f*

Finn /fɪn/ ▸ **p. 1467** *n* 1 (citizen) Finlandais/-e *m/f*; 2 (speaker) Finnois/-e *m/f*

Finnish /'fɪnɪʃ/ ▸ **p. 1467, p. 1378**
A *n* Ling finnois *m*
B *adj* finlandais

Finno-Ugric /ˌfɪnəʊ'u:grɪk/ ▸ **p. 1378**
A *n* finno-ougrien *m*
B *adj* finno-ougrien/-ienne

fiord *n* = **fjord**

fir /fɜ:(r)/ *n* (*also* **~ tree**) sapin *m*

fir cone *n* pomme *f* de pin

fire /'faɪə(r)/
A *n* 1 (element) feu *m*; **to set ~ to sth, to set sth on ~** mettre le feu à qch; **to be on ~** être en feu; **to be destroyed by ~** être détruit par le feu; **to catch ~** prendre feu; **to be on ~ with love/desire** brûler d'amour/de désir; 2 (blaze) incendie *m*; **to start a ~** provoquer un incendie; **a ~ broke out** un incendie s'est déclaré; **the ~ is out** l'incendie est éteint; 3 (for warmth) feu *m*; **to make** *ou* **build a ~** faire un feu; **to sit by the ~** s'asseoir au coin du feu; **a lovely** *ou* **roaring ~** une belle flambée; **electric ~** GB radiateur *m* électrique; 4 ¢ (shots) coups *mpl* de feu; **to open ~ on sb** ouvrir le feu sur qn, faire feu sur qn; **to exchange ~** échanger des coups de feu; **to be** *ou* **come under enemy ~** essuyer le feu de l'ennemi; **the police/passers-by came under ~** on a tiré sur la police/les passants; **to be under ~** fig être vivement critiqué (**from** par); **to draw sb's ~** offrir une cible au tir ennemi; **to hold one's ~** (refrain) ne pas tirer; (stop) arrêter de tirer; **to return sb's ~** riposter; **a burst of machine-gun ~** une rafale de mitraillette; 5 (verve) fougue *f*
B *excl* 1 (raising alarm) au feu!; 2 (order to shoot) feu!
C *vtr* 1 Mil, gen décharger [*gun, weapon*]; tirer [*shot*]; lancer [*arrow, rock, missile*]; **to ~ a shot at sb/sth** tirer sur qn/qch; 2 (ceremonially) **to ~ a (21 gun) salute** tirer une salve (de 21 coups de canon); 3 fig (shoot) **to ~ questions at sb** bombarder qn de questions; 4 (inspire) **to be ~d with enthusiasm** s'enthousiasmer (**for** pour); **to ~ sb's imagination** enflammer l'imagination de qn; 5 (dismiss) renvoyer, licencier, virer○ [*person*]; **you're ~d!** vous êtes renvoyé *or* viré○; 6 Tech cuire [*ceramics*]
D *vi* 1 Mil, gen tirer (**at, on** sur); 2 Mech [*engine*] démarrer
(Idioms) **~ away!** allez-y!; **to hang ~** Mil faire long feu; fig [*plans, project, person*] traîner; **to hold ~** attendre; **to play with ~** jouer avec le feu; **he'll never set the world on ~**○ il ne fera jamais de miracles; **to go through ~ and water for sb** faire n'importe quoi pour qn; ▸ **house**
(Phrasal verbs) ■ **fire off**: ▸ **~ off [sth]** 1 lit décharger [*gun*]; tirer [*round, bullets*]; 2 fig hum (send) expédier [*letter, memo*]
■ **fire up**: ▸ **~ [sb] up, ~ up [sb]** gonfler [qn] à bloc; **to be all ~d up** être gonflé à bloc

fire: **~ alarm** *n* alarme *f* incendie; **~-and-brimstone** *adj* [*sermon, preacher*] *qui menace l'auditoire des flammes de l'Enfer*; **~ appliance** *n* voiture *f* de pompiers; **~arm** *n* arme *f* à feu; **~back** *n* plaque *f* de cheminée, contrecœur *m*

fireball /'faɪəbɔ:l/ *n* 1 Nucl boule *f* de feu; 2 Astron bolide *m*; 3 Meteorol éclair *m* en boule; 4 fig (person) personne *f* dynamique

fire: **~base** *n* Mil base *f* de feux; **~ bell** *n* sonnerie *f* d'alarme; **~boat** *n* bateau-pompe *m*

firebomb /'faɪəbɒm/
A *n* bombe *f* incendiaire
B *vtr* incendier [*building*]

fire: **~box** *n* Hist Rail foyer *m*; **~brand** *n* fig semeur *m* de discordes; **~break** *n* pare-feu *m inv*; **~brick** *n* brique *f* réfractaire; **~ brigade** *n* pompiers *mpl*; **~bug** *n* incendiaire *mf*; **~ chief** *n* US chef *m* des pompiers; **~clay** *n* argile *f* réfractaire; **~ cover** *n* assurance-incendie *f*; **~cracker** *n* pétard *m*; **~-damaged** *adj* endommagé par le feu; **~damp** *n* grisou *m*; **~ department** *n* US pompiers *mpl*; **~dog** *n* chenet *m*; **~ door** *n* porte *f* coupe-feu; **~ drill** *n* exercice *m* d'évacuation en cas d'incendie; **~-eater** *n* cracheur/-euse *m/f* de feu; **~ engine** *n* voiture *f* de pompiers; **~ escape** *n* escalier *m* de secours; **~ exit** *n* sortie *f* de secours; **~ extinguisher** *n* extincteur *m*; **~fighter** ▸ **p. 1683** *n* pompier *m*

firefighting /'faɪəfaɪtɪŋ/
A *n* lutte *f* contre l'incendie
B *modif* [*operation, plane*] de lutte contre l'incendie

fire: **~fly** *n* luciole *f*; **~guard** *n* pare-étincelles *m inv*

fire hazard *n* risque *m* d'incendie; **to be a ~** constituer un risque d'incendie

fire: **~house** *n* US caserne *f* de pompiers; **~ hydrant** *n* bouche *f* d'incendie; **~ insurance** *n* assurance-incendie *f*; **~ irons** *npl* accessoires *mpl* pour faire du feu

firelight /'faɪəlaɪt/ *n* lueur *f* du feu; **in the ~, by ~** à la lueur du feu

fire: **~lighter** *n* allume-feu *m inv*; **~ loss adjuster** *n* Insur expert *m* en sinistre incendie; **~man** ▸ **p. 1683** *n* pompier *m*; **~ marshall** *n* US pompier *m* responsable de la prévention; **~place** *n* cheminée *f*; **~ plug** *n* US bouche *f* d'incendie; **~ power** *n* puissance *f* de feu; **~ practice** *n* = **fire drill**

fireproof /'faɪəpru:f/
A *adj* [*door, clothing*] ignifugé
B *vtr* ignifuger

f

fire: ~ **raiser** *n* GB pyromane *mf*; **~-raising** *n* GB pyromanie *f*; ~ **regulations** *npl* (laws) normes *fpl* de protection contre les incendies; (instructions) consignes *fpl* en cas d'incendie; ~ **risk** *n* risque *m* d'incendie

fire sale *n*: *vente de marchandises légèrement endommagées dans un incendie*; to have a ~ of assets Fin se débarrasser au plus vite de ses actifs

fire: ~ **screen** *n* écran *m* de cheminée; ~ **service** *n* (sapeurs-)pompiers *mpl*; **~side** *n* coin *m* du feu; ~ **station** *n* caserne *f* de pompiers; ~ **tower** *n* poste *m* de vigie; **~trap** *n* souricière *f* (*en cas d'incendie*); **~truck** *n* US voiture *f* de pompiers

firewall /ˈfaɪəwɔːl/ *n* 1) Constr mur *m* coupe-feu; 2) Comput pare-feu *m*, barrière *f* de sécurité

fire: **~warden** ▸ p. 1683 *n* responsable *mf* de la lutte contre l'incendie; **~water**° *n* gnôle° *f*; **~wood** *n* bois *m* à brûler

firework /ˈfaɪəwɜːk/
A *n* feu *m* d'artifice
B **fireworks** *npl* 1) lit feu *m* d'artifice; 2) fig (trouble) there'll be ~s! ça va péter°!; to wait for the ~s to die down attendre que ça se calme°

firework: **~s display** *n* feu *m* d'artifice; **~s factory** *n* usine *f* pyrotechnique

firing /ˈfaɪərɪŋ/ *n* 1) (of guns) tir *m*; there was continuous ~ il y avait un tir continu; 2) (of ceramics) cuisson *f*

firing line *n* to be in the ~ lit être dans la ligne de tir; to be first in the ~ fig (under attack) faire l'objet de violentes critiques

firing pin *n* percuteur *m*

firing squad *n* peloton *m* d'exécution; to face the ~ être fusillé

firm /fɜːm/
A *n* (business) entreprise *f*; electronics/haulage ~ entreprise d'électronique/de transports; small ~ petite entreprise *f*; taxi ~ compagnie *f* de taxi; security ~ société *f* de surveillance; ~ of architects cabinet *m* d'architecte; law ~ cabinet *m* juridique
B *adj* 1) (hard) [*mattress, fruit, handshake*] ferme; to get a ~ grip on sth tenir fermement qch; to give sth a ~ tap/tug taper/tirer qch d'un coup sec; 2) (steady) [*table, ladder*] solide; 3) fig (strong) [*foundation, base, basis, grasp, friend*] solide; one must keep a ~ grip on the facts il faut bien saisir les faits; it's my ~ belief that je crois fermement que; the ~ favourite le grand favori; 4) (definite) [*offer, commitment, intention, assurance, refusal*] ferme; [*date*] définitif/-ive; [*evidence*] concret/-ète; 5) (resolute) [*person, voice, stand, leadership, purpose, response*] ferme (with sb avec qn); he needs a ~ hand il a besoin qu'on soit ferme avec lui; 6) Fin [*pound, dollar, yen, market*] ferme
C *adv* to stand ~ tenir bon (against contre); to remain *ou* hold ~ [*currency*] rester ferme (against par rapport à)
D *vi* Fin [*share, price*] (stabilize) se stabiliser (at à); (rise) se raffermir (to à)
(Phrasal verb) ■ **firm up**: ▸ ~ up [*arrangement, deal*] se confirmer; [*muscle, flesh*] se raffermir; ▸ ~ up [sth], ~ [sth] up confirmer [*arrangement, deal*]; raffermir [*muscle, flesh*]

firmament /ˈfɜːməmənt/ *n* littér firmament *m* liter

firmly /ˈfɜːmlɪ/ *adv* 1) [*say, answer, state*] d'une voix ferme, d'un ton ferme; tell him ~ but politely... dis-lui fermement mais poliment...; to deal ~ with sb/sth traiter qn/qch avec fermeté; 2) [*believe, deny, be committed, be convinced, reject, resist*] fermement; ~ held beliefs de fermes convictions; 3) [*clasp, grip, hold, push, press*] fermement; [*attach, fasten, tie*] solidement; to be ~ rooted/embedded in sth fig être solidement enraciné/ancré dans qch; we have it ~ under control nous l'avons bien en main; she keeps her feet ~ on the ground elle a les pieds sur terre

firmness /ˈfɜːmnɪs/ *n* 1) gen fermeté *f*; 2) Fin (of price, pound, share) stabilité *f*, bonne tenue *f*

firmware /ˈfɜːmweə(r)/ *n* Comput microprogramme *m*, micrologiciel *m*

first /fɜːst/ ▸ p. 1487, p. 1116
A *pron* 1) (of series, group) premier/première *m/f* (to do à faire); Beethoven's ~ Mus la première de Beethoven; she'd be the ~ to complain/to admit it elle serait la première à se plaindre/à l'admettre; she was one of *ou* among the ~ to arrive elle est arrivée parmi les premiers/-ières
2) (of month) the ~ (of May) le premier (mai)
3) First (in titles) Charles the First Charles Ier; Elizabeth the First Elisabeth Première
4) (initial moment) the ~ I knew about his death was a letter from his wife c'est par une lettre de sa femme que j'ai appris qu'il était mort; that's the ~ I've heard of it! première nouvelle!
5) (beginning) début *m*; from the (very) ~ dès le début; from ~ to last du début jusqu'à la fin
6) (new experience) a ~ for sb/sth une première pour qn/qch; another ~ for Germany! une autre première pour l'Allemagne!
7) Aut (gear) to be in ~ [*driver, car*] être en première; ▸ gear
8) GB Univ (degree) ≈ mention *f* très bien; to get a ~ in history *ou* a history ~ avoir sa licence d'histoire avec mention très bien
B *adj* 1) (of series, group) premier/-ière (*before n*); the ~ three pages/people *or* the three ~ pages/people les trois premières pages/personnes; the ~ few minutes les toutes premières minutes; the ~ person to do la première personne à faire; the ~ person that did (first of several) la première personne qui a fait; (first ever) la première personne qui ait fait
2) (in phrases) at ~ glance *ou* sight à première vue; for the ~ time pour la première fois; I warned him not for the ~ time that ce n'était pas la première fois que je le prévenais que; for the ~ and last time une fois pour toutes; I'll ring ~ thing tomorrow/in the morning je vous appellerai demain au plus tôt/en tout début de matinée; I'll do it ~ thing je le ferai dès que possible
3) (slightest) he doesn't know the ~ thing about politics il ne connaît absolument rien à la politique; I don't know the ~ thing about him je ne sais absolument rien à son sujet *ou* de lui; she didn't have the ~ idea what to do/where to go elle ne savait absolument pas quoi faire/où aller
C *adv* 1) (before others) [*arrive, leave*] le premier/la première; Louise left ~ Louise est partie la première; to get there ~ lit, fig arriver le premier/la première; you go ~! après vous!, passez devant!; ladies ~! les dames d'abord!; women and children ~ les femmes et les enfants d'abord
2) (at top of ranking) to come ~ Games, Sport terminer premier/première (in à); fig passer avant tout; his career comes ~ with him sa carrière passe avant tout pour lui; to put sb/sth ~ fig faire passer qn/qch avant tout; put your family ~ faites passer votre famille avant tout
3) (to begin with) d'abord; ~ of all tout d'abord; ~ we must decide nous devons d'abord décider; ~ mix the eggs and sugar mélanger d'abord les œufs et le sucre; ~ she tells me one thing, then something else elle commence par me dire une chose puis elle me dit le contraire; there are two reasons: ~... il y a deux raisons: d'abord...; at ~ au début; when we were ~ married tout au début de notre mariage; when he ~ arrived quand il est arrivé; he was a gentleman ~ and last c'était avant tout un gentleman
4) (for the first time) pour la première fois; I ~ met him in Paris je l'ai rencontré pour la première fois à Paris
5) (rather) plutôt; move to the country? I'd die ~! déménager à la campagne? plutôt mourir!
(Idioms) ~ come ~ served les premiers arrivés sont les premiers servis; there are only a few tickets: it's ~ come ~ served il n'y a que quelques billets: les premiers arrivés seront les premiers servis; seats are allocated on a ~ come ~ served basis les places sont allouées sur la base des premiers arrivés, premiers servis; ~ things ~ chaque chose en son temps; to put ~ things ~ penser aux choses importantes d'abord

first aid
A *n* 1) ¢ gen premiers soins *mpl*; to give sb ~ donner les premiers soins à qn; 2) (as skill) secourisme *m*; lessons in ~ des leçons de secourisme
B **first-aid** *modif* [*equipment, room, station*] de secours; [*training*] de secourisme

first aider° *n* secouriste *mf*

first aid: ~ **kit** *n* trousse *f* de secours; ~ **officer** *n* secouriste *mf*

first base *n* Sport première base *f*; to get to ~ Sport atteindre la première base; not to get to ~ fig ne pas franchir le premier stade

first-born /ˈfɜːstbɔːn/
A *n* premier-né/première-née *m/f*
B *adj* their ~ child/son leur premier-né; their ~ daughter leur première-née

first class
A *n* 1) Transp première *f* (classe *f*); 2) Post tarif *m* normal *or* rapide
B **first-class** *adj* 1) Tourism, Transp [*accommodation, compartment, hotel, seat, ticket*] de première (classe); 2) Post [*stamp*] (au) tarif normal *or* rapide; [*send*] en tarif normal *or* rapide; a ~ letter une lettre en tarif normal *or* rapide; ~ mail courrier (au tarif) rapide; 3) GB Univ [*degree*] avec mention très bien; 4) (excellent) excellent, de premier ordre
C *adv* 1) Transp [*travel*] en première (classe); 2) Post en tarif normal *or* rapide

first: ~ **course** *n* (of meal) entrée *f*; ~ **cousin** *n* (male) cousin *m* germain; (female) cousine *f* germaine; ~ **day cover** *n* Post émission *f* du premier jour; ~ **degree burn** *n* brûlure *f* au premier degré; ~ **degree murder** *n* US Jur meurtre *m* avec préméditation; ~ **edition** *n* première édition *f*, édition *f* originale; ~ **estate** *n* Pol Hist premier état *m*; **~-ever** *adj* tout premier/toute première; **First Family** *n* US Pol famille *f* présidentielle

first floor
A *n* GB premier étage *m*; US rez-de-chaussée *m*
B **first-floor** *modif* [*room, apartment etc*] GB au premier étage; US au rez-de-chaussée

first-footing /ˌfɜːstˈfʊtɪŋ/ *n* Scot to go ~ *aller rendre visite à quelqu'un après minuit la nuit de Saint-Sylvestre*

first: ~ **form** *n* GB Sch (classe *f* de) sixième *f*; **~-former** *n* GB Sch élève *mf* de sixième; ~ **fruits** *npl* fig littér premiers fruits *mpl*; **~-generation** *adj* (all contexts) de la première génération; ~ **grade** *n* US Sch cours *m* préparatoire

firsthand /ˌfɜːstˈhænd/ *adj, adv* de première main; at first hand de première main

first: **First Lady** *n* US Pol première dame *f*; fig grande dame *f*; ~ **language** *n* langue *f* maternelle

first light *n* premières lueurs *fpl*; at ~ aux premières lueurs

firstly /ˈfɜːstlɪ/ *adv* premièrement

first mate *n* Naut second *m*

first name *n* prénom *m*; to be on ~ terms with sb appeler qn par son prénom

first night
A *n* Theat première *f*
B **first-night** *modif* [*nerves, audience*] de la première; [*ticket, party*] pour la première

first: **~-nighter** *n* Theat habitué/-e *m/f* des premières; ~ **offender** *n* Jur délinquant/-e *m/f* primaire; **~ officer** ▸ **p. 1599** *n* Aviat, Naut second *m*

first past the post *n* GB **~ system** *majorité simple des suffrages*

> **First past the post system**
>
> Les élections législatives britanniques ne comportant qu'un seul tour, c'est le candidat qui remporte le plus de suffrages (sans obtenir nécessairement 50% des voix) qui est élu député. Ce système encourage donc le vote 'utile' qui favorise les deux grands partis, travaillistes (*Labour*) et conservateurs (*Conservative*). Les libéraux-démocrates (*Liberal Democrats*), avec une moyenne de 25% des voix, n'obtiennent que 3 ou 4% des sièges à la Chambre des communes.
> ▸ **House of Commons**

first performance *n* Mus, Theat première *f* mondiale

first person *n* Ling première personne *f*; **in the ~** à la première personne; **~ singular/plural** première personne du singulier/du pluriel

first principle *n* principe *m* premier; **to go back to ~s** retourner aux principes premiers

first: **~-rate** *adj* excellent; **~ school** *n* GB Sch école *f* préparatoire; **~-strike** *adj* Mil [*missile, capability*] de première frappe; **~-time buyer** primoaccédant/-ante *m/f*

first-timer○ /ˌfɜːst'taɪmə(r)/ *n* (in sport, activity) débutant/-e *m/f*; (in new experience) quelqu'un qui n'a pas l'habitude; **he's a ~** il n'a pas l'habitude

first violin *n* premier violon *m*

first water *n* **of the ~** lit [*diamond*] d'une belle eau; fig de l'espèce la plus pure

First World *n* (*also* **First World countries**) pays *mpl* industrialisés

first year
A *n* Sch, Univ (group) première année *f*; (pupil) élève *mf* en première année; (student) étudiant/-e *m/f* en première année
B **first-year** *modif* [*student*] en première année; [*course, teacher, class*] de première année

firth /fɜːθ/ *n* estuaire *m*

fiscal /'fɪskl/ *adj* fiscal

fiscal year *n* exercice *m* budgétaire *or* fiscal

fish /fɪʃ/
A *n* (*pl* **~**, **~es**) **1** Zool poisson *m*; **to catch a ~** attraper *or* prendre un poisson; **freshwater/saltwater** *ou* **sea ~** poisson *m* d'eau douce/de mer; **2** Culin ¢ poisson *m*; **to eat/cook ~** manger/préparer du poisson; **wet ~** poisson *m* frais
B *modif* [*course, bone, glue*] de poisson; [*knife, fork*] à poisson
C *vtr* pêcher [*waters, river*]
D *vi* **1** lit pêcher; **to ~ for trout/cod** pêcher la truite/la morue; **2** fig (test for response) **'why did he ask me that?'—'he was just ~ing!'** 'pourquoi m'a-t-il demandé ça?'—'il voulait te faire parler'; **to ~ for information** chercher à dénicher des renseignements; **to ~ for compliments** rechercher les compliments
(Idioms) **to be neither ~ nor fowl (nor good red herring)** n'être ni chair ni poisson; **to be like a ~ out of water** ne pas se sentir dans son élément; **to drink like a ~**○ boire comme un trou; **to have other ~ to fry** avoir d'autres chats à fouetter; **he's a queer ~**○ c'est un drôle d'oiseau; **he's a cold ~**○ il est très froid; **there are plenty more ~ in the sea** un de perdu, dix de retrouvés
(Phrasal verbs) ■ **fish around**: ▸ farfouiller (**in** dans; **for** pour trouver)
■ **fish out**: ▸ **~ out [sth], ~ [sth] out** **1** (from bag, pocket) sortir [*money, pen*] (**of** de); **2** (from water) repêcher [*body, object*] (**of** de)

fish: **~ and chips** *n* poisson *m* frit avec des frites; **~ and chip shop** ▸ **p. 1683** *n* GB friterie *f*; **~bowl** *n* bocal *m* (à poissons); **~ cake** *n* croquette *f* de poisson

fisher /'fɪʃə(r)/ *n* pêcheur/-euse *m/f*

fisherman /'fɪʃəmən/ ▸ **p. 1683** *n* pêcheur *m*

fishery /'fɪʃərɪ/ *n* **1** (processing plant) pêcherie *f*; **2** (activity) pêche *f*

fishery protection vessel *n* navire *m* de surveillance des zones de pêche

fish: **~-eye lens** *n* Phot objectif *m* à très grand angle; **~ farm** *n* centre *m* de pisciculture; **~ farming** *n* pisciculture *f*; **~ finger** *n* GB bâtonnet *m* de poisson; **~ food** *n* aliments *mpl* pour poissons; **~ fry** *n* US *pique-nique où l'on sert de la friture*; **~ hook** *n* hameçon *m*

fishing /'fɪʃɪŋ/
A *n* pêche *f*; **deep-sea/offshore ~** pêche hauturière/côtière; **mackerel/salmon ~** pêche au maquereau/au saumon; **to go ~** aller à la pêche
B *modif* [*boat, fleet, port, line, net*] de pêche

fishing: **~ ground** *n* pêche *f*, lieu *m* de pêche; **~ industry** *n* industrie *f* de la pêche; **~ net** *n* filet *m* de pêche; **~ rod** *n* canne *f* à pêche; **~ tackle** *n* gen attirail *m* de pêche; (in shop) articles *mpl* de pêche; **~ village** *n* port *m* de pêche

fish: **~ kettle** *n* poissonnière *f*; **~ ladder** *n* barrages *mpl* à saumons; **~ market** *n* halle *f* aux poissons; **~ meal** *n* farine *f* de poisson

fishmonger /'fɪʃmʌŋgə(r)/ ▸ **p. 1683** *n* GB poissonnier/-ière *m/f*; **~'s (shop)** poissonnerie *f*

fish: **~net** *adj* [*tights, stockings*] à résille; **~ paste** *n* GB ≈ beurre *m* de poisson; **~plate** *n* Tech, Rail éclisse *f*

fishpond /'fɪʃpɒnd/ *n* **1** gen étang *m* à poissons; (ornamental) bassin *m*; **2** (at fish farm) vivier *m*

fish: **~ restaurant** *n* restaurant *m* de poisson; **~ shop** GB, **~ store** US ▸ **p. 1683** *n* poissonnerie *f*; **~ slice** *n* (for frying) spatule *f*; (for serving at table) pelle *f* à poisson; **~tail** *vi* Aut, Aviat chasser (de gauche à droite); **~ tank** *n* aquarium *m*

fishwife /'fɪʃwaɪf/ *n* marchande *f* de poisson; **to shout like a ~** crier comme une poissonnière

fishy /'fɪʃɪ/ *adj* **1** lit [*smell, taste*] de poisson; **2** ○fig (suspect) louche○, douteux/-euse; **it sounds a bit ~ to me** ça m'a l'air plutôt louche○, ça ne me paraît pas très catholique

fissile /'fɪsaɪl, US 'fɪsl/ *adj* fissile

fission /'fɪʃn/ *n* **1** (*also* **nuclear ~**) Phys fission *f*; **2** Biol fissiparité *f*

fissionable /'fɪʃənəbl/ *adj* Phys fissible

fissure /'fɪʃə(r)/ *n* **1** (in ground) crevasse *f*; (in wood, wall) fissure *f*; **2** Anat scissure *f*

fissured /'fɪʃəd/ *adj* fissuré

fist /fɪst/ *n* poing *m*; **to shake one's ~ at sb** menacer qn du poing
(Idioms) **to make money hand over ~** gagner des mille et des cents; **to make a good/poor ~ of doing sth** bien/mal faire qch

fist fight *n* pugilat *m*

fistful /'fɪstfʊl/ *n* poignée *f* (**of** de)

fisticuffs○ /'fɪstɪkʌfs/ *npl* bagarre *f*

fistula /'fɪstjʊlə/ *n* (*pl* **~s** *ou* **-ae**) fistule *f*

fit /fɪt/
A *n* **1** Med crise *f*, attaque *f*; **to have a ~** (unspecified) avoir une attaque *or* une crise; (epileptic) avoir une crise d'épilepsie
2 gen (of rage, passion, jealousy, panic) accès *m*; **in a ~ of anger** dans un accès de colère; **~ of coughing** quinte *f* de toux; **~ of crying** crise de larmes; **to have a ~ of the giggles** avoir le fou rire; **to have sb in ~s**○ donner le fou rire à qn; **to have** *ou* **throw a ~**○ (be mad) piquer○ une crise
3 (of garment) **to be a good/poor ~** être/ne pas être à la bonne taille; **to be a tight ~** être juste
B *adj* **1** [*person*] (in trim) en forme; (not ill) en bonne santé; **you're looking ~ and well!** tu as l'air en pleine forme!; **to keep/feel ~** se maintenir/se sentir en forme; **to get ~** se mettre en bonne condition
2 (suitable, appropriate) **to be ~ company for** être une bonne compagnie pour; **it's not a ~ time to do** ce n'est pas le moment de faire; **to be ~ for** (worthy of) être digne de, convenir à [*person, hero, king*]; (capable of) être capable de faire [*job*]; être capable de remplir [*role*]; **a land ~ for heroes** une terre digne des héros *or* qui convient aux héros; **to be only ~ for the bin** être juste bon/bonne à mettre à la poubelle; **to be ~ for nothing** n'être plus bon/bonne à rien; **~ for human consumption** propre à la consommation; **not ~ for swimming** impropre à la baignade; **to be ~ to do** (worthy of) être digne de faire; (in a condition to) être en état de faire; (qualified to) être apte à faire; **he's not ~ to live** il n'est pas digne de rester en vie; **to be ~ to drive** être en état de conduire; **to be ~ to govern** être apte à gouverner; **~ to drink** potable; **~ to eat** mangeable; **~ to live in** habitable; **I'm not ~ to be seen!** je ne suis pas présentable!; **to see** *ou* **think ~ to do** juger *or* trouver bon de faire; **do as you see** *ou* **think ~** faites comme bon vous semble; **when one sees** *ou* **thinks ~** quand on le juge bon; **to be in no ~ state to do** ne pas être en état de faire; **it is ~ that** fml il est convenable que (+ *subj*)
3 ○(in emphatic phrases) **to laugh ~ to burst** se tordre de rire; **to cry ~ to burst/to break your heart** pleurer comme une Madeleine/à vous fendre le cœur; **to be ~ to drop** tomber de fatigue
C *vtr* (*prét* **fitted**, **fit** US; *pp* **fitted**) **1** (be the right size) [*garment*] être à la taille de; [*shoe*] être à la pointure de; [*object*] aller sur [*top, surface*]; aller dans [*envelope, space*]; **that dress doesn't ~ me** cette robe n'est pas à ma taille; **the key ~s this lock/this box** la clé va dans cette serrure/ouvre cette boîte; **to ~ size X to Y** correspondre aux tailles X à Y; **to ~ ages 3 to 5** convenir aux enfants de 3 à 5 ans; **the jacket doesn't ~ me across the shoulders** la veste ne me va pas aux épaules; **'one size ~s all'** 'taille unique'
2 (make or find room for) **to ~ sth in** *ou* **into** loger qch dans, trouver de la place pour qch dans [*room, house, car*]; **can you ~ this on your desk?** peux-tu trouver de la place pour ça sur ton bureau?
3 (install) mettre [qch] en place [*lock, door, window, kitchen, shower*]; **to have sth fitted** mettre qch en place; **to ~ A to B, to ~ A and B together** assembler A avec B; **to ~ sth into place** mettre qch en place; **to ~ sth with** équiper qch de [*attachment, lock*]; **to be ~ted with a radio** être équipé d'une radio
4 **to ~ sb for** prendre les mesures de qn pour [*garment, uniform*]; **he's being ~ted for a suit** on est en train de lui prendre ses mesures pour un costume; **to ~ sb with** pourvoir qn de [*hearing aid, prosthesis, pacemaker*]
5 (be compatible with) correspondre à [*description, requirements*]; aller avec [*decor, colour scheme*]; **we have no-one ~ting that description** nous n'avons personne qui corresponde à cette description; **the punishment should ~ the crime** la punition devrait être proportionnée à la faute; ▸ **bill**
6 (qualify, make suitable) **to ~ sb for/to do** [*experience, qualifications*] rendre qn apte à/à faire; **to be ~ted for a role** être apte à remplir un rôle
D *vi* (*prét* **fitted**, **fit** US; *pp* **fitted**) **1** (be the right size) [*garment*] être à ma/ta/sa taille, aller; [*shoes*] être à ma/ta/sa pointure, aller; [*object, lid, sheet*] aller; **these jeans ~, I'll take them** ce jean est à ma taille, je le prends; **your jeans ~ really well** ton jean te va très bien; **this key doesn't ~** cette clé ne va pas
2 (have enough room) tenir (**into** dans); **the toys**

should ~ into that box les jouets devraient tous tenir dans cette boîte; **will the table ~ in that corner?** y a-t-il de la place pour la table dans ce coin?
3 (go into designated place) **to ~ inside one another** aller *or* se mettre les uns dans les autres; **to ~ into a slot** s'adapter *or* aller dans une fente; **to ~ into place** [*part, handle*] bien aller; [*cupboard, brick*] bien rentrer
4 fig (tally, correspond) **his story doesn't ~** son histoire ne tient pas debout; **something doesn't quite ~ here** il y a quelque chose qui ne va pas ici; **to ~ with** correspondre à [*statement, story, facts*]; **to ~ into** aller avec [*ideology, colour scheme*]; **it all ~s into place!** tout concorde!

(Idiom) **by** *ou* **in ~s and starts** par à-coups

(Phrasal verbs) ■ **fit in**: ► **~ in** 1 lit [*key, object*] aller; **will you all ~ in?** (to car, room) est-ce qu'il y a de la place pour vous tous?; **these books won't ~ in** je n'arrive pas à caser ces livres; 2 fig (be in harmony) s'intégrer (**with** à); **he doesn't ~ in** il ne s'intègre pas; **I'll ~ in with your plans** j'accorderai mes projets avec les vôtres; ► **~ [sth] in, ~ in [sth]** 1 (find room for) caser [*books, objects*]; faire entrer [*key*]; 2 (find time for) caser [*game, meeting, break*]; ► **~ [sb] in, ~ in [sb]** trouver le temps pour voir [*patient, colleague*]
■ **fit on**: ► **~ on** aller; **where does it ~ on?** où est-ce que ça va?; ► **~ on(to) [sth]** aller sur; **this part ~s on(to) this section** ce morceau va sur cette partie; ► **~ [sth] on** mettre [*top, piece*]
■ **fit out, fit up**: ► **~ [sth] out** *ou* **up, ~ out** *ou* **up [sth]** équiper (**with** de); **to ~ sth out as an office** équiper qch pour en faire un bureau; **to ~ sb out** *ou* **up with** mettre [qch] à qn [*costume, garment, hearing aid*]

fitful /'fɪtfl/ *adj* [*sleep*] troublé, agité; [*night*] agité; [*wind, mood*] capricieux/-ieuse, changeant; [*showers, light*] intermittent

fitfully /'fɪtfəlɪ/ *adv* [*sleep, rain, shine*] par intermittence

fitment /'fɪtmənt/ *n* (in bathroom) appareil *m* sanitaire; **the ~s** les installations *fpl* sanitaires, le sanitaire *m*

fitness /'fɪtnɪs/
A *n* 1 (physical condition) forme *f*; 2 (aptness) (of person) aptitude *f* (**for, to do** à faire); **to doubt sth's ~ for a task** douter que qch soit approprié à une tâche; **to doubt sb's ~ for a job** douter de la compétence de qn
B *modif* [*club, centre, room*] de culture physique; [*gym, plan*] de mise en condition physique; **~ level** condition *f* physique

fitness: **~ consultant** *n* conseiller/-ère *m/f* en culture physique; **~ fanatic** *n* fou/folle *m/f* de culture physique; **~ test** *n* test *m* de condition physique; **~ training** *n* ₵ exercices *mpl* physiques, fitness *m*

fitted /'fɪtɪd/ *adj* 1 [*clothes*] ajusté; 2 [*wardrobe, furniture, unit*] encastré; [*bedroom, kitchen*] intégré

fitted: **~ carpet** *n* moquette *f*; **~ sheet** *n* drap-housse *m*

fitter /'fɪtə(r)/ ► p. 1683 *n* 1 (of machines, electrical equipment) monteur/-euse *m/f*; 2 (*also* **carpet ~**) poseur *m* de moquette; 3 (of garment) essayeur/-euse *m/f*

fitting /'fɪtɪŋ/
A *n* 1 (standardized part) (bathroom, electrical, gas) installation *f*; **furniture and ~s** mobilier et installations; **kitchen ~s** éléments *mpl* de cuisine; ► **light fitting, shop fitting**; 2 (for clothes, hearing aid) essayage *m*; **to go for a ~** aller faire un essayage; 3 (width of shoe) largeur *f*
B *adj* 1 (apt) [*description, language, site*] adéquat; [*memorial, testament*] qui convient; **it was a ~ end for such a man** c'était la fin qui convenait à un tel homme; **a ~ tribute to her work** un hommage mérité à son œuvre; **it is ~ that** il est convenable que (+ *subj*); 2 (seemly) [*behaviour*] bienséant
C **-fitting** (*dans composés*) **well-~** à la bonne taille; **badly-~** [*garment*] qui ne va pas; [*dentures*] mal ajusté; **loose-/tight-~** ample/étroit

fittingly /'fɪtɪŋlɪ/ *adv* (appropriately) [*situated, named*] de façon appropriée

fitting room *n* salon *m* d'essayage

five /faɪv/ ► p. 1487, p. 927, p. 1059
A *n* 1 (numeral) cinq *m inv*; 2 ○US (five dollar note) billet *m* de cinq dollars
B **fives** *npl* GB Sport *variante du squash pratiquée avec une batte ou un gant*
C *adj* cinq *inv*

(Idiom) **to take ~**○ US faire une pause

five-and-dime /ˌfaɪvən'daɪm/ *n* US bazar *m*

five-a-side /ˌfaɪvə'saɪd/ GB
A *n* (*also* **~ football**) football *m* à cinq (joueurs)
B *modif* [*tournament, match*] de football à cinq (joueurs)

five: **Five Nations Championship** *n* (in rugby) tournoi *m* des cinq nations; **~ o'clock shadow** *n* barbe *f* de fin de journée

fiver○ /'faɪvə(r)/ *n* GB billet *m* de cinq livres

five: **~ spot**○ *n* US billet *m* de cinq dollars; **~-star hotel** *n* hôtel *m* cinq étoiles; **~-year man** *n* US péj éternel redoublant *m*; **~-year plan** *n* plan *m* quinquennal

fix /fɪks/
A *n* 1 ○(quandary) pétrin○ *m*; **to be in a ~** être dans le pétrin○; 2 ○(dose) (of drugs) argot des drogués shoot○ *m*; (of entertainment) séance *f*; **to get a ~** se piquer○; 3 (means of identification) **to take a ~ on sth** Aviat, Naut déterminer la position de qch; **to get a ~ on sth** fig cerner qch; **let's get a ~ on the problem** cernons le problème; 4 ○(rigged arrangement) **it was a ~** c'était truqué
B *vtr* 1 (establish, set) fixer [*date, time, venue, amount, price, limit*]; déterminer [*chronology, position on map*]; **to ~ tax at 20%** établir un impôt de 20%; **on the date ~ed** à la date convenue; **nothing is ~ed yet** il n'y a encore rien d'arrêté; 2 (organize) arranger [*meeting, trip, visit*]; préparer [*drink, meal, snack*]; **to ~ one's hair** se donner un coup de peigne; **to ~ one's face**○ se faire une beauté○; **how are we ~ed for time/money?** qu'est-ce qu'on a comme temps/argent?○; **how are you ~ed for tonight/next week?** quels sont tes projets pour ce soir/la semaine prochaine?; 3 (mend) réparer [*article, equipment*]; (sort out) régler [*problem*]; 4 (attach, insert) fixer [*curtain, handle, shelf, notice*] (**on** sur; **to** à); planter [*post, stake*] (**into** dans); enfoncer [*hook, nail*] (**into** dans); attacher [*rope, string*] (**to** à); fig faire peser [*suspicion*] (**on** sur); rejeter [*blame*] (**on** sur); **to ~ sth into place** mettre qch en place; **her name was firmly ~ed in my mind** son nom était profondément gravé dans mon esprit; 5 (concentrate) fixer [*attention*] (**on** sur); placer [*hopes*] (**on** dans); tourner [*thoughts*] (**on** vers); **to ~ one's gaze on sb** regarder qn fixément; **she ~ed him with an angry stare** elle l'a fixé d'un regard furieux; **his hopes were ~ed on going to university** son plus cher espoir était d'aller à l'université; 6 ○(rig, corrupt) truquer [*contest, election, match*]; soudoyer [*judge, jury, witness*]; 7 ○(get even with) régler son compte à [*bully, criminal*]; **I'll soon ~ him (for you)!** je vais lui régler son compte!; 8 Art, Biol, Chem, Phot, Tex fixer
C ○*vi* (inject oneself) argot des drogués se piquer○
D **fixed** *pp adj* [*address, gaze, vacation, idea, income, focus, order, price, rate*] fixe; [*intervals*] régulier/-ière; [*behaviour, method*] immuable; [*aim*] arrêté; [*determination*] inébranlable; [*desire*] tenace; [*intention*] ferme; [*proportion*] constant; [*smile, expression*] figé; [*menu*] à prix fixe; **of no ~ed address** sans domicile fixe

(Phrasal verbs) ■ **fix on, fix upon**: ► **~ on [sth]** choisir [*person, place, food, object*]; fixer [*date, time, venue, amount*]; ► **~ on [sth], ~ [sth] on** (attach) fixer [*object*]
■ **fix up**: ► **~ up [sth], ~ [sth] up** 1 (organize) arranger, organiser [*holiday, meeting*]; décider de [*date*]; **to ~ up to do** convenir de faire; **it's all ~ed up** tout est arrangé; 2 (decorate) refaire [*room, house*]; **he ~ed up the bedroom as a study** il a transformé la chambre en bureau; 3 (construct, put up) fixer [*shelf, notice*]; (amateurishly) bricoler [*shelter, storage*]; ► **~ sb up with sth** trouver qch à qn [*accommodation, drink, equipment, vehicle*]; faire avoir qch à qn [*ticket, pass, meal, document*]; ► **~ sb up with sb**○ monter une baraque à qn avec qn○

fixated /fɪk'seɪtɪd/ *adj* **to be ~ on sb/sth** faire une fixation sur qn/qch

fixation /fɪk'seɪʃn/ *n* 1 gen, Psych fixation *f*; **to have a ~ on** *ou* **about** faire une fixation sur; **mother ~** fixation à la mère; 2 Phot fixage *m*; 3 Chem fixation *f*

fixative /'fɪksətɪv/ *n* gen, Dent, Tex produit *m* fixateur; (for hair, perfume) fixateur *m*; Art fixatif *m*; Phot fixateur *m*

fix: **~ed assets** *npl* immobilisations *fpl*, actif *m* immobilisé; **~ed charge** *n* frais *mpl* fixes; **~ed costs** *npl* frais *mpl* fixes

fixedly /'fɪksɪdlɪ/ *adv* [*look, gaze*] fixement; **to smile ~** garder un sourire figé

fix: **~ed point** *n* Comput, Math virgule *f* fixe; **~ed rate financing** *n* financement *m* à taux fixe; **~ed star** *n* étoile *f* fixe

fixed term contract *n* contrat *m* (de travail) à durée déterminée

fixer /'fɪksə(r)/ *n* 1 ○(schemer) magouilleur/-euse○ *m/f*; 2 Phot fixateur *m*

fixing /'fɪksɪŋ/
A *n* fixation *f*
B **fixings** *npl* 1 Culin garniture *f*; 2 (screws, bolts) visserie *f*

fixity /'fɪksətɪ/ *n* fixité *f*; **~ of purpose** détermination *f*

fixture /'fɪkstʃə(r)/ *n* 1 Constr, Tech installation *f*; **~s and fittings** équipements *mpl*; 2 Sport rencontre *f*; 3 ○(person) personne *f* qui fait partie du décor○; 4 Jur immeuble *m* par destination

fixture list *n* Sport agenda *m* des rencontres

fizz /fɪz/
A *n* 1 (of drink) pétillement *m*; 2 (of match, firework) crépitement *m*; 3 ○GB (drink) (champagne) champagne *m*, champ○ *m*; (sparkling wine) mousseux *m*
B *vi* 1 [*drink*] pétiller; 2 [*match, firework*] crépiter

(Phrasal verb) ■ **fizz up** mousser

fizzle /'fɪzl/

(Phrasal verb) ■ **fizzle out** [*interest, enthusiasm, romance*] s'éteindre; [*strike, campaign, project*] faire fiasco; [*story*] se terminer en queue de poisson; [*firework*] faire long feu

fizzy /'fɪzɪ/ *adj* gazeux/-euse

fjord /fɪ'ɔ:d/ *n* fjord *m*

FL US Post *abrév écrite* = **Florida**

flab○ /flæb/ *n* chair *f* flasque

flabbergast /'flæbəgɑ:st, US -gæst/ *vtr* sidérer; **to be ~ed** être sidéré (**at** à)

flabby /'flæbɪ/ *adj* 1 [*skin, muscle*] flasque; [*person*] aux chairs flasques; [*handshake*] mou/molle; 2 fig [*person, temperament*] mou/molle; [*excuse, argument*] inconsistant

flaccid /'flæsɪd/ *adj* flasque, mou/molle

flaccidity /ˌflæ'sɪdətɪ/ *n* mollesse *f*, flaccidité *f* spec

flack /flæk/ US
A *n* attaché/-e *m/f* de presse
B *vi* **to ~ for sb** faire l'attaché/-e *m/f* de presse de qn

flag /flæg/
A *n* 1 (national symbol) drapeau *m*; **to hoist** *ou* **run up a ~** hisser un drapeau; **to wave a ~** brandir un drapeau; **a ~ flew from every building** sur chaque bâtiment un drapeau flottait au vent; **to sail under the Panamanian ~** Naut battre pavillon panaméen; 2 (as signal) Naut pavillon *m*; Rail drapeau *m*; **to show the white**

~ lit hisser le drapeau blanc; fig baisser pavillon; **with ~s flying** Naut pavillon haut; **3** (on map) drapeau *m*; **4** Bot iris *m* des marais; **5** (stone) dalle *f*; **6** Comput drapeau *m*

B *vtr* (*p prés etc* **-gg-**) **1** (mark with tab) baliser [*text*]; **2** (signal) signaler [*problem*]; **3** Comput signaler [qch] au moyen d'un drapeau

C *vi* (*p prés etc* **-gg-**) [*interest*] faiblir; [*morale, strength*] baisser; [*conversation*] languir; [*athlete, campaigner*] flancher○

(Idioms) **to fly the ~** représenter son pays (à l'étranger); **we must keep the ~ flying** nous devons le faire pour l'honneur de notre pays; **to wave the ~** faire des déclarations patriotiques

(Phrasal verb) ■ **flag down**: ▸ **~ [sth] down, ~ down [sth]** faire signe de s'arrêter à [*train*]; héler [*taxi*]

flag: **~ carrier** *n* compagnie *f* nationale (de transport aérien); **~ day** *n* GB jour *m* de collecte (*au profit d'une œuvre caritative*); **Flag Day** *n* US le 14 juin (*jour où le drapeau américain fut adopté*)

flagellant /ˈflædʒələnt/ *n* **1** Hist Relig flagellant *m*; **2** (sexual) (sadist) flagellateur/-trice *m/f*; (masochist) adepte *mf* de la flagellation

flagellate /ˈflædʒəleɪt/

A *n* Biol flagellé *m*

B *adj* Biol (*also* **~d**) flagellé

C *vtr* flageller

D *v refl* **to ~ oneself** se flageller

flagellation /ˌflædʒəˈleɪʃn/ *n* flagellation *f*

flagelliform /fləˈdʒəlɪfɔːm/ *adj* Biol flagelliforme

flagellum /fləˈdʒeləm/ *n* (*pl* **-la** *ou* **~s**) Biol flagelle *m*

flageolet /ˌflædʒəˈlet, ˈflædʒ-/ *n* (all contexts) flageolet *m*

flagged /ˈflæɡd/ *adj* [*floor, room*] dallé

flagging /ˈflæɡɪŋ/ *n* (stones) dalles *fpl*

flag: **~ of convenience** *n* pavillon *m* de complaisance; **~ officer** ▸ p. 1599 *n* Naut ≈ officier *m* général

flagon /ˈflæɡən/ *n* (bottle) grosse bouteille *f*; (jug) pichet *m*

flagpole /ˈflæɡpəʊl/ *n* mât *m* (*de drapeau*); **we'll run it** *ou* **the idea up the ~** fig on va lancer un ballon d'essai fig

flagrant /ˈfleɪɡrənt/ *adj* flagrant

flagrantly /ˈfleɪɡrəntlɪ/ *adv* [*behave, do*] de façon flagrante; [*artificial, dishonest etc*] manifestement

flagship /ˈflæɡʃɪp/

A *n* Naut vaisseau *m* amiral

B *modif* [*company, product*] vedette

flag: **~stone** *n* dalle *f*; **~ stop** *n* US arrêt *m* facultatif

flag-waving /ˈflæɡweɪvɪŋ/ *n* péj (patriotism) comportement *m* chauvin; (patriotic statements) déclarations *fpl* cocardières

flail /fleɪl/

A *n* fléau *m*

B *vtr* **1** Agric battre [qch] au fléau [*corn*]; **2** gen ▸ **flail about**

C *vi* ▸ **flail about**

(Phrasal verbs) ■ **flail about, flail around**: ▸ **~ about, ~ around** [*person*] se débattre; [*arms, legs*] s'agiter; ▸ **~ [sth] about, ~ [sth] around** agiter [*arms, legs*]

flair /fleə(r)/ *n* **1** (talent) don *m* (**for** pour; **for doing** pour faire); **2** (style) classe *f*

flak /flæk/ *n* ¢ **1** Mil tirs *mpl* des batteries antiaériennes; **2** ○fig (criticism) critiques *fpl*; **to get** *ou* **take a lot of ~** se faire mitrailler○

flake /fleɪk/

A *n* **1** (of snow, cereal) flocon *m*; (of soap) paillette *f*; (of chocolate, cheese) copeau *m*; **2** (of paint, metal, rust) écaille *f*; (of rock, flint) éclat *m*; **3** ○US (eccentric) toqué/-e○ *m/f*

B *vtr* émietter [*fish*]; **~d almonds** amandes effilées

C *vi* **1** (*also* **~ off**) [*paint, varnish*] s'écailler; [*plaster, stone*] s'effriter; [*skin*] peler; **2** [*fish*] s'émietter

(Phrasal verbs) ■ **flake off**◑ US se barrer○ ■ **flake out**○ (fall asleep) s'endormir comme une masse; (flop) tomber comme une masse

flake white *n* blanc *m* de plomb *or* de céruse

flakey○ = **flaky 3**

flak jacket GB, **flack vest** US *n* gilet *m* pare-balles

flaky /ˈfleɪkɪ/ *adj* **1** [*paint*] qui s'écaille; [*skin*] qui pèle; [*plaster, rock, statue*] qui s'effrite; **2** [*snow*] floconneux/-euse; **3** ○US (eccentric) [*person*] toqué○; [*idea, movie*] farfelu○

flaky pastry *n* pâte *f* feuilletée

flamboyant /flæmˈbɔɪənt/ *adj* **1** [*person*] haut en couleur; [*lifestyle, image, behaviour*] exubérant; [*colour, clothes, style*] voyant; [*gesture*] expansif/-ive; **2** Archit de style flamboyant

flame /fleɪm/

A *n* **1** lit flamme *f*; **a naked ~** une flamme nue; **to be in ~s** être en flammes; **to go up in ~s** s'enflammer; **to burst into ~s** s'embraser; **over a low/high ~** Culin à feu doux/vif; **to be shot down in ~s** être descendu en flammes also fig; **2** fig feu *m* (**of** de); **to burn with a brighter ~** brûler d'un feu plus vif; **to fan** *ou* **fuel the ~s of love** attiser le feu de l'amour; **to fan the ~s of violence** attiser les flambées de violence; **an old ~**○ (person) un ancien flirt○; **3** (colour) rouge *m* feu

B *adj* [*hair, leaf, flower*] rouge feu *inv*

C *vtr* **1** Culin flamber; **2** (on Internet) descendre [qn] en flammes, incendier, flinguer○

D *vi* **1** [*fire, torch*] flamber; **2** [*sunset, tree*] flamboyer; [*face*] s'enflammer (**with** de); **3** [*emotion*] brûler

(Phrasal verb) ■ **flame up** [*fire*] flamber

flame-coloured GB, **flame-colored** US /ˈfleɪmkʌləd/ *adj* [*tree, hair*] rouge feu *inv*; [*sky, fabric*] couleur de feu

flamenco /fləˈmeŋkəʊ/

A *n* flamenco *m*

B *modif* [*dancer, music*] de flamenco; **~ dancing** flamenco *m*

flameproof /ˈfleɪmpruːf/ *adj* qui va au feu

flamer /ˈfleɪmə(r)/ *n* (on Internet) provocateur *m*

flame retardant

A *n* ignifugeant *m*

B *adj* [*substance, chemical*] ignifuge; [*furniture, fabric*] ignifugé

flamethrower /ˈfleɪmθrəʊə(r)/ *n* lance-flammes *m inv*

flaming /ˈfleɪmɪŋ/

A *n* (on Internet) campagne *f* d'insultes

B *adj* **1** [*garment, vehicle, building*] en flammes; [*torch*] allumé; **2** [*face*] cramoisi; [*sky, colour*] flamboyant; **3** [*row*] violent; **4** ○(emphatic) fichu○; **~ idiot!** fichu imbécile○!

flamingo /fləˈmɪŋɡəʊ/ *n* (*pl* **~s** *ou* **-oes**) flamant *m* (rose)

flammable /ˈflæməbl/ *adj* inflammable; **highly ~** hautement inflammable

flan /flæn/ *n* (savoury) quiche *f*, tarte *f*; (sweet) tarte *f*; **apricot ~** tarte aux abricots; **cheese ~** quiche au fromage

Flanders /ˈflɑːndəz/ *pr n* les Flandres *fpl*

flange /flændʒ/ *n* (on wheel) boudin *m*; (on pipe) bride *f*; (on tool) collet *m*; (on beam) aile *f*

flanged /flændʒd/ *adj* [*wheel*] à boudin; [*pipe*] à bride; [*tool*] à collet; [*beam*] à ailes

flank /flæŋk/

A *n* **1** (of animal, mountain) flanc *m*; **2** Mil flanc *m*; **3** Pol, Sport aile *f*; **4** Culin flanchet *m*

B *vtr* flanquer [*person, door*]; border [*path, area*]; **~ed by** [*person, door*] flanqué de; [*path, area*] bordé de

flanker /ˈflæŋkə(r)/ *n* (in rugby) ailier *m*

flannel /ˈflænl/

A *n* **1** Tex (wool) flanelle *f*; (cotton) pilou *m*; **2** GB (*also* **face ~**) ≈ gant *m* de toilette; **3** ○GB (talk) baratin○ *m*

B ○*vi* GB (*p prés etc* **-ll-**, US **-l-**) baratiner○

flannelette /ˌflænəˈlet/ *n* pilou *m*

flannels /ˈflænəlz/ *npl* **1** pantalon *m* de flanelle; **2** US pyjama *m* de flanelle

flap /flæp/

A *n* **1** (on pocket, envelope, hat, tent) rabat *m*; **2** (made of wood) (on table, bar) abattant *m*; (of trapdoor) trappe *f*; (for cat) chatière *f*; **3** (movement) (of wings) battement *m* (**of** de); (of sail) claquement *m* (**of** de); **4** Aviat volet *m*; **5** ○(panic) **to be in a ~** être affolé; **to get into a ~** s'affoler; **6** Ling battement *m*

B *vtr* (*p prés etc* **-pp-**) [*wind*] claquer [*sail, cloth*]; faire voleter [*paper, clothes*]; [*person*] secouer [*sheet, cloth etc*]; agiter [*paper, letter*]; **to ~ sth at sb/sth** agiter qch en direction de qn/qch; **the bird was ~ping its wings** l'oiseau battait des ailes; **he ~ped his arms around** il battait l'air de ses bras

C *vi* (*p prés etc* **-pp-**) **1** (move) [*wing*] battre; [*sail, flag, material, door*] claquer; [*paper, clothes*] voleter; **the birds ~ped away** les oiseaux se sont éloignés en battant des ailes; **2** ○(panic) s'affoler; **stop ~ping!** calme-toi!

flapjack /ˈflæpdʒæk/ *n* Culin **1** GB biscuit *m* au müesli; **2** US crêpe *f*

flapper○ /ˈflæpə(r)/ *n* (*also* **~ girl**) jeune femme *f* délurée (*des années vingt*)

flare /fleə(r)/

A *n* **1** (light signal) Aviat (on runway) balise *f* lumineuse; Mil (on target) fusée *f* éclairante; Naut (distress signal) fusée *f* (de détresse); **2** (burst of light) (of match, lighter) lueur *f*; (of fireworks) flamboiement *m*; **3** Ind (in petroleum processing) torche *f*; **4** Fashn évasement *m*; **5** Astron (*also* **solar ~**) éruption *f* solaire; **6** Phot lumière *f* parasite

B **flares** *npl* (trousers) pantalon *m* à pattes d'éléphant; **a pair of ~s** un pantalon à pattes d'éléphant

C *vtr* **1** (widen) évaser [*skirt, trouser leg*]; **a ~d skirt** une jupe évasée; **a pair of ~d trousers** un pantalon à pattes d'éléphant; **2** Ind brûler [qch] en torche [*gases*]

D *vi* **1** (burn briefly) [*firework, match, torch*] jeter une brève lueur; **2** (erupt) [*violence*] éclater, se déchaîner; **tempers started to ~** les esprits ont commencé à s'échauffer; **3** (*also* **~ out**) (widen) [*skirt*] s'évaser; **4** [*nostrils*] se dilater

(Phrasal verb) ■ **flare up** **1** (burn brightly) [*fire*] s'embraser; **2** fig (erupt) [*trouble, violence*] éclater, se déchaîner; [*anger, revolution*] éclater; [*person*] s'emporter; [*epidemic*] se déclarer; **3** (recur) [*illness, symptoms*] réapparaître; [*pain*] se réveiller, revenir

flare path *n* Aviat piste *f* balisée

flare-up /ˈfleərʌp/ *n* **1** (of fire, light) flamboiement *m*; **2** (outburst) (of fighting, trouble) recrudescence *f*; (of dispute) reprise *f*; (of war) intensification *f*; (of anger) crise *f*; **a violent ~** une flambée de violence; **3** (argument) altercation *f*; **4** (recurrence) (of feeling) regain *m*; (of disease) recrudescence *f*

flash /flæʃ/

A *n* **1** (sudden light) (of torch, headlights) lueur *f* soudaine; (of jewels, metal, knife) éclat *m*; **a ~ of lightning** un éclair; **a ~ of light** une lueur soudaine; **2** fig **a ~ of colour** un éclair de couleur; **a ~ of inspiration/genius** un éclair d'inspiration/de génie; **a ~ of intuition** une intuition soudaine; **a ~ of wit** une boutade; **it came to him in a ~ that** l'idée lui est soudain venue que; **it was all over in** *ou* **like a ~** tout était fini en un clin d'œil; **3** Phot flash *m*; **4** (bulletin) flash *m* (d'information); **5** (stripe) (on clothing) parement *m*; (on car) bande *f*; **6** (on horse) (on head) étoile *f*; (elsewhere) tache *f* blanche; **7** ○GB (display) **give us a quick ~!** hum fais-nous voir!

B ○*adj* (posh) péj [*hotel*] luxueux/-ueuse; [*car, suit*] tape-à-l'œil *inv*; [*friend*] frimeur/-euse

C *vtr* **1** ○(display) [*person*] montrer [qch] rapidement [*ID card, credit card, money*]; **to ~ sth at sb** [*person*] montrer qch rapidement à qn; (flaunt) exhiber qch devant qn; **2** (shine) **to**

~ a signal/message to sb envoyer un signal/message à qn avec une lampe; **to ~ a torch on** *ou* **at sth** diriger le faisceau d'une lampe de poche sur qch; **~ your torch three times** envoie trois signaux lumineux avec ta lampe de poche; **to ~ one's headlights (at)** faire un appel de phares (à); **3** (send) fig lancer [*look, smile*] (**at** à); **4** (transmit) [*TV station*] transmettre [*pictures, news*] (**to** à); (briefly) faire apparaître [*message*]
D *vi* **1** (shine) [*lighthouse, warning light*] clignoter; [*jewels*] étinceler; [*eyes*] lancer des éclairs; **to ~ on and off** clignoter; **his right indicator was ~ing** il avait mis son clignotant droit; **2** (appear suddenly) **a thought ~ed through my mind** une pensée m'a traversé l'esprit; **3** ○(expose oneself) [*man*] faire l'exhibitionniste (**at** devant)
(Idioms) **to be a ~ in the pan** être un feu de paille; **quick as a ~** vif/vive comme l'éclair
(Phrasal verbs) ■ **flash about, flash around**: ▸ **~ [sth] about** exhiber [*credit card, banknote*]; étaler [*money*]
■ **flash back** [*film*] faire un retour en arrière (**to** sur)
■ **flash by, flash past** [*person, bird*] passer comme un éclair; [*time*] passer à la vitesse de l'éclair; [*landscape*] défiler
■ **flash up**: ▸ **~ up** [*message, result*] s'afficher; ▸ **~ [sth] up, ~ up [sth]** afficher [*message, results*] (**on** sur)

flashback /ˈflæʃbæk/ *n* **1** Cin flash-back *m* (**to** à), retour *m* en arrière (**to** sur); **2** (memory) flash-back *m*, souvenir *m*

flash: **~bulb** *n* ampoule *f* de flash; **~ burn** *n* Med brûlure *f* causée par une explosion atomique; **~ card** *n* (for teaching) carte *f* (de support visuel); (for awarding points) carte *f* de pointage; **~ cube** *n* cube-flash *m*

flasher○ /ˈflæʃə(r)/ *n* **1** (exhibitionist) exhibitionniste *m*; **2** Aut clignotant *m*

flash: **~ flood** *n* crue *f* soudaine; **~-forward** *n* Cin flash-forward *m*; **~-fry steak** *n* Culin ≈ steak *m* minute; **~ gun** *n* Phot flash *m*; **~ Harry**○ *n* GB péj frimeur○ *m*

flashily /ˈflæʃɪlɪ/ *adv* [*dress*] de façon voyante

flashing /ˈflæʃɪŋ/
A *n* **1** Constr solin *m*; **2** ○(exhibitionism) exhibitionnisme *m*
B *adj* [*light, sign*] clignotant

flash: **~ light** *n* lampe *f* de poche; **~ memory** *n* Comput mémoire *f* flash; **~ photography** *n* photographie *f* au flash; **~ stick** *n* Comput carte *f* mémoire flash

flashpoint /ˈflæʃpɔɪnt/ *n* **1** Chem point *m* d'éclair; **2** fig (trouble spot) point *m* chaud; **3** fig (explosive situation) point *m* critique

flashy○ /ˈflæʃɪ/ *adj* péj [*driver, player*] frimeur/-euse; [*move, stroke*] pour la frime (*after n*); [*car, dress, tie*] tape-à-l'œil *inv*; [*colour*] criard; [*jewellery*] clinquant; [*campaign, image, presentation*] tape-à-l'œil *inv*; **he's a ~ dresser** il porte toujours des vêtements tape-à-l'œil

flask /flɑːsk, US flæsk/ *n* **1** Chem (large) flacon *m*; (small) (round-bottomed) ballon *m*; (flat-bottomed) fiole *f*; **2** gen (large) bonbonne *f*; (small) bouteille *f*; (vacuum) thermos® *f or m inv*; **(hip) ~** flasque *f*

flat ➡📖 /flæt/
A *n* **1** GB (apartment) appartement *m*; **one-bedroom ~** deux-pièces *m inv*; **2** (level part) **the ~ of** le plat de [*hand, oar, sword*]; **on the ~** GB [*walk, park*] sur le plat; **3** ○(on car, bike) pneu *m* à plat; **4** Mus (note, sign) bémol *m*; **5** Theat châssis *m*; ▸ **salt flat**
B **flats** *npl* **1** ○US (shoes) chaussures *fpl* plates; **2** Geog (marshland) marécage *m*
C *adj* **1** (level) [*surface, landscape, road, roof*] plat; (not rounded) [*stone*] plat; [*stomach, chest*] plat; [*nose, face*] aplati; (shallow) [*dish, basket, box*] plat; **to be ~ on one's back/face** être sur le dos/à plat ventre; **to hammer sth ~** aplatir qch au marteau; **to be squashed ~** être écrasé; **2** (deflated) [*tyre, ball*] dégonflé; **to have a ~ tyre** avoir un pneu à plat; **to go ~** se dégonfler; **3** (pressed close) **her feet ~ on the floor** les pieds bien à plat sur le sol; **4** Fashn [*shoes, heels*] plat; **5** (absolute) [*refusal, rejection, denial*] catégorique; **you're not going and that's ~**○**!** tu n'iras pas, un point c'est tout!; **6** (standard) [*fare, fee*] forfaitaire; [*charge*] fixe; **7** (monotonous) [*voice, tone*] plat, monocorde; (unexciting) [*performance, story, style*] plat; [*colour*] terne; [*taste*] plat; **8** (not fizzy) [*beer, lemonade*] éventé; **to go ~** [*beer*] s'éventer; **9** (depressed) **to feel ~** [*person*] se sentir déprimé; **he sounded a bit ~** il n'avait pas l'air en forme; **10** GB [*battery*] Elec usé; Aut à plat; **to go ~** Elec être usé; Aut être à plat; **11** Comm, Fin (slow) [*market, trade*] languissant; [*spending, profits*] stagnant; **12** Mus [*note*] bémol *inv*; (off key) [*voice, instrument*] faux; **in the key of B ~ minor** en si bémol mineur; **13** (matt) [*paint, surface*] mat
D *adv* **1** (horizontally) [*lay, lie*] à plat; [*fall*] de tout son long; **to knock sb ~** terrasser qn; **to lay sb ~** étendre raide qn○; **they laid the village ~** ils ont rasé le village; **to lie ~** [*person*] s'étendre; [*hair*] s'aplatir; [*pleat*] être aplati; **to lie/land ~ on one's back** s'allonger/atterrir sur le dos; **I was lying ~ on my back** j'étais allongé sur le dos; **to fall ~ on one's face** lit tomber à plat ventre; fig se casser la figure○; **2** (in close contact) **we pressed ~ against the wall** nous nous sommes aplatis contre le mur; **she pressed her nose ~ against the window** elle a collé son nez à la vitre; **3** (exactly) **in 10 minutes ~** en 10 minutes pile; **4** ○ (absolutely) carrément; **she told me ~ that** elle m'a carrément dit que; **to turn [sth] down ~** refuser [qch] tout net [*offer, proposal*]; **they went ~ against their orders** ils ont carrément enfreint les ordres; **5** Mus [*sing, play*] faux
(Idiom) **to fall ~** [*play*] faire un bide○; [*joke*] tomber à plat; [*party, evening*] tourner court; [*plan*] tomber à l'eau

flat: **~-bed lorry** *n* camion *m* à plateau; **~-bottomed** *adj* [*boat*] à fond plat; **~ broke**○ *adj* fauché○, à sec○; **~ cap** *n* GB casquette *f* plate; **~car** *n* US wagon *m* plat

flat-chested /ˌflætˈtʃestɪd/ *adj* [*woman*] à la poitrine plate

flat course *n* US plat *m*

flat feet *npl* pieds *mpl* plats; **to have ~** avoir les pieds plats

flat: **~fish** *n* poisson *m* plat; **~ foot**○† *n* GB péj poulet○† *m*, policier *m*

flat-footed /ˌflætˈfʊtɪd/ *adj* **1** Med [*person*] aux pieds plats; **to be ~** avoir les pieds plats; **2** ○(clumsy) [*person*] lourdaud pej; **3** ○péj (tactless) [*attempt, manner, remark*] maladroit
(Idiom) **to catch sb ~**○ prendre qn au dépourvu

flat-hunting /ˈflæthʌntɪŋ/ *n* GB **to go ~** chercher un appartement

flat: **~iron** *n* Hist fer *m* à repasser (*qu'on chauffe sur le poêle*); **~ jockey** ▸ **p. 1683** *n* jockey *m* spécialisé dans les courses de plat; **~lands** *npl* plaine *f*; **~-leaf parsley** *n* persil *m* plat

flatlet /ˈflætlɪt/ *n* GB ≈ studio *m*

flatline○ /ˈflætlaɪn/ *vi* mourrir

flatly /ˈflætlɪ/ *adv* **1** (absolutely) [*refuse, contradict, reject*] catégoriquement; [*deny*] formellement; **to be ~ opposed to sth** s'opposer catégoriquement à qch; **2** (unemotionally) [*say etc*] d'une voix monocorde

flatmate /ˈflætmeɪt/ *n* GB colocataire *mf* (*personne avec qui on partage un appartement*)

flatness /ˈflætnɪs/ *n* **1** (of terrain, landscape) manque *m* de relief; (of roof, stone, surface) aspect *m* plat; **2** (dullness) (of voice) caractère *m* monocorde; (of colours) fadeur *f*; (of style, description, story) platitude *f*

flat out○ /ˌflætˈaʊt/
A *adj* GB (*also* **~ tired** US) KO○, épuisé
B *adv* [*drive, go, ride*] à fond de train; [*work*] d'arrache-pied; **it only does 120 km per hour ~** elle ne monte qu'à 120 km à l'heure, pied au plancher; **to tell sb ~ that** US dire carrément à qn que
(Idiom) **to go ~ for sth** se mettre en quatre○ pour faire qch

flat: **~-pack** *adj* en kit; **~ race** *n* course *f* de plat; **~ racing** *n* ¢ courses *fpl* de plat

flat rate /ˌflætˈreɪt/
A *n* taux *m* fixe
B **flat-rate** *modif* [*contribution, fee, tax*] forfaitaire

flat: **~ screen** *adj* [*TV*] à écran plat; **~ season** *n* saison *f* des courses de plat; **~ silver** *n* US couverts *mpl* en argent

flat-sharing /ˈflætʃeərɪŋ/ *n* colocation *f*

> **Flat-sharing**
>
> Système de partage du logement très répandu aux États-Unis et en Grande-Bretagne. Des étudiants, des jeunes salariés ou des célibataires louent un appartement ou une maison (*house-sharing*) à plusieurs, et chacun paie sa part des charges et du loyer.

flat spin /ˌflætˈspɪn/ *n* Aviat vrille *f* à plat
(Idiom) **to be in a ~**○ être affolé

flatten /ˈflætn/
A *vtr* **1** (level) [*rain, storm*] coucher [*crops, grass*]; abattre [*tree, fence*]; [*bombing, earthquake*] raser [*building, town*]; **he ~ed him with a single punch** il l'a étendu raide○ d'un seul coup de poing; **he'll ~ you**○**!** il va te casser la figure○!; **2** (smooth out) aplanir [*surface, ground, road*]; aplatir [*metal*]; **3** (crush) écraser [*animal, fruit, hat, box etc*]; **4** ○fig (beat) écraser [*person, team*]; **5** Mus baisser (le ton de) [*note*]; **6** GB Aut, Elec user [*radio battery*]; décharger [*car battery*]
B *vi* = **flatten out**
C *v refl* **to ~ oneself** s'aplatir (**against** contre) [*wall, door etc*]
D **flattened** *pp adj* [*shape, nose, head*] aplati; [*box, can*] écrasé; (by rain, storm) [*grass, weeds*] couché; (by earthquake, bombs) [*building, district*] rasé
(Phrasal verb) ■ **flatten out**: ▸ **~ out** [*slope, road, ground*] s'aplanir; [*graph, curve, flight path*] se redresser; [*growth, exports, decline*] se stabiliser; ▸ **~ out [sth], ~ [sth] out** aplanir [*ground, road*]; **he ~ed the map out on the table** il a étalé la carte bien à plat sur la table

flattening /ˈflætnɪŋ/ *n* **1** (of metal) aplatissement *m*; (of ground) aplanissement *m*; **2** GB (humiliation) humiliation *f*

flatter /ˈflætə(r)/
A *vtr* **1** (compliment) flatter (**on** sur); **to be ~ed that** être flatté que; **2** (enhance) [*light, dress, portrait*] flatter
B *v refl* **to ~ oneself** se flatter (**on being** d'être); **I ~ myself that I know a bit about computers** je me flatte de m'y connaître un peu en informatique

flatterer /ˈflætərə(r)/ *n* flatteur/-euse *m/f*

flattering /ˈflætərɪŋ/ *adj* [*remark, portrait etc*] gen flatteur/-euse; **she was wearing a ~ hat/dress** elle portait un chapeau/une robe qui la flattait

flatteringly /ˈflætərɪŋlɪ/ *adv* flatteusement; **~ attentive** d'une prévenance flatteuse

flattery /ˈflætərɪ/ *n* flatterie *f*
(Idiom) **~ will get you nowhere** la flatterie ne mène à rien

flatties○ /ˈflætɪz/ *npl* GB chaussures *fpl* plates

flat: **~-top** *n* coupe *f* en brosse carrée; **~-topped** *adj* [*hill, mountain*] à sommet plat

flatulence /ˈflætjʊləns/ *n* flatulence *f*

➡📖 *see* Life in France

flatulent /ˈflætjʊlənt/ *adj* **1** Med [*person*] ballonné; [*indigestion*] flatulent; [*food*] qui provoque des flatulences; **2** fig [*style*] enflé

flatware /ˈflætweə(r)/ *n* US **1** (cutlery) couverts *mpl*; **2** (crockery) assiettes *fpl*

flatworm /ˈflætwɜːm/ *n* ver *m* plat, plathelminthe *m* spec

flaunt /flɔːnt/

A *vtr* péj étaler [*wealth*]; faire étalage de [*knowledge, superiority, charms*]; afficher [*opinion, ability, quality, lover*]; exhiber [*possession*]

B *v refl* **to ~ oneself** s'exhiber

flautist /ˈflɔːtɪst/ ▸ **p. 1683, p. 1462** *n* flûtiste *mf*

flavour GB, **flavor** US /ˈfleɪvə(r)/

A *n* **1** Culin goût *m*; (subtler) saveur *f*; **with a coffee ~** au café; **to bring out the ~** relever le goût; **banana ~ yoghurt** yaourt à la banane; **full of ~** plein de saveurs; **2** (atmosphere) (of period, place) atmosphère *f*; (hint) idée *f*; **the ~ of life in 1900** la saveur de la vie de 1900

B *vtr* **1** Culin (improve taste) donner du goût à; (add specific taste) parfumer (**with** à); **2** fig assaisonner (**with** de)

C flavoured GB, **flavored** US *pp adj* **1** Culin parfumé; **coffee-~ed** parfumé au café; **fully-~ed** plein de saveurs; **2** fig assaisonné

(Idiom) **to be ~ of the month**○ [*thing*] être en vogue; [*person*] être la coqueluche du moment

flavour-enhancer GB, **flavor-enhancer** US *n* exhausteur *m* de goût

flavouring GB, **flavoring** US /ˈfleɪvərɪŋ/ *n* (for sweet taste) parfum *m*; (for meat, fish) assaisonnement *m*; **natural/artificial ~** arôme *m* naturel/artificiel

flavourless GB, **flavorless** US /ˈfleɪvəlɪs/ *adj* insipide

flaw /flɔː/ *n* (in object, suggestion, character) défaut *m* (**in** dans); (in reasoning, theory) faille *f* (**in** dans); (in contract) Jur vice *m* de forme

flawed /ˈflɔːd/ *adj* gen défectueux/-euse; [*character, person*] vicié

flawless /ˈflɔːlɪs/ *adj* [*complexion*] sans défaut; [*argument*] sans faille; [*performance, technique*] irréprochable

flax /flæks/ *n* Bot, Tex lin *m*

flaxen /ˈflæksn/ *adj* de lin; **a ~-haired child** un enfant aux cheveux de lin

flay /fleɪ/ *vtr* **1** (remove skin) écorcher; **2** (beat) fouetter; **3** (criticize) éreinter

flea /fliː/ *n* puce *f*

(Idiom) **to send sb away with a ~ in their ear**○ envoyer promener○ qn

fleabag○ /ˈfliːbæg/ *n* péj **1** GB (person) pouilleux/-euse○ *m/f*; (animal) sac *m* à puces; **2** US (hotel) hôtel *m* miteux

fleabite /ˈfliːbaɪt/ *n* **1** lit piqûre *f* de puce; **2** fig (trifle) vétille *f*

flea-bitten /ˈfliːbɪtn/ *adj* **1** lit [*animal*] infesté de puces; [*part of body*] dévoré par les puces; **2** ○(shabby) miteux/-euse

flea: **~ collar** *n* collier *m* antipuce; **~ market** *n* marché *m* aux puces; **~pit**○ *n* GB péj cinéma *m* miteux; **~ powder** *n* poudre *f* antiparasitaire

fleck /flek/

A *n* (of colour) moucheture *f*; (of light) tache *f*; (of foam) flocon *m*; (of blood, paint) petite tache *f*; (of dust, powder) particule *f*

B *vtr* **to be ~ed with** être moucheté de [*colour*]; être tacheté de [*blood, paint, light*]; **hair ~ed with grey** des cheveux grisonnants; **eyes ~ed with green** des yeux piquetés de vert

fled /fled/ *prét, pp* ▸ **flee**

fledged /fledʒd/ *adj* ▸ **fully-fledged**

fledg(e)ling /ˈfledʒlɪŋ/

A *n* Zool oisillon *m*

B *modif* fig [*artist, barrister etc*] frais émoulu/fraîche émoulue; [*party, group*] naissant; [*democracy, enterprise*] jeune

flee /fliː/ (*prét, pp* **fled**)

A *vtr* fuir

B *vi* **1** [*person, animal*] fuir (**before, in the face of** devant); **to ~ from sth** fuir qch; **2** fig littér [*hope, happiness etc*] s'envoler

fleece /fliːs/

A *n* **1** (on animal) toison *f*; **2** Tex molleton *m*; (for sportswear) laine *f* polaire; **3** (garment) (vêtement *m* en laine) polaire *f*; **~-lined** fourré

B ○*vtr* (overcharge) estamper○; (swindle) plumer○

fleecy /ˈfliːsɪ/ *adj* [*fabric*] laineux/-euse; [*clouds*] floconneux/-euse

fleet /fliːt/ *n* **1** (of ships, planes) flotte *f*; (of small vessels) flottille *f*; **fishing ~** flottille de pêche; **2** (of vehicles) (in reserve) parc *m*; (on road) convoi *m*; **car ~** parc automobile

fleet: **~ admiral** ▸ **p. 1599** *n* US amiral *m* de la flotte; **Fleet Air Arm** *n* GB aéronavale *f*; **~ chief petty officer** ▸ **p. 1599** *n* GB major *m*; **~-footed**, **~ of foot** *adj* agile

fleeting /ˈfliːtɪŋ/ *adj* [*memory, pleasure*] fugace; [*visit, moment*] bref/brève; [*glance*] rapide

fleetingly /ˈfliːtɪŋlɪ/ *adv* [*appear, glimpse*] fugitivement; [*glance*] rapidement

Fleet Street *n* la presse *f* (londonienne)

> **Fleet Street**
>
> Rue de Londres où se trouvait jusqu'en 1980 le siège de la plupart des journaux britanniques. Ils se sont depuis installés dans d'autres quartiers, mais cette expression s'emploie toujours couramment pour parler de la presse britannique en général.
>
> ▸ **Newspapers**

Fleming /ˈflemɪŋ/ *n* Flamand/-e *m/f*

Flemish /ˈflemɪʃ/ ▸ **p. 1467**

A *n* **1** (language) flamand *m*; **2 the ~** les Flamands *mpl*

B *adj* flamand

flesh /fleʃ/ *n* **1** (of human, animal) chair *f*; **2** (of fruit) chair *f*, pulpe *f*; **3** fig **I'm only ~ and blood** je ne suis qu'un être humain; **it's more than ~ and blood can bear** c'est plus qu'un être humain ne peut supporter; **one's own ~ and blood** la chair de sa chair; **in the ~** en chair et en os; **the pleasures/sins of the ~** les plaisirs/péchés de la chair; **it makes my ~ creep** ça me donne la chair de poule

(Idioms) **to demand one's pound of ~** exiger son dû impitoyablement; **to go the way of all ~** littér euph aller où va toute chose; **to press the ~**○ prendre un bain de foule

(Phrasal verb) ■ **flesh out**: ▸ **~ [sth] out, ~ out [sth]** étayer [*speech, article, report*] (**with** de)

flesh: **~ colour** GB, **~-color** US *n* couleur *f* chair; **~-coloured** GB, **~-colored** US *adj* (couleur) chair *inv*; **~-eating** *adj* carnivore

fleshings /ˈfleʃɪŋz/ *npl* collant *m* (de danseuse)

fleshly /ˈfleʃlɪ/ *adj* charnel/-elle

flesh: **~pots** *npl* mauvais lieux *mpl*; **~ wound** *n* blessure *f* superficielle

fleshy /ˈfleʃɪ/ *adj* [*arm, leg, lip, fruit, leaf*] charnu; [*breasts, buttocks*] rebondi; [*person*] bien en chair

flew /fluː/ *prét* ▸ **fly**

flex /fleks/

A *n* GB (for electrical appliance) fil *m*

B *vtr* **1** (contract) faire jouer [*muscle*]; **to ~ one's muscles** fig chercher à en imposer; **2** (bend and stretch) fléchir [*limb*]; plier [*finger, toe*]

flexibility /ˌfleksəˈbɪlətɪ/ *n* souplesse *f*, flexibilité *f*; **to allow ~ in doing sth** permettre une certaine souplesse pour faire qch

flexible /ˈfleksəbl/ *adj* **1** [*working hours, arrangement*] flexible, souple; [*plan, agenda*] souple; [*repayment plan*] à échéances variables; **2** [*person*] souple (**over, about** en ce qui concerne); **3** [*tube, wire, stem*] flexible, souple; [*plastic, glass, road surface*] souple

flexible response *n* Mil riposte *f* graduée

flexibly /ˈfleksəblɪ/ *adv* de façon souple

flexi disc /ˈfleksɪdɪsk/ *n* Audio disque *m* souple

flexion /ˈflekʃn/ *n* flexion *f*

flexitime /ˈfleksɪtaɪm/ *n* horaire *m* flexible *or* souple; **to work ~** avoir un horaire flexible *or* souple

flexor /ˈfleksə(r)/ *n* Anat (muscle *m*) fléchisseur *m*

flibbertigibbet○ /ˌflɪbətɪˈdʒɪbɪt/ *n* écervelé/-e *m/f*

flick /flɪk/

A *n* **1** (blow) (with finger) chiquenaude *f*; (with whip, cloth, tongue) petit coup *m*; **to give sb a ~ with sth** donner un petit coup de qch à qn; **2** (movement) gen, Sport petit coup *m*; **with a ~ of the wrist/its tail** d'un petit coup de poignet/de queue; **at the ~ of a switch** rien qu'en appuyant sur un bouton; **to have a ~ through a book** feuilleter un livre; **3** ○(film) film *m*

B flicks○ *npl* cinéma *m*

C *vtr* **1** (strike) (with finger) donner une chiquenaude à; (with tail, cloth) donner un petit coup à; **to ~ a crumb off sth** enlever une miette de qch d'un petit geste; **to ~ sth at sb** (with finger) envoyer *or* lancer qch à qn d'une chiquenaude; **to ~ sth open** ouvrir d'un coup sec; **he ~ed his ash onto the floor** il a fait tomber sa cendre par terre; **to ~ a duster over the chairs** donner un coup de chiffon aux chaises; **2** (press) appuyer sur [*switch*]; **to ~ the television on/off** allumer/éteindre la télévision; **3** Sport donner un petit coup à [*ball*]

(Phrasal verbs) ■ **flick away**: ▸ **~ [sth] away, ~ away [sth]** (with finger) enlever [qch] d'une chiquenaude; (with tail, object) éloigner

■ **flick back**: ▸ **~ [sth] back, ~ back [sth]** rejeter [qch] en arrière [*hair*]

■ **flick off**: ▸ **~ [sth] off, ~ off [sth]** (with finger) enlever [qch] d'une chiquenaude; (with tail, cloth) enlever [qch] d'un petit geste

■ **flick out**: ▸ **~ out** [*tongue*] sortir rapidement; ▸ **~ [sth] out, ~ out [sth]** sortir rapidement [*tongue, blade*]

■ **flick over**: ▸ **~ [sth] over, ~ over [sth]** feuilleter [*pages*]

■ **flick through**: ▸ **~ through [sth]** feuilleter [*book, report*]; **to ~ through the channels** TV zapper

flicker /ˈflɪkə(r)/

A *n* **1** (unsteady light) (of light, flame, candle) vacillation *f*, tremblotement *m*; (of lightning) vacillement *m*; **2** (slight sign) (of interest, surprise, anger, guilt) lueur *f* (**of** de); **the ~ of a smile** l'ombre d'un sourire; **3** (movement) (of eye, eyelid) clignement *m*; (of indicator) oscillation *f*; **4** US Zool pic *m* d'Amérique

B *vi* **1** (shine unsteadily) [*fire, light, flame*] vaciller, trembloter; [*image*] clignoter; [*lightning*] jeter une lueur vacillante; **2** (pass quickly) **a suspicion ~ed across** *ou* **through his mind** un doute lui a traversé l'esprit; **3** (move) [*eye, eyelid*] cligner

flickering /ˈflɪkərɪŋ/ *adj* [*light, flame, candle*] vacillant, tremblotant; [*image*] tremblotant

flick knife *n* GB couteau *m* à cran d'arrêt

flier /ˈflaɪə(r)/ *n* **1** (person or thing which flies) (pilot) aviateur/-trice *m/f*; **a swift/powerful ~** (bird) un oiseau au vol rapide/puissant; **to be a graceful ~** avoir un vol gracieux; **2** (handbill) prospectus *m*

flight /flaɪt/

A *n* **1** Aerosp, Aviat, Transp (journey) vol *m* (**to** vers; **from** de); **a scheduled/charter ~** un vol régulier/charter; **the ~ to/from Paris** (in airport, announcement) le vol à destination de/en provenance de Paris; **the ~ from Dublin to London** le vol Dublin-Londres; **the ~ over the Alps was superb** le survol des Alpes était magnifique; **we hope you enjoyed your ~** nous espérons que vous avez fait un bon voyage; **we took the next ~ (out) to New York** nous avons pris l'avion suivant pour New

York; **2** (course) (of bird, insect) vol *m*; (of missile, bullet) trajectoire *f*; **3** (power of locomotion) vol *m*; **to have the power of ~** avoir la capacité de voler; **in ~** [*bird, plane*] en vol; **in full ~** lit en plein vol; fig en plein élan; **4** (group) **a ~ of** un vol de, une volée de [*birds*]; une troupe de [*angels*]; une volée de [*arrows*]; **a ~ of aircraft** une escadrille; **5** (escape) fuite *f*; **~ from** fuite devant [*enemy, poverty, war, starvation*]; **to take ~** prendre la fuite; **to put sb to ~** mettre qn en fuite; **a ~ of capital** Econ une fuite des capitaux; **6** (set) **a ~ of steps** *ou* **stairs** une volée d'escalier; **six ~s (of stairs)** six étages; **we live four ~s up** nous habitons au quatrième; **a ~ of hurdles** Sport une série de haies; **a ~ of locks** une série d'écluses; **a ~ of terraces** un étagement de terrasses; **7** (display) (*gén pl*) **~s of imagination** élans *mpl* d'imagination; **~s of rhetoric** envolées *fpl* oratoires; **a ~ of fancy** une invention

B *modif* [*delay, information, schedule, time*] de vol

(Idioms) **to be in the top ~** être parmi les meilleurs; **he's in the top ~ of goalkeepers** il est parmi les meilleurs gardiens de but

flight: **~ attendant** ▸ **p. 1683** *n* Aviat (male) steward *m*; (female) hôtesse *f* de l'air; **~ bag** *n* bagage *m* à main

flight control *n* **1** (by radio) contrôle *m* de vol; **2** (control system) commande *f* de vol

flight crew *n* Aviat équipage *m*

flight deck *n* **1** Aviat (compartment) poste *m* de pilotage; (personnel) navigants *mpl* techniques; **2** Naut pont *m* d'envol

flight engineer ▸ **p. 1683** *n* mécanicien *m* navigant

flightless /ˈflaɪtlɪs/ *adj* [*bird, insect*] incapable de voler; **the order of ~ birds** l'ordre des oiseaux coureurs

flight: **~ lieutenant** ▸ **p. 1599** *n* Mil capitaine *m* (de l'armée de l'air); **~ log** *n* journal *m* de bord; **~ path** *n* route *f* de vol; **~ plan** *n* plan *m* de vol; **~ recorder** *n* enregistreur *m* de vol; **~ sergeant** ▸ **p. 1599** *n* Mil sergent *m* (de l'armée de l'air); **~ simulator** *n* Aviat simulateur *m* de vol; **~-test** *vtr* essayer [qch] en vol

flighty /ˈflaɪtɪ/ *adj* [*person, imagination, account, mind*] écervelé; [*partner*] volage

flimflam○ /ˈflɪmflæm/ US

A *n* **1** (nonsense) balivernes *fpl*; **2** (trick) coup *m* fourré○

B *vtr* rouler○

flimsily /ˈflɪmzɪlɪ/ *adv* [*dressed*] légèrement; **~ built** peu solide

flimsiness /ˈflɪmzɪnɪs/ *n* (of clothes) légèreté *f*; (of paper, fabric) minceur *f*; (of construction) manque *m* de solidité; (of evidence) minceur *f*; (of excuse) futilité *f*

flimsy /ˈflɪmzɪ/

A †*n* GB papier *m* pelure

B *adj* [*clothes, fabric*] léger/-ère; [*structure, appliance*] peu solide; [*argument, excuse*] futile; [*evidence*] mince, piètre (*before n*)

flinch /flɪntʃ/ *vi* (psychologically) hésiter; (physically) tressaillir; **without ~ing** sans broncher; **to ~ from doing sth** hésiter à faire qch; **to ~ at** tiquer sur [*criticism, insult etc*]

fling /flɪŋ/

A *n* **1** ○(spree) bon temps *m*; **to have a ~** se payer du bon temps; **to have a last** *ou* **final ~** faire la fête avant de se ranger; **2** ○(affair) (sexual) aventure *f*; (intellectual) flirt○ *m*; **to have a brief ~ with Marxism** flirter brièvement avec le marxisme

B *vtr* (*prét, pp* **flung**) (throw) lancer [*ball, grenade, stone*] (**onto** sur; **into** dans); lancer [*insult, accusation*] (**at** à); **to ~ a scarf around one's shoulders** jeter une écharpe sur ses épaules; **to ~ a few things into a suitcase** jeter quelques affaires dans une valise; **to ~ sb to the ground** [*person*] jeter qn à terre; [*blast*] projeter qn à terre; **to ~ sb against sth** [*blast, person*] projeter qn contre qch; **I flung my arms around her neck** je me suis jeté à son cou; **to ~ sb into prison** jeter qn en prison

C *v refl* **to ~ oneself** se jeter (**across** en travers de; **into** dans; **onto** sur; **over** par dessus; **under** sous); **to ~ oneself off sth** sauter de [*bridge, cliff*]; **he flung himself at her feet** il s'est jeté à ses pieds

(Idioms) **to ~ oneself at sb's head** se jeter à la tête de qn; **youth must have its ~** il faut que jeunesse se passe

(Phrasal verbs) ■ **fling about**, **~ around**: ▸ **~ [sth] around** gaspiller [*money*]

■ **fling away**: ▸ **~ [sth] away** jeter qch

■ **fling back**: ▸ **~ [sth] back**, **~ back [sth]** renvoyer [*ball, keys*]; rejeter [qch] en arrière [*hair, head*]; ouvrir [qch] brusquement [*door*]

■ **fling down**: ▸ **~ [sth] down**, **~ down [sth]** jeter [qch] par terre [*coat, newspaper*]

■ **fling on**: ▸ **~ on [sth]** enfiler [qch] rapidement [*dress, coat*]

■ **fling open**: ▸ **~ [sth] open**, **~ open [sth]** ouvrir [qch] brusquement [*door*]; ouvrir [qch] tout grand [*window*]

■ **fling out**: ▸ **~ [sb] out** mettre [qn] à la porte [*lover, troublemaker*]

flint /flɪnt/

A *n* **1** Geol silex *m*; **2** Anthrop éclat *m* de silex; **3** †(for kindling) pierre *f* à feu; **4** (in lighter) pierre *f* à briquet

B *modif* [*church, arrowhead*] en silex; [*axe*] de silex; [*nodule, pebble*] siliceux/-euse

flint: **~ glass** *n* flint-glass *m*; **~lock** *n* pistolet *m* à pierre

flinty /ˈflɪntɪ/ *adj* **1** Geol [*soil, cliff*] siliceux/-euse; **2** (hard) lit, fig [*surface, face, expression*] dur

flip /flɪp/

A *n* **1** (of finger) chiquenaude *f*; **to give sth a ~** donner une chiquenaude à qch; **with a ~ (of the fingers)** d'une pichenette; **to decide sth by the ~ of a coin** décider qch à pile ou face; **2** Aviat, Sport (somersault) tour *m*; **3** (glance) **to have a ~ through** feuilleter rapidement [*magazine, guide*]

B *adj* [*person, attitude, remark, reply*] désinvolte

C ○*excl* GB **~!** zut○!, flûte○!

D *vtr* (*p prés etc* **-pp-**) **1** (toss) lancer [*coin*]; faire sauter [*pancake*]; **let's ~ a coin to decide** décidons à pile ou face; **2** (flick) basculer [*switch*]; **to ~ sth on/off** allumer/éteindre qch d'un mouvement rapide; **to ~ sth open/shut** ouvrir/fermer qch rapidement

E ○*vi* (*p prés etc* **-pp-**) **1** (get angry) se mettre en rogne○; **2** (go mad) perdre la boule○; **3** (get excited) devenir dingue○ (**over** de)

(Idiom) **to ~ one's lid** *ou* **top** US *ou* **wig** sortir de ses gonds○

(Phrasal verbs) ■ **flip out**○ **1** (get angry) se mettre en rogne○; **2** (go mad) perdre la boule○

■ **flip over**: ▸ **~ over** [*vehicle, plane*] se retourner (complètement); ▸ **~ [sth] over**, **~ over [sth]** **1** (toss) retourner [*omelette, pancake, coin*]; **2** (turn) feuilleter [*pages*]

■ **flip through**: ▸ **~ through [sth]** feuilleter [*book, magazine, index*]

flipboard GB /ˈflɪpbɔːd/, **flipchart** /ˈflɪptʃɑːt/ *n* tableau *m* de conférence, paperboard *m*

flip-flop /ˈflɪpflɒp/ *n* **1** (sandal) tong *f*; **2** Comput (device) bascule *f*; **3** US (about-face) volte-face *f inv*

flippancy /ˈflɪpənsɪ/ *n* désinvolture *f*; **the ~ of his tone** son ton cavalier

flippant /ˈflɪpənt/ *adj* (not serious) [*remark, person*] désinvolte; (lacking respect) [*tone, attitude, behaviour*] cavalier/-ière; **don't be ~!** un peu de sérieux!; **I'm not being ~** je parle sérieusement

flippantly /ˈflɪpəntlɪ/ *adv* [*ask, observe*] avec désinvolture

flipper /ˈflɪpə(r)/ *n* **1** Zool nageoire *f*; **2** (for swimmer) palme *f*

flipping○ /ˈflɪpɪŋ/ GB

A *adj* fichu○; **~ heck**○! mince alors○!

B *adv* [*stupid, rude, painful, cold*] drôlement○; **that tastes ~ horrible!** ça a un goût vraiment horrible!

flip: **~ side** *n* Mus (on record) face *f* B; fig (other side) envers *m* (**of, to** de); **~-top** *n* capsule *f* à charnière

flirt /flɜːt/

A *n* **1** (person) flirteur/-euse *m/f*; péj dragueur/-euse○ *m/f* péj; **2** (act) **to have a ~ with sb**○ flirter avec qn

B *vi* flirter; **to ~ with** flirter avec [*person*]; jouer avec [*danger, image*]; caresser [*idea*]; friser [*sentimentality*]

flirtation /ˌflɜːˈteɪʃn/ *n* **1** (relationship) flirt *m*; **to have a ~ with sb** flirter avec qn; (longer-lived) avoir une aventure avec qn; **2** (interest) engouement *m* (**with** pour)

flirtatious /ˌflɜːˈteɪʃəs/ *adj* [*person, glance, wink*] charmeur/-euse, dragueur/-euse○ péj; [*laugh*] qui cherche à séduire

flirting /ˈflɜːtɪŋ/ *n* flirt *m*

flit /flɪt/

A *n* **1** (move) **to do a ~**○ (move house) déménager à la cloche de bois○; (leave) filer à l'anglaise; **2** ◑US (homosexual) injur tapette◑ *f* offensive

B *vi* (*p prés etc* **-tt-**) **1** (fly) (*also* **~ about**) [*bird, bat, moth*] voleter; **to ~ from tree to tree** voleter d'arbre en arbre; **2** (move quickly and lightly) [*person*] aller d'un pas léger; **she was ~ting about the house** elle allait et venait dans la maison d'un pas précipité; **3** (flash) **a look of panic ~ted across his face** une expression de panique lui traversa le visage; **an idea ~ted through my mind** une idée me traversa l'esprit; **4** (move restlessly) **to ~ from one thing to another** passer rapidement d'une chose à l'autre; **to ~ from one country to another** aller et venir d'un pays à l'autre

flitch /flɪtʃ/ *n* flèche *f* (de lard)

flitty /ˈflɪtɪ/, **flitting**○ /ˈflɪtɪŋ/ *adj* US injur efféminé

flivver○† /ˈflɪvə(r)/ *n* US guimbarde○ *f*, vieille voiture *f*

float /fləʊt/

A *n* **1** Fishg (on net) flotteur *m*; (on line) bouchon *m*; **2** Aviat flotteur *m*; **3** (in plumbing) flotteur *m*; **4** GB (swimmer's aid) planche *f*; US (life jacket) gilet *m* de sauvetage; **5** (vehicle) char *m*; **carnival ~** char de carnaval; **milk ~** GB voiture *f* de laitier; **6** Comm (*also* **cash ~**) (in till) fonds *m* de caisse; **7** US (drink) *soda avec une boule de glace*; **8** GB Constr taloche *f*, bouclier *m*; **9** US Fin (time period) délai *m* avant l'encaissement d'un chèque; (value) masse *f* des effets en circulation (*qui n'ont pas été encaissés*)

B *vtr* **1** [*person*] faire flotter [*boat*]; [*tide*] mettre à flot [*ship*]; **to ~ logs down a waterway** faire flotter du bois sur un cours d'eau; **2** Fin introduire [qch] en Bourse, émettre [*shares, securities*]; lancer [qch] en Bourse [*company*]; lancer, émettre [*loan*]; laisser flotter [*currency*]; **3** (propose) lancer [*idea, suggestion*]

C *vi* **1** (on liquid, in air) flotter; **there were leaves ~ing on the water** des feuilles flottaient à la surface de l'eau; **to ~ on one's back** [*swimmer*] faire la planche; **to ~ back up to the surface** remonter à la surface; **the logs ~ed down the river** les troncs d'arbre descendaient la rivière; **the boat was ~ing out to sea** le bateau voguait vers le large; **the balloon ~ed up into the air** le ballon s'est envolé; **2** fig (waft) [*smoke, mist*] flotter; **clouds ~ed across the sky** des nuages traversaient lentement le ciel; **music ~ed out into the garden** la musique parvenait dans le jardin; **she ~ed into the room** elle est entrée dans la pièce d'un pas léger; **the thought ~ed through his mind** l'idée lui a traversé l'esprit; **3** Fin [*currency*] flotter

(Phrasal verbs) ■ **float about**, **float around** **1** (circulate) [*idea, rumour*] circuler; **2** ○(be nearby) **are my keys ~ing around?** mes clés sont-elles par ici?; **your glasses are ~ing around somewhere** tes lunettes sont quelque part par là; **3** ○(aimlessly) [*person*] traîner; **he just ~s about the house all day** il passe ses journées à traîner dans la maison

■ **float away** = **float off**
■ **float off** [boat] dériver; [balloon, feather] s'envoler; [person] partir d'un pas léger

floater /'fləʊtə(r)/ *n* US 1 (employee) employé/-e *m/f* polyvalent/-e; 2 (at party, reception) *personne dont le rôle est de circuler dans une soirée*; 3 ○Pol (voter) électeur/-trice *m/f* qui vote plus d'une fois; 4 Insur = **floating policy**; 5 (footballer) libero *m*

float glass *n* verre *m* flotté

floating /'fləʊtɪŋ/
A *n* 1 (of ship, logs) mise *f* à flot; 2 Fin (of company, loan) lancement *m* (en Bourse); (of shares) émission *f*; (of currency) flottement *m*
B *adj* 1 (on water) [bridge, debris] flottant; 2 (unstable) [population] instable

floating: ~ **assets** *npl* Fin actif *m* circulant; ~ **capital** *n* Fin capital *m* disponible, fonds *mpl* de roulement; ~ **cheque** *n*: *chèque qui n'a pas encore été encaissé*; ~ **currency** *n* Fin devise *f* flottante; ~ **debt** *n* Fin dette *f* flottante *or* à court terme; ~ **decimal (point)** *n* Math virgule *f* flottante; ~ **dock** *n* Naut dock *m* flottant; ~ **exchange rate** *n* Fin taux *m* de change flottant; ~ **islands** *npl* Culin œufs *mpl* à la neige; ~ **kidney** *n* Anat rein *m* flottant; ~ **point representation** *n* notation *f* en virgule flottante; ~ **policy** *n* Insur police *f* flottante; ~ **rate** *n* Fin taux *m* flottant; ~ **rate interest** *n* Fin intérêt *m* à taux flottant *ou* variable; ~ **rate note** *n* Fin bon *m* à taux flottant *ou* révisable; ~ **restaurant** *n* bateau-restaurant *m*; ~ **rib** *n* Anat côte *f* flottante; ~ **vote** *n* Pol vote *m* flottant; ~ **voter** *n* Pol électeur *m* indécis

flocculent /'flɒkjʊlənt/ *adj* (*tjrs épith*) floconneux/-euse

flock /flɒk/
A *n* 1 (of sheep, goats) troupeau *m*; (of birds) volée *f*; 2 (of people) foule *f*; **in ~s** en masse; 3 ¢ Relig ouailles *fpl*; 4 Tex bourre *f*; **wool ~** bourre de laine; 5 (fleecy tuft) flocon *m*
B *vi* [animals, people] affluer (**around** autour de; **into** dans); **to ~ to do** affluer pour faire; **to ~ together** [people] s'assembler; [animals] se rassembler. ► **feather**

flock wallpaper *n* papier peint *m* floqué

floe /fləʊ/ *n* banquise *f*

flog /flɒg/ *vtr* (*p prés etc* **-gg-**) 1 (beat) flageller; 2 ○GB (sell) fourguer○, vendre; **to ~ sb sth, to ~ sth to sb** fourguer○ qch à qn

(Idioms) **to ~ sth into the ground**○ *ou* **to death**○ GB bousiller○ qch; **to ~ oneself into the ground**○ *ou* **to death**○ GB se crever○ au travail; **to ~ a joke/story to death**○ rabâcher une plaisanterie/une histoire

flogging /'flɒgɪŋ/ *n* (beating) flagellation *f*; **to give sb a ~** fouetter qn

flood /flʌd/
A *n* 1 lit inondation *f*; **destroyed by ~** détruit par une inondation; **insured against ~** assuré contre l'inondation; **'~!'** (on roadsign) 'attention, route inondée!'; **the river is in ~** la rivière est en crue; **the Flood** Bible le Déluge; 2 fig **a ~ of** un flot de [people, visitors, light, memories]; un déluge de [letters, complaints]; **to be in ~s of tears** verser des torrents de larmes; 3 ○Phot, Theat = **floodlight**
B *vtr* 1 lit inonder [area, house]; faire déborder [river]; 2 fig [light, tears, mail] inonder; **memories ~ed her mind** les souvenirs affluaient; **relief ~ed his face** le soulagement illumina son visage; 3 Comm (over-supply) inonder [shops, market] (**with** de); 4 Aut noyer [engine, carburettor].
C *vi* 1 [meadow, street, cellar] être inondé; [river] déborder; 2 fig **to ~ into sth** [light] inonder qch; [people] envahir qch; **tears ~ed down his cheeks** les larmes lui inondaient les joues; **a blush ~ed over his face** la rougeur lui envahit le visage; **to ~ over** *ou* **through sb** [emotion] envahir qn
D **flooded** *pp adj* [area, house] inondé; **to be ~ with** être inondé de [light, calls, complaints, tears, refugees].

(Phrasal verbs) ■ **flood back** [memories] remonter à la surface.
■ **flood in** [light, water] entrer à flot; fig [contributions, refugees] affluer
■ **flood out**: ► **~ out** [water, liquid] jaillir à flots; ► **~ [sth/sb] out** inonder; **to be ~ed out** [person] être évacué à cause des inondations

flood: ~**bank** *n* berge *f* inondable; ~ **control** *n* prévention *f* des inondations; ~ **damage** *n* dégât *m* des eaux

floodgate /'flʌdgeɪt/ *n* lit vanne *f*; **to open the ~s** fig laisser entrer le flot (**to, for sb/sth** de qn/qch); **this decision/conference may open the ~s** fig cette décision/conférence risque de créer un précédent; **to open the ~s of revolution** fig laisser libre cours à la révolte

flooding /'flʌdɪŋ/ *n* 1 (floods) inondation *f*; **'road liable to ~'** 'chaussée inondable'; 2 (overflowing) (of river) crue *f*

flood level *n* niveau *m* des eaux

floodlight /'flʌdlaɪt/
A *n* projecteur *m*; **to play under ~s** jouer à la lumière des projecteurs, jouer en nocturne
B *vtr* (*prét, pp* **floodlit**) illuminer [building]; éclairer [match, stage]
C **floodlit** *pp adj* [match] joué en nocturne; [building, pageant] illuminé

flood: ~**mark** *n* indicateur *m* de niveau de crue; ~**plain** *n* plaine *f* inondable; ~ **tide** *n* marée *f* haute; ~**waters** *n* eaux *fpl* d'inondation; ~**way** *n* chenal *m* d'inondation

floor /flɔː(r)/
A *n* 1 (of room) (wooden) plancher *m*, parquet *m*; (stone) sol *m*; (of car, lift) plancher *m*; **dance ~** piste *f* de danse; **to polish the ~** cirer le parquet; **to fall/sit/sleep on the ~** tomber/s'asseoir/coucher par terre; **to take the ~** [dancer] se lancer sur la piste de danse; 2 (of sea, tunnel, valley) fond *m*; **the forest ~** le tapis forestier; 3 (of Stock Exchange) parquet *m*; (of debating Chamber) auditoire *m*; (of factory) atelier *m*; **questions from the ~** des questions de l'auditoire; **to have/hold/take the ~** avoir/garder/prendre la parole; **the ~ is yours** la parole est à vous; **to be elected from the ~** être élu à vote ouvert; 4 (storey) étage *m*; **on the first ~** GB au premier étage; US au rez-de-chaussée; **the top ~** le dernier étage; **ground ~, bottom ~** GB rez-de-chaussée *m*; **we're six ~s up** (on the sixth storey) nous sommes au sixième étage; (six storeys above this storey) nous sommes six étages plus haut; 5 Fin (of prices, charges) plancher *m* (**on** sur)
B *vtr* 1 (in cement) faire le sol de; (in wood) mettre un plancher dans [room]; **an oak-~ed room** une pièce avec un parquet de chêne; 2 (knock over) terrasser [attacker, boxer]; 3 fig (silence) réduire [qn] au silence [person, critic]; (stump) [question] décontenancer [candidate]; **the news ~ed me** la nouvelle m'a laissé sans voix; 4 ○US Aut appuyer à fond sur [accelerator]; **to ~ it**○ appuyer sur le champignon○

(Idioms) **to wipe the ~ with sb** battre [qn] à plates coutures; **to cross the ~** changer de camp

floor: ~ **area** *n* superficie *f*; ~**board** *n* latte *f*, planche *f* (*de plancher*); ~ **cloth** *n* serpillière *f*; ~ **covering** *n* revêtement *m* de sol; ~ **exercises** *npl* exercices *mpl* au sol

flooring /'flɔːrɪŋ/ *n* revêtement *m* de sol

floor: ~ **lamp** *n* US lampadaire *m*; ~ **leader** *n* US Pol *personne chargée d'encourager les membres d'un parti politique à voter dans la ligne*; ~**-length** *adj* qui va jusqu'au sol

floor manager ► p. 1683 *n* 1 TV régisseur *m* de plateau; 2 Comm gérant/-e *m/f* de magasin

floor: ~ **plan** *n* Archit plan *m*; ~ **polish** *n* encaustique *f*, cire *f*; ~ **polisher** *n* cireuse *f*; ~ **rate** *n* Fin taux *m* plancher; ~ **show** *n* spectacle *m* (*de cabaret*)

floor space *n* espace *m* (au sol); **we have 400 m² of ~ to let** nous avons 400 m² à louer

floorwalker /'flɔːwɔːkə(r)/ *n* US chef *m* de rayon

floosie○, **floozy**○ /'fluːzɪ/ *n* péj pouffiasse◑ *f*

flop /flɒp/
A *n* 1 (heavy movement) **to sit down with a ~** s'affaler sur une chaise; 2 ○(failure) fiasco○ *m*; 3 ○US = **flophouse**
B *vi* (*p prés etc* **-pp-**) 1 (move heavily) **to ~ down** s'effondrer; **to ~ down on** s'affaler sur [bed, sofa]; 2 (hang loosely) [hair, ear] retomber; [head] tomber; 3 ○(fail) [play, film] faire un four○; [project, business venture] être un fiasco○; 4 ○US (sleep) crécher○, dormir

(Phrasal verbs) ■ **flop out**○ US (rest) se reposer; (sleep) s'endormir
■ **flop over**○ US changer d'avis; ► **~ over to [sth]** adopter [idea]

flophouse○ /'flɒphaʊs/ *n* US (shelter) refuge *m* de nuit; (sordid hotel) bouge○ *m*

floppy /'flɒpɪ/
A *n* Comput disquette *f*
B *adj* [ears, hair] pendant; [hat] à bords tombants; [clothes] large; [flesh, body] mou/molle; **to let one's arm go ~** détendre le bras

floppy: ~ **disk** *n* Comput disquette *f*; ~ **drive** *n* lecteur *m* de disquettes

flora /'flɔːrə/ *n* (+ *v sg*) flore *f*; **the ~ and fauna** la faune et la flore

floral /'flɔːrəl/ *adj* [design, fabric] à fleurs; [arrangement, art, fragrance] floral; ~ **tribute** composition *f* florale

Florence /'flɒrəns/ ► **p. 1815** *pr n* Florence

Florentine /'flɒrəntaɪn/ *adj* florentin

floret /'flɒrɪt/ *n* Culin fleurette *f*

floribunda /ˌflɒrɪ'bʌndə/ *n* floribunda *m inv*

florid /'flɒrɪd, US 'flɔːr-/ *adj* 1 (ornate) [writing, style, language] fleuri; 2 (ruddy) [person, face] rougeaud

Florida /'flɒrɪdə/ ► **p. 1737** *pr n* Floride *f*

florin /'flɒrɪn, US 'flɔːrɪn/ ► **p. 1108** *n* florin *m*

florist /'flɒrɪst, US 'flɔːrɪst/ ► **p. 1683** *n* (person) fleuriste *mf*; **~'s** (shop) fleuriste *m*

floss /flɒs, US flɔːs/
A *n* 1 (fluff) bourre *f*; 2 (of silk) bourre *f* de soie; 3 (for embroidery) soie *f* floche; 4 Dent fil *m* dentaire
B *vtr* **to ~ one's teeth** utiliser du fil dentaire

flossy○ /'flɒsɪ/ *adj* US tape-à-l'œil○ *inv*

flotation /fləʊ'teɪʃn/
A *n* 1 Fin (of a company, industry, loan) lancement *m*; (of shares, stock) introduction *f* en Bourse, émission *f*; (of currency) flottement *m*; **stock market ~** lancement en Bourse; 2 Chem, Ind flottation *f*
B *modif* [costs, plan, price, prospectus] d'émission

flotation: ~ **bag** *n* ballon *m* de flottaison; ~ **device** *n* US (life jacket) gilet *m* de sauvetage; Aviat flotteur *m*; ~ **tank** *n* caisson *m* d'isolation sensorielle

flotilla /flə'tɪlə/
A *n* flottille *f*
B *modif* [yacht] de croisière; ~ **holiday** GB croisière *f* (à plusieurs bateaux)

flotsam /'flɒtsəm/ *n* ¢ épave *f* flottante; **~ and jetsam** (on water) épaves *fpl* flottantes; fig (odds and ends) bric-à-brac *m inv*; (people) épaves *fpl* de la société

flounce /flaʊns/
A *n* 1 (movement) mouvement *m* vif (**de** of); 2 Fashn (frill) volant *m*
B *vi* 1 **to ~ in/out/off** (indignantly) entrer/sortir/partir dans un mouvement d'indignation; (angrily) entrer/sortir/partir dans un mouvement de colère; 2 (show off) (*also* **~ around, ~ about**) se démener

flounced /flaʊnst/ *adj* Fashn à volants

flounder /'flaʊndə(r)/
A *n* 1 GB flet *m*; 2 US poisson *m* plat

f

B *vi* **1** (move with difficulty) [*animal, person*] se débattre (in dans); **to ~ through** se débattre dans [*mud, water*]; **2** fig (falter) [*speaker*] bredouiller; [*economy*] stagner; [*career, company, leader, project*] piétiner; **to ~ through a speech** faire un discours en bredouillant
C **floundering** *pres p adj* [*company, economy, industry*] stagnant
(Phrasal verbs) ■ **flounder about, flounder around** se débattre (**in** dans)

flour /ˈflaʊə(r)/
A *n* farine *f*; **~ and water paste** colle *f* à base de farine
B *modif* [*bin, bomb, sifter*] à farine
C *vtr* saupoudrer [qch] de farine [*cake tin, board*]

flourish /ˈflʌrɪʃ/
A *n* **1** (gesture) geste *m* théâtral; **to do sth with a ~** faire qch de façon théâtrale; **2** (detail, touch) **with a rhetorical** *ou* **an emphatic ~** avec emphase; **the show began with a ~** la représentation commença de façon grandiose; (in a piece of music) **the final ~** le bouquet final; **the opening ~** le brio des premiers accords; **3** (ornamental) (in style) fioriture *f*; **to sign sth with a ~** signer qch d'un paraphe *or* d'un grand trait de plume
B *vtr* brandir [*ticket, document*]; **to ~ sth in sb's face** brandir qch devant qn
C *vi* [*tree, plant, bacteria*] prospérer; [*child*] s'épanouir; [*firm, democracy*] prospérer; **the family is ~ing** la famille est en pleine forme

flourishing /ˈflʌrɪʃɪŋ/ *adj* [*business, society, town*] prospère; [*plants, wildlife, garden*] florissant; [*trade, industry*] florissant

floury /ˈflaʊərɪ/ *adj* [*hands, apron*] couvert de farine; [*potato, apple*] farineux/-euse

flout /flaʊt/ *vtr* se moquer de [*convention, rules*]

flow /fləʊ/
A *n* **1** (movement) (of liquid) écoulement *m*; (of refugees, words) flot *m*; (of information) circulation *f*; (of time) cours *m*; **the ~ of refugees into a country** le flot de réfugiés vers un pays; **to go with the ~**○ suivre le mouvement; **the ~ of oil to the West** l'approvisionnement de l'Ouest en pétrole; **in full ~** fig en plein discours; **2** (circulation) (of blood, water, electricity) circulation *f*; **to impede traffic ~** entraver la circulation; **to increase the ~ of adrenalin** augmenter le taux d'adrénaline; **3** Geog (of tide) flux *m*
B *vi* **1** (move) [*liquid, gas*] couler (**into** dans); **to ~ south** couler vers le sud; **to ~ in/back** affluer/refluer; **to ~ upwards/downwards** s'élever/tomber; **to ~ past sth** passer devant qch; **to ~ from** lit s'écouler de; fig (follow) découler de; **the river ~s into the sea** le fleuve se jette dans la mer; **2** (be continuous) [*conversation, words*] couler; [*wine, beer*] couler à flots; **the days ~ed past** les jours s'écoulaient; **money is ~ing in** l'argent afflue; **3** (move within a system) [*blood, water, electricity, adrenalin*] circuler (**through, round** dans); **pleasure ~ed through her** le plaisir l'a envahie; **4** (move gracefully) [*hair, dress*] flotter; [*pen*] courir (**across** sur); **5** Geog [*tide*] monter

flowchart, flow sheet /ˈfləʊtʃɑːt, -ʃiːt/ *n* Comput, Ind organigramme *m*

flower /ˈflaʊə(r)/
A *n* **1** (bloom, plant) fleur *f*; **to be in ~** être en fleur; **to come into ~** fleurir; **the roses are just coming into ~** les roses commencent à fleurir; **in full ~** en pleine floraison; **'No ~s by request'** 'Ni fleurs ni couronnes'; **2** fig (best part) **the ~ of** la fine fleur de [*age, era, group*]; **in the ~ of her youth** dans la fleur de l'âge; **in full ~** en plein épanouissement
B *vi* lit [*flower, tree*] fleurir; [*idea, love, person, talent*] s'épanouir

flower: **~ arrangement** *n* composition *f* florale; **~ arranging** *n* décoration *f* florale; **~bed** *n* parterre *m* de fleurs; **~ child** *n* hippie *mf*

flowered /ˈflaʊəd/ *adj* [*fabric, plant*] à fleurs

flower: **~ garden** *n* jardin *m* d'agrément; **~ girl** *n* (bride's attendant) demoiselle *f* d'honneur; **~ head** *n* capitule *m*

flowering /ˈflaʊərɪŋ/
A *n* **1** Bot, Hort floraison *f* (**of** de); **2** fig (development) épanouissement *m* (**of** de)
B *adj* **1** (producing blooms) [*shrub, tree*] à fleurs; **2** (in bloom) [*plant, shrub*] en fleurs; **early-/late-~** à floraison précoce/tardive; **summer-~** à floraison estivale

flower: **~pot** *n* pot *m* de fleurs; **~ power** *n*: *message d'amour et de paix des hippies*; **~ seller** ▸ p. 1683 *n* marchand/-e *m/f* de fleurs

flower shop ▸ p. 1683 *n* boutique *f* de fleurs

flower: **~ show** *n* (large) floralies *fpl*; (amateur) exposition *f* florale; **~ stall** *n* étal *m* de fleurs

flowery /ˈflaʊərɪ/ *adj* [*hillside, field*] fleuri; [*design, fabric*] à fleurs; [*wine*] parfumé; [*scent*] floral; [*language, speech, style*] fleuri

flowing /ˈfləʊɪŋ/ *adj* [*style, movement, handwriting*] coulant; [*rhythm, melody*] berceur/-euse; [*line*] doux/douce; [*hair, mane, clothes*] flottant

flown /fləʊn/ *pp* ▸ **fly**

fl oz *abrév écrite* = **fluid ounce(s)**

flu /fluː/ ▸ p. 1327
A *n* grippe *f*; **to come down with ~** attraper une grippe
B *modif* [*victim, virus*] de la grippe; [*attack, epidemic*] de grippe; [*injection, vaccine*] contre la grippe

flub○ /flʌb/ US
A *n* (*also* **~-up**) gaffe○ *f*
B *vtr* (*p prés etc* **-bb-**) rater
(Phrasal verb) ■ **flub up**○: ▶ **~ up** se planter○; ▶ **~ up [sth]** se planter○ dans

fluctuate /ˈflʌktjʊeɪt/
A *vi* gen, Fin [*rate, temperature, mood*] fluctuer (**between** entre)
B **fluctuating** *pres p adj* [*mood, mortgage rate*] fluctuant

fluctuation /ˌflʌktjʊˈeɪʃn/ *n* gen, Fin fluctuation *f* (**in, of** de)

flue /fluː/ *n* (of chimney) conduit *m*; (of stove, boiler) tuyau *m*

flue gas *n* gaz *m* de haut fourneau

fluency /ˈfluːənsɪ/ *n* (all contexts) aisance *f*; **with great ~** avec une grande aisance; **you must improve your ~** tu dois acquérir une plus grande aisance; **the ~ of his writing** l'aisance de son écriture; **sb's ~ in German** l'aisance de qn à s'exprimer en allemand

fluent /ˈfluːənt/ *adj* **1** (in language) **~ French** français *m* parlé couramment; **her French is ~** elle parle couramment le français; **I speak ~ Greek** je parle grec couramment; **a ~ Greek speaker** une personne qui parle grec couramment; **he answered in ~ English** il a répondu dans un anglais parfait; **to be ~ in sth** parler couramment qch; **2** (eloquent) [*account, speech, speaker*] éloquent; [*writer*] qui a la plume facile; **3** (graceful) [*style*] coulant; [*movement*] fluide

fluently /ˈfluːəntlɪ/ *adv* **1** (accurately) [*speak a language*] couramment; **2** (with ease) avec facilité

flue pipe *n* Mus tuyau *m* à bouche

fluff /flʌf/
A *n* **1** (down) (on clothes) peluche *f*; (on carpet) poussière *f*; (under furniture) mouton *m*, flocon *m* de poussière; (on animal) duvet *m*; **2** ○(girl) **a bit of ~** péj une gonzesse○; **3** ○(mistake) gaffe○ *f*; **4** ○₵ US (trivia) frivolités *fpl*
B *vtr* **1** (*also* **~ up**) (puff up) [*bird, cat*] hérisser [*feathers, tail*]; faire bouffer [*cushion, hair*]; **2** ○(get wrong) rater [*cue, exam, line, note, shot*]; **I ~ed it!** j'ai raté mon coup!

fluffy /ˈflʌfɪ/ *adj* **1** [*animal, down*] duveteux/-euse; [*fur*] ébouriffé; [*rug, sweater*] moelleux/-euse; [*hair*] bouffant; [*toy*] en peluche; **2** (light) [*mixture*] léger/-ère; [*egg white, rice*] moelleux/-euse

fluid /ˈfluːɪd/
A *n* **1** gen, Biol liquide *m*; **2** Chem, Tech fluide *m*; **cleaning ~** liquide *m* de nettoyage
B *adj* **1** gen liquide; **2** Chem, Tech fluide; **3** (flexible) [*arrangement, situation*] vague; **my opinions/ideas are fairly ~** mes opinions/idées ne sont pas arrêtées; **4** (graceful) [*gesture, movement, style, lines*] fluide

fluid: **~ assets** *npl* US Fin disponibilités *fpl*; **~ capital** *n* ₵ US Fin fonds *mpl* de roulement

fluidity /fluːˈɪdətɪ/ *n* **1** (of substance) fluidité *f*; **2** (of plans, ideas) caractère *m* changeant; **3** (of style, movement, lines) fluidité *f*

fluid: **~ mechanics** *n* (+ *v sg*) Phys mécanique *f* des fluides; **~ ounce** *n* Meas once *f* liquide

fluke /fluːk/
A *n* **1** (lucky chance) coup *m* de veine○; **by a (sheer) ~** (tout à fait) par hasard; **2** Naut (of anchor) patte *f* (*d'une ancre*); (of harpoon, arrow) barbelure *f*; **3** Zool douve *f*; **liver/blood ~** douve du foie/du sang
B *adj* = **fluky**
C *vtr* gagner [qch] à la chance

fluky, flukey /ˈfluːkɪ/ *adj* **1** (lucky) [*coincidence*] heureux/-euse; [*circumstances, goal, shot*] dû au hasard; [*winner*] par hasard; **2** (changeable) [*wind, weather*] capricieux/-ieuse

flume /fluːm/ *n* Geog (ravine) ravin *m*; (channel) canal *m* jaugeur

flummery /ˈflʌmərɪ/ *n* **1** Culin *dessert à base de farine, œufs, miel et alcool*; **2** †(nonsense) balivernes *fpl*

flummox○ /ˈflʌməks/ *vtr* sidérer○

flummoxed○ /ˈflʌməkst/ *adj* sidéré○

flung /flʌŋ/ *prét, pp* ▸ **fling**

flunk○ /flʌŋk/
A *vtr* US Sch, Univ **1** [*student*] rater○ [*exam*]; sécher sur○ [*subject*]; **2** [*teacher*] coller○ [*class, pupil*]
B *vi* [*student*] sécher○
(Phrasal verb) ■ **flunk out** [*student*] se faire virer○; **I ~ed out of high school** je me suis fait virer○ du lycée

flunkey GB, **flunky** US /ˈflʌŋkɪ/ *n* (*pl* **-eys** GB, **-ies** US) **1** (servant) laquais *m*; **2** fig, péj larbin *m* pej

fluorescein /flɔːˈresiːn, US ˌflʊəˈresiːn/ *n* fluorescéine *f*

fluorescence /flɔːˈresəns, US flʊəˈr-/ *n* fluorescence *f*

fluorescent /flɔːˈresənt, US flʊəˈr-/ *adj* (all contexts) fluorescent

fluoridate /ˈflɔːrɪdeɪt, US ˈflʊər-/ *vtr* traiter [qch] par fluoration

fluoridation /ˌflɔːrɪˈdeɪʃn, US ˌflʊər-/ *n* fluoration *f*

fluoride /ˈflɔːraɪd, US ˈflʊəraɪd/
A *n* fluorure *m*
B *modif* [*toothpaste, mouthwash*] au fluor

fluorinate *vtr* = **fluoridate**

fluorine /ˈflɔːriːn, US ˈflʊər-/ *n* fluor *m*

fluorite /ˈflʊəraɪt/ *n* US = **fluorspar**

fluorspar /ˈflɔːspɑː(r)/ *n* spath *m* fluor, fluorine *f*

flurry /ˈflʌrɪ/
A *n* **1** (gust) (of rain, snow, wind) rafale *f*; (of dust, leaves) tourbillon *m*; **2** (bustle) agitation *f* soudaine; **a ~ of activity** un tourbillon d'activité; **a ~ of excitement** un frisson d'agitation; **a ~ of interest** un mouvement d'intérêt; **a ~ of wings** un bruissement d'ailes; **3** (burst) (of complaints, enquiries) vague *f*; **4** Fin (on shares) accès *m* de fièvre (**on** sur); **a ~ of buying** une vague d'achats
B *vtr* affoler [*person*]

flush /flʌʃ/
A *n* **1** (blush) (on cheeks, skin) rougeur *f*; (in sky) lueur *f*; **there was a ~ in her cheeks** elle avait les joues rouges; **2** (surge) **a ~ of** un élan de [*pleasure, excitement, desire, pride*]; un accès de [*anger, shame*]; **in the first ~ of**

success/victory dans l'ivresse du succès/de la victoire; **they were no longer in the first ~ of youth** ils n'étaient plus de la première jeunesse; 3 Constr (toilet device) chasse *f* d'eau; **to give the toilet a ~** tirer la chasse d'eau; 4 Games (set) floche *f*
B *adj* 1 Constr (level) **to be ~ with** être dans l'alignement de [*wall, work surface*]; 2 ○(rich) **to be/feel ~** être/se sentir en fonds
C *vtr* 1 (clean with water) **to ~ the toilet** tirer la chasse (d'eau); **to ~ sth down the toilet** faire partir qch dans les toilettes; **to ~ (out) a pipe/drain with water** nettoyer un tuyau/une canalisation à grande eau; 2 (colour) **to ~ sb's cheeks/face** empourprer les joues/le visage de qn
D *vi* 1 (redden) rougir (**with** de); 2 (operate) **the toilet doesn't ~** la chasse d'eau ne fonctionne pas; **we heard the toilet ~** on a entendu le bruit de la chasse d'eau
(Phrasal verbs) ■ **flush away**: ▸ **~ [sth] away, ~ away [sth]** faire partir [*waste, evidence*]
■ **flush out**: ▸ **~ out [sb/sth]** débusquer [*sniper, rebel, spy*]; déloger [*pest, rodent*]; **to ~ sb/sth out of** faire sortir qn/qch de [*shelter, hiding place*]

flushed /flʌʃt/ *adj* 1 (reddened) [*face, cheeks*] rouge; **~ with** rouge de [*shame, excitement*]; **to be ~** avoir les joues rouges; 2 (glowing) **~ with** [*person*] rayonnant de [*happiness, pleasure, pride*]; **~ with success/victory, they...** rayonnants après leur succès/victoire, ils...

fluster /ˈflʌstə(r)/
A *n* agitation *f*; **(to be) in a ~** (être) énervé
B *vtr* énerver; **to get** *ou* **become ~ed** s'énerver; **to look ~ed** avoir l'air énervé

flute /fluːt/ ▸ p. 1462
A *n* 1 Mus flûte *f*; 2 Archit cannelure *f*; 3 (glass) flûte *f*
B *modif* [*part, lesson*] de flûte; [*case*] à flûte; [*composition*] pour flûte

fluted /ˈfluːtɪd/ *adj* [*collar*] tuyauté; [*glass, flan tin*] à cannelures; [*column*] cannelé

fluting /ˈfluːtɪŋ/ *n* (of fabric) tuyauté *m*; (on china, glass, column) cannelure *f*

flutist /ˈfluːtɪst/ ▸ p. 1683, p. 1462 *n* US flûtiste *mf*

flutter /ˈflʌtə(r)/
A *n* 1 (rapid movement) (of wings, lashes) battement *m*; (of leaves, papers) voltigement *m*; (of flags, bunting) flottement *m*; **with a ~ of her eyelashes** d'un battement de cils; **heart ~** Med palpitations *fpl* cardiaques; 2 (stir) **a ~ of excitement/panic** un surcroît d'excitation/de panique; **to be all in** *ou* **of a ~** GB être tout en émoi; **to cause a ~** causer l'émoi; 3 ○GB (bet) **to have a ~ on the horses** faire un petit pari aux courses; **she likes the odd ~** elle aime bien parier de temps en temps; **to have a ~ on the Stock Exchange** faire une spéculation à la Bourse; 4 Electron (in sound) pleurage *m*; 5 Aviat (fault) vibration *f*
B *vtr* 1 (beat) **the bird/moth ~ed its wings** l'oiseau/le papillon de nuit battait des ailes; 2 (move) agiter [*fan, handkerchief*]; **to ~ one's eyelashes (at sb)** battre des cils (en regardant qn)
C *vi* 1 (beat) **the bird's wings still ~ed** l'oiseau battait encore des ailes; 2 (fly rapidly) voleter; 3 (move rapidly) [*flag, bunting, ribbons*] flotter; [*clothes, curtains, fans, hand*] s'agiter; [*eyelids, lashes*] battre; **flags ~ed in the breeze/above the streets/from the mast** des drapeaux flottaient au vent/au-dessus des rues/sur le mât; 4 (spiral) (*also* **~ down**) [*petals, leaves*] tomber en voltigeant; 5 (beat irregularly) [*heart*] palpiter (**with** de); [*pulse*] battre faiblement

fluttering /ˈflʌtərɪŋ/
A *n* 1 (flapping) (of birds, insects, wings) volettement *m*; (of flag, clothes, fan) flottement *m*; (of leaves) voltigement *m*; 2 (beating) (of heart) palpitations *fpl*; (of pulse) battement *m*
B *adj* (*épith*) [*flag, bunting, dress*] flottant; [*birds*] voletant

fluvial /ˈfluːvɪəl/ *adj* fluvial

flux /flʌks/ *n* 1 (uncertainty) changement *m* continuel; **in (a state of) ~** dans un état de perpétuel changement; 2 Phys flux *m*; 3 Tech (for metals) fondant *m*; 4 Med flux *m*

flux density *n* Phys densité *f* de flux

fly /flaɪ/
A *n* 1 Zool, Fishg mouche *f*
2 (of trousers) = **flies 1**
3 (of tent) = **fly sheet 1**
4 (of flag) (outer edge) bord *m* flottant; (length) battant *m*
5 GB Hist (carriage) fiacre *m*
B **flies** *npl* 1 (of trousers) braguette *f*; **your flies are undone** ta braguette est ouverte
2 Theat cintres *mpl*
C *adj*○ 1 US chic
2 GB (clever) malin
D *vtr* (*prét* **flew**; *pp* **flown**) 1 (operate) piloter [*aircraft, spacecraft, balloon*]; faire voler [*model aircraft, kite*]; **the pilot flew the plane to...** le pilote a emmené l'avion jusqu'à...; **to ~ sth to the moon** piloter qch jusqu'à la lune
2 (transport by air) emmener [qn] par avion [*person*]; transporter [qch/qn] par avion [*animal, wounded, supplies, food*]; **we will ~ you to New York for £150** nous vous emmènerons à New York (en avion) pour 150 livres sterling; **to ~ troops/food out to the scene** acheminer des troupes/des vivres sur les lieux par avion
3 (cross by air) traverser [qch] en avion [*Atlantic, Channel*]
4 (cover by air) [*bird, aircraft, spacecraft*] parcourir [*distance*]; **I ~ over 10,000 km a year** (as passenger) je vole plus de 10 000 km par an; (as pilot) je fais plus de 10 000 km par an
5 (display) [*ship*] arborer [*flag, ensign, colours*]; [*organization, person*] agiter [*flag*]; **the embassy was ~ing the German flag** le drapeau allemand flottait sur l'ambassade
6 sout (flee) quitter [*country*]
E *vi* (*prét* **flew**; *pp* **flown**) 1 [*bird, insect, aircraft, rocket, balloon, kite*] voler (**from** de; **to** à); **to ~ north/south** voler vers le nord/vers le sud; **to ~ over** *ou* **across sth** survoler qch; **to ~ past** *ou* **over(head)** passer dans le ciel; **a swan flew past the window** un cygne est passé devant la fenêtre (en volant); **to ~ into a cage** entrer dans une cage (en volant); **to ~ into a tree** percuter un arbre (en vol); **to ~ into Gatwick** atterrir à Gatwick; **the bird flew down and ate the bread** l'oiseau s'est abattu sur le pain et l'a mangé; **there's a mosquito ~ing around** il y a un moustique; **rumours were ~ing (around)** des bruits circulaient
2 [*passenger*] voyager en avion, prendre l'avion; [*pilot*] piloter, voler; **to ~ from Orly** partir d'Orly; **to ~ from Rome to Athens** aller de Rome à Athènes en avion; **to ~ in Concorde** prendre le Concorde; **she flew to Madrid in a helicopter** elle est allée à Madrid en hélicoptère; **we ~ to Boston twice a day** [*airline*] nous avons deux vols par jour pour Boston; **to ~ over** *ou* **across sth** survoler [*Alps, Paris, Atlantic*]; **to ~ out to** s'envoler pour; **to ~ home** rentrer en avion; **to ~ around the world** faire le tour du monde en avion
3 (be propelled) [*bullet, glass, sparks, insults, threats*] voler; **to ~ over the wall/across the room/into the room** voler par-dessus le mur/à travers la pièce/dans la pièce; **a splinter flew into his eye** il a reçu une écharde dans l'œil; **to ~ in all directions** voler dans toutes les directions; **to ~ off** s'envoler; **to ~ open** s'ouvrir brusquement; **to go ~ing**○ [*person*] faire un vol plané; [*object, objects*] valdinguer○; **to send sb ~ing**○ jeter qn sur le carreau○; **to send sth ~ing**○ envoyer valdinguer○ qch; **to ~ at sb** sauter sur qn; **to ~ into a rage** *ou* **temper** fig se mettre en colère; **to ~ into a panic** fig paniquer, s'affoler
4 (rush, hurry) **I must ~!** il faut que je file○!; **to ~ past/in/out etc** passer/entrer/sortir etc en trombe○
5 (go quickly) (*also* **~ past, ~ by**) [*time, holidays*] passer vite, filer○; **time flies when you're having fun!** le temps passe vite quand on s'amuse!
6 (flutter, wave) [*flag, scarf, cloak, hair*] flotter; **to ~ in the wind** flotter au vent
7 sout (flee) s'enfuir; **to ~ from sb/sth** fuir qn/qch
(Idioms) **to drop/die like flies** tomber/mourir comme des mouches; **he wouldn't hurt** *ou* **harm a ~** il ne ferait pas de mal à une mouche; **there are no flies on her** elle n'est pas née de la dernière pluie; **to ~ in the face of** (defy) défier [*authority, danger, tradition*]; (contradict) être en contradiction flagrante avec [*evidence, proof*]; **to let ~ (with)** lit tirer [*arrow, hail of bullets*]; **to let ~ a stream of abuse** lancer un flot d'injures; **to let ~ at sb** s'en prendre à qn; **he really let ~** il a piqué une crise terrible
(Phrasal verbs) ■ **fly away** lit, fig s'envoler
■ **fly in**: ▸ **~ in** [*person*] accourir en avion; **to ~ in from Oslo** accourir d'Oslo en avion; ▸ **~ [sth/sb] in, ~ in [sth/sb]** acheminer [qch] par avion [*food, supplies*]; **to have sb/sth flown in** faire venir qn/qch par avion
■ **fly off** [*bird, insect*] s'envoler

fly: **~ agaric** *n* amanite *f* tue-mouches; **~away** *adj* [*hair*] indiscipliné

flyblown /ˈflaɪbləʊn/ *adj* 1 (not bright and new) [*furniture, object*] défraîchi; [*joke, metaphor*] éculé; 2 (infested with fly eggs) [*meat, food*] plein d'œufs de mouche

flyby /ˈflaɪbaɪ/ *n* 1 Aerosp survol *m*; 2 Aviat (flypast) défilé *m* aérien

fly-by-night○ /ˈflaɪbaɪnaɪt/
A *n* 1 (person) irresponsable *mf*; 2 (business) entreprise *f* douteuse
B *adj* [*company, operation*] douteux/-euse; [*person*] irresponsable

fly: **~-by-wire (control) system** *n* commandes *fpl* de vol électriques; **~catcher** *n* Zool gobe-mouches *m inv*; **~-drive** *adj* Tourism avec formule avion plus voiture

flyer /ˈflaɪə(r)/ *n* = **flier**

fly: **~-fishing** ▸ p. 1253 *n* pêche *f* à la mouche; **~-half** *n* Sport demi *m* d'ouverture

flying /ˈflaɪɪŋ/
A *n* 1 (in plane) **to be afraid of ~** avoir peur de l'avion; **to take up ~** apprendre à piloter; **my hobby is ~** mon hobby c'est l'aviation; 2 (by bird, animal) vol *m*; **adapted for ~** adapté au vol
B *modif* [*course, lesson, instructor, school*] de pilotage; [*goggles, helmet, jacket*] d'aviateur; [*suit*] de vol
C *adj* 1 (able to fly) [*animal, insect, machine, trapeze*] volant; 2 (in process of flying) [*object, broken glass*] qui vole; **the dancer's ~ feet** les pieds agiles du danseur; **to take a ~ leap** *ou* **jump** sauter avec élan
(Idiom) **with ~ colours** [*emerge, pass, come through*] haut la main

flying: **~ boat** *n* hydravion *m*; **~ bomb** *n* bombe *f* volante; **~ buttress** *n* arc-boutant *m*; **~ doctor** *n* médecin *m* volant

Flying Dutchman *n* **the ~** (in legend) le Vaisseau fantôme

flying: **~ fish** *n* poisson *m* volant, exocet *m*; **~ fox** *n* (bat) roussette *f*; **~ officer** ▸ p. 1599 *n* GB lieutenant *m* de l'armée de l'air; **~ picket** *n* piquet *m* de grève volant; **~ saucer** *n* soucoupe *f* volante; **~ squad** *n* brigade *f* volante

flying start *n* Sport départ *m* lancé; **to get off to a ~** fig prendre un très bon départ

flying: **~ tackle** *n* Sport plaquage *m* en pleine course; **~ visit** *n* visite *f* éclair

fly: **~ kick** *n* coup *m* de pied à suivre; **~leaf** *n* garde *f* volante

fly-on-the-wall /ˌflaɪɒnðəˈwɔːl/ *adj* [*documentary, film*] pris sur le vif; **a ~ report** un reportage sur le vif

f

flyover /ˈflaɪəʊvə(r)/ *n* 1 GB Transp pont *m* routier; 2 US Aviat défilé *m* aérien

fly: **~paper** *n* papier *m* tue-mouches; **~past** *n* GB Aviat défilé *m* aérien; **~posting** *n* affichage *m* illégal

fly sheet *n* 1 (of tent) double-toit *m*; 2 (handbill) prospectus *m*

fly: **~ spray** *n* bombe *f* insecticide; **~ swatter** *n* tapette *f* à mouches; **~tipping** *n* GB dépôt *m* d'ordures sauvage

flyweight /ˈflaɪweɪt/
A *n* poids *m* mouche
B *modif* [*champion, boxer, title*] poids-mouche; [*match, contest*] de poids-mouche

fly: **~wheel** *n* Mech volant *m*; **~ whisk** *n* chasse-mouches *m inv*

FM *n* 1 Mil *abrév* ▸ **field marshal**; 2 Radio (*abrév* = **frequency modulation**) FM *f*

FMB *n* US (*abrév* = **Federal Maritime Board**) ≈ Conseil *m* supérieur de la marine marchande

FO *n* GB *abrév* ▸ **Foreign Office**

foal /fəʊl/
A *n* poulain *m*; **to be in ~** être pleine
B *vi* mettre bas

foam /fəʊm/
A *n* 1 (on sea) écume *f*; (on drinks, bath) mousse *f*; **the ~** littér (sea) les flots *mpl*; 2 (on animal) sueur *f*; 3 (from mouth) écume *f*; 4 (chemical) mousse *f*; 5 (made of rubber, plastic) mousse *f*
B *vi* 1 (froth) [*beer, water*] mousser; [*sea*] se couvrir d'écume; **to ~ at the mouth** lit écumer; fig écumer de rage; 2 (sweat) [*horse*] suer

(Phrasal verb) ■ **foam up** [*beer, lemonade*] mousser

foam: **~-backed** *adj* avec un envers en mousse; **~ bath** *n* bain *m* moussant; **~-filled** *adj* en mousse; **~ insulation** *n* isolation *f* thermique en mousse; **~ mattress** *n* matelas *m* mousse; **~ rubber** *n* caoutchouc *m* mousse

foamy /ˈfəʊmɪ/ *adj* [*sea*] écumeux/-euse; [*beer, lemonade*] mousseux/-euse

fob /fɒb/ *n* 1 (pocket) gousset *m*; 2 (watchchain) chaîne *f*; 3 (ornament) breloque *f*; **key ~** porte-clés *m inv*

(Phrasal verb) ■ **fob off** (*p prés etc* **-bb-**): ▸ **~ [sb] off**, **~ off [sb]** 1 (palm off) se débarrasser de [*enquirer, customer*]; **I ~bed him off with an excuse** j'ai inventé un prétexte pour me débarrasser de lui; 2 (get rid of) envoyer [qn] balader○ [*person*]; ▸ **~ off [sth]** rejeter [*attempt, enquiry*]; **to ~ off sth onto sb** refiler qch à qn

FOB *adj, adv*: *abrév* ▸ **free on board**

fob watch *n* montre *f* de gousset

FOC *adj, adv*: *abrév* ▸ **free of charge**

focal /ˈfəʊkl/ *adj* focal

focal: **~ infection** *n* infection *f* focale; **~ length** *n* distance *f* focale; **~ plane** *n* plan *m* focal

focal point *n* 1 (in optics) foyer *m*; 2 (of village, building) point *m* de convergence (**of** de; **for** pour); **the room lacks a ~** cette pièce n'a pas de coin qui attire l'œil; 3 (main concern) point *m* central; **to act as a ~ for discussion** constituer le point central de la discussion

fo'c'sle *n* = **forecastle**

focus /ˈfəʊkəs/
A *n* (*pl* **~es, foci**) 1 (focal point) foyer *m*; **to be out of ~** [*device*] ne pas être au point; [*image*] être flou; **to be in ~** être au point; **to go out of ~** [*device*] se dérégler; [*image*] devenir flou; **to bring sth into ~** mettre qch au point; **to come into ~** se rapprocher de la mise au point; 2 (device on lens) mise *f* au point; **to get the ~ right** régler la mise au point; 3 (centre of interest) centre *m*, foyer *m*; **to become the ~ of controversy** devenir le centre de la controverse; **to become a ~ for the press** devenir le centre d'intérêt de la presse; **to provide a ~ for research** fournir un centre d'intérêt à la recherche; 4 (emphasis) accent *m*; **the ~ will be on health** l'accent sera mis spécialement sur la santé
B *vtr* (*p prés etc* **-s-** *ou* **-ss-**) 1 (direct) concentrer [*ray, beam*] (**on** sur); fixer [*eyes, gaze*] (**on** sur); 2 (adjust) mettre [qch] au point, régler [*lens, microscope, camera*]; **to ~ one's lens on** faire la mise au point sur [*object*]; 3 (concentrate) concentrer [*attention, mind*] (**on** sur)
C *vi* (*p prés etc* **-s-** *ou* **-ss-**) 1 (home in) **to ~ on** [*rays*] converger sur; [*astronomer, photographer, camera*] faire le point *or* la mise au point sur; [*eyes, gaze, attention*] se fixer *or* se concentrer sur; 2 (concentrate) **to ~ on** [*person, report, survey, study*] se concentrer sur
D **focused**, **focussed** *pp adj* 1 [*telescope, image*] au point; 2 [*person*] déterminé; **she's very ~** elle est très déterminée

focus group *n* groupe *m* de discussion

fodder /ˈfɒdə(r)/ *n* 1 (for animals) fourrage *m*; 2 hum (for people) écuelle *f*; 3 fig (raw material) matière *f*

foe /fəʊ/ *n* littér ennemi/-e *m/f* also fig

FoE *n*: *abrév* ▸ **Friends of the Earth**

foetal, **fetal** US /ˈfiːtl/ *adj* fœtal; **in the ~ position** en position fœtale

foetal alcohol syndrome, **FAS** *n* embryo-fœtopathie *f* alcoolique

foetid *adj* = **fetid**

foetus, **fetus** US /ˈfiːtəs/ *n* fœtus *m*

fog /fɒg/
A *n* 1 Meteorol brouillard *m*; **a patch/blanket of ~** une nappe/un manteau de brouillard; **we get thick ~s here** nous avons du brouillard très épais dans la région; **a ~ of cigarette smoke** un nuage épais de fumée de cigarette; 2 fig (confusion) brouillard *m*; **a ~ of ignorance** un brouillard d'ignorance; **to be in a ~** être dans le brouillard; 3 Phot voile *m*
B *vtr* (*p prés etc* **-gg-**) 1 lit (*also* **~ up**) [*steam*] embuer [*glass*]; [*light*] voiler [*film*]; 2 fig (confuse) **to ~ the issue** (unwittingly) embrouiller les choses; (deliberately) noyer le poisson

fog: **~ bank** *n* banc *m* de brume; **~bound** *adj* [*plane, passenger*] bloqué par le brouillard; [*airport*] paralysé par le brouillard

fogey○ /ˈfəʊgɪ/ *n* péj vieille baderne *f* pej; **he's a young ~** à son âge il est déjà vieux jeu

foggy /ˈfɒgɪ/ *adj* 1 Meteorol [*day, landscape, weather*] brumeux/-euse; **it will be ~ tomorrow** il y a aura du brouillard demain; 2 fig [*idea, notion*] confus; **I haven't the foggiest idea**○ je n'en ai pas la moindre idée

Foggy Bottom○ *n* US *surnom pour le ministère des affaires étrangères américain*

foghorn /ˈfɒghɔːn/ *n* Naut corne *f* de brume; **to have a voice like a ~** avoir une voix de stentor

fog: **~lamp**, **~light** *n* Aut feu *m* de brouillard; **~ patch** *n* nappe *f* de brouillard

foible /ˈfɔɪbl/ *n* petite manie *f*

foil /fɔɪl/
A *n* 1 (for wrapping) papier *m* d'aluminium; **a sheet of ~** une feuille de papier d'aluminium; **silver/gold ~** papier argenté/doré; **~-wrapped** emballé dans du papier d'aluminium; 2 Sport fleuret *m*; 3 (deterrent) repoussoir *m*; 4 (setting) **to be** *ou* **act as a ~ to** *ou* **for** faire ressortir
B *modif* [*container, wrapper*] en papier d'aluminium
C *vtr* contrecarrer [*person*]; déjouer [*attempt, hope, plot*]; **to be ~ed in one's attempt to do sth** être déjoué dans sa tentative de faire qch; **~ed again!** encore raté!

foist /fɔɪst/ *vtr* **to ~ sth/sb on sb** (impose) imposer qch/qn à qn; **to ~ sth on sb** (off-load) repasser qch à qn

fold /fəʊld/
A *n* 1 (crease) (in fabric, paper, skin) pli *m*; **the skirt/the curtain hung in soft ~s** la jupe/le rideau faisait des plis souples; 2 Geog repli *m*; **a ~ in the hills** un repli des collines; 3 Geol plissement *m*; 4 (group) bercail *m*; 5 Agric parc *m*; **sheep ~** parc à moutons
B **-fold** (*dans composés*) **to increase twofold/threefold** doubler/tripler; **the problems are threefold** il y a trois problèmes; **interest rates have increased ninefold** les taux d'intérêt ont été multipliés par neuf
C *vtr* 1 (crease) plier [*paper, towel, shirt, chair, table, umbrella*]; replier [*wings*]; **~ the paper in half** *ou* **two** plie le papier en deux; **a ~ed sheet/newspaper** un drap/journal plié; **~ some newspaper around the vases** enveloppe les vases dans du papier journal; 2 (intertwine) croiser [*arms*]; joindre [*hands*]; **he ~ed his arms across his chest** il a croisé les bras; **she sat with her legs ~ed under her** elle était assise les jambes repliées sous elle; **to ~ sb into one's arms** serrer qn dans ses bras; 3 Culin (add) incorporer (**into** à)
D *vi* 1 [*chair, table*] se plier; 2 (fail) [*play*] quitter l'affiche; [*company*] fermer; [*project*] échouer; [*course*] cesser

(Idioms) **to stay in/return to the ~** rester/rentrer au bercail; **to return to the family/party ~** retourner au sein de sa famille/du parti

(Phrasal verbs) ■ **fold away**: ▸ **~ away** [*bed, table*] se plier: ▸ **~ away [sth]**, **~ [sth] away** plier et ranger [*clothes, linen*]; replier [*chair*]
■ **fold back**: ▸ **~ back** [*door, shutters*] se rabattre (**against** contre): ▸ **~ back [sth]**, **~ [sth] back** rabattre [*shutters, sheet, sleeve, collar*]
■ **fold down**: ▸ **~ down** [*car seat, pram hood*] se rabattre; ▸ **~ [sth] down**, **~ down [sth]** replier [*collar, flap, sheets*]; rabattre [*seat, pram hood*]; **to ~ down the corner of the page** corner la page
■ **fold in**: ▸ **~ in [sth]**, **~ [sth] in** incorporer [*sugar, flour*]
■ **fold out**: ▸ **~ out [sth]**, **~ [sth] out** déplier [*map, newspaper*]
■ **fold over**: ▸ **~ over** se rabattre; ▸ **~ [sth] over** rabattre [*flap*]
■ **fold up**: ▸ **~ up** [*chair, pram, umbrella*] se plier; ▸ **~ [sth] up**, **~ up [sth]** plier [*newspaper, chair, umbrella*]; **to ~ sth up again** replier qch

foldaway /ˈfəʊldəweɪ/ *adj* [*bed*] escamotable, pliant; [*table*] pliant

folder /ˈfəʊldə(r)/ *n* 1 (for papers) chemise *f*; **cardboard/plastic ~** chemise cartonnée/en plastique; 2 (for artwork) carton *m*; 3 (brochure) prospectus *m*; 4 Tech plieuse *f*, machine *f* à plier; 5 Comput dossier *m*

folding /ˈfəʊldɪŋ/ *adj* [*bed, bicycle, table, umbrella*] pliant; [*camera*] à soufflet; [*door*] en accordéon

folding: **~ money** *n* billets *mpl* de banque; **~ seat** *n* strapontin *m*; **~ stool** *n* (siège *m*) pliant *m*

folding top *n* Aut capote *f*; **a car with a ~ top** une voiture décapotable

fold: **~ mark** *n* repère *m* de page; **~out** *n* encart *m*

foliage /ˈfəʊlɪɪdʒ/ *n* feuillage *m*

foliation /ˌfəʊlɪˈeɪʃn/ *n* 1 Bot foliation *f*; 2 Print foliotage *m*; 3 Geol foliation *f*; 4 Archit rinceaux *mpl*

folic acid /ˌfəʊlɪk ˈæsɪd/ *n* acide *m* folique

folio /ˈfəʊlɪəʊ/
A *n* (paper) folio *m*; (book) in-folio *m*; **to publish a book in ~** publier un livre in-folio
B *modif* [*edition, volume*] in-folio

folk /fəʊk/
A *n* 1 (people) (+ *v pl*) gens *mpl*; **country/city ~** les gens de la campagne/des villes; **old/young/poor ~** les vieux/jeunes/pauvres; 2 Mus (+ *v sg*) folk *m*
B **folks** *npl* 1 ○(parents) parents *mpl*, vieux○ *mpl*; 2 ○(addressing people) **that's all, ~s**○**!** c'est tout, messieurs-dames○!
C *modif* 1 (traditional) [*dance, dancing, song, singer, music, tale*] folklorique; [*art, culture, tradition*] populaire, folklorique; 2 (modern) [*music, concert, song, singer*] folk *inv*; [*club, group*] de musique folk

folk: ~ **etymology** *n* étymologie *f* populaire; ~ **hero** *n* héros *m* populaire

folkie○ /ˈfəʊkɪ/ *n* fana○ *mf* de musique folk

folk: ~**lore** *n* folklore *m*; ~ **medicine** *n* médecine *f* traditionnelle; ~ **memory** *n* mémoire *f* collective; ~ **rock** *n* folk-rock *m*

folksy○ /ˈfəʊksɪ/ *adj* **1** (rustic) [*person*] amoureux/-euse de la vie de campagne; [*clothes, house*] campagnard; **2** pej (hippy) baba (cool)○ *inv*; **3** US pej **to act** ~ jouer les péquenauds◑

folk wisdom *n* (knowledge) savoir *m* populaire; (beliefs) sagesse *f* populaire

follicle /ˈfɒlɪkl/ *n* (all contexts) follicule *m*

follow /ˈfɒləʊ/

A *vtr* **1** (move after) suivre [*person, car*] (**into** dans); ~ **that cab!** suivez ce taxi!; **to have sb** ~**ed** faire suivre qn; **I think I'm being** ~**ed** je crois qu'on me suit; ~**ed by** suivi par; **to** ~ **sb in/out** entrer/sortir derrière qn; **she** ~**ed her father into politics** elle est entrée dans la politique comme son père; **they'll** ~ **us on a later flight** ils nous rejoindront par un autre vol

2 (come after in time) suivre [*event, period, incident, item on list*]; succéder à [*leader, monarch*]; **I chose the salad and** ~**ed it with fish** j'ai choisi la salade, et ensuite j'ai commandé du poisson; **I** ~**ed up my swim with a sauna** après la piscine j'ai fait un sauna; ~**ed by** suivi de

3 (go along, be guided by) suivre [*clue, path, river, arrow, map, line of inquiry, tradition, fashion, instinct, instructions*]; **if you** ~ **this argument to its logical conclusion...** si vous poursuivez le raisonnement jusqu'au bout...

4 (support, be led by) suivre [*teachings, example*]; pratiquer [*religion*]; adhérer à [*faith, ideas*]; être le disciple de [*person, leader*]; **on this question I** ~ **Freud** sur cette question j'adhère à la théorie de Freud; **he** ~**s his sister in everything** il imite sa sœur en tout

5 (watch or read closely) suivre [*sport, stock market, serial, trial, lecture, film*]; **to** ~ **sth with one's eyes** suivre qch des yeux; **to** ~ **the play in one's book** suivre la pièce dans le texte; **to** ~ **the fortunes of** suivre la carrière de [*person*]; suivre [*team*]

6 (understand) suivre [*explanation, reasoning, plot*]; **do you** ~ **me?** tu me suis?; **if you** ~ **my meaning, if you** ~ **me** si tu vois ce que je veux dire

7 (practise) exercer [*trade, profession*]; poursuivre [*career*]; avoir [*way of life*]

B *vi* **1** (move after) suivre; **she** ~**ed on her bike** elle a suivi en vélo; **to** ~ **in sb's footsteps** suivre les traces de qn

2 (come after in time) suivre; **in the days that** ~**ed** dans les jours qui ont suivi; **there** ~**ed a lengthy debate** il s'ensuivit un débat interminable; **what** ~**s is just a summary** ce qui suit n'est qu'un résumé; **there's ice cream to** ~ ensuite il y a de la glace; **the results were as** ~**s** les résultats ont été les suivants; **the sum is calculated as** ~**s** la somme est calculée comme suit *or* de la façon suivante

3 (be logical consequence) s'ensuivre; **it** ~**s that** il s'ensuit que; **it doesn't necessarily** ~ **that** ça ne veut pas forcément dire que; **problems are sure to** ~ il en résultera forcément des problèmes; **that doesn't** ~ ce n'est pas évident; **that** ~**s** ça me paraît logique; **to** ~ **from sth that...** découler de qch que...

4 (understand) suivre; **I don't** ~ je ne suis pas

(Idiom) ~ **that**○! faut le faire○!

(Phrasal verbs) ■ **follow about, follow around**: ▸ ~ **[sb] around** suivre [qn] partout

■ **follow on** [*person*] suivre; **to** ~ **on from** faire suite à; ~**ing on from yesterday's lecture...** à la suite du cours d'hier...

■ **follow out** US: ▸ ~ **out [sth]** suivre [*orders, instructions, advice*]

■ **follow through**: ▸ ~ **through** Sport faire un swing complet; ▸ ~ **through [sth],** ~ **[sth] through** mener [qch] à terme [*project, scheme, experiment*]; tenir [*promise*]; mettre [qch] à exécution [*threat*]; aller jusqu'au bout de [*idea, theory, argument*]

■ **follow up**: ▸ ~ **up [sth],** ~ **[sth] up**

1 (reinforce, confirm) confirmer [*victory, success*] (**with** par); consolider [*good start, debut*] (**with** par); donner suite à [*letter, visit, threat*] (**with** par); **to** ~ **up a letter with sth** faire suivre une lettre de qch; **he** ~**ed up with a left hook** [*boxer*] il a enchaîné avec un crochet de la gauche; **2** (act upon, pursue) suivre [*story, lead*]; donner suite à [*complaint, offer, call, article*]; examiner [*suggestion*]; utiliser [*tip, hint*]; ▸ ~ **up [sb],** ~ **[sb] up** (maintain contact with) suivre [*patient, person*]

follower /ˈfɒləʊwə(r)/ *n* **1** (of religious leader, thinker, artist) disciple *m*; (of political or military leader) partisan/-e *m/f*; (of religion, teachings, theory, tradition) adepte *mf*; **2** (of sport) amateur *m*; (of TV series, soap opera) fidèle *mf*; (of team) supporter *m*; ~**s of politics/her career will know that...** ceux qui s'intéressent à la politique/à sa carrière sauront que...; **dedicated** ~**s of fashion** les inconditionnels de la mode; **3** (not a leader) suiveur *m*; **4** †(suitor) admirateur *m*

following /ˈfɒləʊwɪŋ/

A *n* **1** ¢ (of theorist, religion, cult) adeptes *mfpl*; (of party, political figure) partisans/-anes *mpl/fpl*; (of soap opera, show) public *m*; (of sports team) supporters *mpl*; **the cult has a huge/small** ~ la secte a énormément/peu d'adeptes; **a writer with a loyal/young** ~ un écrivain qui a un public fidèle/jeune; **the party wants to build up its** ~ **in the south** le parti veut se faire des partisans dans le sud; **2** (before list or explanation) **you will need the** ~ vous aurez besoin des choses suivantes; **the** ~ **have been elected** les personnes suivantes ont été élues; **the** ~ **is a guide to...** ce qui suit est un guide sur...

B *adj* (*tjrs épith*) **1** (next) [*day, year, article, chapter, remark*] suivant (*after n*); **they were married the** ~ **June** ils se sont mariés au mois de juin suivant; **the** ~ **women/reasons** les femmes/les raisons suivantes; **2** (from the rear) [*wind*] arrière; **my car will do 120 km/h with a** ~ **wind** hum ma voiture peut faire du 120 km/h avec le vent en poupe

C *prep* suite à, à la suite de [*incident, allegation, publication*]; ~ **your request for information** suite à votre demande de renseignements

follow-my-leader ▸ p. 1253 *n* jeu *m* d'imitation (*en file indienne*)

follow-on /ˌfɒləʊˈɒn/ *n* suite *f*; **as a** ~ **from sth** dans le prolongement de qch

follow-through *n* suivi *m*

follow-up /ˈfɒləʊʌp/

A *n* **1** (film, record, single, programme) suite *f* (**to** à); **as a** ~ **to the programme/conference** à la suite de l'émission/la conférence; **this letter is a** ~ **to my call** cette lettre fait suite à mon appel; **2** (of patient, socialwork case) suivi *m*; **after the operation there is no** ~ il n'y a pas de suivi postopératoire

B *modif* **1** (supplementary) [*study, survey, work*] de suivi; [*interview, inspection, check*] de contrôle; [*discussion, article, programme, meeting*] complémentaire; [*letter*] de rappel; **2** (of patient, ex-inmate) [*visit*] de contrôle; ~ **care for ex-prisoners** suivi *m* social pour la réinsertion des ex-prisonniers; ~ **care for patients** suivi *m* des malades

folly /ˈfɒlɪ/ *n* **1** (madness) folie *f*; **it would be** ~ **to accept** accepter serait de la folie; **an act of** ~ un acte de folie; **2** (foolish act) folie *f*; **the follies of youth** les folies de jeunesse; **3** Archit folie *f*

foment /fəʊˈment/ *vtr* Med, fig fomenter

fomentation /ˌfəʊmenˈteɪʃn/ *n* Med, fig fomentation *f*

fond /fɒnd/ *adj* **1** (loving) [*embrace, farewell, gesture, person*] affectueux/-euse; [*eyes, heart*] tendre; ~ **memories** de très bons souvenirs; **'with** ~**est love, Julie'** 'je t'embrasse affectueusement, Julie'; **2** (heartfelt) [*ambition, hope, wish*] cher/chère; **3** (naive) [*imagination*] naïf/naïve; **in the** ~ **hope that** bercé par la conviction que; **4** (partial) **to be** ~ **of sb** aimer beaucoup qn; **to be** ~ **of sth** aimer qch; **to be** ~ **of doing** aimer faire; **to be very** ~ **of sb/sth** adorer qn/qch; **5** (irritatingly prone) **to be** ~ **of doing** aimer bien faire

fondle /ˈfɒndl/ *vtr* caresser

fondly /ˈfɒndlɪ/ *adv* **1** (lovingly) affectueusement; **2** (naively) [*believe, imagine*] naïvement

fondness /ˈfɒndnɪs/ *n* **1** (love for person) tendresse *f* (**for** pour); **2** (liking for thing, activity) passion *f* (**for** pour); **3** (irritating penchant) tendance *f*; **his** ~ **for criticizing** sa tendance à critiquer

font /fɒnt/ *n* **1** Relig fonts *mpl* baptismaux; **2** Print fonte *f*; **3** Comput police *f* de caractères

fontanelle GB, **fontanel** US /ˌfɒntəˈnel/ *n* fontanelle *f*

food /fuːd/

A *n* **1** (sustenance) nourriture *f*, alimentation *f*; ~ **and drink** la nourriture et la boisson; ~ **is short** il y a une pénurie alimentaire; **2** ¢ (foodstuffs) aliments *mpl*; **cat/frozen** ~ aliments pour chat/surgelés; **3** ¢ (provisions) provisions *fpl*; **to shop for** ~ acheter des provisions; **we have no** ~ **in the house** on n'a rien à manger à la maison; **4** (cuisine, cooking) cuisine *f*; **Chinese** ~ la cuisine chinoise; **is the** ~ **good in Japan?** on mange bien au Japon?; **to be a lover of good** ~ être gourmet; **to like one's** ~ bien aimer manger, avoir bon appétit; **to be off one's** ~ ne pas avoir d'appétit; **5** (fuel) ~ **for speculation/argument** matière *f* à spéculer/discuter; **that's** ~ **for thought** ça donne à réfléchir

B *modif* [*additive, industry, product, rationing, sales*] alimentaire; [*producer, production*] d'aliments; [*shop, counter*] d'alimentation

food: ~ **aid** *n* aide *f* alimentaire; **Food and Agriculture Organization, FAO** *n* Organisation *f* des Nations unies pour l'Alimentation et l'Agriculture, OAA *f*; **Food and Drug Administration, FDA** *n* US *organisme gouvernemental de contrôle pharmaceutique et alimentaire*; ~ **chain** *n* Ecol chaîne *f* alimentaire; ~ **crop** *n* Agric culture *f* vivrière

foodie○ /ˈfuːdɪ/ *n* amateur *m* de bonne bouffe○

food: ~ **parcel** *n* colis *m* de vivres; ~ **poisoning** *n* intoxication *f* alimentaire; ~ **processing** *n* préparation *f* industrielle des aliments; ~ **processor** *n* robot *m* ménager; ~ **science** *n* diététique *f*

food stamp *n* US coupon *m* d'alimentation

> **Food stamps**
>
> Le *Food Stamps Program* est une mesure sociale prise par le gouvernement américain. Il s'agit de bons destinés à être échangés contre de la nourriture distribués aux plus démunis. Dans la seule ville de New York, plus d'un million de personnes y ont recours. ▸ Welfare

food: ~**stuff** *n* denrée *f* alimentaire; ~ **subsidies** *npl* subventions *fpl* à l'industrie agro-alimentaire

food supply *n* ¢ **1** (of the world, a country) ressources *fpl* alimentaires; **2** (for army, town) vivres *mpl*; **to cut off sb's** ~ **supplies** couper les vivres à qn

food value *n* valeur *f* nutritive

foofaraw○ /ˈfuːfərɔː/ *n* US **1** fig (frill) fioriture *f*; **2** (fuss) tapage *m* inutile

fool /fuːl/

A *n* **1** (silly person) idiot/-e *m/f* (**to do** de faire); **the poor** ~ le pauvre idiot; **you stupid** ~○! espèce d'idiot!; **don't be (such) a** ~! ne sois pas idiot!; **to make sb look a** ~, **to make a** ~ **of sb** faire passer qn pour un/-e idiot/-e; **to be** ~ **enough to agree** être assez stupide

f

pour accepter; **she's no ~, she's nobody's ~** elle n'est pas si bête; **any ~ could do that**○ le premier imbécile venu pourrait faire ça○; **(the) more ~ you**○! quelle imbécillité!; **to act** *ou* **play the ~** faire l'imbécile, faire le pitre; [2] Hist (jester) fou *m*; [3] GB Culin **rhubarb/fruit ~** crème *f* à la rhubarbe/aux fruits

[B] ○ *modif* US [*politician*] idiot; **that's a ~ thing to do/say** c'est vraiment stupide de faire/dire ça

[C] *vtr* tromper, duper; **you don't ~ anybody** tu ne trompes personne; **don't let that ~ you!** ne t'y trompe pas!; **who are you trying to ~?** à qui veux-tu faire croire ça?; **you don't ~ me for a minute** je ne te crois pas un seul instant; **to ~ sb into doing** amener qn à faire; **to ~ sb into** *ou* **believing that** faire croire à qn que; **to ~ sb out of** escroquer qn de [*money*]; **to be ~ed** se laisser abuser (**by** par); **don't be ~ed!** ne te laisse pas abuser!; **you really had me ~ed!** tu m'as vraiment fait marcher○!

[D] *vi* (joke, tease) plaisanter; **no ~ing!** iron sans blague○!

[E] *v refl* **to ~ oneself** se faire des illusions; **to ~ oneself into doing sth** se persuader de faire qch

(Idioms) **a ~ and his money are soon parted** Prov aux idiots l'argent file entre les doigts; **there is no ~ like an old ~** il n'y a pire imbécile qu'un vieil imbécile; **you could have ~ed me**○! tu m'en diras tant○!

(Phrasal verbs) ■ **fool about**○ GB, **fool around**○ GB [1] (waste time) perdre son temps; [2] (act stupidly) faire l'imbécile (**with** avec); [3] (have affairs) papillonner○; ▸ **~ around with [sb/sth]** [1] (flirt) batifoler○ avec [*lover*]; [2] (mess around) s'amuser avec [*gadget, toy*]

foolhardiness /ˈfuːlhɑːdɪnɪs/ *n* témérité *f*

foolhardy /ˈfuːlhɑːdɪ/ *adj* téméraire

foolish /ˈfuːlɪʃ/ *adj* [1] (naïvely silly) [*person*] bête (**to do** de faire); **to be ~ enough to do** être assez bête pour faire; [2] (stupid) [*grin, look*] ridicule; **to look/feel ~** avoir l'air/se sentir ridicule; **to make sb look ~** rendre qn ridicule; [3] (misguided) [*decision, question, remark*] idiot; **that was a ~ thing to do** c'était idiot de faire cela

foolishly /ˈfuːlɪʃlɪ/ *adv* [1] [*behave, believe, forget, ignore, reject*] bêtement; **~, I believed him** bêtement, je l'ai cru; [2] [*smile, grin, stare, stand there*] stupidement

foolishness /ˈfuːlɪʃnɪs/ *n* bêtise *f*; **it is (sheer) ~ to do** c'est de la folie (pure) de faire

foolproof /ˈfuːlpruːf/ *adj* [1] [*method, way, plan*] infaillible; [2] [*camera, machine*] d'utilisation très simple

foolscap /ˈfuːlskæp/

[A] *n* GB (paper) papier *m* ministre

[B] *adj* [*format*] ministre; [*book*] au format ministre; [*sheet*] de papier ministre

fool's gold *n* (iron pyrites) pyrite *f* (de fer); (copper pyrites) chalcopyrite *f*

foot /fʊt/ ▸ p. 997, p. 1389

[A] *n* (*pl* **feet**) [1] gen, Anat (of person, horse) pied *m*; (of rabbit, cat, dog, cow) patte *f*; (of stocking, sock, chair) pied *m*; **on ~** à pied; **to be soft under ~** être doux sous le pied; **he hasn't set ~ in this house/in England for 10 years** n'a pas mis les pieds dans cette maison/en Angleterre depuis 10 ans; **from head to ~** de la tête aux pieds; **to rise to one's feet** se mettre debout, se lever; **to help sb to their feet** aider qn à se lever; **her speech brought the audience to its feet** toute l'audience s'est levée pour applaudir son discours; **to be on one's feet** lit être debout; **to be on one's feet again** fig être rétabli; **to get sb back on their feet** (after illness) rétablir *or* remettre qn d'aplomb; **to get sb/sth back on their/its feet** (after setback) remettre qn/qch sur pied; **to be quick on one's feet** être rapide; **bound** *ou* **tied hand and ~** pieds et poings liés; **to put one's ~ down** (accelerate) appuyer sur le champignon○; (act firmly) mettre le holà; **to sweep sb off their feet** lit faire perdre l'équilibre à qn; fig faire perdre la tête à qn; **to sit at sb's feet** lit s'asseoir aux pieds de qn; fig être aux pieds de qn; **my ~**○! mon œil○!; [2] (measurement) pied *m* (anglais) (= *0,3048 m*); [3] (bottom) (of mountain) pied *m* (**of** de); **at the ~ of** au pied de [*bed*]; à la fin de [*list, letter*]; en bas de [*page, stairs*]; en bout de [*table*]; [4] Sewing pied *m*; [5] Mil infanterie *f*; [6] Literat (in poetry) pied *m*

[B] *vtr* **to ~ the bill** payer la facture (**for** pour)

(Idioms) **not to put a ~ wrong** ne pas commettre la moindre erreur; **to be/get under sb's feet** être/se mettre dans les jambes de qn; **to be rushed off one's feet** être débordé; **to catch sb on the wrong ~** prendre qn au dépourvu; **to cut the ground from under sb's feet** couper l'herbe sous les pieds de qn; **to dance/walk sb off their feet** faire danser/marcher qn jusqu'à l'épuisement; **to fall** *ou* **land on one's feet** retomber sur ses pieds; **to keep both** *ou* **one's feet on the ground** avoir les pieds sur terre; **to have two left feet** être maladroit; **to leave somewhere feet first** sortir de quelque part les pieds devant; **to put one's ~ down**○ (accelerate) appuyer sur le champignon○; (be firm) mettre le holà; **to put one's best ~ forward** (do one's best) faire de son mieux; (hurry) se dépêcher; **to put one's ~ in it**○ faire une gaffe; **to put one's feet up** se reposer, décompresser○; **to stand on one's own (two) feet** se débrouiller tout seul; **to start off** *ou* **get off on the wrong/right ~** mal/bien commencer (**with sb** avec qn); **to wait on sb hand and ~** faire tout pour qn

footage /ˈfʊtɪdʒ/ *n* ¢ [1] Cin (piece of film) film *m*, pellicule *f*; **some ~ of** des images de; **news ~** des informations filmées; [2] Meas dimensions *fpl* en pieds (anglais), ≈ métrage *m*

foot and mouth (disease) *n* Vet fièvre *f* aphteuse

football /ˈfʊtbɔːl/ ▸ p. 1253

[A] *n* [1] (game) GB football *m*; US football *m* américain; **to play ~** jouer au football; **to be good/bad at ~** être bon/mauvais en football; [2] (ball) ballon *m* de football

[B] *modif* [*boot, club, kit, match, pitch, practice, season, team*] de football; US [*helmet, uniform*] de football (américain)

football: **~ coach** ▸ p. 1683 *n* entraîneur *m* de football; **~ coupon** *n* GB bulletin *m* de (participation au) loto sportif

footballer /ˈfʊtbɔːlə(r)/ ▸ p. 1683 *n* GB joueur/-euse *m/f* de football

football: **~ game** *n* US match *m* de football (américain); **Football League** *n* GB Sport (competition) championnat *m* de football; (association of clubs) ligue *f* de football; **~ player** ▸ p. 1683 *n* joueur/-euse *m/f* de football; **~ pools** *npl* GB ≈ loto *m* sportif (*limité aux matchs de football*); **~ special** *n* GB train *m* des supporters (*d'une équipe de football*); **~ supporter** *n* supporter *m* (d'une équipe de football)

footbath /ˈfʊtbɑːθ/ *n* [1] (at home) bain *m* de pieds; [2] (at swimming pool) pédiluve *m*

footboard /ˈfʊtbɔːd/ *n* [1] (on carriage, boat) (to stand on) marchepied *m*; (to rest foot on) repose-pied *m*; [2] (on bed) panneau *m* de pied

foot: **~ brake** *n* Aut frein *m* (à pied); **~bridge** *n* passerelle *f*

footer /ˈfʊtə(r)/

[A] *n* [1] ○GB (football) foot○ *m*; [2] Print pied *m* de page

[B] **-footer** (*dans composés*) [1] **he's a six-~** il mesure 1,80 m; [2] (boat) **a 50-~** un 15 mètres

footfall /ˈfʊtfɔːl/ *n* [1] Comm fréquentation *f*; [2] (footstep) (bruit *m* de) pas *m*

foot: **~ fault** *n* (in tennis) faute *f* de pied; **~hills** *npl* contreforts *mpl*

foothold /ˈfʊthəʊld/ *n* lit prise *f* (de pied); **to gain a/lose one's ~** lit prendre/perdre pied; **to gain** *ou* **get a ~** fig [*company*] prendre pied; [*ideology*] s'imposer; [*plant, insect*] se propager

footing /ˈfʊtɪŋ/ *n* [1] (basis) **on a firm ~** sur une base solide; **on a war ~** sur le pied de guerre; **to place** *ou* **put sth on a legal ~** légaliser qch; **to be on an equal** *ou* **even ~ with sb** être sur un pied d'égalité avec qn; **to be on a friendly/formal ~ with sb** avoir des rapports amicaux/formels avec qn; [2] (grip for feet) **to keep one's ~** conserver l'équilibre; **to lose one's ~** perdre pied

footle○ /ˈfuːtl/ *v* GB

(Phrasal verbs) ■ **~ about, ~ around** s'amuser, glander◑

footlights /ˈfʊtlaɪts/ *npl* Theat rampe *f*; **to go behind the ~** fig monter sur les planches, devenir acteur

footling○ /ˈfuːtlɪŋ/ *adj* (*épith*) futile

footlocker /ˈfʊtlɒkə(r)/ *n* US Mil vestiaire *m* (*à la base du lit*)

footloose /ˈfʊtluːs/ *adj* libre comme l'air

(Idiom) **~ and fancy free** sans attache

foot: **~man‡** *n* valet *m* de pied; **~mark** *n* trace *f* (de pas); **~note** *n* lit note *f* de bas de page; fig (additional comment) post-scriptum *m*; **~ passenger** *n* passager *m* sans véhicule; **~path** *n* (in countryside) sentier *m*; (in town) trottoir *m*; **~ patrol** *n* (in police) patrouille *f* à pied; **~plate** *n* Hist Rail tablier *m* (*de locomotive à vapeur*); **~print** *n* empreinte *f* (de pied), trace *f* (de pas); (of computer) empreinte *f*; **~ pump** *n* pompe *f* à pied; **~rest** *n* repose-pied *m*; **~ rot** *n* Vet piétin *m*

footsie○ /ˈfʊtsɪ/ *n* **to play ~ with sb** faire du pied à qn

Footsie (Index)○ /ˈfʊtsɪ/ *n* Fin (*abrév* = **Financial Times Stock Exchange Index**) indice *m* de la Bourse de Londres

foot: **~slogging** *n* longue marche *f*; **~ soldier** *n* Mil Hist fantassin *m*; (in mafia) homme *m* de main

footsore /ˈfʊtsɔː(r)/ *adj* [*person*] aux pieds douloureux; **to be ~** avoir mal aux pieds

footstep /ˈfʊtstep/ *n* pas *m*

(Idiom) **to follow in sb's ~s** suivre les traces de qn

foot: **~stool** *n* repose-pied *m*; **~wear** *n* ¢ chaussures *fpl*; **~well** *n* Aut espace *m* pour les jambes; **~work** *n* jeu *m* de jambes

footy○ /ˈfʊtɪ/ *n* foot○ *m*, football *m*

fop /fɒp/ *n* péj dandy *m*, minet○ *m*

foppish /ˈfɒpɪʃ/ *adj* péj [*person*] maniéré; [*clothes*] prétentieux/-ieuse; [*manners*] prétentieux/-ieuse

for /fɔː(r), fə(r)/

[A] *prep* [1] (intended to belong to or be used by) pour; **who are the flowers ~?** pour qui sont les fleurs?; **~ her** pour elle; **to buy sth ~ sb** acheter qch pour *or* à qn; **she bought a book ~ me** elle a acheté un livre pour moi, elle m'a acheté un livre; **she bought presents ~ the family** elle a acheté des cadeaux pour la famille; **a club ~ young people** un club pour les jeunes; **a play area ~ children** une aire de jeux pour les enfants; **keep some pancakes ~ us!** garde-nous des crêpes!; **not ~ me thanks** pas pour moi merci

[2] (intended to help or benefit) pour; **to do sth ~ sb** faire qch pour qn; **you risked your life ~ us** tu as risqué ta vie pour nous; **let me carry it ~ you** laisse-moi le porter pour toi; **could you book a seat ~ me?** est-ce que tu pourrais réserver une place pour moi *or* me réserver une place?; **he cooked dinner ~ us** il nous a préparé à manger; **play a tune ~ us** joue-nous quelque chose

[3] (indicating purpose) pour; **what's it ~?** c'est pour quoi faire?, ça sert à quoi?; **it's ~ removing stains** c'est pour enlever *or* ça sert à enlever les taches; **what's this spring ~?** c'est pour quoi faire ce ressort?; **it's not ~ cleaning windows** ce n'est pas fait pour nettoyer les vitres; **an attic ~ storing furniture** un grenier pour entreposer les meubles; **'I need it'—'what ~?'** 'j'en ai besoin'–'pourquoi?'; **what did you say that ~?** pourquoi

 **for**

When *for* is used as a preposition, followed by a noun or pronoun, it is translated by *pour*:

for my sister
= pour ma sœur

for the garden
= pour le jardin

for me
= pour moi

For particular usages see the entry **for**.

When *for* is used as a preposition indicating purpose followed by a verb it is translated by *pour* + infinitive:

for cleaning windows
= pour nettoyer les vitres

When *for* is used in the construction

to be + adjective + *for* + pronoun + infinitive the translation in French is

être + indirect pronoun + adjective + *de* + infinitive:

it's impossible for me to stay
= il m'est impossible de rester

it was hard for him to understand that ...
= il lui était difficile de comprendre que ...

it will be difficult for her to accept the changes
= il lui sera difficile d'accepter les changements

For the construction *to be waiting for sb to do* see the entry **wait**.

For particular usages see the entry **for**.

In time expressions

for is used in English after a verb in the progressive present perfect tense to express the time period of something that started in the past and is still going on. To express this French uses a verb in the present tense + *depuis*:

I have been waiting for three hours (and I am still waiting)
= j'attends depuis trois heures

we've been together for two years (and we're still together)
= nous sommes ensemble depuis deux ans

When *for* is used in English after a verb in the past perfect tense, French uses the imperfect + *depuis*:

I had been waiting for two hours (and was still waiting)
= j'attendais depuis deux heures

for is used in English negative sentences with the present perfect tense to express the time that has elapsed since something has happened. To express this, French uses the same tense as English (the perfect) + *depuis*:

I haven't seen him for ten years (and I still haven't seen him)
= je ne l'ai pas vu depuis dix ans

In spoken French, there is another way of expressing this: *ça fait* or *il y a dix ans que je ne l'ai pas vu*.

When *for* is used in English in negative sentences after a verb in the past perfect tense, French uses the past perfect + *depuis*:

I hadn't seen him for ten years
= je ne l'avais pas vu depuis dix ans, *or* (*in spoken French*) ça faisait *or* il y avait dix ans que je ne l'avais pas vu

for is used in English after the preterite to express the time period of something that happened in the past and is no longer going on. Here French uses the present perfect + *pendant*:

last Sunday I gardened for two hours
= dimanche dernier, j'ai jardiné pendant deux heures

for is used in English after the present progressive tense or the future tense to express an anticipated time period in the future. Here French uses the present or the future tense + *pour*:

I'm going to Rome for six weeks
= je vais à Rome pour six semaines

I will go to Rome for six weeks
= j'irai à Rome pour six semaines

Note, however, that when the verb *to be* is used in the future with *for* to emphasize the period of time, French uses the future + *pendant*:

I will be in Rome for six weeks
= je serai à Rome pendant six semaines

he will be away for three days
= il sera absent pendant trois jours

For particular usages see **A13**, **14**, **15** and **16** in the entry **for**.

for is often used in English to form a structure with nouns, adjectives and verbs (*weakness for*, *eager for*, *apply for*, *fend for* etc.). For translations, consult the appropriate noun, adjective or verb entry (**weakness**, **eager**, **apply**, **fend** etc.).

as-tu dit cela?; **let's stop ~ a rest** arrêtons-nous pour nous reposer; **to do sth ~ a laugh** faire qch pour rigoler°; **to go ~ a swim/meal** aller nager/manger; **I need something ~ my cough** j'ai besoin de quelque chose contre la toux; **she's being treated ~ depression** elle suit un traitement contre la dépression; **a cure ~ Aids** un remède contre le sida; **I sent it away ~ cleaning** je l'ai renvoyé pour qu'il soit nettoyé; **I brought her home ~ you to meet her** je l'ai amenée à la maison pour que tu puisses la rencontrer; **the bell rang ~ class to begin** la cloche a sonné pour indiquer le début du cours; **~ this to be feasible** pour que ce soit réalisable; **more investment is needed ~ economic growth to occur** il faut qu'il y ait plus d'investissements pour relancer la croissance économique; **the idea was ~ you to work it out yourself** le but était que tu trouves (*subj*) la réponse tout seul

4 (as representative, member, employee of) pour, de; **to work ~ a company** travailler pour une entreprise; **to play ~ France** jouer pour la France; **the MP ~ Oxford** le député d'Oxford; **Minister ~ Foreign Affairs** ministre des Affaires étrangères

5 (indicating cause or reason) pour; **the reason ~ doing** la raison pour laquelle on fait; **~ this reason, I'd rather...** pour cette raison je préfère...; **grounds ~ divorce/~ hope** des motifs de divorce/d'espoir; **to jump ~ joy** sauter de joie; **imprisoned ~ murder** emprisonné pour meurtre; **she left him ~ another man** elle l'a quitté pour un autre homme; **famous ~ its wines** réputé pour ses vins; **to praise sb ~ his actions** féliciter qn pour ses actes; **she's been criticized ~ her views** on lui a reproché ses opinions; **I was unable to sleep ~ the pain/the noise** je ne pouvais pas dormir à cause de la douleur/du bruit; **the car is the worse ~ wear** la voiture est abîmée; **if it weren't ~ her we wouldn't be here** sans elle nous ne serions pas là; **if it hadn't been ~ the traffic jams, we'd have made it** sans les embouteillages nous serions arrivés à temps; **the plant died ~ want of water** la plante est morte parce qu'elle manquait d'eau; **she is annoyed with me ~ contradicting her** elle m'en veut parce que je l'ai contredite

6 (indicating consequence) pour que (+ *subj*); **it's too cold ~ her to go out** il fait trop froid pour qu'elle sorte; **they spoke too quickly ~ us to understand** ils parlaient trop vite pour que nous les comprenions; **she said it loudly enough ~ all to hear** elle l'a dit suffisamment fort pour que tout le monde puisse entendre; **I haven't the patience** *ou* **enough patience ~ sewing** je n'ai pas la patience qu'il faut pour coudre; **there's not enough time ~ us to have a drink** nous n'avons pas le temps de prendre un verre

7 (indicating person's attitude) pour; **to be easy ~ sb to do** être facile pour qn de faire; **~ her it's almost like a betrayal** pour elle c'est presque une trahison; **the film was too earnest ~ me** le film était trop sérieux pour moi; **it was a shock ~ him** ça a été un choc pour lui; **what counts ~ them is...** ce qui compte pour eux c'est...; **living in London is not ~ me** je ne suis pas fait pour vivre à Londres, vivre à Londres, très peu pour moi°!; **that's good enough ~ me!** ça me suffit!

8 (stressing particular feature) pour; **~ further information write to...** pour plus de renseignements écrivez à...; **I buy it ~ flavour/freshness** je l'achète pour le goût/la fraîcheur; **~ efficiency, there is no better system** pour ce qui est de l'efficacité il n'y a pas de meilleur système

9 (considering) pour; **to be mature ~ one's age** être mûr pour son âge; **she's very young ~ a doctor** elle est très jeune pour un médecin; **it's warm ~ the time of year** il fait chaud pour la saison; **it's not a bad wine ~ the price** ce vin n'est pas mauvais pour le prix; **suitably dressed ~ the climate** habillé comme il faut pour le climat

10 (towards) pour; **to have admiration/respect ~ sb** avoir de l'admiration/du respect pour qn; **to feel sorry ~ sb** avoir de la peine pour qn; **to feel contempt ~ sb** mépriser qn

11 (on behalf of) pour; **to be delighted/pleased ~ sb** être ravi/content pour qn; **to be anxious ~ sb** être inquiet pour qn; **say hello to him ~ me** dis-lui bonjour de ma part; **I can't do it ~ you** je ne peux pas le faire à ta place; **let her answer ~ herself** laisse-la répondre elle-même; **I speak ~ everyone here** je parle au nom de toutes les personnes ici présentes

12 (as regards) **to be a stickler ~ punctuality** être à cheval sur la ponctualité; **she's a great one ~ jokes** on peut toujours compter sur elle pour raconter des blagues; **to be all right ~ money** avoir assez d'argent; **luckily ~ her** heureusement pour elle

13 (indicating duration) (taking account of past events) depuis; (stressing expected duration) pour; (stressing actual duration) pendant; **this is the best show I've seen ~ years** c'est le meilleur spectacle que j'aie vu depuis des années; **we've been together ~ 2 years** nous sommes ensemble depuis 2 ans, ça fait 2 ans que nous sommes ensemble; **she hasn't slept ~ a week** elle n'a pas dormi depuis une semaine, ça fait une semaine qu'elle n'a pas dormi; **they hadn't seen each other ~ 10 years** ils ne s'étaient pas vus depuis 10 ans, ça faisait 10 ans qu'ils ne s'étaient pas vus; **she's off to Paris ~ the weekend** elle va à Paris pour le week-end; **I'm going to Spain ~ 6 months** je vais en Espagne pour 6 mois; **they are stored in the cellar ~ the winter** ils sont entreposés dans la cave pour l'hiver; **will he be away ~ long?** est-ce qu'il sera absent longtemps?; **you can stay ~ a year** vous pouvez rester un an; **to be away ~ a year** être absent pendant un an; **they were married ~ 25 years** ils ont été mariés pendant 25 ans; **he hasn't been seen ~ several days** on ne l'a pas vu depuis plusieurs jours; **she remained silent ~ a few moments** elle est restée silencieuse pendant quelques instants; **I was in Paris ~ 2 weeks** j'étais à Paris pendant 2 semaines; **to last ~ hours** durer des heures

14▸ (indicating a deadline) pour; (in negative constructions) avant; **it will be ready ~ Saturday** ça sera prêt pour samedi; **when is the essay ~?** la rédaction, c'est pour quand?; **the car won't be ready ~ another 6 weeks** la voiture ne sera pas prête avant 6 semaines; **you don't have to decide ~ a week yet** tu n'as pas à prendre ta décision avant une semaine

15▸ (on the occasion of) pour; **to go to China ~ Christmas** aller en Chine pour Noël; **invited ~ Easter** invité pour Pâques; **he got a bike ~ his birthday** il a eu un vélo pour son anniversaire

16▸ (indicating scheduled time) pour; **the summit scheduled ~ next month** le sommet prévu pour le mois prochain; **that's all ~ now** c'est tout pour le moment; **I'd like an appointment ~ Monday** je voudrais un rendez-vous pour lundi; **I have an appointment ~ 4 pm** j'ai rendez-vous à 16h 00; **it's time ~ bed** c'est l'heure d'aller au lit; **now ~ some fun/food!** on va s'amuser/manger!

17▸ (indicating distance) pendant; **to drive ~ miles** rouler pendant des kilomètres; **lined with trees ~ 3 km** bordé d'arbres pendant *or* sur 3 km; **the last shop ~ 30 miles** le dernier magasin avant 50 kilomètres; **there is nothing but desert ~ miles around** on ne voit que le désert à des kilomètres à la ronde

18▸ (indicating destination) pour; **a ticket ~ Dublin** un billet pour Dublin; **the train leaves ~ London** le train part pour Londres; **to leave ~ work** partir travailler; **to head ~ the beach** partir à la plage; **to swim ~ the shore** nager vers la rive

19▸ (indicating cost, value) pour; **it was sold ~ £100** ça s'est vendu (pour) 100 livres sterling; **they bought the car ~ £6,000** ils ont acheté la voiture pour 6 000 livres sterling; **10 apples ~ £1** 10 pommes pour une livre sterling; **he'll fix it ~ £10** il le réparera pour 10 livres sterling; **I wouldn't do it ~ anything!** je ne le ferais pour rien au monde!; **you paid too much ~ that dress!** tu as payé cette robe trop cher!; **I'll let you have it ~ £20** je vous le laisse à 20 livres sterling; **a cheque ~ £20** un chèque de 20 livres sterling; **to exchange sth ~ sth else** échanger qch contre qch d'autre; ▸ **nothing**

20▸ (in favour of) **to be ~** être pour [*peace, divorce, reunification*]; **to be all ~ it** être tout à fait pour; **I'm ~ going to a nightclub** je suis pour qu'on aille en boîte○; **who's ~ a game of football?** qui veut jouer au football?

21▸ (stressing appropriateness) **she's the person ~ the job** elle est la personne qu'il faut pour le travail; **that's ~ us to decide** c'est à nous de décider; **it's not ~ him to tell us what to do** ce n'est pas à lui de nous dire ce qu'il faut faire

22▸ (in support of) en faveur de; **to vote ~ change** voter en faveur de la réforme; **the argument ~ recycling** l'argument en faveur du recyclage; **there's no evidence ~ that** ce n'est absolument pas prouvé

23▸ (indicating availability) **~ sale** à vendre; **'caravans ~ hire'** 'caravanes à louer'

24▸ (as part of ratio) pour; **one teacher ~ five pupils** un professeur pour cinq élèves; **~ every female judge there are ten male judges** il y a une femme juge pour dix hommes juges

25▸ (equivalent to) **T ~ Tom** T comme Tom; **what's the French ~ 'boot'?** comment dit-on 'boot' en français?; **the technical term ~ it is 'chloasma'** 'chloasme' c'est le terme technique; **what is CD ~?** qu'est-ce que CD veut dire?; **green is ~ go** le vert veut dire qu'on a le droit de passer

26▸ (in explanations) **~ one thing... and ~ another...** premièrement... et deuxièmement...; **~ that matter** d'ailleurs; **~ example** par exemple; **I, ~ one, agree with her** en tout cas moi, je suis d'accord avec elle

27▸ (when introducing clauses) **it would be unwise ~ us to generalize** il serait imprudent pour nous de généraliser; **it's not convenient ~ them to come today** ce n'est pas pratique pour eux de passer aujourd'hui; **the best thing would be ~ them to leave** le mieux serait qu'ils s'en aillent; **it must have been serious ~ her to cancel the class** cela a dû être grave pour qu'elle annule (*subj*) le cours; **there's nothing worse than ~ someone to spy on you** il n'y a rien de pire que quelqu'un qui t'espionne; **there's no need ~ people to get upset** il n'y a pas de quoi s'énerver

28▸ (after) **to name a child ~ sb** donner à un enfant le nom de qn

B *conj* sout car, parce que

(Idioms) **oh ~ a nice hot bath!** je rêve d'un bon bain chaud!; **I'll be (in) ~ it if...**○ GB ça va être ma fête si...○; **right, you're ~ it**○**!** GB bon, ça va être ta fête○!; **to have it in ~ sb**○ avoir qn dans le collimateur○; **that's adolescents ~ you!** que voulez-vous, c'est ça les adolescents!; **there's gratitude ~ you!** c'est comme ça qu'on me (*or* vous etc) remercie!, quelle ingratitude!

FOR *adj, adv: abrév* ▸ **free on rail**

forage /ˈfɒrɪdʒ, US ˈfɔːr-/

A *n* 1▸ (animal feed) fourrage *m*; 2▸ (search) **to go on a ~ for** aller faire provision de [*food, wood*]

B *vtr* affourager [*animals*]

C *vi* **to ~ (about** *ou* **around) for sth** lit, fig fouiller pour trouver qch

forage cap *n* calot *m*

forasmuch /ˌfɔːrəzˈmʌtʃ/ *conj* sout **~ as** pour autant que (+ *subj*) fml

foray /ˈfɒreɪ, US ˈfɔːreɪ/

A *n* 1▸ (first venture) incursion *f* also hum (**into** dans); **to make a ~ into** s'essayer à [*politics, acting, sport*]; 2▸ Mil (raid) incursion *f* (**into** en)

B *vi* Mil **to ~ into** faire une incursion dans

forbad(e) /fɔːˈbæd, US fəˈbeɪd/ *prét* ▸ **forbid**

forbear /fɔːˈbeə(r)/ *vi* (*prét* **-bore**, *pp* **-borne**) sout s'abstenir (**from sth** de qch; **from doing, to do** de faire)

forbearance /fɔːˈbeərəns/ *n* sout indulgence *f*; **to show ~ towards** être indulgent envers

forbearing /fɔːˈbeərɪŋ/ *adj* sout indulgent

forbears *n* = **forebears**

forbid /fəˈbɪd/

A *vtr* (*p prés* **-dd-**, *prét* **forbad(e)**, *pp* **forbidden**) 1▸ (disallow) défendre, interdire; **~ sb to do** défendre *or* interdire à qn de faire; **~ sb sth** défendre *or* interdire qch à qn; **to ~ sth categorically** *ou* **expressly** interdire formellement qch; 2▸ (prevent, preclude) interdire; **his health ~s it** sa santé le lui interdit; **God ~!** Dieu m'en/l'en etc garde!; **God ~ she should do that!** pourvu qu'elle ne fasse pas cela!

B *v refl* **to ~ oneself sth/to do** s'interdire qch/de faire

forbidden /fəˈbɪdn/ *adj* défendu, interdit (**to do** de faire); **he is ~ to do** on lui interdit de faire; **smoking is ~** il est interdit de fumer; **~ place** lieu *m* interdit; **~ subject/fruit** sujet/fruit défendu

forbidding /fəˈbɪdɪŋ/ *adj* [*edifice*] intimidant; [*landscape*] inhospitalier/-ière; [*expression, look*] rébarbatif/-ive

forbiddingly /fəˈbɪdɪŋlɪ/ *adv* [*scowl, frown*] de façon rébarbative; [*rise*] de façon imposante

forbore /fɔːˈbɔː(r)/ *prét* ▸ **forbear**

forborne /fɔːˈbɔːn/ *pp* ▸ **forbear**

force /fɔːs/

A *n* 1▸ (physical strength, impact) (of blow, explosion, collision, earthquake) force *f*; (of sun's rays) puissance *f*; (of fall) choc *m*; **he was knocked over by the ~ of the blast/the blow** il est tombé sous la force de l'explosion/du coup; **I hit him with all the ~ I could muster** je l'ai frappé de toutes mes forces

2▸ gen, Mil (physical means) force *f*; **to use ~** recourir à *or* employer la force; **by ~** par la force; **by ~ of arms, by military ~** à la force des armes

3▸ fig (strength) (of intellect, memory, enthusiasm, logic, grief) force *f*; **by** *ou* **out of** *ou* **from ~ of habit/of circumstance/of numbers** par la force de l'habitude/des circonstances/du nombre; **'no,' she said with some ~** 'non,' a-t-elle dit avec force; **to have the ~ of law** avoir force de loi

4▸ (strong influence) force *f*; **a ~ for good/change** une force agissant pour le bien/le changement; **the ~s of evil** les forces du mal; **she's a ~ in the democratic movement** c'est un personnage important du mouvement démocratique; **market ~s** forces du marché; **this country is no longer a world ~** ce pays n'est plus une puissance mondiale

5▸ ℂ (organized group) forces *fpl*; **expeditionary/peacekeeping ~** forces expéditionnaires/de maintien de la paix; **naval/ground ~** forces navales/terrestres; ▸ **labour force**, **workforce**, **task force etc**

6▸ (police) (*also* **Force**) **the ~** la police

7▸ Phys force *f*; **centrifugal/centripetal ~** force centrifuge/centripète; **~ of gravity** pesanteur *f*

8▸ Meteorol force *f*; **a ~ 10 gale** un vent de force 10

B **forces** *npl* Mil (*also* **armed ~s**) **the ~s** les forces *fpl* armées

C **in force** *adv phr* 1▸ (in large numbers, strength) en force

2▸ gen, Jur [*law, act, prices, ban, curfew*] en vigueur; **to come into ~** entrer en vigueur

D *vtr* 1▸ (compel, oblige) forcer; **to ~ sb/sth to do** gen forcer qn/qch à faire; **to be ~d to do** gen être forcé de faire; **he ~d his voice to remain calm** il s'est forcé à garder une voix calme; **to ~ a smile/a laugh** se forcer à sourire/à rire; **the earthquake ~d the evacuation of hundreds of residents** le tremblement de terre a provoqué *or* entraîné l'évacuation de plusieurs centaines d'habitants; **protesters have ~d a public inquiry** les protestataires ont exigé et obtenu que l'on ouvre une enquête publique; **to ~ a bill through parliament** forcer *or* obliger le parliament à voter un projet de loi

2▸ (push, thrust) **to ~ one's way through [sth]** se frayer un chemin à travers *or* dans [*crowd, jungle*]; **to ~ sb to the ground/up against sth** plaquer qn au sol/contre qch; **she ~d him to his knees** elle l'a forcé à se mettre à genoux; **the car ~d the motorbike off the road/into the ditch** la voiture a forcé la moto à quitter la route/à aller au fossé; **bad weather ~d him off the road for a week** le mauvais temps l'a empêché de prendre la route pendant une semaine; **she ~d her way to the top through sheer perseverance** elle est parvenue au sommet grâce à beaucoup de persévérance

3▸ (apply great pressure to) forcer [*door, window, lock, safe, engine, meter*]; forcer sur [*screw*]; **to ~ an entry** Jur entrer par effraction; **to ~ the pace** forcer l'allure

4▸ Agric, Hort (speed up growth) forcer [*plant*]; engraisser [*animal*]

E *v refl* 1▸ (push oneself) **to ~ oneself** se forcer (**to do** à faire)

2▸ (impose oneself) **to ~ oneself on sb** imposer sa présence à qn; **I wouldn't want to ~ myself on you** je ne cherche pas à m'imposer

(Idiom) **to ~ sb's hand** forcer la main à qn

(Phrasal verbs) ■ **force back**: ▸ **~ [sth] back, ~ back [sth]** 1▸ lit repousser, obliger [qch] à reculer [*crowd, army*]; **she ~d him back against the wall** elle l'a repoussé *or* plaqué contre le mur; 2▸ fig réprimer [*emotion, tears, anger*]

■ **force down**: ▸ **~ [sth] down, ~ down [sth]** 1▸ (cause to land) forcer [qch] à se poser [*aircraft*]; 2▸ (eat reluctantly) se forcer à avaler [*food*]; **to ~ sth down sb** forcer qn à manger qch; **don't ~ your ideas down my throat**○! ne m'impose pas tes idées!; **3** (reduce) gen, Fin diminuer [qch] (de force) [*prices, wages, output*]; réduire [qch] (de force) [*currency value, demand, profits, inflation*]; **to ~ down unemployment** faire baisser le taux de chômage; **4** (squash down) tasser [*contents, objects*]

■ **force in**: ▸ **~ [sth] in, ~ in [sth]** (into larger space) faire entrer [qch] de force; (into small opening) enfoncer [qch] de force

■ **force into**: ▸ **~ [sb/sth] into sth/doing** **1** (compel) forcer [qn/qch] à faire; **to be ~d into doing** être forcé de faire; **I was ~d into it** on m'a forcé à le faire; **2** (push, thrust) **she ~d him into the car** elle l'a fait entrer de force dans la voiture; **he ~d his clothes into a suitcase** il a tassé ses vêtements dans une valise; **he ~d his way into the house** il est entré de force dans la maison

■ **force on**: ▸ **~ [sth] on sb** imposer [qch] à qn, forcer qn à accepter [qch]; **the decision was ~d on him** il a été forcé de prendre cette décision; **team X ~d a draw on team Y** l'équipe X a arraché un match nul à l'équipe Y

■ **force open**: ▸ **~ [sth] open, ~ open [sth]** forcer [*door, window, box, safe*]; **she ~d the patient's mouth open** elle a ouvert la bouche du malade de force; **he ~d his eyes open** il s'est forcé à ouvrir les yeux

■ **force out**: ▸ **~ [sth] out, ~ out [sth]** (by physical means) faire sortir [qch] par la force [*invader, enemy, object*]; enlever [qch] de force [*cork*]; **the government was ~d out in the elections** les élections ont forcé *or* obligé le gouvernement à quitter le pouvoir; **she ~d out a few words** elle s'est forcée à dire quelques mots; **to ~ one's way out (of sth)** s'échapper (de qch) par la force; **to ~ sth out of sb** arracher qch à qn [*information, apology, smile, confession*]; **the injury ~d him out of the game** cette blessure l'a forcé à abandonner le jeu

■ **force through**: ▸ **~ [sth] through, ~ through [sth]** faire adopter [*legislation, measures*]

■ **force up**: ▸ **~ [sth] up, ~ up [sth]** [*inflation, crisis, situation*] faire augmenter [*prices, costs, demand, unemployment*]; [*government, company, minister*] augmenter (de force) [*prices, output, wages*]; relever [*exchange rate*]

forced /fɔːst/ *adj* **1** (false) [*laugh, smile, interpretation*] forcé; [*conversation*] peu naturel/-elle; **2** (imposed) [*labour, marriage, landing, march, saving*] forcé; **3** Hort [*plant*] forcé

force-feed /ˈfɔːsfiːd/ *vtr* (*prét, pp* **-fed**) gaver [*animal, bird*] (**on, with** de); alimenter [qn] de force [*person*] (**on, with** de); **her parents ~ her** [illegible] de Mozart

force: **~-feeding** *n* (of animal, bird) gavage *m*; (of person) alimentation *f* de force; **~ field** *n* champ *m* de force

forceful /ˈfɔːsfl/ *adj* [*person, character, behaviour*] énergique; [*attack, defence, speech*] vigoureux/-euse

forcefully /ˈfɔːsfəlɪ/ *adv* [*say, argue*] avec vigueur; [*hit*] avec force

forcemeat /ˈfɔːsmiːt/ *n* GB Culin farce *f*

forceps /ˈfɔːseps/

A *n* (*pl* ~) forceps *m*

B *modif* [*birth, delivery*] par forceps

forcible /ˈfɔːsəbl/ *adj* [*repatriation, eviction, removal*] forcé

forcibly /ˈfɔːsəblɪ/ *adv* [*restrain, remove, repatriate*] de force

forcing: **~ bid** *n* enchère *f*; **~ house** *n* Hort forcerie *f*; fig pépinière *f*

ford /fɔːd/

A *n* gué *m*

B *vtr* **to ~ a river** passer une rivière à gué

fore /fɔː(r)/

A *n* **1** **to the ~** en vue, en avant; fig **to be** *ou* **come to the ~** [*person*] se faire connaître, [*issue*] attirer l'attention; [*quality*] ressortir; [*team, party, competitor*] commencer à dominer; **to bring to the ~** faire ressortir [*talent, quality*]; mettre au premier plan [*issue, problem*]; **2** Naut avant *m*

B *adj* gen, Naut à l'avant

C *excl* (in golf) gare!

fore-and-aft /ˌfɔːrənˈɑːft/ *adj* Naut **~ sail** voile *f* aurique; **~ rig** gréement *m* aurique

forearm /ˈfɔːrɑːm/ *n* avant-bras *m inv*

forebears /ˈfɔːbeəz/ *npl* sout aïeux *mpl*

forebode /fɔːˈbəʊd/ *vtr* (*prét* **-bode**) sout présager

foreboding /fɔːˈbəʊdɪŋ/ *n* pressentiment *m*; **to have a ~ that** avoir le pressentiment que; **to have ~s about sth** avoir de sombres pressentiments quant à qch; **a sense of ~** un sentiment d'appréhension; **full of ~** plein d'appréhension

forecast /ˈfɔːkɑːst, US -kæst/

A *n* **1** (*also* **weather ~**) météo○ *f*, bulletin *m* météorologique; **the ~ is for rain** la météo prévoit de la pluie; **2** Comm, Econ, Fin prévisions *fpl* (**about** sur); **profits/sales ~** prévisions de bénéfices/de ventes; **3** Turf **a (racing) ~** pronostics *mpl* des courses; **4** gen (outlook) pronostics *mpl*

B *vtr* (*prét, pp* **-cast**) prévoir (**that** que); **as forecast** comme prévu; **sunshine is forecast for tomorrow** on prévoit du soleil pour demain; **investment is forecast to fall** on prévoit une chute de l'investissement

C *pp adj* [*growth, demand, deficit, fall*] prévu

forecaster /ˈfɔːkɑːstə(r), US -kæst-/ *n* **1** (of weather) spécialiste *mf* de la météorologie; **2** (economic) conjoncturiste *mf*; **3** gen, Sport pronostiqueur/-euse *m/f*

forecasting /ˈfɔːkɑːstɪŋ, US -kæst-/ *n* **1** gen prévisions *fpl*; **2** **weather ~** prévisions *fpl* météorologiques; **3** Comm, Econ, Pol **economic ~** conjoncture *f*; **electoral/market ~** prévisions *fpl* électorales/du marché

forecastle, **fo'c'sle** /ˈfəʊksl/ *n* poste *m* d'équipage

foreclose /fɔːˈkləʊz/

A *vtr* sout **1** Fin, Jur saisir [*mortgage, loan*]; **2** (remove) exclure [*possibility, chance*]

B *vi* forclore; **to ~ on** forclore [*person*]; saisir [*mortgage, loan*]

foreclosure /fɔːˈkləʊʒə(r)/ *n* sout saisie *f*

forecourt /ˈfɔːkɔːt/ *n* **1** GB (of shop, hypermarket) parking *m*; (of garage) aire *f* de stationnement; **the price on the ~** le prix à la pompe; **2** GB Rail (of station) cour *f* de la gare; **3** (of church) ≈ parvis *m*; (of castle) avant-cour *f*; **4** (in tennis) carrés *mpl* de service

foredoom /fɔːˈduːm/ *vtr* sout condamner [qn/qch] d'avance

forefathers /ˈfɔːfɑːðəz/ *npl* ancêtres *mpl*

forefinger /ˈfɔːfɪŋgə(r)/ *n* index *m*

forefoot /ˈfɔːfʊt/ *n* (*pl* **-feet**) patte *f* antérieure

forefront /ˈfɔːfrʌnt/ *n* **at** *ou* **in the ~ of** à la pointe de [*change, research, debate*]; au premier plan de [*campaign, struggle*]; **it's in the ~ of my mind** c'est ma première préoccupation; **the issue should be brought to the ~** il faut mettre la question au premier plan

forego *vtr* = **forgo**

foregoing /ˈfɔːgəʊɪŋ/

A *n* **the ~** sout les faits précités

B *adj* susdit fml

foregone /ˈfɔːgɒn, US -ˈgɔːn/ *adj* **it is/was a ~ conclusion** c'est/c'était couru d'avance

foreground /ˈfɔːgraʊnd/

A *n* premier plan *m*; **in the ~** au premier plan

B *vtr* mettre en relief

forehand /ˈfɔːhænd/ Sport

A *n* coup *m* droit; **to sb's ~** sur le coup droit de qn

B *modif* [*return, volley*] de coup droit

forehead /ˈfɒrɪd, ˈfɔːhed, US ˈfɔːrɪd/ *n* front *m*; **high/low ~** front haut/bas; **on one's ~** au front

foreign /ˈfɒrən, US ˈfɔːr-/ *adj* **1** [*country, imports, company, investment*] étranger/-ère; [*trade, travel*] à l'étranger; **in ~ parts** à l'étranger; **on the ~ market** sur le marché extérieur; **2** (alien, unknown) [*concept, idea*] étranger/-ère (**to** à)

foreign affairs *npl* affaires *fpl* étrangères

foreign aid *n* (received) aide *f* étrangère; (given) aide *f* aux pays étrangers

foreign: **~ aid budget** *n* budget *m* d'aide aux pays étrangers; **Foreign and Commonwealth Office, FCO** *n* GB = **foreign office**; **~ body** *n* corps *m* étranger; **~ correspondent** ▸ p. 1683 *n* correspondant/-e *m/f* à l'étranger

foreigner /ˈfɒrənə(r)/ *n* étranger/-ère *m/f*

foreign: **~ exchange** *n* devises *fpl*; **~ exchange dealer** ▸ p. 1683 *n* cambiste *m*, courtier/-ière *m/f* en devises; **~ exchange market** *n* marché *m* des changes; **~ language assistant** *n* Scol assistant/-e *m/f*; **~ legion** *n* légion *f* étrangère; **~ minister** *n* ministre *m* des Affaires étrangères; **~ ministry** *n* ministère *m* des Affaires étrangères; **Foreign Office**, **FO** *n* GB ministère *m* des Affaires étrangères; **~-owned** *adj* [*company*] à capital étranger; **~ policy** *n* politique *f* étrangère; **~ secretary** *n* GB = **foreign minister**; **~ service** *n* service *m* diplomatique

foreknowledge /ˌfɔːˈnɒlɪdʒ/ *n* sout **to have ~ of** avoir une connaissance préalable de [*crime*]; avoir la prescience fml de [*disaster*]

foreland /ˈfɔːlənd/ *n* promontoire *m*

foreleg /ˈfɔːleg/ *n* gen patte *f* avant; (of horse) (membre *m*) antérieur *m*

forelock /ˈfɔːlɒk/ *n* (of person, horse) toupet *m*; **to touch** *ou* **tug one's ~** montrer de la déférence (*en tirant sur la mèche de son front*)

foreman /ˈfɔːmən/ ▸ p. 1683 *n* **1** (supervisor) contremaître *m*; **2** Jur président *m* (d'un jury)

foremast /ˈfɔːmɑːst, -məst/ *n* mât *m* de misaine

foremost /ˈfɔːməʊst/

A *adj* plus grand; **one of the city's ~ experts/jazz bands** un des plus grands experts/orchestres de jazz de la ville; **we have many problems, ~ among these are...** nous avons beaucoup de problèmes, les premiers d'entre eux sont...; **the issue is ~ in our minds** c'est la question qui nous préoccupe le plus

B *adv* **first and ~** avant tout

forename /ˈfɔːneɪm/ *n* prénom *m*

forenoon /ˈfɔːnuːn/ *n* matinée *f*

forensic /fəˈrensɪk, US -zɪk/

A **forensics** *npl* US (public speaking) art *m* oratoire

B *adj* **1** (in crime detection) **~ tests** expertises *fpl* médico-légales; **~ evidence** résultats *mpl* des expertises médico-légales; **~ expert** expert *m* en médecine légale; **2** sout (in debate) [*skill, eloquence*] consommé; [*attack*] dévastateur/-trice

forensic: **~ medicine**, **~ science** *n* médecine *f* légale; **~ scientist** ▸ p. 1683 *n* médecin *m* légiste

forepaw /ˈfɔːpɔː/ *n* patte *f* de devant

foreplay /ˈfɔːpleɪ/ *n* ¢ excitation *f* préliminaire

forequarter /ˈfɔːkwɔːtə(r)/

A *n* (of carcass) quartier *m* de devant

B **forequarters** *npl* (of horse) avant-main *f*

forerunner /ˈfɔːrʌnə(r)/ *n* **1** (predecessor) (person) précurseur *m*; (institution, invention, model) ancêtre *m*; **2** (sign) signe *m* avant-coureur

foresee /fɔːˈsiː/ *vtr* (*prét* **foresaw**, *pp* **foreseen**) prévoir (**that** que); **nobody foresaw her being elected** personne ne prévoyait qu'elle serait élue; **I don't ~ any problems** je ne prévois aucun problème

foreseeable /fɔːˈsiːəbl/ *adj* prévisible (**that** que); **for the ~ future** dans l'immédiat; **in the ~ future** dans un avenir prévisible

foreshadow /fɔːˈʃædəʊ/ *vtr* annoncer

f

foreshore /ˈfɔːʃɔː(r)/ *n* laisse *f* de mer

foreshorten /fɔːˈʃɔːtn/
A *vtr* Art (in drawing) [*artist*] faire un raccourci de; [*angle, distance*] raccourcir, déformer [qch] par un effet de grand angle
B **foreshortened** *pp adj* raccourci

foreshortening /fɔːˈʃɔːtnɪŋ/ *n* Art représentation *f* en raccourci

foresight /ˈfɔːsaɪt/ *n* prévoyance *f* (**to do** de faire)

foreskin /ˈfɔːskɪn/ *n* Anat gen prépuce *m*; (of horse) fourreau *m*

forest /ˈfɒrɪst, US ˈfɔːr-/ *n* forêt *f*; **oak/pine ~** forêt de chênes/de pins; **(tropical) rain ~** forêt tropicale; **500 hectares of ~** 500 hectares de forêt

forestall /fɔːˈstɔːl/ *vtr* empêcher [*action, event, discussion*]; prévenir [*person*]

forest decline *n* recul *m* de la forêt

forested /ˈfɒrɪstɪd, US ˈfɔːr-/ *adj* boisé; **densely ~** très boisé

forester /ˈfɒrɪstə(r), US ˈfɔːr-/ *n* forestier/-ière *m/f*

forest: **~ fire** *n* incendie *m* de forêt; **~ floor** *n* sol *m* de la forêt; **~ management** *n* exploitation *f* des forêts; **~ ranger** *n* US (garde *m*) forestier *m*

forestry /ˈfɒrɪstrɪ, US ˈfɔːr-/ *n* (science) sylviculture *f*; (industry) exploitation *f* des forêts

forestry: **Forestry Commission** *n* GB *l'office britannique des forêts*; **~ worker** ▸ p. 1683 *n* GB (maintenance) (garde *m*) forestier *m*; (lumberjack) bûcheron/-onne *m/f*

foretaste /ˈfɔːteɪst/ *n* avant-goût *m* (**of** de)

foretell /fɔːˈtel/ *vtr* (*prét, pp* **foretold**) prédire (**that** que); **to ~ the future** prédire l'avenir

forethought /ˈfɔːθɔːt/ *n* prévoyance *f*

forever /fəˈrevə(r)/ *adv* **1** (*also* **for ever**) (eternally) [*last, live, love*] pour toujours; **captured ~ in a photo** fixé pour toujours sur la pellicule; **it can't go on** *ou* **last ~** [*situation, success*] ça ne peut pas durer éternellement; **I want it to be like this ~** je voudrais que ça reste toujours comme ça; **~ after(wards)** pour toujours; **the desert seemed to go on ~** le désert semblait ne pas avoir de limites; ▸ **ever**; **2** (*also* **for ever**) (definitively) [*leave, lose, close, change*] pour toujours, définitivement; [*stay, exile, disappear, destroy*] à jamais, pour toujours; **I can't keep doing this ~!** je ne peux pas continuer à faire ça éternellement!; **3** (persistently) **to be ~ doing sth** faire qch sans arrêt; **he's ~ moaning**○ il n'arrête pas de râler○; **4** ○(*also* **for ever**) (ages) **to take ~** [*task, procedure*] prendre un temps fou○; [*person*] mettre un temps fou○ (**to do** pour faire); **it seemed to go on ~** [*pain, noise*] ça m'a semblé (*or* lui a semblé etc) durer une éternité; **5** (always) toujours; **~ patient** toujours patient; **~ on the brink of doing** toujours sur le point de faire; **6** (in acclamations) **the Blues ~!** vive les Bleus!

forevermore /fəˌrevəˈmɔː(r)/ *adv* pour toujours

forewarn /fɔːˈwɔːn/ *vtr* avertir (**of** de; **that** que)

(Idiom) **~ed is forearmed** Prov un homme averti en vaut deux Prov

foreword /ˈfɔːwɜːd/ *n* avant-propos *m inv*

forfeit /ˈfɔːfɪt/
A *n* **1** (action, process) confiscation *f* (**of** de); **2** (sum, token) gage *m*; **3** (in game) gage *m*; **to play ~s** jouer à un jeu de gages; **4** Jur, Comm (fine) amende *f*; (for breach of contract) dédit *m*
B *adj* **to be ~** sout [*property*] être confiscable (**to** au profit de)
C *vtr* **1** (under duress) perdre [*right, support*]; être privé de, perdre [*liberty*]; **2** (voluntarily) renoncer à [*right, free time*]; **3** Jur, Comm verser [*sum*]

forfeiture /ˈfɔːfɪtʃə(r)/ *n* Jur (of property, money) confiscation *f* (**of** de); (of right) déchéance *f* (**of** de)

forgave /fəˈgeɪv/ *pret* ▸ **forgive**

forge /fɔːdʒ/
A *n* forge *f*
B *vtr* **1** forger [*metal*]; **2** (fake) contrefaire [*banknotes, signature, branded goods*]; **a ~d passport** un faux passeport; **to ~ a painting** faire un faux; **3** (alter) falsifier [*date, certificate, will*]; **4** (establish) forger [*alliance*]; établir [*identity, link*]; élaborer [*plan*]
C *vi* **to ~ ahead** accélérer; fig [*company, industry*] être en plein essor; **to ~ ahead** *ou* **forward with** aller de l'avant dans [*plan*]; **to ~ into the lead** prendre la tête

forger /ˈfɔːdʒə(r)/ *n* **1** (of documents) faussaire *m*; **2** (of artefacts) contrefacteur/-trice *m/f*; **3** (of money) faux-monnayeur *m*

forgery /ˈfɔːdʒərɪ/ *n* **1** (counterfeiting) (of document) faux *m*; (of work of art, banknotes) contrefaçon *f*; **2** (fake item) (signature, banknote) contrefaçon *f*; (picture, document) faux *m*

forget /fəˈget/ (*p prés* **-tt-**; *prét* **-got**; *pp* **-gotten**)
A *vtr* **1** (not remember) oublier [*date, face, number, appointment, poem*]; **to ~ that** oublier que; **to ~ to do** oublier de faire; **to ~ how** oublier comment; **three people, not ~ting the baby** trois personnes, sans oublier le bébé; **I'm in charge and don't you ~ it!** rappelle-toi que c'est moi le responsable; **~ it!** (no way) n'y compte pas!; (drop the subject) laisse tomber!; (think nothing of it) ce n'est rien!; **2** (put aside) oublier [*past, quarrel*]; **~ I ever mentioned him** faites comme si je n'avais pas parlé de lui; **she'll never let me ~ it** elle n'est pas près de me le faire oublier; **3** (leave behind) lit oublier [*hat, passport*]; fig oublier [*inhibitions, traditions, family*]
B *vi* oublier; **'how many?'—'I ~'** 'combien?'—'j'ai oublié'
C *v refl* **to ~ oneself** s'oublier

(Idiom) **once seen, never forgotten** inoubliable

(Phrasal verb) ■ **forget about**: ▸ **~ about [sth/sb]** (overlook) oublier [*appointment, birthday, person*]

forgetful /fəˈgetfl/ *adj* **1** (absent-minded) [*person*] distrait; **to become** *ou* **grow ~** perdre un peu la mémoire; **2** (negligent) **~ of the danger, she...** oublieuse du danger, elle...; **to be ~ of one's duties** négliger ses responsabilités

forgetfulness /fəˈgetflnɪs/ *n* **1** (absent-mindedness) distraction *f*, perte *f* de mémoire; **2** (carelessness) étourderie *f*

forget: **~-me-not** *n* myosotis *m*; **~-me-not blue** ▸ p. 1067 *n* bleu *m* myosotis *inv*

forgettable /fəˈgetəbl/ *adj* [*day, fact, film*] peu mémorable; [*actor, writer*] sans grand intérêt

forgivable /fəˈgɪvəbl/ *adj* pardonnable

forgive /fəˈgɪv/ (*prét* **-gave**, *pp* **-given**)
A *vtr* pardonner à [*person*]; pardonner [*act, crime, remark*]; annuler [*debt*]; **to ~ sb sth** pardonner qch à qn; **to ~ sb for doing** pardonner à qn d'avoir fait; **he could be forgiven for believing her** on ne peut pas lui reprocher de l'avoir crue; **such a crime cannot be forgiven** un tel crime ne se pardonne pas; **~ my curiosity, but...** excusez mon indiscrétion, mais...; **~ me for interrupting** excusez-moi de vous interrompre; **to ~ and forget** pardonner et oublier
B *v refl* **to ~ oneself** se pardonner

forgiveness /fəˈgɪvnɪs/ *n* **1** (for action, crime) pardon *m*; **2** (of debt) annulation *f*; **3** (willingness to forgive) mansuétude *f*; **to be full of ~** être très indulgent

forgiving /fəˈgɪvɪŋ/ *adj* [*attitude, person*] indulgent; [*climate, terrain*] clément; [*equipment*] robuste

forgo /fɔːˈgəʊ/ *vtr* (*prét* **-went**, *pp* **-gone**) renoncer à [*opportunity, pleasure*]

forgot /fəˈgɒt/ *prét* ▸ **forget**

forgotten /fəˈgɒtn/ *pp* ▸ **forget**

fork /fɔːk/
A *n* **1** (for eating) fourchette *f*; **2** (tool) fourche *f*; **3** (division) (in tree) fourche *f*; (in river) fourche *f*; (on bicycle) fourche *f*; (in railway) embranchement *m*; (in road) bifurcation *f*; **to come to a ~ in the road** arriver à une bifurcation; **4** (in chess) fourchette *f*
B *vtr* **1** (lift with fork) fourcher [*hay, manure, earth*]; **2** (in chess) fourcher [*opponent, chesspiece*]
C *vi* (*also* **~ off**) [*road, river, railway line, driver*] bifurquer; **you ~ to the left** vous bifurquez à gauche

(Phrasal verbs) ■ **fork out**○: ▸ **~ out** casquer○ (**for** pour); ▸ **~ out [sth]** débourser [*money*]
■ **fork over**: ▸ **~ [sth] over, ~ over [sth]** **1** (turn over) retourner à la fourche [*hay, manure, garden*]; **2** ○US fig (hand over) **~ it over!** allez, allonge○!
■ **fork up** = **fork over**

forked /fɔːkt/ *adj* [*twig, branch, tongue*] fourchu

(Idiom) **to speak with ~ tongue** avoir la langue fourchue

forked lightning *n* éclair *m* en zigzag

forkful /ˈfɔːkfʊl/ *n* (of food) bouchée *f* sur une fourchette; (of hay) fourchée *f*

forklift /ˈfɔːklɪft/
A *n* US = **forklift truck**
B *vtr* soulever [qch] à l'aide d'un élévateur à fourche [*pallets*]

fork: **~lift truck** *n* GB chariot *m* élévateur à fourche; **~ spanner** *n* clé *f* plate; **~ supper** *n* buffet *m* (froid)

forlorn /fəˈlɔːn/ *adj* **1** (sad) [*child, appearance*] malheureux/-euse; [*place, landscape*] morne; [*sight, scene*] triste; **2** (desperate) [*attempt*] désespéré; **in the ~ hope of doing** dans le fol espoir de faire

forlornly /fəˈlɔːnlɪ/ *adv* [*wander, search*] d'un air triste; [*echo*] tristement

form /fɔːm/
A *n* **1** (kind, manifestation) (of activity, energy, exercise, transport, government, protest, work, substance) forme *f*; (of entertainment, taxation, disease) sorte *f*; **different ~s of life** *ou* **life ~s** différentes formes de vie; **it's a ~ of blackmail** c'est une forme de chantage; **some ~ of control is needed** un système de contrôle est nécessaire; **in the ~ of crystals/a loan** sous forme de cristaux/de prêt; **in a new/different ~** sous une nouvelle/autre forme; **to publish articles in book ~** réunir des articles dans un livre; **he won't touch alcohol in any ~** il évite l'alcool sous toutes ses formes; **to take various ~s** prendre diverses formes; **to take the ~ of a strike** prendre la forme d'une grève
2 (document) formulaire *m*; **to fill in** *ou* **fill out** *ou* **complete a ~** remplir un formulaire; **blank ~** formulaire vierge
3 (shape) forme *f*; **to take** *ou* **assume the ~ of a man/a swan** prendre la forme d'un homme/d'un cygne
4 (of athlete, horse, performer) forme *f*; **to be in good ~** être en bonne *or* pleine forme; **to be on ~** être très en forme; **to return to ~** retrouver la forme; **to return to one's best ~** retrouver sa meilleure forme; **to study the ~** étudier le tableau des performances; **true to ~, she was late** fidèle à elle-même, elle était en retard
5 Literat, Art (structure) forme *f*; (genre) genre *m*; **~ and content** la forme et le fond; **a literary ~** un genre littéraire; **theatrical ~s** formes du théâtre; **verse ~s** genres en vers; **the limitations of this ~** les limites de ce genre
6 (etiquette) **it is bad ~** cela ne se fait pas (**to do** de faire); **purely as a matter of ~** purement par politesse *or* pour la forme; **I never know the ~ at these ceremonies** je ne sais jamais comment me comporter à ces cérémonies; **you know the ~** tu sais ce qu'il faut faire
7 GB Sch classe *f*; **in the first/fourth ~** ≈ en sixième/troisième
8 (prescribed set of words) formule *f*; **they object to the ~ of words used** ils ne sont pas d'accord avec la formulation

Forms of address

■ *Only those forms of address in frequent use are included here; titles of members of the nobility or of church dignitaries are not covered; for the use of military ranks as titles* ▸ **p. 1599.**

Speaking to someone

■ *Where English puts the surname after the title, French normally uses the title alone (note that when speaking to someone, French does not use a capital letter for* monsieur, madame *and* mademoiselle, *unlike English* Mr *etc., nor for titles such as* docteur).

good morning, Mr Johnson
= bonjour, monsieur

good evening, Mrs Jones
= bonsoir, madame

goodbye, Miss Smith
= au revoir, mademoiselle

■ *The French* monsieur *and* madame *tend to be used more often than the English* Mr X *or* Mrs Y. *Also, in English, people often say simply* Good morning *or* Excuse me; *in the equivalent situation in French, they might say* Bonjour, monsieur *or* Pardon, madame. *However, the French are slower than the British, and much slower than the Americans, to use someone's first name, so* hi there, Peter! *to a colleague may well be simply* bonjour!, *or* bonjour, monsieur; bonjour, cher ami; bonjour, mon vieux *etc., depending on the degree of familiarity that exists.*

■ *In both languages, other titles are also used, e.g.:*

hallo, Dr. Brown *or* ***hallo, Doctor***
= bonjour, docteur

■ *In some cases where titles are not used in English, they are used in French, e.g.* bonjour, Monsieur le directeur *or* bonjour, Madame la directrice *to a head teacher, or* bonjour, maître *to a lawyer of either sex. Other titles, such as* professeur *(in the sense of professor), are used much less than their English equivalents in direct address. Where in English one might say* Good morning, Professor, *in French one would probably say* Bonjour, monsieur *or* Bonjour, madame.

■ *Titles of important positions are used in direct forms of address, preceded by* Monsieur le *or* Madame le *or* Madame la, *as in:*

yes, Chair
= oui, Monsieur le président
or (to a woman) oui, Madame la présidente

yes, Minister
= oui, Monsieur le ministre
or (to a woman) oui, Madame le ministre

■ *Note the use of* Madame le *when the noun in question, like* ministre *here, or* professeur *and other titles, has no feminine form, or no acceptable feminine. A woman Member of Parliament is addressed as* Madame le député, *a woman Senator* Madame le sénateur, *a woman judge* Madame le juge *and a woman mayor* Madame le maire. *Women often prefer the masculine word even when a feminine form does exist, as in* Madame l'ambassadeur *to a woman ambassador,* Madame l'ambassadrice *being reserved for the wife of an ambassador.*

Speaking about someone

Mr Smith is here
= monsieur Smith est là

Mrs Jones phoned
= madame Jones a téléphoné

Miss Black has arrived
= mademoiselle Black est arrivée

Ms Brown has left
= madame Brown *or (as appropriate)* mademoiselle Brown est partie
(French has no equivalent of Ms.)

■ *When the title accompanies someone's name, the definite article must be used in French:*

Dr Blake has arrived
= le docteur Blake est arrivé

Professor Jones spoke
= le professeur Jones a parlé

This is true of all titles:

Prince Charles
= le prince Charles

Princess Marie
= la princesse Marie

■ *Note that with royal etc. titles, only* Ier *is spoken as an ordinal number* (premier) *in French; unlike English, all the others are spoken as cardinal numbers* (deux, trois, *and so on).*

King Richard I
= le roi Richard Ier (*say* Richard premier)

Queen Elizabeth II
= la reine Elizabeth II (*say* Elizabeth deux)

Pope John XXIII
= le pape Jean XXIII (*say* Jean vingt-trois)

---

[9] ○GB (criminal record) **to have ~** avoir fait de la taule○ **(for** pour**)**
[10] Ling forme *f*; **in question ~** à la forme interrogative
[11] (hare's nest) gîte *m*, forme *f*
[12] (bench) banc *m*
B *modif* GB Sch [*captain, room*] de classe
C *vtr* [1] (organize or create) former [*queue, circle, barrier, club, cartel, alliance, government, union, band*] (**from** [illegible]) nouer [*friendship, relationship*]; former [*sentence, tense*]; **to ~ one's letters** former ses lettres; **please ~ a circle** s'il vous plaît, formez un cercle; **how are stalactites ~ed?** comment se forment les stalactites?; **to ~ part of sth** faire partie de qch; **to ~ a large part/the basis of sth** constituer une grande partie/la base de qch
[2] (conceive) se faire [*impression, image, picture, opinion, idea*]; concevoir [*admiration*]; **to ~ the habit of doing** prendre l'habitude de faire
[3] (mould) former [*child, pupil, personality, taste, ideas, attitudes*]; **tastes ~ed by television** des goûts formés par la télévision
[4] (constitute) former [*jury, cabinet, panel*]; **the 12 people who ~ the jury** les 12 personnes qui forment le jury
D *vi* (all contexts) se former
E **-formed** (*dans composés*) **half-/perfectly-~ed** à moitié/parfaitement formé

(Phrasal verbs) ■ **form into**: ▸ **~ into [sth]** [*people*] former [*groups, classes, teams*]; **to ~ sth into** mettre qch en [*sentence, paragraphs, circle*]; séparer [qch] en [*groups, teams, classes*]; **to ~ objects into patterns** grouper des objets pour former des motifs
■ **form up** [*people*] se mettre en rangs

formal /'fɔːml/ *adj* [1] (official) [*agreement, announcement, application, complaint, enquiry, interview, invitation, protest, reception*] officiel/-ielle; [2] (not casual) [*language, register, style*] soutenu; [*occasion*] solennel/-elle; [*welcome, manner*] cérémonieux/-ieuse; [*clothing, outfit, jacket*] habillé; (on invitation) **'dress: ~'** 'tenue de soirée'; **'assistance' is a ~ word for 'help'** 'assistance' est plus soutenu que 'aide'; **he sounded very ~** il avait l'air très guindé pej; **~ teaching methods** méthodes traditionnelles d'enseignement; [3] (structured) [*logic, proof, grammar, linguistics, reasoning*] formel/-elle; [4] [illegible] professionnel/-elle; [*qualification*] reconnu; **he had no ~ education** il n'était jamais allé à l'école; [5] Literat, Art [*brilliance, symmetry, weakness*] formel/-elle

formaldehyde /fɔː'mældɪhaɪd/ *n* formaldéhyde *m*

formal: ~ dress *n* gen tenue *f* de soirée; Mil tenue *f* de cérémonie; **~ garden** *n* jardin *m* à la française

formalin /'fɔːməlɪn/ *n* formol *m*

formalism /'fɔːməlɪzəm/ *n* formalisme *m*

formalist /'fɔːməlɪst/ *n, adj* formaliste (*mf*)

formality /fɔː'mælətɪ/ *n* [1] (legal or social convention) formalité *f*; **to dispense with** *ou* **skip**○ **the formalities** se dispenser de formalités; **a mere ~, just a ~** une simple formalité; **customs formalities** formalités *fpl* de douane; [2] (formal nature) (of occasion, manner) solennité *f*; (of dress) caractère *m* habillé; (of room, layout, table setting) caractère *m* cérémonieux; (of language, register, style) caractère *m* soutenu; **with a minimum of ~** avec un minimum de cérémonie

formalize /'fɔːməlaɪz/ *vtr* [1] (make official) officialiser [*arrangement, agreement, relations*]; [2] (in logic, computing) formaliser

formally /'fɔːməlɪ/ *adv* [1] (officially) [*accuse, admit, announce, declare, end, notify, offer, recognize, withdraw*] officiellement; [2] (not casually) [*speak, write, address, greet, entertain, celebrate*] cérémonieusement; **to dress ~** s'habiller, mettre une tenue habillée; **he was not dressed ~ enough** sa tenue n'était pas suffisamment habillée

format /'fɔːmæt/
A *n* [1] (general formulation) (of product, publication, passport, game) format *m*, présentation *f*; (of band, musical group) formation *f*; **the standard VHS ~** le format standard VHS, **available in all ~s: cassette, CD...** disponible sous toutes les présentations: cassette, compact...; [2] Publg (size, style of book or magazine) format *m*; **folio ~** format folio; [3] TV, Radio formule *f*; **a new ~ for quiz shows** une nouvelle formule pour les jeux télévisés; [4] Comput (of document, data) format *m*; **in tabular ~** sous forme de tableau; **standard display ~** mode *f* d'affichage standard
B *vtr* (*p prés etc* **-tt-**) Comput formater

formation /fɔː'meɪʃn/
A *n* [1] (creation) (of government, committee, alliance, company, crater, new word, character, impression, idea) formation *f*; (of friendship, relationship) établissement *m*; [2] (shape, arrangement) gen, Mil, Geol formation *f*; **to fly in ~** voler en formation; **in close/V-~** en formation serrée/triangulaire; **a cloud ~** une masse nuageuse
B *modif* [*dancing, flying*] en formation

formative /'fɔːmətɪv/
A *n* Ling formant *m*, élément *m* de formation
B *adj* [1] [*period, influence, experience*] formateur/-trice; [2] Ling [*element, affix*] de formation

formatter /'fɔːmætə(r)/ *n* formateur *m*

formatting /'fɔːmætɪŋ/ *n* formatage *m*

former /'fɔːmə(r)/
A *n* [1] **the ~** (the first of two) le premier/la première *m/f*, celui-là/celle-là *m/f*; **the ~ is simple, the latter is complex** celui-là est

f

simple, celui-ci est complexe, le premier est simple, le dernier est complexe; 2 Aerosp couple *m*
B *adj* 1 (earlier) [*era, life*] antérieur; [*size, state*] initial, original; **to restore sth to its ~ glory** rendre sa beauté première à qch; **of ~ days** *ou* **times** d'autrefois; **in ~ times** autrefois; **he's a shadow of his ~ self** il n'est plus que l'ombre de lui-même; 2 (no longer) [*leader, employer, husband, champion*] ancien/-ienne (*before n*); 3 (first of two) [*proposal, course, method*] premier/-ière (*before n*)
C -former (*dans composés*) GB Sch **fourth-~** ≈ élève *mf* de troisième

formerly /ˈfɔːməlɪ/ *adv* 1 (in earlier times) autrefois; 2 (no longer) anciennement; **Mr Green, ~ with Grunard's** M. Green anciennement employé chez Grunard; **Mrs Vincent, ~ Miss Martin** Mme Vincent née Martin

Formica® /fɔːˈmaɪkə/
A *n* formica® *m*
B *modif* [*surface*] en formica®

formic acid /ˈfɔːmɪk/ *n* acide *m* formique

formidable /ˈfɔːmɪdəbl, fɔːˈmɪd-/ *adj* 1 (intimidating) redoutable; 2 (awe-inspiring) impressionnant

formless /ˈfɔːmlɪs/ *adj* [*mass, object*] informe; [*novel, music, work*] mal construit

form master, form mistress, form teacher *n* GB Sch ≈ professeur *m* principal

form of address *n* formule *f* (de politesse); **what is the correct ~ for an archbishop?** comment doit-on s'adresser à un archevêque?

Formosa /fɔːˈməʊsə/ ▸ **p. 1355** *pr n* Hist Formose *m*

formula /ˈfɔːmjʊlə/
A *n* (*pl* **-lae** *ou* **~s**) 1 gen, Sci formule *f* (**for** de; **for doing** pour faire); 2 US (for babies) (powder) lait *m* en poudre; (*also* **~ milk**) lait *m* reconstitué
B Formula *modif* Aut Sport **~ One/Two** de formule un/deux

formulate /ˈfɔːmjʊleɪt/ *vtr* élaborer [*rules, plan, principles*]; formuler [*idea, design, reply, charge, bill, programme, policy*]

formulation /ˌfɔːmjʊˈleɪʃn/ *n* (of idea, reply, charge, bill) formulation *f*; (of principles, strategy) élaboration *f*

fornicate /ˈfɔːnɪkeɪt/ *vi* forniquer

fornication /ˌfɔːnɪˈkeɪʃn/ *n* fornication *f*

forsake /fəˈseɪk/ *vtr* (*prét* **-sook**, *pp* **-saken**) sout abandonner [*person, home*]; renoncer à [*habit*]

forsaken /fəˈseɪkən/ *pp adj* abandonné

forsook /fəˈsʊk/ *prét* ▸ **forsake**

forsooth‡ /fəˈsuːθ/ *excl* foi d'animal‡!

forswear /fɔːˈsweə(r)/ *vtr* (*prét* **forswore**, *pp* **forsworn**) sout 1 (renounce) renoncer à [*claim, ambition, vice*]; 2 Jur (deny) nier [*knowledge, collusion*]

forsythia /fɔːˈsaɪθɪə, US fərˈsɪθɪə/ *n* forsythia *m*

fort /fɔːt/ *n* fort *m*
(Idiom) **to hold** *ou* US **hold down the ~** garder la maison, s'occuper de tout

forte /ˈfɔːteɪ, US fɔːrt/
A *n* 1 (strong point) **to be sb's ~** être le fort de qn; 2 Mus forte *m inv*
B *adj, adv* forte

fortepiano /ˌfɔːteɪpɪæˈnəʊ/ ▸ **p. 1462** *n* Mus Hist piano-forte *m inv*

forth /fɔːθ/

> ⚠ *Forth* often appears in English after a verb (*bring forth, set forth, sally forth*). For translations, consult the appropriate verb entry (**bring, sally**).
> For further uses of *forth*, see the entry below.

adv (onwards) **from this day ~** à partir d'aujourd'hui; **from that day ~** à dater de ce jour; ▸ **back, so**

forthcoming /ˌfɔːθˈkʌmɪŋ/ *adj* 1 (happening soon) [*book, event, election, season*] prochain (*before n*); 2 (available) (*jamais épith*) disponible; **no information/money was ~ from the government** le gouvernement n'était pas disposé à fournir des informations/donner de l'argent; **the loan was not ~** le prêt n'a pas été accordé; 3 (communicative) [*person*] affable, ouvert; **to be ~ about sth** être disposé à parler de qch; **he wasn't very ~ about it** il n'était pas disposé à en parler, il était plutôt réservé à ce sujet

forthright /ˈfɔːθraɪt/ *adj* [*person, manner*] direct; [*reply, statement*] sans détours; **in ~ terms** sans ambiguïté; **to be ~ in condemning/in pronouncing** condamner/prononcer sans ambiguïté

forthwith /fɔːθˈwɪθ, US -ˈwɪð/ *adv* sout sur-le-champ; **to become effective ~** Jur prendre effet immédiatement

fortieth /ˈfɔːtɪɪθ/ ▸ **p. 1487**
A *n* 1 (in order) quarantième *mf*; 2 Math (fraction) quarantième *m*
B *adj* quarantième
C *adv* [*finish*] en quarantième position

fortification /ˌfɔːtɪfɪˈkeɪʃn/ *n* fortification *f* (**of** de)

fortify /ˈfɔːtɪfaɪ/
A *vtr* 1 fortifier [*person, place*] (**against** contre); 2 corser [*wine*]; **fortified wine** vin *m* doux, vin *m* de liqueur; **fortified milk/diet** lait/régime vitaminé; **fortified with vitamins** [*cereal etc*] vitaminé
B *v refl* **to ~ oneself** se donner du courage

fortissimo /fɔːˈtɪsɪməʊ/ *n, adj, adv* fortissimo (*m*)

fortitude /ˈfɔːtɪtjuːd, US -tuːd/ *n* détermination *f*

Fort Knox /ˌfɔːtˈnɒks/ *pr n* Fort Knox *m*
(Idiom) **as secure as ~** ≈ aussi sûr que les coffres de la Banque de France

fortnight /ˈfɔːtnaɪt/ ▸ **p. 1804** *n* GB quinze jours *mpl*, deux semaines *fpl*; **a ~'s holiday** quinze jours de vacances; **the first ~ in August** la première quinzaine d'août, les deux premières semaines d'août

fortnightly /ˈfɔːtnaɪtlɪ/ GB
A *adj* [*meeting, visit*] qui a lieu toutes les deux semaines; [*magazine*] publié toutes les deux semaines
B *adv* [*publish, meet*] toutes les deux semaines

Fortran /ˈfɔːtræn/ Comput
A *n* fortran *m*
B *modif* [*statement*] en fortran

fortress /ˈfɔːtrɪs/ *n* forteresse *f*

fortuitous /fɔːˈtjuːɪtəs, US -ˈtuː-/ *adj* sout fortuit

fortuitously /fɔːˈtjuːɪtəslɪ/ *adv* sout fortuitement

fortunate /ˈfɔːtʃənət/ *adj* [*person, coincidence, event*] heureux/-euse; **it was ~ for him that you arrived** heureusement pour lui que tu es arrivé; **to be ~ in sb/sth** avoir de la chance avec qn/qch; **to be ~ in doing** avoir la chance de faire; **to be ~ (enough) to do** avoir la chance *or* le bonheur de faire; **he is ~ in that he doesn't have to work** il a la chance *or* le bonheur de ne pas devoir travailler; **how ~ that...** quelle chance que... (+ *subj*); **we should remember those less ~ than ourselves** nous devrions garder à l'esprit ceux qui n'ont pas notre chance

fortunately /ˈfɔːtʃənətlɪ/ *adv* heureusement (**for** pour)

fortune /ˈfɔːtʃuːn/
A *n* 1 (wealth) fortune *f*; **a small ~** une petite fortune; **to make a ~** faire fortune; **to spend/cost a ~** dépenser/coûter une fortune; **a man of ~** un homme riche; **to seek fame and ~** chercher fortune; 2 (luck) chance *f*; **to have the good ~ to do** avoir la chance *or* le bonheur de faire; **by good ~** par chance, par un heureux hasard; **ill ~** malchance *f*; **to tell sb's ~** dire la bonne aventure à qn
B fortunes *npl* (of team, party, country) destin *m*; **the ~s of war** les hasards de la guerre
(Idioms) **~ favours the brave** Prov la fortune sourit aux audacieux Prov; **~ smiled on us** la chance nous a souri

fortune: **~ cookie** *n* US petit gâteau *m* sec (renfermant une prédiction); **~ hunter** *n* péj (man) coureur *m* de dot; (woman) croqueuse *f* de diamants○; **~-teller** *n* diseur/-euse *m/f* de bonne aventure; **~-telling** *n* divination *f*

forty /ˈfɔːtɪ/ ▸ **p. 1487, p. 927, p. 1059** *n, adj* quarante (*m inv*)
(Idiom) **to have ~ winks** faire un petit somme

forty-niner *n* US Hist chercheur *m* d'or (*en Californie, pendant la ruée de 1849*)

forum /ˈfɔːrəm/ *n* (*pl* **~s** *ou* **fora**) gen, Antiq forum *m* (**for** de); **in an open ~** en débat ouvert

forward /ˈfɔːwəd/
A *n* Sport avant *m*
B *adj* 1 (bold) effronté; **it was ~ of me to ask** c'était assez effronté de ma part de demander; 2 (towards the front) [*roll*] avant *inv*; [*gears*] avant *inv*; **~ pass** (in rugby) en-avant *m*; **~ troops** Mil ligne *f* avant; **to be too far ~** [*seat, headrest*] être trop en avant; 3 (advanced) [*season, plant*] avancé; **how far ~ are you?** où en êtes-vous?; **I'm no further ~** je ne suis pas plus avancé; **we're not very far ~ yet** nous ne sommes pas encore très avancés; 4 Fin [*buying, delivery, market, purchase, rate*] à terme; **~ price** cours *m* à terme
C *adv* 1 (ahead) **to step/leap ~** faire un pas/bond en avant; **to fall** *ou* **topple ~** tomber en avant; **to go** *ou* **walk ~** avancer; **to rush ~** se précipiter; **to move sth ~** lit, fig avancer qch; **'~ march!'** 'en avant, marche!'; **a seat facing ~** une place dans le sens de la marche; **a way ~** une solution; **there is no other way ~** il n'y a pas d'autre solution; **it's the only way ~** c'est la seule solution; ▸ **backward**; 2 (towards the future) **to travel** *ou* **go ~ in time** voyager dans le futur; **from this day ~** à partir d'aujourd'hui; **from that day** *ou* **time ~** à partir de ce jour-là, désormais; 3 (from beginning to end) **to wind sth ~** faire défiler qch en avance rapide [*cassette, tape*]
D *vtr* 1 (dispatch) expédier [*goods*] (**to** à); envoyer [*catalogue, document, parcel*] (**to** à); 2 (send on) faire suivre, réexpédier [*mail*] (**to** à); **'please ~'** 'faire suivre, svp'

forward defence *n* Mil défense *f* avancée

forwarder /ˈfɔːwədə(r)/ *n* (of freight) transitaire *m*; (of mail) expéditeur *m*

forwarding /ˈfɔːwədɪŋ/ *n* (of freight) transport *m*; (of mail) expédition *f*

forwarding address *n* nouvelle adresse *f* (pour faire suivre le courrier); **to leave no ~** partir sans laisser d'adresse

forwarding: **~ agent** *n* transitaire *m*; **~ charges** *npl* frais *mpl* d'expédition; **~ country** *n* pays *m* expéditeur; **~ instructions** *npl* indications *fpl* relatives à l'expédition; **~ station** *n* gare *f* d'expédition *or* de départ

forward-looking *adj* [*company, person*] tourné vers l'avenir

forwardness /ˈfɔːwədnɪs/ *n* (of child, behaviour) impertinence *f*

forward planning *n* planification *f* à long terme

forwards /ˈfɔːwədz/ *adv* = **forward C**; ▸ **backwards**

forward slash *n* barre *f* oblique

Fosbury flop /ˌfɒzbrɪˈflɒp/ *n* Sport Fosbury *m*

fossil /ˈfɒsl/
A *n* 1 Geol fossile *m*; 2 péj (person) fossile *m*
B *modif* [*hunter, collection*] de fossiles; [*organism*] fossile

fossil fuel *n* combustible *m* fossile

fossilized /ˈfɒsəlaɪzd/ *adj* 1 lit [*bone, shell*] fossilisé; 2 fig [*thinking, system*] sclérosé.

foster /ˈfɒstə(r)/
A *adj* (*épith*) [*parent, brother, child*] adoptif/-ive (*dans une famille de placement*)
B *vtr* **1** (encourage) encourager [*attitude, spirit*]; promouvoir [*activity, image*]; **2** (cherish) entretenir [*hope, thought*]; **3** (act as parent to) prendre [qn] en placement [*child*]; **4** (place in care of) **to ~ sb with** mettre qn (en placement) dans [*family*]

foster care *n* **in ~** dans une famille de placement

foster: **~ family** *n* famille *f* de placement; **~ home** *n* foyer *m* de placement

fostering /ˈfɒstərɪŋ/ *n* (by family) prise *f* en charge d'un enfant placé; (by social services) placement *m* d'un enfant

fought /fɔːt/
A *pret, pp* ▸ **fight**
B **-fought** (*dans composés*) **close-~** serré; **hard-~** ardemment combattu

foul /faʊl/
A *n* Sport faute *f* (**by** de; **on** sur); **sent off for a ~** éliminé pour faute; **cries of ~** fig des cris de protestation
B *adj* **1** (putrid) [*place, slum, conditions*] répugnant; [*air, breath, smell*] fétide; [*water, stream*] putride; [*taste*] infect; **2** (grim) [*weather, day, atmosphere*] épouvantable; **to be in a ~ humour** *ou* **mood** être d'une humeur massacrante○; **to have a ~ temper** avoir un sale caractère; **it's a ~ job!** c'est une sale corvée!; **in fair weather or ~** qu'il pleuve ou qu'il vente; **3** (evil) [*person, act, crime, deed, treachery, creature*] odieux/-ieuse; **'murder most ~'** 'horrible assassinat'; **4** (offensive) [*language*] ordurier/-ière; **to have a ~ tongue** être grossier/-ière; **5** Sport (unsporting) déloyal
C *adv* **to taste ~** avoir un goût infect
D *vtr* **1** (pollute) polluer [*atmosphere, environment, sea*]; souiller [*pavement, play area*]; **2** (become tangled) [*weeds, nets, ropes*] s'emmêler dans [*engine, propeller*]; **the propeller was ~ed by nets** des filets de pêche étaient emmêlés dans l'hélice; **3** (clog) bloquer [*mechanism, device*]; obstruer [*pipe, channel*]; **4** Sport (obstruct) commettre une faute contre [*player*]; **5** Naut (collide) heurter [*vessel*]
E *vi* **1** Sport commettre des fautes; **2** Naut **to ~ on** s'emmêler dans [*pulley, rocks*]
(Idioms) **to fall** *ou* **run ~ of sb** (fall out with) se brouiller avec qn; (lose favour) s'attirer le mécontentement de qn; **to fall ~ of the law** tomber sous le coup de la loi
(Phrasal verbs) ■ **foul out** (in baseball) être exclu (pour fautes personnelles)
■ **foul up**○ faire des erreurs *or* des bourdes○; ▸ **~ up [sth], ~ [sth] up** **1** (bungle) ruiner [*plan, opportunity*]; abîmer [*system*]; **he always manages to ~ things up** il trouve toujours le moyen de tout louper○; **2** (pollute) polluer [*air, soil*]

foully /ˈfaʊlɪ/ *adv* [*treated, abused, slandered*] de façon scandaleuse; [*swear*] de façon extrêmement grossière

foul-mouthed /ˌfaʊlˈmaʊðd/ *adj* péj grossier/-ière

foul play /ˌfaʊlˈpleɪ/ *n* **1** (malicious act) acte *m* criminel; **2** Sport jeu *m* irrégulier; **several instances of ~** plusieurs irrégularités

foul: **~-smelling** *adj* puant, nauséabond fml; **~-tasting** *adj* infect; **~-up**○ *n* cafouillage○ *m*

found /faʊnd/
A *prét, pp* ▸ **find B, C**
B *vtr* **1** (establish) fonder [*school, town, organization*]; **'~ed 1875'** 'fondé en 1875'; **2** (base) fonder (**on** sur); **to be ~ed on** [*society, philosophy, opinion, suspicion*] être fondé sur; **to be ~ed on fact** s'appuyer sur les faits; **3** Tech fondre [*metal, glass*]

foundation /ˌfaʊnˈdeɪʃn/ *n* **1** (base) (man-made) fondations *fpl*; (natural) base *f*; fig (of society, culture, belief) fondements *mpl* (**of, for** de); **to lay the ~s for sth** lit poser les fondations de qch; fig jeter les fondements de qch; **to rock** *ou* **shake sth to its ~s** lit fait trembler qch jusque dans ses fondations; fig ébranler qch jusque dans ses fondements; **2** fig (truth) **without ~** sans fondement; **there is no ~ in the report that** il n'y a aucun fondement dans le rapport selon lequel; **3** (founding) (of school, town, organization) fondation *f* (**of** de); **4** Fin (*also* **Foundation**) (trust) fondation *f*

foundation: **~ course** *n* GB Univ année *f* de préparation à des études supérieures; **~ garment**† *n* (girdle) gaine *f*; (with bodice) combiné *m*; **~ stone** *n* Constr première pierre *f*

founder /ˈfaʊndə(r)/
A *n* fondateur/-trice *m/f*
B *vi* **1** (sink) [*ship*] sombrer (**on** sur); [*car, person*] s'embourber (**in** dans); **2** (fail) [*marriage*] être en difficultés; [*hopes*] s'en aller en fumée; [*career, plans, talks*] être compromis (**on** par)

founder: **~ member** *n* GB membre *m* fondateur; **Founder's Day** *n* GB Sch anniversaire *m* de la fondation; **~s' shares** *npl* GB Fin parts *fpl* de fondateur

founding /ˈfaʊndɪŋ/
A *n* fondation *f*
B *adj* fondateur/-trice

founding father *n* fig père *m* fondateur; **the Founding Fathers** US Hist les pères *mpl* fondateurs (des États-Unis)

> **The Founding Fathers**
>
> Ce sont les 55 délégués des treize colonies américaines qui se réunirent lors de la Convention de Philadelphie en 1787. Ils s'accordèrent sur le contenu des sept articles de la Constitution et celle-ci fut ratifiée deux ans plus tard. Parmi les délégués se trouvaient George Washington, Thomas Jefferson, Benjamin Franklin, Alexander Hamilton, John Adams et James Madison. ▸ **Constitution**

foundling‡ /ˈfaʊndlɪŋ/ *n* enfant trouvé/enfant trouvée *m/f*

foundry /ˈfaʊndrɪ/ *n* fonderie *f*

foundry worker ▸ **p. 1683** *n* ouvrier *m* fondeur

fount /faʊnt/ *n* **1** littér source *f*; **2** Print fonte *f*

fountain /ˈfaʊntɪn, US -tn/ *n* **1** (structure) fontaine *f*; **drinking ~** fontaine d'eau potable; **2** (spray) (of water) jet *m*; (of sparks, light) gerbe *f*

fountain: **~head** *n* lit, fig source *f*; **~ pen** *n* stylo *m* (à encre)

four /fɔː(r)/ ▸ **p. 1487, p. 927, p. 1000**
A *n* quatre *m inv*; **to make up a ~** compléter un quatuor○
B *adj* quatre *inv*
(Idioms) **on all ~s** à quatre pattes; **to the ~ winds** aux quatre vents

four-ball /ˈfɔːbɔːl/ *adj* (in golf) [*match*] par équipes de deux

four-by-four /ˌfɔːbaɪˈfɔː(r)/ *n* Aut quatre-quatre *m inv*

fourchette /fʊəˈʃet/ *n* Anat fourchette *f* vulvaire

four: **~-colour process** GB, **~-color process** US *n* Print quadrichromie *f*; **~-door** *adj* Aut [*model*] quatre portes; **~-engined** *adj* Aviat quadrimoteur; **~ eyes** *n* injur binoclard/-e○ *m/f* offensive; **~-flush** *vi* US (in cards) bluffer

fourfold /ˈfɔːfəʊld/
A *adj* quadruple; **a ~ increase** un quadruplement
B *adv* quatre fois; **to increase ~** quadrupler

four-four time *n* Mus **in ~** à quatre-quatre

four: **~-handed** *adj* Mus à quatre mains; (in cards) à quatre; **~-H club** *n* US club *m* d'activités rurales pour les enfants; **~-in-hand** *n* Equit attelage *m* à quatre chevaux; **~-leaf clover**, **~-leaved clover** *n* trèfle *m* à quatre feuilles; **~-legged friend** *n* ami *m* à quatre pattes; **~-letter word** *n* mot *m* grossier; **~-piece band** *n* (jazz) quartette *m*; (classical) quatuor *m*; **~-ply** *adj* [*wool*] quatre fils; **~-poster (bed)** *n* lit *m* à baldaquin; **~score** *n, adj*‡ quatre-vingts (*m*); **~-seater**○ *n* Aut voiture *f* quatre places; **~some**○ *n* quatuor○ *m*; **~some reel** *n* quadrille *m*

foursquare /ˌfɔːˈskweə(r)/
A *adj* [*building, style*] cubique; [*account, attitude*] loyal; [*decision*] inébranlable
B *adv* [*stand, place*] inébranlablement

four-star /ˈfɔːstɑː(r)/
A *n* GB (*also* **~ petrol**) super(carburant) *m*
B *adj* [*hotel, restaurant*] quatre étoiles

four-stroke /ˈfɔːstrəʊk/ *adj* Aut [*engine*] à quatre temps

fourteen /ˌfɔːˈtiːn/ ▸ **p. 1487, p. 927**
A *n* quatorze *m inv*
B *adj* quatorze *inv*

fourteenth /ˌfɔːˈtiːnθ/ ▸ **p. 1487, p. 1116**
A *n* **1** (in order) quatorzième *mf*; **2** (of month) quatorze *m inv*; **3** (fraction) quatorzième *m*
B *adj* quatorzième
C *adv* [*come, finish*] quatorzième, en quatorzième position

fourth /fɔːθ/ ▸ **p. 1487, p. 1116**
A *n* **1** (in order) quatrième *mf*; **2** (of month) quatre *m inv*; **3** (fraction) quatrième *m*; **4** Mus quarte *f*; **5** (*also* **~ gear**) Aut quatrième *f*
B *adj* quatrième; **the moon is in its ~ quarter** la lune est à son dernier quartier
C *adv* [*come, finish*] quatrième, en quatrième position

fourth-class /ˌfɔːθˈklɑːs, US -ˈklæs/
A *adj* **1** US Post [*mail, matter*] non urgent; **2** ○pej [*citizen*] minable
B *adv* US Post [*send*] en courrier non urgent

fourth dimension *n* Phys, fig quatrième dimension *f*

fourth estate *n* **the ~** la presse, le quatrième pouvoir

fourthly /ˈfɔːθlɪ/ *adv* quatrièmement

fourth-rate /ˌfɔːθˈreɪt/ *adj* péj [*job, hotel, film*] de seconde zone

four-wheel /ˈfɔːwiːl, US -hwiːl/ *adj* Aut [*brakes*] quatre roues; [*drive*] à quatre roues motrices; **~ drive (vehicle)** quatre-quatre *m inv*, 4 x 4 *m inv*

fowl /faʊl/
A *n* gen, Culin (one bird) poulet *m*; (group) volaille *f*; **the ~ of the air** Bible les oiseaux *mpl* du ciel
B *vi* **to go ~ing** aller à la chasse au gibier à plumes
(Idiom) **neither fish nor ~** ni chair ni poisson

fowl: **~ing piece**† *n* fusil *m* (de chasse); **~ pest** *n* peste *f* aviaire

fox /fɒks/
A *n* **1** (animal) renard *m* also fig; **2** ○US (attractive man or woman) canon○ *m*
B *modif* (*also* **~ fur**) [*coat, hat*] en renard
C ○*vtr* dérouter; **that's got me ~ed** GB ça m'a désarçonné

fox: **~ cub** *n* renardeau *m*; **~ fur** *n* (skin) (peau *f* de) renard *m*; (coat) (manteau *m* en) renard *m*; **~glove** *n* digitale *f*; **~hole** *n* gen terrier *m* de renard; Mil trou *m* (creusé); **~hound** *n* fox-hound *m*; **~ hunt** *n* chasse *f* au renard; **~ hunting** *n* chasse *f* au renard; **~ terrier** *n* fox-terrier *m*

foxtrot /ˈfɒkstrɒt/
A *n* fox-trot *m*
B *vi* danser le fox-trot

foxy /ˈfɒksɪ/ *adj* **1** (crafty) rusé; **2** ○(sexy) sexy

foyer /ˈfɔɪeɪ, US ˈfɔɪər/ *n* Archit foyer *m*

FPA *n*: *abrév* ▸ **Family Planning Association**

fr Fin *abrév écrite* = **franc**

Fr Relig *abrév écrite* = **Father**

fracas /ˈfrækɑː, US ˈfreɪkəs/ *n* altercation *f*, accrochage *m*

fractal /ˈfræktl/ *n* fractale *f*

fraction /'frækʃn/ *n* 1 gen, Math (portion) fraction *f* (**of** de); 2 (tiny amount) part *f* infime; **a ~ of what I need** une part infime de ce dont j'ai besoin; **to miss by a ~** manquer d'un cheveu; **to move a ~** bouger d'un rien; **a ~ higher/lower** un tout petit peu plus haut/plus bas

fractional /'frækʃənl/ *adj* 1 [*rise, decline, difference*] infime; 2 Math [*equation*] fractionnaire; **~ part** fraction *f*

fractional: **~ currency** *n* Fin monnaie *f* divisionnaire; **~ distillation** *n* Chem distillation *f* fractionnée

fractionally /'frækʃənəlɪ/ *adv* légèrement

fractionation /ˌfrækʃə'neɪʃn/ *n* Biol fractionnement *m*

fractious /'frækʃəs/ *adj* [*person, personality*] grognon; [*situation, confrontation*] tendu

fracture /'fræktʃə(r)/
A *n* gen, Med fracture *f*
B *vtr* fracturer [*bone, rock*]; fig fissurer [*economy, unity*]
C *vi* [*bone*] se fracturer; [*pipe, masonry*] se fissurer

fragile /'frædʒaɪl, US -dʒl/ *adj* 1 (delicate) [*glass, structure, system, state*] fragile; **to feel ~** (physically) se sentir patraque○; (emotionally) être fragile; 2 (tenuous) [*link, hold*] ténu

fragility /frə'dʒɪlətɪ/ *n* fragilité *f*

fragment
A /'frægmənt/ *n* (of rock, shell, music, manuscript) fragment *m*; (of china, glass) morceau *m*; (of food) miette *f*; **~s of conversation** bribes *fpl* de conversation; **to break into ~s** se briser en mille morceaux
B /fræg'ment/ *vtr* morceler [*organization, task*]
C /fræg'ment/ *vi* [*party, system*] se fractionner (**into** en)

fragmental /ˌfræg'mentl/ *adj* Geol détritique

fragmentary /'frægməntrɪ, US -terɪ/ *adj* 1 gen [*evidence, recollection, nature*] fragmentaire; 2 Geol [*material*] détritique

fragmentation /ˌfrægmən'teɪʃn/ *n* morcellement *m*

fragmentation bomb *n* Mil bombe *f* à fragmentation

fragmented /'frægmentɪd/ *adj* [*account, argument, play*] décousu; [*group, civilization*] dispersé; [*job*] morcelé; [*system, world, rhythm*] fragmenté; **to become ~** se disperser

fragrance /'freɪgrəns/ *n* parfum *m*

fragrance-free /'freɪgrənsfriː/ *adj* non parfumé

fragrant /'freɪgrənt/ *adj* odorant; **~ memories** littér souvenirs enchanteurs

fraidy-cat○ /'freɪdɪkæt/ *n* US lang enfantin poule *f* mouillée○

frail /freɪl/ *adj* 1 (delicate) [*health*] précaire; [*person*] frêle; 2 (fragile) [*hope, state*] précaire; **human nature is ~** la nature humaine est faible

frailty /'freɪltɪ/ *n* (of person, human nature) fragilité *f*; (of structure, health, state) précarité *f*

frame /freɪm/
A *n* 1 (structure) (of building, boat, roof) charpente *f*; (of car) châssis *m*; (of bicycle, racquet) cadre *m*; (of bed) sommier *m*; (of tent) armature *f*; 2 (border) (of picture, window) cadre *m*; (of door) encadrement *m*; 3 fig (context) cadre *m*; 4 Anat (skeleton) ossature *f*; (body) corps *m*; **his huge/athletic ~** son corps énorme/athlétique; 5 (picture) Cin photogramme *m*; TV, Phot image *f*; 6 (for weaving) métier *m*; 7 (in snooker) (triangle) triangle *m*; (single game) manche *f*; 8 Comput (of transmitted data) bloc *m*; (window) cadre *m*; 9 ○(set-up) coup *m* monté; **to put sb in the ~** monter un coup contre qn
B **frames** *npl* monture *f*
C *vtr* 1 (enclose) lit, fig encadrer [*picture, photograph, face, view*]; [*hair*] encadrer [*face*]; 2 (formulate in words) formuler [*question, reply etc*]; 3 (devise) élaborer [*plan, policy*]; rédiger [*legislation*]; 4 (mouth) articuler [*words*]; 5 ○(set up) [*police*] monter une machination contre [*suspect*]; [*criminal*] faire porter les soupçons sur [*associate*]; **I've been ~d!** c'est un coup monté!
D **-framed** (*dans composés*) **steel/timber-~d** [*house*] à charpente d'acier/de bois

frame: **~ frequency** *n* Cin, TV fréquence *f* de trame *or* d'image; **~ house** *n* maison *f* à charpente en bois

frameless /'freɪmlɪs/ *adj* [*spectacles*] avec monture à griffes; [*mirror, picture*] sans cadre

frame line *n* Cin séparation *f* d'image

frame of mind *n* état *m* d'esprit; **to be in the right ~ for sth/to do** être d'humeur pour qch/à faire; **to be in the wrong ~ for sth/to do** ne pas être d'humeur pour qch/à faire

frame of reference *n* Math, Sociol, gen système *m* *or* cadre *m* de référence

framer /'freɪmə(r)/ ▸ **p. 1683** *n* encadreur *m*

frame: **~ rucksack** *n* sac *m* à dos à armature; **~ tent** *n* tente *f* à armature; **~-up**○ coup *m* monté

framework /'freɪmwɜːk/ *n* 1 lit structure *f*; 2 fig (basis) (of society, system) cadre *m*; (of agreement, theory) base *f*; (of novel, play) structure *f*; **legal/political/moral ~** cadre juridique/politique/moral; **a ~ for sth/for doing** un cadre pour qch/pour faire; **within the ~ of the UN/the constitution** dans le cadre de l'ONU/de la Constitution

framing /'freɪmɪŋ/ *n* 1 (of picture, photograph) encadrement *m*; 2 Cin cadrage *m*

franc /fræŋk/ ▸ **p. 1108** *n* franc *m*

France /frɑːns/ ▸ **p. 1096** *pr n* France *f*

Franche-Comté ▸ **p. 1243** *pr n* Franche-Comté *f*; **in/to the ~** en Franche-Comté

franchise /'fræntʃaɪz/
A *n* 1 Pol droit *m* de vote; **universal ~** suffrage *m* universel; 2 Comm franchise *f*
B *modif* Comm [*auction*] de franchises; [*business, chain*] franchisé; [*holder*] de franchise
C *vtr* US (subcontract) franchiser [*product, service*]

Francis /'frɑːnsɪs/ *pr n* Francis, François; **St ~ of Assisi** Saint François d'Assise

Franciscan /fræn'sɪskən/ *n, adj* franciscain/-e (*m/f*)

franco /'fræŋkəʊ/ *adv* Comm franco; **~ domicile/frontier** franco domicile/frontière

Franco+ /'fræŋkəʊ/ (*dans composés*) franco-

francophile /'fræŋkəʊfaɪl/ *n, adj* francophile (*mf*)

francophobe /'fræŋkəʊfəʊb/ *n, adj* francophobe (*mf*)

francophone /'fræŋkəfəʊn/ *n, adj* francophone (*mf*)

frangipane /'frændʒɪpeɪn/ *n* 1 Culin frangipane *f*; 2 = **frangipani**

frangipani /ˌfrændʒɪ'pɑːnɪ/ *n* (*pl* **~** *ou* **~s**) (shrub, perfume) frangipanier *m*

Franglais ➡▥ /'frɑːŋgleɪ/ *n* franglais *m*

frank /fræŋk/
A *adj* franc/franche (**about** en ce qui concerne); **to be perfectly ~,...** pour être tout à fait franc,...
B *vtr* Post affranchir [*letter, parcel*]; oblitérer [*stamp*]

Frank /fræŋk/ *n* Hist Franc/Franque *m/f*

Frankfurt /'fræŋkfət/ ▸ **p. 1815** *pr n* Francfort

frankfurter /'fræŋkfɜːtə(r)/ *n* saucisse *f* de Francfort

frankincense /'fræŋkɪnsens/ *n* encens *m*

franking machine *n* machine *f* à affranchir

Frankish /'fræŋkɪʃ/
A *n* Ling francique *m*
B *adj* franc/franque

frankly /'fræŋklɪ/ *adv* franchement

frankness /'fræŋknɪs/ *n* franchise *f*

frantic /'fræntɪk/ *adj* 1 (wild) [*activity, excitement, applause, rate*] frénétique; 2 (desperate) [*effort, struggle, search*] désespéré; [*shout, tone*] éperdu; [*person*] surexcité; **to be ~ with** être fou/folle de; **in a ~ state** dans un état de surexcitation; **to drive sb ~** rendre qn fou/folle

frantically /'fræntɪklɪ/ *adv* 1 (wildly) [*wave, cheer*] frénétiquement; 2 (desperately) [*struggle, search*] désespérément

frappé /'fræpeɪ/
A *n* US (frozen drink) boisson *f* glacée; (milkshake) milk-shake *m*
B *adj* GB (*après n*) [*drink*] frappé

fraternal /frə'tɜːnl/ *adj* fraternel/-elle

fraternity /frə'tɜːnətɪ/ *n* 1 (brotherhood) fraternité *f*; 2 parfois péj (sharing profession) confrérie *f* also pej; **medical/banking ~** confrérie des médecins/des banquiers; 3 US Univ fraternité *f*

fraternity pin *n* US Univ insigne *m* de fraternité

fraternization /ˌfrætənaɪ'zeɪʃn, US -nɪ'z-/ *n* fraternisation *f* (**with** avec)

fraternize /'frætənaɪz/ *vi* fraterniser; pej frayer (**with** avec)

fratricide /'frætrɪsaɪd/ *n* fratricide *m*

fraud /frɔːd/
A *n* fraude *f*; **computer/credit card ~** fraude informatique/sur carte de crédit
B *modif* [*allegations, charge, claim*] de fraude; [*investigation, investigator*] sur une fraude; [*trial*] pour fraude

Fraud Squad *n* GB Service *m* de répression des fraudes

fraudulence /'frɔːdjʊləns, US -dʒʊ-/ *n* 1 = **fraud**; 2 (of signature, figures) caractère *m* frauduleux

fraudulent /'frɔːdjʊlənt, US -dʒʊ-/ *adj* [*system, practice, dealing, use*] frauduleux/-euse; [*signature, cheque*] falsifié; [*statement*] faux/fausse; [*application, claim*] indu; [*gain, earnings*] illicite

fraudulent conversion *n* Jur détournement *m*

fraudulently /'frɔːdjʊləntlɪ, US -dʒʊ-/ *adv* [*borrow, act*] frauduleusement

fraught /frɔːt/ *adj* [*meeting, situation, atmosphere, relationship*] tendu; [*person*] accablé (**with** de); **to be ~ with** [*situation*] être lourd de [*danger, difficulty, etc*]

fray /freɪ/
A *n* sout **the ~** la bataille; **to enter** *ou* **join the ~** entrer dans la bataille
B *vtr* 1 [*friction*] râper [*material*]; rogner [*rope*]; [*person*] effilocher [*material, rope*]; 2 fig (irritate) mettre [qch] à vif [*nerves*]
C *vi* [*material, rope*] s'effilocher; [*temper, nerves*] craquer○
D **frayed** *pp adj* [*material*] effiloché; [*nerves*] à bout; **tempers were ~ed** les gens s'énervaient

frazzle○ /'fræzl/
A *n* **to burn sth to a ~** calciner qch; **to be worn to a ~** [*person*] être lessivé○
B *vtr* 1 (burn) calciner; 2 mettre [qch] totalement à vif [*nerves*]; **to feel ~d** être lessivé○

freak /friːk/
A *n* 1 (deformed person) lit, fig injur monstre *m*; 2 (strange person) original/-e *m/f*; 3 (unusual occurrence) aberration *f*; **a ~ of nature** une bizarrerie de la nature; 4 ○(enthusiast) mordu/-e○ *m/f*, fana○ *mf*; **he's a jazz/fitness ~** c'est un mordu○ du jazz/de la forme; **he's a religious ~** c'est un fanatique religieux; 5 †○(hippy) hippie *mf*
B *modif* [*accident, occurrence, weather, storm*] exceptionnel/-elle; [*variable*] aléatoire
C ○*vi* (*also* **~ out**) (get upset) piquer une crise○

(Phrasal verb) ■ **freak out**○: ▸ **~ out** 1 (get angry) piquer une crise○; 2 (get excited) se défouler; **to ~ out on LSD** se défoncer au LSD; ▸ **~ [sb] out, ~ out [sb]** (upset) faire paniquer [qn]

➡▥ *see* Difficulties in French

freakish /'fri:kɪʃ/ *adj* **1** (monstrous) [*appearance, person, creature*] grotesque; **2** (surprising) [*event, success, weather*] exceptionnel/-elle; **3** (unusual) [*person, behaviour, clothes*] bizarre

freak show *n* exhibition *f* de monstres

freaky○ /'fri:kɪ/ *adj* bizarre

freckle /'frekl/
A *n* tache *f* de rousseur
B *vi* [*person*] attraper des taches de rousseur; [*skin*] se couvrir de taches de rousseur

freckled /'frekld/ *adj* couvert de taches de rousseur

Frederick /'fredrɪk/ *pr n* Frédéric

free /fri:/
A *n* (*also* **~ period**) Sch ≈ heure *f* de libre
B *adj* **1** (unhindered, unrestricted) [*person, country, election, press, translation*] libre (*after n*); [*access, choice*] libre (*before n*); **to be ~ to do** être libre de faire; **to leave sb ~ to do** laisser qn libre de faire; **to feel ~ to do** ne pas hésiter à faire; **feel ~ to ask questions** n'hésitez pas à poser des questions; **'may I use your phone?'—'feel ~'** 'puis-je me servir de votre téléphone?'—'je vous en prie'; **feel ~ to make yourself a coffee** si tu veux un café, fais comme chez toi; **to break ~ of** *ou* **from** se libérer de [*influence, restriction*]; **to set sb ~ from** libérer qn de [*situation, task*]; **to set sb ~ to do** donner toute liberté à qn pour faire; **a school where children are allowed ~ expression** une école où les enfants peuvent s'exprimer librement; **the ~ movement of labour** la libre circulation des travailleurs; **I oiled the hinges to allow ~ movement** j'ai graissé les gonds pour faciliter le mouvement; **roadworks have restricted the ~ movement of traffic** des travaux ont réduit la fluidité de la circulation
2 (not captive or tied) [*person, limb*] libre; [*animal, bird*] en liberté; **she grabbed it with her ~ hand** elle l'a saisi de sa main libre; **one more tug and the rope/my shoe was ~** un coup de plus et la corde/ma chaussure était dégagée; **to set [sb/sth] ~** libérer [*prisoner, hostage*]; rendre la liberté à [*animal, bird*]; **to pull a person/an animal ~** extirper une personne/un animal (**from, of** de); **to pull sth ~** dégager qch [*object, shoe*]; **to break ~** [*person, animal*] se libérer (de ses liens); **the boat broke ~ from** *ou* **of its moorings** le bateau a rompu ses amarres; **how did the parrot get ~?** comment le perroquet s'est-il évadé?; **they had to cut the driver ~ from his car** on a dû couper la tôle de la voiture pour dégager le chauffeur; **we managed to cut the rabbit ~** (from trap) nous avons réussi à libérer *or* dégager le lapin
3 (devoid) **to be ~ from** *ou* **of sb** [*person*] être libéré de qn; **~ from** *ou* **of litter/weeds/pollution** dépourvu de déchets/mauvaises herbes/pollution; **he's not entirely ~ from** *ou* **of blame** il n'est pas tout à fait irréprochable; **a day ~ from** *ou* **of interruptions** une journée sans interruptions; **she was ~ from** *ou* **of any bitterness/hatred** elle n'éprouvait aucune amertume/haine; **I'm finally ~ from** *ou* **of debt** je suis enfin débarrassé de mes dettes; **to be ~ from** *ou* **of pain** ne pas souffrir; **this soup is ~ from** *ou* **of artificial colourings** cette soupe ne contient pas de colorants artificiels; **~ of** *ou* **from tax** Fin exonéré d'impôts; **~ of** *ou* **from interest** Fin sans intérêts
4 (costing nothing) [*ticket, meal, delivery, sample*] gratuit; **'admission ~'** 'entrée gratuite'; **~ gift** Comm cadeau *m*; **she only came with us in the hope of a ~ meal/ride** elle nous a accompagnés dans le seul espoir de gagner *or* d'économiser un repas/trajet; **you can't expect a ~ ride** fig on n'a rien pour rien; **he's had a ~ ride** fig il n'a pas trop sué○ pour en arriver là
5 (not occupied) [*person, time, morning, chair, room*] libre; **are you ~ for lunch on Monday?** es-tu libre lundi pour déjeuner?; **is this seat ~?** cette place est-elle libre?; **I'm trying to keep Tuesday ~ to go and see her** j'essaie de garder mon mardi libre pour pouvoir aller la voir; **'please leave** *ou* **keep this parking space ~ for disabled drivers'** 'stationnement réservé aux conducteurs handicapés'
6 (generous, lavish) **to be ~ with** être généreux/-euse avec [*food, drink*]; être prodigue de [*compliments, advice*]; **they've always been very ~ with money** ils ont toujours dépensé sans compter; **to make ~ with sth** se servir généreusement de qch
7 (familiar) familier/-ière; **he's too ~ in his manner** il a des manières trop familières; **to make ~ with sb** se permettre des familiarités avec qn
8 Chem [*atom, nitrogen*] libre
9 Ling [*form, morpheme*] non lié; [*vowel, stress*] libre
C *adv* **1** (at liberty) [*run, roam*] librement, en toute liberté; **to go ~** [*hostage*] être libéré; [*murderer, criminal*] circuler en toute liberté; **the rapist walked ~ from the court** le violeur a pu sortir libre du tribunal
2 (without payment) [*give, mend, repair, travel*] gratuitement; **buy two, get one ~** un produit de gratuit pour l'achat de deux; **children are admitted ~** l'entrée est gratuite pour les enfants
D **for free** *adv phr* [*give, mend, repair, work*] gratuitement; **I'll tell you this for ~**○ ça, je peux te le dire
E *vtr* **1** (set at liberty) (from prison, captivity, slavery, chains, trap) libérer [*person, animal*]; (from wreckage) dégager; **to ~ sth from sth** dégager *or* libérer qch de qch; **to ~ sb from** libérer qn de [*prison*]; débarrasser qn de [*burden, prejudice*]; décharger qn de [*blame, responsibility*], délivrer qn de [*oppression, anxiety, guilt*]; soulager qn de [*suffering, disease*]; **to ~ sth from state control** libérer qch du contrôle de l'État
2 (make available) débloquer [*money, capital, resources*]; libérer [*person, hands*]; **early retirement ~d him to pursue his hobby** la retraite anticipée lui a donné toute liberté pour se consacrer à son passe-temps favori; **she wants to ~** *ou* **~ up some time for interviewing** elle veut se réserver un peu de temps pour des entretiens
F *v refl* **to ~ oneself** (from chains, wreckage) se dégager; **to ~ oneself from** se dégager de [*chains, wreckage*]; se libérer de [*control, restriction, influence*]; se débarrasser de [*burden*]; se décharger de [*blame, responsibility*]; se délivrer de [*anxiety, guilt*]
G **-free** (*dans composés*) **smoke/oil/sugar/additive-~** sans fumée/matières grasses/sucre/additifs; **interest-~** Fin sans intérêt; **dust-~** exempt de poussière; ▸ **tax-free, lead-free, trouble-free etc**

(Idioms) **to give sb a ~ hand** donner carte blanche à qn (**in** pour); **to have a ~ hand** avoir carte blanche (**in** pour; **in doing** pour faire); **~ as a bird** *ou* **the air** libre comme l'air; **the best things in life are ~** dans la vie les meilleures choses sont gratuites; ▸ **country, lunch**

free agent *n* **to be a ~** pouvoir agir à sa guise

free: **~ alongside ship** *adj* franco long du bord; **~ and easy** *adj* gen décontracté; pej désinvolte; **~ association** *n* Psych association *f* libre

freebase /'fri:beɪs/
A *n* cocaïne *f* purifiée
B *vi* consommer de la cocaïne purifiée

freebie○, **freebee**○ /'fri:bi:/
A *n* (free gift) cadeau *m*; (newspaper) journal *m* gratuit; (trip) voyage *m* gratuit
B *modif* [*object, meal, trip*] gratuit

free: **~board** *n* franc-bord *m*; **~booter** *n* lit pilleur *m*; fig jouisseur/-euse *m/f*; **Free Church** *n* Église *f* nonconformiste; **~ city** *n* ville *f* libre; **~ climbing** *n* (in mountaineering) escalade *f* libre; **~ collective bargaining** *n* ¢ négociations *fpl* libres syndicats-employeurs

freedom /'fri:dəm/ *n* **1** (liberty) liberté *f* (**to do** de faire); **~ of choice/of the press** liberté de choix/de la presse; **~ of action/of speech** liberté d'agir/d'expression; **~ of information** libre accès *m* à l'information; **~ of movement** (of person) liberté de mouvement; (of part, screw etc) jeu *m*; **to give sb his/her ~** rendre sa liberté à qn; **2** (entitlement to use) **they gave us the ~ of their house while they were away** ils nous ont laissé le plein usage de leur maison pendant leur absence; **to give sb/receive the ~ of a city** nommer qn/devenir citoyen d'honneur d'une ville; **~ of the seas** liberté des mers; **3** **~ from** (lack of) absence *f* de [*fear, control, hunger, influence*]; (immunity from) immunité *f* contre [*fear, hunger, influence, disease*]; **to have** *ou* **enjoy ~ from** gen être à l'abri de [*war, famine, fear, hunger*]; **the new government promised ~ from hunger/from want to all its people** le nouveau gouvernement a promis d'affranchir toute la population de la faim/du besoin; **4** (ease of manner) aisance *f*

freedom fighter *n* combattant *m* de la liberté

free enterprise
A *n* libre entreprise *f*
B *modif* [*economy*] de marché; [*system*] basé sur la libre entreprise

freefall /'fri:fɔ:l/
A *n* chute *f* libre
B **free-fall** *modif* [*bomb, racket*] nonguidé

free: **~ flight** *n* vol *m* libre; **~-floating** *adj* [*object*] qui flotte librement; [*idea*] en l'air; [*emotion*] qui ne repose sur rien; **~-flowing** *adj* [*liquid*] coulant, qui coule librement; [*music, conversation*] coulant; [*idea*] qui vient librement

Freefone®, **Freephone**® /'fri:fəʊn/
A *n* ≈ numéro *m* vert®
B *modif* **~ service** ≈ numéro *m* vert®; **dial ~ 123** ≈ appelez le numéro vert 123; **dial ~ recovery service** appelez le numéro vert du service de dépannage

free: **~-for-all** *n* mêlée *f* générale; **~hand** *adj, adv* à main levée; **~ hit** *n* coup *m* franc

freehold /'fri:həʊld/
A *n* pleine propriété *f*, propriété *f* foncière perpétuelle et libre; **to have the ~ of sth** avoir la pleine propriété de qch
B *modif* [*property, tenancy, tenant, land*] en pleine propriété

free: **~holder** *n* propriétaire *mf* foncier/-ière à perpétuité; **~ house** *n* GB pub *m* indépendant; **~ kick** *n* coup *m* franc; **~ labour** GB, **~ labor** US *n* main-d'œuvre *f* non syndiquée

freelance /'fri:lɑ:ns, US -læns/
A *n* free-lance *mf*, travailleur/-euse *m/f* indépendant/-e
B *adj* [*journalist*] free-lance; [*work*] en free-lance; **on a ~ basis** en free-lance
C *adv* [*work*] en free-lance
D *vi* travailler en free-lance

freelancer *n* = **freelance A**

free: **~load**○ *vi* vivre en parasite; **~loader**○ *n* parasite *m*; **~ love** *n* amour *m* libre

freely /'fri:lɪ/ *adv* **1** (without restriction) [*act, travel, sell*] librement; [*speak*] librement, franchement; [*breathe*] lit aisément; fig librement; (abundantly) [*spend, give*] sans compter; [*perspire*] abondamment; **to move ~** [*part of body*] bouger aisément; [*machinery*] jouer librement; [*person*] (around building, country) se déplacer librement; **to be ~ available** (easy to find) [*commodity, drug, help, information*] se trouver facilement; (accessible) [*information, education*] être ouvert à tous; **wine flowed ~** le vin coulait à profusion; **2** (willingly) [*admit, confess*] volontiers; **3** (not strictly) [*translate, adapt*] librement

freeman /'fri:mən/ *n* (*also* **~ of the city**) citoyen *m* d'honneur d'une ville

free market
A n (also ~ **economy**) économie f de marché; **in a** ~ dans une économie de marché
B modif [forces, policy] du marché; [system] de l'économie de marché

free: ~ **marketeer** n libéral/-e m/f, partisan m de l'économie de marché; **Freemason** n franc-maçon/-onne m/f; **Freemasonry** n franc-maçonnerie f

free of charge, **FOC**
A adj [delivery, service, admission] gratuit
B adv [mend, repair, replace] gratuitement

free: ~ **on board**, **FOB** adj, adv GB franco à bord, FAB; US franco à destination; ~ **on rail**, **FOR** adj franco wagon; ~ **period** n ≈ heure f de libre; **Freephone**® n, adj = Freefone; ~ **port** n port m franc

freepost /'fri:pəʊst/ GB
A n (also on envelope) port m payé
B modif [system, service, address] dispensé d'affranchissement

free: ~**-range** adj [hen, chicken, pig] élevé en plein air; ~**-range eggs** npl œufs mpl de poules élevées en plein air; ~ **school** n école f privée spécialisée; ~ **sheet** n journal m gratuit

freesia /'fri:zɪə, US 'fri:ʒər/ n freesia m

free speech n liberté f d'expression

free spirit n **to be a** ~ être très libre d'esprit

free: ~**-spirited** adj [person] libre d'esprit; [character, outlook] libre; ~**-standing** adj lit [lamp, statue, furniture, heater] sur pied; [cooker, bath] nonencastré; fig [organization, company] indépendant; **Free State** n US Hist État m antiesclavagiste; ~**stone** n pierre f de taille

freestyle /'fri:staɪl/
A n (in swimming) nage f libre; (in skiing) figures fpl libres; (in wrestling) lutte f libre
B modif [swimming, skiing, wrestling] libre; [race, event] (in swimming) de nage libre; (in skiing) de figures libres; (in wrestling) de lutte libre

freethinker /ˌfri:'θɪŋkə(r)/ n libre penseur/-euse m/f

freethinking /ˌfri:'θɪŋkɪŋ/
A n (also **free thought**) libre pensée f
B adj [person] libre penseur/-euse

free: ~ **throw** n (in basketball) lancer m franc; ~**-throw line** n (in basketball) ligne f de lancer franc

free trade
A n libre-échange m
B modif [agreement, economist, movement] de libre-échange; ~ **zone** zone f franche

free: ~ **trader** n partisan m du libre-échange; ~ **university** n US Univ système d'enseignement universitaire par correspondance ouvert à tous; ~ **verse** n vers m libre; ~ **vote** n ≈ vote m de conscience; ~**ware** n Comput logiciel m libre; ~**way** n US autoroute f

freewheel /ˌfri:'wi:l, US -'hwi:l/
A n Mech (of bicycle, vehicle) roue f libre
B vi lit (on bike, in car) être or rouler en roue libre; fig [person] être insouciant

freewheeler /ˌfri:'wi:lə(r), US -'hwi:lə(r)/ n **to be a** ~ être insouciant

freewheeling /ˌfri:'wi:lɪŋ, US -'hwi:lɪŋ/ adj [person] insouciant; [style, imagination] débridé; [attitude, approach] libre

free will n 1 Philos libre arbitre m; 2 gen **to do sth of one's (own)** ~ faire qch de son plein gré or de son propre chef

freeze /fri:z/
A n 1 Meteorol gelées fpl; **the big** ~ les fortes gelées; 2 Econ, Fin (of credits, assets) gel m (**on** de); (of prices, wages) gel m, blocage m; **benefit/price/rent/wage** ~ gel des allocations sociales/des prix/des loyers/des salaires
B vtr (prét **froze**; pp **frozen**) 1 congeler [food]; [cold weather] geler [liquid, pipes]; **the lock was frozen** la serrure était gelée; 2 Econ, Fin bloquer, geler [price, loan, wages, assets]; 3 Cin arrêter [frame, picture]; 4 (anaesthetize) insensibiliser [gum, wart, skin]; 5 Comput figer [window]
C vi (prét **froze**; pp **frozen**) 1 (become solid) [water, river, pipes] geler; [food] se congeler; **to** ~ **to sth** être collé à qch par le gel; 2 (feel cold) [person, room] geler; **to be freezing to death** mourir de froid; 3 fig (become motionless) [person, animal, blood] se figer; **the smile froze on his face** son sourire s'est figé sur ses lèvres; ~**!** pas un geste!; **to** ~ **with horror/surprise** se figer d'horreur/de surprise; 4 fig (become haughty) [person] devenir glacial
D v impers Meteorol geler; **it's freezing hard** il gèle dur

(Idioms) **I can wait until hell** ~**s over** je peux attendre aussi longtemps qu'il faudra; **when hell** ~**s over!** jamais!

(Phrasal verbs) ■ **freeze out**: ▸ ~ **[sb/sth] out**, ~ **out [sb/sth]** gen [person] tourner le dos à [colleague, friend]; Comm supplanter [competitor, company]; éliminer [qch] du marché [goods]
■ **freeze over** [lake, river] geler; [window, windscreen] se couvrir de givre; **the windscreen is frozen over** le pare-brise est couvert de givre
■ **freeze up** [pipe, lock] geler; [window] se couvrir de givre

freeze: ~**-dried** adj lyophilisé; ~**-dry** vtr lyophiliser; ~ **frame** n Cin, TV, Video arrêt m sur image

freezer /'fri:zə(r)/ n 1 (for food storage) congélateur m; 2 US (ice-cream maker) sorbetière f

freezer: ~ **bag** n sac m pour congélateur; ~ **compartment** n freezer m; ~ **trawler** n chalutier m frigorifique

freezing /'fri:zɪŋ/
A n 1 Meteorol zéro m (degré m); **below** ~ en-dessous de zéro; 2 Fin, gen gel m; (of prices) gel m, blocage m
B adj [person] (jamais épith) gelé; [room, conditions, weather] glacial; **I'm** ~ je suis gelé; **it's** ~ **in here** on gèle ici; ~ **fog** brouillard m givrant

freezing cold
A n froid m glacial
B adj [room, wind] glacial; [shower, water] glacé

freezing point n point m de congélation

freight /freɪt/
A n 1 (goods) fret m, marchandises fpl; 2 (transport system) transport m; **air/rail/sea** ~ transport aérien/ferroviaire/maritime; 3 (cost) (frais mpl de) port m
B modif Comm [company, route, service] de transport; [transport, wagon, train] de marchandises; ~ **traffic** circulation f des marchandises
C vtr Comm [person, company] acheminer [goods]

freightage /'freɪtɪdʒ/ n 1 (charge) frais mpl de transport; 2 (goods) fret m

freight: ~ **car** n Rail wagon m de marchandises; ~ **charges** npl Comm frais mpl de transport; ~ **collect** adv US Comm contre paiement à la livraison, port dû; ~ **costs** npl frais mpl de transport

freighter /'freɪtə(r)/ n 1 Naut cargo m; 2 Aviat avion-cargo m

freight: ~ **forward** adv GB Comm contre paiement à la livraison, port dû; ~ **forwarder**, ~ **forwarding agent** ▸ p. 1683 n Comm transitaire m, transporteur m; ~ **insurance** n assurance f du fret; ~**liner** n Rail train m de transport de marchandises en container; ~ **note** n lettre f de voiture; ~ **operator** ▸ p. 1683 n Comm transporteur m; ~ **terminal** n aérogare f de fret; ~ **ton** n Meas tonneau m d'affrètement; ~ **yard** n gare f de marchandises

French /frentʃ/ ▸ p. 1467, p. 1378
A n 1 Ling français m; 2 **the** ~ (+ v pl) les Français
B adj français

(Idioms) **to take** ~ **leave** filer à l'anglaise; **pardon my** ~ hum si vous me passez l'expression

French: ~ **Academy** n Académie f française; ~ **bean** n haricot m vert

French Canadian ▸ p. 1467, p. 1378
A n 1 (person) Canadien/-ienne m/f francophone; 2 Ling français m du Canada
B adj [person] canadien/-ienne m/f francophone; [accent] franco-canadien/-ienne; [town, custom] du Canada francophone

French: ~ **chalk** n craie f de tailleur; ~ **doors** npl US porte-fenêtre f; ~ **dressing** n GB vinaigrette f; US sauce f mayonnaise; ~ **fried potatoes** npl pommes fpl frites; ~ **fries** npl frites fpl; ~ **Guiana** ▸ p. 1129 pr n Guyane f française; ~ **horn** ▸ p. 1462 n cor m (d'harmonie); ~ **horn player** ▸ p. 1683 n corniste mf

Frenchified○ /'frentʃɪfaɪd/ adj francisé

Frenchify /'frentʃɪfaɪ/ vtr péj ou hum franciser

French kiss○ n patin◑ m; **to give sb a** ~ rouler un patin◑ à qn

French: ~ **knickers** npl culotte f flottante; ~ **letter**○† n (contraceptive) capote f anglaise○; ~ **loaf** n baguette f; ~**man** n Français m; ~ **marigold** n œillet m d'Inde; ~ **mustard** n moutarde f douce

French pleat n 1 Sewing pli m plat; 2 (hairstyle) (roll) chignon m banane; (pleat) natte f africaine

French polish
A n vernis m à l'alcool
B vtr passer au vernis à l'alcool

French: ~ **poodle** n caniche m; ~ **Revolution** n Révolution f française; ~ **Riviera** n Côte f d'Azur; ~ **seam** n couture f anglaise; ~**-speaking** adj francophone; ~ **stick** n baguette f; ~ **toast** n pain m perdu; ~ **West Africa** pr n Afrique f occidentale française; ~ **window** n porte-fenêtre f; ~**woman** n Française f

frenetic /frə'netɪk/ adj [activity] fébrile, frénétique; [life, lifestyle] trépidant

frenetically /frə'netɪklɪ/ adv frénétiquement

frenzied /'frenzɪd/ adj [activity] frénétique; [passion, lust] déchaîné; [mob] (happy) en délire; (angry) déchaîné; [attempt, effort] désespéré; **to make a** ~ **attack on sb** attaquer violemment qn; **to be the victim of a** ~ **attack** être attaqué par un forcené; **we had to make a** ~ **dash to the airport** hum on a dû rouler comme des fous○ pour arriver à l'aéroport

frenzy /'frenzɪ/ n frénésie f, délire m; **media** ~ délire des médias; **to be in a state of** ~ être exalté; **to drive [sb/sth] into a** ~ exciter [crowd]; rendre [qn] fou/folle [person]; **cooking for ten reduces me to a state of** ~ hum faire la cuisine pour dix me met dans tous mes états; **there is/was a** ~ **of activity** ça grouille/grouillait d'activité; **to be in a** ~ **of anticipation/joy/anxiety** être au paroxysme de l'impatience/la joie/l'angoisse

frequency /'fri:kwənsɪ/ n (all contexts) fréquence f (**of** de); **in order of** ~ par ordre de fréquence; **these incidents have been occurring with increasing** ~ ces incidents sont de plus en plus fréquents

frequency: ~ **band** n bande f de fréquence; ~ **distribution** n distribution f des fréquences; ~ **hopping** n Telecom saut m de fréquence; ~ **modulation** n modulation f de fréquence

frequent
A /'fri:kwənt/ adj 1 (common, usual) [expression, use] courant; **it's quite** ~**, it's quite a** ~ **occurrence** c'est très courant, cela arrive très souvent; 2 (happening often) [attempt, change, departure, discussion, visit] fréquent; **to make** ~ **use of sth** se servir souvent or fréquemment de qch; **to be in** ~ **contact with sb** être en contact régulier avec qn; **she's a** ~ **visitor to our house** elle vient souvent chez nous; **to be sb's** ~ **companion** accompagner souvent qn
B /frɪ'kwent/ vtr fréquenter [place, circle]

f

ℹ French provinces and regions

■ *Both traditional pre-Revolution regions and modern administrative regions usually take the definite article as in* l'Alsace, la Champagne etc.:

I like Alsace
= j'aime l'Alsace

Champagne is beautiful
= la Champagne est belle

■ *For names which have a compound form, such as* Midi-Pyrénées *or* Rhône-Alpes, *it is safer to include the words* la région:

do you know Midi-Pyrénées?
= connaissez-vous la région Midi-Pyrénées?

In, to and from somewhere

■ *There are certain general principles regarding names of French provinces and regions. However, usage is sometimes uncertain; doubtful items should be checked in the dictionary.*

■ *For* in *and* to, *with feminine names and with masculine ones beginning with a vowel, use* en *without the definite article:*

to live in Burgundy
= vivre en Bourgogne

to go to Burgundy
= aller en Bourgogne

to live in Anjou
= vivre en Anjou

to go to Anjou
= aller en Anjou

■ *For* in *and* to *with masculine names beginning with a consonant, use* dans le:

to live in the Berry
= vivre dans le Berry

to go to the Berry
= aller dans le Berry

■ *For* from *with feminine names and with masculine ones beginning with a vowel, use* de *without the definite article:*

to come from Burgundy
= venir de Bourgogne

to come from Anjou
= venir d'Anjou

■ *For* from *with masculine names beginning with a consonant, use* du:

to come from the Berry
= venir du Berry

Regional adjectives

■ *Related adjectives and nouns exist for most of the names of provinces and regions. Here is a list of the commonest:*

Alsace	alsacien(ne)	Flandre	flamand(e)
Anjou	angevin(e)	Franche-Comté	franc-comtois(e)
Aquitaine	aquitain(e)	Jura	jurassien(ne)
Auvergne	auvergnat(e)	Languedoc	languedocien(ne)
Béarn	béarnais(e)	Limousin	limousin(e)
Berry	berrichon(ne)	Lorraine	lorrain(e)
Bourbonnais	bourbonnais(e)	Normandie	normand(e)
Bourgogne	bourguignon(ne)	Périgord	périgourdin(e)
Bresse	bressan(e)	Picardie	picard(e)
Bretagne	breton(ne)	Poitou	poitevin(e)
Cévennes	cévenol(e)	Provence	provençal(e)
Champagne	champenois(e)	Savoie	savoyard(e)
Charente	charentais(e)	Touraine	tourangeau(-elle)
Corse	corse	Vendée	vendéen(ne)
Dauphiné	dauphinois(e)	Vosges	vosgien(ne)

■ *These adjectives mean* of X, *as in the following (where* alsacien *stands for any of them):*

an Alsace accent
= un accent alsacien

Alsace costume
= le costume alsacien

the Alsace countryside
= les paysages alsaciens

Alsace traditions
= les traditions alsaciennes

Alsace villages
= les villages alsaciens

■ *These words can also be used as nouns, meaning* a person from X; *in this case they are written with a capital letter:*

a person from Alsace
= un Alsacien

an Alsace woman
= une Alsacienne

the people of Alsace
= les Alsaciens *mpl*

frequentative /frɪˈkwentətɪv/
A *n* fréquentatif *m*
B *adj* fréquentatif/-ive

frequently /ˈfriːkwəntlɪ/ *adv* souvent, fréquemment

fresco /ˈfreskəʊ/ *n* (*pl* **-oes**) fresque *f*

fresh /freʃ/ *adj* **1** (not old) [*foodstuff*] frais/fraîche; **to look ∼** avoir l'air frais; **to feel ∼** être frais au toucher; **to taste ∼** avoir un goût frais; **to smell ∼** avoir une odeur fraîche; **eggs ∼ from the farm** des œufs frais de la ferme; **flowers ∼ from the garden** des fleurs fraîchement cueillies dans le jardin; **bread ∼ from the oven** du pain frais sorti du four; **2** Culin (not processed) [*herbs, pasta, coffee*] frais/fraîche; **∼ orange juice** jus d'orange pressée; **3** (renewed, other) [*clothes, linen*] propre; [*cigarette*] nouveau/-elle (*before n*); [*ammunition*] supplémentaire; [*information, evidence, supplies*] nouveau/-elle (*before n*); [*attempt, assignment, inquiry*] nouveau/-elle (*before n*); **a ∼ coat of paint** une nouvelle couche de peinture; **a ∼ glass of wine** un nouveau verre de vin; **to take a ∼ look at sth** regarder qch d'un œil neuf; **to make a ∼ start** prendre un nouveau départ; **4** (recent) [*cut, fingerprint, blood*] frais/fraîche; [*memory, news*] récent; **write it down while it is still ∼ in your mind** écris-le tant que tu l'as tout frais à l'esprit; **the accident is still ∼ in her memory** l'accident est encore tout frais dans sa mémoire; **5** (recently returned) **young people ∼ from** *ou* **out of school** des jeunes à peine sortis de l'école; **to be ∼ from a trip abroad** être tout frais débarqué d'un voyage à l'étranger; **6** (refreshing, original) [*approach, outlook, way*] (tout) nouveau/(toute) nouvelle (*before n*); **a ∼ approach to the problem** une toute nouvelle approche du problème; **7** (energetic, alert) **to feel** *ou* **be ∼** être plein d'entrain; **you will feel ∼er in the morning** tu auras plus d'entrain demain matin; **8** (cool, refreshing) [*air, day, water*] frais/fraîche; **9** US○ (over-familiar) impertinent; **to be ∼ with sb** être un peu familier/-ière avec qn; **to get ∼ with sb** (sexually) prendre des libertés avec qn; **10** Meteorol **a ∼ breeze** une bonne brise
(Idiom) **to be ∼ out of**○ être en panne de○ [*supplies etc*]

fresh air *n* air *m* frais; **to let in some ∼** laisser entrer de l'air frais; **to get some ∼** prendre l'air, s'oxygéner; **∼ and exercise** le grand air et l'exercice; **they don't get enough ∼** ils ne prennent pas assez l'air

fresh-air fiend○ /ˌfreʃˈeə fiːnd/ *n* **1** (outdoor type) fana○ *mf* du grand air; **2** (liking ventilation) maniaque○ *mf* de l'air frais

freshen /ˈfreʃn/ *vi* Meteorol **winds ∼ing from the east** des vents d'est fraîchissants
(Phrasal verb) ■ **freshen up** faire un brin de toilette

fresher○ /ˈfreʃə(r)/ *n* GB Univ étudiant/-e *m/f* de première année; **∼'s week** semaine *f* d'accueil des étudiants

freshet /ˈfreʃɪt/ *n* **1** (stream) cours *m* d'eau; **2** (flood) crue *f* soudaine

fresh-faced /ˌfreʃˈfeɪst/ *adj* au teint frais

freshly /ˈfreʃlɪ/ *adv* [*cut, cooked, ground, picked*] fraîchement; [*painted*] fraîchement; **∼ baked bread** du pain qui sort du four; **∼ ironed sheets** des draps qui viennent d'être repassés; **∼ washed, ∼ laundered** qui vient d'être lavé, tout propre; **∼ brewed coffee** du café qui vient d'être fait

freshman /ˈfreʃmən/ *n* **1** Univ étudiant/-e *m/f* de première année; **2** US fig (in Congress, in firm) nouveau venu/nouvelle venue *m/f*

fresh money *n* Fin argent *m* frais

freshness /ˈfreʃnɪs/ *n* **1** (of produce, linen, paintwork) fraîcheur *f*; **2** (coolness) fraîcheur *f*; **3** (of skin, complexion) fraîcheur *f*; **4** (originality) originalité *f*, fraîcheur *f*; **the ∼ of her approach** l'originalité de son approche

fresh water
A *n* eau *f* douce
B **freshwater** *modif* [*fish, plant, lake*] d'eau douce

freshwoman /ˈfreʃwʊmən/ *n* Univ étudiante *f* de première année

fret /fret/
A *n* Mus frette *f*, touche *f*
B *vtr* (*p prés etc* **-tt-**) chantourner [*wood, screen*]
C *vi* (*p prés etc* **-tt-**) **1** (be anxious) s'inquiéter (**over, about** pour, au sujet de); **don't ∼** ne t'inquiète pas, calme-toi; **she has been ∼ting all week** elle est dans tous ses états depuis une semaine; **2** (cry) [*baby*] pleurer, pleurnicher; **3** (pine) **he's ∼ting for his mother** sa mère lui manque
D **fretted** *pp adj* [*screen*] chantourné; [*instrument*] avec frettes

fretful /ˈfretfl/ *adj* [*child*] grognon; [*adult*] énervé, agité

fretfully /ˈfretfəlɪ/ *adv* [*ask, speak*] avec énervement; **to pace ∼ to and fro** faire nerveusement les cent pas; **to cry ∼** pleurnicher

fret: **∼saw** *n* scie *f* à découper; **∼work** *n* découpure *f*

Freudian /ˈfrɔɪdɪən/ *n, adj* freudien/-ienne *m/f*; **my analyst is a ∼** mon analyste est freudien

Freudian slip *n* lapsus *m*; **to make a ∼** faire un lapsus

Fri *abrév écrite* = **Friday**

friable /ˈfraɪəbl/ *adj* friable

friar /ˈfraɪə(r)/ *n* frère *m*, moine *m*

Fribourg ▸ **p. 1815, p. 1771** *pr n* Fribourg; **the canton of ∼** le canton de Fribourg

fricassee /ˈfrɪkəsiː/ *n* fricassée *f*

fricative /ˈfrɪkətɪv/
A *n* fricative *f*, spirante *f*
B *adj* [*consonant*] fricatif/-ive, spirant

friction /ˈfrɪkʃn/ *n* **1** Phys friction *f*; **2** gen (rubbing) frottement *m*; **3** Ling friction *f*; **4** ₵ fig (conflict) conflits *mpl* (**between** entre); **there is growing ∼ between management and workforce** il y a de plus en plus de conflits entre la direction et les employés; **there is a certain amount of ∼ in any family** il y a toujours des conflits dans les familles; **this decision is bound to cause ∼** cette décision va être cause de friction

friction: **∼-driven** *adj* [*toy*] à friction; **∼ tape** *n* US ruban *m* isolant

Friday /ˈfraɪdɪ/ ▸ **p. 1882** *n* vendredi *m*

fridge /frɪdʒ/ *n* GB réfrigérateur *m*, frigo○ *m*

fridge-freezer /ˌfrɪdʒˈfriːzə(r)/ *n* réfrigérateur *m* avec congélateur

fried /fraɪd/
A *pp* ▸ **fry B, C**

B *pp adj* frit; ~ **fish** poisson *m* frit; ~ **food** friture *f*; ~ **egg** œuf *m* au plat; ~ **potatoes** pommes *fpl* de terre sautées

friend /frend/
A *n* **1** (person one likes) ami/-e *m/f* (**of** de); **he's a ~ of my father's** c'est un ami de mon père; **to make ~s** se faire des amis; **to make ~s with sb** devenir ami/-e *m/f* avec qn; **to be ~s with sb** être ami/-e *m/f* avec qn; **they've been ~s for 15 years** ils sont amis depuis 15 ans; **to be the best of ~s** être les meilleurs amis du monde; **to be a good ~ to sb** gen être un véritable ami; (in crisis) être un soutien pour qn; **he's no ~ of mine!** ce n'est pas un ami!; **Rosie is a ~ of mine** Rosie est une amie; **the house belongs to a photographer ~ of his** la maison appartient à un photographe de ses amis; **we're just good ~s** nous sommes amis, c'est tout; **that's what ~s are for** c'est à ça que servent les amis; **let's be ~s!** (after quarrel) on fait la paix?; **who goes there? ~ or foe?** qui va là, ami ou ennemi?; **not forgetting our old ~ the taxman** iron sans oublier notre cher ami le fisc; **2** fig (supporter, fellow-member, ally) ami/-e *m/f*; **the party has many ~s in industry** le parti a des amis influents *or* de nombreux alliés dans l'industrie; **the Friends of Covent Garden** les Amis de Covent Garden; **~s in high places** des amis influents; **3** fig (familiar object) ami *m*; **this book is an old ~** ce livre est un vieil ami
B **Friend** *pr n* Relig Quaker *mf*, Ami/-e *m/f*
(Idioms) **with ~s like him/her, who needs enemies?** avec des amis de ce genre, on n'a pas besoin d'ennemis; **a ~ in need is a ~ indeed** Prov c'est dans le besoin que l'on connaît ses vrais amis Prov

friendless /'frendlɪs/ *adj* sans amis

friendliness /'frendlɪnɪs/ *n* gentillesse *f* (**of** de)

friendly /'frendlɪ/
A *n* Sport match *m* amical
B *adj* [*person*] amical, sympathique; [*animal*] affectueux/-euse; [*behaviour, attitude, argument*] amical; [*smile*] (polite) aimable; (warm) amical; [*government, nation*] ami *inv* (*after n*); [*hotel, shop*] accueillant; [*match*] amical; [*agreement*] à l'amiable; **a ~ gathering** une réunion d'amis; **to be ~ with sb** être ami/-e *m/f* avec qn; **to get** *ou* **become ~ with sb** se lier d'amitié avec qn; **to be on ~ terms with sb** être en bons termes avec qn; **to be ~ to** être réceptif/-ive à [*new ideas*]; être bien disposé envers [*small firms, local groups*]; **to have a ~ relationship with sb** avoir de bonnes relations avec qn; **the people round here are very ~** les gens par ici sont très gentils; **he's very ~ with the boss all of a sudden** il est très copain○ avec le patron tout d'un coup; **we're ~ enough, but...** on s'entend assez bien, mais...; **let me give you some ~ advice** laisse moi te donner un conseil d'ami; **that's not very ~!** ce n'est pas très gentil!
C **-friendly** (*dans composés*) **environment-~/dolphin-~** qui ne nuit pas à l'environnement/aux dauphins; **user-~** d'utilisation facile, convivial; **child-/customer-~** adapté aux besoins des enfants/clients

friendly fire *n* Mil euph feu *m* allié; **to be killed by ~** tomber sous le feu allié

friendly: **Friendly Islands** ▸ p. 1355 *pr n* Tonga *m*, îles *fpl* des Amis; **~ society** *n* GB Insur mutuelle *f*

friendship /'frendʃɪp/ *n* (all contexts) amitié *f*; **to form ~s** se faire des amis

friendship bracelet *n* bracelet *m* brésilien

Friends of the Earth, FoE *n* Amis *mpl* de la Terre

fries○ /fraɪz/ *npl* US frites *fpl*

Friesian /'fri:zjən, 'fri:ʒən/ *n* **1** (cow) frisonne *f*; **2** Ling = **Frisian**

frieze /fri:z/ *n* frise *f*

frig /frɪg/ *v*:
(Phrasal verb) ■ **frig about**◐ faire l'imbécile

frigate /'frɪgɪt/ *n* frégate *f*

frigging◐ /'frɪgɪŋ/ *adj* foutu◐

fright /fraɪt/ *n* **1** (feeling of terror) peur *f*; (more sudden) frayeur *f*, effroi *m*; **to be paralyzed with ~** être paralysé par la peur; **she gave a cry of ~** elle a poussé un cri de frayeur *or* d'effroi; **to take ~** prendre peur, s'effrayer; **the horse took ~ at the noise** le cheval a été effrayé par le bruit; **the government took ~ at the increase in crime** le gouvernement a pris peur *or* s'est effrayé devant l'augmentation de la criminalité; **2** (shock) frayeur *f*, peur *f*; **to have** *ou* **get a ~** avoir peur; **to give sb a ~** faire peur à qn, effrayer qn; **it gave me such a ~** ça m'a fait une de ces peurs; **the accident gave him such a ~ that he'll be more careful in future** l'accident lui a causé une telle frayeur qu'il n'est pas près de recommencer; **I had the ~ of my life!** j'ai cru mourir de peur!; **3** ○(person) épouvantail *m*, horreur *f*; **I look a ~!** quel épouvantail!, quelle horreur!; **doesn't he look a ~?** quel épouvantail!, quelle horreur!

frighten /'fraɪtn/ *vtr* [*person, situation*] faire peur à, effrayer; **~ sb into doing** faire tellement peur à qn qu'il finit par faire; **to ~ sb into submission** faire tellement peur à qn qu'il finit par se soumettre
(Phrasal verbs) ■ **frighten away**: ▸ **~ away [sb/sth]**, **~ [sb/sth] away** effaroucher
■ **frighten off**: ▸ **~ off [sb]**, **~ [sb] off** chasser [*intruder*]; effaroucher [*rival, buyer, bidder*]

frightened /'fraɪtnd/ *adj* apeuré; **to be ~** avoir peur (**of** de; **to do** de faire); **to be ~ that** craindre que (+ *subj*), avoir peur que (+ *subj*); **to be too ~ even to look** avoir tellement peur qu'on n'ose même pas regarder; **to be ~ about what might happen/about losing one's job** redouter ce qui pourrait se passer/d'être au chômage; **to be ~ at the thought of doing** avoir peur à l'idée de faire; **I've never been so ~ in my life** je n'ai jamais eu aussi peur de ma vie; **he's a very ~ man** il a très peur. ▸ **death, wit**

frightening /'fraɪtnɪŋ/ *adj* **1** lit (scary) [*monster, story, experience, accident*] terrifiant; [*statistics*] effarant; **that story is ~** cette histoire me fait peur; **2** fig (alarming, disturbing) [*prospect, rate, speed*] effrayant, terrifiant; [*statistics, results*] effrayant

frighteningly /'fraɪtnɪŋlɪ/ *adv* [*close, expensive, simple*] terriblement

frightful /'fraɪtfl/ *adj* **1** (inducing horror) [*scene, sight*] abominable, épouvantable; **2** ○(terrible, bad) [*prospect*] terrible; [*possibility*] horrible; [*mistake*] épouvantable, terrible; [*headache*] affreux/-euse; **he had a ~ time of it** ça a été épouvantable pour lui; **he's a ~ bore** il est terriblement ennuyeux; **3** ○(expressing disgust) [*person, child*] épouvantable; [*decor*] affreux/-euse; **that wallpaper looks ~** ce papier peint est affreux *or* moche○; **that ~ woman!** cette femme détestable!; **4** GB (great) **this strike is a ~ nuisance** cette grève est vraiment dérangeante; **would it be a ~ nuisance for you to bring it round?** cela vous dérangerait-il beaucoup de l'apporter?; **it's a ~ shame** c'est vraiment dommage

frightfully /'fraɪtfəlɪ/ *adv* GB terriblement; **we're going to be ~ late** nous allons être terriblement en retard; **he was ~ tired** il était terriblement fatigué; **I'm ~ sorry** je suis vraiment désolé; **it's ~ kind of you** vous êtes trop aimable; **I'm not ~ keen** ça ne m'emballe pas○

fright wig *n* perruque *f* de clown

frigid /'frɪdʒɪd/ *adj* **1** Med [*woman*] frigide; **2** Geog [*zone*] glacial

frigidity /frɪ'dʒɪdətɪ/ *n* **1** Med frigidité *f*; **2** fig froideur *f*

frigidly /'frɪdʒɪdlɪ/ *adv* [*reply, respond*] froidement

frill /frɪl/
A *n* **1** Fashn (on dress) volant *m*; (on shirt front) jabot *m*; **2** Culin (on chop) papillotte *f*
B **frills** *npl* **1** (on clothes, furniture) fanfreluches *fpl*; **2** (on car, appliance) options *fpl*; **this is the basic model, with no ~s** c'est le modèle standard, sans options; **give us a reliable system, with no ~s** donnez-nous un système fiable, nous nous passons du superflu; ▸ **no-frills**; **3** (in writing, drawing) fioritures *fpl*

frilled /frɪld/ *adj* [*garment, collar*] à volants

frilly /'frɪlɪ/ *adj* [*garment*] à froufrous; [*underwear*] avec des dentelles

fringe /frɪndʒ/
A *n* **1** GB (of hair) frange *f*; **2** (decorative trim) frange *f*; **3** (edge) (of forest) lisière *f*, orée *f* (**of** de); (of town) abords *mpl*, périphérie *f* (**of** de); **to be on the ~ of the crowd** être au bord de la foule; **4** Pol, Sociol (group) frange *f*, élément *m*; **the extremist ~ of the movement** la frange extrémiste du mouvement; **5** Theat **the ~** théâtre *m* alternatif
B **fringes** *npl* **on the (outer) ~s of the town** à la périphérie *or* aux abords de la ville; **on the ~s of society** en marge de la société; **he drifted around the ~s of showbusiness/the art world** il traînait à la périphérie du monde du spectacle/du monde artistique
C *modif* **1** Theat [*theatre, performance*] alternatif/-ive; **2** Pol, Sociol [*group, activity*] marginal; **~ elements** marginaux *mpl*
D *vtr* **1** (put trim on) orner [qch] d'une frange [*curtains, cloth*]; **2** (form border) [*trees*] border [*field*]
E **fringed** *pp adj* **1** Fashn, Sewing [*garment*] à franges; **2** (edged) bordé (**with, by** de); **a lagoon ~d with palms** une lagune bordée de palmiers

fringe benefits *npl* **1** (pensions, life or medical cover) avantages *mpl* sociaux; **2** (of job) avantages *mpl* en nature

fringing reef *n* récif *m* frangeant

frippery /'frɪpərɪ/ *n* **1** ¢ (trivia) frivolités *fpl*; **2** (impractical item) frivolité *f*

frisbee® /'frɪzbi:/ *n* frisbee® *m*

Frisian /'frɪzɪən/ ▸ p. 1467, p. 1378
A *n* **1** (person) Frison/-onne *m/f*; **2** Ling frison *m*
B *adj* frison/-onne *m/f*; **the ~ Islands** l'archipel *m* Frison

frisk /frɪsk/
A *vtr* fouiller [*person*]
B *vi* [*lamb, puppy*] gambader

frisky /'frɪskɪ/ *adj* **1** (playful, high-spirited) [*puppy*] joueur/-euse; **2** (skittish) [*horse*] nerveux/-euse, chaud; **3** ○(sexy) **to be feeling ~** hum avoir envie de faire l'amour

fritillary /frɪ'tɪlərɪ/ *n* **1** Bot fritillaire *f*; **2** Zool nymphalidé *m*

fritter /'frɪtə(r)/ *n* beignet *m*
(Phrasal verb) ■ **fritter away**: ▸ **~ away [sth]**, **~ [sth] away** gaspiller [*money, resources, opportunities, time*]; **he ~s away his money on silly things** il gaspille tout son argent en bêtises

fritz /frɪts/: **on the fritz** *adj phr* US en panne

frivolity /frɪ'vɒlətɪ/ *n* (all contexts) frivolité *f*

frivolous /'frɪvələs/ *adj* **1** (not serious) [*person, attitude, comment, activity*] frivole; **2** péj (time-wasting) [*allegation, enquiry*] pas sérieux/-ieuse

frivolously /'frɪvələslɪ/ *adv* [*behave, spend money*] avec insouciance

frivolousness /'frɪvələsnɪs/ *n* frivolité *f*

frizz /frɪz/ *vtr* friser [*hair*]; **to have one's hair ~ed** se faire friser les cheveux

frizzle /'frɪzl/ *vtr, vi* grésiller

frizzy /'frɪzɪ/ *adj* [*hair*] crépu; **~-haired** aux cheveux crépus

frock /frɒk/ ▸ p. 1694 *n* **1** Fashn robe *f*; **2** (of monk) bure *f*

frock coat *n* redingote *f*

frog /frɒg, US frɔ:g/
A *n* **1** Zool grenouille *f*; **2** (on violin bow) hausse *f*
B **Frog**○ *n* injur Français/-e *m/f*
(Idiom) **to have a ~ in one's throat** avoir un chat dans la gorge

frogman /ˈfrɒgmən, US ˈfrɔːg-/ *n* homme-grenouille *m*

frog-march /ˈfrɒgmɑːtʃ, US ˈfrɔːg-/ *vtr* GB conduire [qn] de force

frog: **~s' legs** *npl* cuisses *fpl* de grenouille; **~-spawn** *n* ⊄ œufs *mpl* de grenouille

frolic /ˈfrɒlɪk/
A *n* [1] (bit of fun) ébats *mpl*; [2] Theat, Cin (lively film) comédie *f*; (play) farce *f*
B *vi* lit s'ébattre, gambader; fig faire la fête; **to ~ in the waves** batifoler dans les vagues

from /frɒm, frəm/

> ⚠ When *from* is used as a straightforward preposition in English it is translated by *de* in French: *from Rome* = de Rome; *from the sea* = de la mer; *from Lisa* = de Lisa. Remember that *de + le* always becomes *du*: *from the office* = du bureau, and *de + les* always becomes *des*: *from the United States* = des États-Unis.
> *from* is often used after verbs in English (*suffer from, benefit from, protect from etc*). For translations, consult the appropriate verb entry (**suffer, benefit, protect** etc).
> *from* is used after certain nouns and adjectives in English (*shelter from, exemption from, free from, safe from etc*). For translations, consult the appropriate noun or adjective entry (**shelter, exemption, free, safe** etc).
> This dictionary contains Usage Notes on such topics as nationalities, countries and continents, provinces and regions. Many of these use the preposition *from*. For the index to these notes ▸ **p. 1948**.
> For examples of the above and particular usages of *from*, see the entry below.

prep [1] (indicating place of origin) **goods/paper ~ Denmark** de la marchandise/du papier provenant du Danemark; **a flight/train ~ Nice** un vol/train en provenance de Nice; **a friend ~ Chicago** un ami (qui vient) de Chicago; **a colleague ~ Japan** un collègue japonais; **people ~ Spain** les Espagnols; **where is he ~?** d'où est-il?, d'où vient-il?; **she comes ~ Oxford** elle vient d'Oxford; **a tunnel ~ X to Y** un tunnel qui relie X à Y; **the road ~ A to B** la route qui va de A à B; **noises ~ upstairs** du bruit venant d'en-haut; **to take sth ~ one's bag/one's pocket** sortir qch de son sac/sa poche; **to take sth ~ the table/the shelf** prendre qch sur la table/l'étagère; **~ under the table** de dessous la table
[2] (expressing distance) **10 km ~ the sea** à 10 km de la mer; **it's not far ~ here** ce n'est pas loin d'ici; **the journey ~ A to B** le voyage de A à B
[3] (expressing time span) **open ~ 2 pm until 5 pm** ouvert de 14 à 17 heures; **~ June to August** du mois de juin au mois d'août; **15 years ~ now** dans 15 ans; **one month ~ now** dans un mois, d'ici un mois; **~ today/July** à partir d'aujourd'hui/du mois de juillet; **deaf ~ birth** sourd de naissance; **~ the age of 8 he wanted to act** depuis l'âge de 8 ans il a toujours voulu être acteur; **~ day to day** de jour en jour; **~ that day on** à partir de ce jour-là
[4] (using as a basis) **~ a short story by Maupassant** d'après un conte de Maupassant; **~ life** d'après nature; **to grow geraniums ~ seed** planter des graines de géranium; **to speak ~ notes** parler en consultant ses notes; **to speak ~ experience** parler d'expérience
[5] (representing, working for) **a man ~ the council** un homme qui travaille pour le conseil municipal; **a representative ~ Grunard and Co** un représentant de chez Grunard et Cie
[6] (among) **to select** *ou* **choose** *ou* **pick ~** choisir parmi
[7] (indicating a source) **a card ~ Pauline** une carte de Pauline; **a letter ~ them** une lettre de leur part; **where did it come ~?** d'où est-ce que ça vient?; **where does he come ~?** d'où vient-il?; **an extract/a quote ~ sb** un extrait/une citation de qn; **to read ~ the Bible** lire un extrait de la Bible; **I got no sympathy ~ him** il n'a fait preuve d'aucune compassion à mon égard; **you can tell him ~ me that** tu peux lui dire de ma part que
[8] (expressing extent, range) **wine ~ £5 a bottle** du vin à partir de 5 livres la bouteille; **children ~ the ages of 12 to 15** les enfants de 12 à 15 ans; **to rise ~ 10 to 17%** passer de 10 à 17%; **it costs anything ~ 50 to 100 dollars** cela coûte entre 50 et 100 dollars; **everything ~ paperclips to wigs** tout, des trombones aux perruques; **~ start to finish, ~ beginning to end** du début à la fin
[9] (in subtraction) **10 ~ 27 leaves 17** 27 moins 10 égale 17
[10] (because of, due to) **I know ~ speaking to her that** j'ai appris en lui parlant que; **he knows her ~ work** il la connaît du travail
[11] (judging by) d'après; **~ what she said** d'après ce qu'elle a dit; **~ what I saw** d'après ce que j'ai vu; **~ his expression, I'd say he was furious** étant donné la tête qu'il faisait, je pense qu'il était furieux; **~ the way he talks you'd think he was an expert** à l'entendre, on dirait un spécialiste

frond /frɒnd/ *n* (of fern, seaweed) fronde *f*; (of palm) feuille *f*

front /frʌnt/
A *n* [1] (forward facing area) (of house) façade *f*; (of shop) devanture *f*; (of cupboard, box) devant *m*; (of sweater) devant *m*; (of book, folder) couverture *f*; (of card, coin, banknote) recto *m*; (of car, boat) avant *m*; (of fabric) endroit *m*; **the dress buttons at the ~** la robe se boutonne sur le devant; **write the address on the ~ of the envelope** écrivez l'adresse au recto de l'enveloppe
[2] (furthest forward part) (of train, queue) tête *f*; (of building) devant *m*; (of auditorium) premier rang *m*; **at the ~ of the line/procession** en tête de la file/procession; **at the ~ of the house** sur le devant de la maison; **to sit at the ~ of the class** s'asseoir au premier rang de la classe; **he pushed to the ~ of the crowd** il s'est faufilé au premier rang de la foule; **face the ~!** regardez devant!; **I'll sit in the ~ with the driver** je vais m'asseoir devant, à côté du chauffeur; **there's room at the ~ of the coach** il y a de la place à l'avant du car; **from ~ to back of the house** du devant à l'arrière de la maison; **how long is the car from ~ to back?** la voiture fait combien de long?
[3] Mil, Pol front *m*; **at the ~** au front
[4] (stomach) ventre *m*; **to sleep/lie on one's front** dormir/se coucher sur le ventre; **to spill sth down one's ~** se renverser qch sur le devant
[5] GB (promenade) front *m* de mer, bord *m* de mer; **on the sea/river ~** au bord de la mer/de la rivière; **a hotel on the ~** un hotel en bord de mer *or* sur le bord de mer
[6] Meteorol front *m*
[7] (area of activity) côté *m*; **changes on the domestic** *ou* **home ~** Pol des changements côté politique intérieure; **there's nothing new on the wages ~** il n'y a rien de neuf côté salaires; **there are problems on the financial ~** il y a des problèmes sur le plan financier
[8] fig (outer appearance) façade *f*; **his cynicism is just a ~** son cynisme n'est qu'une façade; **to put on a brave ~** faire bonne figure; **to present a united ~** présenter un front uni
[9] ○(cover) couverture *f*; **to be a ~ for sth** servir de couverture à qch
B *adj* (*épith*) [1] (facing street) [*entrance*] côté rue; [*garden, window, wall*] de devant; [*bedroom*] qui donne sur la rue
[2] (furthest from rear) [*tyre, wheel*] avant (*after n*); [*seat*] (in cinema) au premier rang; (in vehicle) de devant; [*leg, paw, tooth*] de devant; [*edge, panel*] avant (*after n*); [*carriage, coach*] de tête (*after n*); **in the ~ row** au premier rang; **go and sit in the ~ seat** va t'asseoir devant
[3] (first) [*page*] premier/-ière (*before n*); [*racing car, horse*] de tête
[4] (head-on) [*view*] de face (*after n*)
C **in front** *adv phr* (ahead) **who's in ~?** qui gagne?; **I'm 30 points in ~** j'ai 30 points d'avance; **the Italian car is in ~ on the tenth lap** c'est la voiture italienne qui mène au dixième tour
D **in front of** *prep phr* [1] (before) devant; **sit/walk in ~ of me** asseyez-vous/marchez devant moi; **in ~ of the mirror/TV/house** devant la glace/télé/maison
[2] (in the presence of) devant; **not in ~ of the children!** pas devant les enfants!
E *vtr* [1] (face) [*house*] donner sur [*river, sea*]
[2] ○(lead) être à la tête de [*band, company, party*]
[3] TV présenter [*TV show*]
F *vi* [1] (face) **to ~ onto** GB *ou* **on** US [*house, shop*] donner sur [*sea, main road*]
[2] (serve as a cover) **to ~ for** [*person, organization*] servir de couverture à [*group*]

frontage /ˈfrʌntɪdʒ/ *n* [1] Archit (of house) façade *f*; (of shop) devanture *f*; [2] (access) **with ocean/river ~** avec accès direct sur la mer/rivière

frontal /ˈfrʌntl/
A *n* Relig parement *m* d'autel; ▸ **full-frontal**
B *adj* [1] (head-on) [*assault, attack*] de front (*after n*); [2] Anat [*lobe*] frontal; [3] Meteorol [*system*] frontal; [4] Cin, Phot [*lighting*] de face

front bench /ˌfrʌntˈbentʃ/
A *n* GB Pol ⊄ [1] (seats) rangs *mpl* du gouvernement; **the opposition ~** les rangs de l'opposition; [2] (members) députés *mpl* membres du gouvernement; **the opposition ~** les députés de l'opposition, porte-parole dans un domaine spécifique
B **front-bench** *modif* [*spokesperson, politician, revolt*] du gouvernement

frontbencher○ /frʌntˈbentʃə(r)/ *n* GB Pol (government) député *m* membre du gouvernement; (opposition) député *m* porte-parole dans un domaine spécifique

> **Frontbencher**
> À la Chambre des communes, membre du gouvernement ou du Cabinet fantôme qui, pour cette raison, siège aux premiers rangs (*front benches*). ▸ **backbencher, House of Commons**

front: **~ cover** *n* couverture *f*; **~ door** *n* porte *f* d'entrée

front-end /ˌfrʌntˈend/ Comput
A *n* (*also* **~ processor**) ordinateur *m* frontal
B *modif* [*processor, system*] frontal

front: **~-end fee** *n* Fin frais *mpl* initiaux *or* de démarrage; **~-end load** *n* Fin, Insur frais *mpl* prélevés sur les premiers versements

frontier /ˈfrʌntɪə(r), US frʌnˈtɪər/
A *n* lit, fig frontière *f*; **the ~s of science** les frontières de la science; **the ~ between France and Spain** la frontière franco-espagnole; **the wild ~** la frontière sauvage
B *modif* [*town, zone*] frontière *inv* (*after n*), frontalier/-ière; [*controls*] de frontière, frontalier/-ière

frontier: **~ post** *n* poste *m* frontière; **~sman** *n* homme *m* de la frontière

frontispiece /ˈfrʌntɪspiːs/ *n* Print, Publg frontispice *m*

front line /ˈfrʌntlaɪn/
A *n* [1] Mil front *m*; **troops in** GB *ou* **on** US **the ~** les troupes du front; [2] fig (exposed position) première ligne *f*; **to be in** GB *ou* **on** US **the ~** être en première ligne; **I don't want to be in the ~ when the complaints start** je ne veux pas que ce soit à moi que l'on vienne se plaindre; [3] Sport (in rugby) **the ~** les avants *mpl* première ligne
B **front-line** *modif* [1] Mil [*troops, units*] de front; [*aircraft, positions*] de première ligne; [2] Pol [*area*] proche des combats; [*country, state*] frontalier/-ière avec un État en guerre

f

f

Front line States *npl* Pol, Hist États *mpl* frontaliers avec l'Afrique du Sud

front-loader○ /ˌfrʌnt'ləʊdə(r)/ *n* machine *f* à laver à chargement frontal

frontman /'frʌntmən/ *n* 1▸ (figurehead) homme *m* de paille (**for** de); 2▸ (TV presenter) présentateur *m*; 3▸ (lead musician) leader *m*

front: **~ matter** *n* ¢ Publg pages *fpl* liminaires; **~ money** *n* US acompte *m*; **~ office** *n* US (management) administration *f*, direction *f*

front of house GB
A *n* Theat foyer *m*
B **front-of-house** *modif* [*staff, manager, duties*] du foyer

front page
A *n* (of newspaper, book) première page *f*; **the merger made the ~** Journ la fusion a fait les gros titres
B **front-page** *modif* [*picture, story*] à la une○; **the ~ headlines** les gros titres, la manchette; **to be ~ news** faire les gros titres

front-runner /ˌfrʌnt'rʌnə(r)/ *n* 1▸ Pol, gen (favourite) favori/-ite *m/f* (**in** de); 2▸ Sport *coureur qui aime se positionner en tête de course*

front vowel *n* Ling voyelle *f* antérieure

front-wheel drive, **FWD**
A *n* traction *f* avant
B *modif* **a ~ car** une traction avant

frost /frɒst/
A *n* 1▸ (weather condition) gel *m*; **10° of ~** moins 10°, 10° au-dessous de zéro; **there may be a touch of ~ tonight** il pourrait geler cette nuit; **there's a touch of ~ in the air** l'air est glacial; 2▸ **C** (one instance) gelée *f*; **there was a hard ~** il a gelé dur; 3▸ (icy coating) givre *m* (**on** sur)
B *vtr* Culin glacer [*cake*]
C **frosted** *pp adj* 1▸ Cosmet [*nail varnish, eye shadow*] nacré; 2▸ (iced) [*cake*] recouvert de glaçage; 3▸ (opaque) [*glass*] dépoli, opaque; 4▸ (chilled) [*drinking glass*] givré

(Phrasal verbs) ■ **frost over**, **frost up** [*window, windscreen*] se couvrir de givre; **the windshield has ~ed over** le pare-brise est couvert de givre

frostbite /'frɒstbaɪt/ *n* ¢ gelures *fpl*; **to have** *ou* **get ~** avoir des gelures

frostbitten /'frɒstbɪtn/ *adj* gelé

frosting /'frɒstɪŋ/ *n* glaçage *m*

frost-resistant /'frɒstrɪzɪstənt/ *adj* [*variety, vegetable*] résistant au gel

frosty /'frɒstɪ/ *adj* 1▸ [*air, weather, morning*] glacial; [*windscreen, windowpane*] couvert de givre; **it was a ~ night/day** il gelait cette nuit-là/ce jour-là; **it has been a ~ night** il a gelé cette nuit; **tomorrow will start ~** demain il y aura des gelées matinales; **we're in for a spell of ~ weather** nous entrons dans une période de grand froid; 2▸ fig [*smile, atmosphere, reception*] glacial

froth /frɒθ, US frɔːθ/
A *n* 1▸ (foam) (on beer, champagne) mousse *f*; (on water) écume *f*; (around the mouth) écume *f*; 2▸ ¢ fig (trivia) futilités *fpl*
B *vi* [*water, liquid*] écumer; **the beer ~ed over the edge of the glass** la mousse de la bière a débordé du verre; **to ~ at the mouth** lit écumer; fig écumer *or* baver de rage

frothy /'frɒθɪ, US 'frɔːθɪ/ *adj* 1▸ (foamy) [*beer*] mousseux/-euse; [*coffee, liquid*] mousseux/-euse, écumeux/-euse; [*surface of sea, weir*] écumeux/-euse; 2▸ (lacy) [*lingerie*] léger/-ère, vaporeux/-euse

frown /fraʊn/
A *n* froncement *m* de sourcils; **a worried ~** un froncement de sourcils inquiet; **to reply/say with a ~** répondre/dire en fronçant les sourcils
B *vi* froncer les sourcils; **to ~ at sb** regarder qn en fronçant les sourcils; **he ~ed at the bad news/interruption** la mauvaise nouvelle/l'interruption lui a fait froncer les sourcils

(Phrasal verbs) ■ **frown on**, **frown upon**: ► **~ on** *ou* **upon [sth]** désapprouver, critiquer [*behaviour, activity, attitude*]; **to be ~ed upon** [*behaviour, dress*] être mal vu

frowning /'fraʊnɪŋ/ *adj* 1▸ [*face*] renfrogné, sombre; 2▸ littér [*cliff, crag*] menaçant

frowsy /'fraʊzɪ/ *adj* [*person*] sale, peu soigné; [*room, atmosphere*] qui sent *or* sentait le renfermé

froze /frəʊz/ *prét* ► **freeze B, C**

frozen /'frəʊzn/
A *pp* ► **freeze B, C**
B *adj* 1▸ [*lake, ground, person, fingers, pipe*] gelé; **I'm ~** je suis gelé; **to be ~ stiff** *ou* **to the bone** être transi de froid; **the ~ North** le Grand Nord; 2▸ fig **to be ~ with fear** être paralysé par la peur; **to be ~ to the spot** être cloué sur place; 3▸ Culin [*vegetables, meat etc*] (bought) surgelé; (home-prepared) congelé; 4▸ Fin, Econ [*prices, assets, capital*] bloqué, gelé; 5▸ Med [*embryo*] congelé

FRS *n* (*abrév* = **Fellow of the Royal Society**) membre *m* de la Royal Society

fructification /ˌfrʌktɪfɪ'keɪʃn/ *n* Bot, littér fructification *f*

fructify /'frʌktɪfaɪ/ *vi* Bot, littér fructifier

frugal /'fruːgl/ *adj* [*person*] économe (**with** de); [*life, lifestyle*] frugal; [*meal*] simple, frugal

frugality /fruː'gælətɪ/ *n* frugalité *f*

frugally /'fruːgəlɪ/ *adv* [*live*] frugalement, simplement; [*manage, stock*] avec parcimonie

fruit /fruːt/
A *n* (*pl* (for collective) ~) 1▸ Bot (edible, inedible) fruit *m*; **a piece of ~** un fruit; **have some ~** prenez un fruit *or* des fruits; **to be in ~** [*tree, plant*] porter des fruits; **to bear ~** [*tree, plant*] donner des fruits; **the ~s of the earth** littér les fruits de la terre; 2▸ fig fruit *m*; **to enjoy the ~(s) of one's labours/of victory** jouir des fruits de son travail/de la victoire; **her efforts finally bore ~** ses efforts ont finalement porté leurs fruits; **the ~ of their union** littér le fruit de leur union; 3▸ ◑US injur pédé◑ *m*
B *vi* [*tree, plant*] donner des fruits

fruitarian /fruː'teərɪən/ *n* fruitarien/-ienne *m/f*

fruitarianism /fruː'teərɪənɪzəm/ *n* fruitarisme *m*

fruit bowl *n* (large) coupe *f* à fruits; (individual) coupelle *f* à fruits

fruit cake *n* 1▸ Culin cake *m*; 2▸ ○hum **he's a ~** il est cinglé○

(Idiom) **to be as nutty as a ~** être complètement cinglé○

fruit: **~ cocktail** *n* Culin macédoine *f* de fruits; **~ cup** *n* cocktail *m* de fruits; **~ dish** *n* compotier *m*, coupe *f* à fruits; **~ drop** *n* bonbon *m* (aromatisé) aux fruits

fruiterer† /'fruːtərə(r)/ *n* ► **p. 1683** marchand/-e *m/f* de fruits

fruit farm *n* (place) exploitation *f* (*spécialisée dans la production de fruits*); **he runs a ~** il est producteur de fruits

fruit: **~ farmer** ► **p. 1683** *n* producteur/-trice *m/f* de fruits; **~ farming** *n* culture *f* fruitière; **~ fly** *n* drosophile *f*, mouche *f* du vinaigre

fruitful /'fruːtfl/ *adj* 1▸ fig [*partnership, relationship, discussion, years*] fructueux/-euse; [*source*] fertile; **this is not a ~ line of enquiry** cette piste ne nous mènera nulle part; 2▸ littér [*earth*] fertile, fécond

fruitfully /'fruːtfəlɪ/ *adv* 1▸ (with positive results) [*teach*] avec succès; 2▸ (usefully) [*spend time*] de façon fructueuse

fruitfulness /'fruːtflnɪs/ *n* 1▸ littér (of earth) fécondité *f*; 2▸ fig (of approach, line of questioning) utilité *f*

fruit gum *n* ≈ pastille *f*, bonbon *m* aux fruits

fruition /fruː'ɪʃn/ *n* **to come to ~** se réaliser; **to be close to ~** être sur le point de se réaliser; **to bring sth to ~** (effect) réaliser qch; (conclude) concrétiser qch

fruit knife *n* couteau *m* à fruits

fruitless /'fruːtlɪs/ *adj* [*attempt, search, trip*] vain; [*discussion*] stérile

fruit: **~ machine** *n* machine *f* à sous; **~ salad** *n* salade *f* de fruits; **~s of the forest** *npl* fruits *mpl* de la forêt; **~ tree** *n* arbre *m* fruitier

fruity /'fruːtɪ/ *adj* 1▸ (flavoured) [*wine, fragrance, olive oil*] fruité; 2▸ (mellow) [*voice, tone*] timbré; 3▸ (salacious) [*joke*] salé; 4▸ ○US (crazy) dingue○

frump /frʌmp/ *n* péj femme *f* mal fagotée

frumpish /'frʌmpɪʃ/ *adj* péj [*woman*] mal fagoté

frustrate /frʌ'streɪt, US 'frʌstreɪt/ *vtr* 1▸ (irk, annoy) énerver [*person*]; **it really ~s me having to wait so long!** c'est vraiment énervant de devoir attendre si longtemps!; 2▸ (thwart) réduire [qch] à néant [*effort*]; contrarier [*plan, project*]; entraver [*attempt, move*]

frustrated /frʌ'streɪtɪd, US 'frʌst-/ *adj* 1▸ (irritated) énervé; **a ~ President told reporters...** journ c'est un Président énervé qui a dit aux journalistes...; **to become ~ at sth** s'énerver de qch; **I'm so ~, my work is going really badly** le travail va mal, ça m'énerve; 2▸ (unfulfilled in aspirations) [*person*] frustré; [*desire, urge*] inassouvi; **why stay in a job where you feel so ~?** pourquoi restes-tu à un poste qui est si frustrant pour toi?; 3▸ (thwarted) [*plan*] contrarié; [*effort*] réduit à néant; [*attempt*] vain (*before* n); 4▸ (would-be) **a ~ diplomat** un diplomate manqué; 5▸ (sexually) frustré

frustrating /frʌ'streɪtɪŋ, US 'frʌst-/ *adj* 1▸ (irritating) énervant; **you locked yourself out? how ~!** vous vous êtes fermé dehors? comme c'est énervant!; **there's nothing more ~!** il n'y a rien de plus énervant!; 2▸ (unsatisfactory, thwarting) [*morning, situation*] frustrant; **it was a ~ experience** c'était frustrant; **it is ~ to be unable** *ou* **not being able to do** c'est frustrant de ne pas pouvoir faire

frustratingly /frʌ'streɪtɪŋlɪ, US 'frʌst-/ *adv* [*difficult, elusive*] désespérément; **I find my spare time is ~ short** je trouve que j'ai désespérément peu de temps libre; **~, my team lost** à ma grande déception, mon équipe a perdu

frustration /frʌ'streɪʃn/ *n* 1▸ (thwarted feeling) frustration *f* (**at, with** quant à); **to feel anger and ~** se sentir en colère et frustré; **in ~, he...** frustré, il...; **to seethe with ~** être très contrarié; **the delay has caused ~** le retard a mis tout le monde sur les nerfs; 2▸ (annoying aspect) **one ~ of watching sport on television is that** ce qui est frustrant dans le sport à la télévision, c'est que; **the ~s of house-buying are endless** acheter une maison est une entreprise longue et frustrante; 3▸ (ruination) anéantissement *m*; **the ~ of all my hopes** l'anéantissement de tous mes espoirs; 4▸ (sexual) frustration *f*

fry /fraɪ/
A *n* 1▸ Zool (+ *v pl*) fretin *m*; 2▸ fig **small ~** (+ *v pl*) (children) loupiots○ *mpl*, mioches○ *mpl*; (unimportant people) menu fretin *m*
B *vtr* (*prét, pp* **fried**) Culin faire frire
C *vi* (*prét, pp* **fried**) Culin frire; **there's a smell of ~ing** ça sent la friture
D **fried** *pp adj* frit; **fried fish** poisson *m* frit; **fried eggs** œufs *mpl* au plat; **fried food** friture *f*; **fried potatoes** pommes *fpl* de terre sautées

frying pan GB *n* poêle *f* (à frire)

(Idiom) **to jump out of the ~ into the fire** tomber de Charybde en Scylla

fry-up /'fraɪʌp/ *n* GB *repas constitué d'aliments cuits à la poêle*

FSA *n* GB **1** (*abrév* = **Food Standards Agency**); **2** (*abrév* = **Financial Services Authority**)

FSH *n* (*abrév* = **follicle-stimulating hormone**) FSH *f*, folliculostimuline *f*

ft *abrév écrite* = **foot, feet**

FTP *n* (*abrév* = **file transfer protocol**) FTP *m*

FTSE 100 *n* (*abrév* = **Financial Times Stock Exchange Index**) indice *m* de la Bourse de Londres

fuchsia /'fjuːʃə/ *n* fuchsia *m*

fuck● /fʌk/

A *n* **1** (act) baise● *f*; **to have a ~** baiser●; **2** (person) **to be a good ~** bien baiser●, être un bon coup●

B *excl* merde●!, putain de merde●!; **~ you!** va te faire foutre●; **what the ~ is he doing here?** qu'est-ce qu'il fout◑ ici?

C *vtr* baiser●, coucher avec○ [*person*]

D *vi* baiser●

(Idioms) **I'm ~ed● if I know, ~ knows●!** je n'en sais foutre◑ rien!; **it's ~ed●** (broken) c'est foutu○; **we're ~ed●** on est dans la merde●

(Phrasal verbs) ■ **fuck about●, fuck around●**: ▶ **~ about** *ou* **around** déconner◑; ▶ **~ [sb] about** *ou* **around** se foutre◑ de la gueule◑ de qn; **they really ~ you around in this place** on se fout◑ vraiment de ta gueule◑ ici

■ **fuck off●**: ▶ **~ off** foutre le camp◑; **~ off!** fous(-moi) le camp◑!

■ **fuck up●**: ▶ **~ up** foutre la merde●; ▶ **~ [sb] up, ~ up [sb]** foutre◑ [qn] dans un sale état; **he's a ~ed up kid** c'est un gosse foutu○; ▶ **~ [sth] up** foutre la merde● dans

fuck-all● /ˌfʌk'ɔːl/ *adv* GB rien; **he knows ~ about it** il (n')en sait foutre◑ rien; **he does ~ in this office** il ne fout◑ rien dans ce bureau

fucking● /'fʌkɪŋ/

A *adj* **this ~ machine!** cette putain● de machine!; **what a ~ shambles!** quel bordel◑!; **you ~ idiot!** espèce de con●!

B *adv* vachement○

fuck-up● /'fʌkʌp/ *n* bourde○ *f*; **there's been a ~** il y a eu une bourde○, ça a merdé●; **what a ~!** quel gâchis!, quelle merde●!

FUD *n* (*abrév* = **fear, uncertainty and doubt**) angoisse *f*; **to create ~** déstabiliser

fuddle○ /'fʌdl/

A *vtr* [*drugs, drink*] embrouiller [*brain*]

B fuddled *pp adj* **1** (confused) [*idea, brain*] confus, embrouillé; [*state*] de confusion; [*person*] désorienté; **2** (the worse for drink) éméché

fuddy-duddy○ /'fʌdɪdʌdɪ/

A *n* schnock○ *mf*

B *adj* [*style, institution*] vieux jeu *inv*, ringard○; **to have ~ ways** être vieux jeu

fudge /fʌdʒ/

A *n* **1** Culin (soft sweet) caramels *mpl* mous; **have a piece of ~** prends un caramel; **2** US Culin (hot sauce) sauce *f* au chocolat; **3** Journ, Print (stop press news) dernières nouvelles *fpl*; (box or column for stop press) emplacement *m* de la dernière heure; **4** ○(compromise) **it's a ~** c'est flou; **the wording is a classic ~** l'énoncé est flou à merveille

B ○*vtr* **1** (evade) esquiver, éluder [*issue, problem*]; **2** (falsify) truquer [*figures, accounts*]

C ○*vi* (dodge issue) se dérober

fudge sauce *n* Culin sauce *f* au chocolat

fuel /'fjuːəl/

A *n* **1** gen, Nucl combustible *m*; (for car, plane, machinery) carburant *m*; **several types of ~** plusieurs types de combustible; **2** fig **to provide ~ for** rajouter du poids à [*claims*]; attiser [*hatred, discord*]

B *modif* [*costs, prices, crisis*] du combustible, du carburant; [*shortage, bill*] de combustible, de carburant

C *vtr* (*p prés etc* **-ll-, -l-** US) **1** (make run) [*gas, oil*] alimenter [*furnace, engine*]; **to be ~led by oil/gas** marcher au pétrole/gaz; **2** (put fuel into) [*person*] ravitailler [*plane, vehicle*]; **3** fig (spur) aggraver [*tension, fears*]; attiser [*hatred, discord*]; susciter [*speculation*]

(Idiom) **to add ~ to the flames** *ou* **fire** jeter de l'huile sur le feu

fuel: **~ consumption** *n* (of plane, car) consommation *f* de carburant; (in industry) consommation *f* de combustible; **~-efficient** *adj* [*system, engine*] économique; **~ injection** *n* injection *f* (de carburant); **~ injection engine** *n* moteur *m* à injection; **~ injector** *n* injecteur *m*; **~ oil** *n* mazout *m*, fioul *m*; **~ pump** *n* pompe *f* d'alimentation; **~ rod** *n* barreau *m* de combustible

fuel saving

A *n* économie *f* d'énergie

B *adj* [*measure, policy*] favorisant les économies d'énergie

fuel tank *n* (of car) réservoir *m*; (of plane, ship) réservoir *m* de carburant

fug○ /fʌg/ *n* GB atmosphère *f* enfumée; **there was a terrible ~ in the bar** l'atmosphère du bar était horriblement enfumée; **the ~ of exhaust fumes** les fumées des pots d'échappement

fuggy /'fʌgɪ/ *adj* GB [*atmosphere*] (smoky) enfumé; (airless) confiné

fugitive /'fjuːdʒətɪv/

A *n* fugitif/-ive *m/f*; fuyard/-e *m/f*; **to be a ~ from justice** fuir la justice

B *adj* **1** littér (fleeting) [*happiness*] éphémère, fugace; [*impression, sensation*] fugitif/-ive; **2** (in flight) [*leader, criminal*] fugitif/-ive, en fuite

fugue /fjuːg/ *n* **1** Mus fugue *f*; **a Bach ~** une fugue de Bach; **2** Psych amnésie *f* d'identité

fulcrum /'fʊlkrəm/ *n* (*pl* **~s** *ou* **-cra**) lit point *m* d'appui; fig pivot *m*

fulfil GB, **fulfill** US /fʊl'fɪl/ (*p prés etc* **-ll-**)

A *vtr* **1** (realize, carry out) réaliser [*ambition, prophecy, dream*]; tenir [*promise*]; répondre à [*desire, hope, need*]; **to ~ one's potential** se réaliser; **2** (satisfy) [*job, life, role*] combler [*person*]; **to be/feel ~led** être/se sentir comblé; **3** (satisfy requirements of) remplir [*role, duty, conditions, contract*]; **unless these conditions are ~led** à moins que ces conditions ne soient remplies

B *v refl* **to ~ oneself** s'épanouir

fulfilling /fʊl'fɪlɪŋ/ *adj* [*job, career, marriage*] épanouissant; [*experience*] enrichissant

fulfilment GB, **fulfillment** US /fʊl'fɪlmənt/ *n* **1** (satisfaction) épanouissement *m*; **sexual ~** épanouissement sexuel; **personal ~** accomplissement *m* de soi; **~ still eluded her** elle n'était toujours pas satisfaite; **to seek/find ~** rechercher/trouver la plénitude; **to find ~ in acting/nursing** trouver son équilibre dans le théâtre/son métier d'infirmière; **2** (realization) **the ~ of** la réalisation de [*ambition, desire, need*]; l'accomplissement de [*prophecy, promise*]; **3** (carrying-out) (of role, duty, obligation) accomplissement *m*; **4** (meeting requirements) **the ~ of the contract/the requirements will entail...** pour remplir le contrat/répondre aux conditions requises, il faudra...

full /fʊl/

A *adj* **1** (completely filled) [*box, glass, room, cupboard*] plein; [*hotel, flight, car park*] complet/-ète; [*theatre*] comble; **a ~ tank of petrol** un plein réservoir d'essence; **a ~ bottle of whisky** une pleine bouteille de whisky; **~ to the brim** plein à ras bord; **~ to overflowing** [*bucket*] plein à déborder; [*room, suitcase*] plein à craquer○; **I've got my hands ~** lit j'ai les mains pleines; fig je suis débordé; **don't speak with your mouth ~** ne parle pas la bouche pleine; **~ of** plein de [*ideas, life, energy, surprises*]; **the hotel/the train is ~ of tourists** l'hôtel/le train est plein de touristes; **the papers are ~ of the accident** les journaux ne parlent que de l'accident; **he's ~ of his holiday plans** il ne parle que de ses projets de vacances; **to be ~ of oneself** péj être imbu de soi-même; **to be ~ of one's own importance** être plein de suffisance

2 (sated) (*also* **~ up**) [*stomach*] plein; **to drink/swim on a ~ stomach** boire/se baigner le ventre plein; **I'm ~**○ je n'en peux plus

3 (busy) [*day, week*] chargé, bien rempli; **my diary is ~ for this week** mon agenda est complet pour cette semaine; **she leads a very ~ life** elle mène une vie très remplie

4 (complete) [*pack of cards, set of teeth*] complet/-ète; [*name, breakfast, story, details*] complet/-ète; [*price, control*] total; [*responsibility*] entier/-ière; [*support*] inconditionnel/-elle; [*understanding, awareness*] total; [*inquiry, investigation*] approfondi; **the ~ extent of the damage/of the disaster** l'ampleur des dégâts/du désastre; **the ~ implications of** toutes les implications de, toute la portée de; **he has a ~ head of hair** il a tous ses cheveux; **to be in ~ view** être parfaitement visible; **in ~ view of sb** sous les yeux de qn

5 (officially recognized) [*member, partner*] à part entière; [*right*] plein (*before n*)

6 (maximum) [*employment, bloom, power*] plein (*before n*); **he has the radio at ~ volume** il a mis la radio à plein volume; **at ~ speed** à toute vitesse; **in ~ sunlight** en plein soleil; **to make ~ use of sth, to use sth to ~ advantage** profiter pleinement de qch [*opportunity, situation*]; **to get ~ marks** GB obtenir la note maximale; **she deserves ~ marks for courage** GB elle mérite des félicitations pour son courage

7 (for emphasis) [*hour, kilo, month*] bon/bonne (*before n*); **it took them three ~ weeks to reply** ils ont mis trois bonnes semaines pour répondre; **turn the knob a ~ 180 degrees** tourne complètement le bouton à 180 degrés

8 (rounded) [*cheeks, face*] rond; [*lips*] charnu; [*figure*] fort; [*skirt, sleeve*] ample; **clothes for the ~er figure** vêtements pour personnes fortes

9 Astron [*moon*] plein; **there's a ~ moon** c'est la pleine lune; **when the moon is ~** à la pleine lune

10 (rich) [*flavour, tone*] riche

B *adv* **1** (directly) **to hit sb ~ in the face/stomach** frapper qn en plein visage/ventre; **to look sb ~ in the face** regarder qn droit dans les yeux

2 (very) **to know ~ well that** savoir fort bien que; **as you know ~ well** comme tu le sais fort bien

3 (to the maximum) **is the volume turned up ~?** est-ce que le volume est à fond?; **with the heating up ~** avec le chauffage à fond

C in full *adv phr* **to write sth in ~** écrire qch en toutes lettres; **to pay sb in ~** payer qn intégralement; **to publish/describe sth in ~** publier/décrire qch intégralement

(Idiom) **to enjoy** *ou* **live life to the ~** profiter pleinement de l'existence

full: **~-back** /'fʊlbæk/ *n* Sport arrière *m*; **~ beam** *n* Aut pleins phares

full blast○ /ˌfʊl'blɑːst/ *adv* **the TV/radio was on** *ou* **going at ~** la télé/radio marchait à pleins tubes○ *or* à pleine gomme○; **we had the heater on at ~** nous avions mis le chauffage au maximum

full-blooded /ˌfʊl'blʌdɪd/ *adj* **1** (vigorous) [*argument, condemnation*] vigoureux/-euse; **2** (committed) [*socialism, monetarism*] pur et dur *inv*; **3** (pure bred) [*person*] de race pure; [*horse*] pur sang

full-blown /ˌfʊl'bləʊn/ *adj* **1** Med [*disease*] déclaré; [*epidemic*] qui fait rage; **to have ~ Aids** être atteint d'un sida avéré; **2** (qualified) [*doctor, lawyer*] diplômé; **3** (large-scale) [*recession, crisis, war*] à grande échelle; **4** [*rose*] épanoui

full: **~ board** *n* Tourism pension *f* complète; **~-bodied** *adj* [*wine*] corsé

f

full colour
A *n* Print **with 20 illustrations in ~** avec 20 illustrations en couleur
B **full-colour** *modif* [*illustration, plate*] en couleur
full-cream milk *n* GB lait *m* entier
full dress
A *n* gen tenue *f* de cérémonie; Mil grande tenue *f*; **officers in ~** des officiers en grande tenue
B **full-dress** *modif* 1 Mil [*uniform*] de cérémonie; [*officer, parade*] en grande tenue; 2 Pol [*debate*] officiel/-ielle
fuller /ˈfʊlə(r)/ ▸ **p. 1683** *n* Tex fouleur/-euse *m/f*
fuller's earth *n* terre *f* à foulon
full: **~-face** *adj, adv* de face; **~-frontal** *adj* [*photograph*] nu de face; [*nudity*] intégral; **~-grown** *adj* adulte
full house *n* 1 Theat **to have a ~** faire salle comble; **to play to a ~** jouer à guichets fermés; 2 Games (in poker) full *m*
full-length /ˌfʊlˈleŋθ/
A *adj* 1 Cin **a ~ film** un long métrage; 2 (head to toe) [*portrait, photo*] en pied; [*mirror*] qui permet de se voir en pied; **~ window** baie *f* vitrée; 3 (long) [*coat, curtain, sleeve*] long/longue; [*novel, opera*] grand (*before n*)
B *adv* [*lie*] de tout son long
full name *n* nom *m* et prénom *m*
fullness /ˈfʊlnɪs/ *n* 1 (width) (of sleeve, dress) ampleur *f*; 2 (roundness) (of breasts) rondeur *f*; (of lips) épaisseur *f*; 3 (of flavour) richesse *f*
(Idiom) **in the ~ of time** (with the passage of time) avec le temps; (eventually) en temps et lieu
full: **~-page** *adj* Advertg, Print pleine page; **~ pay** *n* traitement *m* intégral; **~ price** *adj, adv* au prix fort
full-scale /ˌfʊlˈskeɪl/ *adj* 1 (in proportion) [*drawing, plan*] grandeur *f* nature; 2 (extensive) [*operation, search*] de grande envergure; [*investigation*] approfondi; [*study*] exhaustif/-ive; 3 (total) [*alert, panic*] général; [*war, crisis*] généralisé; 4 (complete) [*performance*] grand (*before n*)
full-size(d) /ˌfʊlˈsaɪz(d)/ *adj* 1 (large) grand format *inv*; 2 (not for children) [*violin, bike*] pour adulte
full stop *n* GB 1 (in punctuation) point *m*; **I'm not leaving, ~!** je ne pars pas, point final!; 2 (impasse) **negotiations have come to a ~** les négociations ont abouti à une impasse; 3 (halt) **work has come to a ~** les travaux ont été entièrement interrompus
full-throated /ˌfʊlˈθrəʊtɪd/ *adj* **to give a ~ laugh** rire à gorge déployée; **to give a ~ cry** crier à pleine gorge
full time
A *n* Sport fin *m* du match; **he blew the whistle for ~** il a sifflé la fin du match
B **full-time** *modif* 1 Sport [*score, whistle*] final; 2 (permanent) [*job, worker, student, secretary*] à plein temps; **to be in full-time education** [*schoolchild*] être élève à plein temps; [*student*] être étudiant à plein temps
C *adv* [*study, teach, work*] à plein temps
full: **~-timer** *n* employé/-e *m/f* à plein temps; **~ word** *n* Ling mot *m* plein
fully /ˈfʊlɪ/ *adv* 1 (completely) [*understand*] très bien; [*succeed, recover*] tout à fait; [*equipped, furnished, dressed, illustrated*] entièrement; [*awake, developed*] complètement; [*aware, informed*] parfaitement; **to be ~ qualified** avoir obtenu tous ses diplômes; **I ~ intend to do it** j'ai bien l'intention de le faire; **he doesn't ~ realize what he's doing** il n'est pas pleinement conscient de ce qu'il fait; 2 (to the maximum) [*open, closed*] à fond; [*stretched, unwound*] complètement; **~ booked** complet/-ète; **a ~ loaded truck** un camion à pleine charge; **my time is ~ occupied** je suis entièrement pris; 3 (comprehensively) [*examine, study*] à fond; [*explain, describe*] de façon détaillée; **I'll write more ~ later** j'écrirai plus longuement plus tard; 4 (at least) **it's ~ ten years since I last saw you** je ne t'ai pas vu depuis dix ans au moins; **the hotel is ~ 20 km from the station** l'hôtel est au moins à 20 km de la gare; **it took me ~ two hours** j'ai mis deux bonnes heures
fully-fashioned /ˌfʊlɪˈfæʃnd/ *adj* Fashn ajusté
fully-fledged /ˌfʊlɪˈfledʒd/ *adj* 1 Zool [*bird*] qui a toutes ses plumes; 2 (established) [*member, officer*] à part entière; [*accountant, lawyer*] diplômé
fulmar /ˈfʊlmə(r)/ *n* fulmar *m*
fulminate /ˈfʌlmɪneɪt, US ˈfʊl-/
A *n* Chem fulminate *m*
B *vi* fulminer, pester (**against** contre)
fulsome /ˈfʊlsəm/ *adj* sout [*praise, compliments*] excessif/-ive, exagéré; [*manner*] obséquieux/-ieuse; **to be ~ in one's praise of sth** vanter qch avec excès
fulsomely /ˈfʊlsəmlɪ/ *adv* avec effusion
fulsomeness /ˈfʊlsəmnɪs/ *n* outrance *f*
fumarole /ˈfjuːmərəʊl/ *n* fumerolle *f*
fumble /ˈfʌmbl/
A *n* US Sport échappé *m*
B *vtr* 1 Sport mal attraper [*ball*]; 2 (fluff, bungle) rater [*entrance, attempt*]
C *vi* 1 (fiddle clumsily) **to ~ in one's bag for a cigarette/a tissue** fouiller dans son sac pour trouver une cigarette/un mouchoir en papier; **to ~ with** manier maladroitement [*zipper, buttons*]; 2 (search clumsily) = **fumble about**; 3 fig **to ~ for words** chercher ses mots
(Phrasal verb) ■ **fumble about**: ▸ **~ about** (in dark) tâtonner (**to do** pour faire); **to ~ about in** fouiller dans [*bag, drawer*]
fume /fjuːm/ *vi* 1 ○[*person*] fulminer, être furibond○; **he was fuming at the delay** il était furibond○ à cause du retard; **to ~ with anger/with impatience** bouillonner de colère/d'impatience; 2 [*mixture, chemical*] fumer
fumes /fjuːmz/ *npl* émanations *fpl*; **petrol ~** GB, **gas ~** US vapeurs *fpl* d'essence; **factory ~** fumées *fpl* d'usine; **traffic** *ou* **exhaust ~** fumée *f* des pots d'échappement
fumigate /ˈfjuːmɪgeɪt/ *vtr* fumiger, désinfecter [qch] par fumigation
fun /fʌn/
A *n* plaisir *m*, amusement *m*; **to have ~** s'amuser (**doing** en faisant; **with** avec); **have ~!** amusez-vous!; **we had great/good ~** nous nous sommes beaucoup/bien amusés; **it is ~ to do sth, doing sth is ~** c'est amusant de faire qch; **card games are great ~** jouer aux cartes est très amusant; **to do sth for ~, to do sth for the ~ of it** faire qch pour s'amuser; **it's just for ~** c'est seulement pour rire; **to do sth in ~** faire qch pour rire *or* pour plaisanter; **half the ~ of sth/of doing is...** le plus beau de qch/de faire est...; **it's all good clean ~** il n'y a rien de mal; **it's not much ~** ce n'est pas très amusant (**for** pour); **it's no ~ doing sth** ce n'est pas très amusant de faire qch; **it's not my idea of ~** je ne trouve pas ça drôle; **to spoil sb's ~** gâcher le plaisir de qn; **it takes the ~ out of it** cela en gâche le plaisir; **to be full of ~** être très drôle; **to have a sense of ~** avoir de l'humour; **he's (such) ~** il est (tellement) drôle; **she is great ~ to be with** on s'amuse beaucoup avec elle; **we had ~ cleaning up** iron on s'est bien amusé à tout nettoyer; **that looks like ~!** iron on doit s'amuser!
B *adj* [*person*] marrant○, rigolo○; **it's a ~ thing to do** c'est amusant
C ○*vi* plaisanter
(Idioms) **to become a figure of ~** devenir la risée (**for** de); **to have ~ and games** s'amuser comme des petits fous also iron; **like ~**○**!** tu parles○!; **to make ~ of** *ou* **poke ~ at sb/sth** se moquer de qn/qch
function /ˈfʌŋkʃn/
A *n* 1 (role) (of body, organ, tool) fonction *f*; (of person) fonction *f*, charge *f*; **to fulfil a ~** [*person*] remplir une fonction; **to perform a ~ as** [*person, object*] faire fonction de; **in her ~ as...** en sa qualité de...; **that is not part of my ~** cela n'entre pas dans mes fonctions; **the ~ of the heart is to do** le cœur a pour fonction de faire; **bodily ~s** fonctions physiologiques; 2 (occasion) (reception) réception *f*; (ceremony) cérémonie *f* (officielle); 3 Comput, Math fonction *f*; **to be a ~ of** être fonction de also fig
B *vi* 1 (work properly) fonctionner; 2 (operate as) **to ~ as** [*object*] faire fonction de, servir de; [*person*] jouer le rôle de
functional /ˈfʌŋkʃənl/ *adj* [*design, furniture*] fonctionnel/-elle; (in working order) opérationnel/-elle; **~ disorder** Med trouble *m* fonctionnel; **he's barely ~ before 10 o'clock** hum il a du mal à émerger avant 10 heures
functionalism /ˈfʌŋkʃənəlɪzəm/ *n* fonctionnalisme *m*
functionalist /ˈfʌŋkʃənəlɪst/ *n, adj* fonctionnaliste (*mf*)
functionary /ˈfʌŋkʃənərɪ, US -nerɪ/ *n* gen fonctionnaire *mf*; péj bureaucrate *mf*, rond-de-cuir *m* pej
function: **~ key** *n* touche *f* de fonction; **~ room** *n* salle *f* de réception; **~ word** *n* mot *m* grammatical, mot-outil *m*
fund /fʌnd/
A *n* 1 (cash reserve) fonds *m*; **emergency/relief/unemployment ~** caisse *f* de prévoyance/secours/chômage; **strike/disaster ~** collecte *f* en faveur des grévistes/des sinistrés; 2 fig (store) **she's a ~ of wisdom** c'est un puits de sagesse; **he has a ~ of wit/experience** il a énormément d'humour/d'expérience
B **funds** *npl* 1 (capital) fonds *mpl*, capitaux *mpl*; **to be in ~s** avoir de l'argent; **government ~, public ~** fonds publics; 2 (credit balance) (of individual) argent *m*; (of company) capitaux *mpl*; 3 (on cheque) **'No ~s'**, **'insufficient ~s'** 'défaut de provision'
C **Funds** *pr npl* GB **the Funds** les fonds *mpl* d'État
D *vtr* 1 (finance) financer [*company, project*]; 2 (convert) consolider [*debt*]
E **funded** *pp adj* **government-~ed** financé par l'État; **a publicly ~ed project** un projet à fonds publics; **under-~ed** insuffisamment financé
fundamental /ˌfʌndəˈmentl/
A **fundamentals** *npl* **the ~s** (of abstract ideas) les fondements *mpl* (**of** de); (of technique, skill) les règles *fpl* de base; **let's get down to ~s** venons-en à l'essentiel
B *adj* [*question, issue, meaning*] fondamental (**to** pour); [*error*] capital; [*concern*] principal; **to be ~ to** être essentiel à; **of ~ importance** d'une importance capitale
fundamentalism /ˌfʌndəˈmentəlɪzəm/ *n* gen fondamentalisme *m*; (Islam) intégrisme *m*
fundamentalist /ˌfʌndəˈmentəlɪst/ *n, adj* gen fondamentaliste (*mf*); (Islam) intégriste (*mf*)
fundamentally /ˌfʌndəˈmentəlɪ/ *adv* [*opposed, flawed*] fondamentalement; [*incompatible*] foncièrement; [*change*] radicalement; **what concerns me ~ is...** ma préoccupation essentielle est...; **~, I think that...** au fond, je pense que...; **he's ~ a socialist** au fond, il est socialiste; **you are ~ mistaken** tu te trompes complètement
fund: **~holder** *n* GB Med médecin *m* indépendant (*qui gère lui-même le budget qui lui est alloué*); **~holding** *adj* GB Med [*GP*] indépendant (*qui gère lui-même le budget qui lui est alloué*)
funding /ˈfʌndɪŋ/ *n* Econ, Fin 1 (financial aid) financement *m*; **~ from the private sector** financement provenant du secteur privé; **to receive ~ from sb** être financé par qn; **self-~** autofinancé; **under-~** manque *m* de financement; 2 (of debt) consolidation *f*
funding body, **funding agency** *n* organisme *m* de subvention

fund: ~ **manager** *n* Fin gestionnaire *mf* de fonds; ~ **of** ~**s** *n* Fin fonds *m* de fonds; ~**-raiser** *n* (person) collecteur/-trice *m/f* de fonds; (event) collecte *f*

fund-raising /ˈfʌndreɪzɪŋ/
A *n* collecte *f* de fonds
B *adj* [*event*] pour collecter des fonds

funeral /ˈfjuːnərəl/
A *n* gen enterrement *m*, obsèques *fpl* fml, funérailles *fpl* liter; (in announcement) obsèques *fpl*
B *modif* [*march, oration, service*] funèbre
(Idiom) **that's your/her** ~○**!** c'est ton/son problème○!

funeral: ~ **director** ▸ **p. 1683** *n* entrepreneur *m* de pompes funèbres; ~ **parlour** *n*, ~ **home** US, ~ **parlor** US *n* chambre *f* mortuaire (*chez un entrepreneur de pompes funèbres*); ~ **procession** *n* (on foot) cortège *m* funèbre; (by car) convoi *m* funèbre; ~ **pyre** bûcher *m* funéraire; ~ **service** *n* service *m* funèbre

funereal /fjuːˈnɪərɪəl/ *adj* [*atmosphere*] lugubre, funèbre; [*voice*] lugubre

fun: ~ **fair** *n* fête *f* foraine; ~ **fur** *n* fausse fourrure *f*

fungal /ˈfʌŋgl/ *adj* [*spore, growth*] fongique; ~ **infection** mycose *f* fongique

fungi /fʌngaɪ, -dʒaɪ/ *pl* ▸ **fungus**

fungible /ˈfʌndʒɪbl/ *adj* fongible

fungoid /ˈfʌŋgɔɪd/ *adj* fongoïde

fungous /ˈfʌŋgəs/ *adj* fongueux/-euse

fungus /ˈfʌŋgəs/ *n* (*pl* **-gi**) **1** (plant) champignon *m*; **2** (mould) moisissure *f*; **3** Med champignon *m*, mycose *f* spec

fun house *n* US ≈ palais *m* des miroirs

funicular /fjuːˈnɪkjʊlə(r)/ *n*, *adj* funiculaire (*m*)

funk /fʌŋk/
A *n* **1** Mus funk *m*; **2** ○†(fear) trouille○ *f*; (coward) froussard/-e○ *m/f*; **to be in a (blue)** ~ avoir une trouille bleue○
B ○†*vtr* **to** ~ **it** se dégonfler

funky○ /ˈfʌŋkɪ/ *adj* funky○

fun-loving /ˈfʌnlʌvɪŋ/ *adj* [*person*] qui aime s'amuser; **he's very** ~ il aime beaucoup s'amuser

funnel /ˈfʌnl/
A *n* **1** (for liquids etc) entonnoir *m*; **2** (on ship, engine) cheminée *f*
B *vtr* **1** lit **to** ~ **sth into/through** faire passer qch dans/par; **to** ~ **sth out** évacuer qch; **2** fig (channel) acheminer [*funds, aid*] (**to** vers); **to** ~ **funds into doing** débloquer des crédits pour faire
C *vi* **to** ~ **into/through** [*crowd, wind*] s'engouffrer dans/à travers; [*liquid*] passer dans/par

funnies○ /ˈfʌnɪz/ *npl* US bandes *fpl* dessinées

funnily /ˈfʌnɪlɪ/ *adv* (oddly) [*walk, talk*] curieusement; ~ **enough,...** chose curieuse,...

funny /ˈfʌnɪ/
A *adj* **1** (amusing) [*person, incident, film, joke*] drôle, amusant; **are you trying to be** ~○**?** tu essaies d'être drôle par hasard○?; **very** ~**!** iron très drôle!; **2** (odd) [*hat, smell, noise, man*] bizarre; **a** ~ **voice** une drôle de voix, une voix bizarre; **it's** ~ **that she hasn't phoned** c'est drôle *or* bizarre qu'elle n'ait pas appelé; **it's** ~ **how people change** c'est drôle *or* bizarre comme les gens changent; **there's something** ~ **about him** il a quelque chose de bizarre, c'est un drôle d'homme; **something** ~**'s going on** il se passe des choses bizarres; **it's a** ~ **feeling but...** c'est une drôle d'impression mais...; **it's** ~ **you should mention it** c'est drôle que tu en parles; **3** ○(unwell) **to feel** ~ se sentir tout/-e chose○
B *adv*○ [*walk, talk, act*] bizarrement, drôlement
(Idiom) ~ **peculiar or** ~ **ha-ha?** drôle-bizarre ou drôle-amusant?

funny: ~ **bone**○ *n* petit juif○ *m*; ~ **business**○ *n* ȼ magouilles○ *fpl*; ~ **farm**○ *n* cabanon○ *m*; ~ **money**○ *n* fausse monnaie *f*

fun run /ˈfʌnrʌn/ *n*: *course à pied pour amateurs, souvent organisée pour collecter des fonds*

fur /fɜː(r)/
A *n* ȼ **1** (on animal) poils *mpl*, pelage *m*; (for garment) fourrure *f*; **she was dressed in** ~**s** elle portait de la fourrure *or* des fourrures; **2** GB (in kettle, pipes) tartre *m*
B *modif* [*collar, lining, jacket*] de fourrure; ~ **coat** manteau *m* de fourrure
(Idiom) **that'll make the** ~ **fly!** ça va chauffer○!, ça va barder○!
(Phrasal verb) ■ **fur up** GB [*kettle, pipes*] s'entartrer

furbelow‡ /ˈfɜːbɪləʊ/ *n* falbala *m*

furbish /ˈfɜːbɪʃ/ *vtr* (renovate) refaire [*room*]; rénover [*building*]

furious /ˈfjʊərɪəs/ *adj* **1** (angry) furieux/-ieuse (**with, at** contre); **I was** ~ **with myself** j'étais furieux contre moi-même; **he's** ~ **about it** cela l'a rendu furieux; **I was** ~ **with her for coming** *ou* **that she had come** j'étais furieux qu'elle soit venue; **he was** ~ **at being cheated** *ou* **that he'd been cheated** il était furieux d'avoir été trompé; **I was** ~ **to learn that...** j'étais furieux d'apprendre que...; **he was absolutely** ~ il était fou furieux; **2** fig (violent) [*debate, energy, struggle*] acharné; [*storm*] déchaîné; **at a** ~ **rate** à un rythme effréné
(Idioms) **the pace was fast and** ~ le rythme était endiablé; **the questions came fast and** ~ les questions fusaient

furiously /ˈfjʊərɪəslɪ/ *adv* furieusement; [*struggle*] avec acharnement; **he was** ~ **angry** il était hors de lui; **he was waving his hands** ~ il gesticulait frénétiquement

furl /fɜːl/
A *vtr* ferler [*sail*]; rouler [*flag*]
B *vi* [*smoke*] **to** ~ **out/upwards** sortir/monter en volutes

furlong /ˈfɜːlɒŋ, US -lɔːŋ/ ▸ **p. 1389** *n* furlong *m* (= *201 m*)

furlough /ˈfɜːləʊ/ *n* Mil permission *f*; gen congé *m*

furnace /ˈfɜːnɪs/ *n* **1** chaudière *f*; (in foundry) fourneau *m*; (for forging) four *m*; **2** fig fournaise *f*

furnish /ˈfɜːnɪʃ/
A *vtr* **1** (put furniture in) meubler [*room, apartment*] (**with** avec); **2** (provide) fournir [*document, facts, excuse*]; **to** ~ **sb with sth** fournir qch à qn [*document, facts, clothing, equipment*]
B **furnished** *pp adj* [*apartment*] meublé

furnishing /ˈfɜːnɪʃɪŋ/
A *n* (action) ameublement *m* (**of** de)
B **furnishings** *npl* (complete décor) ameublement *m*; (furniture) mobilier *m*
C *modif* [*fabric*] d'ameublement; ~ **department** rayon *m* ameublement

furniture /ˈfɜːnɪtʃə(r)/
A *n* ȼ mobilier *m*, meubles *mpl*; **bedroom** ~ meubles *fpl* de chambre à coucher; **door** ~ plaques *fpl* et poignées *fpl*, ferrures *fpl*; **garden** *ou* **lawn** ~ mobilier *m* de jardin; **mental** ~ univers *m* intellectuel; **office** ~ mobilier *m* de bureau; **street** ~ mobilier *m* urbain; **a piece of** ~ un meuble
B *modif* [*shop, business, factory, maker, restorer*] de meubles; [*industry*] du meuble
(Idiom) **to be part of the** ~○ hum faire partie des meubles○

furniture: ~ **depot** *n* garde-meubles *m inv*; ~ **polish** *n* encaustique *f*; ~ **remover** ▸ **p. 1683** *n* GB déménageur *m*; ~ **store** *n* magasin *m* de meubles; ~ **van** *n* camion *m* de déménagement

furore /fjʊˈrɔːrɪ/, **furor** US /ˈfjuːrɔːr/ *n* (acclaim) enthousiasme *m*; (criticism) scandale *m*; **to cause a** ~ (reaction, excitement) soulever les passions; (outrage) faire scandale; (acclaim) provoquer l'enthousiasme; **there was a** ~ **over** *ou* **about** il y a eu beaucoup de bruit autour de

furred /fɜːd/ *adj* **1** GB [*kettle, pipes*] entartré; **2** [*tongue*] chargé

furrier /ˈfʌrɪə(r)/ ▸ **p. 1683** *n* fourreur *m*

furrow /ˈfʌrəʊ/
A *n* **1** (in earth, snow) sillon *m*; **2** (on brow) pli *m*
B *vtr* plisser [*brow*]; **her** ~**ed brow** son front plissé; **his brow was** ~**ed in concentration** la concentration lui faisait plisser le front
C *vi* **his brow** ~**ed** il a plissé le front
(Idiom) **to plough a lonely** ~ faire son chemin en solitaire

furry /ˈfɜːrɪ/ *adj* **1** [*toy*] en peluche; [*kitten*] au poil touffu; **2** GB [*tongue*] chargé

further /ˈfɜːðə(r)/
A *adv* (*comparative of* **far**) **1** (to or at a greater physical distance) (*also* **farther**) plus loin; **I can't go any** ~ je ne peux pas aller plus loin; **John walked** ~ **than me** John a marché plus loin que moi; **how much** ~ **is it?** c'est encore loin?; **how much** ~ **have they got to go?** est-ce qu'ils vont encore loin?; **to get** ~ **and** ~ **away** s'éloigner de plus en plus; ~ **north** plus (loin) au nord; ~ **back/forward** plus en arrière/en avant; ~ **away** *ou* **off** plus loin, plus éloigné; ~ **on** encore plus loin; **to move** ~ **back** reculer encore; **2** fig (at or to a more advanced point) (*also* **farther**) **I'll go so far but no** ~ j'irai jusque là mais pas plus loin; **the government went even** ~ le gouvernement est allé encore plus loin; **she didn't get any** ~ **with him than I did** elle n'est arrivée à rien de plus avec lui que moi; **we're** ~ **forward than we thought** on est plus avancé qu'on ne le pensait; **all that work and we're no** ~ **forward** tout ce travail ne nous a pas avancés du tout; **nothing could be** ~ **from the truth/from my mind** rien n'est plus loin *or* éloigné de la vérité/de mes pensées; **3** (to or at a greater distance in time) (*also* **farther**) ~ **back than 1964** avant 1964; **a year** ~ **on** un an plus tard; **we must look** ~ **ahead** nous devons regarder plus vers l'avenir; **I haven't read** ~ **than page twenty** je n'ai pas lu au-delà de la page vingt; **4** (to a greater extent, even more) **prices fell/increased (even)** ~ les prix ont baissé/ont augmenté encore plus; **his refusal to co-operate angered them** ~ son refus de coopérer les a agacés encore plus; **we will enquire** ~ **into the matter** nous nous renseignerons davantage sur la question; **I won't delay you any** ~ je ne vous retarderai pas davantage; **they didn't question him any** ~ ils ne l'ont pas questionné davantage *or* plus avant; **5** (in addition, furthermore) de plus, en outre; **the company** ~ **agrees to...** en outre, l'entreprise accepte de...; **she** ~ **argued that** de plus, elle a affirmé que; ~**, I must say that** de plus *or* en outre, je dois dire que
B *adj* (*comparative of* **far**) **1** (additional) **a** ~ **10%/500 people** encore 10%/500 personnes, 10%/500 personnes de plus; ~ **reforms/changes/increases/questions** d'autres réformes/changements/augmentations/questions; **there have been** ~ **allegations that** il y a eu de nouvelles allégations selon lesquelles; ~ **research** des recherches plus approfondies; ~ **details can be obtained by writing to the manager** pour plus de renseignements, adressez-vous à la direction; **to have no** ~ **use for sth** ne plus avoir besoin de qch; **without** ~ **delay** sans plus attendre; **there's nothing** ~ **to discuss** il n'y a rien d'autre à discuter; **is there anything** ~**?** c'est tout?; **2** (more distant) (*also* **farther**) autre; **the** ~ **end/bank/side** l'autre bout/rive/côté
C **further to** sout suite à; ~ **to your letter of 2nd May** suite à votre lettre du 2 mai
D *vtr* augmenter [*chances*]; faire avancer [*career, plan*]; servir [*cause*]

furtherance /ˈfɜːðərəns/ *n* (of aim) poursuite *f*; **in (the)** ~ **of** pour servir [*ambition, cause*]

further education *n* GB ≈ enseignement *m* professionnel

furthermore /ˌfɜːðəˈmɔː(r)/ *adv* de plus, en outre

f

furthermost /ˈfɜːðəməʊst/ *adj* le plus éloigné (**from** de); **the ~ point** le point le plus éloigné; **the ~ chair** la chaise la plus éloignée

furthest /ˈfɜːðɪst/
A *adj* (*superlative of* **far**) (the most distant) [*point, place, part, side, bank*] le plus éloigné; **the tree ~ (away) from the window** l'arbre le plus éloigné de la fenêtre; **the houses ~ (away) from the river** les maisons les plus éloignées de la rivière; **which of the three is (the) ~?** lequel des trois est le plus éloigné *or* loin?
B *adv* **1** (to, at the greatest distance in space) (*also* **the ~**) le plus loin; **Tim can swim/run (the) ~** c'est Tim qui nage/court le plus loin; **the ~ north/west** le plus au nord/à l'ouest; **this plan goes ~ towards solving the problem** fig c'est ce projet qui s'approche le plus de la solution du problème; **2** (at, to greatest distance in time) **the ~ back I can remember is 1970** je ne me rappelle rien avant 1970; **the ~ ahead we can look is next week** nous ne pouvons rien prévoir au-delà de la semaine prochaine

furtive /ˈfɜːtɪv/ *adj* [*glance, movement*] furtif/-ive; [*person*] agissant subrepticement; [*behaviour*] suspect; [*deal, meeting*] subreptice; **~ drink/photograph** boisson/photo prise en cachette

furtively /ˈfɜːtɪvlɪ/ *adv* [*glance*] furtivement; [*act*] subrepticement; [*eat, smoke*] en cachette

fury /ˈfjʊərɪ/
A *n* **1** fureur *f*; fig (of storm, sea) violence *f*; **to be in a ~** être en fureur; **to clench one's fists in ~** serrer les poings de rage; **he flew at her in a ~** il se rua sur elle dans un accès de rage; **2** fig (woman) furie *f*
B Furies *pr npl* **the Furies** Mythol les Furies *fpl*
(Idiom) **to do sth like ~**○ faire qch comme un fou○/une folle○

furze /fɜːz/ *n* ¢ ajoncs *mpl*

fuse /fjuːz/
A *n* **1** Elec fusible *m*, plomb *m*; **a ~ has blown** un fusible a sauté; **to blow a ~** lit faire sauter un fusible; fig○ piquer une crise○; **2** (cord) (for explosive device) mèche *f*; **3** (detonator) détonateur *m*
B *vtr* **1** GB Elec **to ~ the lights** faire sauter○ les plombs; **2** munir [qch] d'un fusible [*plug*]; amorcer [*bomb*]; **3** Tech (unite) souder [*wires*]; amalgamer [*metals*]; **4** fig faire fusionner [*ideas, images*]
C *vi* **1** GB Elec **the lights have ~d** les plombs ont sauté; **2** Tech [*metals, chemicals*] amalgamer; **3** fig (*also* **~ together**) [*images, ideas*] fusionner
D fused *pp adj* Elec [*plug*] avec fusible incorporé
(Idiom) **to be on a short ~** être soupe au lait

fuse box *n* Elec boîte *f* à fusibles

fusel /ˈfjuːzl/ *n* (*also* **~ oil**) huile *f* de fusel

fuselage /ˈfjuːzəlɑːʒ, -lɪdʒ/ *n* fuselage *m*

fuse wire *n* Elec fusible *m*

fusible /ˈfjuːzəbl/ *adj* [*metal, alloy*] fusible; **~ interfacing** (for sewing) entoilage *m* thermocollant

fusilier /ˌfjuːzəˈlɪə(r)/ *n* fusilier *m*

fusillade /ˌfjuːzəˈleɪd, US -sə-/ *n* **1** Mil fusillade *f*; **2** fig (of criticism, questions) avalanche *f*

fusion /ˈfjuːʒn/ *n* **1** Phys fusion *f*; **2** fig (of styles) mélange *m*; (of ideas, images, parties) fusion *f*

fuss /fʌs/
A *n* **1** (agitation) remue-ménage *m inv*; (verbal) histoires *fpl*; **to make a ~** faire des histoires; **to make a ~ about sth** faire toute une histoire à propos de qch; **to make a lot of ~ over accepting** faire un tas d'histoires pour accepter; **what's all the ~ about?** pourquoi tout ce remue-ménage?; **there's no need to make such a ~** il n'y a pas de quoi en faire une histoire; **with a minimum of ~** avec le moins d'histoires possible; **to make a big ~ about nothing** faire un tas d'histoires pour rien; **I don't see what all the ~ is about** je ne vois pas où est le problème; **2** (angry scene) tapage *m*; **to kick up a ~ about sth** piquer une crise○ à propos de qch; **there was a big ~ when she found out** elle a piqué une crise○ quand elle l'a appris; **3** (attention) **to make a ~ of** être aux petits soins avec *or* pour [*person*]; caresser [*animal*]; **there's no need to make a ~ of him** il ne faut pas s'occuper de lui; **he likes to be made a ~ of** (of person) il aime qu'on fasse grand cas de lui; (animal) il aime qu'on le caresse; **she doesn't want any ~** (of dignitary, visitor) elle veut qu'on la reçoive simplement
B *vtr* US (bother) asticoter○
C *vi* **1** (worry) se faire du souci (**about** pour); **he's always ~ing over *ou* about his appearance** il est obsédé par son apparence; **don't ~, I've got a key** ne t'affole pas, j'ai une clé; **2** (be agitated) s'agiter; **stop ~ing!** arrête de t'agiter pour rien!; **3** (show attention) **to ~ over sb**○ être aux petits soins avec *or* pour qn

fussbudget○ /ˈfʌsbʌdʒɪt/ *n* US = **fusspot**

fussily /ˈfʌsɪlɪ/ *adv* **1** (anxiously) avec maniaquerie; **2** (ornately) de manière tarabiscotée

fussiness /ˈfʌsɪnɪs/ *n* **1** (of decoration) tarabiscotage *m*; (of prose style) emphase *f*; **2** (choosiness) maniaquerie *f*

fussing /ˈfʌsɪŋ/ *n* maniaquerie *f*; **endless ~ about *ou* over details** de la maniaquerie à n'en plus finir sur les détails; **endless ~ about nothing** des histoires à n'en plus finir pour rien

fusspot○ /ˈfʌspɒt/ *n* GB **1** (finicky person) maniaque *mf*; **2** (worrier) éternel inquiet/éternelle inquiète *m/f*

fussy /ˈfʌsɪ/ *adj* **1** (difficult to please) **to be ~ about one's food/about details** être difficile sur la nourriture/maniaque sur les détails; **'when do you want to leave?'—'I'm not ~'** 'quand est-ce que tu veux partir?'—'ça m'est égal'; **2** (over-elaborate) [*furniture, decoration*] tarabiscoté; [*pattern*] trop chargé; [*curtains*] surchargé; [*prose style*] emphatique, tarabiscoté; **this dress is too ~** cette robe n'est pas assez simple

fustian /ˈfʌstɪən, US -tʃən/ *n* futaine *f*

fusty /ˈfʌstɪ/ *adj* **1** [*smell*] de moisi; **to smell ~** sentir le moisi; **2** (old-fashioned) [*person, idea, attitude*] vieux jeu *inv*

futile /ˈfjuːtaɪl, US -tl/ *adj* **1** (vain) vain; **it is ~ to do** il est vain de faire; **2** (inane) futile

futility /fjuːˈtɪlətɪ/ *n* inutilité *f*

futon /ˈfuːtɒn/ *n* futon *m*

future /ˈfjuːtʃə(r)/
A *n* **1** (on time scale) avenir *m*; **in the ~** dans l'avenir; **in the near *ou* not too distant ~** dans un proche avenir; **in ~** à l'avenir; **the train/shopping centre of the ~** le train/le centre commercial du futur *or* de demain; **who knows what the ~ holds *ou* might bring?** qui sait ce que l'avenir nous réserve?; **to see into the ~** lire l'avenir; **2** (prospects) (of person, industry, company, sport) avenir *m*; **she/the company has a ~** elle/la compagnie a de l'avenir; **to have a (bright) ~** avoir un (bel) avenir; **there's no ~ in this kind of work** ce genre de travail n'a aucun avenir; **3** Ling (*also* **~ tense**) futur *m*; **in the ~** au futur
B futures *npl* Fin (in Stock Exchange) contrats *mpl* à terme; **currency ~s** devises achetées à terme; **to deal in ~s** faire des opérations à terme
C *adj* (*épith*) [*generation, developments, investment, earnings*] futur; [*prospects*] d'avenir; [*queen, prince etc*] futur (*before n*); **at some ~ date** à une date ultérieure; **I'll keep it for ~ reference** je vais le garder au cas où on en aurait besoin fml *or* au cas où○; **that would be useful for ~ reference** cela pourrait être utile dans l'avenir

future perfect *n* futur *m* antérieur

future-proof /ˈfjuːtʃəpruːf/
A *adj* [*product, technology*] protégé contre l'obsolescence
B *vtr* protéger [qch] contre l'obsolescence [*product, design*]

future: **~s contract** *n* contrat *m* à terme; **~s exchange** *n* marché *m* à terme; **~s market** *n* marché *m* de contrats à terme; **~s options** *npl* options *fpl* sur contrats à terme; **~s trader** ▸ p. 1683 *n* opérateur *m* sur les contrats à terme

futurism /ˈfjuːtʃərɪzəm/ (*also* **Futurism**) *n* futurisme *m*

futurist /ˈfjuːtʃərɪst/ (*also* **Futurist**) *n, adj* futuriste (*mf*)

futuristic /ˌfjuːtʃəˈrɪstɪk/ *adj* futuriste

futurity /fjuːˈtjʊərətɪ, US -tʊər-/ *n* sout futur *m*

futurologist /ˌfjuːtʃəˈrɒlədʒɪst/ *n* futurologue *mf*

futurology /ˌfjuːtʃəˈrɒlədʒɪ/ *n* futurologie *f*

fuze *n* US = **fuse**

fuzz /fʌz/
A *n* **1** (mop of hair) tignasse *f* bouclée; (beard) barbiche *f*; (downy hair) duvet *m*; **2** ○(police) **the ~** (+ *v pl*) les flics○ *mpl*
B *vtr* brouiller [*image, vision*]
C *vi* (*also* **~ over**) [*image, vision*] se brouiller

fuzziness /ˈfʌzɪnɪs/ *n* **1** (of image, photograph) flou *m*; **2** (of idea, understanding) caractère *m* confus

fuzzy /ˈfʌzɪ/ *adj* **1** [*hair, beard*] (curly) crépu; (downy) duveteux/-euse; **2** (blurry) [*image, vision, photo*] flou; **3** (vague) [*idea, mind, understanding, logic*] confus; [*distinction*] flou

fwd *abrév écrite* = **forward**

FWD *n: abrév* ▸ **front-wheel drive**

Gg

g, **G** /dʒiː/ *n* [1] (letter) g, G *m*; [2] **G** Mus sol *m*; [3] **g** (*abrév écrite* = **gram(s)**) g; [4] **g** Phys g *m*

G8 *n* Econ G8 *m*

GA US Post *abrév écrite* = **Georgia**

gab○ /gæb/ *vi* (*p prés etc* **-bb-**) jacasser; **to ~ on about sth** ne pas arrêter de parler de qch; **what's he ~bing on about?** qu'est-ce qu'il raconte?

(Idiom) **to have the gift of the ~**○ avoir du bagou(t)○

gabardine /ˈgæbədiːn, -ˈdiːn/ *n* (fabric, raincoat) gabardine *f*

gabbing○ /ˈgæbɪŋ/ *n* jacassement *m*; **stop your ~!** arrête de jacasser!

gabble /ˈgæbl/

A *n* charabia○ *m*; **~ of conversation** brouhaha *m* des conversations

B *vtr* [1] avaler [*words*]; [2] = **gabble out**

C *vi* bredouiller

(Phrasal verbs) ■ **gabble away**, **gabble on** baragouiner○

■ **gabble out**: ▶ **~ out [sth]** bafouiller [*excuse, apology*]

gabbro /ˈgæbrəʊ/ *n* gabbro *m*

gabby○ /ˈgæbɪ/ *adj* péj bavard, intarrissable

gable /ˈgeɪbl/

A *n* pignon *m*

B gabled *pp adj* à pignons (*after n*)

gable: **~ end** *n* mur-pignon *m*; **~ roof** *n* toit *m* à double pente

Gabon /gəˈbɒn/ ▸ **p. 1096** *pr n* Gabon *m*

Gabonese /ˌgæbəˈniːz/

A *n* Gabonais/-e *m/f*

B *adj* gabonais

gad /gæd/ *excl*† (*also* **by ~**) sapristi†

(Phrasal verb) ■ **gad about**, **gad around**○ (*p prés etc* **-dd-**) vadrouiller○

gad: **~about**○ *n* vadrouilleur/-euse○ *m/f*; **~fly** *n* taon *m*; fig mouche *f* du coche

gadget /ˈgædʒɪt/ *n* gadget *m* (**for doing, to do** pour faire)

gadgetry /ˈgædʒɪtrɪ/ *n* ⊄ gadgets *mpl*

Gaelic /ˈgeɪlɪk, ˈgæ-/ ▸ **p. 1378** *n*, *adj* gaélique (*m*)

> **Gaelic**
>
> Langue celtique parlée en Irlande et dans la région des Highlands et des Hébrides en Écosse. C'est, avec l'anglais, la langue officielle de la République d'Irlande où elle est enseignée à l'école. En Écosse, la diffusion de programmes en gaélique à la radio et à la télévision est obligatoire. Il existe des différences considérables entre le gaélique parlé en Irlande et celui qui est parlé en Écosse, mais les locuteurs de ces deux langues se comprennent.

Gaelic coffee *n* café *m* gaélique (*au whisky écossais*)

gaff /gæf/

A *n* [1] Fishg gaffe *f*; [2] Naut corne *f*; [3] ○GB (home) piaule○ *f*

B *vtr* Fishg gaffer

(Idioms) **to blow the ~**○ GB vendre la mèche○; **to blow the ~ on sth**○ GB révéler la vérité sur [*conspiracy*]; **to stand the ~**○ US encaisser○

gaffe /gæf/ *n* bévue *f*; **to make a ~** commettre une bévue

gaffer /ˈgæfə(r)/ *n* [1] GB (foreman) contremaître *m*; [2] GB (boss) patron *m*; [3] Cin, TV (electrician) éclairagiste *mf*; [4] †(old man) vieux bonhomme *m*

gaffer tape *n* bande *f* adhésive toilée imperméable

gag /gæg/

A *n* [1] (piece of cloth) bâillon *m*; **to put a ~ over sb's mouth** bâillonner qn; [2] ○(censorship) journ bâillon *m*; **to put a ~ on democracy/free speech** bâillonner ceux qui parlent de démocratie/de liberté de la presse; **to put a ~ on the press** bâillonner la presse; [3] ○(joke) blague○ *f*

B *vtr* (*p prés etc* **-gg-**) bâillonner [*hostage*]; journ bâillonner [*media*]; museler [*journalist, informant*]; **to ~ sb with a handkerchief** bâillonner qn avec un mouchoir

C *vi* (*p prés etc* **-gg-**) (choke) avoir un haut-le-cœur; **he ~ged on his soup** il s'est étouffé en mangeant sa soupe

gaga○ /ˈgɑːgɑː/ *adj* gaga○ *inv*, gâteux/-euse; **to go ~** devenir gaga○

gage /geɪdʒ/ *n*, *vtr* US = **gauge A, B**

gaggle /ˈgægl/ *n* troupeau *m*

gag law, **gag rule** *n* US *règle permettant d'éviter ou de limiter les débats*

gaiety /ˈgeɪətɪ/ *n* gaieté *f*

gaiety girl *n* danseuse *f* de music-hall

gaily /ˈgeɪlɪ/ *adv* [1] (brightly) [*laugh*] de bon cœur; [*say*] joyeusement; **~ coloured** GB, **~ colored** US aux couleurs gaies; **~ decorated** gaiement décoré; **~ dressed** habillé de couleurs gaies; [2] (casually) [*announce, reveal*] avec désinvolture

gain /geɪn/

A *n* [1] (increase) augmentation *f*; **~ in weight/value** augmentation de poids/de valeur; **~ in time** gain *m* de temps; **~s in productivity** gains *mpl* de productivité; [2] (profit) profit *m*, gain *m*; **material/financial ~** gain *m* matériel/financier; **to do sth for material ~** faire qch pour l'argent; [3] (advantage, improvement) gen gain *m*; (in status, knowledge) acquis *m*; **electoral/diplomatic ~s** gains électoraux/diplomatiques; **the ~s of women's liberation** les acquis de la libération féminine; **to make ~s** [*political party*] se renforcer; **it's her loss but our ~** elle y perd mais nous y gagnons

B gains *npl* Comm, Fin (profits) gains *mpl*, profits *mpl*; (winnings) gains *mpl*; (on stock market) gains *mpl*, hausses *fpl*; **losses and ~s** pertes *fpl* et profits; **to make ~s** [*currency, shares*] être en hausse

C *vtr* [1] (acquire) acquérir [*experience*] (**from** de); obtenir [*information*] (**from** grâce à); gagner [*respect, support, approval*]; conquérir [*freedom*]; **to ~ popularity** gagner en popularité; **to ~ time** gagner du temps; **to ~ sth by doing** gagner qch en faisant; **to ~ credibility by doing** gagner en crédibilité en faisant; **the advantages to be ~ed from adopting this strategy** les avantages qu'on peut obtenir en adoptant cette stratégie; **we have nothing to ~ from this investment** nous n'avons rien à gagner dans cet investissement; **to ~ the impression that** avoir l'impression que; **to ~ control of sth** prendre le contrôle de qch; **to ~ possession of sth** s'assurer la possession de qch; **to ~ ground** gagner du terrain (**on** sur); [2] (increase) (in speed, height, etc) **to ~ speed/momentum** [*driver, vehicle, plane*] prendre de la vitesse/de l'élan; **to ~ weight** prendre du poids; **to ~ 4 kilos** prendre 4 kilos; **to ~ 3 minutes** (watch, clock, competitor) prendre 3 minutes d'avance; **my watch has started to ~ time** ma montre s'est mise à avancer; [3] (win) **to ~ points** gagner des points; **the Republicans ~ed four seats** les Républicains ont gagné quatre sièges; **they ~ed four seats from the Democrats** ils ont pris quatre sièges aux Démocrates; **to ~ a comfortable victory** remporter une victoire confortable; **to ~ the upper hand** prendre le dessus; **we have everything to ~ and nothing to lose** nous avons tout à gagner et rien à perdre; [4] (reach) gagner, atteindre [*place*]

D *vi* [1] (improve) **to ~ in prestige/popularity** gagner en prestige/en popularité; **to ~ in confidence** prendre de l'assurance; [2] (profit) **she's not ~ed by it** cela ne lui a rien rapporté; **do you think we'll ~ by adopting this strategy?** pensez-vous que nous y gagnerons en adoptant cette stratégie?

(Phrasal verb) ■ **gain on**: ▶ **~ on [sb/sth]** rattraper [*person, vehicle*]; **the opposition are ~ing on the government** l'opposition l'emporte sur le gouvernement; **the sea is ~ing on the land** la mer gagne sur la terre

gainer /ˈgeɪnə(r)/ *n* [1] (person, group) gagnant/-e *m/f*; [2] Fin (share) valeur *f* en hausse

gainful /ˈgeɪnfl/ *adj* [*occupation, employment*] rémunéré

gainfully /ˈgeɪnfəlɪ/ *adv* **to be ~ employed** avoir un emploi rémunéré

gainsay /ˌgeɪnˈseɪ/ *vtr* (*prét, pp* **gainsaid**) sout réfuter [*argument*]; contredire [*person*]; **there's no ~ing it** c'est indéniable

gait /geɪt/ *n* littér (of person) démarche *f*; (of animal) allure *f*

gaiter /ˈgeɪtə(r)/ *n* guêtre *f*

gaitered /ˈgeɪtəd/ *adj* chaussé de guêtres

gal /gæl/ *n* [1] † = **girl A 1**; [2] *abrév écrite* = **gallon**

gala /ˈgɑːlə/

A *n* gala *m*; **swimming ~** gala *m* de natation

B *modif* de gala

galactic /gəˈlæktɪk/ *adj* galactique

galantine /ˈgælәntiːn/ *n* galantine *f*

Galapagos /gəˈlæpəgəs/ ▸ **p. 1355** *pr npl* (*also* **~ Islands**) **the ~** les (îles *fpl*) Galapagos *fpl*

Galapagos tortoise *n* tortue *f* des (îles) Galapagos

Galatians /gəˈleɪʃnz/ *n* (+ *v sg*) Galates *mpl*

galaxy /ˈgæləksɪ/ *n* Astron galaxie *f*; fig pléiade *f*

gale /geɪl/ *n* vent *m* violent, coup *m* de vent; **a force 9 ~** un vent force 9; **~ force winds** vents violents; **a ~ was blowing, it was blowing a ~** le vent soufflait en tempête; **~s of laughter** fig éclats *mpl* de rire

galena /gəˈliːnə/ *n* galène *f*

gale warning *n* avis *m* de coup de vent
Galicia /gəˈlɪsjə/ *pr n* (in Central Europe) Galicie *f*; (in Spain) Galice *f*
Galilean /ˌgælɪˈliːən/ Astron, Bible, Geog
A *n* Galiléen/-éenne *m/f*
B *adj* galiléen/-éenne
Galilee /ˈgælɪliː/ ▸ **p. 1493** *pr n* Galilée *f*; **the Sea of ~** le lac de Tibériade, la mer de Galilée
Galileo /ˌgælɪˈleɪəʊ/ *pr n* Galilée
gall /gɔːl/
A *n* **1** Med bile *f*; **2** (of edible animal) fiel *m*; **3** (resentment) amertume *f*; **4** (cheek) impudence *f*; **to have the ~ to do** avoir l'impudence de faire; **5** Bot galle *f*; **6** Vet écorchure *f* (*causée par le frottement*)
B *vtr* exaspérer; **it ~s me to see/hear that** ça m'exaspère de voir/d'apprendre que; **that's what ~s me** c'est ça qui m'exaspère; **it ~s me to say so** il m'en coûte de dire ça
gallant /ˈgælənt/
A ‡ or hum *n* galant *m*
B *adj* **1** (courageous) [*soldier*] vaillant, brave; [*struggle, attempt*] héroïque; **~ deeds** actes *mpl* de bravoure; **2** †(courteous) [*man, manners*] galant; **3** ‡[*ship, steed*] noble
gallantly /ˈgæləntlɪ/ *adv* **1** (bravely) vaillamment; **2** †(courteously) galamment
gallantry /ˈgæləntrɪ/ *n* **1** (courage) bravoure *f*; **2** †(courtesy) galanterie *f*
gall bladder ▸ **p. 997** *n* vésicule *f* biliaire
galleon /ˈgælɪən/ *n* galion *m*
gallery /ˈgælərɪ/ *n* **1** (*also* **art ~**) (public) musée *m*; (private) galerie *f*; (part of museum) galerie *f*; **2** Archit gen galerie *f*; (in parliament: for press, public) tribune *f*; **3** Theat dernier balcon *m*, poulailler○ *m*; **4** (in cave) galerie *f*; **5** US (auction room) salle *f* des ventes
(Idiom) **to play to the ~** chercher à épater la galerie
galley /ˈgælɪ/ *n* **1** (ship) galère *f*; **2** (ship's kitchen) cuisine *f*; **3** Aviat office *m*; **4** Print (*also* **~ proof**) galée *f*
galley slave *n* lit, fig galérien *m*
gallic /ˈgælɪk/ *adj* Chem gallique
Gallic /ˈgælɪk/ *adj* gen français; Hist gaulois; **the ~ wars** la guerre des Gaules; **the ~ nation** la France
gallicism /ˈgælɪsɪzəm/ *n* gallicisme *m*
gallimaufry‡ /ˌgælɪˈmɔːfrɪ/ *n* fatras *m*
galling /ˈgɔːlɪŋ/ *adj* [*remark, criticism*] vexant; **it was ~ to hear that** c'était vexant d'apprendre que; **I find it ~ that** je trouve vexant que (+ *subj*)
gallium /ˈgælɪəm/ *n* gallium *m*
gallivant /ˈgælɪvænt/:
(Phrasal verb) ■ **gallivant around**, **gallivant about**: ▸ **~ around** se balader; **he's off ~ing around somewhere** il est parti se balader quelque part; ▸ **~ around [sth]** se balader en [*Europe*]; se balader dans [*region*]; se balader à travers [*countryside*]
gallon /ˈgælən/ ▸ **p. 1029** *n* gallon *m* (GB = *4.546 litres*; US = *3.785 litres*); **a 5 ~ drum** un bidon de 5 gallons
gallop /ˈgæləp/
A *n* Equit, fig galop *m*; **to go for a ~** aller faire un galop; **to break into a ~** prendre le galop; **at a ~** au galop also fig; **at full ~** au grand galop; **a ~ through European history** fig un aperçu rapide de l'histoire européenne
B *vtr* galoper [*horse*]
C *vi* **1** Equit galoper; **to ~ away/back** partir/revenir au galop; **2** fig **he came ~ing down the stairs/street** il a descendu l'escalier/la rue à toute allure; **Japan is ~ing ahead in this field** le Japon dépasse tout le monde dans ce domaine; **to ~ through one's work** expédier son travail à toute vitesse
galloping /ˈgæləpɪŋ/ *adj* **1** [*horse*] au galop; **2** fig [*inflation, consumption*] galopant

gallows /ˈgæləʊz/ *n* gibet *m*, potence *f*; **to die on the ~** mourir au gibet; **to end up on the ~** finir à la potence
gallows: **~ bird**† *n* gibier *m* de potence; **~ humour** GB, **~ humor** US *n* humour *m* macabre
gallstone /ˈgɔːlstəʊn/ *n* calcul *m* biliaire
Gallup poll /ˈgæləp pəʊl/ *n* sondage *m* Gallup
galoot○ /gəˈluːt/ *n* lourdaud *m*
galop /ˈgæləp/ *n* galop *m*
galore /gəˈlɔː(r)/ *adv* [*prizes, bargains, goals, nightclubs*] à profusion; [*cocktails, whisky, sandwiches*] à volonté
galosh /gəˈlɒʃ/ *n* caoutchouc *m*
galumph /gəˈlʌmf/ hum *vi* (*also* **~ about**) se déplacer maladroitement
galvanic /gælˈvænɪk/ *adj* **1** Elec galvanique; **2** fig **to have a ~ effect on sb** faire l'effet d'une décharge électrique sur qn
galvanism /ˈgælvənɪzəm/ *n* Med galvanisation *f*
galvanization /ˌgælvənaɪˈzeɪʃn, US -nɪˈz-/ *n* Ind galvanisation *f*
galvanize /ˈgælvənaɪz/ *vtr* **1** Ind galvaniser; **2** fig galvaniser [*group, community*]; rallier [*support*]; relancer [*campaign*]; **to ~ sb into doing** pousser qn à faire; **to ~ sb into action** pousser qn à agir
galvanometer /ˌgælvəˈnɒmɪtə(r)/ *n* galvanomètre *m*
galvanoscope /ˈgælvənəskəʊp/ *n* galvanoscope *m*
Gambia /ˈgæmbɪə/ ▸ **p. 1096** *pr n* **the ~** la Gambie
Gambian /ˈgæmbɪən/ ▸ **p. 1467**
A *n* Gambien/-ienne *m/f*
B *adj* gambien/-ienne
gambit /ˈgæmbɪt/ *n* **1** tactique *f*; **opening ~** tactique pour entrer en matière; **2** (in chess) gambit *m*
gamble /ˈgæmbl/
A *n* **1** (bet) pari *m*; **to have a ~ on sth** faire un pari sur qch; **2** fig (risk) pari *m*; **to take a ~** faire un pari; **that's a bit of a ~** c'est un peu risqué; **a safe ~** un pari sûr; **his ~ paid off** son pari *or* son coup de poker a réussi
B *vtr* jouer [*money*]; fig miser (**on** sur); **to ~ everything on sth** tout miser sur qch
C *vi* (at cards) jouer; Turf parier; fig miser (**on** sur); **to ~ on the horses** parier aux courses; **to ~ at cards** jouer de l'argent aux cartes; **to ~ for high stakes** lit, fig jouer gros; **to ~ on the Stock Exchange** jouer à la Bourse; **to ~ with sb's life** jouer avec la vie de qn; **he ~d that the shares would rise** il a misé sur l'augmentation des actions; **she hadn't ~d on his being there** elle n'avait pas prévu qu'il serait là
(Phrasal verb) ■ **gamble away**: ▸ **~ away [sth]**, **~ [sth] away** perdre [qch] au jeu [*money, fortune*]; **he had ~d all his money away** il avait perdu tout son argent au jeu
gambler /ˈgæmblə(r)/ *n* joueur/-euse *m/f*; **heavy ~** flambeur *m*
Gamblers Anonymous *n*: *association qui aide les joueurs invétérés à arrêter de parier*
gambling /ˈgæmblɪŋ/
A *n* jeu *m* (d'argent); **his compulsive ~** sa passion du jeu
B *modif* [*syndicate, hall, table, house, debt*] de jeu
gambling: **~ casino** *n* casino *m*; **~ den** *n* tripot *m*; **~ joint**○ *n* tripot○ *m*; **~ losses** *n* pertes *fpl* au jeu; **~ man** *n* parieur *m*
gamboge /gæmˈbəʊʒ, -ˈbuːʒ/ *n* gomme-gutte *f*
gambol /ˈgæmbl/ *vi* (*p prés etc* **-ll-**, US **-l-**) littér [*child*] gambader; [*animal*] cabrioler
game /geɪm/
A *n* **1** (activity) jeu *m*; **to play a ~** jouer à un jeu; **a ~ for three players** un jeu à trois (joueurs); **~ of chance/of skill** jeu de hasard/d'adresse; **it's only a ~!** ce n'est qu'un jeu! **this isn't a ~, you know!** ce n'est pas un jeu, tu sais!; **to play the ~** fig jouer franc jeu; **don't play ~s with me!** (tell me the truth) ne me fais pas marcher! (don't try to be smart) n'essaie pas de jouer au plus fin avec moi!; **2** (session, match) (of chess, cards, poker, darts, hide-and-seek) partie *f*; (of football, hockey, cricket) match *m*; **to have** *ou* **play a ~ of cards/of chess** faire *or* disputer une partie de cartes/d'échecs; **let's have a ~ of football** on fait une partie de foot○? **let's have a ~ of cowboys** on joue aux cowboys?; **3** US (professional sporting event) match *m*; **4** (section of tournament) (in tennis) jeu *m*; (in bridge) manche *f*; **four ~s to one** quatre jeux à un; **we're two ~s all** nous sommes à deux jeux partout; **~ to Hadman** jeu Hadman; **~, set and match** jeu, set et match; **5** (skill at playing) jeu *m*; **how to improve your ~** comment améliorer votre jeu; **grass suits my ~** j'aime bien jouer sur gazon; **she plays a great ~ of chess** c'est une excellente joueuse d'échecs; **to put sb off his/her ~** distraire qn; **6** ○(trick, scheme) jeu *m*, manège *m*; **what's your ~?** à quoi joues-tu? **so that' s his ~!** c'est donc ça sa combine○! **I have no choice but to play his ~** je n'ai pas d'autre choix que d'entrer dans son jeu; **I decided to play the same ~** j'ai décidé de rendre la pareille; **he's up to his old ~s again** il refait des siennes; **7** ○(activity, occupation) péj *ou* hum **the insurance/marketing ~** le domaine de l'assurance/du marketing; **the politics ~** le jeu de la politique; **I've been in this ~ 10 years** je suis dans la partie depuis 10 ans; **he's new to this ~** il est nouveau dans la partie; **8** Hunt, Culin gibier *m*
B **games** *npl* **1** GB Sch sport *m*; **good at ~s** bon/bonne en sport; **2** (*also* **Games**) (sporting event) Jeux *mpl*
C *modif* **1** [*pâté, dish, stew*] de gibier; [*soup*] à base de gibier; **2** **games** GB [*teacher, lesson, master, mistress*] d'éducation physique
D *adj* **1** (willing to try) partant○; **he's ~ for anything** il est toujours partant○; **she's always ~ for an adventure/a laugh** elle est toujours prête à tenter l'aventure/à rire; **OK, I'm ~** d'accord, j'en suis; **2** (plucky) courageux/-euse; **3** [*leg*] estropié; **to have a ~ leg** boiter
(Idioms) **that's the name of the ~** c'est ce qui compte; **the ~'s up** tout est fichu○; **to beat sb at his/their own ~** battre qn à son/leur propre jeu; **to be/go on the ~**○ GB faire/se mettre à faire le trottoir○; **to give the ~ away** vendre la mèche; **two can play at that ~** à bon chat, bon rat Prov
game: **~ bag** *n* gibecière *f*; **~ bird** *n* gibier *m* à plumes; **~ chips** *npl* pommes *fpl* sautées (en tranches); **~ cock** *n* coq *m* de combat; **~ fish** *n* salmonidé *m*; **~keeper** ▸ **p. 1683** *n* garde-chasse *m*; **~ laws** *npl* réglementation *f* de la chasse
gamely /ˈgeɪmlɪ/ *adv* courageusement
game: **~ park** *n* = **game reserve**; **~ pie** *n* pâté *m* de gibier en croûte; **~ plan** *n* Sport, gen stratégie *f*; **~ point** *n* (tennis) balle *f* de jeu; **~ reserve** *n* (for hunting) réserve *f* de chasse; (for preservation) réserve *f* naturelle (*de grands fauves*); **~ show** *n* jeu *m* télévisé
gamer /ˈgeɪmə(r)/ *n* joueur/-euse *m/f*; **online ~** joueur/-euse en ligne
games console *n* console *f* de jeux
gamesmanship /ˈgeɪmzmənʃɪp/ *n* ¢ péj stratagèmes *mpl*; **that's just ~** ce n'est qu'une astuce pour gagner
games room *n* salle *f* de jeux; Comput salle *f* de jeux en ligne
gamester /ˈgeɪmstə(r)/ *n* joueur/-euse *m/f*
gamete /ˈgæmiːt/ *n* gamète *m*
game: **~(s) theory** *n* théorie *f* des jeux; **~ warden** *n* garde-chasse *m*
gamin /ˈgæmɪn/ *n* littér gosse *mf* des rues

Games and sports

With or without the definite article?

■ *French normally uses the definite article with names of games and sports:*

football
= le football

bridge
= le bridge

chess
= les échecs *mpl*

marbles
= les billes *fpl*

cops and robbers
= les gendarmes et les voleurs

to play football
= jouer au football

to play bridge
= jouer au bridge

to play chess
= jouer aux échecs

to play marbles** or **at marbles
= jouer aux billes

to play cops and robbers** or **at cops and robbers
= jouer aux gendarmes et aux voleurs

to like football
= aimer le football

to like chess
= aimer les échecs

■ *But most compound nouns (e.g.* saute-mouton, colin-maillard, pigeon vole*) work like this:*

hide-and-seek
= cache-cache *m*

to play at hide-and-seek
= jouer à cache-cache

to like hide-and-seek
= aimer jouer à cache-cache

■ *Names of other 'official' games and sports follow the same pattern as* bridge *in the following phrases:*

to play bridge with X against Y
= jouer au bridge avec X contre Y

to beat sb at bridge
= battre qn au bridge

to win at bridge
= gagner au bridge

to lose at bridge
= perdre au bridge

she's good at bridge
= elle joue bien au bridge

a bridge club
= un club de bridge

Players and events

a bridge player
= un joueur de bridge

but

I'm not a bridge player
= je ne joue pas au bridge

he's a good bridge player
= il joue bien au bridge

a game of bridge
= une partie de bridge

a bridge champion
= un champion de bridge

the French bridge champion
= le champion de France de bridge

a bridge championship
= un championnat de bridge

to win the French championship
= gagner le championnat de France

the rules of bridge
= les règles du bridge

Playing cards

■ *The names of the four suits work like* club *here:*

clubs
= les trèfles *mpl*

to play a club
= jouer un trèfle

a high/low club
= un gros/petit trèfle

the eight of clubs
= le huit de trèfle

the ace of clubs
= l'as de trèfle

I've no clubs left
= je n'ai plus de trèfle

have you any clubs?
= as-tu du trèfle?

clubs are trumps
= l'atout est trèfle

to call two clubs
= demander deux trèfles

■ *Other games vocabulary can be found in the dictionary at* **match, game, set, trick** *etc.*

gamine /gæ'mi:n/
A *n* gamine *f*
B *modif* [*hairstyle*] à la garçonne

gaming /'geɪmɪŋ/ *n* **1** (gambling) jeu *m* (d'argent); **2** (role-play games) jeu *m* de rôles; **3** Comput jeux *mpl* en ligne

gaming: **~ debt** *n* dette *f* de jeu; **~ house**† *n* maison *f* de jeu; **~ laws** *npl* réglementation *f* des jeux; **~ machine** *n* machine *f* à sous

gamma /'gæmə/ *n* gamma *m*

gamma radiation *n* rayons *mpl* gamma

gamma ray
A *n* rayon *m* gamma
B *modif* [*emissions*] des rayons gamma

gammon /'gæmən/
A *n* jambon *m*
B *modif* [*steak*] de jambon; **a ~ joint** un jambon

gammy○ /'gæmɪ/ *adj* [*leg, shoulder etc*] estropié; **to have a ~ leg** avoir une mauvaise jambe○

gamp○ /gæmp/ *n* pépin○ *m*, parapluie *m*

gamut /'gæmət/ *n* Mus, fig gamme *f*; **the whole ~ of sth** toute la gamme de qch; **to run the ~ of sth** passer par tout l'éventail de qch

gamy○ /'geɪmɪ/ *adj* faisandé; **the meat smells a bit ~** la viande a une légère odeur de faisandé

gander /'gændə(r)/ *n* **1** Zool jars *m*; **2** ○GB **to take** *ou* **have a ~ at sth** jeter un coup d'œil à qch

ganef○ /'gænef/ *n* US filou *m*

gang /gæŋ/ *n* **1** (group) (of criminals) gang *m*; (of youths) pej bande *f*; **in ~s** en bande; **to join a ~** entrer dans une bande; **the Gang of Four** Hist la Bande des Quatre; **2** (of friends etc) bande *f*; **to be one of the ~** faire partie de la bande; **3** (team of workmen, prisoners) équipe *f*; **4** Tech (of tools) jeu *m*

(Phrasal verbs) ■ **gang together** se grouper (**to do** pour faire)
■ **gang up** se coaliser (**on, against** contre; **to do** pour faire)

gangbang● /'gæŋbæŋ/ *n* viol *m* collectif

ganger /'gæŋə(r)/ *n* GB chef *m* d'équipe (*dans les ponts et chaussées*)

Ganges /'gændʒi:z/ ▸ **p. 1633** *pr n* Gange *m*

gang fight *n* bagarre *f* entre bandes

gangland /'gæŋlænd/
A ≈ le Milieu
B *modif* [*killing, crime*] du Milieu

gang leader *n* chef *m* de bande

ganglia /'gæŋglɪə/ *pl* ▸ **ganglion**

gangling /'gæŋglɪŋ/ *adj* dégingandé; **a ~ boy** *ou* **youth** un échalas

ganglion /'gæŋglɪən/ *n* (*pl* **-lia**) ganglion *m*

gang: **~plank** *n* Naut passerelle *f*; **~-rape** *n* viol *m* collectif

gangrene /'gæŋgri:n/ ▸ **p. 1327** *n* gangrène *f* also fig

gangrenous /'gæŋgrɪnəs/ *adj* gangreneux/-euse; **to go ~** se gangrener

gangster /'gæŋstə(r)/
A *n* gangster *m*, bandit *m*, truand *m*
B *modif* [*film, story, tactics*] de gangsters; [*boss*] des gangsters

gangway /'gæŋweɪ/ *n* **1** (passage) allée *f*; **'~!'** dégagez!; **2** Naut passerelle *f*

ganja /'gændʒə/ *n* ganja *f*

gannet /'gænɪt/ *n* **1** Zool fou *m* de Bassan; **2** fig, hum **he/she's a real ~** il/elle n'arrête pas de manger

gantry /'gæntrɪ/ *n* Constr portique *m*; Aerosp tour *f* de lancement

gaol *n*, *vtr* GB = **jail**

gaoler *n* GB = **jailer**

gap /gæp/ *n* **1** (empty space) (between planks, curtains) interstice *m* (**in** entre); (in fence, wall) trou *m*, ouverture *f* (**in** dans); (between buildings, cars, furniture) espace *m* (**in** entre); (in text, diagram) blanc *m*, trou *m* (**in** dans); (in hills, cloud) trouée *f* (**in** dans); **to have ~s between one's teeth** avoir les dents écartées; **his death left a ~ in my life** sa mort a laissé un vide dans ma vie; **to fill a ~** lit, fig combler un vide; **2** (break in continuity) (in timetable) trou *m*, créneau *m*; (in conversation) silence *m*; (in accounts, records, report) lacune *f*, trou *m*; (of time) intervalle *m*; (in event, performance) interruption *f*; **after a ~ of six years** après un intervalle de six ans; **3** (discrepancy) (in age) différence *f*; (between opinions) divergence *f*; (between scores) différence *f* (**in** entre); (of status) écart *m*; **a 15-year age ~** une différence d'âge de 15 ans; **the ~ between the rich and the poor** l'écart entre les riches et les pauvres; **the ~ between myth and reality** l'écart *or* le décalage entre le mythe et la réalité; **to close the ~** supprimer l'écart; **4** (deficiency) (in knowledge, education) lacune *f* (**in** dans); **there's a ~ in my memory** j'ai un trou de mémoire; **technology/training ~** insuffisance *f* en matière de technologie/formation; **5** Advertg, Comm créneau *m*; **to look for a ~ in the market** chercher un créneau sur le marché; **to fill a ~ in the market** répondre à un besoin réel du marché; **6** Fin déficit *m*; **trade ~** déficit commercial; **dollar ~** pénurie *f* de dollars

gape /geɪp/ *vi* **1** (stare) rester bouche bée; **to ~ at sth/sb** regarder qn/qch bouche bée; **2** (open wide) [*chasm, hole*] s'ouvrir tout grand; [*wound*] être béant; [*garment*] être grand ouvert; **his shirt ~d open** sa chemise était grande ouverte

gap financing *n* crédit *m* relais

gaping /'geɪpɪŋ/ *adj* **1** (staring) [*person*] bouche bée; **he was greeted by a ~ crowd** il a été accueilli par une foule qui le regardait bouche bée; **~ onlookers** badauds *mpl*; **2** (open) [*shirt, beak*] grand ouvert; [*wound,*

g

hole] béant; **their ~ mouths** leurs bouches grandes ouvertes

gappy○ /'gæpɪ/ *adj* **~ teeth** dents écartées

gap-toothed /'gæptu:θt/ *n* [*person*] qui a les dents écartées; [*smile*] édenté; **to be ~** avoir les dents écartées

gap year *n* année *f* de coupure (avant d'entrer à l'université); **to take a ~** prendre une année de coupure

> **Gap Year**
>
> Prendre une année sabbatique est une pratique répandue chez les jeunes britanniques avant d'entrer à l'université. Certains trouvent un stage dans une entreprise et en profitent pour mettre de l'argent de côté pour leurs études, mais beaucoup partent travailler ou étudier à l'étranger ou encore faire le tour du monde.

garage /'gærɑ:ʒ, 'gærɪdʒ, US gə'rɑ:ʒ/
A *n* garage *m*
B *modif* [*wall, door*] de garage
C *vtr* mettre [qch] au garage [*vehicle*]

garage: **~ mechanic** ▸ **p. 1683** *n* mécanicien *m*; **~ owner** *n* garagiste *m*; **~ sale** *n* brocante *f* à domicile

garaging /'gærədʒɪŋ/ *n* **with/without ~** avec/sans garage *m*

garb /gɑ:b/ *n* costume *m*; **in peasant/clerical ~** en costume de paysan/d'ecclésiastique

garbage /'gɑ:bɪdʒ/ *n* ¢ **1** US ordures *fpl*; **to dispose of ~** [*person*] jeter les ordures; [*local authority*] traiter les ordures; **to put the ~ out** sortir les poubelles; **2** fig (nonsense) âneries *fpl*; **to talk ~** débiter des âneries; **3** Comput données *fpl* incorrectes

(Idiom) **~ in ~ out** Comput à instructions incorrectes, résultats incorrects; fig on ne fait pas de bon pain avec du mauvais levain

garbage: **~ can** *n* US poubelle *f*; **~ chute** *n* US vide-ordures *m inv*; **~ collector**, **~ man** ▸ **p. 1683** *n* US éboueur *m*; **~ disposal** *n* traitement *m* des ordures; **~ disposal unit** *n* US broyeur *m* d'ordures; **~ truck** *n* US camion *m* des éboueurs

garble /'gɑ:bl/ *vtr* raconter [qch] de façon confuse [*story, facts*]; donner [qch] de façon confuse [*instructions*]; transmettre [qch] de façon confuse [*message*]

garbled /'gɑ:bld/ *adj* [*account, instructions*] confus

garbology /gɑ:'bɒlədʒɪ/ *n* rudologie *f*

Gard ▸ **p. 1129** *pr n* Gard *m*; **in/to the ~** dans le Gard

Garda /'gɑ:də/ ▸ **p. 1376** *pr n* **1** Geog **Lake ~** le lac de Garde; **2** (*pl* **-dai**) (in Ireland) *membre de la police d'Irlande du Sud*

garden /'gɑ:dn/
A *n* **1** GB (area surrounding house) jardin *m* also fig; **front/back ~** jardin situé devant/derrière la maison; **we don't have much ~** nous n'avons pas un grand jardin; **2** US (flower) platebande *f*; (vegetable) potager *m*
B **gardens** *npl* (municipal) jardin *m* public; ▸ **botanic**
C *modif* [*plant, furniture*] de jardin; [*wall, fence, shed*] du jardin
D *vi* jardiner, faire du jardinage

(Idioms) **to lead sb up** *ou* US **down the ~ path**○ mener qn en bateau○; **everything in the ~'s rosy**○ iron tout va pour le mieux iron

garden apartment *n* **1** = **garden flat**; **2** *immeubles bas entourant un jardin*

garden: **~ centre** GB, **~ center** US *n* jardinerie *f*; **~ city** *n* GB cité-jardin *f*

gardener /'gɑ:dnə(r)/ ▸ **p. 1683** *n* jardinier/-ière *m/f*; **to be a keen ~** (amateur) être un passionné de jardinage

garden: **~ flat** *n* GB appartement *m* en rez-de-jardin; **~-fresh** *adj* du jardin; **~ gnome** *n* nain *m* de jardin

gardenia /gɑ:'di:nɪə/ *n* gardénia *m*

gardening /'gɑ:dnɪŋ/
A *n* jardinage *m*
B *modif* [*tools, equipment*] de jardinage

garden: **Garden of Eden** *n* jardin *m* d'Éden; **~ of remembrance** *n* (in cemetery) jardin *m* du souvenir; **~ party** *n* garden-party *f*; **~ produce** *n* ¢ produits *mpl* maraîchers; **~ shears** *npl* cisailles *fpl* (de jardinier); **~ snail** *n* escargot *m*; **~ suburb** *n* banlieue *f* verte; **~-variety** *adj* US [*writer, book*] insignifiant; **~ waste** *n* déchets *mpl* de jardin

garfish /'gɑ:fɪʃ/ *n* aiguille *f*, orphie *f* spec

gargantuan /gɑ:'gæntjʊən/ *adj* littér gargantuesque liter

gargle /'gɑ:gl/
A *n* (act, liquid) gargarisme *m*; **to have a ~** se gargariser
B *vi* se gargariser (**with** avec)

gargoyle /'gɑ:gɔɪl/ *n* gargouille *f*

garish /'geərɪʃ/ *adj* [*colour, garment*] tape-à-l'œil *inv*; [*light*] cru

garishly /'geərɪʃlɪ/ *adj* [*dressed, decorated*] de façon voyante; **~ lit** à la lumière crue

garishness /'geərɪʃnɪs/ *n* (of decor) clinquant *m*; (of colour, clothes) aspect *m* tape-à-l'œil; (of light) crudité *f*

garland /'gɑ:lənd/
A *n* guirlande *f*
B *vtr* enguirlander (**with** de)

garlic /'gɑ:lɪk/
A *n* ail *m*
B *modif* [*sausage, mushrooms*] à l'ail; [*crouton, sauce*] aillé; [*salt*] d'ail; **~ butter** beurre *m* d'ail; **~ bread**: *pain chaud tartiné de beurre et d'ail*

garlicky○ /'gɑ:lɪkɪ/ *adj* [*food*] aillé; [*breath*] qui sent l'ail

garlic press *n* presse-ail *m inv*

garment /'gɑ:mənt/ *n* vêtement *m*

garner /'gɑ:nə(r)/ *vtr* sout (gather) recueillir [*information, fact*] (**from sth** dans qch); (store) emmagasiner [*memories, knowledge*]

garnet /'gɑ:nɪt/
A *n* (all contexts) grenat *m*
B *modif* [*ring, brooch*] serti d'un grenat *or* de grenats
C *adj* grenat *inv*

garnish /'gɑ:nɪʃ/
A *n* Culin garniture *f* (**of** de)
B *vtr* **1** Culin garnir (**with** de); **2** (in jewellery) orner (**with** de)

garnishee /,gɑ:nɪ'ʃi:/ *n* Jur tiers-saisi/-e *m/f*

garnishing /'gɑ:nɪʃɪŋ/ *n* garniture *f*

garnishment /'gɑ:nɪʃmənt/ *n* Jur saisie-arrêt *f*

garnishor /'gɑ:nɪʃə(r)/ *n* Jur saisissant *m*

garret† /'gærət/ *n* mansarde *f*

garrison /'gærɪsn/
A *n* garnison *f*
B *modif* [*town, troops, life*] de garnison
C *vtr* [*officer*] placer une garnison dans [*town, zone*]; [*troops*] tenir garnison dans [*town, zone*]; **to ~ troops in the area** mettre des troupes en garnison dans la région; **to be ~ed in** être en garnison à

garrotte GB, **garrote** US /gə'rɒt/
A *n* garrot *m*
B *vtr* (officially) exécuter [qn] au garrot; (strangle) étrangler (*avec une corde ou un fil de fer*)

garrulity /gə'ru:lətɪ/ = **garrulousness**

garrulous /'gærʊləs/ *adj* loquace

garrulously /'gærʊləslɪ/ *adv* de façon loquace

garrulousness /'gærʊləsnɪs/ *n* loquacité *f*

garter /'gɑ:tə(r)/ *n* **1** (for stocking) jarretière *f*; (for sock) fixe-chaussette *m*; **2** US (suspender) jarretelle *f*; **3** GB (title) **Knight/Order of the Garter** Chevalier *m*/Ordre *m* de la Jarretière

(Idiom) **I'll have your guts for ~s**○! j'aurai ta peau○!

> **Order of the Garter**
>
> Ordre de chevalerie fondé en 1348 par le roi Édouard III dont la devise 'Honi soit qui mal y pense' figure sur les armoiries royales. Édouard III aurait prononcé ces paroles au cours d'une fête, après avoir ramassé la jarretière que la comtesse de Salisbury avait perdue en dansant, pour la nouer autour de son propre genou. C'est la plus haute distinction au Royaume-Uni.

garter: **~ belt** *n* US porte-jarretelles *m inv*; **~ snake** *n* couleuvre *f*; **~ stitch** *n* point *m* mousse

gas /gæs/
A *n* **1** (fuel) gaz *m*; **to cook/heat a house with ~** cuisiner/chauffer une maison au gaz; **to turn up/turn down the ~** augmenter/baisser le gaz; **on a low/medium ~** (in cooking) à feu doux/moyen; **on a high ~** à grand feu; **to use bottled ~** utiliser du gaz en bouteille; **2** Chem gaz *m*; **3** Dent (anaesthetic) anesthésie *f*; **to have ~** être anesthésié; **4** Mil gaz *m* de combat; **5** US (petrol) essence *f*; **6** ○(*also* **~ pedal**) US (accelerator) accélérateur *m*; **7** ○†GB (chat, talk) **to have a ~** papoter○; **8** ○(funny experience, person) **it was a ~!** on s'est bien marrés○!; **what a ~!** quelle (partie de) rigolade○!; **he's a ~** c'est un marrant○
B *modif* [*board, industry, company*] du gaz; [*explosion, pipe*] de gaz
C *vtr* (*p prés etc* **-ss-**) gen, Mil gazer [*person, animal*]
D *vi* (*p prés etc* **-ss-**) **1** (give off gas) dégager des gaz; **2** ○†GB (chatter) papoter○; (go on at length) parler sans arrêt
E *v refl* (*p prés etc* **-ss-**) **to ~ oneself** se suicider au gaz

(Idiom) **to step on the ~** appuyer sur le champignon○

(Phrasal verb) ■ **gas up** US prendre de l'essence

gas: **~bag**○ *n* moulin *m* à paroles○; **~ board** *n* compagnie *f* du gaz; **~ bracket** *n* applique *f* à gaz; **~ burner** *n* brûleur *m* à gaz; **~ carrier** *n* transporteur *m* de gaz, méthanier *m*; **~ chamber** *n* chambre *f* à gaz

Gascon /'gæskən/ ▸ **p. 1378**
A *n* **1** (native) Gascon/-onne *m/f*; **2** (dialect) gascon *m*
B *adj* gen, Ling gascon/-onne

Gascony /'gæskənɪ/ ▸ **p. 1243** *pr n* Gascogne *f*

gas: **~ cooker** *n* cuisinière *f* à gaz; **~-cooled** *adj* à refroidissement par gaz

gaseous /'gæsɪəs, 'geɪsɪəs/ *adj* gazeux/-euse

gas: **~ fire** *n* GB (appareil *m* de) chauffage *m* à gaz; **~-fired** *adj* [*boiler, water heater*] à gaz; [*central heating*] au gaz; **~ fitter** ▸ **p. 1683** *n* chauffagiste *m*; **~ fittings** *npl* installation *f* de gaz; **~ guzzler**○ *n* US voiture *f* qui consomme beaucoup d'essence

gash /gæʃ/
A *n* gen entaille *f* (**in, on** à); (in boiler, ship's hull) déchirure *f* (**in** à)
B ○*adj* (not needed) superflu
C *vtr* entailler; **to ~ one's leg/hand** s'entailler la jambe/la main (**on** avec)

gas: **~ heater** *n* (for room) (appareil *m* de) chauffage *m* à gaz; (for water) chauffe-eau *m inv*; **~holder** *n* gazomètre *m*

gas jet *n* **1** (burner) brûleur *m*; **2** (stream of gas) jet *m* de gaz

gasket /'gæskɪt/ *n* **1** Tech (in pump) garniture *f*; (in joint) joint *m* (d'étanchéité); **to blow a ~** Aut faire sauter un joint de culasse; fig hum piquer une crise○; **2** Naut (for sail) raban *m* de ferlage

gas lamp *n* (domestic) lampe *f* à gaz; (in street) bec *m* de gaz

gaslight /'gæslaɪt/ *n* **1** **C** (lamp) lampe *f* à gaz; (streetlamp) bec *m* de gaz, réverbère *m*; **2** ¢ (illumination) lueur *f* d'une lampe à gaz; (of street lamp) lueur *f* d'un réverbère

gas: ~ **lighter** *n* (for cooker) allume-gaz *m inv*; ~ **lighting** *n* éclairage *m* au gaz; ~ **line** *n* US queue *f* à la station d'essence; ~**lit** *adj* éclairé au gaz; ~ **main** *n* canalisation *f* de gaz; ~ **man** ▸ **p. 1683** *n* employé *m* du gaz; ~ **mantle** *n* manchon *m* à incandescence; ~ **mask** *n* masque *m* à gaz; ~ **meter** *n* compteur *m* à gaz; ~ **mileage** *n* US consommation *f* d'essence

gasohol /'gæsəhɒl/ *n* carburol *m*

gas oil *n* gazole *m*

gasoline /'gæsəliːn/ *n* US essence *f*; ~**-powered** Aut à essence

gasometer /gæ'sɒmɪtə(r)/ *n* gazomètre *m*

gas oven *n* four *m* à gaz; **she put her head in the** ~ elle s'est suicidée en mettant la tête dans le four

gasp /gɑːsp/

A *n* (breathing) halètement *m*; **to give** *ou* **let out a** ~ avoir le souffle coupé; **to give a** ~ **of horror** avoir le souffle coupé par l'épouvante; **there were** ~**s of amazement from the crowd** la foule en avait le souffle coupé; **at the last** ~ fig au dernier moment; **to be at one's last** ~ lit être sur le point de mourir; fig être exténué

B *vtr* **'Help!' he** ~**ed** 'Au secours!' dit-il en haletant; **she** ~**ed (out) a few words** elle balbutia quelques mots en haletant

C *vi* **1** (for breath, air) haleter; **to** ~ **for breath** haleter; **2** (show surprise) perdre le souffle; **to** ~ **in** *ou* **with amazement** avoir le souffle coupé par la surprise; **3** ○**to be** ~**ing for a drink/cigarette** mourir d'envie de boire un verre/fumer une cigarette

gas pedal *n* US accélérateur *m*

gasper†◑ /'gɑːspə(r)/ *n* GB sèche†○ *f*, cigarette *f*

gas: ~**-permeable** *adj* perméable au gaz; ~ **pipeline** *n* gazoduc *m*; ~ **poker** *n*: *allumeur au gaz pour feu dans une cheminée*; ~**-powered** *adj* fonctionnant au gaz; ~ **range** *n* fourneau *m* à gaz; ~ **ring** *n* GB (fixed) brûleur *m* à gaz; (portable) réchaud *m* à gaz; ~ **station** *n* US station-service *f*; ~ **stove** *n* cuisinière *f* à gaz

gassy /'gæsɪ/ *adj* [*drink*] gazeux/-euse

gas: ~ **tank** *n* US Aut réservoir *m*; ~ **tap** *n* robinet *m* du gaz

gastrectomy /gæ'strektəmɪ/ *n* Med gastrectomie *f*

gastric /'gæstrɪk/ *adj* [*juices, ulcer, pain*] gastrique; ~ **flu** grippe *f* intestinale

gastritis /gæ'straɪtɪs/ ▸ **p. 1327** *n* gastrite *f*

gastro-enteritis /,gæstrəʊ,entə'raɪtɪs/ ▸ **p. 1327** *n* gastro-entérite *f*

gastroenterologist /,gæstrəʊ,entə'rɒlədʒɪst/ ▸ **p. 1683** *n* gastro-entérologue *mf*

gastroenterology /,gæstrəʊ,entə'rɒlədʒɪ/ *n* gastro-entérologie *f*

gastrointestinal /gæstrəʊɪn'testɪnl, -ɪnte-s'taɪnl/ *adj* gastro-intestinal

gastronome /'gæstrənəʊm/ *n* sout gastronome *mf*

gastronomic /,gæstrə'nɒmɪk/ *adj* sout gastronomique

gastronomist /gæ'strɒnəmɪst/ *n* sout gastronome *mf*

gastronomy /gæ'strɒnəmɪ/ *n* sout gastronomie *f*

gastroplasty /'gæstrə(ʊ),plæstɪ/ *n* Med gastroplastie *f*

gastropod /'gæstrəpɒd/ *n* gastéropode *m*

gas: ~ **turbine** *n* turbine *f* à gaz; ~ **worker** ▸ **p. 1683** *n* employé *m* du gaz; ~**works** *n* usine *f* à gaz

gat†◑ /gæt/ *n* US (gun) flingue◑ *m*

gate /geɪt/

A *n* **1** (of field, level crossing) barrière *f*; (in underground railway) portillon *m* automatique; (of town, prison, garden) porte *f*; (of courtyard, palace) portail *m*; (at airport) porte *f*; **please proceed to** ~ **12** veuillez vous rendre à la porte 12; **at the** ~ à l'entrée; **2** Sport **there was a good** ~ **at the match** (money) le match a fait une grosse recette; **there was a** ~ **of 29,000** il y a eu 29 000 spectateurs; **3** (in skiing) porte *f*; **4** Comput porte *f*

B ○*vtr* GB coller○

(Idiom) **to give sb/get the** ~○ US mettre qn/être mis à la porte

-gate

Depuis l'affaire des écoutes de l'immeuble du *Watergate* qui entraîna la démission du président Nixon, le suffixe *-gate* est employé pour parler d'un scandale dans les milieux politiques américains et britanniques (*Irangate, Monicagate*).

gâteau /'gætəʊ, US gæ'təʊ/ *n* (*pl* ~**x**, ~**s**) gâteau *m* (à la crème)

gatecrash○ /'geɪtkræʃ/

A *vtr* (without paying) resquiller○ à [*concert*]; (without invitation) se pointer○ sans invitation à [*party*]

B *vi* (at concert) resquiller○; (at party) se pointer○ sans invitation

gatecrasher○ /'geɪtkræʃə(r)/ *n* (at concert) resquilleur/-euse *m/f*; (at party) intrus/-e *m/f*

gate: ~**fold** *n* Publg dépliant *m* intérieur; ~**house** *n* (at park, estate) maison *f* de gardien; (at lock) cabine *f* des commandes; ~**keeper** *n* gardien/-ienne *m/f*; ~**leg table** *n* table *f* anglaise; ~ **lodge** *n* loge *f* de gardien; ~ **money** *n* Sport recette *f*

gatepost /'geɪtpəʊst/ *n* poteau *m* d'angle

(Idiom) **between you, me and the** ~○ entre nous soit dit

gateway /'geɪtweɪ/ *n* **1** (entrance) entrée *f*; fig voie *f* ouverte; **the** ~ **to success/to fame** la voie ouverte au succès/à la célébrité; **Dover is England's** ~ **to Europe** Douvres est la porte de l'Europe pour les Anglais; **2** Comput passerelle *f*

gather /'gæðə(r)/

A *n* Sewing fronce *f*

B *vtr* **1** (collect) cueillir [*fruit, nuts, mushrooms, flowers*]; ramasser [*wood, fallen fruit*]; recueillir [*data, information, evidence*]; percevoir [*taxes*]; rassembler [*followers, strength, courage*]; **to** ~ **one's strength** rassembler ses forces; **the movement is** ~**ing strength** le mouvement devient plus puissant; **to** ~ **dust** lit prendre la poussière; fig tomber dans l'oubli; **to** ~ **momentum** lit prendre de la vitesse; fig gagner du terrain; **to** ~ **speed** prendre de la vitesse; **to** ~ **way** Naut prendre de la vitesse; **we are** ~**ed here today to do** nous sommes réunis aujourd'hui pour faire; **2** (embrace) **to** ~ **sb to** serrer qn contre [*oneself, one's bosom*]; **3** (deduce, conclude) **to** ~ **that** déduire que; **I** ~ **(that) he was there** d'après ce que j'ai compris il était là; **I** ~ **from her (that) he was there** d'après ce qu'elle m'a dit il était là; **I** ~**ed from this (that) he was angry** j'en ai déduit qu'il était en colère; **as you will have** ~**ed** comme vous avez pu le constater; **as far as I can** ~ autant que je sache; **4** Sewing faire des fronces à; ~**ed at the waist** froncé à la taille; **5** Print assembler [*sections of book*]

C *vi* **1** [*people, crowd*] se rassembler; [*family*] se réunir; [*clouds*] s'amonceler; [*darkness*] s'épaissir; **the clouds were** ~**ing all over Europe** fig une ombre menaçante recouvrait l'Europe; **2** Med [*boil, abscess*] mûrir

D **gather oneself** *v refl* (after shock, illness) s'en remettre; (in preparation) rassembler toute son énergie

(Phrasal verbs) ■ **gather around** = **gather round**

■ **gather in**: ▸ ~ **[sth] in**, ~ **in [sth]** ramasser [*essays, papers, harvest, crop*]; recueillir [*money, contributions*]

■ **gather round** se regrouper; ▸ **round!** approchez-vous!; ▸ ~ **round [sth/sb]** se rassembler autour de [*teacher, object*]; ▸ ~ **[sth] round oneself** s'envelopper dans [*shawl*]

■ **gather together** [*family, people*] se réunir; ▸ ~ **[sth] together**, ~ **together [sth]** rassembler [*belongings, notes, followers*]; recueillir [*data, facts, information, evidence*]

■ **gather up**: ▸ ~ **[sth] up**, ~ **up [sth]** ramasser [*objects, belongings, skirts*]; rassembler [*strength, energy*]; **to** ~ **one's hair up into a bun** rassembler *or* ramasser ses cheveux en un chignon

gathering /'gæðərɪŋ/

A *n* **1** (meeting) réunion *f*; **social/family** ~ réunion entre amis/de famille; **2** (action of collecting) (of fruit, mushrooms, flowers) cueillette *f*; (of wood, fallen fruit) ramassage *m*; (of information, data, evidence) réunion *f*; **3** Sewing fronces *fpl*; **4** Print assemblage *m*

B *adj* (growing) [*dusk, gloom, speed*] croissant; **the** ~ **clouds of war** l'ombre menaçante de la guerre

gator○ /'geɪtər/ *n* US alligator *m*

GATT /gæt/ *n* (*abrév* = **General Agreement on Tariffs and Trade**) GATT *m*

gauche /gəʊʃ/ *adj* [*person, attitude*] gauche; [*remark*] maladroit; [*style, writing*] maladroit

gaucheness /'gəʊʃnɪs/ *n* (of person) gaucherie *f*; (of remark) maladresse *f*

gaucho /'gaʊtʃəʊ/ *n* (*pl* **-chos**) gaucho *m*

gaucho pants *npl* jupe-culotte *f*

gaudily /'gɔːdɪlɪ/ *adv* ~ **painted** [*banner, wagon*] bariolé; ~ **dressed** vêtu de manière criarde

gaudy /'gɔːdɪ/ *adj* tape-à-l'œil *inv*

gauge /geɪdʒ/

A *n* **1** (standard measure) (for gun, screw) calibre *m*; (of metal, plastic sheet) épaisseur *f*; (of needle) diamètre *m*; Tex finesse *f*; **a thin-**~ **steel lid** un mince couvercle d'acier; **2** Rail écartement *m* (des voies); **standard/narrow** ~ voie *f* normale/étroite; **3** (measuring instrument) jauge *f*; **fuel** ~ Aut, Aviat jauge d'essence; **oil** ~ jauge d'huile; **4** (way of judging) moyen *m* de jauger; **the best** ~ **of his experience** le meilleur moyen de jauger son expérience; **it's a good** ~ **of character** c'est un bon test de caractère; **5** Cin format *m*

B *vtr* **1** (measure accurately) mesurer [*diameter*]; jauger [*distance, quantity*]; calibrer [*screw, shotgun*]; jauger [*oil level*]; **2** (estimate) évaluer [*mood, reaction*]; **to** ~ **whether their prices are too high** évaluer si leurs prix sont trop élevés; **to** ~ **what is happening** évaluer ce qui se passe

Gaul /gɔːl/ *n* (country) Gaule *f*; (inhabitant) Gaulois/-e *m/f*

Gaullist /'gɔːlɪst/ *n, adj* gaulliste (*mf*)

gaunt /gɔːnt/ *adj* **1** [*person, face, figure*] décharné; **2** [*landscape, building*] lugubre

gauntlet /'gɔːntlɪt/ *n* **1** (protective glove) gant *m* à crispin; **2** (in armour) gantelet *m*; **3** (on shirt sleeve) ouverture *f*

(Idioms) **to throw down the** ~ fig lancer un défi; lit jeter le gant; **to pick up** *ou* **take up the** ~ fig relever le défi; **to run the** ~ **of criticism/danger** s'exposer au feu de la critique/au danger

gauss /gaʊs/ *n* (*pl* ~) gauss *m*

gauze /gɔːz/

A *n* **1** (fabric) gaze *f*; **cotton** ~ gaze *f* de coton; **2** (wire mesh) grillage *m*

B *modif* [*curtain, bandage*] de gaze

gauzy /'gɔːzɪ/ *adj* transparent

gave /geɪv/ *prét* ▸ **give**

gavel /'gævl/ *n* marteau *m* (*de commissaire-priseur ou US de juge*)

gavotte /gə'vɒt/ *n* gavotte *f*

Gawd○† /gɔːd/ *excl* mince

gawk○ /gɔːk/ *vi* regarder bêtement

gawker○ /'gɔːkə(r)/ *n* US badaud/-e *m/f*

gawky /'gɔːkɪ/ *adj* dégingandé

gawp○ /gɔːp/ = **gawk**

gay○ /geɪ/

A *n* homosexuel/-elle *m/f*, gay *mf*

B *adj* **1** [*person, centre, culture*] homosexuel/-elle; [*couple, community*] gay, homosexuel/

g

-elle; [*club, magazine, area*] gay; ~ **rights** les droits des homosexuels; 2 (lively, bright) [*person, atmosphere, colour, music*] gai; [*laughter*] joyeux/-euse; [*street, café*] animé; 3 (carefree) joyeux/-euse; **she likes the ~ life** elle aime mener joyeuse vie; **to do sth with ~ abandon** faire qch le cœur léger

gay lib○, **gay liberation** *n: mouvement pour la reconnaissance des droits des homosexuels*

gayness /'geɪnɪs/ *n* homosexualité *f*

Gaza strip /,gɑːzə 'strɪp/ *pr n* bande *f* de Gaza

gaze /geɪz/

A *n* regard *m*; **to hold sb's ~** soutenir le regard de qn

B *vi* **to ~ at sb/sth** regarder qn/qch; (in wonder) contempler qn/qch; **to ~ out of the window/into the distance** regarder (vaguement) par la fenêtre/au loin

(Phrasal verb) ■ **gaze about, gaze around** regarder autour de soi; **stop gazing about!** arrête de regarder ce qui se passe!

gazebo /gə'ziːbəʊ/ *n* belvédère *m*

gazelle /gə'zel/ *n* (*pl* **~s** *ou* **~**) gazelle *f*

gazette /gə'zet/

A *n* 1 Journ (newspaper title) **Gazette** Gazette *f*; 2 GB (official journal) journal *m* officiel

B *vtr* publier [qch] officiellement

gazetteer /,gæzə'tɪə(r)/ *n* index *m* géographique

gazpacho /gəz'pætʃəʊ/ *n* gaspacho *m*

gazump○ /gə'zʌmp/ *vtr* péj GB *en immobilier, revenir sur un accord pour vendre à plus offrant*

gazumping○ /gə'zʌmpɪŋ/ *n* GB péj *en immobilier, action de revenir sur un accord pour vendre à plus offrant*

GB *n* (*abrév* = **Great Britain**) G.-B

GBH *n abrév* ▸ **grievous bodily harm**

Gbyte *n* Comput (*abrév* = **gigabyte**) Go *m*, gigaoctet *m*

GC *n* GB *abrév* ▸ **George Cross**

GCE *n* (*pl* **~s**) GB (*abrév* = **General Certificate of Education**) diplôme *m* de fin d'études secondaires

GCHQ *n* GB (*abrév* = **General Communications Headquarters**) *centre d'interception des télécommunications étrangères*

GCSE *n* (*pl* **~s**) GB (*abrév* = **General Certificate of Secondary Education**) certificat *m* d'études secondaires

> **GCSE**
>
> Examen passé à l'âge de 16 ans par les élèves d'Angleterre, du pays de Galles et d'Irlande du Nord après cinq années d'études secondaires. Ils peuvent présenter autant de matières qu'ils le désirent (ils en préparent en général entre 5 et 8). Pour obtenir un *GCSE* dans une discipline, ils doivent obtenir une note comprise entre A et G à l'examen. En Écosse, l'équivalent des *GCSEs* sont les *Standard Grades*.

gdn *abrév écrite* = **garden**

Gdns *abrév écrite* = **Gardens**

GDP *n* (*abrév* = **gross domestic product**) PIB *m*

GDR *n* Hist (*abrév* = **German Democratic Republic**) RDA *f*

gear /gɪə(r)/

A *n* 1 (equipment) matériel *m*; **climbing/fishing/gardening ~** matériel d'alpinisme/de pêche/de jardinage; 2 ○(personal possessions, stuff) affaires *fpl*; **don't leave your ~ all over the place** ne laisse pas tes affaires partout; 3 (clothes) fringues○ *fpl*; **tennis/football ~** tenue *f* de tennis/football; 4 Aut vitesse *f*; **bottom** *ou* **first ~** première vitesse; **to be in second/third ~** être en seconde/troisième; **to change ~** changer de vitesse; **to put a car in ~** passer la vitesse; **you're not in ~** tu es au point mort; **you're in the wrong ~** tu n'as pas passé la bonne vitesse; **'keep in low ~'** (on sign) 'utilisez votre frein moteur'; **to get (oneself) into ~ for sth** fig se préparer pour qch; 5 Tech (toothed wheel) roue *f* dentée; 6 ○(drugs) drogués *fpl*

B gears *npl* 1 Aut changement *m* de vitesse; 2 Tech engrenage *m*

C *vtr* 1 (tailor) **to be ~ed to** *ou* **towards sb/sth** [*course, policy, system, tax*] s'adresser à qn/qch; **to be ~ed to** *ou* **towards doing** être destiné à faire; 2 Aut, Tech (provide with gearing) équiper [qch] d'un embrayage [*car*]; équiper [qch] d'un engrenage [*other machinery*]

(Phrasal verb) ■ **gear up**: ▸ **~ up** se préparer; ▸ **~ [sb] up** préparer; **to be ~ed up to do** être prêt pour faire; **to be ~ed up for** être prêt pour [*party, interview, trip*]

gear: **~box** *n* boîte *f* de vitesses; **~ cable** *n* câble *m* des vitesses; **~ change** *n* changement *m* de vitesses

gearing /'gɪərɪŋ/ *n* 1 Fin coefficient *m* or ratio *m* d'endettement; 2 Tech embrayage *m*

gear: **~ lever** *n* levier *m* de vitesses; **~ ratio** *n* rapport *m* d'engrenage

gearshift /'gɪəʃɪft/ *n* US 1 (lever) levier *m* de vitesses; 2 (process) changement *m* de vitesse

gear: **~ stick** *n* GB Aut levier *m* de vitesses; **~ wheel** *n* (on bicycle) pignon *m*

gecko /'gekəʊ/ *n* (*pl* **~s** *ou* **~es**) gecko *m*

gee /dʒiː/ US

A ○*excl* (in surprise) ça alors!; (in disappointment, commiseration) mince alors!; **~ it's nice to see you** tiens, ça fait plaisir de te voir

B ○*n* (thousand) mille *m*

(Phrasal verb) ■ **gee up**○: ▸ **~ [sb/sth] up, ~ up [sb/sth]** fig réveiller [*person*]; activer [*animal*]; **~ up!** (to horse) hue!

gee-gee /'dʒiːdʒiː/ *n* lang enfantin dada *m* baby talk

geek◐ /giːk/ *n* US 1 (misfit) taré/-e◐ *m/f*; 2 (computer buff) passionné/-e *m/f* d'informatique

geek speak○ *n* jargon *m* d'informaticien

geese /giːs/ *pl* ▸ **goose**

gee-whiz○ /,dʒiː'wɪz/ *adj* tout feu tout flamme○

geezer○ /'giːzə(r)/ *n* GB (man) mec○ *m*

gefilte fish /,gəfɪltə 'fɪʃ/ *n* carpe *f* à la juive

Geiger counter /,gaɪgə 'kaʊntə(r)/ *n* compteur *m* Geiger

geisha /'geɪʃə/ *n* (*also* **~ girl**) geisha *f*

gel /dʒel/

A *n* 1 (for bath, hair) gel *m*; 2 Chem colloïde *m*

B *vi* (*p prés etc* **-ll-**) 1 Culin prendre; 2 (take shape) [*idea, plan*] prendre forme

gelatin(e) /'dʒelətiːn, -tɪn/ *n* (all contexts) gélatine *f*

gelatinous /dʒə'lætɪnəs/ *adj* gélatineux/-euse

geld /geld/ *vtr* (*prét, pp* **~ed** *ou* **gelt**) castrer

gelding /'geldɪŋ/ *n* 1 (horse) hongre *m*; 2 (castration) castration *f*

gelignite /'dʒelɪgnaɪt/ *n* plastic *m*

gelt○ /gelt/ *n* US fric○ *m*, argent *m*

gem /dʒem/ *n* 1 (stone) pierre *f* précieuse, gemme *f* spec; 2 (appreciative term) **the ~ of** le joyau de [*collection*]; **a ~ of a village** un village merveilleux; **this book is a real ~** ce livre est une vraie merveille; **she's a ~**○ (very capable) c'est une perle; (very pleasant) c'est un amour○; 3 (amusing feature in newspaper) perle *f*

Gemini /'dʒemɪnaɪ, -niː/ ▸ **p. 1917** *n* Gémeaux *mpl*

gemmology /,dʒem'ɒlədʒɪ/ *n* gemmologie *f*

gemstone /'dʒemstəʊn/ *n* pierre *f* brute

gen○ /dʒen/ GB

A *n* tuyaux○ *mpl*; **to get the ~ on sb/sth** obtenir tous les tuyaux sur qn/qch; **what's the ~ on this?** qu'est-ce qu'il faut savoir là-dessus?

B *adj, adv*: *abrév* = **general, generally**

(Phrasal verb) ■ **gen up**○ GB: ▸ **~ up** se renseigner (**on** sur); ▸ **~ [sb] up** donner tous les tuyaux à (**on** sur); **to be ~ned up on** *ou* **about sth** être au parfum○ de qch

Gen. *abrév écrite* = **General**

gender /'dʒendə(r)/

A *n* 1 Ling genre *m*; **of common ~** épicène; **to be feminine in ~** être du genre féminin; 2 (of person, animal) sexe *m*; **female ~** sexe féminin

gender: **~-bender**○ *n* hum travesti *m*; **~ bias** *n* préjugé *m* en faveur des hommes (*or* des femmes); **~ dysphoria** *n* problèmes *mpl* d'identité sexuelle; **~ gap** *n* fossé *m* entre les sexes; **~ reassignment** *n* changement *m* de sexe

gene /dʒiːn/ *n* Biol gène *m*; **it's in his ~s** gen, hum c'est héréditaire

genealogical /,dʒiːnɪə'lɒdʒɪkl/ *adj* généalogique

genealogist /,dʒiːnɪ'ælədʒɪst/ ▸ **p. 1683** *n* généalogiste *mf*

genealogy /,dʒiːnɪ'ælədʒɪ/ *n* généalogie *f*

gene: **~ cluster** *n* batterie *f* de gènes; **~ library** *n* génothèque *f*; **~ mapping** *n* = **genetic mapping**; **~ pool** *n* patrimoine *m* héréditaire

genera /'dʒenərə/ *npl* ▸ **genus**

general /'dʒenrəl/ ▸ **p. 1599**

A *n* 1 Mil général *m*; **~ of the army/air force** US général d'armée/d'armée aérienne; **to make sb a ~** nommer qn général; **General Franco** le général Franco; **yes, ~** à vos ordres, mon général; 2 **the ~ and the particular** le général et le particulier

B *adj* 1 (widespread) [*interest, concern, approval, effort, feeling, opinion, chaos, ban, paralysis*] général; [*reaction, response*] répandu; **to be a ~ favourite** être apprécié de tous; **in ~ use** [*word, term*] d'usage courant; [*equipment*] d'utilisation courante; 2 (overall) [*condition, appearance, standard, rise, fall, decline, impression*] général; [*attitude, behaviour*] dans l'ensemble; **to improve one's ~ fitness** améliorer sa forme; **do you get the ~ idea?** tu vois? **that's the ~ idea** en gros, c'est ça l'idée; **the ~ plan is to do** en gros, le plan c'est de faire; 3 (rough, usually applying) [*rule, principle, axiom, conclusion*] général; **as a ~ rule** en règle générale; 4 (not detailed or specific) [*description, statement, information*] général; [*promise, assurance*] vague; **to talk in ~ terms** parler en termes généraux; **a ~ discussion about** une discussion d'ensemble sur; **to keep the conversation ~** maintenir la conversation sur des sujets d'intérêt général; **to give sb a ~ idea of** donner à qn une idée d'ensemble de; **to head in the ~ direction of** aller en direction de; 5 (not specialized) [*medicine, linguistics*] général; [*programme, magazine*] d'intérêt général; [*user, reader*] moyen/-enne; [*store, shop, dealer*] qui vend de tout; **~ office duties** travail *m* de bureau; **~ assistant** employé/-e *m/f* de bureau; 6 (miscellaneous) [*category, index, enquiry, expenses*] général; **we sell ~ antiques** nous vendons toutes sortes d'antiquités; 7 (usual, normal) [*practice, method, routine*] général; **in the ~ way of things** en règle générale; **the ~ run of people** le grand public

C in general *adv phr* 1 (usually or non-specifically) en général; **in ~ I like the theatre, but...** en général j'aime le théâtre, mais...; **adults in ~ and parents in particular** les adultes en général et les parents en particulier; **he is fed up with life in ~** il en a assez de la vie en général; 2 (overall, mostly) dans l'ensemble; **in ~ it seems quite simple** dans l'ensemble cela paraît assez simple

general: **~ anaesthetic** GB, **~ anesthetic** US *n* anesthésie *f* générale; **~ assembly, General Assembly** *n* assemblée *f* générale; **~ confession** *n* confession *f* collective; **~ degree** *n* GB *diplôme sanctionnant des études universitaires;*

~ **delivery** *n* US poste *f* restante; ~ **election** *n* élections *fpl* législatives; ~ **headquarters** *n* (+ *v sg ou pl*) quartier *m* général; ~ **hospital** *n* hôpital *m*

generalissimo /ˌdʒenrəˈlɪsɪməʊ/ *n* (*pl* ~**s**) généralissime *m*

generalist /ˈdʒenrəlɪst/ *n* généraliste *m*, non spécialiste *mf*

generality /ˌdʒenəˈrælətɪ/ *n* **1** (general remark) généralité *f*; **to talk in/confine oneself to generalities** parler de/s'en tenir à des généralités; **2** (overall nature) caractère *m* général (**of** de); **3** (majority) (+ *v sg ou pl*) **the** ~ **of people/shareholders** la plupart des gens/actionnaires; **the** ~ (people at large) les gens en général

generalization /ˌdʒenrəlaɪˈzeɪʃn, US -lɪˈz-/ *n* généralisation *f* (**about** sur); **to make a** ~ faire une généralisation; **he's always making** ~**s** péj il est toujours en train de généraliser

generalize /ˈdʒenrəlaɪz/
A *vtr* **1** (make more general) généraliser [*education, curriculum, syllabus*]; **2** (draw) **to** ~ **a conclusion/a principle** établir une généralisation/un principe général
B *vi* généraliser (**about** à propos de)

generalized /ˈdʒenrəlaɪzd/ *adj* **1** (widespread) [*discontent, hostility*] général; [*anxiety, sickness*] généralisé; [*use*] répandu; **2** (vague or unspecific) [*accusation, conclusion, information, promise, statement*] général

general knowledge *n* culture *f* générale

generally /ˈdʒenrəlɪ/ *adv* **1** (widely) [*accepted, agreed, believed, denounced, recognized, regarded, welcomed*] dans l'ensemble, en général; **a** ~ **accepted definition** une définition couramment acceptée; ~ **available** disponible pour le grand public; **2** (usually) généralement, en général; **it's** ~ **best to wait** en général, il vaut mieux attendre; ~ **(speaking)...** en règle générale...; **3** (overall) **the industry** ~ **will be affected** l'ensemble de l'industrie sera touché; **he's** ~ **unwell at the moment** en ce moment il n'est vraiment pas en forme; **the quality is** ~ **good** dans l'ensemble la qualité est bonne; **she was dancing, drinking and** ~ **enjoying herself** elle dansait, elle buvait, en un mot elle s'amusait bien; **4** (vaguely) [*talk, discuss, refer*] d'une manière générale

general: ~ **manager** ▸ p. 1683 *n* directeur/-trice *m/f* général/-e; ~ **meeting** *n* assemblée *f* générale; ~ **officer** *n* officier *m* général; ~ **partner** *n* associé-gérant *m*, commandité *m*

general practice *n* **1** (field of doctor's work) médecine *f* générale; **to go into** ~ devenir (médecin) généraliste; **2** (health centre) cabinet *m* de médecine générale

general: ~ **practitioner, GP** ▸ p. 1683 *n* (médecin *m*) généraliste *m*; ~ **public** *n* (grand) public *m*

general-purpose *adj* [*tool, knife, detergent*] à usages multiples

general: ~ **science** *n* Sch *la physique, la chimie et les sciences naturelles*; ~ **secretary** *n* secrétaire *m* général

generalship /ˈdʒenrəlʃɪp/ *n* (duties, office, rank) généralat *m*; **his skilful** ~ son habileté *f* de général

general: ~ **staff** *n* état-major *m*; ~ **store** *n* bazar *m* (*qui fait aussi épicerie*); ~ **strike** *n* grève *f* générale; ~ **studies** *n* GB *cours d'éducation secondaire comprenant divers sujets d'intérêt général*

generate /ˈdʒenəreɪt/ *vtr* **1** produire [*income, sales, data, documents, graphics, noise, waste*]; créer [*employment*]; susciter [*interest, debate, tension, feeling, ideas*]; entraîner [*traffic, loss, profit, publicity*]; **2** Elec produire [*electricity, power, heat*]; **3** Ling, Math générer

generating: ~ **set** *n* groupe *m* électrogène; ~ **station** *n* centrale *f* électrique

generation /ˌdʒenəˈreɪʃn/ *n* **1** (in family, society) génération *f*; **from** ~ **to** ~ de génération en génération; **the younger/older** ~ la jeune/l'ancienne génération; **people of my** ~ les gens de ma génération; **a new** ~ **of** une nouvelle génération de; **first** ~ **Australian** Australien/-ienne *m/f* de première génération; **2** (period of time) génération *f*; **it's been like this for** ~**s** cela fait des générations qu'il en est ainsi; **3** (in product development) génération *f*; **second** ~ **robots** des robots de la deuxième génération; **4** (of electricity, income, traffic, data) production *f*; (of employment) création *f*

generation gap *n* fossé *m* des générations

generative /ˈdʒenərətɪv/ *adj* **1** gen générateur/-trice; **2** Ling génératif/-ive; ~ **grammar** grammaire *f* générative; **3** Bot ~ **cell** cellule *f* génératrice

generator /ˈdʒenəreɪtə(r)/ *n* **1** Elec générateur *m*; (in hospital, on farm etc) groupe *m* électrogène; **electric** ~ générateur électrique; (machine producing gas) gazogène *m*; **2** (person) (of ideas) créateur *m*

generatrix /ˈdʒenəreɪtrɪks/ *n* (*pl* **-trices**) Math génératrice *f*

generic /dʒɪˈnerɪk/ *adj* générique

generically /dʒɪˈnerɪklɪ/ *adv* génériquement; ~ **similar** apparenté; ~ **distinct** d'espèce(s) différente(s)

generic drugs *npl* médicaments *mpl* génériques

generosity /ˌdʒenəˈrɒsətɪ/ *n* générosité *f* (**to, towards** envers); **her** ~ **with her time/money** la générosité avec laquelle elle prodigue son temps/argent; ~ **of mind** *ou* **spirit** esprit *m* généreux; **such** ~! iron quelle générosité!

generous /ˈdʒenərəs/ *adj* **1** (beneficent, lavish) [*person*] généreux/-euse; **to be** ~ **with** ne pas être avare de [*praise, time*]; **2** (magnanimous) [*person*] magnanime; **the most** ~ **interpretation is that** l'interprétation la plus charitable est que; **3** (large) [*quantity, supply, funding*] libéral, généreux/-euse; [*size*] grand; [*hem*] bon/bonne

generously /ˈdʒenərəslɪ/ *adv* gen généreusement; Culin [*sprinkle, grease*] abondamment; ~ **cut** ample; **give** ~! soyez généreux!

genesis /ˈdʒenəsɪs/
A *n* (*pl* **-ses**) fig genèse *f*
B **Genesis** *pr n* Bible la Genèse

gene: ~ **tagging** *n* étiquetage *m* génétique; ~ **therapy** *n* thérapie *f* génique

genetic /dʒɪˈnetɪk/ *adj* génétique

genetically /dʒɪˈnetɪklɪ/ *adv* génétiquement; ~ **engineered,** ~ **manipulated** obtenu par manipulation génétique; ~ **modified** transgénique, génétiquement modifié

genetic: ~ **code** *n* code *m* génétique; ~ **counselling** *n* conseil *m* génétique; ~ **engineering** *n* génie *m* génétique; ~ **fingerprinting** *n* empreintes *fpl* génétiques; ~ **ID card** *n* carte *f* (d'identité) génétique

geneticist /dʒɪˈnetɪsɪst/ ▸ p. 1683 *n* généticien/-ienne *m/f*

genetic: ~ **manipulation** *n* ¢ manipulations *fpl* génétiques; ~ **map** *n* carte *f* génétique, carte *f* chromosomique; ~ **mapping** *n* cartographie *f* de gènes

genetics /dʒɪˈnetɪks/ *n* (+ *v sg*) génétique *f*

genetic testing *n* ¢ tests *mpl* de dépistage génétique

Geneva /dʒɪˈniːvə/ ▸ p. 1815, p. 1376, p. 1771 *pr n* Genève; **Lake** ~ le lac Léman *or* de Genève; **the canton of** ~ le canton de Genève

Geneva Convention *n* Convention *f* de Genève

genial /ˈdʒiːnɪəl/ *adj* **1** (cheerful) cordial; **2** littér [*climate*] doux/douce

geniality /dʒiːnɪˈælətɪ/ *n* cordialité *f*

genially /ˈdʒiːnɪəlɪ/ *adv* cordialement

genie /ˈdʒiːnɪ/ *n* (*pl* **-nii** *ou* **-nies**) djinn *m*, génie *m*

genital /ˈdʒenɪtl/ *adj* génital; **in the** ~ **area** au bas-ventre

genital herpes ▸ p. 1327 *n* herpès *m* génital

genitalia /ˌdʒenɪˈteɪlɪə/ *npl* = **genitals**

genitals /ˈdʒenɪtlz/ ▸ p. 997 *npl* organes *mpl* génitaux

genitive /ˈdʒenətɪv/
A *n* génitif *m*; **in the** ~ **(case)** au génitif
B *adj* génitif/-ive

genito-urinary /ˌdʒenɪtəʊˈjʊərɪnərɪ, US -nerɪ/ *adj* génito-urinaire

genius /ˈdʒiːnɪəs/ *n* **1** (*pl* ~**es**) (prodigy) génie *m*; **a mathematical/musical** ~ un mathématicien/musicien de génie; **you're a** ~○! tu es un génie○!; **2** (*pl* ~**es**) (with special skills) **a mechanical** ~ un génie de la mécanique; **3** (skill) **to have a** ~ **for doing** être très doué pour faire; **to have a** ~ **for saying the wrong thing** iron avoir le génie de la gaffe; **4** (*pl* **-ii**) littér (spirit) génie *m*

Genoa /ˈdʒenəʊə/ ▸ p. 1815 *pr n* Gênes

Genoa cake *n* Culin pain *m* de Gênes

genocidal /ˈdʒenəsaɪdl/ *adj* génocide

genocide /ˈdʒenəsaɪd/ *n* génocide *m*

Genoese /ˈdʒenəʊiːz/
A *n* (*pl* ~) Génois/-e *m/f*
B *adj* génois

genome /ˈdʒiːnəʊm/ *n* génome *m*

genotype /ˈdʒeːnəʊtaɪp/ *n* génotype *m*

genre /ˈʒɑːnrə/ *n* **1** gen genre *m*; **2** Art peinture *f* de genre

gent○ /dʒent/
A *n* (gentleman) **he's a (real)** ~ c'est un gentleman; **'this way,** ~**s!'** par ici, messieurs!; ~**s' hairdresser's/clothing** coiffure/vêtements pour hommes
B **gents** *npl* (toilets) toilettes *fpl* (*pour hommes*); (on sign) 'messieurs'

genteel /dʒenˈtiːl/ *adj* **1** †(refined) [*person, manners*] distingué; **to live in** ~ **poverty** vivre dans une manière digne; **2** péj, iron (affected) [*person*] maniéré; [*behaviour*] affecté

gentian /ˈdʒenʃn/ *n* gentiane *f*

gentian violet *n* bleu *m* de méthylène

Gentile /ˈdʒentaɪl/
A *n* gentil *m*
B *adj* des gentils

gentility /dʒenˈtɪlətɪ/ *n* **1** †(refinement) distinction *f*; **2** iron *ou* péj (affectation) affectation *f*

gentle /ˈdʒentl/
A *adj* **1** (not harsh) [*person, animal, expression, reprimand*] doux/douce; [*dentist, nurse*] qui a la main douce; [*shampoo, cleanser, heat*] doux/douce; [*hint, reminder*] discret/-ète; [*teasing, parody*] anodin; **my dentist is very** ~ mon dentiste a la main douce; **be** ~ **with her, she's tired** ne la brusque pas, elle est fatiguée; **if we use a little** ~ **persuasion** gen, iron si on essaie la manière douce; **the** ~ **sex** littér *ou* iron le sexe faible; **2** (quiet) [*voice, music*] doux/douce; [*noises*] léger/-ère; **3** (gradual) [*slope, curve*] doux/douce; [*stop*] en douceur; [*transition*] sans heurts; **to come to a** ~ **stop** s'arrêter en douceur; **4** (light) [*pressure, touch, push, breeze*] léger/-ère; [*exercise*] modéré; [*massage*] en douceur; [*stroll*] petit; **5** †(high-born) noble; **of** ~ **birth** bien né; **'**~ **reader'**†*ou* hum 'aimable lecteur'
B *vtr* US **1** (mollify) nuancer [*judgment*]; **2** (placate) apaiser

gentlefolk† /ˈdʒentlfəʊlk/ *npl* GB gens *mpl* bien nés

gentleman /ˈdʒentlmən/
A *n* (*pl* **-men**) **1** (man) monsieur *m*; **this** ~ **wants...** ce monsieur voudrait...; **'gentlemen of the jury'** 'messieurs les jurés'; **a** ~ **of leisure** un rentier; **2** (well-bred) gentleman *m*; **he's a perfect** ~ c'est un parfait gentleman; **he's no** ~ GB ce n'est pas un gentleman; **one of nature's gentlemen** un gentleman-né;

g

3 (at court) gentilhomme *m* aussi Hist; 4 US Pol (congressman) député *m*; **the ~ from Ohio** le député de l'Ohio
B **Gentlemen** *npl* (on sign) Messieurs
(Idiom) **to give sb a ~'s C** US ne pas avoir une très haute opinion de qn

gentleman: **~-at-arms** *n* gentilhomme *m* de la garde; **~-farmer** *n* gentleman-farmer *m*

gentlemanly /'dʒentlmənlɪ/ *adj* [*behaviour, person, manner*] courtois; [*appearance*] distingué

gentleman: **~'s agreement** *n* gentleman's agreement *m*; **~'s gentleman**† *n* valet *m* de chambre

gentlemen /'dʒentlmən/ *npl* ▸ **gentleman**

gentleness /'dʒentlnɪs/ *n* douceur *f*

gentlewoman‡ /'dʒentlwʊmən/ *n* (*pl* **-men**) 1 Hist (lady-in-waiting) dame *f* d'honneur; 2 (well-born) dame *f* bien née

gently /'dʒentlɪ/ *adv* 1 (not harshly) [*rock, blow, stir*] doucement; [*comb, treat, cleanse*] avec douceur; [*cook*] à feu doux; 2 (kindly) [*speak, look, tease, admonish*] gentiment; **treat her ~** soyez gentil avec elle; **to break the news ~** annoncer la nouvelle avec ménagement; 3 (lightly) [*exercise*] sans forcer; **he kissed her ~ on the cheek** il lui posa un léger baiser sur la joue; **'squeeze ~'** (washing instructions) 'presser sans tordre'; 4 (gradually) **to slope ~ up/down** monter/descendre en pente douce; **~ does it!** doucement!

gentrification /ˌdʒentrɪfɪ'keɪʃn/ *n* péj embourgeoisement *m*, transformation *f* en quartier bourgeois

gentrify /'dʒentrɪfaɪ/ *vtr* péj transformer en quartier bourgeois; **to become gentrified** s'embourgeoiser

gentry /'dʒentrɪ/ *n* †*ou* hum haute bourgeoisie *f*

genuflect /'dʒenju:flekt/ *vi* sout faire une génuflexion

genuflexion GB, **genuflection** US /ˌdʒenju:'flekʃn/ *n* sout génuflexion *f*

genuine /'dʒenjʊɪn/ *adj* 1 (real) [*bargain, reason, motive*] vrai; **many poor families are in ~ difficulty** beaucoup de familles pauvres sont vraiment dans le besoin; **in case of ~ emergency** s'il y a vraiment urgence; 2 (authentic) [*work of art*] authentique; [*jewel, substance*] véritable; **it's the ~ article**○ c'est du vrai○; **he's the ~ article**○ c'est un vrai de vrai○; 3 (sincere) [*person, emotion, effort, interest*] sincère; [*simplicity*] vrai; [*inability*] non feint (*after n*); [*buyer*] sérieux/-ieuse; **it was a ~ mistake** c'était vraiment une erreur

genuinely /'dʒenjʊɪnlɪ/ *adv* 1 (really and truly) [*feel, want*] vraiment; [*worried, upset*] vraiment; 2 (in reality) [*independent*] réellement

genuineness /'dʒenjʊɪnnɪs/ *n* (of person) sincérité *f*; (of artwork) authenticité *f*

genus /'dʒi:nəs/ *n* (*pl* **-nera** *ou* **-nuses**) (all contexts) genre *m*

geobiology /ˌdʒi:əʊbaɪ'ɒlədʒɪ/ *n* géobiologie *f*

geocentric /ˌdʒi:əʊ'sentrɪk/ *adj* géocentrique

geochemical /ˌdʒi:əʊ'kemɪkl/ *adj* géochimique

geochemist /ˌdʒi:əʊ'kemɪst/ ▸ **p. 1683** *n* géochimiste *mf*

geochemistry /ˌdʒi:əʊ'kemɪstrɪ/ *n* géochimie *f*

geode /'dʒi:əʊd/ *n* géode *f*

geodesic /ˌdʒi:əʊ'desɪk/ *n, adj* géodésique (*f*); **~ dome** dôme *m* géodésique

geographer /dʒɪ'ɒgrəfə(r)/ ▸ **p. 1683** *n* géographe *mf*

geographic(al) /ˌdʒɪə'græfɪkl/ *adj* géographique

geographically /ˌdʒɪə'græfɪklɪ/ *adv* géographiquement; **~ speaking** du point de vue géographique

geographical mile *n* Naut mille *m* marin

geographic information system, **GIS** *n* système *m* d'information géographique, SIG *m*

geography /dʒɪ'ɒgrəfɪ/
A *n* (study) géographie *f*; (lay-out) topographie *f*; **to have a sense of ~** avoir le sens de l'orientation
B *modif* [*student, teacher, lesson, book*] de géographie

geological /dʒɪə'lɒdʒɪkl/ *adj* géologique

geologist /dʒɪ'ɒlədʒɪst/ ▸ **p. 1683** *n* géologue *mf*

geology /dʒɪ'ɒlədʒɪ/
A *n* géologie *f*
B *modif* [*course, department, degree*] de géologie

geomagnetic /ˌdʒi:əʊmæg'netɪk/ *adj* géomagnétique

geomagnetism /ˌdʒi:əʊ'mægnɪtɪzəm/ *n* géomagnétisme *m*

geomarketing /ˌdʒi:əʊ'mɑ:kɪtɪŋ/ *n* géomarketing *m*

geometric(al) /ˌdʒɪəʊ'metrɪk(l)/ *adj* géométrique

geometrically /ˌdʒɪəʊ'metrɪklɪ/ *adv* géométriquement

geometrician /ˌdʒɪəʊmə'trɪʃn/ ▸ **p. 1683** *n* géomètre *mf*

geometry /dʒɪ'ɒmətrɪ/
A *n* géométrie *f*
B *modif* [*lesson, book*] de géométrie; **~ set** nécessaire *m* de géométrie

geomorphology /ˌdʒi:əʊmɔ:'fɒlədʒɪ/ *n* géomorphologie *f*

geonomics /'dʒi:əʊ'nɒmɪks/ *n* (+ *v sg*) géographie *f* économique

geophysical /ˌdʒi:əʊ'fɪzɪkl/ *adj* géophysique

geophysicist /ˌdʒi:əʊ'fɪzɪsɪst/ ▸ **p. 1683** *n* géophysicien/-ienne *m/f*

geophysics /ˌdʒi:əʊ'fɪzɪks/ *n* (+ *v sg*) géophysique *f*

geopolitical /ˌdʒi:əʊpə'lɪtɪkl/ *adj* géopolitique

geopolitics /ˌdʒi:əʊ'pɒlətɪks/ *n* (+ *v sg*) géopolitique *f*

Geordie○ /'dʒɔ:dɪ/ GB
A *n* natif/-ive *m/f* du Tyneside
B *adj* du Tyneside

George /dʒɔ:dʒ/ *pr n* Georges; **by ~**○† ! sacrebleu○† !; **by ~ he's done it!** hum bon sang il a réussi!

George Cross, **GC** *n* GB *médaille pour actes de courage et de dévouement*

georgette /dʒɔ:'dʒet/ *n* crêpe *m* georgette

Georgia /'dʒɔ:dʒə/ ▸ **p. 1737**, **p. 1096** *pr n* (all contexts) Géorgie *f*

Georgian /'dʒɔ:dʒən/ ▸ **p. 1467**, **p. 1378**
A *n* 1 (inhabitant) Géorgien/-ienne *m/f*; 2 (language) géorgien *m*; 3 Literat Georgien/-ienne
B *adj* 1 Geog (all contexts) géorgien/-ienne; 2 GB Literat [*poet, poetry*] georgien/-ienne; 3 GB Hist, Archit [*style, architecture*] georgien/-ienne; **the ~ period** la période allant de 1714 à 1830

geoscience /ˌdʒi:əʊ'saɪəns/ *n* ℭ sciences *fpl* de la Terre; **a ~** une des sciences de la Terre

geoscientist /ˌdʒi:əʊ'saɪəntɪst/ ▸ **p. 1683** *n* spécialiste *mf* des sciences de la Terre

geostationary /ˌdʒi:əʊ'steɪʃənrɪ, US -nerɪ/ *adj* géostationnaire

geothermal /ˌdʒi:əʊ'θɜ:ml/ *adj* géothermique

geranium /dʒə'reɪnɪəm/ *n* géranium *m*

gerbil /'dʒɜ:bɪl/ *n* gerbille *f*

geriatric /ˌdʒerɪ'ætrɪk/
A *n* 1 Med vieillard/-e *m/f*; 2 ○péj hum gâteux/-euse○ *m/f*
B *adj* 1 Med [*hospital, ward*] gériatrique; **~ care** soins aux vieillards; **~ medicine** gériatrie *f*; 2 ○péj hum gâteux/-euse○

geriatrician /ˌdʒerɪə'trɪʃn/ ▸ **p. 1683** *n* gériatre *mf*

geriatrics /ˌdʒerɪ'ætrɪks/ *n* (+ *v sg*) gériatrie *f*

germ /dʒɜ:m/ *n* 1 (microbe) microbe *m*, germe *m*; **to carry ~s** être porteur de microbes *or* de germes; 2 (seed) lit, fig germe *m*; **the ~ of an idea** le germe d'une idée

German /'dʒɜ:mən/ ▸ **p. 1467**, **p. 1378**
A *n* 1 (person) Allemand/-e *m/f*; 2 Ling allemand *m*; **Low/Middle/High ~** bas/moyen/haut allemand
B *adj* [*town, custom, food, economy etc*] allemand; [*ambassador, embassy, emperor*] d'Allemagne; [*teacher, exam, course*] d'allemand; **East/West ~** Hist est/ouest-allemand

German Democratic Republic, **GDR** *n* Hist République *f* démocratique allemande, RDA *f*

germane /dʒɜ:'meɪn/ *adj* [*point, remark*] approprié; **~ to** se rapportant à [*inquiry, topic*]

Germanic /dʒɜ:'mænɪk/ *adj* gen, Ling germanique

German measles ▸ **p. 1327** *n* (+ *v sg*) rubéole *f*

Germanophile /dʒɜ:'mænəfaɪl/ *n, adj* germanophile (*mf*)

Germanophobe /dʒɜ:'mænəfəʊb/ *n, adj* germanophobe (*mf*)

German: **~ sheepdog**, **~ shepherd** *n* berger *m* allemand; **~-speaking** *adj* germanophone

Germany /'dʒɜ:mənɪ/ ▸ **p. 1096** *pr n* Allemagne *f*; **East/West ~** Hist Allemagne de l'Est/de l'Ouest

germ: **~ carrier** *n* porteur/-euse *m/f* de germes *or* de microbes; **~ cell** *n* gamète *m*; **~-free** *adj* désinfecté

germicidal /ˌdʒɜ:mɪ'saɪdl/ *adj* germicide

germicide /'dʒɜ:mɪsaɪd/ *n* germicide *m*

germinal /'dʒɜ:mɪnəl/ *adj* Biol germinal

germinate /'dʒɜ:mɪneɪt/
A *vtr* lit, fig faire germer
B *vi* lit, fig germer

germination /ˌdʒɜ:mɪ'neɪʃn/ *n* germination *f*

germ: **~-killer** *n* antiseptique *m*; **~proof** *adj* résistant aux microbes; **~ warfare** *n* guerre *f* bactériologique

gerontocracy /ˌdʒerɒn'tɒkrəsɪ/ *n* gérontocratie *f*

gerontologist /ˌdʒerɒn'tɒlədʒɪst/ ▸ **p. 1683** *n* gérontologue *mf*

gerontology /ˌdʒerɒn'tɒlədʒɪ/ *n* gérontologie *f*

gerrymander /ˌdʒerɪ'mændə(r)/ péj
A *n* charcutage *m* électoral
B *vtr* truquer [*boundaries, constituency*]
C *vi* pratiquer le charcutage électoral

gerrymandering /ˌdʒerɪ'mændərɪŋ/ *n* charcutage *m* électoral

Gers ▸ **p. 1129** *pr n* Gers *m*; **in/to the ~** dans le Gers

gerund /'dʒerənd/ *n* nom *m* verbal

gerundive /dʒe'rʌndɪv/
A *n* adjectif *m* verbal
B *adj* du gérondif

gesso /'dʒesəʊ/ *n* 1 (for bas-relief, painting) plâtre *m* de Paris; 2 (on wood) enduit *m* au plâtre

gestalt /gə'stɑ:lt/ *n* gestalt *f*

gestalt psychology *n* gestaltisme *m*, théorie *f* de la forme

Gestapo /ge'stɑ:pəʊ/
A *n* Gestapo *f*
B *modif* [*agent, headquarters, prison*] de la Gestapo

gestate /dʒe'steɪt/
A *vtr* 1 Biol porter [*young*]; 2 fig mûrir [*plan*]
B *vi* 1 Biol être en gestation; 2 fig mûrir

gestation /dʒe'steɪʃn/ *n* 1 lit gestation *f*; 2 fig mûrissement *m*

gesticulate /dʒe'stɪkjʊleɪt/ *vi* gesticuler

gesticulation /dʒeˌstɪkjʊˈleɪʃn/ *n* gesticulation *f*

gestural /ˈdʒestʃərəl/ *adj* gestuel/-elle

gesture /ˈdʒestʃə(r)/

A *n* lit, fig geste *m* (**of** de); **a nice ~** un beau geste; **a political/humanitarian ~** un geste politique/humanitaire; **a ~ of goodwill/solidarity** un geste de bonne volonté/de solidarité; **an empty ~** un geste qui ne signifie rien

B *vtr* **to ~ one's assent** faire un geste d'assentiment

C *vi* faire un geste; **to ~ at** *ou* **towards sth** désigner qch d'un geste; **to ~ to sb** faire signe à qn (**to do** de faire)

gesture politics *n* (+ *v sg*) péj gesticulations *fpl* politiciennes

get /get/

> ⚠ This much-used verb has no multi-purpose equivalent in French and therefore is very often translated by choosing a synonym: *to get lunch* = *to prepare lunch* = préparer le déjeuner.
>
> *get* is used in many idiomatic expressions (*to get something off one's chest etc*) and translations will be found in the appropriate entry (**chest** etc). This is also true of offensive comments (*get stuffed etc*) where the appropriate entry would be **stuff**.
>
> Remember that when *get* is used to express the idea that a job is done not by you but by somebody else (*to get a room painted etc*) *faire* is used in French followed by an infinitive (*faire repeindre une pièce etc*).
>
> When *get* has the meaning of *become* and is followed by an adjective (*to get rich/drunk etc*) *devenir* is sometimes useful but check the appropriate entry (**rich, drunk** etc) as a single verb often suffices (*s'enrichir, s'enivrer etc*).
>
> For examples and further uses of *get* see the entry below.

A *vtr* (*p prés* **-tt-**; *prét* **got**; *pp* **got**, **gotten** US)

1▸ (receive) recevoir [*letter, school report, grant*]; recevoir, percevoir [*salary, pension*]; TV, Radio capter [*channel, programme*]; **did you ~ much for it?** est-ce que tu en as tiré beaucoup d'argent?; **what did you ~ for your car?** combien as-tu revendu ta voiture?; **we ~ a lot of rain** il pleut beaucoup ici; **our garden ~s a lot of sun** notre jardin est bien ensoleillé; **we ~ a lot of tourists** nous avons beaucoup de touristes; **you ~ lots of attachments with this cleaner** il y a beaucoup d'accessoires fournis avec cet aspirateur; **you ~ what you pay for** il faut y mettre le prix; **he's ~ting help with his science** il se fait aider en sciences

2▸ (inherit) **to ~ sth from sb** lit hériter qch de qn [*article, money*]; fig tenir qch de qn [*trait, feature*]

3▸ (obtain) (by applying) obtenir [*permission, divorce, custody, licence*]; trouver [*job*]; (by contacting) trouver [*plumber, accountant*]; appeler [*taxi*]; (by buying) acheter [*food item, clothing*] (**from** chez); avoir [*theatre seat, ticket*]; **to ~ something for nothing/at a discount** avoir qch gratuitement/avec une réduction; **to ~ sb sth, to ~ sth for sb** (by buying) acheter qch à qn; **I'll ~ sth to eat at the airport** je mangerai qch à l'aéroport

4▸ (subscribe to) acheter [*newspaper*]

5▸ (acquire) se faire [*reputation*]; **he got his money in oil** il s'est fait de l'argent dans le pétrole

6▸ (achieve) obtenir [*grade, mark, answer*]; **he got it right** (of calculation) il a obtenu le bon résultat; (of answer) il a répondu juste; **how many do I need to ~?** (when scoring) il me faut combien?; **he's got four more points to ~** il faut encore qu'il obtienne quatre points

7▸ (fetch) chercher [*object, person, help*]; **go and ~ a chair/Mr Matthews** va chercher une chaise/M. Matthews; **to ~ sb sth, to ~ sth for sb** aller chercher qch pour qn; **~ her a chair** va lui chercher une chaise; **can I ~ you your coat?** est-ce que je peux vous apporter votre manteau?

8▸ (manoeuvre, move) **to ~ sb/sth upstairs/downstairs** faire monter/descendre qn/qch; **a car to me is just something to ~ me from A to B** pour moi une voiture ne sert qu'à aller de A à B; **I'll ~ them there somehow** je les ferai parvenir d'une façon ou d'une autre; **can you ~ between the truck and the wall?** est-ce que tu peux te glisser entre le camion et le mur?

9▸ (help progress) **is this discussion ~ting us anywhere?** est-ce que cette discussion est bien utile?; **I listened to him and where has it got me?** je l'ai écouté mais à quoi ça m'a avancé?; **this is ~ting us nowhere** ça ne nous avance à rien; **where will that ~ you?** à quoi ça t'avancera?

10▸ (contact) **did you manage to ~ Harry on the phone?** tu as réussi à avoir Harry au téléphone?

11▸ (deal with) **I'll ~ it** (of phone) je réponds; (of doorbell) j'y vais

12▸ (prepare) préparer [*breakfast, lunch etc*]

13▸ (take hold of) attraper [*person*] (**by** à); **I've got you, don't worry** je te tiens, ne t'inquiète pas; **to ~ sth from** *ou* **off** prendre qch sur [*shelf, table*]; **to ~ sth from** *ou* **out of** prendre qch dans [*drawer, cupboard*]

14▸ ○(oblige to give) **to ~ sth from** *ou* **out of sb** faire sortir qch à qn [*money*]; fig obtenir qch de qn [*truth*]

15▸ ○(catch) gen arrêter [*escapee*]; **got you!** gen je t'ai eu!; (caught in act) vu!; **a shark got him** un requin l'a eu; **when I ~ you, you won't find it so funny** quand tu auras affaire○ à moi, tu trouveras ça moins drôle

16▸ Med attraper [*disease*]; **he got the measles from his sister** sa sœur lui a passé la rougeole

17▸ (use as transport) prendre [*bus, train*]

18▸ (have) **to have got** avoir [*object, money, friend etc*]; **I've got a headache/bad back** j'ai mal à la tête/au dos

19▸ (start to have) **to ~ (hold of) the idea** *ou* **impression that** se mettre dans la tête que

20▸ (suffer) **to ~ a surprise** être surpris; **to ~ a shock** avoir un choc; **to ~ a bang on the head** recevoir un coup sur la tête

21▸ (be given as punishment) prendre [*five years etc*]; avoir [*fine*]; **to ~ (a) detention** être collé○

22▸ (hit) **to ~ sb/sth with** toucher qn/qch avec [*stone, arrow, ball*]; **got it!** (of target) touché!; **the arrow got him in the heel** la flèche l'a touché au talon

23▸ (understand, hear) comprendre; **I didn't ~ what you said/his last name** je n'ai pas compris ce que tu as dit/son nom de famille; **did you ~ it?** tu as compris?; **now let me ~ this right...** alors si je comprends bien...; **'where did you hear that?'—'I got it from Paul'** 'où est-ce que tu as entendu ça?'—'c'est Paul qui me l'a dit'; **~ this! he was arrested this morning** tiens-toi bien! il a été arrêté ce matin

24▸ ○(annoy, affect) **what ~s me is...** ce qui m'agace c'est que...; **what really got me was...** ce que je n'aimais pas c'était...

25▸ (learn, learn of) **to ~ to do**○ finir par faire; **to ~ to like sb** finir par apprécier qn; **how did you ~ to know** *ou* **hear of our organization?** comment avez-vous entendu parler de notre organisation?; **we got to know them last year** on a fait leur connaissance l'année dernière

26▸ (have opportunity) **to ~ to do** avoir l'occasion de faire; **do you ~ to use the computer?** est-ce que tu as l'occasion d'utiliser l'ordinateur?; **it's not fair, I never ~ to drive the tractor** ce n'est pas juste, on ne me laisse jamais conduire le tracteur; **when do we ~ to eat the cake?** quand est-ce qu'on va pouvoir manger le gâteau?

27▸ (start) **to ~ (to be)** commencer à devenir; **he's ~ting to be proficient** *ou* **an expert** il commence à devenir expert; **it got to be quite unpleasant** ça a commencé à devenir plutôt désagréable; **he's ~ting to be a big boy now** c'est un grand garçon maintenant; **to ~ to doing**○ commencer à faire; **we got to talking/dreaming about the holidays** on a commencé à parler/rêver des vacances; **then I got to thinking that** puis je me suis dit que; **we'll have to ~ going** il va falloir y aller

28▸ (must) **to have got to do** devoir faire [*homework, chore*]; **it's got to be done** il faut le faire; **you've got to realize that** il faut que tu te rendes compte que; **if I've got to go, I will** s'il faut que j'y aille, j'irai; **there's got to be a reason** il doit y avoir une raison

29▸ (persuade) **to ~ sb to do** demander à qn de faire; **I got her to talk about her problems** j'ai réussi à la faire parler de ses problèmes; **did you ~ anything out of her?** est-ce que tu as réussi à la faire parler?

30▸ (have somebody do) **to ~ sth done** faire faire qch; **to ~ the car repaired/valeted** faire réparer/nettoyer la voiture; **to ~ one's hair cut** se faire couper les cheveux; **how do you ever ~ anything done?** comment est-ce que tu arrives à travailler?

31▸ (cause) **to ~ the car going** faire démarrer la voiture; **to ~ the dishes washed** faire la vaisselle; **this won't ~ the dishes washed!** la vaisselle ne se fera pas toute seule!; **to ~ sb pregnant**○ mettre qn enceinte○; **as hot/cold as you can ~ it** aussi chaud/froid que possible; **to ~ one's socks wet** mouiller ses chaussettes; **to ~ one's finger trapped** se coincer le doigt

B *vi* (*p prés* **-tt-**; *prét* **got**; *pp* **got**, **gotten** US)

1▸ (become) devenir [*suspicious, rich, old*]; **how lucky/stupid can you ~!** il y en a qui ont de la chance/qui sont vraiment stupides!; **it's ~ting late** il se fait tard; **how did he ~ like that?** comment est-ce qu'il en est arrivé là?

2▸ (forming passive) **to ~ (oneself) killed/trapped** se faire tuer/coincer; **to ~ hurt** être blessé

3▸ (become involved in) **to ~ into**○ (as hobby) se mettre à [*astrology etc*]; (as job) commencer dans [*teaching, publishing*]; fig **to ~ into a fight** se battre

4▸ (arrive) **to ~ there** arriver; **to ~ to the airport/Switzerland** arriver à l'aéroport/en Suisse; **to ~ (up) to the top** (of hill etc) arriver au sommet; **how did your coat ~ here?** comment est-ce que ton manteau est arrivé là?; **how did you ~ here?** (by what miracle) comment est-ce que tu es arrivé là?; (by what means) comment est-ce que tu es venu?; **where did you ~ to?** où est-ce que tu étais passé?; **we've got to page 5** nous en sommes à la page 5

5▸ (progress) **it got to 7 o'clock** il était plus de 7 heures; **I'd got as far as underlining the title** j'en étais à souligner le titre; **I'm ~ting nowhere with this essay** je n'avance pas dans ma dissertation; **are you ~ting anywhere with your investigation?** est-ce que votre enquête avance?; **now we're ~ting somewhere** (making progress) on avance vraiment; (receiving fresh lead) voilà quelque chose d'intéressant; **it's a slow process but we're ~ting there** c'est un processus lent, mais on avance; **it's not perfect yet but we're ~ting there** ce n'est pas encore parfait mais on avance

6▸ ○(put on) **to ~ into** mettre [*pyjamas, overalls*]

(Idioms) **~**○**!** fiche-moi le camp○!; **~ along with you**○**!** ne sois pas ridicule!; **~ away with you**○**!** arrête de raconter n'importe quoi○!; **~ her**○**!** regarde-moi ça!; **~ him**○ **in that hat!** regarde-le avec ce chapeau!; **he got his**○ (was killed) il a cassé sa pipe○; **I'll ~ you**○ **for that** je vais te le faire payer○; **I'm ~ting there** je progresse; **it ~s me right here!** tu vas me faire pleurer!; **I've/he's got it bad**○ je suis/il est vraiment mordu; **I've got it** je sais; **to ~ above oneself** commencer à avoir la grosse tête○; **to ~ it together**○ se ressaisir; **to ~ it up**● bander●, avoir une érection; **to**

~ **one's in**○ US prendre sa revanche; **to tell sb where to** ~ **off** envoyer qn promener; **to** ~ **with it**○ se mettre dans le coup○; **what's got into her/them?** qu'est-ce qui lui/leur a pris?; **where does he** ~ **off**○**?** pour qui se prend-il?; **you've got me there!** alors là tu me poses une colle○!

(Phrasal verbs) ■ **get about** 1 (manage to move) se déplacer (**by doing** en faisant); **she doesn't** ~ **about very well now** elle a du mal à se déplacer maintenant; 2 (travel) voyager, se déplacer; **do you** ~ **about much in your job?** vous voyagez beaucoup pour votre travail?; **he** ~**s about a bit** (travels) il voyage pas mal; (knows people) il connaît du monde; 3 (be spread) [*news*] se répandre; [*rumour*] courir, se répandre; **it got about that** la nouvelle s'est répandue que, le bruit a couru que

■ **get across**: ▸ ~ **across** 1 (pass to other side) traverser; 2 (be communicated) [*message*] passer; ▸ ~ **across [sth]** (cross) traverser [*river, road etc*]; ▸ ~ **[sth] across** 1 (transport) **how will we** ~ **it across?** (over stream, gap etc) comment est-ce qu'on le/la fera passer de l'autre côté?; **I'll** ~ **a copy across to you** (in separate office, building etc) je vous en ferai parvenir un exemplaire; 2 (communicate) faire passer [*message, meaning*] (**to** à); ▸ ~ **across [sb]**○ US (annoy) se mettre [qn] à dos○ [*person*]

■ **get ahead** 1 (make progress) [*person*] progresser; **to** ~ **ahead of** prendre de l'avance sur [*competitor*]; 2 (go too fast) **let's not** ~ **ahead of ourselves** n'anticipons pas

■ **get along** 1 (progress) **how's the project** ~**ting along?** comment est-ce que le projet se présente?; **how are you** ~**ting along?** (in job) comment ça se passe?; (to sick or old person) comment ça va?; (in school subject) comment est-ce que ça se passe?; 2 (cope) s'en sortir; **we can't** ~ **along without a computer/him** on ne s'en sortira pas sans ordinateur/lui; 3 (be suited as friends) bien s'entendre (**with** avec); 4 (go) **I must be** ~**ting along** il faut que j'y aille

■ **get around**: ▸ ~ **around** 1 (move, spread) = **get about**; 2 **to** ~ **around to doing: she'll** ~ **around to visiting us eventually** elle va bien finir par venir nous voir; **I must** ~ **around to reading his article** il faut vraiment que je lise son article; **I haven't got around to it yet** je n'ai pas encore eu le temps de m'en occuper; ▸ ~ **around [sth]** (circumvent) contourner [*problem, law*]; **there's no** ~**ting around it** il n'y a rien à faire

■ **get at**○: ▸ ~ **at [sb /sth]** 1 (reach) atteindre [*object*]; arriver jusqu'à [*person*]; fig découvrir [*truth*]; **let me** ~ **at her** (in anger) laissez-moi lui régler son compte○; 2 (spoil) **the ants have got at the sugar** les fourmis ont attaqué le sucre; 3 (criticize) être après [*person*]; 4 (intimidate) intimider [*witness*]; 5 (insinuate) **what are you** ~**ting at?** où est-ce que tu veux en venir?

■ **get away**: ▸ ~ **away** 1 (leave) partir; 2 (escape) [*person*] s'échapper; **the fish got away** le poisson s'est échappé; 3 fig (escape unpunished) **to** ~ **away with a crime** échapper à la justice; **you'll never** ~ **away with it!** tu ne vas pas t'en tirer comme ça!; **he mustn't be allowed to** ~ **away with it** il ne faut pas qu'il s'en tire à si bon compte; **she can** ~ **away with bright colours** elle peut se permettre de porter des couleurs vives; ▸ ~ **[sb/sth] away** (for break) emmener [qn] se changer les idées; **to** ~ **sb away from a bad influence** tenir qn à l'écart d'une mauvaise influence; **to** ~ **sth away from sb** retirer qch à qn [*weapon, dangerous object*]

■ **get away from**: ▸ ~ **away from [sth]** 1 (leave) quitter [*town*]; **I must** ~ **away from here** *ou* **this place!** il faut que je parte d'ici!; **'**~ **away from it all'** (in advert) 'évadez-vous de votre quotidien'; 2 fig (deny) nier [*fact*]; **there's no** ~**ting away from it** on ne peut pas le nier; 3 fig (leave behind) abandonner [*practice, method*]; ▸ ~ **away from [sb]** lit, fig échapper à

■ **get back**: ▸ ~ **back** 1 (return) gen rentrer; (after short time) revenir; **when we** ~ **back** à notre retour; 2 (move backwards) reculer; ~ **back!** reculez!; 3 (take revenge) **to** ~ **back at** se venger de [*aggressor*]; ▸ ~ **back to [sth]** 1 (return to) rentrer à [*house, city*]; revenir à [*office, centre, point*]; **we got back to Belgium** nous sommes rentrés en Belgique; **when we** ~ **back to London** à notre retour à Londres; 2 (return to former condition) revenir à [*teaching, publishing*]; **to** ~ **back to sleep** se rendormir; **to** ~ **back to normal** redevenir normal; 3 (return to earlier stage) revenir à [*main topic, former point*]; **to** ~ **back to your problem,...** pour en revenir à votre problème,...; ▸ ~ **back to [sb]** 1 (return to) revenir à [*group, person*]; 2 (on telephone) **I'll** ~ **right back to you** je vous rappelle tout de suite; ▸ ~ **[sb/sth] back** 1 (return) (personally) ramener [*object, person*]; (by post etc) renvoyer; Sport (in tennis etc) renvoyer [*ball*]; **when they got him back to his cell** quand ils l'ont ramené dans sa cellule; 2 (regain) récupérer [*lost object, loaned item*]; fig reprendre [*strength*]; **she got her money back** elle a été remboursée; **she got her old job back** on lui a redonné son travail; **he got his girlfriend back** il s'est remis avec sa petite amie○

■ **get behind**: ▸ ~ **behind** (delayed) prendre du retard; ▸ ~ **behind [sth]** se mettre derrière [*hedge, sofa etc*]

■ **get by** 1 (pass) passer; 2 (survive) se débrouiller (**on, with** avec); **we'll never** ~ **by without him/them** nous ne nous en sortirons jamais sans lui/eux

■ **get down**: ▸ ~ **down** 1 (descend) descendre (**from, out of** de); 2 (leave table) quitter la table; 3 (lower oneself) (to floor) se coucher; (to crouching position) se baisser; **to** ~ **down on one's knees** s'agenouiller; **to** ~ **down to** (descend to reach) arriver à [*lower level etc*]; atteindre [*trapped person etc*]; (apply oneself to) se mettre à [*work*]; **to** ~ **down to the pupils' level** fig se mettre à la portée des élèves; **let's** ~ **down to business** parlons affaires; **when you** ~ **right down to it** quand on regarde d'un peu plus près; **to** ~ **down to doing** se mettre à faire; ▸ ~ **down [sth]** descendre [*slope*]; **if we** ~ **down the mountain alive** si nous arrivons vivants en bas de la montagne; **when we got down the hill** quand nous nous sommes retrouvés en bas de la colline; ▸ ~ **[sth] down**, ~ **down [sth]** 1 (from height) descendre [*book, jar etc*]; 2 (swallow) avaler [*medicine, pill*]; 3 (record) noter [*speech, dictation*]; ▸ ~ **[sb] down** 1 (from height) faire descendre [*person*]; 2 ○(depress) déprimer [*person*]

■ **get in**: ▸ ~ **in** 1 lit (to building) entrer; (to vehicle) monter; 2 fig (participate) **to** ~ **in on** réussir à s'introduire dans [*project, scheme*]; **to** ~ **in on the deal**○ faire partie du coup; 3 (return home) rentrer; 4 (arrive at destination) [*train, coach*] arriver; 5 (penetrate) [*water, sunlight*] pénétrer; 6 Pol [*Labour, Tories etc*] passer; [*candidate*] être élu; 7 Sch, Univ [*applicant*] être admis; 8 (associate) **to** ~ **in with** se mettre bien avec [*person*]; **he's got in with a bad crowd** il traîne avec des gens peu recommandables; ▸ ~ **[sth] in**, ~ **in [sth]** 1 (buy in) acheter [*supplies*]; 2 (fit into space) **I can't** ~ **the drawer in** je n'arrive pas à faire rentrer le tiroir; 3 Agric (harvest) rentrer [*crop*]; 4 Hort (plant) planter [*bulbs etc*]; 5 (deliver, hand in) rendre [*essay, competition entry*]; 6 (include) (in article, book) placer [*section, remark, anecdote*]; **he got in a few punches** il a distribué quelques coups; 7 (fit into schedule) faire [*tennis, golf*]; **I'll try to** ~ **in a bit of tennis**○ j'essayerai de faire un peu de tennis; ▸ ~ **[sb] in** faire entrer [*person*]

■ **get into**: ▸ ~ **into [sth]** 1 (enter) entrer dans [*building*]; monter dans [*vehicle*]; 2 (be admitted) (as member) devenir membre de [*club*]; (as student) être admis à [*school, university*]; **I didn't know what I was** ~**ting into** fig je ne savais pas dans quoi je m'embarquais; 3 (squeeze into) rentrer dans [*garment, size*]; ▸ **debt, habit, trouble**; ▸ ~ **[sb/sth] into** faire entrer [qn/qch] dans [*good school, building, room, space*]

■ **get off**: ▸ ~ **off** 1 (from bus etc) descendre (**at** à); 2 (start on journey) partir; 3 (leave work) finir; 4 ○(escape punishment) s'en tirer (**with** avec); 5 **to** ~ **off to** partir pour [*destination*]; **did they** ~ **off to school OK?** est-ce qu'ils sont partis sans problèmes pour l'école?; (make headway) **to** ~ **off to a good/poor start** prendre un bon/mauvais départ; **to** ~ **off to sleep** s'endormir; **to** ~ **off on doing**○ péj (get buzz from) prendre plaisir à faire; **to** ~ **off with**, GB rencontrer, ramasser○ pej [*person*]; ▸ ~ **off [sth]** 1 (climb down from) descendre de [*wall, ledge*]; 2 (alight from) descendre de [*bus etc*]; 3 (remove oneself from) ~ **off my nice clean floor/the grass** ne marche pas sur mon sol tout propre/la pelouse; 4 fig (depart from) s'écarter de [*subject*]; ▸ ~ **off**○ **[sb]** (leave hold) ~ **off me!** lâche-moi!; ▸ ~ **[sb/sth] off** 1 (lift down) descendre [*object*]; faire descendre [*person*]; 2 (dispatch) envoyer [*parcel, letter, person*]; **I've got the children off to school** j'ai envoyé les enfants à l'école; 3 (remove) enlever [*stain*]; 4 ○(send to sleep) endormir [*baby*]

■ **get on**: ▸ ~ **on** 1 (climb aboard) monter (**at** à); 2 (work) ~ **on a bit faster/more sensibly** travaille un peu plus vite/plus sérieusement; 3 (continue with work) **let's** ~ **on!** continuons!; 4 GB (like each other) bien s'entendre; 5 (fare) **how did you** ~ **on?** comment est-ce que ça s'est passé?; 6 (cope) **how are you** ~**ting on?** comment est-ce que tu t'en sors?; 7 GB (approach) **he's** ~**ting on for 40** il approche des quarante ans; **it's** ~**ting on for midnight** il est presque minuit; **there are** ~**ting on for 80 people**○ il y a presque 80 personnes; 8 (grow late) **time's** ~**ting on** le temps passe; 9 (grow old) **to be** ~**ting on a bit** commencer à vieillir; ▸ ~ **on [sth]** (board) monter dans [*vehicle*]; ▸ ~ **[sth] on**, ~ **on [sth]** (put on) mettre [*boots, clothing*]; monter [*tyre*]; mettre [*lid, tap washer etc*]

■ **get onto**: ▸ ~ **onto [sth]** 1 (board) monter dans [*vehicle*]; 2 (be appointed) être nommé à [*Board*]; 3 (start to discuss) arriver à parler de [*topic, subject*]; 4 GB (contact) contacter; **I'll** ~ **on to the authorities** je contacterai les autorités

■ **get on with**: ▸ ~ **on with [sth]** (continue to do) **to** ~ **on with one's work/with preparing the meal** continuer à travailler/à préparer le repas; **let's** ~ **on with the job!** au travail!; ▸ ~ **on with [sb]** GB s'entendre avec [*person*]

■ **get out**: ▸ ~ **out** 1 (exit) sortir (**through, by** par); ~ **out and don't come back!** va-t'en et ne reviens pas!; **they'll never** ~ **out alive** ils ne s'en sortiront jamais vivants; 2 (make social outing) sortir; **you should** ~ **out more** tu devrais sortir plus; 3 (resign, leave) partir; 4 (alight) descendre; 5 (be let out) [*prisoner*] être libéré; **he** ~**s out on the 8th** il sera libéré le 8; 6 (leak) [*news*] être révélé; ▸ ~ **[sth] out**, ~ **out [sth]** 1 (bring out) sortir [*handkerchief, ID card*]; 2 (extract) retirer [*cork, stuck object*]; extraire [*tooth*]; 3 (erase) enlever [*stain*]; 4 (take on loan) emprunter [*library book*]; 5 (produce) sortir [*plans, product*]; 6 (utter) **I couldn't** ~ **the words out** les mots ne voulaient pas sortir; 7 (solve) faire [*puzzle*]; ▸ ~ **[sb] out** (release) faire libérer [*prisoner*]; **to** ~ **sb out of sth** (free from detention) (personally) libérer qn de qch; (by persuasion) faire libérer qn de qch [*prisoner*]; **to** ~ **sth out of sth** (bring out) sortir qch de qch [*handkerchief etc*]; (find and remove) récupérer qch dans qch [*required object, stuck object*]; **I can't** ~ **it out of my mind** je ne peux pas l'effacer de mon esprit

■ **get out of**: ▸ ~ **out of [sth]** 1 (exit from) sortir de [*building, bed*]; 2 (alight from) descendre de [*vehicle*]; 3 (leave at end of) sortir de [*meeting*]; 4 (be freed from) être libéré de [*prison*]; 5 (withdraw from) quitter [*organization*]; échapper à [*responsibilities*]; **he's got out of oil**○ (as investment) il a vendu toutes ses actions dans le pétrole; 6 (avoid doing) s'arranger pour ne pas aller à [*appointment, meeting*]; **I'll try to ~ out of it** j'essaierai de me libérer; **I accepted the invitation and now I can't ~ out of it** j'ai accepté l'invitation et maintenant je ne peux pas me défiler○; **to ~ out of doing** s'arranger pour ne pas faire; 7 (no longer do) perdre [*habit*]; 8 (gain from) **what do you ~ out of your job?** qu'est-ce que ton travail t'apporte?; **what will you ~ out of it?** qu'est-ce que vous en retirerez?

■ **get over**: ▸ **~ over** (cross) passer; ▸ **~ over [sth]** 1 (cross) traverser [*bridge, stream*]; 2 (recover from) se remettre de [*illness, shock*]; **to ~ over the fact that** se remettre du fait que; **I can't ~ over it** (in amazement) je n'en reviens pas; **I couldn't ~ over how she looked** ça m'a fait un choc de la voir comme ça; **I can't ~ over how you've grown** je n'en reviens pas de ce que tu as grandi; 3 (surmount) surmonter [*problem*]; **to ~ sth over with** en finir avec qch; **let's ~ it over with** finissons-en; 4 (stop loving) oublier; **she never got over him** elle ne l'a jamais oublié; ▸ **~ [sb/sth] over** 1 (cause to cross) faire passer [*injured person, object*]; faire passer [qn/qch] au-dessus de [*bridge, wall etc*]; 2 (cause to arrive) **~ the plumber over here at once** faites venir tout de suite le plombier; 3 (communicate) faire passer [*message*]

■ **get round** GB: ▸ **~ round = get around**; ▸ **~ round [sth] = get around [sth]**; ▸ **~ round**○ **[sb]** persuader [qn], avoir [qn] au sentiment○; **can't you ~ round him?** est-ce que tu ne peux pas le persuader?; **she easily ~s round her father** elle fait tout ce qu'elle veut de son père

■ **get through**: ▸ **~ through** 1 (squeeze through) passer; 2 Telecom **to ~ through to sb** avoir qn au téléphone; **I couldn't ~ through** je n'ai pas réussi à l'avoir; 3 **to ~ through to** (communicate with) convaincre [*person*]; 4 (arrive) [*news, supplies*] arriver; 5 (survive) s'en sortir (**by doing** en faisant); 6 Sch, Univ [*examinee*] réussir; ▸ **~ through [sth]** 1 (make way through) traverser [*checkpoint, mud*]; 2 (reach end of) terminer [*book, revision*]; finir [*meal, task*]; [*actor*] finir [*performance*]; 3 (survive mentally) **I thought I'd never ~ through the week** j'ai cru que je ne tiendrais pas la semaine; 4 (complete successfully) [*candidate, competitor*] réussir à [*exam, qualifying round*]; **I got through the interview** l'entretien s'est bien passé; 5 (consume, use) manger [*supply of food*]; boire [*supply of drink*]; dépenser [*money*]; **I ~ through two notebooks a week** il me faut *or* j'use deux carnets par semaine; ▸ **~ [sb/sth] through** 1 (squeeze through) faire passer [*car, object, person*]; 2 (help to endure) [*pills, encouragement, strength of character*] aider [qn] à continuer; **her advice/these pills got me through the day** ses conseils/ces comprimés m'ont aidé à tenir le coup○; 3 (help through frontier etc) faire passer [*person, imported goods*]; 4 Sch, Univ (help to pass) permettre à [qn] de réussir [*candidate*]; 5 Pol faire passer [*bill*]

■ **get together**: ▸ **~ together** (assemble) se réunir (**about** , **over** pour discuter de); ▸ **~ [sb/sth] together**, **~ together [sb/sth]** 1 (assemble) réunir [*different people, groups*]; 2 (accumulate) réunir [*money*]; rassembler [*food parcels, truckload*]; 3 (form) former [*company, action group*]

■ **get under**: ▸ **~ under** passer en-dessous; ▸ **~ under [sth]** passer sous [*barrier, floorboards etc*]

■ **get up**: ▸ **~ up** 1 (from bed, chair etc) se lever (**from** de); **~ up off the grass!** ne reste pas sur l'herbe!; 2 (on horse, ledge etc) monter; **how did you ~ up there?** comment est-ce que tu es monté là-haut?; 3 Meteorol [*storm*] se préparer; [*wind*] se lever; 4 **to ~ up to** (reach) arriver à [*page, upper floor*]; **what did you ~ up to?** fig (sth enjoyable) qu'est-ce que tu as fait de beau?; (sth mischievous) qu'est-ce que tu as fabriqué○?; ▸ **~ up [sth]** 1 arriver en haut de [*hill, ladder*]; 2 (increase) augmenter [*speed*]; 3 (start, muster) former [*group*]; faire [*petition*]; obtenir [*support, sympathy*]; ▸ **~ [sth] up** organiser; ▸ **~ [oneself] up**○ in mettre [*outfit*]

getatable○ /ˌget'ætəbl/ *adj* **to be/not to be ~** [*object*] être facile/difficile à atteindre

getaway /'getəweɪ/

A *n* **to make a quick ~** décamper vite fait○

B *modif* **the robbers had a ~ car outside the bank** une voiture attendait les voleurs à la sortie de la banque

get-out /'getaʊt/ *n* prétexte *m*

get-rich-quick scheme○ *n* combine○ *f* pour s'enrichir rapidement

get-together /'gettəgeðə(r)/ *n* **we ought to have a ~** il faudrait qu'on organise quelque chose pour se voir; **we had a bit of a ~** nous avons fait une petite fête

get: **~up**○ *n* péj accoutrement *m*; **~-up-and-go** *n* dynamisme *m*; **~ well** *adj* [*card, wishes*] de prompt rétablissement

geum /'dʒiːəm/ *n* benoîte *f*

gewgaw /'gjuːgɔː/ *n* colifichet *m*

geyser /'giːzə(r)/ *n* 1 Geol geyser *m*; 2 GB (water heater) chauffe-eau *m* (à gaz)

G-force *n* force *f* de gravité

Ghana /'gɑːnə/ ▸ **p. 1096** *pr n* Ghana *m*

Ghanaian /gɑː'neɪən/ ▸ **p. 1467**

A *n* Ghanéen/-éenne *m/f*

B *adj* ghanéen/-éenne

ghastly /'gɑːstlɪ, US 'gæstlɪ/ *adj* 1 (dreadful) [*accident, scene, sight*] horrible; 2 (sickly) [*person, family, decor, colour, taste*] horrible; [*light*] blafard; **to be ~ pale**, **to have a ~ pallor** être blême *or* livide

ghee /giː/ *n* beurre *m* clarifié

Ghent /gent/ ▸ **p. 1815** *pr n* Gand

gherkin /'gɜːkɪn/ *n* cornichon *m*

ghetto /'getəʊ/

A *n* (*pl* **~** *ou* **~es**) ghetto *m*

B *modif* [*child, poverty*] des ghettos; [*life, upbringing*] dans les ghettos

ghetto blaster○ *n* (gros) radiocassette *m or f* portable

ghettoization /ˌgetəʊaɪ'zeɪʃn, US -əʊɪ'z-/ *n* (of people) relégation *f* dans des ghettos, ghettoïsation *f*; **the ~ of an issue** fig la relégation d'un problème au second plan

ghettoize /'getəʊaɪz/ *vtr* lit reléguer [qn] dans des ghettos, ghettoïser [*immigrants*]; fig reléguer [qch] au second plan [*subject, issue*]

ghost /gəʊst/

A *n* 1 (spectre) fantôme *m*; **to believe in ~s** croire aux fantômes; **you look as if you've seen a ~!** tu as l'air terrorisé!; 2 fig **the ~ of a smile** l'ombre *f* d'un sourire; **they haven't the ~ of a chance of winning!** ils n'ont pas la moindre chance de réussir!; **to lay the ~s of one's past** exorciser ses démons; 3 (writer) nègre *m*; 4 TV image *f* secondaire, écho *m*

B *vtr* **to ~ sb's books** servir de nègre à qn pour ses livres

C *vi* **to ~ for sb** servir de nègre à qn

(Idiom) **to give up the ~** rendre l'âme

ghostbuster /'gəʊstbʌstə(r)/ *n* chasseur/-euse *m/f* de fantômes

ghost image *n* image *f* secondaire, écho *m*

ghostly /'gəʊstlɪ/ *adj* spectral

ghost: **~ ship** *n* vaisseau *m* fantôme; **~ site** *n* Comput site *m* fantôme; **~ story** *n* histoire *f* de fantômes; **~ town** *n* ville *f* morte; **~ train** *n* train *m* fantôme; **~write** *vi, vtr* (*prét* **-wrote**; *pp* **-written**) = **ghost B, C**; **~writer** *n* nègre *m*

ghoul /guːl/ *n* 1 (spirit) goule *f*; 2 péj (person) **to be a ~** être macabre

ghoulish /'guːlɪʃ/ *adj* (all contexts) macabre

GHQ *n* (*abrév* = **General Headquarters**) GQG *m*

GI *n* (*pl* **GIs**) GI *m inv*, soldat *m* américain

giant /'dʒaɪənt/

A *n* (all contexts) géant *m*; **industrial ~** géant *m* de l'industrie; **intellectual ~** géant *m* sur le plan intellectuel

B *adj* [*size, company*] géant

giant anteater *n* grand fourmilier *m*

giantess /'dʒaɪəntes/ *n* géante *f*

giant: **~-killer** *n* vainqueur *m* surprise; **~ panda** *n* grand panda *m*; **~-size(d)** *adj* géant; **~ slalom** *n* slalom *m* géant; **~ star** *n* étoile *f* géante

gibber /'dʒɪbə(r)/ *vi* 1 (with fear, rage) bafouiller; **what's he ~ing on about?**○ péj qu'est-ce qu'il bafouille?; **~ing idiot**○ péj crétin○; 2 [*monkey*] baragouiner

gibberish /'dʒɪbərɪʃ/ *n* charabia *m*

gibbet /'dʒɪbɪt/ *n* potence *f*, gibet *m*

gibbon /'gɪbən/ *n* gibbon *m*

gibbous moon /ˌgɪbəs'muːn/ *n* lune *f* gibbeuse

gibe = **jibe**

GI Bill *n* US *loi votée en 1944 et permettant aux GI démobilisés de poursuivre gratuitement leurs études*

giblets /'dʒɪblɪts/ *npl* abats *mpl*

Gibraltar /dʒɪ'brɔːltə(r)/ ▸ **p. 1815** *pr n* Gibraltar

GI bride *n*: *épouse étrangère d'un GI*

giddily /'gɪdɪlɪ/ *adv* 1 (dizzily) vertigineusement; 2 (frivolously) étourdiment

giddiness /'gɪdɪnɪs/ *n* 1 (dizziness) vertige *m*; 2 (frivolity) légèreté *f*, insouciance *f*

giddy /'gɪdɪ/ *adj* 1 (dizzy) **to feel ~** avoir la tête qui tourne; 2 (exhilarating) [*height, speed*] vertigineux/-euse; [*success, social whirl*] enivrant; 3 (frivolous) [*person*] écervelé; [*behaviour*] irréfléchi

giddy: **~ spell** *n* vertige *m*, étourdissement *m*; **~ up** *excl* hue!

Gideon Bible /ˌgɪdɪən'baɪbl/ *n* Bible *f* (*placée dans les hôtels par une organisation chrétienne*)

gift /gɪft/ *n* 1 (present) cadeau *m* (**from** de; **to** à); **a farewell/wedding ~** un cadeau d'adieu/de mariage; **to give a ~ to sb, to give sb a ~** faire *or* offrir un cadeau à qn; **to give sb a ~ of crystal/money** offrir du cristal/de l'argent à qn; **they gave it to us as a ~** ils nous en ont fait cadeau; **it's for a ~** c'est pour offrir; **'how to claim your free ~'** Advertg 'comment recevoir votre cadeau'; **a ~ from the gods** un don du ciel; **the ~ of life/sight** le don de la vie/la vue; fig **it was a ~ of a goal**○ le but était un vrai cadeau; **at that price, it's a ~!** à ce prix-là, c'est donné *or* c'est un cadeau!; 2 (donation) don *m* (**from** de; **to** à); **a ~ of £10,000/of an incubator** un don de 10 000 livres sterling/d'une couveuse; **to make a ~ of sth to sb** faire don de qch à qn; 3 (talent) don *m* (**for sth** pour qch); **to have a ~ for** *ou* **of doing** avoir le don de faire; 4 Jur (of property) donation *f*; **to make sb a ~ of sth** faire une donation à qn de qch; **by way of a ~** en donation; **to be in sb's ~** sout être à la discrétion de qn

(Idiom) **don't look a ~ horse in the mouth** Prov à cheval donné, on ne regarde pas les dents Prov

GIFT /gɪft/ *n* Med (*abrév* = **gamete intrafallopian transfer**) transfert *m* tubaire des gamètes

gift certificate *n* US chèque-cadeau *m*

gifted /'gɪftɪd/ *adj* (talented) [*actor, athlete, musician, artist*] doué; (intellectually) [*child*] surdoué; **a linguistically/musically ~ student** un étudiant très doué pour les langues/la musique; **a ~ amateur** un amateur très doué

gift: **~ shop** *n* magasin *m* de cadeaux; **~ token**, **~ voucher** *n* GB chèque-cadeau *m*

gift wrap

A /'gɪftræp/ *n* (*also* **~ping**) papier *m* cadeau

B **gift-wrap** /ˌgɪft'ræp/ *vtr* (*p prés etc* **-pp-**) **would you like it ~ped?** est-ce que je vous fais un paquet-cadeau?

gig /gɪg/ *n* 1 ○Mus concert *m* de rock; **to do** *ou* **play a ~** donner un concert; 2 (carriage) cabriolet *m*; 3 Naut petit canot *m*, youyou *m*

g

gigabit /ˈɡɪɡəbɪt/ *n* Comput gigabit *m*
gigabyte /ˈɡaɪɡəbaɪt/ *n* gigaoctet *m*
gigaflop /ˈɡɪɡəflɒp/ *n* Comput gigaflop *m*
gigantic /dʒaɪˈɡæntɪk/ *adj* gigantesque
gigantically /dʒaɪˈɡæntɪkəlɪ/ *adv* **~ tall** gigantesque; **to be ~ successful**○ avoir un succès énorme
gigantism /ˈdʒaɪɡəntɪzəm/ *n* gigantisme *m*
gigawatt /ˈɡaɪɡəwɒt/ *n* gigawatt *m*
giggle /ˈɡɪɡl/
A *n* **1** (silly) petit rire *m* bête; (nervous) petit rire nerveux; **to have a fit of the ~s** avoir le fou rire; **to get the ~s** attraper un fou rire; **2** ○GB (joke) **to do sth for a ~**○ faire qch pour rigoler○; **we had a good ~**○**!** on a bien rigolé○!
B *vtr* **'I don't know!' she ~d** 'je ne sais pas!' dit-elle en riant bêtement *or* nerveusement
C *vi* (stupidly) rire bêtement; (nervously) rire nerveusement; **he was giggling helplessly** il avait le fou rire
giggly /ˈɡɪɡlɪ/ *adj* péj [*person*] qui n'arrête pas de glousser; [*laughter*] (nervous) nerveux/-euse; (silly) bête; **to be in a ~ mood** se mettre à rire pour un rien
GIGO (*abrév* = **garbage in garbage out**); ▸ **garbage**
gigolo /ˈʒɪɡələʊ/ *n* (*pl* **-los**) gigolo *m*
Gila monster /ˈhiːlə ˈmɒnstə/ *n* monstre *m* de Gila
gild /ɡɪld/ *vtr* (*prét, pp* **gilded** *ou* **gilt**) **1** dorer [*frame, ornament*]; **2** (light up) [*sun, light*] illuminer
(Idioms) **~ed youth** jeunesse *f* dorée; **to be a bird in a ~ cage** vivre dans une prison dorée
gilding /ˈɡɪldɪŋ/ *n* dorure *f*
gill¹ /ɡɪl/ *n* **1** (of fish) branchie *f*; **2** (of mushroom) lamelle *f*
(Idiom) **green about the ~s**○ blanc/blanche comme un linge
gill² /dʒɪl/ *n* ▸ **p. 1029** Meas quart *m* de pinte
gillie, **gilly** /ˈɡɪlɪ/ *n* Scot accompagnateur *m* (*d'un chasseur, d'un pêcheur*)
gillyflower /ˈdʒɪlɪflaʊə(r)/ *n* giroflée *f*
gilt /ɡɪlt/
A *pp* ▸ **gild**
B *n* dorure *f*
C *adj* [*frame, paint*] doré
gilt-edged /ˌɡɪltˈedʒd/ *adj* **1** [*page*] doré sur tranche; **2** [*investment, opportunity*] en or
gilt-edged securities, **gilt-edged stock(s)** *n* obligations et titres *mpl* d'État *or* de père de famille○ pej
gilts /ɡɪlts/ Fin
A *npl* obligations et titres *mpl* d'État *or* de père de famille○ pej
B *modif* [*market, profit, yield*] des obligations et titres d'État
gimbals /ˈdʒɪmblz/ *npl* cardan *m*
gimcrack /ˈdʒɪmkræk/
A *n* babiole *f*
B *adj* en toc, de pacotille
gimlet /ˈɡɪmlɪt/ *n* vrille *f*
(Idioms) **to have eyes like ~s**, **to be ~-eyed** avoir un regard perçant
gimmick /ˈɡɪmɪk/ *n* péj **1** (stunt to attract attention) truc○ *m*; (gadget) gadget *m*; **sales/publicity ~** truc○ promotionnel/publicitaire; **cheap ~s to attract customers** des combines○ *fpl* pour attirer le client; **2** US **what's his ~?** qu'est-ce qu'il veut vraiment?
gimmickry /ˈɡɪmɪkrɪ/ *n* ₵ péj trucs○ *mpl*
gimmicky /ˈɡɪmɪkɪ/ *adj* péj [*theatrical production*] plein d'effets gratuits; [*clothes, jewellery*] fantaisiste; [*idea, theory*] à la mode
gimp /ɡɪmp/
A *n* **1** Tex renfort *m*; **2** ○US **to have a ~** boiter
B ○*vi* US boiter
gin /dʒɪn/ *n* **1** (drink) gin *m*; **2** (engine) égreneuse *f*; **3** (*also* **~ trap**) Hunt piège *m*
gin: **~ and it** *n* GB gin-vermouth *m*; **~ and tonic** *n* gin tonic *m*; **~ and tonic belt** *n* GB banlieue *f* résidentielle aisée (*des grandes villes du sud de l'Angleterre*)
ginger /ˈdʒɪndʒə(r)/ ▸ **p. 1067**
A *n* **1** Bot, Culin gingembre *m*; **root** *ou* **fresh ~** gingembre *m* frais; **2** (colour) (of hair) roux *m*; **3** (nickname) injur Poil *m* de carotte offensive
B *modif* **1** Culin [*cake, biscuit*] au gingembre; **2** (reddish) [*hair, beard*] roux/rousse; [*cat*] au poil roux
(Phrasal verb) ■ **ginger up**: ▸ **~ up [sth]** égayer [*evening*]; stimuler [*metabolism*]
ginger: **~ ale** *n*: *boisson gazeuse au gingembre*; **~ beer** *n*: *boisson légèrement alcoolisée à base de gingembre*
gingerbread /ˈdʒɪndʒəbred/ *n* **1** Culin ≈ pain *m* d'épice; **2** (ornamentation) surtout US tarabiscotage *m*
(Idiom) **that takes the gilt off the ~** ça change tout
ginger: **~bread man** *n* bonhomme *m* en pain d'épice; **~ group** *n* GB groupe *m* de pression (*à l'intérieur d'un parti, d'un organisme*); **~-haired** *adj* roux/rousse
gingerly /ˈdʒɪndʒəlɪ/ *adv* avec précaution
gingernut, **ginger snap** *n* Culin biscuit *m* au gingembre
gingery /ˈdʒɪndʒərɪ/ *adj* **1** (reddish) [*hair, beard, colour*] roux/rousse; **2** Culin [*flavour*] de gingembre
gingham /ˈɡɪŋəm/
A *n* vichy *m*
B *modif* [*garment*] en vichy
gingivitis /ˌdʒɪndʒɪˈvaɪtɪs/ ▸ **p. 1327** *n* gingivite *f*
gink○ /ɡɪŋk/ *n* péj type○ *m*
gin: **~ mill**○ US *n* péj saloon *m*; **~ rummy** ▸ **p. 1253** *n* gin-rami *m*
ginseng /ˈdʒɪnseŋ/ *n* ginseng *m*
gin sling *n* gin-fizz *m*
Gioconda /dʒɒkˈɒndə/ *pr n* **La ~** la Joconde *f*
gippo○† /ˈdʒɪpəʊ/ *n* GB injur (*abrév* = **gipsy**) romanichel/-elle *m/f*
gippy○† /ˈdʒɪpɪ/ *adj* GB **to have a ~ tummy** avoir la colique
gipsy *n* = **gypsy**
giraffe /dʒɪˈrɑːf, US dʒəˈræf/ *n* girafe *f*; **baby ~** girafeau *m*
gird /ɡɜːd/ littér
A *vtr* ceindre liter
B *v refl* **to ~ oneself** se préparer (**for** à)
(Idiom) **to ~ (up) one's loins** fig, hum revêtir son armure
girder /ˈɡɜːdə(r)/ *n* poutre *f*; **box ~** poutre-caisson *f*
girdle /ˈɡɜːdl/
A *n* **1** (corset) gaine *f*; **2** (belt) ceinture *f*; **3** Culin = **griddle**
B *vtr* encercler
girl /ɡɜːl/
A *n* **1** (child) fille *f*; (teenager) jeune fille *f*; (woman) femme *f*; **~'s bicycle/coat** bicyclette/manteau de fille; **~s' school** école de filles; **the ~s' changing room/toilets** le vestiaire/les toilettes des filles; **baby ~** petite fille *f*, bébé *m*; **little ~** petite fille *f*, fillette *f*; **teenage ~** adolescente *f*; **young ~** jeune fille; **when I was a ~** (referring to childhood) quand j'étais petite; (referring to adolescence) quand j'étais jeune; **good morning, ~s and boys** bonjour, les enfants; **come on, ~s!** (to children) allez, les filles!; (to women) hum allez, mesdames!; **be a good ~** (to child) sois sage; (to adult) hum sois gentille; **good ~!** c'est bien!; **the new ~** gen, Sch la nouvelle *f*; **2** (daughter) fille *f*; **the Smith ~** la fille Smith; **3** (employee) (servant) bonne *f*; **factory ~** ouvrière *f*; **office ~** employée *f* de bureau; **sales** *ou* **shop ~** vendeuse *f*; **4** (man's sweetheart) (petite) amie *f*
B *modif* **a ~ singer** une (jeune) chanteuse; **~ talk**○ conversation entre femmes; **he's having ~ trouble** il a des problèmes avec sa petite amie
(Idiom) **~ next door** jeune fille rangée
girl: **~ band** *n* girls band *m*; **~ Friday** *n* aide *f* de bureau; **~friend** *n* (sweetheart) (petite) amie *f*; gen amie *f*; **~ guide** GB, **~ scout** US *n* éclaireuse *f*
girlhood /ˈɡɜːlhʊd/ *n* (childhood) enfance *f*; (adolescence) jeunesse *f*
girlie○ /ˈɡɜːlɪ/ *n* fillette *f*
girlie: **~ mag(azine)**○ *n* magazine *m* pour hommes; **~ show**○ *n* spectacle *m* de cabaret pour hommes
girlish /ˈɡɜːlɪʃ/ *adj* de jeune fille
girlishly /ˈɡɜːlɪʃlɪ/ *adv* comme une jeune fille
girl power *n* girl power *m* (*'le pouvoir aux femmes', revendication lancée par des groupes de pop britanniques dans les années 90*)
girls' wear department *n* rayon *m* fillette
giro /ˈdʒaɪrəʊ/
A *n* GB Fin **1** (system) système *m* de virement bancaire; **to pay by ~** payer par virement bancaire; **2** (cheque) mandat *m* (*en paiement d'allocations de chômage, de retraite etc*)
B *modif* **~ payment**, **~ transfer** (through bank) virement *m* bancaire; (through post office) virement *m* postal
Gironde ▸ **p. 1129** *pr n* Gironde *f*; **in/to the ~** en Gironde
girth /ɡɜːθ/ *n* **1** (of person) tour *m* de taille; (of tree, pillar) circonférence *f*; **2** Equit sangle *f*
GIS *n*: *abrév* ▸ **geographic information system**
gismo○ *n* = **gizmo**
gist /dʒɪst/ *n* essentiel *m* (**of** de)
git◑ /ɡɪt/ *n* GB pej conard◑/conasse● *m/f*
give /ɡɪv/
A *n* élasticité *f*; **this surface has more ~** cette surface amortit mieux les chocs
B *vtr* (*prét* **gave**; *pp* **given**) **1** (hand over) [*person*] donner [*object, money, medal, prize, punishment, hand, arm*] (**to** à); offrir [*present, drink, sandwich*] (**to** à); **to ~ sb sth** gen donner qch à qn; (politely, as gift) offrir qch à qn; **~ it me!**, **~ me it!** donne-moi ça!; **~ him a drink** donne-lui à boire; **to ~ sb sth for** offrir qch à qn pour [*birthday, Christmas*]; **how much** *ou* **what will you ~ me for it?** combien m'en donnes-tu?; **I'll ~ you 50 cents for it** je t'en donne 50 cents; **I'd ~ anything for/to do** je donnerais n'importe quoi pour/pour faire; **what wouldn't I ~ for…!** je donnerais cher pour…!; **to ~ sb sth as** offrir qch à qn comme [*present, token, symbol*]; **to ~ sb sth to carry/look after** donner qch à qn à porter/surveiller
2 (cause to have) **to ~ sb [sth], to ~ [sth] to sb** donner [qch] à qn [*headache, indigestion, vertigo, nightmares, satisfaction*]; transmettre *or* passer [qch] à qn [*disease, infection, virus*]; **he's given me his cough** il m'a passé sa toux; **to ~ sb pleasure** faire plaisir à qn
3 (provide, produce) donner [*milk, flavour, result, answer, sum*]; apporter [*heat, light, vitamin, nutrient*]; faire [*total*]; **blue and yellow ~ (you) green** le bleu et le jaune donnent le vert; **the number was given to three decimal places/in metric units** le nombre était donné jusqu'à la troisième décimale/en unités du système métrique
4 (allow, accord) [*authority*] accorder [*custody, grant, bursary*]; laisser qch à qn [*seat*]; [*hotelier*] donner [*room*]; **to ~ sb sth** donner *or* accorder qch à qn [*time, time period*] (**to do** pour faire); **~ me a minute** donne-moi une minute; **to ~ sb enough room** laisser suffisamment de place à qn; **I'll ~ him another hour, then I'm calling the police** je lui donne *or* accorde encore une heure, et j'appelle la police; **she gave him a week to decide** elle lui a donné *or* accordé une semaine pour décider; **he was given six months to live** on lui a donné six mois à vivre; **how long do you**

~ **the new boss/their marriage?** combien de temps donnes-tu au nouveau patron/à leur mariage?; **it is not given to all of us to do** sout il n'est pas donné à tout le monde de faire; **she can sing, I'll ~ her that** elle sait chanter, je lui reconnais au moins ça; **it's original, I'll ~ you that** c'est original, je te l'accorde; **she could ~ her opponent five years** elle a au moins cinq ans de plus que son adversaire; **the polls ~ Labour a lead** les Travaillistes sont en tête dans les sondages

5 Med **to ~ sb sth, to ~ sth to sb** donner qch à qn [*treatment, medicine*]; greffer qch à qn [*organ*]; poser qch à qn [*artificial limb, pacemaker*]; faire qch à qn [*facelift, injection, massage*]; **can you ~ me something for the pain?** pouvez-vous me donner quelque chose contre la douleur?

6 (communicate) gen, Telecom donner [*advice, information, appointment*]; **to ~ sb sth** passer qch à qn [*extension, number, department*]; **~ me the sales manager, please** passez-moi le directeur commercial, s'il vous plaît; **I was given to understand** ou **believe that** on m'a laissé entendre que

7 (give birth to) **she gave him two sons** elle lui donna deux fils

C *vi* (*prét* **gave**; *pp* **given**) **1** (contribute) donner, faire un don; **to ~ to sth** (habitually) faire des dons à qch; **she never ~s to charity** elle ne donne jamais rien aux organisations caritatives; **'please ~ generously'** 'merci (de vos dons)'

2 (bend, flex) [*mattress, sofa*] s'affaisser (**under** sous); [*shelf, bridge, floorboard*] fléchir (**under** sous); [*branch*] ployer (**under** sous); [*leather, fabric*] s'assouplir

3 (yield, break) = **give way**

4 (concede, yield) [*person, side*] céder; **something has to ~** ça va finir par craquer

D *v refl* (*prét* **gave**; *pp* **given**) **to ~ oneself to** (devote oneself) se consacrer à [*cause, good works*]; euph (sexually) se donner à [*person*]

(Idioms) **don't ~ me that**○**!** ne (me) raconte pas d'histoires!; **~ or take an inch (or two)** à quelques centimètres près; **~ me a nice cup of tea any day** ou **every time**○**!** rien ne vaut une bonne tasse de thé!; **if this is the big city, ~ me a village every time**○ si c'est ça la ville, alors vive les petits villages; **'I ~ you the bride and groom!'** 'je bois à la santé du marié et de la mariée!'; **I'll ~ you something to cry about**○**!** tu vas savoir pourquoi tu pleure!; **I'll ~ you something to complain about**○**!** je vais t'apprendre à te plaindre!; **more money? I'll ~ you more money!**○ je vais t'en donner, moi, de l'argent!; **to ~ and take** faire des concessions; **to ~ as good as one gets** rendre coup pour coup; **to ~ it all one's got**○ (y) mettre le paquet; **to ~ sb what for**○ passer un savon à qn○; **what ~s?**○ qu'est-ce qui se passe?

(Phrasal verbs) ■ **give away**: ▸ **~ away [sth], ~ [sth] away** **1** (as gift, offer, charity) donner [*item, sample, ticket*] (**to** à); distribuer [*samples, tickets*]; **we're practically giving them away!** à ce prix-là, c'est donné!; **they're not exactly giving it away** iron on ne peut pas dire que c'est donné; **we've got 100 copies to ~ away!** il y a 100 exemplaires à gagner!; **2** (reveal) révéler [*secret, answer, story, ending*] (**to** à); **the flavour ~s it away** on le sent au goût; **3** (waste, lose carelessly) laisser échapper [*match, goal, advantage*] (**to** au bénéfice de); ▸ **~ [sb] away, ~ away [sb]** **1** (betray) [*expression, fingerprints*] trahir; [*person*] dénoncer [*person*] (**to** à); **to ~ oneself away** se trahir (**by doing** en faisant); **2** (in marriage) conduire [qn] à l'autel

■ **give back**: ▸ **~ [sth] back, ~ back [sth]** **1** (restore, return) rendre [*possession, appetite, sight, freedom*] (**to** à); **~ it back!** rends (-moi) ça!; **...or we'll ~ you your money back** ...ou vous serez remboursé; **2** (reflect) renvoyer [*echo, sound, light*]

■ **give forth** littér ou hum: ▸ **~ forth [sth]** dégager [*smell*]; émettre [*sound*]

■ **give in**: ▸ **~ in** **1** (to temptation, threat, person) céder (**to** à); **2** (stop trying) abandonner; **I ~ in—tell me!** je donne ma langue au chat○—dis-le moi!; ▸ **~ in [sth], ~ [sth] in** rendre [*homework, essay*]; remettre [*ticket, key, petition*]

■ **give off**: ▸ **~ off [sth]** émettre [*signal, scent, radiation, light*]; dégager [*heat, fumes, oxygen*]; **he was giving off hostile signals** il montrait des signes d'hostilité

■ **give onto**: ▸ **~ onto [sth]** donner sur [*street, yard etc*]

■ **give out**: ▸ **~ out** [*strength, battery, ink, fuel, supplies*] s'épuiser; [*engine, machine*] tomber en panne; ▸ **~ out [sth], ~ [sth] out** **1** (distribute) distribuer [*books, leaflets, gifts*] (**to** à); **2** (emit) = **give off**; **3** (announce) donner [*information, details*]

■ **give over**: ▸ **~ over**○ arrêter; **~ over!** arrête!; **to ~ over doing**○ arrêter de faire; ▸ **~ over [sth], ~ [sth] over** **1** affecter *or* réserver [*place, room*] (**to** à); **2** consacrer [*time, life*] (**to** à); **the rest of the day was given over to** le reste de la journée était consacré à; **3** (hand over) remettre [qch] à [*person*]; ▸ **~ oneself over to** **1** (devote oneself) se consacrer à [*good works, writing*]; **2** (let oneself go) s'abandonner à [*despair, joy*]; **3** (hand oneself to) se rendre à [*police*]

■ **give up**: ▸ **~ up** abandonner; **do you ~ up?** tu abandonnes?; **I ~ up!** (exasperated) j'abandonne!; **don't ~ up!** tiens bon!; **to ~ up on** laisser tomber [*diet, crossword, pupil, patient*]; ne plus compter sur [*friend, partner, associate*]; **I've given up on him** je ne compte plus sur lui!; ▸ **~ up [sth], ~ [sth] up** **1** (renounce or sacrifice) renoncer à [*vice, habit, social life, throne, title, claim*]; sacrifier [*free time, Saturdays etc*]; quitter [*job, work*]; **to ~ up smoking/drinking** cesser de fumer/de boire; **to ~ everything up for sb** renoncer à tout pour qn; **to ~ up one's free time for sth** consacrer son temps libre à qch; **2** (abandon, drop) abandonner [*search, hope, struggle, school subject*]; renoncer à [*idea, thought*]; **to ~ up trying/writing** cesser d'essayer/d'écrire; **3** (surrender) céder [*seat, place, territory*]; remettre [*passport, key*]; livrer [*secret, treasure*]; ▸ **~ up [sb], ~ [sb] up** **1** (hand over) livrer (**to** à); **to ~ oneself up** se livrer, se rendre (**to** à); **2** GB (stop expecting to arrive) ne plus attendre; **I'd given you up!** je ne t'attendais plus!; **3** (stop expecting to recover) considérer [qn] comme perdu; **4** (discontinue relations with) laisser tomber [*lover*]; délaisser [*friend*]

■ **give way**: ▸ **~ way** **1** (collapse) [*bridge, table, chair, wall, ceiling*] s'effondrer (**under** sous); [*fence, cable, rope*] céder (**under** sous); **his legs gave way under the weight/when he heard the news** ses jambes se sont dérobées sous le poids/sous lui quand il a appris la nouvelle; **2** GB (when driving) céder le passage (**to** à); **3** (concede, yield) céder; **to ~ way to** (yield to) céder à [*pressure, demands, person, fear, temptation, urge*]; s'abandonner à [*despair, base instincts*]; (be replaced by) faire place à [*sunshine, relief, new methods*]

give-and-take *n* ¢ concessions *fpl* mutuelles

giveaway /ˈɡɪvəweɪ/ *n* **1** (revealing thing) **to be a ~** être révélateur/-trice; **her expression was a ~** son expression était révélatrice *or* la trahissait; **it was a dead ~**○ c'était une preuve accablante; **oops! what a ~**○**!** zut! je me suis coupé○!; **2** (free gift, sample) cadeau *m*; **at £20 it's a ~**○ vingt livres pour ça, c'est donné

given /ˈɡɪvn/

A *pp* ▸ **give**

B *adj* **1** (certain, specified) [*point, level, number*] donné; [*volume, length*] déterminé; **the ~ date** la date convenue; **at any ~ moment** à un moment précis; **2** (prone) **to be ~ to sth/to doing** avoir tendance à qch/à faire; **I am not ~ to losing my temper** je n'ai pas l'habitude de me mettre en colère

C *prep* **1** (in view of) étant donné [*fact*]; **~ that** (seeing as) étant donné que; (assuming that) à supposer que; **2** Math **~ a triangle ABC** soit un triangle ABC; **~ that x = 2** étant donné que x = 2; **3** (with) avec [*training, proper care*]; **~ the right training** avec une bonne formation; **she could have been a writer, ~ the chance** elle aurait pu être écrivain, si on lui en avait donné la chance; **~ an opportunity I'll tell her this evening** si j'en ai l'occasion je le lui dirai ce soir; **~ the right conditions the plant will grow** dans de bonnes conditions la plante poussera

given name *n* prénom *m*

giver /ˈɡɪvə(r)/ *n* (donor to charity etc) donateur/-trice *m/f*; **the ~ of life** celui/celle qui donne la vie

give way sign *n* GB panneau *m* 'cédez le passage'

gizmo○ /ˈɡɪzməʊ/ *n* truc○ *m*, machin○ *m*

gizzard /ˈɡɪzəd/ *n* gésier *m*

glacé /ˈɡlæseɪ, US ɡlæˈseɪ/ *adj* [*fruit, leather*] glacé; **~ icing** glaçage *m*

glacial /ˈɡleɪsɪəl, US ˈɡleɪʃl/ *adj* **1** Geol glaciaire; **~ period** ère *f* glaciaire; **2** fig [*atmosphere, stare*] glacial; **3** Chem cristallisé

glaciated /ˈɡleɪsɪeɪtɪd/ *adj* Geol glaciaire

glaciation /ˌɡleɪsɪˈeɪʃn/ *n* glaciation *f*

glacier /ˈɡlæsɪə(r)/ *n* glacier *m*

glaciological /ˌɡleɪsɪəˈlɒdʒɪkl/ *adj* glaciologique

glaciologist /ˌɡleɪsɪˈɒlədʒɪst/ ▸ p. 1683 *n* glaciologue *mf*

glaciology /ˌɡleɪsɪˈɒlədʒɪ/ *n* glaciologie *f*

glad /ɡlæd/ *adj* **1** (pleased) content, heureux/-euse (**about** de; **that** que; **to do** de faire); **I am ~ (that) you are able to come** je suis content que vous puissiez venir; **I'd be ~ to help you** je serais heureux de t'aider; **oh, I am ~!** que je suis heureux!; **he was only too ~ to help me** il ne demandait qu'à m'aider; **2** (cheering) [*news*] heureux/-euse

(Idioms) **to give sb the ~ eye** faire de l'œil à qn; **to give sb the ~ hand** faire un accueil chaleureux à qn; **in one's ~ rags**○ sur son trente et un○; **I'll be ~ to see the back** ou **last of them**○ je serai content de les voir partir

gladden /ˈɡlædn/ *vtr* réjouir

glade /ɡleɪd/ *n* clairière *f*

gladiator /ˈɡlædɪeɪtə(r)/ *n* gladiateur *m*

gladiatorial /ˌɡlædɪəˈtɔːrɪəl/ *adj* [*combat*] de gladiateurs; fig [*politics*] agressif/-ive

gladiolus /ˌɡlædɪˈəʊləs/, **gladiola** /ˌɡlædɪˈəʊlə/ *n* (*pl* **-li**) glaïeul *m*

gladly /ˈɡlædlɪ/ *adv* (willingly) volontiers; (with pleasure) avec plaisir

(Idiom) **she doesn't suffer fools ~** elle a du mal à supporter les gens moins brillants qu'elle

gladness /ˈɡlædnɪs/ *n* joie *f*

glam○ /ɡlæm/ *n, adj* = **glamorous**

glamorize /ˈɡlæməraɪz/ *vtr* embellir [*person*]; valoriser [*place, attitude, idea*]; peindre [qch] sous de belles couleurs [*event*]

glamorous /ˈɡlæmərəs/ *adj* [*person, image, look*] séduisant; [*older person*] élégant; [*dress*] splendide; [*occasion*] brillant; [*job*] prestigieux/-ieuse

glamour, glamor US /ˈɡlæmə(r)/ *n* (of person) séduction *f*; (of job) prestige *m*; (of travel, fast cars) fascination *f*; **to lend ~ to sth** donner de l'éclat à qch

glamour: **~ boy**○† *n* péj éphèbe *m* pej; **~ girl**○† *n* belle fille *f bien pomponnée*; **~ model** *n* pin-up *f*; **~ photography** *n* photographie *f* de pin-up; **~ puss**○ *n* = **glamour boy, glamour girl**; **~ stock** *n* ¢ Fin valeur *f* vedette

glance /ɡlɑːns, US ɡlæns/

A *n* coup *m* d'œil; **to have a ~ at** jeter un œil○ *or* un coup d'œil sur; **to exchange ~s** échanger un coup d'œil *or* un regard; **to be able to tell sth at a ~** pouvoir dire qch d'un coup

g

d'œil; **you can tell at a ~ that** un coup d'œil suffit pour comprendre que; **at first ~** au premier coup d'œil; **without a backward ~** sans se retourner
B *vi* **to ~ at** jeter un coup d'œil à; **to ~ out of the window** jeter un coup d'œil par la fenêtre; **to ~ down** jeter un coup d'œil vers le bas; **to ~ around the room** parcourir la pièce du regard
(Phrasal verb) ■ **glance off**: ▸ **~ off [sth]** [*bullet, stone*] ricocher sur *or* contre; [*ball*] rebondir sur *or* contre; [*ray, beam*] se réfléchir sur

glancing /'glɑːnsɪŋ, US 'glænsɪŋ/ *adj* [*blow, kick*] oblique; **a ~ reference** une allusion

gland /glænd/ *n* 1 Anat glande *f*; **to have swollen ~s** avoir des ganglions; 2 Mech presse-étoupe *m inv*

glanders /'glændəz/ *n* (+ *v sg*) Vet morve *f*

glandular /'glændjʊlə(r), US -dʒʊ-/ *adj* Med glandulaire

glandular fever ▸ **p. 1327** *n* mononucléose *f* infectieuse

glans /glænz/ *n* (*pl* **glandes**) gland *m*

glare /gleə(r)/
A *n* 1 (angry look) regard *m* furieux; 2 (from light, headlights, etc) lumière *f* éblouissante; (of sun) lumière *f* éblouissante; **in the ~ of publicity** fig sous le feu des médias
B *vi* 1 [*person*] lancer un regard furieux (**at** à); 2 [*light, sun*] éblouir

glaring /'gleərɪŋ/ *adj* 1 (obvious) [*contradiction, example, error, injustice, omission*] flagrant; 2 (blinding) [*light*] éblouissant; 3 (angry) [*look*] furieux/-ieuse

glaringly /'gleərɪŋlɪ/ *adv* **it's ~ obvious** c'est l'évidence même

Glarus ▸ **p. 1815, p. 1771** *pr n* Glaris; **the canton of ~** le canton de Glaris

glasnost /'glæznɒst/ *n* glasnost *f*, transparence *f*

glass /glɑːs, US glæs/
A *n* 1 (substance) verre *m*; **a piece of ~** un morceau de verre; (tiny) un éclat de verre; **to cultivate sth under ~** cultiver qch sous verre; **behind ~** [*books, ornaments etc*] dans des vitrines; 2 (drinking vessel) verre *m*; **wine ~** verre *m* à vin; **a ~ of wine** un verre de vin; 3 ₵ (*also* **~ware**) verrerie *f*; (glasses only) services *mpl* de verres; 4 †(mirror) miroir *m*; 5 (telescope) longue-vue *f*; 6 (barometer) baromètre *m*; **the ~ is rising/falling** le baromètre monte/baisse
B *modif* [*bottle, ornament, shelf, tube, vase*] en verre
C **glasses** *npl* 1 (spectacles) lunettes *fpl*; **a pair of ~es** une paire de lunettes; **he wears reading ~es** il doit porter des lunettes quand il lit; 2 (binoculars) jumelles *fpl*
(Phrasal verbs) ■ **glass in**: ▸ **~ [sth] in, ~ in [sth]** vitrer [*shelves, courtyard*]
■ **glass over** = **glass in**

glass: **~ blower** ▸ **p. 1683** *n* souffleur *m* de verre; **~ blowing** *n* soufflage *m* de verre; **~ case** *n* (box) vitrine *f* en verre; (dome) globe *m*; **~ ceiling** *n*: *niveau professionnel que la discrimination empêche certains groupes sociaux de dépasser*; **~ cloth** *n* essuie-verres *m inv*; **~ cutter** ▸ **p. 1683** *n* (worker) vitrier *m*; (tool) diamant *m*; **~ door** *n* porte *f* vitrée; **~ eye** *n* œil *m* de verre; **~ factory** *n* verrerie *f*; **~ fibre** GB, **~ fiber** US *n* fibre *f* de verre

glassful /'glɑːsfʊl, US 'glæs-/ *n* verre *m*; **three ~s of milk** trois verres de lait; **half a ~** un demi-verre

glasshouse /'glɑːshaʊs, US 'glæs-/ *n* 1 GB (greenhouse) serre *f*; 2 ○GB argot des militaires (prison) trou○ *m*; 3 US (glassworks) verrerie *f*
(Idiom) **people in glass houses shouldn't throw stones** mieux vaut balayer devant sa porte avant de critiquer

glass: **~making** *n* fabrication *f* du verre; **~ paper** *n* papier *m* de verre; **~ware** *n* verrerie *f*, objets *mpl* en verre; **~ wool** *n* laine *f* de verre; **~works** *n* verrerie *f* (usine)

glassy /'glɑːsɪ, US 'glæsɪ/ *adj* 1 (resembling glass) [*substance*] vitreux/-euse; [*bead, object*] qui ressemble au verre; 2 (slippery) [*surface, rock*] lisse; [*road*] (from ice) verglacé; (from rain) glissant; 3 [*waters*] (calm) lisse (comme un miroir); (clear) transparent; 4 (cold) [*air, chill*] glacé, glacial; 5 [*eyes*] (from drink, illness) vitreux/-euse; (with hostility) glacé

glassy-eyed /,glɑːsɪ'aɪd, US ,glæs-/ *adj* [*person*] (from drink, illness) aux yeux vitreux; (with hostility) au regard glacial

Glaswegian /glæz'wiːdʒən/
A *n* (inhabitant) habitant/-e *m/f* de Glasgow; (native) originaire *mf* de Glasgow
B *adj* [*accent, humour*] de Glasgow

glaucoma /glɔː'kəʊmə/ ▸ **p. 1327** *n* glaucome *m*; **to have ~** avoir un glaucome

glaucous /'glɔːkəs/ *adj* glauque

glaze /gleɪz/
A *n* 1 (on pottery, bricks, tiles, leather) vernis *m*; (on fabric) lustre *m*; 2 (substance) (for ceramics) glaçure *f*; (in oil painting) glacis *m*; Culin (of icing) glaçage *m*; (of jam, jelly) nappage *m*; 3 US (ice) verglas *m*
B *vtr* 1 GB vitrer [*door, window*]; mettre [qch] sous verre [*picture*]; 2 (apply glaze to) vernisser [*ceramics*]; vernir [*leather*]; lustrer [*fabric*]; Culin, Phot glacer; 3 US [*ice*] rendre [qch] lisse
C *vi* (*also* **~ over**) [*eyes*] devenir vitreux/-euse

glazed /gleɪzd/ *adj* 1 (fitted with glass) [*door, window*] vitré; 2 [*ceramics*] vernissé; 3 (shiny) [*leather*] verni; [*fabric*] lustré; [*paper*] glacé; 4 Culin glacé; 5 fig **to have a ~ look in one's eyes** avoir les yeux vitreux; 6 US (ice-covered) verglacé; 7 ○US (drunk) bourré○

glazier /'gleɪzɪə(r), US -ʒər/ ▸ **p. 1683** *n* vitrier *m*; **the ~'s** la vitrerie *f*

glazing /'gleɪzɪŋ/ *n* 1 (act, process) pose *f* de vitres; 2 (panes of glass) vitrage *m*; 3 = **glaze A 1**

glazing bar *n* croisillon *m*

GLC *n* (*abrév* = **Greater London Council**) *administration de Londres jusqu'en 1986*

gleam /gliːm/
A *n* (of candle, lamp, moonlight) lueur *f*; (of sunshine) rayon *m*; (of gold, polished surface) reflet *m*; (of water) miroitement *m*; fig (of hope, intelligence) lueur *f*; **there was a malicious ~ in his eye** il y avait une lueur de malveillance dans ses yeux
B *vi* [*candle, lamp, moon*] luire; [*gold, knife, leather, polished surface*] reluire; [*jewel*] rutiler; [*water*] miroiter; [*eyes, teeth*] briller; **her eyes ~ed with mischief** ses yeux pétillaient de malice

gleaming /'gliːmɪŋ/ *adj* [*candle, lamp, star, moonlight*] brillant; [*brass, leather, polished surface*] reluisant; [*eyes, teeth*] brillant; [*water*] miroitant; [*jewel*] rutilant; [*bathroom, kitchen etc*] étincelant (de propreté)

glean /gliːn/ *vtr, vi* lit, fig glaner

gleaner /'gliːnə(r)/ *n* glaneur/-euse *m/f*

gleanings /'gliːnɪŋz/ *npl* lit glanure† *f*; fig bribes *fpl*

glebe /gliːb/ *n* 1 GB Relig terrain *m* rattaché au presbytère; 2 liter glèbe *f*

glee /gliː/ *n* 1 (joy) allégresse *f*; (spiteful pleasure) jubilation *f*; **to shout with** *ou* **in ~** crier de joie; 2 Mus chant *m* choral

glee club *n* US chorale *f*

gleeful /'gliːfl/ *adj* [*laughter, smile*] joyeux/-euse; **to be ~** (spitefully) jubiler

gleefully /'gliːfəlɪ/ *adv* (happily) joyeusement; (spitefully) avec jubilation

glen /glen/ *n* Geog gorge *f* (*en Écosse*)

glib /glɪb/ *adj* péj désinvolte

glibly /'glɪblɪ/ *adv* péj avec désinvolture

glibness /'glɪbnɪs/ *n* péj désinvolture *f*

glide /glaɪd/
A *n* 1 (in skating, dancing) pas *m* glissé; 2 (in air) vol *m* plané; 3 Mus port *m* de voix; 4 Phon glissement *m*; 5 (castor) patin *m* glisseur
B *vi* 1 (move smoothly) [*skater, car, boat*] glisser (**on, over** sur); 2 (in air)[*bird, plane*] planer (**for** sur)

glide path *n* trajectoire *f* d'approche

glider /'glaɪdə(r)/ *n* 1 Aviat planeur *m*; 2 US (swing) balancelle *f* double

glider pilot *n* pilote *m* de planeur

gliding /'glaɪdɪŋ/ ▸ **p. 1253** *n* Sport vol *m* à voile

glimmer /'glɪmə(r)/
A *n* 1 (faint light) faible lueur *f* (**of** de); 2 (trace) lueur *f*; **a ~ of hope** fig une lueur d'espoir; **without a ~ of interest** sans le moindre intérêt
B *vi* jeter une faible lueur

glimmering /'glɪmərɪŋ/
A *n* (of lights, stars) scintillement *m*; **a ~ of hope** une lueur d'espoir; **the ~ of an idea** l'ébauche *f* d'une idée; **the first ~s of a problem** les premières manifestations d'un problème
B *adj* [*sea, star*] scintillant

glimpse /glɪmps/
A *n* 1 (sighting) vision *f* fugitive (**of** de); **to catch a ~ of sth** entrevoir qch; 2 fig (insight) aperçu *m* (**of, at** de)
B *vtr* lit, fig entrevoir

glint /glɪnt/
A *n* gen reflet *m* (**of** de); (in eye) lueur *f* (**of** de); fig **to have a ~ in one's eye** fig avoir une lueur dans le regard
B *vi* étinceler

glissade /glɪ'seɪd, US -'sɑːd/
A *n* Sport, Dance glissade *f*, glissé *m*
B *vi* Sport faire une glissade

glissando /glɪ'sændəʊ/ *n* (*pl* **-di**) Mus glissando *m*

glisten /'glɪsn/ *vi* [*eyes, hair, fur, surface*] luire; [*tears*] briller; [*water*] scintiller; [*silk*] chatoyer

glistening /'glɪsnɪŋ/ *pres p adj* luisant (**with** de)

glister‡ /'glɪstə(r)/ *vi* littér = **glitter**

glitch○ /glɪtʃ/ *n* 1 (minor problem) pépin○ *m*; 2 Comput problème *m* technique

glitter /'glɪtə(r)/
A *n* 1 ₵ (substance) paillettes *fpl*; 2 (of diamonds, performance, occasion) éclat *m*; (of frost) scintillement *m*
B *vi* [*star, frost, diamond*] scintiller
(Idiom) **all that ~s is not gold** Prov tout ce qui brille n'est pas or Prov

glitterati /,glɪtə'rɑːtɪ/ *npl* célébrités *fpl*

glittering /'glɪtərɪŋ/ *adj* [*stars, jewels*] scintillant; fig [*career, future, social life*] brillant

glitz○ /glɪts/ *n* clinquant *m*

glitzy○ /'glɪtsɪ/ *adj* clinquant

gloaming /'gləʊmɪŋ/ *n* **in the ~** au crépuscule

gloat /gləʊt/ *vi* jubiler (**at, over** à l'idée de); **there's no need to ~** il n'y a pas de quoi triompher

gloating /'gləʊtɪŋ/ *adj* triomphant

glob○ /glɒb/ *n* (of liquid, grease) grosse goutte *f* (**of** de); (of chewing gum) boulette *f*

global /'gləʊbl/ *adj* 1 (world wide) [*environment, market, problem*] mondial; 2 (comprehensive) [*analysis, discussion, view*] global; 3 (spherical) sphérique

globalization /,gləʊbəlaɪ'zeɪʃən/ *n* mondialisation *f*

globalize /'gləʊbəlaɪz/ *vtr* mondialiser

globally /'gləʊbəlɪ/ *adv* [*compete, produce*] à l'échelle mondiale; [*famous, influential*] dans le monde entier; [*sold, produced*] dans le monde

global: **~ village** *n* village *m* planétaire; **~ warming** *n* réchauffement *m* de l'atmosphère

globe /gləʊb/ *n* 1 (world) **the ~** le globe; **all around** *ou* **across the ~** sur tout le globe; **from all corners of the ~** des quatre coins du monde; 2 (model) globe *m* terrestre; 3 (lamp etc) globe *m*

globe: **~ artichoke** *n* artichaut *m*; **~fish** *n* poisson *m* globe; **~ lightning** *n* éclair *m* en boule; **~trotter** *n* globe-trotter *m*

globetrotting /ˈɡləʊbtrɒtɪŋ/
A *n* voyages *mpl* à travers le monde
B *adj* voyageur/-euse

globular /ˈɡlɒbjʊlə(r)/ *adj* **1** (globule shaped) globuleux/-euse; **2** (globe shaped) globulaire

globule /ˈɡlɒbjuːl/ *n* gouttelette *f* (**of** de)

glockenspiel /ˈɡlɒkənʃpiːl/ *n* glockenspiel *m*

gloom /ɡluːm/ *n* **1** (darkness) obscurité *f*; **2** (dejection) morosité *f* (**about, over** à propos de); **economic ~** morosité économique; **to cast a ~ over sb** attrister qn; **to cast a ~ over sth** assombrir qch; **doom and ~** désespoir et morosité, sinistrose○ *f*; **to spread ~ and despondency** plonger tout le monde dans le découragement

gloomily /ˈɡluːmɪlɪ/ *adv* [*say, do*] d'un air lugubre

gloomy /ˈɡluːmɪ/ *adj* **1** (dark) sombre; **2** (sad) [*expression, person, voice*] lugubre; [*weather*] morose; [*news, outlook*] déprimant; **to be ~ about sth** être morose à propos de qch; **to paint a ~ picture of the economy** faire un tableau pessimiste de l'économie

glorification /ˌɡlɔːrɪfɪˈkeɪʃn/ *n* gen, Relig glorification *f*

glorify /ˈɡlɔːrɪfaɪ/
A *vtr* glorifier [*God*]; glorifier, chanter les louanges de [*person, event, tradition*]; (wrongly) glorifier, faire l'éloge de [*regime, terrorism, violence, war*]
B **glorified** *pp adj* **the 'villa' was a glorified bungalow** la 'villa' n'était rien de plus qu'un simple pavillon

gloriole /ˈɡlɔːrɪəʊl/ *n* Meteorol halo *m*

glorious /ˈɡlɔːrɪəs/ *adj* **1** (marvellous) [*sight, view, weather, colour*] magnifique; [*holiday, outing*] merveilleux/-euse; **we had a ~ day!** nous avons passé une journée formidable!; **2** (illustrious) [*exploit, reign, revolution, victory*] glorieux/-ieuse; **3** iron (dreadful) [*mess, muddle*] beau/belle; **what a ~ mess!** quel beau gâchis!

gloriously /ˈɡlɔːrɪəslɪ/ *adv* merveilleusement; **a ~ sunny day** une journée magnifique

glory /ˈɡlɔːrɪ/
A *n* **1** (honour, distinction) also Relig gloire *f*; **to cover oneself in ~** se couvrir de gloire; **to the greater ~ of God** à la plus grande gloire de Dieu; **my hour of ~** mon heure de gloire; **2** (splendour) splendeur *f*; **in all her ~** dans toute sa splendeur; **3** (source of pride) fierté *f*; **the cathedral is the ~ of the city** la cathédrale fait la fierté or la gloire de la ville
B **glories** *npl* splendeurs *fpl*; **the glories of nature/Venice** les splendeurs de la nature/de Venise; **past glories** passé *m* glorieux (+ *v sg*)
C *vi* **to ~ in** être très fier/fière de [*status, strength, tradition*]; **to ~ in the name Caesar** hum porter le nom ronflant de César

(Idioms) **~ be!** Dieu merci!; **to go to ~** euph aller ad patres euph, mourir

glory days *npl* jours *mpl* de gloire

glory hole *n* **1** (room) capharnaüm *m*, débarras *m*; **2** Naut cambuse *f*

Glos *n* GB Post *abrév écrite* ▸ **Gloucestershire**

gloss /ɡlɒs/
A *n* **1** (lustre) (of wood, metal, paintwork, leather etc) lustre *m*; (of paper) brillant *m*; (of hair) éclat *m*; fig péj (superficial glamour) clinquant *m*; **to lose its ~** lit, fig perdre (de) son éclat; **to take the ~ off** dépolir [*wood, metal*]; fig gâcher [*proceedings, ceremony*]; **2** fig (outer appearance, veneer) vernis *m*; **a ~ of respectability** un vernis de respectabilité; **to put a favourable/different ~ on sth** fig présenter qch sous un jour favorable/différent; **3** (in text) glose *f*; **4** US pej fausse interprétation *f*; **5** (paint) laque *f* (brillante); **walls painted in blue ~** murs laqués bleu
B *vtr* **1** (polish) faire briller; **2** (explain, clarify) gloser [*word, text*]; résumer [*report*]

(Phrasal verb) ■ **gloss over**: ▸ **~ over [sth]** (pass rapidly over) glisser sur; (hide) dissimuler

glossary /ˈɡlɒsərɪ/ *n* glossaire *m*

gloss coat *n* couche *f* de peinture brillante

glosseme /ˈɡlɒsiːm/ *n* glossème *m*

gloss finish *n* brillant *m*

glossolalia /ˌɡlɒsəˈleɪlɪə/ *n* Relig, Psych glossolalie *f*

gloss paint *n* laque *f* (brillante)

glossy /ˈɡlɒsɪ/
A ○*n* (*pl* **glossies**) = **glossy magazine**
B *adj* [*hair, fur, material*] luisant; [*wood, metal*] brillant; [*leaves*] vernissé; [*photograph*] brillant; [*brochure, catalogue*] luxueux/-euse; fig péj [*production, film, interior*] qui a un éclat plutôt superficiel

glossy magazine *n* magazine *m* illustré (de luxe)

glottal /ˈɡlɒtl/ *adj* Anat glottique; Ling glottal

glottal stop *n* Ling coup *m* de glotte

glottis /ˈɡlɒtɪs/ *n* (*pl* **-tises**) glotte *f*

Gloucestershire /ˈɡlɒstəʃə(r)/ ▸ **p. 1612** *pr n* Gloucestershire *m*

glove /ɡlʌv/
A *n* gant *m*; **to put on/take off one's ~s** mettre/enlever ses gants; **with the ~s off** fig [*argue, quarrel*] sans prendre de gants
B *vtr* ganter; **her ~d hands** ses mains gantées

(Idioms) **it fits like a ~** cela me/lui etc va comme un gant; **to be hand in ~** être comme les deux doigts de la main; **to be hand in ~ with sb** être de mèche avec qn○; **an iron fist in a velvet ~** une main de fer dans un gant de velours

glove: **~ box**, **~ compartment** *n* boîte *f* à gants; **~ factory** *n* ganterie *f* (*usine*); **~ maker** *n* gantier/-ière *m/f*; **~ puppet** *n* marionnette *f* à gaine

glover /ˈɡlʌvə(r)/ ▸ **p. 1683** *n* gantier/-ière *m/f*

glove shop ▸ **p. 1683** *n* ganterie *f* (*magasin*)

glow /ɡləʊ/
A *n* **1** (of coal, furnace) rougeoiement *m*; (of room, candle) lueur *f*; **2** (colour) éclat *m*; **there was a ~ in her cheeks** (from happiness) elle avait le visage radieux; **after the exercise there was a ~ in her cheeks** l'exercice lui avait donné des couleurs; **3** (feeling) douce sensation *f*; **a contented ~** une douce (sensation de) satisfaction; **to take on a ~ of nostalgia** se colorer de nostalgie; **it gives you a warm ~** ça fait chaud au cœur
B *vi* **1** (give off light) [*coal, metal, furnace*] rougeoyer; [*lamp, cigarette*] luire; **the furnace ~ed a deep red** le foyer luisait d'un rouge ardent; **paint that ~s in the dark** peinture qui luit dans le noir; **the room ~ed in the firelight** la pièce baignait dans la douce clarté du feu; **2** (look vibrant) [*colour*] être éclatant; **her skin ~ed** elle avait un teint éblouissant; **to ~ with health** [*person*] resplendir de santé; **her cheeks ~ed with health** son visage resplendissait de santé; **to ~ with pride/delight** rayonner de fierté/joie; **his eyes ~ed with anger** son regard luisait de colère; **3** (feel warm) **she was beginning to ~** une douce chaleur l'envahissait

glower /ˈɡlaʊə(r)/
A *n* regard *m* noir
B *vi* lancer des regards noirs (**at** à)

glowering /ˈɡlaʊərɪŋ/ *adj* [*person, eyes, face*] courroucé; [*clouds, sky*] menaçant

glowing /ˈɡləʊɪŋ/ *adj* **1** (bright) [*ember*] rougeoyant; [*lava*] incandescent; [*face, cheeks*] (from exercise) rouge; (from pleasure) radieux/-ieuse; [*colour*] chaud; **2** (complimentary) [*account, description*] élogieux/-ieuse; **to paint a ~ picture of sth** décrire qch en termes élogieux

glowworm /ˈɡləʊwɜːm/ *n* ver *m* luisant

gloxinia /ɡlɒkˈsɪnɪə/ *n* gloxinia *m*

glucose /ˈɡluːkəʊs/
A *n* glucose *m*
B *modif* [*powder, syrup, tablets*] de glucose; [*drink*] au glucose

glue /ɡluː/
A *n* **1** lit colle *f*; **to sniff ~** inhaler or sniffer○ de la colle; **2** fig ciment *m*
B *vtr* coller; **to ~ sth on** *ou* **down** coller qch; **to ~ sth back on** recoller qch; **to ~ two things together** coller deux choses ensemble; **to ~ two things back together** recoller deux choses; **to ~ sth (on) to sth** coller qch à qch
C **glued**○ *pp adj* **to have one's eyes ~d to sb/sth** avoir les yeux fixés sur qn/qch; **to be ~d to the TV** être collé○ devant la télé; **to have one's face** *ou* **nose ~d to sth** avoir le nez collé à qch; **to be ~d to the spot** être cloué sur place; **to stay ~d to sb's side** coller qn○, ne pas quitter qn

(Idiom) **to stick like ~ to sb** coller qn○, ne pas quitter qn

glue: **~ ear** ▸ **p. 1327** *n* otite *f* séreuse; **~ pen** *n* stylo *m* colle transparente; **~-sniffer** *n* sniffeur/-euse○ *m/f* (de colle); **~-sniffing** *n* inhalation *f* de colle; **~ stick** *n* bâton *m* de colle

gluey /ˈɡluːɪ/ *adj* (viscous) gluant; (sticky) collant

glum /ɡlʌm/ *adj* morose

glumly /ˈɡlʌmlɪ/ *adv* d'un air morose

glumness /ˈɡlʌmnɪs/ *n* morosité *f*

glut /ɡlʌt/
A *n* gen surabondance *f* (**of** de); excès *m* (**of** de)
B *vtr* (*p prés etc* **-tt-**) inonder [*economy, market*]
C *v refl* **to ~ oneself** se gorger (**with, on** de)
D **glutted** *pp adj* lit, fig rassasié (**with** de); **~ted with food** rassasié

glutamic acid /ɡluːˈtæmɪk/ *n* acide *m* glutamique

gluteal /ˈɡluːtɪəl/ *adj* fessier/-ière

gluten /ˈɡluːtn/ *n* gluten *m*

gluten: **~ bread** *n* pain *m* au gluten; **~ flour** *n* farine *f* de gluten; **~-free** *adj* sans gluten

glutenous /ˈɡluːtənəs/ *adj* glutineux/-euse

gluteus /ˈɡluːtɪəs/ *n* (*pl* **-ei**) muscle *m* fessier; **~ maximus/minimus** grand/petit fessier

glutinous /ˈɡluːtənəs/ *adj* gluant

glutton /ˈɡlʌtn/ *n* **1** (greedy person) glouton/-onne *m/f*; **2** fig **a ~ for punishment** un masochiste; **a ~ for hard work** un bourreau de travail

gluttonous /ˈɡlʌtənəs/ *adj* glouton/-onne

gluttony /ˈɡlʌtənɪ/ *n* gloutonnerie *f*

glycerin(e) /ˈɡlɪsəriːn, US -rɪn/ *n* glycérine *f*

glycerol /ˈɡlɪsərɒl/ *n* glycérol *m*

glycin(e) /ˈɡlaɪsiːn/ *n* Chem glycine *f*

glycogen /ˈɡlaɪkədʒn/ *n* glycogène *m*

glycol /ˈɡlaɪkɒl/ *n* glycol *m*; **ethylene ~** glycol éthylène *m*

glycosuria /ˌɡlaɪkəʊˈsjʊərɪə/ *n* Med glycosurie *f*

glyph /ɡlɪf/ *n* glyphe *m*

gm *n* (*abrév écrite* = **gram**) g

GM *adj* (*abrév* = **genetically modified**) [*crops, seed, ingredients*] transgénique, génétiquement modifié

G-man◑ *n* US agent *m* du FBI

GMO *n* (*abrév* = **genetically modified organism**) OGM *m*, organisme *m* génétiquement modifié

GMT *n* (*abrév* = **Greenwich Mean Time**) TU

gnarled /nɑːld/ *adj* noueux/-euse

gnash /næʃ/ *vtr* **to ~ one's teeth** lit, fig grincer des dents

gnashing /ˈnæʃɪŋ/ *n* lit, fig **~ of teeth** grincement *m* de dents

gnat /næt/ *n* moucheron *m*

g

ℹ go

As an intransitive verb

go as a simple intransitive verb is translated by *aller*:

we're going to Paris
= nous allons à Paris

where are you going?
= où vas-tu?

Sasha went to London last week
= Sasha est allée à Londres la semaine dernière

Note that *aller* conjugates with *être* in compound tenses. For the conjugation of *aller* see the French verb tables. For more examples and particular usages see the entry **go**. The verb *go* produces a great many phrasal verbs in English (*go up*, *go down*, *go out*, *go back* etc.). Many of these are translated by a single verb in French (*monter*, *descendre*, *sortir*, *retourner* etc.). The phrasal verbs are listed separately at the end of the entry **go**.

As an auxiliary verb

When *go* is used as an auxiliary to show intention, it is also translated by *aller*:

I'm going to buy a car tomorrow
= je vais acheter une voiture demain

I was going to talk to you about it
= j'allais t'en parler

he's not going to ask for a rise
= il ne va pas demander d'augmentation

For more examples and particular usages see **A23** in the entry **go**.

For all other uses see the entry **go**.

gnat: ~ **bite** *n* piqûre *f* de moucheron; **~catcher** *n* gobe-mouches *m*

gnat's piss◐ /'nætspɪs/ *n* **this coffee is ~** c'est de la flotte○ ce café

gnaw /nɔː/

A *vtr* **1** (chew) ronger [*bone, wood*]; **the mice have ~ed a hole in the sack** les souris ont fait un trou dans le sac en le rongeant; **2** fig (torment) [*hunger, remorse*] tenailler; [*pain*] lanciner

B *vi* **to ~ at** *ou* **on sth** ronger qch

gnawing /'nɔːɪŋ/

A *n* **1** (chewing) rongement *m*; **2** (pain) douleur *f* lancinante

B *adj* [*hunger, guilt*] tenaillant; [*pain*] lancinant

gneiss /naɪs/ *n* gneiss *m*

gnome /nəʊm/ *n* **1** (goblin) gnome *m*; **garden ~** nain *m* de jardin (en plâtre); **2** ○(financier) péj banquier *m*; **3** ○(anonymous expert) péj expert *m*

gnomic /'nəʊmɪk/ *adj* gnomique

gnostic /'nɒstɪk/ *n, adj* gnostique (*mf*)

gnosticism /'nɒstɪsɪzəm/ *n* gnosticisme *m*

GNP *n* (*abrév* = **gross national product**) PNB *m*

gnu /nuː/ *n* (*pl* ~ *ou* **~s**) gnou *m*

GNVQ *n* GB (*abrév* = **General National Vocational Qualification**) ≈ baccalauréat *m* professionnel

go /gəʊ/

A *vi* (3ᵉ *pers sg prés* **goes**; *prét* **went**; *pp* **gone**)
1 (move, travel) aller (**from** de; **to** à, en); **to ~ to London/Paris** aller à Londres/Paris; **to ~ to Wales/to Ireland/to California** aller au Pays de Galles/en Irlande/en Californie; **to ~ to town/to the country** aller en ville/à la campagne; **they went home** ils sont rentrés chez eux; **she's gone to Paris** elle est allée à Paris; **to ~ up/down/across** monter/descendre/traverser; **I went into the room** je suis entré dans la pièce; **to ~ by bus/train/plane** voyager en bus/train/avion; **we went there by bus** nous y sommes allés en bus; **to ~ by** *ou* **past** [*person, vehicle*] passer; **that car's going very fast!** cette voiture roule très vite!; **there he goes again!** (that's him again) le revoilà!; fig (he's starting again) le voilà qui recommence!, c'est reparti!; **who goes there?** Mil qui va là?; **where do we ~ from here?** fig et maintenant qu'est-ce qu'on fait?
2 (on specific errand, activity) aller; **to ~ shopping** aller faire des courses; **to ~ swimming** (in sea, river) aller se baigner; (in pool) aller à la piscine; **to ~ for a walk** aller se promener; **to ~ on a journey/on holiday** partir en voyage/en vacances; **to ~ for a drink** aller prendre un verre; **he's gone to get some wine** il est allé chercher du vin; **~ and answer the phone** va répondre au téléphone; **~ and tell them that...** va leur dire que...; **~ after him!** poursuivez-le!
3 (attend) aller; **to ~ to school/ church** aller à l'école/l'église; **to ~ to work** aller *or* se rendre au travail; **to ~ to the doctor's/dentist's** aller chez le médecin/dentiste
4 (used as auxiliary with present participle) **she went running up the stairs** elle a monté l'escalier en courant; **she went complaining to the principal** elle est allée se plaindre au directeur
5 (depart) partir; **I must ~, I must be going** il faut que je parte *or* que je m'en aille; **the train goes at six o'clock** le train part à six heures; **a train goes every hour** il y a un train toutes les heures; **to ~ on holiday** partir en vacances; **be gone!** va-t'en!, allez-vous en!
6 euph (die) mourir, disparaître; **when I am gone** quand je ne serai plus là; **the doctors say she could ~ at any time** d'après les médecins elle risque de mourir d'un instant à l'autre
7 (disappear) partir; **half the money goes on school fees** la moitié de l'argent part en frais de scolarité; **the money/cake has all gone** il ne reste plus d'argent/de gâteau; **I left my bike outside and now it's gone** j'ai laissé mon vélo dehors et il n'est plus là *or* il a disparu; **there goes my chance of winning!** c'en est fait de mes chances de gagner!
8 (be sent, transmitted) **it can't ~ by post** on ne peut pas l'envoyer par la poste; **these proposals will ~ before parliament** ces propositions seront soumises au parlement
9 (become) **to ~ red** rougir; **to ~ white** blanchir; **his hair** *ou* **he is going grey** il commence à avoir les cheveux blancs; **to ~ mad** devenir fou/folle; **to ~ bankrupt** faire faillite
10 (change over to new system) **to ~ Labour/Conservative** Pol [*country, constituency*] voter travailliste/conservateur; **to ~ metric** adopter le système métrique; ▸ **private, public**
11 (be, remain) **the people went hungry** les gens n'avaient rien à manger; **we went for two days without food** nous avons passé deux jours sans rien manger; **to ~ unnoticed** passer inaperçu; **to ~ unpunished** rester impuni; **the question went unanswered** la question est restée sans réponse; **to ~ naked** se promener tout nu; **he was allowed to ~ free** il a été libéré *or* remis en liberté
12 (weaken, become impaired) **his memory/mind is going** il perd la mémoire/l'esprit; **his hearing is going** il devient sourd; **my voice is going** je n'ai plus de voix; **the battery is going** la batterie est presque à plat; **the engine is going** le moteur a des ratés
13 (of time) (elapse) s'écouler; **three hours went by before...** trois heures se sont écoulées avant que... (+ *subj*); **there are only three days to ~ before Christmas** il ne reste plus que trois jours avant Noël; **how's the time going?** quelle heure est-il?; **it's just gone seven o'clock** il est un peu plus de sept heures
14 (be got rid of) **he's totally inefficient, he'll have to ~!** il est complètement incapable, il va falloir qu'on se débarrasse de lui!; **that new lampshade is hideous, it'll have to ~!** ce nouvel abat-jour est affreux, il va falloir qu'on s'en débarrasse!; **the car will have to ~** il va falloir vendre la voiture; **either she goes or I do!** c'est elle ou moi!; **six down and four to ~!** six de faits, et encore quatre à faire!
15 (operate, function) [*vehicle, machine, clock*] marcher, fonctionner; **to set [sth] going** mettre [qch] en marche; **to get going** [*engine, machine*] se mettre en marche; fig [*business*] démarrer; **to get the fire going** allumer le feu; **to keep going** [*person, business, machine*] tenir le coup○, se maintenir; **we have several projects going at the moment** nous avons plusieurs projets en route en ce moment; ▸ **keep**
16 (start) **let's get going!** allons-y!, allez, on commence!; **we'll have to get going on that translation** il va falloir qu'on se mette à faire cette traduction; **to get things going** mettre les choses en train; **ready, steady, ~!** à vos marques, prêts, partez!; **here goes!, here we ~!** c'est parti!; **once he gets going, he never stops** une fois lancé, il n'arrête pas
17 (lead) aller, conduire, mener (**to** à); **that corridor goes to the kitchen** le couloir va *or* conduit à la cuisine; **the road goes down to the sea/goes up the mountain** la route descend vers la mer/monte au sommet de la montagne; **this road goes past the cemetery** ce chemin passe à côté du cimetière
18 (extend in depth or scope) **the roots of the plant ~ very deep** les racines de la plante s'enfoncent très profondément; **the historical reasons for this conflict ~ very deep** les raisons historiques de ce conflit remontent très loin; **these habits ~ very deep** ces habitudes sont profondément ancrées *or* enracinées ; **as far as that goes** pour ce qui est de cela; **it's true as far as it goes** c'est vrai dans un sens *or* dans une certaine mesure; **she'll ~ far!** elle ira loin!; **this time he's gone too far!** cette fois il est allé trop loin!; **a hundred pounds doesn't ~ far these days** on ne va pas loin avec cent livres sterling de nos jours; **one leg of lamb doesn't ~ very far among twelve people** un gigot d'agneau n'est pas suffisant pour douze personnes; **this goes a long way towards explaining his attitude** ceci explique en grande partie son attitude; **you can make £5 ~ a long way** on peut faire beaucoup de choses avec 5 livres sterling
19 (belong, be placed) aller; **where do these plates ~?** où vont ces assiettes?; **that table goes beside the bed** cette table va à côté du lit; **the suitcases will have to ~ in the back** il va falloir mettre les valises derrière
20 (fit) gen rentrer; **it won't ~ into the box** ça ne rentre pas dans la boîte; **five into four won't ~** quatre n'est pas divisible par cinq; **three into six goes twice** six divisé par trois, ça fait deux
21 (be expressed, sung etc in particular way) **I can't remember how the poem goes** je n'arrive pas à me rappeler le poème; **how does the song ~?** quel est l'air de la chanson?; **the song goes something like this** la chanson ressemble à peu près à ça; **as the saying goes** comme dit le proverbe; **the story goes that** le bruit court que, on dit que; **her theory goes something like this...** sa théorie consiste à peu près à dire que...
22 (be accepted) **what he says goes** c'est lui qui fait la loi; **it goes without saying that** il va sans dire que; **that goes without saying** cela va sans dire; **anything goes** tout est permis
23 (be about to) **to be going to do** aller faire; **it's going to snow** il va neiger; **I was just going to phone you** j'étais justement sur le point de t'appeler, j'allais justement t'appeler; **I'm going to phone him right now** je vais l'appeler tout de suite; **I'm not going to be treated like that!** je ne vais pas me laisser faire comme ça!; **we were going to ~ to Italy, but we changed our plans** nous devions aller

en Italie, mais nous avons changé d'idée
24 (happen) **the party went very well** la soirée s'est très bien passée; **so far the campaign is going well** jusqu'à maintenant la campagne a bien marché; **how did the evening ~?** comment s'est passée la soirée?; **the way things are going, I don't think we'll ever get finished** vu la façon dont les choses se passent *or* si ça continue comme ça, je pense qu'on n'aura jamais fini; **how's it going○?, how are things going?** comment ça va○?; **how goes it?** hum comment ça va○?, comment va◑?
25 (be on average) **it's old, as Australian towns ~** c'est une ville assez vieille pour une ville australienne; **it wasn't a bad party, as parties ~** c'était une soirée plutôt réussie par rapport à la moyenne
26 (be sold) **the house went for over £100,000** la maison a été vendue à plus de 100 000 livres; **we won't let the house ~ for less than £100,000** nous ne voulons pas vendre la maison à moins de 100 000 livres; **those rugs are going cheap** ces tapis ne sont pas chers; **the house will ~ to the highest bidder** la maison sera vendue au plus offrant; **'going, going, gone!'** (at auction) 'une fois, deux fois, trois fois, adjugé!'
27 (be on offer) **I'll have some coffee, if there's any going** je prendrai bien un café, s'il y en a; **are there any drinks going?** est-ce qu'il y a quelque chose à boire?; **I'll have whatever's going** je prendrai ce qu'il y a; **it's the best machine going** c'est la meilleure machine sur le marché; **there's a job going at their London office** il y a un poste libre dans leur bureau de Londres
28 (contribute) **the money will ~ towards a new roof** l'argent servira à payer un nouveau toit; **the elements that ~ to make a great film** les éléments qui font un bon film; **everything that goes to make a good teacher** toutes les qualités d'un bon enseignant
29 (be given) [*award, prize*] aller (**to** à); [*estate, inheritance, title*] passer (**to** à); **the money will ~ to charity** les bénéfices iront aux bonnes œuvres; **most of the credit should ~ to the author** la plus grande partie du mérite revient à l'auteur; **the job went to a local man** le poste a été donné à un homme de la région
30 (emphatic use) **she's gone and told everybody!** elle est allée le dire à tout le monde!; **why did he ~ and spoil it?** pourquoi est-il allé tout gâcher ?; **you've gone and ruined everything!** tu t'es débrouillé pour tout gâcher!; **he went and won the competition!** il s'est débrouillé pour gagner le concours!; **you've really gone and done it now!** tu peux être fier de toi! iron; **then he had to ~ and lose his wallet** comme s'il ne manquait plus que ça, il a perdu son portefeuille
31 (of money) (be spent, used up) **all his money goes on drink** tout son argent passe dans l'alcool; **most of his salary goes on rent** la plus grande partie de son salaire passe dans le loyer; **I don't know where all my money goes (to)!** je ne sais pas ce que je fais de mon argent!
32 (make sound, perform action or movement) gen faire; [*bell, alarm*] sonner; **the cat went 'miaow'** le chat a fait 'miaou'; **wait until the bell goes** attends que la cloche sonne (*subj*); **she went like this with her fingers** elle a fait comme ça avec ses doigts; **so he goes 'what about my money○?'** et puis il dit *or* il fait, 'et mon argent?'
33 (resort to, have recourse to) **to ~ to war** [*country*] entrer en guerre; [*soldier*] partir à la guerre; **to ~ to law** GB *ou* **to the law** US aller en justice
34 (break, collapse etc) [*roof*] s'effondrer; [*cable, rope*] se rompre, céder; (fuse) [*light bulb*] griller
35 (bid, bet) aller; **I'll ~ as high as £100** j'irai jusqu'à 100 livres sterling; **I went up to £100** je suis allé jusqu'à 100 livres sterling
36 (take one's turn) **you ~ next** c'est ton tour après, c'est à toi après; **you ~ first** après vous
37 (be in harmony) **those two colours don't ~ together** ces deux couleurs ne vont pas ensemble; **the curtains don't ~ with the carpet** les rideaux ne vont pas avec le tapis; **white wine ~es better with fish than red wine** le vin blanc va mieux avec le poisson que le rouge
38 ○euph (relieve oneself) aller aux toilettes
39 US (in takeaway) **to ~** à emporter; **two hamburgers to ~!** deux hamburgers à emporter!

B *vtr* (*3e pers sg prés* **goes**; *prét* **went**; *pp* **gone**) (see usage note) **1** (travel) **we had gone ten miles before we realized that...** nous avions déjà fait dix kilomètres quand nous nous sommes rendu compte que...; **are you going my way?** tu vas dans la même direction que moi?; **to ~ one's own way** fig suivre son chemin
2 ○(bet, bid) **I ~ two diamonds** (in cards) j'annonce deux carreaux; **he went £20** il a mis *or* parié 20 livres sterling

C *n* (*pl* **goes**) **1** GB (person's turn) tour *m*; (try) essai *m*; **it's your ~** (in game) c'est ton tour, c'est à toi; **whose ~ is it?** gen à qui le tour?; (in game) à qui de jouer?; **you've had two goes** (in game) tu as eu deux tours; (two attempts at mending sth) tu as déjà essayé deux fois; **to have a ~ at sth** essayer de faire qch; **have another ~!** essaie encore une fois *or* un coup!; **she had several goes at the exam** elle a repassé l'examen plusieurs fois; **I had to have several goes before passing** j'ai dû m'y reprendre à plusieurs fois avant de réussir
2 ○(energy) dynamisme *m*; **to be full of ~, to be all ~** être très dynamique, avoir beaucoup d'allant; **he has no ~ in him** il manque de dynamisme
3 ○GB (bout) (of illness) attaque *f*
4 ▸ p. 1253 (board game) go *m*

D *adj* **all systems are ~!** Aerosp tout est paré pour le lancement!

(Idioms) **to have a ~ at sb** s'en prendre à qn; **to make a ~ of sth** réussir qch; **she's always on the ~** elle n'arrête jamais; **he's all ~○!** il n'arrête pas!; **it's all the ~○!** ça fait fureur!; **we have several different projects on the ~ at the moment** nous avons plusieurs projets différents en chantier *or* en cours en ce moment; **(it's) no ~!** pas question!; **from the word ~** dès le départ; **that was a near ~○!** on l'a échappé belle!; **in one ~** d'un seul coup; **to ~ one better than sb** renchérir sur qn; **that's how it goes!, that's the way it goes!** ainsi va le monde!, c'est la vie!; **there you ~○!** voilà!

(Phrasal verbs) ■ **go about**: ▸ **~ about** **1** = **go around**; **2** Naut virer de bord; **prepare to ~ about!** parer à virer!; ▸ **~ about [sth]** **1** (undertake) s'attaquer à [*task*]; **how do you ~ about writing a novel?** comment est-ce que vous vous y prenez pour écrire un roman?; **he knows how to ~ about it** il sait s'y prendre; **2** (be busy with) **to ~ about one's business** vaquer à ses occupations; **she went about her work mechanically** elle faisait son travail machinalement
■ **go across**: ▸ **~ across** traverser; **he's gone across to the shop/neighbour's** il est allé au magasin en face/chez les voisins en face; ▸ **~ across [sth]** traverser [*street, river, bridge etc*]
■ **go after**: ▸ **~ after [sth/sb]** **1** (chase) poursuivre [*person*]; **2** fig (try hard to get) **he really went after that job** il a fait tout son possible pour avoir ce travail
■ **go against**: ▸ **~ against [sb/sth]** **1** (prove unfavourable to) **the vote/verdict/decision went against them** le vote/le verdict/la décision leur a été défavorable *or* n'a pas été en leur faveur; **the war is going against them** la guerre tourne à leur désavantage; **2** (conflict with) être contraire à [*rules, principles*]; **to ~ against the trend** aller à l'encontre de *or* être contraire à la tendance; **to ~ against the party line** Pol ne pas être dans la ligne du parti; **3** (resist, oppose) s'opposer à, aller à l'inverse de [*person, sb's wishes*]
■ **go ahead** **1** (go in front) **~ ahead, I'll follow you on** partez devant, je vous suis; **2** fig (proceed) **~!** (in conversation) continue!; **~ ahead and shoot!** vas-y, tire!; **they are going ahead with the project** ils ont décidé de mettre le projet en route; **we can ~ ahead without them** nous pouvons continuer sans eux; **next week's strike is to ~ ahead** la grève de la semaine prochaine va avoir lieu
■ **go along** **1** (move along) [*person, vehicle*] aller, avancer; **to make sth up as one goes along** fig inventer qch au fur et à mesure; **2** (attend) aller; **she went along as a witch** elle y est allée déguisée en sorcière; **I went along as a witness** j'y suis allé *or* je me suis présenté comme témoin
■ **go along with**: ▸ **~ along with [sb/sth]** être d'accord avec, accepter [*plans, wishes*]; **I can't ~ along with that** je ne peux pas accepter ça; **I'll ~ along with you there** je suis d'accord avec vous sur ce point
■ **go around**: ▸ **~ around** **1** (move, travel about) se promener, circuler; **to ~ around naked/barefoot** se promener tout nu/pieds nus; **she goes around on a bicycle** elle circule à bicyclette; **they ~ around everywhere together** ils vont partout ensemble; **2** (circulate) [*rumour*] courir; **there's a rumour going around that** le bruit court que; **there's a virus going around** il y a un virus qui traîne; **there isn't enough money to ~ around** il n'y a pas assez d'argent pour tout le monde; ▸ **~ around [sth]** faire le tour de [*house, shops, area*]; **to ~ around the world** faire le tour du monde; **they went around the country looking for him** ils l'ont cherché dans tout le pays
■ **go at**: ▸ **~ at [sb]** (attack) attaquer, tomber sur; ▸ **~ at [sth]** s'attaquer à, s'atteler à [*task, activity*]
■ **go away** [*person*] partir; **to ~ away on holiday** GB *ou* **vacation** US partir en vacances; **~ away and leave me alone!** va-t-en et laisse-moi tranquille!; **~ away and think about it** réfléchissez-y; **don't ~ away thinking that** ne va pas croire que; **this cold/headache just won't ~ away!** je n'arrive pas à me débarrasser de ce rhume/mal de tête!; **the problems aren't just going to ~ away!** les problèmes ne vont pas disparaître tout seuls!
■ **go back** **1** (return) retourner; (turn back) rebrousser chemin, faire demi-tour; (resume work) reprendre le travail; (resume classes, studies) reprendre les cours; **as it was raining, they decided to ~ back** comme il pleuvait, ils ont décidé de faire demi-tour *or* de rebrousser chemin; **they went back home** ils sont rentrés chez eux; **let's ~ back to France** rentrons en France; **to ~ back to the beginning** recommencer; **to ~ back to sleep** se rendormir; **to ~ back to work/writing** se remettre au travail/à écrire; **~ back! the path isn't safe** reculez! le chemin est dangereux; **once you've committed yourself, there's no going back** une fois que vous vous êtes engagé, vous ne pouvez plus reculer; **2** (in time) remonter; **to ~ back in time** remonter dans le temps; **to understand the problem we need to ~ back 20 years** pour comprendre le problème il faut remonter 20 ans en arrière; **this tradition goes back a century** cette tradition est vieille d'un siècle; **we ~ back a long way** ça fait longtemps qu'on se connaît; **3** (revert) revenir (**to** à); **to ~ back to teaching** revenir à l'enseignement; **to ~ back to being a student** reprendre des études; **let's ~ back to what we were discussing yesterday** revenons à ce que dont nous parlions hier
■ **go back on**: ▸ **~ back on [sth]** revenir sur [*promise, decision*]
■ **go before**: ▸ **~ before** (go in front) aller au

devant; fig (in time) se passer avant; **all that had gone before** tout ce qui s'était passé avant; ► **~ before [sb/sth]** *[person]* comparaître devant *[court, judge]*; **the bill went before parliament** le projet de loi a été soumis au parlement

■ **go below** gen, Naut descendre

■ **go by**: ► **~ by** *[person]* passer; *[time]* passer, s'écouler; **as time goes by** avec le temps; **don't let such opportunities ~ by** il ne faut pas laisser passer de telles occasions; ► **~ by [sth]** 1 (judge by) juger d'après; **to ~ by appearances** juger d'après *or* sur les apparences; **going by her looks, I'd say she was about 30** à la voir, je lui donne 30 ans; **you mustn't ~ by what you read in the papers** il ne faut pas croire tout ce que disent les journaux; **if the trailer is anything to ~ by, it should be a good film** à en juger par la bande-annonce, ça doit être un bon film; **if the father is anything to ~ by, I wouldn't like to meet the son!** quand on voit le père, on n'a pas envie de rencontrer le fils!; 2 (proceed by) **to ~ by the rules** suivre *or* observer le règlement; **promotion goes by seniority** la promotion se fait à l'ancienneté *or* en fonction de l'ancienneté

■ **go down**: ► **~ down** 1 (descend) gen descendre; *[diver]* effectuer une plongée; **to ~ down to the cellar** descendre à la cave; **to ~ down to the beach** aller à la plage; **to ~ down to the pub** aller au pub; **they've gone down to Brighton for a few days** ils sont allés passer quelques jours à Brighton; **'going down!'** (in elevator) 'on descend!'; **to ~ down on one's knees** se mettre à genoux; 2 (fall) *[person, aircraft]* tomber; (sink) *[ship]* couler, sombrer; *[person]* couler, disparaître sous les flots; **most of the passengers went down with the ship** la plupart des passagers ont coulé avec le navire; **the plane went down in flames** l'avion s'est écrasé en flammes; **the plane went down over Normandy/the Channel** l'avion s'est écrasé en Normandie/est tombé dans la Manche; **to ~ down for the third time** *[drowning person]* disparaître sous les flots et se noyer; 3 *[sun]* se coucher; 4 (be received) **to ~ down well/badly** être bien/mal reçu; **this remark didn't ~ down at all well** cette remarque n'a pas été appréciée du tout; **his jokes went down well/didn't ~ down well with the audience** le public a apprécié/n'a pas beaucoup apprécié ses plaisanteries; **another cup of coffee would ~ down nicely!** une autre tasse de café serait la bienvenue!; 5 (be swallowed) **it went down the wrong way** c'est passé de travers; 6 (become lower) *[water level, temperature]* baisser; *[tide]* descendre; *[price, standard]* baisser; (abate) *[storm, wind]* se calmer; *[fire]* s'éteindre; **the river has/the floods have gone down** le niveau de la rivière/des inondations a baissé; **foodstuffs are going down (in price)** les produits alimentaires deviennent moins chers; 7 (become deflated) *[swelling]* désenfler; *[tyre, balloon]* se dégonfler; 8 GB Univ (break up for holiday) terminer les cours; (leave university permanently) quitter l'université; **when do you ~ down?** quand est-ce que vous êtes en vacances?; 9 gen, Sport (fail, be defeated) perdre; (be downgraded) redescendre; **Corby went down 6-1 to Oxford** Corby a perdu 6-1 contre Oxford; **the team has gone down to the second division** l'équipe est redescendue en deuxième division; 10 (be remembered) **he will ~ down as a great statesman** on se souviendra de lui comme d'un grand homme d'État; 11 (be recorded) être noté; **it all goes down in her diary** elle note tout dans son journal; 12 (continue) **the book goes down to 1939** le livre va jusqu'en 1939; **if you ~ down to the second last line you will see that** si vous regardez à l'avant-dernière ligne, vous verrez que; 13 (be stricken) **to ~ down with flu/malaria** attraper la grippe/la malaria; 14 ○GB (be sent to prison) être envoyé en prison; 15 Comput *[computer, system]* tomber en panne; ► **~ down [sth]** 1 lit descendre *[hill]*; descendre dans *[mine]*; 2 (be downgraded) **to ~ down a class** Sch redescendre d'une classe

■ **go down on**: ► **~ down on [sth]** (set) *[sun]* se coucher sur; **when the sun went down on the Roman Empire** fig quand l'empire romain commençait à décliner; ► **~ down on [sb]**● (have oral sex with) tailler une pipe à● *[man]*; faire minette à● *[woman]*

■ **go for**: ► **~ for [sb/sth]** 1 ○(favour, have liking for) craquer○ pour *[person, physical type]*; aimer *[style of music, literature etc]*; **he really goes for blondes** il craque○ pour *or* il adore les blondes; **I don't ~ much for modern art** je ne suis pas emballé○ par l'art moderne, je n'aime pas tellement l'art moderne; 2 (apply to) être valable pour, s'appliquer à; **that goes for all of you!** c'est valable pour tout le monde!; **the same goes for him** c'est valable pour lui aussi!, ça s'applique à lui aussi!; ► **~ for [sb]** 1 (attack) (physically) attaquer, tomber sur; (verbally) attaquer, s'en prendre à *[person]*; **the two youths went for him** les deux jeunes l'ont attaqué *or* lui ont sauté dessus; **to ~ for sb's throat** *[animal]* attaquer qn à la gorge; **she really went for him!** (in argument, row) elle l'a vraiment incendié!, elle s'en est prise violemment à lui!; 2 **he has a lot going for him** il a beaucoup de choses pour lui; ► **~ for [sth]** 1 (attempt to achieve) essayer d'obtenir *[honour, victory]*; **she's going for the gold medal/world record** elle vise la médaille d'or/le record mondial; **~ for it**○! vas-y, fonce○!; **the company is going for a new image** l'entreprise cherche à se donner une nouvelle image; **the team is going for a win against Italy** l'équipe compte bien gagner contre l'Italie; 2 (choose) choisir, prendre; **I'll ~ for the blue one** je prendrai le bleu

■ **go forth** sout *[person]* (go out) sortir; (go forward) aller, avancer; **~ forth and multiply** allez et multipliez-vous

■ **go forward(s)** avancer

■ **go in** 1 (enter) entrer; (go back in) rentrer; 2 Mil *[army, troops]* attaquer ; **the troops went in at dawn** les troupes ont attaqué à l'aube; 3 (disappear) *[sun, moon]* se cacher

■ **go in for**: ► **~ in for [sth]** 1 (be keen on) aimer *[sport, hobby etc]*; **I don't ~ in for sports much** je n'aime pas tellement le sport; **he goes in for opera in a big way** il adore l'opéra, c'est un fou d'opéra○; **we don't ~ in for that sort of thing** nous n'aimons pas ce genre de chose; **they don't ~ in much for foreign languages at Ben's school** ils ne s'intéressent pas beaucoup aux langues étrangères dans l'école de Ben; 2 (take up) **to ~ in for teaching** entrer dans l'enseignement; **to ~ in for politics** se lancer dans la politique; 3 (take part in) s'inscrire à *[exam, competition]*

■ **go into**: ► **~ into [sth]** 1 (enter) entrer dans; fig (take up) se lancer dans; **to ~ into hospital** entrer à l'hôpital; **to ~ into parliament** entrer au parlement; **to ~ into politics/business** se lancer dans la politique/les affaires; 2 (examine, investigate) étudier; **we need to ~ into the question of funding** il faut que nous étudiions la question du financement; 3 (explain, describe) **I won't ~ into why I did it** je n'expliquerai pas pourquoi je l'ai fait; **let's not ~ into that now** laissons cela de côté pour l'instant; 4 (launch into) se lancer dans; **she went into a long explanation of what had happened** elle s'est lancée dans une longue explication de ce qui s'était passé; 5 (be expended) **a lot of work/money went into this project** beaucoup de travail/d'argent a été investi dans ce projet; **a lot of effort went into organizing the party** l'organisation de la soirée a demandé beaucoup de travail; 6 (hit) *[car, driver]* rentrer dans, heurter; **the car went into a lamp post** la voiture est rentrée dans *or* a heurté un réverbère

■ **go in with**: ► **~ in with [sb]** se joindre à *[person, ally, organization]*; **he went in with us to buy the present** il s'est mis avec nous pour acheter le cadeau

■ **go off**: ► **~ off** 1 (explode, fire) *[bomb]* exploser; **the gun didn't ~ off** le coup n'est pas parti; 2 *[alarm clock]* sonner; *[fire alarm]* se déclencher; 3 (depart) partir, s'en aller; **he went off to work** il est parti au travail; **she went off to find a spade** elle est allée chercher une pelle; **they went off together** ils sont partis ensemble; 4 GB (go bad) *[milk, cream]* tourner; *[meat]* s'avarier; *[butter]* rancir; (deteriorate) *[performer, athlete etc]* perdre sa forme; *[work]* se dégrader; (lose one's attractiveness) *[person]* être moins beau/belle qu'avant; **he used to be very handsome, but he's gone off a bit** il était très beau, mais il est moins bien maintenant; **the first part of the film was good, but after that it went off** la première partie du film était bien, mais après ça s'est dégradé; 5 ○(fall asleep) s'endormir; 6 (cease to operate) *[lights, heating]* s'éteindre; 7 (happen, take place) *[evening, organized event]* se passer; **the concert went off very well** le concert s'est très bien passé; 8 Theat quitter la scène; ► **~ off [sb/sth]** GB **I used to like him but I've gone off him** je l'aimais bien avant, mais je ne l'aime plus tellement; **I've gone off opera/whisky** je n'aime plus tellement l'opéra/le whisky; **I think she's gone off the idea** je crois qu'elle a renoncé à l'idée

■ **go off with**: ► **~ off with [sb/sth]** partir avec *[person, money]*; **she went off with all his money** elle est partie avec tout son argent; **who's gone off with my pen?** qui a pris mon stylo?

■ **go on**: ► **~ on** 1 (happen, take place) se passer; **what's going on?** qu'est-ce qui se passe?; **there's a party going on upstairs** il y a une fête en haut; **how long has this been going on?** depuis combien de temps est-ce que ça dure?; **a lot of stealing goes on** il y a beaucoup de vols; **a lot of drinking goes on at Christmas time** les gens boivent beaucoup à Noël; 2 (continue on one's way) poursuivre son chemin; 3 (continue) continuer; **~ on with your work** continuez votre travail, continuez de travailler; **~ on looking** continuez à *or* de chercher; **she went on speaking** elle a continué de parler; **~ on, we're all listening!** continue, nous t'écoutons tous!; **'and another thing,' she went on, 'you're always late'** 'et autre chose,' a -t-elle ajouté, 'vous êtes toujours en retard'; **if he goes on like this, he'll get into trouble!** s'il continue comme ça, il va s'attirer des ennuis; **we can't ~ on like this!** nous ne pouvons pas continuer comme ça!; **life must ~ on** la vie continue; **the meeting went on into the afternoon** la réunion s'est prolongée jusque dans l'après-midi; **you can't ~ on being a pen pusher all your life!** tu ne peux pas rester gratte-papier toute ta vie!; **the list goes on and on** la liste est infinie *or* interminable; **that's enough to be going on with** ça suffit pour le moment; **have you got enough work to be going on with?** est-ce que tu as assez de travail pour le moment?; **here's £20 to be going on with** voici 20 livres pour te dépanner; **~ on (with you)**○! allons donc!; 4 (of time) (elapse) **as time went on, they...** avec le temps, ils...; **as the evening went on, he became more animated** au fur et à mesure que la soirée avançait, il devenait plus animé; 5 (keep talking) **to ~ on about sth** ne pas arrêter de parler de qch, parler de qch à n'en plus finir; **he was going on about the war** il parlait de la guerre à n'en plus finir; **don't ~ on about it!** arrête de parler de ça!, change de disque!; **she went on and on about it** elle en a fait toute une histoire; **he does tend to ~ on a bit!** il a tendance à radoter○!; **the way she goes on, you'd think she was an expert on the subject!** à l'entendre, on croirait qu'elle est experte en la matière!; 6 (proceed) passer; **let's ~ on to the next item** passons au point suivant; **he went on to say that/describe how** puis il a dit que/décrit comment; **7** (go into operation) [*heating, lights*] s'allumer; **8** Theat entrer en scène; **what time do you ~ on?** à quelle heure est-ce que vous entrez en scène?; **9** (approach) **it's going on three o'clock** il est presque trois heures; **she's four going on five** elle va sur ses cinq ans; **he's thirty going on three** hum il a trente ans mais il pourrait bien en avoir trois; **10** (fit) **these gloves won't ~ on** ces gants ne m'iront pas; **the lid won't ~ on properly** le couvercle ne ferme pas bien; ▸ **~ on [sth]** se fonder sur [*piece of evidence, information*]; **that's all we've got to ~ on** tout ce que nous savons avec certitude; **we've got nothing else to ~ on** nous n'avons pas d'autre point de départ; **the police haven't got much evidence to ~ on** la police n'a pas beaucoup de preuves à l'appui

■ **go on at**: ▸ **~ on at [sb]** s'en prendre à [*person*]; **he's always going on at me for writing badly** il s'en prend toujours à moi à cause de ma mauvaise écriture; **they're always going on at us about deadlines** ils sont toujours sur notre dos pour des histoires de délais

■ **go out** **1** (leave, depart) sortir; **she went out of the room** elle a quitté la pièce, elle est sortie de la pièce; **to ~ out walking** aller se promener; **to ~ out for a drink** aller prendre un verre; **they ~ out a lot** ils sortent beaucoup; **she likes going out** elle aime sortir; **she had to ~ out to work at 14** il a fallu qu'elle aille travailler à 14 ans; **2** (travel long distance) partir (**to** à, pour); **she's gone out to Australia/Africa** elle est partie pour l'Australie/l'Afrique; **3** (have relationship) **to ~ out with sb** sortir avec qn; **they've been going out together for six weeks** ils sortent ensemble depuis six semaines; **4** [*tide*] descendre; **the tide is going out** la marée descend, la mer se retire; **5** Ind (go on strike) se mettre en grève; **6** (become unfashionable) passer de mode; (no longer be used) ne plus être utilisé; **mini-skirts went out in the 1970s** les mini-jupes ont passé de mode dans les années 70; **gas went out and electricity came in** l'électricité a remplacé le gaz; **7** (be extinguished) [*fire, light*] s'éteindre; **8** (be sent) [*invitation, summons*] être envoyé; (be published) [*journal, magazine*] être publié; Radio, TV (be broadcast) être diffusé; **9** (be announced) **word went out that he was coming back** le bruit a couru qu'il revenait; **the news went out from Washington that** Washington a annoncé que; **10** (be eliminated) gen, Sport être éliminé; **she went out in the early stages of the competition** elle a été éliminée au début de la compétition; **11** (expressing compassion, sympathy) **my heart goes out to them** je les plains de tout mon cœur, je suis de tout cœur avec eux; **our thoughts ~ out to absent friends** nos pensées vont vers nos amis absents; **12** (disappear) **all the spirit seemed to have gone out of her** elle semblait avoir perdu tout son entrain; **the romance seemed to have gone out of their relationship** leur relation semblait avoir perdu tout son charme; **13** (end) [*year, month*] se terminer; **14** (in cards) terminer

■ **go over**: ▸ **~ over** **1** (cross over) aller; **she went over to him/to the window** elle est allée vers lui/vers la fenêtre, elle s'est approchée de lui/de la fenêtre; **to ~ over to Ireland/to America** aller en Irlande/aux États-Unis; **we are now going over to Washington for more news** Radio, TV nous passons maintenant l'antenne à Washington pour plus d'informations; **2** (be received) **how did his speech ~ over?** comment est-ce que son discours a été reçu?; **his speech went over well** son discours a été bien reçu; **to ~ over big**○ avoir un grand succès; **3** (switch over) **he went over to Labour from the Conservatives** il est passé du parti des conservateurs au parti des travaillistes; **to ~ over to the other side** fig passer dans l'autre camp; **we've gone over to gas (central heating)** nous sommes passés au chauffage central au gaz; **to ~ over to Islam** se convertir à l'Islam; ▸ **~ over [sth]** **1** (review) passer [qch] en revue [*details*]; **she went over the events of the day in her mind** elle a passé en revue les événements de la journée; **we've gone over the details again and again** nous avons déjà passé les détails en revue mille fois; **to ~ over one's lines** (actor) répéter son texte; **there's no point in going over old ground** il n'y a aucune raison de revenir là-dessus; **2** (check, inspect) vérifier [*accounts, figures*]; revoir [*facts, piece of work*]; **I want to ~ over this article once more before I hand it in** je veux relire cet article une dernière fois avant de le remettre; **to ~ over a house** faire le tour d'une maison; **3** (clean) **he went over the room with a duster** il a donné un coup de chiffon dans la pièce; **after cleaning, ~ over the surface with a dry cloth** après l'avoir nettoyée, essuyez la surface avec un chiffon sec *or* passez un chiffon sec sur la surface; **4** **to ~ over a sketch in ink** repasser un dessin à l'encre; **5** (exceed) dépasser; **don't ~ over £100** ne dépassez pas 100 livres sterling

■ **go round** GB: ▸ **~ round** **1** (turn) [*wheel, propeller etc*] tourner; **the wheels went round and round** les roues n'ont pas arrêté de tourner; **my head's going round** j'ai la tête qui tourne; **2** (call round) **to ~ round to see sb** aller voir qn; **he's gone round to Anna's** il est allé chez Anna; **3** (suffice) **there isn't enough food/money to ~ round** il n'y a pas assez de nourriture/d'argent pour tout le monde; **there was barely enough to ~ round** il y en avait à peine assez pour tout le monde; **4** (circulate) **there's a rumour going round that** le bruit court que; **5** (make detour) faire un détour; **we had to ~ round the long way** *ou* **the long way round** il a fallu qu'on prenne un chemin plus long; **I had to ~ round by the bridge** il a fallu que je passe par *or* que je fasse un détour par le pont; ▸ **~ round [sth]** (visit) faire le tour de [*shops, house, museum*]

■ **go through**: ▸ **~ through** **1** (come in) entrer; **if you'll just ~ (on) through, I'll tell them you're here** si vous voulez bien entrer, je vais leur dire que vous êtes arrivé; **2** (be approved) [*law, agreement*] passer; **the law failed to ~ through** la loi n'est pas passée; **the divorce hasn't gone through yet** le divorce n'a pas encore été prononcé; **3** (be successfully completed) [*business deal*] être conclu; ▸ **~ through [sth]** **1** (undergo) endurer, subir [*experience, ordeal*]; (pass through) passer par [*stage, phase*]; **in spite of all he's gone through** malgré tout ce qu'il a enduré; **we've all gone through it** nous sommes tous passés par là; **she's gone through a lot** elle a beaucoup souffert; **he went through the day in a kind of daze** toute la journée il a été dans un état second; **the country has gone through two civil wars** le pays a connu deux guerres civiles; **to ~ through a crisis** traverser une crise; **as you ~ through life** au fur et à mesure que tu vieillis, en vieillissant; **you have to ~ through the switchboard/right authorities** il faut passer par le standard/les autorités compétentes; **it went through my mind that** l'idée m'a traversé l'esprit que; **2** (check, inspect) examiner, étudier; (rapidly) parcourir [*documents, files, list*]; **to ~ through one's mail** parcourir son courrier; **let's ~ through the points one by one** étudions *or* examinons les problèmes un par un; **3** (search) fouiller [*person's belongings, baggage*]; **to ~ through sb's pockets/drawers** fouiller dans les poches/tiroirs de qn; **at customs they went through all my things** à la douane ils ont fouillé toutes mes affaires; **4** (perform, rehearse) répéter [*scene*]; expliquer [*procedure*]; **let's ~ through the whole scene once more** répétons *or* reprenons toute la scène une dernière fois; **there are still a certain number of formalities to be gone through** il y a encore un certain nombre de formalités à remplir; **I went through the whole procedure with him** je lui ai expliqué comment il fallait procéder en détail; **5** (consume, use up) dépenser [*money*]; **we went through three bottles of wine** nous avons bu *or* descendu○ trois bouteilles de vin; **I've gone through the elbows of my jacket** j'ai usé ma veste aux coudes

■ **go through with**: ▸ **~ through with [sth]** réaliser, mettre [qch] à exécution [*plan*]; **in the end they decided to ~ through with the wedding** finalement ils ont décidé de se marier; **I can't ~ through with it** je ne peux pas le faire; **you'll have to ~ through with it now** il va falloir que tu le fasses maintenant

■ **go together** **1** (harmonize) [*colours, pieces of furniture etc*] aller ensemble; **these colours don't ~ together** ces couleurs ne vont pas ensemble; **2** (entail each other) aller de pair; **poverty and crime often ~ together** la pauvreté et le crime vont souvent de pair; **3** ○†(have relationship) [*couple*] sortir ensemble

■ **go under** **1** [*boat, ship*] couler, sombrer; [*drowning person*] couler, disparaître sous les flots; **2** fig (succumb) [*person*] succomber; (go bankrupt) [*business, company*] faire faillite

■ **go up**: ▸ **~ up** **1** (ascend) monter; **to ~ up to bed** monter se coucher; **they've gone up to London** ils sont allés *or* montés à Londres; **they've gone up to Scotland** ils sont allés en Écosse; **'going up!'** (in elevator) 'on monte!'; **2** (rise) [*price, temperature*] monter; Theat [*curtain*] se lever (**on** sur); **petrol has gone up (in price)** (le prix de) l'essence a augmenté; **unemployment is ~ing up** le chômage augmente *or* est en hausse; **our membership has gone up** le nombre de nos adhérents a augmenté; **a cry went up from the crowd** un cri est monté *or* s'est élevé de la foule; **3** (be erected) [*building*] être construit; [*poster*] être affiché; **new office blocks are going up all over the place** on construit de nouveaux immeubles un peu partout; **4** (be destroyed, blown up) [*building*] sauter, exploser; **5** GB Univ (start university) entrer à l'université; (start term) reprendre les cours; **6** (be upgraded) **the team has gone up to the first division** l'équipe est passée en première division; **7** (continue) **the book/series goes up to 1990** le livre/la série va jusqu'en 1990; ▸ **~ up [sth]** **1** (mount) monter, gravir [*hill, mountain*]; **2** **to ~ up a class** Sch passer dans une classe supérieure

■ **go with**: ▸ **~ with [sth]** **1** (match, suit) aller avec; **your shirt goes with your blue eyes** ta chemise va bien avec tes yeux bleus; **white wine goes better with fish than red wine** le vin blanc va mieux avec le poisson que le rouge; **2** (accompany) aller de pair avec; **the car goes with the job** la voiture va de pair avec la situation; **the responsibilities that ~ with parenthood** les responsabilités qui vont de pair avec le fait d'être parent; ▸ **~ with [sb]** (date) sortir avec; (have sex with) coucher avec [*person*]

■ **go without**: ▸ **~ without** s'en passer; **you'll just have to ~ without!** il va falloir que tu t'en passes!, il va falloir que tu fasses sans!; ▸ **~ without [sth]** se passer de [*food, luxuries*]

goad /gəʊd/

A *n* lit, fig aiguillon *m*

B *vtr* **1** (prod) aiguillonner [*animal*]; **2** fig (provoke) provoquer [*person*]; **to ~ sb into doing sth** pousser qn à faire qch; **to ~ sb to violence** pousser qn à la violence

(Phrasal verb) ■ **goad on**: **~ [sb] on, ~ on [sb]** aiguillonner

go-ahead○ /ˈgəʊəhed/

A *n* **to give sb the ~** donner le feu vert à qn (**to do** pour faire; **for sth** pour qch); **to get the ~ from sb** recevoir le feu vert de qn

B *adj* [*person*] dynamique, plein d'allant

goal /gəʊl/ *n* **1** Sport but *m*; **to keep ~** *ou* **to play in ~** être gardien de but; **to score** *ou* **kick a ~** marquer un but; **to miss the ~** manquer le but; **to score an own ~** lit, fig

g

marquer un but contre son camp; **2** (objective) but *m*; **her ~ was to run the company** son but était de gérer l'entreprise

goal area *n* surface *f* de but

goalie○ /'gəʊlɪ/ *n* gardien *m* de but

goal: **~keeper** ▸ p. 1683 *n* gardien *m* de but; **~ kick** *n* dégagement *m* aux six

goalless /'gəʊllɪs/ *adj* **~ match** *ou* **draw** match *m* nul

goal: **~ line** *n* ligne *f* de but; **~ mouth** *n* but *m* (*espace entre les poteaux*)

goalpost /'gəʊlpəʊst/ *n* poteau *m* de but

(Idiom) **to move** *ou* **shift the ~s** changer les règles du jeu

goalscorer /'gəʊlskɔːrə(r)/ *n* buteur *m*

goat /gəʊt/

A *n* **1** Zool, Culin chèvre *f*; **2** ○GB (fool) andouille○ *f*; **to act the ~** faire l'andouille○; **3** ○(lecher) vieux cochon *m*○

B *modif* [*cheese, meat, milk, stew*] de chèvre

(Idioms) **he really gets my ~**○ il me tape sur les nerfs○; **that will separate the sheep from the ~s** cela permettra de voir ce que vaut chacun

goatee /gəʊ'tiː/ *n* barbiche *f*

goat: **~herd** *n* chevrier/-ière *m/f*; **~sbeard** *n* Bot salsifis *m* des prés

goatskin /'gəʊtskɪn/

A *n* **1** (leather) cuir *m* de chèvre; (pelt) peau *f* de chèvre; **2** (leather bottle) outre *f*

B *modif* [*rug*] en peau de chèvre

goatsucker /'gəʊtsʌkə(r)/ *n* US engoulevent *m*

gob◑ /gɒb/

A *n* **1** GB (mouth) gueule○ *f*; **2** (spittle) mollard○ *m*; **3** (soft mass) boule *f*; **4** US (sailor) mataf○ *m*; **5** US (large quantity) **~s of charm** beaucoup de charme; **~s of kids** des quantités de mômes○

B *vi* GB (*p prés etc* **-bb-**) mollarder○

gobbet /'gɒbɪt/ *n* morceau *m*

gobble /'gɒbl/

A *n* (cry of turkey) glouglou *m*

B *vtr* (*also* **~ down**) engloutir [*food*]

C *vi* **1** [*turkey*] (cry) glouglouter; **2** [*person*] (eat) se goinfrer○

(Phrasal verb) ■ **gobble up** lit, fig ▸ **~ [sth] up, ~ up [sth]** engloutir

gobbledygook○ /'gɒbldɪguːk/ *n* charabia○ *m*

gobbler○ /'gɒblə(r)/ *n* dindon *m*

go-between /'gəʊbɪtwiːn/ *n* intermédiaire *mf*

Gobi /'gəʊbɪ/ *pr n* **the ~ desert** le désert *m* de Gobi

goblet /'gɒblɪt/ *n* verre *m* à pied; **silver ~** gobelet *m* d'argent (à pied)

goblin /'gɒblɪn/ *n* lutin *m*

gobsmacked○ /'gɒbsmækt/ *adj* GB estomaqué○

goby /'gəʊbɪ/ *n* (*pl* **~** *ou* **-bies**) Zool gobie *m*

go-by○ /'gəʊbaɪ/ *n* **to give sb the ~**○ GB snober qn

go-cart /'gəʊkɑːt/ *n* **1** US (toy cart) chariot *m*; **2** GB (child's pushchair) poussette *f*; (baby walker) trotteur *m*; **3** (handcart) charrette *f*; **4** = **go-kart**

god /gɒd/

A *n* **1** Relig dieu *m*; **ye ~s!** grands dieux!; **2** (person, thing) dieu *m*, idole *f*

B God *pr n* **1** Relig Dieu *m*; **so help me God** je le jure devant Dieu; **would to God that** plût à Dieu que (+ *subj*); **a man of God** un prêtre; **2** ○(in exclamations) (exasperated) zut○!, merde◑!; (surprised) ça alors○!; **my God!** mon Dieu!; **by God, I'll...!** je le jure, je vais...!; **God forbid**○! grands dieux, non!; **God forbid he should find out!** pourvu qu'il ne l'apprenne pas!; **God knows**○! Dieu sait!; **she lives God knows where** elle habite Dieu sait où; **God knows I've tried!** Dieu sait si j'ai essayé

C Gods○ *npl* Theat paradis *m*, poulailler○ *m*

(Idioms) **God helps those who help themselves** aide-toi, le ciel t'aidera; **to put the fear of God into sb** faire une peur bleue à qn; **to think one is God's gift (to women)**○ se croire irrésistible avec les femmes; **she thinks she's God's gift to acting**○ elle se croit la meilleure actrice qui ait jamais existé

God Almighty *n* **1** Relig Dieu *m* Tout-Puissant; **2** *excl* mon Dieu!

(Idiom) **he thinks he's ~** il se prend pour Dieu le père

god: **~-awful**○ *adj* exécrable; **~child** *n* filleul/-e *m/f*

goddammit◑ /'gɒddæmɪt/ *excl* US bon sang○!

goddamn○ /'gɒddæm/

A *n* **not to give a ~ about** se foutre◑ royalement de

B *adj* sacré○, fichu○

C *adv* sacrément○

D *excl* **~ (it)!** bon sang○!

goddaughter /'gɒddɔːtə(r)/ *n* filleule *f*

goddess /'gɒdɪs/ *n* (divinity, woman) déesse *f*

god: **~father** *n* parrain *m*; **God-fearing** *adj* pieux/pieuse; **~forsaken** *adj* [*country, place*] perdu; **~head** *n* divinité *f*

godless /'gɒdlɪs/ *adj* impie

godlike /'gɒdlaɪk/ *adj* divin

godly /'gɒdlɪ/ *adj* pieux/pieuse

godmother /'gɒdmʌðə(r)/ *n* marraine *f*

godparent /'gɒdpeərənt/ *n* parrain/marraine *m/f*; **the ~s** le parrain et la marraine

God Save the Queen/King *n* GB *hymne national britannique*

> **God Save the Queen/King**
>
> *God Save the King* est une chanson patriotique dont on ne connaît pas l'auteur, entendue pour la première fois en public à Londres en 1745. Elle devint l'hymne national britannique à partir du XIXe siècle.

god: **~send** *n* aubaine *f*; **~-slot**○ *n* péj Radio, TV émission *f* religieuse; **~son** *n* filleul *m*; **Godspeed** *excl* Dieu vous garde; **~squad**○ *n* péj bigots *mpl* pej

goer /'gəʊə(r)/

A *n*○ GB **1** (energetic person) **to be a ~** être plein d'allant; **2** péj (woman) **she's a real ~!** elle couche à droite et à gauche!

B -goer *dans composés* **theatre-~** personne *f* qui va au théâtre; (regular) amateur *m* de théâtre; **cinema-~** personne qui va au cinéma; (regular) cinéphile *mf*; ▸ **churchgoer**, **partygoer etc**

goes /gəʊz/ ▸ **go**

go-faster stripes *npl* Aut bandes *fpl* horizontales

gofer○ /'gəʊfə(r)/ *n* US factotum *m*

go: **~-getter**○ *n* fonceur/-euse○ *m/f*, ambitieux/-ieuse *m/f*; **~-getting**○ *adj* fonceur/-euse○

goggle○ /'gɒgl/ *vi* [*person*] ouvrir des yeux ronds○; [*eyes*] s'écarquiller; **to ~ at sb/sth** regarder qn/qch avec des yeux ronds○

goggle: **~-box**○ *n* GB télé○ *f*; **~-eyed**○ *adj* avec des yeux ronds○

goggles /'gɒglz/ *npl* **1** (cyclist's, worker's) lunettes *fpl* protectrices; (skier's) lunettes *fpl* de ski; (for swimming) lunettes *fpl* de plongée; **2** ○hum (glasses) binocles○ *mpl*

go-go /'gəʊgəʊ/ *adj* **1** US Econ, Fin [*economics, funds, market*] spéculatif/-ive; **2** ○(dynamic) [*person, culture*] dynamique; **3** ○(disco) [*dancing*] de boîte de nuit○

go-go dancer *n* danseuse *f* de boîte de nuit

going /'gəʊɪŋ/

A *n* **1** (departure) départ *m*; ▸ **coming**; **2** (progress) **that's not bad ~!, that's good ~!** c'est rapide!; **it was slow ~, the ~ was slow** (on journey) ça a été long; (at work) ça n'avançait pas vite; **the conversation was heavy ~** la conversation était laborieuse; **this book is heavy ~** ce livre est difficile à lire *or* est d'une lecture laborieuse; **3** (condition of ground) (for riding, walking) état *m* du sol; **the ~ was hard** *ou* **rough, it was hard** *ou* **rough ~** Turf le terrain était lourd; **4** fig (conditions, circumstances) **when the ~ gets tough** quand les choses vont mal; **she finds her new job hard ~** elle trouve que son nouveau travail est difficile; **they got out while the ~ was good** ils s'en sont tirés avant qu'il ne soit trop tard *or* pendant que les circonstances le permettaient

B *adj* **1** (current) [*price*] actuel, en cours; **the ~ rate for babysitters/freelancers** le tarif en vigueur pour les babysitters/les travailleurs indépendants; **they pay me twice the ~ rate** ils me paient deux fois plus que le tarif en vigueur; **the ~ rate of interest** le taux d'intérêt actuel; **2** (operating) **~ concern** Comm affaire *f* qui marche, affaire saine; **they bought the business as a ~ concern** quand ils ont acheté l'entreprise elle était déjà montée; **3** (existing) **it's the best model ~** c'est le meilleur modèle sur le marché; **he's the best film-maker ~** c'est le meilleur cinéaste en vie

C -going (*dans composés*) **theatre-/cinema-~** la fréquentation des théâtres/des salles de cinéma; **the theatre-~ public** les amateurs *mpl* de théâtre

going-over○ /,gəʊɪŋ'əʊvə(r)/ *n* (*pl* **goings-over**) **1** (examination) (of vehicle, machine) révision *f*; (of document) vérification *f*; (cleaning) (of room, house) nettoyage *m*; **the doctor gave me a thorough ~** le médecin m'a soigneusement examiné; **this room needs a good ~** cette pièce a besoin d'un grand nettoyage; **2 to give sb a ~** (scold) passer un savon○ à qn; (beat up) rouer qn de coups, battre qn

goings-on○ /,gəʊɪŋz'ɒn/ *npl* (events) événements *mpl*; péj (activities) activités *fpl*; (behaviour) conduite *fsg*; **there are some strange ~ in that house** il se passe de drôles de choses dans cette maison; **shady ~ in the business world** des activités louches dans le monde des affaires

goitre, goiter US /'gɔɪtə(r)/ *n* goitre *m*

go-kart /'gəʊkɑːt/ *n* kart *m*

go-karting /'gəʊkɑːtɪŋ/ ▸ **p. 1253** *n* karting *m*; **to go ~** faire du karting

Golan /'gəʊlæn/ *pr n* **the ~ Heights** le (plateau *m* du) Golan

gold /gəʊld/

A *n* **1** Miner, Fin or *m*; **£1,000 in ~** 1 000 livres sterling en or; **to strike ~** Miner découvrir un filon; (become rich) trouver le filon○; [*athlete*] obtenir la médaille d'or; **2** (colour) (couleur *f*) or *m*; **3** = **gold medal**

B *modif* [*jewellery, cutlery, tooth*] en or; [*coin, medal, ingot, wire*] d'or; [*ore, deposit, alloy*] d'or

C *adv* **to go ~**○ Mus être disque d'or

(Idioms) **to be as good as ~** être sage comme une image; **to have a heart of ~** avoir un cœur d'or; **to be worth one's weight in ~** valoir son pesant d'or

gold: **~ basis** *n* étalon-or *m*; **~ beetle** *n* scarabée *m* doré

goldbrick /,gəʊld'brɪk/

A *n* **1** péj (worthless item) babiole *f*; **2** ○US (shirker) tire-au-flanc○ *m inv*

B *vi* US (shirk) tirer au flanc○

gold: **~bug** *n* = **gold beetle**; **~ certificate** *n* US billet *m* garanti or

Gold Coast *n* **1** Hist (Ghana) Côte-de-l'Or *f*; **2** (in Australia) *série de stations balnéaires dans l'est de l'Australie*; **3** US banlieue *f* huppée

gold: **~-coloured** GB, **~-colored** US *adj* couleur or *inv*, doré; **~crest** *n* roitelet *m* huppé

gold digger *n* **1** Miner chercheur *m* d'or; **2** fig péj (woman) croqueuse *f* de diamants

gold disc *n* disque *m* d'or

gold dust *n* lit poudre *f* d'or; **to be like ~** fig être une denrée rare

golden /'gəʊldən/ *adj* 1▸ (made of gold) en or, d'or; 2▸ (gold coloured) doré, d'or; **~ hair** cheveux *mpl* dorés; **~ beaches** plages *fpl* de sable blond; **~ sunset** coucher *m* de soleil flamboyant; 3▸ fig [*dream*] doré; [*summer*] idyllique; [*voice*] d'or; **a ~ opportunity** une occasion en or; **the ~ days of Hollywood** l'âge d'or de Hollywood; **the ~ world of advertising** iron le monde merveilleux de la publicité

(Idiom) **silence is ~** le silence est d'or

golden: **~ age** *n* âge *m* d'or; **~ anniversary** *n* = **golden jubilee**; **~ boy** *n* enfant *m* chéri

golden-brown /,gəʊldən'braʊn/ ▸ p. 1067 *n*, *adj* mordoré (*m*)

golden: **~ calf** *n* Bible, fig veau *m* d'or; **~ cocker (spaniel)** *n* cocker *m* roux-doré; **Golden Delicious** *n* golden *f inv* (*pomme*); **~ eagle** *n* aigle *m* royal; **~eye** *n* garrot *m* à œil d'or; **Golden Fleece** *n* Toison *f* d'or; **Golden Gate** *pr n* Golden Gate *m*; **~ girl** *n* enfant *f* chérie

golden goose *n*

(Idiom) **to kill the ~** tuer la poule aux œufs d'or

golden: **~ handshake** *n* GB prime *f* de départ; **~ hello** *n* prime *f* d'embauche; **Golden Horde** *n* Horde *f* d'Or; **Golden Horn** *n* Corne *f* d'Or; **~ jubilee** *n* (wedding anniversary) noces *fpl* d'or; (other) jubilé *m*

golden mean *n* 1▸ (happy medium) **the ~** le juste milieu; 2▸ Art = **golden section**

golden number *n* nombre *m* d'or

golden oldie /,gəʊldən 'əʊldɪ/ *n* (song) vieux succès *m* (de la chanson); (film) vieux succès *m* (du cinéma)

golden: **~ oriole** *n* Zool loriot *m* jaune; **~ parachute** *n* US = **golden handshake**; **~ pheasant** *n* faisan *m* doré; **~ plover** *n* pluvier *m* doré; **~ remedy** *n* remède *m* souverain; **~ retriever** *n* golden retriever *m*; **~rod** *n* verge *f* d'or; **~ rule** *n* règle *f* d'or; **~ section** *n* section *f* dorée; **~ syrup** *n* GB ≈ sirop *m* de sucre roux; **Golden Triangle** *n* Geog Triangle *m* d'Or; **~ wedding** *n* noces *fpl* d'or; **~ yellow** *n*, *adj* jaune *m inv* d'or

gold: **~ exchange standard** *n* étalon *m* de change or; **~ fever** *n* fièvre *f* de l'or; **~field** *n* terrain *m* aurifère; **~-filled** *adj* Dent aurifié; **~ filling** *n* Dent obturation *f* en or; **~finch** *n* chardonneret *m*; **~fish** *n* (*pl* **-fish** *ou* **-fishes**) poisson *m* rouge

goldfish bowl *n* bocal *m* à poissons rouges; **it's like living in a ~!** fig on ne peut pas faire un mouvement sans que tout le monde soit au courant!

gold foil *n* feuille *f* d'or

Goldilocks /'gəʊldɪlɒks/ *pr n* Boucles d'Or

gold: **~ leaf** *n* feuille *f* d'or; **~ medal** *n* médaille *f* d'or

gold mine *n* lit, fig mine *f* d'or; **to be sitting on a ~** fig être assis sur une mine d'or

gold: **~ mining** *n* extraction *f* de l'or; **~ note** *n* US = **gold certificate**; **~ paint** *n* peinture *f* dorée

gold plate *n* (coating) fine couche *f* d'or; (dishes) vaisselle *f* d'or

gold: **~-plated** *adj* plaqué or *inv*; **~ point** *n* point *m* d'or, gold-point *m*; **~ pool** *n* pool *m* de l'or; **~ record** *n* disque *m* d'or; **~ reserve** réserves *fpl* d'or; **~ rush** *n* ruée *f* vers l'or; **~smith** ▸ p. 1683 *n* orfèvre *m*; **~ standard** *n* étalon or *m*; **~ star** *n* badge *m* en forme d'étoile *porté à la mémoire d'un soldat mort au combat*; **~stone** *n* aventurine *f*

golf /gɒlf/ ▸ p. 1253

A *n* golf *m*

B *modif* [*tournament, umbrella, bag, equipment*] de golf

golf ball *n* 1▸ Sport balle *f* de golf; 2▸ (on typewriter) boule *f*

golf ball typewriter *n* machine *f* à écrire à boule

golf club *n* 1▸ (place) club *m* de golf; 2▸ (stick) crosse *f* de golf

golf course *n* (terrain *m* de) golf *m*

golfer /'gɒlfə(r)/ *n* joueur/-euse *m/f* de golf, golfeur/-euse *m/f*

golfing /'gɒlfɪŋ/ *n* **to go ~** faire du golf

golf links *n* = **golf course**

Goliath /gə'laɪəθ/ *pr n* Bible Goliath; fig colosse *m*

golliwog /'gɒlɪwɒg/ *n* (poupée *f* de) nègre *m* en étoffe

golly○ /'gɒlɪ/

A *n* GB = **golliwog**

B *excl* ça alors!

Gomorrah /gə'mɒrə/ *pr n* Gomorrhe

gonad /'gəʊnæd/ *n* gonade *f*

gonadotrophin /,gəʊnədəʊ'trəʊfɪn/, **gonadotropin** /,gəʊnədəʊ'trəʊpɪn/ *n* gonadotrophine *f*, gonadostimuline *f*

gonadotropic /,gəʊnədəʊ'trɒpɪk/ *adj* gonadotrope

gondola /'gɒndələ/ *n* 1▸ (boat) gondole *f*; 2▸ (under airship, balloon) nacelle *f*; (cable car) cabine *f* (de téléphérique); 3▸ (in shop) (shelf unit) gondole *f*; 4▸ (*also* **~ car**) US Rail wagon *m* plat; 5▸ US (barge) barge *f*

gondolier /,gɒndə'lɪə(r)/ ▸ p. 1683 *n* gondolier *m*

gone /gɒn/

A *pp* ▸ **go**

B *adj* 1▸ [*person*] (departed) parti; euph (dead) disparu; **be ~!**† *ou* hum allez-vous-en!; **to be far ~** (ill) être très malade; (with drink) être complètement bourré○; (with drugs) planer○ complètement; **to be long ~** [*person*] (dead) être mort depuis longtemps; [*machine, device*] (worn) être complètement usé; (past) [*era*] être révolu; **the theatre/school is long ~** le théâtre/l'école n'existe plus depuis longtemps; **~ are the days when** *ou* **the days are ~ when people had servants** l'époque où les gens avaient des domestiques est révolue; **~ with the wind** autant en emporte le vent; 2▸ GB (pregnant) **she is seven months ~** elle est enceinte de sept mois; **how far ~ is she?** elle est enceinte depuis combien de temps?; 3▸ ○**to be ~ on sb** (infatuated) s'être amouraché *or* entiché○ de qn; **she's really ~ on him** elle s'est vraiment entichée de lui; 4▸ GB (past) **it's ~ six o'clock** il est six heures passées, il est plus de six heures; **it's just ~ six o'clock** il est un peu plus de six heures; **she's ~ eighty** elle a plus de quatre-vingts ans

goner○ /'gɒnə(r)/ *n* **to be a ~**○ être fichu○

gong /gɒŋ/ *n* 1▸ gong *m*; **dinner ~** cloche *f* du dîner; 2▸ ○GB (medal) médaille *f*; 3▸ ○US (opium pipe) pipe *f* à opium

gonna○ /'gɒnə/ = **going to**

gonorrh(o)ea /,gɒnə'rɪə/ ▸ p. 1327 *n* blennorragie *f*

gonzo○ /'gɒnzəʊ/ *adj* US [*style*] flamboyant; [*person*] bizarre, dingue○

goo○ /gu:/ *n* 1▸ (gunge) matière *f* poisseuse; 2▸ fig péj (sentimentality) sentimentalité *f* à l'eau de rose

good /gʊd/

A *n* 1▸ (virtue) bien *m*; **~ and evil** le bien et le mal; **to do ~** faire le bien; **to be up to no ~**○ mijoter qch○; **to come to no ~** [*person*] mal tourner

2▸ (benefit) bien *m*; **for the ~ of the company** pour le bien de la société; **it's for your own ~** c'est pour ton bien; **for all the ~ it did me** pour le peu de bien que ça m'a fait; **much ~ may it do him!** grand bien lui fasse!; **she's too generous for her own ~** elle est trop généreuse et ça lui jouera des tours; **for the ~ of his health** lit pour sa santé; **do you think I'm doing this for the ~ of my health?** iron tu crois que ça m'amuse de faire ça?; **it didn't do my migraine any ~** ça n'a pas arrangé ma migraine; **a strike won't do the company any ~** une grève n'arrangera pas les affaires de l'entreprise; **the rain did the plants ~** la pluie a fait du bien aux plantes; **it will do you ~ to sleep** ça te fera du bien de dormir; **no ~ can** *ou* **will come of it** rien de bon n'en sortira; **no ~ will come of waiting** attendre ne changera rien; **to be all to the ~** être pour le mieux

3▸ (use) **it's no ~ crying** ça ne sert à rien de pleurer; **it's no ~ I can't do it** ça ne sert à rien je n'y arrive pas; **would an oil change do any ~?** est-ce qu'une vidange servirait à quelque chose?; **what ~ would it do me?** à quoi cela me servirait-il?; **these books are no ~ to me now** ces livres ne me servent plus à rien

4▸ GB (profit) **to be £20 to the ~** avoir 20 livres sterling à son crédit

5▸ (virtuous people) **the ~** (+ *v pl*) les bons *mpl*

B goods *npl* 1▸ (for sale) gen articles *mpl*, marchandise *f*; **leather ~s** articles de cuir; **stolen ~** marchandise volée; **electrical ~s** appareils *mpl* électroménagers; **~s and services** biens *mpl* de consommation et services

2▸ GB Rail marchandises *fpl*

3▸ (property) affaires *fpl*, biens *mpl*; **~ and chattels** biens et effets personnels

4▸ ○(what is wanted) **to deliver** *ou* **come up with the ~s** répondre à l'attente; **that's the ~s!** c'est parfait!

C goods *modif* GB Rail [*depot, station, train, wagon*] de marchandises

D *adj* (*comp* **better**; *superl* **best**) 1▸ (enjoyable) [*book, holiday, joke, news*] bon/bonne; [*party*] réussi; **the ~ weather** le beau temps; **the ~ times** les bons moments; **to have a ~ time** bien s'amuser; **a ~ time was had by all** tout le monde s'est amusé; **have a ~ time!** amusez-vous bien!; **have a ~ day!** bonne journée!; **the ~ things in life** les petits plaisirs de l'existence; **the ~ life** la dolce vita; **it's ~ to see you again** je suis content de vous revoir; **in the ~ old days** au bon vieux temps

2▸ (happy) **to feel ~ about/doing** être content de/de faire; **helping others makes me feel ~** je suis content quand j'aide les autres; **I didn't feel very ~ about lying to him** je n'ai pas été très fier de lui avoir menti

3▸ (healthy) [*ear , eye, leg*] bon/bonne; [*eyesight, hearing, memory*] bon/bonne; **you don't look too ~** tu as mauvaise mine; **I don't feel too ~** je ne me sens pas très bien

4▸ ○(well) **'How are you?'—'I'm ~!'** 'Comment ça va?'–'Ça va bien'

5▸ (high quality) [*book, condition, make, hotel, photo, soil, score*] bon/bonne; [*coat, suit, china*] beau/belle; [*degree*] avec mention (*after n*); **I'm not ~ enough for her** je ne suis pas assez bien pour elle; **nothing is too ~ for her son** rien n'est trop beau pour son fils

6▸ (prestigious) (*épith*) [*address, family, marriage*] bon/bonne

7▸ (obedient) [*child, dog*] sage; [*behaviour, manners*] bon/bonne; **there's a ~ boy** *ou* **girl!** c'est bien!

8▸ (favourable) [*review, impression, opportunity, sign*] bon/bonne; **the ~ thing is that** ce qui est bien c'est que; **New York is ~ for shopping** New York est un bon endroit pour faire les magasins

9▸ (attractive) [*legs, teeth*] beau/belle; [*handwriting*] beau/belle; **to look ~ with** [*garment, accessories*] aller bien avec [*garment*]; **she looks ~ in blue/that dress** le bleu/cette robe lui va bien; **a ~ figure** une belle silhouette

10▸ (tasty) [*meal*] bon/bonne; **to taste ~** avoir bon goût; **to smell ~** sentir bon *inv*; **to look ~** avoir l'air bon; **that pie looks ~** cette tourte a l'air bonne

11▸ (virtuous) (*épith*) [*man, life*] vertueux/-euse; [*Christian*] bon/bonne; **the ~ guys** (in films) les bons *mpl*

g

12 (kind) [*person*] gentil/-ille; **a ~ deed** une bonne action; **to do sb a ~ turn** rendre service à qn; **would you be ~ enough to do, would you be so ~ as to do** auriez-vous la gentillesse de faire; **close the door, there's a ~ chap** fermez la porte, vous serez gentil; **my ~ man**† mon brave†; **how is your ~ lady**†? comment va madame votre épouse?
13 (pleasant) [*humour, mood*] bon/bonne; **to be in a ~ mood** être de bonne humeur; **to be very ~ about** se montrer très compréhensif au sujet de [*mistake, misunderstanding*]
14 (reliable) **~ old Richard!** ce bon vieux Richard!; **there's nothing like ~ old beeswax** il n'y a rien de tel que la bonne vieille cire d'abeille
15 (competent) [*accountant, hairdresser, teacher*] bon/bonne; **she's a ~ swimmer** elle nage bien; **to be ~ at** être bon en [*Latin, physics*]; être bon à [*badminton, chess*]; **she's ~ at dancing/drawing** elle danse/ dessine bien; **to be no ~ at** être nul/nulle en [*tennis, chemistry*]; être nul/nulle à [*chess, cards*]; **I'm no ~ at knitting/singing/apologizing** je ne sais pas tricoter/chanter/m'excuser; **to be ~ with** savoir comment s'y prendre avec [*old people, children, animals*]; aimer [*numbers*]; **to be ~ with one's hands** être habile de ses mains; **to be ~ with words** savoir écrire; **you're really ~ at irritating people!** iron tu es doué pour énerver les gens!; **he was ~ as Hamlet** il était bien dans le rôle d'Hamlet
16 (beneficial) **to be ~ for** faire du bien à [*person, plant*]; être bon pour [*skin, health*]; être bon pour [*business, morale*]; **exercise is ~ for you** l'exercice fait du bien; **he eats more than is ~ for him** il mange plus qu'il ne devrait; **say nothing if you know what' s ~ for you** si je peux te donner un conseil, ne dis rien
17 (effective) [*example, knife, shampoo, method*] bon/bonne (**for doing** pour faire); **to look ~** [*design, wallpaper*] faire de l'effet; **this will look ~ on your CV** GB *ou* **résumé** US cela fera bien sur votre CV
18 (suitable) [*book, day, moment, name*] bon/ bonne (**for** pour)
19 (fluent) **he speaks ~ Spanish** il parle bien espagnol; **her English is ~** son anglais est bon
20 (fortunate) **this new law is a ~ thing** cette nouvelle loi est une bonne chose; **it's a ~ job** *ou* **thing (that)** heureusement que; **it's a ~ job** *ou* **thing too!** tant mieux!; **we've never had it so ~**○ les affaires n'ont jamais été aussi prospères; **industry has never had it so ~** l'industrie n'a jamais été aussi prospère; **it's too ~ to be true** c'est trop beau pour être vrai
21 (sensible) [*choice, idea, investment*] bon/ bonne; **that's a ~ question** bonne question; **that's a ~ point** tout à fait
22 (close) (*épith*) [*friend, relationship*] bon/ bonne
23 (serviceable) **this season ticket is ~ for two more months** cette carte d'abonnement est valable encore deux mois; **he's ~ for another 20 years** il sera encore là dans 20 ans; **the car is ~ for another 10,000 km** la voiture fera encore 10 000 km; **it's as ~ a reason as any** c'est une raison comme une autre; **to be ~ for a loan** être d'accord pour prêter de l'argent
24 (accurate) [*description, spelling*] bon/bonne; **to keep ~ time** [*clock, watch*] être très précis
25 (fit to eat) [*meat, cheese*] bon/bonne
26 (substantial) (*épith*) [*salary, size, kilo, length, hour, mile*] bon/bonne; **it must be worth a ~ 2,000 dollars** ça doit valoir au moins 2 000 dollars; **a ~ 20 years ago** il y a au moins 20 ans; **a ~ thick mattress** un matelas bien épais; **a ~ long walk/talk** une bonne balade/ discussion; **~ and early** de très bonne heure
27 (hard) (*épith*) [*kick, punch*] bon/bonne; **give it a ~ clean** nettoie-le bien; **we had a ~ laugh/look** on a bien ri/regardé
28 ‡Naut **the ~ ship Neptune** le Neptune. ▸ **better**¹, **best**

E as good as *adv phr* 1 (virtually) quasiment; **the match is as ~ as lost** le match est quasiment perdu; **to be as ~ as new** être comme neuf/neuve
2 (tantamount to) **it's as ~ as saying yes/ giving him a blank cheque** c'est comme si tu disais oui/lui donnais carte blanche
3 (by implication) **he as ~ as called me a liar** il m'a plus ou moins traité de menteur
F for good *adv phr* pour toujours
G *excl* (expressing pleasure, satisfaction) c'est bien!; (with relief) tant mieux!; (to encourage, approve) très bien!; (in assent) très bien!

(Idioms) **~ for you!** (approvingly) bravo!; (sarcastically) tant mieux pour toi!; **that's a ~ one!** [*joke, excuse*] elle est bonne celle-là!; **~ on you**○**!** GB bravo!; **~ thinking** bien vu!; **everything came ~ in the end** tout s'est bien terminé; **to be caught with the ~s**○ être pris en flagrant délit; **to be onto a ~ thing**○, **to have a ~ thing going**○ être sur un bon filon; **you can have too much of a ~ thing** il ne faut pas abuser des bonnes choses

good: **~ afternoon** *excl* (in greeting) bonjour; (in farewell) au revoir; **Good Book** *n* Relig sainte Bible *f*

goodbye /ˌɡʊd'baɪ/ *n*, *excl* au revoir; **to say ~ to sb** dire au revoir à qn; **to say** *ou* **kiss ~ to sth** dire adieu à qch

good: **~ day**† *excl* (in greeting) bonjour; (in farewell) au revoir; **~ evening** *excl* bonsoir

goodfella○ /'ɡʊdfelə/ *n* US gangster *m*; (Mafia member) maf(f)ioso *m*

good-for-nothing /'ɡʊdfənʌθɪŋ/
A *n* bon/bonne *m/f* à rien
B *modif* [*layabout, idler*] bon/bonne à rien (*after n*); **her ~ husband** son bon à rien de mari

Good Friday *pr n* Relig Vendredi *m* saint; **on ~** le Vendredi saint

good-hearted /ˌɡʊd'hɑːtɪd/ *adj* généreux/ -euse

good-humoured GB, **good-humored** US /ˌɡʊd'hjuːməd/ *adj* [*audience, crowd, meeting, discussion*] détendu; [*rivalry, competitor*] amical; [*banter, joke, criticism*] innocent; [*remark, smile, wink*] plaisant; **to be ~** (of mood) être de bonne humeur; (of character) avoir bon caractère

good-humouredly GB, **good-humoredly** US /ˌɡʊd'hjuːmədlɪ/ *adv* [*smile*] plaisamment; [*say*] avec bonne humeur; [*tease*] gentiment

goodies○ /'ɡʊdɪz/ *npl* 1 (treats) (edible) friandises *fpl*; (gifts) cadeaux *mpl*; 2 (heroes) **the ~** les bons *mpl*

goodish○ /'ɡʊdɪʃ/ *adj* [*actor, swimmer*] assez bon/bonne; [*appetite, relationship*] assez bon/ bonne; [*party, film*] pas mal *inv*; **to be in a ~ mood** être de plutôt bonne humeur; **'were the children good?'—'~'** 'les enfants ont-ils été sages?'—'ça a été'

good: **~-looker**○ *n* bel homme/belle femme *m/f*; **~-looking** *adj* beau/belle (*before n*); **~ looks** *npl* beauté *f* ₵, physique *m* ₵

goodly /'ɡʊdlɪ/ *adj* (*épith*) [*sum*] beau/belle; [*amount, number, quantity*] honorable; [*part, proportion*] bon/bonne

good morning /ˌɡʊd 'mɔːnɪŋ/ *excl* (in greeting) bonjour; (in farewell) au revoir

good-natured /ˌɡʊd'neɪtʃəd/ *adj* [*person*] agréable, facile; [*animal*] qui a bon caractère (*after n*); [*discussion, meeting*] détendu; [*banter, remark*] amical; [*criticism*] bien intentionné

good-naturedly /ˌɡʊd'neɪtʃədlɪ/ *adv* plaisamment

goodness /'ɡʊdnɪs/
A *n* 1 (virtue) bonté *f*; 2 (kindness) bonté *f*; **would you have the ~ to close the door?** sout auriez-vous la bonté de fermer la porte? fml; **to do sth out of the ~ of one's heart** faire qch par pure gentillesse; 3 (nutritive value) **to be full of ~** être plein de bonnes choses; **don't overcook the carrots, they lose all their ~** ne faites pas trop cuire les carottes ou elles perdront toutes leurs vertus; **the soil has lost its ~** le sol s'est appauvri
B *excl* (*also* **~ gracious**) mon Dieu

(Idioms) **I hope to ~ that** je prie le ciel que (+ *subj*); **I wish to ~ that he would write** si seulement il pouvait écrire; **~ only knows!** Dieu seul le sait!; **~ only knows how/when/why** Dieu (seul) sait comment/quand/pourquoi; **for ~' sake!** pour l'amour de Dieu!

goodnight /ˌɡʊd'naɪt/
A *n*, *excl* bonne nuit; **to say ~ to sb** dire bonne nuit à qn
B *modif* **I gave him a ~ kiss** je l'ai embrassé pour lui souhaiter bonne nuit

good: **~ practice** *n* bonnes pratiques *fpl*; **Good Samaritan** *n* Bible, fig Bon Samaritain *m*; **Good Shepherd** *n* Relig Bon Pasteur *m*; **~-sized** *adj* [*kitchen, room*] spacieux/-ieuse; [*box, garden, pocket*] de bonne taille *inv*; **~-tempered** *adj* [*person*] facile; [*animal*] qui a bon caractère (*after n*); [*debate, remark, smile*] amical; **~-time girl** *n* péj (funloving) fêtarde○ *f*; euph (prostitute) fille *f* de joie

goodwill /ˌɡʊd'wɪl/
A *n* 1 (helpful attitude) bonne volonté *f*; **with ~ we'll succeed** avec de la bonne volonté nous réussirons; **a man of ~** un homme de bonne volonté; 2 (kindness) **to show ~ to** *ou* **towards sb** faire preuve de bienveillance à l'égard de qn; **he spoke with ~** il s'est exprimé avec bienveillance; **in a spirit of ~** en toute amitié; **to do sth with ~** faire qch de bon cœur; **the season of ~** le temps de Noël; 3 Comm (non-paper value) fonds *m* commercial; (reputation) actif *m* incorporel (*constitué par sa réputation*); (customers) clientèle *f*
B *modif* [*gesture*] de bonne volonté; [*visite*] d'amitié

goody○ /'ɡʊdɪ/
A *n* (hero) bon *m*
B *excl* lang enfantin chouette!

goody-goody /'ɡʊdɪɡʊdɪ/ péj
A *n* (both sexes) sainte nitouche *f*
B *adj* [*child*] modèle

goody two shoes○ /ˌɡʊdɪ'tuːʃuːz/ *n* péj modèle *m* de vertu iron

gooey○ /'ɡuːɪ/ *adj* 1 (sticky) gluant; 2 fig (sentimental) sentimental

goof○ /ɡuːf/
A *n* 1 (idiot) dingue○ *mf*; 2 (blunder) gaffe○ *f*
B *vtr* = **goof up**
C *vi* faire une gaffe○ *or* une bévue○

(Phrasal verbs) ■ **goof around**○ (fool around) faire l'imbécile○ *mf*; (laze about) glander◑
■ **goof off**○ US = **goof around**
■ **goof on** US: ▸ **~ on [sb]** taquiner
■ **goof up**○: ▸ **~ up** faire une gaffe○; ▸ **~ [sth] up, ~ up [sth]** massacrer○

goofball○ /'ɡuːfbɔːl/ *n* US 1 (fool) imbécile *mf*; 2 (drug) barbiturique *m*

goof: **~-off**○ *n* US glandeur/-euse◑ *m/f*; **~-up**○ *n* US gaffe○ *f*, bévue○ *f*

goofy○ /'ɡuːfɪ/ *adj* dingue○

google® /'ɡuːɡl/ *vi* chercher sur Google®

goo-goo eyes○ /'ɡuːɡuː aɪz/ *n* US yeux *mpl* de merlan frit○; **to make ~ at sb** faire des yeux de merlan frit○ à qn

gook◑ /ɡuːk, ɡʊk/ *n* substance *f* visqueuse

goolies◑ /'ɡuːliːz/ *npl* roupettes◑ *fpl*, testicules *mpl*

goon○ /ɡuːn/ *n* 1 (clown) cinglé/-e○ *mf*; **he's a bit of a ~** il est un peu cinglé; **he's a real ~** péj il est complètement cinglé; 2 péj (thug) homme *m* de main; **~ squad** équipe *f* d'hommes de main

gooney bird /'ɡuːnɪbɜːd/ *n* US albatros *m*

goop◑ /ɡuːp/ *n* 1 (substance) substance *f* visqueuse; 2 fig sentimentalité *f* à l'eau de rose

goosander /ɡuː'sændə(r)/ *n* harle *m* bièvre

goose /ɡuːs/
A *n* (*pl* **geese**) Zool, Culin oie *f*; **you silly ~**○**!** idiot/-e!

B ○*vtr* pincer les fesses de

(Idioms) **all his geese are swans** il prend ses vessies pour des lanternes; **to cook sb's** ~○ couler○ qn; **to kill the** ~ **that lays the golden eggs** tuer la poule aux œufs d'or

gooseberry /ˈgʊzbərɪ, US ˈguːsberɪ/ *n* (fruit) groseille *f* à maquereau

(Idioms) **to be a** *ou* **play** ~ tenir la chandelle; **to feel a** ~ se sentir de trop

gooseberry bush *n* groseillier *m*; **found under a** ~ hum (of boy) né dans les choux; (of girl) née dans les roses

gooseberry fool *n*: *purée de groseilles à maquereau à la crème*

goose: ~**bumps** *npl* = **goose pimples**; ~**flesh** *n* = **goose pimples**

goosegog○ /ˈgʊzgɒg/ *n* GB = **gooseberry**

goosegrass /ˈguːsgrɑːs/ *n* grat(t)eron *m*

goose pimples /ˈguːspɪmplz/ *npl* chair *f* de poule; **to come out in** ~ avoir la chair de poule

goose-step /ˈguːstep/

A *n* pas *m* de l'oie

B *vi* défiler au pas de l'oie

GOP *n* US Pol (*abrév* = **Grand Old Party**) parti *m* républicain

gopher /ˈgəʊfə(r)/ *n* Zool gaufre *m*

gorblimey○ /ˌgɔːˈblaɪmɪ/ GB

A *adj* ~ **accent** accent *m* des faubourgs

B *excl* nom d'un chien○!

Gordian knot /ˌgɔːdɪənˈnɒt/ *n* Mythol nœud *m* gordien; fig **to cut the** ~ trancher le nœud gordien

gore /gɔː(r)/

A *n* **1** (blood) sang *m*; **2** (in fabric) panneau *m*

B *vtr* [*bull, rhino*] encorner; **to** ~ **sb to death** tuer qn d'un coup de corne

gored /gɔːd/ *adj* [*skirt*] à godets

gorge /gɔːdʒ/

A *n* **1** Geog gorge *f*; **Cheddar/the Rhine** ~ les gorges de Cheddar/du Rhin; **2** Anat gorge *f*, gosier *m*

B *vi* = **gorge oneself**

C *v refl* **to** ~ **oneself** se gaver (**on** de)

(Idiom) **to make sb's** ~ **rise** dégoûter *or* écœurer qn

gorgeous /ˈgɔːdʒəs/ *adj* **1** ○(lovely) [*food, cake, scenery*] formidable○; [*kitten, baby*] adorable; [*weather, day, person*] splendide; **you look** ~ tu as l'air splendide; **hello** ~! salut mignon/-onne○!; **2** (sumptuous) [*colour, velvet*] somptueux/-euse

gorgeously /ˈgɔːdʒəslɪ/ *adv* [*furnished, coloured*] somptueusement

gorgon /ˈgɔːgən/

A *n* fig (fearsome woman) gorgone *f*

B **Gorgon** *pr n* Gorgone *f*

gorilla /gəˈrɪlə/ *n* Zool, fig gorille *m*

gormandize /ˈgɔːməndaɪz/ *vi* sout faire bonne chère

gormless○ /ˈgɔːmlɪs/ *adj* GB empoté○

gorp /gɔːp/ *n* US cocktail *m* de fruits secs (*consommé par les randonneurs*)

gorse /gɔːs/ *n* ¢ ajoncs *mpl*

gorse bush *n* ajonc *m*

gory /ˈgɔːrɪ/ *adj* [*film, battle*] sanglant; **the** ~ **details** fig hum les détails sanglants

gosh○ /gɒʃ/ *excl* ça alors○!

goshawk /ˈgɒshɔːk/ *n* Zool autour *m*

gosling /ˈgɒzlɪŋ/ *n* oison *m*

go-slow /ˌgəʊˈsləʊ/ GB

A *n* grève *f* perlée

B *modif* [*tactics*] de la grève perlée

gospel /ˈgɒspl/

A *n* Évangile *m*; **the** ~ **according to** l'Évangile selon; **to spread the** ~ lit, fig répandre l'Évangile; **to take sth as** ~ *ou* **truth** prendre qch pour parole d'évangile

B *modif* **1** Mus ~ **music** gospel *m*; ~ **singer** chanteur/-euse *m/f* de gospel; ~ **song** gospel *m*; **2** Relig [*oath*] prêté sur l'Évangile

gossamer /ˈgɒsəmə(r)/

A *n* **1** ¢ littér (cobweb) fils *mpl* de la Vierge; **2** (fabric) étoffe *f* très légère

B *adj* littér [*wings*] arachnéen/-éenne liter

gossip /ˈgɒsɪp/

A *n* **1** (news) (malicious) commérages *mpl*, potins○ *mpl* (**about** sur); (not malicious) nouvelles *fpl* (**about** sur); **a piece of** ~ un racontar○; **2** (chat) **do come for coffee and a** ~ viens chez moi prendre un café et papoter; **to have a (good)** ~ tailler une (bonne) bavette○; **3** (person) bavard/-e *m/f*

B *vi* bavarder, papoter; péj faire des commérages (**about** sur)

gossip: ~ **column** *n* échos *mpl*; ~ **columnist** *n* échotier/-ière *m/f*

gossiping /ˈgɒsɪpɪŋ/

A *n* bavardage *m*, commérage *m* pej

B *adj* bavard

gossipmonger /ˈgɒsɪpmʌŋgə(r)/ *n* bavard/-e *m/f*

gossipy○ /ˈgɒsɪpɪ/ *adj* [*person*] péj cancanier/-ière pej; [*letter, book, style*] plein de potins○

got /gɒt/ **1** *prét, pp* ▸ **get**; **2** **to have** ~ avoir; **we've** ~ **three children** nous avons trois enfants; **I've** ~ **a cold** j'ai un rhume; **what have you** ~ **in your pocket?** qu'est-ce que tu as dans ta poche?; **their house has** ~ **a big garden** leur maison a un grand jardin

(Idiom) **to feel** ~ **at**○ se sentir persécuté

gotcha○ /ˈgɒtʃə/ *excl* (catching hold of sb) je t'ai eu; (catching sb in the act) vu

goth, Goth /gɒθ/ *n* **1** Hist Goth *m*; **2** GB (cult member) *type de punk qui s'habille en noir*

gothic, Gothic /ˈgɒθɪk/ ▸ **p. 1378**

A *n* **1** Archit, Print gothique *m*; **2** (language) gothique *m*

B *adj* Archit, Print gothique; Literat, fig [*gloom, horror*] noir

gotta○ /ˈgɒtə/ **1** = **got to**; **2** = **got a**

gotten /ˈgɒtn/ *pp* US ▸ **get**

gouache /ˈgʊɑːʃ/ *n* gouache *f*

gouge /gaʊdʒ/

A *n* **1** (tool) gouge *f*; **2** (scratch) rainure *f*

B *vtr* **1** (dig) creuser [*hole*] (**in** dans); **2** ○US (overcharge) estamper○

(Phrasal verb) ■ **gouge out**: ▸ ~ **out [sth]**, ~ **[sth] out** creuser [*pattern*]; enlever [*bad bit*]; **to** ~ **sb's eyes out** arracher les yeux à qn

goulash /ˈguːlæʃ/ *n* goulasch *m ou f*

gourd /gʊəd/ *n* **1** (container) gourde *f*; **2** (fruit) calebasse *f*; **3** ○US (head) calebasse○ *f*

(Idiom) **to be out of one's** ~○ US être toqué○

gourmand /ˈgʊəmənd/ *n* gourmand/-e *m/f*

gourmet /ˈgʊəmeɪ/

A *n* gourmet *m*

B *modif* [*restaurant, food, meal*] gastronomique

gout /gaʊt/ ▸ **p. 1327** *n* Med goutte *f*

gouty /ˈgaʊtɪ/ *adj* goutteux/-euse

gov *n*: *abrév* = **guv**

Gov *n*: *abrév écrite* = **Governor**

govern /ˈgʌvn/

A *vtr* **1** Admin, Pol gouverner [*country, state, city*]; administrer [*colony, province*]; **2** (control) [*law, principle*] régir [*conduct, manufacture, sale, treatment, use*]; dominer [*relationship, person*]; **3** (determine) déterminer [*actions, character, development, decision*]; **the basic salary is** ~**ed by three factors** le salaire de base est déterminé par trois facteurs; **4** sout (restrain) maîtriser, gouverner fml [*feelings, temper*]; **5** Ling régir; **6** Elec, Tech régler [*flow, input, speed*]

B *vi* [*parliament, president*] gouverner; [*administrator, governor*] administrer

governance /ˈgʌvənəns/ *n* sout gouvernement *m*

governess /ˈgʌvənɪs/ *n* (*pl* ~**es**) gouvernante *f*

governing /ˈgʌvənɪŋ/ *adj* [*party*] au pouvoir; [*factor*] décisif/-ive; [*class*] dirigeant; **the** ~ **principle** *ou* **concept behind socialism** l'idée directrice qui sous-tend le socialisme

governing body *n* **1** GB (of school) conseil *m* d'établissement; (of university) conseil *m* d'Université; (of hospital, prison) conseil *m* d'administration; **2** (of sport) organisation *f* dirigeante; **3** (of trade, professional organization) comité *m* directeur

government /ˈgʌvənmənt/

A *n* **1** ¢ (exercise of authority) (political) gouvernement *m*; (administrative) administration *f*; **he has no experience of** ~ il n'a aucune expérience du gouvernement; **democratic** ~ gouvernement démocratique; **parliamentary** ~ régime *m* parlementaire; **2** **C** (ruling body) (+ *v sg ou pl*) gouvernement *m*; (the State) l'État *m*; **to form a** ~ former un gouvernement; **the** ~ **of Brazil** le gouvernement du Brésil; **the Churchill** ~ le gouvernement Churchill; **our party is in** ~ notre parti est au pouvoir; **3** Ling rection *f*

B *modif* [*minister, official, plan, intervention, investigator*] du gouvernement; [*agency, decree, department, grant, majority, policy, publication*] gouvernemental; [*expenditure, borrowing*] de l'État; [*loan, funds*] public/-ique

Government Accounting Office *pr n* US service *m* de comptabilité du gouvernement américain, *cf* Cour *f* des Comptes

governmental /ˌgʌvənˈmentl/ *adj* gouvernemental

government: ~ **bond** *n* Fin obligation *f* d'État; ~ **contractor** *n*: *entreprise privée travaillant sous contrat pour l'État*; ~ **corporation** *n* US régie *f* d'État; ~ **employee** ▸ **p. 1683** *n* agent *m* du secteur public; ~**-funded** *adj* financé par l'État; **Government House** *n* GB Pol résidence *f* du gouverneur; ~ **issue** *adj* [*equipment etc*] fourni par l'État; [*bonds*] émis par l'État; ~ **office** *n* administration *f*; ~ **official** ▸ **p. 1683** *n* fonctionnaire *mf*; **Government Printing Office** *pr n* US *service gouvernemental chargé de l'impression des documents et formulaires officiels*; ~ **securities** *npl*, ~ **stock** *n* ¢ titres *mpl* d'État

governor /ˈgʌvənə(r)/ *n* **1** (of state, province, colony) gouverneur *m*; GB (of bank) gouverneur *m*; (of prison) directeur *m*; (of school) membre *m* du conseil d'établissement; (of university) membre *m* du conseil de l'Université; (of hospital) membre *m* du conseil d'administration; **2** ○GB (boss) patron *m*; **3** Ling régissant *m*; **4** Elec, Tech régulateur *m*

Governor-General *n* GB Pol Gouverneur *m* général

governorship /ˈgʌvənəʃɪp/ *n* (office of governor) fonctions *fpl* de gouverneur; (act of governing) direction *f*; **during the** ~ **of Mr Eavis** pendant que M. Eavis était gouverneur, sous la direction de M. Eavis

govt *n*: *abrév écrite* = **government**

gown /gaʊn/ *n* (for evening wear) robe *f*; (of judge, academic) toge *f*; (of surgeon) blouse *f*; (of patient) chemise *f* (d'hôpital). ▸ **Town and gown**

gowned /gaʊnd/ *adj* [*scholar, lawyer*] en toge; [*woman*] US en robe du soir

goy /gɔɪ/ *n* (*pl* ~**im** *or* ~**s**) goy *mf*

GP ▸ **p. 1683** *n* (*abrév* = **General Practitioner**) médecin *m* généraliste

GPO *n* **1** GB (*abrév* = **General Post Office**) service *m* postal; **2** US (*abrév* = **Government Printing Office**) Imprimerie *f* nationale

GPS *n* (*abrév* = **global positioning system**) GPS *m*

gr **1** *abrév écrite* = **gram**; **2** *abrév écrite* = **gross**

grab /græb/

A *n* **1** (snatch) geste *m* vif; **to make a** ~ **at** *ou* **for sth** essayer d'attraper qch; **to be up for** ~**s**○ être bon à prendre; **2** (on excavator) pelle *f* automatique

B *vtr* (*p prés etc* **-bb-**) **1** (take hold of) (*also* ~ **hold of**) empoigner [*money, toy*]; saisir, attraper [*arm, person*]; fig saisir [*opportunity, chance*]; **to**

g

~ sth from sb arracher qch à qn; to ~ hold of sb/sth se saisir de qn/qch; to ~ sb by the arm saisir qn par le bras; to ~ all the attention accaparer toute l'attention; 2 (illegally) accaparer [land, resources]; 3 (snatch) to ~ some sleep dormir un peu, piquer un roupillon○; to ~ a snack manger en vitesse or vite fait; I ~bed two hours' sleep j'ai réussi à dormir deux heures; 4 ○(impress) how does he/the idea ~ you? qu'est-ce que tu penses de lui/dis de cette idée?
C vi (p prés etc -bb-) to ~ at se jeter sur [money, sweets]

grab bag n US 1 (lucky-dip) sac m à surprises (pour la pêche miraculeuse); 2 (miscellany) fourre-tout m inv

grace /greɪs/
A n 1 (physical charm) (of movement, body, person, architecture) grâce f; to do sth with ~ faire qch avec grâce; to have ~/no ~ avoir de la/ne pas avoir de grâce; 2 (dignity, graciousness) grâce f; to do sth with (a) good/bad ~ faire qch de bonne/mauvaise grâce; to accept sth with (good) ~ accepter qch avec bonne grâce; to have the ~ to do avoir la bonne grâce de faire; 3 (spiritual) grâce f; in a state of ~ en état de grâce; to fall from ~ Relig perdre la grâce; fig tomber en disgrâce; by the ~ of God par la grâce de Dieu; 4 (time allowance) to give sb two days' ~ accorder un délai de deux jours à qn; (to debtor) accorder un délai de grâce de deux jours à qn; you have one week's ~ to do je vous accorde un délai d'une semaine pour faire; a period of ~ un délai; 5 (prayer) (before meal) bénédicité m; (after meal) grâces fpl; to say ~ dire le bénédicité or les grâces; 6 (quality) sb's saving ~ ce qui sauve qn; the film's saving ~ is ce qui sauve le film c'est; 7 (mannerism) to have all the social ~s avoir beaucoup de savoir-vivre
B vtr 1 (decorate) [statue, flowers, picture] orner, embellir; to be ~d with être orné de [façade, square]; 2 (honour) honorer; to ~ sb with one's presence aussi iron honorer qn de sa présence also iron; 3 (bless) to be ~d with être doué de [beauty, intelligence]
(Idioms) there but for the ~ of God go I ça aurait aussi bien pu m'arriver; to be in sb's good ~s être dans les bonnes grâces de qn; to put on airs and ~s péj prendre des airs

Grace /greɪs/
A ▸ p. 1237 n 1 (title of archbishop) His/Your ~ Monseigneur; 2 (title of duke) His/Your ~ Monsieur le duc; (of duchess) Her/Your ~ Madame la duchesse
B Graces npl Mythol the ~s les trois Grâces fpl

grace-and-favour /ˌgreɪsən'feɪvə(r)/ adj GB ~ residence résidence prêtée par le souverain en reconnaissance de services rendus

graceful /'greɪsfl/ adj 1 [dancer, movement, style] gracieux/-ieuse; 2 [person, building, city, curve] élégant; 3 [apology, excuse] élégant; to make a ~ exit lit, fig quitter dignement la scène

gracefully /'greɪsfəlɪ/ adv 1 [move, slide, dive] avec grâce; 2 [admit, accept, concede] gracieusement
(Idiom) to grow old ~ vieillir avec grâce

gracefulness /greɪsflnɪs/ n grâce f

graceless /'greɪslɪs/ adj [refusal, manner] inélégant; [city, individual] dépourvu de charme, sans charme

grace: ~ **note** n ornement m; ~ **period** n délai m de grâce

gracious /'greɪʃəs/
A adj 1 (generous, dignified) [person] affable; [acceptance, admission] fait de bon gré; to be ~ (to sb) about ne pas en vouloir à qn pour [mistake, failure]; to be ~ in defeat accepter la défaite avec bonne grâce; it is ~ of you to say so c'est aimable à vous de dire cela; 2 (aristocratic) [lady, smile, wave] (pleasant) affable; (condescending) condescendant; ~ living vie f de luxe; 3 (in royal title) gracieux/-ieuse; by ~ permission of par la grâce de; 4 Relig [God] miséricordieux
B †excl mon dieu!; ~ me!, good(ness) ~! mon dieu!; ~ no! jamais de la vie!

graciously /'greɪʃəslɪ/ adv [accept, concede, wave] gracieusement; he ~ agreed to come iron il a daigné venir iron; His Majesty is ~ pleased to accept Sa Majesté a la bonté d'accepter

graciousness /'greɪʃəsnɪs/ n courtoisie f; sb's ~ in defeat la bonne grâce avec laquelle qn accepte la défaite

gradable /'greɪdəbl/ adj Ling [adjective] non absolu

gradate /grə'deɪt/
A vtr trier
B vi se dégrader (from de, to à)

gradation /grə'deɪʃn/ n 1 (on a continuum) gradation f; colour ~s Art gradations fpl de couleurs; ~ in, ~ of gradation de [colour, size, tone]; ~s of feeling des degrés d'émotion; 2 (in power structure) échelon m; 3 Meas (on scale) graduation f

grade /greɪd/
A n 1 Comm (of produce, article, goods) qualité f; (of egg) calibre m; high-/low-~ de qualité supérieure/inférieure; low-~ imitation/literature imitation/littérature médiocre; small-/large-~ eggs œufs de petit/gros calibre; 2 Sch, Univ (mark) note f (in en); to get good ~s avoir de bonnes notes; to get ~ A ou an A ~ ≈ avoir plus de 16 sur 20; what are the ~s required to study medicine? quel est le niveau requis pour faire des études en médecine?; 3 (in power structure) Admin échelon m; Mil rang m; senior-/low-~ employee employé/-e m/f d'un échelon supérieur/inférieur; a top-~ civil servant un fonctionnaire de haut rang; salary ~ échelon m de salaire; 4 US Sch (class) classe f; she's in the eighth ~ ≈ elle est en (classe de) quatrième; 5 (also Grade) (level of difficulty) niveau m; ~ IV piano Mus niveau 4 de piano; 6 US (gradient) pente f; on a steep ~ dans une côte raide; 7 Agric (in breeding) (horse) demi-sang m; (cow) vache f de croisement; (sheep) mouton m de croisement
B vtr 1 (categorize) (by quality) classer [produce, accommodation, amenities, results] (according to selon); (by size) calibrer [eggs, fruit, potatoes] (according to selon); 2 Sch (in level of difficulty) graduer [exercises, tasks, questions] (according to selon); 3 US (mark) noter [work, assignment] (from de; to à); 4 Art (blend) dégrader [colours, tones]; 5 Agric (in breeding) améliorer [qch] par sélection [animal, stock]; 6 Civ Eng niveler [ground]
C graded pp adj (categorized) [tests, exercises] classé par ordre de difficulté; [hotel] classé NN
(Idiom) to make the ~ se montrer à la hauteur
(Phrasal verbs) ■ grade down GB Sch: ▸ ~ [sth] down abaisser [marks]
■ grade up GB Sch: ▸ ~ [sth] up relever [marks]

grade: ~ **book** n US carnet m de notes; ~ **crossing** n US Rail passage m à niveau; ~ **inflation** n US surnotation f; ~ **point average** n US Sch, Univ moyenne f

grader /'greɪdə(r)/
A n 1 (of produce) (machine) calibreur m; (person) classeur/-euse m/f; 2 Civ Eng niveleuse f
B -grader (dans composés) US eighth/ninth-~ ≈ élève de quatrième/de troisième

grade: ~ **school** n US école f primaire; ~ **school teacher** ▸ p. 1683 n US Sch instituteur/-trice m/f

gradient /'greɪdɪənt/ n 1 (slope) pente f; to be on a ~ être en pente; 2 Meas (degree of slope) rampe f; a ~ of 8% une rampe de 8%; 3 Math, Phys gradient m; temperature ~ gradient m de température

grading /'greɪdɪŋ/ n 1 (classification) gen classification f; (of personnel) échelonnement m; 2 Sch (marking) notation f

grading system n système m de notation

gradual /'grædʒʊəl/
A n Mus, Relig graduel m
B adj 1 (slow) [change, increase, decline, progress] progressif/-ive; 2 (gentle) [slope, incline] doux/douce

gradualism /'grædʒʊəlɪzəm/ n Econ, Philos gradualisme m

gradualist /'grædʒʊəlɪst/ n, adj Econ, Philos gradualiste (mf)

gradually /'grædʒʊlɪ/ adv progressivement; ~, he... peu à peu, il...

graduate
A /'grædʒʊət/ n 1 Univ diplômé/-e m/f; (in en; of, from de); arts/science ~ diplômé/-e m/f en lettres/sciences; Oxford ~ diplômé/-e m/f de l'Université d'Oxford; 2 US Sch (from high school) bachelier/-ière m/f; he is a high school ~ ≈ il a le baccalauréat
B /'grædʒʊət/ modif [course, student, studies] ≈ de troisième cycle; [accommodation, centre] pour étudiants de troisième cycle
C /'grædjʊeɪt/ vtr 1 Tech graduer [container, scale]; 2 US (give degree to) conférer un diplôme à [student]; 3 ○US (get degree from) sortir de [institution]
D /'grædjʊeɪt/ vi 1 terminer mes/ses/etc études (at ou from à); US Sch ≈ finir le lycée; 2 (progress) to ~ (from sth) to sth passer (de qch) à qch
E graduated /'grædjʊeɪtɪd/ pp adj Soc Admin [contribution, scale, system, tax] proportionnel/-elle; ~ed pension scheme régime m de retraite complémentaire

graduate: ~ **assistant** n US assistant/-e m/f (chargé de TD); ~ **profession** n profession f où l'on exige un diplôme universitaire; ~ **recruit** n recrue f diplômée; ~ **school** n US ≈ troisième cycle m; ~ **teacher** n professeur m licencié; ~ **training scheme** n GB programme m de formation professionnelle pour étudiants diplômés

graduation /ˌgrædʒʊ'eɪʃn/ n 1 Univ (ceremony) remise f des diplômes; (end of course) obtention f d'un diplôme; 2 (calibration) graduation f; 3 US = graduation ceremony

graduation ceremony n cérémonie f de la remise des diplômes

Graeco+, Greco+ US /graɪkəʊ-/ (dans composés) gréco-

graffiti /grə'fi:tɪ/ n (+ v sg ou pl) graffiti mpl

graffiti artist n tagger m

graft /grɑ:ft, US græft/
A n 1 Hort, Med greffe f; skin/vein ~ greffe f de la peau/de veine; 2 ○GB (work) boulot○ m; hard ~ boulot○ m acharné; 3 ○(corruption) corruption f; (bribe) pot-de-vin m
B vtr Hort, Med, fig greffer (onto sur)
C ○vi GB (work hard) bosser○

grafter○ /'grɑ:ftə(r), US 'græftə(r)/ n 1 GB (hard worker) bourreau m de travail; 2 (corrupt person) individu m corrompu

graft hybrid n hybride m issu de greffe

graham: ~ **cracker** n US biscuit peu sucré à la farine complète; ~ **flour** n US farine f complète

Grail /greɪl/ n ▸ Holy Grail

grain /greɪn/
A n 1 (commodity) céréales fpl; ~ prices le prix des céréales; 2 (seed) (of rice, wheat) grain m; long/short ~ rice riz m long/rond; 3 (small piece) (of sand, salt) grain m; 4 fig (of truth, hope, comfort) brin m; 5 (pattern) (in wood) grain m, veines fpl; (in stone) veines fpl; (in leather, paper, fabric) grain m; to cut along/across the ~ couper dans le fil/contre le fil; 6 Phot grain m; 7 Meas (weight) grain m (= 0.0648g)
B vtr (stain) veiner [wood]; grainer [leather, paper]
C grained pp adj [worktop, table] veiné; [leather, paper] grainé
(Idiom) it goes against the ~ c'est contre nature

grain: ~ **alcohol** *n* alcool *m* de grain; ~ **elevator** *n* Agric silo *m* à grains
graininess /ˈgreɪnɪnɪs/ *n* Phot grain *m* grossier
grainy /ˈgreɪnɪ/ *adj* **1** Phot [*photograph, picture*] qui a du grain; **2** (resembling wood) veiné; (resembling leather) grainé; **3** (granular) [*substance*] granuleux/-euse
gram(me) /græm/ ▸ **p. 1883** *n* gramme *m*
grammar /ˈgræmə(r)/
A *n* **1** grammaire *f*; **to use bad ~** faire des fautes de grammaire; **that's bad ~** c'est grammaticalement incorrect; **2** (*also* ~ **book**) grammaire *f*; **a French ~** une grammaire française
B *modif* [*book, lesson, exercise*] de grammaire
grammar checker *n* Comput correcteur *m* de grammaire
grammarian /grəˈmeərɪən/ *n* grammairien/-ienne *m/f*
grammar school *n* **1** GB ≈ lycée (*à recrutement sélectif*). ▸ **Secondary schools**; **2** †US école *f* primaire
grammatical /grəˈmætɪkl/ *adj* **1** Ling [*error*] de grammaire; [*meaning, gender, analysis*] grammatical; **2** (correct) grammaticalement correct
grammaticality /grəˌmætɪˈkælətɪ/ *n* grammaticalité *f*
grammatically /grəˈmætɪklɪ/ *adv* grammaticalement; **to speak/write ~** avoir une bonne grammaire
grammaticalness /grəˈmætɪklnɪs/ *n* grammaticalité *f*
grammatology /ˌgræməˈtɒlədʒɪ/ *n* grammatologie *f*
grammen = **gram**
Grammy /ˈgræmɪ/ *n* (*pl* **~s** *ou* **-mmies**) US Mus **to win a ~** ≈ être primé aux Victoires de la musique
gramophone† /ˈgræməfəʊn/
A *n* phonographe *m*, gramophone® *m*
B *modif* [*needle, record*] de phonographe
Grampian /ˈgræmpɪən/ *pr npl* **the ~s, the ~ Mountains** les (monts *mpl*) Grampians *mpl*
gramps○ /græmps/ *n* lang enfantin pépé○ *m*
grampus /ˈgræmpəs/ *n* (*pl* **-puses**) (dolphin) dauphin *m* de Risso; (orca) orque *f or m*
gran○ /græn/ *n* mémé○ *f*
Granada /grəˈnɑːdə/ ▸ **p. 1815** *pr n* Grenade
granary /ˈgrænərɪ/
A *n* (grain store) grenier *m*; **Europe's ~** fig le grenier de l'Europe
B *modif* GB [*bread, loaf*] complet/-ète (*avec des grains broyés*)
grand /grænd/
A *n* **1** ○(sum of money) GB mille livres *fpl* sterling, ≈ bâton *m*; US mille dollars *mpl*; **2** ○Mus (piano) piano *m* à queue
B *adj* **1** (impressive) [*building, ceremony*] grandiose; [*park*] magnifique; **in ~ style** en grande pompe; **on a ~ scale** sur une très grande échelle; **in the ~ manner** dans un style de grand seigneur; **to make a ~ entry** faire une entrée spectaculaire; **the ~ old man of theatre/of letters** le grand monsieur du théâtre/de la littérature; **2** (self- important) **she's very ~** elle joue à la grande dame pej; **to put on a ~ air** prendre de grands airs; **3** ○(fine, excellent) **to have a ~ time** passer un moment formidable; **'is everything all right?'—'it's ~ thanks'** 'tout va bien?'—'très bien merci'; **he did a ~ job** il a fait un travail splendide; **that's ~!** c'est formidable!; **4** (in titles, names) grand, Grand
Grand Canyon *pr n* Grand Cañon *m*
grandchild /ˈgræntʃaɪld/ *n* (girl) petite-fille *f*; (boy) petit-fils *m*; **his ~ren** ses petits-enfants *mpl*
granddad○ /ˈgrændæd/ *n* pépé○ *m*, papy○ *m*, papi *m*
granddaddy○ /ˈgrændædɪ/ *n* **1** (grandfather) pépé○ *m*, papy○ *m*, papi *m*; **2** fig (precursor) ancêtre *mf*; **it's the ~ of them all** hum c'est l'ancêtre
grand: **~daughter** *n* petite-fille *f*; ~ **duchess** *n* grande-duchesse *f*; ~ **duchy** *n* grand-duché *m*; ~ **duke** *n* grand-duc *m*
grandee /grænˈdiː/ *n* **1** (Spanish, Portuguese) grand *m* d'Espagne; **2** (eminent person) grand personnage *m*
grandeur /ˈgrændʒə(r)/ *n* **1** (of scenery) majesté *f*; (of building) caractère *m* grandiose; **2** (of character) noblesse *f*; (power, status) éminence *f*
grand: **~father** /ˈgrænfɑːðə(r)/ *n* grand-père *m*; **~father clause** *n* Jur clause *f* de non-rétroactivité; **~father clock** *n* horloge *f* comtoise; ~ **finale** *n* finale *m*
grandiloquence /ˌgrænˈdɪləkwəns/ *n* sout grandiloquence *f*
grandiloquent /ˌgrænˈdɪləkwənt/ *adj* sout grandiloquent
grandiose /ˈgrændɪəʊs/ *adj* grandiose
grand: ~ **jury** *n* US *jury qui décide s'il y a motif à inculpation*; ~ **larceny** *n* US vol *m* qualifié
grandma, **grandmamma**† /ˈgrænmɑː/ *n* mémé *f*, mamy *f*, mamie *f*
grand mal /grɑː ˈmæl/ ▸ **p. 1327** *n* grand mal *m*
grand: ~ **master** *n* (in chess) grand maître *m*; **Grand Master** *n* (of Masonic lodge) Vénérable *m*; (of Templars) Grand Maître *m*
grandmother /ˈgrænmʌðə(r)/ *n* grand-mère *f*
(Idiom) **to teach one's ~ to suck eggs** apprendre à un vieux singe à faire la grimace
grand: **~mother clock** *n* horloge *f* comtoise (*de petit modèle*); **Grand National** *n* GB Turf Grand National *m*; **Grand Old Party, GOP** *n* US Pol parti *m* républicain; ~ **opera** *n* grand opéra *m*; **~pa**○ *n* pépé○ *m*, papy○ *m*, papi *m*
grandparent /ˈgrænpeərənt/ *n* (male) grand-père *m*; (female) grand-mère *f*; **my ~s** mes grands-parents *mpl*
grand: ~ **piano** ▸ **p. 1462** *n* piano *m* à queue; ~ **prix** *n* (*pl* ~) grand prix *m*
grand slam /ˌgrændˈslæm/ *n* Games, Sport grand chelem *m*; **a ~ in spades** un grand chelem à pique; **a ~ tournament** un tournoi comptant pour le grand chelem
grand: **~son** /ˈgrænsʌn/ *n* petit-fils *m*; ~ **staircase** *n* escalier *m* d'honneur
grandstand /ˈgrænstænd/ *n* **1** (at stadium) tribune *f*; **to have a ~ view** *ou* **seat** lit, fig être aux premières loges; **2** (audience) public *m*
(Idiom) **to play to the ~** US jouer pour la galerie
grand total *n* total *m*; **the ~ for the repairs came to £3,000** en tout, les travaux sont revenus à 3 000 livres sterling
grand tour *n* **1** **he took me on a ~ of the house** il m'a fait visiter toute la maison; **2** (*also* **Grand Tour**) Hist tour *m* d'Europe; **to do the ~** visiter l'Europe
grange /greɪndʒ/ *n* **1** GB (house) manoir *m*; **2** US (farm) ferme *f*
granite /ˈgrænɪt/
A *n* granit(e) *m*; **heart of ~** fig cœur de granit
B *modif* [*hill, rock*] de granite; [*building, sculpture*] de granit
granitic /grəˈnɪtɪk/ *adj* granitique
granny○ /ˈgrænɪ/ *n* **1** (grandmother) bonne-maman *f*, mamie○ *f*; **2** pej (fusspot, gossip) vieille mémère○ *f*
granny: ~ **bond**○ *n* GB bon *m* du Trésor indexé; ~ **flat** *n* GB petit appartement *m* indépendant (*pour parent âgé*); ~ **knot** *n* nœud *m* de vache; **Granny Smith** *n* Granny Smith *f inv*; ~ **specs**○ *n* petites lunettes *fpl* rondes
granola /grəˈnəʊlə/ *n* US müesli *m*
grant /grɑːnt, US grænt/
A *n* **1** (from government, local authority) subvention *f* (**for** pour); (for study) Sch, Univ bourse *f*; **~s to the voluntary sector/to the poorest applicants** subventions au bénévolat/pour les candidats les plus pauvres; **a ~ to set up a new company/to improve a property** une subvention destinée à fonder une nouvelle société/à mettre en valeur une propriété; **to apply for a ~** gen faire une demande de subvention; (for study) faire une demande de bourse; **research ~** subvention *f* de recherche; **2** Jur (of property) cession *f*
B *vtr* **1** sout (allow) accorder [*permission*]; accéder à [*request*]; **he was ~ed permission to leave early** l'autorisation de partir tôt lui a été accordée; **to refuse to ~ access to one's home** refuser l'accès à son domicile; **permission ~ed!** permission accordée!; **God ~ that** plaise à Dieu que (+ *subj*); **2** (give) **to ~ sb sth, to ~ sth to sb** accorder qch à qn [*interview, audience, leave, visa, licence, loan*]; concéder qch à qn [*citizenship, asylum, privilege*]; **3** (concede) reconnaître [*truth, validity etc*]; **to ~ that** reconnaître que; **I ~ you that he's gifted** je vous accorde qu'il est doué; **~ed that, ~ing that** en admettant que... (+ *subj*)
(Idioms) **to take sth for ~ed** considérer qch comme allant de soi; **he takes his mother for ~ed** il croit que sa mère est à son service; **he takes too much for ~ed** il croit que tout lui est dû
grant aid /ˈgrɑːnteɪd, US ˈgrænt-/ *n* ₵ (within a country) subventions *fpl* (**for** pour); (abroad, to Third World) aide *f* au développement (**for** pour)
grant-aided /ˌgrɑːntˈeɪdɪd, US ˌgrænt-/ *adj* subventionné
granted /ˈgrɑːntɪd, US ˈgrænt-/ *adv* **~, it's magnificent, but very expensive** c'est magnifique, soit, mais cela coûte très cher
grantee /ˌgrɑːnˈtiː/ *n* Jur cessionnaire *mf*
granting /ˈgrɑːntɪŋ, US ˈgrænt-/ *n* (of asylum, citizenship, bail) octroi *m*; (of licence, visa) concession *f*, octroi *m*; (of sum of money) allocation *f*; **the ~ of access** l'autorisation *f* d'accès
grant: **~-maintained** *adj* [*school*] subventionné par l'État; ~ **of probate** *n* homologation *f* (d'une succession)
grantor /grɑːntər/ *n* Jur cédant/-e *m/f*
granular /ˈgrænjʊlə(r)/ *adj* [*surface, texture etc*] granuleux/-euse; [*fertilizer*] granulé
granulate /ˈgrænjʊleɪt/
A *vtr* granuler [*metal*]; grener [*salt, sugar*]; rendre [qch] grenu [*texture*]
B **granulated** *pp adj* [*paper*] grenelé; [*sugar*] cristallisé
granulation /ˌgrænjʊˈleɪʃn/ *n* (of metal) granulation *f*; (of salt, sugar) grenage *m*
granule /ˈgrænjuːl/ *n* (of sugar, salt) grain *m*; (of instant coffee) granulé *m*; **polystyrene ~s** billes *fpl* de polystyrène
granuloma /ˌgrænjʊˈləʊmə/ *n* Med granulome *m*
grape /greɪp/
A *n* grain *m* de raisin; **a bunch of ~s** une grappe de raisin; **to eat/buy (some) ~s** manger/acheter du raisin; **I love ~s** j'adore le raisin; **to harvest** *ou* **bring in the ~s** vendanger
B *modif* [*juice, jelly*] de raisin
(Idiom) **sour ~s!** les raisins sont trop verts!
grapefruit /ˈgreɪpfruːt/
A *n* pamplemousse *m*
B *modif* [*juice, marmalade*] de pamplemousse
grape: ~ **harvest** *n* vendange *f*; ~ **hyacinth** *n* Bot muscari *m*; ~ **ivy** *n* Bot cissus *m* rhombifolia; **~seed oil** *n* Culin huile *f* de pépins de raisin; **~shot** *n* Mil mitraille *f*
grapevine /ˈgreɪpvaɪn/ *n* (in vineyard) pied *m* de vigne; (in greenhouse, garden) vigne *f*
(Idiom) **to hear sth on the ~** apprendre qch par le téléphone arabe

g

graph /grɑːf, US græf/
A *n* **1** Comput, Math graphique *m*; **a rising/falling ~** une courbe ascendante/descendante; **2** Ling unité *f* graphique
B *vtr* tracer le graphique *or* la courbe de

grapheme /'græfiːm/ *n* graphème *m*

graphic /'græfɪk/
A graphics *npl* **1** Comput visualisation *f* graphique; **computer ~s** infographie *f*; **2** (in film, TV) images *fpl*; (in book) illustrations *fpl*; **'~s by...'** 'mise en images de...'; **3** Art arts *mpl* graphiques
B *adj* **1** Art, Comput graphique; **2** [*account, description*] (of sth pleasant) vivant; (of sth unpleasant) cru

graphically /'græfɪklɪ/ *adv* **1** [*describe*] (sth pleasant) d'une manière vivante; (sth unpleasant) crûment; **2** (diagrammatically) graphiquement

graphical user interface, GUI *n* Comput interface *m* utilisateur graphique

graphic: **~ art** *n* art *m* graphique; **~ artist** ▸ p. 1683 *n* graphiste *mf*; **~ arts** *npl* arts *mpl* graphiques; **~ data processing** *n* Comput infographie *f*; **~ design** *n* Art graphisme *m*; **~ designer** ▸ p. 1683 *n* graphiste *mf*, concepteur/-trice *m/f* graphique; **~ display, graphical display** *n* Comput visualisation *f* graphique; **~ equalizer** *n* Audio correcteur *m* de fréquences, égaliseur *m* graphique; **~s accelerator** *n* accélérateur *m* graphique, carte *f* accélérateur graphique; **~s tablet** *n* tablette *f* graphique

graphite /'græfaɪt/
A *n* graphite *m*
B *modif* [*tennis racquet, fishing rod*] en fibre de carbone

graphologist /grə'fɒlədʒɪst/ ▸ p. 1683 *n* graphologue *mf*

graphology /grə'fɒlədʒɪ/ *n* graphologie *f*

graph: **~ paper** *n* papier *m* millimétré; **~ plotter** *n* Comput table *f* traçante

grapnel /'græpnəl/ *n* grappin *m*

grapple /'græpl/
A *vtr* Naut saisir avec un grappin
B *vi* **to ~ with** lit lutter avec [*person*]; fig se colleter avec [*problem, difficulty*]

grappling iron *n* grappin *m*

grasp /grɑːsp, US græsp/
A *n* **1** (hold, grip) prise *f*; (stronger) poigne *f*; **to hold sth in one's ~** lit tenir qch fermement; fig tenir qch bien en main; **to hold sb in one's ~** fig tenir qn sous son emprise; **to take a firm ~ of sth** empoigner fermement qch; **she managed to slip from his ~** elle a réussi à lui faire lâcher prise; **the pen slipped from his ~** le stylo lui a glissé des doigts; **success is within their ~** le succès est à leur portée; **2** (understanding) maîtrise *f*; **to have a good ~ of a subject** avoir une bonne maîtrise d'un sujet, bien maîtriser un sujet; **he has a poor ~ of maths** il ne comprend pas grand-chose aux maths; **to have a sound ~ of economics** avoir de solides notions d'économie; **it is beyond the ~ of the imagination** cela dépasse l'imagination
B *vtr* **1** lit empoigner [*rope, hand*]; fig saisir [*opportunity*]; **to ~ hold of sb/sth** saisir qn/qch; **2** (comprehend) saisir, comprendre [*concept, subject*]; suivre [*argument*]; se rendre compte de [*situation, significance*]; **to ~ that** comprendre que; **I don't quite ~ your meaning** je ne comprends pas tout à fait ce que vous voulez dire
C *vi* **to ~ at** tenter de saisir [*rope, hand*]; fig s'efforcer de comprendre [*idea, meaning*]; **he'll ~ at any excuse** pour lui toutes les excuses sont bonnes

grasping /'grɑːspɪŋ, US 'græspɪŋ/ *adj* **1** péj (greedy) cupide; **2** [*fingers, paws*] crochu

grass /grɑːs, US græs/
A *n* **1** ¢ (wild) herbe *f* also Agric; **in the ~** dans l'herbe; **a blade/a tuft of ~** un brin/une touffe d'herbe; **to put out to ~** lit, fig hum mettre au vert; **2** ¢ (lawn) pelouse *f*; **on the ~** sur la pelouse; **keep off the ~!** défense de marcher sur les pelouses!; **to mow** *ou* **cut the ~** tondre la pelouse; **3** ¢ (in tennis) gazon *m*; **to play/to beat sb on ~** jouer/battre qn sur gazon; **4** Bot **C** graminée *f*; **5** ○¢ (marijuana) herbe○ *f*; **6** ○GB (informer) mouchard○ *m*
B *modif* [*field, slope, verge*] gazonné
C *vtr* **1** recouvrir [qch] d'herbe [*field*]; gazonner [*part of garden*]; **2** US Agric donner du fourrage vert à [*cattle*]
D ○*vi* GB (inform) moucharder○; **to ~ on sb** balancer○ qn
(Idioms) **the ~ is greener (on the other side of the fence)** on croit toujours que c'est mieux ailleurs; **he doesn't let the ~ grow under his feet** il ne laisse pas traîner les choses; **it was so quiet you could hear the ~ growing** on aurait pu entendre une mouche voler
(Phrasal verb) ■ **grass over**: ▸ **~ over [sth], ~ [sth] over** recouvrir [qch] d'herbe [*field, road*]; gazonner [*area*]

grass: **~ box** GB, **~ catcher** US *n* bac *m* de ramassage; **~ court** *n* court *m* en gazon; **~ cuttings** *npl* herbe *f* coupée ¢; **~ green** ▸ p. 1067 *n, adj* vert (*m*) gazon (*inv*)

grasshopper /'grɑːshɒpə(r), US 'græs-/ *n* **1** Zool sauterelle *f*; **2** ○US Mil avion *m* d'observation
(Idiom) **kneehigh to a ~** haut comme trois pommes

grassland /'grɑslənd, US 'græs-/ *n* prairie *f*

grassroots /ˌgrɑː'ruːts, US ˌgræs-/
A *npl* **the ~** le peuple
B *modif* [*candidate*] issu du peuple; [*movement*] populaire; [*opinion, support*] de base; **at ~ level** à un niveau de base

grass: **~-seed** *n* (*pl inv*) graine *f* de gazon; **~ skiing** ▸ p. 1253 *n* ski *m* sur herbe; **~ skirt** *n* pagne *m* d'herbes; **~ snake** *n* couleuvre *f*

grass widow† /ˌgrɑː'swɪdəʊ, US ˌgræs-/ *n* hum **to be a ~** être temporairement célibataire

grass widower /ˌgrɑːs'wɪdəʊə(r), US ˌgræs-/ *n* hum célibataire *m*

grassy /'grɑːsɪ, US 'græsɪ/ *adj* herbeux/-euse

grate /greɪt/
A *n* (fire-basket) grille *f* de foyer; (hearth) âtre *m*
B *vtr* Culin râper [*cheese, nutmeg, carrot*]; **to ~ cheese over sth** parsemer qch de fromage râpé
C *vi* **1** [*metal object*] grincer (**on** sur); **2** (annoy) agacer; **her voice ~s** sa voix m'agace; **to ~ on sb** *ou* **on sb's nerves** taper sur les nerfs de qn○; **her voice ~s on my ears** sa voix m'écorche les oreilles
D grated *pp adj* [*cheese, nutmeg, carrot*] râpé

grateful /'greɪtfl/ *adj* **1** (thankful) [*person*] reconnaissant (**to** à; **for** de); [*letter, kiss*] de reconnaissance; **to be ~ that** être heureux/-euse que (+ *subj*); **let's be ~ that it is only two hours late** estimons-nous heureux qu'il n'ait que deux heures de retard; **I would be ~ if you could reply** je vous serais reconnaissant de bien vouloir répondre; **with ~ thanks** avec mes *or* nos plus sincères remerciements; **2** †littér (welcome) agréable

gratefully /'greɪtfəlɪ/ *adv* [*smile, kiss, speak*] avec reconnaissance; **all donations ~ received** tous les dons seront les bienvenus

grater /'greɪtə(r)/ *n* râpe *f*

gratification /ˌgrætɪfɪ'keɪʃn/ *n* satisfaction *f*; **much to my ~** à ma grande satisfaction

gratify /'grætɪfaɪ/
A *vtr* faire plaisir à [*person*]; satisfaire [*desire, whim*]
B gratified *pp adj* [*person*] satisfait; [*sigh, murmur*] de satisfaction; **to be gratified that** être très heureux que (+ *subj*)
C gratifying *pres p adj* [*outcome*] satisfaisant; [*change*] agréable; **it is gratifying to know that** il est agréable d'apprendre que

grating /'greɪtɪŋ/
A *n* **1** (bars) grille *f*; **2** (noise) grincement *m*
B *adj* [*noise*] grinçant; [*voice*] discordant

gratis /'greɪtɪs/ *adv* gratis

gratitude /'grætɪtjuːd, US -tuːd/ *n* reconnaissance *f* (**to, towards** envers; **for** de); **to owe sb a debt of ~** avoir une dette de reconnaissance envers qn

gratuitous /grə'tjuːɪtəs, US -'tuː-/ *adj* (all contexts) gratuit

gratuitously /grə'tjuːɪtəslɪ, US -'tuː-/ *adv* gratuitement

gratuity /grə'tjuːətɪ, US -'tuː-/ *n* **1** (tip) pourboire *m*; **2** GB (bonus) prime *f*

Graubünden ▸ p. 1771 *pr n* **the canton of ~** le canton des Grisons, les Grisons

grave¹ /greɪv/
A *n* (burial place) tombe *f*; **beyond the ~** après la mort; **from beyond the ~** d'outre-tombe; **to go to one's ~ believing that** rester convaincu jusque dans la tombe que; **to go to an early ~** avoir une fin prématurée
B *adj* **1** (dangerous) [*illness, injury*] grave; [*risk*] sérieux/-ieuse; [*danger*] grand (*before n*); **2** (solemn) sérieux/-ieuse; **to look ~** avoir un air grave
(Idioms) **to dance on sb's ~** danser sur la tombe de qn; **to dig one's own ~** creuser sa propre tombe; **to have one foot in the ~** avoir un pied dans la tombe; **somebody is walking over my ~** j'ai une angoisse; **to turn in one's ~** se retourner dans sa tombe

grave² /grɑːv/ *n* (*also* **~ accent**) accent *m* grave; **e ~** e accent grave

gravedigger /'greɪvdɪgə(r)/ ▸ p. 1683 *n* fossoyeur *m*

gravel /'grævl/
A *n* **1** ¢ Constr (coarse) graviers *mpl*; (fine) gravillons *mpl*; **2** Med calculs *mpl*
B *adj* (*also* **gravelled, graveled** US) [*path, road*] gravillonné
C *vtr* gravillonner

gravelly /'grævəlɪ/ *adj* [*path*] caillouteux/-euse; [*voice*] râpeux/-euse

gravel pit *n* gravière *f*

gravely /'greɪvlɪ/ *adv* **1** (extremely) [*concerned, disruptive*] sérieusement; [*displeased*] extrêmement; [*ill*] gravement; **to be ~ mistaken** se tromper lourdement; **2** (solemnly) [*say, nod*] gravement

graven /'greɪvn/ *adj* †*ou* littér gravé also fig; **~ image** Bible idole *f*

graveness /'greɪvnɪs/ *n* **1** (of demeanour) sérieux *m*; **2** (of situation, illness) gravité *f*

graverobber /'greɪvrɒbə(r)/ *n* déterreur *m* de cadavres

graveside /'greɪvsaɪd/ *n* **at the ~** (beside the grave) à côté de la tombe; (at the cemetery) au cimetière; **the mourners were gathered at the ~** tout le monde était rassemblé autour de la tombe

gravestone /'greɪvstəʊn/ *n* pierre *f* tombale

graveyard /'greɪvjɑːd/ *n* cimetière *m*; **the ~ of one's hopes** littér la fin de ses espoirs

graveyard: **~ cough** *n* toux *f* caverneuse; **~ shift** *n* équipe *f* de nuit

gravid /'grævɪd/ *adj* gravide

gravitas /'grævɪtæs, -tɑːs/ *n* envergure *f*; **he lacks ~** il manque d'envergure, il ne fait pas le poids

gravitate /'grævɪteɪt/ *vi* **to ~ to(wards) sth/sb** graviter vers qch/qn

gravitation /ˌgrævɪ'teɪʃn/ *n* gravitation *f*

gravitational /ˌgrævɪ'teɪʃənl/ *adj* gravitationnel/-elle; **~ field** champ *m* de gravitation; **~ force, ~ pull** gravitation *f*

gravity /'grævətɪ/
A *n* **1** Phys pesanteur *f*; **law of ~** loi *f* de la pesanteur; **centre of ~** centre *m* de gravité; **the pull of the earth's ~** l'attraction terrestre; **2** (of offence, situation) gravité *f*; **3** (of demeanour) sérieux *m*

B *modif* [*feed, lubrication*] par gravité

gravity brake *n* frein *m* parachute

gravy /'greɪvɪ/ *n* **1** Culin sauce *f* (au jus de rôti); **2** ○surtout US (money) bénef○ *m*

(Idiom) **he is on the ~ train**○ il a trouvé le filon○

gravy: **~ boat** *n* saucière *f*; **~ browning** *n*: *granulés ajoutés au jus de la viande pour l'épaissir*

gray US = **grey**

grayling /'greɪlɪŋ/ *n* (*pl* **~**) (fish) ombre *m* de rivière

Gray's Inn /ˌgreɪz 'ɪn/ *pr n* GB Jur *une des quatre écoles de Droit de Londres*

graze /greɪz/

A *n* écorchure *f*; **it's just a ~** c'est une simple égratignure

B *vtr* **1** (scratch, scrape) **to ~ one's knee/shin** s'écorcher le genou/tibia (**on, against** sur); **2** (skim, touch lightly) [*lips, fingers, bullet*] frôler [*surface, skin*]; **3** Agric faire paître [*animal*]; utiliser [qch] comme pacage [*land*]

C *vi* **1** Agric [*sheep*] brouter; [*cow*] paître; **to put sth out to ~** mettre qch au pâturage; **2** ○[*person*] grignoter

grazing /'greɪzɪŋ/ *n* Agric pacage *m*

grazing: **~ land** *n* pâturage *m*; **~ rights** *npl* droit *m* de pacage

grease /gri:s/

A *n* **1** (lubricant) graisse *f*; (black) cambouis *m*; **2** Culin (animal) graisse *f*; (vegetable) huile *f*; **3** (dirt) graisse *f*; **covered in ~** couvert de graisse; **4** (from hair, skin) sébum *m*

B *vtr* (all contexts) graisser

grease: **~ gun** *n* pompe *f* à graisse; **~ monkey**○ *n* mécano *m*○; **~ nipple** *n* graisseur *m*; **~paint** *n* maquillage *m* de théâtre; **~proof paper** *n* papier *m* sulfurisé

greaser○ /'gri:sə(r)/ *n* **1** GB (mechanic) mécano○ *m*; **2** (motorcyclist) motard○ *m*

grease stain *n* (oil) tache *f* d'huile; (from hair, skin, lubricant) tache *f* de graisse

greasiness /'gri:sɪnɪs/ *n* (of clothes, hair, surface) aspect *m* graisseux; (of food) aspect *m* huileux

greasing /'grisɪŋ/ *n* Mech graissage *m*

greasy /'gri:sɪ/ *adj* [*hair, skin*] gras/grasse; [*overalls*] graisseux/-euse; [*food*] gras/grasse

(Idiom) **to climb the ~ pole** tenter de s'élever dans une hiérarchie où la compétition est féroce

greasy spoon○ *n* (cafe) gargote○ *f*

great /greɪt/

A *n* **1** (in title) **Peter the Great** Pierre le Grand; **2** (powerful people) **the ~** (+ *v pl*) les grands *mpl*

B **greats** *npl* (remarkable people or things) grands *mpl*

C **Greats** *pr npl* GB Univ études *fpl* de lettres classiques

D *adj* **1** (large) [*height, width, distance, speed, majority, object, danger*] grand (*before n*); [*number, amount, percentage*] grand (*before n*), important; [*increase*] fort (*before n*), important; [*improvement, difference*] grand (*before n*), considérable; **at ~ speed** très vite, à grande vitesse; **a pay rise of 10% or £1200, whichever is the ~er** une augmentation de 10% ou de 1 200 livres sterling, le chiffre le plus élevé étant pris en compte; **2** (as intensifier) [*excitement, surprise, relief, success, tragedy, force, advantage*] grand (*before n*); [*heat, pain*] fort (*before n*); **a ~ deal (of)** beaucoup (de); **a ~ many people/houses** beaucoup de personnes/maisons, un grand nombre de personnes/maisons; **to have ~ difficulty doing** avoir beaucoup de mal à faire; **in ~ detail** dans les moindres détails; **the map was a ~ help** la carte a été très utile; **you're a ~ help!** iron tu m'aides vraiment beaucoup!; **3** (remarkable) [*person, writer, name, achievement, painting, discovery*] grand (*before n*); **4** ○(excellent) [*book, film, party, vacation, weather*] génial○, formidable○; [*opportunity*] formidable○; **it's ~ to be back/to see you** c'est formidable○ d'être de retour/de te revoir; **to feel ~** se sentir en pleine forme; **you look ~!** (healthy) tu as l'air en pleine forme!; (attractive) tu es superbe!; **that dress looks ~ on you** cette robe est géniale○ sur toi; **to have a ~ time** bien s'amuser; **X is the ~est!** X est génial○!; **5** ○(talented) [*teacher, singer, team*] génial○, formidable○; **to be ~ at** être un as○ à [*tennis, football*]; **to be ~ at fixing cars** être génial○ quand il s'agit de réparer des voitures; **to be ~ with** être génial○ avec [*children, animals*]; **to be ~ on** être imbattable○ sur [*history, architecture*]; **6** ○(enthusiastic) [*worrier, flirt, organizer*] de première○; [*admirer, friend, fan*] grand (*before n*); **he' s a ~ theatregoer/walker** il adore aller au théâtre/marcher; **I've never been a ~ reader** la lecture n'a jamais été mon truc○

E ○*adv* **everything's going ~** tout marche comme sur des roulettes○; **I'm doing ~** ça marche très bien pour moi○; **the car/machine is working ~** la voiture/machine marche très bien

(Idiom) **to cross the ~ divide** faire le grand saut

great: **~ ape** *n* grand singe *m*, anthropoïde *m*; **~ aunt** *n* grand-tante *f*; **Great Australian Bight** *n* Grande Baie *f* Australienne; **Great Barrier Reef** *n* Grande Barrière *f* de Corail; **Great Bear** *n* Grande Ourse *f*; **~ big** *adj* (très) grand (*before n*), énorme

Great Britain ▸ p. 1096 *pr n* Grande-Bretagne *f*

> **Great Britain**
>
> La Grande-Bretagne est la plus grande des îles britanniques. Elle comprend l'Angleterre, l'Écosse et le pays de Galles. Toutefois, le mot Britain est souvent utilisé abusivement pour désigner l'ensemble du Royaume-Uni. ▸ **United Kingdom**

great: **~coat** *n* manteau *m*; **Great Dane** *n* danois *m*; **Great Dividing Range** *n* Cordillière *f* australienne; **Greater London** *pr n* l'agglomération *f* londonienne; **Greater Manchester** *pr n* l'agglomération *f* de Manchester; **~est common divisor**, **~est common factor** *n* Math plus grand commun diviseur *m*; **~ grandchild** *n* arrière-petit/-e enfant *mf*; **~ granddaughter** *n* arrière-petite-fille *f*; **~ grandfather** *n* arrière-grand-père *m*; **~ grandmother** *n* arrière-grand-mère *f*; **~ grandson** *n* arrière-petit-fils *m*; **~-great grandchild** *n* arrière-arrière-petit/-e enfant *mf*; **~-great grandfather** *n* arrière-arrière-grand-père *m*; **~-great grandmother** *n* arrière-arrière-grand-mère *f*; **Great Lakes** ▸ p. 1376 *npl* Grands Lacs *mpl*

greatly /'greɪtlɪ/ *adv* [*admire, regret, influence, impress*] beaucoup, énormément; [*exceed*] de beaucoup; [*impressed, admired, surprised, distressed, respected*] très, extrêmement; [*improved, changed, increased, reduced*] considérablement; [*superior, inferior*] bien; **it is ~ to be regretted that** il est très regrettable que

great nephew *n* petit-neveu *m*

greatness /'greɪtnɪs/ *n* (of achievement, novel, painting) importance *f*; (of person, country, mind) grandeur *f*

great: **~ niece** *n* petite-nièce *f*; **Great Plains** *pr n* Grandes Plaines *fpl*; **Great Power** *n* Pol grande puissance *f*; **Great Schism** *n* Hist, Relig grand schisme *m* d'Occident; **~ tit** *n* Zool mésange *f* charbonnière; **~ uncle** *n* grand-oncle *m*; **Great Vowel Shift** *n* Ling grand changement *m* vocalique; **Great Wall of China** *pr n* Grande Muraille *f* de Chine; **Great War** *pr n* Hist Grande Guerre *f*; **Great White Way** *n* Theat = **Broadway**

greave /gri:v/ *n* jambière *f*

grebe /gri:b/ *n* grèbe *m*; **great crested ~** grèbe huppé

Grecian /'gri:ʃn/ *adj* grec/grecque

Greece /gri:s/ ▸ p. 1096 *pr n* Grèce *f*

greed /gri:d/ *n* **1** (for money, power) avidité *f* (**for** de); **2** (*also* **greediness**) (for food) gourmandise *f*

greedily /'gri:dɪlɪ/ *adv* [*eat*] goulûment

greediness /'gri:dɪnɪs/ *n* = **greed 2**

greedy /'gri:dɪ/ *adj* **1** [*person*] (for food) gourmand; (stronger) goulu; [*look*] avide; **he's a ~ guts**○ *ou* **pig**○ c'est un goinfre○; **2** (for money, power, information) avide (**for** de)

Greek /gri:k/ ▸ p. 1467, p. 1378

A *n* **1** (person) Grec/Grecque *m/f*; **2** (language) grec *m*

B *adj* **1** [*food, government, island*] grec/grecque; **2** [*teacher, lesson, dictionary*] de grec

(Idioms) **beware of ~s bearing gifts** ne faites jamais confiance à un ennemi; **it's all ~ to me** c'est du chinois pour moi

Greek: **~ alphabet** *n* alphabet *m* grec; **~ cross** *n* croix *f* grecque; **~ key** *n* Art grecque *f*; **~ Orthodox Church** *n* Église *f* orthodoxe grecque

green /gri:n/ ▸ p. 1067

A *n* **1** (colour) vert *m*; **I've seen that dress in ~** j'ai vu la même robe en vert; **dressed in ~** vêtu de vert *or* habillé en vert; **a shade of ~** une nuance de vert; **several different ~s** plusieurs verts différents; **a cool/pretty ~** un vert frais/délicat; **2** (in snooker) **the ~** la bille verte; **3** (grassy area) espace *m* vert; (vegetation) verdure *f*; **a strip of ~** une bande de gazon; **4** (in bowling) boulingrin *m* (*terrain gazonné pour le jeu de boules*); (in golf) green *m*; **5** Ecol, Pol écologiste *mf*; **the Greens** les Verts; **6** ○US (money) fric○ *m*, argent *m*

B **greens** *npl* **1** GB (vegetables) légumes *mpl* verts; **eat up your ~s!** mange tes légumes!; **2** US (greenery) verdure *f*; **Christmas ~s** verdure *f* (décorative) de Noël

C *adj* **1** (in colour) vert; **to go** *ou* **turn ~** [*traffic lights*] passer au vert; [*walls*] verdir; fig [*person*] verdir, devenir vert; **to paint/colour/dye sth ~** peindre/colorier/teindre qch en vert; **2** (with vegetation) [*countryside, valley*] verdoyant; **3** (not ready) [*fruit, wood, tobacco*] vert; **4** Culin [*bacon*] non fumé; **5** (naïve) naïf/naïve; **I'm not as ~ as you think I am** je ne suis pas aussi naïf que tu (le) crois; **6** (inexperienced) novice; **7** Ecol, Pol [*policies, candidate, issues*] écologiste; (ecologically sound) [*marketing, washing-powder*] écologique; **8** EU Econ [*currency, pound, euro*] vert; **9** ○(off-colour) patraque○

(Idioms) **to have ~ fingers** GB, **to have a ~ thumb** US avoir la main verte; **to give sb/sth the ~ light** donner le feu vert à qn/qch

green: **~back**○ *n* US billet *m* vert *or* d'un dollar; **~ bean** *n* haricot *m* vert; **~ belt** *n* Sport ceinture *f* verte; **Green Beret** *n* US Mil béret *m* vert

green card *n* **1** (driving insurance) carte *f* verte (internationale); **2** US carte *f* de séjour (*permettant de travailler aux États-Unis*)

> **Green card**
>
> Document qui permet à un étranger de vivre et de travailler aux États-Unis, et qui lui donne les mêmes droits que ceux d'un citoyen américain, à l'exception du droit de vote. La demande est si forte que les services d'immigration américains distribuent tous les ans 50 000 *green cards* au moyen d'une loterie (*Green Card Visa Lottery*) à laquelle participent des millions de candidats.

Green Cross Code *n* GB code *m* de prévention routière (*destiné aux enfants*)

greenery /'gri:nərɪ/ *n* verdure *f*

green-eyed monster *n* **the ~** la jalousie

green: **~field site** *n* terrain *m* vierge; **~finch** *n* verdier *m*; **~fly** *n* puceron *m* (du rosier); **~gage** *n* reine-claude *f*

greengrocer /ˈgriːngrəʊsə(r)/ ▸ **p. 1683** *n* (person) marchand *m* de fruits et légumes; **~'s (shop)** magasin *m* de fruits et légumes

greenhorn○ /ˈgriːnhɔːn/ *n* péj **1** (gullible person) benêt○ *m*; **2** (newcomer) débutant/-e *m/f*; **he's a ~** il débarque○

green: **~house** *n* serre *f*; **~house effect** *n* Ecol effet *m* de serre; **~house gases** *npl* Ecol gaz *mpl* qui provoquent l'effet de serre

greening /ˈgriːnɪŋ/ *n* **the ~ of the Socialist Party** la prise de conscience écologique au sein du Parti Socialiste

greenish /ˈgriːnɪʃ/ ▸ **p. 1067** *adj* tirant sur le vert; **~-brown eyes** des yeux marrons tirant sur le vert; **~-grey stones** des pierres d'un gris verdâtre

Greenland /ˈgriːnlənd/ ▸ **p. 1096** *pr n* Groenland *m*; **the ~ Sea** la Mer du Groenland

Greenlander /ˈgriːnləndə(r)/ ▸ **p. 1467** *n* Groenlandais/-e *m/f*

Greenlandic /ˌgriːnˈlændɪk/
A *n* ▸ **p. 1378** Ling groenlandais *m*
B *adj* groenlandais

green monkey disease ▸ **p. 1327** *n* virus *m* de Marburg

greenness /ˈgriːnnɪs/ *n* **1** (of dye, pigment) verdeur *f*; (of countryside, woods) verdure *f*; **2** (unripeness) (of fruit, wood) verdeur *f*; **3** Ecol (trend, process) prise *f* de conscience écologique; (awareness) conscience *f* écologique; **4** (inexperience) inexpérience *f*

green: **~ onion** *n* US ciboule *f*; **~ paper** *n* GB livre *m* blanc

Greenpeace /ˈgriːnpiːs/ *pr n* Greenpeace

green: **~ pepper** *n* poivron *m* vert; **~room** *n* Theat foyer *m* des artistes; **~ salad** *n* salade *f* verte; **~shank** *n* Zool chevalier *m* à pieds verts; **~stick fracture** *n* fracture *f* incomplète *or* de bois vert; **~stuff** *n* ¢ légumes *mpl* verts; **~sward** *n* ‡ *ou* littér tapis *m* de verdure; **~ tea** *n* thé *m* vert

green-welly brigade *n* GB *grande bourgeoisie rurale*

The green-welly brigade

Expression parfois employée pour désigner collectivement les membres de la bourgeoisie rurale britannique. Elle est formée à partir de *Wellington boots* (bottes en caoutchouc) qui font en général partie de la panoplie du parfait gentleman-farmer, au même titre que la veste de coton huilée et la casquette en tweed.

Greenwich Mean Time, **GMT** /ˌgrenɪtʃ ˈmiːntaɪm/ *n* temps *m* universel, TU

green: **~wood**† *n* forêt *f* verdoyante; **~ woodpecker** *n* pic *m* vert, pivert *m*

greet /griːt/ *vtr* **1** (welcome) accueillir [*person*]; saluer [*decision, appointment*]; **to ~ sb with a smile** accueillir qn avec le sourire; **2** (salute, acknowledge) saluer [*person*]; **to ~ sb with a wave** saluer qn d'un geste de la main; **to ~ sb in the street** dire bonjour à qn dans la rue; **3** (receive, react to) **to be ~ed with** *ou* **by** provoquer [*dismay, outrage, amusement*]; être salué par [*jeers, applause*]; **4** (hit, confront) **an amazing sight ~ed me** une scène extraordinaire s'offrait à moi; **a lovely smell ~ed me** une bonne odeur est parvenue à mes narines

greeter /ˈgriːtə(r)/ *n* personne *f* qui accueille les clients (*dans un restaurant*)

greeting /ˈgriːtɪŋ/
A *n* (salutation) salutation *f*; **~s!** salutations!; **give him my ~s** transmets-lui mes meilleures salutations; **to exchange ~s** (as preliminary) se saluer; (in passing) se dire bonjour; **he waved at me in ~** il m'a salué d'un geste de la main
B **greetings** *npl* (on cards) **Christmas ~s** vœux *mpl* de Noël; **Seasons ~s** meilleurs vœux

greetings card GB, **greeting card** US *n* carte *f* de vœux

gregarious /grɪˈgeərɪəs/ *adj* [*person*] sociable; [*animal, instinct*] grégaire

gregariousness /grɪˈgeərɪəsnɪs/ *n* (of person) sociabilité *f*; (of species) instinct *m* grégaire

Gregorian /grɪˈgɔːrɪən/ *adj* grégorien/-ienne

Gregory /ˈgregərɪ/ *pr n* Grégoire

gremlin /ˈgremlɪn/ *n* hum diablotin *m*

Grenada /grəˈneɪdə/ ▸ **p. 1096**, **p. 1815** *pr n* (city, country) Grenade *f*

grenade /grəˈneɪd/ *n* grenade *f*

Grenadian /grəˈneɪdɪən/
A *n* ▸ **p. 1467** Grenadien/-ienne *m/f*
B *adj* grenadien/-ienne

grenadier /ˌgrenəˈdɪə/ *n* Mil grenadier *m*

grenadine /ˈgrenədiːn/ *n* (all contexts) grenadine *f*

grew /gruː/ *prét* ▸ **grow**

grey GB, **gray** US /greɪ/ ▸ **p. 1067**
A *n* **1** (colour) gris *m*; **a shade of ~** un ton gris; **2** (horse) (cheval *m*) gris *m*
B *adj* **1** (colour) gris; **light/dark ~** gris clair/foncé *inv*; **to go** *ou* **turn ~** devenir gris; **2** (with grey hair) [*person*] aux cheveux gris, grisonnant; **to go** *ou* **turn ~** grisonner; **3** [*existence, life, day*] morne; **4** péj [*character, town*] terne
C *vtr* [*age, worry*] grisonner [*hair, person*]
D *vi* grisonner; **to be ~ing at the temples** avoir les tempes grisonnantes; **the population is ~ing** la population vieillit
(Idiom) **all cats are ~ in the dark** la nuit tous les chats sont gris

grey: **~ area** *n* zone *f* floue; **~beard** *n* vieillard *m* (à barbe grise); **~ economy** *n* économie *f* parallèle; **~ed command** *n* Comput commande *f* estompée; **~ eminence** *n* éminence *f* grise; **Grey Friar** *n* franciscain *m*; **~-haired**, **~-headed** *adj* aux cheveux gris; **~hound** *n* lévrier *m*; **~hound bitch** *n* levrette *f*; **Greyhound bus** *n car de la compagnie Greyhound aux États-Unis*; **~hound racing** ▸ **p. 1253** *n* course *f* de lévriers; **~hound track** *n* piste *f* de course de lévriers

greyish GB, **grayish** US /ˈgreɪɪʃ/ ▸ **p. 1067** *adj* grisâtre

grey: **~lag goose** *n* oie *f* cendrée; **~ market** *n* marché *m* gris; **~ matter** *n* (brain) matière *f* grise; **~ mullet** *n* mulet *m*; **~ seal** *n* phoque *m* gris; **~ squirrel** *n* écureuil *m* gris; **~ wagtail** *n* bergeronnette *f* des ruisseaux; **~ wolf** *n* loup *m* (gris)

grid /grɪd/ *n* **1** (grating) grille *f*; **2** gen, Geog (pattern) quadrillage *m*; **the city is laid out on a ~ (pattern)** les rues de la ville forment un quadrillage; **3** GB (network) réseau *m*; **the national ~** le réseau électrique national; **4** (in motor racing) grille *f* de départ; **5** Electron grille *f*; **6** ○US (gridiron) terrain *m* de football américain

griddle /ˈgrɪdl/
A *n* (for meat) gril *m* en fonte; (for pancakes, buns) plaque *f* en fonte
B *vtr* griller (sur une plaque en fonte) [*meat*]; faire cuire sur une plaque en fonte [*cake*]

griddle cake *n*: *crêpe cuite sur une plaque en fonte*

gridiron /ˈgrɪdaɪən/ *n* **1** Culin gril *m*; **2** US terrain *m* de football américain

gridlock /ˈgrɪdlɒk/ *n* **1** lit embouteillage *m*, bouchon *m*; **traffic is in complete ~** ça bouchonne○; **2** fig (deadlock) impasse *f*

grid: **~ map** *n* carte *f* quadrillée; **~ reference** *n* coordonnées *fpl*

grief /griːf/
A *n* **1** (sorrow) chagrin *m*; **his ~ at** *ou* **over her death** le chagrin qu'il a ressenti à sa mort; **2** ○(trouble, hassle) embêtements *mpl*; **to give sb ~** ennuyer qn
B *excl* **good ~!** mon Dieu!
(Idioms) **to come to ~** (in sports, competition) (have an accident) avoir un accident; (lose) perdre; [*firm, business*] péricliter; **he nearly came to ~ in the final exam** à la dernière épreuve il a failli tout rater○

grief-stricken /ˈgriːfstrɪkn/ *adj* accablé de douleur (*after n*)

grievance /ˈgriːvns/ *n* (all contexts) griefs *mpl* (**against** contre); **he has a genuine ~** ses griefs sont justifiés; **to air one's ~s** exposer ses griefs

grievance: **~ committee** *n* commission *f* d'arbitrage; **~ procedure** *n* Mgmt instance *f* prud'hommale

grieve /griːv/
A *vi* **to ~ for, to ~ over** pleurer [*person, death*]; **to ~ deeply** être affligé
B *v impers* littér **it ~s me to hear** cela me fait de la peine d'apprendre; **it ~s me that** cela me fait de la peine que (+ *subj*)

grievous /ˈgriːvəs/ *adj* sout [*loss, disappointment*] cruel/-elle; [*mistake, damage, wound*] grave; **to do sb a ~ wrong** faire cruellement tort à qn

grievous bodily harm, **GBH** *n* Jur coups *mpl* et blessures *fpl*

grievously /ˈgriːvəslɪ/ *adv* [*hurt*] grièvement; [*offended, disappointed*] cruellement

griffin, **griffon** /ˈgrɪfɪn/ *n* griffon *m*

grifter◑ /ˈgrɪftə(r)/ *n* US escroc *m*

grill /grɪl/
A *n* **1** GB (on cooker) gril *m*; **cook it in** *ou* **under the ~** faites-le griller; **2** US (barbecue) gril *m*; **3** (dish) grillade *f*; **4** (restaurant) grill *m*, restaurant *m* servant des grillades
B *vtr* **1** Culin faire griller [*meat, fish*]; **2** ○(interrogate) mettre [qn] sur la sellette○ (**about** à propos de)
C *vi* [*steak, fish*] griller

grille /grɪl/ *n* gen grille *f*; (on car) calandre *f*

grilled /grɪld/ *adj* Culin grillé; **charcoal-~ prawns** crevettes grillées au feu de bois

grilling○ /ˈgrɪlɪŋ/ *n* interrogatoire *m* serré; **to give sb a ~** questionner qn, mettre qn sur la sellette○ (**about** à propos de)

grill pan *n* GB plateau *m* à poignée (*allant sous le gril*)

grilse /grɪls/ *n* saumon *m* d'hiver

grim /grɪm/ *adj* **1** (depressing) [*news, town, prison*] sinistre; [*sight, conditions*] effroyable; [*reality*] dur; **her future looks ~** son avenir a l'air sombre; **it's a ~ reminder of war** cela nous remet en mémoire la guerre dans toute son horreur; **2** (unrelenting) [*struggle*] acharné; [*resolve*] terrible; **to hold onto sb like ~ death** s'agripper à qn de toutes ses forces; **3** (unsmiling) [*expression*] grave; **to be ~-faced** avoir l'air grave; **4** ○(poor) [*accommodation, food*] très mauvais; **you look ~** tu n'as pas l'air bien du tout○; **I'm feeling pretty ~** (ill) je ne me sens pas bien; (depressed) je n'ai pas le moral○; **5** (black) [*joke, humour*] macabre

grimace /grɪˈmeɪs, US ˈgrɪməs/
A *n* grimace *f* (**of** de)
B *vi* (involuntary) faire une grimace (**with, in** de); (pull a face) faire la grimace; **she ~d at the thought** elle fit la grimace en y pensant

grime /graɪm/ *n* (of city) saleté *f*; (on object, person) crasse *f*

grimly /ˈgrɪmlɪ/ *adv* **1** (sadly) [*speak*] sur un ton grave; **'if I ever get a job,' he laughed ~** 'si je finis par trouver un travail,' a-t-il dit avec un rire amer; **2** (relentlessly) [*pursue, continue, cling*] avec acharnement; **a ~ determined expression** un air sombre et résolu

grimness /ˈgrɪmnɪs/ *n* (of story, news) caractère *m* sinistre; (of landscape, town) aspect *m* sinistre; **the ~ of his future** son avenir sombre

Grim Reaper /ˌgrɪm ˈriːpə(r)/ *n* **the ~** la Faucheuse *f*

grimy /ˈɡraɪmɪ/ *adj* [*city, façade*] noir; [*hands, window, sheet*] crasseux/-euse

grin /ɡrɪn/
A *n* sourire *m*; **her face broke into a ~** elle a souri
B *vi* (*p prés etc* **-nn-**) sourire (**at** à; **with** de); **to ~ broadly** faire un large sourire
(Idioms) **to ~ and bear it** souffrir en silence; **to ~ from ear to ear** sourire jusqu'aux oreilles

grind /ɡraɪnd/
A *n* [1] ○(hard work) boulot○ *m or* travail *m* monotone; **the daily ~**○ le boulot○ *or* le train-train○ quotidien; **back to the ~**○**!** au boulot○!; **marking exam papers is an awful ~**○ corriger des copies d'examen est une vraie corvée; **it was a long hard ~**○ **cycling up the hill** c'était long et pénible de monter la côte en vélo; **it'll be a long hard ~**○ ça va être très dur; [2] (harsh sound) grincement *m*; [3] ○US péj (hardworking student) bûcheur/-euse○ *m/f*; [4] Ir (extra tuition) cours *m* particulier
B *vtr* (*prét, pp* **ground**) [1] (crush) moudre [*corn, coffee beans, pepper*]; écraser, broyer [*seeds, grain*]; concasser [*pebbles, stone*]; hacher [*meat*]; **to ~ sth to dust/to a powder** réduire qch en poussière/en poudre; **to ~ corn into flour** moudre du grain pour en faire de la farine; **to ~ one's teeth** grincer des dents; **to ~ sth into the ground** écraser qch par terre; [2] (sharpen) affûter *or* aiguiser [qch] (à la meule) [*knife, blade*]; (polish) polir [*lenses*]; égriser [*gems*]; [3] (turn) tourner [*handle*]; Mus jouer de [*barrel organ*]
C *vi* (*prét, pp* **ground**) [1] (make harsh sound) [*machine, engine*] grincer; **to ~ to a halt** [*vehicle, train*] s'arrêter avec un grincement de freins; [*machine*] s'arrêter; fig [*factory, economy, industry, production*] s'immobiliser; [2] (be crushed) [*corn, coffee beans*] se moudre; [3] ○US (swot) bûcher○, potasser○; [4] ○US [*dancer*] *danser en se déhanchant de manière provocante*
(Phrasal verbs) ■ **grind away** bosser○, bûcher○; **she is ~ing away at her maths** elle bûche ses maths
■ **grind down**: ▸ **~ down [sth], ~ [sth] down** (crush) écraser, broyer; (pulverize) pulvériser [*substance*]: ▸ **~ [sb] down** avoir [qn] à l'usure; **to be ground down by poverty** être accablé par la misère
■ **grind on** [*negotiations, project*] se poursuivre inexorablement
■ **grind out**: ▸ **~ out [sth], ~ [sth] out** [1] (extinguish) écraser [*cigarette*]; [2] (play) **to ~ out a tune on a barrel organ** jouer un air sur un orgue de Barbarie; **she ~s out**○ **novels at the rate of one a month** elle pond○ des romans au rythme d'un par mois; **'mind your own business,' he ground out** 'occupez-vous de vos affaires,' a-t-il grommelé entre ses dents
■ **grind up** pulvériser

grinder /ˈɡraɪndə(r)/ *n* [1] (crushing device) (industrial) broyeur *m*; (domestic) moulin *m*; (for meat) hachoir *m*; [2] Tech (for sharpening) meule *f* (à aiguiser); [3] (person) rémouleur/-euse *m/f*; [4] (tooth) molaire *f*; [5] US (sandwich) gros sandwich *m* mixte

grinding /ˈɡraɪndɪŋ/
A *n* (sound) grincement *m*
B *adj* [*noise*] grinçant; **~ poverty** misère *f* noire

grinding wheel *n* meule *f* (de rectification)

grindstone /ˈɡraɪndstəʊn/ *n* meule *f or* pierre *f* à aiguiser
(Idioms) **to keep** *ou* **have one's nose to the ~** travailler sans relâche; **to keep sb's nose to the ~** faire trimer○ qn, faire travailler qn sans relâche

gringo /ˈɡrɪŋɡəʊ/ *n* (*pl* **-gos**) US injur gringo *m* offensive

grip /ɡrɪp/
A *n* [1] (hold) prise *f* (**on** sur); **to tighten one's ~ on sth** lit resserrer sa prise sur qch; **to relax one's ~ on sth** relâcher sa prise sur qch; **she's lost her ~ on the rope** elle a perdu prise et lâché la corde; **to have a firm ~ (on sth)** avoir une prise solide sur qch; [2] (control) **to take a firm ~ on the company/party** prendre la société/le parti bien en main; **to lose one's ~ on reality** perdre contact avec la réalité; **to come to ~s with sth** en venir aux prises avec qch; **to get to ~s with sth** attaquer qch de front; **get** *ou* **take a ~ on yourself!** ressaisis-toi!; **I think he's beginning to lose his ~** je crois qu'il commence à perdre confiance; [3] (ability to hold) adhérence *f*; **these shoes have no ~/have lost their ~** ces chaussures n'accrochent pas/plus au sol; **do the tyres have a good ~?** les pneus ont-ils une bonne adhérence?; [4] (clutches) **to be in the ~ of an obsession/a bad dream** être en proie à une obsession/à un cauchemar; **in the ~ of winter** paralysé par l'hiver; [5] (bag) sac *m* de voyage; [6] Cin accessoiriste *mf*
B *vtr* (*p prés etc* **-pp-**) [1] (grab) agripper [*arm, wrist, bannister*]; (hold) serrer [*handle, arm*]; **to ~ sth between one's teeth** serrer qch entre ses dents; **to ~ a rail firmly/with both hands** agripper une rampe/saisir une rampe des deux mains; [2] (adhere to) [*tyres*] adhérer à [*road*]; [*shoes*] accrocher à [*ground*]; [3] (captivate) captiver
C *vi* (*p prés etc* **-pp-**) (hold) **the tyres failed to ~ on the ice** les pneus n'ont pas adhéré à la glace; **my shoes didn't ~ on the rock** mes chaussures n'accrochèrent pas sur la roche

gripe /ɡraɪp/
A *n* [1] (complaint) sujet *m* de plainte; **her biggest ~ is that** ce qui la fait le plus râler○ c'est que; [2] Med **to have the ~s** avoir des coliques *fpl*
B *vtr*○ US (annoy) casser les pieds○ à; **it ~s his ass**◑ ça lui casse le cul◑
C *vi* (complain) râler○ (**about** à propos de; **that** que)

gripe water *n* GB calmant *m* (*pour coliques des nourrissons*); ≈ infusion *f* de fenouil

griping /ˈɡraɪpɪŋ/
A *n*○ ¢ (complaining) ronchonnements *mpl*
B *adj* Med **to have ~ pains** avoir des coliques *fpl*

gripper rail /ˈɡrɪpə(r)/ *n* barre *f* de seuil

gripping /ˈɡrɪpɪŋ/ *adj* captivant

grip tape *n* bande *f* adhésive

grisly /ˈɡrɪzlɪ/ *adj* [*story, sight*] horrible; [*remains*] macabre

grist /ɡrɪst/ *n*
(Idioms) **it's all ~ to his mill** il fait flèche de tout bois; **scandals are ~ to the mill of the press** les scandales sont la pâture de la presse

gristle /ˈɡrɪsl/ *n* (in meat) cartilage *m*; **piece of ~** du cartilage

gristly /ˈɡrɪslɪ/ *adj* [*meat*] cartilagineux/-euse

grit /ɡrɪt/
A *n* ¢ [1] (in carpet, on lens) grains *mpl* de poussière; (sandy dirt) grains *mpl* de sable; (in wound) saletés *fpl*; [2] GB (for roads) sable *m*; [3] (courage) cran○ *m*; **she has ~ and determination** elle est courageuse et résolue; [4] (sandstone) grès *m*
B *vtr* (*p prés etc* **-tt-**) GB sabler [*road*]; **'~ting in progress'** 'sablage'
(Idiom) **to ~ one's teeth** serrer les dents

grits /ɡrɪts/ *npl* (oats) GB gruau *m* d'avoine; (corn) US gruau *m* de maïs

gritter /ˈɡrɪtə(r)/ *n* GB Aut sableuse *f*

gritty /ˈɡrɪtɪ/ *adj* [1] (sandy) plein de sable; (gravelly) graveleux/-euse; **~ particles** (in engine, carpet) grains *mpl* de poussière; [2] (realistic, tough) [*personality*] solide et terre à terre; [*novel*] réaliste; [3] (courageous) **the team gave a ~ performance** l'équipe s'est montrée courageuse et résolue

grizzle /ˈɡrɪzl/ *vi* GB (cry) pleurnicher; (complain) grogner

grizzled /ˈɡrɪzld/ *adj* [*hair, beard, person*] grisonnant

grizzly /ˈɡrɪzlɪ/
A *n* (*also* **~ bear**) grizzli *m*
B *adj* [*hair, beard*] grisonnant

groan /ɡrəʊn/
A *n* (of pain, despair) gémissement *m*; (of disgust, protest) grognement *m*; **to give a ~** (in pain) pousser un gémissement
B *vtr* **'I've been hit,' he ~ed** 'je suis touché,' gémit-il; **'no!,' he ~ed** 'oh non!' soupira-t-il
C *vi* [1] (in pain) gémir; (in disgust, protest) grogner; **to ~ in** *ou* **with pain** pousser un gémissement de douleur; **he always ~s at my jokes** il pousse toujours des soupirs pour montrer qu'il n'apprécie pas mes blagues; **I ~ed inwardly when I heard that...** j'étais loin d'être ravi quand j'ai appris que...; [2] (creak) [*timbers*] gémir; **to ~ under the weight of sth** gémir sous le poids de qch liter; [3] (suffer) littér gémir

groats /ɡrəʊts/ *npl* Culin gruau *m* d'avoine *or* de froment

grocer /ˈɡrəʊsə(r)/ ▸ p. 1683 *n* (person) épicier *m*; **~'s (shop)** épicerie *f*

groceries /ˈɡrəʊsərɪz/ *npl* [1] (shopping) courses *fpl*; [2] (type of merchandise) épicerie *f* ¢

grocery /ˈɡrəʊsərɪ/ ▸ p. 1683
A *n* (*also* **~ shop** GB, **~ store**) épicerie *f*
B *modif* [*bill, products, sales*] d'épicerie; [*chain*] d'épiceries

grog /ɡrɒɡ/ *n* grog *m*

groggy /ˈɡrɒɡɪ/ *adj* sonné○, groggy; **to feel ~** avoir les jambes en coton○

groin /ɡrɔɪn/ ▸ p. 997
A *n* [1] Anat aine *f*; **in the ~** lit à l'aine; euph dans les testicules; [2] Archit arête *f*; [3] US = **groyne**
B *modif* [*injury, strain*] à l'aine

grommet /ˈɡrɒmɪt/ *n* [1] (eyelet) œillet *m*; [2] Med diabolo *m*, drain *m* transtympanique spec

groom /ɡruːm/
A *n* [1] (bridegroom) **the ~** le jeune marié; [2] Equit palefrenier/-ière *m/f*; (for racehorse) lad *m*
B *vtr* [1] (clean) faire la toilette de [*dog, cat*]; (professionally) toiletter [*dog, cat*]; panser [*horse*]; **to ~ oneself carefully** s'habiller et se coiffer avec soin; [2] (prepare) **to ~ sb for an examination/for the post** préparer qn à un examen/au poste; (train) **to ~ sb for a diplomatic career** former qn pour qu'il puisse devenir diplomate
C **groomed** *pp adj* **a well ~ed young man** un jeune homme très soigné (de sa personne); **she was immaculately ~ed** elle était parfaitement coiffée et habillée; **a carefully ~ed horse** un cheval pansé avec soin

grooming /ˈɡruːmɪŋ/ *n* (of horse) pansage *m*; (of dog) toilettage *m*; **personal ~** US présentation *f*, tenue *f*

groove /ɡruːv/
A *n* [1] lit (on record) sillon *m*; (for sliding door) coulisse *f*; (in joinery) rainure *f*; (on head of screw) fente *f*, creux *m*; [2] (routine) **to be stuck in a ~** s'encroûter; **I've been stuck in a ~ for too long** je commence à m'encroûter; [3] Mus rythme *m*
B *vi* US **~ it, baby**○**!** amuse-toi!

groovy○† /ˈɡruːvɪ/ *adj* [*party, clothes*] sensass○†; **I'm feeling ~** je me sens super bien○; **to be ~** être dans le vent○†

grope /ɡrəʊp/
A ○*n* **to give sb a ~**○ essayer de tripoter○ qn
B *vtr* [1] (feel) **he ~d his way down the dark staircase/past the furniture** il descendit l'escalier à tâtons dans le noir/il contourna les meubles à tâtons; [2] ○(sexually) tripoter○
C *vi* **to ~ for sth** chercher qch à tâtons; fig **to ~ in the dark** tâtonner

groping /ˈɡrəʊpɪŋ/ *n* [1] fig **~(s)** tâtonnements *mpl*; [2] (sexual) pelotage○ *m*

grosgrain /ˈɡrəʊsɡreɪn/ *n* Tex gros-grain *m*; **~ ribbon** gros-grain *m*

gross /ɡrəʊs/
A *n* (*pl* **~**) (twelve dozen) grosse *f*, douze douzai-

nes *fpl*; **by the ~** à la grosse; **per ~** la grosse

B *adj* **1** Comm, Fin (before deductions) [*cost, income, margin, profit, salary, sum, weight, yield*] brut; **2** (serious) gen, Jur [*error, exaggeration*] grossier/-ière; [*ignorance*] crasse; [*abuse, inequality*] choquant; [*injustice*] flagrant; **~ negligence** Jur faute *f* lourde; **~ dereliction of duty** manquement *m* grave au devoir; **3** (coarse) [*behaviour, manner*] vulgaire; [*language*] cru; **4** °(revolting) dégueulasse◑; **5** °(obese) obèse

C *adv* **how much are you paid ~?** quel est votre salaire brut?

D *vtr* **to ~ two million dollars** faire un bénéfice brut de deux millions de dollars

(Phrasal verbs) ■ **gross out**°: ▸ **~ [sb] out** US dégoûter [qn]; **~ me out!** c'est dégoûtant!

■ **gross up**: ▸ **~ up [sth]** Fin calculer le montant brut de [*interest, profits*]

gross: **~ domestic product, GDP** *n* Econ produit *m* intérieur brut, PIB *m*; **~ indecency** *n* Jur outrage *m* à la pudeur

grossly /ˈgrəʊslɪ/ *adv* **1** [*abuse, betray*] de façon éhontée; [*exaggerate*] grossièrement; [*irresponsible, misleading, overcrowded, overrated*] extrêmement; [*underpaid*] scandaleusement; **~ unfair** d'une injustice flagrante; **~ overweight** obèse; **2** (crudely) [*speak, behave*] de façon grossière

gross national product, GNP *n* Econ produit *m* national brut, PNB *m*

grossness /ˈgrəʊsnɪs/ *n* **1** (obesity) obésité *f*; **2** (vulgarity) (of conduct, manners, language) grossièreté *f*; **3** (seriousness) énormité *f*

gross: **~ ton** *n* tonne *f* britannique (*1 016 kilogrammes*); **~ tonnage** *n* Naut jauge *f* brute

grot° /grɒt/ *n* crasse *f*

grotesque /grəʊˈtesk/ *n, adj* grotesque (*m*)

grotesquely /grəʊˈtesklɪ/ *adv* [*dressed*] de façon grotesque; **~ ugly** grotesque

grotto /ˈgrɒtəʊ/ *n* (*pl* **~s** *ou* **~es**) grotte *f*

grotty° /ˈgrɒtɪ/ *adj* GB **1** (squalid) minable°; **2** (ill) **to feel ~** se sentir tout chose°

grouch° /graʊtʃ/

A *n* **1** (person) rouspéteur/-euse° *m/f*; **2** (complaint) **to have a ~ against** être en rogne contre

B *vi* rouspéter° (**about sb** après qn; **about sth** contre qch)

grouchy° /ˈgraʊtʃɪ/ *adj* grognon/-onne

ground /graʊnd/

A *pret, pp* ▸ **grind B, C**

B *n* **1** (surface underfoot) sol *m*, terre *f*; **to put/throw sth on the ~** poser/jeter qch par terre; **to sit/lie (down) on the ground** s'asseoir/s'allonger par terre; **to fall to the ~** tomber (par terre); **to pick sth up off the ~** ramasser qch (par terre); **get up off the ~** lève-toi; **to get off the ~** [*plane*] décoller; fig [*idea*] prendre fig; **to get sth off the ~** faire démarrer [*plan, undertaking, campaign*]; **to burn to the ~** brûler complètement; **above (the) ~** en surface; **below (the) ~** sous terre; **to prepare the ~** lit préparer la terre *or* le sol; fig ouvrir la voie (**for** à); **to clear the ~** lit, fig déblayer le terrain; **on the ~** lit, fig sur le terrain **2** (area, territory) lit, fig terrain *m*; **a piece of ~** un terrain; **built on high/rocky ~** construit sur un terrain surélevé/accidenté; **holy/neutral ~** terrain consacré/neutre; **to cover a lot of ~** lit faire beaucoup de chemin; fig avancer beaucoup; **to cover the same ~** [*teachers, speakers*] traiter le même sujet; [*articles, lectures*] traiter du même sujet; **to go over the same ~** se répéter; **to break fresh** *ou* **new ~** innover (**by** *ou* **in doing** en faisant); **to break new political/legal ~** innover dans le domaine politique/légal; **it breaks no new ~** cela n'apporte rien de nouveau; **on neutral ~** en terrain neutre; **on my/her own ~** sur mon/son propre terrain; **to be on sure** *ou* **firm ~** être sûr de ce qu'on avance; **to be on shaky ~** être dans une position délicate; **to be sure of one's ~** être sûr de son fait *or* de ce qu'on avance; **(to be) on dangerous ~** (in discussion) (être) sur un terrain miné; (in dealings) (être) dans une position délicate; **on safe ~** sur un terrain familier; **the ~ is shifting** le climat est en train de changer fig; **familiar/new ~** domaine *m* familier/nouveau **3** gen, Sport (for specific activity) terrain *m* **4** (reason) gen, Jur motifs *mpl*, raisons *fpl* **5** fig (in contest, discussion) **to gain ~** gagner du terrain (**on, over** sur); **to lose ~** perdre du terrain (**to** au profit de); **to give** *ou* **yield ~** céder du terrain (**to** devant; **on, over** au niveau de); **to make up** *ou* **regain lost ~** regagner du terrain perdu; **to hold** *ou* **stand (one's) ~** tenir bon; **to change** *ou* **shift one's ~** fig changer son fusil d'épaule (**on** au sujet de) **6** US Elec terre *f* **7** Art fond *m* **8** Naut **to touch ~** racler le fond **9** (*also* **~ coat**) Constr sous-couche *f*

C **grounds** *npl* **1** (of house, institution) parc *m* (**of** de); **private ~s** propriété *f* privée **2** (reasons) **on ethical ~s** pour des raisons d'éthique; **on compassionate ~s** pour raisons personnelles; **~s for** motifs de [*divorce, appeal, extradition, arrest, opposition, criticism, hope*]; **to have ~s for complaint/for suspicion** avoir des motifs de se plaindre/de douter; **to give sb ~s for anxiety** être un motif *or* une source d'angoisse pour qn; **~s for doing** motifs pour faire; **there are reasonable ~s/there are no ~s for supposing that** il y a des motifs suffisants/il n'y a aucun motif pour supposer que; **to give sb good ~s for doing** donner à qn de bonnes raisons de faire; **to have ~s to do** avoir des raisons de faire; **on (the) ~s of** en raison de [*cost, public interest*]; pour raison de [*adultery, negligence, insufficient evidence*]; **on (the) ~s of ill-health** pour raisons de santé; **to lodge an appeal on the ~s of insanity** faire appel en arguant la folie; **on the ~s that** en raison du fait que

D **ground** *pp adj* [*coffee, pepper*] moulu

E *vtr* **1** Aviat immobiliser [*aircraft*]; déclarer [qn] inapte [*crew, pilot*] **2** Naut faire échouer [*vessel*] (**on** sur); **to be ~ed** s'échouer **3** (base) **to ~ sth on** *ou* **in** fonder qch sur; **to be ~ed on** être fondé sur [*principle, fact, experience*]; **to be ~ed in** être fondé sur [*right, truth, understanding*]; **well-~ed suspicions** des soupçons fondés; **a well-~ed theory** une théorie bien fondée **4** °(punish) priver [qn] de sortie [*teenager*] **5** US Elec mettre [qch] à la terre **6** Mil **to ~ arms** poser l'arme à la terre; **~ arms!** reposez armes!

(Idioms) **to be thick/thin on the ~** être/ne pas être légion *inv*; **to go to ~** se terrer; **to run sb/sth to ~** dénicher° qn/qch; **to run** *ou* **drive oneself into the ~** s'user *or* se crever° au travail; **to run sth into the ~** laisser péricliter [*business*]; **to run a car into the ~** garder une voiture jusqu'à ce qu'elle soit bonne pour la casse; **that suits me down to the ~** ça me va parfaitement

ground: **~ almonds** *npl* poudre *f* d'amandes; **~ attack** *n* attaque *f* au sol; **~bait** *n* appât *m*; **~-based** *adj* Mil basé au sol; **~ bass** *n* basse *f* obstinée; **~ beef** *n* US bœuf *m* haché; **~ clearance** *n* Aut garde *f* au sol; **~ cloth** *n* US tapis *m* de sol; **~ control** *n* contrôle *m* au sol; **~ cover** *n* couverture *f*; **~ cover plant** *n* plante *f* tapissante *or* couvrante; **~ crew** *n* personnel *m* au sol; **~ effect** *n* effet *m* de sol

grounded° /ˈgraʊndɪd/ *adj* à l'aise dans ses baskets°, bien dans sa peau

ground floor surtout GB

A *n* rez-de-chaussée *m*; **on the ~** au rez-de-chaussée

B **ground-floor** *modif* [*apartment, room, window*] au rez-de-chaussée; **at ground-floor level** au rez-de-chaussée; **to come in on the ~**° fig commencer en bas de l'échelle

ground: **~ forces** *npl* forces *fpl* terrestres; **~ frost** *n* givre *m*; **~ glass** *n* (opaque) verre *m* dépoli; (crushed) poudre *f* de verre; **~hog** *n* US marmotte *f* d'Amérique

Groundhog Day *n* US le 2 février

> **Groundhog Day**
>
> Dans de nombreux villages américains, on guette l'apparition de la marmotte le 2 février. Selon la tradition, si elle sort de son terrier ce jour-là et que le soleil brille, elle aura peur de son ombre et retournera dormir; l'hiver durera encore six semaines. Si elle ne voit pas son ombre, elle mettra fin à son hibernation, signe de printemps précoce.

ground hostess ▸ **p. 1683** *n* hôtesse *f* au sol

grounding /ˈgraʊndɪŋ/ *n* **1** ¢ (preparation) bases *fpl* (**in** en, de); **to have a good** *ou* **thorough ~ in sth** avoir de bonnes *or* de très solides bases en qch; **2** Aviat (of plane) immobilisation *f*; (of crew) inaptitude *f* au vol; **3** Naut échouage *m* (**on** sur); **4** US Elec mise *f* à la terre (**of** de)

ground: **~ ivy** *n* lierre *m* terrestre, gléchome *m* spec; **~keeper** *n* US préposé *m* à l'entretien d'un terrain de sports

groundless /ˈgraʊndlɪs/ *adj* [*fear, rumour, allegation, objection*] sans fondement; [*hope*] non fondé; **to prove (to be) ~** s'avérer sans fondement

ground: **~ level** *n* Constr rez-de-chaussée *m*; (of land) niveau *m* du sol; **~nut** *n* GB arachide *f*; **~nut oil** *n* GB huile *f* d'arachide

ground plan *n* **1** Archit plan *m* au sol; **2** gen plan *m* préliminaire

ground: **~ rent** *n* rente *f* foncière; **~ rice** *n* semoule *f* de riz

ground rules *npl* grands principes *mpl*; **to change the ~** modifier les règles du jeu

groundsel /ˈgraʊnsl/ *n* séneçon *m*

ground: **~sheet** *n* tapis *m* de sol; **~sman** *n* GB préposé *m* à l'entretien d'un terrain de sports; **~ speed** *n* vitesse *f* au sol

groundstaff /ˈgraʊndstɑːf, US -stæf/ *n* **1** (for maintenance) personnel *m* d'entretien d'un terrain de sports; **2** Aviat personnel *m* au sol

groundswell /ˈgraʊndswel/ *n* **1** fig (upsurge) **a ~ of** une vague de [*support, discontent*]; **a ~ of opinion for/against** une vague de soutien pour/d'hostilité contre; **2** lit, Naut raz-de-marée *m*

ground: **~-to-air missile** *n* missile *m* sol-air; **~ troops** *npl* troupes *fpl* terrestres; **~water** *n* nappe *f* phréatique; **~ wire** *n* US fil *m* de terre

groundwork /ˈgraʊndwɜːk/ *n* travail *m* préparatoire (**for** à); **to do the ~** faire le travail préparatoire

ground zero *n* point *m* zéro

group /gruːp/

A *n* (all contexts) groupe *m*; **in ~s** en groupes

B *modif* [*behaviour, dynamics, mentality*] de groupe

C *vtr* (*also* **~ together**) grouper [*people, objects*] (**round** autour de); **to ~ sth according to price** grouper qch en fonction du prix

D *vi* (*also* **~ together**) se grouper (**round** autour de)

E *v refl* **to ~ oneself** [*people*] (get into groups) se répartir en groupes; **to ~ oneself according to age** se répartir par groupes d'âge; (get into a group) **to ~ oneself around** se grouper autour de

group: **~ booking** *n* réservation *f* de groupe; **~ captain** ▸ **p. 1599** *n* GB Mil Aviat colonel *m* (*de l'armée de l'air*)

grouper /ˈgruːpə(r)/ *n* Zool mérou *m*

groupie° /ˈgruːpɪ/ *n* groupie° *f*

grouping /ˈgru:pɪŋ/ *n* (group, alliance) groupe *m*

group: **~ insurance** *n* Insur assurance *f* collective; **Group of Seven** *n* groupe *m* des Sept; **~ practice** *n* Med cabinet *m* médical collectif; **~ sex** *n* amour *m* en groupe, partouze◑ *f*; **~ therapy** *n* thérapie *f* de groupe; **~ware** *n* Comput synergiciel *m*, logiciel *m* de groupe; **~ work** *n* travail *m* en groupes

grouse /graʊs/
A *n* (*pl* ~) **1** (bird, meat) tétras *m*; **2** ○(complaint) sujet *m* de mécontentement
B ○*vi* (complain) râler○ (**about** après)

grouse: **~ beating** *n* rabattage *m* de tétras; **~ moor** *n* chasse *f* gardée de tétras; **~ shooting** *n* chasse *f* au tétras

grout /graʊt/
A *n* mastic *m* (*pour carreaux*)
B *vtr* mastiquer [*tile*]

grouting /ˈgraʊtɪŋ/ *n* masticage *m*

grove /grəʊv/ *n* bosquet *m*; **lemon ~** verger *m* de citronniers

grovel /ˈgrɒvl/ *vi* (*p prés etc* **-ll-**, US **-l-**) **1** fig (humbly) ramper (**to sb, before sb** devant qn); **to ~ at sb's feet** ramper aux pieds de qn; **2** (*also* **~ about**, **~ around**) marcher à quatre pattes

grovelling, **groveling** US /ˈgrɒvlɪŋ/ *adj* [*person, apology*] obséquieux/-ieuse

grow /grəʊ/ (*prét* **grew**, *pp* **grown**)
A *vtr* **1** (cultivate) cultiver [*plant, crop, cells*]; **2** (increase, allow to increase) [*person*] laisser pousser [*hair, beard, nails*]; **to ~ 5 cm** [*person*] grandir de 5 cm; [*plant*] pousser de 5 cm; **the economy has grown 2%** la croissance de l'économie est de 2%
B *vi* **1** (increase physically) [*plant, hair, nails*] pousser (**by** de); [*person*] grandir (**by** de); [*queue*] s'allonger; [*tumour, cancer*] se développer; **haven't you grown!** qu'est-ce que tu as grandi!; **to let one's hair/nails ~** laisser pousser ses cheveux/ongles; **to ~ from** pousser à partir de [*bulb, seed*]; **to ~ to a height of 4 metres** atteindre 4 mètres de hauteur; **2** (of something abstract) [*deficit, spending, crime, population, tension, anger, chances*] augmenter (**by** de); [*company*] prospérer; [*economy*] être en expansion; [*movement, opposition, support, problem*] devenir plus important; [*poverty, crisis*] s'aggraver; [*pressure, influence*] devenir plus fort; [*list*] s'allonger; [*mystery*] s'épaissir; **fears are ~ing that** on craint de plus en plus que (+ *subj*); **to ~ from x to y** [*profit, movement*] passer de x à y; **to ~ to** atteindre [*figure, level*]; **to ~ to civil war proportions** prendre les proportions d'une guerre civile; **to ~ in** acquérir plus de [*authority, strength, confidence*]; **to ~ in popularity** devenir plus populaire; **3** (become) devenir [*hotter, colder, stronger*]; **to ~ more sophisticated** devenir plus sophistiqué; **to ~ old** vieillir; **to ~ weak** s'affaiblir; **to ~ more and more impatient** s'impatienter de plus en plus; **4** **to ~ to do** finir par faire; **I soon grew to like him** j'ai vite fini par l'aimer; **I was ~ing to like him** je commençais à l'aimer

(Phrasal verbs) ■ **grow apart**: ▸ **~ apart** [*people*] s'éloigner l'un de l'autre; **to ~ apart from** s'éloigner de [*person*]

■ **grow in**: ▸ **~ in** [*nail*] devenir incarné

■ **grow into**: **~ into [sth]** **1** (become) devenir [*frog, adult*]; **2** (fit into) s'accoutumer à [*role, position*]; **he'll ~ into it** (of garment) quand il aura un peu grandi il pourra le mettre; **3** [*skin, bone*] se fondre dans [*tissue*]

■ **grow on**: **to ~ on sb** [*habit*] s'imposer; **the music was starting to ~ on me** je commençais à apprécier la musique

■ **grow out**: ▸ **~ [sth] out, ~ out [sth]** laisser pousser ses cheveux jusqu'à ce qu'il n'y ait plus de [*perm, dye*]

■ **grow out of**: ▸ **~ out of [sth]** **1** (get too old for) **he's grown out of his suit** son costume est devenu trop petit pour lui; **she's grown out of discos/going to discos** elle a passé l'âge des discothèques/d'aller en discothèque; **children's games I've grown out of** des jeux d'enfants qui ne sont plus de mon âge; **2** (come from) naître de [*interest, idea, institution*]

■ **grow together** **1** lit (join together) [*bones, plants, eyebrows*] se rejoindre; **2** fig (become close) [*people*] se rapprocher

■ **grow up** **1** (grow, get bigger) [*child*] grandir; [*movement, idea*] se développer; **to ~ up in London/believing that** grandir à Londres/dans l'idée que; **2** (become adult, mature) [*person, movement*] devenir adulte; **when I ~ up** quand je serai grand; **to ~ up into** devenir [*scientist, beauty*]; **~ up!** arrête tes enfantillages!

grow bag *n* sac *m* de culture

grower /ˈgrəʊə(r)/ *n* **1** (person) (of fruit) producteur/-trice *m/f*; (of cereal crops) cultivateur/-trice *m/f*; (of flowers) horticulteur/-trice *m/f*; **2** (plant) **to be a fast/slow ~** pousser vite/lentement

growing /ˈgrəʊɪŋ/
A *n* Agric, Hort culture *f*; **rose ~** culture des roses; **a fruit-~ area** une région de culture fruitière
B *adj* **1** (physically) [*child*] en pleine croissance; [*business*] en expansion; **it could harm the ~ baby** ça pourrait nuire à l'enfant pendant son développement; **2** (increasing) [*number, amount, authority, demand*] croissant; [*alarm, pressure, optimism, criticism, opposition*] grandissant; **to have a ~ need to do** avoir de plus en plus besoin de faire; **there is ~ concern about** on s'inquiète de plus en plus au sujet de; **she has a ~ following** elle a de plus en plus de partisans

growing pains *npl* **1** lit douleurs *fpl* de croissance; **2** fig (of firm, project) difficultés *fpl* dans le développement

growing season *n* période *f* de croissance

growl /graʊl/
A *n* (of dog, thunder) grondement *m*; (of person) grognement *m*; **to give a ~** grogner
B *vtr* grommeler [*insult, curse*]; **'no,' he ~ed** 'non,' grommela-t-il; **he ~ed his reply** il répondit en grommelant
C *vi* [*dog, thunder*] gronder; [*person*] grogner (**at** après)

grown /grəʊn/
A *pp* ▸ **grow**
B *adj* **a ~ man/woman** un/-e adulte; **~ men were reduced to tears** même les hommes ont pleuré
C **-grown** (*dans composés*) **moss-/weed-~** envahi par la mousse/par les mauvaises herbes; ▸ **full-grown, home-grown**

grown over *adj* = **overgrown 1**

grown-up
A /ˈgrəʊnʌp/ *n* adulte *mf*; grande personne *f*
B /ˌgrəʊnˈʌp/ *adj* adulte; **~ son** fils *m* adulte; **what do you want to do when you're ~?** qu'est-ce que tu veux faire quand tu seras grand?; **to behave in a ~ manner** se comporter en adulte; **to be ~ for one's age** être mûr pour son âge; **to look ~** avoir l'air d'un/-e adulte; **to sound ~** parler comme un/-e adulte

growth /grəʊθ/ *n* **1** (physical) (of person, plant) croissance *f*; (of hair, nails) pousse *f*; **2** (increase) (of population, movement, idea, feeling) croissance *f* (**in, of** de); (of economy) expansion *f* (**in, of** de); (of numbers, amount, productivity, earnings) augmentation *f* (**in** de); (of expenditure) hausse *f* (**in** de); **a ~ in crime** une augmentation du nombre de crimes; **3** Med grosseur *f*, tumeur *f*; **4** (thing growing) Bot pousse *f*; **the new ~ on a plant** la nouvelle pousse sur une plante; **a thick ~ of weeds** des mauvaises herbes qui poussent dru; **a week's ~ of beard** une barbe d'une semaine

growth: **~ area** *n* secteur *m* en expansion; **~ factor** *n* facteur *m* de croissance; **~ hormone** *n* hormone *f* de croissance; **~ industry** *n* industrie *f* en expansion

growth rate *n* **1** Econ taux *m* de croissance; **2** (of person, animal, plant) rythme *m* de croissance; **the population ~** le taux de croissance démographique

growth: **~ ring** *n* Bot (on tree) anneau *m*; **~ share** *n* valeur *f* de croissance

groyne GB, **groin** US /grɔɪn/ *n* épi *m* (*pour retenir le sable*)

grub /grʌb/
A *n* **1** Zool larve *f*; (in fruit) ver *m*; **2** ○(food) bouffe○ *f*; **~'s up!** à la bouffe!
B ○*vtr* (*p prés etc* **-bb-**) US **to ~ sth from sb** soutirer qch à qn

(Phrasal verbs) ■ **grub about, grub around**: ▸ **~ about** *ou* **~ around for sth** fouiner pour trouver qch

■ **grub up**: ▸ **~ [sth] up, ~ up [sth]** [*person, machine*] déraciner; [*animal, bird*] déterrer

grubbiness /ˈgrʌbɪnɪs/ *n* lit saleté *f*; fig infamie *f*

grubby /ˈgrʌbɪ/ *adj* lit malpropre; fig infâme

grub screw *n* vis *f* sans tête

grubstake○ US /ˈgrʌbsteɪk/
A *n* avance *f* (*pour un projet*)
B *vtr* avancer du fric○ à [*person*]; avancer du fric○ pour [*projet*]

Grub Street *n*: *le monde des plumitifs nécessiteux*

grudge /grʌdʒ/
A *n* **to bear** GB *ou* **hold** US **a ~** avoir de la rancune (**against** contre); **to bear sb a ~** en vouloir à qn, avoir de la rancune contre qn; **to harbour** *ou* **nurse a ~ against sb** garder de la rancune contre qn
B *vtr* **to ~ sb sth** en vouloir à qn de qch; **to ~ sb their success/good looks** en vouloir à qn de sa réussite/de sa beauté; **to ~ doing sth** rechigner à faire qch

grudging /ˈgrʌdʒɪŋ/ *adj* [*acceptance, admiration*] réticent; **to give sb ~ support** donner un soutien peu enthousiaste à qn; **to treat sb with ~ respect** respecter qn malgré soi; **to be ~ in one's praise/thanks** être avare de compliments/de remerciements

grudgingly /ˈgrʌdʒɪŋlɪ/ *adv* [*admit, tolerate*] avec réticence; **the man whom they ~ respected** l'homme qu'ils respectaient malgré eux

gruel /ˈgru:əl/ *n* gruau *m*

gruelling, **grueling** US /ˈgru:əlɪŋ/ *adj* exténuant

gruesome /ˈgru:səm/ *adj* (gory) horrible (also hum); (horrifying) épouvantable

gruff /grʌf/ *adj* bourru

gruffly /ˈgrʌflɪ/ *adv* d'un ton bourru

gruffness /ˈgrʌfnɪs/ *n* rudesse *f*; **the ~ of his voice** sa voix bourrue

grumble /ˈgrʌmbl/
A *n* **1** (complaint) ronchonnement *m*; **to have a ~ about sb/sth** ronchonner après qn/qch; **my only ~ is...** la seule chose dont j'ai à me plaindre est...; **2** (of thunder) grondement *m*; (of stomach) gargouillement *m*
B *vtr* **'if you insist,' he ~d** 'si vous y tenez,' ronchonna-t-il
C *vi* **1** [*person*] ronchonner (**at sb** après qn; **to** auprès de); **to ~ about sb/sth** se plaindre de qn/qch; **'How are you?'—'Oh, mustn't ~'** 'Ça va?'—'Oh, il n'y a pas à se plaindre'; **2** [*thunder*] gronder; [*stomach*] gargouiller

grumbler○ /ˈgrʌmblə(r)/ *n* ronchonneur/-euse○ *m/f*

grumbling /ˈgrʌmblɪŋ/
A *n* **1** ¢ (complaining) plaintes *fpl*; **2** (of thunder) grondement *m*; (of stomach) gargouillement *m*
B *adj* **1** (complaining) ronchon/-onne○; **~ appendix** appendicite *f* chronique

grump○ /grʌmp/ *n* (person) ronchon○ *mf*; **to have the ~s**○ être de mauvais poil○

grumpily /ˈgrʌmpɪlɪ/ *adv* [*speak*] en bougonnant; [*act*] d'un air maussade

grumpiness /ˈgrʌmpɪnɪs/ *n* caractère *m* bourru

grumpy /ˈgrʌmpɪ/ *adj* grincheux/-euse, grognon/-onne
grunge○ /ˈgrʌndʒ/ *n* **1** (dirt) crasse *f*; **2** Fashn grunge *m*
grungy○ /ˈgrʌndʒɪ/ *adj* crasseux/-euse
grunt /grʌnt/
A *n* **1** (of person, animal) grognement *m*; **to give a ~ of disapproval** émettre un grognement de désapprobation; **2** ◑US (soldier) troufion○ *m*
B *vtr* **to ~ a reply** répondre en grognant; **'go away!' he ~ed** 'va-t-en!' grogna-t-il
C *vi* **1** [*pig*] grogner; **2** [*person*] grogner, émettre un grognement; **to ~ with** *ou* **in pain/pleasure** grogner de douleur/plaisir
gryphon = **griffin**
GSM *n* (*abrév* = **Global System for Mobile**) GSM *m*
G: **~ spot** *n* point *m* G; **~-string** *n* Mus corde *f* de sol; Fashn string *m*, cache-sexe *m inv*; **~-suit** *n* combinaison *f* spatiale *or* anti-g
Gt *abrév écrite* = **Great**
guacamole /ˌgwɑːkəˈməʊleɪ, -lɪ/ *n* Culin guacamole *m*
Guadeloupe /ˌgwɑːdəˈluːp/ ▸ **p. 1129** *pr n* Guadeloupe; **in/to ~** à la *or* en Guadeloupe
guano /ˈgwɑːnəʊ/ *n* guano *m*
guarantee /ˌgærənˈtiː/
A *n* **1** Comm (warranty, document) garantie *f* (**against** contre); **to be under ~** GB être sous garantie; **there is a ~ on the vehicle** le véhicule est sous garantie; **this television comes with** *ou* **carries a one-year ~** cette télévision a une garantie d'un an *or* est garantie un an; **2** (assurance) garantie *f* (**against** contre); **to give ~s to sb** donner des garanties à qn; **you have my ~!** je vous en donne ma parole!; **beauty is not a ~ of happiness** la beauté n'est pas une garantie de bonheur; **there is no ~ that she will come** il n'est pas certain qu'elle viendra; **3** Jur (of financial liability, sb's debts) garantie *f*; **to give a ~ of sb's good behaviour** se porter garant de la bonne conduite de qn; **4** (security) (cash) caution *f*; (object) gage *m*, garantie *f*; **to give sth as a ~** [*money*] donner qch en caution; [*object*] donner qch en gage; **5** (person) = **guarantor**
B *vtr* **1** Comm garantir [*product, goods*] (**against** contre); **it's ~d for five years** il est garanti cinq ans; **~d waterproof** garanti étanche; **to be ~d against defective workmanship** être garanti contre les vices de fabrication; **2** (assure) garantir, assurer; **to ~ to do** s'engager à faire; **to ~ sb's safety** garantir la sécurité de qn; **I can ~ that they will come** je peux vous garantir qu'ils viendront; **I can't ~ that it's true** je ne peux pas garantir que ce soit vrai; **you won't regret it, I can ~ you that!** tu ne le regretteras pas, je te le garantis!; **her new novel is a ~d bestseller** son nouveau roman sera un bestseller à coup sûr; **the plan is ~d to succeed** le succès du plan est certain; **if we go for a walk, it's ~d to rain!** si nous allons faire une promenade, c'est sûr qu'il pleuvra!; **3** Jur **to ~ a loan** se porter garant *or* caution d'un emprunt; **to ~ sb for a loan** servir de garant *or* de caution à qn pour un emprunt; **to ~ sb's debts** servir de garant *or* de caution pour les dettes de qn; **to ~ a cheque** garantir un chèque; **to ~ a bill** avaliser une traite; **to ~ sb's good conduct** se porter garant de la bonne conduite de qn
guaranteed: **~ interest** *n* taux *m* d'intérêt fixe garanti; **~ loan** *n* prêt *m* garanti; **~ price** *n* prix *m* garanti
guarantor /ˌgærənˈtɔː(r)/ *n* caution *f*, garant/-e *m/f*; **to stand ~ for sb** se porter garant de qn
guaranty /ˈgærəntɪ/ *n* (all contexts) garantie *f*
guard /gɑːd/
A *n* **1** (minder) (for person) surveillant/-e *m/f*; (for place, object) gardien/-ienne *m/f*; **2** (at prison) gardien/-ienne *m/f*; (soldier) garde *m*; **3** Mil (duty) garde *f*, surveillance *f*; **to be on ~** être de garde; **to go on ~** prendre son tour de garde; **to come off ~** finir son tour de garde; **to keep** *ou* **stand ~** monter la garde (**over** auprès de); **to mount (a) ~ over sb/sth** monter la garde auprès de qn/qch; **the changing of the ~** GB la relève de la garde; **4** (watchfulness) **to drop** *ou* **relax** *ou* **lower one's ~** baisser la garde; **to catch sb off ~** prendre qn au dépourvu; **to be on one's ~** être sur ses gardes; **to be on one's ~ against sth** se méfier de qch; **to be on one's ~ against sth happening** veiller à ce que qch n'arrive pas; **5** (group of soldiers, police etc) **to transport sth under an armed ~** transporter qch sous escorte armée; **6** GB Rail chef *m* de train; **7** (for safety) (on printer) couvercle *m*; (on industrial machinery) carter *m* de protection; **8** GB (in names of regiments) garde *m*; **the Scots Guards** la garde écossaise; **the Coldstream Guard** le régiment de Coldstream; **9** (in Ireland) (policeman) policier *m* (irlandais)
B *vtr* **1** (protect) surveiller [*place, object*]; protéger [*person, reputation*]; **a dog ~s the house** un chien garde la maison; **the house/border is heavily ~ed** la maison/la frontière est sous haute surveillance; **to ~ sth with one's life** protéger qch au péril de sa vie; **to ~ one's tongue** fig surveiller sa langue; **2** (prevent from escaping) surveiller [*prisoner*]; **to be closely ~ed** être surveillé de près; **3** (from discovery) garder [*secret*]; **a closely ~ed secret** un secret bien gardé
(Idiom) **the old ~** la vieille garde
(Phrasal verb) ■ **guard against**: ▸ **~ against [sth]** se prémunir contre [*abuses, cheating, failure*]; **to ~ against doing sth** prendre garde à ne pas faire qch; **to ~ against sth happening** veiller à ce que qch n'arrive pas
guard dog *n* chien *m* de garde
guard duty *n* **to be on ~** être de garde
guarded /ˈgɑːdɪd/ *adj* circonspect (**about** à propos de)
guardedly /ˈgɑːdɪdlɪ/ *adv* avec circonspection
guardedness /ˈgɑːdɪdnɪs/ *n* réserve *f*
guardhouse *n* poste *m* de garde
guardian /ˈgɑːdɪən/ *n* **1** Jur tuteur/-trice *m/f*; **legal ~** tuteur/-trice *m/f* légal/-e; **2** (defender) gardien/-ienne *m/f* (**of** de)
guardian angel *n* lit, fig ange *m* gardien
guard: **~ of honour** *n* garde *f* d'honneur; **~ rail** *n* Aut glissière *f* de sécurité; (on bridge, window) garde-fou *m*; **~room** *n* salle *f* d'arrêt(s); **~sman** *n* GB Mil garde *m* (*membre de la garde royale*); US Mil soldat *m* de la garde nationale; **~'s van** *n* GB Rail fourgon *m* à bagages
Guatemala /ˌgwɑːtəˈmɑːlə/ ▸ **p. 1096** *pr n* Guatemala *m*
Guatemalan /ˌgwɑːtəˈmɑːlən/ ▸ **p. 1467**
A *n* Guatémaltèque *mf*
B *adj* guatémaltèque
guava /ˈgwɑːvə, US ˈgwɔːvə/ *n* (tree) goyavier *m*; (fruit) goyave *f*
gubbins○ /ˈgʌbɪnz/ *n* GB **1** (gadget) truc○ *m*; **2** (idiot) andouille○ *mf*
gubernatorial /ˌguːbənəˈtɔːrɪəl/ *adj* sout du *or* de gouverneur
gudgeon /ˈgʌdʒən/ *n* Zool goujon *m*
gudgeon pin *n* goupille *f*
guelder rose /ˌgeldə ˈrəʊz/ *n* boule-de-neige *f*
Guelf, Guelph /gwelf/ *pr n* Pol Hist guelfe *m*
guernsey /ˈgɜːnzɪ/ *n* Fashn pull *m* marin
Guernsey /ˈgɜːnzɪ/ *pr n* **1** ▸ **p. 1355** Geog Guernesey *f*; **2** (*also* **~ cow**) Guernesey *f*
guerrilla /gəˈrɪlə/
A *n* guérillero *m*; **urban ~s** guérilla *f* urbaine
B *modif* [*attack, organization*] de guérilleros
guerrilla: **~ war** *n* guérilla *f*; **~ warfare** *n* guérilla *f*
guess /ges/
A *n* supposition *f*, conjecture *f*; **to have** *ou* **make** *ou* **take a ~** essayer de deviner; **to have** *ou* **make** *ou* **take a ~ at sth** essayer de deviner qch; **my ~ is that they will lose** à mon avis ils vont perdre; **at a (rough) ~ I would say that he is about 30** au hasard je dirais qu'il a 30 ans environ; **there are, at a ~, ten families living in that building** il doit y avoir approximativement une dizaine de familles habitant cet immeuble; **I'll give you three ~es!** devine un peu!; **that was a good ~!** tu as deviné juste!; **'how did you know?'—'just a lucky ~!'** 'comment est-ce que tu l'as su?'—'c'est le hasard'; **to make a wild ~** deviner au hasard; **your ~ is as good as mine** je n'en sais pas plus que toi; **it's anybody's ~!** les paris sont ouverts!; **what will happen now is anybody's ~** Dieu seul sait ce qui va arriver maintenant
B *vtr* **1** (intuit) deviner [*answer, reason, name, identity*]; deviner, estimer [*length, width*]; **to ~ that** conjecturer que, supposer que; **to ~ sb's age** (correctly) deviner l'âge de qn; (make estimate) donner un âge à qn; **I should ~ him to be about 30** je lui donnerais 30 ans environ; **I ~ed the time to be about one o'clock** il me semblait qu'il devait être environ une heure; **she had ~ed what I was thinking** elle avait deviné mes pensées; **you'll never ~ what has happened!** tu ne devineras jamais ce qui vient d'arriver!; **I ~ed as much!** je m'en doutais!; **~ what! I've won a prize!** tu sais quoi○! j'ai gagné un prix!; **~ who!** devine qui c'est!; **2** US (suppose) supposer; (believe, think) penser, croire; **I ~ (that) what he says is true** je suppose que ce qu'il dit est vrai; **I ~ (that) I must be going now** il faut que je m'en aille maintenant; **'he's right, you know'—'I ~ so'** 'il a raison, tu sais'—'oui, je suppose'; **'you can't be sure'—'I ~ not'** 'tu ne peux pas être sûr'—'non, effectivement'
C *vi* **1** deviner; **to ~ at** faire des suppositions *or* des conjectures quant à [*plans, outcome*]; **to ~ right** deviner juste; **to ~ wrong** se tromper; **you're just ~ing!** tu ne fais que deviner!; **you'll never ~!** tu ne devineras jamais!; **I couldn't begin to ~** je n'en ai pas la moindre idée; **to keep sb ~ing** laisser qn dans le doute
guesstimate○ /ˈgestɪmət/
A *n* calcul *m* approximatif
B *vtr* calculer [qch] approximativement
guesswork /ˈgeswɜːk/ *n* conjecture *f*; **it's pure ~** c'est de la conjecture, ce ne sont que des hypothèses
guest /gest/
A *n* **1** (in home, at table, at reception) invité/-e *m/f*; (of hotel) client/-e *m/f*; (of boarding house) pensionnaire *mf*; (at conference, on chat show) invité/-e *m/f*; **~ of honour** invité/-e *m/f* d'honneur; **paying ~** hôte *m* payant; **house ~** invité/-e *m/f*; **three uninvited ~s** trois personnes qui n'avaient pas été invitées; **be my ~!** je vous en prie!; **2** Biol hôte *m*
B *modif* [*singer, speaker, conductor etc*] invité; **~ book** livre *m* d'or; **~ list** liste *f* des invités; **~ night** (at club) *soirée non réservée aux membres d'un club*; **~ star** gen invité(e) d'honneur ; (in film credits) avec la participation de; **making a ~ appearance on tonight's show is X** pour notre spectacle de ce soir nous avons invité X; **our ~ speaker tonight is...** notre invité(e) ce soir est...
C *vi* **to ~ on a programme** être invité à une émission
guest: **~house** *n* pension *f* de famille; **~ room** *n* chambre *f* d'amis; **~worker** *n* travailleur *m* immigré, travailleuse *f* immigrée
guff○ /gʌf/ *n* ¢ sottises *fpl*
guffaw /gəˈfɔː/
A *n* gros éclat *m* de rire
B *vi* partir d'un gros éclat de rire
GUI *n*: *abrév* ▸ **graphical user interface**
Guiana /gaɪˈænə/ ▸ **p. 1096** *pr n* Guyane *f*; **the ~s** les Guyanes

guidance /ˈɡaɪdns/ *n* **1** (advice) conseils *mpl* (**from** de); **clear ~** conseils clairs; **~ on legal procedures** conseils en matière de procédures légales; **~ on how to do** conseils sur la façon de faire; **~ as to the resolution of conflict** conseils en vue de la résolution d'un conflit; **basic ~ in areas such as finance** des informations de base dans des domaines tels que la finance; **to give sb ~** donner des conseils à qn; **to seek ~ on a matter** demander conseil sur une (certaine) question; **to seek the ~ of one's superiors** solliciter l'avis de ses supérieurs; **this leaflet is for your ~** ce prospectus est pour vous, à titre d'information; **under the ~ of sb** sous la direction de qn; **2** Aerosp (télé)guidage *m*

guide /ɡaɪd/
A *n* **1** (person) guide *m*; **tour ~** guide (touristique); **spiritual/moral ~** guide spirituel/moral; **to engage a ~** prendre un guide; **to act as a ~** servir de guide; **let reason be your ~** fig laissez-vous guider par la raison; **2** (estimate, idea) indication *f*; **a ~ as to the cost/as to his whereabouts** une indication quant aux frais/quant à l'endroit où il se trouve; **the figure is meant to be a ~** le chiffre est donné à titre d'indication; **these answers are a good ~** ces réponses sont une bonne indication; **a rough ~** une indication approximative; **as a rough ~** à titre d'indication; **3** (book) guide *m* (**to** de); **a ~ to Greece** Tourism un guide de la Grèce; **TV ~** programme *m* de télé(vision); **user's ~** manuel *m* d'utilisation; **good food ~** guide gastronomique; **4** (*also* **Girl Guide**) guide *f*; **5** Tech (directing device) guide *m*
B *vtr* **1** (steer) guider, conduire [*person*] (**to** vers; **through** à travers); **2** (influence) [*person*] guider; [*reason*] dicter; **he allowed himself to be ~d by his elders** il a consenti à se laisser guider par ses aînés; **my actions were ~d by reason** mes actions étaient dictées par la raison; **to be ~ed by sb's advice** suivre les conseils de qn; **3** Aerosp, Mil (télé)guider [*rocket, missile*]

guide: **~ book** *n* guide *m*; **~d missile** *n* missile *m* (télé)guidé; **~ dog** *n* chien *m* d'aveugle; **~d tour** *n* visite *f* guidée

guideline /ˈɡaɪdlaɪn/ *n* **1** (rough guide) indication *f* (**for** pour; **on** sur); **can you give me some ~s on how to look after it?** pouvez-vous m'indiquer en gros comment l'entretenir?; **2** Admin, Pol directive *f* (**for** pour; **on** sur); *pay* **~s** base *f* des négociations salariales; **3** (advice) conseil *m* (**for** pour; **on** sur); **to follow the ~s** suivre les conseils; **health/safety ~s** conseils *mpl* de santé/sécurité

guide: **~ post** *n* poteau *m* indicateur; **~ rail** *n* Tech rail *m*; **~ rope** *n* main *f* courante

guiding /ˈɡaɪdɪŋ/
A *n* GB **the history of ~** l'histoire des Guides
B *adj* **~ force** fig moteur *m*; **~ principle** principe *m* directeur; **~ light** (person) flambeau *m*

guild /ɡɪld/ *n* (medieval) guilde *f*; (modern) association *f*

guilder /ˈɡɪldə(r)/ *n* Fin, Hist florin *m*

guildhall /ˈɡɪldhɔːl/ *n* (medieval) *salle de réunion d'une guilde*; (modern) hôtel *m* de ville; **the Guildhall** la salle des banquets de la Cité de Londres

guile /ɡaɪl/ *n* ruse *f*; **full of ~** prêt à toutes les ruses; **without ~** candide

guileful /ˈɡaɪlfl/ *adj* rusé

guileless /ˈɡaɪllɪs/ *adj* candide

guillemot /ˈɡɪlɪmɒt/ *n* guillemot *m*

guillotine /ˈɡɪlətiːn/
A *n* **1** (for execution) guillotine *f*; **2** (for paper) massicot *m*; **3** GB Pol *système qui limite la durée des débats parlementaires*
B *vtr* guillotiner [*person*]

guilt /ɡɪlt/ *n* **1** (blame) gen, Jur culpabilité *f*; **to admit ~** admettre sa culpabilité; **to establish/prove sb's ~** établir/prouver la culpabilité de qn; **where does the ~ lie?** qui est le coupable?; **2** (feeling) sentiment *m* de culpabilité (**about sb** envers qn; **about** *ou* **over sth** pour qch); **to feel no ~** n'éprouver aucun sentiment de culpabilité; **sense of ~** sentiment de culpabilité

guiltily /ˈɡɪltɪlɪ/ *adv* [*say, look*] d'un air coupable; [*react, do*] se sentant coupable

guiltless /ˈɡɪltlɪs/ *adj* sout innocent

guilty /ˈɡɪltɪ/ *adj* **1** Jur coupable; **to be ~ of/of doing** être coupable de/de faire; **to be found ~/not ~ of sth** être reconnu coupable/déclaré non coupable de qch; **the ~ party** le/la coupable *m/f*; **2** (remorseful) [*expression, feeling*] de culpabilité; [*appearance, look*] coupable; **to feel ~ about sb/sth** se sentir coupable vis-à-vis de qn/qch; **to have a ~ conscience** avoir la conscience lourde

guinea /ˈɡɪnɪ/ *n* GB Hist guinée *f*

Guinea /ˈɡɪnɪ/ ▸ **p. 1096** *pr n* Guinée *f*

Guinea-Bissau ▸ **p. 1096** *pr n* Guinée-Bissao *f*

guinea-fowl /ˈɡɪnɪfaʊl/, **guinea-hen** /ˈɡɪnɪhen/ *n* pintade *f*

guinea-pig /ˈɡɪnɪpɪɡ/ *n* **1** Zool cochon *m* d'Inde; **2** fig (in experiment) cobaye *m*; **to be a ~** servir de cobaye

Guinness® /ˈɡɪnɪs/ *pr n* Guinness® *f* (*bière brune*)

guise /ɡaɪz/ *n* littér **in** *ou* **under the ~ of a joke** sous (le) couvert de la plaisanterie; **in the ~ of a champion** sous l'aspect d'un champion; **in the ~ of doing sth** sous prétexte de faire qch; **in various** *ou* **different ~s** sous différentes formes

guitar /ɡɪˈtɑː(r)/ ▸ **p. 1462**
A *n* guitare *f*; **on the ~** à la guitare
B *modif* [*lesson, player, string, teacher*] de guitare; [*concerto*] pour guitare; **~ case** étui *m* à guitare

guitarfish /ɡɪˈtɑːfɪʃ/ *n* (*pl* **~** *or* **~es**) rhinobatos *m*

guitarist /ɡɪˈtɑːrɪst/ ▸ **p. 1683, p. 1462** *n* guitariste *mf*

Gujarat /ˌɡuːdʒəˈrɑːt/ *pr n* Gujerat *m*

Gujarati /ˌɡuːdʒəˈrɑːtɪ/ ▸ **p. 1378**
A *pr n* **1** (person) Goujarati *mf*; **2** Ling goujarati *m*
B *adj* goujarati

Gulag /ˈɡuːlæɡ/ *n* Goulag *m*

gulch /ɡʌltʃ/ *n* US ravin *m*

gulf /ɡʌlf/ *n* **1** fig fossé *m*; **the ~ between X and Y/between the two groups** le fossé qui sépare X et Y/qui sépare les deux groupes; **2** Geog golfe *m*

Gulf /ɡʌlf/ *pr n* **the ~** la région *f* du Golfe

Gulf States *pr npl* **the ~** GB les États *mpl* du Golfe; US *les États bordant le golfe du Mexique*

Gulf Stream *pr n* **the ~** le Gulf Stream

Gulf War *pr n* guerre *f* du Golfe

Gulf War syndrome ▸ **p. 1327** *n* Med, Mil syndrome *m* de la guerre du Golfe

gull /ɡʌl/
A *n* **1** Zool mouette *f*; (larger) goéland *m*; **2** †(dupe) dupe *f*
B †*vtr* duper

gullet /ˈɡʌlɪt/ *n* (throat) gosier *m*; (oesophagus) œsophage *m*; **to have sth stuck in one's ~** lit avoir qch coincé dans la gorge; **the words stuck in my ~** fig les mots ne sont pas sortis

gullibility /ˌɡʌləˈbɪlətɪ/ *n* crédulité *f*

gullible /ˈɡʌləbl/ *adj* crédule

gull: **~-wing** *n* Aviat aile *f* en M; **~-wing door** *n* portière *f* papillon

gully /ˈɡʌlɪ/ *n* **1** Geog ravin *m*; **2** (drain) caniveau *m*; **3** (in cricket) (player) gully *m*; (area) zone *f* de jeu du gully

gulp /ɡʌlp/
A *n* **1** (mouthful) (of liquid) gorgée *f*, lampée○ *f*; (of air) bouffée *f*, goulée *f*; (of food) bouchée *f*; **to breathe in ~s of air** avaler l'air par bouffées; **she drained her glass with** *ou* **in one ~** elle a vidé son verre d'un trait; **2** (noise) (nervous) serrement *m* de gorge; (tearful) hoquet *m*; **he swallowed it with a loud ~** il l'a avalé en déglutissant bruyamment; **'it's my fault,' she said with a ~** 'c'est de ma faute,' dit-elle en hoquetant
B *vtr* **1** (swallow) engloutir [*food, drink*]; aspirer [*air*]; **there they were, ~ing brandy** ils étaient là en train de boire du cognac à grands traits; **2** (in emotion) **'you're not angry, are you?,' he ~ed** 'tu n'es pas fâchée, j'espère,' dit-il la gorge serrée
C *vi* avoir la gorge serrée

(Phrasal verbs) ■ **gulp back**: ▸ **~ back [sth], ~ [sth] back** ravaler [*tears*]
■ **gulp down**: ▸ **~ down [sth], ~ [sth] down** engloutir [*food, drink*]; **he ~ed down his drink and left** il a vidé son verre d'un trait et il est parti

gum /ɡʌm/
A *n* **1** Anat gencive *f*; **2** (*also* **chewing ~**) chewing-gum *m*; **a piece** *ou* **stick of ~** un chewing-gum; **3** (for glueing) colle *f*; **4** (from tree) gomme *f*
B *vtr* (*p prés etc* **-mm-**) (spread with glue) gommer; (join with glue) coller (**to** à; **on** sur; **together** ensemble); **~med label** étiquette gommée
C ○*excl* **by ~!** nom d'un chien○!

(Idiom) **to ~ up the works**○ chambouler○ tout

(Phrasal verbs) ■ **gum down**: ▸ **~ [sth] down, ~ down [sth]** coller
■ **gum up**: ▸ **~ up [sth]** coller

gum arabic *n* gomme *f* arabique

gumbo /ˈɡʌmbəʊ/ *n* (*pl* **~s**) Bot, Culin gombo *m*

gum: **~boil** *n* fluxion *f* dentaire; **~boot** *n* GB botte *f* en caoutchouc; **~ disease** ▸ **p. 1327** *n* gingivite *f*; **~drop** *n* boule *f* de gomme

gummy /ˈɡʌmɪ/ *adj* **1** [*smile*] édenté; **2** [*liquid*] gluant

gumption○ /ˈɡʌmpʃn/ *n* (common sense) jugeote○ *f*; (courage) cran○ *m*

gumshield /ˈɡʌmʃiːld/ *n* protège-dents *m inv*

gumshoe○ /ˈɡʌmʃuː/
A *n* (private investigator) détective *m* privé; (police detective) agent *m* de police en civil
B *vi* US agir furtivement

gum tree *n* gommier *m*

(Idiom) **to be up a ~** être en position délicate

gun /ɡʌn/
A *n* **1** (weapon) gen arme *f* à feu; (revolver) revolver *m*; (rifle) fusil *m*; (cannon) canon *m*; **to carry a ~** porter une arme à feu; **to fire a ~** tirer; **to draw a ~ on sb** braquer une arme sur qn; **watch out! he's got a ~!** attention! il est armé!; **2** (tool) pistolet *m*; **glue/paint ~** pistolet à colle/à peinture; ▸ **grease gun**; **3** ○US (gunman) gangster *m*; **a hired ~** un tueur à gages; **the fastest ~ in the West** le tireur le plus rapide de l'Ouest
B *vtr* (*p prés etc* **-nn-**) **to ~ an engine** mettre les gaz○

(Idioms) **to go great ~s**○ [*business*] marcher très fort○; [*person*] péter le feu◑; **to hold a ~ to sb's head** mettre le couteau sous la gorge de qn; **to jump the ~** agir prématurément; **to stick to one's ~s**○ (in one's actions) s'accrocher○; **she's sticking to her ~s**○ (in opinions) elle s'accroche○ à ses idées; ▸ **big gun**

(Phrasal verbs) ■ **gun down**: ▸ **~ [sb] down, ~ down [sb]** abattre, descendre [*person*]
■ **gun for**: ▸ **~ for [sb]** chercher des crosses à○

gun: **~ barrel** *n* canon *m* de fusil; **~boat** *n* canonnière *f*; **~boat diplomacy** *n* politique *f* de la canonnière; **~ carriage** *n* affût *m* de canon; (at funeral) prolonge *f* d'artillerie; **~dog** *n* chien *m* de chasse; **~fight** *n* échange *m* de coups de feu

g

gunfire /ˈɡʌnfaɪə(r)/ *n* ¢ (from hand-held gun) coups *mpl* de feu; (from artillery) fusillade *f*; **the sound of ~** le bruit d'une fusillade; **under ~** sous le feu
gunge○ /ɡʌndʒ/ GB
A *n* magma *m* répugnant
B *vtr* **to be all ~d up**○ être tout encrassé, être crado○
gung ho○ /ˌɡʌŋˈhəʊ/ *adj* hum *ou* péj (eager for war) va-t-en guerre *inv*; (overzealous) (trop) enthousiaste
gunk○ /ɡʌŋk/ *n* magma○ *m* répugnant
gun: **~ laws** *npl* législation *f* sur les armes à feu; **~ licence** *n* permis *m* de port d'armes; **~man** *n* bandit *m* armé; **~metal** *n* bronze *m* à canon; **~metal grey** *n, adj* gris (*m*) foncé
gunner /ˈɡʌnə(r)/ *n* GB (in navy) canonnier *m*; (in army) artilleur *m*
gunnery /ˈɡʌnərɪ/ *n* artillerie *f*
gunnery sergeant *n* US *artilleur sous-officier*
gunny /ˈɡʌnɪ/ *n* US (fabric) toile *f* de jute
gunnysack /ˈɡʌnɪsæk/ *n* US sac *m* de jute
gunplay /ˈɡʌnpleɪ/ *n* US échange *m* de coups de feu
gunpoint /ˈɡʌnpɔɪnt/ *n* **to hold sb up at ~** tenir qn sous la menace d'une arme
gun: **~powder** /ˈɡʌnpaʊdə(r)/ *n* poudre *f*; **Gunpowder Plot** *pr n* Hist Conspiration *f* des Poudres; ▸ **Bonfire Night**; **~room** *n* armurerie *f*; **~runner** *n* trafiquant/-e *m/f* d'armes; **~running** *n* trafic *m* d'armes
gunsel○ /ˈɡʌnsl/ *n* US ① (boy) *jeune homosexuel entretenu*; ② (gunman) bandit *m* armé
gunship /ˈɡʌnʃɪp/ *n* Mil Aviat hélicoptère *m* de combat
gunshot /ˈɡʌnʃɒt/ *n* ① (report) coup *m* de feu; ② (range) **to be within ~** être à portée de tir; **to be out of ~** être hors de portée de tir
gunshot wound *n* blessure *f* par balle
gun-shy *adj* **~ dog** chien *m* que les coups de fusil effraient
gun: **~slinger**○ *n* US bandit *m* armé; **~smith** ▸ **p. 1683** *n* armurier *m*; **~turret** *n* Mil tourelle *f*
gunwale /ˈɡʌnl/ *n* plat-bord *m*; **full to the ~s** plein à ras bords
guppy /ˈɡʌpɪ/ *n* guppy *m*
gurgle /ˈɡɜːɡl/
A *n* (of water) gargouillement *m*; (of baby) gazouillis *m*; **to give ~s of pleasure** gazouiller de contentement
B *vi* [*water*] gargouiller; [*baby*] gazouiller
Gurkha /ˈɡɜːkə/ *n* Gurkha *m*
gurnard /ˈɡɜːnəd/, **gurnet** /ˈɡɜːnɪt/ *n* grondin *m*
guru /ˈɡʊruː, US ɡəˈruː/ *n* gourou *m*
gush /ɡʌʃ/
A *n* ① (of water, oil, blood) jaillissement *m*; ② (of enthusiasm, pleasure) élan *m*
B *vtr*: **'darling,' he ~ed** 'ma chérie,' s'extasia-t-il
C *vi* ① [*water, oil, blood*] jaillir; **tears ~ed down her cheeks** ses joues ruisselaient de larmes; ② fig **to ~ over sb/sth** s'extasier devant qn/qch
(Phrasal verbs) ■ **gush in** [*water, oil etc*] s'engouffrer.
■ **gush out** [*water, oil etc*] jaillir
gusher○ /ˈɡʌʃə(r)/ *n* (oil well) puits *m* jaillissant
gushing /ˈɡʌʃɪŋ/, **gushy** /ˈɡʌʃɪ/ *adj* [*person*] hyperexpansif/-ive○; [*letter, style*] dithyrambique○
gusset /ˈɡʌsɪt/ *n* soufflet *m*
gussy○ /ˈɡʌsɪ/ US *vtr* (*also* **~ up**) habiller [*person*]; **to be all gussied up**○ être sur son trente et un○
gust /ɡʌst/
A *n* ① (of wind, rain, snow) rafale *f*; **a ~ of hot air** une bouffée d'air chaud; ② (of anger) bouffée *f*; **a ~ of laughter** un éclat de rire
B *vi* [*wind*] souffler en rafales; [*rain, snow*] tomber en rafales; **winds ~ing up to 60 mph** des vents qui atteignent 100 km/h
gusto /ˈɡʌstəʊ/ *n* **with ~** avec enthousiasme; **to eat with ~** manger goulûment; **to sing with ~** chanter à pleins poumons
gusty /ˈɡʌstɪ/ *adj* [*day, weather*] de grand vent
gut /ɡʌt/
A *n* ① ○(abdomen, belly) bide○ *m*; **he was shot in the ~** on lui a tiré dans le bide○; **beer ~** brioche○ *f* (*de buveur de bière*); ② Anat (intestine) intestin *m*; ③ (for racket, bow) boyau *m*
B **guts**○ *npl* ① (insides) (of human) tripes○ *fpl*; (of animal) entrailles *fpl*; (of building) entrailles *fpl*; (of machine) rouages *mpl*; **to have a pain in one's ~s** avoir mal au bide○; ② (courage) cran○ *m*; **to have the ~s to do sth** avoir le cran○ de faire qch; **he's a president with ~s** c'est un président qui a du cran○
C *modif* ① (instinctive, basic) [*feeling, nationalism, reaction*] viscéral, instinctif/-ive; [*instinct*] premier/-ière (*before n*); **it's a ~ issue** c'est une question de tripes○; **my ~ feeling is that** je pense instinctivement que; ② ○US Sch, Univ facile, fastoche○
D *vtr* (*p prés etc* **-tt-**) ① Culin vider [*fish, animal*]; ② (destroy) [*fire*] ravager [*building*]; [*looters*] saccager [*shop*]; ③ (strip) **we ~ted the house** nous avons tout refait dans la maison
E **gutted**○ *pp adj* GB abattu, découragé; **he was ~ted** ça lui a fichu un coup○
(Idioms) **to hate sb's ~s**◑ ne pas pouvoir blairer◑ qn; **to work one's ~s**◑ **out** se crever le cul au boulot◑; **to scream one's ~s**◑ **out** crier à s'en faire claquer le larynx○
gutless /ˈɡʌtlɪs/ *adj* mou/molle
gutsy○ /ˈɡʌtsɪ/ *adj* ① (spirited) fougueux/-euse, plein de punch○; ② (brave) courageux/-euse
gutta-percha /ˌɡʌtə ˈpɜːtʃə/ *n* gutta-percha *f*
gutter /ˈɡʌtə(r)/
A *n* ① (on roof) gouttière *f*; (in street) caniveau *m*; ② fig **the language of the ~** la langue des bas-fonds; **to come up from the ~** venir des bas-fonds; **to drag sb (down) into the ~** traîner qn dans le ruisseau○
B *vi* [*flame*] crépiter et vaciller; **the candle ~ed out** la bougie vacilla et s'éteignit
guttering /ˈɡʌtərɪŋ/ *n* ¢ gouttières *fpl*
gutter: **~ press** *n* presse *f* à sensation; **~snipe** *n* péj gosse *mf* des rues
guttural /ˈɡʌtərəl/
A *n* Ling gutturale *f*
B *adj* guttural
guv○ /ɡʌv/ *n* GB (*abrév* = **governor**) chef○ *m*
guvnor○ /ɡʌvnər/ *n* GB = **guv**○
guy○ /ɡaɪ/
A *n* ① (man) type○ *m*; **a good/bad ~** (in films etc) un bon/méchant; **her ~** (boyfriend) son homme○; **hey, you ~s!** (to men, mixed group) eh! vous, les mecs○!; (to women) eh! les filles○!; ② GB *effigie de Guy Fawkes qu'on brûle le 5 novembre*. ▸ **Bonfire Night**; ③ (rope) = **guy-rope**
B *vtr* tourner [qn/qch] en ridicule
Guyana /ɡaɪˈænə/ ▸ **p. 1096** *pr n* Guyana *f*
Guyanese /ˌɡaɪəˈniːz/ ▸ **p. 1467**
A *n* Guyanien/-ienne *m/f*
B *adj* guyanien/-ienne
Guy Fawkes Night /ˈɡaɪ fɔːks naɪt/ *n* GB le 5 novembre (*anniversaire de la Conspiration des Poudres*). ▸ **Bonfire Night**
guyrope /ˈɡaɪrəʊp/ *n* (on tent) corde *f* d'attache
guzzle○ /ˈɡʌzl/
A *vtr* engloutir
B *vi* s'empiffrer○
guzzler○ /ˈɡʌzlə(r)/ *n* goinfre○ *mf*
Gwent /ɡwent/ ▸ **p. 1612** *pr n* Gwent *m*
Gwynedd /ˈɡwɪnəð/ ▸ **p. 1612** *pr n* Gwynedd *m*
gybe /dʒaɪb/ *vi* Naut empanner
gym /dʒɪm/ ▸ **p. 1253**
A *n* ① (*abrév* = **gymnasium**) salle *f* de gym○, gymnase *m*; ② (*abrév* = **gymnastics**) gym○ *f*
B *modif* [*equipment, lesson*] de gym○
gymkhana /dʒɪmˈkɑːnə/ *n* concours *m* hippique
gymnasium /dʒɪmˈneɪzɪəm/ *n* (*pl* **~s** *ou* **-ia**) gymnase *m*
gymnast /ˈdʒɪmnæst/ *n* gymnaste *mf*
gymnastic /dʒɪmˈnæstɪk/ *adj* de gymnastique
gymnastics /dʒɪmˈnæstɪks/ ▸ **p. 1253** *npl* ① (+ *v sg*) (subject) gymnastique *f* ¢; ② (+ *v pl*) **mental ~** gymnastique *f* mentale
gym: **~ shoe** *n* (chaussure *f* de) tennis *f*; **~slip** *n* GB robe *f* chasuble (*faisant partie d'un uniforme scolaire*)
gynae○ /ɡaɪnɪ/ *n* gynéco○ *mf*
gynaecological GB, **gynecological** US /ˌɡaɪnəkəˈlɒdʒɪkl/ *adj* gynécologique
gynaecologist GB, **gynecologist** US /ˌɡaɪnəˈkɒlədʒɪst/ ▸ **p. 1683** *n* gynécologue *mf*
gynaecology GB, **gynecology** US /ˌɡaməˈkɒlədʒɪ/ *n* gynécologie *f*
gyp○ /dʒɪp/
A *n* ① GB (pain) **my back is giving me ~** j'ai mal au dos en ce moment; ② US (swindle) arnaque○ *f*; ③ US (swindler) arnaqueur/-euse○ *m/f*; ④ GB Univ domestique *mf*
B *vtr* (*p prés etc* **-pp-**) **to ~ sb out of sth** arnaquer○ qn de qch; **to get ~ped** se faire arnaquer○
gyp joint○ *n* US boîte *f* où l'on se fait plumer○
gyppo◑ /ˈdʒɪpəʊ/ *n* (*pl* **-os**) GB injur (gypsy) gitan/-e *m/f*; (Egyptian) Égyptien/-ienne *m/f*
gypsophila /dʒɪpˈsɒfɪlə/ *n* gypsophile *f*
gypster○ /ˈdʒɪpstə(r)/ *n* US (swindler) arnaqueur/-euse *m/f*
gypsum /ˈdʒɪpsəm/
A *n* Miner, Geol gypse *m*
B *modif* [*deposit, quarry*] de gypse
gypsy /ˈdʒɪpsɪ/
A *n* gen bohémien/-ienne *m/f*; (Central European) tzigane *mf*; (Spanish) gitan/-e *m/f*
B *modif* [*camp, site*] de bohémiens; [*music*] tzigane; [*life*] de bohémien
gypsy: **~ cab**○ *n* US taxi *m* clandestin; **~ moth** *n* zigzag *m*
gyrate /ˌdʒaɪˈreɪt, US ˈdʒaɪreɪt/ *vi* [*dancer*] se trémousser; [*kite*] décrire des cercles
gyration /ˌdʒaɪˈreɪʃn/ *n* (of dancer) trémoussement *m*; (of kite, fish etc) mouvement *m* giratoire
gyratory /ˈdʒaɪrətrɪ, ˌdʒaɪˈreɪtrɪ/ *adj* giratoire
gyrfalcon /ˈdʒɜːfɔːlkən/ *n* gerfaut *m*
gyro○ /ˈdʒaɪərəʊ/ *n* ① *abrév* = **gyroscope**; ② *abrév* = **gyrocompass**
gyrocompass /ˈdʒaɪrəʊkʌmpəs/ *n* gyrocompas *m*
gyromagnetic /ˌdʒaɪrəʊmæɡˈnetɪk/ *adj* gyromagnétique
gyroscope /ˈdʒaɪrəskəʊp/ *n* gyroscope *m*
gyroscopic /ˌdʒaɪrəˈskɒpɪk/ *adj* gyroscopique
gyrostabilizer /ˌdʒaɪrəʊˈsteɪbəlaɪzə(r)/ *n* stabilisateur *m* gyroscopique
gyrostat /ˈdʒaɪrəstæt/ *n* gyrostat *m*

g

h, H /eɪtʃ/ *n* h, H *m*; **aspirate/mute ~** h aspiré/muet; **to drop one's ~'s** GB ne pas aspirer les 'h', avoir un accent populaire

ha /hɑː/

A *n*: *abrév écrite* = **hectare**

B *excl* **1** (to express triumph, scorn etc) ah; **2** **'~! ~!'** (laughter) 'ah, ah, ah!'; très drôle! iron

habeas corpus /ˌheɪbɪəs ˈkɔːpəs/ *n* Jur (right) habeas corpus *m*

> **Habeas corpus**
>
> Loi anglaise de 1679 qui protège le citoyen contre l'arrestation et la détention arbitraires. Tout accusé à le droit d'être entendu dans les 24 heures qui suivent son arrestation et d'attendre en liberté son jugement, moyennant caution. Cette procédure est également en vigueur aux États-Unis.

haberdasher /ˈhæbədæʃə(r)/ ▸ p. 1683 *n* **1** GB mercier/-ière *m/f*; **2** US marchand/-e *m/f* de vêtements pour hommes

haberdashery /ˈhæbədæʃərɪ/ ▸ p. 1683 *n* **1** GB (in department store) rayon *m* mercerie; **2** (goods) GB mercerie *f*; **3** US magasin *m* de vêtements pour hommes

habit /ˈhæbɪt/ *n* **1** (custom) gen habitude *f*; Sociol coutume *f*; **a nervous ~** un tic nerveux; **a ~ of mind** une tournure d'esprit; **to get into bad ~s** prendre de mauvaises habitudes; **to have a ~ of doing** [*person*] avoir l'habitude de faire; **history has a ~ of repeating itself** l'histoire a tendance à se répéter; **to be in the ~ of doing** avoir l'habitude de faire; **I'm not in the ~ of borrowing money** ce n'est pas dans mes habitudes d'emprunter de l'argent; **don't make a ~ of it!** que ça ne devienne pas une habitude!; **to get into/out of the ~ of doing sth** prendre/perdre l'habitude de faire qch; **to do sth out of** *ou* **from ~** faire qch par habitude; **to be a creature of ~** avoir ses petites habitudes; **2** (addiction) accoutumance *f*; **drug/smoking ~** accoutumance à la drogue/au tabac; **to kick the ~**○ (of addiction) décrocher○; (of smoking) arrêter de fumer; **3** Relig habit *m*; **4** Equit tenue *f* d'équitation

habitable /ˈhæbɪtəbl/ *adj* habitable

habitat /ˈhæbɪtæt/ *n* habitat *m*

habitation /ˌhæbɪˈteɪʃn/ *n* sout **1** (house) habitation *f*; **2** (being inhabited) **to show signs of ~** paraître habité; **unfit for human ~** Soc Admin insalubre

habit-forming /ˈhæbɪtfɔːmɪŋ/ *adj* [*drug, activity*] qui crée une accoutumance; **to be ~** créer une accoutumance

habitual /həˈbɪtʃʊəl/ *adj* **1** [*behaviour, reaction*] habituel/-elle; **2** [*drinker, smoker, liar*] invétéré; **~ criminal, ~ offender** récidiviste *mf*

habitually /həˈbɪtʃʊəlɪ/ *adv* habituellement

habituate /həˈbɪtʃʊeɪt/ *vtr* sout **to be** *ou* **become ~d to sth/to doing** s'accoutumer à qch/à faire

hack /hæk/

A *n* **1** (blow) coup *m* (*de hache*); **2** ○péj (writer) écrivaillon *m* pej, plumitif○ *m*; **3** Equit (horse used for riding) cheval *m* de selle; (old horse) rosse○ *f*; **4** GB (ride) promenade *f* à cheval; **5** Sport (kick) coup *m* de pied; **6** (cough) toux *f* sèche; **7** ○US (taxi) bahut○ *m*, taxi *m*; **8** ○US (taxi driver) taxi○ *m*; **9** (notch) entaille *f*; **10** Comput = **hacker**; **11** ○Pol (*also* **party ~**) militant/-e *m/f*

B *vtr* **1** (strike, chop) taillader [*branch, object*] (**with** avec, à coups de); **to ~ sb (to death) with sth** frapper qn (à mort) à coups de qch; **to ~ sth/sb to pieces** tailler *or* mettre qch/qn en pièces; **2** (clear, cut) tailler dans [*undergrowth, bushes*] (**with** à coups de); **to ~ a path through sth** se tailler un chemin à travers qch; **to ~ one's way through/out of sth** se tailler un chemin à travers/hors de qch; **3** Sport (kick) **to ~ sb/sb's shins** flanquer○ un coup de pied à qn/dans les tibias de qn; **to ~ sb's arm** (in basketball) donner un coup au bras de qn; **4** Comput pirater○, s'introduire dans [*system, database*]; **5** ○(cope with) **I can't ~ it** je ne le supporte pas; **how long do you think he will ~ it?** combien de temps tu penses qu'il va tenir?

C *vi* **1** (chop) taillader (**with** à coups de); **to ~ at sth/sb** taillader qch/qn; **to ~ through** tailler dans [*branch, object*]; **2** ○Comput (break into systems) pirater○; **to ~ into** s'introduire dans [*system*]; **3** GB Equit faire une promenade à cheval; **4** (cough) tousser (d'une toux sèche); **5** ○US (drive taxi) conduire un taxi

(Phrasal verbs) ■ **hack across**: **we had to ~ across the fields** nous avons dû traverser les champs

■ **hack around**○ US glander◐

■ **hack away**: ▸ **~ away** donner des grands coups (**with** avec); **to ~ away at sth** frapper qch à grands coups; ▸ **~ away [sth], ~ [sth] away** tailler [*branch, undergrowth*]

■ **hack down**: ▸ **~ down [sth], ~ [sth] down** abattre [*grass, bush, enemy*]

■ **hack off**: ▸ **~ off [sth], ~ [sth] off** tailler [*piece, branch*]; trancher [*hand, head*]

■ **hack out**: ▸ **~ out [sth], ~ [sth] out** tailler [*foothold, clearing*]

■ **hack up**: ▸ **~ up [sth], ~ [sth] up** tailler [qch] en pièces [*carcass, tree*]

hack-and-slash /ˌhækənˈslæʃ/ *adj* [*video game etc*] violent

hacker /ˈhækə(r)/ *n* Comput **1** (illegal) pirate○ *m* informatique; **2** (legal) passionné/-e *m/f* d'informatique

hacker-proof /ˈhækəpruːf/ *adj* [*system*] protégé contre le piratage○ informatique

hackette○ /ˌhækˈet/ *n* péj journaliste *f* qui fait la rubrique des chiens écrasés

hacking /ˈhækɪŋ/ *n* **1** Comput piratage○ *m* informatique; **2** (riding) promenade *f* à cheval

hacking: **~ cough** *n* toux *f* sèche et spasmodique; **~ jacket** *n* veste *f* d'équitation

hackle /ˈhækl/

A *n* Zool, Fishg hackle *m*

B **hackles** *npl* (on animal) poils *mpl* du cou; **the dog's ~s began to rise** le chien se hérissait; **to make sb's ~s rise** fig hérisser qn; **to get one's ~s up** fig se hérisser

hackman○ /ˈhækmæn/ *n* US chauffeur *m* de taxi

hackney cab /ˌhæknɪˈkæb/ *n* fiacre *m*

hackneyed /ˈhæknɪd/ *adj* [*joke*] éculé; [*subject*] rebattu; **~ phrase, ~ expression** cliché *m*

hack: **~ reporter** *n* journaliste *mf* qui fait la rubrique des chiens écrasés; **~saw** *n* scie *f* à métaux; **~work** *n* écriture *f* alimentaire; **~ writer** *n* péj écrivaillon *m* pej; **~ writing** *n* péj littérature *f* alimentaire

had /hæd, həd/ *prét, pp* ▸ **have**

haddock /ˈhædək/ *n* (*pl* **~s** *ou* **~**) églefin *m*

Hades /ˈheɪdiːz/ *pr n* les Enfers *mpl*; **in ~** aux Enfers

hadj = **hajj**

hadji = **hajji**

hadn't /ˈhædnt/ = **had not**

Hadrian /ˈheɪdrɪən/ *pr n* Hadrien

Hadrian's Wall *n* mur *m* d'Hadrien

haematinic GB, **hematinic** US /hiːməˈtɪnɪk/ *n, adj* Med antianémique (*m*)

haematite GB, **hematite** US /ˈhiːmətaɪt/ *n* hématite *f*

haematological GB, **hematological** US /ˌhiːmətəˈlɒdʒɪkl/ *adj* hématologique

haematologist GB, **hematologist** US /ˌhiːməˈtɒlədʒɪst/ ▸ p. 1683 *n* hématologue *mf*

haematology GB, **hematology** US /ˌhiːməˈtɒlədʒɪ/ *n* hématologie *f*

haematoma GB, **hematoma** US /ˌhiːməˈtəʊmə/ *n* (*pl* **~s** *ou* **-mata**) hématome *m*

haemocompatible GB, **hemocompatible** US /ˈhiːməʊkəmˈpætəbl/ *adj* hémocompatible

haemodialyser GB, **hemodialyser** US /ˌhiːməˈdaɪəlaɪzə(r)/ *n* hémodialyseur *m*

haemodialysis GB, **hemodialysis** US /ˌhiːmədaɪˈæləsɪs/ *n* hémodialyse *f*

haemoglobin GB, **hemoglobin** US /ˌhiːməˈgləʊbɪn/ *n* hémoglobine *f*

haemolysis GB, **hemolysis** US /hiːˈmɒləsɪs/ *n* hémolyse *f*

haemophilia GB, **hemophilia** US /ˌhiːməˈfɪlɪə/ ▸ p. 1327 *n* hémophilie *f*

haemophiliac GB, **hemophiliac** US /ˌhiːməˈfɪlɪæk/ *n, adj* hémophile (*mf*)

haemorrhage GB, **hemorrhage** US /ˈheməridʒ/

A *n* lit, fig hémorragie *f*; **brain/internal ~** hémorragie cérébrale/interne; **to have a ~** faire une hémorragie

B *vi* faire une hémorragie; **to ~ badly** saigner beaucoup

haemorrhoids GB, **hemorrhoids** US /ˈhemərɔɪdz/ *npl* hémorroïdes *fpl*; **to suffer from ~** avoir des hémorroïdes

haft /hɑːft/ *n* gen manche *m*; (of dagger) poignée *f*

hag /hæg/ *n* (witch) (vieille) sorcière *f*; péj (ugly woman) **old ~** vieille peau○ *f*

haggard /ˈhægəd/ *adj* [*appearance, person*] exténué; [*face, expression*] défait; **to look ~ (and drawn)** avoir l'air exténué

haggis /ˈhægɪs/ *n* (*pl* **~** *ou* **~es**) haggis *m* (*panse de brebis ou de mouton farcie*)

haggle /ˈhægl/ *vi* marchander; **to ~ about** *ou* **over sth** discuter du prix de qch; **after a lot of haggling** après un long marchandage

hagiographer /ˌhægɪˈɒgrəfə(r)/ ► p. 1683 *n* hagiographe *mf*

hagiography /ˌhægɪˈɒgrəfɪ/ *n* hagiographie *f*

hagridden /ˈhægrɪdn/ *adj* littér tourmenté

Hague /heɪg/ ► p. 1815 *pr n* **The ~** La Haye

ha-ha /ˈhɑːhɑː/ *n* (ditch) saut-de-loup *m*

haiku /ˈhaɪkuː/ *n* Literat haïku *m*

hail /heɪl/
A *n* lit grêle *f*; fig (of bullets, insults) grêle *f* (**of** de)
B *vtr* 1) (call, signal to) héler [*person, taxi, ship*]; **within ~ing distance** à portée de voix; 2) (praise) **to ~ sb as** acclamer qn comme; **to ~ sth as sth/as being** saluer qch comme qch/comme étant
C *v impers* grêler
D *excl* **Hail!** Salut!; **~ the conquering hero!** hum salut, héros victorieux!
(Phrasal verbs) ■ **hail down** tomber dru
■ **hail from** sout être de, venir de

hail-fellow-well-met /ˌheɪlfeləʊwelˈmet/ *adj* **to be ~** être très liant; **he's a bit too ~** il est un peu trop familier avec tout le monde

hail: **Hail Mary** *n* 'Je vous salue Marie' *m inv*; **~stone** *n* grêlon *m*; **~storm** *n* averse *f* de grêle

hair /heə(r)/
A *n* 1) ¢ (collectively) (human) (on head) cheveux *mpl*; (on body) poils *mpl*; (of animal) poil *m*, pelage *m*; **to have long/short ~** [*person*] avoir les cheveux longs/courts; [*cat, dog*] avoir le poil long/court; **blond/black ~** cheveux blonds/noirs; **a fine head of ~** une belle chevelure; **to brush/wash one's ~** se brosser/se laver les cheveux; **to get one's ~ cut** se faire couper les cheveux; **to have one's ~ done** se faire coiffer; 2) (individually) (human) (on head) cheveu *m*; (on body) poil *m*; (animal) poil *m*; **two blond ~s** deux cheveux blonds
B -haired (*dans composés*) **long/short-~ed** [*person*] aux cheveux longs/courts; [*animal*] à poil long/court; **dark/curly-~ed** aux cheveux foncés/bouclés
(Idioms) **by a ~, by a ~'s breadth** d'un poil○; **he didn't turn a ~** il n'a pas sourcillé; **he was perfect, not a ~ out of place** il était impeccable, tiré à quatre épingles; **it made my ~ stand on end** cela m'a fait dresser les cheveux sur la tête; **I won't let them touch** *ou* **harm a ~ of your head** je ne les laisserai pas toucher à un seul cheveu de ta tête; **keep your ~ on**○! GB ne t'excite pas○!; **the thought made her ~ curl** à cette pensée ses cheveux se sont dressés sur sa tête; **to get in sb's ~**○ taper sur les nerfs de qn○; **to have sb by the short ~s**◑ US tenir le couteau sous la gorge de qn; **to let one's ~ down**○ se défouler○; **to split ~s** couper les cheveux en quatre; **to tear one's ~ out** s'arracher les cheveux; **you need a ~ of the dog (that bit you)** il te faut un petit verre pour faire passer la gueule de bois○

hair: **~ ball** *n* (in cats) boule *f* de poils; (in calves, horses) égagropile *m*; **~band** *n* bandeau *m*, serre-tête *m inv*; **~brush** *n* brosse *f* à cheveux; **~clip** *n* GB barrette *f*; **~cloth** *n* étoffe *f* de crin; **~ conditioner** *n* après-shampooing *m*, démêlant *m*; **~ cream** *n* gomina® *f*; **~ curler** *n* bigoudi *m*

haircut /ˈheəkʌt/ *n* coupe *f* (de cheveux); **to get a ~** se faire couper les cheveux

hairdo○ /ˈheəduː/ *n* coiffure *f*

hairdresser /ˈheədresə(r)/ ► p. 1683 *n* coiffeur/-euse *m/f*; **a ~'s salon** un salon de coiffure; **to go to the ~'s** aller chez le coiffeur

hair: **~dressing** *n* coiffure *f*; **~drier** *n* (hand-held) sèche-cheveux *m inv*; (hood) casque *m*; **~ dye** *n* teinture *f* pour les cheveux; **~ follicle** *n* follicule *m* pileux; **~ gel** *n* gel *m* coiffant; **~grip** *n* GB barrette *f*

hairless /ˈheəlɪs/ *adj* [*chest, body, chin*] glabre; [*animal*] sans poils

hairline /ˈheəlaɪn/ *n* naissance *f* des cheveux; **his ~ is receding** son front se dégarnit

hair: **~line crack** *n* fêlure *f*; **~line fracture** *n* Med fêlure *f*; **~net** *n* filet *m* à cheveux; **~ oil** *n* huile *f* capillaire; **~piece** *n* postiche *m*; **~pin** *n* épingle *f* à cheveux; **~pin bend** *n* virage *m* en épingle à cheveux; **~-raising** *adj* [*story, adventure, escape*] à vous faire dresser les cheveux sur la tête; **~ remover** *n* Cosmet crème *f* dépilatoire; **~ restorer** *n* régénérateur *m* du cheveu; **~ shirt** *n* haire *f*; **~-slide** *n* GB barrette *f*; **~ splitting** *n* ergotage *m*; **~spray** *n* laque *f*; **~spring** *n* spiral *m* (*dans une montre*); **~style** *n* (arrangement) coiffure *f*; (cut) coupe *f* de cheveux; **~ stylist** ► p. 1683 *n* coiffeur/-euse *m/f*; **~ transplant** *n* greffe *f* de cheveux

hair trigger
A *n* détente *f* ultrasensible
B *modif* [*reaction*] très rapide

hairy /ˈheərɪ/ *adj* 1) [*coat, blanket, dog*] poilu; [*arms, legs, chest*] velu, poilu; Bot [*stem, roots*] villeux/-euse; 2) ○[*adventure, moment*] atroce○; **things got really ~** c'était l'horreur○

Haiti /ˈheɪtɪ/ ► p. 1096, p. 1355 *pr n* Haïti *m*

Haitian /ˈheɪʃn/ ► p. 1467, p. 1378
A *pr n* 1) (person) Haïtien/-ienne *m/f*; 2) (language) haïtien *m*
B *adj* haïtien/-ienne

hajj /hædʒ/ *n* hadj *or* hajj *m*; **to perform the ~, to make a ~** aller en pèlerinage à la Mecque

hajji /ˈhædʒɪ/ *n* (pilgrim) hadj *m*, hadji *m*

hake /heɪk/ *n* (*pl* **~** *ou* **~s**) 1) Zool merlu *m*; 2) ¢ Culin colin *m*

halal /hɑːˈlɑːl/ *adj* [*meat*] hallal *inv*; **~ butcher** boucher *m* vendant de la viande hallal

halation /hæˈleɪʃn/ *n* Phot halo *m*

halcyon /ˈhælsɪən/
A *n* Mythol alcyon *m*
B *adj* [*time, period*] paradisiaque; **~ days** jours heureux

hale /heɪl/ *adj* [*old person*] vigoureux/-euse; **to be ~ and hearty** gen être en pleine forme; [*old person, convalescent*] avoir bon pied bon œil

half /hɑːf, US hæf/ ► p. 1059
A *n* (*pl* **halves**) 1) (one of two parts) moitié *f*; **~ (of) the page/the people/the wine** la moitié de la page/des gens/du vin; **~ (of) 38 is 19** la moitié de 38 est 19; **he arrives late ~ (of) the time** la moitié du temps il est en retard; **to cut/tear/break sth in ~** couper/déchirer/casser qch en deux
2) Math (fraction) demi *m*; **four and a ~** quatre et demi
3) Sport (time period) mi-temps *f*; (pitch area) moitié *f* de terrain; **the first/second ~** la première/seconde mi-temps
4) Sport = **halfback**
5) ○GB (half pint) demi-pinte *f*, ≈ bock *m*
6) GB (half fare) demi-tarif *m*
B *adj* **a ~ apple** une moitié de pomme; **a ~ circle** un demi-cercle; **a ~-cup, ~ a cup** une demi-tasse; **a ~-litre, ~ a litre** un demi-litre; **a ~-litre pot** un pot d'un demi-litre; **a ~-page advertisement** une publicité d'une demi-page; **twelve and a ~ per cent** douze et demi pour cent; **two and a ~ cups** deux tasses et demie
C *pron* 1) (50%) moitié *f*; **only ~ passed** seule la moitié a réussi; **you can have ~ now, the rest later** tu peux en avoir la moitié maintenant et le reste plus tard; **to cut/increase sth by ~** réduire/augmenter qch de moitié; **that was a meal and a ~**○! ça a été un sacré repas○!
2) (in time) **an hour and a ~** une heure et demie; **~ past two/six** GB, **~ two/six**○ deux/six heures et demie; **it starts at ~ past** ça commence à la demie; **the buses run at ~ past the hour** les bus passent à la demie de chaque heure
3) (in age) **she is ten and a ~** elle a dix ans et demi
D *adv* [*full, over, asleep, drunk, cooked, dressed, eaten, hidden, understood, remembered*] à moitié; **to ~ close one's eyes/the window** fermer les yeux/la fenêtre à moitié; **it's ~ the price/the size** c'est moitié moins cher/moins grand; **~ as much money/as many people** moitié moins d'argent/de personnes; **~ as big/as heavy** moitié moins grand/lourd; **~ as much/as many again** moitié plus; **~ as tall again** moitié plus grand; **he's ~ my age** il est moitié moins âgé que moi; **she's ~ Italian** elle est à moitié italienne; **he's ~ Spanish ~ Irish** il est mi-espagnol mi-irlandais; **the word is ~ Latin ~ Greek** le mot est moitié latin moitié grec; **~ woman ~ fish** mi-femme mi-poisson, moitié femme moitié poisson; **he was only ~ serious** il n'était qu'à moitié sérieux; **~ disappointed ~ relieved** mi-déçu mi-soulagé; **to be only ~ right** n'avoir qu'à moitié raison; **to be only ~ listening** n'écouter qu'à moitié; **if it was ~ as easy as they say** si c'était vraiment aussi facile qu'on le dit; **I was ~ hoping that** j'espérais presque que; **I ~ expected it** je m'y attendais plus ou moins; **not ~ old/~ big** pas jeune/petit iron; **he wasn't ~ angry/surprised**○ il était drôlement○ en colère/surpris; **it doesn't ~ stink**○! ça pue drôlement○!; **not ~**○! et comment!; **not ~ bad**○ pas mauvais *or* mal du tout
(Idioms) **~ a minute** *ou* **second** *ou* **tick**○ GB *ou* **mo**○ une petite minute, un instant; **how the other ~ lives** comment vivent les riches; **if given ~ a chance** à la première occasion; **to have ~ a mind to do** avoir bien envie de faire; **one's better** *ou* **other ~** sa (douce) moitié; **that's not the ~ of it!** ce n'est pas le meilleur!; **she doesn't know the ~ of it!** elle ne sait pas le meilleur!; **to go halves with sb** se mettre de moitié avec qn; **let's go halves** faisons moitié-moitié; **never to do things by halves** ne pas faire les choses à moitié; **too clever by ~**○ un peu trop malin/-igne

half: **~-and-half** *adj, adv* moitié-moitié; **~-assed**◑ *adj* US foireux/-euse○; **~back** *n* Sport demi *m*; **~-baked**○ *adj* bancal○; **~-binding** *n* demi-reliure *f* à coins; **~-birthday** *n anniversaire m célébré exactement six mois avant ou après sa date réelle*

half-blood /ˈhɑːfblʌd, US ˈhæf-/ *n* 1) (sibling) consanguin/-e *m/f*; 2) US = **half-breed**; 3) US (animal) demi-sang *m*

half: **~-board** *n* demi-pension *f*; **~ boot** *n* demi-botte *f*; **~-bound** *adj* en demi-reliure à coins; **~-breed** *n, adj* injur métis/-isse (*m/f*); **~ brother** *n* demi-frère *m*; **~-caste** *n, adj* injur métis/-isse (*m/f*); **~ century** *n* demi-siècle *m*

half cock *n* cran *m* de sûreté; **at ~** lit au cran de sûreté
(Idioms) **to go off at ~, to go off half-cocked** (flop) partir en eau de boudin; (be hasty) être impulsif/-ive

half: **~-conscious** *adj* à demi conscient; **~ crown, ~-a-crown** *n* GB Hist demi-couronne *f*; **~-cup** *modif* [*bra*] à balconnet; **~-cut**○ *adj* éméché○, ivre

half day *n* demi-journée *f*; **it's my ~** c'est ma demi-journée de congé

half: **~-dead** *adj* lit, fig à moitié mort; **~-dollar** *n* demi-dollar *m*

half-dozen /ˌhɑːfˈdʌzn, US ˌhæf-/ *n, pron, adj* demi-douzaine *f*; **to be sold by the ~** se vendre à la demi-douzaine; **a ~ eggs** une demi-douzaine d'œufs

half fare *n* demi-tarif *m*; **to travel (at** *ou* **for) ~** voyager à demi-tarif

half: **~-hearted** *adj* [*attempt, smile, participation*] un peu mou/molle; **~-heartedly** *adv* sans conviction; **~-hitch** *n* demi-clé *f*; **~ holiday** *n* GB demi-journée *f* de congé

half hour /ˌhɑːfˈaʊə(r), US ˌhæf-/ ► p. 1804
A *n* demi-heure *f*; **every ~** toutes les demi-

heures; **on the ~** à la demie
B *modif [delay, journey, lesson, session]* d'une demi-heure

half: **~-hourly** /ˌhɑːf'aʊəlɪ, US ˌhæf-/ *adj, adv* toutes les demi-heures; **~-jokingly** *adv* en plaisantant à moitié

half-length /ˌhɑːf'leŋθ, US ˌhæf-/
A *n* **1** Art buste *m*; **2** Turf demi-longueur *f*
B *adj [portrait, picture]* en buste

half: **~-life** *n* demi-vie *f*; **~-light** *n* littér demi-jour *m*; **~ marathon** *n* demi-marathon *m*

half-mast /ˌhɑːf'mɑːst, US ˌhæf-/ *n* **at ~** (of flag) en berne; (of trousers) à mi-mollets

half-moon /ˌhɑːf'muːn, US ˌhæf-/
A *n* **1** Astron demi-lune *f*; **2** (of fingernail) lunule *f*
B *modif [spectacles, shape]* en demi-lune

half: **~-naked** *adj* à moitié nu; **~ nelson** *n* (in wrestling) clé *f* au cou; **~note** *n* blanche *f*; **~-open** *adj* entrouvert

half pay *n* demi-salaire *m*; **to be on ~** avoir un demi-salaire

halfpenny /'heɪpnɪ/
A *n* **1** lit, GB Hist demi-penny *m*; **2** fig (small amount) sou *m*
B *modif [coin, piece]* d'un demi-penny; *[sweet]* à un demi-penny

halfpennyworth /'heɪpnɪwɜːθ/ *n* **a ~ of** lit un demi-penny de; fig une once de

half-pint /ˌhɑːf'paɪnt, US ˌhæf-/ ▸ **p. 1029**
A *n* **1** Meas demi-pinte *f (GB = 0.28 l, US = 0.24 l)*; **a ~ of milk** ≈ un quart de litre de lait; **2** GB (of beer) ≈ bock *m*
B *modif [glass, bottle]* d'une demi-pinte

half: **~ price** *adv, adj* à moitié prix; **~ rest** *n* US demi-pause *f*; **~ seas over**○† *adj* GB dans les vignes du Seigneur○†; **~ sister** *n* demi-sœur *f*

half size
A *n* (of shoe) demi-pointure *f*
B *adj [replica, model]* à l'échelle 1:2; *[copy]* réduit de moitié

half: **~ size violin** *n* demi-violon *m*; **~ slip** *n* jupon *m*; **~ smile** *n* demi-sourire *m*; **~-staff** *n* US = **half-mast**; **~-starved** *adj* à demi mort de faim; **~ step** *n* US Mus demi-ton *m*

half term GB Sch
A *n* **1** (holiday) vacances *fpl* de demi-trimestre, petites vacances *fpl*; **2** (period) demi-trimestre *m*
B *modif [holiday, trip]* de demi-trimestre

half-timbered /ˌhɑːf'tɪmbəd, US ˌhæf-/ *adj* à colombages

half-time /ˌhɑːf'taɪm, US ˌhæf-/
A *n* Sport mi-temps *f*; **at ~** à la mi-temps
B *modif* **1** Sport *[whistle]* de la mi-temps; *[score]* à la mi-temps; **~ break** mi-temps *f*; **2** Fin, Comm *[figures, profits]* semestriel/-ielle; **3** (part time) *[post, worker]* à mi-temps

halftone /'hɑːftəʊn, US 'hæf-/ *n* **1** Phot (technique) similigravure *f*; (photograph) demi-teinte *f*; **2** Art demi-teinte *f*; **3** Mus demi-ton *m*

half-track /'hɑːftræk, US 'hæf-/ *n* **1** (drive system) chenille *f*; **2** (vehicle) half-track *m*

half: **~-truth** *n* demi-vérité *f*; **~-volley** *n* demi-volée *f*

halfway /ˌhɑːf'weɪ, US ˌhæf-/
A *adj* **the ~ stage** la mi-étape; **to reach the ~ mark** *ou* **point** être à la moitié (**of** de)
B *adv* **1** (at the mid-point) à mi-chemin (**between** entre; **to** de); **to be ~ there** lit être à mi-chemin; **to stop ~** s'arrêter à mi-chemin; **I went ~** j'ai fait la moitié du chemin; **~ up** *ou* **down** à mi-hauteur de *[stairs, tree]*; **~ down the page** à mi-page; **~ across** au milieu de *[room, ocean]*; **you could hear it ~ across town** on l'a entendu dans la moitié de la ville; **to travel ~ across** *ou* **round the world for sth** faire des kilomètres et des kilomètres pour qch; **~ through** au milieu; **I left ~ through** je suis parti au milieu; **~ through the film** au milieu du film; **~ through the week/morning** en milieu de semaine/de matinée; **to be ~ through doing sth** avoir à moitié fini de faire qch; **2** fig **to go ~ to** *ou* **towards** GB **sth/doing sth** être à mi-chemin de qch/de faire qch; **the statement only goes ~** la déclaration ne répond qu'à moitié à la question; **we're ~ there** nous avons fait la moitié du chemin; **I met him ~** j'ai fait un compromis avec lui, nous avons coupé la poire○ en deux; **to meet trouble ~** devancer les ennuis; **3** ○(in the least) *[decent, convincing, competent]* raisonnablement

halfway house *n* **1** (compromise) compromis *m*; **2** (rehabilitation centre) centre *m* de réadaptation; **3** Hist relais *m* d'étape

half: **~way line** *n* Sport ligne *f* médiane; **~wit**○ *n* péj abruti/-e○ *m/f*; **~witted**○ *adj* péj abruti○

half-year /ˌhɑːf'jeə(r), US ˌhæf-/ Fin, Comm
A *n* semestre *m*
B *modif [profit, results, figures]* semestriel/-ielle

half-yearly /ˌhɑːf'jeəlɪ, US ˌhæf-/
A *adj [meeting, statement, payment]* semestriel/-ielle
B *adv [meet, pay]* tous les six mois

halibut /'hælɪbət/ *n (pl* **~** *ou* **~s***)* flétan *m*

halitosis /ˌhælɪ'təʊsɪs/ *n* mauvaise haleine *f*; **to have** *ou* **suffer from ~** avoir mauvaise haleine

hall /hɔːl/ *n* **1** (in house) entrée *f*; (corridor) couloir *m*; (in hotel, airport, station) hall *m*; **arrivals/departures ~** Aviat hall d'arrivée/de départ; **2** (for public events) (grande) salle *f*; (of church) salle *f* paroissiale; (of school) **(assembly) ~** salle *f* de réunions; ▸ **Assembly**; **the local ~** la salle polyvalente *or* des fêtes; ▸ **concert hall etc**; **3** Admin (offices) ▸ **city hall, town hall**; **4** Univ (residence) résidence *f* universitaire; **to live in ~** loger en résidence universitaire; **5** Univ (refectory) réfectoire *m*; **to dine in ~** GB dîner au réfectoire; **6** (country house) manoir *m*

hallal = **halal**

hallelujah /ˌhælɪ'luːjə/ *excl* alléluia

hallmark /'hɔːlmɑːk/
A *n* **1** (typical feature) caractéristique *f*; **to bear the ~** *ou* **~s of sb/sth** présenter les caractéristiques de qn/qch; **2** GB (on metal) poinçon *m*
B *vtr* poinçonner; **to be ~ed** porter un poinçon

hallo /hə'ləʊ/ *excl* **1** GB = **hello**; **2** Hunt = **halloo**

hall: **Hall of Fame** *n* (all contexts) panthéon *m*; **~ of residence** *n* résidence *f* universitaire

halloo /hə'luː/
A *excl* Hunt taïaut
B *vi (3e pers sg prés* **~s**; *prét, pp* **~ed***)* Hunt crier taïaut

hallow /'hæləʊ/
A *vtr* littér sanctifier; **~ed be Thy name** Bible que ton nom soit sanctifié
B **hallowed** *pp adj* **1** (venerated) *[tradition]* vénéré; **a ~ memory** un souvenir qui est devenu sacré; **2** (sanctified) *[ground]* saint; **in these ~ed precincts** lit, fig dans ce lieu sacré

Halloween /ˌhæləʊ'iːn/ *n* Halloween *m*; **on** *ou* **at ~** le soir de Halloween

> **Halloween**
> Fête célébrée dans les pays anglo-saxons (surtout aux États-Unis) le 31 octobre, la veille de *All Saints Day* (Toussaint). Les enfants fabriquent des lanternes dans des citrouilles évidées et se déguisent en sorcières, fantômes ou squelettes. Un sac à la main, ils font la tournée des maisons de leur quartier et 'menacent' leurs voisins (*Trick or treat!*) pour récolter des bonbons.

hallstand /'hɔːlstænd/ *n* portemanteau *m*

hallucinate /hə'luːsɪneɪt/ *vi* avoir des hallucinations; **I must have been hallucinating** fig ce devait être une hallucination

hallucination /həˌluːsɪ'neɪʃn/ *n* hallucination *f*; **to suffer from ~s** être sujet/-ette à des hallucinations

hallucinatory /hə'luːsɪnətrɪ, US -tɔːrɪ/ *adj* **1** *[drug, substance]* hallucinogène; **2** *[film, painting, image]* onirique; *[figure]* spectral; *[effect]* hallucinatoire; **it was a ~ experience** c'était onirique

hallucinogen /hə'luːsɪnədʒn/ *n* hallucinogène *m*

hallucinogenic /həˌluːsɪnə'dʒenɪk/ *adj* hallucinogène

hallway /'hɔːlweɪ/ *n* entrée *f*

halo /'heɪləʊ/ *n (pl* **~s** *ou* **~es***)* **1** (around head) auréole *f*; **2** fig hum odeur *f* de sainteté; **can't you see my ~?** tu ne sens pas mon odeur de sainteté○? hum; **his ~ has become a bit tarnished** son image s'est un peu ternie; **3** Astron halo *m*

halogen /'hælədʒn/ *n* halogène *m*

halogen lamp *n* **1** Aut phare *m* halogène; **2** (desk lamp etc) lampe *f* halogène

halon /'heɪlɒn/ *n* halon *m*; **~ gas** gaz *m* halon

halt /hɔːlt/
A *n* **1** (stop) arrêt *m*; **to come to a ~** *[group, vehicle]* s'arrêter; *[fighting]* cesser; *[negotiations]* être interrompu; **to call a ~ to** mettre fin à *[fighting, dispute]*; **shall we call a ~?** (in work) on s'arrête?; **2** (temporary) (in activity) suspension *f* (**in** dans); (in proceedings) pause *f* (**in** au cours de); **a ~ in the trial** une pause au cours du procès; **a ~ in arms sales** une suspension dans les ventes d'armes; **3** Mil (rest) halte *f*; **4** GB Rail halte *f*
B *excl* **1** halte!; **2** (on roadsigns) **'Halt Customs!'** 'Stop Douane!'
C *vtr* **1** (stop temporarily) bloquer *[car, train]*; interrompre *[proceedings, game]*; **2** (block) mettre fin à *[arms sales, experiments]*; arrêter *[inflation, offensive]*
D *vi [vehicle]* s'arrêter; *[army]* faire halte
(Idiom) **the ~ and the lame** les éclopés *mpl*

halter /'hɔːltə(r)/ *n* **1** (for horse) licol *m*; **2** (for hanging) corde *f (de pendaison)*; **3** Fashn (also **~neck**) dos *m* nu

halterneck /'hɔːltənek/ *n, adj [dress, swimsuit]* dos (*m*) nu

halting /'hɔːltɪŋ/ *adj [steps, attempts]* hésitant; *[verse]* boiteux/-euse; *[style]* heurté; **to speak in ~ Polish** parler un polonais hésitant

haltingly /'hɔːltɪŋlɪ/ *adv [progress]* par à-coups; *[speak]* de façon hésitante

halve /hɑːv, US hæv/
A *vtr* **1** (reduce by half) réduire [qch] de moitié *[number, production, rate]*; **2** (divide in two) couper [qch] en deux *[carrot, cake]*; **3** (in golf) faire square sur *[hole, round]*
B *vi [number, rate, time]* diminuer de moitié
(Idiom) **a trouble shared is a trouble ~d** parler d'un problème c'est déjà le résoudre à moitié

halves /hɑːvz, US hævz/ *npl* ▸ **half**

halyard /'hæljəd/ *n* drisse *f*

ham /hæm/
A *n* **1** Culin jambon *m*; **smoked/unsmoked ~** jambon fumé/cuit; **boiled ~** jambon blanc; **2** Anat (of animal) cuisse *f*; **3** ○(of person) hum cuisse *f*, jambon○ *m*; **4** ○(poor actor) cabotin/-e *m/f*; **she's a terrible ~** elle joue de façon très exagérée; **5** (also **radio ~**) radioamateur/-trice *m/f*
B *modif* Culin *[omelette, sandwich]* au jambon
C ○*adj [acting]* exagéré
D *vi (p prés etc* **-mm-***)* forcer son rôle
(Phrasal verb) ■ **ham up**: ▸ **~ [sth] up, ~ up [sth]** forcer *[role, speech]*; **to ~ it up**○ jouer de façon exagérée

ham and eggs *npl* US Culin œufs *mpl* au jambon

Hamburg /'hæmbɜːg/ ▸ **p. 1815** *pr n* Hambourg

h

hamburger /ˈhæmbɜːɡə(r)/ *n* **1** (shaped minced beef) hamburger *m*; **2** US (ground beef) pâté *m* de viande
(Idiom) **to make a ~ out of sb/sth** US faire de qn/qch de la chair à pâté

ham-fisted○ GB, **ham-handed**○ US /ˌhæmˈfɪstɪd, ˌhæmˈhændɪd/ *adj* péj maladroit

Hamitic /həˈmɪtɪk/ *adj* Ling chamitique

hamlet /ˈhæmlɪt/ *n* hameau *m*

hammer /ˈhæmə(r)/
A *n* **1** (tool) marteau *m*; **2** (of piano) marteau *m*; **3** (gavel) marteau *m*; **to come** *ou* **go under the ~** être vendu aux enchères; **4** Sport (ball) marteau *m*; (discipline) lancer *m* de marteau; **to throw the ~** lancer le marteau; **5** Anat (in ear) marteau *m*; **6** (on firearm) chien *m*. ▸ **tongs**
B *vtr* **1** lit (beat) marteler [*metal sheet, door, table, piano keys*]; **to ~ sth into** enfoncer qch dans [*wall, fence, rock*]; **to ~ sth into shape** façonner qch au marteau; **they ~ the copper into pots** ils façonnent le cuivre pour en faire des pots; **to ~ sth flat** aplatir qch à coups de marteau; **she ~ed her fists against the door** elle tapait des poings contre la porte; **2** fig (insist forcefully) **to ~ sth into** faire entrer qch dans la tête de [*pupils, recruits*]; **they had grammar/Latin ~ed into them** on leur a bien inculqué la grammaire/le latin; **to ~ home a message/warning** bien faire comprendre un message/avertissement; **3** (attack) critiquer [*government, policy, proposal*]; descendre [qch] en flammes○ [*book, film*]; **4** ○Sport (defeat) battre [qn] à plates coutures; **5** (attack) [*artillery*] pilonner [*enemy positions, target*]; [*recession, unemployment*] accabler [*district, region*]
C *vi* **1** (use hammer) frapper à coups de marteau; **2** (pound) **to ~ on** *ou* **at** [*person, rain, hailstones*] tambouriner contre [*door, window*]; **hailstones ~ed against the window/on the roof** la grêle tambourinait contre la fenêtre/sur le toit; **3** (thump) [*heart*] battre fort
(Phrasal verbs) ■ **hammer away** lit taper à coups de marteau; fig **to ~ away at** [*lobbyist, campaigners*] s'attaquer à [*proposal, issue*]; [*artillery*] pilonner [*enemy position*]; [*caller*] tambouriner contre [*door*]; [*pupil*] taper sur [*piano*]; **he's ~ing away at his essay** il travaille sur son devoir avec acharnement
■ **hammer in**: ▸ **~ in [sth], ~ [sth] in** enfoncer [qch] à coups de marteau
■ **hammer out**: ▸ **~ out [sth], ~ [sth] out** (negotiate) parvenir à [qch] après maintes discussions [*agreement, policy, formula*]

hammer and sickle *n* **the ~** la faucille et le marteau

hammer beam *n* blochet *m*

hammer blow *n* **1** lit coup *m* de marteau; **2** fig rude coup *m* (**to** à)

hammer drill *n* **1** (with hammer action) marteau *m* perforateur; **2** (rock drill) marteau-piqueur *m*

hammerhead, hammer-headed shark *n* (requin *m*) marteau *m*

hammering /ˈhæmərɪŋ/ *n* **1** (noise) (bruit *m* de) martèlement *m* (**at** sur); **sounds of ~** des martèlements; **2** ○(defeat) **to take** *ou* **get a ~** prendre une dérouillée○; **3** ○(tough treatment) **to give sth a ~** descendre [qch] en flammes○ [*play, film*]; critiquer sévèrement [*proposal, measure*]

hammer toe *n* orteil *m* en marteau

hammock /ˈhæmək/ *n* hamac *m*

hamper /ˈhæmpə(r)/
A *n* **1** (for picnic) panier *m* à pique-nique (*rectangulaire et muni d'un couvercle*); **2** GB (from shop etc) *panier vendu avec une sélection de produits alimentaires de luxe*; **3** (for laundry) panière *f* à linge
B *vtr* entraver [*movement, career, progress*]; handicaper [*person*]; **~ed by injury** handicapé par une blessure; **~ed by lack of funds** handicapé par le manque de fonds

Hampshire /ˈhæmpʃɪə(r)/ ▸ **p. 1612** *pr n* Hampshire *m*

hamster /ˈhæmstə(r)/ *n* hamster *m*

hamstring /ˈhæmstrɪŋ/
A *n* Anat (of human) tendon *m* du jarret; (of horse) corde *f* du jarret
B *vtr* (*prét, pp* **-strung**) paralyser [*initiative, activity, economy*]; coincer○ [*person*]

hand /hænd/ ▸ **p. 997**
A *n* **1** Anat main *f*; **he had a pencil/book in his ~** il avait un crayon/un livre dans la main; **she had a pistol/umbrella in her ~** elle avait un pistolet/un parapluie à la main; **he stood there, gun/suitcase in ~** il était là, un pistolet/une valise à la main; **to get** *ou* **lay one's ~s on** mettre la main sur [*money, information, key, person*]; **he eats/steals everything he can get** *ou* **lay his ~s on** il mange/vole tout ce qui lui passe sous le nez; **to keep one's ~s off sth** ne pas toucher à [*computer, money*]; **to keep one's ~s off sb** laisser qn tranquille; **they could hardly keep their ~s off each other** ils avaient du mal à se retenir pour ne pas se toucher; **to take sb's ~** prendre la main de qn; **to take sb by the ~** prendre qn par la main; **they were holding ~s** ils se donnaient la main; **to hold sb's ~** lit tenir qn par la main; fig (give support) [*person*] tenir la main à qn; [*government*] soutenir qn; **to do** *ou* **make sth by ~** faire qch à la main; **the letter was delivered by ~** la lettre a été remise en mains propres; **'by ~'** (on envelope) 'par porteur'; **they gave me 50 dollars in my ~** il m'ont donné 50 dollars de la main à la main; **from ~ to ~** de main en main; **look! no ~s!** regarde! sans les mains!; **to have one's ~s full** lit avoir les mains pleines; fig avoir assez à faire; **to seize an opportunity with both ~s** saisir l'occasion à deux mains; **~s up, or I shoot!** les mains en l'air, ou je tire!; **to be on one's ~s and knees** être à quatre pattes; **we can always use another pair of ~s** une autre paire de bras ne serait pas de trop; **~s off**○**!** pas touche○!, bas les pattes○!; **'~s off our schools'** (slogan at rally) 'ne touchez pas à nos écoles'; **please put your ~s together for Max!** s'il vous plaît applaudissez Max!
2 (handwriting) écriture *f*; **in a neat ~** rédigé d'une belle écriture; **in her own ~** rédigé de sa propre main
3 (influence, involvement) influence *f*; **to have a ~ in sth** prendre part à [*decision, project*]; avoir quelque chose à voir avec [*demonstration, robbery*]; **to have a ~ in planning** *ou* **organizing sth** prendre part à l'organisation de qch; **to stay** *ou* **hold one's ~** patienter; **I thought I recognized your ~** j'ai cru avoir reconnu ton style
4 (assistance) coup *m* de main; **to give** *ou* **lend sb a (helping) ~** donner un coup de main à qn; **I need a ~ with my suitcases** j'ai besoin d'un coup de main pour porter mes valises
5 (round of applause) **to give sb a big ~** applaudir qn très fort; **let's have a big ~ for the winner!** applaudissons bien fort le gagnant!
6 (consent to marriage) **to ask for/win sb's ~ (in marriage)** demander/obtenir la main de qn (en mariage)
7 (possession) **to be in sb's ~s** [*money, painting, document, power, affair*] être entre les mains de qn; **the painting is in private ~s** le tableau est entre les mains d'un particulier; **to change ~s** changer de mains; **to fall** *ou* **get into sb's ~s** [*information, equipment*] tomber entre les mains de qn; **to fall** *ou* **get into the wrong ~s** [*documents, weapons*] tomber en mauvaises mains; **in the right ~s this information could be useful** en bonnes mains, cette information pourrait être utile; **to be in good** *ou* **safe ~s** [*child, money*] être en bonnes mains; **to put one's life in sb's ~s** remettre sa vie entre les mains de qn; **to place** *ou* **put sth in sb's ~s** confier qch à qn [*department, office*]; remettre qch entre les mains de qn [*matter, affair*]; **to play into sb's ~s** jouer le jeu de qn; **the matter is out of my ~s** cette affaire n'est plus de mon ressort
8 (control) **to get out of ~** [*expenditure, inflation*] déraper; [*children, fans*] devenir incontrôlable; [*demonstration, party*] dégénérer; **things are getting out of ~** on est en train de perdre le contrôle de la situation; **to take sth in ~** prendre [qch] en main [*situation*]; s'occuper de [*problem*]; **to take sb in ~** prendre qn en main [*child, troublemaker*]
9 Games (cards dealt) jeu *m*; (game) partie *f*; **to show one's ~** lit, fig montrer son jeu; **to throw in one's ~** lit, fig abandonner la partie
10 (worker) Agric ouvrier/-ière *m/f* agricole; Ind ouvrier/-ière *m/f*; Naut membre *m* de l'équipage; **the ship went down with all ~s** le bateau a coulé corps et biens
11 (responsibility) **to have sth/sb on one's ~s** avoir qch/qn sur les bras [*unsold stock, surplus*]; **to take sb/sth off sb's ~s** débarrasser qn de qn/qch; **to have sth off one's ~s** ne plus avoir qch sur les bras; **they'll have a strike on their ~s if they're not careful** ils vont se retrouver avec une grève sur les bras s'ils ne font pas attention
12 (available) **to keep/have sth to ~** garder/avoir qch sous la main [*passport, pen, telephone number*]; **to be on ~** [*person*] être disponible; **the fire extinguisher was close to ~** *ou* **near at ~** l'extincteur n'était pas loin; **help was close at ~** les secours étaient à proximité; **to grab the first coat that comes to ~** attraper n'importe quel manteau
13 (skill) **to try one's ~ at sth** s'essayer à [*photography, marketing*]; **to try one's ~ at driving/painting** s'essayer à la conduite/la peinture; **to set** *ou* **turn one's ~ to sth/doing** entreprendre qch/de faire; **she can turn her ~ to almost anything** elle sait pratiquement tout faire; **to keep/get one's ~ in** garder/se faire la main
14 (pointer) (on clock, dial) aiguille *f*; **the hour/minute ~** l'aiguille des heures/minutes
15 Equit, Meas = 10,16 cm
16 Culin (of bananas) régime *m*; **a ~ of pork** un jambonneau
17 †(signature) **to set one's ~ to** apposer sa signature à [*document*]
18 (source) **I got the information first/second ~** j'ai eu l'information de première main/par l'intermédiaire de quelqu'un
19 (aspect, side) **on the one ~..., on the other ~...** d'une part... d'autre part...; **on the other ~** (conversely) par contre; **on every ~** partout
B **in hand** *adj phr* **1** (current) en cours (*never after v*); **the job/matter in ~** le travail/l'affaire en cours
2 (underway) en cours; **work on the road is already in ~** les travaux sur la route sont déjà en cours; **the preparations are well in ~** les préparatifs sont bien avancés
3 (to spare) **I've got 50 dollars in ~** il me reste 50 dollars; **she finished the exam with 20 minutes in ~** elle a terminé l'examen avec 20 minutes d'avance; **I'll do it when I have some time in ~** je le ferai quand j'aurai du temps devant moi; **stock in ~** Comm marchandises en stock
C **out of hand** *adv phr* [*reject, condemn, dismiss*] d'emblée
D **at the ~s of** *prep phr* **his treatment at the ~s of his captors** la façon dont il a été traité par ses ravisseurs; **our defeat at the ~s of the French team** notre défaite contre l'équipe française
E *vtr* (give) **to ~ sb sth** *ou* **to ~ sth to sb** donner qch à qn [*form, letter, ticket*]; passer qch à qn [*knife, screwdriver*]; remettre qch à qn [*trophy*]; **to ~ sb out of a car** aider qn à sortir d'une voiture
(Idioms) **the left ~ doesn't know what the right ~ is doing** la main gauche ignore ce que fait la droite; **to know sth like the back of one's ~** connaître qch comme le dos de la main; **many ~s make light work** Prov plus on est nombreux plus ça va vite; **I could do that with one ~ tied behind my back!** je pourrais le faire les doigts dans le nez○!; **you've got to**

~ **it to her/them...** il faut lui/leur faire cette justice...; **he never does a ~'s turn** il ne remue pas le petit doigt; **to win ~s down** gagner haut la main

(Phrasal verbs) ■ **hand back**: ► ~ **[sth] back**, ~ **back [sth]** rendre *[object, essay, colony]* (**to** à)

■ **hand down**: ► ~ **[sth] down**, ~ **down [sth]** (transmit) transmettre *[heirloom, property, tradition, skill, story]* (**from** de; **to** à); ► ~ **[sth] down to sb**, ~ **down [sth] to sb** [1] (pass) faire passer [qch] à qn *[boxes, books]*; [2] (pass on after use) passer [qch] à qn *[old clothes]*

■ **hand in**: ► ~ **[sth] in**, ~ **in [sth]** [1] (submit) remettre *[form, petition, ticket]* (**to** à); rendre *[homework]*; **to ~ in one's notice** *ou* **resignation** donner sa démission; [2] (return) rendre *[equipment, keys]*

■ **hand on**: ► ~ **[sth] on**, ~ **on [sth]** passer *[collection plate, baton]*

■ **hand out**: ► ~ **[sth] out**, ~ **out [sth]** distribuer *[food, leaflets]* distribuer *[punishments, fines]*; péj prodiguer pej *[advice]*

■ **hand over**: ► ~ **over to sb** [1] TV, Radio *[presenter]* passer l'antenne à *[reporter, presenter]*; [2] (transfer power) passer la main à *[deputy, successor]*; [3] (on telephone) **I'll just ~ you over to Rosie** je te passe Rosie; ► ~ **over [sth]**, ~ **[sth] over** rendre *[weapon]*; céder *[collection, savings, territory, title, business, company]*; livrer *[secret]*; transmettre *[power, problem]*; remettre *[keys]*; céder *[microphone, controls]*; **the mugger forced him to ~ over his money** le voleur l'a obligé à lui remettre son argent; **that pen's mine, ~ it over!** ce stylo est à moi, rends-le moi!; ► ~ **[sb] over**, ~ **over [sb]** livrer *[prisoner, terrorist]* (**to** à); **to ~ a baby/patient over to sb** remettre un enfant/un malade entre les mains de qn

■ **hand round**: ► ~ **[sth] round**, ~ **round [sth]** faire circuler *[collection plate, leaflets, drinks, sandwiches]*

■ **hand up**: ► ~ **[sth] up to sb** passer [qch] à qn *[hammer, box]*

hand: **~bag** *n* sac *m* à main; **~ baggage** *n* bagage *m* à main

handball /'hændbɔ:l/ *n* Sport [1] ► p. 1253 (ballgame) handball *m*; [2] (fault in football) faute *f* de main

hand: **~basin** *n* lavabo *m*; **~bell** *n* clochette *f*; **~bill** *n* prospectus *m*

handbook /'hændbʊk/ *n* (textbook, guide) manuel *m*; (technical manual) livret *m* technique; **members' ~** guide *m* de l'adhérent; **staff ~** guide *m* de (présentation de) l'entreprise; **teacher's ~** livret *m* du professeur; **training/user's ~** manuel *m* de formation/d'utilisation

hand: **~brake** *n* Aut frein *m* à main; **~cart** *n* (two-wheeled) charrette *f* à bras; (four-wheeled) chariot *m*; **~clap** *n* claquement *m* de mains; **~clasp** *n* US poignée *f* de main; **~ cream** *n* crème *f* pour les mains

handcuff /'hændkʌf/

A **handcuffs** *npl* menottes *fpl*; **to put the ~s on sb** passer les menottes à qn

B *vtr* passer les menottes à *[person]*; **to ~ sb to sth** attacher qn à qch avec des menottes; **the prisoners were ~ed** les prisonniers avaient des menottes aux poignets

hand-dryer, **hand-drier** /'hændraɪə(r)/ *n* sèche-mains *m inv*

Handel /'hændl/ *pr n* Haendel

handful /'hændfʊl/ *n* [1] (fistful) poignée *f*; **by the ~** *ou* **in ~s** par poignées; [2] (small number) (of people) poignée *f*; (of buildings, events, objects, works) petit nombre *m*; [3] ○(troublesome person, animal) **to be a ~** *[child]* ne pas être de tout repos; *[horse]* être difficile à monter; *[dog]* être épuisant

hand: **~ grenade** *n* grenade *f* (à main); **~grip** *n* manche *m* (*de raquette*); **~gun** *n* arme *f* de poing

hand-held /ˌhænd'held/ *adj* *[camera]* de reportage; *[tool]* à main; *[device]* portatif/-ive; *[computer]* de poche; **a ~ shower** une douchette

handhold /'hændhəʊld/ *n* prise *f* de main

handicap /'hændɪkæp/

A *n* [1] (disability) handicap *m*; **a child with severe** *ou* **profound physical and mental ~s** un enfant très handicapé mentalement et physiquement; [2] (disadvantage) handicap *m*; **it is a ~ to have** *ou* **having** c'est gênant d'avoir; [3] Sport (points) handicap *m*; (race) handicap *m*; **to have a ~ of three** (in golf) avoir trois de handicap

B *vtr* (*p prés etc* **-pp-**) [1] fig handicaper *[person, development]*; **he was ~ped by not being able to read** c'était un handicap pour lui de ne pas savoir lire; [2] Sport handicaper *[race]*

handicapped /'hændɪkæpt/

A *n* **the ~** (+ *v pl*) les handicapés *mpl*; **mentally/physically ~** handicapés mentaux/physiques; **the visually ~** les mal-voyants *mpl*

B *adj* [1] *[person]* handicapé; [2] Sport *[horse, runner]* handicapé

handicraft /'hændɪkrɑ:ft, US 'hændkræft/

A *n* [1] (object) objet *m* artisanal; '**~s**' (sign on shop) 'artisanat' *m*; [2] (skill) travail *m* artisanal

B **handicrafts** *npl* Sch travaux *mpl* manuels

C *modif* *[exhibition, shop]* d'artisanat; *[class]* de travaux manuels

handily /'hændɪlɪ/ *adv* *[located, positioned]* bien (*before adj*)

hand in hand *adv* lit *[run, walk]* la main dans la main; **to go ~** fig aller de pair

handiwork /'hændɪwɜ:k/ *n* gen ouvrage *m*; **is this graffiti your ~?** iron ce graffiti, c'est ton œuvre?

handjob◑ /'hænddʒɒb/ *n* **to give oneself a ~**◑ se branler●

handkerchief /'hæŋkətʃɪf, -tʃi:f/ *n* mouchoir *m*; **paper/cotton ~** mouchoir en papier/en coton; **pocket ~** gen mouchoir de poche; (for jacket) pochette *f*

hand-knitted /ˌhænd'nɪtɪd/ *adj* tricoté à la main

handle /'hændl/

A *n* [1] (on door, drawer) poignée *f*; (on bucket, cup, basket) anse *f*; (on bag, suitcase) poignée *f*; (on piece of cutlery) manche *m*; (on frying pan, saucepan) queue *f*; (on hammer, screwdriver) manche *m*; (on broom, spade) manche *m*; (on wheelbarrow, pump) bras *m*; **a knife with a wooden ~** un couteau à manche de bois; **to pick sth up by the ~** prendre qch par la poignée *or* par le manche; **to hold sth by the ~** tenir qch par la poignée *or* par le manche; [2] fig (hold) **to get a ~ on sb** comprendre qn fig; **to use sth as a ~ against sb** se servir de qch comme d'une arme contre qn; [3] ○(title) titre *m*; **to have a ~ to one's name** avoir un titre; [4] ○(on CB radio) indicatif *m*

B *vtr* [1] (touch) manipuler *[explosives, samples, food]*; **to ~ sb gently/roughly** traiter qn gentiment/rudement; **to ~ sth gently/roughly** manier qch délicatement/brutalement; **to ~ stolen goods** faire du trafic de marchandises volées; **to ~ drugs** faire du trafic de drogue; **to ~ a gun** manier un pistolet; '**~ with care**' 'fragile'; '**please do not ~ (the goods)**' 'prière de ne pas toucher (à la marchandise)'; **to ~ the ball** (in football) faire une faute de main; [2] (manage) manier *[horse]*; manœuvrer *[car]*; **to know how to ~ children/clients** savoir s'y prendre avec les enfants/les clients; **he's hard to ~** il n'a pas un caractère facile; **this car ~s bends well** cette voiture tient bien la route dans les virages; [3] (deal with) traiter *[grievances, case, negotiations]*; affronter, faire face à *[emergency, crisis]*; supporter *[stress]*; **he couldn't ~ the pace/pressure** il n'a pas supporté le rythme/la pression; **she ~d the situation very well** elle a très bien fait face à la situation; **I can't ~ any more problems at the moment!** j'ai assez de problèmes comme ça en ce moment!; **can you ~ another sausage/drink**○**?** hum est-ce que tu peux encore avaler une saucisse/un verre?; **leave it to me, I can ~ it** laisse-moi faire, je peux m'en occuper; [4] (process) *[organization]* traiter *[money, clients, order]*; *[airport, port]* accueillir *[traffic, passengers, cargo]*; *[factory]* traiter *[waste, pesticides]*; *[person]* manier *[information, money, accounts]*; *[person]* examiner *[job application]*; *[computer]* manipuler *[graphics, information]*; *[department, official]* s'occuper de *[complaints, immigration, enquiries]*; *[agent]* s'occuper de *[sale]*; *[lawyer]* s'occuper de *[case]*; [5] (artistically) traiter *[theme, narrative, rhythms]*

C *vi* Aut **the car ~s well/badly** la voiture manœuvre bien/mal; **it ~s well on bends/on wet surfaces** elle prend bien les virages/elle tient bien la route sur chaussée humide

(Idioms) **to fly off the ~**○ piquer une crise○; **to be too hot to ~** (of situation) être trop risqué

handle: **~bar moustache** *n* moustache *f* en crocs; **~bars** *npl* guidon *m*

handler /'hændlə(r)/ *n* [1] (of dog) maître-chien *m*; (of other animals) dresseur/-euse *m/f*; [2] (advisor) (of star) agent *m*; (of politician) conseiller *m*; [3] (worker) **food ~** employé/-e *m/f* dans la restauration; **cargo ~** transporteur *m*; [4] (dealer) **~ of stolen goods** trafiquant/-e *m/f* de marchandises volées

handling /'hændlɪŋ/ *n* [1] (holding, touching) (of substance) manipulation *f*; (of tool, weapon) maniement *m*; **the ~ of foodstuffs/of radioactive materials** la manipulation de denrées alimentaires/de matériaux radioactifs; **old books require careful ~** les livres anciens doivent être manipulés avec soin; **the package had been subjected to rough ~** le paquet avait été maltraité; [2] (way of dealing) **her ~ of the theme/the story** sa façon de traiter le thème/l'histoire; **the bank's ~ of the affair** la façon dont la banque a traité l'affaire; **their ~ of the negotiations** leur conduite des négociations; **the president's ~ of the crisis** la façon dont le président a fait face à la crise; **the ~ of the case** Jur le traitement de l'affaire; **their ~ of the economy** leur gestion de l'économie; **sheep ~** traitement *m* des ovins; [3] Comm (storage, shipping) manutention *f*; **~ facilities** service *m* de manutention; **a grain ~ firm** une entreprise de transport de céréales; [4] (processing) (of data, documents) traitement *m*; (of process, business) gestion *f*; **speedier ~ of air traffic** une gestion plus rapide du trafic aérien; **cash ~** maniement *m* de grosses sommes; [5] (training) **dog ~** entraînement *m* des chiens

handling charge *n* [1] Comm frais *mpl* de manutention; [2] Admin, Fin frais *mpl* administratifs

hand: **~ lotion** *n* lotion *f* pour les mains; **~ luggage** *n* bagage *m* à main; **~made** *adj* fait à la main; **~maid**, **~maiden**‡ *n* servante *f*

hand-me-down○ /'hændmi:daʊn/ *n* vieux vêtement *m*; **my sister's ~s** les vieux vêtements de ma sœur

handout /'hændaʊt/ *n* [1] (payment) péj (welfare payment) allocation *f*; (to industry) subvention *f*; (charitable) aumône *f*, don *m*; **to live off/rely on ~s** vivre de/dépendre de la charité des autres; [2] (document) (single sheet) feuille *f*; (several sheets) document *m*; [3] (leaflet) prospectus *m*

handover /'hændəʊvə(r)/ *n* (of property, power, territory) transfert *m*; (of prisoner, ransom) remise *f*; (of product) remise *f* (**to** à)

hand: **~-painted** *adj* peint à la main; **~pick** *vtr* choisir [qch] soi-même *[vegetables, fruit]*; trier [qn] sur le volet *[staff, deputy]*

handportable /ˌhænd'pɔ:təbəl/

A *n* Comput portatif *m*; Telecom portable *m*

B *adj* Comput portatif/-ive; Telecom portable

hand: **~rail** *n* (on stairs) rampe *f*, main *f* courante; (on balcony, pier) garde-fou *m*; **~-reared** *adj* *[animal]* élevé au biberon; **~saw** *n* scie *f* manuelle; **~set** *n* Telecom

h

combiné *m*; **~s-free headset** *n* Telecom (for mobile phone) kit *m* mains libres piéton; **~s-free kit** *n* Aut, Telecom kit *m* mains libres conducteur; **~shake** *n* (friendly gesture) poignée *f* de main; Comput établissement *m* d'une liaison; **~ signal** *n* gen, Aut signe *m* de la main; **~s-off** *adj* [*manager*] qui pratique la délégation du pouvoir; [*policy*] de non-intervention; [*style, approach*] basé sur la non-intervention

handsome /ˈhænsəm/ *adj* **1** (fine) [*man*] beau; [*town, bag*] beau/belle; [*building*] beau et imposant; **a ~ woman** une belle femme; **2** (appreciable) [*dividend*] bon/bonne; [*sum*] beau/belle; [*reward*] généreux/-euse; **to receive ~ remuneration** être largement payé

(Idiom) **~ is as ~ does** Prov il faut juger quelqu'un à ses actes plutôt que se fier aux apparences

handsomely /ˈhænsəmlɪ/ *adv* **1** (elegantly) **a ~ proportioned building** un bâtiment aux proportions élégantes; **a ~ written book** un livre très bien écrit; **2** (decisively) **to win ~** gagner haut la main; **3** (amply) **to pay off ~** [*investment*] être d'un bon rapport; **to be ~ rewarded** recevoir une généreuse récompense

hand: **~s-on** *adj* [*experience, training, manager, management*] de terrain; [*control*] direct; [*museum*] interactif/-ive; [*approach*] pragmatique; **~spring** *n* saut *m* de mains, salto *m*

handstand /ˈhændstænd/ *n* Sport équilibre *m*; **to do a ~** faire l'équilibre

hand-to-hand /ˌhændtəˈhænd/

A *adj* [*combat, fighting*] (au) corps à corps; **a ~ fight** un corps à corps

B *adv* [*fight*] corps à corps

hand-to-mouth /ˈhændtəmaʊθ/

A *adj* [*existence, life*] au jour le jour *inv*

B **hand to mouth** *adv* [*live*] au jour le jour

hand: **~ towel** *n* essuie-mains *m inv*; **~-woven** *adj* tissé à la main

handwriting /ˈhændraɪtɪŋ/ *n* écriture *f*; **the message was in Brigitte's ~** le message était écrit de la main de Brigitte

handwritten /ˈhændrɪtn/ *adj* manuscrit

handy /ˈhændɪ/ *adj* **1** (useful) [*book, index, skill*] utile; [*bag, tool, pocket*] pratique; **to be ~ for doing** être pratique pour faire; **a ~ hint** *ou* **tip** un conseil utile; **to come in ~ for sb/sth** servir à qn/qch; **to come in ~ for doing** servir à faire; **don't throw the box away, it might come in ~** ne jette pas la boîte, elle peut toujours servir; **an ability to speak Spanish could come in ~** savoir parler espagnol pourrait être utile; **that's ~ to know** c'est bon à savoir; **2** (convenient) [*format, shape, size*] pratique; [*location*] bon/bonne; [*shop*] bien situé; **the hotel is ~ for the shops** l'hôtel est bien situé pour les magasins; **to keep sth ~** garder qch sous la main [*keys, passport*]; **have you got a pencil ~?** as-tu un crayon sous la main?; **3** ○(skilful) [*player, footballer*] doué (**at doing** pour faire); **to be ~ with a paintbrush/ one's fists** savoir se servir d'un pinceau/de ses poings; **to be ~ about the house** être bricoleur/-euse *m/f*

handyman /ˈhændɪmæn/ *n* (amateur) bricoleur *m*; (professional) homme *m* à tout faire

hang /hæŋ/

A *n* **1** Sewing (of curtain, garment) **the ~** le tombant

2 ○(knack) **to get the ~ of sth**○**/of doing**○ piger○ qch/comment faire; **you'll soon get the ~ of the computer/of using the new system** tu ne vas pas tarder à piger○ l'ordinateur/comment utiliser le nouveau système; **you're getting the ~ of it** tu as pigé○

B *vtr* (*prét, pp* **hung**) **1** (suspend) (from projection, hook, coat-hanger) accrocher (**from** à; **by** par; **on** à); (from string, rope) suspendre (**from** à); (drape over) étendre, mettre (**over** sur); (peg up) étendre [*washing*] (**on** sur); **the cat had a bell hung round its neck** le chat avait une clochette (accrochée) au cou; **I'll ~ the washing on the line** je vais étendre le linge; **she hung the towel over the radiator** elle a mis la serviette sur le radiateur

2 (*also* **~ down**) (let dangle) suspendre [*rope, line etc*] (**out of** par); laisser pendre [*arm, leg*]; baisser [*head*]; **she hung her arm over the side of the boat** elle a laissé pendre son bras hors de la barque; **we hung our heads in shame** nous avons baissé la tête de honte

3 Art accrocher [*exhibition, picture*]

4 (decorate with) **to be hung with** être orné de [*flags, tapestries*]; être décoré de [*garlands*]; **the walls were hung with portraits** des portraits étaient accrochés aux murs

5 (interior decorating) poser [*wallpaper*]

6 Constr, Tech poser [*door, gate*]

7 Culin faisander [*game*]

8 (*prét, pp* **hanged**) pendre [*criminal, victim*] (**for** pour; **for doing** pour avoir fait); **he was ~ed for treason** il a été pendu pour trahison; **to be ~ed drawn and quartered** être pendu, éviscéré et écartelé

C *vi* (*prét, pp* **hung**) **1** (be suspended) (on hook) être accroché; (from height) être suspendu; (on washing line) être étendu; **a chandelier hung from the ceiling** un chandelier était suspendu au plafond; **her photo ~s over the piano** sa photo est accrochée au-dessus du piano; **she hung from the branch, then dropped** elle est restée accrochée *or* suspendue à la branche, puis elle s'est laissée tomber; **her arm hung limply over the arm of the chair** son bras pendait mollement de l'accoudoir; **the bed is too short: my feet ~ over the end** le lit est trop petit: mes pieds dépassent; **the children were ~ing out of the window** les enfants se penchaient à la fenêtre

2 Sewing (drape) [*curtain, garment*] tomber; **the dress doesn't ~ properly** la robe ne tombe pas bien

3 (float) [*fog, cloud, smoke, smell*] flotter

4 Art être accroché; **his paintings ~ in the Louvre** ses tableaux sont accrochés au Louvre

5 Culin [*game*] faisander

6 (die) être pendu (**for** pour)

D *v refl* (*prét, pp* **hanged**) **to ~ oneself** se pendre (**from** à)

(Idioms) **~ it all**○! zut○!; **~ John**○! tant pis pour Jean!; **~ the expense**○! au diable la dépense!; **I'll be ~ed if...**○ je veux bien être pendu si...; **~ed if I know**○! je n'en sais fichtre rien○!; **sb/sth can go ~**○ GB, **let sb/sth go ~**○ GB qn/qch peut aller au diable; **to let it all ~ out**○ être relax○; **well I'll be ~ed**○†! ça alors! ▸ **sheep**

(Phrasal verbs) ■ **hang about**○, **hang around**○ (waiting for sth) poireauter○; (aimlessly) traîner; **to keep sb ~ing around for three hours** faire poireauter○ qn pendant trois heures

■ **hang around**○: ▶ **~ around** = **hang about**; **to ~ around with sb** (associate with) passer son temps avec qn; ▶ **~ around [sb]** (inflict oneself on) être toujours à tourner autour○ de qn; **she's always ~ing around me** elle est toujours à me tourner autour

■ **hang back** (in fear) rester derrière; (waiting) rester; (reluctant) lit rester à la traîne; fig être réticent; **she hung back from offering help** elle était réticente à proposer son aide

■ **hang down** gen pendre; [*hem*] être défait

■ **hang off** pendre

■ **hang on** **1** ○(wait) attendre; **~ on, I've a better idea** attends, j'ai une meilleure idée; (on phone) **can you ~ on a minute?** voulez-vous attendre une minute?; **2** ○(survive) tenir○; **he hung on for another five years** il a tenu cinq ans de plus; **~ on in there**○! tiens bon, accroche-toi○!; ▶ **~ on [sth]** **1** (depend on) dépendre de; **we must win—everything ~s on it** il faut que nous gagnions—tout en dépend; **2** (listen attentively) **to ~ on sb's words** *ou* **every word** être pendu aux lèvres de qn

■ **hang on to**: ▶ **~ on to [sth/sb]** **1** (hold tight) s'agripper à [*object, rail*]; agripper [*person*]; **~ on to the branch** agrippe-toi à la branche; **~ on to that child** agrippe l'enfant; **~ on to your hat!** lit tiens bien ton chapeau!; fig accroche-toi!; **2** ○fig (retain) s'accrocher à○ [*possession, power, title, tradition, values*]

■ **hang out** **1** (protrude) [*shirt , handkerchief etc*] dépasser; **2** ○(live) crécher○; **3** ○(frequent) traîner○; ▶ **~ out [sth]**, **~ [sth] out** étendre [*washing*]; accrocher [*sign*]; sortir [*flag*]

■ **hang over**: ▶ **~ over [sb/sth]** [*threat, danger, unpleasant prospect, suspicion*] planer sur [*person, project*]

■ **hang together** **1** (be consistent) se tenir; **2** (cooperate) se serrer les coudes

■ **hang up** (on phone) raccrocher; Comput tomber en panne; **to ~ up on sb** raccrocher au nez de qn; ▶ **~ up [sth]**, **~ [sth] up** **1** (on hook) accrocher; (on hanger, string) suspendre; (on washing line) étendre; **she hung it up to dry** elle l'a étendu à sécher; **2** Telecom raccrocher [*phone*]; **3** fig, hum **to ~ up one's skis/one's gloves/one's spade** mettre ses skis/ses gants/sa bêche au rancart

hangar /ˈhæŋə(r)/ *n* hangar *m*

hangdog /ˈhæŋdɒg/ *adj* [*expression, look*] de chien battu

hanger /ˈhæŋə(r)/ *n* **1** (coat hanger) cintre *m*; **2** (loop) boucle *f*

hanger-on○ /ˌhæŋərˈɒn/ *n* parasite *m*, pique-assiette○ *mf*

hang-glider /ˈhæŋglaɪdə(r)/ *n* (craft) deltaplane *m*; (pilot) deltaplaniste *mf*

hang-gliding /ˈhæŋglaɪdɪŋ/ ▸ **p. 1253** *n* deltaplane *m*; **to go ~** faire du deltaplane

hanging /ˈhæŋɪŋ/

A *n* **1** (strangulation) pendaison *f*; **death by ~** mort par pendaison; **~ is too good for him** la pendaison est une mort trop douce pour lui; **2** (curtain) rideau *m*; (on wall, for decoration) tenture *f*; **3** (act of suspending) (of picture, decoration) accrochage *m*; (of door, wallpaper) posage *m*; (of game) Culin faisandage *m*

B *adj* Jur [*offence*] passible de pendaison; [*judge*] lit partisan de la pendaison; fig à la main lourde

hanging: **~ basket** *n* Hort suspension *f* florale, panier *m* suspendu; **~ committee** *n* Art jury *m* d'admission des tableaux; **Hanging Gardens of Babylon** *npl* jardins *mpl* suspendus de Babylone; **~ staircase** *n* escalier *m* en encorbellement; **~ valley** *n* vallée *f* suspendue

hangman /ˈhæŋmən/ *n* **1** (at gallows) bourreau *m*; **2** ▸ **p. 1253** (game) potence *f*

hangnail /ˈhæŋneɪl/ *n* petite peau *f*

hang-out○ /ˈhæŋaʊt/ *n* **his favourite ~** son endroit favori

hangover /ˈhæŋəʊvə(r)/

A *n* **1** (from drink) gueule *f* de bois○; **to have a ~** avoir la gueule de bois○; **2** fig (legacy) héritage *m* (**from** de)

B *modif* [*remedy*] contre la gueule de bois

hang-up○ /ˈhæŋʌp/ *n* (deep-rooted) complexe *m*; (specific worry) problème *m*; **to have a ~ about** avoir un complexe à cause de [*appearance, experience*]; avoir la phobie de [*spiders etc*]; **to have a ~ about doing** avoir un problème pour faire

hank /hæŋk/ *n* (of wool etc) écheveau *m*

hanker /ˈhæŋkə(r)/ *vi* **to ~ after** *ou* **for sth** (with desire) rêver de qch; (with nostalgia) regretter qch

hankering /ˈhæŋkərɪŋ/ *n* **a ~ for sth/to do sth** une grande envie de qch/de faire qch

hanky, **hankie**○ /ˈhæŋkɪ/ *n* mouchoir *m*

hanky-panky○ /ˌhæŋkɪˈpæŋkɪ/ *n* hum (sexual) polissonneries *fpl*; (dishonest) friponneries *fpl*

Hannibal /ˈhænɪbl/ *pr n* Hannibal

Hanoi /ˌhæˈnɔɪ/ ▸ **p. 1815** *pr n* Hanoi

Hanover /ˈhænəʊvə(r)/ ▸ p. 1815 *pr n* Hanovre

Hanoverian /ˌhænəˈvɪərɪən/ *adj* 1 Hist hanovrien/-ienne; 2 Geog de Hanovre

Hansard /ˈhænsɑːd/ *n: compte rendu officiel des débats de la Chambre des communes*

Hanseatic League /ˌhænsɪˈætɪk/ *pr n* Hanse *f* teutonique

hansom /ˈhænsəm/ *n* (*also* ~ **cab**) cab *m*, cabriolet *m*

Hants GB Post *abrév écrite* = **Hampshire**

Hanukkah /ˈhænʊkə/ *n* Hanoukka *f*

ha'penny /ˈheɪpnɪ/ *n* GB *abrév* ▸ **halfpenny**

haphazard /hæpˈhæzəd/ *adj* (unorganized) peu méthodique; (random) **a ~ world** un monde incohérent; **in a ~ way** [*arranged*] de façon peu méthodique; [*guess*] au hasard; [*pick up skills, information*] par-ci par-là

haphazardly /hæpˈhæzədlɪ/ *adv* n'importe comment

hapless /ˈhæplɪs/ *adj* littér *ou* hum pauvre, infortuné liter

happen /ˈhæpən/ *vi* 1 (occur) arriver, se passer, se produire; **when/where/how did it ~?** quand/où/comment est-ce arrivé?, quand/où/comment cela s'est-il passé *or* produit?; **what's happening?** qu'est-ce qui se passe?; **the accident ~ed yesterday** l'accident est arrivé *or* s'est produit hier; **I wonder what will ~ next** je me demande ce qui va arriver *or* se passer maintenant; **we must make sure this never ~s again** nous devons faire en sorte que cela ne se reproduise jamais; **you cannot expect the change to ~ overnight** ne t'attends pas à ce que le changement se produise du jour au lendemain; **so much has ~ed since our last meeting** il s'est passé tant de choses depuis notre dernière rencontre; **he reacted as if nothing had ~ed** il a réagi comme si de rien n'était; **whatever ~s, don't get out of the car** quoi qu'il arrive, ne sors pas de la voiture; **it had to ~, it was bound to ~** GB ça devait arriver; **miracles do ~!** les miracles, ça arrive!; **it may ~ that, it can ~ that** il arrive parfois que; **how does it ~** *ou* **how can it ~ that such problems are ignored?** comment se fait-il qu'on ne prête pas attention à de tels problèmes?; **success doesn't just ~!** le succès n'arrive pas comme ça!; **anything might ~!** on peut s'attendre à tout!; **she's the sort of person who makes things ~** elle fait bouger les choses; 2 (befall) **to ~ to sb** arriver à qn; **the worst thing that can ~ to a man like him is** la pire chose qui puisse arriver à un homme comme lui, c'est; **old age/death is something that ~s to us all** la vieillesse/la mort nous attend tous; 3 (occur by chance) **there ~s/~ed to be a free parking space** il se trouve qu'il y a/qu'il y avait une place libre; **we ~ed to be there when she appeared** nous nous trouvions là par hasard quand elle est arrivée; **it so ~s that I have an example right here** il se trouve que j'ai un exemple juste ici; **as it ~ed, the weather that day was bad** il s'est trouvé qu'il faisait mauvais ce jour-là; **if you ~ to see her say hello** si par hasard tu la vois, salue-la de ma part; **do you ~ to have his phone number?** aurais-tu par hasard son numéro de téléphone?; 4 (materialize) arriver; **the promised reforms never ~ed** les réformes promises ne sont jamais arrivées; 5 (go wrong, cause harm) arriver; **if anything ~s to Dinah, I shall never forgive myself** s'il arrive quoi que ce soit à Dinah, je ne me le pardonnerai jamais; **do you think anything will ~?** penses-tu qu'il va arriver quelque chose?; 6 (become of) devenir; **what will ~ to the children?** que deviendront les enfants?; **what ~ed to all those fine promises?** que sont devenues toutes ces belles promesses?; 7 (used indignantly, assertively) **he just ~s to be the best actor in Britain!** il se trouve que c'est le meilleur acteur de Grande-Bretagne!; **sorry, but I ~ to disagree** désolé, mais je ne suis pas d'accord

Phrasal verb ■ **happen on:** ▸ **~ on [sth]** trouver [qch] par hasard, tomber sur [qch] [*object*]

happening /ˈhæpənɪŋ/

A *n* 1 (occurrence) incident *m*; **there have been some strange ~s recently** il s'est passé des choses étranges dernièrement; 2 Art, Theat happening *m*

B ○*adj* branché○

happenstance /ˈhæpənstəns/ *n* US hasard *m*; **by ~** par hasard; **it was just ~** c'était le hasard

happily /ˈhæpɪlɪ/ *adv* 1 (cheerfully) [*laugh, chat, play, say*] joyeusement; **to be ~ married** être heureux en ménage; **a ~ married man** un mari heureux; **a ~ married woman** une femme heureuse; **they all lived ~ ever after** ils vécurent heureux jusqu'à la fin de leurs jours; 2 (luckily) heureusement; 3 (willingly) [*accept, admit, agree, give up, leave, submit*] volontiers; 4 (successfully) [*blend, chosen*] avec bonheur; **a ~ worded letter** une lettre aux termes bien choisis

happiness /ˈhæpɪnɪs/ *n* bonheur *m*

happy /ˈhæpɪ/ *adj* 1 (cheerful) [*home, life, memory, atmosphere*] heureux/-euse; [*person*] heureux/-euse (**about** de; **with sb** avec qn; **for sb** pour qn; **that** que + *subj*); **the ~ couple** les mariés *mpl*; **the ~ event** (birth) l'heureux événement; **to be ~ doing** bien aimer faire; **I'm ~ (that) I've won/(that) they're back** je suis heureux d'avoir gagné/qu'ils soient revenus; 2 (pleased, satisfied) content; **to be ~ with sth** être satisfait de qch; **he's not ~ about it** il n'est pas d'accord; **to keep sb ~** faire plaisir à qn; **to give sb sth to keep them ~** donner qch à qn pour qu'il reste tranquille; 3 (willing) **to be ~ to do** être heureux/-euse de faire; **he's quite ~ to leave on Monday** cela ne le dérange pas de partir lundi; **are you ~ to go tomorrow?** cela ne te dérange pas d'y aller demain?; **we are ~ for them to do it** cela ne nous dérange pas qu'ils le fassent; 4 (in greetings) **Happy birthday!** Bon anniversaire!; **Happy Christmas!** Joyeux Noël!; **Happy New Year!** Bonne année!; **Happy anniversary!** Bon anniversaire!; 5 (lucky) heureux/-euse; **by a ~ coincidence** par une heureuse coïncidence; **he's in the ~ position of having no debts** il a la chance de ne pas avoir de dettes; **the ~ few** les quelques rares privilégiés; 6 (successful) [*blend, balance, choice, phrase*] heureux/-euse; 7 ○(slightly drunk) pompette○

Idiom **to be as ~ as Larry** *ou* **as a sandboy** GB être heureux comme un poisson dans l'eau

happy couple *n* **the ~** les mariés *mpl*

happy ending *n* heureux dénouement *m*

happy event *n* **the ~** l'heureux événement *m*

happy: Happy Families ▸ p. 1253 *n* (+ *v sg*) les sept Familles *fpl*; **~-go-lucky** *adj* [*person, attitude*] insouciant; **~ hour** *n: dans un bar, période durant laquelle les boissons sont vendues à prix réduit*

happy hunting ground *n* 1 (Amerindian) paradis *m* (*des Indiens d'Amérique*); 2 fig paradis *m*; **to be a ~ for sb** être le paradis pour qn

happy medium *n* juste milieu *m*

Hapsburg /ˈhæpsbɜːɡ/ *pr n* Habsbourg; **the ~s** les Habsbourg *mpl*

hara-kiri /ˌhærəˈkɪrɪ/ *n* hara-kiri *m*; **to commit ~** faire hara-kiri

harangue /həˈræŋ/

A *n* (political) harangue *f*; (moral) sermon *m*

B *vtr* (*p prés* **haranguing**) (politically) haranguer; (morally) sermonner

harass /ˈhærəs, US həˈræs/

A *vtr* [*photographer, police etc*] harceler; [*problem, event*] contrarier

B **harassed** *pp adj* excédé

harassment /ˈhærəsmənt, US həˈræsmənt/ *n* harcèlement *m*; **police ~** harcèlement par la police; **sexual ~** harcèlement sexuel; **racial ~** persécution *f* raciste

harbinger /ˈhɑːbɪndʒə(r)/ *n* littér signe *m* annonciateur; **~ of doom** (thing) funeste présage *m*; (person) porteur/-euse *m/f* de mauvaises nouvelles

harbour GB, **harbor** US /ˈhɑːbə(r)/

A *n* 1 lit port *m*; **deep-water ~** port de toute marée; **natural ~** port naturel; 2 fig (haven) refuge *m*

B *vtr* 1 (nurse) nourrir [*emotion, suspicion, illusion*]; **to ~ a grudge** être plein de ressentiment; 2 (shelter illegally) receler [*criminal*]; 3 (contain) receler [*parasite, insect*]; retenir [*dirt, germs*]

harbour dues, **harbour fees** *npl* frais *mpl or* droits *mpl* portuaires

harbour master ▸ p. 1683 *n* capitaine *m* de port

harbourside /ˈhɑːbəsaɪd/

A *n* port *m*

B *modif* [*bar, café etc*] du port

harbour station *n* gare *f* maritime

hard /hɑːd/

A *adj* 1 [*consistency, object, surface, skin, muscle, snow, butter, bread, ground, bed, pencil lead*] dur; [*paint, wax, mud, glue*] dur, durci; **to go** *ou* **grow** *ou* **become ~** durcir; **to set ~** [*concrete, plaster etc*] durcir complètement; **a ~ frost** une forte gelée; **frozen ~** complètement gelé; ▸ **hard lens**

2 (difficult, complex) [*problem, question, puzzle*] dur, difficile; [*choice*] difficile, dur à faire; [*decision*] difficile, dur à prendre; (arduous, demanding) [*task, study, training, climb*] dur, difficile; [*bargaining, negotiations, fight*] dur, serré; **I've had a ~ day** j'ai eu une dure journée; **a ~ day's work/filming** une dure journée de travail/de tournage; **to be ~ to open/cut/find/read** être dur *or* difficile à ouvrir/couper/trouver/lire; **it's a ~ poem to translate** c'est un poème difficile à traduire; **to be ~ to please** être exigeant; **it's ~ to do** c'est dur *or* difficile à faire; **it was ~ not to laugh** il était dur *or* difficile de ne pas rire; **his decision was ~ for us to understand** il était dur *or* difficile de comprendre sa décision, nous avions du mal à comprendre sa décision; **it is ~ for sb to do sth** il est difficile à *or* pour qn de faire qch; **it was ~ for us to understand his decision** il nous était difficile de comprendre sa décision, nous avions du mal à comprendre sa décision; **it's ~ for old people to change their ways** il est difficile pour les personnes âgées de changer leurs habitudes; **to find it ~ to do sth** avoir du mal à faire qch, trouver dur *or* difficile de faire qch; **to find sth ~ to do** trouver qch dur *or* difficile à faire; **it's ~ to accept/believe** on a du mal à accepter/croire (**that** que); **I'm not afraid of ~ work** le travail ne me fait pas peur; **it was ~ work** *ou* **going** ça a été dur *or* difficile; **it's ~ work doing sth** c'est difficile *or* dur de faire qch; **it was ~ work persuading her to sell** c'était difficile *or* dur de la persuader de vendre; **I found the article rather ~ going** j'ai trouvé l'article plutôt ardu *or* difficile; **he made ~ work of moving the table** il a fait tout un plat○ pour déplacer la table; **~ work never hurt** *ou* **killed anybody!** le travail n'a jamais fait de mal à personne!; **it's too much like ~ work** c'est trop fatigant; **to be a ~ worker** [*student, pupil, employee*] être travailleur/-euse; [*manual worker*] être dur à la tâche; **to do things the ~ way** se compliquer la tâche; **he got the job the ~ way** il a beaucoup travaillé pour en arriver là; **to find sth out** *ou* **learn sth the ~ way** apprendre qch à ses dépens

3 (harsh, unpleasant) [*life, childhood, year*] difficile; [*blow, knock*] fig dur, terrible; [*climate, winter*] rude; **he has to learn to take the ~ knocks** il faut qu'il apprenne à encaisser○; **this is a ~ world** nous vivons dans un monde cruel *or* sans pitié; **to be ~ on sb** [*person, court*] être dur envers qn; **don't be so ~ on yourself!** ne sois pas si dur avec toi-même!; **this tax is very ~ on the unemployed** cet impôt frappe durement les chômeurs;

this print is ~ on the eyes ces caractères ne ménagent pas la vue; **~ luck** *ou* **lines**○ GB! (sympathetic) pas de chance!; **~ luck** *ou* **lines**○ GB *ou* **cheese**○ GB! (unsympathetic) tant pis pour toi!, manque de pot○!; **to take a ~ line** adopter une attitude ferme (**on sth** à propos de qch; **with sb** envers qn); **it's a ~ life** gen, hum, iron la vie est dure; **it's a ~ life being a millionaire** iron c'est dur d'être (un) millionnaire; **no ~ feelings!** sans rancune!; **I bear her no ~ feelings** je ne lui en veux pas, je ne lui en tiens pas rancune; **these are ~ times** les temps sont durs; **to fall on ~ times** connaître des revers de fortune; **he's having a ~ time (of it)** il traverse une période difficile; **to have a ~ time (of it) doing sth** avoir du mal à faire qch; **to give sb a ~ time**○ (make things difficult) rendre la vie impossible à qn; (tell off) passer un savon○ à qn
4 (stern, cold) [*person, voice, look, words*] dur, sévère; **their hearts are ~** ils ont le cœur dur
5 (forceful) [*shove, push, knock*] bon/bonne (*before n*); **I gave the door a ~ push** j'ai poussé fortement la porte
6 (concrete) [*evidence, proof*] solide; [*facts*] concret/-ète, solide; [*news*] sérieux/-ieuse; **the paper that brings you the ~ news** le journal qui vous donne des nouvelles sérieuses; **the ~ facts about sth** la vérité sur qch
7 (stark) [*outline, colour, light*] dur; [*sound*] violent
8 (strong) [*drink, liquor*] fort; [*drug*] dur; [*pornography*] hard; **to be a ~ drinker** boire des alcools forts; **a drop of the ~ stuff**○ une goutte d'alcool (fort)
9 Pol **the ~ left/right** la gauche/droite (pure et) dure
10 Chem [*water*] dur, calcaire
11 Ling [*consonant*] dur
12 ○(tough) [*person*] dur; **so you think you're ~, do you?** tu te prends pour un dur, hein○?
B *adv* 1 (strongly, energetically) [*push, pull, punch, laugh, cry*] fort; [*work*] dur; [*study, think*] sérieusement; [*rain*] fort, à verse; [*snow*] abondamment; [*look, listen*] attentivement; **to hit sb/sth ~** lit frapper qn/qch fort; fig frapper qn/qch durement; **to be ~ hit** fig être durement frappé (**by** par); **think ~!** réfléchissez bien *or* sérieusement!; **to try ~** (intellectually) faire beaucoup d'efforts; (physically) essayer de toutes ses forces; **as ~ as one can** [*run, try, push, pull, work*] de toutes ses forces; **no matter how ~ I try/work, I...** j'ai beau essayer/travailler, je...; **to be ~ at it**○ *ou* **at work** être en plein boulot○ *or* travail; **she works** *ou* **drives her students very ~** elle fait travailler très dur ses étudiants; **to take sth (very) ~** prendre (très) mal qch
2 (with directions) **turn ~ left at the traffic lights** aux feux tournez tout de suite à gauche; **go ~ astern** Naut machine arrière toute; **~ a-port/a-starboard** Naut à babord/à tribord toute
3 (indicating proximity) **~ behind** juste derrière; **~ by† sth** tout près de qch; **~ (up)on sth** juste sur qch; ▸ **heel**
(Idioms) **to play ~ to get** se faire désirer; **to be ~ put to do** avoir du mal à faire; **to be/feel ~ done by** être/se sentir brimé

hard: **~ and fast** *adj* [*rule, distinction, category*] absolu; **~-ass**◑ *n* US dur/-e *m/f* à cuire○

hardback /ˈhɑːdbæk/, **hardcover** /ˌhɑːdˈkʌvə(r)/ US
A *n* livre *m* cartonné *or* relié; **in ~** en édition reliée
B *modif* [*book*] cartonné, relié; [*sales, figures*] des livres reliés; [*publisher*] de livres reliés

hardbacked /ˈhɑːdbækt/ *adj* [*chair*] à dossier dur

hardball /ˈhɑːdbɔːl/ ▸ **p. 1253** *n* US Sport baseball *m*; **to play ~** lit jouer au baseball; fig utiliser tous les moyens possibles

hardbitten /ˌhɑːdˈbɪtn/ *adj* [*person*] endurci

hardboard /ˈhɑːdbɔːd/
A *n* aggloméré *m*
B *modif* [*box, wall*] en aggloméré; [*sheet*] d'aggloméré

hard-boiled /ˌhɑːdˈbɔɪld/ *adj* 1 lit [*egg*] dur; 2 fig [*person*] endurci

hardcase○ /ˈhɑːdkeɪs/ *n* dur/-e *m/f* à cuire○

hard cash *n* espèces *fpl*, (argent *m*) liquide *m*; **in ~** en espèces, en liquide

hard copy *n* Comput tirage *m*

hard core
A *n* 1 (of group, demonstrators, strikers, resistance) noyau *m* dur; 2 Constr remblai *m*; 3 **hardcore** Mus hardcore *m*
B **hard-core** *adj* 1 (established) [*Marxist, supporter, opponent, protest*] irréductible; 2 (extreme) [*pornography, video*] hard (*inv*); 3 **hardcore** Mus [*music, band, record*] hardcore *inv*

hard court *n* Sport court *m* en dur

hard currency
A *n* monnaie *f* forte
B *modif* [*earnings, exports, investments, reserves*] de monnaie forte

hard: **~ disk** *n* Comput disque *m* dur; **~-drinking** *adj* qui boit beaucoup; **~-earned** *adj* [*cash, money*] durement gagné; [*position*] durement obtenu

harden /ˈhɑːdn/
A *vtr* 1 lit gen (faire) durcir [*paint, glue, butter, wax, skin*]; Ind tremper [*steel*]; 2 fig [*time, experience*] endurcir [*person*] (**to** à); raffermir, renforcer [*resolve, opposition*]; durcir [*attitude, stance*]; **to ~ one's heart** s'endurcir (**to** à)
B *vi* 1 lit [*paint, glue, butter, wax, muscle, skin*] durcir; 2 fig [*face, voice*] se faire dur, se durcir; [*opposition, resolve, attitude, stance*] se durcir; **his eyes ~ed** son regard se durcit; **to ~ into** [*suspicions, dislike, guidelines*] se cristalliser en [*certainty, hatred, strict rules*]; 3 Fin [*shares, market, economy*] se raffermir; [*prices*] être en hausse
C *v refl* **to ~ oneself to** s'endurcir à [*pain, criticism*]
(Phrasal verb) ■ **harden off** Hort: ▸ **~ off** [*plant*] s'endurcir; ▸ **~ [sth] off, ~ off [sth]** endurcir [*plant*]

hardened /ˈhɑːdnd/ *adj* 1 lit [*paint, wax, glue, clay, skin*] durci; Ind [*steel*] trempé; 2 fig [*criminal, terrorist, miser*] endurci; [*drinker, addict*] invétéré; **to become ~ to** s'accoutumer à [*pain, climate*]; devenir indifférent à [*insults*]

hardening /ˈhɑːdnɪŋ/
A *n* 1 gen lit, fig durcissement *m*; 2 Ind (of steel) trempage *m*; 3 Med **~ of the arteries** durcissement des artères
B *adj* [*resolve, conviction*] grandissant; [*attitude*] de plus en plus dur

hard: **~ error** *n* Comput erreur *f* permanente; **~-faced** *adj* lit [*person*] aux traits durs; fig froid; **~-fought** *adj* [*battle*] âprement mené; [*election, competition*] âprement disputé

hard hat *n* 1 (helmet) gen casque *m*; Equit bombe *f*; 2 US (construction worker) ouvrier/-ière *m/f* du bâtiment

hard: **~head** *n* US réaliste *mf*; **~-headed** *adj* [*person, approach*] réaliste

hard-hearted /ˌhɑːdˈhɑːtɪd/ *adj* insensible; **to be ~ towards sb** être dur envers qn

hard-hitting /ˌhɑːdˈhɪtɪŋ/ *adj* [*report, speech, criticism, film*] sans concession

hardiness /ˈhɑːdɪnɪs/ *n* 1 (strength, toughness) gen robustesse *f*; Hort (of plant) résistance *f*; 2 (boldness) hardiesse *f*

hard: **~ labour** GB, **~ labor** US travaux *mpl* forcés; **~ lens** *n* lentille *f* de contact rigide

hardline /ˌhɑːdˈlaɪn/ *adj* [*measure, tactic, policy*] (très) ferme; [*communist, conservative, political system*] intransigeant, pur et dur; **~ approach** jusqu'au-boutisme *m*

hardliner /ˌhɑːdˈlaɪnə(r)/ *n* gen pur et dur *m*, jusqu'au-boutiste *mf*; Pol partisan/-e *m/f* de la ligne dure

hard-luck story *n* **to tell** *ou* **give sb a ~** raconter ses malheurs à qn

hardly /ˈhɑːdlɪ/ *adv* 1 (only just, barely) [*begin, know, hear, see, be able*] à peine; **I ~ know him** je le connais à peine; **they had ~ gone out when** ils étaient à peine sortis que; **~ had they set off than** *ou* **when** à peine étaient-ils partis que; 2 (not really) [*expect, hope*] difficilement; **you can ~ expect me to believe that!** tu peux difficilement t'attendre à ce que je croie cela!; **it's ~ a secret!** c'est loin d'être un secret!; **it's ~ likely** c'est peu probable; **it's ~ surprising** ce n'est guère étonnant; **it's ~ worth it** cela n'en vaut pas la peine; **~!** certainement pas!; **I need ~ tell you that** il va sans dire que; **I need ~ remind you that** inutile de vous rappeler que; **I can ~ wait!** gen il me tarde d'y être; iron je meurs d'envie d'y être; **I can ~ believe it!** je n'arrive pas à y croire!; 3 (almost not) **~ any/ever/anybody** presque pas/jamais/personne; **he ~ ever writes** il n'écrit presque jamais; **~ a day goes by without sb doing sth** *ou* **that sb doesn't do sth** il se passe à peine un jour sans que qn fasse qch; 4 (harshly) durement

hardness /ˈhɑːdnɪs/ *n* 1 (firmness) (of substance, object, voice) dureté *f*; 2 (difficulty) (of work, problem, life) difficulté *f*, dureté *f*; (of climate) rudesse *f*

hard-nosed /ˌhɑːdˈnəʊzd/ *adj* (unsentimental) [*person*] résolu, qui ne fait pas de sentiment; pej [*attitude, businessman, government*] impitoyable; [*person*] sans cœur

hard of hearing
A *n* **the ~** (+ *v pl*) les malentendants *mpl*
B *adj* **to be ~** entendre mal

hard-on● /ˈhɑːdɒn/ *n* **to have** *ou* **get a ~** bander●

hard: **~ palate** *n* voûte *f* du palais; **~ porn**○ *n* le hard○ *m*

hard-pressed /ˌhɑːdˈprest/, **hard-pushed** /ˌhɑːdˈpʊʃt/ *adj* gen en difficulté; (for time) pressé; (under pressure) sous pression; **to be ~ for time** être pressé; **to be ~ to do** avoir du mal à faire

hard: **~ rock** *n* Mus hard rock *m*, hard *m*; **~ sauce** *n* US Culin crème *f* au beurre parfumée; **~scrabble** *adj* US [*farm*] à très bas rendement; [*farmer*] pauvre

hard sell
A *n* vente *f* selon des méthodes agressives; **to give sb the ~, to do a ~ on sb** essayer de forcer qn à acheter
B **hard-sell** *modif* [*tactic, technique, approach*] de vente agressive

hardshell /ˈhɑːdʃel/ *adj* US [*conservative, socialist*] pur et dur

hardship /ˈhɑːdʃɪp/ *n* 1 ¢ (difficulty) détresse *f*; (poverty) privations *fpl*; 2 C (ordeal) épreuve *f*; **they suffered many ~s** ils ont connu beaucoup d'épreuves; **it's no great ~ for you to get up half an hour earlier** ça ne te tuera pas○ de te lever une demi-heure plus tôt

hardship fund *n* fonds *m* d'aide

hard: **~ shoulder** *n* GB bande *f* d'arrêt d'urgence; **~ standing** *n* place *f* de stationnement; **~tack** *n* Naut biscuit *m* (de ration)

hardtop /ˈhɑːdtɒp/ *n* 1 (car) voiture *f* avec hard-top; 2 (roof) hard-top *m*

hard up○ /ˌhɑːdˈʌp/ *adj* fauché○, désargenté; **to be ~ for sth** être à court de qch

hardware /ˈhɑːdweə(r)/
A *n* 1 Comput matériel *m* (informatique), hardware *m*; 2 Mil équipement *m*; 3 Comm (household goods) articles *mpl* de quincaillerie
B *modif* Comput [*company, efficiency, requirements, design*] de matériel (informatique), de hardware

hard: **~ware dealer** ▸ **p. 1683** *n* quincaillier/-ière *m/f*; **~ware shop**, **~ware store** ▸ **p. 1683** *n* quincaillerie *f*;

~-wearing *adj* résistant; **~-won** *adj* durement acquis

hardwood /ˈhɑːdwʊd/
A *n* bois *m* dur, bois *m* de feuillu
B *modif* [*object, furniture*] de feuillus, de bois durs

hard-working /ˌhɑːdˈwɜːkɪŋ/ *adj* [*person*] travailleur/-euse; [*animal*] industrieux/-ieuse

hardy /ˈhɑːdɪ/ *adj* **1** (strong) [*person, animal, constitution*] robuste; Hort [*plant*] résistant; **2** (bold) [*explorer, adventurer*] hardi

hardy: **~ annual** *n* plante *f* annuelle résistante au gel; **~ perennial** *n* vivace *f*, plante *f* vivace

hare /heə(r)/ *n* Zool, Culin lièvre *m*
(Idioms) **to be as mad as a March ~** être complètement toqué○; **to run with the ~ and hunt with the hounds** miser sur les deux tableaux; **to start a ~** lit, fig lever un lièvre
(Phrasal verb) ■ **hare off** GB partir en trombe○

hare: **~ and hounds** *n* jeu *m* de piste; **~bell** *n* Bot campanule *f*

harebrained /ˈheəbreɪnd/ *adj* [*person*] écervelé; [*scheme*] farfelu○

hare: **~ coursing** *n* chasse *f* au lièvre (*menée par des chiens*); **~lip** *n* bec-de-lièvre *m*

harem /ˈhɑːriːm/ *n* harem *m*

harem pants *npl* pantalon *m* bouffant, saroual *m*

haricot /ˈhærɪkəʊ/ *n* GB (*also* **~ bean**) (dried) haricot *m* blanc; (fresh) haricot *m* vert

hark /hɑːk/ *excl*‡ écoutez!; **~ at him/her**○**!** hum écoutez-le/-la donc!
(Phrasal verb) ■ **hark back to**: ▸ **~ back to [sth]** (recall) rappeler; (evoke) [*style, song*] évoquer

harken *vi* = **hearken**

harlequin /ˈhɑːlɪkwɪn/
A *n* (*also* **Harlequin**) Arlequin *m*
B *adj* (coloured) bigarré

Harley Street /ˈhɑːlɪ/ *pr n* GB *bonne adresse à Londres pour les médecins spécialistes privés*

harlot /ˈhɑːlət/ *n* littér, péj catin† *f*

harm /hɑːm/
A *n* mal *m*; **to do ~ to sb, to do sb ~** faire du mal à qn; **to do ~ to sth** endommager qch; **I didn't mean him any ~** je ne voulais pas lui faire de mal; **I meant no ~ by** *ou* **in doing** je ne pensais pas à mal en faisant; **it would do no ~ to do** (you have nothing to lose) tu ne risques rien à faire; (you ought to) tu ferais mieux de faire; **some hard work wouldn't do him any ~** iron ça ne lui ferait pas de mal de travailler un peu plus; **to do more ~ than good** faire plus de mal que de bien; **you'll come to no ~** il ne t'arrivera rien; **no ~ done!** il n'y a pas de mal!; **where's the ~ in it?** quel mal y a-t-il à ça?; **out of ~'s way** (in a safe place) en sûreté; (unable to harm) hors d'état de nuire
B *vtr* **1** (damage) faire du mal à [*person, baby*]; endommager [*crops, lungs*]; **a little sugar won't ~ you** un peu de sucre ne va pas te faire de mal; **he hasn't ~ed anybody** il n'a fait de mal à personne; **he wouldn't ~ a fly!** il ne ferait pas de mal à une mouche!; **2** (affect adversely) nuire à [*population, economy*]; déparer [*landscape, village*]

harmful /ˈhɑːmfl/ *adj* **1** (physically) [*bacteria, chemical, ray*] nocif/-ive; **2** (damaging) [*behaviour, gossip, allegation*] nuisible (**to** pour)

harmless /ˈhɑːmlɪs/ *adj* **1** (not dangerous) [*chemical, virus*] inoffensif/-ive (**to** pour); [*growth, cyst*] bénin/bénigne; [*rash, bite*] sans danger; **2** (inoffensive) [*person*] inoffensif/-ive; [*fun, joke, eccentricity*] innocent; **he's ~!** hum il n'est pas dangereux!

harmonic /hɑːˈmɒnɪk/
A *n* Phys, Mus harmonique *m*; **second/third ~** deuxième/troisième harmonique
B *adj* Math, Mus harmonique

harmonica /hɑːˈmɒnɪkə/ ▸ **p. 1462** *n* harmonica *m*

harmonics /hɑːˈmɒnɪks/ *n* (+ *v sg*) harmonie *f*

harmonious /hɑːˈməʊnɪəs/ *adj* harmonieux/-ieuse

harmoniously /hɑːˈməʊnɪəslɪ/ *adv* harmonieusement

harmonium /hɑːˈməʊnɪəm/ ▸ **p. 1462** *n* harmonium *m*

harmonization /ˌhɑːmənaɪˈzeɪʃn/ *n* harmonisation *f*

harmonize /ˈhɑːmənaɪz/
A *vtr* (all contexts) harmoniser
B *vi* **1** [*law, practice, people*] s'accorder (**with** avec); **2** [*colour, feature*] se marier (**with** avec); **3** Mus [*player, instrument*] jouer en harmonie (**with** avec); [*singer*] chanter en harmonie (**with** avec); [*note, sound*] être en harmonie (**with** avec)

harmony /ˈhɑːmənɪ/ *n* (all contexts) harmonie *f*; **in ~ (with)** en harmonie (avec); **perfect ~** parfaite harmonie, accord *m* parfait; **domestic ~** harmonie familiale; **three-part ~** accord *m* de trois sons

harness /ˈhɑːnɪs/
A *n* **1** (for horse, dog, person) harnais *m*; **safety ~** harnais de sécurité; **2** fig **to work in ~** travailler en équipe (**with** avec); **to die in ~** mourir à la tâche; **I'm back in ~** j'ai repris le collier
B *vtr* **1** (channel, use) exploiter [*power, potential*]; **2** (put harness on) harnacher [*horse, dog*]; **3** (attach) atteler [*animal*] (**to** à)

harness race *n* course *f* attelée

harp /hɑːp/ ▸ **p. 1462** *n* harpe *f*
(Phrasal verb) ■ **harp on**○: ▸ **~ on [sth]**, **~ on about [sth]** rabâcher○ la même chose à propos de qch

harpist /ˈhɑːpɪst/ ▸ **p. 1683** *n* harpiste *mf*

harpoon /hɑːˈpuːn/
A *n* harpon *m*
B *vtr* harponner

harp seal *n* phoque *m* du Groenland

harpsichord /ˈhɑːpsɪkɔːd/ ▸ **p. 1462** *n* clavecin *m*

harpsichordist /ˈhɑːpsɪkɔːdɪst/ ▸ **p. 1683**, **p. 1462** *n* claveciniste *mf*

harpy /ˈhɑːpɪ/ *n* **1** Mythol harpie *f*; **2** (woman) péj mégère *f* péj

harpy eagle *n* Zool harpie *f*

harridan /ˈhærɪdən/ *n* péj mégère *f* péj

harrier /ˈhærɪə(r)/ *n* **1** (bird) busard *m*; **2** (dog) harrier *m*; **3** Sport (runner) coureur *m* de cross

Harrier /ˈhærɪə(r)/ *n* (*also* **~ jump jet**) Mil Harrier *m* (*avion de chasse à décollage vertical*)

Harris tweed® /ˈhærɪs/ *n*: *tweed fabriqué dans l'île de Harris*

harrow /ˈhærəʊ/
A *n* Agric herse *f*
B *vtr* Agric herser
C harrowed *pp adj* tourmenté

harrowing /ˈhærəʊɪŋ/ *adj* [*experience, ordeal*] atroce; [*film, story, image*] déchirant

harry /ˈhærɪ/ *vtr* **1** (pursue, harass) harceler; **2** Mil (destroy) ravager

harsh /hɑːʃ/ *adj* **1** (severe, cruel) [*punishment, measures*] sévère; [*regime, person*] dur; [*fate*] cruel/-elle; **perhaps I was too ~ in my criticism** j'ai peut-être été un peu dur; **to have ~ words for sb/sth** critiquer qn/qch; **2** [*climate, winter*] rigoureux/-euse; [*conditions*] difficile; **3** [*light, colour*] cru; **4** [*voice, sound*] rude; **5** [*chemical, cleaner*] corrosif/-ive; [*shampoo*] détergent; **6** [*cloth, fabric*] rêche

harshly /ˈhɑːʃlɪ/ *adv* [*treat, judge, speak*] durement; [*punish, condemn*] sévèrement

harshness /ˈhɑːʃnɪs/ *n* (of punishment, law, regime) sévérité *f*; (of criticism) dureté *f*; (of climate, winter) rigueur *f*; (of conditions) difficulté *f*; (of light, colour) dureté *f*; (of sound, voice) rudesse *f*

hart /hɑːt/ *n* (*pl* **~s** *ou collect* **~**) cerf *m*

harum-scarum○ /ˌheərəmˈskeərəm/
A *adj* [*person, behaviour*] écervelé
B *adv* [*run*] comme un fou

harvest /ˈhɑːvɪst/
A *n* **1** lit (of wheat) moisson *f*, récolte *f*; (of fruits) récolte *f*; (of grapes) vendange *f*; **to get in the ~** faire la récolte; **a good/poor ~** une bonne/mauvaise récolte; **2** fig (of investment, policy) résultat *m*; **to reap the ~ of 20 years of tyranny/work** récolter les fruits de 20 ans de tyrannie/de travail; **to reap a rich ~** récolter les fruits de ses efforts; **to reap a bitter ~** payer les pots cassés
B *vtr* **1** lit moissonner [*corn*]; récolter [*vegetables*]; cueillir [*fruit*]; **2** fig (collect) récolter [*information*]
C *vi* (of corn) faire la moisson *or* la récolte; (of fruit) faire la récolte; (of grapes) faire la vendange

harvester /ˈhɑːvɪstə(r)/ *n* **1** (machine) moissonneuse *f*; **2** (person) moissonneur/-euse *m/f*

harvest: **~ festival** *n* fête *f* de la moisson; **~ home** *n*: *repas célébrant la fin des moissons*; **~man** *n* US Zool cousin *m*; **~ mite** *n* aoûtat *m*; **~ moon** *n* pleine lune *f* (*de l'équinoxe d'automne*); **~ mouse** *n* souris *f* des moissons

has ▸ **have**

has-been○ /ˈhæzbiːn/ *n* péj homme fini/femme finie *m/f*, has been○ *mf*; **a political ~** un politicien fini/une politicienne finie *m/f*

hash /hæʃ/
A *n* **1** Culin hachis *m*; **2** ○(*abrév* = **hashish**) hasch○ *m*; **3** ○(mess) gâchis *m*; **he made a ~ of the interview** il s'est très mal débrouillé pendant l'entretien; **he'll make a ~ of things** il va tout gâcher
B *vtr* Culin hacher
(Idioms) **to settle sb's ~**○ régler son compte à qn; **to sling ~**○ US faire le serveur/la serveuse *m/f*
(Phrasal verb) ■ **hash out**○: ▸ **~ out [sth]**, **~ [sth] out** discuter qch et arriver à une solution

hash: **~ browns** *npl* US pommes *fpl* de terre sautées; **~ house**○ *n* US péj gargote *f* péj; **~ key** *n* Comput, Telecom dièse *m*

hashish /ˈhæʃiːʃ/ *n* haschisch *m*

hasn't = **has not**

hasp /hɑːsp/ *n* moraillon *m*

hassle○ /ˈhæsl/
A *n* ¢ **1** (inconvenience, effort) complications *fpl*; **to cause (sb) ~** créer des complications (à qn); **it's too much ~** ça crée trop de complications; **it was a real ~** c'était vraiment embêtant; **the ~ of (doing) sth** les embêtements de (faire) qch; **2** (harassment, pestering) **to give sb ~** embêter qn○ (**about** à propos de); **to get a lot of ~ from sb** être embêté○ par qn; **3** US (tussle) chamaillerie *f*
B *vtr* **1** (harass, pester) talonner (**about** à propos de); **to ~ sb to do sth** talonner qn pour qu'il/elle fasse qch; **2** (worry) [*job, etc*] stresser
C hassled *pp adj* stressé

hassock /ˈhæsək/ *n* **1** (cushion) coussin *m* (d'agenouilloir); **2** US (seat) pouf *m*

haste /heɪst/ *n* hâte *f*; **to act in ~** agir à la hâte; **in her ~** dans sa hâte (**to do** de faire); **to make ~** se dépêcher (**to do** de faire); **with undue** *ou* **unseemly ~** avec un empressement mal à propos; **why the ~?** pourquoi tant de précipitation?
(Idiom) **more ~ less speed** hâte-toi lentement; ▸ **repent**

hasten /ˈheɪsn/
A *vtr* accélérer [*ageing, destruction*]; précipiter [*departure, death, decline*]
B *vi* se hâter; **to ~ to do** s'empresser de faire; **they ~ed away** ils partirent en toute hâte

hastily /ˈheɪstɪlɪ/ *adv* [*do*] à la hâte; [*say*] précipitamment; **too ~** avec trop de précipitation

hasty /ˈheɪstɪ/ *adj* **1** (hurried) [*talks, marriage, consultation, departure*] précipité; [*meal*] rapide; [*note, sketch*] fait à la hâte; **to beat a ~ retreat** hum rapidement battre en retraite;

h

2 (rash) [*decision*] inconsidéré; [*judgment, conclusion*] hâtif/-ive; **to be too ~ in doing** aller trop vite en besogne en faisant; **perhaps I was a little ~** j'y suis allé peut-être un peu vite

hat /hæt/ *n* chapeau *m*; **to put on/take off one's ~** mettre/enlever son chapeau; **we'll draw the winners out of a ~** on déterminera les gagnants par un tirage au sort; **to pass the ~ around** faire la quête

(Idioms) **at the drop of a ~** pour un oui, pour un non; **~s off!** chapeau (bas)!; **old ~** dépassé; **I'll eat my ~ (if he wins)!** je vous parie tout ce que vous voulez (qu'il ne gagnera pas)!; **to keep sth under one's ~** garder qch pour soi; **keep it under your ~!** surtout pas un mot!; **to put** *ou* **throw one's ~ into the ring** se porter candidat; **to take one's ~ off to sb** fig tirer son chapeau à qn; **to talk through one's ~** parler à tort et à travers; **to wear two ~s** avoir deux fonctions; **I'm wearing my legal ~ now** je vous parle maintenant en tant que juriste

hat: **~band** *n* ruban *m* de chapeau; **~box** *n* carton *m* à chapeau

hatch /hætʃ/

A *n* 1 Aviat, Aerosp panneau *m* mobile; Naut écoutille *f*; Aut portière *f*; **cargo/safety ~** panneau *m* de chargement/de secours; **under ~es** Naut dans la cale; 2 (in dining room) passe-plats *m inv*; 3 (floodgate) vanne *f* d'écluse; 4 (brood of chicks) couvée *f*

B *vtr* 1 (incubate) faire éclore [*eggs*]; 2 (plan secretly) tramer [*plot, scheme*]; élaborer [*surprise*]; 3 Art hachurer

C *vi* [*chicks, fish eggs*] éclore

(Idiom) **down the ~!** cul sec! ▸ **chicken**

hatchback /'hætʃbæk/ *n* (car) voiture *f* avec hayon; (car door) hayon *m*

hat: **~check girl** *n* US préposée *f* au vestiaire; **~check man** *n* US préposé *m* au vestiaire

hatchery /'hætʃərɪ/ *n* (for chicks) couvoir *m*; (for fish) incubateur *m*

hatchet /'hætʃɪt/ *n* hachette *f*

(Idiom) **to bury the ~** faire la paix

hatchet face○ *n* visage *m* en lame de couteau

hatchet job○ *n* critique *f* virulente; **to do a ~ job on sb/sth** démolir○ qn/qch

hatchet man○ *n* homme *m* de main

hatching /'hætʃɪŋ/ *n* 1 (incubation) incubation *f*; (emergence) éclosion *f*; 2 Art hachures *fpl*

hatchway /'hætʃweɪ/ *n* Naut écoutille *f*

hate /heɪt/

A *n* haine *f*; ▸ **pet hate**

B *vtr* 1 (feel antagonism towards) détester; (violently) haïr; **they ~ each other** ils se détestent; **to ~ sb for sth/for doing** en vouloir à qn de qch/d'avoir fait; **he's someone you love to ~** c'est quelqu'un sur qui on aime bien taper○; 2 (not enjoy) avoir horreur de [*sport, food, activity*]; **to ~ doing** *ou* **to do** avoir horreur de faire; **he ~s to see me cry** il a horreur de me voir pleurer; **he ~s being corrected** il a horreur qu'on le corrige (*subj*); **I ~ it when** je ne supporte pas quand; **I'd ~ it if he felt excluded, I'd ~ (for) him to feel excluded** je n'aimerais pas du tout qu'il se sente exclu; 3 (regret) (in apology) **to ~ to do, to ~ doing** être désolé de faire; **I ~ to interrupt you but...** je suis désolé de vous interrompre mais...; **I ~ (having) to say it but...** (in criticism) je regrette d'avoir à le dire, mais...

C *v refl* **to ~ oneself** se détester

hate campaign *n* campagne *f* d'incitation à la haine

hated /'heɪtɪd/ *adj* détesté

hateful /'heɪtfl/ *adj* 1 [*person, action, regime*] odieux/-ieuse (**to** avec); 2 littér [*glance, tone*] plein de haine, haineux/-euse

hate: **~ mail** *n* lettres *fpl* d'injures; **~monger** *n* US personne *f* qui incite à la haine

hatless /'hætlɪs/ *adj* sans chapeau

hatpin /'hætpɪn/ *n* épingle *f* à chapeau

hatrack /'hætræk/ *n* (shelf) porte-chapeaux *m inv*; (pegs) portemanteau *m*

hatred /'heɪtrɪd/ *n* (of person, group, system, war) (violent) haine *f* (**of** de; **for** pour); (less violent) aversion *f* (**of** pour); **racial ~** haine raciale; **out of ~** [*act*] par haine; **ancient ~s** de vieilles haines

hatshop /'hætʃɒp/ ▸ **p. 1683** *n* gen boutique *f* de chapeaux; (women's) boutique *f* de modiste

hat stand GB, **hat tree** US *n* portemanteau *m* (*sur pied*)

hatter /'hætə(r)/ ▸ **p. 1683** *n* (for ladies) modiste *f*; (for men) chapelier *m*

(Idiom) **to be as mad as a ~** être fou/folle à lier

hat trick *n* Sport coup *m* du chapeau, triplé *m*

haughtily /'hɔːtɪlɪ/ *adv* [*look, speak*] avec hauteur; [*ignore*] superbement

haughtiness /'hɔːtɪnɪs/ *n* hauteur *f*

haughty /'hɔːtɪ/ *adj* [*person, contempt*] hautain; [*manner*] altier/-ière

haul /hɔːl/

A *n* 1 (taken by criminals) butin *m*; **a £2m ~** un butin d'une valeur de 2 millions de livres; **art/jewellery ~** butin d'objets d'art/de bijoux; 2 (found by police, customs) saisie *f*; **arms/heroin ~** saisie d'armes/d'héroïne; 3 Sport (of medals etc) moisson *f*; 4 (journey) **it will be a long ~** lit, fig l'étape sera longue; **it's a long ~ to Christmas** d'ici Noël, il y a du chemin; **the long ~ from Dublin to London** le long voyage de Dublin à Londres; **the long ~ to recovery** Med le long chemin de la guérison; Econ la longue remontée; 5 Transp **long/medium/short ~ flight** vol *m* long/moyen/court courrier; **long ~ transport** transport *m* long courrier; 6 (of fish) prise *f*, pêche *f*

B *vtr* 1 (drag) tirer [*load, wagon*]; tirer, traîner [*person*]; **he ~ed himself up on the roof** il s'est hissé sur le toit; 2 Transp transporter, camionner; 3 Naut **to ~ a boat** (alter course of) lofer; (hoist out of water) haler

C *vi* Naut [*wind*] refuser; [*ship*] naviguer vent debout

(Idioms) **to ~ ass**◐ US (hurry up) se magner le cul◐, se dépêcher; (move fast) foncer○; **to ~ sb over the coals** passer un savon à qn○

(Phrasal verbs) ■ **haul down**: ▶ **~ down [sth], ~ [sth] down** amener [*flag*]; affaler [*rope, sail*]

■ **haul in**: ▶ **~ in [sth], ~ [sth] in** amener [*net, catch, fish*]; affaler [*rope*]; tirer [qn] hors de l'eau [*person*]

■ **haul off** 1 Naut passer au vent; 2 **to ~ off and do sth**○ US faire qch tout d'un coup

■ **haul out**: ▶ **~ out [sth/sb], ~ [sth/sb] out** tirer [qch/qn] hors de l'eau [*net, body*]; **to ~ sb out of bed** tirer qn du lit

■ **haul up**: ▶ **~ up [sth], ~ [sth] up** hisser [*flag, person*]; **they ~ed the boat up onto the beach** ils ont tiré le bateau sur la plage; **to be ~ed up before sb**○ être convoqué chez qn

haulage /'hɔːlɪdʒ/

A *n* ¢ 1 (transport) transport *m* routier, roulage *m*; 2 (cost) frais *mpl* de roulage *or* de transport

B *modif* [*company, contractor*] de transport routier

haulier /'hɔːlɪə(r)/ GB, **hauler** /'hɔːlə(r)/ US ▸ **p. 1683** *n* (owner of firm) transporteur *m*; (firm) société *f* de transports routiers; (truck driver) routier *m*

haunch /hɔːntʃ/ *n* (of human, horse) hanche *f*; (of animal) derrière *m*; **a ~ of venison** un cuisseau de chevreuil; **to squat on one's ~es** s'accroupir

haunt /hɔːnt/

A *n* (of people, animals, birds) lieu *m* de prédilection; **a favourite/regular ~ of artists** un lieu de prédilection/de fréquentation des artistes

B *vtr* 1 lit, fig hanter; **her crimes have returned to ~ her** ses crimes sont revenus la hanter; **he is ~ed by the fear of dying** il a la hantise de la mort; 2 (frequent) être un/-e habitué/-e *m/f* de [*place*]; (obsessively) hanter [*place*]

haunted /'hɔːntɪd/ *adj* [*house, castle, etc*] hanté; [*face, expression*] tourmenté

haunting /'hɔːntɪŋ/

A *n* **to investigate a ~** enquêter sur des phénomènes paranormaux; **the stories of the ~** les histoires de fantôme

B *adj* [*film, book, image, music, beauty, doubt*] lancinant; [*memory*] obsédant

hauntingly /'hɔːntɪŋlɪ/ *adv* [*beautiful, similar*] jusqu'à la hantise

Haute-Corse ▸ **p. 1129** *pr n* Haute-Corse *f*; **in/to ~** en Haute-Corse

Haute-Garonne ▸ **p. 1129** *pr n* Haute-Garonne *f*; **in/to the ~** en Haute-Garonne

Haute-Loire ▸ **p. 1129** *pr n* Haute-Loire *f*; **in/to the ~** en Haute-Loire

Haute-Marne ▸ **p. 1129** *pr n* Haute-Marne *f*; **in/to the ~** en Haute-Marne

Haute-Normandie ▸ **p. 1243** *pr n* Haute-Normandie *f*; **in/to ~** en Haute-Normandie

Hautes-Alpes ▸ **p. 1129** *pr n* Hautes-Alpes *fpl*; **in/to the ~** dans les Hautes-Alpes

Haute-Saône ▸ **p. 1129** *pr n* Haute-Saône *f*; **in/to the ~** dans la Haute-Saône

Haute-Savoie ▸ **p. 1129** *pr n* Haute-Savoie *f*; **in/to ~** en Haute-Savoie

Hautes-Pyrénées ▸ **p. 1129** *pr n* Hautes-Pyrénées *fpl*; **in/to the ~** dans les Hautes-Pyrénées

Haute-Vienne ▸ **p. 1129** *pr n* Haute-Vienne *f*; **in/to ~** dans la Haute-Vienne

Haut-Rhin ▸ **p. 1129** *pr n* Haut-Rhin *m*; **in/to the ~** dans le Haut-Rhin

Hauts-de-Seine ▸ **p. 1129** *pr n* Hauts-de-Seine *mpl*; **in/to ~** dans les Hauts-de-Seine

Havana /hə'vænə/ ▸ **p. 1815**

A *pr n* La Havane *f*; **in ~** à La Havane

B *n* (cigar) havane *m*

have /hæv, həv/

A *vtr* (uses not covered in NOTE) 1 (possess) avoir; **she has a dog** elle a un chien

2 (consume) prendre; **to ~ a sandwich** manger un sandwich; **to ~ a whisky** boire un whisky; **to ~ a cigarette** fumer une cigarette; **to ~ breakfast** prendre le petit déjeuner; **to ~ dinner** dîner; **to ~ lunch** déjeuner; **he had a sandwich for lunch** il a mangé un sandwich au déjeuner; **I had some more cake** j'ai repris du gâteau

3 (want) vouloir, prendre; **I'll ~ tea please** je voudrais du thé s'il vous plaît; **what will you ~?** qu'est-ce que vous prendrez *or* voulez?; **she won't ~ him back** elle ne veut plus de lui; **I offered her £5, but she wouldn't ~ it** je lui ai offert cinq livres sterling, mais elle les a refusées; **I wouldn't ~ it any other way** ça me convient comme ça; **I wouldn't ~ him/her any other way** c'est comme ça que je l'aime

4 (receive, get) recevoir [*letter, parcel, information*]; **I've had no news from him** je n'ai pas eu de nouvelles de lui; **I must ~ the information/some money soon** il me faut l'information/de l'argent bientôt; **I must ~ the document by 4 o'clock** il faut que j'aie le document avant 4 heures; **to let sb ~ sth** donner qch à qn

5 (hold) faire [*party, celebration*]; tenir [*meeting*]; organiser [*competition, ballot, exhibition*]; avoir [*conversation*]; célébrer [*church service*]; mener [*enquiry*]; passer [*interview*]

ℹ have

When used as an auxiliary in present perfect, future perfect and past perfect tenses, *have* is normally translated by *avoir*:

I have seen
= j'ai vu

I had seen
= j'avais vu

However, some verbs in French, especially verbs of movement and change of state (*e.g. aller, venir, descendre, mourir*), take *être* rather than *avoir* in these tenses:

he has left
= il est parti

In this case, remember the past participle agrees with the subject of the verb:

she has gone
= elle est allée

Reflexive verbs (*e.g. se lever, se coucher*) always conjugate with *être*:

she has fainted
= elle s'est évanouie

For translations of time expressions using *for* or *since* (*he has been in London for six months, he has been in London since June*), see the entries **for** and **since**.

For translations of time expressions using *just* (*I have just finished my essay, he has just gone*), see the entry **just¹**.

to have to meaning *must* is translated by either *devoir* or the impersonal construction *il faut que* + subjunctive:

I have to leave now
= il faut que je parte maintenant
or je dois partir maintenant

In negative sentences, *not to have to* is generally translated by *ne pas être obligé de e.g.*

you don't have to go
= tu n'es pas obligé d'y aller

For examples and particular usages see the entry **have**.

When *have* is used as a straightforward transitive verb meaning *possess*, *have* (or *have got*) can generally be translated by *avoir*, *e.g.*

I have (got) a car
= j'ai une voiture

she has a good memory
= elle a une bonne mémoire

they have (got) problems
= ils ont des problèmes

For examples and particular usages see entry; see also **got**.

have is also used with certain noun objects where the whole expression is equivalent to a verb:

to have dinner = to dine

to have a try = to try

to have a walk = to walk

In such cases the phrase is very often translated by the equivalent verb in French (*dîner, essayer, se promener*). For translations consult the appropriate noun entry (**dinner, try, walk**).

had is used in English at the beginning of a clause to replace an expression with *if*. Such expressions are generally translated by *si* + past perfect tense, *e.g.*

had I taken the train, this would never have happened
= si j'avais pris le train, ce ne serait jamais arrivé

had there been a fire, we would all have been killed
= s'il y avait eu un incendie, nous serions tous morts

For examples of the above and all other uses of *have* see the entry.

---

6 (exert, exhibit) avoir [*effect, influence*]; avoir [*courage, nerve, impudence, courtesy*] (**to do** de faire)
7 (spend) passer; **to ~ a nice day/evening** passer une journée/soirée agréable; **to ~ a good time** bien s'amuser; **to ~ a hard** *ou* **bad time** avoir des moments difficiles; **to ~ a good vacation/a day at the beach** passer de bonnes vacances/une journée à la plage
8 (be provided with) (*also* **~ got**) **to ~ sth to do** avoir qch à faire; **I ~** *ou* **I've got some clothes to wash** j'ai des vêtements à laver; **I ~** *ou* **I've got letters to write** j'au du courrier à faire; **I ~** *ou* **I've got a lot of work to do** j'ai beaucoup de travail
9 (undergo, suffer) avoir; **to ~ (the) flu/measles** avoir la grippe/la rougeole; **to ~ (a) toothache/a headache** avoir mal aux dents/mal à la tête; **to ~ an accident/a heart attack** avoir un accident/une crise cardiaque; **to ~ a shock** subir un choc; **he had his car/watch stolen** il s'est fait voler sa voiture/montre, on lui a volé sa voiture/montre; **she has had her windows broken** on lui a cassé ses fenêtres; **they like having stories read to them** ils aiment qu'on leur lise des histoires; **I ~** *ou* **I've got a student coming in five minutes** j'ai un élève qui arrive dans cinq minutes
10 (cause to be done) **to ~ sth done** faire faire qch; **to ~ the house painted/the washing-machine installed** faire peindre la maison/installer la machine à laver; **to ~ one's hair cut** se faire couper les cheveux; **to ~ an injection/a dental check-up/a manicure** se faire faire une piqûre/un contrôle des dents/une manucure; **to ~ sb do sth** faire faire qch à qn; **she had him close the door/wait in the corridor** elle lui a fait fermer la porte/attendre dans le couloir; **they would ~ us believe that** ils voudraient nous faire croire que; **I would ~ you know/say that** je voudrais que vous sachiez/disiez que; **to ~ sb doing** faire faire qn; **he had them laughing/crying** il les a fait rire/pleurer; **she had them digging the garden/writing poetry** elle leur a fait bêcher le jardin/écrire des poèmes
11 (cause to become) **he had his revolver/camera ready** il avait son revolver/appareil photo prêt; **we'll soon ~ everything ready/clean** nous aurons bientôt fini de tout préparer/nettoyer; **she had the car in pieces in the garage** elle avait démonté la voiture dans le garage; **if you're not careful you'll ~ that table/that glass over** si tu ne fais pas attention tu vas renverser la table/le verre; **she had them completely baffled** elle les a complètement déroutés; **I had it finished by 5 o'clock** je l'avais fini avant 5 heures
12 (allow) (*gén au négatif*) tolérer; **I won't ~ this kind of behaviour!** je ne tolérerai pas ce comportement!; **I won't ~ it!** ça ne va pas se passer comme ça!; **I won't ~ this any more!** je n'en supporterai pas davantage!; **I won't ~ them exploit him** je ne tolérerai pas qu'ils l'exploitent; **I won't ~ him hurt** je ne laisserai personne le blesser; **we can't ~ them staying in a hotel** on ne peut pas les laisser aller à l'hôtel
13 (physically hold) tenir; **she had the glass in her hand** elle tenait le verre dans la main; **she had him by the throat/by the arm** elle le tenait à la gorge/par le bras; **he had his hands over his eyes** il avait les mains sur les yeux; **to ~ one's back to sb** tourner le dos à qn
14 (give birth to) [*woman*] avoir [*child*]; [*animal*] mettre bas, avoir [*young*]; **has she had it yet?** est-ce qu'elle a accouché?; **she's having a baby (in May)** elle va avoir un enfant (en mai)
15 (as impersonal verb) **over here, we ~ a painting by Picasso** ici vous avez un tableau de Picasso; **what we ~ here is a small group of extremists** ce à quoi nous avons affaire ici, est un petit groupe d'extrémistes; **on the one hand you ~ the victims of crime and on the other...** d'un côté il y a les victimes des crimes, et de l'autre...
16 (puzzle) (*also* **~ got**) **you ~** *ou* **you've got me there!** là tu me poses une colle!
17 (have at one's mercy) (*also* **~ got**) **I've got you/him now!** maintenant je te/le tiens!; **I'll ~ you!** je vais te montrer!
18 ○(have sex with) se faire◑ [*person*]

B *modal aux* **1** (must) **I ~ to leave now** je dois partir maintenant, il faut que je parte maintenant
2 (need to) **you don't ~ to** *ou* **you haven't got to leave so early** tu n'as pas besoin de *or* tu n'es pas obligé de partir si tôt; **why did this ~ to happen?** pourquoi fallait-il que ça arrive?; **did you ~ to spend so much money?** tu avais vraiment besoin de dépenser autant d'argent?, est-ce qu'il fallait vraiment que tu dépenses autant d'argent?; **something had to be done** il fallait faire quelque chose
3 (for emphasis) **this has to be the most difficult decision I've ever made** c'est sans doute la décision la plus difficile que j'aie jamais eu à prendre

C *aux* **1** gen avoir; (with movement and reflexive verbs) être; **she has lost her bag** elle a perdu son sac; **she has already left/arrived** elle est déjà partie/arrivée; **she has hurt herself** elle s'est blessée; **she has washed her hands** elle s'est lavé les mains; **~ you seen her?** l'as-tu vue?, est-ce que tu l'as vue?; **we haven't lost them** nous ne les avons pas perdus
2 (in tag questions etc) **you've seen the film, haven't you?** tu as vu le film, n'est-ce pas?; **you haven't seen the film, ~ you?** tu n'as pas vu le film?; **you haven't seen my bag, ~ you?** tu n'as pas vu mon sac, par hasard?; **'he's already left'—'has he indeed!'** 'il est déjà parti'—'vraiment!'; **'you've never met him'—'yes I ~!'** 'tu ne l'as jamais rencontré'—'mais si!'

D having *aux* **1** (in time clauses) **having finished his breakfast, he went out** après avoir fini son petit déjeuner, il est sorti; **having said he'd be there early, he arrived late** après avoir dit *or* alors qu'il avait dit qu'il viendrait tôt, il est arrivé en retard
2 (because, since) **having already won twice, he's a great favourite** comme il a déjà gagné deux fois, c'est un grand favori; **having lost money before, he was reluctant to invest in a new project** ayant déjà perdu de l'argent *or* comme il avait déjà perdu de l'argent, il hésitait à investir dans un nouveau projet

(Idioms) **to ~ done with sth** en finir avec qch; **this car/TV has had it**○ cette voiture/télé est foutue○; **when your father finds out, you've had it**○**!** (in trouble) quand ton père saura, ça va être ta fête○!; **I can't do any more, I've had it**○**!** (tired) je n'en peux plus, je suis crevé○!; **I've had it (up to here)**○ j'en ai marre○; **I've had it (up to here) with him/my job**○ j'en ai marre de ce type/mon travail○; **to ~ it in for sb**○ avoir qn dans le collimateur○; **she has/doesn't ~ it in her to do** elle est capable/incapable de faire; **he will ~ it that** il soutient que; **he won't ~ it that** il n'admet pas que; **I've got it!** je sais!; **let's be having you!** hum à nous deux!; **and the ayes/noes ~ it** les oui/non l'emportent, les voix pour/contre l'emportent; **to ~ it off** *ou* **away with sb**◑ GB s'envoyer en l'air avec qn◑; **the ~s and the ~-nots** les riches et les pauvres; **...and what ~ you** ...etc; **there is no milk/there are no houses to be had** on ne trouve pas de lait/de

h

maisons; **are there any more to be had?** est-ce qu'on en trouve encore?; **these are the best spectacles to be had** ce sont les meilleures lunettes qu'on puisse trouver

(Phrasal verbs) ■ **have around** US = **have over, have round**

■ **have back**: ▸ **~ [sth] back, ~ back [sth]** (have returned) **you can ~ it back tomorrow** je te le rendrai demain; **when can I ~ my car/my money back?** quand est-ce que tu me rends ma voiture/mon argent?

■ **have down**: ▸ **~ [sb] down** inviter *[person]*; **to ~ sb down for the weekend** inviter qn à passer le weekend à la maison

■ **have in**: ▸ **~ [sb] in** (*also* **~ got**) faire venir *[doctor, priest]*; faire entrer *[employee, neighbour]*; **we've got decorators in at the moment** en ce moment nous avons des décorateurs à la maison

■ **have on**: ▸ **~ [sth] on, ~ on [sth]** (*also* **~ got**) (be wearing) porter *[coat, skirt etc]*; **to ~ nothing on** ne rien avoir sur soi; ▸ **~ [sth] on** (be busy doing) avoir [qch] de prévu; **~ you got anything on this evening?** avez-vous quelque chose de prévu ce soir?; **I've got a lot on next week** j'ai beaucoup de choses prévues la semaine prochaine; ▸ **~ [sb] on**○ (tease) faire marcher○ *[person]*; ▸ **~ sth on sb** (have evidence about) avoir des preuves contre qn; **the police ~ got nothing on me** la police n'a aucune preuve contre moi

■ **have out**: ▸ **~ [sth] out** se faire enlever *or* arracher *[tooth]*; **to ~ one's appendix out** se faire opérer de l'appendicite; **to ~ it out with sb** s'expliquer avec qn

■ **have over, have round**: ▸ **~ [sb] over** inviter *[person]*; **to ~ sb over for the evening** inviter qn à passer la soirée chez soi

■ **have up**○: ▸ **to be had up** être jugé (**for** pour)

have-a-go○ *adj* GB *[person, pensioner]* téméraire

haven /ˈheɪvn/ *n* 1 (safe place) refuge *m* (**for** pour); 2 fig havre *m*; **a ~ of peace** un havre de paix; 3 (harbour) port *m*

haven't /ˈhævnt/ = **have not**

haver /ˈheɪvə(r)/ *vi* 1 (dither) vaciller; 2 Scot (talk nonsense) dire des bêtises

haversack /ˈhævəsæk/ *n* gen sac *m* à dos; Mil musette *f*

havoc /ˈhævək/ *n* dévastation *f*; **to wreak ~ on** dévaster *[building, landscape]*; **to play ~ with** chambouler *[plans, etc]*; **to cause ~** lit provoquer des dégâts; fig tout mettre sens dessus dessous

haw /hɔː/

A *n* 1 Bot cenelle *f*; 2 Zool paupière *f* nictitante

B †*excl* **~! ~!** ha! ha!

(Idiom) **to hum** GB *ou* **hem** US **and ~** balbutier

Hawaii /həˈwaɪː/ ▸ **p. 1355** *pr n* Hawaï *m*; **in Hawaii** à Hawaï

Hawaiian /həˈwaɪən/ ▸ **p. 1467, p. 1378**

A *n* 1 (person) Hawaïen/-ïenne *m/f*; 2 (language) hawaïen *m*

B *adj* *[culture, landscape]* hawaïen/-ïenne; **the ~ Islands** les îles Hawaï

hawfinch /ˈhɔːfɪntʃ/ *n* gros-bec *m*

hawk /hɔːk/

A *n* faucon *m* also Pol

B *vtr* péj (sell) (door-to-door) colporter; (in street) vendre

C *vi* 1 (hunt) chasser [qch] au faucon; 2 ○(clear throat) se racler la gorge; (spit) cracher

(Idioms) **to have eyes like a ~** avoir des yeux de lynx

hawker /ˈhɔːkə(r)/ *n* colporteur *m*

Hawkeye○ /ˈhɔːkaɪ/ *n* US habitant/-e *m/f* de l'Iowa

hawk-eyed /ˈhɔːkaɪd/ *adj* aux yeux de lynx

hawkish /ˈhɔːkɪʃ/ *adj* Pol belliciste

hawk moth *n* sphingidé *m*

hawser /ˈhɔːzə(r)/ *n* aussière *f*

hawthorn /ˈhɔːθɔːn/

A *n* (tree, flower) aubépine *f*

B *modif* *[blossom, hedge]* d'aubépine

hay /heɪ/ *n* foin *m*; **to make ~** faire les foins

(Idioms) **to make ~ while the sun shines** saisir l'occasion au vol; **to hit the ~**○ aller se coucher; **to have a roll in the ~**○† faire une partie de jambes en l'air◐

hay: **~cock** *n* meulon *m*; **~ fever** ▸ **p. 1327** *n* rhume *m* des foins; **~ fork** *n* fourche *f* à foin; **~ loft** *n* grenier *m* à foin; **~maker** *n* faneur/-euse *m/f*; **~making** *n* fenaison *f*; **~ride** *n* promenade *f* dans une charrette de foin; **~seed**○ *n* US péj péquenaud/-e○ *m/f* pej

haystack /ˈheɪstæk/ *n* meule *f* de foin

(Idiom) **it is/was like looking for a needle in a ~** autant chercher une aiguille dans une botte de foin

haywire○ /ˈheɪwaɪə(r)/ *adj* 1 (faulty) (*jamais épith*) *[plan]* fou/folle; *[machine]* détraqué; **to go ~** *[plan]* dérailler; *[machinery, system]* se détraquer; 2 US (crazy) détraqué○

hazard /ˈhæzəd/

A *n* 1 (risk) risque *m* (**to** pour); **the ~s of sth** les risques que constitue qch; **the ~s of doing** les risques qu'il y a à faire; **to be a health/an environmental ~** constituer un risque pour la santé/l'environnement; **traffic ~** danger *m* pour la circulation; **fire/occupational ~** risque d'incendie/du métier; 2 (chance) hasard *m*; 3 (in golf) obstacle *m*

B *vtr* 1 (venture) hasarder *[opinion, explanation, reply]*; **to ~ a guess** hasarder une idée; **to ~ a guess that** se hasarder à dire que; 2 (risk) risquer *[life, health, reputation etc]*

hazard lights *npl* Aut signal *m* de détresse, warning *m*

hazardous /ˈhæzədəs/ *adj* *[waste, job, weather conditions, substance]* dangereux/-euse; *[journey]* périlleux/-euse; *[enterprise, venture]* risqué, aléatoire; **it is ~ to...** il est dangereux de...

haze /heɪz/

A *n* (mist) brume *f*; (of smoke, dust, blossom) nuage *m* (**of** de); **to be in an alcoholic ~** être dans les brumes de l'alcool

B *vtr* US argot des étudiants bizuter

(Phrasal verb) ■ **haze over** Meteorol se couvrir légèrement

hazel /ˈheɪzl/

A *n* (tree) noisetier *m*; (wood) bois *m* de noisetier

B *modif* *[twig, catkin]* de noisetier; **~ grove** coudraie *f*

C ▸ **p. 1067** *adj* *[eyes]* (couleur *f* de) noisette (*inv*)

hazelnut /ˈheɪzlnʌt/

A *n* noisette *f*

B *modif* *[yoghurt, meringue]* aux noisettes

haziness /ˈheɪzɪnɪs/ *n* (of atmosphere) état *m* brumeux; fig (of memory, ideas) flou *m*

hazing /ˈheɪzɪŋ/ *n* US argot des étudiants bizutage *m*

hazy /ˈheɪzi/ *adj* *[weather, morning]* brumeux/-euse; *[sunshine]* voilé; *[image, outline]* flou; *[recollection, idea]* vague; **to be ~ about sth** être dans le vague en ce qui concerne qch

h: **H-beam** *n* poutrelle *f* en H; **H-block** *n* GB *dans une prison, bâtiment en forme de H*; **H bomb** *n* bombe *f* H

HC *n*: *abrév* = **hot and cold water**

HDTV *n* (*abrév* = **high-definition television**) TVHD *f*

he /hiː, hɪ/

> ⚠ *He* is almost always translated by *il*: *he closed the door* = il a fermé la porte. The emphatic form is *lui*.
> For exceptions and particular usages, see the entry below.

pron il; **~'s seen us** il nous a vus; **here ~ is** le voici; **there ~ is** le voilà; **~ didn't take it** ce n'est pas lui qui l'a pris; **she lives in Oxford but ~ doesn't** elle habite Oxford mais lui pas; **~'s a genius** c'est un génie; **it's a ~**○ (of baby) c'est un garçon; (of animal) c'est un mâle; **~ who..., ~ that...** celui qui...; **~ who sees** celui qui voit; **~ and I went to the cinema** lui et moi sommes allés au cinéma

HE 1 *abrév* ▸ **high explosive**; 2 (*abrév* = **His/Her Excellency**) SE

head /hed/ ▸ **p. 997**

A *n* 1 Anat (of person, animal) tête *f*; **the top of one's ~** le sommet de la tête *or* du crâne; **he had a beret on his ~** il avait un béret sur la tête; **she put her ~ round the door** elle a passé la tête par la porte; **my ~ aches** j'ai mal à la tête; **to nod one's ~** hocher la tête; **to have a fine ~ of hair** avoir une belle chevelure; **to get** *ou* **keep** *ou* **have one's ~ down** lit avoir *or* garder la tête baissée; fig (be inconspicuous) ne pas se faire remarquer; (work hard) avoir le nez sur son travail; **with one's ~ in one's hands** la tête dans les mains; **from ~ to foot** *ou* **toe** de la tête aux pieds, des pieds à la tête; **he pulled his sweater over his ~** il a retiré son pull; **the decision was made over the ~s of the members** la décision a été prise sans consulter les membres; **she was promoted over the ~s of her colleagues** elle a obtenu une promotion qui revenait de droit à ses collègues; **to stand on one's ~** faire le poirier; **to stand an argument/theory on its ~** fig *[person]* prendre le contre-pied d'un argument/d'une théorie; *[evidence, fact]* contredire un argument/une théorie; **~s turned at the sight of...** tout le monde s'est retourné en voyant...; **to hold a gun** *ou* **pistol to sb's ~** lit braquer un pistolet contre la tête de qn; fig tenir le couteau sous la gorge de qn

2 (mind) tête *f*, crâne○ *m* pej; **her ~ was full of grand ideas** elle avait la tête pleine de grandes idées; **I can't get it into her ~ that** je n'arrive pas à lui enfoncer dans la tête *or* le crâne que; **he has got it into his ~ that I love him** il s'est mis dans la tête que je l'aime; **he has taken it into his ~ to resign** il s'est mis en tête de démissionner; **what(ever) put that idea into her ~?** qu'est-ce qui lui a mis cette idée dans la tête?; **I can't get the faces of those starving children out of my ~** je n'arrive pas à oublier les visages affamés de ces enfants; **I can't get that tune out of my ~** je n'arrive pas à m'ôter cet air de la tête; **you can put that idea out of your ~!** tu peux oublier cette idée!; **he put the idea of danger out of his ~** il a chassé l'idée du danger de sa tête; **all these interruptions have put it out of my ~** toutes ces interruptions me l'ont fait sortir de la tête; **the name has gone right out of my ~** le nom m'est complètement sorti de la tête; **I can't add them up in my ~** je ne peux pas les additionner de tête; **I wonder what's going on in her ~?** je me demande ce qui lui passe par la tête; **to be** *ou* **go above** *ou* **over sb's ~** (too difficult) passer par-dessus la tête de qn, dépasser qn; **don't worry** *ou* **bother your (pretty little) ~ about that**○**!** ne te casse pas la tête pour ça○!; **use your ~**○**!** sers-toi de tes méninges○!; **to turn sb's ~** tourner la tête à qn; **her success has turned her ~** son succès lui a tourné la tête; **to have a (good) ~ for figures/business** être doué pour le calcul/les affaires; **I have a good ~ for heights** je n'ai pas le vertige; **to have no ~ for heights** avoir le vertige

3 Meas, Turf tête *f*; **to be a ~/half a ~ taller than sb, to be taller than sb by a ~/half a ~** dépasser qn d'une tête/d'une demi-tête; **to win by a (short) ~** Turf, fig gagner d'une (courte) tête

4 ○(headache) mal *m* de tête; **to have a bad ~**○ gen avoir mal à la tête; (hangover) avoir mal aux cheveux○

5 (leader, director) (of family, church, agency, section) chef *m*; (of social service, organization) responsable *mf*, directeur/-trice *m/f*; **at the ~ of** à la tête de; **a team of experts with Dubois at its ~** une équipe d'experts avec Dubois à sa tête; **~ of government/State** chef de gouvernement/d'État; **~ of department** Admin

chef de service; Sch professeur principal; **~ of Maths/German** Sch responsable de la section de Maths/d'allemand; **~ of personnel/marketing** Comm chef du personnel/du marketing

[6] Admin, Comm (individual person or animal) **we paid £10 a ~** *ou* **per ~** nous avons payé 10 livres sterling par personne; **to count ~s** compter les gens; **50 ~ of cattle** Agric 50 têtes de bétail; **30 ~ of sheep** 30 moutons

[7] Sport, Tech (of pin, nail etc, hammer, golf club) tête *f*; (of axe, spear, arrow) fer *m*; (of tennis racquet) tamis *m*; (of stick) pommeau *m*

[8] (front or top end) (of bed) chevet *m*; (of table) (haut) bout *m*; (of procession) tête *f*; (of pier, river, valley, glacier, lake) extrémité *f*; **at the ~ of the stairs/page/list** en haut de l'escalier/de la page/de la liste; **a letter with his address at the ~** une lettre avec son adresse en en-tête; **at the ~ of the queue** en tête de la file d'attente

[9] Bot, Hort (of cabbage, lettuce) pomme *f*; (of celery) pied *m*; (of garlic) tête *f*; **to cut the dead ~s off the roses** couper les fleurs fanées des rosiers

[10] Comput, Elec (of computer, video, tape recorder) tête *f*; **reading ~, playback ~** tête *f* de lecture; **writing ~, recording ~** tête *f* d'écriture

[11] (on beer) mousse *f*

[12] Med (on boil, spot) tête *f*; **to come to a ~** lit, Med mûrir; fig [*crisis, trouble, unrest*] arriver au point critique; **to bring sth to a ~** Med faire mûrir; fig précipiter [*crisis, trouble, unrest*]; amener [qch] au point critique [*situation*]

[13] (in plumbing) (height of water) hauteur *f* de chute d'eau; (water pressure) pression *f*; **~ of water** colonne *f* d'eau

[14] Phys (of steam) pression *f*, volant *m* de vapeur spec; **to have a good ~ of steam** fig (be progressing well) avoir le vent en poupe

[15] Geog cap *m*

[16] Tech (on lathe) poupée *f*

B **heads** *npl* [1] (tossing coin) face *f*; **'~s or tails?'** 'pile ou face?'; **'~s!'** 'face!'; **'~s it is!'** 'c'est face!'; **~s I win/we go** face je gagne/on y va

[2] Naut (lavatory) toilettes *fpl*

C *modif* [1] Anat [*movement*] de tête; [*injury*] à la tête; [*covering, bandage*] sur la tête; Zool [*markings, feathers*] de la tête

[2] (chief) [*cashier, cook, gardener*] en chef

D *vtr* [1] lit (be at the top of) être en tête de [*column, list, procession, queue*]

[2] (be in charge of) être à la tête de [*business, firm, delegation, committee, team*]; mener [*expedition, inquiry, revolt*]; **the inquiry ~ed by Inspector Lacôte** l'enquête menée par l'inspecteur Lacôte

[3] (entitle) intituler [*article, chapter, essay*]; **this paragraph is ~ed by a quotation** ce paragraphe est précédé d'une citation; **to ~ a letter with one's address** mettre son adresse en tête d'une lettre; **~ed writing paper, ~ed stationery** papier *m* à lettres à en-tête

[4] (steer) diriger [*vehicle*] **(towards** vers); naviguer [*boat*] **(towards** vers); **I ~ed the car for the sea** j'ai pris le volant en direction de la mer; **he ~ed the sheep away from the cliff** il a éloigné les moutons de la falaise

[5] Sport **to ~ the ball** faire une tête; **he ~ed the ball into the net** il a marqué un but de la tête

E *vi* **where was the train ~ed** *ou* **~ing?** dans quelle direction est-ce que le train allait?; **to ~ south/north** Naut mettre le cap au sud/au nord; **he ~ed straight back into the room** il est retourné tout droit dans la pièce; **it's time to ~ home** *ou* **for home** il est temps de rentrer; **she ~ed across the dunes** elle s'est engagée à travers les dunes; **look out! he's ~ing this way** attention! il se dirige par ici!; **there's good luck ~ing your way** (in horoscope) la chance va vous sourire; ▸ **head for**

F **-headed** (*dans composés*) **black-~ed bird** oiseau à tête noire; **red-~ed boy** garçon (aux cheveux) roux; **two-~ed monster** monstre à deux têtes

(Idioms) **on your own ~ be it!** à tes risques et périls!; **to go to sb's ~** [*alcohol, success, praise*] monter à la tête de qn; **you've won, but don't let it go to your ~** tu as gagné, mais ne te monte pas la tête; **to go off one's ~**○ perdre la boule○; **are you off your ~?** tu as perdu la boule○?; **to keep/lose one's ~** garder/perdre son sang-froid; **to be soft** *ou* **weak in the ~**○ être faible d'esprit; **he's not right in the ~**○ il a un grain○; **to laugh one's ~ off**○ éclater de rire; **to shout one's ~ off**○ crier à tue-tête; **to talk one's ~ off**○ ne pas arrêter de parler; **she talked my ~ off**○ **all the way** elle m'a cassé les oreilles○ tout le long du trajet; **off the top of one's ~** [*say, answer*] sans réfléchir; **I can't think of anything off the top of my ~** rien ne me vient à l'esprit pour l'instant; **to give a horse its ~** lâcher la bride à un cheval; **to give sb their ~** lâcher la bride à qn; **to give sb ~**● US tailler une pipe● à qn; **to be able to do sth standing on one's ~** faire qch les doigts dans le nez○; **I can't make ~ (n)or tail of it** je n'y comprends rien, ça n'a ni queue ni tête; **I couldn't make ~ (n)or tail of what she was saying** je ne comprenais rien à ce qu'elle disait; **if we all put our ~s together** si nous nous y mettons tous; **so Louise and I put our ~s together and...** donc Louise et moi nous y sommes mis à deux et...; **the leaders put their ~s together** les dirigeants se sont consultés; **two ~s are better than one** Prov deux avis valent mieux qu'un

(Phrasal verbs) ■ **head for:** ▶ **~ for [sth]** [1] lit, gen se diriger vers; Naut (set sail) mettre le cap sur; **the car was ~ing** *ou* **~ed for Paris** la voiture se dirigeait vers Paris; **the ship was ~ing** *ou* **~ed for New York** le navire faisait route vers New York; **where were they ~ing** *ou* **~ed for?** dans quelle direction est-ce qu'ils allaient?; **we were ~ing** *ou* **~ed for the coast when we broke down** nous roulions en direction de la côte quand nous sommes tombés en panne; **to ~ for home** prendre le chemin du retour; **to ~ for the whisky bottle** foncer sur la bouteille de whisky; [2] fig courir à [*defeat, victory*]; courir vers [*trouble*]; **to be ~ing for a fall** courir à l'échec

■ **head off** partir **(for, in the direction of, towards** vers); **he ~ed off across the fields** il est parti à travers les champs; ▶ **~ off [sb/sth], ~ [sb/sth] off** [1] lit (intercept) bloquer, barrer la route à [*person*]; [2] fig (forestall) éluder [*question*]; éviter [*complaint, quarrel, rebellion*]; **he ~ed her off onto a more interesting topic of conversation** il a fait dévier sa conversation vers un sujet plus intéressant

■ **head up:** ▶ **~ up [sth]** diriger [*department, team*]

headache /'hedeɪk/ ▸ **p. 1327** *n* [1] mal *m* de tête; **to have a ~** avoir mal à la tête; **to give sb a ~** donner mal à la tête à qn; **to suffer from sick ~** avoir des maux de tête et des nausées; [2] fig **to be a ~ (to sb)** causer des ennuis (à qn); **that's your ~**○! c'est ton problème○!

headachy /'hedeɪkɪ/ *adj* **to feel ~** avoir mal à la tête

head: ~band *n* bandeau *m*; **~banger**○ *n* Pol extrémiste *mf*; Mus fana○ *mf* de heavy metal; **~board** *n* tête *f* de lit; **~ boy** *n* GB Sch *élève qui représente l'école et qui a des responsabilités*; **~butt** *vtr* donner un coup de tête *or* de boule○ à

head case○ *n* **to be a ~** avoir un grain○

head: ~ cheese *n* US fromage *m* de tête; **~ cold** ▸ **p. 1327** *n* rhume *m* de cerveau

headcount /'hedkaʊnt/ *n* [1] (counting) comptage *m*; **to do a ~** compter (les personnes présentes); [2] (total staff) effectif *m*

headdress /'heddres/ *n* (of feathers) coiffure *f*; (of lace) coiffe *f*

header /'hedə(r)/ *n* [1] ○(dive) **to take a ~** piquer une tête○; **I took a ~ into the lake/bushes** j'ai piqué une tête○ dans le lac/les buissons; **he took a ~ downstairs** il a dégringolé○ dans l'escalier; [2] Sport tête *f*; [3] Comput en-tête *m*; [4] Constr (brick) boutisse *f*; [5] (*also* **~ tank**) Tech réservoir *m* de compensation

header: ~ block *n* Comput bloc *m* début; **~ label** *n* Comput label *m* début

headfirst /ˌhed'fɜːst/ *adv* lit [*fall, plunge*] la tête la première; fig [*rush into*] tête baissée

head gear *n* ₵ couvre-chef *m*

head girl *n* [1] GB Sch *élève qui représente l'école et qui a des responsabilités*; [2] ▸ **p. 1683** Equit (in riding stables) palefrenière-soigneuse *f* en chef

head height *adv phr* **at ~** à hauteur d'homme

head-hunt /'hedhʌnt/

A *vtr* (seek to recruit) chercher à recruter; (recruit successfully) recruter; **she has been ~ed several times** elle a été contactée plusieurs fois par des chasseurs de tête; **she was ~ed** elle a été recrutée par un chasseur de têtes

B *vi* (chercher à) recruter des cadres expérimentés dans d'autres entreprises

head-hunter /'hedhʌntə(r)/ *n* [1] Comm chasseur *m* de têtes; [2] ○US Pol *personne ou agence cherchant à miner l'influence d'un adversaire politique*

head-hunting /'hedhʌntɪŋ/ *n* [1] Comm chasse *f* aux têtes; [2] ○US Pol déboulonnage○ *m* d'un adversaire politique

headiness /'hedɪnɪs/ *n* (of wine, perfume) bouquet *m* capiteux; (of experience, success) griserie *f*

heading /'hedɪŋ/ *n* [1] (of article, essay, column) titre *m*; (of subject area, topic) rubrique *f*; (inscription on notepaper, letter) en-tête *m*; **chapter ~** (quotation, résumé) tête *f* de chapitre; (title) titre *m* (de chapitre); **philosophy comes under the ~ of Humanities** la philosophie est classée sous la rubrique Sciences Humaines; [2] Aviat, Naut cap *m*

head lad ▸ **p. 1683** *n* (in racing stables) premier garçon *m*; (in riding stables) palefrenier-soigneur *m* en chef

headlamp /'hedlæmp/ *n* [1] (of car) phare *m*; (of train) fanal *m*; [2] (for miners, climbers) lampe-chapeau *f*

headland /'hedlənd/ *n* (high) promontoire *m*; (flat) pointe *f*

headless /'hedlɪs/ *adj* gen sans tête; Zool acéphale spec

(Idiom) **to run around like ~ chickens** ne plus savoir où donner de la tête

headlight /'hedlaɪt/ *n* (of car) phare *m*; (of train) fanal *m*

headline /'hedlaɪn/

A *n* [1] Journ gros titre *m*; **to hit the ~s** faire la une○; **the ~s were full of the crash, the crash was in all the ~s** l'accident faisait la une○ de tous les journaux; **the front-page ~** la manchette; **he'll never make the ~s** il n'aura jamais les honneurs de la presse; [2] Radio, TV titre *m*; **here are the (news) ~s again** et maintenant le rappel des (grands) titres (de l'actualité)

B *vtr* intituler [*feature*]; titrer [*newspaper article*]

C *vi* Mus [*band, singer*] (at festival) être en tête d'affiche; (on tour) jouer en vedette

headline: ~-grabber○ *n* nouvelle *f* qui fait la une○; **~-grabbing**○ *adj* qui fait la une○

headlong /'hedlɒŋ/

A *adj* [*fall*] tête la première; **a ~ dash** *ou* **rush** une ruée; **a ~ drive** *ou* **ride** une course effrénée; **a ~ flight** un sauve-qui-peut *inv*

B *adv* [*fall*] la tête la première; [*run, rush*] à toute vitesse; **to rush ~ into sth** fig se jeter tête baissée dans qch

head: ~louse *n* (*pl* **~lice**) pou *m*; **~man** *n* chef *m*; **~master** ▸ **p. 1683, p. 1237** *n* directeur *m*; **~mistress** ▸ **p. 1683, p. 1237** *n* directrice *f*; **~ nurse** *n* US infirmier/-ière *m/f* en chef; **~ office** *n* siège *m* social

head-on /ˌhedˈɒn/
A *adj* lit [*crash, collision*] de front; fig [*confrontation, approach*] direct
B *adv* [*collide, crash, hit, attack*] de front; **we collided ~ in the corridor** on s'est rentré dedans dans le couloir; **to tackle a problem ~** fig attaquer un problème de front

headphones /ˈhedfəʊnz/ *npl* casque *m*; **a pair of ~** un casque

headquarters /ˌhedˈkwɔːtəz/ *npl* (+ *v sg ou pl*) **1** gen, Comm, Admin siège *m* social; **he works at ~** il travaille au siège; **2** Mil quartier *m* général; **to set up one's ~** installer son quartier général

head: **~ rest** *n* gen appui-tête *m*; Aut reposetête *m inv*; **~ restraint** *n* Aut repose-tête *m inv*

headroom /ˈhedrʊm/ *n* **I haven't got enough ~** le plafond est trop bas pour moi; **we haven't got enough ~** (in boat, vehicle) nous sommes trop hauts pour passer; **'max ~ 4 metres'** Transp 'hauteur limitée à 4 mètres'

head: **~sail** *n* foc *m*; **~scarf** *n* (*pl* **-scarves**) foulard *m*; **~set** *n* casque *m*; (with microphone) micro-casque *m*

headship /ˈhedʃɪp/ *n* Sch (post) poste *m* de directeur/-trice; **under her ~** sous sa direction

head: **~shrinker**○ *n* péj psy○ *mf*, psychiatre *mf*; **~space** *n* (in container) espace *m* libre; **~square** *n* foulard *m*

headstand /ˈhedstænd/ *n* poirier *m*; **to do a ~** faire le poirier

head start *n* longueur *f* d'avance; **to give sb a ~ on** *ou* **over sb** donner à qn une longueur d'avance sur qn; **to have a ~** avoir une longueur d'avance

headstone /ˈhedstəʊn/ *n* (grave) pierre *f* tombale

headstrong /ˈhedstrɒŋ/ *adj* [*person*] têtu; [*attitude, behaviour*] obstiné; [*decision*] impétueux/-euse

head: **~ tax** *n* taxe *f* individuelle; **~ teacher** ▸ **p. 1683** *n* directeur/-trice *m/f*

head to head
A *n, modif* **to come together in a ~** *ou* **in a head-to-head battle** s'affronter
B *adv* **to come ~** s'affronter

head: **~-up display** *n* Aut, Aviat collimateur *m* de pilotage; **~ waiter** ▸ **p. 1683** *n* maître *m* d'hôtel; **~waters** *npl* sources *fpl*

headway /ˈhedweɪ/ *n* progrès *m*; **to make ~** lit progresser; fig faire des progrès

head: **~wind** *n* gen vent *m* contraire; Naut vent *m* debout; **~word** *n* entrée *f*

heady /ˈhedɪ/ *adj* [*wine, mixture*] capiteux/-euse, qui monte à la tête; [*perfume*] entêtant; fig [*experience, success*] grisant

heal /hiːl/
A *vtr* guérir [*person, wound, injury*]; fig guérir, apaiser [*pain, suffering*]; apaiser [*quarrel*]; **I hope we can ~ the breach** *ou* **rift (between them)** j'espère que nous arriverons à les réconcilier
B *vi* [*wound, cut*] se cicatriser; [*fracture, scar, ulcer*] guérir

(Idiom) **time ~s all wounds** Prov le temps guérit les chagrins

(Phrasal verb) ■ **heal over, heal up** [*wound, cut*] se cicatriser

healer /ˈhiːlə(r)/ *n* guérisseur/-euse *m/f*; **time is a great ~** le temps apporte l'oubli

healing /ˈhiːlɪŋ/
A *n* (of person) guérison *f*; (of cut, wound) cicatrisation *f*, guérison *f*
B *adj* [*power, property*] curatif/-ive; [*lotion, ointment*] (for wounds) cicatrisant; **to have a ~ effect** lit, fig avoir un effet salutaire; **the ~ process** lit, fig le rétablissement

health ➔📖 /helθ/
A *n* **1** Med santé *f*; fig (of economy) santé *f*; (of environment) qualité *f*; **mental ~** santé mentale; **in good/bad ~** en bonne/mauvaise santé; **to enjoy good ~** jouir d'une bonne santé; **2** (in toasts) **to drink (to) sb's ~** boire à la santé de qn; **here's (to your) ~!, good ~!** à votre santé!; **3** US = **health education**
B *modif* [*problems, issues, needs*] de santé; [*reforms*] des services de santé

health: **Health and Safety Executive** *n* GB Inspection *f* du travail; **Health and Safety Inspector** ▸ **p. 1683** *n* GB inspecteur/-trice *m/f* du travail; **Health Authority** *n* GB administration *f* régionale de la santé publique; **~ benefits** *npl* prestations *fpl* de santé

health care *n* **1** gen (prevention of illness) soins *mpl* médicaux, protection *f* contre les maladies; **2** Admin services *mpl* médicaux

health: **~ centre** *n* GB centre *m* médicosocial; **~ check** *n* visite *f* médicale

health clinic *n* **1** = **health centre**; **2** (in Third World) centre *m* médical

health: **~ club** *n* club *m* de (remise en) forme; **~ education** *n* ≈ hygiène *f* publique; **~ farm** *n*: *établissement pour cures d'amaigrissement, de rajeunissement etc*; **~ food** *n* ¢ aliments *mpl* naturels; **~ food shop** ▸ **p. 1683** *n* magasin *m* de produits diététiques

healthful /ˈhelθfl/, **health-giving** /ˈhelθgɪvɪŋ/ *adj* [*exercise, food, drink*] bon/bonne pour la santé, salutaire; [*effect*] salutaire

health hazard *n* risque *m* pour la santé

healthily /ˈhelθɪlɪ/ *adv* [*eat, live etc*] sainement; **to be ~ sceptical of sth/sb** exprimer un scepticisme sain à l'égard de qch/qn

health: **~ inspector** ▸ **p. 1683** *n* inspecteur/-trice *m/f* de l'hygiène; **~ insurance** *n* assurance *f* maladie; **~ maintenance organization, HMO** *n* US ≈ mutuelle *f*; **~ officer** ▸ **p. 1683** *n* inspecteur/-trice *m/f* de la santé

health resort *n* (by sea) station *f* balnéaire; (in mountains) station *f* climatique; (spa town) station *f* thermale, ville *f* d'eau

Health Secretary *n* GB ministre *m* de la Santé

Health Service *n* **1** GB services *mpl* de santé; **2** US Univ infirmerie *f*

health: **~ spa** *n* ville *f* d'eau; **~ visitor** ▸ **p. 1683** *n* GB infirmier/-ière *m/f* des services sociaux; **~ warning** *n* mise *f* en garde du ministère de la Santé

healthy /ˈhelθɪ/ *adj* [*person, animal, plant, skin, hair, lifestyle, diet, menu*] sain; [*air*] salutaire; [*exercise*] bon/bonne pour la santé; [*appetite*] robuste, bon/bonne; [*crop*] abondant; [*economy, finances, position, competition*] sain; [*profit*] excellent; [*machinery*] en bon état de marche; **it's not a very ~ occupation** (morally) ce n'est pas une occupation très saine; **she is much healthier than she was** elle se porte bien mieux qu'avant; **to have a ~ respect for sb** apprécier [qn/qch] à sa juste valeur [*opponent, sb's talents*]; craindre beaucoup [*teacher, authority figure*]; **I would have a ~ respect for those waves if I were you!** à ta place je me méfierais de ces vagues!; **(a) ~ scepticism** circonspection *f*; **his finances are none too ~** ses finances sont mal en point; **your car doesn't sound very ~** hum ta voiture fait un drôle de bruit; **to have a ~ lead** Sport avoir une avance confortable

(Idiom) **a ~ mind in a ~ body** un esprit sain dans un corps sain

heap /hiːp/
A *n* **1** (of rubble, leaves, objects) tas *m*; **to pile sth up in a ~** *ou* **in ~s** mettre qch en tas; **to lie in a ~** [*person*] être affalé; [*objects, bodies*] être entassés; **to fall** *ou* **collapse in a ~** [*person*] s'affaler; **to collapse in an exhausted ~** s'affaler épuisé; **2** ○(lot) **~s of** (plenty of) plein de [*money, food, atmosphere*]; (too much) un tas○ de [*work, problems*]; **we've got ~s of things to do** on a un tas de choses à faire; **we've got ~s of time** on a tout notre temps; **to be in a ~ of trouble** avoir plein de○ *or* des tas ○ de problèmes; **3** ○péj (car) guimbarde○ *f*, tacot○ *m*
B **heaps**○ *adv* cent fois; **to feel ~s better** se sentir cent fois mieux; **~s more room** cent fois plus de place
C *vtr* **1** (pile) = **heap up**; **2** fig (shower) **to ~ sth on sb** couvrir qn de qch [*praise*]; accabler qn de qch [*work*]; abreuver qn de qch [*insults*]; **to ~ scorn on sb** accabler qn de mépris

(Phrasal verb) ■ **heap up**: ▸ **~ [sth] up, ~ up [sth]** entasser [*leaves, bodies*]; empiler [*food*]; submerger [*table*] (**with** de)

heaped /hiːpt/ *adj* **a ~ spoonful** Culin une bonne cuillerée; **a dish ~ with cakes** un plat avec une montagne de gâteaux

hear /hɪə(r)/ (*prét, pp* **heard**)
A *vtr* **1** (perceive with ears) entendre [*sound, thud, voice, car, radio*]; **she heard her brother coming up the stairs** elle a entendu son frère qui montait l'escalier; **I can ~ the train whistling** j'entends siffler le train; **an explosion was heard** on a entendu une explosion; **I can ~ you!** je t'entends!; **I heard you coming in** je t'ai entendu quand tu es rentré; **to ~ sb being beaten/thanked** entendre que l'on est en train de battre/de remercier qn; **to ~ her talk, you'd think (that)** à l'entendre, on croirait que; **we haven't heard the end** *ou* **last of it** on n'a pas fini d'en entendre parler; **to make oneself** *ou* **one's voice heard** lit se faire entendre; fig faire entendre sa voix; **I can't ~ myself think!** il y a tellement de bruit que je n'arrive pas à me concentrer
2 (learn, find out about) apprendre [*news, story, joke, rumour*]; **to ~ (tell) of sth** entendre parler de qch; **to ~ (it said) that** apprendre que, entendre dire que; **I've heard good things about...** j'ai entendu dire du bien de...; **I've heard so much about you** on m'a tant parlé de vous; **I've heard it all before!** je connais la chanson○!; **have you heard the one about...** (joke) tu connais celle de...; **have you heard?** tu es au courant?; **what have you heard?** tu es au courant de quelque chose?; **I'm sorry to ~ (that) you can't come** je suis désolé d'apprendre que vous ne pouvez pas venir; **I ~ you want to be a doctor** il paraît que tu veux devenir médecin; **so I ~, so I've heard** c'est ce que j'ai entendu dire; **she won, I ~** elle a gagné, paraît-il; **to ~ whether/why/how** savoir si/pourquoi/comment
3 (listen to) écouter [*lecture, speech, broadcast, concert, record*]; [*judge, court, jury*] entendre [*case, evidence, testimony, witness*]; écouter [*prayer*]; **to ~ sb do sth** écouter qn faire qch; **to ~ a child read** faire lire un enfant à voix haute; **to ~ what sb has to say** entendre ce que qn a à dire; **do you ~ (me)?** tu m'entends?; **to ~ Mass** sout assister à la messe, entendre la messe sout; **the court heard that...** Jur il a été déclaré à la cour que...
B *vi* entendre; **to ~ about** entendre parler de; **have you heard about Matt and Sarah?** tu es au courant pour Matt et Sarah?

(Idioms) **~! ~!** bravo!; **let's ~ it for Jo** on applaudit Jo bien fort

(Phrasal verbs) ■ **hear from**: ▸ **~ from [sb]** **1** (get news from) recevoir des nouvelles de [*friend, relative*]; **it's nice to ~ from you** je suis content d'avoir de tes nouvelles; **I'm waiting to ~ from head office/the hospital** j'attends une réponse du siège social/de l'hôpital; **don't do anything until you ~ from me** ne fais rien tant que je ne t'aurai pas fait pas signe; **you'll be ~ing from me!** (threat) tu auras de mes nouvelles!; **you'll be ~ing from my solicitor** vous en parlerez à mon avocat; **2** (hear interviewed on TV etc) entendre le point de vue de [*representative, politician*]; écouter le récit de [*survivor, eyewitness*]
■ **hear of**: ▸ **~ of [sb/sth]** **1** (be or become aware of) entendre parler de; **I've never even heard of her** je ne sais même pas qui c'est;

➔📖 *see* Life in France

the first I heard of the accident was on the radio j'ai appris l'accident par la radio; **that's the first I've heard of it!** première nouvelle!; **he hasn't been heard of since** on n'a plus jamais entendu parler de lui; 2 (countenance, consider) **I won't ~ of it!** il n'en est pas question!

■ **hear out**: ▸ **~ out [sb]**, **~ [sb] out** écouter [qn] jusqu'au bout

heard /hɜːd/ *prét, pp* ▸ **hear**

hearer /ˈhɪərə(r)/ *n* (listener) auditeur/-trice *m/f*; **his ~s were enthralled** son auditoire a été fasciné

hearing /ˈhɪərɪŋ/

A *n* 1 (sense, faculty) ouïe *f*, audition *f*; **his ~ is not very good** il n'a pas l'oreille très fine; **to damage sb's ~** causer des troubles de l'ouïe à qn; 2 (earshot) **there was no-one within ~** il n'y avait personne à portée de voix; **in** *ou* **within my ~** en ma présence; **to be out of sb's ~** être trop loin de qn pour qu'il puisse entendre; 3 (before court, magistrate, committee etc) audience *f*; **~ of an appeal/an application** audition *f* d'un appel/d'une demande; **closed** *ou* **private ~** audience *f* à huis clos *or* privée; 4 (chance to be heard) **to get a ~** se faire entendre; **to give sb/sth a ~** écouter qn/qch; **I want a fair ~** je veux qu'on m'écoute impartialement

B *modif* [*damage, loss, test*] d'audition

C *adj* qui entend (bien); **deaf and ~ children** les enfants sourds et ceux doués d'une bonne ouïe

hearing: **~ aid** *n* prothèse *f* auditive, sonotone® *m*, appareil *m*; **~ dog for the deaf** *n* chien *m* de malentendant; **~-impaired** *adj* malentendant

hearken‡ /ˈhɑːkən/ *vi* prêter l'oreille (**to** à)

hearsay /ˈhɪəseɪ/ *n* ₵ ouï-dire *m inv*, on-dit *m inv*; **based on ~** fondé sur des 'ouï-dire' *or* 'on-dit'

hearsay evidence *n* Jur déposition *f* sur la foi d'autrui

hearse /hɜːs/ *n* corbillard *m*

heart /hɑːt/ ▸ **p. 1253**

A *n* 1 Anat (of human, animal) cœur *m*; **his ~ stopped beating** lit, fig son cœur s'est arrêté (de battre); **my ~ missed** *ou* **skipped a beat** mon cœur a fait un bond; **to clasp sb/sth to one's ~** serrer qn/qch sur son cœur; **who can say, hand on ~** *ou* **with their hand on their ~...?** qui peut dire, la main sur le cœur...?; **in the shape of a ~** en forme de cœur

2 (site of emotion, love, sorrow etc) cœur *m*; **to win/capture/steal sb's ~** gagner/conquérir/prendre le cœur de qn; **to give sb one's ~** donner son cœur à qn; **to break sb's ~** briser le cœur de qn; **to break one's ~** se briser le cœur (**over sb** pour qn); **to cry fit to break one's ~** pleurer à en rendre l'âme; **it does my ~ good to see...** cela me réchauffe le cœur de voir...; **with a heavy/light ~** le cœur lourd/léger; **the way to sb's ~** le chemin du cœur de qn; **to lose one's ~ to sb** tomber amoureux/-euse de qn; **to take sb to one's ~** prendre qn en affection; **to sob one's ~ out** pleurer toutes les larmes de son corps; **to sing one's ~ out** chanter à pleins poumons; **to act one's ~ out** jouer avec tout son cœur; **my ~ goes out to you/him** je suis avec vous/lui de tout cœur; **from the bottom of one's ~** du fond du cœur

3 (innermost feelings, nature) cœur *m*; **to open one's ~ to sb** ouvrir son cœur à qn; **to take sth to ~** prendre qch à cœur; **to follow one's ~** suivre son cœur; **from the ~** du fond du cœur; **to love sb with all one's ~** aimer qn de tout son cœur; **to wish with all one's ~ that** souhaiter de tout cœur que (+ *subj*); **in my ~ (of ~s)** au fond de moi-même; **my ~ is not in sth/doing sth** je n'ai pas le cœur à qch/à faire qch; **it is close** *ou* **dear** *ou* **near to my ~** cela me tient à cœur; **I have your interests at ~** tes intérêts me tiennent à cœur; **he's a child at ~** dans le fond, c'est toujours un enfant

4 (capacity for pity, love etc) cœur *m*; **to have no ~** ne pas avoir de cœur; **to be all ~** avoir très bon cœur; **to have a cold/soft ~** avoir le cœur dur/tendre; **I didn't have the ~ to refuse** je n'ai pas eu le cœur de refuser; **I couldn't find it in my ~ to forgive them** je n'ai pas pu leur pardonner; **have a ~!** pitié!; **to have a change of ~** changer de sentiment

5 (courage) courage *m*; **to take/lose ~** prendre/ perdre courage; **she took ~ from the fact that** elle puisait son courage dans le fait que; **to be in good ~** avoir le moral

6 (middle, centre) (of district) cœur *m*; **right in the ~ of London** en plein cœur de Londres; **in the ~ of the jungle/country** en pleine jungle/campagne; **the ~ of the matter** le fond du problème; **to get to the ~ of the matter** entrer dans le vif du sujet; **issues which lie at the ~ of a dispute** les questions qui se trouvent au cœur d'un conflit

7 (in cards) cœur *m*; **two of ~s** deux de cœur; **to play a ~** jouer à cœur; **have you got any ~s?** as-tu du cœur?

8 (of artichoke, lettuce, cabbage, celery) cœur *m*

B *modif* [*patient, specialist, operation*] du cœur; [*muscle, valve, wall*] cardiaque; [*surgery*] du cœur, cardiaque; **to have a ~ condition** *ou* **a ~ complaint** être cardiaque

C by heart *adv phr* par cœur; **to know/learn sth off by ~** savoir/apprendre qch par cœur

D -hearted (*dans composés*) **hard-/pure-~ed** au cœur dur/pur

(Idioms) **a man/woman after my own ~** un homme/une femme comme je les aime; **cross my ~ (and hope to die)** croix de bois, croix de fer (si je mens je vais en enfer); **his/her ~ is in the right place** il/elle a bon cœur; **home is where the ~ is** Prov où le cœur aime, là est le foyer; **to have set one's ~ on sth/doing** *ou* **to have one's ~ set on sth/doing** vouloir à tout prix qch/faire; **don't set your ~ on it** n'y compte pas trop; **the way to a man's ~ is through his stomach** Prov pour conquérir un homme, préparez-lui des petits plats

heartache /ˈhɑːteɪk/ *n* gen chagrin *m*; (romantic) peine *f* de cœur

heart attack *n* crise *f* cardiaque, infarctus *m*; **to have a ~** lit, fig avoir une crise cardiaque

heartbeat /ˈhɑːtbiːt/ *n* 1 (single pulse) battement *m* de cœur, pulsation *f* cardiaque spec; 2 (rhythm of heart) battements *mpl* de cœur, pulsations *fpl* cardiaques spec; **to increase sb's ~** élever le rythme cardiaque de qn

heart: **~break** *n* déchirement *m*, douleur *f*; **~breaker** *n* (man) bourreau *m* des cœurs; (woman) femme *f* fatale

heartbreaking /ˈhɑːtbreɪkɪŋ/ *adj* [*sight, story, news*] navrant; [*cry, appeal*] déchirant; **it is ~ to see** il est navrant de voir; **it would be ~ to fail** cela nous/me etc fendrait le cœur de ne pas réussir

heartbroken /ˈhɑːtbrəʊkn/ *adj* **to be ~** avoir le cœur brisé

heart: **~burn** *n* brûlures *fpl* d'estomac; **~ disease** *n* ₵ maladies *fpl* cardiaques

hearten /ˈhɑːtn/ *vtr* encourager; **we were ~ed by the news** la nouvelle nous a encouragés

heartening /ˈhɑːtnɪŋ/ *adj* encourageant, réconfortant

heart failure *n* arrêt *m* du cœur

heartfelt /ˈhɑːtfelt/ *adj* [*condolence, gratitude, passion, wish*] sincère; [*word, appeal, plea, prayer*] qui vient du cœur

hearth /hɑːθ/ *n* foyer *m*

(Idiom) **far from ~ and home** loin de son foyer

hearth rug *n* petit tapis *m*

heartily /ˈhɑːtɪlɪ/ *adv* 1 (enthusiastically) [*welcome, greet*] chaleureusement; [*support, approve, disapprove*] vigoureusement; [*sing, say, laugh, eat*] de bon cœur; **he ~ agreed with her** il était tout à fait d'accord avec elle; 2 (thoroughly) [*glad, relieved*] vraiment; **I'm ~ sick of it**○ j'en ai ras le bol○

heartiness /ˈhɑːtɪnɪs/ *n* (of laugh, slap) vigueur *f*; (of person, voice, manner) jovialité *f*; **the ~ of his appetite** son grand appétit

heartland /ˈhɑːtlænd/ *n* (*also* **~s** *pl*) 1 (industrial, rural centre) cœur *m*; 2 Pol fief *m*; 3 (centre of a region, country) centre *m*

heartless /ˈhɑːtlɪs/ *adj* [*person*] sans cœur (*predic*); [*attitude, behaviour*] sans pitié; **~ wretch!** sans-cœur!; **her ~ father** son sans-cœur de père; **how could you be so ~!** quel/quelle sans-cœur!; **~ treatment** traitement *m* cruel, cruauté *f* (**of** envers)

heartlessly /ˈhɑːtlɪslɪ/ *adv* [*treat, say, act*] sans pitié

heartlessness /ˈhɑːtlɪsnɪs/ *n* (of person) insensibilité *f*, manque *m* de cœur; (of attitude, remark) cruauté *f*

heart: **~-lung machine** *n* cœur-poumon *m* (artificiel); **~ monitor** *n* moniteur *m* cardiaque; **~ murmur** *n* souffle *m* au cœur; **~ rate** *n* rythme *m or* fréquence *f* spec cardiaque; **~ rate monitor** *n* = **heart monitor**

heartrending /ˈhɑːtrendɪŋ/ *adj* [*cry, sob, appeal, plea*] déchirant; [*sight, story*] navrant

heart-searching /ˈhɑːtsɜːtʃɪŋ/ *n* ₵ examen *m* de conscience; **after much ~** après un examen de conscience approfondi

heart: **~sease** *n* Bot pensée *f* sauvage; **~-shaped** *adj* en forme de cœur (*after n*); **~sick** *adj* abattu, déprimé

heartsink○ /ˈhɑːtsɪŋk/ *adj* **~ patient** patient/-e *m/f* casse-pieds○

heart-stopping /ˈhɑːtstɒpɪŋ/ *adj* **for one ~ moment** pendant un instant de suspense

heartstrings /ˈhɑːtstrɪŋz/ *npl* corde *f* sensible; **to pluck** *ou* **tug (at) sb's ~** faire vibrer la corde sensible de qn; **to touch sb's ~** toucher la corde sensible de qn

heart: **~ surgeon** ▸ **p. 1683** *n* chirurgien *m* cardiaque, cardiochirurgien *m*; **~throb**○ *n* idole *f*

heart-to-heart /ˌhɑːttəˈhɑːt/

A *n* conversation *f* à cœur ouvert; **to have a ~** parler à cœur ouvert (**with** avec)

B *adj, adv* [*talk, chat*] à cœur ouvert

heart: **~ transplant** *n* greffe *f* du cœur, transplantation *f* cardiaque spec; **~ transplant patient** *n* greffé/-e *m/f* du cœur

heart trouble *n* problèmes *mpl* cardiaques; **to have ~** souffrir de problèmes cardiaques

heart: **~-warming** *adj* réconfortant, qui réchauffe le cœur; **~wood** *n* cœur *m* du bois

hearty /ˈhɑːtɪ/

A ○*n* GB péj joyeux drille *m*

B *adj* 1 (jolly and vigorous) [*person, voice, manner*] jovial; [*laugh*] franc/franche; [*slap, pat*] vigoureux/-euse; 2 [*appetite, meal, breakfast*] solide; **he's a ~ eater** c'est un gros mangeur; 3 (whole-hearted) [*approval, congratulations, admiration*] chaleureux/-euse; [*resentment, loathing*] total; **to have a ~ dislike of sth** détester cordialement qch; 4 (warm) [*welcome, greeting*] cordial

(Idiom) **heave-ho, my hearties!** oh-hisse, les gars!

heat /hiːt/

A *n* 1 gen, Phys, Meteorol chaleur *f*; **the plants wilted in the ~** les plantes se sont fanées à la chaleur; **he was sweating in** *ou* **with the ~** il transpirait à cause de la chaleur; **she was exhausted by the ~** elle se sentait exténuée à cause de la chaleur; **the summer/afternoon ~** la chaleur de l'été/de l'après-midi; **in the ~ of the summer** au plus chaud de l'été; **in the ~ of the day** au moment le plus chaud

h

de la journée; **we were stifling in the 30° ~** il faisait 30° et on étouffait; **in this ~ nobody feels hungry** par cette chaleur personne n'a faim; **a cream to take the ~ out of sunburnt skin** un lait apaisant pour les coups de soleil; **2** Culin (of hotplate, gas ring) feu *m*; (of oven) température *f*; **cook at a low/moderate ~** faire cuire à feu doux/moyen; (in oven) faire cuire à basse température /à température moyenne; **turn up/turn down the ~** augmenter/diminuer le feu *or* la température; **3** (heating) chauffage *m*; **to turn the ~ on/off** mettre/arrêter le chauffage; **to turn the ~ up/down** monter/baisser le chauffage; **4** Sport épreuve *f* éliminatoire; (in athletics) série *f*; **she won her ~** elle a remporté sa série; **5** Zool **to be on** *ou* **in ~** être en chaleur; **6** fig (of argument, discussion) véhémence *f*; **in the ~ of sth** dans le feu de qch; **carried away by the ~ of the discussion she...** emportée dans le feu de la discussion elle...; **in the ~ of the moment** dans le feu de l'action; **to take the ~ off sb** soulager qn; **that's taken the ~ off us** cela nous a soulagés; **to put** *ou* **turn the ~ on sb to do** faire pression sur qn pour qu'il fasse; **the ~ is on** il va falloir mettre le paquet (**to do** pour faire); ▸ **kitchen**

B *vtr* gen chauffer [*room, house, pool*]; Culin faire chauffer [*food, oven*]; Med échauffer [*blood*]; **~ the oven to 180°** faire chauffer le four à 180°

C *vi* chauffer

(Phrasal verbs) ■ **heat through** [*food, drink, house*] chauffer; **has the soup ~ed through?** la soupe est-elle chaude?; ▸ **~ [sth] through** faire chauffer [*food*]

■ **heat up** [*food, drink*] chauffer; [*air*] se réchauffer; **wait until the engine/radiator ~s up** attends que le moteur/radiateur soit chaud; **has the iron ~ed up yet?** est-ce que le fer est chaud?; ▸ **~ [sth] up, ~ up [sth]** (for first time) faire chauffer [*food, oven*]; (reheat) faire réchauffer [*food*]

heat: **~ barrier** *n* mur *m* thermique, mur *m* de chaleur; **~ capacity** *n* capacité *f* calorifique; **~ constant** *n* constante *f* calorifique

heated /ˈhiːtɪd/ *adj* **1** lit [*water, pool*] chauffé; [*brush, windscreen, rollers*] chauffant; **2** fig [*debate, argument*] animé; [*denial, defence*] véhément; **to grow** *or* **get ~** [*debate, argument, person*] s'animer

heatedly /ˈhiːtɪdlɪ/ *adv* avec véhémence

heat efficiency *n* rendement *m* calorifique

heater /ˈhiːtə(r)/ *n* gen radiateur *m*; (portable) chauffage *m* d'appoint

heat: **~ exchanger** *n* échangeur *m* de chaleur; **~ exhaustion** *n* coup *m* de chaleur simple

heath /hiːθ/ *n* (moor) lande *f*; (heather) bruyère *f*; **on the ~** dans la lande

heat haze *n* brume *f* de chaleur

heathen /ˈhiːðn/

A *adj* (irreligious) païen/-ïenne; (uncivilized) barbare

B *n* (unbeliever) païen/-ïenne *m/f*; (uncivilized) barbare *mf*

heathenism /ˈhiːðənɪzəm/ *n* paganisme *m*

heather /ˈheðə(r)/ *n* bruyère *f*

Heath Robinson /ˌhiːθ ˈrɒbɪnsən/ *adj* GB [*contraption, repairs*] bricolé ingénieusement

heating /ˈhiːtɪŋ/

A *n* chauffage *m*; **to turn the ~ on/off** mettre/arrêter le chauffage; **to turn the ~ up/down** monter/baisser le chauffage; **the ~ is on/off** le chauffage est en marche/est arrêté

B *modif* [*bill, costs, apparatus*] de chauffage

heating: **~ engineer** ▸ p. 1683 *n* chauffagiste *m*; **~ plant** *n* chaufferie *f*; **~ system** *n* système *m* de chauffage

heat: **~ lightning** *n* ¢ éclairs *mpl* de chaleur; **~ loss** *n* (all contexts) déperdition *f* de chaleur; **~-proof** *adj* [*mat, dish, tile*] résistant à la chaleur; [*clothing*] isolant; **~ pump** *n* thermopompe *f*; pompe *f* à chaleur; **~ rash** *n* éruption *f* cutanée due à la chaleur, miliaire *f* spec; **~-resistant** *adj* [*mat, tile, dish*] résistant à la chaleur; [*clothing*] isolant

heat seal

A *n* joint *m* d'étanchéité

B **heat-seal** *vtr* étanchéiser, sceller [qch] à chaud

heat: **~-seeking missile** *n* missile *m* à tête chercheuse thermique; **~-sensitive** *adj* thermosensible, sensible à la chaleur; **~ setting** *n* (of thermostat, heater, washing machine) programme *m*; (of iron, hairdrier) position *f*; **~ shield** *n* Aerosp bouclier *m* thermique; **~ stroke** *n* coup *m* de chaleur (*avec collapsus*); **~-treated** *adj* Ind traité thermiquement; **~ treatment** *n* Med thermothérapie *f*; Ind traitement *m* thermique; Agric thermisation *f*; **~wave** *n* vague *f* de chaleur

heave /hiːv/

A *n* **1** (effort to move) effort *m*; **to give a ~** (pull) tirer de toutes ses forces; (push) pousser de toutes ses forces; **2** (swell) (of sea) houle *f*; **his stomach gave a ~** il a eu un haut-le-cœur; **3** Geol déplacement *m* latéral

B *vtr* (*prét, pp* **heaved**, Naut **hove**) **1** (lift) hisser; (pull) traîner péniblement; **2** **to ~ a sigh** pousser un soupir; **3** (throw) lancer (**at** sur); **4** Naut **to ~ a boat ahead/astern** déhaler un bateau par l'avant/l'arrière

C *vi* (*prét, pp* **heaved**, Naut **hove**) **1** [*sea, ground*] se soulever et s'abaisser; **2** (pull) tirer de toutes ses forces; **3** (retch) avoir un haut-le-cœur; (vomit) vomir; **it made my stomach ~** ça m'a donné un haut-le-cœur; **4** Naut, fig **to ~ into sight** apparaître

D **heaving** *pres p adj* [*bosom, breast*] haletant

(Phrasal verbs) ■ **heave to** (*prét, pp* **hove**) Naut: ▸ **~ to** se mettre en panne; **to be hove to** rester en panne; ▸ **~ [sth] to** mettre en panne [*ship*]

■ **heave up**: ▸ **~ up**○ dégueuler◑, vomir; ▸ **~ oneself up** se hisser (**onto** sur)

heave-ho /ˌhiːvˈhəʊ/ *excl* Naut oh-hisse!; **to give sb the (old) ~**○ hum (break off with) plaquer qn○; (dismiss) mettre qn à la porte

heaven /ˈhevn/ *n* **1** Relig (*also* **Heaven**) ciel *m*, paradis *m*; **to go to/be in ~** aller/être au paradis *or* au ciel; **~ and earth** ciel et terre; **~ and hell** l'enfer et le paradis; **the kingdom of ~** le royaume des cieux; **our Father which art in ~** notre père qui es aux cieux; **the will of ~** la volonté céleste; **2** (in exclamations) **~s (above)!** grands dieux!; **~ forbid, ~ forfend!** sout grands dieux, non!; **~ forbid she should realize!** pourvu qu'elle ne s'en rende pas compte!; **~ only knows!** Dieu seul sait!; **~ help us!** que Dieu nous vienne en aide!; **~ help him when I catch him**○**!** qu'est-ce qu'il va prendre quand je vais l'attraper○!; **good ~s!** *ou* **great ~s**†**!** grands dieux!; **God in ~!** mon Dieu!; **thank ~(s)!** Dieu soit loué!; **in ~'s name stop**†**!** arrêtez au nom du ciel†!; **what in ~'s name are you up to?** mais bon Dieu qu'est-ce que tu fais○?; **3** (bliss) (state, place) paradis *m*; **this beach is ~ on earth** cette plage c'est le paradis terrestre; **the dinner/the hotel was ~** le dîner/l'hôtel était divin; **4** (sky) ciel *m*; **5** Astrol, littér, hum **the ~s** le ciel; **the ~s opened** des trombes d'eau se sont abattues

(Idioms) **to be in the seventh ~** être au septième ciel; **to move ~ and earth** remuer ciel et terre (**to do** pour faire); **to stink** *ou* **smell to high ~** puer

heavenly /ˈhevənlɪ/ *adj* **1** (of heaven) [*choir, vision*] céleste; (of God) [*peace, justice*] divin; **2** ○(wonderful) divin

heavenly: **~ body** *n* corps *m* céleste; **Heavenly Father** *n* père *m* céleste

heaven-sent /ˈhevnsent/ *adj* [*opportunity, rescue*] providentiel/-ielle

heavenward(s) /ˈhəvnwəd(z)/ *adv* littér [*gaze*] au ciel

heavily /ˈhevɪlɪ/ *adv* **1** (with weight) [*lean, press, fall, move, load, weigh*] lourdement; [*walk, tread*] à pas pesants; [*sleep, sigh*] profondément; [*breathe*] (noisily) bruyamment; (with difficulty) péniblement; **~ built** solidement bâti; **~ underlined** souligné d'un gros trait; **to come down ~ on sth** ne pas tolérer qch; **to come down ~ on sb** punir qn de manière exemplaire; **2** (considerably, abundantly) [*rain*] très fort; [*snow, spend, invest, smoke, drink, criticize, rely*] beaucoup; [*bleed*] abondamment; [*involved*] grandement; [*taxed, armed, in debt*] fortement; **to be too ~ dependent on** compter beaucoup trop sur; **to be ~ subsidized** bénéficier de beaucoup de subventions; **~ sedated** sous forte sédation; **~ made-up** très maquillé; **to be ~ fined** avoir une forte amende; **to lose ~** (financially) perdre beaucoup; (in game) se faire écraser; **to be ~ into**○ s'adonner à [*drug, music, sport*]

heaviness /ˈhevɪnɪs/ *n* **1** (weight, thickness) (of object, person, fabric, garment) lourdeur *f*; (of features) manque *m* de finesse; (of limbs) engourdissement *m*, lourdeur *f*; **2** (considerable nature) (of losses, casualties) importance *f*; (of gunfire, traffic) densité *f*; (of rain, snow) abondance *f*

heavy /ˈhevɪ/ ▸ p. 1883

A ○*n* **1** (person) gen grosse brute *f*; (bodyguard, escort) gorille○ *m*; **2** GB (newspaper) grand journal *m*, journal *m* sérieux

B *adj* **1** gen, Phys (having weight) [*weight, person, load, bag, parcel*] lourd; **to be too ~ to lift** être trop lourd à soulever *or* pour qu'on puisse le soulever; **to make sth heavier** alourdir qch; **he's 5 kg heavier than me** il pèse 5 kilos de plus que moi; **how ~ are you?** combien pèses-tu?; **to be ~ with young** [*animal*] être pleine; **2** (thick) [*fabric, coat*] lourd; [*shoes, frame*] gros/grosse (*before n*); [*line, feature, face*] épais/épaisse; **in ~ type** en caractères gras; **of ~ build** solidement bâti, de forte carrure; **to wear ~ make-up** se maquiller beaucoup, être très maquillé; **3** Mil, Ind [*machinery*] gros/grosse (*before n*), lourd; [*artillery*] lourd; **'~ plant crossing'** 'traversée d'engins'; **4** fig (weighty, ponderous) [*movement, step*] pesant, lourd; [*irony, humour, responsibility, sigh*] lourd; **my legs feel ~** j'ai les jambes lourdes; **his eyelids began to get ~** ses paupières devenaient lourdes; **with a ~ heart** le cœur gros; **to be a ~ sleeper** avoir le sommeil lourd; **a ~ thud** un bruit sourd; **a ~ blow** un coup violent; **'you told me,' he said with ~ emphasis** 'c'est toi qui me l'a dit,' dit-il en insistant lourdement; **the going is ~** le terrain est lourd; **the interview was ~ going** (slow, hard work) l'interview était laborieuse; **5** (abundant) [*traffic*] dense; [*gunfire*] nourri; [*bleeding, period*] abondant; [*charge, investment*] important ; **to be a ~ drinker/smoker** boire/fumer beaucoup; **security was ~** d'importantes mesures de sécurité avaient été prises; **~ trading on the stock market** beaucoup de transactions à la Bourse; **to have a ~ workload** avoir beaucoup de travail; **to be ~ on** (use a lot of) [*person*] avoir la main lourde sur [*ingredient, perfume*]; [*machine*] consommer beaucoup de [*fuel*]; (contain a lot of) comporter beaucoup de [*humour, ingredient*]; **6** (severe) [*defeat, loss, debt*] lourd; [*attack, bombing*] intense; [*prison sentence, penalty, fine*] sévère; [*cuts, criticism*] fort (*before n*) ; [*cold*] gros/grosse (*before n*); **~ casualties** un nombre élevé de victimes; **~ fighting** de violents combats; **7** (strong) [*perfume, scent, concentration*] fort; [*accent*] prononcé; **8** Meteorol [*rain, frost*] fort; [*fog, mist*] épais/épaisse; [*snow, dew*] abondant; [*cloud*] lourd; [*sky*] chargé, lourd; **it's very ~ today** il fait très lourd aujourd'hui; **to capsize in ~ seas** chavirer par grosse mer; **9** Culin [*meal, food, pastry*] lourd; [*wine*] corsé; **10** (busy, packed) [*day, month, timetable, programme*] chargé; **11** (difficult, serious) [*book, paper, film, lecture*] ardu; **this article is** *ou* **makes ~ reading** cet article n'est pas d'une

lecture facile; **12** (loaded) **to be ~ with** [*air, branch, atmosphere*] être chargé de [*perfume, flowers, resentment*]; **a remark ~ with meaning** une remarque lourde de sens
C *adv* [*weigh*] lourdement; **time hung ~ on her hands** le temps lui pesait

(Idiom) **things started to get ~**○ (threatening) ça a commencé à mal tourner; (serious, intellectual) ça a commencé à devenir un peu ardu; (sexual) ça a commencé à devenir lourd○

heavy breathing *n* **1** gen respiration *f* bruyante; **2** (on phone) respiration *f* bruyante obscène

heavy crude (oil) *n* pétrole *m* brut lourd

heavy-duty /ˌhevɪˈdjuːtɪ, US -ˈduː-/ *adj* (very strong) [*plastic, rubber, lock, battery*] à haute résistance; (for industrial use) [*machine, equipment*] à usage industriel

heavy goods vehicle, HGV *n* poids *m* lourd

heavy-handed /ˌhevɪˈhændɪd/ *adj* **1** (clumsy) [*person, remark, compliment, approach*] maladroit; **2** (authoritarian) [*person, policy, treatment*] autoritaire

heavy-hearted /ˌhevɪˈhɑːtɪd/ *adj* **to be ~** avoir le cœur gros

heavy: **~ industry** *n* industrie *f* lourde; **~ metal** *n* Mus hard rock *m*; **~ petting**○ *n* pelotage○ *m*, attouchements *mpl*; **~ water** *n* eau *f* lourde

heavyweight /ˈheviweɪt/
A *n* **1** Sport (boxer) poids *m* lourd; (wrestler) lutteur *m* catégorie libre; **2** ○fig (in industry, commerce) grosse légume○ *f*; (intellectual) grosse tête○ *f*
B *modif* **1** Sport [*boxer, competition, title*] poids lourd; **2** (serious) [*paper, politician*] sérieux/-ieuse; **3** [*fabric*] lourd

hebe /ˈhiːbɪ/ *n* **1** US injur youpin/-e *m/f* offensive; **2** (shrub) véronique *f*

Hebraic /hiːˈbreɪɪk/ *adj* hébraïque

Hebrew /ˈhiːbruː/
A *n* **1** (person) Hébreu *m*, Israélite *mf*; **2** ▸ p. 1378 Ling hébreu *m*
B *adj* [*person*] hébreu; [*calendar, alphabet, civilization*] hébraïque; **the ~ people** les Hébreux, les Israélites

Hebrides /ˈhebrɪdiːz/ ▸ p. 1355 *pr npl* **the ~** les Hébrides *fpl*

heck○ /hek/
A *n* **what the ~ is going on?** que diable se passe-t-il?; **what the ~ are you doing?** mais qu'est-ce que tu fiches là○?; **what the ~!** je m'en fiche○!; **so it costs $25! what the ~!** ça coûte $25! et alors?; **he earns a ~ of a lot** c'est fou ce qu'il gagne comme fric○; **it's a ~ of a long way** c'est rudement○ loin; **he's one ~ of a nice guy** il est vachement○ sympa○
B *excl* zut!

heckle /ˈhekl/
A *vtr* (barrack) interpeller; (interrupt) interrompre grossièrement
B *vi* chahuter

heckler /ˈheklə(r)/ *n* chahuteur/-euse *m/f* (*qui interrompt un orateur*)

heckling /ˈheklɪŋ/ *n* ¢ interpellations *fpl*, chahut *m* (*pour interrompre un orateur*)

hectare /ˈhekteə(r)/ ▸ p. 1765 *n* hectare *m*

hectic /ˈhektɪk/ *adj* **1** (busy) [*activity*] intense, fiévreux/-euse; [*period*] mouvementé, agité; [*day, week, schedule*] chargé, mouvementé; **the ~ pace of change** l'extrême rapidité avec laquelle les changements se sont faits; **at a ~ pace** très rapidement; **to have a ~ life(style)** avoir une vie trépidante; **life in the city is very ~** la vie en ville est très animée; **2** Med [*fever*] hectique; [*flush*] fiévreux/-euse

hectogram(me) /ˈhektəgræm/ ▸ p. 1883 *n* hectogramme *m*

hectolitre GB, **hectoliter** US /ˈhektəliːtə(r)/ ▸ p. 1868, p. 1029 *n* hectolitre *m*

hector /ˈhektə(r)/
A *vi* prendre un ton dictatorial
B *vtr* haranguer
C **hectoring** *pres p adj* dictatorial

he'd /hiːd/ = **he had, he would**

hedge /hedʒ/
A *n* **1** Bot haie *f*; **2** Fin protection *f* (**against** contre)
B *vtr* **1** lit planter une haie autour de [*area*]; **2** fig (evade) esquiver [*question*]; **3** Fin se protéger contre [*loss, risk*]
C *vi* (equivocate) se dérober
D **hedged** *pp adj* **1** [*field, paddock*] fermé; **~d with** bordé de; **2** fig **~d about with** truffé de [*problems, restrictions*]

(Idioms) **to ~ one's bets** se couvrir; **to look as if one has been dragged through a ~ backwards** avoir l'air tout ébouriffé

(Phrasal verb) ■ **hedge against** Fin ▸ **~ against [sth]** se protéger contre [*inflation, loss*]

hedge: **~-clippers** *npl* cisailles *fpl* à haies; **~ fund** *n* Fin fonds *m* alternatif; **~hog** *n* hérisson *m*

hedgehop /ˈhedʒhɒp/ *vi* (*p prés etc* **-pp-**) faire du rase-mottes

hedge: **~row** *n* haie *f*; **~ sparrow** *n* accenteur *m* mouchet; **~ trimmer** *n* taille-haies *m inv*

hedonism /ˈhiːdənɪzəm/ *n* hédonisme *m*

hedonist /ˈhiːdənɪst/ *n* hédoniste *mf*

hedonistic /ˌhiːdəˈnɪstɪk/ *adj* hédoniste, hédonistique; **a ~ existence** une vie de sybarite

heebie-jeebies○ /ˌhiːbɪˈdʒiːbɪz/ *npl* **the ~** la frousse○, le trac○

heed /hiːd/
A *n* attention *f*, considération *f*; **to pay ~ to sb, to take ~ of sb** tenir compte de ce que dit qn; **to pay ~ to sth, to take ~ of sth** tenir compte de qch
B *vtr* tenir compte de [*advice, warning*]; **without ~ing sth/sb** sans tenir compte de qch/des conseils de qn

heedless /ˈhiːdlɪs/ *adj* (thoughtless) irréfléchi; (carefree) insouciant (**of** de)

heedlessly /ˈhiːdlɪslɪ/ *adv* à la légère, imprudemment

heehaw /ˈhiːhɔː/
A *n* hi-han *m*
B *excl* hi-han!
C *vi* faire hi-han

heel /hiːl/
A *n* **1** Anat (of foot) talon *m*; **to turn on one's ~** tourner les talons; **a puppy at his ~(s)** un chiot sur ses talons; **to bring a dog to ~** rappeler un chien; **'~ boy!' 'au pied!'**; **to bring [sb] to ~** fig mater [*rebel*]; mettre [qn] au pas [*dissident, child, employee*]; **to come to ~** [*dog*] venir au pied; [*person*] fig se soumettre; **2** (of shoe, sock) talon *m*; **to click one's ~s** claquer des talons; **3** (of hand) talon *m*; **4** (of loaf, plant cutting) talon *m*; **5** Tech (of saw, golfclub, ski) talon *m*; **6** fig (power) botte *f*; **under the ~ of the enemy** sous la botte de l'ennemi; **7** ○†GB (person) chameau○ *m*
B **heels** *npl* (*also* **high ~s**) chaussures à (hauts) talons
C *vtr* **1** (repair) refaire un talon à [*shoe*]; **2** Sport talonner [*ball*]

(Idioms) **to cool** *ou* **kick one's ~s** attendre, faire le pied de grue○; **we left him to cool his ~s for an hour** nous l'avons laissé poireauter○ pendant une heure; **to dig in one's ~s, to dig one's ~ in** (mulishly) se braquer; **I'm prepared to dig my ~s in on** *ou* **over this** je ne suis pas prêt à faire des compromis là-dessus; **to fall** *ou* **go head over ~s** (tumble) culbuter; **to fall/be head over ~s in love with sb** tomber/être éperdument amoureux de qn; **to be hard** *ou* **close on sb's ~s** être aux talons de qn; **to be hot on sb's ~s** talonner qn; **to come** *ou* **follow hard on the ~s of sth** suivre de près qch; **to kick up one's ~s** se défouler○; **to show a clean pair of ~s, to take to one's ~s** hum prendre ses jambes à son cou, s'enfuir

(Phrasal verbs) ■ **heel in**: ▸ **~ [sth] in, ~ in [sth]** Hort mettre [qch] en jauge [*plant, cutting*]
■ **heel over** [*boat*] gîter; [*object*] pencher

heel bar ▸ p. 1683 *n* talon-minute *m*

heeling /ˈhiːlɪŋ/ *n* talonnage *m*

heelpiece /ˈhiːlpiːs/ *n* **1** (of stocking) talon *m*; **2** (of ski) talonnière *f*

heft○ /heft/ *vtr* US (lift up) soulever; (feel weight) soupeser

hefty /ˈheftɪ/ *adj* [*person*] costaud○; [*object*] pesant; [*blow*] puissant; [*portion*] imposant; [*bill, profit, sum*] considérable; **she earns a ~ salary** elle gagne gros; **they're paying a ~ price for it** c'est cher payé

Hegelian /heɪˈgiːlɪən/ *n, adj* hégélien/-ienne (*m/f*)

hegemony /hɪˈdʒemənɪ, US ˈhedʒeməʊnɪ/ *n* hégémonie *f*

Hegira /ˈhedʒɪrə, hɪˈdʒaɪərə/ *n* **the ~** l'hégire *f*; **the ~ calendar** le calendrier musulman

heifer /ˈhefə(r)/ *n* génisse *f*

heigh-ho /ˌheɪˈhəʊ/ *excl* allons-y gaiement○!

height /haɪt/ ▸ p. 1389
A *n* **1** (tallness) (of person) taille *f*; (of table, tower, tree) hauteur *f*; **a woman of average** *ou* **medium ~** une femme de taille moyenne; **what is your ~?** combien mesures-tu?; **to be 1 metre 60 cm in ~** [*person*] mesurer 1 mètre 60; [*pile, object*] faire 1 mètre 60 de haut; **to draw oneself up to one's full ~** se redresser; **2** (distance from the ground) (of shelf, person) hauteur *f*; (of mountain, plane) altitude *f*; **to gain/lose ~** prendre/perdre de l'altitude; **at a ~ of 200 metres** à 200 mètres d'altitude; **to fall from a ~ of 20 metres** tomber d'une hauteur de 20 mètres; **to dive from a great ~** plonger de très haut; **at shoulder ~** à hauteur d'épaule; **3** fig (peak) **at the ~ of the season** en pleine saison; **at the ~ of the rush-hour** en plein dans les heures de pointe; **at the ~ of the storm/crisis** au plus fort de l'orage/la crise; **to be at the ~ of one's success/popularity** être au faîte de son succès/sa popularité; **to be at the ~ of one's career** être au sommet de sa carrière; **a writer at the ~ of her powers** un écrivain à l'apogée de son talent; **the violence was at its ~** la violence était à son comble; **at its ~ the club had 200 members** le club au plus haut de sa fréquentation comptait 200 membres; **4** (utmost) **the ~ of** le comble de [*luxury, stupidity, cheek*]; **to be the ~ of fashion** être ce que l'on fait de plus à la mode
B **heights** *npl* (high place) hauteurs *fpl*; **the snowy/wooded ~s** les monts enneigés/boisés; **to be scared of ~s** avoir le vertige; **to rise to** *ou* **reach great ~s** fig aller loin; **to reach new ~s of** aller encore plus loin dans [*perfection, skill*]

heighten /ˈhaɪtn/
A *vtr* intensifier [*emotion*]; renforcer [*desire*]; accroître [*curiosity*]; augmenter [*malaise, anxiety, tension, suspense*]; rendre [qch] plus vif/vive [*sensation*]; accentuer [*effect*]; **to ~ sb's awareness of** rendre qn plus conscient de
B *vi* [*fear*] augmenter; [*tension*] monter; **his colour ~ed** il a rougi
C **heightened** *pp adj* [*sensitivity*] très grand (*before n*); **a ~ed awareness of** une conscience plus grande de; **to have a ~ed sensitivity to** être plus sensible à

heinie◐ /ˈhaɪnɪ/ *n* US fesses *fpl*

heinous /ˈheɪnəs/ *adj* sout abominable; **a ~ crime** un crime odieux

heir /eə(r)/ *n* **1** lit héritier/-ière *m/f* (**to** de); **his son and ~** son héritier; **~ apparent, ~ presumptive** héritier/-ière *m/f* présomptif/-ive (*sauf changement dans l'ordre de succession*); **rightful ~, ~-at-law** héritier/-ière *m/f* légitime; **to make sb one's ~** laisser ses biens à qn; **2** fig **to be ~ to** hériter de [*problems, projects*]

heiress /ˈeərɪs/ *n* héritière *f*

heirloom /ˈeəluːm/ *n* 1 Jur héritage *m*; 2 gen **a family ~** un objet de famille

heist○ /haɪst/ US
A *n* (robbery) vol *m*; (armed) hold-up *m inv*
B *vtr* cambrioler [*place*]; voler [*money, goods*]

held /held/ *prét, pp* ▸ **hold**

Helen /ˈhelən/ *pr n* Hélène; **~ of Troy** Hélène de Troie

helical /ˈhelɪkl, hiːlɪkl/ *adj* 1 Tech hélicoïdal; 2 Math hélicoïde

helices /ˈhelɪsiːz, ˈhiː-/ *pl* ▸ **helix**

helicopter /ˈhelɪkɒptə(r)/
A *n* hélicoptère *m*; **~ transfer/transport** transfert/transport héliporté; **by ~** en hélicoptère
B *vtr* héliporter

(Phrasal verbs) ■ **helicopter in**: ▸ **~ [sth/sb] in, ~ in [sth/sb]** amener [qch/qn] en hélicoptère
■ **helicopter out**: ▸ **~ [sth/sb] out, ~ out [sth/sb]** évacuer [qch/qn] par hélicoptère

helicopter: **~ base** *n* hélistation *f*; **~ patrol** *n* patrouille *f* en hélicoptère; **~ pilot** ▸ p. 1683 *n* pilote *m* d'hélicoptère; **~ rescue** *n* opération *f* de sauvetage par hélicoptère; **~ station** *n* hélistation *f*

helideck /ˈhelɪdek/ *n* Naut plate-forme *f* pour hélicoptères

heliograph /ˈhiːlɪəgrɑːf, US -græf/ *n* héliographe *m*

heliostat /ˈhiːlɪəstæt/ *n* héliostat *m*

heliotherapy /ˌhiːlɪəʊˈθerəpɪ/ *n* Med héliothérapie *f*

heliotrope /ˈhiːlɪətrəʊp/ *n, adj* héliotrope (*m*)

helipad /ˈhelɪpæd/ *n* (on ground) aire *f* d'atterrissage pour hélicoptères; (on building) plate-forme *f* pour hélicoptères

heliport /ˈhelɪpɔːt/ *n* héliport *m*

helium /ˈhiːlɪəm/ *n* hélium *m*

helix /ˈhiːlɪks/ *n* (*pl* **-lices** *ou* **-lixes**) hélice *f*; **double ~** double hélice

hell /hel/
A *n* 1 (*also* **Hell**) Relig enfer *m*; **to go to/be in ~** aller en/être en enfer; **may you rot in ~†!** que le diable t'emporte!; **I'll see him in ~ first†!** plutôt mourir!; 2 ○ (unpleasant experience) enfer *m*; **life was ~ (on earth)** la vie était un enfer; **Mondays are sheer ~** le lundi, c'est l'enfer; **Oxford is ~ on a Saturday** Oxford est infernal le samedi; **to make sb's life ~ (for him/her)** rendre la vie infernale à qn; **it was ~ getting the work finished** on a eu toutes les peines du monde à terminer le travail; **to go through ~** connaître un calvaire (**doing** à faire); **a neighbour from ~**○ un voisin infernal *or* insupportable; 3 ○(as intensifier) **a ~ of a waste/shock** un gâchis/un choc terrible; **it's a ~ of a lot worse/easier** c'est nettement pire/plus facile; **he's one ~ of a smart guy** US c'est fou ce qu'il est intelligent○; **we had a ~ of a time** (bad) on en a bavé○; (good) on s'est payé du bon temps○; **you've got a ~ of a nerve!** tu ne manques pas de culot○!; **a ~ of a way to do sth** une drôle de façon de faire qch; **as jealous/guilty as ~** terriblement jaloux/coupable; **it sure as ~ wasn't me** une chose est sûre, ce n'était pas moi; **to run/fight like ~** courir/se battre de toutes ses forces; **let's get the ~ out of here!** barrons-nous○!; **get the ~ out of here!** dégage!; **like ~ I will/you are!** pas question!; **'it's a good film'—'like ~ it is!'** 'c'est un bon film'—'tu rigoles○!'; **why/who the ~?** pourquoi/qui bon Dieu○?; **what the ~ are you doing?** qu'est- ce que tu fais, bon Dieu○?; **how the ~ should I know?** comment je pourrais le savoir, bon Dieu○?; **oh, what the ~!** (too bad) tant pis!; **oh, to** *ou* **the ~ with it!** je laisse tomber○!
B ◑*excl* bon Dieu○!; **~'s bells!, ~'s teeth!** nom de Dieu!; **go to ~**○**!** va te faire voir○!; **to ~ with all of you!**○ allez vous faire voir○!

(Idioms) **all ~**○ **broke** *ou* **was let loose** le raffut a éclaté; **come ~ or high water**○ coûte que coûte; **he/she has been to ~ and back** il/elle revient de loin; **there was/will be ~ to pay** il/elle l'a payé/le paiera cher; **to be ~**○ **on sth** US être un enfer○ pour qch; **to beat** *ou* **knock ~ out of sb/sth** cogner qn/qch comme un sourd○; **to catch ~**○ US prendre un savon○; **to do sth for the ~ of it**○ faire qch pour le plaisir; **to give sb ~**◑ (cause to suffer) rendre la vie dure à qn; (scold) engueuler○ qn; **go on, give 'em ~**◑ vas-y, montre-leur○; **not to have a cat in ~'s chance** *ou* **a snowball's chance in ~**◑ ne pas avoir une foutue◑ chance; **not to have a hope in ~**◑ **of doing** ne pas avoir une foutue◑ chance de faire; **to play (merry) ~ with sth**○ chambouler qch○; **to raise (merry) ~**○ faire une scène (**with sb** à qn)

(Phrasal verb) ■ **hell around**○ US mener une vie de patachon○

he'll /ˈhiːəl/ = **he will**

hellacious○ /həˈleɪʃəs/ *adj* US atroce

hell-bent /ˌhelˈbent/ *adj* **~ on doing** décidé à faire

hellcat /ˈhelkæt/ *n* harpie *f*

hellebore /ˈhelɪbɔː(r)/ *n* ellébore *m*

Hellene /ˈheliːn/ *n* Hellène *mf*

Hellenic /heˈliːnɪk, US heˈlenɪk/ *adj* [*civilization, language*] hellénique; [*people*] hellène; **a ~ cruise** une croisière en Grèce

heller◑ /ˈhelə(r)/, **hellion**◑ /ˈhelɪən/ *n* US fripouille *f*, casse-cou *m inv*

hellfire /ˌhelˈfaɪə(r)/
A *n* tourments *mpl* de l'enfer
B *modif* [*preacher, sermon*] apocalyptique

hell: **~-for-leather**○ *adj, adv* [*run, ride*] à toute allure; [*drive*] à tombeau ouvert; **~hole** *n* (prison, trenches, war zone) enfer *m*; (hovel) bouge *m*

hellish /ˈhelɪʃ/
A *adj* 1 (hell-like) [*sight, vision*] d'enfer (*after n*); [*war, experience*] infernal; 2 ○(awful) [*motorway, traffic, racket*] infernal○
B ◑†*adv* [*dark, difficult*] drôlement

hellishly○ /ˈhelɪʃlɪ/ *adv* [*cold, lonely, painful*] terriblement

hello /həˈləʊ/ *excl* 1 (greeting) bonjour!; (on phone) (receiving a call) allô!; (making a call) allô bonjour!; 2 (in surprise) tiens!

Hell's angel *n* ≈ blouson *m* noir

helluva◑ /ˈheləvə/ = **hell of a**; ▸ **hell**

hell week *n* US Univ semaine *f* du bizutage

helm /helm/ *n* lit, fig barre *f*; **to take the ~** prendre la barre; **to be at the ~** être à la barre

helmet /ˈhelmɪt/ *n* gen casque *m*; Hist heaume *m*

helmeted /ˈhelmɪtɪd/ *adj* casqué

helmsman /ˈhelmzmən/ *n* timonier *m*

help /help/
A *n* 1 (assistance) aide *f*; (in an emergency) secours *m*; **to need some ~ with the cooking/gardening** avoir besoin d'aide pour faire la cuisine/le jardin; **with the ~ of** à l'aide de [*stick, knife*]; avec l'aide de [*person*]; **can I be of ~ (to you)?** puis-je faire quelque chose pour vous?; **to be of ~ to sb** [*person*] rendre service à qn; [*information, map*] être utile à qn; **the information was of little ~ to us** l'information ne nous a pas été d'un grand secours *or* ne nous a pas été très utile; **she was a great ~ to us** elle nous a beaucoup aidés, elle nous a été d'un grand secours; **you're a great ~!** iron tu es vraiment d'un grand secours!; **to come to sb's ~** venir au secours de qn, venir en aide à qn; **to go to sb's ~** aller au secours de qn, prêter secours *or* assistance à qn; **to cry** *ou* **shout for ~** appeler à l'aide *or* au secours; **he is beyond ~, he is past (all) ~** on ne peut plus rien pour lui; **it's a ~ if you can speak the language** ça aide de parler la langue; **a degree would be a ~** un diplôme aiderait bien; **the tablets were no ~** les comprimés n'ont pas servi à grand-chose; **there's no ~ for it** il n'y a rien à faire; **she needs (professional) ~** gen elle devrait consulter un professionnel; (from psychiatrist) elle devrait voir un psychiatre
2 (*also* **daily ~**) (cleaning woman) femme *f* de ménage
3 ¢ (staff) domestiques *mpl*; (on farm) ouvriers *mpl* agricoles; **they need extra ~ in the bar** ils ont besoin d'aide supplémentaire au bar
B *excl* au secours!; **~! I've got nothing to wear for tonight!** hum mince alors○! je n'ai rien à mettre pour ce soir!
C *vtr* 1 (assist) aider (**to do** à faire); (more urgently) secourir; **we got the children to ~ us** nous nous sommes fait aider par les enfants; **we must all ~ each other** nous devons tous nous entraider *or* nous aider les uns les autres; **she ~ed them with the decorations** elle les a aidés pour les décorations; **can you ~ me with this sack please?** est-ce que tu peux m'aider à porter ce sac s'il te plaît?; **can I ~ you?** (in shop) vous désirez?; (on phone) j'écoute; (at reception desk) je peux vous aider?; **to ~ sb across/down/out** aider qn à traverser/ descendre/sortir; **I ~ed him to his feet** je l'ai aidé à se lever; **to ~ sb on/off with** aider qn à mettre/enlever [*garment, boot*]; **she ~ed him through some difficult times** elle l'a aidé à traverser des moments difficiles
2 (improve) améliorer [*situation, problem*]; **he didn't ~ matters by writing that letter** il n'a rien arrangé en écrivant cette lettre; **getting drenched didn't ~ my cold** le fait de me faire tremper jusqu'aux os n'a pas arrangé mon rhume
3 (contribute) **to ~ to do** contribuer à faire; **her article ~ed (to) increase public awareness of the problem** son article a contribué à sensibiliser le public à ce problème; **the injection should ~ (to) ease the pain** la piqûre devrait soulager la douleur; **these flowers will ~ (to) brighten the room** ces fleurs devraient égayer la pièce; **this policy ~s (to) keep prices down** cette politique favorise la baisse des prix
4 (serve) **to ~ sb to** offrir [qch] à qn [*food, wine*]
5 (prevent) **it can't be ~ed!** on n'y peut rien!, tant pis!; **she can't ~ the way she was brought up** elle ne peut rien changer à la façon dont elle a été élevée; **I can't ~ the way I feel** je n'y peux rien; **he can't ~ being awkward/stupid!** ce n'est pas de sa faute s'il est maladroit/stupide!; **I can't ~ it if the car breaks down!** je n'y peux rien *or* ce n'est pas de ma faute si la voiture tombe en panne!; **I'm sorry I slammed the door—I couldn't ~ it** excusez-moi d'avoir claqué la porte—je ne l'ai pas fait exprès; **not if I can ~ it!** sûrement pas!; **he won't win if I can ~ it** je vais faire tout mon possible pour l'empêcher de gagner; **don't tell her any more than you can ~** ne lui dis pas plus qu'il n'en faut; **try not to change gear more often than you can ~** essayez de changer de vitesse le moins (souvent) possible; **she never works harder than she can ~** elle travaille toujours le strict minimum; **I can't ~ that** je n'y peux rien; **you can't ~ but pity him** on ne peut pas s'empêcher d'avoir pitié de lui
D *vi* 1 (assist) aider; **I was only trying to ~!** je voulais seulement aider!; **he never ~s with the cooking/housework** il n'aide jamais à faire la cuisine/le ménage; **they offered to ~ with the expenses** ils ont offert d'aider à payer les frais *or* de participer aux frais; **this map doesn't ~ much** cette carte n'est pas d'un grand secours *or* ne sert pas à grand-chose; **will it ~ if I give you a clue?** est-ce que ça t'aiderait si je te donnais un indice?; **every little ~s** (when donating money) tous les dons sont les bienvenus; (when saving) les petits ruisseaux font les grandes rivières
2 (be an improvement) **would it ~ if I turned the**

light off? est-ce que ce serait mieux si j'éteignais?; **it might ~ if we knew where they lived** ça nous arrangerait de savoir où ils habitent, ça serait déjà quelque chose si on savait où ils habitent; **she tried going to bed earlier, but it didn't ~ much** elle a commencé à se coucher plus tôt, mais ça n'a pas servi à grand-chose

E *v refl* **1** (serve) **to ~ oneself** se servir; **I ~ed myself from the fruit bowl** je me suis servi dans la coupe de fruits; **~ yourselves!** servez-vous!; **~ yourselves to coffee/cigarettes** prenez du café/des cigarettes; **~ yourselves to some more cake** reprenez un peu de gâteau
2 **to ~ oneself to** (pinch) piquer○; **he has been ~ing himself to the till** il a piqué○ (de l'argent) dans la caisse
3 (prevent) **to ~ oneself** s'en empêcher; **I tried not to laugh, but I couldn't ~ myself** j'ai essayé de ne pas rire, mais je n'ai pas pu m'en empêcher *or* c'était plus fort que moi

(Phrasal verbs) ■ **help along**: ▸ **~ [sb] along** aider [qn] à marcher [*infirm person*]; ▸ **~ [sth] along** faire avancer [*process, negotiations, project*]
■ **help out**: ▸ **~ out** aider, donner un coup de main○; ▸ **~ [sb] out** gen aider, donner un coup de main○ à; (financially) dépanner○; (in crisis) tirer [qn] d'embarras [*person*]; **his parents ~ him out with the rent** ses parents l'aident à payer le loyer

helpdesk /ˈhelpdesk/ *n* service *m* d'assistance

helper /ˈhelpə(r)/ *n* gen aide *mf*, assistant/-e *m/f*; (for handicapped person) aide *f* sociale

helpful /ˈhelpfl/ *adj* [*tool, machine, gadget*] utile; [*person*] serviable, obligeant; [*remedy*] efficace, utile; [*advice, suggestion, information, book, guide*] utile; **I was only trying to be ~!** j'essayais seulement de me rendre utile!; **the staff were very ~** le personnel a été serviable; **thank you, you've been most ~** merci beaucoup de votre aide; **it would be ~ if we knew how much it was going to cost** ça nous arrangerait de savoir le prix

helpfully /ˈhelpfəlɪ/ *adv* [*explain, suggest, indicate*] obligeamment, gentiment; **this road is not very ~ signposted** sur cette route, la signalisation n'est pas d'un grand secours

helpfulness /ˈhelpflnɪs/ *n* (of person) obligeance *f*; (of advice, information, guide, tool etc) utilité *f*

helping /ˈhelpɪŋ/ *n* gen portion *f*; **I took a small ~ of cream** j'ai pris un (tout) petit peu de crème; **would you like another ~ of meat?** voulez-vous encore de la viande?; **he took a second ~ of potatoes** il a repris des pommes de terre; **there'll be no second ~s** il n'y aura pas de rab○ *or* de deuxième tournée; **this is my third ~** j'en reprends pour la deuxième fois

helping hand *n* secours *m*; **to give** *ou* **lend a ~ to sb** donner un coup de main à qn

help key *n* Comput touche *f* d'aide

helpless /ˈhelplɪs/ *adj* **1** (powerless) [*person*] impuissant; (because of infirmity, disability) impotent; [*expression*] d'impuissance; **to feel ~** se sentir impuissant; **the government is quite ~ in this matter** le gouvernement est tout à fait impuissant *or* n'y peut rien dans cette affaire; **she was ~ to do anything about it** elle ne pouvait rien y faire; **I was ~ to prevent his leaving** je ne pouvais pas l'empêcher de partir; **I'm not totally ~!** je ne suis pas complètement impotent!; **they were ~ with laughter** ils étaient morts de rire○; **2** (defenceless) [*person*] sans défense; [*victim*] malheureux/-euse (*before n*); **3** (destitute) [*orphan, family*] démuni

helplessly /ˈhelplɪslɪ/ *adv* [*watch, observe*] sans pouvoir rien faire; [*struggle, try*] en vain, désespérément; **he looked at me ~** il m'a jeté un regard où se lisait l'impuissance; **'I don't know,' he said ~** 'je ne sais pas,' dit-il d'un air découragé *or* (stronger) d'un air désemparé; **to look on ~** assister en spectateur impuissant (**as** alors que); **they were laughing ~** ils étaient morts de rire○

helplessness /ˈhelplɪsnɪs/ *n* **1** (powerlessness) impuissance *f*; (because of infirmity, disability) impotence *f*; **2** (defencelessness) vulnérabilité *f*

help: **~line** *n* service *m* d'assistance (téléphonique); **~mate**†, **~meet**† *n* (spouse) époux *m*, épouse *f*; (companion) compagnon *m*, compagne *f*

Helsinki /helˈsɪŋkɪ/ ▸ **p. 1815** *pr n* Helsinki

helter-skelter /ˌheltəˈskeltə(r)/
A *n* GB toboggan *m* (en spirale)
B *adj* [*rush, account*] désordonné
C *adv* **to run ~** courir comme un dératé○ (*or* des dératés○)

hem /hem/
A *n* ourlet *m*; **to take up/let down the ~ on** raccourcir/rallonger [*garment*]
B *vtr* (*p prés etc* **-mm-**) faire un ourlet à [*garment*]; ourler [*linen*]
(Phrasal verb) ■ **hem in**: ▸ **~ [sb/sth] in, ~ in [sb/sth]** cerner [*person, troops*]; **to be ~med in** être cerné; **to feel ~med in** fig se sentir coincé (**by** par)

hemiplegia /ˌhemɪˈpliːdʒɪə/ *n* hémiplégie *f*

hemiplegic /ˌhemɪˈpliːdʒɪk/ *n, adj* hémiplégique (*mf*)

hemisphere /ˈhemɪsfɪə(r)/ *n* Med, Geog hémisphère *m*; **the western ~** journ le monde occidental

hemistich /ˈhemɪstɪk/ *n* hémistiche *m*

hemline /ˈhemlaɪn/ *n* ourlet *m*; **~s are going up/coming down** les robes raccourcissent/rallongent

hemlock /ˈhemlɒk/ *n* ciguë *f*

hemp /hemp/
A *n* **1** (plant, fibre) chanvre *m*; **2** (drug) cannabis *m*; **Indian ~** chanvre indien
B *modif* [*rope, cloth*] de chanvre

hemstitch /ˈhemstɪtʃ/
A *n* point *m* d'ourlet à jours
B *vtr* ourler [qch] à jours

hen /hen/
A *n* poule *f*
B *adj* femelle

hence /hens/ *adv* sout **1** (from now) d'ici; **three days ~** d'ici *or* dans trois jours; **2** (for this reason) (*before n*) d'où; (*before adj*) donc; **there is a strike, ~ the delay** il y a une grève, d'où le retard; **she was slimmer and ~ more active** elle était plus mince et donc plus active, **3** ‡(from this place) d'ici

henceforth /ˌhensˈfɔːθ/, **henceforward** /hensˈfɔːwəd/ *adv* littér (from now on) dorénavant, désormais; (from then on) dès lors

henchman /ˈhentʃmən/ *n* **1** (supporter) homme *m* de confiance; (accomplice) homme *m* de main; péj acolyte *m*; **2** ‡(squire) écuyer *m*

hen: **~ coop** *n* cage *f* à poules; **~ harrier** *n* busard *m* Saint-Martin; **~house** *n* poulailler *m*

henna /ˈhenə/
A *n* henné *m*
B *modif* [*rinse, treatment*] de henné; [*shampoo*] au henné
C *vtr* (*3e pers sg prés* **~s**; *prét, pp* **~ed**) passer [qch] au henné

hen party *n* soirée *f* passée entre femmes (*avant le mariage de l'une d'elles*)

hen-pecked /ˈhenpekt/ *adj* **he is ~, he is a ~ husband** sa femme le mène par le bout du nez

hen run *n* enclos *m* à poules

Henry /ˈhenrɪ/ *pr n* Henri

hep○ /hep/ *adj* US branché○; **to be ~ to sth** être au parfum de qch

heparin /ˈhepərɪn/ *n* héparine *f*

hepatitis /ˌhepəˈtaɪtɪs/ ▸ **p. 1327** *n* hépatite *f*

ⓘ her

When used as a direct object pronoun, *her* is translated by *la* (*l'* before a vowel). Note that the object pronoun normally comes before the verb in French and that, in compound tenses like perfect and past perfect, the past participle agrees with the pronoun:

I know her
= je la connais

I've already seen her
= je l'ai déjà vue

In imperatives, the direct object pronoun is translated by *la* and comes after the verb:

catch her!
= attrape-la!

(*note the hyphen*)

When used as an indirect object pronoun, *her* is translated by *lui*:

I've given her the book
= je lui ai donné le livre

I've given it to her
= je le lui ai donné

In imperatives, the indirect object pronoun is translated by *lui* and comes after the verb:

phone her
= téléphone-lui

give them to her
= donne-les-lui

(*note the hyphens*)

After prepositions and after the verb *to be* the translation is *elle*:

he did it for her
= il l'a fait pour elle

it's her
= c'est elle

When translating *her* as a determiner (*her house* etc.) remember that in French possessive adjectives, like most other adjectives, agree in gender and number with the noun they qualify; *her* is translated by *son* + masculine singular noun (*son chien*), *sa* + feminine singular noun (*sa maison*) BUT *son* + feminine noun beginning with a vowel or mute 'h' (*son assiette*), and *ses* + plural noun (*ses enfants*).

For *her* used with parts of the body ▸ **p. 997**.

hepatocyte /ˈhepətəʊsaɪt, heˈpætəʊ-/ *n* Biol hépatocyte *m*

heptagon /ˈheptəgən, US -gɒn/ *n* heptagone *m*

heptathlon /hepˈtæθlən, -lɒn/ ▸ **p. 1253** *n* heptathlon *m*

her /hɜː(r), hə(r)/
A *pron* (direct object) la, l'; (indirect object) lui; **it's ~** c'est elle; **I did it for ~** je l'ai fait pour elle
B *det* son/sa/ses

Heraclitus /ˌherəˈklaɪtəs/ *pr n* Héraclite

herald /ˈherəld/
A *n* **1** lit héraut *m*; **~-at-arms** héraut d'armes; **2** fig signe *m* avant-coureur; **the Sixties, ~ of a new era** les années soixante, qui marquent le début d'une époque
B *vtr* (also **~ in**) annoncer, proclamer; **much ~ed** tant annoncé

heraldic /heˈrældɪk/ *adj* héraldique; **~ device** emblème *m*

heraldry /ˈherəldrɪ/ *n* (study, history) héraldique *f*; (pomp) cérémonial *m* somptueux; **book of ~** armorial *m*

Hérault ▸ **p. 1129** *pr n* Hérault *m*; **in/to the ~** dans l'Hérault

herb /hɜːb/ *n* (plant) herbe *f*; (for cooking) herbe *f* aromatique; (with medicinal properties) plante *f or* herbe *f* médicinale; Pharm plante *f or* herbe *f*

h

officinale; **mixed ~s** ≈ herbes de Provence; **fresh ~s** fines herbes

herbaceous /hɜːˈbeɪʃəs/ *adj* herbacé; **~ border** massif *m*

herbage /ˈhɜːbɪdʒ/ *n* Agric herbage *m*

herbal /ˈhɜːbl/
A *n* herbier *m*
B *adj* [*remedy*] à base de plantes; [*pillow*] parfumé

herbalism /ˈhɜːbəlɪzəm/ *n* phytothérapie *f*

herbalist /ˈhɜːbəlɪst/ ▸ **p. 1683** *n* herboriste *mf*; **~'s shop** herboristerie *f*

herb garden *n* jardin *m* d'herbes aromatiques

herbivore /ˈhɜːbɪvɔː(r)/ *n* herbivore *m*

herbivorous /hɜːˈbɪvərəs/ *adj* herbivore

herb tea, **herbal tea** *n* tisane *f*, infusion *f*

Herculean /ˌhɜːkjʊˈliːən/ *adj* herculéen/-éenne

Hercules /ˈhɜːkjʊliːz/ *pr n* Hercule

herd /hɜːd/
A *n* (of sheep, cattle) troupeau *m*; (of horses) troupe *f*, bande *f*; (of reindeer) harde *f*; fig, pej (of people) troupeau *m*
B *vtr* (drive) rassembler [*animals*]; rassembler [qn] en troupeau [*people*]; **the prisoners were all ~ed into one room** les prisonniers ont été entassés dans une pièce
C *vi* **to ~ into sth** s'assembler dans qch
(Idiom) **to follow the ~** fig être un mouton de Panurge
(Phrasal verb) ■ **herd together** se rassembler; (closely) se masser

herd instinct *n* instinct *m* grégaire

herdsman /ˈhɜːdzmən/ ▸ **p. 1683** *n* gardien *m* de troupeau

here /hɪə(r)/

> ⚠ When *here* is used to indicate the location of an object/point etc close to the speaker, it is generally translated by *ici*: *come and sit here* = viens t'asseoir ici.
> When the location is not so clearly defined, *là* is the usual translation: *he's not here at the moment* = il n'est pas là pour l'instant.
> Remember that *voici* is used to translate *here is* when the speaker is drawing attention to an object/a place/a person etc physically close to him or her.
> For examples and particular usages, see entry below.

A *adv* **1** (indicating place) ici; **let's stop ~** arrêtons-nous ici; **sign ~ please** veuillez signer ici s'il vous plaît; **stand ~** mettez-vous ici; **far from/near ~** loin/près d'ici; **two kilometres from ~** à deux kilomètres d'ici; **come over ~** venez par ici; **up to ~, down to ~** jusqu'ici; **put it in ~** mettez-le ici; **I'm up ~** je suis là-haut; **~ below** (in text) ci-dessous; **those persons ~ present** Jur les personnes ici présentes; **~ lies** (on tombstone) ci-gît; **since you were last ~** depuis ta dernière visite ici; **following a visit ~ by members** suite à la venue des membres; **~ and there** (in places) par endroits; **2** (to draw attention) **I have ~...** j'ai ici...; **~ they are/she comes!** les/la voici!; **~ comes the bus** voilà le bus; **~ you are** (offering sth) tiens, tenez; **~'s a screwdriver** tiens voilà un tournevis; **this thing ~ is** ceci est; **this paragraph/sales assistant ~** ce paragraphe/vendeur; **my colleague ~ will show you** mon collègue va vous montrer; **which one? this one ~ or that one?** lequel? celui-ci ou celui-là?; **it says ~ that** c'est marqué ici que; **~'s what you do** voilà ce qu'il faut faire; **~'s why** je vais vous expliquer pourquoi; **3** (indicating presence, arrival) **she's not ~ right now** elle n'est pas là pour le moment; **'Matthew?'—'~ sir'** (revealing whereabouts) 'Matthew?'—'ici Monsieur'; (during roll call) 'Matthew?'—'présent Monsieur'; **~ we are at last** nous voilà enfin, nous voici arrivés; **when will he be getting ~?** quand est-ce qu'il arrivera? ; **the train will be ~ any minute** le train va arriver d'un moment à l'autre; **we get off ~** c'est là qu'on descend; **4** (indicating juncture) **now that summer's ~** maintenant que c'est l'été; **~' s our chance** voilà notre chance; **I may be wrong ~** je me trompe peut-être; **so ~ you are, a bachelor of 25** te voilà donc, célibataire à vingt-cinq ans; ▸ **here and now**; **5** °(emphatic) **this ~ contraption** ce truc; **look** *ou* **see ~ you!** écoute-moi bien toi!
B °*excl* **~ stop that!** hé là arrêtez ça!; **~ hang on a minute!** hé attends une minute!
(Idioms) **~ goes!** c'est parti!; **~'s hoping** j'espère; **~'s to our success/to you!** à notre succès/la tienne!; **~ there and everywhere** partout, par-ci par-là; **to be ~ there and everywhere** fig [*person*] être au four et au moulin; **it's neither ~ nor there** ce n'est pas le problème; **~ we go**°**!** (sneeringly) c'est parti!, nous y voilà!

hereabout US, **hereabouts** GB /ˈhɪərəbaʊt(s)/ *adv* par ici

hereafter /hɪərˈɑːftə(r)/
A *n* **the ~** l'au-delà *m*
B *adv* Jur ci-après

here and now
A *n* **the ~** (present) le présent; (life before death) la vie ici-bas; **a poet of the ~** un poète des temps modernes
B *adv* immédiatement; **tell me ~ where you've been!** dis-moi immédiatement où tu as été!

hereby /hɪəˈbaɪ/ *adv* Admin, Jur **I ~ promise that** (in document) je, soussigné, promets que; **I ~ declare that** (in document) je déclare par la présente que; **I ~ declare him elected** je le déclare solennellement élu; **he is ~ licensed to sell** le présent document l'autorise à vendre

hereditary /hɪˈredɪtrɪ, US -terɪ/ *adj* héréditaire

heredity /hɪˈredətɪ/ *n* hérédité *f*

Hereford and Worcester /ˈherɪfəd ənd ˈwʊstə(r)/ ▸ **p. 1612** *pr n* Hereford and Worcester *m*

herein /ˈhɪərɪn/ *adv* Jur (at beginning of document) ci-après; (at end) ci-dessus

hereinafter /ˌhɪərɪnˈɑːftə(r)/ *adv* Jur = **here-after B**

heresy /ˈherəsɪ/ *n* (all contexts) hérésie *f*

heretic /ˈherətɪk/ *n* hérétique *m*

heretical /hɪˈretɪkl/ *adj* hérétique

hereto /hɪəˈtuː/ *adv* **1** (of this fact) **as witness ~** comme témoin des faits; **2** (to this) **attached ~** ci-joint; (to this agreement) **the parties ~** les parties concernées

heretofore /ˌhɪətuːˈfɔː(r)/ *adv* Jur jusqu'ici

hereupon /ˌhɪərəˈpɒn/ *adv* sout **~, they began shouting** c'est à ce moment-là qu'ils ont commencé à crier

herewith /ˌhɪəˈwɪð/ *adv* sout ci-joint

heritable /ˈherɪtəbl/ *adj* Scot Jur transmissible

heritage /ˈherɪtɪdʒ/ *n* **1** †sout (inheritance) héritage *m*; **2** (cultural) patrimoine *m*

herky-jerky° /ˌhɜːkɪˈdʒɜːkɪ/ *adj* US saccadé

hermaphrodite /hɜːˈmæfrədaɪt/ *n, adj* hermaphrodite (*m*)

hermaphroditic /hɜːˌmæfrəˈdɪtɪk/ *adj* hermaphrodite

hermeneutic /ˌhɜːmɪˈnjuːtɪk/
A **hermeneutics** *n* (+ *v sg*) herméneutique *f*
B *adj* herméneutique

Hermes /ˈhɜːmiːz/ *pr n* Hermès

hermetic /hɜːˈmetɪk/ *adj* hermétique

hermetically /ˈhɜːˈmetɪklɪ/ *adv* hermétiquement; **~ sealed** hermétiquement fermé

hermit /ˈhɜːmɪt/ *n* ermite *m*

hermitage /ˈhɜːmɪtɪdʒ/ *n* ermitage *m*

hermit crab *n* bernard-l'ermite *m inv*

hernia /ˈhɜːnɪə/ *n* (*pl* **~s** *ou* **~e**) hernie *f*

hero /ˈhɪərəʊ/ *n* (*pl* **~es**) héros *m*; **a ~'s welcome** un accueil triomphal; **the ~ of the hour** le héros du jour

Herod /ˈherəd/ *pr n* Hérode

heroic /hɪˈrəʊɪk/ *adj* [*person, deed*] héroïque; **~ attempts** des efforts épiques

heroically /hɪˈrəʊɪklɪ/ *adv* héroïquement

heroic couplet *n* Literat distique *m* héroïque

heroics /hɪˈrəʊɪks/ *npl* mélodrame *m*; **no ~ please** inutile de jouer les héros

heroic treatment *n* acharnement *m* thérapeutique

heroin /ˈherəʊɪn/ *n* héroïne *f*; **to come off ~** arrêter de prendre de l'héroïne; **to be on ~** prendre de l'héroïne

heroin: **~ addict** *n* héroïnomane *mf*; **~ addiction** *n* héroïnomanie *f*

heroine /ˈherəʊɪn/ *n* héroïne *f*

heroism /ˈherəʊɪzəm/ *n* héroïsme *m*

heron /ˈherən/ *n* héron *m*

hero sandwich US sandwich *m* géant

hero-worship /ˈhɪərəʊwɜːʃɪp/
A *n* culte *m* du héros, adulation *f*
B *vtr* (*p prés etc* **-pp-**, US **-p-**) aduler

herpes /ˈhɜːpiːz/ ▸ **p. 1327** *n* herpès *m*

herring /ˈherɪŋ/ *n* hareng *m*

herring boat *n* harenguier *m*

herringbone /ˈherɪŋbəʊn/
A *n* **1** (fabric) tissu *m* à chevrons; **2** (design) motif *m* à chevrons; **3** (ski climb) montée *f* en ciseaux
B *modif* **in a ~ pattern** en chevron

herringbone stitch *n* point *m* de chausson

herring gull *n* goéland *m* argenté

hers /hɜːz/

> ⚠ In French, possessive pronouns reflect the gender and number of the noun they are standing for; *hers* is translated by *le sien*, *la sienne*, *les siens*, *les siennes*, according to what is being referred to.
> For examples and particular usages, see the entry below.

pron **my car is red but ~ is blue** ma voiture est rouge mais la sienne est bleue; **the green pen is ~** le stylo vert est à elle; **which house is ~?** sa maison c'est laquelle?; **I'm a friend of ~** c'est une amie à moi; **it's not ~** ce n'est pas à elle, ce n'est pas le sien *or* la sienne; **the money wasn't ~ to give away** elle n'avait pas à donner cet argent; **~ was not an easy task** sa tâche n'était pas facile; **I saw her with that dog of ~!** péj je l'ai vue avec son sale chien°!

herself /həˈself/

> ⚠ When used as a reflexive pronoun, direct and indirect, *herself* is translated by *se* (*s'* before a vowel): *she's enjoying herself* = elle s'amuse bien; *she's cut herself* = elle s'est coupée.
> When used in emphasis, the translation is *elle-même*: *she herself didn't know* = elle ne le savait pas elle-même.
> After a preposition the translation is *elle* or *elle-même*: *she can be proud of herself* = elle peut être fière d'elle *or* d'elle-même.

pron **1** (refl) se, s'; **she's hurt ~** elle s'est blessée; **2** (emphatic) elle-même; **she ~ said that...** elle a dit elle-même que...; **3** (after prep) elle, elle-même; **for ~** pour elle, pour elle-même; **4** (expressions) **(all) by ~** toute seule; **she's not ~ today** elle n'est pas dans son assiette aujourd'hui

Hertfordshire /ˈhɑːtfədʃɪə(r)/ ▸ **p. 1612** *pr n* Hertfordshire *m*

Herts *n* GB Post *abrév écrite* ▸ **Hertfordshire**

hertz /hɜːts/ *n* hertz *m*

Hertzian wave /'hɜːtsiən/ *n* onde *f* hertzienne

he's /hiːz/ = **he is, he has**

hesitancy /'hezɪtənsɪ/ *n* hésitation *f*; (reluctance) réticence *f*; **~ about doing** réticence à faire

hesitant /'hezɪtənt/ *adj* **1** (nervous) [*person, expression, reply*] hésitant, peu assuré; [*step, policy*] incertain; **to be ~ about doing** hésiter à faire; **to be/look ~** ne pas être/ne pas avoir l'air sûr de soi; **his reading/singing was ~** il lisait/chantait d'un ton mal assuré; **2** (reticent) **to be ~ about** être réticent quant à [*plan, scheme, system*]

hesitantly /'hezɪtəntlɪ/ *adv* **1** (nervously) [*act, do*] avec hésitation; [*speak*] d'un ton hésitant; [*walk*] d'un pas hésitant; **2** (reticently) avec réticence

hesitate /'hezɪteɪt/ *vi* hésiter (**over** sur); **to ~ to do** hésiter à faire; **I ~ to recommend this product/make a judgment** je me garderai de recommander ce produit/de faire un jugement; **she was hesitating over a new hat** elle ne pouvait décider quel chapeau acheter; **to ~ at nothing** ne reculer devant rien

(Idiom) **he who ~s is lost** Prov à hésiter on n'obtient rien

hesitation /ˌhezɪ'teɪʃn/ *n* hésitation *f*; **to have no ~ in doing** n'avoir aucune hésitation à faire; **there is no room for ~** il n'est plus temps de balancer; **without the slightest** *ou* **a moment's ~** sans la moindre hésitation

Hesperides /he'sperɪdiːz/ ▸ **p. 1355** *pr npl* **the ~** (nymphs) les Hespérides *fpl*; (garden) (+ *v sg*) jardin *m* des Hespérides; (islands) les Hespérides *fpl*

hessian /'hesɪən, US 'heʃn/ *n* toile *f* de jute

hetero○ /'hetərəʊ/ *adj, n* hétéro○ (*mf*), hétérosexuel/-elle (*m/f*)

heterodox /'hetərədɒks/ *adj* hétérodoxe

heterodoxy /'hetərədɒksɪ/ *n* hétérodoxie *f*

heterogeneous /ˌhetərə'dʒiːnɪəs/ *adj* hétérogène

heterograft /'hetərəʊgrɑːft, US -græft/ *n* Med hétérogreffe *f*

heterosexual /ˌhetərə'sekʃʊəl/ *n, adj* hétérosexuel/-elle (*m/f*)

heterosexuality /ˌhetərəˌsekʃʊ'ælətɪ/ *n* hétérosexualité *f*

heterotransplant /hetərəʊ'trænsplɑːnt, US -'plænt/ *n* Med hétérogreffe *f*

het up○ /ˌhet'ʌp/ *adj* énervé; **to get ~ about** *ou* **over sth** se mettre dans tous ses états à cause de qch; **why are you so ~?** qu'est-ce que tu as à t'exciter comme ça○?

heuristic /hjʊə'rɪstɪk/
A **heuristics** *n* (+ *v sg*) heuristique *f*
B *adj* heuristique

hew /hjuː/ (*pp* **hewn**)
A *vtr* abattre [*wood, coal*]; tailler [*stone, branch*] (**out of** dans); **to be ~n in sth** [*letters, pattern*] être gravé dans qch; **to ~ a path through sth** se tailler un chemin à travers qch
B *vi* US **to ~ to sth** se conformer à qch

hex○ /heks/ US
A *n* sort *m*; **to put a ~ on sth/sb** jeter un sort à qn/qch
B *vtr* jeter un sort à

hexadecimal /ˌheksə'desɪml/ *n, adj* hexadécimal (*m*)

hexadecimal notation *n* Comput numération *f* hexadécimale

hexagon /'heksəgən, US -gɒn/ *n* hexagone *m*

hexagonal /hek'sægənl/ *adj* hexagonal

hexagonal key *n* clé *f* à six pans

hexagram /'heksəgræm/ *n* hexagramme *m*

hexameter /hek'sæmɪtə(r)/ *n* hexamètre *m*; **in ~s** en hexamètres

hey○ /heɪ/ *excl* (call for attention) hé!, eh!; (in protest) dis donc!; **~ Mum, what's for lunch?** dis, maman, qu'est-ce qu'on mange?

heyday /'heɪdeɪ/ *n* (of movement etc) âge *m* d'or; (of person) beaux jours *mpl*; **in my ~** (at my best) quand j'étais dans la fleur de l'âge; (at peak of my fame) quand j'étais au sommet de ma gloire

hey presto /ˌheɪ 'prestəʊ/ *excl* ô miracle!, et passez muscade!; (in narrative) comme par miracle

hg *n* (*abrév écrite* = **hectogram**) hg *m*

H-girder *n* = **H-beam**

HGV GB (*abrév* = **heavy goods vehicle**)
A *n* PL *m*, poids *m* lourd
B *modif* **~ licence** permis *m* poids lourd

HHS *n* US (*abrév* = **Health and Human Services**) services *mpl* de santé américains

hi○ /haɪ/ *excl* salut○!

HI US Post *abrév écrite* = **Hawaii**

hiatus /haɪ'eɪtəs/ *n* (*pl* **~es** *ou* **~**) **1** (pause) temps *m* d'arrêt; **2** (gap in manuscript) lacune *f*; **3** Ling, Literat hiatus *m*

hibernate /'haɪbəneɪt/ *vi* hiberner

hibernation /ˌhaɪbə'neɪʃn/ *n* hibernation *f*; **to go into ~** entrer en hibernation; **to emerge from** *ou* **come out of ~** sortir d'hibernation

hibiscus /hɪ'bɪskəs, US haɪ-/ *n* (*pl* **~es**) hibiscus *m*

hiccup, hiccough /'hɪkʌp/
A *n* **1** lit hoquet *m*; **to have (the) ~s** avoir le hoquet; **2** fig (setback) anicroche *f*
B *vi* (*p prés etc* **-p-** *ou* **-pp-**) hoqueter

hick○ /hɪk/ US péj
A *n* plouc◑ *mf*
B *adj* plouc◑; **~ town** trou○ *m*

hickey /'hɪkɪ/ *n* US **1** ○(spot) petit bouton *m*; **2** ◑(love-bite) suçon *m*; **3** ○(gadget) machin○ *m*

hickory /'hɪkərɪ/ *n* hickory *m*, noyer *m* blanc d'Amérique

hid /hɪd/ *prét* ▸ **hide**

hidden /'hɪdn/
A *pp* ▸ **hide**
B *adj* [*cause, danger, talent, treasure*] caché; **to be ~ from view** être caché, être invisible; **to lie ~** rester caché; **to keep sth ~ (away)** cacher [qch]; **what have you got ~ away in that drawer?** qu'est-ce que tu caches dans ce tiroir?

hide /haɪd/
A *n* **1** (skin) peau *f*; **2** (leather) cuir *m*; **3** (for hunter, photographer) cachette *f*
B *vtr* (*prét* **hid**; *pp* **hidden**) cacher [*object, person*] (**from** à); ne pas montrer [*emotion, feeling*] (**from** à); **to ~ from sb the fact that** cacher à qn le fait que; **to have nothing to ~** n'avoir rien à cacher; **to ~ one's blushes** cacher sa honte
C *vi* (*prét* **hid**; *pp* **hidden**) se cacher; **a place to ~** un endroit où se cacher; **to ~ behind sb/sth** lit, fig se cacher derrière qn/qch
D *v refl* (*prét* **hid**; *pp* **hidden**) **to ~ oneself** se cacher

(Idiom) **I haven't seen ~ nor hair of him** il a complètement disparu de la circulation

(Phrasal verbs) ■ **hide away**: ▸ **~ [sth] away, ~ away [sth]** cacher
■ **hide out** GB, **hide up** US se cacher, se planquer○

hide: ~ and seek GB, **~-and-go-seek** US ▸ **p. 1253** *n* cache-cache *m inv*; **~away** *n* retraite *f*

hidebound /'haɪdbaʊnd/ *adj* conventionnel/-elle, rigide

hideous /'hɪdɪəs/ *adj* **1** (ugly) [*clothing*] affreux/-euse, horrible; [*object, creature, monster*] hideux/-euse; [*colour*] horrible; [*noise*] affreux/-euse; **2** (terrible) [*mistake*] terrible; [*conditions*] atroce, abominable; [*violence*] horrible; [*murder*] odieux/-ieuse, atroce

hideously /'hɪdɪəslɪ/ *adv* **1** (repulsively) [*ugly, deformed*] atrocement, affreusement; **2** (terribly) [*behave, act*] d'une façon horrible

hideout *n* cachette *f*

hiding /'haɪdɪŋ/ *n* **1** (concealment) **to go into ~** se terrer, se cacher; **to be in ~** rester terré, se tenir caché; **to emerge from** *ou* **come out of ~** sortir de sa cachette; **2** (beating) correction *f*, raclée○ *f*; **to give sb a (good) ~** administrer une (bonne) raclée○ à qn

(Idiom) **to be on a ~ to nothing** ne pas avoir la moindre chance de réussir *or* de gagner

hiding place *n* cachette *f*

hie‡ /haɪ/ *vi* se hâter, courir; **~ thee hence!** hors d'ici!

hierarchic(al) /ˌhaɪə'rɑːkɪk(l)/ *adj* **1** (of a hierarchy) hiérarchique; **2** (arranged in a hierarchy) hiérarchisé

hierarchy /'haɪərɑːkɪ/ *n* hiérarchie *f*

hieroglyph /'haɪərəglɪf/ *n* lit, fig hiéroglyphe *m*

hieroglyphic /ˌhaɪərə'glɪfɪk/
A *n* lit, fig hiéroglyphe *m*
B **hieroglyphics** *npl* écriture *f* hiéroglyphique, hiéroglyphes *mpl*
C *adj* hiéroglyphique

hifalutin○ /ˌhaɪfə'luːtɪn/ *adj* = **highfalutin(g)**

hi-fi /'haɪfaɪ/
A *n* **1** (set of equipment) chaîne *f* hi-fi *inv*, hi-fi *f inv*; **2** (*abrév* = **high fidelity**) hi-fi *f inv*, haute-fidélité *f inv*
B *modif* [*record, tape, sound*] hi-fi *inv*, haute-fidélité *inv*

higgledy-piggledy /ˌhɪgldɪ'pɪgldɪ/
A *adj* pêle-mêle *inv*
B *adv* pêle-mêle, n'importe comment

high /haɪ/ ▸ **p. 1389**
A *n* **1** (high level) niveau *m* élevé; **an all-time** *ou* **a record ~** un niveau record; **to rise to** *ou* **hit** *ou* **reach a new ~** atteindre son niveau le plus élevé; **a ~ of 35°** une pointe de 35°; **a ten-year ~ of three million** un niveau record de trois millions en dix ans
2 ○(euphoric feeling) **to give sb a ~** [*drug*] défoncer○ qn; [*success, compliment*] monter à la tête de qn; **to be on a ~** être en pleine euphorie
3 Meteorol zone *f* de haute pression
4 ○ US Sch = **high school**
B *adj* **1** (tall) [*building, wall, cliff, hill, pile*] haut; [*table, chair, forehead, collar, heel*] haut (*after n*); **~ cheekbones** pommettes *fpl* saillantes; **how ~ is the cliff?** quelle est la hauteur de la falaise?; **it is 50 cm ~** ça fait 50 cm de haut; **a five-metre ~ wall** un mur de cinq mètres de haut; **chest-/waist-~** à la hauteur de la poitrine/la ceinture; **I've known him since he was so ~** il n'était pas plus grand que ça quand je l'ai connu
2 (far from the ground) [*shelf, window, ceiling, plateau*] haut; [*tier, level, floor*] supérieur; [*cloud*] d'altitude; **at ~ altitude** à haute altitude; **at ~ tide** à marée haute; **with a ~ ceiling** haut de plafond; **a dress with a ~ neck(line)** une robe montante; **how ~ (up) are we?** (on top of building) on est à combien de mètres au-dessus du sol?; (on plane, mountain) quelle est notre altitude?; **how ~ do you want the shelf?** à quelle hauteur voulez-vous l'étagère?
3 (numerically large) [*number, ratio, price, frequency, volume*] élevé; [*wind*] violent; [*playing card*] grosse; **this will lead to ~er taxes** cela conduira à une augmentation des impôts; **at ~ speed** à grande vitesse; **to have a ~ temperature** avoir de la fièvre; **~ in** riche en [*fat, iron*]
4 (great, intense) [*degree, intensity, risk*] élevé; [*fever, heat*] fort (*before n*); [*anxiety, tension, excitement*] extrême; [*hope, expectation*] grand (*before n*); **cook on a ~ heat** faire cuire à feu vif; **turn the grill to ~** mettre le gril sur la position maximum; **to have a ~ colour** avoir le teint rougeaud; **that is ~ praise!** c'est très flatteur!; **a moment of ~ drama** un moment de grande émotion; **the ~ seriousness of sth** le grand sérieux de qch; **the building is ~ Victorian/Gothic** le bâtiment est de la

grande époque victorienne/du Gothique; **in ~ summer** au cœur de l'été; **feelings are running ~** les esprits s'échauffent
5 (important) [*quality, status, standard, rank, class, authority*] supérieur; [*priority, place on list*] élevé; **a ~er court** une cour supérieure; **I have it on the ~est authority** je tiens cela des autorités les plus haut placées; **to have friends in ~ places** avoir des amis haut placés; **corruption in ~ places** la corruption en haut lieu; **to be ~ up** être haut placé; **to go on to ~er things** faire son chemin dans le monde
6 (noble) [*ideal, principle, character*] noble; **those are ~ words (indeed)!** iron ce sont de (bien) grands mots!
7 (acute) [*pitch, sound, voice*] aigu/-guë; [*note*] haut; **to reach the ~ notes** atteindre les notes les plus hautes
8 (mature) [*game*] faisandé; [*fish, cheese*] avancé; [*butter*] rance; **I like my cheese really ~** j'aime mon fromage bien fait
9 °(euphoric) (on drug) défoncé°, dans un état euphorique; (happy) ivre de joie; **to be ~ on** être défoncé à [*drug*]; **she was ~ on success** son succès l'avait rendue ivre de joie; **to get ~** (deliberately) se défoncer°; (accidentally) s'intoxiquer
10 Ling [*vowel*] fermé
C *adv* **1** (to a great height) [*build, pile, climb, jump, throw, fly, rise, raise*] haut; **the plane flew too ~** l'avion a volé trop haut *or* à une altitude trop élevée; **the desk was piled ~ with papers** les papiers s'entassaient en hautes piles sur le bureau; **write it ~er up** écris-le plus haut; **to live ~ up on the 16th floor** habiter tout en haut au 16ème étage; **to climb ~er and ~er** lit [*person, animal*] grimper de plus en plus haut; fig [*figures, rate, unemployment*] augmenter de plus en plus; **interest rates may go as ~ as 15%** le taux d'intérêt peut monter jusqu'à 15%; **don't go any ~er than £5,000** ne dépasse pas 5 000 livres sterling
2 (at a high level) [*set, turn on*] fort; **to turn sth up ~** monter qch; **don't turn it up too ~** ne le mets pas trop fort
3 [*sing, play*] haut; **play an octave ~er** jouez à l'octave supérieure
D **on high** *adv phr* gen en haut; Relig au Ciel; **from on ~** gen d'en haut; Relig du Ciel
(Idioms) **it's ~ time that sb did** il est grand temps que qn fasse; **to have a ~ (old) time** s'amuser comme des fous; **to hold one's head (up) ~** marcher la tête haute; **to search** *ou* **hunt ~ and low for sth** remuer ciel et terre pour trouver qch

high altar *n* maître-autel *m*

high and dry *adj* lit échoué; **to leave sb ~** fig laisser qn en plan

high: **~-angle shot** *n* plongée *f*; **~ball** *n* cocktail *m*; (with whisky) whisky-soda *m*; **~ball glass** *n* verre *m* à cocktail; **~ beam** *n* US pleins phares *mpl*; **~born** *adj* de haute naissance; **~boy** *n* US commode *f* (haute); **~brow** *n, adj* intellectuel/-elle (*m/f*); **~ chair** *n* chaise *f* haute

High Church
A *n* Haute Église *f*
B *adj* [*service, ceremony, person*] de la Haute Église

high-class *adj* [*hotel, shop, car*] de luxe; [*performance*] de premier ordre; [*goods, product*] de première qualité; [*area, neighbourhood*] de grand standing; [*prostitute, gigolo*] de luxe

high comedy *n* Theat comédie *f* raffinée; **there are moments of ~ in the film** il y a des moments très comiques dans le film

high: **~ command** *n* haut commandement *m*; **~ commission** *n* haut-commissariat *m*; **~ commissioner** ▸ p. 1683 *n* haut-commissaire *m*; **~ court** *n* cour *f* suprême; **High Court (of Justice)** *n*: *tribunal suprême en matière civile en Angleterre et au Pays de Galles*; **~ court judge** ▸ p. 1683 *n* juge *m* de la cour suprême; **High Court of Justiciary** *n*: *tribunal suprême en matière criminelle en Écosse*; **~-definition** *adj* (à) haute définition *inv*; **~ density** *adj* [*disk, tape, plastic, metal*] haute densité *inv*; **~ density housing** *n* grands ensembles *mpl*; **~-dependency** *adj* [*patient*] dépendant; **~ diver** *n* plongeur/-euse *m/f* de haut vol; **~ diving** ▸ p. 1253 *n* plongeon *m* de haut vol; **~-energy physics** *n* physique *f* des hautes énergies

Higher /ˈhaɪə(r)/ *n* Scot Sch certificat *m* de fin d'études en Écosse (*à 17 ans*). ▸ **A level**

high: **~er education** *n* enseignement *m* supérieur; **~er mathematics** *n* (+ *v sg*) mathématiques *fpl* abstraites; **Higher National Certificate** *n* GB brevet *m* technique (*obtenu vers l'âge de 18 ans*); **Higher National Diploma** *n* GB brevet *m* technique (*intermédiaire entre le baccalauréat et un diplôme universitaire*); **~est common factor** *n* plus grand commun diviseur *m*; **~ explosive, HE** *n* explosif *m* brisant

highfalutin(g)° /ˌhaɪfəˈluːtɪŋ/ *adj* [*language, speech*] ampoulé; [*ways, ideas*] prétentieux/-ieuse

high: **~ fashion** *n* haute couture *f*; **~-fibre** *adj* [*foodstuff*] riche en fibres; **~-fidelity** *n, adj* haute-fidélité (*f*) (*inv*); **~ finance** *n* haute finance *f*; **~ five** *n* geste *m* de victoire (*tape dans la main d'une autre personne, le bras levé*); **~-flier** *n* jeune loup *m*, ambitieux/-ieuse *m/f*; **~-flown** *adj* ampoulé; **~-flyer** *n* = **high-flier**

high-flying /ˌhaɪˈflaɪɪŋ/ *adj* **1** lit [*aircraft*] capable de voler à haute altitude; [*bird*] de haut vol; **2** fig [*person*] ambitieux/-ieuse; [*ambition, ideal*] extravagant; [*career*] de haut vol

high: **~-frequency** *adj* (à) haute fréquence; **High German** ▸ p. 1378 *n* haut allemand *m*

high-grade /ˌhaɪˈɡreɪd/ *adj* **1** Miner [*mineral, ore*] à haute teneur; **2** gen [*merchandise, substance, paper*] de haute qualité

high ground *n* lit altitude *f*; **there will be snow on ~** il neigera en altitude; **to seize** *ou* **claim** *ou* **take the (moral) ~** fig invoquer l'impératif moral, prendre une position moraliste

high: **~-handed** *adj* despotique; **~-handedly** *adv* despotiquement

high hat *n* **1** (top hat) haut-de-forme *m*; **2** Mus (cymbal) cymbale *f* double à coulisse; **3** †°snob *m*

high: **~-heeled** *adj* [*shoe*] à talon haut; **~ heels** *npl* (shoes, heels) hauts talons *mpl*; **~ impact** *adj* [*exercise*] high impact *inv*; **~-income** *adj* à revenus élevés; **~-intensity** *adj* [*lights*] à haute intensité lumineuse; **~-interest** *adj* à intérêt élevé

high jinks° /ˌhaɪ ˈdʒɪŋks/ *npl* du bon temps *m*; **to get up to ~** se payer du bon temps°

high jump ▸ p. 1253 *n* Sport saut *m* en hauteur
(Idiom) **to be for the ~**° GB se retrouver dans de beaux draps°

high kick *n* battement *m*

highland /ˈhaɪlənd/
A *n* (*also* **~s**) région *f* montagneuse
B *adj* [*animal*] des montagnes; [*vegetation*] de montagne

Highland /ˈhaɪlənd/ ▸ p. 1612
A **Highlands** *pr npl* (*also* **Highland Region**) Highlands *mpl*, Hautes-Terres *fpl* (d'Écosse)
B *modif* [*customs, dress, cattle*] des Highlands; [*holiday*] dans les Highlands

highlander /ˈhaɪləndə(r)/ *n* montagnard/-e *m/f*

Highlander /ˈhaɪləndə(r)/ *n* (inhabitant) habitant/-e *m/f* de la Haute Écosse *or* des Highlands; (native) natif/-ive *m/f* des Highlands

Highland: **~ fling** *n* danse *f* écossaise; **~ games** *npl* jeux *mpl* écossais

high-level /ˌhaɪˈlevl/ *adj* **1** gen [*contracts, meeting, talks*] à haut niveau; [*diplomat, executive, official*] de haut niveau; **2** Comput [*programming language*] de haut niveau; **3** Nucl [*nuclear waste*] à forte radioactivité

high life *n* grande vie *f*

highlight /ˈhaɪlaɪt/
A *n* **1** Art rehaut *m*; **2** (in hair) (natural) reflet *m*; (artificial) mèche *f*; **3** (best part) (of exhibition) clou *m*; (of match, show, event) point *m* culminant; (of week, evening, year) point *m* fort
B **highlights** *npl* Sport, Radio, TV résumé *m*
C *vtr* (*prét, pp* **-lighted**) **1** (accentuate) [*artist*] rehausser; [*photographer*] mettre [qch] en valeur; [*sun, light*] éclairer; **2** (emphasize) mettre l'accent sur, souligner; **3** (with fluorescent pen) surligner; **4** Comput sélectionner, marquer; **5** (bleach) éclaircir; **to have one's hair ~ed** se faire faire des mèches

highlighter /ˈhaɪlaɪtə(r)/ *n* **1** (pen) surligneur *m*; **2** (make-up) fard *m* clair

high living *n* grande vie *f*

highly /ˈhaɪlɪ/ *adv* **1** (very, to a large extent) [*complex, dangerous, developed, educated, intelligent, motivated, promising, respected, sensitive, unusual*] extrêmement; [*toxic, unlikely*] hautement; [*seasoned*] très, fortement; **~ important** de la plus haute importance; **to be ~ critical of sth/sb** critiquer sévèrement qch/qn; **2** (enthusiastically) **to speak/think ~ of sb** dire/penser beaucoup de bien de qn; **she is very ~ thought of** on pense le plus grand bien d'elle; **to praise sb ~** chanter les louanges de qn; **to be ~ regarded** être hautement apprécié; **to be ~ acclaimed** recevoir un excellent accueil; **3** (with a large amount) [*remunerated, rewarded*] largement; **~ priced** de grand prix; **~ populated** extrêmement peuplé

highly-charged /ˌhaɪlɪˈtʃɑːdʒd/ *adj* [*atmosphere, meeting*] très tendu; [*narrative*] mouvementé

highly-coloured GB, **highly-colored** US /ˌhaɪlɪˈkʌləd/ *adj* **1** lit aux couleurs vives; **2** (embellished) [*version, description, story*] enjolivé

highly: **~-paid** *adj* très bien payé; **~ placed** *adj* haut placé; **~-polished** *adj* d'un beau poli; **~-sexed** *adj* doué d'une forte libido; **~-strung** *adj* très tendu; **~-trained** *adj* parfaitement entraîné

high: **High Mass** *n* grand-messe *f*; **~-minded** /ˌhaɪˈmaɪndɪd/ *adj* [*person*] à l'âme noble; [*act, attitude, principle, wish*] noble; **~-necked** *adj* [*dress, blouse*] montant; [*sweater*] à col montant

highness /ˈhaɪnɪs/ *n* (of building, voice, sound) hauteur *f*; (of wind) violence *f*, force *f*

Highness /ˈhaɪnɪs/ ▸ p. 1237 *n* **His** *ou* **Her (Royal) ~** Son Altesse *f*

high noon *n* plein midi *m*; **at ~** en plein midi

high: **~-octane** *adj* à indice d'octane élevé; **~-performance** *adj* performant

high-pitched /ˌhaɪˈpɪtʃt/ *adj* **1** [*voice, sound*] aigu/-uë; **2** [*roof*] à forte pente

high point *n* fig point *m* culminant

high-powered /ˌhaɪˈpaʊəd/ *adj* **1** (powerful) [*rifle, transmitter*] à grande portée; [*car, engine*] de grande puissance; [*telescope, microscope, lens*] à fort grossissement; **2** (dynamic) [*person, executive, solicitor*] de haut vol; [*sector, field, business*] dynamique; [*job*] de haute responsabilité

high pressure
A *n* Meteorol hautes pressions *f*
B *modif* **1** (aggressive) [*selling, technique, tactic, salesperson*] agressif/-ive; **2** (stressful) [*job*] à haute responsabilité; **3** Tech [*gas, steam, pump, cylinder*] à haute pression

high: **~ priest** *n* Relig grand prêtre *m*; fig pape *m* (**of** de); **~ priestess** *n* Relig, fig grande prêtresse *f* (**of** de); **~-principled**

adj [person] de grands principes; [stance, motivation] dicté par de grands principes

high-profile /ˌhaɪˈprəʊfaɪl/ adj [entrepreneur, firm, politician, pressure group] bien en vue; [campaign, lobbying] intensif/-ive; [meeting, visit] largement couvert

high: **~-ranking** adj de haut rang; **~-resolution** adj à haute résolution

high rise
A n tour f (d'habitation)
B adj [flat, apartment, office] dans une tour; **~ building**, **~ block** tour f

high-risk /ˌhaɪˈrɪsk/ adj **1** (dangerous) [occupation, sport] à haut risque; [prisoner] dangereux/-euse; **2** (in danger) [group, person] à haut risque

high: **~ road** n grand-route f; **~ roller**○ n US casse-cou○ mf inv

high school n US Sch ≈ lycée m; GB Sch établissement m secondaire

High school

Établissement d'enseignement secondaire aux États-Unis, souvent subdivisé en *Junior high school* (élèves de 12 à 14 ans) et *Senior high school* (élèves de 15 à 17 ans). À l'issue de ce cycle d'études, les élèves passent un examen (*ACT, SAT*) pour être admis dans un *college*. Au Royaume-Uni, les *high schools* sont souvent des écoles privées réservées aux filles. ▸ College

high-scoring adj [player] au score élevé

high sea n haute mer f; **on the ~s** en haute mer

high season n haute saison f; **in (the) ~** en haute saison

high: **~-sided vehicle** n véhicule m qui offre prise au vent; **~ society** n haute société f; **~-sounding** adj ronflant; **~-speed** adj [train, rail link, line, car chase, crash] à grande vitesse; [coach, jet, boat] rapide; [fax, printer, sorting machine] rapide; [film] ultrarapide; [camera, lens] à obturation ultra-rapide; **~-spending** adj dépensier/-ière; **~-spirited** adj plein d'entrain

high spirits npl entrain m; **to be in ~** être plein d'entrain

high spot n point m culminant

high street GB (also **High Street**)
A n (in town) rue f principale; (in village) grand-rue f; **you won't find these clothes in the ~** vous ne trouverez pas ces vêtements dans une boutique appartenant à une chaîne
B modif [retailer] appartenant à une chaîne

high: **~-street bank** n grande banque f (qui a des succursales et des agences partout); **~-street shop** ▸ p. 1683 n boutique f appartenant à une chaîne; **~-street spending** n dépenses fpl de consommation courante; **~-strung** adj = **highly-strung**; **~ table** n (at function) table f d'honneur; GB Univ table f des professeurs

hightail○ /ˈhaɪteɪl/ vi US **to ~ (it) home/to sb's house** se grouiller○ de rentrer chez soi/d'aller chez qn

high tea n GB goûter m dînatoire

high tech /ˌhaɪ ˈtek/
A n (interior design) high-tech m
B ○**high-tech** adj [industry, company] de pointe; [hospital, office, equipment, weapon, car] ultramoderne; [method, system] à la pointe de la technologie; [style, decor, furniture, room] high-tech inv

high technology
A n technologie f de pointe
B modif [company, industry, sector] à la pointe de la technologie; [development, research] technologie de pointe; [import, export, product, equipment] de pointe

high: **~-tension** adj à haute tension; **~ tide** n marée f haute; **~ treason** n haute trahison f; **~-up**○ n grosse légume○ f; **~-velocity** adj [bullet, missile, rifle] à grande vitesse; [wind, gust] de force élevée

high voltage
A n haute tension f
B **high-voltage** adj de haute tension

high: **~-waisted** adj à taille haute; **~ water** n (high tide) marée f haute; (of tidal river, in harbour) hautes eaux fpl; **~-water mark** n lit niveau m des hautes eaux; fig apogée m

highway /ˈhaɪweɪ/ n GB (main road) route f nationale; US (motorway) autoroute f; **public** ou **king's** ou **queen's ~** GB voie f publique; **~s and byways** chemins et sentiers

highway: **Highway Code** n GB Code m de la Route; **~(s) engineer** ▸ p. 1683 n ingénieur m des ponts et chaussées; **~ maintenance** n entretien m des chaussées; **~man** n bandit m de grand chemin; **~ patrol** n US police f de la route; **~ robbery** n lit banditisme m; fig vol m manifeste; **Highways Department** n ≈ Ponts et Chaussées mpl

high: **~ wire** n corde f raide; **~ yellow**◑ n US injur mulâtre/mulâtresse m/f au teint très clair

hijab /hɪˈdʒɑːb/ n hidjab m

hijack /ˈhaɪdʒæk/
A n détournement m d'avion
B vtr **1** lit détourner [plane]; s'emparer de force de [lorry, car]; **2** fig (take over) s'approprier [theory, subject]; récupérer [event, demonstration]

hijacker /ˈhaɪdʒækə(r)/ n (of plane) pirate m (de l'air); (of bus, truck) pirate m (de la route)

hijacking /ˈhaɪdʒækɪŋ/ n détournement m

hike /haɪk/
A n **1** (walk) randonnée f; hum longue marche f; **to go on** ou **for a ~** faire une randonnée; **2** Fin (rise) hausse f **(in** de); **wage/price ~** hausse des salaires/prix
B vi faire de la randonnée; **they ~d all round Italy** ils ont fait le tour de l'Italie en randonnée
C vtr (also **~ up**) remonter [garment]; Fin augmenter [rate, price]

(Idiom) **take a ~**○! va te faire voir○!

hiker /ˈhaɪkə(r)/ n randonneur/-euse m/f

hiking /ˈhaɪkɪŋ/ ▸ p. 1253 n randonnée f; **a week's ~ holiday** une semaine de randonnée

hiking boot n chaussure f de marche

hilarious /hɪˈleərɪəs/ adj désopilant, hilarant; **we had a ~ time** on s'est amusé comme des fous

hilariously /hɪˈleərɪəslɪ/ adv **~ funny** hilarant, vraiment marrant

hilarity /hɪˈlærətɪ/ n hilarité f; **her hat caused much ~** son chapeau déclencha l'hilarité générale

hill /hɪl/ n colline f; (hillside) coteau m; (incline) pente f, côte f; **the Hill** US le Congrès; ▸ Congress; **over ~ and dale** liter par monts et par vaux

(Idioms) **as old as the ~s** vieux comme Hérode; **to be over the ~** ne plus être de première jeunesse

hillbilly /ˈhɪlbɪlɪ/ n US péj péquenaud/-e○ m/f péj; plouc○ mf péj

hill: **~ climb** n (motor sport) course f de côte; **~ farming** n GB élevage m en montagne

hilliness /ˈhɪlɪnɪs/ n nature f accidentée

hillock /ˈhɪlək/ n petite colline f

hillside /ˈhɪlsaɪd/ n flanc m de coteau; **on the ~** à flanc de coteau

hill station n station f de montagne

hilltop /ˈhɪltɒp/
A n sommet m de colline
B modif [farm, settlement] au sommet de la colline

hill walking n randonnées fpl pédestres (en basse montagne)

hilly /ˈhɪlɪ/ adj [landscape, region] vallonné

hilt /hɪlt/ n (handle) (of sword) poignée f; (of knife) manche m; **(up) to the ~** lit jusqu'à la garde; fig (in debt) jusqu'au cou; **to be taxed to the ~** être grevé d'impôts; **to back sb (up) to the ~** donner son appui inconditionnel à qn

him /hɪm/

⚠ When used as a direct object pronoun, *him* is translated by *le* (*l'* before a vowel). Note that the object pronoun normally comes before the verb in French: *I know him* = je le connais; *I've already seen him* = je l'ai déjà vu.

In imperatives, the direct object pronoun is translated by *le* and comes after the verb: *catch him!* = attrape-le (note the hyphen).

When used as an indirect object pronoun, *him* is translated by *lui*: *I've given him the book* = je lui ai donné le livre; *I've given it to him* = je le lui ai donné.

In imperatives, the indirect object pronoun is translated by *lui* and comes after the verb: *phone him!* = téléphone-lui; *give it to him* = donne-le-lui (note the hyphens).

After prepositions and after the verb *to be* the translation is *lui*: *she did it for him* = elle l'a fait pour lui; *it's him* = c'est lui.

pron **1** (direct obj) le, l'; **I like ~** je l'aime bien; **catch ~!** attrape-le!; **2** (indirect obj, after prep) lui

Himalayas /ˌhɪməˈleɪəz/ pr npl (montagnes fpl de) l'Himalaya m

himbo○ /ˈhɪmbəʊ/ n journ, péj minet○ m pej

himself /hɪmˈself/

⚠ When used as a reflexive pronoun, direct and indirect, *himself* is translated by *se* (*s'* before a vowel): *he's enjoying himself* = il s'amuse bien; *he's cut himself* = il s'est coupé.

When used in emphasis the translation is *lui-même*: *he himself didn't know* = il ne le savait pas lui-même.

After a preposition, the translation is *lui* or *lui-même*: *he can be proud of himself* = il peut être fier de lui *or* de lui-même.

For particular usages see below.

pron **1** (refl) se, s'; **he's hurt ~** il s'est blessé; **2** (emphatic) lui-même; **he ~ said that...** il a dit lui-même que...; **3** (after prep) lui, lui-même; **for ~** pour lui, pour lui-même; **4** (expressions) **(all) by ~** tout seul; **he's not ~ today** il n'est pas dans son assiette aujourd'hui

hind /haɪnd/
A n (pl **~s** ou **~**) Zool biche f
B adj de derrière, postérieur; **~ legs** pattes fpl de derrière; **Charles got up on his ~ legs and said...** il a fallu que Charles se lève et dise...

hinder /ˈhɪndə(r)/ vtr **1** (hamper) entraver [development, process, career]; faire obstacle à [proposals, reform]; (delay) freiner [progress, efforts]; retarder [plan]; **2** (prevent) empêcher [action]; retenir, arrêter [person]; **to ~ sb in their efforts to do** gêner les efforts de qn pour faire

Hindi /ˈhɪndɪ/ ▸ p. 1378 n hindi m

hindmost /ˈhaɪndməʊst/ adj tout dernier, toute dernière, ultime

(Idiom) **run, boys, and the devil take the ~!** sauve qui peut!

hindquarters /ˌhaɪndˈkwɔːtəz/ npl **1** gen arrière-train m; **2** Equit (of horse) arrière-main f; **a half-turn on the ~** un demi-tour sur les hanches

hindrance /ˈhɪndrəns/ n entrave f; **to be a ~ to sb** [person] gêner qn; [social class, lack of ability, poverty] être un handicap pour qn; **to be a ~ to sth** être une entrave à qch; **he's**

h

more of a ~ than a help il gêne plutôt qu'il n'aide
(Idiom) **without let or ~** sans que personne ne s'y oppose

hindsight /ˈhaɪndsaɪt/ *n* **with (the benefit of) ~** avec du recul, rétrospectivement

Hindu /ˌhɪnˈduː, US ˈhɪnduː/ ► **p. 1467**
A *n* Hindou/-e *m/f*
B *adj* hindou

Hinduism /ˈhɪnduːɪzəm/ *n* hindouisme *m*

Hindustan /ˌhɪndʊˈstɑːn/ *n* Hindoustan *m*

Hindustani /ˌhɪndʊˈstɑːnɪ/ ► **p. 1378** *n*, *adj* hindoustani (*m*), hindi (*m*)

hinge /hɪndʒ/
A *n* gen charnière *f*; (lift-off) gond *m*; **to come off its ~s** [*door*] sortir de ses gonds
B *vtr* (*p prés* **hingeing**) mettre des charnières à
C *vi* (*p prés* **hingeing**) **to ~ on sth** Tech s'articuler sur qch; **to ~ on sth/sb** fig dépendre de qch/qn
D **hinged** *pp adj* [*lid*] à charnières; [*seat*] rabattable; [*girder*] articulé

hinge joint *n* Anat charnière *f*

hint /hɪnt/
A *n* **1** (insinuation) allusion *f* (**about** à); **broad ~** allusion transparente; **gentle** *ou* **subtle ~** allusion discrète; **to give a ~** faire allusion (**about** à); **he gave no ~ of knowing** rien dans son attitude (*or* dans ses paroles) n'indiquait qu'il savait; **to drop ~s** faire des allusions; **to drop ~s that** laisser entendre que; **to take a ~** *ou* **the ~** saisir l'allusion; **he took the ~ and left** il a saisi l'allusion et est parti; **all right, I can take a ~, here's £10** c'est bon, j'ai compris *or* j'ai saisi l'allusion, voici 10 livres; **2** (little bit) lit (of spice, flavouring) pointe *f*; (of colour) touche *f*; fig (of smile) ébauche *f*, (of disgust, irony, humour, embarrassment) soupçon *m*; (of emotion, fear) trace *f*; (of accent) pointe *f*; **a ~ of autumn** un air d'automne; **there was no ~ of impatience in her face** il n'y avait aucune trace d'impatience sur son visage; **3** (clue) indication *f*, idée *f*; **I've no idea, give me a ~** je ne vois pas, donne-moi une indication; **acting on a ~** agissant sur une indication; **4** (helpful tip) renseignement *m*, tuyau○ *m* (**for, on** pour; **for doing** pour faire)
B *vtr* **to ~ that** laisser entendre que (**to** à); **'it's someone you know,' he ~ed** 'c'est quelqu'un que vous connaissez,' a-t-il laissé entendre
C *vi* faire des sous-entendus
(Phrasal verb) ■ **hint at**: ► **~ at [sth]** faire allusion à; **the possibility has been ~ed at** on a fait allusion à la possibilité

hinterland /ˈhɪntəlænd/ *n* gen arrière-pays *m inv*; (of port) arrière-pays *m inv*, hinterland *m*

hip /hɪp/
A *n* **1** ► **p. 997** Anat hanche *f*; **to break one's ~** se casser le col du fémur; **2** Archit croupe *f*; **~(ped) roof** toit *m* en croupe; **3** Bot gratte-cul *m*, cynorhodon *m*
B *adj* [*person*] branché; [*habit, style*] dans le vent○, à la page○
C *excl* **~ ~ hurrah!** hip hip hip hourra!
D **-hipped** (*dans composés*) **broad/narrow-hipped** aux hanches fortes/étroites
(Idiom) **to shoot from the ~** parler sans réfléchir

hip: **~ bath** *n* bain *m* de siège; **~bone** *n* os *m* iliaque; **~ flask** *n* flasque *f*

hip hop /ˌhɪp ˈhɒp/ *n* hip hop *m*

hip: **~-huggers** *npl* = **hipsters**; **~ measurement**, **~ size** *n* tour *m* de hanches

hippie, **hippy** /ˈhɪpɪ/ *n*, *adj* hippie (*mf*), hippy (*mf*). ► **Beat generation**

hippo /ˈhɪpəʊ/ *n* hippopotame *m*

hip pocket *n* poche *f* revolver

Hippocrates /hɪˈpɒkrətiːz/ *pr n* Hippocrate

Hippocratic /ˌhɪpəˈkrætɪk/ *adj* hippocratique (*inv*); **~ oath** serment *m* d'Hippocrate

hippodrome /ˈhɪpədrəʊm/ *n* hippodrome *m*

Hippolytus /hɪˈpɒlɪtəs/ *pr n* Hippolyte

hippopotamus /ˌhɪpəˈpɒtəməs/ *n* (*pl* **-muses** *ou* **-mi**) hippopotame *m*

hip replacement *n* prothèse *f* de la hanche; **to have a ~** se faire mettre une prothèse à la hanche

hipsters /ˈhɪpstəz/ *npl* pantalon *m* taille-basse

hire /ˈhaɪə(r)/
A *n* location *f*; **car/boat/video ~** location de voitures/de bateaux/de vidéos; **on ~** en location; **to let sth out on ~** mettre qch en location; **for ~** [*boat, skis*] à louer; [*taxi*] libre
B *vtr* louer [*equipment, services, vehicle*] (**from** de; **to** à); engager [*person*]; **~d killer** tueur *m* à gages; **to take on ~d help** engager des employés en extra
(Phrasal verb) ■ **hire out**: ► **~ out [sth]**, **~ [sth] out** louer; ► **~ oneself out** offrir ses services (**as** comme)

hire: **~ car** *n* voiture *f* de location; **~ charge** *n* coût *m* de location; **~ company**, **~ firm** *n* agence *f* de location; **~d man** *n* US Agric garçon *m* de ferme

hireling /ˈhaɪəlɪŋ/ *n* laquais *m*

hire purchase, **HP** *n* achat *m* à crédit; **on ~** à crédit

hire purchase agreement, **hire purchase arrangement** *n* GB accord *m* concernant les facilités de crédit

hirsute /ˈhɜːsjuːt, US -suːt/ *adj* **1** [*person*] (hairy) poilu, velu; (unkempt) hirsute; **2** Bot hirsute, velu

his /hɪz/

> ⚠ In French determiners agree in gender and number with the noun they qualify. So *his* when used as a determiner is translated by *son* + masculine singular noun (son chien), by *sa* + feminine singular noun (sa maison) BUT by *son* + feminine noun beginning with a vowel or mute h (son assiette) and by *ses* + plural noun (ses enfants).
> When *his* is stressed, *à lui* is added after the noun: HIS *house* = sa maison à lui.
> For *his* used with parts of the body ► **p. 997.**
> In French possessive pronouns reflect the gender and number of the noun they are standing for. When used as a possessive pronoun *his* is translated by *le sien, la sienne, les siens* or *les siennes* according to what is being referred to.
> For examples and particular usages see the entry below.

A *det* son/sa/ ses
B *pron* **all the drawings were good but ~ was the best** tous les dessins étaient bons mais le sien était le meilleur; **the blue car is ~** la voiture bleue est la sienne, la voiture bleue est à lui; **it's not ~** ce n'est pas à lui; **which house is ~?** sa maison c'est laquelle?; **I'm a colleague of ~** je suis un/-e de ses collègues; **I saw him with that dog of ~** péj je l'ai vu avec son sale chien○; **~ was not an easy task** fml sa tâche n'était pas facile; **the money was not ~ to give away** il n'avait pas à donner cet argent

Hispanic /hɪˈspænɪk/
A *n* Hispano-Américain/-e *m/f*, Latino-Américain/-e *m/f*
B *adj* **1** (Spanish) [*art, culture, architecture*] hispanique; **2** (Latin American) [*person, area, custom*] latino-américain

hiss /hɪs/
A *n* (of gas, steam) sifflement *m*, chuintement *m*; (of snake, person) sifflement *m*; (of tape) grésillement *m*
B *vtr* gen siffler [*person, performance, speech*]; **'I hate you,' she ~ed** 'je te déteste,' siffla-t-elle; **he was ~ed off the stage** il a quitté la scène sous les sifflets
C *vi* **1** [*person, wind, snake, locomotive*] siffler; [*cat*] cracher; [*steam*] chuinter; [*gas*] siffler, chuinter; [*hot fat, cassette*] grésiller; **to ~ at sb** [*person*] siffler qn; [*kettle*] siffler

hissy fit○ /ˈhɪsɪfɪt/ *n* US crise *f* de colère

histogram /ˈhɪstəgræm/ *n* histogramme *m*

histologist /hɪˈstɒlədʒɪst/ ► **p. 1683** *n* histologiste *mf*

histology /hɪˈstɒlədʒɪ/ *n* histologie *f*

historian /hɪˈstɔːrɪən/ ► **p. 1683** *n* historien/-ienne *m/f*; **ancient ~** spécialiste *mf* d'histoire de l'Antiquité; **art ~** historien/-ienne *m/f* de l'art; **military/social ~** spécialiste *mf* d'histoire militaire/sociale

historic /hɪˈstɒrɪk, US -ˈstɔːr-/ *adj* **1** gen [*event, site, moment*] historique; **of ~ importance** d'une grande importance historique; **on this ~ occasion** en ce moment historique; **2** Ling **past ~** passé simple; **~ present** présent de narration; **in the ~ present** au présent de narration

historical /hɪˈstɒrɪkl, US -ˈstɔːr-/ *adj* historique

historically /hɪˈstɒrɪklɪ, US -ˈstɔːr-/ *adv* (where history is concerned) historiquement; (from an historical point of view) d'un point de vue historique; **~ based** fondé sur l'histoire; **~ speaking** d'un point de vue historique

historiography /hɪˌstɔːrɪˈɒgrəfɪ/ *n* historiographie *f*

history /ˈhɪstrɪ/
A *n* **1** (past) histoire *f*; **ancient/modern ~** histoire *f* ancienne/moderne; **French ~** histoire *f* de France; **18th century French ~** histoire *f* de la France au XVIIIe siècle; **military/social ~** histoire *f* militaire/sociale; **~ of art** histoire *f* de l'art; **in all the firm's 50-year ~** dans les 50 années d'histoire de la compagnie; **a place in ~** une place dans l'histoire; **~ proved him wrong** l'histoire lui donna tort; **to make ~** entrer dans l'histoire; **to go down in ~ as** entrer dans l'histoire comme; **~ repeats itself** l'histoire se répète; **to rewrite ~** récrire l'histoire; **that's ancient** *ou* **past ~** c'est de l'histoire ancienne; **2** Jur, Med antécédents *mpl*; **family ~** antécédents *mpl* familiaux; **medical ~** antécédents *mpl* médicaux; **to have a ~ of heart trouble** avoir des antécédents cardiaques; **to have a ~ of violence** avoir un passé violent; **3** (account) histoire *f*; **4** (tradition) tradition *f*; **the company has a ~ of success/strikes** la compagnie connaît de nombreux succès/de nombreuses grèves
B *modif* [*book, course, degree, lesson, student, teacher*] d'histoire
(Idiom) **the rest is ~** tout le monde connaît la suite

histrionic /ˌhɪstrɪˈɒnɪk/
A **histrionics** *npl* comportement *m* outrancier, cinéma○ *m*; **cut out the ~s!** arrête de faire du cinéma○!, arrête de te donner en spectacle!
B *adj* péj mélodramatique, théâtral

hit /hɪt/
A *n* **1** (blow, stroke in sport) coup *m*; (in fencing) touche *f*; **to give the ball a tremendous ~** frapper la balle très fort; **to score a ~** Sport, fig marquer un point; ► **direct hit**
2 (success) (play, film etc) succès *m*; (record) tube○ *m*; **to be a big** *ou* **smash ~** (show, film) avoir *or* remporter un succès fou; **to be a ~ with the public** avoir beaucoup de succès auprès du public; **to make a ~ with sb** [*person*] faire grosse impression sur qn; **she's a big ~ with my son** mon fils l'adore
3 ○(dose) argot des drogués injection *f*
4 ○(murder) argot des gangsters meurtre *m*, assassinat *m*
5 Comput (visit to website) visite *f*; (websearch match) page *f* trouvée
B *modif* [*song, play, musical, record*] à succès
C *vtr* (*p prés* **-tt-**; *prét, pp* **hit**) **1** (strike) frapper [*person, ball*]; [*head, arm*] cogner contre [*windscreen, wall*]; **to ~ one's head/knee on sth** se cogner la tête/le genou contre qch; **his father used to ~ him** son père le battait; **to**

~ **a good shot** (in tennis, cricket) jouer une bonne balle; **to ~ a nail with a hammer** enfoncer un clou à coups de marteau; **to ~ the brakes** écraser le frein
[2] (strike as target) [*bullet, assassin, torpedo*] atteindre [*victim, target, ship, enemy*]
[3] (collide violently) heurter [*vehicle, wall*]; (more violently) percuter; [*vehicle*] renverser [*person*]; **the plane hit the runway with a bump** l'avion s'est posé lourdement sur la piste
[4] (affect adversely) affecter, toucher [*group, incomes, industry*]; **to be hit by strikes/bad weather** être affecté par les grèves/le mauvais temps; **hardest** *ou* **worst hit will be small businesses** ce sont les petits commerces qui seront les plus touchés; **his father's death hit him badly** la mort de son père l'a beaucoup affecté
[5] (become apparent to) **it suddenly hit me that** je me suis soudain rendu compte que; **then it hit me!** tout d'un coup j'ai réalisé○!
[6] (reach) arriver à [qch] [*motorway, main road*]; fig [*figures, weight*] atteindre [*level*]
[7] (come upon) rencontrer [*traffic, problem, bad weather*]; **you'll ~ the worst of the rush hour** tu vas tomber en pleine heure d'affluence
[8] ○(go to) **to ~ the town** sortir s'amuser; **let's ~ the pub/club** allons au pub/en boîte
[9] ○(attack) [*robbers*] attaquer [*bank etc*]
[10] ○(kill) refroidir○, assassiner [*person*]
[11] ○(scrounge) **to ~ sb for sth** taper○ qch à qn
[12] ○ (in cards) **'~ me!'** 'donne-moi une carte!'

(Idioms) **to ~ sb in the eye** sauter aux yeux; **a colour which ~s you between the eyes** une couleur criarde; **to ~ the big time**○ réussir; **to ~ the ceiling** *ou* **roof**○ sauter au plafond○; **to ~ the jackpot** remporter le gros lot; **to ~ it off with sb** bien s'entendre avec qn; **not to know what has hit one**○ être sidéré; **a beer would just ~ the spot**○! une bière ferait (bien) l'affaire!

(Phrasal verbs) ■ **hit back**: ▸ **~ back** riposter; ▸ **~ [sb] back** rendre un coup à [qn]; **well, if he ~s you, ~ him back!** eh bien, s'il te frappe, rends-le lui (coup pour coup)!; ▸ **~ [sth] back** renvoyer [*ball*]
■ **hit out**: ▸ **~ out** lit distribuer des coups à droite et à gauche; fig **to ~ out at** attaquer [*neglect, complacency*]
■ **hit upon, hit on**: ▸ **~ (up)on [sth]** avoir [*idea*]; découvrir [*evidence, solution*]; trouver [*present*]; tomber sur [*problem*]; **you've hit on a bad time** tu tombes mal; ▸ **~ on [sb]**◑ US draguer○ [*person*]

hit-and-miss *adj* [*method*] approximatif/-ive; [*affair, undertaking*] hasardeux/-euse; **the way they run things is pretty ~** ils gèrent leurs affaires n'importe comment

hit-and-run *adj* [*raid, attack*] éclair *inv*; [*accident*] où le chauffeur a pris la fuite; [*gang*] qui attaque et prend la fuite; **~ driver** chauffeur *m* en délit de fuite

hitch /hɪtʃ/
A *n* [1] (problem) problème *m*, pépin○ *m*; **there has been a slight ~** il y a eu un petit pépin○; **to pass off without a ~** se dérouler sans problème; [2] (knot) nœud *m*; [3] US (in prison) séjour *m*; **to do a ~ in the army** rester quelque temps dans l'armée
B *vtr* [1] (fasten) attacher [*rope, reins, trailer*] (**to** à); atteler [*horse, team*] (**to** à); accrocher [*wagon, rail carriage*] (**to** à); [2] ○(thumb) **to ~ a ride** *ou* **lift** faire du stop○; **I ~ed a lift to York** je suis allé à York en stop○; **can I ~ a ride to school?** tu m'emmènes à l'école?
C ○*vi* [1] (hitchhike) faire du stop○; **to ~ to Paris in two days** mettre deux jours pour aller à Paris en stop; [2] US (limp) boitiller

(Idiom) **to get ~ed**○ convoler en justes noces○

(Phrasal verb) ■ **hitch up**: ▸ **~ up [sth], ~ [sth] up** [1] (pull up) retrousser [*skirt*]; remonter [*trousers, covers*]; **to ~ a bag up onto one's back** hisser un sac sur son dos; [2] (attach) accrocher [*wagon, trailer*]; atteler [*horse*]

hitchhike /ˈhɪtʃhaɪk/ *vi* faire de l'auto-stop *m*, faire du stop○ *m*; **to ~ to Paris** aller à Paris en stop○; **to ~ round the world** faire le tour du monde en stop○

hitch: **~hiker** *n* auto-stoppeur/-euse *m/f*; **~hiking** *n* auto-stop *m*

hi-tech = **high tech**

hither‡ /ˈhɪðə(r)/ *adv* ici; **come ~** venez là; **~ and thither** de ci, de là

hitherto /ˌhɪðəˈtuː/ *adv* (up till now) jusqu'ici, jusqu'à présent; (up till then) jusqu'alors

Hitler /ˈhɪtlə(r)/ *pr n* Hitler; **a little ~** fig un petit despote *or* dictateur

Hitlerian /hɪtˈlɪərɪən/ *adj* hitlérien/-ienne

Hitlerism /ˈhɪtlərɪzəm/ *n* hitlérisme *m*

Hitler Youth Movement *n* Hist Jeunesses *fpl* hitlériennes

hit: **~ list** *n* liste *f* noire; **~ man** *n* (gangster) tueur *m* (à gages); **~ parade** *n* palmarès *m*, hit-parade *m*; **~ single** *n* tube○ *m*; **~ squad** *n* commando *m* (de tueurs)

Hittite /ˈhɪtaɪt/ ▸ **p. 1467, p. 1378**
A *n* [1] (person) Hittite *mf*; [2] (language) hittite *m*
B *adj* hittite

HIV *n* (*abrév* = **human immunodeficiency virus**) (virus *m*) VIH *m*

hive /haɪv/
A *n* [1] (beehive) ruche *f*; [2] (swarm) essaim *m*; **a ~ of activity** *ou* **industry** une vraie ruche
B **hives** *npl* ▸ **p. 1327** urticaire *f*
C *vtr* mettre [qch] dans une ruche [*bees*]
D *vi* [*bees*] entrer dans la ruche

(Phrasal verb) ■ **hive off**: ▸ **~ off**○ filer○; ▸ **~ [sth] off, ~ off [sth]** Comm, Admin [1] (subcontract) sous-traiter; [2] (separate off) séparer [*part of company*]; [3] (sell off) céder

HIV: **~-infected** *adj* contaminé (par le virus du SIDA); **~-negative** *adj* séronégatif/-ive (*au virus VIH*); **~-positive** *adj* séropositif/-ive (*au virus VIH*)

hiya○ /ˈhaɪjə/ *excl* salut!

hl (*abrév écrite* = **hectolitre**) hl

HM *n* (*abrév* = **His Majesty, Her Majesty**) SM

HMG *n* GB (*abrév* = **His/Her Majesty's Government**) le gouvernement de Sa Majesté

HMI *n* (*abrév* = **His/Her Majesty's Inspector**) inspecteur *m* (*qui se rend dans les écoles*)

HMRC *n* (*abrév* = **Her Majesty's Revenue & Customs**) *service des impôts britannique*

HMS *n* (*abrév* = **His/Her Majesty's Ship**) ≈ bâtiment *m* de Sa Majesté; **~ Victory** le (HMS) Victoire

HMSO *n* (*abrév* = **His/Her Majesty's Stationery Office**) *service gouvernemental de publication*

HNC *n* GB (*abrév* = **Higher National Certificate**) ≈ BTS *m*

HND *n* GB (*abrév* = **Higher National Diploma**) *diplôme supérieur d'aptitudes techniques*

hoard /hɔːd/
A *n* (of treasure) trésor *m*; (of provisions) provisions *fpl*; **a miser's ~** le magot○ d'un avare
B *vtr* [1] (build up reserves of) stocker [*supplies*] also pej; [*animal*] amasser [*food*]; **to ~ money** péj amasser de l'argent, thésauriser liter; [2] (refuse to throw away) amasser [*objects*]

hoarder /ˈhɔːdə(r)/ *n* **to be a ~ of sth** entasser qch; **I'm a terrible ~** je ne jette jamais rien

hoarding /ˈhɔːdɪŋ/ *n* GB [1] (for advertisements) panneau *m* publicitaire; [2] (fence) palissade *f*; [3] (saving) accumulation *f*

hoarfrost /ˈhɔːfrɒst, US -frɔːst/ *n* gelée *f* blanche, givre *m*

hoarse /hɔːs/ *adj* [*voice*] enroué, rauque; [*cry*] rauque; **to be ~** être enroué, avoir la voix enrouée; **to shout/laugh oneself ~** s'enrouer à force de crier/rire

hoarsely /ˈhɔːslɪ/ *adv* d'une voix rauque *or* enrouée

hoarseness /ˈhɔːsnɪs/ *n* (of voice) enrouement *m*

hoary /ˈhɔːrɪ/ *adj* [1] [*hair*] blanchi; [*person*] chenu, aux cheveux blancs; [*plant*] couvert de poils blancs *ou* d'un duvet blanc; **~-headed, ~-haired** chenu, aux cheveux blancs; [2] fig (ancient) [*problem*] éternel/-elle; **a ~ old joke** une plaisanterie éculée

hoax /həʊks/
A *n* (practical joke) canular *m*
B *modif* [*call, claim, warning*] bidon○; [*bomb*] factice
C *vtr* monter un canular○ à; **we've been ~ed!** on nous a eus○!

hob /hɒb/ *n* [1] (on cooker, stove) table *f* de cuisson; [2] (on open fire) plaque *f* (*sur laquelle on tient la bouilloire au chaud*)

hobble /ˈhɒbl/
A *n* [1] (limp) boitillement *m*; [2] (strap for horse) entrave *f*, abot *m*
B *vtr* (fetter) entraver [*animal*]
C *vi* (limp) boitiller, clopiner; **to ~ in/out/along** entrer/sortir/avancer clopin-clopant○

hobbledehoy‡ /ˌhɒbldɪˈhɔɪ/ *n* grand dadais *m*, godichon†○*m*

hobble skirt *n* jupe *f* entravée, jupe *f* fourreau

hobby /ˈhɒbɪ/ *n* passe-temps *m inv*, violon *m* d'Ingres; **hobbies and interests** (on cv) centres *mpl* d'intérêt

hobby horse *n* [1] (toy) *bâton emmanché d'une tête de cheval en bois*; [2] (obsession) dada *m* pej; cheval *m* de bataille

hobbyist /ˈhɒbɪɪst/ *n* gen amateur *m*; (collector) collectionneur/-euse *m/f*

hobgoblin /ˈhɒbgɒblɪn/ *n* [1] (in folklore) gnome *m*, lutin *m*; [2] fig (obsession) hantise *f*

hobnail /ˈhɒbneɪl/ *n* caboche *f*; **~(ed) boots** souliers *mpl* ferrés *or* à clous

hobnob○ /ˈhɒbnɒb/ *vi* (*p prés etc* **-bb-**) **to ~ with sb** frayer○ avec qn

hobo /ˈhəʊbəʊ/ *n* (*pl* **~s** *ou* **~es**) [1] (urban vagrant) clochard/-e *m/f*, vagabond/-e *m/f*; [2] US (migratory worker) (travailleur) saisonnier *m*

Hobson /ˈhɒbsn/ *pr n*

(Idiom) **it's ~'s choice** c'est un choix qui n'en est pas un

hock /hɒk/
A *n* [1] (of horse etc) jarret *m*; Culin jarret *m* (de porc); [2] Wine vin *m* du Rhin; [3] ○(pawn) **to be in ~** (pawned) être au clou○, être engagé au mont-de-piété; (in debt) être endetté; **to be in ~ to sb** devoir de l'argent à qn; **to get sth out of ~** retirer qch du clou○
B *vtr* (pawn) mettre [qch] au clou○

hockey /ˈhɒkɪ/ ▸ **p. 1253** *n* [1] GB (*also* **field ~**) hockey *m*; [2] US (*also* **ice ~**) hockey *m* sur glace

hockey player *n* hockeyeur/-euse *m/f*, joueur/-euse *m/f* de hockey

hockey stick *n* crosse *f* de hockey; **she's rather jolly ~s** fig elle a un côté scout

hocus-pocus /ˌhəʊkəsˈpəʊkəs/
A *n* [1] (conjuror's skill) tour *m* de passe-passe; [2] péj (trickery) supercherie *f*, tour *m* de passe-passe; [3] (jargon) charabia *m*; **a lot of political ~** (activities) des tours de passe-passe de politiciens; (verbal) du blabla○ de politiciens
B *excl* abracadabra!

hod /hɒd/ *n* (for coal) seau *m* à charbon; (for bricks) oiseau *m*, auge *f*, hotte *f*

hod carrier ▸ **p. 1683** *n* porteur *m* de briques (*sur un chantier*)

hodgepodge *n* US = **hotchpotch**

hoe /həʊ/
A *n* houe *f*, binette *f*
B *vtr* biner [*ground*]; sarcler [*plants, flowerbeds, weeds*]

(Idiom) **to have a hard row to ~** avoir une lourde tâche à accomplir

h

hoedown /ˈhəʊdaʊn/ *n* US **1** (folk dance) danse *f* (de village); **2** (social evening) sauterie *f* (de village)

hog /hɒg/

A *n* **1** GB (castrated pig) porc *m* châtré; **2** US (pig) porc *m*, verrat *m*; **3** ○(person) pourceau *m*; **4** ○US (car) grosse américaine *f*

B ○*vtr* (*prét, pp* **-gg-**) (monopolize) monopoliser

(Idiom) **to go the whole ~**○ (be extravagant) voir les choses en grand; (go to extremes) aller jusqu'au bout

Hogarthian /həˈgɑːθɪən/ *adj* à la (manière de) Hogarth; fig grotesque, caricatural

Hogmanay /ˈhɒgmәneɪ/ *n* GB dial Saint-Sylvestre *f*, réveillon *m*

hogshead /ˈhɒgzhed/ *n* barrique *f*

hogtie /ˈhɒgtaɪ/ *vtr* lier les pattes de [*pig, cow*]; fig réduire [qn] à l'impuissance [*person*]

hogwash /ˈhɒgwɒʃ/ *n* (pigswill) pâtée *f* des cochons; fig foutaise○ *f*

hoick○ /hɔɪk/ *vtr* GB (*also* **~ up**) hisser, soulever; **she ~ed her bag onto the table** elle a posé son sac sur la table

hoi polloi /ˌhɔɪ pəˈlɔɪ/ *npl* péj plèbe *f* pej, populace *f*

hoist /hɔɪst/

A *n* palan *m*; **to give sb a ~ (up)** faire la courte échelle à qn

B *vtr* hisser [*flag, sail, heavy object*]

(Idiom) **to be ~ with one's own petard** être pris à son propre piège

hoity-toity○ /ˌhɔɪtɪˈtɔɪtɪ/ *adj* péj prétentieux/-ieuse

hoke○ /həʊk/ *vtr* US **she ~s (up) her performance too much** elle en fait trop

hokey-cokey /ˌhəʊkɪˈkəʊkɪ/ *n* hokey-cokey *m* (*genre de farandole accompagnée de chant*)

hokum○ /ˈhəʊkəm/ *n* ¢ US (nonsense) absurdités *fpl*, niaiseries *fpl*; (sentimentality) mièvrerie *f*

hold /həʊld/ ▸ p. 1029

A *n* **1** (grasp, grip) prise *f*; **to get ~ of** attraper [*rope, handle*]; **to keep (a) ~ of** *ou* **on** tenir [*ball, rail, hand*]; ▸ **catch, grab, grasp, seize, take**
2 (possession) **to get ~ of** se procurer [*book, ticket, document*]; [*press*] avoir vent de [*story*]; découvrir [*details, information*]
3 (contact) **to get ~ of** (by phone) joindre [*person*]; (by other means) trouver [*person*]
4 (control) emprise *f* (**on, over** sur); **to have a ~ on** *ou* **over sb** avoir de l'emprise sur qn; **to get a ~ of oneself** se reprendre
5 (storage, area) Aviat soute *f*; Naut cale *f*
6 Sport (in wrestling) prise *f*; **to have sb in a ~** faire une prise à qn
7 (of hairspray, gel) fixation *f*; **normal/extra ~** fixation normale/extra-forte

B *vtr* (*prét, pp* **held**) **1** (clasp) tenir [*object, hand, person*] (**above, over** au-dessus de; **against** contre); **to ~ sth in one's hand** tenir qch à la main [*brush, pencil, stick*]; (enclosed) tenir qch dans la main [*button, coin, sweet*]; **to ~ sth/sb by** tenir qch/qn par [*handle, stem, sleeve, leg*]; **to ~ one's stomach/head (in pain)** se tenir l'estomac/la tête (à cause de la douleur); **to ~ sb (in one's arms)** serrer qn dans ses bras; **to ~ each other** se serrer l'un contre l'autre; **can you ~ my bag for me?** tu peux me tenir mon sac?
2 (maintain) **to ~ one's head upright/still** tenir sa tête droite/immobile; **to ~ one's hands apart/still** tenir ses mains écartées/immobiles; **to ~ a pose/smile** garder une pose/un sourire; **to ~ sth in place** *ou* **position** maintenir qch en place; **to ~ one's speed** maintenir sa vitesse
3 (arrange) organiser, tenir [*meeting, talks*]; organiser [*competition, ballot, demonstration, course, election*]; organiser, donner [*party, reception*]; organiser, monter [*exhibition, show*]; avoir [*conversation*]; célébrer [*church service*]; mener [*enquiry*]; faire passer [*interview*]; **to be held** avoir lieu
4 (have capacity for) [*box, case, tank*] (pouvoir) contenir [*objects, amount*]; [*theatre, room*] avoir une capacité de [*350 people*]; **the bus ~s ten (people)** le bus a dix places; **to (be able to) ~ one's drink** *ou* **liquor** tenir l'alcool
5 (contain) [*drawer, cupboard, box, case*] contenir [*objects, possessions*]
6 (support) [*shelf, fridge, branch, roof*] supporter [*weight, load, crate*]; **the branch won't ~ you** la branche ne supportera pas ton poids
7 (restrain) [*dam, wall*] retenir, contenir [*water, flood waters*]; [*person*] tenir [*dog*]; maîtriser [*thief*]; **there is/there'll be no ~ing him** fig on ne peut/pourra plus l'arrêter
8 (keep against will) [*police, kidnappers*] détenir [*person*]; **to ~ sb prisoner/hostage** garder qn prisonnier/en otage
9 (possess) détenir, avoir [*shares, power, record, playing card*]; être titulaire de [*degree, sporting title, cup*]; occuper [*job, position*]; avoir, être en possession de [*ticket, passport, licence*]; porter [*title*]; Jur, gen [*bank, computer, police, solicitor*] conserver [*document, information, money*]; avoir [*mortgage*]
10 (keep back) garder [*place, seat, ticket*]; faire attendre [*train, flight*]; mettre [qch] en attente [*letter, order*]; **~ it**○! minute○!; **~ everything!** arrête tout!; **two burgers, but ~ the mustard!** deux hamburgers, sans moutarde
11 (believe) avoir [*opinion, belief*]; **to ~ sb/sth to be** tenir qn/qch pour, considérer qn/qch comme; **to ~ that** [*person*] soutenir que; [*law, theory*] dire que; **to ~ sb liable** *ou* **responsible** tenir qn pour responsable
12 (defend successfully) Mil tenir [*territory, city, bridge*]; Pol, Sport conserver [*title, seat, lead, position*]; (in tennis) **to ~ one's serve** *ou* **service** gagner *or* remporter son service; **to ~ one's own** [*person*] se défendre tout seul (**against** contre); [*army*] tenir bon (**against** devant)
13 (captivate) captiver [*person, audience, class*]; capter, retenir [*attention, interest*]
14 Telecom **to ~ the line** patienter, rester en ligne; **can you ~ the line please** ne quittez pas s'il vous plaît
15 Mus tenir [*note*] (**for** pendant)
16 Aut **to ~ the road** tenir la route

C *vi* (*prét, pp* **held**) **1** (remain intact) [*rope, shelf, bridge, dam, glue*] tenir; fig (*also* **~ good**) [*theory, offer, objection, law*] tenir
2 (continue) [*weather*] rester beau/belle, se maintenir; [*luck*] continuer, durer
3 Telecom patienter
4 (remain steady) **~ still!** tiens-toi tranquille!

D *v refl* (*prét, pp* **held**) **to ~ oneself upright/well** se tenir droit/bien

E on ~ *adv phr* **1** Telecom en attente; **to put sb on ~** Telecom faire patienter qn; **to put a call on ~** Telecom mettre un appel en attente
2 **to put one's plan/a project on ~** gen laisser ses projets/un projet en suspens

(Phrasal verbs) ■ **hold against**: **to ~ sth against sb** reprocher qch à qn; **to ~ it against sb that** en vouloir à qn parce que; **I don't ~ it against him/them** je ne lui/leur en veux pas; **your age could be held against you** ton âge pourrait jouer en ta défaveur

■ **hold back**: ▸ **~ back** se retenir; **to ~ back from doing** se retenir de faire, préférer ne pas faire; ▸ **~ [sb/sth] back, ~ back [sb/sth]** **1** (restrain) contenir [*water, tide, crowd, animals*]; retenir [*hair, tears*]; retenir [*person*]; refouler [*feelings*]; contenir [*anger*]; **to ~ back one's laughter** se retenir *or* s'empêcher de rire; **2** (prevent progress of) (involuntarily) [*person*] retarder [*person, group*]; (deliberately) [*person*] retenir [*person*]; [*background, poor education*] gêner [*person*]; entraver [*production, progress, development*]; **3** (withhold) [*person, government, organization*] cacher [*information, result*]; (to protect privacy) tenir [qch] secret, ne pas divulguer [*name, information, identity*]; [*person, company*] différer [*payment*]

■ **hold down**: ▸ **~ [sb/sth] down, ~ down [sb/sth]** **1** (prevent from moving) maintenir [qch] en place [*tent, carpet, piece of paper*]; tenir, maîtriser [*person*]; **2** (press down) appuyer sur [*pedal, key*]; **3** (keep at certain level) limiter [*number, rate, expenditure, costs, inflation*]; limiter l'augmentation de [*wages, taxes, prices*]; **4** (keep) (not lose) garder [*job*]; (have) avoir [*job*]

■ **hold forth** péj disserter, pérorer pej (**about, on** sur)

■ **hold in**: ▸ **~ [sth] in, ~ in [sth]** **1** (restrain) réprimer, contenir [*feeling, anger, disappointment*]; **2** (pull in) rentrer [*stomach, buttocks*]

■ **hold off**: ▸ **~ off** [*enemy*] accorder un répit; [*creditors*] accorder un délai; **I hope the rain ~s off** j'espère qu'il ne pleuvra pas; **the rain held off until after the match** il s'est mis à pleuvoir après le match; **to ~ off buying/making a decision** reporter l'achat/la décision à plus tard; **he held off leaving until the weekend** il a reporté son départ au week-end; ▸ **~ [sb] off, ~ off [sb]** tenir [qn] à distance [*enemy, creditor, journalists*]; faire patienter [*client*]; ▸ **~ [sth] off** repousser [*attack*]

■ **hold on**: ▸ **~ on** **1** (wait) gen attendre; Telecom patienter; **'~ on, I'll just get him'** (on telephone) 'ne quittez pas, je vais le chercher'; **2** (grip) tenir (**with** de, avec); **'~ on (tight)!'** 'tiens-toi (bien)!'; **3** (endure) [*person, company*] tenir; ▸ **~ [sth] on** [*screw, glue*] maintenir [qch] en place; **to be held on with sth** [*door, handle, wheel*] être maintenu par qch

■ **hold on to**: ▸ **~ on to [sb/sth]** **1** (grip) s'agripper à [*branch, railing, rope*]; s'agripper à, se tenir à [*person*]; (to prevent from falling) agripper, retenir [*person*]; serrer [*object, purse*]; (bien) tenir [*dog*]; **2** (retain) conserver [*power, title, lead*]; garder [*shares, car*]; **to ~ on to one's dreams** fig s'accrocher à ses rêves; **to ~ on to one's** *ou* **the belief that** persister à croire que; **3** (look after) garder [*object*] (**for** pour)

■ **hold out**: ▸ **~ out** **1** (endure) tenir le coup, tenir bon; **to ~ out against** tenir bon devant [*enemy, changes, threat*]; **2** (remain available) [*supplies, food, stocks*] durer; ▸ **~ [sth] out, ~out [sth]** tendre [*glass, money, ticket*] (**to** à); **to ~ out one's hand/leg** tendre la main/la jambe; ▸ **~ out [sth]** garder, conserver [*hope*]; **I don't ~ out much hope** je ne me fais guère d'illusions, je n'ai plus beaucoup d'espoir; **they don't ~ out much hope of finding him** ils ont perdu presque tout espoir de le retrouver; **to ~ out for** insister pour obtenir [*pay rise, increase*]; **to ~ out on sb**○ cacher des choses à qn; **they know something, but they're ~ing out on us** ils sont au courant mais ils nous cachent quelque chose

■ **hold over**: ▸ **~ [sth] over, ~ over [sth]** **1** (postpone) ajourner [*question, programme*]; **2** (continue to show) maintenir [qch] à l'affiche [*film*]; prolonger [*show, exhibition*]

■ **hold to**: ▸ **~ to [sth]** s'en tenir à [*belief, opinion, decision*]; ▸ **~ sb to [sth]** faire tenir [qch] à qn [*promise*]; faire honorer [qch] à qn [*contract, offer*]; **I'll ~ you to that!** je note!, je m'en souviendrai!

■ **hold together**: ▸ **~ together** **1** (not break) [*car, shoes, chair*] tenir; **2** (remain united) [*family, party*] rester uni; [*alliance*] rester intact; ▸ **~ [sth] together** **1** (keep intact) faire tenir [*car, machine, chair*]; maintenir ensemble [*papers, pieces*]; **to be held together with sth** tenir avec qch; **2** (unite) assurer la cohésion de [*company, party, government*]; **my mother held the family together** la famille est restée unie grâce à ma mère

■ **hold up**: ▸ **~ up** **1** (remain intact) tenir, résister; **to ~ up well** [*currency*] résister; **2** (remain valid) [*theory, argument*] tenir; ▸ **~ [sb/sth] up, ~ up [sb/sth]** **1** (support) soutenir [*shelf, picture*]; tenir [*trousers, stockings*]; **to be held up by** *ou* **with sth** tenir avec qch; **2** (raise) lever [*object*]; **to ~ one's hand up** lever la main; **3** (display) **to ~ sb/sth up as an example** *ou* **model of** présenter qn/qch comme un exemple de; **to ~ sb up to ridicule** tourner qn en ridicule, ridiculiser qn; **4** (delay) retarder [*person, flight*]; ralentir [*production, traffic*]; arrêter, interrompre [*procession*]; **5** (rob) attaquer [*train, bank, person*]

■ **hold with**: **not to ~ with** ne pas être d'accord avec [*idea, system*]; être contre [*television, imitations etc*]; **he doesn't ~ with teaching children French** il est contre le fait qu'on enseigne le français aux enfants

holdall /'həʊldɔ:l/ *n* sac *m*

holder /'həʊldə(r)/ *n* [1] (person who possesses something) (of passport, degree, post) titulaire *mf*; (of ticket, record) détenteur/-trice *m/f*; (of cup, title) tenant/-e *m/f*; (of key) détenteur/-trice *m/f*; (of shares) porteur/-euse *m/f*; **account ~** titulaire d'un compte; **credit card/passport ~** titulaire d'une carte de crédit/d'un passeport; **record/ticket ~** détenteur/-trice d'un record/billet; **cup/title ~** tenant/-e d'une coupe/d'un titre; [2] (container, stand) support *m*

holding /'həʊldɪŋ/ *n* [1] Fin avoir *m*; [2] Agric exploitation *f*

holding: **~ company** *n* Fin holding *m*, société *f* de portefeuille *or* de holding; **~ paddock** *n* enclos *m* provisoire; **~ pattern** *n* Aviat circuit *m* d'attente

hold-up /'həʊldʌp/ *n* [1] (delay) gen retard *m*; (on road) embouteillage *m*, bouchon *m*; [2] (robbery) hold-up *m*, attaque *f* à main armée

hole /həʊl/

A *n* [1] (in clothing, ground, hedge, pocket) trou *m* (**in** dans); **to dig a ~** creuser un trou; **the explosion blew a ~ in the plane** l'explosion a fait un trou dans l'avion; **this sweater is full of ~s** ce pull est tout troué; [2] (in wall) brèche *f*; [3] GB (in tooth) cavité *f*; [4] Aut (in road) (pothole) nid *m* de poule; (man-made) trou *m*; [5] fig (flaw) faille *f*; **to pick ~s in an argument** repérer les failles d'un raisonnement; [6] (of mouse) trou *m*; (of fox, rabbit) terrier *m*; [7] Ecol trou *m*; **a ~ in the ozone layer** un trou dans la couche d'ozone; [8] (financial) trou *m*; **a big ~ in profits** un grand trou dans les bénéfices; **that holiday made a ~ in my pocket** ces vacances ont fait un trou dans mon budget; [9] ○(place) péj trou○ *m* pej; [10] Sport (golf) (all contexts) trou *m*; **to get a ~ in one** faire un trou en un; **a nine-~ golf course** un parcours de neuf trous; [11] US (solitary confinement) trou○ *m*

B *vtr* [1] [*shell*] crever [*building*]; [2] Naut [*iceberg, reef*] faire une brèche dans [*ship*]; [3] Sport (golf) **to ~ the ball** *ou* **shot** *ou* **putt** rentrer la balle, faire le trou (**in** en)

C *vi* Sport (in golf) faire *or* terminer le trou

(Idioms) **to be 10 dollars in the ~** US en être de 10 dollars○; **to get oneself into a ~**○ se fourrer dans le pétrin○; **to get sb out of a ~** tirer qn du pétrin○; **I needed that like I need a ~ in the head**○! il ne me manquait plus que ça! ▸ **money**

(Phrasal verbs) ■ **hole out** (in golf) finir le parcours (**in** en)

■ **hole up** se terrer

hole-and-corner *adj* clandestin

hole-in-the-heart *n* (ventricular) communication *f* interventriculaire; (auricular) communication *f* interauriculaire

hole-in-the-wall○ *n* distributeur *m* de billets (*de banque*)

holey○ /'həʊlɪ/ *adj* [*garment*] troué

holiday /'hɒlədeɪ/

A *n* [1] GB (vacation) vacances *fpl*; **the school ~s** les vacances scolaires; **the summer ~s** les vacances d'été, les grandes vacances; **half-term ~** petites vacances; **family ~** vacances en famille; **to go/be on ~** partir/être en vacances; [2] GB (time off work) congé *m*; **to take ten days' ~** prendre dix jours de congé; **four weeks' ~ with pay** quatre semaines de congés payés; [3] (public, bank) jour *m* férié; [4] US **the ~s** les fêtes (de fin d'année); **happy ~s!** bonnes fêtes!

B *modif* [*region, brochure*] touristique

C *vi* passer les vacances

holiday: **~ atmosphere** *n* air *m* de fête; **~ camp** *n* GB camp *m* de vacances; **~ home** *n* résidence *f* secondaire; **~ job** *n* GB (in summer) job○ *m* d'été; **~maker** *n* GB gen vacancier/-ière *m/f*; (summer visitor) estivant/-e *m/f*; **~ resort** *n* lieu *m* de villégiature; **~ season** *n* GB saison *f* des vacances; **~ traffic** *n* GB circulation *f* de la route des vacances

holier-than-thou /ˌhəʊlɪəðən'ðaʊ/ *adj* **to be ~** se prendre pour un petit saint; **this ~ attitude** cette attitude de petit saint

holiness /'həʊlɪnɪs/ *n* sainteté *f*

Holiness /'həʊlɪnɪs/ ▸ **p. 1237** *n* **His/Your ~** Sa/Votre Sainteté

holism /'hɒlɪzəm, 'həʊ-/ *n* holisme *m*

holistic /hɒ'lɪstɪk, 'həʊ-/ *adj* holistique

holland† /'hɒlənd/

A *n* (cloth) toile *f* de Hollande

B *modif* [*blind, cover*] en toile de Hollande

Holland /'hɒlənd/ ▸ **p. 1096** *pr n* Hollande *f*, Pays-Bas *mpl*; **in ~** en Hollande, aux Pays-Bas

holler○ /'hɒlə(r)/

A *n* hurlement *m*

B *vtr* brailler [*warning, command*]

C *vi* brailler, gueuler (**at sb** après qn)

hollow /'hɒləʊ/

A *n* [1] (depression) (in tree) creux *m*; (of hand, back) creux *m*; (in hillside) dépression *f*; [2] Geog (small valley) cuvette *f*

B *adj* [1] (not solid) [*space, object*] creux/creuse; **the wall sounds ~** le mur sonne creux; [2] (sunken) [*cheeks, eyes*] creux/creuse; [3] (booming) [*voice, cough, clang*] caverneux/-euse; [4] (insincere) [*words*] faux/fausse; [*promise*] vain; **to give a ~ laugh** avoir un rire forcé; **to sound ~** [*excuse, explanation, advice*] sonner faux; [5] (empty) [*victory, triumph, joy*] vain

(Idioms) **to beat sb ~**○ battre qn à plates coutures; **to hold sb in the ~ of one's hand** tenir qn en son pouvoir

(Phrasal verb) ■ **hollow out**: ▸ **~ [sth] out, ~ out [sth]** creuser [*hole, pond*]; **the centre of the log had been ~ed out** on avait évidé le centre de la bûche

hollow: **~-cheeked** *adj* aux joues creuses; **~-eyed** *adj* aux yeux caves; **~ fibre, ~ fill** *adj* [*pillow, duvet*] garni en fibre synthétique

hollowly /'hɒləʊlɪ/ *adv* [*echo, sound*] d'une manière caverneuse

holly /'hɒlɪ/

A *n* (tree, wood) houx *m*

B *modif* [*berry, branch*] de houx

hollyhock /'hɒlɪhɒk/ *n* rose *f* trémière

holm oak /ˌhəʊm'əʊk/ *n* (tree, wood) chêne *m* vert

holocaust /'hɒləkɔ:st/ *n* [1] holocauste *m*; [2] Hist **the Holocaust** l'Holocauste *m*

Holocene /'hɒləsi:n/

A *n* **the ~** l'holocène *m*

B *adj* holocène

hologram /'hɒləgræm/ *n* hologramme *m*

holograph /'hɒləgrɑ:f, US -græf/ *n* (*also* **~ document**) document *m* olographe

holographic /hɒlə'græfɪk/ *adj* holographique

holography /hə'lɒgrəfɪ/ *n* holographie *f*

holophrastic /ˌhɒlə'fræstɪk/ *adj* holophrastique

hols○ /hɒlz/ *n* GB (*abrév* = **holidays**) vacances *fpl*

holster /'həʊlstə(r)/ *n* étui *m* de revolver; (on saddle) fonte *f*

holy /'həʊlɪ/ *adj* [*writings, place, community, person*] saint; [*well, water*] bénit; **~ picture** image *f* pieuse; **to lead a ~ life** mener une vie sainte; **on ~ ground** en lieu saint; **~ cow**○!, **~ smoke**○!, **~ mackerel**○!, **~ shit**●! zut alors○!

holy: **Holy Bible** *n* Sainte Bible *f*; **~ city** *n* ville *f* sainte; **Holy Communion** *n* sainte communion *f*; **~ day** *n* jour *m* saint; **Holy Father** *n* Saint-Père *m*; **Holy Ghost** *n* = **Holy Spirit**; **Holy Grail** *n* Saint-Graal *m*; **Holy Innocents' Day** *n* jour *m* des saints Innocents; **Holy Joe**○ *n* grenouille *f* de bénitier○; **Holy Land** *n* Terre *f* Sainte; **~ of holies** *n* Relig, fig le Saint des Saints; **Holy Roman Empire** *n* Saint Empire *m* romain germanique; **Holy Sacrament** *n* saint sacrement *m*; **Holy Saturday** *n* Samedi *m* saint; **Holy See** *n* Saint-Siège *m*; **Holy Sepulchre** *n* Saint-Sépulcre *m*; **Holy Spirit** *n* Saint-Esprit *m*; **Holy Trinity** *n* sainte Trinité *f*; **~ war** *n* guerre *f* sainte; **Holy Week** *n* semaine *f* sainte; **Holy Writ** *n* Saintes Écritures *fpl*

homage /'hɒmɪdʒ/ *n* hommage *m*; **to pay ~ to sb** rendre hommage à qn; **in ~ to** en hommage à

homburg /'hɒmbɜ:g/ *n* chapeau *m* mou

home /həʊm/

A *n* [1] (dwelling) gen logement *m*; (house) maison *f*; **new ~s for sale** journ logements neufs à vendre; **he doesn't have a ~** il n'a pas de logement; **you have a beautiful ~** vous avez une belle maison/un bel appartement; **to be far from/near ~** être loin de/près de chez soi; **a ~ of one's own** un chez-soi; **to work from ~** travailler à domicile; **to set up ~ in France/in Madrid** s'installer en France/à Madrid; **I've made my ~ in France now** je suis installé *or* je vis en France maintenant; **birds make their ~ in...** les oiseaux font leur nid dans...; **his ~ has been a tent for the last two weeks** il habite dans une tente depuis deux semaines; **the island is ~ to 3,000 people** l'île abrite 3 000 personnes

[2] (for residential care) maison *f*; **retirement/nursing ~** maison de retraite/de santé; **to put sb in a ~** mettre qn dans un établissement spécialisé

[3] (family base) foyer *m*; **broken ~** foyer désuni; **to make a ~ for** créer un foyer pour; **'good ~ wanted'** 'cherche foyer accueillant'; **to leave ~** quitter la maison

[4] (country) pays *m*; **to consider France (as) ~** considérer la France comme son pays

[5] (source) **~ of** [*country*] pays *m* de [*speciality*]; [*place*] lieu *m* privilégié pour [*tennis, golf*]; [*jungle, region*] habitat *m* de [*species*]

[6] ○fig (place) place *f*; **to find a ~ for** trouver une place pour [*book, object*]

B *modif* [1] (family) [*life*] de famille; [*surroundings, background*] familial; [*comforts*] du foyer

[2] (national) [*market, affairs*] intérieur; [*news*] national

[3] Sport (local) [*match, win*] à domicile; [*team*] qui reçoit

C *adv* [1] [*come, go, arrive*] (to house) à la maison, chez soi; (to country) dans son pays; **on the journey ~** (to house) en rentrant à la maison; (to apartment, room) en rentrant chez moi/nous etc; (by boat, plane) pendant le voyage de retour; **to see sb ~** raccompagner qn à la maison; **to take sb ~** (accompany) raccompagner qn à la maison; (to meet family) emmener qn à la maison; **is she ~?** est-ce qu'elle est à la maison?; **is she ~ yet?** elle est déjà rentrée?

[2] (to required position, effect) **to hammer** *ou* **drive sth ~** lit enfoncer complètement [*nail*]; fig bien faire passer [*message*]; **to press** *ou* **push one's point ~** enfoncer le clou fig; **to bring sth ~ to** fig faire voir qch à; **to strike ~** fig toucher juste

D **at home** *adv phr* [1] (in house) [*be, work, stay*] à la maison; **to live at ~** habiter chez ses parents; **at ~ and abroad** dans notre pays et à l'étranger; **Madam is not at ~**† Madame ne reçoit personne

[2] Sport (on own ground) [*play*] à domicile; **they're at ~ on Saturday** ils jouent à domicile samedi; **X are playing Y at ~** X reçoit Y

[3] fig (comfortable) [*be, feel*] à l'aise (**with** avec); **make yourself at ~** mets-toi à l'aise, fais comme chez toi

E *vi* [*pigeon, animal*] savoir retourner chez soi

(Idioms) **it's/he's nothing to write ~ about** ça/il n'a rien d'extraordinaire; **it's ~ from ~** GB, **it's ~ away from ~** US c'est un second chez-soi; **~ sweet ~, there's no place like ~** Prov on n'est nulle part si bien que chez soi; **to be a bit too close to ~** être blessant; **he found it a bit too close to ~** ça l'a touché au vif; **let's talk about something nearer ~** parlons de ce qui nous concerne plus particulièrement; **to be ~ and dry** être sauvé

(Phrasal verb) ■ **home in** *[missile]* se diriger vers sa cible; **to ~ in on** se diriger sur *[target]*

home: **~ address** *n* (on form) domicile *m*; (personal not business) adresse *f* personnelle; **~ baked** *adj* (fait) maison; **~ banking** *n* banque *f* à domicile; **~ birth** *n* accouchement *m* à domicile; **~body**○ *n* casanier/-ière *m/f*

homebound /ˈhəʊmbaʊnd/ *adj* surtout US **1** (housebound) confiné chez soi; **2** (heading home) *[traffic, car, traveller]* rentrant chez soi; *[train]* du retour

home: **~boy**○ *n* US gars○ *m* de chez nous; **~ brew** *n* bière *f* (brassée) maison; **~ buying** *n* accession *f* à la propriété; **~ centre** GB, **home center** US *n* maisonnerie *f*; **~ comforts** *npl* confort *m* du foyer ₵

homecoming /ˈhəʊmkʌmɪŋ/
A *n* **1** (return home) retour *m* à la maison; **2** US Sport *match de football annuel du lycée suivi d'un bal*
B *modif* US Sport **~ king/queen** roi/reine *m/f* de la fête

home: **~ computer** *n* ordinateur *m*, PC *m*; **~ cooking** *n* bonne cuisine *f* familiale; **Home Counties** *npl* GB comtés *mpl* limitrophes de Londres; **~ country** *n* pays *m* d'origine, patrie *f*; **~ economics** *n* (+ *v sg*) Sch cours *m* d'économie domestique

home front *n* (during war) **the ~** l'arrière *m*; **on the ~** (in politics) pour les affaires intérieures

home girl○ *n* US fille *f* de chez nous

home ground *n* fig terrain *m* familier; **on ~** en terrain familier; **to win on one's ~** Sport gagner à domicile

homegrown /ˌhəʊmˈgrəʊn/ *adj* **1** *[vegetables]* du jardin; **2** fig *[idea]* bien de chez soi (*after n*)

home: **Home Guard** *n* GB Hist *groupe de volontaires recrutés pour défendre le pays en cas d'invasion*; **~ heating** *n* chauffage *m* domestique; **~ help** *n* GB aide familiale *f*; **~land** *n* pays *m* d'origine, patrie *f*; (in S. Africa) bantoustan *m*; **~land security** *n* Pol sécurité *f* des frontières; **~ leave** *n* Mil permission *f*

homeless /ˈhəʊmlɪs/
A *n* **the ~** (+ *v pl*) les sans-abri *mpl*
B *adj [person, family]* gen sans abri, sans logement; (after earthquake, flood etc) sinistré

homelessness /ˈhəʊmlɪsnɪs/ *n* **the problem of ~** le problème des sans-abri; **~ is on the increase** le nombre des sans-abri est en augmentation

home life *n* vie *f* de famille

homeliness /ˈhəʊmlɪnɪs/ *n* **1** (unpretentious nature) (of room, hotel, atmosphere, furniture) simplicité *f* accueillante; (of cooking) simplicité *f*; (of person) GB simplicité *f*; **2** US péj (plainness) manque *m* d'attraits

home: **~ loan** *n* prêt *m* immobilier; **~loving** *adj* casanier/-ière

homely /ˈhəʊmlɪ/ *adj* **1** GB (cosy, welcoming) *[room, hotel, atmosphere]* accueillant; **2** GB (unpretentious) *[room, hotel, furniture, cooking]* sans prétention; *[person]* simple; **3** US (plain) *[person]* sans attraits

home: **~made** *adj* **~made** *adj [cake, jam]* (fait) maison; *[bomb, device]* artisanal; **~maker** *n* (woman) femme *f* d'intérieur; (woman or man) personne *f* qui tient la maison; **~ movie** *n* film *m* d'amateur; **Home Office** *n* Pol ministère *m* de l'Intérieur

homeopath /ˌhəʊmɪəˈpæθ/ *n* homéopathe *mf*

homeopathic /ˌhəʊmɪəˈpæθɪk/ *adj [medicine, clinic]* homéopathique; *[doctor]* homéopathe

homeopathy /ˌhəʊmɪˈɒpəθɪ/ *n* homéopathie *f*

home owner *n* propriétaire *mf*

home ownership *n* fait *m* d'être propriétaire de son logement; **~ is on the increase** de plus en plus de gens sont propriétaires de leur logement

home: **~ page** *n* Comput page *f* d'accueil; **~ plate** *n* Sport marbre *m*; **~ port** *n* port *m* d'attache; **~ posting** *n* Mil affectation *f* au pays

Homer /ˈhəʊmə(r)/ *pr n* Homère

Homeric /həʊˈmerɪk/ *adj* homérique

home: **~ room** *n* US Sch salle *f* de classe (*où l'on fait l'appel*). ▸ **Pledge of Allegiance**; **~ rule** *n* Pol gouvernement *m* autonome; **~ run** *n* Sport point *m* marqué par le batteur (*s'il réussit à toucher toutes les bases*); **~ sales** *npl* Econ ventes *fpl* sur le marché intérieur; **Home Secretary** *n* Pol Ministre *m* de l'Intérieur. ▸ **Cabinet**

homesick /ˈhəʊmsɪk/ *adj* **to be ~** *[child]* s'ennuyer de ses parents; *[adult]* (for country) avoir le mal du pays; **I'm ~ for my dog** mon chien me manque

home: **~sickness** /ˈhəʊmsɪknɪs/ *n* mal *m* du pays; **~ side** *n* = **home team**

homespun /ˈhəʊmspʌn/ *adj* **1** *[cloth]* filé à la maison; **2** fig *[wisdom, virtue]* naturel/-elle; *[person]* simple

homestead /ˈhəʊmsted/ *n* **1** (house and land) domaine *m*; **2** (farm) ferme *f*; **3** US Admin terres *fpl* (*acquises pour leur occupation et leur exploitation*)

Homestead Act *n* US loi *f* des terres fédérales de 1862 (*accordant aux pionniers la propriété de terres qu'ils occupaient et exploitaient*)

homesteader /ˈhəʊmstedə(r)/ *n* **1** (farmer) ≈ fermier/-ière *m/f*; **2** Hist colon *m*, pionnier *m*

home: **~ teacher** ▸ **p. 1683** *n* US maître/maîtresse *m/f*; **~ team** *n* équipe *f* qui reçoit; **~time** *n* Sch heure *f* de rentrer à la maison; **~ town** *n* ville *f* natale; **~ video** *n* vidéo *f* d'amateur; **~ visit** *n* Med visite *f* à domicile

homeward /ˈhəʊmwəd/
A *adj [journey]* de retour
B *adv* **to go** *ou* **head** *ou* **travel ~(s)** rentrer; **to be ~ bound** être sur le chemin de retour; **~-bound commuters** banlieusards rentrant chez eux

home waters *npl* Naut, Pol eaux *fpl* territoriales

homework /ˈhəʊmwɜːk/
A *n* **1** Sch devoirs *mpl*; **2** (research) **to do some ~ on** faire quelques recherches au sujet de; **you haven't done your ~!** tu ne t'es pas documenté!
B *modif [book]* de devoirs; **~ diary** cahier de textes

home: **~worker** *n* travailleur/-euse *m/f* à domicile; **~working** *n* travail *m* à domicile

homey /ˈhəʊmɪ/ *adj* **1** (cosy) *[room, hotel, atmosphere]* accueillant; **2** (unpretentious) *[room, hotel, cooking]* sans prétention

homicidal /ˌhɒmɪˈsaɪdl/ *adj* homicide

homicide /ˈhɒmɪsaɪd/ *n* **1** (murder) homicide *m*; **culpable/justifiable ~** Jur homicide volontaire/justifiable; **2** (person) meurtrier/-ière *m/f*; **3** US = **homicide bureau**

homicide bureau *n* US brigade *f* criminelle

homily /ˈhɒmɪlɪ/ *n* homélie *f*

homing /ˈhəʊmɪŋ/ *adj* Tech, Mil *[missile, weapon, rocket]* autoguidé; *[system, device]* d'autoguidage

homing: **~ instinct** *n* Zool faculté *f* d'orientation; **~ pigeon** *n* pigeon *m* voyageur

hominy grits /ˈhɒmɪnɪ grɪts/ *n* US (maize) maïs *m* concassé; (dish) bouillie *f* de maïs

homo◑ /ˈhəʊməʊ/ *n* US injur pédé◑ *m* offensive, homosexuel *m*

homoerotic /ˌhəʊməʊɪˈrɒtɪk/ *adj* homoérotique

homogeneity /ˌhɒmədʒɪˈniːɪtɪ/ *n* homogénéité *f*

homogeneous /ˌhɒməˈdʒiːnɪəs, ˌhɒməʊ-/ *adj* homogène

homogenize /həˈmɒdʒənaɪz/ *vtr* Culin homogénéiser

homogenous /həˈmɒdʒɪnəs/ *adj* homogène

homograph /ˈhɒməgrɑːf, US -græf/ *n* homographe *m*

homographic /ˌhɒməˈgræfɪk/ *adj* homographe

homography /hɒˈmɒgrəfɪ/ *n* homographie *f*

homologous /həˈmɒləgəs/ *adj* homologue

homologue GB, **homolog** US /ˈhɒməlɒg/ *n* Chem homologue *m*

homonym /ˈhɒmənɪm/ *n* homonyme *m*

homonymic /ˌhɒməˈnɪmɪk/ *adj* homonymique

homonymy /hɒˈmɒnəmɪ/ *n* homonymie *f*

homophobe /ˈhɒməfəʊb/ *n* personne *f* intolérante envers les homosexuels

homophobia /ˌhɒməˈfəʊbɪə/ *n* intolérance *f* envers les homosexuels

homophobic /ˌhɒməˈfəʊbɪk/ *adj* qui fait preuve d'intolérance envers les homosexuels

homophone /ˈhɒməfəʊn/ *n* homophone *m*

homophonic /ˌhɒməˈfɒnɪk/ *adj* homophone

homophony /həˈmɒfənɪ/ *n* homophonie *f*

Homo sapiens /ˌhəʊməʊ ˈsæpɪenz/ *n* Homo sapiens *m*

homosexual /ˌhɒməˈsekʃʊəl/
A *n* homosexuel/-elle *m/f*; **practising** *ou* **active ~s** les homosexuels actifs
B *adj* homosexuel/-elle

homosexuality /ˌhɒməˌsekʃʊˈælətɪ/ *n* homosexualité *f*

homy○ /ˈhəʊmɪ/ *adj* = **homely 1**

Hon **1** (*abrév écrite* = **Honourable**) **the ~ Anne Grey** l'honorable Anne Grey; **2** (*abrév écrite* = **Honorary**) honoraire

honcho○ /ˈhɒntʃəʊ/ *n* (*pl* **~s**) US (important person) gros bonnet○ *m*; (hotshot) crack○ *m*; **he's the head ~** c'est le grand chef○

Honduran /hɒnˈdjʊərən/ ▸ **p. 1467**
A *n* Hondurien/-ienne *m/f*
B *adj* du Honduras, hondurien/-ienne

Honduras /hɒnˈdjʊərəs/ ▸ **p. 1096** *pr n* Honduras *m*; **in/to ~** au Honduras

hone /həʊn/
A *n* pierre *f* à aiguiser
B *vtr* **1** (perfect) aiguiser *[technique, skill, strategy]*; affûter *[argument, wit, style]*; **2** (sharpen) aiguiser *[axe, blade, knife]*

honest /ˈɒnɪst/
A *adj* **1** (truthful) *[person]* intègre; *[account, answer]* sincère; **to be ~ about sth** être honnête au sujet de qch; **the ~ truth** la pure vérité; **2** (trustworthy) honnête; **3** (sincere) *[face]* franc/franche; *[attempt]* fait de bon cœur; **to be ~ with sb** être franc avec qn; **to be ~ with oneself** être honnête avec soi-même; **to be less than ~ with sb** ne pas être tout à fait franc avec qn; **be ~!** sois franc!; **to be ~,...** à dire vrai...; **4** (legal) *[profit, money]* honnêtement acquis; *[price]* juste; **by ~ means** par des moyens légitimes; **to make an ~ living** gagner honnêtement sa vie; **he's never done an ~ day's work** il n'a jamais fait une vraie journée de travail de sa vie!
B *excl* **it wasn't me, ~**○ *ou* **~ to God!** ce n'était pas moi, parole d'honneur!; **~ to goodness** *ou* **~ to God, have you any sense!** mais, ma

parole, n'as-tu aucun bon sens!
(Idiom) **to make an ~ woman of sb** hum épouser qn

honest broker *n* Pol honnête courtier *m*

honestly /ˈɒnɪstlɪ/ *adv* 1 (truthfully) [*answer*] honnêtement; 2 (legally) [*earn*] honnêtement; 3 (sincerely) [*believe*] franchement; [*say*] sincèrement; **I ~ don't know** franchement, je ne sais pas; **do you ~ think you're going to win?** est-ce que tu crois sincèrement que tu vas gagner?; **quite ~,...** franchement...; 4 (as sentence adv) vraiment; **~, I mean it!** je le pense vraiment; **~? surely not!** vraiment? non, sûrement pas!; **~, there's no problem** je vous assure, il n'y a aucun problème; 5 ○(in exasperation) franchement!

honest-to-goodness *adj* 1 (simple) [*holiday, meal*] simple; 2 US (authentic) véritable

honesty /ˈɒnɪstɪ/ *n* 1 (truthfulness, integrity) honnêteté *f*; **to have the ~ to admit sth** avoir l'honnêteté d'admettre qch; 2 (sincerity) (of person, statement) sincérité *f*; 3 Bot ₵ monnaie *f* du pape
(Idioms) **~ is the best policy, ~ pays** l'honnêteté est toujours récompensée

honey /ˈhʌnɪ/ *n* 1 (food) miel *m*; **acacia/clover ~** miel *m* d'acacia/de trèfle; **clear ~** miel *m* liquide; 2 ○surtout US (endearment) chéri/-e *m/f*; (addressing woman) chérie *f*; **she's a ~†** c'est un amour

honey: **~bee** *n* abeille *f*; **~bunch**○, **~bun** *n* US chéri/-e *m/f*; **~-coloured** GB, **~-colored** US ▸ **p. 1067** *adj* (couleur de) miel *inv*

honeycomb /ˈhʌnɪkəʊm/
A *n* 1 (in hive) rayon *m* de miel; 2 (for sale) gâteau *m* de miel
B *modif* 1 [*pattern, design*] en nid-d'abeilles; 2 Aviat **~ structure** métal *m* alvéolé

honeycombed /ˈhʌnɪkəʊmd/ *adj* **~ with** percé de [*holes*]; creusé de [*passages, tunnels*]; truffé de [*spies*]

honey: **~dew** *n* miellat *m*; **~dew melon** *n* melon *m* d'Espagne

honeyed /ˈhʌnɪd/ *adj* mielleux/-euse

honeymoon /ˈhʌnɪmuːn/
A *n* 1 (wedding trip) voyage *m* de noces; **they spent their ~ in Paris** ils sont allés à Paris en voyage de noces; **to be on one's ~** être en voyage de noces; 2 fig (*also* **~ period**) (calm spell) lune *f* de miel
B *vi* **we ~ed in Paris** nous sommes allés à Paris en voyage de noces

honeymoon couple *n* couple *m* en voyage de noces

honeymooner /ˈhʌnɪmuːnə(r)/ *n* nouveau/-elle marié/-e *m/f* (en voyage de noces)

honeymoon suite *n* suite *f* nuptiale

honeypot /ˈhʌnɪpɒt/ *n* 1 pot *m* à miel; 2 ◐US (vagina) vagin *m*
(Idiom) **like bees around a ~** comme des mouches sur un pot de miel

honeysuckle /ˈhʌnɪsʌkl/ *n* chèvrefeuille *m*

Hong Kong /ˌhɒŋ ˈkɒŋ/ ▸ **p. 1815**
A *n* Hongkong *m*
B *adj* [*people, cuisine*] de Hongkong; **the ~ Chinese** les Chinois de Hongkong

honk /hɒŋk/
A *n* (of car horn) coup *m* de klaxon®; (of geese) cri *m* (de l'oie)
B *vtr* **to ~ one's horn** klaxonner
C *vi* [*geese*] cacarder; [*car horn*] faire tut-tut; [*driver*] klaxonner; **drivers were ~ing at them** les conducteurs les klaxonnaient

honkie◐, **honky**◐ /ˈhɒŋkɪ/ *n* US injur sale○ Blanc/Blanche *m/f* offensive

honky-tonk /ˈhɒŋkɪtɒŋk/
A *n* 1 (music) musique *f* de bastringue; 2 ○US (club) bastringue○ *m*, boîte *f* de nuit○
B *adj* [*music*] de bastringue○; [*piano*] bastringue○

honor *n, vtr* US = **honour**

honorable *adj* US = **honourable**

honorably *adv* US = **honourably**

honorarium /ˌɒnəˈreərɪəm/ *n* (*pl* **-ria**) honoraires *mpl*

honorary /ˈɒnərərɪ, US ˈɒnərerɪ/ *adj* 1 [*doctorate, degree*] honorifique, honoris causa *inv*; [*member, fellowship, membership*] honoraire; [*man, woman, Northerner*] hum pour la forme; 2 (voluntary) [*post, position*] bénévole

honor guard *n* US membre *m* de la garde d'honneur

honorific /ˌɒnəˈrɪfɪk/ *adj* honorifique

honor roll *n* US 1 Sch, Sport tableau *m* d'honneur; 2 Mil liste *f* des soldats tombés au champ d'honneur

honor: **~ society** *n* US Sch club *m* des meilleurs élèves; **~ system** *n* US Sch système *m* de l'autodiscipline

honour GB, **honor** US /ˈɒnə(r)/
A *n* 1 (privilege) honneur *m*; **to consider sth a great ~** considérer qch comme un grand honneur; **place of ~** place d'honneur; **it is an ~ (for sb) to do** c'est un honneur (pour qn) de faire; **to have the ~ to do** *ou* **of doing** avoir l'honneur de faire; **to give sb** *ou* **do sb the ~ of doing** faire à qn l'honneur de faire; **to be an ~ to sb/sth** faire honneur à qn/qch; **in ~ of sb/sth** en l'honneur de qn/qch; **to what do I owe this ~?** sout *ou* iron que me vaut cet honneur? sout *ou* iron; **buried with full ~s** enterré avec les honneurs suprêmes; 2 (high principles) honneur *m*; **a man of ~** un homme d'honneur; **to impugn sb's ~** sout mettre en doute l'honneur de qn; **a point/an affair of ~** un point/une affaire d'honneur; **~ is satisfied** l'honneur est satisfait; **to give one's word of ~** donner sa parole d'honneur; **in ~** en tout honneur; **to be on one's ~ to do** être engagé sur l'honneur à faire; **I swear it (up)on my ~†** *ou* **~ bright†!** je le jure sur mon honneur†!; 3 (in titles) **Your Honour** Votre Honneur
B honours *npl* 1 Univ **to graduate with ~s** ≈ réussir sa licence avec mention; **first/second class ~s** ≈ licence avec mention très bien/bien; 2 (in cards) honneurs *mpl*
C *vtr* 1 (show respect for) honorer [*parents, spouse, dead, hero, artist, guest, leader, flag*]; **to feel/be ~ed** se sentir/être honoré (**by** par); **we would be ~ed** nous serions honorés; **I feel** *ou* **am ~ed that she trusts me** sa confiance m'honore; **to ~ sb by doing** sout faire l'honneur à qn de faire; **welcome to our ~ed guests** bienvenue à nos honorables invités; 2 (fulfil, be bound by) honorer [*cheque, contract, debt, obligation, signature, terms*]; tenir [*promise, commitment*]; remplir [*agreement, arrangement*]
(Idioms) **there is ~ among thieves** les loups ne se mangent pas entre eux; **to do the ~s** (serve food, drinks) faire les honneurs; (introduce guests) faire les présentations

honourable GB, **honorable** US /ˈɒnərəbl/ *adj* 1 (principled) [*man, woman, intention*] honnête; **to do the ~ thing** faire la seule chose convenable; **it is/it is not ~ to do** c'est/ce n'est pas honnête de faire; 2 (worthy) [*calling, profession, tradition*] honorable; 3 (consistent with self-respect) [*defeat, victory, war, peace, settlement, performance*] honorable; 4 ▸ **p. 1237** (in titles) **the Honourable Mr Justice Jones** le Juge Jones; **the Honourable Gentleman/Lady** Pol Monsieur/Madame le député; **my Honourable friend** GB Pol mon honorable collègue

honourable: **~ discharge** *n* libération *f* honorable; **~ mention** *n* mention *f* honorable

honourably GB, **honorably** US /ˈɒnərəblɪ/ *adv* [*acquit oneself, fight, withdraw*] honorablement; [*behave, marry*] honnêtement; **to be ~ defeated** subir une défaite honorable

honour: **~-bound** *adj* tenu par l'honneur (**to do** de faire); **~s course** *n* GB *cours universitaire ordinaire; US cours universitaire réservé aux meilleurs étudiants*; **~s degree** *n* GB *licence ordinaire; US licence réservée aux meilleurs étudiants*

Honours List *n* GB *liste de distinctions honorifiques*

> **Honours List**
>
> Le 1er janvier (*New Year Honours*) ou à l'occasion de son anniversaire officiel (*Birthday Honours*), le souverain britannique confère les distinctions honorifiques à ceux ou celles qui ont mérité de la patrie. L'*Office of Public Service* établit les listes qui doivent être approuvées par le Premier ministre. Les décorations suivent les ordres de chevalerie et vont de simple membre à chevalier de l'ordre de l'Empire britannique. ▸ **Knight/Dame, Official Birthday**

hooch○ /huːtʃ/ *n* US 1 (alcohol) boisson *f* alcoolisée; 2 argot des soldats (thatched hut) hutte *f*; (shack) cabane *f*

hood /hʊd/ *n* 1 (head gear) (attached) capuchon *m*; (detached) capuche *f*; (balaclava) cagoule *f*; 2 (for falcon) chaperon *m*; 3 (cover) (on stove, cooker) hotte *f*; (on printer) capot *m* (antibruit); 4 GB (on car, pram) capote *f*; **to put the ~ up/down** relever/abaisser la capote; 5 Aviat (cockpit) verrière *f*; 6 US Aut (bonnet) capot *m*; 7 (on cobra) capuchon *m*; 8 Univ (ceremonial) épitoge *f*; 9 ○US (gangster) truand *m*; (juvenile delinquent) loubard○ *m*

hooded /ˈhʊdɪd/ *adj* 1 [*sweatshirt, jacket*] à capuchon; 2 [*attacker, rioter, hostage*] le visage caché par une cagoule; [*figure, falcon*] encapuchonné; 3 **to have ~ eyes** *ou* **eyelids** avoir les paupières tombantes

hooded: **~ crow** *n* corneille *f* mantelée; **~ seal** *n* phoque *m* à capuchon

hoodlum○ /ˈhuːdləm/ *n* 1 (hooligan) vandale *m*; (juvenile delinquent) loubard○ *m*; 2 US (crook) truand *m*, escroc *m*

hoodoo○ /ˈhuːduː/ *n* (*pl* **~s**) poisse○ *f*

hoodwink /ˈhʊdwɪŋk/ *vtr* tromper; **to ~ sb into doing sth** tromper qn pour qu'il fasse qch

hooey◐ /ˈhuːɪ/ *n* ₵ US bobards○ *mpl*, idioties *fpl*; **oh ~!** quelles salades○!

hoof /huːf/ *n* (*pl* **~s** *ou* **hooves**) (of horse, cow) sabot *m* (d'animal); **cattle bought on the ~** du bétail acheté sur pied
(Idioms) **to ~ it**○ aller à pinces○ *or* à pied; **to think up a policy on the ~** improviser une politique

hoof-and-mouth disease *n* US fièvre *f* aphteuse

hoofed /huːft/ *adj* [*animal*] à sabots

hoofer○ /ˈhuːfə(r)/ *n* US danseur/-euse *m/f* professionnel/-elle

hoof pick *n* Equit cure-pied *m*

hoo-ha○ /ˈhuːhaː/ *n* pagaille *f*; **they made a real ~ about it** ils en ont fait tout un foin○

hook /hʊk/
A *n* 1 (for clothing, picture) crochet *m*; 2 Fishg hameçon *m*; 3 Sewing agrafe *f*; **~s and eyes** agrafes *fpl*; 4 Agric, Hort faucille *f*; 5 (on stick) crosse *f*; 6 Telecom **to take the phone off the ~** décrocher le téléphone; **to leave the phone off the ~** laisser le téléphone décroché; 7 (boxing) crochet *m*; **left/right ~** crochet du gauche/du droit; 8 (golf) coup *m* hooké; 9 US (bend) coude *m*, courbe *f*; 10 Comm accroche *f*
B *vtr* 1 (hang) accrocher (**on, onto** à; **round** autour de); 2 (pull through) faire passer [*string, loop*] (**through** dans); passer [*limb, finger, stick*] (**through** dans); 3 Fishg prendre [*fish*]; fig, hum○ mettre le grappin sur○ [*spouse*]; 4 (golf) hooker; (rugby) talonner
(Idioms) **to be off the ~** être tiré d'affaire; **to get sb off the ~** tirer qn d'affaire; **to let sb off the ~** laisser filer○ qn; **to get one's ~s into sb** mettre le grappin sur qn○

(Phrasal verbs) ■ **hook on**: ▸ **~ on** s'accrocher (**to** à); ▸ **~ [sth] on, ~ on [sth]** accrocher (**to** à)
■ **hook together**: ▸ **~ together** s'accrocher ensemble; ▸ **~ [sth] together** accrocher [qch] ensemble
■ **hook up**: ▸ **~ up** [*garment*] s'agrafer; ▸ **~ up [sth], ~ [sth] up** 1 (attach) agrafer [*garment*]; accrocher [*trailer, picture*]; 2 Radio, TV faire un duplex entre [*stations*]; 3 Elec, Tech connecter [*appliance*]

hookah /ˈhʊkə/ *n* narguilé *m*

hooked /hʊkt/ *adj* 1 [*nose, claw, beak*] crochu; [*stick*] avec une crosse; 2 (addicted) accro○; **to be ~ on** se camer○ à [*crack, heroin*]; être mordu○ de [*computer games, game shows*]; 3 ○US (married) casé○, marié

hooker /ˈhʊkə(r)/ *n* 1 (in rugby) talonneur *m*; 2 ◑(prostitute) putain● *f*, prostituée *f*

hook: **~ nose** *n* nez *m* crochu; **~-nosed** *adj* au nez crochu

hook-up /ˈhʊkʌp/ *n* 1 Radio, TV relais *m*; 2 US (in trailer park) borne *f* de raccordement

hookworm /ˈhʊkwɜːm/ *n* ankylostome *m*

hooky○, **hookey** /ˈhʊkɪ/ *n* US **to play ~** faire l'école buissonnière†

hooligan /ˈhuːlɪɡən/ *n* vandale *m*, voyou *m*; **soccer ~** hooligan *m*

hooliganism /ˈhuːlɪɡənɪzəm/ *n* vandalisme *m*

hoop /huːp/ *n* 1 (of metal, wood, bone) cerceau *m*; 2 (in croquet) arceau *m*

(Idioms) **to go through the ~s, to jump through ~s** se démener; **to put sb through the ~s** obliger qn à faire ses preuves

hoopla /ˈhuːplɑː/ ▸ **p. 1253** *n* 1 GB (at fair) jeu *m* d'anneaux; 2 ○US (showy publicity) battage *m*; 3 ○US (fuss) pagaille *f*; (bustle) remue-ménage *m*; (noise) brouhaha *m*

hoopoe /ˈhuːpuː/ *n* huppe *f*

hooray /hʊˈreɪ/ *excl* hourra

Hooray Henry *n* GB péj fils *m* à papa péj

hoosier○ /ˈhuːʒə(r)/ *n* péj péquenaud/-e○ *m/f* péj

hoot /huːt/

A *n* 1 (noise) (of owl) (h)ululement *m*; (of train) sifflement *m*; (of ship or factory siren) mugissement *m*; (of car) coup *m* de klaxon®; (derisive shout) huée *f*; **this was greeted with ~s of laughter** ceci a déclenché l'hilarité générale; 2 ○(person) **she's a ~** elle est impayable; **it was a ~** c'était très marrant○

B *vi* [*owl*] (h)ululer; [*train*] siffler; [*siren*] mugir; [*car*] klaxonner; [*person, crowd*] (derisively) huer; **to ~ with laughter** éclater de rire

C *vtr* huer [*speaker, actor*]; **to be ~ed off the stage** quitter la scène sous les huées; **to ~ one's horn** donner un coup de klaxon® (**at sb** pour avertir qn)

(Idiom) **I don't give a ~** *ou* **two ~s**○! je m'en fiche○ comme de l'an quarante!

(Phrasal verb) ■ **hoot down**: ▸ **~ down [sb], ~ [sb] down** huer; ▸ **~ down [sth], ~ [sth] down** rejeter [qch] avec dérision [*plan, proposal*]

hootenanny /ˌhuːtəˈnænɪ/ *n* réunion *f* de chanteurs folk

hooter /ˈhuːtə(r)/

A *n* 1 (siren) sirène *f*; GB Aut† (horn) cornet† *f*, klaxon® *m*; 2 ○GB (nose) pif○ *m*

B **hooters**○ *npl* US (breasts) nichons○ *mpl*

hoover /ˈhuːvə(r)/ *vtr* GB **to ~ a carpet/a room** passer l'aspirateur sur un tapis/dans une pièce

Hoover® /ˈhuːvə(r)/ *n* GB aspirateur *m*

hooves /huːvz/ *pl* ▸ **hoof**

hop /hɒp/

A *n* 1 (movement) (of frog, rabbit, child) bond *m*; (of bird) sautillement *m*; **with a ~** d'un bond; **in a series of little ~s** en sautillant; 2 ○(short journey) **a short ~** un saut *m* (de puce); 3 ○(dance) bal *m* (populaire); **the village ~** le bal du village

B **hops** *npl* Agric, Bot (crop) houblon *m* ¢; **to grow ~s** cultiver le houblon

C *vtr* (*p prés etc* **-pp-**) 1 (jump over) franchir [qch] d'un bond [*fence*]; 2 ○US (board) sauter dans [*flight, train, bus*]

D *vi* (*p prés etc* **-pp-**) 1 (jump) [*person*] sauter; **to ~ off a wall** sauter d'un mur; **to ~ over a puddle/ditch** sauter par-dessus une flaque/un fossé; **to ~ up and down with rage/delight** trépigner de rage/de joie; 2 (on one leg) sauter à cloche-pied; **to ~ (over) to the door** sauter à cloche-pied jusqu'à la porte; **to ~ up/down the path** monter/descendre le sentier à cloche-pied; 3 [*animal*] sauter; [*bird*] sautiller; **a rabbit ~ped across the road** un lapin traversa la route en quelques bonds; 4 (move speedily) **to ~ into bed/on a plane/off a bus** sauter dans son lit/dans un avion/d'un bus; **I'll give you a lift, ~ in!** je t'emmène, vas-y, monte!; 5 ○(travel) **to ~ over** *ou* **across to** faire un saut○ à [*city, country*]

(Idioms) **to be ~ping mad**○ être fou furieux/folle furieuse; **to catch sb on the ~**○ GB prendre qn au dépourvu; **to ~ into bed with sb** se fourrer○ au lit avec qn; **to ~ it**○ GB déguerpir○; **go on, ~ it!** allez, du balai○!; **to keep sb on the ~**○ GB maintenir qn sous pression; **to be (kept) on the ~**○ être sous pression

(Phrasal verbs) ■ **hop about, hop around** [*child, bird*] sautiller
■ **hop off**○ partir

hope /həʊp/

A *n* 1 (desire, expectation) espoir *m*, espérance *f* (**of de**); (cause for optimism) espoir *m*; **in the ~ of sth/of doing** dans l'espoir de qch/de faire; **she cherishes the ~ that he is still alive** elle nourrit l'espoir qu'il soit encore vivant; **my (only) ~ is that he will be happy** mon (seul) espoir est qu'il soit heureux; **to have high ~s of sb/sth** fonder de grands espoirs sur qn/qch; **to have ~s of doing** avoir l'espoir de faire; **to have great** *ou* **high ~s of doing** avoir bon espoir de faire; **there is little/no ~ left for them** il y a peu/il n'y a plus d'espoir pour eux; **to pin** *ou* **set one's ~s on sth** mettre tout son espoir dans qch; **to set one's ~s on doing** espérer de tout cœur faire; **to be beyond (all) ~, to be without ~** être sans espoir; **to live in ~** vivre dans l'espoir; **to live in (the) ~ of sth** vivre dans l'espoir de qch; **to keep one's ~s high** garder espoir; **there are grounds for ~** il y a des raisons d'espérer; **to give sb new ~** ranimer l'espoir de qn; **all ~ is lost** c'est sans espoir; **to raise sb's ~s** faire naître l'espoir chez qn; **don't raise their ~s too much** ne leur donne pas trop d'espoir; **to dash sb's ~s** anéantir l'espoir de qn; **to lose/give up ~** perdre/abandonner espoir; **a glimmer** *ou* **ray of ~** une lueur d'espoir; **'~s rise for a peace settlement in the Middle East'** journ 'espoir de paix au Moyen-Orient'
2 (chance) chance *f*, espoir *m*; **to have no ~ of sth/of doing sth** n'avoir aucune chance de qch/de faire qch; **there is little/no ~ that he will come** il y a peu de chances/il n'y a aucune chance qu'il vienne; **there is no ~ of an improvement** on ne peut pas s'attendre à une amélioration; **if the champion loses, what ~ is there for me?** si le champion perd, quelles sont mes chances à moi?; **our only ~ is to fight on** notre seule chance *or* seul espoir est de poursuivre la lutte; **his best ~ is that the champion may be tired** tout ce qu'il peut espérer est que le champion soit fatigué; **what a ~**○!, **some ~**○! il ne faut pas rêver!; **he hasn't got a ~ in hell**○ il n'a pas la moindre chance; **it's/she's my last ~** c'est/elle est mon dernier espoir
3 (promising person) espoir *m*

B *vtr* espérer (**that** que); **to ~ to do** espérer faire; **it is to be ~d that** il faut espérer que (+ *indic*); **I ~ (that) he'll come** j'espère qu'il viendra; **we cannot ~ to compete with big firms** nous n'avons aucune chance de rivaliser avec de grosses entreprises; **I only** *ou* **just ~ he remembers** j'espère seulement qu'il s'en souviendra; **we had hoped to make a profit this year, but...** nous espérions faire un bénéfice cette année, mais...; **I (do) ~ so/not** j'espère (bien) que oui/que non; **I won't forget'—'I should ~ not!'** 'je n'oublierai pas'—'j'espère bien que non!'; **'I'm sure he'll recover'—'I ~ so'** 'je suis sûr qu'il va se remettre'—'je l'espère'; **hoping to hear from you** (in letter) dans l'espoir d'avoir de vos nouvelles

C *vi* espérer; **to ~ for sth** attendre *or* espérer avoir qch; **I ~d for a letter/success** j'attendais *or* j'espérais avoir une lettre/du succès; **don't ~ for too much** n'en attendez pas trop; **all we can do is ~** il ne nous reste qu'à espérer; **to ~ for the best** être optimiste

(Idioms) **abandon ~, all ye who enter here** abandonnez toute espérance, vous qui entrez; **to ~ against ~** espérer en dépit de tout; **~ springs eternal (in the human breast)** l'espérance est inépuisable

hope chest *n* US (chest) coffre *m* à trousseau; (trousseau) trousseau *m*

hopeful /ˈhəʊpfl/

A *n* (person) (showing promise) espoir *m*; (ambitious) ambitieux/-ieuse *m/f*; **young ~** jeune espoir *m*

B *adj* 1 (filled with hope) [*person, expression*] plein d'espoir; [*attitude, mood, period*] optimiste; **to be ~ about sth** être optimiste quant à qch; **to be ~ of doing** avoir bon espoir de faire; **he is ~ that he will win** il a bon espoir de gagner; **we remain ~ that...** nous conservons l'espoir que...; **I am not ~ of success** je n'ai pas d'espoir de succès; 2 (encouraging) [*letter, news, result, sign, situation*] encourageant; [*development, period*] prometteur/-euse

hopefully /ˈhəʊpfəlɪ/ *adv* 1 (with luck) avec un peu de chance; **~, he'll pay** avec un peu de chance, il paiera; **'will he pay?'—'~'** 'c'est lui qui paiera?'—'je l'espère'; 2 (with hope) [*say*] avec optimisme; **she smiled at him ~** elle lui a addressé un sourire plein d'espoir

hopeless /ˈhəʊplɪs/ *adj* 1 (desperate) [*attempt, case, expression, grief, situation, struggle*] désespéré; [*mess, muddle*] inextricable; [*extravagance*] incurable; **it was ~ trying to convince her** il était impossible de la convaincre; **it's ~! I give up!** inutile! j'abandonne!; 2 ○(incompetent) [*person, work*] nul/nulle○ (**as** comme; **with** avec); **to be ~ at sth** être nul/nulle○ en qch; **to be ~ at doing** être incapable de faire; **he's a ~ case!** c'est un cas désespéré! also hum; **you're ~!** (affectionately) tu es incorrigible!

hopelessly /ˈhəʊplɪslɪ/ *adv* 1 (irretrievably) [*drunk, inadequate, lost, out of date*] complètement; [*in debt*] jusqu'au cou○; [*in love*] éperdument; [*confused*] inextricablement; **to be ~ extravagant** jeter l'argent par les fenêtres; 2 (despairingly) [*speak, weep*] avec désespoir; [*look at*] désespérément

hopelessness /ˈhəʊplɪsnɪs/ *n* 1 (despair) désespoir *m*; 2 (futility) futilité *f* (**of doing** de faire)

hop: **~ field** *n* houblonnière *f*; **~-flavoured** *adj* GB [*beer*] au houblon

hopper /ˈhɒpə(r)/ *n* 1 (for grain, sand, coal) trémie *f*; 2 (*also* **~ car**) wagon-trémie *m*; 3 Comput (device) magasin *m* d'alimentation (de cartes perforées)

hop: **~-picker** ▸ **p. 1683** *n* (person) cueilleur/-euse *m/f* de houblon; (machine) récolteuse *f* de houblon; **~-picking** *n* cueillette *f* du houblon; **~sack** *n* US sac *m* en jute; **~sacking** *n* US toile *f* de jute; **~scotch** ▸ **p. 1253** *n* marelle *f*

Horae /ˈhɔːriː/ *pr npl* **the ~** les Heures *fpl*

horde /hɔːd/ *n* (mass) (of people) foule *f* (**of** de); (of insects) nuée *f* (**of** de); (of animals) horde *f* (**of** de); **the ~(s)** la horde

horehound /ˈhɔːhaʊnd/ *n* Bot marrube *m*

horizon /həˈraɪzn/ *n* 1 (skyline) horizon *m*; **on the ~** lit (visible) à l'horizon; fig (imminent) en vue; **2** (of ideas, interests) horizon *m*; **to open up new ~s** ouvrir de nouveaux horizons; **to widen** *ou* **broaden one's ~s** élargir ses horizons; **a person of narrow ~s** une personne aux vues étroites; **3** (period) **within a 10 year ~** *ou* **a ~ of 10 years** en l'espace de 10 ans

(Idiom) **the only cloud on the ~** la seule ombre au tableau

horizontal /ˌhɒrɪ'zɒntl, US ˌhɔːr-/
A *n* horizontale *f*
B *adj* horizontal

horizontal: **~ bar** *n* barre *f* fixe; **~ integration** *n* concentration *f* horizontale

horizontally /ˌhɒrɪ'zɒntəlɪ, US ˌhɔːr-/ *adv* horizontalement

hormonal /hɔː'məʊnl/ *adj* hormonal

hormone: **~ replacement therapy**, **HRT** *n* traitement *m* hormonal substitutif, THS *m*; **~ therapy** *n* hormonothérapie *f*; **~ treatment** *n* traitement *m* hormonal

horn /hɔːn/
A *n* **1** Zool (of animal, snail) corne *f*; (of owl) aigrette *f*; fig (on moon, anvil) corne *f*; **2** Mus ▸ **p. 1462** cor *m*; **to play the ~** jouer du cor; **to learn the ~** apprendre le cor; **for ~** pour cor; **the ~s** les cors; **3** (of car) klaxon® *m*, avertisseur *m* (sonore); (of ship) sirène *f*; **to sound one's ~** [*car*] klaxonner; [*ship*] donner un coup de sirène; **4** ₵ (substance) corne *f*; **made of ~** en corne; **5** (for drinking) corne *f*
B *modif* Mus [*player, teacher, solo*] de cor; [*concerto, part*] pour cor

(Idioms) **to blow one's own ~** US chanter ses propres louanges; **to draw** *ou* **pull in one's ~s** (feeling hurt) rentrer dans sa coquille; (financially) réduire son train de vie; **to lock ~s with sb** croiser le fer avec qn; **to take the bull by the ~s** prendre *or* saisir le taureau par les cornes

(Phrasal verb) ■ **horn in**○ US **to ~ in (on a conversation)** mettre son grain de sel○; **stop ~ing in** ne te mêle pas de ça

horn: **~beam** *n* Bot charme *m*; **~bill** *n* Zool calao *m*

horned /hɔːnd/ *adj* [*animals*] à cornes; [*devil*] cornu; **long-/short-~ sheep** moutons à longues cornes/à cornes courtes

horned owl *n* Zool hibou *m* grand duc

horned toad *n* crapaud *m* cornu

hornet /'hɔːnɪt/ *n* frelon *m*

(Idioms) **to stir up a ~'s nest** soulever un tollé; **it's a real ~'s nest** c'est un problème épineux

hornless /'hɔːnlɪs/ *adj* [*cattle, species*] sans cornes

horn: **~ of plenty** *n* corne *f* d'abondance; **~pipe** *n* matelote *f*; **~-rimmed** *adj* [*spectacles*] à monture d'écaille; [*frames*] d'écaille; **~ rims** *npl* lunettes *fpl* à monture d'écaille

horny /'hɔːnɪ/ *adj* **1** (hornlike) [*claws, carapace, growth*] corné; [*protuberance*] cornu; **2** (calloused) [*hands, skin*] calleux/-euse; **3** ◑(sexually aroused) excité○; **to feel ~** se sentir tout excité○

horology /hə'rɒlədʒɪ/ *n* **1** (science) chronométrie *f*; **2** (skill) horlogerie *f*

horoscope /'hɒrəskəʊp, US 'hɔːr-/ *n* horoscope *m*

horrendous /hɒ'rendəs/ *adj* [*crime, conditions, accident*] épouvantable; [*problem, mistake, cost, noise*] effroyable

horrendously /hɒ'rendəslɪ/ *adv* effroyablement

horrible /'hɒrɪbl, US 'hɔːr-/ *adj* **1** (unpleasant) [*place, clothes, smell, thought*] affreux/-euse; [*weather, holiday, food, person*] épouvantable; **to be ~ to sb** être méchant avec qn; **2** (shocking) [*crime, death, scene*] horrible

horribly /'hɒrɪblɪ, US 'hɔːr-/ *adv* **1** [*embarrassed, rude, apt*] terriblement; **the plan went ~ wrong** le projet a très mal tourné; **2** [*burned, disfigured, tortured*] horriblement; [*die, scream*] d'une manière atroce

horrid /'hɒrɪd, US 'hɔːrɪd/ *adj* **1** [*place, smell, thought, experience*] affreux/-euse; **2** [*person*] méchant (**to sb** avec qn); **3** †[*crime, sight*] épouvantable

horrific /hə'rɪfɪk/ *adj* atroce

horrified /'hɒrɪfaɪd, US 'hɔːr-/ *adj* horrifié (**at, by** par; **to do** de faire; **that** que + *subj*); **a ~ silence** un silence horrifié

horrify /'hɒrɪfaɪ, US 'hɔːr-/ *vtr* [*tragedy, crime*] remplir [qn] d'horreur; [*behaviour, ignorance, suggestion*] scandaliser

horrifying /'hɒrɪfaɪɪŋ, US 'hɔːr-/ *adj* [*event, experience, idea, report, sight*] horrifiant; [*behaviour, ignorance*] effroyable

horror /'hɒrə(r), US 'hɔːr-/
A *n* **1** (feeling) (all contexts) horreur *f* (**at** devant); **to his ~** à sa grande horreur; **to have a ~ of sth/of doing** avoir horreur de qch/de faire; **to recoil in ~** reculer d'horreur; **the full ~** toute l'horreur; **~ of ~s!** pour comble d'horreur!; **2** ○(person) **he's a little ~**○ c'est un petit monstre○; **3** ○(ugly thing) horreur *f*
B *modif* [*film, story*] d'épouvante

(Idiom) **to give sb the ~s** donner le frisson à qn

horror-stricken, **horror-struck** *adj* frappé d'horreur

horse /hɔːs/ *n* **1** cheval *m*; **the ~s**○ fig (horse-racing) les courses *fpl* (de chevaux); **2** (in gym) cheval *m* de saut; (pommel) cheval *m* d'arçons; **3** Mil ₵ cavalerie *f*, troupes *fpl* à cheval; **4** ○(heroin) argot des drogués cheval○ *m*, héroïne *f*; **5** ○US (condom) préservatif *m*

(Idioms) **I could eat a ~** j'ai une faim de loup; **to back the wrong ~** miser sur le mauvais cheval; **to eat like a ~** manger comme quatre; **to flog** GB *ou* **beat** US **a dead ~**○ perdre sa peine et son temps; **(straight) from the ~'s mouth** de source sûre; **to get on one's high ~** monter sur ses grands chevaux; **hold your ~s!**○ arrêtez!, une minute!; **it's ~s for courses** c'est la solution idoine; **you can take** *ou* **lead a ~ to water but you can't make it drink** Prov on ne saurait faire boire un âne qui n'a pas soif Prov; **that's a ~ of a different colour** ça c'est une autre paire de manches; **to work like a ~** travailler comme un forcené *or* une bête de somme; **wild ~s wouldn't drag it out of me** pour rien au monde je ne le révélerais; **wild ~s wouldn't drag me there** je n'irais pas pour tout l'or du monde!

(Phrasal verb) ■ **horse about**, **horse around** chahuter

horse: **~-and-buggy**○ *adj* US péj antédiluvien/-ienne; **~ artillery** *n* artillerie *f* montée

horseback /'hɔːsbæk/
A *n* **on ~** à cheval
B *adv* US **to ride ~** faire du cheval

horseback riding ▸ **p. 1253** *n* US équitation *f*

horse: **~box** *n* van *m*; **~ brass** *n* médaillon *m* de cuivre (*utilisé à l'origine comme décoration sur les harnais de chevaux de gros trait*); **~breaker** *n* dresseur/-euse *m/f* de chevaux; **~breeder** ▸ **p. 1683** *n* éleveur/-euse *m/f* de chevaux; **~ chestnut** *n* (tree) marronnier *m* (d'Inde); (fruit) marron *m* (d'Inde); **~ collar** *n* collier *m* (de harnais); **~ dealer** *n* maquignon/-onne *m/f*; **~ doctor**○ *n* péj (vet) vétérinaire *mf*; (doctor) charlatan *m*; **~-drawn** *adj* [*carriage, vehicle*] tiré par des chevaux; **~flesh** *n* (horses collectively) chevaux *mpl*; (meat) viande *f* de cheval; **~fly** *n* taon *m*; **Horse Guards** *npl* GB Mil régiment *m* de la Garde à cheval

horsehair /'hɔːsheə(r)/
A *n* crin *m* (de cheval)
B *modif* [*sofa, mattress*] de crin (de cheval)

horse: **~hide** *n* cuir *m* de cheval; **~ latitudes** *npl* zone *f* des calmes tropicaux; **~laugh** *n* gros rire *m*; **~man** *n* cavalier *m*; **~manship** *n* (activity) équitation *f*; (art, skill) aptitude *f* à l'équitation; **~ manure** *n* crottin *m* de cheval; **~meat** *n* viande *f* de cheval; **~ opera**○ *n* US western *m*; **~play** *n* chahut *m*

horsepower /'hɔːspaʊə(r)/ *n* puissance *f* (en chevaux); (unit of power) cheval-vapeur *m*, cheval *m*; **a 90 ~ engine** un moteur de 90 chevaux

horse: **~ race** *n* course *f* de chevaux; **~racing** *n* courses *fpl* de chevaux, courses *fpl* hippiques; **~radish** *n* raifort *m*; **~radish sauce** *n* sauce *f* au raifort; **~riding** ▸ **p. 1253** *n* équitation *f*; **~ sense**○ *n* (gros) bon sens *m*; **~shit**● *n* conneries● *fpl*, bêtises *fpl*; **~shoe** *n* fer *m* à cheval; **~shoe crab** *n* crabe *m* des Moluques, limule *f*; **~show** *n* concours *m* hippique; **~tail** *n* Bot prêle *f*; **~ trader** ▸ **p. 1683** *n* lit, fig maquignon/-onne *m/f*; **~-trading** *n* lit, fig maquignonnage *m*; **~ trials** *npl* concours *m* complet d'équitation; **~ vaulting** *n* voltige *f*

horsewhip /'hɔːswɪp/
A *n* cravache *f*
B *vtr* (*p prés etc* **-pp-**) cravacher

horsewoman /'hɔːswʊmən/ *n* cavalière *f*, écuyère *f*

hors(e)y /'hɔːsɪ/ *adj* **1** (like a horse) péj [*face, appearance*] chevalin; **2** (interested in horses) passionné de chevaux; **the ~ set** le milieu de l'équitation

horticultural /ˌhɔːtɪ'kʌltʃərəl/ *adj* horticole

horticulture /'hɔːtɪkʌltʃə(r)/ *n* horticulture *f*

horticulturist /ˌhɔːtɪ'kʌltʃərɪst/ ▸ **p. 1683** *n* horticulteur/-trice *m/f*

hose /həʊz/
A *n* **1** (*also* **~pipe** GB) (for garden) tuyau *m* d'arrosage; (for cleaning) jet *m* d'eau; **2** (*also* **fire ~**) lance *f* à incendie; **3** Aut (in engine) tuyau *m*; **4** (tubing) tuyau *m*; **a length of ~** un bout de tuyau; **5** GB (hosiery) bonneterie *f*; **6** Hist (garment) haut-de-chausses *m*; **7** GB†, US (stockings) bas *mpl*
B *vtr* arroser [*garden*]

(Phrasal verbs) ■ **hose down**: ▸ **~ [sth] down**, **~ down [sth]** laver [qch] au jet
■ **hose out**: ▸ **~ out [sth]**, **~ [sth] out** laver [qch] à grande eau

hosepipe /'həʊzpaɪp/ GB *n* **1** (for garden) tuyau *m* d'arrosage; **2** (fire) lance *f* à incendie

hosepipe ban *n* GB interdiction *f* d'utiliser les tuyaux d'arrosage

hosier† /'həʊzɪə(r), US 'həʊʒə(r)/ ▸ **p. 1683** *n* bonnetier/-ière *m/f*

hosiery‡ /'həʊzɪərɪ, US 'həʊʒərɪ/ *n* bonneterie *f*

hospice /'hɒspɪs/ *n* **1** (for the terminally ill) établissement *m* de soins palliatifs; **2** (for travellers) hospice *m*

hospitable /hɒ'spɪtəbl/ *adj* [*person, family, country*] hospitalier/-ière (**to** envers); [*gesture, invitation*] accueillant; [*climate, conditions, terrain*] favorable

hospitably /'hɒspɪtəblɪ, hɒ'spɪt-/ *adv* avec hospitalité

hospital /'hɒspɪtl/
A *n* hôpital *m*; **to/from ~** GB *ou* **the ~** US à/de l'hôpital; **to be taken to** *ou* **admitted to ~ with...** être hospitalisé pour...; **I've never been in ~** je n'ai jamais été hospitalisé; **he died in ~** il est mort à l'hôpital
B *modif* [*facilities, staff, treatment, ward*] hospitalier/-ière; [*administration, food, waiting list*] des hôpitaux; **~ beds** lits *mpl* d'hôpital; **~ patient** patient/-e *m/f*

hospital: **~-acquired** *adj* Med nosocomial; **~ administrator** ▸ **p. 1683** *n*

directeur/trice *m/f* d'hôpital; ~ **authorities** *npl* comité *m* de gestion (d'un hôpital)
hospital corner *n* **to do ~s** ≈ faire un lit au carré
hospital doctor ▸ **p. 1683** *n* médecin *m* d'hôpital
hospitality /ˌhɒspɪ'tælətɪ/ *n* hospitalité *f*
hospitalize /'hɒspɪtəlaɪz/ *vtr* hospitaliser
hospital: ~ **nurse** ▸ **p. 1683** *n* infirmier/-ière *m/f* d'hôpital; ~ **porter** ▸ **p. 1683** *n* GB brancardier *m*; ~ **ship** *n* navire-hôpital *m*
host /həʊst/
A *n* **1** (to guests, visitors) hôte *m*; **to play ~ to sb** recevoir *or* accueillir qn; **2** Bot, Zool hôte *m*; **3** *Rad*, TV animateur/-trice *m/f*; **4** † *ou* hum (innkeeper) aubergiste *mf*; **mine ~** hum notre hôte hum; **5** (multitude) foule *f* (**of** de); **6** ‡(army) armée *f*; **7** Relig hostie *f*; **8** Comput hôte *m*, serveur *m*
B *modif* [*animal, plant, cell*] hôte; ~ **country** pays *m* hôte *or* d'accueil
C *vtr* **1** [*city, country, institution etc*] être l'hôte de, accueillir; **2** Radio, TV animer; **3** Comput héberger [*website*]
hostage /'hɒstɪdʒ/ *n* otage *m*; **to take/hold sb ~** prendre/garder qn en otage
(Idiom) **to give a ~ to fortune** prendre un gros risque
hostage-taker /'hɒstɪdʒteɪkə(r)/ *n* preneur/-euse *m/f* d'otages
hostel /'hɒstl/
A *n* **1** (residence) (for students, workers, refugees etc) foyer *m*; **(youth) ~** auberge *f* de jeunesse; **2** ‡ = **hostelry**
B *vi* passer ses vacances en auberge de jeunesse
hosteller /'hɒstələ(r)/ *n* habitué/-e *m/f* des auberges de jeunesse
hostelry‡ /'hɒstəlrɪ/ *n* auberge *f*
hostess /'həʊstɪs/ *n* **1** (to guests, visitors) hôtesse *f*, maîtresse *f* de maison; **2** (on plane, train, coach, in administration) hôtesse *f*; **3** Radio, TV animatrice *f*; **4** euph (in night-club etc) entraîneuse *f*
hostile /'hɒstaɪl, US -tl/ *adj* hostile (**to** à); ~ **takeover (bid)** Comm OPA *f* inamicale
hostility /hɒ'stɪlətɪ/
A *n* hostilité *f*; **to show ~ to** *ou* **towards sb/sth** manifester de l'hostilité à l'égard de qn/à qch
B **hostilities** *npl* Mil hostilités *fpl*
hostler‡ /'ɒslə(r)/ *n* palefrenier *m*
host name *n* Comput adresse *f* Internet, nom *m* de hôte
hot /hɒt/ *adj* **1** (very warm) [*season, country, bath, plate, hands, feet*] chaud; [*sun*] chaud; [*food, drink*] (bien) chaud; **it's ~ here** il fait chaud ici; **the weather is ~ in July** il fait un temps chaud au mois de juillet; **it was a ~ day** il faisait chaud ce jour-là; **to be** *ou* **feel ~** [*person*] avoir chaud; **to get ~** [*person*] commencer à avoir trop chaud; [*parked car*] devenir chaud; [*engine, iron, oven, radiator*] chauffer; [*weather*] se réchauffer; **it gets ~ in this office** il fait parfois chaud dans ce bureau; **the room feels ~** il fait chaud dans cette pièce; **the sun felt ~ on his back** il sentait la chaleur du soleil sur son dos; **your forehead feels ~** tu as le front chaud; **digging is ~ work** ça donne chaud de bêcher le jardin; **she's had a ~ walk from the station** elle a eu chaud en venant à pied de la gare; **the sun is at its ~test at this time of day** c'est l'heure où le soleil est le plus chaud; **how ~ should I have the oven/iron?** à quelle température dois-je régler le four/le fer?; **to be ~ from the oven** [*bread, cake*] sortir du four; **to go ~ and cold** (with fever) être fiévreux/-euse; (with fear) avoir des sueurs froides; **it's terribly ~!** on étouffe!
2 Culin [*mustard, spice, chili powder*] fort; [*curry, sauce, dish*] épicé
3 (new, fresh) [*trail*] tout chaud; [*news*] tout chaud; ~ **gossip** les derniers potins○
4 (newly arrived) **Dr Mayer, ~ from the New York conference** le docteur Mayer, tout frais arrivé de la conférence de New York; **~ from** *ou* **off the press** tout chaud sorti de la presse
5 (fierce, keen) [*competition*] acharné; [*pace*] rapide; **the pace got too ~ for him** le rythme est devenu trop rapide pour lui
6 (short) **to have a ~ temper** s'emporter facilement
7 (in demand)○ **to be ~** US [*entertainer, show, film*] faire un tabac○; **to be a ~ property** être demandé
8 ○(good) **a ~ tip** un bon tuyau○; **the team is ~** US l'équipe marche fort; **a ~ streak** US une bonne passe; **to be the ~ favourite** être le grand favori; **if you think you are so ~, try it yourself!** puisque tu es si doué, fais-le toi-même!; **to be ~ on sth** (knowledgeable) être calé○ en qch; (keen, insistent) être très à cheval sur qch; **not so ~** pas terrible
9 ○(difficult, unpleasant) **to make it** *ou* **things ~ for sb** mener la vie dure à qn
10 ○(stolen) volé
11 (bright) [*colour*] chaud; ~ **pink** rose bonbon
12 Mus [*jazz*] hot
13 Nucl (radioactive) radioactif/-ive
14 (close) **to be ~ on sb's trail** être sur les talons de qn; **to be ~ on the trail of sth** être sur la piste de qch; **to set off in ~ pursuit of sb** se lancer à la poursuite de qn; **a truck with two police cars in ~ pursuit** un camion avec deux voitures de police à ses trousses; (in guessing games) **you're getting ~** tu chauffes
15 ○US (erotic) [*movie, scene*] érotique
(Idioms) **to be in/get into ~ water** être/se mettre dans le pétrin○; **to blow ~ and cold** être d'humeur changeante; **to be/get all ~ and bothered** être/se mettre dans tous ses états; **to have the ~s for sb**◑ en pincer pour qn○; **when you're ~ you're ~, and when you're not you're not** US il y a des jours avec et des jours sans
(Phrasal verb) ■ **hot up**: ▸ ~ **up** **1** (become exciting) [*match*] s'animer; [*election campaign*] s'intensifier; **things are ~ting up** ça commence à chauffer○; **2** (get faster) **the pace is ~ting up** l'allure s'accélère; **3** (intensify) [*raids, war*] s'intensifier; ▸ ~ **[sth] up** forcer [*pace*]; donner du punch○ à [*broadcast, campaign, speech, music*]
hot air○ *n* paroles *fpl* en l'air; **it's just so much ~!** ce ne sont que des paroles en l'air!
hot: ~ **air balloon** *n* montgolfière *f*; **~bed** *n* foyer *m* (**of** de); **~-blooded** *adj* [*response, reaction*] passionné; [*race*] au tempérament fougueux *or* passionné; ~ **button** *n* préoccupation *f* majeure
hot cake *n* US ≈ crêpe *f*
(Idiom) **to sell like ~s** GB, US se vendre comme des petits pains
hotchpotch /'hɒtʃpɒtʃ/ *n* GB mélange *m*, mixture *f*
hot cross bun *n* ≈ brioche *f* du vendredi saint
hot desking *n* pratique *f* du bureau partagé, bureau *m* tournant
hot dog
A *n* hot-dog *m*
B †*excl* US (expressing approval, pleasure) ça, alors!
C *vtr* (*p prés etc* **-gg-**) **1** ○(show off) faire de l'épate○; **2** (in skiing) faire du ski acrobatique
hot dogging ▸ **p. 1253** *n* ski *m* acrobatique
hotel ➡□ /həʊ'tel/
A *n* hôtel *m*
B *modif* [*room, lobby, manager, restaurant, receptionist*] d'hôtel; [*price, industry, service*] hôtelier/-ière
hotelier /həʊ'telɪə(r)/ ▸ **p. 1683** *n* hôtelier/-ière *m/f*
hotelkeeper /ˌhəʊ'telki:pə(r)/ ▸ **p. 1683** *n* GB hôtelier/-ière *m/f*
hotel work *n* travail *m* dans l'hôtellerie
hot flush GB, **hot flash** US *n* bouffée *f* de chaleur
hotfoot /'hɒtfʊt/
A *adv* hum, iron [*go*] à toute vitesse *or* allure
B ○*vtr* **to ~ it down to the pub/over to a friend's house** courir au pub/chez un ami
hot: ~ **gospeller** *n* GB péj, hum *prédicateur évangélique qui prêche avec enthousiasme*; ~ **hatch(back)**○ *n* GB Aut petite voiture *f* puissante (*à trois ou cinq portes*); **~head** *n* péj tête *f* brûlée, exalté/-e *m/f*
hot-headed /ˌhɒt'hedɪd/ *adj* [*person*] impétueux/-euse, exalté; [*decision*] précipité
hot-headedly /ˌhɒt'hedɪdlɪ/ *adv* [*react*] sans réfléchir; **to rush ~ into things** foncer○ tête baissée
hotheadedness /ˌhɒt'hedɪdnɪs/ *n* impétuosité *f*
hothouse /'hɒthaʊs/
A *n* **1** Hort serre *f* (chaude); **2** fig milieu *m* protégé
B *modif* [*atmosphere*] de serre chaude; ~ **child** enfant *mf* surdoué/-e; ~ **school** école *f* pour enfants surdoués
C *vtr* stimuler [*child*]
hothouse plant *n* lit, fig plante *f* de serre
hothousing /'hɒthaʊzɪŋ/ *n* Sch *enseignement intensif destiné aux enfants surdoués*
hot key *n* Comput raccourci *m* clavier
hotline /'hɒtlaɪn/ *n* **1** ligne *f* ouverte, permanence *f* téléphonique; **Aids/drugs ~** numéro *m* spécial SOS sida/drogue; **2** (between heads of state) téléphone *m* rouge; **3** (for customer support) service *m* d'assistance (téléphonique), hotline *f*
hotlink /'hɒtlɪŋk/ *n* Comput hyperlien *m*
hotlist *n* Comput liste *f* de signets
hotly /'hɒtlɪ/ *adv* [*say, retort, exclaim*] passionnément; [*disputed, denied*] violemment; **the race/match was ~ contested** la lutte a été chaude
hot: ~ **money** *n* capitaux *mpl* spéculatifs *or* fébriles; ~ **pants** *npl* short *m* moulant; ~ **pepper** *n* piment *m* rouge; **~plate** *n* plaque *f* de cuisson; **~pot** *n* GB ragoût *m*
hot potato○ *n* sujet *m* brûlant
(Idiom) **to drop sb like a ~** laisser tomber qn du jour au lendemain
hot rod *n* voiture *f* au moteur gonflé
hot seat○ *n* US (electric chair) chaise *f* électrique
(Idiom) **to be in the ~** être sur la sellette
hot shit◑ US
A *n* **he thinks he's ~** il ne se prend pas pour rien
B *excl* ça alors!
hot shoe *n* griffe *f* porte-flash
hotshot○ /'hɒtʃɒt/
A *n* gen crack○ *m*; pej gros bonnet○ *m*
B *adj* souvent péj [*executive*] de classe
hot spot○ *n* **1** Journ, Pol point *m* chaud *or* névralgique; **2** Tourism pays *m* du soleil, destination *f* au soleil; **3** (nightclub) boîte *f* de nuit; **4** Comput zone *f* cliquable, zone *f* sensible
hot spring *n* source *f* chaude
hot stuff○ *n* **to be ~** (talented) [*person*] être un crack; [*pop group*] être super○; (attractive) être sexy; (titillating) [*book, film*] être osé; **he thinks he's ~** il ne se prend pas pour rien
hot swap *n* Comput changement *m* de pièce sous tension
hot-tempered /ˌhɒt'tempəd/ *adj* colérique
Hottentot /'hɒtntɒt/ ▸ **p. 1378**
A *n* **1** (person) Hottentot *mf*; **2** Ling hottentot *m*
B *adj* hottentot
hotter○ /'hɒtə(r)/ *n* GB jeune chauffard *m* en voiture volée

➡□ *see* French correspondence

hot ticket○ *n* 1▸ (person) coqueluche *f*; 2▸ (show) **this show is the current ~** c'est le spectacle à ne pas rater

hotting○ /ˈhɒtɪŋ/ *n* GB rodéo *m* (à la voiture volée)

hot: **~ tub** *n* US ≈ jacuzzi *m* de jardin; **~ war** *n* guerre *f* ouverte; **~ water bottle** *n* bouillotte *f*

hot-wire○ /ˈhɒtwaɪə(r)/ *vtr* **to ~ a car** faire démarrer une voiture en trafiquant les fils

houm(o)us *n* = **hummus**

hound /haʊnd/

A *n* 1▸ Hunt chien *m* de chasse, chien *m* courant, chien *m* de meute; **a pack of ~s** une meute de chiens; **to ride to** *ou* **follow the ~s** chasser à courre; 2▸ hum (dog) clébard○ *m*; 3▸ ○(enthusiast) **autograph ~** chasseur/-euse *m/f* d'autographes; **publicity ~** personne *f* qui recherche la publicité

B *vtr* (harass) harceler, traquer [*person*]

(Idiom) **to be like a ~ out of hell** être fou de rage

(Phrasal verbs) ■ **hound down**: ▸ **~ down [sb]**, **~ [sb] down** débusquer qn

■ **hound out**: ▸ **~ [sb] out** chasser; **to be ~ed out of town** être chassé de la ville; **he was ~ed out of politics** il a été chassé de la vie politique

hound-dog○ /ˈhaʊnddɒɡ/ *n* US 1▸ (dog) chien *m* (de meute); 2▸ (scoundrel) vaurien *m*

houndstooth (check) /ˈhaʊndztuːθ/

A *n* Fashn, Tex pied-de-poule *m*

B *modif* [*fabric, jacket, pattern*] pied-de-poule *inv*

hour /aʊə(r)/ ▸ p. 1804, p. 1059

A *n* 1▸ (60 minutes) heure *f*; **an ~ ago** il y a une heure; **after an ~** au bout d'une heure; **a solid** *ou* **full ~** une heure entière; **for ~s** pendant des heures; **he'll be here within** *ou* **inside an ~** il sera là d'ici une heure; **it's an ~ (away) from London** c'est à une heure de Londres; **at 14.00 ~s** à 14 heures; **twice an ~** deux fois par heure; **£10 per ~** 10 livres sterling (de) l'heure; **to be paid by the ~** être payé à l'heure; 2▸ (time of day) heure *f*; **the clock strikes the ~** l'horloge sonne les heures; **the bus leaves on the ~** le bus part à l'heure juste; **she got home in the early ~s** elle est rentrée au petit matin; **at an early ~** de bonne heure; **to stay out until all ~s** rentrer très tard dans la nuit; **at this ~?** à l'heure qu'il est?; **at this late ~** fig au point où nous en sommes; 3▸ (point in time) heure *f*; **the ~ of his execution has come** l'heure de son exécution est arrivée; **your ~ has come** ton heure a sonné; **her finest/darkest ~** son heure de gloire/la plus sombre; **in my ~ of need** au temps de ma détresse

B hours *npl* 1▸ (times) heures *fpl*; **business** *ou* **opening ~s** heures *fpl* d'ouverture; **office/visiting/working ~s** heures *fpl* de permanence/de visite/de travail; **our business ~s are 9 am to 2 pm** nous sommes ouverts de 9 h à 14 h; **I can't serve drinks after ~s** je ne peux pas vous servir à boire après l'heure de fermeture; **out of ~s** en dehors des heures d'ouverture; **to keep early/late ~s** se coucher tôt/tard; **to keep regular ~s** se coucher et se lever à des heures régulières; 2▸ Relig heures *fpl*; **book of ~s** livre *m* d'heures

hour: **~glass** *n* sablier *m*; **~glass figure** *n* taille *f* mannequin; **~ hand** *n* aiguille *f* des heures

hourly /ˈaʊəlɪ/

A *adj* 1▸ (every hour) [*bulletin*] horaire; **the buses are ~** les bus partent toutes les heures; 2▸ (per hour) [*pay, rate*] horaire; **on an ~ basis** à l'heure; 3▸ (continual) [*expectation, fear*] perpétuel/-elle

B *adv* 1▸ (every hour) [*arrive, chime, depart, phone*] toutes les heures; 2▸ (per hour) **to pay sb ~** payer qn à l'heure; 3▸ (at any time) [*expect*] d'une heure à l'autre

house ➡▥

A /haʊs *pl* haʊzɪz/ *n* 1▸ (home) maison *f*; **at my/his ~** chez moi/lui; **to go/come to sb's ~** aller/venir chez qn; **to be good around the ~** aider à la maison; **to keep ~** tenir la maison (**for** de); **you'll wake the whole ~** tu vas réveiller toute la maison; **the children were playing ~** les enfants jouaient au papa et à la maman; 2▸ (*also* **House**) Pol Chambre *f*; **the bill before the ~** le projet de loi soumis à la Chambre; **this ~ deplores** les députés ici présents déplorent; 3▸ Comm maison *f*; **on the ~** aux frais de la maison; **the drinks are on the ~!** c'est la maison qui offre!; 4▸ Theat (audience) assistance *f*; (auditorium) salle *f*; (performance) séance *f*; **'~ full'** (on notice) 'complet'; **is there a doctor in the ~?** y a-t-il un médecin dans la salle?; **there wasn't a dry eye in the ~** la salle entière était en émoi; **to bring the ~ down** faire crouler la salle de rire; 5▸ (*also* **House**) (family line) maison *f*; **the ~ of Windsor** la Maison des Windsor; 6▸ Relig maison *f*; 7▸ GB Sch (team) groupe *m* (*formé à l'entrée de l'école pour les activités extra-scolaires*); 8▸ Astrol maison *f*; 9▸ (*also* **House**) house music *f* (*musique de discothèque*)

B /haʊz/ *vtr* 1▸ (give lodging to) (permanently) loger [*person*]; (temporarily) héberger [*homeless, refugees*]; **to be badly** *ou* **poorly ~d** être mal logé; 2▸ (contain) [*building, room, library*] abriter [*books, collection, exhibition*]

(Idioms) **to put** *ou* **set one's ~ in order** mettre de l'ordre dans ses affaires; **first set your own ~ in order** vous devriez d'abord mettre de l'ordre dans vos propres affaires; **to get on like a ~ on fire**○ s'entendre à merveille

house: **~ agent** ▸ p. 1683 *n* GB agent *m* immobilier; **House Appropriations Committee** *n* US comité *m* qui détermine le budget

house arrest *n* résidence *f* surveillée; **to be under ~** être en résidence surveillée

houseboat /ˈhaʊsbəʊt/ *n* 1▸ (house-shaped) habitation *f* flottante; 2▸ (barge) péniche *f* aménagée

housebound /ˈhaʊsbaʊnd/

A *n* **the ~** (+ *v pl*) les personnes *fpl* confinées chez elles

B *adj* confiné chez soi; **she is ~** elle est confinée chez elle

housebreak /ˈhaʊsbreɪk/ *vtr* US **to ~ a dog** apprendre à un chien à être propre

housebreaker /ˈhaʊsbreɪkə(r)/ *n* cambrioleur/-euse *m/f*

housebreaking /ˈhaʊsbreɪkɪŋ/ *n* 1▸ Jur cambriolage *m* par effraction; 2▸ US (of pet) éducation *f* à la propreté

house: **~broken** *adj* US [*pet*] propre; **~ call** *n* visite *f* à domicile; **~clean** *vi* US faire le ménage; **~cleaning** *n* US ménage *m*; **~ clearance sale** *n* vente *f* de mobilier à la suite d'un décès; **~coat** *n* déshabillé *m*, peignoir *m*; **~father** ▸ p. 1683 *n* responsable *m* des enfants (*dans une institution*); **~fly** *n* mouche *f* domestique

houseful /ˈhaʊsfʊl/ *n* maisonnée *f*, pleine maison *f*; **a ~ of** une maison pleine de

houseguest /ˈhaʊsgest/ *n* invité/-e *m/f* (*pour quelques jours*)

household /ˈhaʊshəʊld/

A *n* gen maison *f*; Admin (in census, survey) ménage *m*; **the whole ~** toute la maison; **a large ~** une grande maisonnée; **the head of the ~** le chef de famille

B *modif* [*accounts, expenses, bill*] du ménage; [*chore, dust, item, waste*] ménager/-ère

household: **~ ammonia** *n* ammoniaque *f* domestique; **~ appliance** *n* appareil *m* électroménager; **Household Cavalry** *n* GB cavalerie *f* de la Garde royale

householder /ˈhaʊshəʊldə(r)/ *n* gen habitant/-e *m/f*; (owner) propriétaire *mf*; (tenant) locataire *mf*; (head of household) chef *m* de famille

household: **~ gods** *npl* pénates *mpl*, dieux *mpl* du foyer; **~ insurance** *n* assurance *f* de l'habitation; **~ linen** *n* linge *m* de maison

household name *n* **he's a ~** tout le monde connaît son nom

household: **~ policy** *n* Insur assurance *f* multirisque habitation; **~ soap** *n* savon *m* de Marseille; **~ troops** *npl* Garde *f* royale

house-hunt /ˈhaʊshʌnt/ *vi* chercher une maison

house-hunting /ˈhaʊshʌntɪŋ/ *n* **to go ~** se lancer à la recherche d'une maison (à acheter)

house: **~ husband** *n* homme *m* au foyer; **~ journal** *n* = **house magazine**

housekeeper /ˈhaʊskiːpə(r)/ ▸ p. 1683 *n* (in house) gouvernante *f*; (in institution) responsable *mf* du personnel d'entretien

housekeeping /ˈhaʊskiːpɪŋ/

A *n* 1▸ (domestic) (money) argent *m* du ménage; (managing of money) gestion *f* de l'argent du ménage; 2▸ Pol, Fin, Comm gestion *f*

B *modif* [*money, allowance*] du ménage; Biol [*gene*] domestique

house: **~ lights** *npl* Theat éclairage *m*; **~ magazine** *n* bulletin *m* interne; **~maid** ▸ p. 1683 *n* femme *f* de chambre; **~maid's knee** *n* inflammation *f* du genou; **~man** ▸ p. 1683 *n* GB Med interne *mf*; **~martin** *n* hirondelle *f* de fenêtre; **~master** *n* GB Sch enseignant *m* responsable d'un groupe d'enfants (*dans un internat britannique*); **~mistress** *n* GB Sch enseignante *f* responsable d'un groupe d'enfants (*dans un internat britannique*); **~mother** ▸ p. 1683 *n* responsable *f* des enfants (*dans une institution*); **~ mouse** *n* souris *f* grise; **~ music** *n* = **house A 9**; **~ of cards** *n* lit, fig château *m* de cartes

House of Commons *n* GB Chambre *f* des communes

> **House of Commons**
>
> Chambre basse du Parlement britannique où siègent 659 MPs (*Members of Parliament*). Chaque *MP* représente une circonscription (*constituency*) du Royaume-Uni. Le rôle essentiel de la Chambre des communes est d'exercer le pouvoir législatif et de débattre de la politique gouvernementale. Chaque séance débute par *Question time*, une demi-heure pendant laquelle les députés posent des questions aux ministres. Des commissions spécialisées (*Select Committees*) permettent également de contrôler les activités du gouvernement.
>
> ▸ **Parliament**

house: **~ officer** ▸ p. 1683 *n* GB Med interne *mf*; **House of God** *n* maison *f* de Dieu; **House of Keys** *n*: *Chambre basse du Parlement de l'Île de Man*

House of Lords *n* GB Chambre *f* des lords, Chambre *f* haute

> **House of Lords**
>
> Chambre haute du Parlement britannique. Ses membres ne sont pas élus et ne reçoivent pas de salaire. Elle est composée de *Lords Spiritual* (évêques et archevêques), d'une grande majorité de *Lords Temporal* (pairs à vie, et 92 pairs héréditaires) ainsi que de *Law Lords* (juges principaux). La Chambre des *lords* propose et examine des projets de loi, mais son pouvoir en ce domaine est très inférieur à celui de la Chambre des communes. On s'attend à ce qu'une proportion de membres soit élue à la prochaine vague de réformes et que les *Law Lords* soient retirés de la législature lorsqu'une Cour Suprême sera établie. ▸ **Parliament**

house: **House of Representatives** *n* Chambre *f* des représentants. ▸ **Congress**;

➡▥ *see* Life in France

~ **organ** *n* = **house magazine**; ~**owner** *n* propriétaire *mf* de maison; ~ **painter** ▸ p. 1683 *n* peintre *m* en bâtiment; ~**parent** *n* responsable *mf* des enfants (*dans une institution*); ~ **party** *n* réception *f*; ~ **physician** ▸ p. 1683 *n* GB Med interne *mf*; ~**plant** *n* plante *f* d'intérieur; ~ **prices** *npl* prix *mpl* du marché immobilier; ~**-proud** *adj* fier/fière de son intérieur; ~ **red** *n* vin *m* rouge cuvée du patron

houseroom /ˈhaʊsruːm/ *n* **I wouldn't give it** ~ (of object) je n'en voudrais pour rien au monde; (of idea) je ne perdrais pas mon temps sur ça

house: ~ **sales** *npl* ventes *fpl* immobilières; ~**-sit** *vi* garder une maison (**for** pour); ~**-sitter** *n* personne *f* qui garde une maison; **Houses of Congress** *npl* US *le Sénat et la Chambre des représentants*; ▸ **Congress**; **Houses of Parliament** *n* GB Parlement *m* Britannique; ▸ **Parliament**; ~ **sparrow** *n* moineau *m* domestique; ~ **style** *n* Publg, Journ style *m* maison; ~ **surgeon** ▸ p. 1683 *n* GB interne *mf* en chirurgie

house-to-house *adj* [*search, enquiries, canvass*] de maison en maison; **to carry out a** ~ **collection** faire une quête à domicile

house: ~**top** *n* = **rooftop**; ~**-trained** *adj* GB [*pet*] propre; ~**wares** *npl* Comm articles *mpl* de ménage

house-warming (party) *n* pendaison *f* de crémaillère; **to have** *ou* **give a** ~ pendre la crémaillère

house white *n* vin *m* blanc cuvée du patron

housewife /ˈhaʊswaɪf/ *n* (*pl* **-wives** /-waɪvz/) (not employed outside home) femme *f* au foyer; (with emphasis on domestic labour) ménagère *f*

housewifely /ˈhaʊswaɪflɪ/ *adj* de ménagère

housewifery /ˈhaʊswɪfərɪ/ *n* tenue *f* d'un ménage

house wine *n* cuvée *f* maison *or* du patron

housewives /ˈhaʊswaɪvz/ *npl* ▸ **housewife**

housework /ˈhaʊswɜːk/ *n* (cleaning only) ménage *m*; (including ironing, washing) travaux *mpl* ménagers; **to do the** ~ gen s'occuper de la maison; (clean) faire le ménage

housey-housey /ˌhaʊsɪˈhaʊsɪ/ ▸ p. 1253 *n* GB ≈ jeu *m* de loto

housing /ˈhaʊzɪŋ/

A *n* **1** (houses, flats) logements *mpl*; **the problem of** ~ le problème du logement; **2** Tech (casing) boîtier *m*; **engine/axle** ~ carter *m* moteur/d'essieu; **3** Archit, Constr (in timber) encastrement *m*, logement *m*

B *modif* [*crisis, problem, department*] du logement; [*conditions*] de logement; [*shortage*] de logements; [*density*] de l'habitat

housing: ~ **association** *n* GB *organisation à but nonlucratif qui s'occupe de rénover les habitations et d'aider les locataires et les propriétaires*; ~ **benefit** *n* GB ≈ allocation *f* logement; ~ **development** *n* (large) cité *f*; (small) lotissement *m*

housing estate *n* GB (large) cité *f*; (small) lotissement *m*; (council-run) ≈ cité *f or* lotissement *m* HLM

housing: ~ **project** US *n* (large) ≈ cité *f* HLM; (small) ≈ lotissement *m* HLM; ~ **stock** *n* parc *m* de logements

HOV *n* US (*abrév* = **high occupancy vehicle**) ~ **lane** *voie prioritaire sur autoroute*

> **HOV lanes**
>
> Dans un souci de réduction du trafic et de la pollution, certains États américains favorisent les personnes qui utilisent une même voiture à plusieurs dans leurs trajets quotidiens, notamment pour se rendre sur leur lieu de travail. Aux heures de pointe, ces personnes bénéficient de voies de circulation qui leur sont réservées sur les autoroutes (*HOV lanes*) et de la priorité aux péages. Ces voies sont également ouvertes à la circulation des transports en commun.

hove /həʊv/ *pp, prét* Naut ▸ **heave**

hovel /ˈhɒvl/ *n* taudis *m*

hover /ˈhɒvə(r)/ *vi* **1** lit [*small bird, insect*] voleter (**over, above** au-dessus de); [*bird of prey*] planer (**over, above** au-dessus de); [*helicopter*] faire du surplace (**over, above** au-dessus de); fig [*smile*] errer (**on** sur); [*danger, suspicion etc*] planer (**over, above** au-dessus de); [*price, costs etc*] tourner (**around** autour de); **to** ~ **around sb/sth** tourner autour de qn/qch; **a question** ~**ed on her lips** elle avait une question au bord des lèvres; **2** (vacillate) vaciller (**between** entre); **country** ~**ing on the brink of war** pays au bord de la guerre; **to be** ~**ing between life and death** rester suspendu entre la vie et la mort

hover: ~**craft** *n* (*pl* ~) aéroglisseur *m*; ~**fly** *n* syrphe *m*; ~**port** *n* hoverport *m*; ~**train** *n* aérotrain® *m*

how /haʊ/

> ⚠ When *how* is used as a question word meaning *in what way?* or *by what means?* (*how did you get here?*, *how will you do it?*) it is almost always translated by *comment*: comment es-tu arrivé ici?; comment le feras-tu?
>
> When *how* is used as a conjunction meaning *the way in which* it is often translated by *comment*: *I don't know how they did it* = je ne sais pas comment ils l'ont fait; *tell me how you make a curry* = dis-moi comment on fait un curry.
>
> When *how* is used as a conjunction meaning *that* it is almost always translated by *que*: *he told me how he had stolen the money* = il m'a dit qu'il avait volé l'argent; *it's amazing how they survived* = c'est étonnant qu'ils aient survécu.
>
> For more examples and particular usages see below.

A *adv, conj* **1** (in what way, by what means) comment; **how did you make it?** comment l'as-tu fait?; **I wonder** ~ **it works** je me demande comment ça marche; **I don't know** ~ **he does it!** je ne sais pas comment il le fait!; **to know** ~ **to do** savoir faire; **I learned** ~ **to do it** j'ai appris à le faire *or* comment on le fait; ~ **do you feel about it?** qu'en penses-tu?; ~ **does the tune go?** c'est quoi l'air?
2 (enquiring about success, health etc) ~ **are you?** comment allez-vous?; ~**'s your foot/head?** comment va ton pied/ta tête?; ~**'s your brother?** comment va ton frère?; **tell me** ~ **she/your family is?** dis-moi comment elle/ta famille va, dis-moi si elle/ta famille va bien; ~ **did the exam/interview go?** comment s'est passé l'examen/l'entretien?; ~ **was the film/book?** comment était le film/livre?; ~ **did you like the party/house?** la fête/maison t'a plu?; ~**'s everything?**, ~ **are things?** comment ça va?; ~ **do you do!** (greeting) enchanté!
3 (in number, quantity etc questions) ~ **much does this cost?**, ~ **much is this?** combien ça coûte?; ~ **much do you/does it weigh?** combien pèses-tu/pèse-t-il?; ~ **many times have you been to France?** combien de fois es-tu allé en France?; ~ **many years have you lived here?** depuis combien d'années habitez-vous ici?; **I don't know** ~ **many people will come** je ne sais pas combien de personnes vont venir; ~ **much time/money is there left?** combien de temps/d'argent reste-t-il?; ~ **long is the rope?** de quelle longueur est cette corde?; ~ **long do you want it?** de quelle longueur le veux-tu?; ~ **long will it take?** combien de temps cela va-t-il prendre?; ~ **old is she?** quel âge a-t-elle?; ~ **tall is the tree/your father?** combien mesure l'arbre/ton père?; ~ **big is the garden?** de quelle taille est le jardin?; ~ **far is it?** c'est à quelle distance?; **tell me** ~ **old she is** dis-moi son âge *or* quel âge elle a; ~ **often do you go there?** tu y vas tous les combien?; ~ **soon can he get here?** dans combien de temps peut-il venir?
4 (in exclamations) ~ **wonderful/horrible!** c'est fantastique/horrible!; ~ **nice you look!** qu'est-ce que tu es beau!, comme tu es beau!; ~ **clever of you/him!** comme c'est intelligent de ta/sa part!; ~ **wrong I was!** qu'est-ce que j'ai eu tort!, comme j'ai eu tort!; ~ **it rained!** qu'est-ce qu'il a plu!, comme il a plu!; ~ **you've grown!** qu'est-ce que tu as grandi!, comme tu as grandi!; ~ **they shouted!** qu'est-ce qu'ils ont crié!
5 °(in whichever way) comme; **you can decorate it** ~ **you like** tu peux le décorer comme tu veux
6 (why) ~ **could you?** comment as-tu pu faire ça?; ~ **can he say that?** comment peut-il dire une chose pareille?
7 (that) que; **he told me** ~ **he had found it on the bus** il m'a dit qu'il l'avait trouvé dans l'autobus; **you know** ~ **he always arrives late** tu sais qu'il arrive toujours en retard

B °**how come** *adv phr* pourquoi; **'I don't like him'—'**~ **come?'** 'je ne l'aime pas'—'pourquoi?'; ~ **come you always get the best place/arrive first?** comment se fait-il que tu aies toujours la meilleure place/tu arrives toujours le premier?

C **how so** *adv phr* comment ça

D **how's that** *adv phr* **1** (what do you think?) **I'll take you home,** ~**'s that?** je te ramenerai chez toi, ça te va?; ~**'s that for an honest answer/an interesting job** ça c'est une réponse honnête/un emploi intéressant!
2 (pardon?) **'he's called Nicholas'—'**~**'s that?'** 'il s'appelle Nicholas'—'répète'

(Idioms) **the** ~ **and the why of sth** le pourquoi et le comment de qch; **and** ~**!** et comment!; **'did your mother tell you off?'—'and** ~**!'** 'est-ce que ta mère t'a passé un savon°?'—'et comment!'

howdy° /ˈhaʊdɪ/ *excl* US salut°!

how-d'ye-do° /ˌhaʊdjəˈduː/ *n* **this is a fine** *ou* **real** ~**!** en voilà une histoire!

however /haʊˈevə(r)/

A *conj* (nevertheless) toutefois, cependant, pourtant; ~, **he did say that he would look into the matter** il a toutefois dit qu'il examinerait la question; ~, **the recession is not over yet** toutefois, la récession n'est pas encore terminée; **they can,** ~, **explain why** ils peuvent, cependant, expliquer pourquoi; **if,** ~, **you prefer not to accept the offer, we...** si, toutefois, vous préférez refuser cette offre, nous...; **today,** ~, **it looks as though the sun might come out** aujourd'hui, pourtant, on a l'impression que le soleil va briller

B *adv* **1** (no matter how) ~ **hard I try, I can't** j'ai beau essayer de toutes mes forces, je ne peux pas; ~ **difficult the task is** *ou* **may be, we can't give up** si difficile que soit la tâche, nous ne pouvons pas abandonner; ~ **profitable the company is** *ou* **may be...** la compagnie a beau faire des bénéfices,...; ~ **rich/small she is** *ou* **may be** si riche/petite soit-elle; **everyone,** ~ **poor/inexperienced** chacun, si pauvre/inexpérimenté soit-il; ~ **often you tell me, I still won't believe you** tu peux me le répéter aussi souvent que tu veux, je ne te croirai pas davantage; ~ **much it costs** quel que soit le prix; ~ **many people go** quel que soit le nombre de personnes qui y vont; ~ **long it takes, I'm not leaving** quel que soit le temps que ça prendra, je ne partirai pas; **2** (in whatever way) ~ **you like** comme tu veux; ~ **he does it, she won't like it** quelle que soit la façon dont il s'y prend, ça ne lui plaira pas; ~ **they travel, they will find it difficult** quelle que soit la façon dont ils voyagent, ça va leur paraître difficile; **3** (how on earth) comment;

~ did you guess? comment as-tu deviné?

howitzer /ˈhaʊɪtsə(r)/ *n* obusier *m*

howl /haʊl/

A *n* **1** (wail) hurlement *m*; **a ~ of pain/rage** un hurlement de douleur/rage; **to give a ~** pousser un hurlement; **2** (shout) **a ~ of laughter** un éclat de rires; **~s of protest** des huées *fpl*; **3** °**to be a ~** (funny) être hilarant

B *vtr* hurler [*insult, slogan*] (**at** à); **'come back!' she ~ed** 'reviens!' hurla-t-elle

C *vi* [*child*] hurler, pousser des hurlements; [*dog, wind*] hurler; **to ~ with rage/terror** hurler de rage/terreur; **to ~ with laughter** éclater de rire

(Phrasal verb) ■ **howl down**: ▸ **~ [sb] down** conspuer [*speaker*]

howler° /ˈhaʊlə(r)/ *n* bourde° *f*, gaffe *f*, perle *f*

howling /ˈhaʊlɪŋ/

A *n* **1** ¢ (of animal, wind) hurlement *m*; **2** (of baby, crowd) hurlements *mpl*

B *adj* **1** [*child, animal*] qui hurle, hurlant; **the ~ wind** les hurlements du vent; **2** °fig [*mistake*] criant; [*success*] retentissant

hoy /hɔɪ/ *excl* ohé!

hoyden /ˈhɔɪdn/ *n* péj garçon *m* manqué

hoydenish /ˈhɔɪdənɪʃ/ *adj* péj [*girl*] aux allures de garçon manqué; [*behaviour*] de garçon manqué; [*shout*] tapageur/-euse

hp *n* (*abrév* = **horse power**) CV *m*

HP *n* GB *abrév* ▸ **hire purchase**

HQ *n* Mil (*abrév* = **headquarters**) QG *m*

hr *n* (*abrév écrite* = **hour**) h

HR *npl*: *abrév* ▸ **human resources**

HRH *n* (*abrév* = **Her** *ou* **His Royal Highness**) Son Altesse Royale

HRT *n*: *abrév* ▸ **hormone replacement therapy**

HS *n*: *abrév écrite* = **high school**

HT *n, adj* (*abrév* = **high tension**) HT

HTML *n* (*abrév* = **HyperText Mark-up Language**) HTML *m*

HUAC *n* (*abrév* = **House Un-American Activities Committee**) Commission *f* des activités anti-américaines

hub /hʌb/ *n* Tech moyeu *m*; fig centre *m*

hubbub /ˈhʌbʌb/ *n* (noise) brouhaha *m*; (turmoil) tohu-bohu *m*

hubby° /ˈhʌbɪ/ *n* hum mari *m*

hubcap /ˈhʌbkæp/ *n* Aut enjoliveur *m*

hubris /ˈhju:brɪs/ *n* sout prétention *f* démesurée

huckleberry /ˈhʌklbərɪ, US -berɪ/ *n* US myrtille *f*

huckster /ˈhʌkstə(r)/ *n* US **1** (pedlar) camelot *m*; **2** péj (salesman) bonimenteur *m*; **3** péj (swindler) escroc *m*

HUD *n* US (*abrév* = **Department of Housing and Urban Development**) *Département du logement et de l'urbanisme*

huddle /ˈhʌdl/

A *n* **1** (cluster) (of people) petit groupe *m*; (of buildings) entassement *m*; (of objects) amas *m*; **they were in a ~ around the radio** ils s'étaient regroupés autour du poste de radio; **to go into a ~** se réunir en petit comité; **2** US Sport (of footballers) regroupement *m* (*pour mettre au point la stratégie à adopter*)

B *vi* **they ~d at the bus stop** ils se pressaient à l'arrêt de bus; **he was huddling over a fire/in a corner** il était blotti près du feu/dans un coin; **she ~d under the bushes** elle se blottit sous les buissons; **the village ~s between the mountains and the sea** le village est blotti entre les montagnes et la mer; **to ~ around** se presser autour de [*fire, radio, speaker*]

C huddled *pp adj* [*figure, group*] blotti; **~d in** recroquevillé dans [*chair, bed, car*]; **they lay ~d together in the tent** ils étaient blottis ensemble dans la tente; **houses ~d around the square** des maisons serrées autour de la place

(Phrasal verb) ■ **huddle together** se serrer les uns contre les autres

Hudson Bay /ˌhʌdsən ˈbeɪ/ *pr n* Baie *f* d'Hudson

hue /hju:/

A *n* **1** littér (shade) nuance *f*; (colour) couleur *f*, teinte *f*; **2** fig (political) tendance *f*; (physical, moral) caractère *m*

B -hued (*dans composés*) littér **violet/rose-~** teinté de violet/de rose

hue and cry *n* tollé *m*; **to raise a ~ and cry against** *ou* **about sth** crier haro sur qch

huff° /hʌf/

A *n* **to be in a ~** être vexé; **to go** *ou* **get into a ~** prendre la mouche

B *vi* souffler; **to ~ and puff** lit souffler et haleter; fig faire toute une histoire (**about** à propos de)

huffily° /ˈhʌfɪlɪ/ *adv* d'un air vexé

huffiness /ˈhʌfɪnɪs/ *n* mauvaise humeur *f*

huffish° /ˈhʌfɪʃ/, **huffy**° /ˈhʌfɪ/ *adj* (annoyed) vexé; (irritable) susceptible; (sulky) boudeur/-euse

hug /hʌg/

A *n* étreinte *f*; **to give sb a ~** serrer qn dans ses bras

B *vtr* (*p prés etc* **-gg-**) **1** (embrace) [*person*] serrer [qn] dans ses bras; [*bear, gorilla*] écraser [qn/qch] entre ses bras; **to ~ one's knees** serrer ses genoux dans ses bras; **2** (keep close to) [*boat, vehicle*] raser; [*road, path*] longer; **to ~ the coast** Naut serrer la côte; **to ~ the walls** [*person*] raser les murs; **3** (fit tightly) mouler; **figure-~ging** moulant

huge /hju:dʒ/ *adj* [*country, city, garden, room*] immense; [*building, person, animal*] gigantesque; [*portion, appetite*] énorme; [*debts, profits, sum of money*] gros/grosse (*before n*); [*success*] énorme

hugely /ˈhju:dʒlɪ/ *adv* **1** (emphatic) [*successful, enjoyable, expensive etc*] extrêmement; **2** [*increase, vary etc*] considérablement; [*enjoy*] énormément

hugeness /ˈhju:dʒnɪs/ *n* immensité *f*

hugger-mugger /ˈhʌgəmʌgə(r)/

A *n* **1** (confusion) pagaille *f*; **2** (secrecy) secret *m*

B *adj* **1** (confused) désordonné; **2** (secret) secret/-ète

Huguenot /ˈhju:gənəʊ/

A *n* Huguenot/-e *m/f*

B *adj* huguenot

huh° /hə/ *excl* (in surprise, inquiry) hein!; (in derision, disgust) pff!

hulk /hʌlk/ *n* **1** (of abandoned ship) épave *f*, carcasse *f*; (of machine, tank) carcasse *f*; **2** pej (ship) rafiot *m*; Hist (prison ship) navire *m* pénitencier; **3** fig (of building, mountain) masse *f* gigantesque; **a great ~ of a man** un mastodonte

hulking /ˈhʌlkɪŋ/ *adj* énorme; **a great ~ brute** (man) une énorme brute; (dog) un molosse

hull /hʌl/

A *n* **1** (of ship, plane) coque *f*; (of tank) carcasse *f*; **2** (of peas, beans) cosse *f*; (of nut) coquille *f*; (of barley) balle *f*; (of rice) glume *f*; (of strawberry) queue *f*

B *vtr* **1** écosser [*peas, beans*]; écaler [*nuts*]; décortiquer [*rice, grain*]; monder [*barley*]; équeuter [*strawberries*]; **2** Naut, Aviat percer la coque de

hullabaloo° /ˌhʌləbəˈlu:/ *n* **1** (fuss, outcry) esclandre *m*; **2** (noise) raffut° *m*

hullo /hʌˈləʊ/ *excl* = **hallo**

hum /hʌm/

A *n* **1** (sound) (of insect, aircraft, engine, traffic, voices) bourdonnement *m*; (of machinery) ronronnement *m*; **2** °GB (bad smell) puanteur *f*

B *excl* (in hesitation) heu

C *vtr* (*p prés etc* **-mm-**) [*person*] fredonner [*tune*] (**to, for** à)

D *vi* (*p prés etc* **-mm-**) **1** (make a low sound) [*person*] fredonner; [*insect, aircraft*] bourdonner; [*machine*] ronronner; **to ~ along to a tune** fredonner sur un air; **to ~ to oneself** fredonner tout bas; ▸ **haw**; **2** (bustle) [*factory floor, office*] bourdonner; **to ~ with activity/life** bourdonner d'activité/de vie; **3** °GB (smell) sentir mauvais

human /ˈhju:mən/

A *n* humain *m*; **fellow ~** semblable *mf*

B *adj* **1** (not animal) [*behaviour, affairs, body, population, reproduction, weakness*] humain; [*characteristic, rights*] de l'homme; **he's only ~** il a ses faiblesses comme tout le monde; **2** (sympathetic) humain; **to lack the ~ touch** manquer de chaleur humaine

human being *n* être *m* humain

humane /hju:ˈmeɪn/ *adj* **1** [*person, régime*] humain; [*act*] d'humanité; **2** [*slaughter, culling*] sans cruauté; **3** †[*studies, education*] classique

human ecology *n* écologie *f* humaine

humane killer *n* instrument *m* d'abattage sans cruauté

humanely /hju:ˈmeɪnlɪ/ *adv* sans cruauté

humaneness /hju:ˈmeɪnɪs/ *n* humanité *f*

human engineering *n* **1** (ergonomics) ergonomie *f*; **2** (in industry) gestion *f* des ressources humaines

humane: **~ society** *n* US société *f* américaine pour la protection des animaux, *cf* SPA *f*; **~ trap** *n* (for mouse) boîte-piège *f*; (for animal trapped for fur) piège *m* à masse

human interest

A *n* Journ aspect *m* humain

B *modif* **a ~ story** un récit de vie quotidienne

humanism /ˈhju:mənɪzəm/ *n* humanisme *m*; **liberal/secular ~** humanisme libéral/séculaire

humanist /ˈhju:mənɪst/ *n, adj* humaniste (*mf*)

humanistic /ˌhju:məˈnɪstɪk/ *adj* humaniste

humanitarian /hju:ˌmænɪˈtɛərɪən/

A *n* humaniste *mf*

B *adj* humanitaire

humanity /hju:ˈmænətɪ/

A *n* **1** (the human race) humanité *f*; **2** (kindness) humanité *f*; **3** (human condition) condition *f* d'être humain

B humanities *npl* Univ humanités *fpl*

humanize /ˈhju:mənaɪz/

A *vtr* **1** gen humaniser; **2** Art, Cin donner un visage humain à; **a ~d mouse** une souris à visage humain

B humanizing *pres p adj* [*influence*] humanisant

humankind /ˌhju:mənˈkaɪnd/ *n* humanité *f*

humanly /ˈhju:mənlɪ/ *adv* humainement; **~ possible** humainement possible

human nature *n* nature *f* humaine; **it's only ~ to...** c'est tout à fait humain de...

humanoid /ˈhju:mənɔɪd/ *n, adj* humanoïde (*mf*)

human: **~ race** *n* race *f* humaine; **~ resources**, **HR** *npl* ressources *fpl* humaines, RH *fpl*; **~ resources manager** ▸ p. 1683 *n* directeur/-trice *m/f* des ressources humaines; **~ rights** *npl* droits *mpl* de l'homme; **~ rights activist** *n* militant/-e *m/f* pour les droits de l'homme; **~ rights campaign** *n* mouvement *m* pour les droits de l'homme; **~ rights campaigner** *n* = **human rights activist**; **~ rights group** *n* groupe *m* de défense des droits de l'homme; **~ rights movement** *n* mouvement *m* pour les droits de l'homme; **~ rights record** *n* réputation *f* dans le domaine des droits de l'homme; **~ shield** *n* bouclier *m* humain

Humberside /ˈhʌmbəˌsaɪd/ ▸ **p. 1612** *pr n* Humberside *m*

humble /ˈhʌmbl/

A *adj* **1** (lowly) [*origin, position*] modeste; **2** (unpretentious) [*dwelling, gift*] modeste; **3** (deferential) humble; **please accept my ~ apologies** sout je vous prie d'accepter mes

humbles excuses fml; **in my ~ opinion** iron à mon humble avis; **your ~ servant** hum votre humble serviteur; **4** (showing humility) *[person, gratitude]* humble; *[reply, remark]* empreint d'humilité
B *vtr* humilier *[person, opponent]*
C **humbled** *pp adj* humilié, modeste
D *v refl* **to ~ oneself** s'humilier **(before** devant)
(Idiom) **to eat ~ pie** aller à Canossa

humble-bee† /ˈhʌmblbiː/ *n* bourdon *m*

humbleness /ˈhʌmblnɪs/ *n* (of apology, rank) humilité *f*; **despite the ~ of his birth** *ou* **origins** malgré ses humbles origines

humbling /ˈhʌmblɪŋ/ *adj* humiliant, salutaire

humbly /ˈhʌmblɪ/ *adv* **1** (meekly) *[reply, ask, pray]* humblement; **2** (modestly) *[live]* humblement; **~ born** d'origine modeste

humbug /ˈhʌmbʌg/ *n* **1** ○(dishonesty) tromperie *f*; **2** ○(nonsense) fumisterie○ *f*; **to talk ~** raconter des sornettes *fpl*; **3** (person) charlatan *m*; **4** GB (sweet) bonbon *m* à la menthe

humdinger○ /ˌhʌmˈdɪŋə(r)/ *n* **it's a real ~!** c'est génial!; **a ~ of a match/an argument** un match/une dispute du tonnerre

humdrum /ˈhʌmdrʌm/ *adj* monotone

humerus /ˈhjuːmərəs/ *n* (*pl* **-ri**) humérus *m*

humid /ˈhjuːmɪd/ *adj* *[climate, conditions]* humide; *[weather]* lourd

humidifier /hjuːˈmɪdɪfaɪə(r)/ *n* humidificateur *m*

humidity /hjuːˈmɪdətɪ/ *n* humidité *f*; **relative ~** humidité relative

humidor /ˈhjuːmɪdɔː(r)/ *n* cave *f* à cigares

humiliate /hjuːˈmɪlɪeɪt/ *vtr* humilier

humiliated /hjuːˈmɪlɪeɪtɪd/ *adj* humilié

humiliating /hjuːˈmɪlɪeɪtɪŋ/ *adj* humiliant

humiliatingly /hjuːˈmɪlɪeɪtɪŋlɪ/ *adv* *[fail, be defeated]* de façon humiliante

humiliation /hjuːˌmɪlɪˈeɪʃn/ *n* (feeling, act) humiliation *f*

humility /hjuːˈmɪlətɪ/ *n* humilité *f*

humming /ˈhʌmɪŋ/ *n* (of insect, aircraft) bourdonnement *m*; (of machine) ronronnement *m*; (of person) fredonnement *m*

humming: **~ bird** *n* oiseau-mouche *m*, colibri *m*; **~ top** *n* toupie *f* sifflante

hummock /ˈhʌmək/ *n* **1** (of earth) monticule *m*; **2** (of ice) hummock *m*

hummus /ˈhʊməs/ *n* hoummos *m*

humor *n* US = **humour**

humorist /ˈhjuːmərɪst/ *n* humoriste *mf*

humorless *adj* US = **humourless**

humorlessly *adv* US = **humourlessly**

humorous /ˈhjuːmərəs/ *adj* **1** (amusing) *[anecdote, book, incident, remark]* humoristique; **2** (amused) *[look, person, smile, tone]* plein d'humour

humorously /ˈhjuːmərəslɪ/ *adv* avec humour

humour GB, **humor** US /ˈhjuːmə(r)/
A *n* **1** (wit) humour *m*; **to have a/no sense of ~** avoir/ne pas avoir le sens de l'humour; **a good sense of ~** le sens de l'humour; **the ~ of the situation** le côté humoristique de la situation; **2** (mood) humeur *f*; **to be in good ~** être de bonne humeur; **to be in no ~ for jokes/arguing** ne pas être d'humeur à plaisanter/discuter; **to be out of ~** être de mauvaise humeur; **to be out of ~ with sb** être en froid avec qn; **when the ~ takes me** quand l'envie m'en prend; **3** ‡Med humeur *f*
B *vtr* amadouer *[person]*; se plier à *[request, whim, wish]*
C **-humoured** (*dans composés*) **good-humoured** *[person, smile]* aimable; **bad-humoured** désagréable

humourless GB, **humorless** US /ˈhjuːməlɪs/ *adj* *[person]* qui manque d'humour; *[description, laugh, voice]* dépourvu d'humour

humourlessly GB, **humorlessly** US /ˈhjuːməlɪslɪ/ *adv* sans humour

hump /hʌmp/
A *n* lit (all contexts) bosse *f*; **road ~, speed ~** ralentisseur *m*, dos-d'âne *m*
B *vtr* **1** ○GB (lift, carry) porter, traîner; **2** (bend) courber *[back]*; **3** ●(have sex with) baiser●, coucher avec○
C *vi* **1** ●(have sex) faire l'amour; **2** ◐US (exert oneself) se défoncer○; **3** ◐US (hurry) se grouiller○
(Idioms) **to have (got) the ~**○ GB faire la tête○; **to get/be over the ~** passer/avoir passé le cap difficile

humpback /ˈhʌmpbæk/ *n* **1** (*also* **~ whale**) baleine *f* à bosse, mégaptère *f* spec; **2** = **hunchback**

humpback(ed) bridge *n* pont *m* en dos d'âne

humpy /ˈhʌmpɪ/ *adj* **1** *[land, field]* bosselé; **2** ○GB (grumpy) bougon/-onne

humus /ˈhjuːməs/ *n* humus *m*

Hun /hʌn/ *n* **1** (of Asiatic people) Hun *m*; **2** †injur Boche *m* offensive

hunch /hʌntʃ/
A *n* intuition *f*; **to work on a ~** travailler sur une intuition; **to have a ~ that** avoir l'intuition que; **to play a ~** agir sur une intuition; **it's just a ~** ce n'est qu'une idée
B *vtr* **to ~ one's shoulders** rentrer les épaules
C *vi* **to ~ over one's desk/work** se tenir penché à son bureau/sur son travail
(Phrasal verb) ■ **hunch down** se recroqueviller

hunch: **~back** /ˈhʌntʃbæk/ *n* injur bossu/-e *m/f*; **~backed** *adj* bossu

hunched /hʌntʃt/ *adj* *[figure, person]* voûté; *[back]* voûté; *[shoulders]* rentré; **he was ~ up in the corner** il était tassé dans le coin

hundred /ˈhʌndrəd/ ▸ **p. 1487**
A *n* cent *m*; **two ~** deux cents; **two ~ and one** deux cent un; **a ~ to one** cent contre un; **it was a ~ to one chance** il y avait une chance sur cent; **sold in ~s** *ou* **by the ~** vendu par centaines; **in the ~s** dans les cents; **in nineteen ~** en mille neuf cents; **in nineteen ~ and three** en mil neuf cent trois; **~s of times/of girlfriends** des centaines de fois/de petites amies
B *adj* cent; **two ~ euros** deux cents euros; **two ~ and five euros** deux cent cinq euros; **about a ~ people/metres** une centaine de personnes/de mètres; **to be a ~ (years old)** être centenaire; **to be a ~ percent correct** *[person]* avoir raison à cent pour cent; **the Hundred Days** Hist les Cent Jours
(Idiom) **not if I live to be a ~** jamais au grand jamais

hundred-and-one ▸ **p. 1487**
A *n* cent un
B *adj* lit cent et un/une; fig, hum mille

hundredfold /ˈhʌndrədfəʊld/
A *adj* multiplié par cent
B *adv* **a ~** par cent; **to increase ~** centupler

hundreds and thousands *npl* Culin nonpareilles *fpl*

hundredth /ˈhʌndrətθ/ ▸ **p. 1487**
A *n* (all contexts) centième *m*
B *adj* centième

hundredweight /ˈhʌndrədweɪt/ ▸ **p. 1883** *n* GB = *50,80 kg*; US = *45,36 kg*

hundred-year-old ▸ **p. 927**
A *n* (person) centenaire *mf*
B *adj* *[object, building etc]* vieux/vieille de cent ans; *[person]* centenaire

Hundred Years' War *pr n* guerre *f* de Cent Ans

hung /hʌŋ/
A *pret, pp* ▸ **hang**
B *adj* Pol *[jury, parliament]* en suspens

Hungarian /hʌŋˈgeərɪən/ ▸ **p. 1467, p. 1378**
A *n* **1** (person) Hongrois/-e *m/f*; **2** (language) hongrois *m*
B *adj* hongrois

Hungary /ˈhʌŋgərɪ/ ▸ **p. 1096** *pr n* Hongrie *f*

hunger /ˈhʌŋgə(r)/
A *n* faim *f*; fig désir *m* ardent **(for** de)
B *vi* **to ~ for, to ~ after** fig avoir faim de

hunger march *n* GB Hist **the ~es** les Marches *fpl* de la faim (sur Londres)

hunger strike *n* grève *f* de la faim; **to go on/be on ~** entamer/faire une grève de la faim

hunger striker *n* gréviste *mf* de la faim

hung-over○ /ˌhʌŋˈəʊvə(r)/ *adj* **to be** *ou* **feel ~** avoir la gueule de bois○

hungrily /ˈhʌŋgrɪlɪ/ *adv* lit avec voracité; fig avec avidité

hungry /ˈhʌŋgrɪ/
A *adj* **1** lit **to be** *ou* **feel ~** avoir faim; (stronger) être affamé; **to make sb ~** donner faim à qn; **to be ~ for dinner** être en appétit pour le dîner; **to go ~** (from necessity) souffrir de la faim; (by choice) se priver de manger; **I'd rather go ~ than eat that!** je préfère me passer de manger plutôt que de manger ça!; **this is ~ work!** c'est un travail qui donne faim!; **2** fig *[look, eye]* avide; **to be ~ for** être affamé de
B **-hungry** (*dans composés*) **power-/sex-~** assoiffé de pouvoir/de sexe

hung-up○ /hʌŋˈʌp/ *adj* **1** (tense) complexé; **2** (obsessed with) **to be ~ on sb/sth** être dingue○ de qn/qch

hunk /hʌŋk/ *n* **1** (of bread, cheese) gros morceau *m*; **2** ○(man) beau mec○ *m*

hunker○ /ˈhʌŋkə(r)/
A **hunkers** *npl* **to sit on one's ~s** s'accroupir; **to be on one's ~s** être accroupi
B *vi* (*also* **~ down**) s'accroupir

hunky○ /ˈhʌŋkɪ/ *adj* **a ~ man** un beau mec

hunky-dory○ /ˌhʌŋkɪˈdɔːrɪ/ *adj* super○, au poil○

hunt /hʌnt/
A *n* **1** (search) recherche *f* **(for** de); **to join the ~ for sb/sth** participer à la recherche de qn/qch; **the ~ is on for the terrorists** on recherche les terroristes; **the ~ is on for the best cook in Britain** la course est engagée pour trouver le meilleur cuisinier de Grande-Bretagne; **2** Hunt (activity) chasse *f*; **lion ~** chasse au lion; **3** Hunt (fox-hunting group, area) chasse *f* à courre; **to be a member of the ~** être membre de l'équipage de chasse
B *vtr* **1** (seek, pursue) rechercher *[murderer, prisoner, suspect, witness]*; **to ~ sb out of** *ou* **off sth** faire sortir qn de qch; **2** Hunt (pursue) chasser *[game, fox, bear]*; (pursue over) battre *[area, estate]*; **3** Hunt (use for hunting) monter [qch] à la chasse *[horse]*; **to ~ (a pack of) hounds** diriger une meute
C *vi* **1** (for prey) *[animal]* chasser; **2** (search) **to ~ for** chercher [qch] partout *[object, person, address]*; être à la recherche de *[truth, cure]*; **to ~ for sth in/among sth** fouiller dans/parmi qch pour trouver qch; **to ~ around** *ou* **about for sth** chercher qch partout; **to ~ high and low for sth** remuer ciel et terre pour trouver qch; **3** (oscillate) *[gauge, indicator]* s'affoler **(around** au tour de); *[device, aircraft]* osciller
(Phrasal verbs) ■ **hunt down**: ▸ **~ down [sth/sb], ~ [sth/sb] down** **1** Hunt forcer *[animal]*; **2** (find) retrouver, dénicher○ *[lost object, address]*; traquer *[war criminal, terrorist]*; persécuter *[victim, minority]*
■ **hunt out**: ▸ **~ out [sth], ~ [sth] out** découvrir, dénicher○
■ **hunt up**: ▸ **~ up [sb/sth], ~ [sb/sth] up** s'enquérir de *[old friend, person]*; finir par retrouver *[lost object]*

hunted /ˈhʌntɪd/ *adj* **1** (sought) *[animal, killer]* traqué; **2** (harassed) *[look, expression, feeling]* accablé

hunter /ˈhʌntə(r)/ *n* **1** (person who hunts) chasseur/-euse *m/f*; (in fox-hunting) chasseur/-euse *m/f* à courre; (animal that hunts) prédateur *m* **(of** de); **2** (horse) cheval *m* de chasse; **3** (dog) chien *m* de chasse; **4** (watch) montre *f* à double boîtier; **5** (collector) **fossil/souvenir** ~ collectionneur/-euse *m/f* de fossiles/de souvenirs

hunter: **~-killer** *n* navire *m* d'un groupe de recherche et d'attaque; **~'s moon** *n*: *pleine lune qui suit l'équinoxe d'automne*

hunting /ˈhʌntɪŋ/ *n* chasse *f* (**of** à), vénerie *f* spec; **to go** ~ aller à la chasse; **to live by** ~ vivre de la chasse

(Idiom) **happy ~!** bonne chasse!

hunting: ~ **boot** *n* botte *f* de chasse; ~ **crop** *n* cravache *f*; ~ **ground** *n* terrain *m* de chasse; ▸ **happy hunting ground**; ~ **horn** *n* cor *m* de chasse; ~ **knife** *n* couteau *m* de chasse; ~ **lodge** *n* pavillon *m* de chasse; ~ **pink** *n* veste *f* de veneur; ~ **season** *n* saison *f* de chasse

huntress /ˈhʌntrɪs/ *n* littér chasseuse *f*, chasseresse *f* liter

hunt saboteur, **hunt sab**○ *n* GB opposant/-e *m/f* à la chasse au renard

huntsman /ˈhʌntsmən/ *n* **1** (hunter) gen chasseur *m*; (fox-hunter) chasseur *m* à courre; **2** (trainer of hounds) veneur *m*

hunt the thimble ▸ **p. 1253** *n* cache-tampon *m inv*

hurdle /ˈhɜːdl/

A *n* **1** ▸ **p. 1253** Sport, Turf haie *f*; **the 100m ~s** le 100m haies; fig obstacle *m*; **to clear a** ~ lit franchir une haie; fig surmonter un obstacle; **2** Agric claie *f*

B *vi* Sport, Turf faire de la course de haies

hurdler /ˈhɜːdlə(r)/ *n* coureur *m* de haies

hurdle race *n* course *f* de haies

hurdling /ˈhɜːdlɪŋ/ ▸ **p. 1253** *n* course *f* de haies

hurdy-gurdy /ˌhɜːdɪˈgɜːdɪ/ ▸ **p. 1462** *n* orgue *m* de Barbarie

hurl /hɜːl/

A *vtr* **1** lancer [*projectile*] (**at** sur); **to be ~ed to the ground** être projeté au sol; **2** fig **to ~ insults/accusations at sb** accabler qn d'injures/d'accusations

B *v refl* **to ~ oneself** lit se précipiter; fig se jeter (**into** dans)

hurler /ˈhɜːlə(r)/ *n* joueur *m* de hockey irlandais

hurley /ˈhɜːlɪ/, **hurling** /ˈhɜːlɪŋ/ ▸ **p. 1253** *n* hockey *m* irlandais

hurly-burly /ˌhɜːlɪˈbɜːlɪ/ *n* tohu-bohu *m*

hurrah, **hurray** /hʊˈrɑː/ *n*, *excl* hourra (*m*); ~ **for Paul!** vive Paul!; **last** ~ US dernière envolée *f*

hurricane /ˈhʌrɪkən, US -keɪn/ *n* ouragan *m*; ~ **force wind** vent soufflant en ouragan

hurricane lamp *n* lampe-tempête *f*

hurried /ˈhʌrɪd/ *adj* [*note, call, visit*] rapide; [*meal*] pris à la hâte; [*job, work*] fait à la va-vite; [*departure*] précipité

hurriedly /ˈhʌrɪdlɪ/ *adv* [*dress, pack, wash, finish, write*] en toute hâte; [*leave*] précipitamment; **'I don't mean you,' he added** ~ 'ce n'est pas de toi que je parle,' a-t-il ajouté vivement

hurry /ˈhʌrɪ/

A *n* hâte *f*, empressement *m*; **to be in a** ~ être pressé (**to do** de faire); **in my ~, I forgot...** dans ma hâte, j'ai oublié...; **there's no** ~ il n'y a rien d'urgent, il n'y a pas le feu○; **what's (all) the ~?** qu'est-ce qui presse?; **to do sth in a** ~ faire qch à la hâte; **I'm not in any ~ to have children** je ne suis pas pressée d'avoir des enfants; **I won't forget that in a ~!** je ne suis pas près d'oublier ça!; **she won't do that again in a ~!** elle ne recommencera pas de sitôt!

B *vtr* **1** (do hastily) brusquer [*meal, task, performance, speech*]; **2** (rush, bustle) bousculer [*person*]; **to ~ sb in/out** faire entrer/sortir qn en toute hâte; **to ~ sb to his seat** faire asseoir qn rapidement; **to ~ sb away from the scene** faire quitter précipitamment les lieux à qn

C *vi* [*person*] se dépêcher, se presser; **to ~ over doing** se dépêcher de faire; **to ~ over one's homework/a meal** se dépêcher de faire ses devoirs/de manger; **to ~ in/out** entrer/sortir précipitamment; **to ~ home** se dépêcher de rentrer chez soi

(Phrasal verbs) ■ **hurry along**: ▸ ~ **along** se presser, se dépêcher; ~ **along there please!** allons, pressons s'il vous plaît!; ▸ ~ **along [sth]**, ~ **[sth] along** faire accélérer, faire activer [*process*]

■ **hurry away** se sauver

■ **hurry back** (to any place) se dépêcher *or* s'empresser de retourner (**to** à); (to one's home) se dépêcher de rentrer (chez soi); ~ **back!** dépêche-toi de rentrer!

■ **hurry off** se sauver

■ **hurry up**: ▸ ~ **up** se dépêcher; ~ **up!** dépêche-toi! magne-toi○!; ▸ ~ **[sb] up**, ~ **up [sb]** bousculer [*person*]; ▸ ~ **[sth] up** faire accélérer, faire activer [*process*]

hurt /hɜːt/

A *n* blessure *f*; **his sense of ~ and betrayal** son sentiment d'avoir été blessé et trahi; **there is a lot of ~ on both sides** ils en ont souffert tous les deux; **emotional** ~ blessure affective

B *adj* [*feelings, look*] blessé; **I was more angry than** ~ j'étais plus fâché que blessé; **she was ~ not to have been invited** elle était blessée de ne pas avoir été invitée; **he felt ~ about the way he had been treated** il était blessé par la façon dont il avait été traité; **to sound** *ou* **look** ~ avoir l'air peiné; **to feel** ~ être peiné

C *vtr* (*prét, pp* **hurt**) **1** (injure) **to ~ one's hand/back** se blesser *or* se faire mal à la main/au dos; **the dog ~ its paw** le chien s'est blessé à la patte; **she ~ her shoulder when she fell** elle s'est blessée à l'épaule en tombant; **he ~ his back moving the piano** il s'est fait mal au dos en déplaçant le piano; **was anybody ~?** y a-t-il eu des blessés?; **they were seriously/slightly ~** ils ont été grièvement *or* gravement/légèrement blessés; **somebody's going to get** ~ quelqu'un va se faire mal; **hard work never ~ anybody** travailler dur n'a jamais fait de mal à personne; **it wouldn't ~ her to apologize** ça ne lui ferait pas de mal de s'excuser; **2** (cause pain to) faire mal à [*person*]; **you're ~ing my arm** vous me faites mal au bras; **these shoes ~ my feet** ces chaussures me font mal aux pieds; **it ~s him to bend his knee** il a mal quand il plie le genou; **3** (emotionally) gen blesser; (offend) froisser, offusquer; **he ~ them by leaving early** il les a froissés en partant tôt; **to ~ sb's feelings** blesser quelqu'un; **to ~ sb's pride** blesser quelqu'un dans son amour-propre; **she's afraid of getting** ~ elle a peur d'être blessée; **it's often the children who get** ~ ce sont souvent les enfants qui en pâtissent; **4** (affect adversely) [*prices, inflation*] nuire à

D *vi* (*prét, pp* **hurt**) **1** (be painful, cause pain) faire mal; **my foot/my throat ~s** j'ai mal au pied/à la gorge; **this small print makes my eyes** ~ ces petits caractères me donnent mal aux yeux; **where does it ~?** où est-ce que vous avez mal?; **my shoes** ~ mes chaussures me font mal; **it ~s when I turn my head** j'ai mal quand je tourne la tête; **2** (take effect) [*sanctions, taxes*] se faire sentir; **3** (emotionally) **what really ~ was knowing that she had lied** ce qui m'avait vraiment blessé c'était de savoir qu'elle m'avait menti; **her indifference really ~s** son indifférence me blesse; **the truth often ~s** la vérité est souvent cruelle

E *v refl* **to ~ oneself** se blesser, se faire mal

hurtful /ˈhɜːtfl/ *adj* [*accusation, rumour, remark, words*] blessant; **the truth is often** ~ la vérité est souvent cruelle

hurtfully /ˈhɜːtfəlɪ/ *adv* de façon blessante

hurtfulness /ˈhɜːtfəlnɪs/ *n* méchanceté *f*

hurtle /ˈhɜːtl/ *vi* **to ~ down sth** dévaler qch; **to ~ along a road** foncer sur une route; **to ~ through the air** fendre l'air; **a stone ~d through the window/past me** une pierre vola à travers la fenêtre/devant moi

husband /ˈhʌzbənd/

A *n* gen mari *m*; Admin époux *m*; **ex-~** ex-mari *m*; **to live as ~ and wife** vivre maritalement; **to work as a ~ and wife team** travailler en couple; **to take a ~**† prendre mari†

B *vtr* **1** (manage prudently) bien gérer; **2** (economize) économiser

husbandry /ˈhʌzbəndrɪ/ *n* **1** Agric agriculture *f*; **animal** ~ élevage *m*; **2** (of resources) gestion *f*

hush /hʌʃ/

A *n* silence *m*; **a ~ fell over the crowd** un silence envahit la foule

B *excl* (all contexts) chut

C *vtr* **1** (silence) faire taire [*person*]; faire cesser [*bruit*]; **2** (pacify) calmer [*baby*]

D *vi* [*person*] se taire

(Phrasal verb) ■ **hush up**: ▸ ~ **up** se taire; ▸ ~ **up [sth]** étouffer [*scandal, affair*]; ▸ ~ **up [sb]**, ~ **[sb] up** faire taire [*person*]

hushed /hʌʃt/ *adj* **1** [*room, conversation, whisper*] feutré; **to speak in ~ tones** *ou* **a ~ voice** parler à voix feutrée; **2** [*person, audience*] muet/-ette; **they watched in ~ admiration** ils regardaient muets d'admiration

hush-hush○ /ˌhʌʃˈhʌʃ/ *adj* très confidentiel/-ielle; **to keep sth** ~ garder qch pour soi

hush money○ *n* prix *m* du silence; **to pay sb** ~ acheter le silence de qn

hush puppy *n* US beignet *m* soufflé

husk /hʌsk/

A *n* (of grains) enveloppe *f* also fig

B *vtr* décortiquer

huskily /ˈhʌskɪlɪ/ *adv* d'une voix enrouée

huskiness /ˈhʌskɪnɪs/ *n* enrouement *m*

husky /ˈhʌskɪ/

A *n* (dog) husky *m*

B *adj* **1** (hoarse) [*voice*] enroué; [*cough*] rauque; **2** (burly) costaud

hussar /hʊˈzɑː(r)/ *n* hussard *m*; **the 2nd ~s** le 2e de hussards

hussy○† /ˈhʌsɪ/ *n* pej dévergondée *f*

hustings /ˈhʌstɪŋz/ *n* (+ *v sg ou pl*) tribune *f* (*pour élections*); fig **at/on the** ~ pendant la campagne électorale

hustle /ˈhʌsl/

A *n* **1** (lively activity) tourbillon *m* d'activité; ▸ **bustle**; **2** ○US (illegal activity) escroquerie *f*

B *vtr* **1** (push) pousser, bousculer [*person*]; **to ~ sb into a building** faire entrer qn précipitamment dans un bâtiment; **he ~d her through the crowd** il lui a frayé un chemin à travers la foule; **2** (urge) pousser [*person*]; **to ~ sb into doing** pousser qn à faire; **3** ○US (sell illegally) vendre [qch] illégalement; **4** ○US (obtain by dubious means) soutirer [*money*]; dégoter○ [*job, contact*]; **5** (hurry) précipiter [*negotiations*]; bousculer [*person*]

C *vi* **1** (hurry) [*person*] se dépêcher; **2** ○US (make an effort) se démener; (work hard) trimer○; **3** ○US (be a prostitute) faire le trottoir○, racoler○

hustler○ /ˈhʌslə(r)/ *n* US **1** (swindler) arnaqueur/-euse◐ *m/f*; **2** (prostitute) prostitué/-e *m/f*

hut /hʌt/ *n* (in garden) cabane *f*; (in shanty town) bicoque○ *f*; (on building site) baraque *f* (de chantier); (temporary classroom) baraque *f* préfabriquée; (for climbers, shepherds) refuge *m*; (native type) hutte *f*; (larger) case *f*; (grass) paillote *f*; (on beach) cabine *f* (de plage)

hutch /hʌtʃ/ *n* **1** (for animals) gen cage *f*; (for rabbits) clapier *m*; **2** fig pej (house) clapier *m*; **3** US (furniture) dressoir *m*

hyacinth /ˈhaɪəsɪnθ/ *n* **1** Bot jacinthe *f*; **wild/wood** ~ jacinthe sauvage/des bois; **2** (gemstone) hyacinthe *f*

hyaena = **hyena**

hybrid /ˈhaɪbrɪd/

A *n* (all contexts) hybride *m*

B *adj* **1** gen, Hort hybride; **2** Biol hybride; [*DNA*] hybride; [gene] chimère

hybrid: ~ **bike** n vélo m tous chemins, VTC m; ~ **bill** n GB Pol projet m de loi mixte; ~ **car** n voiture f hybride

hybridism /ˈhaɪbrɪdɪzəm/ n hybridation f

hybridization /ˌhaɪbrɪdaɪˈzeɪʃn, US -dɪˈz-/ n 1 lit hybridation f; 2 fig métissage m

hybridize /ˈhaɪbrɪdaɪz/ vtr hybrider

hybrid system n Comput système m mixte

hydra /ˈhaɪdrə/
A n (pl ~e ou ~s) hydre f also fig
B pr n **the Hydra** l'Hydre f

hydrangea /haɪˈdreɪndʒə/ n hortensia m

hydrant /ˈhaɪdrənt/ n 1 gen prise f d'eau; 2 (also **fire** ~) bouche f d'incendie

hydrate /ˈhaɪdreɪt/
A n hydrate m
B vtr hydrater

hydraulic /haɪˈdrɔːlɪk/ adj (all contexts) hydraulique

hydraulic ramp n Aut pont-élévateur m

hydraulics /haɪˈdrɔːlɪks/ n (+ v sg) hydraulique f

hydraulics engineer ▸ p. 1683 n hydraulicien/-ienne m/f

hydro /ˈhaɪdrəʊ/ n GB établissement m thermal

hydrobiologist /ˌhaɪdrəʊbaɪˈɒlədʒɪst/ n hydrobiologiste mf

hydrobiology /ˌhaɪdrəʊbaɪˈɒlədʒɪ/ n hydrobiologie f

hydrocarbon /ˌhaɪdrəˈkɑːbən/
A n hydrocarbure m
B modif [compound, gas] d'hydrocarbures

hydrocephalus /ˌhaɪdrəʊˈsefələs/ ▸ p. 1327 n hydrocéphalie f

hydrochloric acid /ˌhaɪdrəˈklɒrɪk, US -ˈklɔːrɪk/ n acide m chlorhydrique

hydrocyanic /ˌhaɪdrəsaɪˈænɪk/ adj cyanhydrique

hydrodynamics /ˌhaɪdrədaɪˈnæmɪks/ n (+ v sg) hydrodynamique f

hydroelectric /ˌhaɪdrəʊɪˈlektrɪk/ adj hydroélectrique

hydroelectricity /ˌhaɪdrəʊɪlekˈtrɪsətɪ/ n hydroélectricité f

hydrofoil /ˈhaɪdrəfɔɪl/ n 1 (craft) hydroptère m; 2 (foil) aile f portante

hydrogen /ˈhaɪdrədʒən/ n hydrogène m

hydrogen: ~ **bomb** n bombe f à hydrogène; ~ **peroxide** n eau f oxygénée

hydrography /haɪˈdrɒgrəfɪ/ n hydrographie f

hydrological /haɪdrəˈlɒdʒɪkl/ adj hydrologique

hydrology /haɪˈdrɒlədʒɪ/ n hydrologie f

hydrolysis /haɪˈdrɒləsɪs/ n hydrolyse f

hydrometer /haɪˈdrɒmɪtə(r)/ n aréomètre m

hydropathic /ˌhaɪdrəˈpæθɪk/ adj hydrothérapique

hydrophilic /ˌhaɪdrəˈfɪlɪk/ adj hydrophile

hydrophobia /ˌhaɪdrəˈfəʊbɪə/ n 1 Psych (fear of water) hydrophobie f; 2 †Med (rabies) rage f

hydrophobic /ˌhaɪdrəˈfəʊbɪk/ adj gen, Chem hydrophobe

hydroplane /ˈhaɪdrəpleɪn/ n 1 (boat) hydroglisseur m; 2 (submarine rudder) barre f de plongée; 3 US (seaplane) hydravion m

hydroplaning /ˌhaɪdrəˈpleɪnɪŋ/ n aquaplanage m

hydroponics /ˌhaɪdrəˈpɒnɪks/ n (+ v sg) culture f hydroponique

hydrotherapy /ˌhaɪdrəʊˈθerəpɪ/ n hydrothérapie f

hydroxide /haɪˈdrɒksaɪd/ n hydroxyde m

hyena /haɪˈiːnə/ n Zool hyène f; fig requin m

hygiene /ˈhaɪdʒiːn/
A n hygiène f; **in the interests of** ~ pour des raisons d'hygiène; **food** ~ hygiène alimentaire
B modif [standards] d'hygiène

hygienic /haɪˈdʒiːnɪk/ adj hygiénique

hygienist /ˈhaɪdʒiːnɪst/ ▸ p. 1683 n hygiéniste mf

hymen /ˈhaɪmen/ n hymen m

hymn /hɪm/ n (song) cantique m; fig (expression of praise) hymne m (**to** à)

hymnal /ˈhɪmnəl/ n recueil m de cantiques

hymnbook /ˈhɪmbʊk/ n livre m de cantiques

hymn sheet n livre m de cantiques
(Idiom) **to sing from the same** ~ être en accord

hype○ /haɪp/
A n 1 (publicity) battage m publicitaire; **media** ~ battage m médiatique, médiatisation f à outrance; 2 US (abrév = **hypodermic**) seringue f; 3 US toxico○ mf
B vtr 1 (promote) faire du battage pour [film, book, star]; 2 (blow up) gonfler [issue, news story, case]; 3 (force up price of) faire grimper [qch] par des achats massifs [record, share]; 4 (stimulate) doper○ [sales, demand, economy, market]
(Phrasal verb) ■ **hype up**: ▸ ~ **up [sth]**, ~ **[sth] up** (stimulate) doper [sales, economy]; (promote) faire du battage pour [film, star, book]; (blow up) gonfler [issue, story]

hyped up○ /ˌhaɪptˈʌp/ adj 1 [product, performance, film, star] qu'on a fait mousser○; 2 (overstimulated) [person, behaviour] surexcité; [economy] dopé

hyper○ /ˈhaɪpə(r)/ adj surexcité

hyper+ /ˈhaɪpə(r)/ (dans composés) hyper-

hyperacidity /ˌhaɪpərəˈsɪdətɪ/ n hyperacidité f

hyperactive /ˌhaɪpərˈæktɪv/ adj gen, Med, Psych hyperactif/-ive

hyperactivity /ˌhaɪpərækˈtɪvətɪ/ n hyperactivité f

hyperbola /haɪˈpɜːbələ/ n (pl **-las** ou **-le**) Math hyperbole f

hyperbole /haɪˈpɜːbəlɪ/ n hyperbole f

hyperbolic /ˌhaɪpəˈbɒlɪk/ adj hyperbolique

hypercorrection /ˌhaɪpəkəˈrekʃn/ n hypercorrection f

hypercritical /ˌhaɪpəˈkrɪtɪkl/ adj excessivement critique

hyperdocument /ˈhaɪpədɒkjʊmənt/ n Comput hyperdocument m

hyperglycaemia /ˌhaɪpəglaɪˈsiːmɪə/ n hyperglycémie f

hyperinflation /ˌhaɪpərɪnˈfleɪʃn/ n hyperinflation f

hyperkinesis /ˌhaɪpəkɪˈniːsɪs/ n hyperkinésie f

hyperkinetic /ˌhaɪpəkɪˈnetɪk/ adj hyperkinétique

hyperlink /ˈhaɪpəlɪŋk/ n Comput hyperlien m

hypermarket /ˈhaɪpəmɑːkɪt/ n GB hypermarché m

hypermedia /haɪpəˈmiːdɪə/ n Comput hypermédia m

hypermetropia /ˌhaɪpəmɪˈtrəʊpɪə/ n hypermétropie f

hypernym /ˈhaɪpənɪm/ n hyperonyme m

hyperrealism /ˌhaɪpəˈriːəlɪzəm/ n hyperréalisme m

hypersensitive /ˌhaɪpəˈsensətɪv/ adj hypersensible (**to** à)

hypersonic /ˌhaɪpəˈsɒnɪk/ adj Aviat, Tech hypersonique

hypertension /ˌhaɪpəˈtenʃn/ n hypertension f

hypertext /ˈhaɪpətekst/ n, modif Comput hypertext (m)

hypertrophy /haɪˈpɜːtrəfɪ/ n hypertrophie f

hyperventilate /ˌhaɪpəˈventɪleɪt/ vi être en hyperventilation

hyperventilation /ˌhaɪpəventɪˈleɪʃn/ n hyperventilation f

hyphen /ˈhaɪfn/ n trait m d'union

hyphenate /ˈhaɪfəneɪt/ vtr mettre un trait d'union à [word]; **to be** ~**d** s'écrire avec un trait d'union

hyphenated American n Américain/-e m/f à trait d'union

> **Hyphenated American**
>
> Cette expression désigne tout Américain dont l'identité se définit par un mot composé que l'on écrit parfois avec un trait d'union: *African(-)American, Irish(-)American, Italian(-)American*, etc. Le premier élément du mot composé rappelle l'origine ethnique ou nationale.
> ▸ **Politically correct**

hyphenation /haɪfəˈneɪʃn/ n 1 (use of hyphen) emploi m du trait d'union; 2 Comput césure f, coupure f en fin de ligne

hypnagogic /ˌhɪpnəˈgɒdʒɪk/ adj hypnagogique

hypnosis /hɪpˈnəʊsɪs/ n hypnose f; **under** ~ sous hypnose

hypnotherapy /ˌhɪpnəˈθerəpɪ/ n hypnothérapie f

hypnotic /hɪpˈnɒtɪk/ n, adj (all contexts) hypnotique (m)

hypnotism /ˈhɪpnətɪzəm/ n hypnotisme m

hypnotist /ˈhɪpnətɪst/ n hypnotiseur m

hypnotize /ˈhɪpnətaɪz/ vtr hypnotiser

hypo /ˈhaɪpəʊ/ n 1 Chem, Phot hyposulfite m (de soude); 2 ○(abrév = **hypodermic syringe**) seringue f hypodermique

hypoallergenic /ˌhaɪpəʊæləˈdʒenɪk/ adj hypoallergique

hypocentre GB, **hypocenter** US /ˈhaɪpəsentə(r)/ n 1 Geol hypocentre m; 2 Nucl (ground zero) point m zéro

hypochondria /ˌhaɪpəˈkɒndrɪə/ n hypocondrie f

hypochondriac /ˌhaɪpəˈkɒndrɪæk/ n, adj hypocondriaque (mf)

hypocrisy /hɪˈpɒkrəsɪ/ n hypocrisie f

hypocrite /ˈhɪpəkrɪt/ n hypocrite mf

hypocritical /ˌhɪpəˈkrɪtɪkl/ adj hypocrite

hypocritically /ˌhɪpəˈkrɪtɪklɪ/ adv hypocritement

hypodermic /ˌhaɪpəˈdɜːmɪk/
A n 1 (syringe) hypodermique f; 2 (injection) piqûre f hypodermique
B adj 1 [injection, needle, syringe] hypodermique; 2 [infection] sous-cutané

hypoglycaemia /ˌhaɪpəʊglaɪˈsiːmɪə/ n hypoglycémie f

hyponym /ˈhaɪpənɪm/ n hyponyme m

hyponymy /haɪˈpɒnəmɪ/ n hyponymie f

hypostasis /haɪˈpɒstəsɪs/ n (pl **-tases**) (all contexts) hypostase f

hypostatic(al) /ˌhaɪpəˈstætɪk(l)/ adj hypostatique

hypostatize /haɪˈpɒstətaɪz/ vtr hypostasier

hypotaxis /ˌhaɪpəˈtæksɪs/ *n* Ling hypotaxe *f*

hypotension /ˌhaɪpəʊˈtenʃən/ *n* hypotension *f*

hypotenuse /haɪˈpɒtənjuːz, US -tnuːs/ *n* hypoténuse *f*

hypothalamus /ˌhaɪpəˈθæləməs/ *n* (*pl* **-mi**) hypothalamus *m*

hypothermia /ˌhaɪpəʊˈθɜːmɪə/ *n* hypothermie *f*

hypothesis /haɪˈpɒθəsɪs/ *n* (*pl* **-theses**) hypothèse *f*; **working ~** hypothèse de travail

hypothesize /haɪˈpɒθəsaɪz/ *vi* émettre une hypothèse; **to ~ that** émettre l'hypothèse que

hypothetic(al) /ˌhaɪpəˈθetɪk(l)/ *adj* [*question, argument*] hypothétique

hypothetically /ˌhaɪpəˈθetɪklɪ/ *adv* hypothétiquement

hyssop /ˈhɪsəp/ *n* hysope *f*

hysterectomy /ˌhɪstəˈrektəmɪ/ *n* hystérectomie *f*

hysteria /hɪˈstɪərɪə/ *n* (all contexts) hystérie *f*; **mass ~** hystérie collective

hysterical /hɪˈsterɪkl/ *adj* [1] gen [*person, behaviour*] hystérique; [*sob*] convulsif/-ive; [*demand, speech*] délirant; **~ laughter** fou rire *m*; [2] °(funny) délirant

hysterically /hɪˈsterɪklɪ/ *adv* [1] [*funny*] follement; [2] **to sob ~** avoir une violente crise de larmes; **to laugh ~** avoir le fou rire; **to shout ~** hurler comme un/-e hystérique

hysterics /hɪˈsterɪks/ *n* [1] gen, Psych (fit) crise *f* de nerfs; **to have** *ou* **go into ~** avoir une crise de nerfs; [2] (laughter) **to be in ~** rire aux larmes; **he had us in ~** il nous a fait mourir de rire

Ii

i, I /aɪ/ *n* 1 (letter) i, I *m*; 2 **I** (*abrév écrite* = **Island**) île *f*

(Idiom) **to dot the i's and cross the t's** mettre les points sur les i

I /aɪ/

> ⚠ *I* is almost always translated by *je* which becomes *j'* before a vowel or mute h: *I closed the door* = j'ai fermé la porte. The emphatic form is *moi*.
> For exceptions and particular uses see below.

pron je, j'; **I live in London** j'habite à Londres; **here I am** me voici; **there I am** me voilà; **I didn't take it** ce n'est pas moi qui l'ai pris; **he's a student but I'm not** il est étudiant mais moi pas; **I who...** moi qui...; **I who have seen** moi qui ai vu; **he and I went to the cinema** lui et moi sommes allés au cinéma

IA US Post *abrév écrite* = **Iowa**

IAAF *n* (*abrév* = **International Amateur Athletic Federation**) FIAA *f*

IAEA *n* (*abrév* = **International Atomic Energy Agency**) AIEA *f*

iambic /aɪ'æmbɪk/
A *n* (*also* **iamb**) iambe *m*
B *adj* iambique; ~ **metre** mètre *m* iambique

ib /ɪb/ (*abrév* = **ibidem**) ib

IBA *n abrév* ▸ **International Bar Association**

Iberia /aɪ'bɪərɪə/ *pr n* Ibérie *f*

Iberian /aɪ'bɪərɪən/
A *n* (person) Ibère *mf*
B *adj* ibérique

Iberian Peninsula *pr n* péninsule *f* ibérique

ibex /'aɪbeks/ *n* bouquetin *m*

ibid /'ɪbɪd/ (*abrév* = **ibidem**) ibid

ibis /'aɪbɪs/ *n* ibis *m*

IBRD *n* (*abrév* = **International Bank for Reconstruction and Development**) BIRD *f*

ibuprofen /ˌaɪbjuː'prəʊfn/ *n* ibuprofène *m*

Icarus /'ɪkərəs/ *pr n* Icare

ice /aɪs/
A *n* 1 gen glace *f*; (on roads) verglas *m*; (in drinks) glaçons *mpl*; **the car skidded on the** ~ la voiture a dérapé sur le verglas; **there's** ~ **on the roads** il y a du verglas sur les routes; **a show on** ~ un spectacle sur glace; **a whisky with** ~ un whisky avec des glaçons; **to put sth on** ~ lit mettre [qch] à rafraîchir [*champagne*]; fig mettre [qch] en attente [*plans, project*]; **'danger! thin** ~**'** (on sign) 'il est dangereux de s'aventurer sur la glace'; **your feet are like** ~**!** tu as les pieds glacés!; 2 GB (ice cream) glace *f*; **vanilla** ~ glace à la vanille; **water** ~ sorbet *m*; 3 ○₵ (diamonds) diams○ *mpl*, diamants *mpl*; 4 ○argot des drogués (amphetamine) ice○ *m*
B *vtr* 1 Culin glacer [*cake*]; 2 ○US (kill) refroidir○, tuer [*person*]; (defeat) battre [qn] à plates coutures○ [*team*]
C **iced** *pp adj* [*water*] avec des glaçons; [*tea*] glacé; [*coffee*] frappé; [*cake*] glacé

(Idioms) **to break the** ~ rompre la glace; **to cut no** ~ ne faire aucun effet; **this argument cut no** ~ **with them** cet argument ne leur a fait aucun effet; **his excuses cut no** ~ **with me** ses excuses ne m'impressionnent guère; **to be treading** *ou* **skating on thin** ~ s'aventurer sur un terrain glissant

(Phrasal verbs) ■ **ice over** [*roads, runway*] se couvrir de verglas; [*windscreen*] se couvrir de glace; [*river, pond*] geler
■ **ice up** [*lock, windscreen wipers, airplane*] givrer; [*windows*] se couvrir de givre

ice age
A *n* période *f* glaciaire
B **ice-age** *modif* [*phenomenon*] de la période glaciaire

ice axe *n* piolet *m*

ice beer *n* ice beer *f* (*bière dont le taux d'alcool est augmenté par la congélation*)

iceberg /'aɪsbɜːg/ *n* 1 lit iceberg *m*; 2 ○péj (cold person) glaçon *m*

(Idiom) **the tip of the** ~ la partie visible de l'iceberg

iceberg lettuce *n* laitue *f* croquante

ice: ~ **blue** *adj* bleu glacier *inv*; ~**boat** *n* Sport char *m* à voile sur glace; ~**bound** *adj* [*ship*] pris dans les glaces; [*port, road*] bloqué par les glaces

icebox /'aɪsbɒks/ *n* 1 GB (freezer compartment) compartiment *m* à glace, freezer *m*; 2 US (fridge) réfrigérateur *m*; 3 (cool box) glacière *f*

ice: ~**breaker** *n* Naut brise-glace *m inv*; ~ **bucket** *n* seau *m* à glace; ~**cap** *n* calotte *f* glaciaire; ~**-cold** *adj* [*hand, water*] glacé; [*room, wind*] glacial; [*beer*] bien frais/fraîche; fig [*person, reception*] glacial

ice cream *n* Culin glace *f*; **I like** ~ j'aime la glace; **two vanilla** ~**s** deux glaces à la vanille

ice: ~**-cream bar** *n* US ≈ esquimau *m*, glace *f*; ~**-cream cone**, ~**-cream cornet** *n* (cornet *m* de) glace *f*; ~**-cream maker** *n* sorbetière *f*; ~**-cream parlour** GB, ~**-cream parlor** US *n* Comm glacier *m*; ~**-cream seller** ▸ **p. 1683** *n* marchand/-e *m/f* de glaces; ~**-cream soda** *n* US *boule de glace servie dans un soda*; ~**-cream sundae** *n* coupe *f* glacée; ~**-cream van** GB, ~**-cream truck** US *n* camionnette *f* de marchand de glaces; ~**-cube** *n* glaçon *m*; ~ **dancer** ▸ **p. 1253** *n* danseur/-euse *m/f* sur glace; ~ **dancing** ▸ **p. 1253** *n* danse *f* sur glace; ~ **field** *n* champ *m* de glace; ~ **floe** *n* banquise *f*, glace *f* flottante; ~**-hammer** *n* marteau-piolet *m*; ~ **hockey** ▸ **p. 1253** *n* hockey *m* sur glace; ~**house** *n* glacière *f*

Iceland /'aɪslənd/ ▸ **p. 1096** *pr n* Islande *f*

Icelander /'aɪsləndə(r)/ ▸ **p. 1467** *n* Islandais/-e *m/f*

Icelandic /aɪs'lændɪk/ ▸ **p. 1467, p. 1378**
A *n* Ling islandais *m*
B *adj* islandais

ice: ~ **lolly** *n* GB ≈ sucette *f* (glacée); ~ **machine** *n* machine *f* à glaçons; ~**man** *n* US livreur *m* de glace; ~ **pack** *n* poche *f* de glace; ~ **pick** *n* Sport poinçon *m* à glace; Culin pic *m* à glace; ~ **piton** *n* broche *f* à glace; ~ **rink** *n* patinoire *f*; ~ **show** *n* spectacle *m* sur glace

iceskate /'aɪsskeɪt/ ▸ **p. 1253**
A *n* patin *m* à glace
B *vi* gen patiner; (as a hobby) faire du patinage *or* patin (sur glace)

ice: ~ **skater** ▸ **p. 1253** *n* patineur/-euse *m/f* (sur glace); ~**-skating** ▸ **p. 1253** *n* patinage *m* sur glace; ~ **storm** *n* US tempête *f* de pluie verglaçante; ~**-tray** *n* bac *m* à glaçons; ~ **water** *n* US eau *f* glacée; ~ **yacht** *n* char *m* à voile sur glace

ichthyologist /ˌɪkθɪ'ɒlədʒɪst/ ▸ **p. 1683** *n* ichtyologiste *mf*

ichthyology /ˌɪkθɪ'ɒlədʒɪ/ *n* ichtyologie *f*

ichthyosaurus /ˌɪkθɪə'sɔːrəs/ *n* ichtyosaure *m*

icicle /'aɪsɪkl/ *n* stalactite *f* (de glace)

icily /'aɪsɪlɪ/ *adv* [*stare*] de façon glaciale; [*reply, say*] d'un ton glacial

icing /'aɪsɪŋ/ *n* 1 Culin glaçage *m*; **chocolate** ~ glaçage au chocolat; 2 (on aeroplane) givrage *m*

(Idiom) **to be the** ~ **on the cake** être la cerise sur le gâteau

icing sugar *n* GB sucre *m* glace

icky○ /'ɪkɪ/ *adj* 1 (dirty, unpleasant) dégoûtant; **to feel** ~ se sentir patraque○; 2 (sentimental) écœurant

icon /'aɪkɒn/ *n* 1 Art, Relig icône *f*; 2 fig (idol, symbol) (person) idole *f*; (object) symbole *m*; **she is a feminist** ~ elle est une idole pour les féministes; 3 Comput icône *f*

iconify /aɪ'kɒnɪfaɪ/ *vtr* Comput iconiser, iconifier

iconoclast /aɪ'kɒnəklæst/ *n* iconoclaste *mf*

iconoclastic /aɪˌkɒnə'klæstɪk/ *adj* iconoclaste

iconographer /ˌaɪkə'nɒgrəfə(r)/ *n* iconographe *mf*

iconography /ˌaɪkə'nɒgrəfɪ/ *n* (*pl* **-phies**) lit iconographie *f*; fig image *f*

ICPO *n* (*abrév* = **International Criminal Police Organization**) OIPC *f*

ictus /'ɪktəs/ *n* Med ictus *m*

icy /'aɪsɪ/ *adj* 1 [*pavement, road*] verglacé; **there are** ~ **patches on the roads** il y a des plaques de verglas sur les routes; 2 (cold) [*draught, water, wind*] glacial; [*hands*] glacé; 3 fig [*look, reception*] glacial

icy-cold *n* [*hand, water*] glacé; [*room, wind*] glacial

id /ɪd/ *n* **the** ~ le ça

I'd /aɪd/ = **I had, I should, I would**

ID
A *n* 1 (*abrév* = **identification, identity**) pièce *f* d'identité; 2 US Post *abrév écrite* = **Idaho**
B *modif* (*abrév* = **identity**) [*card, papers, disc*] d'identité; ~ **code** Comput code *m* d'identification

Idaho /'aɪdəhəʊ/ ▸ **p. 1737** *n* Idaho *m*; **in/to** ~ dans l'Idaho

IDD *n* GB (*abrév* = **International Direct Dialling**) (service *m* d'appel) international *m*

idea /aɪ'dɪə/ *n* 1 (suggestion) idée *f*; **a good** ~ une bonne idée; **it was Sophie's** ~ **to sell the car** c'est Sophie qui a eu l'idée de vendre la voiture; **he came up with** *ou* **hit on the** ~ **of**

buying a farm l'idée lui est venue d'acheter une ferme; **to be full of ~s** avoir plein d'idées; **2** (plan) idée *f*; **to have some vague ~ of doing** avoir dans l'idée de faire; **it's a good ~ to take a raincoat** c'est une bonne idée d'emporter un imperméable; **to put an ~ into sb's head** mettre une idée dans la tête de qn; **don't start getting ~s!** ne commence pas à te faire des idées!; **you can get** *ou* **put that ~ out of your head!** il n'en est pas question!; **3** (thought) idée *f* (**about, on** sur); **what are your ~s on this portrayal?** qu'est-ce que vous pensez de cette interprétation?; **4** (concept, notion) conception *f*; **he's got strange ~s about women/education** il a une drôle de conception des femmes/de l'enseignement; **you've got a funny ~ of loyalty** tu as une drôle de conception de la loyauté; **if that's your ~ of good work/of a joke...** si c'est ça que tu appelles du bon travail/une plaisanterie...; **a hamburger isn't my ~ of a good meal** un hamburger n'est pas vraiment ce que j'appelle un bon repas; **5** (impression) impression *f*; **to give sb the ~ that** donner à qn l'impression que (+ *indic*); **he's got the ~ that everybody is lying to him** il a l'impression que tout le monde lui ment; **whatever gave you that~!** qu'est-ce qui t'a fait croire une chose pareille!; **6** (knowledge) idée *f*; **do you have any ~ how/where etc...?** as-tu une idée sur la manière dont/où etc...?; **I have no ~** je n'en ai pas la moindre idée; **to have no ~ why/how etc** ne pas savoir pourquoi/comment etc; **to have an ~ of how long it takes to do** avoir une idée du temps qu'il faut pour faire; **he hadn't the slightest ~ who I was** il ne savait absolument pas qui j'étais; **he's 55? I had no ~!** il a 55 ans? je ne savais pas!; **to have no ~ of** *ou* **about** n'avoir aucune idée de [*price, time*]; **I have no ~ whether he's arrived or not** je ne sais pas du tout s'il est arrivé ou non; **you've no ~ how pleased I was!** tu ne peux pas savoir combien j'étais content!; **I have a vague ~ what you mean** j'ai une idée de ce que tu veux dire; **what a funny ~!** quelle drôle d'idée!; **7** (theory) idée *f*; **I've an ~ that he might be lying** j'ai dans l'idée qu'il ment; **he's got funny ~s on management** il a de drôles d'idées sur la gestion; **I've got a pretty good ~ who stole the money** je crois bien savoir qui a volé l'argent; **8** (aim) but *m*; **the ~ of a diet is to lose weight** le but d'un régime est de perdre du poids; **that's the whole ~!** c'est bien là tout le but; **what's the ~ behind the offer?** quel est le but de cette proposition?; **9** (gist) **now I get the ~** ah, maintenant je vois; **do you get the ~?** tu vois?; **now you're getting the ~** voilà, tu commences à comprendre; **that's the ~!** c'est ça!; **10** (estimate) **to give sb an ~ of** donner une idée à qn de [*cost, price*]

(Idioms) **the very ~!** quelle idée!; **what's the big ~○?** qu'est-ce qui te prend○?

ideal /aɪˈdiːəl/

A *n* **1** (principle) idéal *m*; **2** (model) idéal *m* (**of** de); **the feminine/Christian ~** l'idéal féminin/chrétien; **3** Philos idéal *m*

B *adj* (all contexts) idéal (**for** pour; **to do** pour faire)

Ideal Home Exhibition *n* salon *m* britannique des arts ménagers

idealism /aɪˈdɪəlɪzəm/ *n* gen, Philos idéalisme *m*; **out of ~** [*act*] par idéalisme

idealist /aɪˈdɪəlɪst/ *n* gen, Philos idéaliste *mf*

idealistic /ˌaɪdɪəˈlɪstɪk/ *adj* idéaliste

idealize /aɪˈdɪəlaɪz/ *vtr* idéaliser

ideally /aɪˈdɪəlɪ/ *adv* **1** (preferably) **~, the tests should be free, the tests should ~ be free** l'idéal serait que les examens soient gratuits; **~, we'd like a house/to stay** l'idéal pour nous, ce serait une maison/ce serait de rester; **what would you like, ~?** qu'est-ce que tu aimerais, de préférence?; **2** (perfectly) **~ located, ~ situated** idéalement situé; **to be ~ suited** [*couple, colours*] être parfaitement assortis; **to be ~ suited for** être parfait pour [*job, role*]

ideas man○ *n* concepteur *m*

identical /aɪˈdentɪkl/ *adj* identique (**to, with** à); **they look ~** ils ont l'air identiques

identically /aɪˈdentɪklɪ/ *adv* [*dressed, constructed*] de façon identique; [*operate, function*] de façon identique; **to be ~ alike** [*people*] se ressembler tout à fait; [*objects*] être absolument identiques

identical: **~ proposition** *n* principe *m* d'identité; **~ twin** *n* vrai jumeau/vraie jumelle *m/f*

identifiable /aɪˌdentɪˈfaɪəbl/ *adj* **1** (recognizable) identifiable (**as** comme étant); **~ by sth** reconnaissable à qch; **2** (visible) visible

identifiably /aɪˌdentɪˈfaɪəblɪ/ *adv* manifestement

identification /aɪˌdentɪfɪˈkeɪʃn/ *n* **1** (of body, species, person) identification *f* (**from** à partir de); **to make an ~ of a criminal** procéder à l'identification d'un criminel; **2** (empathy) identification *f* (**with** à); **3** (proof of identity) pièce *f* d'identité; **have you got any ~?** est-ce que vous avez une pièce d'identité?

identification: **~ parade** *n* GB séance *f* d'identification; **~ tag** *n* badge *m* (d'identification)

identifier /aɪˈdentɪfaɪə(r)/ *n* **1** Comput identificateur *m*; **2** (unique code) identifiant *m*

identify /aɪˈdentɪfaɪ/

A *vtr* **1** (establish identity of) identifier [*person, body, culprit*] (**as** comme étant; **to** à); **2** (pick out) distinguer; **3** (consider as equivalent) **to ~ sb/sth with sb/sth** identifier qn/qch à qn/qch

B *vi* (empathize) **to ~ with** s'identifier à

C *v refl* **to ~ oneself** (establish identity) donner son identité; **to ~ oneself with sb/sth** s'identifier à *or* avec qn/qch

identikit /aɪˈdentɪkɪt/

A *n* (*also* **Identikit®, identikit picture**) portrait-robot *m*

B *adj* péj [*novel, house*] fait en série

identity /aɪˈdentətɪ/ *n* (all contexts) identité *f*; **to change one's ~** changer d'identité; **to protect/reveal sb's ~** protéger/révéler l'identité de qn; **have you any proof of ~?** avez-vous une pièce d'identité?; **sense of ~** sens *m* de son identité; **national/religious ~** identité nationale/religieuse; **mistaken ~** erreur *f* d'identité

identity: **~ bracelet** *n* gourmette *f*; **~ card** *n* carte *f* d'identité; **~ crisis** *n* crise *f* d'identité; **~ number** *n* numéro *m* d'identification; **~ papers** *npl* papiers *mpl* d'identité; **~ parade** *n* GB séance *f* d'identification; **~ theft** *n* vol *m* d'identité

ideogram /ˈɪdɪəgræm/, **ideograph** /ˈɪdɪəgrɑːf, US -græf/ *n* idéogramme *m*

ideographic /ˌɪdɪəʊˈgræfɪk/ *adj* idéographique

ideological /ˌaɪdɪəˈlɒdʒɪkl/ *adj* idéologique

ideologically /ˌaɪdɪəˈlɒdʒɪklɪ/ *adv* d'un point de vue idéologique

ideologist /ˌaɪdɪˈɒlədʒɪst/, **ideologue** /ˈaɪdɪəlɒg/ *n* idéologue *mf*

ideology /ˌaɪdɪˈɒlədʒɪ/ *n* idéologie *f*

ides /aɪdz/ *npl* **the ~ of March** les ides *fpl* de mars

idiocy /ˈɪdɪəsɪ/ *n* **1** (stupidity) idiotie *f*; **2** (stupid remark) bêtise *f*

idiolect /ˈɪdɪəlekt/ *n* idiolecte *m*

idiom /ˈɪdɪəm/ *n* **1** Ling (phrase) idiome *m*, idiotisme *m* spec; **2** (language) (of speakers) parler *m*; (of theatre, sport) langue *f*; **3** (of music, art, architecture) style *m*; **in the jazz ~** dans le style jazz

idiomatic /ˌɪdɪəˈmætɪk/ *adj* idiomatique; **~ expression** tournure *f* idiomatique

idiomatically /ˌɪdɪəˈmætɪklɪ/ *adv* [*speak, write*] de façon idiomatique

idiopathic /ˌɪdɪəʊˈpæθɪk/ *adj* Med idiopathique

idiosyncrasy /ˌɪdɪəˈsɪŋkrəsɪ/ *n* **1** (of machine, system, person) particularité *f*; **2** hum (foible) manie *f*

idiosyncratic /ˌɪdɪəsɪŋˈkrætɪk/ *adj* [*account, need, character*] particulier/-ière; [*reaction, attitude*] caractéristique

idiot /ˈɪdɪət/ *n* **1** (fool) idiot/-e *m/f*; **to act/talk like an ~** faire/dire des idioties; **to feel like an ~** se sentir idiot; **that ~ Martin** cet imbécile de Martin; **you bloody◑ ~!** espèce de crétin◑!; **2** †Med injur idiot/-e *m/f* offensive

idiot: **~ board○** *n* télésouffleur *m*; **~ box○†** US télé○ *f*

idiotic /ˌɪdɪˈɒtɪk/ *adj* [*question, reply, grin*] idiot; [*remark, idea*] stupide

idiotically /ˌɪdɪˈɒtɪklɪ/ *adv* [*talk, smile*] bêtement

idiot tape *n* Comput frappe *f* au kilomètre

idle /ˈaɪdl/

A *adj* **1** (lazy) péj [*person, worker*] paresseux/-euse, fainéant; **2** (vain, pointless) [*boast, threat*] vain; [*speculation, question, curiosity*] oiseux/-euse; [*conversation, chatter, remark*] inutile; **it would be ~ to attempt to do** ce serait vain de tenter de faire; **3** (without occupation) [*person*] oisif/-ive; [*day, hour, moment*] de loisir; **the ~ rich** les riches oisifs; **100 men made ~** 100 hommes mis au chômage; **4** (not functioning) [*port, dock, mine*] à l'arrêt; [*machine*] arrêté; **to lie** *ou* **stand ~** [*machine, factory*] être à l'arrêt; [*land*] rester inexploité; **5** Fin [*capital*] dormant

B *vi* **1** [*engine*] tourner au ralenti; **2** [*person*] paresser, flemmarder○

(Idiom) **the devil makes work for ~ hands** Prov oisiveté est mère de tous les vices Prov

(Phrasal verb) ■ **idle away**: ▸ **~ away [sth], ~ [sth] away** passer [qch] à ne rien faire [*time, day, hours*]

idle character *n* Comput caractère *m* blanc

idleness /ˈaɪdlnɪs/ *n* **1** (inaction) inactivité *f*; **enforced ~** oisiveté *f* forcée; **2** (laziness) paresse *f*

idler /ˈaɪdlə(r)/ *n* **1** (person) (slacker) paresseux/-euse *m/f*; (loiterer) badaud/-e *m/f*; **2** Tech (wheel, gear, roller) roue *f* folle; (pulley) poulie *f* folle

idly /ˈaɪdlɪ/ *adv* **1** (not doing anything) [*gaze, sit*] paresseusement; **to sit** *ou* **stand ~ by** [*person*] rester les bras croisés; [*country*] ne pas agir; **2** (vainly, aimlessly) [*wonder*] vaguement; [*chat, talk*] pour passer le temps

idol /ˈaɪdl/ *n* **1** (pagan) idole *f*; **2** (hero) idole *f*; **cinema/teen ~** idole du cinéma/des jeunes; **fallen ~** idole déchue

idolater /aɪˈdɒlətə(r)/ *n* idolâtre *m*

idolatress /aɪˈdɒlətrɪs/ *n* idolâtre *f*

idolatrous /aɪˈdɒlətrəs/ *adj* idolâtre

idolatry /aɪˈdɒlətrɪ/ *n* idolâtrie *f* also fig

idolize /ˈaɪdəlaɪz/ *vtr* adorer [*parent, friend*]; idolâtrer [*star, personality*]; **he was ~d by his fans** ses fans○ l'idolâtraient

idyll /ˈɪdɪl, US ˈaɪdl/ *n* idylle *f* also Literat

idyllic /ɪˈdɪlɪk, US aɪˈd-/ *adj* idyllique

ie (*abrév* = **that is**) c-à-d

if /ɪf/

> ⚠ *If* is almost always translated by *si*, except in the case of a very few usages which are shown below

A *conj* **1** (in the event that, supposing that) si; **I'll help you ~ you pay me** je t'aiderai si tu me paies; **I'm not coming ~ you invite her** je ne viens pas si tu l'invites; **~ he dies** *ou* **~ he should die, it will have been your fault** s'il meurt, ça sera de ta faute; **~ she is to be believed** si on l'en croit; **~ possible** si possible; **tomorrow, ~ convenient** demain, si possible; **~ asked, I would say that** si on me posait la question, je dirais que; **I'll come with you ~ you like** je t'accompagnerai si tu veux; **he answers in monosyllables, ~ he answers at all** quand il daigne répondre, il répond par monosyllabes; **it was a milestone in our history, ~ you like** ça a été une étape importante dans notre histoire, en quelque sorte *or* si vous voulez; **~ I were you, I...** (moi) à ta place, je...; **~ it were to snow** s'il neigeait; **~ it were not for the baby, we could go camping** s'il n'y avait pas le bébé, on pourrait faire du camping; **~ so** si c'est le cas; **~ not** sinon; **tomorrow, ~ not sooner** demain au plus tard, demain ou même avant; **~ I'm not mistaken** si je ne me trompe

2▸ (whenever) si; **~ in doubt, consult the manual** pour plus de précisions, consultez le manuel; **~ you mention his name, she cries** il suffit de prononcer son nom pour qu'elle pleure; **~ they need any advice they always come to me** quand ils ont besoin d'un conseil, c'est toujours moi qu'ils viennent voir

3▸ (whether) si; **I wonder ~ they will come** je me demande s'ils vont venir; **do you know ~ they survived or not?** est-ce que tu sais s'ils ont survécu?; **can you remember ~ he told you?** est-ce que tu te souviens s'il te l'avait dit?

4▸ (functioning as *that*) **I'm sorry ~ she doesn't like it but...** je suis désolé que cela ne lui plaise pas mais...; **do you mind ~ I smoke?** cela vous dérange si je fume?; **I don't care ~ he is married!** cela m'est égal qu'il soit marié!

5▸ (although, accepting that) si; **we'll go even ~ it's dangerous** nous irons même si c'est dangereux; **(even) ~ they are old, at least they are not alone** même s'ils sont vieux, au moins ils ne sont pas seuls; **it's a good shop, ~ a little expensive** c'est un bon magasin, bien qu'un peu cher; **a pleasant, ~ rather small, apartment** un appartement agréable, bien qu'un peu petit; **it was interesting, ~ nothing else** au moins c'était intéressant

6▸ (as polite formula) **~ you would sign here please/follow me please** si vous voulez bien signer ici/me suivre

7▸ (expressing surprise, dismay etc) **~ it isn't our old friend Mr Pivachon!** tiens, mais voilà notre vieil ami M. Pivachon!; **well, ~ she didn't try and hit him!** je vous jure, elle a essayé de le battre!

8▸ (used with *what*) **what ~ he died?** et s'il mourait?; **what ~ I say no?** et si je dis non?; **(so) what ~ he (*ou* I etc) did?** et alors?

B **if only** *conj phr* **~ only because (of)** ne serait-ce qu'à cause de; **~ only for a moment** ne serait-ce que pour un instant; **~ only for one reason** ne serait-ce que pour la bonne raison que...; **~ only I had known!** si (seulement) j'avais su!; **~ only I could get my hands on them!** si seulement je les tenais!

(Idioms) **there are lots of ~s and buts about it** beaucoup de doutes planent là-dessus; **~, and it's a very big ~, he agrees...** s'il est d'accord, ce qui est loin d'être évident...; **it's a very big ~** c'est loin d'être sûr

iffy○ /'ɪfɪ/ *adj* **1▸** (dubious) suspect; **it sounds a bit ~ to me** ça me paraît un peu suspect; **2▸** (undecided) [*person*] indécis; [*outcome*] incertain; **he's a bit ~ about going** il n'est pas très chaud○ pour y aller

igloo /'ɪglu:/ *n* igloo *m*, iglou *m*

Ignatius /ɪg'neɪʃəs/ *pr n* Ignace; **St ~ Loyola** Saint Ignace de Loyola

igneous /'ɪgnɪəs/ *adj* Geol igné; **~ rock** roche *f* ignée

ignite /ɪg'naɪt/

A *vtr* démarrer [*motor*]; faire exploser [*fuel*]; enflammer [*material*]; **to ~ tensions** enflammer les passions

B *vi* [*petrol, gas*] s'enflammer; [*engine*] démarrer; [*rubbish, timber*] prendre feu; [*situation*] s'enflammer

ignition /ɪg'nɪʃn/ *n* **1▸** Aut (system) allumage *m*; **electronic ~** allumage électronique; **to adjust the ~** régler l'allumage; **2▸** Aut (starting mechanism) contact *m*; **to switch on/off the ~** mettre/couper le contact; **3▸** Aut, Tech (igniting) allumage *m*

ignition: **~ coil** *n* bobine *f* d'allumage; **~ key** *n* clé *f* de contact; **~ point** *n* point *m* d'allumage; **~ switch** *n* contact *m*

ignoble /ɪg'nəʊbl/ *adj* sout **1▸** [*thought, feeling, conduct, act*] infâme; [*nature, character*] vil; **2▸** littér [*origins*] humble

ignominious /,ɪgnə'mɪnɪəs/ *adj* sout **1▸** [*defeat, retreat, failure, fate*] ignominieux/-ieuse; **2▸** [*act, conduct*] scandaleux/-euse

ignominiously /,ɪgnə'mɪnɪəslɪ/ *adv* sout ignominieusement

ignominy /'ɪgnəmɪnɪ/ *n* sout ignominie *f*

ignoramus /,ɪgnə'reɪməs/ *n* (*pl* **-muses**) ignare *mf*

ignorance /'ɪgnərəns/ *n* (of person) ignorance *f*; (of behaviour, manners) manque *m* d'éducation; **through ~** par ignorance; **to be in ~ of sth** ignorer qch; **his ~ of things scientific** son ignorance des choses de la science *or* de tout ce qui est scientifique; **to keep sb in ~ of sth** laisser qn dans l'ignorance de qch

(Idioms) **~ of the law is no excuse** nul n'est censé ignorer la loi; **~ is bliss** l'ignorance est salvatrice

ignorant /'ɪgnərənt/ *adj* [*person*] (of a subject) ignorant; (uneducated) inculte; (boorish) grossier/-ière; [*remark, idea*] d'ignorant; **to be ~ about** tout ignorer de [*subject*]; **to be ~ of** ignorer [*options, possibilities, rights*]; **pig ~** bête comme un âne

ignorantly /'ɪgnərəntlɪ/ *adv* [*say, affirm*] par ignorance; [*behave*] d'une manière grossière

ignore /ɪg'nɔ:(r)/ *vtr* ignorer [*person*]; ne pas relever [*request, remark*]; ne pas faire attention à [*criticism*]; passer sur [*behaviour, mistake*]; ne pas tenir compte de [*feeling, fact*]; ne pas respecter [*instructions, rule*]; ne pas suivre [*advice*]; se désintéresser complètement de [*issue, problem*]; brûler [*traffic lights*]; **to ~ sb's very existence** faire comme si qn n'existait pas

iguana /ɪg'wɑ:nə/ *n* (*pl* **~** *ou* **~s**) iguane *m*

IKBS *n* Comput *abrév* ▸ **intelligent knowledge-based system**

ikon *n* = **icon**

IL US Post *abrév écrite* = **Illinois**

ILEA /'ɪlɪə/ *n* (*abrév* = **Inner London Education Authority**) *organisme autrefois chargé de l'éducation pour la ville de Londres*

Ile-de-France ▸ **p. 1243** *pr n* Île-de-France *f*; **in/to the ~** en Île-de-France

ileum /'ɪlɪəm/ *n* (*pl* **ilea**) iléon *m*

Iliad /'ɪlɪəd/ *n* Iliade *f*

ilium /'ɪlɪəm/ *n* (*pl* **ilia**) ilion *m*

ilk /ɪlk/ *n* (*sans pl*) espèce *f*; **of that ~** de cette espèce; **of his/their ~** de la même espèce

ill /ɪl/

A *n* **1▸** (evil) **to wish sb ~** souhaiter du mal à qn; **for good or ~** pour le meilleur ou pour le pire; **2▸** (ailment) mal *m*; **economic ~s** les maux de l'économie

B *adj* **1▸** (having particular illness) malade; **to be ~ with sth** (serious illness) être atteint de qch; (less serious) souffrir de qch; **to be taken ~, to fall ~** tomber malade; **2▸** (nauseous) **to feel ~** avoir mal au cœur *or* des nausées; **the smell made him feel ~** l'odeur lui a donné mal au cœur *or* des nausées

C *adv* sout **1▸** (badly) **they have been ~ served by their government** leur gouvernement les a desservis; **he is ~ suited to the post** il n'est guère fait pour ce poste; **to speak ~ of sb** dire du mal de qn; **to bode *ou* augur ~ for sth** littér être de mauvais augure pour qch; **2▸** (scarcely) **he ~ deserves your praise** il ne mérite guère vos louanges; **it ~ becomes you to criticize** il ne vous sied guère de critiquer

(Idiom) **it's an ~ wind (that blows nobody any good)** Prov à quelque chose malheur est bon Prov

I'll /aɪl/ = **I shall, I will**

ill-acquainted *adj* peu familier/-ière (**with** de)

ill-advised *adj* [*approach, decision, policy*] malavisé; [*action, remark*] inconsidéré, malavisé; **he was ~ to wait** il a été malavisé d'attendre

ill: **~-assorted** *adj* mal assorti; **~ at ease** *adj* gêné, mal à l'aise; **~-bred** *adj* mal élevé; **~-concealed** *adj* mal dissimulé; **~-conceived** *adj* mal conçu; **~-considered** *adj* [*remark, decision*] irréfléchi; [*measure*] hâtif/-ive; **~-defined** *adj* mal défini; **~-disposed** *adj* mal disposé (**towards** envers)

Ille-et-Vilaine ▸ **p. 1129** *pr n* Ille-et-Vilaine *f*; **in/to ~** en Ille-et-Vilaine

ill effect *n* conséquence *f* néfaste

illegal /ɪ'li:gl/

A *n* US immigrant/-e *m/f* clandestin/-e

B *adj* **1▸** (unlawful) [*act, sale, profits, use*] illégal; [*parking*] illicite; [*immigrant*] clandestin; **2▸** Games, Sport [*pass, move, tackle*] irrégulier/-ière; **3▸** Comput [*character, operation*] interdit

illegality /,ɪlɪ'gælətɪ/ *n* **1▸** (unlawfulness) illégalité *f*; **2▸** Sport (of pass, move, tackle) irrégularité *f*; **3▸** (unlawful act) illégalité *f*.

illegally /ɪ'li:gəlɪ/ *adv* [*import, sell, work*] illégalement; [*park*] en infraction

illegible /ɪ'ledʒəbl/ *adj* illisible

illegibly /ɪ'ledʒəblɪ/ *adv* de façon illisible

illegitimacy /,ɪlɪ'dʒɪtɪməsɪ/ *n* (all contexts) illégitimité *f*; **the rate of ~** le taux de naissances illégitimes

illegitimate /,ɪlɪ'dʒɪtɪmət/ *adj* (all contexts) illégitime

illegitimately /,ɪlɪ'dʒɪtɪmətlɪ/ *adv* illégitimement

ill: **~-equipped** *adj* mal équipé; **~-fated** *adj* [*expedition, enterprise, person*] malheureux/-euse; [*day*] fatal; **~-favoured** GB, **~-favored** US *adj* au physique ingrat; **~ feeling** *n* ressentiment *m*; **~-fitting** *adj* [*garment, shoe*] qui va mal; **~-founded** *adj* sans fondement; **~-gotten** *adj* mal acquis

ill health *n* (chronic) mauvaise santé *f*; **~ prevented him from taking part** (temporary) un problème de santé l'a empêché de participer

illiberal /ɪ'lɪbərəl/ *adj* [*society, state*] intolérant; [*views*] étroit; [*person*] à l'esprit étroit

illicit /ɪ'lɪsɪt/ *adj* illicite

illicitly /ɪ'lɪsɪtlɪ/ *adv* **1▸** (illegally) de manière illicite; **2▸** (secretly) [*meet, have sex*] clandestinement

ill-informed *adj* mal informé

Illinois /,ɪlɪ'nɔɪ/ ▸ **p. 1737** *pr n* Illinois *m*

illiteracy /ɪ'lɪtərəsɪ/ *n* analphabétisme *m*; **60% ~** un taux d'analphabétisme de 60%

illiterate /ɪ'lɪtərət/

A *n* **1▸** (person) analphabète *mf*; **2▸ the ~** (+ *v pl*) les analphabètes

B *adj* **1▸** [*person*] analphabète; **2▸** (uncultured) [*person*] illettré; [*letter, writing*] d'illettré

ill: **~-judged** *adj* peu judicieux/-ieuse; **~ luck** *n* malchance *f*; **~-mannered** *adj* grossier/-ière; **~-natured** *adj* désagréable

illness /'ɪlnɪs/ ▸ **p. 1327** *n* maladie *f*; **minor/fatal/serious ~** maladie bénigne/mortelle/grave

illocutionary /,ɪlə'kju:ʃənərɪ, US -nerɪ/ *adj* Philos illocutoire

illogical /ɪ'lɒdʒɪkl/ *adj* illogique

illogicality /,ɪlɒdʒɪ'kælətɪ/ *n* illogisme *m*

illogically /ɪ'lɒdʒɪklɪ/ *adv* **1▸** [*feel, react*] en dépit de toute logique; **2▸** [*reason, argue*] illogiquement

ill: **~-prepared** *adj* mal préparé; **~-starred** *adj* littér infortuné fml; **~ temper** *n* mauvaise humeur *f*; **~-tempered** *adj* désagréable, déplaisant;

Illnesses, aches and pains

Where does it hurt?

where does it hurt?
= où est-ce que ça vous fait mal?
or (more formally) où avez-vous mal?

his leg hurts
= sa jambe lui fait mal
(*Do not confuse* faire mal à qn *with the phrase* faire du mal à qn, *which means* to harm sb.)

he has a pain in his leg
= il a mal à la jambe

■ *Note that with* avoir mal à *French uses the definite article* (la) *with the part of the body, where English has a possessive* (his), *hence:*

his head was aching
= il avait mal à la tête

■ *English has other ways of expressing this idea, but* avoir mal à *fits them too:*

he had toothache
= il avait mal aux dents

his ears hurt
= il avait mal aux oreilles

Accidents

she broke her leg
= elle s'est cassé la jambe

■ Elle s'est cassé la jambe *means literally* she broke to herself the leg; *because the* se *is an indirect object, the past participle* cassé *does not agree. This is true of all such constructions:*

she sprained her ankle
= elle s'est foulé la cheville

they burned their hands
= ils se sont brûlé les mains

Chronic conditions

■ *Note that the French often use* fragile (*weak*) *to express a chronic condition:*

he has a weak heart
= il a le cœur fragile

he has kidney trouble
= il a les reins fragiles

he has a bad back
= il a le dos fragile

Being ill

■ *Mostly French uses the definite article with the name of an illness:*

to have flu
= avoir la grippe

to have measles
= avoir la rougeole

to have malaria
= avoir la malaria

■ *This applies to most infectious diseases, including childhood illnesses. However, note the exceptions ending in* -ite (*e.g.* une hépatite, une méningite) *below.*

■ *When the illness affects a specific part of the body, French uses the indefinite article:*

to have cancer
= avoir un cancer

to have cancer of the liver
= avoir un cancer du foie

to have pneumonia
= avoir une pneumonie

to have cirrhosis
= avoir une cirrhose

to have a stomach ulcer
= avoir un ulcère à l'estomac

■ *Most words in* -ite (*English* -itis) *work like this:*

to have bronchitis
= avoir une bronchite

to have hepatitis
= avoir une hépatite

■ *When the illness is a generalized condition, French tends to use* du, de l', de la *or* des:

to have rheumatism
= avoir des rhumatismes

to have emphysema
= avoir de l'emphysème

to have asthma
= avoir de l'asthme

to have arthritis
= avoir de l'arthrite

One exception here is:

to have hay fever
= avoir le rhume des foins

■ *When there is an adjective for such conditions, this is often preferred in French:*

to have asthma
= être asthmatique

to have epilepsy
= être épileptique

■ *Such adjectives can be used as nouns to denote the person with the illness, e.g.* un/une asthmatique *and* un/une épileptique *etc.*

■ *French has other specific words for people with certain illnesses:*

someone with cancer
= un cancéreux/une cancéreuse

■ *If in doubt check in the dictionary.*

■ *English* with *is translated by* qui a *or* qui ont, *and this is always safe:*

someone with malaria
= quelqu'un qui a la malaria

people with Aids
= les gens qui ont le Sida

Falling ill

■ *The above guidelines about the use of the definite and indefinite articles in French hold good for talking about the onset of illnesses.*

■ *French has no general equivalent of* to get. *However, where English can use* catch, *French can use* attraper:

to catch mumps
= attraper les oreillons

to catch malaria
= attraper la malaria

to catch bronchitis
= attraper une bronchite

to catch a cold
= attraper un rhume

■ *Similarly where English uses* contract, *French uses* contracter:

to contract Aids
= contracter le Sida

to contract pneumonia
= contracter une pneumonie

to contract hepatitis
= contracter une hépatite

■ *For attacks of chronic illnesses, French uses* faire une crise de:

to have a bout of malaria
= faire une crise de malaria

to have an asthma attack
= faire une crise d'asthme

to have an epileptic fit
= faire une crise d'épilepsie

Treatment

to be treated for polio
= se faire soigner contre la polio

to take something for hay fever
= prendre quelque chose contre le rhume des foins

he's taking something for his cough
= il prend quelque chose contre la toux

to prescribe something for a cough
= prescrire un médicament contre la toux

malaria tablets
= des cachets contre la malaria

to have a cholera vaccination
= se faire vacciner contre le choléra

to be vaccinated against smallpox
= se faire vacciner contre la variole

to be immunized against smallpox
= se faire immuniser contre la variole

to have a tetanus injection
= se faire vacciner contre le tétanos

to give sb a tetanus injection
= vacciner qn contre le tétanos

to be operated on for cancer
= être opéré d'un cancer

to operate on sb for appendicitis
= opérer qn de l'appendicite

~-timed *adj* [*remark, arrival*] inopportun; [*takeover, campaign*] malencontreux/-euse; **~-treat** *vtr* maltraiter; **~ treatment** *n* mauvais traitements *mpl*

illuminate /ɪˈluːmɪneɪt/ *vtr* **1** (light) éclairer; (for effect) illuminer; **2** (enlighten) éclairer; **3** Art enluminer [*manuscript*]

illuminated /ɪˈluːmɪneɪtɪd/ *adj* **1** (lit up) [*sign, panel*] lumineux/-euse; (for effect) illuminé; **2** Art [*manuscript*] enluminé

illuminating /ɪˈluːmɪneɪtɪŋ/ *adj* fig éclairant

illumination /ɪˌluːmɪˈneɪʃn/
A *n* **1** (lighting) (of building, panel, sign) éclairage *m*; (for effect) illumination *f*; **2** (enlightenment) illumination *f*; **3** Art (of manuscript) enluminure *f*
B illuminations *npl* GB illuminations *fpl*

illuminator /ɪˈluːmɪneɪtə(r)/ *n* Art enlumineur/-euse *m/f*

illumine /ɪˈluːmɪn/ *vtr* éclairer

ill-use /ˌɪlˈjuːz/ *vtr* sout maltraiter

illusion /ɪˈluːʒn/ *n* illusion *f*; **to have ~s about** se faire des illusions sur; **to be** *ou* **to labour under the ~ that** se faire l'illusion que; **she has no ~s left about the future** elle ne se fait plus aucune illusion sur l'avenir; **it's an ~ to think that...** c'est s'illusionner que de croire que...; **an ~ of space** une illusion d'espace

illusionist /ɪˈluːʒənɪst/ *n* illusionniste *mf*

illusive /ɪˈluːsɪv/, **illusory** /ɪˈluːsərɪ/ *adj* (misleading) trompeur/-euse; (apparent) illusoire

illustrate /ˈɪləstreɪt/
A *vtr* illustrer [*book, point, principle*]; **to ~ that...**

illustrer le fait que...; **to ~ how...** illustrer la façon dont...
B **illustrated** *pp adj* [*book, story, poem*] illustré; **an ~d talk** une conférence avec support visuel

illustration /ˌɪlə'streɪʃn/ *n* (all contexts) illustration *f*

illustrative /'ɪləstrətɪv, US ɪ'lʌs-/ *adj* **~ material** illustrations *fpl*; **it is ~ of...** cela illustre bien...; **'may be reproduced for ~ purposes'** Publg 'peut être reproduit à titre d'illustration'

illustrator /'ɪləstreɪtə(r)/ ▸ **p. 1683** *n* illustrateur/-trice *m/f*

illustrious /ɪ'lʌstrɪəs/ *adj* **1** (famous) [*person, name*] illustre; (distinguished) [*career, past*] glorieux/-ieuse; **2** sout (glorious) [*emperor, queen*] glorieux/-ieuse

illustriously /ɪ'lʌstrɪəslɪ/ *adv* glorieusement

ill will *n* rancune *f*; **I bear them no ~** je ne leur garde pas rancune fml

ILO *n* **1** (*abrév* = **International Labour Organization**) OIT *f*; **2** (*abrév* = **International Labour Office**) BIT *m*

I'm /aɪm/ = **I am**

image /'ɪmɪdʒ/ *n* **1** (concept) (mental picture) image *f*; (notion) idée *f*; **the popular ~ of life in the north** l'idée que les gens se font de la vie dans le nord; **2** (epitome) image *f*; **the ~ of the successful working mother** l'image de la mère qui travaille et qui a réussi; **3** (public impression) (of company, personality) image *f* de marque; **4** TV, Phot, Cin (picture) image *f*; **visual ~** image réelle; **the moving ~** l'image en mouvement; **5** (likeness) image *f*; **God created Man in his own ~** Dieu créa l'homme à son image; **he is the (spitting) ~ of you** fig c'est toi tout craché; **6** Literat image *f*; **7** Math image *f*; **8** Comput image *f*

image: **~ builder**, **~ maker** *n* professionnel/-elle *m/f* de l'image de marque; **~-conscious** *adj* conscient de son image de marque; **~ processing** *n* traitement *m* de l'image

imagery /'ɪmɪdʒərɪ/ *n* ¢ Art, Literat images *fpl*

imagesetter /'ɪmɪdʒsetə(r)/ *n* Print, Publg photocomposeuse *f*

imaginable /ɪ'mædʒɪnəbl/ *adj* [*situation, solution, danger, threat*] imaginable; **the funniest/most horrible thing ~** la chose la plus amusante/horrible qu'on puisse imaginer

imaginary /ɪ'mædʒɪnərɪ, US -ənerɪ/ *adj* (all contexts) imaginaire

imaginary number *n* Math nombre *m* imaginaire

imagination /ɪˌmædʒɪ'neɪʃn/ *n* imagination *f*; **to show ~** faire preuve d'imagination; **to have a fertile ~** avoir l'imagination fertile; **to see sth in one's ~** voir qch en imagination; **in his ~ he has a friend called Vic** il s'imagine avoir un ami qui s'appelle Vic; **I'll leave the rest to your ~** je te laisse le soin d'imaginer la suite; **it leaves nothing to the ~** cela ne laisse rien à l'imagination; **is it my ~, or...?** je rêve, ou...?; **it's all in your ~!** c'est tout dans la tête!, tu te fais des idées!; **use your ~!** réfléchis un peu!; **not by any stretch of the ~ could you say...** même en faisant un grand effort d'imagination on ne pourrait pas dire...

imaginative /ɪ'mædʒɪnətɪv, US -əneɪtɪv/ *adj* [*person, child, story, film, design, performance*] plein d'imagination; [*artist, mind*] imaginatif/-ive; [*solution, system, budget, method, device*] ingénieux/-ieuse

imaginatively /ɪ'mædʒɪnətɪvlɪ, US -əneɪtɪvlɪ/ *adv* [*written, designed, devised, performed, solved*] avec imagination

imaginativeness /ɪ'mædʒɪnətɪvnɪs, US -əneɪtɪvnɪs/ *n* esprit *m* d'invention

imagine /ɪ'mædʒɪn/ *vtr* **1** (picture, visualize) (s')imaginer, se représenter [*object, scene, scenario*]; **to ~ that...** imaginer que...; **to ~ sb doing** imaginer qn en train de faire; **I can't ~ him travelling alone** je ne le vois pas en train de voyager seul; **I can't ~ her liking that, I can't ~ (that) she liked that** je ne crois pas qu'elle ait aimé ça; **to ~ (oneself) flying** s'imaginer en train de voler; **to ~ being rich/king** s'imaginer riche/roi; **I can't ~ (myself) saying that** je ne me vois pas (en train de) dire ça; **to ~ how/what/why** imaginer comment/ce que/pourquoi; **you can well/you can't ~ the trouble I've had** tu peux bien/tu ne peux pas t'imaginer les ennuis que j'ai eus; **I can ~ only too well** j'imagine trop bien; **just ~!, just ~ that!** tu t'imagines!, tu te rends compte!; **just ~ my surprise** imagine un peu ma surprise; **you can just ~ how I felt** tu imagines ma tête°; **2** (fancy, believe wrongly) (s')imaginer, se figurer (**that** que); **don't ~ you'll get away with it!** ne te figure pas que tu vas t'en tirer comme ça!; **surely you don't ~ that...?** tu ne vas pas tout de même imaginer que...?; **you must have ~d it** ce doit être un effet de ton imagination; **you're imagining it!** tu te fais des idées!; **3** (suppose, think) (s')imaginer, supposer (**that** que); **he's dead, I ~** il est mort, j'imagine *or* je suppose; **I ~ so** j'imagine, je suppose; **you would ~ he'd be more careful** on aurait pu croire qu'il serait plus prudent

imaging /'ɪmɪdʒɪŋ/ *n* Comput, Med imagerie *f*

imaginings /ɪ'mædʒɪnɪŋz/ *npl* fantaisies *fpl*; **sb's horrible/dark ~** les horribles/sombres fantaisies de qn; **never in my worst ~** jamais dans mes rêves les plus horribles

imam /ɪ'mɑːm/ *n* imam *m*

imbalance /ˌɪm'bæləns/ *n* déséquilibre *m* (**between** entre); **to correct an ~** corriger un déséquilibre; **trade ~** Econ déséquilibre des échanges commerciaux; **hormonal ~** Med déséquilibre hormonal

imbecile /'ɪmbəsiːl, US -sl/
A *n* **1** gen imbécile *mf*; **2** ‡Med débile *mf*
B *adj* **1** gen imbécile; **2** ‡Med débile

imbecility /ˌɪmbə'sɪlətɪ/ *n* **1** (stupidity) stupidité *f*; (stronger) folie *f*; **2** (act, remark) imbécillité *f*; **3** ‡Med imbécillité *f*

imbibe /ɪm'baɪb/
A *vtr* sout **1** (drink) boire; **2** (take in) absorber [*knowledge, propaganda*]
B *vi* hum (tipple) être porté sur la bouteille

imbizo /ɪm'biːzəʊ/ *n* South Africa assemblée *f*

imbroglio /ɪm'brəʊlɪəʊ/ *n* imbroglio *m*

imbue /ɪm'bjuː/
A *vtr* imprégner (**with** de)
B **imbued** *pp adj* **~d with** imprégné de

IMF *n* (*abrév* = **International Monetary Fund**) FMI *m*

imitate /'ɪmɪteɪt/ *vtr* **1** (behave similarly to) imiter; **2** (mimic) imiter; **to ~ sb to the life** imiter qn à merveille; **to ~ a cock crowing** imiter le chant du coq; **art ~s life** l'art imite le réel; **3** (copy) copier [*handwriting, design*]

imitation /ˌɪmɪ'teɪʃn/
A *n* (all contexts) imitation *f*; **in ~ of** à l'imitation de; **to learn by ~** apprendre par imitation; **to do an ~ of sb/sth** faire une imitation de qn/qch; **beware of ~s!** méfiez-vous des contrefaçons!
B *adj* [*plant, snow*] artificiel/-ielle; **~ fur** imitation *f* de fourrure; **~ fur coat** manteau en imitation de fourrure; **~ gold** similor *m*; **~ jewel** faux bijou *m*; **~ leather** similicuir *m*; **~ marble** faux marbre *m*; **~ mink** imitation *f* vison
(Idiom) **~ is the sincerest form of flattery** l'imitation est la plus sincère des flatteries

imitative /'ɪmɪtətɪv, US -teɪtɪv/ *adj* [*person*] imitateur/-trice; [*sound*] imitatif/-ive; [*style*] sans originalité; **the ~ arts** les arts imitatifs

imitator /'ɪmɪteɪtə(r)/ *n* imitateur/-trice *m/f*

immaculate /ɪ'mækjʊlət/ *adj* **1** [*person, dress, house, manners*] impeccable; [*performance, timing, technique*] parfait; **~ condition** (in advertisement) état impeccable; **2** Relig immaculé; **the Immaculate Conception** l'Immaculée Conception *f*

immaculately /ɪ'mækjʊlətlɪ/ *adv* [*dressed, presented*] de façon impeccable; [*furnished*] avec beaucoup de goût

immanent /'ɪmənənt/ *adj* immanent

immaterial /ˌɪmə'tɪərɪəl/ *adj* **1** (unimportant) sans importance; **it's ~ (to me) whether you like it or not** peu m'importe que vous l'aimiez ou non; **to be ~ to sth** n'avoir rien à voir avec qch; **2** (intangible) immatériel/-ielle

immature /ˌɪmə'tjʊə(r), US -tʊər/ *adj* **1** (not fully grown) [*animal, plant*] immature; [*fruit*] vert; **2** pej (childish) immature; **don't be so ~!** ne te conduis pas comme un enfant!; **to be ~ for one's age** manquer de maturité pour son âge

immaturity /ˌɪmə'tjʊərətɪ, US -tʊər-/ *n* **1** (of plant, animal) immaturité *f*; **2** pej (childishness) manque *m* de maturité

immeasurable /ɪ'meʒərəbl/ *adj* [*difference, damage, quantity*] incommensurable; [*gulf, depth*] insondable

immeasurably /ɪ'meʒərəblɪ/ *adv* incommensurablement

immediacy /ɪ'miːdɪəsɪ/ *n* immédiateté *f*; **a sense of ~** le sens de l'immédiat

immediate /ɪ'miːdɪət/ *adj* **1** (instant) [*effect, reaction, delivery*] immédiat; [*thought, idea*] premier/-ière; **2** (urgent, current) [*concern, responsibility, goal*] premier/-ière; [*problem, crisis*] urgent; [*information*] frais/fraîche; **~ steps must be taken** il faut prendre des mesures immédiates; **there is no ~ danger of this happening** il n'y a pas de danger que cela se produise dans l'immédiat; **the patient is not in ~ danger** les jours du patient ne sont pas en danger; **3** (near) [*prospects*] immédiat; **in the ~ vicinity** dans le voisinage immédiat; **his ~ family** ses proches; **in the ~ future** dans l'avenir proche; **4** (with no intermediary) [*cause*] immédiat; [*neighbours*] immédiat; **on my ~ left** juste à ma gauche

immediate: **~ annuity** *n* rente *f* immédiate; **~ constituent** *n* constituant *m* immédiat

immediately /ɪ'miːdɪətlɪ/
A *adv* **1** (at once) [*notice, depart, reply, understand*] immédiatement; [*apparent, clear*] tout de suite; [*condemn, denounce*] tout de suite; **serve ~** Culin servez sur-le-champ; **~ at** *ou* **to hand** sous la main; **2** (directly) [*threatened, affected*] immédiatement; **he is not ~ at risk** il n'est pas directement menacé; **3** (straight) **~ after/before** juste avant/après [*event, activity*]; **4** (near) **~ next door** dans la maison juste à côté; **~ under the window** juste en dessous de la fenêtre
B *conj* GB dès que, aussitôt que; **he left ~ he received the call** il est parti dès qu'il a reçu le coup de fil

immemorial /ˌɪmə'mɔːrɪəl/ *adj* (timeless) immémorial; **from** *ou* **since time ~** de temps immémorial

immense /ɪ'mens/ *adj* (all contexts) immense

immensely /ɪ'menslɪ/ *adv* [*enjoy, help*] énormément; [*complicated, popular, useful*] extrêmement, infiniment

immensity /ɪ'mensətɪ/ *n* (all contexts) immensité *f*

immerse /ɪ'mɜːs/
A *vtr* (in liquid) plonger (**in** dans)
B *v refl* **to ~ oneself** se plonger (**in** dans)

immersed /ɪ'mɜːst/ *adj* **1** (in liquid) immergé (**in** dans); **2** (in book, task, etc) absorbé (**in** dans)

immersion /ɪ'mɜːʃn, US -ʒn/ *n* (all contexts) immersion *f* (**in** dans); **baptism by total ~** baptême par immersion totale

immersion: ~ **course** *n* GB cours *m* avec immersion linguistique; ~ **heater** *n* chauffe-eau *m* électrique

immigrant /ˈɪmɪɡrənt/
A *n* (recent) immigrant/-e *m/f*; (established) immigré/-e *m/f*
B *adj* (recent) immigrant; (established) immigré

immigrate /ˈɪmɪɡreɪt/ *vi* immigrer (**to** à, en)

immigration /ˌɪmɪˈɡreɪʃn/
A *n* (all contexts) immigration *f*; **to go through** ~ passer l'immigration
B *modif* [*procedures, restrictions*] d'immigration

immigration: ~ **authorities** *npl* services *mpl* de l'immigration; ~ **control** *n* (system) contrôle *m* de l'immigration; (office) services *mpl* de l'immigration; ~ **laws** *npl* lois *fpl* sur l'immigration; ~ **officer**, ~ **official** *n* fonctionnaire *mf* des services de l'immigration; **Immigration Service** *n* GB services *mpl* de l'immigration

imminence /ˈɪmɪnəns/ *n* imminence *f*

imminent /ˈɪmɪnənt/ *adj* [*arrival, danger, release*] imminent; **rain/a storm is** ~ la pluie/l'orage menace

immobile /ɪˈməʊbaɪl, US -bl/ *adj* **1** (motionless) immobile; **2** (unable to move) [*person*] impotent; [*object*] fixe

immobility /ˌɪməˈbɪlətɪ/ *n* **1** (of traffic, vehicle) immobilité *f*; **2** (inability to move) (of person) impotence *f*; ~ **of labour** manque de mobilité de la main-d'œuvre; **3** (lack of change) inertie *f*

immobilize /ɪˈməʊbɪlaɪz/
A *vtr* **1** (stop operating) paralyser [*traffic, market, organization*]; immobiliser [*car, engine*]; paralyser [*enemy installation*]; **2** (keep still) immobiliser [*patient, limb, animal*]; **3** Fin bloquer [*funds*]
B **immobilized** *pp adj* [*car, person*] immobilisé; [*market, traffic*] paralysé

immobilizer /ɪˈməʊbɪlaɪzə(r)/ *n* Aut système *m* antidémarrage

immoderate /ɪˈmɒdərət/ *adj* sout (all contexts) immodéré

immoderately /ɪˈmɒdərətlɪ/ *adv* sout immodérément

immodest /ɪˈmɒdɪst/ *adj* **1** (boastful) présomptueux/-euse; **2** (improper) indécent

immodestly /ɪˈmɒdɪstlɪ/ *adv* **1** [*claim*] présomptueusement; **she claims, not** ~, **that** elle prétend, à juste titre, que; **2** [*dress, behave*] indécemment

immodesty /ɪˈmɒdɪstɪ/ *n* **1** (of claim) présomption *f*; **without** ~ sans être présomptueux/-euse; **2** (sexual) impudeur *f*

immolate /ˈɪməleɪt/
A *vtr* immoler
B *v refl* **to** ~ **oneself** s'immoler

immoral /ɪˈmɒrəl, US ɪˈmɔːrəl/ *adj* (all cases) immoral; **to live off** ~ **earnings** Jur vivre de gains illicites (*en tant que proxénète*)

immorality /ˌɪməˈrælətɪ/ *n* (all contexts) immoralité *f*

immortal /ɪˈmɔːtl/
A *n* **1** (god) (*also* **Immortal**) immortel/-elle *m/f*; **2** (writer) auteur *m* immortel; **3** (star) vedette *f* immortelle
B *adj* (all contexts) immortel/-elle

immortality /ˌɪmɔːˈtælətɪ/ *n* (all contexts) immortalité *f*; **to achieve** ~ entrer dans l'immortalité

immortalize /ɪˈmɔːtəlaɪz/
A *vtr* immortaliser [*person, place, event*]
B **immortalized** *pp adj* immortalisé; ~ **in verse** immortalisé en vers; ~ **in a book/film** immortalisé dans un livre/film

immovable /ɪˈmuːvəbl/
A **immovables** *npl* biens *mpl* immeubles
B *adj* **1** (immobile) fixe; **2** (unchanging) [*position, opinion*] inébranlable; [*government, person*] immuable; **3** (impassive) impassible; **4** Jur [*goods, property*] immeuble

immovably /ɪˈmuːvəblɪ/ *adv* [*opposed, resolved*] irrévocablement

immune /ɪˈmjuːn/ *adj* **1** Med [*person, organism*] immunisé (**to** contre); [*reaction*] immunitaire; [*substance*] immunisant; ~ **deficiency** déficience *f* immunitaire, immunodéficience *f*; ~ **system** système *m* immunitaire; **to become** ~ **to** acquérir l'immunité contre; **2** (oblivious) ~ **to** insensible à [*flattery, criticism*]; **3** (exempt) **to be** ~ **from** être à l'abri de [*attack, arrest*]; être exempté de [*tax*]; **to be** ~ **from prosecution** ne pas faire l'objet de poursuite

immunity /ɪˈmjuːnətɪ/ *n* **1** Med, Admin immunité *f* (**to, against** contre); **tax/legal** ~ exemption *f* fiscale/légale; **to be granted** ~ se voir accorder l'immunité; **2** (to criticism) impassibilité *f* (**to** devant)

immunization /ˌɪmjʊnaɪˈzeɪʃn, US -nɪˈz-/ *n* immunisation *f* (**against** contre); **mass** ~ immunisation généralisée

immunize /ˈɪmjuːnaɪz/ *vtr* immuniser (**against** contre)

immunocompromised /ˌɪmjʊnəʊˈkɒmprəmaɪzd, ɪˌmjuːnəʊ-/ *adj* Med immunodéficient

immunodeficiency /ˌɪmjuːˌnəʊdɪˈfɪʃənsɪ/ *n* déficience *f* immunitaire, immunodéficience *f*

immunodeficient /ˌɪmjʊnəʊdəˈfɪʃənt/ *adj* immunodéficitaire, immunodéficient

immunofluorescence /ˌɪmjʊnəʊˌflɔːˈresəns, ɪˌmjuːnəʊ-, US -flʊəˈr-/ *n* Med immunofluorescence *f*

immunogenetics /ˌɪmjʊnəʊdʒɪˈnetɪks, ɪˌmjuːnəʊ-/ *n* (+ *v sg*) immunogénétique *f*

immunogenic /ˌɪmjuːnəʊˈdʒenɪk/ *adj* immunogène

immunoglobulin /ˌɪmjuːnəʊˈɡlɒbjʊlɪn/ *n* immunoglobuline *mf*

immunological /ˌɪmjuːnəˈlɒdʒɪkl/ *adj* immunologique

immunologist /ˌɪmjʊˈnɒlədʒɪst/ *n* immunologiste *mf*

immunology /ˌɪmjʊˈnɒlədʒɪ/ *n* immunologie *f*

immunostimulant /ˌɪmjʊnəʊˈstɪmjʊlənt, ɪˌmjuːnəʊ-/ *n, adj* immunostimulant (*m*)

immunosuppression /ˌɪmjʊnəʊsəˈpreʃn, ɪˌmjuːnəʊ-/ *n* Med immunosuppression *f*

immunosuppressive /ˌɪmjuːnəsəˈpresɪv/
A *n* immunosuppresseur *m*, immunodépresseur *m*
B *adj* immunosuppressif/-ive, immunodépressif/-ive

immure /ɪˈmjʊə(r)/ littér
A *vtr* **1** (imprison) enfermer; **2** (wall in) emmurer
B *v refl* **to** ~ **oneself** fig se cloîtrer

immutability /ɪˌmjuːtəˈbɪlətɪ/ *n* immuabilité *f*, immutabilité *f*

immutable /ɪˈmjuːtəbl/ *adj* immuable

immutably /ɪˈmjuːtəblɪ/ *adv* définitivement

imp /ɪmp/ *n* **1** (elf) lutin *m*; **2** fig (child) **she's a little** ~○ c'est un petit diable○ fig

impact
A /ˈɪmpækt/ *n* **1** (effect) impact *m* (**on** sur); **to have** *ou* **make an** ~ **on sb/sth** avoir un impact sur qn/qch; **2** (violent contact) (of explosion, hammer, vehicle) choc *m*; (of bomb, bullet) impact *m* (**against** contre; **on** sur); **on** ~ au moment de l'impact; **3** (impetus of collision) choc *m*
B /ɪmˈpækt/ *vtr* **1** (affect) avoir un impact sur; **2** (hit) percuter
C /ɪmˈpækt/ *vi* avoir un impact (**on** sur)

impacted /ɪmˈpæktɪd/ *adj* **1** Med [*tooth*] inclus; [*fracture*] engrené; **2** Aut **two** ~ **cars** deux voitures encastrées; **3** US Econ [*area*] dont les ressources sont utilisées au maximum; **4** US (entrenched) [*attitude*] arrêté

impair /ɪmˈpeə(r)/ *vtr* affecter [*performance, walk*]; diminuer [*ability, concentration*]; affaiblir [*memory, hearing, vision*]; détériorer [*health, relationship*]; compromettre [*attempt, investigation, reputation*]; diminuer, affecter [*efficiency, productivity, progress*]

impaired /ɪmˈpeəd/ *adj* [*hearing, vision*] affaibli; [*memory*] défaillant; [*mobility*] réduit; [*relationship*] compromis; **his speech is** ~ il a des problèmes d'élocution. ▸ **visually impaired, hearing-impaired**

impairment /ɪmˈpeəmənt/ *n* **mental/physical/visual** ~ troubles *mpl* mentaux/moteurs/visuels; ~ **of vision/hearing** troubles *mpl* de la vue/de l'ouïe

impala /ɪmˈpɑːlə/ *n* (*pl* **-as** *ou* **-a**) impala *m*

impale /ɪmˈpeɪl/
A *vtr* empaler (**on** sur)
B *v refl* **to** ~ **oneself** s'empaler (**on** sur)

impalpable /ɪmˈpælpəbl/ *adj* **1** (intangible) impalpable; **2** (hard to describe) indéfinissable

impanel *vtr* Jur = **empanel**

imparity /ɪmˈpærətɪ/ *n* inégalité *f*

impart /ɪmˈpɑːt/ *vtr* **1** (communicate) transmettre [*knowledge, news, skill*] (**to** à); communiquer [*information, message*] (**to** à); transmettre [*enthusiasm, optimism, wisdom*] (**to** à); **2** (add) donner [*atmosphere, flavour, texture*]

impartial /ɪmˈpɑːʃl/ *adj* [*advice, decision, inquiry, judge, witness*] impartial; [*account, journalist, programme*] objectif/-ive

impartiality /ˌɪmˌpɑːʃɪˈælətɪ/ *n* (of judge, inquiry, verdict) impartialité *f*; (of broadcast, journalist) objectivité *f*

impartially /ɪmˈpɑːʃəlɪ/ *adv* [*act, choose, decide, judge*] de façon impartiale; [*divide, share out*] équitablement; [*report, write*] objectivement

impassable /ɪmˈpɑːsəbl, US -ˈpæs-/ *adj* [*barrier, obstacle, pass, river*] infranchissable; [*road*] impraticable

impasse /ˈæmpɑːs, US ˈɪmpæs/ *n* impasse *f*; **to reach an** ~ aboutir à une impasse

impassioned /ɪmˈpæʃnd/ *adj* [*debate*] passionné; [*appeal, plea, speech*] véhément

impassive /ɪmˈpæsɪv/ *adj* **1** (expressionless) [*person, expression, features*] impassible; **2** (unruffled) [*attitude, person, reply*] imperturbable

impassively /ɪmˈpæsɪvlɪ/ *adv* **1** (without visible emotion) impassiblement; **2** (calmly) imperturbablement

impatience /ɪmˈpeɪʃns/ *n* **1** (irritation) agacement *m* (**with** à l'égard de; **at** devant); **my worst fault is** ~ mon plus grand défaut est mon manque de patience; **2** (eagerness) impatience *f* (**to do** de faire); ~ **for sth** désir *m* impatient de qch

impatiens /ɪmˈpeɪʃɪenz/ *n* impatiente *f*, balsamine *f*

impatient /ɪmˈpeɪʃnt/ *adj* **1** (irritable) agacé (**at** par); **to be/get** ~ **with sb** s'impatienter contre qn; **2** (eager) [*person*] impatient; **to be** ~ **to do** être impatient *or* avoir hâte de faire; [*gesture, tone*] d'impatience; **to be** ~ **for sth** attendre qch avec impatience

impatiently /ɪmˈpeɪʃntlɪ/ *adv* [*wait*] impatiemment; [*fidget, pace*] avec impatience; [*speak, say*] d'un ton agacé

impeach /ɪmˈpiːtʃ/ *vtr* **1** gen mettre en doute [*honesty, motive*]; **2** Jur, Pol mettre [qn] en accusation

impeachment /ɪmˈpiːtʃmənt/ *n* **1** (of honour) attaque *f* (**of** contre); **2** Jur, Pol mise *f* en accusation

Impeachment

Prévue dans la Constitution américaine, cette procédure permet au Congrès d'engager des poursuites contre certains hauts fonctionnaires du gouvernement fédéral (jusqu'au président) responsables d'actes de trahison, de corruption ou de délits majeurs, en vue de leur destitution. Celle-ci est prononcée si au moins deux tiers des sénateurs l'approuvent.

impeccable /ɪm'pekəbl/ *adj* [*manners, behaviour, language*] irréprochable; [*house, clothes, appearance*] impeccable; [*credentials, record*] impeccable

impeccably /ɪm'pekəblɪ/ *adv* [*dressed*] impeccablement; [*speak, behave*] de façon irréprochable; **~ clean** impeccable

impecunious /ˌɪmpɪ'kju:nɪəs/ *adj* sout impécunieux/-ieuse

impedance /ɪm'pi:dəns/ *n* Elec impédance *f*

impede /ɪm'pi:d/ *vtr* entraver [*progress, career*]; [*obstacle*] gêner [*movement, traffic*]

impediment /ɪm'pedɪmənt/ *n* 1 (hindrance) entrave *f* (**to** à); 2 (to marriage) empêchement *m* (à mariage); 3 (*also* **speech ~**) défaut *m* d'élocution

impedimenta /ɪmˌpedɪ'mentə/ *n* (+ *v pl*) gen, hum impedimenta *mpl*

impel /ɪm'pel/ *vtr* (*p prés etc* **-ll-**) 1 (drive) [*emotion, idea*] pousser [*person*] (**to do** à faire); **~led by fear** poussé par la peur; 2 (urge) [*person, speech*] inciter [*person*] (**to** à; **to do** à faire); **to feel ~led to do** se sentir obligé de faire

impending /ɪm'pendɪŋ/ *adj* (*avant n*) imminent

impenetrability /ɪmˌpenɪtrə'bɪlətɪ/ *n* lit, fig impénétrabilité *f*

impenetrable /ɪm'penɪtrəbl/ *adj* [*barrier, undergrowth, layer*] impénétrable; [*jargon*] hermétique; [*mystery*] insondable; [*fog*] dense

impenitence /ɪm'penɪtəns/ *n* impénitence *f*

impenitent /ɪm'penɪtənt/ *adj* impénitent

impenitently /ɪm'penɪtəntlɪ/ *adv* sans repentir

imperative /ɪm'perətɪv/
A *n* 1 (priority) impératif *m*; **the first ~ is to do** l'impératif numéro un est de faire; 2 Ling impératif *m*; **in the ~ (mood)** à l'impératif
B *adj* [*need*] urgent; [*tone*] impérieux/-ieuse; **it is ~ that she write** il est impératif qu'elle écrive; **it is ~ to act** il est impératif que nous agissions

imperatively /ɪm'perətɪvlɪ/ *adv* 1 (urgently) impérativement; 2 (imperiously) impérieusement

imperceptible /ˌɪmpə'septəbl/ *adj* imperceptible; **almost ~** à peine perceptible

imperceptibly /ˌɪmpə'septəblɪ/ *adv* imperceptiblement

imperceptive /ˌɪmpə'septɪv/ *adj* [*person*] peu perspicace

imperfect /ɪm'pɜ:fɪkt/
A *n* Ling imparfait *m*; **in the ~** à l'imparfait
B *adj* 1 (incomplete) incomplet/-ète; 2 (defective) [*goods*] défectueux/-euse; [*logic*] imparfait; [*reasoning*] faux/fausse; 3 Ling **the ~ tense** l'imparfait *m*; 4 Comm [*competition*] imparfait

imperfection /ˌɪmpə'fekʃn/ *n* 1 (defect) (in object) défectuosité *f*; (in person) défaut *m*; 2 (state) imperfection *f*; **human ~** l'imperfection humaine

imperfectly /ɪm'pɜ:fɪktlɪ/ *adv* imparfaitement

imperial /ɪm'pɪərɪəl/
A *n* (beard) barbe *f* à l'impériale
B *adj* 1 (of empire, emperor) impérial; 2 fig [*disdain, unconcern*] majestueux/-euse; 3 GB Hist de l'Empire; 4 GB Meas [*measure*] conforme aux normes britanniques

imperialism /ɪm'pɪərɪəlɪzəm/ *n* impérialisme *m*

imperialist /ɪm'pɪərɪəlɪst/ *n, adj* impérialiste (*mf*)

imperil /ɪm'perəl/ *vtr* (*p prés etc* **-ll-** GB, **-l-** US) menacer [*existence*]; compromettre [*security, plan, scheme*]

imperious /ɪm'pɪərɪəs/ *adj* impérieux/-ieuse

imperiously /ɪm'pɪərɪəslɪ/ *adv* [*say*] impérieusement; **the request was ~ declined** on repoussa la demande de manière impérieuse

imperishable /ɪm'perɪʃəbl/ *adj* 1 [*material*] qui ne périt pas; [*food*] non périssable; 2 [*memory*] impérissable

impermanent /ɪm'pɜ:mənənt/ *adj* [*arrangement, situation, change*] provisoire

impermeable /ɪm'pɜ:mɪəbl/ *adj* [*membrane, rock*] imperméable

impermissible /ˌɪmpə'mɪsəbl/ *adj* sout inadmissible (**for sb to do** que qn fasse)

impersonal /ɪm'pɜ:sənl/ *adj* 1 (objective, cold) impersonnel/-elle; **coldly ~** froid et impersonnel; 2 Ling [*verb*] impersonnel/-elle

impersonality /ɪmˌpɜ:sə'nælətɪ/ *n* (of person) froideur *f*; (of style, organization) impersonnalité *f*

impersonally /ɪm'pɜ:sənəlɪ/ *adv* 1 (impartially) [*assess, judge*] impersonnellement; 2 (coldly) froidement; 3 Ling à la forme impersonnelle

impersonate /ɪm'pɜ:səneɪt/ *vtr* 1 (imitate) imiter; 2 (pretend to be) se faire passer pour [*police officer etc*]

impersonation /ɪmˌpɜ:sə'neɪʃn/ *n* 1 (act) imitation *f*; **to do ~s** faire des imitations; 2 Jur usurpation *f* d'identité (**of** de)

impersonator /ɪm'pɜ:səneɪtə(r)/ *n* (actor) imitateur/-trice *m/f*; **animal ~** imitateur/-trice *m/f* (*des cris d'animaux*); **female ~** artiste *m* travesti

impertinence /ɪm'pɜ:tɪnəns/ *n* impertinence *f*; **to have the ~ to do** avoir l'impertinence de faire

impertinent /ɪm'pɜ:tɪnənt/ *adj* [*person, remark*] impertinent; **to be ~** se montrer impertinent (**to** envers)

impertinently /ɪm'pɜ:tɪnəntlɪ/ *adv* [*act, say, reply*] avec impertinence

imperturbable /ˌɪmpə'tɜ:bəbl/ *adj* [*person, manner*] imperturbable

imperturbably /ˌɪmpə'tɜ:bəblɪ/ *adv* [*continue, speak*] imperturbablement; **'of course,' she said ~** 'bien sûr,' dit-elle, imperturbable; **~ polite/calm** poli/calme et imperturbable

impervious /ɪm'pɜ:vɪəs/ *adj* 1 (to water, gas) imperméable (**to** à); 2 fig (to charm, sarcasm, events, suffering) indifférent (**to** à); (to argument, idea, demands, economic conditions) imperméable (**to** à)

impetigo /ˌɪmpɪ'taɪgəʊ/ ▸ p. 1327 *n* impétigo *m*

impetuosity /ɪmˌpetʃʊ'ɒsətɪ/ *n* (of person) impétuosité *f*; (of action) impulsivité *f*

impetuous /ɪm'petʃʊəs/ *adj* [*person*] impétueux/-euse; [*action*] impulsif/-ive

impetuously /ɪm'petʃʊəslɪ/ *adv* impétueusement; **~ generous** d'une générosité impulsive

impetuousness = **impetuosity**

impetus /'ɪmpɪtəs/ *n* 1 (trigger) impulsion *f*; **the ~ for the project came from X** le projet a commencé sous l'impulsion de X; 2 (momentum) élan *m*; **to gain/lose ~** prendre/perdre de l'élan; **to give ~ to sth** donner de l'élan à qch; 3 Phys impulsion *f*

impiety /ɪm'paɪətɪ/ *n* 1 Relig impiété *f*; 2 (disrespect) manque *m* de respect

impinge /ɪm'pɪndʒ/ *vi* **to ~ on** (restrict) empiéter sur; (affect) affecter; **to ~ on sb's consciousness** parvenir jusqu'à la conscience de qn

impious /'ɪmpɪəs/ *adj* 1 Relig impie; 2 (disrespectful) irrespectueux/-euse

impiously /'ɪmpɪəslɪ/ *adv* 1 Relig avec impiété; 2 (disrespectfully) irrespectueusement

impish /'ɪmpɪʃ/ *adj* espiègle

implacable /ɪm'plækəbl/ *adj* implacable

implacably /ɪm'plækəblɪ/ *adv* implacablement

implant
A /'ɪmplɑ:nt, US -plænt/ *n* Med implant *m*; **oestrogen ~** implant d'œstrogène
B /ɪm'plɑ:nt, US -'plænt/ *vtr* Med, fig implanter (**in** dans)

implantation /ˌɪmplɑ:n'teɪʃn, US -plænt-/ *n* (of fertilized egg) (naturally) nidation *f*; (artificially) implantation *f*

implausible /ɪm'plɔ:zəbl/ *adj* peu plausible

implausibly /ɪm'plɔ:zəblɪ/ *adv* [*claim, explain*] d'une manière peu plausible; **~, he denied everything** il nia tout, ce qui semble peu plausible

implement
A /'ɪmplɪmənt/ *n* gen instrument *m*; (tool) outil *m*; **farm ~s** outillage *m* agricole; **garden ~s** outils *mpl* de jardinage; **set of ~s** Culin série *f* d'ustensiles; **an ~ for sth/for doing** un instrument destiné à qch/à faire
B /'ɪmplɪment/ *vtr* 1 gen, Jur exécuter [*contract, idea, decision*]; mettre [qch] en application [*law*]; 2 Comput implanter [*software*]; implémenter [*system*]

implementation /ˌɪmplɪmen'teɪʃn/ *n* (of contract, idea, decision) exécution *f*; (of law, policy) mise *f* en application; Comput implémentation *f*

implicate /'ɪmplɪkeɪt/ *vtr* impliquer (**in** dans); **he is in no way ~d** il n'est en aucune façon impliqué

implication /ˌɪmplɪ'keɪʃn/ *n* 1 (possible consequence) implication *f*; **what are the ~s for the future/for the disabled?** quelles sont les implications pour l'avenir/pour les handicapés?; 2 (suggestion) insinuation *f*; **the ~ is that** cela signifie que; **they said there were younger applicants, the ~ being that he was too old** ils ont dit qu'il y avait de plus jeunes candidats, insinuant qu'il était trop vieux; **by ~, the government is also responsible** cela signifie que le gouvernement est aussi responsable

implicit /ɪm'plɪsɪt/ *adj* 1 (implied) implicite (**in** dans); 2 (absolute) [*faith, confidence, trust*] absolu

implicitly /ɪm'plɪsɪtlɪ/ *adv* 1 (tacitly) [*assume, admit, recognize*] implicitement; 2 (absolutely) [*trust, believe*] sans réserve

implied /ɪm'plaɪd/ *adj* implicite

impliedly /ɪm'plaɪdlɪ/ *adv* Jur implicitement; **expressly or ~** explicitement ou implicitement

implode /ɪm'pləʊd/
A *vtr* 1 Phon **to ~ a consonant** prononcer une consonne implosive; 2 faire imploser [*vessel, flask*]
B *vi* imploser

implore /ɪm'plɔ:(r)/ *vtr* conjurer [*person*] (**to do** de faire); **to ~ sb's forgiveness** littér implorer le pardon de qn liter

imploring /ɪm'plɔ:rɪŋ/ *adj* implorant

imploringly /ɪm'plɔ:rɪŋlɪ/ *adv* [*say*] d'un ton implorant; **to look at sb ~** implorer qn du regard

implosion /ɪm'pləʊʒn/ *n* implosion *f*

implosive /ɪm'pləʊsɪv/ *adj* Phon implosif/-ive

imply /ɪm'plaɪ/ *vtr* 1 [*person*] (insinuate) insinuer (**that** que); (make known) laisser entendre (**that** que); **he didn't mean to ~ anything** il ne voulait rien insinuer; **what are you ~ing?** qu'est-ce que vous insinuez (par là)?; **he implied that they were guilty** il a laissé entendre qu'ils étaient coupables; [2] *[argument]* (mean) impliquer; **silence does not necessarily ~ approval** le silence n'implique pas nécessairement l'approbation; **to ~ that** (corroboratively) impliquer que (+ *indic*); (erroneously) impliquer que (+ *subj*); [3] *[term, word]* (mean) laisser supposer (**that** que); **as their name implies...** comme leur nom le laisse supposer...

impolite /ˌɪmpəˈlaɪt/ *adj* impoli (**to** envers)

impolitely /ˌɪmpəˈlaɪtlɪ/ *adv [act, behave]* de manière impolie; *[say]* avec impolitesse

impoliteness /ˌɪmpəˈlaɪtnɪs/ *n* impolitesse *f*

impolitic /ɪmˈpɒlɪtɪk/ *adj* impolitique

imponderable /ɪmˈpɒndərəbl/ *n, adj* impondérable *(m)*

import

A /ˈɪmpɔːt/ *n* [1] Comm, Econ (item of merchandise) importation *f*, produit *m* importé; (act of importing) importation *f* (**of, from** de); **foreign ~s** importations *fpl* étrangères; [2] (cultural borrowing) apport *m* (**from** à); [3] sout (meaning) signification *f* (**in** à); [4] (importance) importance *f*; **of no (great) ~** de peu d'importance; **of political ~** qui a une importance politique

B /ˈɪmpɔːt/ *modif [ban, cost, price, quota, surcharge, surplus]* d'importation; *[bill, increase, rise]* des importations

C /ɪmˈpɔːt/ *vtr* [1] Comm, Econ, gen importer (**from** de; **to** en); [2] Comput importer *[data, file]*

D imported *pp adj [goods]* importé

importance /ɪmˈpɔːtns/ *n* importance *f* (**of doing** de faire); **her career is of great ~ to her** sa carrière est très importante *or* compte beaucoup pour elle; **a healthy diet is of great ~ to children** un régime sain est essentiel pour les enfants; **it is of great ~ that** il est essentiel que (+ *subj*); **it is of great ~ that the pound should remain stable** il est essentiel que la livre sterling reste stable; **to be of national ~** être d'importance nationale; **an event of great political ~** un événement d'une grande portée politique; **it is a matter of the utmost ~** c'est une question de la plus haute importance; **great ~ is attached to success** on attache une grande importance au succès; **the ~ of France as a world power** l'importance de la France en tant que puissance mondiale; **list the priorities in order of ~** classez les priorités par ordre d'importance; **a person of no ~** une personne sans importance; **it's of no ~** ça n'a pas d'importance

important /ɪmˈpɔːtnt/ *adj [statement, factor, role, figure, writer]* important; **it is ~ that** il est important que (+ *subj*); **it is ~ to remember that...** il est important de se rappeler que...; il faut se rappeler que...; **this is ~ for our success/health** c'est important pour notre succès/santé; **it is ~ for us to succeed** il est important pour nous de réussir; **his children are very ~ to him** ses enfants comptent beaucoup *or* sont très importants pour lui; **it is ~ to me that you attend the meeting** il est important pour moi que vous assistiez à la réunion, votre présence à la réunion compte beaucoup pour moi; **is anybody ~ coming?** est-ce qu'il y a des gens importants qui viennent?; **he's an ~ social figure** c'est une personne en vue

importantly /ɪmˈpɔːtntlɪ/ *adv* [1] (significantly) d'une manière importante; **more ~, he succeeded where she had failed** plus important encore, il a réussi là où elle avait échoué; **and, more ~,...** et, plus important encore,...; **most ~, it means** mais surtout, cela signifie; **these changes have taken place most ~ in the agricultural sector** ces changements se sont manifestés essentiellement dans le secteur agricole; [2] (pompously) *[announce, strut]* d'un air important

importation /ˌɪmpɔːˈteɪʃn/ *n* Comm (act, object) importation *f*

import duty *n* taxe *f* à l'importation

importer /ɪmˈpɔːtə(r)/ *n* importateur/-trice *m/f*; **car/oil ~** importateur/-trice *m/f* de voitures/de pétrole

import-export /ˌɪmpɔːtˈekspɔːt/

A *n* import-export *m*

B *modif [growth, merchant]* de l'import-export; **~ trade** import-export *m*

importing /ɪmˈpɔːtɪŋ/

A *n* importation *f* (**of** de)

B *adj [country, business]* importateur/-trice; **oil-~ country** pays *m* importateur de pétrole

import licence GB, **import license** US *n* licence *f* d'importation

importunate /ɪmˈpɔːtʃʊnət/ *adj* importun

importune /ˌɪmpɔːˈtjuːn/ *vtr* [1] (pester) importuner *[person]* (**for** pour; **with** avec); [2] Jur *[prostitute]* racoler

importuning /ˌɪmpɔːˈtjuːnɪŋ/ *n* Jur racolage *m*

importunity /ˌɪmpɔːˈtjuːnətɪ/ *n* sout [1] (request) importunité *f*; [2] (instance) sollicitation *f*

impose /ɪmˈpəʊz/

A *vtr* [1] imposer *[embargo, condition, opinion, constraint, rule, obedience]* (**on sb** à qn; **on sth** sur qch); infliger *[sanction, punishment]* (**on** à); **to ~ a fine on sb** frapper qn d'une amende; **to ~ a tax on tobacco** imposer le tabac; [2] **to ~ one's presence on sb** s'imposer à qn; [3] Print imposer

B *vi* s'imposer; **to ~ on sb** déranger qn; **to ~ on sb's kindness/hospitality** abuser de la bienveillance/de l'hospitalité de qn

C *v refl* **to ~ oneself on sb** s'imposer à qn

imposing /ɪmˈpəʊzɪŋ/ *adj [person, appearance]* imposant; *[sight, array, collection]* impressionnant

imposition /ˌɪmpəˈzɪʃn/ *n* [1] (exploitation) **I hope it's not too much of an ~** j'espère que je n'abuse pas de votre bienveillance; **I think it's rather an ~** je trouve qu'il/qu'elle abuse un peu; [2] (of tax) imposition *f*; [3] Print imposition *f*

impossibility /ɪmˌpɒsəˈbɪlətɪ/ *n* impossibilité *f* (**of** de; **of doing** de faire); **a physical ~** une impossibilité matérielle; **it's a near ~!** c'est pratiquement impossible!; **that's a logical ~** c'est logiquement impossible

impossible /ɪmˈpɒsəbl/

A *n* **the ~** l'impossible *m*

B *adj [person, situation, idea, suggestion]* impossible; **it is ~ to do** il est impossible de faire; **it's almost ~ for me to come** il m'est pratiquement impossible de venir; **to make it ~ for sb to do sth** mettre qn dans l'impossibilité de faire qch; **it is ~ that he should have missed the train** il est impossible qu'il ait raté le train; **difficult, if not ~** difficile, pour ne pas dire impossible; **it's ~, I won't stand for it!** c'est intolérable, je ne le supporterai pas!

impossibly /ɪmˈpɒsəblɪ/ *adv* (appallingly) affreusement; (amazingly) incroyablement; **it's ~ early/expensive** c'est vraiment trop tôt/cher

impost /ˈɪmpəʊst/ *n* US taxe *f* à l'importation

impostor /ɪmˈpɒstə(r)/ *n* imposteur *m*

imposture /ɪmˈpɒstʃə(r)/ *n* imposture *f*

impotence /ˈɪmpətəns/ *n* lit, fig impuissance *f*

impotent /ˈɪmpətənt/ *adj* lit, fig impuissant; **to render sb/sth ~** réduire qn/qch à l'impuissance

impound /ɪmˈpaʊnd/ *vtr* emmener [qch] à la fourrière *[vehicle]*; confisquer *[goods]*; saisir, déposer [qch] au greffe *[passport, papers]*

impoverish /ɪmˈpɒvərɪʃ/ *vtr* (all contexts) appauvrir

impoverished /ɪmˈpɒvərɪʃt/ *adj* (all contexts) appauvri

impoverishment /ɪmˈpɒvərɪʃmənt/ *n* (all contexts) appauvrissement *m*

impracticability /ɪmˌpræktɪkəˈbɪlətɪ/ *n* impraticabilité *f*

impracticable /ɪmˈpræktɪkəbl/ *adj [idea, plan]* impraticable

impractical /ɪmˈpræktɪkl/ *adj* [1] (unworkable) *[plan, solution]* impraticable, peu réalisable; [2] (unrealistic) *[suggestion, idea]* peu réaliste; [3] *[person]* **to be ~** manquer d'esprit pratique

impracticality /ɪmˌpræktɪˈkælətɪ/ *n* [1] (unworkable nature) impraticabilité *f*; [2] (of person) manque *m* d'esprit pratique

imprecation /ˌɪmprɪˈkeɪʃn/ *n* sout imprécation *f* fml

imprecise /ˌɪmprɪˈsaɪs/ *adj* (all contexts) imprécis

imprecision /ˌɪmprɪˈsɪʒn/ *n* (of language, expression) imprécision *f*

impregnable /ɪmˈpregnəbl/ *adj [castle, defences]* imprenable; *[leader, party]* invincible

impregnate /ˈɪmpregneɪt, US ɪmˈpreg-/ *vtr* [1] (soak, pervade) imprégner (**with** de); [2] (fertilize) féconder *[woman, animal, egg]*

impregnation /ˌɪmpregˈneɪʃn/ *n* (of female, egg) fécondation *f*

impresario /ˌɪmprɪˈsɑːrɪəʊ/ *n* impresario *m*

impress

A /ˈɪmpres/ *n* sout empreinte *f*

B /ɪmˈpres/ *vtr* [1] (arouse respect) impressionner *[person, public, audience, panel]* (**with** par; **by doing** en faisant); **to be ~ed by** *ou* **with sb/sth** être impressionné par qn/qch; **to be easily ~ed** se laisser facilement impressionner; **they were (favourably) ~ed** ça leur a fait bonne impression; **they weren't too ~ed by his attitude/with the results** ils n'ont guère apprécié son attitude/les résultats; **she/the company is not ~ed** elle/la société n'apprécie pas beaucoup; **she does it just to ~ people** elle ne fait ça que pour la galerie○; [2] (emphasize) **to ~ sth (up)on sb** faire bien comprendre qch à qn; **to ~ upon sb that** faire (bien) comprendre à qn que; [3] (imprint) **to ~ sth on** marquer qch sur *[surface, material]*; **to ~ sth in** faire une empreinte de qch dans *[wax, plaster]*

C /ɪmˈpres/ *vi [person, quality, feature]* faire bonne impression

impression /ɪmˈpreʃn/ *n* [1] (idea) impression *f*; **to give the ~ of doing** donner l'impression de faire; **she had the ~ that she knew him/he knew her** elle avait l'impression de le connaître/qu'il la connaissait; **to get the (distinct) ~ that** avoir (bien) l'impression que; **to be under the ~ that** avoir l'impression que; [2] (impact) impression *f*; **to make a good/bad ~** faire bonne/mauvaise impression (**on** sur); **to make (quite) an ~** faire impression *or* de l'effet; **it left a deep ~ on him** cela l'a profondément marqué; **what kind of ~ did they make?** quelle impression ont-ils faite?; [3] (perception) impression *f*; **to have the ~ of doing** avoir l'impression de faire; **to give** *ou* **create an ~ of sth** faire l'effet de qch; **an artist's ~ of the building** le bâtiment vu par un artiste; **what's your ~ of the new boss?** quelle est ton impression sur le nouveau patron?; **first ~s count** les premières impressions sont souvent les meilleures; [4] (imitation) imitation *f*; **to do ~s (of famous people)** faire des imitations (de personnes célèbres); **she does a good ~ of Valerie** elle imite bien Valérie; [5] (imprint) (of weight, foot, hand) impression *f*; (from teeth) marque *f*; (of hoof) empreinte *f*; **to leave an ~ on** laisser une trace sur *[surface, sand, wax]*; **to take an ~ of** faire une empreinte de *[key, fossil]*; [6] Print, Publg (reprint) réimpression *f*; [7] Print (process) impression *f*

impressionable /ɪm'preʃənəbl/ *adj [child, mind, youth]* influençable; **at an ~ age** à l'âge où l'on est influençable

Impressionism /ɪm'preʃənɪzəm/ *n* (*also* **impressionism**) impressionnisme *m*

impressionist /ɪm'preʃənɪst/ *n* **1** Art, Mus impressionniste *mf*; **2** (mimic) imitateur/-trice *m/f*

Impressionist /ɪm'preʃənɪst/ *n, adj* Art, Mus impressionniste (*mf*)

impressionistic /ɪm,preʃə'nɪstɪk/ *adj* impressionniste

impressive /ɪm'presɪv/ *adj [achievement, cast, collection, display, result, total]* impressionnant; *[building, monument, sight]* imposant; **she is very ~** elle en impose

impressively /ɪm'presɪvlɪ/ *adv [behave, perform, argue, demonstrate]* de manière impressionnante; *[assured, cohesive, competent, large]* remarquablement

impressment /ɪm'presmənt/ *n* Hist (requisition) réquisition *f*

imprimatur /,ɪmprɪ'meɪtə(r), -'mɑ:tə(r)/ *n* Relig, fig imprimatur *m*

imprint
A /'ɪmprɪnt/ *n* **1** (impression) lit, fig empreinte *f*; **to leave an ~** laisser une empreinte; **2** Publg (on title page) marque *f* d'éditeur; (publishing house) maison *f* d'édition; **published under the Grunard ~** édité chez Grunard
B /ɪm'prɪnt/ *vtr* **1** (fix) graver *[idea, image, belief]* (**on** dans); **2** (print) imprimer *[mark, design]* (**on** sur); **3** Psych, Zool (affect by imprinting) imprégner

imprinter /ɪm'prɪntə(r)/ *n* (for credit card) imprimante *f* à carte

imprinting /ɪm'prɪntɪŋ/ *n* Psych, Zool empreinte *f*

imprison /ɪm'prɪzn/ *vtr* **1** (put in prison) emprisonner, mettre [qn] en prison; **to be ~ed for/for doing** être emprisonné pour/pour avoir fait; **to be ~ed for ten years** (sentenced) être condamné à dix ans de prison; **2** fig (trap) emprisonner *[finger, limb]* (**in** dans)

imprisonment /ɪm'prɪznmənt/ *n* emprisonnement *m*; **to be sentenced to ten years' ~/to ~ for life** être condamné à dix ans de prison/à la prison à vie; **to threaten sb with ~** menacer qn de le/la mettre en prison

impro○ /'ɪmprəʊ/ *n* impro○ *f*

improbability /ɪm,prɒbə'bɪlətɪ/ *n* **1** (of something happening) improbabilité *f*; (of something being true) invraisemblance *f*; **2** (unlikely story, event) improbabilité *f*

improbable /ɪm'prɒbəbl/ *adj* **1** (unlikely to happen) improbable; **it is ~ that** il est improbable *or* peu probable que (+ *subj*); **2** (unlikely to be true) invraisemblable; **it is ~ that** il est peu vraisemblable que (+ *subj*)

improbably /ɪm'prɒbəblɪ/ *adv [claim, state]* invraisemblablement; **her hair was ~ red** ses cheveux étaient d'un roux invraisemblable

impromptu /ɪm'prɒmptju:, US -tu:/
A *n* Mus impromptu *m*
B *adj [call, party, speech]* impromptu

improper /ɪm'prɒpə(r)/ *adj* **1** (unseemly, not fitting) *[behaviour, pride]* malséant, peu convenable; **2** (irregular) *[conduct, dealing, use]* irrégulier/-ière; **3** (indecent) *[suggestion, remark]* indécent; **4** (incorrect) *[use]* impropre, abusif/-ive; **it is ~ to do** il est incorrect de faire

improper: **~ fraction** *n* expression *f* fractionnaire; **~ integral** *n* intégrale *f* impropre

improperly /ɪm'prɒpəlɪ/ *adv* **1** (irregularly, dishonestly) *[act, obtain, deal]* de manière irrégulière; **2** (unsuitably) *[behave]* de manière malséante; **to be ~ dressed** ne pas être habillé comme il convient; **3** (indecently) *[suggest, behave]* indécemment; **4** (incorrectly) *[use]* improprement, abusivement

impropriety /,ɪmprə'praɪətɪ/ *n* **1** (irregularity) irrégularité *f*; **to accuse sb of financial ~** accuser qn d'avoir commis des irrégularités financières; **2** (unseemliness) inconvenance *f*; **to commit an ~** commettre une inconvenance; **3** (indecency) indécence *f*

improve /ɪm'pru:v/
A *vtr* **1** (qualitatively) améliorer *[conditions, hygiene, efficiency, appearance, diet, quality, relations]*; **to ~ one's German** se perfectionner en allemand; **~ your memory** améliorez votre mémoire; **the new arrangements did not ~ matters** les nouveaux accords n'ont pas arrangé les choses; **to ~ one's mind** se cultiver (l'esprit); **to ~ one's lot** améliorer son sort; **to ~ the lot of the disabled/of pensioners** améliorer les conditions de vie des handicapés/des retraités; **2** (quantitatively) (increase) augmenter *[wages]*; accroître *[productivity, output, profits]*; **to ~ one's chances of winning/of getting of a job** augmenter ses chances de gagner/d'obtenir un travail; **3** Archit, Constr aménager *[building, site]*; **4** Agric amender *[soil]*; accroître *[yield]*
B **improved** *pp adj* **1** (better) *[diet, efficiency, conditions]* amélioré; **~d access** accès facilité; **new ~d formula** Comm nouvelle formule améliorée; **2** (increased) *[offer]* meilleur
C *vi* **1** *[relations, health, handwriting, weather]* s'améliorer; **to ~ with age** *[cake, wine]* s'améliorer avec le temps; **the cake/wine will ~ in flavour** le gâteau/le vin s'améliorera; **living conditions have ~d greatly over the past twenty years** les conditions de vie se sont beaucoup améliorées ces vingt dernières années; **your Spanish is improving** ton espagnol s'améliore; **things are improving** la situation s'améliore; **he's improving** Med son état s'améliore, il va mieux; **2** **to ~ on** (better) améliorer *[score]*; renchérir sur *[offer]*; **she has ~d on last year's result** elle a obtenu de meilleurs résultats que l'année dernière; **3** (increase) *[productivity, profits]* augmenter; **4** Agric *[yield]* augmenter

improvement /ɪm'pru:vmənt/ *n* **1** (change for the better) amélioration *f* (**in, of, to** de); **an ~ on last year's performance** une amélioration par rapport aux résultats de l'an dernier; **an ~ on his previous offer** Fin une offre plus intéressante que son offre précédente; **the new edition is an ~ on the old one** la nouvelle édition est bien meilleure que l'ancienne; **there have been a lot of safety ~s** *ou* **~s in safety** il y a eu beaucoup d'améliorations en matière de sécurité; **a 2% ~** *ou* **an ~ of 2% on last year's profits** une amélioration de 2% par rapport aux bénéfices de l'an dernier; **2** (progress) progrès *mpl*; **he has made a big ~** (in schoolwork, behaviour) il a fait de gros progrès; Med son état s'est beaucoup amélioré; **she has made some ~ in maths** elle a fait des progrès en maths; **he has come on a lot but there is still room for ~** il a fait des progrès mais il peut encore faire mieux; **there is room for ~ in the industry** on pourrait encore faire mieux dans l'industrie; **3** (alteration) aménagement *m*; **an ~ to the road network** un aménagement du réseau routier; **to make ~s to** apporter des aménagements à *[house]*; **home ~s** aménagements *mpl* du domicile; **a road ~ scheme** un projet d'aménagement des routes

improvement grant *n* GB subvention *f* pour l'amélioration d'un logement

improver /ɪm'pru:və(r)/ *n* GB **1** (student) perfectionnant/-e *m/f*; **2** Ind (in flour) additif *m*

improvidence /ɪm'prɒvɪdəns/ *n* imprévoyance *f*, manque *m* de prévoyance

improvident /ɪm'prɒvɪdənt/ *adj* **1** (heedless of the future) imprévoyant; **2** (extravagant) prodigue, dépensier/-ière

improving /ɪm'pru:vɪŋ/ *adj* **1** (enhanced) *[position, performance, situation]* qui s'améliore; *[trade deficit]* qui diminue; *[inflation rate]* qui baisse; **2** †(edifying) *[literature]* édifiant

improvisation /,ɪmprəvaɪ'zeɪʃn, US *also* ɪm,prɒvə'zeɪʃn/ *n* (all contexts) improvisation *f*

improvise /'ɪmprəvaɪz/
A *vtr* improviser; **an ~d table/screen** une table/un écran de fortune
B *vi* (all contexts) improviser

imprudence /ɪm'pru:dns/ *n* imprudence *f*

imprudent /ɪm'pru:dnt/ *adj* imprudent

imprudently /ɪm'pru:dntlɪ/ *adv [act]* imprudemment; **she ~ suggested that...** elle a commis l'imprudence de suggérer que...

impudence /'ɪmpjʊdəns/ *n* effronterie *f*, impudence *f*

impudent /'ɪmpjʊdənt/ *adj* insolent, impudent

impudently /'ɪmpjʊdəntlɪ/ *adv [say, answer]* avec insolence, impudemment

impugn /ɪm'pju:n/ *vtr* contester *[sincerity, judgment]*; attaquer *[reputation]*

impulse /'ɪmpʌls/ *n* **1** (urge) impulsion *f*; **to have a sudden ~ to do** avoir une envie soudaine de faire; **her immediate ~ was to say no** sur le coup elle a eu envie de refuser; **to act on (an) ~** (rashly) agir sur un coup de tête; (spontaneously) obéir *or* céder à une impulsion; **on a sudden ~ she turned back** cédant à une impulsion elle a fait demi-tour; **the ~ to communicate** l'envie de communiquer; **a generous ~** un élan de générosité; **a person of ~** un/-e impulsif/-ive *m/f*; **2** (stimulus) impulsion *f*; **to give an ~ to economic recovery** donner une impulsion au redressement économique; **3** Physiol influx *m* nerveux; **4** Elec, Phys impulsion *f*

impulse: **~ buy, ~ purchase** *n* achat *m* d'impulsion; **~ buying** *n* ¢ achat *m* d'impulsion

impulsion /ɪm'pʌlʃn/ *n* sout envie *f* irrésistible (**to do** de faire)

impulsive /ɪm'pʌlsɪv/ *adj* **1** (spontaneous) *[gesture, reaction]* spontané; **2** (rash) *[person, gesture]* impulsif/-ive; *[remark, reaction]* irréfléchi; **3** Phys bref/brève

impulsively /ɪm'pʌlsɪvlɪ/ *adv* **1** (on impulse) *[speak, behave, act]* impulsivement; **2** (rashly) *[decide, act]* sur un coup de tête

impulsiveness /ɪm'pʌlsɪvnɪs/ *n* impulsivité *f*

impunity /ɪm'pju:nətɪ/ *n* impunité *f*; **with ~** en toute impunité

impure /ɪm'pjʊə(r)/ *adj* **1** (polluted) *[water, thoughts]* impur; *[drug]* frelaté; **2** Archit, Art *[style]* bâtard

impurity /ɪm'pjʊərətɪ/ *n* lit, fig impureté *f*; **tested for impurities** pureté testée

imputation /,ɪmpju:'teɪʃn/ **1** (attribution) attribution *f*, imputation *f* (**of** de; **to** à); **2** (accusation) imputation *f*

impute /ɪm'pju:t/ *vtr* imputer, attribuer (**to** à)

in /ɪn/

> ⚠ *In* is often used after verbs in English (*join in, tuck in, result in, write in etc*). For translations, consult the appropriate verb entry (**join, tuck, result, write** etc).
> If you have doubts about how to translate a phrase or expression beginning with *in* (*in a huff, in business, in trouble etc*) you should consult the appropriate noun entry (**huff, business, trouble** etc).
> This dictionary contains Usage Notes on such topics as age, countries, dates, islands, months, towns and cities etc. Many of these use the preposition *in*. For the index to these notes ▸ **p. 1948**.
> For examples of the above and particular functions and uses of *in*, see the entry below.

A *prep* **1** (expressing location or position) **~ Paris** à Paris; **~ Spain** en Espagne; **~ hospital/school** à l'hôpital/l'école; **~ prison/class/**

town en prison/classe/ville; ~ **the film/dictionary/newspaper** dans le film/dictionnaire/journal; ~ **the garden** dans le jardin, au jardin; **I'm ~ here!** je suis là!; ▸ **bath**, **bed**

2 (inside, within) dans; ~ **the box** dans la boîte; **there's something ~ it** il y a quelque chose dedans *ou* à l'intérieur

3 (expressing a subject or field) dans; ~ **insurance/marketing** dans les assurances/le marketing; ▸ **course**, **degree**, **expert**

4 (included, involved) **to be ~ the army** être dans l'armée; **to be ~ politics** faire de la politique; **to be ~ the team/group/collection** faire partie de l'équipe/du groupe/de la collection; **to be ~ on**○ être dans [*secret*]; **to be ~ on the plan**○ être dans le coup○; **I wasn't ~ on it**○ je n'étais pas dans le coup○; **to be ~ at the finish** être là à la fin

5 (in expressions of time) ~ **May** en mai; ~ **1987** en 1987; ~ **the night** pendant la nuit; ~ **the twenties** dans les années 20; **at four ~ the morning** à quatre heures du matin; **at two ~ the afternoon** à deux heures de l'après-midi; **day ~ day out** tous les jours (sans exception)

6 (within the space of) en; **to do sth ~ 10 minutes** faire qch en 10 minutes; ~ **a matter of seconds** en quelques secondes

7 (expressing the future) dans; **I'll be back ~ half an hour** je serai de retour dans une demi-heure

8 (for) depuis; **it hasn't rained ~ weeks** il n'a pas plu depuis des semaines, ça fait des semaines qu'il n'a pas plu

9 (during, because of) dans; ~ **the confusion, he escaped** dans la confusion, il s'est échappé; ~ **his hurry he forgot his keys** dans sa précipitation il a oublié ses clés

10 (with reflexive pronouns) **it's no bad thing ~ itself** ce n'est pas une mauvaise chose en soi; **how do you feel ~ yourself?** est-ce que tu as le moral?; ▸ **itself**

11 (present in, inherent in) **you see it ~ children** on le rencontre chez les enfants; **it's rare ~ cats** c'est rare chez les chats; **we lost a talented surgeon ~ Jim** nous avons perdu un chirurgien brillant en la personne de Jim; **he hasn't got it ~ him to succeed** il n'est pas fait pour réussir; **there's something ~ what he says** il y a du vrai dans ce qu'il dit

12 (expressing colour, composition) en; **it comes ~ green** il existe en vert; **available ~ several colours** disponible en plusieurs couleurs; **bags ~ leather and canvas** des sacs en cuir et en toile

13 (dressed in) en; ~ **jeans/a skirt** en jean/jupe; ~ **sandals** en sandales; **dressed ~ black** habillé en noir

14 (expressing manner or medium) ~ **German** en allemand; ~ **one dollar bills** en billets d'un dollar; ~ **B flat** en si bémol; **'no,' he said ~ a whisper** 'non,' a-t-il chuchoté; **chicken ~ a white wine sauce** du poulet à la sauce au vin blanc; **peaches ~ brandy** des pêches à l'eau de vie; ~ **pencil/~ ink** au crayon/à l'encre; **to work ~ Windows®** travailler sous Windows®

15 (as regards) **rich/poor ~ minerals** riche/pauvre en minéraux; **deaf ~ one ear** sourd d'une oreille; **10 cm ~ length** 10 cm de long; **equal ~ weight** du même poids

16 (by) ~ **accepting** en acceptant; ~ **doing so** en faisant cela

17 (in superlatives) de; **the tallest tower ~ the world** la plus grande tour du monde

18 (in measurements) **there are 100 centimetres ~ a metre** il y a 100 centimètres dans un mètre; **what's that ~ centimetres?** combien ça fait en centimètres?; **have you got it ~ a 16?** est-ce que vous l'avez en 42?; ~ **a smaller size** dans une taille plus petite; **there's only 1 cm ~ it** il n'y a qu'un cm de différence; **there's nothing ~ it** ils/elles se valent; **the temperature was ~ the thirties** il faisait dans les trente degrés

19 (in ratios) **a gradient of 1 ~ 4** une pente de 25%; **a tax of 20 pence ~ the pound** une taxe de 20 pence par livre sterling; **to have a one ~ five chance** avoir une chance sur cinq

20 (in approximate amounts) ~ **their hundreds** *ou* **thousands** par centaines; **to cut/break sth ~ three** couper/casser qch en trois

21 (expressing arrangement) ~ **a circle** en cercle; ~ **rows of 12** par rangées de douze; ~ **pairs** deux par deux; ~ **bundles** en liasses

22 (expressing age) **she's ~ her twenties** elle a une vingtaine d'années; **people ~ their forties** les gens qui ont la quarantaine; ~ **old age** avec l'âge, en vieillissant

B in and out *prep phr* **to come ~ and out** entrer et sortir; **he's always ~ and out of the house** *ou* **room** il n'arrête pas d'entrer et de sortir; **to weave ~ and out of** se faufiler entre [*traffic, tables*]; **to be ~ and out of prison all one's life** passer la plus grande partie de sa vie en prison; **to be ~ and out of hospital a lot** passer beaucoup de temps à l'hôpital

C in that *conj phr* dans la mesure où

D *adv* 1 (indoors) **to come ~** entrer; **to run ~** entrer en courant; **to ask** *ou* **invite sb ~** faire entrer qn; **~ with you!** allez, rentrez!

2 (at home, at work) **to be ~** être là; **you're never ~** tu n'es jamais là; **I'm usually ~ by 9 am** j'arrive généralement à 9 heures; **to come ~ two days a week** venir au bureau deux jours par semaine; **to be ~ by midnight** être rentré avant minuit; **to spend the evening ~**, **to have an evening ~** passer la soirée à la maison; ▸ **keep**, **stay**

3 (in prison, in hospital) **he's ~ for murder** il a été emprisonné pour meurtre; **she's ~ for a biopsy** elle est entrée à l'hôpital pour une biopsie

4 (arrived) **the train is ~** le train est en gare; **the ferry is ~** le ferry est à quai; **the sea** *ou* **tide is ~** c'est marée haute; ▸ **come**, **get**

5 Sport (within the boundary) **the ball** *ou* **shot is ~** la balle est bonne; (batting) **England is ~** l'équipe anglaise est à la batte

6 (gathered) **the harvest is ~** la moisson est rentrée

7 (in supply) **we don't have any ~** nous n'en avons pas en stock; **I should get some ~ tomorrow** je devrais en recevoir demain; **we've got some new titles ~** on a reçu quelques nouveaux titres; **to get some beer/a video ~** aller chercher de la bière/une vidéocassette

8 (submitted) **applications must be ~ by the 23rd** les candidatures doivent être déposées avant le 23; **the homework has to be ~ tomorrow** le devoir doit être rendu demain; ▸ **get**, **power**, **vote**

E ○*adj* (fashionable) **to be ~**, **to be the ~ thing** être à la mode; **it's the ~ place to eat** c'est le restaurant à la mode

(Idioms) **to know the ~s and outs of an affair** connaître une affaire dans les moindres détails; **to have an ~ with sb** US avoir ses entrées chez qn; **to have it ~ for sb**○ avoir qn dans le collimateur○; **you're ~ for it**○ tu vas avoir des ennuis; **he's ~ for a shock/surprise** il va avoir un choc/être surpris

in. *abrév écrite* = **inch**

IN US Post *abrév écrite* = **Indiana**

inability /ˌɪnəˈbɪlətɪ/ *n* (to drive, pay, concentrate) incapacité *f* (**to do** de faire); (to help) impuissance *f* (**to do** à faire)

in absentia /ˌɪn æbˈsentɪə/ *adv* en son/leur etc absence

inaccessibility /ˌɪnæksesəˈbɪlətɪ/ *n* inaccessibilité *f*

inaccessible /ˌɪnækˈsesəbl/ *adj* 1 (out of reach) [*place, person*] inaccessible; 2 (hard to grasp) [*play, art form*] peu accessible (**to** à)

inaccuracy /ɪnˈækjərəsɪ/ *n* 1 ₵ (of report, account, estimate, term) inexactitude *f*; (of person) manque *m* d'exactitude *ou* de précision; 2 (in account, estimate) inexactitude *f*; **the report is full of inaccuracies** le rapport contient de nombreuses inexactitudes

inaccurate /ɪnˈækjʊrət/ *adj* [*data, calculation, information, translation*] inexact; [*account, statement*] contenant des inexactitudes; [*instrument*] pas juste; [*word, term*] impropre; **her description was ~** sa description contenait des inexactitudes; **it would be ~ to say so** cela serait inexact; **he tends to be ~** il a tendance à faire des erreurs

inaccurately /ɪnˈækjʊərətlɪ/ *adv* [*report, quote, state*] inexactement; **a condition known ~ as** une maladie connue sous le nom inexact de; **~ described as** qualifié à tort de

inaction /ɪnˈækʃn/ *n* (failure to act) inaction *f*; (not being active) inactivité *f*

inactivate /ɪnˈæktɪveɪt/ *vi* inactiver

inactive /ɪnˈæktɪv/ *adj* 1 (not active) [*person, life, mind*] inactif/-ive; 2 (not working) [*machine*] inactif/-ive, qui n'est pas en service; 3 (dormant) [*volcano*] inactif/-ive, éteint

inactivity /ˌɪnækˈtɪvətɪ/ *n* inactivité *f*, manque *m* d'activité

inadequacy /ɪnˈædɪkwəsɪ/ *n* 1 (insufficiency) insuffisance *f*; 2 (defect) défaut *m*; **to have** *ou* **suffer from feelings of ~** être complexé, avoir le sentiment de ne pas être à la hauteur

inadequate /ɪnˈædɪkwət/ *adj* [*funding, heating, resources, measures, preparation, knowledge*] insuffisant (**for** pour; **to do** pour faire); [*budget, control*] déficient, insuffisant; [*system, means, legislation, response, planning, facilities, services*] inadéquat; [*word, expression*] faible; **the law is hopelessly ~ on this subject** cette situation est très mal couverte par la loi; **to feel ~** [*person*] être complexé, avoir le sentiment de ne pas être à la hauteur

inadequately /ɪnˈædɪkwətlɪ/ *adv* [*heated, lit, paid, prepared*] insuffisamment; **it is ~ staffed** il n'y a pas assez de personnel; **they are ~ trained** leur formation est insuffisante

inadmissible /ˌɪnədˈmɪsəbl/ *adj* 1 Jur [*evidence*] irrecevable; 2 (unacceptable) [*behaviour, act*] inadmissible; [*proposal*] inacceptable

inadvertence /ˌɪnədˈvɜːtəns/ *n* manque *m* d'attention, étourderie *f*

inadvertent /ˌɪnədˈvɜːtənt/ *adj* 1 (accidental) [*omission, error, action*] involontaire; 2 (inattentive) inattentif/-ive

inadvertently /ˌɪnədˈvɜːtəntlɪ/ *adv* 1 (unintentionally) involontairement; 2 (unthinkingly) par mégarde

inadvisable /ˌɪnədˈvaɪzəbl/ *adj* [*plan, action*] inopportun, à déconseiller; **it is ~ for sb to do** il est déconseillé à qn de faire

inalienable /ɪnˈeɪlɪənəbl/ *adj* Jur inaliénable

inamorata /ˌɪnæməˈrɑːtə/ *n* littér *ou* hum amoureuse *f*

inane /ɪˈneɪn/ *adj* [*person, conversation*] idiot; [*programme, question*] débile○

inanely /ɪˈneɪnlɪ/ *adv* [*grin, laugh*] de façon idiote

inanimate /ɪnˈænɪmət/ *adj* inanimé

inanition /ˌɪnəˈnɪʃn/ *n* sout inanition *f*

inanity /ɪˈnænətɪ/ *n* ineptie *f*

inapplicable /ɪnˈæplɪkəbl, ˌɪnəˈplɪk-/ *adj* inapplicable (**to** à)

inappropriate /ˌɪnəˈprəʊprɪət/ *adj* 1 (improper, unsuitable) [*behaviour, action, reaction*] inconvenant, peu convenable; [*remark, reference*] inopportun; **shorts are ~ for work** le short n'est pas une tenue convenable pour aller travailler; **this is quite ~ for children** ce n'est vraiment pas pour les enfants; 2 (not what is needed, incorrect) [*advice, treatment, site, building, name, word*] qui n'est pas approprié; **he was an ~ choice for leader** il a été mal choisi pour tenir le poste de dirigeant

inappropriately /ˌɪnəˈprəʊprɪətlɪ/ *adv* [*behave, laugh*] inopportunément, mal à propos; **to be ~ dressed** (unsuitably) être habillé de façon inconvenante; (impractically) ne pas être habillé de manière adéquate

inappropriateness /ˌɪnəˈprəʊprɪətnɪs/ *n* (of remark) inopportunité *f*, manque *m* d'à-propos; (of behaviour, dress) inconvenance *f*; (of choice, site) inadéquation *f*

inapt /ɪnˈæpt/ *adj* (inappropriate) [*expression, term*] impropre, inconvenant; [*behaviour, remark*] déplacé, inconvenant

inarticulate /ˌɪnɑːˈtɪkjʊlət/ *adj* 1 (unable to express oneself) **to be ~** ne pas savoir s'exprimer; **she was ~ with rage** elle était tellement en colère qu'elle n'arrivait plus à s'exprimer; 2 (indistinct) [*mumble, cry, grunt*] inarticulé; [*speech*] inintelligible; 3 (defying expression) [*rage, despair, grief, longing*] inexprimable; 4 Zool inarticulé

inartistic /ˌɪnɑːˈtɪstɪk/ *adj* [*person*] peu artiste; [*work*] sans valeur artistique

inasmuch /ˌɪnəzˈmʌtʃ/: **inasmuch as** /ˌɪnəzˈmʌtʃəz/ *conj phr* (insofar as) dans la mesure où; (seeing as, since) vu que

inattention /ˌɪnəˈtenʃn/ *n* inattention *f*, manque *m* d'attention

inattentive /ˌɪnəˈtentɪv/ *adj* [*pupil*] inattentif/-ive; [*audience, lover*] peu attentif/-ive; **to be ~ to** être peu attentif/-ive à [*person, needs*]; ne pas être attentif/-ive à [*speech*]

inattentively /ˌɪnəˈtentɪvlɪ/ *adv* [*listen*] distraitement, sans prêter attention

inaudible /ɪnˈɔːdəbl/ *adj* [*sound*] inaudible; **he was almost ~** on l'entendait à peine; **her reply was mostly ~** la plus grande partie de sa réponse était inaudible

inaudibly /ˌɪnˈɔːdəblɪ/ *adv* [*reply, mumble*] de façon inaudible

inaugural /ɪˈnɔːgjʊrəl/ *adj* 1 (first in series) [*meeting, session*] inaugural; **~ lecture** GB cours *m* d'ouverture; 2 (of an inauguration) [*ceremony, address*] d'inauguration, inaugural

inaugurate /ɪˈnɔːgjʊreɪt/ *vtr* 1 (begin, open) inaugurer [*exhibition, era, tradition*]; 2 (induct) investir [qn] de ses fonctions [*president, official*]; introniser [*bishop*]

inauguration /ɪˌnɔːgjʊˈreɪʃn/ *n* 1 (into office) (of president) investiture *f*; (of bishop) intronisation *f*; 2 (beginning) (of exhibition, era, tradition) inauguration *f*

Inauguration Day *n* US Pol jour *m* de l'investiture présidentielle

inauspicious /ˌɪnɔːˈspɪʃəs/ *adj* 1 (unpromising) [*beginning, circumstances*] peu propice, de mauvais augure; 2 (unfortunate) [*meeting, occasion*] malencontreux/-euse

inauspiciously /ˌɪnɔːˈspɪʃəslɪ/ *adv* [*begin, start*] mal

in-between *adj* intermédiaire

inboard /ˈɪnbɔːd/ *adj* Naut in-bord, intérieur; Aviat intérieur

inborn /ˈɪnbɔːn/ *adj* 1 (innate) [*talent, tendency*] inné, naturel/-elle; 2 (inherited) [*deficiency*] congénital

in-box /ˈɪnbɒks/ *n* (for email) boîte *f* de réception

inbred /ˌɪnˈbred/ *adj* 1 (innate) [*tendency, confidence*] naturel/-elle, inné; 2 (produced by inbreeding) [*animal*] résultant de croisements entre animaux de même souche; [*family, tribe*] qui est caractérisé par un haut degré de consanguinité; [*characteristic*] résultant de croisement consanguin

inbreeding /ɪnˈbriːdɪŋ/ *n* (in animals) croisement *m* d'animaux de même souche; (in humans) croisement *m* consanguin, consanguinité *f*

inbuilt /ˌɪnˈbɪlt/ *adj* 1 (ingrained) [*trait, belief*] profondément ancré; 2 (built in) [*bias, limitation*] intrinsèque

Inc US (*abrév* = **incorporated**) SA; **Macron ~** Macron SA

incalculable /ɪnˈkælkjʊləbl/ *adj* 1 [*harm, loss, effect*] incalculable; 2 (unpredictable) [*person, mood*] changeant

incandescence /ˌɪnkænˈdesns/ *n* incandescence *f*

incandescent /ˌɪnkænˈdesnt/ *adj* 1 (with heat) incandescent; 2 fig (radiant) rayonnant

incandescent lamp *n* lampe *f* à incandescence

incantation /ˌɪnkænˈteɪʃn/ *n* incantation *f*

incapability /ɪnˌkeɪpəˈbɪlɪtɪ/ *n* gen, Jur incapacité *f* (**to do** de faire)

incapable /ɪnˈkeɪpəbl/ *adj* [*person, organization*] incapable (**of doing** de faire); **he's ~ of action/of any emotion** il est incapable d'agir/d'éprouver une émotion; **to be ~ of killing/of dishonesty** être incapable de tuer/d'être malhonnête; **actions ~ of justification** sout des actions impossibles à justifier; **drunk and ~** Jur en état d'ivresse publique

incapacitate /ˌɪnkəˈpæsɪteɪt/ *vtr* 1 (immobilize) [*accident, disability, illness*] immobiliser; **severely ~d** infirme, invalide; 2 (temporarily) [*pain, headache*] rendre [qn] incapable de faire quoi que ce soit; 3 (disarm) mettre [qn] hors d'état de nuire

incapacity /ˌɪnkəˈpæsətɪ/ *n* 1 gen incapacité *f* (**to do** de faire), impuissance *f* (**to do** à faire); 2 Jur incapacité *f* (**to do** de faire)

incapacity benefit *n* GB Soc Admin allocation *f* d'invalidité

in-car /ɪnˈkɑː(r)/ *adj* **~ stereo** *ou* **entertainment system** autoradio *m*

incarcerate /ɪnˈkɑːsəreɪt/ *vtr* incarcérer

incarceration /ɪnˌkɑːsəˈreɪʃn/ *n* incarcération *f*

incarnate

A /ɪnˈkɑːnet/ *adj* incarné; **the devil ~** le diable incarné

B /ˈɪnkɑːneɪt/ *vtr* incarner; **to be ~d in** *ou* **as** s'incarner en

incarnation /ˌɪnkɑːˈneɪʃn/ *n* Relig, fig incarnation *f*

incautious /ɪnˈkɔːʃəs/ *adj* imprudent, irréfléchi

incautiously /ɪnˈkɔːʃəslɪ/ *adv* imprudemment

incendiary /ɪnˈsendɪərɪ, US -dɪerɪ/

A *n* 1 (bomb) engin *m* incendiaire; 2 (arsonist) incendiaire *mf*; 3 (agitator) agitateur/-trice *m/f*

B *adj* lit, fig incendiaire

incendiary: **~ attack** *n* attaque *f* à la bombe incendiaire; **~ device** *n* engin *m* incendiaire

incense

A /ˈɪnsens/ *n* encens *m*

B /ɪnˈsens/ *vtr* (enrage) faire enrager, mettre [qn] en fureur

incense: **~ bearer** *n* thuriféraire *m*; **~ burner** *n* encensoir *m*

incensed /ɪnˈsenst/ *adj* outré (**at** de; **by** par), révolté (**at, by** par)

incentive /ɪnˈsentɪv/ *n* 1 (motivation) **to give sb the ~ to do** donner envie à qn de faire; **there is no ~ for people to save** rien n'incite les gens à faire des économies; **they've no ~ to work** ils ne sont pas motivés dans leur travail; **there are strong ~s to join a union** on a tout intérêt à adhérer à un syndicat; 2 Fin, Comm prime *f*; **export ~** prime à l'exportation

incentive: **~ bonus, ~ payment** *n* prime *f* d'encouragement; **~ scheme** *n* système *m* de primes d'encouragement

incentivize /ɪnˈsentɪvaɪz/ *vtr* encourager, inciter (**to do** à faire)

inception /ɪnˈsepʃn/ *n* commencement *m*, début *m*; **from** *ou* **since its ~ in 1962** depuis ses débuts en 1962

incessant /ɪnˈsesnt/ *adj* incessant

incessantly /ɪnˈsesntlɪ/ *adv* sans cesse

incest /ˈɪnsest/ *n* inceste *m*; **to commit ~** commettre un inceste

incestuous /ɪnˈsestjʊəs, US -tʃʊəs/ *adj* lit incestueux/-euse; **it's a very ~ world** fig c'est une mafia

inch /ɪntʃ/ ▸ p. 1389

A *n* (*pl* **~es**) 1 Meas pouce *m* (= *2,54 cm*); 2 fig (small amount) **~ by ~** petit à petit; **I couldn't see an ~ in front of me in the fog** je ne voyais rien à deux pas dans le brouillard; **to miss being run over by ~es** être à deux doigts de se faire écraser; **to come within an ~ of winning/succeeding** passer à deux doigts de la victoire/du succès; **to be within an ~ of death/victory** être à deux doigts de la mort/victoire; **she won't give** *ou* **budge an ~** elle ne veut pas bouger d'un pouce

B *vtr* **to ~ sth forward** faire avancer [qch] petit à petit [*car*]; **to ~ the car into the garage** rentrer la voiture au garage avec précaution; **to ~ one's way across sth** traverser [qch] petit à petit

C *vi* **to ~ across sth** traverser [qch] petit à petit [*floor*]; **to ~ along sth** franchir [qch] petit à petit [*ledge, plank*]; **to ~ towards sth** lit se diriger petit à petit vers [*door*]; fig parvenir petit à petit à [*solution, completion*]

(Idioms) **give her an ~ and she'll take a mile** *ou* **yard** plus on lui en donne, plus elle en veut; **I don't trust him an ~** je n'ai pas la moindre confiance en lui; **to fight every ~ of the way** lutter pied à pied; **to know every ~ of sth** connaître qch comme sa poche; **to search every ~ of the car/carpet** passer la voiture/le tapis au peigne fin; **to be every ~ an aristocrat/soldier** être aristocrate/soldat jusqu'à la moelle

(Phrasal verb) ■ **inch up** [*inflation, interest rate, price*] monter graduellement

inchoate /ɪnˈkəʊeɪt, ˈɪn-/ *adj* [*idea, plan*] à peine ébauché; [*desire, longing*] vague

inchoative /ɪnˈkəʊətɪv/ *adj* Ling inchoatif/-ive

inch worm *n* Zool géomètre *m*, arpenteuse *f*

incidence /ˈɪnsɪdəns/ *n* 1 (occurrence) **the ~ of** la fréquence de [*thefts, attacks, deaths*]; **a high ~ of sth** un taux élevé de qch; **the low ~ of sth** le faible taux de qch; 2 Phys (of ray) incidence *f*; **angle of ~** angle *m* d'incidence

incident /ˈɪnsɪdənt/

A *n* 1 (event) (in life) incident *m*; (in narrative) épisode *m*; 2 (disturbance) incident *m*; **border/diplomatic ~** incident frontalier/diplomatique; **stabbing ~** agression *f* à coups de couteau; **without ~** sans incident

B *adj* 1 sout (related) **~ to** propre à [*membership, ownership, role*]; 2 Phys [*ray*] incident

incidental /ˌɪnsɪˈdentl/

A *n* détail *m*

B **incidentals** *npl* Comm faux-frais *mpl*

C *adj* 1 (minor) [*detail, by-product, fact, remark*] secondaire; [*flaw, error*] mineur; 2 (occurring as minor consequence) **to be ~ to** accompagner [*activity, job, undertaking*]; 3 (accidental) usage critiqué fortuit

incidental: **~ damages** *npl* Jur dommages-intérêts *mpl* indirects; **~ expenses** *npl* faux-frais *mpl*

incidentally /ˌɪnsɪˈdentlɪ/ *adv* 1 (by the way) à propos; **~, did you see...?** à propos, as-tu vu...?; **...who, ~, owes me £10** ...qui, soit dit en passant, me doit dix livres; 2 (as a by-product) par la même occasion

incidental music *n* Cin musique *f* de film; Theat musique *f* de scène

incident: **~ room** *n* GB bureau *m* des enquêteurs; **~ tape** *n* Transp ruban *m* de signalisation

incinerable /ɪnˈsɪnərəbl/ *adj* incinérable

incinerate /ɪnˈsɪnəreɪt/ *vtr* incinérer

incineration /ɪnˌsɪnəˈreɪʃn/ *n* incinération *f*

incinerator /ɪnˈsɪnəreɪtə(r)/ *n* (industrial, domestic) incinérateur *m*; (in crematorium) four *m* crématoire

incipient /ɪn'sɪpɪənt/ *adj* [*disease, crisis*] à ses débuts; [*baldness*] naissant; **a sign of ~ madness** le signe du début de la folie

incise /ɪn'saɪz/ *vtr* 1 (cut) inciser; 2 (engrave) graver

incised /ɪn'saɪzd/ *adj* 1 [*surface, design*] gravé; 2 Bot [*leaf*] incisé

incision /ɪn'sɪʒn/ *n* 1 Med incision *f*; 2 Bot incisure *f*

incisive /ɪn'saɪsɪv/ *adj* (keen, decisive) [*remark*] perspicace; [*criticism, mind*] pénétrant; [*manner, presentation*] précis; [*style*] incisif/-ive

incisively /ɪn'saɪsɪvlɪ/ *adv* [*argue, present*] d'une manière précise

incisiveness /ɪn'saɪsɪvnɪs/ *n* (of remark) perspicacité *f*; (of criticism, mind) caractère *m* pénétrant

incisor /ɪn'saɪzə(r)/ *n* incisive *f*

incite /ɪn'saɪt/ *vtr* **to ~ violence/a riot** inciter à la violence/à l'émeute; **to ~ sb to do** pousser *ou* inciter qn à faire

incitement /ɪn'saɪtmənt/ *n* incitation *f* (**to** à)

incivility /,ɪnsɪ'vɪlətɪ/ *n* incivilité *f*

incl 1 (*abrév écrite* = **including**) compris; **£20,000 ~ bonuses** 20 000 livres, primes comprises; 2 (*abrév* = **inclusive**) TTC; **£110 ~** 110 livres sterling TTC

inclemency /ɪn'klemənsɪ/ *n* (of weather, winter) inclémence *f*; (of climate) rigueur *f*

inclement /ɪn'klemənt/ *adj* 1 [*weather, winter*] inclément; [*climate*] rigoureux/-euse; 2 [*judge*] inclément, dur

inclination /,ɪŋklɪ'neɪʃn/ *n* 1 (tendency) tendance *f*, inclination *f*; (**to, towards** à); **I have an ~ to forget** j'ai tendance à oublier; **to be lazy by ~** être paresseux par nature; **to follow one's own ~s** suivre ses penchants naturels; 2 (desire) envie *f*, désir *m* (**for** de); (liking) goût *m* (**for** pour); **to have an ~ to do/to be** avoir envie de faire/d'être; **to have no ~ to do** n'avoir aucune envie de faire; **to have no ~ for sth** n'avoir aucun goût pour qch; 3 (degree of slope) inclinaison *f*

incline

A /'ɪŋklaɪn/ *n* (slope) pente *f*

B /ɪn'klaɪn/ *vtr* 1 (bend) incliner [*head*]; 2 **to be ~d to do** (have tendency) avoir tendance à faire; (have desire) avoir envie de faire; **if you feel so ~d** si l'envie vous en prend; **he was not ~d to help/listen** il n'était pas disposé à aider/écouter; **to be artistically ~d** avoir un goût pour l'art; **I didn't know he was that way ~d** euph péj je ne savais pas qu'il en était○ euph pej, je ne savais pas qu'il était homosexuel; 3 sout (persuade) **to ~ sb to do** porter qn à faire; 4 (tilt) incliner [*mirror, seat*]

C /ɪn'klaɪn/ *vi* 1 (tend) **to ~ to** *ou* **towards** [*ideas, politics*] tendre vers [*extremism, socialism*]; **to ~ to** *ou* **towards greed/severity** [*person*] avoir tendance à être gourmand/sévère; **to ~ towards the opinion that** avoir tendance à penser que; 2 (lean) [*person, road, tower, tree*] s'incliner

inclined plane *n* plan *m* incliné

inclose *vtr* ▸ **enclose**

inclosure *n* ▸ **enclosure**

include /ɪn'klu:d/ *vtr* gen inclure; (followed by list of names, items etc) comprendre; **most people, children ~d** la plupart des gens, enfants inclus; **all the ministers, Blanc ~d** tous les ministres, Blanc inclu; **the guests ~d Karl Marx** parmi les invités il y avait Karl Marx; **breakfast is ~d in the price** le petit déjeuner est compris; **£50 to ~ taxes** 50 livres sterling y compris les taxes; **your duties ~ answering the phone** répondre au téléphone fait partie de vos fonctions; **does that ~ me?** est-ce que cela s'adresse aussi à moi?

including /ɪn'klu:dɪŋ/ *prep* (y) compris; **~ July** y compris juillet; **not ~ July** sans compter juillet; **£10, ~ coffee** 10 livres sterling, café compris; **up to and ~ Monday** jusqu'à lundi inclus; **~ service** service compris; **~ Mary/not ~ Mary we'll be six** avec Mary/sans Mary nous serons six

inclusion /ɪn'klu:ʒn/ *n* gen, Math inclusion *f* (**of** de; **in** dans); **advertisements for ~ in next week's issue** petites annonces à paraître dans le numéro de la semaine prochaine

inclusive /ɪn'klu:sɪv/ *adj* [*charge*] inclus; [*price*] forfaitaire; [*terms*] tout compris; **from the 15th to the 21st ~** du 15 au 21 inclus; **those aged 17–24 ~** les personnes âgées de 17 à 24 ans inclus; **prices are all-~** tout est compris dans le prix indiqué; **book an ~ holiday with us** GB réservez des vacances tout compris chez nous; **the price ~ of delivery** le prix, livraison comprise; **the price is not ~ of delivery** le prix ne comprend pas la livraison

inclusively /ɪn'klu:sɪvlɪ/ *adv* inclusivement

inclusivism /ɪn'klu:sɪvɪzəm/ *n* 1 (non-exclusion) politique *f* de non-exclusion; 2 (in language) *politique linguistique de lutte contre le sexisme consistant à utiliser des pronoms masculins et féminins*

incognito /,ɪŋkɒg'ni:təʊ, US ɪŋ'kɒgnətəʊ/

A *n* incognito *m*

B *adj* **to be ~** rester dans l'incognito; **to remain ~** garder l'incognito

C *adv* [*travel, go*] incognito

incoherence /,ɪŋkəʊ'hɪərəns/ *n* incohérence *f*

incoherent /,ɪŋkəʊ'hɪərənt/ *adj* incohérent

incoherently /,ɪŋkəʊ'hɪərəntlɪ/ *adv* de façon incohérente

incombustible /,ɪŋkəm'bʌstəbl/ *adj* incombustible

income /'ɪŋkʌm/ *n* revenu *m*, revenus *mpl*; **an ~ of £1,000 per month** un revenu de 1 000 livres sterling par mois; **to be on an ~ of £20,000 per year** gagner 20 000 livres par an; **to live within/beyond one's ~** vivre dans la limite de/au-delà de ses moyens; **low-~ households** ménages *mpl* à bas revenus; **loss of ~** perte *f* de revenus; **disposable/taxable ~** revenu disponible/imposable; **gross ~** revenu brut; **sources of ~** sources *fpl* de revenus; **earned ~** revenus professionnels; **unearned ~** ≈ rentes *fpl*

income bracket, **income group** *n* tranche *f* de revenu; **low-/high-~** tranche des petits/des gros revenus

incomer /'ɪnkʌmə(r)/ *n* GB (immigrant) immigrant/-e *m/f*

income: **~s policy** *n* politique *f* des revenus; **~ support** *n* GB Soc Admin *allocation chômage minimum*; **~ tax** *n* impôt *m* sur le revenu; **~ tax form** *n* feuille *f* d'impôts; **~ tax inspector** *n* inspecteur/-trice *m/f* des impôts; **~ tax return** *n* déclaration *f* des revenus, feuille *f* d'impôts

incoming /'ɪnkʌmɪŋ/

A **incomings** *npl* Accts rentrées *fpl*, recettes *fpl*

B *adj* 1 (received) [*call, mail*] qui vient de l'extérieur; [*order, missile*] qui arrive; **this phone only takes ~ calls** ce téléphone ne peut que recevoir des appels; 2 (arriving) [*aircraft, passenger*] qui arrive; **~ flights have been diverted** les avions qui devaient atterrir ont été détournés; 3 (new) [*president, government*] nouveau/-elle; 4 [*tide*] montant

incommensurable /,ɪŋkə'menʃərəbl/ *adj* incommensurable (**with** avec)

incommensurate /,ɪŋkə'menʃərət/ *adj* 1 **to be ~ with** (out of proportion) être disproportionné à; (inadequate) être insuffisant pour; 2 = **incommensurable**

incommode /,ɪŋkə'məʊd/ *vtr* sout incommoder, gêner

incommunicable /,ɪŋkə'mju:nɪkəbl/ *adj* incommunicable

incommunicado /,ɪŋkə,mju:nɪ'kɑ:dəʊ/

A *adj* (by choice) injoignable; (involuntarily) sans contact avec l'extérieur

B *adv* [*held, detained*] sans contact avec l'extérieur

in-company *adj* [*training*] interne

incomparable /ɪn'kɒmprəbl/ *adj* [*beauty, splendour*] sans pareil/-eille; **the ~ Greta Garbo** Greta Garbo, qui n'a pas sa pareille

incomparably /ɪn'kɒmprəblɪ/ *adv* [*better*] infiniment; **~ the best** sans comparaison le/la meilleur/-e; **~ beautiful** d'une beauté sans pareille

incompatibility /,ɪŋkəm,pætə'bɪlətɪ/ *n* (all contexts) incompatibilité *f*

incompatible /,ɪŋkəm'pætɪbl/ *adj* [*person, computer, drug*] incompatible (**with** avec); [*idea, activity*] inconciliable (**with** avec)

incompetence /ɪn'kɒmpɪtəns/, **incompetency** /ɪn'kɒmpɪtənsɪ/ *n* 1 (of professional) incompétence *f*; (of person, child) inaptitude *f*; 2 Jur (of person, court) incompétence *f*

incompetent /ɪn'kɒmpɪtənt/

A *n* incapable *mf*

B *adj* 1 [*doctor, management, government*] incompétent; [*work, performance*] mauvais; **to be ~ to do** ne pas avoir les compétences nécessaires pour faire; 2 Jur (in law) [*person, child*] incompétent; [*witness*] récusé; [*evidence*] irrecevable

incompetently /ɪn'kɒmpɪtəntlɪ/ *adv* de façon incompétente

incomplete /,ɪŋkəm'pli:t/ *adj* 1 (unfinished) [*work, building*] inachevé; 2 (lacking parts) [*set, collection, machine*] incomplet/-ète; 3 (imperfect) [*success, victory*] incomplet/-ète, partiel/-ielle

incompletely /,ɪŋkɒm'pli:tlɪ/ *adv* incomplètement

incompleteness /,ɪŋkəm'pli:tnɪs/ *n* (of work) état *m* inachevé; (of set) caractère *m* incomplet

incomprehensible /ɪn,kɒmprɪ'hensəbl/ *adj* [*reason, attitude*] incompréhensible; [*speech, style*] inintelligible

incomprehensibly /ɪn,kɒmprɪ'hensəblɪ/ *adv* [*act, react*] de façon incompréhensible; [*worded, written*] de façon inintelligible; **~, she didn't react** inexplicablement, elle n'a pas réagi

incomprehension /ɪn,kɒmprɪ'henʃn/ *n* incompréhension *f*; **to look at sb in ~** regarder qn avec stupeur

inconceivable /,ɪŋkən'si:vəbl/ *adj* inconcevable; **it is ~ that** il est inconcevable que (+ *subj*)

inconceivably /,ɪŋkən'si:vəblɪ/ *adv* [*tall, difficult*] incroyablement; **~ lazy** d'une paresse inconcevable

inconclusive /,ɪŋkən'klu:sɪv/ *adj* [*discussion, meeting*] sans conclusion véritable; [*debate, election*] sans résultat clair; [*argument, evidence*] peu concluant

inconclusively /,ɪŋkən'klu:sɪvlɪ/ *adv* [*end*] sans conclusion véritable; [*argue*] de manière peu concluante

incongruity /,ɪŋkɒŋ'gru:ətɪ/ *n* 1 (of appearance, behaviour) incongruité *f*, bizarrerie *f*; (of situation) absurdité *f*; 2 (act, event) incongruité *f*

incongruous /ɪn'kɒŋgrʊəs/ *adj* [*sight, building*] déconcertant, inattendu; [*appearance, clothing*] surprenant; [*behaviour*] déplacé, inconvenant; **it seems ~ that** ça paraît bizarre que (+ *subj*)

incongruously /ɪn'kɒŋgrʊəslɪ/ *adv* [*dress*] bizarrement; **~ modern** d'une modernité déconcertante

inconsequential /ɪn,kɒnsɪ'kwenʃl/ *adj* 1 (unimportant) sans importance; 2 (illogical) illogique, inconséquent

inconsiderable /,ɪŋkən'sɪdrəbl/ *adj* insignifiant; **not ~** non négligeable

inconsiderate /,ɪŋkən'sɪdərət/ *adj* [*person*] peu attentif/-ive à autrui; [*remark, behaviour*] maladroit; **to be ~ towards sb** manquer d'égards envers qn; **it was most ~ of her to leave like that** c'était très impoli de sa part de partir comme ça; **that was a very ~ thing to say** c'était manquer de tact que de dire cela

inconsiderately /ˌɪŋkənˈsɪdərətlɪ/ *adv* sans aucune considération

inconsistency /ˌɪŋkənˈsɪstənsɪ/ *n* (of argument, statement) incohérence *f*; **the ~ of his work** son travail inégal; **the ~ of her behaviour** sa conduite changeante

inconsistent /ˌɪŋkənˈsɪstənt/ *adj* 1 (erratic) [*work, performance*] inégal; [*behaviour*] changeant; [*argument, beliefs*] incohérent; [*attitude*] inconsistant; 2 (incompatible) **to be ~ with** être en contradiction avec

inconsolable /ˌɪŋkənˈsəʊləbl/ *adj* inconsolable

inconsolably /ˌɪŋkənˈsəʊləblɪ/ *adv* inconsolablement

inconspicuous /ˌɪŋkənˈspɪkjʊəs/ *adj* [*person*] qui passe inaperçu, qui ne se fait pas remarquer; [*place, clothing*] discret/-ète; **try to be ~** essaie d'être discret/-ète

inconspicuously /ˌɪŋkənˈspɪkjʊəslɪ/ *adv* discrètement

inconstancy /ɪnˈkɒnstənsɪ/ *n* 1 (unfaithfulness) inconstance *f*; 2 (discontinuity) irrégularité *f*

inconstant /ɪnˈkɒnstənt/ *adj* [*friend, lover*] inconstant; [*conditions, feelings, temperature*] instable

incontestable /ˌɪŋkənˈtestəbl/ *adj* incontestable

incontinence /ɪnˈkɒntɪnəns/ *n* Med, fig incontinence *f*

incontinence pad *n* Med couche *f* (pour incontinents)

incontinent /ɪnˈkɒntɪnənt/ *adj* Med, fig incontinent

incontrovertible /ˌɪŋkɒntrəˈvɜːtəbl/ *adj* [*evidence, proof, sign*] indéniable; [*argument, statement*] irréfutable

incontrovertibly /ˌɪŋkɒntrəˈvɜːtəblɪ/ *adv* incontestablement [*true, wrong*]; [*demonstrate, prove*] de façon incontestable

inconvenience /ˌɪŋkənˈviːnɪəns/
A *n* 1 (trouble) dérangement *m*; **to put sb to great ~** causer beaucoup de dérangement à qn; **I don't want to cause you any ~** je ne veux pas vous causer le moindre dérangement; **'the management apologizes for any ~ caused to customers during renovations'** 'la direction s'excuse auprès de ses clients pour les désagréments occasionnés pendant la période de rénovation'; 2 (disadvantage) inconvénient *m*; **the ~s of having no car** l'inconvénient de ne pas avoir de voiture; **there are ~s in working part-time** le travail à temps partiel présente des inconvénients
B *vtr* déranger

inconvenient /ˌɪŋkənˈviːnɪənt/ *adj* 1 [*location, arrangement, device*] incommode; [*time*] inopportun; **if it's not ~** si cela ne vous/les/etc dérange pas; **it's rather an ~ time to call** ce n'est pas une heure pour une visite; **living so far from the station is very ~** ce n'est vraiment pas pratique d'habiter si loin de la gare; 2 euph (embarrassing) [*fact, incident*] gênant

inconveniently /ˌɪŋkənˈviːnɪəntlɪ/ *adv* [*arranged, located*] de façon peu pratique

inconvertibility /ˌɪŋkənˌvɜːtəˈbɪlətɪ/ *n* Fin inconvertibilité *f*, non-convertibilité *f*

inconvertible /ˌɪŋkənˈvɜːtəbl/ *adj* Fin inconvertible, non convertible

incorporate /ɪnˈkɔːpəreɪt/
A *vtr* 1 (make part of sth) **~ sth into sth** incorporer qch dans qch; **he has ~d our employees/your ideas into his new plan** il a incorporé nos employés/vos idées dans son nouveau projet; 2 (have as part of itself) comporter; **the society ~s many new features** la société comporte beaucoup de nouveaux éléments; **the new society ~s the two old ones** la nouvelle société regroupe les deux anciennes; 3 Comm, Jur constituer en société (commerciale)
B *vi* Comm, Jur se constituer en société commerciale
C **incorporated** *pp adj* constitué en société commerciale; **Smith and Brown Incorporated** Smith et Brown SA

incorporation /ɪnˌkɔːpəˈreɪʃn/ *n* 1 gen incorporation *f* (**into** dans); **to collect information for ~ into sth** rassembler des informations pour les incorporer à qch; 2 Jur constitution *f* (d'une société)

incorporator /ɪnˈkɔːpəreɪtə(r)/ *n* Fin, Jur membre *m* fondateur d'une société (commerciale)

incorporeal /ˌɪŋkɔːˈpɔːrɪəl/ *adj* gen, Jur incorporel/-elle; **~ chattels**, **~ property** Jur biens *mpl* incorporels

incorrect /ˌɪŋkəˈrekt/ *adj* 1 (false, inaccurate) incorrect (**to do** de faire); **to be ~ in doing** faire erreur en faisant; 2 (improper, unsuitable) incorrect

incorrectly /ˌɪŋkəˈrektlɪ/ *adv* incorrectement; **we assumed ~ that** nous nous sommes trompés en pensant que

incorrigible /ɪnˈkɒrɪdʒəbl, US -ˈkɔːr-/ *adj* incorrigible

incorrigibly /ɪnˈkɒrɪdʒəblɪ, US -ˈkɔːr-/ *adj* incorrigiblement

incorruptibility /ˌɪŋkəˌrʌptəˈbɪlətɪ/ *n* incorruptibilité *f*

incorruptible /ˌɪŋkəˈrʌptəbl/ *adj* incorruptible

increase
A /ˈɪŋkriːs/ *n* 1 (in amount) augmentation *f* (**in** de); **price/pay ~** augmentation de prix/de salaire; **a sudden ~ in unemployment** une soudaine augmentation du taux de chômage; **an ~ of 5%, a 5% ~** une augmentation de 5%; **an ~ of 20% in the cost of sth** une augmentation de 20% du prix de qch; 2 (in degree) accroissement *m*; **an ~ in support for the policy** un nombre croissant de personnes favorables à la politique; **there has been an ~ in public interest** le public s'y intéresse de plus en plus; **to be on the ~** être en progression
B /ɪnˈkriːs/ *vtr* 1 gen augmenter [*sales, grant, offer, temperature, anxiety*]; **to ~ one's chances of doing** augmenter ses chances de faire; **to ~ the risk of** augmenter les risques de [*failure, disease etc*]; **to ~ sth by** augmenter qch de [*amount, percentage*]; **to ~ life expectancy by five years** prolonger l'espérance de vie de cinq ans; **to ~ sth to** augmenter qch jusqu'à; **I ~d my offer to $100** je suis monté à 100 dollars; 2 (in knitting) augmenter de [*stitch*]
C /ɪnˈkriːs/ *vi* 1 gen [*output, sales, volume, strength, intensity*] augmenter; [*appetite*] grandir; [*workload*] s'accroître; **to ~ by** augmenter de [*amount, percentage*]; **to ~ in number/value** augmenter en nombre/valeur; **to ~ in volume** augmenter de volume; **to ~ in size** s'agrandir; **to ~ from... to** passer de... à; 2 Meteorol [*wind*] se lever; (at sea) forcir; 3 (in knitting) augmenter
D **increasing** *pres p adj* [*prices, number*] croissant; **with increasing frequency** de plus en plus fréquemment
E **increased** *pp adj* [*choice, demand, probability*] plus grand; [*attacks*] plus fréquent; [*inequality*] plus marqué; **an ~d risk of cancer** un risque accru de cancer

increasingly /ˈɪŋkriːsɪŋlɪ/ *adv* [*popular, difficult*] de plus en plus; **~, he came to accept this** petit à petit, il a fini par accepter cela

incredible /ɪnˈkredəbl/ *adj* 1 (unbelievable) incroyable; 2 ○(wonderful) fantastique

incredibly /ɪnˈkredəblɪ/ *adv* 1 (astonishingly) incroyablement; **~, she didn't hear a thing** chose incroyable, elle n'a rien entendu; 2 ○(extremely) extrêmement

incredulity /ˌɪŋkrɪˈdjuːlətɪ, US -duː-/ *n* incrédulité *f*; **a look** *ou* **expression of ~** un air incrédule

incredulous /ɪnˈkredjʊləs, US -dʒə-/ *adj* incrédule; **he was ~ at the news/your success** il n'arrivait pas à croire la nouvelle/à ta réussite; **I was ~ that** je n'arrivais pas à croire que (+ *subj*)

incredulously /ɪnˈkredjʊləslɪ, US -dʒə-/ *adv* [*ask, exclaim, repeat*] d'un ton incrédule; [*look, stare*] d'un air incrédule; [*listen*] d'une oreille incrédule

increment /ˈɪŋkrəmənt/
A *n* 1 Fin (on salary) augmentation *f* (automatique); 2 (addition) Comput, Math incrément *m*; 3 (number added) Comput pas *m* de progression; Math valeur *f* de progression
B *vtr* 1 Fin augmenter (automatiquement) [*salary*]; 2 Comput, Math incrémenter; **to ~ a value by one** incrémenter une valeur d'une unité

incremental /ˌɪŋkrəˈmentl/ *adj* 1 Comput, Math [*backup, computer, display*] incrémentiel/-ielle; 2 (increasing) [*benefit, effect*] cumulatif/-ive; [*measures, steps*] progressif/-ive

incremental: **~ cost** *n* coût *m* marginal *or* différentiel; **~ scale** *n* échelle *f* mobile des salaires

incriminate /ɪnˈkrɪmɪneɪt/
A *vtr* [*evidence, documents*] incriminer; **to ~ sb in** impliquer qn dans [*crime, activity*]
B *v refl* **to ~ oneself** s'incriminer

incriminating /ɪnˈkrɪmɪneɪtɪŋ/ *adj* [*statement, document, testimony, weapon*] compromettant; **~ evidence** preuves *fpl* incriminantes

incrimination /ɪnˌkrɪmɪˈneɪʃn/ *n* incrimination *f*

incriminatory /ɪnˈkrɪmɪneɪtərɪ, -nətrɪ, US -tɔːrɪ/ *adj* Jur [*testimony, document*] compromettant; **~ evidence** preuves incriminantes

in-crowd○ /ˈɪnkraʊd/ *n* **to be in with the ~** fréquenter les gens à la mode

incrust *vtr* = **encrust**

incrustation /ˌɪŋkrʌˈsteɪʃn/ *n* 1 (layer) (of shells, gems) incrustation *f*; (of salt, lime) dépôt *m*; 2 (process) lit incrustation *f*; fig (of habits, customs) encroûtement *m*

incubate /ˈɪŋkjʊbeɪt/
A *vtr* 1 Agric [*breeder*] incuber; [*hen*] couver; 2 (grow) faire incuber [*bacteria, culture, embryo*]; 3 fig mûrir [*scheme, idea*]
B *vi* 1 [*eggs*] être en incubation; 2 [*bacteria, embryo*] être en incubation; **the disease takes four weeks to ~** la durée d'incubation de la maladie est de quatre semaines; 3 fig [*revolt*] couver

incubation /ˌɪŋkjʊˈbeɪʃn/ *n* 1 (of eggs, bacteria) incubation *f*; 2 fig (of scheme, play) maturation *f*; 3 Med incubation *f*

incubation period *n* période *f* d'incubation

incubator /ˈɪŋkjʊbeɪtə(r)/ *n* 1 (for child) couveuse *f*; 2 (for eggs, embryos, bacteria) incubateur *m*

incubus /ˈɪŋkjʊbəs/ *n* 1 (devil) incube *m*; 2 fig (fear) cauchemar *m*

inculcate /ˈɪnkʌlkeɪt, US ɪnˈkʌl-/ *vtr* **to ~ sth in sb, ~ sb with sth** inculquer qch à qn

inculcation /ˌɪnkʌlˈkeɪʃn/ *n* inculcation *f*

incumbency /ɪnˈkʌmbənsɪ/ *n* sout exercice *m* d'une charge; **during his ~ at the ministry** pendant l'exercice de sa charge au ministère

incumbent /ɪnˈkʌmbənt/
A *n* sout 1 Admin, Pol, gen personne *f* exerçant une charge; (minister) ministre *m*; (delegate) représentant/-e *m/f*; 2 (in Anglican church) pasteur *m* (*chargé d'une paroisse*)
B *adj* 1 (morally) **to be ~ on** *ou* **upon sb to do** incomber à qn de faire; 2 (in office) [*minister, administrator*] en exercice; **the ~ president** le président actuel

incunabulum /ˌɪnkjuːˈnæbjʊləm/ *n* (*pl* **-bula**) Hist incunable *m*

incur /ɪnˈkɜː(r)/ *vtr* (*p prés etc* **-rr-**) 1 Comm, Fin contracter [*debts*]; subir [*loss*]; encourir [*expense, charge, penalty, risk*]; 2 (bring down) encourir [*wrath, displeasure*]

incurable /ɪnˈkjʊərəbl/
A *n* incurable *mf*
B *adj* 1 [*disease, disorder*] incurable; 2 [*romanticism, optimism*] incorrigible

incurably /ɪnˈkjʊərəblɪ/ *adv* 1 Med **to be ~ ill** souffrir d'une maladie incurable; 2 fig **to be ~ romantic/inquisitive** être d'un romantisme/d'une curiosité incorrigible

incurious /ɪnˈkjʊərɪəs/ *adj* indifférent

incursion /ɪnˈkɜːʃn, US -ʒn/ *n* 1 Mil incursion *f* (**into** dans); 2 (intrusion) intrusion *f* (**into** dans)

indebted /ɪnˈdetɪd/ *adj* 1 (grateful) **to be ~ to sb** être redevable à qn; **to be ~ to sb for sth/for doing sth** être obligé à qn de qch/de faire qch; 2 Econ, Fin (*tjrs épith*) [*company, country, economy*] endetté

indebtedness /ɪnˈdetɪdnɪs/ *n* 1 Econ, Fin endettement *m*; 2 (gratitude) dette *f* (**to** envers; **for** pour)

indecency /ɪnˈdiːsnsɪ/ *n* 1 (lack of decency) indécence *f*; 2 Jur (offence) attentat *m* à la pudeur; **gross ~** outrage *m* à la pudeur

indecent /ɪnˈdiːsnt/ *adj* 1 (sexually) indécent; 2 (unseemly) [*haste*] malséant; **an ~ amount of work/money** une somme de travail/d'argent choquante

indecent: **~ assault** *n* attentat *m* à la pudeur (**on** contre); **~ exposure** *n* outrage *m* public à la pudeur

indecently /ɪnˈdiːsntlɪ/ *adv* 1 (offensively) [*behave, act*] d'une manière indécente; [*dressed*] d'une manière indécente; 2 (inappropriately) **they got married ~ soon** ils se sont mariés avec une rapidité malséante; **~ early** plus tôt que nécessaire

indecipherable /ˌɪndɪˈsaɪfrəbl/ *adj* indéchiffrable

indecision /ˌɪndɪˈsɪʒn/ *n* indécision *f* (**about** quant à); **after months of ~** après des mois d'hésitation

indecisive /ˌɪndɪˈsaɪsɪv/ *adj* 1 [*person*] (momentarily) indécis (**about** quant à); (by nature) **he's an ~ person** c'est un indécis; 2 [*reply, result*] indécis; [*battle, victory, election, debate*] peu concluant

indecisively /ˌɪndɪˈsaɪsɪvlɪ/ *adv* [*speak, reply*] d'un ton indécis; [*behave*] d'une manière indécise

indeclinable /ˌɪndɪˈklaɪnəbl/ *adj* indéclinable

indecorous /ɪnˈdekərəs/ *adj* sout inconvenant

indecorously /ɪnˈdekərəslɪ/ *adv* sout [*behave, guffaw*] d'une manière inconvenante; [*short, skimpy*] impudemment

indecorum /ˌɪndɪˈkɔːrəm/ *n* sout manque *m* de correction

indeed /ɪnˈdiːd/ *adv* 1 (certainly) en effet, effectivement; **it is ~ likely that** il est en effet *or* effectivement probable que; **there had ~ been a plot** il y avait effectivement eu un complot; **'it's unfair'—'~!'** 'c'est injuste'—'en effet!'; **'are you interested?'—'~ I am!'** *ou* **'yes ~!'** 'ça t'intéresse?'—'bien sûr que oui!'; **'can you see it from there?'—'~ you can'** *ou* **'you can ~'** 'est-ce qu'on peut le voir de là?'—'bien sûr que oui'; **'he's not coming, is he?'—'~ he is!'** 'lui, il ne vient pas?'—'bien sûr que si!'; **'did she really leave him?'—'she did ~!'** 'est-ce qu'elle l'a vraiment laissé tomber?'—'oui!'; 2 (in fact) en fait; **it won't harm them—~ it might be to their advantage** cela ne leur nuira pas—en fait cela peut tourner à leur avantage; **he was a colleague, ~ a friend** c'était un collègue et en fait *or* et même un ami; **she is polite, ~ charming** elle est polie et même charmante; **I feel, ~ I am convinced, that** je pense, je suis même convaincu que; **if ~ that is what consumers want** si c'est vraiment ce que veulent les consommateurs; 3 (for emphasis) vraiment; **very clever/traditional ~** vraiment très intelligent/traditionnel; **it was very hot ~** il faisait vraiment très chaud; **I was very sad ~ to hear** j'ai été vraiment attristé d'apprendre; **that's very good news ~** ce sont vraiment de bonnes nouvelles; **to know very little ~ about sth** savoir vraiment très peu sur qch; **that was praise ~ coming from him!** venant de lui c'était vraiment un compliment!; **we are very grateful ~ for...** nous sommes profondément reconnaissants de...; **thank you very much ~** merci mille fois; 4 iron (expressing surprise, disbelief) **'he knows you'—'does he ~?'** 'il te connaît'—'ah bon?', 'vraiment?'; **a bargain ~! it's a rip-off**○**!** tu parles d'une affaire! c'est de l'arnaque◑!; **'why did she do it?'—'why ~?'** 'pourquoi est-ce qu'elle l'a fait?'—'ça je me le demande', 'ça c'est une bonne question'

indefatigable /ˌɪndɪˈfætɪgəbl/ *adj* [*campaigner, worker, director*] inlassable; **she's ~!** elle est infatigable!

indefatigably /ˌɪndɪˈfætɪgəblɪ/ *adv* inlassablement

indefensible /ˌɪndɪˈfensəbl/ *adj* 1 (morally) [*crime, cruelty, behaviour, attitude*] inexcusable; [*severity, penalty*] injustifiable; 2 (logically) [*reasoning, opinion, cause*] indéfendable; 3 Mil [*position, territory*] indéfendable

indefensibly /ˌɪndɪˈfensəblɪ/ *adv* [*act, behave*] d'une manière inexcusable; **to be ~ cruel/rude** être d'une cruauté/d'une impolitesse inexcusable

indefinable /ˌɪndɪˈfaɪnəbl/ *adj* indéfinissable

indefinably /ˌɪndɪˈfaɪnəblɪ/ *adv* vaguement; **there was something ~ sad about her** elle avait quelque chose de vaguement triste

indefinite /ɪnˈdefɪnət/ *adj* 1 (vague) [*idea, plan, intention, emotion, answer*] vague; [*duties, responsibilities*] imprécis; 2 (without limits) [*period, delay, curfew, strike*] illimité; [*amount, number*] indéterminé; **~ ban** Sport interdiction pour une durée indéterminée; 3 Ling **the ~ article** l'article *m* indéfini

indefinitely /ɪnˈdefɪnətlɪ/ *adv* [*continue, last, stay, detain*] indéfiniment; [*adjourn, cancel, postpone, ban*] pour une durée indéterminée

indelible /ɪnˈdeləbl/ *adj* 1 [*ink, mark*] indélébile; 2 [*memory, impression*] ineffaçable; **an ~ part of** une part indélébile de [*background, culture*]

indelibly /ɪnˈdeləblɪ/ *adv* 1 lit [*marked, printed*] de manière indélébile; 2 fig [*impressed, imprinted*] de manière ineffaçable

indelicacy /ɪnˈdelɪkəsɪ/ *n* sout 1 (tactlessness) indélicatesse *f*; 2 euph (coarseness) grossièreté *f*; 3 euph (remark) indélicatesse *f*

indelicate /ɪnˈdelɪkət/ *adj* sout 1 (tactless) [*action, remark*] indélicat; **it was ~ of her to mention it** c'était indélicat de sa part d'en parler; 2 euph (coarse) [*comment, act*] grossier/-ière

indemnification /ɪnˌdemnɪfɪˈkeɪʃn/ *n* 1 (protection) assurance *f* (**against** contre); 2 (compensation) indemnisation *f* (**for** de)

indemnify /ɪnˈdemnɪfaɪ/ *vtr* 1 (protect) assurer (**against, from** contre); 2 (compensate) indemniser (**for** de)

indemnity /ɪnˈdemnətɪ/ *n* 1 (protection) assurance *f* (**against** contre); **letter of ~** lettre *f* de garantie; 2 (payment) indemnité *f*; 3 Jur (exemption) décharge *f*

indemnity fund *n* fonds *m* de garantie

indene /ˈɪndiːn/ *n* indène *m*

indent
A /ˈɪndent/ *n* 1 GB Comm commande *f*; **to place an ~ for goods** passer une commande de marchandises; 2 Print (of first line) alinéa *m*; 3 (incision) entaille *f*
B /ɪnˈdent/ *vtr* 1 Print renfoncer [*line, text, word*]; **new paragraphs should be ~ed** on doit faire un alinéa pour les nouveaux paragraphes; 2 denteler [*edge*]
C /ɪnˈdent/ *vi* GB Comm passer une commande; **to ~ on a supplier for goods** faire une commande de marchandises auprès d'un fournisseur
D **indented** *pp adj* 1 Print en alinéa; 2 [*coastline*] découpé; [*edge*] dentelé

indentation /ˌɪndenˈteɪʃn/ *n* 1 (depression) gen marque *f*; (in metal) bosse *f*; 2 (in coastline) (action) découpage *m*; (inlet) échancrure *f*; 3 Print (*also* **indent**) alinéa *m*

indent house *n* US Comm maison *f* d'importation (*spécialisée dans les produits manufacturés à l'étranger*)

indenture /ɪnˈdentʃə(r)/
A *n* Jur contrat *m* synallagmatique
B **indentures** *npl* Hist (of apprentice) contrat *m* d'apprentissage; (of worker) contrat *m* sous conditions
C *vtr* Hist [*craftsman*] prendre [qn] en apprentissage; [*landowner*] engager [qn] sous contrat [*labourer*]

independence /ˌɪndɪˈpendəns/ *n* indépendance *f* (**from** vis-à-vis de)

Independence Day *n* US fête *f* de l'Indépendance

> **Independence Day (4th July)**
>
> Jour de fête nationale aux États-Unis pour commémorer la ratification de la Déclaration d'Indépendance par le Congrès le 4 juillet 1776.
>
> ▸ **Declaration of Independence**

independent /ˌɪndɪˈpendənt/
A *n* 1 Pol candidat/-e *m/f* indépendant/-e; 2 (film or record company) indépendant *m*, compagnie *f* indépendante
B *adj* 1 (self-reliant) [*person, life, attitude, style*] indépendant (**of** de); **~ means, an ~ income** des revenus personnels; 2 Pol [*country*] indépendant (**of** de); 3 (impartial) [*body, expert, observer, inquiry, investigation*] indépendant; [*witness, evidence, account*] objectif/-ive; 4 (separate, unconnected) [*complaint, source*] indépendant; **two ~ surveys give the same result** deux sondages indépendants donnent le même résultat; 5 (not part of an organization) gen, Pol [*candidate, cinema, company, newspaper*] indépendant; 6 (not state run) [*school, hospital, radio station*] privé; 7 Ling, Math indépendant

independent: **Independent Broadcasting Authority, IBA** *n* GB organisme *m* de contrôle des stations privées de radio et télédiffusion; **~ clause** *n* Ling proposition *f* indépendante

independently /ˌɪndɪˈpendəntlɪ/ *adv* 1 (without help) [*act, live*] de façon indépendante; 2 (separately) [*administer, negotiate, research*] individuellement, de façon indépendante; **~ of** indépendamment de; **~ of each other** indépendamment l'un de l'autre; 3 (impartially) [*investigated, monitored, confirmed*] par une autorité extérieure

independent: **~ suspension** *n* Aut suspension *f* indépendante; **Independent Television Commission, ITC** *n* GB organisme *m* de contrôle des chaînes privées de télédiffusion; **~ variable** *n* Math variable *f* indépendante

in-depth /ˌɪnˈdepθ/
A *adj* [*analysis, study, knowledge*] approfondi, détaillé; [*guide*] détaillé; [*interview*] en profondeur
B **in depth** *adv phr* [*examine, study*] en détail

indescribable /ˌɪndɪˈskraɪbəbl/ *adj* [*chaos, noise, smell*] indescriptible; [*pleasure, peace, beauty*] inexprimable, ineffable liter

indescribably /ˌɪndɪˈskraɪbəblɪ/ *adv* **to be ~ dirty/beautiful/sad** être d'une saleté/

i

beauté/tristesse inexprimable; **an ~ boring film** un film incroyablement ennuyeux; **she felt ~ happy** elle sentait en elle une joie inexprimable

indestructibility /ˌɪndɪstrʌktɪˈbɪlətɪ/ *n* indestructibilité *f*

indestructible /ˌɪndɪˈstrʌktəbl/ *adj* indestructible

indeterminable /ˌɪndɪˈtɜːmɪnəbl/ *adj* indéterminable

indeterminacy /ˌɪndɪˈtermɪnəsɪ/ *n* sout indétermination

indeterminate /ˌɪndɪˈtɜːmɪnət/ *adj* [1] gen (imprecise) indéterminé; **of ~ age** d'un âge indéterminé; [2] Math, Ling indéterminé

indeterminately /ˌɪndɪˈtɜːmɪnətlɪ/ *adv* [*assessed, measured*] de façon indéterminée; [*known, ascertained*] vaguement

index /ˈɪndeks/
A *n* (*pl* **~es** *ou* **-ices**) [1] Print index *m inv*; **thumb ~** index à onglets; [2] (card catalogue) catalogue *m*; **author/subject ~** catalogue par auteur/sujet; **card ~** fichier *m*; [3] Math (of power) exposant *m*; (of radical) indice *m*; [4] Econ, Fin indice *m*; **cost-of-living ~** GB, **consumer price ~** US indice des prix à la consommation; **share ~**, **stock ~** indice boursier; [5] Phys **~ of refraction, refractive ~** indice *m* de réfraction; [6] (indication) indice *m* (**of** de); [7] (list) répertoire *m*; [8] Comput index *m inv*; [9] Aut (registration number) numéro *m* d'immatriculation
B *modif* [*file*] des index; [*register, word*] d'index
C *vtr* [1] Print munir [qch] d'un index [*book*]; indexer [*word*]; **this book is badly ~ed** l'index de ce livre est mal fait; [2] (catalogue) classer, cataloguer [*article, book, data, information, subject*] (**under** sous, à); [3] Econ, Fin **to ~ sth to sth** indexer qch sur qch; **~ed to inflation** indexé sur l'inflation; [4] Comput indexer
D *vi* établir un index
E **indexed** *pp adj* Comput [*address, addressing, file*] indexé

indexation /ˌɪndekˈseɪʃn/ *n* Econ, Fin indexation *f* (**to** sur)

index: **~ card** *n* fiche *f*; **~ figure** *n* Econ, Stat (nombre *m*) indice *m*; **~ finger** *n* index *m inv*

indexing /ˈɪndeksɪŋ/ *n* Comput indexation *f*

index: **~-linked** *adj* Econ, Fin indexé; **~ number** *n* Math (nombre *m*) indice *m*; **~ print** *n* Phot bande *f* de lecture, bande *f* de contact, index *m*

India /ˈɪndɪə/ ▸ **p. 1096** *pr n* Inde *f*

India ink *n* US encre *f* de Chine

Indian /ˈɪndɪən/ ▸ **p. 1467**
A *n* [1] (from India) Indien/-ienne *m/f*; [2] (American) Indien/-ienne *m/f* d'Amérique; [3] (language) indien *m*
B *adj* [1] (of India) [*people, culture, politics*] indien/-ienne; [*ambassador, embassy*] de l'Inde; **the ~ Empire** Hist l'Empire des Indes; [2] (American) [*tribe, village, culture*] indien/-ienne, amérindien/-ienne spec; **an ~ reservation** une réserve indienne

Indiana /ˌɪndɪˈænə/ ▸ **p. 1737** *pr n* Indiana *m*

Indian: **~ club** *n* massue *f* (de gymnastique); **~ corn** *n* US maïs *m*; **~ elephant** *n* éléphant *m* d'Asie

Indian file *n* **in ~** en file indienne, à la queue leu leu

Indian: **~ giver** *n* US péj *personne qui reprend son cadeau*; **~ hemp** *n* chanvre *m* indien; **~ ink** *n* GB encre *f* de Chine

Indian Ocean ▸ **p. 1493** *pr n* **the ~** l'océan *m* Indien

Indian: **~ red** *n* rouge *m* indien; **~ summer** *n* été *m* de la Saint Martin also fig; **~ wrestling** *n* US bras *m* de fer

India: **~ paper** *n* papier *m* bible; **india rubber**† *n* (material) caoutchouc *m*; (eraser) gomme *f*

indicate /ˈɪndɪkeɪt/
A *vtr* [1] (designate) indiquer; **he ~d the door with a nod of his head** il a indiqué la porte de la tête; [2] (show) indiquer (**that** que); **the speedometer ~d 100** le compteur de vitesse indiquait 100; [3] (recommend) **to be ~d** être indiqué; **surgery is usually ~d in such cases** la chirurgie est généralement indiquée en pareils cas; [4] (make known) faire savoir [*intentions, feelings*] (**to** à); **he has ~d that he will retire** il a fait savoir qu'il va prendre sa retraite; [5] Aut **to ~ that one is going to do** indiquer son intention de faire
B *vi* [*driver*] mettre son clignotant; [*cyclist*] faire signe

indication /ˌɪndɪˈkeɪʃn/ *n* indication *f*, indice *m*; **clear ~ of economic recovery** indice certain de reprise économique; **to be an ~ of** indiquer; **it is an ~ that** c'est signe que; **to give no ~ that** [*person*] ne pas laisser entrevoir que; **the test gave no ~ that he had cancer** les analyses n'ont pas révélé de cancer chez lui; **to give no ~ of who/how etc** [*person*] ne rien dire qui permette de savoir qui/comment etc; [*letter, speech*] ne pas permettre de savoir qui/comment etc; **can you give us some ~ of the sum involved?** pouvez-vous nous donner une idée de la somme dont il est question?; **there is every ~ that, all the ~s are that** tout porte à croire que

indicative /ɪnˈdɪkətɪv/
A *n* Ling indicatif *m*; **in the ~** à l'indicatif
B *adj* [1] **to be ~ of** montrer; [2] Ling indicatif/-ive

indicator /ˈɪndɪkeɪtə(r)/ *n* [1] (pointer) aiguille *f*; (device) indicateur *m* also fig; **pressure/growth ~** indicateur de pression/de croissance; [2] Rail (*also* **~ board**) tableau *m*; **arrivals/departures ~** tableau des arrivées/des départs; [3] Aut clignotant *m*; [4] Ling, Chem indicateur *m*

indices /ˈɪndɪsiːz/ *npl* ▸ **index**

indict /ɪnˈdaɪt/ *vtr* gen accuser; Jur inculper

indictable /ɪnˈdaɪtəbl/ *adj* Jur [*act, person*] passible de poursuites; **~ offence** délit *m*

indictment /ɪnˈdaɪtmənt/ *n* [1] Jur (written) acte *m* d'accusation; (spoken) accusation *f* (**against** contre; **for** pour); **to bring an ~** intenter une accusation; **to be under ~ for murder** être inculpé/-e de meurtre; **bill of ~** GB Hist acte d'accusation; [2] gen mise *f* en accusation

indie○ /ˈɪndɪ/
A *n* US Cin indépendant *m*
B *adj* US Cin, GB Mus indépendant; **~ music** rock *m* indépendant

indifference /ɪnˈdɪfrəns/ *n* indifférence *f* (**to, towards** envers); **it is a matter of ~ to him** cela lui est indifférent; **seeming ~** une feinte indifférence

indifferent /ɪnˈdɪfrənt/ *adj* [1] (uninterested) indifférent (**to, as to** à); (to charms) insensible (**to** à); [2] (mediocre) médiocre

indifferently /ɪnˈdɪfrəntlɪ/ *adv* [1] (without caring) avec indifférence; [2] (equally) indifféremment; [3] (not well) médiocrement

indigence /ˈɪndɪdʒəns/ *n* sout indigence *f*

indigenous /ɪnˈdɪdʒɪnəs/ *adj* indigène (**to** à)

indigent /ˈɪndɪdʒənt/ *adj* sout indigent

indigestible /ˌɪndɪˈdʒestəbl/ *adj* (all contexts) indigeste

indigestion /ˌɪndɪˈdʒestʃn/
A *n* crise *f* de foie; **to suffer from ~** être sujet aux crises de foie
B *modif* [*cure, remedy*] contre l'indigestion

indignant /ɪnˈdɪɡnənt/ *adj* indigné (**at** de; **about, over** par); **to become** *ou* **get ~** s'indigner (**at, about** de)

indignantly /ɪnˈdɪɡnəntlɪ/ *adv* [*do, say, protest*] avec indignation; [*leave, look*] d'un air indigné

indignation /ˌɪndɪɡˈneɪʃn/ *n* indignation *f* (**at** devant; **over, about** au sujet de; **with** contre); **her ~ at hearing that...** son indignation d'apprendre que...; **(much) to his ~** à sa grande indignation; **righteous ~** la vertueuse indignation

indignity /ɪnˈdɪɡnətɪ/ *n* indignité *f* (**of** de; **of being** d'être)

indigo /ˈɪndɪɡəʊ/ ▸ **p. 1067**
A *n* Art, Bot, Tex indigo *m*
B *adj* indigo *inv*; **~ blue** bleu indigo *inv*

indirect /ˌɪndɪˈrekt, -daɪˈr-/ *adj* indirect

indirect: **~ advertising** *n* publicité *f* indirecte; **~ costs** *npl* frais *mpl* indirects; **~ labour costs** *npl* frais *mpl* indirects de main-d'œuvre; **~ lighting** *n* éclairage *m* indirect

indirectly /ˌɪndɪˈrektlɪ, -daɪˈr-/ *adv* indirectement

indirectness /ˌɪndɪˈrektnɪs, -daɪˈr-/ *n* manière *f* détournée

indirect: **~ object** *n* Ling objet *m* indirect; **~ proof** *n* démonstration *f* par l'absurde; **~ speech** *n* discours *m* indirect; **~ tax** *n* impôt *m* indirect; **~ taxation** *n* imposition *f* indirecte

indiscernible /ˌɪndɪˈsɜːnəbl/ *adj* [*object*] imperceptible; [*reason*] obscur

indiscipline /ɪnˈdɪsɪplɪn/ *n* indiscipline *f*

indiscreet /ˌɪndɪˈskriːt/ *adj* indiscret/-ète

indiscretion /ˌɪndɪˈskreʃn/ *n* [1] (lack of discretion) manque *m* de discrétion; [2] (act) indiscrétion *f*

indiscriminate /ˌɪndɪˈskrɪmɪnət/ *adj* [1] (generalized) sans distinction; [2] (not fussy) sans discernement; **to be ~ in** manquer de discernement dans

indiscriminately /ˌɪndɪˈskrɪmɪnətlɪ/ *adv* [1] (without distinction) sans distinction; [2] (uncritically) sans discernement

indispensable /ˌɪndɪˈspensəbl/ *adj* indispensable (**to** à; **for doing** pour faire)

indisposed /ˌɪndɪˈspəʊzd/ *adj* sout [1] (ill) gen, hum souffrant; [2] (unwilling) mal disposé (**to do** à faire)

indisposition /ˌɪndɪspəˈzɪʃn/ *n* sout [1] (illness) indisposition *f*; [2] (unwillingness) manque *m* d'inclination (**to do** à faire)

indisputable /ˌɪndɪˈspjuːtəbl/ *adj* [*leader, champion*] indiscuté; [*fact, reason*] indiscutable; [*logic*] irrécusable

indisputably /ˌɪndɪˈspjuːtəblɪ/ *adv* indiscutablement

indissoluble /ˌɪndɪˈsɒljʊbl/ *adj* [*bond, tie*] indissoluble; [*friendship*] indestructible

indissolubly /ˌɪndɪˈsɒljʊblɪ/ *adv* indissolublement

indistinct /ˌɪndɪˈstɪŋkt/ *adj* [*sound, voice, path, markings*] indistinct; [*memory*] confus; [*photograph*] flou

indistinctly /ˌɪndɪˈstɪŋktlɪ/ *adv* [*see, hear, speak*] indistinctement; [*remember*] confusément

indistinguishable /ˌɪndɪˈstɪŋɡwɪʃəbl/ *adj* [1] (identical) impossible à distinguer; [2] (indiscernible) indiscernable

indistinguishably /ˌɪndɪˈstɪŋɡwɪʃəblɪ/ *adv* [*resemble*] au point qu'on ne peut les distinguer

individual /ˌɪndɪˈvɪdʒʊəl/
A *n* [1] (person) individu *m* also pej; **each ~** chaque individu; [2] (eccentric) personnage *m*
B *adj* [1] (for or from one person) [*contribution, effort, freedom, portion, pursuit, sport*] individuel/-elle; [*comfort, convenience, attitude*] personnel/-elle; [*tuition*] particulier/-ière; [2] (taken separately) **each ~ person/article** chaque personne/article individuellement; [3] (idiosyncratic) particulier/-ière

individualism /ˌɪndɪˈvɪdʒʊəlɪzəm/ *n* individualisme *m*

individualist /ˌɪndɪˈvɪdʒʊəlɪst/ *n* **1** (idiosyncratic) individualiste *mf*; **2** (supporter of individualism) partisan/-e *m/f* de l'individualisme

individualistic /ˌɪndɪˌvɪdʒʊəˈlɪstɪk/ *adj* individualiste

individuality /ˌɪndɪˌvɪdʒʊˈælətɪ/ *n* individualité *f*

individualize /ˌɪndɪˈvɪdʒʊəlaɪz/ *vtr* donner une note personnelle à [*gift, clothing*]; adapter [qch] aux besoins personnels [*teaching, arrangements*]

Individual Learning Account *n* GB Scol compte *m* crédit études (*mis à la disposition des jeunes qui quittent le lycée*)

individually /ˌɪndɪˈvɪdʒʊəlɪ/ *adv* (personally, in person) individuellement; (one at a time) (of things) séparément; ~ **designed**, ~ **planned** de conception individualisée; **each item is ~ priced** le prix est indiqué sur chaque article

individuation /ˌɪndɪˌvɪdʒʊˈeɪʃn/ *n* individuation *f*

indivisibility /ˌɪndɪˌvɪzɪˈbɪlətɪ/ *n* Math, Phys indivisibilité *f*

indivisible /ˌɪndɪˈvɪzəbl/ *adj* **1** gen, Math, Phys [*entity*] indivisible; **2** (inseparable) **to be ~ from** être inséparable de

indivisibly /ˌɪndɪˈvɪzəblɪ/ *adv* [*joined, linked*] de manière indivisible

Indochina /ˌɪndəʊˈtʃaɪnə/ *pr n* Indochine *f*

Indochinese /ˌɪndəʊtʃaɪˈniːz/
A *n* Indochinois/-e *m/f*
B *adj* indochinois

indoctrinate /ɪnˈdɒktrɪneɪt/ *vtr* endoctriner; **to ~ sb with sth** inculquer qch à qn

indoctrination /ɪnˌdɒktrɪˈneɪʃn/ *n* endoctrinement *m* (**of** de)

Indo-European /ˌɪndəʊˌjʊərəˈpɪən/
A *n* indo-européen *m*
B *adj* indo-européen/-éenne

indole /ˈɪndəʊl/ *n* indole *m*

indolence /ˈɪndələns/ *n* indolence *f*

indolent /ˈɪndələnt/ *adj* gen, Med indolent

indolently /ˈɪndələntlɪ/ *adv* [*lie, stretch*] indolemment; [*stroll, move, gesture*] nonchalamment

indomitable /ɪnˈdɒmɪtəbl/ *adj* invincible

indomitably /ɪnˈdɒmɪtəblɪ/ *adv* sans se laisser décourager

Indonesia /ˌɪndəʊˈniːzjə/ ▸ **p. 1096** *pr n* Indonésie *f*

Indonesian /ˌɪndəʊˈniːzjən/
A *n* ▸ **p. 1467, p. 1378** **1** (person) Indonésien/-ienne *m/f*; **2** (language) indonésien *m*
B *adj* indonésien/-ienne

indoor /ˈɪndɔː(r)/ *adj* [*activity, sport, competition*] en salle; [*pool, tennis court*] couvert; [*lavatory, restaurant table*] à l'intérieur; [*TV aerial*] intérieur; [*photography, plant, shoes*] d'intérieur; **~ and outdoor** [*sports facilities*] en salle et à l'extérieur

indoors /ˌɪnˈdɔːz/ *adv* (under cover, in the main house) à l'intérieur; (at home) à la maison; **~ and outdoors** dedans et dehors; **to go ~** rentrer

indorse *vtr* = **endorse**

Indre ▸ **p. 1129** *pr n* Indre *m*; **in/to ~** dans l'Indre

Indre-et-Loire ▸ **p. 1129** *pr n* Indre-et-Loire *m*; **in/to ~** en Indre-et-Loire

indubitable /ɪnˈdjuːbɪtəbl, US -ˈduː-/ *adj* indubitable

indubitably /ɪnˈdjuːbɪtəblɪ, US -duː-/ *adv* indubitablement

induce /ɪnˈdjuːs, US -duːs/
A *vtr* **1** (persuade) persuader (**to do** de faire); (stronger) inciter (**to** à; **to do** à faire); **nothing would ~ me to fly again** rien ne pourrait me convaincre de reprendre l'avion; **2** (bring about) provoquer [*emotion, response*]; **this drug ~s sleep** ce médicament fait dormir; **3** Med **to ~ labour** provoquer l'accouchement; **~d labour** accouchement *m* provoqué; **she was ~d** on a provoqué son accouchement; **4** Elec, Philos induire
B **-induced** *dans composés*: **drug-/stress-~d** provoqué par la drogue/le stress; ▸ **self-induced**

inducement /ɪnˈdjuːsmənt, US -duː-/ *n* **1** (promised reward) récompense *f*; euph (bribe) pot-de-vin *m*; **financial ~** avantage *m* pécuniaire; **as an ~ to first-time buyers** Comm comme cadeau de bienvenue aux nouveaux clients; **2** ¢ (incentive) motivation *f* (**to do** pour faire); **to be an ~ to sth** encourager qch

induct /ɪnˈdʌkt/ *vtr* **1** (inaugurate) installer [*priest, president etc*]; **to be ~ed into the priesthood** être admis à la prêtrise; **to be ~ed into the mysteries of sth** hum être initié aux mystères de qch; **2** US Mil incorporer

induction /ɪnˈdʌkʃn/ *n* **1** Elec, Math, Philos, Tech induction *f*; **2** Med (of labour) déclenchement *m*; **3** (inauguration) (of priest, president) installation *f*; **4** US Mil incorporation *f*

induction: **~ ceremony** *n* cérémonie *f* de prise de fonctions; **~ coil** *n* bobine *f* d'induction; **~ course** *n* GB stage *m* d'introduction; **~ heating** *n* chauffage *m* par induction

inductive /ɪnˈdʌktɪv/ *adj* **1** [*reasoning, process*] inductif/-ive; **2** Elec, Phys inducteur/-trice

indulge /ɪnˈdʌldʒ/
A *vtr* **1** (satisfy) céder à [*interest, passion, whim, desire, fantasy*]; **she can ~ her love of music** elle peut donner libre cours à sa passion pour la musique; **2** (humour) gâter [*child*]; céder à [*adult*]; **don't ~ him!** ne lui cède pas!
B *vi* gen se laisser tenter; euph (drink) boire de l'alcool; **to ~ in** se livrer à [*gossip, speculation, banter*]; se complaire dans [*nostalgia, sentimentality*]; se laisser tenter par [*food, wine, cigar*]
C *v refl* **to ~ oneself** se faire plaisir; **to ~ oneself in** *ou* **with** s'offrir [*luxury*]; **to ~ oneself by doing** se faire une gâterie en faisant

indulgence /ɪnˈdʌldʒəns/ *n* **1** (luxury) péché *m* mignon; **it is my one ~** c'est mon péché mignon; **2** (tolerance) indulgence *f* (**towards** envers; **for** pour); **if I may crave your ~** sout si vous m'accordez la faveur de votre attention; **3** (act of indulging) **~ in food** gourmandise *f*; **~ in nostalgia** abandon *m* à la nostalgie; **4** (enjoyment) plaisir *m*; **to live a life of ~** ne se refuser aucun plaisir; **5** Relig indulgence *f*

indulgent /ɪnˈdʌldʒənt/ *adj* indulgent (**to, towards** pour, envers)

indulgently /ɪnˈdʌldʒəntlɪ/ *adv* [*smile, laugh, listen*] avec indulgence; [*say*] d'un ton indulgent

industrial /ɪnˈdʌstrɪəl/ *adj* **1** (relating to industry) [*area, archeology, architecture, development, espionage, policy, sector*] industriel/-ielle; [*accident, injury, medicine, safety*] du travail; **2** (active in industry) [*analyst, chemist, city, nation, spy, worker*] industriel/-ielle; **3** (for use in industry) [*chemical, cleaner, robot, tool*] à usage industriel; [*size*] industriel/-ielle

industrial action *n* GB gen action *f* revendicative; (strike) grève *f*; **to take ~** gen entreprendre une action revendicative; (strike) faire la grève

industrial: **~ arts** *npl* US Sch cours *mpl* de technologie; **~ base** *n* tissu *m* industriel, base *f* industrielle; **~ democracy** *n* participation *f* ouvrière; **~ design** *n* esthétique *f* industrielle, conception *f* industrielle; **~ designer** *n* concepteur/-trice *m/f* industriel/-ielle; **~ diamond** *n* diamant *m* industriel; **~ disablement benefit** *n* indemnité *f* pour accident du travail et maladies professionnelles; **~ disease** *n* maladie *f* professionnelle; **~ dispute** *n* conflit *m* social; **~ engineering** *n* génie *m* industriel; **~ estate** *n* GB zone *f* industrielle

industrialism /ɪnˈdʌstrɪəlɪzəm/ *n* industrialisme *m*

industrialist /ɪnˈdʌstrɪəlɪst/ *n* industriel *m*

industrialization /ɪnˌdʌstrɪəlaɪˈzeɪʃn, US -lɪˈz-/ *n* industrialisation *f*

industrialize /ɪnˈdʌstrɪəlaɪz/ *vtr* industrialiser

industrial: **~ park** *n* parc *m* industriel; **~ psychologist** ▸ **p. 1683** *n* psychologue *mf* d'entreprise; **~ rehabilitation** *n* rééducation *f* professionnelle; **~ relations** *npl* relations *fpl* entre les patrons et les ouvriers; **Industrial Revolution** *n* révolution *f* industrielle; **~-strength** *adj* à usage industriel; **~ tribunal** *n*: *conseil qui règle les conflits entre le patronat et les employés ou les syndicats*; *cf* conseil *m* des prud'hommes; **~ union** *n* syndicat *m* ouvrier; **~ unrest** *n* agitation *f* ouvrière; **~ vehicle** *n* véhicule *m* utilitaire; **~ waste** *n* déchets *mpl* industriels

industrious /ɪnˈdʌstrɪəs/ *adj* diligent

industriously /ɪnˈdʌstrɪəslɪ/ *adv* avec diligence

industriousness /ɪnˈdʌstrɪəsnɪs/ *n* zèle *m* au travail

industry /ˈɪndəstrɪ/ *n* **1** industrie *f*; **heavy/light ~** industrie lourde/légère; **the catering/advertising ~** l'industrie hôtelière/de la publicité; **the coal/oil ~** l'industrie du charbon/du pétrole; **the Shakespeare/Joyce ~** fig péj le filon Shakespeare/Joyce; **2** sout (diligence) zèle *m* (au travail)

inebriate
A /ɪˈniːbrɪət/ *n, adj* sout ivrogne (*mf*)
B /ɪˈniːbrɪeɪt/ *vtr* enivrer
C **inebriated** *pp adj* enivré (**with, by** par)

inebriation /ɪˌniːbrɪˈeɪʃn/, **inebriety** /ˌɪniːˈbraɪətɪ/ *n* sout ébriété *f* fml; **in a state of ~** dans un état d'ébriété

inedible /ɪnˈedɪbl/ *adj* [*dish, meal*] immangeable; [*plants*] non comestible; [*fungi*] incomestible

ineducable /ɪnˈedʒʊkəbl/ *adj* inéducable

ineffable /ɪnˈefəbl/ *adj* gen, Relig ineffable; [*sorrow*] inexprimable

ineffaceable /ˌɪnɪˈfeɪsəbl/ *adj* ineffaçable

ineffective /ˌɪnɪˈfektɪv/ *adj* [*method, plan, theory*] inefficace (**in doing** à faire); [*worker*] incapable; **to make an ~ attempt to do** essayer en vain de faire

ineffectively /ˌɪnɪˈfektɪvlɪ/ *adv* [*try*] en vain; [*teach, demand*] sans succès

ineffectiveness /ˌɪnɪˈfektɪvnɪs/ *n* inefficacité *f*

ineffectual /ˌɪnɪˈfektʃʊəl/ *adj* [*person*] incapable; [*policy*] inefficace; [*attempt*] infructueux/-euse; [*movement, gesture*] sans effet

ineffectually /ˌɪnɪˈfektʃʊəlɪ/ *adv* en vain

inefficacious /ˌɪnefɪˈkeɪʃəs/ *adj* inefficace

inefficacy /ˌɪnˈefɪkəsɪ/ *n* inefficacité *f*

inefficiency /ˌɪnɪˈfɪʃnsɪ/ *n* **1** (of person, company) (lack of organization) manque *m* d'organisation; (incompetence) incompétence *f*; **2** (of machine, method, system) inefficacité *f*

inefficient /ˌɪnɪˈfɪʃnt/ *adj* **1** [*person, company*] (disorganized) mal organisé; (incompetent) incompétent; **2** [*machine, method, system, use*] inefficace

inefficiently /ˌɪnɪˈfɪʃntlɪ/ *adv* [*organize, work*] d'une manière inefficace; [*perform task*] d'une manière incompétente

inelastic /ˌɪnɪˈlæstɪk/ *adj* **1** [*rules, system*] rigide; **2** [*material*] non élastique; **3** Econ, Phys inélastique

inelegant /ˌɪnˈelɪgənt/ *adj* inélégant

inelegantly /ˌɪnˈelɪgəntlɪ/ *adv* inélégamment

ineligibility /ɪn,elɪdʒə'bɪlətɪ/ *n* (for job) fait *m* de ne pas remplir des conditions de candidature (**for** à); (for election) Pol inéligibilité *f*; (for grant, benefit) le fait de ne pas avoir droit (**for** à)

ineligible /ɪn'elɪdʒəbl/ *adj* **to be ~** (for job, competition) ne pas remplir les conditions pour poser sa candidature (**for** à); (for election) être inéligible; (for grant, pension, benefit, award) ne pas avoir droit (**for** à); **to be ~ to vote** ne pas avoir le droit de vote

ineluctable /,ɪnɪ'lʌktəbl/ *adj* inéluctable

inept /ɪ'nept/ *adj* **1** (incompetent) incompétent; **2** (tactless) maladroit

ineptitude /ɪ'neptɪtju:d, US -tu:d/, **ineptness** /ɪ'neptnɪs/ *n* **1** (inefficiency) incompétence *f*; **2** (tactlessness) maladresse *f*

ineptly /ɪ'neptlɪ/ *adv* **1** (inefficiently) de façon incompétente; **2** (tactlessly) maladroitement

inequality /,ɪnɪ'kwɒlətɪ/ *n* gen, Math inégalité *f*

inequitable /ɪn'ekwɪtəbl/ *adj* inéquitable

inequity /ɪn'ekwətɪ/ *n* injustice *f*

ineradicable /,ɪnɪ'rædɪkəbl/ *adj* gen indéracinable; [*disease*] inextirpable

inert /ɪ'nɜ:t/ *adj* gen, Chem, Phys inerte; Pharm inactif/-ive; **~ gas** gaz *m* rare

inertia /ɪ'nɜ:ʃə/ *n* gen, Phys inertie *f*

inertial /ɪ'nɜ:ʃl/ *adj* **1** Mil, Phys [*force, mass*] d'inertie; **2** Naut [*navigation*] inertiel/-ielle

inertia: **~ reel seatbelt** *n* ceinture *f* de sécurité à enrouleur; **~ selling** *n* GB vente *f* par envoi de marchandises non commandées

inertly /ɪ'nɜ:tlɪ/ *adv* de façon inerte

inescapable /,ɪnɪ'skeɪpəbl/ *adj* indéniable

inessential /,ɪnɪ'senʃl/ *adj* superflu

inestimable /ɪn'estɪməbl/ *adj* inestimable

inevitability /ɪn,evɪtə'bɪlətɪ/ *n* caractère *m* inévitable

inevitable /ɪn'evɪtəbl/

A *n* **the ~** l'inévitable *m*; **the ~ happened** l'inévitable s'est produit

B *adj* gen, hum inévitable; **it is/was ~ that he should do** il est/était inévitable qu'il fasse; **it is ~ that she will do** il est inévitable qu'elle fera *or* qu'elle fasse

inevitably /ɪn'evɪtəblɪ/ *adv* inévitablement

inexact /,ɪnɪg'zækt/ *adj* inexact

inexactitude /,ɪnɪg'zæktɪtju:d, US -tɪtu:d/ *n* inexactitude *f*

inexactly /,ɪnɪg'zæktlɪ/ *adv* inexactement

inexcusable /,ɪnɪk'skju:zəbl/ *adj* inexcusable (**that** que + *subj*); **it is ~ of her/them** il est inexcusable de sa/leur part (**to do** de faire)

inexcusably /,ɪnɪk'sju:zəblɪ/ *adv* [*overlook, neglect*] de façon impardonnable *or* inexcusable; **~ lazy/rude** d'une paresse/impolitesse inexcusable

inexhaustible /,ɪnɪg'zɔ:stəbl/ *adj* [*supply, reserve*] inépuisable

inexorable /ɪn'eksərəbl/ *adj* [*logic, advance, progress, fate*] inexorable; [*person*] implacable

inexorably /ɪn'eksərəblɪ/ *adv* inexorablement

inexpedient /,ɪnɪk'spi:dɪənt/ *adj* inopportun

inexpensive /,ɪnɪk'spensɪv/ *adj* pas cher; **a good but ~ wine** un vin qui est bon et pas cher

inexpensively /,ɪnɪk'spensɪvlɪ/ *adv* à peu de frais

inexperience /,ɪnɪk'spɪərɪəns/ *n* inexpérience *f* (**of** de)

inexperienced /,ɪnɪk'spɪərɪənst/ *adj* inexpérimenté (**in** en)

inexpert /ɪn'ekspɜ:t/ *adj* [*sailor, gardener etc*] amateur *inv*; [*translation, repair*] maladroit; [*eye*] de néophyte

inexpertly /ɪn'ekspɜ:tlɪ/ *adv* de façon maladroite

inexpiable /ɪn'ekspɪəbl/ *adj* inexpiable

inexplicable /,ɪnɪk'splɪkəbl/ *adj* inexplicable; **for some ~ reason** pour une raison inexplicable

inexplicably /,ɪnɪk'splɪkəblɪ/ *adv* inexplicablement

inexpressible /,ɪnɪk'spresəbl/ *adj* inexprimable

inexpressibly /,ɪnɪk'spresəblɪ/ *adv* [*dull, relieved*] au-delà de toute expression

inexpressive /,ɪnɪk'spresɪv/ *adj* inexpressif/-ive

inextinguishable /,ɪnɪk'stɪŋgwɪʃəbl/ *adj* inextinguible

in extremis /ɪn ɪk'stri:mɪs/ *adv* sout in extremis

inextricable /ɪn'ekstrɪkəbl, ,ɪnɪk'strɪk-/ *adj* (all contexts) inextricable

inextricably /ɪn'ekstrɪkəblɪ, ,ɪnɪk'strɪk-/ *adv* inextricablement

infallibility /ɪn,fælə'bɪlətɪ/ *n* infaillibilité *f*

infallible /ɪn'fæləbl/ *adj* infaillible

infallibly /ɪn'fæləblɪ/ *adv* **1** (always) immanquablement; **2** (faultlessly) infailliblement

infamous /'ɪnfəməs/ *adj* [*person*] tristement célèbre; [*conduct, crime*] infâme

infamy /'ɪnfəmɪ/ *n* infamie *f*

infancy /'ɪnfənsɪ/ *n* **1** (young childhood) première enfance *f*, petite enfance *f*; **from (one's) ~** de sa petite enfance; **in early ~** dans la toute petite enfance; **in (one's) ~** en bas âge; **2** fig débuts *mpl*; **in its ~** à ses débuts; **in the ~ of** au tout début de [*career, movement*]; **to be still in its ~** fig [*company, project*] en être encore à ses débuts *or* à ses premiers balbutiements; **3** Jur minorité *f*

infant /'ɪnfənt/

A *n* **1** (baby) bébé *m*; (very young child) enfant *mf* en bas âge; (young child) petit/-e enfant *m/f*; **a newborn ~** un nouveau-né; **2** GB Sch enfant *mf* (*entre 4 et 7 ans*); **3** Jur mineur/-e *m/f*

B **Infants** *npl* GB Sch petites classes *fpl*

C *modif* **1** [*daughter, son*] petit; [*voice*] d'enfant; [*disease*] infantile; **2** fig [*organization*] tout jeune; [*movement*] naissant

infanta /ɪn'fæntə/ *n* infante *f*

infante /ɪn'fæntɪ/ *n* infant *m*

infanticide /ɪn'fæntɪsaɪd/ *n* **1** (crime) infanticide *m*; **2** (killer) infanticide *mf*

infantile /'ɪnfəntaɪl/ *adj* **1** péj infantile, puéril; **2** Med infantile

infantilize /ɪn'fæntəlaɪz/ *vtr* infantiliser

infant: **~ mortality** *n* mortalité *f* infantile; **~ prodigy** *n* enfant *mf* prodige

infantry /'ɪnfəntrɪ/ *n* infanterie *f*, fantassins *mpl*

infantryman /'ɪnfəntrɪmən/ *n* (*pl* **-men**) fantassin *m*

infant school *n* ≈ école *f* maternelle

infatuate /ɪn'fætʃʊeɪt/ *vtr* **~d with** entiché de; **to become ~d with** s'éprendre de [*person*]; s'engouer de *or* pour [*idea, object, music*]

infatuation /ɪn,fætʃʊ'eɪʃn/ *n* engouement *m* (**with** pour); **to develop an ~ for sb** s'éprendre de qn; **a passing ~** une amourette

infeasible /ɪn'fi:zəbl/ *adj* impraticable

infect /ɪn'fekt/ *vtr* **1** gen, Med contaminer [*person, blood*]; infecter [*person, wound*]; contaminer [*food*]; **to ~ sb/sth with sth** transmettre qch à qn/qch; **to become ~ed** [*wound*] s'infecter; [*person, blood*] être contaminé; **2** fig (influence) (negatively) corrompre [*person, society*]; **to ~ sb with one's enthusiasm** communiquer son enthousiasme à qn

infection /ɪn'fekʃn/

A *n* **1** gen Med (of wound, organ) infection *f*; (of person, blood) contamination *f*; **to be exposed to ~** [*person*] être exposé à la contagion; **2** Med (specific disease) infection *f*; **urinary/viral ~** infection urinaire/virale; **3** fig péj contamination *f*

B *modif* [*rate, level*] gen de contagion, d'infection; (by physical contact) de contamination

infectious /ɪn'fekʃəs/ *adj* **1** Med [*disease, agent*] infectieux/-ieuse; [*person*] contagieux/-ieuse; **2** fig [*enthusiasm, laughter*] contagieux/-ieuse, communicatif/-ive; [*accent*] qui s'attrape facilement

infectiousness /ɪn'fekʃəsnɪs/ *n* Med nature *f* infectieuse; fig nature *f* contagieuse

infective /ɪn'fektɪv/ *adj* pathogène

infelicitous /,ɪnfɪ'lɪsɪtəs/ *adj* sout [*expression, translation*] maladroit

infelicity /,ɪnfɪ'lɪsətɪ/ *n* sout (unfortunate expression, translation) maladresse *f*

infer /ɪn'fɜ:(r)/ *vtr* (*p prés etc* **-rr-**) **1** (deduce) inférer fml, déduire (**from** de); **2** usage critiqué (imply) suggérer

inference /'ɪnfərəns/ *n* **1** (act, process) déduction *f*, inférence *f* fml; **by ~** par déduction, par voie de conséquence; **2** (conclusion) conclusion *f*, déduction *f*; **the ~ is that** on en conclut *or* déduit que; **to draw an ~ from** tirer une conclusion de; **3** usage critiqué (hint, implication) suggestion *f*

inferior /ɪn'fɪərɪə(r)/

A *n* inférieur/-e *m/f*; Mil subalterne *mf*, subordonné/-e *m/f*

B *adj* **1** (poor quality) [*goods, workmanship*] de qualité inférieure; **2** [*position*] inférieur; **to make sb feel ~** donner un sentiment d'infériorité à qn; **3** Print [*symbol, letter, number*] en indice; **4** Bot infère

inferior court *n* tribunal *m* inférieur

inferiority /ɪn,fɪərɪ'ɒrətɪ, US -'ɔ:r-/ *n* infériorité *f* (**to** vis-à-vis de)

inferiority complex *n* complexe *m* d'infériorité

infernal /ɪn'fɜ:nl/ *adj* **1** ○(damned) [*cat, phone, child etc*] maudit○; (appalling) [*noise, row, weather*] infernal○; **2** (of hell) infernal; **the ~ regions** les enfers *mpl*; **3** (devilish) [*cruelty, wickedness*] abominable

infernally /ɪn'fɜ:nəlɪ/ *adv* [*difficult, noisy*] abominablement

inferno /ɪn'fɜ:nəʊ/ *n* **1** (conflagration) brasier *m*; **2** (hell) enfer *m* also fig

infertile /ɪn'fɜ:taɪl, US -tl/ *adj* **1** [*land, soil*] infertile, stérile; **2** [*person, couple*] stérile

infertility /,ɪnfə'tɪlətɪ/ *n* **1** (of land, soil) stérilité *f*, infertilité *f*; **2** (of person) stérilité *f*

infertility: **~ clinic** *n* centre *m* d'examens et de soins pour les personnes stériles; **~ treatment** *n* traitement *m* contre la stérilité

infest /ɪn'fest/ *vtr* infester; **~ed with rats, rat-~ed** infesté de rats

infestation /,ɪnfes'teɪʃn/ *n* infestation *f*

infidel /'ɪnfɪdəl/ *n, adj* Hist, Relig infidèle (*mf*)

infidelity /,ɪnfɪ'delətɪ/ *n* infidélité *f*

infighting /'ɪnfaɪtɪŋ/ *n* **1** (internal conflict) conflits *mpl* internes; **2** (in boxing) corps à corps *m*

infill /'ɪnfɪl/ *n* (all contexts) remplissage *m*

infiltrate /'ɪnfɪltreɪt/

A *vtr* **1** infiltrer [*liquid, gas*]; **2** Mil, Pol infiltrer [*meeting, territory*]; noyauter, infiltrer [*organization, group*]

B *vi* [*liquid, gas, light, troops*] s'infiltrer (**into** dans)

infiltration /,ɪnfɪl'treɪʃn/ *n* gen infiltration *f*; Mil, Pol infiltration *f*, noyautage *m*

infinite /'ɪnfɪnət/

A *n* **the ~** l'infini *m*

B *adj* **1** (boundless) [*patience, number, variety*] infini; [*wealth*] illimité; **in his ~ wisdom** Relig *ou* iron dans son immense sagesse; **to give ~ pleasure to sb** faire infiniment plaisir à qn; **with ~ care** avec infiniment de soin; **2** Math [*series, decimal*] infini

infinitely /'ɪnfɪnətlɪ/ *adv* infiniment

infinitesimal /ˌɪnfɪnɪˈtesɪml/ *adj* **1** [*amount*] infinitésimal, infime; [*increase, chance*] infime; **2** Math infinitésimal

infinitive /ɪnˈfɪnətɪv/ *n* Ling infinitif *m*; **in the ~** à l'infinitif

infinitive marker *n* Ling marqueur *m* d'infinitif

infinitude /ɪnˈfɪnɪtjuːd, US -tuːd/ *n* littér infinitude *f*

infinity /ɪnˈfɪnətɪ/ *n* **1** gen, Math, Phot infini *m*; **to ~** à l'infini; **2** (incalculable number) **an ~ of...** une infinité de...

infirm /ɪnˈfɜːm/
A *n* **the ~** (+ *v pl*) les infirmes *mpl*, les invalides *mpl*
B *adj* **1** (weak) infirme, invalide; **2** ‡**~ of purpose** irrésolu

infirmary /ɪnˈfɜːmərɪ/ *n* **1** (in school, prison) infirmerie *f*; **2** (hospital) hôpital *m*

infirmity /ɪnˈfɜːmətɪ/ *n* (illness) infirmité *f*

infix /ɪnˈfɪks/ *n* Ling infixe *m*

in flagrante delicto /ɪn flæɡræntei ˌdeɪˈlɪktəʊ/ *adv phr* en flagrant délit

inflame /ɪnˈfleɪm/ *vtr* **1** (fire up) enflammer [*imagination*]; exacerber [*passion*]; enflammer, échauffer [*crowd, audience*]; **to be ~d with desire** brûler de désir; **2** (exacerbate) aggraver [*conflict, situation*]; **3** Med enflammer

inflamed /ɪnˈfleɪmd/ *adj* Med enflammé

inflammable /ɪnˈflæməbl/ *adj* inflammable

inflammation /ˌɪnfləˈmeɪʃn/ *n* Med inflammation *f*

inflammatory /ɪnˈflæmətrɪ, US -tɔːrɪ/ *adj* **1** [*speech, remarks, language*] incendiaire; **2** Med inflammatoire

inflatable /ɪnˈfleɪtəbl/
A *n* gen objet *m* gonflable; (dinghy) canot *m* pneumatique; (toy) jouet *m* gonflable
B *adj* [*mattress, dinghy*] pneumatique; [*tube, toy, lifejacket*] gonflable

inflate /ɪnˈfleɪt/
A *vtr* **1** gonfler [*balloon, tyre, toy, lifejacket*]; dilater, gonfler [*lung*]; **2** fig gonfler [*price, bill, ego*]; **3** Econ **to ~ the economy** accroître la circulation monétaire
B *vi* [*tyre, toy*] se gonfler

inflated /ɪnˈfleɪtɪd/ *adj* **1** (excessive) [*price*] gonflé; [*fee, salary*] excessif/-ive; [*claim, reputation, importance*] exagéré; [*style, language*] boursouflé; **to have an ~ ego** avoir une très haute opinion de soi-même; **2** [*tyre, lifejacket*] gonflé; **3** Med [*lung*] dilaté, gonflé

inflation /ɪnˈfleɪʃn/ *n* **1** Econ inflation *f*; **with ~ (running) at 10%** avec une inflation de 10%; **rate of ~** taux *m* d'inflation; **2** (of dinghy, tyre) gonflement *m*, gonflage *m*; **3** Med (of lung) dilatation *f*, gonflement *m*

inflation-adjusted *adj* ajusté sur l'inflation

inflationary /ɪnˈfleɪʃnrɪ, US -nerɪ/ *adj* Econ [*pressure, spiral, wage claim*] inflationniste

inflation rate *n* taux *m* d'inflation

inflect /ɪnˈflekt/
A *vtr* **1** Ling conjuguer [*verb*]; décliner [*noun, adjective*]; **to be ~ed with 'ed'** prendre la terminaison 'ed'; **2** (modulate) moduler [*voice*]; Mus altérer; **3** (curve) (in)fléchir [*ray*]
B *vi* Ling [*verb*] se conjuguer; [*noun, adjective*] se décliner; **this word does not ~ in the plural** ce mot reste invariable au pluriel

inflected /ɪnˈflektɪd/ *adj* Ling [*language*] flexionnel/-elle; [*form*] fléchi

inflection /ɪnˈflekʃn/ *n* **1** Ling (of radical) flexion *f*; (of vowel) inflexion *f*; **the ~ of nouns and verbs** la flexion nominale et verbale; **2** (modulation) (of voice, tone) inflexion *f*; Mus altération *f*; **3** Math, Phys inflexion *f*; **4** (bend) (of body) inflexion *f*

inflectional /ɪnˈflekʃənl/ *adj* [*language*] flexionnel/-elle; **an ~ ending** une flexion suffixale

inflexibility /ɪnˌfleksəˈbɪlətɪ/ *n* **1** (of attitude, will, rule) inflexibilité *f*; (of system, method) rigidité *f*; **2** (of material, structure) rigidité *f*

inflexible /ɪnˈfleksəbl/ *adj* **1** fig [*person, attitude, will*] inflexible; [*system*] rigide; **2** [*material*] rigide

inflexion *n* GB = **inflection**

inflict /ɪnˈflɪkt/ *vtr* infliger [*pain, torture, defeat, punishment*] (**on** à); causer [*damage*]; **to ~ a wound on sb** blesser qn; **to ~ one's presence/one's diet on sb** hum infliger sa présence/son régime à qn

in-flight /ˌɪnˈflaɪt/ *adj* (all contexts) en vol

inflow /ˈɪnfləʊ/ *n* **1** (of cash, goods, people) afflux *m*; **capital ~** afflux de capitaux; **2** (into tank, reservoir) arrivée *f*

inflow pipe *n* tuyau *m* d'arrivée

influence /ˈɪnfluəns/
A *n* **1** (force, factor affecting sth) influence *f* (**on** sur); **to be** *ou* **have an important ~** avoir une influence importante; **to have** *ou* **be a good/bad ~** avoir une bonne/mauvaise influence; **a moderating/evil ~** une influence modératrice/néfaste; **his ~s are Lou Reed and Bob Dylan** Lou Reed et Bob Dylan l'ont influencé; **to be under sb's ~** subir l'influence de qn; **to be under the ~ of sth** être sous l'influence de qch; **to be under the ~** euph, hum être éméché○; **to drive while under the ~ of alcohol** Jur conduire en état d'ébriété; **2** (power, capacity to affect sth) influence *f* (**with sb** auprès de qn; **over sb/sth** sur qn/qch); **to have ~** avoir de l'influence; **to use one's ~** user de son influence (**to do** pour faire); **to bring one's ~ to bear on sb** exercer son influence sur qn
B *vtr* influencer [*child, voter, artist, jury*]; influer sur [*decision, choice, ideas, design, events, result*]; **don't let him ~ you!** ne le laisse pas t'influencer!; **I don't want to ~ you one way or the other** je ne veux pas t'influencer dans un sens ou dans l'autre; **to ~ sb in his/her choice/decision** influencer qn dans son choix/sa décision; **to ~ sb to do** inciter qn à faire; **to be ~d by sb/sth** se laisser influencer par qn/qch; **to be heavily** *ou* **strongly ~d by sb/sth** être fortement influencé par qn/qch

influence peddling *n* trafic *m* d'influence

influential /ˌɪnfluˈenʃl/
A *n* **the ~** (+ *v pl*) les gens qui comptent, les gens en place
B *adj* **1** (respected) [*theory, movement, theorist, artist, programme*] très suivi; [*newspaper, commentator*] très écouté; [*study, survey, work*] très remarqué; **2** (key) [*factor, event, fact*] déterminant; **3** (powerful) [*businessman, banker, person*] influent, qui compte; **she's very ~** c'est quelqu'un qui compte; **to have ~ friends** avoir des amis importants *or* en place

influenza /ˌɪnfluˈenzə/ ▸ p. 1327 *n* grippe *f*

influx /ˈɪnflʌks/ *n* **1** (of people, money) afflux *m*; **a sudden ~ of refugees into the area** un afflux soudain de réfugiés dans la région; **2** (of liquid) arrivée *f*

info○ /ˈɪnfəʊ/ *n* renseignements *mpl*, tuyaux○ *mpl*

infoglut○ /ˈɪnfəʊɡlʌt/ *n* indigestion *f* d'informations

infomediary /ˌɪnfəʊˈmiːdɪərɪ, US -dɪerɪ/ *n* infomédiaire *m*

infomercial /ˌɪnfəʊˈmɜːʃl/ *n* TV documentaire *m* publicitaire

inform /ɪnˈfɔːm/
A *vtr* **1** (notify, tell) informer [*person, authorities, police, public, consumer*] (**of, about** de; **that** du fait que); **I ~ed him (that) his visit was unnecessary** je lui ai fait savoir que sa visite était inutile; **I would like to be ~ed** j'aimerais être averti; **why wasn't I ~ed?** pourquoi n'ai-je pas été informé *or* averti?; **to keep sb ~ed** tenir qn informé *or* au courant (**of, as to** de); **I ~ed him of my views** je lui ai fait part de mes vues; **I am pleased/sorry to ~ you that** j'ai le plaisir/le regret de vous informer du fait que; **to ~ sb if/when** avertir qn si/quand; **2** (pervade, give essential features to) [*idea, premise, sense*] guider [*writing, work, policy, law*]
B *vi* **1** (denounce) **to ~ on** *ou* **against** dénoncer; **2** (give information) informer
C *v refl* **to ~ oneself** s'informer (**about** sur)

informal /ɪnˈfɔːml/ *adj* **1** (unaffected) [*person*] sans façons; [*manner, style, tone*] simple; **to greet sb in an ~ manner** *ou* **way** accueillir qn en toute simplicité; **2** (casual) [*language*] familier/-ière; **~ clothes** vêtements *mpl* de tous les jours; **dress ~** (on invitation) tenue *f* de ville; **3** (relaxed) [*atmosphere, mood*] décontracté; [*club, group*] informel/-elle; [*meal*] sans cérémonies; **4** (unofficial) [*announcement, request*] officieux/-ieuse; [*visit*] privé; [*invitation*] verbal; [*discussion, interview*] informel/-elle; **on an ~ basis** de façon informelle; **we have an ~ arrangement** nous avons un arrangement entre nous

informality /ˌɪnfɔːˈmælətɪ/ *n* **1** (of person, event) simplicité *f*; (of arrangement, meeting) caractère *m* informel; (of gathering, workplace) ambiance *f* décontractée; **I liked the ~ of the ceremony** j'ai apprécié la simplicité de la cérémonie; **2** Ling (of language) style *m* familier

informally /ɪnˈfɔːməlɪ/ *adv* **1** (without ceremony) [*dress*] en tenue décontractée; [*speak, meet*] en toute simplicité; [*greet*] sans cérémonie; **2** (unofficially) [*act, agree, arrange, discuss, suggest*] officieusement; **to invite sb ~** [*statesman*] inviter qn à titre privé

informant /ɪnˈfɔːmənt/ *n* **1** Journ, Ling, gen (source of information) informateur/-trice *m/f*; **2** (informer) indicateur/-trice *m/f*

informatics /ˌɪnfəˈmætɪks/ *n* informatique *f*

information /ˌɪnfəˈmeɪʃn/ *n* ₵ **1** (facts, details) renseignements *mpl*, informations *fpl* (**on, about** sur); **a piece** *ou* **bit** *ou* **item of ~** un renseignement, une information; **to give/receive ~** fournir/recevoir des renseignements *or* informations; **to pass on ~** communiquer des renseignements *or* informations; **freedom of ~** liberté d'information; **I need more ~** j'ai besoin de plus amples renseignements; **I have no ~ about that** je ne dispose pas de renseignements *or* d'informations à ce sujet; **we have very little ~** nous avons très peu de renseignements *or* d'informations; **my ~ is that** selon mes renseignements *or* informations; **for further** *ou* **additional** *ou* **more ~** pour plus de renseignements *or* d'informations; **to enclose sth for ~** joindre qch pour information *or* à titre de renseignement; **'for ~'** 'pour information', 'à titre de renseignement'; **for your ~, I've never even met him!** au cas où tu ne le saurais pas, je ne l'ai jamais rencontré!; **2** US Telecom (service *m* des) renseignements *mpl*; **to call ~** appeler les renseignements; **3** Comput informations *fpl*

information: **~ bureau** *n* bureau *m* des renseignements; **~ centre** *n* centre *m* d'information, bureau *m* d'information; **~ content** *n* contenu *m* informationnel; **~ desk** *n* réception *f*; **~ exchange** *n* échange *m* d'informations; **~ office** = **information bureau**

information officer *n* **1** (PR person, press officer) préposé/-e *m/f* à l'information; **2** (responsible for IT) agent *m* d'information

information: **~ pack** *n* documentation *f*; **~ processing** *n* traitement *m* de l'information; **~ retrieval** *n* recherche *f* documentaire; **~ retrieval system** *n* système *m* de recherche documentaire; **~ revolution** *n* révolution *f* de l'information; **~ room** *n* (in police station) salle *f* radio; **~ science** *n* science *f* de l'information, informatique *f*; **~ scientist** *n* informaticien/-ienne *m/f*; ~ **service** *n* service *m* de renseignements; ~ **superhighway** *n* Comput autoroutes *fpl* de l'information, inforoutes *fpl*; ~ **system** *n* système *m* informatique; ~ **technology, IT** *n* technologie *f* de l'information, informatique *f*; ~ **theory** *n* théorie *f* de l'information; ~ **transfer** *n* transfert *m* d'information

informative /ɪn'fɔːmətɪv/ *adj* [*lecture, talk, leaflet, book*] riche en renseignements; [*trip, evening, day*] instructif/-ive; [*speaker, guide, lecturer*] savant

informed /ɪn'fɔːmd/ *adj* **1** [*choice, debate, decision, judgment, opinion, guess*] fondé; **ill-~** non fondé; **2** [*person, critic, public, consumer*] averti; [*source*] informé; **he is very well-/ill-~** il est très bien/mal informé *or* renseigné

informer /ɪn'fɔːmə(r)/ *n* **1** (to police, authorities) indicateur/-trice *m/f*; **to turn ~** dénoncer *or* vendre ses complices; **2** (adviser) informateur/-trice *m/f*

infotainment /ˌɪnfəʊ'teɪnmənt/ *n* information-spectacle *f*

infotech○ /'ɪnfəʊtek/ *n* Comput technologie *f* de l'information, informatique *f*

infraction /ɪn'frækʃn/ *n* infraction *f* (**of** à)

infra dig /ˌɪnfrə'dɪg/ *adj* hum indigne, déshonorant

infrared /ˌɪnfrə'red/ *adj* infrarouge

infrared: ~ **photograph** *n* photographie *m* infrarouge; ~ **sensor** *n* détecteur *m* infrarouge

infrasonic /ˌɪnfrə'sɒnɪk/ *adj* infrasonore

infrastructure /'ɪnfrəstrʌktʃə(r)/ *n* (all contexts) infrastructure *f*

infrequency /ɪn'friːkwənsɪ/ *n* rareté *f*

infrequent /ɪn'friːkwənt/ *adj* rare

infrequently /ɪn'friːkwəntlɪ/ *adv* rarement; **not ~** assez fréquemment

infringe /ɪn'frɪndʒ/
A *vtr* enfreindre [*rule, law, ban*]; ne pas respecter [*civil liberties, rights, copyright*]; commettre une contrefaçon de [*patent*]
B *vi* **to ~ on** *ou* **upon** empiéter sur [*rights, sovereignty*]

infringement /ɪn'frɪndʒmənt/ *n* (of rule) infraction *f* (**of** à); (of rights, liberty) violation *f*; (of patent, trademark) contrefaçon *f*

infuriate /ɪn'fjʊərɪeɪt/ *vtr* faire rager, exaspérer [*person*]

infuriated /ɪn'fjʊərɪeɪtɪd/ *adj* exaspéré

infuriating /ɪn'fjʊərɪeɪtɪŋ/ *adj* exaspérant

infuriatingly /ɪn'fjʊərɪeɪtɪŋlɪ/ *adv* [*laugh, reply*] de façon exaspérante; **~ slow** d'une lenteur exaspérante

infuse /ɪn'fjuːz/
A *vtr* **1** (inject, imbue) **to ~ sth with sth** insuffler qch à qch; **to ~ a project with enthusiasm** insuffler de l'enthousiasme à un projet; **to ~ sth into** insuffler qch à [*society, work, person*]; **the movement was ~d with new life** un nouvel élan a été insufflé au mouvement; **2** Culin faire infuser [*tea, herb*]; **vinegar ~d with tarragon** vinaigre aromatisé à l'estragon
B *vi* infuser

infusion /ɪn'fjuːʒn/ *n* **1** (of cash, aid) injection *f*; **an ~ of new life** un souffle nouveau; **2** Culin infusion *f*

ingenious /ɪn'dʒiːnɪəs/ *adj* ingénieux/-ieuse, astucieux/-ieuse

ingeniously /ɪn'dʒiːnɪəslɪ/ *adv* [*solve, design*] ingénieusement, astucieusement; **~ designed** d'une conception ingénieuse

ingénue /'ænʒeɪnjuː, US 'ændʒənuː/ *n* ingénue *f*

ingenuity /ˌɪndʒɪ'njuːətɪ, US -'nuː-/ *n* ingéniosité *f*; **to use one's ~** déployer toute son ingéniosité

ingenuous /ɪn'dʒenjʊəs/ *adj* ingénu, candide

ingenuously /ɪn'dʒenjʊəslɪ/ *adv* [*ask, remark*] ingénument, candidement

ingenuousness /ɪn'dʒenjʊəsnɪs/ *n* ingénuité *f*, candeur *f*

ingest /ɪn'dʒest/ *vtr* **1** lit ingérer [*food, liquid*]; **2** fig absorber, assimiler [*fact*]

ingestion /ɪn'dʒestʃn/ *n* lit (of food) ingestion *f*

inglenook /'ɪŋglnʊk/ *n* GB coin *m* du feu

inglorious /ɪn'glɔːrɪəs/ *adj* littér déshonorant, infamant

ingot /'ɪŋgət/ *n* lingot *m*

ingrained /ɪn'greɪnd/ *adj* **1** [*dirt*] bien incrusté; **2** (deep-rooted) [*habit, tendency*] invétéré, enraciné; [*prejudice, hatred*] enraciné, tenace; **to be deeply ~ in** être profondément ancré dans [*person, heart, society*]

ingrate /'ɪngreɪt/ *n* ingrat/-e *m/f*

ingratiate /ɪn'greɪʃɪeɪt/ *v refl* péj **to ~ oneself** se faire bien voir (**with sb** de qn)

ingratiating /ɪn'greɪʃɪeɪtɪŋ/ *adj* péj doucereux/-euse

ingratitude /ɪn'grætɪtjuːd, US -tuːd/ *n* ingratitude *f*

ingredient /ɪn'griːdɪənt/ *n* **1** Culin ingrédient *m*; **2** fig élément *m* (**of** de)

ingress /'ɪŋgres/ *n* Jur entrée *f*

ingressive /ˌɪŋ'gresɪv/ Ling
A *n* ingressive *f*
B *adj* ingressif/-ive

in-group /'ɪngruːp/ *n* péj clique *f*, côterie *f*

ingrowing toenail, ingrown toenail *n* ongle *m* de pied incarné

inguinal /'ɪŋgwɪnl/ *adj* inguinal

Ingush Republic /'ɪŋgʊʃ/ ▸ p. 1096 *pr n* Ingouchie *f*

inhabit /ɪn'hæbɪt/
A *vtr* **1** lit habiter [*house, region, planet*]; **2** fig vivre dans [*fantasy world, milieu*]
B inhabited *pp adj* [*land, cave, planet*] habité

inhabitable /ɪn'hæbɪtəbl/ *adj* habitable

inhabitant /ɪn'hæbɪtənt/ *n* habitant/-e *m/f*

inhalant /ɪn'heɪlənt/ *n* inhalant *m*

inhalation /ˌɪnhə'leɪʃn/ *n* inhalation *f*, aspiration *f*

inhalator /ɪn'heɪlətə(r)/ *n* inhalateur *m*, respirateur *m*

inhale /ɪn'heɪl/
A *vtr* aspirer, inhaler [*vapour, fumes*]; avaler [*smoke, vomit*]; humer, respirer [*scent*]
B *vi* (breathe in) inspirer; (take in smoke) avaler la fumée; **to ~ deeply** inspirer profondément

inhaler /ɪn'heɪlə(r)/ *n* inhalateur *m*

inharmonious /ˌɪnhɑː'məʊnɪəs/ *adj* peu harmonieux/-ieuse

inhere /ɪn'hɪə(r)/ *vi* être inhérent (**in** à)

inherent /ɪn'hɪərənt, ɪn'herənt/ *adj* **to be ~ in** être inhérent *or* propre à; **the ~ limitations of** les limitations inhérentes à; **with its ~ risks** avec les risques qui lui sont inhérents

inherently /ɪn'hɪərəntlɪ, ɪn'her-/ *adv* [*comic, complex, evil*] naturellement; [*involve, entail, encourage*] par sa nature

inherit /ɪn'herɪt/ *vtr* hériter de [*money, property*]; hériter de, succéder à [*title*]; fig hériter de [*problem, tradition*]; **to ~ sth from sb** hériter qch de qn; **she has ~ed her mother's intelligence** elle a hérité l'intelligence de sa mère; **I've ~ed my mother's cat** j'ai hérité le chat de ma mère

inheritance /ɪn'herɪtəns/ *n* **1** (thing inherited) héritage *m* also fig; **to come into an ~** faire un héritage; **2** (succession) succession *f*; **by** *ou* **through ~** par voie de succession; **3** Biol patrimoine *m* héréditaire

inheritance tax *n* US droits *mpl* de succession

inherited /ɪn'herɪtɪd/ *adj* [*characteristic, disease*] héréditaire; [*wealth, debt, tradition*] hérité

inheritor /ɪn'herɪtə(r)/ *n* (all contexts) héritier/-ière *m/f*

inhibit /ɪn'hɪbɪt/ *vtr* **1** (restrain) inhiber [*person, reaction*]; entraver [*situation, activity, choice, progress*]; **to ~ sb from doing** (prevent) empêcher qn de faire; (discourage) dissuader qn de faire qch; **2** Psych inhiber [*person*]; **3** Sci inhiber [*function*]; **4** Jur (prohibit) interdire, défendre (**from doing** de faire)

inhibited /ɪn'hɪbɪtɪd/ *adj* [*person, thinking*] inhibé, refoulé; [*activity, development*] entravé; **to be ~ by** [*person*] être handicapé par [*lack of confidence, inexperience*]

inhibiting /ɪn'hɪbɪtɪŋ/ *adj* inhibiteur/-trice

inhibition /ˌɪnhɪ'bɪʃn, ˌɪnɪ'b-/ *n* inhibition *f*; **to get rid of one's ~s** se libérer de ses inhibitions

inhibitor /ɪn'hɪbɪtə(r)/ *n* (all contexts) inhibiteur *m*

inhibitory /ɪn'hɪbɪtərɪ, US -tɔːrɪ/ *adj* (all contexts) inhibiteur/-trice

in-home /ɪn,həʊm/ *adj* à domicile

inhospitable /ˌɪnhɒ'spɪtəbl/ *adj* [*country, climate, person*] inhospitalier/-ière; [*behaviour*] désobligeant

inhospitably /ˌɪnhɒ'spɪtəblɪ/ *adv* [*act*] sans hospitalité

inhospitality /ɪn,hɒspɪ'tælətɪ/ *n* inhospitalité *f*

in-house /'ɪnhaʊs, -'haʊs/ *adj* [*training, service, worker*] interne; **he is ~** il est de la maison

inhuman /ɪn'hjuːmən/ *adj* inhumain

inhumane /ˌɪnhjuː'meɪn/ *adj* inhumain, cruel/-elle

inhumanity /ˌɪnhjuː'mænətɪ/ *n* inhumanité *f*, cruauté *f*; **man's ~ to man** la cruauté de l'homme envers son semblable

inhumation /ˌɪnhjuː'meɪʃn/ *n* sout inhumation *f*

inhume /ɪn'hjuːm/ *vtr* sout inhumer

inimical /ɪ'nɪmɪkl/ *adj* inamical, hostile; **to be ~ to** aller à l'encontre de [*interest, aim*]; être nuisible à [*unity, sovereignty*]

inimitable /ɪ'nɪmɪtəbl/ *adj* inimitable; **in her own ~ way** dans son style inimitable, à sa manière à elle

iniquitous /ɪ'nɪkwɪtəs/ *adj* [*practice, system, tax*] inique, injuste

iniquity /ɪ'nɪkwətɪ/ *n* (all contexts) iniquité *f*

initial /ɪ'nɪʃl/
A *n* initiale *f*; **to sign one's ~s** signer de ses initiales
B *adj* [*symptoms, shock, reaction*] initial, premier/-ière; [*shyness, reticence*] initial, du début; **~ letter** initiale *f*; **in the ~ stages** dans un premier temps
C *vtr* (*p prés etc* GB **-ll-**, US **-l-**) gen parapher *or* parafer [*document*]; (authorize) viser et parapher

initial expenses *npl* Comm frais *mpl* de premier établissement

initialization /ˌɪnɪʃəlaɪ'zeɪʃn, US -lɪ'z-/ *n* Comput initialisation *f*

initialize /ɪ'nɪʃəlaɪz/ *vtr* Comput initialiser

initially /ɪ'nɪʃəlɪ/ *adv* au départ

Initial Teaching Alphabet, ITA *n* Sch *alphabet phonétique à l'usage des enfants*

initiate
A /ɪ'nɪʃɪət/ *n* initié/-e *m/f*
B /ɪ'nɪʃɪeɪt/ *vtr* **1** mettre en œuvre [*plan, project, reform*]; amorcer [*talks*]; entreprendre [*improvements, reorganization*]; **to ~ proceedings against sb** Jur entamer *or* engager des poursuites contre qn; **2** (admit) **to ~ sb into** (into membership) admettre qn au sein de [*secret society, club*]; (into knowledge) initier qn à [*astrology, art of love*]; **3** Comput lancer [*programme*]; amorcer, établir [*communication*]

initiation /ɪˌnɪʃɪ'eɪʃn/
A *n* **1** (of negotiations) amorce *f*; (of scheme, process)

lancement *m*; **2** (admission) (into sect) admission *f* (**into** au sein de); (into knowledge) initiation *f* (**into** à); **3** (ceremony) cérémonie *f* d'initiation
B *modif* [*ceremony, rite*] d'initiation

initiative /ɪˈnɪʃətɪv/ *n* **1** (quality) initiative *f*; **to have** *ou* **show** ~ faire preuve d'initiative; **use your** ~! (as advice) fais preuve d'initiative!; (as reproof) un peu d'initiative quand même!; **on one's own** ~ de son propre chef; **2** (move) initiative *f*; **to take the** ~ prendre l'initiative (**in doing** de faire); **peace** ~**(s)** initiative(s) de paix; **3** (upper hand) **to take**/**lose the** ~ prendre/perdre l'initiative; **4** Pol Jur initiative *f*

initiative test *n* Psych test *m* d'initiative

initiator /ɪˈnɪʃɪeɪtə(r)/ *n* instigateur/-trice *m/f*

inject /ɪnˈdʒekt/
A *vtr* **1** lit injecter [*liquid, vaccine, fuel*] (**into** dans); **to** ~ **sb with sth** Med faire une injection de qch à qn; **to** ~ **sb against sth** vacciner qn contre qch; **'to be** ~**ed intravenously'** 'par voie intraveineuse'; **2** fig apporter [*new ideas*] (**into** à); insuffler [*hope, life, enthusiasm*] (**into** à); injecter [*cash, capital*] (**into** dans)
B *v refl* **to** ~ **oneself with** se faire des injections de [*insulin*]; se piquer○ à [*heroin*]

injection /ɪnˈdʒekʃn/ *n* **1** Med piqûre *f*, injection *f* spec; **2** Tech injection *f*

injection moulding GB, **injection molding** US *n* moulage *m* par injection

injector /ɪnˈdʒektə(r)/ *n* Aut injecteur *m*

in-joke /ˌɪnˈdʒəʊk/ *n* **it's an** ~ c'est une plaisanterie entre nous; **it's a BBC** ~ c'est une plaisanterie interne à la BBC

injudicious /ˌɪndʒuːˈdɪʃəs/ *adj* sout [*act, remark, statement*] peu judicieux/-ieuse

injudiciously /ˌɪndʒuːˈdɪʃəslɪ/ *adv* [*remark, act*] peu judicieusement

injunction /ɪnˈdʒʌŋkʃn/ *n* **1** Jur injonction *f* (**to do** de faire; **against** contre); **to ask for an** ~ faire une requête en injonction; **2** (admonition) injonction *f*, recommandation *f* formelle

injure /ˈɪndʒə(r)/
A *vtr* **1** Med blesser [*person*]; **seriously**/**fatally** ~**d** grièvement/mortellement blessé; **nobody was** ~**d** personne n'a été blessé; **to** ~ **one's hand**/**knee** se blesser la main/le genou; **2** (damage) nuire à [*health*]; compromettre, ternir [*reputation*]; compromettre, léser [*interests*]; porter un coup à, blesser [*self-esteem*]; **to** ~ **sb's feelings** faire de la peine à qn
B *v refl* **to** ~ **oneself** se blesser; (slightly) se faire mal

injured /ˈɪndʒəd/
A *n* **the** ~ (+ *v pl*) gen les blessés *mpl*; (in accident) les accidentés *mpl*
B *adj* **1** Med [*person*] blessé; (in accident) accidenté; [*limb, back*] blessé; **2** fig [*pride, feelings*] blessé; [*tone, look*] offensé, blessé; **3** (wronged) [*wife, husband*] trompé; **the** ~ **party** Jur la partie lésée
C *modif* ~ **list** liste *f* des blessés

injurious /ɪnˈdʒʊərɪəs/ *adj* sout **1** (harmful) ~ **to** nuisible *or* préjudiciable à [*health, economy*]; **2** (abusive) [*remark*] blessant, offensant

injury /ˈɪndʒərɪ/ *n* **1** Med blessure *f*; **head**/**internal injuries** blessures à la tête/internes; **to do sb an** ~ blesser qn; **to do oneself an** ~ hum se faire mal; **2** fig (to reputation) atteinte *f*; **3** Jur préjudice *m*, dommage *m*

injury: ~ **benefit** *n* GB allocation *f* versée à un/-e accidenté/-e du travail; ~ **time** *n* Sport arrêts *mpl* de jeu

injustice /ɪnˈdʒʌstɪs/ *n* injustice *f*; **to do sb an** ~ être *or* se montrer injuste envers qn

ink /ɪŋk/
A *n* (all contexts) encre *f*; **in** ~ à l'encre
B *modif* [*bottle, stain*] d'encre; [*eraser*] à encre
C *vtr* encrer
(Idiom) **as black as** ~ d'un noir d'encre
(Phrasal verb) ■ **ink in**: ▸ ~ **in [sth]**, ~ **[sth] in** repasser [qch] à l'encre [*form, drawing*]

ink: ~**blot** *n* tache *f* d'encre, pâté *m*; ~**blot test** *n* test *m* de Rorschach; ~ **drawing** *n* dessin *m* à l'encre; ~**jet printer** *n* imprimante *f* à jet d'encre

inkling /ˈɪŋklɪŋ/ *n* petite idée *f*; **to have an** ~ **that** avoir l'idée que; **to have no** ~ **that** ne pas avoir la moindre idée que; **her expression gave no** ~ **of how she felt** son visage ne laissait rien deviner de ses sentiments; **that was the first** ~ **I had that all was not well** c'est alors que j'ai commencé à me douter que tout n'allait pas bien

ink: ~**pad** *n* tampon *m* encreur; ~**pot** *n* encrier *m*; ~ **sac** *n* poche *f* à encre; ~**stand** *n* écritoire *f*; ~**well** *n* encrier *m* de pupitre

inky /ˈɪŋkɪ/ *adj* **1** lit [*fingers, page*] taché d'encre; **2** fig [*sky*] noir comme de l'encre

inlaid /ˌɪnˈleɪd/
A *prét, pp* ▸ **inlay**
B *adj* [*jewellery*] incrusté; [*box, furniture*] marqueté; [*sword*] damasquiné

inland
A /ˈɪnlənd/ *adj* **1** (not coastal) [*area, town, harbour*] intérieur; ~ **navigation** navigation *f* intérieure; ~ **waterways** canaux *mpl* et rivières *fpl*; **2** GB (domestic) [*communications, mail, trade, transport*] intérieur; ~ **postage rate** tarif postal intérieur
B /ˌɪnˈlænd/ *adv* [*travel, be situated*] à l'intérieur des terres; **to move further** ~ pénétrer plus avant dans les terres

inland: ~ **bill** *n* GB Fin lettre *f* de change sur l'intérieur; **Inland Revenue** *n* GB service *m* des impôts britannique; **Inland Revenue Stamp** *n* timbre *m* fiscal

in-laws /ˈɪnlɔːz/ *npl* (parents) beaux-parents *mpl*; (other relatives) belle-famille *f*; parents *mpl* par alliance

inlay
A /ˈɪnleɪ/ *n* **1** (on jewellery) incrustation *f*; (on box, furniture) marqueterie *f*; (on metal) damasquinage *m*; **brooch with enamel** ~**(s)** broche incrustée d'émail; **2** Dent inlay *m*, incrustation *f*
B /ˌɪnˈleɪ/ *vtr* incruster [*jewellery*] (**with** de); marqueter [*wood*]; damasquiner [*sword*]

inlet /ˈɪnlet/ *n* **1** (of sea) bras *m* de mer, crique *f*; (of river) bras *m* de rivière; **2** Tech (for fuel, air) arrivée *f*, admission *f*

inlet: ~ **pipe** *n* tuyau *m* d'arrivée; ~ **valve** *n* soupape *f* d'admission

in-line skate *n* patin *m* en ligne

in-line skating ▸ p. 1253 *n* patinage *m* en ligne

in loco parentis /ɪn ˌləʊkəʊ pəˈrentɪs/ *adj phr, adv phr* Jur in loco parentis, en lieu et place des parents

inmate /ˈɪnmeɪt/ *n* **1** (of institution) (of hospital) malade *mf*; (of mental hospital) interné/-e *m/f*; (of prison) détenu/-e *m/f*, pensionnaire○ *mf*; **2** †(of house) occupant/-e *m/f*, résident/-e *m/f*

inmost *adj* = **innermost**

inn /ɪn/ *n* **1** (hotel) (small) auberge *f*; (larger) hôtellerie *f*; **2** (pub) pub *m*

innards /ˈɪnədz/ *npl* lit, fig entrailles *fpl*

innate /ɪˈneɪt/ *adj* [*quality, attribute, tendency*] inné, naturel/-elle

innately /ɪˈneɪtlɪ/ *adv* naturellement

inner /ˈɪnə(r)/
A *n* cercle *m* intérieur (d'une cible)
B *adj* (*épith*) **1** [*room, courtyard, wall, layer*] intérieur; **2** [*voice, conflict, life*] intérieur; [*emotion, thought*] intime; **the** ~ **circle** le petit groupe; **the** ~ **man** (spirit) l'homme *m* intérieur; hum l'estomac *m*

inner child *n* **to get in touch with one's** ~ renouer avec son enfant intérieur

inner city
A *n* **the** ~ les quartiers *mpl* déshérités
B **inner-city** *modif* [*problems, crime, regeneration*] des quartiers déshérités; **an** ~ **area** *ou* **district** un quartier déshérité

inner: ~**-directed** *adj* individualiste; ~ **ear** *n* oreille *f* interne

innermost /ˈɪnəməʊst/ *adj* (*épith*) **1** (most intimate) **sb's** ~ **feelings**/**thoughts** les sentiments/les pensées les plus intimes de qn; **his** ~ **self** *ou* **being** le tréfonds de son âme liter; **2** (inmost) **the** ~ **part of** le cœur de [*country, island, continent*]

inner: ~ **sanctum** *n* souvent hum antre *m*, saint *m* des saints; ~**spring** *adj* US [*mattress*] à ressorts; **Inner Temple** *n* GB *une des quatre écoles de droit à Londres*; ~ **tube** *n* chambre *f* à air

inning /ˈɪnɪŋ/ *n* US (in baseball) tour *m* de batte

innings /ˈɪnɪŋz/ *n* GB **1** (in cricket) (+ *v sg*) tour *m* de batte; **2** fig **to have had a good** ~ (when dead) avoir bien profité de l'existence; (when leaving) avoir fait son temps

innkeeper /ˈɪnkiːpə(r)/ *n* (of small inn) aubergiste *mf*; (larger) hôtelier/-ière *m/f*

innocence /ˈɪnəsns/ *n* **1** (guilelessness) innocence *f*; **in all** ~ en toute innocence; **an air of** ~ un air innocent; **2** (naïvety) innocence *f*, naïveté *f*; **in my** ~**, I thought that...** dans mon innocence *or* naïf comme je suis, j'ai pensé que...; **3** Jur (of accused) innocence *f*; **to prove one's** ~ prouver son innocence

innocent /ˈɪnəsnt/
A *n* innocent/-e *m/f*, naïf/-ïve *m/f*; **they're no** ~**s!** ce ne sont pas des enfants de chœur!
B *adj* **1** Jur (not guilty) innocent (**of** de); **2** (blameless) [*victim, civilian, bystander*] innocent; **3** (innocuous) [*enjoyment, fun*] innocent, inoffensif/-ive; [*question, remark*] innocent, sans malice; [*error*] bénin/-igne; [*explanation, meeting*] anodin; **4** (naïve) innocent, naïf/-ïve; **she was** ~ **about such things** elle ne savait rien de ces choses-là; **5** (unaware) innocent; ~ **of** inconscient de [*reaction, effect*]

innocent infringement (of patent) *n* Jur contrefaçon *f* involontaire

innocently /ˈɪnəsntlɪ/ *adv* [*ask, reply, say*] innocemment; [*act, become involved*] en toute innocence

innocent misrepresentation *n* Jur déclaration *f* inexacte non frauduleuse

innocuous /ɪˈnɒkjʊəs/ *adj* **1** (inoffensive) [*remark, statement*] inoffensif/-ive, innocent; **2** (harmless) [*substance*] inoffensif/-ive

innovate /ˈɪnəveɪt/ *vi* innover

innovation /ˌɪnəˈveɪʃn/ *n* innovation *f*; ~**s in medicine**/**in animal breeding** des innovations en médecine/dans l'élevage des animaux; **to make** ~**s in sth** apporter des innovations à qch

innovative /ˈɪnəvətɪv/ *adj* innovateur/-trice

innovator /ˈɪnəveɪtə(r)/ *n* innovateur/-trice *m/f*

innovatory /ˌɪnəˈveɪtərɪ/ *adj* = **innovative**

Inns of Court /ˌɪnz əv ˈkɔːt/ *npl* GB Jur Institut *m* britannique d'études judiciaires

innuendo /ˌɪnjuːˈendəʊ/ *n* (*pl* ~**s** *ou* ~**es**) **1** (veiled slights) insinuations *fpl*; **a campaign of** ~ une campagne d'insinuations; **2** (sexual references) allusions *fpl* grivoises

innumerable /ɪˈnjuːmərəbl, US ɪˈnuː-/ *adj* innombrable, sans nombre

innumeracy /ɪˈnjuːmərəsɪ, US ɪˈnuː-/ *n* GB (inability to count) incapacité *f* de compter; (unfamiliarity with maths) ignorance *f* en calcul

innumerate /ɪˈnjuːmərət, US ɪˈnuː-/ *adj* GB **to be** ~ (unable to count) être incapable de compter; (uncomfortable with maths) ne pas être à l'aise avec les chiffres

inoculate /ɪˈnɒkjʊleɪt/ *vtr* Med vacciner (**against** contre); **to** ~ **sb with sth** inoculer qch à qn

inoculation /ɪˌnɒkjʊˈleɪʃn/ *n* Med vaccination *f*, inoculation *f*

inoffensive /ˌɪnəˈfensɪv/ *adj* inoffensif/-ive

inoperable /ɪnˈɒpərəbl/ *adj* [*tumour, condition*] inopérable

inoperative /ɪnˈɒpərətɪv/ *adj* inopérant

inopportune /ɪnˈɒpətjuːn, US -tuːn/ *adj* inopportun

inopportunely /ɪnˈɒpətjuːnlɪ, US -tuːn-/ *adv* inopportunément

inordinate /ɪnˈɔːdɪnət/ *adj* [*appetite, size*] énorme, démesuré; [*quantity, cost, pride*] démesuré; [*desire, passion*] immodéré; **an ~ amount of time** un temps infini

inordinately /ɪnˈɔːdɪnətlɪ/ *adv* [*long, wide*] démesurément; [*pleased, proud, careful*] extrêmement

inorganic /ˌɪnɔːˈgænɪk/ *adj* inorganique

inorganic chemistry *n* chimie *f* inorganique

in-patient /ˈɪnpeɪʃnt/ *n* malade *mf* hospitalisé/-e

input /ˈɪnpʊt/

A *n* **1** ₵ (of money) apport *m*; (of energy) alimentation *f* (**of** en); **electrical ~** courant *m* d'entrée; **2** ₵ (contribution) contribution *f*; **her ~ was minimal** elle a fourni un minimum d'effort; **3** C Ind (resource) facteur *m* de production; **4** ₵ Comput (action) saisie *f* des données; (data) données *fpl* d'entrée *or* à traiter; (part of computer) bloc *m* d'entrée

B *modif* [*device, protection*] d'entrée

C *vtr* (*p prés* **-tt-**; *prét, pp* **-put** *ou* **-putted**) Comput saisir [*data*]; **to ~ data into a computer** entrer des données dans un ordinateur

input data *n* Comput données *fpl* d'entrée *or* à traiter

input-output /ˌɪnpʊtˈaʊtpʊt/

A *n* **1** Comput entrée-sortie *f*; **2** Econ échanges *mpl* interindustriels

B *modif* **1** Comput [*unit, device, storage*] d'entrée-sortie; **2** Econ [*analysis, table*] des échanges interindustriels

inquest /ˈɪŋkwest/ *n* gen, Jur enquête *f* (**on, into** sur); **to hold an ~** mener *or* conduire une enquête (**into** sur)

inquire /ɪnˈkwaɪə(r)/

A *vtr* demander; **to ~ the way to** *ou* **how to get to the bank** demander le chemin pour aller à la banque; **to ~ sth of** *ou* **from sb** demander qch à qn; **I ~d what age he was/whether he was ill** je lui ai demandé quel âge il avait/s'il était malade

B *vi* se renseigner (**about** sur); **to ~ after sb** demander des nouvelles de qn, s'enquérir de qn fml; **to ~ into** (ask for information about) se renseigner sur; (research) faire des recherches sur; Admin, Jur enquêter sur; **to ~ into the truth of an allegation** vérifier si une accusation est fondée; **I'll go and ~** je vais demander; **'~ within'** 's'adresser ici'; **'~ at the information desk'** 's'adresser au bureau de renseignements'

inquiring /ɪnˈkwaɪərɪŋ/ *adj* [*look, voice*] interrogateur/-trice; [*mind*] curieux/-ieuse

inquiringly /ɪnˈkwaɪərɪŋlɪ/ *adv* [*look*] d'un air interrogateur

inquiry /ɪnˈkwaɪərɪ, US ˈɪŋkwərɪ/

A *n* **1** (request for information) demande *f* de renseignements; **to make an ~ about** *ou* **into** se renseigner sur; **to make inquiries** demander des renseignements (**about** sur); **on ~, it was discovered that** renseignements pris, on a découvert que; **'all inquiries to...'** 'pour tous renseignements, s'adresser à...'; **in answer to** *ou* **with reference to your ~** (by letter) en réponse à votre courrier; (by phone) suite à votre appel téléphonique; **2** Admin, Jur enquête *f*, investigation *f* (**into** sur); **police/public/judicial ~** enquête policière/publique/judiciaire; **murder ~** enquête criminelle; **to hold/conduct an ~** faire/mener une enquête (**into** sur); **to set up** *ou* **open** *ou* **launch an ~** ouvrir une enquête; **a man is helping the police with their inquiries** un homme est interrogé par les policiers dans le cadre de leur enquête; **line of ~** piste *f*

B *modif* [*report*] d'enquête; [*findings*] de l'enquête

C inquiries *npl* bureau *m or* service *m* de renseignements *mpl*

inquiry: **~ agent** *n* GB détective *m* privé; **~ response system** *n* Comput système *m* d'interrogation-réponse; **~ terminal** *n* Comput poste *m* d'interrogation-réponse

inquisition /ˌɪnkwɪˈzɪʃn/

A *n* (enquiry) enquête *f*; **why the ~?** hum pourquoi cet interrogatoire?

B Inquisition *pr n* Hist Inquisition *f*

inquisitive /ɪnˈkwɪzətɪv/ *adj* [*person, mind*] curieux/-ieuse, inquisiteur/-trice

inquisitively /ɪnˈkwɪzətɪvlɪ/ *adv* avec curiosité

inquisitiveness /ɪnˈkwɪzətɪvnɪs/ *n* curiosité *f*

inquisitor /ɪnˈkwɪzɪtə(r)/ *n* interrogateur/-trice *m/f*

Inquisitor General *n* Hist Relig grand Inquisiteur *m*

inquisitorial /ɪnˌkwɪzɪˈtɔːrɪəl/ *adj* [*interrogation*] inquisitorial

inquisitorial system *n* Jur procédure *f* inquisitoire

inquorate /ɪnˈkwɔːreɪt/ *adj* **the meeting is ~** le quorum n'a pas été atteint pour cette réunion

inroad /ˈɪnrəʊd/ *n* **1** **to make ~s into** *ou* **on** US (advance, encroach on) faire une avancée sur [*market*]; entamer [*savings*]; réduire [*lead*]; **2** Mil incursion *f*

inrush /ˈɪnrʌʃ/ *n* (of air, water) irruption *f*

insalubrious /ˌɪnsəˈluːbrɪəs/ *adj* (insanitary) insalubre; (sleazy) sordide

insane /ɪnˈseɪn/ *adj* **1** gen [*person*] fou/folle; [*idea, desire, decision*] fou/folle, insensé; [*plan*] démentiel/-ielle; **to go** *ou* **become ~** perdre la raison; **to drive sb ~** rendre qn fou; **is he ~?** mais il est fou ou quoi?; **2** Jur [*person*] aliéné; **to be declared ~** être reconnu aliéné

insanely /ɪnˈseɪnlɪ/ *adv* [*act, behave*] de façon insensée; **to be ~ jealous** être fou/folle de jalousie

insanitary /ɪnˈsænɪtərɪ, US -terɪ/ *adj* insalubre, malsain

insanity /ɪnˈsænətɪ/ *n* **1** gen (of person, plan) folie *f*; **2** Jur aliénation *f* mentale; **to enter a plea of ~** Jur faire valoir une exception d'irresponsabilité pour cause d'aliénation mentale

insatiable /ɪnˈseɪʃəbl/ *adj* insatiable

insatiably /ɪnˈseɪʃəblɪ/ *adv* [*hunger for, thirst for*] insatiablement; **~ curious** d'une curiosité insatiable

inscribe /ɪnˈskraɪb/ *vtr* **1** (write) (in book) inscrire (**in** dans); (engrave) (on stone, metal etc) graver (**on** sur); **to ~ sth with a verse, to ~ a verse on sth** graver des vers sur [*monument*]; inscrire des vers sur [*book*]; **a plaque ~d with his name** une plaque gravée à son nom; **the book was ~d 'To Bruno'** le livre portait l'inscription 'À Bruno'; **2** (sign) dédicacer [*book, photograph*]; **~d copy** exemplaire avec envoi; **3** Math inscrire

inscription /ɪnˈskrɪpʃn/ *n* gen inscription *f*; (in book) envoi *m*

inscrutability /ɪnˌskruːtəˈbɪlətɪ/ *n* impénétrabilité *f*

inscrutable /ɪnˈskruːtəbl/ *adj* [*smile, remark, person*] énigmatique; [*expression*] énigmatique, insondable

inseam /ˌɪnˈsiːm/ *n* US longueur *f* d'un pantalon (à partir de l'entrejambe)

insect /ˈɪnsekt/ *n* insecte *m*

insect: **~ bite** *n* piqûre *f* d'insecte; **~ eater** *n* insectivore *m*

insecticide /ɪnˈsektɪsaɪd/ *n, adj* insecticide (*m*)

insectivore /ɪnˈsektɪvɔː(r)/ *n* insectivore *m*

insectivorous /ˌɪnsekˈtɪvərəs/ *adj* insectivore

insect: **~ powder** *n* poudre *f* insecticide; **~ repellent** *n* insectifuge *m*, produit *m* anti-insecte; **~ spray** *n* bombe *f* insecticide

insecure /ˌɪnsɪˈkjʊə(r)/ *adj* **1** [*person*] (lacking confidence) qui manque d'assurance; (anxious) anxieux/-ieuse; **to be (very) ~** manquer (complètement) d'assurance; **to feel very ~ about the future** avoir des inquiétudes pour l'avenir; **2** Psych insécurisé; **3** (not reliable) [*arrangement, plan*] fragile; [*job, situation*] précaire; [*investment*] risqué; **4** (unsafe, loose) [*screw*] mal serré; [*bolt*] qui tient mal; [*lock*] peu sûr; [*rope*] mal attaché; [*structure*] branlant; [*door, window*] qui ferme mal; [*grip, foothold*] mal assuré; **5** (inadequately protected) [*fortress, outpost*] peu sûr

insecurity /ˌɪnsɪˈkjʊərətɪ/ *n* **1** (psychological) manque *m* d'assurance; (stronger) inquiétude *f*; **to suffer from feelings of ~** éprouver un sentiment d'insécurité; **2** (of position, situation) insécurité *f*; (of income) précarité *f*; **financial ~** précarité financière

inseminate /ɪnˈsemɪneɪt/ *vtr* inséminer

insemination /ɪnˌsemɪˈneɪʃn/ *n* insémination *f*

insensate /ɪnˈsenseɪt/ *adj* **1** (inanimate, insentient) inanimé, insensible; **2** (insensitive, inhuman) insensible; **3** (senseless) insensé

insensibility /ɪnˌsensəˈbɪlətɪ/ *n* **1** (indifference) insensibilité *f* (**to** à); **2** Med (to stimuli) insensibilité *f*; (unconsciousness) inconscience *f*

insensible /ɪnˈsensəbl/ *adj* **1** (indifferent) (to emotion, criticism) insensible, indifférent (**to** à); **2** Med (to stimuli) insensible (**to** à); (unconscious) inconscient, sans connaissance; **3** (unaware) inconscient (**of, to** de); **4** (imperceptible) [*change*] insensible, imperceptible

insensitive /ɪnˈsensətɪv/ *adj* **1** [*person*] (tactless) sans tact; (unfeeling) insensible (**to** à); **2** [*remark*] indélicat; [*attitude, policy*] peu compréhensif/-ive

insensitivity /ɪnˌsensəˈtɪvətɪ/ *n* (all contexts) insensibilité *f* (**to** à)

inseparable /ɪnˈseprəbl/ *adj* [*people, couple, notion, part*] inséparable (**from** de)

inseparably /ɪnˈseprəblɪ/ *adv* [*linked, joined*] indissociablement; [*close*] inséparablement

insert

A /ɪnˈsɜːt/ *vtr* insérer [*word, clause*] (**in** dans); introduire, insérer [*key, knife, finger*] (**in** dans); insérer [*advertisement*] (**in** dans); insérer, encarter spec [*page, leaflet*] (**in** dans); **to ~ sth between two words** intercaler qch entre deux mots

B /ˈɪnsɜːt/ *n* **1** = **insertion 2**; **2** Fashn (in dress) incrustation *f*; (in shoe) talonnette *f*; **3** (in machine) pièce *f* ajoutée, ajout *m*

insertion /ɪnˈsɜːʃn/ *n* **1** (action) insertion *f*, introduction *f*; **2** Journ (enclosed page, leaflet) encart *m*; (advertisement, amendment) insertion *f*; **3** Fashn incrustation *f*; **4** Anat insertion *f*

in-service training *n* formation *f* continue

inset /ˈɪnset/

A *n* **1** (boxed picture) (map) insert *m*; (photo) photographie *f* en médaillon; **'~: the writer'** 'en médaillon: l'écrivain'; **2** (in sewing) entre-deux *m inv*

B *vtr* (*p prés* **-tt-**; *prét, pp* **inset**) insérer [*map, picture*]

inshore /ˌɪnˈʃɔː(r)/

A *adj* [*fishing, current, area*] côtier/-ière; [*diving*] près de la côte; **~ lifeboat** canot *m* de sauvetage côtier

B *adv* [*swim, drift*] vers la côte; [*fish, anchor*] près de la côte

inside
A /ˈɪnsaɪd/ *n* **1** (inner area or surface) intérieur *m*; **the ~ of the box/house** l'intérieur de la boîte/maison; **on the ~** à l'intérieur; **locked from the ~** fermé de l'intérieur; **the ~ of the leg/of the arm** l'intérieur de la jambe/du bras
2 Sport, Transp **to be on the ~** [*runner*] être dans le couloir intérieur *or* à la corde; [*horse*] tenir la corde; [*car*] gen être sur *or* dans la voie de droite; GB, Austral être sur *or* dans la voie de gauche; **to overtake on the ~** (in Europe, US etc) doubler à droite; (in GB, Australia etc) doubler à gauche; **the favourite is coming up on the ~** le favori reprend du terrain en tenant la corde
3 (area furthest from the road) **to walk on the ~** marcher loin du bord du trottoir
4 (position of trust) **our sources on the ~** nos informateurs qui sont dans la place; **sb on the ~** qn dans la place
5 ○(prison) **life on the ~** la vie en taule○
B **insides**○ /ɪnˈsaɪdz/ *npl* (intestines) (of animal) entrailles *fpl*; (of human) intestin *m*, estomac *m*, boyaux○ *mpl*; **it upset his ~s** ça lui détraque l'intestin; **my ~s hurt** j'ai mal au ventre
C /ɪnˈsaɪd/ *prep* (*also* US **~ of**) **1** (in the interior of) à l'intérieur; **~ the box/house/car** à l'intérieur de *or* dans la boîte/maison/voiture; **to be ~ (the house)** être à l'intérieur (de la maison); **put it ~ the envelope** mets-le dans l'enveloppe; **get some food ~ you!** mange donc quelque chose!; **you'll feel better with some food/a drink ~ you** tu te sentiras mieux après avoir mangé/bu quelque chose; **anger surged up ~ me** la colère montait en moi; **the thoughts ~ my head** mes pensées; **I knew deep down ~ that she was right** au fond de moi, je savais qu'elle avait raison
2 (within an area, organization) à l'intérieur de; **conditions ~ the refugee camp** les conditions de vie à l'intérieur du camp de réfugiés; **my contacts ~ the company** mes contacts à l'intérieur de l'entreprise
3 (under) **~ (of) an hour/a year** en moins d'une heure/d'un an; **to be ~ the world record** battre le record mondial; **to be ~ the speed limit** être en deçà de la vitesse maximale autorisée; **to finish ~ the permitted time** finir dans les limites du temps imparti
D /ˈɪnsaɪd/ *adj* **1** (interior) [*angle, cover, pocket, surface, measurement*] intérieur; [*toilet*] à l'intérieur; **the ~ pages of a paper** les pages intérieures d'un journal
2 (first-hand) [*information, news*] de première main; **the ~ story** la vérité; **I got the ~ story from Clare** Clare était présente et m'a raconté ce qui s'était passé
3 (within an organization) **an ~ source** un informateur dans la place; **it's an ~ job** c'est un coup monté de l'intérieur *or* par quelqu'un de la maison
4 Sport, Transp **the ~ lane** (of road) (in Europe, US etc) la voie de droite; (in GB, Australia etc) la voie de gauche; (of athletics track) le couloir intérieur
E /ɪnˈsaɪd/ *adv* **1** (indoors) à l'intérieur; (in a container) à l'intérieur, dedans; **she's ~** elle est à l'intérieur; **to dash** *ou* **hurry ~** se précipiter à l'intérieur; **to look ~** regarder à l'intérieur *or* dedans; **put the books ~ it** mets les livres dedans; **to go** *ou* **come** *ou* **step ~** entrer; **to bring sth ~** rentrer [*pram, shopping, chairs*]; **the lining ~ is silk** la doublure est en soie
2 ○GB (in prison) **to be ~** être en taule○; **he's been ~** il a fait de la taule○; **to put sb ~** mettre qn en taule○
F **inside out** /ˈɪnsaɪdˌaʊt/ *adv phr* **your sweater is ~ out** ton pull est à l'envers; **to turn sth ~ out** (reverse) retourner [*bag, coat*]; (ransack) mettre qch sens dessus dessous [*room, house*]; **to blow sth ~ out** [*wind*] retourner [*umbrella*]; **to know sth ~ out** connaître qch à fond [*subject*]

inside: **~ forward** *n* Sport intérieur *m*, inter *m*; **~ left** *n* Sport intérieur *m* gauche, inter *m* gauche; **~ leg** *n* entrejambes *m*; **~ leg measurement** *n* hauteur *f* de l'entrejambes

insider /ɪnˈsaɪdə(r)/
A *n* gen, Fin initié/-e *m/f*
B *modif* [*knowledge, information*] d'initié

insider: **~ dealer**, **~ trader** *n* Fin initié *m*; **~ dealing**, **~ trading** *n* Fin délit *m* d'initié

inside right *n* Sport intérieur *m* droit, inter *m* droit

inside track *n* **1** Sport couloir *m* intérieur; **2** US fig **to have an ~ into** avoir un informateur au sein de [*organization*]

insidious /ɪnˈsɪdɪəs/ *adj* insidieux/-ieuse

insidiously /ɪnˈsɪdɪəslɪ/ *adv* insidieusement

insight /ˈɪnsaɪt/ *n* **1** (enlightening fact, revealing glimpse) aperçu *m*, idée *f*; **a fascinating ~ into** un aperçu fascinant sur; **to give an ~ into** donner une idée de; **the book provides no new ~s** le livre n'apporte rien de nouveau (**into** sur); **to gain an ~ into sth** arriver à mieux connaître qch; **we didn't gain much ~** *ou* **many ~s into** on n'a pas appris grand-chose sur; **2** (perceptiveness, intuition) perspicacité *f*, intuition *f*; **to have ~** avoir de la perspicacité *or* de l'intuition; **her remarkable ~ into male psychology** sa compréhension remarquable de la psychologie masculine; **3** Psych (in psychoanalysis) compréhension *f* de soi, insight *m*

insightful /ˈɪnsaɪtfʊl/ *adj* [*person*] perspicace; [*analysis*] pénétrant

insignia /ɪnˈsɪgnɪə/ *npl* **1** (symbols) insigne *m*; **2** (medals) insigne *m*

insignificance /ˌɪnsɪgˈnɪfɪkəns/ *n* insignifiance *f*; **to pale** *ou* **fade into ~** devenir dérisoire

insignificant /ˌɪnsɪgˈnɪfɪkənt/ *adj* **1** (negligible) [*cost, difference*] négligeable; **2** (unimportant) [*person, detail*] insignifiant

insincere /ˌɪnsɪnˈsɪə(r)/ *adj* [*person, voice, smile, compliment*] hypocrite; **to be ~** [*person, speech, remark*] manquer de sincérité; **an ~ answer** une réponse qui n'est pas sincère

insincerity /ˌɪnsɪnˈserətɪ/ *n* (of person) manque *m* de sincérité; (of smile, remark, compliment) hypocrisie *f*

insinuate /ɪnˈsɪnjʊeɪt/
A *vtr* insinuer (**that** que)
B *v refl* **to ~ oneself into sth** s'insinuer dans qch

insinuating /ɪnˈsɪnjʊeɪtɪŋ/ *adj* [*smile*] plein de sous-entendus; **an ~ remark** une insinuation

insinuation /ɪnˌsɪnjʊˈeɪʃn/ *n* insinuation *f*; **he made all sorts of ~s about the firm/about me** il a insinué toutes sortes de choses à propos de la société/à mon propos; **to make an ~ that** insinuer que

insipid /ɪnˈsɪpɪd/ *adj* (all contexts) fade

insipidity /ˌɪnsɪˈpɪdətɪ/ *n* fadeur *f*, insipidité *f*

insist /ɪnˈsɪst/
A *vtr* **1** (demand) insister; (authoritatively) exiger; **to ~ that** insister pour que (+ *subj*); (authoritatively) exiger que (+ *subj*); **I ~ you tell me!** j'exige que tu me le dises!; **2** (maintain forcefully) affirmer, soutenir; **they ~ed that it was true** ils ont affirmé que c'était la vérité; **she ~ed that she was innocent** elle a protesté de son innocence
B *vi* insister; **I won't ~** je n'insisterai pas; **all right, if you ~** très bien, puisque tu insistes *or* puisque tu y tiens; **to ~ on** exiger [*punctuality, silence*]; **to ~ on doing** tenir à faire; **he will ~ on getting up early/paying for everything** il tient absolument à se lever tôt/à tout payer; **to ~ on sb doing** tenir à ce que qn fasse, insister pour que qn fasse; **I really must ~** j'insiste, il le faut

insistence /ɪnˈsɪstəns/ *n* insistance *f*; **with ~** avec insistance *ou* instance; **to do sth at** *ou* **on sb's ~** faire qch devant l'insistance de qn; **her ~ on doing** l'insistance qu'elle met/a mise etc à faire; (stronger) son obstination à faire; **his ~ on his innocence was not convincing** ses protestations d'innocence n'étaient pas convaincantes

insistent /ɪnˈsɪstənt/ *adj* [*person, noise*] insistant; [*demand*] pressant; [*rhythm*] implacable; **to be ~** insister (**about** sur; **that** pour que + *subj*); **he was most ~ that we should attend** il a beaucoup insisté pour que nous venions

insistently /ɪnˈsɪstəntlɪ/ *adv* avec insistance

in situ /ɪn ˈsɪtjuː/ *adv* sur place, in situ fml

insofar /ˌɪnsəˈfɑː(r)/: **insofar as** *conj phr* **~ as** dans la mesure où; **~ as (it is) possible** dans la mesure du possible; **~ as I can** dans la mesure de mes moyens; **~ as X is concerned** en ce qui concerne X

insole /ˈɪnsəʊl/ *n* semelle *f* (intérieure)

insolence /ˈɪnsələns/ *n* insolence *f*

insolent /ˈɪnsələnt/ *adj* insolent; **an ~ remark** une remarque insolente, une insolence

insolently /ˈɪnsələntlɪ/ *adv* avec insolence

insolubility /ɪnˌsɒljʊˈbɪlətɪ/ *n* gen, Chem insolubilité *f*

insoluble /ɪnˈsɒljʊbl/ *adj* **1** [*problem, conflict*] insoluble; **2** Chem, Med insoluble (**in** dans)

insolvable /ɪnˈsɒlvəbl/ *adj* US [*problem*] insoluble

insolvency /ɪnˈsɒlvənsɪ/ *n* insolvabilité *f*; **~ expert** expert *m* en faillites

insolvent /ɪnˈsɒlvənt/ *adj* insolvable; **the firm declared that it was ~** la société a déposé son bilan

insomnia /ɪnˈsɒmnɪə/ *n* insomnie *f*; **to suffer from ~** souffrir d'insomnie

insomniac /ɪnˈsɒmnɪæk/ *n* insomniaque *mf*; **to be an ~** être insomniaque

insomuch /ˌɪnsəʊˈmʌtʃ/ *adv* **~ as** (to the extent that) dans la mesure où; (seeing that) vu que

insouciance /ɪnˈsuːsɪəns/ *n* sout insouciance *f*

insouciant /ɪnˈsuːsɪənt/ *adj* sout insouciant

inspect /ɪnˈspekt/ *vtr* **1** examiner [qch] de près [*document, picture, product*]; contrôler, vérifier [*accounts, books*]; inspecter [*school, teacher, factory, weapons-site, machinery, pitch, wiring*]; contrôler [*passport*]; contrôler, visiter [*luggage*]; **to ~ sth for defects** examiner [qch] de près pour s'assurer qu'il n'y a pas de défauts; **right to ~** Jur droit *m* de communication *or* de regard; **2** GB Transp contrôler [*ticket*]; **3** Mil (routinely) inspecter; (at ceremony) passer en revue

inspection /ɪnˈspekʃn/ *n* **1** (of document, picture) examen *m*, inspection *f*; (of school, teacher, factory, weapons-site, machinery, wiring) inspection *f*; (of passport) contrôle *m*; **to make** *ou* **carry out an ~** procéder à une inspection; **customs ~** passage *m* à la douane; **on closer ~** en y regardant de plus près, après un examen plus approfondi; **2** GB Transp contrôle *m*; **3** Mil (routine) inspection *f*; (at ceremony) revue *f*

inspection: **~ certificate** *n* certificat *m* de contrôle de fabrication; **~ chamber** *n* puits *m* de visite; **~ copy** *n* Publg spécimen *m*; **~ pit** *n* fosse *f* de visite *or* de réparation

inspector /ɪnˈspektə(r)/ *n* **1** gen inspecteur/-trice *m/f*; **~ general** inspecteur/-trice *m/f* général/-e; **~ of weights and measures** inspecteur/-trice *m/f* des poids et mesures; **2** GB (in police) inspecteur *m* de police; **3** GB Sch (*also* **~ of schools**) inspecteur/-trice *m/f*; **4** GB Transp contrôleur/-euse *m/f*

inspectorate /ɪnˈspektərət/ *n* **1** (inspectors collectively) corps *m* des inspecteurs, inspection *f*; **2** (rank) inspectorat *m*; **3** GB Sch (district) (primary) ≈ circonscription *f*; (secondary) ≈ académie *f*

inspiration /ˌɪnspəˈreɪʃn/ *n* 1 (stimulus) inspiration *f* (**for** pour); **to draw one's ~ from sth** s'inspirer de qch; **to search for ~** chercher l'inspiration; 2 (person, thing that inspires) source *f* d'inspiration; **she is an ~ to us all!** elle est un exemple pour nous tous!; 3 (sudden idea) inspiration *f*; 4 Physiol inspiration *f*

inspirational /ˌɪnspəˈreɪʃənl/ *adj* 1 (inspiring) inspirateur/-trice; 2 (inspired) inspiré

inspire /ɪnˈspaɪə(r)/ *vtr* 1 (give rise to) inspirer [*person, work of art, fashion, idea*]; motiver [*decision, gesture*]; **the revolution was ~d by these ideals** la révolution s'est inspirée de ces idéaux; 2 (arouse) **to ~ love/respect/trust in sb** inspirer de l'amour/du respect/de la confiance à qn; **to ~ sb with hope/courage** donner de l'espoir/du courage à qn; **to ~ enthusiasm in sb** enthousiasmer qn; **he doesn't ~ much confidence** il n'inspire guère confiance; 3 (incite) inciter, encourager (**to do** à faire); **what ~d you to suggest that?** qu'est-ce qui vous a donné l'idée de proposer cela?

inspired /ɪnˈspaɪəd/
A *adj* [*person, work of art, performance*] inspiré; [*idea*] lumineux/-euse; **to make an ~ guess** avoir une heureuse inspiration
B -inspired (*dans composés*) **French/surrealist-~** d'inspiration française/surréaliste

inspiring /ɪnˈspaɪərɪŋ/ *adj* [*teacher, leader, speech*] enthousiasmant; [*thought, music*] exaltant; **it's not particularly ~** cela n'a rien de très inspirant

inst. (*abrév écrite* = **instant**) Comm **your letter of the 3rd ~** votre lettre du 3 courant

instability /ˌɪnstəˈbɪlətɪ/ *n* instabilité *f*

instal(l) /ɪnˈstɔːl/
A *vtr* 1 installer [*computer system, new equipment etc*] (**in** dans); poser [*windows*]; **we had a new kitchen ~ed** on a fait installer une nouvelle cuisine; 2 (in official post) **to ~ sb in office** installer qn
B *v refl* **to ~ oneself** s'installer

installation /ˌɪnstəˈleɪʃn/ *n* (all contexts) installation *f*; **computer/military ~** installation informatique/militaire; **nuclear/oil ~** installation nucléaire/pétrolière

installment plan *n* contrat *m* de vente à crédit *or* tempérament; **to buy sth on the ~** acheter qch à crédit *or* à tempérament

instalment, installment US /ɪnˈstɔːlmənt/ *n* 1 (partial payment) versement *m* partiel; **monthly ~** mensualité *f*; **annual ~** annuité *f*; **to pay an ~** faire un versement partiel; **to pay for/repay sth in ~s** payer/rembourser qch en plusieurs versements; 2 (section) (of story, serial) épisode *m*; (of novel) feuilleton *m*; **to publish sth in weekly ~s** publier qch en feuilletons hebdomadaires

instalment credit *n* crédit *m* échelonné

instance /ˈɪnstəns/
A *n* 1 (case) cas *m*; **in the first ~** en premier lieu; **in many ~s** dans bien des cas; **in this (particular) ~** dans le cas présent; **as an ~ of** comme exemple de; 2 (request) **at the ~ of sb** à *or* sur la demande de qn; 3 (example) exemple *m*; **for ~** par exemple
B *vtr* 1 (cite) citer [qch] en exemple; 2 (illustrate) illustrer

instant /ˈɪnstənt/
A *n* 1 (moment) instant *m*; **at that (very) ~** à l'instant même; **for an ~** pendant un instant; **in an ~** dans un instant; **an ~ later** un instant plus tard; **come here this ~!** viens ici à l'instant!; **the ~ we saw him** dès que nous l'avons vu; 2 ○(coffee) nescafé® *m*, café *m* instantané; **do you mind ~?** un nescafé®, ça te va?
B *adj* 1 (immediate) [*access, act, dismissal, effect, obedience, rapport, relief, replay, response, success*] immédiat; [*solution*] instantané; [*hot water*] courant; **~ camera** polaroïd® *m*; 2 Culin [*coffee, soup*] instantané; [*mashed potato*] déshydraté; [*milk, mix*] en poudre; [*dish, meal*] à préparation rapide; 3 †**your letter of the 3rd ~** votre courrier du 3 courant

instantaneous /ˌɪnstənˈteɪnɪəs/ *adj* [*death, event, response*] instantané; [*dislike*] immédiat

instantaneously /ˌɪnstənˈteɪnɪəslɪ/ *adv* instantanément

instantly /ˈɪnstəntlɪ/ *adv* gen immédiatement; [*die*] sur le coup

instant replay *n* US Sport répétition *f* d'une séquence; **to show an ~ of a goal** repasser un but au ralenti

instead /ɪnˈsted/
A *adv* **we didn't go home—we went to the park ~** au lieu de rentrer nous sommes allés au parc; **forget the theory and concentrate ~ on the practice** laisse tomber la théorie et concentre-toi plutôt sur la pratique; **next time try camping ~** la prochaine fois essaie plutôt le camping; **I don't feel like walking—let's take a taxi ~** je n'ai pas envie de marcher—prenons plutôt un taxi; **she didn't go to London. Instead she decided to go to Oxford** au lieu d'aller à Londres elle a décidé d'aller à Oxford; **I was going to phone but wrote ~** j'allais téléphoner mais finalement j'ai écrit; **we have no tea—will you take coffee ~?** nous n'avons pas de thé—voudriez-vous du café à la place?; **she couldn't attend so her son went ~** elle ne pouvait pas y assister alors son fils est allé à sa place; **to choose ~ to do** préférer faire
B instead of *prep phr* **~ of doing** au lieu de faire; **you should be helping us ~ of moaning!** au lieu de râler○ tu devrais nous aider!; **~ of sth** au lieu de qch; **why not visit several castles ~ of just one?** pourquoi ne pas visiter plusieurs châteaux au lieu d'un seul?; **the interest was 30% ~ of 23%** l'intérêt était de 30% au lieu de 23%; **use oil ~ of butter** utilisez de l'huile à la place du beurre; **~ of sb** à la place de qn; **you can go ~ of me** tu peux y aller à ma place

instep /ˈɪnstep/ *n* (of foot, shoe) cou-de-pied *m*; **to have a high ~** avoir le pied cambré

instigate /ˈɪnstɪgeɪt/ *vtr* lancer [*attack, strike*]; ouvrir [*inquiry*]; engager [*proceedings*]

instigation /ˌɪnstɪˈgeɪʃn/ *n* **at the ~ of sb** à l'instigation de qn; **he stole the car at her ~** c'est elle qui l'a incité à voler la voiture

instigator /ˈɪnstɪgeɪtə(r)/ *n* instigateur/-trice *m/f*

instil GB, **instill** US /ɪnˈstɪl/ *vtr* (*p prés etc* **-ll-**) inculquer [*pride, respect, attitude, belief*] (**in** à); donner [*confidence*] (**in sb** à qn); insuffler [*fear*] (**in** à)

instinct /ˈɪnstɪŋkt/ *n* instinct *m*; **the ~ for survival** l'instinct de conservation; **the ~ to do** l'instinct qui pousse à faire; **her ~ is to fight back** lit, fig elle se défend d'instinct; **follow your ~(s)** (when making decision) laisse-toi guider par ton intuition; (in sport etc) fais ce qui te semble le plus naturel; **my first ~ was to...** ma première réaction fut de...; **death/life ~** Psych pulsion *f* de mort/de vie; **the killer ~** lit l'instinct qui pousse à tuer; fig la combativité

instinctive /ɪnˈstɪŋktɪv/ *adj* instinctif/-ive

instinctively /ɪnˈstɪŋktɪvlɪ/ *adv* [*react, behave, realize*] d'instinct; **~, he...** instinctivement, il...

institute /ˈɪnstɪtjuːt, US -tuːt/
A *n* 1 (organization) institut *m*; 2 US (course) stage *m*
B *vtr* 1 (initiate) instituer, instaurer [*custom, rule, prize*]; établir [*scheme*]; ouvrir [*inquiry*] (**into** sur); 2 (found) fonder, constituer [*society*]; Univ créer [*chair*]; **newly ~d** [*post*] nouvellement créé; [*organization*] de fondation récente; 3 Jur intenter [*action*] (**against** contre); **to ~ (legal) proceedings** entamer *or* engager des poursuites (**against** contre); 4 Relig investir, instituer

institution /ˌɪnstɪˈtjuːʃn, US -tuːʃn/ *n* 1 Admin, Pol institution *f* also fig; **she has become a national ~** hum elle est devenue une institution nationale; **charitable/religious ~** institution caritative/religieuse; **financial ~** organisme *m* financier; 2 Soc Admin gen établissement *m* spécialisé; (old people's home) asile *m* de vieillards; (mental hospital) hôpital *m* psychiatrique; **she has spent most of her life in ~s** elle a passé la plus grande partie de sa vie dans toutes sortes d'établissements spécialisés; 3 (establishment) (of custom, rule, body, prize) institution *f*; **~ of legal proceedings** Jur introduction *f* d'instance; 4 Relig investiture *f*, institution *f*; 5 US = **institute A 1**

institutional /ˌɪnstɪˈtjuːʃənl, US -tuː-/ *adj* 1 [*structure, reform*] institutionnel/-elle; [*food, meals*] de collectivité; **~ life** la vie réglementée d'un établissement spécialisé; **to be put in ~ care** [*child*] être placé dans un établissement spécialisé; [*old person*] être placé dans un asile de vieillards; 2 Comm [*buying, advertising, investor*] institutionnel/-elle; **~ economics** institutionnalisme *m*

institutionalize /ˌɪnstɪˈtjuːʃənəlaɪz, US -tuː-/
A *vtr* 1 (place in special care) gen placer [qn] dans un établissement spécialisé; (in mental hospital) interner; **to become ~d** [*patient, resident*] être marqué par la vie réglementée d'un établissement spécialisé; 2 (establish officially) institutionnaliser, donner un caractère officiel à [*event, practice, system*]
B institutionalized *pp adj* [*racism, violence*] institutionnalisé; **to become ~d** [*custom, practice*] prendre un caractère officiel, s'institutionnaliser

in-store /ˈɪnstɔː(r)/ *adj* [*adviser, beauty consultant*] sur place, dans le magasin; **~ promotion** publicité *f* sur le lieu de vente; **~ bakery** rayon *m* boulangerie

instruct /ɪnˈstrʌkt/ *vtr* 1 (direct) **to ~ sb to do** [*superior, boss*] donner l'ordre à qn de faire; [*tribunal, commission*] enjoindre à qn de faire; **to be ~ed to do** recevoir l'ordre de faire; **to ~ sb when/how to do** indiquer à qn quand/comment faire; 2 (teach) instruire; **to ~ sb in** enseigner [qch] à qn, instruire qn en [*subject, discipline, craft*]; **to ~ sb how to do** enseigner à qn comment faire; 3 GB Jur (engage) **to ~ a solicitor** louer les services d'un avocat

instruction /ɪnˈstrʌkʃn/
A *n* 1 (directive) instruction *f* (**to** à); **to issue** *ou* **give ~s to sb to do** donner l'ordre à qn de faire; **to receive ~s** recevoir un ordre *or* des instructions; **to carry out ~s** exécuter des ordres *ou* des instructions; **I have ~s to do/not to do** j'ai reçu l'ordre de faire/de ne pas faire; **to be under ~s to do** être chargé de faire; **according to ~s** conformément aux instructions reçues; **failing ~s to the contrary** sauf contre-ordre; 2 ¢ (teaching) instruction *f*; **the language of ~** la langue d'enseignement; **to give sb ~ in sth** instruire qn en qch, enseigner qch à qn; **to receive ~ in** recevoir une instruction en; 3 Comput instruction *f*; **print ~** instruction d'impression
B instructions *npl* (for product use) instructions *fpl*; **to follow the ~s** suivre les instructions; **~s for use** mode *m* d'emploi

instructional /ɪnˈstrʌkʃənl/ *adj* éducatif/-ive

instruction: **~ book** *n* livret *m* de l'utilisateur; **~ manual** *n* manuel *m* d'utilisation; **~ sheet** *n* notice *f* explicative

instructive /ɪnˈstrʌktɪv/ *adj* [*talk, report, incident*] instructif/-ive; [*book, film*] instructif/-ive, éducatif/-ive; **it is ~ to compare...** il est instructif de comparer...

instructor /ɪnˈstrʌktə(r)/ ▸ **p. 1683** *n* 1 (trainer) (in sports, driving, flying) moniteur/-trice *m/f* (**in** de); (military) instructeur *m*; (in prison) éducateur/-trice *m/f*; 2 US (in university) ≈ assistant/-e *m/f*; (any teacher) professeur *m*

i

instructress /ɪnˈstrʌktrɪs/ *n* monitrice *f*

instrument /ˈɪnstrʊmənt/ ▸ p. 1462
A *n* **1** (tool, implement) instrument *m* also fig; **to be the ~ of fate** être l'instrument du destin; **to be an ~ for good/evil** exercer une bonne/mauvaise influence; **2** Mus instrument *m*; **to play an ~** jouer d'un instrument; **3** Aviat, Aut instrument *m*; **to fly on ~s** piloter aux instruments; **4** Jur (document) instrument *m*, acte *m* juridique
B *modif* Aviat [*landing, flying*] aux instruments
C *vtr* **1** Mus orchestrer; **2** Ind équiper [*factory, machine*]

instrumental /ˌɪnstrʊˈmentl/
A *n* instrumental *m*
B **instrumentals** *npl* partie *f* instrumentale
C *adj* **1** **to be ~ in sth** contribuer à qch; **to be ~ in doing** contribuer à faire; **he played an ~ role in creating the company** il a été pour beaucoup dans la création de l'entreprise; **she was ~ in his release** il a été libéré grâce à elle; **to be ~ in sb's downfall** être l'instrument de la chute de qn; **2** Mus instrumental

instrumentalist /ˌɪnstrʊˈmentəlɪst/ *n* instrumentiste *mf*

instrumentation /ˌɪnstrʊmenˈteɪʃn/ *n* Aviat, Tech, Mus instrumentation *f*

instrument panel *n* Aviat, Aut tableau *m* de bord

insubordinate /ˌɪnsəˈbɔːdɪnət/ *adj* [*person*] insubordonné; **~ behaviour** insubordination *f*

insubordination /ˌɪnsəˌbɔːdɪˈneɪʃn/ *n* gen indiscipline *f*; Mil insubordination *f*

insubstantial /ˌɪnsəbˈstænʃl/ *adj* **1** (small) [*meal*] peu nourrissant; [*helping*] mesquin; **2** (flimsy) [*building*] peu solide; [*plant*] fragile; [*evidence*] insuffisant; [*accusation*] sans substance; **3** (unreal) insaisissable

insufferable /ɪnˈsʌfrəbl/ *adj* [*heat, conditions*] insupportable; [*rudeness*] intolérable; **he's an ~ bore** il est assommant

insufferably /ɪnˈsʌfrəblɪ/ *adv* **to be ~ rude/arrogant** être d'une impolitesse/arrogance insupportable

insufficiency /ˌɪnsəˈfɪʃnsɪ/ *n* insuffisance *f*

insufficient /ˌɪnsəˈfɪʃnt/ *adj* **there are ~ copies/workers/resources** il n'y a pas assez d'exemplaires/d'ouvriers/de ressources (**to do** pour faire); **to be ~ for** être insuffisant pour; **to have ~ time/resources** ne pas avoir assez de temps/de ressources

insufficiently /ˌɪnsəˈfɪʃntlɪ/ *adv* gen pas assez; [*protected, understood, paid*] mal

insular /ˈɪnsjʊlə(r), US -sələr/ *adj* **1** pej [*outlook, lifestyle*] étriqué; **to be ~** [*person*] avoir des vues étroites; **2** Geog insulaire

insularity /ˌɪnsjʊˈlærətɪ, US -səˈl-/ *n* péj (of nation, group) étroitesse *f* d'esprit

insulate /ˈɪnsjʊleɪt, US -səˈl-/
A *vtr* **1** Constr (against cold, heat) isoler [*roof, room*] (**against** contre); calorifuger [*water tank*]; (against noise) insonoriser, isoler [*room*]; **2** Elec isoler; **3** fig (protect) protéger (**from** de; **against** contre); (segregate) isoler, tenir à l'écart (**from, against** de)
B **insulated** *pp adj* [*wire, cable*] isolé; [*handle, pliers*] isolant; [*water tank*] calorifugé; [*room*] (against cold, heat) isolé; (against noise) insonorisé; **a well-~d house** une maison bien isolée

insulating /ˈɪnsjʊˌleɪtɪŋ, US -səˈl-/ *pres p adj* isolant; **~ board** panneau *m* isolant; **~ material** isolant *m*; **~ tape** ruban *m* isolant

insulation /ˌɪnsjʊˈleɪʃn, US -səˈl-/ *n* **1** (thermal) (of house, room) isolation *f*; (of water tank) calorifugeage *m*; **loft** *ou* **roof ~** isolation *f* du comble *or* du toit; **2** (acoustic) isolation *f* (acoustique); **sound ~** insonorisation *f*; **3** (material) isolant *m*; **4** Elec isolation *f*

insulator /ˈɪnsjʊleɪtə(r), US -səl-/ *n* **1** (substance) isolant *m*; **2** Elec isolateur *m*

insulin /ˈɪnsjʊlɪn, US -səl-/ *n* insuline *f*

insulin: **~-dependency** *n* insulinodépendance *f*; **~-dependent** *adj* insulino-dépendant; **~ level** *n* taux *m* d'insuline; **~ treatment** *n* insulinothérapie *f*

insult
A /ˈɪnsʌlt/ *n* (remark) insulte *f*, injure *f*; (action) insulte *f*, affront *m*; **an ~ to sb's intelligence/memory** une insulte à l'intelligence/la mémoire de qn; **to take sth as an ~** percevoir qch comme une insulte *or* un affront; **and to add ~ to injury...** et pour comble d'insulte...
B /ɪnˈsʌlt/ *vtr* (verbally) insulter, injurier; (by one's behaviour) insulter, faire un affront à

insulting /ɪnˈsʌltɪŋ/ *adj* [*remarks, language*] insultant, injurieux/-ieuse; [*behaviour*] insultant, offensant

insultingly /ɪnˈsʌltɪŋlɪ/ *adv* [*act, speak, worded*] de façon injurieuse; **~ brief** d'une brièveté injurieuse

insuperable /ɪnˈsuːpərəbl, ɪnˈsjuː-/ *adj* insurmontable

insuperably /ɪnˈsuːpərəblɪ/ *adv* **our task was ~ difficult** notre tâche était d'une difficulté insurmontable

insupportable /ˌɪnsəˈpɔːtəbl/ *adj* sout insupportable

insurable /ɪnˈʃɔːrəbl, US -ˈʃʊər-/ *adj* assurable

insurance /ɪnˈʃɔːrəns, US -ˈʃʊər-/ *n* **1** ¢ (contract) assurance *f* (**against** contre); (policy) police *f* d'assurance; **~ for the house/car** une assurance pour la maison/la voiture; **to take out ~ against sth** s'assurer contre qch; **to pay the ~ on sth** payer l'assurance de qch; **the ~ runs out soon** la police d'assurance expire bientôt; **accident/fire ~** assurance contre les accidents/contre l'incendie; **travel ~** assurance voyage; **2** (amount paid to or by company) assurance *f*; **I pay £500 in ~ on the car** je paie 500 livres sterling d'assurance pour la voiture; **the company paid out two million dollars in ~** la société a versé deux millions de dollars d'assurance; **3** (profession) **he works in ~** il travaille dans les assurances; **4** fig (precaution) protection *f*; **I see my investments as a form of ~ against inflation** je considère mes investissements comme une protection contre l'inflation

insurance: **~ agent** ▸ p. 1683 *n* agent *m* d'assurances; **~ assessor** ▸ p. 1683 *n* expert *m* en assurances; **~ broker** ▸ p. 1683 *n* courtier *m* en assurances; **~ broking** *n* courtage *m* d'assurances; **~ certificate** *n* certificat *m* d'assurance; **~ claim** *n* demande *f* d'indemnité; **~ company** *n* compagnie *f* d'assurances; **~ plan** *n* US régime *m* d'assurances; **~ policy** *n* (police *f* d')assurance *f*; **~ premium** *n* prime *f* d'assurance; **~ scheme** *n* GB régime *m* d'assurances

insure /ɪnˈʃɔː(r), US -ˈʃʊər/
A *vtr* **1** (protect) assurer [*baggage, person, property*]; **to ~ sb/sth against sth** assurer qn/qch contre qch; **to insure oneself** *ou* **one's life** prendre une assurance-vie, s'assurer sur la vie; **2** (take precautions) **to ~ against delay/shortages** se garantir contre les retards/les ruptures de stock; **to ~ against disappointment, please book early** pour éviter une déception, il est conseillé de réserver à l'avance; **3** US = **ensure**
B **insured** *pp adj* assuré; **a parcel ~d for £50** un paquet assuré pour une valeur déclarée de 50 livres sterling; **~d value** montant *m* de l'assurance

insured party *n* assuré/-e *m/f*

insurer /ɪnˈʃɔːrə(r), US -ˈʃʊər-/ *n* assureur *m*

insurgent /ɪnˈsɜːdʒənt/
A *n* (rebel) insurgé/-e *m/f*
B *adj* [*population, troops*] insurgé

insurmountable /ˌɪnsəˈmaʊntəbl/ *adj* insurmontable

insurrection /ˌɪnsəˈrekʃn/ *n* insurrection *f*

insurrectionary /ˌɪnsəˈrekʃənərɪ, US -nerɪ/ *adj* insurrectionnel/-elle

insurrectionist /ˌɪnsəˈrekʃənɪst/
A *n* insurgé/-e *m/f*
B *adj* insurgé

int. *adj* **1** *abrév écrite* = **international**; **2** *abrév écrite* = **internal**

intact /ɪnˈtækt/ *adj* intact; **to survive ~** rester intact

intaglio /ɪnˈtɑːlɪəʊ/
A *n* (gem, seal) intaille *f*
B *modif* [*engraving*] en creux

intake /ˈɪnteɪk/ *n* **1** (consumption) consommation *f*; **a high sugar ~** une forte consommation de sucre; **the daily calorie ~ of a baby** les besoins quotidiens en calories d'un bébé; **2** Sch, Univ, Admin (admissions) (+ *v sg ou pl*) admissions *fpl*; **the new ~** (at school) les nouveaux élèves *mpl*; (into training, job) les nouvelles recrues *fpl*; **the 1987 ~ of students** les étudiants de l'année 1987; **3** (inhalation) **an ~ of breath** une inspiration *f*; **there was a sharp ~ of breath** tout le monde a retenu son souffle; **4** Tech (inlet) arrivée *f*; **air/fuel ~** arrivée d'air/de carburant

intake valve *n* soupape *f* d'admission

intangible /ɪnˈtændʒəbl/
A *n* impondérable *m*
B *adj* **1** (undefinable) [*atmosphere, nuance*] insaisissable; **2** Comm Jur [*benefit, property*] incorporel/-elle; **~ asset** immobilisation *f* incorporelle

integer /ˈɪntɪdʒə(r)/ *n* nombre *m* entier relatif

integral /ˈɪntɪgrəl/
A *n* intégrale *f*
B *adj* **1** (intrinsic) [*member, part, feature*] intégrant; **to be an ~ part of** être une *or* faire partie intégrante de; **to be ~ to** être intrinsèque à; **2** Tech (built-in) [*power supply, lighting, component*] incorporé; [*garage*] intégré; **3** Math [*number*] intégral; **4** (whole) intégral

integrate /ˈɪntɪgreɪt/
A *vtr* **1** (incorporate) intégrer, incorporer [*region, company, system, design*] (**into** dans; **with** à); **to be well ~d with its surroundings** bien s'intégrer à son environnement; **2** (blend, combine) combiner [*systems, companies*]; **to ~ two systems** combiner deux systèmes; **3** Sociol (absorb) intégrer [*minority, immigrant*] (**into** dans); **4** Pol (desegregate as policy) rendre [qch] accessible à tous [*school, sport, beach, facility*]; **5** Math intégrer [*number, function*]
B *vi* **1** (mix) [*minority, ethnic group, person*] s'intégrer (**with** à; **into** dans); **2** (desegregate) [*school, sport, facility*] devenir accessible à tous

integrated /ˈɪntɪgreɪtɪd/ *adj* **1** (planned as a whole) [*system, service, scheme*] intégré; **2** (ethnically or religiously) mixte

integrated: **~ accounting package** *n* Comput logiciel *m* intégré de comptabilité; **~ circuit** *n* circuit *m* intégré; **~ course** *n* GB stage *m* d'apprentissage; **~ data network** *n* réseau *m* de données intégré; **~ day** *n* GB *à la maternelle ou à l'école primaire, journée sans emploi du temps structuré*

integration /ˌɪntɪˈgreɪʃn/ *n* (all contexts) intégration *f* (**into** dans; **with** à; **between** entre)

integrity /ɪnˈtegrətɪ/ *n* intégrité *f* (**of** de); **a man of ~** un homme intègre

integument /ɪnˈtegjʊmənt/ *n* tégument *m*

intellect /ˈɪntəlekt/ *n* **1** (intelligence) intelligence *f*; **2** (person) esprit *m*, intellect *m*

intellectual /ˌɪntəˈlektʃʊəl/
A *n* intellectuel/-elle *m/f*
B *adj* intellectuel/-elle; **~ snob** intellectuel/-elle *m/f* snob

intellectualism /ˌɪntəˈlektʃʊəlɪzəm/ *n* intellectualisme *m*

i

intellectualize /ˌɪntəˈlektʃʊəlaɪz/
A *vtr* intellectualiser [*problem*]
B *vi* philosopher (**about** sur); péj pérorer pej (**about** sur)

intellectually /ˌɪntəˈlektʃʊəlɪ/ *adv* intellectuellement

intellectual property rights *npl* propriété *f* intellectuelle

intelligence /ɪnˈtelɪdʒəns/ *n* **1** intelligence *f*; **to have the ~ to do** avoir l'intelligence de faire; **to be of low ~** être peu intelligent; **use your ~!** réfléchis!; **that's an insult to my ~!** c'est me prendre pour un/une imbécile!; **2** gen, Mil (information) renseignements *mpl*; **according to the latest ~** selon les informations de dernière minute; **3** Mil (secret service) services *mpl* de renseignements; **military/naval ~** service de renseignements de l'armée de terre/de la marine; **to be in ~** être dans les services de renseignements; **4** sout (intelligent being) intelligence *f*

intelligence: **~ agent** *n* agent *m* de renseignements; **Intelligence Corps** *n* GB ≈ service *m* de renseignements de l'armée; **~ quotient, IQ** *n* quotient *m* intellectuel; **Intelligence Service** *n* service *m* de renseignements; **~ test** *n* test *m* d'aptitude intellectuelle

intelligent /ɪnˈtelɪdʒənt/ *adj* intelligent

intelligent: **~ agent** *n* Comput agent *m* intelligent; **~ card** *n* carte *f* à puce; **~ knowledge-based system, IKBS** *n* système *m* expert

intelligently /ɪnˈtelɪdʒəntlɪ/ *adv* intelligemment, avec intelligence

intelligentsia /ɪnˌtelɪˈdʒentsɪə/ *n* **the ~** l'intelligentsia *f*

intelligent terminal *n* terminal *m* intelligent

intelligibility /ɪnˌtelɪdʒəˈbɪlətɪ/ *n* intelligibilité *f*

intelligible /ɪnˈtelɪdʒəbl/ *adj* intelligible (**to** à)

intelligibly /ɪnˈtelɪdʒəblɪ/ *adv* intelligiblement

Intelsat /ˈɪntelsæt/ *n* Telecom (satellite *m*) Intelsat *m*

intemperance /ɪnˈtempərəns/ *n* intempérance *f*

intemperate /ɪnˈtempərət/ *adj* **1** (unrestrained) [*remark, attack, language*] incontrôlé; **2** (given to excess) [*person*] intempérant; **3** [*weather*] rigoureux/-euse

intend /ɪnˈtend/
A *vtr* **1** (have in mind) vouloir, avoir en tête [*outcome, meaning, result, marriage*]; **as I ~ed** comme je le voulais, comme je l'entendais fml; **just what/where I ~ed** exactement ce que/là où je voulais; **sooner/more than I had ~ed** plus tôt/plus que je ne voulais; **to ~ to do, to ~ doing** avoir l'intention de faire; **to ~ sb to do** avoir l'intention *or* vouloir que qn fasse; **to ~ that...** avoir l'intention que... (+ *subj*); **2** (mean) **to ~ sth as a joke/an insult** dire qch pour plaisanter/blesser; **no insult ~ed** sans vouloir offenser; **it was clearly ~ed as a reference to...** c'était manifestement une allusion à...; **to be ~ed for sb** être destiné à qn; **to be ~ed for sth** être prévu pour qch; **I never ~ed it to be a serious analysis** je n'ai jamais prétendu que c'était une analyse sérieuse; **she ~ed it to be affectionate/cruel** son intention était affectueuse/cruelle; **the law is ~ed to prevent...** la loi vise à empêcher...; **it was not ~ed to be used like that** il n'était pas prévu qu'on s'en serve de cette façon
B **intending** *pres p adj* [*applicant, traveller*] potentiel/-ielle

intendant /ɪnˈtendənt/ *n* Hist intendant *m*

intended /ɪnˈtendɪd/
A †*n* **her/his ~** son/sa promis/-e† *m/f*, son/sa futur/-e *m/f*
B *adj* **1** (meant, desired) [*meaning, result, effect, insult*] voulu; **2** (planned) [*visit, purchase*] projeté; [*output, conditions of use*] prévu; **~ for sb** destiné à qn; **the ~ victim** la personne visée

intense /ɪnˈtens/ *adj* **1** (great) [*activity, emotion, pain, pressure*] intense; [*interest, satisfaction*] vif/vive (*before n*); [*colour*] intense; **2** (serious) [*person*] sérieux/-ieuse

intensely /ɪnˈtenslɪ/ *adv* [*curious, problematic*] extrêmement; [*dislike, hate*] profondément

intensification /ɪnˌtensɪfɪˈkeɪʃn/ *n* intensification *f* (**of** de)

intensifier /ɪnˈtensɪfaɪə(r)/ *n* Ling intensif *m*

intensify /ɪnˈtensɪfaɪ/
A *vtr* intensifier
B *vi* s'intensifier

intensity /ɪnˈtensətɪ/ *n* intensité *f* (**of** de); **to speak with ~** parler avec ferveur

intensive /ɪnˈtensɪv/
A *adj* (all contexts) intensif/-ive; **an ~ course in French** un cours intensif *or* accéléré de français
B **-intensive** (*dans composés*) **energy-~** à forte consommation en énergie; **technology-~** à fort niveau technologique. ▸ **capital-intensive, labour-intensive**

intensive care *n* **to be in ~** être en réanimation; **to be in need of ~** avoir besoin de soins intensifs

intensive care unit *n* service *m* de soins intensifs

intensively /ɪnˈtensɪvlɪ/ *adv* [*farmed, cultivated*] intensivement

intent /ɪnˈtent/
A *n* **1** (intention) intention *f*, dessein *m* (**to do** de faire); **with ~** [*act, say*] à dessein, intentionnellement; **it is political in ~** le but en est politique; **2** Jur intention *f*; **with (criminal) ~** avec une intention criminelle *or* délictueuse; **with ~ to do** avec l'intention de faire
B *adj* **1** **to be ~ on doing** être résolu *or* décidé à faire; **~ on victory/privatization** résolu *or* décidé à gagner/à privatiser; **2** (absorbed) [*person, expression, silence*] absorbé (**on** par; **on doing** à faire)
(Idiom) **to all ~s and purposes** quasiment

intention /ɪnˈtenʃn/ *n* intention *f* (**to do, of doing** de faire); **to come with the ~ of doing** venir dans l'intention de faire; **it is our ~ to do, our ~ is to do** nous avons l'intention de faire; **the ~ is to do** l'objectif *or* le but est de faire; **she has no/she hasn't the slightest ~ of doing** elle n'a aucune intention/elle n'a nullement l'intention de faire; **with good ~s** dans une bonne intention; **with the best of ~s** avec les meilleures intentions du monde; **to be full of good ~s** être plein de bonnes intentions

intentional /ɪnˈtenʃənl/ *adj* [*action, insult*] intentionnel/-elle; [*effect*] voulu

intentionally /ɪnˈtenʃənəlɪ/ *adv* [*act, mislead, injure*] intentionnellement, exprès; [*ambiguous, vague*] délibérément; **to make oneself ~ homeless** GB Jur choisir de quitter son domicile

intently /ɪnˈtentlɪ/ *adv* attentivement

inter /ɪnˈtɜː(r)/ *vtr* (*p prés etc* **-rr-**) sout ensevelir

interact /ˌɪntərˈækt/ *vi* [*factors*] agir l'un sur l'autre; [*phenomena*] avoir une action réciproque l'un sur l'autre; [*people*] communiquer; Comput [*computers, users*] dialoguer; **to ~ with sb** communiquer avec qn

interaction /ˌɪntərˈækʃn/ *n* gen, Phys, Comput interaction *f* (**between, among** entre); **the ~ of A with B** l'interaction de A et B

interactive /ˌɪntərˈæktɪv/ *adj* gen, Comput interactif/-ive

interactive: **~ computing** *n* informatique *f* conversationnelle; **~ learning** *n* apprentissage *m* interactif

interactively /ˌɪntərˈæktɪvlɪ/ *adv* Comput en mode interactif

interactive: **~ mode** *n* mode *m* conversationnel *or* interactif; **~ terminal** *n* terminal *m* interactif; **~ video** *n* vidéo *f* interactive

interactivity /ɪntəræk'tɪvətɪ/ *n* interactivité *f*

interagency /ɪntərˈeɪdʒənsɪ/ *adj* interorganisationnel/-elle

inter alia /ˌɪntər ˈeɪlɪə/ *adv* entre autres

interbreed /ˌɪntəˈbriːd/
A *vtr* (*prét, pp* **-bred**) croiser [*cattle, stock, plants*]
B *vi* (*prét, pp* **-bred**) se croiser, se métisser (**with** avec)

interbreeding /ˌɪntəˈbriːdɪŋ/ *n* croisement *m*

intercalate /ɪnˈtɜːkəleɪt/ *vtr* intercaler

intercalation /ɪnˌtɜːkəˈleɪʃn/ *n* intercalation *f*

intercede /ˌɪntəˈsiːd/ *vi* **1** (plead) intercéder (**with** auprès de; **on sb's behalf** en faveur de qn); **2** (mediate) intervenir comme médiateur/-trice *m/f* (**between** entre)

intercept /ˌɪntəˈsept/
A *n* **1** Telecom, US Sport interception *f*; **2** Math intersection *f*
B *vtr* intercepter

interception /ˌɪntəˈsepʃn/ *n* Telecom, Sport interception *f*

interceptor /ˌɪntəˈseptə(r)/ *n* Aviat intercepteur *m*

intercession /ˌɪntəˈseʃn/ *n* **1** (intervention) intercession *f* (**with** auprès de); **2** (mediation) médiation *f* (**between** entre)

interchange
A /ˈɪntətʃeɪndʒ/ *n* **1** (road junction) échangeur *m*; **2** (exchange) échange *m*
B /ˌɪntəˈtʃeɪndʒ/ *vtr* (exchange) échanger; (change places of) permuter

interchangeable /ˌɪntəˈtʃeɪndʒəbl/ *adj* interchangeable

interchangeably /ˌɪntəˈtʃeɪndʒəblɪ/ *adv* de façon interchangeable

inter-city /ˌɪntəˈsɪtɪ/
A *n* GB Transp rapide *m*, train *m* de grandes lignes
B *adj* interurbain

intercollegiate /ˌɪntəkəˈliːdʒət/ *adj* GB Univ (between colleges) entre collèges; US (between universities) interuniversitaire

intercom /ˈɪntəkɒm/ *n* interphone® *m*; **over the ~** par l'interphone®; **the voice on the ~** la voix dans l'interphone®

intercommunicate /ˌɪntəkəˈmjuːnɪkeɪt/ *vi* [*people, rooms*] communiquer

intercommunication /ˌɪntəkəˌmjuːnɪˈkeɪʃn/ *n* communication *f* (**between** entre)

intercommunion /ˌɪntəkəˈmjuːnɪən/ *n* Relig intercommunion *f*

interconnect /ˌɪntəkəˈnekt/
A *vtr* raccorder [*parts*]
B *vi* [*components*] se connecter; [*rooms*] communiquer; Comput [*computers, systems, workstations*] être raccordé
C **interconnected** *pp adj* raccordé

interconnecting /ˌɪntəkəˈnektɪŋ/ *adj* [*rooms, apartments*] communicant; [*cable*] de connexion

interconnection /ˌɪntəkəˈnekʃn/ *n* Comput raccordement *m* (en réseau)

intercontinental /ˌɪntəˌkɒntɪˈnentl/ *adj* intercontinental

intercontinental ballistic missile *n* missile *m* balistique intercontinental

intercostal /ˌɪntəˈkɒstl/ *adj* Anat intercostal

intercourse /ˈɪntəkɔːs/ *n* **1** (social) relations *fpl*; **2** (sexual) rapports *mpl* (sexuels)

interdenominational /ˌɪntədɪˌnɒmɪˈneɪʃənl/ *adj* Relig interconfessionnel/-elle

interdepartmental /ˌɪntəˌdiːpɑːtˈmentl/ *adj* **1** Univ entre départements; **2** Admin,

Comm entre services; 3 Pol interministériel/-ielle

interdependence /ˌɪntədɪˈpendəns/ *n* interdépendance *f* (**between** entre; **of** de)

interdependent /ˌɪntədɪˈpendənt/ *adj* interdépendant

interdict

A /ˈɪntədɪkt/ *n* sout 1 Jur interdiction *f*; 2 Relig interdit *m*

B /ˌɪntəˈdɪkt/ *vtr* gen, Jur, Relig interdire

interdiction /ˌɪntəˈdɪkʃn/ *n* gen, Jur, Relig interdiction *f*

interdisciplinarity /ˌɪntəˌdɪsɪplɪˈnærətɪ/ *n* interdisciplinarité *f*

interdisciplinary /ˌɪntəˌdɪsɪˈplɪnərɪ, US -nerɪ/ *adj* interdisciplinaire

interest /ˈɪntrəst/

A *n* 1 ₵ (enthusiasm) intérêt *m* (**in** pour); **a lively ~ in politics** un vif intérêt pour la politique; **full of ~** plein d'intérêt; **to add to the ~ of sth** ajouter un certain intérêt à qch; **to be of great/no ~ to sb** être d'un grand/sans intérêt pour qn; **to be of little ~ to sb** être de peu d'intérêt pour qn; **we've had a lot of ~ from Europe** beaucoup de gens en Europe nous ont manifesté leur intérêt; **I collect stamps just for ~** je collectionne les timbres pour le plaisir; **to hold sb's ~** retenir l'attention de qn; **as a matter of ~...** juste pour savoir...; 2 (hobby, passion) centre *m* d'intérêt; **what are your main ~s?** quels sont vos centres d'intérêt principaux?; **he has wide/limited ~s** il s'intéresse à énormément de/à peu de choses; 3 (benefit) intérêt *m*; **in the ~(s) of** (to promote) dans l'intérêt de [*peace, freedom*]; (out of concern for) par souci de [*hygiene, justice*]; **it is in your (own) ~(s) to do** il est dans ton intérêt de faire; **I have an ~ in doing** il est de mon intérêt de faire; **to act in sb's ~s** agir dans l'intérêt de qn; **to look after one's own ~s** veiller sur ses propres intérêts; **to have a vested ~ in sth** être directement concerné par qch; **to have sb's best ~s at heart** vouloir le bien de qn; 4 (concern) intérêt *m*; **of public ~** d'intérêt public; **majority/minority ~** Fin participation majoritaire/minoritaire; **to declare one's ~s** faire état de ses participations personnelles; 5 Fin (accrued monies) intérêts *mpl* (**on** de); **5% ~** intérêts de 5%; **simple/compound ~** intérêts *mpl* simples/composés; **overdraft ~ charges** intérêts sur un découvert; **to earn ~** [*investment*] rapporter des intérêts; **account paying/not paying ~** compte rémunéré/non rémunéré; **to return sth with ~** fig revaloir qch au centuple; 6 Fin, Comm (share) intérêts *mpl*, participation *f* (**in** dans); **~ in a grocery business** intérêts dans un commerce d'alimentation; **business ~s** intérêts *mpl* commerciaux; **cereal/tobacco ~s** intérêts dans les céréales/dans le tabac

B *vtr* 1 (provoke curiosity, enthusiasm) intéresser [*person*] (**in** à); **it may ~ you to know** ça pourrait t'intéresser de savoir; **can I ~ you in buying some insurance/playing for us?** vous laisserez-vous convaincre de souscrire une assurance/de jouer pour notre équipe?; **can I ~ you in our new range?** Comm permettez-moi d'attirer votre attention sur notre nouvelle gamme; 2 (concern) [*problem, plight, policy*] concerner

interest-bearing *adj* Fin [*investment, account*] porteur/-euse d'intérêts

interested /ˈɪntrəstɪd/ *adj* [*expression, onlooker, listener*] intéressé; **to be ~ in** s'intéresser à [*subject, activity*]; **I am ~ in doing** ça m'intéresse de faire; **we're just not ~** ça ne nous intéresse pas; **to get sb ~ in** intéresser qn à [*activity, subject*]; **to become ~ in** commencer à s'intéresser à; **the ~ parties** les intéressés

interest: **~-free loan** *n* prêt *m* sans intérêt; **~ group** *n* groupement *m* d'intérêt

interesting /ˈɪntrəstɪŋ/ *adj* intéressant

interestingly /ˈɪntrəstɪŋlɪ/ *adv* 1 (worthy of note) chose intéressante; iron chose curieuse; **~, there is no equivalent** chose intéressante, il n'y a pas d'équivalent; **~, his wife isn't with him** chose curieuse, sa femme n'est pas avec lui; **~ enough...** ce qui est très intéressant...; 2 (inspiring interest) [*speak, write*] d'une façon intéressante; **~ complex/constructed** d'une intéressante complexité/construction

interest rate *n* Fin taux *m* d'intérêt

interface /ˈɪntəfeɪs/

A *n* 1 Comput, fig interface *f* (**between** entre; **with** avec); 2 Tech jonction *f* (**between** entre; **with** avec)

B *vtr* 1 Tech connecter, relier (**to** à; **with** avec); 2 Sewing entoiler

C *vi* se connecter (**to** à; **with** avec)

interface: **~ board** *n* Comput carte *f* d'interface; **~ routine** *n* Comput routine *f* d'interface; **~ software** *n* Comput logiciel *m* d'interface

interfacing /ˈɪntəfeɪsɪŋ/ *n* Sewing entoilage *m*

interfere /ˌɪntəˈfɪə(r)/ *vi* 1 péj (involve oneself) [*person*] **to ~ in** s'immiscer dans [*affairs*]; **don't ~!** ne te mêle pas de ça!; **she never ~s** elle ne se mêle jamais de ce qui ne la regarde pas; 2 (intervene) [*government, court, police*] intervenir; **to ~ in** s'ingérer dans [*internal affairs, private life*]; 3 (touch, mess with) **to ~ with** toucher, traficoter○ [*machine, bird's nest*]; **to ~ with a child** GB euph se livrer à des attouchements sexuels sur un enfant; 4 (hinder) [*activity*] **to ~ with** empiéter sur [*family life, freedom, right*]; déranger [*sleep, healing*]; 5 Phys interférer

interference /ˌɪntəˈfɪərəns/ *n* 1 (by government, editor, boss) ingérence *f* (**in** dans); (by family) immixtion *f* (**in** dans); **I don't want any ~** je ne veux pas qu'on se mêle de mes affaires; 2 (of sound waves, light waves) brouillage *m*, interférence *f*; (on radio) parasites *mpl*; 3 Ling interférence *f*

interfering /ˌɪntəˈfɪərɪŋ/ *adj* péj [*person, family*] envahissant, qui se mêle de ce qui ne le/la regarde pas

interferon /ˌɪntəˈfɪərɒn/ *n* interféron *m*

intergalactic /ˌɪntəgəˈlæktɪk/ *adj* intergalactique

intergovernmental /ˌɪntəˌgʌvnˈmentl/ *adj* intergouvernemental; **the Intergovernmental Conference** EU la Conférence intergouvernementale

interim /ˈɪntərɪm/

A *n* entre-temps *m*; **in the ~** entre-temps

B *adj* [*arrangement, measure, government*] provisoire; [*bond, certificate*] provisoire; [*interest, payment, loan*] intermédiaire; [*post, employee*] intérimaire; **~ dividend** acompte *m* sur dividende; **~ financing** préfinancement *m*; **~ profits** résultats *mpl* semestriels; **~ report** comptes *mpl* semestriels; **the ~ period** l'intérim *m*

interior /ɪnˈtɪərɪə(r)/

A *n* 1 (inside) (of house) intérieur *m*; (of fridge, bag) intérieur *m*; **a Vermeer ~** Art une scène d'intérieur de Vermeer; 2 (of country, continent) intérieur *m*; **people from the ~** personnes venues de l'intérieur (du pays); **Secretary/Department of the Interior** US Pol ministre *m*/ministère *m* de l'Intérieur

B *adj* 1 (inside) [*wall, paintwork*] intérieur; 2 Cin, TV [*shot*] en intérieur; [*scene*] d'intérieur; 3 (inner) [*motive, impulse*] intérieur

interior: **~ angle** *n* angle *m* intérieur; **~ decoration** *n* décoration *f*; **~ decorator** ▸ p. 1683 *n* décorateur/-trice *m/f*; **~ design** *n* (colours, fabrics etc) design *m*; (walls, space) architecture *f* intérieure; **~ designer** ▸ p. 1683 *n* (of colours, fabrics etc) designer *m*; (of walls, space) architecte *mf* d'intérieur; **~ sprung** *adj* à ressorts

interject /ˌɪntəˈdʒekt/ *vtr* placer [*word, comment*]; introduire [*warning*]; **'I disagree,' she ~ed** 'je ne suis pas d'accord,' dit-elle

interjection /ˌɪntəˈdʒekʃn/ *n* 1 Ling interjection *f*; 2 (interruption) interruption *f*

interlace /ˌɪntəˈleɪs/

A *vtr* entrecroiser

B *vi* s'entrelacer, s'entrecroiser

interlard /ˌɪntəˈlɑːd/ *vtr* émailler (**with** de)

interleave /ˌɪntəˈliːv/

A *vtr* intercaler

B *vi* s'intercaler

interlibrary loan *n* prêt *m* interbibliothèques

interline /ˌɪntəˈlaɪn/ *vtr* 1 Print interligner; 2 Sewing mettre de la triplure dans

interlinear /ˌɪntəˈlɪnɪə(r)/ *adj* interlinéaire

interlining /ˈɪntəlaɪnɪŋ/ *n* Sewing triplure *f*

interlink /ˌɪntəˈlɪŋk/

A *vtr* **to be ~ed** être lié (**with** à)

B *vi* [*aspects, problems*] se lier

interlock

A /ˈɪntəlɒk/ *n* 1 Comput verrouillage *m*; 2 Tex interlock *m*

B /ˌɪntəˈlɒk/ *vtr* emboîter [*pipes, tiles*]; enclencher [*mechanisms*]; entrelacer [*fingers, bodies*]

C /ˌɪntəˈlɒk/ *vi* [*pipes, tiles*] s'emboîter; [*mechanisms*] s'enclencher; [*fingers*] s'entrelacer; [*systems, factors, objectives*] être intimement lié

interlocutor /ˌɪntəˈlɒkjʊtə(r)/ *n* interlocuteur/-trice *m/f*

interloper /ˈɪntələʊpə(r)/ *n* intrus/-e *m/f*

interlude /ˈɪntəluːd/ *n* 1 Cin, Theat, Mus (interval) entracte *m*; 2 (brief entertainment) Theat intermède *m*; Mus interlude *m*; 3 (pause in events) intervalle *m* (**between** entre); **in the ~** dans l'intervalle

intermarriage /ˌɪntəˈmærɪdʒ/ *n* 1 (within a family) intermariage *m*; 2 (between groups) mariage *m* mixte

intermarry /ˌɪntəˈmærɪ/ *vi* 1 (within a family) pratiquer l'intermariage; 2 (between groups) se marier (*entre membres de groupes ethniques ou raciaux différents*)

intermediary /ˌɪntəˈmiːdɪərɪ, US -dɪerɪ/

A *n* intermédiaire *mf* (**between** entre)

B *adj* intermédiaire

intermediate /ˌɪntəˈmiːdɪət/

A *n* 1 (mediator) intermédiaire *mf*; 2 US Aut automobile *f* de taille moyenne; 3 Chem produit *m* intermédiaire

B *adj* 1 [*point, step, stage*] intermédiaire; 2 Sch [*book, exam*] de difficulté moyenne; [*course*] de niveau moyen; [*level, student*] moyen/-enne; 3 Fin [*credit*] à moyen terme

intermediate: **~ host** *n* hôte *m* intermédiaire; **~ range** *adj* [*missile, weapon*] à moyenne portée; **~ technology** *n* technologie *f* intermédiaire

interment /ɪnˈtɜːmənt/ *n* inhumation *f*

intermezzo /ˌɪntəˈmetsəʊ/ *n* intermezzo *m*

interminable /ɪnˈtɜːmɪnəbl/ *adj* interminable

interminably /ɪnˈtɜːmɪnəblɪ/ *adv* [*argue, talk*] pendant des heures; **~ long** interminable

intermingle /ˌɪntəˈmɪŋgl/

A *vtr* mêler [*themes*]; mélanger [*colours, patterns*] (**with** à)

B *vi* [*people, themes*] se mêler (**with** à); [*colours, patterns*] se mélanger (**with** à)

intermission /ˌɪntəˈmɪʃn/ *n* 1 Cin, Theat entracte *m*; 2 (pause) gen interruption *f*; (in fighting, quarrel) trêve *f*; 3 Med intermission *f*

intermittent /ˌɪntəˈmɪtənt/ *adj* [*noise, activity*] intermittent; [*use*] occasionnel/-elle

intermittently /ˌɪntəˈmɪtəntlɪ/ *adv* par intermittence

intern

A /ˈɪntɜːn/ *n* surtout US 1 Med interne *mf*; 2 gen stagiaire *mf*

B /ɪnˈtɜːn/ *vtr* Mil, Pol interner

C /ˈɪntɜːn/ *vi* surtout US faire un stage

internal /ɪnˈtɜːnl/ *adj* 1 (inner) [*mechanism*] interne; [*pipe*] intérieur; **the theory has**

~ **consistency** la théorie est cohérente en soi; 2 Med [*organ*] interne; ~ **bleeding** hémorragie *f* interne; ~ **injuries** lésions *fpl* internes; ~ **examination** toucher *m* vaginal; 3 (within organization) [*problem, dispute*] interne; [*call, phone, mail*] interne; [*candidate*] interne à l'entreprise; ~ **memorandum** note *f* de service; ~ **financing** autofinancement *m*; 4 (within country) [*security, flight*] intérieur; [*debt, trade*] intérieur; ~ **revenue** revenus *mpl* fiscaux; ~ **affairs** Pol affaires *fpl* internes; ~ **fighting** luttes *fpl* intestines

internal: ~ **combustion engine** *n* moteur *m* à combustion interne; ~ **examiner** *n* GB Sch, Univ examinateur/-trice *m/f* (*faisant passer un examen dans son propre établissement*)

internalize /ɪn'tɜ:nəlaɪz/ *vtr* intérioriser

internally /ɪn'tɜ:nəlɪ/ *adv* 1 (on the inside) à l'intérieur; '**not to be taken** ~' Med 'médicament à usage externe'; **he was bleeding** ~ il faisait une hémorragie interne; 2 (within organization) [*recruit*] au sein de l'entreprise; 3 [*visualize*] mentalement

internal market *n* gen, GB Med marché *m* interne

Internal Revenue Service *n* US ≈ fisc *m*

international /ˌɪntə'næʃnəl/
A *n* Sport (fixture) match *m* international; (player) international/-e *m/f*
B *adj* international; ~ **waters** eaux *fpl* internationales

International Court of Justice *n* cour *f* internationale de justice

Internationale /ˌɪntənæʃə'nɑ:l/ *n* Mus, Pol Internationale *f*

internationalism /ˌɪntə'næʃnəlɪzəm/ *n* internationalisme *m*

internationalist /ˌɪntə'næʃnəlɪst/ *n* internationaliste *mf*

internationalization /ˌɪntəˌnæʃnəlaɪ'zeɪʃn, US -lɪ'z-/ *n* internationalisation *f*

internationalize /ˌɪntə'næʃnəlaɪz/ *vtr* internationaliser

internationally /ˌɪntə'næʃnəlɪ/ *adv* [*known*] dans le monde entier, mondialement; [*famous, recognized, respected*] dans le monde entier; ~, **the situation is even worse** sur le plan international, la situation est encore pire

international: **International Monetary Fund**, **IMF** *n* Fonds *m* monétaire international, FMI *m*; ~ **money order** *n* mandat-poste *m* international; **International Phonetic Alphabet**, **IPA** *n* alphabet *m* phonétique international, API *m*; ~ **relations** *n* (+ *v sg*) Univ relations *fpl* internationales; ~ **reply coupon** *n* coupon-réponse *m* international

internecine /ˌɪntə'ni:saɪn/ *adj* 1 (destructive) [*conflict, warfare*] fratricide; 2 (internal) [*feud, rivalry*] intestin

internee /ˌɪntɜ:'ni:/ *n* Mil, Pol interné/-e *m/f*

Internet ➡ /'ɪntənet/
A *n* Internet *m*; **to be on** *ou* **connected to the** ~ avoir Internet; **to buy/find sth on the** ~ acheter/trouver qch sur Internet; **accessible via the** ~ accessible par Internet
B *modif* [*access*] à Internet; [*auction, banking, shopping, search*] sur Internet; [*account, address, connection*] Internet; [*use, user*] d'Internet

Internet: ~ **café** *n* cybercafé *m*; ~ **phone** *n* téléphone *m* Internet; ~ **presence provider** *n* fournisseur *m* d'espace web; ~ **service provider**, **ISP** *n* fournisseur *m* d'accès Internet

internist /ɪn'tɜ:nɪst/ *n* US, Med interniste *mf*

internment /ɪn'tɜ:nmənt/ *n* Mil, Pol internement *m*

internship /ɪn'tɜ:nʃɪp/ *n* US 1 gen stage *m*; 2 Med internat *m*

interpersonal /ˌɪntə'pɜ:sənl/ *adj* [*skills*] de communication; [*relations*] humain; ~ **communications** communication *f*

interplanetary /ˌɪntə'plænɪtrɪ, US -terɪ/ *adj* interplanétaire

interplay /'ɪntəpleɪ/ *n* interaction *f* (**between** entre; **of** de)

Interpol /'ɪntəpɒl/ *n* Interpol *m*

interpolate /ɪn'tɜ:pəleɪt/ *vtr* placer [*remark*] (**into** dans); insérer [*anecdote, song*] (**into** dans); interpoler [*passage*] (**into** dans); Math interpoler; **'that's not true!' she** ~**d** 'cela est faux!' coupa-t-elle

interpolation /ɪnˌtɜ:pə'leɪʃn/ *n* 1 (addition) interpolation *f* (**of** de); 2 (interruption) interruption *f*

interpose /ˌɪntə'pəʊz/
A *vtr* 1 (insert) interposer (**between** entre); 2 (introduce) placer [*comment, remark*]
B *vi* intervenir
C *v refl* **to** ~ **oneself** s'interposer (**between** entre)

interpret /ɪn'tɜ:prɪt/
A *vtr* interpréter (**as** comme; **to** pour)
B *vi* faire l'interprète (**for** pour)

interpretation /ɪnˌtɜ:prɪ'teɪʃn/ *n* interprétation *f* (**by** par; **of** de); **open to** ~ sujet à interprétation; **to place an** ~ **on sth** donner une interprétation à qch

interpretative /ɪn'tɜ:prɪtətɪv/ *adj* [*difficulties, differences, skills*] d'interprétation; [*article, guide*] donnant une interprétation

interpreter /ɪn'tɜ:prɪtə(r)/ *n* 1 interprète *mf*; **to speak through an** ~ parler par l'intermédiaire d'un/d'une interprète; 2 Comput (machine) traductrice *f*; (program) interpréteur *m*

interpreting /ɪn'tɜ:prɪtɪŋ/ *n* (subject, profession) interprétariat *m*

interracial /ˌɪntə'reɪʃl/ *adj* [*marriage*] mixte, interracial; [*adoption*] interracial

interregnum /ˌɪntə'regnəm/ *n* (*pl* **-a** *ou* ~**s**) interrègne *m*

interrelate /ˌɪntərɪ'leɪt/
A *vtr* mettre [qch] en corrélation
B *vi* [*events, facts, ideas*] être étroitement lié; [*people*] sympathiser
C interrelated *pp adj* [*components, parts*] interdépendant; [*events, ideas, tasks*] étroitement lié

interrelation /ˌɪntərɪ'leɪʃn/, **interrelationship** /ˌɪntərɪ'leɪʃnʃɪp/ *n* 1 (of facts, events) corrélation *f* (**between** entre; **of** de; **with** avec); 2 (of people, groups) relation *f* (**between** entre; **of** de; **with** avec)

interrogate /ɪn'terəgeɪt/ *vtr* 1 gen interroger; (more rigorous) soumettre [qn] à un interrogatoire; 2 Comput interroger

interrogation /ɪnˌterə'geɪʃn/
A *n* interrogatoire *m* (**by** par; **of** de); **he confessed under** ~ il a avoué pendant son interrogatoire
B *modif* [*procedure, room*] d'interrogatoire

interrogation mark *n* Ling point *m* d'interrogation

interrogative /ˌɪntə'rɒgətɪv/
A *n* Ling interrogatif *m*; **in the** ~ à la forme interrogative
B *adj* 1 Ling interrogatif/-ive; 2 gen [*look, remark, tone*] interrogateur/-trice

interrogatively /ˌɪntə'rɒgətɪvlɪ/ *adv* 1 [*look*] d'un air interrogateur; [*speak*] d'un ton interrogateur; 2 Ling [*function*] à la forme interrogative

interrogator /ɪn'terəgeɪtə(r)/ *n* interrogateur/-trice *m/f*

interrogatory /ˌɪntə'rɒgətrɪ, US -tɔ:rɪ/ *adj* [*tone*] interrogateur/-trice; [*manner*] interrogatif/-ive

interrupt /ˌɪntə'rʌpt/
A *n* Comput interruption *f*
B *vtr* 1 (cut in) interrompre, couper la parole à [*person*]; 2 (disturb) déranger [*person*]; interrompre [*meeting, lecture*]; 3 (block) gêner [*view*]; **the skyline was** ~**ed by pylons** quelques pylônes brisaient la ligne d'horizon; 4 (stop) couper [*supply*]
C *vi* interrompre; **stop** ~**ing!** arrête de m'interrompre!

interruption /ˌɪntə'rʌpʃn/ *n* interruption *f*; **there are constant** ~**s** on est constamment interrompu

intersect /ˌɪntə'sekt/
A *vtr* 1 gen croiser; **a field** ~**ed by ditches** un champ coupé par des fossés; 2 Math couper
B *vi* 1 [*roads, wires, ideas*] se croiser; **two** ~**ing paths** deux chemins qui se croisent; **to** ~ **with** croiser; 2 Math se couper

intersection /ˌɪntə'sekʃn/ *n* gen, Math intersection *f* (**of** de; **with** avec)

interservice /ˌɪntə'sɜ:vɪs/ *adj* Mil interarmées (*inv*)

intersperse /ˌɪntə'spɜ:s/ *vtr* (with jokes) parsemer (**with** de); (with music, breaks) entrecouper (**with** de); (with colour, flowers, trees) parsemer (**with** de); **houses** ~**d among the trees** des maisons éparpillées parmi les arbres; **laughter** ~**d between sarcastic comments** des commentaires sarcastiques parsemés d'éclats de rire; **sunshine** ~**d with showers** des éclaircies en alternance avec des averses

interstate /ˌɪntə'steɪt/
A *n* (*also* ~ **highway**) autoroute *f* (inter-États)
B *adj* US [*commerce, communications, links*] entre États

> **Interstate**
>
> Autoroute qui traverse plusieurs États américains. Ces autoroutes sont signalées par un symbole rouge et bleu sur lequel se détache la lettre 'I' suivie du numéro de la route. Celles qui vont du nord au sud ont un numéro pair et celle qui vont d'est en ouest ont un numéro impair.

interstellar /ˌɪntə'stelə(r)/ *adj* interstellaire

interstice /ɪn'tɜ:stɪs/ *n* interstice *m*

intertwine /ˌɪntə'twaɪn/
A *vtr* entrelacer [*fingers, threads*]
B *vi* [*bodies, fingers, threads*] s'entrelacer; [*lives, destinies, themes*] se croiser; **intertwining branches** branches entrelacées
C intertwined *pp adj* lit entrelacé (**with** à); fig lié (**with** à)

interurban /ˌɪntər'ɜ:bən/ *adj* interurbain

interval /'ɪntəvl/ *n* 1 (in time, space) intervalle *m*; **there was a long** ~ **between the two visits** il y a eu un long intervalle entre les deux visites; **he is fed at four-hourly** ~**s** on lui donne à manger toutes les quatre heures; **at regular** ~**s** à intervalles réguliers; **at weekly** ~**s** toutes les semaines; **they were positioned at** ~**s of 100 metres** *ou* **at 100 metre** ~**s** ils étaient placés à 100 mètres d'intervalle; **bright** ~**s** Meteorol belles éclaircies *fpl*; **to have lucid** ~**s** Med avoir des périodes de lucidité; 2 GB Theat entracte *m*; Sport (during match) pause *f*, mi-temps *f inv*; 3 Mus intervalle *m*; **an** ~ **of a third/a fifth** un intervalle d'une tierce/d'une quinte

intervene /ˌɪntə'vi:n/ *vi* 1 (take action) intervenir; **to** ~ **on sb's behalf** intervenir en faveur de qn; **to** ~ **in a dispute** intervenir dans un conflit; 2 (happen) arriver, survenir; **if nothing** ~**s** si rien n'arrive entre-temps; **10 years had** ~**d** 10 années s'étaient écoulées; 3 (mediate) s'interposer (**between** entre)

intervening /ˌɪntə'vi:nɪŋ/ *adj* **in the** ~ **period** *ou* **hours** entre-temps; **in the** ~ **10 years** dans les 10 dernières années; **I had grown taller during the** ~ **years** les années s'étaient écoulées et j'avais grandi; **he could see across the** ~ **fields to the hills** par-delà

➡ *see* Using email and the Internet

les champs il pouvait apercevoir les collines

intervention /ˌɪntəˈvenʃn/
A *n* intervention *f*; **an ~ on my behalf** une intervention en ma faveur
B *modif* EU [*beef, butter*] acheté à un prix d'intervention; [*price, stocks*] d'intervention

interventionist /ˌɪntəˈvenʃənɪst/ *n, adj* interventionniste (*mf*)

interview /ˈɪntəvjuː/
A *n* **1** (for job etc) entretien *m* (**with** avec); **job ~** entretien; **to be called** *ou* **invited for (an) ~** être convoqué à un entretien; **who is on the ~ panel?** quelles sont les personnes qui font passer l'entretien?; **2** Journ interview *f*; **TV/radio ~** interview à la télévision/à la radio; **to conduct/give an ~** mener/accorder une interview; **in an ~ with the Gazette** dans une interview accordée au journal la Gazette; **3** (formal talks) entretien *m* (**between** entre)
B *vtr* **1** (for job, place) faire passer un entretien à [*candidate*]; **2** (call to interview) convoquer [qn] pour un entretien; **3** Journ interviewer [*celebrity*]; [*police*] interroger [*suspect*]
C *vi* [*candidate*] passer un entretien; [*manager, company*] faire passer des entretiens; **to ~ well** être bon lors de l'entretien

interviewee /ˌɪntəvjuːˈiː/ *n* **1** (for job, place) candidat/-e *m/f*; **2** (on TV, radio) personne *f* interviewée; **3** (in survey) personne *f* interrogée

interviewer /ˈɪntəvjuːə(r)/ *n* **1** (for job, course) personne *f* faisant passer l'entretien; **2** Journ intervieweur/-euse *m/f*; **TV ~** journaliste *mf* qui fait des interviews à la télévision; **3** (for survey) enquêteur/-trice *m/f*

intervocalic /ˌɪntəvəˈkælɪk/ *adj* intervocalique

interwar /ˌɪntəˈwɔː(r)/ *adj* [*history, literature, politics*] de l'entre-deux-guerres; **during the ~ period** *ou* **years** pendant l'entre-deux-guerres

interweave /ˌɪntəˈwiːv/ (*prét* **-wove** /-ˈwəʊv/; *pp* **-woven** /-ˈwəʊvn/)
A *vtr* entrelacer [*fingers, threads*]; mêler [*themes, rhythms*]
B *vi* [*fibres*] s'entrelacer; [*destinies*] être lié; [*themes, melodies, voices*] se mêler
C **interwoven** *pp adj* lit entrelacé (**with** à); fig mêlé (**with** à)

interwork /ɪntəˈwɜːk/ *vi* [*computers*] communiquer

intestate /ɪnˈtesteɪt/ *adj* Jur intestat (*inv*); **to die ~** décéder intestat

intestate estate *n* succession *f* ab intestat

intestinal /ɪnˈtestɪnl, ˌɪntesˈtaɪnl/ *adj* intestinal; **~ blockage** occlusion *f* intestinale; **to have ~ fortitude** US avoir quelque chose dans le ventre○

intestine /ɪnˈtestɪn/ *n* intestin *m*

intifada /ɪntɪˈfɑːdə/ *n* intifada *f*

intimacy /ˈɪntɪməsɪ/
A *n* **1** (closeness) intimité *f*; **to be on terms of ~ with sb** être intimement lié à qn; **2** euph (sexual relations) relations *fpl* (sexuelles); **there had been no ~ between them** ils n'avaient pas eu une relation très poussée; **3** (closed environment) intimité *f*
B **intimacies** *npl* (gestures) gestes *mpl* familiers; (words) familiarités *fpl*

intimate
A /ˈɪntɪmət/ *n* intime *mf*
B /ˈɪntɪmət/ *adj* **1** (personal) [*biography, detail, diary, friend, secret, style*] intime; [*belief, friendship*] profond; [*life*] privé; **~ apparel** US lingerie *f*; **to have an ~ relationship with sb** être intime avec qn; **to be on ~ terms with sb** être intime avec qn; **2** (sexual) [*relationship*] intime; **to be ~ with sb** avoir des relations sexuelles avec qn; **3** (cosy) [*atmosphere, occasion, meal, restaurant*] intime; **4** (close) [*bond, connection*] intime; **to have an ~ acquaintance with, to have an ~ knowledge of** avoir une connaissance approfondie de
C /ˈɪntɪmeɪt/ *vtr* **1** (hint) laisser entendre [*desires, wishes*]; **to ~ that** laisser entendre que; **2** (announce) annoncer [*content, composition, refusal*]; **to ~ that** faire savoir que

intimately /ˈɪntɪmətlɪ/ *adv* **1** (in a personal way) [*know*] intimement; [*greet, speak, write*] de façon intime; **2** (sexually) [*caress, touch*] intimement; **to be ~ involved with sb** avoir une liaison avec qn; **3** (deeply) **to be ~ aware of sth** être profondément conscient de qch; **to be ~ acquainted** *ou* **familiar with sth** connaître qch intimement; **4** (closely) [*connected, related*] intimement; **to be ~ involved in** *ou* **with sth** être impliqué de près à qch

intimation /ˌɪntɪˈmeɪʃn/ *n* **1** (hint) indication *f*; **she gave me no ~ that she was leaving** rien ne m'a laissé présager qu'elle allait partir; **he gave her an ~ that** il lui a laissé entendre que; **to have an ~ of danger** pressentir un danger; **2** (announcement) gen, Relig annonce *f*

intimidate /ɪnˈtɪmɪdeɪt/ *vtr* intimider; **to ~ sb into doing** faire pression sur qn pour qu'il fasse

intimidating /ɪnˈtɪmɪdeɪtɪŋ/ *adj* [*behaviour, experience, person*] intimidant; [*obstacle, sight, size*] impressionnant; [*prospect*] angoissant

intimidatingly /ɪnˈtɪmɪdeɪtɪŋlɪ/ *adv* [*say, look etc*] d'une façon intimidante; [*large, long etc*] effroyablement

intimidation /ɪnˌtɪmɪˈdeɪʃn/ *n* intimidation *f* (**by** de la part de; **of** de)

into /ˈɪntuː, ˈɪntə/

> ⚠ *Into* is used after certain nouns and verbs in English (*way into, change into, stray into etc*). For translations, consult the appropriate noun or verb entry (**way, change, stray** etc).
> *into* is used in the structure *verb + sb + into + doing* (*to bully sb into doing, to fool sb into doing*). For translations of these structures see the appropriate verb entry (**bully, fool** etc).
> For translations of expressions like *get into trouble, go into detail, get into debt etc* you should consult the appropriate noun entry (**trouble, detail, debt** etc).

prep **1** (indicating change of position, location) dans; **to put sth ~** mettre qch dans [*container, envelope, drainer, room*]; **to come/go ~** entrer dans [*room, building, zone*]; **to disappear ~** disparaître dans [*forest, mist*]; **pour the mixture ~ it** verser le mélange dedans; **to move sth ~ the shade** mettre qch à l'ombre; **to go ~ town/~ the office** aller en ville/au bureau; **to get ~ a car/a train** monter dans une voiture/un train; **to get ~ bed** se mettre au lit; **to help sb ~ bed** aider qn à se mettre au lit; **2** (indicating change of shape, form, value) en; **to cut/fold sth ~ triangles** couper/plier qch en triangles; **to curl up ~ a ball** se rouler en boule; **to break ~ pieces** se briser; **divided ~ apartments** divisé en appartements; **to translate sth ~ Greek** traduire qch en grec; **to change dollars ~ euros** changer des dollars en euros; **to turn ~** se métamorphoser en [*butterfly, frog*]; **to turn ~ a young woman** devenir une jeune femme; **to roll sth ~ a ball** faire une boule de qch; **3** (indicating duration) **to last/continue ~ the 18th century** durer/continuer jusqu'au XVIIIe siècle; **to go on ~ the afternoon** se prolonger dans l'après-midi; **long** *ou* **far ~ the night** jusque tard dans la nuit; **4** (indicating a point in a process) **we were well ~ 1988 when...** l'année 1988 était bien entamée quand...; **well ~ the second half** bien après le début de la deuxième mi-temps; **she was well ~ the fourth month of her pregnancy** elle en était bien à son quatrième mois de grossesse; **to be (well) ~ one's thirties** avoir une bonne trentaine d'années; **5** (indicating direction) dans; **to speak ~ the microphone** parler dans le microphone; **to stare ~ space** regarder dans le vide; **to gaze ~ the distance** regarder au loin; **to ride off ~ the sunset** partir vers le soleil couchant; **6** ○(keen on) **to be ~** être fana○ de [*jazz, athletics, architecture etc*]; **she's ~ art in a big way, she's heavily ~ art** c'est vraiment une fana d'art○; **to be ~ drugs** se droguer; **7** (indicating impact) dans; **to run ~ sth** rentrer dans qch; **he bumped ~ me** il m'est rentré dedans; **to bang ~ sb/sth** heurter qn/qch; **8** Math **8 ~ 24 goes 3 times** *ou* **is 3** 24 divisé par 8 égale 3. ▸ **get into, go into**

(Idiom) **to be ~ everything** [*child*] toucher à tout

intolerable /ɪnˈtɒlərəbl/ *adj* [*behaviour, conceit, heat, state*] intolérable (**to** à); [*position, situation*] insupportable (**to** à); **it is ~ that** il est intolérable que (+ *subj*); **it is ~ to do** il est insupportable de faire

intolerably /ɪnˈtɒlərəblɪ/ *adv* [*act, behave*] d'une façon insupportable; [*painful, possessive, long*] horriblement

intolerance /ɪnˈtɒlərəns/ *n* gen, Med intolérance *f* (**of, towards** vis-à-vis de; **to** à)

intolerant /ɪnˈtɒlərənt/ *adj* intolérant (**of, towards** vis-à-vis de; **with** envers)

intolerantly /ɪnˈtɒlərəntlɪ/ *adv* avec intolérance

intonation /ˌɪntəˈneɪʃn/ *n* Ling, Mus intonation *f*

intone /ɪnˈtəʊn/
A *vtr* psalmodier [*prayer, psalm*]; déclamer [*lecture, speech*]
B *vi* déclamer

intoxicant /ɪnˈtɒksɪkənt/ *n* **1** (alcohol) boisson *f* alcoolisée; **2** (poison) substance *f* toxique; **3** fig (stimulant) drogue *f*

intoxicate /ɪnˈtɒksɪkeɪt/ *vtr* **1** (inebriate) enivrer (**with** avec); **2** (poison) intoxiquer (**with** avec); **3** fig griser (**with** avec)

intoxicated /ɪnˈtɒksɪkeɪtɪd/ *adj* **1** lit ivre; **to drive while ~** conduire en état d'ivresse; **2** fig grisé (**by, with** par)

intoxicating /ɪnˈtɒksɪkeɪtɪŋ/ *adj* **1** lit [*drink*] alcoolisé; [*effect, substance*] toxique; **2** fig [*perfume, smell*] enivrant; [*experience, sensation*] grisant

intoxication /ɪnˌtɒksɪˈkeɪʃn/ *n* **1** lit ivresse *f*, ébriété *f*; **in a state of ~** en état d'ivresse *or* d'ébriété; **2** fig ivresse *f*

intoximeter® /ɪnˈtɒksɪmətə(r)/ *n* alcootest *m*

intra-Community /ˌɪntrəkəˈmjuːnətɪ/ *adj* (in the EU) intra-communautaire

intractability /ɪnˌtræktəˈbɪlətɪ/ *n* **1** (of person, opinion) inflexibilité *f*; **2** (of substance) manque *m* de malléabilité; **3** (of illness, problem) caractère *m* rebelle

intractable /ɪnˈtræktəbl/ *adj* [*person, personality*] intraitable; [*opinion*] inflexible; [*substance*] dur à travailler; [*illness, problem*] rebelle

intramural /ˌɪntrəˈmjʊərl/
A **intramurals** *npl* US matchs *mpl* entre équipes d'un même établissement
B *adj* [*course, studies*] dispensé dans l'établissement; [*game, match*] US interclasse (*inv*)

intramuscular /ˌɪntrəˈmʌskjʊlə(r)/ *adj* intramusculaire

intranet /ˈɪntrənet/ *n* Comput intranet *m*

intransigence /ɪnˈtrænsɪdʒəns/ *n* intransigeance *f* (**about, over** sur; **towards** envers)

intransigent /ɪnˈtrænsɪdʒənt/ *adj* [*attitude, behaviour, person*] intransigeant (**about, over** sur; **towards** envers)

intransitive /ɪnˈtrænsətɪv/
A *n* intransitif *m*
B *adj* intransitif/-ive

intrauterine /ˌɪntrəˈjuːtəraɪn/ *adj* intra-utérin

i

intrauterine device, IUD *n* Med stérilet *m*

intravenous /ˌɪntrəˈviːnəs/ *adj* intraveineux/-euse

intravenous: ~ **drip** *n* perfusion *f* intraveineuse; ~ **drug use** *n* toxicomanie *f* intraveineuse; ~ **drug user** *n* usager *m* de drogues par voie intraveineuse; ~ **injection** *n* (piqûre *f*) intraveineuse *f*

intravenously /ˌɪntrəˈviːnəslɪ/ *adv* par voie *f* intraveineuse

in-tray /ˈɪntreɪ/ *n* corbeille *f* arrivée

intrepid /ɪnˈtrepɪd/ *adj* intrépide

intrepidity /ˌɪntrɪˈpɪdətɪ/ *n* intrépidité *f*

intrepidly /ɪnˈtrepɪdlɪ/ *adv* [*attack, march*] hardiment; [*act, speak*] avec intrépidité

intricacy
A /ˈɪntrɪkəsɪ/ *n* complexité *f*
B **intricacies** *npl* **1** (of story) subtilités *fpl*; **2** (of the law) méandres *mpl*

intricate /ˈɪntrɪkət/ *adj* [*carving, mechanism, pattern, plot, task*] compliqué; [*problem, relationship, solution*] complexe

intricately /ˈɪntrɪkətlɪ/ *adv* de façon complexe

intrigue
A /ˈɪntriːg, ɪnˈtriːg/ *n* ₵ (plotting) intrigue *f*; **political** ~ les intrigues politiques; **to engage in an** ~ intriguer
B /ɪnˈtriːg/ *vtr* (fascinate) intriguer; **she was** ~**d by his story** son histoire l'intriguait; **I'm** ~**d to know how you got here** je suis curieux de savoir comment vous êtes arrivé ici
C /ɪnˈtriːg/ *vi* (plot) comploter (**against** contre; **with** avec)

intriguing /ɪnˈtriːgɪŋ/
A *n* ₵ intrigues *fpl*
B *adj* [*person, smile*] fascinant; [*person, story*] curieux/-ieuse, intéressant

intriguingly /ɪnˈtriːgɪŋlɪ/ *adv* **the question was** ~ **worded** la question était formulée de façon à susciter la curiosité; ~, **she said nothing** chose curieuse, elle n'a rien dit

intrinsic /ɪnˈtrɪnzɪk, -sɪk/ *adj* intrinsèque (**to** à)

intrinsically /ɪnˈtrɪnzɪklɪ, -sɪk-/ *adv* intrinsèquement

intro○ /ˈɪntrəʊ/ *n* Mus, gen (*abrév* = **introduction**) intro○ *f*

introduce /ˌɪntrəˈdjuːs, US -duːs/
A *vtr* **1** (make known) présenter [*person*] (**as** comme); **to** ~ **sb to** présenter qn à [*guest, friend*]; initier qn à [*painting, camping, drugs, smoking*]; **she** ~**d me to Mozart/French cooking** elle m'a fait connaître Mozart/la cuisine française; **this book** ~**s us to the subject/ideas of...** ce livre nous présente le sujet/les idées de...; **have you been** ~**d?** avez-vous été présentés?; **introducing Abigail Bond** Cin pour la première fois à l'écran, Abigail Bond; **2** (cause to enter) introduire [*liquid, tube, needle*] (**into** dans); introduire [*species, plant, disease*] (**into** dans); introduire [*camera, bomb*] (**into** dans); introduire [*character, theme*] (**into** dans); **she tried to** ~ **the subject into the conversation** elle a essayé d'aborder le sujet; **3** (establish) mettre [qch] en place [*law, system, examination, reform*] (**into** dans); introduire [*word, product, change*] (**into** dans); **4** (preface) introduire [*talk, article, chapter*] (**with** par); **5** (present for debate) présenter [*bill, proposal*]; **6** TV, Radio [*presenter*] présenter [*programme*]
B *v refl* **to** ~ **oneself** se présenter (**to** à)

introduction /ˌɪntrəˈdʌkʃn/ *n* **1** (making known) présentation *f*; **to make** *ou* **do the** ~**s** faire les présentations; **'our next guest needs no** ~**'** 'il est inutile de présenter notre prochain intervenant'; **a letter of** ~ une lettre de recommandation; **2** (insertion) (of liquid, tube, needle) introduction *f* (**into** dans); (of species, plant, character, theme) introduction *f* (**into** dans); **3** (establishing) (of law, system, examination, reform) introduction *f* (**into** dans); **this system is a recent** ~ ce système a été introduit récemment; **4** (initiation) (to art, music, alcohol, drugs) premier contact *m* (**to** avec); **5** (preface) (to speech, article, book) introduction *f* (**to** de); **6** Mus prologue *m*; **7** (beginner's guide) initiation *f*; **'An Introduction to French'** 'Initiation au français'; **8** Pol, Admin (presentation for debate) (of bill, proposal) présentation *f*

introduction agency *n* club *m* de rencontres

introductory /ˌɪntrəˈdʌktərɪ/ *adj* **1** (prefatory) [*remark, speech, paragraph, explanation*] préliminaire; **2** Comm [*offer*] de lancement

introit /ˈɪntrɔɪt/ *n* Relig introït *m*

introspection /ˌɪntrəˈspekʃn/ *n* introspection *f*

introspective /ˌɪntrəˈspektɪv/ *adj* [*person*] introspectif/-ive; [*tendency*] à l'introspection

introspectiveness /ˌɪntrəˈspektɪvnɪs/ *n* introspection *f*

introversion /ˌɪntrəˈvɜːʃn, US -ˈvɜːrʒn/ *n* introversion *f*

introvert /ˈɪntrəvɜːt/
A *n* introverti/-e *m/f*
B *adj* = **introverted**

introverted /ˈɪntrəvɜːtɪd/ *adj* introverti

intrude /ɪnˈtruːd/
A *vtr* imposer [*opinions*]
B *vi* **1** (meddle, interfere) **I don't wish to** ~ je ne veux pas me mêler de ce qui ne me regarde pas; **to** ~ **in(to) sb's affairs** s'immiscer dans les affaires de qn; **2** (encroach) **I don't wish to** ~ **(up)on her grief** je ne veux pas la déranger quand elle a du chagrin; **to** ~ **(up)on sb's privacy** être importun; **I don't want to** ~ **on a family gathering** je ne veux pas m'imposer dans une réunion de famille; **3** (disturb) **I don't wish to** ~ je ne veux pas vous déranger

intruder /ɪnˈtruːdə(r)/ *n* (all contexts) intrus/-e *m/f*; **the trawler is an** ~ **in our coastal waters** le chalutier pénètre illégalement dans nos eaux territoriales; **we were made to feel like** ~**s** on nous a fait sentir que nous étions de trop

intruder alarm *n* sonnerie *f* d'alarme

intrusion /ɪnˈtruːʒn/ *n* **1** (interruption, unwelcome arrival) intrusion *f* (**into** dans); **she apologized for the** ~ elle s'est excusée de nous avoir dérangés; **2** (interference) ingérence *f*, immixtion *f* (**into** dans); **it's an** ~ **into my affairs** on se mêle de mes affaires; **3** Ling (at beginning of word) prothèse *f*; (between words) épenthèse *f*; (at end of word) paragoge *f*

intrusive /ɪnˈtruːsɪv/ *adj* **1** (indiscreet) [*question, journalist, cameras*] indiscret/-ète; (persistent) [*neighbours*] envahissant; **2** (disturbing) [*phone call, presence*] importun; **3** Ling [*consonant, vowel*] d'appui

intuit /ɪnˈtjuːɪt, US -tuː-/ *vtr* sentir intuitivement; **to** ~ **that** avoir l'intuition que

intuition /ˌɪntjuːˈɪʃn, US -tuː-/ *n* intuition *f* (**about** concernant); **to have an** ~ **that** avoir l'intuition que; **to know sth by** ~ savoir qch intuitivement

intuitive /ɪnˈtjuːɪtɪv, US -tuː-/ *adj* intuitif/-ive

intuitively /ɪnˈtjuːɪtɪvlɪ, US -tuː-/ *adv* intuitivement

Inuit /ˈɪnjuːɪt, ˈɪnʊɪt/ (*pl* ~ *ou* ~**s**)
A *n* Inuit/-e *m/f*
B *adj* inuit

inundate /ˈɪnʌndeɪt/ *vtr* **1** lit inonder [*field, land*]; **2** fig submerger [*person, organization*] (**with** de); inonder [*market*] (**with** de)

inundation /ˌɪnʌnˈdeɪʃn/ *n* inondation *f*

inure /ɪˈnjʊə(r)/
A *vtr* endurcir (**to** à)
B *v refl* **to** ~ **oneself to sth** s'endurcir à qch
C **inured** *pp adj* endurci (**to** à)

invade /ɪnˈveɪd/ *vtr* lit, fig envahir; **to** ~ **sb's privacy** s'immiscer dans la vie privée de qn

invader /ɪnˈveɪdə(r)/ *n* envahisseur/-euse *m/f*

invading /ɪnˈveɪdɪŋ/ *adj* [*troops, army*] d'invasion; [*fans, tourists, bacteria*] envahisseur/-euse; **the** ~ **Germans** l'envahisseur allemand

invalid
A /ˈɪnvəliːd, ˈɪnvəlɪd/ *n* infirme *mf*; (in official terminology) invalide *mf*; **I'm not an** ~**!** je ne suis pas infirme!
B /ˈɪnvəliːd, ˈɪnvəlɪd/ *modif* [*parent, relative*] infirme
C /ɪnˈvælɪd/ *adj* **1** [*argument, claim, conclusion*] sans fondement; **2** Admin, Jur [*contract, will, marriage*] nul/nulle; [*statute, judgment*] caduc/caduque; [*claim*] non valable; [*passport, ticket*] périmé
D /ˈɪnvəliːd, ˈɪnvəlɪd/ *vtr* ~**ed out of the army** GB réformé (pour raisons de santé)

invalidate /ɪnˈvælɪdeɪt/ *vtr* **1** infirmer [*argument, criticism*]; annuler [*claim*]; **2** Admin, Jur annuler

invalid car *n* voiturette *f* pour handicapés

invalidity /ˌɪnvəˈlɪdətɪ/ *n* **1** (of argument, claim) manque *m* de validité; **2** (of person) invalidité *f*

invalidity: **Invalidity Addition** *n* GB Soc Admin supplément *m* d'invalidité; **Invalidity benefit** *n* GB Soc Admin pension *f* d'invalidité

invaluable /ɪnˈvæljʊəbl/ *adj* **1** (useful) [*assistance, advice, experience*] inestimable; [*person, machine, service*] précieux/-ieuse; **2** (priceless) [*jewel, painting*] inestimable

invariable /ɪnˈveərɪəbl/ *adj* invariable

invariably /ɪnˈveərɪəblɪ/ *adv* invariablement

invasion /ɪnˈveɪʒn/ *n* invasion *f*; ~ **of (sb's) privacy** atteinte *f* à la vie privée (de qn)

invasive /ɪnˈveɪsɪv/ *adj* [*plant*] envahissant; [*cancer*] invasif/-ive; [*treatment*] chirurgical

invective /ɪnˈvektɪv/ *n* ₵ invectives *fpl*

inveigh /ɪnˈveɪ/ *vi* **to** ~ **against sb/sth** fulminer contre qn/qch

inveigle /ɪnˈveɪgl/ *vtr* péj **to** ~ **sb into doing** convaincre qn de faire (par la ruse)

invent /ɪnˈvent/ *vtr* inventer

invention /ɪnˈvenʃn/ *n* **1** C (something invented) invention *f*; **2** ₵ (act of inventing) invention *f*; **3** (lie) invention *f*, mensonge *m*; **that story is pure** *ou* **a complete** ~ cette histoire est inventée de toutes pièces

inventive /ɪnˈventɪv/ *adj* inventif/-ive

inventiveness /ɪnˈventɪvnɪs/ *n* créativité *f*, esprit *m* d'invention

inventor /ɪnˈventə(r)/ *n* inventeur/-trice *m/f*

inventory /ˈɪnvəntrɪ, US -tɔːrɪ/
A *n* **1** (list) inventaire *m*; **2** US (stock) stock *m*; ~ **of fixtures** état *m* des lieux
B *vtr* inventorier

inventory control *n* US Comm gestion *f* des stocks

inverse
A /ˈɪnvɜːs/ *n* Math inverse *m*
B /ɪnˈvɜːs/ *adj* Math, gen inverse; **in** ~ **proportion to** inversement proportionnel à; **in** ~ **order** en sens inverse

inversely /ˌɪnˈvɜːslɪ/ *adv* [*vary*] de façon inversement proportionnelle; [*proportionate*] inversement

inversion /ɪnˈvɜːʃn, US ɪnˈvɜːrʒn/ *n* **1** Ling, Med inversion *f*; **2** (homosexuality) inversion *f*; **3** Mus renversement *m*

invert
A /ˈɪnvɜːt/ *n* inverti/-e *m/f*
B /ɪnˈvɜːt/ *vtr* **1** (reverse) inverser [*word order*]; fig renverser [*values*]; **2** (upend) retourner [*object*]
C **inverted** *pp adj* **1** (reversed) [*word order*] inversé; Mus [*chord*] renversé; (in optics, photography) [*image*] renversé; **it's** ~ **snobbery** c'est du snobisme à rebours; **2** (upended) [*object*] à l'envers

invertebrate /ɪnˈvɜːtɪbreɪt/ *n, adj* invertébré (*m*)

inverted commas /ˌɪnvɜːtɪd ˈkɒməz/ *npl* GB guillemets *mpl*; **in ~** entre guillemets

inverter, invertor /ɪnˈvɜːtə(r)/ *n* Elec onduleur *m*

invert sugar *n* sucre *m* inverti

invest /ɪnˈvest/

A *vtr* **1** (commit) investir, placer [*money, capital*]; consacrer [*time, energy, resources*] (**in** à); **to ~ £50,000 in shares** *ou* **stock** US investir *or* placer 50 000 livres sterling en valeurs; **we've ~ed a lot of effort in this project** nous nous sommes beaucoup investis dans ce projet; **2** (bestow) **to ~ sb with** investir qn de [*right, authority, power*]; **to be ~ed with significance** se voir attribuer une certaine signification; **to be ~ed with mystery** être empreint de mystère; **3** (install) investir [*president*]; **to ~ sb as sth** élever qn au rang de qch; **4** Mil investir

B *vi* **1** Fin (in Stock Exchange) investir, placer son argent; **to ~ in shares** placer son argent en valeurs; **2** (spend money on) **to ~ in** [*government, company*] investir dans [*industry, company, equipment*]; (buy) [*person*] investir dans [*car, hi-fi*]

investigate /ɪnˈvestɪgeɪt/

A *vtr* **1** (inquire into) enquêter sur [*crime, cause, case*]; faire une enquête sur [*person*]; vérifier [*allegation, story*]; **they are being ~d** ils font l'objet d'une enquête; **2** (study) examiner [*question, possibility, report*]; étudier [*subject, culture*]; Comm sonder [*market, sector*]; **3** (try out) essayer [*restaurant, club*]; **it's worth investigating whether** il faudrait se renseigner pour savoir si

B *vi* [*police*] enquêter; **I went to ~** gen je suis allé voir

investigation /ɪnˌvestɪˈgeɪʃn/

A *n* **1** (inquiry) (in police) enquête *f* (**of, into sth** sur qch); **the crime is still under ~** on enquête encore sur le crime; **he is under ~** il fait l'objet d'une enquête; **2** (study) Comm, Med, Sci étude *f* (**of sth** de qch); **the matter under ~** la question (actuellement) à l'étude; **on (further) ~** après enquête (plus approfondie); **3** Accts, Jur vérification *f*; (of company) vérification *f* de comptabilité (**of** de)

B *modif* (in police) [*report, committee*] d'enquête

investigative /ɪnˈvestɪgətɪv, US -geɪtɪv/ *adj* [*committee, mission, journalism, reporting*] d'investigation; **~ journalist** *ou* **reporter** journaliste *mf* d'investigation

investigator /ɪnˈvestɪgeɪtə(r)/ *n* (in police) enquêteur/-trice *m/f*; **private ~** US détective *m* privé

investigatory /ɪnˌvestɪˈgeɪtərɪ/ *adj* [*group, methods, procedures*] d'enquête

investiture /ɪnˈvestɪtʃə(r), US -tʃʊər/ *n* cérémonie *f* d'investiture; **the ~ of sb as** l'élévation de qn au rang de

investment /ɪnˈvestmənt/

A *n* **1** Fin investissement *m*, placement *m*; **~ in shares** placement en valeurs; **he called for more government ~ in industry** il a demandé que le gouvernement investisse plus dans l'industrie; **a good/bad ~** un bon/mauvais placement *or* investissement; **2** (commitment) **a better ~ of one's time** une meilleure utilisation de son temps; **the ~ of time and energy in sth** le temps et l'énergie consacrés à qch; **a huge emotional ~** un énorme engagement personnel; **3** Mil investissement *m*

B *modif* Fin [*club, company, grant, opportunity*] d'investissement

investment: ~ analyst ▸ p. 1683 *n* analyste *mf* financier/-ière; **~ bank** *n* US investment bank *f*; **~ income** *n* revenu *m* de portefeuille de titres; **~ management** *n* gestion *f* de portefeuille; **~ manager** ▸ p. 1683 *n* gérant/-e *m/f* de portefeuille; **~ trust** *n* société *f* d'investissement

investor /ɪnˈvestə(r)/ *n* investisseur/-euse *m/f* (**in** dans); (in shares) actionnaire *mf*; **big/small ~s** gros/petits actionnaires; **private ~** petit porteur *m*

inveterate /ɪnˈvetərət/ *adj* invétéré

invidious /ɪnˈvɪdɪəs/ *adj* [*position, task*] délicat; [*choice, comparison*] difficile

invigilate /ɪnˈvɪdʒɪleɪt/

A *vtr* surveiller [*examination*]

B *vi* être de surveillance (**at** pour)

invigilator /ɪnˈvɪdʒɪleɪtə(r)/ *n* surveillant/-e *m/f*

invigorate /ɪnˈvɪgəreɪt/ *vtr* revigorer

invigorating /ɪnˈvɪgəreɪtɪŋ/ *adj* revigorant

invincibility /ɪnˌvɪnsəˈbɪlətɪ/ *n* (of person, army) invincibilité *f*; (of will, belief) irréductibilité *f*

invincible /ɪnˈvɪnsəbl/ *adj* [*person, army, power*] invincible; [*will, belief*] irréductible

inviolability /ɪnˌvaɪələˈbɪlətɪ/ *n* inviolabilité *f*

inviolable /ɪnˈvaɪələbl/ *adj* inviolable

inviolably /ɪnˈvaɪələblɪ/ *adv* inviolablement

inviolate /ɪnˈvaɪələt/ *adj* sout [*law*] inviolable; [*treaty*] inviolé; [*group, institution*] intouchable

invisibility /ɪnˌvɪzəˈbɪlətɪ/ *n* invisibilité *f*

invisible /ɪnˈvɪzəbl/ *adj* (all contexts) invisible

invisible: ~ exports *npl* exportations *fpl* invisibles; **~ ink** *n* encre *f* sympathique; **~ mending** *n* stoppage *m*

invisibly /ɪnˈvɪzəblɪ/ *adv* invisiblement; **to have sth ~ mended** faire stopper [*garment*]

invitation /ˌɪnvɪˈteɪʃn/ *n* **1** (request, card) invitation *f*; **an ~ to lunch/dinner** une invitation à déjeuner/à dîner; **to send/accept/decline an ~** envoyer/accepter/décliner une invitation; **thank you for your kind ~** je vous remercie de votre aimable invitation; **we regret we are unable to accept your kind ~** nous regrettons de ne pouvoir accepter votre aimable invitation; **to receive an ~ to do** être invité à faire; **2** ₵ (act of inviting) invitation *f*; **'by ~ only'** 'entrée sur invitation uniquement'; **at sb's ~** à *or* sur l'invitation de qn; **3** Ind (summons, bidding) offre *f*; **the rail union issued an urgent ~ to talks** le syndicat des chemins de fer a lancé une offre pressante de négociations; **4** Fin **an ~ to bid** un appel d'offres; **an ~ to tender** une adjudication; **5** fig (encouragement) incitation *f*; **unlocked doors are an open ~ to burglars** les portes non fermées à clé sont une incitation manifeste pour les cambrioleurs; **this was an ~ to him to feel persecuted** cela l'a incité à se considérer comme persécuté

invitation card *n* carton *m* (d'invitation)

invite

A ○/ˈɪnvaɪt/ *n* invitation *f*

B /ɪnˈvaɪt/ *vtr* **1** inviter [*person*]; **to ~ sb to a party/to dinner/for a drink** inviter qn à une soirée/à dîner/à prendre un verre; **why don't we ~ Tara along?** pourquoi ne pas inviter Tara à venir avec nous?; **to ~ sb to do** inviter qn à faire; **to be ~d by sb to do** être invité par qn à faire; **to be ~d back** (repaying hospitality) être invité en retour; (a second time) être invité de nouveau; **to ~ sb in** inviter qn à entrer; **he ~d her out** il l'a invitée à sortir avec lui; **to ~ sb over** *ou* **round (to one's house)** inviter qn chez soi; **to ~ sb over to one's table** inviter qn à (venir s'asseoir à) sa table; **to ~ sb for (an) interview** convoquer qn pour un entretien; **2** (ask for) solliciter [*comments, suggestions*]; **he ~d questions from the audience** il invita l'auditoire à poser des questions; **3** (court) chercher [*disaster, trouble*] **why ~ trouble?** pourquoi chercher les ennuis?; **4** Fin **to ~ a bid** faire un appel d'offres; **to ~ tenders** faire une adjudication

inviting /ɪnˈvaɪtɪŋ/ *adj* [*room, apartment*] accueillant; [*smile*] engageant; [*meal*] appétissant; [*prospect*] alléchant, tentant

invitingly /ɪnˈvaɪtɪŋlɪ/ *adv* [*smile*] d'un air engageant; **the fire flickered ~** un feu accueillant pétillait dans la cheminée

in vitro /ˌɪnˈviːtrəʊ/, **IV** *adj, adv* in vitro *inv*

in vitro fertilization, IVF *n* fécondation *f* in vitro

invocation /ˌɪnvəˈkeɪʃn/ *n* invocation *f*

invoice /ˈɪnvɔɪs/

A *n* facture *f*

B *vtr* envoyer une facture à [*person, company*]; **to ~ sb for sth** facturer qch à qn; **to be ~d** recevoir une facture (**for** pour)

invoicing /ˈɪnvɔɪsɪŋ/ *n* facturation *f*

invoke /ɪnˈvəʊk/ *vtr* invoquer [*God, law, right, help*]; évoquer [*spirit, demon*]

involuntarily /ɪnˈvɒləntrəlɪ, US -terɪlɪ/ *adv* involontairement

involuntary /ɪnˈvɒləntrɪ, US -terɪ/ *adj* involontaire; **~ repatriation** rapatriement *m* forcé

involuntary: ~ manslaughter *n* Jur homicide *m* involontaire *or* non prémédité; **~ muscle** *n* muscle *m* involontaire

involve /ɪnˈvɒlv/

A *vtr* **1** (entail) impliquer, nécessiter [*effort, travel*]; entraîner [*danger, problems*]; **to ~ doing** [*job, sport, policy, plan*] impliquer *or* nécessiter de faire; **it ~s leaving early** cela implique *or* nécessite de partir tôt; **there is a lot of work/effort ~d** cela implique beaucoup de travail/d'efforts; **there is some travelling/lifting ~d** cela nécessite de voyager/porter des charges; **the work ~s computers** le travail concerne les ordinateurs; **2** (cause to participate) gen faire participer [*person, group*] (**in** à); (implicate) impliquer, mêler [*person, group*] (**in** dans); **to be ~d in** (positive) participer à, être engagé dans [*business, project*]; (negative) être mêlé à [*scandal, robbery, fight*]; **to be ~d in doing** s'occuper de faire; **to get ~d in** *ou* **with sth** gen se trouver engagé dans qch; (in sth dubious) se trouver mêlé à qch; **not to get ~d in** *ou* **with sth** rester à l'écart de qch; **it will ~ them in heavy expenditure** ça va les entraîner à de grosses dépenses; **to feel ~d** se sentir impliqué; **3** (affect) concerner, impliquer [*person, animal, vehicle*]; **three people were ~d in the accident** trois personnes étaient impliquées dans l'accident; **our future/their safety is ~d** notre avenir/leur sécurité est en jeu; **4** (engross) [*film, play, book*] faire participer, prendre [*person, audience*]; **to be ~d in** être pris par, être plongé dans [*film, book, work*]; **to get ~d in** se laisser prendre par, se plonger dans [*film, play, book, work*]; **5** (get emotionally attached) **to be/get ~d with** être/devenir proche de [*patient, client*]; (romantically) avoir une liaison avec [*person*]; **to be (too) ~d in** *ou* **with** prendre [qch] à cœur [*problem, situation*]; **you're too ~d to make a judgment** tu es trop concerné pour porter un jugement; **6** (make a commitment) **to get ~d** s'engager; **I don't want to get ~d** je ne veux pas m'engager

B *v refl* **to ~ oneself in** *ou* **with** (participate) prendre part à [*project, task*]

involved /ɪnˈvɒlvd/ *adj* **1** (complicated) [*discussion, explanation, story, problem*] compliqué; **2** (affected) (*après n*) [*person, group*] concerné; **3** (implicated) (*après n*) [*person, group*] impliqué; **4** (necessary) (*après n*) [*expense, effort, problems*] inhérent

involvement /ɪnˈvɒlvmənt/ *n* **1** (participation) (in activity, campaign, task) participation *f* (**in** à); (commitment) (in party, enterprise, politics) engagement *m* (**in** dans); **2** ₵ (connections) (with group, organization) liens *mpl* (**with** avec); (with person) relations *fpl* (**with** avec); **3** (relationship) relation *f* privée (**with** avec); (sexual or romantic) relation *f*; **4** (engrossment) (in film, book) (vif) intérêt *m* (**in** pour)

invulnerability /ɪnˌvʌlnərəˈbɪlətɪ/ *n* invulnérabilité *f*

invulnerable /ɪnˈvʌlnərəbl/ *adj* invulnérable

i

inward /ˈɪnwəd/
A *adj* **1** (inner) *[satisfaction]* personnel/-elle; *[relief, calm]* intérieur; **to give an ~ sigh/shudder** soupirer/frémir intérieurement; **her ~ reaction was to do** intérieurement *or* en son for intérieur, elle avait envie de faire; **2** (towards the inside) *[bend, curve]* vers l'intérieur
B *adv* = **inwards**

inward: **~ bill of lading** *n* connaissement *m* d'entrée; **~-bound** *adj [journey, flight]* de retour; *[ship]* en retour; *[cargo]* de retour; **~ investment** *n* Fin investissements *mpl* étrangers; **~-looking** *adj [society, organization]* replié sur soi-même; *[person]* introverti, replié sur soi-même; *[policy]* nombriliste○

inwardly /ˈɪnwədlɪ/ *adv [relieved, happy, calm]* intérieurement; *[rage, sigh, gloom, curse]* intérieurement; *[know, feel]* en son for intérieur

inwards /ˈɪnwədz/ *adv [fold, open, move, bend, grow]* vers l'intérieur; *[freight, invoice]* à l'arrivée; **to face ~** *[room]* donner sur la cour; **to look ~** *[person, organization]* se replier sur soi-même

iodine /ˈaɪədiːn, US -daɪn/ *n* **1** (element) iode *m*; **2** (antiseptic) teinture *f* d'iode

iodize /ˈaɪədaɪz/ *vtr* ioder

iodoform /aɪˈɒdəfɔːm/ *n* iodoforme *m*

ion /ˈaɪən/ *n* ion *m*

Iona /aɪˈəʊnə/ ▸ **p. 1355** *pr n* (île *f* d')Iona

Ionian /aɪˈəʊnɪən/ ▸ **p. 1355** *adj* ionien/-ienne; **~ islands** îles *fpl* Ioniennes; **~ sea** mer *f* Ionienne

ionic /aɪˈɒnɪk/ *adj* Phys ionique

Ionic /aɪˈɒnɪk/ *adj* Archit ionique

ionize /ˈaɪənaɪz/ *vtr* ioniser

ionizer /ˈaɪənaɪzə(r)/ *n* ionisateur *m*, ioniseur *m*

ionosphere /aɪˈɒnəsfɪə(r)/ *n* ionosphère *f*

iota /aɪˈəʊtə/ *n* **1** lit iota *m*; **2** fig **not an** *ou* **one ~ of truth/common sense** pas une once de vérité/bon sens; **it hasn't changed/improved one ~** ça n'a pas changé/ne s'est pas amélioré d'un iota

IOU *n* (*abrév* = **I owe you**) reconnaissance *f* de dette; **an ~ for £500** un reçu pour 500 livres sterling

Iowa /ˈaɪəʊə/ ▸ **p. 1737** *pr n* Iowa *m*

IP *n* (*abrév* = **Internet protocol**) protocole *m* IP; **~ address** adresse IP

IPA *n* (*abrév* = **International Phonetic Alphabet**) API *m*

ipecac(uanha) /ˈɪpɪkæk(ˌwɑːnə)/ *n* ipéca *m*

IPO *n* (*abrév* = **Initial Public Offering**) offre *f* publique initiale

iPod® /ˈaɪpɒd/ *n* iPod *m*, baladeur *m* MP3

IQ *n* (*abrév* = **intelligence quotient**) QI *m*

IRA *n* **1** (*abrév* = **Irish Republican Army**) IRA *f*; **2** US (*abrév* = **Individual Retirement Account**) *plan de retraite complémentaire*

Irak *pr n* = **Iraq**

Iraki *adj* = **Iraqi**

Iran /ɪˈrɑːn/ ▸ **p. 1096** *pr n* Iran *m*

Iranian /ɪˈreɪnɪən/ ▸ **p. 1467, p. 1378**
A *n* **1** (person) Iranien/-ienne *m/f*; **2** (language) iranien *m*
B *adj* iranien/-ienne

Iraq /ɪˈrɑːk/ ▸ **p. 1096** *pr n* Iraq *m*

Iraqi /ɪˈrɑːkɪ/ ▸ **p. 1467**
A *n* (person) Iraquien/-ienne *m/f*
B *adj* iraquien/-ienne

irascibility /ɪˌræsəˈbɪlətɪ/ *n* irascibilité *f*

irascible /ɪˈræsəbl/ *adj* irascible

irascibly /ɪˈræsəblɪ/ *adv [reply, say]* sur un ton irascible

irate /aɪˈreɪt/ *adj* furieux/-ieuse, courroucé liter (**about** au sujet de)

IRBM *n* (*abrév* = **Intermediate Range Ballistic Missile**) IRBM *m*

ire /ˈaɪə(r)/ *n* littér courroux *m* liter

Ireland /ˈaɪələnd/ ▸ **p. 1096** *pr n* Irlande *f*; **the Republic of ~** la République d'Irlande

irides /ˈaɪərɪdiːz/ *pl* ▸ **iris 1**

iridescence /ˌɪrɪˈdesns/ *n* chatoiement *m*

iridescent /ˌɪrɪˈdesnt/ *adj* chatoyant, iridescent

iridium /aɪˈrɪdɪəm/ *n* iridium *m*

iridology /ˌɪrɪˈdɒlədzɪ/ *n* iridiologie *f*

iris /ˈaɪərɪs/ *n* **1** Anat (*pl* **irides**) iris *m*; **2** Bot (*pl* **~es**) iris *m*

Irish /ˈaɪərɪʃ/ ▸ **p. 1378, p. 1467**
A *n* **1** Ling irlandais *m*; **2** (people) **the ~** les Irlandais *mpl*
B *adj* irlandais

Irish: **~ coffee** *n* irish coffee *m*; **~ Free State** *n* État *m* libre d'Irlande; **~man** *n* Irlandais *m*; **~ Republic** ▸ **p. 1096** *n* République *f* d'Irlande. ▸ **Celtic Tiger**; **~ sea** ▸ **p. 1493** *n* mer *f* d'Irlande; **~ setter** *n* setter *m* irlandais; **~ stew** *n* irish stew *m* (*ragoût de mouton*); **~ wolfhound** *n* irish wolfhound *m*; **~woman** *n* Irlandaise *f*

irk /ɜːk/ *vtr* agacer

irksome /ˈɜːksəm/ *adj* agaçant

iron /ˈaɪən, US ˈaɪərn/
A *n* **1** (metal) fer *m*; **old** *ou* **scrap ~** ferraille *f*; **~ and steel works/industry** usine/industrie *f* sidérurgique; **a man/will of ~** fig un homme/une volonté de fer; **2** (for clothes) fer *m* (à repasser); **electric ~** fer *m* électrique; **with a hot/cool ~** à fer chaud/doux; **to run the ~ over sth, to give sth an ~** donner un coup de fer à qch; **3** (golf) fer *m*; **a six-~** un fer six; **4** (splint) attelle *f*; **5** Med fer *m*
B **irons** *npl* fers *mpl*; **to put sb in ~s** mettre qn aux fers
C *modif* lit *[bar, gate, railing]* en fer; **~ sheet** tôle *f*
D *adj* fig *[constitution, grip, will]* de fer; *[rule]* draconien/-ienne
E *vtr* repasser *[clothes]*; **do not ~** (on label) ne pas repasser; **to ~ sth under a damp cloth** repasser qch à la pattemouille
F *vi [person]* repasser; *[garment, fabric]* se repasser

(Idioms) **to have a lot of ~s in the fire** avoir beaucoup d'affaires en train; **the ~ had entered his soul** littér il avait la mort dans l'âme; **to strike while the ~ is hot** battre le fer pendant qu'il est chaud

(Phrasal verb) ■ **iron out**: ▶ **~ out [sth], ~ [sth] out** **1** lit faire partir [qch] au fer *[creases]*; **2** fig aplanir *[problem, difficulty]*; **to ~ the wrinkles out of sth** fig peaufiner qch

Iron Age *n* âge *m* de fer

ironclad /ˌaɪənˈklæd, US ˌaɪərn-/
A *n* Hist (ship) cuirassé *m*
B *adj* fig *[guarantee]* à toute épreuve; *[argument, defence]* inattaquable

Iron Cross *n* Mil Croix *f* de Fer

Iron Curtain *n* Pol Hist rideau *m* de fer; **behind the ~** au-delà du rideau de fer; **an ~ country** un pays du bloc communiste

iron: **~ filings** *npl* limaille *f* de fer; **~ fist, ~ hand** *n* fig poigne *f* de fer; **~ horse** *n* US Hist locomotive *f* à vapeur

ironic(al) /aɪˈrɒnɪk(l)/ *adj* ironique

ironically /aɪˈrɒnɪklɪ/ *adv [say, ask]* ironiquement; **~, she never replied** l'ironie, c'est qu'elle n'a jamais répondu

ironing /ˈaɪənɪŋ, US ˈaɪərn-/ *n* repassage *m*; **to do the ~** faire le repassage

ironing board *n* planche *f* à repasser

iron: **Iron Lady** *n* GB Pol Dame *f* de Fer; **~ lung** *n* poumon *m* d'acier

ironmonger /ˈaɪənmʌŋgə(r), US ˈaɪərn-/ ▸ **p. 1683** *n* quincaillier/-ière *m/f*; **~'s (shop)** quincaillerie *f*

iron: **~mongery** *n* quincaillerie *f*; **~-on** *adj [label, patch]* à poser au fer à repasser; **~ ore** *n* minerai *m* de fer; **~ oxide** *n* oxyde *m* de fer; **~ pyrites** *n* pyrite *f* de fer

iron rations *npl* vivres *mpl or* rations *fpl*; **to be on ~** vivre sur ses rations

iron: **~stone** *n* minerai *m* de fer; **~stone china** *n* faïence *f* fine dure, lithocérame *f* spéc; **~ work** *n* ferronnerie *f*; **~ works** *n* (+ *v sg ou pl*) usine *f* sidérurgique

irony /ˈaɪərənɪ/ *n* ironie *f*; **the ~ is that** l'ironie c'est que (+ *subj*); **one of life's little ironies** une des ironies du sort

Iroquois /ˈɪrəkwɔɪ/ ▸ **p. 1378, p. 1467**
A *n* **1** (person) Iroquois/-e *m/f*; **2** (language) iroquois *m*
B *adj* iroquois

irradiate /ɪˈreɪdɪeɪt/ *vtr* **1** Med, Nucl irradier; **2** Culin irradier, ioniser *[fruit, vegetable]*

irradiation /ɪˌreɪdɪˈeɪʃn/ *n* **1** Nucl, Med irradiation *f*; **2** Culin (of fruit, vegetables) irradiation *f*, ionisation *f*

irrational /ɪˈræʃənl/ *adj [behaviour]* irrationnel/-elle; *[fear, hostility]* sans fondement; **he's rather ~** il n'est pas très raisonnable; **she has become quite ~ about the divorce** elle a perdu le sens des proportions en ce qui concerne le divorce; **he's ~ about it** on ne peut pas le raisonner là-dessus

irrationally /ɪˈræʃənəlɪ/ *adv [act]* d'une façon déraisonnable *or* irrationnelle; *[angry, happy]* sans raison

irreconcilable /ɪˈrekənsaɪləbl, ɪˌrekənˈsaɪləbl/ *adj [opponents]* irréconciliable (**with** avec); *[ideas]* incompatible (**with** avec); *[conflict]* inconciliable

irrecoverable /ˌɪrɪˈkʌvərəbl/ *adj [object]* irrécupérable; *[loss]* irréparable; Fin *[debt]* irrécouvrable

irredeemable /ˌɪrɪˈdiːməbl/ *adj* **1** Relig *[sinner]* incorrigible; **2** (irrecoverable) *[loss]* irrémédiable; **3** Fin *[shares, bonds]* irremboursable; *[loan]* non amortissable; *[paper money]* non remboursable

irredeemably /ˌɪrɪˈdiːməblɪ/ *adv* irrémédiablement

irreducible /ˌɪrɪˈdjuːsəbl, US -ˈduːs-/ *adj* sout irréductible

irrefutable /ɪˈrefjʊtəbl, ˌɪrɪˈfjuː-/ *adj* irréfutable, irrécusable

irregular /ɪˈregjʊlə(r)/
A *n* Mil irrégulier/-ière *m/f*
B **irregulars** *npl* US Comm (clothing) vêtements *mpl* dégriffés; (other merchandise) articles *mpl* de second choix
C *modif [army, force]* irrégulier/-ière
D *adj* **1** gen, Ling irrégulier/-ière; **at ~ intervals** à intervalles irréguliers; **to keep ~ hours** avoir des horaires irréguliers; **to lead an ~ life** mener une vie décousue; **2** US Comm *[merchandise]* de second choix

irregularity /ɪˌregjʊˈlærətɪ/ *n* (of pulse, shape, surface) irrégularité *f*; (in machine) anomalie *f*; (in report, election, dealings) anomalie *f*, irrégularité *f*

irregularly /ɪˈregjʊləlɪ/ *adv* irrégulièrement; **~-shaped** à la forme irrégulière

irrelevance /ɪˈreləvəns/, **irrelevancy** /ɪˈreləvənsɪ/ *n* **1** (lack of importance) (of fact, remark, question) manque *m* d'à-propos; **~ to sth** manque de rapport avec qch; **2** (unimportant thing) **to be an ~** ne pas avoir d'importance; **a document full of ~s** un document truffé de remarques sans rapport avec le sujet

irrelevant /ɪˈreləvnt/ *adj* **1** (unconnected) *[remark]* hors de propos; *[facts]* hors du sujet; *[question]* sans rapport avec le sujet; **to be ~ to sth** n'avoir aucun rapport avec qch; **2** (unimportant) **the money's ~** ce n'est pas l'argent qui compte

irrelevantly /ɪˈreləvəntlɪ/ *adv [say, ask]* hors de propos

ℹ Islands

■ *In French, some names of islands always have the definite article and some never do.*

Island names with definite article

■ *These behave like the names of countries* ▸ **p. 1096***, with different constructions depending on gender and number:*

Corsica
= la Corse

in Corsica
= en Corse

to Corsica
= en Corse

from Corsica
= de Corse

■ *Note that where the English has the definite article, French normally has as well:*

the Balearics
= les Baléares *fpl*

in the Balearics
= aux Baléares

to the Balearics
= aux Baléares

from the Balearics
= des Baléares

Islands without definite article

■ *As in English, most island names have no definite article; these work like names of towns* ▸ **p. 1815****:**

Cyprus
= Chypre

in Cyprus
= à Chypre

to Cyprus
= à Chypre

from Cyprus
= de Chypre

Cyprus sherry
= le sherry de Chypre

■ *English uses on with the names of small islands; there is no such distinction in French:*

on St. Helena
= à Sainte-Hélène

on Naxos
= à Naxos

■ *As with names of cities and towns, it is safest to avoid explicit genders; use* l'île d... *instead:*

Cuba is beautiful
= l'île de Cuba est belle

Names with or without *île* in them

■ *English and French tend to work the same way in this respect:*

Guernsey
= Guernesey

the island of Guernsey
= l'île de Guernesey

the Balearics
= les Baléares

the Balearic Islands
= les îles Baléares

the Orkney Isles
= les îles Orcades

Exceptions

■ *There are some exceptions to these rules, e.g.* Fiji, Samoa, Jamaica. *If in doubt, look up island name in the dictionary.*

---

irreligious /ˌɪrɪˈlɪdʒəs/ *adj* irréligieux/-ieuse

irremediable /ˌɪrɪˈmiːdɪəbl/ *adj* sout [*harm, loss*] irrémédiable; [*fault*] incorrigible

irremediably /ˌɪrɪˈmiːdɪəblɪ/ *adv* sout [*damaged, lost*] irrémédiablement; [*vain, stupid*] incorrigiblement

irreparable /ɪˈrepərəbl/ *adj* irréparable

irreparably /ɪˈrepərəblɪ/ *adv* irréparablement

irreplaceable /ˌɪrɪˈpleɪsəbl/ *adj* irremplaçable

irrepressible /ˌɪrɪˈpresəbl/ *adj* [*high spirits*] débordant, irrépressible; [*desire, sense of humour, enthusiasm*] inextinguible; **he's (absolutely) ~!** il est infatigable!

irrepressibly /ˌɪrɪˈpresəblɪ/ *adv* **~ cheerful/enthusiastic** d'une bonne humeur/d'un enthousiasme à toute épreuve

irreproachable /ˌɪrɪˈprəʊtʃəbl/ *adj* irréprochable

irresistible /ˌɪrɪˈzɪstəbl/ *adj* irrésistible

irresistibly /ˌɪrɪˈzɪstəblɪ/ *adv* irrésistiblement; **~ beautiful/charming** d'une beauté/d'un charme irrésistible

irresolute /ɪˈrezəluːt/ *adj* irrésolu, indécis

irresolutely /ɪˈrezəluːtlɪ/ *adv* d'un air indécis

irrespective /ˌɪrɪˈspektɪv/: **irrespective of** *prep phr* sans tenir compte de [*age, class, ability*]; **~ of race** sans distinction de race; **everyone, ~ of who they are** tous, sans exception; **~ of whether it rains** qu'il pleuve ou non

irresponsibility /ˌɪrɪˌspɒnsəˈbɪlətɪ/ *n* irresponsabilité *f*

irresponsible /ˌɪrɪˈspɒnsəbl/ *adj* [*behaviour, remark, person*] irresponsable; **it was ~ of him to do that** c'était irresponsable de sa part de faire cela

irresponsibly /ˌɪrɪˈspɒnsəblɪ/ *adv* de façon irresponsable

irretrievable /ˌɪrɪˈtriːvəbl/ *adj* [*loss, harm*] irrémédiable, irréparable

irretrievably /ˌɪrɪˈtriːvəblɪ/ *adv* irrémédiablement

irreverence /ɪˈrevərəns/ *n* irrévérence *f*

irreverent /ɪˈrevərənt/ *adj* irrévérencieux/-ieuse

irreverently /ɪˈrevərəntlɪ/ *adv* irrévérencieusement

irreversible /ˌɪrɪˈvɜːsəbl/ *adj* [*process, decision*] irréversible; [*disease*] incurable

irreversibly /ˌɪrɪˈvɜːsəblɪ/ *adv* irréversiblement

irrevocable /ɪˈrevəkəbl/ *adj* irrévocable

irrevocably /ɪˈrevəkəblɪ/ *adv* irrévocablement

irrigable /ˈɪrɪgəbl/ *adj* irrigable

irrigate /ˈɪrɪgeɪt/ *vtr* Agric, Med irriguer

irrigation /ˌɪrɪˈgeɪʃn/
A *n* Agric, Med irrigation *f*; **to be under ~** être irrigué
B *modif* [*canal, system*] d'irrigation

irritability /ˌɪrɪtəˈbɪlətɪ/ *n* irritabilité *f*

irritable /ˈɪrɪtəbl/ *adj* irritable

irritable bowel syndrome ▸ p. 1327 *n* colopathie *f* fonctionnelle

irritably /ˈɪrɪtəblɪ/ *adv* [*say*] d'un ton irrité; [*look, shrug*] d'un air irrité

irritant /ˈɪrɪtənt/
A *n* **1** (noise, situation etc) source *f* d'irritation; **2** (substance) irritant *m*
B *adj* irritant

irritate /ˈɪrɪteɪt/ *vtr* **1** (make angry) irriter, agacer; **2** Med irriter

irritating /ˈɪrɪteɪtɪŋ/ *adj* gen irritant, agaçant; Med irritant

irritatingly /ˈɪrɪteɪtɪŋlɪ/ *adv* [*behave, say*] d'une façon irritante *or* agaçante; **~ patient/punctual** d'une patience/ponctualité agaçante

irritation /ˌɪrɪˈteɪʃn/ *n* gen, Med irritation *f*

irruption /ɪˈrʌpʃn/ *n* irruption *f*

is /ɪz/ 3ᵉ *pers. du prés de* **be**

ISA /ˈaɪsə/ *n* GB Fin (*abrév* = **Individual Savings Account**) *compte épargne individuel avec abattement fiscal plafonné sur les dividendes et plus-values*

Isaiah /aɪˈzaɪə/ *pr n* Isaïe

ISBN *n* (*abrév* = **International Standard Book Number**) ISBN *m*

ISDN *n* (*abrév* = **integrated services digital network**) RNIS *m*, réseau *m* numérique à intégration de services

Isère ▸ p. 1129 *pr n* Isère *f*; **in/to ~** en Isère

-ish /ɪʃ/ *suffix* **1** (with adjs, advs) **greenish** tirant sur le vert, verdâtre pej; **darkish** plutôt sombre; **earlyish** assez tôt; **2** (with figures, numbers etc) **he's thirtyish** il a dans les trente ans, il a la trentaine; **they came at fourish** ils sont venus vers quatre heures

isinglass /ˈaɪzɪŋglɑːs, US -glæs/ *n* **1** Agric, Culin (gelatin) ichtyocolle *f*; **2** (mica) mica *m*

Isis /ˈaɪsɪs/ *pr n* Isis

Islam /ˈɪzlɑːm, -læm, -ˈlɑːm/ *n* **1** (religion) islam *m*; **2** (Muslims collectively) Islam *m*

Islamabad /ɪzˈlæməbæd/ ▸ p. 1815 *pr n* Islamabad

Islamic /ɪzˈlæmɪk/ *adj* islamique

Islamism /ˈɪzləmɪzəm/ *n* islamisme *m*

Islamist /ˈɪzləmɪst/ *n, adj* Rel islamiste *mf*

island /ˈaɪlənd/
A *n* **1** île *f*; (small) îlot *m*; **~ of peace/hope** fig îlot de paix/d'espoir; **2** Transp ▸ **traffic island**
B *modif* (of particular island) de l'île; (of islands generally) des îles; **an ~ community** une communauté insulaire; **the ~ community** les habitants de l'île
(Idiom) **no man is an ~** on ne peut pas se passer des autres

islander /ˈaɪləndə(r)/ *n* habitant/-e *m/f* d'une île (*or* de l'île), insulaire *mf*

island hopping *n* **to go ~** aller d'île en île

Islands Council *n* GB *conseil régional responsable de la gestion d'un groupe d'îles*

isle /aɪl/ ▸ p. 1355 *n* **1** Geog île *f*; **Isle of Man** île *f* de Man; **Isle of Wight** île *f* de Wight; **2** littér île *f*

islet /ˈaɪlɪt/ *n* littér îlot *m*

ism /ˈɪzəm/ *n* péj idéologie *f*; **Marxism and other ~s** le marxisme et autres idéologies

isn't /ˈɪznt/ = **is not**

ISO *n* (*abrév* = **International Standards Organization**) ISO *f*, Organisation *f* des normes internationales

isobar /ˈaɪsəbɑː(r)/ *n* isobare *f*

 **it**

When *it* is used as a subject pronoun to refer to a specific object (or animal) *il* or *elle* is used in French according to the gender of the object referred to:

'where is the book/chair?' 'it's in the kitchen'
= 'où est le livre/la chaise?' 'il/elle est dans la cuisine'

'do you like my skirt?' 'it's lovely'
= 'est-ce que tu aimes ma jupe?' 'elle est très jolie'

However, if the object referred to is named in the same sentence, *it* is translated by *ce* (*c'* before a vowel):

it's a good film
= c'est un bon film

When *it* is used as an object pronoun it is translated by *le* or *la* (*l'* before a vowel) according to the gender of the object referred to:

it's my book/my chair and I want it
= c'est mon livre/ma chaise et je le/la veux

Note that the object pronoun normally comes before the verb in French and that in compound tenses like the perfect and the past perfect, the past participle agrees with it:

I liked his shirt – did you notice it?
= j'ai aimé sa chemise – est-ce que tu l'as remarquée? *or* l'as-tu remarquée?

In imperatives only, the pronoun comes after the verb:

it's my book – give it to me
= c'est mon livre – donne-le-moi (note the hyphens)

When *it* is used vaguely or impersonally followed by an adjective the translation is *ce* (*c'* before a vowel):

it's difficult
= c'est difficile

it's sad
= c'est triste

But when *it* is used impersonally followed by an adjective + verb the translation is *il*:

it's difficult to understand how...
= il est difficile de comprendre comment ...

If in doubt consult the entry for the adjective in question.

For translations for impersonal verb uses (*it's raining, it's snowing*) consult the entry for the verb in question.

it is used in expressions of days of the week (*it's Friday*) and clock time (*it's 5 o'clock*). This dictionary contains usage notes on these and many other topics. For the index to these notes ▸ **p. 1948**. For other impersonal and idiomatic uses see the entry **it**.

When *it* is used after a preposition in English the two words (prep + *it*) are often translated by one word in French. If the preposition would normally be translated by *de* in French (*e.g. of, about, from* etc.) the prep + *it* = *en*:

I've heard about it
= j'en ai entendu parler

If the preposition would normally be translated by *à* in French (*e.g. to, in, at* etc.) the prep + *it* = *y*:

they went to it
= ils y sont allés

For translations of *it* following prepositions not normally translated by *de* or *à* (*e.g. above, under, over* etc.) consult the entry for the preposition.

isolate /ˈaɪsəleɪt/ *vtr* (all contexts) isoler (**from** de)

isolated /ˈaɪsəleɪtɪd/ *adj* isolé

isolation /ˌaɪsəˈleɪʃn/ *n* (all contexts) isolement *m*; **in ~** dans l'isolement; **in splendid ~** hum superbement isolé

isolation hospital *n* GB hôpital *m* pour maladies infectieuses

isolationism /ˌaɪsəˈleɪʃənɪzəm/ *n* isolationnisme *m*

isolationist /ˌaɪsəˈleɪʃənɪst/ *n, adj* isolationniste (*mf*)

isolation ward *n* GB salle *f* des contagieux

Isolde /ɪˈzɒldə/ *pr n* Iseult, Iseut

isometric /ˌaɪsəʊˈmetrɪk/
A **isometrics** *npl* exercices *mpl* musculaires isométriques
B *adj* isométrique

isomorphic /ˌaɪsəˈmɔːfɪk/ *adj* Chem, Math, Ling isomorphe; Biol homomorphique

isomorphism /ˌaɪsəˈmɔːfɪzəm/ *n* Chem, Math, Ling isomorphisme *m*; Biol homomorphisme *m*

isosceles /aɪˈsɒsəliːz/ *adj* isocèle

isotherm /ˈaɪsəθɜːm/ *n* isotherme *f*

isotonic /aɪsəˈtɒnɪk/ *adj* isotonique

isotope /ˈaɪsətəʊp/ *n* isotope *m*

ISP *n*: *abrév* ▸ **Internet service provider**

Israel /ˈɪzreɪl/ ▸ **p. 1096** *pr n* Israël (*never with article*); **in ~** en Israël

Israeli /ɪzˈreɪlɪ/ ▸ **p. 1467**
A *n* Israélien/-ienne *m/f*
B *adj* israélien/-ienne

Israelite /ˈɪzrɪəlaɪt, -rəlaɪt/ *n* Israélite *mf*

issue /ˈɪʃuː, ˈɪsjuː/
A *n* **1** (topic for discussion) problème *m*, question *f* (**of** de); **a political ~** une question *or* un problème politique; **that's not the ~** ce n'est pas la question *or* le problème; **to force the ~** précipiter la solution d'une question *or* d'un problème; **to make an ~ (out) of** faire une histoire de; **the point at ~** ce qui est en cause; **her beliefs are not at ~** ses croyances ne sont pas en question; **our future is at ~ here** c'est notre avenir qui est en question ici; **to be at ~** (in disagreement) être en désaccord (**over, about** sur); **to take ~ with** entrer en désaccord avec; **I must take ~ with you on that** je dois vous signifier mon désaccord sur ce point; **2** (allocation) (of blankets, food, arms, uniforms) distribution *f*; (of passport, licence, summons, writ) délivrance *f*; **3** (official release) (of stamps, coins, shares) émission *f*; (of book) publication *f*; **4** Publg (copy) (of newspaper, magazine, journal) numéro *m*; **back ~** ancien numéro *m*; **5** (flowing out) (of liquid) écoulement *m*; **6** (outcome) résultat *m*; **7** (offspring) descendance *f*; **to die without ~** mourir sans laisser de descendance
B *vtr* **1** (allocate) distribuer [*book, food, arms, uniforms*] (**to** à); **to ~ sb with** fournir qch à qn; **to be ~d with** recevoir; **2** (make public) délivrer [*declaration, statement, ultimatum*]; émettre [*order, warning*]; **3** (release officially) émettre [*stamps, coins, shares*]; **4** (publish) publier [*book, magazine*]
C *vi* **1** (flow out) **to ~ from** [*water, liquid*] s'écouler de; [*gas, smoke*] émaner de; [*shouts, laughter, insults*] provenir de; **2** (result) **to ~ from** résulter de

issuer /ˈɪʃʊə(r)/ *n* Fin émetteur *m*

Istanbul /ˌɪstænˈbʊl/ ▸ **p. 1815** *pr n* Istanbul

isthmus /ˈɪsməs/ *n* isthme *m*

Istria /ˈɪstrɪə/ *n* Istrie *f*

it /ɪt/ *pron* **1** (in questions) **who is ~?** qui est-ce?, qui c'est○?; **~'s me** c'est moi; **where is ~?** où est-il/elle?, où est-ce que c'est?, c'est où○?; **what is ~?** (of object, noise etc) qu'est-ce que c'est?, c'est quoi○?; (what's happening?) qu'est-ce qui se passe?; (what is the matter?) qu'est-ce qu'il y a?; **how was ~?** comment cela s'est-il passé?, ça s'est passé comment○?; **2** Games **you're ~!** c'est toi le chat!
(Idioms) **I didn't have ~ in me to refuse** je n'ai pas eu le cœur de refuser; **he's just not got ~ in him to do any better** il ne peut vraiment pas faire mieux; **the best/worst of ~ is that** ce qu'il y a de mieux/de pire là-dedans c'est que; **that's ~!** (in triumph) voilà!, ça y est!; (in anger) ça suffit!; **we've had ~ now○!** on est fichu○!; **the cooker's had ~○!** la cuisinière est fichue○!; **I've had ~ (with this job)** j'en ai ras le bol○ (de ce travail); **to have ~ in for sb○** en vouloir à qn; **to be with ~○** être branché○, être dans le vent

IT *n*: *abrév* ▸ **information technology**

ITA *n*: *abrév* ▸ **Initial Teaching Alphabet**

Italian /ɪˈtæljən/ ▸ **p. 1467, p. 1378**
A *n* **1** (person) Italien/-ienne *m/f*; **2** Ling italien *m*
B *adj* italien/-ienne

Italianate /ɪˈtæljəneɪt/ *adj* à l'italienne

italic /ɪˈtælɪk/
A *adj* italique
B **italics** *npl* italique *m*; **in ~s** en italique; **'my ~s'** 'les italiques sont de moi'

italicize /ɪˈtælɪsaɪz/ *vtr* Print imprimer [qch] en italique; (by hand) mettre [qch] en italique; **this word is ~d** ce mot est en italique

Italy /ˈɪtəlɪ/ ▸ **p. 1096** *pr n* Italie *f*

ITC *n* GB *abrév* ▸ **Independent Television Commission**

itch /ɪtʃ/
A *n* **1** (physical) démangeaison *f*; **to relieve an ~** soulager des démangeaisons; Med **the ~** la gale; **2** ○(hankering) envie *f* (**for** de; **to do** de faire); **I had an ~ to travel** l'envie de voyager me démangeait○
B *vtr* US (scratch) gratter
C *vi* **1** (physically) avoir des démangeaisons; **my back is ~ing** j'ai le dos qui me démange; **these socks make me** *ou* **my feet ~** ces chaussettes me démangent; **2** **to be ~ing for sth/to do** mourir○ d'envie de qch/de faire

itching /ˈɪtʃɪŋ/
A *n* démangeaisons *fpl*
B *adj* = **itchy**

itching powder *n* poil *m* à gratter

itchy○ /ˈɪtʃɪ/ *adj* **I have an ~ back** j'ai le dos qui me démange; **I feel ~ all over** ça me gratte partout
(Idioms) **to have ~ feet○** avoir la bougeotte○; **to have ~ fingers○** être chapardeur/-euse○ *m/f*

it'd /ˈɪtəd/ = **it had, it would**

item /ˈaɪtəm/
A *n* **1** gen, Comput article *m*; **household ~** article *m* ménager; **luxury ~** produit *m* de luxe; **an ~ of furniture** un meuble; **~s of clothing** vêtements *mpl*; **2** Admin Pol point *m*; **an ~ on the agenda** un point à l'ordre du jour; **~ nine** le point neuf; **~s of business** questions au programme; **3** Journ, Radio, TV article *m* (**about** sur); **news ~** article *m*; **the main ~** Radio, TV le titre principal; Journ le gros titre; **4** Mus morceau *m*; (in show) numéro *m*; **5** Ling item *m*; **6** ○(couple) **to be an ~** être ensemble, sortir ensemble

B *adv* Comm (when listing) sout item

itemize /ˈaɪtəmaɪz/ *vtr* détailler; **~d bill** facture *f* détaillée

item veto *n* US Pol veto *m* partiel

iterative /ˈɪtərətɪv/ *adj* Ling itératif/-ive, fréquentatif/-ive

itinerant /aɪˈtɪnərənt, ɪ-/
A *n* vagabond/-e *m/f*
B *adj* [*life, preacher, worker*] itinérant; [*tribe*] nomade; **~ teacher** US professeur *m* qui exerce sur plusieurs établissements

itinerary /aɪˈtɪnərərɪ, ɪ-, US -rerɪ/ *n* itinéraire *m*

it'll /ˈɪtl/ = **it will**

ITN *n* GB (*abrév* = **Independent Television News**) *chaîne indépendante d'actualités télévisées*

its /ɪts/

> ⚠ In French determiners agree in number and gender with the noun they qualify. *its* is translated by *son + masculine noun*: *its nose* = son nez; by *sa + feminine noun*: *its tail* = sa queue; BUT by *son + feminine noun beginning with a vowel or mute h*: *its ear* = son oreille; and by *ses + plural noun*: *its ears* = ses oreilles

det son/sa/ses

it's /ɪts/ = **it is, it has**

itself /ɪtˈself/

> ⚠ When used as a reflexive pronoun, direct and indirect, *itself* is translated by *se* (*s'* before a vowel or mute h): *the cat hurt itself* = le chat s'est fait mal; *a problem presented itself* = un problème s'est présenté.
> When used for emphasis *itself* is translated by *lui-même* when standing for a masculine noun and *elle-même* when standing for a feminine noun: *the car itself was not damaged* = la voiture elle-même n'était pas endommagée.
> For examples and particular usages see the entry below.
> For uses with prepositions (*by itself etc*) see **3** below.

pron **1** (refl) se, s'; **2** (emphatic) lui-même/elle-même; **the house ~ was pretty** la maison elle-même était jolie; **the library is not in the university ~** la bibliothèque n'est pas dans l'université même *or* dans l'université elle-même; **he was kindness ~** c'était la bonté personnifiée; **3** (after prepositions) **the heating comes on by ~** le chauffage se met en marche tout seul; **the house stands by ~ in the middle of a field** la maison est toute seule au milieu d'un champ; **the library is a fine building in ~** la bibliothèque par elle-même est un beau bâtiment; **learning French is not difficult in ~** l'apprentissage du français n'est pas difficile en soi

ITV *n* GB (*abrév* = **Independent Television**) *chaîne indépendante de télévision*

IUD *n*: *abrév* ▸ **intrauterine device**

IV *n*: *abrév* ▸ **intravenous drip**

I've /aɪv/ = **I have**

IVF *n* (*abrév* = **in vitro fertilization**) FIV *f*, fécondation *f* in vitro; **to have ~ (treatment)** recourir à la FIVETE

ivory /ˈaɪvərɪ/
A *n* **1** ₵ (substance) ivoire *m*; **2** (ornament) (objet *m* en) ivoire *m*; **3** (colour) ivoire *m inv*
B *modif* [*object*] d'ivoire, en ivoire
C *adj* [*skin, complexion*] ivoire *inv*
(Idiom) **to tickle the ivories**† hum pianoter○

ivory: **Ivory Coast** ▸ **p. 1096** *pr n* Côte *f* d'Ivoire; **~ tower** *n* fig tour *f* d'ivoire

ivy /ˈaɪvɪ/ *n* lierre *m*

ivy-leaf geranium *n* géranium-lierre *m*

Ivy League *adj* US ≈ bon chic bon genre; **the ~ colleges** *prestigieuses universités américaines*

> **The Ivy League**
> Ce sont les huit universités les plus anciennes et les plus renommées de la côte est des États-Unis (*Harvard, Yale, Columbia, Cornell, Dartmouth, Brown, Princeton, Pennsylvania*). Elles doivent ce nom collectif au lierre qui pousse (ou est censé pousser) sur les murs des bâtiments anciens. Le coût des études y est très élevé, mais il est possible d'obtenir une bourse. ▸ **Scholarship**

i

jj

j, J /dʒeɪ/ *n* j, J *m*

jab /dʒæb/

A *n* **1** GB Med (vaccination) vaccin *m*; (injection) piqûre *f*; **2** (poke) petit coup *m*; **3** (in boxing) direct *m*

B *vtr* **to ~ sth into sth** planter qch dans qch; **he ~bed his finger into my arm, he ~bed my arm (with his finger)** il a planté son doigt dans mon bras; **to ~ sth at sb** pointer qch en direction de qn

C *vi* **1** gen **she ~bed at the page with her finger** elle tapait sur la page avec son doigt; **2** (in boxing) envoyer des directs (**at** à)

jabber /ˈdʒæbə(r)/

A *vtr* baragouiner

B *vi* (chatter) jacasser; (in foreign language) baragouiner

jabbering /ˈdʒæbərɪŋ/ *n* (chatter) jacasseries *fpl*; (incomprehensible talk) baragouin *m*

jabot /ˈʒæbəʊ/ *n* Fashn jabot *m*

jacaranda /ˌdʒækəˈrændə/ *n* jacaranda *m*

jack /dʒæk/

A *n* **1** (crank for car etc) cric *m*; **2** (in cards) valet *m* (**of** de); **3** (in bowls) cochonnet *m*; **4** Elec, Telecom jack *m*; **5** Naut pavillon *m*

B jacks ▸ p. 1253 *npl* Games osselets *mpl*

(Idioms) **every man ~** tout un, chacun; **every man ~ of them** jusqu'au dernier; **to be (a) ~ of all trades (and master of none)** être un/-e touche-à-tout *inv*; **to have an I'm all right Jack attitude** ne s'occuper que de sa petite personne

(Phrasal verbs) ■ **jack around**○ US: ▸ **~ around** **1** (idle around) traînasser○; **2** **to ~ around with sth** traficoter○ qch; ▸ **~ around [sb], ~ [sb] around** agacer

■ **jack in**○ GB: ▸ **~ in [sth], ~ [sth] in** plaquer○, laisser tomber [*job, task*]; **to ~ it in** tout plaquer

■ **jack off**● US se branler●, se masturber

■ **jack up**: ▸ **~ up [sth], ~ [sth] up** **1** soulever [qch] avec un cric [*vehicle*]; **2** ○fig faire grimper [*price, charge*]; **3** ○US (encourage) chauffer○ [*crowd*]

jackal /ˈdʒækɔːl, US -kl/ *n* chacal *m*

jackanapes† /ˈdʒækəneɪps/ *n* polisson/-onne *m/f*

jack: **~ass** *n* lit, fig âne *m*; **~boot** *n* botte *f* militaire; fig botte *f* (**of** de); **~-booted** *adj* [*soldier, troops*] botté; [*regime, repression*] musclé, autoritaire; **~daw** *n* choucas *m*

jacket /ˈdʒækɪt/ ▸ p. 1694

A *n* **1** (garment) veste *f*; (short) veston *m*; **potatoes (baked) in their ~s** Culin pommes *fpl* de terre en robe des champs (au four); **2** (of book) (*also* **dust ~**) jaquette *f*; US (of record) pochette *f*; **3** Tech (insulating) enveloppe *f* isolante

B *modif* **1** [*sleeve, pocket*] de veste; **~ potato** Culin pomme *f* de terre en robe des champs (au four); **2** [*illustration, design*] de couverture

jack: **Jack Frost** *pr n* ≈ le Bonhomme Hiver; **~hammer** *n* marteau-piqueur *m*; **~-in-the-box** *n* diable *m* à ressort

jackknife /ˈdʒæknaɪf/

A *n* **1** (knife) couteau *m* pliant; **2** = **jackknife dive**

B *vi* [*lorry*] se mettre en portefeuille

jackknife dive *n* saut *m* carpé

jack-o'-lantern /ˌdʒækəʊˈlæntən/ *n* **1** US citrouille *f* taillée en forme de visage; **2** GB feu-follet *m*

jack plug *n* jack *m*

jackpot /ˈdʒækpɒt/ *n* gros lot *m*

(Idiom) **to hit the ~** (win prize) gagner le gros lot; (have great success) faire un tabac○

jack: **~rabbit** *n* lièvre *m* (*du nord-ouest américain*); **~ shit**◑ *n* US que dalle◑; **~straws** *n* (+ *v sg*) (jeu *m* de) jonchets *mpl*; **~ tar**, **Jack Tar** *n* marin *m*, matelot *m*; **Jack-the-lad**○ *n* GB esbroufeur○ *m*

Jacobean /ˌdʒækəˈbiːən/ *adj* jacobéen/-éenne

Jacobite /ˈdʒækəbaɪt/ *n* Jacobite *mf*

jacuzzi® /dʒəˈkuːzɪ/ *n* jacuzzi® *m*, bain *m* bouillonnant

jade /dʒeɪd/

A *n* **1** (stone) jade *m*; **2** ▸ p. 1067 (colour) vert *m* jade; **3** ‡péj (woman) friponne *f*; **4** ‡péj (horse) rossinante† *f*

B *modif* [*ring, statue*] en jade

C *adj* vert jade *inv*

jaded /ˈdʒeɪdɪd/ *adj* **1** (exhausted) fatigué; **2** (bored) [*person, palate*] blasé; **to have a ~ appetite** ne pas avoir d'appétit

jade green ▸ p. 1067 *n, adj* vert (*m*) jade (*inv*)

Jag○ /dʒæg/ *n* Jag○ *f*, Jaguar® *f*

jagged /ˈdʒægɪd/ *adj* [*rock, cliff, wreck*] déchiqueté; [*knife, saw*] dentelé; **a ~ tear** une déchirure en zig-zag

jaguar /ˈdʒægjʊə(r)/ *n* jaguar *m*

jail /dʒeɪl/

A *n* prison *f*; **to be in/go to ~** être/aller en prison (**for sth** pour qch); **to go to ~ for 10 years** faire 10 ans de prison; **sentenced to 14 days in ~** condamné à 14 jours de réclusion criminelle *or* de prison

B *modif* **~ sentence** peine *f* de prison

C *vtr* emprisonner; Admin, Jur incarcérer (**for sth** pour qch); **~ed for life** condamné à la réclusion criminelle à perpétuité

jail: **~bait**◑ *n* mineure *f*; **~bird**○ *n* taulard/-e○ *m/f*; (habitual) récidiviste *mf*; **~break** *n* évasion *f*

jailer† /ˈdʒeɪlə(r)/ *n* geôlier/-ière† *m/f*

jakes○† /dʒeɪks/ *npl* **the ~** les cabinets *mpl*

jalfrezi /dʒælˈfreɪzɪ/ *n, adj* Culin jalfrezi (*m*) *inv*

jalopy○ /dʒəˈlɒpɪ/ *n* guimbarde○ *f*, vieille voiture *f*

jalousie /ˈʒælʊziː/ *n* jalousie *f*, persienne *f*

jam /dʒæm/

A *n* **1** Culin confiture *f*; **apricot ~** confiture d'abricots; **2** (congestion) (of people) foule *f*; (of traffic) embouteillage *m*; ▸ **log jam**; **3** (failure, blockage of machine, system, department) blocage *m*; **4** ○(difficult situation) pétrin○ *m*; **this is a real ~** on est vraiment dans le pétrin○; **to be in/get into a ~** être/se mettre dans le pétrin○; **to help sb out of a ~** tirer qn du pétrin○; **5** Mus (*also* **~ session**) bœuf○ *m*, jam-session *f*

B *modif* Culin [*tart, doughnut etc*] à la confiture

C *vtr* (*p prés etc* **-mm-**) **1** (stuff, pile) **to ~ things into** entasser des choses dans [*small space, suitcase, box*]; **she ~med her clothes into the drawer** elle a entassé ses vêtements dans le tiroir; **reporters were ~ming microphones into our faces** les journalistes nous fourraient○ des micros sous le nez; **to ~ one's hat on** enfoncer son chapeau sur sa tête; **to ~ one's foot on the brake, to ~ the brake on** freiner à bloc; **2** (fix firmly, wedge) coincer; **I was ~med between the wall and the door** j'étais coincé entre le mur et la porte; **I got my finger ~med in the door** je me suis coincé le doigt dans la porte; **the key's ~med in the lock** la clé s'est coincée dans la serrure; **3** (*also* **~ up**) (crowd, fill up) gen encombrer; **cars ~med (up) the roads** les routes étaient embouteillées; **to be ~med (solid) with, to be ~med full of** [*room, entrance, shelf*] être bourré de qch [*people, books, objects*]; **4** (*also* **~ up**) (cause to stop functioning, block) [*dirt, malfunction, person*] enrayer [*mechanism*]; coincer [*lock, door, window, system*]; **sand had ~med (up) the mechanism** le sable avait enrayé le mécanisme; **to be ~med** *ou* **~med up** [*mechanism*] s'enrayer (**by sth** à cause de qch); [*lock, door, window*] se coincer *or* se bloquer (**by sth** à cause de qch); [*system*] se bloquer; **5** Radio, Telecom brouiller [*frequency, transmission*]

D *vi* (*p prés etc* **-mm-**) **1** (become stuck) [*mechanism, switch, lever*] s'enrayer; [*lock, door, window*] se coincer, se bloquer; **2** Mus faire un bœuf○, improviser

(Idioms) **it's real ~**○**!** (job, task) c'est du gâteau○! **you want ~ on it**○**!** GB et puis quoi encore!; **(it's a case of) ~ tomorrow** les beaux jours sont pour demain; ▸ **money, bread**

(Phrasal verb) ■ **jam in**: ▸ **~ in** [*people*] s'entasser; ▸ **~ [sth/sb] in** **1** (trap, wedge) coincer; **to be ~med in** être coincé; **2** (pack in) entasser; **there were 30 people ~med into the room** il y avait 30 personnes entassées dans la pièce

Jamaica /dʒəˈmeɪkə/ ▸ p. 1096 *pr n* Jamaïque *f*

Jamaican /dʒəˈmeɪkən/ ▸ p. 1467

A *n* Jamaïquain/-e *m/f*

B *adj* jamaïquain

jamb /dʒæm/ *n* chambranle *m*

jamboree /ˌdʒæmbəˈriː/ *n* **1** (for scouts) jamboree *m*; **2** (party) grande fête *f*

James /dʒeɪmz/ *pr n* Jacques

jam: **~-full** *adj* = **jam-packed**; **~jar**, **~ pot** *n* pot *m* à confitures

jamming /ˈdʒæmɪŋ/ *n* **1** Radio, Telecom brouillage *m*; **2** Mus improvisation *f*; **3** (in mountaineering) coincement *m*

jammy /ˈdʒæmɪ/ *adj* **1** GB ○[*person*] veinard○; [*job*] de planqué; **2** lit [*fingers, face*] plein de confiture

jam-packed /ˌdʒæmˈpækt/, **jam-full** /ˌdʒæmˈfʊl/ *adj* bondé; **to be jam-full of** *ou* **jam-packed with sth** être bourré de qch

jam pot *n* = **jamjar**

Jan *abrév écrite* = **January**

jangle /ˈdʒæŋgl/

A *n* (of bells, pots) tintement *m*; (of keys) cliquetis *m*; (of alarm) bruit *m* strident

B *vtr* faire tinter [*bell*]; faire cliqueter [*keys*]

C *vi* **1** (make noise) [*bells, pots*] tinter; [*keys, bangles*] cliqueter; **2** [*nerves*] **my nerves are jangling** j'ai les nerfs à vif

jangling /ˈdʒæŋglɪŋ/
A *n* = **jangle A**
B *adj* [*noise*] métallique; [*alarm*] strident

janitor /ˈdʒænɪtə(r)/ *n* US Scot gardien *m*

Jansenism /ˈdʒænsənɪzəm/ *n* jansénisme *m*

Jansenist /ˈdʒænsənɪst/ *n, adj* janséniste (*mf*)

January /ˈdʒænjʊərɪ, US -jʊerɪ/ ▸ **p. 1452** *n* janvier *m*

Jap○ /dʒæp/ péj
A *n* Japonais/-e *m/f*
B *adj* japonais

japan /dʒəˈpæn/
A *n* laque *f*
B *vtr* (*p prés etc* **-nn-**) laquer, vernir

Japan /dʒəˈpæn/ ▸ **p. 1096** *pr n* Japon *m*

Japanese /ˌdʒæpəˈniːz/ ▸ **p. 1467, p. 1378**
A *n* **1** (person) Japonais/-e *m/f*; **2** Ling japonais *m*
B *adj* [*culture, industry*] japonais

jape† /dʒeɪp/ *n* farce *f*, plaisanterie *f*

japonica /dʒəˈpɒnɪkə/ *n* cognassier *m* du Japon

jar /dʒɑː(r)/
A *n* **1** gen pot *m*; (large) (for sweets, pickles, preserves) bocal *m*; (earthenware) jarre *f*; **2** ○GB (drink) pot○ *m*; **to go for a ~**○ aller prendre un pot○ *or* un verre; **3** (jolt) lit, fig secousse *f*, choc *m*; **4** (noise) crissement *m*
B *vtr* (*p prés etc* **-rr-**) **1** (give shock to) lit, fig ébranler, secouer [*person, structure, building*]; **to ~ one's shoulder/neck** se cogner l'épaule/le cou; **2** US (spur) **to ~ sb into action** pousser qn à agir
C *vi* (*p prés etc* **-rr-**) **1** (make discordant noise) [*instrument, music, voice*] rendre un son discordant; **to ~ on** agacer [*person*]; **the noise ~red on her nerves** le bruit lui tapait○ sur les nerfs; **that music ~s on my ears** cette musique m'écorche○ les oreilles; **2** (rattle) [*windows*] trembler; **3** (clash) [*colours*] jurer; [*note*] sonner faux; [*ideas, opinions*] ne pas s'accorder; [*comments, criticism*] être déplacé

jargon /ˈdʒɑːgən/ *n* jargon *m*

jargon-ridden *adj* jargonneux/-euse

jarring /ˈdʒɑːrɪŋ/ *adj* [*sound, voice, colour, effect*] discordant

jasmine /ˈdʒæsmɪn, US ˈdʒæzmən/ *n* jasmin *m*

jasper /ˈdʒæspə(r)/ *n* jaspe *m*

jaundice /ˈdʒɔːndɪs/ ▸ **p. 1327** *n* jaunisse *f*

jaundiced /ˈdʒɔːndɪst/ *adj* **1** (bitter, cynical) [*attitude, person, account*] négatif/-ive; **to look on sth with a ~ eye** voir qch d'un mauvais œil; **2** (affected with jaundice) qui a la jaunisse; **to look ~** avoir l'air de quelqu'un qui a la jaunisse

jaunt /dʒɔːnt/ *n* balade○ *f*; **to go for a ~** faire une balade○

jauntily /ˈdʒɔːntɪlɪ/ *adv* de façon guillerette

jaunty /ˈdʒɔːntɪ/ *adj* [*person, appearance*] guilleret/-ette; **to wear one's hat at a ~ angle** porter crânement son chapeau

java○† /ˈdʒɑːvə/ *n* US café *m*

Java /ˈdʒɑːvə/ ▸ **p. 1355**
A *pr n* Java *f*
B **Java**® *n* Comput Java® *m*

Javanese /ˌdʒɑːvəˈniːz/ ▸ **p. 1467**
A *n* **1** (native) Javanais/-e *m/f*; **2** Ling javanais *m*
B *adj* javanais

javelin /ˈdʒævlɪn/ ▸ **p. 1253** *n* **1** (object) javelot *m*; **2** (event) **the ~** le javelot, le lancer du javelot

javelin: **~ thrower** *n* lanceur/-euse *m/f* de javelot; **~ throwing** ▸ **p. 1253** *n* lancer *m* du javelot, javelot *m*

jaw /dʒɔː/
A *n* **1** ▸ **p. 997** (bone) mâchoire *f*; **to set one's ~** prendre un air décidé; **2** ○(chat) **to have a good ~** tailler une bavette○
B **jaws** *npl* (of animal, tool) mâchoires *fpl*; **the ~s of death** littér les griffes de la mort liter; **to snatch victory from the ~s of defeat** arracher la victoire à l'ennemi
C ○*vi* (chat) papoter○

(Idiom) **his ~ dropped** les bras lui en sont tombés

(Phrasal verb) ■ **jaw on**○ (lecture) faire des sermons (**at** à)

jawbone /ˈdʒɔːbəʊn/
A *n* mâchoire *f*, maxillaire *m* spec
B *vtr* US exercer des pressions sur [*person*]

jawbreaker○ /ˈdʒɔːbreɪkə(r)/ *n* **1** (word) mot *m* imprononçable; **2** (candy) bonbon *m* à sucer

jawline /ˈdʒɔːlaɪn/ *n* menton *m*

jay /dʒeɪ/ *n* geai *m*

jaywalk /ˈdʒeɪwɔːk/ *vi* traverser en dehors des passages piétons

jaywalker /ˈdʒeɪwɔːkə(r)/ *n* personne *f* qui traverse en dehors des passages piétons

jazz /dʒæz/
A *n* Mus jazz *m*; **to play ~** jouer du jazz
B *modif* [*concert, musician, singer, fan*] de jazz

(Idiom) **and all that ~**○ et tout le bataclan○

(Phrasal verb) ■ **jazz up**○: ▸ **~ up [sth], ~ [sth] up** **1** (liven up) rajeunir [*dress, outfit*]; égayer [*room, decor*]; ranimer [*party, atmosphere*]; **2** (play like jazz) faire une version jazz de [*tune*]

jazz: **~ band** *n* jazz-band *m*; **~ dance** *n* modern-jazz *m*; **~man** *n* musicien *m* de jazz

jazzy /ˈdʒæzɪ/ *adj* **1** (bright) [*colour*] voyant; [*pattern, dress, wallpaper*] bariolé; **2** [*music*] jazzy *inv*

JCB® *n* JCB® *m*, tracto-pelle *m*

JCS *n* US *abrév* ▸ **Joint Chiefs of Staff**

JD *n* US (*abrév* = **Jurum Doctor**) doctorat *m* de droit

jealous /ˈdʒeləs/ *adj* (all contexts) jaloux/-ouse (**of** de); **to feel ~** être jaloux; **to make sb ~** rendre qn jaloux; **to keep a ~ eye on sth** surveiller qch d'un œil jaloux

jealously /ˈdʒeləslɪ/ *adv* [*watch, behave*] jalousement; **~ guarded** jalousement gardé

jealousy /ˈdʒeləsɪ/ *n* jalousie *f*; **his petty jealousies** ses petites crises de jalousie

jean /dʒiːn/
A *modif* (denim) [*jacket, skirt*] en jean
B **jeans** *npl* jean *m*; **a pair of ~s** un jean

Jean /dʒiːn/ *pr n* Jeanne

jeep® /dʒiːp/ *n* jeep *f*

jeer /dʒɪə(r)/
A *n* (from crowd) huée *f*; (from person) raillerie *f*
B *vtr* huer
C *vi* se moquer; **to ~ at** se moquer de [*idea, suggestion*]; [*crowd*] huer [*person*]; [*individual*] railler [*person*]

jeering /ˈdʒɪərɪŋ/
A *n* ₵ huées *fpl*
B *adj* railleur/-euse

Jehovah /dʒɪˈhəʊvə/ *pr n* Jéhovah; **~'s Witness** Témoin *m* de Jéhovah

jejune /dʒɪˈdʒuːn/ *adj* littér **1** (naive) naïf/naïve; **2** (dull) fade

Jekyll and Hyde /ˌdʒekɪl ən ˈhaɪd/ *n* **to lead a ~ existence** mener une double vie

jell /dʒel/ *vi* = **gel B**

jellied /ˈdʒelɪd/ *adj* en aspic; **~ eels** anguilles *fpl* en gelée

Jell-o® /ˈdʒeləʊ/ *n* US gelée *f* de fruits

jelly /ˈdʒelɪ/ *n* **1** Culin (savoury) gelée *f*; (sweet) gelée *f* de fruits; **2** (clear preserve) gelée *f*; **3** US (jam) confiture *f*; **to set into a ~** se gélifier; **4** (gelatinous substance) gelée *f*; **5** ○*abrév* = **gelignite**

(Idioms) **to shake like a ~** trembler comme une feuille; **my legs turned to ~** j'avais les jambes en coton

jelly: **~ baby** *n* bonbon *m*; **~ bean** *n* bonbon *m* fourré à la gelée

jellyfish /ˈdʒelɪfɪʃ/ *n* (*pl* **~** *ou* **~es**) méduse *f*

jelly: **~ mould** GB, **~ mold** US *n* moule *m* à gelée; **~ roll** *n* US biscuit *m* roulé; **~ shoe** *n* sandale *f* en plastique, méduse®

jemmy /ˈdʒemɪ/ GB
A *n* pince-monseigneur *f*
B *vtr* **to ~ sth open** forcer qch à la pince-monseigneur

je ne sais quoi /ˌʒə nə seɪ ˈkwɑː/ *n* je-ne-sais-quoi *m*

jeopardize /ˈdʒepədaɪz/ *vtr* compromettre [*career, chance, plans*]; mettre [qch] en péril [*lives, troops*]

jeopardy /ˈdʒepədɪ/ *n* **to be in ~** être en péril, être menacé; **to put sb/sth in ~** mettre qn/qch en péril; ▸ **double jeopardy**

jerboa /dʒɜːˈbəʊə/ *n* gerboise *f*

jeremiad /ˌdʒerɪˈmaɪæd/ *n* jérémiade *f* (**about** à propos de)

Jeremiah /ˌdʒerɪˈmaɪə/ *pr n* Jérémie

Jericho /ˈdʒerɪkəʊ/ ▸ **p. 1815** *pr n* Jéricho

jerk /dʒɜːk/
A *n* **1** (jolt) gen secousse *f*, saccade *f*; (twitch) (of muscle, limb) tressaillement *m*, (petit) mouvement *m* brusque; **with a ~ of his hand/head** avec un brusque mouvement de la main/tête; **to pull the knife/drawer out with a ~** tirer le couteau/le tiroir d'un coup sec; **to start off with a ~** [*vehicle*] démarrer avec une secousse; **2** ○US péj (obnoxious man) salaud◑ *m*; (stupid man) crétin○ *m*, abruti○ *m*
B ○*modif* US **my ~ cousins** mes imbéciles○ de cousins
C *vtr* tirer brusquement [*object*]; **she ~ed her head back** elle releva brusquement le menton; **he ~ed his hand away** d'un mouvement brusque il a retiré la main; **try not to ~ the camera** essaie de ne pas faire bouger l'appareil
D *vi* **1** (jolt) **to ~ to a halt** [*vehicle*] s'arrêter avec une secousse; **to ~ around/bolt upright** [*person*] se retourner/se redresser brusquement; **2** (twitch) [*person, limb, muscle*] tressaillir

(Phrasal verbs) ■ **jerk around**○ US: ▸ **~ around** (idle about) fainéanter○; ▸ **~ [sb] around** (harass) asticoter○ [*person*]
■ **jerk away** [*person*] se dégager brusquement; **to ~ away from sb/sth** reculer brusquement devant qn/qch
■ **jerk off**◑ **1** (masturbate) se branler●, se masturber; **~ off●!** fous◑ (-moi) le camp!; **2** US (idle about) se tourner les pouces○
■ **jerk out**: ▸ **~ out [sth]** **1** (stammer) bafouiller [*reply, excuse, apology*]; **2** (pull out) sortir brusquement [*gun, knife etc*]

jerkily /ˈdʒɜːkɪlɪ/ *adv* [*move*] par à-coups, par saccades; [*speak*] d'une voix saccadée

jerkin /ˈdʒɜːkɪn/ *n* gilet *m*

jerkwater town *n* US péj trou *m or* bled○ *m* perdu

jerky /ˈdʒɜːkɪ/
A *n* US Culin bœuf *m* séché
B *adj* [*movement*] saccadé; [*style, phrase*] haché

jeroboam /ˌdʒerəˈbəʊəm/ *n* jéroboam *m*

jerry○† /ˈdʒerɪ/ *n* GB pot *m* de chambre

Jerry○† /ˈdʒerɪ/ GB injur
A *n* **1** (soldier) Fritz○† *m* offensive; **2** (the Germans) les Boches○† *mpl* offensive
B *modif* [*bomber, tank*] boche○† offensive

jerry-building /ˈdʒerɪbɪldɪŋ/ *n* péj construction *f* de mauvaise qualité

jerry-built /ˈdʒerɪbɪlt/ *adj* péj construit à la va-vite

jerrycan /ˈdʒerɪkæn/ *n* jerrican *m*, nourrice *f*

jersey /ˈdʒɜːzɪ/
A *n* **1** (sweater) pull-over *m*, tricot *m*; **football ~** maillot *m* de football; **2** (fabric) jersey *m*
B *modif* [*garment*] en jersey

j

Jersey /ˈdʒɜːzɪ/ ▸ p. 1355 *pr n* 1 GB (island) Jersey *f*; 2 ○US (= **New Jersey**) New Jersey *m*; 3 (*also* ~ **cow**) vache *f* de race jersiaise
Jerusalem /dʒəˈruːsələm/ ▸ p. 1815 *pr n* Jérusalem
Jerusalem artichoke *n* topinambour *m*
jest /dʒest/
A *n* plaisanterie *f*; **in** ~ pour plaisanter
B *vi* plaisanter
(Idiom) **many a true word is spoken in** ~ *Prov* plus d'une vérité est dite en plaisantant
jester /ˈdʒestə(r)/ *n* bouffon *m*
Jesuit /ˈdʒezjʊɪt, US ˈdʒeʒəwət/ *n, adj* jésuite (*m*)
Jesuitical /ˌdʒezjʊˈɪtɪkl, US ˌdʒeʒʊ-/ *adj* jésuitique
Jesus /ˈdʒiːzəs/
A *pr n* Jésus; ~ **Christ** Jésus-Christ
B ◐*excl* ~ **(Christ)**◐! nom de Dieu◐!
Jesus: ~ **freak**○ *n péj* chrétien/-ienne *m/f* charismatique branché/-e; ~ **sandals** GB, **Jesus shoes** US *npl* nu-pieds *mpl*
jet /dʒet/
A *n* 1 (plane) jet *m*, avion *m* à réaction; 2 (of water, flame) jet *m*; 3 (on gas ring) brûleur *m*; (of engine) gicleur *m*; 4 (stone) jais *m*
B *modif* [*necklace, brooch*] en jais
C *vi* **to** ~ **off to the USA** s'envoler pour les USA; **to** ~ **around the world** passer son temps dans les avions
jet: ~ **aircraft** *n* jet *m*, avion *m* à réaction; ~**-black** *adj* [*hair, eyes*] de jais *inv*; ~ **engine** *n* moteur *m* à réaction, réacteur *m*; ~ **fighter** *n* chasseur *m* à réaction; ~**foil** *n* hydroglisseur *m*; ~ **fuel** *n* kérosène *m*; ~**lag** *n* décalage *m* horaire
jetlagged /ˈdʒetlægd/ *adj* **to be** ~ souffrir du décalage horaire
jet: ~**liner** *n* avion *m* à réaction; ~**-powered**, **jet-propelled** *adj* à réaction; ~ **propulsion** *n* propulsion *f* par réaction
jetsam /ˈdʒetsəm/ *n* ▸ **flotsam**
jet set *n* jet-set *m*
jet setter *n* **to be a** ~ faire partie du jet-set
jet-ski ▸ p. 1253
A *n* jet-ski *m*
B *vi* faire du jet-ski
jet-skiing ▸ p. 1253 *n* jet-ski *m*
jet stream *n* jet-stream *m*, courant-jet *m*
jettison /ˈdʒetɪsn/ *vtr* 1 (dump) (from ship) jeter [qch] par-dessus bord; (from plane, spacecraft) larguer; 2 (discard) se débarrasser de [*old clothes, jumble*]; 3 fig (reject) rejeter [*idea, theory*]
jetty /ˈdʒetɪ/ *n* (of stone) jetée *f*; (of wood) appontement *m*
Jew /dʒuː/ *n* juif/juive *m/f*
Jew-baiting *n* persécution *f* des juifs
jewel /ˈdʒuːəl/ *n* 1 (gem) pierre *f* précieuse; 2 (piece of jewellery) bijou *m*; 3 Tech (in watch) rubis *m*; 4 fig (person) perle *f*; (town, building, object) joyau *m*; **to be the** ~ **in the crown of** être le plus beau fleuron de [*collection, company, range*]
jewel case *n* coffret *m* à bijoux
jewelled GB, **jeweled** US /ˈdʒuːəld/ *adj* lit orné de pierres précieuses; Tech [*watch*] à rubis
jeweller GB, **jeweler** US /ˈdʒuːələ(r)/ ▸ p. 1683 *n* (person) bijoutier/-ière *m/f*; ~**'s (shop)** bijouterie *f*
jewellery GB, **jewelry** US /ˈdʒuːəlrɪ/ *n* gen bijoux *mpl*; (in shop, workshop) bijouterie *f*; **a piece of** ~ un bijou
jewellery: ~ **box** GB *n* boîte *f* à bijoux; ~ **case** GB *n* coffret *m* à bijoux; ~ **store** *n* US bijouterie *f*
Jewess /ˈdʒuːes/ *n* juive *f*
Jewish /ˈdʒuːɪʃ/ *adj* juif/juive
Jewish calendar *n* calendrier *m* juif
Jewishness /ˈdʒuːɪʃnɪs/ *n* judaïté *f*
Jewry /ˈdʒʊərɪ/ *n* communauté *f* juive

Jew's harp *n* Mus guimbarde *f*
Jezebel /ˈdʒezəbl, -bel/ *n* 1 (hussy) dévergondée *f*; 2 (schemer) intrigante *f*
jib /dʒɪb/
A *n* 1 Naut foc *m*; 2 (of crane) flèche *f*
B *vi* [*person*] rechigner (**at** à; **at doing** à faire); [*horse*] faire un refus; **to** ~ **at** [*horse*] refuser [*fence*]
(Idiom) **I don't like the cut of his** ~† je n'aime pas son allure
jib: ~ **boom** *n* Naut bout-dehors *m*; ~ **crane** *n* grue *f* à flèche
jibe /dʒaɪb/
A *n* moquerie *f*
B *vi* 1 (mock) **to** ~ **at sb/sth** se moquer de qn/qch; 2 ○US (match) coller○ (**with** avec); 3 Naut [*boat*] virer lof pour lof; [*sail*] passer d'un bord à l'autre du mât
jiff(y)○ /ˈdʒɪfɪ/ *n* seconde *f*, instant *m*; **I'll be with you in a** ~ une seconde et je suis à toi; **it won't take a** ~ ce sera fait en moins de deux○
Jiffy bag® *n* enveloppe *f* matelassée
jig /dʒɪg/
A *n* 1 Mus gigue *f*; **to dance** *ou* **do a** ~ danser une gigue; 2 Tech (guide) dispositif *m* de serrage; (template) gabarit *m*
B *vi* (*also* ~ **about**, ~ **around**) gigoter○; (impatiently) se trémousser
C *vtr* remuer [*feet*]; **to** ~ **a baby (up and down) on one's knee** faire sauter un bébé sur ses genoux
(Idiom) **the** ~ **is up**○ US c'est cuit○
jigger /ˈdʒɪgə(r)/ *n* 1 (measure) petite mesure *f* (à liqueur); 2 ○US (thingummyjig) truc○ *m*, machin○ *m*; 3 Zool chique *f*
jiggered○ /ˈdʒɪgəd/ *adj* 1 (astonished) sidéré; **I'll be** ~! nom d'une pipe○!; 2 (exhausted) crevé○
jiggery-pokery○ /ˌdʒɪgərɪˈpəʊkərɪ/ *n* GB micmac○ *m*
jiggle /ˈdʒɪgl/
A *vtr* agiter
B *vi* (*also* ~ **about**, ~ **around**) se trémousser
jigsaw /ˈdʒɪgsɔː/ *n* 1 (*also* ~ **puzzle**) puzzle *m*; 2 Tech scie *f* sauteuse
jihad /dʒɪˈhɑːd/ *n* 1 Relig djihad *m*; 2 fig croisade *f*
jilt /dʒɪlt/ *vtr* abandonner, plaquer○
Jim Crow○ /ˌdʒɪm ˈkrəʊ/ *n* US ségrégation *f* raciale; ~ **policies** politique *f* ségrégationniste
jim dandy○† /ˌdʒɪmˈdændɪ/ *n* US chouette○!
jimjams○ /ˈdʒɪmdʒæmz/ *npl* 1 (fear) frousse○ *f*; 2 (from alcohol) delirium tremens *m*; 3 GB (pyjamas) lang enfantin pyjama *m*
jimmy /ˈdʒɪmɪ/ US
A *n* (crowbar) pince-monseigneur *f*
B **jimmies** *npl* nonpareilles *fpl*
C *vtr* forcer [qch] à la pince-monseigneur
jingle /ˈdʒɪŋgl/
A *n* 1 (noise) (of bells, coins) tintement *m*; (of keys, bracelet) cliquetis *m*; 2 (verse) ritournelle *f*; 3 Advertg jingle *m*, refrain *m* publicitaire, sonal *m*
B *vtr* faire tinter [*coins, keys*]
C *vi* [*bells*] tintinnabuler; [*keys, coins*] cliqueter
jingo† /ˈdʒɪŋgəʊ/ *excl* **by** ~! sapristi†!
jingoism /ˈdʒɪŋgəʊɪzəm/ *n* péj chauvinisme *m*
jingoist /ˈdʒɪŋgəʊɪst/ *n* péj chauvin/-e *m/f* Pol
jingoistic /ˌdʒɪŋgəʊˈɪstɪk/ *adj* péj chauvin
jink /dʒɪŋk/ Sport
A *n* mouvement *m* d'esquive
B *vi* courir en zigzag. ▸ **high jinks**
jinx /dʒɪŋks/
A *n* 1 (curse) sort *m*; **to put a** ~ **on sb/sth** jeter un sort à qn/qch; **there's a** ~ **on this car** il y a toujours quelque chose qui ne va pas avec cette voiture; **there's a** ~ **on me** j'ai la poisse○; 2 (unlucky person, object) porte-malheur *m inv*
B *vtr* porter la poisse○ à [*person*]; **I must be** ~**ed** j'ai la poisse○
JIT *adj*: *abrév* ▸ **just-in-time**
jitterbug /ˈdʒɪtəbʌg/ *n* 1 Dance jitterbug *m*; 2 ○(nervous person) paquet *m* de nerfs
jitters /ˈdʒɪtəz/ *npl* Econ, Pol courant *m* de nervosité; **to have the** ~ [*person, stock market*] être nerveux/-euse; [*actor*] avoir le trac; **to give sb the** ~ rendre qn nerveux/-euse
jittery /ˈdʒɪtərɪ/ *adj* nerveux/-euse
jive /dʒaɪv/
A *n* 1 Mus swing *m*; 2 ○US (glib talk) salades○ *fpl*; 3 US argot *m* des musiciens de jazz
B *vi* Dance danser le swing
C *vtr* US○ 1 (mislead) embobiner○; 2 (tease) charrier○
Jnr *adj*: *abrév écrite* = **junior**
Joan of Arc *pr n* Jeanne d'Arc
job /dʒɒb/
A *n* 1 (employment) emploi *m*; (post) poste *m*; **to look for/get a** ~ chercher/trouver un emploi; **to give sb a** ~ donner un emploi à qn; **to give up/keep one's** ~ quitter/conserver son emploi; **a** ~ **in a bookshop/an office** un emploi dans une librairie/un bureau; **a teaching/civil service** ~ un poste d'enseignant/de fonctionnaire; **to have a good** ~ avoir un bon poste; **what's her** ~**?** qu'est-ce qu'elle fait (comme travail)?; **to have a** ~ **as a secretary/in local government** être employé comme secrétaire/dans l'administration locale; **to be out of a** ~ être sans emploi; **we'll all be out of a** ~ nous nous retrouverons tous sans emploi
2 (rôle) fonction *f*; **the** ~ **of the curator is to...** la fonction du conservateur est de...; **the** ~ **of the heart/liver is to...** la fonction du cœur/du foie est de...; **to have the** ~ **of doing** avoir pour fonction de faire; **it's the jury's/my** ~ **to do** c'est au jury/à moi de faire
3 (duty) travail *m*; **her main** ~ **is to...** son travail principal consiste à...; **she's only doing her** ~ elle ne fait que son travail
4 (task) travail *m*, boulot○ *m*; **to find/have a** ~ **for sb to do** trouver/avoir du travail *or* un boulot○ pour qn; **to do odd** ~**s around the house** faire des bricoles○ dans la maison
5 (assignment) (of company) projet *m*; (of individual) tâche *f*; **to do a** ~ **for the local council** exécuter un projet pour le conseil municipal; **the next** ~ **is to convince him** la tâche suivante consistera à le convaincre; **to have the** ~ **of doing** avoir la tâche de faire; **the** ~ **of building the theatre went to X** la construction du théâtre a été confiée à X
6 (result of work to do) **a good/poor/lovely** ~ du bon/du mauvais/de l'excellent travail; **to make a good** ~ **of doing sth** faire du bon travail en faisant qch; **you've made a good** ~ **of the chair** tu as fait du bon travail avec la chaise; **you haven't made a very good** ~ **of it** tu n'as pas fait du très bon travail
7 ○(difficult activity) **a real** ~, **quite a** ~ toute une affaire○ **(to do, doing** de faire); **we had a real** ~ **on there!** on ne s'est pas amusés!
8 ○(crime, theft) coup○ *m*; **to do** *ou* **pull off a** ~ faire un coup○; **bank** ~ attaque *f* de banque; **to do a bank** ~ dévaliser une banque
9 Comput travail *m*, job○ *m*
10 ○(thing) truc○ *m*
11 ○(plastic surgery) **to have a nose** ~ se faire refaire le nez
B *modif* [*advert, offer, opportunities, title*] d'emploi; [*analysis, evaluation, specification*] de poste; [*pages, supplement*] des emplois; [*creation, cuts, losses*] d'emplois
C *vi* 1 (do casual work) faire des petits travaux
2 (do piece-work) travailler à la tâche
(Idioms) **(and a) good** ~ **too!** GB et c'est une bonne chose!; **it's a good** ~ **that** GB heureusement que; ~**s for the boys** des planques○ pour les copains; **just the** ~ tout à fait ce qu'il faut; **to do a big** ~○ faire caca○; **on the** ~ (working) au travail *or* boulot○; **to learn on the** ~ apprendre sur le tas; **to lie down** *ou* **fall asleep on the** ~ s'endormir à la tâche; **to be**

on the ~○ GB hum être en train de faire l'amour; **to do the ~** fig faire l'affaire; **to give sth/sb up as a bad ~** GB laisser tomber qch/qn; **to make the best of a bad ~** GB faire contre mauvaise fortune bon cœur; ▸ **on-the-job**

Job /dʒəʊb/ *pr n* Bible Job
(Idioms) **to be a ~'s comforter** être totalement découragéant; **to have the patience of ~** avoir une patience d'ange

job action *n* US mouvement *m* de revendication

jobber /ˈdʒɒbə(r)/ *n* travailleur/-euse *m/f* à la tâche; US grossiste *mf*

jobbery /ˈdʒɒbərɪ/ *n* péj tripatouillage○ *m*, trafic *m* d'influence

jobbing /ˈdʒɒbɪŋ/ *adj* [*gardener, builder, printer*] à la tâche

job: **Job Centre** *n* GB bureau *m* des services nationaux de l'emploi; **~ control** *n* Comput contrôle *m* des travaux; **~ control language** *n* Comput langage *m* de contrôle des travaux; **~ creation scheme** *n* plan *m* de création d'emplois; **~ description** *n* description *f* de poste; **~holder** *n* employé/-e *m/f*; **~-hunt** *vi* chercher un emploi; **~-hunter** *n* chercheur/-euse *m/f* d'emploi; **~-hunting** *n* chasse *f* à l'emploi

jobless /ˈdʒɒblɪs/
A *n* **the ~** (+ *v pl*) les sans-emploi *mpl*
B *modif* [*total*] des sans-emploi; [*rate, figures*] du chômage
C *adj* sans emploi

joblessness /ˈdʒɒblɪsnɪs/ *n* chômage *m*

job lot /ˌdʒɒbˈlɒt/ *n* 1 (at auction) lot *m*; 2 fig (collection) ramassis *m* pej

job queue *n* Comput file *f* d'attente de travaux

job satisfaction *n* satisfaction *f* dans le travail; **I get a lot of ~** mon travail me donne beaucoup de satisfaction

job security *n* sécurité *f* de l'emploi

job-share /ˈdʒɒbʃeə(r)/
A *n* poste *m* partagé
B *modif* [*scheme, system*] de partage de poste; [*position*] partagé

job: **~ sharing** *n* partage *m* de poste; **~sheet** *n* fiche *f* de travail; **~sworth**○ *n* GB péj employé/-e *m/f* borné/-e; **~ title** *n* intitulé *m* du poste

jock○ /dʒɒk/ *n* 1 GB Écossais *m*; 2 US athlète *m*

jockey /ˈdʒɒkɪ/
A *n* jockey *m*
B *vtr* **to ~ sb into doing sth** amener qn à faire qch
C *vi* **to ~ for position** lit [*runners, riders*] lutter pour la première place; fig jouer des coudes; **the managers were ~ing for the post** les dirigeants jouaient des coudes pour obtenir le poste; **politicians ~ing for power** des politiciens engagés dans la lutte pour le pouvoir

jockey: **Jockey Club** *n* Jockey-club *m*; **~ shorts** *n* US slip *m* (d'homme)

jockstrap○ /ˈdʒɒkstræp/ *n* suspensoir *m*

jocose /dʒəʊˈkəʊs/ *adj* littér facétieux/-ieuse

jocular /ˈdʒɒkjʊlə(r)/ *adj* (all contexts) badin

jocularity /ˌdʒɒkjʊˈlærətɪ/ *n* jovialité *f*

jocularly /ˈdʒɒkjʊləlɪ/ *adv* [*say, announce*] d'un ton badin

jocund /ˈdʒɒkənd/ *adj* littér jovial

jodhpurs /ˈdʒɒdpəz/ *npl* Sport, Fashn jodhpurs *mpl*; **a pair of ~** une paire de jodhpurs

joe○ /dʒəʊ/ *n* US gars *m*

Joe Bloggs GB, **Joe Blow** US *n* Monsieur Tout-le-Monde

Joe Public○ /dʒəʊˈpʌblɪk/ *n* GB le grand public *m*, Monsieur Tout-le-Monde

jog /dʒɒg/
A *n* 1 (knock) gen petite secousse *f*; (with elbow) coup *m* de coude; 2 (trot) petit trot○ *m*; **to set off at a ~** partir au petit trot○; 3 Sport **to go for a ~** aller faire un jogging; 4 US (in road) coude *m*
B *vtr* (*p prés etc* **-gg-**) pousser [*elbow*]; heurter [*table*]; **to ~ sb with one's elbow** donner un coup de coude à qn; **to ~ sb's memory** rafraîchir la mémoire de qn
C *vi* (*p prés etc* **-gg-**) 1 Sport faire du jogging *or* footing; 2 ○US [*road*] faire un coude
(Phrasal verb) ■ **jog along, jog on** [*vehicle*] cahoter; fig [*person, business*] suivre son petit bonhomme de chemin○, se maintenir

jog dial *n* Telecom molette *f* de navigation

jogger /ˈdʒɒgə(r)/ *n* joggeur/-euse *m/f*

jogging /ˈdʒɒgɪŋ/ ▸ **p. 1253**
A *n* jogging *m*, footing *m*
B *modif* [*clothes, gear*] de jogging; **~ suit** jogging *m*, survêtement *m*

joggle○ /ˈdʒɒgl/
A *n* 1 (jolt) légère secousse *f*; 2 Constr goujon *m*
B *vtr* secouer légèrement
C *vi* brinquebaler○, ballotter

jog trot *n* petit trot *m*

Johannesburg /dʒəʊˈhænɪsbɜːg/ ▸ **p. 1815** *pr n* Johannesburg

john○ US /dʒɒn/ *n* 1 (lavatory) **the ~** les WC○ *mpl*; 2 ◑(prostitute's client, dupe) micheton◑ *m*

John /dʒɒn/ *pr n* Jean; **(Saint) ~ the Baptist** Saint Jean-Baptiste; **(Saint) ~ of the Cross** (Saint) Jean de la Croix

John: **~ Bull** *n* (Englishman) l'Anglais *m* moyen; (xenophobic) l'Anglais *m* xénophobe; **~ Doe** *n* US l'homme *m* de la rue; **~ Dory** *n* (fish) (European) saint-pierre *m inv*; (south seas) dorée *f*; **~ Hancock**○ US *n* signature *f*

johnny /ˈdʒɒnɪ/ *n* 1 US Med blouse *f* de patient; 2 ○GB (condom) capote *f* anglaise○, préservatif *m*; 3 ○†(fellow) GB type○ *m*

johnny: **~-cake** *n* US crêpe *f*; **Johnny-come-lately** *n* (*pl* **-lies**) (newcomer) nouveau venu *m*; (upstart) parvenu *m*

John Q Public○ US *n* l'homme *m* de la rue

join /dʒɔɪn/
A *n* raccord *m*
B *vtr* 1 (meet up with) rejoindre [*colleague, family*]; **I'll ~ you in Paris** je te rejoindrai à Paris; **come and ~ us for dinner/drinks** venez dîner/prendre un verre avec nous; **may I ~ you?** (sit down) puis-je me joindre à vous?; **we're going to the opera, would you like to ~ us?** nous allons à l'opéra, voulez-vous venir avec nous?; 2 (go to the end of) se mettre dans [*line, queue*]; se mettre au bout de [*row*]; ajouter son nom à [*list*]; 3 (become a member of) devenir membre de [*EU, organization, team*]; adhérer à [*club, party*]; s'inscrire à [*class, library*]; s'engager dans [*army*]; devenir membre de [*church*]; **to ~ a union** se syndiquer; **~ the club!** tu n'es pas le seul/la seule!; 4 (become part of) se joindre à [*crowd, exodus, rush*]; **to ~ battle** entrer dans la bataille; **the province voted to ~ the federation** la province a voté l'union avec la fédération; 5 (become an employee) entrer dans [*firm, company*]; **to ~ Lloyds/Ford** entrer chez Lloyds/Ford; 6 (participate in) ▸ **join in**; 7 (associate with) gen se joindre à [*person*] **(to do, in doing** pour faire); (professionally) [*actor, businesswoman*] s'associer à [*colleague, partner*] **(to do, in doing** pour faire); **to ~ forces** s'unir, s'allier; **to ~ forces with sb/sth** (merge) s'allier à qn/qch; (co-operate) collaborer avec qn/qch; **to ~ sb in the struggle** se joindre à qn dans la lutte; **Martin ~s me in sending his congratulations** Martin se joint à moi pour vous féliciter; 8 (board) monter dans [*train*]; monter à bord de [*ship*]; 9 (attach) réunir, joindre [*ends, halves, pieces*]; assembler [*parts*]; **to ~ one end to another** *ou* **the other** joindre un bout à l'autre; **to ~ two pieces together** joindre deux morceaux; 10 (link) relier [*points, towns, dots*] **(to** à); **to ~ hands** lit se prendre par la main; fig collaborer; 11 (merge with) [*road*] rejoindre [*motorway*]; [*river*] se jeter dans [*sea*]; 12 Relig [*priest*] unir [*bride and groom*]; **to ~ two people in marriage** unir deux personnes par le mariage
C *vi* 1 (become a member) (of party, club) adhérer; (of group, class) s'inscrire; 2 (connect, meet) [*edges, pieces*] se joindre; [*pipes, wires*] se raccorder; [*rivers, roads*] se rejoindre
(Phrasal verbs) ■ **join in**: ▸ **~ in** participer; ▸ **~ in [sth]** participer à [*talks, discussion, campaign, game, activity*]; prendre part à [*strike, demonstration*]; **to ~ in the bidding** prendre part aux enchères; **to ~ in the fun** se joindre à la fête; **to ~ in the dancing/singing** se mettre à danser/chanter avec les autres
■ **join on**: ▸ **~ on** se fixer; ▸ **~ [sth] on, ~ on [sth]** (fasten) attacher, fixer; (add) ajouter
■ **join up**: ▸ **~ up** 1 Mil (enlist) s'engager; 2 (meet up) [*people*] se retrouver; 3 (merge) [*roads, tracks*] se rejoindre; ▸ **~ up [sth], ~ [sth] up** relier [*characters, dots*]; assembler [*pieces*]; **~ed-up writing** écriture *f* liée

joinder /ˈdʒɔɪndə(r)/ *n* Jur jonction *f* d'instance

joined-up government *n* GB Pol initiative *f* de coordination gouvernementale (*pour simplifier la vie des personnes et des entreprises*)

joiner /ˈdʒɔɪnə(r)/ ▸ **p. 1683** *n* Constr menuisier/-ière *m/f*

joinery /ˈdʒɔɪnərɪ/ *n* menuiserie *f*

joint /dʒɔɪnt/
A *n* 1 Anat articulation *f*; **elbow/knee/ankle ~** articulation du coude/du genou/de la cheville; **to dislocate a ~** se déboîter une articulation; **to put one's shoulder out of ~** se déboîter l'épaule; **to be out of ~** [*shoulder, knee*] être déboîté; **to have stiff** *ou* **aching ~s** avoir des douleurs articulaires; 2 Tech, Constr (in carpentry) assemblage *m*; (in metalwork) joint *m*; (of pipes, tubes) raccord *m*; 3 Culin rôti *m*; 4 ○pej (place) gen endroit *m*; (nightclub, office, workplace) boîte○ *f*; (café) boui-boui○ *m*; **burger ~** fast-food○ *m*; **pizza ~** pizzeria *f*; 5 ○(cannabis cigarette) joint○ *m*
B *modif* Med [*problem, pain*] articulaire; [*replacement*] d'articulation
C *adj* [*action*] collectif/-ive; [*programme, working party, session, company*] mixte; [*measures, procedure*] commun; [*winner, third*] ex aequo; [*negotiations, talks*] multilatéral; **he is ~ favourite** c'est l'un des deux favoris
D *vtr* 1 Culin découper [*poultry*]; 2 Tech raccorder [*pipes*]
(Idiom) **to have one's nose put out of ~** être dépité

joint account *n* compte *m* joint

joint agent *n* GB **the house is in the hands of ~s** la maison est en vente dans deux agences

joint: **~ agreement** *n* convention *f* collective; **~ and several** *adj* Fin, Jur conjoint et solidaire; **~ author** *n* coauteur *m*; **~ beneficiary** *n* bénéficiaire *mf*; **Joint Chiefs of Staff**, **JCS** *npl* US, Mil chefs *mpl* d'états-majors interarmés; **~ committee** *n* comité *m* mixte; **~ creditor** *n* cocréancier/-ière *m/f*; **~ custody** *n* garde *f* partagée; **~ debtor** *n* codébiteur/-trice *m/f*

jointed /ˈdʒɔɪntɪd/ *adj* 1 Culin [*chicken*] découpé; 2 (doll, puppet) articulé; 3 (rod, pole) démontable

joint: **~ effort** *n* collaboration *f*; **~ heir** *n* cohéritier/-ière *m/f*; **~ honours** *npl* GB Univ licence *f* combinée

jointly /ˈdʒɔɪntlɪ/ *adv* [*manage, publish, own, organize*] conjointement; **~ owned** en copropriété; **to be ~ owned by X et Y** être la copropriété de X et Y; **to be ~ liable for damages** être solidaire des dégâts

jointly and severally *adv* conjointement et solidairement

joint management *n* cogestion *f*

J

joint meeting *n* réunion *f* des intéressés; **a ~ of the two committees** une réunion entre les deux comités
joint: **~ owner** *n* copropriétaire *mf*; **~ ownership** *n* copropriété *f*; **~ partnership** *n* participation *f* mixte; **~ resolution** *n* résolution *f* commune; **~ signatory** *n* cosignataire *m*; **~-stock company** *n* société *f* par actions
jointure /ˈdʒɔɪntʃə(r)/ *n* Jur douaire *m*
joint venture *n* 1 Econ, Fin coentreprise *f*, joint-venture *m*; 2 gen projet *m* en commun
joist /dʒɔɪst/ *n* Constr solive *f*
jojoba /həʊˈhəʊbə/ *n* jojoba *m*
joke /dʒəʊk/
A *n* 1 (amusing story) plaisanterie *f*, blague° *f* (**about** sur); **to tell a ~** raconter une blague°; **to get**° **the ~** saisir la plaisanterie; **bad ~** plaisanterie nulle; fig mauvaise plaisanterie; **it's our private ~** c'est une plaisanterie entre nous; **to have a ~ about sth** plaisanter sur qch; **can't you see the ~?** tu ne vois pas ce que ça a de drôle?; 2 (laughing matter) plaisanterie *f*; **to do sth as a ~** faire qch par plaisanterie; **to turn sth into a ~** tourner qch à la plaisanterie; **to carry** *ou* **take a ~ too far** pousser trop loin la plaisanterie; **the ~ is on you** la plaisanterie se retourne contre toi; **this is getting beyond a ~** la plaisanterie a assez duré; **she can't take a ~** elle prend mal la plaisanterie; **can't you take a ~?** tu ne supportes pas la plaisanterie?; **it's no ~ doing** ce n'est pas drôle de faire; **it's no ~ trying to find a job** trouver un emploi n'est pas une mince affaire; **to make a ~ of sth** prendre qch à la rigolade°; 3 (prank) tour *m*, farce *f*; **to play a ~ on sb** jouer un tour *or* faire une farce à qn; 4 (object of ridicule) (person) guignol *m* pej; (event, situation) farce *f*; **the exam was a ~** l'examen était une farce
B *vi* plaisanter, blaguer°; **to ~ about sth** plaisanter sur qch; (maliciously) se moquer de qch; **you must be joking!** tu plaisantes!; tu veux rire!; **I was only joking!** ce n'était qu'une plaisanterie!, c'était pour rire!; **I'm not joking!** je ne plaisante pas!; **it's no joking matter** ça n'a rien de drôle
joker /ˈdʒəʊkə(r)/ *n* 1 (who tells jokes) blagueur/-euse° *m/f*; (who plays tricks) farceur/-euse *m/f*; 2 °pej (person) type° *m*; 3 (in cards) joker *m*; 4 Jur *clause ambiguë d'une loi*
(Idiom) **the ~ in the pack** l'exception à la règle
jokester† /ˈdʒəʊkstə(r)/ *n* farceur/-euse *m/f*
jokey° /ˈdʒəʊkɪ/ *adj* rigolo/-ote°, cocasse
joking /ˈdʒəʊkɪŋ/
A *n* ¢ plaisanterie *f*, blague° *f*; **~ apart** *ou* **aside** blague à part, toute plaisanterie mise à part
B *adj* [*tone*] de plaisanterie; **to speak in a ~ way** parler en plaisantant
jokingly /ˈdʒəʊkɪŋlɪ/ *adv* [*say*] en plaisantant; **he was ~ called Buster** on l'appelait Buster pour plaisanter
jollification /ˌdʒɒlɪfɪˈkeɪʃn/ *n* (*also* **jollifications** *pl*) réjouissances *fpl*
jollily /ˈdʒɒlɪlɪ/ *adv* gaiement
jollity /ˈdʒɒlətɪ/ *n* gaieté *f*; (of person) bonne humeur *f*
jolly /ˈdʒɒlɪ/
A *adj* 1 (cheerful) [*person*] enjoué; [*tune*] joyeux/-euse; [*bunting, party hats*] qui donne un air de fête; 2 °†(enjoyable) amusant; **what a ~ time we had!** qu'est-ce qu'on s'est bien amusé!; 3 °(drunk) éméché°
B °*adv* GB (emphatic) drôlement; **she's a ~ good singer** elle chante drôlement bien; **he was ~ lucky** il a eu une sacrée veine°; **'I'm not going'—'you ~ well are!'** 'je n'y vais pas'—'c'est ce qu'on va voir!'; **~ good**°! formidable!
C *vtr* **to ~ sb along** amadouer qn; **we jollied him into staying** nous avons fini par le convaincre de rester avec nous

(Idiom) **to get one's jollies**° **doing sth** US prendre son pied° à faire qch
jolly: **~ boat** *n* canot *m*; **Jolly Roger** *n* pavillon *m* noir
jolt /dʒəʊlt/
A *n* 1 (jerk) secousse *f*; 2 (shock) choc *m*; **to give sb a ~** secouer qn; 3 °US (drink) coup° *m*
B *vtr* 1 lit secouer; **I was ~ed out of my seat** j'ai été violemment projeté hors de mon siège; 2 fig (shock) secouer [*person*]
C *vi* [*vehicle*] cahoter; **to ~ to a halt** *ou* **a standstill** s'arrêter avec des soubresauts
jolting /ˈdʒəʊltɪŋ/
A *n* (of vehicle) secousses *fpl*, cahots *mpl*
B *adj* cahotant
Jonah /ˈdʒəʊnə/ *pr n* Bible Jonas; fig oiseau *m* de malheur
jonquil /ˈdʒɒŋkwɪl/ *n* (white) narcisse *m*; (yellow) jonquille *f*
Jordan /ˈdʒɔːdn/ ▸ **p. 1096**, **p. 1633** *pr n* 1 (country) Jordanie *f*; 2 (river) Jourdain *m*
Jordanian /dʒɔːˈdeɪnɪən/ ▸ **p. 1467**
A *n* Jordanien/-ienne *m/f*
B *adj* [*ambassador*] de Jordanie; [*agriculture, education*] jordanien/-ienne
josh° /dʒɒʃ/ US
A *n* taquinerie *f*
B *vtr* taquiner
C *vi* blaguer
joss stick /ˈdʒɒstɪk/ *n* bâtonnet *m* d'encens
jostle /ˈdʒɒsl/
A *vtr* bousculer
B *vi* 1 lit (push) [*supporters, shoppers*] se bousculer (**for** pour; **to do** pour faire); 2 fig (compete) se bousculer (**with** avec; **for** pour)
jot /dʒɒt/
A *n* **he doesn't care a ~** il s'en fiche° complètement; **it doesn't matter a ~** cela n'a pas la moindre importance; **it makes not a ~ of difference** ça ne fait pas un poil° de différence; ▸ **tittle**
B *vtr* (*p prés etc* **-tt-**) = **jot down**
(Phrasal verb) ■ **jot down**: ▸ **~ [sth] down, ~ down [sth]** noter [*ideas, names*]; **he ~ted down some notes** il a griffonné quelques notes
jotter /ˈdʒɒtə(r)/ *n* GB (pad) bloc-notes *m inv*
jottings /ˈdʒɒtɪŋz/ *npl* notes *fpl*
joual /ʒwɑːl/ *n* joual *m*
joule /dʒuːl/ *n* Phys joule *m*
journal /ˈdʒɜːnl/ *n* 1 (diary) journal *m*; (periodical) revue *f*; (newspaper) journal *m*; Accts journal *m*; 2 Tech (*also* **~ bearing**) palier *m*
journalese /ˌdʒɜːnəˈliːz/ *n* péj jargon *m* journalistique
journalism /ˈdʒɜːnəlɪzəm/ *n* journalisme *m*
journalist /ˈdʒɜːnəlɪst/ *n* journaliste *mf*; **newspaper/television ~** journaliste *mf* de la presse écrite/à la télévision
journalistic /ˌdʒɜːnəˈlɪstɪk/ *adj* [*career, skill*] de journaliste; [*assignment, ethics, style*] journalistique
journey /ˈdʒɜːnɪ/
A *n* 1 (trip) (long) voyage *m*; (short or habitual) trajet *m*; **metro/bus ~** trajet en métro/bus; **to go on a ~** partir en voyage; **did you have a pleasant ~?** avez-vous fait bon voyage?; **(have a) safe ~!** bon voyage!; **she had never made the ~ to Glasgow** elle n'était jamais allée à Glasgow; **we broke our ~ in Paris** nous nous sommes arrêtés à Paris; 2 (distance covered) trajet *m*; 3 (time taken) **it's a two-hour ~ to Lille** il faut deux heures pour aller à Lille; 4 (spiritual) voyage *m*
B *modif* **~ time** (in car, bus etc) durée *f* du trajet; (in plane) durée *f* du vol
C *vi* voyager (**from** de; **to** à); **to ~ on** continuer son voyage
journeyman /ˈdʒɜːnɪmən/ *n* (*pl* **-men**) Hist (qualified worker) compagnon *m*
journo° /ˈdʒɜːnəʊ/ *n* journaliste *mf*
joust /dʒaʊst/ *vi* jouter

jousting /ˈdʒaʊstɪŋ/ *n* joute *f* à cheval
Jove /dʒəʊv/ *pr n* Mythol Jupiter; **by ~**°†! parbleu°!
jovial /ˈdʒəʊvɪəl/ *adj* [*person, mood*] jovial; [*remark*] enjoué; [*company*] joyeux/-euse
joviality /ˌdʒəʊvɪˈælətɪ/ *n* jovialité *f*
jowl /dʒaʊl/ *n* (jaw) mâchoire *f*; (fleshy fold) bajoue *f*; **heavy/square ~ed** à la mâchoire lourde/carrée
(Idiom) **to live/work cheek by ~ with sb** vivre/travailler coude à coude avec qn
joy /dʒɔɪ/ *n* 1 (delight) joie *f* (**at** devant); **to my great ~, he recovered** à ma grande joie, il a guéri; **to jump/shout for ~** sauter/crier de joie; 2 (pleasure) plaisir *m*; **the ~ of doing** le plaisir de faire; **to do sth for the sheer ~ of it** faire qch uniquement pour le plaisir; **his dancing is a ~ to behold** c'est un plaisir de le regarder danser; 3 °GB (success) **I got no ~ out of the bank manager** mon entretien avec le directeur de banque n'a rien donné; **I wish you ~ (of it)** iron je vous souhaite bien du plaisir iron
(Idiom) **to be full of the ~s of spring** être en pleine forme
joyful /ˈdʒɔɪfl/ *adj* joyeux/-euse; **we were ~ at** *ou* **about the news of her release** la nouvelle de sa libération nous a remplis de joie
joyfully /ˈdʒɔɪfəlɪ/ *adv* joyeusement; **the news was ~ received** la nouvelle a été reçue avec joie
joyfulness /ˈdʒɔɪflnɪs/ *n* (habitual) allégresse *f*; (on one occasion) gaieté *f*
joyless /ˈdʒɔɪlɪs/ *adj* [*marriage*] malheureux/-euse; [*occasion*] triste; [*workers*] morose; [*production*] terne; [*existence*] morne
joyous /ˈdʒɔɪəs/ *adj* littér [*heart, song, person, shout*] joyeux/-euse; [*occasion*] heureux/-euse
joyously /ˈdʒɔɪəslɪ/ *adv* [*shout, welcome*] joyeusement
joyrider /ˈdʒɔɪraɪdə(r)/ *n* jeune chauffard *m* en voiture volée
joyriding /ˈdʒɔɪraɪdɪŋ/ *n* rodéo *m* à la voiture volée
joystick /ˈdʒɔɪstɪk/ *n* Aviat manche *m* à balai; (in video games) manette *f*
JP *n* GB *abrév* ▸ **Justice of the Peace**
Jr *adj*: *abrév écrite* = **junior**
jubilant /ˈdʒuːbɪlənt/ *adj* [*person*] exultant; [*crowd*] en liesse; [*expression, mood*] réjoui; **to be ~** exulter (**about, at, over** devant)
jubilation /ˌdʒuːbɪˈleɪʃn/ *n* (joy) jubilation *f* (**about, at, over** devant); (rejoicing) réjouissance *f*
jubilee /ˈdʒuːbɪliː/
A *n* jubilé *m*
B *modif* [*festivity, year*] du jubilé
Judaea /dʒuːˈdɪə/ *pr n* Judée *f*
Judah /ˈdʒuːdə/ *pr n* Bible Juda
Judaic /dʒuːˈdeɪk/ *adj* judaïque
Judaism /ˈdʒuːdeɪɪzəm, US -dɪɪzəm/ *n* judaïsme *m*
judas /ˈdʒuːdəs/ *n* (peephole) judas *m*
Judas /ˈdʒuːdəs/ *pr n* Judas also fig
Judas tree *n* arbre *m* de Judée
judder /ˈdʒʌdə(r)/ GB
A *n* secousse *f*
B *vi* être agité de violentes secousses; **to ~ to a halt** s'arrêter avec de violentes secousses
judge /dʒʌdʒ/
A *n* 1 ▸ **p. 1237** Jur juge *m*; 2 (adjudicator) (at competition) membre *m* du jury; Sport juge *m*; **the ~s' decision is final** (at show etc) la décision du jury est sans appel; 3 fig **to be a good ~ of character** être un fin psychologue, savoir juger les gens; **to be no ~ of** ne pas s'y connaître en [*art, wine*]; **I think it's lovely—not that I'm any ~** je trouve ça très beau—bien que je ne sois pas vraiment juge en la matière; **let me be the ~ of that** je suis mieux à même d'en juger
B Judges *pr npl* Bible Juges *mpl*

C *vtr* **1** gen, Jur juger [*person*]; **to ~ a prisoner guilty** juger qu'un accusé est coupable; **who are you to ~ others?** de quel droit te permets-tu de juger les autres?; **2** (adjudicate) faire partie du jury de [*show, competition*]; **3** (estimate) (currently) estimer [*distance, age*]; (in the future) prévoir [*outcome, reaction*]; **it is hard to ~ who will win the election** il est difficile de prévoir qui va gagner les élections; **4** (consider) juger, estimer; **the operation was ~d a great success** on a estimé *or* jugé que l'opération avait été un grand succès; **~d by their usual standards, their concert was disappointing** par rapport à ce qu'ils font d'habitude, leur concert était décevant
D *vi* juger; **I am in no position to ~** ce n'est pas à moi de juger; **as far as one can ~** autant qu'on puisse en juger; **judging by** *ou* **from...** à en juger par *or* d'après...
(Idiom) **to be as sober as a ~** (not drunk) ne pas être ivre du tout; (solemn) être sérieux comme un pape

judge advocate *n* GB assesseur *m*; US commissaire *m* du gouvernement

judgeship /ˈdʒʌdʒʃɪp/ *n* US fonctions *fpl* de juge

judgment, **judgement** /ˈdʒʌdʒmənt/ *n* **1** gen, Jur jugement *m*; **to pass/give ~** prononcer/rendre un jugement (**on** sur); **to make ~s about sth** juger qch; **to sit in ~ on** *ou* **over** juger [*person, situation*]; **2** (opinion) avis *m*, opinion *f*; **in my ~** à mon avis; **to reserve ~** réserver son jugement; **to do sth against one's better ~** faire qch en sachant que l'on fait une erreur; **3** (discernment) jugement *m*; **an error of ~** une erreur de jugement; **to lack ~** manquer de jugement; **use your own ~** (in assessing) c'est à vous de juger; (in acting) faites comme bon vous semblera; **4** (punishment) punition *f*

judgmental, **judgemental** /ˌdʒʌdʒˈmentl/ *adj* **to be (too) ~** juger les autres de façon trop catégorique; **don't be so ~!** ne juge pas tant les autres!

Judgment Day *n* le jour du Jugement dernier

judicature /ˈdʒuːdɪkətʃə(r)/ *n* (administration of justice) justice *f*; (court system) institution *f* judiciaire

judicial /dʒuːˈdɪʃl/ *adj* **1** [*inquiry, process*] judiciaire; [*decision*] jurisprudentiel/-ielle; **to bring/take ~ proceedings against sb** engager une procédure contre qn; **2** (wise) [*mind*] pondéré; **3** (impartial) [*silence*] réfléchi

judicially /dʒuːˈdɪʃəlɪ/ *adv* [*observe, remark*] de manière pondérée, avec pondération

judicial review *n* **1** GB Jur pouvoir *m* de regard de la Haute Cour sur les activités des tribunaux subalternes; **2** US Jur pouvoir *m* d'examen de la constitutionnalité d'une loi

judicial separation *n* GB séparation *f* de corps (*ordonnée par juridiction*)

judiciary /dʒuːˈdɪʃɪərɪ, US -ʃɪerɪ/
A *n* Jur **1** (system of courts) système *m* judiciaire; **2** (judges) magistrature *f*; **3** (power, authority) pouvoir *m* judiciaire
B *modif* [*system, reforms*] judiciaire

judicious /dʒuːˈdɪʃəs/ *adj* judicieux/-ieuse (**to do** de faire)

judiciously /dʒuːˈdɪʃəslɪ/ *adv* judicieusement

judo /ˈdʒuːdəʊ/ ▸ **p. 1253**
A *n* judo *m*
B *modif* [*contest, hold, lesson, throw*] de judo; [*expert*] en judo

judy○ /ˈdʒuːdɪ/ *n* GB nana○ *f*

jug /dʒʌg/
A *n* **1** GB (glass) carafe *f*; (earthenware) pichet *m*; (pot-bellied) cruche *f*; (for cream, milk) pot *m*; **water ~** pot à eau, carafe; **2** US (earthenware) cruche *f*; **wine ~** grande cruche à vin; **3** ○(prison) taule◑ *f*; **in ~** GB, **in the ~** US en taule
B ◑**jugs** *npl* US (breasts) nichons◑ *mpl*, seins *mpl*
C *vtr* (*p prés etc* **-gg-**) **1** Culin cuire [qch] à l'étuvée; **~ged hare** civet *m* de lièvre; **2** ○(jail) coffrer◑

jug band *n* US orchestre *m* improvisé

jugful /ˈdʒʌgfʊl/ *n* **1** GB carafe *f*; **three ~s of water** trois carafes d'eau; **2** US cruche *f*

juggernaut /ˈdʒʌgənɔːt/ *n* **1** GB (truck) poids *m* lourd; **2** (irresistible force) poids *m* écrasant

juggle /ˈdʒʌgl/
A *vtr* (all contexts) jongler avec
B *vi* (all contexts) jongler (**with** avec)

juggler /ˈdʒʌglə(r)/ *n* jongleur/-euse *m/f*

jughead○ /ˈdʒʌghed/ *n* US andouille○ *f*, imbécile *mf*

jugular /ˈdʒʌgjʊlə(r)/
A *n* jugulaire *f*
B *adj* jugulaire
(Idiom) **to go (straight) for the ~** frapper au point sensible

juice /dʒuːs/
A *n* **1** Culin jus *m*; **2** Bot, Physiol suc *m*; **3** ○(petrol) essence *f*; **4** ○(electricity) jus○ *m*; **5** ○US (alcohol) alcool *m*
B *vtr* US presser
C **juiced**○ *pp adj* US beurré○

juice: **~ box** *n* briquette *f* de jus de fruit; **~ extractor** *n* GB centrifugeuse *f* (*pour fruits*); **~head**○ *n* US poivrot/-ote○ *m/f*

juicer /ˈdʒuːsə(r)/ *n* US centrifugeuse *f* (*pour fruits*)

juiciness /ˈdʒuːsɪnɪs/ *n* teneur *f* en jus

juicy /ˈdʒuːsɪ/ *adj* **1** Culin juteux/-euse; **2** ○(racy) [*story*] croustillant; [*blonde*] appétissant○; **3** ○(profitable) juteux/-euse○; **4** ○(interesting) [*role*] intéressant

jujitsu /dʒuːˈdʒɪtsuː/ ▸ **p. 1253** *n* jiu-jitsu *m*

juju /ˈdʒuːdʒuː/ *n* **1** (talisman) grigri *m*; **2** (power) pouvoir *m* magique

jujube /ˈdʒuːdʒuːb/ *n* jujube *m*

jukebox /ˈdʒuːkbɒks/ *n* juke-box *m*

Jul *abrév écrite* = **July**

julep /ˈdʒuːlɪp/ *n* (*also* **mint ~**) boisson *f* à la menthe

Julian /ˈdʒuːlɪən/
A *pr n* Julien
B *adj* julien/-ienne

Julius /ˈdʒuːlɪəs/ *pr n* Jules; **~ Caesar** Jules César

July /dʒuːˈlaɪ/ ▸ **p. 1452** *n* juillet *m*

jumble /ˈdʒʌmbl/
A *n* **1** (of papers, objects) tas *m*; (of ideas) fouillis *m*; (of words) fatras *m*; **her clothes were in a ~** ses habits étaient en fouillis; **there was a ~ of ideas in my head** ma tête était remplie d'idées confuses; **2** GB (items for sale) bric-à-brac *m*, vieux objets *mpl*; **have you any ~?** avez-vous de vieux objets dont vous voudriez vous débarrasser?
B *vtr* brouiller [*ideas*]; mélanger [*words, letters*]; **to be ~d together** [*objects*] être entassé en désordre
(Phrasal verb) ■ **jumble up**: ▸ **~ [sth] up, ~ up [sth]** mélanger [*letters, shapes, images*]

jumble sale *n* GB vente *f* de charité. ▸ **Charities**

jumbo /ˈdʒʌmbəʊ/
A *n* **1** lang enfantin éléphant *m*; **2** = **jumbo jet**
B *modif* (*also* **~-sized**) [*packet, size*] géant

jumbo jet *n* gros-porteur *m*

jump /dʒʌmp/
A *n* **1** (leap) saut *m*, bond *m*; **in a single ~** d'un seul bond; **parachute ~** saut en parachute; **2** Equit obstacle *m*; **water ~** rivière *f*; **3** fig (step) **to be one ~ ahead** avoir une longueur d'avance (**of sb** sur qn); **4** (sudden increase) bond *m* (**in** dans); **prices start at £50 then there's a big ~ to £200** les prix commencent à 50 livres et ensuite ils passent d'un bond à 200 livres; **she's made the ~ from deputy to director** elle est passée d'un bond du poste d'adjointe à celle de directrice; **it's a big ~ from school to university** il y a un grand décalage entre l'école et l'université; **5** Comput instruction *f* de saut
B *vtr* **1** (leap over) sauter [*obstacle, ditch*]; **he ~ed three metres** il a sauté trois mètres; **she can ~ the horse over the fence** elle peut faire sauter la barrière à son cheval; **2** (anticipate) **to ~ the gun** lit [*athlete*] partir avant le signal; fig anticiper; **to ~ the lights** [*motorist*] passer au feu rouge; **to ~ the queue** passer devant tout le monde; **3** (escape) **to ~ ship** [*crewman*] ne pas rejoindre son bâtiment; **to ~ bail** ne pas comparaître au tribunal; **4** (miss) [*stylus*] sauter [*groove*]; [*disease*] sauter [*generation*]; **to ~ the rails** [*train*] dérailler; **to ~ a stage** (in argument) omettre un point; (in promotion, hierarchy) brûler une étape; **5** ○(attack) [*mugger*] sauter sur [*victim*]; **6** ○(board) **to ~ a train** sauter dans un train en marche
C *vi* **1** (leap) sauter; **to ~ for joy** sauter de joie; **to ~ across** *ou* **over** franchir [qch] d'un bond [*ditch, hole*]; **to ~ clear of sth** faire un bond pour éviter qch; **to ~ to one's feet** se lever d'un bond; **to ~ to sb's defence** se précipiter pour défendre qn; **to ~ to conclusions** tirer des conclusions hâtives; **to ~ up and down** [*gymnast*] sautiller; [*child*] sauter en l'air; fig (in anger) pousser des hurlements; **2** (start) [*person*] sursauter; **you made me ~** tu m'as fait sursauter; **he ~ed out of his skin**○ il a sauté au plafond○; **3** (rise) [*prices, profits, birthrate*] monter en flèche; **4** (move) **I ~ed to the last page** je suis passé directement à la dernière page; **the film ~s from 1800 to 1920** le film passe d'un seul coup de 1800 à 1920; **5** (welcome) **to ~ at** saisir, sauter sur [*opportunity*]; accepter [qch] avec enthousiasme [*offer, suggestion*]; **6** Comput **to ~ to** sauter à [*address*]
(Idioms) **~ to it!** et que ça saute○!; **go and ~ in the lake**○! va te faire voir○!
(Phrasal verbs) ■ **jump about, jump around** sauter
■ **jump back** [*person*] faire un bond en arrière; [*lever, spring*] reprendre sa place initiale
■ **jump down** [*person*] sauter (**from** de)
■ **jump in** [*person*] monter
■ **jump on**: ▸ **~ on [sth]** (mount) sauter dans [*bus, train*]; sauter sur [*bicycle, horse*]; **~ on!** monte!; ▸ **~ on [sb]** lit, fig sauter sur qn; **she ~ed on me** lit, fig elle m'a sauté dessus
■ **jump out** [*person*] sauter; **to ~ out of** sauter par [*window*]; sauter de [*bed, chair, train*]; **to ~ out in front of sb** surgir devant qn
■ **jump up** [*person*] se lever d'un bond; **to ~ up on** sauter sur [*table etc*]

jumpcut /ˈdʒʌmpkʌt/ *n* Cin coupe *f* franche

jumped-up /ˈdʒʌmptʌp/ *adj* péj [*clerk, waiter*] prétentieux/-ieuse; **you're just ~ working-class!** tu n'es qu'un ouvrier parvenu!

jumper /ˈdʒʌmpə(r)/ ▸ **p. 1694** *n* **1** (sweater) pull *m*, pull-over *m*; **2** US (pinafore) robe *f* chasuble; **3** Tech barre *f* à mine.

jumper cables *npl* US Aut câbles *mpl* de démarrage

jumping /ˈdʒʌmpɪŋ/ *adj* US animé

jumping: **~ bean** *n* pois *m* sauteur; **~ gene** *n* transposon *m*

jumping jack *n* **1** Games pantin *m* articulé; **2** (firework) pétard *m* sauteur

jumping-off place *n* fig point *m* de départ

jump: **~-jet** *n* avion *m* à décollage vertical; **~ jockey** ▸ **p. 1683** *n* Equit jockey *m* de steeple-chase; **~ leads** *npl* câbles *mpl* de démarrage; **~-off** *n* Equit épreuve *f* finale contre la montre, barrage *m*; **~ rope** *n* US corde *f* à sauter; **~ seat** *n* strapontin *m*

jump-start /ˈdʒʌmpstɑːt/
A *n* **to give sb a ~** aider qn à démarrer sa voiture avec des câbles
B /ˌdʒʌmpˈstɑːt/ *vtr* démarrer [qch] avec des câbles [*car*]

jump suit *n* Fashn combinaison *f*

jumpy○ /ˈdʒʌmpɪ/ *adj [person]* nerveux/-euse; *[market]* instable

Jun *abrév écrite* = **June**

junction /ˈdʒʌŋkʃn/ *n* **1** (of two roads) carrefour *m*; (on motorway) échangeur *m*; **2** Rail (of railway lines) nœud *m* ferroviaire; (station) gare *f* de jonction *ou* de raccordement; **3** Tech (point *m* de) raccordement *m*; **thermocouple ~** jonction thermocouple; **4** fig sout fusion *f*

junction box *n* boîte *f* de raccordement

juncture /ˈdʒʌŋktʃə(r)/ *n* **1** gen point *m*; **at this ~** à ce moment; **2** Ling joncture *f*.

June /dʒuːn/ ▸ **p. 1452** *n* juin *m*

June bug *n* hanneton *m*

Jungian /ˈjʊŋɪən/ *n, adj* jungien/-ienne *(m/f)*

jungle /ˈdʒʌŋgl/

A *n* lit, fig jungle *f*; **the law of the ~** la loi de la jungle

B *modif [fauna, flora]* de la jungle; *[life, path]* dans la jungle

jungle: **~ fowl** *n* coq/poule *m/f* bankiva; **~ gym** *n* cage *f* à poules; **~ juice**○ *n* tord-boyaux○ *m*; **~ music** *n* musique *f* jungle, jungle *m*; **~ warfare** *n* guerre *f* dans la jungle

junior /ˈdʒuːnɪə(r)/

A *n* **1** (younger person) cadet/-ette *m/f*; **to be 10 years sb's ~** être le cadet/la cadette de qn de 10 ans; **2** (low-ranking worker) subalterne *mf*; **3** GB Sch élève *mf* du primaire; **to teach ~s** enseigner dans une école primaire; **4** US Univ ≈ étudiant/-e *m/f* de premier cycle; (in high school) ≈ élève *mf* de première; **5** Sport (young player) cadet/-ette *m/f*; **6** GB = **junior doctor**; **7** GB = **junior minister**

B *adj* **1** (low-ranking, not senior) *[colleague, worker]* (inferior) subalterne; (trainee) débutant; *[post, rank, position]* subalterne; **to be ~** débuter, avoir peu d'expérience; **more ~** moins expérimenté; **he's very ~** il a très peu d'expérience; **he is ~ to me in the firm** il a un grade inférieur au mien dans la compagnie; **2** (young) *[person]* jeune; *[fashion, activity, wing of organization]* pour les jeunes; **to be ~ to sb** être plus jeune que qn (**by** de); **3** Sport *[championship, race, league, team, 100 metres]* des cadets; *[champion]* jeune, des cadets; *[player, high-jumper]* jeune; **4** (the younger) (*also* **Junior**) **Bob Mortimer ~** Bob Mortimer fils *or* junior

junior: **~ clerk** *n* employé/-e *m/f*; **~ college** *n* US premier cycle *m* universitaire. ▸ **Colleges**; **Junior Common Room** *n* GB Univ (room) salle *f* des étudiants; (student body) (+ *v sg ou pl*) étudiants *mpl*; **~ doctor** *n* médecin *m* des hôpitaux; **~ executive** *n* cadre *m* débutant; **~ high school** *n* US ≈ collège *m*; ▸ **High school**; **~ lightweight** *n* poids *m* super-plume; **~ management** *n* jeunes cadres *mpl*; **~ manager** *n* jeune cadre *m*; **~ middleweight** *n* poids *m* super mi-moyen

junior minister *n* secrétaire *m* d'État; **she is the junior health minister** elle est secrétaire d'État à la Santé

junior: **~ miss** *n* US fillettes *fpl*; **~ partner** *n* (simple) associé/-e *m/f*; **~ rating** *n* GB Naut matelot *m*; **~ school** *n* GB école *f* (primaire); **~ seaman** ▸ **p. 1599** *n* GB matelot *m*; **~ technician** ▸ **p. 1599** *n* GB soldat *m* de 1ᵉ classe (*dans l'Armée de l'Air*); **~ welterweight** *n* poids *m* super-léger

juniper /ˈdʒuːnɪpə(r)/

A *n* genièvre *m*

B *modif* **~ berries** baies *fpl* de genièvre

junk /dʒʌŋk/

A *n* **1** ¢ ○péj (poor quality) (furniture, merchandise) camelote○ *f*; (possessions) vieilleries *fpl*; **clear your ~ off the table!** dégage ton bazar○ de la table!; **how can you read that ~?** comment peux-tu lire ces bêtises?; **2** ¢ (second-hand) bric-à-brac *m*, vieilleries *fpl*; **3** (boat) jonque *f*

B ○*vtr* bazarder○ *[appliance]*; mettre [qch] à la ferraille *[car]*; mettre [qch] au rancart○ *[idea]*

junk bond *n* obligation *f* à haut rendement et à risque élevé

junk email *n* publicité *f* rebut (par courrier électronique), pourriel *m* Can

junket /ˈdʒʌŋkɪt/

A *n* **1** Culin entremets *m* au lait caillé; **2** ○(spree) fête *f*; (paid trip) voyage *m* aux frais de la princesse

B *vi* faire la fête

junket(t)ing○ /ˈdʒʌŋkɪtɪŋ/ *n* (celebrating) fête *f*; (paid trip) voyage *m* aux frais de la princesse

junk food *n* nourriture *f* industrielle

junkie○ /ˈdʒʌŋkɪ/ *n* drogué/-e *m/f*

junk: **~ jewellery** *n* bijoux *mpl* de fantaisie; **~ mail** *n* ¢ prospectus *mpl*; **~man** *n* US chiffonnier-ferrailleur *m*; **~ shop** *n* boutique *f* de bric-à-brac; **~yard** *n* (for scrap) dépotoir *m*; (for old cars) cimetière *f* de voitures

Juno /ˈdʒuːnəʊ/ *pr n* Junon

Junoesque /ˌdʒuːnəʊˈesk/ *adj* d'une beauté gracieuse

junta /ˈdʒʌntə/ *n* junte *f*

Jupiter /ˈdʒuːpɪtə(r)/ *pr n* **1** Mythol Jupiter *m*; **2** Astron Jupiter *f*

Jura /ˈdʒʊərə/ ▸ **p. 1129, p. 1243, p. 1771** *pr n* **the ~** le Jura; **in the ~** dans le Jura; **the Swiss ~** le Jura suisse

Jurassic /dʒʊəˈræsɪk/

A *n* **the ~** le jurassique

B *adj* jurassique

juridical /dʒʊəˈrɪdɪkl/ *adj* juridique

jurisdiction /ˌdʒʊərɪsˈdɪkʃn/ *n* **1** gen, Admin compétence *f* (**over** sur); **to come within** *ou* **under sb's ~** relever de la compétence de qn; **to be outside sb's ~** ne pas être de la compétence de qn; **2** Jur juridiction *f* (**over** sur); **to be within/outside sb's ~** relever/ne pas relever de la juridiction de qn; **3** US (court) juridiction *f*

jurisdictional /ˌdʒʊərɪsˈdɪkʃənl/ *adj* juridictionnel/-elle

jurisprudence /ˌdʒʊərɪsˈpruːdns/ *n* **1** (philosophy) philosophie *f* du droit; **2** (precedents) jurisprudence *f*

jurist /ˈdʒʊərɪst/ ▸ **p. 1683** *n* juriste *mf*

juror /ˈdʒʊərə(r)/ *n* juré *m*

jury /ˈdʒʊərɪ/

A *n* **1** Jur jury *m*; **to be** *ou* **to serve on a ~** faire partie d'un jury; **to be picked for a ~** être appelé à faire partie d'un jury; **to instruct the ~** donner des indications aux jurés; **'members of the ~'** 'mesdames et messieurs les jurés'; **the ~ is still out** Jur le jury est en train de délibérer; fig on ne peut encore rien dire; **2** (at competition) jury *m*

B *modif* Naut *[mast]* de fortune

jury: **~ box** *n* banc *m* des jurés; **~ duty** *n* US = **jury service**; **~man** *n* juré *m*

jury service *n* GB **to do ~** faire partie d'un jury

jury: **~ shopping** *n* US sélection *f* des jurés (*pour une plus grande objectivité*); **~ system** *n* système *m* de jugement par jury; **~woman** *n* femme *f* juré

just[1] /dʒʌst/

A *adv* **1** (very recently) **to have ~ done** venir (juste) de faire; **she's ~ arrived** elle vient juste d'arriver; **I'm ~ back** je viens juste de rentrer; **it has ~ been varnished** ça vient juste d'être verni

2 (immediately) juste; **~ after your birthday** juste après ton anniversaire; **~ after you left/arrived** juste après ton départ/arrivée; **~ before** juste avant; **it's ~ after 10 am/midnight** il est 10 heures passées/minuit passé de quelques minutes

3 (slightly) (with quantities) un peu; (indicating location or position) juste; **~ over 20 kg** un peu plus de 20 kg; **~ under 15 cm** un peu moins de 15 cm; **~ beyond** *ou* **past** *ou* **after the station** juste après la gare; **~ below the knee** juste en-dessous du genou; **~ on the left** juste à gauche

4 (only, merely) juste; **~ a cup of tea** juste une tasse de thé; **~ for fun** juste pour rire; **there will be ~ the three of us** il y aura juste nous trois; **not cross, ~ disappointed** pas fâché, juste déçu; **~ two days ago** il y a juste deux jours; **~ last week** pas plus tard que la semaine dernière; **he's ~ a child** ce n'est qu'un enfant; **not ~ men** pas seulement les hommes

5 (purposely) exprès; **he did it ~ to annoy us** il l'a fait exprès pour nous embêter; **I came ~ to see you** je suis venu exprès pour te voir

6 (barely) tout juste; **~ on time** tout juste à l'heure; **he's ~ 20** il a tout juste 20 ans; **I've got ~ enough money** j'ai tout juste assez d'argent; **the oven is ~ hot enough** le four est tout juste assez chaud; **I (only) ~ caught the train** j'ai eu le train de justesse; **he (only) ~ passed the exam** il a réussi à l'examen de justesse

7 (simply) tout simplement; **~ tell the truth** dis la vérité, tout simplement; **she ~ won't listen** elle ne veut tout simplement pas écouter; **I was ~ wondering if...** je me demandais tout simplement si...; **that's ~ the way it is** c'est comme ça, c'est la vie; **~ a moment** *ou* **minute** *ou* **second** (please wait) un instant; (when interrupting, disagreeing) un instant, minute○

8 (exactly, precisely) exactement; **that's ~ what I suggested** c'est exactement ce que j'ai suggéré; **it's ~ what she wants** c'est exactement ce qu'elle veut; **it's ~ what you were expecting** c'est bien ce à quoi tu t'attendais; **~ as I thought, we're too late** c'est bien ce que je pensais, nous arrivons trop tard; **~ how do you hope to persuade him?** comment espères-tu le persuader au juste?; **~ how many there are isn't known** on ne sait pas au juste combien il y en a; **it's ~ right** c'est parfait; **~ at that moment, Paul arrived** juste à ce moment-là Paul est arrivé; **it's ~ on 8 am** GB il est exactement 8 heures, il est 8 heures pile; **he likes everything to be ~ so** il aime que les choses soient parfaitement en ordre; **she looks ~ like her father** elle ressemble à son père comme deux gouttes d'eau; **it's ~ like him to forget** c'est bien lui d'oublier; **it's ~ like you to be late** c'est bien toi d'être en retard; **~ so!** tout à fait; **that's ~ it** *ou* **the trouble** c'est bien ça le problème; **that's ~ the point!** justement!

9 (possibly, conceivably) **it might** *ou* **could ~ be true** il se peut que ça soit vrai; **he may ~ make it in time** il se peut qu'il arrive à temps

10 (at this or that very moment) **to be ~ doing** être en train de faire; **to be ~ about to do** être sur le point de faire; **I'm ~ finishing the letter** je suis en train de finir la lettre; **I'm ~ coming** j'arrive; **he was ~ leaving** il partait; **I'm ~ off!** j'y vais!

11 (positively, totally) **that was ~ wonderful/delicious** c'était vraiment merveilleux/délicieux; **that's ~ ridiculous/wrong** c'est tout à fait ridicule/faux; **that's ~ typical!** iron ça ne m'étonne vraiment pas!; **that's ~ great!** (enthusiastically) c'est vraiment formidable!; (ironically) il ne manquait plus que ça!

12 (easily) **I can ~ imagine her as president** je n'ai aucun mal à l'imaginer présidente; **can't you ~ picture the scene!** ce n'est pas difficile d'imaginer la scène!; **I can ~ smell the pineforests** je sens déjà l'odeur des pins

13 (with imperatives) donc; **~ keep quiet!** taistoi donc!; **~ look at the time!** regarde donc l'heure qu'il est!; **~ you dare!** essaie donc voir!; **~ imagine!** imagine donc!; **~ think, you could have been hurt!** mais tu te rends compte? tu aurais pu être blessé

14 (in requests) **if I could ~ interrupt you** si je peux me permettre de vous interrompre; **if you could ~ hold this box** si vous pouvez tenir cette boîte; **could you ~ wait five minutes?** est-ce que vous pourriez attendre cinq minutes?

15 (for emphasis in responses) **'he 's adorable'—'isn 't he ~'** 'il est adorable'—'ah, ça oui'; **'that film was dreadful'—'wasn't it ~!'** 'ce film était absolument nul!'—'ah, ça oui!; **'she's really full of herself'—'isn't she ~'** 'elle est vraiment imbue de sa personne'—'ça tu peux le dire'; **'I bet you're furious'—'aren't I ~'** 'je parie que tu es furieux'—'et comment!'

16 (equally) **~ as big/funny/well as...** aussi grand/drôle/bien que...; **I can ~ as easily walk** je peux tout aussi bien y aller à pied

B just about *adv phr* presque; **~ about cooked/finished** presque cuit/fini; **'are you ready?'—'~ about'** 'es-tu prêt?'—'presque'; **it's ~ about 10 o'clock** il est presque 10 heures; **~ about everything /anything** à peu près tout/n'importe quoi; **I can ~ about see it/reach it** je peux tout juste le voir/ l'attraper; **~ about enough for two** juste assez pour deux; **I've had ~ about enough!** j'en ai marre○!; **~ about here** à peu près ici; **it's ~ about the most boring film I've seen** c'est sans doute le film le plus ennuyeux que j'aie vu; **it's ~ about the best holiday we've had** ce sont sans doute les meilleures vacances que nous ayons passées

C just now *adv phr* (a short time ago) **I saw him ~ now** je viens juste de le voir; (at the moment) en ce moment

D just as *conj phr* juste au moment où; **he arrived ~ as I was leaving** il est arrivé juste au moment où je partais

(Idioms) **it's ~ as well it's waterproof** heureusement que c'est imperméable; **~ as well!** tant mieux! ; **it would be ~ as well if you asked him** tu ferais bien de lui demander; **I'd ~ as soon you didn't mention it** j'aimerais autant que tu le gardes pour toi; **take your raincoat ~ in case it rains** prends ton imperméable au cas où il pleuvrait; **I always check ~ in case** je vérifie toujours, on ne sait jamais

just² /dʒʌst/

A *n* **the ~** (+ *v pl*) les justes *mpl*

B *adj* 1 (fair) [*person, society, decision, cause, comment, war*] juste; [*action, complaint, demand*] justifié; [*anger, claim, criticism, suspicion*] légitime; [*reward*] mérité; **as is only ~** à juste titre; **it's only ~** ce n'est que justice (**to do de** faire; **that** que + *subj*); **to be ~ in one's dealings with sb** faire preuve d'équité dans ses relations avec qn; **without ~ cause** sans raison valable; 2 (exact) [*account, balance, calculation*] juste, exact; 3 Jur [*claim*] fondé; [*title, request*] valable; [*inheritance*] légitime

(Idiom) **to sleep the sleep of the ~** dormir du sommeil du juste

justice /ˈdʒʌstɪs/ *n* 1 (fairness) justice *f*; **is there any ~ in her accusations?** est-ce que ses accusations sont justes?; **it can be said, with some ~, that** il faut bien reconnaître que; **to do sb ~, to do ~ to sb** rendre justice à qn; **the portrait doesn't do her ~** le portrait ne l'avantage pas; **I couldn't do ~ to it** (refusing food) je ne pourrais pas y faire honneur; 2 (the law) justice *f*; **a court of ~** une cour de justice; **to bring sb to ~** traduire qn en justice; **she is a fugitive from ~** elle fuit la justice; 3 (judge) GB juge *m*; US juge *m* de la Cour Suprême; **Mr Justice Murphy** GB le juge Murphy. ▸ **Supreme Court**

justice: **Justice Department** *n* US ministère *m* de la justice; **Justice Minister, Minister of Justice** *n* ministre *m* de la Justice; **Justice of the Peace, JP** *n* juge *m* de paix

justifiable /ˈdʒʌstɪfaɪəbl/ *adj* (that is justified) légitime; (that can be justified) justifiable

justifiable homicide *n* homicide *m* justifié par les circonstances

justifiably /ˈdʒʌstɪfaɪəblɪ/ *adv* à juste titre; **he's ~ angry** il est en colère, non sans raison *or* à juste titre; **she is ~ proud** elle a de bonnes raisons d'être fière (**of** de)

justification /ˌdʒʌstɪfɪˈkeɪʃn/ *n* 1 (reason) raison *f*; **to have some ~ for doing** avoir des raisons de faire; **you have no ~ for being so rude** rien ne vous autorise à être aussi impoli; **in ~ of sth** en justification à qch; **what can they say in ~ of his behaviour?** qu'est-ce qu'ils peuvent dire pour justifier sa conduite?; **with some ~** non sans raison; **without any ~** sans aucune raison valable; 2 Comput, Print (of margins) justification *f*; Comput (moving of data) cadrage *m*; **right/left ~** justification à droite/à gauche; 3 Relig justification *f*

justified /ˈdʒʌstɪfaɪd/ *adj* 1 [*feeling, belief, complaint, increase, policy*] justifié; **to be ~ in doing** avoir de bonnes raisons de faire; **to feel ~ in doing** se sentir en droit de faire; **you are quite ~ in refusing** vous avez absolument raison de refuser; 2 Comput, Print [*margin*] justifié; 3 Comput [*text, data*] cadré

justify /ˈdʒʌstɪfaɪ/ *vtr* 1 justifier [*feeling, belief, complaint, increase, policy*]; **how can you ~ such cruelty?** qu'est-ce qui justifie une telle cruauté?; **what justifies its inclusion in the collection?** qu'est-ce qui justifie qu'on le mette dans la collection?; 2 Comput, Print justifier [*margins*]; 3 Comput cadrer [*text, data*]

(Idiom) **the end justifies the means** la fin justifie les moyens

just-in-time, JIT *adj* [*manufacture, production*] en flux tendus; [*stock control*] à flux tendus

justly /ˈdʒʌstlɪ/ *adv* 1 (equitably) avec justice; 2 (justifiably) à juste titre

justness /ˈdʒʌstnɪs/ *n* 1 (aptness) justesse *f*; 2 (reasonableness) (of claim, request) caractère *m* justifié

jut /dʒʌt/

A *vi* (*p prés etc* **-tt-**) (*also* **~ out**) 1 (horizontally) [*cape, promontory*] s'avancer en saillie (**into** dans); [*balcony*] faire saillie (**over** sur); 2 (vertically) [*mountain*] se dresser

B jutting *pres p adj* (*also* **jutting out**) saillant

jute /dʒuːt/ *n* jute *m*

juvenile /ˈdʒuːvənaɪl/

A *n* 1 sout (young person) jeune *mf*; Jur mineur/-e *m/f*; 2 Bot, Zool jeune *mf*

B *adj* 1 (young) [*person*] jeune; [*group, gang*] de jeunes; 2 pej (childish) puéril; 3 Bot, Zool juvénile

juvenile: **~ court** *n* tribunal *m* pour enfants; **~ crime** *n* criminalité *f* juvénile; **~ delinquency** *n* délinquance *f* juvénile; **~ delinquent** *n* jeune délinquant/-e *m/f*; **~ lead** *n* Theat jeune premier/-ière *m/f*; **~ offender** *n* Jur délinquant/-e *m/f* mineur/-e

juxtapose /ˌdʒʌkstəˈpəʊz/ *vtr* juxtaposer (**with** à)

juxtaposition /ˌdʒʌkstəpəˈzɪʃn/ *n* juxtaposition *f* (**with** à); **in ~** en juxtaposition

Kk

k

k, K /keɪ/ *n* 1) (letter) k, K *m*; 2) **K** *abrév* = **kilo**; 3) **K** Comput (*abrév* = **kilobyte**) K *m*; 4) ○**K** (*abrév* = **thousand**) mille; **he earns £50 K** il gagne 50 000 livres sterling

Kabul /ˈkɑːbl/ ▸ **p. 1815** *pr n* Kaboul

kaffeeklatsch /ˈkæfeɪklætʃ/, **coffee klatch** *n* US réunion *f* autour d'une tasse de café

kaffir /ˈkæfə(r)/ *n* injur nègre/négresse *m/f* d'Afrique du Sud offensive

Kafkaesque /ˈkæfkəesk/ *adj* kafkaïen/-ienne

kaftan /ˈkæftæn/ *n* caftan *m*

kagoule *n* = **cagoule**

kail *n* = **kale**

kainite /ˈkaɪnaɪt/ *n* kaïnite *f*

Kaiser /ˈkaɪzə(r)/ *n* Kaiser *m*

kalaemia GB, **kalemia** US /kəˈliːmɪə/ *n* kaliémie *f*

Kalahari /ˌkæləˈhɑːrɪ/ *pr n* **the ~** le Kalahari; **the ~ desert** le désert du Kalahari

kale /keɪl/ *n* 1) Agric (*also* **curly ~**) chou *m* frisé; 2) ○US (money) fric○ *m*

kaleidoscope /kəˈlaɪdəskəʊp/ *n* lit, fig kaléidoscope *m*

kaleidoscopic /kəˌlaɪdəˈskɒpɪk/ *adj* kaléidoscopique

kamikaze /ˌkæmɪˈkɑːzɪ/ *n, adj* Hist kamikaze (*m*)

Kampuchea /ˌkæmpʊˈtʃɪə/ *pr n* Hist Kampuchéa *m*; **People's Republic of ~** République populaire du Kampuchéa

Kampuchean /ˌkæmpʊˈtʃɪən/ Hist
A *n* Kampuchéen/-éenne *m/f*
B *adj* kampuchéen/-éenne

kangaroo /ˌkæŋgəˈruː/ *n* kangourou *m*

kangaroo court *n* péj tribunal *m* irrégulier

kanji /ˈkændʒɪ/ *n* kanji *m*

Kansas /ˈkænzəs/ ▸ **p. 1737** *pr n* Kansas *m*

Kantian /ˈkæntɪən/ *adj* kantien/-ienne

kaolin /ˈkeɪəlɪn/ *n* kaolin *m*

kapok /ˈkeɪpɒk/ *n* kapok *m*

kapok tree *n* kapokier *m*

Kaposi's sarcoma /kəˈpəʊsɪz sɑːˈkəʊmə/ ▸ **p. 1327** *n* sarcome *m* de Kaposi

kaput○ /kæˈpʊt/ *adj* kaput○ *inv*

karabiner /ˌkærəˈbiːnə(r)/ *n* mousqueton *m*

karaoke /ˌkerɪˈəʊkeɪ, -kɪ/ *n* karaoké *m*

karat /ˈkærət/ *n* US ▸ **carat**

karate /kəˈrɑːtɪ/ ▸ **p. 1253**
A *n* karaté *m*
B *modif* [*class*] de karaté; **~ chop** coup de karaté; **~ expert** karatéka *mf*

karma /ˈkɑːmə/ *n* lit, fig karma *m*

karst /kɑːst/ *n* Geol karst *m*

kart /kɑːt/ *n* kart *m*

karting /ˈkɑːtɪŋ/ ▸ **p. 1253** *n* karting *m*; **to go ~** faire du karting

Kashmir /kæʃˈmɪə/ *pr n* Cachemire *m*

Kashmiri /kæʃˈmɪərɪ/ ▸ **p. 1467, p. 1378**
A *n* 1) (person) Cachemirien/-ienne *m/f*; 2) Ling cachemirien *m*
B *adj* cachemirien/-ienne

Kat(h)mandu /ˌkætmænˈduː/ ▸ **p. 1815** *pr n* Katmandou

katydid /ˈkeɪtɪdɪd/ *n* sauterelle *f* (*d'Amérique du Nord*)

katzenjammer○ /ˈkætsənjæmə(r)/ *n* US 1) (uproar) brouhaha *m*; 2) (hangover) gueule *f* de bois○

kayak /ˈkaɪæk/ *n* kayak *m*

Kazakhstan /ˌkɑːzɑːkˈstɑːn, ˌkæz-/ ▸ **p. 1096** *pr n* Kazakhstan *m*

kazoo /kəˈzuː/ *n* mirliton *m*

KB *n* Comput (*abrév* = **kilobyte**) Ko *m*

KC *n* 1) GB Jur *abrév* ▸ **King's Counsel**; 2) US Post *abrév* = **Kansas City**

KD *adj* US *abrév* = **knocked down**

kebab /kɪˈbæb/ *n* (*also* **shish ~**) chiche-kebab *m*

kedge /kedʒ/
A *n* (*also* **~ anchor**) Naut ancre *f* à jet
B *vtr* touer
C *vi* se touer

kedgeree /ˈkedʒəriː, ˌkedʒəˈriː/ *n* GB pilaf *m* de poisson

keel /kiːl/ *n* Naut quille *f*; Aviat arête *f* ventrale spec; **to be on an even ~** Naut être dans ses lignes; **he's on a more even ~ now** fig il est plus équilibré qu'avant; **my finances are back on an even ~** fig mes finances sont revenues à la normale

(Phrasal verb) ■ **keel over** [*boat*] chavirer; [*person*] s'écrouler; [*tree*] s'abattre

keelhaul /ˈkiːlhɔːl/ *vtr* Naut Hist *faire passer qn sous la quille en guise de châtiment*; fig (rebuke) passer un savon○ à

keen /kiːn/
A *n* lamento *m* funèbre
B *adj* 1) (eager) [*admirer, attentions*] fervent; [*applicant, candidate*] motivé; **to be ~ on** tenir à [*plan, project*]; être chaud○ pour [*idea*]; **I'm not too ~** *ou* **not over-~ on the idea** je ne suis pas très chaud○; **to be ~ on doing** *ou* **to do** tenir à faire; **to be ~ for sb to do** *ou* **on sb's doing** tenir à ce que qn fasse; **to be ~ that sb should do** tenir à ce que qn fasse; **to look ~** avoir l'air tenté *or* partant○; **my wife wants to go but I'm not (too) ~** *ou* **less than ~** ma femme veut y aller, mais je ne suis pas (trop) partant○; 2) (enthusiastic) [*amateur, artist, campaigner, sportsplayer, supporter*] enthousiaste; [*student*] assidu; **to be ~ on** être passionné de [*activity*]; avoir une passion pour [*animals*]; **he's ~ on my sister, but my father's not too ~ on him**○ il en pince○ pour ma sœur mais mon père ne l'encaisse○ pas; **mad ~**○ GB fana○; 3) (intense) [*anticipation, appetite, delight, desire, interest*] vif/vive; [*admiration, sense of loss*] intense; 4) (acute) [*eye, intelligence*] vif/vive; [*sight*] perçant; [*hearing, sense of smell*] fin; **to have a ~ eye for sth** avoir l'œil pour qch; 5) (sharp) lit [*blade*] acéré; fig [*wit*] vif/vive, mordant; [*draught, wind*] pénétrant; [*air*] vif/vive; 6) (competitive) [*price*] défiant toute concurrence; [*competition, rivalry*] intense; [*demand*] Comm fort, dynamique; [*debate*] animé
C *vi* gémir (**over** sur)

keenly /ˈkiːnlɪ/ *adv* [*interested*] vivement; [*awaited*] ardemment; [*aware*] parfaitement; [*feel, contest, debate*] vivement

keenness /ˈkiːnnɪs/ *n* 1) (enthusiasm) enthousiasme *m*; 2) (sharpness) (of feelings) intensité *f*; (of senses) acuité *f*; (of wind, air) mordant *m*; (of blade) tranchant *m*

keep /kiːp/
A *n* 1) (maintenance) pension *f*; **to pay for one's ~** payer une pension; **to work for one's ~** travailler pour payer sa pension; **to earn one's ~** [*person*] gagner de quoi vivre; [*factory, branch*] fig être viable
2) Archit donjon *m*
B *vtr* (*prét, pp* **kept**) 1) (cause to remain) **to ~ sb in hospital/indoors** [*person*] garder qn à l'hôpital/à l'intérieur; [*illness*] retenir qn à l'hôpital/à l'intérieur; **to ~ sth/sb clean** garder qch/qn propre; **to ~ sth warm/cool** garder qch au chaud/au frais; **to ~ sb warm/cool** protéger qn du froid/de la chaleur; **to be kept clean/warm/locked** rester propre/au chaud/fermé (à clé); **to ~ sb talking/waiting** retenir/faire attendre qn; **I won't ~ you to your promise** tu n'es pas obligé de tenir ta promesse; **to ~ an engine/machine running** laisser un moteur/une machine en marche; **bronchitis kept him in bed** une bronchite l'a obligé à garder le lit
2) (detain) retenir; **there's nothing to ~ me here** (plus) rien ne me retient ici; **don't let me ~ you!** je ne veux pas vous retenir!; **what kept you?** qu'est-ce qui t'a retenu?; **I won't ~ you a minute** je n'en ai pas pour longtemps; **the police are ~ing him for questioning** la police le garde à vue pour l'interroger
3) (retain) garder, conserver [*book, letter, money, receipt*]; garder [*job*]; garder [*seat, place*] (**for** pour); garder, mettre [qch] de côté [*ticket, bread*] (**for** pour); **we ~ these glasses for special occasions** nous gardons ces verres pour les grandes occasions; **this pullover has kept its colour/shape** ce pull-over a gardé sa couleur/forme
4) (have and look after) tenir [*shop, restaurant*]; avoir [*dog, cat*]; élever [*sheep, chickens*]
5) (sustain) **to ~ sth going** entretenir qch [*conversation, fire, tradition*]; **I'll make you a sandwich to ~ you going** je te ferai un sandwich pour que tu tiennes le coup; **it was only his work that kept him going** sans son travail il n'aurait pas tenu le coup; **have you got enough work to ~ you going?** avez-vous assez de travail pour vous occuper?
6) (store) mettre, ranger; **I ~ my money in a safe** je mets mon argent dans un coffre-fort; **where do you ~ your cups?** où rangez-vous vos tasses?; **I ~ a spare key in the cupboard** j'ai un double de la clé dans le placard
7) (have in stock) [*shop, shopkeeper*] vendre, avoir [*brand, product*]
8) (support financially) faire vivre, entretenir [*husband, wife, family*]; entretenir [*lover*]; avoir [*servant*]; fig **it'll ~ us in beer** ça nous permettra de tenir le coup
9) (maintain by writing in) tenir [*accounts, list, diary, record*]
10) (conceal) **to ~ sth from sb** taire *or* cacher qch à qn

11 (prevent) **to ~ sb from doing** empêcher qn de faire
12 (observe) tenir [*promise*]; garder [*secret*]; se rendre à, venir à [*appointment, date*]; célébrer [*occasion, festival*]; observer [*commandments, sabbath, Lent*]
13 Mus **to ~ time** *ou* **the beat** battre la mesure
14 †(protect) [*God*] garder†, protéger [*person*] (**from** de) ; [*person*] défendre [*gate, bridge*]
15 (maintain) entretenir [*car, house*]; **well/badly kept** bien/mal entretenu

C *vi* (*prét, pp* **kept**) **1** **to ~ doing** (continue) continuer à *or* de faire; (do repeatedly) ne pas arrêter de faire; **to ~ going** lit continuer; **I don't know how she ~s going!** je ne sais pas comment elle tient le coup!; **~ at it!** persévérez!; **~ west/straight on** continuez vers l'ouest/tout droit; **'~ left/right'** 'tenez votre gauche/droite'
2 (remain) **to ~ indoors** rester à l'intérieur; **to ~ out of the rain** se protéger de la pluie; **to ~ warm/cool** se protéger du froid/de la chaleur; **to ~ calm** rester calme; **to ~ silent** *ou* **quiet** garder le silence
3 (stay in good condition) [*food*] se conserver, se garder
4 (wait) [*news, business, work*] attendre; **I've got something to tell you, it won't ~** j'ai quelque chose à te dire, ça ne peut pas attendre
5 (in health) **'how are you ~ing?'** 'comment allez-vous?'; **she's ~ing well** elle va bien

D *v refl* **to ~ oneself** subvenir à ses propres besoins; **to ~ oneself warm/cool** se protéger du froid/de la chaleur; **to ~ oneself healthy** rester en forme; **to ~ oneself to oneself** ne pas être sociable; **to ~ oneself from doing** s'empêcher de faire

E **for ~s** *adv phr* pour de bon, pour toujours

(Idioms) **to ~ in with sb** rester en bons termes avec qn; **to try to ~ up with the Joneses** rivaliser avec ses voisins; **you can't ~ a good man down** la compétence finit par être reconnue; ▸ **clear**

(Phrasal verbs) ■ **keep after**: ▸ **~ after [sb]** **1** (pursue) pourchasser; **2** (chivvy) harceler
■ **keep at**: ▸ **~ at [sb]** US harceler, casser les pieds○ à [*person*]; ▸ **~ at it** persévérer
■ **keep away**: ▸ **~ away** ne pas s'approcher (**from** de); ▸ **~ [sth/sb] away** empêcher [qch/qn] de s'approcher, tenir [qch/qn] à distance; **to ~ sb away from** (prevent from getting close to) empêcher qn de s'approcher de, tenir qn à distance de [*person, fire*]; (cause to be absent from) tenir qn éloigné de [*family*]; **to ~ sb away from his work** empêcher qn de travailler
■ **keep back**: ▸ **~ back** rester en arrière, ne pas s'approcher; **~ back!** ne vous approchez pas!, n'avancez pas!; **to ~ back from sth** ne pas s'approcher de qch; ▸ **~ [sth/sb] back, ~ back [sth/sb]** **1** (prevent from advancing) empêcher [qn] de s'approcher [*person, crowd*] (**from** de); faire redoubler [*pupil, student*]; [*barrier, dam*] retenir [*water*]; **he kept his hair back with an elastic band** il avait les cheveux retenus en arrière par un élastique; **2** (retain) garder [*money*]; conserver [*food, objects*]; **3** (conceal) cacher [*information, fact, detail*] (**from** à); **4** (prevent from doing) retenir [*person*]
■ **keep down**: ▸ **~ down** rester allongé; **~ down!** ne bougez pas!; ▸ **~ [sth] down, ~ down [sth]** **1** (cause to remain at a low level) limiter [*number, speed, costs, expenditure, inflation*]; limiter l'augmentation de [*prices, costs, wages, unemployment*]; maîtriser, juguler [*inflation*]; **to ~ one's weight down** surveiller son poids; **~ your voice down!** baisse la voix!; **~ the noise down!** faites moins de bruit!; **2** (retain in stomach) garder [*food*]; ▸ **~ [sb] down** **1** GB Sch (cause to repeat a year) faire redoubler [*pupil*]; **2** (repress) opprimer [*people*]; réprimer [*revolt*]
■ **keep in**: ▸ **~ in** [*car, cyclist, driver etc*] GB tenir sa gauche; (elsewhere) tenir sa droite; ▸ **~ [sb/sth] in** **1** (cause to remain inside) empêcher [qn/qch] de sortir [*person, animal*]; garder [*dentures, contact lenses*]; **they're ~ing her in** (in hospital) ils la gardent; **2** (restrain) rentrer [*stomach, elbows*]; réprimer [*emotions, anger, impatience*]; **3** Sch (cause to stay at school) garder [qn] en retenue, coller○ [*pupil*]
■ **keep off**: ▸ **~ off** **1** (stay at a distance) **~ off!** n'avancez pas!; **2** (not start) **I hope the rain/storm ~s off** j'espère qu'il ne pleuvra pas/que l'orage n'éclatera pas; ▸ **~ off [sth]** **1** (stay away from) ne pas marcher sur; **'Please ~ off the grass'** 'Défense de marcher sur la pelouse'; **2** (refrain from) s'abstenir de consommer, éviter [*fatty food, alcohol*]; s'abstenir de parler de [*subject*]; **to ~ off cigarettes** ne pas fumer; ▸ **~ [sth] off, ~ off [sth]** **1** (prevent from touching) éloigner [*animals, insects*]; **this plastic sheet will ~ the rain/dust off** cette housse en plastique protège contre la pluie/la poussière; **2** (continue not to wear) ne pas remettre [*shoes, hat*]; ▸ **~ sb off [sth]** (cause to refrain from) éviter de donner [qch] à qn [*food, alcohol*]; empêcher qn de parler de [*subject*]
■ **keep on**: ▸ **~ on doing** (not stop) continuer à faire; (do repeatedly) ne pas cesser de faire; **to ~ on with sth** poursuivre qch; **to ~ on about sth** ne pas arrêter de parler de qch; **to ~ on at sb** harceler qn, casser les pieds○ à qn (**to do** pour qu'il fasse); ▸ **~ [sb/sth] on** garder [*employee, flat, hat, shoes*]
■ **keep out**: ▸ **~ out of [sth]** **1** (not enter) ne pas entrer dans [*area, house*]; **'~ out!'** (on notice) 'défense d'entrer'; **2** (avoid being exposed to) rester à l'abri de [*sun, rain, danger*]; **3** (avoid getting involved in) ne pas se mêler de [*argument*]; **~ out of this!** ne t'en mêle pas!; **to ~ out of sb's way, to ~ out of the way of sb** (not hinder) ne pas encombrer qn; (avoid seeing) éviter qn; **try to ~ out of trouble!** essaie de bien te conduire!; ▸ **~ [sb/sth] out, ~ out [sb/sth]** (not allow to enter) ne pas laisser entrer [*person, animal*]; **to ~ the rain out** empêcher la pluie d'entrer; **I wore an extra pullover to ~ out the cold** j'ai mis un pull-over de plus pour me protéger du froid; **to ~ sb out of sth** (not allow to get involved in) ne pas vouloir mêler qn à qch; (not allow to enter) ne pas laisser entrer qn dans qch; **to ~ sb out of trouble** empêcher qn de faire des bêtises; **to ~ sb/sth out of sb's way** faire en sorte que qn/qch ne soit pas sur le chemin de qn
■ **keep to**: ▸ **~ to [sth]** (stick to) lit ne pas s'écarter de, rester sur [*road, path*]; fig respecter, s'en tenir à [*timetable, facts, plan*]; respecter [*law, rules*]; **'~ to the left/right'** 'tenez votre gauche/droite'; **to ~ to one's bed** garder le lit; **to ~ to one's home** rester chez soi, ▸ **~ sb to [sth]** (cause to remain on) empêcher qn de s'écarter de [*route*]; forcer qn à tenir [*promise*]; ▸ **~ [sth] to** (restrict) limiter [qch] à [*weight, number*]; **to ~ sth to oneself** garder qch pour soi [*secret , information, opinion*]; **he can't ~ his hands to himself**○ il a les mains baladeuses○; **~ your hands to yourself!** bas les pattes○!
■ **keep under**: ▸ **~ [sb] under** **1** (dominate) assujettir, soumettre [*race, slaves, inhabitants*]; **2** (cause to remain unconscious) maintenir [qn] inconscient
■ **keep up**: ▸ **~ up** **1** (progress at same speed) (all contexts) [*car, runner, person*] suivre; [*business rivals, competitors*] rester à la hauteur; **2** (continue) [*price*] se maintenir; **if the rain ~s up I'm not going** s'il continue à pleuvoir je n'y vais pas; ▸ **~ [sth] up, ~ up [sth]** **1** (cause to remain in position) tenir [*trousers*]; **'~ your hands up!'** (by gunman) 'gardez les mains en l'air!'; **2** (continue) continuer [*attack, bombardment, studies*]; entretenir [*correspondence, friendship*]; maintenir [*membership, tradition*]; garder [*pace*]; **to ~ up the pressure** continuer à faire pression (**for** pour obtenir; **on** sur); **he kept up his German by going to evening classes** il a entretenu son allemand en suivant des cours du soir; **to ~ up one's strength/spirits** garder ses forces/le moral; **~ it up!, ~ up the good work!** continuez comme ça!; ▸ **~ [sb] up** (maintain awake) faire veiller [*child, person*]; [*noise, illness*] empêcher [qn] de dormir; **I hope I'm not ~ing you up** (politely) j'espère que je ne vous oblige pas à veiller; (ironically) j'espère que je ne vous empêche pas de dormir
■ **keep up with**: ▸ **~ up with [sb/sth]** **1** (progress at same speed as) (physically) aller aussi vite que [*person, group*]; (mentally) suivre [*class, work, lecture*]; [*company, country*] se maintenir à la hauteur de [*competitors*]; Econ [*wages, pensions*] suivre [*prices, inflation, cost of living*]; faire face à [*demand*]; **2** (be informed about) suivre [*fashion, developments, news*]; **3** (remain in contact with) garder le contact avec [*schoolfriends, colleagues*]. ▸ **end, pecker**

keeper /'kiːpə(r)/ *n* **1** (in zoo) gardien/-ienne *m/f*; **2** Sport (in football) gardien/-ienne *m/f* (de but); (in cricket) gardien/-ienne *m/f* (de guichet); **3** (curator) conservateur/-trice *m/f*; **4** (guard) gardien/-ienne *m/f*; **the ~ of the gate** le gardien de la porte; **5** (person in charge of someone else) **am I my brother's ~?** est-ce que je suis responsable de mon frère?; **I'm not his ~** je ne suis pas son ange gardien. ▸ **finder**

keep fit /ˌkiːp 'fɪt/
A *n* gymnastique *f* d'entretien
B **keep-fit** *modif* [*class, teacher, fanatic*] de gymnastique

keep fit exercises *npl* gymnastique *f* d'entretien

keeping /'kiːpɪŋ/
A *n* (custody) **in sb's ~, in the ~ of sb** à la garde de qn; **to put sb/sth in sb's ~** confier qn/qch à qn
B **in ~ with** *prep phr* conforme à [*status, law, rules, image, tradition*]; **to be in ~ with** correspondre à [*law, rules, policy, image, character*] s'harmoniser avec [*surroundings, area, village*]
C **out of ~ with** *prep phr* **to be out of ~ with** ne pas correspondre à [*character, image, style*]; ne pas convenir à [*occasion*]

keepsake /'kiːpseɪk/ *n* souvenir *m*

keg /keg/
A *n* (for liquid) fût *m*; (for gunpowder) baril *m*
B *modif* [*beer*] pression *inv*

keister○ /'kiːstə(r), 'kaɪstə(r)/ *n* US derrière *m*

kelp /kelp/ *n* laminaire *f*

kelvin /'kelvɪn/ *n* degré *m* Kelvin; **~ scale** échelle *f* Kelvin

ken /ken/
A *n* **beyond my ~** au-delà de mon entendement; **to be beyond sb's ~** dépasser l'entendement de qn
B *vt* Scot dial = **know**

kennel /'kenl/ *n* **1** GB (for dog) niche *f*; (for several dogs) chenil *m*; **2** (GB **kennels** + *v sg*) (establishment) chenil *m*; **to be in ~s** GB, **to be in a ~** US être dans un chenil

Kent /kent/ ▸ **p. 1612** *pr n* Kent *m*

Kentucky /ken'tʌkɪ/ ▸ **p. 1737** *pr n* Kentucky *m*

Kenya /'kenjə/ ▸ **p. 1096** *pr n* Kenya *m*; **in ~** au Kenya

Kenyan /'kenjən/ ▸ **p. 1467, p. 1378**
A *n* Kenyan/-e *m/f*
B *adj* kenyan/-e

kepi /'keɪpɪ/ *n* képi *m*

kept /kept/
A *prét, pp* ▸ **keep**
B *adj* [*man, woman*] entretenu

keratin /'kerətɪn/ *n* kératine *f*

keratoplasty /'kerətəʊˌplæstɪ/ *n* Med kératoplastie *f*

keratotomy /ˌkerə'tɒtəmɪ/ *n* Med kératotomie *f*

kerb /kɜːb/ *n* GB (edge of pavement) bord *m* du trottoir; **stop at the ~** arrête-toi au bord du trottoir; **to draw up at the ~** se ranger le long du trottoir; **to pull away from/pull into the ~** s'éloigner/se rapprocher du trottoir

kerb: **~ broker** *n* Fin coulissier *m*; **~ crawler** *n* GB dragueur○ *m* au volant; **~ crawling** *n* GB drague○ *f* au volant;

k

~ **drill** *n* GB code *m* de prévention routière *(pour enfants)*; ~ **market** *n* Fin marché *m* en coulisse; ~**stone** *n* GB pierre *f (de bordure d'un trottoir)*

kerchief† /ˈkɜːtʃɪf/ *n* fichu *m*

kerfuffle○ /kəˈfʌfl/ *n* GB cirque○ *m*

kernel /ˈkɜːnl/ *n* **1** (of nut, fruitstone) amande *f*; (whole seed) grain *m*; **walnut** ~ cerneau *m* de noix; **2** fig fond *m*; **a** ~ **of truth** un fond de vérité; **3** Comput, Ling noyau *m*

kernel sentence *n* Ling phrase *f* noyau, phrase *f* nucléaire

kernite /ˈkɜːnaɪt/ *n* kernite *f*

kerosene, **kerosine** /ˈkerəsiːn/ *n* **1** US, Austral (paraffin) pétrole *m* (lampant); **2** (aircraft fuel) kérosène *m*

kestrel /ˈkestrəl/ *n* (faucon *m*) crécerelle *f*

ketch /ketʃ/ *n* ketch *m*

ketchup /ˈketʃəp/ GB *n* ketchup *m*

ketonaemia GB, **ketonemia** US /ˌkiːtəʊˈniːmɪə/ ▸ **p. 1327** *n* cétonémie *f*, acétonémie *f*

ketone /ˈkiːtəʊn/ *n* Biol cétone *f*

ketonuria /ˌkiːtəʊˈnjʊərɪə/ ▸ **p. 1327** *n* cétonurie *f*

ketosis /kɪˈtəʊsɪs/ ▸ **p. 1327** *n* cétose *f*

kettle /ˈketl/ *n* bouilloire *f*; **did you put the** ~ **on?** est-ce que tu as mis l'eau à chauffer?; **the** ~**'s boiling** l'eau bout

(Idioms) **a different** ~ **of fish** une toute autre affaire; **it's the pot calling the** ~ **black** c'est l'hôpital qui se moque de la charité

kettledrum /ˈketldrʌm/ ▸ **p. 1462** *n* timbale *f*

key /kiː/

A *n* **1** (locking device) clé *f*, clef *f*; **a front-door/car** ~ une clé de maison/voiture; **a set** *ou* **bunch of** ~**s** un jeu de clés; **to leave the** ~ **in the door** laisser la clé sur la porte; **under lock and** ~ sous clé; **2** (winding device) gen remontoir *m* (**for** de); (for clock) clé *f* (de pendule), remontoir *m*; **3** Tech clé *f*; **radiator** ~ clavette *f* à radiateur; **4** (control) (on typewriter, computer, piano, phone) touche *f*; (on oboe, flute) clé *f*; **5** fig (vital clue) (to happiness, success etc) clé *f*, secret *m* (**to** de); **his diary holds the** ~ **to the mystery** son journal renferme la clé du mystère; **exercise is the** ~ **to health** l'exercice est le secret de la santé; **the** ~ **to being a good teacher is to listen** le secret pour devenir un bon enseignant est d'écouter; **6** (explanatory list) (on map) légende *f*; (to abbreviations, symbols) liste *f*; (for code, cryptogram) clé *f*; **'pronunciation** ~**'** 'liste phonétique', 'tableau *m* phonétique'; **7** (answers) (to test, riddle) solutions *fpl*; Sch corrigé *m*; **8** Mus ton *m*, tonalité *f*; **what** ~ **is the sonata in?** dans quel ton est la sonate?; **change of** ~ lit, fig changement *m* de ton; **a major** ~ un ton majeur; **in a major/minor** ~ en majeur/mineur; **to sing/play in** ~ chanter/jouer juste; **to sing/ play off** ~ chanter/jouer faux; **9** Geog caye *m*

B *modif* [*industry, job, element, document, figure, role*] clé *inv* (*after n*); [*difference, point*] capital; [*problem*] essentiel/-ielle; ~ **workers** des travailleurs occupant des postes clés

C *vtr* **1** (type) saisir [*data, information*]; **2** (adapt) adapter [*remarks, speech*] (**to** à)

(Phrasal verb) ■ **key in**: ▸ ~ **[sth] in**, ~ **in [sth]** saisir [*data*]

keyboard /ˈkiːbɔːd/ ▸ **p. 1462**

A *n* Comput, Print, Mus clavier *m*

B keyboards *npl* Mus synthétiseur *m*

C *vtr* saisir

keyboarder /ˈkiːbɔːdə(r)/ *n* opérateur/-trice *m/f* de saisie

keyboarding /ˈkiːbɔːdɪŋ/

A *n* Comput, Publg saisie *f*

B *modif* [*error, problem*] de saisie, de frappe

keyboard: ~ **instrument** *n* instrument *m* à clavier; ~ **operator** *n* = **keyboarder**; ~ **shortcut** *n* raccourci *m* clavier; ~ **skills** *npl* ≈ connaissances *fpl* en traitement de texte; ~**s player** *n* joueur/-euse *m/f* de synthétiseur

key card *n* carte *f* magnétique

key combination *n* Comput combinaison *f* de touches

keyed-up /ˌkiːdˈʌp/ *adj* [*person, team*] (excited) excité; (tense) tendu; **to get** ~ (excited) s'exciter; (nervous) devenir tendu; **she was all** ~ **about the exams** elle était remontée à bloc○ pour les examens

key holder *n*: *personne responsable des clés*

keyhole /ˈkiːhəʊl/ *n* trou *m* de serrure; **to look through the** ~ regarder par le trou de la serrure

key: ~**hole journalism** *n* reportages *mpl* à sensation; ~**hole saw** *n* Tech scie *f* à guichet; ~**hole surgery** *n* Med chirurgie *f* endoscopique

keying /ˈkiːɪŋ/ *n* Comput, Publg saisie *f*

key money *n* (for business premises) pas-de-porte *m inv*; (for apartment) reprise *f*

keynote /ˈkiːnəʊt/ *n* **1** Mus tonique *f*; **2** fig (main theme) (of speech, policy, report) thème *m* principal

keynote: ~ **lecture** *n* communication *f* inaugurale; ~ **speaker** *n* intervenant/-e *m/f* principal/-e; ~ **speech** *n* gen, Pol discours *m* programme

key: ~**-pad** *n* Comput pavé *m* numérique; Telecom clavier *m* numérique; ~ **punch** *n* Comput perforatrice *f* à clavier; ~**-ring** *n* porte-clés *m inv*; ~ **signature** *n* armature *f*; ~**stone** *n* Archit, fig clé *f* de voûte; ~**stroke** *n* Comput frappe *f*; ~**word** *n* mot *m* clé

kg *n* (*abrév* = **kilogram**) kg *m*

KGB *n* KGB *m*

khaki /ˈkɑːkɪ/

A *n* Tex kaki *m*; **in** ~ en kaki

B *adj* kaki *inv*

Khmer /kmeə(r)/ ▸ **p. 1467, p. 1378**

A *n* **1** (person) Khmer/Khmère *m/f*; **2** (language) khmer *m*

B *adj* khmer/khmère

Khmer Rouge *n* Khmers *mpl* rouges

Khyber Pass /ˌkaɪbəˈpɑːs/ *pr n* passe *f* de Khaybar

kHz *n* (*abrév* = **kiloherz**) kHz

kibbutz /kɪˈbʊts/ *n* (*pl* ~**es** *ou* ~**im**) kibboutz *m*

kibitz○ /ˈkɪbɪts/ *vtr* US **1** kibitzer (*au bridge*); **2** (interfere) fourrer○ son nez dans les affaires d'autrui

kibitzer○ /ˈkɪbɪtsə(r), kɪˈbɪtsə(r)/ *n* US **1** spectateur/-trice *m/f* (*qui donne des conseils qu'on n'a pas demandés*); **2** (busybody) mouche *f* du coche

kibosh○ /ˈkaɪbɒʃ/ *n*

(Idiom) **to put the** ~ **on sth** mettre fin à qch

kick /kɪk/

A *n* **1** (of person, horse) coup *m* de pied; (of donkey, cow, goat) coup *m* de sabot; (of swimmer) battement *m* de pieds; (of footballer) tir *m*; **to give sb/the door a** ~ donner un coup de pied à qn/dans la porte; **to aim** *ou* **take a** ~ **at sb/sth** [*person*] lancer un coup de pied à qn/dans qch; **she aimed a** ~ **at the goal** elle a tiré vers le but; **to get a** ~ **on the leg/in the stomach** (from person, horse) recevoir un coup de pied à la jambe/dans l'estomac; (from donkey, cow) recevoir un coup de sabot à la jambe/dans l'estomac; **to give sb a** ~ **up the backside**○ *ou* **in the pants**○ lit, fig botter le derrière○ de qn; ▸ **free kick**, **penalty kick**

2 ○(thrill) **it gives her a** ~ **to do** elle prend plaisir à faire; **to get a** ~ **from doing** prendre plaisir à faire

3 (of firearm) recul *m*

4 ○(strength, zest) (of person, organization) dynamisme *m*; **this punch has quite a** ~ **(to it)** ce punch est assez costaud○

5 ○(craze) marotte *f*, manie *f*; **to be on a health-food** ~ manger bio○

B *vtr* gen (once) [*person*] donner un coup de pied à [*person*]; donner un coup de pied dans [*table, door*]; [*person*] shooter dans [*ball, tin can*]; [*horse*] botter; [*donkey, cow, goat*] donner un coup de sabot à [*person*]; donner un coup de sabot dans [*gate, bucket*]; (repeatedly) donner des coups de pied à [*person*]; donner des coups de pieds dans [*object*]; **to** ~ **sb on the leg/in the face/in the stomach** [*person, horse*] donner à qn un coup *or* des coups de pied à la jambe/au visage/dans l'estomac; [*donkey, cow*] donner à qn un coup de sabot dans la jambe/au visage/dans l'estomac; **to** ~ **sth over a wall/under the bed/through the window** envoyer qch par-dessus un mur/sous le lit/par la fenêtre d'un coup de pied; **to** ~ **sth away** éloigner qch d'un coup de pied; **he** ~**ed dust into my face** d'un coup de pied il m'a envoyé de la poussière à la figure; **to** ~ **a hole** *ou* **dent in sth** défoncer qch d'un coup de pied; **to** ~ **one's legs (in the air)** [*baby*] pédaler; **to** ~ **a goal** marquer un but; **to** ~ **the ball into touch** (in rugby) envoyer le ballon en touche

C *vi* **1** gen [*person*] (once) donner un coup de pied; (repeatedly) donner des coups de pied; [*swimmer*] faire des battements de pieds; [*dancer*] lancer la jambe; [*cow*] ruer; [*horse*] botter; **to** ~ **at sb/sth** [*person*] lancer un coup de pied à qn/dans qch; **the horse** ~**ed at me** le cheval a voulu me botter; **to** ~ **for touch** (in rugby) chercher la touche

2 (recoil) [*gun*] reculer

(Idioms) **a (real)** ~ **in the teeth**○ *ou* **ass**◑ US une gifle; **it's better than a** ~ **in the teeth**○ c'est mieux que rien; **to** ~ **sb when they're down** frapper un homme à terre; **to** ~ **the habit**○ gen décrocher○, arrêter; (of smoking) arrêter de fumer; **I could have** ~**ed myself** je me serais donné des claques○ (**for doing** d'avoir fait); **to be alive and** ~**ing** être bien vivant; **to** ~ **over the traces** ruer dans les brancards○; ▸ **heel**, **scream**, **upstairs**

(Phrasal verbs) ■ **kick around**, **kick about**: ▸ ~ **around**○ [*objects, clothes*] traîner○; **that idea's been** ~**ing around for years** cette idée traîne○ dans l'air depuis des années; **he's been** ~**ing around Europe for a year**○ il se balade○ en Europe depuis un an; ▸ ~ **[sth] around** *ou* **about** **1** lit donner des coups de pied dans, s'amuser avec [*ball, object*]; **2** ○discuter de, explorer [*idea*]; ▸ ~ **[sb/sth] around** *or* **about** (treat badly) maltraiter [*person*]; malmener [*toys, objects*]; **I won't be** ~**ed around by anyone** je ne me laisserai pas marcher dessus

■ **kick against**: ▸ ~ **against [sth]** (resist) résister à [*idea, suggestion*]; (fight against) lutter contre [*rules, system*]; **to** ~ **against doing** résister à l'idée de faire

■ **kick back**: ▸ ~ **back** [*firearm*] avoir du recul; ▸ ~ **[sth] back**, ~ **back [sth]** **1** renvoyer (du pied) [*ball, object*]; **2** US Fin accorder une ristourne de [*money*]

■ **kick down**: ▸ ~ **[sth] down**, ~ **down [sth]** enfoncer [qch] d'un coup de pied *or* à coups de pied [*door*]; [*horse*] renverser [*fence*]

■ **kick in**: ▸ ~ **in**○ US (contribute) verser sa quote part; ▸ ~ **[sth] in**, ~ **in [sth]** enfoncer [qch] d'un coup de pied *or* à coups de pied [*door, window, box*]; **to** ~ **sb's teeth** *ou* **face in**◑ casser la figure○ *or* la gueule◑ à qn

■ **kick off**: ▸ ~ **off** **1** Sport donner le coup d'envoi; **2** ○[*person, meeting, tour, concert*] commencer, démarrer; ▸ ~ **off [sth]**, ~ **[sth] off** **1** enlever [*shoes*]; **2** ○commencer [*meeting, tour, concert*]; ▸ ~ **[sb] off**○ exclure [qn] de, virer○ [qn] de [*committee, board of directors*]

■ **kick out**: ▸ ~ **out** [*animal*] ruer; [*person*] lancer des coups de pied; **to** ~ **out at sb** [*person*] lit lancer des coups de pied à qn; **to** ~ **out against** se rebeller contre [*idea, system, injustice*]; ▸ ~ **[sb] out**, ~ **out [sb]**○ vider○, virer○ [*troublemaker, intruder*]; éjecter○ [*team member*]; virer○ [*employee*]

■ **kick over**: ▸ **~ [sth] over, ~ over [sth]** renverser [qch] (d'un coup de pied *or* à coups de pied)

■ **kick up**: ▸ **~ [sth] up, ~ up [sth]** soulever [*sand, dust*]; **to ~ up a fuss**○ *ou* **stink**○ faire des histoires○ (**about** à propos de)

kick: **~back** *n* pot-de-vin *m*, dessous-de-table *m inv*; **~boxer** *n* kick-boxeur *m*; **~boxing** *n* kick-boxing *m*; **~ chart** *n* Med grille *f* de coups de pied d'un fœtus

kicker /ˈkɪkə(r)/ *n* Sport (in rugby) botteur *m*; **that horse is a ~** attention, ce cheval botte

kicking○ /ˈkɪkɪŋ/

A *n* **to give sb a ~** rouer qn de coups de pied

B *adj* (lively) animé

kick-off /ˈkɪkɒf/ *n* Sport coup *m* d'envoi; fig **what time's the ~**○**?** à quelle heure on décolle○?

kick: **~ pleat** *n* pli *m* d'aisance; **~-stand** *n* Transp béquille *f*

kick-start /ˈkɪkstɑːt/

A *n* **1** (*also* **~-starter**) (on motorbike) kick *m*; **2** (boost) **to give sth a ~** relancer qch

B *vtr* **1** lit démarrer [qch] au pied [*motorbike*]; **2** fig relancer [*economy*]

kick turn *n* (in skiing) conversion *f*

kid /kɪd/

A *n* **1** ○(child) enfant *mf*, gosse○ *mf*; (youth, teenager) gamin/-e○ *m/f*; **their ~s are grown up** leurs gosses○ sont grands; **2** (young goat) chevreau/-ette *m/f*; **3** (of antelope) (male) faon *m*; (female) biche *f*; **4** (goatskin) chevreau *m*

B *modif* [*bag, shoe*] en chevreau

C ○*vtr* (*p prés etc* **-dd-**) **1** (tease) charrier○; **to ~ sb about sth** charrier○ qn à propos de qch; **I ~ you not** je ne charrie○ pas; **2** (fool, deceive) faire marcher○ [*person*]; **to ~ sb into believing that** faire croire à qn que; **you can't ~ me** je ne marche pas○

D ○*vi* (*p prés etc* **-dd-**) (tease) rigoler○, **you're ~ding!** tu rigoles!; **you've got to be ~ding!** tu veux rire!; **no ~ding!** sans blague○!

E ○*v refl* **to ~ oneself** se faire des illusions

(Idiom) **it's ~'s stuff**○ c'est un jeu d'enfant

kid brother○ *n* frérot○ *m*

kiddy○ /ˈkɪdɪ/ *n* enfant *mf*, gosse○ *mf*

kid glove *n* gant *m* en chevreau

(Idiom) **to treat sb with ~s** prendre des gants avec qn

kidnap /ˈkɪdnæp/

A *n* enlèvement *m*

B *modif* [*attempt*] d'enlèvement; [*victim*] d'un enlèvement

C *vtr* (*p prés etc* **-pp-**) enlever

kidnapper /ˈkɪdnæpə(r)/ *n* ravisseur/-euse *m/f*

kidnapping /ˈkɪdnæpɪŋ/ *n* enlèvement *m*

kidney /ˈkɪdnɪ/

A *n* **1** (of person) rein *m*; **artificial ~** rein artificiel; **floating ~** rein flottant; **2** (of animal) Anat rein *m*; Culin rognon *m*; **lamb/beef ~s** rognons d'agneau/de bœuf

B *modif* [*operation*] du rein; [*disease*] des reins; **to have ~ trouble** souffrir de troubles rénaux

(Idiom) **a man of a different ~** littér un homme d'un autre acabit liter

kidney: **~ bean** *n* haricot *m* rouge; **~ dialysis** *n* dialyse *f*; **~ dish** *n* Med haricot *m*; **~ donor** *n* donneur/-euse *m/f* de rein; **~ failure** *n* défaillance *f* rénale

kidney machine *n* rein *m* artificiel; **to be on a ~** être en dialyse

kidney: **~ shaped** *adj* [*table, swimming pool*] en forme de haricot; **~ specialist** *n* néphrologue *mf*; **~ stone** *n* calcul *m* rénal; **~ transplant** *n* transplantation *f* rénale

kid sister○ *n* sœurette○ *f*

kif /kɪf/ *n* kif *m*

kike○ /kaɪk/ *n* injur youpin/-e○ *m/f* offensive

kilim /kɪˈliːm, ˈkiːlɪm/ *n* kilim *m*

kill /kɪl/

A *n* **1** (in bullfighting, hunting) mise *f* à mort; **to be in at the ~** lit assister à la mise à mort; **I wanted to be in at the ~** fig je voulais assister au dénouement; **2** (prey) proie *f*

B *vtr* **1** (cause to die) tuer [*person, animal*]; **he ~ed her with a knife** il l'a tuée avec un couteau; **he was ~ed by the disease** la maladie l'a tué; **he was ~ed by a drunken driver** il a été tué par un conducteur ivre; **they ~ed one another** *ou* **each other** ils se sont entretués; **~ed outright** tué sur le coup; **drink is slowly ~ing him** l'alcool le détruit lentement; **~ed in action** *ou* **battle** tombé au champ d'honneur; **I'll do it, even if it ~s me**○**!** je le ferai, même si je dois y laisser ma peau○!; **I could have ~ed her!** je l'aurais tuée!; **she didn't say anything, but if looks could ~...** elle n'a rien dit mais ses yeux lançaient des éclairs; **2** ○(make effort) **it wouldn't ~ you to turn up on time** cela ne te ferait pas de mal d'arriver à l'heure; **3** ○(hurt) **my feet are ~ing me** j'ai mal aux pieds; **what ~s me is not knowing** ce qui me tue, c'est de ne pas savoir; **4** (end, stop) arrêter [*rumour*]; supprimer [*paragraph, story*] Journ; faire échouer [*idea, proposal*]; **it ~ed her chances of getting a job** cela a anéanti toutes ses chances d'obtenir un emploi; **that remark ~ed the conversation dead** cette remarque a jeté un froid dans la conversation; **5** (deaden) tuer [*smell, flavour*]; **smoking ~s the appetite** fumer ôte tout appétit; **to ~ the pain** faire disparaître la douleur; **6** ○(turn off) couper [*engine, machine*]; éteindre [*television, radio, light*]; **7** (spend) **to ~ time** tuer le temps (**by doing** en faisant); **I have two hours to ~** j'ai deux heures à attendre; **8** ○(amuse) **what ~s me is that he knew all along** le plus drôle, c'est qu'il le savait déjà

C *vi* [*cancer, drinking*] tuer

D *v refl* **to ~ oneself** se suicider; **to ~ oneself doing** fig se tuer à faire; **don't ~ yourself!** iron surtout ne te fatigue pas trop!; **to ~ oneself laughing** être mort de rire; **they were all ~ing themselves laughing** ils étaient tous morts de rire

(Phrasal verb) ■ **kill off**: ▸ **~ off [sth], ~ [sth] off** détruire [*weeds, crops*]; éliminer [*pests, opponents*]; **he ~s off the heroine in the third act** il fait mourir l'héroïne au troisième acte

killer /ˈkɪlə(r)/

A *n* **1** (illness, poison) **cold/heroin/cancer is a ~** le froid/l'héroïne/le cancer tue; **cancer is a major ~** le cancer est l'une des principales causes de mortalité; **2** (person) meurtrier *m*; (animal) tueur/-euse *m/f*; **the hunt for the ~** la chasse au meurtrier

B *modif* [*disease, virus*] mortel/-elle; [*drug*] qui tue; [*insect*] tueur/-euse

(Idiom) **it's a ~**○**!** (hill) c'est crevant○!; (joke) c'est tordant○!

killer application *n* Comput application *f* à grand succès

killer instinct *n* lit instinct *m* de tuer; **to lack the ~** fig manquer d'agressivité

killer: **~ satellite** *n* satellite *m* tueur; **~ whale** *n* épaulard *m*

killing /ˈkɪlɪŋ/

A *n* (of individual) (person) meurtre *m* (**of** de); (animal) mise *f* à mort (**of** de); **the ~ of civilians/elephants** le massacre de civils/d'éléphants; **the ~ must stop** il faut que la tuerie cesse

B ○*adj* [*pace*] infernal○; [*work*] crevant○

(Idiom) **to make a ~**○ ramasser un joli paquet○

killing field *n* champ *m* de bataille

killingly○† /ˈkɪlɪŋlɪ/ *adv* **a ~ funny film** un film à mourir de rire; **it was ~ funny** c'était à mourir de rire

kill: **~joy** *n* rabat-joie *mf inv*; **~ or cure** *adj* [*methods, approach*] radical

kiln /kɪln/ *n* four *m*

Kilner jar® /ˈkɪlnə(r)/ *n* GB bocal *m* à conserves

kilo /ˈkiːləʊ/ ▸ **p. 1883** *n* kilo *m*

kiloampere /ˈkiːləʊæmpeə(r)/ *n* kiloampère *m*

kilobase /ˈkɪləbeɪs/ *n* kilobase *m*

kilobit /ˈkɪləbɪt/ *n* kilobit *m*

kilobyte /ˈkɪləbaɪt/ *n* kilo-octet *m*

kilocalorie /ˈkɪləˌkælərɪ/ *n* kilocalorie *f*

kilocycle /ˈkiːləʊsaɪkl/ *n* kilocycle *m*

kilogram(me) /ˈkɪləgræm/ ▸ **p. 1883** *n* kilogramme *m*

kilohertz /ˈkɪləhɜːts/ *n* kilohertz *m*

kilojoule /ˈkɪlədʒuːl/ *n* kilojoule *m*

kilolitre GB, **kiloliter** US /ˈkiːləʊliːtə(r)/ ▸ **p. 1883** *n* kilolitre *m*

kilometre /kɪˈlɒmɪtə(r)/ GB, **kilometer** /ˈkɪləmiːtə(r)/ US ▸ **p. 1389** *n* kilomètre *m*

kilometric /ˌkɪləˈmetrɪk/ *adj* kilométrique

kiloton /ˈkɪlətən/ *n* kilotonne *f*

kilovolt /ˈkɪləvɒlt/ *n* kilovolt *m*

kilowatt /ˈkɪləwɒt/ *n* kilowatt *m*

kilowatt-hour *n* kilowattheure *m*

kilt /kɪlt/ *n* kilt *m*

kilted /ˈkɪltɪd/ *adj* [*person*] en kilt

kilter○ /ˈkɪltə(r)/ *n* **to be out of ~** (out of line) [*post etc*] être mal aligné; (not working properly) [*engine, machine*] avoir quelque chose qui cloche; **to be out of ~ with sth** [*policy, ideas*] être décalé par rapport à qch

kimono /kɪˈməʊnəʊ, US -nə/ *n* kimono *m*

kin /kɪn/ *n* ¢ parents *mpl*, famille *f*

kind /kaɪnd/

A *n* **1** (sort, type) sorte *f*, genre *m*, type *m*; **this ~ of book/film** ce genre *or* type de livre/film; **this ~ of dog/person** ce genre de chien/personne; **all ~s of people/cars/music/activities, people/cars/music/activities of all ~s** toutes sortes de gens/de voitures/de musiques/d'activités; **various ~s of cheese/car, cheeses/cars of various ~s** diverses sortes de fromages/de voitures; **what ~ of dog/car is it?** qu'est-ce que c'est comme chien/voiture?; **what ~ of person is she?** comment est-elle?; **what ~ of person does he think I am?** pour qui me prend-il?; **what ~ of (a) person would do a thing like that?** qui pourrait faire une chose pareille?; **what ~ of a question/an answer is that?** qu'est-ce que c'est que cette question/cette réponse? ; **what ~ of talk is that?** en voilà des façons de parler!; **I won't do anything of the ~** je n'en ferai rien; **I don't believe anything of the ~** je n'en crois rien; **ideas of a dangerous/subversive ~** des idées dangereuses/subversives; **decisions of a difficult/momentous ~** des décisions difficiles/capitales; **a criminal/racist of the worst ~** un criminel/un raciste de la pire espèce; **they could find no information/food of any ~, they could not find any ~ of information/food** ils n'ont pas trouvé la moindre information/nourriture; **this sculpture is the oldest (example) of its ~** c'est la plus vieille sculpture du genre; **this is the only one of its ~, this is one of a ~** c'est unique en son genre; **he must be some ~ of idiot/sadist** ça doit être un imbécile/un sadique; **a picture of some ~** un quelconque tableau; **they needed some ~ of success/progress** ils avaient besoin d'avoir du succès/de faire des progrès; **I think it's some ~ of detective story/cleaning device** ce doit être une histoire policière/un système de nettoyage; **'what do you need?'—'books, toys, that ~ of thing'** 'de quoi avez-vous besoin?'—'de livres, de jouets, ce genre de choses'; **I like tennis, squash, that ~ of thing** j'aime le tennis, le squash, ce genre de sport; **what ~ of thing(s) does he like/do?** qu'est-ce qu'il aime/fait?; **that's my ~ of film/man!** c'est le genre de film/d'homme que j'aime!; **that's the ~ of person I am/she is** je suis/elle est comme ça; **I'm not/he's not that ~ of person** ce n'est pas mon/son genre; **she's not the ~ of person who tells lies** *ou* **to tell lies** ce n'est pas son genre de mentir; **they found a solution of a**

~ ils ont trouvé une solution qui n'était pas merveilleuse; **it's wine/butter of a ~** c'est du vin/du beurre de mauvaise qualité

2) (expressing vague classification) **a ~ of** une sorte de; **a ~ of handbag/toy/soup** une sorte de sac à main/de jouet/de soupe; **a ~ of anarchist/genius/servant** une sorte d'anarchiste/de génie/de serviteur; **a ~ of depression/intuition** une sorte de dépression/d'intuition; **I heard a ~ of rattling noise** j'ai entendu comme un cliquetis; **I felt a ~ of apprehension** j'ai ressenti une certaine appréhension

3) (classified type) espèce *f*, genre *m*; **I know your/his ~** je connais les gens de votre/son espèce; **they stick with their own ~** ils ne fréquentent que les gens de leur espèce

B **in kind** *adv phr* 1) (in goods) en nature; **to pay in ~** payer en nature

2) (in same way) **to repay sb in ~** (good deed) rendre la pareille à qn; (bad deed) rendre la monnaie de sa pièce à qn

3) (in essence) **they are/are not different in ~** ils sont/ils ne sont pas très différents

C ○**kind of** *adv phr* **he's ~ of cute/forgetful/clever** il est plutôt mignon/distrait/intelligent; **they were ~ of frightened/happy** en fait, ils avaient un peu peur/ça leur faisait plutôt plaisir; **I ~ of like him** en fait, je l'aime bien; **we ~ of thought/heard that...** nous pensions/avons entendu dire que...; **'is it interesting/dangerous?'—'~ of'** 'est-ce que c'est intéressant/dangereux?'—'plutôt, oui'; **'did you have a good time?'—'~ of'** 'est-ce que vous vous êtes bien amusés?'—'oui, c'était pas mal'

D *adj* (caring, helpful) [*person*] gentil/-ille; [*act*] bon/bonne; [*remark, gesture, words*] gentil/-ille; [*thought*] délicat; **to be ~ to sb** être gentil avec qn; **'Sudso is ~ to your hands/skin'** 'Sudso respecte vos mains/votre peau'; **to be ~ to animals** bien traiter les animaux; **the critics were not ~ to the play** les critiques n'ont pas épargné la pièce; **life has been ~ to me** j'ai eu de la chance dans la vie; **life has not been ~ to him** la vie ne l'a pas épargné; **time has been ~ to him** il ne fait pas son âge; **that's very ~ of you** c'est très gentil/aimable de votre part; **it's very ~ of you/him to give us a lift/lend me some money** c'est très gentil de ta/sa part de nous ramener/de me prêter de l'argent; (in polite formulas) **would you be ~ enough** *ou* **so ~ as to pass me the salt?** auriez-vous l'amabilité de me passer le sel; **she was ~ enough to give me a lift home/offer me a drink** elle a eu la gentillesse de me ramener/de m'offrir un verre; **'you're too ~!'** 'vous êtes trop aimable!'

kinda○ /ˈkaɪndə/ = **kind of**

kindergarten /ˈkɪndəɡɑːtn/ *n* jardin *m* d'enfants

kind-hearted *adj* [*person*] de cœur; **she's very ~** elle a bon cœur

kind: **~-heartedly** *adv* très gentiment; **~-heartedness** *n* bonté *f*

kindle /ˈkɪndl/

A *vtr* 1) (set light to) allumer [*fire*]; mettre le feu à, enflammer [*wood*]; 2) fig attiser [*desire, passion, jealousy*]; susciter [*enthusiasm, interest*]

B *vi* [*wood*] s'enflammer, prendre feu

kindliness /ˈkaɪndlɪnɪs/ *n* bonté *f*, bienveillance *f*

kindling /ˈkɪndlɪŋ/ *n* petit bois *m*, bois *m* d'allumage

kindly /ˈkaɪndlɪ/

A *adj* [*person, nature*] gentil/-ille; [*smile, interest*] bienveillant; [*voice*] plein de gentillesse; [*face*] sympathique; **she's a ~ soul** elle est très gentille

B *adv* 1) (in a kind, nice way) [*speak, look, treat*] avec gentillesse; **to speak ~ of sb** avoir un mot gentil pour qn; **thank you ~**† tous mes remerciements; 2) (obligingly) gentiment; **she ~ agreed to do** elle a gentiment accepté de faire; **would you ~ do/refrain from doing** auriez-vous l'amabilité de faire/de ne pas faire; **'would visitors ~ do'**, **'visitors are ~ requested to do'** GB 'les visiteurs sont priés de faire'; 3) (favourably) **to look ~ on** approuver [*activity*]; **to think ~ of** avoir une bonne opinion de [*person*]; **to take ~ to** apprécier [*idea, suggestion, person*]; **I don't think he'll take ~ to being kept waiting** je ne crois pas qu'il va apprécier qu'on le fasse attendre

kindness /ˈkaɪndnɪs/ *n* 1) ₵ (quality) gentillesse *f* (**to, towards** envers, à l'égard de); **to show sb ~, to show ~ to** *ou* **towards sb** témoigner de la gentillesse à l'égard de *or* envers *or* à qn; **I never showed you anything but ~** j'ai toujours été gentil avec toi; **an act of ~** un acte de bonté; **out of ~** par gentillesse; 2) **C** (instance) gentillesse *f*; **your little ~es towards me** tes petites gentillesses envers moi; **to do sb a ~** rendre service à qn; **it's no ~ to him to do** on ne lui rend pas service en faisant

(Idioms) **out of the ~ of one's heart** par pure gentillesse; **to kill sb with ~** trop gâter qn; **to be full of the milk of human ~** être pétri d'humanité

kindred /ˈkɪndrɪd/

A *n* ₵ 1) (family) (+ *v sg ou pl*) famille *f*, parents *mpl*; 2) (blood relationship) parenté *f*

B *adj* 1) [*family, tribe, language*] apparenté; 2) [*activity*] semblable

kindred spirit *n* âme *f* sœur

kinetic /kɪˈnetɪk/ *adj* cinétique

kinetic: **~ art** *n* art *m* cinétique; **~ energy** *n* énergie *f* cinétique

kinetics /kɪˈnetɪks/ *n* (+ *v sg*) cinétique *f*

king /kɪŋ/ ▸ **p. 1237** *n* 1) (monarch) roi *m*; **King Charles** le roi Charles; **the ~ of Spain** le roi d'Espagne; **the ~ of ~s** le roi des rois; **the ~ of the jungle** *ou* **beasts** le roi des animaux; 2) fig (of comedy, cinema, wines etc) roi *m* (**of** de); 3) Games (in chess, cards) roi *m*; (in draughts, checkers) dame *f*

(Idioms) **to live like a ~** vivre comme un roi *or* un coq en pâte; **to be the ~ of the castle** être seigneur du château; **a cat may look at a ~** Prov un chien regarde bien un évêque Prov; **to ~ it over sb** traiter qn de haut

king: **~bird** *n* Zool tyran *m*; **~bolt** *n* pivot *m* central, cheville *f* ouvrière; **~ cobra** *n* cobra *m* royal; **~cup** *n* (buttercup) bouton *m* d'or; (marsh marigold) souci *m* d'eau

kingdom /ˈkɪŋdəm/ *n* 1) (monarchy) lit, fig royaume *m*; **the ~ of God** *ou* **heaven/the imagination** le royaume des cieux/de l'imagination; 2) Bot, Zool règne *m*; **the plant/animal ~** le règne végétal/animal

(Idioms) **until ~ come** jusqu'à la fin des temps; **to send** *ou* **knock sb to ~ come** envoyer qn ad patres○ *or* dans l'autre monde

king: **~fisher** *n* martin-pêcheur *m*; **King James Version** *n* version *f* de la Bible autorisée

kingly /ˈkɪŋlɪ/ *adj* lit, fig royal, de roi

king: **~maker** *n* Pol personnage *m* influent; **~ penguin** *n* manchot *m* royal; **~pin** *n* Tech, fig cheville *f* ouvrière; **~ post** *n* poinçon *m*; **~ prawn** *n* grosse crevette *f*

Kings /kɪŋz/ *npl* Bible (livre *m* des) Rois *mpl*

king: **King's Bench** *n* ▸ **Queen's Bench**; **King's Counsel**, **KC** *n* ▸ **Queen's Counsel**; **King's English** *n* ▸ **Queen's English**; **King's evidence** *n* ▸ **Queen's evidence**; **King's highway** *n* ▸ **Queen's highway**

kingship /ˈkɪŋʃɪp/ *n* royauté *f*

king-size(d) /ˈkɪŋsaɪzd/ *adj* [*cigarette*] extra-longue; [*packet*] géant; [*portion, garden*] énorme; **~ bed** grand lit *m* (*qui fait 1,95 m de large*)

king: **King's Regulations** *n* ▸ **Queen's Regulations**; **King's shilling** *n* ▸ **Queen's shilling**; **King's speech** *n* ▸ **Queen's speech**

kink /kɪŋk/

A *n* 1) (in wire, rope, tube, pipe) nœud *m*; **the hosepipe has a ~ in it** le tuyau d'arrosage est tordu; **his hair has a ~ in it** ses cheveux frisent légèrement; 2) fig (in personality) aberration *f*, perversion *f*

B *vi* [*rope, cable*] s'entortiller

kinky /ˈkɪŋkɪ/ *adj* 1) ○[*person, behaviour, sex, clothes*] pervers, bizarre; 2) [*hair*] ondulé

kinsfolk /ˈkɪnsfəʊk/ *n* (+ *v pl*) parents *mpl*, famille *f*

kinship /ˈkɪnʃɪp/ *n* 1) (blood relationship) parenté *f*; 2) fig (empathy) affinité *f* (**with** avec)

kin: **~sman**† *n* parent *m*; **~swoman**† *n* parente *f*

kiosk /ˈkiːɒsk/ *n* 1) (stand) kiosque *m*; 2) GB Telecom cabine *f*

kip○ /kɪp/ GB

A *n* (sleep) roupillon○ *m*; **to have a ~, to get some ~** piquer un roupillon○

B *vi* (*p prés etc* **-pp-**) (*also* **~ down**) se pieuter○, roupiller○

kipper /ˈkɪpə(r)/ GB

A *n* hareng *m* fumé et salé, kipper *m*

B *vtr* fumer et saler [*herring*]

Kirbigrip® /ˈkɜːbɪɡrɪp/ *n* barrette *f*

Kirghiz /ˈkɜːɡɪz/ ▸ **p. 1467**, **p. 1378**

A *n* 1) (person) Kirghiz/-e *m/f*; 2) Ling kirghize *m*

B *adj* kirghiz

Kirghizia /ˌkɜːˈɡiːzɪə/ ▸ **p. 1096** *pr n* ▸ **Kirghizstan**

Kirghizstan /ˈkɜːɡɪstæn/ ▸ **p. 1096** *pr n* Kirghizistan *m*, Kirghizie *f*

kirk /kɜːk/ *n* Scot église *f*; **the Kirk** l'Église *f* presbytérienne d'Écosse

kiss /kɪs/

A *n* baiser *m*; **to give sb a ~** donner un baiser à qn, embrasser qn; **give me a ~!** gen embrasse-moi!; (to child) fais-moi une bise○!; **to have a ~ and a cuddle** se faire des mamours○; **love and ~es** (at end of letter) bons baisers, grosses bises○

B *vtr* embrasser, donner un baiser à [*person*]; baiser [*hand, ring*]; **to ~ sb on** embrasser qn sur [*cheek, lips*]; **to ~ hands** (ceremoniously) faire le baisemain; **we ~ed each other** nous nous sommes embrassés; **she ~ed him back** elle lui a rendu son baiser; **to ~ sb goodnight/goodbye** souhaiter bonne nuit/dire au revoir à qn en l'embrassant; **let me ~ it better!** un petit bisou et ça ira mieux après!; **to ~ sb's tears away** embrasser qn pour le/la consoler; **you can ~ your money goodbye!** fig tu peux dire adieu à ton argent!

C *vi* 1) s'embrasser; **to ~ and make up** se réconcilier; 2) (in billiards) se frôler

(Idioms) **to ~ and tell** avoir une liaison et le faire savoir publiquement; **to ~ ass**◑ US faire de la lèche○; **~ my ass**◑! va te faire mettre●!

kissagram *n* ▸ **kissogram**

kiss: **~ ass**◑ *n* US lèche-cul● *mf inv*; **~ curl** *n* (adult's) accroche-cœur *m*; (baby's) bouclette *f*

kisser○ /ˈkɪsə(r)/ *n* gueule○ *f*

kiss of death *n* fig coup *m* fatal; **to be the ~** porter le coup fatal (**for, to** à)

kiss-off○ /ˈkɪsɒf/ *n* US **to give sb the ~** [*lover*] plaquer○ qn; [*employer*] virer○ qn

kiss of life *n* GB bouche-à-bouche *m inv*; **to give sb the ~** faire le bouche à bouche à qn; **to give sth the ~** fig donner un nouveau souffle à qch

kissogram /ˈkɪsəɡræm/ *n*: *service de baisers livrés à domicile par porteur spécial*

kit /kɪt/ *n* 1) (set of tools or implements) trousse *f*; **repair ~** trousse de réparation; 2) ₵ GB gen, Sport (gear, clothes) affaires *fpl*; **football/tennis ~** affaires de football/de tennis; **riding ~** tenue *f* d'équitation; 3) (set of parts for assembly) kit *m*; **to buy sth in a ~** acheter qch en kit; **to come in ~ form** être vendu en kit; **model aircraft ~** maquette *f* d'avion; 4) Mil paquetage *m*, barda◑ *m*; **in full ~** en tenue de campagne;

to pack one's ~ faire son paquetage

(Phrasal verb) ■ **kit out** GB: ▸ **~ out [sb/sth]**, **~ [sb/sth] out** équiper [*person, interior*] (**with** de); **to be ~ted out** être accoutré de vêtements

kitbag /'kɪtbæg/ *n* GB **1** gen (for sport) sac *m* de sport; (for travel) sac *m* de voyage; **2** Mil (sailor's) sac *m* de marin; (soldier's) sac *m* de soldat

kitcar /'kɪtkɑ:(r)/ *n* voiture *f* en kit

kitchen /'kɪtʃɪn/

A *n* cuisine *f*

B *modif* [*furniture, appliance, utensil, salt, staff*] de cuisine; [*door, window*] de la cuisine

(Idiom) **if you can't stand the heat get out of the ~** si tu trouves la situation insupportable, tu n'es pas obligé de rester

kitchen area *n* (in room, apartment) coin *m* cuisine

kitchen cabinet *n* **1** lit buffet *m* de cuisine; **2** fig, Pol conseillers *mpl* intimes du chef du gouvernement

kitchen-diner *n* cuisine *f* avec coin-repas

kitchenette /,kɪtʃɪ'net/ *n* kitchenette *f*

kitchen: **~ foil** *n* papier *m* d'aluminium; **~ garden** *n* jardin *m* potager; **~maid** *n* fille *f* de cuisine; **~ paper** *n* essuie-tout *m inv*, sopalin® *m*; **~ police**, **KP** *n* US Mil soldats *mpl* qui sont de corvée de cuisine; **~ porter** *n* garçon *m* de cuisine; **~ range** *n* fourneau *m* (de cuisine); **~ roll** *n* essuie-tout *m*; **~ scales** *npl* balance *f* de cuisine

kitchen sink *n* évier *m*

(Idioms) **to take everything but the ~** (on holiday) tout emporter sauf les meubles; **to steal everything but the ~** tout voler sauf les murs

kitchen sink drama *n* GB théâtre *m* naturaliste

> **Kitchen sink drama**
>
> L'expression désigne avant tout le théâtre britannique des années 1950-60 qui mettait en scène de façon réaliste les conflits conjugaux et familiaux de la classe moyenne ou de la classe ouvrière. Elle a été reprise pour qualifier les films de réalisateurs contemporains (comme Mike Leigh ou Ken Loach) qui présentent aussi ces conflits.

kitchen: **~ soap** *n* ≈ savon *m* de Marseille; **~ unit** *n* élément *m* de cuisine; **~ware** *n* ¢ (implements) ustensiles *mpl* de cuisine; (crockery) vaisselle *f*; **~ waste** *n* ¢ déchets *mpl* domestiques

kite /kaɪt/ *n* **1** (toy) cerf-volant *m*; **to fly a ~** lit faire voler un cerf-volant; fig lancer un ballon d'essai; **2** Zool milan *m*

(Idioms) **as high as a ~**○ (drunk) complètement bourré○; (on drugs) défoncé○; **go (and) fly a ~**○! va te faire voir○!

kitemark /'kaɪtmɑ:k/ *n* GB label *m* de qualité (*du British Standards Institution*)

kit furniture *n* ¢ meubles *mpl* en kit, prêt-à-monter *m* ¢

kith /kɪθ/ *n* **~ and kin** amis *mpl* et parents *mpl*

kitsch /kɪtʃ/ *n, adj* kitsch (*m*)

kitten /'kɪtn/ *n* chaton *m*

(Idiom) fig **to have ~s**○ piquer une crise○

kitten heel *n* petit talon *m* aiguille

kittenish /'kɪtənɪʃ/ *adj* [*person*] aguicheur/-euse

kittiwake /'kɪtɪweɪk/ *n* Zool mouette *f* tridactyle

kitty /'kɪtɪ/ *n* **1** ○(cat) minet *m*, minou○ *m*; **2** (of money) cagnotte *f*, caisse *f* commune

kiwi /'ki:wi:/

A *n* Zool kiwi *m*

B ○**Kiwi** *n* Néo-Zélandais/-e *m/f*

kiwi fruit *n* kiwi *m*

KKK *n*: *abrév* ▸ **Ku Klux Klan**

Klansman /'klænzmən/ *n* membre *m* du Ku Klux Klan

Klaxon® /'klæksn/ *n* Aut Hist klaxon® *m*

Kleenex® /'kli:neks/ *n* Kleenex® *m*

kleptomania /,kleptə'meɪnɪə/ *n* kleptomanie *f*

kleptomaniac /,kleptə'meɪnɪæk/ *n, adj* kleptomane (*mf*)

klutz◑ /klʌts/ *n* US empoté/-e○ *m/f*

klystron /'klaɪstrɒn/ *n* klystron *m*

km (*abrév écrite* = **kilometre**) km

kmh (*abrév écrite* = **kilometres per hour**) km/h

knack /næk/ *n* **1** (physical dexterity) tour *m* de main (**of doing** pour faire); **to get the ~** attraper le tour de main; **to lose the ~** perdre la main; **2** (talent) don *m*; **to have the ~ of** *ou* **for doing** avoir le don de faire

knacker /'nækə(r)/

A *n* **1** GB (horse butcher) équarrisseur *m*; **to send a horse to the ~'s yard** envoyer un cheval à l'équarrissage; **2** GB (salvage man) démolisseur *m*; **3** ◑(testicle) couille◑ *f*, testicule *m*

B ◑*vtr* **1** (exhaust) [*activity, journey*] mettre [qn] à plat [*person*]; **2** (ruin, break) [*person*] bousiller○ [*car, gadget*]

C ◑**knackering** *pres p adj* [*day, journey, activity*] crevant○

D ◑**knackered** *pp adj* **1** (tired) [*person*] crevé○, à plat○; **2** (broken) [*car, TV etc*] foutu◑, cassé

knapsack /'næpsæk/ *n* sac *m* à dos

knave /neɪv/ *n* **1** (in cards) valet *m*; **2** †(rogue) coquin‡ *m*

knead /ni:d/ *vtr* **1** [*baker, cook*] pétrir [*dough*]; **2** (massage) masser

knee /ni:/

A ▸ **p. 997** *n* Anat genou *m*; lit, fig **to be on/fall to one's ~s** être/tomber à genoux; **to be up to one's ~s in water** avoir de l'eau jusqu'aux genoux; **to sit on sb's ~** s'asseoir sur les genoux de qn; **come and sit on my ~** viens t'asseoir sur mes genoux; **to have the paper open on one's ~** avoir le journal ouvert sur les genoux; **to eat on one's ~** manger sur ses genoux; **on (one's) hands and ~s** à quatre pattes; **to go down on bended ~ (to sb)** se mettre à genoux (devant qn)

B *vtr* donner un coup de genou à [*person*]

(Idioms) **to bring** *ou* **force sb/sth to his/its ~s** mettre qn/qch à genoux; **to go weak at the ~s** avoir les jambes qui flageolent

knee-breeches *n* knickers *mpl*

kneecap /'ni:kæp/

A *n* rotule *f*

B *vtr* briser les rotules à [*person*]

kneecapping /'ni:kæpɪŋ/ *n*: *mutilation de qn en lui brisant les rotules*

knee-deep /,ni:'di:p/ *adj* **the water was ~** l'eau arrivait aux genoux; **to be ~ in paperwork/problems** fig être dans les papiers/problèmes jusqu'au cou

knee: **~-high** *adj* gen [*grass, corn*] à hauteur des genoux; hum [*person*] haut comme trois pommes; **~-jerk** *adj* [*reaction, response*] automatique, inconsidéré

kneel /ni:l/

A *vi* (*also* **~ down**) (*prét, pp* **kneeled, knelt**) gen se mettre à genoux; (in prayer) s'agenouiller

B **kneeling** *pres p adj* [*person*] gen à genoux; (in prayer) agenouillé; **in a ~ position** à genoux

knee: **~-length** *adj* [*skirt, dress*] à hauteur du genou; **~-pad** *n* genouillère *f*; **~s-up**○ *n* GB fête *f*

knell /nel/ *n* littér lit, fig glas *m*

(Idiom) **to sound the death ~ for sth** sonner le glas de qch

knelt /nelt/ *prét, pp* ▸ **kneel**

knew /nju:, US nu:/ *prét* ▸ **know**

knickerbocker glory *n* coupe *f* glacée

knickerbockers /'nɪkəbɒkəz/ *npl* knickers *mpl*

knickers /'nɪkəz/ ▸ **p. 1694**

A *npl* **1** GB (underwear) petite culotte *f*, slip *m*; **a pair of ~** une petite culotte; **2** US (knickerbockers) knickers *mpl*

B *excl* zut○!

(Idiom) **to get one's ~ in a twist**○ GB s'énerver

knick-knack /'nɪknæk/ *n* bibelot *m*

knife /naɪf/

A *n* (*pl* **knives**) **1** gen couteau *m*; **2** Ind (blade) lame *f*

B *vtr* donner un coup de couteau à [*person*] (**in** dans); **to be ~d** recevoir un coup de couteau

(Idioms) **an accent you could cut with a ~** un accent à couper au couteau; **before you could say ~**○ en moins de temps qu'il n'en faut pour le dire; **to be under the ~**○ être sur le billard○; **to have one's ~ into sb**○ en avoir après qn○; **to put the ~ in** descendre qn en flèche; **to twist the ~ in the wound** remuer le couteau dans la plaie; **the knives are out!** fig c'est la guerre!

knife block *n* bloc *m* à couteaux

knife-edge *n* fig **to be on a ~** [*result, success, negotiations*] ne tenir qu'à un fil; **to be (living) on a ~** [*person*] être au bord de l'abîme

knife: **~ grinder** *n* rémouleur *m*; **~ pleated** *adj* [*skirt*] plissée soleil

knife-point *n* **at ~** sous la menace d'un couteau

knife: **~-rest** *n* porte-couteau *m*; **~ sharpener** *n* aiguisoir *m*; **~ switch** *n* Elec interrupteur *m* à lames

knifing /'naɪfɪŋ/ *n* attaque *f* au couteau

knight /naɪt/

A *n* **1** gen, Hist chevalier *m*; **to be made a ~** être fait chevalier; **2** Games (in chess) cavalier *m*

B *vtr* GB anoblir [*person*] (**for** pour)

(Idiom) **you're my ~ in shining armour!** tu es mon sauveur!

> **Knight/Dame**
>
> Distinction honorifique non héréditaire conférée par le souverain britannique en récompense de services rendus à la nation. Les hommes prennent le titre de *Sir* et leur épouse celui de *Lady*. Les femmes qui reçoivent cette distinction prennent le titre de *Dame*. *Sir* et *Dame* sont suivis du prénom seul, ou du prénom et du nom de famille. ▸ **Honours List**

knight errant *n* chevalier *m* errant

knighthood /'naɪthʊd/ *n* **1** (title) titre *m* de chevalier; **he received a ~** la reine *or* le roi lui a conféré le titre de chevalier; **2** (chivalry) chevalerie *f*

knightly /'naɪtlɪ/ *adj* chevaleresque

Knight Templar *n* ▸ **Templar**

knit /nɪt/

A *n* (garment) tricot *m*; **cotton/silk ~** tricot *m* en coton/soie

B *vtr* (*prét, pp* **knitted, knit**) tricoter [*garment, blanket*] (**for** pour); **to ~ sb sth** tricoter qch pour qn; **~ one, purl one** une maille à l'endroit, une maille à l'envers

C *vi* (*prét, pp* **knitted, knit**) **1** (with wool etc) [*person*] tricoter; **2** (join together) [*broken bones*] se souder

D **knitted** *pp adj* [*garment*] en tricot

(Idiom) **to ~ one's brows** froncer les sourcils

(Phrasal verbs) ■ **knit together**: ▸ **~ together** **1** (join) [*bones*] se souder (les uns aux autres); **2** (unite) [*community*] s'unir; ▸ **~ [sth] together**, **~ together [sth]** **1** lit tricoter [qch] ensemble [*colours, strands*]; **2** fig (bring together) entrelacer [*themes, ideas*]; **3** (unite) unir [*community, group*]

■ **knit up**: ▸ **~ up** [*wool*] se tricoter; ▸ **~ up [sth]** tricoter [*wool, garment*]

knitter /nɪtə(r)/ *n* tricoteur/-euse *m/f*

knitting /'nɪtɪŋ/

A *n* (all contexts) tricot *m*

B *modif* [*bag*] à tricot; [*machine, needle, wool*] à tricoter

k

knitwear /ˈnɪtweə(r)/ *n* ₵ tricots *mpl*

knives /naɪvz/ *pl* ▸ **knife**

knob /nɒb/ *n* 1 (handle) (of door, drawer) bouton *m*; 2 (of cane) pommeau *m*; 2 (decorative) (on banister, furniture) boule *f*; 3 (control button) bouton *m*; 4 (of butter etc) noix *f*; 5 ◑GB (penis) queue◑ *f*; 6 ◑(idiot) imbécile *mf*

(Idiom) **...and the same to you with (brass) ~s on**○! ...et toi encore plus○!

knobbly /ˈnɒblɪ/ GB, **knobby** /ˈnɒbɪ/ US *adj* noueux/-euse

knock /nɒk/

A *n* 1 (blow) coup *m*; **a ~ on the head** un coup sur la tête; **to take a ~** prendre un coup; **a ~ with a hammer** un coup de marteau; **a ~ at the door** un coup à la porte; **I'll give you a ~ at 7.30** je frapperai à ta porte à 7 h 30; **I thought I heard a ~** je crois qu'on a frappé 2 onomat **~! ~!** toc! toc!
3 fig (setback) coup *m*; **to take a ~** en prendre un coup; **it gave his confidence a ~** son assurance en a pris un coup; **I've had worse ~s** j'ai subi pire que ça; **you must learn to take the ~s** tu dois apprendre à encaisser○ (les coups)

B *vtr* 1 (strike) cogner [*object*]; **to ~ one's head/arm on sth** se cogner la tête/le bras contre qch; **to ~ sb on the head/arm with sth** donner un coup sur la tête/le bras de qn avec qch; **to ~ sb/sth into/against/across** projeter qn/qch dans/contre/à travers; **to ~ sb unconscious** *ou* **senseless** *ou* **silly**○ [*person, object, blow*] assommer qn; **to ~ a hole in sth** faire un trou dans qch; **to ~ sth straight/flat** redresser/aplatir qch; **to ~ two rooms into one** abattre la cloison entre deux pièces
2 (cause to move) **to ~ sth off** *ou* **out of sth** faire tomber qch de qch; **to ~ sb/sth over sth** envoyer qn/qch par-dessus qch; **to ~ sb/sth to the ground** faire tomber qn/qch par terre; **she ~ed the ball into the pond** elle a envoyé la balle dans l'étang; **to ~ a nail/peg into sth** enfoncer un clou/une cheville dans qch; **to ~ the handle off the jug** casser l'anse du pot; **to ~ sb off his feet** [*blast, wave*] soulever qn; **to ~ sb/sth out of the way** écarter qn/qch; **to ~ sb flat** étendre qn par terre
3 (beat) **to ~ the enthusiasm/spirit out of sb** faire perdre son enthousiasme/sa joie de vivre à qn; **I'll ~ that stupid smile off his face** je vais lui faire passer ce sourire stupide; **that will ~ a bit of sense into him** ça va peut-être lui inculquer un peu de bon sens
4 ○(criticize) critiquer [*method, opposition, achievement*]; dénigrer [*person*]; **don't ~ it!** hum arrête de critiquer!

C *vi* 1 (make sound) (involuntarily) [*branch, object*] cogner (**on, against** contre); (deliberately) [*person*] frapper (**at, on** à); [*engine, water pipes*] cogner
2 (collide) **to ~ into** *ou* **against sth** heurter qch; **to ~ into each other** se heurter

(Idioms) **his knees were ~ing** ses genoux tremblaient, tellement il avait peur; **to ~ sth on the head**○ mettre fin à qch; **to be ~ing on a bit**○ commencer à se faire vieux; **it must be ~ing on**○ **30 years since...** ça ne doit pas faire loin de 30 ans que...; **I'll ~ your heads together!** je vous ferai entendre raison!

(Phrasal verbs) ■ **knock about**○, **knock around**○: ▸ **~ about** traîner; ▸ **~ about [sth]** [*object*] traîner dans [*house, area*]; **to ~ about with sb**○ fréquenter qn; **to ~ about together**○ [*adults*] se fréquenter; ▸ **~ [sb] about**○ malmener; ▸ **~ [sth] about** 1 (buffet) [*storm*] ballotter [*boat*]; 2 Sport **let's just ~ the ball about** faisons juste des balles

■ **knock back**: ▸ **~ back [sth]**, **~ [sth] back** 1 (return) [*player*] renvoyer [*ball*]; 2 ○(swallow) descendre○ [*drink*]; 3 ○(reject) rejeter [*offer*]; refuser [*invitation*]; ▸ **~ [sb] back** 1 (surprise) [*news*] secouer [*person*]; 2 ○(cost) **that dress must have ~ed her back a few quid**○ cette robe a dû lui coûter une fortune; 3 (refuse) jeter○ [*person*]

■ **knock down**: ▸ **~ [sb/sth] down**, **~ down [sb/sth]** 1 (cause to fall) (deliberately) [*aggressor*] jeter [qn] à terre [*victim, opponent*]; [*police*] défoncer [*door*]; [*builder*] abattre [*building*]; (accidentally) [*person, vehicle, animal*] renverser [*person, object*]; [*lightning, wind*] abattre [*tree, fence*]; fig [*person*] abattre [*obstacle, barrier*]; 2 (reduce) [*buyer*] faire baisser [*price*]; [*seller*] baisser [*price*]; **I managed to ~ him down by a few pounds** j'ai réussi à le faire baisser de plusieurs livres; 3 (allocate) [*auctioneer*] adjuger [*lot*]

■ **knock in**: ▸ **~ [sth] in**, **~ in [sth]** (deliberately) [*person*] planter [*nail, peg*]; [*golfer*] rentrer○ [*ball*]; (accidentally) [*blow*] enfoncer [*side, top*]

■ **knock into**: ▸ **~ into [sb/sth]** heurter

■ **knock off**: ▸ **~ off**○ [*worker*] arrêter de travailler; ▸ **~ [sb/sth] off**, **~ off [sb/sth]** 1 (cause to fall) [*person, blow, force*] faire tomber [*person, object*]; [*movement, blow*] désarçonner [*rider*]; [*person*] écarter [*insect*]; [*wind, person*] décapiter [*flower heads*]; [*person, blow*] desceller [*handle, end, car mirror*]; 2 (reduce) **I'll ~ £10 off for you** je vous ferai une réduction de 10 livres; **she wouldn't ~ anything off** elle ne voulait faire aucune réduction; **he ~ed 20% off the bill** il a déduit 20% de la note; 3 ○(steal) subtiliser [*car, object*]; 4 ○(stop) **~ it off!** ça suffit!; 5 ◑(have sex with) culbuter◑ [*person*]

■ **knock out**: ▸ **~ [sb/sth] out**, **~ out [sb/sth]** 1 (dislodge) [*person, blow*] casser [*tooth*]; [*blast*] souffler [*window*]; [*person, blow*] arracher [*peg, nail, support*]; [*person*] vider [*contents*]; 2 (make unconscious) [*person, blow*] assommer [*person, animal*]; [*drug*] endormir [*person, animal*]; [*boxer*] mettre [qn] au tapis [*opponent*]; **don't drink the punch, it will ~ you out!** ne bois pas le punch, ça va t'assommer!; **all that walking has ~ed him out**○ ça l'a épuisé de marcher si longtemps; 3 (destroy) [*enemy, shell*] faire sauter [*tank*]; [*enemy, shell*] mettre [qch] hors service [*factory*]; [*strike action, breakdown*] paralyser [*production, service*]; 4 Sport (eliminate) [*competitor*] éliminer [*opponent, team*]; 5 Aut (straighten) [*mechanic*] redresser [*dent, metal*]; 6 ○(produce) [*machine*] débiter [*quantity*]; [*person*] jouer [*tune*]; 7 ○(overwhelm) [*performance, appearance, good news*] émerveiller [*person*]; [*bad news*] consterner; ▸ **~ oneself out** 1 (become unconscious) s'assommer; 2 ○(become exhausted) s'éreinter○

■ **knock over**: ▸ **~ [sb/sth] over**, **~ over [sb/sth]** [*person, animal, vehicle, force*] renverser [*person, animal, object*]

■ **knock through** Constr **you could ~ through into the dining-room** vous pourriez abattre le mur de la salle à manger

■ **knock together**: ▸ **~ together** [*knees, objects*] s'entrechoquer; ▸ **~ [sth] together**, **~ together [sth]**○ 1 (create) bricoler [*furniture, shelter*]; confectionner [*meal*]; mettre [qch] sur pied [*show, reception*]; 2 (bang together) cogner l'un contre l'autre; **they need their heads ~ing together** fig ils auraient besoin d'une bonne leçon

■ **knock up**: ▸ **~ up** (in tennis) faire des balles (**with** avec); ▸ **~ [sth] up**, **~ up [sth]** 1 ○(make) bricoler [*furniture, shelter*]; confectionner [*meal, outfit*]; 2 ○Sport [*competitor, player*] totaliser [*points*]; réaliser [*score*]; ▸ **~ [sb] up**, **~ up [sb]** 1 (awaken) réveiller [*person*]; 2 ○(exhaust) mettre [qn] à plat○; 3 ◑(make pregnant) mettre [qn] en cloque○

knockabout /ˈnɒkəbaʊt/

A *n* 1 Sport échange *m* de balles; 2 US Naut dériveur *m*

B *adj* [*comedy, comedian*] loufoque

knockdown /ˈnɒkdaʊn/ *adj* [*price*] sacrifié

knocker /ˈnɒkə(r)/

A *n* (on door) heurtoir *m*

B **knockers** *npl* 1 ○(critics) détracteurs *mpl*; 2 ◑(breasts) nichons◑ *mpl*

knock-for-knock *adj* Insur à torts partagés

knocking /ˈnɒkɪŋ/

A *n* gen coups *mpl*; (in engine) cognement *m*; **to hear a ~ at the door** entendre des coups à la porte

B *adj* **a ~ sound** gen des coups; (in engine) un cognement

knocking copy *n* Advertg publicité *f* comparative

knocking-off time○ /ˌnɒkɪŋˈɒftaɪm/ *n* heure *f* de la sortie

knock: **~ing shop**◑ *n* maison *f* close; **~-kneed** *adj* cagneux/-euse; **~ knees** *npl* genoux *mpl* cagneux; **~-on** *n* (in rugby) passe *f* en avant; **~-on effect** *n* implications *fpl*

knock-out /ˈnɒkaʊt/

A *n* 1 (in boxing) knock-out *m*; **to win by a ~** gagner par knock-out; 2 ○(show etc) réussite *f*; **to be a ~** [*person*] être fantastique; **he's a ~ on the drums** il est sublime à la batterie

B *adj* 1 Sport [*competition*] avec tours éliminatoires; 2 ○(incapacitating) [*pills, injection*] sédatif/-ive; **~ drops** sédatif *m*; 3 ○(brilliant) [*idea*] sublime; **to look a ~** être superbe

knock-up○ /ˈnɒkʌp/ *n* Sport échauffement *m*; **to have a ~** faire des balles○

knoll /nəʊl/ *n* butte *f*

knot /nɒt/

A *n* 1 (tied part) nœud *m*; **to tie sth in a ~** nouer qch; 2 (tangle in hair, rope) nœud *m*; **to comb the ~s out of one's hair** se démêler les cheveux avec un peigne; 3 (in wood) nœud *m*; 4 fig (group) petit groupe *m* (**of** de); 5 fig (tense feeling) **to have a ~ in one's stomach** avoir l'estomac noué; 6 Naut nœud *m*; **to do 15 ~s** filer 15 nœuds

B *vtr* (*p prés etc* **-tt-**) nouer [*strings, ends, scarf, handkerchief*] (**together** ensemble); **to ~ one's tie** faire un nœud à sa cravate

C *vi* (*p prés etc* **-tt-**) [*stomach, muscles*] se nouer

(Idioms) **to do sth at a rate of ~s** faire qch à toute allure; **to get tied up in ~s** s'embrouiller; **to tie the ~** se marier

knothole /ˈnɒthəʊl/ *n* trou *m* (laissé par un nœud)

knotty /ˈnɒtɪ/ *adj* 1 (gnarled) [*fingers, joints, wood*] noueux/-euse; 2 fig [*problem*] épineux/-euse

know /nəʊ/

A *vtr* (*prét* **knew** /njuː/; *pp* **known** /nəʊn/) 1 (have knowledge of) connaître [*person, place, characteristics, name, taste, opinion, result, figures, value, rules, decision, situation, system, way*]; savoir, connaître [*answer, language, reason, truth, words*]; **he ~s everything/something** il sait tout/quelque chose; **to ~ sb by name/sight/reputation** connaître qn de nom/vue/réputation; **you ~ Frank, he's always late** tu connais Frank, il est toujours en retard; **to ~ sth by heart** savoir *or* connaître qch par cœur; **to ~ how to do** savoir faire; (stressing method) savoir comment faire; **I ~ how to swim** je sais nager; **she ~s how to improve it/use it** elle sait comment l'améliorer/l'utiliser; **he certainly ~s how to upset people/make a mess** iron pour contrarier les gens/faire du désordre, il s'y connaît○; **to ~ that...** savoir que...; **to ~ for certain** *ou* **for sure that...** savoir avec certitude que...; **I wasn't to ~ that** je ne pouvais pas savoir que; **to ~ who/when** savoir qui/quand; **to ~ why/whether** savoir pourquoi/si; **to ~ what love is** savoir ce que c'est que l'amour; **you ~ what children are/she is** tu sais comment sont les enfants/elle est; **to ~ sb/sth as** connaître qn/qch sous le nom de; **Edward, better known as Ted** Edward, plus connu sous le nom de Ted; **Virginia known as Ginny to her friends** Virginia ou Ginny pour ses amis; **I ~ him for** *ou* **to be a liar** je sais que c'est un menteur; **to let it be known** *ou* **to make it known that** faire savoir que; **to have known sb/sth to do** avoir déjà vu qn/ qch faire; **I've never known him to lose his temper** je ne l'ai jamais vu se mettre en colère; **it has been known to snow there** il est arrivé qu'il neige ici; **if I ~ you/him** tel que je te/le connais; **he is known to the police** il est connu de la police; **just how well did you ~ the accused?** iron dans quelle mesure connaissiez-vous ou ne connaissiez-vous pas l'inculpé?; **I ~ all about redundancy!** je sais ce que c'est que le chômage!; **as you well ~** comme tu le sais bien; **as well she ~s** elle le sait parfaitement; **(do) you ~ something?, do you ~ what?** tu sais quoi?; **there's no ~ing how/whether** on ne peut pas savoir comment/si; **to ~ one's way home** connaître le chemin pour rentrer chez soi; **to ~ one's way around** fig savoir se débrouiller; **to ~ one's way around a town** bien connaître une ville; **to ~ one's way around a computer/an engine** savoir se débrouiller avec les ordinateurs/les moteurs; **I ~ that for a fact** j'en suis absolument sûr; **I ~ what! you could...** j'ai une idée! tu pourrais...; **he ~s all/nothing about it** il est/il n'est pas au courant; **maybe you ~ something I don't** peut-être que tu sais quelque chose que je ne sais pas

2 (feel certain) être sûr; **he's dead, I ~ it** il est mort, j'en suis sûr; **I knew it!** j'en étais sûr!; **to ~ that...** être sûr que...; **I ~ my key is here somewhere** je suis sûr que ma clé est quelque part par ici; **I don't ~ that we can** je ne suis pas sûr que nous le puissions; **I don't ~ that I want to go really** je ne suis pas vraiment sûr d'avoir envie d'y aller; **I don't ~ that opening the window/taking medicine will make much difference** je ne pense pas que le fait d'ouvrir la fenêtre/de prendre des médicaments puisse changer quelque chose

3 (realize) se rendre compte; **to ~ to do** savoir qu'il faut faire; **does he ~ to switch off the light?** sait-il qu'il faut éteindre?; **do you ~ how expensive that is?** tu te rends compte combien ça coûte?; **she doesn't ~ just how lucky she's been** elle ne se rend pas compte de la chance qu'elle a eue; **you don't ~ how pleased I am** tu ne peux pas savoir comme je suis content; **she's attractive and doesn't she ~ it!** elle est séduisante et elle le sait!; **don't I ~ it!** ne m'en parle pas!

4 (recognize) reconnaître (**by** à; **from** de); **I hardly knew him** je l'ai à peine reconnu; **I ~ her by her walk** je la reconnais à sa démarche; **she doesn't ~ a peach from a plum!** elle ne sait pas reconnaître une pêche d'une prune!; **only their parents ~ one from the other** il n'y a que leurs parents qui sachent les distinguer; **she ~s a bargain when she sees one** elle sait repérer les bonnes affaires

5 (acknowledge) **to be known for sth** être connu pour qch; **to be known for doing** être connu pour faire; **he's known for providing a good service** il est connu pour offrir un bon service

6 (experience) connaître [*joy, sadness, love*]; **you have to ~ sorrow to ~ what happiness is** il faut avoir connu le chagrin pour savoir ce qu'est le bonheur

7 ‡Bible connaître†

B *vi* (*prét* **knew**; *pp* **known**) **1** (have knowledge) savoir; **as you ~** comme vous le savez; **you'll ~ next time** tu le sauras pour la prochaine fois; **I wouldn't ~** je ne saurais dire; **to ~ about** (have information) être au courant de [*event*]; (have skill) s'y connaître en [*computing, engines*]; **he ~s about such things** il s'y connaît; **to ~ of** (from experience) connaître; (from information) avoir entendu parler de; **do you ~ of a short cut?** est-ce que tu connais un raccourci?; **I ~ of somebody who...** j'ai entendu parler de quelqu'un qui...; **not that I ~ of** pas que je sache; **to let sb ~ of** *ou* **about** tenir qn au courant de [*plans, arrangement, job*]; **we'll let you ~** nous vous tiendrons au courant; **how should I ~**○**!** comment veux-tu que je sache!; **if you must ~** si tu veux tout savoir; **wouldn't you like** *ou* **love to ~** t'aimerais bien le savoir○; **if you drop it on your foot, you'll ~ about it**○ si tu le laisses tomber sur ton pied, tu vas le sentir passer○; **if the brakes fail, you'll ~ about it** si les freins lâchent tu t'en rendras compte; **if I were angry with you, you'd ~ about it** si j'étais fâché contre toi, je te le ferais savoir; **I'd** *ou* **I'll have you ~**○ je te signale○; **you ~ better than to argue with him** tu as mieux à faire que de te disputer avec lui; **you left her alone? you ought to have known better** tu l'as laissée seule? tu n'aurais pas dû; **he says he came home early but I ~ better** il dit qu'il est rentré tôt mais je n'en crois rien; **they don't ~ any better** c'est un manque d'éducation; **they don't ~ any better, you do!** eux ils ne savent peut-être pas, mais toi tu n'as aucune excuse!

2 (feel certain) **'he won't win'—'oh I don't ~'** 'il ne va pas gagner'—'oh je n'en suis pas si sûr'; **'I'll take the morning off'—'I don't ~ about that!'** 'je vais prendre ma matinée'—'c'est ce que vous croyez?'; **'is it useful?'—'I don't ~ about useful, but it was cheap'** 'c'est utile?'—'je ne sais pas si c'est utile mais ce n'était pas cher'; **I don't ~ about you but...** je ne sais ce que tu en penses, mais...; **I don't ~! look at this mess!** non mais○, regarde un peu ce fouillis!

(Idioms) **it takes one to ~ one** qui se ressemble s'assemble; **not to ~ what to do with oneself** ne pas savoir quoi faire de son temps; **not to ~ where** *ou* **which way to turn** fig ne pas savoir à quel saint se vouer; **not to ~ where to put oneself** ne pas savoir où se mettre; **not to ~ whether one is coming or going** ne plus savoir ce qu'on fait; **it's not what you ~ but who you ~** ce qui compte ce n'est pas d'avoir des connaissances mais des relations; **to be in the ~**○ être bien informé, être à la coule◑; **to be in the ~ about sth**○ être au courant de qch; **I ~ my place** hum je sais que je ne compte pas; **well what do you ~!** iron en voilà une surprise! iron

knowable /ˈnəʊəbl/ *adj* susceptible d'être connu

know: **~-all**○ *n* GB je-sais-tout *mf inv*; **~-how**○ *n* savoir-faire *m inv*

knowbot /ˈnəʊbɒt/ *n* Comput robot *m* de recherche de connaissances, robot *m* bibliothécaire Can

knowing /ˈnəʊɪŋ/ *adj* [*look, smile*] entendu; **she smiled in a ~ way** elle a souri d'un air entendu

knowingly /ˈnəʊɪŋlɪ/ *adv* **1** (intentionally) [*offend, mislead*] délibérément; **2** (with understanding) [*smile, look*] d'un air entendu

know-it-all○ *n* US = **know-all**

knowledge /ˈnɒlɪdʒ/ *n* **1** (awareness) connaissance *f*; **to bring sth to sb's ~** porter qch à la connaissance de qn; **it has come to our ~ that** il a été porté à notre connaissance que fml, nous avons appris que; **to my/your ~** à ma/ta connaissance; **with the full ~ of sb** au vu et au su de qn; **to have ~ of** avoir connaissance de; **he has no ~ of what happened** il ne sait pas ce qui s'est passé; **to my certain ~ he...** je sais de façon certaine qu'il...; **without sb's ~** à l'insu de qn; **2** (factual wisdom) gen connaissances *fpl*; (of specific field) connaissance *f*; **~ of the subject** connaissance du sujet; **human/technical ~** connaissances humaines/techniques; **a thirst for ~** une soif de connaissances; **~ of computing/Monet's work** connaissance de l'informatique/des œuvres de Monet; **all branches of ~** toutes les branches de la connaissance

knowledgeable /ˈnɒlɪdʒəbl/ *adj* [*person*] savant; [*article*] bien documenté (**about** sur); [*remark*] pertinent (**about** sur); **to be ~ about** [*person*] s'y connaître en [*subject*]

knowledgeably /ˈnɒlɪdʒəblɪ/ *adv* [*speak, write*] en connaissance de cause

knowledge: **~-based system** *n* système *m* expert; **~ engineer** *n* ingénieur *m* de la connaissance, cogniticien/-ienne *m/f*; **~ engineering** *n* génie *m* cognitif; **~ management** *n* gestion *f* des connaissances; **~ worker** *n* travailleur intellectuel/travailleuse intellectuelle *m/f*

known /nəʊn/

A *pp* ▸ **know**

B *pp adj* **1** (recognized) [*authority, danger, source*] reconnu; **2** (from acquaintance, experience) [*celebrity, cure*] connu; **the most dangerous substance ~ to man** la substance la plus dangereuse que l'homme connaisse; **3** (measured) [*weight, quantity*] défini

knuckle /ˈnʌkl/ *n* **1** (of person) jointure *f* (du doigt), articulation *f* (du doigt); **to crack one's ~s** faire craquer ses doigts; **to rap sb on** *ou* **over the ~s** lit, fig taper sur les doigts de qn; **to get a rap over the ~s** lit, fig se faire taper sur les doigts; **2** (on animal) jarret *m*; **3** Culin (of lamb, mutton) manche *m* de gigot; (of pork, veal) jarret *m*; **pig's ~s** jambonneau *m*

(Idioms) **to be near the ~**○ être limite○; **to give sb a ~ sandwich**◑ balancer son poing dans la figure de qn○

(Phrasal verbs) ■ **knuckle down**○ s'y mettre (sérieusement); **to ~ down to** se mettre sérieusement à [*task, work*]

■ **knuckle under**○ se soumettre, céder

knuckle: **~bone** *n* articulation *f*, jointure *f*; **~bones** ▸ **p. 1253** *npl* Games osselets *mpl*; **~-duster** *n* coup-de-poing *m* américain; **~head** *n* crétin○ *m*; **~ joint** *n* Anat articulation *f* du doigt, jointure *f* du doigt; Tech (articulation *f* à) genouillère *f*

knurl /nɜːl/

A *n* (in wood) nœud *m*; (in metal) godron *m*

B *vtr* gen godronner; Tech moleter

KO○

A *n* (*abrév* = **knock-out**) KO○ *m*

B *vtr* (*abrév* = **knock out**) mettre [qn] KO○

koala (bear) /kəʊˈɑːlə/ *n* koala *m*

kohl /kəʊl/ *n* Cosmet khôl *m*

kohlrabi /ˌkəʊlˈrɑːbɪ/ *n* chou-rave *m*

kook○ /kuːk/ *n* US dingue○ *mf*

kookaburra /ˈkʊkəbʌrə/ *n* kookaburra *m*

kookie○, **kooky**○ /ˈkuːkɪ/ *adj* US dingue○

kopeck /ˈkəʊpek/ ▸ **p. 1108** *n* kopeck *m*

Koran /kəˈrɑːn/ *n* Coran *m*

Koranic /kəˈrænɪk/ *adj* coranique

Korea /kəˈrɪə/ ▸ **p. 1096** *pr n* Corée *f*

Korean /kəˈrɪən/ ▸ **p. 1467, p. 1378**

A *n* **1** (person) Coréen/-éenne *m/f*; **2** Ling coréen *m*

B *adj* coréen/-éenne; **the ~ War** la guerre de Corée

korfball /ˈkɔːfbɔːl/ *n* korfbal *m*

korma /ˈkɔːmə/ *n*: *sorte de curry à la crème et à la noix de coco*

kosher /ˈkəʊʃə(r)/ *adj* **1** Relig [*meat, food, restaurant*] casher; **2** ○fig (legitimate) **it's ~** c'est impeccable, c'est OK○; **there's something not quite ~ about it** il y a quelque chose de pas très catholique○ là-dedans

Kosovan /ˈkɒsəvn/ ▸ **p. 1467** *adj* kosovar/-e

Kosovar /ˈkɒsəvɑː(r)/ ▸ **p. 1467** *n* Kosovar/-e *m/f*

Kosovo /ˈkɒsəvəʊ/ *pr n* Kosovo *m*

Kowloon /ˌkaʊˈluːn/ *pr n* Kowloon; **the ~ Peninsula** la péninsule de Kowloon

kowtow /ˌkaʊˈtaʊ/ *vi* pej courber l'échine; **to ~ to sb** faire des courbettes à qn pej; **to ~ to sth** s'incliner devant qch

KP *n* US *abrév* ▸ **kitchen police**

kph (*abrév écrite* = **kilometres per hour**) km/h

Kraut○ /kraʊt/ *n*, *adj* injur boche○ (*mf*) offensive

Kremlin /ˈkremlɪn/ *pr n* Kremlin *m*

krill /krɪl/ *n* krill *m*

Krishna /ˈkrɪʃnə/ *pr n* Krishna

Krugerrand /ˈkruːgərænd/ *n* Krugerrand *m*

krypton /ˈkrɪptɒn/ *n* krypton *m*

KS US Post *abrév écrite* = **Kansas**

Kt *n*: *abrév* = **knight**

kudos○ /ˈkjuːdɒs/ *n* prestige *m*; **to have ~** avoir du prestige; **to gain (the) ~ for sth** tirer le prestige de qch

Ku Klux Klan /ˌkuː klʌks ˈklæn/ *n* Ku Klux Klan *m*

kumquat /ˈkʌmkwɒt/ *n* kumquat *m*

kung fu /ˌkʊŋ ˈfuː/ ► **p. 1253** *n* kung-fu *m*

Kurd /kɜːd/ *n* Kurde *mf*

Kurdish /ˈkɜːdɪʃ/ ► **p. 1378**
A *n* Ling kurde *m*
B *adj* kurde

Kurdistan /ˌkɜːdɪˈstæn/ *pr n* Kurdistan *m*

Kuwait /kʊˈweɪt/ ► **p. 1096, p. 1815** *pr n* Koweït *m*

Kuwaiti /kʊˈweɪtɪ/ ► **p. 1467, p. 1378**
A *n* Kuweitien/-ienne *m/f*
B *adj* kuweitien/-ienne

kvetch○ /kvetʃ/ *vi* US (complain) se plaindre

kW (*abrév écrite* = **kilowatt**) kW

kwashiorkor /kwæʃɪˈɔːkɔː(r)/ ► **p. 1327** *n* kwashiorkor *m*

kWh *n* (*abrév* = **kilowatt-hour**) kWh

KY US Post *abrév écrite* = **Kentucky**

k

Ll

l, L /el/ *n* **1** (letter) l, L *m*; **2** **L** (*abrév écrite* = **litre(s)** GB, **liter(s)** US) l; **3** **L** GB Aut (*abrév écrite* = **Learner**) élève *m* conducteur accompagné; **4** **L** US Rail **the L** le métro aérien; **5** **L** *abrév écrite* = **Lake**; **6** **L** *abrév écrite* = **left**; **7** **l** (*abrév écrite* = **line**) (in poetry) V; (in prose) l; **8** **L** (*abrév écrite* = **large**) L

la *n* = **lah**

LA **1** US (*abrév* = **Los Angeles**) LA; **2** US Post *abrév écrite* = **Louisiana**

lab /læb/ *n* labo○ *m*; ▸ **laboratory**

Lab. GB Pol (*abrév écrite* = **Labour (Party)**) **H. Moore ~** H. Moore parti travailliste

lab coat *n* blouse *f* blanche

label /'leɪbl/

A *n* **1** lit (on clothing, jar, bottle, luggage) étiquette *f*; (on diagram) légende *f*; **address ~** étiquette d'adresse; **price ~** étiquette (indiquant le prix); **gummed/sticky ~** étiquette gommée/adhésive; **tie-on ~** étiquette à attacher; **own ~** Comm marque *f* de distributeur; **this shop sells own-~ products** ce magasin vend des produits sous sa propre marque; **2** fig étiquette *f*; **to hang** *ou* **stick a ~ on sb/sth** coller○ une étiquette à qn/qch; **the ~ has stuck** l'étiquette lui est restée; **3** Mus (*also* **record ~**) label *m*; **a jazz classic on the Bluenote ~** un classique de jazz sorti chez Bluenote *or* sous le label Bluenote; **4** Comput label *m*; **5** Ling (in grammar) étiquette *f*; (in dictionary) marqueur *m*

B *vtr* (*p prés etc* **-ll-**, US **-l-**) **1** lit (stick label on) étiqueter [*clothing, jar, bottle, luggage*]; mettre des légendes sur [*diagram*]; **a jar ~led 'rice'** un pot portant l'étiquette 'riz'; **to be ~led 'confidential'/'ozone-friendly'** porter la mention 'confidentiel'/'protège la couche d'ozone'; **a requirement to ~ pasteurized/irradiated products** une obligation d'indiquer si un produit est pasteurisé/irradié; **2** fig (pigeonhole) classer, étiqueter pej [*person, work*] (**as** comme); **he is usually ~led (as) an impressionist** on le classe *or* l'étiquète en général comme parmi les impressionnistes; **3** Ling étiqueter

labelling /'leɪblɪŋ/

A *n* étiquetage *m*

B *modif* [*device, scheme, system*] d'étiquetage; [*machine*] à étiqueter

labia /'leɪbɪə/ *npl* lèvres *fpl* (*de la vulve*)

labial /'leɪbɪəl/

A *n* Ling labiale *f*

B *adj* Anat, Ling labial

labiodental /ˌleɪbɪəʊ'dentl/

A *n* labiodentale *f*

B *adj* labiodental

labiovelar /ˌleɪbɪəʊ'viːlə(r)/ *n, adj* labiovélaire (*f*)

labor *n* US = **labour**

laboratory /lə'bɒrətrɪ, US 'læbrətɔːrɪ/

A *n* laboratoire *m*; **in the ~** au laboratoire

B *modif* [*animal, equipment, experiment, job, test, manager, staff, report*] de laboratoire; [*research*] en laboratoire

laboratory: **~ assistant** *n* laborantin/-e *m/f*; **~ technician** *n* technicien/-ienne *m/f* de laboratoire

labor: **Labor Day** *n* US fête *f* du travail; **Labor Department** *n* US ministère *m* du travail

labored *adj* US = **laboured**

laborer *n* US = **labourer**

laborious /lə'bɔːrɪəs/ *adj* laborieux/-ieuse

laboriously /lə'bɔːrɪəslɪ/ *adv* laborieusement

labor union *n* US syndicat *m*

labour GB, **labor** US /'leɪbə(r)/

A *n* **1** gen (work) travail *m*, labeur *m* liter; **the fruits of one's ~s** les fruits de son travail *or* son labeur; **to rest from one's ~s** se reposer de son travail; **the division of ~** la division du travail; **to withdraw one's ~** se mettre en grève; **a withdrawal of ~** une grève *f*; **2** Ind (workforce) gen main-d'œuvre *f*; (in contrast to management) ouvriers *mpl*; **material and ~** fournitures et main-d'œuvre; **skilled/unskilled ~** main-d'œuvre *f* qualifiée/non qualifiée; **3** Med accouchement *m*, travail *m* spec; **her ~ lasted 16 hours** son accouchement a duré 16 heures; **an easy/difficult ~** un accouchement facile/difficile; **to be in ~** être en train d'accoucher; **to go into** *ou* **begin ~** commencer à avoir des contractions; **~ pains** douleurs *fpl* de l'accouchement

B *modif* [*costs*] de la main-d'œuvre; [*dispute, relations*] ouvriers-patronat *inv*; [*market*] du travail; [*shortage*] de main-d'œuvre; [*leader*] syndical

C *vi* **1** (work, try hard) travailler (dur) (**at** à; **on** sur; **to do** pour faire); **2** (have difficulties) peiner (**to do** à faire); **he was ~ing to breathe** il peinait à respirer, il respirait péniblement; **to ~ up/down/along** monter/descendre/avancer avec peine *or* péniblement; **3** Aut [*engine*] peiner; **4** **to ~ under** être victime de [*delusion, illusion, misapprehension*]; **he's ~ing under the illusion that he's going to be offered the post** il se fait l'illusion *or* il s'imagine qu'on va lui offrir la place

(Idioms) **a ~ of love** une tâche demandant beaucoup de passion; **a ~ of Hercules** un travail de Romain *or* de titan; **to ~ the point** insister lourdement

Labour /'leɪbə(r)/

A *pr n* (+ *v pl*) le parti *m* travailliste

B *adj* [*supporter, view, manifesto*] du parti travailliste; [*opponent*] au parti travailliste; [*MP*] travailliste; **the ~ vote** le vote travailliste; **to vote ~** voter travailliste

labour camp *n* camp *m* de travaux forcés, bagne *m*

laboured GB, **labored** US /'leɪbəd/ *adj* **1** (difficult) [*movement*] pénible, laborieux/-ieuse; [*breathing*] difficile; **2** (showing effort) [*joke, humour, speech*] lourd; **it was a rather ~ start** le début était un peu laborieux

labourer GB, **laborer** US /'leɪbərə(r)/ ▸ **p. 1683** *n* ouvrier/-ière *m/f* du bâtiment; **farm ~** ouvrier/-ière *m/f* agricole

labour: **~ exchange** *n* GB Bourse *f* du Travail; **~ force** *n* main-d'œuvre *f*

labour-intensive *adj* Ind [*industry*] à forte valeur ajoutée; **to be ~** [*method, process, work*] nécessiter une main-d'œuvre importante

labour: **~ law** *n* législation *f or* droit *m* du travail; **~ movement** *n* mouvement *m* travailliste; **Labour Party** *n* GB parti *m* travailliste; **~ relations** *npl* relations *fpl* du travail

labour-saving *adj* [*equipment, feature, system*] qui allège *or* facilite le travail; **~ device** appareil *m* ménager

labour ward *n* (room) salle *f* d'accouchement; (ward) salles *fpl* d'accouchement

labrador /'læbrədɔː(r)/ *n* Zool labrador *m*

laburnum /lə'bɜːnəm/ *n* cytise *m*, faux ébénier *m*

labyrinth /'læbərɪnθ/ *n* Mythol, fig labyrinthe *m*, dédale *m*

labyrinthine /ˌlæbə'rɪnθaɪn, US -θɪn/ *adj* labyrinthique

lace /leɪs/

A *n* **1** ₵ (fabric) dentelle *f*; **made of ~** en dentelle; **a piece of ~** une dentelle; **2** **C** (on shoe, boot, dress) lacet *m*; (on tent) cordon *m*; **shoe ~s** lacets *mpl* de chaussures; **to tie one's ~s** nouer *or* attacher ses lacets

B *modif* [*curtain, dress, handkerchief*] en dentelle; [*industry*] de la dentelle

C *vtr* **1** (fasten, tie) lacer [*shoes, corset, dress*]; attacher [*tent flap*]; **to ~ sb into** lacer qn dans [*corset*]; **2** (add substance to) **to ~ a drink with sth** mettre qch dans une boisson [*alcohol, poison*]; **his drink was ~d with whisky** on avait mis du whisky dans sa boisson; **to be ~d with** fig être mêlé de [*irony, humour, colour*]

D *vi* = **lace up**

(Phrasal verb) ■ **lace up**: ▸ **~ up** [*shoe, corset, dress*] se lacer; **the dress ~s up at the back** la robe se lace dans le dos; ▸ **~ [sth] up, ~ up [sth]** lacer [*shoes, boots, corset, dress*]; attacher [*tent flap*]

lace: **~-maker** ▸ **p. 1683** *n* Sewing dentellière *f*; **~-making** *n* Sewing fabrication *f* de la dentelle, dentellerie *f*; **~ punching** *n* Comput perforation *f* en grille

lacerate /'læsəreɪt/ *vtr* lit lacérer; fig blesser profondément

laceration /ˌlæsə'reɪʃn/ *n* gen, Med lacération *f*

lace: **~-up (shoe)** *n* chaussure *f* à lacet; **~wing** *n* chrysope *f*

lachrymal /'lækrɪml/ *adj* lacrymal

lachrymose /'lækrɪməʊs/ *adj* sout larmoyant

lacing /'leɪsɪŋ/ *n* Comput perforation *f* en grille

lack /læk/

A *n* manque *m* (**of** de); **for** *ou* **through ~ of** par manque de; **there is no ~ of volunteers** il ne manque pas de volontaires

B *vtr* manquer de [*confidence, humour, funds, moisture*]

C *vi* **to be ~ing** manquer; **funding was ~ing** le financement manquait; **to be ~ing in** manquer de; **to ~ for nothing** ne manquer de rien

lackadaisical /ˌlækə'deɪzɪkl/ *adj* [*person, attitude*] nonchalant (**about** à l'égard de)

lackey /'lækɪ/ *n* laquais *m* also fig, pej

lacking /'lækɪŋ/ *adj* **to be ~** euph [*person*] être un peu simplet/-ette

lacklustre GB, **lackluster** US /'læklʌstə(r)/ *adj* [*person, performance, style*] terne

laconic /lə'kɒnɪk/ *adj* laconique

laconically /lə'kɒnɪklɪ/ *adv* laconiquement

lacquer /'lækə(r)/
A *n* **1** (varnish) also Cosmet laque *f*; **2** Art (ware) laques *mpl*
B *vtr* **1** laquer [*surface*]; **2** GB mettre de la laque sur [*hair*]

lacrosse /lə'krɒs, US -'krɔːs/ ▸ **p. 1253** *n* lacrosse *m*

lacrosse stick *n* crosse *f*

lactase /'lækteɪz, -teɪs/ *n* lactase *f*

lactate
A /'lækteɪt/ *n* lactate *m*
B /læk'teɪt/ *vi* produire du lait

lactation /læk'teɪʃn/ *n* lactation *f*

lacteal /'læktɪəl/
A *n* vaisseau *m* chylifère
B *adj* **1** (lymphatic) [*vessel*] chylifère; **2** [*fever, secretion*] lacté

lactic /'læktɪk/ *adj* lactique

lactic acid *n* acide *m* lactique

lactiferous /læk'tɪfərəs/ *adj* lactifère

lactogenic /ˌlæktə'dʒenɪk/ *adj* galactogène

lacto-ovo-vegetarian /ˌlæktəʊˌəʊvəʊˌvedʒɪ'teərɪən/ *n, adj* lacto-ovo-végétarien/-ienne (*m/f*)

lactose /'læktəʊs/ *n* lactose *m*

lacuna /lə'kjuːnə/ *n* (*pl* **~ae**) lacune *f*

lacustrine /lə'kʌstraɪn/ *adj* sout lacustre

lacy /'leɪsɪ/ *adj* en *or* de dentelle

lad○ /læd/
A *n* **1** (boy) gars○ *m*, garçon *m*; **2** GB (lively man) gars○ *m*; **3** Equit (in racing stables) lad *m*; (in riding stables) palefrenier *m*
B lads *npl* **the ~s** les copains *mpl*; **to go out with the ~s** sortir avec les copains; **come on ~s!** allez les gars!

ladder /'lædə(r)/
A *n* **1** (for climbing) échelle *f* also fig; **social/career ~** échelle sociale/professionnelle; **to be at the bottom/top of the ~** lit être au pied/en haut de l'échelle; fig être au bas/au sommet de l'échelle; **to work one's way up the ~** fig gravir les échelons; **2** GB (in stockings) échelle *f*, maille *f* filée
B *vtr* filer [*stocking*]
C *vi* [*stocking*] filer

ladder: **~proof** *adj* GB [*stockings*] indémaillable; **~ tournament** *n* Sport ≈ tournoi *m* éliminatoire

laddie○ /'lædɪ/ *n* Scot garçon *m*, petit gars○ *m*; **look here ~** écoute-moi bien petit gars

laddish○ /'lædɪʃ/ *adj* péj macho○ *inv*

lade /leɪd/ *vtr* (*prét* **laded**, *pp* **laden**) charger

laden /'leɪdn/
A *pp* ▸ **lade**
B *pp adj* [*lorry, cart*] en pleine charge; **~ with** chargé de [*supplies, fruit*]; fig littér accablé de [*remorse, guilt*]

ladette○ /læ'det/ *n* GB *jeune femme qui se comporte comme un homme machiste*

la-di-da○ /ˌlɑːdɪ'dɑː/ *adj* péj [*behaviour, manners*] chochotte○, prétentieux/-ieuse

ladies' gallery *n* GB Pol galerie *f* des femmes (*à la Chambre des Communes*)

ladies' night *n* soirée *f* ouverte aux femmes

ladies' room *n* euph toilettes *fpl* (dames)

lading /'leɪdɪŋ/ *n* chargement *m*

ladle /'leɪdl/
A *n* **1** Culin louche *f*; **2** Ind cuillère *f* de coulée
B *vtr* servir [qch] à la louche [*soup, sauce*]
(Phrasal verb) ■ **ladle out**: ▸ **~ [sth] out, ~ out [sth]** **1** Culin servir [qch] à la louche [*soup, sauce*]; **2** fig se répandre en [*compliments*]; prodiguer [*money, information, advice*]

ladle crane *n* Tech pont *m* de coulée

lady /'leɪdɪ/ (*pl* **ladies**)
A *n* **1** (woman) dame *f*; **ladies first** les dames d'abord; **ladies and gentlemen** mesdames et messieurs; **the young ~ at the desk** la demoiselle à la réception; **behave yourself, young ~!** (to child) sois sage, ma petite!; **his young ~**† sa bonne amie†; **your good ~**† votre dame†; **my old ~**○ ma bourgeoise○; **a little old ~** une petite vieille; **my dear ~** chère madame; **look here, ~**○**!** écoutez, ma petite dame!; **she's a real ~** fig elle est très distinguée; **the ~ of the house** la maîtresse de maison; **a ~ by birth** une aristocrate de naissance; **2** ▸ **p. 1237** GB (in titles) **Lady Churchill** Lady Churchill. ▸ **Knight/Dame**
B Ladies *npl* (on toilets) 'Dames'; **where's the Ladies?** où sont les toilettes?
C *modif* **a ~ doctor/writer** une femme médecin/écrivain

ladybird /'leɪdɪbɜːd/ *n* coccinelle *f*

Lady Bountiful *n* dame *f* patronnesse; **she likes to play ~** elle joue les mécènes

lady: **Lady Chapel** *n* chapelle *f* de la Vierge; **Lady Day** *n* Relig fête *f* de l'Annonciation; **~ fern** *n* fougère *f* femelle; **~finger** *n* Culin boudoir *m*; **~ friend** *n* amie *f*; **~-in-waiting** *n* dame *f* d'honneur; **~-killer**○ *n* tombeur○ *m*

ladylike /'leɪdɪlaɪk/ *adj* [*person, behaviour*] distingué; **it is not ~ to do** il n'est pas distingué pour une femme de faire

ladylove† /'leɪdɪlʌv/ *n* dulcinée *f*

lady mayoress ▸ **p. 1237** *n* GB **1** (mayor's wife) *titre officiel de la femme du lord-maire*; **2** **Lady Mayoress** (as form of address) Madame le (lord-)maire

Lady Muck○ *n* **she thinks she's ~** péj elle se prend pour une grande dame

lady: **~ orchid** *n* orchis *m* pourpre; **~'s finger** *n* (okra) okra *m*

Ladyship /'leɪdɪʃɪp/ ▸ **p. 1237** *n* **her/your ~** Madame (la baronne *or* la comtesse etc); **her ~ wants you!** fig, péj Madame la comtesse te demande!

lady's maid *n* femme *f* de chambre

lag /læg/
A *n* **1** (time period) (lapse) décalage *m*; (delay) retard *m*; **2** ○(criminal) **old ~** repris *m* de justice
B *vtr* (*p prés etc* **-gg-**) calorifuger [*pipe, tank*]; isoler [*roof*]
(Phrasal verb) ■ **lag behind**: ▸ **~ behind** [*person, prices*] être à la traîne; ▸ **~ behind [sb/sth]** traîner derrière [*person*]; fig être en retard sur [*rival, comparable product*]; **wages are ~ging behind prices** les salaires sont en retard sur les prix

lager /'lɑːgə(r)/ *n* bière *f* blonde

lager lout *n* GB péj voyou○ *m* (*qui se soûle à la bière*)

laggard† /'lægəd/ *n* traînard/-e *m/f*

lagging /'lægɪŋ/ *n* (material) isolant *m*

lagging jacket *n* Tech garniture *f* de chaudière

lagniappe /'lænjæp, lɑːn'jæp/ *n* US (gift) cadeau-réponse *m*; (bonus) prime *f*

lagoon /lə'guːn/ *n* lagune *f*

lah /lɑː/ *n* Mus la *m*

laicize /'leɪɪsaɪz/ *vtr* laïciser

laid /leɪd/ *prét, pp* ▸ **lay**

laidback○ /ˌleɪd'bæk/ *adj* [*approach, attitude*] décontracté

lain /leɪn/ *pp* ▸ **lie C 2, 3, 4, 5, 6, 7, 8**

lair /leə(r)/ *n* repaire *m* also fig

laird /'leəd/ *n* Scot propriétaire *m* foncier, laird *m*

lake /leɪk/ *n* lac *m*
(Idiom) **go and jump in the ~**○**!** va te faire voir ailleurs○!

lake: **~ dweller** *n* Hist habitant/-e *m/f* d'une cité lacustre; **~ dwelling** *n* Hist habitation *f* lacustre; **Lake Poets** *npl* poètes *mpl* lakistes

> ## ℹ Lakes
>
> ■ *Normally, English* Lake X *becomes* le lac X *in French (note the small* l *at* lac*):*
>
> ***Lake Michigan***
> = le lac Michigan
>
> ***Lake Victoria***
> = le lac Victoria
>
> ■ *But when a lake shares its name with a town, English* Lake X *becomes* le lac de X *in French:*
>
> ***Lake Annecy***
> = le lac d'Annecy
>
> ***Lake Constance***
> = le lac de Constance
>
> ***Lake Como***
> = le lac de Côme
>
> ■ *Sometimes English can drop the word* Lake *but it is always safe to keep the word* lac *in French:*
>
> ***Trasimeno***
> = le lac Trasimène
>
> ***Balaton***
> = le lac Balaton
>
> ■ Loch *and* Lough *in names are normally not translated (note the use of the definite article and the small* l *in French):*
>
> ***Loch Ness***
> = le loch Ness
>
> ***Lough Erne***
> = le lough Erne

lakeside /'leɪksaɪd/
A *n* **by the ~** au bord du lac
B *modif* [*café, scenery*] de bord de lac

La-la land○ /'lɑːlɑː lænd/ *n* **1** (unreal world) **to be living in ~** vivre sur un nuage, planer; **2** (US film industry) monde *m* du cinéma américain

lam○ /læm/ *vtr* (*p prés etc* **-mm-**) **1** (hit) assommer [*person*]; propulser○ [*ball*]; **2** (criticize) = **lam into**
(Phrasal verb) ■ **lam into**: ▸ **~ into [sb/sth]** éreinter [*writing, production*]; rentrer dans○ [*person*]

lama /'lɑːmə/ *n* lama *m*

Lamaism /'lɑːməɪzəm/ *n* Relig lamaïsme *m*

Lamaist /'lɑːməɪst/ *n* Relig lamaïste *mf*

lamb /læm/
A *n* **1** (animal) agneau *m*; **2** ₵ Culin agneau *m*; **leg of ~** gigot *m* d'agneau; **spring ~** agneau de printemps; **3** (term of endearment) ange *m*
B *modif* Culin [*chops, stew*] d'agneau
C *vi* [*ewe*] mettre bas; [*farmer*] aider les brebis à mettre bas
(Phrasal verb) ■ **lamb down** agneler

lambast(e) /læm'beɪst/ *vtr* sout **1** (beat) rosser; **2** (censure) vilipender [*person, organization*]

lambent /'læmbənt/ *adj* littér [*flame, sky*] chatoyant; [*humour*] brillant

lambing /'læmɪŋ/
A *n* agnelage *m*
B *modif* [*season*] de l'agnelage; [*pen*] d'agnelage

lambrequin /'læmbəkɪn/
A *n* lambrequin *m*
B *modif* [*pattern*] à lambrequins

lambskin /'læmskɪn/
A *n* peau *f* d'agneau
B *modif* [*garment, rug*] en agneau

lamb: **~'s lettuce** *n* mâche *f*; **~'s tails** *npl* Bot chatons *mpl*

lamb's wool /'læmzwʊl/
A *n* laine *f* d'agneau, lambswool *m*

B **lamb's-wool, lambswool** *modif* [*jumper, glove*] en laine d'agneau

lame /leɪm/
A *n* **the ~** (+ *v pl*) les estropiés *mpl*
B *adj* 1 (unable to walk) [*person, animal*] boiteux/-euse; **to be ~ in the left/right leg** boiter de la jambe gauche/droite; **to go ~** se mettre à boiter; **to be slightly ~** boiter légèrement; 2 fig [*excuse, argument*] boiteux/-euse
C *vtr* estropier [*person, animal*]

lamé /ˈlɑːmeɪ/ *n* lamé *m*

lamebrain° /ˈleɪmbreɪn/ *n* idiot/-e *m/f*, débile° *mf*

lame duck
A *n* canard *m* boiteux
B *modif* **~ president/government** US *président/gouvernement non réélu*

> **Lame duck**
>
> Aux États-Unis, qualificatif appliqué au président sortant et à son gouvernement pendant la période de transition qui suit les élections présidentielles. Le pouvoir du président sortant est en effet limité entre les élections en novembre et le jour de l'investiture de son successeur en janvier.

lamely /ˈleɪmlɪ/ *adv* [*say*] sans conviction

lameness /ˈleɪmnɪs/ *n* (of person, animal) claudication *f*; fig (of argument, excuse) faiblesse *f*

lament /ləˈment/
A *n* 1 (expression of grief) lamentation *f*, pleurs *mpl* (**for** pour); 2 Literat (song) complainte *f* (**for** pour); (poem) élégie *f* (**for** à)
B *vtr* 1 (grieve over) pleurer [*wife, loss, death*]; se lamenter sur [*fate, misfortune*]; **the late ~ed John Adams** le regretté John Adams also iron; 2 (complain about) déplorer [*lack, weakness*]; **to ~ that** déplorer que (+ *subj*); **'no-one told me,' he ~ed** 'personne ne me l'a dit,' déplora-t-il

lamentable /ˈlæməntəbl/ *adj* [*state, situation, result, performance*] déplorable, lamentable; [*incident, affair, lack, loss*] fâcheux/-euse, regrettable

lamentably /ˈlæməntəblɪ/ *adv* lamentablement

lamentation /ˌlæmənˈteɪʃn/ *n* 1 C (expression of grief) lamentation *f*; 2 ₵ (lamenting) lamentations *fpl*

Lamentations /ˌlæmənˈteɪʃnz/ *pr npl* Bible livre *m* des Lamentations

laminate
A /ˈlæmɪnət/ *n* (plastic) stratifié *m*; (metal) laminé *m*
B /ˈlæmɪneɪt/ *vtr* laminer [*metal*]

laminated /ˈlæmɪneɪtɪd/ *adj* [*plastic, surface, worktop*] stratifié; [*metal*] laminé; [*wood*] contreplaqué; [*glass, windscreen*] feuilleté; [*card, cover*] plastifié

lamp /læmp/ *n* (all contexts) lampe *f*

lamp: **~black** *n* noir *m* de fumée; **~ bracket** *n* applique *f*

lampern /ˈlæmpən/ *n* lamproie *f* de rivière

lamplighter /ˈlæmplaɪtə(r)/ *n* Hist allumeur/-euse *m/f* de réverbères

lampoon /læmˈpuːn/
A *n* satire *f*
B *vtr* railler [*person, institution*]

lampoonist /læmˈpuːnɪst/ *n* auteur *m* satirique

lamppost /ˈlæmppəʊst/ *n* réverbère *m*
(Idiom) **between you, me and the ~** entre nous

lamprey /ˈlæmprɪ/ *n* lamproie *f*

lampshade /ˈlæmpʃeɪd/ *n* abat-jour *m*

LAN *n*: abrév ▸ **local area network**

Lancashire /ˈlæŋkəʃə(r)/ ▸ **p. 1612** *pr n* Lancashire *m*

Lancaster /ˈlæŋkəstə(r)/ *pr n* Hist (house) Lancastre

lance /lɑːns, US læns/
A *n* 1 (weapon) lance *f*; 2 Med lancette *f*
B *vtr* Med percer [*boil, abscess*]

lance corporal ▸ **p. 1599** *n* GB soldat *m* de première classe

lancer /ˈlɑːnsə(r), US ˈlænsə(r)/ *n* Mil lancier *m*

lancers /ˈlɑːnsəz, US ˈlænsəz/ *n* (+ *v sg*) quadrille *m* des lanciers

lancet /ˈlɑːnsɪt, US ˈlæn-/ *n* Med lancette *f*

lancet: **~ arch** *n* Archit arc *m* en lancette, arc *m* lancéolé; **~ window** *n* Archit fenêtre *f* à lancettes

Lancs *n* GB Post *abrév écrite* = **Lancashire**

land /lænd/
A *n* 1 Constr, Jur (terrain, property) terrain *m*; (very large) terres *fpl*; **building ~** terrain à bâtir; **the lie** GB *ou* **lay** US **of the ~** lit le relief du terrain; fig de quoi il en retourne; **get off my ~!** dégagez° de mon terrain!; **private/public ~** propriété *f* privée/publique
2 Agric (farmland) terre *f*; **barren/fertile ~** terre stérile/fertile; **to live off/work the ~** vivre de/travailler la terre; **a movement back to the ~** un retour à la terre
3 (countryside) campagne *f*; **to live on/leave the ~** vivre à/quitter la campagne
4 Pol, gen (country) pays *m*; **foreign/tropical ~** pays étranger/tropical; **from many ~s** de nombreux pays; **throughout the ~** dans tout le pays; **the ~ of** le pays de [*dreams, opportunity*]
5 (not sea) terre *f*; **dry ~** terre ferme; **I can see ~** je vois la terre; **to reach** *ou* **make ~** toucher terre; **to remain on ~** rester à terre; **by ~** par voie de terre; **on ~ the bird is clumsy** sur la terre ferme l'oiseau est maladroit; **~ was sighted** la terre était en vue; **~ ahoy!** Naut terre en vue!; **the war on (the) ~** la guerre terrestre
B *modif* 1 Agric, Constr [*clearance, drainage, development*] du terrain; [*worker*] agricole
2 Jur [*purchase, sale*] de terrain; [*prices*] du terrain; [*deal, tax*] foncier/-ière; [*law, tribunal*] agraire
3 gen, Mil [*battle, forces, transport, animal*] terrestre
C *vtr* 1 Aerosp, Aviat [*pilot*] poser [*aircraft, spacecraft*]; débarquer [*passengers, astronaut*]; décharger [*cargo, luggage*]; **NASA wants to ~ a space capsule on Mars** la NASA veut faire atterrir une capsule spatiale sur Mars
2 Naut débarquer [*person*] (**on** sur); décharger [*cargo, luggage*] (**on** sur)
3 Fishg prendre [*fish*]
4 °fig (secure) décrocher° [*job, contract, prize*]; **I ~ed myself a job at the palace** je me suis dégoté° un boulot° au palais
5 °(saddle with problem) **to ~ sb with** refiler à qn [*task*]; **he ~ed me with washing the car** il m'a refilé la voiture à laver; **to be ~ed with sb/sth** se retrouver avec qn/qch sur les bras; **I was ~ed with the children/with cleaning the equipment** je me suis retrouvé avec les enfants/avec le nettoyage du matériel sur les bras; **now you've really ~ed her in it** *ou* **in a fine mess!** tu l'as vraiment fichue° dans de beaux draps!; **he ~ed us in court** on s'est retrouvé au tribunal par sa faute
6 °(deliver) flanquer° [*blow, punch*]; **she ~ed him one (in the eye)** elle lui en a collé une° (dans l'œil)
D *vi* 1 Aerosp, Aviat [*aircraft, balloon, passenger*] atterrir; [*spacecraft*] (on earth) atterrir; (on moon) atterrir sur la lune, alunir controv; (on planet) se poser; [*passengers, crew*] débarquer; **as the plane came in to ~** alors que l'avion se préparait à atterrir
2 Naut [*passenger*] débarquer; [*ship*] accoster
3 Sport, gen [*sportsman, gymnast, animal, insect, bird*] atterrir; [*object, substance*] tomber; hum atterrir; [*ball*] toucher le sol; **he fell and ~ed at the bottom of the stairs** il est tombé et a atterri au bas de l'escalier; **did you see where it ~ed?** tu as vu où c'est tombé *or* où ça a atterri?; **most of the paint ~ed on me** presque toute la peinture m'est tombée dessus; **the petition ~ed on my desk** fig la pétition a atterri sur mon bureau; **the punch ~ed on his chin** le coup de poing l'a touché au menton; **only one of the darts ~ed on the board** une seule fléchette s'est retrouvée sur la cible
E *v refl* **to ~ oneself in** se mettre dans [*difficult situation*]; **to ~ oneself with**° se retrouver avec [*task, problem*]
(Idiom) **to find out how the ~ lies** tâter le terrain
(Phrasal verb) ■ **land up**°: ▸ **~ up** (end up) [*person*] se retrouver; [*lost property, object, vehicle*] finir; **the stolen watch/car ~ed up in the river** la montre/voiture volée a fini dans la rivière; **he ~ed up with the bill/in Berlin** il s'est retrouvé avec la facture/à Berlin; ▸ **~ up doing** finir par faire; **she ~ed up doing everything herself/working in a factory** elle a fini par tout faire elle-même/travailler dans une usine

land: **~ agent** ▸ **p. 1683** *n* (on estate) régisseur *m*; (broker) expert *m* foncier; **~ army** *n* GB Hist *corps de femmes employées aux travaux agricoles pendant la guerre*

landau /ˈlændɔː/ *n* landau *m*

land: **~ breeze** *n* brise *f* de terre; **~ bridge** *n* pont *m* terrestre; **~ crab** *n* crabe *m* terrestre

landed /ˈlændɪd/ *adj* [*class*] terrien/-ienne; **the ~ gentry** l'aristocratie terrienne; [*property, estates*] foncier/-ière; **~ cost** Comm prix franco dédouané

Landes ▸ **p. 1129** *pr n* Landes *fpl*; **in/to the ~** dans les Landes

landfall /ˈlændfɔːl/ *n* Naut (land reached or sighted) escale *f*; **to make ~** [*boat, person*] accoster; [*hurricane*] atteindre la terre

land: **~fill** *n* enfouissement *m* des déchets; **~fill site** *n* site *m* d'enfouissement des déchets; **~form** *n* Geol relief *m* (du sol); **~ girl** *n* GB Hist *jeune femme employée aux travaux agricoles pendant la guerre*; **~ grant college** *n* US Univ *école ou université d'État où l'enseignement de l'agriculture est obligatoire*

landing /ˈlændɪŋ/
A *n* 1 (at turn of stairs) palier *m*; (storey) étage *m*; **his room is on the next ~** sa chambre est à l'étage supérieur; 2 Mil (of troops) (from boat) débarquement *m*; (from plane) (by parachute) parachutage *m*; (on runway) largage *m*; **a paratroop ~** un parachutage; 3 Naut (of people) débarquement *m*; (of cargo) déchargement *m*; 4 Aerosp, Aviat atterrissage *m* (**on** sur); **night ~** atterrissage de nuit; **moon ~** atterrissage sur la lune; 5 Sport, gen (of animal, athlete, hanglider) réception *f*; (of parachutist, bird, insect) atterrissage *m*
B *modif* 1 (on stairs) [*light, carpet*] du palier; 2 (at port) [*charges, platform*] de débarquement; 3 Aerosp, Aviat [*procedure*] d'atterrissage

landing beacon *n* balise *f* d'atterrissage

landing beam *n* faisceau-guide *m* d'atterrissage

landing: **~ card** *n* Aviat, Naut carte *f* de débarquement; **~ craft** *n* péniche *f* de débarquement; **~ field** *n* terrain *m* d'aviation; **~ gear** *n* train *m* d'atterrissage; **~ lights** *npl* (on plane) phares *mpl* d'atterrissage; (on airfield) balises *fpl* d'atterrissage; **~ net** *n* Fishg épuisette *f*; **~ party** *n* Mil commando *m* de débarquement; **~ platform** *n* aire *f* d'atterrissage; **~ speed** *n* vitesse *f* d'atterrissage; **~ stage** *n* débarcadère *m*; **~ strip** *n* piste *f* d'atterrissage

land: **~lady** *n* (owner of property) propriétaire *f*; (living-in) logeuse *f*; (of pub) patronne *f*; **~less** *adj* sans terre; **~ line** *n* Telecom ligne *f* de

L

Languages

■ *Note that names of languages in French are always written with a small letter, not a capital as in English; also, French almost always uses the definite article with languages, while English does not. In the examples below the name of any language may be substituted for* French *and* français:

French is easy
= le français est facile

I like French
= j'aime le français

to learn French
= apprendre le français

■ *However, the article is never used after* en:

say it in French
= dis-le en français

a book in French
= un livre en français

to translate sth into French
= traduire qch en français

and it may be omitted with parler:

to speak French
= parler français *or* parler le français

■ *When* French *means* in French *or* of the French, *it is translated by* français:

a French expression
= une expression française

the French language
= la langue française

a French proverb
= un proverbe français

a French word
= un mot français

■ *and when you want to make it clear you mean* in French *and not* from France, *use* en français:

a French book
= un livre en français

a French broadcast
= une émission en français

■ *When* French *means* relating to French *or* about French, *it is translated by* de français:

a French class
= une classe de français

a French course
= un cours de français

a French dictionary
= un dictionnaire de français

a French teacher
= un professeur de français

but

a French-English dictionary
= un dictionnaire français-anglais

■ *See the dictionary entry for* -speaking *and* speaker *for expressions like* Japanese-speaking *or* German speaker. *French has special words for some of these expressions:*

English-speaking
= anglophone

a French speaker
= un/une francophone

■ *Note also that language adjectives like* French *can also refer to nationality e.g.* a French tourist ▸ **p. 1467**, *or to the country e.g.* a French town ▸ **p. 1096**.

terre; **~locked** *adj* sans débouché sur la mer; **~lord** *n* (owner of property) propriétaire *m*; (living in) logeur *m*; (of pub) patron *m* ➡▯; **~lubber** /'lænd,lʌbə(r)/ *n* hum *ou* péj marin *m* d'eau douce

landmark /'lændmɑːk/
A *n* point *m* de repère; fig étape *f* importante (**in** dans)
B *modif* [*discovery, reform, speech, victory, event*] décisif/-ive

land: **~mass** *n* masse *f* terrestre; **~ mine** *n* Mil mine *f* terrestre; **~ of Nod** *n* fig pays *m* des rêves; **~owner** *n* propriétaire *mf* foncier/-ière; **~ ownership** *n* propriété *f* foncière; **~ reform** *n* réforme *f* agraire; **~ registry** *n* cadastre *m*; **Land Rover®** *n* Land Rover® *f*

landscape /'lænskeɪp/
A *n* (all contexts) paysage *m*
B *modif* **1** Art, Phot [*painter, photographer*] spécialiste des paysages; [*art, photography*] paysagiste; [*picture, photo*] de paysage; **2** Archit, Hort [*gardening*] paysagiste; [*architecture, design*] paysager/-ère
C *vtr* aménager [*grounds*]; **~d garden** jardin aménagé

landscape: **~ architect** ▸ **p. 1683** *n* architecte *mf* paysagiste; **~ format** *n* gen, Comput format *m* horizontal, présentation *f* à l'italienne; **~ gardener** ▸ **p. 1683** *n* jardinier/-ière *m/f* paysagiste; **~ gardening** *n* paysagisme *m*

landscaper /'lænskeɪpə(r)/ ▸ **p. 1683** *n* paysagiste *mf*

landscaping /'lænskeɪpɪŋ/ *n* (art, process) aménagement *m* paysager; (end result) aménagement *m*

landscapist /'lænskeɪpɪst/ ▸ **p. 1683** *n* Art (artiste *mf*) paysagiste *mf*

Land's End /læn'zend/ *pr n* Land's End

From Land's End to John o'Groats

Land's End est un cap en Cornouailles, à l'extrémité sud-ouest de la Grande-Bretagne. *John o'Groats* est un village au nord-est de l'Écosse, considéré comme l'extrémité septentrionale de l'île. Lorsque l'on veut désigner l'ensemble du territoire de la Grande-Bretagne, on peut employer l'expression *from Land's End to John o'Groats*. Ce trajet d'environ 1400 km par la route (*900 miles*) est souvent parcouru à vélo ou à pied par des sportifs qui collectent des fonds pour des associations caritatives.

landslide /'lænslaɪd/
A *n* **1** Geol glissement *m* de terrain; **2** fig Pol victoire *f* écrasante; **to win by a ~** remporter une victoire écrasante
B *modif* Pol [*victory, majority*] écrasant

land: **~slip** *n* glissement *m* de terrain; **~ surveyor** ▸ **p. 1683** *n* géomètre *m*; **~ tax** *n* impôt *m* foncier; **~ use** *n* Agric répartition *f* des terres; (in town planning) aménagement *m* du territoire

landward /'lændwəd/
A *adj* [*side, boat, island*] face à la terre; [*wind, view*] de mer; [*progress, journey, direction*] vers la terre
B *adv* [*move, sail*] vers la terre; [*face, gaze*] en direction de la terre

land yacht *n* char *m* à voile

lane /leɪn/ *n* **1** (narrow road) (in country) chemin *m*, petite route *f*; (in town) ruelle *f*; **'Church ~'** 'chemin de l'Église'; **2** (of road) voie *f*, file *f*; Aviat, Naut, Sport couloir *m*; **a three-~ road** une route à trois voies; **to keep in ~** GB rester sur la même voie; **'get in ~'** GB 'mettez-vous sur la bonne file'; **to be in the wrong ~** être sur la mauvaise file; **to change ~s** changer de voie *or* file

lane: **~ closure** *n* fermeture *f* de voie; **~ discipline** *n* respect *m* du marquage au sol; **~ markings** *npl* lignes *fpl* blanches, marquage *m* au sol

langlauf /'læŋlaʊf/ *n* ski *m* de fond

language /'læŋgwɪdʒ/ *n* **1** ₵ (system) langage *m*; **the development of ~** le développement du langage; **2** (of a particular nation) langue *f*; **the English ~** la langue anglaise; **3** ₵ (words used by a particular group) gen, Comput langage *m*; **formal/legal ~** langage formel/juridique; **spoken ~** langue *f* parlée; **bad** *ou* **strong** *ou* **foul ~** langage *m* grossier; **mind your ~!** sois poli!; **don't use that ~ with me!** ne me parle pas de cette façon!
(Idiom) **to speak the same ~** parler la même langue

language: **~ barrier** *n* obstacle *m or* barrière *f* de la langue; **~ course** *n* cours *m* de langue; **~ engineering** *n* ingénierie *f* linguistique; **~ laboratory**, **~ lab** *n* laboratoire *m* de langues; **~ school** *n* école *f* de langues

Languedoc-Roussillon ▸ **p. 1243** *pr n* Languedoc-Roussillon *m*; **in the ~** dans le Languedoc-Roussillon

languid /'læŋgwɪd/ *adj* languissant

languidly /'læŋgwɪdlɪ/ *adv* avec langueur

languish /'læŋgwɪʃ/ *vi* **1** (remain neglected) **to ~ in** [*person*] languir en [*prison*]; languir dans [*bed*]; [*object*] traîner dans [*garage, box*]; **2** (lose strength) dépérir; **to ~ in the heat** mourir de chaleur; **3** (pine) **to ~ for** se languir de l'absence de [*person*]

languishing /'læŋgwɪʃɪŋ/ *adj* **1** (pathetic) [*look, sigh*] languissant; **2** (failing) [*project, programme, discussion*] infructueux/-euse

languor /'læŋgə(r)/ *n* langueur *f*

languorous /'læŋgərəs/ *adj* langoureux/-euse

languorously /'læŋgərəslɪ/ *adv* d'une manière langoureuse

lank /læŋk/ *adj* [*hair*] plat

lanky /'læŋkɪ/ *adj* (grand et) maigre

lanolin /'lænəlɪn/ *n* lanoline *f*

lantern /'læntən/ *n* **1** (light) lanterne *f*; **2** Archit lanterne *f*, lanterneau *m*

lantern: **~ fish** *n* poisson-lanterne *m*; **~ fly** *n* fulgore *m* porte-lanterne; **~-jawed** *adj* aux joues creuses; **~ slide** *n* plaque *f* de lanterne magique

lanthanum /'lænθənəm/ *n* lanthane *m*

lanyard /'lænjəd/ *n* **1** (cord round neck) cordon *m*; **2** Naut (rope) ride *f* de hauban

Lao /'lɑːɒ, laʊ/ ▸ **p. 1467, p. 1378**
A *n* **1** (person) Laotien/-ienne *m/f*; **2** (language) laotien *m*
B *adj* laotien/-ienne

Laos /'lɑːɒs, laʊs/ ▸ **p. 1096** *pr n* Laos *m*

Laotian /'lɑːɒʃn, 'laʊʃɪən/ *n, adj* = **Lao**

lap /læp/
A *n* **1** (area of body) genoux *mpl*; **to have sth in one's ~** avoir qch sur les genoux; **to be in** *ou* **on sb's ~** être sur les genoux de qn; **to spill sth in sb's ~** renverser qch sur les genoux de qn; **I spilled coffee in his ~** j'ai renversé du café sur son pantalon; **2** Sport (of track) tour *m* de piste; (of racecourse) tour *m* de circuit; **to run a ~** faire un tour de piste; **a ten-~ race** une course en dix tours; **on the first ~** au premier tour; **a ~ of honour** un tour d'honneur; **to be on the last ~** lit faire le dernier tour; fig en être à la dernière étape; **3** (part of journey) étape *f*
B *vtr* (*p prés etc* **-pp-**) **1** Sport avoir un tour d'avance sur [*person*]; **2** (drink) laper [*water, milk*]; **3** (overlap) chevaucher
C *vi* (*p prés etc* **-pp-**) **1** (splash) [*water*] clapoter (**against, at** contre; **on** sur); **2** (overlap) **to ~ over** chevaucher
(Idioms) **in the ~ of the gods** entre les mains

➡▯ *see* Life in France

des dieux; **in the ~ of luxury** dans le plus grand luxe; **to drop** *ou* **dump**○ **a problem in sb's ~** se décharger d'un problème sur qn; **to fall into sb's ~** tomber tout cuit dans le bec de qn○

(Phrasal verb) ■ **lap up**: ▸ **~ [sth] up, ~ up [sth]** 1 lit laper [*milk, water*]; 2 fig boire [qch] comme du petit lait [*compliment, flattery*]; avaler [*lies, news*]

lap and shoulder belt *n* Aut, Aviat ceinture *f* trois points

laparoscope /ˈlæpərəskəʊp/ *n* Med laparoscope *m*

laparoscopy /ˌlæpəˈrɒskəpɪ/ *n* Med laparoscopie *f*

laparotomy /ˌlæpəˈrɒtəmɪ/ *n* Med laparotomie *f*

lap: **~ belt** *n* Aut, Aviat ceinture *f* ventrale; **~ dancer** *n* strip-teaseuse *f* en salle; **~ dancing** *n* strip-tease *m* au milieu des clients, danse-contact *f* Can

lapdog *n* 1 lit chien *m* de salon; 2 (person) péj **he's her ~** elle le mène par le bout du nez

lapel /ləˈpel/ *n* revers *m*; **to grab sb by his ~s** saisir qn par les revers de sa veste

lapel microphone *n* micro *m* cravate

lapidary /ˈlæpɪdərɪ, US -derɪ/ *n, adj* lapidaire (*m*)

lapis lazuli /ˌlæpɪs ˈlæzjʊlɪ, US ˈlæzəlɪ/ *n* lapis-lazuli *m*

lap joint *n* Tech joint *m* à recouvrement

Lapland /ˈlæplænd/ ▸ **p. 1096** *pr n* Laponie *f*

Laplander /ˈlæplændə(r)/ *n* Lapon/-onne *m/f*

Lapp /læp/ ▸ **p. 1467, p. 1378**
A *n* 1 (person) Lapon/-onne *m/f*; 2 (language) lapon *m*
B *adj* lapon/-onne

lapping /ˈlæpɪŋ/ *n* (sound) clapotis *m*

lap: **~ riveting** *n* Tech rivetage *m* par recouvrement; **~ robe** *n* US plaid *m*

lapse /læps/
A *n* 1 (slip) défaillance *f*; **a ~ of memory** un trou de mémoire; **a ~ in concentration** un relâchement de l'attention; 2 (moral error) écart *m* de conduite; **a ~ from** un manquement à [*virtue*]; 3 (interval) intervalle *m*, laps *m* de temps; 4 (expiry) (of right, patent, cover, policy) déchéance *f*; 5 (departure) **his ~s into jargon** son passage involontaire au jargon
B *vi* 1 (drift) **to ~ into** tomber dans [*jargon, slang, coma*]; **to ~ into silence** se taire; **to ~ into unconsciousness** perdre connaissance; **to ~ into bad habits** prendre de mauvaises habitudes; **to ~ into German/dialect** passer à l'allemand/au dialecte; 2 (expire) [*right, patent, act, law*] tomber en désuétude; [*contract, policy, membership*] expirer; [*subscription, insurance, cover*] prendre fin; 3 (slip, slide) [*standard*] baisser; **to ~ from** manquer à [*virtue, principle, standard*]
C lapsed *pp adj* 1 (expired) [*patent, policy*] caduc/-uque; [*contract*] périmé; 2 Relig [*Catholic*] qui n'est plus pratiquant

lapsus linguae /ˌlæpsəs ˈlɪŋgwaɪ/ *n* Ling lapsus *m*

laptop /ˈlæptɒp/ Comput
A *n* portable *m*
B *modif* [*computer, PC*] portable

lapware /ˈlæpweə(r)/ *n* Comput logiciel *m* ludo-éducatif pour très jeunes enfants

lap welding *n* Tech soudure *f* à recouvrement

lapwing /ˈlæpwɪŋ/ *n* vanneau *m*

larceny /ˈlɑːsənɪ/ *n* vol *m*

larch /lɑːtʃ/ *n* mélèze *m*

lard /lɑːd/
A *n* saindoux *m*
B *vtr* 1 Culin larder [*meat*]; 2 fig (embellish) **to ~ sth with** truffer qch de [*quotations, allusions*]

larder /ˈlɑːdə(r)/ *n* garde-manger *m inv*

lardon /ˈlɑːdn/ *n* Culin lardon *m*

large /lɑːdʒ/ ▸ **p. 1694**
A *adj* 1 (big) [*area, car, city, feet, house*] grand (*before n*); [*appetite, piece, fruit, hand, nose, eye*] gros/grosse; **to take a ~ size** prendre une grande taille; **to grow** *ou* **get ~** grandir; 2 (substantial) [*amount, fortune, sum*] important, gros/grosse (*before n*); [*part*] gros/grosse (*before n*); [*number, quantity*] grand (*before n*); [*population, percentage*] fort (*before n*), important; [*crowd, family*] nombreux/-euse (*after n*); [*proportion*] gros/grosse, fort (*before n*); **to be out in ~ numbers** [*people*] être nombreux/-euses; 3 (fat) [*person*] gros/grosse; **to grow** *ou* **get ~** grossir, prendre du poids; 4 (extensive) [*selection, range, choice*] grand (*before n*); **in ~ measure, to a ~ extent** en grande partie; **on a ~ scale** [*plan, demolish, reorganize*] sur une grande échelle; [*emigrate, desert*] en grand nombre
B at large *adj phr* 1 (free) [*prisoner, killer*] en liberté; 2 (in general) [*society, population*] en général, dans son ensemble; **in the country at ~** dans l'ensemble du pays; **the public at ~** le grand public

(Idioms) **by and ~** de façon générale, en général; **~r than life** [*character, personality*] exubérant; **he turned up two days later as ~ as life** il a réapparu deux jours plus tard bien vivant

large: **~hearted** *adj* au grand cœur (*after n*); **~ intestine** *n* gros intestin *m*

largely /ˈlɑːdʒlɪ/ *adv* [*ignored, obsolete, responsible*] en grande partie; **they are ~ children** pour la plupart ce sont des enfants

largemouth bass *n* perche *f* truitée

largeness /ˈlɑːdʒnɪs/ *n* (of body, object) grandeur *f*; (of quantity, sum) importance *f*

large-scale *adj* (all contexts) à grande échelle

largesse /lɑːˈdʒes/ *n* 1 (generosity) largesse *f*; 2 (gift of money) largesses *fpl*

large white *n* 1 Agric (pig) porc *m* charcutier; 2 Zool = **cabbage white**

largish /ˈlɑːdʒɪʃ/ *adj* [*amount, sum*] assez important; [*crowd, house, town*] assez grand (*before n*)

largo /ˈlɑːgəʊ/ *n, adv* largo (*m*)

lariat /ˈlærɪət/ *n* (for catching) lasso *m*; (for tethering) longe *f*

lark /lɑːk/ *n* 1 Zool alouette *f*; **to be up with the ~** se lever au chant du coq; 2 ○(fun) rigolade○ *f*; **a great ~, a bit of a ~** GB une vraie rigolade○; **to do sth for a ~** faire qch pour rigoler○; 3 ○(unpleasant business) histoire *f*; **I don't think much of this dieting ~** je n'aime pas beaucoup cette histoire de régime

(Idiom) **to sing like a ~** chanter comme un rossignol

(Phrasal verb) ■ **lark about, lark around**○ GB faire l'idiot/-e

larkspur /ˈlɑːkspɜː(r)/ *n* pied *m* d'alouette, delphinium *m*

larrikin /ˈlærɪkɪn/ *n* Austral non-conformiste *mf*

larva /ˈlɑːvə/ *n* (*pl* **-vae**) larve *f*

larval /ˈlɑːvəl/ *adj* larvaire

laryngitis /ˌlærɪnˈdʒaɪtɪs/ ▸ **p. 1327** *n* laryngite *f*

larynx /ˈlærɪŋks/ *n* larynx *m*

lasagne /ləˈzænjə/ *n* lasagnes *fpl*

lascivious /ləˈsɪvɪəs/ *adj* lascif/-ive

lasciviously /ləˈsɪvɪəslɪ/ *adv* lascivement

lasciviousness /ləˈsɪvɪəsnɪs/ *n* lascivité *f*

laser /ˈleɪzə(r)/ *n* laser *m*

laser: **~ beam** *n* faisceau *m* laser; **~ disc** *n* disque *m* laser; **~-guided** *adj* guidé par laser; **~ pointer** *n* pointeur *m* laser; **~ printer** *n* imprimante *f* à laser; **~ show** *n* spectacle *m* laser; **~ surgery** *n* chirurgie *f* au laser; **~ treatment** *n* thérapie *f* au laser

lash /læʃ/
A *n* 1 Anat (eyelash) cil *m*; 2 (whipstroke) coup *m* de fouet; **40 ~es** 40 coups de fouet; 3 (whip) lanière *f*; 4 (flogging) supplice *m* du fouet; **to be sentenced to the ~** être condamné au fouet
B *vtr* 1 lit (whip) fouetter [*animal, person*]; 2 fig (batter) [*rain*] cingler [*windows*]; [*storm*] balayer [*region*]; [*waves*] fouetter [*shore*]; 3 (criticize) (*also* **~ into**) s'en prendre à [*person*]; **to ~ sb with one's tongue** faire des remarques cinglantes à qn; 4 (secure) attacher (**to** à); **to ~ two things together** attacher deux choses ensemble; 5 (swish) [*animal*] fouetter l'air de [*tail*]

(Phrasal verbs) ■ **lash down**: ▸ **~ down** [*rain*] tomber violemment; ▸ **~ [sth] down, ~ down [sth]** (secure) arrimer [*cargo, crates*]
■ **lash out** 1 (hit out) [*person*] devenir violent, se démener; [*tiger, cat*] donner un coup de patte; **to ~ out at** [*person*] frapper; [*tiger*] donner un coup de patte à; **to ~ out with one's foot** donner des coups de pied; 2 (verbally) invectiver; **to ~ out at** *ou* **against** invectiver [*person, institution*]; 3 (spend freely) faire une folie; **to ~ out on** faire une folie et acheter [*coat, car*]

lashing /ˈlæʃɪŋ/
A *n* 1 (flogging) **to get a ~** recevoir le fouet; **to give sb a ~** fouetter qn; 2 (fastening) amarre *f*
B lashings○ *npl* GB **~s of** une montagne de [*cream, food*]
C *adj* [*wind*] violent; [*rain*] battant

lash-up○ /ˈlæʃʌp/ *n* bricolage *m*, installation *f* provisoire

lass /læs/ *n* GB dial jeune fille *f*

lassie /ˈlæsɪ/ *n* GB dial jeune fille *f*

lassitude /ˈlæsɪtjuːd, US -tuːd/ *n* sout lassitude *f*

lasso /læˈsuː/
A *n* (*pl* **-oes**) lasso *m*
B *vtr* attraper [qch] au lasso

last /lɑːst, US læst/ ▸ **p. 1804**
A *n* 1 (for shoes) forme *f*
2 (end of life) **to the ~** jusqu'au bout
B *pron* 1 (final) **the ~** le dernier/la dernière *m/f* (**to do** à faire); **that was the ~ I saw of her** c'est la dernière fois que je l'ai vue; **I thought we'd seen the ~ of him!** je croyais qu'on en avait fini avec lui!; **I hope we've seen the ~ of the cold weather** j'espère qu'on en a fini avec le froid; **you haven't heard the ~ of this!** l'affaire n'en restera pas là!; **to leave sth till ~** s'occuper de qch en dernier (lieu)
2 (of series) **the ~** le dernier/la dernière *m/f*; **to be the ~ in a long line of Kings** être le dernier (en date) d'une longue lignée de rois; **his new novel is better than the ~** son nouveau roman est meilleur que le dernier *or* le précédent; **the ~ I heard, he was living in Spain** aux dernières nouvelles, il habitait en Espagne; **the ~ but one** l'avant-dernier/-ière; **the night before ~** (evening) avant-hier soir; (night) la nuit d'avant-hier; **the week before ~** il y a deux semaines; **lovely dresses, this ~ being the most expensive** de belles robes, cette dernière étant la plus coûteuse
3 (all that remains) **the ~** le dernier/la dernière *m/f*; **'are there any more cakes?'—'no, this is the ~'** 'est-ce qu'il reste des gâteaux?'—'non, c'est le dernier'; **he poured out the ~ of the whisky** il a versé ce qui restait de whisky; **the ~ of the guests were just leaving** les derniers invités prenaient congé
C *adj* 1 (final) [*hope, novel, time*] dernier/-ière (*before n*); **to the ~ detail** jusqu'au dernier détail; **the ~ car to be made in Abingdon** la dernière voiture fabriquée à Abingdon; **the ~ person to do** la dernière personne à faire; **it is the ~ time that I/you do** c'est la dernière fois que je/tu fais; **for the ~ time, will you be quiet!** c'est la dernière fois que je vous le dis, taisez-vous!; **your ~ name please?** votre nom de famille s'il vous plaît?; **in my ~ job** là où

l

je travaillais avant; **every ~ one of them** tous jusqu'au dernier
2 (final in series) dernier/-ière; **the ~ house before the garage** la dernière maison avant le garage; **the ~ building/horse but one** l'avant-dernier bâtiment/cheval; **his name is ~ but two on the list** son nom est le troisième à partir de la fin de la liste; **the ~ few children/buildings** les deux ou trois derniers enfants/bâtiments
3 (describing past time) dernier/-ière; **~ week/year** la semaine/l'année dernière; **~ Tuesday** mardi dernier; **I was in Spain ~ Christmas** j'étais en Espagne à Noël l'an dernier; **in** *ou* **over the ~ ten years** durant ces dix dernières années; **Anne has been in Cambridge for the ~ eight months** Anne est à Cambridge depuis huit mois; **~ night** (evening) hier soir; (night-time) cette nuit; **late ~ night** tard hier soir; **this time ~ year** l'an dernier à cette époque-ci; **~ week's figures** les chiffres de la semaine dernière; **~ night's broadcast** l'émission d'hier soir
4 fig (most unlikely) dernier/-ière; **he's the ~ person I'd ask!** c'est la dernière personne à qui je m'adresserais!; **to be the ~ person to do** être le dernier/la dernière à faire; **I'd be the ~ person to suggest that...** je serais le dernier/la dernière à suggérer que...; **the ~ thing they want is publicity!** la publicité, c'est vraiment ce qu'ils souhaitent le moins!; **the ~ thing I need is guests for the weekend** il ne me manquait plus que des invités pour le week-end iron; **another cat is the ~ thing we need** nous n'avons certainement pas besoin d'un autre chat
D *adv* **1** (in final position) **to come in ~** [*runner, racing car*] arriver en dernier; **to be placed ~** être classé dernier/-ière; **the girls left ~** les filles sont parties les dernières; **~ of all** en dernier lieu; **to put sb/sth ~** faire passer qn/qch après tout le reste
2 (most recently) **she was ~ in Canada in 1976** la dernière fois qu'elle est allée au Canada, c'était en 1976; **the play was ~ performed in 1925** la dernière représentation de la pièce a eu lieu en 1925, la pièce a été jouée pour la dernière fois en 1925
E *vtr* **a loaf ~s me two days** un pain me fait deux jours; **a loaf of bread lasts my mother a week** ma mère, un pain lui fait la semaine; **we have enough food to ~ (us) three days** nous avons assez de provisions pour trois jours; **there's enough to ~ me a lifetime!** il y en a assez jusqu'à la fin de mes jours!
F *vi* **1** (extend in time) [*marriage, ceasefire, performance*] durer; **the exhibition ~ed two months** l'exposition a duré deux mois; **it won't ~!** ça ne durera pas longtemps!; **it's too good to ~!** c'est trop beau pour que ça dure!; **he won't ~ long in this place** il ne tiendra pas longtemps ici; **that beer didn't ~ long** cette bière n'a pas fait long feu°; **I'm afraid the poor dog won't ~ long** je crains que le pauvre chien n'en ait plus pour longtemps
2 (maintain condition) [*fabric*] faire de l'usage; [*perishables*] se conserver; **these shoes will ~ and ~** ces chaussures sont inusables
(Phrasal verb) ■ **last out**: ▸ **~ out** **1** (not run out) [*money*] suffire; [*supplies*] durer; **2** (persist) [*person*] tenir; **she says she's given up smoking, but she'll never ~ out!** elle dit qu'elle a cessé de fumer, mais elle ne tiendra jamais!; **3** (endure siege) [*inhabitants, town*] tenir; ▸ **~ out [sth]** tenir jusqu'à la fin de [*siege*]; **she'll never ~ out the month** elle ne finira pas le mois

last-ditch *adj* [*attempt, stand*] désespéré, ultime

last-gasp° *adj* [*attempt*] désespéré

lasting /ˈlɑːstɪŋ, US ˈlæstɪŋ/ *adj* [*effect, impression, contribution*] durable; [*relationship*] sérieux/-ieuse; [*damage*] irréparable; **she made a contribution of ~ value to the community** elle a apporté une contribution durable à la communauté

Last Judgment *n* Jugement *m* dernier

lastly /ˈlɑːstlɪ, US ˈlæstlɪ/ *adv* enfin, finalement

last: **~-mentioned** *pron, adj* dernier/-ière; **~-minute** *adj* [*change, cancellation*] de dernière minute; **~ number redial** *n* Telecom fonction *f* bis

last post *n* **the ~** (each evening) la retraite au clairon; (at funeral) la sonnerie aux morts

last rites *npl* Relig **the ~** les derniers sacrements

Last Supper *n* Cène *f*

latch /lætʃ/
A *n* **1** (fastening) loquet *m*; **to lift/drop the ~** soulever/abaisser le loquet; **2** (spring lock) serrure *f* (de sûreté); **to put the door on the ~** bloquer le verrou en position ouverte
B *vtr* fermer [qch] au loquet; **it wasn't properly ~ed** le loquet n'était pas bien mis
(Phrasal verb) ■ **latch on**°: ▸ **~ on** (understand) saisir°; ▸ **~ on to [sth]** **1** (seize on) lit s'accrocher à [*handle, object*]; (exploit) exploiter [*idea, trend*]; reprendre [*mistake, weakness*]; **2** (gain possession of) s'emparer de [*ball*]; **3** (realize) se rendre compte de [*truth, secret, fact*]; ▸ **~ on to [sb]** s'accrocher à [*person*]

latch: **~key** *n* clé *f* plate; **~key child**, **~key kid**° *n* GB péj enfant *mf* laissé/-e à lui-/elle-même; **~lock** *n* serrure *f* avec bouton de verrouillage

late /leɪt/
A *adj* **1** (after expected time) [*arrival, rains, publication, implementation*] tardif/-ive; **in case of ~ delivery** en cas de retard de livraison; **~ essays will not be marked** les dissertations rendues en retard ne seront pas corrigées; **to have a ~ lunch** déjeuner plus tard que d'habitude; **to make a ~ start** (getting up) se lever tard; (setting off) partir tard; **to get off to a ~ start** [*meeting, event*] commencer tard; **sorry I'm ~** désolé d'être en retard; **the secretary/her application form was ~** la secrétaire/sa demande est arrivée en retard; **to be ~ for** être en retard pour [*work, school, appointment*]; **to make sb ~** retarder qn; **to be ~ leaving** partir en retard; **to be ~ with the rent** payer son loyer avec du retard; **dinner will be a bit ~** le dîner sera retardé; **Easter is ~ this year** Pâques tombe tard cette année; **if the payment is more than three days ~** si le paiement a plus de trois jours de retard
2 (towards end of day, season, life etc) [*hour, supper, date, pregnancy*] tardif/-ive; [*plant, variety*] Bot tardif/-ive; **to have a ~ lecture on Mondays** avoir un cours tard le lundi; **to take a ~ holiday** GB *ou* **vacation** US prendre des vacances tard en saison; **to keep ~ hours** se coucher tard; **to have a ~ night** (aller) se coucher tard; **you've had too many ~ nights this week** tu t'es couché trop tard toute la semaine; **to watch the ~ film on television** regarder le dernier film à la télévision; **in ~r life** plus tard dans la vie; **to be in one's ~ fifties** approcher de la soixantaine; **a man in his ~ thirties** un homme proche de la quarantaine; **to be a ~ starter** commencer tard; **at this ~ stage** à ce stade avancé; **in ~ January** (à la) fin janvier; **in the ~ 50's/18th century** à la fin des années 50/du XVIIIe siècle; **~ Renaissance art** l'art de la fin de la Renaissance; **~ Victorian** [*architecture etc*] de la fin de l'époque victorienne; **in the ~ Middle Ages** au bas moyen âge; **it will be ~ afternoon when I arrive** j'arriverai en fin d'après-midi; **the ~st appointment is at 4 pm** le dernier rendez-vous est à 16 h; **the ~st date you can apply** la date limite de dépôt des candidatures
3 (towards end of series) **in one of her ~r films** dans un de ses derniers films; **Shakespeare's ~r plays** les dernières pièces de Shakespeare; **in ~r editions of the newspaper** dans les dernières éditions du journal; **in a ~r novel** dans un roman postérieur; **~r models are fully automatic** les modèles postérieurs sont entièrement automatiques; **her ~r experiments** ses expériences ultérieures; **at a ~r meeting** à une réunion ultérieure; **have you a ~r recording?** avez-vous un enregistrement plus récent?; **the ~st fashions** la dernière mode
4 (deceased) **the ~ President** feu le Président fml, le défunt Président; **my ~ husband** mon pauvre mari
B *adv* **1** (after expected time) [*arrive, leave, start, finish*] en retard; **to be running ~** [*person*] être en retard; [*train, bus*] avoir du retard; **to start three months ~** commencer avec trois mois de retard
2 (towards end of time period) [*get up, go to bed, open, close, end*] tard; **it's ~, let's go to bed** il est tard, allons nous coucher; **~ last night/in the evening** tard hier soir/dans la soirée; **~ last week** à la fin de la semaine dernière; **to work ~** travailler tard; **to work ~ into the night** travailler tard dans la nuit; **as ~ as that** aussi tard (que cela); **~r on** plus tard; **it's a bit ~ in the day to do** fig c'est un peu tard pour faire; **too ~!** trop tard!; **don't leave it too ~!** n'attendez pas trop (longtemps)!; **as ~ as possible** aussi tard que possible; **to leave no ~r than 6 am** partir au plus tard à 6 h; **to marry ~** se marier sur le tard; **to learn Italian ~ in life** apprendre l'italien sur le tard; **he left for Italy six months ~r** il est parti pour l'Italie six mois après; **see you ~r!** à tout à l'heure!
3 Admin (formerly) **Miss Stewart, ~ of 48 Temple Rd** Mlle Stewart, autrefois domiciliée au 48 Temple Rd
C **of late** *adv phr* dernièrement, ces jours-ci

latecomer /ˈleɪtkʌmə(r)/ *n* (to lecture, event) retardataire *mf*; **to be a ~ to** venir tard à [*profession, activity*]

late developer *n* **to be a ~** [*child*] être lent; [*adult*] hum être un peu en retard

lateen /ləˈtiːn/ *n* (*also* **~ sail**) voile *f* latine

late: **Late Greek** *n* grec *m* du Moyen Âge; **Late Latin** *n* bas latin *m*

lately /ˈleɪtlɪ/ *adv* ces derniers temps; **have you seen Rosie ~?** as-tu vu Rosie ces derniers temps?; **until ~** jusqu'à ces derniers temps; **~, she's been working at home** ces derniers temps, elle travaille à la maison

latency /ˈleɪtnsɪ/ *n* latence *f*

lateness /ˈleɪtnɪs/ *n* **1** (of person, train etc) retard *m*; **~ will not be tolerated** les retards ne seront pas admis; **2** (of time) **because of the ~ of the hour** fml à cause de l'heure tardive

late-night *adj* [*film*] dernier/-ière (*before n*); [*session*] en nocturne; **it's ~ shopping on Thursdays** les magasins restent ouverts tard le jeudi

latent /ˈleɪtnt/ *adj* [*heat, image, talent*] latent; **~ defect** vice *m* caché; **~ period** période *f* de latence

later ▸ **late A 2, 3; B 2**

lateral /ˈlætərəl/ *adj* latéral; **~ thinking** la pensée latérale

laterally /ˈlætərəlɪ/ *adv* latéralement

late riser *n* lève-tard *mf inv*

latest /ˈleɪtɪst/
A *superl* ▸ **late**
B *pron* **1** (news etc) **have you heard the ~?** est-ce que tu connais la dernière°?; **what's the ~ on her condition?** quoi de neuf sur son état de santé?; **2** (most recent) **the ~ in children's fashion/modern technology** la dernière mode enfantine/technologie moderne, la mode enfantine/la technologie moderne dernier cri; **the ~ in a series of attacks/incidents** la dernière attaque/le dernier incident de la série; **3** °hum (lover) **his/her ~** sa dernière conquête
C *adj* (most recent) [*book, edition, fashion, model, news etc*] dernier/-ière
D **at the latest** *adv phr* au plus tard

latex /ˈleɪteks/ *n* latex *m*

lath /lɑːθ, US læθ/ *n* latte *f*; ~ **and plaster wall** mur *m* fait de lattes recouvertes de plâtre

lathe /leɪð/ *n* tour *m*

lather /ˈlɑːðə(r), US ˈlæð-/
A *n* **1** (of soap) mousse *f*; **to work up a** ~ faire de la mousse; **2** (frothy sweat) écume *f*; **the horse was in a** ~ le cheval était couvert d'écume; **he was in a real** ~○ fig il était dans tous ses états○
B *vtr* **1** savonner [*face, chin*]; **2** ○(thrash) flanquer une dérouillée○ à
C *vi* mousser

latifundia /ˌlætɪˈfʊndɪə/ *npl* latifundia *mpl*

Latin /ˈlætɪn, US ˈlætn/ ▸ p. 1378
A *n* **1** Ling latin *m*; **low** ~ bas latin; **late/vulgar** ~ latin décadent/vulgaire; **dog** ~ latin de cuisine; **2** (person) Latin/-e *m/f*
B *adj* **1** Ling [*grammar, author*] latin; [*lesson*] de latin; **2** [*person, culture, country, temperament*] latin; ~ **lover** péj ou hum séducteur méditerranéen

Latin America *pr n* Geog Amérique *f* latine

Latin American
A *n* Latino-Américain/-e *m/f*
B *adj* latino-américain

Latinist /ˈlætɪnɪst/ *n* latiniste *mf*

Latinization /ˌlætɪnaɪˈzeɪʃn, US -nɪˈz-/ *n* latinisation *f*

Latinize /ˈlætɪnaɪz/ *vtr* latiniser

Latino /læˈtiːnəʊ/ *n* US Latino-Américain/-e *m/f*, Latino○ *mf*

Latin Quarter *n* quartier *m* latin

latish○ /ˈleɪtɪʃ/
A *adj* [*meal*] tardif/-ive
B *adv* [*come, arrive*] assez tard

latitude /ˈlætɪtjuːd, US -tuːd/ *n* **1** Geog latitude *f*; **57 degrees** ~ **north** 57 degrés de latitude nord; **in these** ~**s** sous ces latitudes; **2** (liberty) latitude *f*

latitudinal /ˌlætɪˈtjuːdɪnl, US -tuːdənl/ *adj* [*mountain, ridge*] qui va d'est en ouest; ~ **position** latitude *f*

latrine /ləˈtriːn/ *n* latrines *fpl*

latte /ˈlɑːteɪ, ˈlæteɪ/ *n* grand crème *m* mousseux

latter /ˈlætə(r)/
A *n* **the** ~ ce dernier/cette dernière *m/f*; **he loves dogs and cats, especially the** ~ il aime les chiens et les chats, surtout ces derniers *or* ceux-ci
B *adj* **1** (second) dernier/-ière; **do you prefer the former or the** ~ **explanation?** est-ce que vous préférez la première ou la deuxième explication?; **these** ~ **problems are more serious** ces problèmes-ci sont plus graves; **2** (later) [*half*] deuxième; **in the** ~ **part of the evening** vers la fin de la soirée; **in his/her** ~ **years** dans les dernières années de sa vie

latterday /ˌlætəˈdeɪ/ *adj* **1** (modern equivalent of) [*crusader, pilgrim, personage*] des temps modernes; **2** (present, recent) [*invention, technique*] d'aujourd'hui

Latterday Saints *npl* membres *mpl* de l'Église des saints des derniers jours, Mormons *mpl*

latterly /ˈlætəlɪ/ *adv* **1** (recently) dernièrement; **2** (in later times) (pendant) les dernières années; **she was with the company for 30 years,** ~ **as managing director** elle a travaillé pour cette entreprise pendant 30 ans, les dernières années en tant que P-DG

lattice /ˈlætɪs/ *n* (screen) treillis *m*; (fence, plant support) treillage *m*

latticed /ˈlætɪst/ *adj* treillissé

lattice: ~ **girder** *n* poutre *f* en treillis; ~ **window** *n* fenêtre *f* à croisillons de plomb; ~ **work** *n* treillis *m*

Latvia /ˈlætvɪə/ ▸ p. 1096 *pr n* Lettonie *f*

Latvian /ˈlætvɪən/ ▸ p. 1467, p. 1378
A *n* **1** (person) Letton/-on(n)e *m/f*; **2** (language) letton *m*
B *adj* letton/-on(n)e

laud /lɔːd/ *vtr* sout louer

laudable /ˈlɔːdəbl/ *adj* louable

laudably /ˈlɔːdəblɪ/ *adv* [*behave*] de façon louable

laudanum /ˈlɔːdənəm/ *n* laudanum *m*

laudatory /ˈlɔːdətərɪ, US -tɔːrɪ/ *adj* élogieux/-ieuse

laugh /lɑːf, US læf/
A *n* **1** (amused noise) rire *m*; **he gave a scornful** ~ il a eu un rire de dédain; **she gave a loud** ~ elle a ri bruyamment; **with a** ~ en riant; **to like a good** ~ aimer bien rire; **to get** *ou* **raise a** ~ faire rire; **the sketch that got the biggest** ~ le sketch qui a provoqué le plus de rires; **if you want a** ~ **listen to him sing!** si vous voulez rire écoutez-le chanter!; **read this, it'll give you a** ~ lis ceci, ça va te faire rire
2 (source of amusement) **to do sth for a** ~○ faire qch pour rigoler○; **just for a** ~ *ou* **for** ~**s, they hid her keys**○ ils lui ont caché ses clés, histoire de rigoler○ *or* de rire; **the film was a good** ~ le film était vraiment très drôle; **their brother is a real** ~ leur frère est très drôle *or* marrant○; **she's always good for a** ~○ on s'amuse toujours bien avec elle; **let's go to the party, it will be a** ~○ allons à la fête, on va bien s'amuser; **they had a** ~ **rehearsing the scene** ils se sont drôlement bien amusés quand ils ont répété la scène; **the script isn't exactly full of** ~**s** le scénario n'est pas ce qu'on peut appeler hilarant; **what a** ~○! iron quelle bonne blague○!
B *vtr* **he** ~**ed a sinister/triumphant** ~ il a eu un rire sinistre/triomphant; **'of course not!' she** ~**ed** 'bien sûr que non!' dit-elle en riant
C *vi* **1** (be audibly amused) rire (**about, over** de); **to make sb** ~ faire rire qn; **to** ~ **out loud** rire aux éclats, rire tout haut; **to** ~ **at sb/sth** rire de qn/qch; **you shouldn't** ~ **at your own jokes!** il ne faut pas rire des ses propres blagues○; **she never** ~**s at my jokes** mes blagues○ ne la font jamais rire; **the children** ~**ed at the clown** le clown a fait rire les enfants; **I** ~**ed until the tears ran down my cheeks** j'ai ri aux larmes; **she soon had the audience** ~**ing** il ne lui a pas fallu longtemps pour faire rire le public; **we're** ~**ing with you not at you** on ne rit pas méchamment; **he** ~**ed nervously** il a eu un rire nerveux
2 (feel amused) rire; **to** ~ **to oneself** rire en soi-même, rire tout bas; **don't make me** ~**!** iron laisse-moi rire!, ne me fais pas rire!; **it makes me** ~ **when I hear him boasting!** ça me fait doucement rire quand je l'entends se vanter!; **I don't know whether to** ~ **or cry!** je ne sais pas si je dois rire ou bien pleurer!; **to** ~ **at sb/sth** se moquer de qn/qch; **he's afraid of being** ~**ed at** il a peur qu'on se moque de lui; **to be able to** ~ **at oneself** être capable de se moquer de soi-même; **he doesn't have much to** ~ **at** *ou* **about these days** ce n'est pas drôle pour lui en ce moment

(Idioms) **he who** ~**s last** ~**s longest** Prov rira bien qui rira le dernier Prov; ~ **and the world** ~**s with you** celui qui rit s'entoure d'amis; **you'll be** ~**ing on the other side of your face** tu riras jaune, ça va t'ôter l'envie de rire; **this news will make him** ~ **on the other side of his face** cette nouvelle va lui ôter l'envie de rire; **to be** ~**ing all the way to the bank** remplir ses poches; **to have the last** ~ **over sb** l'emporter finalement sur qn; **she had the last** ~ finalement c'est elle qui a bien ri; **to** ~ **in sb's face** rire au nez de qn; **to** ~ **oneself sick** *ou* **silly** se tordre de rire

(Phrasal verb) ■ **laugh off**: ▸ ~ **[sth] off**, ~ **off [sth]** écarter [qch] par la plaisanterie [*speculation, accusation*]; dédramatiser [qch] par la plaisanterie [*mistake, defeat*]; choisir de rire de [*criticism, insult*]; **she** ~**ed the matter off** elle a tourné la chose en plaisanterie; **they won't be able to** ~ **this one off!** cette fois-ci, ils ne s'en tireront pas par une plaisanterie!

laughable /ˈlɑːfəbl, US ˈlæf-/ *adj* [*attempt, proposal*] ridicule, risible; [*offer, sum*] dérisoire

laughably /ˈlɑːfəblɪ, US ˈlæf-/ *adv* [*small, naïve*] ridiculement

laughing /ˈlɑːfɪŋ, US ˈlæfɪŋ/ *adj* [*person*] qui rit; [*eyes, face, expression*] rieur/rieuse; **it's no** ~ **matter** il n'y a pas de quoi rire; **he's in no** ~ **mood** (in bad temper) il n'est pas d'humeur à rire; (in low spirits) il n'a pas le cœur à rire

laughing: ~ **gas** *n* gaz *m* hilarant; ~ **hyena** *n* hyène *f* (tachetée); ~ **jackass** *n* martin-chasseur *m* géant

laughingly /ˈlɑːfɪŋlɪ, US ˈlæf-/ *adv* [*say, explain*] en riant; **it is** ~ **called a hotel** cela porte pompeusement le nom d'hôtel

laughing stock *n* risée *f*; **the** ~ **of Europe/the neighbourhood** la risée de toute l'Europe/tout le quartier; **they have made us into a** ~ ils ont fait de nous un objet de risée

laughter /ˈlɑːftə(r), US ˈlæf-/ *n* ¢ rires *mpl*; **she could hear** ~ elle entendait des rires; **there was** ~ **at this remark** cette remarque a déclenché les rires; **he announced amid** ~ **that** au milieu des rires il a annoncé que; **to roar** *ou* **howl with** ~ hurler de rire; **a fit of** ~ un fou rire

laughter line GB, **laugh line** US *n* ≈ ride *f* d'expression

laughtrack /ˈlɑːftræk, US ˈlæf-/ *n* (bande *f* sonore de) rires *mpl* enregistrés

launch /lɔːntʃ/
A *n* **1** Naut (*also* **motor** ~) (for patrolling) vedette *f*; (for pleasure) bateau *m* de plaisance; **customs'/police** ~ vedette *f* de la douane/de la police; **2** (setting in motion) (of new boat, rocket, satellite) lancement *m*; (of dinghy, lifeboat) mise *f* à l'eau; Advertg, Comm (of campaign, product, publication) lancement *m*
B *vtr* **1** Naut mettre [qch] à l'eau [*dinghy, lifeboat*]; lancer [*new ship*]; **2** (fire) lancer [*missile, rocket*] (**against, at** sur); **air-/sea-**~**ed** lancé du ciel/depuis la mer; **3** (start) lancer [*campaign, career, company, hunt, project*]; ouvrir [*investigation*]; mettre [qch] en action [*plan*]; lancer [*computer program*]; **to** ~ **an attack on sb/sth** lit lancer une attaque contre qn/qch; fig attaquer qn/qch; **4** Advertg, Comm lancer [*magazine, product, range*]
C *vi* **to** ~ **(forth) into** se lancer dans [*description, story*]; attaquer [*chorus, song*]
D *v refl* **to** ~ **oneself at sb/sth** se lancer sur qn/qch

(Phrasal verb) ■ **launch out** [*company, designer*] se diversifier; **to** ~ **out into** [*person, company*] se lancer dans [*cosmetics, consultancy, design*]

launch complex *n* Aerosp ensemble *m* de lancement

launcher /ˈlɔːntʃə(r)/ *n* lanceur *m*

launching /ˈlɔːntʃɪŋ/ *n* **1** Naut (of boat) mise *f* à l'eau; (of new boat) lancement *m*; **2** Aerosp lancement *m*; **3** Advertg, Comm (starting) (of campaign, product, project) lancement *m*; (of scheme) mise *f* en route

launch: ~ **pad**, ~**ing pad** *n* Aerosp aire *f* de lancement; fig tremplin *m* (**for** pour); ~ **party** *n* réception *f* (*pour le lancement d'un produit*); ~ **platform**, ~**ing platform** *n* Aerosp rampe *f* de lancement; ~ **site**, ~**ing site** *n* Aerosp base *f* de lancement; ~ **vehicle** *n* Aerosp fusée *f* de lancement

launder /ˈlɔːndə(r)/
A *vtr* **1** laver [*clothes, linen*]; **freshly** ~**ed** impeccable; **2** blanchir [*money, profits*]
B *vi* se laver; **it won't** ~ vous ne pouvez pas le laver

launderette /lɔːnˈdret, ˌlɔːndəˈret/ GB, **laundromat** /ˈlɔːndrəmæt/ US *n* laverie *f* automatique

laundering /ˈlɔːndərɪŋ/ *n* (all contexts) blanchissage *m*

laundress /ˈlɔːndrɪs/ *n* blanchisseuse *f*

laundrette *n* GB = **launderette**

laundromat *n* US = **launderette**

laundry /'lɔːndrɪ/ *n* [1] (place) (commercial) blanchisserie *f*; (in hotel, house) laverie *f*; [2] (linen) linge *m*; **dirty ~** linge sale; **to do the ~** faire la lessive

laundry: **~ basket** *n* panier *m* à linge; **~ list** *n* lit liste *f* de blanchissage; fig liste *f* interminable; **~ van** *n* camionnette *f* de la blanchisserie; **~ worker** ▸ **p. 1683** *n* employé/-e *m/f* de (la) blanchisserie

laureate /'lɒrɪət, US 'lɔː-/ *n* lauréat/-e *m/f*; **a Nobel ~** un/-e lauréat/-e du prix Nobel; **the poet ~** GB le poète lauréat

laurel /'lɒrəl, US 'lɔːrəl/
A *n* [1] Bot laurier *m*; [2] (honours) (*also* **laurels**) lauriers *mpl*; **to crown sb with ~(s)** ceindre la tête de qn de lauriers
B *modif* [*crown, wreath*] de lauriers
(Idioms) **to look to one's ~s** veiller à la concurrence; **to rest on one's ~s** se reposer *or* s'endormir sur ses lauriers

Laurence /'lɒrəns/ *pr n* Laurent

lav○ /læv/ *n* GB (*abrév* = **lavatory**) toilettes *fpl*

lava /'lɑːvə/
A *n* lave *f*
B *modif* [*bed, flow*] de lave

lava lamp *n* lampe *f* lava

lavalier /lɑː'vɑːlɪə/ *n* US pendentif *m*

lavatorial /,lævə'tɔːrɪəl/ *adj* [*humour*] scatologique

lavatory /'lævətrɪ, US -tɔːrɪ/
A *n* toilettes *fpl*; **gents'/ladies' ~** toilettes pour hommes/dames
B *modif* [*bowl, door, seat*] des toilettes

lavatory: **~ attendant** ▸ **p. 1683** *n* employé/-e *m/f* à l'entretien des toilettes, (female) dame *f* pipi○; **~ humour** *n* humour *m* scatologique; **~ paper** *n* papier *m* hygiénique

lavender /'lævəndə(r)/
A *n* (all contexts) lavande *f*; **the scent of ~** le parfum de la lavande
B ▸ **p. 1067** *adj* (colour) lavande *inv*
C *modif* [*bag, flower, leaf, seed*] de lavande

lavender blue ▸ **p. 1067** *n, adj* bleu (*m*) lavande *inv*

laverbread /'lɑːvəbred/ *n* gâteau *m* d'algues

lavish /'lævɪʃ/
A *adj* [*party, home, lifestyle*] somptueux/-euse; [*hospitality*] généreux/-euse; **to be ~ with sth** être généreux avec qch; **to be ~ in one's praise for sth/sb** être prodigue de louanges sur qch/qn
B *vtr* prodiguer [*money, affection*] (**on** à); **to ~ praise on sth/sb** se répandre en louanges sur qch/qn

lavishly /'lævɪʃlɪ/ *adv* [*decorated, furnished*] luxueusement; [*spend*] sans compter; [*entertain, give*] généreusement

lavishness /'lævɪʃnɪs/ *n* (of hospitality) générosité *f*; (of decor) luxe *m*

law /lɔː/ *n* [1] ¢ (body of rules) loi *f*; **to obey/break the ~** respecter/enfreindre la loi; **to be against the ~** être contraire à la loi fml, être interdit; **it is against the ~ to do** il est interdit de faire; **the ~ is on our side** nous avons la loi pour nous; **to be above the ~** être au-dessus des lois; **to remain within the ~** rester dans les limites de la légalité; **the ~ of the land** la législation du pays; **the ~ as it stands** la législation en vigueur; **under Italian ~** d'après la loi italienne; **by ~** conformément à la loi; **it's required by ~** c'est obligatoire légalement; **the bill became ~ yesterday** le projet de loi a été adopté hier; **divine ~** la loi divine; **his word is ~** sa parole fait loi; [2] Jur (rule) loi *f*; **a ~ against** une loi interdisant [*gambling, vagrancy*]; **the ~s on** les lois sur [*gambling, vagrancy*]; **there has been a change in the ~** la loi a été modifiée; **there ought to be a ~ against it** ça devrait être interdit; [3] (justice) justice *f*; **court of ~** cour *f* de justice; **to go to ~** recourir à la justice (**about, over** pour); **in the eyes of the ~** aux yeux de la loi; **to take the ~ into one's own hands** faire justice soi-même; [4] ○(police) police *f*; **I'll have the ~ on you!** je vais appeler la police!; [5] (academic discipline) droit *m*; **to study ~** faire son droit; [6] (principle) loi *f*; **the ~s of nature/motion** les lois de la nature/du mouvement; **the ~s of perspective** les règles *fpl* de la perspective; **the second ~ of thermodynamics** le deuxième principe *m* de la thermodynamique
(Idiom) **to be a ~ unto oneself** être un peu original

law: **~-abiding** *adj* respectueux/-euse des lois; **~ and order** *n* ordre *m* public; **~breaker** *n* personne *f* qui enfreint la loi, contrevenant/-e *m/f* à la loi

law-breaking *n* violation(s) *f(pl)* de la loi; **to encourage ~** encourager à violer la loi

law: **~ court** *n* tribunal *m*; **~ enforcement agency** *n* US organisme *m* responsable du maintien de l'ordre; **~ enforcement officer** *n* US personne *f* responsable du maintien de l'ordre; **~ faculty** *n* faculté *f* de droit; **~ firm** *n* cabinet *m* d'avocats

lawful /'lɔːfl/ *adj* [*custody, owner, strike, excuse*] légal; [*conduct*] licite; [*wife, husband*] légitime; **it is not ~ to do** il est illégal de faire; **to do sth without ~ authority** faire qch illégalement; **to go about one's ~ business** vaquer à ses occupations

lawfully /'lɔːfəlɪ/ *adv* [*act*] légalement

lawfulness /'lɔːflnɪs/ *n* légalité *f*

lawgiver /'lɔːgɪvə(r)/ *n* législateur/-trice *m/f*

lawless /'lɔːlɪs/ *adj* [1] (anarchic) [*period, society*] anarchique; [*area, town*] tombé dans l'anarchie; [2] (rebellious) [*person*] sans foi ni loi

lawlessness /'lɔːlɪsnɪs/ *n* (of period, streets) anarchie *f*; (of person) manque *m* de respect des lois

law: **Law Lord** *n* GB juge *m* (*siégeant à la Chambre des Lords*); **~man** *n* US policier *m*

lawn /lɔːn/ *n* [1] (grass) pelouse *f*; [2] (fabric) linon *m*, batiste *f*

lawn edger *n* taille-bordure *m*, coupe-bordure *m*

lawnmower /'lɔːnməʊə(r)/ *n* tondeuse *f* (à gazon)

lawn tennis ▸ **p. 1253** *n* [1] gen tennis *m*; [2] (on grass) tennis *m* sur gazon

law school *n* faculté *f* de droit; **to go to ~** faire du *or* son droit; **to be at ~** être étudiant/-e en droit

law student *n* étudiant/-e *m/f* en droit

lawsuit /'lɔːsuːt/ *n* procès *m*; **to bring a ~ against** intenter un procès à

lawyer /'lɔːjə(r)/ ▸ **p. 1683** *n* [1] (who practises law) avocat/-e *m/f*; **to hire a ~** engager un avocat; [2] (expert in law) juriste *mf*

lax /læks/ *adj* [1] (not strict) [*law, regulation, government*] laxiste; [*security*] relâché; [2] Phon lâche, relâché; [3] Med relâché

laxative /'læksətɪv/
A *n* laxatif *m*
B *adj* laxatif/-ive

laxity /'læksətɪ/, **laxness** /'læksnɪs/ *n* laxisme *m*

lay /leɪ/
A *prét* ▸ **lie**
B *n* [1] ◑injur (sexual partner) **she's an easy ~** injur c'est une fille facile offensive; **she's a good ~** injur elle baise● bien offensive; (sex act) baise● *f*
[2] Literat lai *m*
C *adj* [1] gen [*helper, worker*] non initié; **~ person** profane *mf*; **~ opinion** l'opinion des profanes
[2] Relig [*preacher, member, reader*] laïque; [*brother, sister*] lai
D *vtr* (*prét, pp* **laid**) [1] lit (place) poser; (spread out) étaler [*rug, blanket, covering*]; (arrange) disposer; (ceremonially, as offering) déposer [*wreath*]; coucher [*baby, patient*]; **~ the cards face down** posez les cartes face en dessous; **~ the blanket on the ground** étalez la couverture sur le sol; **~ the slices of apple on top** disposez les pommes coupées en tranches sur le dessus; **she laid the baby in the cot** elle a couché le bébé dans le berceau; **to ~ the newspaper on the table** étaler le journal sur la table; **he laid his hand on my forehead** il a posé sa main sur mon front; **he laid his cheek against hers** il a mis sa joue contre la sienne; **to ~ hands on sth** fig (find) mettre la main sur qch; **to ~ hands on sb** Relig imposer les mains à qn
[2] (set for meal) mettre [*table, cutlery, crockery*]; **to ~ the table for lunch** mettre la table pour le déjeuner; **to ~ the table for four** mettre le couvert pour quatre; **to ~ the table with the best china** disposer la plus belle porcelaine sur la table; **to ~ an extra place** ajouter un couvert
[3] (prepare) préparer [*fire, plan, trail*]; poser [*basis, foundation*]; tendre [*trap*]
[4] Constr, Hort, Mil poser [*carpet, tiles, bricks, paving, turf, cable, mine, pipe*]; construire [*railway, road, sewer*]
[5] Zool pondre [*egg*]
[6] fig (attribute) porter [*charge, accusation*]; déposer [*complaint*]; jeter [*curse, spell*] (**on** à); **to ~ stress** *ou* **emphasis on sth** mettre l' accent sur qch; **to ~ the blame for sth on sb** rejeter la responsabilité de qch sur qn
[7] (bet) gen, Turf parier [*money*] (**on** sur)
[8] (suppress) fig dissiper [*fears, doubts, suspicions*]; arrêter [*rumour*]
[9] ◑(have sex with) baiser● avec; **to get laid** se faire sauter●
E *vi* (*prét, pp* **laid**) [1] Agric, Zool pondre
[2] Naut jeter l'ancre (**off** au large de; **alongside** le long de)
(Idioms) **to ~ it on the line** ne pas mâcher ses mots; **to ~ a finger** *ou* **hand on sb** (beat) lever la main sur qn; (touch) toucher
(Phrasal verbs) ■ **lay about**: ▸ **~ about [sb]** rouer [qn] de coups; **to ~ about sb with a stick** rouer qn de coups de bâton
■ **lay aside**: ▸ **~ aside [sth]**, **~ [sth] aside** [1] lit (for another activity) poser [*book, sewing, toy*]; (after one stage in process) mettre [qch] de côté [*part-finished dish, model*]; [2] fig (relinquish) abandonner [*studies, cares*]; renoncer à [*responsibility, principle, feeling, inhibition, doubt*]
■ **lay back**: ▸ **~ back [sth]**, **~ [sth] back** coucher [*ears, patient*]; poser [*head*]
■ **lay before**: ▸ **~ [sth] before sb** soumettre [qch] à qn [*law, bill*]; exposer [qch] à qn [*case, facts, evidence*]; **I laid the facts before them** je leur ai exposé les faits
■ **lay by**: ▸ **~ by [sth]**, **~ [sth] by** mettre [qch] de côté [*money, provisions*]
■ **lay down**: ▸ **~ down [sth]**, **~ [sth] down** [1] (put horizontal) coucher [*object, baby, patient*]; étaler [*rug, garment, cards*]; [2] (put down) poser [*book, implement, suitcase*]; déposer [*weapon, arms*]; [3] fig (relinquish) **to ~ down one's life for sb/sth** sacrifier sa vie pour qn/qch; [4] (establish) établir [*rule, procedure, plan, course of action*]; poser [*condition*]; donner [*order*]; fixer [*price, charge, wage*]; **it is laid down that...** il est stipulé que...; [5] Constr jeter, poser [*foundations*]; installer [*cable, pipe, drain*]; construire [*road, railway*]; [6] Wine mettre [qch] en cave [*bottles, wine*]; [7] (record) enregistrer [*track*]
■ **lay in**: ▸ **~ in [sth]** faire provision de; **we've laid in plenty of beer** nous avons fait une grande provision de bière; **to ~ in supplies of sth** s'approvisionner en qch
■ **lay into**: ▸ **~ into [sb]** [1] lit bourrer [qn] de coups; **she laid into me with her umbrella** elle m'a donné des coups de parapluie; [2] ○fig (abuse) **she laid into me** elle m'est tombée dessus○; **the teacher laid into them for being late** le professeur leur est tombé dessus○ à cause de leur retard
■ **lay off** (stop)○ arrêter; **~ off! it hurts!** arrête! ça fait mal!; ▸ **~ off [sb]**, **lay [sb] off** (sack) (temporarily) mettre [qn] en chômage technique; (permanently) licencier; ▸ **~ off [sb]** (leave alone)○ laisser [qn] tranquille

■ **lay on**: ▸ ~ **on [sth]**, ~ **[sth] on** 1 (apply) appliquer [*paint, plaster, glue*]; 2 GB (install) [*workman*] installer [*gas, electricity, water*]; [*owner*] faire installer [*gas, electricity, water*]; 3 (supply) prévoir [*meal, food, service, transport*]; 4 (organize) organiser [*entertainment, excursion*]; donner [*display*]; 5 ○fig (exaggerate) forcer un peu la dose sur○ [*praise, pathos, sarcasm, gratitude, flattery*]; **you laid it on a bit (thick)** tu as forcé un peu la dose○

■ **lay open**: ▸ ~ **[sth] open** exposer (**to** à); **to ~ oneself open to** s'exposer à [*accusations, criticism, ridicule, exploitation*]

■ **lay out**: ▸ ~ **[sth] out**, ~ **out [sth]** 1 lit (spread out, display) disposer [*goods, cards, food*]; (unfold) étaler [*map, garment, fabric*]; (put ready) préparer [*clothes*]; 2 (design) concevoir [*building, book, magazine, advertisement*]; mettre [qch] en page [*letter, illustrations*]; monter [*page*]; dessiner [*town, village, garden*]; disposer [*buildings, pattern pieces*]; 3 (explain) exposer [*reasons, demands, facts, information*]; 4 ○(spend) débourser [*sum of money*]; ▸ ~ **out [sb]**, ~ **[sb] out** 1 (prepare for burial) faire la toilette mortuaire de [*dead person, corpse*]; 2 ○(knock unconscious) mettre [qn] KO○

■ **lay up**: ▸ ~ **up [sth]**, ~ **[sth] up** 1 (store away) lit faire provision de [*food, supplies*]; fig se préparer [*trouble, problems*]; 2 (take out of service) désarmer [*boat*]; ▸ ~ **[sb] up** (confine to bed) forcer [qn] à s'aliter; **to be laid up** être alité; **to be laid up with** être au lit avec [*illness, injury*]

layabout○ /ˈleɪəbaʊt/ *n* péj fainéant/-e○ *m/f*

layaway /ˈleɪəweɪ/ *n* US, Comm **to put sth on ~** garder qch moyennant caution

lay: **~-by** *n* GB, Transp aire *f* de repos; **~ days** *npl* Naut jours *mpl* de planche

layer /ˈleɪə(r)/

A *n* 1 couche *f*; ~ **of clothing** épaisseur *f* de vêtements; ~ **upon** ~ couche sur couche; 2 (hen) pondeuse *f*

B *vtr* 1 Hort marcotter; 2 (in hairdressing) couper [qch] en dégradé; 3 (arrange in layers) disposer [qch] en couches

layer cake *n* gâteau *m* fourré

layering /ˈleɪərɪŋ/ *n* Hort marcottage *m*

layette /leɪˈet/ *n* layette *f*

laying /ˈleɪɪŋ/ *n* 1 (of floor-covering, foundation stone, pipes, cable, mines, turf) pose *f*; 2 (of railway) construction *f*; 3 (of egg) ponte *f*; 4 Relig **the ~ on of hands** l'imposition *f* des mains

layman /ˈleɪmən/ *n* gen profane *m*; Relig laïc *m*

lay-off /ˈleɪɒf/ *n* (permanent) licenciement *m* (*gen pl*); (temporary) mise *f* en chômage technique

layout /ˈleɪaʊt/ *n* (of page, book, magazine, computer screen) mise *f* en page; (of advertisement, article, report) présentation *f*; (of building, built-in units) agencement *m*; (of flat, rooms, cards) disposition *f*; (of town, village, estate, engine, machine) plan *m*; (of garden, park) dessin *m*; **page ~** mise *f* en page; **road ~** emplacement *m* de la route

lay: **~out artist** ▸ p. 1683 *n* maquettiste *mf*; **~over** *n* US Transp (by road, rail) attente *f*; (by sea, air) escale *f*; **~person** *n* profane *mf*

Lazarus /ˈlæzərəs/ *pr n* Lazare

laze /leɪz/ *vi* (*also* **about**, ~ **around**) paresser, flemmarder○; **to ~ in the sun** se prélasser au soleil; **I like to ~ in bed at weekends** j'aime bien traîner○ au lit le weekend

(Phrasal verb) ■ **laze away**: **to ~ the time away** passer le temps à ne rien faire

lazily /ˈleɪzɪlɪ/ *adv* 1 (idly) [*move, wonder etc*] nonchalamment; 2 (relaxedly) [*lie, float*] mollement; 3 (gently) [*flow, bob*] doucement; 4 (out of laziness) par paresse

laziness /ˈleɪzɪnɪs/ *n* paresse *f*

lazy /ˈleɪzɪ/ *adj* [*person*] paresseux/-euse; [*smile*] nonchalant; [*yawn*] indolent; [*day, holiday*] paisible; [*movement, pace*] lent; [*excuse*] facile; **~ thinking** paresse *f* intellectuelle

lazy: **~bones** *n* flemmard/-e○ *m/f*; **~ eye** *n* amblyopie *f*; **~ Susan** *n* plateau *m* tournant

lb *abrév écrite* = **pound**

LBO *n*: *abrév* ▸ **leveraged buyout**

lbw (in cricket) (*abrév* = **leg before wicket**) *faute du batteur qui met la jambe devant le guichet*

lc *abrév écrite* ▸ **lower case**

LCD *n* (*abrév* = **liquid crystal display**) affichage *m* à cristaux liquides, LCD spec

LCP *n*: *abrév* ▸ **link control procedure**

L-dopa /elˈdəʊpə/ *n* L-dopa *f*

L-driver *n* apprenti-conducteur/apprentie conductrice *m/f*

LDS *n* (*abrév* = **Licentiate of Dental Surgery**) *diplômé en chirurgie dentiste*

lea /liː/ *n* littér pré *m*

LEA *n* (*abrév* = **Local Education Authority**) *administration locale qui gère les affaires scolaires*

leach /liːtʃ/

A *vtr* [*rain, water*] lessiver (**from** de)

B *vi* [*substance, pollutant*] s'infiltrer

lead¹ /liːd/

A *n* 1 (winning position in race, game, poll, quiz) **to be in the ~**, **to have the ~** être en tête; **to go into the ~**, **to take the ~** passer en tête; **this gave him the ~** ceci lui a permis de passer en tête; **to move into an early ~** passer rapidement en tête; **to share the ~** se partager la première place
2 (amount by which one is winning) avance *f* (**over** sur); **to have a ~ of three points/half a lap** avoir trois points/un demi-tour de piste d'avance; **to have a six second/three-goal ~** avoir six secondes/trois buts d'avance; **to increase one's ~** creuser l'écart (**by** de); **to increase one's ~ in the polls to 20%** atteindre une avance de 20% dans les sondages
3 (initiative) **to take the ~** prendre l'initiative; **to take the ~ in doing** être le premier/la première à faire; **to give a** *ou* **the ~** donner l'exemple (**in doing** en faisant); **to follow sb's ~** suivre l'exemple de qn
4 (clue) piste *f*; **to have a number of ~s to pursue** avoir plusieurs pistes à suivre; **this was our first real ~** c'était notre première vraie piste; **to give sb a ~ as to** mettre qn sur la piste *ou* la voie de [*solution, perpetrator*]
5 Theat, Cin (role) rôle *m* principal, premier rôle *m*; **to play the ~** jouer le rôle principal; **who was the male/female ~?** qui était l'acteur/l'actrice qui jouait le rôle principal?
6 Journ (story) **to be the ~** être à la une○; **to be the ~ in all the papers** faire la une○ de tous les journaux
7 Elec (wire) fil *m*
8 GB (for dog) laisse *f*; **on a ~** en laisse; **to let the dog off the ~** lâcher le chien
9 (in cards) **it's Nina's ~** c'est à Nina de jouer en premier

B *modif* [*guitarist, guitar*] premier/-ière (*before n*); [*role, singer*] principal; [*article*] principal, à la une○

C *vtr* (*prét, pp* **led**) 1 (guide, escort) mener, conduire [*person*] (**to sth** à qch; **to sb** auprès de qn; **out of** hors de; **through** à travers); **to ~ sb into the house/into the kitchen** mener *or* conduire qn dans la maison/à la cuisine; **to ~ sb up/down** mener *or* conduire qn en haut de/en bas de [*hill, staircase*]; **to ~ sb back** ramener *or* reconduire qn (**to** à); **to ~ sb away** éloigner qn (**from** de); **to ~ sb across the road** faire traverser la rue à qn; **to ~ sb to safety/into a trap** conduire qn en lieu sûr/dans un piège
2 (pull, take by hand or bridle) mener [*child, prisoner, horse*] (**to** à; **into** dans; **by** par); **to ~ sb to his cell** conduire qn dans sa cellule
3 (bring) [*path, route, sign, clue, sound, smell*] mener [*person*] (**to** à); **where is this discussion ~ing us?** à quoi cette conversation nous mène-t-elle?; **this ~s me to my main point** ceci m'amène à mon sujet principal; **to ~ the conversation onto** amener la conversation sur
4 (be leader of) mener [*army, team, expedition, attack, strike, revolt, proceedings, procession, parade*]; diriger [*orchestra, research*]; **to ~ sb to victory** mener qn à la victoire; **to ~ the debate** mener les débats; **to ~ a congregation in prayer** entonner les prières; **to ~ the dancing** ouvrir le bal
5 Sport, Comm (be ahead of) avoir une avance sur [*rival, team*]; **to be ~ing sb by 10 metres** avoir une avance de 10 mètres sur qn, devancer qn de 10 mètres; **to be ~ing Liverpool 4–2** mener par 4 buts à 2 dans le match contre Liverpool; **to ~ the world** être au premier rang mondial; **to ~ the field** (in commerce, research) être le plus avancé; (in race) mener, être en tête; **to ~ the market** être le leader du marché
6 (cause, influence) **to ~ sb to do** amener qn à faire; **to ~ sb to believe/hope that** amener qn à croire /espérer que; **to be led to believe that** être amené à croire que; **he led me to expect that** d'après ce qu'il m'avait dit je m'attendais à ce que (+ *subj*); **what led you to this conclusion?** qu'est-ce qui vous a amené à cette conclusion?; **everything ~s me to conclude that** tout me porte à conclure que; **to be easily led** être très influençable
7 (conduct, have) mener [*active life, lazy life*]; **to ~ a life of luxury/idleness** vivre dans le luxe/l'oisiveté
8 Jur **to ~ a witness** interroger un témoin en lui suggérant les réponses
9 Games (in cards) jouer [*card*]

D *vi* (*prét, pp* **led**) 1 (go, be directed) **to ~ to** [*path, route*] mener à; [*door*] s'ouvrir sur; [*exit, trapdoor*] donner accès à; **to ~ back to** ramener à; **to ~ off the corridor** [*passage*] partir du couloir; [*door*] s'ouvrir sur le couloir; **footsteps led away from the scene** des traces de pas partaient du lieu
2 (result in) **to ~ to** entraîner [*complication, discovery, accident, response*]; **it was bound to ~ to trouble** ça devait mal finir; **one thing led to another, and we...** de fil en aiguille, nous...
3 (be ahead) [*runner, car, company*] être en tête; [*team, side*] mener; **to ~ by three games/15 seconds** avoir trois jeux/15 secondes d'avance; **to be ~ing in the arms race** être en tête dans la course aux armements
4 (go first) (in walk, procession) aller devant; (in action, discussion) prendre l'initiative
5 (in dancing) conduire
6 Jur **to ~ for** être l'avocat principal de [*defence, prosecution*]
7 Journ **to ~ with** mettre [qch] à la une○ [*story, headline, picture*]
8 (in boxing) **to ~ with one's left/right** attaquer de gauche/de droite
9 (in cards) jouer le premier/la première

(Idioms) **to ~ the way** (go first) passer devant; (guide others) montrer le chemin; (be ahead, winning) être en tête; **to ~ the way up/down/into** passer devant pour monter/descendre/entrer dans; **to ~ the way in space research** être le numéro un dans le domaine de la recherche spatiale

(Phrasal verbs) ■ **lead off** (begin) commencer (**with** par)

■ **lead on**: ▸ ~ **[sb] on** 1 (give false hope) mener [qn] en bateau○ [*client, investor, searcher*]; 2 (sexually) provoquer; 3 (influence) influencer

■ **lead up to**: ▸ ~ **up to [sth]** 1 (precede) précéder; **the years ~ing up to the war** les années qui ont précédé la guerre; 2 (culminate in) se terminer par [*argument, outburst*]; 3 (introduce) amener [*topic*]; **I had a feeling you were ~ing up to that** je sentais que tu voulais en venir là

lead² /led/

A *n* 1 (metal) plomb *m*; **white ~** céruse *f*; **red ~** minium *m*; 2 ○fig (bullets) pruneaux○ *mpl*; 3 (*also* **black ~**) (graphite) mine *f* de plomb; (in pencil) mine *f*; 4 (on fishing line, in gun cartridge etc) plomb *m*; 5 Naut (for sounding) plomb *m* (de sonde); 6 Print interligne *f*; 7 Constr (of window) (baguette *f* de) plomb *m*; **~s** (of windows) plombure *f* ¢; 8 GB (for roofing) couverture *f* de plomb ¢

B *modif* [*paint, piping, weight*] en *or* de plomb

(Idioms) **to fill** *ou* **pump sb full of ~**○ cribler qn de balles○; **to get the ~ out**○ US (stop loafing) se bouger; (speed up) se grouiller○; **to go over** US *ou* **down** GB **like a ~ balloon**○ tomber à plat○; **to swing the ~**○† GB tirer au flanc○

lead: **~ acetate** *n* acétate *m* de plomb; **~ed lights** *npl* petits carreaux *mpl* (*d'une fenêtre*); **~ed petrol** GB, **~ed gasoline** US *n* essence *f* au plomb; **~ed window** *n* fenêtre *f* à petits carreaux

leaden /ˈledn/ *adj* 1 (made of lead) de plomb, en plomb; 2 (lead coloured) [*sky, clouds*] de plomb; [*complexion*] grisâtre; 3 fig [*silence*] de mort; [*atmosphere*] écrasant; [*footsteps, pace*] lourd; [*performance*] raide

leader /ˈliːdə(r)/ *n* 1 (chief, head) (of nation) chef *m* d'État, dirigeant/-e *m/f*; (of gang, group, team) chef *m*; (of council, club, association) président/-e *m/f*; (of party, opposition) leader *m*, chef *m*; (of trade union) secrétaire *mf*; (of army, troops) commandant/-e *m/f*; 2 (organizer, instigator) (of expedition) responsable *mf*; (of strike, rebellion, movement) meneur/-euse *m/f*; (of project, operation) directeur/-trice *m/f*; 3 (one in front) (in race or competition) premier/-ière *m/f*; (of procession, line of walkers) chef *m* de file; (climber) premier *m* de cordée; (horse) cheval *m* de tête; **to be among the ~s** être dans le peloton de tête; **the ~s at the end of the first round are...** à la tête du classement à la fin de la première partie nous avons...; 4 (in market, field) leader *m*; **a world ~ in car manufacturing** un leader mondial dans la fabrication des voitures; 5 Mus (in orchestra) premier violon *m*; (conductor of band) chef *m* d'orchestre; 6 Journ éditorial *m*; 7 Zool (of pack) meneur *m*; 8 Jur avocat *m* principal; 9 Hort rejet *m*; 10 Tech, Video (on tape) amorce *f*

leader: **~ board** *n* Sport leader board *m*; **Leader of the House of Commons** *n* GB Pol Président/-e *m/f* de la Chambre des communes; **Leader of the House of Lords** *n* GB Pol Président/-e *m/f* de la Chambre des lords

Leader of the Opposition *n* GB Pol chef *m* de l'opposition

> **Leader of the Opposition**
>
> Au Royaume-Uni, la politique du pays reposant sur la notion de bipartisme, le chef de l'opposition a un statut reconnu. À la Chambre des communes, il siège en face du Premier ministre, entouré des membres du Cabinet qu'il a formé. Leur salaire est nettement plus substantiel que celui des députés ordinaires.
>
> ▸ **Shadow cabinet**

leadership /ˈliːdəʃɪp/

A *n* 1 (of party, state, company) **the ~** les dirigeants *mpl*, la direction *f*; **the party ~** les dirigeants *or* la direction du parti; **to be elected to the ~** être élu à la direction; 2 (quality) qualités *fpl* de leader; **sb's potential for ~** les capacités de qn à être un leader; **we need firm ~** nous avons besoin d'un véritable leader; 3 (fact of being leader) **during her ~** pendant son mandat; **under the ~ of** sous la direction de

B *modif* [*struggle*] pour le pouvoir; [*qualities*] de chef, de leader

leadership contest, **leadership election** *n* élection *f* à la direction du parti

lead-free /ˈledfriː/ *adj* sans plomb

lead-in /ˈliːdɪn/ *n* préambule *m*

leading /ˈliːdɪŋ/ *adj* 1 (top) [*lawyer, politician, academic etc*] éminent; [*brand*] dominant; [*position*] de premier plan; **a ~ director/actor** un des plus grands metteurs en scène/acteurs; **a ~ company/bank** une des sociétés/banques les plus importantes; **a ~ figure in theatrical circles** un personnage important du monde du théâtre; 2 (main) [*role*] principal; **to play the ~ role in** jouer le rôle principal dans; **he played a ~ role in** il a joué un rôle majeur dans; 3 Sport (in race) [*driver, car*] en tête de course; (in league) [*club, team*] en tête du classement; 4 (at the front) [*division, aircraft, car*] de tête

leading: **~ aircraftman** ▸ p. 1599 *n* GB Mil caporal *m* dans l'armée de l'air; **~ article** *n* éditorial *m*; **~ case** *n* Jur *affaire qui sert de précédent*; **~ counsel** *n* Jur avocat *m* principal

leading edge

A *n* 1 Aviat bord *m* d'attaque; 2 fig **at the ~ of** à la pointe de [*technology*]

B **leading-edge** *modif* [*organization, technology*] de pointe

leading: **~ lady** *n* Theat, Cin vedette *f* féminine, actrice *f* principale; **~ light** *n* membre *m* très actif (**in** de); **~ man** *n* vedette *f* masculine, acteur *m* principal; **~ note** *n* septième *f*; **~ question** *n* question *f* qui suggère la réponse; **~ rein** *n* longe *f*; **~ seaman** ▸ **p. 1599** *n* GB Mil quartier-maître *m*

lead led: **~ oxide** *n* oxyde *m* de plomb; **~ pencil** *n* crayon *m* à papier; **~ poisoning** *n* saturnisme *m*, intoxication *f* par le plomb; **~ shot** *n* grenaille *f* de plomb

lead story /liːd/ *n* histoire *f* à la une○; **to be the ~** être à la une○

lead time *n* (in production) délai *m* de production; (in delivery) délai *m* de livraison

leadworks /ˈledwɜːks/ *n* fonderie *f* de plomb

leaf /liːf/

A *n* (*pl* **leaves** /liːvz/) 1 (of plant) feuille *f*; **dock/oak/lettuce ~** feuille de patience/de chêne/de salade; **autumn leaves** feuilles d'automne; **to come into ~** se couvrir de feuilles; 2 (of paper) feuille *f*; (of book) page *f*, feuillet *m* spec; 3 (of gold, silver) feuille *f*; 4 (of table) (sliding, removable) rallonge *f*; (hinged) abattant *m*

B **-leafed**, **-leaved** (*dans composés*) **red-~** à feuilles rouges; **broad-~** à grandes feuilles

(Idioms) **to shake like a ~** trembler comme une feuille; **to take a ~ out of sb's book** s'inspirer de qn; **to turn over a new ~** tourner la page.

(Phrasal verb) ■ **leaf through**: ▸ **~ through [sth]** feuilleter [*pages, papers, book, magazine*]; parcourir [*introduction*]

leaf bud *n* bourgeon *m* à feuilles

leafless /ˈliːflɪs/ *adj* sans feuilles

leaflet /ˈliːflɪt/

A *n* 1 gen dépliant *m* (**on, about** sur); (advertising) prospectus *m* (**on, about** sur); (polemic) tract *m* (**on, about** sur); **information ~** notice *f* explicative; 2 (little leaf) foliole *f*

B *vtr* **to ~ a town/an area** [*political group*] couvrir une ville/un quartier de tracts; [*advertiser*] couvrir une ville/un quartier de prospectus; **they ~ed every home** gen ils ont distribué des dépliants chez tout le monde

C *vi* gen distribuer des dépliants; [*advertiser*] distribuer des prospectus; [*party*] distribuer des tracts; **to advertise sth with a ~ing campaign** faire une campagne publicitaire pour qch en distribuant des prospectus

leaf: **~ mould** GB, **~ mold** US *n* terreau *m* (de feuilles); **~ spinach** *n* épinards *mpl* en branches; **~ tobacco** *n* tabac *m* en feuilles; **~ vegetable** *n* légume *m* dont on consomme la feuille

leafy /ˈliːfɪ/ *adj* 1 [*tree, wood*] luxuriant; 2 [*suburb, area*] vert

league /liːg/ *n* 1 (alliance) gen, Pol ligue *f*; 2 (collaboration) **to be in ~ with** être allié avec; 3 Sport (GB football) (competition) championnat *m*; (association of clubs) ligue *f*; ▸ **rugby league**; 4 fig (class) niveau *m*; **they're not in the same ~** ils ne sont pas comparables; **he's out of his ~** il ne fait pas le poids; **to be in the big ~** être dans le peloton de tête; **to be at the top of the exports/unemployment ~** être en tête de liste des exportateurs/du chômage; 5 ‡Meas lieue *f*

(Idiom) **to be ~s ahead of sth/sb** être bien meilleur que qch/qn

league: **~ champion** *n* Sport champion *m* de ligue; **~ championship** *n* Sport championnat *m* de ligue; **~ division** *n* GB Sport division *f* (du championnat de ligue); **League of Nations** *n* Hist Société *f* des Nations; **~ standings** *npl* US = **league table**; **~ table** *n* GB Sport classement *m* du championnat; fig classement *m*

leak /liːk/

A *n* 1 (crack) (in container, roof) fuite *f*; (in ship) voie *f* d'eau; **to plug/stop a ~** gen boucher/arrêter une fuite; Naut aveugler une voie d'eau; **to spring a ~** [*pipe, tank*] se mettre à fuir; **the vessel sprang a ~** une voie d'eau s'est ouverte dans le bateau; 2 (escape) (of liquid, gas) fuite *f*, échappement *m*; Elec (of charge) fuite *f* électrique *or* de courant; **gas/radiation ~** fuite de gaz/radioactive; 3 Journ (disclosure) fuite *f* (**about** au sujet de); **a press** *ou* **newspaper ~** une fuite dans la presse; **a security ~** une fuite de documents secrets

B *vtr* 1 (disclose) divulguer [*information, report, document*]; 2 (expel) [*tank*] répandre [*oil, effluent*] (**into** dans); [*heater*] dégager [*fumes*]

C *vi* 1 (have crack) [*container, pipe, roof*] fuir; [*boat*] faire eau; 2 (seep) [*chemical, liquid, gas*] échapper (**from, out of** de); **to ~ into** se répandre dans [*sea, soil*]

D **leaked** *pp adj* [*document, report, information*] divulgué

E **leaking** *pres p adj* [*pipe, roof, tank, window*] qui fuit; **~ gas** une fuite de gaz

(Idiom) **to take a ~**◑ aller se soulager○

(Phrasal verbs) ■ **leak away** s'écouler

■ **leak out** [*information, news, secret*] être divulgué; [*water, chemicals, gas*] se répandre

■ **leak in** [*water*] s'infiltrer (**through** par)

leakage /ˈliːkɪdʒ/ *n* 1 ¢ (leaking) fuite *f*; 2 (spill) fuite *f*, perte *f*; 3 ¢ (of information, secrets) fuite *f*; 4 Comm, Meas (natural loss) perte *f*

leaker○ /ˈliːkə(r)/ *n* US taupe *f*, espion/-onne *m/f*

leaky /ˈliːkɪ/ *adj* [*container, tap, pipe, roof*] qui fuit; [*boat*] qui prend l'eau; **to be ~** [*container, tap, roof*] fuir

lean /liːn/

A *n* (meat) maigre *m*

B *adj* 1 (not fat) [*person, body, face*] mince; [*meat*] maigre; 2 fig (difficult) [*year, times*] difficile; **to have a ~ time** *ou* **year** connaître les vaches maigres; **two ~ years** deux années de vaches maigres; 3 (efficient) [*company*] dégraissé

C *vtr* (*prét, pp* **leaned** *ou* **leant**) appuyer; **to ~ a bike/ladder against a wall** appuyer un vélo/une échelle contre *or* à un mur; **to ~ one's head on sb's shoulder** appuyer sa tête sur *or* contre l'épaule de qn; **to ~ one's head out of the window** se pencher par la fenêtre, mettre la tête à la fenêtre; **to ~ one's elbows on sth** s'accouder à qch; **to ~ one's back against the wall** s'adosser au mur

D *vi* (*prét, pp* **leaned** *ou* **leant**) [*wall, building*] pencher; **the bicycle/ladder was ~ing against the wall** la bicyclette/l'échelle était appuyée contre le mur *or* au mur; **to ~ against a wall** (for support) s'appuyer contre un mur; (with one's back) s'adosser au mur

(Idiom) **to have a ~ time of it** manger de la vache enragée○

(Phrasal verbs) ■ **lean across**: ▸ **~ across** [*person*] se pencher (**to do** pour faire); ▸ **~ across [sth]** se pencher par-dessus [*desk, table*]

■ **lean back** se pencher en arrière; **to ~ back in one's chair** s'appuyer contre le dossier de sa chaise

■ **lean down** se pencher; **to ~ down from**

the cab of a lorry se pencher par la vitre d'un camion
■ **lean forward** se pencher en avant (**to do** pour faire)
■ **lean on**: ▸ ~ **on [sth]** s'appuyer sur [*stick*]; s'accouder à [*window-sill*]; ~ **on my arm** appuie-toi sur mon bras; ▸ ~ **on [sb]** 1 lit s'appuyer sur [*person*]; 2 fig (depend on) compter sur [*person*]; 3 fig (pressurize) faire pression sur [*person*]
■ **lean out**: ▸ ~ **out** se pencher au dehors; **to ~ out of [sth]** se pencher par [*window*]; se pencher par la vitre de [*vehicle*]
■ **lean over**: ▸ ~ **over** [*person*] gen se pencher; (forwards) se pencher en avant; ▸ ~ **over [sth]** se pencher par-dessus [*shoulder, wall*]
■ **lean towards** lit se pencher vers; fig [*person, party, object*] pencher vers

leaning /ˈliːnɪŋ/ *adj* [*tree, post*] penché; **the ~ tower of Pisa** la tour penchée de Pise

leanings /ˈliːnɪŋz/ *npl* (gift, predisposition) dispositions *fpl*; (tendencies) tendances *fpl*; (inclinations) inclinations *fpl*; **to have artistic ~** avoir des dispositions artistiques; **to have socialist ~** pencher vers le socialisme

leanness /ˈliːnnɪs/ *n* 1 (of person) minceur *f*; 2 (of meat) absence *f* de gras

leant /lent/ *prét, pp* ▸ **lean**

lean-to /ˈliːntuː/
A *n* appentis *m*
B *modif* [*shed, garage*] en appentis

leap /liːp/
A *n* 1 lit, gen saut *m*, bond *m*; Sport saut *m*; **to take a ~** sauter, faire un saut; **in** *ou* **at one ~** d'un bond; 2 fig (big step) bond *m* (en avant); **a great ~ forward in sth** un grand bond en avant en qch; **to make the ~ from journalist to novelist** faire le saut du journalisme au roman; **it requires a ~ of the imagination** cela réclame un grand effort d'imagination; **'a giant ~ for mankind'** 'un pas de géant pour l'humanité'; 3 (in price, demand) bond *m* (**in** dans)
B *vtr* (*prét, pp* **leapt, leaped** /liːpt, lept/) 1 (jump over) franchir [qch] d'un bond [*hedge, chasm*]; 2 [*person*] **to ~ three metres** sauter trois mètres; 3 [*rider*] faire sauter [*horse*] (**over** au dessus de)
C *vi* (*prét, pp* **leapt, leaped** /liːpt, lept/) 1 [*person, animal*] bondir, sauter; **to ~ out of the bath/to the phone/to one's feet** bondir *or* sauter hors de son bain/sur le téléphone/sur ses pieds; **to ~ across** *ou* **over sth** franchir qch d'un bond; **to ~ out of bed** sauter du lit; **to ~ to safety** sauter pour sauver sa vie; **to ~ up the stairs** monter l'escalier quatre à quatre; **to ~ to sb's defence** fig bondir au secours de qn; 2 fig [*heart*] bondir (**with** de); **her mind ~ed back to her childhood** son enfance lui est revenue brutalement à l'esprit; **the narrative ~s forward to 1950** le récit saute à 1950; **the words ~ed off the page at him** les mots lui ont sauté aux yeux; 3 [*price, profit, charge, stock market*] grimper (**by** de)

(Idioms) **look before you ~** Prov il faut réfléchir avant d'agir; **to come on in ~s and bounds** faire des progrès à pas de géant

(Phrasal verbs) ■ **leap around, leap about** sautiller
■ **leap at** fig: ▸ ~ **at [sth]** bondir sur [*chance, offer*]
■ **leap in** fig (with answer, retort) se lancer
■ **leap out** lit surgir d'un bond (**from behind** de derrière); ▸ ~ **out at [sb]** 1 surgir en bondissant sur [*passer-by*]; 2 fig (be obvious) sauter aux yeux de [*reader, onlooker*]
■ **leap up** 1 (jump to one's feet) bondir sur ses pieds; **to ~ up at sb** [*dog*] bondir sur qn; 2 (rise) [*price, rate*] grimper

leapfrog /ˈliːpfrɒg/ ▸ **p. 1253**
A *n* saute-mouton *m*; **to play ~** jouer à saute-mouton
B *vtr* (*p prés etc* **-gg-**) 1 lit sauter par dessus [*wall, obstacle*]; 2 fig devancer [*rival, opponent*]
C *vi* (*p prés etc* **-gg-**) fig **to ~ over** devancer [*rival, opponent*]

leapt /lept/ *pp, prét* ▸ **leap**

leap year *n* année *f* bissextile

learn /lɜːn/
A *vtr* (*prét, pp* **learned** *ou* **learnt**) 1 (through study, practice) apprendre [*language, facts, trade*]; acquérir [*skills*] (**from** de); **to ~ to do, to ~ how to do** apprendre à faire; **I ~ed a lot from her** elle m'a beaucoup appris; **what we ~ed from the experiment was that** ce que nous pouvons tirer de l'expérience, c'est que; **what did we ~ from it?** qu'est-ce que cela nous a apporté?; **there is a lesson to be ~ed from this** on peut tirer une leçon de ceci; **we ~ed all about computers** nous avons tout appris sur les ordinateurs; **to ~ to live with sb/sth** s'adapter à qn/qch; 2 (discover) **to ~ that** apprendre que; **we'll soon ~ whether he succeeded** nous saurons bientôt s'il a réussi; 3 °GB (teach) **I'll soon ~ you!** je t'apprendrai, va!; **that'll ~ you!** ça t'apprendra!
B *vi* (*prét, pp* **learned** *ou* **learnt**) 1 (acquire knowledge) apprendre; **to ~ about sth** apprendre qch; **to ~ from** *ou* **by experience** apprendre à force d'expérience; **to ~ from one's mistakes** tirer la leçon de ses erreurs; **it's been a ~ing experience** ça a été une expérience pleine d'enseignements; **you'll ~!** un jour tu comprendras!; **it's never too late to ~** il n'est jamais trop tard pour apprendre; 2 (hear information) apprendre (**that** que); **to ~ of** *ou* **about sb's death** apprendre la mort de qn

(Idiom) **live and ~** c'est une bonne leçon

(Phrasal verb) ■ **learn off**: ▸ ~ **[sth] off**, ~ **off [sth]** apprendre [qch] par cœur

learned /lɜːnɪd/ *adj* 1 [*person, book, article*] érudit; [*remark, speech*] savant; [*journal*] spécialisé; [*society*] savant; **my ~ friend** Jur mon distingué confrère; 2 /lɜːnd/ Psych [*behaviour, response*] acquis

learnedly /ˈlɜːnɪdlɪ/ *adv* savamment

learner /ˈlɜːnə(r)/ *n* apprenant/-e *m/f*; **foreign language ~s** apprenants en langue étrangère; **he's only a ~** ce n'est qu'un débutant; **to be a quick ~** apprendre vite; **slow ~** Sch élève *m/f* lent/-e; **to be a slow ~** avoir du mal à assimiler

learner driver *n* GB élève *m/f* d'auto-école

learning /ˈlɜːnɪŋ/ *n* 1 (erudition) érudition *f*; **the amount of ~ in that book is phenomenal** le niveau d'érudition de ce livre est phénoménal; **to wear one's ~ lightly** ne pas faire étalage de son érudition; 2 (process) apprentissage *m*; **the ~ of social skills** l'apprentissage de la vie en société

(Idiom) **a little ~ is a dangerous thing** Prov il est dangereux de jouer aux experts

learning curve *n* courbe *f* d'apprentissage

learning difficulties *npl* **children with ~** enfants *mfpl* avec des difficultés scolaires, enfants *mpl* en grande difficulté; **adults with ~** adultes *mfpl* avec des difficultés d'apprentissage

learning: ~ **disability** *n* US Sch difficultés *fpl* scolaires; ~ **disabled child** *n* US Sch enfant *mf* ayant des difficultés scolaires; ~ **process** *n* processus *m* d'apprentissage; ~ **resources centre** *n* centre *m* de documentation et d'information; ~ **support teacher** *n* enseignant/-e *m/f* qui donne des cours de soutien

learnt /lɜːnt/ *prét, pp* ▸ **learn**

lease ➜▮ /liːs/
A *n* Jur (contract, period of time) bail *m*; **to take out a ~ on an apartment** prendre un appartement à bail; **a one-year ~** un bail d'un an; **long ~** bail à long terme
B *vtr* 1 [*tenant*] louer [qch] à bail [*house, premises*]; [*client*] louer [*car*]; 2 = **lease out**

(Idioms) **to give sb a new ~ of** GB *ou* **on** US **life** [*operation, new drug*] redonner vie à qn; [*news, experience*] redonner des forces à qn; **to give a new ~ of life to** donner un second souffle à [*party, company, movement*]; **the city has been given a new ~ of** *ou* **on life** la ville connaît un regain de vitalité

(Phrasal verb) ■ **lease out**: ▸ ~ **out [sth]**, ~ **[sth] out** louer [qch] à bail [*property*]

leaseback /ˈliːsbæk/ *n* cession-bail *f*

leasehold /ˈliːshəʊld/
A *n* (property) propriété *f* louée à bail; (tenure) bail *m*
B *adj* [*property*] loué à bail
C *adv* à bail

lease: ~**holder** *n* locataire *mf* à bail; ~**hold reform** *n* révision *f* du bail

leash /liːʃ/ *n* 1 (for dog) laisse *f*; **to have one's dog on a ~** tenir son chien en laisse; 2 fig **to keep sb on a short** *ou* **tight ~** tenir la bride haute à qn; **to be straining at the ~** [*person*] brûler d'impatience

leasing /ˈliːsɪŋ/
A *n* (by company) crédit-bail *m*; (by individual) location *f* avec option d'achat
B *modif* [*company, scheme*] de leasing

least /liːst/ (*superlative of* **little**)

> ⚠ When *the least* is used as a quantifier followed by a noun to mean *the smallest quantity of* it is translated by *le moins de*: *to have the least food* = avoir le moins de nourriture.
> But when *the least* is used as a quantifier to mean *the slightest* it is translated by *le* or *la moindre*: *I haven't the least idea* – je n'en ai pas la moindre idée.
> For examples of these and particular usages see **A** below.
> For translations of *least* as a pronoun or adverb see **B** and **C** below.
> The phrase *at least* is usually translated by *au moins*.
> For examples and exceptions see **D** below.
> For the phrase *in the least* see **E** below.

A *quantif* (**the**) ~ (le) moins de; (in negative constructions) (le *or* la) moindre; **they have the ~ food** ce sont eux qui ont le moins de nourriture *or* le moins à manger; **they have the ~ chance of winning** ce sont eux qui ont le moins de chance de gagner; **they haven't the ~ chance of winning** ils n'ont pas la moindre chance de gagner; **I haven't the ~ idea** je n'en ai pas la moindre idée; **he didn't have the ~ difficulty in believing her** il n'a pas eu la moindre difficulté à la croire; **the ~ thing annoys him** la moindre chose l'agace; **he wasn't the ~ bit jealous/worried** il n'était pas jaloux/inquiet le moins du monde *or* du tout; **'were you frightened?'—'not the ~ bit!'** 'est-ce que tu avais peur?'–'pas le moins du monde!'
B *pron* le moins; **nobody has very much but we have the ~** personne n'en a beaucoup mais c'est nous qui en avons le moins; **buy the one that costs the ~** achète le moins cher (*or* la moins chère); **it was the ~ I could do** c'était la moindre des choses!; **the ~ he could have done was phone the police** il aurait au moins pu appeler la police; **that's the ~ of our problems!** c'est le cadet de nos soucis!; **that's the ~ of it** ce n'est pas tout; **she was surprised, to say the ~ (of it)** le moins qu'on puisse dire, c'est qu'elle était surprise
C *adv* 1 (with adjective or noun) **the ~** le/la moins; (with plural noun) les moins; **she was the ~ satisfied of all** c'était elle la moins satisfaite de tous; **the ~ wealthy/powerful families** les familles les moins riches/puissantes
2 (with verbs) le moins *inv*; **I like that one (the) ~** c'est celui-là que j'aime le moins; **they are the ones who need it (the) ~** ce sont eux qui en ont le moins besoin; **just when we ~ expected it** juste quand on s'y attendait le

---

➜▮ *see* Life in France

l

moins; **those ~ able to afford to pay** ceux qui peuvent le moins se permettre de payer; **those ~ able to cope** ceux qui ont le plus de mal à se débrouiller; **nobody was very enthusiastic about this idea, the president ~ of all** *ou* **~ of all the president** personne n'a accueilli cette idée avec enthousiasme, le président encore moins que les autres; **not ~ because** entre autres parce que, à commencer parce que

D **at least** *adv phr* (stating minimum quantity or advantage) au moins; (qualifying statement) du moins; **there were at ~ 50 people in the room** il y avait au moins 50 personnes dans la pièce; **it must have cost at ~ £1,000** cela a dû coûter au moins 1 000 livres sterling; **she's at ~ 40** elle a au moins 40 ans; **he's at ~ as qualified as she is** il est au moins aussi qualifié qu'elle; **they could at ~ have phoned!** ils auraient au moins pu téléphoner!; **you could at ~ have told me!** tu aurais pu au moins me le dire!; **at ~ she didn't suffer** au moins elle n'a pas souffert; **he's gone to bed—at ~ I think so** il est allé se coucher—du moins, je pense; **he has never been there—at ~, that's what he says** il n'y a jamais été—du moins, c'est ce qu'il dit; **such people are at the very ~ guilty of negligence** de telles personnes sont au moins coupables de négligence; **candidates should, at the very ~, be proficient in two foreign languages** les candidats devront maîtriser au moins deux langues étrangères

E **in the least** *adv phr* **I'm not worried in the ~, I'm not in the ~ (bit) worried** je ne suis pas inquiet le moins du monde; **I'm not hungry in the ~, I'm not in the ~ (bit) hungry** je n'ai absolument pas faim; **it doesn't bother me in the ~** ça ne me dérange pas le moins du monde; **it doesn't matter in the ~** ça n'a pas la moindre importance; **not in the ~!** pas du tout!, pas le moins du monde!

(Idioms) **last but not ~, last but by no means ~** enfin et surtout

leastways° /'li:stweɪz/, **leastwise**° /'li:stwaɪz/ US *adv* en tout cas

leather /'leðə(r)/

A *n* **1** (material) cuir *m*; **2** (*also* **wash ~**) peau *f* de chamois; **3** = **stirrup leather**

B **leathers** *npl* vêtements *mpl* en cuir

C *modif* [*garment, object*] de cuir, en cuir

D °*vtr* rosser [*person*]

(Idiom) **to go hell for ~**° [*person, vehicle*] aller à un train d'enfer°

leather: **~ bar**° *n* bar-cuir *m*; **~-bound** *adj* relié en cuir

leatherette /ˌleðə'ret/ *n* similicuir *m*

leather goods *npl* gen articles *mpl* en cuir; (expensive) maroquinerie *f*

leathering° /'leðərɪŋ/ *n* tannée◑ *f*

leather: **~jacket** *n* GB Zool larve *f* de la tipule; **~neck**° *n* US argot des marines marine *m* (américain), fusilier-marin *m* (américain); **~wear** *n* vêtements *mpl* en cuir

leathery /'leðərɪ/ *adj* [*skin*] tanné; [*meat*] coriace

leave /li:v/

A *n* **1** (*also* **~ of absence**) (time off) gen congé *m*; Mil permission *f*; **to take ~** prendre des congés; **to take three days' ~** prendre trois jours de congé; **I've taken all my ~ for this year** j'ai pris tous mes congés pour cette année; **to be granted 24 hours' ~** Mil recevoir une permission de 24 heures; **to be on ~** gen être en congé; Mil être en permission; **to come home on ~** Mil rentrer en permission **2** (permission) autorisation *f*; **to give sb ~ to do** donner à qn l'autorisation de faire; **to have sb's ~ to do** avoir l'autorisation de qn de faire; **to ask sb's ~ to do, to ask ~ of sb (to do)** sout demander à qn l'autorisation de faire; **by** *ou* **with your ~** avec votre permission; **without so much as a by your ~** sans autre forme de procès **3** (departure) **to take ~ of sb** prendre congé de qn; **he took his ~** il a pris congé

B *vtr* (*prét, pp* **left**) **1** (depart from) gen partir de [*house, station etc*]; (more permanently) quitter [*country, city etc*]; (by going out) sortir de [*room, building*]; **he left home early** il est parti tôt de chez lui; **to ~ school** (permanently) quitter l'école; **the plane/train ~s Paris for Nice at 9.00** l'avion/le train pour Nice part de Paris à 9 heures; **to ~ the road/table** quitter la route/table; **to ~ France to live in Canada** quitter la France pour aller vivre au Canada; **to ~ the track** [*train*] dérailler; **to ~ the ground** [*plane*] décoller; **to ~ one's seat** se lever; **I left him cleaning his car** quand je suis parti, il nettoyait sa voiture; **the smile left her face** fig son sourire s'est effacé; **as soon as the words left her lips...** à peine eut-elle fini de parler...
2 (leave behind) (forgetfully) laisser [*person*]; oublier [*object*]; (deliberately) quitter [*partner*]; laisser [*key, instructions, name, tip, address*] (**for** pour; **with** chez); (permanently) abandonner [*animal, children, family*]; **he left his umbrella on the train** il a oublié son parapluie dans le train; **the kittens had been left in a sack** on avait abandonné les chatons dans un sac; **she's left her husband** elle a quitté son mari; **to ~ sb sth** laisser qch à qn; **I've left him some instructions/the key** je lui ai laissé des instructions/la clé; **to ~ sb/sth in sb's care** confier qn/qch à qn
3 (let remain) laisser [*food, drink, gap, choice*]; **he left his vegetables/wine** il a laissé ses légumes/son vin; **you ~ me no choice** *ou* **alternative but to...** vous ne me laissez pas d'autre choix que de...; **he left us in no doubt as to** *ou* **about his feelings** il ne nous a laissé aucun doute quant à ses sentiments; **to ~ sth lying around** laisser traîner qch; **to ~ sth tidy/open/in ruins** laisser qch en ordre/ouvert/en ruines; **to ~ sb homeless** laisser qn sans domicile; **to be left homeless** se retrouver sans domicile; **there are/we have five minutes left** il reste/il nous reste cinq minutes; **he was left short of money/time** il ne lui restait plus beaucoup d'argent/de temps; **he stared at what was left of the house** il a regardé longuement ce qui restait de la maison; **ten minus seven ~s three** Math sept ôtés de dix, il reste trois; **the accident left him an orphan/a cripple** l'accident a fait de lui un orphelin/un invalide; **the attack left her with a scar/a broken nose** elle a gardé une cicatrice/un nez cassé après l'agression; **where does that ~ me?** qu'est-ce que je vais devenir?
4 (allow to do) **to ~ sth to sb** laisser [qch] à qn [*job, task*]; **to ~ it (up) to sb to do** laisser à qn le soin de faire; **it will be left to him to do it** on lui laissera le soin de le faire; **to ~ the decision/choice (up) to sb** laisser à qn le soin de décider/choisir; **to ~ it up to sb where/how etc to do** laisser qn décider où/comment etc faire; **to ~ sb to do** laisser qn faire; **~ him to sleep** laisse-le dormir; **to ~ sb to it** (to do something) laisser qn se débrouiller; (to be alone) laisser qn tranquille; **to ~ sb to himself, to ~ sb be**° laisser qn tranquille; **~ him/me alone** laisse-le/-moi tranquille; **~ it to** *ou* **with me** je m'en occupe, je m'en charge; **~ everything to me!** je m'en occupe, je me charge de tout!
5 (result in) [*oil, wine, tea*] faire [*stain*]; [*cup, plate etc*] laisser [*stain, mark*]; [*cup, heel, chair*] faire [*hole, dent*]; **the operation will ~ a scar** vous garderez une cicatrice de l'opération
6 (postpone) laisser [*task, homework, housework*]; **~ it till tomorrow/Friday/the end** laisse ça pour demain/vendredi/la fin
7 (stop and agree) **to ~ it that** convenir que; **to ~ it at that** en rester là
8 Jur (bequeath) laisser, léguer [*money, property*]; **to ~ sth to sb, to ~ sb sth** léguer qch à qn
9 (be survived by) laisser [*widow, son, daughter*]
10 (pass) **to ~ sth on one's left/right** passer qch à gauche/à droite

C *vi* (*prét, pp* **left**) partir; **to ~ for** partir pour [*airport, France*]; **to ~ for work** partir travailler; **to ~ for another company** partir dans une autre société; **he left for a career in advertising** il est parti pour faire carrière dans la publicité

D *v refl* (*prét, pp* **left**) **to ~ oneself (with)** se réserver [*time, money*]; **to ~ oneself short of money/time** ne pas prévoir assez d'argent/de temps

(Phrasal verbs) ■ **leave about, leave around**: ▸ **~ [sth] around** (carelessly) laisser traîner [*books, papers, toys*]; (deliberately) disposer [*cushions, books, magazines*]

■ **leave aside**: ▸ **~ [sth] aside, ~ aside [sth]** laisser [qch] de côté; **leaving aside the question of** (ignoring for now) si on laisse de côté la question de; (not mentioning) sans parler du problème de

■ **leave behind**: ▸ **~ [sb/sth] behind** **1** (go faster than) distancer [*person, competitor*]; fig (in business, intellectually) distancer [*person, competitor*]; **the teacher left the students behind** les étudiants n'arrivaient pas à suivre le professeur; **2** (move away from) [*vehicle, plane*] s'éloigner de [*coast, country, ground*]; [*traveller*] laisser [qch] derrière soi [*town, country*]; [*person*] quitter [*family, husband*]; fig en finir avec, tirer un trait sur [*past, problems, relationship*]; **3** (fail to bring) (accidentally) oublier, laisser [*object, child, animal*]; (deliberately) laisser [*object, child, animal*]; ▸ **~ [sth] behind** (cause to remain) [*person*] laisser [*chaos, problems, bitterness*]; [*earthquake, storm, flood*] faire [*damage*]; **to ~ chaos behind** laisser la pagaille°; **the army/tornado left a trail of destruction behind it** l'armée/la tornade a tout détruit sur son passage; **to be** *ou* **get left behind** (not keep up) (physically) [*person*] se faire distancer; (intellectually) ne pas suivre, être largué°; (in business) [*country, company*] se laisser distancer; (not be taken) (accidentally) être oublié; (deliberately) **the plants were left behind** on a laissé les plantes

■ **leave go, leave hold** (*usage critiqué*) lâcher; **to ~ go** *ou* **hold of sb/sth** lâcher qn/qch

■ **leave in**: ▸ **~ [sth] in** laisser [*object, paragraph, quote*]

■ **leave off**: ▸ **~ off** [*rain*] cesser; [*person*] s'interrompre; **to carry on** *ou* **continue where one left off** reprendre là où on en était; **where did we ~ off?** où en étions-nous?; **~ off°!** arrête°!; ▸ **~ off doing** (stop) cesser *or* arrêter de faire; ▸ **~ [sth] off, ~ off [sth]** **1** (not put on) ne pas mettre [*coat, tie, hat, lid, blanket*]; (not put back on) ne pas remettre [*coat, tie, hat, lid, blanket*]; **2** (not switch on) ne pas allumer [*light, TV*]; ne pas brancher [*iron, kettle*]; (leave switched off) laisser [qch] éteint [*light, central heating, TV*]; laisser [qch] débranché [*iron, kettle*]; **3** (omit) omettre [*name, item, letter*]; (by mistake) oublier [*name, item, letter*]; **to ~ sth off a list** omettre qch d'une liste

■ **leave on**: ▸ **~ [sth] on** **1** (not remove) garder [*coat, tie, hat*]; laisser [*lid, blanket, bandage, label*]; **2** (not switch off) laisser [qch] allumé [*light, TV, central heating*]; laisser [qch] branché [*iron*]; laisser [qch] ouvert [*gas, tap*]; laisser [*safety catch*]

■ **leave out**: ▸ **~ [sb/sth] out, ~ out [sb/sth]** **1** (fail to include) (accidentally) omettre, oublier [*word, line, name, fact*]; oublier [*ingredient, object, person*] (deliberately) omettre [*name, fact, reference*]; ne pas mettre [*ingredient, object*]; (from social group, activity) tenir [qn] à l'écart; **to feel left out** se sentir tenu à l'écart; **~ it out°!** arrête°!; **to ~ sth out of** omettre qch de [*text*]; **to ~ sb out of** exclure qn de [*group*]; **~ me out of it!** ne me mêlez pas à ça!; **to ~ sth out of one's calculations** ne pas tenir compte de qch dans ses calculs; **2** (let remain outdoors) laisser [qch] dehors [*bicycle, washing, milk*]; **3** (not put away) laisser [qch] dehors [*clothes*]; **4** (not put in) ne pas mettre [*contact lenses, plug*]; (not put back) ne pas remettre [*contact lenses, plug*]

■ **leave over**: ▸ ~ **[sth] over** 1 (cause to remain) laisser [*food, drink*]; **there is/we have some money left over** il reste/il nous reste de l'argent; 2 (postpone) remettre [qch] à plus tard [*discussion, meeting*]

leaven /'levn/
A †*n* levain *m*
B *vtr* 1 Culin faire lever; 2 fig (enliven) relever [*speech, story*] (**with** de)

leavening /'levnɪŋ/ *n* lit, fig levain *m*

leaves /liːvz/ *npl* ▸ **leaf**

leave-taking *n* adieux *mpl*

leaving /'liːvɪŋ/
A *n* départ *m*
B *modif* [*party, present*] d'adieu
C **leavings** *npl* restes *mpl*

Lebanese /ˌlebə'niːz/ ▸ **p. 1467**
A *n* Libanais/-e *m/f*
B *adj* libanais, du Liban

Lebanon /'lebənən/ ▸ **p. 1096** *pr n* (*also* **the** ~) (le) Liban *m*; **in** ~ au Liban

lech○ /letʃ/
A = **lecher**
B *vi* **to** ~ **for** *ou* **after sb** courir après qn

lecher /'letʃə(r)/ *n* péj coureur *m* de jupons

lecherous /'letʃərəs/ *adj* lubrique

lecherously /'letʃərəslɪ/ *adv* d'une manière lubrique

lechery /'letʃərɪ/ *n* lubricité *f*

lectern /'lektɜːn/ *n* (in church) lutrin *m*; (for lecture notes) pupitre *m*

lector /'lektɔː(r)/ *n* lecteur/-trice *m/f*

lecture /'lektʃə(r)/
A *n* 1 (public talk) conférence *f* (**on** sur); GB Univ cours *m* magistral (**on** sur); **to give a** ~ (public talk) donner une conférence (**to** à); GB Univ faire un cours (**to** à); 2 (scolding) **he gave me a** ~ il m'a sermonné, il m'a fait la leçon
B *vtr* 1 GB Univ donner un cours à; **she** ~**s new students on computing** elle donne des cours d'informatique aux nouveaux étudiants; 2 (scold) sermonner○, faire la leçon à; **to** ~ **sb for having done sth** sermonner qn pour avoir fait qch
C *vi* 1 GB Univ faire un cours (**to** à; **on** sur) ; **next term he'll be lecturing on Sartre** le trimestre prochain il fera un cours sur Sartre; **she** ~**s in mathematics** elle enseigne les mathématiques (à l'université); 2 (give public talk) donner une conférence (**on** sur)

lecture: ~ **hall** *n* US amphithéâtre *m*, amphi○ *m*; ~ **notes** *npl* GB Univ notes *fpl* de cours

lecturer /'lektʃərə(r)/ ▸ **p. 1683** *n* 1 (speaker) conférencier/-ière *m/f*; 2 GB Univ enseignant/-e *m/f* (du supérieur); **junior** ~ ≈ assistant/-e *m/f*; **senior** ~ ≈ maître *m* de conférences; **she's a maths** ~ *ou* **a** ~ **in maths** elle enseigne les maths (à l'université); 3 US Univ ≈ chargé *m* de cours

lecture room *n* GB Univ salle *f* de conférences

lectureship /'lektʃəʃɪp/ *n* GB Univ poste *m* d'enseignant à l'université; **a** ~ **in linguistics** un poste en linguistique (à l'université)

lecture theatre *n* GB Univ amphithéâtre *m*, amphi○ *m*

led /led/ *pret, pp* ▸ **lead¹**

LED *n* (*abrév* = **light-emitting diode**) DEL *f*, diode *f* électroluminescente

ledge /ledʒ/ *n* 1 (in house) (small shelf) rebord *m*; **window** ~ rebord *m* de la fenêtre; 2 (natural) (on mountain, cliff) saillie *f* (rocheuse), replat *m*; (tiny) aspérité *f*; (overhang) corniche *f*; 3 (under sea) (reef) récif *m*; (projection) haut-fond *m*; 4 Sport (in climbing) vire *f*

ledger /'ledʒə(r)/ *n* 1 Accts registre *m* (*de comptabilité*); grand livre *m*; 2 Constr sommier *m* d'échafaudage; 3 Fishg clipot *m*, paternoster *m*

ledger line *n* 1 Mus ligne *f* supplémentaire (de portée); 2 Fishg paternoster *m*

lee /liː/
A *n* côté *m* sous le vent *or* à l'abri du vent; **in** *ou* **under the** ~ **of** à l'abri de
B *adj* [*side, shore*] sous le vent

leech /liːtʃ/ *n* Zool, fig, péj sangsue *f*; **to cling to sb like a** ~ coller○ qn comme une sangsue

leek /liːk/ *n* poireau *m*

leer /lɪə(r)/ péj
A *n* (cunning) regard *m* sournois; (malevolent) regard *m* malveillant; (lustful) regard *m* libidineux
B *vi* (lustfully) jeter des regards libidineux; (slyly) jeter des regards sournois; **to** ~ **at sb/sth** lorgner○ qn/qch

leery /'lɪərɪ/ *adj* **to be** ~ **of** se méfier de

lees /liːz/ *npl* (wine sediment) lie *f*

leeward /'liːwəd, 'luːəd/
A *n* côté *m* sous le vent; **to** ~ sous le vent
B *adj, adv* sous le vent

Leeward Islands ▸ **p. 1355** *npl* îles *fpl* Sous-le-Vent

leeway /'liːweɪ/ *n* 1 Naut, Aviat dérive *f*; 2 fig liberté *f* de manœuvre

left /left/ ▸ **p. 1139**
A *prét, pp* ▸ **leave**
B *n* 1 (side or direction) gauche *f*; **on the** ~ sur la gauche; **on your** ~ sur votre gauche; **to the** ~ vers la gauche; **keep (to the)** ~ Aut tenez la gauche; 2 Pol **the** ~ la gauche; **on the** ~ à gauche; **to the** ~ **of sb** à gauche de qn; 3 Sport (poing *m*) gauche *m*
C *adj* [*eye, hand, shoe*] gauche
D *adv* [*go, look, turn*] à gauche

(Idioms) ~**, right and centre** (everywhere) partout; (indiscriminately) [*criticize, spend money*] sans réfléchir; **to be out in** ~ **field**○ US être à côté de la plaque○

left: ~ **back** *n* Sport arrière *m* gauche; **Left Bank** *n* (in Paris) Rive *f* gauche

left-click *vi* cliquer en appuyant sur le bouton gauche (de la souris) (**on** sur)

left-hand /ˌleft'hænd/ *adj* [*page, side, door*] de gauche

left-hand drive, lhd
A *n* voiture *f* avec la conduite à gauche
B *adj* [*vehicle, car*] avec la conduite à gauche

left-handed /ˌleft'hændɪd/
A *adj* [*person*] gaucher/-ère; [*scissors, pen*] pour gauchers
B *adv* [*play, write*] de la main gauche

left: ~**-handedness** *n* fait *m* d'être gaucher; ~**-hander** *n* gaucher/-ère *m/f*

leftie○ /'leftɪ/ *n* aussi péj gauchiste *mf*

leftism /'leftɪzəm/ *n* Pol gauchisme *m*

leftist /'leftɪst/
A *n* Pol homme/femme *m/f* de gauche
B *adj* Pol [*person, party, activity, view*] de gauche

left: ~**-luggage (office)** *n* GB consigne *f*; ~ **luggage** *n* GB bagages *mpl* en consigne; ~**-of-centre** *adj* Pol centre-gauche *inv*; ~**-over** *adj* restant; ~**-overs** *npl* restes *mpl*

left wing
A *n* 1 Pol **the** ~ la gauche; 2 Sport (side of field) côté *m* gauche; (player) ailier *m* gauche
B **left-wing** *adj* Pol [*person, group, view, idea*] de gauche

left-winger *n* Pol homme/femme *m/f* de gauche

leg /leg/
A *n* 1 ▸ **p. 997** Anat (of person) jambe *f*; (of animal) gen patte *f*; (of horse) jambe *f*; **to have a bad** ~○ être infirme d'une jambe; **to stand on one** ~ se tenir debout sur une jambe; **my** ~**s can't go any further** mes jambes ne me portent plus; 2 (of furniture) pied *m*; **table** ~ pied *m* de table; 3 Culin (of lamb) gigot *m*; (of veal) cuisseau *m*; (of poultry, pork, game, frog) cuisse *f*; (of venison) cuissot *m*; 4 Sewing (of trousers) jambe *f*; **these trousers are too long in the** ~ ce pantalon a les jambes trop longues; 5 (of journey, race) étape *f*; 6 Sport (in football) manche *f*
B *modif* [*movement, muscle*] de la jambe; [*pain*] à la jambe; [*exercises*] pour les jambes
C ○*vtr* (*p prés etc* **-gg-**) **to** ~ **it** (walk) arquer○; (walk fast) galoper○; (run away) cavaler○
D **-legged** (*dans composés*) **three-**~**ged** [*furniture*] à trois pieds; **four-/six-**~**ged** [*animal*] à quatre/six pattes; **long-**~**ged** [*person*] à jambes longues; [*animal*] à longues pattes; **bare-**~**ged** jambes nues

(Idioms) **break a** ~○! Theat je te dis merde◑!; US (get lost) lâche-moi les baskets○!; **shake a** ~! remue-toi!; **she doesn't have a** ~ **to stand on** elle n'a rien sur quoi s'appuyer, elle n'a aucun argument valable; **show a** ~○! sors-toi○ du lit; **to be all** ~**s** être tout en jambe; **to be on its last** ~**s** [*machine, car*] avoir fait son temps; [*regime*] ne plus en avoir pour longtemps; [*company*] être au bord de la faillite; **he is on his last** ~**s** il n'en a plus pour longtemps; **to cost an arm and a** ~ coûter les yeux de la tête; **to get one's** ~ **over**◑ s'envoyer en l'air◑; **to give sb a** ~ **up**○ faire la courte échelle à qn; fig dépanner qn○; **to pull sb's** ~ faire marcher qn

legacy /'legəsɪ/
A *n* 1 Jur legs *m*; 2 fig **the** ~ **of** l'héritage *m* de [*era, event, movement, artist etc*]; les séquelles *fpl* de [*war, suffering*]; **X's** ~ **to sth** la contribution de X à qch
B *modif* [*system, software*] hérité du passé

legal /'liːgl/ *adj* 1 (relating to the law) [*assistance, battle, career, department, document, matter, parlance, system, representative*] juridique; [*mistake*] judiciaire; [*medicine, process, status*] légal; [*costs, fees*] de justice; **to take** *ou* **get** ~ **advice** consulter un avocat; 2 (recognized by the law) [*abortion, act, age, heir, import, limit, obligation, right, separation*] légal; [*requirement*] requis par la loi; [*definition, guideline, precedent*] juridique; [*owner, claim*] légitime; **it is** ~ **to do** il est légal de faire; **it is your** ~ **duty to do** vous êtes dans l'obligation légale de faire

legal action *n* poursuite *f* judiciaire; **to bring a** *ou* **take** ~ **against sb** intenter un procès à qn

legal: ~ **aid** *n* Jur aide *f* juridique; ~ **capacity** *n* capacité *f*; ~ **eagle**○ *n* as *m* du barreau○; ~ **entity** *n* personne *f* morale

legalese /ˌliːgə'liːz/ *n* péj jargon *m* juridique

legal: ~ **fiction** *n* fiction *f* de droit *or* de la loi; ~ **holiday** *n* US jour *m* férié

legalism /'liːgəlɪzəm/ *n* 1 (legal term) tournure *f* juridique; 2 ¢ (rigour) légalisme *m*

legalistic /ˌliːgə'lɪstɪk/ *adj* péj [*approach, attitude, reasoning*] légaliste; [*terminology*] juridique

legality /liː'gælətɪ/ *n* légalité *f*

legalization /ˌliːgəlaɪ'zeɪʃn, US -lɪ'z-/ *n* légalisation *f*

legalize /'liːgəlaɪz/ *vtr* légaliser

legally /'liːgəlɪ/ *adv* 1 (in the eyes of the law) [*liable, valid, void*] juridiquement; **to be** ~ **represented** être représenté par un avocat; **to be** ~ **qualified** être juriste; **to be** ~ **responsible for sth** avoir la responsabilité légale de qch; **to be** ~ **entitled to do** avoir le droit de faire; ~**, the matter is complex** du point de vue juridique, l'affaire est compliquée; **this contract is** ~ **binding** ce contrat vous engage; 2 (in accordance with the law) [*act, marry*] conformément à la loi; [*buy, sell, import, work*] légalement

legal: ~ **practice** *n* (office) cabinet *m* légal; (exercise of law) pratique *f* du droit; ~ **practitioner** *n* juriste *mf*; ~ **proceedings** *npl* poursuites *fpl* judiciaires; ~ **profession** *n* profession *f* juridique

legal tender *n* monnaie *f* légale; **this coin is not** ~ cette pièce n'a plus cours

legate /'legɪt/ *n* légat *m*

legatee /ˌlegə'tiː/ *n* légataire *m*

legation /lɪ'geɪʃn/ *n* légation *f*

legator /lɪ'geɪtə(r)/ *n* testateur/-trice *m/f*

legend /'ledʒənd/ *n* (all contexts) légende *f* (**of** de); ~ **has it that** selon la légende; **a living** ~ une légende vivante; **to become a** ~ **in one's**

L

own lifetime passer dans la légende de son vivant
legendary /ˈledʒəndrɪ, US -derɪ/ *adj* légendaire
legerdemain /ˌledʒədəˈmeɪn/ *n* ₵ (of conjuror) prestidigitation *f*; fig péj manigances *fpl*
leggings /ˈlegɪŋz/ *npl* (for walker, farmer) cuissardes *fpl*; (for baby) collant *m*; (for woman) caleçon *m* (*porté en pantalon*)
leggo○ /ˈlegəʊ/ *abrév* = **let go**
leggy /ˈlegɪ/ *adj* 1 [*person*] aux longues jambes; 2 ○[*plant*] haut et dégarni
Leghorn /ˌlegˈhɔːn/ ▸ **p. 1815** *pr n* Livourne
legibility /ˌledʒəˈbɪlətɪ/ *n* lisibilité *f*
legible /ˈledʒəbl/ *adj* lisible
legibly /ˈledʒəblɪ/ *adv* lisiblement
legion /ˈliːdʒən/
A *n* Mil légion *f*; fig multitude *f*
B *adj* (*jamais épith*) légion (*inv*)
legionary /ˈliːdʒənərɪ, US -nerɪ/
A *n* légionnaire *m*
B *adj* de la légion
legionnaire /ˌliːdʒəˈneə(r)/ *n* Mil légionnaire *m*
legionnaire's disease ▸ **p. 1327** *n* maladie *f* du légionnaire, légionellose *f*
leg iron *n* (for convict) entrave *f*; (for disabled person) appareil *m* orthopédique
legislate /ˈledʒɪsleɪt/ *vi* 1 (make laws) légiférer (**on** sur); **to ~ against** faire des lois contre [*discrimination, pornography*]; 2 (predict) **to ~ for** prévoir [*circumstances, event*]
legislation /ˌledʒɪsˈleɪʃn/ *n* 1 (body of laws) législation *f* (**against** contre; **on** sur; **about, relating to** concernant; **to do** pour faire); **EU/government ~** législation *f* communautaire/gouvernementale; **industrial/financial/employment ~** législation *f* industrielle/financière/de l'emploi; **a piece of ~** une loi; **to adopt/present ~** adopter/présenter un projet de loi; **to introduce ~** faire adopter des lois; 2 (process of lawmaking) législation *f*
legislative /ˈledʒɪslətɪv, US -leɪtɪv/ *adj* législatif/-ive; **~ drafting** US rédaction *f* d'un projet de loi
legislator /ˈledʒɪsleɪtə(r)/ *n* Jur, Pol législateur/-trice *m/f*
legislature /ˈledʒɪsleɪtʃə(r)/ *n* Jur, Pol législature *f*
legist /ˈliːdʒɪst/ *n* Jur légiste *m*
legit○ /lɪˈdʒɪt/ *adj* 1 (legal) [*job, operation, venture*] réglo○, régulier/-ière; [*goods*] de provenance honnête; 2 (genuine) [*offer, information, organization*] sérieux/-ieuse
legitimacy /lɪˈdʒɪtɪməsɪ/ *n* 1 (legality) (of law, measure, birth) légitimité *f*; 2 (justifiability) (of comment, conclusion, objection) bien-fondé *m*; (of measure, rule) légitimité *f*; **to give ~ to sth** légitimer qch
legitimate
A /lɪˈdʒɪtɪmət/ *adj* 1 (justifiable) [*action, claim, question, request, target, user*] légitime; [*conclusion, excuse*] valable; **it is ~ to do** on est en droit de faire; **it is ~ for me to do** je suis en droit de faire; 2 (in accordance with the law) [*business, deal, organization*] régulier/-ière; [*act, child, claim, government, heir, owner, right, spouse*] légitime; [*killing*] justifiable; **for a ~ purpose** à des fins légitimes; **to make sth ~** rendre qch légal; 3 Theat [*theatre*] vrai (*before n*)
B /lɪˈdʒɪtɪmeɪt/ *vtr* = **legitimize**
legitimately /lɪˈdʒɪtɪmətlɪ/ *adv* 1 (with justification) [*ask, claim, argue, refuse*] légitimement; **one might ~ wonder whether/think that…** on serait en droit de se demander si/de penser que…; 2 (legally) [*act, authorize, own*] légalement; [*operate*] en toute légalité
legitimation /lɪˌdʒɪtɪˈmeɪʃn/ *n* Jur (of child) légitimation *f*; (of party, group) légalisation *f*
legitimize /lɪˈdʒɪtɪmaɪz/ *vtr* 1 (legalize) légaliser [*government, bill, plan*]; rendre [qch] légal [*ruling*]; 2 (justify) justifier [*action, crime, existence, interference, plan, reputation*]

legless /ˈleglɪs/ *adj* 1 lit sans jambes; 2 ○GB (drunk) hum bituré à bloc○
leg: **~man** *n* US reporter *m*; Pol factotum *m*; **~-of-mutton** *adj* Fashn [*sleeve*] gigot *inv*; **~-pull** *n* farce *f*; **~-pulling** *n* mise *f* en boîte○; **~room** *n* place *f* pour les jambes; **~ shield** *n* jambière *f*
legume /ˈlegjuːm/ *n* 1 (plant) légumineuse *f*; 2 (pod) *fruit comestible d'une légumineuse*
leguminous /lɪˈgjuːmɪnəs/ *adj* légumineux/-euse
leg warmer *n* jambière *f*
legwork /ˈlegwɜːk/ *n* déplacements *mpl*; **to do the ~** déblayer le terrain○ fig
Leibnitzian /ˈlaɪbnɪtsɪən/ *adj* Leibnizien/-ienne
Leicestershire /ˈlestəʃə(r)/ ▸ **p. 1612** *pr n* Leicestershire *m*
Leics GB Post *abrév écrite* = **Leicestershire**
leisure /ˈleʒə(r), US ˈliːʒə(r)/
A *n* ₵ (spare time) loisir(s) *m(pl)*, temps *m* libre; (activities) loisirs *mpl*; **to do sth at (one's) ~** (unhurriedly) prendre son temps pour faire qch; (with time for thought) faire qch à tête reposée; **gentleman/lady of ~** hum rentier/-ière *m/f*
B *modif* [*centre, company, facilities*] de loisirs; **~ industry** industrie *f* des loisirs; **~ society** civilisation *f* du loisir
leisured /ˈleʒəd, US ˈliːʒəd/ *adj* 1 also pej privilégié; **the ~ classes** les classes *fpl* privilégiées, les nantis *mpl*; 2 (*tjrs épith*) = **leisurely A**
leisurely /ˈleʒəlɪ, US ˈliː-/
A *adj* [*person*] calme; [*way of life, walk*] tranquille; [*breakfast, holiday*] détendu, tranquille; [*game*] détendu; **at a ~ pace, in a ~ way** sans se presser
B *adv* sans se presser
leisure: **~ suit** *n* ensemble *m* sport; **~ time** *n* loisirs *mpl*, temps *m* libre; **~ wear** *n* ₵ vêtements *mpl* de sport
leitmotiv /ˈlaɪtməʊtiːf/ *n* leitmotiv *m*
LEM *n* (*abrév* = **lunar excursion module**) lem *m*
lemma /ˈlemə/ *n* Comput, Math, Ling lemme *m*
lemmatization /ˌlemətaɪˈzeɪʃn/ *n* Comput, Math, Ling lemmatisation *f*
lemmatize /ˈlemətaɪz/ *vtr* Comput, Math, Ling lemmatiser
lemming /ˈlemɪŋ/ *n* lemming *m*
lemon /ˈlemən/ ▸ **p. 1067**
A *n* 1 (fruit) citron *m*; 2 (colour) jaune *m* citron; 3 ○hum (idiot) **to look/feel a ~** avoir l'air/se sentir tout bête; 4 ○US (dud) (play, book, movie) navet○ *m*; **this car is a ~** cette voiture est de la camelote
B *modif* [*peel, pip, juice, marmalade*] de citron; [*drink, sorbet*] au citron
C *adj* (colour) jaune citron *inv*
lemonade /ˌleməˈneɪd/ *n* (fizzy) limonade *f*; (still) citronnade *f*; (fresh) US citron *m* pressé
lemon: **~ balm** *n* mélisse *f*; **~ cheese**, **~ curd** *n* GB crème *f* de citron; **~ drop** *n* bonbon *m* au citron; **~-flavoured**, **~-flavored** US *adj* parfumé au citron; **~ grass** *n* citronnelle *f*; **~ juice** *n* jus *m* de citron; GB (drink) citron *m* pressé; **~ sole** *n* GB limande-sole *f*; **~ squash** *n* GB ≈ sirop *m* de citron; **~ squeezer** *n* presse-citron *m inv*; **~ tea** *n* thé *m* au citron; **~ tree** *n* citronnier *m*; **~ yellow** ▸ **p. 1067** *n, adj* jaune (*m*) citron
lemur /ˈliːmə(r)/ *n* maki *m*
lend /lend/
A *vtr* (*pp, prét* **lent**) 1 (loan) prêter [*object, money*]; **to ~ sb sth** prêter qch à qn; **I lent John my bicycle, I lent my bicycle to John** j'ai prêté ma bicyclette à John; **I've been lent a bicycle by John** John m'a prêté une bicyclette; **I've been lent a bicycle** on m'a prêté une bicyclette; **to ~ money at 10%** prêter de l'argent à 10%; 2 (add, provide) conférer [*quality, character, credibility*] (**to** à); prêter [*support*]; **to ~ support to sth** étayer qch; **to ~ an ear** prêter l'oreille; **to ~ a hand** prêter une main; **to ~ one's name to** prêter son nom à; **to ~ weight to sth** donner du poids à qch
B *vi* (*pp, prét* **lent**) Fin prêter, accorder un prêt (**to** à); **to ~ against sth** prêter contre la garantie de qch; **to ~ at 15%** prêter à 15%
C *v refl* (*pp, prét* **lent**) se prêter (**to** à); **her novels do not ~ themselves to being filmed** ses romans ne se prêtent pas à une adaptation pour le cinéma
(Phrasal verb) ■ **lend out**: ▸ **~ out [sth]**, **~ [sth] out** prêter
lender /ˈlendə(r)/ *n* prêteur/-euse *m/f*; **mortgage ~** société *f* de prêt immobilier
lending /ˈlendɪŋ/
A *n* prêt *m*
B *modif* [*agency, bank, figures, library, programme, scheme, service*] de prêt; [*agreement, rate*] d'emprunt; **~ limit** plafond *m* d'endettement
lend-lease /ˌlendˈliːs/ *n* prêt-bail *m*
length /leŋθ/ ▸ **p. 1389**
A *n* 1 (linear measurement) longueur *f*; **what is the ~ of the plank?, what ~ is the plank?** quelle est la longueur de la planche?, de quelle longueur est la planche?; **cut the fabric to a ~ of two metres** couper une longueur de deux mètres dans le tissu; **to be 15 cm/50 km in ~** faire 15 cm/50 km de long; **X is twice the ~ of Y** X est deux fois plus long que Y; **the whole ~ of the street was planted with trees** la rue était plantée d'arbres sur toute sa longueur; **a river runs along the whole ~ of the valley** une rivière coule tout le long de *or* sur toute la longueur de la vallée; **she ran the (whole) ~ of the beach** elle a fait toute la longueur de la plage en courant; **he has cycled the (whole) ~ of Italy** il a fait l'Italie d'un bout à l'autre à bicyclette; **there was a ladder running the (whole) ~ of her stocking** son bas était filé sur toute sa hauteur
2 (duration) (of book, film, article, waiting list) longueur *f*; (of event, activity, situation, prison sentence) durée *f*; Ling (of vowel, syllable) longueur *f*; **for the whole ~ of the ceremony** pendant toute la durée de la cérémonie; **~ of service** Comm, Ind ancienneté *f*; **a film three hours in ~** un film de trois heures *or* qui dure trois heures; **a book 200 pages in ~** un livre de 200 pages *or* qui fait 200 pages; **the thesis wasn't of sufficient ~** la thèse n'était pas assez longue; **a significant/considerable ~ of time** un temps important/considérable; **he spends a ridiculous ~ of time in the bathroom** il passe un temps infini dans la salle de bains; **he can't concentrate for any ~ of time** il n'arrive pas à se concentrer pendant (très) longtemps; **he complained about the ~ of time he'd been in prison** il s'est plaint d'avoir passé tant de temps en prison; **the ~ of time between two events** l'intervalle (de temps) entre deux événements; **despite its three-hour ~, the play was enjoyable** bien qu'elle ait duré trois heures, la pièce était agréable
3 (piece, section) (of string, cable, carpet, wood) morceau *m*; (of fabric) ≈ métrage *m*; (of piping, track) tronçon *m*; **to cut sth into two metre ~s** débiter qch en morceaux de deux mètres; **a six-metre ~ of rope** une corde de six mètres; **sold in ~s of five metres** [*wood, carpet*] vendu par morceaux de cinq mètres; [*fabric*] vendu en coupons de cinq mètres; **dress/skirt ~** hauteur *f* de robe/de jupe
4 Sport longueur *f*; **to swim 20 ~s** faire 20 longueurs (de piscine); **to win by six ~s/half a ~** gagner de six longueurs/d'une demi-longueur; **X's two-~ victory over Y** la victoire de X sur Y par deux longueurs; **to have a four-~ advantage/lead over sb** avoir une avance de quatre longueurs sur qn; **to be two ~s ahead/behind** avoir deux longueurs d'avance/de retard
B **lengths** *npl* **to go to great/extraordinary ~s to do sth** se donner beaucoup/énormément de mal pour faire qch; **to be willing to go to any ~s (to do)** être prêt à faire n'importe quoi (pour faire); **I was shocked by the ~s he**

Length measurement

■ *Note that French has a comma where English has a decimal point.*

1 in
= 2,54 cm* (*centimètres*)

1 ft
= 30,48 cm

1 yd
= 91,44 cm

1 furlong
= 201,17 m (*mètres*)

1 ml
= 1,61 km (*kilomètres*)

* *There are three ways of saying* 2,54 cm, *and other measurements like it:* deux virgule cinquante-quatre centimètres, *or (less formally)* deux centimètres virgule cinquante-quatre, *or* deux centimètres cinquante-quatre. *For more details on how to say numbers* ▸ **p. 1487**.

Length

how long is the rope?
= de quelle longueur est la corde?

it's ten metres long
= elle fait dix mètres

a rope about six metres long
= une corde d'environ six mètres de* long

A is longer than B
= A est plus long que B

B is shorter than A
= B est plus court que A

A is as long as B
= A est aussi long que B

A is the same length as B
= A a la même longueur que B

A and B are the same length
= A et B ont la même longueur
or A et B sont de* la même longueur

it's three metres too short
= il est trop court de trois mètres

it's three metres too long
= il est trop long de trois mètres

ten metres of rope
= dix mètres de corde

sold by the metre
= vendu au mètre

■ *Note the French construction with* de, *coming after the noun it describes:*

a six-foot-long python
= un python de six pieds de* long

an avenue four kilometres long
= une avenue de quatre kilomètres de* long

* *The* de *is obligatory in these constructions.*

Height

People

how tall is he?
= quelle est sa taille?
or combien est-ce qu'il mesure?

he's six feet tall
= il fait un mètre quatre-vingts
or il mesure un mètre quatre-vingts

he's 1m 50
= il fait 1,50 m (*say* un mètre cinquante)

he's about five feet
= il fait à peu près un mètre cinquante

A is taller than B
= A est plus grand que B

B is smaller than A
= B est plus petit que A

A is as tall as B
= A est aussi grand que B

A is the same height as B
= A a la même taille que B

A and B are the same height
= A et B ont la même taille
or A et B sont de* la même taille

■ *Note the French construction with* de, *coming after the noun it describes:*

a six-foot-tall athlete
= un athlète d'un mètre quatre-vingts

a footballer over six feet in height
= un footballeur de plus d'un mètre quatre-vingts

Things

how high is the tower?
= quelle est la hauteur de la tour?

it's 50 metres
= elle fait 50 mètres
or elle mesure 50 mètres

about 25 metres high
= environ 25 mètres de* haut

it's 100 metres high
= elle fait cent mètres de* haut
or elle fait cent mètres de hauteur

at a height of two metres
= à une hauteur de deux mètres
or à deux mètres de hauteur

A is higher than B
= A est plus haut que B

B is lower than A
= B est moins haut que A

A is as high as B
= A est aussi haut que B

A is the same height as B
= A a la même hauteur que B

A and B are the same height
= A et B ont la même hauteur
or A et B sont de* la même hauteur

■ *Note the French construction with* de, *coming after the noun it describes:*

a 100-metre-high tower
= une tour de 100 mètres de* haut

a mountain over 4,000 metres in height
= une montagne de plus de quatre mille mètres

how high is the plane
= à quelle hauteur
or à quelle altitude est l'avion?

what height is the plane flying at?
= à quelle altitude l'avion vole-t-il?

the plane is flying at 5,000 metres
= l'avion vole à une altitude de cinq mille mètres
or à cinq mille mètres d'altitude*

* *The* de *is obligatory in these constructions.*

Distance

what's the distance from A to B?
= quelle distance y a-t-il entre A et B?

how far is it from Paris to Nice?
= combien y a-t-il de kilomètres de Paris à Nice?

how far away is the school from the church?
= à quelle distance l'école est-elle de l'église?

it's two kilometres
= il y a deux kilomètres

at a distance of five kilometres
= à une distance de 5 kilomètres
or à cinq kilomètres de distance

C is nearer B than A is
= C est plus près de B que A

A is nearer to B than to C
= A est plus près de B que de C

A is as far away as B
= A est aussi loin que B

A and B are the same distance away
= A et B sont à la même distance

■ *Note the French construction with* **de**, *coming after the noun it describes:*

a ten-kilometre walk
= une promenade de dix kilomètres

Width/breadth

■ *In the following examples,* broad *may replace* wide *and* breadth *may replace* width, *but the French remains* large *and* largeur.

what width is the river?
= de* quelle largeur est la rivière?

how wide is it?
= combien fait-elle de* large?

about seven metres wide
= environ sept mètres de* large

it's seven metres wide
= elle fait sept mètres de* large
or de* largeur

A is wider than B
= A est plus large que B

B is narrower than A
= B est plus étroit que A

A is as wide as B
= A est aussi large que B

A is the same width as B
= A a la même largeur que B

■ *Note the French construction with* de, *coming after the noun it describes:*

a ditch two metres wide
= un fossé de deux mètres de* large

a piece of cloth two metres in width
= une pièce de tissu de deux mètres de* largeur

a river 50 metres wide
= une rivière de 50 mètres de* largeur

* *The* de *is obligatory in these constructions.*

Depth

what depth is the river?
= de* quelle profondeur est la rivière?

how deep is it?
= combien fait-elle de* profondeur?

it's four metres deep
= elle fait quatre mètres de* profondeur

at a depth of ten metres
= à dix mètres de* profondeur
or à une profondeur de* dix mètres

A is deeper than B
= A est plus profond que B

B is shallower than A
= B est moins profond que A

■ *Note that French has no word for* shallow:

A is as deep as B
= A est aussi profond que B

A is the same depth as B
= A a la même profondeur que B

■ *Note the French construction with* de, *coming after the noun it describes:*

a well 20 metres deep
= un puits de vingt mètres de* profondeur

* *The* de *is obligatory in these constructions.*

was prepared to go to j'étais choqué par ce qu'il était prêt à faire; **she went to the ~s of writing to the president** elle est allée jusqu'à écrire au président

C at length *adv phr* 1 (for a long time) longuement; **the problem has been examined at (great) ~** le problème a été examiné (très) longuement
2 (at last) finalement; **at ~, he left** finalement il est parti

D -length (*dans composés*) **shoulder-~ hair** des cheveux qui arrivent aux épaules; **a knee-~ skirt** une jupe qui arrive aux genoux; **calf-~ boots** des bottes qui arrivent au mollet; **a medium-~ article** un article de longueur moyenne; **floor-~ curtains** des rideaux qui descendent jusqu'au sol. ▸ **full-length**

lengthen /ˈleŋθən/
A *vtr* 1 rallonger [*garment*] (**by** de, par); prolonger [*wall, shelf, track*] (**by** de, par); **to ~ sth from X metres to Y metres** faire passer la longueur de qch de X mètres à Y mètres; 2 prolonger [*stay, visit*]; rallonger [*waiting period, queue, list*]; **to ~ sth from three years to four years** faire passer la durée de qch de trois à quatre ans; 3 Ling allonger [*vowel, syllable*]
B *vi* 1 [*queue, list, shadow*] s'allonger; [*skirts, trousers*] devenir plus long; Med [*bone*] s'allonger; **to ~ from X cm to Y cm** passer de X cm à Y cm; 2 [*days, nights*] s'allonger, rallonger; [*visit, silence*] se prolonger; **the intervals between her visits/migraines are ~ing** ses visites/ses migraines s'espacent

lengthily /ˈleŋθɪlɪ/ *adv* longuement

lengthwise /ˈleŋθwaɪz/, **lengthways** /ˈleŋθweɪz/ GB
A *adj* [*cut, opening*] gen dans le sens de la longueur; (in fabric) dans (le sens de) la hauteur
B *adv* 1 (along the length) [*cut, fold, place*] gen dans le sens de la longueur; (of fabric) dans (le sens de) la hauteur; 2 (end to end) [*place, lay*] en long

lengthy /ˈleŋθɪ/ *adj* [*visit, illness, speech*] (assez) long/longue; **this treatment can be quite ~** ce traitement peut être assez long; **a ~ explanation** une longue explication; **we had a ~ wait** nous avons dû attendre (assez) longtemps

lenience /ˈliːnɪəns/, **leniency** /ˈliːnɪənsɪ/ *n* (of person, institution) indulgence *f* (**with** pour; **towards** envers); (of punishment) légèreté *f*

lenient /ˈliːnɪənt/ *adj* [*person, institution, treatment, marking*] indulgent (**with** pour; **towards** envers); [*punishment, fine*] léger/-ère

leniently /ˈliːnɪəntlɪ/ *adv* avec indulgence

Lenin /ˈlenɪn/ *pr n* Lénine

Leninism /ˈlenɪnɪzəm/ *n* léninisme *m*

Leninist /ˈlenɪnɪst/ *n, adj* léniniste (*mf*)

lens /lenz/ *n* 1 (in optical instruments) lentille *f*; (in spectacles) verre *m*; (in camera) objectif *m*; (contact) lentille *f*; **long ~** Phot, TV téléobjectif *m*; **hard/soft ~es** lentilles *fpl* rigides/souples; 2 Anat cristallin *m*

lens: **~ cap** *n* bouchon *m* d'objectif; **~ hood** *n* parasoleil *m*

lent /lent/ *prét, pp* ▸ **lend**

Lent /lent/ *n* carême *m*; **to observe ~** faire carême; **to give up sth for ~** renoncer à qch pendant le carême

Lenten /ˈlentən/ *adj* littér de carême

lentil /ˈlentl/
A *n* Bot, Culin lentille *f*; **red/green/brown ~s** lentilles rouges/vertes/blondes
B *modif* [*soup, curry* etc] aux lentilles

lentivirus /ˈlentɪˌvaɪərəs/ *n* Med lentivirus *m*

Lent term *n* GB Univ deuxième trimestre *m*

Leo /ˈliːəʊ/ ▸ **p. 1917** *pr n* 1 Astrol, Astron Lion *m*; 2 (name) Léon *m*

Leonardo (da Vinci) /ˌliːəˈnɑːdəʊ də ˈvɪntʃɪ/ *pr n* Léonard de Vinci

leonine /ˈliːənaɪn/ *adj* léonin

> **ℹ less**
>
> When *less* is used as a quantifier (*less money*) it is translated by *moins de*: *moins d'argent*. For examples and particular usages, see **A** in the entry **less**.
>
> When *less* is used as a pronoun (*you should have taken less*), it is translated by *moins*: *tu aurais dû en prendre moins*.
>
> *less than* is usually translated by *moins que* and *even less* by *encore moins*. For examples and particular usages of these see **B** in the entry **less**.
>
> When *less* is used as an adverb followed by a verb, an adjective, or another adverb (*to eat less, less interesting, less often*) it is translated by *moins*: *manger moins, moins intéressant, moins souvent*. For examples and particular usages see **C** in the entry **less**.
>
> For *less* used as a preposition (*less 10%*) see **D** in the entry **less**.
>
> For the phrase *less and less* see **E** in the entry **less**.

leopard /ˈlepəd/ *n* léopard *m*
(Idiom) **a ~ cannot change his spots** Prov chassez le naturel, il revient au galop Prov

leopard cub *n* jeune léopard *m*

leopardskin /ˈlepədskɪn/
A *n* peau *f* de léopard
B *modif* [*garment, rug, pattern*] en peau de léopard

leotard /ˈliːətɑːd/ *n* justaucorps *m*

leper /ˈlepə(r)/ *n* Med, fig lépreux/-euse *m/f*

leper colony *n* léproserie *f*

lepidoptera /ˌlepɪˈdɒptərə/ *npl* lépidoptères *mpl*

leprechaun /ˈleprəkɔːn/ *n* lutin *m* (*en Irlande*)

leprosy /ˈleprəsɪ/ *n* lèpre *f*

leprous /ˈleprəs/ *adj* [*person*] lépreux/-euse; [*body*] envahi par la lèpre

lesbian /ˈlezbɪən/
A *n* lesbienne *f*.
B *adj* lesbien/-ienne

lesbianism /ˈlezbɪənɪzəm/ *n* homosexualité *f* féminine, lesbianisme *m*

lesion /ˈliːʒn/ *n* lésion *f*

Lesotho /lɪˈsuːtʊ, ləˈsəʊtʊ/ ▸ **p. 1096** *pr n* Lésotho *m*; **in/to ~** au Lésotho

less /les/ (*comparative of* **little**)
A *quantif* moins de; **~ beer/information/money** moins de bière/d'information/d'argent; **I have ~ money than him** j'ai moins d'argent que lui; **it took ~ time than we expected** cela a pris moins de temps que prévu; **I have ~ time for reading than I used to** j'ai moins le temps de lire qu'avant; **of ~ value/importance** de moindre valeur/importance; **to grow ~** diminuer
B *pron* moins; **I have ~ than you** j'en ai moins que toi; **they have little money but we have even ~** ils n'ont pas beaucoup d'argent mais nous en avons encore moins; **I gave them ~ to eat** je leur ai donné moins à manger; **~ than half** moins de la moitié; **in ~ than three hours** en moins de trois heures; **in ~ than no time** en moins de deux; **13 is ~ than 18** 13 est plus petit que 18; **a sum of not ~ than £1,000** une somme qui s'élève au moins à 1 000 livres sterling; **he was ~ than honest/helpful** il était loin d'être honnête/serviable; **it's an improvement, but ~ of one than I had hoped** c'est un progrès, mais pas au point que j'aurais espéré; **she's nothing ~ than a common criminal** elle n'est rien de moins qu'une criminelle; **nothing ~ than written proof will satisfy them** ils ne seront satisfaits que quand ils auront une preuve écrite; **it's nothing ~ than a scandal!** c'est un véritable scandale!; **they want nothing ~ than the best** ils exigent le meilleur; **I offered them £800 for the car but they let me have it for ~** je leur ai proposé 800 livres sterling pour la voiture, mais ils me l'ont laissée pour moins; **he's ~ of a fool than you think** il est moins bête que tu ne le penses; **they will think all the ~ of her for it** ça va la faire descendre dans leur estime; **I think no ~ of her for that** elle n'est pas descendue dans mon estime pour autant; **the ~ she knows about it the better** moins elle en sait, mieux ça vaut; **I want £100 and not a penny ~!** je veux cent livres et pas un centime de moins!; **the ~ said about it the better** moins on en parle, mieux ça vaut; **people have been shot for ~!** il y en a qui ont été tués pour moins que ça!; **~ of your impudence!** ne sois pas insolent!; **~ of that!** (to child misbehaving) ça suffit!
C *adv* moins; **I read ~ these days** je lis moins en ce moment; **I liked it ~ than you did** je l'ai moins aimé que toi; **I dislike him no ~ than you** je ne l'aime pas plus que toi; **that's ~ urgent/serious** c'est moins urgent/grave; **much ~ important** beaucoup moins important; **it matters ~ than it did before** cela a moins d'importance qu'avant; **it's ~ complicated than you think** c'est moins compliqué que vous ne croyez; **she is no ~ qualified than you** elle n'est pas moins qualifiée que toi; **~ often** moins souvent; **it's ~ a village than a town** c'est plutôt une ville qu'un village; **the more I see him, the ~ I like him** plus je le vois, moins je l'aime; **no ~ than 30 people/85%** au moins 30 personnes/85%; **they live in Kensington, no ~!** ils habitent à Kensington, rien que ça!; **he's married to a countess, no ~!** il est marié avec une comtesse, rien que ça!; **no ~ a person than the emperor** l'empereur en personne; **one of the ~ known valleys** une des vallées les moins connues; **he was ~ offended than shocked** il était plus choqué qu'offensé; **she wasn't any the ~ happy** elle n'en était pas moins heureuse; **much** *ou* **still** *ou* **even ~** encore moins; **he can't afford to rent a house, much ~ buy one** il n'a pas les moyens de louer une maison, encore moins d'en acheter une
D *prep* moins; **~ 15% discount** moins 15% de remise; **a salary of £20,000, ~ tax** un salaire de 20 000 livres sterling, avant impôts
E less and less *adv phr* de moins en moins; **we see her ~ and ~** nous la voyons de moins en moins; **~ and ~ often/busy** de moins en moins souvent/occupé

lessee /leˈsiː/ *n* Jur preneur/-euse *m/f* à bail

lessen /ˈlesn/
A *vtr* diminuer [*love, affection, influence*]; réduire [*pressure, cost, production*]; atténuer [*impact, pain, effect*]; **to ~ the need for sth** réduire *or* faire diminuer la demande pour qch
B *vi* diminuer

lessening /ˈlesnɪŋ/ *n* diminution *f*

lesser /ˈlesə(r)/
A *adj* gen moindre; [*life form*] peu évolué; **to a ~ degree** *ou* **extent** à un moindre degré, dans une moindre mesure; **a ~ sum of money** une somme moins importante; **~ being** *ou* **mortal** être inférieur; **~ beings** *ou* **mortals like us** hum de simples mortels comme nous; **~ offence** *ou* **crime** délit *m* de moindre importance; **a ~ man would have run away** un homme plus faible se serait enfui; **the ~ works of an artist** les œuvres mineures d'un artiste
B *adv* moins; **~ known** moins connu

lesson /ˈlesn/ *n* 1 gen leçon *f*; Sch cours *m*, leçon *f*; **Spanish ~** cours d'espagnol; **driving/tennis ~** leçon de conduite/de tennis; **to give ~s** donner des cours (**in** de); **to take/have ~s** prendre/suivre des cours (**in** de); **the headmaster will take today's French ~** le directeur va assurer le cours de français aujourd'hui; **we have ~s from 9 to 12** nous avons cours de 9 heures à midi; 2 Relig leçon *f*; **to read the ~** lire la leçon; 3 fig

ⓘ let¹

When *let* is used in English with another verb in order to make a suggestion (*let's do it at once*), the first person plural -*ons* of the appropriate verb can generally be used to express this in French: *faisons-le tout de suite*. (Note that the verb alone translates *let us do* and no pronoun appears in French.)

In the spoken language, however, which is the usual context for such suggestions, French speakers will use the much more colloquial *on* + present tense or *si on* + imperfect tense:

let's do it at once
= on le fait tout de suite?
or si on le faisait tout de suite?

let's go to the cinema tonight
= si on allait au cinéma ce soir?

let's go!
= allons-y! *or* on y va!

These translations can also be used for negative suggestions:

let's not take** or **don't let's take the bus – let's walk
= on ne prend pas le bus, on y va à pied
or ne prenons pas le bus, allons-y à pied

For more examples and particular usages see **A1** in the entry **let¹**.

When *let* is used in English with another verb to express defiance or a command (*just let him try!*) the French uses the structure *que* + present subjunctive:

just let him try!
= qu'il essaie!

don't let me see you here again!
= que je ne te revoie plus ici!

For more examples and particular usages see **A2** in the entry **let¹**.

When *let* is used to mean *allow*, it is generally translated by the verb *laisser*. For examples and particular usages see **A3** in the entry **let¹**.

For translations of expressions such as *let fly, let loose, let slip* etc., consult the entry for the second word (**fly, loose, slip** etc.).

leçon *f*; **let that be a ~ to you!** que cela te serve de leçon!; **I've learned my ~!** cela m'a servi de leçon!; **I'm going to teach him a ~!** je vais lui donner une bonne leçon!; **that'll teach you a ~!** cela t'apprendra!

lesson plan *n* plan *m* de cours

lessor /le'sɔː(r)/ *n* Jur bailleur/-eresse *m/f*

lest /lest/ *conj* sout **1** (for fear that) de peur de (+ *infinitive*), de crainte de (+ *infinitive*), de crainte que (+ *ne* + *subj*); (in case that) au cas où; **he wrote down the address ~ he forget it** il a noté l'adresse de peur *or* de crainte de l'oublier; **she burned her letters ~ he (should** *ou* **might) read them** elle a brûlé ses lettres de crainte qu'il ne les lise; **~ anyone should ask you** au cas où quelqu'un vous le demanderait; **'~ we forget'** ≈ 'In memoriam'; **2** (after expressions of fear) **I was afraid ~ he might** *ou* **should die** j'avais peur qu'il ne meure

let¹ /let/

A *vtr* (*p prés* **-tt-**; *prét, pp* **let**) **1** (when making suggestion) **~'s go** allons-y; **~'s give it a try** essayons; **~'s go for a swim** allons nager; **~'s begin by doing** commençons par faire; **~'s get out of here!** sortons d'ici!; **~'s not** *ou* **don't ~'s** GB **talk about that!** n'en parlons pas!; **~'s see if...** voyons si...; **~ us pray** prions; **~'s pretend that this is the interview** faisons comme si c'était l'entretien; **~'s face it** soyons honnête; **~'s face it, you were wrong** il faut voir les choses en face, tu avais tort; **~ me see, ~'s see...** voyons...; **it was—~ me think—about 8 pm** il était—attends voir *or* voyons voir—environ 8 heures du soir; **~ me think about it** laisse-moi réfléchir; **~'s assume that...** supposons *or* mettons que... (+ *subj*); **~'s say (that)...** admettons que... (+ *subj*); **it's more complex than, ~'s say, a computer** c'est plus compliqué que, disons, un ordinateur; **~'s say she wasn't amused** iron disons qu'elle n'a pas vraiment apprécié
2 (when expressing defiance or a command) **~ there be no doubt about it!** qu'il n'y ait aucun doute là-dessus!; **~ everyone make up his own mind** que chacun d'entre nous décide pour lui-même; **~ the festivities begin!** que la fête commence!; **never ~ it be said that** qu'il ne soit pas dit que; **~ there be light** que la lumière soit; **people will talk—well ~ them (talk)!** ça va faire parler les gens—eh bien laisse-les parler!; **~ that be a lesson to you!** que cela te serve de leçon!; **just ~ him try it!** qu'il essaie!; **if he wants tea, ~ him make it himself!** s'il veut du thé, qu'il le fasse lui-même!; **~ them eat cake!** qu'on leur donne de la brioche!; **~ me tell you...** crois-moi, croyez-moi...; **~ y = 25** Math soit y = 25; **~ the line AB intersect CD** Math soit la droite AB qui coupe CD
3 (allow) **to ~ sb do sth** laisser qn faire qch; **she let us see the baby** elle nous a laissés voir le bébé; **~ me go first** laisse-moi passer devant *or* en premier; **~ me pay for dinner** laissez-moi vous inviter; **~ me explain** laisse-moi t'expliquer; **she let herself be intimidated** elle s'est laissée intimider; **don't ~ them see you crying** ne les laisse pas voir que tu pleures; **don't ~ them think that...** ne les laisse pas penser que...; **don't ~ it get you down** ne te laisse pas abattre; **she wanted to leave but they wouldn't ~ her** elle voulait partir mais ils ne l'ont pas laissée faire; **I won't ~ them talk to me like that!** je ne permets pas qu'on me parle sur ce ton!; **don't ~ me forget to do** rappelle-moi de faire; **~ me see, ~ me have a look** fais voir, faismoi voir; **~ me (do that)** permettez fml, laisse-moi faire; **~ me ask you...** permettez-moi de vous demander...; **~ me introduce you to Isabelle** laissez-moi vous présenter à Isabelle; **can you ~ me have that in writing?** pourriez-vous me mettre cela par écrit?; **~ them have it!** lit donne-le-leur!; fig° (shoot) descends-les°!; (attack verbally) rentre-leur dedans°!; **to ~ sth fall/escape** laisser tomber/échapper qch; **don't ~ the milk boil over!** ne laisse pas déborder le lait!; **to ~ one's hair/beard grow** se laisser pousser les cheveux/la barbe
4 (allow free movement or passage to) **to ~ sb through** laisser passer qn; **to ~ sb on/off the bus** laisser qn monter dans/descendre de l'autobus; **can you ~ me off here?** pouvez-vous me déposer ici?; **~ me pass please** laissez-moi passer s'il vous plaît; **she won't ~ him out of/inside the house** elle ne le laisse pas sortir/entrer; **I let myself in** je suis entré; **to ~ air into a room** aérer une pièce; **draw the curtains and ~ some light in** ouvre les rideaux pour qu'il y ait un peu de lumière; **to ~ the air out of** dégonfler [*tyre, balloon*]
5 (insert, inlay) **to ~ a door/window into a wall** percer une porte/fenêtre dans un mur; **a statue let into the wall** une statue encastrée dans le mur

B let alone *conj phr* à plus forte raison; **she was too ill to stand ~ alone walk** elle était trop malade pour se tenir debout à plus forte raison pour marcher; **he couldn't look after the cat ~ alone a child** il ne serait pas capable de s'occuper du chat encore moins d'un enfant

(Phrasal verbs) ■ **let away**°: ▸ **~ [sb] away with doing** laisser qn faire; **don't ~ her away with that!** ne la laisse pas s'en tirer comme ça!

■ **let down**: ▸ **~ [sb] down** **1** (disappoint) [*organization, person*] laisser tomber [qn]; **it has never let me down** [*technique, machine*] ça a toujours marché; **the car let us down** la voiture nous a laissé tomber; **to feel let down** être déçu; **don't ~ me down!** je compte sur toi!; ▸ **side**; **2** (embarrass) faire honte à [qn]; ▸ **~ [sth] down, ~ down [sth]** **1** GB (deflate) dégonfler [*tyre*]; **2** (lower) faire descendre [*bucket, basket*]; baisser [*window*]; **3** (lengthen) rallonger [*skirt, coat*]; **4** (leave loose) détacher [*hair*]; ▸ **hair**

■ **let go** lit lâcher prise; **to ~ go of sb/sth** lit lâcher qn/qch; fig se détacher de qn/qch; **he just can't ~ go** fig il ne peut pas oublier; ▸ **~ [sb] go, ~ go [sb]** **1** (free) relâcher [*hostage, suspect, prisoner*]; **2** (release hold on) lâcher [*person, sleeve, arm*]; **~ me go, ~ go of me!** lâche-moi!; **3** euph (make redundant) licencier [*employee*]; **to be let go** être licencié; **4** **to ~ oneself go** (all contexts) se laisser aller; ▸ **~ [sth] go, ~ go [sth]** **1** (release hold on) lâcher [*rope, bar*]; **2** fig **to ~ it go** (not to react) laisser passer; (stop fretting about) ne plus y penser; **we'll ~ it go at that** restons-en là

■ **let in**: ▸ **~ in [sth], ~ [sth] in** **1** (allow to enter) [*roof, window*] laisser passer [*rain*]; [*shoes, tent*] prendre [*water*]; [*curtains, glass door*] laisser passer [*light*]; **2** Sport (concede) laisser marquer [*goal*]; **3** GB Aut **to ~ in the clutch** embrayer; ▸ **~ [sb] in, ~ in [sb]** **1** (show in) faire entrer; **2** (admit) laisser entrer; **I let myself in** je suis entré avec ma clé; **3** **to ~ oneself in for** (expose oneself to) aller au devant de [*trouble, problems, disappointment*]; **I had no idea what I was ~ting myself in for** je n'avais aucune idée de là où je mettais les pieds°; **4** **to ~ sb in on, to ~ sb into** mettre qn au courant de [*secret, joke, news*]

■ **let off**: ▸ **~ off [sth]** tirer [*fireworks*]; faire exploser [*device, bomb*]; faire partir [*rifle, gun*]; ▸ **hook, steam**; ▸ **~ [sb] off** **1** GB Sch (send home) laisser sortir [*pupils*]; **2** (excuse) **to ~ sb off** dispenser qn de [*lessons, homework, chores*]; **to ~ sb off doing** dispenser qn de faire; **3** (leave unpunished) ne pas punir [*culprit*]; **to be ~ off with** s'en tirer avec [*fine, caution*]; **to ~ sb off lightly** laisser qn s'en tirer à bon compte

■ **let on** **1** (reveal) dire (**to sb** à qn); **to ~ on about sth** parler de qch; **don't ~ on!** ne dis rien!; **don't ~ on that you speak German** ne dis pas que tu parles allemand; **she misses them more than she ~s on** ils lui manquent plus qu'elle ne veut bien l'admettre; **2** GB (pretend) **to ~ on that** faire croire que

■ **let out**: ▸ **~ out** US [*movie, school*] finir (**at** à); ▸ **~ out [sth]** **1** (emit) laisser échapper [*cry, scream, sigh, shriek*]; **to ~ out a roar** beugler; **2** GB (reveal) révéler (**that** que); ▸ **~ [sth] out, ~ out [sth]** **1** (release) faire sortir [*animal*]; **2** donner libre cours à [*grief, anger*]; **to ~ out one's breath** expirer; ▸ **cat**; **3** Aut **to ~ out the clutch** embrayer; **4** Sewing (alter) élargir [*skirt, jacket*]; rallonger [*waistband*]; ▸ **~ [sb] out** **1** (release) laisser sortir [*prisoner*] (**of** de); faire sortir [*pupils, employees*] (**of** de); **2** (show out) reconduire [qn] à la porte; **I'll ~ myself out** ne vous dérangez pas, je peux sortir tout seul

■ **let through**: ▸ **~ [sb] through, ~ through [sb]** **1** (in crowd) laisser passer; **2** Sch, Univ accorder un examen à; ▸ **~ [sth] through, ~ through [sth]** laisser passer [*error, faulty product*]

■ **let up** **1** (ease off) [*rain, wind*] se calmer; [*heat*] diminuer; **the rain never once let up** il a plu sans arrêt; **2** (stop) [*conversation, pressure*] s'arrêter; **he never ~s up** (works hard) il travaille sans relâche; (exerts pressure) il ne me/lui etc laisse jamais de répit; (talks constantly) il n'arrête pas de parler; **3** **to ~ up on sb**° (be less severe) lâcher la bride à qn, être moins dur avec qn

let² /let/

A *n* **1** GB (lease) bail *m*; **to take a three-year ~ on a house** louer une maison pour trois ans; **2** Sport let *m*, balle *f* let; **to serve a ~** jouer un let; **3** Jur ▸ **hindrance**

B *vtr* (*p prés* **-tt-**; *prét, pp* **let**) 1 (*also* GB **~ out**) (lease) louer [*room, apartment, land*] (**to** à); **'room to ~'** 'chambre à louer'; **'to ~'** 'à louer'; 2 †Med **to ~ blood** faire une saignée

(Phrasal verb) ■ **let off**: ▸ **~ off [sth], ~ [sth] off** louer [*part of house, property*]

letdown /'letdaʊn/ *n* 1 (disappointment) déception *f*; **it was a bit of a ~** [*film, performance, meal*] c'était décevant; 2 Aerosp descente *f*

lethal /'li:θl/ *adj* 1 (fatal) [*poisonous substance, gas, ray, effect*] mortel/-elle; [*disease, attack, blow*] fatal; [*blow, weapon, explosion*] meurtrier/-ière; **~ dose** gen dose *f* mortelle; (of nuclear radiation) dose *f* létale; 2 (dangerous) [*toy, machine, implement, stretch of road*] très dangereux/-euse; [*attack, blow*] fig fatal; [*marksman, opponent*] redoutable; **a ~ cocktail** *ou* **mixture** (drink) lit un mélange meurtrier; fig, hum un mélange redoutable; (of people) hum un mélange explosif

lethargic /lɪ'θɑ:dʒɪk/ *adj* [*person, animal*] lit léthargique; fig (lazy) apathique; [*movement*] engourdi; **to feel ~** se sentir engourdi; **to become ~** s'engourdir

lethargically /lɪ'θɑ:dʒɪklɪ/ *adv* [*move, work*] mollement; [*sit, lie*] paresseusement; [*look, reply*] d'un air las

lethargy /'leθədʒɪ/ *n* léthargie *f*

let-out○ /'letaʊt/ *n* échappatoire *f*

let-out clause *n* Jur clause *f* dérogatoire

let's /lets/ = **let us**

Lett /let/ *pr n* Letton/-one *m/f*

letter ➡ /'letə(r)/

A *n* 1 (item of correspondence) lettre *f* (**to** pour; **from** de); **a ~ of apology/resignation** une lettre d'excuse/de démission; **to inform sb by ~** informer qn par lettre; **he receives a lot of ~s** il reçoit beaucoup de courrier; **~s to the editor** Journ courrier des lecteurs; **the ~s of Virginia Woolf** la correspondance de Virginia Woolf; 2 (of alphabet) lettre *f*; (character) caractère *m*; **the ~ A** la lettre A; **to write sth in big ~s** écrire qch en gros caractères; **to have a lot of ~s after one's name**○ être bardé○ de titres; 3 US Sport *récompense sportive décernée par une école sous la forme de son monogramme*

B letters *npl* (literature) belles-lettres *fpl*; **academy of ~s** société des belles-lettres; **a man/woman of ~s** un homme/une femme de lettres

C *vtr* marquer [qch] d'une lettre [*photograph, diagram*]; **the rows are ~ed from A to P** les rangées portent des lettres allant de A à P; **to be ~ed in gold/ink** porter des lettres en or/inscrites à l'encre

D *vi* US Univ **to ~ in baseball** gagner une récompense en base-ball

(Idioms) **to respect the ~, if not the spirit, of the law** suivre la lettre, sinon l'esprit, de la loi; **to follow instructions to the ~** suivre des instructions à la lettre

letter: **~ bomb** *n* lettre *f* piégée; **~ box** *n* boîte *f* à lettres; **~ card** *n* carte-lettre *f*

lettered† /'letəd/ *adj* lettré

letterhead /'letəhed/ *n* en-tête *m*

lettering /'letərɪŋ/ *n* caractères *mpl*

letter: **~man** *n* US Univ *étudiant qui a gagné une récompense sportive de son école*; **~ of credit** *n* lettre *f* de crédit; **~ opener** *n* coupe-papier *m*

letter-perfect *adj* US [*piece of work, essay*] parfait; Theat **to be ~** connaître son texte sur le bout des doigts

letter post *n* Post tarif *m* lettre

letterpress /'letəpres/ *n* Print 1 (method) typographie *f*; 2 (text) texte *m* imprimé en relief

letter: **~ rack** *n* porte-lettres *m inv*; **~s of credence** *npl* lettres *fpl* de créance; **~s page** *n* Journ courrier *m* des lecteurs; **~s patent** *npl* lettres *fpl* patentes

letter-writer *n* **he's a keen ~** il aime beaucoup écrire (des lettres)

letting /'letɪŋ/ *n* GB 1 (property for lease) location *f*; **holiday ~s** locations *fpl* de vacances; **furnished ~s** locations *fpl* meublées; 2 ¢ (leasing) location *f* (**of** de)

lettuce /'letɪs/

A *n* Bot, Culin (any variety) salade *f*; (round) laitue *f*; (cos) romaine *f*; (iceberg) laitue *f* croquante; **a head of ~** une laitue, une salade

B *modif* [*heart, leaf*] de laitue, de salade; [*soup*] de laitue

letup /'letʌp/ *n* 1 (reduction in intensity) accalmie *f* (**in** dans); 2 (respite) pause *f*

leucocyte /'lu:kəsaɪt/ *n* leucocyte *m*

leucotomy /lu:'kɒtəmɪ/ *n* leucotomie *f*

leuk(a)emia /lu:'ki:mɪə/ ▸ **p. 1327** *n* leucémie *f*; **to have ~** être atteint de leucémie, être leucémique

leukocyte *n* = **leucocyte**

leukotomy *n* = **leucotomy**

Levant /lɪ'vænt/ *pr n* **the ~** le Levant

Levantine /lɪ'væntaɪn/ *adj* levantin

levee /'levɪ/ *n* 1 Hist (reception) (on rising) lever *m* (*du roi*); (in afternoon) réception *f* royale; 2 US (embankment) digue *f*; (by river) levée *f* alluviale; (quay) quai *m*

level /'levl/

A *n* 1 (floor) (of building, mine) niveau *m*

2 (elevation) (of liquid, sea) niveau *m*

3 Sch, Univ niveau *m*; **an intermediate ~ textbook** un manuel pour le niveau intermédiaire; **that course is above/below your ~** ce cours est trop difficile/facile pour toi

4 fig (of understanding) niveau *m*; **to be on the same ~ as sb** être du même niveau que qn; **to get down/to come down to sb's ~** se mettre/s'abaisser au niveau de qn; **to talk to sb on their ~** parler à qn d'égal à égal

5 (equal plane) **to be on a ~ with** lit [*building, window*] être à la hauteur de *or* au même niveau que [*building, window*]; fig [*action*] équivaloir à [*action*]; **on a ~ with the first floor** à la hauteur du premier étage; **two windows both on the same ~** deux fenêtres à la même hauteur; **at waist-/knee-~** à la hauteur de la taille/des genoux; **at street ~** au niveau de la rue; **that is on a ~ with arson** fig ça équivaut à l'incendie criminel

6 (degree) (of pollution, noise, competence) niveau *m*; (of substance, unemployment, illiteracy) taux *m*; (of spending) montant *m*; (of satisfaction, anxiety) degré *m*; **glucose/cholesterol ~s** taux de glucose/cholestérol

7 (position in hierarchy) échelon *m*; **at local/national/board ~** à l'échelon local/national/du conseil d'administration; **at all ~s** à tous les échelons; **at a higher/lower ~** à un échelon supérieur /inférieur

8 fig (plane) plan *m*; **on a purely practical ~** sur un plan strictement pratique; **to be reduced to the same ~ as** être mis sur le même plan que; **on a literary/musical ~** d'un point de vue littéraire/musical

9 fig (standard) qualité *f*; **the ~ of training/of service** la qualité de la formation/du service

10 (tool) gen niveau *m*; (for surveying) niveau *m* à lunette

B levels *npl* Geog **the Somerset ~s** la plaine du Somerset

C *adj* 1 (not at an angle) [*shelf, rail, floor*] droit; [*surface*] plan; [*worktop, table*] horizontal; **to hold a compass ~** tenir une boussole horizontale; **I don't think this bed is ~** je trouve que ce lit penche

2 (not bumpy) [*ground, surface, plain, land*] plat; [*field, garden*] nivelé; (naturally) sans dénivellation

3 Culin (not heaped) [*teaspoonful*] ras

4 (equally high) **to be ~** [*shoulders, windows, etc*] être à la même hauteur; [*floor, ceiling, building*] être au même niveau; **is the hem ~?** est-ce que l'ourlet est droit?; **trim the shoots so they are ~ with the ground** taillez les rejets au ras du sol

5 fig (equal in achievement, rank) **to be ~** [*competitors*] être à égalité; **to be ~ in popularity** atteindre la même cote de popularité; **on the same ~** (of colleagues) au même échelon

6 (stable) **to remain ~** [*growth, figures*] rester stable

7 fig (even) [*tone*] égal

D *adv* (abreast) **to draw ~** [*competitors, cars*] arriver à la même hauteur (**with** que); **the pound is keeping ~ with the deutschmark** la livre se maintient par rapport au deutschmark

E *vtr* (*p prés etc* **-ll-** GB, **-l-** US) 1 (raze to ground) raser [*village, area*]

2 (aim) braquer [*gun, weapon*] (**at** sur); lancer [*accusation*] (**at** contre); adresser [*criticism*] (**at** à); **the criticism was ~led mainly at the board of directors** les critiques visaient essentiellement le conseil d'administration

3 ○ (knock down) mettre à terre [*opponent*]

(Idioms) **to be ~-pegging** être à égalité; **to be on the ~** (on level ground) être sur terrain plat; (trustworthy) être réglo○; **to ~ with sb** être honnête avec qn; **to keep a ~ head** garder son sang-froid; **to try one's ~ best to do sth** faire tout son possible pour faire qch

(Phrasal verbs) ■ **level off**: ▸ **~ off** 1 [*prices, rate of growth, curve*] se stabiliser; 2 [*plane, pilot*] amorcer le vol en palier; 3 [*path*] continuer sur terrain plat; ▸ **~ [sth] off, ~ off [sth]** égaliser [*ground, floor, mortar*]; aplanir [*wooden surface*]

■ **level out**: ▸ **~ out** 1 [*land, terrain*] s'aplanir; 2 [*prices, rate of growth, curve*] se stabiliser; ▸ **~ [sth] out, ~ out [sth]** niveler [*ground, floor*]

level: **~ crossing** *n* passage *m* à niveau; **~-headed** *adj* pondéré, sensé; **~-headedness** *n* gen bon sens *m*; (in crisis) sang-froid *m*

leveller GB, **leveler** US /'levələ(r)/ *n* littér **death is the great ~** tous les hommes sont égaux devant la mort

levelling /'levəlɪŋ/

A *n* 1 (making smooth) nivellement *m*; 2 (razing to ground) démolition *f*

B *modif* [*effect*] de nivellement; **a ~ process** un nivellement

levelling: **~-down** *n* nivellement *m* par le bas; **~-off** *n* Econ stabilisation *f*; **~ rod** *n* mire *f*; **~ screw** *n* vis *f* de réglage; **~-up** *n* réajustement *m*

lever /'li:və(r), US 'levər/

A *n* 1 Aut, Tech levier *m*; (small) manette *f*; **gear ~** GB Aut levier de changement de vitesse; **to pull a ~** actionner un levier *or* une manette; 2 fig (*also* **bargaining ~**) moyen *m* de pression

B *vtr* 1 lit **to ~ sth off sth** enlever qch de qch à l'aide d'un levier; **to ~ sth out of sth** sortir qch de qch à l'aide d'un levier; **to ~ sth into position** mettre qch en place à l'aide d'un levier; **to ~ sth open** utiliser un levier pour ouvrir qch; 2 fig **to ~ sb in/out** (of office, organization) installer/déloger qn

(Phrasal verb) ■ **lever up**: ▸ **~ up [sth], ~ [sth] up** soulever (à l'aide d'un levier)

leverage /'li:vərɪdʒ, US 'lev-/

A *n* 1 Econ, Pol force *f* d'appui (**on, over** sur); 2 Fin effet *m* de levier; 3 Phys puissance *f* de levier

B *vtr* exercer une influence

C leveraged *pp adj* Econ, Fin [*company*] endetté; **highly ~d** à fort degré d'endettement

leverage: **~d buyout**, **LBO** *n* rachat *m* d'entreprise par endettement; **~d management buyout**, **LMBO** *n* rachat *m* d'entreprise par ses salariés

leveret /'levərɪt/ *n* levraut *m*

leviathan /lɪ'vaɪəθn/ *n* lit, fig léviathan *m*

Levi's® /'li:vaɪz/ *npl* Levi's® *m*

levitate /'levɪteɪt/

A *vtr* faire léviter

B *vi* léviter

levitation /ˌlevɪ'teɪʃn/ *n* lévitation *f*

➡ see French correspondence

Levite /ˈliːvaɪt/ *pr n* Lévite *mf*

Leviticus /lɪˈvɪtɪkəs/ *pr n* Lévitique *m*

levity /ˈlevətɪ/ *n* désinvolture *f*; **this is no occasion for ~** ce n'est pas le moment de plaisanter

levy /ˈlevɪ/
A *n* [1] (tax) taxe *f*, impôt *m* (**on** sur); (act of collecting) perception *f*; **import/production ~** taxe à l'importation/à la production; **agricultural ~** prélèvement *m* agricole; **political ~** GB cotisation *f* (*payée par les membres d'un syndicat au parti travailliste*); [2] Mil Hist levée *f*
B *vtr* [1] (charge) percevoir, prélever [*tax, duty, amount*] (**from** de); imposer [*fine*]; **to ~ a tax on sb/sth** prélever *or* imposer une taxe sur qn/qch; [2] Mil Hist lever [*troops, army*]

lewd /ljuːd, US ˈluːd/ *adj* [*joke, gesture, remark*] obscène; [*person, expression*] lubrique

lewdly /ˈljuːdlɪ, US ˈluːdlɪ/ *adv* de façon obscène

lewdness /ˈljuːdnɪs, US ˈluːd-/ *n* (of joke, remark) obscénité *f*; (of person, behaviour) lubricité *f*

lexeme /ˈleksiːm/ *n* lexème *m*

lexical /ˈleksɪkl/ *adj* lexical

lexicalize /ˈleksɪkəlaɪz/ *vtr* lexicaliser; **to become ~d** se lexicaliser

lexicographer /ˌleksɪˈkɒgrəfə(r)/ ▸ **p. 1683** *n* lexicographe *mf*

lexicographical /ˌleksɪkəˈgræfɪkl/ *adj* lexicographique

lexicography /ˌleksɪˈkɒgrəfɪ/ *n* lexicographie *f*

lexicological /ˌleksɪkəˈlɒdʒɪkl/ *adj* lexicologique

lexicologist /ˌleksɪˈkɒlədʒɪst/ ▸ **p. 1683** *n* lexicologue *mf*

lexicology /ˌleksɪˈkɒlədʒɪ/ *n* lexicologie *f*

lexicon /ˈleksɪkən, US -kɒn/ *n* gén, Ling lexique *m*

lexis /ˈleksɪs/ *n* lexique *m*

ley-line /leɪlaɪn/ *n*: *ligne droite imaginaire reliant des sites préhistoriques et supposée correspondre à une ligne d'énergie terrestre*

lez◑ /lez/, **lezzie**◑ /ˈlezɪ/ *n* injur (lesbian) gouine◑ *f* offensive *f*, lesbienne

LI US Post *abrév* = **Long Island**

liability /ˌlaɪəˈbɪlətɪ/
A *n* [1] Jur (responsibility) responsabilité *f*; **to deny ~ for** décliner toute responsabilité en ce qui concerne; **~ for military service** obligations *fpl* militaires; **~ for tax/for paying tax** assujettissement *m* à l'impôt/au paiement de l'impôt; [2] (drawback) handicap *m*; **the house has become a ~ to them** la maison est devenue une trop grande charge pour eux; **the leader has become a ~ to his party** le chef est devenu un poids mort pour son parti
B liabilities *npl* passif *m*, dettes *fpl*; **assets and liabilities** actif et passif; **to meet one's liabilities** faire face à ses engagements financiers, payer ses dettes

liable /ˈlaɪəbl/ *adj* [1] (likely) **to be ~ to do** risquer de faire; **to be ~ to win/to get arrested** risquer de gagner/de se faire arrêter; **it's ~ to rain** il risque de pleuvoir, il se peut qu'il pleuve; [2] (prone) **to be ~ to** [*person*] être sujet/-ette à [*illness etc*]; [*thing*] être susceptible à; **she is ~ to colds/fits** elle est sujette aux rhumes/aux crises; **the contract is ~ to changes** le contrat peut faire l'objet de modifications; **to be ~ to postponement at short notice** être susceptible d'être ajourné à la dernière minute; [3] (legally subject) **to be ~ to** être passible de [*fine, prosecution*]; **to be ~ for** *ou* **to duty** être assujetti à des droits; **to be ~ for** *ou* **to tax** [*person, company*] être imposable; [*goods, property*] être soumis à l'impôt; **to be ~ for military service** être astreint au service militaire; [4] Jur (answerable) civilement responsable (**for** de); **to be ~ for sb's debts** répondre des dettes de qn; **~ for damages** tenu de payer des dommages et intérêts

liaise /lɪˈeɪz/ *vi* travailler en liaison (**with** avec)

liaison /lɪˈeɪzn, US ˈlɪəzɒn/ *n* (all contexts) liaison *f* (**with** avec; **between** entre); **to make a** *ou* **the ~** Phon faire la liaison

liaison: **~ committee** *n* comité *m* de liaison; **~ officer** *n* Mil officier *m* de liaison; Admin responsable *mf* de la communication

liana /lɪˈɑːnə/ *n* liane *f*

liar /ˈlaɪə(r)/ *n* menteur/-euse *m/f*

lib○ /lɪb/ *n* (mouvement *m* de) libération *f*; **women's ~** ≈ mouvement *m* pour la libération de la femme, MLF *m*

Lib /lɪb/ *n* GB Pol (*abrév* = **Liberal**) libéral/-e *m/f*; **~-Lab pact** coalition *f* de 1977 à 1978 entre travaillistes et libéraux (*contre les conservateurs*)

libation /laɪˈbeɪʃn/ *n* [1] Antiq libation *f* (**to** à); [2] hum libations *fpl*

libber○ /ˈlɪbə(r)/ *n* activiste *mf*; **women's ~** féministe *f*

Lib Dem○ *n, adj* GB Pol *abrév* = **Liberal Democrat**

libel /ˈlaɪbl/
A *n* [1] (crime) diffamation *f*; **to bring an action for ~ against sb, to sue sb for ~** intenter un procès en diffamation à qn; [2] (article, statement) écrit *m* diffamatoire; [3] (slander, insult) calomnie *f*
B *modif* [*action, case, proceedings, suit*] en diffamation; [*award, damages*] pour diffamation; [*laws*] sur la diffamation
C *vtr* (*p prés etc* **-ll-**, US **-l-**) diffamer

libellous GB, **libelous** US /ˈlaɪbələs/ *adj* diffamatoire

liberal /ˈlɪbərəl/
A *n* gen, Pol libéral/-e *m/f*; gauchisant/-e *m/f* pej
B *adj* [1] (open-minded, tolerant) [*person, institution*] gen libéral; Pol, Relig libéral; péj bien intentionné; [*attitude, values*] libéral; **~ intellectual** ≈ intellectuel/-elle *m/f* de gauche; [2] (generous) [*amount, offer*] généreux/-euse; [*person*] prodigue (**with** de); **the cook has been a bit ~ with the salt** la cuisinière a eu la main un peu lourde sur le sel; **to make ~ use of sth** faire amplement usage de qch; [3] [*translation, interpretation*] libre

Liberal /ˈlɪbərəl/ *n, adj* Pol libéral/-e (*m/f*)

liberal arts *npl* [1] Univ ≈ arts *mpl* et sciences *fpl* humaines; [2] Hist arts *mpl* libéraux

liberal democracy *n* démocratie *f* libérale

Liberal Democrat *n* GB Pol libéral-démocrate *mf*; **the ~s** les libéraux-démocrates

liberal education *n* ≈ éducation *f* classique

liberalism /ˈlɪbərəlɪzəm/ *n* [1] gen, Pol, Econ libéralisme *m*; [2] = **liberality**

liberality /ˌlɪbəˈrælətɪ/ *n* [1] (generosity) libéralité *f*; [2] (open-mindedness) libéralisme *m*

liberalization /ˌlɪbərəlaɪˈzeɪʃn, US -lɪˈz-/ *n* libéralisation *f*

liberalize /ˈlɪbərəlaɪz/ *vtr* libéraliser; **to become ~d** se libéraliser

liberally /ˈlɪbərəlɪ/ *adv* [1] (generously) libéralement; **~ laced with vodka** avec une bonne dose de vodka; [2] (tolerantly) [*think, treat, govern*] de façon libérale; [3] (not literally) [*interpret, translate*] librement

liberal: **~-minded** *adj* large d'esprit; **Liberal Party** *n* GB Pol Hist parti *m* libéral; **~ studies** *npl* GB Sch, Univ ≈ culture *f* générale

liberate /ˈlɪbəreɪt/
A *vtr* [1] gen libérer [*country, group*] (**from** de); libérer, délivrer [*hostage, prisoner*]; affranchir [*slave*]; [2] Fin dégager [*funds*]; [3] Chem libérer; [4] ○hum (steal) faucher○
B liberated *pp adj* [*attitude, lifestyle, woman*] libéré
C liberating *pres p adj* libérateur/-trice

liberation /ˌlɪbəˈreɪʃn/ *n* [1] gen, Pol libération *f* (**from** de); **women's/black/sexual ~** libération *f* de la femme/des noirs/sexuelle; **gay ~** mouvement *m* de libération des homosexuels; [2] Fin (of funds) dégagement *m*; [3] Hist (of France) **the Liberation** la Libération

liberation: **~ army** *n* Pol armée *f* de libération; **~ front** *n* front *m* de libération

liberationist /ˌlɪbəˈreɪʃənɪst/ *n* membre *m* d'un mouvement de libération

liberation: **~ movement** *n* Pol mouvement *m* de libération; **~ theology** *n* théologie *f* de la libération; **~ war** *n* guerre *f* de libération

liberator /ˈlɪbəreɪtə(r)/ *n* libérateur/-trice *m/f*

Liberia /laɪˈbɪərɪə/ ▸ **p. 1096** *pr n* Liberia *m*; **in/to ~** au Liberia

Liberian /laɪˈbɪərɪən/ ▸ **p. 1467**
A *n* Libérien/-ienne *m/f*
B *adj* libérien/-ienne

libertarian /ˌlɪbəˈteərɪən/ *n, adj* [1] (Right wing) ultralibéral/-e (*m/f*); [2] (liberal Left) libertaire (*mf*)

libertarianism /ˌlɪbəˈteərɪənɪzəm/ *n* (Right wing) ultralibéralisme *m*

libertinage /ˈlɪbətiːnɑːʒ/ *n* littér libertinage *m*

libertine /ˈlɪbətiːn/ *n* littér libertin/-e *m/f*

liberty /ˈlɪbətɪ/ *n* [1] gen, Philos, Pol (freedom) liberté *f*; **individual/political ~** liberté individuelle/politique; **civil liberties** droits *mpl* civils; **to be at/to set sb at ~** être/mettre qn en liberté; **to be at ~ to do** être libre de faire; **I am not at ~ to say** sout je n'ai pas le droit de vous le dire; [2] (presumption) **to take the ~ of doing** prendre la liberté de faire; **to take liberties with sth/sb** prendre des libertés avec qch/qn; **it is a bit of a ~** *ou* **rather a ~ to do** c'est plutôt effronté de faire; **what a ~**○**!** quel sans-gêne!; [3] US Mil Naut permission *f*

(Idiom) **it's ~ hall here!** chacun fait comme il veut ici!

liberty: **~ bodice** *n* chemise *f* américaine; **~ cap** *n* bonnet *m* phrygien

libidinal /lɪˈbɪdɪnl/ *adj* libidinal

libidinous /lɪˈbɪdɪnəs/ *adj* sout hum libidineux/-euse

libido /lɪˈbiːdəʊ, ˈlɪbɪdəʊ/ *n* (*pl* **-os**) libido *f*

Libra /ˈliːbrə/ ▸ **p. 1917** *n* Balance *f*

Libran /ˈliːbrən/ ▸ **p. 1917**
A *n* Balance *f*; **he's a ~** il est Balance
B *adj* [*characteristic*] de la Balance

librarian /laɪˈbreərɪən/ ▸ **p. 1683** *n* bibliothécaire *mf*

librarianship /laɪˈbreərɪənʃɪp/ *n* (library science) bibliothéconomie *f*; **a career/studies in ~** une carrière/des études de bibliothécaire

library /ˈlaɪbrərɪ, US -brerɪ/
A *n* bibliothèque *f*; **local/public ~** bibliothèque de quartier/municipale; **photo(graphic) ~** photothèque *f*; **toy ~** ludothèque *f*
B *modif* [*book, card, service, ticket*] de bibliothèque; Comput [*program, software*] de bibliothèque

library: **~ edition** *n* édition *f* pour bibliothèque; **~ pictures** *npl* TV images *fpl* d'archives; **~ science** *n* bibliothéconomie *f*

librettist /lɪˈbretɪst/ *n* librettiste *mf*

libretto /lɪˈbretəʊ/ *n* (*pl* **-tti** *ou* **-ttos**) livret *m*, libretto *m*

Librium® /ˈlɪbrɪəm/ *n* Librium® *m*

Libya /ˈlɪbɪə/ ▸ **p. 1096** *pr n* Libye *f*; **in/to ~** en Libye

Libyan /ˈlɪbɪən/ ▸ **p. 1467**
A *n* Libyen/-enne *m/f*
B *adj* libyen/-enne

Libyan Desert *pr n* désert *m* de Libye

lice /laɪs/ *pl* ▸ **louse**

licence GB, **license** US /ˈlaɪsns/ *n* [1] (to make, sell sth) licence *f* (**to do** de faire; **for** pour); **the restaurant doesn't have a ~** le restaurant n'a pas de licence de débit de boissons; **sold/manufactured/brewed under ~ (from)** vendu/fabriqué/brassé sous licence (de);

2 (to drive, carry gun, fish) permis *m* (**to do** pour faire); (for TV) redevance *f*; **to lose one's (driving)** ~ se faire retirer son permis (de conduire); **to be married by special** ~ se marier avec dispense; **3** péj (freedom) licence *f* pej; **artistic** ~ liberté *f* de l'artiste; **4** fig (permission) autorisation *f*; **this law is a** ~ **to harass the innocent** cette loi laisse le champ libre pour harceler les innocents

(Idiom) **it's a** ~ **to print money** c'est un pactole

licence agreement GB, **license agreement** US *n* contrat *m* de licence

licence fee *n* GB redevance *f*

licence number *n* **1** (of car) numéro *m* minéralogique *or* d'immatriculation; **2** (of driver) numéro *m* de permis de conduire

licence plate, **license tag** US *n* plaque *f* minéralogique *or* d'immatriculation

license /'laɪsns/

A *n* US = **licence**

B *vtr* **1** (authorize) autoriser (**to do** à faire); **radio stations must be** ~**d by the appropriate authority** les stations de radio doivent obtenir une autorisation des autorités compétentes; **2** (obtain licence for) obtenir un permis pour [*gun*]; (register) faire immatriculer [*vehicle*]; **3** (use under licence) exploiter [qch] sous licence; **the software is** ~**d from X** le logiciel est exploité sous licence de X

licensed /'laɪsnst/ *adj* **1** [*restaurant, café, club*] qui a une licence de débit de boissons; **the shop is** ~ **for the sale of tobacco** le magasin a une licence de débit de tabac; **2** [*dealer, security firm, taxi*] agréé; [*pilot, dog-handler*] breveté; **to be** ~ **to carry a gun** avoir un permis de port d'armes; **to be** ~ **to drive a heavy goods vehicle** avoir son permis poids lourds; **3** [*firearm, TV*] déclaré; [*vehicle*] en règle

licensed: ~ **practical nurse**, **LPN** ▸ **p. 1683** *n* US ≈ infirmier/-ière *m/f* auxiliaire; ~ **premises** *npl* GB débit *m* de boissons; ~ **victualler** *n* GB titulaire *mf* d'une licence de débit de boissons

licensee /,laɪsən'siː/ *n* **1** (of pub etc) titulaire *mf* d'une licence de débit de boissons; **2** (licensed manufacturer) détenteur/-trice *m/f* d'une autorisation; **3** (holder of gun, fishing etc licence) détenteur/-trice *m/f* d'un permis

licenser *n* = **licensor**

licensing authority *n* **1** (for drivers, guns etc) organisme *m* délivrant les permis; **2** (for sale of alcohol) organisme *m* délivrant les licences; **3** (authorizing manufacture, use) organisme *m* délivrant les autorisations

licensing: ~ **hours** *npl* GB heures *fpl* d'ouverture des débits de boissons; ~ **laws** *npl* GB lois *fpl* réglementant la vente des boissons alcoolisées; ~ **magistrate** *n* GB magistrat *m* délivrant les licences de débit de boissons

licensor /'laɪsnsə(r)/ *n* **1** (issuing licence to manufacture) organisme *m* délivrant les autorisations; **2** (issuing licence to sell) organisme *m* délivrant les licences; **3** (issuing gun, fishing licence) organisme *m* délivrant les permis

licentiate /laɪ'senʃɪət/ *n* diplômé/-e *m/f* (**in** en)

licentious /laɪ'senʃəs/ *adj* licencieux/-ieuse

lichen /'laɪkən/ *n* lichen *m*

lich-gate *n* = **lychgate**

licit /'lɪsɪt/ *adj* sout licite fml

lick /lɪk/

A *n* **1** (with tongue) coup *m* de langue; **to give sth a** ~ lécher qch; **give me a** ~ **of your ice cream** laisse-moi lécher ta glace un coup; **2** fig **a** ~ **of paint** un petit coup de peinture; **3** ○Mus (in jazz) chorus *m*; **4** (blow) coup *m*; **5** ○US (scrap) brin○ *m*

B *vtr* **1** [*person, animal, flame, wave*] lécher; **the cat was** ~**ing its paws** le chat se léchait les pattes; **to** ~ **sth off the spoon** lécher qch sur la cuillère; **to** ~ **sth clean** [*animal*] nettoyer qch à coups de langue; **he** ~**ed his fingers clean** il s'est léché les doigts; **to** ~ **one's chops**○ *ou* **lips** lit se lécher les babines; fig (at prospect) se délecter (**at** à); **to** ~ **sb's boots**○/**arse**◑ lécher les bottes○/le cul◑ de *or* à qn; **2** ○(beat in game) écraser, battre [qn] à plate couture○ [*team, opponent*]; (beat physically) corriger, battre [*person*]; (overcome) venir à bout de [*difficulty*]; **to get** ~**ed** (in game) se faire battre à plate couture○, se faire écraser; **I think we've got the problem** ~**ed!**○ je crois que nous avons réussi à venir à bout de ce problème; **this puzzle has got me** ~**ed!** cette énigme me dépasse!

(Idioms) **at a fair** *ou* **good** ~○ à toute allure, en quatrième vitesse; **to give oneself a** ~ **and a promise**○† faire un brin de toilette; **to** ~ **one's wounds** panser ses blessures; ▸ **shape**

(Phrasal verb) ■ **lick up**: ▸ ~ **up [sth]**, ~ **[sth] up** [*person*] lécher; [*cat, dog*] laper

lickety-split○ /,lɪkətɪ'splɪt/ US *adv* à toute allure

licking○ /'lɪkɪŋ/ *n* (beating) raclée○ *f*; **to take** *ou* **get a** ~○ prendre une raclée○

lickspittle† /'lɪkspɪtl/ *n* flagorneur/-euse† *m/f*

licorice *n* US = **liquorice**

lictor /'lɪktɔː(r)/ *n* licteur *m*

lid /lɪd/ *n* **1** (cover) couvercle *m*; **dustbin/saucepan** ~ couvercle de poubelle/de casserole; **to put on/take off the** ~ mettre/enlever le couvercle; **2** (eyelid) paupière *f*

(Idioms) **to blow the** ~ **off sth**○ lever le voile sur qch; **to flip one's** ~○ éclater; **to keep the** ~ **on sth**○ contrôler qch; **to put a** ~ **on sth**○ mettre un frein à qch; **to put the** ~ **on sth**○ (finish) mettre fin à qch; **that really puts the (tin)** ~ **on it!**○ ça, c'est vraiment le pompon○!

lido /'liːdəʊ/ *n* (*pl* **-os**) **1** (beach) plage *f* (aménagée); **2** GB (pool) piscine *f* (en plein air)

lie /laɪ/

A *n* **1** (falsehood) mensonge *m*; **it's all** ~**s** ce ne sont que des mensonges; **to tell a** ~ mentir; **no I tell a** ~ non je me trompe; **to give the** ~ **to sth/sb** démentir qch/qn
2 (in golf) **a good/bad** ~ un bon/mauvais lie

B *vtr* (*p prés* **lying**; *prét, pp* **lied**) **'No,' I** ~**d** 'Non,' mentis-je; **he** ~**d his way into the job** il a obtenu le poste grâce à des mensonges; **she'll** ~ **her way out of trouble** elle s'en sortira grâce à des mensonges; **we** ~**d our way past the guard** nous avons amadoué le gardien grâce à des mensonges

C *vi* **1** (*p prés* **lying**; *prét, pp* **lied**) (tell falsehood) mentir (**to sb** à qn; **about** à propos de); **he** ~**d about her** il a menti à son propos; **the camera never** ~**s** la caméra ne ment pas
2 (*p prés* **lying**, *prét* **lay**, *pp* **lain** *also for 3, 4, 5, 6, 7, 8*) (in horizontal position) [*person, animal*] (action) s'allonger; (state) être allongé; [*bottle, packet, pile*] être couché; **don't** ~ **on the grass** ne t'allonge pas sur l'herbe; **he was lying on the bed** il était allongé sur le lit; **she continued to** ~ **there** elle est restée allongée là; **to** ~ **on one's back/front** être allongé *or* s'allonger sur le dos/ventre; **to** ~ **flat** être allongé *or* s'allonger à plat; **to** ~ **face down** être allongé *or* s'allonger sur le ventre; **the horse lay injured** le cheval blessé était couché; **to** ~ **awake at night** rester éveillé la nuit; **to** ~ **in bed all morning** rester au lit toute la matinée; **don't** ~ **in the sun too long** ne reste pas allongé trop longtemps au soleil; ~ **still** ne bougez pas; **while her husband lay in hospital** pendant que son mari était à l'hôpital; **he lay dead** il gisait mort; **the soldier lay dying** le soldat agonisait; **the body lay...** le corps reposait...; **to** ~ **in state** être exposé publiquement; **here** ~**s John Brown** ci-gît John Brown
3 (be situated) gen être; Math [*point*] être situé; **to** ~ **fifth** *ou* **in fifth place** occuper la cinquième place; **to** ~ **in pieces/open** être en morceaux/ouvert; **everything that** ~**s in my way** tout ce qui est sur mon chemin; **their unhappy past lay behind them** leur passé malheureux était derrière eux; **your future** ~**s in that direction** votre avenir est dans cette voie; **that's where our future** ~**s** c'est là qu'est notre avenir; **to** ~ **before sb** [*life, career*] s'ouvrir pour qn; [*unknown*] attendre qn; **what** ~**s ahead?** qu'est-ce qui nous attend?; **the toys lay all over the floor** le sol était couvert de jouets; **danger** ~**s all around us** nous sommes menacés de toutes parts
4 (remain) rester; **the boat had lain there for years** le bateau était resté là pendant des années; **his clothes lay where he'd left them** ses vêtements étaient restés là où il les avait laissés; **the newspaper lay unread** le journal n'avait pas été ouvert; **his meal lay untouched** il n'avait pas touché à son assiette; **to** ~ **idle** [*machine*] être inutilisé; [*money*] croupir; **to** ~ **empty** rester vide
5 (can be found) résider; **their interests** ~ **elsewhere** leurs intérêts résident ailleurs; **that's where the fault lay** c'est là que résidait la faute; **to** ~ **in** [*cause, secret, success, talent*] résider dans; [*popularity, strength, fault*] venir de; [*solution, cure*] consister dans; **to** ~ **in doing** [*solution, cure*] consister à faire; **to** ~ **behind** (be hidden) se cacher derrière; (instigate) être à l'origine de; **to** ~ **at the heart/at the root of** être au cœur/à la racine de; **my support** ~**s with you** mon soutien vous est acquis; **the responsibility** ~**s with them** c'est eux qui sont responsables
6 lit, fig (as covering) [*snow*] tenir; **the snow lay thick** il y avait une épaisse couche de neige; **to** ~ **over** [*aura, atmosphere*] recouvrir [*place, gathering*]; **to** ~ **upon** [*burden, guilt*] reposer sur [*person*]
7 Jur **an appeal that will not** ~ un recours qui n'est pas recevable; **no appeal** ~**s against the action** l'action ne souffre pas d'appel
8 Naut **to be lying at anchor** avoir jeté l'ancre

(Idioms) **let the matter** ~ laissez les choses comme elles sont; **to** ~ **in the hands of** dépendre de; **to** ~ **low** garder un profil bas; **to live a** ~ vivre dans le mensonge; **to take it lying down**○ se laisser faire; **don't just** ~ **down and die** ne baissez pas les bras. ▸ **land**, **wait**

(Phrasal verbs) ■ **lie about** = **lie around**

■ **lie around**: ▸ ~ **around** [*person, object*] traîner; **to leave sth lying around** laisser traîner qch; ▸ ~ **around [sth]** traîner dans [*house*]

■ **lie back** (horizontally) s'allonger (**on** sur); **she lay back on the pillow** elle s'est adossée à l'oreiller; ~ **back and enjoy life** détendez-vous et profitez de la vie

■ **lie down** (briefly) s'allonger; (for longer period) se coucher; ▸ **dead**

■ **lie in** (in bed) faire la grasse matinée

■ **lie off** Naut [*ship*] rester au large

■ **lie over** [*business, matter*] être ajourné

■ **lie to** Naut **1** (be hove to) tenir le cap; **2** (be at anchor) être à l'ancre

■ **lie up** **1** (stay in bed) garder le lit; **2** (hide) se cacher

Liechtenstein /'lɪktənstaɪn/ ▸ **p. 1096** *pr n* Liechtenstein *m*; **in/to** ~ au Liechtenstein

lied /liːt/ *n* (*pl* **lieder**) (song) lied *m*

lie detector

A *n* détecteur *m* de mensonge

B *modif* [*evidence, printout*] de détecteur de mensonge; [*test*] au détecteur de mensonge

lie-down /'laɪdaʊn/ *n* **to have a** ~ aller s'allonger

lief‡ /liːf/ *adv* **I'd as** ~ **go as stay** peu m'importe de partir ou de rester

liege /liːdʒ/ *n* **1** (*also* ~ **lord**) suzerain *m*; **my** ~ mon seigneur; **2** (*also* ~ **man**) vassal *m* lige

lie-in /'laɪɪn/ *n* **to have a ~** faire la grasse matinée

lien /'lɪən/ *n* Jur droit *m* de rétention (**on** de)

lieu /lju:/

A **in lieu** *adv phr*: **one week's holiday in ~** une semaine de vacances pour compenser

B **in lieu of** *prep phr* à la place de

Lieut *abrév écrite* = **Lieutenant**

lieutenancy /lef'tenənsɪ, US lu:'t-/ *n* (army) grade *m* de lieutenant; (navy) grade *m* de lieutenant de vaisseau

lieutenant, **Lt** /lef'tenənt, US lu:'t-/ ▸ **p. 1599** *n* [1] Mil (GB army) lieutenant *m*; (GB, US navy) lieutenant *m* de vaisseau; [2] (US police) lieutenant *m*; [3] (assistant) lieutenant *m*

lieutenant: **~ colonel** *n* lieutenant-colonel *m*; **~ commander** *n* capitaine *m* de corvette; **~ general** *n* (army) général *m* de corps d'armée; (airforce) général *m* de corps aérien; **~ Governor** *n* gouverneur *m* adjoint

life /laɪf/ (*pl* **lives**)

A *n* [1] (as opposed to death) vie *f*; **~ and death** la vie et la mort; **a matter of ~ and death** une question de vie ou de mort; **to cling to ~** s'accrocher à la vie; **to have a love of ~** aimer la vie; **to bring sb back to ~** gen rendre la vie à qn; Med ranimer qn; **to save sb's ~** sauver la vie de qn; **to put one's ~ at risk** risquer sa vie; **to lay down** *ou* **give one's ~ for sb** sacrifier sa vie pour qn; **to lose/risk one's ~ doing** perdre/risquer sa vie à faire; **to take one's own ~** se donner la mort; **to take sb's ~** sout donner la mort à qn; **to run/swim for one's ~** courir/nager aussi vite que possible; **run for your ~!** sauve qui peut!

[2] (period from birth to death) vie *f*; **short/long ~** courte/longue vie; **throughout one's ~** pendant toute sa vie; **his waking ~** sa vie éveillée; **in this ~ and the next** dans cette vie et dans l'autre; **the first time in my ~** la première fois de ma vie; **a day/year in the ~ of** une journée/année de la vie de; **romance/race of one's ~** amour/course de sa vie; **I got the fright of my ~!** j'ai eu la frayeur de ma vie!; **a job for ~** un emploi à vie; **a friend for ~** un ami pour la vie; **in later ~** plus tard dans sa vie; **to mark sb for ~** marquer qn pour la vie; **to go through** *ou* **spend one's ~ doing** passer sa vie à faire; **to make ~ worth living** donner un sens à la vie; **to be all for an easy ~** aimer la vie facile; **early in ~** très tôt; **in adult ~** à l'âge adulte; **in the prime of ~** dans la fleur de l'âge; **at my time of ~** à mon âge; **have you lived here all your ~?** est-ce que tu as toujours habité ici? ; **for the rest of one' s ~** pour le restant de ses jours; **in her early ~** quand elle était jeune; **to depart this ~** littér quitter ce monde; **the ~ and times of X** la vie et l'époque de X; **to write a ~ of sb** écrire une biographie de qn

[3] (animation, vigour) vie *f*, vitalité *f*; **full of ~** plein de vie *or* vitalité; **there was no ~ in her voice** il n'y avait aucune vitalité dans sa voix; **there's not much ~ in the town in winter** cette ville n'est pas très vivante l'hiver; **to come to ~** [*person*] reprendre conscience; fig sortir de sa réserve; [*fictional character*] prendre vie; [*party*] s'animer; **to bring a subject to ~** traiter un sujet de manière très vivante; **to bring history/a character to ~** donner de la vie à l'histoire/un personnage; **to roar/splutter into ~** se mettre en marche en vrombissant/en toussant; **put a bit of ~ into it**○ mettez-y un peu de tonus○; **this drink will put new ~ into you** cette boisson te redonnera des forces

[4] (social activity, lifestyle) vie *f*; **to lead a busy/sheltered ~** mener une vie occupée/protégée; **to change one's ~** transformer sa vie; **private/family** *ou* **home ~** vie privée/de famille; **working/social ~** vie professionnelle/personnelle; **his way of ~** son mode de vie; **a way of ~** un style de vie; **a ~ of luxury/crime** une vie de luxe/de criminel; **to live the good** *ou* **high ~** mener la grande vie; **the outdoor ~** la vie au grand air; **it's no ~ for a child** ce n'est pas une vie pour un enfant; **to have a ~ of one's own** avoir sa propre vie; **to make a new ~ for oneself** se forger une nouvelle vie; **to get on with one's ~** continuer sa vie; **what a ~!** quelle vie!; **in public ~** dans les affaires publiques

[5] (as general concept) vie *f*; **~ in general** la vie en général; **~'s been kind to me** la vie m'a été favorable; **isn't ~ wonderful?** la vie n'est-elle pas merveilleuse?; **how's ~ treating you?** comment va la vie? **to make ~ easier/difficult for sb** faciliter/compliquer la vie à qn; **don't make ~ so difficult for yourself** ne te rends pas la vie impossible; **to take ~ as it comes** prendre la vie comme elle vient; **~ has to go on** la vie continue; **that's ~** c'est la vie; **~'s a bitch**○ chienne de vie○

[6] (living things) vie *f*; **origins of ~** origines de la vie; **extraterrestrial ~** la vie extraterrestre; **~ as we know it** la vie telle que nous la connaissons; **plant/marine ~** la vie végétale/marine; **~ in the hedgerows/forest** la faune des haies/forêts; **low ~** péj racaille○ *f*

[7] (human being(s)) **without loss of ~** sans perte de vies humaines; **the ship sank with the loss of 500 lives** le naufrage du navire a fait 500 morts

[8] (useful duration) durée *f*; **shelf ~** durée de conservation; **the average ~ of a washing-machine** la durée moyenne d'une machine à laver; **there's plenty of ~ still left in them** ils sont encore tout à fait utilisables; **this carpet's coming to the end of its ~** ce tapis commence à avoir fait son temps

[9] Jur **to do**○ *ou* **serve ~** être emprisonné à vie; **to sentence sb to ~** condamner qn à perpétuité; **to get ~**○ se faire condamner à perpette○

[10] Games vie *f*; **to lose a ~** perdre une vie

[11] Art **from ~** [*draw, paint*] d'après nature

B *modif* [*member, president, peer, peerage, membership*] à vie; [*ban*] définitif/-ive; Insur [*annuity*] viager/-ère

(Idioms) **anything for a quiet ~** tout ce que tu voudras mais laisse-moi tranquille; **for dear ~** de toutes mes/ses etc forces; **not for the ~ of me** absolument pas; **he couldn't for the ~ of him see why** il n'arrivait absolument pas à comprendre pourquoi; **get a ~**○! lâche-moi les baskets○!; **not on your ~!** jamais de la vie!; **this is the ~!** c'est la belle vie!, voilà la vie qu'il me/nous etc faut!; **to frighten the ~ out of sb** faire mourir qn de peur; **to have the time of one's ~** s'amuser comme un fou/une folle; **you get out of ~ what you put into it** comme on fait son lit on se couche Prov; **to take one's ~ in one's hands** risquer sa vie

life: **~-and-death** *adj* [*decision, issue*] crucial; **~ assurance** *n* = **life insurance**; **~belt** *n* bouée *f* de sauvetage; **~ blood** *n* fig force *f* vitale; **~boat** *n* canot *m* de sauvetage; **~boatman** *n* sauveteur *m*; **~boat station** *n* poste *m* de secours (en mer); **~buoy** *n* bouée *f* de sauvetage; **~ class** *n* Art cours *m* de dessin d'après modèle; **~ coach** *n* coach *mf*; **~ cycle** *n* cycle *m* de vie; **~ drawing** *n* Art dessin *m* d'après modèle; **~ event** *n* événement *m* de la vie; **~ expectancy** *n* Biol espérance *f* de vie; Tech durée *f* probable; **~ force** *n* littér force *f* vitale; **~ form** *n* être *m* vivant; **~giving** *adj* vital; **~guard** ▸ **p. 1683** *n* surveillant/-e *m/f* de baignade

Life Guards *npl* GB *l'un des régiments de cavalerie de la garde royale britannique*

life: **~ history** *n* Biol, Hist vie *f*; **~ imprisonment** *n* réclusion *f* à perpétuité

life insurance

A *n* assurance-vie *f*; **to take out ~** souscrire une assurance-vie

B *modif* [*policy*] d'assurance-vie; [*salesman*] en assurance-vie

life: **~ interest** *n* Jur usufruit *m*; **~jacket** *n* gilet *m* de sauvetage

lifeless /'laɪflɪs/ *adj* [1] (dead, appearing dead) [*body, animal*] inanimé; [2] (inanimate) [*object*] inanimé; [3] (without life) [*planet, pond*] sans vie; [4] fig [*performance*] peu vivant; [*character*] manquant de vie; [*voice*] éteint

lifelessly /'laɪflɪslɪ/ *adv* **she lay ~ on the sofa** elle était allongée sur le sofa, immobile; **his arms hung ~** il avait les bras pendants, immobiles

lifelessness /'laɪflɪsnɪs/ *n* fig (of acting, production) platitude *f*

lifelike /'laɪflaɪk/ *adj* très ressemblant

lifeline /'laɪflaɪn/ *n* [1] (rope) (on boat etc) bouée *f* de sauvetage; (safety line) corde *f* de sécurité; (in climbing) assurance *f*; [2] fig (social, financial aid) bouée *f* de sauvetage; **the telephone was her ~** pour elle le téléphone était un lien vital; [3] (in palmistry) ligne *f* de vie

lifelong /'laɪflɒŋ/ *adj* [*friendship, fear, ambition, work*] de toute une vie; **to have had a ~ fear of/ambition to do** avoir toujours eu peur de/rêvé de faire

life: **~ mask** *n* Art masque *m*, empreinte *f* du visage; **~-or-death** *adj*= **life-and-death**; **~ preserver** *n* = **lifejacket**, **lifebuoy**

lifer○ /'laɪfə(r)/ *n* condamné/-e *m/f* à perpette○

life raft *n* radeau *m* de sauvetage

lifesaver /'laɪfseɪvə(r)/ *n* [1] (lifeguard) sauveteur *m*; [2] fig **to be a ~** [*object*] être d'une grande utilité; **you're a ~!** tu m'as sauvé la vie!

lifesaving /'laɪfseɪvɪŋ/

A *n* [1] (swimmers' technique) sauvetage *m*; [2] Med secourisme *m*

B *modif* [*course*] (swimming) de sauvetage; Med de secourisme; [*equipment*] de secourisme; [*technique*] (swimming) de sauvetage; (Med) du secourisme; [*drugs, treatment*] d'importance vitale

life: **~ sciences** *npl* sciences *fpl* de la vie; **~ sentence** *n* Jur condamnation *f* à perpétuité; **~-size** *adj* grandeur nature *inv*; **~ span** *n* durée *f* de vie; **~ story** *n* vie *f*

lifestyle /'laɪfstaɪl/

A *n* mode *m* de vie

B *modif* [*product*] ciblé pour un mode de vie; [*comedy, magazine*] destiné à un public ayant un mode de vie spécifique

life: **~-support machine** *n* appareil *m* de respiration artificielle; **~-support system** *n* équipement *m* de vie; **~-threatening** *adj* [*illness*] très grave; [*situation*] critique

lifetime /'laɪftaɪm/

A *n* [1] (from birth to death) vie *f*; **the work of a ~** l'œuvre d'une vie; **a ~'s accumulation of junk** des vieilleries accumulées pendant toute une vie; **in her ~** de son vivant; **the chance/the holiday of a ~** la chance/les vacances de ma/ta etc vie; [2] (long period) éternité *f*; **to seem like a ~** sembler une éternité; **it felt like a ~ before...** il s'est écoulé ce qui m'a semblé une éternité avant que...; [3] (of object) durée *f*; **during its ~** pendant toute la durée de son utilisation

B *modif* [*subscription, ban*] à vie

life vest *n* US = **lifejacket**

lift /lɪft/

A *n* [1] GB (elevator) (for people) ascenseur *m*; (for goods) monte-charge *m inv*; **to take the ~ to the fourth floor** prendre l'ascenseur pour monter au cinquième étage

[2] (ride) **she asked me for a ~** elle m'a demandé de la conduire; **I get a ~ to work from Annie** Annie me dépose à mon travail; **to give sb a ~ to the station** déposer qn à la gare; **can I give you a ~?** je peux te déposer quelque part?; **to give ~s to hitchhikers** prendre des auto-stoppeurs; **to hitch a ~** faire de l'auto-stop; **don't accept ~s from strangers** ne monte jamais dans la voiture d'un inconnu

3 ○(boost) coup *m* de fouet; **to give sb a ~** [*praise, good news*] remonter le moral à qn

4 ○(help) **can you give me a ~ with this trunk?** est-ce que tu peux m'aider à porter cette malle?

5 Sport (in weightlifting) essai *m*

6 Sport (height) (of gymnast, diver) détente *f*; (of ball) (in football, tennis) lift *m*

7 (special heel) talonnette *f*

8 Aviat sustentation *f*

B *modif* GB [*button, door*] d'ascenseur; [*maintenance*] des ascenseurs

C *vtr* 1 (pick up) soulever [*object, person*]; **to ~ sth off a ledge/onto the table** soulever qch d'un rebord/pour le mettre sur la table; **to ~ sth out of the box/drawer** sortir qch de la boîte/du tiroir; **to ~ sth into the car** prendre qch pour le mettre dans la voiture; **to ~ sb into the ambulance** porter qn jusque dans l'ambulance; **to ~ sth over the wall** faire passer qch par-dessus le mur; **she ~ed the spoon/flute to her lips** elle a porté la cuillère/flûte à sa bouche; **one, two, three, ~!** oh, hisse!

2 (raise) lever [*arm, head*]; **he ~ed his arm** il a levé le bras; **she didn't even ~ her head from her book** elle n'a même pas levé le nez de son livre

3 Mil (transport) ▸ **lift in, lift out**

4 (remove) lever [*siege, ban, sanctions*]; **I feel as if a great weight has been ~ed from my mind** *ou* **shoulders** je me sens soulagé d'un grand poids

5 (boost) **to ~ sb's spirits** remonter le moral à qn

6 Sport (improve) améliorer [*game, performance*]

7 ○(steal) piquer○, voler [*file, keys, ideas*] (**from** dans); pomper○, copier [*article, passage*] (**from** sur); **he ~ed it from my briefcase** il l'a piqué dans ma serviette

8 (dig up) arracher [*carrots, onions*]

9 ○GB (arrest) arrêter

10 Sport (in football, tennis) lifter [*ball*]; **to ~ weights** faire des haltères

11 US (pay off) rembourser [*mortgage, debt*]

12 Cosmet **to have one's face ~ed** se faire faire un lifting

D *vi* 1 (improve) [*bad mood, headache*] disparaître; **her spirits began to ~** elle a commencé à retrouver le moral

2 (disappear) [*fog, mist*] se dissiper

3 (open) se soulever; **the lid/trapdoor ~s easily** le couvercle/la trappe se soulève facilement

(Idiom) **not to ~ a finger** ne pas lever le petit doigt

(Phrasal verbs) ■ **lift down**: ▸ **~ [sb/sth] down, ~ down [sb/sth]** descendre [*object*]; **to ~ a child down from a wall** soulever un enfant d'un mur et le poser par terre

■ **lift in**: ▸ **~ [sb/sth] in, ~ in [sb/sth]** Mil transporter [qn/qch] par voie aérienne [*troops, supplies*]

■ **lift off**: ▸ **~ off** [*rocket, helicopter*] décoller; [*top, cover*] s'enlever; ▸ **~ [sth] off, ~ off [sth]** enlever [*cover, lid*]

■ **lift out**: ▸ **~ out** [*shelf, filter*] être amovible; ▸ **~ [sb/sth] out, ~ out [sb/sth]** Mil évacuer [*troops, equipment*]

■ **lift up**: ▸ **~ up** [*lid, curtain*] se soulever; ▸ **~ [sb/sth] up, ~ up [sb/sth]** soulever [*book, suitcase, lid*]; lever [*head, veil, eyes*]; relever [*jumper, coat*]; **they ~ed up their voices in prayer/song** leurs voix s'élevèrent pour prier/chanter; **to ~ a child up onto a wall** soulever un enfant et le poser sur un mur

lift: **~boy** *n* GB liftier *m*; **~cage** *n* GB cabine *f* d'ascenseur; **~gate** *n* US Aut hayon *m*

lifting /ˈlɪftɪŋ/

A *n* (ending) (of ban, siege) levée *f*

B *modif* [*gear, tackle*] de levage

lift-off /ˈlɪftɒf/ *n* Aerosp lancement *m*; **(we have) ~!** lancement effectué

lift: **~-operator** ▸ p. 1683 *n* GB liftier *m*; **~shaft** *n* GB cage *f* d'ascenseur

lig○ /lɪɡ/ *vi* GB (*p prés etc* **-gg-**) entrer sans payer

ligament /ˈlɪɡəmənt/

A *n* ligament *m*; **knee/ankle ~** ligament du genou/de la cheville; **torn/strained ~** ligament déchiré/froissé

B *modif* [*tissue, fibre*] ligamenteux/-euse; [*trouble, injury*] ligamentaire

ligature /ˈlɪɡətʃə(r)/ *n* (all contexts) ligature *f*

ligger○ /ˈlɪɡə/ *n* parasite *m*

light /laɪt/ ▸ p. 1883

A *n* 1 (brightness) lumière *f*; **a beam of ~** un faisceau de lumière; **by the ~ of** à la lumière de [*fire*]; à la clarté de [*moon*]; **in a good ~** sous une bonne lumière; **to read in a poor ~** lire avec peu de lumière; **in full ~** en pleine lumière; **in the ~ of day** lit, fig au grand jour; **I'd like to drive back in the ~** j'aimerais rentrer avant la nuit; **to cast** *ou* **throw** *ou* **shed ~ on** lit projeter *or* répandre de la lumière sur; fig éclaircir; **to hold sth up to the ~** tenir qch à la lumière; **against the ~** à contre-jour; **with the ~ behind her** le dos tourné à la lumière; **the ~ was failing** la nuit tombait

2 (gleam, bright point) lumière *f*; (in eye) lueur *f*; **a ~ on the horizon** une lumière à l'horizon; **the city ~s** les lumières de la ville

3 (electrical appliance) (in building, on machine, in oven) lumière *f*; (in street) réverbère *m*; (on ship) feu *m*; **to put** *ou* **switch** *ou* **turn a ~ on** allumer une lumière; **to put** *ou* **switch** *ou* **turn a ~ off** éteindre une lumière; **to leave a ~ on** laisser une lumière allumée; **are all the ~s off** *ou* **out?** est-ce que toutes les lumières sont éteintes?; **a ~ came on/went out** une lumière s'est allumée/s'est éteinte; **to turn a ~ up/down** augmenter/réduire une lumière; **the ~s went up/down** Theat les lumières se sont allumées/éteintes; **shine the ~ over here!** éclaire par ici!

4 (part of gauge, indicator, dashboard) voyant *m* (lumineux); **a red ~ comes on/goes off** un voyant rouge s'allume/s'éteint

5 Aut (headlight) phare *m*; (rearlight) feu *m* arrière; (inside car) veilleuse *f*; **to put one's ~s on/off** allumer/éteindre ses phares; **to have/leave one's ~s on** avoir/laisser ses phares allumés; **to check one's ~s** vérifier les phares; **to flash one's ~s at sb** faire un appel de phares à qn

6 (flame) **to put a ~ to** allumer [*fire, gas*]; **to set ~ to** mettre le feu à; **to give sb a ~** offrir du feu à qn; **have you got a ~?** tu as du feu?

7 fig (aspect) jour *m*; **to see sth in a good/bad/new ~** voir qch sous un bon/mauvais/nouveau jour; **I hadn't thought of it in that ~** je n'y avais pas pensé sous cet angle-là; **looking at it in that ~...** vu sous cet angle...; **to appear in a bad ~** apparaître sous un jour défavorable; **in the ~ of** compte tenu de; **to review sth in the ~ of** réexaminer qch à la lumière de [*evidence, experience*]; **to see sb/sth in a different ~** voir qn/qch sous un jour différent

8 fig (exposure) **to bring to ~** découvrir [*fact, evidence, truth, crime*]; **to come to** *ou* **be brought to ~** être découvert

9 Constr (window) vitre *f*

B **lights** *npl* 1 Transp feu *m*, feux *mpl*; **the ~s are red/green** le feu est au rouge/au vert; **to stop at the ~s** s'arrêter au feu; **cross at the ~s** traversez aux feux; **the ~s aren't working** les feux ne marchent pas; **to shoot**○ *ou* **jump**○ **the ~s** griller○ un feu rouge

2 (decorative display) illuminations *fpl*

3 Culin mou *m*

C *modif* [*switch, shade, socket*] de lampe

D *adj* 1 (bright) [*evening, room, house*] clair; **it is ~ enough to do** il fait assez clair pour faire; **to get** *ou* **grow ~er** [*sky*] s'éclaircir; **it was getting** *ou* **growing ~** il commençait à faire jour; **while it's still ~** pendant qu'il fait encore jour

2 (pale) [*colour, fabric, wood, skin*] clair; [*hair*] blond; **~ blue/grey** bleu/gris clair *inv*; **~ blue socks** des chaussettes bleu clair

3 (not heavy) [*material, substance, mist, snow, wind, clothing, plane, sleep, meal, beer, cake*] léger/-ère; [*rain*] fin; [*drinker*] modéré; [*business, trading*] peu actif/-ive; **to have a ~ touch** [*pianist*] avoir un toucher léger; [*writer, cook*] avoir une certaine légèreté; **a ~ sprinkling** *ou* **dusting** un saupoudrage; **a ~ soprano** une soprano légère; **to be a ~ sleeper** avoir le sommeil léger; **she is 2 kg ~er** elle pèse 2 kg de moins; **this sack of coal is 5 kg ~** il manque 5 kg à ce sac de charbon

4 (not severe) [*damage, punishment, sentence*] léger/-ère

5 (delicate) [*knock, tap, footsteps*] léger/-ère; [*kiss, movement*] délicat; **to be ~ on one's feet** avoir la démarche légère

6 (not tiring) [*work*] peu fatigant; [*exercise, training*] léger/-ère; **~ duties** petits travaux *mpl*; **~ housework** petits travaux ménagers; **to make ~ work of sth** faire qch sans peine

7 (not intellectually demanding) [*music, verse*] léger/-ère; **a bit of ~ relief** un peu de divertissement; **some ~ reading for the beach** quelque chose de facile à lire pour la plage

8 (not important) [*affair*] pas sérieux/-ieuse; **it is no ~ matter** c'est une chose sérieuse; **to make ~ of** traiter [qch] à la légère [*rumour, problem*]; ne pas attacher d'importance à [*injury*]

9 (cheerful) [*mood, laugh*] enjoué

10 Culin (low-fat) [*product*] allégé, light

E *vtr* (*prét, pp* **lit** /lɪt/ *ou* **lighted**) 1 (set fire to) allumer [*candle, gas, oven, cigarette*]; enflammer [*wood, paper*]; tirer [*firework*]; craquer [*match*]; **to ~ a fire** faire un *or* du feu; **to ~ the fire** allumer le feu; **a ~ed match** une allumette enflammée

2 (illuminate) [*torch, lamp, sun*] éclairer

F *vi* (*prét, pp* **lit**) [*fire*] prendre; [*candle, cigarette, gas, wood, match*] s'allumer

(Idioms) **the ~ of sb's life** le rayon de soleil de qn; **many hands make ~ work** Prov à plusieurs la besogne va vite; **to do sth according to one's ~s** sout faire qch comme on l'entend; **to go ~ on**○ **sth** y aller mollo◑ avec qch; **to go out like a ~** s'endormir tout de suite; **to see the ~** comprendre

(Phrasal verbs) ■ **light on**: ▸ **~ on [sth]** [*eyes, person*] tomber sur

■ **light up**○: ▸ **~ up** 1 (light cigarette) allumer une cigarette; (light pipe) allumer une pipe; 2 [*lamp*] s'allumer; 3 fig [*face*] s'éclairer; [*eyes*] briller de joie; ▸ **~ up [sth], ~ [sth] up** 1 [*smoker*] allumer [*cigarette, cigar, pipe*]; 2 (illuminate) illuminer [*surroundings*]; allumer [*sign*]

■ **light upon** = **light on**

light: **~ ale** *n* bière *f* blonde légère; **~ bulb** *n* ampoule *f*; **~-coloured** GB, **~-colored** US *adj* de couleur claire; **~-emitting diode, LED** *n* diode *f* électroluminescente, LED *f*

lighten /ˈlaɪtn/

A *vtr* 1 (make brighter) éclairer [*room, surroundings*]; éclaircir [*colour, fabric, hair, wood, skin*]; 2 fig (make more cheerful) détendre [*atmosphere*]; adoucir [*mood*]; 3 (reduce weight of) alléger [*burden, load, luggage, pressure*]; atténuer [*rebuke*]

B *vi* 1 (grow brighter) [*sky, colour, hair, wood, skin*] s'éclaircir; 2 (grow less heavy) [*burden, pressure, workload*] s'alléger; 3 (become more cheerful) [*mood*] s'adoucir; [*atmosphere*] se détendre; [*expression*] s'éclairer; **his heart ~ed** il s'est senti soulagé

(Phrasal verb) ■ **lighten up**○ [*person*] se détendre; **~ up!** laisse-toi vivre○!

lightener /ˈlaɪtnə(r)/ *n* (for hair) (produit *m*) décolorant *m*

light entertainment *n* variétés *fpl*

lighter /ˈlaɪtə(r)/ *n* 1 (for smokers) (hand-held, table) briquet *m*; (in car) allume-cigares *m*; 2 (for gas cooker) allume-gaz *m*; 3 Naut allège *f*

lighterage /ˈlaɪtərɪdʒ/ *n* Naut, Comm (process) acconage *m*; (charge) droit *m* d'acconage

lighter: **~ fuel** *n* (gas) gaz *m* à briquet; (liquid) essence *f* à briquet; **~ socket** *n* Aut prise *f* de l'allume-cigares

light: **~-fingered** *adj* (thieving) chapardeur/-euse; (skilful) [*thief*] adroit; **~ fitting** *n* douille *f*; **~-footed** *adj* agile, au pied léger liter; **~-haired** *adj* [*person*] aux cheveux clairs

light-headed /ˌlaɪtˈhedɪd/ *adj* 1 (dizzy) [*person*] étourdi; [*feeling*] d'étourdissement; 2 (frivolous) écervelé

light-headedness /ˌlaɪtˈhedɪdnɪs/ *n* (dizziness) étourdissement *m*

light-hearted /ˌlaɪtˈhɑːtɪd/ *adj* 1 (happy) enjoué; 2 (not serious) humoristique; **a ~ look at** un regard humoristique sur

light-heartedly /ˌlaɪtˈhɑːtɪdlɪ/ *adv* 1 (happily) avec enjouement; 2 (jokily) de façon humoristique

light: **~-heavyweight** *n* poids *m* mi-lourd; **~house** *n* phare *m*; **~house keeper** *n* gardien *m* de phare; **~ industry** *n* industrie *f* légère

lighting /ˈlaɪtɪŋ/ *n* gen, Theat éclairage *m*; **indirect/frontal ~** éclairage indirect/de face

lighting: **~ director** ▸ p. 1683 *n* Theat, Cin chef *m* éclairagiste; **~ effects** *n* effets *mpl* d'éclairage; **~ engineer** ▸ p. 1683 *n* Theat, Cin éclairagiste *m*; **~-up time** *n*: *heure où il est conseillé d'allumer ses phares*

lightly /ˈlaɪtlɪ/ *adv* 1 (gently, delicately) [*touch, kiss, rustle, pat, toss, season*] légèrement; **~ perfumed** délicatement parfumé; 2 (frivolously) [*accuse, undertake, dismiss*] à la légère; **it is not a decision I have taken ~** ce n'est pas une décision que j'ai prise à la légère; 3 (not heavily) [*move, run, walk*] avec légèreté; [*dress*] légèrement; **to sleep ~** avoir le sommeil léger; **to wear one's learning ~** ne pas faire étalage de son savoir; 4 (with little punishment) **to get off ~** s'en tirer à bon compte; **to let sb off ~** laisser qn s'en tirer à bon compte; 5 (casually) [*say, answer*] avec désinvolture

light meter *n* Phot photomètre *m*

lightness /ˈlaɪtnɪs/ *n* 1 (brightness, paleness) clarté *f*; 2 (in weight, of food, of movement) légèreté *f*

lightning /ˈlaɪtnɪŋ/

A *n* 1 ¢ (in sky) éclairs *mpl*; **a flash** *ou* **stroke of ~** un éclair; 2 (striking sth) foudre *f*; **struck by ~** frappé par la foudre; **~ struck the tree** la foudre est tombée sur l'arbre

B *adj* [*raid, visit*] éclair (*inv*)

(Idioms) **as fast** *ou* **quick as ~** en un rien de temps; **~ never strikes twice (in the same place)** l'histoire ne se répète pas; **like a flash of ~** en un rien de temps; **like greased ~** *ou* **like a streak of ~** en quatrième vitesse

lightning: **~ bug** *n* US luciole *f*; **~ conductor** GB, **~ rod** *n* paratonnerre *m*; **~ strike** *n* grève *f* surprise

light opera *n* opérette *f*

light pen *n* 1 (for computer screen) photostyle *m*, crayon *m* optique; 2 (to read barcode) lecteur *m* de code-barres

light: **~ railway** *n* transport *m* urbain sur rail; **~-sensitive** *adj* photosensible; **~ship** *n* bateau-phare *m*; **~ show** *n* spectacle *m* avec des effets de lumière; **~-skinned** *adj* à la peau claire, clair de peau; **~ switch** *n* interrupteur *m*; **~ wave** *n* onde *f* lumineuse

lightweight /ˈlaɪtweɪt/

A *n* 1 Sport poids *m* léger; 2 fig péj personne *f* médiocre; **an intellectual ~** un intellectuel médiocre

B *adj* 1 [*garment, product*] léger/-ère; 2 Sport [*fight*] de poids légers; [*champion, title*] des poids légers; 3 fig péj [*politician, intellectual*] médiocre; [*writing, article*] léger/-ère

light year *n* 1 Astron année-lumière *f*; 2 ○fig **to be ~s ahead of** être à des années-lumière devant; **it was ~s ago** ça fait un bail○

ℹ like¹

When *like* is used as a preposition (*like a child, do it like this*) it can generally be translated by *comme*.

Note however that *be like* and *look like* meaning *resemble* are translated by *ressembler à*:

she's like her father *or* ***she looks like her father***
= elle ressemble à son père

like is used after certain other verbs in English to express particular kinds of resemblance (*taste like, feel like, smell like* etc.). For translations, consult the appropriate verb entry.

When *like* is used as a conjunction it is translated by *comme*:

songs like my mother sings
= des chansons comme celles que chante ma mère

When *like* is used to introduce an illustrative example (*big cities like London*) it can be translated by either *comme* or *tel/telle/tels/telles que*: *les grandes villes comme Londres* or *les grandes villes telles que Londres*.

For particular usages of *like* as a preposition or conjunction and for noun and adverb uses, see the entry **like¹**.

---

ligneous /ˈlɪgnɪəs/ *adj* ligneux/-euse

lignite /ˈlɪgnaɪt/ *n* lignite *m*

lignum vitae /ˌlɪgnəm ˈvaɪtɪ, ˈviːtaɪ/ *n* 1 (wood) (bois *m* de) gaïac *m*; 2 (tree) gaïac *m*

Liguria /lɪˈgjʊərɪə/ *pr n* Ligurie *f*

like¹ /laɪk/

A *prep* 1 (in the same manner as) comme; **he acted ~ a professional** il a agi comme un professionnel *or* en professionnel; **~ the liar that she is, she...** en bonne menteuse, elle...; **eat up your dinner ~ a good boy** sois gentil et finis ton dîner; **stop behaving ~ an idiot!** arrête de faire l'idiot!; **~ me, he loves swimming** tout comme moi, il adore nager; **it's ~ this: we are asking you to take a cut in salary** voilà, nous vous demandons d'accepter une réduction de salaire; **it happened ~ this** voilà comment cela s'est passé; **look, it wasn't ~ that** écoutez, cela ne s'est pas passé comme ça; **when I see things ~ that** quand je vois des choses pareilles; **don't talk ~ that!** ne dis pas des choses pareilles!; **'how do I do it?'—'~ this'** 'comment faut-il faire?'—'comme ça'; **I'm sorry to disturb you ~ this** je suis désolé de vous déranger comme ça; **all right, be ~ that then!** et puis fais ce que tu voudras!; **they've gone to Ibiza or somewhere ~ that** ils sont allés à Ibiza ou quelque chose comme ça

2 (similar to, resembling) comme; **to be ~ sb/sth** être comme qn/qch; **he was ~ a son to me** il était comme un fils pour moi; **you know what she's ~!** tu sais comment elle est!; **it was just ~ a fairytale!** on aurait dit un conte de fée!; **what's it ~?** c'est comment?; **it's a second-hand car but it looks ~ new** c'est une voiture d'occasion mais elle est comme neuve; **where did you get your jacket?—I want to buy one ~ it** où as-tu acheté ta veste—je veux acheter la même *or* une pareille; **so this is what it feels ~ to be poor, so this is what poverty feels ~!** maintenant je sais (*or* on sait etc) ce que c'est d'être pauvre!; **there's nothing ~ a nice warm bath!** rien ne vaut un bon bain chaud!, il n'y a rien de mieux qu'un bon bain chaud!; **I've never seen anything ~ it!** je n'ai jamais rien vu de pareil!; **that's more ~ it!** voilà ce qui est mieux!; **Paris! there's nowhere ~ it!** rien ne vaut Paris!; **I don't earn anything ~ as much as she does** je suis loin de gagner autant qu'elle; **what was the weather ~?** quel temps faisait-il?; **what's Oxford ~ as a place to live?** comment est la vie à Oxford?

3 (typical of) **it's not ~ her to be late** ça ne lui ressemble pas *or* ce n'est pas son genre d'être en retard; **if that isn't just ~ him!** c'est bien (de) lui!; **it's just ~ him to be so spiteful!** c'est bien lui d'être si méchant!; **just ~ a man!** c'est typiquement masculin!; **he's not ~ himself these days** il n'est pas lui-même ces jours-ci

4 (expressing probability) **it looks ~ rain** on dirait qu'il va pleuvoir; **it looks ~ the war will be a long one** il y a des chances pour que la guerre dure; **he was acting ~ he was crazy**○ US il se comportait comme un fou; **you seem ~ an intelligent man** tu as l'air intelligent

5 (close to, akin to) **it cost something ~ £20** cela a coûté dans les 20 livres, cela a coûté environ 20 livres; **something ~ half the population are affected** environ la moitié de la population est touchée; **with something ~ affection/enthusiasm** avec un semblant d'affection/d'enthousiasme

B *adj* sout pareil/-eille, semblable, du même genre; **cups, bowls and ~ receptacles** des tasses, des bols et des récipients du même genre; **cooking, ironing and ~ chores** la cuisine, le repassage et autres tâches du même genre; **to be of ~ mind** être du même avis, avoir les mêmes opinions

C *conj* 1 (in the same way as) comme; **~ I said, I wasn't there**○ comme je vous l'ai déjà dit, je n'étais pas là; **nobody can sing that song ~ he did** personne ne peut chanter cette chanson comme lui; **it's not ~ I imagined it would be** ce n'est pas comme je l'avais imaginé; **~ they used to** comme ils le faisaient autrefois

2 ○(as if) comme si; **she acts ~ she knows everything** elle fait comme si elle savait tout; **he acts ~ he owns the place** il se conduit comme s'il était chez lui

D *adv* 1 (akin to, near) **it's nothing ~ as nice as their previous house** c'est loin d'être aussi beau que leur maison précédente; **'the figures are 10% more than last year'—'20%, more ~○!'** 'les chiffres sont de 10% supérieurs à l'année dernière'—'20%, plutôt!'; **luxury hotel! boarding house, more ~○!** un hôtel de luxe! une pension, oui! iron

2 ○(so to speak) **I felt embarrassed, ~** GB, **I felt, ~, embarrassed** US je me sentais plutôt embarrassé; **it reminds me a bit, ~, of a hospital** ça me fait penser, comment dire, à un hôpital

E *n* **dukes, duchesses and the ~** des ducs, des duchesses et autres personnes de ce genre; **earthquakes, floods and the ~** des tremblements de terre, des inondations et autres catastrophes de ce genre; **I've never seen its ~** *ou* **the ~ of it** je n'ai jamais vu une chose pareille; **their ~ will never be seen again** des gens comme eux, il n'y en a plus; **scenes of unrest the ~(s) of which had never been seen before in the city** des scènes d'agitation telles qu'on n'en avait jamais vu dans la ville; **the ~(s) of Al Capone** des gens comme Al Capone; **she won't even speak to the ~s of us**○**!** elle refuse même de parler à des gens comme nous!; **you shouldn't associate with the ~(s) of them**○ tu ne devrais pas fréquenter des gens de leur acabit pej *or* des gens comme ça

F **-like** *dans composés* **bird-~** qui fait penser à un oiseau; **child-~** enfantin; **king-~** royal

(Idioms) **~ enough, very ~†, (as) ~ as not** probablement; **~ father ~ son** Prov tel père tel fils Prov

like² /laɪk/ *vtr* 1 (get on well with) aimer bien [*person*]; **I ~ Paul** j'aime bien Paul; **to ~ sb as a friend** aimer bien qn en tant qu'ami; **to ~ A better than B** préférer A à B, aimer mieux A que B; **to ~ A best** préférer A; **to be**

well ~d être apprécié; **to want to be ~d** vouloir plaire
2 (find to one's taste) aimer (bien) [*animal, artist, food, music, product, style*]; **to ~ X better than Y** préférer X à Y; **to ~ Z best** préférer Z; **to ~ one's coffee strong** aimer son café fort; **how do you ~ your tea?** comment aimes-tu boire ton thé?; **what I ~ about him/this car is...** ce que j'aime (bien) chez lui/dans cette voiture, c'est...; **we ~ the look of the house** la maison nous semble bien; **I ~ the look of the new boss** le nouveau patron me paraît sympathique *or* me plaît; **if the manager~s the look of you** si tu fais bonne impression sur le directeur; **she didn't ~ the look of the hotel** l'hôtel ne lui disait rien; **I don't ~ the look of that man** cet homme a une tête qui ne me revient pas; **I don't ~ the look of her, call the doctor** elle a une drôle de mine, appelle le médecin; **I don't ~ the sound of that** ça ne me dit rien qui vaille; **I don't ~ what I hear about her** ce que j'entends dire à propos d'elle ne me plaît pas beaucoup; **she hasn't phoned for weeks, I don't ~ it** ça fait des semaines qu'elle n'a pas téléphoné, je n'aime pas ça; **if you ~ that sort of thing** à condition d'aimer ce genre de choses; **you'll come with us and ~ it!** tu viendras avec nous que ça te chante○ ou pas!; **I ~ cheese but it doesn't ~ me**○ j'aime le fromage mais ça ne me réussit pas; **this plant ~s sunlight** cette plante se plaît au soleil
3 (enjoy doing) aimer bien; (stronger) aimer; **I ~ doing, I ~ to do** j'aime (bien) faire; **he ~s being able to do** il aime pouvoir faire; **I ~ to see people doing** j'aime (bien) que les gens fassent; **that's what I ~ to see!** je trouve ça très bien!; **I ~ it when you do** j'aime bien que tu fasses; **I don't ~ it when you do** je n'aime pas que tu fasses; **I ~ed it better when we did** j'aimais mieux quand on faisait; **how do you ~ your new job?** qu'est-ce que tu penses de ton nouveau travail?; **how do you ~ living in London?** ça te plaît de vivre à Londres?; **how would you like it if you had to do...?** ça te plairait à toi d'être obligé de faire...?
4 (approve of) aimer; **I don't ~ your attitude** je n'aime pas ton attitude, ton attitude ne me plaît pas; **the boss won't ~ it if you're late** le patron ne sera pas content si tu arrives en retard; **she doesn't ~ to be kept waiting** elle n'aime pas qu'on la fasse attendre; **to ~ sb to do** aimer que qn fasse; **I ~ that!** iron ça, c'est la meilleure!; **I ~ his cheek** *ou* **nerve!** iron il ne manque pas de culot!; **I ~ it!** ça me plaît!; **~ it or not we all pay tax** que ça nous plaise ou non nous payons tous des impôts
5 (wish) vouloir, aimer; **I would** *ou* **should ~ a ticket** je voudrais un billet; **I would** *ou* **should ~ to do** je voudrais *or* j'aimerais faire; **she would have ~d to do** elle aurait voulu *or* aimé faire; **would you ~ to come to dinner?** voudriez-vous venir dîner?, est-ce que cela vous dirait de venir dîner?; **I wouldn't ~ to think I'd upset her** j'espère bien que je ne lui ai pas fait de peine; **we'd ~ her to do** nous voudrions *or* aimerions qu'elle fasse; **would you ~ me to come?** voulez-vous que je vienne?; **I'd ~ to see him try**○**!** je voudrais bien voir ça!; **how would you ~ to come?** qu'est-ce que tu dirais de venir?; **where did they get the money from, that's what I'd ~ to know** je voudrais *or* j'aimerais bien savoir où ils ont trouvé l'argent; **I don't ~ to disturb her** je n'ose pas la déranger; **if you ~** (willingly agreeing) si tu veux; (reluctantly agreeing) si tu y tiens; **he's a bit of a rebel if you ~** il est un peu contestataire si tu veux; **you can do what you ~** tu peux faire ce que tu veux; **say what you ~, I think it's a good idea** tu peux dire ce que tu veux *or* tu diras ce que tu voudras, je pense que c'est une bonne idée; **sit (any)where you ~** asseyez-vous où vous voulez
6 (think important) **to ~ to do** tenir à faire; **I ~ to keep fit** je tiens à me maintenir en forme

likeable /ˈlaɪkəbl/ *adj* [*person*] agréable, sympathique; [*animal*] attachant; [*novel, music*] agréable

likelihood /ˈlaɪklɪhʊd/ *n* probabilité *f*, chances *fpl*; **in all ~** selon toute probabilité; **the ~ is that she has missed the train/got lost** il est probable qu'elle ait manqué le train/se soit perdue; **there is no ~ of peace** il n'y a aucune chance de paix; **there is some/little ~ of peace** il y a quelques/peu de chances de paix; **to increase/reduce the ~ of that happening** accroître/réduire la probabilité *or* les chances que cela se produise

likely /ˈlaɪklɪ/
A *adj* **1** (probable) probable; [*explanation*] plausible; [*excuse, story*] iron beau/belle; **to be ~ to fail/increase/face problems** risquer d'échouer/d'augmenter/de connaître des difficultés; **to be ~ to become president/pass one's exams** avoir de fortes chances de devenir président/de réussir à ses examens; **the man most ~ to win** l'homme qui a le plus de chances de gagner; **it is** *ou* **seems ~ that** il est probable que; **it is not ~ that, it is hardly ~ that** il y a peu de chances que (+ *subj*); **he is not ~ to come/refuse** il y a peu de chances qu'il vienne/refuse; **he looks ~ to fail** il échouera probablement; **a ~ story!** iron à d'autres○!; **a ~ excuse!** iron belle excuse!; **2** (potentially successful) [*person, candidate*] prometteur/-euse; **3** (potential) [*customer, client, candidate*] potentiel/-ielle
B *adv* (probably) probablement; **as ~ as not** probablement; **not ~**○**!** GB que tu crois○!

like-minded /laɪkˈmaɪndɪd/ *adj* du même avis; **an opportunity to meet ~ people** (sharing same opinions) l'occasion de rencontrer des gens qui partagent vos opinions *or* pensent comme vous; (sharing same tastes) l'occasion de rencontrer des gens qui ont les mêmes goûts que vous

liken /ˈlaɪkən/ *vtr* comparer (**to** à); **he has been ~ed to** on l'a comparé à

likeness /ˈlaɪknɪs/ *n* **1** (similarity) ressemblance *f* (**between** entre); **family ~** air *m* de famille; **to bear a ~ to** ressembler à; **2** (of picture) **to be a true** *ou* **good ~** être ressemblant; **he has caught the ~** son portrait est très ressemblant; **3** (form) **to assume** *ou* **take on the ~ of** se métamorphoser en

likewise /ˈlaɪkwaɪz/ *adv* (similarly) également, de même; (also) aussi, de même; **~, students feel that...** les étudiants également trouvent que...; **I'm leaving and I suggest you do ~** je pars, et je te conseille de faire de même; **I'm well and my parents ~** je vais bien et mes parents de même *ou* aussi; **'pleased to meet you!'–'~, I'm sure!'** 'enchanté!'–'et moi de même!'

liking /ˈlaɪkɪŋ/ *n* **to have a ~ for** aimer [*activity, food*]; **to develop a ~ for swimming** prendre goût à la natation; **to take a ~ to sb** se prendre d'affection pour qn; **you should find this more to your ~** ceci devrait vous plaire davantage; **he's too smart for my ~** il est trop malin à mon goût

lilac /ˈlaɪlək/
A *n* (all contexts) lilas *m*; **a bunch of ~** un bouquet de lilas
B ▸ **p. 1067** *adj* (colour) lilas *inv*

Lilliputian /ˌlɪlɪˈpjuːʃn/
A *n* Lilliputien/-ienne *m/f*
B *adj* lilliputien/-ienne

Lilo® /ˈlaɪləʊ/ *n* matelas *m* pneumatique

lilt /lɪlt/ *n* (of tune) cadence *f*; (of accent) intonation *f*

lilting /ˈlɪltɪŋ/ *adj* mélodieux/-ieuse

lily /ˈlɪlɪ/ *n* lys *m inv*

(Idiom) **to gild the ~** en faire trop

lily: **~-livered** *adj* poltron/-onne; **~ of the valley** *n* muguet *m*; **~ pad** *n* feuille *f* de nénuphar; **~ pond** *n* bassin *m* aux nénuphars

lily-white *adj* littér **1** (white) **~ skin** teint *m* de lis; **her ~ hand** sa main d'une blancheur de lis; **2** (pure) [*morals*] pur; [*person*] blanc/blanche comme neige; **3** ○US [*suburb, club*] réservé aux blancs

lima bean /ˈliːmə, US ˈlaɪmə/ *n* haricot *m* de lima

limb /lɪm/ *n* **1** Anat membre *m*; **to stretch one's ~s** s'étirer; **2** (of tree) branche *f* (maîtresse)

(Idioms) **to be out on a ~** se retrouver isolé; **to go out on a ~** se mouiller○; **to be sound in wind and ~** avoir bon pied bon œil; **to risk life and ~** risquer sa vie; **to tear sb ~ from ~** mettre qn en pièces

limber /ˈlɪmbə(r)/ *adj* littér souple

(Phrasal verb) ■ **limber up** s'échauffer; **to do ~ing up exercises** faire des exercices d'assouplissement

limbo /ˈlɪmbəʊ/ *n* **1** ¢ Relig, fig les limbes *mpl*; **to be in (a state of) ~** être dans les limbes; **2** (dance) limbo *m*

lime /laɪm/
A *n* **1** (calcium) chaux *f*; **2** (fruit) citron *m* vert; **3** (tree) tilleul *m*
B *vtr* chauler

lime: **~ green** ▸ **p. 1067** *n, adj* citron (*m*) vert *inv*; **~ juice** *n* jus *m* de citron vert; **~ kiln** *n* four *m* à chaux

limelight /ˈlaɪmlaɪt/ *n* vedette *f*; **to be in the ~** tenir la vedette; **to hog/share the ~** accaparer/partager la vedette; **to avoid** *ou* **shun the ~** ne pas se faire remarquer

lime pit *n* plain *m*

limerick /ˈlɪmərɪk/ *n* limerick *m*

> **Limerick**
>
> Poème fantaisiste et loufoque en cinq vers sur le schéma rimé A-A-B-B-A. Edward Lear lui a donné ses lettres de noblesse dans son *Book of Nonsense* publié en 1845. En voici un exemple :
> *There was a Young Lady whose chin,*
> *Resembled the point of a pin;*
> *So she had it made sharp,*
> *And purchased a harp,*
> *And played several tunes with her chin.*

lime: **~scale** *n* tartre *m*; **~stone** *n* calcaire *m*; **~ tree** *n* tilleul *m*

limewash /ˈlaɪmwɒʃ/
A *n* badigeon *m* (blanc)
B *vtr* blanchir [qch] à la chaux

limey○ /ˈlaɪmɪ/ US
A *n* Angliche○ *mf*
B *adj* angliche○

limit /ˈlɪmɪt/
A *n* **1** (maximum extent) limite *f*; **there will be no ~ to the violence** la violence ne connaîtra pas de limites; **it's beyond the ~(s) of my experience** cela sort des limites de mon expérience; **to push sb to the ~** pousser qn à bout; **he has pushed my patience to the ~** *ou* **to its ~s** il est venu à bout de ma patience; **it's the ~**○**!** ça dépasse les bornes!; **you're the ~**○**!** tu dépasses les bornes!; **2** (legal restriction) limitation *f* (**on** sur); **public spending ~s** limitation des dépenses publiques; **speed ~** limitation de vitesse; **safety ~s** limites imposées par les normes de la sécurité; **to be over/under the ~** (of alcohol) avoir trop/ne pas avoir trop d'alcool dans le sang; **3** (boundary) (of territory, universe, power, science) limite *f* (**of** de); **within the ~s of what we can do** dans la limite de ce que l'on peut faire; **'is it possible?'—'yes, within ~s'** 'est-ce possible?'–'oui, dans une certaine limite'; **to be off ~s** Mil être interdit d'accès; **the garden is off ~s** l'accès au jardin est interdit; **my private life is off ~s** ma vie privée ne vous concerne pas
B *vtr* (restrict) limiter [*use, imports, actions*]; **to be ~ed to doing** se limiter à faire; **spending is ~ed to two million** les dépenses sont limitées à deux millions; **places are ~ed to 60** le nombre de places est limité à 60
C *v refl* **to ~ oneself** s'imposer des limites; **to**

~ **oneself to** se limiter à [*amount, quantity*]; **you're ~ing yourself by not doing** tu te limites trop en ne faisant pas

limitation /ˌlɪmɪˈteɪʃn/ *n* [1] (restriction) restriction *f*; **to impose** *ou* **place ~s on** imposer des restrictions à [*right, freedom*]; **to be a ~ on sb's power** être une limitation du pouvoir de qn; **contractual/budgetary ~s** restrictions contractuelles/budgétaires; **time/space ~s** manque *m* de temps/d'espace; [2] (shortcoming) limite *f*; **his ~s as an artist** ses limites en tant qu'artiste; **to have its ~s** avoir ses limites; **to know one's (own) ~s** connaître ses propres limites

limited /ˈlɪmɪtɪd/ *adj* [1] (small) [*resources, ambition, market, vocabulary, intelligence*] limité; [*imagination*] borné; **of ~ ability** aux capacités limitées; [2] (restricted) [*sample, menu, space*] limité; [3] Comm **Nolan Computers Limited** Nolan Computers SA

limited: ~ **company** *n* GB société *f* anonyme; ~ **edition** *n* (book, lithograph) tirage *m* limité; (album, recording) production *f* limitée; ~ **liability company** *n* société *f* à responsabilité limitée

limiter /ˈlɪmɪtə(r)/ *n* Aut, Electron limiteur *m*

limitless /ˈlɪmɪtlɪs/ *adj* illimité

limo○ /ˈlɪməʊ/ *n* limousine *f*

Limousin ▸ p. 1243 *pr n* Limousin *m*; **in the ~** dans le Limousin

limousine /ˈlɪməziːn, ˌlɪməˈziːn/ *n* limousine *f*

limp /lɪmp/

A *n* **to walk with** *ou* **have a ~** boiter; **to have a slight ~ in one's left leg** boiter légèrement du pied gauche

B *adj* [*material, gesture, handshake, style*] mou/molle; **the lettuce is ~** la salade n'est plus croquante; **the flowers look a bit ~** les fleurs n'ont plus l'air très fraîches; **to let oneself go ~** relâcher ses muscles; **her right arm had gone ~** elle n'avait plus aucune force dans le bras droit; **I felt his body go ~** j'ai senti tous les muscles de son corps se relâcher

C *vi* **to ~ along** boiter; **to ~ in/away** entrer/s'éloigner en boitant; **the trawler ~ed into port** le chalutier regagna le port tant bien que mal

limp binding *n* Publg reliure *f* souple

limpet /ˈlɪmpɪt/ *n* bernique *f*

(Idiom) **to cling like a ~** être une vraie sangsue○

limpet mine *n* mine-ventouse *f*

limpid /ˈlɪmpɪd/ *adj* limpide

limply /ˈlɪmplɪ/ *adv* [*dangle, hang*] mollement

limpness /ˈlɪmpnɪs/ *n* (of body) mollesse *f*

limp-wristed /ˌlɪmpˈrɪstɪd/ *adj* péj efféminé

limy /ˈlaɪmɪ/ *adj* Geol, Hort calcaire

linage /ˈlaɪnɪdʒ/ *n* (number of lines) lignage *m*, nombre *m* de lignes; **to pay by ~** payer à la ligne

linchpin /ˈlɪntʃpɪn/ *n* [1] Tech clavette *f*, goupille *f*; [2] fig (essential element) **the ~ of** [*person*] le pilier de [*government, organization*]; [*idea, principle, institution*] la base de [*ideology, belief, theory*]

Lincolnshire /ˈlɪŋkənʃə(r)/ ▸ p. 1612 *pr n* Lincolnshire *m*

Lincoln's Inn /ˌlɪŋkənz ˈɪn/ *n* GB Jur *l'une des quatre écoles de droit à Londres*

Lincs GB Post *abrév écrite* = **Lincolnshire**

linctus /ˈlɪŋktəs/ *n* sirop *m* (contre la toux)

linden (tree) /ˈlɪndən/ *n* littér tilleul *m*

line /laɪn/

A *n* [1] (mark) ligne *f*; (shorter, thicker) trait *m*; Art trait *m*; Sport (on pitch, court) ligne *f*; Math ligne *f*; **~ and colour** Art le trait et la couleur; **a straight/curved ~** une ligne droite/courbe; **a solid/broken ~** une ligne continue/discontinue; **a single/double ~** une ligne simple/double; **to draw** *ou* **rule a ~** tracer une ligne; **to draw a ~ down the middle of the page** tracer une ligne verticale au milieu de la page; **to put a ~ through sth** barrer qch; **to cross the ~** Sport franchir la ligne; **the starting/finishing ~** Sport la ligne de départ/d'arrivée; **above/below the ~** (in bridge) (marqué) en points d'honneur/en points de marche; **the ~ AB** (in geometry) la droite AB; **the thin ~ of his mouth** ses lèvres fines

[2] (row) (of people, cars) file *f* (**of** de); (of trees) rangée *f* (**of** de); (of footprints, hills) succession *f* (**of** de); **in straight ~s** [*plant, arrange, sit*] en lignes droites; **to stand in a ~** faire la queue; **get into (a) ~!** faites la queue!; **to form a ~** [*people*] faire la queue; [*hills, houses, trees*] être aligné; **please form a ~** mettez-vous en file s'il vous plaît; **she is fifth in ~** elle est la cinquième dans la file; **to be in ~** [*buildings*] être dans l'alignement; **put the desks in ~** alignez les bureaux; **to be in ~ with** [*shelving, cooker*] être dans l'alignement de [*cupboard*]; [*mark, indicator*] coïncider avec [*number*]; **to be out of ~** [*picture*] être de travers

[3] fig **to be in ~ for promotion/a pay rise** avoir des chances d'être promu/d'être augmenté; **to be in ~ for redundancy/takeover** risquer d'être mis au chômage/d'être racheté; **to be next in ~ for promotion/execution** être le prochain à être promu/exécuté; **in ~ for the post of** bien placé pour obtenir le poste de

[4] surtout US (queue) file *f*; **to stand in** *ou* **wait in ~** faire la queue (**for** pour)

[5] (wrinkle) (on face) ride *f*; (on hand) ligne *f*

[6] Archit, Sewing (outline shape) ligne *f* (**of** de); **the classical ~s of the building** la ligne classique du bâtiment

[7] (boundary) frontière *f*; **an imaginary ~ between** une frontière imaginaire entre; **to cross the state ~** passer la frontière de l'État; **to follow the ~ of the old walls** suivre le tracé des anciens remparts; **there's a fine ~ between knowledge and pedantry** de la culture à la pédanterie il n'y a qu'un pas

[8] (rope) corde *f*; Fishg ligne *f*; **to put the washing on the ~** étendre le linge; **a ~ of washing** du linge étendu à sécher; **to throw sb a ~** lancer une corde à qn; **to cast one's ~** lancer sa ligne; **there was a fish at the end of the ~** il y avait un poisson qui mordait

[9] (cable) Elec ligne *f* (électrique); **the ~ had been cut** Elec on avait coupé la ligne; **to bring the ~s down** Telecom abattre les lignes; **the ~s are down** Telecom les lignes ont été abattues

[10] Telecom (connection) ligne *f*; **a bad ~** une mauvaise ligne; **outside ~** ligne *f* extérieure; **dial 9 to get an outside ~** faites le 9 pour appeler à l'extérieur; **to be on the ~ to sb** être en ligne avec qn; **to get off the ~**○ raccrocher; **at the other end of the ~** au bout du fil; **the ~s will be open from 8.30 onwards** vous pouvez nous appeler à partir de 8 h 30; **the ~ is dead** il n'y a pas de tonalité; **the ~ went dead** la ligne a été coupée

[11] Transp Rail (connection) ligne *f* (**between** entre); (rails) voie *f*; (shipping, air transport) (company) compagnie *f*; (route) ligne *f*; **repairs to the ~** réparations sur la voie; **at every station along the ~** à chaque gare sur la ligne; **the London-Edinburgh ~** Rail la ligne Londres-Édimbourg

[12] (in genealogy) lignée *f*; **the male/female ~** la lignée par les hommes/les femmes; **the Tudor ~** la maison des Tudor; **to found** *ou* **establish a ~** fonder une lignée; **the ~ died out** la lignée s'est éteinte; **to come from a long ~ of scientists** être issu d'une longue lignée de scientifiques; **to trace one's ~ back to sb** retracer son ascendance jusqu'à qn; **to trace a ~ down to sb** retracer une descendance jusqu'à qn; **to trace a ~ through sb** retracer l'ascendance du côté de qn; **the title passes to the next in ~** le titre passe au suivant dans l'ordre de succession; **she is second in ~ to the throne** elle est la deuxième dans l'ordre de succession au trône

[13] (of text) (in prose) ligne *f*; (in poetry) vers *m*; (of music) ligne *f*; **to give sb 100 ~s** donner 100 lignes à qn; **to start a new ~** aller à la ligne; **to miss a ~** sauter une ligne; **write a few ~s about your hobbies** décrivez vos passe-temps en quelques lignes; **just a ~ to say thank you** juste un petit mot pour dire merci; **a ~ from** une citation de [*poem etc*]; **a ~ of verse** *ou* **poetry** un vers; **the famous opening ~s** la célèbre introduction; **he has all the best ~s** il a les meilleures répliques; **to learn one's ~s** Theat apprendre son texte

[14] (conformity) **to fall into ~** être d'accord; **to make sb fall into ~** faire marcher qn au pas; **to fall into ~ with** [*person*] tomber d'accord avec [*view*]; [*group, body*] être d'accord avec [*practice, policy*]; **China fell into ~ with the other powers** la Chine s'est mise d'accord avec les autres puissances; **to bring sb into ~** ramener qn dans le rang; **to bring regional laws into ~ with federal laws** harmoniser les lois régionales et les lois fédérales; **to bring working conditions into ~ with European standards** aligner les conditions de travail sur les normes européennes; **to keep sb in ~** tenir qn en main; **his statement is out of ~ with their account** sa déclaration ne concorde pas avec leur déposition; **our prices are out of ~ with those of our competitors** nos prix ne s'accordent pas avec ceux de nos concurrents; **to be (way) out of ~** [*objection, remark*] être (tout à fait) déplacé; **you're way out of ~**○**!** franchement, tu exagères!

[15] ○(piece of information) **to have a ~ on sb/sth** avoir des informations sur qn/qch; **to give sb a ~ on sb/sth** donner un tuyau○ à qn sur qn/qch; **to give sb a ~ about sth** (story, excuse) raconter des bobards○ à qn sur qch; **don't give me that ~!** ne me raconte pas ces histoires!

[16] (stance) position *f* (**on** sur); **something along these ~s** quelque chose dans le même genre; **our rivals had been thinking along the same ~s** nos concurrents avaient pensé aux mêmes choses; **to be on the right ~s** être sur la bonne voie; **the official ~** la position officielle; (approach) ligne *f* de conduite (**with** avec); **to take a firm ~ with sb** se montrer ferme avec qn; **I don't know what ~ to take** je ne sais pas quelle ligne de conduite adopter

[17] Comm (type of product) gamme *f*; **one of our most successful ~s** une gamme qui a beaucoup de succès

[18] Mil (fortifications) ligne *f*; (position held) position *f*; **enemy ~s** lignes *fpl* ennemies; **they held their ~** ils ont conservé leurs positions

[19] Naut **~ ahead/abreast** ligne de front/de file

[20] (equator) **the ~** la ligne; **to cross the ~** traverser la ligne

[21] ○(of cocaine) ligne○ *f* (**of** de)

[22] TV ligne *f*

B **in line with** *prep phr* en accord avec [*approach, policy, trend, teaching, requirement*]; **to be in ~ with** [*statement, measure*] être dans la ligne de [*policy, view, recommendation*]; [*figures, increase*] être proportionnel à [*inflation, trend*]; **to increase/fall in ~ with** augmenter/baisser proportionnellement à; **to vary in ~ with** varier parallèlement à

C *vtr* [1] (add layer) doubler [*garment*] (**with** avec); tapisser [*box, shelf, nest*] (**with** de); **to be ~d with books** être tapissé de livres; **to ~ the walls and ceilings** tapisser les murs et les plafonds d'un papier d'apprêt

[2] (stand along) [*trees, spectators*] border [*route*]; **to be ~d with trees** être bordé d'arbres

[3] (mark) **to be ~d with** être marqué par [*worry, age*]

(Idioms) **all along the ~, right down the ~** sur toute la ligne; **somewhere along the ~** (at point in time) à un certain moment; (at stage) quelque part; **something along those ~s** quelque chose dans ce goût; **to do a ~ with sb**○ sortir avec qn; **to be on the ~** [*life, job*] être en jeu

(Phrasal verb) ■ **line up**: ▸ **~ up** [1] (side by

side) se mettre en rang (**for** pour); (one behind the other) se mettre en file (**for** pour); **to ~ up in rows** se mettre en rangs; **2** (take sides) **to ~ up with sb/sth** se ranger du côté de qn/qch; **to ~ up against sb/sth** se regrouper contre qn/qch; ► **~ up [sb], ~ [sb] up** (in row) faire s'aligner; **they ~d us up** (in columns) ils nous ont fait former des colonnes; **to ~ people up against a wall** aligner des gens contre un mur; ► **~ [sth] up, ~ up [sth]** **1** (align) aligner (**with** sur); **2** (organize) sélectionner [*team*]; **to have sb/sth ~d up** [*candidate, work, project, activities*] avoir qn/qch en vue; **what have you got ~d up for us tonight?** qu'est-ce que tu nous as prévu pour ce soir○?

lineage /ˈlɪnɪɪdʒ/ *n* lignage *m*; **of noble ~** de noble lignage; **he can trace his ~ to William I** sa famille remonte à Guillaume Ier

lineal /ˈlɪnɪəl/ *adj* **~ descent from** descendance en ligne directe de

lineament sout /ˈlɪnɪəmənt/ *n* trait *m*

linear /ˈlɪnɪə(r)/ *adj* linéaire

lined /laɪnd/ *adj* **1** [*face, hands, skin*] ridé; **2** [*paper*] ligné; **3** [*garment, curtains*] doublé

line: **~ dancer** *n* danseur/-euse *m/f* en ligne; **~ dancing** *n* danse *f* en ligne; **~ drawing** *n* dessin *m* au trait; **~ feed** *n* changement *m* de ligne; **~ fishing** *n* pêche *f* à la ligne

lineman /ˈlaɪnmən/ ► p. 1683 *n* **1** Elec technicien *m* de lignes; **2** Telecom agent *m* des lignes; **3** US Sport *au football américain, joueur qui se place sur la ligne*

line manage *vtr* diriger [qch] au niveau opérationnel

line management *n* **1** (system) direction *f* hiérarchique; **2** (managers) responsables *mpl* opérationnels

line manager *n* responsable *mf* opérationnel/-elle

linen /ˈlɪnɪn/

A *n* **1** (fabric) lin *m*; **to wear ~** porter du lin; **2** (items) (household) linge *m* de maison; (underwear) linge *m* de corps

B *modif* [*jacket, sheet*] en lin, de lin; [*industry*] du lin

(Idiom) **to wash one's dirty ~ in public** laver son linge sale en public

linen: **~ basket** *n* panier *m* à linge sale; **~ cupboard** GB, **~ closet** US *n* armoire *f* à linge

line: **~ of argument** *n* raisonnement *m*; **~ of attack** *n* lit plan *m* d'attaque; fig plan *m* d'action; **~ of communication** *n* voie *f* de communication; **~ of descent** *n* descendance *f*, lignée *f*

line of duty *n* **killed in the ~** [*policeman*] mort en service (commandé); [*soldier*] mort au combat

line: **~ of enquiry** *n* (in investigation) piste *f*; (in research) ligne *f* de recherche; **~ of fire** *n* ligne *f* de tir; **~ of flight** *n* trajectoire *f*; **~ of latitude** *n* ligne *f* de latitude; **~ of longitude** *n* ligne *f* de longitude; **~ of thought** *n* (way of thinking) façon *f* de penser; (association of ideas) raisonnement *m*

line of vision *n* (when aiming) ligne *f* de mire; **to block sb's ~** boucher la vue à qn

line of work *n* métier *m*; **to be in the same ~** faire le même genre de métier

line: **~-out** *n* remise *f* en touche; **~-printer** *n* imprimante *f* ligne par ligne

liner /ˈlaɪnə(r)/ *n* **1** Naut paquebot *m* de grande ligne, liner *m*; **2** Aviat liner *m*, (avion *m*) gros porteur *m*; **3** Tech (of pipe) chemise *f*

linesman /ˈlaɪnzmən/ *n* GB **1** (in tennis) juge *m* de ligne; (in football, hockey) juge *m* de touche; **2** ► p. 1683 Telecom agent *m* des lignes; Elec technicien *m* de lignes

line: **~-spacing** *n* interlignage *m*; **~ squall** *n* Meteorol grain *m* en ligne; **~ storm** *n* US tempête *f* d'équinoxe

line-up /ˈlaɪnʌp/ *n* **1** Sport équipe *f*; (personnel, pop group) groupe *m*; **the management ~** la composition de la direction; **a ~ of cabaret acts** une série de numéros de cabaret; **2** (identification parade) séance *f* d'identification (*de suspects*)

ling /lɪŋ/ *n* **1** Bot bruyère *f*; **2** (fish) (saltwater) julienne *f*; (freshwater) lotte *f* de rivière

linger /ˈlɪŋgə(r)/ *vi* **1** [*person, eyes, gaze*] s'attarder; **he ~ed for another few weeks (before dying)** il a encore vécu quelques semaines avant de mourir; **2** [*sensation, memory, smell*] persister; **the scent ~s on the air** le parfum persiste dans l'air; **3** [*doubt, question, suspicion*] subsister

(Phrasal verbs) ■ **linger on** [*memory, pain*] persister

■ **linger over**: ► **~ over [sth]** savourer [*meal, drink*]; ► **~ over doing** prendre son temps pour faire

lingerie /ˈlænʒəriː, US ˌlɑːndʒəˈreɪ/ *n* ₵ lingerie *f*; **silk ~** une lingerie de soie

lingering /ˈlɪŋgərɪŋ/ *adj* **1** [*look*] prolongé; [*smell, taste, pain, pollution, mist*] persistant; **2** [*doubt, hope, regret*] qui subsiste; [*memory*] persistant; **3** [*death*] lent

lingo○ /ˈlɪŋgəʊ/ *n* baragouin○ *m*

lingua franca /ˌlɪŋgwə ˈfræŋkə/ *n* (*pl* **~s** *ou* **linguae francae**) lingua franca *f*

linguist /ˈlɪŋgwɪst/ *n* gen, Ling linguiste *mf*; **I'm no (great) ~** je ne suis guère doué pour les langues

linguistic /lɪŋˈgwɪstɪk/ *adj* gen, Ling linguistique

linguistic atlas *n* atlas *m* linguistique

linguistics /lɪŋˈgwɪstɪks/

A *n* (+ *v sg*) linguistique *f*

B *modif* [*course, lecturer*] de linguistique

liniment /ˈlɪnɪmənt/ *n* (ointment) pommade *f*; (liquid) liniment *m*

lining /ˈlaɪnɪŋ/ *n* **1** (for garment, bag) doublure *f*; **a polyester ~** une doublure en polyester; **2** Physiol paroi *f*; **the womb ~, the ~ of the womb** la paroi utérine *or* de l'utérus

(Idiom) **every cloud has a silver ~** à quelque chose malheur est bon

lining paper *n* (for decorating) papier *m* d'apprêt; (for shelves) papier *m* à tapisser

link /lɪŋk/

A *n* **1** (in chain) maillon *m*; **to be the weak ~ in** constituer le point faible de [*chain, investments, argument*]; **2** Transp liaison *f* (**between** entre); **a rail ~ from A to B** une liaison ferroviaire de A à B; **3** (connection between facts, events, phenomena) rapport *m* (**between** entre); lien *m* (**with** avec); **there are possible ~s with the explosion** il est possible qu'il y ait un rapport avec l'explosion; **4** (between nations, companies) (economic or trading tie) relation *f* (**with** avec; **between** entre); (historical or friendly tie) lien *m* (**with** avec; **between** entre); **to forge ~s between** forger des liens entre; **to break off/renew ~s** rompre/renouer les relations; **to have ~s with terrorist groups** avoir des liens avec des groupes terroristes; **5** Telecom, Radio, Comput liaison *f*; **television ~** liaison par télévision; **6** (on a web page) lien *m*

B *vtr* **1** (connect physically) [*road, path, tunnel, staircase, cable, chain*] relier [*places, objects*]; **to ~ A to B** *ou* **A with B** *ou* **A and B** relier A à B; **to be ~ed by** être relié par [*bus, bridge, cable*]; **to ~ arms** [*people*] se donner le bras; **to ~ arms with sb** prendre qn par le bras; **to walk along arms ~ed** marcher bras dessus bras dessous; **2** (relate, establish connection between) **to ~ sth to** *ou* **with** lier qch à [*inflation, income*]; établir un lien entre qch et [*statistic, fact, crime, illness*]; **the gene has been ~ed to cancer** on a établi un lien entre ce gène et le cancer; **evidence ~ing sb to a crime** des preuves qui établissent un lien entre qn et un crime; **police think the crimes are ~ed** la police pense qu'il y a un lien entre les crimes; **his name has been ~ed with** son nom a été associé à [*deed, name*]; **to be ~ed by** (have in common) être lié par; **3** Comput connecter [*terminals, computers*]; **to ~ sth to** *ou* **with** connecter qch à [*mainframe, terminal*]; **4** TV, Radio établir une liaison entre [*places*] (**by** par); **to be ~ed to Moscow by satellite** avoir une liaison par satellite avec Moscou

C **linked** *pp adj* **1** [*rings, circles, symbols*] entrelacé; **2** fig [*issues, problems, crimes, projects*] lié; **they are romantically ~ed** il y a quelque chose entre eux

(Idiom) **a chain is as strong as its weakest ~** Prov une chaîne ne peut pas être plus solide que son maillon le plus faible

(Phrasal verb) ■ **link up**: ► **~ up** [*firms, colleges*] s'associer; **to ~ up with** s'associer avec [*college, firm*]

linkage /ˈlɪŋkɪdʒ/ *n* **1** (connection) (in ideas) lien *m* (**between** entre); (in phenomena) rapport *m* (**between** entre); **2** (of issues in international relations) association *f* (**between** entre); **3** (in genetics) linkage *m*

linkage: **~ editing** *n* Comput édition *f* de liens; **~ editor** *n* Comput éditeur *m* de liens

link: **~ control procedure**, **LCP** *n* Comput protocole *m* de communication; **~ed subroutine** *n* Comput sous-programme *m* fermé

linker /ˈlɪŋkə(r)/ *n* **1** Comput éditeur *m* de liens; **2** Ling mot-outil *m*

link: **~ing loader** *n* Comput chargeur-éditeur *m* de liens; **~man** *n* présentateur *m*; **~ road** *n* GB route *f* de raccordement

links /lɪŋks/ *n* golf *m*, terrain *m* de golf

link-up /ˈlɪŋkʌp/ *n* **1** TV, Radio liaison *f*; **satellite ~** liaison par satellite; **2** Fin, Comm association *f* (**between** entre; **with** avec)

linkwoman /ˈlɪŋkwʊmən/ *n* présentatrice *f*

linnet /ˈlɪnɪt/ *n* linotte *f*

lino /ˈlaɪnəʊ/ *n* lino *m*

lino cut, lino print *n* gravure *f* sur linoléum

linoleum /lɪˈnəʊlɪəm/ *n* linoléum *m*

Linotype® /ˈlaɪnəʊtaɪp/

A *n* linotype® *f*

B *modif* **~ machine** linotype® *f*

linseed /ˈlɪnsiːd/ *n* ₵ graines *fpl* de lin

linseed oil *n* huile *f* de lin

lint /lɪnt/ *n* **1** Med tissu *m* ouaté (*pour pansement*); **2** (fluff) peluches *fpl*

lintel /ˈlɪntl/ *n* linteau *m*

lion /ˈlaɪən/ *n* **1** Zool lion *m*; **the ~'s den** lit, fig l'antre *m* du lion; **2** **literary ~** célébrité *f* littéraire

(Idioms) **the ~ lies down with the lamb** c'est le lion à côté de l'agneau; **to put one's head in the ~'s jaws** *ou* **mouth** se jeter dans la gueule du loup; **to take the ~'s share** se tailler la part du lion; **the ~'s share of the funding has gone to the opera** l'opéra a obtenu la plus grosse partie des subventions. ► **beard**

lion cub *n* lionceau *m*

lioness /ˈlaɪənes/ *n* lionne *f*

lion: **~-hearted** *adj* liter courageux/-euse comme un lion; **~ hunter** *n* chasseur/-euse *m/f* de lion

lionize /ˈlaɪənaɪz/ *vtr* aduler

lion tamer ► p. 1683 *n* dompteur/-euse *m/f* de lions

lip /lɪp/

A *n* **1** Anat (of person) lèvre *f*; (of dog, ape) babine *f*; **to kiss sb on the ~s** embrasser qn sur la bouche *or* les lèvres; **to lick one's ~s** (to wet them) se passer la langue sur les lèvres; (in anticipation) se lécher les babines○; **to bite one's ~** se mordre les lèvres; **to read sb's ~s** lire sur les lèvres de qn; **read my ~s**○**!** écoutez bien!; **the name on everyone's ~s** le nom qui est sur toutes les lèvres; **my ~s are sealed!** bouche cousue○!; **2** (of cup, basin, crater) bord *m*; (of jug) bec *m*; **3** ○(cheek) insolence *f*; **to give sb ~** être insolent envers qn

B *modif* [*brush, pencil*] à lèvres; [*movements*] des lèvres
C -lipped (*dans composés*) **thin-/thick-~ped** aux lèvres minces/charnues
(Idiom) **to keep a stiff upper ~** rester flegmatique
lipase /ˈlaɪpeɪs, ˈlɪpeɪs/ *n* lipase *f*
lip: **~ balm** *n* baume *m* pour les lèvres; **~ gloss** *n* Cosmet brillant *m* à lèvres
lipid /ˈlɪpɪd/ *n* lipide *m*
lipoma /lɪˈpəʊmə/ *n* Med lipome *m*
liposarcoma /ˌlaɪpəʊsɑːˈkəʊmə, lɪpəʊ-/ *n* Med liposarcome *m*
liposoluble /laɪpəʊˈsɒljʊbl, lɪpəʊ-/ *adj* liposoluble
liposome /ˈlaɪpəʊsəʊm/ *n* liposome *m*
liposuction /ˈlaɪpəʊsʌkʃn, ˈlɪpəʊ-/ *n* liposuccion *f*
lippy○ /ˈlɪpɪ/
A *n* rouge *m* à lèvres
B *adj* insolent, effronté
lip-read /ˈlɪpriːd/ *vi* (*prét, pp* **-read** /-red/) lire sur les lèvres de quelqu'un; **can you ~?** sais-tu lire sur les lèvres?
lip: **~reading** *n* lecture *f* sur les lèvres; **~salve** *n* baume *m* pour les lèvres
lip service *n* péj **to pay ~ to** se dire être pour [*human rights, equality*]; **he pays ~ to feminism but...** il se dit féministe mais...
lip: **~stick** *n* rouge *m* à lèvres; **~-sync** *vi* chanter en play-back
liquefaction /ˌlɪkwɪˈfækʃn/ *n* liquéfaction *f*
liquefied petroleum gas, LPG *n* gaz *mpl* de pétrole liquéfiés, GPL *mpl*
liquefy /ˈlɪkwɪfaɪ/
A *vtr* liquéfier
B *vi* se liquéfier
liqueur /lɪˈkjʊə(r), US -ˈkɜːr/ *n* liqueur *f*; **apricot ~** liqueur d'abricot
liqueur: **~ brandy** *n* fine (champagne) *f*; **~ chocolate** *n* chocolat *m* à la liqueur; **~ glass** *n* verre *m* à liqueur
liquid /ˈlɪkwɪd/
A *n* **1** (substance) liquide *m*; **drink plenty of ~s** buvez beaucoup; **2** Phon liquide *f*
B *adj* **1** [*state, substance, air, nitrogen, consonant*] liquide; **2** (clear) [*eyes, gaze, sound*] clair
liquid assets *npl* liquidités *fpl*
liquidate /ˈlɪkwɪdeɪt/ *vtr* **1** Fin liquider [*assets, stock, company*]; régler [*debt*]; **2** (murder) liquider○
liquidation /ˌlɪkwɪˈdeɪʃn/ *n* (of company, stock) liquidation *f*; (of debt) remboursement *m*; **to go into ~** entrer en liquidation
liquidator /ˈlɪkwɪdeɪtə(r)/ *n* liquidateur/-trice *m/f*
liquid: **~ crystal** *n* cristal *m* liquide; **~ crystal display, LCD** *n* affichage *m* à cristaux liquides
liquid diet *n* diète *f* hydrique; **to be put on a ~** être mis à la diète hydrique
liquidity /lɪˈkwɪdətɪ/ *n* liquidité *f*
liquidity: **~ preference** *n* Econ préférence *f* pour la liquidité; **~ ratio** *n* Fin coefficient *m* de liquidité
liquidize /ˈlɪkwɪdaɪz/ *vtr* GB Culin passer [qch] au mixeur
liquidizer /ˈlɪkwɪdaɪzə(r)/ *n* GB Culin mixeur *m*
liquid: **~ lunch** *n* hum alcool *m* en fait de déjeuner; **~ measure** *n* mesure *f* de capacité des liquides; **~ paper** *n* correcteur *m* liquide; **~ paraffin** *n* Med huile *f* de paraffine; **~ soap** *n* savon *m* liquide
liquor /ˈlɪkə(r)/ *n* **1** (alcohol) alcool *m*; **hard** *ou* **strong ~** de l'alcool fort; **he can't hold his ~** il ne tient pas l'alcool; **2** Culin jus *m* (de cuisson)
(Phrasal verb) ■ **liquor up** US: **to be ~ed up** être soûl
liquorice, licorice US /ˈlɪkərɪs/
A *n* **1** (plant) réglisse *f*; **2** (substance) réglisse *m*
B *modif* [*root, stick*] de réglisse; **~ allsorts** bonbons *mpl* assortis au réglisse
liquor store *n* US magasin *m* de vins et spiritueux
lira /ˈlɪərə/ Fin, Hist *n* (*pl* **lire**) lire *f*
L-iron /ˈelaɪən/ *n* fer *m* en équerre
Lisbon /ˈlɪzbən/ ▸ p. 1815 *pr n* Lisbonne
lisle /laɪl/
A *n* fil *m* d'Écosse
B *modif* **~ stockings** des bas *mpl* de fil
lisp /lɪsp/
A *n* zézaiement *m*; **to have a ~** zézayer, avoir un cheveu sur la langue○
B *vtr* dire [qch] en zézayant
C *vi* zézayer, zozoter○
LISP *n* Comput LISP *m*
lissom /ˈlɪsəm/ *adj* svelte
list /lɪst/
A *n* **1** (catalogue) liste *f* (**of** de); **to be on a ~** être sur une liste; **to put sb/sth on a ~** mettre qn/qch sur une liste; **to take sb/sth off a ~** rayer qn/qch d'une liste; **to be at the head** *ou* **top of the ~** lit arriver en tête de liste; fig être en tête des priorités; **to be high/to be low on one's ~ of priorities** figurer/ne pas figurer en tête de ses priorités; **to draw up a ~** dresser une liste; ▸ **checklist, price list, waiting list etc**; **2** Naut (leaning) bande *f*; **to have a (slight) ~** donner (légèrement) de la bande; **3** (price) = **list price**
B lists *npl* Hist, fig lice *f*; **to enter the ~s** entrer en lice (**against** contre)
C *vtr* **1** gen faire la liste de [*objets, people*]; **to be ~ed under** être classé à; **to be ~ed among** figurer parmi; **to be ~ed in a directory/the Yellow Pages®** être repris dans un répertoire/les Pages Jaunes®; **2** Comput lister; **3** Fin **to be ~ed on the Stock Exchange** être coté en Bourse
D *vi* **1** Naut donner de la bande; **2** US Comm **what does it ~ for?** quel est son prix au catalogue?
E listed *pp adj* GB [*building*] classé
listen /ˈlɪsn/
A *n* **to have a ~ to sth** écouter qch; **have a ~ to this!** écoute un peu ça!; **it's well worth a ~** ça vaut la peine de l'écouter
B *vi* **1** (to words, music, sounds) écouter; **to ~ at the door** écouter aux portes; **to ~ to sb doing** écouter qn faire; **I was ~ing to her singing/playing the piano** je l'écoutais chanter/jouer du piano; **~ to this!** écoute un peu ça!; **to ~ to sb/sth** écouter qn/qch; **'you're ~ing to...'** Radio 'vous écoutez...', 'vous êtes à l'écoute de ...'; **2** (pay heed) écouter; **~ carefully!** écoutez attentivement!; **sorry, I wasn't ~ing** excusez-moi, je n'écoutais pas; **you just never ~, do you?** tu n'écoutes donc jamais (ce qu' on te dit)?; **~, can you come tomorrow?** écoute, est-ce que tu peux venir demain?; **to ~ to** écouter [*teacher, adviser*]; **to ~ to advice/reason** écouter un conseil/la voix de la raison; **don't ~ to them** ne les écoute pas; **3** (wait) **to ~ for** guetter [*voice, sound, signal*]; **I ~ed for sounds of crying** je guettais le moindre pleurnichement
(Phrasal verbs) ■ **listen in** **1** (eavesdrop) écouter (indiscrètement); **we don't want them ~ing in** nous ne voulons pas qu'ils écoutent aux portes; **to ~ in on** *ou* **to** écouter [qch] indiscrètement [*conversation, phone call, meeting*]; **2** Radio **to ~ in to** écouter [*programme*]
■ **listen out**: **to ~ out for** prêter une oreille attentive à [*programme, ideas, information*]
■ **listen up**○ US **hey, ~ up a minute!** hé, écoutez un peu!
listenable○ /ˈlɪsnəbl/ *adj* US [*music*] écoutable○
listener /ˈlɪsnə(r)/ *n* **1** (personal) **to be a good/bad ~** savoir/ne pas savoir écouter; **I found a ready ~ in my aunt** j'ai trouvé en ma tante une oreille attentive; **2** Radio (*gén pl*) auditeur/-trice *m/f* (**to** de); **the ~s were spellbound** (at lecture, reading) l'auditoire était envoûté
listening /ˈlɪsnɪŋ/ *n* **it makes interesting/exciting ~** c'est intéressant/passionnant à écouter; **'easy ~'** Mus 'variétés' *fpl*
listening: **~ device** *n* système *m* d'écoute; **~ post** *n* poste *m* d'écoute
listening skills *n* **1** Sch (in language) compréhension *f* orale; **2** Psych (in counselling) écoute *f*; **trained in ~** formé à l'écoute
listening station *n* station *f* d'écoute
listeria /lɪˈstɪərɪə/ *n* (bacteria) listéria *f*; (illness) listériose *f*
listeriosis /lɪˌstɪərɪˈəʊsɪs/ *n* Med listériose *f*
listing /ˈlɪstɪŋ/
A *n* **1** gen, Fin inscription *f* (**in** dans); **Stock Exchange ~** liste *f* des sociétés cotées en Bourse; **2** Comput listing *m*
B listings *npl* pages *fpl* d'informations (*comprenant les programmes de télévision, de radio, et les spectacles*)
listless /ˈlɪstlɪs/ *adj* [*person, manner*] apathique; [*gesture*] mou/molle
listlessly /ˈlɪstlɪslɪ/ *adv* [*speak*] sans enthousiasme; [*move*] mollement
listlessness /ˈlɪstlɪsnɪs/ *n* apathie *f*
list price *n* prix *m* au catalogue
lit /lɪt/
A *pret, pp* ▸ **light**
B ○(*abrév* = **literature**) littérature *f*
litany /ˈlɪtənɪ/ *n* **1** Relig litanies *fpl*; **2** fig (of complaints etc) litanie *f*
litchi *n* = **lychee**
liter *n* US = **litre**
literacy /ˈlɪtərəsɪ/
A *n* **1** (in a population) taux *m* d'alphabétisation; **~ is good/poor** le taux d'alphabétisation est élevé/faible; **our aim is 100% adult ~** notre but est que 100% des adultes sachent lire et écrire; **2** (of individual) niveau *m* d'alphabétisation, niveau *m* scolaire; **his level of ~ is very low** il est pratiquement analphabète; **to teach ~** alphabétiser
B *modif* [*campaign, class, level, rate, scheme, target*] d'alphabétisation
literacy hour *n* GB Scol heure *f* d'apprentissage de la lecture
literal /ˈlɪtərəl/ *adj* **1** [*meaning, sense, use of word, truth*] littéral; **2** [*translation, rendering*] mot à mot; **3** [*depiction, performance, adaptation*] gen fidèle; pej sans imagination péj; **4** (actual, real) véritable (*before n*); **5** pej = **literal-minded**
literally /ˈlɪtərəlɪ/ *adv* **1** [*mean, use*] littéralement; [*translate, interpret*] mot à mot; **to take sth ~** prendre qch au pied de la lettre; **2** (without exaggeration) bel et bien; **they quite ~ danced all night** ils ont bel et bien dansé toute la nuit; **3** ○(emphatic) littéralement○; **he ~ exploded (with rage)** il a littéralement explosé (de rage)
literal-minded /ˌlɪtərəlˈmaɪndɪd/ *adj* péj qui prend tout au pied de la lettre; **to be ~** tout prendre au pied de la lettre
literary /ˈlɪtərərɪ, US ˈlɪtərerɪ/ *adj* [*prize, criticism, talent*] littéraire; **a ~ man** un homme de lettres
literary: **~ agent** ▸ p. 1683 *n* agent *m* littéraire; **~ critic** *n* critique *m* littéraire; **~ criticism** *n* critique *f* littéraire; **~ theory** *n* théorie *f* littéraire
literate /ˈlɪtərət/ *adj* **1** (able to read and write) **to be ~** savoir lire et écrire; **he is barely ~** il sait à peine lire et écrire; **2** (cultured) [*person*] cultivé; [*work, film*] érudit; **a visually ~ society** une société comprenant le langage de l'image
literati /ˌlɪtəˈrɑːtɪ/ *npl* gens *mpl* de lettres

literature /ˈlɪtrətʃə(r), US -tʃʊər/
A *n* **1** (literary writings) littérature *f*; **20th century French ~** la littérature française du XXe siècle; **a work of ~** une œuvre littéraire; **2** (pamphlets) documentation *f*; **sales ~** brochures *fpl* publicitaires; **campaign ~** tracts *mpl*; **described in the ~ as** décrit dans tous les ouvrages consacrés à ce sujet comme
B *modif* [*student, course*] de littérature

lithe /laɪð/ *adj* leste

lithium /ˈlɪθɪəm/ *n* lithium *m*

litho /ˈlaɪθəʊ/ *n* litho *f*

lithograph /ˈlɪθəgrɑːf, US -græf/
A *n* lithographie *f*
B *vtr* lithographier

lithographer /lɪˈθɒgrəfə(r)/ ▸ **p. 1683** *n* lithographe *mf*

lithographic /ˌlɪθəˈgræfɪk/ *adj* lithographique

lithography /lɪˈθɒgrəfɪ/ *n* lithographie *f*

Lithuania /ˌlɪθjuːˈeɪnɪə/ ▸ **p. 1096** *pr n* Lituanie *f*

Lithuanian /ˌlɪθjuːˈeɪnɪən/ ▸ **p. 1467, p. 1378**
A *n* **1** (person) Lituanien/-ienne *m/f*; **2** (language) lituanien *m*
B *adj* lituanien/-ienne

litigant /ˈlɪtɪgənt/ *n* Jur plaideur/-euse *m/f*

litigate /ˈlɪtɪgeɪt/
A *vtr* mettre [qch] en litige
B *vi* plaider

litigation /ˌlɪtɪˈgeɪʃn/ *n* ¢ litiges *mpl*; **has the case come to ~?** est-ce que l'affaire a été portée au tribunal?; **to be the subject of ~** faire l'objet d'un litige

litigious /lɪˈtɪdʒəs/ *adj* [*person*] procédurier/-ière; [*topic*] litigieux/-ieuse

litmus /ˈlɪtməs/ *n* Chem tournesol *m*

litmus paper *n* papier *m* de tournesol

litmus test *n* **1** Chem réaction *f* au (papier de) tournesol; **to do a ~** étudier la réaction au tournesol; **2** fig mise *f* à l'épreuve; **a ~ of her principles** la mise à l'épreuve de ses principes

litotes /ˈlaɪtəʊtiːz/ *npl* Literat litote *f*

litre, liter US /ˈliːtə(r)/ ▸ **p. 1029**
A *n* litre *m*
B *modif* [*jug, measure*] d'un litre; **a ~ bottle of wine** une bouteille d'un litre de vin

litter /ˈlɪtə(r)/
A *n* **1** (rubbish) détritus *mpl*; (more substantial) ordures *fpl*; (paper) papiers *mpl*; **to drop ~** jeter des détritus; **the streets are full of ~** les rues sont pleines de détritus *or* d'ordures; (on sign) **'no ~, penalty £500'** 'défense de déposer des ordures sous peine d'une amende de 500 livres sterling'; **2** (random collection) fouillis *m* (**of** de); **you can hardly see the floor for the ~ of books** on aperçoit à peine le plancher à cause du fouillis de livres; **3** Zool portée *f*; **to have a ~** mettre bas; **4** (for farm stock, cat) litière *f*; **5** (stretcher) (for casualty) brancard *m*; (for dignitary) litière *f*
B *vtr* [*leaves, books*] joncher [*ground, floor*]; **to ~ clothes around a room** laisser traîner ses vêtements partout dans une pièce; **to ~ a house with sth** semer qch dans toute la maison [*clothes, magazines*]; **to ~ the floor/ground with sth** recouvrir le plancher/sol de qch; **to ~ a surface with sth** couvrir une surface de qch; **to be ~ed with papers/corpses** [*ground, field*] être jonché de papiers/cadavres; **to be ~ed with allusions/references** fig être parsemé d'allusions/de références; **history is ~ed with crooks** l'histoire est pleine d'escrocs
C *vi* Zool [*animal*] mettre bas

litter: **~ basket, ~ bin** *n* poubelle *f*; **~ box** *n* US = **litter tray**; **~bug** *n* péj personne qui jette des détritus par terre; **~ lout** *n* GB = **litterbug**; **~ tray** *n* bac *m* à litière

little[1] /ˈlɪtl/ (*comp* **less**; *superl* **least**)

> ⚠ When *little* is used as a quantifier (*little hope, little damage*) it is translated by *peu de*: peu d'espoir, peu de dégâts.
> For examples and particular usages see **A** below.
> When *a little* is used as a pronoun (*give me a little*) it is translated by *un peu*: donne-moi un peu.
> When *little* is used alone as a pronoun (*there's little I can do*) it is very often translated by *pas grand-chose*: je ne peux pas faire grand-chose.
> For examples of these and other uses of *little* as a pronoun (*to do as little as possible etc*) see **B** below.
> For uses of *little* and *a little* as adverbs see the entry below.
> Note that **less** and **least** are treated as separate entries in the dictionary.

A *quantif* **~ hope/chance** peu d'espoir/de chances; **~ damage was done** il y avait peu de dégâts; **we've made ~ progress** nous avons fait peu de progrès; **there's so ~ time** il y a si peu de temps; **too ~ money** trop peu *or* pas assez d'argent; **there's ~ sense** *ou* **point** ça n'a pas beaucoup de sens; **he speaks ~ German** il ne parle presque pas allemand; **~ or no influence/training** presque pas d'influence/de formation; **~ or no time/money** presque pas de temps/d'argent; **with no ~ difficulty** non sans mal; **I have ~ time** *ou* **sympathy for cheats** je ne supporte pas les tricheurs; **I see ~ of Paul these days** je ne vois pas beaucoup Paul en ce moment; ▸ **chance**
B *pron* **taste a ~** goûtez-en un peu; **save a ~ for me** gardes-en un peu pour moi; **I only ate a ~** je n'en ai mangé qu'un peu; **a ~ of the money** un peu de l'argent; **the ~ I saw wasn't very good** le peu que j'ai vu n'était pas très bien; **I did what ~ I could** j'ai fait le peu que j'ai pu; **he remembers very ~** il ne se souvient pas bien; **~ of what he says is true** il n'y a pas grand-chose de vrai dans ce qu'il dit; **there's ~ I can do** je ne peux pas faire grand-chose; **she did ~ to help** elle n'a pas fait grand-chose pour aider; **I got ~ out of the lecture** je n'ai pas compris grand-chose au cours; **age has ~ to do with it** l'âge n'a pas grand-chose à voir là-dedans; **to do as ~ as possible** faire le moins possible; **to know ~ about mechanics** ne pas s'y connaître beaucoup en mécanique; **there's ~ to worry about** il n'y a pas tellement de raisons de s'inquiéter; **~ of note** rien de bien particulier; **it says ~ for his honesty** ça en dit long sur son honnêteté; **it says very ~ for her** ce n'est pas tellement à son honneur; **~ or nothing** quasiment rien; ▸ **help**
C *adv* **1** (rarely) [*say, speak, sleep, eat, laugh*] peu; **I go there very ~** j'y vais très peu; **she visits them as ~ as possible** elle leur rend visite le moins souvent possible; **his books are ~ read** on ne le lit plus guère
2 (hardly, scarcely) **to be ~ changed** ne pas avoir beaucoup changé; **the next results were ~ better** les résultats suivants étaient à peine meilleurs; **~ more than an hour ago** il y a à peine une heure; **it's ~ short of madness** cela frise la folie; **a ~-known novel** un roman peu connu
3 (not at all) **~ did she realize that the watch was stolen** elle ne s'est pas du tout rendu compte que la montre était volée; **I ~ thought** *ou* **supposed that he would do it** je n'aurais jamais cru qu'il le ferait; **~ did they know that** ils étaient bien loin de se douter que; **~ do you know!** si tu savais!
D **a little (bit)** *adv phr* (slightly) un peu; **a ~ (bit) anxious/surprised** un peu inquiet/surpris; **a ~ less/more** un peu moins/plus; **stay a ~ longer** reste encore un peu; **I was not a ~ surprised/offended** j'étais plutôt surpris/vexé; **'I'm a genius,' he said, not a ~ proudly** 'je suis un génie,' a-t-il dit, non sans fierté
E **as little as** *adv phr* **for as ~ as 10 dollars a day** pour seulement 10 dollars par jour; **it can cost as ~ as £60** cela coûte seulement 60 livres sterling; **I like Henry as ~ as you do** je n'aime Henry guère plus que toi

little[2] /ˈlɪtl/ *adj* **1** (small) petit (*before n*); **a ~ house** une petite maison; **a ~ something** un petit quelque chose; **poor ~ thing** pauvre petit/-e *m/f*; **a ~ old lady** une petite vieille dame; **she's a nice ~ thing** elle est adorable; **2** (young) [*brother, sister, boy, girl*] petit (*before n*); **when I was ~** quand j'étais petit; **the baboon and its ~ ones** le babouin et ses petits; **Mrs Carter and all the ~ Carters** Madame Carter et tous ses enfants; **3** (feeble, weak) [*gesture, nod, smile*] petit (*before n*); **a ~ voice said...** une petite voix dit...; **4** (lacking influence) [*farmer, businessman*] petit (*before n*); **5** (expressing scorn, contempt) **he's a ~ despot** c'est un vrai petit tyran; **a poky ~ flat** un petit appartement minable; **a nasty ~ boy** un méchant petit garçon; **6** (short) [*nap, snooze*] petit (*before n*); **a ~ holiday** quelques jours de vacances; **a ~ break** une petite pause; **I'll walk with you a ~ way** je ferai un bout de chemin avec toi; **stay a ~ while** reste un moment; **a ~ while longer** encore un peu
(Idioms) **~ by ~** petit à petit; **to make ~ of** (disparage) ne pas faire grand cas de [*achievement, victory*]; (not understand) ne pas comprendre grand-chose à [*speech, report*]; ▸ **fancy, learning, too.**

> ⚠ Pour le comparatif et le superlatif on préfèrera les formes *smaller* et *smallest* à *littler* and *littlest*

little ˈlɪtl: **Little Bear** GB, **Little Dipper** US *pr n* Astron Petite Ourse *f*; **Little Dog** *pr n* GB Astron Petit Chien *m*; **~ end** *n* GB Aut pied *m* de bielle; **Little Englander** *n* péj partisan/-e *m/f* de l'anglocentrisme (opposé/-e à l'ouverture internationale)

little finger *n* petit doigt *m*, auriculaire *m*
(Idiom) **to wrap** *ou* **twist sb around one's ~** mener qn par le bout du nez

littleness /ˈlɪtlnɪs/ *n* petitesse *f*

little ˈlɪtl: **~ owl** *n* chouette *f*, chevêche *f*; **~ people** *npl* fées *fpl*

little woman *n* péj **the ~** ma femme

littoral /ˈlɪtərəl/
A *n* littoral *m*
B *adj* littoral, du littoral

lit up○ /ˌlɪtˈʌp/ *adj* soûl

liturgical /lɪˈtɜːdʒɪkl/ *adj* liturgique

liturgy /ˈlɪtədʒɪ/ *n* liturgie *f*

livable /ˈlɪvəbl/ *adj* [*life*] vivable; [*house, flat*] habitable; **he's not ~ with**○ il est invivable○

live[1] /lɪv/
A *vtr* **1** (conduct) vivre; **to ~ one's life** vivre sa vie; **to ~ a normal/peaceful/healthier life** vivre normalement/paisiblement/plus sainement; **to ~ a life of luxury/crime** vivre dans le luxe/crime; **to ~ the life of a recluse/a saint** vivre en reclus/comme un saint; **if I could ~ my life over again** si je pouvais revivre ma vie; **you can't ~ your children's lives for them** vous ne pouvez pas vivre à la place de vos enfants; **to ~ one's faith/one's politics** vivre sa foi/sa politique
2 (undergo) vivre [*experience*]
B *vi* **1** (dwell) [*animal*] vivre; [*person*] gen vivre, habiter (**with** avec); (in permanent dwelling) habiter; **they ~ at number 7** ils habitent au numéro 7; **three sons still living at home** trois fils qui vivent encore à la maison; **animals that ~ underground** des animaux qui vivent sous terre; **to ~ together/apart/alone** vivre *ou* habiter ensemble/séparément/seul; **to ~ in** vivre dans, habiter [*house, apartment*]; **it isn't fit to ~ in** c'est insalubre; **he's not very easy to ~ with** il n'est pas très facile à vivre; **Devon is a nice place to ~** il fait bon

vivre dans le Devon; **have you found anywhere to ~ yet?** avez-vous trouvé à vous loger?; **he ~s at the library/doctor's** iron il est toujours fourré○ à la bibliothèque/chez le médecin; **he ~s in his jeans** il est toujours en jean
2 (lead one's life) vivre; **to ~ happily/extravagantly** vivre heureux/de manière extravagante; **to ~ in luxury/poverty** vivre dans le luxe/la pauvreté; **we ~ in the computer age** nous vivons à l'ère de l'informatique; **to ~ for** ne vivre que pour [*sport, work, family*]; **to ~ in hope/fear/etc (of sth/of doing)** vivre dans l'espoir/la peur (de qch/de faire); **to ~ through sth** vivre [*experience, period*]; **to ~ without** vivre sans [*person*]; se passer de [*drugs, TV, electricity*]; **they ~d happily ever after** (in story) ils vécurent heureux et eurent beaucoup d'enfants
3 (remain alive) gen, fig vivre; (survive) survivre; **to ~ to be eighty/ninety** vivre jusqu'à l'âge de quatre-vingts/quatre-vingt-dix ans; **nothing can ~ in this environment** rien ne peut vivre dans ce milieu; **his grandfather is still living** son grand-père vit toujours; **as long as I ~, I'll...** tant que je vivrai, je...; **you'll regret this for as long as you ~** vous le regretterez toute votre vie; **she 's only got two months to ~** il ne lui reste que deux mois à vivre; **I don't think he'll ~** je ne pense pas qu'il survive; **the memory will ~ in my heart forever** le souvenir vivra toujours dans mon cœur; **these plants ~ through the hardest of winters** ces plantes survivent à l'hiver le plus rude; **she'll not ~ through the night** elle ne passera pas la nuit; **I'll ~!** hum je n'en mourrai pas!; **I've got nothing left to ~ for** je n'ai plus de raison de vivre; **to ~ to regret sth** en venir à regretter qch; **long ~ democracy/the King!** vive la démocratie/le roi!
4 (subsist, maintain existence) vivre; **to ~ by hunting/begging** vivre en chassant/en mendiant; **to ~ by one's pen** vivre de sa plume; **to ~ by one's wits** vivre d'expédients; **to ~ on** *ou* **off** vivre de [*fruit, interest, profits, charity, promises*]; vivre sur [*wage, capital*]; **to ~ off sb** se faire entretenir par qn; **his wages aren't enough to ~ on** son salaire ne suffit pas pour le faire vivre; **her children ~ on junk food** ses enfants ne mangent que des cochonneries○; **enough food to ~ on for a week** assez de nourriture pour une semaine; **to ~ out of tins/the freezer** vivre de conserves/de surgelés
5 (put up with) **to ~ with** accepter [*illness, situation, consequences*]; supporter [*noise, décor*]; **to learn to ~ with sth** apprendre à accepter qch; **to ~ with oneself** vivre en paix avec soi-même; **to ~ with the fact that** admettre que; **'Living with Aids'** journ 'au cœur du sida'
6 (experience life) vivre; **this is what I call living** c'est ce que j'appelle vivre; **come on! ~ a little!** allez viens! laisse-toi vivre!; **she's really ~d** elle a beaucoup vécu; **you haven't ~d until you've been to...** tu n'as rien vu tant que tu n'es pas allé à...
(Idioms) **~ and let ~** il faut être tolérant; **to ~ it up**○ faire la fête○; **to ~ on fresh air** vivre d'amour et d'eau fraîche; **you ~ and learn** on apprend tous les jours; **I'll never ~ it down!** je ne pourrai plus marcher la tête haute!; **to ~ sth down** faire oublier qch
(Phrasal verbs) ■ **live in** [*teacher, caretaker*] avoir un logement de fonction; [*pupil*] être interne; [*care assistant*] résider sur place; [*nanny, maid*] être logé et nourri
■ **live on**: ▸ **~ on** [*person*] survivre; [*reputation, tradition, work*] se perpétuer
■ **live out**: ▸ **~ out** [*cook, nanny*] ne pas être logé; [*care assistant, teacher*] vivre en ville; [*pupil*] être externe; ▸ **~ out [sth]** **1** (survive) passer [*winter, day*]; **I don't think he'll ~ out the week** je ne crois pas qu'il passera la semaine; **2** (spend) **to ~ out the rest of one's days somewhere** finir ses jours quelque part; **3** (enact) vivre [*fantasies*]
■ **live up to** [*person*] être fidèle à [*principles, standards*]; [*person*] répondre à [*expectations*]; [*person*] se montrer digne de [*name, social position*]; [*person*] être à la hauteur de [*reputation*]; [*product*] ne pas démentir [*advertising*]

live² /laɪv/
A *adj* **1** (not dead) [*person, animal, bait*] vivant; **~ birth** naissance *f* d'un enfant viable; **real ~** en chair et en os; **2** Radio, TV (not recorded) [*band, broadcast, orchestra*] en direct; [*concert, performance, show, recording*] sur scène; [*theatre*] vivant; [*album*] enregistré sur scène; [*communications*] public/-ique; **before a ~ audience** devant un public; **3** Elec sous tension; **4** (burning) [*coal*] ardent; [*match, cigarette end*] allumé; **5** (capable of exploding) [*ammunition, bullet*] réel/réelle; (unexploded) [*bomb*] nonexplosé; **6** (topical) [*issue*] d'actualité
B *adv* Radio, TV [*appear, bring, broadcast, transmit*] en direct; [*play, perform*] sur scène

lived-in○ /ˈlɪvdɪn/ *adj* **to look ~** donner l'impression d'être habité○; **to have that ~ look** donner une impression de confort

live-in /ˈlɪvɪn/ *adj* [*cook, nanny*] à demeure; **on a ~ basis** à demeure; **to have a ~ lover** vivre en concubinage

livelihood /ˈlaɪvlɪhʊd/ *n* gagne-pain *m*; **to lose/jeopardize one's ~** perdre/mettre en danger ses moyens d'existence; **my ~ depends on it** mon gagne-pain en dépend

liveliness /ˈlaɪvlɪnɪs/ *n* (of place, person) gaieté *f*; (of style) vivacité *f*

livelong /ˈlɪvlɒŋ, US ˈlaɪvlɔːŋ/ *adj* littér **all the ~ day** du matin au soir et du soir au matin

lively /ˈlaɪvlɪ/ *adj* **1** (vivacious) [*person, community, group*] plein d'entrain; [*place, scene, atmosphere, conversation, music, evening*] animé; [*account, style*] vivant; [*intelligence, imagination, interest, mind*] vif/vive; [*campaign*] percutant; **2** (fast) [*pace, breeze*] vif/vive; [*music, dance*] entraînant
(Idiom) **look ~**○! réveillez-vous!

liven /ˈlaɪvn/:
(Phrasal verb) ■ **liven up**: ▸ **~ up** s'animer; ▸ **~ up [sth]**, **~ [sth] up** égayer [*person, décor*]; animer [*event, evening*]; **he started singing to ~ things up (a bit)** il a commencé à chanter pour mettre un peu d'animation

liver /ˈlɪvə(r)/ *n* **1** Culin, Med foie *m*; **grilled/lamb's ~** foie *m* grillé/d'agneau; **2** (person) **a clean ~** un/-e vertueux/-euse *m/f*; **a fast ~** un/-e débauché/-e *m/f*

live rail *n* rail *m* conducteur

liver: **~ complaint** *n* problème *m* de foie; **~ disease** *n* maladie *f* du foie; **~ fluke** *n* douve *f* du foie

liveried /ˈlɪvərɪd/ *adj* en livrée

liverish /ˈlɪvərɪʃ/ *adj*: **to feel ~** avoir une crise de foie

liver paste, **~ pâté** *n* pâté *m* de foie

Liverpudlian /ˌlɪvəˈpʌdlɪən/
A *n* (living there) habitant/-e *m/f* de Liverpool; (born there) natif/-ive *m/f* de Liverpool
B *adj* de Liverpool

liver: **~ salts** *npl* sels *mpl* pour le foie; **~ sausage** *n* pâté *m* de foie (*vendu sous forme de saucisse*); **~ spot** *n* tache *f* brune (*de vieillesse*); **~ trouble** *n* = **liver complaint**; **~wort** *n* Bot hépatique *f*; **~wurst** *n* US ≈ pâté *m* de foie

livery /ˈlɪvərɪ/ *n* **1** (uniform) livrée *f*; **2** Equit (care of horse) pension *f*; **at ~** en pension

livery: **~ company** *n* corporation *f* londonienne; **~man** *n* membre *m* d'une corporation londonienne

livery stable *n* (for care) pension *f* pour chevaux; (for hire) écurie *f* de louage

lives /laɪvz/ *npl* ▸ **life**

livestock /ˈlaɪvstɒk/ *n* bétail *m*

live wire /laɪv/ *n* **1** Elec fil *m* sous tension; **2** fig **to be a ~** être très dynamique

livid /ˈlɪvɪd/ *adj* **1** ○(furious) furieux/-ieuse (**with** contre; **at doing** de faire); **2** [*face, scar*] livide; [*sky*] plombé; **~ with rage** blême de rage

living /ˈlɪvɪŋ/
A *n* **1** (livelihood) vie *f*; **to earn** *ou* **make a ~** gagner sa vie; **to earn** *ou* **make an honest/a meagre ~** gagner sa vie honnêtement/avec difficulté; **to work for a ~** travailler pour gagner sa vie; **what do you do for a ~?** qu'est-ce que vous faites dans la vie?; **it's not much of a ~** ça permet tout juste de vivre; **2** (lifestyle) vie *f*; **easy/loose ~** une vie facile/de débauche; **high ~** la grande vie; **fast ~** une vie de bâton de chaise; **3** (incumbency) cure *f*; **4** **the ~** (+ *v pl*) les vivants *mpl*
B *adj* [*person, organism, legend, symbol, language*] vivant; **to be ~ proof of** être la preuve vivante de; **the ~ word** Relig la parole vivante; **a ~ hell** un véritable enfer; **within ~ memory** de mémoire d'homme; **there wasn't a ~ soul** il n'y avait pas âme qui vive
(Idiom) **to be still in the land of the ~** être encore de ce monde

living: **~ conditions** *npl* conditions *fpl* de vie; **~ dead** *npl* morts-vivants *mpl*; **~ death** *n* fig enfer *m*, calvaire *m*; **~ expenses** *npl* frais *mpl* de subsistance; **~ fossil** *n* fossile *m* vivant; **~-out allowance** *n* indemnité *f* de logement; **~ quarters** *npl* quartiers *mpl*; **~ room** *n* salle *f* de séjour, salon *m*; **~ space** *n* espace *m* (pour vivre); **~ standards** *npl* niveau *m* de vie; **~ wage** *n* salaire *m* adéquat; **~ will** *n* Jur, Med testament *m* de vie

Livorno /lɪˈvɔːnəʊ/ ▸ **p. 1815** *pr n* Livourne

Livy /ˈlɪvɪ/ *pr n* Tite-Live

lizard /ˈlɪzəd/ *n* lézard *m*

Lizard /ˈlɪzəd/ *n* **the ~** le cap *m* Lizard

lizardskin /ˈlɪzədskɪn/ *n* lézard *m*; **a ~ bag** un sac en lézard

llama /ˈlɑːmə/ *n* lama *m*

LL B *n* (*abrév écrite* = **Bachelor of Laws**) diplôme *m* universitaire de droit

LL.B. *n* Jur licence *f* en droit

LL D *n* (*abrév écrite* = **Doctor of Laws**) doctorat *m* de droit

LL.D. *n* Jur doctorat *m* en droit

LMBO *n*: *abrév* ▸ **leveraged management buyout**

LMS *n* GB *abrév* ▸ **local management of schools**

lo /ləʊ/ *excl* littér (*also* **lo and behold**) voilà

loach /ləʊtʃ/ *n* loche *f*

load /ləʊd/
A *n* **1** (sth carried) charge *f*; (on vehicle, animal) chargement *m*; (on ship, plane) cargaison *f*; fig fardeau *m*; **a lorry shed its ~ on the motorway today** aujourd'hui un camion a déversé tout son chargement sur l'autoroute; **to have a heavy ~ to bear** fig avoir un lourd fardeau à porter; **to take a ~ off sb's mind** soulager qn (d'un grand poids); **it's a ~ off my mind** je me sens soulagé; **a bus-load of children** un autobus plein d'enfants; **a whole plane-load of passengers filled the departure lounge** la salle d'embarquement de l'aéroport était remplie de passagers; **2** Tech, Mech (weight) charge *f* (**on** sur); **this beam has a ~ of 10 tons** cette poutre a une charge limite de 10 tonnes; **do not exceed maximum ~** ne pas dépasser la charge maximum; **3** (shipment, batch) (of sand, gravel etc) cargaison *f*; (of cement) fournée *f*; **I've done four ~s of washing this morning** j'ai fait quatre machines de linge ce matin; **4** Elec charge *f*; **5** fig (amount of work) travail *m*; **we must lighten the ~ of young doctors** nous devons alléger le travail des jeunes médecins; fig **let's try and spread the ~** essayons de répartir le travail à faire; **6** ○(a lot) **a ~** *ou* **a whole ~ of people/books** des tas○ *or* des quantités de gens/livres
B ○**loads** *npl* **~s of people/photos/flowers** des tas○ de gens/photos/fleurs; **we've got ~s of**

time nous avons tout notre temps *or* largement le temps; **there was ~s of champagne** il y avait du champagne en quantité; **we had ~s to drink** on n'a pas arrêté de boire; **I've seen/done it ~s of times before** je l'ai vu/fait je ne sais pas combien de fois; **to have ~s of energy** avoir de l'énergie à revendre; **to have ~s of work** avoir un travail fou○; **to have ~s of money** être plein aux as○, être bourré de fric○
C *vtr* **1** gen charger [*vehicle, ship, donkey, gun, washing machine*] (**with** de); **to ~ a camera** mettre un film dans un appareil photo; **to ~ the luggage into the car** charger les bagages dans la voiture; **2** Comput charger [*program*]; **3** Elec surcharger [*system*]; **4** Insur majorer [*premium*]; **5** fig (inundate, give generously) **to ~ sb with** combler *or* couvrir qn de [*presents, honours*]; **6** (tamper with) piper [*dice*]; **to ~ the dice against sb** fig truquer les cartes contre qn
D *vi* charger
(Idioms) **get a ~ of this!** (listen) écoute un peu ça○!; **get a ~ of that!** (look) vise un peu ça○!; **that's a ~ of old rubbish**○ *ou* **nonsense** *ou* **crap**◐ *ou* **cobblers**◐ c'est de la blague○ *or* foutaise○
(Phrasal verbs) ■ **load down**: ▸ **~ [sb] down** charger qn (**with** de); **to be ~ed down with sth** plier *ou* ployer sous le poids de qch; **to ~ sb down with work** accabler qn de travail.
■ **load up**: ▸ **~ up** [*lorry*] charger, prendre son chargement; ▸ **~ [sth] up** [*person*] charger [*van, ship*] (**with** de)

load-bearing *adj* [*wall*] porteur/-euse

loaded /ˈləʊdɪd/ *adj* **1** (full, laden) [*tray, dress-rail, plane, lorry, gun*] chargé (**with** de); fig **~ with meaning** *ou* **significance** plein de sens; **2** (weighed down) [*person*] chargé (**with** de); fig **to be ~ with honours/medals** être couvert d'honneurs/de médailles; **3** ○fig (rich) plein aux as○, bourré de fric○; **4** (leading) [*question*] tendancieux/-ieuse; **5** Ind [*substance*] chargé (**with** de); **6** ○US (drunk) bourré○

loader /ˈləʊdə(r)/ *n* (person) chargeur *m*; (machine) chargeuse *f*

load factor *n* **1** Elec facteur *m* d'utilisation; **2** Aviat coefficient *m* de remplissage

loading /ˈləʊdɪŋ/ *n* **1** Transp chargement *m*; **2** Insur majoration *f*

loading bay *n* aire *f* or zone *f* de chargement

load: **~ line** *n* ligne *f* de charge; **~ shedding** *n* délestage *m*; **~ stone** *n* magnétite *f*

loaf /ləʊf/
A *n* (*pl* **loaves**) pain *m*; **a ~ of bread** un pain; **a brown/white ~** un pain complet/blanc
B *vi* US = **loaf about**
(Idioms) **half a ~ is better than no bread** Prov faute de grives on mange des merles; **use your ~**○! fais marcher tes méninges○! ▸ **Rhyming slang**
(Phrasal verb) ■ **loaf about**, **loaf around** traînasser

loafer /ˈləʊfə(r)/ *n* **1** (shoe) mocassin *m*; **2** (idler) flemmard/-e○ *m/f*

loaf: **~ sugar** *n* sucre *m* en pain; **~ tin** GB, **~ pan** US *n* moule *m* à cake

loam /ləʊm/ *n* terreau *m*

loamy /ˈləʊmɪ/ *adj* riche en terreau

loan /ləʊn/
A *n* **1** Fin (money or property) (borrowed) emprunt *m*; (lent) prêt *m*; **a £20,000 ~, a ~ of £20,000** un prêt *or* un emprunt de 20 000 livres sterling; **to take out a ~** faire *or* souscrire fml un emprunt; **to ask for/give a ~** demander/accorder un prêt; **2** (act) (of lending) prêt *m*; (of borrowing) emprunt *m*; **to have the ~ of sth** emprunter qch; **to give sb the ~ of sth** prêter qch à qn; **to be on ~** [*museum object*] être prêté (**to** à); [*person*] prêter ses services (**to** à); **this book is not for ~** consultation sur place; **the book is already on ~** le livre a déjà été emprunté
B *vtr* prêter (*also* **~ out**) prêter [*object, money*] (**to** à)

loan: **~ account** *n* Fin compte *m* de prêt; **~ agreement** *n* Fin contrat *m* de prêt; **~ bank** *n* caisse *f* de prêts; **~ capital** *n* capital *m* d'emprunt; **~ certificate** *n* titre *m* de prêt; **~ facility** *n* facilité *f* de crédit; **~ portfolio** *n* portefeuille *m* de prêts; **~ shark**○ *n* péj usurier/-ière *m/f*; **~ stock** *n* emprunt *m* obligataire; **~ translation** *n* Ling calque *m*; **~ word** *n* Ling emprunt *m*

loath /ləʊθ/ *adj* **I am ~ to do** je préférerais ne pas faire; **he was ~ to do** il aurait préféré ne pas faire; **Joseph, never ~ to do** Joseph, qui n'hésite jamais à faire; **nothing ~** sans hésitation

loathe /ləʊð/ *vtr* détester (**doing** faire)

loathing /ˈləʊðɪŋ/ *n* répugnance *f* (**for** pour)

loathsome /ˈləʊðsəm/ *adj* répugnant

loathsomeness /ˈləʊðsəmnɪs/ *n* caractère *m* répugnant

loaves /ləʊvz/ *npl* ▸ **loaf**

lob /lɒb/
A *n* Sport lob *m*
B *vtr* (*p prés etc* **-bb-**) **1** gen lancer; **2** Sport lober
C *vi* (*p prés etc* **-bb-**) lober

lobby /ˈlɒbɪ/
A *n* **1** (hall) (of house) entrée *f*, vestibule *m*; (of hotel) hall *m*; (of theatre) lobby *m*; **2** Pol (to meet public) *hall de l'assemblée législative où le public rencontre les députés*; **3** GB Pol (*also* **division ~**) (where MPs vote) *vestibule où les députés se répartissent pour voter*; **4** (*also* **~ group**) lobby *m*; **the environmental/farming/pro-European ~** le lobby écologiste/des agriculteurs/pro-européen; **5** (campaign) campagne *f* de pression, lobbying *m*; **to stage a mass ~ of parliament** organiser une manifestation devant le parlement
B *vtr* [*person, group*] faire pression sur [*person, group*] (**about** à propos de); Pol appuyer [*bill*]; **to ~ a bill through parliament** GB/**Congress** US appuyer un projet de loi pour qu'il passe au parlement/au Congrès
C *vi* faire pression, se livrer à un travail de propagande; **to ~ for sth/to do** faire pression pour obtenir qch/pour faire

lobby correspondent *n* journaliste *mf* parlementaire

lobbyer /ˈlɒbɪə(r)/ *n* membre *m* d'un groupe de pression, lobbyiste *mf*

lobby group *n* lobby *m*

lobbying /ˈlɒbɪɪŋ/ *n* activité *f* des groupes de pression, lobbying *m*; **~ of ministers** lobbying des ministres

lobbyist /ˈlɒbɪɪst/ *n* membre *m* d'un groupe de pression, lobbyiste *mf*; **a ~ for pensioners' rights** un lobbyiste pour les droits des retraités

lobe /ləʊb/ *n* Anat, Bot lobe *m*; **ear ~** lobe *m* de l'oreille

lobelia /ləˈbiːljə/ *n* lobélie *f*

lobotomy /ləʊˈbɒtəmɪ/ *n* lobotomie *f*

lobster /ˈlɒbstə(r)/
A *n* Culin, Zool homard *m*; **dressed ~** homard préparé
B *modif* [*salad, soup*] au homard

lobster: **~ Newburg** *n* homard *m* à la Newburg; **~ pot** *n* casier *m* à homards; **~ Thermidor** *n* homard *m* thermidor

local /ˈləʊkl/
A ○ *n* **1** (resident) personne *f* du pays; **the ~s** les gens *mpl* du pays; **is he a ~?** il est du coin?; **2** (pub) pub *m* du quartier; **3** (cinema) cinéma *m* du quartier; **4** Med anesthésique *m* local; **5** (newspaper) journal *m* local; **the ~s** les journaux locaux; **6** (train) omnibus *m*
B *adj* **1** (neighbourhood) [*church, doctor, library, shop*] du quartier; **2** (of the town) [*newspaper, office, hospital, transport*] local; **3** (regional) [*newspaper, television, radio, news*] régional; [*speciality*] du pays; [*tradition*] local; [*business*] de la région; **to show ~ variations** manifester des variations d'un endroit à l'autre; **4** (of a country) [*currency, language*] local; **~ time** heure locale; **5** Med [*pain, swelling*] localisé

local: **~ anaesthetic** *n* anesthésique *m* local; **~ area network, LAN** *n* Comput réseau *m* local; **~ authority** *n* GB Admin (+ *v sg ou pl*) autorités *fpl* locales; **~ (area) call** *n* Telecom communication *f* téléphonique locale; **~ colour** GB, **~ color** US *n* couleur *f* locale; **~ council** *n* GB = **local authority**; **~ derby** *n* Sport derby *m* local

locale /ləʊˈkɑːl, US -ˈkæl/ *n* **1** (setting) scène *f*; **the ~ is a small village** la scène se passe dans un petit village; **2** (place) endroit *m*

local: **~ education authority, LEA** *n* GB (+ *v sg ou pl*) *administration locale qui gère les affaires scolaires*; **~ election** *n* élection *f* locale; **~ government** *n* administration *f* locale; **~ government minister** *n* GB *ministre d'État chargé de déterminer les pouvoirs des autorités locales*

locality /ləʊˈkælətɪ/ *n* **1** (local area) région *f*; **shops in the ~** les magasins de la région; **2** (place) endroit *m*; **different localities** des endroits différents

localization /ˌləʊkəlaɪˈzeɪʃn/ *n* localisation *f*

localize /ˈləʊkəlaɪz/
A *vtr* **1** (pinpoint) localiser [*origin, problem*]; **2** (restrict to one area) restreindre [*damage, effect*]; **3** Admin Pol décentraliser [*control, education*]
B **localized** *pp adj* [*damage, pain, problem*] localisé; [*control, administration*] décentralisé

local management of schools, LMS *n* GB *autonomie des écoles pour la gestion de leur budget*

locate /ləʊˈkeɪt, US ˈləʊkeɪt/
A *vtr* **1** (find) retrouver [*person, object*]; localiser [*fault, problem*]; situer [*sound*]; repérer [*information*]; **2** (position) établir [*business*]; construire [*building*]; situer [*site*]; Tech positionner [*fitment, part*]; **to be ~d somewhere** être situé quelque part
B *vi* Tech [*fitment, part*] se positionner

location /ləʊˈkeɪʃn/ *n* **1** (place) gen endroit *m*; (exact site) emplacement *m* (**for** pour); **a central/convenient/ideal ~** un emplacement central/commode/idéal; **to know the ~ of sth** savoir où se trouve qch; **2** Cin extérieurs *mpl*; **on ~** en extérieur; **to go on ~** tourner en extérieur

locative /ˈlɒkətɪv/
A *n* Ling (*also* **~ case**) locatif *m*; **in the ~** au locatif
B *adj* locatif/-ive

loch /lɒk, lɒx/ *n* Scot loch *m*, lac *m*

loci /ˈlɒkiː/ *npl* ▸ **locus**

lock /lɒk/
A *n* **1** (with key) serrure *f*; (with bolt) verrou *m*; **there's no ~ on the bathroom door** il n'y a pas de verrou à la porte de la salle de bains; **under ~ and key** sous clé; **2** (of hair) mèche *f*; **long/curly ~s** cheveux *mpl* longs/bouclés; **3** Naut écluse *f*; **4** (in wrestling) clé *f*; **arm/leg ~** clé de bras/jambe; **5** (in rugby) avant *m* de deuxième ligne; **6** Aut rayon *m* de braquage; **to have a good ~** [*car*] bien braquer; **full ~** braquage *m* à fond; **half ~** demi-braquage *m*; **7** Comput verrouillage *m*; **8** (on firearm) percuteur *m*
B *vtr* **1** (close securely) (with key) fermer [qch] à clé; (with bolt) verrouiller; **to ~ sth in a drawer** enfermer qch dans un tiroir; **2** Comput verrouiller [*file*]; **3** fig **to be ~ed in combat** [*armies*] être aux prises; **two lovers ~ed in an embrace** deux amants enlacés; **to ~ horns** lit [*animals*] lutter cornes contre cornes; fig [*people*] se disputer violemment
C *vi* **1** (close securely) [*door, drawer*] fermer à clé;

2 (seize up) [*wheel, steering wheel*] se bloquer

(Phrasal verbs) ■ **lock away**: ► ~ **[sth] away**, ~ **away [sth]** mettre [qch] sous clé; ► ~ **[sb] away** enfermer qn

■ **lock in**: ► ~ **[sb] in** enfermer [*person*]; **to ~ oneself in** s'enfermer

■ **lock on** [*capitals key, shift key*] se verrouiller; [*radar*] accrocher; **to ~ onto a target** accrocher une cible

■ **lock out**: ► ~ **[sb] out** enfermer [qn] dehors; **to ~ oneself out** s'enfermer dehors; **to be ~ed out** être enfermé dehors; **I've ~ed myself out of my car** j'ai fermé ma voiture avec les clés dedans; **I've ~ed myself out of my room** je me suis enfermé dehors

■ **lock together** [*components, pieces*] s'emboîter

■ **lock up**: ► ~ **up** fermer; **it's time to ~ up** c'est l'heure de fermer; ► ~ **[sth] up**, ~ **up [sth]** mettre [qch] sous clé [*documents, jewellery*]; fermer [qch] à clé [*house, room*]; immobiliser [*capital*]; ► ~ **[sb] up**, ~ **up [sb]** enfermer [*captive, hostage*]; mettre [qn] sous les verrous [*killer, prisoner*]; **he should be ~ed up**○! il est bon à enfermer○!

locker /ˈlɒkə(r)/ *n* casier *m*, vestiaire *m*

locker room
A *n* vestiaire *m*
B *modif* [*joke*] de corps de garde; [*humour*] paillard

locket /ˈlɒkɪt/ *n* Fashn médaillon *m*

lock gate *n* porte *f* d'écluse

lock-in /ˈlɒkɪn/ *n* 1 Comm accord *m* exclusif; 2 (in a pub) séance *f* dans un pub après l'heure de fermeture

locking /ˈlɒkɪŋ/
A *n* gen, Comput verrouillage *m*; ▸ **central locking**
B *adj* [*draw, door*] qui ferme à clé; [*petrol cap*] antivol

lock: ~**jaw** *n* tétanos *m*; ~ **keeper** *n* éclusier/-ière *m/f*; ~**nut** *n* (special screw) écrou *m* auto-bloquant; (additional screw) contre-écrou *m*; ~**-out** *n* lock-out *m inv*, grève *f* patronale; ~**smith** *n* serrurier *m*

lock-up /ˈlɒkʌp/ *n* 1 GB (garage) garage *m* (*séparé du domicile*); (shop) boutique *f*; 2 †(cell) cellule *f*

loco /ˈləʊkəʊ/
A ○*n* GB Rail loco○ *f*
B ○*adj* (mad) timbré○, fou/folle

locomotion /ˌləʊkəˈməʊʃn/ *n* locomotion *f*

locomotive /ˌləʊkəˈməʊtɪv/
A *n* locomotive *f*; **electric/diesel/steam ~** locomotive électrique/diesel/à vapeur
B *adj* 1 [*muscle*] locomoteur/-trice; 2 [*power*] locomotif/-ive

locomotive shed *n* hangar *m* à locomotives

locum /ˈləʊkəm/ *n* GB remplaçant/-e *m/f*

locus /ˈləʊkəs/ *n* (*pl* **-ci**) Math lieu *m*

locust /ˈləʊkəst/ *n* locuste *f*, sauterelle *f*; **swarm of ~s** nuage *m* de sauterelles

locust: ~ **bean** *n* caroube *f*; ~ **tree** *n* caroubier *m*

locution /ləˈkjuːʃn/ *n* locution *f*

lode /ləʊd/ *n* Geol filon *m*

loden /ˈləʊdn/ *n* (coat, fabric) loden *m*

lodestar /ˈləʊdstɑː(r)/ *n* 1 Astron étoile *f* polaire; 2 fig guide *m*

lodestone /ˈləʊdstəʊn/ *n* magnétite *f*

lodge /lɒdʒ/
A *n* 1 (small house) pavillon *m*; (for gatekeeper) loge *f* (du gardien); (in castle) conciergerie *f*; **hunting ~** pavillon de chasse; **porter's ~** Univ loge du concierge; 2 US (hotel) hôtel *m*; 3 (Masonic) loge *f*; 4 (of beaver) abri *m*
B *vtr* 1 (accommodate) loger [*person*]; 2 déposer [*appeal, complaint, protest*] (**with** auprès de); 3 (store) déposer [*valuables*]
C *vi* 1 (reside) se loger (**with** chez); 2 (stick) [*bullet*] loger; [*small object*] (in throat, tube) se coincer; (on surface) s'incruster; **it ~d in her memory** cela s'est incrusté dans sa mémoire

lodger /ˈlɒdʒə(r)/ *n* (having room only) locataire *mf*; (with meals) pensionnaire *mf*; **to take in ~s** louer des chambres; (with meals) prendre des pensionnaires

lodging /ˈlɒdʒɪŋ/
A *n* logement *m*; **a night's ~** hébergement *m* pour la nuit; **board and ~** le gîte et le couvert
B **lodgings** *npl* logement *m*; **to take ~** prendre une chambre (**with** chez)

lodging house† *n* pension *f*

loess /ˈləʊes/ *n* lœss *m*

loft /lɒft, US lɔːft/
A *n* 1 (attic) grenier *m*; **hay ~** grenier à foin; 2 US (apartment) loft *m*; 3 Relig, Archit tribune *f*; **choir/organ ~** tribune de la chorale/d'orgue
B *vtr* US lancer [qch] en chandelle [*ball*]

loft bed *n* US lit *m* en mezzanine

loft conversion *n* 1 (process) aménagement *m* de grenier; 2 (room) grenier *m* aménagé

loft hatch *n* trappe *f* (du grenier)

loftily /ˈlɒftɪlɪ, US ˈlɔːftɪlɪ/ *adv* avec hauteur

loftiness /ˈlɒftɪnɪs, US ˈlɔːftɪnɪs/ *n* 1 (of building, peak, etc) hauteur *f*; 2 (of manners) hauteur *f*; (of ideas) grandeur *f*

loft ladder *n* échelle *f* escamotable

lofty /ˈlɒftɪ, US ˈlɔːftɪ/ *adj* 1 [*building, peak, etc*] haut; 2 [*manner*] hautain; [*ideas, words*] noble

log /lɒg, US lɔːg/
A *n* 1 (of wood) rondin *m*; (for burning) bûche *f*; 2 (written record) registre *m*; **to keep a ~ of people's comings and goings** noter les allées et venues des gens; 3 Transp (of plane, ship) livre *m* de bord; 4 Comput carnet *m* d'exploitation; 5 Math logarithme *m*
B *vtr* (*p prés etc* **-gg-**) 1 (record) noter [*reading, fact*]; 2 (clock up) (*also* ~ **up**) avoir à son actif [*miles*]; 3 (achieve) [*car, train*] rouler à [*speed, 80 mph*]; [*plane*] voler à [*speed, 500 mph*]; [*ship*] filer [*knots*]
C *vi* (*p prés etc* **-gg-**) abattre des arbres

(Idiom) **to sleep like a ~** dormir comme une souche

(Phrasal verbs) ■ **log in = log on**

■ **log on** Comput ouvrir une session, se connecter

■ **log off** Comput clore une session, se déconnecter

■ **log out = log off**

loganberry /ˈləʊgənbrɪ, US -berɪ/ *n* loganberry *m*

logarithm /ˈlɒgərɪðəm, US ˈlɔːg-/ *n* logarithme *m*

logarithmic spiral *n* spirale *f* logarithmique

log book *n* 1 (of car) ≈ carte *f* grise; 2 (of plane, ship) livre *m* de bord; 3 (written record) registre *m*

log: ~ **cabin** *n* cabane *f* en rondins; ~ **fire** *n* feu *m* de bois

logger /ˈlɒgə(r)/ *n* bûcheron *m*

loggerheads /ˈlɒgəhedz/ *npl* **to be at ~** être en désaccord (**with** avec)

loggerhead turtle *n* caret *m*

loggia /ˈləʊdʒə, ˈlɒdʒɪə/ *n* loggia *f*

logging /ˈlɒgɪŋ/ *n* abattage *m* des arbres

logic /ˈlɒdʒɪk/ *n* gen, Philos, Comput logique *f*; **I can see the ~ in selling it** je vois l'intérêt que cela peut présenter de le vendre

(Idiom) **to chop ~** discutailler

logical /ˈlɒdʒɪkl/ *adj* logique; ~ **positivism** positivisme *m* logique

logically /ˈlɒdʒɪklɪ/ *adv* logiquement; ~ **speaking** logiquement

logic: ~ **bomb** *n* bombe *f* logique; ~ **chopping** *n* ergotage *m*; ~ **circuit** *n* circuit *m* logique

logician /ləˈdʒɪʃn/ *n* logicien/-ienne *m/f*

login /ˈlɒgɪn/ *n* Comput ouverture *f* de session

logistic /ləˈdʒɪstɪk/ *adj* logistique

logistically /ləˈdʒɪstɪklɪ/ *adv* d'un point de vue logistique

logistics /ləˈdʒɪstɪks/ *n* (+ *v sg ou pl*) logistique *f*

log jam *n* lit embouteillage *m* (de bois de flottage); fig blocage *m*

logo /ˈləʊgəʊ/ *n* logo *m*

logon /ˈlɒgɒn/ *n* Comput ouverture *f* de session

log pile *n* tas *m* de bois

logroll /ˈlɒgrəʊl/
A *vtr* voter [qch] en remerciement d'un service rendu [*bill*]
B *vi* renvoyer l'ascenseur

logrolling /ˈlɒgrəʊlɪŋ/ *n* US Pol trafic *m* de faveurs

> **Logrolling**
>
> Pratique du 'renvoi d'ascenseur' en politique américaine. Un parti vote une loi proposée par un autre parti dans l'espoir qu'il lui rendra la même faveur le moment venu. L'expression date de l'époque où les pionniers américains s'entraidaient pour faire rouler les troncs d'arbres qu'ils arrachaient pour défricher la terre.

log: ~ **saw** *n* Agric scie *f* à bûches; ~ **tables** *npl* tables *fpl* de logarithmes

logy○ /ˈləʊgɪ/ *adj* US mou, léthargique

loin /lɔɪn/
A *n* Culin 1 (of pork) GB ≈ côtes *fpl* premières, US ≈ filet *m*; 2 (of lamb) GB ≈ carré *m* de côtes premières, US ≈ filet *m*; 3 (of veal) GB ≈ longe *f*, US ≈ côtes *fpl* premières
B † **loins** *npl* Anat reins *mpl*

(Idiom) **to gird up one's ~s** lit, fig se ceindre les reins

loin: ~ **chop** *n* côte *f* première; ~**cloth** *n* pagne *m*

Loire /lwɑː(r)/ ▸ **p. 1633, p. 1129** *pr n* Loire *f*; **in/to the ~** dans la Loire; **the ~ valley** la vallée de la Loire; **a ~ wine** un vin de la Loire

Loire-Atlantique ▸ **p. 1129** *pr n* Loire-Atlantique *f*; **in/to the ~** en Loire-Atlantique

Loiret ▸ **p. 1129** *pr n* Loiret *m*; **in/to the ~** dans le Loiret

Loir-et-Cher ▸ **p. 1129** *pr n* Loir-et-Cher *m*; **in/to the ~** dans le Loir-et-Cher

loiter /ˈlɔɪtə(r)/ *vi* (idly) traîner; (pleasurably) flâner; (suspiciously) rôder

loiterer /ˈlɔɪtərə(r)/ *n* (idle) flâneur/-euse *m/f*; (suspicious) rôdeur/-euse *m/f*

loitering /ˈlɔɪtərɪŋ/ *n* Jur 1 ~ **(with intent)** intention *f* délictueuse; 2 (soliciting) racolage *m*

loll /lɒl/ *vi* [*person*] se prélasser; [*part of body*] tomber; [*tongue*] pendre

(Phrasal verbs) ■ **loll about** traîner sans rien faire

■ **loll back** [*person*] se prélasser; [*head*] partir en arrière

lollipop /ˈlɒlɪpɒp/ *n* sucette *f*

> **Lollipop lady/man**
>
> Au Royaume-Uni, employé(e) municipal(e) qui règle la circulation automobile pour que les écoliers traversent la rue en sécurité. Il/Elle tient un panneau de STOP qui, par sa forme, évoque une sucette ronde (*lollipop*).

lollipop: ~ **lady**○ *n* GB contractuelle *f* qui fait traverser la rue aux écoliers; ~ **man**○ *n* GB contractuel *m* qui fait traverser la rue aux écoliers

lollop /ˈlɒləp/ *vi* galoper (maladroitement)

lolly /ˈlɒlɪ/ *n* GB 1 ○(money) fric○ *m*; 2 (sweet) sucette *f*; **ice ~** glace *f* à l'eau (*sur un bâton*)

l

lollygag○ /ˈlɒlɪgæg/, **lallygag**○ /ˈlælɪgæg/ *vi* US **1** (loiter) traînasser; **2** (dawdle) lambiner○

Lombard /ˈlɒmbəd/
A *n* Lombard/-e *m/f*
B *adj* lombard

Lombardy /ˈlɒmbədɪ/ *pr n* Lombardie *f*

Lombardy poplar *n* peuplier *m* d'Italie

London /ˈlʌndən/ ▸ **p. 1815**
A *pr n* Londres; **in/to ~** à Londres; **Greater ~** le Grand Londres; **inner ~** Londres intra-muros; **outer ~** la banlieue de Londres
B *modif* [*person, accent, flight, train*] de Londres

London broil *n* US Culin steak *m* grillé

Londoner /ˈlʌndənə(r)/ *n* Londonien/-ienne *m/f*

London pride *n* GB Bot désespoir-des-peintres *m*, saxifrage *m*

lone /ləʊn/ *adj* littér (lonely) solitaire; (only one) seul

loneliness /ˈləʊnlɪnɪs/ *n* (of person) solitude *f*; (of position) isolement *m*

lonely /ˈləʊnlɪ/ *adj* [*person, life*] solitaire; [*place, building*] isolé; [*decision*] que l'on prend seul; **I am ~ for my family** je me sens seul, loin de ma famille

lonely: **~ hearts' club** club *m* de rencontres; **~ hearts' column** *n* annonces *fpl* matrimoniales

lone parent *n* parent *m* isolé

loner /ˈləʊnə(r)/ *n* solitaire *mf*

lonesome /ˈləʊnsəm/ *adj* solitaire; **to be ~ for sb** se sentir seul loin de qn
(Idiom) **to be all on** GB *ou* **by** US **one's ~** être tout seul

lone wolf *n* solitaire *m*

long /lɒŋ, US lɔːŋ/ ▸ **p. 1389**
A *n* (syllable, signal) Literat, Radio longue *f*
B *adj* **1** (lengthy, protracted) [*event, period, process, wait, conversation, book, journey, vowel*] long/longue; [*delay*] important; [*bath, sigh*] grand (*before n*); **20 minutes ~** (long) de 20 minutes; **how ~ is the interval?** combien de temps dure l'entracte?; **is an hour ~ enough?** est-ce qu'une heure suffira?; **it's been a ~ day** la journée a été longue; **to get** *ou* **grow** *ou* **become ~er** [*days*] s'allonger; **to take a ~ hard look at sth** lit, fig examiner qch attentivement; **I want to have a ~er look at the patient** je voudrais examiner le malade plus longuement; **she gave me a ~ hard stare** elle a posé sur moi un regard scrutateur; **after ~ hours of discussion** après de longues heures de discussion; **I don't like the ~ hours in this job** je n'aime pas les longues journées dans ce travail; **for five ~ years I waited** j'ai attendu pendant cinq longues années; **to be ~ in coming** tarder à venir; **a friend of ~ standing** un ami de longue date
2 (in expressions of time) **she's been away a ~ time** elle est restée longtemps absente; **it's been a ~ time since I saw you** ça fait longtemps que je ne t'ai pas vu; **you've been a ~ time getting here** tu as mis longtemps pour arriver; **they've been a ~ time making up their minds** il leur a fallu du temps pour se décider; **six hours, that's a ~ time** six heures, c'est long; **three years seems such a ~ time** trois ans semblent si long; **I've been a teacher for a ~ time** je suis professeur depuis longtemps; **I hadn't played tennis for a ~ time** je n'avais pas joué au tennis depuis longtemps; **she hasn't been well for a ~ time** ça fait longtemps qu'elle est malade; **for a ~ time I didn't believe her** pendant longtemps je ne l'ai pas crue; **it's a ~ time since I last saw her** il y a bien longtemps que je ne l'ai pas vue; **a ~ time ago** il y a longtemps; **a very ~ time ago, a ~ ~ time ago** il y a très longtemps; **to take a ~ time** [*person*] mettre longtemps; [*task etc*] prendre longtemps *or* du temps; **that takes a ~ time to organize** cela prend longtemps *or* du temps à organiser; **does it take a ~ time for the results to come through?** est-ce que les résultats mettent longtemps à arriver?
3 (in measuring) [*arm, dress, hair, queue, rope, table*] long/longue; [*grass*] haut; [*detour*] grand; **20 m ~** (long) de 20 m, de 20 m de long; **the ~ side of the table** le grand côté de la table; **to get** *ou* **grow ~** [*grass, hair, nails*] devenir long, pousser; [*list, queue*] s'allonger; **she's growing her hair ~** elle se laisse pousser les cheveux; **to make sth ~er** allonger [*sleeve*]; augmenter la longueur de [*shelf*]; **to be ~ in the leg** [*person, animal*] avoir de longues jambes; [*trousers*] être trop long
4 (in expressions of distance) **is it a ~ way to the station?** est-ce que la gare est loin (d'ici)?; **it's a ~ way** c'est loin; **he lives a ~ way away** *ou* **off** il habite loin; **we could hear the guns a ~ way off** dans le lointain nous entendions les canons; **January is a ~ way off** janvier est loin; **Nice is a ~ way from Paris** Nice est loin de Paris; **they 're a ~ way from satisfying our requirements** ils sont loin de remplir toutes nos conditions; **don't fall, it's a ~ way down** ne tombe pas, c'est haut; **a ~ way down the road** tout au bout de la route; **a ~ way down the list** loin sur la liste; **I saw the boat a ~ way out** là-bas au loin j'ai vu le bateau; **you are a ~ way out in your calculations** vous vous trompez lourdement dans vos calculs; **it's a ~ way up to the tenth floor** c'est haut jusqu'au dixième étage; **we've come a ~ way to be here tonight/since the days of the first computers** nous avons fait beaucoup de chemin pour être ici ce soir/depuis l'époque des premiers ordinateurs; **to go a ~ way** [*person*] (be successful) aller loin; [*provision, packet, supply*] (last long) durer longtemps; **to make sth go a ~ way** faire durer qch; **a little goes a ~ way** (of paint, chemical, spice) il n'en faut pas beaucoup; **to go a ~ way towards doing** contribuer largement à faire; **to have a ~ way to go** lit [*traveller*] avoir beaucoup de chemin à faire; fig [*worker, planner*] avoir encore beaucoup d'efforts à faire (**to do** avant de faire); **it's the biggest/best by a ~ way** c'est de loin le plus grand/le meilleur; **to take the ~ way round** faire un long détour
C *adv* **1** (a long time) longtemps; **will you be ~?** tu en as pour longtemps?; **I shan't be ~** je n'en ai pas pour longtemps; **how ~ will you be?** tu en as pour combien de temps?; **how ~ will you be in the meeting?** cette réunion va te prendre combien de temps?; **how ~ will you be in choosing?** combien de temps te faudra-t-il pour choisir?; **not very ~** pas très longtemps; **don't be ~** dépêche-toi; **don't be ~ in getting ready** ne prends pas trop de temps pour te préparer; **how ~ will it be before I hear?** combien de temps faudra-t-il avant que j'entende?; **it won't be ~ before you're home again** tu seras rentré chez toi dans peu de temps; **I've been here ~er than anyone else** je suis ici depuis plus longtemps que tout le monde; **I can't stand it a day/moment ~er** je ne le supporterai pas un jour/une minute de plus; **the ~er we stayed the hotter it grew** plus le temps passait et plus il faisait chaud; **it's been so ~ since we last met** ça fait si longtemps que nous ne nous sommes pas vus; **it's not that ~ since the party** il ne s'est pas passé tellement de temps depuis la soirée; **it's not that ~ since I was a student** il n'y a pas si longtemps j'étais étudiant; **it wasn't ~ before people said...** il n'a pas fallu longtemps pour que les gens disent...; **has he been gone ~?** est-ce qu'il y a longtemps qu'il est parti? ; **I haven't got ~** je n'ai pas beaucoup de temps; **I've worked here ~ enough to know...** je travaille ici depuis assez longtemps pour savoir...; **if you stay ~ enough** si tu restes assez longtemps; **300 years has not been ~ enough** 300 ans n'ont pas suffi; **he paused only** *ou* **just ~ enough to...** il s'est interrompu juste le temps de...; **an hour? that doesn't give us ~ to have dinner** une heure? ça ne nous laisse pas beaucoup de temps pour dîner; **this won't take ~** ça ne prendra pas longtemps; **the meeting took much ~er than expected** la réunion a duré beaucoup plus longtemps que prévu; **how ~ did it take him to find out?** il lui a fallu combien de temps pour se renseigner?; **it took me ~er than I thought** il m'a fallu plus de temps que je ne pensais; **three days at the ~est** trois jours maximum; **before ~** (in past) peu après; (in future) dans peu de temps; **he'll be here before ~** il arrivera dans peu de temps; **she phoned before ~** elle a appelé peu après; **he'll be here before much ~er** il sera ici sous peu; **for ~** longtemps; **not for ~** pas longtemps; **will you be gone for ~?** seras-tu longtemps absent?; **he's happy now but not for ~** il est content à présent mais ça ne durera pas; **~ after** longtemps après; **she only knew ~ after** elle ne l'a su que longtemps après; **not ~ after** peu après; **it's ~ after** *ou* **past your bedtime** tu devrais être couché depuis longtemps; **~ ago** il y a longtemps; **he left not ~ ago** il n'y a pas longtemps qu'il est parti; **~ before** bien avant; **~ before we were married** bien avant notre mariage; **it wasn't ~ before he realized** il ne lui a pas fallu longtemps pour se rendre compte; **he left not ~ before lunch** il est parti peu de temps avant le déjeuner; **~ since** depuis longtemps; **they split up ~ since** ils sont séparés depuis longtemps; **they've ~ since gone home** il y a longtemps qu'ils sont partis; **he's no ~er head** il n'est plus chef; **I can't stand it any ~er** j'en ai assez; **5 minutes, no ~er!** 5 minutes, pas plus!; **I can't stay any ~er** je ne peux pas rester plus longtemps
2 (for a long time) (*avant pp*) depuis longtemps; **I had ~ wished to meet him** j'avais envie de le rencontrer depuis longtemps; **that method has ~ been out of date** cette méthode est depuis longtemps dépassée; **those days are ~ gone** ce temps-là n'est plus
3 (throughout) (*après n*) **all night/day ~** toute la nuit/ la journée; **her whole life ~** toute sa vie
D **as long as, so long as** *conj phr* **1** (in time) aussi longtemps que; **borrow it for as ~ as you like** tu peux le garder aussi longtemps que tu veux; **as ~ as possible/necessary** aussi longtemps que possible/qu'il le faut; **as ~ as I live** toute ma vie
2 (provided that) du moment que (+ *indic*), pourvu que (+ *subj*); **as ~ as you're safe, that's all that matters** du moment que tu es en sécurité, c'est tout ce qui compte; **as ~ as you keep me informed** pourvu que tu me tiennes au courant
E *vi* **to ~ for sth** avoir très envie de qch, soupirer après qch liter; **to ~ for sb to do** avoir très envie que qn fasse; **to ~ for sb** avoir très envie de voir qn, se languir de qn liter; **to ~ to do** (be impatient) être très impatient de faire; (desire sth elusive) rêver de faire, brûler de faire liter
(Idioms) **~ time no see**○! hum ça fait une paye○ qu'on ne s'est pas vus!; **she's not ~ for this world** elle ne fera pas de vieux os; **so ~**○! salut!; **to be ~ on sth**○ avoir beaucoup de [*commonsense, experience*]; **why all the ~ faces?** vous en faites une tête○!; **to pull a ~ face** faire triste mine; **to have a ~ memory** être rancunier/-ière

long: **~-awaited** *adj* attendu depuis longtemps, longtemps attendu; **~boat** *n* chaloupe *f*; **~bow** *n* arc *m* de guerre; **~-dated** *adj* Fin [*bills*] à longue échéance; [*investment*] à long terme; **~-delayed** *adj* longuement différé

long-distance
A *adj* [*race, runner*] de fond; [*journey*] long/longue (*before n*); [*telephone call*] (within the country) interurbain; (abroad) international; **~ flight** vol *m* long-courrier; **~ lorry driver** GB routier *m*
B *adv* **he's phoning us ~** gen il nous appelle de

loin; (from abroad) il nous appelle de l'étranger

long: **~-drawn-out** *adj* interminable; **~ drink** *n* long drink *m*; **~-eared owl** *n* moyen duc *m*; **~ed-for** *adj* tant attendu; **~-established** *adj* fondé il y a longtemps

longevity /lɒn'dʒevətɪ/ *n* (of person, animal) longévité *f*; (of phenomenon, idea, tradition) persistance *f*

long-fin tuna, **long-fin tunny** *n* thon *m* blanc

long-haired *adj* [*person*] aux cheveux longs; [*animal*] à poil long

longhand /'lɒŋhænd/ *n* **in ~** écrit à la main

long: **~-handled** *adj* à manche long; **~-haul** *adj* Aviat long-courrier *inv*; **~horn** *n* longhorn *mf*

longing /'lɒŋɪŋ, US 'lɔ:ŋɪŋ/

A *n* grand désir *m* (**for** de; **to do** de faire); (stronger) convoitise *f* (**for** envers); (nostalgic) nostalgie *f* (**for** de); **he had a secret ~ for the gypsy life** il aspirait secrètement à une vie de bohémien

B *adj* [*look*] (amorous) plein de désir; (greedy) plein de convoitise

longingly /'lɒŋɪŋlɪ, US 'lɔ:ŋ-/ *adv* (greedily) avec convoitise; (nostalgically) avec nostalgie; (amorously) amoureusement

longish /'lɒŋɪʃ, US 'lɔ:ŋɪʃ/ *adj* assez long/longue; **a ~ time** pas mal de temps

longitude /'lɒndʒɪtju:d, US -tu:d/ *n* longitude *f*; **at a ~ of 52°, at ~ 52°** par 52° de longitude

longitudinal /ˌlɒndʒɪ'tju:dɪnl, US -'tu:dnl/ *adj* longitudinal

longitudinally /ˌlɒndʒɪ'tju:dɪnəlɪ, US -'tu:dnəlɪ/ *adj* longitudinalement

long: **~ johns**○ *npl* caleçon *m* long; **~ jump** ▸ p. 1253 *n* GB saut *m* en longueur; **~ jumper** *n* sauteur/-euse *m/f* en longueur; **~-lasting** *adj* durable, qui dure longtemps

long-life *adj* [*milk, cream, juice*] longue conservation *inv*; [*battery*] longue durée *inv*

long: **~-limbed** *adj* aux membres longs; **~-line** *adj* Fashn long/longue

long-lived *adj* [*person, animal*] d'une grande longévité; [*phenomenon, tradition*] persistant

long-lost *adj* [*relative*] perdu de vue depuis longtemps; [*object*] perdu depuis longtemps

long: **~-overdue** *adj* attendu depuis longtemps; **~-playing record** GB, **~play record** US *n* Audio trente-trois tours *m*

long-range *adj* [*missile, rifle*] (à) longue portée; [*forecast, plan*] à long terme; **~ aircraft** (civil) long-courrier *m*; Mil avion *m* à grand rayon d'action

long-running *adj* [*play, serial, dispute*] qui dure depuis longtemps; **Britain's longest-running radio quiz** le plus vieux jeu radiophonique de Grande-Bretagne

long: **~ship** *n* Hist drakkar *m*; **~shoreman** *n* US débardeur *m*, docker *m*; **~shoring** *n* débardage *m*

long shot *n* **1** Cin plan *m* éloigné; **2** Sport, Turf outsider *m*; **3** (risky attempt) **it's a ~** c'est risqué, c'est un coup à tenter; **4** (guess) **this is a ~** je dis ça à tout hasard

long-sighted *adj* Med presbyte; fig prévoyant

long-sightedness *n* Med presbytie *f*; fig prévoyance *f*

long-sleeved *adj* à manches longues

long-standing *adj* [*arrangement, rivalry, grievance, involvement*] de longue date; [*joke*] vieux/vieille (*before n*)

long: **~-stay car park** *n* GB parc *m* de stationnement longue durée; **~-suffering** *adj* qui est d'une patience à toute épreuve

long-tailed *adj* à longue queue; **~ tit** mésange *f* à longue queue

long term

A *n* **in the ~** à long terme

B **long-term** *adj, adv* à long terme

long-time *adj* de longue date

long-wave

A *n* grandes ondes *fpl*; **can you get ~?** peux-tu capter les grandes ondes?; **on ~** sur les grandes ondes

B *modif* [*broadcast, signal*] en grandes ondes; [*radio, receiver*] à grandes ondes

longways /'lɒŋweɪz/ *adv* dans le sens de la longueur

long: **~ weekend** *n* long week-end *m*; **~-winded** *adj* verbeux/-euse; **~-windedness** *n* verbosité *f*

loo○ /lu:/ *n* GB toilettes *fpl*, vécés *mpl*, WC *mpl*; **he's in the ~** il est aux toilettes *or* vécés

loofah /'lu:fə/ *n* loufa *m*

look /lʊk/

A *n* **1** (glance) coup *m* d'œil; **to have** *ou* **take a ~ at sth** (briefly) jeter un coup d'œil à *or* sur qch; (closely) examiner qch; **to have** *ou* **take a good ~ at** examiner [qch] soigneusement [*car, contract, patient*]; regarder [qch] de près [*suspect, photo*]; **I didn't get a good ~ at the thief** je n'ai pas bien vu le voleur; **to have a ~ inside/behind sth** regarder à l'intérieur de/derrière qch; **to have a ~ round** faire un tour de [*house, town*]; **I had a quick ~ round** (in town) j'ai fait un petit tour; (in shop) j'ai jeté un coup d'œil; **to have a ~ round the shops** faire le tour des magasins; **to have a ~ through** (peer) regarder dans [*telescope*]; regarder par [*crack, window*]; (scan) chercher dans [*archives, files*]; parcourir [*essay, report*]; **she took one ~ at him and screamed** elle l'a regardé et s'est mise à crier; **I took one ~ at him and knew that he was ill** j'ai tout de suite vu qu'il était malade; **let's have a ~ at that grazed knee** voyons ce genou écorché; **to take a long hard ~ at sth** fig étudier sérieusement qch

2 (search) **to have a ~** chercher; **to have a ~ for sth** chercher qch; **I've had several ~s** j'ai regardé *or* cherché plusieurs fois; **I had a good ~ in the attic** j'ai bien cherché dans le grenier

3 (expression) regard *m*; **a ~ of fear/anger** un regard rempli de terreur/de colère; **a ~ of sadness** un regard triste; **to give sb a kind/pitying ~** regarder qn avec bonté/pitié; **he gave me a ~ of sheer hatred** il m'a lancé *or* jeté un regard de pure haine; **did you see the ~ he gave me?** tu as vu le regard qu'il m'a jeté?; **she gave me such a ~!** elle m'a jeté un de ces regards!; **he got some odd** *ou* **funny ~s** on l'a regardé d'un drôle d'air; **I don't like the ~ on his face** *ou* **in his eye** je n'aime pas son air; **you could tell from the ~ on his face that** à sa tête○ on voyait que; **to give sb a dirty/evil ~** regarder qn d'un sale œil/d'un air méchant

4 (appearance) (of person) air *m*; (of building, car, design, scenery) aspect *m*; **to have a ~ of weariness/sadness about one** avoir l'air abattu/triste; **the car has a dated ~** la voiture ne fait pas très moderne; **she has a ~ of her father about her** elle a quelque chose de son père; **to have the ~ of a military man/seasoned traveller** avoir l'allure d'un militaire/d'un voyageur expérimenté; **I like the ~ of it** ça a l'air bien; **I like the ~ of the new computer/car** j'aime bien la ligne du nouvel ordinateur/de la nouvelle voiture; **I like the ~ of him** il a l'air sympa○, il a une bonne tête○; **I don't like the ~ of him** il ne m'inspire pas confiance; **I don't like the ~ of the weather** le ciel n'annonce rien de bon; **I don't like the ~ of that rash** ces rougeurs m'inquiètent; **by the ~(s) of him he must be about 40** à le voir on lui donnerait la quarantaine; **by the ~(s) of the barometer** à en juger par le baromètre

5 (style) look○ *m*, style *m*; **the ~ for the 90's** le look des années 90

B **looks** *npl* **he's got the ~s, but can he act?** il a le physique, mais sait-il jouer?; **~s aren't everything** il n'y a pas que la beauté qui compte; **to keep one's ~s** rester beau/belle; **he's losing his ~s** il n'est pas aussi beau qu'autrefois; **you can't go** *ou* **judge by ~s alone** il ne faut pas se fier aux apparences

C *vtr* **1** (gaze, stare) regarder; **~ what he's done!** regarde ce qu'il a fait!; **~ how/where...** regarde comment/où...; **to ~ sb in the eye/in the face** regarder qn dans les yeux/en face; **to ~ sb up and down** (appraisingly) regarder qn de haut en bas; (critically) toiser qn des pieds à la tête; **to ~ one's last on** jeter un dernier regard sur [*house, view*]; **~ what arrived this morning** regarde ce qui est arrivé ce matin; **~ who it is!** regarde qui voilà!; **~ who's just walked in!** regarde qui vient d'arriver!; **now ~ what you've done!** regarde ce que tu as fait!; **~ what time it starts!** tu as vu à quelle heure ça commence!

2 (appear) **to ~ one's age** faire son âge; **to ~ one's best** être à son avantage; **she still ~s the same** elle n'a pas changé; **to ~ an idiot** *ou* **a fool** avoir l'air ridicule; **it won't ~ good if you refuse** ça sera mal vu si tu refuses; **he doesn't ~ himself today** il n'a pas l'air dans son assiette aujourd'hui

D *vi* **1** regarder (**into** dans; **over** par-dessus); **to ~ and see who's at the door** regarder qui est à la porte; **to ~ and see what's on TV** regarder ce qu'il y a à la télé; **to ~ at sb/sth** regarder qn/qch; **to ~ away** détourner le regard *or* les yeux; **to ~ in at the window** regarder (à l'intérieur) par la fenêtre; **to ~ out of** *ou* **through the window** regarder par la fenêtre; **to ~ the other way** lit regarder ailleurs; fig fermer les yeux; **to ~ up and down the street** regarder partout dans la rue; **I didn't know where to ~** fig je ne savais plus où me mettre; (in shop) **I'm just ~ing** je ne fais que regarder

2 (search) chercher, regarder; **to ~ down** parcourir [*list*]; **to ~ for sth** chercher qch; **a group of youths ~ing for trouble** une bande de jeunes qui cherchent la bagarre; **are you ~ing for a smack in the mouth**○**?** tu veux mon poing sur la figure○?

3 (appear, seem) avoir l'air, paraître; **he ~s happy** il a l'air heureux, il paraît heureux; **it's nice to see you ~ing happy** ça fait plaisir de te voir heureux; **you ~ hot/cold** tu as l'air d'avoir chaud/froid; **he doesn't ~ French** il n'a pas l'air français , il ne fait pas français; **he ~s young for his age** il fait *or* il paraît jeune pour son âge; **she's 40 but she doesn't ~ it** elle a 40 ans mais elle ne les fait pas; **he ~s about 50** il doit avoir la cinquantaine; **that dress makes you ~ younger** cette robe te rajeunit; **how do I ~?** comment me trouves-tu?; **you ~ well** tu as bonne mine; **you don't ~ well** tu as mauvaise mine; **you ~ good in that hat** ce chapeau te va bien; **you ~ good enough to eat!** tu es mignon à croquer○!; **that cake ~s good** ce gâteau a l'air bon; **the picture will ~ good in the study** le tableau ira bien dans le bureau; **how does my tie ~?** comment est ma cravate?; **it doesn't ~ straight** il n'est pas droit, il est de travers; **it doesn't ~ right** ça ne va pas; **how does it ~ to you?** qu'est-ce que tu en penses?; **it ~s OK to me** ça m'a l'air d'aller; **does the meat ~ cooked to you?** est-ce que tu crois que la viande est cuite?; **things are ~ing good** les choses se présentent bien; **things aren't ~ing too good** ça ne va pas très bien; **it ~s to me as if** *ou* **though** j'ai l'impression que; **this ~s to me like the right street** j'ai l'impression que c'est la bonne rue; **it ~s as if** *ou* **though it will rain/snow** on dirait qu'il va pleuvoir/neiger; **it ~s likely that** il semble probable que (+ *subj*); **it ~s certain that** il semble certain que (+ *indic*); **he ~s to be the strongest** il semble être le plus fort; **it ~s to be a question of time/money** ça a l'air d'être

L

une question de temps/d'argent

4▸ **to ~ like sb/sth** ressembler à qn/qch; **it doesn't ~ anything like a Picasso!** ça ne ressemble absolument pas à un Picasso!; **that photograph doesn't ~ like you** *ou* **~s nothing like you** on ne te reconnaît pas du tout sur cette photo; **what does she ~ like?** comment est-elle?; **what does the house ~ like?** comment est la maison?; **it ~s like being funny/interesting** cela promet d'être amusant/intéressant; **you ~ like being the only man there** il y a de fortes chances pour que tu sois le seul homme présent; **she ~s like being the first to finish** il y a de fortes chances pour qu'elle soit la première à finir; **it ~s like he's dying** tout porte à croire qu'il est mourant; **it ~s like rain/snow** on dirait qu'il va pleuvoir/neiger; **it certainly ~s like it** ça en a tout l'air; **'are you having trouble?' 'what does it ~ like?'** iron 'tu as des ennuis?' 'à ton avis?' iron; **what does it ~ like to you? murder?** qu'en pensez-vous? c'est un meurtre?; **it ~s like cancer to me** je pense que c'est un cancer; **you ~ like you could do with a drink/bath** j'ai l'impression qu'un verre d'alcool/un bain ne te ferait pas de mal

5▸ (*also* **~ here**) écoute; **~, this is ridiculous** écoute, c'est ridicule; **~, it wasn't my fault** écoute, ce n'était pas ma faute; **~ here, I'm in no mood for jokes** écoute-moi bien, je ne suis pas d'humeur à plaisanter

6▸ (be oriented) **to ~ north/south** [*house, room*] être orienté au nord/sud

E -looking (*dans composés*) **serious/distinguished-~ing** [*person*] à l'air sérieux/distingué; **dubious/sinister-~ing** [*place, object*] à l'aspect douteux/sinistre; **he's not bad-~ing** il n'est pas mal

(Idiom) **if ~s could kill, I'd be dead by now** il/elle/etc m'a fusillé du regard

(Phrasal verbs) ■ **look about** = **look around**

■ **look after**: ▸ **~ after [sb/sth]** 1▸ (care for) soigner [*patient, sick animal*]; garder [*child*]; s'occuper de [*customer, guest*]; s'occuper de [*animal, plant*]; entretenir [*car, equipment*]; prendre soin de [*belongings, toys*]; **he's being ~ed after by his grand-parents** ce sont ses grand-parents qui le gardent; **these books have been well ~ed after** on a pris soin de ces livres; **to ~ after sb's needs** satisfaire les besoins de qn; 2▸ (be responsible for) s'occuper de [*administration, finances, business, shop*]; surveiller [*class, schoolchildren*]; **to ~ after sb's interests** veiller aux intérêts de qn; **~ after my luggage, I'll be back in a minute!** surveille mes bagages, je reviens tout de suite!; ▸ **~ after oneself** 1▸ (cope) **she's too frail to ~ after herself** elle est trop fragile pour se débrouiller toute seule; **I'm old enough to ~ after myself** je suis assez grand pour me débrouiller tout seul; 2▸ (be careful) **safe journey, and ~ after yourself** bon voyage, sois prudent!

■ **look ahead** lit regarder devant soi; fig regarder vers l'avenir; **we must ~ ahead to the future now** nous devons penser à l'avenir maintenant; **she's ~ing ahead to the next Olympics** elle se prépare pour les prochains jeux Olympiques; **and now, ~ing ahead to tomorrow's programmes** Radio, TV et maintenant, un aperçu des émissions de demain

■ **look around**: ▸ **~ around** 1▸ (turn around) se retourner; 2▸ (glance around) regarder autour de soi; **to ~ around at one's friends/colleagues** fig passer en revue ses amis/collègues; 3▸ (search) chercher; **to ~ around for sb/sth** chercher qn/qch; 4▸ (visit, examine) (in building, town) faire un tour; (in room) jeter un coup d'œil; ▸ **~ around [sth]** visiter [*church, town*]; faire le tour de [*room*]; **they spent the morning ~ing around London/the shops** ils ont passé la matinée à visiter Londres/à faire les magasins

■ **look at**: ▸ **~ at [sth]** 1▸ gen regarder; (briefly) jeter un coup d'œil sur; **~ at the state of you!** regarde un peu de quoi tu as l'air!; **just ~ at the state of this room!** regarde un peu l'état de cette pièce!; **~ at this coat/book!** regarde-moi○ ce manteau/ce livre!; **just ~ at this!** regarde-moi ça○!; **you'd never guess, to ~ at her** à la voir on ne devinerait jamais; **he's/it's not much to ~ at** il/ça ne paie pas de mine; 2▸ (examine) vérifier [*equipment*]; [*doctor*] examiner [*patient, wound*]; [*workman*] jeter un coup d'œil à [*car, plumbing*]; étudier [*problem, implications, effects, ways, offer, options*]; **you should get that wound ~ed at** tu devrais faire examiner cette blessure (par le médecin); 3▸ (see, view) voir [*life, events, situation*]; envisager [*problem*]; **try and ~ at it my way** essaie de voir les choses de mon point de vue; **his way of ~ing at things** sa façon de voir les choses; **~ at it this way, if he offers, I won't refuse** écoute, s'il me fait une proposition, je ne la refuserai pas; **that's how I ~ at it** c'est comme ça que je vois les choses; **the problem needs to be ~ed at from all angles** il faut envisager ce problème sous tous ses aspects; **you can't be too careful, ~ at Tom!** il faut être très prudent, regarde ce qui est arrivé à Tom!; 4▸ (face) **to be ~ing at** [*firm*] être au bord de [*bankruptcy, collapse*]; [*criminal*] risquer [*life sentence, fine*]; **you're ~ing at major repairs here** dites-vous bien qu'il s'agit ici de réparations importantes; **you're ~ing at a bill for about 3,000 dollars** ça va vous coûter aux alentours de 3 000 dollars

■ **look back**: ▸ **~ back** 1▸ (turn around) se retourner; **to ~ back at sb/sth** se retourner pour regarder qn/qch; 2▸ (reflect, reminisce) **let's ~ back to the year 1964** revenons à l'année 1964; **if we ~ back to the 19th century** si l'on considère le dix-neuvième siècle; **since then she's never ~ed back** depuis tout s'est très bien passé pour elle; **to ~ back on** se tourner sur [*past*]; repenser à [*experience*]; faire le bilan de [*career, marriage*]; **~ing back on it, I think I made the right decision** rétrospectivement, je pense que j'ai pris la bonne décision

■ **look down**: ▸ **~ down** (with modesty, shame) baisser les yeux; (from a height) regarder en bas; **from the hilltop she ~ed down on the city** elle regardait la ville du haut de la colline; ▸ **~ down on [sb/sth]** 1▸ (despise) mépriser [*person, lifestyle*]; 2▸ (dominate) [*fortress, tower*] dominer [*town, valley*]

■ **look for**: ▸ **~ for [sb/sth]** (search for) chercher qn/qch; ▸ **~ for [sth]** (expect) attendre [*commitment, co-operation, result, reward*] (**from** de); **what I'm ~ing for from you is a guarantee** ce que j'attends de vous c'est une garantie; **what do you ~ for in a new recruit?** qu'est-ce que vous attendez d'une nouvelle recrue?

■ **look forward**: **to ~ forward to [sth]** attendre [qch] avec impatience; **I was so ~ing forward to it** j'attendais ça avec tant d'impatience, je m'en faisais une telle joie; **she's ~ing forward to going on holiday** elle a hâte de partir en vacances; **I'm not ~ing forward to the interview/party** la perspective de l'entretien/la fête ne me réjouit pas; **I ~ forward to hearing from you** (writing to a friend) j'espère avoir bientôt de tes nouvelles; (in formal correspondence) dans l'attente de votre réponse

■ **look in** 1▸ (pay a visit) passer; **I'll ~ in again tomorrow** je repasserai demain; **to ~ in on** passer voir [*person, class, rehearsals*]; **~ in on the baby and check she's still asleep** va voir si le bébé dort; 2▸ (watch TV) **if there are any viewers ~ing in who want more details, please contact us** les téléspectateurs qui désirent obtenir plus de renseignements peuvent nous contacter

■ **look into**: ▸ **~ into [sth]** examiner, étudier [*matter, possibility, problem*]; examiner [*accounts, background*]; enquêter sur [*death, disappearance, theft*]

■ **look on**: ▸ **~ on** [*crowd, spectators*] regarder; **we ~ed on admiringly as she danced** nous l'avons regardée danser avec admiration; **I was forced to ~ on as the house was ransacked** j'ai été forcé d'assister au pillage de la maison; ▸ **~ on [sb/sth]** considérer [*person, event etc*] (**as** comme; **with** avec); **we ~ on him as a son** nous le considérons comme notre fils; **I ~ on it as a privilege** je considère que c'est un privilège

■ **look onto**: ▸ **~ onto [sth]** [*house, room*] donner sur [*sea, garden, street*]

■ **look out**: ▸ **~ out** (take care) faire attention (**for** à); (be wary) se méfier (**for** de); **you must ~ out for snakes** faites attention aux serpents; **~ out for motorists turning out of side roads** méfiez-vous des automobilistes qui débouchent des petites routes; **~ out!** attention!; ▸ **~ out for [sb/sth]** guetter [*person*]; être à l'affût de [*new recruits, talent*]; être à la recherche de [*apartment, book*]; guetter l'apparition de [*signs , symptoms*]; repérer [*cases, examples*]; être à l'affût de [*bargain, special offer*]; ▸ **~ out for [oneself]** se débrouiller tout seul, s'occuper de soi; ▸ **~ out over [sth]** [*window, balcony*] donner sur [*sea, park*]

■ **look over**: ▸ **~ [sb] over** passer [qn] en revue [*new recruits, troops*]; ▸ **~ [sth] over** examiner [*car, equipment*]; [*vet*] examiner [*animal*]; **get an expert to ~ the car over before you buy it** fais examiner la voiture par un spécialiste avant de l'acheter; ▸ **~ over [sth]** 1▸ (read) (in detail) examiner [*document, contract*]; (rapidly) parcourir [*essay, lines, notes*]; jeter un coup d'œil sur, parcourir [*document, report*]; **I'll get Rose to ~ it over quickly** je demanderai à Rose d'y jeter un petit coup d'œil; 2▸ (visit) visiter [*factory, gardens, house*]

■ **look round** 1▸ (look behind one) se retourner; **she ~ed round to see who it was** elle s'est retournée pour voir qui c'était; 2▸ (look about) regarder autour de soi; **I'm just ~ing round** (in shop) je ne fais que regarder; **we're ~ing round for a new house** nous cherchons une nouvelle maison; ▸ **~ round [sth]** visiter [*town, building*]

■ **look through**: ▸ **~ through [sth]** 1▸ (read) consulter [*archive, material, files*]; parcourir [*essay, list, script, report, notes*]; (scan idly) feuilleter [*book, magazine*]; 2▸ (search) fouiller dans [*belongings, drawers, briefcase*]; **I caught him ~ing through my diary** je l'ai trouvé en train de lire mon journal intime; **try ~ing through that pile of papers** regarde dans cette pile de papiers; ▸ **~ through [sb]** faire semblant de ne pas voir [*person*]

■ **look to**: ▸ **~ to [sb/sth]** 1▸ (rely on) compter sur qn/qch (**for** pour; **to do** pour faire); **they ~ to him for leadership** ils comptent sur lui pour les diriger; 2▸ (turn to) se tourner vers [*future*]; **he ~ed to his friends for support** il s'est tourné vers ses amis pour qu'ils le soutiennent; ▸ **~ to [sth]** (pay attention) veiller à [*defences, interests*]; ▸ **~ to do** (expect) espérer faire; **we're ~ing to break even/make a profit** nous espérons rentrer dans nos frais/faire des bénéfices

■ **look up**: ▸ **~ up** 1▸ (raise one's eyes) lever les yeux (**from** de); 2▸ (raise one's head) lever la tête; **to ~ up at the clouds/tree-tops** regarder les nuages/le sommet des arbres; 3▸ (improve) [*business, prospects*] aller mieux; [*conditions, situation*] s'améliorer; [*property market*] reprendre; **things are ~ing up for us** les choses s'arrangent pour nous; ▸ **~ up [sth]** regarder à l'intérieur de [*chimney*]; **to ~ up sb's skirt** regarder sous la jupe de qn; ▸ **~ [sb/sth] up, ~ up [sb/sth]** 1▸ (check in book) chercher [*address, phone number, price, word*] (**in** dans); **~ his number up in the phone book** cherche son numéro de téléphone dans l'annuaire; 2▸ (visit) passer voir [*acquaintance, friend*]; **~ me up if you're ever in New York** passez me voir *or* faites-moi signe si jamais vous vous trouvez à New York; ▸ **~ up to [sb]** admirer [*person*]

look: **~-alike** *n* sosie *m*; **~ed-for** *adj* (*tjrs épith*) [*result, total*] attendu; [*benefit, profits*] escompté

looker○ /'lʊkə(r)/ *n* (woman) belle nana○ *f*; (man) beau mec○ *m*

looker-on *n* (*pl* **lookers-on**) gen spectateur/-trice *m/f*; (in street) badaud/-e *m/f*

look-in /ˈlʊkɪn/ *n* GB **he monopolized the debate, nobody else got a ~** il a monopolisé la parole et n'a donné à personne d'autre la chance de s'exprimer; **we don't intend to give our competitors a ~** nous n'avons pas l'intention de laisser la moindre chance à la concurrence; **her brother was adored by her parents, but she never got a ~** son frère a été adoré par ses parents, mais ils n'ont jamais prêté attention à elle

looking-glass *n* littér miroir *m*

look-out /ˈlʊkaʊt/
A *n* 1 (surveillance) **to be on ~** [*sailor*] être de veille; [*soldier*] faire le guet; **to be on the ~ for** rechercher [*stolen vehicle, escaped prisoner*]; être à l'affût de [*bargain, rare books, new ideas*]; guetter [*visitor*]; être à l'affût de, rechercher [*new recruits, promising actors*]; **to keep a ~ for** continuer de chercher [*lost keys, first edition*]; guetter [*person*]; 2 (sentry) (on ship) vigie *f*; (in army) guetteur *m*; 3 (surveillance post) poste *m* d'observation; 4 ○GB (private concern) **that's his ~** c'est son affaire, ça le regarde
B *modif* [*platform, post, tower*] d'observation; **to be on ~ duty** (on ship) être de veille; (in army) faire le guet

look-over /ˈlʊkəʊvə(r)/ *n* coup *m* d'œil; **to give sth a ~** jeter un coup d'œil sur *or* à qch

look-see○ /ˌlʊkˈsiː/ *n* coup *m* d'œil; **to have** *ou* **take a ~** jeter un coup d'œil

look-up /ˈlʊkʌp/ *n* Comput consultation *f*

loom /luːm/
A *n* métier *m* à tisser
B *vi* 1 (*also* **~ up**) [*shape, figure, building*] surgir (**out of** de; **over** au-dessus de); **a figure ~ed up through the mist** une silhouette surgit dans la brume; 2 [*threat, war, strike, crisis*] menacer; [*exam, interview, deadline*] s'approcher dangereusement; **the spectre of war ~s over the country** le spectre de la guerre menace le pays; **to ~ large** [*exam, thought, horror, issue*] peser lourd; [*figure, politician*] occuper une place importante
C **looming** *pres p adj* 1 fig [*crisis, threat, shortage*] qui menace; [*deadline, exam*] qui s'approche dangereusement; 2 lit [*spire, cliff, tower*] menaçant

loon /luːn/ *n* 1 US Zool plongeon *m*; 2 †dial (idiot) imbécile *mf*
(Idiom) **to be as crazy as a ~** US être fou/folle à lier

loonie○ /ˈluːnɪ/ *n* Can *pièce f d'un dollar*

loony○ /ˈluːnɪ/
A *n* (*pl* **-ies**) 1 (eccentric) farfelu/-e *m/f*; 2 (crazy) dingue○ *mf*; injur (mentally ill) taré/-e○ *m/f* offensive; **you ~!** patate○!
B *adj* farfelu○

loony: **~-bin**○ *n* asile *m* de fous; **~ left**○ GB péj activistes *mpl* du parti travailliste

loop /luːp/
A *n* 1 gen boucle *f*; (for belt) boucle *f*, passant *m*; 2 Aviat looping *m*; **to ~ the ~** faire un looping; 3 Cin, Video boucle *f*; **film/video ~** film *m*/vidéo *f* en boucle; 4 Elec circuit *m* fermé; 5 Comput boucle *f*; 6 Rail (*also* **~-line**) voie *f* d'évitement; 7 Med stérilet *m*
B *vtr* nouer [*string, thread etc*]
C *vi* [*road, path*] faire une boucle; **the river ~s back on itself** la rivière décrit une boucle
(Idioms) **to be in/out of the ~**○ être/ne pas être informé; **to throw sb for a ~** US sidérer qn

loophole /ˈluːphəʊl/ *n* 1 fig lacune *f*; **to close** *ou* **plug a ~** combler une lacune; **to find/exploit a ~** trouver/exploiter une lacune; 2 Archit meurtrière *f*

loopy○ /ˈluːpɪ/ *adj* loufoque○

loose /luːs/
A *n* 1 **on the ~** [*prisoner, criminal, animal*] qui s'est échappé; [*troublemakers*] déchaîné; **there's a killer/lion on the ~** il y a un tueur/lion qui s'est échappé; **there is a gang of hooligans on the ~ in the town** il y a une bande de voyous qui rôdent dans les rues de la ville; **he is still on the ~** il est toujours en liberté *or* en cavale○; 2 (in rugby) **the ~** la mêlée ouverte
B *adj* 1 lit (not firm or tight) [*knot, lace, screw*] desserré; [*nail, handle*] branlant; [*joint*] lâche; [*component, section*] mal fixé; [*button*] qui se découd; [*thread*] décousu; [*tooth*] qui se déchausse; **to come** *ou* **work ~** [*knot, screw*] se desserrer; [*brick, handle*] être branlant; [*nail*] lâcher; [*tooth*] se déchausser; **to work [sth] ~** desserrer [*rope, knot, screw, fixture*]; dégager [*nail, post*]; desceller [*brick, bar*]; **to hang ~** [*hair*] être dénoué; [*rope, reins, thread*] pendre; **hang ~**○**!** US détends-toi!; **~ connection** Elec faux contact; 2 (free) [*animal*] échappé; **the bull's ~** le taureau s'est échappé; **to break ~** [*animal*] s'échapper (**from** de); fig rompre (**from** avec); **to cut sb ~** détacher qn; **to roam** *ou* **run ~** courir en liberté; **to let** *ou* **set** *ou* **turn ~** libérer [*animal, prisoner*]; **he let the dogs ~ on me** il a lâché les chiens sur moi; **I wouldn't let her ~ on a classroom** je ne la laisserais pas seule face à une classe; **I wouldn't let first year students ~ on Joyce!** je ne ferais pas lire Joyce aux étudiants de première année!; **to let ~ with criticism/insults** critiquer/insulter sans retenue; 3 Comm (not packed) [*tea, tobacco, sweets, vegetables*] en vrac; **we sell envelopes ~** nous vendons les enveloppes au détail; **just put the apples in the bag ~** mettez donc les pommes à même le sac *or* directement dans le sac; **~ change** petite monnaie; 4 (that has come apart) [*card, page*] volant; [*stone, fragment*] détaché; **a ~ sheet of paper** une feuille volante; **these pages have come ~** ces pages se sont détachées; **~ rust/paint** rouille/peinture friable; **'~ chippings'** GB, **'~ gravel'** US (roadsign) 'attention gravillons'; 5 (not close-fitting) [*dress, jacket, trousers*] ample; [*fold, waistband*] large; [*collar*] lâche; (flaccid) [*skin*] flasque; [*muscle*] détendu; 6 (not compacted) [*soil*] meuble; [*link, weave*] lâche; [*structure*] lâche; [*association, alliance*] vague; **to have ~ bowels** avoir la diarrhée; **~ maul** (in rugby) mêlée ouverte; 7 (not strict or exact) [*translation, version*] assez libre, approximatif/-ive; [*wording*] imprécis; [*interpretation*] assez libre, large; [*guideline*] vague; [*discipline, style*] relâché; **~ talk** propos *mpl* inconsidérés; 8 (dissolute) [*morals*] dissolu, relâché; **~ living** (vie *f* de) débauche *f*; 9 (spare) [*cash, funds*] disponible
C *vtr* littér 1 (release) libérer; 2 (shoot) tirer [*arrow*]
(Idioms) **to be at a ~ end** GB, **to be at ~ ends** US être désœuvré, ne pas trop savoir quoi faire; **to tie up the ~ ends** régler les derniers détails; **to have a ~ tongue** ne pas savoir tenir sa langue
(Phrasal verb) ■ **loose off** (shoot) tirer (**at** sur); ▸ **~ off [sth]**, **~ [sth] off** décharger [*gun*]; tirer [*arrow, shot*]; décocher [*abuse, insults*]

loose: **~box** *n* GB box *m*; **~ cover** *n* GB housse *f* (de fauteuil); **~-fitting** *adj* ample; **~-head prop** *n* (in rugby) ailier *m* avant droit

loose-leaf *adj* à feuilles mobiles; **~ binder**, **~ folder** classeur *m*

loose-limbed *adj* souple

loosely /ˈluːslɪ/ *adv* 1 lit (not tightly) [*attach, fasten, cover, hold, wrap, wind*] sans serrer; [*fit*] approximativement; (not firmly) [*fix*] pas solidement; **a jacket thrown ~ over her shoulders** une veste négligemment jetée sur ses épaules; **his clothes hung ~ on him** il flottait dans ses vêtements; 2 fig [*combined, connected, organized*] de façon souple; [*structured*] assez librement; 3 fig (imprecisely) [*describe, interpret, translate, render, associate*] assez librement, de façon approximative; [*identify, refer*] vaguement; [*supervise*] d'assez loin; **the film is ~ based on the novel** le film est une adaptation assez libre du roman; **these theories are ~ termed Marxist** ces théories sont qualifiées grossièrement de marxistes

loosely: **~ knit** *adj* [*group, structure*] peu uni; **~ tailored** *adj* de coupe ample

loosen /ˈluːsn/
A *vtr* 1 (make less tight) desserrer [*knot, belt, strap, lid, collar, screw*]; dégager [*nail, post*]; relâcher [*rope, string, link, control*]; détacher, dénouer [*hair*]; fig assouplir [*laws, restrictions*]; **~ all tight clothing** Med défaire tout vêtement qui serre; **to ~ one's grip** *ou* **hold on sth** lit relâcher sa prise sur qch; fig relâcher son emprise sur qch; 2 (make less compact) ameublir [*soil*]; **to ~ the bowels** Med, Pharm avoir une action laxative
B *vi* (become less tight) [*knot, fastening, screw, point, grip, hold*] se desserrer; [*rope, string, wire*] se détendre; fig [*ties*] se relâcher
(Idiom) **to ~ sb's tongue** délier la langue à qn
(Phrasal verb) ■ **loosen up**: ▸ **~ up** 1 Sport s'échauffer; 2 fig [*person*] se détendre, se dégeler○; ▸ **~ up [sth]**, **~ [sth] up** lit, fig assouplir [*muscle, joint, policy, system*]

looseness /ˈluːsnɪs/ *n* 1 (of knot, fastening, screw, joint) desserrement *m*; (of rope) relâchement *m*; (of clothing) ampleur *f*; **~ of the bowels** Med diarrhée *f*; 2 fig (of translation, argument, thinking) manque *m* de rigueur; (of use of term) imprécision *f*; (of structure, organization) souplesse *f*; (of morals) relâchement *m*; (of person) immoralité *f*

loosestrife /ˈluːsstraɪf/ *n* (purple) salicaire *f*; (yellow) lysimaque *f*

loose: **~-tongued** *adj* qui ne tient pas sa langue; **~-weave** *adj* [*fabric*] lâche

loot /luːt/
A *n* 1 (stolen goods) butin *m*; 2 ○(money) fric○ *m*
B *vtr* piller
C *vi* se livrer au pillage

looter /ˈluːtə(r)/ *n* pillard/-e *m/f*

looting /ˈluːtɪŋ/ *n* pillage *m*

lop /lɒp/ (*p prés etc* **-pp-**) *vtr* élaguer [*tree, branch*]
(Phrasal verb) ■ **lop off**: ▸ **~ [sth] off**, **~ off [sth]** élaguer [*branch*]; trancher [*head*]; **she ~ped 10% off the price/10 seconds off the record** elle a retranché 10% du prix/10 secondes du record

lope /ləʊp/
A *n* (of animal) foulée *f*; (of person) enjambée *f*
B *vi* **to ~ off/in** partir/entrer à grandes enjambées

lop-eared /ˈlɒpɪəd/ *adj* aux oreilles pendantes

lopsided /ˌlɒpˈsaɪdɪd/ *adj* 1 [*clothing, object, smile*] de travers; [*drawing*] mal proportionné; 2 fig [*argument, view etc*] irrationnel/-elle

lopsidedly /ˌlɒpˈsaɪdɪdlɪ/ *adv* de travers

loquacious /ləˈkweɪʃəs/ *adj* sout loquace

loquaciously /ləˈkweɪʃəslɪ/ *adv* sout de manière loquace

loquacity /ləˈkwæsətɪ/, **loquaciousness** /ləˈkweɪʃəsnɪs/ *n* sout loquacité *f*

lord /lɔːd/ ▸ p. 1237 *n* 1 (ruler) seigneur *m* (**of** de); **one's ~ and master** son seigneur et maître; 2 (peer) lord *m* (*titre des pairs britanniques*); **the (House of) Lords** la Chambre des Lords (*Chambre haute du Parlement du Royaume-Uni*); **my Lord** (to noble) Monsieur le comte/duc/etc; (to bishop) Monseigneur
(Idiom) **to ~ it over sb**○ regarder qn de haut

Lord /lɔːd/ *n* 1 Relig Seigneur *m*; **praise the ~!** louez le Seigneur!; **in the year of our ~ 1904** en l'an de grâce 1904; 2 ○(in exclamations) Seigneur (Jésus)!; **good ~!** Grand Dieu!; **~ (only) knows!** Dieu seul le sait!; **~ knows where/why/etc** Dieu sait où/pourquoi/etc; **~ preserve us!** Dieu nous garde!

Lord: **~ Advocate** *n*: *magistrat à la tête de la justice en Écosse*; **~ Chamberlain** *n* Lord *m* Chamberlain (*officier responsable du service intérieur de la maison royale britannique*);

~ **Chancellor** *n* Lord *m* Chancelier; *cf* ministre *m* de la Justice; ~ **Chief Justice** *n*: *le plus haut magistrat de la Haute Cour de Justice en Grande-Bretagne*; ~ **High Admiral** *n*: *titre donné au souverain britannique*; ~ **Lieutenant** *n*: *représentant de la couronne dans un comté de Grande-Bretagne*

lordly /ˈlɔːdlɪ/ *adj* **1** (proud) [*manner, tone, contempt*] hautain; **2** (like a lord) [*bearing, appearance*] princier/-ière

Lord Mayor ▸ **p. 1237** *n* lord-maire *m* (*titre des maires des grandes villes de Grande-Bretagne*)

Lord: ~ **of Appeal** *n*: *membre du tribunal d'appel de la Chambre des Lords*; ~ **President of the Council** *n*: *ministre qui préside au Conseil privé du souverain d'Angleterre*; ~ **Privy Seal** *n* Lord *m* du Sceau privé (*ministre sans portefeuille*); ~ **Provost** *n*: *maire d'une des grandes villes d'Écosse*

lords and ladies *n* Bot arum *m* tacheté

Lord's Day *n* jour *m* du Seigneur

lordship /ˈlɔːdʃɪp/ ▸ **p. 1237** *n* **1** (*also* **Lordship**) (title) **your/his** ~ (of noble) Monsieur; (of judge) Monsieur le Juge; (of bishop) Monseigneur; **their** ~**s will vote tomorrow** Messieurs les représentants de la Chambre des Lords se prononceront demain; **2** souveraineté *f* (**over** sur)

Lord: ~**'s Prayer** *n* Notre Père *m*; ~**s Spiritual** *npl*: *évêques et archevêques siégeant à la Chambre des Lords en Grande-Bretagne*. ▸ **House of Lords**; ~**'s Supper** *n* Eucharistie *f*; ~**s Temporal** *npl* lords *mpl* temporels (*membres de la Chambre des Lords n'appartenant pas au clergé*). ▸ **House of Lords**

lore /lɔː(r)/ *n* **1** (of a people) traditions *fpl*; **2** (of nature) connaissance *f* traditionnelle

lorgnette /lɔːˈnjet/ *n* Hist (spectacles) face-à-main *m*; (for opera, races) lorgnette *f*

Lorraine /lɒˈreɪn/ ▸ **p. 1243** *pr n* Lorraine *f*; **in** ~ en Lorraine

Lorraine cross *n* croix *f* de Lorraine

lorry /ˈlɒrɪ, US ˈlɔːrɪ/ *n* (*pl* **-ies**) GB camion *m*; **heavy** ~ poids *m* lourd; **army** ~ camion militaire

(Idiom) **it fell off the back of a** ~○ hum c'est tombé du ciel; euph c'est de la marchandise récupérée

lorry: ~ **driver** ▸ **p. 1683** *n* GB gen routier *m*, chauffeur *m* de poids lourd; ~ **load** *n* GB camion *m* also fig

lose /luːz/

A *vtr* (*prét, pp* **lost**) **1** (mislay) perdre [*object, person*]; **to** ~ **one's way** lit se perdre, perdre son chemin; fig s'égarer; **2** (be deprived of) perdre; **the poem has lost something in translation** le poème a perdu quelque chose à la traduction; **to** ~ **interest in sth** se désintéresser de qch; **to** ~ **touch** (with person, reality, situation) perdre contact (**with** avec); **to** ~ **the use of** perdre l'usage de [*limb, muscle*]; **to** ~ **one's life** mourir; **many lives were lost** il y a eu de nombreuses victimes; **200 jobs will be lost** 200 emplois vont être supprimés; **to** ~ **one's breath** s'essouffler; **to** ~ **one's figure** s'épaissir; **he's losing his looks** il n'est plus aussi beau qu'autrefois; **we are losing a lot of business to our competitors** nous avons perdu beaucoup d'affaires au profit de nos concurrents; **they lost both sons in the war** ils ont perdu leurs deux fils pendant la guerre; **to be lost at sea** périr en mer; **to have nothing/little to** ~○ n'avoir rien/pas grand-chose à perdre; **try it, you've nothing to** ~○! essaie, tu n'as rien à perdre!; **you've nothing to** ~ **by applying** tu ne risques rien en posant ta candidature; **I daren't, I've got too much to** ~ je n'ose pas, c'est trop risqué; **3** (miss, waste) manquer [*chance*]; perdre [*time*]; **there's no time/not a moment to** ~ il n'y a pas de temps/un instant à perdre; **stopping meant losing vital seconds** s'arrêter représentait une perte de secondes capitales; **he lost no time in replying** il n'a pas perdu de temps pour répondre; **this allusion was not lost on him** cette allusion ne lui a pas échappé; **4** (be defeated in) gen, Jur, Pol, Sport perdre [*fight, war, match, game, race, case, bet, election, vote*]; avoir le dessous dans [*argument, debate*]; perdre en [*appeal*]; **5** (not hear or understand) manquer [*remark, word*]; (not see) perdre [qch] de vue [*moving object*]; **you've lost me there**○! je ne vous suis plus!; **their cries were lost in the din** leurs cris ont été étouffés par le vacarme; **6** (shake off, get rid of) se débarrasser de [*habit, unwanted person or object*]; semer○ [*pursuer*]; supprimer [*job*]; licencier [*worker*]; **7** (go slow) [*clock, watch*] retarder de [*minutes, seconds*]; **8** (cause to forfeit) **to** ~ **sb sth** faire perdre qch à qn; **his speech lost the party a million votes** son discours a fait perdre au parti un million de voix

B *vi* (*prét, pp* **lost**) **1** (be defeated) perdre (**to sb** devant qn); **they lost to the French team** ils se sont fait battre par l'équipe française; **2** (be worse off, deteriorate) perdre; **they lost on the sale of the house** ils ont vendu la maison à perte; **the novel** ~**s in translation** le roman y perd à la traduction; **try it, you can't** ~! essaie, tu n'as rien à perdre!; **3** [*clock, watch*] retarder

C *v refl* (*prét, pp* **lost**) **to** ~ **oneself in** se plonger dans [*book*]; se perdre dans [*contemplation*]

(Idiom) **to** ~ **it (totally)**○ péter les plombs○

(Phrasal verb) ■ **lose out** être perdant; **to** ~ **out on** perdre dans [*deal*]; manquer, rater○ [*chance, opportunity, bargain*]; **to** ~ **out to sb** se faire dépasser par qn

loser /ˈluːzə(r)/ *n* gen, Games, Sport perdant/-e *m/f*; **to be a good/bad** ~ être bon/mauvais perdant; **you won't be the** ~ **by it** vous n'y serez pas perdant; **a born** ~ un perdant né○; **that policy's a vote-**~ cette politique est destinée à faire perdre des voix

losing /ˈluːzɪŋ/ *adj* **1** gen, Games, Sport [*team, player*] perdant; [*side*] des perdants; **2** Comm, Fin [*concern*] déficitaire

(Idioms) **it's a** ~ **battle** c'est une bataille perdue d'avance; **to fight a** ~ **battle against** livrer une bataille perdue d'avance contre; **to be on a** ~ **streak** *ou* **wicket** ne pas être en veine○

loss /lɒs, US lɔːs/ *n* **1** gen, Comm, Fin, Insur, Pol perte *f* (**of** de); **heat/weight** ~ perte de chaleur/de poids; ~ **of blood** perte de sang; **there was great** ~ **of life** il y a eu de nombreuses victimes; ~ **of income** *ou* **earnings** manque *m* à gagner; ~ **of sound/vision** TV interruption *f* du son/de l'image; **with the** ~ **of 300 jobs** avec la suppression de 300 emplois; **he is a great** ~ **to the arts** c'est une grande perte pour les arts; **he's no great** ~ ce n'est pas une grande perte; **a sense of** ~ un sentiment de vide; **to make a** ~ **on sth** Comm enregistrer une perte sur qch; **to trade at a** ~ Comm vendre à perte; **to suffer** ~**es** Comm, Mil subir des pertes; **the party suffered heavy** ~**es in the elections** le parti a perdu beaucoup de voix aux élections; **2** **to be at a** ~ (puzzled) être perplexe; (helpless) être perdu; **to be at a** ~ **as to what to do** ne pas savoir du tout quoi faire; **I'm at a** ~ **to explain it** je suis dans l'impossibilité de l'expliquer; **he was at a** ~ **for words** les mots lui manquaient; **she's never at a** ~ **for words** elle a toujours quelque chose à dire

(Idioms) **to cut one's** ~**es** arrêter les dégâts○; **their** ~ **is our gain** autant de gagné pour nous

loss: ~ **adjuster** *n* Insur expert *m* en assurances; ~ **leader** *n* article *m* promotionnel (*vendu à perte*); ~**-maker** *n* Comm (product) produit *m* vendu à perte; (company) entreprise *f* travaillant à perte; ~**-making** *adj* [*product*] vendu à perte; [*company*] travaillant à perte; ~ **ratio** *n* Insur taux *m* de perte

> **ⓘ lot¹**
>
> When *a lot* is used as a pronoun (*they buy a lot, he spends a lot*), it is translated by *beaucoup*: *ils achètent beaucoup, il dépense beaucoup*. For particular usages, see **A1** in the entry **lot¹**.
>
> When *a lot* is used to mean much in negative expressions (*they didn't have a lot*) it is translated by *pas grand-chose*: *ils n'avaient pas grand-chose*. For particular usages, see **A1** in the entry **lot¹**.
>
> When *the lot* is used as a pronoun (*they took the lot*), it is usually translated by *tout*: *ils ont tout pris*. For particular usages, see **A2** in the entry **lot¹**.
>
> When *a lot of* is used as a quantifier (*a lot of money*) it is translated by *beaucoup de*. For particular usages, see **B1** in the entry **lot¹**. For translations of *lots of*, see **C** in the entry **lot¹**.
>
> When *a lot* is used as an adverb (*a lot stronger, he's changed a lot*) it is translated by *beaucoup*: *beaucoup plus fort, il a beaucoup changé*. For particular usages, see **E** in the entry **lot¹**.

lost /lɒst, US lɔːst/

A *prét, pp* ▸ **lose**

B *adj* **1** [*object, child, animal*] perdu; **to get** ~ se perdre; **I think we're** ~ je pense que nous sommes perdus; **the ticket got** ~ le billet a été perdu; **her basic point got** ~ on ne savait plus où elle voulait en venir; ~ **soul** Relig, fig âme en peine; **get** ~○! fiche le camp○!; **2** (wasted, vanished) [*opportunity, chance*] manqué; [*happiness, innocence, youth*] perdu; [*civilisation*] disparu; **to give sb/sth up for** ~ considérer qn/qch comme perdu; **good advice is** ~ **on her** c'est en pure perte qu'on lui donne des conseils; **my lecture was completely** ~ **on them** ma conférence leur est complètement passée au-dessus de la tête; **another promising player** ~ **to the sport** encore un joueur prometteur perdu pour le sport; **3** (mystified) [*person, look*] perdu; **to be** ~ **without sb/sth** être perdu sans qn/qch; **I'd be** ~ **without you/a calculator** je serais perdu sans toi/une calculatrice; **to be** ~ **for words** être à court d'arguments; **4** **to be** ~ **in** être plongé dans [*book, thought*]; ~ **in wonder** éperdu d'émerveillement; **to be** ~ **to the world** être complètement ailleurs; **5** (doomed) littér *ou* hum perdu; **all is/is not** ~ tout est/n'est pas perdu; **a** ~ **cause** une cause perdue

lost and found *n* **1** (articles) objets *mpl* trouvés; **2** (*also* ~ **office**) service *m* des objets trouvés; **3** Journ **'lost-and-found (column)'** 'objets perdus et trouvés'

lost property GB *n* = **lost and found 1**

lot¹ /lɒt/

A *pron* **1** (great deal) **a** ~ beaucoup; **we buy a** ~ **at the market** nous achetons beaucoup de choses au marché; **he likes to spend a** ~ **on holidays** il aime dépenser beaucoup d'argent en vacances; **to get a** ~ **out of** tirer beaucoup de [*book, activity*]; **to do a** ~ **to help sb/improve sth** faire beaucoup pour aider qn/améliorer qch; **there's not a** ~ **to tell** il n'y a pas grand-chose à raconter; **they didn't have a** ~ **left** il ne leur restait pas grand-chose; **he knows a** ~ **about sport** il s'y connaît beaucoup en sport; **you've taken (rather) a** ~ **on** tu en fais (un peu) trop; **I'd give a** ~ **to be able to do** je donnerais cher pour pouvoir faire; **it says a** ~ **about her/the regime** ça en dit long sur elle/le régime; **it has a** ~ **to do with anxiety** c'est très lié à l'angoisse; **that has a** ~ **to do with it** c'est très lié; **an awful** ~ énormément; **there's an awful** ~ **left to do** il reste énormément de choses à faire; **quite a ~** beaucoup, pas mal○; **to mean quite a ~ to sb** avoir beaucoup *or* pas mal○ d'importance pour qn; **she knows quite a ~ about cinema** elle s'y connaît très bien en cinéma; **we have such a ~ in common** nous avons tellement *or* tant de choses en commun; **such a ~ depends on...** tellement *or* tant de choses dépendent de...; **it takes such a ~ out of me** ça me fatigue tellement; **he's been through such a ~** il a tellement *or* tant souffert

2 ○(entire amount or selection) **the ~** tout; **she ate the (whole) ~** elle a tout mangé, elle a mangé le tout; **they'll confiscate the ~!** ils vont tout confisquer *or* confisquer le tout!; **you can take the ~** tu peux tout prendre, tu peux prendre le tout; **I'll write you a cheque for the ~** je vous ferai un chèque pour le tout; **the whole ~ tied with a ribbon** le tout attaché avec un ruban; **the best speech of the ~** le meilleur de tous les discours; **the nicest dress of the ~** la plus belle de toutes les robes; **heartburn, cramps, the ~!** des brûlures d'estomac, des crampes, bref tout!

3 ○(specific group of people) **she's the best/nicest of the ~** c'est la meilleure/la plus gentille (de tous/toutes); **that ~** péj ces gens-là pej; **I don't trust that ~** je me méfie de ces gens-là; **you ~** vous, vous autres; **listen you ~, I've had enough!** écoutez, j'en ai vraiment assez de vous!; **my ~ can't even spell properly** les miens ne savent même pas écrire correctement; **they're not a bad ~** ils ne sont pas méchants; **he's a bad ~**○ c'est un sale type○; **the best of a bad ~**○ le moins pire○

B *quantif* 1 (great deal) **a ~ of** beaucoup de; **a ~ of money/energy/people** beaucoup d'argent/d'énergie/de gens; **it affects a ~ of women** cela touche beaucoup de femmes; **I don't have a ~ of time** je n'ai pas beaucoup de temps; **not a ~ of people know that** il n'y a pas beaucoup de gens qui savent ça; **I see a ~ of him** je le vois beaucoup; **you've done a ~ of teaching** tu as beaucoup enseigné; **to spend an awful**○ **~ of time doing** passer énormément de temps à faire; **he has an awful**○ **~ of responsibility** il a énormément de responsabilité; **there were quite a ~ of people/ cars/books** il y avait beaucoup *or* pas mal○ de gens/voitures/livres; **quite a ~ of people disagree** il y a beaucoup de personnes qui ne sont pas d'accord; **quite a ~ of our efforts/support...** une bonne part de nos efforts/notre soutien...; **what a ~ of people/books!** que de monde/de livres!; ▸ **fat**

2 ○(entire group) **get out, the (whole) ~ of you!** sortez tous!; **I'd sack the ~ of them!** je les mettrais tous à la porte!; **I'll outlive the ~ of you!** je vous enterrerai tous!

C lots○ *quantif, pron* **~s (and ~s) of** des tas○ de [*people, cars, shops, jobs, stories, vegetables*]; beaucoup de [*music, money, traffic, wine, blood*]; **there are ~s of things to do** il y a beaucoup de *or* des tas○ de choses à faire; **we have ~s in common** nous avons des *or* un tas ○ de choses en commun; **...and ~s more** ...et beaucoup d'autres choses; **'has he got records?'—'yes, ~s!** il a des disques?—oui des tas○!'

D lots○ *adv* **~s better/more interesting** beaucoup *or* vachement○ mieux/plus intéressant

E a lot *adv phr* beaucoup; **a ~ better/easier/more useful** beaucoup mieux/plus facile/plus utile; **a ~ worse** bien pire; **they talk a ~ about justice** ils parlent beaucoup de justice; **she works at home a ~** elle travaille beaucoup à la maison; **you find this a ~ with teenagers** on rencontre beaucoup ce problème chez les adolescents; **the situation has improved a ~** la situation s'est beaucoup améliorée; **we visit them a ~** nous leur rendons souvent visite; **this happens quite a ~** cela arrive très souvent; **an awful ~ cheaper** beaucoup moins cher; **you're smoking an awful ~**○ tu fumes beaucoup; **it would help an awful**○ **~** ça aiderait beaucoup; **he travels abroad such a ~** il voyage beaucoup à l'étranger; **thanks a ~**○! merci beaucoup!

lot² /lɒt/ *n* 1 (destiny) sort *m*; (quality of life) condition *f*; **to be happy with one's ~** être content de son sort; **to improve one's ~** améliorer sa condition; **to improve the ~ of the elderly** améliorer la condition des personnes âgées; **the poverty and disease which are the ~ of many** la pauvreté et la maladie qui sont le lot de beaucoup de gens; **a policeman's ~ is not a happy one** la vie d'un policier n'est pas enviable; **to throw in one's ~ with sb** allier son destin à celui de qn; 2 US (piece of land) parcelle *f* (de terrain); **vacant ~** terrain *m* vague; **used car ~** garage *m* vendant des voitures d'occasion; ▸ **parking lot**; 3 (at auction) lot *m*; **~ No. 69, an oil painting by Gauguin** lot nº 69, une huile de Gauguin; ▸ **job lot**; 4 (decision-making process) tirage *m* au sort; **to draw** *ou* **cast ~s** tirer au sort (**to do** pour faire); **to be chosen** *ou* **decided by ~** être tiré au sort; **the ~ fell to me** *ou* **it fell to my ~ to do** le sort a voulu que je fasse; 5 Cin (studio) studio *m*; 6 (set, batch) (of goods, articles) lot *m* (**of** de); (of produce, fish) arrivage *m* (**of** de); (of students, recruits, tourists) arrivage *m* hum

Lot ▸ **p. 1129** *pr n* Lot *m*; **in/to the ~** dans le Lot

Lot-et-Garonne ▸ **p. 1129** *pr n* Lot-et-Garonne *m*; **in/to the ~** dans le Lot-et-Garonne

loth *adj* = **loath**

Lothian /ˈləʊðɪən/ ▸ **p. 1612** *pr n* (*also* **~ Region**) Lothians *m*

lotion /ˈləʊʃn/ *n* lotion *f*

lottery /ˈlɒtərɪ/

A *n* lit loterie *f*, loto *m*; fig loterie *f*

B *modif* [*winner*] du loto; [*win*] au loto; [*number, ticket*] de loto

lotto /ˈlɒtəʊ/ ▸ **p. 1253** *n* loto *m*

lotus /ˈləʊtəs/ *n* lotus *m*

lotus: **~-eater** *n* lit, Mythol lotophage *m*; fig sybarite *mf*; **~ position** *n* position *f* du lotus

loud /laʊd/

A *adj* 1 (noisy) [*bang, music, radio, TV, voice*] fort; [*din, crash, scream*] grand; [*comment, laugh, party*] bruyant; [*applause*] vif/vive; [*whisper*] audible; **to be ~ with sth** résonner de qch; 2 (emphatic) [*protest, objection*] vif/vive; [*agreement*] vigoureux/-euse; **to be ~ in one's praise/condemnation of sth** louer/condamner qch vivement; 3 (vulgar) péj [*colour, pattern*] criard; [*person, behaviour*] exubérant

B *adv* fort; **out ~** à voix haute; **~ and clear** clairement; **her voice rang out ~ and clear** sa voix se fit clairement entendre; **I am receiving you ~ and clear** Radio je vous reçois cinq sur cinq○; hum je te comprends parfaitement

(Idiom) **for crying out ~**○! mais enfin!

loudhailer /ˌlaʊdˈheɪlə(r)/ *n* GB mégaphone *m*

loudly /ˈlaʊdlɪ/ *adv* [*bang, crash, knock, talk, laugh, sing*] bruyamment; [*play music, scream, cry*] fort; [*cheer*] chaleureusement; [*protest, praise, condemn*] vivement

loud: **~mouth**○ *n* grande gueule◑ *f*; **~mouthed**○ *adj* fort en gueule◑

loudness /ˈlaʊdnɪs/ *n* intensité *f*

loud: **~speaker** *n* (for announcements) haut-parleur *m*; (for hi-fi) enceinte *f*; **~speaker system** *n* (for announcements) haut-parleurs *mpl*; (for hi-fi) enceinte *f*; **~speaker van** *n* camionnette *f* haut-parleur

Louisiana /luːˌiːzɪˈænə/ ▸ **p. 1737** *pr n* Louisiane *f*

lounge /laʊndʒ/

A *n* 1 (in house, hotel) salon *m*; **TV ~** salle-télé *f*; 2 (in airport) hall *m*; **airport/arrivals ~** hall d'aéroport/des arrivées; **departure ~** salle *f* d'embarquement; 3 US (*also* **cocktail ~**) bar *m*

B *modif* [*chairs, furniture*] de salon

C *vi* 1 (sprawl) s'avachir (**on** sur); **to ~ against sth** s'avachir contre qch; 2 (idle) paresser

(Phrasal verb) ■ **lounge about, lounge around** paresser, lambiner pej; **to ~ about the house** paresser dans la maison

lounge: **~ bar** *n* GB grande salle *f* de pub; **~ lizard**○ *n* salonnard○ *m*

lounge suit *n* 1 GB (man's) costume *m*, complet *m*; (on invitation) costume *m* de ville; 2 US pyjama *m* d'intérieur

lounge: **~ suite** *n* GB sièges *mpl* de salon; **~wear** *n* US vêtements *mpl* d'intérieur

lour /ˈlaʊə(r)/ *vi* = **lower²**

louse /laʊs/ *n* 1 (*pl* **lice**) (insect) pou *m*; 2 ◑(*pl* **louses**) pej salaud◑ *m*

(Phrasal verb) ■ **louse up**◑: ▸ **~ [sth] up, ~ up [sth]** bousiller

lousy /ˈlaʊzɪ/

A *adj* 1 ○[*book, film, holiday*] mauvais; [*meal, holiday, working conditions*] infect○; [*salary*] nul/nulle○; **to be ~ at** être nul/nulle○ en [*history etc*]; **to feel ~** être mal fichu○, être patraque○; **a ~ trick** un sale tour; 2 (louse-infested) couvert de poux; 3 ○**~ with** bourré○ de [*tourists etc*]

B ◑*adv* US **to do ~** foirer○ (**on** à)

lout /laʊt/ *n* (rude-mannered) malotru○ *m*; (hooligan) voyou *m*; (clumsy) rustaud *m*

loutish /ˈlaʊtɪʃ/ *adj* (bad-mannered) grossier/-ière; (rowdy, violent) **~ youth** voyou *m*; **~ behaviour** conduite *f* de voyou

louvre GB, **louver** US /ˈluːvə(r)/

A *n* (strip) lame *f* (de persienne); (door) porte *f* persiennée; (in window) vasistas *m*; (on belltower) abat-son *m*

B *modif* [*door, shutter*] persienné

louvred GB, **louvered** US /ˈluːvəd/ *adj* persienné

lovable /ˈlʌvəbl/ *adj* [*person, clown, eccentric*] sympathique; [*child*] adorable

love /lʌv/

A *n* 1 (affection, devotion) amour *m* (**for** pour); **to do sth for ~** faire qch par amour (**of sb** pour qn); **to do sth for the ~ of it** faire qch par goût; **for the ~ of God** *ou* **Mike**○†! pour l'amour de Dieu *or* du ciel! **to be/fall in ~** être/tomber amoureux/-euse (**with** de); **he's in ~ with the sound of his own voice** il s'écoute parler; **to fall out of ~** cesser d'être amoureux/-euse (**with** de); **to make ~** (have sex) faire l'amour (**with** avec; **to** à); **to make ~ to sb**† (court) faire la cour à qn; 2 (in polite formulas) **give my ~ to Jo** transmets mes amitiés à Jo; **~ to Don and the kids**○ baisers à Don et aux enfants; **Andy sends his ~** Andy t'embrasse; **with ~ from Bob, ~ Bob** affectueusement, Bob; 3 (object of affection) amour *m*; **he/music was my first ~** il/la musique a été mon premier amour; **my one true ~** mon seul amour; **the ~ of his life** l'amour de sa vie; **the little ~s**○! GB ce sont des amours!; **be a ~ and make some tea**○ GB sois gentil, faismoi une tasse de thé; 4 GB (term of address) (to lover, spouse) mon amour *m*, mon chéri/ma chérie *m/f*; (to child) mon chéri/ma chérie *m/f*; **that's 25 pence please, ~** c'est 25 pence, s'il vous plaît Madame/Monsieur; 5 (in tennis) zéro *m*; **15 ~** 15 (à) zéro; **~ 15** zéro (à) 15; **two sets to ~** deux sets à zéro

B *modif* [*letter, scene, song, story, token*] d'amour

C *vtr* 1 (feel affection for) aimer [*lover, spouse, child, pet, friend*]; **to ~ sb very much/madly/tenderly** aimer énormément/follement/tendrement qn; **to ~ sb for sth** aimer qn pour qch; **I ~ her for saving my life/making me laugh** je l'aime parce qu'elle m'a sauvé la vie/me fait rire; **to ~ each other** s'aimer; **'he ~s me, he ~s me not'** ≈ 'il m'aime, un peu, beaucoup, passionnément, à la folie, pas du tout'; **I must ~ you and leave you** hum ce n'est pas que je m'ennuie, mais il faut que je m'en aille; 2 (be fond of, appreciate) aimer [*activity, place, thing*]; (stronger) adorer; **I ~ the scene where...** j'adore la scène où...; **I ~d the way**

you said that j'ai bien aimé la façon dont tu as dit ça; **I ~ it when...** j'adore quand...; **to ~ doing, to ~ to do** aimer faire; **I would ~ to see them** j'aimerais beaucoup les voir; **I'd ~ to help him but I can't** j'aimerais bien l'aider mais je ne peux pas; **'dance?'—'I'd ~ to!'** 'tu veux danser?'—'avec plaisir!'; **'can she help?'—'she'd ~ to'** 'elle peut nous aider?'—'elle serait ravie'; **she'll ~ that!** iron elle sera vraiment ravie! iron

D *vi* (feel love) aimer

(Idioms) **~ at first sight** le coup de foudre; **there's no ~ lost between them** ils/elles se détestent cordialement. ▸ **money**

love affair *n* (with person) liaison *f* (**with** avec; **between** entre); (with place, car, era etc) histoire *f* d'amour (**with** avec)

lovebird /'lʌvbɜːd/

A *n* Zool inséparable *m*

B lovebirds *npl* (lovers) hum tourtereaux *mpl* fig

love: **~bite** *n* GB suçon *m*; **~ child** *n* euph enfant *mf* de l'amour

loved one *n* être *m* cher

loved-up○ *adj* argot des drogués défoncé○ à l'ecstasy

love: **~-hate relationship** *n* relation *f* oscillant entre l'amour et la haine; **~-in** *n* love-in *m*; **~-in-a-mist** *n* Bot nigelle *f*; **~ interest** *n* Cin personnage *m* dont un autre tombe amoureux; **~ knot** *n* lacs *m* d'amour

loveless /'lʌvlɪs/ *adj* **1** [*marriage, home, childhood, sex*] sans amour; **2** [*person*] (unloved) sans amour; (unloving) incapable d'amour

love: **~-lies-bleeding** *n* Bot queue-de-renard *f*; **~ life** *n* vie *f* amoureuse

loveliness /'lʌvlɪnɪs/ *n* beauté *f*

lovelorn /'lʌvlɔːn/ *adj* qui a des peines d'amour

lovely /'lʌvlɪ/

A *n* beauté *f*; **my ~** ma belle

B *adj* **1** (beautiful) [*church, colour, dress, garden, hair, person, poem*] beau/belle, joli (*before n*); **you look ~ in pink/that dress** tu es ravissante en rose/dans cette robe; **the hat will look ~ with your dress** le chapeau ira très bien avec ta robe; **2** (pleasant) [*family, letter, person*] charmant; [*meal, smell, soup*] délicieux/-ieuse; [*idea, surprise*] bon/bonne (*before n*); [*evening, weekend*] excellent; [*day, present, weather*] magnifique; **it's ~ to do** c'est agréable de faire; **to smell ~** sentir bon; **to taste ~** être délicieux/-ieuse; **3** (emphatic) **~ and hot/fresh/tanned** bien chaud/frais/bronzé

lovemaking /'lʌvmeɪkɪŋ/ *n* **1** (sex) **our ~** nos rapports (sexuels); **his/her ~** sa façon de faire l'amour; **2** †(flirtation) **his ~ flattered her** la cour qu'il lui faisait, l'a flattée

love: **~ match** *n* union *f* parfaite; **~ nest** *n* journ nid *m* d'amour; **~ potion** *n* philtre *m* d'amour

lover /'lʌvə(r)/ *n* **1** (sexual partner) gen partenaire *mf*; (in adultery) amant/maîtresse *m/f*; **to be/become ~s** être/devenir amants; **to take a ~** prendre un amant; **a good ~** un bon amant; **2** (person in love) amoureux/-euse *m/f*; **young ~s** jeunes amoureux; **3** (enthusiast) amateur *m* (**of** de); **jazz/opera ~** amateur de jazz/d'opéra; **I'm no great ~ of cricket** je ne suis pas très amateur de cricket

lover boy○ *n* Don Juan *m*

love: **~ seat** *n* confident *m*; **~sick** *adj* languissant d'amour

lovey○ /'lʌvɪ/ *n* GB mon chéri/ma chérie *m/f*

lovey-dovey○ /ˌlʌvɪ'dʌvɪ/ *adj* GB **to get all ~** se mettre à roucouler○

loving /'lʌvɪŋ/

A *adj* [*mother, husband, look, smile*] tendre; [*couple, kiss*] amoureux/-euse; [*care, attention*] affectueux/-ueuse; **a ~ family** une famille unie; (in letter-writing) **from your ~ son, Fred** ton fils qui t'aime, Fred

B -loving (*dans composés*) **football-/music-~** amateur de football/de musique; **peace-/freedom-/animal-~** qui aime la paix/la liberté/les animaux

loving: **~ cup** *n* coupe *f* de l'amitié; **~-kindness**‡ *n* bonté *f*

lovingly /'lʌvɪŋlɪ/ *adv* (all contexts) avec amour

low /ləʊ/

A *n* **1** Meteorol dépression *f*; **2** fig **the stock market closed at a record ~** le marché boursier a été clôturé à son niveau le plus bas; **the economy has hit a ~** l'économie est dans le creux de la vague; **his popularity has hit a new ~** sa popularité a atteint son niveau le plus bas; **morale is at an all time ~** le moral est au plus bas; **the lyrics hit a new ~ in banality** les paroles (de la chanson) atteignent des sommets dans la banalité

B *adj* **1** (close to the ground) [*branch, building, chair, wall, cloud, ground*] bas/basse; **the sun is ~ in the sky** le soleil est bas dans le ciel; **there will be flooding on ~ ground** il y aura des inondations à basse altitude; **2** (nearly depleted) [*reservoir, level*] bas/basse; [*battery*] faible; **our stocks are rather ~** nos stocks sont plutôt bas; **the fire was getting ~** le feu était bas; **we're ~ on skilled staff** nous manquons de personnel qualifié; **I'm getting ~ on petrol** je n'ai plus beaucoup d'essence; **these products are ~ in sugar/fat** ces produits contiennent peu de sucre/matière grasse; **the patient is very ~** le malade est au plus mal *or* bas; **3** (minimal) [*price, wage*] bas/basse; [*capacity, speed*] réduit; [*income, number, rate*] faible; [*pressure, temperature*] bas/basse; **leave the soup on a ~ heat** laissez mijoter la soupe à feu doux; **the temperature was in the ~ twenties** il faisait dans les vingt degrés; **4** (inferior) [*mark, score, quality, standard*] mauvais; [*life form*] peu évolué; **5** (depressed) déprimé; **to feel ~, to be in ~ spirits** être déprimé; **6** (deep) [*note, tone, voice*] bas/basse; **in a ~ voice** tout bas; **the sound is too ~** Radio, TV le son est trop bas; **7** (disapproved of) (vulgar) [*conversation, humour*] peu relevé; (base) [*action, behaviour*] ignoble; **that was a really ~ thing to do** c'était vraiment un sale coup○; **8** Naut **~ tide** marée *f* basse; **at ~ tide** à marée basse

C *adv* **1** (near the ground) [*aim, fly, shoot*] bas; [*bend, crouch*] très bas; **the plane flew ~ over the desert** l'avion survolait le désert à basse altitude; **I wouldn't sink** *ou* **stoop so ~ as to ask him for money** fig je ne m'abaisserais pas à lui demander de l'argent; **2** (near the bottom) **it is very ~ (down) on the list** lit c'est tout à fait au bas de la liste; fig c'est tout à fait secondaire; **look ~er down the page** regarde plus bas sur la page; **3** (at a reduced level) [*buy*] à bas prix; [*speak*] bas; **to turn sth down ~** baisser [*heating, light, radio*]; **stocks are running ~** les stocks sont en baisse; **I rate him pretty ~** je ne le tiens pas en grande estime; **4** (at a deep pitch) [*sing*] bas

D *vi* [*cow*] meugler

(Idioms) **to be the ~est of the ~** être le dernier des derniers; **to be laid ~ by** être alité par [*illness*]

low: **~-alcohol** *adj* Wine peu alcoolisé; **~-angle shot** *n* Cin, Phot contre-plongée *f*; **~born**† *adj* de basse extraction†; **~boy** *n* US guéridon *m* (*avec tiroirs*)

lowbrow /'ləʊbraʊ/ péj

A *n* personne *f* peu intellectuelle

B *adj* [*person*] peu intellectuel/-elle; [*music, literature*] de bas étage

low: **~-budget** *adj* à petit budget; **~-calorie** *adj* [*diet*] hypocalorique; [*food*] à faible teneur en calories

Low Church

A *n* Basse Église *f* anglicane

B *adj* de la Basse Église anglicane

low: **~-cost** *adj* économique, bon marché; **Low Countries** *pr npl* Hist Pays-Bas *mpl*; **~-cut** *adj* décolleté

low-down○ /'ləʊdaʊn/

A *n* tuyau○ *m*, renseignements *mpl*; **to get the ~ on sb/sth** avoir un tuyau○ *or* des renseignements sur qn/qch; **to give sb the ~** tuyauter qn○, renseigner qn (**on** sur)

B *adj* [*person, trick*] sale (*before n*); **a ~ trick** un sale tour

lower¹ /'laʊə(r)/

A *vi* littér (frown) prendre un air comminatoire (**at** avec)

B lowering *pres p adj* [*sky, look*] menaçant

lower² /'ləʊə(r)/

A *comp adj* [*deck, jaw, level, lip, part, price*] inférieur; **a pain in the ~ back** une douleur au bas du dos

B *vtr* **1** (bring down) baisser [*barrier, blind, curtain, flag, newspaper, rifle*]; Constr abaisser [*ceiling*]; **to ~ one's eyes/head/arms** baisser les yeux/la tête/les bras; **to ~ sb/sth into** descendre qn/qch dans [*hole*]; **to ~ sb/sth onto** descendre qn/qch sur [*roof, boat*]; **2** (reduce) baisser [*light, volume*]; réduire [*pressure, temperature*]; baisser [*prices*]; diminuer [*resistance*]; abaisser [*age limit*]; baisser [*standards*]; **to ~ one's voice** baisser la voix; **to ~ one's guard** baisser sa garde; fig relâcher sa vigilance; **to ~ sb's morale** démoraliser qn; **3** (abolish) abolir [*trade barrier*]; **4** Naut affaler [*sail*]; mettre [qch] à la mer [*lifeboat*]; amener [*mast*]; **the lifeboats were ~ed into the sea** les canots de sauvetage ont été mis à la mer

C *v refl* **to ~ oneself 1** (demean oneself) s'abaisser; **2** (sit carefully) **to ~ oneself into** entrer lentement dans [*bath*]; s'asseoir précautionneusement dans [*chair*]

(Phrasal verb) ■ **lower down**: ▸ **~ [sth] down, ~ down [sth]** descendre [*parcel, stretcher*]

lower case /'ləʊə(r)/

A *n* Print bas *m* de casse, minuscules *fpl*; **use ~ for this heading** mettez ce titre en minuscules

B lower-case *modif* **~ letter** minuscule *f*

Lower Chamber *n* = **Lower House**

lower class /'ləʊə(r)/

A *n* (*pl* **~es**) **the ~, the ~es** la classe ouvrière, les classes populaires

B *adj* gen de la classe ouvrière; [*accent, custom, district*] populaire

lower 'ləʊə(r): **~ court** *n* Jur instance *f* inférieure; **Lower House** *n* GB Pol Chambre *f* des Communes

lowering /'ləʊərɪŋ/

A *n* **1** (reduction) (of prices, tariffs, standards) baisse *f*; (of pressure, temperature, rate) baisse *f*; (of age limit) abaissement *m*; (of light, volume) baisse *f*; (of resistance) diminution *f*; **2** (of flag, sail) abaissement *m*; (of mast) calage *m*; **3** fig (removal) (of barriers) suppression *f*

B *adj* (demeaning) dégradant, humiliant

lower middle class /'ləʊə(r)/

A *n* (*pl* **~es**) **the ~, the ~es** la petite bourgeoisie

B *adj* petit-bourgeois/petite-bourgeoise

lower 'ləʊə(r): **~-ranking** *adj* de grade inférieur; **~ school** *n* ₵ petites classes *fpl*

lower sixth /'ləʊə(r)/ *n* GB Sch ≈ classe *f* de première; **to be in the ~** ≈ être en première

lowest common denominator *n* Math, fig plus petit dénominateur *m* commun; **he reduces everything to the ~** péj il rabaisse tout à ce qu'il y a de plus trivial

low: **~-fat** *adj* [*diet*] sans matières grasses; [*cheese, food*] allégé; [*milk*] écrémé; **~-flying** *adj* volant à faible altitude; **~-frequency** *adj* [*sound*] à basse fréquence; **Low German** *n* Ling bas allemand *m*; **~-grade** *adj* (poor quality) [*meat, steel*] de qualité inférieure; (minor) [*official*] de grade inférieur; **~-heeled** *adj* plat, à talons plats

low-income *adj* [*family*] à faible revenu; [*bracket*] des bas salaires

lowing /'ləʊɪŋ/ *n* meuglement *m*

low-key /ˌləʊ'kiː/ *adj* [*approach, lifestyle, person*] discret/-ète; [*style, mood, treatment*] sobre;

[*meeting, talks*] informel/-elle; [*ceremony*] intime

lowland /ˈləʊlənd/
A *n* (*also* ~**s**) basses-terres *fpl*
B *modif* [*farmer, farming*] des basses-terres; [*area*] à faible altitude; [*river*] de plaine

Lowland /ˈləʊlənd/
A **Lowlands** *pr npl* **the Lowlands (of Scotland)** les Basses-Terres *fpl* (d'Écosse)
B *modif* des Basses-Terres (d'Écosse)

lowlander /ˈləʊləndə(r)/ *n* [1] gen homme/femme *m/f* qui vient de la plaine; [2] **Lowlander** Écossais/-e *m/f* des Basses-Terres

Lowland Scots *n* Ling dialecte *m* des Basses-Terres d'Écosse

Low Latin *n* Ling bas latin *m*

low-level *adj* [1] Aviat [*flight, bombing*] à basse altitude; [2] (informal) [*meeting, talks*] informel/-elle; [3] Comput [*language*] de bas niveau; [4] Nucl [*radiation*] faible

low-life
A *n* [1] ¢ (underworld) (social) bas-fonds *mpl*; (criminal) milieu *m*; [2] ○(person) (*pl* ~**s**) crapule *f*
B *modif* [*character, scene*] des bas-fonds; [*friend, contact*] du milieu; [*bar, area*] fréquenté par des voyous

lowliness /ˈləʊlɪnɪs/ *n* modestie *f*

low-loader *n* Transp camion *m* à plate-forme surbaissée

lowly /ˈləʊlɪ/ *adj* modeste

low: ~**-lying** *adj* à basse altitude; **Low Mass** *n* Relig messe *f* basse; ~**-necked** *adj* décolleté

lowness /ˈləʊnɪs/ *n* [1] (lack of height) (of bridge, ceiling) faible hauteur *f*; [2] (smallness) (of offer, price) modicité *f*; [3] Meteorol, Phys **the ~ of the temperature/pressure** la basse température/pression

low-nicotine *adj* [*cigarette*] à basse teneur en nicotine, léger/-ère

low-paid
A *n* **the** ~ (+ *v pl*) les petits salaires *mpl*
B *adj* [*job*] faiblement rémunéré; [*worker*] peu rémunéré

low-pitched *adj* [1] Mus grave; [2] Archit [*roof*] en pente douce

low: ~**-priced** *adj* Comm à bas prix; ~**-profile** *adj* (discreet) [*approach, job, mission*] discret/-ète; ~**-quality** *adj* de qualité inférieure

low-rise
A *n* Archit barre *f* (d'immeuble)
B *adj* [*building*] bas/basse (*after n*)

low: ~**-risk** *adj* Fin [*investment*] à risque limité; [*borrower*] fiable; Med, Insur [*individual, group*] ne faisant pas partie des groupes à risques; ~**-scoring** *adj* Sport [*match*] avec peu de points de marqués

low season *n* Tourism basse saison *f*; **in the** ~ en basse saison

low: ~**-slung** *adj* [*chassis*] surbaissé; [*belly*] pendant; ~**-start mortgage** *n* GB, Fin *emprunt-logement avec un faible taux d'intérêt de départ*; **Low Sunday** *n* Relig premier dimanche *m* après Pâques; ~**-tar** *adj* à faible teneur en goudrons; ~**-tech** *adj* (de type) traditionnel; ~**-tension, LT** *adj* Elec (à) basse tension; ~ **tide** *n* marée *f* basse

low voltage
A *n* basse tension *f*
B **low-voltage** *adj* de basse tension

low-water mark *n* niveau *m* des basses eaux

lox /lɒks/ *n* US saumon *m* fumé

loyal /ˈlɔɪəl/ *adj* [*friend, servant, supporter*] loyal (**to** envers); [*customer*] fidèle (**to** à)

loyalist /ˈlɔɪəlɪst/
A *n* partisan/-anne *m/f*
B **Loyalist** *pr n* Pol *partisan du maintien de l'union entre la Grande-Bretagne et l'Irlande du Nord*

loyally /ˈlɔɪəlɪ/ *adv* [*support, serve*] fidèlement; [*speak*] avec dévouement

loyalty /ˈlɔɪəltɪ/ *n* loyauté *f* (**to, towards** envers); **to have divided** *ou* **conflicting loyalties** se sentir écartelé

loyalty card *n* Comm carte *f* de fidélité

lozenge /ˈlɒzɪndʒ/ *n* [1] Pharm pastille *f*; [2] Math losange *m*

Lozère ▸ **p. 1129** *pr n* Lozère *f*; **in/to** ~ en Lozère

LP *n* (*abrév* = **long-playing record**) (disque *m*) 33 tours *m*

LPG *n*: *abrév* ▸ **liquefied petroleum gas**

L-plate /ˈel pleɪt/ *n* GB Aut plaque *f* d'élève conducteur débutant accompagné

LPN *n* US *abrév* ▸ **licensed practical nurse**

LRAM *n* GB (*abrév* = **Licentiate of the Royal Academy of Music**) diplômé/-e *m/f* de musique

LRCP *n* GB (*abrév* = **Licentiate of the Royal College of Physicians**) diplômé/-e *m/f* de médecine

LRCS *n* GB (*abrév* = **Licentiate of the Royal College of Surgeons**) diplômé/-e *m/f* de médecine opératoire

LSAT *n* US (*abrév* = **Law School Admission Test**) test *m* d'évaluation en vue des études de droit

LSD *n* (*abrév* = **lysergic acid diethylamide**) LSD *m*

L.S.D. *n* GB (*abrév* = **librae, solidi, denarii**, = **pounds, shillings, pence**) *ancien système monétaire en Grande-Bretagne*

LSE *n* GB (*abrév* = **London School of Economics**) *faculté des Sciences économiques de l'Université de Londres*

L-shaped *adj* en (forme de) L

Lt *abrév écrite* ▸ **lieutenant**

Lt. Col *abrév écrite* ▸ **Lieutenant Colonel**

Ltd GB (*abrév écrite* = **limited (liability)**) *cf* SARL

Lt. Gen *abrév écrite* = **Lieutenant General**

lube○ /lu:b/ *n* US [1] (oil) huile *f* de graissage; [2] (petroleum jelly) lubrifiant *m*; [3] (*also* ~ **job**) graissage *m*

lubricant /ˈlu:brɪkənt/ *n* lubrifiant *m*

lubricate /ˈlu:brɪkeɪt/ *vtr* gen lubrifier; Aut graisser, lubrifier

lubricating oil *n* huile *f* de graissage, lubrifiant *m*

lubrication /ˌlu:brɪˈkeɪʃn/ *n* gen lubrification *f*; Aut, Mech graissage *m*

lubricator /ˈlu:brɪkeɪtə(r)/ *n* (substance) lubrifiant *m*

lubricious /lu:ˈbrɪʃəs/ *adj* péj lubrique, salace

lubricity /lu:ˈbrɪsətɪ/ *n* péj lubricité *f*, salacité *f*

lucerne /lu:ˈsɜ:n/ *n* GB luzerne *f*

Lucerne /lu:ˈsɜ:n/ ▸ **p. 1815, p. 1771** *pr n* Lucerne; **the canton of** ~ le canton de Lucerne

lucid /ˈlu:sɪd/ *adj* [1] (clear, understandable) clair; [2] (sane) [*person, mind*] lucide; [*moment*] de lucidité; [3] (luminous) littér lumineux/-euse

lucidity /lu:ˈsɪdətɪ/ *n* [1] (clarity) (of account, argument etc) clarté *f*; [2] (sanity) lucidité *f*; [3] (luminosity) littér luminosité *f*

lucidly /ˈlu:sɪdlɪ/ *adv* clairement

lucifer○‡ /ˈlu:sɪfə(r)/ *n* GB allumette *f*

luck /lʌk/ *n* [1] (fortune) **good** ~ chance *f*; **bad** ~ malchance *f*; **to bring sb good/bad** ~ porter bonheur/malheur à qn; **to have the good** ~ **to do** avoir la chance de faire; **it's good** ~ **to do** ça porte bonheur de faire; **it is bad** ~ **that** ce n'est pas de chance que (+ *subj*); **I've had nothing but bad** ~ **with that car** je n'ai eu que de la malchance avec cette voiture; **to try one's** ~ tenter sa chance; ~ **was on his side** la chance était de son côté; **as** ~ **would have it...** le hasard a voulu que... (+ *subj*); **bad** *ou* **hard** ~! pas de chance!; **just my** ~! c'est bien ma chance!; **good** ~! bonne chance!; **better** ~ **next time!** tu auras plus de chance la prochaine fois!; **I wish you all the best of** ~ je vous souhaite la meilleure chance possible; **to be down on one's** ~ être dans une mauvaise passe; [2] (good fortune) chance *f*; **with** ~... avec de la chance...; **with a bit of** ~... avec un peu de chance...; **to run out of** ~ ne plus avoir le vent en poupe; **our** ~ **ran out in the third game** notre chance a tourné dans le troisième match; **to wear sth for** ~ porter qch comme porte-bonheur; **by a stroke of** ~ par un coup de chance; **any** ~ **with the job hunting?** ça marche, les recherches pour un emploi?; **'have you found it?'—'no** ~ **yet'** 'tu l'as trouvé?'–'pas encore, malheureusement'; **to be in/out of** ~ avoir de la/ne pas avoir de chance

(Idioms) **it's the** ~ **of the draw** c'est une question de chance; **to put in two spoonfuls, and one for** ~ mettre deux cuillerées plus une au cas où; **my** ~**'s in!** c'est mon jour de chance!; **no such** ~! hélas non!; **to ring the doorbell once more for** ~ sonner encore une fois à tout hasard; **to take pot** ~ (at cinema, theatre) aller au petit bonheur; **you'll have to take pot** ~ (at meal) ce sera à la fortune du pot

(Phrasal verb) ■ **luck out**○ US avoir de la veine○

luckily /ˈlʌkɪlɪ/ *adv* heureusement (**for** pour)

luckless /ˈlʌklɪs/ *adj* littér [*person*] infortuné; [*occasion*] malheureux/-euse

lucky /ˈlʌkɪ/ *adj* [1] (fortunate) **to be** ~ **to do/to be** avoir la chance de faire/d'être; **you're** ~ **to be able to do** tu as de la chance de pouvoir faire; **to be** ~ **to be alive** avoir eu de la chance de s'en tirer vivant; **you'll be** ~ **to get a taxi** tu auras bien de la chance si tu trouves un taxi; **it was** ~ **for me that you came** j'ai eu de la chance que tu sois venu; **it was** ~ **for me that I went** j'ai eu de la chance d'y être allé; **I'm** ~ **that I've been able to do** j'ai eu de la chance de pouvoir faire; **to be** ~ **enough to do** avoir la chance de faire; **those who are** ~ **enough to have a job** ceux qui ont la chance d'avoir un emploi; **to be** ~ **at the races** avoir de la chance aux courses; **I'm not a** ~ **person** je n'ai jamais de chance; ~ **you**○! veinard/-e○ *m/f*!; **you** ~ **dog**○ *ou* **devil**○ sacré/-e veinard/-e○ *m/f*; **I/you etc should be so** ~○! GB iron ça serait trop beau!; **you should think** *ou* **count yourself** ~ **that I didn't do** tu dois te considérer heureux/-euse que je n'aie pas fait; **to have a** ~ **escape** l'échapper belle; [2] (bringing good luck) [*charm, colour, number*] porte-bonheur *inv*; **it's my** ~ **day!** c'est mon jour de chance!; **the number three is** ~**/is** ~ **for me** le numéro trois porte bonheur/me porte bonheur; **it's a** ~ **sign** c'est un bon signe

(Idioms) **to strike it** ~ décrocher le gros lot○; **to thank one's** ~ **stars** remercier le ciel

lucky dip *n* Games pêche *f* miraculeuse

lucrative /ˈlu:krətɪv/ *adj* lucratif/-ive

lucre○† /ˈlu:kə(r)/ *n* fric○ *m*

Lucretia /lu:ˈkri:ʃə/ *pr n* Lucrèce *f*

Lucretius /lu:ˈkri:ʃəs/ *pr n* Lucrèce *m*

Luddite /ˈlʌdaɪt/ *n* Hist luddite *m*; fig péj réactionnaire *mf* (*qui s'oppose au progrès*)

ludic /ˈlʌdɪk/ *adj* sout ludique

ludicrous /ˈlu:dɪkrəs/ *adj* ridicule, grotesque

ludicrously /ˈlu:dɪkrəslɪ/ *adv* ridiculement

ludo /ˈlu:dəʊ/ ▸ **p. 1253** *n* GB jeu *m* des petits chevaux

luff /lʌf/
A *n* guindant *m*
B *vi* lofer, venir au vent

lug /lʌg/
A *n* [1] (on pot) oreille *f*, anse *f*; [2] Constr, Tech patte *f*; [3] ◑GB = **lughole**
B *vtr* (*p prés etc* **-gg-**) traîner, trimbaler○ [*suitcase, heavy object*]; traîner [*person*]

luggage /ˈlʌgɪdʒ/ *n* ¢ bagages *mpl*

luggage: ~ **handler** ▸ p. 1683 *n* bagagiste *mf*; ~ **label** *n* étiquette *f* à bagages; ~ **rack** *n* compartiment *m* à bagages; ~ **van** *n* GB fourgon *m* à bagages

lugger /'lʌgə(r)/ *n* lougre *m*

lughole◑ /'lʌgəʊl/ *n* GB esgourde◑ *f*, portugaise◑ *f*

lugubrious /lə'gu:brɪəs/ *adj* lugubre

lugubriously /lə'gu:brɪəslɪ/ *adv* lugubrement

Luke /lu:k/ *pr n* Luc

lukewarm /,lu:k'wɔ:m/ *adj* **1** [*food, liquid*] tiède; **2** fig [*reception, response*] tiède, peu enthousiaste; **she was a bit ~ about the idea** l'idée ne l'enthousiasmait pas

lull /lʌl/

A *n* (in storm, fighting) accalmie *f*; (in conversation) pause *f*; (in trading) ralentissement *m*; **the ~ before the storm** le calme avant la tempête

B *vtr* apaiser [*person*]; endormir [*suspicions*]; **to ~ sb to sleep** endormir qn en le berçant; **he ~ed them into thinking they were safe** il leur a fait croire qu'ils étaient en sécurité; **to be ~ed into a false sense of security** se laisser aller à un sentiment de sécurité trompeur

lullaby /'lʌləbaɪ/ *n* berceuse *f*

lulu○ /'lu:lu:/ *n* US **a ~ of a mistake/story** une sacrée○ erreur/histoire; **he's a ~** c'est un sacré○ mec○

lumbago /lʌm'beɪgəʊ/ *n* lumbago *m*

lumbar /'lʌmbə(r)/ *adj* lombaire; **~ puncture** ponction *f* lombaire

lumber /'lʌmbə(r)/

A *n* **1** US (wood) bois *m* de construction; **2** †GB (junk) bric-à-brac *m*

B *vtr* **1** ○GB **to be ~ed with sb/sth** se taper○ *or* se coltiner○ qn/qch; **I'm ~ed with the ironing** je me suis tapé○ *or* coltiné○ le repassage; **I get ~ed with the job of entertaining her parents** on m'a infligé la corvée de divertir ses parents; **I'm ~ed with the house, I can't sell it** j'ai la maison sur les bras, je n'arrive pas à la vendre; **2** US (remove timber from) exploiter [qch] (pour le bois de construction)

C *vi* **1** (*also* **~ along**) [*animal, person*] avancer d'un pas lourd; [*vehicle*] avancer péniblement; **to ~ away** *ou* **off** [*person*] s'éloigner d'un pas lourd; **to ~ in/out** entrer/sortir d'un pas lourd; **to ~ through sth** traverser qch d'un pas lourd; **2** US (cut timber) débiter le bois

lumber company *n* US entreprise *f* de bois de construction

lumbering /'lʌmbərɪŋ/ *adj* [*animal, person*] au pas lourd (*after n*); [*vehicle*] qui avance péniblement; fig [*system, bureaucracy*] pesant

lumber: **~jack** ▸ p. 1683 *n* bûcheron/-onne *m/f*; **~jacket** *n* veste *f* en laine à carreaux; **~jack shirt** *n* chemise *f* épaisse à carreaux

lumberman /'lʌmbəmən/ ▸ **p. 1683** *n* US **1** (dealer) marchand *m* de bois; **2** (woodcutter) bûcheron *m*

lumber: **~ mill** *n* scierie *f*; **~ room**† *n* GB débarras *m*; **~yard** *n* US scierie *f*

luminary /'lu:mɪnərɪ, US -nerɪ/ *n* **1** Astrol astre *m*; **2** fig (person) sommité *f*

luminescence /,lu:mɪ'nesns/ *n* **1** Phys luminescence *f*; **2** (light) littér lueur *f*

luminosity /,lu:mɪ'nɒsətɪ/ *n* luminosité *f*

luminous /'lu:mɪnəs/ *adj* lumineux/-euse

lumme○† /'lʌmɪ/ *excl* GB grands Dieux!, sapristi○†!

lummox○ /'lʌməks/ *n* US lourdaud/-e *m/f*

lummy○ /'lʌmɪ/ *excl* GB = **lumme**

lump /lʌmp/

A *n* **1** (of substance) gen morceau *m*; (of soil, clay) motte *f*; (in sauce) grumeau *m*; **in one** *ou* **a ~** fig en bloc; **2** (on body) (from fall, knock) bosse *f* (**on** sur); (tumour) grosseur *f* (**in, on** à); **3** ○(idle person) (man) balourd○ *m*; (woman) dondon○ *f*

B *vtr* **to ~ X with Y** regrouper X et Y; péj mettre X et Y dans le même panier○; **to ~ the science students with the arts students** regrouper les étudiants de sciences avec les étudiants d'humanités; **the two groups shouldn't be ~ed together** on ne devrait pas mettre les deux groupes dans le même panier

C *vi* **1** US (become lumpy) [*sauce*] faire des grumeaux; **2** (*also* **~ along**) se traîner

(Idioms) **to get** *ou* **take one's ~s** US encaisser les coups; **to have a ~ in one's throat** avoir la gorge serrée *or* une boule dans la gorge; **I'll/he'll have to ~ it**○ il va falloir faire avec/qu'il fasse avec○; **like it or ~ it**○ que ça te/lui etc chante ou pas○

lumpectomy /lʌm'pektəmɪ/ *n* ablation *f* d'une tumeur au sein

lumpen† /'lʌmpn/ *adj* péj demeuré

lumpenproletariat /,lʌmpən,prəʊlɪ'teərɪət/ *n* lumpenprolétariat *m*

lump: **~fish**, **~sucker** *n* lump *m*; **~fish roe** *n* œufs *mpl* de lump

lumpish /'lʌmpɪʃ/ *adj* ahuri

lump sugar *n* sucre *m* en morceaux

lump sum *n* **1** Comm (complete payment) versement *m* unique; (decided in advance) somme *f* forfaitaire; **2** Insur capital *m* forfaitaire

lump sum payment *n* Insur versement *m* d'un capital

lumpy /'lʌmpɪ/ *adj* [*sauce*] grumeleux/-euse; [*mattress, pillow, soil*] défoncé; [*surface*] bosselé; **to go ~** [*sauce*] faire des grumeaux

lunacy /'lu:nəsɪ/ *n* **1** †Med folie *f*, démence *f*; **2** †Jur démence *f*; **3** fig folie *f*

lunar /'lu:nə(r)/ *adj* [*rock, sea, crater, orbit*] lunaire; [*eclipse*] de lune; [*landscape*] fig lunaire; **~ month** mois *m* lunaire, lunaison *f*; **~ landing** atterrissage *m* sur la lune, alunissage *m* controv; **~ module** module *m* lunaire

lunatic /'lu:nətɪk/

A *n* **1** †Med dément/-e *m/f*, aliéné/-e *m/f*; **2** †Jur dément/-e *m/f*; **3** fig fou/folle *m/f*; **he drives like a ~!** il conduit comme un fou *or* un dingue○!

B *adj* Med, Jur dément; fig [*person*] fou/folle; [*plan, idea, behaviour*] démentiel/-ielle

lunatic: **~ asylum**† *n* asile *m* d'aliénés†; **~ fringe** *n* péj les extrémistes *mfpl*, les jusqu'au-boutistes *mfpl*

lunch /lʌntʃ/

A *n* déjeuner *m*; **to have ~** déjeuner; **to eat sth for ~** manger qch au déjeuner; **I often go out for ~** je déjeune souvent dehors; **to take sb out for** *ou* **to ~** emmener qn déjeuner au restaurant; **come round for ~** viens déjeuner (à la maison); **she's gone to ~, she's at ~** elle est partie déjeuner; **I'll take my ~ early** je vais déjeuner tôt; **~!, time for ~!** à table!; **to close for ~** fermer le midi; **the bar does good ~es** le bar sert de bons repas le midi

B *vi* déjeuner (**on, off** de)

(Idioms) **out to ~**○ dingue○; **there's no such thing as a free ~** on ne fait jamais rien pour rien

lunch basket *n* panier-repas *m*

lunch box *n* **1** (for food) boîte *f* à sandwichs; **2** ○GB (male genitals) service *m* trois pièces○; **an athlete with an impressive ~** un athlète avec un service trois pièces impressionnant, un athlète TTBM◑

lunchbreak *n* pause-déjeuner *f*

luncheon /'lʌntʃən/ *n* sout déjeuner *m*

luncheon: **~ meat** *n* ≈ viande *f* en conserve; **~ voucher**, **LV** *n* ticket-repas *m*, ticket-restaurant® *m*

lunch hour *n* heure *f* du déjeuner

lunchtime /'lʌntʃtaɪm/

A *n* heure *f* du déjeuner

B *modif* [*news, edition*] de midi; [*speech, concert*] qui a lieu pendant l'heure du déjeuner

lung /lʌŋ/

A *n* poumon *m*; **to have a good pair of ~s** hum avoir de la voix *or* du poumon

B *modif* [*disease*] pulmonaire; [*transplant*] du poumon

lung cancer *n* cancer *m* du poumon

lunge /lʌndʒ/

A *n* **1** (movement) brusque mouvement *m* vers l'avant; **he made a desperate ~ for the ball** il fit un bond désespéré vers la balle; **she made a ~ for him with her fist** elle a fait un mouvement en avant pour lui donner un coup de poing; **2** (fencing) botte *f*; **3** Equit longe *f*

B *vtr* faire tourner [qch] à la longe [*horse*]

C *vi* **1** gen bondir (**for** sur; **at, towards** GB vers; **forward** en avant); **2** (in fencing) porter *or* pousser une botte (**at** à)

lung: **~-power** *n* puissance *f* vocale; **~ specialist** *n* pneumologue *mf*

lunk○ /lʌŋk/ *n* (*also* **lunkhead**○ /'lʌŋkhed/ US) balourd/-e *m/f*

lunula /'lu:njʊlə, US 'lu:nʊlə/ *n* lunule *f*

lupin /'lu:pɪn/ *n* lupin *m*

lurch /lɜ:tʃ/

A *n* **1** lit (of vehicle) embardée *f*; **to give a ~** faire une embardée; **2** fig écart *m*

B *vi* **1** lit [*person, vehicle*] tanguer; **to ~ forward** *ou* **along** s'avancer en tanguant; **to ~ to a halt** faire une embardée et s'arrêter; **2** fig **to ~ to the left/right** Pol faire un écart sur la gauche/droite; **to ~ between** balancer entre; **to ~ back to sth** retourner vers qch

(Idiom) **to leave sb in the ~** laisser qn dans une situation difficile

lurcher /'lɜ:tʃə(r)/ *n* GB chien *m* de chasse (*croisé entre un collie et un lévrier*)

lure /lʊə(r)/

A *n* **1** (attraction) attrait *m* (**of** de); **2** Hunt, Fishg leurre *m*

B *vtr* attirer (**with** avec); **to ~ sb into a trap/a car** attirer qn dans un piège/une voiture; **to ~ sb into doing sth** amener qn à faire qch par la ruse; **they ~d him out of his house** ils ont réussi à le faire sortir de chez lui par la ruse; **to ~ sb away from her studies** détourner qn de ses études

lurex® /'lʊəreks/

A *n* lurex® *m*

B *modif* [*dress, etc*] en lurex®

lurgy○ /'lɜ:gɪ/ *n* GB **to have the dreaded ~** avoir attrapé le microbe à son tour○

lurid /'lʊərɪd/ *adj* **1** [*colour*] criard; [*sky*] sanglant; **2** [*description, detail, past*] épouvantable

lurk /lɜ:k/

A *vi* **1** (be present) [*person*] être tapi; [*danger, fear, suspicion*] menacer; **2** (in a chatroom) observer passivement

B **lurking** *pres p adj* [*doubt, fear, suspicion*] persistant

lurker /'lɜ:kə(r)/ *n* (in a chatroom) observateur passif/observatrice passive *m/f*

luscious /'lʌʃəs/ *adj* [*food*] succulent; [*woman*]○ pulpeux/-euse

lush /lʌʃ/

A ◑*n* poivrot/-ote○ *m/f*

B *adj* [*grass*] gras/grasse; [*vegetation*] luxuriant; [*hotel, surroundings*] luxueux/-euse

lust /lʌst/

A *n* gen désir *m* (**for** de); (deadly sin) luxure *f*; **the ~ for power** la soif du pouvoir

B *vi* **to ~ for** *ou* **after sb/sth** convoiter qn/qch

luster *n* US = **lustre**

lustful /'lʌstfl/ *adj* concupiscent

lustfully /'lʌstfəlɪ/ *adv* avec concupiscence

lustily /'lʌstɪlɪ/ *adv* avec vigueur

lustre GB, **luster** US /'lʌstə(r)/ *n* éclat *m*

lustreless GB, **lusterless** US /'lʌstəlɪs/ *adj* sans éclat

lustreware GB, **lusterware** US /'lʌstəweə(r)/ *n* poterie *f* à reflet métallique

lustrous /'lʌstrəs/ *adj* littér brillant

lusty /'lʌstɪ/ *adj* vigoureux/-euse

lute /lu:t/ ▸ **p. 1462** *n* luth *m*

lutenist /'lu:tənɪst/ ▸ **p. 1683, p. 1462** *n* luthiste *mf*

Lutheran /ˈluːθərən/
A *n* Luthérien/-ienne *m/f*
B *adj* luthérien

Lutheranism /ˈluːθərənɪzəm/ *n* luthéranisme *m*

luv○ /lʌv, lʊv/ *n* GB mon petit monsieur○/ma petite dame○ *m/f*

luvvy○ /ˈlʌvɪ/ *n* GB acteur prétentieux/actrice prétentieuse *m/f*

Luxembourg /ˈlʌksəmbɜːg/ ▸ **p. 1096** *pr n* Luxembourg *m*; **the Grand Duchy of ~** le grand-duché de Luxembourg

luxuriance /lʌgˈzjʊərɪəns/ *n* luxuriance *f*

luxuriant /lʌgˈzjʊərɪənt/ *adj* luxuriant

luxuriate /lʌgˈzjʊərɪeɪt/ *vi* **to ~ in** s'abandonner avec délices à [*warmth, bath*]; savourer [*freedom, attention*]

luxurious /lʌgˈzjʊərɪəs/ *adj* [*apartment, lifestyle*] de luxe (*never after v*); [*heat, bath*] voluptueux/-euse; **his apartment is ~** son appartement est luxueux

luxuriously /lʌgˈzjʊərɪəslɪ/ *adv* [*furnish, decorate*] luxueusement; [*live*] dans le luxe; [*yawn, stretch*] voluptueusement

luxuriousness /lʌgˈzjʊərɪəsnɪs/ *n* luxe *m*

luxury /ˈlʌkʃərɪ/
A *n* (all contexts) luxe *m*; **to have/enjoy the ~ of doing** avoir/se payer le luxe de faire; **a life of ~** une vie de luxe; **in (the lap of) ~** dans le luxe
B *modif* [*product, holiday, accommodation*] de luxe; **~ goods** produits de luxe

LV *n* GB *abrév* ▸ **luncheon voucher**

LW *n* Radio (*abrév* = **long wave**) GO *fpl*

lycanthropy /laɪˈkænθrəpɪ/ *n* lycanthropie *f*

lyceum /laɪˈsɪəm/ *n* **1** (building) salle *f* publique; **2** US (organization) organisme *m* culturel

lychee /ˈlaɪtʃiː, ˌlaɪˈtʃiː/ *n* litchi *m*

lychgate /ˈlɪtʃgeɪt/ *n* porche *m* d'entrée du cimetière

Lycra® /ˈlaɪkrə/ *n* Lycra® *m*

lye /laɪ/ *n* Chem lessive *f*

lying /ˈlaɪɪŋ/ *n* ¢ mensonges *mpl*

lying-in† *n* accouchement *m*

lymph /lɪmf/ *n* lymphe *f*

lymphangitis /ˌlɪmfænˈdʒaɪtɪs/ *n* Med lymphangite *f*

lymphatic /lɪmˈfætɪk/ *adj* Anat, fig lymphatique

lymphatic drainage (massage) *n* drainage *m* lymphatique; **to give sb ~** faire un drainage lymphatique à qn

lymph node *n* ganglion *m* lymphatique

lymphocyte /ˈlɪmfəsaɪt/ *n* lymphocyte *m*

lymphocytosis /ˌlɪmfəʊsaɪˈtəʊsɪs/ *n* Med lymphocytose *f*

lymphography /lɪmˈfɒgrəfɪ/ *n* Med lymphographie *f*

lymphoid /ˈlɪmfɔɪd/ *adj* lymphoïde

lymphosarcoma /ˌlɪmfəʊsɑːˈkəʊmə/ *n* (*pl* **-mata**) lymphosarcome *m*

lynch /lɪntʃ/ *vtr* lyncher

lynching /ˈlɪntʃɪŋ/ *n* lynchage *m*

lynch: **~ law** *n* loi *f* de Lynch; **~ mob** *n* lyncheurs *mpl*

lynx /lɪŋks/ *n* (*pl* **-xes**) lynx *m*

lynx-eyed /ˈlɪŋksaɪd/ *adj* [*person*] aux yeux de lynx; **to be ~** avoir des yeux de lynx

Lyons /ˈliːɔːŋ/ ▸ **p. 1815** *pr n* Lyon

lyophilize /laɪˈɒfɪlaɪz/ *vtr* lyophiliser

lyre /ˈlaɪə(r)/ ▸ **p. 1462** *n* lyre *f*

lyrebird /ˈlaɪəbɜːd/ *n* oiseau-lyre *m*

lyric /ˈlɪrɪk/
A *n* Literat poème *m* lyrique
B **lyrics** *npl* (of song) paroles *fpl* (*d'une chanson*)
C *adj* Mus, Literat lyrique

lyrical /ˈlɪrɪkl/ *adj* (all contexts) lyrique; **to wax ~ (about** *ou* **over sth)** disserter avec lyrisme (sur qch)

lyrically /ˈlɪrɪklɪ/ *adv* avec lyrisme

lyricism /ˈlɪrɪsɪzəm/ *n* (all contexts) lyrisme *m*

lyricist /ˈlɪrɪsɪst/ ▸ **p. 1683** *n* parolier/-ière *m/f*

lyric-writer ▸ **p. 1683** *n* parolier/-ière *m/f*

m, **M** /em/ *n* [1] (letter) m, M *m*; [2] **m** (*abrév écrite* = **metre(s)** GB, **meter(s)** US) m; [3] **M** (*abrév* = **motorway**) autoroute *f*; **on the M3** sur l'autoroute M3; [4] **m** *abrév écrite* = **mile(s)**; [5] **m** *abrév écrite* = **million**

ma○ /mɑː/ *n* maman *f*

MA *n* [1] (*abrév* = **Master of Arts**) ≈ maîtrise *f* de lettres; [2] US Post *abrév écrite* = **Massachusetts**

ma'am /mæm, mɑːm/ *abrév* ▸ **madam 1**

mac○ /mæk/ *n* GB (*abrév* = **mackintosh**) imper○ *m*

Mac® /mæk/ *n* Comput Mac® *m*; **on a ~** sous Mac

macabre /mə'kɑːbrə/ *adj* macabre

macadam /mə'kædəm/ *n* macadam *m*

macaroni /ˌmækə'rəʊnɪ/ *n* ¢ macaronis *mpl*

macaronic /ˌmækə'rɒnɪk/ *adj* macaronique

macaroni cheese *n* gratin *m* de macaronis

macaroon /ˌmækə'ruːn/ *n* macaron *m*

macaw /mə'kɔː/ *n* ara macao *m*

mace /meɪs/ *n* [1] (spice) macis *m*; [2] (ceremonial staff) masse *f*; [3] (weapon) masse *f* d'armes

Mace® /meɪs/
A *n* gaz *m* lacrymogène
B *vtr* (*also* **mace**) lancer du gaz lacrymogène sur [*crowd*]

Macedonia /ˌmæsɪ'dəʊnɪə/ *pr n* Macédoine *f*

Macedonian /ˌmæsɪ'dəʊnɪən/
A *n* Macédonien/-ienne *m/f*
B *adj* macédonien/-ienne

macerate /'mæsəreɪt/
A *vtr* faire macérer
B *vi* macérer

Mach /mɑːk, mæk/ *pr n* Mach; **~ one/two** Mach un/deux

macher◑ /mɑːxə(r)/ *n* US huile○ *f*, grosse légume◑ *f*

machete /mə'tʃetɪ, US mə'ʃetɪ/ *n* machette *f*

Machiavelli /ˌmækɪə'velɪ/ *pr n* Machiavel

Machiavellian /ˌmækɪə'velɪən/ *adj* machiavélique

machination /ˌmækɪ'neɪʃn/ *n* machination *f*

machine /mə'ʃiːn/
A *n* [1] (piece of equipment) machine *f* (**for doing** à faire); **sewing/washing ~** machine à coudre/à laver; **to operate a ~** faire fonctionner une machine; **by ~** à la machine; [2] fig (apparatus) machine *f*; **publicity/electoral ~** la machine publicitaire/électorale; **the Conservative Party ~** la machine administrative du parti conservateur
B *vtr* Ind usiner

machine: **~ age** *n* ère *f* de la machine; **~-assisted translation**, **MAT** *n* traduction *f* assistée par ordinateur, TAO *f*; **~ code** *n* Comput code *m* machine

machine gun
A *n* mitrailleuse *f*
B **machine-gun** *vtr* (*p prés etc* **-nn-**) mitrailler

machine: **~ intelligence** *n* intelligence *f* artificielle; **~ language** *n* Comput langage *m* machine; **~-made** *adj* fait à la machine; **~ operator** *n* Ind opérateur/-trice *m/f*

machine-readable /məˌʃiːn'riːdəbl/ *adj* Comput [*data, text*] directement exploitable; [*passport*] vérifiable par ordinateur; **in ~ form** directement exploitable

machinery /mə'ʃiːnərɪ/ *n* ¢ [1] (equipment) machines *fpl*; (working parts) mécanisme *m*, rouages *mpl*; (operating lift etc) machinerie *f*; **a piece of ~** une machine; **heavy ~** machines *fpl* lourdes; **the ~ of justice** fig les rouages de la justice; [2] fig (apparatus) dispositifs *mpl*; **the ~ to deal with pollution** les dispositifs de lutte contre la pollution; **the ~ to settle industrial disputes** le système mis en place pour régler les conflits sociaux

machine shop *n* atelier *m* d'usinage

machine stitch
A *n* point *m* (de piqûre) à la machine
B **machine-stitch** *vtr* piquer à la machine

machine: **~ tool** *n* machine-outil *f*; **~ tool operator** ▸ p. 1683 *n* opérateur/-trice *m/f* (de machine-outil); **~ translation**, **MT** *n* traduction *f* automatique; **~-washable** *adj* lavable en machine

machinist /mə'ʃiːnɪst/ ▸ p. 1683 *n* opérateur/-trice *m/f*

machismo /mə'tʃɪzməʊ, -'kɪzməʊ/ *n* machisme *m*

Mach number *n* nombre *m* de Mach

macho /'mætʃəʊ/ *adj* pej macho; (manly) viril; **a real ~ man** péj un vrai macho

mackerel /'mækrəl/ *n* maquereau *m*

mackerel sky *n* ciel *m* moutonné

mackintosh, **macintosh** /'mækɪntɒʃ/ *n* imperméable *m*

macramé /mə'krɑːmɪ/
A *n* macramé *m*
B *modif* [*belt, wall hanging, work*] en macramé

macro /'mækrəʊ/
A *n* Comput macro *f*
B **macro+** (*dans composés*) macro-

macrobiotic /ˌmækrəʊbaɪ'ɒtɪk/ *adj* macrobiotique

macrobiotics /ˌmækrəʊbaɪ'ɒtɪks/ *n* (+ *v sg*) macrobiotique *f*

macrocosm /'mækrəʊkɒzəm/ *n* macrocosme *m*

macroeconomic /ˌmækrəʊiːkə'nɒmɪk, -ekə-/ *adj* macroéconomique

macroeconomics /ˌmækrəʊiːkə'nɒmɪks, -ekə-/ *n* (+ *v sg*) macroéconomie *f*

macrolinguistics /ˌmækrəʊlɪŋ'gwɪstɪks/ *n* (+ *v sg*) macrolinguistique *f*

macron /'mækrɒn/ *n* trait *m* supérieur

macrophage /'mækrəʊfeɪdʒ/ *n* macrophage *m*

macrophotography /ˌmækrəʊfə'tɒgrəfɪ/ *n* macrophotographie *f*

macroscopic /ˌmækrəʊ'skɒpɪk/ *adj* macroscopique

macula /'mækjʊlə/ *n* Anat macula *f*

mad /mæd/ *adj* [1] (insane) [*person*] fou/folle; (enraged) [*dog, bull*] enragé; **to be ~ with** être fou de [*grief, pain, joy*]; **you must be ~!** tu es (complètement) fou!; **to go ~** (insane) devenir fou/folle; **it's nationalism gone ~** fig c'est du nationalisme poussé à l'extrême; **are you/is he ~?** tu es/il est fou *or* malade?; **of course not, do you think I'm ~?** mais non, tu me prends pour un fou?; [2] (foolish) [*idea, hope, feeling, scheme*] insensé; **it is ~ to do** *ou* **doing** c'est fou *or* de la folie de faire; **he is/they are ~ to do** c'est de la folie de sa/leur part de faire; **you'd be ~ to give up your job** ce serait fou de démissionner; **I'm ~ even to think of it** je suis fou d'en avoir eu l'idée; **to go ~**○ (spend money) faire des folies; [3] (angry) [*person*] (*jamais épith*) très en colère, furieux/-ieuse; **to be ~ at** *ou* **with sb** être très en colère contre qn; **to get ~ at** *ou* **with sb** se mettre en colère contre qn; **they are ~ at us for coming back late** ils sont furieux que nous soyons rentrés tard *or* parce que nous sommes rentrés tard; **to be ~ about sth** être en colère à cause de qch; **to be ~ (that)...** être furieux que... (+ *subj*); **she'd be ~ if she knew** elle serait furieuse si elle l'apprenait; **to go ~**○ être fou de rage; **to make sb ~** exaspérer qn; **it makes me ~ to think of it!** ça me rend furieux d'y penser!; **to drive sb ~** rendre qn fou (de rage); [4] ○(enthusiastic) **~ about** *ou* **on** fou de [*person, hobby, sport, music*]; **I'm not ~ about the idea** l'idée ne m'emballe○ pas tellement; **he's not ~ about the teacher/about fish** il n'aime pas beaucoup le professeur/le poisson; **to be horse-/football-/movie-~** être un passionné *or* un mordu○ des chevaux/de football/de cinéma; **she's money-~!** elle adore l'argent!; [5] (frantic) [*dash, panic, race, traffic*] infernal; **to be ~ for** être fou de [*film, popstar*]; réclamer [*food, blood, goods*]; **to be in a ~ rush** être très pressé; **it was a ~ scramble to finish on time** ça a été la panique○ pour finir en temps voulu; **we made a ~ dash for the bus** on a couru comme des fous pour attraper le bus
(Idiom) **to work/laugh/run like ~** travailler/rire/courir comme un fou/une folle

MAD *n* (*abrév* = **mutual assured destruction**) destruction *f* mutuelle assurée

Madagascar /ˌmædə'gæskə/ ▸ p. 1096 *pr n* Madagascar *m*

madam /'mædəm/ [1] (*also* **Madam**) (form of address) madame *f*; (in titles) Madame *f*; **Madam Chairman** Madame la Présidente; **Dear Madam** Madame; [2] ○GB (young woman) (stuck up) pimbêche○ *f*; (cheeky) insolente *f*; [3] (in brothel) mère *f* maquerelle

madcap /'mædkæp/
A *n* écervelé/-e *m/f*
B *adj* (*épith*) [*person, scheme, idea*] insensé

mad cow disease *n* maladie *f* de la vache folle

madden /'mædn/ *vtr* [*attitude, nuisance, situation*] exaspérer [*person*]; [*pain, heat, insects*] rendre [qn] fou [*person*]; **it ~s me to do/that** ça m'exaspère de faire/que (+ *subj*)

maddening /'mædnɪŋ/ *adj* [*person, characteristic*] énervant; [*delay, noise, situation, behaviour*] exaspérant; **it's ~** to c'est exaspérant de

maddeningly /'mædnɪŋlɪ/ *adv* **~ slow/inefficient/precise** d'une lenteur/inefficacité/précision exaspérante; **a**

~ **superior tone** un ton supérieur énervant; **he's always ~ late** c'est exaspérant, il est toujours en retard

made /meɪd/
A pret, pp ▸ **make**
B adj **to be ~** avoir réussi; **he's a ~ man** c'est un homme qui a réussi
C **-made** (*dans composés*) **foreign-/Italian-~** fabriqué à l'étranger/en Italie
(Idiom) **he's got it ~**○ (sure to succeed) sa réussite est assurée; (has succeeded) il n'a plus à s'en faire

Madeira /mə'dɪərə/ ▸ **p. 1355** *pr n* **1** Geog Madère *f*; **2** (wine) madère *m*

Madeira cake *n* GB Culin ≈ quatre-quarts *m*

made: **~-to-measure** *adj* [*garment*] sur mesure; **~-to-order** *adj* [*garment, dish*] sur commande

made-up /ˌmeɪd'ʌp/ *adj* **1** (wearing make-up) maquillé; **heavily ~** très maquillé; **2** (invented) [*story*] fabriqué; **3** [*road*] goudronné; **4** [*garment*] de prêt-à-porter; **5** ○GB (delighted) très content

madhouse○ /'mædhaʊs/ *n* **1** †(asylum) asile *m* de fous†; **2** (uproar) maison *f* de fous

Madison Avenue /ˌmædɪsn 'ævɪnjuː, US -nuː/ *pr n*: *avenue de New York célèbre pour ses agences de publicité et de relations publiques*

madly /'mædlɪ/ *adv* **1** (frantically) [*scribble, gesticulate, rush around*] frénétiquement; **2** (extremely) [*amusing, exciting, extravagant, jealous*] follement; **~ in love (with sb)** follement *or* éperdument amoureux (de qn)

madman○ /'mædmən/ *n* fou○ *m*, malade○ *m*

madness /'mædnɪs/ *n* lit, fig folie *f*; **it is/it would be ~ to do** c'est/ce serait de la folie de faire; **it is ~ for him to ignore the warning** il est fou de ne pas tenir compte de cet avertissement
(Idioms) **there is method in his ~** il y a de la cohérence jusque dans sa folie; **that way ~ lies** littér c'est la voie ouverte à l'aberration

Madonna /mə'dɒnə/ *n* Madone *f*

madras /mə'dræs/
A *n* **1** (fabric) madras *m*; **2** GB Culin curry *m* (*très épicé*)
B *modif* [*shirt, scarf*] en madras

madrasa® /mə'dræsə/ *n* Relig medersa *f*, madrasa *f*

Madrid /mə'drɪd/ ▸ **p. 1815** *pr n* Madrid

madrigal /'mædrɪgl/ *n* madrigal *m*

madwoman○ /'mædwʊmən/ *n* folle○ *f*, malade○ *f*

maelstrom /'meɪlstrəm/ *n* lit, fig maelström *m*

maestro /'maɪstrəʊ/ *n* maestro *m*

mae west†, **Mae West**† /ˌmeɪ 'west/ *n* gilet *m* de sauvetage (gonflable)

MAFF *n* GB (*abrév* = **Ministry of Agriculture, Fisheries and Food**) ministère *m* de l'Agriculture, de la Pêche et de l'Alimentation

mafia, **Mafia** /'mæfɪə, US 'mɑː-/
A *n* **the ~** la Mafia; fig la mafia *f*
B *modif* [*activity, gangster, killing*] de la Mafia

mafioso /ˌmæfɪ'əʊsəʊ/ *n* (*pl* **-si** *ou* **-sos**) mafioso *m*

mag○ /mæg/ *n*: *abrév* ▸ **magazine 1**

magazine /ˌmægə'ziːn/ *n* **1** Journ revue *f*; (mainly photos) magazine *m*; **computer/glossy ~** revue d'informatique/de luxe; **monthly ~** revue mensuelle; **fashion/photography ~** magazine de mode/de photographie; **women's ~** journal *m* féminin; **2** (on radio, TV) magazine *m*; **3** (of gun, camera) magasin *m*; **4** (arms store) arsenal *m* d'artillerie

magenta /mə'dʒentə/ ▸ **p. 1067**
A *n* magenta *m*
B *adj* magenta *inv*

Maggiore /ˌmædʒɪ'ɔːrɪ/ ▸ **p. 1376** *pr n* **Lake ~** le Lac Majeur

maggot /'mægət/ *n* (in fruit) ver *m*; (for fishing) asticot *m*

maggoty /'mægətɪ/ *adj* [*cheese, meat*] plein de vers; [*fruit*] véreux/-euse

Maghreb /'mʌgrəb/ *pr n* **the ~** le Maghreb

Maghrebi /'mʌgrəbɪ/
A *n* Maghrébin/-e *m/f*
B *adj* maghrébin

Magi /'meɪdʒaɪ/ *npl* **the ~** les Rois *mpl* mages

magic /'mædʒɪk/
A *n* **1** (supernatural power) magie *f*; **to believe in ~** croire à la magie; **as if by ~** comme par enchantement; **to practise ~** pratiquer la magie; **it works like ~!** c'est miraculeux!; **to work ~** faire des miracles; **black/white ~** magie *f* noire/blanche; **to do sth by ~** faire qch par magie; **2** (enchantment) magie *f* (**of** de); **the room had lost some of its ~** la pièce avait perdu un peu de sa magie
B *adj* magique; **it's ~!** c'est formidable!; **the Magic Flute** la Flûte enchantée

magical /'mædʒɪkl/ *adj* **1** (supernatural) [*properties, powers, transformation*] magique; **2** (enchanting) [*moment*] magique; [*week, stay*] merveilleux/-euse; **the landscape has a ~ quality** c'est un paysage enchanteur

magically /'mædʒɪklɪ/ *adv* [*disappear, transform*] lit par magie; fig comme par magie *or* enchantement

magical realism *n* Literat réalisme *m* magique

magic: **~ carpet** *n* tapis *m* volant; **~ circle** *n* cercle *m* magique

magician /mə'dʒɪʃn/ *n* (wizard) magicien *m*; (entertainer) illusionniste *m*

magic: **~ lantern** *n* lanterne *f* magique; **Magic Marker®** *n* marqueur *m*; **~ potion** *n* potion *f* magique; **~ spell** *n* formule *f* magique; **~ square** *n* carré *m* magique; **~ wand** *n* baguette *f* magique

magisterial /ˌmædʒɪ'stɪərɪəl/ *adj* **1** (authoritative) magistral; **2** Jur [*office, duties*] de magistrat

magistracy /'mædʒɪstrəsɪ/ *n* (all contexts) magistrature *f* (*nonprofessionnelle*)

magistrate /'mædʒɪstreɪt/ ▸ **p. 1683** *n* magistrat *m* (*nonprofessionnel*); **to appear before (the) ~s** comparaître devant les magistrats

magistrates' court, **Magistrates' Court** *n* ≈ tribunal *m* de police

magma /'mægmə/ *n* magma *m*

Magna Carta /ˌmægnə 'kɑːtə/ *n* **the ~** la Grande Charte

magna cum laude /ˌmægnə kʊm 'laʊdeɪ/ *adv* US Univ **to graduate ~** obtenir son diplôme avec mention très bien

magnanimity /ˌmægnə'nɪmətɪ/ *n* magnanimité *f*

magnanimous /mæg'nænɪməs/ *adj* magnanime; **that's very ~ of you!** iron c'est trop généreux de ta part iron

magnanimously /mæg'nænɪməslɪ/ *adv* avec magnanimité

magnate /'mægneɪt/ *n* magnat *m*; **oil ~** magnat du pétrole; **property ~** grand propriétaire; **shipping ~** armateur *m*

magnesia /mæg'niːʃə/ *n* magnésie *f*

magnesium /mæg'niːzɪəm/ *n* magnésium *m*

magnet /'mægnɪt/ *n* **1** lit aimant *m*; **2** fig pôle *m* d'attraction (**for** pour)

magnetic /mæg'netɪk/ *adj* **1** [*block, rod*] aimanté; [*force, properties*] magnétique; **2** [*appeal, smile*] irrésistible

magnetically /mæg'netɪklɪ/ *adv* **1** lit par magnétisme; **2** fig irrésistiblement

magnetic: **~ compass** *n* boussole *f*; **~ disk** *n* disque *m* magnétique; **~ field** *n* champ *m* magnétique; **~ north** *n* nord *m* magnétique; **~ resonance** *n* résonance *f* magnétique; **~ storm** *n* orage *m* magnétique; **~ tape** *n* bande *f* magnétique

magnetism /'mægnɪtɪzəm/ *n* lit, fig magnétisme *m*; **animal/personal/sexual ~** magnétisme animal/personnel/sexuel

magnetize /'mægnɪtaɪz/ *vtr* **1** lit aimanter; **2** fig magnétiser

magneto /mæg'niːtəʊ/ *n* magnéto *f*

magnetron /'mægnɪtrɒn/ *n* magnétron *m*

magnet school *n* US *école pilote offrant un programme spécialisé*

> **Magnet schools**
>
> Dans l'enseignement primaire et secondaire aux États-Unis, écoles pilotes qui travaillent notamment à la déségrégation des écoles publiques en rassemblant des enfants de divers milieux ethniques et sociaux. Elles proposent un programme novateur organisé autour de thèmes spécifiques (*Mathematics and Science, Advanced Computer Studies, Environmental Studies*, etc).

Magnificat /mæg'nɪfɪkæt/ *n* **the ~** le Magnificat

magnification /ˌmægnɪfɪ'keɪʃn/ *n* (all contexts) grossissement *m*; **under ~** au microscope

magnificence /mæg'nɪfɪsns/ *n* (of parade, clothes, building) magnificence *f*; (of landscape, natural feature) splendeur *f*

magnificent /mæg'nɪfɪsnt/ *adj* magnifique

magnificently /mæg'nɪfɪsntlɪ/ *adv* **1** [*play, perform*] magnifiquement; **2** [*dressed, decorated*] superbement

magnify /'mægnɪfaɪ/ *vtr* **1** [*microscope, lens*] grossir; **2** (exaggerate) exagérer

magnifying glass *n* loupe *f*

magnitude /'mægnɪtjuːd, US -tuːd/ *n* **1** (of problem, disaster) ampleur *f*; **of the first ~** de la première importance; **an order of ~** un ordre de grandeur; **2** Astron magnitude *f*

magnolia /mæg'nəʊlɪə/ ▸ **p. 1067**
A *n* **1** Bot (*also* **~ tree**) magnolia *m*; **2** (colour) crème *m*
B *adj* (colour) crème

magnum /'mægnəm/ *n* Wine magnum *m*

magnum opus /ˌmægnəm 'əʊpəs/ *n* œuvre *f* maîtresse

magpie /'mægpaɪ/ *n* **1** Zool pie *f*; **2** fig (person) collectionneur/-euse *m/f* d'objets hétéroclites; **3** US (chatterbox) moulin *m* à paroles

mag tape○ *n*: *abrév* ▸ **magnetic tape**

Magyar /'mægjɑː(r)/ ▸ **p. 1467**, **p. 1378**
A *n* **1** (person) Magyar *mf*; **2** (language) magyar *m*
B *adj* magyar

maharajah /ˌmɑːhə'rɑːdʒə/ *n* maharajah *m*

maharani /ˌmɑːhə'rɑːniː/ *n* maharani *f*

maharishi /ˌmɑːhə'rɪʃɪ/ *n* maharishi *m*

mahatma /mə'hætmə/ *n* mahatma *m*; **Mahatma Gandhi** le mahatma Gandhi

mah-jong(g), /ˌmɑː'dʒɒŋ/ ▸ **p. 1253** *n* mah-jong *m*

mahogany /mə'hɒgənɪ/
A *n* (wood, tree, colour) acajou *m*
B *modif* [*chair, table, chest*] d'acajou, en acajou
C *adj* [*hair, colour*] acajou

Mahomet /mə'hɒmɪt/ *pr n* = **Mohammed**

Mahometan† /mə'hɒmɪtn/
A *n* mahométan/-e† *m/f*
B *adj* mahométan/-e†

mahout /mə'haʊt/ *n* cornac *m*

maid /meɪd/ *n* **1** (in house) bonne *f*; (in hotel) femme *f* de chambre; **~ of all work** bonne à tout faire; **~ of honour** demoiselle *f* d'honneur; **2** ‡(virgin) pucelle† *f*

maiden /'meɪdn/
A *n* **1** littér jeune fille *f*; **2** Turf *cheval qui n'a jamais remporté de course*; **3** (*also* **~ over**) (in cricket) *partie d'un match de cricket pendant*

laquelle aucun point n'est marqué
B *adj* [*flight, voyage*] inaugural
maiden: ~ **aunt**† *n* tante *f* célibataire; ~**hair** *n* (also ~ **fern**) capillaire *m*
maidenhead‡ /ˈmeɪdnhed/ *n* **1** (virginity) innocence† *f* (*d'une jeune fille*); **2** (hymen) hymen *m*
maidenhood‡ /ˈmeɪdnhʊd/ *n* **1** (time) adolescence *f* (*d'une jeune fille*); **2** (state) virginité *f* (*d'une jeune fille*)
maiden: ~ **name** *n* nom *m* de jeune fille; ~ **speech** *n* discours *m* inaugural
maidservant /ˈmeɪdsɜːvənt/ *n* servante *f*
mail /meɪl/
A *n* **1** (postal service) poste *f*; **by** ~ par la poste; **your cheque is in the** ~ votre chèque a été posté; **2** (correspondence) courrier *m*; **3** Mil Hist **a coat/gloves of** ~ une cotte/des gants de mailles; **4** (emails) **to check one's** ~ vérifier sa boîte à lettres électronique; **did you get any** ~? as-tu reçu du courrier électronique *or* des messages électroniques?
B *vtr* envoyer, expédier [*letter, parcel*]; **to** ~ **a letter to sb, to** ~ **sb a letter** envoyer *ou* expédier une lettre à qn
mailbag /ˈmeɪlbæg/ *n* **1** (for transport) sac *m* postal; **2** (of postman) sacoche *f* (du facteur); **3** (correspondence) courrier *m*
mail bomb *n* colis *m* piégé
mailbox /ˈmeɪlbɒks/ *n* surtout US **1** (for posting) boîte *f* aux lettres; **2** (for delivery) boîte *f* à lettres; **3** (for email) boîte *f* à lettres électronique
mail: ~ **car** *n* US wagon-poste *m*; ~ **carrier** *n* US préposé/-e *m/f*
mail coach *n* **1** Rail wagon-poste *m*; **2** Hist Transp malle-poste *f*
mail delivery *n* distribution *f* (du courrier)
mailer /ˈmeɪlə(r)/ *n* US enveloppe *f* d'expédition
mailing /ˈmeɪlɪŋ/ *n* **1** gen (dispatch) envoi *m* (par la poste); **2** Advertg publipostage *m*, mailing *m*
mailing: ~ **address** *n* adresse *f* postale; ~ **house** *n* (company) société *f* de routage; (department of company) service *m* du courrier; ~ **list** *n* Comm fichier-clientèle *m*; Theat liste *f* d'abonnés
mail: ~**man** /ˈmeɪlmən/ ▸ **p. 1683** *n* US (*pl* **-men**) facteur *m*; ~**-merge** *n* Comput fusion *f* avec un fichier d'adresses
mail order /ˈmeɪl ɔːdə(r)/
A *n* commande *f* par correspondance; **to buy/sell (by)** ~ acheter/vendre par correspondance; **available by** ~ disponible sur commande
B *modif* [*business, catalogue, goods, service*] de vente *f* par correspondance
mail room *n* (service *m* du) courrier *m*
mail shot *n* publipostage *m*; **to do a** ~ faire un publipostage
mail: ~ **slot** *n* boîte *f* à lettres; ~ **train** *n* train *m* postal
mail van *n* **1** (in train) wagon-poste *m*; **2** (delivery vehicle) camionnette *f* de la poste
maim /meɪm/
A *vtr* estropier
B maimed *pp adj* [*child, soldier*] mutilé; ~**ed for life** mutilé à vie
main /meɪn/
A *n* **1** (pipe, conduit) (for water, gas, electricity) canalisation *f*; (for sewage) égout *m* (collecteur); **water/gas** ~ canalisation *f* d'eau/de gaz; **2** (network) (also **mains**) (of water, gas, electricity) réseau *m* de distribution; (of sewage) réseau *m* d'évacuation; **gas from the** ~**s** gaz de ville; **electricity from the** ~**s** électricité du secteur; **water from the** ~**s** eau courante; **to turn sth on/off at the** ~**(s)** mettre/couper qch (au compteur); **to work** *ou* **run off the** ~**(s)** fonctionner sur secteur; **3** †littér (sea) large *m*; **on the** ~ au large; **4** ‡= **mainland**
B mains *modif* [*gas*] de ville; [*electricity*] du secteur; [*water*] courant; [*radio, appliance*] sur secteur; [*plug, lead, voltage*] de secteur
C *adj* [*aim, airport, character, concern, problem, building, entrance, meal, clause*] principal; **the** ~ **thing is to...** le principal, c'est de...; **the** ~ **thing to do is...** la chose principale à faire, c'est...; **that's the** ~ **thing!** c'est le principal!
(Idiom) **in the** ~ dans l'ensemble
main bearing *n* Aut palier *m*
main chance *n* grande occasion *f*
(Idiom) **to have an eye for** *ou* **to the** ~ guetter la grande occasion
main: ~ **course** *n* plat *m* principal; ~ **deck** *n* pont *m* supérieur; ~ **drag**○ *n* grand-rue *f*
Maine /meɪn/ ▸ **p. 1737** *pr n* US Maine *m*; **in** ~ dans le Maine
Maine-et-Loire ▸ **p. 1129** *pr n* Maine-et-Loire *m*; **in/to** ~ dans le Maine-et-Loire
mainframe /ˈmeɪnfreɪm/
A *n* (also ~ **computer**, ~ **processor**) ordinateur *m* central
B *modif* [*system, network*] informatiquement centralisé; [*market*] d'informatique centralisée
mainland /ˈmeɪnlənd/
A *n* territoire *m* continental; **from/to/on the** ~ depuis/vers/sur le continent; **the Chinese** ~, **the** ~ **of China** la Chine continentale
B *modif* [*China, Europe, town, government*] continental
mainlander /ˈmeɪnləndə(r)/ *n* continental/-e *m/f*
main line
A /ˌmeɪnˈlaɪn/ *n* Rail grande ligne *f*; **on the** ~ sur la grande ligne (**between** entre; **from** de; **to** à)
B /ˌmeɪnˈlaɪn/ *modif* Rail [*station, terminus, train*] de grande ligne
C ○**mainline** /ˈmeɪnlaɪn/ *vtr* argot des drogués se shooter○ à [*heroin, cocaine*]
D ○**mainline** /ˈmeɪnlaɪn/ *vi* argot des drogués se piquer
mainliner○ /ˈmeɪnlaɪnə(r)/ *n* **1** (of drugs) argot des drogués drogué/-e *m/f* qui se pique, shooté/-e○ *m/f*; **2** (person of high status) personne *f* appartenant à la haute○
mainly /ˈmeɪnlɪ/ *adv* surtout, essentiellement; **I read novels** ~ je lis surtout des romans; **I read** ~ je lis la plupart du temps
main: ~ **man**○ *n* US copain *m*, pote○ *m*; ~**mast** *n* grand mât *m*; ~ **memory** *n* Comput mémoire *f* centrale; ~ **office** *n* (of company, organization, newspaper) siège *m* (social)
main road *n* (through country, region, estate) route *f* principale; (in town) grande rue *f* (**through** qui traverse; **out of** qui sort de; **into** qui entre dans); **off the** ~ en retrait de la grand-route
main: ~**sail** *n* grand-voile *f*; ~ **sheet** *n* Naut écoute *f* (*de la grand-voile*)
mainspring /ˈmeɪnsprɪŋ/ *n* **1** fig (pivotal element) (of action, plot) motif *m* essentiel (**of** de); (of life) raison *f* d'être (**of** de); **2** (of watch) ressort *m* principal
mainstay /ˈmeɪnsteɪ/ *n* **1** fig (major element) (person) pilier *m* (**of** de); (thing) base *f* (**of** de); **2** Naut étai *m* de grand mât
mainstream /ˈmeɪnstriːm/
A *n* (*tjrs sg*) courant *m* dominant (**of** de); **to be in the** ~ être dans le courant dominant
B *adj* **1** (conventional) traditionnel/-elle; **2** (main) principal; **3** Sch [*curriculum, education, school*] classique; **4** Mus ~ **jazz** jazz mainstream
C *vtr* US Sch intégrer dans le cycle scolaire normal
mainstreaming /ˈmeɪnstriːmɪŋ/ *n* US, Sch intégration *f* dans le cycle scolaire normal
main street *n* rue *f* principale
maintain /meɪnˈteɪn/ *vtr* **1** (keep steady) maintenir [*temperature, confidence, control, services, prices, investment, value, speed, standards*]; **2** (support) subvenir aux besoins de [*children, spouse*]; entretenir [*army*]; garder [*lifestyle*]; **the farm can** ~ **a family of 6** la ferme peut faire vivre une famille de 6 personnes; **3** (look after) entretenir [*machine, road*]; **4** (assert) continuer à affirmer [*innocence*]; **to** ~ **that** soutenir que
maintained school *n* GB Sch école *f* publique
maintenance /ˈmeɪntənəns/ *n* **1** (upkeep) (of machine, road, building) entretien *m* (**of** de); **2** (of morale, standards etc) maintien *m* (**of** de); **3** GB Jur (alimony) pension *f* alimentaire; **to pay sb** ~, **to pay** ~ **to sb** verser une pension alimentaire à qn
maintenance: ~ **contract** *n* contrat *m* d'entretien; ~ **crew** *n* équipe *f* d'entretien; ~ **fees** *npl* frais *mpl* d'entretien; ~ **grant** *n* (for student) bourse *f* (d'études); ~ **man** *n* ouvrier *m* chargé de l'entretien; ~ **order** *n* GB ordonnance *f* de versement de pension alimentaire
Mainz /maɪnts/ ▸ **p. 1815** *pr n* Mayence
maisonette /ˌmeɪzəˈnet/ *n* duplex *m*
maître d'hôtel /ˌmetrədəʊˈtel/ *n* **1** (in restaurant) maître *m* d'hôtel; **2** (in household) majordome *m*
maize /meɪz/ *n* maïs *m*
Maj *n*: *abrév écrite* = **Major**
majestic /məˈdʒestɪk/ *adj* majestueux/-euse
majestically /məˈdʒestɪklɪ/ *adv* majestueusement
majesty /ˈmædʒəstɪ/
A *n* **1** (of building, ceremony) majesté *f*; (of scenery) grandeur *f*; **2** (royal authority) majesté *f*
B *n* **Majesty** (in titles) **Her/His** ~ sa Majesté; **yes, Your** ~ oui, Votre Majesté; **Her/His** ~**'s government** le gouvernement britannique
(Idiom) **to be detained at Her/His** ~**'s pleasure** sout être en *or* être envoyé en prison
major /ˈmeɪdʒə(r)/
A *n* **1** Mil commandant *m*; **2 Major** (in titles) **Major Andrews** le commandant Andrews; **3** US Univ (subject) matière *f* principale; (student) **I'm a physics** ~ ma matière principale est la physique; **4** Jur majeur/-e *m/f*; **5** Mus ton *m* majeur
B *adj* **1** (important) [*change, championship, city, client, company, damage, decision, event, user*] important; [*crisis, contribution, difference, difficulty, effect, importance, role, work*] majeur; [*influence, significance*] capital; **a** ~ **operation**, ~ **surgery** Med une grosse opération; **2** (main) principal; **3** Mus majeur; **in a** ~ **key** en majeur; **4** †GB Sch **Jones** ~ Jones aîné
C *vi* US Univ **to** ~ **in** se spécialiser en
Majorca /məˈjɔːkə, məˈdʒɔːkə/ ▸ **p. 1355** *pr n* Majorque *f*; **in** ~ à Majorque
Majorcan /məˈjɔːkən, məˈdʒɔːkən/
A *n* Majorquin/-e *m/f*
B *adj* majorquin
majordomo /ˌmeɪdʒəˈdəʊməʊ/ *n* majordome *m* aussi hum
majorette /ˌmeɪdʒəˈret/ *n* majorette *f*
major-general /ˌmeɪdʒəˈdʒenrəl/ *n* Mil, Mil Naut général *m* de division
majority /məˈdʒɒrətɪ, US -ˈdʒɔːr-/
A *n* **1** (greater part) (+ *v sg ou pl* GB) majorité *f* (**of** de); **the vast** ~ la grande majorité; **an overwhelming** ~ une majorité écrasante; **to be in a** *ou* **the** ~ être en majorité; **the silent** ~ la majorité silencieuse; **2** Pol majorité *f*; **to increase one's** ~ augmenter sa majorité; **by a** ~ **of 50** à une majorité de 50; **a three to one/a two-thirds** ~ une majorité de trois contre un/des deux-tiers; **a working** ~ une majorité suffisante; **3** Jur majorité *f*
B *modif* [*government, rule, shareholder*] majoritaire; [*support, view, opinion*] de la majorité; [*verdict*] rendu à la majorité; [*decision*] pris à la majorité
major premise *n* Philos majeure *f*
make /meɪk/
A *n* (brand) marque *f*; **what** ~ **is your car?** de quelle marque est ta voiture?; **what** ~ **of computer is it?** quelle est la marque de cet ordinateur?

B *vtr* (*prét, pp* **made**) **1** (create) faire [*dress, cake, coffee, stain, hole, will, pact, film, sketch, noise*]; **to ~ the bed** faire le lit; **to ~ a rule** établir une règle; **to ~ the law** faire *or* édicter fml les lois; **to ~ sth from** faire qch avec; **wine is made from grapes** le vin se fait avec du raisin; **to ~ sth for sb, to ~ sb sth** faire qch pour qn; **to be made for sb** être fait pour qn; **to be made for each other** être fait l'un pour l'autre; **to ~ room/the time for sth** trouver de la place/du temps pour qch; **to ~ sth out of** faire qch en; **what is it made (out) of?** en quoi est-ce fait?; **it's made (out) of gold** c'est en or; **to see what sb is made of** voir de quoi est fait qn; **let's see what he's made of** voyons de quoi il est fait; **show them what you're made of!** montre-leur de quel bois tu te chauffes○!; **to be as clever as they ~ them** être malin comme pas un○; **to ~ A into B** faire B à partir de A; **to ~ fruit into jam** faire de la confiture à partir des fruits; **to ~ a house into apartments** transformer une maison en appartements; **made in France/by Macron** fabriqué en France/par Macron; **God made man** Dieu a créé l'homme
2 (cause to be or become, render) se faire [*friends, enemies*]; **to ~ sb happy/jealous/popular** rendre qn heureux/jaloux/populaire; **to ~ sb hungry/thirsty** donner faim/soif à qn; **to ~ oneself available/ill** se rendre disponible/malade; **to ~ oneself heard/understood** se faire entendre/comprendre; **to ~ sth bigger** agrandir qch; **to ~ sth better** améliorer qch; **to ~ sth worse** aggraver qch [*problem, situation*]; **to ~ sb's cold better** soulager le rhume de qn; **to ~ exams easier, to ~ passing exams easier, to ~ it easier to pass exams** faciliter les examens; **to ~ it easy/possible to do** [*person*] faire en sorte qu'il soit facile/possible de faire; **that made it easy for me to leave** cela a facilité mon départ
3 (cause to do) **to ~ sb cry/jump/think** faire pleurer/sursauter/réfléchir qn; **I made her smile** je l'ai fait sourire; **to ~ sb do sth** faire faire qch à qn; **I made her forget her problems/lose patience** je lui ai fait oublier ses problèmes/perdre patience; **it ~s me look fat/old** ça me grossit/vieillit; **it ~s me look ill** ça me donne l'air malade; **to ~ sth do** faire que qch fasse; **to ~ sth happen** faire que qch se produise; **to ~ the story end happily** faire en sorte que l'histoire se termine bien; **to ~ sth work** [*person*] réussir à faire marcher qch [*machine etc*]; **to ~ sth grow/burn** [*person*] réussir à faire pousser/brûler qch; [*chemical, product*] faire pousser/brûler qch; **it ~s your face look rounder** ça fait paraître ton visage plus rond; **it ~s her voice sound funny** cela lui donne une drôle de voix
4 (force, compel) **to ~ sb do** obliger qn à faire; **they made me (do it)** ils m'ont obligé, ils m'ont forcé, ils m'y ont forcé; **to be made to do** être obligé *or* forcé de faire; **he must be made to cooperate** il faut qu'il coopère; **to ~ sb wait/talk** faire attendre/parler qn
5 (turn into) **to ~ sb sth, to ~ sth of sb** faire de qn qch; **it's been made into a film** on en a fait *or* tiré un film; **to ~ sb a star** faire de qn une vedette; **we made him treasurer** on l'a fait trésorier; **we made Tom treasurer** on a choisi Tom comme trésorier; **to be made president for life** être fait président à vie; **to ~ sb one's assistant** faire de qn son adjoint; **to ~ a soldier/a monster of sb** faire de qn un soldat/un monstre; **it'll ~ a man of you** hum ça fera de toi un homme; **he'll never ~ a teacher** il ne fera jamais un bon professeur; **she'll ~ a good politician** elle fera une fine politicienne; **to ~ sb a good husband** être un bon mari pour qn; **to ~ sth sth, to ~ sth of sth** faire de qch qch; **to ~ a habit/a success/ an issue of sth** faire de qch une habitude/une réussite/une affaire; **do you want to ~ something of it?** (threatening) tu veux vraiment qu'on en discute? ; **to ~ too much of sth** faire tout un plat de qch○; **that will ~ a good shelter/a good tablecloth** cela fera un bon abri/une bonne nappe
6 (add up to, amount to) faire; **three and three ~ six** trois et trois font six; **how much does that ~?** ça fait combien?; **that ~s ten altogether** ça fait dix en tout; **that ~s five times he's called** ça fait cinq fois qu'il appelle
7 (earn) gagner [*salary, amount*]; **to ~ £300 a week** gagner 300 livres sterling par semaine; **he ~s more in a week than I ~ in a month** il gagne plus en une semaine que je ne gagne en un mois; **how much** *ou* **what do you think she ~s?** combien crois-tu qu'elle gagne?; **to ~ a living** gagner sa vie; **to ~ a profit** réaliser des bénéfices; **to ~ a loss** subir des pertes
8 (reach, achieve) arriver jusqu'à [*place, position*]; atteindre [*ranking, level*]; faire [*speed, distance*]; **to ~ the camp before dark** arriver au *or* atteindre le camp avant la nuit; **to ~ the six o'clock train** attraper le train de six heures; **we'll never ~ it** nous n'y arriverons jamais; **to ~ the first team** entrer dans la première équipe; **to ~ the charts** entrer au hit-parade; **to ~ the front page of** faire la une○ de [*newspaper*]; **to ~ six spades** (in bridge) faire six piques; **to ~ 295** (in cricket) faire *or* marquer 295
9 (estimate, say) **I ~ it about 30 kilometres** je dirais 30 kilomètres environ; **I ~ the profit £50** les bénéfices doivent s'élever à 50 livres sterling; **I ~ it five o'clock** il est cinq heures à ma montre; **what time do you ~ it?** quelle heure as-tu?; **what do you ~ the distance (to be)?** quelle est la distance à ton avis?; **let's ~ it six o'clock/five dollars** disons six heures/cinq dollars; **can we ~ it a bit later?** peut-on dire un peu plus tard?; **what do you ~ of it?** qu'en dis-tu?; **what does she ~ of him?** qu'est-ce qu'elle pense *or* dit de lui?; **I don't know what to ~ of it** je ne sais quoi en penser; **I can't ~ anything of it** je n'y comprends rien
10 (cause success of) assurer la réussite de [*holiday, day*]; **a good wine can ~ a meal** un bon vin peut assurer la réussite d'un repas; **it really ~s the room** [*feature, colour*] ça rend bien; **that interview made her career as a journalist** cette interview lui a permis de faire carrière dans le journalisme; **it really made my day** ça m'a rendu heureux pour la journée; **'go ahead, ~ my day!'** iron 'allez, vas-y!'; **to ~ or break sb/sth** décider de l'avenir de qn/qch
11 ○(have sex with) se faire◑ [*woman*]
12 sout (eat) prendre [*meal*]
13 Elec fermer [*circuit*]
14 Games (shuffle) battre [*cards*]
15 Games (win) **to ~ a trick** faire une levée

C *vi* (*prét, pp* **made**) **1** (act) **to ~ as if to do** faire comme si on allait faire; **she made as if to kiss him** elle a fait comme si elle allait l'embrasser; **he made like**○ **he was injured** il a fait semblant d'être blessé
2 (move) ▸ **make after, make for, make towards**
3 (shuffle cards) battre

(Idioms) **to be on the ~**○ (for profit) avoir les dents longues; (for sex) être en chasse○; **to ~ it**○ (in career, life) y arriver; (to party, meeting) réussir à venir; (be on time for train etc) y être; (have sex) s'envoyer en l'air○ (**with** avec); **I'm afraid I can't ~ it** malheureusement je ne peux pas y aller; **if they don't ~ it by 10pm** s'ils n'arrivent pas avant 10h

(Phrasal verbs) ■ **make after**: ▸ **~ after [sb]** poursuivre
■ **make at**: ▸ **~ at [sb]** attaquer (**with** avec)
■ **make away with** = **make off**
■ **make do**: ▸ **~ do** faire avec; **to ~ do with** se contenter de qch; ▸ **~ [sth] do** se contenter de
■ **make for**: ▸ **~ for [sth]** **1** (head for) se diriger vers [*door, town, home*]; **2** (help create) permettre, assurer [*easy life, happy marriage*]; ▸ **~ for [sb]** **1** (attack) se jeter sur; **2** (approach) se diriger vers
■ **make good**: ▸ **~ good** réussir; **a poor boy made good** un garçon pauvre qui a réussi; ▸ **~ good [sth]** **1** (make up for) réparer [*damage, omission, loss*]; rattraper [*lost time*]; combler [*deficit, shortfall*]; **2** (keep) tenir [*promise*]
■ **make off** filer○; **to ~ off across the fields/towards the town** s'enfuir à travers les champs/vers la ville; **to ~ off with sth/sb** se tirer○ avec qch/qn
■ **make out**: ▸ **~ out** **1** (manage) s'en tirer○; **how are you making out?** comment ça marche○?; **2** US (grope) se peloter○; **3** (claim) affirmer (**that** que); **he's not as stupid as he ~s out** il n'est pas aussi bête qu'il (le) prétend; ▸ **~ out [sth], ~ [sth] out** **1** (see, distinguish) distinguer [*shape, writing*]; **2** (claim) **to ~ sth out to be** prétendre que qch est; **3** (understand, work out) comprendre [*puzzle, mystery, character*]; **to ~ out if** *or* **whether** comprendre si; **I can't ~ him out** je n'arrive pas à le comprendre; **4** (write out) faire, rédiger [*cheque, will, list*]; **to ~ out a cheque** GB *ou* **check** US **to sb** faire un chèque à qn, signer un chèque à l'ordre de qn; **it is made out to X** il est à l'ordre de X; **who shall I ~ the cheque out to?** à quel ordre dois-je faire le chèque?; **5** (expound) **to ~ out a case for sth** argumenter en faveur de qch; ▸ **~ oneself out to be** prétendre être [*rich, brilliant*]; faire semblant d'être [*stupid, incompetent*]
■ **make over**: ▸ **~ over [sth], ~ [sth] over** **1** (transform) transformer [*building, appearance*] (**into** en); **2** (transfer) céder [*property*] (**to** à)
■ **make towards**: ▸ **~ towards [sth/sb]** se diriger vers
■ **make up**: ▸ **~ up** **1** (put make-up on) **to ~ oneself up** se maquiller; **2** (after quarrel) se réconcilier (**with** avec); **3** **to ~ up for** (compensate for) rattraper [*lost time, lost sleep, missed meal, delay*]; combler [*financial loss, deficit*]; compenser [*personal loss, bereavement*]; **4** **to ~ up to**○ faire de la lèche à○ [*boss, person*]; ▸ **~ up [sth], ~ [sth] up** **1** (invent) inventer [*excuse, story*]; **you're making it up!** tu inventes!; **to ~ sth up as one goes along** inventer qch au fur et à mesure; **2** (prepare) faire [*parcel, bundle, garment, road surface, bed*]; préparer [*prescription*]; composer [*type*]; **she had the fabric made up into a jacket** elle s'est fait faire une veste avec le tissu; **3** (constitute) faire [*whole, personality, society*]; **to be made up of** être fait *or* composé de; **to ~ up 10% of** constituer 10% de; **4** (compensate for) rattraper [*loss, time*]; combler [*deficit, shortfall*]; **to ~ the total up to £1,000** compléter la somme pour faire 1 000 livres au total; **5** (put make-up on) maquiller [*person, face, eyes*]; **6** (stoke up) alimenter, s'occuper de [*fire*]; **7** **to ~ it up** (make friends) se réconcilier (**with** avec); **I'll ~ it up to you somehow** (when at fault) j'essaierai de me faire pardonner; (when not at fault) je vais trouver quelque chose pour compenser
■ **make with**○: ▸ **~ with [sth]** US (hurry and bring) se dépêcher d'apporter; ▸ **~ it with [sb]** se faire◑

make-believe

A /ˈmeɪkbɪliːv/ *n* fantaisie *f*; **it's pure ~** c'est de la pure fantaisie; **it's only ~** ce n'est qu'une histoire imaginaire; **the land of ~** le pays des contes de fées
B /ˈmeɪkbiliːv/ *modif* [*world, house, friend*] imaginaire
C **make believe** /ˌmeɪkbɪˈliːv/ *vtr* **to ~ that** imaginer que; **to make believe (that) one is a pirate** imaginer que l'on est un pirate, jouer aux pirates

make: **~-do-and-mend** *vi* faire avec, tirer le diable par la queue○; **~fast** *n* point *m* d'amarrage

make-or-break *adj* **it's a ~ situation** ça passe ou ça casse; **a ~ decision** une décision qui passe ou qui casse

makeover /'meɪkəʊvə(r)/ *n* transformation *f*; **'free ~'** 'démonstration de maquillage'

maker /'meɪkə(r)/
A *n* **1** (manufacturer) (of clothes, wine, food, appliance, tyres) fabricant *m*; (of cars, aircraft) constructeur *m*; **the ~'s label** la marque du fabricant; ▸ **dressmaker, watchmaker etc**; **2** (device) ▸ **coffee maker etc**
B Maker *n* Relig Créateur *m*. ▸ **holidaymaker, troublemaker etc**
(Idiom) **to (go to) meet one's Maker** rendre l'âme

makeshift /'meɪkʃɪft/ *adj* improvisé

make-up /'meɪkʌp/ *n* **1** (cosmetics) maquillage *m*; **to wear ~** se maquiller; **to put on one's ~** se maquiller; **2** (character) caractère *m*; **to be part of sb's ~** faire partie du caractère de qn; **to be in sb's ~** être dans le caractère de qn; **3** (composition) (of whole, committee) composition *f*; **4** TV, Theat, Cin **to work in ~** travailler dans le maquillage; **5** Print mise *f* en page

make-up artist ▸ p. 1683 *n* maquilleur/-euse *m/f*

make-up: **~ bag** *n* trousse *f* de maquillage; **~ base** *n* base *f* de maquillage

make: **~-up girl** ▸ p. 1683 *n* maquilleuse *f*; **~-up man** ▸ p. 1683 *n* maquilleur *m*; **~-up remover** *n* démaquillant *m*

makeweight /'meɪkweɪt/ *n* **1** fig (person) solution *f* de remplacement, bouche-trou○ *m*; **2** lit poids *m* (de balance)

making /'meɪkɪŋ/ *n* **1** (creation, manufacture) (of film, programme) réalisation *f*; (of industrial product) fabrication *f*; (of clothes) confection *f*; (of meal, cake) préparation *f*; **problems of sb's own ~** des problèmes du propre fait de qn; **to see a product in the ~** voir un produit en cours de fabrication; **the film was two years in the ~** le tournage du film a duré deux ans; **a disaster is in the ~** une catastrophe est en train de se produire; **history in the ~** l'Histoire en marche; **2** (of person, personality) **to be the ~ of sb** (past events) être ce qui a fait de qn ce qu'il/elle est; **this contract will be the ~ of her** ce contrat sera le point de départ de sa carrière; **'The ~ of a president'** 'Biographie d'un président'. ▸ **matchmaking, watchmaking etc**
(Idiom) **to have all the ~s of sth** avoir tout pour faire qch

malachite /'mæləkaɪt/ *n* malachite *f*

maladjusted /,mælə'dʒʌstɪd/ *adj* Psych inadapté

maladjustment /,mælə'dʒʌstmənt/ *n* Psych inadaptation *f*

maladministration /,mæləd,mɪnɪ'streɪʃn/ *n* ₵ **1** Admin, Mgmt mauvaise gestion *f*; **2** Jur malversations *fpl*

maladroit /,mælə'drɔɪt/ *adj* sout maladroit

maladroitly /,mælə'drɔɪtlɪ/ *adv* sout maladroitement

maladroitness /,mælə'drɔɪtnɪs/ *n* sout maladresse *f*

malady /'mælədɪ/ *n* littér **1** (illness) maladie *f*; **2** fig mal *m*

Malagasy /,mælə'gæsɪ/ ▸ p. 1467, p. 1378
A *n* (*pl* **-ies**) **1** (native of Madagascar) Malgache *mf*; **2** (language) malgache *m*
B *adj* malgache

malaise /mæ'leɪz/ *n* sout malaise *m*; **a deep-seated ~** un malaise profondément enraciné

malapropism /'mæləprɒpɪzəm/ *n* impropriété *f* de langage

malaria /mə'leərɪə/ ▸ p. 1327 *n* paludisme *m*; **a ~ attack** une crise de paludisme; **anti-~ tablet** cachet *m* antipaludique

malarial /mə'leərɪəl/ *adj* [*fever, symptoms*] paludéen/-éenne; [*mosquito*] du paludisme

malark(e)y○ /mə'lɑːkɪ/ *n* ₵ balivernes *fpl*

Malawi /mə'lɑːwɪ/ ▸ p. 1096 *pr n* Malawi *m*

Malawian /mə'lɑːwɪən/ ▸ p. 1467
A *n* (inhabitant) Malawien/-ienne *m/f*
B *adj* malawien/-ienne

Malay /mə'leɪ/, **Malayan** /mə'leɪən/ ▸ p. 1467, p. 1378
A *n* **1** (inhabitant) Malais/-e *m/f*; **2** (language) malais *m*; **the ~ Peninsula** la péninsule de Malacca
B *adj* malais

Malaya /mə'leɪə/ *pr n* Malaisie *f* occidentale

Malayan /mə'leɪən/ *n, adj* = **Malay**

Malaysia /mə'leɪzɪə/ ▸ p. 1096 *pr n* Malaisie *f*

Malaysian /mə'leɪzɪən/ ▸ p. 1467, p. 1378
A *pr n* (inhabitant) Malaisien/-ienne *m/f*
B *adj* malaisien/-ienne

malcontent /'mælkəntent/
A *n* sout mécontent/-e *m/f*
B *adj* sout mécontent

Maldives /'mɔːldɪvz/ ▸ p. 1355, p. 1096 *pr npl* (*also* **Maldive Islands**) **the ~** les Maldives *fpl*

male /meɪl/
A *n* **1** Biol, Zool mâle *m*; **in the ~** chez le mâle; **the ~s** (of species) le mâle; **2** (man) homme *m*; hum mâle *m*
B *adj* **1** Biol, Zool mâle; **2** (relating to men) [*condition, population, role, sex, trait*] masculin; [*company*] des hommes; **a ~ voice** une voix d'homme; **the ~ body/voice** le corps/la voix de l'homme; **~ singer** chanteur *m*; **~ student** étudiant *m*; **~ employee** employé *m* (homme); **3** Elec mâle

male chauvinism /,meɪl 'ʃəʊvɪnɪzəm/ *n* machisme *m*

male chauvinist /,meɪl 'ʃəʊvɪnɪst/
A *n* phallocrate *m*; **~ pig** sale phallocrate
B *adj* [*attitude, opinion*] macho

malediction /,mælɪ'dɪkʃn/ *n* sout malédiction *f*

male-dominated /,meɪl'dɒmɪneɪtɪd/ *adj* **1** (run by men) [*society, world*] dominé par les hommes; **2** (mainly masculine) [*environment, industry, profession*] où les hommes dominent

malefactor /'mælɪfæktə(r)/ *n* sout malfaiteur *m*

male: **~ menopause** *n* retour *m* d'âge masculin, andropause *f* spec; **~ model** *n* mannequin *m* homme *or* masculin; **~ voice choir** *n* chœur *m* d'hommes

malevolence /mə'levələns/ *n* malveillance *f* (**towards** envers)

malevolent /mə'levələnt/ *adj* malveillant

malevolently /mə'levələntlɪ/ *adv* avec malveillance

malformation /,mælfɔː'meɪʃn/ *n* malformation *f*

malformed /,mæl'fɔːmd/ *adj* [*limb, nose*] difforme; [*heart, kidney, leaf, shoot*] malformé

malfunction /,mæl'fʌŋkʃn/
A *n* **1** (poor operation) mauvais fonctionnement *m*; **2** (breakdown) défaillance *f*; **an equipment/a computer ~** une défaillance technique/de l'ordinateur; **3** Med dysfonctionnement *m*
B *vi* mal fonctionner; **the machine is ~ing** la machine fonctionne mal

Mali /'mɑːlɪ/ ▸ p. 1096 *pr n* Mali *m*

Malian /'mɑːlɪən/ ▸ p. 1467
A *n* (person) Malien/-ienne *m/f*
B *adj* malien/-ienne

malice /'mælɪs/ *n* **1** (spite) méchanceté *f* (**towards** à); **out of ~** par méchanceté; **there's no ~ in him** il n'est pas méchant; **I bear him no ~** je ne lui veux aucun mal; **2** Jur préméditation *f*; **with ~ aforethought** Jur avec préméditation

malicious /mə'lɪʃəs/ *adj* **1** (spiteful) [*comment, person, smile*] malveillant; [*act*] méchant; [*allegation*] calomnieux/-ieuse; **2** Jur **with ~ intent** avec l'intention de nuire

malicious damage *n* ₵ Jur dégâts *mpl* volontaires

maliciously /mə'lɪʃəslɪ/ *adv* **1** (spitefully) [*speak, write*] méchamment; [*act, behave*] avec méchanceté; **2** Jur avec l'intention de nuire

malicious: **~ prosecution** *n* poursuites *fpl* abusives Jur; **~ wounding** *n* ₵ Jur coups *mpl* et blessures *fpl* volontaires

malign /mə'laɪn/
A *adj* [*effect, influence, intention*] nuisible
B *vtr* calomnier [*person, group, organization*]; **much-~ed** tant décrié

malignancy /mə'lɪgnənsɪ/ *n* **1** (desire to harm) malveillance *f*; **2** Med malignité *f*

malignant /mə'lɪgnənt/ *adj* **1** (cruel) [*criticism, look, thought*] malveillant; [*person, power*] malfaisant; [*nature, personality*] cruel/-elle; **2** Med malin/-igne

malinger /mə'lɪŋgə(r)/ *vi* péj jouer les malades

malingerer /mə'lɪŋgərə(r)/ *n* péj tire-au-flanc○ *m inv*

mall /mæl, mɔːl/ *n* **1** (shopping arcade) (in town) galerie *f* marchande; (in suburbs) US centre *m* commercial; **2** US (street) rue *f* piétonne

mallard /'mælɑːd, US 'mælərd/ *n* (*pl* **~** *ou* **~s**) colvert *m*

malleability /,mælɪə'bɪlətɪ/ *n* malléabilité *f*

malleable /'mælɪəbl/ *adj* [*substance, person*] malléable

mallet /'mælɪt/ *n* Sport, Tech maillet *m*

malleus /'mælɪəs/ *n* (*pl* **-llei**) Anat marteau *m*

mallow /'mæləʊ/ *n* Bot mauve *f*

mall people *npl* US péj (suburbanites) banlieusards *mpl*; (unsophisticated) ploucs○ *mpl* pej

malnourished /,mæl'nʌrɪʃt/ *adj* malnourri

malnutrition /,mælnjuː'trɪʃn, US -nuː-/ *n* gen sous-alimentation *f*; Med spec malnutrition *f*

malodorous /,mæl'əʊdərəs/ *adj* sout malodorant

malpractice /,mæl'præktɪs/ *n* ₵ **1** Admin, Jur, Mgmt malversations *fpl*; **administrative ~** malversations *fpl*; **electoral ~** fraude *f* électorale; **professional ~** faute *f* professionnelle; **2** US Med erreur *f* médicale; **~ insurance** assurance *f* contre l'erreur médicale

malt /mɔːlt/
A *n* Culin **1** (grain) malt *m*; **2** (whisky) whisky *m* pur malt; **3** US (drink) lait *m* malté, milk-shake *m*
B *vtr* malter

Malta /'mɔːltə/ ▸ p. 1096, p. 1355 *pr n* Malte *f*

maltase /'mɔːlteɪz/ *n* Biol maltase *f*

malted○ /'mɔːltɪd/ *n* US = **malted milk 2**

malted milk *n* **1** (hot drink) lait *m* malté (*chaud*); **2** US (milk shake) lait *m* malté, milk-shake *m*

Maltese /,mɔːl'tiːz/ ▸ p. 1467, p. 1378
A *n* **1** (inhabitant) Maltais/-e *m/f*; **2** (language) maltais *m*
B *adj* maltais

Maltese: **~ cross** *n* Croix *f* de Malte; **~ fever** *n* fièvre *f* de Malte

malt extract *n* Culin extrait *m* de malt

malthusianism /,mæl'θjuːzɪənɪzəm, US -'θuː-/ *n* malthusianisme *m*

malt liquor /,mɔːlt 'lɪkə(r)/ *n* US *boisson fermentée à partir de moût de bière*

maltreat /,mæl'triːt/ *vtr* maltraiter

maltreatment /,mæl'triːtmənt/ *n* mauvais traitement *m*

malt: **~ vinegar** *n* vinaigre *m* de malt; **~ whisky** *n* whisky *m* pur malt

mam /mæm/ *n* lang enfantin maman *f*

mama *n* **1** /'mamə/ US lang enfantin maman *f*; **2** /mə'mɑː/ ‡ mère *f*

mamma /'mɑːmə/ *n* **1** (mummy) lang enfantin US maman *f*; **2** ○péj (buxom woman) grosse mémère○ *f* pej

mammal /'mæml/ *n* mammifère *m*

mammalian /mə'meɪlɪən/ *adj* [*animal, female*] mammifère; [*habitat, trait*] des mammifères

m

mammary /ˈmæmərɪ/ *adj* mammaire; **~ gland** glande *f* mammaire

mammograph /ˈmæməgrɑːf, US -græf/ *n* mammographie *f*

mammography /mæˈmɒgrəfɪ/ *n* mammographie *f*

Mammon /ˈmæmən/ *pr n* Relig Mammon

(Idiom) **to worship ~** vénérer le Veau d'or

mammoth /ˈmæməθ/
A *n* Zool mammouth *m*
B *adj* [*project, task*] gigantesque; [*organization, structure*] géant

mammy /ˈmæmɪ/ *n* **1** (mummy) lang enfantin maman *f*; **2** †US (servant) nourrice *f* (*noire*)

man /mæn/
A *n* (*pl* **men**) **1** (adult male) homme *m*; **middle-aged/married ~** homme d'âge mûr/marié; **as one ~ to another** entre hommes; **he's not a ~ to do** ce n'est pas le genre d'homme à faire; **a blind ~** un aveugle; **an old ~** un vieillard; **a single ~** un célibataire; **a ladies' ~** un homme à femmes; **a beer/whisky ~** un buveur de bière/de whisky; **a leg/bum ~**○ un amateur de belles jambes/de derrières; **a ~ of God/the people** un homme de Dieu/du peuple; **a ~ of iron** *ou* **steel** un homme de fer; **they've arrested the right ~** on a arrêté le vrai coupable; **he's your ~** c'est l'homme qu'il te faut; **he has worked for the party, ~ and boy** GB il a travaillé pour le parti toute sa vie; **~ of the match** héros *m* du match; **good ~!** (well done) bravo mon gars!; **my good ~!** mon vieux○!; **my little ~**○ mon petit; **2** (husband, partner) homme *m*; **her ~** son homme; **he is the right ~ for her** c'est l'homme qu'il lui fallait; **her young ~**† son fiancé; **~ and wife** mari et femme; **to live as ~ and wife** vivre maritalement; **3** (person) homme *m*; **no ~ could have done more** personne n'aurait pu faire davantage; **as good as the next ~** aussi bien que n'importe qui; **the common ~** l'homme du commun; **primitive Man** l'homme primitif; **4** (person of courage) homme *m*; **be a ~** sois un homme; **to make a ~ of sb** faire un homme de qn; **5** (mankind) (*also* **Man**) humanité *f*; **6** Sport (team member) joueur *m*; **7** Games (piece) (in chess) pièce *f*; (in draughts) pion *m*; **8** † *ou* hum (servant) valet *m*
B **men** *npl* Mil (subordinates) hommes *mpl*; **to address the men** s'adresser aux hommes; **'now men…'** 'soldats…'; **officers and men** Mil officiers et hommes; (in Navy) officiers et matelots
C *excl* **1** ○(expressing surprise) mince, alors○!; **2** (addressing somebody) **hey ~!** eh mec○!
D *vtr* (*p prés etc* **-nn-**) **1** gen tenir [*switchboard, desk*]; **will the telephone be ~ned?** est-ce qu'il y aura quelqu'un pour répondre au téléphone?; **2** Mil armer [qch] en hommes [*ship*]; assigner des hommes à [*barricade, gun*]; **who is ~ning the barricades?** qui est assigné aux barricades?; **to ~ the pumps** mettre des hommes aux pompes
E **manned** *pp adj* Aerosp [*flight, spacecraft, base*] habité; **fully ~ned** (of ship) avec un équipage complet

(Idioms) **every ~ for himself** chacun pour soi; **Man proposes, God disposes** l'homme propose et Dieu dispose; **to a ~** sans exception; **as one ~** comme un seul homme; **to sort out the men from the boys** séparer les hommes des mauviettes○; **he took it like a ~** il a pris ça en homme; **to be ~ enough to do** avoir le courage de faire; **to be a ~'s ~** aimer être entre hommes; **to be one's own ~** être son propre maître; **to be the ~ of the moment** être l'homme du jour

manacle‡ /ˈmænəkl/
A *n* **1** (shackle) chaîne *f*; **2** (handcuff) aussi hum menotte *f*
B *vtr* enchaîner [*convict, slave*]; mettre les menottes à [*criminal, suspect*]

manage /ˈmænɪdʒ/
A *vtr* **1** (succeed) **to ~ to do** réussir à faire, se débrouiller○ pour faire; **she ~d to find a job/finish the article** elle a réussi à trouver un emploi/finir l'article; **how does he ~ to save so much money?** comment réussit-il à faire tant d'économies?; **how did she ~ to spend so much money?** comment s'est-elle débrouillée○ pour dépenser tant d'argent?; **he ~d to offend everybody** iron il a réussi à froisser tout le monde; **I ~d not to dirty my hands** j'ai réussi à ne pas me salir les mains; **2** (find possible) **she ~d a smile** elle a réussi à sourire; **I can ~ a few words in Italian** j'arrive à dire quelques mots en italien; **can you ~ seven o'clock tomorrow?** sept heures demain soir, ça te convient?; **can you ~ lunch on Friday?** est-ce que tu seras libre pour déjeuner vendredi?; **I couldn't ~ another thing!** je n'en peux plus○!; **I'm sure you can ~ another glass of wine** tu prendras bien un autre verre de vin?; **I can't ~ more than £30** je ne peux pas dépasser 30 livres sterling; **3** (administer) diriger, administrer [*project, finances*]; diriger [*company, bank, school*]; gérer [*business, shop, hotel, estate*]; **~d economy** économie *f* dirigée; **4** (organize) gérer [*money, time*]; **5** (handle) savoir s'y prendre avec [*person, animal*]; manier [*tool, boat, oars etc*]; **they ~d the situation very badly** ils s'y sont très mal pris; **he knows how to ~ her** il sait s'y prendre avec elle
B *vi* se débrouiller○; **they have to ~ on £50 a week** ils doivent se débrouiller○ avec 50 livres sterling par semaine; **can you ~?** tu y arrives?; **thank you, I can ~** merci, je peux me débrouiller○

manageable /ˈmænɪdʒəbl/ *adj* [*size, proportions, quantity*] maniable; [*problem, issue*] maîtrisable; [*car*] maniable; [*boat*] facile à manœuvrer; [*person, animal*] docile; **~ hair** cheveux faciles à coiffer; **to keep sth at a ~ level** maintenir qch à un niveau raisonnable

management /ˈmænɪdʒmənt/
A *n* **1** (of business, company, hotel) gestion *f*, management *m*; (of shop, bank, hospital, estate, economy, staff) gestion *f*; **the business failed due to bad ~** l'affaire a fait faillite à cause d'une mauvaise gestion; **her skilful ~ of the situation** sa façon adroite de gérer la situation; **2** (managers collectively) direction *f*; **top ~** la haute direction, les cadres dirigeants; **lower/middle ~** les cadres *mpl* subalternes/moyens; **~ and unions** la direction et les syndicats, les partenaires *mpl* sociaux; **~ and workers** (in industry) la direction et les ouvriers; (in business) la direction et les employés; **'under new ~'** 'changement de direction'; **'the ~ regrets that…'** 'la direction regrette que…'
B *modif* [*career*] dans le management; [*job*] de cadre, de management; [*problem*] de gestion, de management; [*staff*] d'encadrement; **the ~ team** l'équipe dirigeante; **a ~ spokesman** un porte-parole de la direction

management: **~ accounting** *n* comptabilité *f* analytique; **~ buyout, MBO** *n* rachat *m* d'une entreprise par ses cadres; **~ committee** *n* comité *m* de gestion; **~ company** *n* société *f* de gestion; **~ consultancy** *n* cabinet *m* de conseil; **~ consultant** ▸ p. 1683 *n* conseiller *m* en gestion *or* en management; **~ fees** *npl* frais *mpl* de gestion; **~ information system, MIS** *n* système *m* intégré de gestion, SIG *m*; **~ studies** *npl* études *fpl* de gestion

management style *n* mode *f* de gestion du personnel; **I don't like his ~** je n'aime pas sa façon de traiter le personnel

management trainee *n* apprenti manager *m*

manager /ˈmænɪdʒə(r)/ *n* (of business, company, bank, cinema, hotel, theatre) directeur/-trice *m/f*; (of restaurant, pub, shop) gérant/-e *m/f*; (of farm) exploitant/-e *m/f*; (of project) chef *m*, directeur/-trice *m/f*; (in showbusiness) directeur/-trice *m/f* artistique; Sport manager *m*; **school ~** GB membre *m* du conseil d'établissement; **to be a good ~** gen être un/une bon/bonne gestionnaire; (of household) savoir bien gérer le budget domestique

manageress /ˌmænɪdʒəˈres/ *n* (of hotel, restaurant, shop) gérante *f*; (of company) directrice *f*

managerial /ˌmænɪˈdʒɪərɪəl/ *adj* [*experience*] en gestion; [*decision*] de la direction; [*problem*] d'encadrement; [*training*] des cadres; **~ staff** les cadres *mpl*; **~ skills** compétences *fpl* en matière de gestion; **at ~ level** au niveau des cadres

managing: **~ director** *n* directeur général/directrice générale *m/f*; **~ editor** *n* directeur/-trice *m/f* de la rédaction; **~ partner** *n* associé *m* gérant

man-at-arms /ˌmænətˈɑːmz/ *n* Hist homme *m* d'armes

manatee /ˌmænəˈtiː/ *n* lamantin *m*

Man Booker Prize (for Fiction) *pr n* Man Booker Prize *m*

> **Man Booker Prize for Fiction**
>
> Anciennement connu sous le nom de Booker Prize, ce prix littéraire d'une valeur de 50 000 livres sterling, est décerné annuellement par un jury de critiques, d'écrivains et d'universitaires au meilleur roman écrit par un auteur britannique, du Commonwealth ou de la République d'Irlande. L'organisation de ce prix et sa récompense sont financés depuis 2002 par Man Group Plc, un prestataire global de produits d'investissement.

Manche ▸ p. 1129 *pr n* Manche *f*; **in/to the ~** dans la Manche

man child *n* enfant *m* mâle

Manchu /ˌmænˈtʃuː/ ▸ p. 1467, p. 1378
A *n* (*pl* **~, ~s**) Geog, Hist **1** (person) Mandchou/-e *m/f*; **2** (language) mandchou *m*
B *adj* mandchou

Manchuria /ˌmænˈtʃʊərɪə/ *pr n* Mandchourie *f*

Manchurian /ˌmænˈtʃʊərɪən/
A *n* (person) Mandchou/-e *m/f*
B *adj* mandchou

Mancunian /mæŋˈkjuːnɪən/
A *n* (born there) natif/-ive *m/f* de Manchester; (living there) habitant/-e *m/f* de Manchester
B *adj* de Manchester

mandala /ˈmændələ/ *n* mandala *m*

mandarin /ˈmændərɪn/ *n* **1** (fruit) mandarine *f*; (tree) mandarinier *m*; **2** (person) mandarin *m* also pej

mandarin: **Mandarin Chinese** ▸ p. 1378 *n* Ling mandarin *m*; **~ duck** *n* canard *m* mandarin

mandate /ˈmændeɪt/
A *n* **1** (authority) gen autorité *f*; Pol mandat *m*; **to have a ~ to do** Pol avoir reçu mandat de faire; **this gives us a clear ~ to proceed** ceci nous donne toute latitude pour poursuivre; **under British ~** sous mandat britannique; **2** Hist (territory) territoire *m* sous mandat; **3** Fin, Jur (document) procuration *f*, mandat *m*
B *vtr* **1** (authorize) gen autoriser; Pol mandater, donner mandat à; **2** placer [qch] sous mandat [*territory*]

mandatory /ˈmændətərɪ, US -tɔːrɪ/ *adj* obligatoire

man-day *n* (in calculations) homme/jour *m*

mandible /ˈmændɪbl/ *n* (of vertebrate) mâchoire *f* inférieure; (of bird, insect) mandibule *f*

mandolin /ˌmændəˈlɪn/ ▸ p. 1462 *n* mandoline *f*

mandrake /ˈmændreɪk/ *n* mandragore *f*

mandrill /ˈmændrɪl/ *n* mandrill *m*

mane /meɪn/ *n* lit, fig crinière *f*

man-eater /ˈmæniːtə(r)/ *n* **1** (animal) mangeur *m* d'hommes; **2** ○fig hum *ou* péj (woman) mangeuse *f* d'hommes

m

man-eating /ˈmæniːtɪŋ/ *adj* [*animal*] mangeur/-euse d'hommes

maneuver US *n, vtr, vi* = **manoeuvre**

man Friday /ˌmæn ˈfraɪdeɪ/ *n* **1** Literat Vendredi; **2** (general assistant) factotum *m*

manful /ˈmænfl/ *adj* vaillant

manfully /ˈmænfəlɪ/ *adv* vaillamment

manga /ˈmæŋgæ/ *n* manga *f*

manganese /ˈmæŋgəniːz/

A *n* manganèse *m*

B *modif* [*bronze, steel*] au manganèse

mange /meɪndʒ/ *n* gale *f*

mangel-wurzel /ˈmæŋglwɜːzl/ *n* betterave *f* fourragère

manger /ˈmeɪndʒə(r)/ *n* mangeoire *f*

mangetout /ˌmɑːnʒˈtuː/ *n* pois *m* gourmand, mange-tout *m inv*

mangle /ˈmæŋgl/

A *n* essoreuse *f* à rouleaux

B *vtr* mutiler [*body*]; broyer [*vehicle*]; fig massacrer [*translation, piece of music*]; estropier [*message*]

mango /ˈmæŋgəʊ/

A *n* (fruit) mangue *f*; (tree) manguier *m*

B *modif* [*juice*] de mangue; [*grove*] de manguiers; [*chutney*] à la mangue

mangold /ˈmæŋgld/ *n* = **mangel-wurzel**

mangosteen /ˈmæŋgəstiːn/ *n* (fruit) mangouste *f*; (tree) mangoustan *m*, mangoustanier *m*

mangrove /ˈmæŋgrəʊv/ *n* palétuvier *m*, manglier *m*

mangrove swamp *n* mangrove *f*

mangy /ˈmeɪndʒɪ/ *adj* [*animal*] galeux/-euse; fig [*rug, curtains, coat*] élimé; [*room, hotel*] miteux/-euse

manhandle /ˈmænhændl/ *vtr* **1** (treat roughly) malmener, maltraiter; **2** (move by manpower) manutentionner

manhattan /ˌmænˈhætn/ *n* (drink) manhattan *m* (*cocktail à base de whisky et vermouth*)

man: **~hole** *n* (in road) regard *m*, bouche *f* d'égout; (of boiler, tank) regard *m*; **~hole cover** *n* plaque *f* de regard

manhood /ˈmænhʊd/ *n* **1** (adult state) âge *m* d'homme; **2** (masculinity) masculinité *f*; **3** littér (men collectively) hommes *mpl*

man: **~-hour** *n* Ind heure *f* de main-d'œuvre; **~hunt** *n* chasse *f* à l'homme

mania /ˈmeɪnɪə/ *n* Psych manie *f*; fig (obsession) passion *f* (**for** de); **to have a ~ for doing** avoir la manie de faire; **motorcycle ~** la passion des motos

maniac /ˈmeɪnɪæk/

A *n* **1** Psych maniaque *mf*; **2** °fig (reckless person) fou/folle *m/f*; **he's a computer ~** c'est un mordu° d'informatique; **to drive like a ~** conduire comme un fou

B *adj* **1** Psych maniaque; **2** °fig [*driver, behaviour, scheme*] fou/folle

maniacal /məˈnaɪəkl/ *adj* Psych maniaque; fig fou/folle, dément

manic /ˈmænɪk/ *adj* **1** Med, Psych (manic-depressive) maniaco-dépressif/-ive, cyclothymique; (obsessive) obsessionnel/-elle; **2** fig [*activity, behaviour*] frénétique

manic: **~ depression** *n* psychose *f* maniaco-dépressive, cyclothymie *f*; **~ depressive** *n, adj* maniaco-dépressif/-ive (*m/f*); cyclothymique (*mf*)

Manich(a)ean /ˌmænɪˈkiːən/ *n, adj* manichéen/-éenne (*m/f*)

Manich(a)eism /ˌmænɪˈkiːɪzəm/ *n* manichéisme *m*

manicure /ˈmænɪkjʊə(r)/

A *n* manucure *f*; **to give sb a ~** manucurer qn

B *vtr* manucurer [*person*]; **to ~ one's nails** se faire les ongles; **her ~d nails** ses ongles manucurés; **a ~d lawn** hum une pelouse impeccable

manicure: **~ scissors** *n* ciseaux *mpl* à ongles; **~ set** *n* trousse *f* de manucure

manicurist /ˈmænɪkjʊərɪst/ ▸ p. 1683 *n* manucure *mf*

manifest /ˈmænɪfest/

A *n* Naut, Aviat manifeste *m*

B *adj* manifeste, évident

C *vtr* manifester

D *v refl* **to ~ itself** se manifester

manifestation /ˌmænɪfəˈsteɪʃn/ *n* manifestation *f*, signe *m* (**of** de)

Manifest Destiny *n* US Hist destinée *f* manifeste

> **Manifest Destiny**
>
> Expression inventée par le journaliste John O'Sullivan en 1845. Elle exprime le fait que les Américains, fiers de leurs idéaux de liberté et de poursuite du bonheur, ainsi que de l'expérience unique de leur civilisation, estiment que leur devoir moral, leur 'destinée manifeste', est d'en faire bénéficier l'humanité tout entière.

manifestly /ˈmænɪfestlɪ/ *adv* manifestement

manifesto /ˌmænɪˈfestəʊ/ *n* manifeste *m*, programme *m*; **election ~** programme *m* électoral

manifold /ˈmænɪfəʊld/

A *n* Aut collecteur *m*, tubulure *f*; **inlet** *ou* **induction ~** collecteur d'admission; **exhaust ~** collecteur d'échappement

B *adj* littér multiple, nombreux/-euse; **~ wisdom** sagesse *f* infinie

manikin *n* = **mannikin**

Manila /məˈnɪlə/ *pr n* **1** ▸ p. 1815 Geog Manille; **2** (paper) papier *m* kraft

man in the moon *n* visage *m* de la lune

manioc /ˈmænɪɒk/ *n* manioc *m*

manipulate /məˈnɪpjʊleɪt/ *vtr* **1** (handle, control) manipuler, manœuvrer [*gears, tool, machine*]; **2** pej manipuler [*person, situation, opinion, market*]; **she ~d him into accepting the offer** elle l'a manipulé de façon à le persuader d'accepter la proposition; **to ~ sb's emotions** jouer sur les émotions de qn; **3** (falsify) péj falsifier [*figures, facts, data*]; **4** Med (in physiotherapy) manipuler

manipulation /məˌnɪpjʊˈleɪʃn/ *n* **1** (of gears, tool, machine) manipulation *f*, manœuvre *f*; **2** (of person, situation, public opinion) péj manipulation *f*; **3** (of figures, facts) péj falsification *f*; **4** Med manipulation *f*

manipulative /məˈnɪpjʊlətɪv/ *adj* manipulateur/-trice

manipulator /məˈnɪpjʊleɪtə(r)/ *n* manipulateur/-trice *m/f*

Manitoba /ˌmænɪˈtəʊbə/ *pr n* Manitoba *m*

mankind /ˌmænˈkaɪnd/ *n* humanité *f*

manliness /ˈmænlɪnɪs/ *n* virilité *f*

man lock *n* Civ Eng sas *m*

manly /ˈmænlɪ/ *adj* viril

man-made /ˌmænˈmeɪd/ *adj* [*fibre, dye*] chimique; [*fabric*] synthétique; [*pond, snow*] artificiel/-ielle; [*environment*] façonné par l'homme; [*object, tool*] fabriqué par l'homme; [*catastrophe*] d'origine humaine

manna /ˈmænə/ *n* Bible, fig manne *f*

(Idiom) **like ~ from heaven** comme une manne céleste

mannequin /ˈmænɪkɪn/ *n* (dummy, person) mannequin *m*

manner /ˈmænə(r)/

A *n* **1** (way, method) manière *f*, façon *f*; **in this ~** de cette manière *or* façon; **in like ~**, **in the same ~** de la même manière; **the ~ in which they were treated** la manière *or* la façon dont on les a traités; **to do sth in such a ~ that** faire qch de telle sorte que (+ *subj*); **the ~ of his going** littér *ou* **of his death** la façon dont il est mort; **in a ~ of speaking** pour ainsi dire; **2** (way of behaving) attitude *f*; **don't be put off by her ~** ne sois pas rebuté par sa façon de faire *or* par son attitude; **something in his ~ disturbed her** quelque chose dans son comportement la troublait; **she has a bad ~** elle a une attitude déplaisante; **to have a good telephone ~** savoir parler au téléphone; **3** littér (sort, kind) sorte *f*, genre *m*; **what ~ of man is he?** quel genre *or* quelle manière† d'homme est-ce?; **all ~ of delights** toutes sortes de plaisirs; **by no ~ of means** pas du tout; **4** Art, Literat (style) manière *f*; **in** *ou* **after the ~ of** à la manière de

B **manners** *npl* **1** (social behaviour) manières *fpl*; **to have good/bad ~s** avoir de bonnes/mauvaises manières; **it's bad ~s to do** il est mal élevé de faire; **he has no ~s** il n'a aucun savoir-vivre; (child) il ne sait pas se tenir; **to have the ~s to do** avoir la politesse de faire; **aren't you forgetting your ~s?**, **where are your ~s?** en voilà une façon de se tenir!; **I'll teach him some ~s!** je vais lui apprendre les bonnes manières!; **road ~s** politesse *f* au volant; **2** (social habits, customs) mœurs *fpl*; **comedy of ~s** comédie *f* de mœurs

C **-mannered** (*dans composés*) **ill/well-~ed** mal/bien élevé; **mild-~ed** doux/douce, aux manières douces

(Idiom) **to do sth as if to the ~ born** faire qch comme si l'on était né pour cela

mannered /ˈmænəd/ *adj* péj maniéré péj

mannerism /ˈmænərɪzəm/ *n* **1** (personal habit) particularité *f*; **2** péj (quirk) manie *f* pej, tic *m* pej

Mannerism /ˈmænərɪzəm/ *n* Art, Literat maniérisme *m*

Mannerist /ˈmænərɪst/ *n, adj* maniériste (*mf*)

mannerliness /ˈmænəlɪnɪs/ *n* politesse *f*, savoir-vivre *m inv*

mannerly /ˈmænəlɪ/ *adj* bien élevé

mannikin /ˈmænɪkɪn/ *n* **1** Art, Med (also in dressmaking) mannequin *m*; **2** = **mannequin**; **3** ‡(dwarf) nabot *m*

manning /ˈmænɪŋ/ *n* **1** Mil armement *m*; **2** Ind effectifs *mpl*

manning levels *npl* volume *m* des effectifs

mannish /ˈmænɪʃ/ *adj* [*woman, clothing*] masculin, péj hommasse°

manoeuvrability /məˌnuːvrəˈbɪlətɪ/ *n* maniabilité *f*

manoeuvrable /məˈnuːvrəbl/ *adj* maniable

manoeuvre GB, **maneuver** US /məˈnuːvə(r)/

A *n* lit, fig manœuvre *f*; **political/military ~** manœuvre politique/militaire; **to be on ~s** Mil être en manœuvres; **we have some room for ~** fig nous avons une marge de manœuvre

B *vtr* **1** lit manœuvrer [*vehicle, object*]; **to ~ sth in/out** faire entrer/sortir qch en manœuvrant; **to ~ sth into position** manœuvrer qch pour le mettre en position; **2** fig manœuvrer [*person*]; faire dévier [*discussion*] (**to** vers); **to ~ sb into doing** manœuvrer qn pour qu'il fasse; **the Minister ~d the bill through Parliament** le Ministre a manœuvré le Parlement pour qu'il accepte le projet de loi; **he ~d the conversation round to the subject of** il a fait dévier la conversation vers le sujet de

C *vi* manœuvrer

manoeuvring /məˈnuːvərɪŋ/ *n* ¢ manigances *fpl*; pej magouille° *f*

man-of-war /ˌmænəvˈwɔː(r)/ *n* (ship) navire *m* de guerre

manometer /mæˈnɒmɪtə(r)/ *n* manomètre *m*

manor /ˈmænə(r)/ *n* **1** (*also* **~ house**) manoir *m*; Hist (estate) domaine *m* seigneurial; **Lord/Lady of the ~** châtelain/châtelaine *m/f*; **2** °GB argot des policiers secteur *m* (de police)

manorial /məˈnɔːrɪəl/ *adj* seigneurial

manpower /ˈmænpaʊə(r)/ *n* **1** gen main-d'œuvre *f*; Mil hommes *mpl*; **2** (physical force) force *f*; **by sheer ~** à la force des poignets

m

Manpower /ˈmænpaʊə(r)/ *n* GB *agence pour l'emploi*

manse /mæns/ *n* presbytère *m* (*de pasteur*)

manservant /ˈmænsɜːvənt/ *n* valet *m*

mansion /ˈmænʃn/ *n* (in countryside) demeure *f*; (in town) hôtel *m* particulier

Mansion House *n* résidence *f* du Lord Mayor de Londres

man-sized /ˈmænsaɪzd/ *adj* 1 Comm [*tissues*] grand modèle *inv*; 2 hum [*meal, portion*] sérieux/-ieuse

manslaughter /ˈmænslɔːtə(r)/ *n* Jur homicide *m* involontaire

mansuetude‡ /ˈmænswɪtjuːd, US -tuːd/ *n* mansuétude *f*

mantel /ˈmæntl/ *n* = **mantelpiece**

mantelpiece /ˈmæntlpiːs/, **mantelshelf** /ˈmæntlʃelf/ *n* (shelf) manteau *m* de cheminée; **on the ~** sur la cheminée

mantilla /mænˈtɪlə/ *n* mantille *f*

mantis /ˈmæntɪs/ *n* mante *f* (religieuse)

mantle /ˈmæntl/

A *n* 1 ‡(cloak) cape *f*, pèlerine *f*; (woman's) mante *f*; 2 fig littér (of snow, darkness) manteau *m*; **to assume the ~ of power** assumer le pouvoir; 3 (of gas lamp) manchon *m*; 4 Geol, Biol, Zool manteau *m*

B *vtr* littér recouvrir

man-to-man /ˌmæntəˈmæn/

A *adj* d'homme à homme

B **man to man** *adv* d'homme à homme

mantrap /ˈmæntræp/ *n* piège *m* à hommes

manual /ˈmænjʊəl/

A *n* 1 (book) manuel *m*; 2 Mus clavier *m*

B *adj* [*labour, skills, task, work, worker*] manuel/-elle; [*gearbox, transmission, typewriter*] mécanique

manually /ˈmænjʊəlɪ/ *adv* à la main, manuellement

manufacture /ˌmænjʊˈfæktʃə(r)/

A *n* (of building materials, textiles, tools, electrical goods) fabrication *f*; (of food products, arms) production *f*; **car ~** construction *f* automobile

B **manufactures** *npl* produits *mpl* manufacturés

C *vtr* 1 lit fabriquer [*goods*]; 2 fig péj fabriquer (de toutes pièces) [*evidence, excuse*]

D **manufactured** *pp adj* **~d goods/products** biens/produits manufacturés

manufacturer /ˌmænjʊˈfæktʃərə(r)/ *n* gen fabricant *m* (**of** de); (of cars) constructeur *m*; **car ~** constructeur *m* automobile

manufacturing /ˌmænjʊˈfæktʃərɪŋ/

A *n* 1 (sector of economy) industrie *f*; **the death of ~** la mort de l'industrie; **the importance of ~** l'importance de la production industrielle; 2 (making) gen fabrication *f*; (of cars, heavy machinery) construction *f*

B *modif* [*output, sector, workforce*] industriel/-ielle; [*capacity, costs, system, technique, engineer*] de production; [*process*] de fabrication; **~ plant** usine *f*

manufacturing base *n* tissu *m* industriel, base *f* industrielle

manure /məˈnjʊə(r)/

A *n* 1 fumier *m*; **liquid ~** purin *m*; **horse ~** lit crottin *m* de cheval; **green ~** engrais *mpl* verts; 2 ○US fig balivernes *fpl*

B *vtr* fumer, engraisser

manure heap *n* (tas *m* de) fumier *m*

manuscript /ˈmænjʊskrɪpt/

A *n* manuscrit *m*; **in ~** (not yet printed) sous forme de manuscrit

B *modif* [*letter*] manuscrit, écrit à la main

Manx /mæŋks/ ▸ **p. 1378**

A *n* 1 Ling mannois *m*; 2 **the ~** (+ *v pl*) les habitants *mpl* de l'île de Man

B *adj* de l'île de Man

Manx: **~ cat** *n* chat *m* (sans queue) de l'île de Man; **~man** *n* habitant *m* de l'île de Man; **~woman** *n* habitante *f* de l'île de Man

many /ˈmenɪ/ (*comp* **more**, *superl* **most**)

A *quantif* beaucoup de, un grand nombre de; **~ people/cars** beaucoup de gens/voitures, un grand nombre de gens/voitures; **~ times** de nombreuses fois, bien des fois; **for ~ years** pendant de nombreuses années; **in ~ ways** à bien des égards; **his ~ friends** ses nombreux amis; **the ~ advantages of city life** les nombreux avantages de la vie citadine; **how ~ people/times?** combien de gens/fois?; **too ~ people/times** trop de gens/fois; **a great ~ people** énormément de gens, un très grand nombre de gens; **for a great ~ years** pendant de nombreuses années; **a good ~ people/times** pas mal○ de gens/de fois; **like so ~ other women, she...** comme tant d'autres femmes, elle...; **I have as ~ books as you (do)** j'ai autant de livres que toi; **five exams in as ~ days** cinq examens en autant de jours; **~ a man would be glad of such an opportunity** plus d'un homme se réjouirait d'une telle occasion; **I spent ~ a night there** j'y ai passé de nombreuses nuits; **I've been there ~ a time, ~'s the time I've been there** j'y suis allé maintes fois

B *pron* beaucoup; **not ~** pas beaucoup; **too ~** trop; **how ~?** combien?; **as ~ as you like** autant que tu veux; **I didn't know there were so ~** je ne savais pas qu'il y en avait autant; **we don't need ~ more** il ne nous en faut pas beaucoup plus; **~ of them were killed** beaucoup d'entre eux ont été tués; **there were too ~ of them** ils étaient trop nombreux; **a good ~ of the houses were damaged** un bon nombre des maisons ont été endommagées; **one/two too ~** un/deux de trop; **you've set one place too ~** tu as mis un couvert de trop

C *n* **the ~** (the masses) la foule, les masses *fpl*; **to sacrifice the interests of the few in favour of the ~** sacrifier les intérêts d'une minorité en faveur du plus grand nombre; **the ~ who loved her** les nombreuses personnes qui l'ont aimée

(Idiom) **to have had one too ~**○ avoir bu un coup de trop○

many: **~-coloured**, **~-hued** littér *adj* multicolore; **~-sided** *adj* [*personality, phenomenon*] à multiples facettes

Maoism /ˈmaʊɪzəm/ *n* maoïsme *m*

Maoist /ˈmaʊɪst/ *n, adj* maoïste (*mf*)

Maori /ˈmaʊrɪ/ ▸ **p. 1467, p. 1378**

A *n* 1 (person) Maori/-e *m/f*; 2 Ling maori *m*

B *adj* maori

map /mæp/

A *n* (of region, country) carte *f* (**of** de); (of town, underground, subway) plan *m* (**of** de); **road/tourist ~** carte routière/touristique; **weather ~** carte météo(rologique); **street ~** plan des rues; **~ of the underground** plan du métro; **I'll draw you a ~** je vais te faire un plan; **the political ~ of Europe** fig le paysage politique de l'Europe

B *vtr* 1 Geog, Geol, Astron faire la carte de [*region, planet*]; faire le plan de [*town*]; faire un levé topographique de [*crater etc*]; 2 Comput faire une projection de

(Idioms) **to put sb/sth on the ~** mettre qn/qch en vedette; **to be wiped off the ~** être rayé de la carte

(Phrasal verb) ■ **map out**: ▸ **~ out [sth]**, **~ [sth] out** élaborer, mettre [qch] au point [*plans, strategy*]; planifier [*schedule*]; **her future is all ~ped out for her** son avenir est tout tracé

maple /ˈmeɪpl/

A *n* 1 (tree) érable *m*; 2 (*also* **~ wood**) bois *m* d'érable

B *modif* [*leaf, syrup*] d'érable; [*floor, furniture*] en bois d'érable

map maker ▸ **p. 1683** *n* cartographe *mf*

mapping /ˈmæpɪŋ/ *n* 1 Geog, Geol, Astron, Biol cartographie *f*; 2 Comput projection *f* topographique; ▸ **genetic mapping**

map: **~ping pen** *n* plume *f* à dessin; **~ reader** *n* lecteur/-trice *m/f* de carte; **~ reading** *n* lecture *f* des cartes

mar /mɑː(r)/ *vtr* (*p prés etc* **-rr-**) (*souvent au passif*) gâcher

(Idiom) **to make or ~ sth** assurer le succès ou l'échec de qch

Mar *abrév écrite* = **March**

marabou /ˈmærəbuː/ *n* (bird) marabout *m*; (feathers) plumes *fpl*

maraschino /ˌmærəˈskiːnəʊ/ *n* marasquin *m*

maraschino cherry *n* cerise *f* au marasquin

marathon /ˈmærəθən, US -θɒn/

A *n* 1 (sport) marathon *m*; **to run (in) a ~** courir un marathon; 2 fig marathon *m*

B *modif* 1 Sport **~ runner** marathonien/-ienne *m/f*; 2 (massive) -marathon *inv*; **a ~ session** une séance-marathon

marauder /məˈrɔːdə(r)/ *n* maraudeur/-euse *m/f*

marauding /məˈrɔːdɪŋ/ *adj* en maraude

marble /ˈmɑːbl/

A *n* 1 (stone) marbre *m*; **made of ~** en marbre; 2 Games (glass) bille *f*; 3 Art (sculpture) marbre *m*; 4 **marbles** ▸ **p. 1253** (game) (+ *v sg*) billes *fpl*; **to play** *ou* **shoot ~s** US jouer aux billes

B *modif* [*object*] de marbre

(Idioms) **to lose one's ~s**○ perdre la boule○; **she still has all her ~s**○ elle garde toute sa tête

marble cake *n* gâteau *m* marbré

marbled /ˈmɑːbld/ *adj* 1 [*surface, appearance, paper*] marbré (**with** de); 2 Culin [*meat*] persillé

marbling /ˈmɑːblɪŋ/ *n* (all contexts) marbrure *f*

march /mɑːtʃ/

A *n* 1 Mil (foot journey) marche *f*; **a 40 km ~** une marche de 40 km; **on the ~** en marche; **it's a day's ~ from here** c'est à une journée de marche d'ici; **to be on the ~** lit [*army*] être en marche; fig [*prices*] être en hausse; **quick/slow ~** marche au pas accéléré/au pas de parade; **by forced ~** à marche forcée; 2 (demonstration) marche *f* (**against** contre; **for** pour); **peace/protest ~** marche *f* pacifiste/de protestation; **a ~ in protest at/in favour of sth** une marche de protestation contre/en faveur de qch; **a ~ on the White House** une marche sur la Maison Blanche; 3 Mus marche *f*; 4 fig (of progress) avancée *f* (**of** de); **the ~ of time** la marche du temps

B *vtr* **she ~ed him into the office/off to the bathroom** elle l'a emmené d'autorité dans le bureau/à la salle de bains

C *vi* 1 [*soldiers, band, prisoners*] marcher au pas; **to ~ on Rome** marcher sur Rome; **to ~ (for) 40 km** faire une marche de 40 km; **to ~ up and down the street** arpenter la rue; **forward ~!** en avant, marche!; **quick ~!** pas accéléré, marche!; 2 (in protest) manifester (**against** contre; **for** pour); **they ~ed from the hospital to the town hall** ils ont défilé de l'hôpital à la mairie; **they ~ed to Brussels in protest** ils ont organisé une marche de protestation jusqu'à Bruxelles; **they ~ed through Brussels in protest** leur marche de protestation a traversé Bruxelles; 3 (walk briskly) marcher d'un pas vif; (angrily) marcher l'air furieux; **he ~ed into/out of the room** il est entré/sorti l'air furieux; **she ~ed up to his desk** elle s'est dirigée droit sur son bureau

(Idiom) **to give sb their ~ing orders** renvoyer qn avec perte et fracas

March /mɑːtʃ/ ▸ **p. 1452** *n* mars *m*

(Idiom) **to be as mad as a ~ hare** être complètement fou/folle

marcher /ˈmɑːtʃə(r)/ *n* (in demonstration) manifestant/-e *m/f*; (in procession, band) marcheur/-euse *m/f*; **the civil rights/peace ~s** les manifestants pour les droits civiques/pour la paix

marching /ˈmɑːtʃɪŋ/

A *n* marche *f*; **the ~ stopped** la marche a fait halte; **there was a sound of ~** on entendait un bruit de pas cadencés

m

B *adj* [*feet, troops, demonstrators*] en marche
marching: ~ **band** *n* fanfare *f* avec majorettes; ~ **song** *n* marche *f*
marchioness /ˌmɑːʃəˈnes/ *n* marquise *f*
march-past /ˈmɑːtʃpɑːst/ *n* défilé *m*
Mardi Gras /ˌmɑːdɪ ˈɡrɑː/ *n* mardi *m* gras
mare /meə(r)/ *n* (horse) jument *f*; (donkey) ânesse *f*
marg○ /mɑːdʒ/ *n* GB *abrév* = **margarine**
margarine /ˌmɑːdʒəˈriːn/ *n* margarine *f*
margarita /ˌmɑːɡəˈriːtə/ *n* margarita *m* (*cocktail de téquila et de jus de citron*)
marge○ /mɑːdʒ/ *n* GB *abrév* = **margarine**
margin /ˈmɑːdʒɪn/ *n* **1** (on paper) marge *f*; **in the ~** dans la marge; **left/right ~** marge à gauche/droite; **2** (of wood, field) lisière *f*; (of river) bord *m*; **3** (*also* **winning ~**) marge *f* (**of** de); **by a wide/narrow/comfortable ~** avec une marge importante/courte/confortable; **to lose by a small ~** perdre de peu; **4** fig (fringe) (*souvent pl*) marge *f*; **at** *ou* **on the ~(s) of** en marge de; **5** (allowance) marge *f* (**for** pour); **~ of** *ou* **for error** marge d'erreur; **safety ~** marge de sécurité; **6** Comm (*also* **profit ~**) marge *f* bénéficiaire; **a low/high ~ sector** secteur à faible/forte marge bénéficiaire
marginal /ˈmɑːdʒɪnl/
A *n* GB Pol siège *m* disputé
B *adj* **1** (minor or peripheral) marginal; **2** GB Pol [*seat, ward*] disputé; **3** Agric [*land*] à faible rendement; **4** [*teacher's remark*] dans la marge; [*author's note*] en marge
marginalia /ˌmɑːdʒɪˈneɪlɪə/ *npl* annotations *fpl*
marginalize /ˈmɑːdʒɪnəlaɪz/ *vtr* marginaliser
marginally /ˈmɑːdʒɪnəlɪ/ *adv* très légèrement
marguerite /ˌmɑːɡəˈriːt/ *n* marguerite *f*
marigold /ˈmærɪɡəʊld/ *n* Bot souci *m*
marijuana /ˌmærjuːˈɑːnə/ *n* marijuana *f*
marina /məˈriːnə/ *n* marina *f*
marinade /ˌmærɪˈneɪd/
A *n* marinade *f*
B *vtr* faire mariner (**in** dans)
C *vi* mariner
marinate /ˈmærɪneɪt/
A *vtr* faire mariner (**in** dans)
B **marinated** *pp adj* mariné
marine /məˈriːn/
A *n* **1** (soldier) fusilier *m* marin; **the Marines** les marines *mpl*; **2** (navy) **the mercantile** *ou* **merchant ~** la marine marchande
B *modif* [*mammal, ecosystem, biology*] marin; [*archeology, explorer, life*] sous-marin; [*insurance, law, equipment, transport, industry*] maritime
(Idiom) **tell it to the ~s!** raconte ça à d'autres!
marine: **Marine Corps** *n* corps *m* des marines américains; **~ engineer** ▸ p. 1683 *n* ingénieur *m* du génie maritime
mariner /ˈmærɪnə(r)/ *n*† marin *m*
Mariolatry /ˌmeərɪˈɒlətrɪ/ *n* culte *m* excessif de la Vierge
marionette /ˌmærɪəˈnet/ *n* marionnette *f*
marital /ˈmærɪtl/ *adj* [*relations*] conjugal; **~ status** Admin situation *f* de famille
maritime /ˈmærɪtaɪm/ *adj* (all contexts) maritime
marjoram /ˈmɑːdʒərəm/ *n* Bot, Culin marjolaine *f*
mark /mɑːk/
A *n* **1** (visible patch) (stain) tache *f*; (spot on animal) tache *f*; (from injury) marque *f*; **to make one's ~** (on document) signer d'une croix; fig faire ses preuves
2 fig (lasting impression) **to bear the ~ of** [*person*] porter l'empreinte de [*genius, greatness*]; [*face*] porter les marques de [*pain, grief*]; **to leave one's ~ on sth** [*person*] marquer qch de son influence [*company, project*]; [*recession*] marquer qch [*country*]
3 (symbol) **as a ~ of** en signe de [*appreciation, esteem*]
4 Sch, Univ, gen (assessment of work) note *f*; **what ~ has she given you?** quelle note t'a-t-elle mise?; **he gets no ~s for effort/ originality** fig pour l'effort/l'originalité, il mérite zéro; ▸ **full**, **top**
5 (number on scale) **the 3-mile ~** la borne de trois miles; **unemployment has reached/ passed the two million ~** le chômage a atteint/dépassé la barre des deux millions; **his earnings are above/below the £20,000 ~** son salaire est supérieur/inférieur à 20 000 livres sterling; **the timer had reached the one-minute ~** cela faisait une minute au chronomètre; **the high-tide ~** le maximum de la marée haute; **at gas ~ 7** à thermostat 7; **he/his work is not up to the ~** fig il/son travail n'est pas à la hauteur
6 Sport (starting line) (in athletics) marque *f*; **on your ~s, (get) set, go!** à vos marques! prêts! partez!; **to get off the ~** prendre le départ; **we haven't even got off the ~ yet** fig nous n'avons même pas commencé; **he's a bit slow off the ~** fig il a l'esprit un peu lent; **you were a bit slow off the ~ in not noticing the mistake sooner** tu as été un peu lent à remarquer cette erreur; **he's very quick off the ~** il a l'esprit vif; **you were a bit quick off the ~ (in) blaming her** tu l'as blâmée un peu trop vite; **he's always very quick off the ~ when it comes to money** il n'est jamais le dernier quand il s'agit d'argent; **you were quick off the ~!** (to do sth) tu n'as pas perdu de temps!
7 (target) (in archery etc) but *m*; **to find its ~** [*arrow*] atteindre son but; fig [*criticism, remark*] mettre dans le mille; **to be (way) off the ~**, **to be wide of the ~** [*person, calculation*] être à côté de la plaque○; **on the ~** absolument exact
8 Sport (in rugby) arrêt *m* de volée
9 (*also* **Mark**) (model in series) Mark; **Jaguar Mark II** Jaguar Mark II
10 Fin, Hist (*also* **Deutschmark**) deutschmark *m*
B *vtr* **1** (make visible impression on) (stain) tacher [*clothes, material, paper*]; [*bruise, scar*] marquer [*skin, face*]; (with pen etc) marquer [*map, belongings*] (**with** avec); **to ~ sb for life** (physically) défigurer qn à vie; (mentally) marquer qn à vie
2 (indicate, label) [*person*] marquer [*name, initials, price, directions*] (**on** sur); [*cross, arrow, sign, label*] indiquer [*position, place, road*]; fig [*death, event, announcement*] marquer [*end, change, turning point*]; **to be ~ed as** être considéré comme [*future champion, criminal*]; **to ~ the occasion/sb's birthday with** marquer l'occasion/l'anniversaire de qn par [*firework display, party*]; **X ~s the spot** l'endroit est indiqué par une croix; **to ~ one's place** (in book) marquer la page
3 (characterize) caractériser [*style, remark, behaviour, era*]; **to be ~ed by** être caractérisé par [*violence, envy, humour, generosity*]
4 Sch, Univ (tick) corriger [*essay, homework, examination paper*]; **to ~ sb absent/present** noter qn absent/présent; **to ~ sth right/ wrong** indiquer que qch est juste/faux
5 (pay attention to) noter (bien) [*warning, comment*]; **~ him well, he will be a great man** sout souvenez-vous de lui, ce sera un grand homme
6 Sport marquer [*player*]
C *vi* **1** Sch, Univ [*teacher*] faire des corrections
2 (stain) [*dress, material etc*] se tacher
3 Sport marquer
D **~ you** *conj phr* n'empêche que (+ *indic*); **~ you it won't be easy** n'empêche que ça ne va pas être facile
(Idioms) **~ my words** crois-moi; **he'll not live long, ~ my words!** crois-moi, il ne vivra pas longtemps!; **to be an easy ~** être une poire○; **to ~ time** Mil marquer le pas; **I'm ~ing time working as a waitress until I go to France** fig je travaille comme serveuse en attendant d'aller en France; **the company is ~ing time at the moment** fig la compagnie ne fait que piétiner en ce moment
(Phrasal verbs) ■ **mark down**: ▸ **~ [sth] down**, **~ down [sth]** (reduce price of) démarquer [*product*]; ▸ **~ [sb] down** (lower grade of) baisser les notes de [*person*]; baisser la note de [*work, essay*]; **to ~ sb down as (being) sth** (consider to be) considérer qn comme [*troublemaker, asset*]
■ **mark off**: ▸ **~ [sth] off**, **~ off [sth]** **1** (separate off) délimiter [*area*]; **2** (tick off) pointer [*items, names*]
■ **mark out**: ▸ **~ [sb] out**, **~ out [sb]** **1** (distinguish) distinguer (**from** de); **2** (select) désigner [*person*] (**for** pour); ▸ **~ [sth] out**, **~ out [sth]** marquer les limites de [*court, area*]
■ **mark up**: ▸ **~ [sth] up**, **~ up [sth]** (add percentage to price) [*company*] majorer le prix de [*product*] (**by** de); (increase price) [*shopkeeper*] augmenter le prix de [*product*] (**by** de); ▸ **~ [sb/ sth] up** Sch, Univ (increase grade of) remonter les notes de [*person*]; remonter la note de [*work, essay*]
mark-down /ˈmɑːkdaʊn/ *n* Comm rabais *m*
marked /mɑːkt/ *adj* **1** (noticeable) [*contrast, resemblance, decline, increase*] marqué, net/ nette (*before n*); [*accent*] prononcé; **2** (in danger) **he's a ~ man** on en veut à sa vie; **3** Ling marqué
markedly /ˈmɑːkɪdlɪ/ *adv* [*better, different, smaller*] nettement; [*increase, decline, differ, improve*] sensiblement
marker /ˈmɑːkə(r)/ *n* **1** (*also* **~ pen**) marqueur *m*; **2** (tag) repère *m*; **3** (person who keeps score) marqueur/-euse *m/f*; **4** Sch, Univ (examiner) examinateur/-trice *m/f*; **5** (bookmark) signet *m*; **6** Sport (person) marqueur/-euse *m/f*; **7** Ling marque *f*
market /ˈmɑːkɪt/
A *n* **1** Econ (trading structure) marché *m*; **the art/ job/property ~** le marché de l'art/du travail/ de l'immobilier; **the ~ in tea/sugar, the tea/ sugar ~** le marché du thé/du sucre; **at ~ (price)** au prix du marché; **cars at the upper** *ou* **top end of the ~** les voitures haut de gamme; **to be at the upper end of the ~** [*company*] être au premier rang du marché; **to put sth on the ~** mettre qch sur le marché; **to be in the ~ for sth** chercher (à acquérir) qch; **to come onto the ~** [*goods, product*] arriver sur le marché; **2** Comm (potential customers) marché *m* (**for** pour); **domestic/ foreign ~** marché intérieur/extérieur; **the Japanese/French ~** le marché japonais/ français; **a good/poor/steady ~ for** une demande forte/faible/stable de; **it sells well to the teenage ~** ça se vend bien aux adolescents; **a gap in the ~** un créneau, un besoin du marché; **3** (place where goods are sold) marché *m*; **flower/fish ~** marché aux fleurs/halle *f* aux poissons; **covered/open air ~** marché couvert/en plein air; **to go to ~** aller au marché; **4** Fin (stock market) Bourse *f*; **to play the ~** spéculer
B *modif* Comm, Econ [*share*] de marché; [*conditions, rates, trend*] du marché
C *vtr* **1** (sell) commercialiser, vendre [*product*]; **2** (promote) lancer *or* mettre [qch] sur le marché
D *vi* US **to go ~ing** faire des courses
E *v refl* **to ~ oneself** se vendre
marketability /ˌmɑːkɪtəˈbɪlətɪ/ *n* (of product) caractère *m* commercialisable
marketable /ˈmɑːkɪtəbl/ *adj* (in demand, fit for sale) vendable; **~ value** valeur marchande *or* d'échange
market: **~ analysis** *n* analyse *f* de marché; **~ analyst** ▸ p. 1683 *n* analyste *mf* de marché; **~-based** *adj* = **market-led**; **~ capitalization** *n* capitalisation *f* boursière; **~ cross** *n*: *croix qui se trouve sur la place du marché*; **~ day** *n* jour *m* du marché; **~ economy** *n* économie *f* de marché
marketeer /ˌmɑːkɪˈtɪə(r)/ *n* Pol (*also* **Marketeer**, **pro-~**) partisan *m* du Marché commun; **anti-~** opposant/-e *m/f* au Marché commun. ▸ **black marketeer**
marketer /ˈmɑːkɪtə(r)/ *n* vendeur *m*

market: ~ **forces** *npl* forces *fpl* du marché; ~ **garden** *n* jardin *m* maraîcher; ~ **gardener** ▸ p. 1683 *n* maraîcher/-ère *m/f*; ~ **gardening** *n* culture *f* maraîchère

marketing /ˈmɑːkɪtɪŋ/
A *n* **1** (process, theory) marketing *m*, mercatique *f*; **product/service** ~ marketing d'un produit/d'un service; **2** (department) service *m* de marketing
B *modif* [*director, manager*] du marketing; [*method, department*] de marketing; [*staff*] du service de marketing

marketing: ~ **agreement** *n* accord *m* de commercialisation; ~ **campaign** *n* campagne *f* de vente; ~ **company** *n* Comm société *f* de marketing; ~ **exercise** *n* campagne *f* de marketing; ~ **man** *n* (*pl* **-men**) commercial *m*; ~ **mix** *n* marchéage *m*; ~ **process** *n* processus *m* de commercialisation; ~ **research** *n* étude *f* de marché; ~ **strategy** *n* stratégie *f* commerciale

market: ~ **leader** *n* (product) produit *m* vedette; (company) leader *m* du marché; **~-led** *adj* gen déterminé par le marché; [*economy*] de marché; ~ **maker** *n* Fin opérateur *m* (en Bourse); ~ **making** *n* transactions *fpl* (en Bourse); ~ **opportunity** *n* créneau *m*; ~ **order** *n* ordre *m* de Bourse; ~ **overt** *n* GB Jur marché *m* public; ~ **penetration** *n* pénétration *f* du marché

marketplace /ˈmɑːkɪtpleɪs/ *n* **1** (square) place *f* du marché; **2** Econ, Fin marché *m*; **in the** ~ sur le marché

market: ~ **potential** *n* ressources *fpl* *or* possibilités *fpl* d'un marché; ~ **price** *n* prix *m* du marché; ~ **rent** *n* GB valeur *f* locative; ~ **report** *n* résultat *m* d'étude de marché; ~ **research** *n* étude *f* de marché; ~ **research agency** *n* agence *f* spécialisée en études de marché; ~ **researcher** ▸ p. 1683 *n* chargé/-e *m/f* d'études de marketing; ~ **resistance** *n* réaction *f* défavorable des consommateurs; ~ **share** *n* part *f* de marché; ~ **square** *n* place *f* du marché; ~ **stall** *n* étal *m*; ~ **town** *n* bourg *m*; ~ **trader** *n* vendeur/-euse *m/f* sur un marché; ~ **value** *n* valeur *f* marchande *or* d'échange

marking /ˈmɑːkɪŋ/ *n* **1** (visible impression) (spot on animal) tache *f*; (on aircraft) marque *f*; **road** ~**s** signalisation *f* horizontale; **2** GB Sch, Univ (process of correcting) corrections *fpl*; (marks given) notation *f*; **3** Sport marquage *m*; **man-to-man** ~ marquage individuel

marking: ~ **ink** *n* encre *f* indélébile; ~ **pen** *n* marqueur *m* indélébile; ~ **scheme** *n* GB Sch, Univ barème *m*; ~ **system** *n* GB Sch, Univ système *m* de notation

mark: ~ **reading**, ~ **scanning** *n* Comput lecture *f* optique de marques; **~sman** *n* Mil, Sport tireur *m* d'élite; **~smanship** *n* Mil, Sport adresse *f* au tir; **~swoman** *n* Mil, Sport tireuse *f* d'élite

mark-up /ˈmɑːkʌp/ *n* **1** (retailer's margin) marge *f*; **2** (increase) augmentation *f*; **3** (of text) balisage *m*, balises *fpl*

marl /mɑːl/
A *n* marne *f*
B *vtr* marner

marlin /ˈmɑːlɪn/ *n* **1** Zool marlin *m*; **2** Naut (*also* **marline**) lusin *m*

marly /ˈmɑːlɪ/ *adj* marneux/-euse

marmalade /ˈmɑːməleɪd/ *n* confiture *f* *or* marmelade *f* d'oranges; **grapefruit** ~ confiture *f* de pamplemousse

marmalade: ~ **cat** *n* chat roux/chatte rousse *m/f*; ~ **orange** *n* orange *f* amère

Marmara /ˈmɑːmərə/ ▸ p. 1493 *pr n* **the Sea of** ~ la mer de Marmara

Marmite® /ˈmɑːmaɪt/ *n* GB *pâte à tartiner aux extraits de levure et de légumes*

Marmora *pr n* = **Marmara**

marmoreal /mɑːˈmɔːrɪəl/ *adj* littér marmoréen/-éenne liter

marmoset /ˈmɑːməzet/ *n* ouistiti *m*

marmot /ˈmɑːmət/ *n* marmotte *f*

Marne ▸ p. 1129 *pr n* Marne *f*; **in/to the** ~ dans la Marne

marocain /ˈmærəkeɪn/ *n* crêpe *m* marocain

Maronite /ˈmærənaɪt/ *n, adj* maronite (*mf*)

maroon /məˈruːn/ ▸ p. 1067
A *n* **1** (colour) bordeaux *m*; **2** GB (rocket) fusée *f* de détresse
B *adj* bordeaux *inv*
C *vtr* (strand) **to be ~ed on an island/at home** être bloqué sur une île/chez soi; **the ~ed sailors** *ou* **castaways** les naufragés

marquee /mɑːˈkiː/ *n* **1** GB (tent) grande tente *f*; (of circus) chapiteau *m*; **2** US (canopy) (grand) auvent *m*

Marquesas Islands /mɑːˈkeɪsæs aɪləndz/ *pr npl* îles *fpl* Marquises

marquess /ˈmɑːkwɪs/ *n* marquis *m*

marquetry /ˈmɑːkɪtrɪ/ *n* marqueterie *f*

marquis /ˈmɑːkwɪs/ *n* marquis *m*

Marrakech, **Marrakesh** /ˌmærəˈkeʃ/ ▸ p. 1815 *pr n* Marrakech

marriage /ˈmærɪdʒ/ *n* **1** (ceremony, contract) mariage *m* (**to sb** avec qn); **broken** ~ mariage brisé; **her first/second** ~ son premier/second mariage; **proposal of** ~ proposition *f* de mariage; **by** ~ par alliance; **my uncle by** ~ mon oncle par alliance; **we're related by** ~ nous sommes parents par alliance; **2** fig (alliance) mariage *m*; **the** ~ **of art and science** le mariage de l'art et de la science; **3** (in cards) mariage *m*

marriageable† /ˈmærɪdʒəbl/ *adj* [*person*] mariable; **of** ~ **age** en âge de se marier

marriage: ~ **bed** *n* lit *m* conjugal; ~ **bonds** *npl* liens *mpl* conjugaux; ~ **bureau** *n* agence *f* matrimoniale; ~ **ceremony** *n* cérémonie *f* nuptiale; ~ **certificate** *n* extrait *m* d'acte de mariage; ~ **contract** *n* contrat *m* de mariage; ~ **guidance** *n* conseil *m* conjugal; ~ **guidance counsellor** *n* conseiller/-ère *m/f* conjugal/-e; ~ **licence** GB, ~ **license** US *n* certificat *m* de publication des bans; ~ **of convenience** *n* mariage *m* de convenance; ~ **proposal** *n* proposition *f* de mariage; ~ **rate** *n* taux *m* de nuptialité; ~ **vows** *npl* vœux *mpl* de mariage

married /ˈmærɪd/
A *adj* **1** [*person*] marié (**to** à); ~ **couple** couple *m*; **2** [*state, life, love*] conjugal
B **marrieds** *npl* **the young** ~**s** les jeunes mariés *mpl*

married: ~ **name** *n* nom *m* de femme mariée; ~ **quarters** *npl* quartiers *mpl* familiaux

marrow /ˈmærəʊ/ *n* **1** Anat moelle *f*; **chilled** *ou* **frozen to the** ~ gelé *or* transi jusqu'à la moelle; **2** GB Bot courge *f*; **baby** ~ GB courgette *f*

marrowbone /ˈmærəʊbəʊn/ *n* os *m* à moelle; ~ **jelly** gelée *f* (d'os à moelle)

marrowfat (pea) *n* pois *m* à grain ridé

marry /ˈmærɪ/
A *excl*‡ sacrebleu!
B *vtr* **1** lit [*priest, registrar, parent*] marier; [*bride, groom*] se marier avec, épouser; **to get married** se marier (**to** avec); **they were married by his uncle** c'est son oncle qui les a mariés; **they were married in 1989** ils se sont mariés en 1989; **will you** ~ **me?** veux-tu m'épouser?; **2** fig marier [*ideas, styles, colours*]; **to be married to one's job** hum ne vivre que pour son travail
C *vi* se marier; **to** ~ **into a family** entrer dans une famille par le mariage; **to** ~ **for love/money** faire un mariage d'amour/d'argent; **he's not the ~ing kind** il n'est pas du genre à se marier; **to** ~ **into money** épouser un homme/une femme riche; **to** ~ **again** se remarier; **to** ~ **beneath oneself** se mésallier

(Phrasal verb) ■ **marry off**: ▸ ~ **off [sb]**, ~ **[sb] off** marier (**to** à, avec)

Mars /mɑːz/ *pr n* **1** Mythol Mars *m*; **2** Astron Mars *f*

Marseillaise /ˌmɑːseɪˈjeɪz/ *n* **the** ~ la Marseillaise

Marseilles /mɑːˈseɪ/ ▸ p. 1815 *pr n* Marseille

marsh /mɑːʃ/ *n* (terrain) marécage *m*; (region) marais *m*

marshal /ˈmɑːʃl/
A *n* **1** Mil maréchal *m*; (as form of address) Monsieur le Maréchal; **2** GB Jur *avocat accompagnant un juge itinérant*; **3** (at rally, ceremony) membre *m* du service d'ordre; **4** US Jur ≈ huissier *m* de justice; **5** US Hist (sheriff) marshal *m*; **6** US (in fire service) capitaine *m* des pompiers
B (*p prés* **-ll-** GB, **-l-** US) *vtr* **1** gen, Mil rassembler [*troops, vehicles, ships*]; diriger [*crowd*]; Rail trier [*wagons*]; fig rassembler [*ideas, facts, arguments*]; **2** (guide, usher) conduire [*person*]; **they were ~led out of the room** on les a conduits hors de la pièce

marshalling yard *n* GB Rail gare *f* de triage

marsh: ~ **fever** ▸ p. 1327 *n* paludisme *m*; ~ **gas** *n* gaz *m* des marais; ~ **harrier** *n* busard *m* des roseaux; **~land** *n* (terrain) marécage *m*; (region) marais *m*

marshmallow /ˌmɑːʃˈmæləʊ/ *n* **1** Bot guimauve *f*; **2** Culin pâte *f* de guimauve

marsh: ~ **marigold** *n* souci *m* d'eau; ~ **tit** *n* mésange *f* nonnette

marshy /ˈmɑːʃɪ/ *adj* marécageux/-euse

marsupial /mɑːˈsuːpɪəl/ *n, adj* marsupial (*m*)

mart /mɑːt/ *n* **1** (shopping centre) centre *m* commercial; **2** (market) marché *m*; **auction** ~ salle *f* des ventes

marten /ˈmɑːtɪn, US -tn/ *n* martre *f*

martial /ˈmɑːʃl/ *adj* [*music*] martial; [*spirit*] guerrier/-ière

martial: ~ **arts** *npl* arts *mpl* martiaux; ~ **law** *n* loi *f* martiale

Martian /ˈmɑːʃn/
A *n* Martien/-ienne *m/f*
B *adj* martien/-ienne *m/f*

martinet /ˌmɑːtɪˈnet, US -tnˈet/ *n* **to be a** ~ être stricte en matière de discipline

martini /mɑːˈtiːnɪ/ *n* **1** (cocktail) (martini *m*) dry *m* (*cocktail de vermouth blanc et de gin*); **2** **Martini**® martini *m*

Martinique /ˌmɑːtɪˈniːk/ ▸ p. 1129, p. 1355 *pr n* Martinique *f*; **in/to** ~ à la *or* en Martinique

Martinmas /ˈmɑːtɪnməs/ *n* la Saint-Martin

martyr /ˈmɑːtə(r)/
A *n* Relig, fig martyr/-e *m/f*; **a** ~ **to the cause** un martyr de la cause; **she's a** ~ **to her rheumatism** fig ses rhumatismes lui font souffrir le martyre; **don't be such a** ~! arrête de jouer les martyrs!; **he likes playing the** ~ il aime jouer les martyrs
B *vtr* lit, fig martyriser
C **martyred** *pp adj* [*sigh, look*] déchirant; [*air*] de martyr

martyrdom /ˈmɑːtədəm/ *n* martyre *m*

martyrize /ˈmɑːtɪraɪz/ *vtr* martyriser

marvel /ˈmɑːvl/
A *n* **1** (wonderful thing) merveille *f*; **it was a** ~ **to behold** c'était merveilleux à voir; **it's a** ~ **that he can still dance** c'est merveilleux qu'il puisse encore danser; **he's a** ~ **with children** il est merveilleux avec les enfants; **the** ~**s of nature** les merveilles de la nature; **to work** ~**s** faire des merveilles; **2** (wonderful example) **she's a** ~ **of patience** elle est merveilleusement patiente; **the building is a** ~ **of**

m

design ce bâtiment est merveilleusement bien conçu
B vtr (p prés etc GB **-ll-**, US **-l-**) **to ~ that** s'étonner de ce que (+ subj)
C vi s'étonner (**at** de), être émerveillé (**at** par)

marvellous GB, **marvelous** US /'mɑːvələs/ adj [weather, holiday etc] merveilleux/-euse; **but that's ~!** mais c'est formidable!; **it's ~ that he was able to come** c'est formidable qu'il ait pu venir

marvellously GB, **marvelously** US /'mɑːvələslɪ/ adv [sing, get on] à merveille; [clever, painted] merveilleusement; **~ well** merveilleusement bien

Marxism /'mɑːksɪzəm/ n marxisme m

Marxist /'mɑːksɪst/ n, adj marxiste (mf)

Mary /'meərɪ/ pr n Marie; **~ Magdalene** Marie-Madeleine; **~ Queen of Scots** Marie Stuart, reine d'Écosse

Maryland /'meərɪlænd/ ▸ **p. 1737** pr n Maryland m

marzipan /'mɑːzɪpæn, ˌmɑːzɪ'pæn/ n pâte f d'amandes

mascara /mæ'skɑːrə, US -'skærə/ n mascara m, rimmel® m

mascarpone /ˌmæskə'pəʊneɪ, -'pəʊnɪ/ n Culin mascarpone m

mascon /'mæskɒn/ n mascon m

mascot /'mæskət, -skɒt/ n mascotte f; **lucky ~** porte-bonheur m

masculine /'mæskjʊlɪn/
A n masculin m; **in the ~** au masculin
B adj **1** gen [clothes, colour, style, features] masculin; [occupation] d'homme; **the ~ side of her nature** son côté masculin; **2** Ling masculin

masculinity /ˌmæskjʊ'lɪnətɪ/ n (virility) virilité f; (gender) masculinité f

maser /'meɪzə(r)/ n maser m

mash /mæʃ/
A n **1** Agric (for dogs, poultry) pâtée f; (for horses) mash m; **bran ~** pâtée de son; **2** (in brewing) trempe f; **3** °GB Culin purée f (de pommes de terre); **bangers and ~** des saucisses avec de la purée
B vtr **1** écraser [fruit]; **~ed potatoes/turnips** purée f de pommes de terre/de navets; **to ~ potatoes** faire de la purée (de pommes de terre); **2** (in brewing) brasser

(Phrasal verb) ■ **mash up**: ▸ **~ up [sth], ~ [sth] up** écraser [fruit, potatoes]

MASH /mæʃ/ n US (abrév = **mobile army surgical hospital**) unité f médicale de campagne

masher /'mæʃə(r)/ n (utensil) presse-purée m inv

mask /mɑːsk, US mæsk/
A n **1** (for face) (for disguise, protection) masque m; (at masked ball) loup m; **a ~ of indifference** fig un masque d'indifférence; **2** (sculpture) masque m; **3** Cosmet **face ~** masque m; **4** Electron, Comput masque m; **5** Phot cache m; **6** Theat masque m
B vtr **1** masquer [face]; **2** fig dissimuler [truth, emotions]; masquer [taste]; **3** Fin déguiser [losses]; **4** Phot masquer; **5** Med, Sport masquer [drug]

mask: **~ed ball** n bal m masqué; **~ing tape** n ruban m adhésif

masochism /'mæsəkɪzəm/ n masochisme m

masochist /'mæsəkɪst/ n, adj masochiste (mf)

masochistic /ˌmæsə'kɪstɪk/ adj masochiste

mason /'meɪsn/ ▸ **p. 1683** n **1** Constr maçon m; **2** **Mason** (also **Free~**) franc-maçon m

Mason-Dixon Line /ˌmeɪsn'dɪksnlaɪn/ pr n US Hist ligne f Mason-Dixon

> **Mason-Dixon Line**
>
> Frontière tracée entre la Pennsylvanie et le Maryland entre 1763 et 1767 par deux topographes britanniques, Charles Mason et Jeremiah Dixon, pour régler un conflit entre ces deux États. Elle devint rapidement le symbole de la division entre le Sud esclavagiste et le Nord abolitionniste. Aujourd'hui encore, on y fait parfois référence pour distinguer le Nord et le Sud dans cette partie des États-Unis.
> ▸ American Civil War

masonic /mə'sɒnɪk/ adj maçonnique

Masonite, masonite® /'meɪsənaɪt/ n US aggloméré m

masonry /'meɪsənrɪ/ n **1** Constr maçonnerie f; **2** **Masonry** (also **Free~**) maçonnerie f

masque /mɑːsk/ n **1** Theat mascarade f; **2** = **masked ball**

masquerade /ˌmɑːskə'reɪd, US ˌmæsk-/
A n **1** (ball) bal m masqué; **2** fig (pretence) mascarade f
B vi **to ~ as sb** se faire passer pour qn; **to ~ under a false name** s'abriter sous un faux nom

mass /mæs/
A n **1** (voluminous body) masse f (**of** de); (cluster) amas m (**of** de); **a ~ of trees** une masse d'arbres; **a ~ of particles** un amas de particules; **the tree was just a ~ of flowers** l'arbre était couvert de fleurs; **2** (large amount) (of people) foule f (**of** de); (of evidence, legislation, details) quantité f (**of** de); **3** Relig messe f; **to celebrate/say ~** célébrer/dire la messe; **to attend** ou **go to ~** aller à la messe; **4** Phys, Art masse f
B **masses** npl **1** (the people) **the ~es** gen la foule; (working class) les masses fpl; **the labouring ~es** les masses laborieuses; **2** °GB (lots) **to have ~es of work/friends** avoir beaucoup or plein° de travail/d'amis; **there were ~es of people** il y avait une foule de gens; **there was ~es of food** il y avait un tas° de choses à manger; **to have ~es of time** avoir tout son temps, avoir largement le temps
C modif **1** (large scale) [audience] de masse; [destruction, exodus, protest, unemployment] massif/-ive; **~ meeting** rassemblement m de masse; **~ shooting** massacre m; **2** (of the people) [communications, consciousness, culture, demonstration, movement, tourism] de masse; [hysteria] collectif/-ive; **to have ~ appeal** avoir un succès de masse; **3** (simultaneous) [sackings, desertions] en masse
D vi [troops] se regrouper; [bees] se masser; [clouds] s'amonceler

Massachusetts /'mæsə'tʃuːsɪts/ ▸ **p. 1737** pr n Massachusetts m

massacre /'mæsəkə(r)/
A n lit, fig massacre m
B vtr **1** lit massacrer; **2** fig démolir° [team]; massacrer [language, tune]

massage /'mæsɑːʒ, US mə'sɑːʒ/
A n massage m; **to have a ~** se faire faire un massage
B vtr masser [person]; fig tricher sur [figures]; flatter [ego]

massage: **~ oil** n huile f de massage; **~ parlour** n salon m de massage

mass: **~ consumption** n consommation f de masse; **~ cult**° n US culture f de masse; **~-energy** n masse-énergie f; **~-energy equation** n équation f masse-énergie

masseur /mæ'sɜː(r)/ ▸ **p. 1683** n masseur m

masseuse /mæ'sɜːz/ ▸ **p. 1683** n masseuse f

mass grave n charnier m, fosse f commune

massicot /'mæsɪkət/ n massicot m

massif /'mæsiːf, mæ'siːf/ n massif m

massive /'mæsɪv/ adj [object, animal, amount, error, fraud, debt] énorme; [explosion, scandal] retentissant; [majority, victory] écrasant; [campaign, task, programme] de grande envergure; [increase, cut, attack] massif/-ive; [heart attack, haemorrhage] grave

massively /'mæsɪvlɪ/ adv [reduce, increase] énormément; [overrated, overloaded, stretched] considérablement; [expensive, intensive] extrêmement; **to be ~ successful** avoir un immense succès

mass market /ˌmæs 'mɑːkɪt/
A n marché m grand public
B modif [phone, TV set] grand public inv; [potential] de grande diffusion

mass-marketed /ˌmæs'mɑːkɪtɪd/ adj [goods] destiné au grand public

mass-marketing /ˌmæs'mɑːkɪtɪŋ/ n commercialisation f massive

mass: **~ media** n (+ v sg ou pl) (mass) médias mpl; **~ murder** n massacre m; **~ murderer** n auteur m d'un meurtre collectif; **~ noun** n nom m noncomptable; **~ number** n nombre m de masse; **~ observation** n enquête f sociologique (au niveau national)

mass-produce /ˌmæsprə'djuːs, US -duː-/
A vtr fabriquer [qch] en série
B **mass-produced** pp adj fabriqué en série

mass: **~ production** n fabrication f en série; **~ screening** n Med dépistage m systématique; **~ spectrograph** n spectrographe m de masse; **~ spectrometer** n spectromètre m de masse; **~ spectroscope** n spectroscope m de masse; **~ X-ray** n dépistage m radiographique systématique

mast /mɑːst, US mæst/
A n **1** (on ship, for flags) mât m; Radio, TV pylône m; **the ~s of a ship** la mâture d'un navire; **2** ¢ Agric glands mpl et faines fpl
B vtr mâter
C **-masted** (dans composés) **three-~ed** à trois mâts

(Idioms) **to nail one's colours to the ~** afficher ses opinions (une fois pour toutes); **to sail before the ~** servir comme simple matelot

mastectomy /məs'tektəmɪ/ n mastectomie f

master /'mɑːstə(r), US 'mæs-/
A n **1** (man in charge) maître m; **the ~ of the house** le maître de maison; **to be ~ in one's own house** être maître chez soi; **2** (person in control) maître/-esse m/f; **to be one's own ~** être son propre maître; **to be (the) ~ of one's fate/the situation** être maître/-esse de son destin/la situation; **to be ~ of oneself** être maître/-esse de soi; **3** (person who excels) maître m; **a ~ of** un maître de [violin, narrative]; un/-e expert/-e de [tactics, public relations]; **to be a ~ at doing** être maître dans l'art de faire; **4** Art (also **Master**) maître m; **the Dutch ~s** les maîtres hollandais; **5** Sch (teacher) (primary) maître m, instituteur m; (secondary) professeur m; (headmaster) proviseur m; **6** GB Univ (of college) principal m; **7** (also **~ copy**) original m; **8** †(also **Master**) (as form of address) maître m; **yes, Master** oui, Maître; **9** Univ (graduate) ≈ titulaire mf d'une maîtrise; **~'s (degree)** maîtrise f (**in** en, de); **to be working towards one's ~'s** préparer sa maîtrise; **10** Naut capitaine m; **11** (in chess, bridge etc) maître m; **12** (title of young man) monsieur m; **the young ~**† le jeune monsieur; **Master Ian Todd** (on envelope) Monsieur Ian Todd
B **Masters** npl (+ v sg) Sport **the Masters** gen le championnat; (in tennis) le masters
C modif [architect, butcher, chef, craftsman] maître (before n); [smuggler, spy, terrorist, thief] professionnel/-elle
D vtr **1** (learn, become proficient in or with) maîtriser [subject, language, controls, computers, theory, basics, complexities]; posséder [art, skill]; **2** (control) dominer [feelings, situation, person]; surmonter [phobia]

master: **~-at-arms** n GB ▸ **p. 1599** capitaine m d'armement; **~ bedroom** n chambre f principale; **~ builder** ▸ **p. 1683**

n maître *m* d'œuvre; ~ **class** *n* master class *m*; ~ **copy** *n* original *m*; ~ **disk** *n* Comput disque *m* d'exploitation; ~ **file** *n* Comput fichier *m* maître

masterful /'mɑːstəfl, US 'mæs-/ *adj* 1 (dominating) [*person*] dominateur/-trice; 2 (skilled, masterly) [*person*] très habile; [*technique*] magistral

masterfully /'mɑːstəfəlɪ, US 'mæs-/ *adv* 1 (dominantly) en maître; 2 (skilfully) magistralement

masterfulness /'mɑːstəflnɪs, US 'mæs-/ *n* assurance *f*

master key *n* passe-partout *m inv*

masterly /'mɑːstəlɪ, US 'mæs-/ *adj* [*technique, writing*] magistral; **to have a ~ command of the English language** maîtriser parfaitement la langue anglaise

master mariner *n* Naut capitaine *m* de première classe

mastermind /'mɑːstəmaɪnd/
A *n* cerveau *m* (**of, behind** de)
B *vtr* échafauder [*crime, swindle, plot, conspiracy*]; organiser [*event, concert*]

master: **Master of Arts** *n* ≈ maîtrise *f* de lettres; ~ **of ceremonies** *n* (presenting entertainment) animateur/-trice *m/f*; (at formal occasion) maître *m* des cérémonies; ~ **of foxhounds**, ~ **of the hounds** *n* grand veneur *m*; **Master of Science** *n* ≈ maîtrise *f* de sciences; **Master of the Rolls** *n* GB *juge de la cour d'appel et garde des archives*; ~**piece** *n* chef-d'œuvre *m* also fig; ~ **plan** *n* plan *m* d'ensemble; ~ **print** *n* Cin copie *f* mère; ~ **race** *n* race *f* supérieure; ~ **sergeant** ▸ p. 1599 *n* US Mil adjudant *m*; Aviat sergent-chef *m*; ~**'s ticket** *n* Naut brevet *m* de capitaine; ~**stroke** *n* (brilliant action, piece of skill) coup *m* de maître; (idea, stroke of genius) idée *f* de génie; ~ **tape** *n* bande *f* mère; ~**work** *n* chef-d'œuvre *m*

mastery /'mɑːstərɪ, US 'mæs-/ *n* 1 (skill, knowledge) maîtrise *f* (**of** de); **to have complete ~ of one's subject** maîtriser complètement son sujet; 2 (control, dominance) domination *f*, maîtrise *f*; **to have ~ over sb/sth** dominer qn/qch

masthead /'mɑːsthed, US 'mæst-/
A *n* 1 Naut tête *f* de mât; 2 (of newspaper) ≈ ours○ *m*
B *vtr* hisser [qch] en tête de mât [*sail*]

mastic /'mæstɪk/ *n* mastic *m*

masticate /'mæstɪkeɪt/ *vi* mastiquer, mâcher

mastiff /'mæstɪf/ *n* mastiff *m*

mastitis /mæ'staɪtɪs/ ▸ p. 1327 *n* mastite *f*

mastodon /'mæstədɒn/ *n* mastodonte *m*

mastoid /'mæstɔɪd/
A *n* Anat mastoïde *f*
B *adj* [*muscle*] mastoïdien/-ienne; ~ **process** apophyse *f* mastoïde

mastoiditis /ˌmæstɔɪ'daɪtɪs/ *n* mastoïdite *f*

masturbate /'mæstəbeɪt/
A *vtr* masturber
B *vi* se masturber

masturbation /ˌmæstə'beɪʃn/ *n* masturbation *f*

masturbatory /ˌmæstə'beɪtərɪ, US -bə'tɔːrɪ/ *adj* masturbatoire

mat /mæt/
A *n* 1 (on floor) (petit) tapis *m*; (for wiping feet) paillasson *m*; **exercise ~** tapis *m*; fig (of vegetation) tapis *m*; 2 (on table) (heatproof) dessous-de-plat *m inv*; (ornamental) napperon *m*; **place ~** set *m* de table
B *adj* = **matt**
C *vi* (*p prés etc* **-tt-**) 1 [*hair*] s'emmêler; 2 [*wool, sweater*] se feutrer

MAT *n* (*abrév* = **machine-assisted translation**) TAO *f*

matador /'mætədɔː(r)/ ▸ p. 1683 *n* matador *m*

match /mætʃ/
A *n* 1 Sport match *m* (**against** contre; **between** entre); 2 (for lighting fire) allumette *f*; **a box/book of ~es** une boîte/pochette d'allumettes; **to put** *ou* **set a ~ to sth** mettre le feu à qch; **(have you) got a ~○?** tu as du feu?; 3 (equal, challenger) **to be a ~ for sb** être un adversaire à la mesure de qn; **to be no ~ for sb** être trop faible pour qn; **to meet one's ~** trouver quelqu'un à sa hauteur; **he's met his ~ in her** avec elle, il a trouvé quelqu'un à qui se mesurer; **to be more than a ~ for sb** surpasser qn; 4 (thing that harmonizes or corresponds) **to be a good ~ for sth** [*shoes, curtains, colour*] aller très bien avec qch; **those two cushions are a good ~** ces deux coussins vont bien ensemble; **I couldn't find an exact ~ for the broken cup** je n'ai pas pu trouver de tasse exactement pareille à celle qui avait été cassée; **the blood sample is a perfect ~ with that found at the scene of the crime** l'échantillon de sang correspond parfaitement au sang trouvé sur les lieux du crime; 5 (marriage) union *f*, mariage *m*; **to make a good ~** épouser un bon parti; **to be a good ~ for sb** être un bon parti pour qn; 6 (wick on explosive) mèche *f*
B *vtr* 1 (correspond to, harmonize with) [*colour, bag, socks*] être assorti à; [*blood type, sample, bone marrow*] correspondre à; [*product, outcome, supply*] répondre à [*demand, expectations*]; [*item, word*] correspondre à [*definition, description*]; **her talent did not ~ her mother's ambitions** son talent n'était pas à la hauteur des ambitions de sa mère; **his job ideally ~es his interests** son travail correspond parfaitement à ses goûts; 2 (compete with or equal) égaler [*record, achievements*]; **we will ~ our competitors' prices** nous alignerons nos prix sur ceux de la concurrence; **the government will ~ your donation dollar for dollar** le gouvernement donnera la même somme que vous au dollar près; **his wit cannot be ~ed** il a une intelligence hors pair; **she more than ~ed him in aggression** elle le valait bien sur le plan de l'agressivité; **he is to be ~ed against the world champion** on a organisé une rencontre entre lui et le champion du monde; **when it comes to cheating there's nobody to ~ him** pour ce qui est de tricher il n'y en a pas deux comme lui; 3 (find a match for) **to ~ sb with compatible people** trouver les personnes avec lesquelles qn peut s'entendre; **to ~ trainees with companies** mettre en rapport des stagiaires avec des sociétés; **to ~ a wire to the correct terminal** raccorder un fil à la borne qui convient; **to ~ (up) the names to the photos** trouver les noms qui correspondent aux photos
C *vi* [*colours, clothes, curtains*] être assortis/-ies; [*components, pieces*] aller ensemble; **that button doesn't ~** ce bouton n'est pas identique aux autres; **a set of ~ing luggage** un ensemble de bagages assortis; **with gloves to ~, with ~ing gloves** avec des gants assortis

(Phrasal verb) ■ **match up**: ▸ ~ **up** [*pieces, bits*] aller ensemble; ▸ ~ **up [sth]**, ~ **[sth] up** ajuster [*pieces, sides, bits*]; **to ~ up to** être à la hauteur de [*expectation, hopes, reputation*]

matchbox /'mætʃbɒks/ *n* boîte *f* d'allumettes

match day
A *n* jour *m* de match
B *modif* [*alcohol ban, event, parking*] pour le jour du match

matched /mætʃt/ *adj* assorti; **they are well/badly/perfectly ~** ils sont bien/mal/parfaitement assortis

matching /'mætʃɪŋ/ *adj* assorti; **they're a ~ pair** *ou* **set** ils sont assortis

matchless /'mætʃlɪs/ *adj* [*beauty, taste*] incomparable; [*complacency, indifference*] sans pareil/-eille

matchmaker /'mætʃmeɪkə(r)/ *n* 1 (for couples) marieur/-euse *m/f*, entremetteur/-euse *m/f* pej; 2 (for boxer) manager *m*; (for business etc) intermédiaire *mf*

matchmaking /'mætʃmeɪkɪŋ/ *n* **to enjoy ~** aimer jouer les entremetteurs/-euses; **I'm sick of all this ~** j'en ai marre○ qu'on essaie de me marier; **a ~ service for buyers and vendors** un service qui a pour mission de mettre en contact acheteurs et vendeurs

match play *n* match-play *m*

match point *n* balle *f* de match; **at ~** à la balle de match

matchstick /'mætʃstɪk/
A *n* (bois *m* d') allumette *f*
B *modif* [*man, figure*] stylisé, filiforme

matchwood /'mætʃwʊd/ *n* éclats *mpl* de bois, copeaux *mpl*; **to reduce sth to ~** réduire qch en miettes

mate /meɪt/
A *n* 1 ○GB (friend) copain○ *m*; (at work, school) camarade *mf*; **hello ~!** salut mon vieux○!; 2 (sexual partner) Zool (male) mâle *m*; (female) femelle *f*; (person) hum partenaire *mf*; 3 (assistant) aide *mf*; **builder's ~** aide-maçon *m*; 4 GB Naut (in merchant navy) ≈ second *m* (capitaine); ▸ **first mate, second mate**; 5 (in chess) mat *m*
B *vtr* 1 accoupler [*animal*] (**with** à *or* avec); 2 (in chess) faire mat
C *vi* [*animal*] s'accoupler (**with** à, avec)

material /mə'tɪərɪəl/
A *n* 1 (information, data) documentation *f*, documents *mpl* (**about, on** sur; **for** pour); **to collect ~ on sth** se documenter sur qch; **I'm collecting ~ for a book** je recueille de la documentation pour un livre; **to draw on ~ from the archives** se baser sur des documents provenant des archives; **course** *ou* **teaching ~** matériel *m* pédagogique; **promotional ~, publicity ~** documentation *f* publicitaire; **reference ~** référentiel *m*; **some of the ~ in the report is inaccurate** certains passages du rapport sont inexacts; 2 (subject matter) sujet *m*; **I'll use the ~ in my next article** je traiterai ce sujet dans mon prochain article; **the ~ in the magazine is controversial** le contenu de la revue est controversé; **some of the ~ in the show is unsuitable for children** certaines parties du spectacle ne sont pas pour les enfants; 3 Theat, TV (script) texte *m*; (show) spectacle *m*; **she writes all her own ~** elle écrit ses textes elle-même; 4 Mus chansons *fpl*; **he writes all his own ~** il est auteur-compositeur; **I'm working on ~ for a new album** je suis en train de travailler à mon nouvel album; 5 (substance) gen matière *f*, substance *f*; Constr, Tech matériau *m*; **explosive ~** matière *or* substance explosive; **natural ~** matière *or* substance naturelle; **nuclear ~** matériaux *mpl* nucléaires; **packing ~** matériaux *mpl* d'emballage; **plastic ~** matériaux *mpl* plastiques; **waste ~** déchets *mpl*; 6 (fabric) tissu *m*, étoffe *f*; **cotton ~** tissu en coton; **curtain/dress ~** tissu pour rideaux/pour robes; **furnishing ~** tissu d'ameublement; **natural/synthetic ~** étoffe naturelle/synthétique; 7 (personal potential) étoffe *f*; **she is star/executive ~** elle a l'étoffe d'une vedette/d'un cadre; **he is not really university ~** il n'est pas capable d'entreprendre des études universitaires
B **materials** *npl* 1 (equipment) matériel *m*; **art ~s, artist's ~s** fournitures *fpl* de dessin; **cleaning ~s** produits *mpl* d'entretien; 2 (natural substances) matériaux *mpl*
C *adj* 1 (significant, relevant) [*assistance, benefit, change, damage, effect*] matériel/-ielle; [*anxiety, question*] important; [*fact*] pertinent; [*witness, evidence*] matériel/-ielle; **to be ~ to sth** se rapporter à qch; 2 (physical, concrete) [*cause, comfort, consideration, gain, need, possessions, success, support*] matériel/-ielle; **in ~ terms, we are better off** nous sommes plus à l'aise sur le plan matériel; **to do sth for ~ gain** faire qch par esprit de lucre

materialism /mə'tɪərɪəlɪzəm/ *n* matérialisme *m*

materialist /mə'tɪərɪəlɪst/ *n, adj* matérialiste (*mf*)

m

materialistic /mə,tɪərɪə'lɪstɪk/ *adj* = **materialist**

materialize /mə'tɪərɪəlaɪz/ *vi* **1** (happen) [*hope, offer, plan, threat*] se concrétiser; [*event, situation*] se réaliser; [*idea*] prendre forme; **the threat failed to ~** la menace ne s'est pas concrétisée; **the strike failed to ~** la grève n'a pas eu lieu; **2** (appear) souvent hum [*person, object*] surgir; [*spirit*] se matérialiser; **I waited, but he failed to ~** j'ai attendu, mais il ne s'est pas montré

materially /mə'tɪərɪəlɪ/ *adv* **1** (considerably) sensiblement; **not ~ faster/lower** pas vraiment plus rapide/bas; **2** (physically) matériellement

maternal /mə'tɜːnl/ *adj* maternel/-elle (**towards** avec)

maternally /mə'tɜːnəlɪ/ *adv* maternellement; **she treats them very ~** elle est très maternelle avec eux

maternity /mə'tɜːnətɪ/
A *n* maternité *f*
B *modif* [*clothes*] de grossesse

maternity: **~ benefit** *n* GB allocation *f* de maternité; **~ department** *n* (in store) rayon *m* future maman; **~ hospital** *n* maternité *f*; **~ leave** *n* congé *m* de maternité; **~ unit** *n* service *m* d'obstétrique; **~ ward** *n* maternité *f*

matey○ /'meɪtɪ/ *adj* GB copain○ (**with** avec); **they're very ~** ils sont très copains○; **just you watch it, ~ boy!** hum fais gaffe, mon vieux○!

math○ /mæθ/ *n* US = **maths**○

mathematical /,mæθə'mætɪkl/ *adj* mathématique; **to have a ~ mind** être fort en maths; **to be a ~ impossibility** être mathématiquement impossible

mathematically /,mæθə'mætɪklɪ/ *adv* mathématiquement

mathematician /,mæθmə'tɪʃn/ ▸ **p. 1683** *n* mathématicien/-ienne *m/f*

mathematics /,mæθə'mætɪks/ *n* **1** (subject) (+ *v sg*) mathématiques *fpl*; **2** (mathematical operations) (+ *v sg ou pl*) calculs *mpl*

maths○ /mæθs/ GB
A *n* (+ *v sg*) maths○ *fpl*
B *modif* [*class, book, teacher*] de maths

matinée /'mætɪneɪ, 'mætneɪ, US ,mætn'eɪ/
A *n* Cin, Theat matinée *f*
B *modif* [*performance, show*] en matinée

matinée: **~ coat**, **~ jacket** *n* GB gilet *m* de bébé; **~ idol** *n* Cin acteur *m* idolâtré par les femmes (*dans les années 30 et 40*)

mating /'meɪtɪŋ/ *n* accouplement *m*

mating: **~ call** *n* chant *m* nuptial; **~ season** *n* lit, fig saison *f* des amours

matins /'mætɪnz/ *npl* (in Catholic church) matines *fpl*; (in Church of England) office *m* du matin

matriarch /'meɪtrɪɑːk/ *n* (head of family) femme *f* chef de famille; (venerable woman) matrone *f*

matriarchal /,meɪtrɪ'ɑːkl/ *adj* matriarcal

matriarchy /'meɪtrɪɑːkɪ/ *n* matriarcat *m*

matrices /'meɪtrɪsiːz/ *pl* ▸ **matrix**

matricidal /,meɪtrɪ'saɪdl/ *adj* matricide

matricide /'meɪtrɪsaɪd/ *n* **1** (crime) matricide *m*; **2** (perpetrator) matricide *mf*

matriculate /mə'trɪkjʊleɪt/
A *vtr* inscrire
B *vi* **1** (enrol) s'inscrire; **2** †GB Sch être reçu à l'examen d'entrée à l'université

matriculation /mə,trɪkjʊ'leɪʃn/
A *n* **1** Univ (enrolment) inscription *f*; **2** †GB Sch *examen donnant droit à l'inscription universitaire*
B *modif* [*fee*] d'inscription; [*card*] d'étudiant; [*exam*] d'entrée à l'université

matrilineal /,mætrɪ'lɪnɪəl/ *adj* matrilinéaire

matrimonial /,mætrɪ'məʊnɪəl/ *adj* [*problems, home, state*] conjugal; [*bond*] conjugal, matrimonial; **~ causes** Jur *ensemble des affaires relatives à l'état conjugal*

matrimony /'mætrɪmənɪ, US -məʊnɪ/ *n* mariage *m*; **to be united in holy ~** être uni dans le sacrement du mariage

matrix /'meɪtrɪks/ *n* (*pl* **-trices**) Anat, Comput, Ling, Math, Print, Tech matrice *f*; Miner gangue *f*

matron /'meɪtrən/ *n* **1** GB (nurse) (in hospital) infirmière *f* en chef; (in school) infirmière *f* (*chargée également de l'intendance*); **2** (person in charge) (of orphanage, nursing home) directrice *f*; **3** US (warder) gardienne *f*; **4** (woman) péj matrone *f* pej

matronly /'meɪtrənlɪ/ *adj* [*duties, manner*] de mère de famille, de matrone; [*figure*] fort, corpulent; **she already looks ~** elle fait déjà matrone pej

matron-of-honour GB, **matron-of-honor** US *n* dame *f* d'honneur

matt /mæt/ *adj* mat; **with a ~ finish** [*paint*] mat; [*photograph*] sur papier mat

matte /mæt/ *adj* US = **matt**

matted /'mætɪd/ *adj* [*hair*] emmêlé; [*wool, fibres*] aplati; [*cloth, woollens*] feutré; [*roots, branches*] entrelacé, enchevêtré; **to become ~** [*hair*] s'emmêler; [*fibres*] s'enchevêtrer; [*woollens*] se feutrer

matter /'mætə(r)/
A *n* **1** gen chose *f*; (of specified nature) affaire *f*; (requiring solution) problème *m*; (on agenda) point *m*; **business ~s** affaires *fpl*; **money ~s** questions *fpl* d'argent; **the ~ in hand/under discussion** l'affaire en question/dont il est question; **it will be no easy ~** cela ne sera pas (une affaire) facile; **the ~ is closed** l'affaire est close; **I have important ~s to discuss** j'ai des choses importantes à discuter; **~s have taken an unexpected turn** les choses ont pris un tour inattendu; **report the ~ to the police** signalez la chose à la police; **the main ~ on the agenda** le point principal à l'ordre du jour; **~s arising** Admin points non inscrits à l'ordre du jour; **private ~** affaire privée; **this is a ~ for the police** c'est un problème qui relève de la police; **there's the small ~ of the £1,000 you owe me** il y a le petit problème des 1 000 livres sterling que tu me dois; **Catherine is dealing with the ~** Catherine s'occupe du problème; **that's another ~** c'est un autre problème, c'est une autre histoire; **it's no small ~** ce n'est pas une broutille; **to let the ~ drop** en rester là; **to take the ~ further/no further** aller/ne pas aller plus loin; **the fact** *ou* **truth of the ~ is that** la vérité est que; **I know nothing of the ~** je ne suis au courant de rien
2 (question) question *f*; **a ~ of** une question de [*experience, importance, opinion, principle, taste*]; **it's a ~ of urgency** c'est urgent; **a ~ of life and death, a life or death ~** une question de vie ou de mort; **it will just be a ~ of months** ce ne sera qu'une question de mois; **a ~ of a few euros/days** l'affaire de quelques euros/jours; **'will he recover?'—'it's a ~ of time'** 's'en remettra-t-il?'–'c'est une question de temps'; **it's only a ~ of time before they separate** ils vont se séparer, ce n'est plus qu'une question de temps
3 **the ~** (something wrong, trouble) un problème; **is anything the ~?** y a-t-il un problème?; **there was something the ~** il y avait un problème; **there's nothing the ~** il n'y a pas de problème; **what's the ~?** qu'est-ce qu'il y a?; **there's nothing the ~ with me** je n'ai rien; **what's the ~ with Louise?** qu'est-ce qu'elle a Louise?; **there's something the ~ with her car** sa voiture a un problème; **there's something the ~ with her eye** elle a quelque chose à l'œil; **what's the ~ with doing a bit of work?** iron ça t'ennuierait de travailler un peu?
4 Sci (substance) matière *f*; **inert ~** matière inerte; **inorganic/organic ~** matière inorganique/organique; **vegetable ~** matière végétale; **a particle of ~** une particule; **colouring ~** colorant *m*
5 (on paper) **advertising ~** publicité *f*; **printed ~** imprimés *mpl*; **reading ~** lecture *f*
6 (content of article, book, speech etc) contenu *m*; **subject ~** contenu *m*; **~ and style** le fond et la forme
7 Med (pus) pus *m*
B *vi* être important; **children/details ~** les enfants/les détails sont importants; **politeness ~s** la politesse est importante; **to ~ to sb** [*behaviour, action*] avoir de l'importance pour qn; [*person*] compter pour qn; **it ~s to me where you go and what you do** tes faits et tes gestes ont de l'importance pour moi; **it ~s to me!** c'est important pour moi!; **it ~s how you speak/where you sit** ta façon de parler/l'endroit où tu t'assieds a de l'importance; **it really doesn't ~** cela n'a absolument aucune importance; **it doesn't ~ how/when** peu importe comment/quand (+ *indic*); **it doesn't ~ whether** peu importe que (+ *subj*); **'I'm late'—'oh, it doesn't ~'** 'je suis en retard'–'oh, ça ne fait rien'; **'what about Richard?'—'oh, it doesn't ~ about him!'** 'et Richard?'–'oh, il ne faut pas s'inquiéter pour lui!'; **it ~s that she feels/is etc** c'est grave qu'elle se sente/soit etc; **does it ~ that I can' t be there?** est-ce que c'est grave si je ne peux pas venir?; **does it really ~?** (reprovingly) qu'est-ce que ça peut faire?

(Idioms) **as a ~ of course** systématiquement; **as a ~ of fact** en fait; **for that ~** d'ailleurs; **don't speak to me like that! or to anyone else, for that ~!** ne me parle pas sur ce ton! ni à qui que ce soit d'autre d'ailleurs!; **no ~!** peu importe!; **no ~ how late it is/what he did** peu importe l'heure/ce qu'il a fait; **that's the end of the ~, there's an end to the ~** c'est mon/son etc dernier mot; **to make ~s worse** pour ne rien arranger; **to take ~s into one's own hands** prendre les choses en main

Matterhorn /'mætəhɔːn/ *pr n* **the ~** le (mont) Cervin

matter-of-fact *adj* [*voice, tone*] détaché; [*person*] terre à terre; **she told us the news in a very ~ way** elle nous a annoncé la nouvelle d'une façon très détachée

matter-of-factly *adv* d'une façon très détachée

Matthew /'mæθjuː/ *pr n* Mathieu; Bible Matthieu

matting /'mætɪŋ/ *n* ¢ **1** (material) revêtement *m* de sol tressé; **2** (mats) nattes *fpl*

mattock /'mætək/ *n* pioche *f*

mattress /'mætrɪs/ *n* matelas *m*

mattress cover *n* gen housse *f* de matelas

maturation /,mætjʊ'reɪʃn/ *n* (of tree, body) maturation *f*; (of whisky, wine) vieillissement *m*; (of cheese) affinage *m*

mature /mə'tjʊə(r), US -'tʊər/
A *adj* **1** [*plant, animal*] adulte; **~ garden** beau jardin (*planté depuis quelques années*); **2** (psychologically) [*person*] mûr; [*attitude, reader*] adulte; **her most ~ novel** son roman le plus achevé; **after ~ consideration** après mûre réflexion; **3** Culin [*hard cheese*] fort; [*soft cheese*] affiné; [*whisky*] vieux; **~ wine** vin vieux; **4** Fin [*bill, insurance policy*] arrivé à échéance
B *vtr* laisser vieillir [*wine, whisky*]; affiner [*cheese*]
C *vi* **1** (physically) [*person, animal*] devenir adulte; [*plant*] atteindre la taille adulte; **2** (psychologically) [*person, attitude*] mûrir; **3** fig [*idea, plan*] mûrir; **4** [*wine, whisky*] vieillir; [*cheese*] s'affiner; **5** Fin [*bill, insurance policy*] arriver à échéance

maturely /mə'tjʊəlɪ, US -'tʊərlɪ/ *adv* **to behave ~** avoir un comportement adulte

mature student *n* GB personne *f* qui reprend des études (*après un temps au foyer ou dans la vie active*)

maturity /mə'tjʊərətɪ, US -'tʊə-/ *n* maturité *f*; Fin échéance *f*; **to reach ~** [*person*] atteindre l'âge adulte; [*tree*] arriver à maturité; **he**

i may¹

When *may* (or *may have*) is used with another verb in English to convey possibility, French will generally use the adverb *peut-être* (perhaps) with the equivalent verb:

it may rain
= il pleuvra peut-être

we may never know what happened
= nous ne saurons peut-être jamais ce qui s'est passé

he may have got lost
= il s'est peut-être perdu

Alternatively, and more formally, the construction *il se peut que* + subjunctive may be used: *il se peut qu'il pleuve*; *il se peut que nous ne sachions jamais*. For particular usages, see **1** in the entry **may**.

peut-être is also used in French to convey concession:

he may be slow but he's not stupid
= il est peut-être lent mais il n'est pas bête

you may think I'm crazy but ...
= tu penses peut-être que je suis fou mais...

When *may* is used to convey permission, the French equivalent is *pouvoir*:

you may close the door
= vous pouvez fermer la porte

Note that the polite question *may I... ?* is translated by *puis-je... ?*:

may I make a suggestion?
= puis-je faire une suggestion?

For particular usages, see **2** in the entry **may**.

When *may* is used in rather formal English to convey purpose in the construction *in order that* + *may*, the French equivalent is *pour que* + subjunctive:

in order that he may know
= pour qu'il sache

When *may* is used with another verb to express a wish, the French uses *que* + subjunctive:

may they be happy!
= qu'ils soient heureux!

long may it last!
= que ça dure!

When *may well* + verb is used to convey likelihood, the French uses *il est fort possible que* + subjunctive:

he may well have gone elsewhere
= il est fort possible qu'il soit allé ailleurs

But note:

that may well be but...
= c'est possible mais...

In the phrase *may as well*, *may* is used interchangeably with *might*, which is more frequently used. For translations see the entry **might¹**.

---

lacks ~ il n'est pas très mûr

matzo /'mɑːtsəʊ/ *n* pain *m* azyme

maudlin /'mɔːdlɪn/ *adj* [*song, story, tone*] larmoyant; [*person*] mélancolique; **he gets ~ when he drinks** il a le vin triste

maul /mɔːl/
A *n* **1** (hammer) masse *f*; **2** (in rugby) maul *m*
B *vtr* **1** (attack) [*animal*] mutiler; (fatally) déchiqueter; **2** (manhandle) malmener; **3** (sexually) tripoter○ [*woman*]; **4** fig [*critics*] démolir

mauling /'mɔːlɪŋ/ *n* mutilation *f*; **to get a ~ from the critics** fig être démoli par la critique

maulstick /'mɔːlstɪk/ *n* Art appui-main *m*

maunder /'mɔːndə(r)/ *vi* **1** (speak) divaguer; **to ~ on about sth** divaguer sur qch; **2** (wander) errer, se baguenauder○

Maundy: **~ money** *n* GB *aumône octroyée par le souverain le jeudi saint*; **~ Thursday** *n* jeudi *m* saint

Mauritania /ˌmɒrɪ'teɪnɪə/ ▸ **p. 1096** *pr n* Mauritanie *f*

Mauritanian /ˌmɒrɪ'teɪnɪən/ ▸ **p. 1467**
A *n* Mauritanien/-ienne *f*
B *adj* mauritanien/-ienne

Mauritian /mə'rɪʃn/
A *n* ▸ **p. 1467** Mauricien/-ienne *m/f*
B *adj* mauricien/-ienne

Mauritius /mə'rɪʃəs/ ▸ **p. 1096, p. 1355** *pr n* Maurice *f*

mausoleum /ˌmɔːsə'liːəm/ *n* **1** (tomb) mausolée *m*; **2** (big house) péj grande baraque○ *f*

mauve /məʊv/ ▸ **p. 1067** *n, adj* mauve (*m inv*)

maven○ /'meɪvn/ *n* US péj expert *m*; **he's an architecture ~** il se prend pour un expert en architecture

maverick /'mævərɪk/
A *n* **1** (calf) veau *m* non marqué; **2** (person) non-conformiste *mf*
B *adj* nonconformiste

maw /mɔː/ *n* **1** (of cow) caillette *f*; **2** (of bird) jabot *m*; **3** (of lion etc) gueule *f* also fig hum; **to disappear into the ~ of sth** fig être englouti par qch

mawkish /'mɔːkɪʃ/ *adj* péj **1** (sentimental) mièvre; **2** (insipid) fade

mawkishness /'mɔːkɪʃnɪs/ *n* péj **1** (sentimentality) mièvrerie *f*; **2** (insipidity) fadeur *f*

max○ /mæks/ *abrév* = **maximum**

maxi /'mæksɪ/ *n* **1** (*also* **~ dress**) robe *f* maxi; **2** (*also* **~ skirt**) jupe *f* maxi

maxilla /mæk'sɪlə/ *n* (*pl* **-illae**) (in vertebrates) maxillaire *m* (supérieur); (in insects) maxille *f*

maxillary /mæk'sɪlərɪ/ *adj* maxillaire

maxim /'mæksɪm/ *n* maxime *f*

maxima /'mæksɪmə/ *pl* ▸ **maximum**

maximal /'mæksɪml/ *adj* (*tjrs épith*) maximal

maximalist /'mæksɪməlɪst/ *n* maximaliste *mf*

maximization /ˌmæksɪmaɪ'zeɪʃn/ *n* maximalisation *f*

maximize /'mæksɪmaɪz/ *vtr* **1** gen maximiser [*profit, sales*]; **to ~ one's potential** utiliser à fond toutes ses capacités; **2** Comput agrandir

maximum /'mæksɪməm/
A *n* (*pl* **-imums, -ima**) maximum *m*; **at the ~** au maximum; **the hall can hold a ~ of 300** la salle peut contenir 300 personnes au maximum; **to do sth to the ~** faire qch à fond
B *adj* [*price*] maximum; [*temperature*] maximal; [*speed*] maximum, maximal
C *adv* au maximum

maximum: **~ load** *n* charge *f* limite; **~ minimum thermometer** *n* thermomètre *m* à maximum et à minimum; **~ security prison** *n* prison *f* de haute surveillance

may¹ /meɪ/ *modal aux* **1** (possibility) **'are you going to accept?'—'I ~'** 'tu vas accepter?'—'peut-être'; **this medicine ~ cause drowsiness** ce médicament peut provoquer des réactions de somnolence; **they're afraid she ~ die** ils ont peur qu'elle (ne) meure; **even if I invite him he ~ not come** même si je l'invite il risque de ne pas venir; **that's as ~ be, but...** peut-être bien, mais...; **come what ~** advienne que pourra; **be that as it ~** quoi qu'il en soit; **2** (permission) **I'll sit down, if I ~** je vais m'asseoir si vous le permettez; **if I ~ say so** si je puis me permettre; **and who are you, ~ I ask?** iron qui êtes-vous au juste?

may² /meɪ/ *n* (hawthorn) aubépine *f*

May /meɪ/ ▸ **p. 1452** *n* (month) mai *m*

Mayan /'maɪən/ ▸ **p. 1378, p. 1467**
A *n* **1** (person) Maya *mf*; **2** Ling maya *m*
B *adj* maya

maybe /'meɪbiː/
A *adv* peut-être; **~ they'll arrive early** peut-être arriveront-ils tôt, ils arriveront peut-être tôt; **~ he's right** il a peut-être raison; **I saw him ~ three weeks ago** je l'ai vu il y a peut-être trois semaines
B *n* **'is that a yes?'—'it's a ~'** 'c'est oui?'—'c'est peut-être'
(Idiom) **as soon as ~** le plus rapidement possible

May: **~ beetle**, **~ bug** *n* hanneton *m*; **~day** *n* Radio mayday *m*

May Day /'meɪ deɪ/
A *n* premier mai *m*, fête *f* du travail
B *modif* [*parade, celebration*] du premier mai

Mayenne ▸ **p. 1129** *pr n* Mayenne *f*; **in/to ~** dans la Mayenne

Mayfair /'meɪfeə(r)/ *pr n* Mayfair (*quartier chic de Londres*)

mayhem /'meɪhem/ *n* **1** (chaos) désordre *m*; (violence) grabuge○ *m*; **to create ~** semer la pagaille○; **2** US Jur (crime *m* de) mutilation *f*; **to commit ~ on** *ou* **against sb** se rendre coupable de mutilation sur qn

mayn't /'meɪənt/ = **may not**

mayo○ /'meɪəʊ/ *n* (*abrév* = **mayonnaise**) mayonnaise *f*

mayonnaise /ˌmeɪə'neɪz, US 'meɪəneɪz/ *n* mayonnaise *f*

mayor /meə(r), US 'meɪər/ ▸ **p. 1237** *n* maire *m*; **Mr/Madam Mayor** Monsieur/Madame le maire

mayoral /'meərəl, US 'meɪərəl/ *adj* de maire

mayoralty /'meərəltɪ, US 'meɪər-/ *n* (office) mairie *f*; (term of office) mairie *f*, mandat *m* de maire

mayoress /'meərɪs, US 'meɪə-/ ▸ **p. 1237** *n* (wife of mayor) femme *f* du maire; (lady mayor) US mairesse *f*

May: **maypole** *n* mât *m* (de fête) (*à l'occasion du premier mai*); **~ queen** *n* reine *f* du premier mai

may've /'meɪəv/ = **may have**

maze /meɪz/ *n* **1** (puzzle) lit, fig labyrinthe *m*; **2** (network) (of streets) dédale *m* (**of** de); (of pipes) enchevêtrement *m* (**of** de)

mazurka /mə'zɜːkə/ *n* mazurka *f*

mb *n* (*abrév* = **millibar**) mbar

Mb *n* Comput (*abrév* = **megabyte**) Mo *m*

MB *n* **1** GB Univ (*abrév* = **Bachelor of Medicine**) diplôme *m* universitaire de médecine; **2** Comput (*abrév* = **megabyte**) Mo *m*

MBA *n* Univ (*abrév* = **Master of Business Administration**) ≈ maîtrise *f* de gestion

MBE *n* GB (*abrév* = **Member of the Order of the British Empire**) *membre de l'ordre de l'empire britannique*

MBO *n* (*abrév* = **management buyout**) rachat *m* d'entreprise par ses cadres

m-business /'embɪznɪs/ *n* m-business *m inv*, commerce *m* électronique via le téléphone mobile

Mbyte *n* (*abrév* = **megabyte**) mégaoctet *m*

MC *n* **1** (*abrév* = **Master of Ceremonies**) (in cabaret) animateur *m*; (at banquet) maître *m* de cérémonie; **2** Mus (rapper) MC *m*; **3** US Pol *abrév écrite* = **Member of Congress**; **4** Aut *abrév écrite* = **Monaco**

MCAT *n* US Univ (*abrév* = **Medical College Admission Test**) *test d'admission aux écoles de médecine*

MCC *n* GB (*abrév* = **Marylebone Cricket Club**) *corps arbitral du cricket britannique*

McCarthyism /məˈkɑːθɪɪzəm/ *n* maccarthysme *m*

McCoy /məˈkɔɪ/ *n*
(Idiom) **the real** ~○ le vrai de vrai○; **it's the real** ~ c'est de l'authentique

MCN *n: abrév* ▸ **Micro Cellular Network**

MD *n* 1 Med, Univ (*abrév* = **Doctor of Medicine**) docteur *m* en médecine; 2 US Post *abrév écrite* = **Maryland**; 3 Mgmt (*abrév* = **Managing Director**) directeur *m* général

MDF *n* (*abrév* = **medium-density fibreboard**) lamifié *m*

MDT *n* US *abrév* ▸ **Mountain Daylight Time**

me¹ /miː, mɪ/

> ⚠ When used as a direct or indirect object pronoun *me* is translated by *me* (or *m'* before a vowel): *she knows me* = elle me connaît; *he loves me* = il m'aime.
> Note that the object pronoun normally comes before the verb in French and that in compound tenses like the present perfect and past perfect, the past participle of the verb agrees with the direct object pronoun: *he's seen me* (female speaker) = il m'a vue.
> In imperatives the translation for both the direct and the indirect object pronoun is *moi* and comes after the verb: *kiss me!* = embrasse-moi!; *give it to me!* = donne-le-moi! (note the hyphens).
> After prepositions and the verb *to be* the translation is *moi*: *she did it for me* = elle l'a fait pour moi; *it's me* = c'est moi.
> For particular expressions see below.

pron me, (*before vowel*) m'; **it's for** ~ c'est pour moi; **poor little** ~○ pauvre de moi; **what would you do if you were** ~**?** qu'est-ce que tu ferais à ma place?; **dear** ~○**!**, **deary** ~○**!** ça alors!

m

me² /miː/ *n* Mus mi *m*

ME *n* 1 Med *abrév* ▸ **myalgic encephalomyelitis**; 2 US Post *abrév écrite* = **Maine**; 3 Ling *abrév* ▸ **Middle English**; 4 US Med *abrév* ▸ **medical examiner**

mea culpa /ˌmiːə ˈkʊlpə, ˌmeɪə ˈkʊlpə/ *n, excl* mea culpa (*m inv*)

mead /miːd/ *n* hydromel *m*

meadow /ˈmedəʊ/ *n* 1 (field) pré *m*; 2 ¢ (*also* ~**land**) prés *mpl*, prairies *fpl*; 3 (*also* **water** ~) prairie *f* inondable

meadow: ~**lark** *n* sturnelle *f*; ~ **rue** *n* Bot pigamon *m* jaune; ~**sweet** *n* reine-des-prés *f*

meager *adj* US = **meagre**

meagerly *adv* US = **meagrely**

meagre GB, **meager** US /ˈmiːgə(r)/ *adj* [*income, sum, meal, fire, crop*] maigre (*before n*); [*living, existence*] chiche; [*response, returns*] piètre (*before n*); **a** ~ **diet of rice** de maigres rations de riz

meagrely GB, **meagerly** US /ˈmiːgəlɪ/ *adv* [*eat, live, spread*] chichement

meal /miːl/ *n* 1 (food) repas *m*; **hot/cold/main** ~ repas chaud/froid/principal; **they had a** ~ **in the canteen** ils ont mangé à la cantine; **did you enjoy your** ~**?** est-ce que vous avez bien mangé?; **to go out for a** ~ sortir dîner; 2 (from grain) farine *f*
(Idiom) **don't make a** ~ **of it**○**!** n'en fais pas tout un plat○!

meals on wheels *n* repas *mpl* (livrés) à domicile (*pour personnes âgées ou handicapées*)

meal ticket *n* 1 (voucher) ticket-repas *m*; 2 ○fig (quality, qualification) gagne-pain *m*; (person) **I'm just a** ~ **for you!** pour toi je ne suis qu'un portefeuille!

meal: ~**time** *n* heure *f* de repas; ~**worm** *n* ver *m* de farine

mealy /ˈmiːlɪ/ *adj* 1 (in texture) farineux/-euse; 2 (pale) blême

mealybug /ˈmiːlɪbʌg/ *n* pseudococcus *m* spec

mealy-mouthed /ˌmiːlɪˈmaʊðd/ *adj* hypocrite

mean /miːn/
A *n* 1 Math, gen moyenne *f*; **above/below the** ~ au-dessus/en dessous de la moyenne
2 fig (middle point) milieu *m*
B *adj* 1 (average) [*weight, temperature*] moyen/-enne
2 (ungenerous) [*person*] avare; [*attitude, nature*] mesquin; [*examiner*] sévère; **to be** ~ **with** être avare sur [*portion, quantity*]; **he's** ~ **with his money** il est avare
3 ○(unkind) [*person, action*] méchant; [*trick*] sale (*before n*); **to be** ~ **to sb** être méchant avec qn; **to be** ~ **about** faire des remarques désobligeantes sur [*appearance, performance*]; **it is/was** ~ **of you to do** ce n'est pas chic de ta part de faire/d'avoir fait; **to feel** ~ **for** *ou* **about doing** avoir un peu honte de faire
4 (vicious) [*animal, person, expression*] méchant; **that man/dog has got a** ~ **streak** cet homme/ce chien a la méchanceté en lui
5 (tough) [*city*] implacable; [*street*] hostile; **he's a** ~ **character** c'est un sale type○
6 ○(skilful) [*exponent, shot*] formidable, du tonnerre○ (*after n*); **she makes a** ~ **margarita** elle fait un margarita du tonnerre○; **she plays a** ~ **game of tennis/chess** elle touche sa bille○ au tennis/aux échecs; **you're no** ~ **artist/poker player!** tu es un sacré○ artiste/joueur de poker!
7 ○(small) **to have no** ~ **opinion of oneself** avoir une haute opinion de soi-même; **that's no** ~ **feat!** ce n'est pas un mince exploit!
8 (lowly) littér [*dwelling*] misérable; [*birth*] bas/basse; [*origin*] modeste
9 ○US (off colour) **to feel** ~ ne pas être dans son assiette○
C *vtr* (*prét, pp* **meant**) 1 (signify) [*word, symbol, phrase*] signifier, vouloir dire (**that** que); [*sign*] vouloir dire; **what does this word/symbol** ~**?** que signifie ce mot/symbole?; **the name/word** ~**s nothing to me** ce nom/mot ne me dit rien; **does the term** ~ **anything to him?** est-ce que le terme lui dit quelque chose?
2 (intend) **to** ~ **to do** avoir l'intention de faire; **to** ~ **sb to do** GB, **to** ~ **for sb to do** US vouloir que qn fasse; **to be meant for sb** [*question, bomb*] être destiné à qn; **I meant it as a joke/a compliment** c'était une blague/un compliment de ma part; **he doesn't** ~ **you any harm** il ne te veut aucun mal; **what do you** ~ **by opening my letters?** qu'est-ce qui te prend d'ouvrir mon courrier?; **to** ~ **well** avoir de bonnes intentions (**by sb** à l'égard de qn); **he** ~**s trouble** *ou* **mischief** il a de mauvaises intentions; **she** ~**s business** elle est sérieuse; **he** ~**s what he says** (he is sincere) il est sérieux; (he is menacing) il ne plaisante pas; **she meant no offence** elle n'y entendait pas malice; **I didn't** ~ **to do it** je ne l'ai pas fait exprès; **I didn't** ~ **anything by it** je n'avais aucune arrière-pensée; **without** ~**ing to** par inadvertance; **my remark offended you? it was meant to!** ma remarque t'a vexé? c'était voulu!
3 (entail) [*strike, law*] entraîner [*shortages, changes*]; [*budget*] signifier [*tax cuts*]; **his death/the accident** ~**s doing** à cause de sa mort/l'accident il faut faire
4 (intend to say) vouloir dire; **do you** ~ **Paul Rose?** tu veux dire Paul Rose?; **what do you** ~ **by that remark?** qu'est-ce que tu veux dire par là?; **do you** ~ **me?** c'est de moi que tu parles?; **I** ~ **to say, who wants a car that won't start?** non mais, qui voudrait d'une voiture qui ne démarre pas?; **I know what you** ~ je comprends
5 (be of value) **a promise/designer label** ~**s nothing** une promesse/marque ne veut pas dire grand-chose; **she** ~**s everything/nothing to me** elle est tout/n'est rien pour moi; **money** ~**s everything/nothing to them** l'argent représente tout/ne représente rien pour eux; **your friendship** ~**s a lot to me** ton amitié est très importante pour moi; **what it** ~**s to live in a democracy!** quelle belle chose que de vivre dans une démocratie!
6 (be destined) (*tjrs au passif*) **to be meant to do** être destiné à faire; **she was meant to be/become a doctor** elle était destinée à être/devenir médecin; **it was meant to be** *ou* **happen** cela devait arriver; **they were meant for each other** ils étaient faits l'un pour l'autre; **I was meant for better things** j'étais appelé à un destin meilleur
7 (be supposed to be) (*tjrs au passif*) **he's/you're etc meant to be** il est/tu es etc censé être [*impartial, sad*]; **I'm/you're etc meant to be doing** je suis/tu es etc censé faire

meander /mɪˈændə(r)/
A *n* méandre *m*
B *vi* 1 (wind) [*river, road*] serpenter (**through** à travers); 2 (wander) [*person*] flâner; [*thoughts*] vagabonder; 3 (lose direction) [*discussion, play*] traîner en longueur
(Phrasal verb) ■ **meander on** [*speaker*] radoter

meandering /mɪˈændərɪŋ/
A *n* (*gén pl*) 1 (wandering) méandre *m*; 2 péj (conversational) radotage *m* pej
B *adj* 1 (winding) [*river, road*] sinueux/-euse; 2 (aimless) péj [*conversation, tale etc*] décousu

meanie○ /ˈmiːnɪ/ *n* 1 (miser) radin/-e *m/f*; 2 lang enfantin (spoilsport) **he's a** ~ c'est un méchant○

meaning /ˈmiːnɪŋ/ *n* 1 (sense) (of word, phrase, remark) sens *m*, signification *f*; (of symbol, gesture, name) signification *f*; **what is the** ~ **of this word?** quel est le sens de ce mot?; **a word with two** ~**s** un mot à double sens; **what is the** ~ **of this?** qu'est-ce que cela signifie?; **poverty? he doesn't know the** ~ **of the word!** la pauvreté? c'est un mot qui ne fait pas partie de son vocabulaire; 2 (message) (of film, dream) signification *f*; 3 (purpose) sens *m*; **my life/work no longer has any** ~ ma vie/mon travail n'a plus aucun sens; **to give new** ~ **to** donner un sens nouveau à [*life, work*]; 4 (eloquence) **a look/gesture full of** ~ un regard/geste lourd de sens; 5 (drift) **yes, I get your** ~○ oui, je vois ce que tu veux dire; **he likes a little drink, if you get my** ~○ il aime bien boire un petit verre, si tu vois ce que je veux dire; 6 Jur termes *mpl*; **within the** ~ **of the act** selon les termes de la loi

meaningful /ˈmiːnɪŋfl/ *adj* 1 (significant) [*word, term, statement, result*] significatif/-ive; **explain it in a way that is** ~ **to children** explique-le de manière à ce que les enfants comprennent; 2 (profound) [*relationship, comment, lyric*] sérieux/-ieuse; [*experience*] riche; [*insight*] poussé; **my life is no longer** ~ ma vie n'a plus de sens; 3 (eloquent) [*look, smile*] entendu; [*gesture*] significatif/-ive; 4 (constructive) [*discussion, talk*] constructif/-ive; [*act, work*] utile; [*process, input*] positif/-ive

meaningfully /ˈmiːnɪŋfəlɪ/ *adv* [*speak*] avec sincérité; **to look** ~ **at sb** jeter un regard entendu à qn

meaningless /ˈmiːnɪŋlɪs/ *adj* 1 (having no sense) [*claim, word, phrase*] dépourvu de sens (*after n*); [*code, figure*] incompréhensible; **the diagram/sentence is** ~ **to me** le diagramme/la phrase m'est incompréhensible; 2 (worthless) [*chatter, role, title*] insignifiant; [*action, contribution, remark*] sans importance; [*effort*] inutile; **a** ~ **exercise** une opération inutile; 3 (pointless) [*act, sacrifice, violence*] insensé; **my life is** ~ ma vie n'a pas de sens

mean-looking /ˈmiːnlʊkɪŋ/ *adj* 1 (vicious) [*dog, man*] méchant (*before n*); 2 hum (impressive) [*drink*] géant; 3 ○(trendy) [*jacket*] d'enfer○ (*after n*)

meanly /ˈmiːnlɪ/ *adv* 1 (ungenerously) [*distribute*] avec mesquinerie; [*mark*] sévèrement; 2 (poorly) [*dressed, housed*] misérablement; 3 (nastily) [*behave, say*] méchamment

mean-minded /ˌmiːnˈmaɪndɪd/ *adj* malintentionné

meanness /ˈmiːnnɪs/ *n* **1** (stinginess) avarice *f*; **2** (nastiness) méchanceté *f* (**to** envers; **towards** à l'égard de); **to do sth out of ~** faire qch par méchanceté; **3** (smallness) (of portion) maigreur *f*; **4** (viciousness) méchanceté *f*; **5** (humbleness) littér pauvreté *f*

means /miːnz/
A *n* (*pl* ~) (way) moyen *m*; **by illegal ~** par des moyens illégaux; **ready to use whatever ~ they can to...** prêt à utiliser tous les moyens pour...; **a ~ of** un moyen de [*communication, transport, storage*]; **a ~ of doing** un moyen de faire; **there was no ~ of knowing** il n'y avait pas moyen de savoir; **by ~ of sth** au moyen de qch; **yes, by all ~** oui, certainement; **if you wish to leave, then by all ~ do** si vous voulez partir, cela ne tient qu'à vous; **it is by no ~ certain/complete, it is not certain/complete by any ~** c'est loin d'être sûr/complet
B *npl* (resources) moyens *mpl*, revenus *mpl*; **of moderate ~** [*person, family*] aux revenus modestes; **to live beyond/within one's ~** vivre au-dessus de/selon ses moyens; **to have the ~ to do** avoir les moyens de faire; **a man of ~** un homme riche *or* fortuné
(Idioms) **by fair ~ or foul** par tous les moyens; **for him, it's just a ~ to an end** pour lui, c'est juste un moyen d'arriver à ses fins; ▸ **justify**

mean-spirited *adj* petit, mesquin

means test
A *n* enquête *f* sur les ressources
B **means-test** *vtr* soumettre [qn] à un examen de ressources
C **means-tested** *pp adj* [*benefit, grant, fine*] dépendant des ressources

meant /ment/ *prét, pp* ▸ **mean**

meantime /ˈmiːntaɪm/
A *adv* = **meanwhile A**
B **for the meantime** *adv phr* pour le moment
C **in the meantime** *adv phr* = **meanwhile A**

meanwhile /ˈmiːnwaɪl/
A *adv* **1** (during this time) pendant ce temps; **~, cook the pasta** (in recipe) pendant ce temps, faire cuire les pâtes; **Gerard, ~, was cooking the dinner** Gérard, pendant ce temps, préparait le dîner; **2** (until then) en attendant; **~, if you have any questions...** en attendant, si vous avez des questions...; **3** (since or before then) entre-temps; **a lot had changed/could change ~** beaucoup de choses avaient changé/pourraient changer entre-temps; **4** (by way of contrast) au même moment; **~ in Paris...** au même moment à Paris...
B **in the meanwhile** *adv phr* = **meanwhile A**

measles /ˈmiːzlz/ ▸ **p. 1327** *n* (+ *v sg*) rougeole *f*

measly○ /ˈmiːzlɪ/ *adj* [*amount, quality*] misérable; [*gift, result*] minable○; **I was paid a ~ £2 an hour** je gagnais deux misérables livres par heure

measurable /ˈmeʒərəbl/ *adj* **1** (perceptible) [*difference*] notable; **2** (quantifiable) [*change*] mesurable; [*phenomena*] quantifiable

measurably /ˈmeʒərəblɪ/ *adv* sensiblement

measure /ˈmeʒə(r)/ ▸ **p. 1389, p. 1765, p. 1029, p. 1868, p. 1883, p. 1694**
A *n* **1** (unit) unité *f* de mesure; **weights and ~s** les poids *mpl* et mesures *fpl*; **a ~ of length** une unité de longueur; **liquid ~** mesure *f* de capacité pour les liquides; **to make sth to ~** faire qch sur mesure; **it's made to ~** (garment) c'est fait sur mesure, c'est du sur mesure
2 (standard amount, container) mesure *f*; **a double ~ of vodka** une double mesure de vodka; **he gave me short ~, I got short ~** il a triché sur la quantité
3 (device for measuring) instrument *m* de mesure
4 fig (qualified amount, extent) **some** *ou* **a certain ~ of** un/-e certain/-e; **a ~ of respect/success/change** un certain respect/succès/changement; **to receive only a small ~ of support** ne recevoir qu'un soutien limité; **a good** *ou* **wide ~ of autonomy** une grande autonomie; **in large ~** dans une large mesure; **she despised them and envied them in equal ~** elle les méprisait autant qu'elle les enviait; **to distribute praise and blame in equal ~** faire autant de compliments que de critiques; **in full ~** [*feel, possess, fulfil, contribute*] pleinement; [*repay*] entièrement; [*suffer*] profondément
5 (way of estimating, indication) (of price rises) mesure *f*; (of success, anger, frustration etc) mesure *f*, indication *f*; (of efficiency, performance) critère *m*; **to be the ~ of** donner la mesure de; **to give some ~ of** donner une idée de [*delight, failure, talent, arrogance etc*]; **to use sth as a ~ of** utiliser qch pour mesurer [*effects, impact, success*]; **this is a ~ of how dangerous it is** ceci montre à quel point c'est dangereux; **this is a ~ of how seriously they are taking the situation** ceci montre à quel point ils prennent la situation au sérieux; **that is a ~ of how well the company is run** cela mesure la qualité de la gestion de la société
6 (assessment) **beyond ~** [*change, increase*] énormément; [*anxious, beautiful, difficult*] extrêmement; **it has improved beyond ~** il y a eu d'énormes progrès; **to take the ~ of sb** jauger qn; **I have the ~ of them** je sais ce qu'ils valent
7 (action, step) mesure *f* (**against** contre; **to do** pour faire); **to take ~s** prendre des mesures; **safety** *ou* **security ~** mesure de sécurité; **~s aimed at doing** des mesures destinées à faire; **to do sth as a precautionary/an economy ~** faire qch par mesure de précaution/d'économie; **as a preventive ~** à titre préventif; **as a temporary ~** provisoirement; **the ~ was defeated** Pol Jur la mesure a été rejetée
8 Dance, Mus, Literat mesure *f*
B *vtr* **1** (by standard system) [*person, instrument*] mesurer [*length, rate, depth, person, waist*]; **to ~ sth in** mesurer qch en [*metres, inches*]; **to get oneself ~d for** faire prendre ses mesures pour; **over a ~d kilometre** Sport sur un kilomètre (*délimité par des balises*); **to ~ sth into** mesurer qch dans [*container*]
2 (have a measurement of) mesurer; **to ~ four by five metres** mesurer quatre mètres sur cinq; **a tremor measuring 5.2 on the Richter scale** une secousse de 5,2 sur l'échelle de Richter
3 (assess) mesurer [*performance, ability, success, popularity*]; **they ~ their progress by the number of** ils mesurent leur progrès au nombre de
4 (compare) **to ~ sth against** comparer qch à [*achievement, standard, effort*]
C *vi* [*person, instrument*] mesurer
D *v refl* **to ~ oneself against sb** se mesurer à qn
(Idioms) **for good ~** pour faire bonne mesure; **to do things by half-~s** se contenter de demi-mesures; **there can be no half-~s** il ne saurait être question de demi-mesures
(Phrasal verbs) ■ **measure off**: ▸ **~ off [sth]** mesurer [*fabric, ribbon etc*]
■ **measure out**: ▸ **~ out [sth]** mesurer [*land, flour, liquid*]; doser [*medicine*]; compter [*drops*]
■ **measure up**: ▸ **~ up** [*person*] avoir les qualités requises; [*product*] être de qualité; **to ~ up against sb** être l'égal de qn; **to ~ up to** être à la hauteur de [*expectations*]; soutenir la comparaison avec [*achievement*]; ▸ **~ up [sth]** mesurer [*room etc*]

measured /ˈmeʒəd/ *adj* [*tone, response, pace*] mesuré; [*analysis, comment*] circonspect

measureless /ˈmeʒəlɪs/ *adj* littér infini

measurement /ˈmeʒəmənt/ ▸ **p. 1765, p. 1694** *n* **1** (of room, piece of furniture) dimension *f*; **to take the ~s of** prendre les dimensions de; **2** Sewing **to take sb's ~s** prendre les mensurations de qn; **waist/chest ~** tour *m* de taille/de poitrine; **leg/arm ~** longueur *f* de jambe/de bras

measuring: **~ jug** *n* verre *m* gradué; **~ spoon** *n* cuillère-mesure *f*; **~ tape** *n* mètre *m* ruban, mètre *m* de couturière

meat /miːt/
A *n* **1** Culin viande *f*; (flesh) chair *f*; **red/white ~** viande rouge/blanche; **chicken/crab ~** chair de poulet/de crabe; **2** fig (main part) essentiel *m* (**of** de); **3** ‡(food) nourriture *f*
B *modif* [*dish, extract*] de viande; [*industry*] de la viande; **~ products** produits *mpl* à base de viande
(Idioms) **~ and two veg**○ viande garnie de deux légumes; **he's a ~-and-two-veg man**○ GB, **he's a ~-and-potatoes man**○ US il est très steak-frites○; **political scandals are ~ and drink to them** ils se repaissent de scandales politiques; **to be strong ~** être choquant; **one man's ~ is another man's poison** Prov le bonheur des uns fait le malheur des autres Prov

meatball /ˈmiːtbɔːl/ *n* **1** Culin (*gén pl*) boulette *f* de viande; **2** ○US (person) andouille○ *f*

meat cleaver *n* couperet *m*

meat-eater /ˈmiːtiːtə(r)/ *n* **1** (animal) carnivore *m*; **2** (person) **they're not great ~s** ils ne mangent pas beaucoup de viande

meat: **~-eating** *adj* [*animal*] carnivore; **~-free** *adj* [*dish*] sans viande; [*diet, cookery*] végétarien/-ienne; **~ hook** *n* croc *m* de boucherie; **~ loaf** *n* pain *m* de viande

meat market *n* **1** (butcher's) boucherie *f*; **2** ○(place to look for sex) lieu *m* de drague○

meat: **~packer** ▸ **p. 1683** *n* employé/-e *m/f* d'un abattoir; **~packing** *n* conditionnement *m* de la viande; **~ pie** *n* Culin ≈ pâté *m* en croûte; **~ processing** *n* transformation *f* de la viande; **~ safe** *n* GB garde-manger *m inv*; **~ trade** *n* boucherie *f*

meatus /mɪˈeɪtəs/ *n* Anat (*pl* **~es** *ou* **~**) gen conduit *m*; (urinary) méat *m* urinaire

meaty /ˈmiːtɪ/ *adj* **1** (with meat) [*stew, sauce*] riche en viande; [*chop*] beau/belle; [*flavour, smell*] de viande; **2** (brawny) [*person, hand*] épais/-aisse; **3** fig (interesting) [*role, story, subject*] riche

Mecca /ˈmekə/ ▸ **p. 1815** *pr n* **1** (shrine) La Mecque; **2** fig (*also* **mecca**) **a ~ for** la Mecque des [*tourists, scholars*]

Meccano® /mɪˈkɑːnəʊ/ *n* meccano® *m*

mechanic /mɪˈkænɪk/ ▸ **p. 1683** *n* mécanicien/-ienne *m/f*

mechanical /mɪˈkænɪkl/ *adj* (all contexts) mécanique

mechanical: **~ drawing** *n* US Tech dessin *m* industriel; **~ engineer** ▸ **p. 1683** *n* ingénieur *m* mécanicien; **~ engineering** *n* construction *f* mécanique

mechanically /mɪˈkænɪklɪ/ *adv* **1** Mech [*produce, perform, process, operate*] mécaniquement; **~-operated** à commande mécanique; **2** (automatically) [*behave, respond*] mécaniquement, machinalement

mechanics /mɪˈkænɪks/ *npl* **1** (subject) (+ *v sg*) mécanique *f*; **2** (workings) (+ *v pl*) lit, fig mécanisme *m*; **the ~ of** le mécanisme de [*engine, pump*]; **the ~ of the law/of management** les mécanismes de la loi/la gestion; **the ~ of doing** la méthode pour faire

mechanism /ˈmekənɪzəm/ *n* **1** (of machine, device) mécanisme *m*; **2** (procedure) mécanisme *m* (**of** de); **legal ~s** procédures *fpl* légales; **a ~ for regulating prices/selecting staff** une méthode pour contrôler les prix/sélectionner le personnel; **a ~ to do** un moyen de faire; **3** Biol, Psych mécanisme *m*; **4** Philos (theory) mécanisme *m*

mechanistic /ˌmekəˈnɪstɪk/ *adj* **1** Philos mécaniste; **2** Math mécanique

mechanization /ˌmekənaɪˈzeɪʃn, US -nɪˈz-/ *n* mécanisation *f*

m

mechanize /ˈmekənaɪz/
A vtr mécaniser
B vi se mécaniser
C **mechanized** pp adj mécanisé

med○ /med/ adj [school] de médecine; [student] en médecine

med. abrév écrite = **medium**

Med○ /med/ n GB abrév ▸ **Mediterranean**

MEd /ˌemˈed/ n Univ (abrév = **Master of Education**) ≈ maîtrise f de pédagogie

medal /ˈmedl/ n médaille f; **gold/silver** ~ médaille d'or/d'argent

medallion /mɪˈdæliən/ n (all contexts) médaillon m

medallist GB, **medalist** US /ˈmedəlɪst/ n médaillé/-e m/f; **gold/silver** ~ médaillé/-e m/f d'or/d'argent

medal: **Medal of Honor** n US Mil Médaille f d'honneur (la plus haute décoration militaire des États-Unis); ~ **play** n (in golf) concours m par coups

meddle /ˈmedl/ vi péj **stop meddling!** arrête de te mêler de ce qui ne te regarde pas!, mêle-toi de tes affaires!; **to** ~ **in** s'immiscer dans [affairs]; **to** ~ **with** toucher à [property]

meddler /ˈmedlə(r)/ n péj indiscret/-ète m/f

meddlesome /ˈmedəlsəm/ adj péj indiscret/-ète

meddling /ˈmedlɪŋ/ péj
A n ingérence f
B adj (épith) [person] indiscret/-ète; **his** ~ **ways** son habitude de mettre son nez partout

medevac /ˈmedɪvæk/ n US Mil (abrév = **medical evacuation**) évacuation f sanitaire

media /ˈmiːdɪə/
A n (+ v sg ou pl) **1** Journ, Radio, TV **the** ~ les médias pl; **mass** ~ mass media mpl; **news** ~ presse f d'information; **in the** ~ dans les médias; **2** Art, Biol ▸ **medium A 1, 2**
B modif [advertising] dans les médias; [analyst, attention, industry, influence, interest, law, organization, page, power, reaction, report] des médias; [coverage, event, hype, image, personality] médiatique; [consultant, group, ownership] de médias; [demand, sales] par les médias; [man, woman] qui travaille dans les médias; [tycoon] de l'industrie des médias

media: ~ **blitz** n prise f d'assaut par les médias; ~ **circus** n défilé m des médias; ~**-conscious** adj soucieux/-ieuse de son image médiatique

mediaeval adj = **medieval**

media fatigue n désintérêt m des médias

medial /ˈmiːdɪəl/ adj **1** Ling [consonant] médial; [position] médian; **2** Math [number, amount] moyen/-enne

median /ˈmiːdɪən/
A n **1** Math, Stat médiane f; **2** US Aut (also ~ **strip**) terre-plein m central
B adj **1** Stat [price, income, sum] moyen/-enne; **2** Math [point, line] médian; [value] moyen/-enne

mediant /ˈmiːdɪənt/ Mus n médiante f

media: ~**-shy** adj qui n'aime pas les médias; ~ **star** n personnalité f médiatique; ~ **student** n étudiant/-e m/f en communication; ~ **studies** npl communication f et journalisme m

mediate /ˈmiːdɪeɪt/
A vtr **1** (as negotiator) négocier [settlement, peace]; **2** (affect) influencer; **3** sout (transmit) fournir [services]; diffuser [idea, cult] (**through** au moyen de, par)
B vi arbitrer; **to** ~ **in/between** servir de médiateur dans/entre
C **mediating** pres p adj [role, nation] médiateur/-trice

mediation /ˌmiːdɪˈeɪʃn/ n (in law, politics, industry) médiation f; (in marital disputes) conciliation f

mediator /ˈmiːdɪeɪtə(r)/ n médiateur/-trice m/f

medic○ /ˈmedɪk/ n **1** (doctor) toubib○ m, médecin m; **2** (student) étudiant/-e m/f en médecine; **3** Med, Mil infirmier/-ière m/f militaire

Medicaid /ˈmedɪkeɪd/ n US Soc Admin assistance f médicale aux économiquement faibles. ▸ **Welfare**

medical /ˈmedɪkl/
A n (in school, army, for job) visite f médicale; (private) examen m médical; **army/company** ~ visite médicale de l'armée/d'entreprise
B adj médical; **to retire on** ~ **grounds** prendre sa retraite pour raisons de santé

medical advice n conseils mpl d'un médecin; **to seek** ~ **advice** consulter un médecin; **against** ~ **advice** contre l'avis du médecin

medical: ~ **appointment** n rendez-vous m chez le médecin; ~ **board** n Mil commission f médicale; ~ **care** n ₵ gen soins mpl médicaux; Soc Admin assistance f médicale; ~ **certificate** n certificat m médical; ~ **check-up** n bilan m de santé; ~ **doctor** ▸ p. 1683 n docteur m en médecine; ~ **emergency** n urgence f; ~ **ethics** npl éthique f médicale ₵; ~ **examination** n = **medical A**; ~ **examiner** n US Jur médecin m légiste; ~ **expert** n médecin m expert

medical history n **1** (background) antécédents mpl (médicaux); **2** (notes) dossier m médical

medical: ~ **insurance** n assurance-maladie f; ~ **jurisprudence** n médecine f légale

medically /ˈmedɪklɪ/ adv **to examine/test sb** ~ faire passer un examen médical à qn; ~ **fit** ou **sound** en bonne santé; ~ **unfit** en mauvaise santé; **a** ~ **qualified person** une personne ayant une formation médicale; **there's nothing wrong with him** ~ il n'a rien, médicalement parlant

medical: ~ **man**○ n toubib○ m, médecin m; ~ **missionary** n missionnaire mf qui a une formation médicale; ~ **officer**, **MO** n Mil médecin m militaire; Ind médecin m du travail

medical opinion n **1** ₵ (views of the profession) ~ **is divided** la profession médicale est partagée; **2** **C** (view of one doctor) opinion f de médecin

medical: ~ **orderly** n (in hospital) garçon/fille m/f de salle; (in army) infirmier m militaire; ~ **practitioner** ▸ p. 1683 n médecin m

medical profession n **the** ~ (doctors collectively) le corps médical; (occupation) la médecine

medical: **Medical Research Council** n GB institut national britannique de la recherche médicale; ~ **school** n faculté f de médecine; ~ **science** n médecine f; ~ **social worker** n assistant/-e m/f social/-e (attaché/-e à un hôpital); ~ **student** n étudiant/-e m/f en médecine; ~ **studies** npl études fpl de médecine; ~ **unit** n gen centre m médical; (in hospital) service m de médecine générale; ~ **ward** n service m de médecine

medicament† /mɪˈdɪkəmənt/ n médicament m

Medicare /ˈmedɪkeə(r)/ n US Soc Admin assistance f médicale aux personnes âgées

medicate /ˈmedɪkeɪt/ vtr ajouter une substance médicamenteuse à [gauze, soap]

medicated /ˈmedɪkeɪtɪd/ adj [bandage, powder, soap, sweet] médical; [shampoo] traitant

medication /ˌmedɪˈkeɪʃn/ n **1** ₵ (drug treatment) médicaments mpl; **to be on** ~ prendre des médicaments (**for** pour); **to give sb** ~ administrer des médicaments à qn; **to put sb on/take sb off** ~ prescrire/supprimer des médicaments à qn; **2** **C** (medicine) médicament m

medicinal /mɪˈdɪsɪnl/ adj [property, quality, use] thérapeutique; [herb, plant] médicinal; ~ **drugs** médicaments mpl; **I drink brandy for** ~ **purposes** hum je bois du cognac à des fins thérapeutiques

medicine /ˈmedsn, US ˈmedɪsn/ n **1** ₵ (discipline) médecine f; **to study** ~ étudier la médecine; **doctor of** ~ docteur m en médecine; **2** **C** (drug) médicament m (**for** pour); **the best** ~ lit, fig le meilleur remède

(Idioms) **to give sb a taste of their own** ~ rendre à qn la monnaie de sa pièce; **to take one's** ~ **like a man** avaler la pilule○; **that's pretty strong** ~! tu n'y vas pas avec le dos de la cuillère○!

medicine: ~ **ball** n Sport médecine-ball m; ~ **bottle** n fiole f; ~ **box** n pharmacie f portative; ~ **cabinet**, ~ **chest**, ~ **cupboard** n armoire f à pharmacie; ~ **man** n Anthrop sorcier m guérisseur; ~ **show** n US Hist boniment m de charlatan

medico○ /ˈmedɪkəʊ/
A n = **medic**
B **medico+** (dans composés) médico-

medieval /ˌmedɪˈiːvl, US ˌmiːd-, also mɪˈdiːvl/ adj **1** Hist [city, period, art] médiéval; [merchant, knight, noble] du Moyen Âge, médiéval; **2** fig (primitive) moyenâgeux/-euse péj

medievalism /ˌmedɪˈiːvəlɪzəm, US ˌmiːd-, also mɪˈd-/ n civilisation f médiévale

medievalist /ˌmedɪˈiːvəlɪst, US ˌmiːd-, also mɪˈd-/ ▸ p. 1683 n médiéviste mf

Medina /meˈdiːnə/ ▸ p. 1815 pr n Médine

mediocre /ˌmiːdɪˈəʊkə(r)/ adj médiocre

mediocrity /ˌmiːdɪˈɒkrətɪ/ n **1** (state) médiocrité f; **2** (person) médiocre mf

meditate /ˈmedɪteɪt/
A vtr (think about) méditer (**doing** de faire)
B vi méditer (**on** ou **upon** sur)

meditation /ˌmedɪˈteɪʃn/ n **1** Relig, gen méditation f; **2** Literat réflexion f (**on** sur)

meditative /ˈmedɪtətɪv, US -teɪt-/ adj [person, expression, nature] méditatif/-ive; [music, experience] contemplatif/-ive; [silence, calm, atmosphere] recueilli

meditatively /ˈmedɪtətɪvlɪ/ adv [gaze, wander] d'un air méditatif

Mediterranean /ˌmedɪtəˈreɪnɪən/ ▸ p. 1493
A pr n **1** (also ~ **sea**) (mer f) Méditerranée f; **in the** ~ dans la ou en Méditerranée; **2** (region) pays mpl méditerranéens; **3** (native) méditerranéen/-éenne m/f
B adj (all contexts) méditerranéen/-éenne

medium /ˈmiːdɪəm/ ▸ p. 1694
A n **1** (pl **-iums** ou **-ia**) Cin, Radio, Theat, TV moyen m d'expression; **advertising** ~ support m publicitaire; **through the** ~ **of** par l'intermédiaire de; **2** (pl **-ia**) Art (technique) technique f; (material) matériel m; **3** (mid-point) milieu m; **to find** ou **strike a happy** ~ trouver le juste milieu; **4** (pl **-iums**) Biol, Bot, Hort milieu m; **culture** ~, **growing** ~ Biol milieu de culture; **planting** ~ Hort terre f de plantation; **5** (pl **-iums**) (spiritualist) médium m
B adj **1** [size, temperature] moyen/-enne; **of** ~ **build/height** de stature/ taille moyenne; **in the** ~ **term** à moyen terme; **2** Radio [wave] moyen/-enne; **on** ~ **wave** sur les ondes moyennes; ~ **wave radio** radio à ondes moyennes

medium-dry /ˌmiːdɪəmˈdraɪ/ adj [drink] demi-sec

medium-fine /ˌmiːdɪəmˈfaɪn/ adj [pen] à pointe moyenne; [tip, point] moyen/-enne

medium-length /ˌmiːdɪəmˈleŋθ/ adj [book, film, article] de longueur moyenne; [hair] mi-long/mi-longue

medium: ~**-level** adj de niveau moyen; ~**-price(d)** adj à prix moyen; ~**-range** adj [missile] à moyenne portée; ~**-rare** adj [meat] à point; ~**-sized** adj de taille moyenne

medium-term /ˌmiːdɪəmˈtɜːm/
A n **in the** ~ à moyen terme
B adj à moyen terme

medlar /ˈmedlə(r)/ *n* **1** (fruit) nèfle *f*; **2** (tree) néflier *m*

medley /ˈmedlɪ/ *n* **1** Mus pot-pourri *m* (**of** de); **2** (in swimming) (*also* **individual ~**) épreuve *f* individuelle quatre nages; **~ relay** relais *m* quatre nages; **3** (mixture) (of people, groups) mélange *m*

medulla /meˈdʌlə/ *n* (*pl* **-ae** *ou* **-as**) **1** (marrow) moelle *f*; **2** (*also* **~ oblongata**) bulbe *m* rachidien

meek /miːk/ *adj* docile

(Idioms) **as ~ as a lamb** doux comme un agneau; **~ and mild** humble et doux

meekly /ˈmiːklɪ/ *adv* docilement

meekness /ˈmiːknɪs/ *n* docilité *f*

meerschaum /ˈmɪəʃəm/ *n* (*also* **~ pipe**) pipe *f* en écume (de mer)

meet /miːt/

A *n* **1** Sport rencontre *f* (sportive); **athletics ~** GB, **track ~** US rencontre *f* d'athlétisme; **2** GB, Hunt rendez-vous *m* de chasseurs

B ‡ *adj* séant†, convenable; **it is ~ that** il est convenable que (+ *subj*), il sied† que (+ *subj*)

C *vtr* (*prét, pp* **met**) **1** (encounter) rencontrer [*person*]; rencontrer, affronter [*team, opponent, enemy*]; **to ~ each other** se rencontrer; **to ~ one's death** fig trouver la mort; **2** (make acquaintance of) faire la connaissance de [*person*]; **'pleased to ~ you!'** 'enchanté (de faire votre connaissance)!'; **Paul, ~ my boss, Janet** (as introduction) Paul, je vous présente ma patronne, Janet; **have you met Mr Roberts?** (at gathering) est-ce que vous avez été présenté à M. Roberts?; **3** (greet) (await) attendre; (fetch) chercher [*person*]; **she went to the airport to ~ them** elle est allée à l'aéroport les attendre *or* chercher; **I'll be there to ~ you** je viendrai te chercher; **to ~ sb off** GB *ou* at US **the bus/plane** attendre qn à l'arrêt de bus/à l'aéroport; **4** (come into contact with) [*hand*] rencontrer, toucher [*hand*]; [*line*] rencontrer, croiser [*line*]; **his eyes met hers** son regard a rencontré *or* a croisé le sien; **he couldn't ~ her eye** il ne pouvait pas la regarder en face; **an incredible sight met her eye** un spectacle incroyable s'est offert à ses yeux; **5** (fulfil) satisfaire [*demand, order, needs*]; satisfaire à [*criteria*]; payer [*bills, costs*]; couvrir [*debts, overheads*]; compenser [*loss*]; faire face à [*obligations, commitments*]; remplir [*conditions*]; **6** (rise to) satisfaire à [*standards*]; se montrer à la hauteur de [*challenge*]; **7** (respond to) répondre à [*criticism, accusation, objection*]

D *vi* (*prét, pp* **met**) **1** (come together) [*people*] se rencontrer, se voir; [*teams, armies*] se rencontrer, s'affronter; [*committee, group, parliament*] (for discussion) se réunir (**to do** pour faire); [*cars*] se croiser; **the two cars/trains met head-on** les deux véhicules/trains se sont heurtés de front *or* de plein fouet○; **to ~ again** [*people*] se revoir; **goodbye, till we ~ again!** au revoir! à la prochaine fois!; **2** (make acquaintance) [*people*] faire connaissance; **3** (come into contact) [*hands, lips*] se rencontrer, se toucher; [*roads, lines, eyes*] se rencontrer, se croiser

(Idioms) **there's more to this than ~s the eye** ce n'est pas aussi clair que cela en a l'air; **there's more to him than ~s the eye** il cache bien son jeu; **to make ends ~** joindre les deux bouts

(Phrasal verbs) ■ **meet up**○: ▸ **~ up** se retrouver; **to ~ up with**○ retrouver [*friend*]; **they met up with each other at the theatre** ils se sont retrouvés au théâtre

■ **meet with**: ▸ **~ with [sb]** rencontrer [*person, delegation*]; ▸ **~ with [sth]** rencontrer [*difficulties, opposition, success, criticism, suspicion*]; être accueilli avec [*approval, praise*]; subir [*failure*]; **he met with misfortune/an accident** il lui est arrivé un malheur/un accident; **his ideas/comments met with no response** ses idées/commentaires n'ont suscité aucune réaction; **to be met with** être accueilli par [*silence, shouts*]; se heurter à [*disapproval*]; être confronté par [*anger*]

meeting ➡ /ˈmiːtɪŋ/ *n* **1** (official assembly) réunion *f*; **cabinet/staff ~** réunion du conseil des ministres/des membres du personnel; **to call a ~** convoquer une réunion; **to be in a ~** être en réunion; **2** (coming together) (between individuals, groups) rencontre *f*; **a ~ of minds** fig une profonde entente; **3** GB Sport rencontre *f* (sportive); **athletics ~** rencontre d'athlétisme; **race ~** Turf réunion de courses; **4** Relig (of Quakers) service *m*, culte *m* (des quakers); **to go to ~** aller au culte

meeting: **~ hall** *n* salle *f* de réunion; **~house** *n* Relig (of Quakers) temple *m*; **~-place** *n* (lieu *m* de) rendez-vous *m*; **~ point** *n* point *m* de rencontre

mega /megə/

A **mega+** (*dans composés*) méga-

B ○*excl* GB c'est géant○ *or* méga○!

megabit /ˈmegəbɪt/ *n* million *m* de bits

megabucks○ /ˈmegəbʌks/ *npl* des millions de dollars; **to be making** *ou* **earning ~** gagner une fortune

megabyte /ˈmegəbaɪt/ *n* Comput mégaoctet *m*

mega-carrier /ˈmegəkærɪə(r)/ *n* géant *m* du transport aérien

megacycle /ˈmegəsaɪkl/ *n* mégacycle *m*

megadeath /ˈmegədeθ/ *n* mort *f* sur une vaste échelle

megahertz /ˈmegəhɜːts/ *n* (*pl* ~) mégahertz *m inv*

megalith /ˈmegəlɪθ/ *n* mégalithe *m*

megalithic /ˌmegəˈlɪθɪk/ *adj* mégalithique

megalomania /ˌmegələˈmeɪnɪə/ *n* mégalomanie *f*

megalomaniac /ˌmegələˈmeɪnɪæk/ *n, adj* mégalomane (*mf*)

megalopolis /ˌmegəˈlɒpəlɪs/ *n* mégalopole *f*

megaphone /ˈmegəfəʊn/ *n* porte-voix *m inv*

megastar /ˈmegəstɑː(r)/ *n* superstar *mf*

megastore /ˈmegəstɔː(r)/ *n* GB mégastore *m*

megaton /ˈmegətʌn/ *n* mégatonne *f*

megawatt /ˈmegəwɒt/ *n* mégawatt *m*

megillah○ /məˈgɪlə/ *n* US **the whole ~** tout le tremblement○

meiosis /maɪˈəʊsɪs/ *n* (*pl* **-ses**) **1** Biol méiose *f*; **2** Literat litote *f*

Mekong /ˌmiːˈkɒŋ/ ▸ **p. 1633** *pr n* **the ~** le Mékong

melamine /ˈmeləmiːn/

A *n* mélamine *f*

B *modif* [*table, worktop, surface*] en mélamine

melancholia /ˌmelənˈkəʊlɪə/ *n* mélancolie *f*

melancholic /ˌmelənˈkɒlɪk/ *n, adj* mélancolique (*mf*)

melancholy /ˈmelənkəlɪ/

A *n* mélancolie *f*

B *adj* [*person*] mélancolique; [*music, occasion*] triste

Melanesia /ˌmeləˈniːzɪə/ ▸ **p. 1096** *pr n* Mélanésie *f*

Melanesian /ˌmeləˈniːzɪən/ ▸ **p. 1467, p. 1378**

A *n* **1** (native) Mélanésien/-ienne *m/f*; **2** (language) mélanésien *m*

B *adj* mélanésien/-ienne

mélange /ˈmeɪlɑːnʒ, US meɪˈlɑːnʒ/ *n* mélange *m*

melanin /ˈmelənɪn/ *n* mélanine *f*

melanoma /ˌmeləˈnəʊmə/ *n* mélanome *m*

melatonin /ˌmeləˈtəʊnɪn/ *n* mélatonine *f*

Melba: **~ sauce** *n* coulis *m* de framboises; **~ toast** *n* ≈ toast *m* très mince

meld /meld/ littér

A *vtr* mêler (**with** à)

B *vi* se mêler

mêlée, melee /ˈmeleɪ, US meɪˈleɪ/ *n* mêlée *f*

mellifluous /meˈlɪflʊəs/ *adj* littér mélodieux/-ieuse

mellow /ˈmeləʊ/

A *adj* **1** (smooth) [*wine*] moelleux/-euse; [*flavour, taste*] suave; [*tone, voice*] mélodieux/-ieuse; **2** (soft) [*colour, light, sound*] doux/douce; **3** (juicy) [*fruit*] fondant; **4** (weathered) [*stone*] patiné par l'âge; **5** (calm) [*atmosphere, behaviour, person*] serein; **to get** *ou* **grow ~ with age** s'assagir avec l'âge; **6** (relaxed) [*person*] détendu; **to be in a ~ mood** être détendu

B *vtr* **1** (calm) [*experience, time*] assagir [*person*]; **2** (relax) [*music, wine*] détendre [*person*]; **3** (ripen) faire mûrir [*fruit*]; donner du moelleux à [*wine*]

C *vi* **1** (calm down) [*person*] s'amadouer, s'assagir; [*behaviour*] s'assagir; **2** (tone down) [*attitude*] s'adoucir; **3** (ripen) [*fruit*] mûrir; [*taste, wine*] prendre du moelleux

(Phrasal verb) ■ **mellow out**○ décompresser○, se détendre

mellowing /ˈmeləʊɪŋ/

A *n* **1** (of fruit, wine) maturation *f*; **2** (of colour, voice) adoucissement *m*; **3** (of person, behaviour) adoucissement *m*

B *adj* [*effect, influence*] adoucissant; **to have a ~ effect** *ou* **influence on sb** adoucir qn

mellowness /ˈmeləʊnɪs/ *n* **1** (of fruit, wine) moelleux *m*; **2** (of colour, conduct, light, person, voice) douceur *f*; **3** (of stone) patine *f*

melodeon, melodion /mɪˈləʊdɪən/ ▸ **p. 1462** *n* (accordion) mélodion *m*

melodic /mɪˈlɒdɪk/ *adj* **1** Mus mélodique; **2** gen mélodieux/-ieuse

melodious /mɪˈləʊdɪəs/ *adj* mélodieux/-ieuse

melodrama /ˈmelədrɑːmə/ *n* mélodrame *m* also fig

melodramatic /ˌmelədrəˈmætɪk/ *adj* mélodramatique; **to sound ~** avoir l'air dramatique; **you're being ~!** tu dramatises les choses!

melodramatically /ˌmelədrəˈmætɪklɪ/ *adv* [*gesture, pause, speak*] de façon mélodramatique

melodramatics /ˌmelədrəˈmætɪks/ *npl* péj **cut out the ~**○! arrête ton cinéma○!

melody /ˈmelədɪ/ *n* mélodie *f*

melon /ˈmelən/

A *n* (fruit) melon *m*

B *modif* [*balls, seeds*] de melon

melt /melt/

A *n* **1** (thaw) dégel *m*, fonte *f* des neiges; **2** US Culin sandwich *m* recouvert de fromage fondu

B *vtr* **1** lit [*heat, sun, person*] faire fondre [*snow, metal, plastic, butter, chocolate*]; **2** fig [*pity, plea, person*] attendrir [*heart, person*]

C *vi* **1** lit [*snow, ice, butter, metal, plastic, chocolate*] fondre (**at** à); **to ~ in the sun/in your mouth** fondre au soleil/dans la bouche; **I'm ~ing!** je suis en nage!; **2** fig (soften) [*heart, person*] fondre (**with** de); **3** (merge) **to ~ into the crowd/background/forest** se fondre dans la foule/le fond/la forêt; **to ~ into sb's arms** fondre dans les bras de qn

(Phrasal verbs) ■ **melt away** **1** lit [*snow, ice*] fondre complètement; **2** fig (disappear) [*fear, confidence, distrust*] se dissiper; [*crowd, people*] se disperser; [*money*] fondre

■ **melt down**: ▸ **~ down [sth], ~ [sth] down** fondre [*metal, wax, object*] (**into** en)

meltdown /ˈmeltdaʊn/ *n* **1** Nucl fusion *f* du cœur d'un réacteur; **in ~** en fusion; **2** ○Fin (crash) chute *f* des actions, krach *m* boursier

melting /ˈmeltɪŋ/ *adj* **1** [*look, word, gaze*] attendri; **2** [*snow, ice*] fondu

melting point *n* point *m* de fusion

melting pot *n* (of people, nationalities) melting-pot *m*

(Idioms) **to be in the ~** être en discussion; **to**

➡ *see* Effective French

m

throw sth into the ~ remettre qch en question

melt: **~-in-the-mouth** *adj* fondant; **~water** *n* eaux *fpl* de fonte

member /'membə(r)/

A *n* **1** (of group, committee, jury, family, organization) membre *m*; **to be a ~ of** faire partie de [*family, group*]; être membre de [*club, committee*]; **active ~** membre *m* actif; **committee ~** membre *m* du comité; **~ of staff** gen employé/-e *m/f*; (in school) professeur *m*; **~ of the audience** (listening) auditeur/-trice *m/f*; (watching) spectateur/-trice *m/f*; **~ of the armed forces** militaire *m*; **~ of the opposite sex** personne *f* de l'autre sexe; **'~s only'** 'réservé aux membres'; **~ of the public** (in the street) passant/-e *m/f*; (in theatre, cinema) spectateur/-trice *m/f*; **~s of the public were warned** la population a été avertie; **an ordinary ~ of the public** un simple citoyen; **like any other ~ of the public** comme tout le monde; **2** (*also* **Member**) Pol (of parliament) député *m*; (of EU etc) membre *m*; **the Member for Oxford** le député d'Oxford; **3** Constr pièce *f*; **cross ~** traverse *f*; **support ~** pièce *f* de support; **4** Math (of set) élément *m*; **5** (limb) membre *m*; **6** (penis) membre *m*; **male ~** membre viril

B *modif* [*nation, state*] membre

member: **Member of Congress**, **MC** *n* US Pol membre *m* du Congrès. ▸ **Congress**; **Member of Parliament**, **MP** ▸ p. 1237 *n* GB Pol député *m* (**for** de). ▸ **House of Commons**; **Member of the European Parliament**, **MEP** *n* membre *m* du Parlement européen; **Member of the House of Representatives**, **MHR** *n* US Pol membre *m* de la Chambre des représentants. ▸ **Congress**; **Member of the Scottish Parliament**, **MSP** *n* député *m* du Parlement écossais; **Member of the Welsh Assembly** *n* membre *m* de l'Assemblée galloise

membership /'membəʃɪp/

A *n* **1** (state of belonging) adhésion *f* (**of** à); **EU ~** adhésion à la UE; **full ~** adhésion à part entière; **group ~** adhésion en groupe; **student ~** adhésion étudiant; **to apply for ~** faire une demande d'adhésion; **to resign/renew one's ~** rendre/renouveler sa carte de membre; **to let one's ~ lapse** ne pas payer ses cotisations; **~ of** GB *ou* **in** US **the club is open to all** le club est ouvert à tous; **to take out joint/family ~ of** GB *ou* **in** US **the club** adhérer en couple/en famille au club; **2** (fee) cotisation *f*; **3** (people belonging) (+ *v sg ou pl*) membres *mpl*; **it has a ~ of 200** il y a 200 membres; **~ is declining/increasing** le nombre des membres décroît/augmente; **a society with a large/small ~** une organisation qui compte beaucoup de/peu de membres

B *modif* [*application*] d'adhésion; [*qualifications, committee*] d'admission; **~ card** carte *f* de membre; **~ fee** cotisation *f*; **~ secretary** secrétaire *mf* chargé/-e des adhésions

Members' Lobby *n* GB Pol *local à l'entrée de la Chambre des communes où les députés rencontrent leurs électeurs*

membrane /'membreɪn/ *n* **1** Biol, Bot (tissue) membrane *f*; **2** Constr membrane *f* (d'étanchéité)

membranous /'membrənəs/ *adj* membraneux/-euse

memento /mɪ'mentəʊ/ *n* (*pl* **~s** *ou* **~es**) souvenir *m* (**of** de); **as a ~** en souvenir

memento mori /mɪˌmentəʊ 'mɔːrɪ/ *n* (*pl* **~**) mémento mori *m inv*

memo /'meməʊ/ *n* (*abrév* = **memorandum**) gen note *f* (**on, about** à propos de); Admin note *f* de service

memo board *n* tableau *m* d'affichage

memoirs /'memwɑː(r)z/ *npl* Mémoires *mpl* (**of, on** sur)

memo pad *n* bloc-notes *m*

memorabilia /ˌmemərə'bɪlɪə/ *n* (+ *v sg ou pl*) souvenirs *mpl*; **Beatles' ~** souvenirs des Beatles

memorable /'memərəbl/ *adj* [*day, event, experience, victory*] mémorable; [*person, quality, voice, book*] inoubliable

memorably /'memərəblɪ/ *adv* [*say, describe*] de façon mémorable; [*amusing, interesting*] remarquablement

memorandum /ˌmemə'rændəm/ *n* (*pl* **memoranda**) **1** Admin note *f* de service (**to** à l'attention de; **from** de la part de); **2** Pol mémorandum *m*

memorandum: **~ of agreement** *n* protocole *m* d'accord; **~ of association** *n* Jur, Comm acte *m* constitutif d'une société

memorial /mə'mɔːrɪəl/

A *n* **1** (monument) mémorial *m* (**to** à); **2** (reminder) **as a ~ to** à la mémoire de; **to be a ~ to sb/sth** être à la mémoire de qn/qch; **3** (document) mémoire *m*

B *adj* commémoratif/-ive

Memorial Day *n* US *jour de commémoration des soldats américains morts à la guerre*

memorialize /mə'mɔːrɪəlaɪz/ *vtr* immortaliser

memorial service *n* messe *f* commémorative

memorize /'meməraɪz/ *vtr* apprendre [qch] par cœur

memory /'memərɪ/ *n* **1** (faculty) mémoire *f*; **to have a good ~** avoir bonne mémoire; **to have a bad ~** ne pas avoir de mémoire; **to lose one's ~** perdre la mémoire; **to have an excellent ~** avoir une excellente mémoire; **to have a good ~ for names** avoir une bonne mémoire des noms; **from ~** de mémoire; **long term/short term/visual ~** Med mémoire à long terme/à court terme/visuelle; **to remain in the ~** rester gravé dans la mémoire; **to have a good ~ for faces** être physionomiste; **if my ~ serves me right** si je me souviens bien; **to have a long ~** être rancunier/-ière; **2** (recollection) (*souvent pl*) souvenir *m*; **3** (period of time) **in living** *ou* **recent ~** de mémoire d'homme; **4** (posthumous fame) souvenir *m*; **their ~ lives on** leur souvenir est toujours vivant; **to keep sb's ~ alive** *ou* **green** garder vivant le souvenir de qn; **5** (commemoration) **in (loving) ~ of** à la mémoire de; **6** Comput mémoire *f*

(Idiom) **to take a trip down ~ lane** se pencher sur ses souvenirs

memory: **~ bank** *n* bloc *m* mémoire; **~ card** *n* carte *f* à mémoire; **~ chip** *n* puce *f* mémoire; **~ loss** *n* perte *f* de mémoire; **~ span** *n* empan *m* mnémonique; **~ stick** *n* Comput clé *f* USB; **~ typewriter** *n* machine *f* à écrire à mémoire

memsahib /'memsɑːb/ *n* (aux Indes) Madame *f*

men /men/ *pl* ▸ **man**

menace /'menəs/

A *n* **1** (threat) menace *f*; **to demand money with ~s** Jur exiger de l'argent par des menaces; **there was ~ in his eyes** il avait un regard menaçant; **2** (danger) danger *m*; **he is a ~ to other motorists** c'est un danger public; **3** ○(nuisance) **he's a real ~** c'est une vraie plaie

B *vtr* menacer (**with** de, avec)

menacing /'menəsɪŋ/ *adj* menaçant

menacingly /'menəsɪŋlɪ/ *adv* [*glare, approach*] d'une façon menaçante; [*say*] d'un ton menaçant; **~ dark** sombre et menaçant

ménage /meɪ'nɑːʒ/ *n* ménage *m*; **~ à trois** ménage à trois

menagerie /mɪ'nædʒərɪ/ *n* ménagerie *f* also fig

Menai Strait /ˌmenaɪ 'streɪt/ *pr n* détroit *m* de Menai

mend /mend/

A *n* **1** (in garment, fabric) (stitched) raccommodage *m*; (darned) reprise *f*; (patched) rapiéçage *m*; **2** fig **to be on the ~** [*person*] être en voie de guérison; [*sales, economy*] reprendre; [*company*] se porter mieux; [*weather, situation*] s'améliorer

B *vtr* **1** lit réparer [*car, furniture, toy, road*]; (stitch) raccommoder [*garment, fabric*]; (darn) repriser [*garment, fabric*]; (add patch) rapiécer [*garment, fabric*]; **2** fig guérir [*feelings, broken heart*]; **to ~ relations with** améliorer les relations avec

C *vi* **1** (heal) [*injury*] guérir; [*person*] se rétablir; **2** fig [*feelings , broken heart*] guérir

(Idiom) **to ~ one's ways** s'amender. ▸ **fence**

mendacious /men'deɪʃəs/ *adj* sout mensonger/-ère

mendacity /men'dæsətɪ/ *n* sout (of person) propension *f* au mensonge; (of statement, document) caractère *m* mensonger, fausseté *f*

mendelevium /ˌmendə'liːvɪəm/ *n* mendélévium *m*

Mendelian /men'diːlɪən/ *adj* mendélien/-ienne

Mendel(ian)ism /ˌmen'diːlɪənɪzəm, men'diːlɪzəm/ *n* mendélisme *m*

mendicancy /'mendɪkənsɪ/ *n* sout mendicité *f*

mendicant /'mendɪkənt/ *n, adj* sout mendiant/-e (*m/f*)

mendicity /men'dɪsɪtɪ/ *n* sout mendicité *f*

mending /'mendɪŋ/ *n* (sewing together) **to do some ~** faire du raccommodage

Menelaus /ˌmenɪ'leɪəs/ *pr n* Ménélas

menfolk /'menfəʊk/ *npl* hommes *mpl*

menhir /'menhɪə(r)/ *n* menhir *m*

menial /'miːnɪəl/

A *n* (servant) subalterne *m*; péj larbin *m*

B *adj* [*task, job*] subalterne; [*attitude*] servile

meningitis /ˌmenɪn'dʒaɪtɪs/ ▸ **p. 1327**

A *n* méningite *f*

B *modif* [*epidemic, outbreak*] de méningite

meninx /'miːnɪŋks/ *n* (*pl* **meninges**) méninge *f*

meniscus /mə'nɪskəs/ *n* (*pl* **-sci** *ou* **-scuses**) (all contexts) ménisque *m*

menopausal /ˌmenə'pɔːzl/ *adj* [*symptom, problem*] ménopausique; [*woman*] ménopausée

menopause /'menəpɔːz/ *n* ménopause *f*

Menorca /mɪ'nɔːkə/ ▸ **p. 1355** *pr n* Minorque *f*

menorrhagia /ˌmenə'reɪdʒɪə/ *n* ménorragie *f*

mensch○ /menʃ/ *n* US (*pl* **-en**) quelqu'un de vraiment bien

menses /'mensiːz/ *npl* Med spéc menstruation *f*

men's room /'menzruːm, -rʊm/ *n* US toilettes *fpl* pour hommes

menstrual /'menstrʊəl/ *adj* menstruel/-elle

menstruate /'menstrʊeɪt/ *vi* avoir ses règles

menstruation /ˌmenstrʊ'eɪʃn/ *n* menstruation *f*

mensuration /ˌmensjʊə'reɪʃn/ *n* mesure *f*

menswear /'menzweə(r)/

A *n* prêt-à-porter *m* pour hommes

B *modif* **~ department** rayon *m* du prêt-à-porter masculin

mental /'mentl/ *adj* **1** Med [*handicap, illness, patient*] mental; [*hospital, institution*] psychiatrique; [*ward*] de psychiatrie; **2** (of the mind) [*ability, effort, energy*] intellectuel/-elle; [*process*] mental; **~ exhaustion** surmenage *m* intellectuel; **~ state** état *m* mental; **~ strain** fatigue *f* mentale; **3** (in one's head) [*calculation, arithmetic, picture*] mental; **to make a ~ note to do** se dire qu'il faut faire; **4** ○(mad) fou/folle, malade○

mental: **~ age** *n* Psych âge *m* mental; **~ block** *n* blocage *m* psychologique; **~ cruelty** *n* cruauté *f* mentale; **~ defective** *n* injur débile/-e *m/f* mental/-e *m/f* offensive; ~ **healing** *n* thérapie *f* par suggestion mentale

mental health

A *n* **1** (of person) santé *f* mentale; **2** Admin psychiatrie *f*

B *modif* [*programme, strategy*] de santé mentale; [*worker*] spécialisé en psychiatrie; ~ **services** services *mpl* psychiatriques

mental home *n* clinique *f* psychiatrique

mentality /menˈtælətɪ/ *n* mentalité *f*

mentally /ˈmentəlɪ/ *adv* **1** Med ~ **handicapped** *ou* **disabled** handicapé mental; ~ **retarded** retardé; **the** ~ **ill** les malades mentaux; **she's** ~ **ill** c'est une malade mentale; **to be** ~ **deranged** avoir l'esprit dérangé; **2** (regarding the mind) ~ **exhausted** surmené intellectuellement; **to be** ~ **alert** avoir l'esprit alerte; ~ **quick/slow** rapide/lent d'esprit; **3** (inwardly) [*decide, resolve*] dans son for intérieur; [*calculate, estimate*] mentalement

mental powers *npl* capacités *fpl* intellectuelles

menthol /ˈmenθɒl/ *n* menthol *m*

mentholated /ˈmenθəleɪtɪd/ *adj* au menthol

mention /ˈmenʃn/

A *n* **1** gen, Advertg (reference) mention *f* (**of** de); **to get a media** *ou* **a promotional** ~ être mentionné dans les médias à des fins publicitaires; **the mere** ~ **of my name** la seule évocation de mon nom; **to make no** ~ **of** [*report, person*] ne pas faire mention de; **there was no** ~ **of the hostages** il n'a pas été fait mention des otages; **the book got a** ~ **on the radio** on a parlé du livre à la radio; **2** (acknowledgement) mention *f*; **honourable** ~ gen mention honorable; Mil citation *f*

B *vtr* **1** (allude to) faire mention de [*person, name, topic, event, fact*]; **he didn't** ~ **money** il n'a fait aucune mention d'argent; **please don't** ~ **my name** ne mentionnez pas mon nom; **she never** ~**s her work** elle ne parle jamais de son travail; **to** ~ **sb/sth to sb** parler de qn/qch à qn; **to** ~ **that** dire (en passant) que; **she** ~**ed (that) you were coming** elle a dit que vous veniez; **I hardly need to** ~ **that** inutile de signaler que; **not to** ~ sans parler de; **it's difficult getting there, not to** ~ **finding parking space** c'est difficile d'y aller, sans parler des problèmes de stationnement; **without** ~**ing any names** sans nommer personne; **'as** ~**ed above'** 'comme il a été dit plus haut'; **the countries** ~**ed above** les pays déjà cités; **too numerous to** ~ trop nombreux pour être cités; **to be** ~**ed in a will** figurer sur un testament; **just** ~ **my name** disleur que tu viens de ma part; **don't** ~ **it!** je vous en *or* je t'en prie!; **2** (acknowledge) citer [*name, person*]; mentionner [*quality, service*]

mentor /ˈmentɔː(r)/ *n* mentor *m*

menu /ˈmenjuː/ *n* (all contexts) menu *m*

menu: ~ **bar** *n* Comput barre *f* de menu; ~**-driven** /ˌmenjuːˈdrɪvn/ *adj* Comput piloté par menus; ~ **item** *n* Comput élément *m* de menu

meow *n, vi* US = **miaow**

MEP *n* (*abrév* = **Member of the European Parliament**) député *m* au Parlement européen

Mephistopheles /ˌmefɪˈstɒfɪliːz/ *pr n* Méphistophélès

mephistophelian /ˌmefɪstəˈfiːlɪən/ *adj* méphistophélique

mercantile /ˈmɜːkəntaɪl, US -tiːl, -tɪl/ *adj* [*ship, nation*] marchand; [*law*] commercial; [*system, theory*] mercantile

mercantile: ~ **agency** *n* agence *f* de renseignements commerciaux; ~ **marine** *n* marine *f* marchande

mercantilism /ˈmɜːkəntɪlɪzəm/ *n* **1** (system) mercantilisme *m*; **2** (commercialism) pratique *f* du commerce

mercenary /ˈmɜːsɪnərɪ, US -nerɪ/

A *n* mercenaire *mf*

B *adj* [*action, person*] intéressé; [*business interest*] mercantile

mercer‡ /ˈmɜːsə(r)/ *n* GB marchand *m* de tissus

mercerized /ˈmɜːsəraɪzd/ *adj* mercerisé

merchandise /ˈmɜːtʃəndaɪz/

A *n* marchandise(s) *f(pl)*

B *vtr* (*also* **merchandize**) **1** (buy and sell) faire le commerce de; **2** (promote) assurer la promotion de

merchandiser /ˈmɜːtʃəndaɪzə(r)/ *n* (*also* **merchandizer**) marchandiseur *m*

merchandising /ˈmɜːtʃəndaɪzɪŋ/ *n* (*also* **merchandizing**) marchandisage *m*

merchant /ˈmɜːtʃənt/

A *n* **1** Comm (selling in bulk) négociant *m*; (selling in small quantities) marchand *m*; (retailer) détaillant *m*; **wine/silk** ~ marchand de vins/de soie, négociant en vins/en soie; **2** ○(person) **speed** ~ fou/folle *m/f* du volant; **rip-off** ~ arnaqueur/-euse◑ *m/f*

B *modif* [*ship, vessel, fleet, shipping*] marchand; [*sailor, seaman*] de la marine marchande

merchantability /ˌmɜːtʃəntəˈbɪlətɪ/ *n* valeur *f* marchande

merchantable /ˈmɜːtʃəntəbl/ *adj* **1** (which is selling well) [*goods*] qui se vend bien (*after n*); **2** (which could sell well) commercialisable; **3** (saleable) [*quality*] marchand

merchant bank *n* GB banque *f* d'affaires

merchant banker ▸ p. 1683

A *n* GB **1** (executive) cadre *m* d'une banque d'affaires; **2** (owner) banquier *m* d'affaires

B **merchant bankers** *npl* (company) banque *f* d'affaires

merchant banking *n* GB **1** (activity) activités *fpl* des banques d'affaires; **2** (profession) banque *f* d'affaires

merchant: ~**man** *n* Naut navire *m* marchand; ~ **navy** GB, ~ **marine** US *n* marine *f* marchande

merciful /ˈmɜːsɪfl/ *adj* **1** (showing kindness) [*person, sentence*] clément (**to, towards** envers); [*act*] charitable; [*God*] miséricordieux/-ieuse; **2** (fortunate) [*occurrence*] heureux/-euse; **death was a** ~ **release** la mort fut une délivrance

mercifully /ˈmɜːsɪfəlɪ/ *adv* **1** (compassionately) avec clémence; **2** (fortunately) par bonheur, par chance; **the queue was** ~ **short** par bonheur la file d'attente était courte

merciless /ˈmɜːsɪlɪs/ *adj* [*ruler, behaviour, attitude, criticism*] impitoyable (**to, towards** envers); [*heat, rain, cold*] implacable

mercilessly /ˈmɜːsɪlɪslɪ/ *adv* [*act, treat, speak, tease*] de manière impitoyable; [*rain, snow*] inexorablement

mercurial /mɜːˈkjʊərɪəl/ *adj* **1** Chem [*compound, poisoning*] au mercure; **2** (lively) [*person*] vif/vive; (changeable) [*temperament*] lunatique

mercury /ˈmɜːkjʊrɪ/

A *n* mercure *m*

B **Mercury** *pr n* **1** Mythol Mercure *m*; **2** Astron Mercure *f*

mercy /ˈmɜːsɪ/ *n* **1** (clemency) clémence *f*; **to show** ~ **to** *ou* **towards sb** se montrer clément à l'égard de qn; **to have** ~ **on sb** avoir pitié de qn; **to beg for** ~ demander grâce; **in his** ~ **he let them go** en *or* dans sa miséricorde il les laissa partir; **an act of** ~ un acte de compassion; **a recommendation to** ~ Jur un recours en grâce; **for** ~**'s sake**○**!** pitié!; **2** (power) merci *f*; **to be at the** ~ **of** être à la merci de; **to leave sb to the tender mercies of sb** iron abandonner qn à la merci de qn; **to throw oneself on sb's** ~ s'en remettre au bon vouloir de qn; **3** (fortunate event) **it's a** ~ **that** c'est une chance que (+ *subj*)

(Idiom) **let's be grateful** *ou* **thankful for small mercies** sachons apprécier notre chance

mercy: ~ **dash** *n* action *f* (humanitaire) d'urgence; ~ **flight** *n* vol *m* humanitaire

mercy killing *n* **1** (euthanasia) ₵ euthanasie *f*; **2** (act) **C** acte *m* d'euthanasie

mercy seat *n* Bible propitiatoire *m*

mere /mɪə(r)/

A ‡ *n* lac *m*

B *adj* **1** (common, simple) [*coincidence, propaganda, nonsense*] pur (*before n*); [*convention, fiction, formality, inconvenience*] simple (*before n*); **he's a** ~ **child** ce n'est qu'un enfant; **he's a** ~ **clerk** ce n'est qu'un (simple) employé; **a** ~ **nothing** trois fois rien; **he's a** ~ **nobody** c'est quelqu'un d'insignifiant; **2** (least, even) [*sight, thought, idea*] simple, seul; **the** ~ **idea of speaking in public scares me** la simple idée de parler en public m'effraie; **the** ~ **mention of her name** la simple évocation de son nom; **the** ~ **sight of her** sa seule vue; **the** ~ **presence of asbestos can be dangerous** le seul fait qu'il y ait de l'amiante constitue un danger; **3** (bare) seulement; **the beach is a** ~ **2 km from here** la plage est seulement à 2 km d'ici *or* n'est qu'à 2 km d'ici; **the interview lasted a** ~ **20 minutes** l'entretien a duré tout juste 20 minutes

merely /ˈmɪəlɪ/ *adv* simplement, seulement; **I** ~ **asked him/told him** je lui ai simplement *or* seulement demandé/dit; **the picture is** ~ **a reproduction** ce tableau est simplement *or* seulement une reproduction, ce tableau est une simple reproduction; **his accusations** ~ **damaged his own reputation** ses accusations n'ont fait que nuire à sa propre réputation; **it is not enough** ~ **to stage a demonstration** il ne suffit pas d'organiser une manifestation; ~ **thinking** *ou* **to think about it scares me** le seul *or* simple fait d'y penser m'effraie

meretricious /ˌmerɪˈtrɪʃəs/ *adj* [*glamour, charm*] factice; [*policy*] alléchant

merge /mɜːdʒ/

A *vtr* **1** (join) fusionner [*companies*]; **to** ~ **sth into** *ou* **with sth** incorporer qch en qch [*company, group*]; **2** (blend) mélanger [*colour, design*]

B *vi* **1** (*also* ~ **together**) (join) [*companies, departments, states*] fusionner; [*roads, rivers*] se rejoindre; **to** ~ **with** fusionner avec [*company, department, state*]; rejoindre [*river, road*]; **to** ~ **into** fusionner avec [*company*]; **2** (blend) [*colours, sounds*] se confondre; **to** ~ **into** se fondre avec [*colour, sky, trees*]; **to** ~ **into each** *ou* **one another** [*colours, trees*] se confondre

merger /ˈmɜːdʒə(r)/

A *n* **1** (of companies) fusion *f*; **2** (process of merging) fusionnement *m*

B *modif* [*plan, proposal*] de fusion; ~ **talks** discussions *fpl* concernant la fusion

meridian /məˈrɪdɪən/

A *n* **1** Geog, Astron, Math méridien *m*; **2** fig (peak) apogée *m*

B *modif* [*time*] méridien/-ienne

meridian circle *n* lunette *f* méridienne

meridional /məˈrɪdɪənl/

A *n* (person) Méridional/-e *m/f*

B *adj* **1** [*line, time*] méridien/-ienne; **2** (southern) méridional

meringue /məˈræŋ/ *n* meringue *f*

meringue shell *n* fond *m* en meringue

merino /məˈriːnəʊ/

A *n* (all contexts) mérinos *m*

B *modif* [*wool, garment*] de mérinos; [*sheep, ram*] mérinos

merit /ˈmerɪt/

A *n* (of idea, philosophy, plan, behaviour) valeur *f*; (of person) mérite *m*; **to have** ~ [*plan, idea*] avoir de la valeur; **to judge sb on their own** ~**s** juger qn selon son mérite; **to judge sth on its own** ~**s** juger qch selon ses qualités propres [*situation, case*]; **there's some/little** ~ **in his work** son œuvre a une certaine valeur/peu de valeur; **there's some/little** ~ **in doing** il y a du mérite/peu de mérite à faire; **certificate of** ~ accessit *m*; **to give due** ~ **to sb for doing** reconnaître à qn le mérite d'avoir fait

B *vtr* mériter; **her bravery** ~**s a reward** son courage mérite (une) récompense *or* d'être récompensé

m

merit: ~ **award** *n* récompense *f* honorifique; ~ **list** *n* tableau *m* d'honneur; ~ **mark**, ~ **point** *n* Sch bon point *m*
meritocracy /ˌmerɪˈtɒkrəsɪ/ *n* méritocratie *f*
meritocratic /ˌmerɪtəˈkrætɪk/ *adj* méritocratique
meritorious /ˌmerɪˈtɔːrɪəs/ *adj* méritoire
merit system *n* US système *m* d'avancement selon le mérite
merlin /ˈmɜːlɪn/ *n* émerillon *m*
mermaid /ˈmɜːmeɪd/ *n* sirène *f*
merman /ˈmɜːmæn/ *n* (*pl* **mermen**) triton *m*
Merovingian /ˌmerəʊˈvɪndʒɪən/
A *n* Mérovingien/-ienne *m/f*
B *adj* mérovingien/-ienne
merrily /ˈmerɪlɪ/ *adv* **1** (joyfully) joyeusement; **2** (unconcernedly) avec insouciance
merriment /ˈmerɪmənt/ *n* (fun) joie *f*; (laughter) hilarité *f*; **his impersonation provoked an outburst of** ~ son imitation a suscité l'hilarité générale
merry /ˈmerɪ/ *adj* **1** (happy) joyeux/-euse, gai; ~ **Christmas!** joyeux Noël!; **2** ○(tipsy) éméché; **3** ‡(*also* **merrie**) (pleasant, delightful) ~ **England** l'Angleterre d'autrefois; **the** ~ **month of May** le joli mois de mai; **Robin Hood and his** ~ **men** Robin des Bois et ses joyeux compagnons
(Idioms) **the more the merrier!** Prov plus on est de fous, plus on rit Prov; **to make** ~ s'amuser; **to give sb** ~ **hell**○ passer un bon savon à qn○
merry-go-round /ˈmerɪgəʊraʊnd/ *n* lit manège *m*; fig tourbillon *m*
merry: ~**maker** *n* noceur/-euse○ *m/f*; ~**making** *n* réjouissances *fpl*
Merseyside /ˈmɜːzɪsaɪd/ ▸ **p. 1612** *pr n* Merseyside *m*
mesa /ˈmeɪsə/ *n* US mesa *f*
mescaline /ˈmeskəliːn/ *n* mescaline *f*
mesh /meʃ/
A *n* **1** (netting) (of nylon, string) filet *m*; (of metal) grillage *m*; **2** (space in net) mailles *fpl*; **5 cm** ~ des mailles de 5 cm; **3** (net) mailles *fpl*; **4** Tech engrenure *f*; **in** ~ engrené
B *vtr* (*also* ~ **together**) (co-ordinate) faire concorder [*ideas, policies*]
C *vi* **1** (*also* ~ **together**) (become entangled) [*leaves, branches*] s'enchevêtrer; **2** fig (*also* ~ **together**) (be compatible) [*ideas, policies, tendencies*] concorder; **to** ~ **with sth** être en accord avec qch; **3** Tech [*cogs, teeth*] s'engrener; **to** ~ **with sth** s'emboîter dans qch
mesh: ~ **bag** *n* filet *m* à provisions; ~ **connection** *n* Elec couplage *m* polygonal; ~ **size** *n* Fishg maillage *m*
mesmeric /mezˈmerɪk/ *adj* mesmérien/-ienne
mesmerism† /ˈmezmərɪzəm/ *n* mesmérisme *m*
mesmerize /ˈmezməraɪz/
A *vtr* hypnotiser
B **mesmerized** *pp adj* fig fasciné, médusé
mesomorph /ˈmesəʊmɔːf/ *n* mésomorphe *mf*
meson /ˈmezɒn, ˈmiːzɒn/ *n* Phys méson *m*
Mesopotamia /ˌmesəpəˈteɪmɪə/ *pr n* Mésopotamie *f*
mesotherapy /ˈmesəʊθerəpɪ/ *n* Med mésothérapie *f*
Mesozoic /ˌmesəʊˈzəʊɪk/
A *n* mésozoïque *m*
B *adj* mésozoïque
mesquite /ˈmeskiːt/ *n* mesquite *m*
mess /mes/
A *n* **1** (untidy state) désordre *m*; **what a** ~ quel désordre!; **to make a** ~ [*children, workmen*] mettre du désordre; **to leave sth in a** ~ laisser qch en désordre; **the kitchen is (in) a** ~ la cuisine est en désordre; **to tidy** *ou* **clear up the** ~ mettre de l'ordre; **this report is a** ~! ce rapport est fait n'importe comment!; **my hair is a** ~ je suis complètement décoiffée; **you look a** ~! GB, **you look like a** ~! US tu es dans un bel état!; **2** fig (muddled state) **my life is a** ~ ma vie est un désastre; **the economy/country is in a terrible** ~ l'économie/le pays est dans une situation catastrophique; **to make a** ~ **of the job** massacrer○ le travail; **to let things get into a** ~ laisser aller les choses; **how did we get into this** ~? comment a-t-on fait pour en arriver là?; **you got us into this** ~ c'est toi qui nous as mis dans ce pétrin○; **he'll get us out of this** ~ il nous sortira de ce pétrin○; **this is a fine** ~ **you've got** GB *ou* **gotten** US **us into!** grâce à toi, nous voilà dans de beaux draps!; **3** ○(pitiful state) **his face was a** ~ **after the accident** il avait le visage amoché○ après l'accident; **he's a** ~○ (psychologically) il est dans un sale état; (incompetent) il est nul○; **4** (excrement) saletés *fpl*; **the dog made a** ~ **on the lawn** le chien a fait ses saletés sur la pelouse; **dog** ~○ crotte○ *f* de chien; **5** (stain) **to make a** ~ **of** *ou* **on the tablecloth/ carpet** salir la nappe/moquette; **to make a** ~ **of oneself** gen se salir; (when eating) manger salement; **6** Mil cantine *f*; **officers'** ~ (in the army) mess *m*; (in the navy) carré *m* des officiers; **7** ○US portion *f*; **a** ~ **of greens** une portion de légumes verts
B ○*vi* (meddle) **to** ~ **with** toucher à [*drugs*]; **I don't** ~ **with drugs** je ne touche pas à la drogue; **don't** ~ **with him, he's dangerous** évite-le, il est dangereux
(Idioms) **no** ~**ing**○! sans blagues○!; **to sell one's birthright for a** ~ **of pottage** Bible vendre son droit d'aînesse pour un plat de lentilles
(Phrasal verbs) ■ **mess about**○, **mess around**○: ▸ ~ **around** **1** (act the fool) faire l'imbécile; **to** ~ **around with** jouer avec [*chemicals, matches*]; **don't** ~ **around with drugs** ne touche pas à la drogue; **2** (potter) **to** ~ **around in the garden/with friends** s'amuser dans le jardin/avec des amis; **3** (sexually) **he** ~**es around** c'est un coureur; **to** ~ **around with sb** coucher avec qn; ▸ ~ **[sb] around**○ faire tourner qn en bourrique○
■ **mess up**○: ▸ ~ **up** US faire l'imbécile; ▸ ~ **[sth] up**, ~ **up [sth]** **1** (muddle up) semer la pagaille dans [*papers*]; (get untidy) mettre du désordre dans [*kitchen*]; (dirty) salir [*napkin, sheets*]; **2** (do badly) bâcler [*exam, work*]; **3** (ruin) gâcher; **you've** ~**ed things up for everybody** tu as tout gâché pour tout le monde; **I've** ~**ed up my chances of promotion** j'ai gâché mes chances d'obtenir une promotion; ▸ ~ **[sb] up** [*drugs, alcohol*] détruire [*person*]; [*experience*] faire perdre les pédales○ à qn
message /ˈmesɪdʒ/
A *n* **1** (communication) message *m* also Comput (**about** au sujet de); **a telephone/taped** ~ un message téléphonique/enregistré; **to take a** ~ (on telephone) prendre un message; **to give/leave sb a** ~ **that** transmettre/laisser un message à qn lui disant que; **2** (meaning) gen, Relig, Pol message *m*; **a film with a** ~ un film contenant un message; **to get one's** ~ **across** (be understood) se faire comprendre; (convince people) faire passer son message; **to get the** ~○ comprendre, piger◑; **his** ~ **isn't getting through** son message ne passe pas *or* passe mal; **3** †(errand) course *f*; **to go on a** ~ **for sb** aller faire une course pour qn; **to go for the** ~**s** (shopping) aller faire les courses
B *vtr* (send a message to) envoyer un message à [*person*]; (send an email to) envoyer un message électronique à [*person*]
message box *n* Comput boîte *f* de dialogue
message switching *n* Comput commutation *f* de messages
messaging /ˈmesɪdʒɪŋ/ *n* Comput messagerie *f* électronique, télémessagerie *f*
mess dress *n* Mil grand uniforme *m*
messenger /ˈmesɪndʒə(r)/ *n* **1** gen messager/-ère *m/f*; (for hotel, company) garçon *m* de courses, coursier/-ière *m/f*; **2** Naut (light line) touline *f*; (endless belt) tournevire *m*
messenger: ~ **boy** ▸ **p. 1683** *n* garçon *m* de courses, coursier *m*; ~ **RNA** *n* Biol acide *m* ribonucléique messager, ARN-m *m*
mess hall *n* Mil réfectoire *m*
messiah /mɪˈsaɪə/ *n* messie *m* also fig; **the Messiah** le Messie
messianic /ˌmesɪˈænɪk/ *adj* Bible (all contexts) messianique
mess: ~ **jacket** *n* Mil vareuse *f*; ~ **kit** *n* GB Mil (uniform) tenue *f* de soirée; (eating utensils) popote○ *f*; ~ **room** = **mess hall**
Messrs /ˈmesəz/ *n* (*abrév écrite* = **messieurs**) MM
mess tin *n* Mil gamelle *f*
messy /ˈmesɪ/ *adj* **1** (untidy) [*house, room*] en désordre; [*hair, appearance*] négligé; [*handwriting, work*] peu soigné; **2** (dirty) [*activity, work*] salissant; **he's a** ~ **eater** il mange salement; **3** (confused) [*divorce, lawsuit*] pénible; [*business, affair*] sale (*before n*)
mestizo /meˈstiːzəʊ/ *n* (*pl* **-zoes** *ou* **-zos**) métis/métisse *m/f* (*issu d'un mélange de races européenne et amérindienne*)
met /met/ *pret, pp* ▸ **meet**
Met○ /met/ *n* **1** GB (*abrév* = **Metropolitan Police**) police *f* de Londres; **2** US (*abrév* = **Metropolitan Museum**) Metropolitan Museum *m*
metabolic /ˌmetəˈbɒlɪk/ *adj* [*disease, needs, stress*] du métabolisme; ~ **rate** métabolisme *m* basal
metabolically /ˌmetəˈbɒlɪklɪ/ *adv* du point de vue métabolique
metabolism /mɪˈtæbəlɪzəm/ *n* métabolisme *m*
metabolize /mɪˈtæbəlaɪz/ *vtr* transformer [qch] par métabolisme
metacarpal /ˌmetəˈkɑːpl/
A *n* métacarpien *m*
B *adj* [*ligament, vein*] métacarpien/-ienne; [*bone*] du métacarpe
metacarpus /ˌmetəˈkɑːpəs/ *n* métacarpe *m*
metadata /ˈmetəˌdeɪtə/ *npl* métadonnées *fpl*
metal /ˈmetl/
A *n* **1** Miner métal *m*; **2** (*also* **heavy** ~) Mus hard rock *m*; **3** (in printing) caractère *m*; **4** (in glassmaking) pâte *f* de verre
B *modif* **1** (made of metal) [*container, tool, fitting, cable*] en métal; **2** Mus [*group, band, music, album*] de hard rock
metalanguage /ˈmetəlæŋgwɪdʒ/ *n* métalangage *m*
metal: ~ **detector** *n* détecteur *m* de métaux; ~ **fatigue** *n* fatigue *f* du métal
metalinguistic /ˌmetəlɪŋˈgwɪstɪk/ *adj* métalinguistique
metalinguistics /ˌmetəlɪŋˈgwɪstɪks/ *n* (+ *v sg*) métalinguistique *f*
metallic /mɪˈtælɪk/ *adj* **1** Chem [*substance*] métallique; [*state*] de métal; **2** [*paint, finish*] métallisé; **3** (resembling metal) [*sound, appearance*] métallique; [*eyes*] d'un éclat métallique; [*taste*] de métal
metallurgic(al) /ˌmetəˈlɜːdʒɪk(l)/ *adj* [*problem, study*] métallurgique; [*work*] de métallurgie; [*expert*] en métallurgie
metallurgist /mɪˈtælədʒɪst, US ˈmetələːrdʒɪst/ ▸ **p. 1683** *n* métallurgiste *m*
metallurgy /mɪˈtælədʒɪ, US ˈmetələːrdʒɪ/ *n* métallurgie *f*
metal: ~ **polish** *n* produit *m* à astiquer pour métaux; ~**work** *n* ferronnerie *f*; ~**worker** ▸ **p. 1683** *n* ferronnier *m*
metamorphic /ˌmetəˈmɔːfɪk/ *adj* **1** gen [*quality, technique*] de métamorphose; **2** Geol métamorphique

m

metamorphism /ˌmetəˈmɔːfɪzəm/ *n* 1) Geol métamorphisme *m*; 2) gen = **metamorphosis**

metamorphose /ˌmetəˈmɔːfəʊz/
A *vtr* 1) Biol, fig métamorphoser (**into** en); 2) Geol métamorphiser
B *vi* 1) Biol, fig se métamorphoser (**into** en); 2) Geol se transformer par métamorphisme

metamorphosis /ˌmetəˈmɔːfəsɪs/ *n* (*pl* **-phoses**) (all contexts) métamorphose *f* (**into** en)

metamorphous /ˌmetəˈmɔːfəs/ *adj* = **metamorphic**

metaphor /ˈmetəfɔː(r)/ *n* métaphore *f*; **to mix one's ~s** faire des métaphores incohérentes

metaphoric(al) /ˌmetəˈfɒrɪk(l)/ *adj* métaphorique; **I must put my ~ skates on** je dois, comme on dit, passer à la vitesse supérieure

metaphorically /ˌmetəˈfɒrɪklɪ/ *adv* métaphoriquement; **~ speaking** pour employer une métaphore

metaphysical /ˌmetəˈfɪzɪkl/ *adj* 1) Philos métaphysique; 2) (abstract) abstrait

metaphysics /ˌmetəˈfɪzɪks/ *n* (+ *v sg*) métaphysique *f*

metastasis /meˈtæstəsɪs/ *n* (*pl* **-tases**) métastase *f*

metatarsal /ˌmetəˈtɑːsl/
A *n* métatarsien *m*
B *adj* [*ligament, arch*] métatarsien/-ienne; [*bone, swelling*] du métatarse

metatarsus /ˌmetəˈtɑːsəs/ *n* métatarse *m*

metathesis /mɪˈtæθəsɪs/ *n* (all contexts) métathèse *f*

metazoan /ˌmetəˈzəʊən/
A *n* métazoaire *m*
B *adj* de la famille des métazoaires

mete /miːt/ *v*

(Phrasal verb) ■ **mete out**: ▸ **~ [sth] out, ~ out [sth]** infliger [*punishment, ill treatment*]; accorder [*reward, favour*]; rendre [*justice*]

meteor /ˈmiːtɪə(r)/
A *n* 1) (fragment) météore *m*; 2) (streak of light) étoile *f* filante
B *modif* [*crater, shower*] météorique

meteoric /ˌmiːtɪˈɒrɪk, US -ˈɔːr-/ *adj* 1) [*dust, impact*] météorique; 2) fig (rapid) [*rise, progress*] fulgurant

meteorite /ˈmiːtɪəraɪt/
A *n* météorite *f*
B *modif* [*dust, impact*] météorique

meteorological /ˌmiːtɪərəˈlɒdʒɪkl/ *adj* météorologique; **~ balloon** ballon-sonde *m* météorologique

meteorologically /ˌmiːtɪərəˈlɒdʒɪklɪ, US ˌmiːtɪɔːr-/ *adv* sur le plan météorologique

Meteorological Office *n*: *météorologie nationale britannique*

meteorologist /ˌmiːtɪəˈrɒlədʒɪst/ ▸ p. 1683 *n* météorologue *mf*

meteorology /ˌmiːtɪəˈrɒlədʒɪ/
A *n* météorologie *f*
B *modif* [*study, records*] météorologique

meter /ˈmiːtə(r)/
A *n* 1) (measuring instrument) compteur *m*; **electricity/gas/water ~** compteur d'électricité/de gaz/d'eau; **to read the ~** relever le compteur; 2) (*also* **parking ~**) parcmètre *m*; 3) US Meas = **metre**
B *vtr* 1) mesurer [*electricity, gas, water, pressure*]; **to have one's water supply ~ed** avoir un compteur d'eau; 2) Post affranchir [qch] à la machine

meter: **~ maid**○ *n* contractuelle *f* (de police); **~ reader** *n* releveur *m* de compteur; **~ reading** *n* relevé *m* du compteur

methadone /ˈmeθədəʊn/ *n* méthadone *f*

methane /ˈmiːθeɪn/ *n* méthane *m*

methanol /ˈmeθənɒl/ *n* méthanol *m*

method /ˈmeθəd/ *n* 1) (system, technique, manner) (of teaching, contraception, training) méthode *f* (**for doing** pour faire); (of payment, treatment) mode *m* (**of** de); **~ of transport** moyen *m* de transport; **teaching/farming ~s** méthodes d'enseignement/agricoles; **production ~s** modes de production; 2) (orderliness) méthode *f*; **scientific/deductive ~** méthode scientifique/déductive; **a man of ~** un homme méthodique; 3) Cin, Theat méthode *f* de Stanislavski, philosophie *f* 'Actor's Studio'; ▸ **madness**

method: **~ acting** *n* méthode *f* Stanislavski, jeu *m* 'Actor's Studio'; **~ actor** *n* adepte *mf* de 'l'Actor's Studio'

methodical /mɪˈθɒdɪkl/ *adj* méthodique

methodically /mɪˈθɒdɪklɪ/ *adv* méthodiquement

Methodism /ˈmeθədɪzəm/ *n* méthodisme *m*

Methodist /ˈmeθədɪst/ *n, adj* méthodiste (*mf*)

methodological /ˌmeθədəˈlɒdʒɪkl/ *adj* méthodologique

methodologically /ˌmeθədəˈlɒdʒɪklɪ/ *adv* [*reasonable, acceptable*] du point de vue méthodologique; [*work, think*] avec méthode

methodology /ˌmeθəˈdɒlədʒɪ/ *n* méthodologie *f*

meths /meθs/ *n* (+ *v sg*) GB (*abrév* = **methylated spirit**) alcool *m* à brûler

Methuselah /mɪˈθjuːzələ/
A *pr n* (patriarch) Mathusalem
B *n* (bottle) mathusalem *m*

(Idiom) **as old as ~** vieux comme Mathusalem

methyl /ˈmeθɪl/
A *n* méthyle *m*
B *modif* [*acetate, bromide, chloride etc*] de méthyle

methylated /ˈmeθəleɪtɪd/ *adj* méthylique

methylated spirit(s) *n* (+ *v sg*) alcool *m* à brûler

methylene /ˈmeθɪliːn/
A *n* méthylène *m*
B *modif* [*chloride, blue*] de méthylène

meticulous /mɪˈtɪkjʊləs/ *adj* méticuleux/-euse; **to be ~ about one's work** être méticuleux dans son travail; **she's very ~ about brushing her teeth every day** elle fait très attention à se brosser les dents tous les jours

meticulously /mɪˈtɪkjʊləslɪ/ *adv* méticuleusement

meticulousness /mɪˈtɪkjʊləsnɪs/ *n* méticulosité *f*

métier /ˈmetɪeɪ/ *n* vocation *f*

Met Office *n* GB *abrév* ▸ **Meteorological Office**

metonymy /mɪˈtɒnɪmɪ/ *n* métonymie *f*

metre /ˈmiːtə(r)/ ▸ p. 1389 *n* 1) GB Meas mètre *m*; 2) Literat mètre *m*; 3) Mus mesure *f*

metric /ˈmetrɪk/ *adj* métrique; **to go ~**○ adopter le système métrique

metrical /ˈmetrɪkl/ *adj* 1) Meas de mesure; 2) Literat métrique; **~ psalm** psaume *m* versifié

metricate /ˈmetrɪkeɪt/ *vtr* faire passer [qch] au système métrique

metrication /ˌmetrɪˈkeɪʃn/ *n* (adoption) adoption *f* du système métrique; (conversion) conversion *f* au système métrique

metrics /ˈmetrɪks/ *n* (+ *v sg*) métrique *f*

metritis /mɪˈtraɪtɪs/ *n* Med métrite *f*

metrological /ˌmetrəˈlɒdʒɪkl/ *adj* métrologique

metrology /mɪˈtrɒlədʒɪ/ *n* 1) (study) métrologie *f*; 2) (system of measurement) système *m* de mesures

metronome /ˈmetrənəʊm/ *n* métronome *m*

metropolis /məˈtrɒpəlɪs/ *n* métropole *f*; **the ~** GB Londres

metropolitan /ˌmetrəˈpɒlɪtən/
A *n* 1) gen (person) citadin/-e *m/f*; 2) Relig (*also* **~ bishop**) (of Catholic Church) métropolitain *m*; (of Church of England) archevêque *m*; (of Eastern churches) métropolite *m*
B *adj* 1) (of city) [*area, park, population, organization*] urbain; [*buildings, traffic, values*] des grandes villes; **~ New York/Los Angeles** l'agglomération de New York/Los Angeles; 2) (home territory) **~ France** la France métropolitaine; 3) Relig métropolitain

metropolitan: **~ authority** *n* GB Admin *conseil qui dirige l'une des six principales conurbations britanniques*; **~ district** *n* GB Admin circonscription *f* administrative (d'une conurbation); **Metropolitan police** *n* GB police *f* de Londres

metrorrhagia /ˌmiːtrəˈreɪdʒɪə/ *n* Med métrorragie *f*

metrosexual /ˌmetrəʊˈsekʃʊəl/ *adj* métrosexuel/-elle

mettle /ˈmetl/ *n* courage *m*, ardeur *f* (**to do** pour faire); **to be on one's ~** faire de son mieux; **to put sb on his ~** amener qn à montrer de quoi il est capable

Meurthe-et-Moselle ▸ p. 1129 *pr n* Meurthe-et-Moselle *f*; **in/to ~** en Meurthe-et-Moselle

Meuse ▸ p. 1129 *pr n* Meuse *f*; **in/to ~** dans la Meuse

mew /mjuː/
A *n* 1) (of cat) miaulement *m*; 2) (seagull) mouette *f*
B *vi* miauler

mews /mjuːz/ *n* GB 1) (+ *v sg*) (street) ruelle *f*; (yard) cour *f*; 2) (+ *v pl*) (stables) écuries *fpl*

mews flat *n* GB *appartement chic aménagé dans d'anciennes écuries*

Mexican /ˈmeksɪkən/ ▸ p. 1467
A *n* (person) Mexicain/-e *m/f*
B *adj* mexicain

Mexican: **~ jumping bean** *n* pois *m* sauteur; **~ stand off** *n* US impasse *f*; **~ wave** *n* ola *f* (*mouvement de vague engendré par les spectateurs qui se lèvent successivement autour du terrain*)

Mexico /ˈmeksɪkəʊ/ ▸ p. 1096 *pr n* Mexique *m*

Mexico City ▸ p. 1815 *pr n* Mexico

mezzanine /ˈmezəniːn/ *n* 1) (floor) mezzanine *f*, entresol *m*; (in room, apartment) mezzanine *f*; 2) Theat US corbeille *f*; GB premier dessous *m*

mezzanine: **~ bed** *n* lit *m* en mezzanine; **~ financing** *n* financement *m* mezzanine, emprunt *m* subordonné

mezzo-soprano /ˌmetsəʊsəˈprɑːnəʊ/ ▸ p. 1868
A *n* (*pl* **~s**) (voice, singer) mezzo-soprano *f*
B *modif* [*voice, part*] de mezzo-soprano

mezzotint /ˈmetsəʊtɪnt/
A *n* (method, print) mezzo-tinto *m*
B *vtr* graver [qch] par mezzo-tinto

MF /emˈef/ *n* (*abrév* = **medium frequency**) FM *f*

MFA *n* US (*abrév* = **Master of Fine Arts**) ≈ maîtrise *f* d'arts plastiques

mfrs *abrév écrite* = **manufacturers**

mg *n* (*abrév* = **milligram**) mg *m*

Mgr (*abrév écrite* = **Monseigneur, Monsignor**) Mgr

MHR *n* US *abrév* ▸ **Member of the House of Representatives**

MHz (*abrév écrite* = **Megahertz**) MHz

mi /miː/ *n* mi *m*

MI US *abrév écrite* = **Michigan**

MI5 *n* (*abrév* = **Military Intelligence Section Five**) service *m* britannique de sécurité et de contre-espionnage

MI6 *n* (*abrév* = **Military Intelligence Section Six**) service *m* britannique de renseignements

MIA *abrév* ▸ **missing in action**

miaow /miːˈaʊ/
A *n* miaou *m*

m

B *vi* miauler
miasma /mɪ'æzmə/ *n* sout miasmes *mpl*
mica /'maɪkə/ *n* mica *m*
mice /maɪs/ *pl* ▸ **mouse**
Michael /'maɪkl/ *pr n* Michel
Michaelmas /'mɪklməs/ *pr n* la Saint-Michel
Michaelmas: ~ **daisy** *n* GB aster *m*; ~ **Term** *n* GB premier trimestre *m*
Michelangelo /ˌmaɪkəl'ændʒələʊ/ *pr n* Michel-Ange
Michigan /'mɪʃɪgən/ ▸ **p. 1737** *pr n* Michigan *m*; **Lake** ~ le lac Michigan
mick° /mɪk/ *n* injur Irlandais *m*
mickey /'mɪkɪ/ *n* GB
(Idiom) **to take the** ~° se payer la tête° **(out of** de); **are you taking the** ~ **out of me?** tu te paies ma tête?; **stop taking the** ~ arrête tes persiflages!
Mickey Finn /ˌmɪkɪ 'fɪn/ *n* boisson *f* droguée
Mickey Mouse /ˌmɪkɪ 'maʊs/
A *pr n* Mickey Mouse
B *modif* péj [*job*] idiot; [*qualifications*] sans valeur
micro /'maɪkrəʊ/
A *n* Comput micro *m*
B **micro +** (*dans composés*) micro-
microanalysis /ˌmaɪkrəʊə'næləsɪs/ *n* (*pl* **-lyses**) microanalyse *f*
microbe /'maɪkrəʊb/ *n* microbe *m*
microbial /maɪ'krəʊbɪəl/ *adj* microbien/-ienne
microbiological /ˌmaɪkrəʊbaɪəʊ'lɒdʒɪkəl/ *adj* microbiologique
microbiologist /ˌmaɪkrəʊbaɪ'ɒlədʒɪst/ ▸ **p. 1683** *n* microbiologiste *mf*
microbiology /ˌmaɪkrəʊbaɪ'ɒlədʒɪ/ *n* microbiologie *f*
microbrewery /'maɪkrəʊbruːərɪ/ *n* microbrasserie *f*
Micro Cellular Network, MCN *n* Telecom réseau *m* microcellulaire
microcephalic /ˌmaɪkrəʊsɪ'fælɪk/ *adj* microcéphale
microcephaly /ˌmaɪkrəʊ'sefəlɪ/ *n* microcéphalie *f*
microchip /'maɪkrəʊtʃɪp/
A *n* puce *f*, circuit *m* intégré
B *modif* [*industry, technology*] du circuit intégré; [*factory*] de circuits intégrés
microcircuit /'maɪkrəʊsɜːkɪt/ *n* microcircuit *m*
microcircuitry /ˌmaɪkrəʊ'sɜːkɪtrɪ/ *n* microcircuits *mpl*
microclimate /'maɪkrəʊklaɪmɪt/ *n* microclimat *m*
micrococcus /ˌmaɪkrəʊ'kɒkəs/ *n* (*pl* **-cocci**) micrococcus *m*; (for fermentation) microcoque *m*
microcomputer /ˌmaɪkrəʊkəm'pjuːtə(r)/
A *n* micro-ordinateur *m*
B *modif* [*company, network*] de micro-ordinateurs; [*software*] pour micro-ordinateur
microcomputing /ˌmaɪkrəʊkəm'pjuːtɪŋ/ *n* micro-informatique *f*
microcopy /'maɪkrəʊkɒpɪ/
A *n* microphotographie *f*
B *vtr* reproduire [qch] sur microfiche *or* microfilm
microcorneal lens /ˌmaɪkrəʊˌkɔːnɪəl 'lenz/ *n* (*pl* ~**es**) lentille *f* microcornéenne
microcosm /'maɪkrəkɒzəm/ *n* microcosme *m* also fig; **in** ~ en réduction
microcosmic /ˌmaɪkrəʊ'kɒzmɪk/ *adj* microcosmique
microcredit /'maɪkrəʊˌkredɪt/ *n* microcrédit *m*
microcrystal /'maɪkrəʊkrɪstl/ *n* microcristal *m*
microcrystalline /ˌmaɪkrəʊ'krɪstɪlaɪn/ *adj* microcristallin
microculture /'maɪkrəʊkʌltʃə(r)/ *n* Biol, Sociol microculture *f*
microdissection /ˌmaɪkrəʊdaɪ'sekʃn/ *n* microdissection *f*
microdot /'maɪkrəʊdɒt/ *n* **1** Phot microdot *m*; **2** (drug) comprimé *m* de LSD
microeconomic /ˌmaɪkrəʊˌekə'nɒmɪk, -ˌiːkə'n-/ *adj* microéconomique
microeconomics /ˌmaɪkrəʊˌekə'nɒmɪks, -ˌiːkə'n-/ *n* (+ *v sg*) microéconomie *f*
microelectrode /ˌmaɪkrəʊɪ'lektrəʊd/ *n* microélectrode *f*
microelectronic /ˌmaɪkrəʊɪlek'trɒnɪk/ *adj* microélectronique
microelectronics /ˌmaɪkrəʊɪlek'trɒnɪks/ *n* (+ *v sg*) microélectronique *f*
microenvironment /ˌmaɪkrəʊɪn'vaɪərənment/ *n* microenvironnement *m*
microfauna /'maɪkrəʊfɔːnə/ *npl* microfaune *f*
microfibre GB, **microfiber** US /'maɪkrəʊˌfaɪbə(r)/ *n* Tex microfibre *f*
microfiche /'maɪkrəʊfiːʃ/ *n* microfiche *f*
microfiche reader *n* lecteur *m* de microfiches
microfilm /'maɪkrəʊfɪlm/
A *n* microfilm *m*
B *vtr* microfilmer
microfilm reader *n* Phot lecteur *m* de microfilms
microflora /'maɪkrəʊflɔːrə/ *npl* microflore *f*
microform /'maɪkrəʊfɔːm/ *n* **1** ₵ (process) micrographie *f*; **2** C (microcopy) microcopie *f*
microgram US, **microgramme** GB /'maɪkrəʊgræm/ ▸ **p. 1883** *n* microgramme *m*
micrograph /'maɪkrəʊgrɑːf, US -græf/ *n* (photo, drawing) micrographie *f*
micrographics /ˌmaɪkrəʊ'græfɪks/ *n* (+ *v sg*) micrographie *f*
micrography /maɪ'krɒgrəfɪ/ *n* (all contexts) micrographie *f*
microgravity /ˌmaɪkrəʊ'grævətɪ/ *n* microgravité *f*
microgroove /'maɪkrəʊgruːv/ *n, modif* microsillon (*m*)
microhabitat /ˌmaɪkrəʊ'hæbɪtæt/ *n* microenvironnement *m*
microimage /'maɪkrəʊɪmɪdʒ/ *n* microimage *f*
microinjection /'maɪkrəʊɪnˌdʒekʃn/ *n* microinjection *f*
microlight /'maɪkrəʊlaɪt/ *n* ULM *m*, ultra léger *m* motorisé
microlighting /'maɪkrəlaɪtɪŋ/ ▸ **p. 1253** *n* ultra léger *m* motorisé
microlinguistics /ˌmaɪkrəʊlɪŋ'gwɪstɪks/ *n* (+ *v sg*) microlinguistique *f*
microlitre /'maɪkrəʊliːtə(r)/ ▸ **p. 1029** *n* microlitre *m*
micromesh /'maɪkrəʊmeʃ/ *adj* ~ **tights** GB, ~ **pantyhose** US collant *m* mousse
micrometeorite /ˌmaɪkrəʊ'miːtɪəraɪt/ *n* micrométéorite *f*
micrometeorologist /ˌmaɪkrəʊmiːtɪə'rɒlədʒɪst/ ▸ **p. 1683** *n* micrométéorologue *mf*
micrometeorology /ˌmaɪkrəʊmiːtɪə'rɒlədʒɪ/ *n* micrométéorologie *f*
micrometer US, **micrometre** GB /maɪ'krɒmɪtə(r)/ *n* micromètre *m*
micrometry /maɪ'krɒmɪtrɪ/ *n* micrométrie *f*
microminiature /ˌmaɪkrəʊ'mɪnɪtʃə(r), US -tʃʊər/ *adj* [*circuit, parts*] microminiaturisé
microminiaturization /ˌmaɪkrəʊˌmɪnɪtʃəraɪ'zeɪʃn, US -tʃʊərɪ'z-/ *n* microminiaturisation *f*
microminiaturize /ˌmaɪkrəʊ'mɪnɪtʃəraɪz, US -tʃʊər-/ *vtr* microminiaturiser
micron /'maɪkrɒn/ *n*† micron† *m*
Micronesia /ˌmaɪkrəʊ'niːzɪə/ ▸ **p. 1096** *pr n* Micronésie *f*
microorganism /ˌmaɪkrəʊ'ɔːgənɪzəm/ *n* micro-organisme *m*
microphone /'maɪkrəfəʊn/ *n* microphone *m*
microphotograph /ˌmaɪkrəʊ'fəʊtəgrɑːf, US -græf/
A *n* microphotographie *f*
B *vtr* microphotographier
microphotometer /ˌmaɪkrəʊfəʊ'tɒmɪtə(r)/ *n* microphotomètre *m*
microphysical /ˌmaɪkrəʊ'fɪzɪkl/ *adj* microphysique
microphysics /'maɪkrəʊfɪzɪks/ *n* (+ *v sg*) microphysique *f*
microporous /ˌmaɪkrəʊ'pɔːrəs/ *adj* microporeux/-euse
microprobe /'maɪkrəʊprəʊb/ *n* microsonde *f*
microprocessing /ˌmaɪkrəʊ'prəʊsesɪŋ/ *n* micro-informatique *f*
microprocessor /'maɪkrəʊprəʊsesə(r)/ *n* microprocesseur *m*
microprogram /'maɪkrəʊprəʊgræm/ *n* microprogramme *m*
microprogram(m)ing /ˌmaɪkrəʊ'prəʊgræmɪŋ/ *n* microprogrammation *f*
microreader /'maɪkrəʊriːdə(r)/ *n* microlecteur *m*
micro-reproduction /ˌmaɪkrəʊriːprə'dʌkʃn/ *n* microreproduction *f*
microscope /'maɪkrəskəʊp/ *n* microscope *m*; **under the** ~ lit, fig au microscope
microscopic /ˌmaɪkrə'skɒpɪk/ *adj* **1** (minute) microscopique; **2** (using a microscope) au microscope
microscopically /ˌmaɪkrə'skɒpɪklɪ/ *adv* [*examine, study*] au microscope; ~ **small** microscopique
microscopic section *n* coupe *f* histologique
microscopy /maɪ'krɒskəpɪ/ *n* microscopie *f*
microsecond /'maɪkrəʊsekənd/ *n* microseconde *f*
microstructural /ˌmaɪkrəʊ'strʌktʃərəl/ *adj* de microstructure
microstructure /'maɪkrəʊstrʌktʃə(r)/ *n* microstructure *f*
microsurgery /'maɪkrəʊsɜːdʒərɪ/ *n* microchirurgie *f*
microsurgical /ˌmaɪkrəʊ'sɜːdʒɪkl/ *adj* [*technique, procedure*] de microchirurgie; [*specialist, knowledge*] en microchirurgie
microtechnique /'maɪkrəʊtekniːk/ *n* microtechnique *f*
microvolt /'maɪkrəʊvəʊlt/ *n* microvolt *m*
microwatt /'maɪkrəʊwɒt/ *n* microwatt *m*
microwave /'maɪkrəweɪv/
A *n* **1** (wave) micro-onde *f*; **2** (oven) four *m* à micro-ondes
B *modif* [*transmitter*] à micro-ondes; [*cookery*] au four à micro-ondes
C *vtr* passer [qch] au four à micro-ondes
D **microwaved** *pp adj* [*food*] fait au micro-ondes
microwaveable /'maɪkrəweɪvəbl/ *adj* [*food*] micro-ondable, qui peut être cuit au four à micro-ondes; [*container*] pour four à micro-ondes
micturate /'mɪktjʊəreɪt/ *vi* spéc uriner
micturition /ˌmɪktjʊə'rɪʃn/ *n* spéc miction *f*
mid+ /mɪd/ (*dans composés*) **in the** ~**1990's/20th century** au milieu des années 90/du vingtième siècle; ~**-afternoon/-morning** milieu *m* de l'après-midi/de la matinée; **to stop in** ~**-sentence** s'arrêter au milieu de sa phrase; **(in)** ~**-May** (à la) mi-mai; **in** ~**-career, she...** à mi-chemin dans sa carrière, elle...; **he's in his** ~**-forties** il a environ 45 ans

midair /ˌmɪd'eə(r)/
A *adj* [*collision*] en plein vol
B **in midair** *adv phr* (in mid-flight) en plein vol; (in the air) en l'air; **his fork stopped in ~** sa fourchette s'arrêta en l'air; **to leave sth in ~** fig laisser qch en suspens

Midas /'maɪdəs/ *pr n* Midas
(Idiom) **to have the ~ touch** avoir le don de tout transformer en or

mid-Atlantic /ˌmɪdət'læntɪk/ *adj* **~ accent** accent *m* à mi-chemin entre l'accent britannique et l'accent américain

midbrain /'mɪdbreɪn/ *n* mésencéphale *m*

midday /ˌmɪd'deɪ/ ▸ **p. 1059**
A *n* midi *m*
B *modif* [*sun, meal*] de midi

midden /'mɪdn/ *n* lit, fig tas *m* de fumier

middle /'mɪdl/
A *n* **1▸** milieu *m*; **in the ~ of one's back**/**forehead** au milieu du dos/du front; **in the ~ of** au milieu de [*place, night, meal*]; **to be caught in the ~** être pris entre deux feux; **I was in the ~ of a good book when...** j'étais plongé dans un bon livre quand...; **in the ~ of May** à la mi-mai; **right in the ~ of** en plein milieu de [*meeting, crisis, debate*]; **right in the ~ of dinner** en plein dîner; **to be in the ~ of doing** être en train de faire; **to split [sth] down the ~** partager [qch] en deux [*bill, work*]; [*argument, issue*] diviser [qch] en deux [*group, opinion*]; **2▸** °(waist) taille *f*; **to grab sb round the ~** attraper qn par la taille
B *adj* gen [*door, shelf, house*] du milieu; [*price*] modéré; [*size, height, difficulty*] moyen/-enne; [*ranks*] Mil intermédiaire; **in ~ life** au milieu de ma/ta etc vie, aux alentours de la cinquantaine; **to be in one's ~ thirties** GB avoir environ 35 ans; **the ~ child** (of three children) le deuxième enfant; (of five children) le troisième enfant; **to steer** *ou* **take** *ou* **follow a ~ course** adopter une position intermédiaire; **there must be a ~ way** il doit y avoir un juste milieu
(Idiom) **in the ~ of nowhere** dans un trou perdu

middle age *n* l'âge *m* mûr; **the onset of ~** le début de l'âge mûr; **she took up a new career in late ~** elle avait déjà un certain âge quand elle a changé de carrière

middle-aged /ˌmɪdl'eɪdʒd/ *adj* [*person*] d'âge mûr; fig [*outlook, view*] vieux jeu *inv*

Middle Ages *n* **the ~** le Moyen Âge; **the early/late ~** le bas/haut Moyen Âge

middle: **~-age spread** *n* embonpoint *m* dû à l'âge; **Middle America** *n* (social group) *Américains aisés et aux idées conservatrices*

middlebrow /'mɪdlbraʊ/ péj
A *n* (person) personne *f* sans prétentions intellectuelles
B *adj* [*book*] sans prétentions intellectuelles; [*writer, actor*] de deuxième zone; [*music, tastes*] sans prétentions

middle C *n* do *m* du milieu du clavier

middle class
A *n* classe *f* moyenne
B *adj* [*person*] de la classe moyenne (*after n*); [*attitude, view*] bourgeois

middle distance
A *n* **1▸** Art, Phot, Cin second plan *m*; **2▸** gen **in the ~** au loin; **to gaze into the ~** regarder dans le vague
B *adj* Sport [*event, athlete*] de demi-fond

middle ear *n* oreille *f* moyenne

Middle East
A *pr n* Moyen-Orient *m*
B *modif* [*affairs*] du Moyen-Orient; [*talks*] sur le Moyen-Orient

middle-eastern *adj* [*nation, politics*] du Moyen-Orient

Middle England *n* classes *fpl* moyennes de province

> **Middle England**
> Par cette expression, on désigne au Royaume-Uni les classes moyennes qui forment la plus grande partie de l'électorat et dont tous les partis cherchent à gagner les voix. On parle aussi de *middle-income Britain*.

middle: **Middle English** *n* moyen anglais *m*; **~ finger** ▸ **p. 997** *n* majeur *m*; **Middle French** *n* moyen français *m*; **~ ground** *n* gen juste milieu *m*; (in argument, disagreement) terrain *m* d'entente; Pol majorité *f* silencieuse, marais *m*; **Middle High German** *n* moyen haut allemand *m*; **~-income** *adj* [*person, family, country*] aux revenus moyens; **Middle Kingdom** *n* Hist (in Egypt) Moyen Empire *m*; (in China) Empire *m* du Milieu; **~man** *n* gen, Comm intermédiaire *m*

middle management
A *n* cadres *mpl* moyens
B *modif* [*committee, level*] des cadres moyens; **~ executive** cadre *m* moyen

middle manager *n* cadre *m* moyen

middle name *n* deuxième prénom *m*
(Idiom) **patience is my ~** la patience est ma plus grande vertu

middle-of-the-road *adj* [*clothes, music, artist*] (banal) très ordinaire; (with wide appeal) populaire; [*policy*] gen modéré; péj tiède

middle-ranking *adj* d'un rang intermédiaire

middle school *n* GB *école pour élèves entre 9 et 13 ans*; US *école pour élèves entre 12 et 14 ans*

middle: **~-size(d)** *adj* [*object, person, company, town*] de taille moyenne; **Middle Temple** *pr n* GB *une des quatre écoles de droit à Londres*; **~ware** *n* logiciel *m* intermédiaire

middleweight /'mɪdlweɪt/
A *n* poids *m* moyen
B *adj* [*boxer*] poids moyen; [*competition, champion*] des poids moyens

Middle West *n* = **Midwest**

middling /'mɪdlɪŋ/ *adj* [*ability, attainment*] moyen/-enne
(Idiom) **fair to ~** pas trop mal

Middx *n*: *abrév écrite* = **Middlesex**

midfield /ˌmɪd'fi:ld/
A *n* **1▸** (area) milieu *m* du terrain; **in ~** en milieu de terrain; **to play ~** jouer milieu de terrain; **2▸** (position) milieu *m* de terrain
B *modif* [*player, defence*] de milieu de terrain

midfielder /ˌmɪd'fi:ldə(r)/ *n* milieu *m* de terrain, demi *m*

mid-flight /ˌmɪd'flaɪt/
A *adj* [*crash, collision, turbulence*] en plein vol
B **in mid-flight** *adv phr* en plein vol

midge /mɪdʒ/ *n* moucheron *m*; **~ bite** piqûre *f* d'insecte

midget /'mɪdʒɪt/
A *n* **1▸** (dwarf) injur nain/-e *m/f*; **2▸** °(small person) nain/-e *m/f*
B *adj* miniature; **~ submarine** Mil sous-marin *m* de poche

Mid Glamorgan /ˌmɪd glə'mɔ:gən/ ▸ **p. 1612** *pr n* Mid Glamorgan *m*

Midi /'mɪdɪ/ *adj* (*abrév* = **musical instruments digital interface**) [*guitar, instrument, hi-fi*] Midi

Midi-Pyrénées ▸ **p. 1243** *pr n* Midi-Pyrénées *m*; **in/to the ~** dans le Midi-Pyrénées

Midland /'mɪdlənd/
A **Midlands** *pr n* (+ *v sg*) **the ~s** la région *f* des Midlands (*au centre de l'Angleterre*)
B *adj* [*region, industry, accent*] des Midlands

midlife /'mɪdlaɪf/
A *n* âge *m* mûr
B *modif* [*crisis, problems*] de la cinquantaine

midnight /'mɪdnaɪt/ ▸ **p. 1059**
A *n* **1▸** (in time) minuit *m*; **at ~** à minuit; **it is (just) after ~** il est (un peu) plus de minuit; **she arrived just after ~** elle est arrivée juste après minuit; **it's past ~** il est minuit passé; **2▸** fig (despair) ténèbres *fpl*
B *modif* [*celebration, deadline*] de minuit
(Idiom) **to burn the ~ oil** travailler jusqu'à l'aube

midnight: **~ blue** ▸ **p. 1067** *n, adj* bleu (*m*) nuit (*inv*); **~ madness sale** *n* US soldes *fpl* extraordinaires en nocturne; **~ sun** *n* soleil *m* de minuit

midpoint /'mɪdpɔɪnt/ *n* milieu *m*

mid-price /ˌmɪd'praɪs/
A *n* **to sell at ~** se vendre à prix modéré
B *modif* [*product, item*] à prix modéré

mid-range /ˌmɪd'reɪndʒ/
A *n* **to be in the ~** [*product, hotel*] être en milieu de gamme
B *modif* [*car, hotel, product*] de milieu de gamme

midriff /'mɪdrɪf/ *n* ventre *m*; **a bare ~** (of body) un ventre nu; (of dress) une ouverture sur le ventre

mid-season /ˌmɪd'si:zn/ Sport, Comm
A *n* milieu *m* de saison; **in ~** en milieu de saison
B *modif* [*match, sale, season*] de milieu de saison

midshipman /'mɪdʃɪpmən/ *n* (*pl* **-men**) **1▸** GB (officer) aspirant *m* (*de la Marine*); **2▸** US (trainee) élève *m* de l'École navale; **3▸** GB (rank) grade *m* d'aspirant

midsize /'mɪdsaɪz/
A *n* US Aut voiture *f* de taille moyenne
B *adj* de taille moyenne

midst /mɪdst/ *n* **in the ~ of** au beau milieu de [*group, place, event*]; **in the ~ of change**/**war** en plein changement/pleine guerre; **in our ~** parmi nous

midstream /ˌmɪd'stri:m/: **in midstream** *adv phr* (in river) au milieu du courant; fig (in speech) [*stop, pause, interrupt*] en plein milieu d'une phrase; **to abandon sth in ~** abandonner qch à mi-course

midsummer /ˌmɪd'sʌmə(r)/
A *n* (high summer) milieu *m* de l'été; (solstice) solstice *m* d'été
B *modif* [*heat, days*] de plein été

Midsummer('s) Day *n* la Saint-Jean

midterm /ˌmɪd'tɜ:m/
A *n* **in ~** Pol (of government) au milieu *m* de son/leur etc mandat; Sch au milieu *m* du trimestre; (of pregnancy) au milieu *m* de ma/sa etc grossesse
B *modif* Pol [*crisis, election, reshuffle*] de milieu de mandat; Sch [*results, report, test*] de milieu de trimestre

> **Midterm elections**
> Aux États-Unis, élections qui renouvellent la totalité de la Chambre des représentants et un tiers du Sénat, au milieu du mandat présidentiel. Elles permettent au président de savoir comment est jugée sa politique. ▸ **Congress**

mid-terrace /ˌmɪd'terəs/ *modif* [*house, property*] *situé au milieu d'un alignement de maisons identiques et contiguës*

midtown /'mɪdtaʊn/ *n* US centre-ville *m*

mid-Victorian /ˌmɪdvɪk'tɔ:rɪən/ *adj* [*style, fashion*] du milieu de la période victorienne; **in the ~ period** au milieu de la période victorienne

midway /ˌmɪd'weɪ/
A *n* US attractions *fpl* foraines
B *adj* [*post, position*] de mi-course; [*stage, point*] de mi-parcours
C *adv* **~ between**/**along** à mi-chemin entre/le long de; **~ through** au milieu de [*event, process, period*]

midweek /ˌmɪd'wi:k/
A *n* milieu *m* de la semaine; **in ~** en milieu de semaine
B *modif* [*performance, edition, concession*] de milieu de semaine; **~ return** GB Rail aller-retour *m* en semaine
C *adv* en milieu de semaine

m

ℹ might¹

Although usage shows that *may* and *might* are interchangeable in many contexts, *might* indicates a more remote possibility than *may*. French generally translates this element of possibility using *peut-être* with the appropriate verb tense:

it might snow
= il va peut-être neiger

(It is also possible to translate this more formally using *il se peut* + subjunctive: *il se peut qu'il neige*). For particular examples see **might¹ 1**.

It is possible to translate *might* differently depending on the nature of the context and the speaker's point of view:

he might not come
= il risque de ne pas venir

implies that this is not a desirable outcome for the speaker;

he might not come
= il pourrait ne pas venir
or il se peut qu'il ne vienne pas

however, is neutral in tone. Where there is the idea of a possibility in the past which has not in fact occurred (see **might¹ 2**), French uses the past conditional of the verb (which is often *pouvoir*):

it might have been serious (but wasn't in fact)
= ça aurait pu être grave

This is also the case where something which could have taken place did not, thus causing annoyance:

you might have said thanks!
= tu aurais pu dire merci!
(see **might¹ 7**).

Might, as the past tense of *may*, will automatically occur in instances of reported speech:

he said you might be hurt
= il a dit que tu serais peut-être blessé

For more examples see the entry **might¹** and bear in mind the rules for the agreement of tenses.

Where there is a choice between *may* and *might* in making requests, *might* is more formal and even rather dated. French uses inversion (*je peux = puis-je?*) in this context and *puis-je me permettre de ... ? (= might I ... ?)* is extremely formal.

Might can be used to polite effect – to soften direct statements: *you might imagine that ...* or to offer advice tactfully: *it might be wise to ...* In both cases, French uses the conditional tense of the verb: *on pourrait penser que ...; ce serait peut-être une bonne idée de ...* The use of *well* in phrases such as *he might well be right* etc. implies a greater degree of likelihood.

For translations of *might well, may well*, see **B2** in the entry **well¹**.

For translations of the phrase *might as well* (*we might as well go home*), see **well¹ B2**.

m

Midwest /ˌmɪdˈwest/ *pr n* **the ~** le Middle West, le Midwest

Midwestern /ˌmɪdˈwestən/ *adj* [*people, accent, state*] du Middle West

Midwesterner /ˌmɪdˈwestənə(r)/ *n* US Américain/-e *m/f* du Middle West

midwife /ˈmɪdwaɪf/ ▸ **p. 1683** *n* (*pl* **-wives**) Med sage-femme *f*; **male ~** homme *m* sage-femme; **to be ~ to, to act as ~ for** fig jouer l'accoucheur pour qch, aider la création de qch

midwifery /ˈmɪdwɪfərɪ, US -waɪf-/
A *n* profession *f* de sage-femme; **to study ~** faire des études de sage-femme
B *modif* [*course, service*] de sage-femme

midwinter /ˌmɪdˈwɪntə(r)/
A *n* **1** (season) milieu *m* de l'hiver; **in ~** en plein hiver; **2** (solstice) solstice *m* d'hiver
B *modif* [*day, weather*] de plein hiver

mien /miːn/ *n* littér mine *f*; **of cheerful ~** à la mine joviale

miff○ /mɪf/ *vtr* vexer

miffed○ /mɪft/ *adj* **to be** *ou* **get ~** prendre la mouche○ (**about, over** à propos de)

might¹ /maɪt/ *modal aux* (*prét de* **may**; *nég* **might not, mightn't**) **1** (indicating possibility) **she ~ be right** elle a peut-être raison; **the rumour ~ not be true** cette rumeur n'est peut-être pas fondée; **they ~ not go** peut-être qu'ils n'iront pas; **'will you come?'—'I ~'** 'tu viendras?'—'peut-être'; **you ~ finish the painting before tonight** tu auras peut-être fini de peindre avant ce soir; **you ~ find that** vous trouverez peut-être que; **they ~ have to go away** il va peut-être falloir qu'ils partent; **we ~ be misjudging her** nous la jugeons peut-être mal, il se peut que nous la jugions mal fml; **you ~ have met her already** tu l'as peut-être déjà rencontrée; **they ~ have got lost** ils se sont peut-être perdus; **you ~ have guessed that** vous aurez peut-être deviné que; **the plane ~ have landed by now** l'avion a dû déjà atterrir; **it ~ be tiredness** c'est peut-être *or* ça pourrait être la fatigue; **I ~ (well) lose my job** je risque de perdre mon travail; **it ~ well improve the standard** ça pourrait bien améliorer le niveau; **try as I ~, I can't do it** j'ai beau essayer, je n'arrive pas à le faire; **however unlikely that ~ be** si improbable que cela puisse paraître; **whatever they ~ think** quoi qu'ils pensent (*subj*); **he wouldn't do anything which ~ damage his reputation** il ne ferait rien qui puisse nuire à sa réputation
2 (indicating unrealized possibility) **I ~ have been killed!** j'aurais pu être tué!; **I hate to think what ~ have happened** je n'ose imaginer ce qui aurait pu arriver; **more ~ have been done to prevent it** on aurait pu faire davantage pour l'éviter; **he was thinking about what ~ have been** il pensait à ce qui se serait passé si les choses avaient été différentes; **if I had been there all this mightn't have happened** si j'avais été là tout ça ne serait peut-être pas arrivé; **if they had acted quickly he ~ well be alive today** s'ils avaient agi plus vite il serait peut-être encore en vie aujourd'hui
3 (in sequence of tenses, in reported speech) **I said I ~ go into town** j'ai dit que j'irais peut-être en ville; **we thought you ~ be here** nous avons pensé que tu serais peut-être là; **they thought she ~ have been his lover** ils ont pensé qu'elle avait peut-être été sa maîtresse; **I thought it ~ rain** j'ai pensé qu'il risquait de pleuvoir; **she asked if she ~ leave** elle demanda si elle pouvait partir
4 sout (when making requests) **~ I make a suggestion?** puis-je me permettre de faire une suggestion?; **~ I enquire if...** puis-je me permettre de demander si...; **I should like to invite them, if I ~** j'aimerais les inviter si vous voulez bien; **I ~ add that** j'aurais souhaité ajouter que; **~ I ask who's calling?** c'est de la part de qui s'il vous plaît?; **and who, ~ I ask, are you?, and who ~ you be?** (aggressive) on peut savoir qui vous êtes?
5 (when making suggestions) **it ~ be a good idea to do** ce serait peut-être une bonne idée de faire; **you ~ try making some more enquiries** tu devrais essayer de te renseigner un peu plus; **they ~ do well to consult an expert** ils feraient peut-être bien de consulter un spécialiste; **we ~ go out for a meal later** nous pourrions aller manger au restaurant plus tard; **you ~ like to drop in later** tu veux peut-être passer plus tard; **you ~ take time to visit the old town** n'hésitez pas à aller visiter la vieille ville
6 (when making statement, argument) **one ~ argue** *ou* **it ~ be argued that** on pourrait dire *or* faire valoir que; **one ~ assume that** on pourrait supposer que; **as you** *ou* **one ~ expect** comme de bien entendu; **what you ~ call a 'putsch'** ce qu'on pourrait appeler un 'putsch'; **as you ~ imagine, he has conservative tastes** comme vous pouvez le deviner, il a des goûts classiques
7 (expressing reproach, irritation) **I ~ have known** *ou* **guessed!** j'aurais dû m'en douter!; **you ~ try helping!** tu pourrais peut-être aider!; **he ~ at least apologize!** il pourrait au moins s'excuser!; **they ~ have consulted us first** ils auraient pu nous consulter d'abord; **you ~ have warned me!** tu aurais pu me prévenir!
8 (in concessives) **he ~ be very brilliant but he's not a politician** il est peut-être très brillant mais ce n'est pas un politique; **they ~ not be fast but they're reliable** ils ne sont peut-être pas rapides mais on peut au moins compter sur eux; ▸ **well¹ B 2**

might² /maɪt/ *n* **1** (power) puissance *f*; **2** (physical strength) force *f*; **with all his ~** de toutes ses forces
(Idioms) **~ makes right** la raison du plus fort est toujours la meilleure; **with ~ and main**† de toutes ses forces

mightily /ˈmaɪtɪlɪ/ *adv* **1** ○(emphatic) drôlement○; **2** ‡(powerfully) vigoureusement

mightiness /ˈmaɪtɪnɪs/ *n* puissance *f*

mightn't /ˈmaɪtnt/ = **might not**

might've /ˈmaɪtəv/ = **might have**

mighty /ˈmaɪtɪ/
A *n* **the ~** (+ *v pl*) les puissants
B *adj* **1** [*nation, leader, force*] puissant; **2** littér [*river, peak, tree*] imposant; **the ~ ocean** le vaste océan; **3** ○(huge, terrific) énorme
C ○†*adv* (emphatic) vachement○, très
(Idioms) **how are the ~ fallen!** littér comme tombent les puissants!; **the pen is mightier than the sword** littér la plume est plus puissante que l'épée liter; **high and ~** hautain

mignonette /ˌmɪnjəˈnet/ *n* Bot réséda *m*

migraine /ˈmiːgreɪn, US ˈmaɪ-/ ▸ **p. 1327** *n* migraine *f*; **it gives her a ~** cela lui donne la migraine; **an attack of ~** une crise de migraine; **to suffer from ~** souffrir de migraines

migrant /ˈmaɪgrənt/
A *n* **1** Sociol gen (person) migrant/-e *m/f*; **2** Zool (bird) oiseau *m* migrateur; (animal) animal *m* migrateur
B *adj* **1** Sociol [*labour, labourer*] saisonnier/-ière; **~ worker** (seasonal) travailleur/-euse *m/f* saisonnier/-ière; (foreign) travailleur/-euse *m/f* immigré/-e; **2** Zool migrateur/-trice

migrate /maɪˈgreɪt, US ˈmaɪgreɪt/ *vi* **1** [*person*] émigrer; **2** [*bird, animal, parasite, chemical*] migrer

migration /maɪˈgreɪʃn/ *n* (all contexts) migration *f*

migratory /ˈmaɪgrətrɪ, maɪˈgreɪtərɪ, US ˈmaɪgrətɔːrɪ/ *adj* [*animal, bird, fish*] migrateur/-trice; [*journey, instinct, behaviour*] migratoire

mike○ /maɪk/ *n* Audio, Radio, TV micro○ *m*

Mike /maɪk/ *pr n*
(Idiom) **for the love of ~**○†! pour l'amour du ciel!

Milan /mɪˈlæn/ ▸ **p. 1815** *pr n* Milan

Milanese /ˌmɪləˈniːz/ *adj* milanais

milch cow† /ˈmɪltʃ kaʊ/ *n* Agric vache *f* laitière; fig péj vache *f* à lait

mild /maɪld/

A *n* GB (*also* ~ **ale**) bière *f* anglaise brune (légère)

B *adj* **1** (moderate) [*amusement, disappointment, protest, punishment, surprise*] léger/-ère; [*interest, irritation*] modéré; **2** (not cold) [*weather, winter*] doux/douce; [*climate*] tempéré; **it was a ~ day** il faisait doux; **a ~ spell** une période de beau temps; **3** (in flavour) [*beer, taste, tobacco*] léger/-ère; [*cheese*] doux/douce; [*curry*] peu épicé; **4** Cosmet [*soap, detergent, cream*] doux/douce; **5** Med [*case, symptom, infection*] bénin/-igne; [*attack, sedative*] léger/-ère; **a ~ heart attack** une petite crise cardiaque; **6** (gentle) [*person, character, voice*] doux/douce

mildew /ˈmɪldjuː, US -duː/

A *n* **1** Hort (disease) mildiou *m*; **2** (mould) moisissure *f*; **the smell of ~** l'odeur de moisi

B *vi* moisir

mildewed /ˈmɪldjuːd, US -duːd/ *adj* [*plant, produce*] mildiousé; [*material*] moisi

mildly /ˈmaɪldlɪ/ *adv* **1** (moderately) légèrement; **to put it ~** pour dire les choses avec modération; **that's putting it ~** c'est un euphémisme; **2** (gently) [*speak*] avec douceur; [*rebuke*] légèrement

mild-mannered /ˌmaɪldˈmænəd/ *adj* modéré

mildness /ˈmaɪldnɪs/ *n* (of character, weather, product, punishment, voice) douceur *f*; (of taste) légèreté *f*; (of protest) modération *f*

mile /maɪl/ ▸ **p. 1389, p. 1590**

A *n* **1** Meas mile *m* (= *1609 mètres*); **it's 50 ~s away** ≈ c'est à 80 kilomètres d'ici; **a 10 ~ journey** ≈ un trajet de 15 kilomètres; **she lives 10 ~s from me** ≈ elle habite à 15 kilomètres de chez moi; **half a ~** ≈ 800 mètres; **60 ~s per hour** ≈ 100 kilomètres à l'heure; **to do over 50 ~s to the gallon** ≈ consommer moins de six litres aux cent; **2** fig **to walk for ~s** marcher pendant des kilomètres; **to stretch for ~s** s'étendre sur des kilomètres; **it's ~s away!** c'est au bout du monde; **~s from anywhere** loin de tout; **not a million ~s from here/from the truth** pas très loin d'ici/de la vérité; **to see/recognize sth a ~ off** voir/reconnaître qch de loin; **you could smell it a ~ off** on pouvait le sentir à cent lieues à la ronde; **to stand out a ~, stick out a ~** sauter aux yeux; **I'd run a ~** je prendrais mes jambes à mon cou; **to be ~s away** (daydreaming) être complètement ailleurs; **3** (race) **the ~** le mile; **the 4 minute ~** le mile en 4 minutes

B **miles** *npl* (as intensifier) [*bigger, more important etc*] beaucoup; **~s better** bien meilleur; **to be ~s out** (wrong) [*estimate, figure*] être complètement faux; [*person*] être très loin du compte

(Idioms) **a miss is as good as a ~** Prov rater, même de peu, c'est rater; **to go the extra ~** en faire plus; **to talk a ~ a minute** US parler à toute vitesse

mileage /ˈmaɪlɪdʒ/ *n* **1** nombre *m* de miles; **what's the ~ for the trip?** ≈ combien de kilomètres fait l'ensemble du voyage?; **2** (done by car) kilométrage *m*; **to have a low ~/a high ~** avoir un faible kilométrage/un kilométrage élevé; **unlimited ~** kilométrage illimité; **3** (miles per gallon) consommation *f*; **4** fig (use) **he's had plenty of ~ out of that coat** ce manteau lui a beaucoup servi; **there's still some ~ left in it** cela peut encore servir; **to get political ~ out of sth** tirer un bénéfice politique de qch; **the press got maximum ~ out of the story** la presse a exploité l'histoire au maximum; **5** = **mileage allowance**

mileage: **~ allowance** *n* ≈ indemnité *f* kilométrique; **~ indicator** *n* ≈ compteur *m* kilométrique

milepost /ˈmaɪlpəʊst/ *n* **1** borne *f* (milliaire); **2** GB Turf dernier poteau *m*

milestone /ˈmaɪlstəʊn/ *n* **1** lit borne *f* (milliaire); **2** fig étape *f* importante; **to be a ~ in sb's life** marquer une étape dans la vie de qn

milieu /ˈmiːljɜː, US ˌmiːˈljɜː/ *n* sout (*pl* **-lieux** *ou* **-lieus**) milieu *m*

militant /ˈmɪlɪtənt/ souvent péj

A *n* (activist) agitateur/-trice *m/f*, trublion *m*; (armed) partisan/-e *m/f* de la lutte armée

B *adj* militant

Militant Tendency *n* Pol (*parti britannique d'extrême gauche*)

militarism /ˈmɪlɪtərɪzəm/ *n* péj militarisme *m*

militarist /ˈmɪlɪtərɪst/ *n, adj* militariste (*mf*)

militaristic /ˌmɪlɪtəˈrɪstɪk/ *adj* péj militariste

militarize /ˈmɪlɪtəraɪz/ *vtr* militariser; **~d zone** zone *f* militarisée

military /ˈmɪlɪtrɪ, US -terɪ/

A *n* **the ~** (army) (+ *v sg*) l'armée *f*; (soldiers) (+ *v pl*) les militaires *mpl*

B *adj* militaire

military: **~ academy** *n* école *f* militaire; **~ attaché** *n* attaché *m* militaire; **~ band** *n* fanfare *f* militaire; **~-industrial complex** *n* US complexe *m* militaro-industriel; **~ junta** *n* junte *f* militaire; **~ police** *n* police *f* militaire; **~ policeman, MP** *n* membre *m* de la police militaire

military service *n* service *m* militaire; **to be called up for ~** être appelé sous les drapeaux

militate /ˈmɪlɪteɪt/ *vi* **to ~ against sth** compromettre qch; **to ~ for** militer en faveur de [*reform, improvement*]

militia /mɪˈlɪʃə/ *n* **1** (citizen army) milice *f*; **2** US (liable for draft) **the ~** la réserve

militiaman /mɪˈlɪʃəmən/ *n* (*pl* **-men**) milicien *m*

milk /mɪlk/

A *n* **1** Culin lait *m*; **baby ~** lait *m* pour bébé; **condensed ~** lait concentré sucré; **powdered/evaporated ~** lait en poudre/concentré; **full cream ~** lait entier; **long-life ~** lait longue conservation; **skimmed/semi-skimmed ~** lait écrémé/demi-écrémé; **soya ~** lait de soja; **UHT ~** lait UHT; **2** Physiol, Vet lait *m*; **breast ~** lait maternel; **to be in ~** Vet donner du lait; **to produce ~** avoir du lait; **to express ~** Med tirer le lait; **when the ~ comes in** Med quand la montée du lait se fait; **3** Cosmet, Pharm lait *m*; **cleansing ~** lait démaquillant; **4** Bot lait *m*

B *vtr* **1** Agric, Vet traire; **2** fig (exploit) (for money) pomper [*company, state*] (**for** de); **to ~ sb dry** saigner qn à blanc; **he ~ed the audience for applause** il a extorqué des applaudissements aux spectateurs; **3** extraire [*sap, juice*]

C *vi* [*cow, goat etc*] donner du lait; [*dairyman, farmer*] faire la traite; **this cow ~s well** cette vache donne beaucoup de lait

(Idioms) **to come home with the ~** rentrer au petit matin; **it's no good crying over spilt ~** Prov il ne sert à rien de pleurer sur le lait répandu; ▸ **kindness**

milk: **~-and-water** *adj* insipide; **~ bar** *n* milk-bar *m*; **~ bottle** *n* bouteille *f* de lait; **~ can, ~ churn** *n* bidon *m* à lait; **~ chocolate** *n* chocolat *m* au lait; **~ diet** *n* régime *m* lacté; **~ duct** *n* canal *m* galactophore

milker /ˈmɪlkə(r)/ *n* **1** (person) personne *f* chargée de la traite; **2** (cow) laitière *f*

milk: **~ fever** ▸ **p. 1327** *n* Med, Vet fièvre *f* de lait; **~ float** *n* GB camionnette *f* de laitier; **~ gland** *n* glande *f* mammaire

milking /ˈmɪlkɪŋ/ *n* traite *f*; **to do the ~** faire la traite

milking: **~ herd** *n* troupeau *m* de laitières; **~ machine** *n* trayeuse *f*; **~ pail** *n* seau *m* (pour la traite); **~ parlour** GB, **~ parlor** US *n* salle *f* de traite; **~ stool** *n* tabouret *m* (de traite); **~ time** *n* heure *f* de la traite

milk: **~ jug** *n* pot *m* à lait; **~ loaf** *n* pain *m* au lait; **~maid** *n* fille *f* de ferme (*qui s'occupe de la traite*)

milkman /ˈmɪlkmən/ ▸ **p. 1683** *n* (delivering) laitier *m*

milk: **~ of magnesia** *n* lait *m* de magnésie; **~ powder** *n* lait *m* en poudre; **~ products** *npl* produits *mpl* laitiers; **~ pudding** *n* dessert *m* à base de lait

milk round *n* **1** lit tournée *f* de livraison du lait; **2** °GB fig rencontres *fpl* étudiants-entreprises

milk run° *n* Aviat vol *m* de routine

milk: **~ shake** *n* milk-shake *m*; **~sop**°† *n* chiffe *f* molle°; **~ tooth** *n* dent *f* de lait; **~ train** *n* premier train *m* du matin; **~ truck** *n* US camionnette *f* de laitier

milkweed /ˈmɪlkwiːd/ *n* **1** Bot asclépiade *f*; **2** Zool (butterfly) danaïde *f*

milk-white /ˌmɪlkˈwaɪt, US -hwaɪt/

A *n* blanc *m* laiteux

B *adj* [*skin*] laiteux/-euse; [*steed*] blanc/blanche comme la neige

milkwort /ˈmɪlkwɜːt/ *n* herbe *f* au lait

milky /ˈmɪlkɪ/ *adj* **1** (containing milk) [*drink*] au lait; [*diet*] lacté; **she likes her tea very ~** elle aime son thé avec beaucoup de lait; **to taste ~** avoir un goût de lait; **2** [*skin, liquid, colour*] laiteux/-euse

milky: **Milky Way** *pr n* Voie *f* lactée; **~ white** *adj* laiteux/-euse

mill /mɪl/

A *n* **1** (building) (for flour etc) moulin *m*; (factory) fabrique *f*; **paper ~** fabrique de papier; **2** Ind (machine) (for processing) machine-outil *f*; (for tooling metal) fraiseuse *f*; (for polishing) polissoir *m*; (roller) presse *f*; **3** Culin moulin *m*; **4** fig (routine) routine *f* ardue; **5** US fig usine *f*; **diploma ~** usine à diplômes; **6** °(fight) castagne° *f*

B *vtr* moudre [*flour, pepper*]; fabriquer [*steel*]; broyer [*paper*]; filer [*cotton*]; tisser [*textiles*]; moleter [*screw*]; fraiser [*nut, bolt*]; denteler [*coin*]; **~ed edge** (of coin) bord dentelé

(Idioms) **there'll be trouble at t'mill**° hum on va avoir des ennuis; **to go through the ~** en voir de toutes les couleurs°; **to put sb through the ~** mettre qn à rude épreuve

(Phrasal verb) ■ **mill around, mill about** grouiller

mill board *n* carton-bois *m*

millenarian /ˌmɪlɪˈneərɪən/ *n* millénariste *mf*

millenarianism /ˌmɪlɪˈneərɪənɪzəm/ *n* millénarisme *m*

millenium bug *n* Comput bogue *m* de l'an deux mille, bug *m* de l'an deux mille

millennial /mɪˈlenɪəl/ *n, adj* millénaire (*m*)

millennium /mɪˈlenɪəm/ *n* (*pl* **-niums** *ou* **-nia**) **1** (cycle) millénaire *m*; **2** (anniversary) millième anniversaire *m*, millénaire *m*; **3** Relig, fig millénium *m*

miller /ˈmɪlə(r)/ *n* ▸ **p. 1683** **1** (person) Agric meunier/-ière *m/f*; Ind fraiseur/-euse *m/f*; **2** (machine) fraiseuse *f*

millet /ˈmɪlɪt/ *n* **1** (grass) (European) millet *m* des roseaux; (Indian) millet *m* commun; **2** (seed) millet *m*

mill: **~ girl** ▸ **p. 1683** *n* ouvrière *f* (*des filatures*); **~ hand** ▸ **p. 1683** *n* ouvrier/-ière *m/f* (*du textile*)

millibar /ˈmɪlɪbɑː(r)/ *n* millibar *m*

milligram(me) /ˈmɪlɪɡræm/ ▸ **p. 1883** *n* milligramme *m*

millilitre GB, **milliliter** US /ˈmɪlɪliːtə(r)/ ▸ **p. 1029** *n* millilitre *m*

millimetre GB, **millimeter** US /ˈmɪlɪmiːtə(r)/ ▸ **p. 1389** *n* millimètre *m*

milliner /ˈmɪlɪnə(r)/ ▸ **p. 1683** *n* modiste *f*

millinery /ˈmɪlɪnərɪ, US -nerɪ/ *n* 1▸ ¢ (hats) chapeaux *mpl* et accessoires *mpl* pour la coiffure féminine; 2▸ (business) industrie *f* chapelière

milling /ˈmɪlɪŋ/
A *n* (of corn) mouture *f*; (of paper) broyage *m*; (of cloth) tissage *m*; (of metal) fraisage *m*; (on coin) dentelage *m*
B *adj* littér [*crowd*] grouillant

milling: ~ **cutter** *n* fraise *f* Tech; ~ **machine** *n* fraiseuse *f*

million /ˈmɪljən/ ▸ **p. 1487**
A *n* 1▸ (figure) million *m*; **six ~** six millions; **in ~s** par millions; **the odds are a ~ to one** il y a une chance sur un million; **thanks a ~**○**!** merci mille fois!; iron merci quand même○!; 2▸ (money) **her first ~** son premier million; **the family ~s** la fortune de la famille; **to have ~s** être riche à millions
B millions *npl* (large numbers) des millions (**of** de); **the starving ~s** les masses *fpl* affamées
C *adj* **a ~ people/pounds** un million de personnes/de livres; **to be a ~ years old** avoir un million d'années; **a ~ dollar bid** une offre d'un million de dollars; **I've told you a ~ times**○**!** je te l'ai dit cent *or* mille fois!
(Idioms) **to feel like a ~ (dollars)**○ US se sentir des ailes; **to look like a ~ (dollars)**○ être superbe; **to be one in a ~**○ être un oiseau rare○; **a chance in a ~**○ (slim) une chance sur un million; (exceptional) une chance unique

millionaire /ˌmɪljəˈneə(r)/ *n* millionnaire *mf*

millionth /ˈmɪljənθ/ ▸ **p. 1487**
A *n* millionième *m* (**of** de)
B *adj* millionième

millipede /ˈmɪlɪpiːd/ *n* mille-pattes *m inv*

mill owner *n* propriétaire *mf* d'usine

mill pond *n* bassin *m* de retenue (d'un moulin)
(Idiom) **to be like a** *ou* **as smooth as a ~** [*sea*] être d'huile

mill race *n* (stream) bief *m*; (channel) chenal *m*

millstone /ˈmɪlstəʊn/ *n* meule *f*
(Idiom) **to be/to have a ~ round one's neck** être/avoir un boulet au pied

mill: **~stream** *n* bief *m* de moulin; **~wheel** *n* roue *f* de moulin; **~ worker** *n* = **mill hand**

milo /ˈmaɪləʊ/ *n* sorgho *m*

milometer /maɪˈlɒmɪtə(r)/ *n* GB ≈ compteur *m* kilométrique; **to turn back the ~** trafiquer le compteur

milquetoast /ˈmɪlktəʊst/ *n* péj chiffe *f* molle○

milt /mɪlt/ *n* laitance *f*

mime /maɪm/
A *n* 1▸ (art) (modern, classical) mime *m*; 2▸ (performance) pantomime *f*; 3▸ (performer) mime *mf*
B *vtr* mimer [*person, words, scene*]; **to ~ doing** mimer quelqu'un en train de faire
C *vi* mimer; **to ~ to** mimer [*music, text*]

mime artist ▸ **p. 1683** *n* mime *mf*

mimeograph /ˈmɪmɪəɡrɑːf, US -ɡræf/
A *n* 1▸ (machine) ronéo® *f*; 2▸ (copy) polycopié *m*
B *vtr* polycopier

mimesis /mɪˈmiːsɪs, maɪ-/ *n* Art mimêsis *f*; Literat, Biol mimétisme *m*

mimetic /mɪˈmetɪk/ *adj* Biol mimétique

mimic /ˈmɪmɪk/
A *n* (person, bird) imitateur/-trice *m/f*; (professional) imitateur/-trice *m/f*
B *vtr* (*p prés etc* **-ck-**) 1▸ (to amuse) imiter; (to ridicule) parodier; 2▸ (simulate) simuler [*ability, condition, surroundings*]; Zool imiter [*colouring*]; 3▸ péj (copy) singer pej

mimicry /ˈmɪmɪkrɪ/ *n* 1▸ (mimicking) imitation *f*; **to have a talent for ~** être doué pour les imitations; 2▸ Zool mimétisme *m*

mimosa /mɪˈməʊzə, US -məʊsə/ *n* mimosa *m*

min 1▸ *abrév écrite* = **minute**[1]; 2▸ *abrév écrite* = **minimum**

Min. GB *abrév écrite* = **Ministry**

minaret /ˌmɪnəˈret/ *n* minaret *m*

minatory /ˈmɪnətərɪ, US -tɔːrɪ/ *adj* sout menaçant

mince /mɪns/
A *n* GB Culin viande *f* hachée; **beef/pork ~** bœuf/porc haché
B *vtr* hacher [*meat, vegetable*]
C *vi* péj (walk) marcher en se dandinant (**across** à travers; **along** le long de)
D minced *pp adj* [*meat, vegetable*] haché
(Idiom) **not to ~ matters** *ou* **one's words** ne pas mâcher ses mots
(Phrasal verb) ■ **mince up**: ▸ **~ up [sth]**, **~ [sth] up** hacher

mincemeat /ˈmɪnsmiːt/ *n* GB Culin *garniture composée de fruits secs et d'épices*
(Idiom) **to make ~ of sb** ne faire qu'une bouchée de qn

mince pie *n*: *tartelette garnie d'une pâte de fruits secs*

mincer /ˈmɪnsə(r)/ *n* hachoir *m*; **to put sth through the ~** passer qch au hachoir; **to put sb through the ~**○ fig faire passer un mauvais quart d'heure à qn○

mincing /ˈmɪnsɪŋ/ *adj* affecté

mincingly /ˈmɪnsɪŋlɪ/ *adv* de façon affectée

mincing machine *n* hachoir *m*

mind /maɪnd/
A *n* 1▸ (centre of thought, feelings) esprit *m*, tête *f*; **a healthy ~** un esprit sain; **peace of ~** tranquillité d'esprit; **it's all in the ~** c'est tout dans la tête○; **to cross sb's ~** venir à l'esprit de qn; **it never crossed my ~ that...** ça ne m'est jamais venu à l'esprit que..., ça ne m'a jamais effleuré l'esprit que...; **what was in the judge's ~?** qu'est-ce que le juge avait en tête?; **at the back of my ~ I had my doubts** au fond de moi j'avais des doutes; **my ~ was full of suspicion** j'avais des soupçons sur tout; **that's a load** *ou* **weight off my ~** ça me soulage beaucoup; **to be clear in one's ~ about/that...** être sûr de/que...; **to build up an image in one's ~ of sb/sth** se faire une image de qn/qch; **to feel easy in one's ~ about sth** se sentir rassuré quant à qch; **to have something on one's ~** être préoccupé; **to set one's ~ on doing sth** décider de faire qch; **to set sb's ~ at rest** rassurer qn; **nothing could be further from my ~** loin de moi cette pensée
2▸ (brain) esprit *m*, intelligence *f*; **with the ~ of a two-year-old** avec l'intelligence d'un enfant de deux ans; **to have a very good ~** être très intelligent; **he has a fine legal ~** c'est un brillant juriste; **the right calibre of ~ for the job** les qualités intellectuelles pour cet emploi; **it's a case of ~ over matter** c'est la victoire de l'esprit sur la matière
3▸ (way of thinking) esprit *m*; **to have a logical/analytic ~** avoir l'esprit logique/d'analyse; **the criminal ~** l'esprit criminel; **to read sb's ~** lire dans les pensées de qn
4▸ (opinion) avis *m*; **to be of one ~** être du même avis; **to my ~**○ à mon avis; **to make up one's ~ about/to do** se décider à propos de/à faire; **my ~'s made up** je suis décidé; **to change one's ~ about sth** changer d'avis sur qch; **I've changed my ~ about him—he's really quite nice** j'ai changé d'avis à son sujet—en fait il est assez gentil; **to keep an open ~ about sth** ne pas avoir de préjugés sur qch; **to know one's own ~** avoir des idées bien à soi; **to speak one's ~** dire ce qu'on a à dire
5▸ (attention) esprit *m*; **sorry, my ~ is elsewhere** pardon, j'ai l'esprit ailleurs; **to let one's ~ wander** laisser son esprit s'égarer; **to concentrate** *ou* **keep one's ~ on sth** se concentrer sur; **to give** *ou* **put one's ~ to sth** accorder son attention à qch; **she can work very fast when she puts her ~ to it** elle peut travailler très vite quand elle se concentre; **to take sb's ~ off sth** distraire qn de qch; **to turn one's ~ to sth** se mettre à penser à qch
6▸ (memory) esprit *m*; **to come to ~** venir à l'esprit; **I can't get him out of my ~** je n'arrive pas à l'oublier; **try to put it out of your ~** essaie de ne plus y penser; **my ~'s a blank** j'ai un trou de mémoire; **it went right** *ou* **clean** *ou* **completely out of my ~** cela m'est complètement sorti de la tête; **to bring sth to ~** rappeler qch à qn; **to call sth to ~** se remémorer qch
7▸ (sanity) raison *f*; **her ~ is going** elle n'a plus toute sa raison; **are you out of your ~**○**?** tu es fou/folle○?; **I was going out of my ~ with worry** j'étais fou/folle d'inquiétude; **nobody in their right ~ would do such a thing** quelqu'un de normal ne ferait jamais cela; **to be of sound ~**† Jur jouir de toutes ses facultés mentales
8▸ (person as intellectual) esprit *m*; **all the great ~s of the 17th century** tous les grands esprits du dix-septième siècle
B in mind *adv phr* **I bought it with you in ~** je l'ai acheté en pensant à toi; **I have something in ~ for this evening** j'ai une idée pour ce soir; **with holidays/the future in ~** en prévision des vacances/de l'avenir; **with this in ~,...** avec cette idée en tête,...; **what kind of present did you have in ~?** est-ce que vous avez une idée du genre de cadeau que vous voulez offrir?; **to have it in ~ to do sth** avoir l'intention de faire qch; **to put sb in ~ of sb/sth** rappeler qn/qch à qn
C *vtr* 1▸ (pay attention to) faire attention à [*hazard*]; surveiller [*manners, language*]; **~ what the teacher tells you** fais attention à ce que le professeur te dit; **~ your head/the step** attention à la tête/à la marche; **~ you don't drink/he doesn't drink** fais attention à ne pas boire/à ce qu'il ne boive pas; **don't ~ them!** ne fais pas attention à eux!; **carry on, don't ~ me** gen continuez, ne faites pas attention à moi; iron allez-y, ne vous gênez pas!; **~ how you go** GB faites bien attention à vous; **it's a secret, ~**○ c'est un secret, n'oublie pas; **~ you**○**, it won't be easy** remarque, ce ne sera pas facile
2▸ (object to) **I don' t ~ the cold/her husband** le froid/son mari ne me dérange pas; **I don't ~ cats, but I prefer dogs** je n'ai rien contre les chats, mais je préfère les chiens; **I don't ~ having a try** ça ne me dérangerait pas d'essayer; **'do you ~ if I bring him?'—'no, I don't ~'** 'est-ce que ça te dérange si je viens avec lui?'—'bien sûr que non'; **'do you want to go today or tomorrow?'—'I don't ~'** 'tu veux y aller aujourd'hui ou demain?'—'ça m'est égal'; **they were late, not that I ~ed, but still...** ils étaient en retard, non que cela m'ait dérangé, mais tout de même...; **I don't ~ who comes** peut venir qui veut; **she doesn't ~ where he sleeps/when he turns up** hum pour elle, il peut dormir où il veut/arriver quand il veut; **will they ~ us being late?** est-ce qu'ils seront fâchés si nous sommes en retard?; **would you ~ keeping my seat for me/opening the window?** est-ce que ça vous ennuierait de garder ma place/d'ouvrir la fenêtre?; **would you ~ accompanying me to the station?** (said by policeman) je vous demanderai de bien vouloir me suivre au commissariat; **I don't ~ telling you, I was frightened** je peux te dire que j'ai eu peur; **I think you were a bit rude, if you don't ~ my saying so** pour être franc, je trouve que tu as été un peu impoli; **if you don't ~ my asking...** si ce n'est pas une question indiscrète...; **'like a cigarette?'—'don't ~ if I do'**○ 'une cigarette?'—'c'est pas de refus'○; **I wouldn't ~ a glass of wine** je prendrais volontiers un verre de vin; **if you don't ~** si cela ne vous fait rien also iron
3▸ (care) se soucier de; **he ~s what you think of him** il se soucie de ce que tu penses de lui; **do you ~!** iron non mais!; **never ~** (don't worry) ne t'en fais pas; (it doesn't matter) peu importe; **never you ~**○**!** (don't worry) ne t'en fais pas; (to

nosy person) cela ne te regarde pas○!; **never ~ all that now** laissons tomber tout cela pour l'instant; **never ~ who/what/when etc...** peu importe qui/ce que/quand etc...; **never ~ complaining...** GB ce n'est pas la peine de te plaindre...; **he can't afford an apartment, never ~ a big house** il ne peut pas se permettre un appartement encore moins une grande maison
4 (look after) s'occuper de [*animal, children*]; tenir [*shop*]
(Idioms) **great ~s think alike** les grands esprits se rencontrent; **if you've a ~ to** si le cœur vous en dit; **to see sth in one's ~'s eye** imaginer qch; **~ your own business**○! occupe-toi de tes affaires○!; **I gave him a piece of my ~**○! je lui ai dit ma façon de penser!; **to have a good ~** *ou* **half a ~ to do** GB avoir bien envie de faire; **to have a ~ of one's own** savoir ce qu'on veut; **to have no ~ to do** ne pas avoir le cœur de faire; **to be bored out of one's ~** s'ennuyer à mourir; **travel broadens the ~** les voyages enrichissent l'esprit; ▸ **two**
(Phrasal verb) ■ **mind out** faire attention; **~ out or you'll fall** fais attention à ne pas tomber; **~ out of the way**○! dégage○!

mind: **~bending** *adj* [*drug*] psychotrope; [*problem*] très complexe; **~-blowing**○ *adj* époustouflant○; **~-boggling**○ *adj* stupéfiant

minded /ˈmaɪndɪd/
A *adj* sout **to be ~ to do** avoir envie de faire; **you can join us if you're so ~** tu peux te joindre à nous, si ça te dit
B -minded (*dans composés*) **1** (with certain talent) **to be mechanically-/business-~** avoir le sens de la mécanique/des affaires; **2** (with certain attitude) **to be small-/open-~** avoir l'esprit étroit/ouvert; **3** (with certain trait) **to be feeble-~** être simplet/-ette

minder /ˈmaɪndə(r)/ *n* GB **1** ○(bodyguard) garde *m* du corps; **2** (*also* **child ~**) nourrice *f*

mind-expanding /ˌmaɪndɪksˈpændɪŋ/ *adj* [*drug*] hallucinogène

mindful /ˈmaɪndfl/ *adj* **~ of** soucieux/-ieuse de

mindless /ˈmaɪndlɪs/ *adj* **1** péj (stupid) [*person, programme*] bête, débile○; [*work*] abrutissant; [*vandalism*] gratuit; **2** (requiring little thought) [*task*] machinal

mindlessly /ˈmaɪndlɪslɪ/ *adv* **1** péj (stupidly) stupidement; **2** (automatically) [*perform task*] machinalement

mind-numbing *adj* abrutissant

mindreader /ˈmaɪndriːdə(r)/ *n* télépathe *mf*; **you must be a ~** hum mais tu lis dans mes pensées; **I'm not a ~!** je ne suis pas médium!

mind: **~reading** *n* télépathie *f*; **~-set** *n* façon *f* de penser

mine¹ /maɪn/

> ⚠ In French, pronouns reflect the gender and number of the noun they are standing for. So *mine* is translated by *le mien, la mienne, les miens, les miennes*, according to what is being referred to: *the blue car is mine* = la voiture bleue est la mienne; *his children are older than mine* = ses enfants sont plus âgés que les miens.
> For examples and particular usages, see the entry below.

pron **his car is red but ~ is blue** sa voiture est rouge mais la mienne est bleue; **the green pen is ~** le stylo vert est le mien; **which glass is ~?** lequel (de ces verres) est le mien?, mon verre c'est lequel○?; **~'s a whisky**○ un whisky pour moi; **she's a friend of ~** c'est une amie à moi; **he's no friend of ~!** ce n'est pas un ami à moi!; **it's not ~** ce n'est pas à moi; **the book isn't ~ to lend you** je ne peux pas te prêter ce livre, il n'est pas à moi; **~ is not an easy task** fml ma tâche n'est pas facile; **that brother of ~** péj mon imbécile de frère○

mine² /maɪn/
A *n* **1** Mining mine *f*; **to work in** *ou* **down the ~s** travailler dans les mines; **to go down the ~** (become a miner) descendre à la mine; **2** fig mine *f*; **to be a ~ of information** être une mine de renseignements; **to have a ~ of experience to draw on** pouvoir s'appuyer sur son expérience; **3** Mil (explosive) mine *f*; **to lay a ~** (on land) poser une mine; (in sea) mouiller une mine; **to hit** *ou* **strike a ~** heurter une mine
B *vtr* **1** Mining extraire [*gems, mineral*]; exploiter [*area*]; **2** Mil (lay mines in) miner [*area*]; (blow up) faire sauter [*ship, tank*]
C *vi* exploiter un gisement; **to ~ for** extraire [*gems, mineral*]
(Phrasal verb) ■ **mine out**: ▸ **~ out [sth]**, **~ [sth] out** extraire [*mineral*]; exploiter [*area, pit*]; **the pit is completely ~d out** la mine est épuisée

mine maɪn: **~ clearing** *n* déminage *m*; **~ detector** *n* détecteur *m* de mines

minefield /ˈmaɪnfiːld/ *n* **1** lit champ *m* de mines; **2** fig terrain *m* miné; **a political ~** une poudrière politique

mine maɪn: **~hunter** *n* détecteur *m* de mines; **~layer** *n* Mil Naut mouilleur *m* de mines; **~laying** *n* (at sea) mouillage *m* de mines; (on land) pose *f* de mines

miner /ˈmaɪnə(r)/ ▸ **p. 1683** *n* mineur *m*

mineral /ˈmɪnərəl/
A *n* **1** Miner (substance, class) minéral *m*; **2** Mining (for extraction) minerai *m*; **3** GB (drink) boisson *f* gazeuse
B *adj* gen minéral; **~ ore** minerai *m*

mineral kingdom *n* règne *m* minéral

mineralogical /ˌmɪnərəˈlɒdʒɪkl/ *adj* minéralogique

mineralogist /ˌmɪnəˈrælədʒɪst/ ▸ **p. 1683** *n* minéralogiste *mf*

mineralogy /ˌmɪnəˈrælədʒɪ/ *n* minéralogie *f*

mineral oil *n* **1** Miner pétrole *m*; **2** US (paraffin) huile *f* minérale

mineral: **~ rights** *npl* concession *f* d'exploitation minière; **~ spring** *n* source *f* d'eau minérale; **~ water** *n* eau *f* minérale

miner: **~'s lamp** *n* lampe *f* de mineur; **~s' strike** *n* grève *f* des mineurs

mineshaft /ˈmaɪnʃɑːft, US -ʃæft/ *n* puits *m* de mine

minestrone /ˌmɪnɪˈstrəʊnɪ/ *n* minestrone *m*

mine maɪn: **~sweeper** *n* dragueur *m* de mines; **~sweeping** *n* dragage *m* de mines; **~worker** ▸ **p. 1683** *n* mineur *m*; **~ workings** *npl* chantier *m* de mine

mingle /ˈmɪŋgl/
A *vtr* mêler [*quality, feeling*] (**with** à); mélanger [*sand, colour, taste*] (**with** avec)
B *vi* **1** **to ~ with** (chat to) se mêler à [*crowd, guests*]; (socialize with) fréquenter [*social group*]; **he doesn't ~** il ne se mêle pas aux gens; **let's ~!** mêlons-nous aux invités; **2** (combine) [*sounds*] se confondre (**with** à); [*smells, colours, tastes, feelings*] se mêler (**with** à)
C mingled *pp adj* **~d with** mêlé de

mingy○ /ˈmɪndʒɪ/ *adj* [*person*] radin○, pingre; [*amount*] maigre

mini /ˈmɪnɪ/
A *n* mini-jupe *f*
B mini+ (*dans composés*) mini-

miniature /ˈmɪnətʃə(r), US ˈmɪnɪətʃʊər/
A *n* (all contexts) miniature *f*; **in ~** en miniature
B *adj* **1** [*bottle, camera, TV, world, version*] miniature; **2** [*breed, dog, horse*] nain

miniature: **~ golf** ▸ **p. 1253** *n* mini-golf *m*; **~ railway** *n* petit train *m*; **~ village** *n* village *m* miniature

miniaturist /ˈmɪnɪtʃərɪst/ ▸ **p. 1683** *n* miniaturiste *mf*

miniaturization /ˌmɪnɪtʃəraɪˈzeɪʃn, US -rɪˈ-z-/ *n* miniaturisation *f*

miniaturize /ˈmɪnɪtʃəraɪz/ *vtr* miniaturiser

minibar /ˈmɪnɪbɑː(r)/ *n* minibar *m*

miniboom /ˈmɪnɪbuːm/ *n* croissance *f* éclair

mini-break /ˈmɪnɪbreɪk/ *n* mini-séjour *m*

minibudget /ˌmɪnɪˈbʌdʒɪt/ *n* GB Pol budget *m* provisoire

minibus /ˈmɪnɪbʌs/ *n* GB minibus *m*

minicab /ˈmɪnɪkæb/ *n* GB taxi *m* (non agréé)

minicomputer /ˌmɪnɪkəmˈpjuːtə(r)/ *n* mini-ordinateur *m*

minicourse /ˈmɪnɪkɔːs/ *n* US Univ stage *m*

minidisc /ˈmɪnɪdɪsk/ *n* minidisque *m*

minidress *n* mini-robe *f*

minim /ˈmɪnɪm/ *n* **1** Mus GB blanche *f*; **2** Meas goutte *f*

minima /ˈmɪnɪmə/ *pl* ▸ **minimum**

minimal /ˈmɪnɪml/ *adj* **1** (very small) minime; **2** (minimum) minimal

minimal: **~ art** *n* art *m* minimal; **~ free form** *n* Ling forme *f* libre minimale

minimalism /ˈmɪnɪməlɪzəm/ *n* Art minimalisme *m*

minimalist /ˈmɪnɪməlɪst/
A *n, adj* minimaliste (*mf*)
B *adj* minimaliste

minimally /ˈmɪnɪməlɪ/ *adv* très légèrement

minimal pair *n* paire *f* minimale

minimarket /ˈmɪnɪmɑːkɪt/, **minimart** /ˈmɪnɪmɑːt/ *n* supérette *f*

minimize /ˈmɪnɪmaɪz/ *vtr* **1** (reduce) réduire [qch] au maximum [*cost, damage, impact, risk*]; **2** (play down) minimiser [*incident, significance*]; **3** Comput réduire

minimoto /mɪnɪˈməʊtəʊ/ *n* GB minimoto *f*

minim rest *n* GB demi-pause *f*

minimum /ˈmɪnɪməm/
A *n* minimum *m* (**of** de); **to keep to a/to the ~** maintenir à un/au minimum; **to reduce to a** *ou* **to the ~** réduire au maximum; **the bare** *ou* **absolute ~** le strict minimum; **the legal/necessary ~** le minimum légal/nécessaire; **to do the ~** faire le minimum; **at the ~** au minimum
B *adj* minimum, minimal

minimum: **~ iron** *adj* [*fabric, garment*] qui demande peu de repassage; **~ lending rate, MLR** *n* taux *m* d'escompte minimum; **~ wage** *n* salaire *m* minimum

mining /ˈmaɪnɪŋ/
A *n* **1** Mining exploitation *f* minière; **2** Mil (minelaying) (on land) pose *f* de mines; (at sea) mouillage *m* de mines
B *modif* [*area, company, industry, rights, town*] minier/-ière; [*family, union*] de mineurs; [*accident*] de mine

mining: **~ engineer** ▸ **p. 1683** *n* ingénieur *m* des mines; **~ engineering** *n* génie *m* minier; **~ rights** *npl* droits *mpl* d'exploitation minière

minion /ˈmɪnɪən/ *n* péj *ou* hum (subordinate) sous-fifre○ *mf*, subalterne *mf*

mini-pill /ˈmɪnɪpɪl/ *n* micropilule *f*

mini roundabout *n* Transport mini rond-point *m*

miniscule *adj* = **minuscule**

mini-skirt /ˈmɪnɪskɜːt/ *n* mini-jupe *f*

minister /ˈmɪnɪstə(r)/ ▸ **p. 1237**
A *n* **1** GB Pol ministre *m*; **~ of** *ou* **for Defence/the Environment**, **Defence/Environment ~** ministre de la Défense/de l'Environnement; ▸ **cabinet minister**, **junior minister**, **minister of state**; **2** Relig ministre *m*; **~ of religion** ministre du culte
B *vi* **1** (care for) sout **to ~ to** donner des soins à [*person*]; **to ~ to sb's needs** pourvoir aux besoins de qn; **2** Relig **to ~ to** desservir [*parish, village*]

m

ministerial /ˌmɪnɪˈstɪərɪəl/ *adj* GB Pol ministériel/-ielle

ministering angel *n* ange *m* de dévouement

minister of state *n* GB Pol ministre *m* délégué; **Minister of State for Education** ministre délégué auprès du ministre de l'Éducation

minister: **~ plenipotentiary** *n* (*pl* **ministers plenipotentiary**) ministre *m* plénipotentiaire; **~ resident** *n* GB Pol (*pl* **ministers resident**) ministre *m* résident; **~ without portfolio** *n* GB Pol ministre *m* sans portefeuille

ministrations /ˌmɪnɪˈstreɪʃnz/ *npl* soins *mpl*

ministry /ˈmɪnɪstrɪ/ *n* 1 GB Pol (department, building) ministère *m*; **Ministry of Defence** ministère de la Défense; 2 Relig (profession, duties) ministère *m*; **to perform** *ou* **carry out one's ~** exercer son ministère; **to join the ~** (Protestant) devenir pasteur; 3 Pol (tenure) mandat *m* ministériel; 4 Pol (group of ministers) gouvernement *m*

minium /ˈmɪnɪəm/ *n* minium *m*

miniver /ˈmɪnɪvə(r)/ *n* menu-vair *m*

mink /mɪŋk/
A *n* (animal, fur, coat) vison *m*
B *modif* [*garment*] de vison

Minnesota /ˌmɪnɪˈsəʊtə/ ▸ p. 1737 *pr n* Minnesota *m*

minnow /ˈmɪnəʊ/ *n* 1 (fish) vairon *m*; 2 fig menu fretin *m*

Minoan /mɪˈnəʊən/
A *n* Minoen/-enne *m/f*
B *adj* minoen/-enne

minor /ˈmaɪnə(r)/
A *n* 1 Jur mineur/-e *m/f*; 2 US Univ matière *f* secondaire
B *adj* 1 [*change, consideration, repair, defect, artist, role*] mineur; **~ road** route secondaire; **~ aristocracy** petite noblesse; **they're ~ royalty** ce sont des membres peu importants de la famille royale; 2 (not serious) [*injury, burn, fracture*] léger/-ère; [*operation, surgery*] mineur; 3 Mus [*scale, chord, interval, seventh*] mineur; **C ~** Do mineur; **in a ~ key** en mineur; 4 US Univ [*subject*] secondaire; 5 †GB Sch **Smith ~** Smith junior
C *vi* US Univ **to ~ in sth** prendre qch en matière secondaire

Minorca /mɪˈnɔːkə/ ▸ p. 1355 *pr n* Minorque *f*

minority /maɪˈnɒrətɪ, US -ˈnɔːr-/
A *n* 1 gen minorité *f* (**of** de); **to be in the ~** être en minorité; **vocal ~** minorité agissante; **ethnic/religious ~** minorité ethnique/religieuse; **to be in a ~ of one** être le seul/la seule à penser cela; 2 US Pol opposition *f*
B *modif* [*government, group, interest, party, shareholder*] minoritaire; [*activity*] qui ne touche qu'une minorité de personnes

minority: **~ leader** *n* US Pol chef *m* de l'opposition; **~ president** *n* US Pol *président dont le parti n'a pas la majorité au Congrès*; **~ programme** *n* Radio, TV *émission destinée à un groupe minoritaire*; **~ report** *n* rapport *m* d'un groupe minoritaire; **~ rule** *n* gouvernement *m* par la minorité

minor league US Sport
A *n* division *f* secondaire
B *modif* [*team, player*] de division secondaire; fig [*artist, university, company*] de second ordre; **he plays ~ baseball** il joue au baseball en division secondaire

minor: **~ offence** GB, **~ offense** US *n* délit *m* mineur; **~ planet** *n* petite planète *f*; **~ premise** *n* mineure *f*; **~ prophet** *n* petit prophète *m*; **~ suit** *n* couleur *f* mineure (*au bridge*); **~ term** *n* terme *m* mineur

Minotaur /ˈmaɪnətɔː(r)/ *n* **the ~** le Minotaure

minster /ˈmɪnstə(r)/ *n* (with cathedral status) cathédrale *f*; (without) église *f* abbatiale

minstrel /ˈmɪnstrəl/ *n* ménestrel *m*; **wandering ~** ménestrel (itinérant)

minstrel gallery *n* tribune *f* des musiciens

mint /mɪnt/
A *n* 1 Bot, Culin menthe *f*; 2 (sweet) bonbon *m* à la menthe; **after-dinner ~** chocolat *m* à la menthe; 3 (for coins) hôtel *m* des Monnaies; **the Royal Mint** GB l'hôtel de la Monnaie (*à Londres*); 4 ○(vast sum) fortune *f*; **to make a ~** gagner une fortune; **to cost a ~** coûter une fortune
B *modif* [*jelly, sauce, tea, toothpaste*] à la menthe; [*essence, flower, leaf*] de menthe
C *adj* (new) à l'état neuf; **in ~ condition** à l'état neuf
D *vtr* 1 lit frapper [*coin*]; 2 fig forger [*word, expression*]

mint: **~-flavoured** *adj* parfumé à la menthe; **~ green** *n, adj* couleur (*f*) menthe à l'eau (*inv*); **~ julep** *n* US mint julep (*cocktail de bourbon à la menthe*)

minty /ˈmɪntɪ/ *adj* [*flavour, taste*] de menthe

minuet /ˌmɪnjʊˈet/ *n* menuet *m*

minus /ˈmaɪnəs/
A *n* 1 Math moins *m*; **two ~es make a plus** moins par moins égale plus; 2 (drawback) inconvénient *m*; **it has its pluses and ~es** cela a ses avantages et ses inconvénients
B *adj* 1 Math [*sign, symbol, button*] moins; [*number, quantity, value*] négatif/-ive; 2 [*factor, point*] négatif/-ive; **on the ~ side...** pour ce qui est des inconvénients...; 3 Sch, Univ **B ~** B moins; 4 Bot [*fungus, specimen, type*] négatif/-ive
C *prep* 1 Math moins; **what is 20 ~ 8?** combien font 20 moins 8?; **it is ~ 15 (degrees)** il fait moins 15 (degrés); 2 hum (without) sans; **he woke up ~ his passport** quand il s'est réveillé il n'avait plus son passeport; **he's ~ a tooth/a finger** il a une dent/un doigt en moins

minuscule /ˈmɪnəskjuːl/
A *n* (letter) minuscule *f*
B *adj* (all contexts) minuscule

minus sign *n* signe *m* moins

minute¹ /ˈmɪnɪt/ ▸ p. 1804, p. 1059
A *n* 1 (unit of time) minute *f*; **a few ~s earlier/later** quelques minutes avant/après; **five ~s past ten** dix heures cinq; **it's five ~s' walk away** c'est à cinq minutes à pied; **we arrived at eight o'clock to the ~** nous sommes arrivés à huit heures pile; **we arrived without a ~ to spare** nous sommes arrivés au tout dernier moment; 2 (short moment) minute *f*; **just a ~ please** une minute, s'il vous plaît; **I'll be ready in a ~** je serai prêt dans une minute; **she won't be a ~** elle sera là dans un instant; **it won't take a ~** il y en aura pour un instant; **within ~s the police were there** en l'espace de quelques minutes la police était sur les lieux; 3 (exact instant) **the ~ I heard the news I telephoned** dès que j'ai entendu la nouvelle j'ai téléphoné; **at that very ~** à cet instant précis; **they're due to arrive any ~ now** ils devraient arriver d'une minute à l'autre; **stop talking this ~!** arrêtez immédiatement de parler!; **I was just this ~ going to phone you** j'allais t'appeler à l'instant; **he's at this ~ starting his speech** il est tout juste en train de commencer son discours; **to arrive at the last ~** arriver à la dernière minute; **to leave things to the last ~** laisser les choses à la dernière minute; **to put sth off to the last ~** repousser qch au dernier moment; **not for one ~ did I think she was lying** je n'ai pas pensé un seul instant qu'elle mentait; **he's always up to the ~ with the news** il est toujours au courant des dernières nouvelles; **she's always up to the ~ in her clothes** elle est toujours à la dernière mode; 4 Geog, Math minute *f*
B **minutes** *npl* 1 Jur minutes *fpl*, procès-verbal *m*; 2 Admin compte rendu *m*; **to take the ~s** rédiger le compte rendu; **he read the ~s of the last meeting** il a lu le compte rendu de la dernière réunion
C *vtr* inscrire [qch] au procès-verbal [*decision, objection, apology*]

(Idiom) **there's one** *ou* **a sucker born every ~**○ ce ne sont pas les gogos○ qui manquent

minute² /maɪˈnjuːt, US -ˈnuːt/ *adj* [*particle, lettering*] minuscule; [*quantity*] infime; [*risk, rise, variation*] minime; **to describe sth in ~ detail** décrire qch dans les moindres détails

minute ˈmɪnɪt: **~ book** *n* registre *m* des procès-verbaux; **~ hand** *n* grande aiguille *f*, aiguille *f* des minutes

minutely /maɪˈnjuːtlɪ, US -ˈnuːtlɪ/ *adv* [*describe, examine*] minutieusement; [*vary, differ*] de manière infime; **to question sb ~** interroger qn à fond

minute ˈmɪnɪt: **Minuteman** *n* US Hist membre *m* de l'armée indépendantiste pendant la Guerre d'indépendance; **~ steak** *n* entrecôte *f* minute

minutiae /maɪˈnjuːʃɪiː, US mɪˈnuːʃɪiː/ *npl* menus détails *mpl*, minuties† *fpl*

minx† /mɪŋks/ *n* coquine *f*

Miocene /ˈmaɪəsiːn/
A *n* **the ~** le Miocène
B *adj* miocène

MIPS, mips /mɪps/ *n* (*abrév* = **millions of instructions per second**) millions d'instructions par seconde

miracle /ˈmɪrəkl/
A *n* miracle *m*; **to perform/accomplish a ~** faire/accomplir un miracle; **it's a ~ that** c'est un miracle que (+ *subj*); **a minor ~** un petit miracle; **by some ~** par on ne sait quel miracle; **economic ~** miracle économique; **a ~ of** un prodige de [*efficiency etc*]; **to work** *ou* **perform ~s** faire des miracles (**with** avec)
B *modif* [*cure, drug, recovery*] miracle

miracle: **~ play** *n* miracle *m*; **~ worker** *n* fig faiseur/-euse *m/f* de miracles; lit personne *f* qui fait des miracles

miraculous /mɪˈrækjʊləs/ *adj* 1 (as by miracle) [*cure, escape, recovery, survival*] miraculeux/-euse; 2 (great, amazing) [*speed, efficiency etc*] prodigieux/-ieuse

miraculously /mɪˈrækjʊləslɪ/ *adv* miraculeusement

mirage /ˈmɪrɑːʒ, mɪˈrɑːʒ/ *n* mirage *m*

Miranda warning /məˈrændə wɔːnɪŋ/ *n* US *lecture des droits*

Miranda warning
Avertissement que les forces de police américaines doivent donner à toute personne qu'elles arrêtent, afin de l'informer de ses droits : droit de garder le silence et droit à l'assistance judiciaire si cette personne n'a pas les moyens de rémunérer un avocat.

mire /ˈmaɪə(r)/ *n* littér 1 (area) bourbier *m*; 2 (mud) boue *f*; 3 fig (bad situation) pétrin○ *m*

(Idiom) **to drag sb** *ou* **sb's name through the ~** traîner qn dans la boue

mired /ˈmaɪəd/ *adj* fig littér **to be ~ in** baigner dans [*blood*]; nager dans [*corruption*]; se perdre dans [*detail, trivia*]

mirror /ˈmɪrə(r)/
A *n* 1 (looking glass) miroir *m*, glace *f*; **hall of ~s** palais des glaces *or* des miroirs; 2 (reflecting surface) miroir *m*; 3 Aut rétroviseur *m*; 4 fig reflet *m*
B *vtr* lit, fig refléter; **to be ~ed in** se refléter dans
C **mirrored** *pp adj* [*ceiling, wall*] recouvert de miroirs

mirror: **~ image** *n* fig image *f* inversée; **~ site** *n* Comput site *m* miroir; **~ writing** *n* écriture *f* spéculaire, écriture en miroir

mirth /mɜːθ/ *n* 1 (laughter) hilarité *f*; **to provoke/cause ~** provoquer/déclencher l'hilarité; 2 (joy) joie *f*

mirthful /'mɜ:θfl/ *adj* sout (laughing) joyeux/-euse; (happy) gai

mirthless /'mɜ:θlɪs/ *adj* sout [*laugh*] forcé; [*account etc*] dépourvu d'humour; [*occasion*] triste

MIRV *n* US Mil (*abrév* = **multiple independently targeted reentry vehicle**) missile *m* à ogives à charges multiples et indépendantes

miry /'maɪərɪ/ *adj* littér bourbeux/-euse

MIS /,emaɪ'es/ *n* (*abrév* = **management information system**) SIG *m*

misadventure /,mɪsəd'ventʃə(r)/ *n* sout ou Jur mésaventure *f*; **verdict of death by ~** GB verdict de mort accidentelle (*n'entraînant pas la responsabilité pénale*)

misadvise /,mɪsəd'vaɪz/ *vtr* mal conseiller

misalliance /,mɪsə'laɪəns/ *n* mésalliance *f*

misanthrope /'mɪsənθrəʊp/ *n* sout misanthrope *mf*

misanthropic /,mɪsən'θrɒpɪk/ *adj* sout [*person*] misanthrope; [*attitude, writing*] misanthropique

misanthropist /mɪ'sænθrəpɪst/ *n* = **misanthrope**

misanthropy /mɪ'sænθrəpɪ/ *n* sout misanthropie *f*

misapplication /,mɪsæplɪ'keɪʃn/ *n* (of knowledge, skill) mauvais usage *m*

misapply /,mɪsə'plaɪ/ *vtr* (misuse) mal utiliser; **the rule has been misapplied** la règle n'a pas été appliquée correctement

misapprehend /,mɪsæprɪ'hend/ *vtr* sout mal comprendre

misapprehension /,mɪsæprɪ'henʃn/ *n* sout malentendu *m*, erreur *f*; **to be (labouring) under a ~** se tromper

misappropriate /,mɪsə'prəʊprɪeɪt/ *vtr* sout détourner [*funds*]

misappropriation /,mɪsə,prəʊprɪ'eɪʃn/ *n* sout détournement *m*; **~ of funds** détournement de fonds

misbegotten /,mɪsbɪ'gɒtn/ *adj* 1▸ [*plan*] mal conçu; [*person*] qui ne vaut rien; 2▸ ‡(illegitimate) bâtard; **~ child** bâtard/-e *m/f*

misbehave /,mɪsbɪ'heɪv/
A *vi* [*child*] se tenir mal; [*adult*] se conduire mal; **stop misbehaving!** tiens-toi tranquille!
B *v refl* **to ~ oneself** = **misbehave**

misbehaviour, **misbehavior** US /,mɪsbɪ'heɪvɪə(r)/ *n* gen mauvais comportement *m*; Sch mauvaise conduite *f*

misbelief /,mɪsbɪ'li:f/ *n* croyance *f* fausse

miscalculate /,mɪs'kælkjʊleɪt/
A *vtr* mal évaluer [*response, risk*]; mal calculer [*amount, distance*]
B *vi* lit faire une erreur de calcul; fig faire un mauvais calcul

miscalculation /,mɪskælkjʊ'leɪʃn/ *n* lit erreur *f* de calcul; fig mauvais calcul *m*

miscall /mɪs'kɔ:l/
A *vtr* 1▸ (in tennis) **to ~ a fault** annoncer faute par erreur; 2▸ (misname) appeler à tort [*place*]
B *vi* annoncer faute par erreur

miscarriage /'mɪskærɪdʒ, ,mɪs'kærɪdʒ/ *n* 1▸ Med fausse couche *f*; **to have a ~** faire une fausse couche; 2▸ Jur **a ~ of justice** une grave erreur judiciaire

miscarry /,mɪs'kærɪ/ *vi* 1▸ Med [*woman*] faire une fausse couche; Vet [*cow, ewe*] avorter; 2▸ [*plan, attack, strategy*] échouer

miscast /,mɪs'kɑ:st, US -'kæst/ *vtr* (*prét, pp* **~**) **he was badly ~ as Hamlet** il n'était pas fait pour le rôle d'Hamlet; **the film was ~** les rôles du film étaient mal distribués

miscegenation /,mɪsɪdʒɪ'neɪʃn/ *n* sout métissage *m*

miscellaneous /,mɪsə'leɪnɪəs/ *adj* divers; **~ expenses** frais *mpl* divers; **the letter was classified under '~'** la lettre a été classée sous la rubrique 'divers'

miscellany /mɪ'selənɪ, US 'mɪsəleɪnɪ/ *n* 1▸ (variety) (of people, things) collection *f* disparate (**of** de); (of questions) choix *m* (**of** de); 2▸ Literat (anthology) morceaux *mpl* choisis; 3▸ TV, Radio choix *m*

mischance /,mɪs'tʃɑ:ns, US -tʃæns/ *n* sout 1▸ (bad luck) malheur *m*; **by ~** par malheur; 2▸ (misadventure) mésaventure *f*

mischief /'mɪstʃɪf/ *n* 1▸ (playfulness) espièglerie *f*; (witty) malice *f*; (done by children) bêtises *fpl*; **they are full of ~** ils sont pleins d'espièglerie; **to get into ~** faire des bêtises; **it keeps them out of ~** ça les occupe; **children are always up to ~** les enfants sont toujours prêts à faire des bêtises; **her eyes twinkled with ~** ses yeux brillaient de malice; 2▸ littér (harm) troubles *mpl* liter; **to make** *ou* **create ~** susciter des troubles; 3▸ ○(rascal) polisson/-onne *m/f*

(Idiom) **to do oneself a ~** GB se faire mal

mischief-maker *n* semeur/-euse *m/f* de troubles

mischief-making
A *n* zizanie *f*
B *adj* [*remarks*] malveillant

mischievous /'mɪstʃɪvəs/ *adj* 1▸ (playful) [*child, comedy, humour*] espiègle; [*smile, eyes*] malicieux/-ieuse; 2▸ littér (harmful) malveillant

mischievously /'mɪstʃɪvəslɪ/ *adv* 1▸ [*smile, laugh, tease*] malicieusement; 2▸ littér [*insinuate, misrepresent*] avec malveillance

mischievousness /'mɪstʃɪvəsnɪs/ *n* espièglerie *f*

misconceive /,mɪskən'si:v/
A *vtr* mal interpréter [*remark, meaning*]; se méprendre sur [*role, duty*]
B **misconceived** *pp adj* 1▸ (badly thought out) [*idea, argument*] mal fondé; 2▸ (badly planned) [*agreement, project*] mal conçu

misconception /,mɪskən'sepʃn/ *n* idée *f* fausse; **Western ~s about the East** les idées fausses que l'Occident se fait sur l'Orient; **it is a popular ~ that** on croit souvent à tort que

misconduct
A /,mɪs'kɒndʌkt/ *n* (moral) inconduite *f*; **he is guilty of professional ~** il a commis une faute professionnelle; **it's gross ~** c'est une faute professionnelle très grave
B /,mɪskən'dʌkt/ *vtr* (mismanage) mal gérer [*business affairs*]; mal mener [*enquiry*]
C /,mɪskən'dʌkt/ *v refl* **to ~ oneself** mal se conduire

misconstruction /,mɪskən'strʌkʃn/ *n* mauvaise interprétation *f*; **open to ~** pouvant faire l'objet d'une mauvaise interprétation; **to put a ~ on sb's words** mal interpréter les paroles de qn

misconstrue /,mɪskən'stru:/ *vtr* sout mal interpréter

miscount /,mɪs'kaʊnt/
A *n* Pol **to make a ~** faire une erreur dans le compte des suffrages exprimés
B *vtr, vi* gen, Pol mal compter

miscreant /'mɪskrɪənt/ *n* littér scélérat/-e *m/f*

miscue /,mɪs'kju:/ *vtr* (in football, cricket) mal frapper [*ball*]; (in billiards) toucher à faux

misdeal /,mɪs'di:l/
A *n* maldonne *f*
B (*pp, prét* **misdealt**) *vtr* mal distribuer [*cards*]
C (*pp, prét* **misdealt**) *vi* faire (une) maldonne

misdeed /,mɪs'di:d/ *n* méfait *m*; **to rectify a ~** réparer un méfait

misdemeanour, **misdemeanor** US /,mɪsdɪ'mi:nə(r)/ *n* 1▸ sout (minor fault) incartade *f*; 2▸ Jur délit *m*

misdial /,mɪs'daɪəl/ *vi* (*p prés etc* **-ll-** GB, **-l-** US) faire un faux numéro

misdirect /,mɪsdar'rekt, -dɪ'rekt/ *vtr* 1▸ (send in wrong direction) mal orienter [*person*]; **to ~ sb to** diriger qn par erreur vers; 2▸ (misuse) mal orienter [*talents, efforts*]; **his anger is ~ed against his father** il dirige sa colère à tort contre son père; 3▸ Post (address wrongly) mal libeller l'adresse de [*letter, parcel*]; **the letter was ~ed to our old address** la lettre a été envoyée par erreur à notre ancienne adresse; 4▸ Jur mal instruire [*jury*]

misdirection /,mɪsdaɪ'rekʃn, -dɪ'rek-/ *n* (of talents, efforts) mauvaise orientation *f*

miser /'maɪzə(r)/ *n* avare *mf*

miserable /'mɪzrəbl/ *adj* 1▸ (gloomy, unhappy) [*person, expression*] malheureux/-euse; [*thoughts*] noir; [*event*] malheureux/-euse; [*weather*] sale (*before n*); **what a ~ afternoon!** quel après-midi maussade!; **to look ~** avoir l'air malheureux/-euse; **to feel ~** avoir le cafard; 2▸ ○(small, pathetic) [*helping, quantity*] misérable; [*salary, wage*] de misère; [*attempt, failure, performance, result*] lamentable; **a ~ 50 dollars** 50 misérables dollars; 3▸ (poverty-stricken) [*life*] de misère; [*dwelling*] misérable; 4▸ (abject) **a ~ sinner** un pécheur éhonté

(Idiom) **~ as sin** malheureux comme les pierres

miserably /'mɪzrəblɪ/ *adv* 1▸ (unhappily) [*speak*] d'un ton malheureux; [*stare*] d'un air malheureux; **he was ~ cold** il avait horriblement froid; 2▸ (poorly) [*fail, perform*] lamentablement; **a ~ low wage** un salaire de misère; **~ fed** mal nourri

miserliness /'maɪzəlɪnɪs/ *n* (of person) avarice *f*

miserly /'maɪzəlɪ/ *adj* 1▸ (avaricious) [*person*] avare; [*habits*] mesquin; 2▸ (meagre) [*allowance, amount*] maigre

misery /'mɪzərɪ/ *n* 1▸ (unhappiness) souffrance *f*; (gloom) abattement *m*; **to lead** *ou* **live a life of ~** avoir une vie de souffrance; **human ~** la misère humaine; **to make sb's life a ~** faire de la vie de qn un enfer; **to put sb out of their ~** euph (kill) abréger les souffrances de qn euph; **to put an animal out of its ~** euph achever un animal; **tell her the answer, put her out of her ~!** ne la laisse pas languir plus longtemps, donne-lui la réponse!; **the look of ~ on his face** son air malheureux; 2▸ (poverty) misère *f*; 3▸ (difficult or painful situation) calvaire *m* (**of** de); **the ~ of depression** le calvaire de la dépression; 4▸ ○GB (gloomy person) gen grincheux/-euse *m/f*; (child) pleurnicheur/-euse *m/f*

misery guts○ /,mɪzərɪ 'gʌts/ *n* GB (*pl* **~**) grincheux/-euse *m/f*

misfire /,mɪs'faɪə(r)/ *vi* 1▸ lit [*gun, rocket*] faire long feu; [*engine*] avoir des ratés; 2▸ fig [*plan, joke*] tomber à plat

misfit /'mɪsfɪt/ *n* (at work, in a group) marginal/-e *m/f*; **social ~** inadapté/-e *m/f* social/-e

misfortune /,mɪs'fɔ:tʃu:n/ *n* 1▸ (unfortunate event) malheur *m*; 2▸ (bad luck) malchance *f*; **to have the ~ to do** avoir la malchance de faire

misgiving /,mɪs'gɪvɪŋ/ *n* crainte *f*; **to have ~s about sth** avoir des craintes quant à qch; **to have ~s about sb** avoir des doutes au sujet de qn; **not without ~(s)** non sans appréhension

misgovern /,mɪs'gʌvn/ *vtr* mal gouverner [*country*]; mal administrer [*city, colony*]

misgovernment /,mɪs'gʌvnmənt/ *n* (of country) mauvais gouvernement *m*; (of city, colony) mauvaise administration *f*

misguided /,mɪs'gaɪdɪd/ *adj* [*strategy, attempt*] peu judicieux/-ieuse; [*politicians, teacher*] malavisé

mishandle /,mɪs'hændl/ *vtr* 1▸ (inefficiently) mal conduire [*operation, meeting*]; ne pas savoir comment s'y prendre avec [*person*]; **the case had been badly ~d** le cas avait été très mal traité; 2▸ (roughly) manier [qch] sans précaution [*object*]; malmener [*animal*]

mishap /'mɪshæp/ *n* incident *m*; **a slight ~** un incident sans importance; **we had a slight ~ with the car** nous avons eu un petit problème avec la voiture; **without ~** sans incident

m

mishear /ˌmɪsˈhɪə(r)/ *vtr* (*prét, pp* **misheard**) mal entendre; **I misheard 'sea' as 'tea'** j'ai entendu 'tea' au lieu de 'sea'

mishmash○ /ˈmɪʃmæʃ/ *n* méli-mélo○ *m*; **this law is a ~** cette loi est un méli-mélo; **a ~ of** un ramassis de

misinform /ˌmɪsɪnˈfɔːm/
A *vtr* mal renseigner
B **misinformed** *pp adj* mal renseigné (**about** sur); **they were badly ~ed** ils ont été très mal renseignés

misinformation /ˌmɪsɪnfəˈmeɪʃn/ *n* (intentional) désinformation *f*; (unintentional) renseignements *mpl* inexacts (**about** sur)

misinterpret /ˌmɪsɪnˈtɜːprɪt/ *vtr* mal interpréter

misinterpretation /ˌmɪsɪntɜːprɪˈteɪʃn/ *n* interprétation *f* erronée; **open to ~** qui prête à une interprétation erronée

misjudge /ˌmɪsˈdʒʌdʒ/ *vtr* mal évaluer [*speed, distance*]; mal calculer [*shot*]; mal évaluer [*popular feeling*]; mal juger [*person, character*]; **I ~d him completely** je l'ai totalement mal jugé

misjudgment, **misjudgement** /ˌmɪsˈdʒʌdʒmənt/ *n* 1 (wrong judgment) (of speed, distance) erreur *f* d'évaluation; (of shot) mauvais calcul *m*; 2 (wrong opinion) erreur *f* de jugement; **a serious ~ of his character/motives** une grave erreur de jugement à propos de son caractère/ses motifs

miskick GB /ˌmɪsˈkɪk/
A *vtr* mal envoyer [*ball*]; rater [*penalty*]
B *vi* rater son tir

mislay /ˌmɪsˈleɪ/ *vtr* (*prét, pp* **mislaid**) égarer

mislead /ˌmɪsˈliːd/ *vtr* (*prét, pp* **misled**) (deliberately) tromper; (unintentionally) induire [qn] en erreur; **to ~ sb about sth** tromper qn sur qch; **to ~ sb into thinking that…** faire croire à tort à qn que…

misleading /ˌmɪsˈliːdɪŋ/ *adj* [*impression, title*] trompeur/-euse; [*information*] trompeur/-euse, mensonger/-ère; [*claim, statement, advertising*] mensonger/-ère; **it would be ~ to say that…** il serait trompeur de dire que…

misleadingly /ˌmɪsˈliːdɪŋlɪ/ *adv* de manière trompeuse

mismanage /ˌmɪsˈmænɪdʒ/ *vtr* (administratively) mal diriger; (financially) mal gérer

mismanagement /ˌmɪsˈmænɪdʒmənt/ *n* (of economy, funds) mauvaise gestion *f*; (of company, project) mauvaise direction *f*

mismatch /ˈmɪsmætʃ/ *n* 1 (of styles, colours) discordance *f* (**between** de); (of concepts, perceptions) disparité *f* (**between** de); 2 (in marriage) **the marriage is a ~** c'est un couple mal assorti

mismatched /ˌmɪsˈmætʃt/ *adj* [*people, furniture*] mal assorti; [*knives, forks, socks*] dépareillé

misname /ˌmɪsˈneɪm/ *vtr* (name incorrectly) appeler à tort; (give unsuitable name to) mal nommer; **the ~d 'Happy Valley'** 'la vallée du bonheur' la mal nommée

misnomer /ˌmɪsˈnəʊmə(r)/ *n* appellation *f* impropre; **it's a bit of a ~** GB c'est une appellation quelque peu impropre

misogamy /mɪˈsɒgəmɪ/ *n* misogamie *f*

misogynist /mɪˈsɒdʒɪnɪst/ *n* misogyne *mf*

misogyny /mɪˈsɒdʒɪnɪ/ *n* misogynie *f*

misper○ /ˈmɪspə(r), ˈmɪspɜː(r)/ *n* GB personne *f* disparue

misplace /ˌmɪsˈpleɪs/
A *vtr* 1 (mislay) égarer [*keys, money*]; 2 (put in wrong place) mal ranger [*book, object*]
B **misplaced** *pp adj* 1 [*fears, criticisms*] déplacé; 2 [*money, passport*] égaré

misprint
A /ˈmɪsprɪnt/ *n* coquille *f*, faute *f* typographique
B /ˌmɪsˈprɪnt/ *vtr* faire une coquille *or* une faute typographique sur [*word*]

mispronounce /ˌmɪsprəˈnaʊns/ *vtr* mal prononcer

mispronunciation /ˌmɪsprəˌnʌnsɪˈeɪʃn/ *n* 1 (act) prononciation *f* incorrecte (**of** de); 2 (instance) erreur *f* de prononciation

misquotation /ˌmɪskwəʊˈteɪʃn/ *n* citation *f* fautive

misquote /ˌmɪsˈkwəʊt/ *vtr* déformer les propos de [*person*]; déformer [*text*]; citer fautivement [*price, figure*]; **she was ~d as demanding his resignation** on a déformé ses propos en disant qu'elle exigeait sa démission

misread /ˌmɪsˈriːd/ *vtr* (*prét, pp* **misread** /ˌmɪsˈred/) 1 (read wrongly) mal lire [*sentence, map, thermometer*]; mal relever [*meter*]; 2 (misinterpret) mal interpréter [*actions, conduct*]; **I ~ the signs completely** fig je n'avais pas du tout compris la situation

misreading /ˌmɪsˈriːdɪŋ/ *n* 1 (false reading) **the ~ of a word/map** la lecture inexacte d'un mot/d'une carte; 2 (false interpretation) (of scripture, text) interprétation *f* erronée

misrepresent /ˌmɪsˌreprɪˈzent/ *vtr* présenter [qn] sous un faux jour [*person*]; déformer [*views, intentions*]; dénaturer, déformer [*facts*]; **to ~ sb as sth** présenter qn à tort comme qch

misrepresentation /ˌmɪsˌreprɪzenˈteɪʃn/ *n* 1 gen (of facts, opinions) déformation *f*; (of person) représentation *f* erronée; 2 Jur déclaration *f* inexacte; **fraudulent ~** déclaration frauduleuse

misrule /ˌmɪsˈruːl/
A *n* 1 (bad government) mauvaise administration *f*; 2 littér (disorder) désordre *m*
B *vtr* mal gouverner

miss /mɪs/
A *n* 1 (failure to score) (in game) coup *m* manqué *or* raté; **the first shot was a ~** le premier coup a manqué; ▸ **near miss**
2 **to give [sth] a ~**○ ne pas aller à [*activity, entertainment, lecture, meeting, work*]; se passer de [*dish, drink, meal*]; **'you still haven't done your homework'—'oh, give it a ~ Dad'** 'tu n'as toujours pas fait tes devoirs'—'oh, lâche-moi les baskets○, papa'
3 (failure) (film, record etc) échec *m*
4 †(little girl) petite fille *f*; (young woman) jeune fille *f*; **a pert little ~** péj une petite pimbêche
B **Miss** ▸ p. 1237 1 (woman's title) Mademoiselle *f*; (written abbr) Mlle; **the Misses Brown**† les demoiselles Brown†; **Miss World/Oxford** Miss Monde/Oxford
2 gen, Sch (mode of address) mademoiselle *f*; **yes, Miss** oui, mademoiselle; **can I help you, Miss?** est-ce que je peux vous aider, mademoiselle?
C *vtr* 1 gen, Games, Sport (fail to hit) manquer [*target*]; passer à côté de [*record*]; **the stone/bullet just ~ed my head** la pierre/balle m'a frôlé la tête; **he just ~ed the other car/a pedestrian** il a failli emboutir l'autre voiture/renverser un piéton
2 (fail to take or catch) rater [*bus, train, connection, plane, meeting, event, cue, entertainment, bargain*]; laisser passer [*chance, opportunity*]; **I ~ed her/the train by five minutes** je l'ai ratée/j'ai raté le train de cinq minutes; **the chance was too good to ~** l'occasion était trop bonne pour la laisser passer; **to ~ doing** ne pas pouvoir faire; **I ~ed going to the museum** je n'ai pas pu aller au musée; **it's wonderful, don't ~ it!** c'est génial, à ne pas rater!; **you don't know what you're ~ing!** tu ne sais pas ce que tu rates!; **you didn't ~ much, it was terrible!** tu n'as pas raté *or* perdu grand-chose, c'était nul!
3 (fail to see) rater; **you can't ~ it, it's the only one** tu ne peux pas le rater, c'est le seul; **the shop's easy/hard to ~** la boutique peut facilement/difficilement se rater
4 (fail to hear or understand) ne pas saisir [*joke, remark*]; **I ~ed that—what did she say?** je n'ai pas saisi—qu'est-ce qu'elle a dit?; **she doesn't ~ much** peu de choses lui échappent; **he doesn't ~ a thing does he?** rien ne lui échappe n'est-ce pas?; **he ~ed the point of the remark** le sens de la remarque lui a échappé; **you've ~ed the whole point!** tu n'as rien compris!
5 (omit) sauter [*line, page, section, meal, class, lecture*]
6 (fail to attend) manquer [*school*]
7 (escape, avoid) échapper à [*death, injury*]; éviter [*traffic, bad weather, rush hour*]; **I/he just ~ed doing sth** j'ai/il a failli faire qch; **I just** *ou* **narrowly ~ed being captured/injured** j'ai failli être pris/blessé; **how she ~ed being run over I'll never know!** comment elle n'a pas été renversée je ne le saurai jamais!
8 (notice absence of) remarquer la disparition de [*object*]; **she didn't ~ her purse till she got back** elle n'a remarqué la disparition de son porte-monnaie qu'à son retour; **oh, is it mine? I hadn't ~ed it** c'est le mien? je n'avais pas remarqué qu'il avait disparu; **I didn't ~ you** je n'avais pas remarqué que tu étais sorti; **keep it, I won't ~ it** garde-le, je n'en aurai pas besoin
9 (regret absence of) **I ~ Richard** Richard me manque; **the boys ~ them** ils manquent aux garçons; **he ~ed the office/Paris** le bureau/Paris lui manquait; **what I ~ most is…** ce qui me manque le plus, c'est…; **to ~ doing sth** regretter de ne plus faire qch; **I won't ~ having to get up at 5 am** je ne regretterai pas de ne plus avoir à me lever à 5 heures du matin; **I shall ~ having you as a neighbour** je vous regretterai comme voisine; **she'll be greatly** *ou* **sadly ~ed** son absence sera très regrettée; **he won't be ~ed**○! bon débarras!
D *vi* 1 Games, Mil, Sport rater son coup; **you can't ~!** tu ne peux pas rater ton coup!; **~ed!** raté
2 Aut [*engine*] avoir des ratés

(Idiom) **to ~ the boat** *ou* **bus**○ rater le coche; ▸ **mile**

(Phrasal verb) ■ **miss out**○: ▸ **~ out** être lésé; **I feel I've ~ed out somewhere along the line** j'ai l'impression d'avoir été lésé quelque part; ▸ **~ out on [sth]** laisser passer [*pleasure, benefit, chance, opportunity, bargain*]; **he ~ed out on all the fun** il a laissé passer l'occasion de s'amuser; ▸ **~ out [sb/sth]**, **~ [sb/ sth] out** sauter [*line, section, topic, verse*]; omettre [*fact, point, person*]

missal /ˈmɪsl/ *n* missel *m*

misshapen /ˌmɪsˈʃeɪpən/ *adj* [*body part*] difforme; [*object*] déformé

missile /ˈmɪsaɪl, US ˈmɪsl/
A *n* 1 Mil missile *m*, engin *m*; 2 gen (rock, bottle etc) projectile *m*
B *modif* [*attack, base, site*] de missiles; **~ launcher** lance-missiles *m inv*

missing /ˈmɪsɪŋ/ *adj* [*thing*] qui manque; [*child, relative*] disparu; **~ person** personne disparue; **the ~ link** gen, Anthrop, hum le chaînon manquant; **to be ~** manquer; **there's nothing ~** il n'y a rien qui manque, tout est là; **how many pieces are ~?** il manque combien de pièces?; **a man with a finger ~** *ou* **a ~ finger** un homme auquel il manque un doigt; **the book was ~ from its usual place** le livre n'était pas à sa place habituelle; **to go ~** [*person, object*] disparaître; **to report sb ~** signaler la disparition de qn; **~ presumed dead** porté disparu, présumé mort

missing in action, **MIA** *adj* Mil porté disparu

mission /ˈmɪʃn/
A *n* 1 (group of people) mission *f*; **diplomatic/trade ~** mission diplomatique/commerciale; 2 (task) mission *f*; **our ~ was to do** nous avions pour mission de faire; **to be on a ~** être en mission; **to undertake/carry out a ~** se charger/s'acquitter d'une mission; **~ accomplished!** mission accomplie! also hum; **to be sent on a ~** être envoyé en mission; 3 Relig mission *f*; 4 Mil Aviat mission *f*; **to fly 30 ~s** faire 30 missions aériennes
B *modif* [*hospital, school*] géré par une mission

missionary /ˈmɪʃənrɪ, US -nerɪ/ ▸ p. 1683
A *n* Relig missionnaire *mf*

B *modif* Relig [*role, vocation*] missionnaire; [*sect, settlement*] de missionnaires

(Idiom) **to be filled with ~ zeal** avoir l'esprit missionnaire

missionary position *n* position *f* du missionnaire

Mission Control *n*: *partie de la NASA responsable du suivi des vols spatiaux*

mission statement *n* déclaration *f* de mission

missis *n* = **missus**

Mississippi /ˌmɪsɪˈsɪpɪ/ ▸ **p. 1737, p. 1633** *pr n* Mississippi *m*

missive /ˈmɪsɪv/ *n* sout missive *f*

Missouri /mɪˈzʊərɪ/ ▸ **p. 1737, p. 1633** *pr n* Missouri *m*

(Idiom) **to be** *ou* **come from ~** US être un sceptique

misspell /ˌmɪsˈspel/ *vtr* (*prét, pp* **-spelled** *ou* **-spelt** GB) mal orthographier; **to ~ sb's name** faire une faute au nom de qn

misspelling /ˌmɪsˈspelɪŋ/ *n* faute *f* d'orthographe

misspend /ˌmɪsˈspend/ *vtr* (*prét, pp* **misspent**) gaspiller (**on** en); **a misspent youth** une folle jeunesse

misstate /ˌmɪsˈsteɪt/ *vtr* présenter [qch] de façon erronée

misstatement /ˌmɪsˈsteɪtmənt/ *n* **1** (of situation, facts) présentation *f* erronée (**of** de); **2** (untruth) déclaration *f* inexacte

missus○ /ˈmɪsɪz/ *n* **1** (wife) **his ~** sa dame○; **the ~** la bourgeoise○; **2** (as address) **yes, ~** oui, m'dame○

missy○† /ˈmɪsɪ/ *n* mam'selle○† *f*, mademoiselle *f*

mist /mɪst/

A *n* **1** (thin fog) brume *f*; **~ and fog patches** nappes *fpl* de brume et de brouillard; **2** (of perfume, spray) brume *f*; (from breath, on window) buée *f*; **3** fig (of tears) voile *m*

B *vtr* vaporiser [*plant*]

(Idiom) **lost in the ~s of time** perdu dans la nuit des temps

(Phrasal verbs) ■ **mist over** [*lens, mirror*] s'embuer; [*landscape*] s'embrumer; **his eyes ~ed over with tears** les larmes embuaient ses yeux

■ **mist up** [*lens, window*] s'embuer

mistakable /mɪˈsteɪkəbl/ *adj* facile à confondre (**for** avec)

mistake /mɪˈsteɪk/

A *n* (error) (in text, spelling, typing) faute *f*; (in sum, calculation, judgment, procedure) erreur *f*; **to make a ~** gen faire une erreur, se tromper; (in spelling, typing) faire une faute; **to make a stupid ~** faire une bêtise; **to make a ~ in** se tromper dans [*calculations*]; faire une faute dans [*letter, essay*]; **to make a ~ about sb/sth** se tromper sur le compte de qn/sur qch; **to make the ~ of doing** faire *or* commettre l'erreur de faire, faire la bêtise de faire; **to make the same ~ again** *ou* **twice** faire la même erreur; **it would be a ~ to do** ce serait une erreur de faire; **it was a ~ to leave my umbrella at home** j'ai eu tort de laisser mon parapluie à la maison; **to do sth by ~** faire qch par erreur; **she took my keys in ~ for hers** elle a pris mes clés au lieu des siennes; **to make a fatal ~** commettre une erreur fatale; **to realize/admit one's ~** se rendre compte de/reconnaître son erreur; **~s were made** il y eu des erreurs; **we all make ~s** des erreurs, on en fait tous; **there is no ~** il n'y a pas d'erreur possible; **the terrorists said the killing of X was a ~** les terroristes ont déclaré avoir tué X par erreur; **you're making a big ~**○ tu fais une grave erreur; **you'll be punished, make no ~ about it** *ou* **that!** tu seras puni, fais-moi confiance!; **there must be some ~** il doit y avoir erreur; **my ~!** mea culpa!; **...and no ~** il n'y a pas de doute; **to learn by one's ~s** tirer la leçon de ses erreurs

B *vtr* (*prét* **-took**, *pp* **-taken**) **1** (confuse) **to ~ sth for sth else** prendre qch pour qch d'autre; **to ~ sb for sb else** confondre qn avec qn d'autre; **there's no mistaking him!** on ne peut pas le prendre pour qn d'autre; **there's no mistaking that voice** il est impossible de ne pas reconnaître cette voix; **there's no mistaking his intentions** on ne peut pas se tromper sur ses intentions; **2** (misinterpret) mal interpréter [*meaning*]

mistaken /mɪˈsteɪkən/

A *pp* ▸ **mistake**

B *adj* **1** **to be ~** avoir tort; **I'm afraid you are ~** je crois que vous avez tort; **he was ~ in thinking it was over** il avait tort de croire que c'était fini; **unless I'm very much ~** si je ne me trompe; **to do sth in the ~ belief that...** faire qch croyant à tort que...; **it's a case of ~ identity** Jur il y a erreur sur la personne; **2** [*enthusiasm, generosity*] mal placé

mistakenly /mɪˈsteɪkənlɪ/ *adv* [*think, fear, believe*] à tort; **whether ~ or not, they remain optimistic** à tort ou à raison, ils restent optimistes

mister /ˈmɪstə(r)/ *n* **1** *forme complète de* **Mr**, *assez rare*; **2** ○(used by children) **please, ~, have you got the time?** s'il vous plaît, m'sieur, vous avez l'heure?; (used by adults) **now listen here, ~!** toi là, écoute-moi bien!

mistime /ˌmɪsˈtaɪm/ *vtr* mal calculer [*length of journey, attack, shot*]; **to ~ one's resignation** mal choisir son moment pour donner sa démission; **I ~d the announcement** j'ai mal choisi mon moment pour annoncer la nouvelle

mistiming /ˌmɪsˈtaɪmɪŋ/ *n* (of remark) inopportunité *f*; **the ~ of his departure/resignation** le fait qu'il avait mal calculé l'heure de son départ/qu'il avait mal choisi son moment pour donner sa démission

mistletoe /ˈmɪsltəʊ/ *n* gui *m*; **to kiss sb under the ~** embrasser qn pour lui souhaiter la bonne année

mistook /mɪˈstʊk/ *prét* ▸ **mistake**

mistranslate /ˌmɪstrænsˈleɪt/ *vtr* mal traduire

mistranslation /ˌmɪstrænsˈleɪʃn/ *n* (mistake) erreur *f* de traduction

mistreat /ˌmɪsˈtriːt/ *vtr* maltraiter [*person, animal*]; **don't ~ your books** prends soin de tes livres

mistreatment /ˌmɪsˈtriːtmənt/ *n* mauvais traitement *m*

mistress /ˈmɪstrɪs/ *n* **1** (sexual partner) maîtresse *f*; **to keep/have a ~** entretenir/avoir une maîtresse; **2** (woman in charge) (of servant, animal) maîtresse *f*; **~ of the situation** maîtresse de la situation; **the ~ of the house** la maîtresse de maison; **3** †GB (teacher) professeur *m*; **maths ~** professeur de maths

(Idioms) **to be one's own ~** être sa propre maîtresse; **to be ~ of the situation** être maîtresse de la situation

mistrial /ˌmɪsˈtraɪəl/ *n* Jur **1** (invalid trial) procès *m* entaché d'un vice de procédure de forme ou de fond; **2** US (where jury cannot agree) procès *m* ne pouvant aboutir (*le jury n'étant pas unanime*)

mistrust /ˌmɪsˈtrʌst/

A *n* méfiance *f* (**of, towards** à l'égard de)

B *vtr* se méfier de

mistrustful /ˌmɪsˈtrʌstfl/ *adj* méfiant (**of** à l'égard de)

mistrustfully /ˌmɪsˈtrʌstfəlɪ/ *adv* (in attitude) avec méfiance; (visibly) d'un air méfiant

misty /ˈmɪstɪ/ *adj* [*conditions, morning*] brumeux/-euse; [*hills, view*] embrumé; [*lens, window*] embué; [*photo*] flou; **~ rain** bruine *f*; **her eyes went all ~** les larmes embuaient ses yeux; **~ blue/grey** fig bleu/gris pâle

misty-eyed /ˌmɪstɪˈaɪd/ *adj* [*look*] tendre; **he goes all ~ about it** il est tout ému quand il en parle

misunderstand /ˌmɪsˌʌndəˈstænd/

A *vtr* (*prét, pp* **-stood**) mal comprendre; (completely) ne pas comprendre; **don't ~ me** (to clarify oneself) comprends-moi bien

B **misunderstood** *pp adj* **to feel misunderstood** se sentir incompris; **much misunderstood** [*concept, person, book*] souvent mal compris

misunderstanding /ˌmɪsˌʌndəˈstændɪŋ/ *n* malentendu *m*; **so as to avoid any ~** pour qu'il n'y ait pas de malentendus

misuse

A /ˌmɪsˈjuːs/ *n* (of equipment) mauvais usage *m*; (of word, expression) usage *m* impropre; (of talents) mauvais emploi *m*; **~ of funds** détournement *m* de fonds

B /ˌmɪsˈjuːz/ *vtr* faire mauvais usage de [*equipment*]; mal employer [*word, expression, talents, resources*]; abuser de [*authority*]

mite /maɪt/ *n* **1** (child) **poor little ~!** pauvre petit!; **2** ○(small amount) **she seemed a ~ confused** elle semblait un tantinet perplexe; **he was a ~ ridiculous** il était un tantinet ridicule; **3** (animal) acarien *m*; **cheese ~** mite *f* du fromage; **harvest ~** aoûtat *m*

miter *n* US = **mitre**

mitigate /ˈmɪtɪgeɪt/

A *vtr* atténuer [*effects, distress*]; réduire [*risks*]; minimiser [*loss*]; Jur atténuer [*sentence*]

B **mitigating** *pres p adj* Jur **mitigating circumstances** *ou* **factors** circonstances *fpl* atténuantes

mitigation /ˌmɪtɪˈgeɪʃn/ *n* **1** (minimising) (of effects, distress) atténuation *f*; (of loss) minimisation *f*; **2** Jur (of sentence, damages) réduction *f*; **to say sth in ~ of sb's actions** dire qch à la décharge de qn; **to make a plea in ~** plaider les circonstances atténuantes

mitochondrial /ˌmaɪtəʊˈkɒndrɪəl/ *adj* mitochondrial

mitosis /mɪˈtəʊsɪs, maɪ-/ *n* mitose *f*

mitral /ˈmaɪtrəl/ *adj* mitral

mitral valve *n* valvule *f* mitrale

mitre GB, **miter** US /ˈmaɪtə(r)/

A *n* **1** (of bishop) mitre *f*; **2** Constr = **mitre joint**

B *vtr* Constr **1** (join) assembler [qch] à onglet; **2** (shape) tailler [qch] d'onglet

mitre: **~ box** *n* boîte *f* à onglets; **~ joint** *n* assemblage *m* à onglet

mitt /mɪt/ *n* **1** (mitten) moufle *f*; **2** ○(hand) main *f*; **get your ~s off that!** bas les pattes○!; **3** Sport gant *m* de baseball

mitten /ˈmɪtn/ *n* moufle *f*

mix /mɪks/

A *n* **1** (combination) (of people, colours, objects, styles) mélange *m*; **2** Culin, Constr (for cement, paste, cake) mélange *m*; **a cake ~** (in packet) une préparation pour gâteau; **3** Mus mixage *m*, mix *m*; **in the ~** dans le mixage

B *vtr* **1** (combine) mélanger [*ingredients, colours*] (**with** avec; **and** à); mélanger, mêler [*objects*]; combiner [*styles, types, methods, systems*] (**with** avec; **and** à); **to ~ sth into** (add to) incorporer qch à; **to ~ one's drinks** faire des mélanges; **to ~ and match** assortir [*colours, styles*]; **2** (make) préparer [*drink, cocktail*]; malaxer [*concrete, cement, paste*]; **to ~ the flour and the water into a paste** malaxer la farine et l'eau pour obtenir une pâte; **3** Mus mixer [*record, track*]

C *vi* **1** (*also* **~ together**) (be combined) [*ingredients, liquids, colours*] se mélanger (**with** avec, à); **2** (socialize) être sociable; **to ~ with** fréquenter

(Idiom) **to ~ it**○ GB (stir up trouble) semer la zizanie; US (start a fight) se bagarrer

(Phrasal verbs) ■ **mix around**: ▸ **~ [sth] around, ~ around [sth]** **1** (blend) mélanger, remuer [*mixture, ingredients, paste*]; **2** (jumble up) intervertir [*names, objects*]; permuter [*letters of word*]

■ **mix in**: ▸ **~ [sth] in, ~ in [sth]** incorporer [*ingredient, substance*] (**with** à)

■ **mix up**: ▸ ~ **[sth] up**, ~**up [sth]** 1 (get confused over) confondre [*dates, names, tickets*]; **to ~ up A and B/A with B** confondre A et B/A avec B; **to get two things ~ed up** confondre deux choses; 2 (confuse) embrouiller, désorienter [*person*] (**about, over** à propos de); **to get ~ed up about** s'embrouiller à propos de; 3 (jumble up) mélanger, mêler [*papers, photos, clothes*]; 4 (involve) **to ~ sb up in** impliquer qn dans, mêler qn à; **to get ~ed up in** se trouver mêlé à; **to be ~ed up with sb** gen fréquenter qn; (having affair with) avoir une liaison avec qn; **to get ~ed up with sb** se mettre à fréquenter qn

mixed /mɪkst/ *adj* 1 (varied) [*collection, programme, diet*] varié; [*nuts, sweets*] assorti; [*salad*] composé; [*group, community*] (socially, in age) mélangé, hétérogène; (racially) d'origines diverses; **of ~ blood** de sang mêlé; 2 (for both sexes) [*school, team, sauna*] mixte; **in ~ company** en présence d'hommes et de femmes; 3 (contrasting) [*reaction, reception*] mitigé; **to have ~ fortunes** connaître un succès mitigé; **to have ~ feelings about** éprouver des sentiments mitigés *or* contradictoires à propos de; **with ~ feelings** avec un enthousiasme modéré

mixed: ~ **ability** *adj* Sch [*class, teaching*] sans groupes de niveau; ~ **bag** *n* fig mélange *m*

mixed blessing **to be a ~** avoir ses avantages et ses inconvénients

mixed: ~ **doubles** *n* double *m* mixte; ~ **economy** *n* économie *f* mixte; ~ **farming** *n* agriculture *f* mixte, culture *f* et élevage *m*; ~ **fruit** *n* assortiment *m* de fruits secs; ~ **grill** *n* assortiment *m* de grillades; ~ **herbs** *npl* herbes *fpl* de Provence; ~ **marriage** *n* mariage *m* mixte; ~ **media** *adj* multimédia; ~ **metaphor** *n* métaphore *f* incohérente

mixed race
A *n* race *f* mêlée; **of ~** métis/-isse
B *modif* [*person*] métis/-isse

mixed-up○ /ˌmɪkst'ʌp/ *adj* 1 (emotionally confused) [*person*] perturbé; 2 (jumbled up) [*thoughts, memories, emotions*] confus

mixed vegetables *npl* macédoine *f* de légumes

mixer /'mɪksə(r)/ *n* 1 Culin (electric) batteur *m* électrique; (manual) fouet *m* mécanique; 2 (drink) boisson *f* nonalcoolisée (*à ajouter à une boisson alcoolisée*); 3 (for cement) bétonnière *f*; 4 Mus (engineer) ingénieur *m* du son; (device) mélangeur *m* de son; 5 (sociable person) **to be a good/bad ~** être très/peu sociable; 6 US (social gathering) soirée-rencontre *f*

mixer tap, **mixer faucet** US *n* robinet *m* mélangeur

mixing /'mɪksɪŋ/ *n* 1 (combining) (of people, objects, ingredients) mélange *m*; (of cement) malaxage *m*; 2 Mus mixage *m*

mixing: ~ **bowl** *n* bol *m* à mixer, saladier *m*; ~ **desk** *n* Mus console *f* de mixage

mixture /'mɪkstʃə(r)/ *n* 1 (combination) (of people, flavours, reasons) mélange *m* (**of** de); 2 Culin, Chem mélange *m*; Pharm mixture *f*

mix-up /'mɪksʌp/ *n* confusion *f* (**over** sur)

miz(z)en /'mɪzn/ *n* 1 (sail) artimon *m*; 2 (mast) mât *m* d'artimon

Mk (*abrév écrite* = **mark**) ~ **II Jaguar** Jaguar Mk2

MLitt /ˌem'lɪt/ *n* GB (*abrév* = **Master of Letters**) diplôme *m* supérieur de lettres et sciences humaines

MLR *n*: *abrév* ▸ **minimum lending rate**

MLS US (*abrév* = **Master of Library Science**) diplôme *m* supérieur de bibliothécaire

mm (*abrév écrite* = **millimetre(s)**) mm

MMC *n*: *abrév* = **Monopolies (and Mergers) Commission**

MN US Post *abrév écrite* = **Minnesota**

mnemonic /nɪ'mɒnɪk/
A *n* 1 gen moyen *m* mnémotechnique; 2 Comput mnémonique *m*
B *adj* 1 (aiding memory) mnémotechnique; 2 (relating to memory) mnémonique

mnemonics /nɪ'mɒnɪks/ *n* (+ *v sg*) mnémotechnique *f*

mo○ /məʊ/ *n* GB (moment) moment *m*, instant *m*; **just a ~!** un instant!

MO 1 Mil *abrév* ▸ **Medical Officer**; 2 US Post *abrév écrite* = **Missouri**; 3 *abrév* ▸ **money order**

moan /məʊn/
A *n* 1 (of person, wind) gémissement *m*; 2 ○(grouse) plainte *f* (**about** au sujet de); **to have a good ~**○ **about sth/sb** bien râler au sujet de qch/qn
B *vtr* 1 (complain) **to ~ that** se plaindre que; 2 (wail) **'no!' he ~ed** 'non!' dit-il en gémissant
C *vi* 1 [*person*] (make sound) gémir, pousser des gémissements (**with** de); 2 ○(grouse) râler○ (**about** contre); **to ~ and groan** râler○; 3 [*wind*] gémir
D **moaning** *pres p adj* [*child, customer*] râleur/-euse○, rouspéteur/-euse○; ~**ing minnie**○ GB péj râleur/-euse *m/f* de service○ pej

moaner○ /'məʊnə(r)/ *n* ronchon/-onne○ *m/f*

moaning /'məʊnɪŋ/ *n* ¢ 1 (whimpering) gémissements *mpl*; 2 ○(grumbling) jérémiades○ *fpl*; 3 (of wind) gémissement *m*

moat /məʊt/ *n* douve *f*; **the ~ of a castle** les douves d'un château

moated /'məʊtɪd/ *adj* entouré de douves

mob /mɒb/
A *n* (+ *v sg ou pl*) 1 (crowd) foule *f* (**of** de); **an angry ~** une foule en colère; 2 (gang) gang *m*; **the Mob** la Mafia; 3 ○(group) clique○ *f* also pej; **Byron, Keats and all that ~** Byron, Keats et toute la clique; 4 (masses) souvent péj **the ~** la populace *f* pej, le peuple *m*
B *modif* 1 (Mafia) [*boss, connection, leader*] de la Mafia; 2 (crowd) [*violence, hysteria*] de la foule
C *vtr* (*p prés etc* **-bb-**) assaillir [*person*]; envahir [*place*]

mobcap /'mɒbkæp/ *n* charlotte *f*, coiffure *f* à bord froncé

mob-handed○ /mɒb'hændɪd/ *adv* GB [*turn up, go in*] en nombre

mobile /'məʊbaɪl, US -bl, *also* -biːl/
A *n* 1 gen, Art mobile *m*; 2 (*also* ~ **phone**) portable *m*, téléphone *m* portable *or* mobile
B *adj* 1 (moveable) [*centre, unit, missile*] mobile; [*canteen, classroom*] ambulant; [*population, workforce*] mobile; 2 fig (expressive) [*features*] mobile; 3 (able to get around) **to be ~** (able to walk) pouvoir marcher; (able to travel) pouvoir se déplacer; **he's not as ~ as he was** (at home) il a plus de difficultés pour marcher qu'autrefois; (on journeys) il ne se déplace pas aussi facilement qu'avant; **I'm still ~** j'arrive encore à marcher *or* à me déplacer

mobile: ~ **communications** *npl* téléphonie *f* mobile; ~ **home** *n* mobile home *m*; ~ **Internet** *n* Internet *m* nomade; ~ **library** *n* GB bibliobus *m*; ~ **phone** *n* téléphone *m* portable *or* mobile; ~ **shop** *n* commerce *m* ambulant; ~ **telephony** *n* téléphonie *f* mobile

mobility /məʊ'bɪlətɪ/ *n* 1 (ability to move) mobilité *f*; (of features) mobilité *f*; (agility) agilité *f*; **those with restricted ~** les personnes à mobilité réduite; **it allows unrestricted ~** cela permet de se déplacer sans mal; 2 Sociol **social ~** mobilité *f*

mobility allowance *n* GB *allocation de transport pour personnes à mobilité réduite*

mobilization /ˌməʊbɪlaɪ'zeɪʃn, US -lɪ'z-/ *n* gen, Mil mobilisation *f*; **to order (a) ~** donner l'ordre de mobiliser

mobilize /'məʊbɪlaɪz/
A *vtr* gen, Mil mobiliser (**against** contre); **to ~ the support of sb** fig essayer de trouver du soutien auprès de qn
B *vi* Mil mobiliser (**against** contre)

mob: ~ **oratory** *n* péj éloquence *f* démagogique; ~ **rule** *n* péj règne *m* de la populace; ~ **scene** *n* scène *f* de foule

mobster /'mɒbstə(r)/ *n* membre *m* de la pègre

moccasin /'mɒkəsɪn/ *n* mocassin *m*

mocha /'mɒkə, US 'məʊkə/ *n* 1 (coffee) moka *m*; 2 (flavouring) arôme *m* de café et de chocolat

mock /mɒk/
A *n* GB Sch examen *m* blanc
B *adj* (*before n*) 1 (imitation) [*suede, ivory*] faux/fausse (*before n*); ~ **leather** similicuir *m*; ~**-Gothic/-Tudor architecture** faux-gothique *m*/faux-Tudor *m*; 2 (feigned) [*innocence, horror, humility*] feint, simulé; [*accident, battle, trial*] simulé; **in ~ terror/innocence** en feignant la terreur/l'innocence; 3 (practice) [*interview, raid, rescue*] simulé; [*exam*] blanc/blanche
C *vtr* 1 (laugh at) se moquer de [*person, action, attempt*]; 2 littér (frustrate) narguer [*attempt, effort, hopes*]
D *vi* se moquer

(Phrasal verb) ■ **mock up**: ▸ ~ **[sth] up**, ~ **up [sth]** réaliser une maquette de

mocker /'mɒkə(r)/ *n* moqueur/-euse *m/f*

(Idiom) **to put the ~s on sth** GB gâcher qch

mockery /'mɒkərɪ/ *n* 1 (ridicule) moquerie *f*; **to make a ~ of** tourner [qn/qch] en dérision [*person, group, process, report, work*]; bafouer [*law, principle, rule*]; **self-~** autodérision *f*; 2 (travesty) (of art, activity, justice) parodie *f*; 3 (object of ridicule) objet *m* de risée

mock-heroic /ˌmɒkhɪ'rəʊɪk/ *adj* Literat héroï-comique

mocking /'mɒkɪŋ/
A *n* ¢ moqueries *fpl*
B *adj* [*manner, remark, smile, tone*] moqueur/-euse; **self-~** d'autodérision

mockingbird /'mɒkɪŋbɜːd/ *n* oiseau *m* moqueur

mockingly /'mɒkɪŋlɪ/ *adv* [*applaud, grin, laugh, mimic*] de façon moqueuse; [*speak*] d'un ton moqueur

mock: ~ **orange** *n* Bot seringa *m*; ~ **turtle soup** *n* consommé *m* à la tête de veau; ~**-up** *n* Print, Tech maquette *f*

mod /mɒd/
A *n* GB (*also* **Mod**) mod *mf* (*jeune des années 60, adepte de la musique soul ou ska*)
B *adj*○ US (up-to-date) branché○

MoD *n* GB (*abrév* = **Ministry of Defence**) ministère *m* de la Défense

modal /'məʊdl/
A *n* (*also* ~ **auxiliary**, ~ **verb**) (auxiliaire *m*) modal *m*
B *adj* (all contexts) modal

modality /mə'dælətɪ/ *n* modalité *f*

mod con /ˌmɒd'kɒn/ *n* GB (*abrév* = **modern convenience**) confort *m* (moderne); **'all ~s'** (in advert) 'tout confort'

mode /məʊd/ *n* 1 (way, style) mode *m*; ~ **of life** mode *m* de vie; ~ **of behaviour** type *m* de comportement; ~ **of dress** tenue *f*, façon *f* de s'habiller; ~ **of speech** *ou* **expression** façon *f* de s'exprimer; ~ **of leadership** style *m* de direction; 2 (method) ~ **of funding** type *m* de financement; ~ **of production** méthode *f* de production; ~ **of transport** moyen *m* de transport; 3 (state) (of equipment) mode *m*; (of person) humeur *f*; **in printing/play-back/operational ~** en mode impression/lecture/opérationnel; **to switch** *ou* **change ~** [*machine*] changer de mode; [*person*] changer de rôle; **I'm in work ~** je pense à mon travail; **I'm in party ~** je suis d'humeur à faire la fête; 4 Mus mode *m*; 5 Stat mode *m*

model /'mɒdl/
A *n* 1 (scale representation) (for planning, engineering) maquette *f* (**of** de); (made as hobby) maquette *f* (**of** de); 2 (version of car, appliance, garment) modèle *m*; **the new/latest ~** le nouveau/dernier modèle; **a 1956 ~ (car)** une voiture modèle 1956; 3 (person) (for artist, photographer)

modèle *m*; (showing clothes) mannequin *m*; **top/ fashion ~** mannequin de luxe/de mode; 4 (example, thing to be copied) modèle *m*; **to be a** *ou* **serve as a ~ for sth** servir de modèle à qch; **a ~ of** un modèle de [*tact, fairness, good government*]; **a legal system on the British ~** un système judiciaire sur le modèle britannique; **to hold sth up** *ou* **out as a ~** prendre qch pour modèle; 5 Math, Comput modèle *m*; **computer/climate ~** modèle informatique/ climatique

B *adj* 1 [*railway, train, soldier, village*] miniature; [*aeroplane, boat, car*] modèle réduit; 2 (new and exemplary) [*farm, hospital, prison*] modèle, pilote; 3 (perfect) [*spouse, student, conduct*] modèle

C *vtr* (*p prés etc* **-ll-**, **-l-** US) 1 **to ~ sth on sth** modeler qch sur qch; 2 [*fashion model*] présenter [*garment, design*]; 3 (shape) modeler [*clay, wax, figure, head*] (**in** en); 4 Comput, Math modéliser [*process, economy*]

D *vi* (*p prés etc* **-ll-**, **-l-** US) 1 [*artist's model*] poser (**for** pour); 2 [*fashion model*] travailler comme mannequin (**for** pour); 3 [*sculptor, artist*] **to ~ in** modeler en [*clay, wax*]

E modelled, **modeled** US *pp adj* 1 [*clothes*] présenté (**by** par); 2 **~led on sth** modelé sur qch

F *v refl* **to ~ oneself on sb** se modeler sur qn

model answer *n* exemple *m* de réponse

modeler *n* US = **modeller**

modeling *n* US = **modelling**

modeller /ˈmɒdələ(r)/ *n* modéliste *mf*

modelling /ˈmɒdəlɪŋ/ *n* 1 (of clothes) **to take up ~** devenir mannequin; **have you done any ~?** as-tu déjà travaillé comme mannequin?; **~ is a tough career** la carrière de mannequin est dure; 2 (for photographer, artist) **to do some ~** poser comme modèle (**for** pour); 3 (with clay etc) modelage *m*; 4 Comput modélisation *f*

modelling clay *n* pâte *f* à modeler

model theory *n* théorie *f* des modèles

modem /ˈməʊdem/ *n* modem *m*

moderate

A /ˈmɒdərət/ *n* modéré/-e *m/f*

B /ˈmɒdərət/ *adj* 1 (not extreme) also Pol [*person, opinion, demand, party, tone*] modéré (**in** dans); 2 (of average extent) [*gain, income, performance, success*] moyen/-enne, limité; Culin **at** *ou* **over a ~ heat** à feu moyen; **in a ~ oven** à four moyen; 3 Meteorol [*conditions*] tempéré; [*wind, rain*] modéré

C /ˈmɒdəreɪt/ *vtr* 1 gen, Pol modérer [*person, opinion*]; 2 GB Sch, Univ harmoniser les résultats de [*examinations*]

D /ˈmɒdəreɪt/ *vi* 1 (become less extreme) se modérer; 2 (chair) présider; **to ~ over sth** animer [*debate*]; 3 Meteorol [*wind, storm*] s'apaiser; [*rain*] se calmer

moderate: **~ breeze** *n* Meteorol jolie brise *f*; **~ gale** *n* Meteorol grand frais *m*

moderately /ˈmɒdərətlɪ/ *adv* 1 (averagely) [*confident, fit, interesting, successful*] moyennement; **~ priced** de milieu de gamme; **this car is ~ priced** c'est une voiture de milieu de gamme; **~ sized** de taille moyenne; **~ good** assez bon/bonne; **~ well** assez bien; 2 (restrainedly) also Pol [*criticize, speak, react*] avec modération

moderating /ˈmɒdəreɪtɪŋ/ *adj* [*influence, role*] modérateur/-trice

moderation /ˌmɒdəˈreɪʃn/ *n* modération *f* (**in** dans); **in ~** avec modération; **to be taken in ~** à consommer avec modération

moderator /ˈmɒdəreɪtə(r)/ *n* 1 (chairman) animateur/-trice *m/f*; 2 Scot Relig **Moderator of the Church of Scotland** président *m* de l'Assemblée générale de l'Église presbytérienne (*en Écosse*); 3 GB Sch, Univ membre *m* du jury (*chargé d'harmoniser les notes*); 4 Nucl modérateur *m*

modern /ˈmɒdn/

A *n* moderne *mf*

B *adj* 1 (up-to-date) [*car, factory, device, company, system, person*] moderne; **all ~ conveniences** tout confort (moderne); 2 (contemporary) [*era, literature*] moderne; [*world*] contemporain; **~ China/Berlin** la Chine/le Berlin d'aujourd'hui; **in ~ times** à l'époque moderne; **he's a sort of ~ Napoleon** c'est une sorte de Napoléon des temps modernes

modern: **~ art** *n* l'art *m* moderne; **~-day** *adj* des temps modernes; **~ dress** *n* Theat costumes *mpl* modernes; **~ English** *n* l'anglais *m* moderne; **~ Greek** *n* le grec moderne; **~ history** *n* l'histoire *f* moderne

modernism /ˈmɒdənɪzəm/ *n* (*also* **Modernism**) modernisme *m*

modernist /ˈmɒdənɪst/ *n, adj* (*also* **Modernist**) moderniste (*mf*)

modernistic /ˌmɒdəˈnɪstɪk/ *adj* moderniste

modernity /mɒˈdɜːnətɪ/ *n* modernité *f*

modernization /ˌmɒdɜːnaɪˈzeɪʃn, US -nɪˈz-/ *n* modernisation *f*; **the office is in need of ~** le bureau a besoin d'être modernisé

modernize /ˈmɒdənaɪz/

A *vtr* moderniser

B *vi* se moderniser

modern language

A modern languages *npl* langues *fpl* vivantes

B *modif* (*also* **~s**) [*student*] en langues vivantes; [*lecturer, teacher*] de langues vivantes

modest /ˈmɒdɪst/ *adj* 1 (unassuming) [*person*] modeste (**about** au sujet de); **he's just being ~!** il fait le modeste!; 2 (not large or showy) [*gift, aim*] modeste; [*sum, salary*] modique; 3 (demure) [*dress*] décent; [*person*] pudique

modestly /ˈmɒdɪstlɪ/ *adv* 1 (unassumingly) [*talk, explain*] avec modestie, modestement; 2 (demurely) [*dress*] décemment; 3 (moderately) **he has been ~ successful** il a remporté un succès modeste

modesty /ˈmɒdɪstɪ/ *n* 1 (humility) modestie *f*; **false ~** fausse modestie; **in all ~** en toute modestie; 2 (demureness) (of person) pudeur *f*; (of dress) décence *f*; 3 (smallness) (of sum) modicité *f*; (of aspirations) modestie *f*

modicum /ˈmɒdɪkəm/ *n* minimum *m* (**of** de)

modifiable /ˈmɒdɪfaɪəbl/ *adj* modifiable

modification /ˌmɒdɪfɪˈkeɪʃn/ *n* modification *f*; **to make ~s to** *ou* **in sth** apporter des modifications à qch; **the project will need ~** le projet devra être modifié; **we accept it without further ~s** nous l'acceptons tel quel

modifier /ˈmɒdɪfaɪə(r)/ *n* Ling modificateur *m*

modify /ˈmɒdɪfaɪ/

A *vtr* 1 (alter) modifier [*engine, drug, weapon*]; **in a modified form** sous une forme modifiée; 2 (moderate) modérer [*demand, statement, policy*]; atténuer [*punishment*] (**to** en); 3 Ling modifier

B modifying *pres p adj* Ling modificatif/-ive *m/f*

modish /ˈməʊdɪʃ/ *adj* à la mode

modular /ˈmɒdjʊlə(r), US -dʒʊ-/ *adj* (all contexts) modulaire

modulate /ˈmɒdjʊleɪt, US -dʒʊ-/

A *vtr* gen, Radio, Electron moduler

B *vi* Mus moduler (**from** de; **to** en)

modulation /ˌmɒdjʊˈleɪʃn, US -dʒʊ-/ *n* (all contexts) modulation *f*

module /ˈmɒdjuːl, US -dʒʊ-/ *n* 1 Aerosp, Comput, Constr, Electron module *m*; 2 Sch module *m*; Univ module *m*, unité *f* de valeur

modulus /ˈmɒdjʊləs, US -dʒʊ-/ *n* (*pl* **-li**) Math, Phys module *m*

modus operandi /ˌməʊdəs ˌɒpəˈrændɪ/ *n* manière *f* de procéder

modus vivendi /ˌməʊdəs vɪˈvendɪ/ *n* (*pl* **modi vivendi**) modus vivendi *m*

moggy°, **moggie**° /ˈmɒgɪ/ *n* GB minou° *m*, chat *m*

mogul /ˈməʊgl/ *n* 1 (magnate) magnat *m*; 2 (in skiing) bosse *f*

Mogul /ˈməʊgl/

A *pr n* Moghol *m*

B *adj* [*emperor, rule*] des Moghols

mohair /ˈməʊheə(r)/

A *n* mohair *m*

B *modif* [*garment*] en mohair

Mohammed, **Mahomet** /məʊˈhæmed/ *pr n* Relig Mahomet

(Idiom) **if the mountain will not come to ~, then ~ must go to the mountain** Prov si la montagne ne va pas à Mahomet, Mahomet va à la montagne Prov

Mohammedan /məʊˈhæmɪdən/

A *n* Mahométan/-e *m/f*

B *adj* mahométan

Mohammedanism /məʊˈhæmɪdənɪzəm/ *n* mahométisme *m*

mohican /məʊˈhiːkən/ *n* 1 (hairstyle) iroquois *m*, crête *f*; 2 **Mohican** US Hist Mohican *m*

Mohs scale /ˈməʊz skeɪl, ˈməʊs-/ *n* échelle *f* de Mohs

moiré /ˈmwɑːreɪ/ *n, adj* moiré (*m*)

moist /mɔɪst/ *adj* [*climate, wind, soil, compost, stone*] humide; [*towel, cloth*] humide; [*cake, meat*] moelleux/-euse; [*hands*] (with sweat) moite; Cosmet [*skin*] bien hydraté; **his eyes ~ with tears** ses yeux mouillés de larmes; **keep the soil ~** veillez à ce que la terre soit toujours humide

moisten /ˈmɔɪsn/

A *vtr* 1 gen humecter [*stamp, envelope, cloth*]; **to ~ one's fingers/lips** s'humecter les doigts/ lèvres; 2 Culin mouiller légèrement

B *vi* [*eyes*] se mouiller

moistness /ˈmɔɪstnɪs/ *n* (of air, soil) humidité *f*; (of hand) moiteur *f*; Cosmet (of skin) hydratation *f*

moisture /ˈmɔɪstʃə(r)/ *n* (of soil, in walls) humidité *f*; (on glass) buée *f*; (in skin) hydratation *f*; (sweat) moiteur *f*

moisturize /ˈmɔɪstʃəraɪz/

A *vtr* hydrater [*skin*]

B moisturizing *pres p adj* hydratant

moisturizer /ˈmɔɪstʃəraɪzə(r)/ *n* (lotion) lait *m* hydratant; (cream) crème *f* hydratante

molar /ˈməʊlə(r)/

A *n* Dent molaire *f*

B *adj* Dent, Phys molaire

molasses /məˈlæsɪz/ *n* (+ *v sg*) mélasse *f*

mold *n*, *vtr* US ► **mould**

Moldavia /mɒlˈdeɪvɪə/ ► **p. 1096** *pr n* Hist Moldavie *f*

Moldavian /mɒlˈdeɪvɪən/ ► **p. 1467, p. 1378**

A *n* 1 Hist (person) Moldave *mf*; 2 Ling moldave *m*

B *adj* moldave

Moldova /mɒlˈdəʊvə/ ► **p. 1096** *pr n* Moldavie *f*

Moldovan /mɒlˈdəʊvən/ ► **p. 1467** *n* (person) Moldave *mf*

mole /məʊl/ *n* 1 Zool taupe *f*; 2 fig (spy) taupe *f*; 3 (on skin) grain *m* de beauté; 4 (breakwater) môle *m*; 5 Phys, Chem mole *f*

mole-catcher ► **p. 1683** *n* taupier *m*

molecular /məˈlekjʊlə(r)/ *adj* moléculaire

molecule /ˈmɒlɪkjuːl/ *n* molécule *f*

molehill /ˈməʊlhɪl/ *n* taupinière *f*

(Idiom) **to make a mountain out of a ~** faire une montagne d'une taupinière

moleskin /ˈməʊlskɪn/

A *n* 1 (fur) (peau *f* de) taupe *f*; 2 (cotton) moleskine *f*

B *modif* 1 (fur) [*garment*] en peau de taupe; 2 (cotton) [*trousers, jacket*] en moleskine

molest /məˈlest/ *vtr* 1 (sexually assault) agresser [qn] sexuellement [*child*]; 2 sout (annoy) importuner [*person*]

molestation /ˌməʊleˈsteɪʃn/ *n* 1 ¢ (sexual assault) agressions *fpl* sexuelles; 2 sout (annoyance) **without ~** sans être importuné

molester *n* ► **child molester**

m

moll○ /mɒl/ *n* compagne *f*; **a gangster's ~** la compagne d'un gangster

mollify /'mɒlɪfaɪ/ *vtr* apaiser, calmer *[person]*

mollusc, mollusk US /'mɒləsk/ *n* mollusque *m*

mollycoddle /'mɒlɪkɒdl/ *vtr* dorloter

Molotov cocktail /'mɒlətɒf/ *n* cocktail *m* Molotov

molt *n, vi* US = **moult**

molten /'məʊltən/ *adj (épith)* en fusion

Moluccan /mə'lʌkən/
A *n* Moluquois/-e *m/f*
B *adj* moluquois

Moluccas /mə'lʌkəs/ ▸ **p. 1355** *pr npl (also* **Molucca Islands**) **the ~** les Moluques *fpl*

molybdenum /mə'lɪbdɪnəm/ *n* molybdène *m*

mom○ /mɒm/ *n* US maman *f*

mom and pop store○ *n* US petit commerce *m* familial

moment /'məʊmənt/ *n* **1** (instant) instant *m*; **in a ~** dans un instant; **for the ~** pour l'instant; **it will only take you a ~** tu en as pour un instant; **just for a ~ I thought you were Paul** l'espace d'un instant j'ai cru que tu étais Paul; **at any ~** à tout instant; **I didn't think for a** *ou* **one ~ that you were guilty** je n'ai pas pensé un (seul) instant que tu étais coupable; **I don't believe that for one ~** je ne le crois pas du tout; **I recognized him the ~ I saw him** je l'ai reconnu à l'instant où je l'ai vu; **just a ~, that's not what you said yesterday!** attends *or* pas si vite, ce n'est pas ce que tu m'as dit hier!; **and not a ~ too soon!** il était temps!; **the car hasn't given me a ~'s trouble** la voiture ne m'a pas créé le moindre ennui; **in a ~ of panic/weakness, I agreed** dans un moment de panique/faiblesse, j'ai accepté; **in his lucid ~s he appears quite normal** dans ses moments de lucidité il a l'air tout à fait normal; **2** (point in time) moment *m*; **a great ~ in French history** un grand moment de l'histoire de France; **at the right ~** au bon moment; **to choose one's ~** choisir le bon moment; **phone me the ~ (that) he arrives** appelle-moi dès qu'il arrivera; **I've only this ~ arrived** je viens tout juste d'arriver; **her bad luck began the ~ she was born** sa déveine a commencé le jour de sa naissance; **at this ~ in time** à l'heure actuelle; **he's the man of the ~** gen c'est l'homme du moment; **this is the ~ of truth** c'est le moment de vérité; **3** (good patch) **the film/novel had its ~s** le film/roman avait ses bons moments; **he has his ~s** il a ses bons côtés; **4** (importance) littér importance *f*; **to be of great ~ to sb** être d'une grande importance pour qn; **5** Phys moment *m*

momentarily /'məʊməntrəlɪ, US ˌməʊmən'terəlɪ/ *adv* **1** (for an instant) *[glance, hesitate, forget, stop]* momentanément; **2** US (very soon) dans un instant; (at any moment) d'un moment à l'autre

momentary /'məʊməntrɪ, US -terɪ/ *adj* **1** (temporary) *[aberration, delay, lapse]* momentané; **a ~ silence** un moment de silence; **a ~ panic** un instant de panique; **2** (fleeting) *[impulse, indecision, whim]* passager/-ère; *[glimpse]* rapide

momentous /mə'mentəs, məʊ'm-/ *adj* capital

momentousness /mə'mentəsnɪs, məʊ'm-/ *n* importance *f* capitale

momentum /mə'mentəm, məʊ'm-/ *n* **1** (pace) lit, fig élan *m*; **to gain/lose ~** prendre/perdre de l'élan; **2** Phys vitesse *f*; **to gain** *ou* **gather/lose ~** prendre/perdre de la vitesse

Mon *abrév écrite* = **Monday**

Monaco /'mɒnəkəʊ/ ▸ **p. 1096** *pr n* Monaco *m*

monad /'mɒnæd, 'məʊ-/ *n* Biol, Philos monade *f*

Mona Lisa /ˌməʊnə 'li:zə/ *pr n* **the ~** la Joconde

monarch /'mɒnək/ *n* monarque *m*

monarchic /mə'nɑ:kɪk/ *adj (also* **monarchical**) monarchique

monarchism /'mɒnəkɪzəm/ *n* monarchisme *m*

monarchist /'mɒnəkɪst/ *n, adj* monarchiste *(mf)*

monarchy /'mɒnəkɪ/ *n* monarchie *f*

monastery /'mɒnəstrɪ, US -terɪ/ *n* monastère *m*

monastic /mə'næstɪk/ *adj* **1** Relig monastique; **2** (ascetic) monacal

monasticism /mə'næstɪsɪzəm/ *n* monachisme *m*

Monday /'mʌndeɪ, -dɪ/ ▸ **p. 1882** *n* lundi *m*; **that ~ morning feeling** la déprime du lundi matin

Monegasque /ˌmɒnɪ'gæsk/ ▸ **p. 1467**
A *n* Monégasque *mf*
B *adj* monégasque

monetarism /'mʌnɪtərɪzəm/ *n* monétarisme *m*

monetarist /'mʌnɪtərɪst/
A *n* monétariste *mf*
B *adj [policy, reform]* monétariste

monetary /'mʌnɪtrɪ, US -terɪ/ *adj [base, reserves, standard, union, unit]* monétaire

money /'mʌnɪ/
A *n* **1** (coins, notes) argent *m*; **2** (funds) argent *m*; **to make ~** (person) gagner de l'argent; (business, project) rapporter de l'argent; **to run out of ~** ne plus avoir d'argent; **to get one's ~ back** (in shop) être remboursé; (after loan, resale) rentrer dans ses fonds; (after risky venture, with difficulty) récupérer son argent; **to find the ~ to do** trouver l'argent pour faire; **there's no ~ in it** ça ne rapporte pas; **where is the ~ going to come from?** et d'où viendra l'argent?; **there's big ~ involved**○ il y a de grosses sommes en jeu; **they made a lot of ~ when they sold the house** ils ont fait un beau bénéfice quand ils ont vendu la maison; **3** (in banking, on stock exchange) argent *m*, monnaie *f*, capitaux *mpl*; **to raise ~** trouver des capitaux; **to pay good ~** payer en bel et bon argent, payer un bon prix; **to put up ~ for a project** investir de l'argent dans un projet; **4** (salary) salaire *m*; **the job is boring but the ~ is good** le travail est ennuyeux, mais c'est bien payé; **to earn good ~** bien gagner sa vie; **5** (price) prix *m*; **it's not the best car in the world, but it's good for the ~** ce n'est pas la meilleure voiture du monde, mais elle est bien pour le prix; **6** (wealth) argent *m*, fortune *f*; **to make one's ~ in business** faire (sa) fortune dans les affaires; **to inherit one's ~** acquérir sa fortune par héritage; **there's a lot of ~ in that area** il y a beaucoup de gens riches dans la région; **there's a lot of ~ (to be made) in computing** l'informatique, ça peut rapporter
B **monies, moneys** *npl* (funds) fonds *mpl*, capitaux *mpl*; (sums) sommes *fpl*
C *modif [matters, problems, worries]* d'argent

(Idioms) **not for love nor ~** pour rien au monde; **for my ~...** à mon avis...; **it's ~ well spent** c'est de l'argent bien dépensé; **~ burns a hole in her pocket, she spends ~ like water** l'argent lui file entre les doigts; **it's ~ for jam, it's ~ for old rope** c'est de l'argent facile; **~ talks** avec l'argent on obtient ce qu'on veut; **time is ~** le temps c'est de l'argent; **the smart ~ is on X** les gens bien informés misent sur X; **to be in the ~** être en fonds; **to be made of ~** être cousu d'or, rouler sur l'or; **to get one's ~'s worth, to get a good run for one's ~** en avoir pour son argent; **to give sb a good run for his/her ~** en donner à qn pour son argent; **to have ~ to burn** avoir de l'argent à ne savoir qu'en faire *or* à jeter par les fenêtres; **to put one's ~ where one's mouth is** sortir son portefeuille; **to throw good ~ after bad** investir en pure perte; **your ~ or your life!** la bourse ou la vie!

money: **~-back guarantee** *n* garantie *f* de remboursement; **~ belt** *n* ceinture *f* porte-monnaie; **~box** *n* tirelire *f*; **~-changer** *n* changeur *m*

moneyed /'mʌnɪd/ *adj* riche

money-grubbing /'mʌnɪgrʌbɪŋ/ *adj* péj rapace fig

moneylender /'mʌnɪlendə(r)/ ▸ **p. 1683** *n* **1** Fin, Comm prêteur/-euse *m/f*; **2** †(usurer) usurier/-ière *m/f*

money: **~-loser** *n* affaire *f* déficitaire; **~maker** *n* (product) article *m* qui rapporte beaucoup; (activity) activité *f* lucrative; **~making** *adj [scheme]* pour faire fortune; **~man** *n* financier *m*; **~ market** *n* marché *m* monétaire; **~ market fund** *n* fonds *m* commun de placement; **~ order, MO** *n* mandat *m* postal; **~ rate** *n* taux *m* du loyer de l'argent; **~ spider** *n* petite araignée *f (censée porter bonheur)*; **~ spinner** *n* GB mine *f* d'or fig; **~ supply** *n* masse *f* monétaire

moneywort /'mʌnɪwɜ:t/ *n* sibthorpie *f* d'Europe

mongol† /'mɒŋgl/ *n, adj* Med injur mongolien/-ienne *(m/f)*

Mongol /'mɒŋgl/ ▸ **p. 1467**
A *n* **1** (person) Mongol/-e *m/f*; **2** (language) mongol *m*
B *adj* mongol

Mongolia /mɒŋ'gəʊlɪə/ ▸ **p. 1096** *pr n* Mongolie *f*; **Outer ~** lit Mongolie-Extérieure; hum le bout du monde

Mongolian /mɒŋ'gəʊlɪən/ ▸ **p. 1467**
A *n* Mongol/-e *m/f*
B *adj* mongol

mongolism† /'mɒŋgəlɪzəm/ *n* Med injur mongolisme *m*

mongoloid† /'mɒŋgəlɔɪd/ *n, adj* Med injur mongolien/-ienne *(m/f)*

mongoose /'mɒŋgu:s/ *n* mangouste *f*

mongrel /'mʌŋgrl/
A *n* (chien *m*) bâtard *m*
B *adj* bâtard

monied /'mʌnɪd/ *adj* = **moneyed**

monies /'mʌnɪz/ *npl* = **money B**

moniker○† /'mɒnɪkə(r)/ *n* nom *m*

monitor /'mɒnɪtə(r)/
A *n* **1** gen, Tech dispositif *m* de surveillance; (security TV) écran *m* de contrôle; **2** Med moniteur *m*; **heart ~** moniteur cardiaque; **3** Audio, Comput moniteur *m*; **~ program** moniteur *m*; **4** GB Sch *élève responsable d'une tâche (cahiers de texte, nettoyage du tableau etc)*; **5** US Sch surveillant/-e *m/f*; **6** Journ, Radio permanencier *m*
B *vtr* **1** gen, Tech contrôler, surveiller *[rate, result]*; **to ~ the weather** exercer une surveillance constante des phénomènes météorologiques; **2** Med surveiller *[breathing, patient]*; **to ~ sb for** suivre qn pour *[heart problems etc]*; **3** Sch suivre *[student, progress]*; **4** Radio, Journ être à l'écoute de *[broadcast]*

monitoring /'mɒnɪtərɪŋ/
A *n* **1** Tech, Med (by person) surveillance *f*; (by device) monitoring *m*; **careful ~ for problems** contrôle *m* systématique des problèmes éventuels; **2** GB Sch suivi *m*; **~ of students/progress** le suivi des étudiants/des progrès; **3** Radio, Journ (of broadcasts) service *m* d'écoute
B *modif [device, equipment]* de surveillance

monitor lizard *n* varan *m*

monk /mʌŋk/ *n* moine *m*

monkey /'mʌŋkɪ/ *n* **1** Zool singe *m*; **female ~** guenon *f*; **2** ○(rascal) galopin○ *m*; **3** ○GB cinq cents livres *fpl* sterling; **4** Tech (of piledriver) mouton *m*

(Idioms) **I don't give a ~'s about it**○ je m'en fous complètement○; **to have a ~ on one's back**○ (be addicted) être toxicomane; (have a problem) avoir un problème; **to make a ~ out**

m

of sb○ se payer la tête de qn○

(Phrasal verb) ■ **monkey around**○ faire l'idiot (**with** avec)

monkey: ~ **business**○ *n* (fooling) ₵ bêtises *fpl*; (cheating) grenouillage○ *m*; ~ **house** *n* pavillon *m* des singes; ~ **jacket** *n* veste *f* ajustée; ~ **nut**○ *n* GB cacahuète *f*; ~ **puzzle (tree)** *n* araucaria *m*; ~ **shines** *npl* US = **monkey business**; ~ **suit**○ *n* US smoking *m*; ~ **tricks**○ *npl* = **monkey business**

monkey wrench *n* clé *f* à molette

monkfish /ˈmʌŋkfɪʃ/ *n* (*pl* ~) (angler fish) lotte *f*; (angel shark) ange *m* de mer

monkish /ˈmʌŋkɪʃ/ *adj* monacal

monkshood /ˈmʌŋkshʊd/ *n* Bot aconit *m*

mono /ˈmɒnəʊ/

A *n* Audio monophonie *f*; **in** ~ en mono

B *adj* Audio mono *inv*

C **mono-** (*dans composés*) mono-

monobasic /ˌmɒnəʊˈbeɪsɪk/ *adj* Chem monobasique

monochromatic /ˌmɒnəkrəˈmætɪk/ *adj* monochromatique

monochrome /ˈmɒnəkrəʊm/

A *n* **1** (technique) **in** ~ Art, Phot en monochrome; Cin, TV en noir et blanc; **2** (print) monochrome *m*

B *adj* **1** lit Cin, TV [*film*] en noir et blanc; Art, Comput, Phot monochrome; **2** fig (dull) monotone

monocle /ˈmɒnəkl/ *n* monocle *m*

monocoque /ˈmɒnəkɒk/ *n* **1** Aut voiture *f* monocoque; **2** Naut monocoque *m*

monocular /məˈnɒkjʊlə(r)/ *adj* monoculaire

monoculture /ˈmɒnəʊkʌltʃə(r)/ *n* monoculture *f*

monocycle /ˈmɒnəsaɪkl/ *n* monocycle *m*

monogamist /məˈnɒgəmɪst/ *n* monogame *mf*

monogamous /məˈnɒgəməs/ *adj* monogame

monogamy /məˈnɒgəmɪ/ *n* monogamie *f*

monogram /ˈmɒnəgræm/ *n* monogramme *m*

monogrammed /ˈmɒnəgræmd/ *adj* **his** ~ **ties** ses cravates marquées de son monogramme

monograph /ˈmɒnəgrɑːf, US -græf/ *n* monographie *f*

monohull /ˈmɒnəʊhʌl/ *n* Naut monocoque *m*

monokini /ˌmɒnəʊˈkiːnɪ/ *n* monokini *m*

monolingual /ˌmɒnəʊˈlɪŋgwəl/ *n, adj* monolingue (*m*)

monolith /ˈmɒnəlɪθ/ *n* (all contexts) monolithe *m*

monolithic /ˌmɒnəˈlɪθɪk/ *adj* (all contexts) monolithique

monologue, **monolog** US /ˈmɒnəlɒg/ *n* (all contexts) monologue *m*

monomania /ˌmɒnəˈmeɪnɪə/ *n* monomanie *f*

monomaniac /ˌmɒnəˈmeɪnɪæk/

A *n* monomane *mf*

B *adj* monomaniaque

monomer /ˈmɒnəmə(r)/ *n* Chem monomère *m*

monomeric /mɒnəˈmerɪk/ *adj* Chem monomère

monomial /məˈnəʊmɪəl/ *n* Math monôme *m*

monomorphic /ˌmɒnəˈmɔːfɪk/ *adj* Biol monomorphe

mononucleosis /ˌmɒnəʊˌnjuːklɪˈəʊsɪs, US -ˌnuː-/ ▸ p. 1327 *n* Med mononucléose *f*

monophonic /ˌmɒnəˈfɒnɪk/ *adj* monophonique

monophthong /ˈmɒnəfθɒŋ/ *n* monophtongue *m*

monoplane /ˈmɒnəpleɪn/ *n* monoplan *m*

Monopolies (and Mergers) Commission, MMC *n* GB ≈ Commission *f* de la concurrence

monopolist /məˈnɒpəlɪst/ *n* monopoliste *mf*

monopolistic /məˌnɒpəˈlɪstɪk/ *adj* [*advantage, position, practices, system*] monopolistique; [*authority, company*] monopoliste

monopolization /məˌnɒpəlaɪˈzeɪʃn, US -lɪˈz-/ *n* monopolisation *f*

monopolize /məˈnɒpəlaɪz/ *vtr* **1** Econ détenir *or* avoir le monopole de [*raw materials, market*]; **the media have been ~d by a small group** c'est un petit groupe qui détient le monopole des médias; **2** fig monopoliser [*bathroom*]

monopoly /məˈnɒpəlɪ/

A *n* Econ, fig monopole *m*; **to have a ~ on** *ou* **of** avoir *or* détenir le monopole de; **to break sb's ~ on sth** remettre en question le monopole de qch détenu par qn

B **Monopoly®** *pr n* Monopoly® *m*

C *modif* [*industry*] monopoliste; [*control, position, restrictions*] monopolistique

monopoly: ~ **capitalism** *n* capitalisme *m* monopolistique; **Monopoly money** *n* fig, hum monnaie *f* de singe

monorail /ˈmɒnəʊreɪl/ *n* monorail *m*

monosaccharide /mɒnəʊˈsækəraɪd/ *n* monosaccharide *m*

monosemic /mɒnəʊˈsiːmɪk/ *adj* Ling monosémique

monoski /ˈmɒnəskiː/

A *n* monoski *m*

B *vi* faire du monoski

monoskiing /ˈmɒnəskiːɪŋ/ ▸ p. 1253 *n* monoski *m*

monosodium glutamate /ˌmɒnəʊˌsəʊdɪəm ˈgluːtəmeɪt/ *n* glutamate *m* (de sodium)

monosyllabic /ˌmɒnəsɪˈlæbɪk/ *adj* monosyllabique

monosyllable /ˈmɒnəsɪləbl/ *n* monosyllabe *m*; **in ~s** par monosyllabes

monotheism /ˈmɒnəθiːɪzəm/ *n* monothéisme *m*

monotheist /ˈmɒnəθiːɪst/ *n* monothéiste *mf*

monotheistic /ˌmɒnəθiːˈɪstɪk/ *adj* monothéiste

monotherapy /ˈmɒnəʊθerəpɪ/ *n* Med monothérapie *f*

monotone /ˈmɒnətəʊn/ *n* voix *f* or ton *m* monotone; **to speak in a** ~ parler sur un ton monotone

monotonous /məˈnɒtənəs/ *adj* (all contexts) monotone

monotonously /məˈnɒtənəslɪ/ *adv* [*speak, sound*] d'un ton monotone; [*move, act*] de manière monotone

monotony /məˈnɒtənɪ/ *n* monotonie *f*

monotype /ˈmɒnətaɪp/ *n* Art monotype *m*

Monotype® /ˈmɒnətaɪp/ *n* Print Monotype® *m*

monoxide /məˈnɒksaɪd/ *n* monoxyde *m*

Monroe doctrine /mʌnˈrəʊ dɒktrɪn/ *n* Pol, Hist doctrine *f* de Monroe

monseigneur /ˌmɒnsenˈjɜː(r)/ *n* monseigneur *m*

monsignor /mɒnˈsiːnjə(r)/ *n* monsignor(e) *m*

monsoon /mɒnˈsuːn/ *n* mousson *f*; **during the ~ (season)** pendant la mousson

monsoon rain(s) *n(pl)* pluies *fpl* de la mousson

monster /ˈmɒnstə(r)/

A *n* lit, fig monstre *m*; **sea** ~ monstre marin

B *modif* géant

monstrance /ˈmɒnstrəns/ *n* ostensoir *m*

monstrosity /mɒnˈstrɒsɪtɪ/ *n* **1** (eyesore) horreur *f*; **2** (of act, behaviour, crime) monstruosité *f*

monstrous /ˈmɒnstrəs/ *adj* **1** (odious) [*creature, crime, accusation*] monstrueux/-euse; [*building*] hideux/-euse; **it is ~ that** il est scandaleux que (+ *subj*); **that's ~!** c'est scandaleux!; **2** (huge) énorme, gigantesque

monstrously /ˈmɒnstrəslɪ/ *adv* monstrueusement

montage /mɒnˈtɑːʒ/ *n* Art, Cin montage *m*; Phot photomontage *m*

Montana /mɒnˈtænə/ ▸ p. 1737 *pr n* Montana *m*

monte /ˈmɒntɪ/ *n* US *jeu de cartes où l'on mise de l'argent*

Montenegro /ˌmɒntɪˈniːgrəʊ/ *pr n* Monténégro *m*

Montezuma's revenge /ˌmɒntɪˌzuːməz rɪˈvendʒ/ *n* hum turista○ *f*

month /mʌnθ/ ▸ p. 1804 *n* mois *m*; **in two ~s, in two ~s' time** dans deux mois; **every** ~ chaque mois *or* tous les mois; **for ~s** pendant des mois; ~ **by** ~ mois après mois; **next/last** ~ le mois prochain/dernier; **the** ~ **before last** pas le mois dernier, celui d'avant; **the** ~ **after next** pas le mois prochain, celui d'après; **~s later** des mois plus tard; **once a** ~ une fois par mois; **every other** ~ tous les deux mois; ~ **in** ~ **out** pendant des mois et des mois; **in the** ~ **of June** au mois de juin; **at the end of the** ~ en fin de mois; Admin, Comm fin courant; **what day of the** ~ **is today?** nous sommes le combien aujourd'hui?; **six ~s' pay** six mois de salaire; **a ~'s rent** un mois de loyer; **a seven-month-old baby** un bébé de sept mois; ~ **after** ~ **he forgets to pay** (regular payment) tous les mois il oublie de payer; (single payment) ça fait des mois qu'il oublie de payer; **your salary for the** ~ **beginning May 15** votre salaire du 15 mai au 15 juin

(Idiom) **it's her time of the** ~ euph elle est indisposée

monthly /ˈmʌnθlɪ/

A *n* (journal) mensuel *m*

B *adj* mensuel/-elle; ~ **instalment** mensualité *f*

C *adv* [*pay, earn*] au mois, mensuellement; [*happen, visit, publish*] tous les mois, une fois par mois; **it is £200** ~ c'est 200 livres sterling par mois

Montreal /ˌmɒntrɪˈɔːl/ ▸ p. 1815 *pr n* Montréal *m*

monty /ˈmɒntɪ/ *n* GB

(Idioms) **the full** ~○ la totale○; **we sell books, magazines, newspapers—the full** ~ nous vendons des livres, des revues, des journaux —la totale; **sandwich, drink, dessert, the full** ~ **for £4** sandwich, boisson, dessert, le tout pour 4 livres sterling

monument /ˈmɒnjʊmənt/ *n* lit, fig monument *m*; ~ **to a war hero** monument à la gloire d'un héros de guerre; **the building is a** ~ **to his art/ambition** le bâtiment témoigne de son art/ambition

monumental /ˌmɒnjʊˈmentl/ *adj* (all contexts) monumental; ~ **work** Art, Literat œuvre *f* monumentale

monumentally /ˌmɒnjʊˈmentəlɪ/ *adv* [*dull, boring*] mortellement; ~ **ignorant** d'une ignorance monumentale

monumental mason ▸ p. 1683 *n* marbrier *m*

moo /muː/

A *n* meuglement *m*

B *excl* meuh!

C *vi* meugler

mooch /muːtʃ/

A *n* US tapeur/-euse○ *m/f*

B *vtr* US (cadge) **to** ~ **sth from** *ou* **off sb** taper○ qch à qn

C *vi* GB **to** ~ **along** *ou* **about** traîner; **to** ~ **around the house** traîner à la maison

mood /muːd/ *n* **1** (frame of mind) humeur *f*; **to be in the** ~ **for jokes/work** être d'humeur à plaisanter/travailler; **to be in the** ~ **for doing**

m

ℹ The months of the year

■ *Don't use capitals for the names of the months in French, and note that there are no common abbreviations in French as there are in English (*Jan, Feb *and so on). The French only abbreviate in printed calendars etc.*

January = janvier ***July*** = juillet
February = février ***August*** = août
March = mars ***September*** = septembre
April = avril ***October*** = octobre
May = mai ***November*** = novembre
June = juin ***December*** = décembre

Which month?

■ (May *in this note stands for any month; they all work the same way; for more information on dates in French* ▸ **p. 1116.**)

what month is it?
= quel mois sommes-nous?
or (very informally) on est quel mois?

it was May
= nous étions en mai

what month was he born?
= de quel mois est-il?

When?

in May
= en mai *or* au mois de mai

they're getting married this May
= ils se marient en mai

that May
= cette année-là en mai

next May
= en mai prochain

in May next year
= l'an prochain en mai

last May
= l'année dernière en mai

the May after next
= dans deux ans en mai

the May before last
= il y deux ans en mai

Which part of the month?

at the beginning of May
= au début de mai

in early May
= début mai

at the end of May
= à la fin de mai

in late May
= fin mai

in mid-May
= à la mi-mai

for the whole of May
= pendant tout le mois de mai

throughout May
= tout au long du mois de mai

Regular events

every May
= tous les ans en mai

every other May
= tous les deux ans en mai

most Mays
= presque tous les ans en mai

Uses with other nouns

one May morning
= par un matin de mai

one May night
= par une nuit de mai
or (if evening) par un soir de mai

■ *For other uses, it is always safe to use* du mois de:

May classes
= les cours du mois de mai

May flights
= les vols du mois de mai

the May sales
= les soldes du mois de mai

Uses with adjectives

the warmest May
= le mois de mai le plus chaud

a rainy May
= un mois de mai pluvieux

a lovely May
= un beau mois de mai

---

ou **to do** avoir envie de faire; **to be in no ∼ for doing** *ou* **to do** ne pas être d'humeur à faire; **to be in a good/bad ∼** être de bonne/ mauvaise humeur; **to be in a stubborn/ relaxed ∼** se montrer entêté/détendu; **when he's in the ∼** quand l'envie l'en prend; **when** *ou* **as the ∼ takes him** selon son humeur; **I'm not in the ∼** je ne suis pas d'humeur; **2** (bad temper) saute *f* d'humeur; **to be in a ∼** être de mauvaise humeur; **he's in one of his ∼s today** il est de mauvaise humeur aujourd'hui; **3** (atmosphere) (in room, meeting) ambiance *f*; (of place, era, artwork) atmosphère *f*; (of group, party) état *m* d'esprit; **the general ∼ was one of despair** le sentiment général était au désespoir; **the ∼ of the moment** l'humeur du moment; **4** Ling mode *m*; **in the subjunctive ∼** au subjonctif

mood-altering *adj [drug]* psychotrope

moodily /'mu:dɪlɪ/ *adv [say, speak]* d'un ton maussade; *[look, sit, stare]* d'un air morose

moodiness /'mu:dɪnɪs/ *n* humeur *f* changeante, inégalités *fpl* d'humeur

mood: **∼ music** *n* musique *f* d'ambiance; **∼ swing** *n* saute *f* d'humeur

moody /'mu:dɪ/ *adj* **1** (unpredictable) lunatique; **a ∼ person** un/-e lunatique *m/f*; **2** (atmospheric) *[novel, film]* sombre; **3** (sultry) *[actor, appearance]* ténébreux/-euse

mooing /'mu:ɪŋ/ *n* ⊄ meuglements *mpl*

moola(h)○ /'mu:lə/ *n* US fric○ *m*

moon /mu:n/
A *n* Astron (satellite) lune *f*; **the ∼** (of the earth) la Lune; **the ∼s of Saturn** les lunes de Saturne; **there will be a ∼ tonight** il y aura clair de lune cette nuit; **there will be no ∼ tonight** ce soir, ce sera une nuit sans lune; **by the light of the ∼** au clair de lune; **to put a man on the ∼** envoyer un homme sur la Lune
B *vi* **1** (daydream) rêvasser (**over sth/sb** à qch/ qn); **2** ○(display buttocks) montrer ses fesses
(Idioms) **to be over the ∼ about sth** être aux nues à propos de qch; **many ∼s ago** littér il y a des lustres; **once in a blue ∼** tous les trente-six du mois○; **the man in the ∼** le visage de la Lune; **to shoot the ∼** US déménager à la cloche de bois○
(Phrasal verb) ■ **moon about**○, **moon around**○ musarder

moon: **∼beam** *n* rayon *m* de lune; **∼ boots** *npl* après-ski *mpl*; **∼ buggy** *n* jeep *f* lunaire; **∼-faced** *adj* aux joues rondes

Moonie○ /'mu:nɪ/ *n* mooniste *mf*

moon landing *n* atterrissage *m* sur la lune

moonless /'mu:nlɪs/ *adj* sans lune

moonlight /'mu:nlaɪt/
A *n* clair *m* de lune; **in the** *ou* **by ∼** au clair de lune
B *vi* travailler au noir
(Idiom) **to do a ∼ flit**○ GB filer de nuit sans payer

moonlighter /'mu:nlaɪtə(r)/ *n* travailleur *m* au noir

moonlighting /'mu:nlaɪtɪŋ/ *n* travail *m* au noir

moonlit /'mu:nlɪt/ *adj [sky, evening]* éclairé par la lune; **a ∼ night** une nuit de lune

moon rock *n* roche *f* lunaire

moonshine /'mu:nʃaɪn/ *n* **1** ⊄ (nonsense) fadaises○ *fpl*; **2** US (liquor) alcool *m* de contrebande

moonshiner○ /'mu:nʃaɪnə(r)/ *n* US (maker) distilleur/-euse *m/f* clandestin/-e; (seller) trafiquant/-e *m/f* d'alcool

moon: **∼stone** *n* pierre *f* de lune; **∼struck** *adj* lunatique

moonwalk /'mu:nwɔ:k/ *n* marche *f* lunaire

moor /mɔ:(r), US mʊər/
A *n* lande *f*; **on the ∼s** sur la lande
B *vtr* Naut amarrer
C *vi* Naut mouiller

Moor /mʊə(r)/ *n* Hist Maure *mf*

moorhen /'mɔ:hen, US 'mʊər-/ *n* GB poule *f* d'eau

mooring /'mɔ:rɪŋ, US 'mʊər-/
A *n* (place) mouillage *m*; **a boat at its ∼s** un bateau amarré
B **moorings** *npl* (ropes) amarres *fpl*; fig (ideological, emotional) attaches *fpl*

mooring buoy *n* bouée *f* de corps-mort

Moorish /'mʊərɪʃ/ *adj* mauresque

moorland /'mɔ:lənd, US 'mʊər-/
A *n* lande *f*
B *modif [air, hills, sheep]* de la lande

moose (*pl* **moose**) /mu:s/ *n* Zool (Canadian) orignal *m*; (European elk) élan *m*

moot /mu:t/
A *n* (*also* **∼ court**) *pseudo-tribunal où les étudiants de droit s'entraînent*
B *vtr* sout soulever *[possibility]*; **it has been mooted that** d'aucuns ont suggéré que

moot point *n* **that is a ∼** c'est difficile à dire

mop /mɒp/
A *n* **1** (for floors) (of cotton) balai *m* à franges; (of sponge) balai *m* éponge; **2** (for dishes) lavette *f*; **3** (hair) crinière○ *f*; tignasse○ *f* pej; **a ∼ of red/curly hair** une crinière rousse/bouclée
B *vtr* (*p prés etc* **-pp-**) **1** (wash) laver [qch] à grande eau *[floor, deck]*; **2** (wipe) **to ∼ one's face/brow (with sth)** s'éponger le visage/le front (avec qch); **to ∼ sb's brow** éponger le front de qn
C *vi* (*p prés etc* **-pp-**) essuyer
(Phrasal verbs) ■ **mop down**: ▶ **∼ [sth] down, ∼ down [sth]** laver [qch] à grande eau *[floor, deck]*
■ **mop up**: ▶ **∼ up** éponger; ▶ **∼ up [sth], ∼ [sth] up** **1** lit éponger *[mess, liquid]*; **he ∼ped up his gravy with some bread** il a saucé son assiette avec du pain; **2** Mil, gen (get rid of) balayer *[resistance, rebels]*; **3** (absorb) engloutir *[savings, profits, surplus]*; **4** US (polish off) engloutir *[food]*

mopboard /'mɒpbɔ:d/ *n* US plinthe *f*

mope /məʊp/ *vi* 1 (brood) se morfondre; **to ~ about sth** broyer du noir en pensant à qch; 2 = **~ about**

(Phrasal verb) ■ **mope about, mope around** traîner (comme une âme en peine)

moped /ˈməʊped/ *n* vélomoteur *m*

mop-head○ /ˈmɒphed/ *n* ébouriffé/-e *m/f*

moppet○† /ˈmɒpɪt/ *n* petit chou *m*, trésor *m*

mopping-up operation *n* Mil, gen opération *f* de nettoyage

moquette /mɒˈket, US məʊ-/ *n* ¢ moquette *f*

moraine /məˈreɪn, mɒˈreɪn/ *n* moraine *f*

moral /ˈmɒrəl, US ˈmɔːrəl/

A *n* morale *f*; **the ~ is that** la morale c'est que; **to draw a ~ from sth** tirer la leçon de qch

B **morals** *npl* 1 (habits) mœurs *fpl*; **public ~s** mœurs publiques; **a person of loose ~s** une personne de mœurs faciles *or* légères; 2 (morality) moralité *f*; **to have no ~s** être sans moralité

C *adj* (all contexts) moral; **on ~ grounds** pour des raisons morales; **~ certainty** certitude *f* morale; **~ support** soutien *m* moral; **to take the ~ high ground** prendre une position moraliste

morale /məˈrɑːl, US -ˈræl/ *n* moral *m*; **to raise ~** remonter le moral à qn; **to lower sb's ~** saper le moral de qn; **~ is low at present** le moral est bas en ce moment

morale-booster *n* **his comment was a ~** sa remarque m'a remonté le moral

moral fibre GB, **moral fiber** /ˌmɒrəlˈfaɪbə(r), US ˌmɔːr-/ US *n* force *f* morale

moralist /ˈmɒrəlɪst, US ˈmɔːrəlɪst/ *n* Literat, Philos, gen also pej moraliste *mf*

moralistic /ˌmɒrəˈlɪstɪk, US ˌmɔːr-/ *adj* moralisateur/-trice

morality /məˈrælətɪ/ *n* moralité *f*

morality: **~ play** *n* Theat moralité *f*; **~ tale** *n* conte *m* moral

moralize /ˈmɒrəlaɪz, US ˈmɔːr-/ *vi* moraliser (**about** sur)

moralizing /ˈmɒrəlaɪzɪŋ, US ˈmɔːr-/

A *n* ¢ leçons *fpl* de morale

B *adj* moralisateur/-trice

morally /ˈmɒrəlɪ, US ˈmɔːr-/ *adv* moralement; **~ wrong** contraire à la morale; **~ speaking** du point de vue de la morale

moral: **~ majority** *n* majorité *f* bien-pensante; **Moral Majority** *n* Pol US *mouvement politique américain regroupant en majorité les chrétiens fondamentalistes, prônant les valeurs morales de la droite*; **~ philosopher** *n* Philos moraliste *mf*; **~ philosophy** *n* Philos morale *f*; **Moral Rearmament** *n* Réarmement *m* moral; **~ theology** *n* théologie *f* morale

morass /məˈræs/ *n* lit, fig bourbier *m*

moratorium (*pl* **-toria**) /ˌmɒrəˈtɔːrɪəm/ *n* moratoire *m* (**on** sur)

Moravia /məˈreɪvɪə/ ▸ p. 1096 *pr n* Moravie *f*

Moravian /məˈreɪvɪən/ ▸ p. 1467, p. 1378

A *n* Morave *mf*

B *adj* morave

moray eel /ˈmʌrɪ iːl/ *n* murène *f*

morbid /ˈmɔːbɪd/ *adj* (all contexts) morbide

morbid anatomy *n* anatomie *f* pathologique

morbidity /ˌmɔːˈbɪdətɪ/ *n* 1 (of imagination, preoccupation, subject) caractère *m* morbide; 2 Med morbidité *f*

morbidly /ˈmɔːbɪdlɪ/ *adv* 1 de façon malsaine; 2 Med morbidement

Morbihan /ˈmɔːbɪhæn/ ▸ p. 1129 *pr n* Morbihan *m*; **in/to the ~** dans le Morbihan

mordacity /mɔːˈdæsətɪ/ *n* sout causticité *f*

mordant /ˈmɔːdnt/ *adj* sout [wit] mordant, caustique

mordent /ˈmɔːdnt/ *n* pincé *m*

more /mɔː(r)/

> ⚠ When used to modify an adjective or an adverb to form the comparative *more* is very often translated by *plus*: *more expensive* = plus cher/chère; *more beautiful* = plus beau/belle; *more easily* = plus facilement; *more regularly* = plus régulièrement. For examples and further uses see **A 1** below.
>
> When used as a quantifier to indicate a greater amount or quantity of something *more* is very often translated by *plus de*: *more money/cars/people* = plus d'argent/de voitures/de gens. For examples and further uses see **B 1** below.

A *adv* 1 (comparative) **it's ~ serious than we thought/you think** c'est plus grave que nous ne pensions/vous ne pensez; **the ~ intelligent (child) of the two** (l'enfant) le plus intelligent des deux; **he's no ~ honest than his sister** il n'est pas plus honnête que sa sœur; **the ~ developed countries** les pays plus développés

2 (to a greater extent) plus, davantage; **you must work/sleep/rest ~** il faut que tu travailles/dormes/te reposes davantage; **he sleeps/talks ~ than I do** il dort/parle plus que moi; **you can't paint any ~ than I can, you can no ~ paint than I can** tu ne sais pas plus peindre que moi; **the ~ you think of it, the harder it will seem** plus tu y penseras, plus ça te paraîtra dur; **he is (all) the ~ determined/angry because** il est d'autant plus déterminé/en colère que

3 (longer) **I don't work there any ~** je n'y travaille plus; **I couldn't continue any ~** je ne pouvais pas continuer plus longtemps; **she is no ~** littér elle n'est plus

4 (again) **once/twice ~** une fois/deux fois de plus, encore une fois/deux fois; **he's back once ~** il est de nouveau de retour

5 (rather) **~ surprised than angry** plus étonné que fâché; **he's ~ a mechanic than an engineer** il est plus mécanicien qu'ingénieur; **it's ~ a question of organization than of money** c'est plus une question d'organisation que d'argent

B *quantif* **~ cars than people** plus de voitures que de gens; **~ eggs than milk** plus d'œufs que de lait; **~ cars than expected/before** plus de voitures que prévu/qu'avant; **some ~ books** encore quelques livres; **a little/lot ~ wine** un peu/beaucoup plus de vin; **~ bread** encore un peu de pain; **there's no ~ bread** il n'y a plus de pain; **have some ~ beer!** reprenez de la bière; **have you any ~ questions/problems?** avez-vous d'autres questions/problèmes?; **we've no ~ time** nous n'avons plus le temps; **nothing ~** rien de plus; **something ~** autre chose, quelque chose d'autre

C *pron* 1 (larger amount or number) plus; **it costs ~ than the other one** il/elle coûte plus cher que l'autre; **he eats ~ than you** il mange plus que toi; **the children take up ~ of my time** les enfants prennent une plus grande partie de mon temps; **many were disappointed, ~ were angry** beaucoup de gens ont été déçus, un plus grand nombre étaient fâchés; **we'd like to see ~ of you** nous voudrions te voir plus souvent

2 (additional amount) davantage; (additional number) plus; **tell me ~ (about it)** dis-m'en davantage; **I need ~ of them** il m'en faut plus; **I need ~ of it** il m'en faut davantage; **we found several/a few ~ (of them) in the house** nous en avons trouvé plusieurs/quelques autres dans la maison; **I can't tell you any ~** je ne peux pas t'en dire plus; **have you heard any ~ from your sister?** as-tu d'autres nouvelles de ta sœur?; **I have nothing ~ to say** je n'ai rien à ajouter; **in Mexico, of which ~ later...** au Mexique, dont nous reparlerons plus tard...; **let's** *ou* **we'll say no ~ about it** n'en parlons plus

D **more and more** *det phr, adv phr* de plus en plus; **~ and ~ work/time** de plus en plus de travail/de temps; **to work/sleep ~ and ~** travailler/dormir de plus en plus; **~ and ~ regularly** de plus en plus régulièrement

E **more or less** *adv phr* plus ou moins

F **more so** *adv phr* encore plus; **in York, and even ~ so in Oxford** à York et encore plus à Oxford; **it is very interesting, made (even) ~ so because** c'est très intéressant, d'autant plus que; **he is just as active as her, if not ~ so** *ou* **or even ~ so** il est aussi actif qu'elle, si ce n'est plus; **(all) the ~ so because...** d'autant plus que...; **they are all disappointed, none ~ so than Mr Lowe** ils sont tous déçus, en particulier M. Lowe; **no ~ so than usual/the others** pas plus que d'habitude/les autres

G **more than** *adv phr, prep phr* 1 (greater amount or number) plus de; **~ than 20 people/£50** plus de 20 personnes/50 livres sterling; **~ than half** plus de la moitié; **~ than enough** plus qu'assez

2 (extremely) **~ than generous/happy** plus que généreux/ravi; **the cheque ~ than covered the cost** le chèque a amplement couvert les frais; **you ~ than fulfilled your obligations** tu as fait plus que remplir tes obligations

(Idioms) **she's nothing ~ (nor less) than a thief, she's a thief, neither ~ nor less** c'est une voleuse, ni plus ni moins; **he's nothing** *ou* **no** *ou* **not much ~ than a servant** ce n'est qu'un serviteur; **and what is ~...** et qui plus est...; **there's ~ where that came from** ce n'est qu'un début

moreish○ /ˈmɔːrɪʃ/ *adj* **to be ~** avoir un petit goût de revenez-y○

morello (cherry) *n* griotte *f*

moreover /mɔːˈrəʊvə(r)/ *adv* de plus, qui plus est

mores /ˈmɔːreɪz, -riːz/ *npl* mœurs *fpl*

morganatic /ˌmɔːgəˈnætɪk/ *adj* morganatique

morgue /mɔːg/ *n* morgue *f*; **this place is like a ~**○ fig cet endroit est complètement mort

MORI /ˈmɒrɪ/ *n* (*abrév* = **Market and Opinion Research Institute**) *institut de sondage britannique*; **a ~ poll** un sondage d'opinion réalisé par l'institut MORI

moribund /ˈmɒrɪbʌnd/ *adj* moribond

Mormon /ˈmɔːmən/

A *n* (follower) Mormon/-e *m/f*

B *pr n* (prophet) Mormon

C *adj* mormon

Mormonism /ˈmɔːmənɪzəm/ *n* mormonisme *m*

morn /mɔːn/ *n*† *ou* littér potron-minet† *m*

morning /ˈmɔːnɪŋ/ ▸ p. 1059

A *n* matin *m*; (with emphasis on duration) matinée *f*; **during the ~** pendant la matinée; **at 3 o'clock in the ~** à 3 heures du matin; **(on) Monday ~** lundi matin; **on Monday ~s** le lundi matin; **this ~** ce matin; **later this ~** plus tard dans la matinée; **tomorrow/yesterday ~** demain/hier matin; **the previous ~** la veille au matin; **the following ~, the ~ after, the next ~** le lendemain matin; **on the ~ of 2 May** le matin du 2 mai; **on a cold winter's ~** par un matin froid *or* une matinée froide d'hiver; **early** *ou* **first thing in the ~** (dawn) tôt le matin; **all right, I'll do it first thing in the ~** c'est bon, je le ferai dès demain matin; **from ~ till night** du matin au soir; **to work ~s** travailler le matin; **to be on ~s** être du matin; **we've done a good ~'s work** on a eu une bonne matinée de travail

B *modif* [*air, flight, train, news, paper, prayers, star*] du matin; **that early ~ feeling** la torpeur matinale

C *excl* (*also* **good ~**) bonjour!

(Idiom) **the ~ after the night before** un lendemain de cuite○

morning: **~-after pill** *n* pilule *f* du lendemain; **~ coat** *n* jaquette *f*; **~ coffee** *n* pause-café *f*; **~ dress** *n* habit *m*; **~ glory**

m

n volubilis *m*; ~ **room**† *n* salon *m* (*utilisé le matin*); ~ **service** *n* Relig office *m* du matin; ~ **sickness** *n* vomissements *mpl* du matin; ~ **watch** *n* Naut premier quart *m* du jour

Moroccan /mə'rɒkən/ ▸ p. 1467
A *n* Marocain/-e *m/f*
B *adj* marocain

morocco (leather) /mə'rɒkəʊ/
A *n* maroquin *m*
B *modif* [*binding, shoes*] en maroquin

Morocco /mə'rɒkəʊ/ ▸ p. 1096 *pr n* Maroc *m*

moron○ /'mɔːrɒn/ *n* crétin/-e *m/f*

moronic /mə'rɒnɪk/ *adj* débile

moronically /mə'rɒnɪklɪ/ *adv* de façon crétine

morose /mə'rəʊs/ *adj* morose

morosely /mə'rəʊslɪ/ *adv* [*sit, stare*] d'un air morose

morph /mɔːf/
A *n* morphe *m*
B *vi* se morpher (**into** en)

morpheme /'mɔːfiːm/ *n* morphème *m*

Morpheus /'mɔːfɪəs/ *pr n* Morphée
(Idiom) **in the arms of** ~ littér dans les bras de Morphée

morphia† /'mɔːfɪə/ *n* morphine *f*

morphine /'mɔːfiːn/ *n* morphine *f*

morphine: ~ **addict** *n* morphinomane *mf*; ~ **addiction** *n* morphinomanie *f*

morphing /'mɔːfɪŋ/ *n* Cin morphing *m*

morphological /,mɔːfə'lɒdʒɪkl/ *adj* (all contexts) morphologique

morphologically /,mɔːfə'lɒdʒɪklɪ/ *adv* (all contexts) morphologiquement

morphologist /mɔː'fɒlədʒɪst/ ▸ p. 1683 *n* Biol, Ling morphologiste *mf*

morphology /mɔː'fɒlədʒɪ/ *n* (all contexts) morphologie *f*

morris: ~ **dance** *n*: *danse folklorique anglaise*; ~ **dancer** *n*: *danseur folklorique anglais*; ~ **dancing** *n* ¢ *danse folklorique anglaise*; ~ **man** *n*: *danseur folklorique anglais*

morrow‡ /'mɒrəʊ, US 'mɔːr-/ *n* lendemain *m*; **on the** ~ demain; **good** ~! bonjour!

Morse (code) /mɔːs/
A *n* morse *m*; **in** ~ en morse
B *modif* [*signal*] en morse; [*alphabet*] morse *inv*

morsel /'mɔːsl/ *n* **1** lit (of food) morceau *m*; **a tasty** ~ un morceau de choix; **2** fig (of sense, self-respect) once *f* (**of** de)

Morse set *n* morse *m*

mortadella /,mɔːtə'delə/ *n* mortadelle *f*

mortal /'mɔːtl/
A *n* littér mortel/-elle *m/f*
B *adj* **1** gen [*man, life, enemy, danger*] mortel/-elle; [*injury, blow*] fatal; **2** Relig [*sin*] mortel/-elle

mortal combat *n* lutte *f* à mort

mortality /mɔː'tælətɪ/ *n* mortalité *f*; ▸ **infant mortality**

mortality rate *n* taux *m* de mortalité

mortally /'mɔːtəlɪ/ *adv* (all contexts) mortellement

mortal remains *npl* dépouille *f* mortelle

mortar /'mɔːtə(r)/ *n* Constr, Mil, Pharm mortier *m*

mortarboard /'mɔːtəbɔːd/ *n* GB Univ toque *f* (*d'étudiant ou de professeur d'université*)

mortgage /'mɔːgɪdʒ/
A *n* emprunt-logement *m* (**on** pour); **to apply for a** ~ faire une demande d'emprunt-logement; **to raise a** ~ obtenir un emprunt-logement; **to take out a** ~ contracter fml *or* faire un emprunt-logement; **pay off** *ou* **clear a** ~ rembourser un emprunt-logement
B *modif* [*agreement, deed*] hypothécaire
C *vtr* hypothéquer [*property*] (**for** pour) ; **the house is** ~**d to the bank** la maison est en hypothèque à la banque; fig **to** ~ **one's future** hypothéquer son avenir

mortgage broker ▸ p. 1683 *n* courtier *m* en prêts hypothécaires

mortgagee /,mɔːgɪ'dʒiː/ *n* créancier/-ière *m/f* hypothécaire

mortgager, **mortgagor** /'mɔːgɪdʒə(r)/ *n* débiteur/-trice *m/f* hypothécaire

mortgage: ~ **rate** *n* taux *m* de l'emprunt-logement; ~ **relief** *n*: *réduction d'impôt pour emprunt-logement*; ~ **repayment** *n* mensualité *f* de remboursement

mortice *n* ▸ **mortise**

mortician /mɔː'tɪʃn/ ▸ p. 1683 *n* US entrepreneur *m* de pompes funèbres

mortification /,mɔːtɪfɪ'keɪʃn/ *n* (all contexts) mortification *f*

mortify /'mɔːtɪfaɪ/
A *vtr* **1** (embarrass) mortifier [*person*]; **2** Relig mortifier; **to** ~ **the flesh** mortifier sa chair
B **mortifying** *pres p adj* mortifiant
C **mortified** *pp adj* mortifié

mortise /'mɔːtɪs/
A *n* mortaise *f*
B *vtr* mortaiser

mortise: ~ **and tenon joint** *n* Constr assemblage *m* à tenon et mortaise; ~ **lock** *n* serrure *f* encastrée

mortuary /'mɔːtʃərɪ, US 'mɔːtʃʊerɪ/
A *n* morgue *f*
B *adj* mortuaire

mosaic /məʊ'zeɪɪk/
A *n* lit, fig mosaïque *f*
B *modif* [*floor, pattern*] en mosaïque

Mosaic /məʊ'zeɪɪk/ *adj* Bible mosaïque

Moscow /'mɒskəʊ/ ▸ p. 1815 *pr n* Moscou

Moselle, **Mosel** /məʊ'zel/ ▸ p. 1633, p. 1129 *pr n* **1** (river) Moselle *f*; **2** (department) Moselle *f*; **in/to** ~ dans la Moselle; **3** Wine vin *m* de Moselle

Moses /'məʊzɪz/ *pr n* Moïse; **Holy** ~○! grand Dieu!

Moses basket *n* couffin *m*

mosey○ /'məʊzɪ/
A *n* petit tour *m*; **to have a** ~ **round the garden** faire un petit tour dans le jardin
B *vi* se baguenauder; **to** ~ **down the street** descendre la rue en flânant; **I'd better be** ~**ing along** il faut que je m'en aille; **let's** ~ **on down to the pub** allons tranquillement au pub

Moslem /'mɒzləm/
A *n* Musulman/-e *m/f*
B *adj* musulman

mosque /mɒsk/ *n* mosquée *f*

mosquito /məs'kiːtəʊ, mɒs-/ *n* moustique *m*

mosquito: ~ **bite** *n* piqûre *f* de moustique; ~ **net** *n* moustiquaire *f*; ~ **repellent** *n* antimoustique *m*

moss /mɒs, US mɔːs/ *n* Bot mousse *f*
(Idiom) **a rolling stone gathers no** ~ Prov pierre qui roule n'amasse pas mousse Prov

moss: ~**back**○ *n* US réactionnaire *mf*; ~**-covered** *adj* moussu; ~ **green** *n*, *adj* vert (*m*) mousse (*inv*)

moss-grown /'mɒsgrəʊn, US 'mɔːs-/ *adj* **1** lit moussu; **2** (antiquated) vieillot/-otte

moss: ~ **rose** *n* rose *f* moussue; ~ **stitch** *n* point *m* de riz

mossy /'mɒsɪ, US 'mɔːsɪ/ *adj* moussu

most /məʊst/

> ⚠ When used to form the superlative of adjectives *most* is translated by *le plus* or *la plus* depending on the gender of the noun and by *les plus* with plural noun: *the most beautiful woman in the room* = la plus belle femme de la pièce; *the most expensive hotel in Paris* = l'hôtel le plus cher de Paris; *the most difficult problems* = les problèmes les plus difficiles. For examples and further uses see the entry below

A *det* **1** (the majority of, nearly all) la plupart de; ~ **people/computers** la plupart des gens/des ordinateurs; **2** (superlative: more than all the others) le plus de; **she got the** ~ **votes/money** c'est elle qui a obtenu le plus de voix/d'argent; **we had (the)** ~ **success/problems in China** c'est en Chine qu'on a eu le plus de succès/de problèmes; **those with (the)** ~ **intelligence** ceux qui sont les plus intelligents
B *pron* **1** (the majority) la plupart (**of** de); ~ **of the people/of the computers** la plupart des gens/des ordinateurs; ~ **of you/us** la plupart d'entre vous/nous; ~ **of the bread/wine** presque tout le pain/vin; ~ **of the money** la plus grosse part de l'argent; **for** ~ **of the day/evening** pendant la plus grande partie de la journée/soirée; ~ **agreed** la plupart étaient d'accord; ~ **were blue** la plupart étaient bleus; **2** (the maximum) **the** ~ **you can expect is...** tout ce que tu peux espérer c'est...; **the** ~ **I can do is...** tout ce que je peux faire, c'est..., le mieux que je puisse faire, c'est...; **what's the** ~ **we'll have to pay?** au maximum, combien aurons-nous à payer?; **3** (more than all the others) le plus; **John has got the** ~ c'est John qui en a le plus
C *adv* **1** (used to form superlative) **the** ~ **beautiful château in France** le plus beau château de France; ~ **easily** le plus facilement; **the** ~ **beautifully written poetry** de très beaux poèmes; ~ **interestingly (of all), he...** le plus intéressant c'est qu'il...; **2** (very) très, extrêmement; ~ **encouraging/amusing/odd** très *or* extrêmement encourageant/amusant/bizarre; ~ **probably** très vraisemblablement; **3** (more than all the rest) le plus; **what** ~ **annoyed him** *ou* **what annoyed him** ~ **(of all) was** ce qui l'ennuyait le plus c'était que; **those who will benefit/suffer** ~ **from...** ceux qui profiteront/souffriront le plus de...; **4** ○US (almost) presque; ~ **everyone** presque tout le monde
D **at (the) most** *adv phr* au maximum, au plus
E **for the most part** *adv phr* (most of them) pour la plupart; (most of the time) la plupart du temps; (basically) essentiellement, surtout; **for the** ~ **part, they...** pour la plupart, ils...; **for the** ~ **part he works in his office** la plupart du temps, il travaille dans son bureau; **the book is, for the** ~ **part, about sex** le livre parle essentiellement *or* surtout de sexe; **his experience is, for the** ~ **part, in publishing** son expérience est surtout *or* essentiellement dans l'édition
F **most of all** *adv phr* par-dessus tout
(Idiom) **to make the** ~ **of** tirer le meilleur parti de [*situation, resources, looks, rest, abilities, space*]; profiter de [*holiday, opportunity, good weather*]

mostly /'məʊstlɪ/ *adv* **1** (chiefly) surtout, essentiellement; (most of them) pour la plupart; **he composes,** ~ **for the piano** il compose surtout pour le piano; **200 people,** ~ **Belgians** 200 personnes, des Belges pour la plupart; **2** (most of the time) la plupart du temps, en général; ~ **we travelled by train** la plupart du temps *or* en général, nous avons pris le train; ~ **he stays in his room** la plupart du temps *or* en général, il reste dans sa chambre

MOT /,eməʊ'tiː/ GB Aut (*abrév* = **Ministry of Transport**)
A *n* (*also* ~ **test**, ~ **inspection**) contrôle *m* technique des véhicules; **to take one's car in for its** ~ amener sa voiture au contrôle technique; **to pass/fail the** ~ obtenir/ne pas obtenir le certificat de contrôle; **'**~ **until June'** 'certificat de contrôle valable jusqu'à juin'
B *modif* [*certificate, centre*] de contrôle technique
C *vtr* effectuer le contrôle technique de [*car*]

mote /məʊt/ *n* grain *m*
(Idiom) **to see the** ~ **in one's neighbour's eye but not the beam in one's own** voir la paille

m

dans l'œil du voisin et ne pas voir la poutre dans le sien

motel /məʊ'tel/ *n* motel *m*

motet /məʊ'tet/ *n* motet *m*

moth /mɒθ, US mɔ:θ/ *n* 1 gen papillon *m* de nuit; 2 (in clothes) mite *f*

mothball /'mɒθbɔ:l, US 'mɔ:θ-/
A *n* boule *f* de naphtaline; **to put sth in/take sth out of ~s** fig mettre qch au/sortir qch du placard fig
B *vtr* mettre [qch] en sommeil [*pit, shipyard*]

moth-eaten /'mɒθi:tn, US 'mɔ:θ-/ *adj* 1 (shabby) miteux/-euse; 2 (damaged by moths) mité

mother /'mʌðə(r)/
A *n* 1 (parent) mère *f*; **a ~ of two** une mère de deux enfants; **she's like a ~ to me** c'est une mère pour moi; 2 (form of address) (to mother) mère *f* fml, maman *f*; 3 ◑US **a ~ of** un bon dieu de○
B **Mother** *pr n* Relig Mère *f*; **Reverend Mother** révérende Mère
C *vtr* 1 lit materner [*young*]; 2 (fuss over) dorloter also pej
(Idioms) **every ~'s son (of them)** tous sans exception; **to learn sth at one's ~'s knee, to take sth in with one's ~'s milk** apprendre qch dans sa plus tendre enfance

motherboard *n* carte *f* mère

mother church, **Mother Church** *n* (Catholic church) notre sainte mère *f* l'Église

mother: **~ country** *n* mère patrie *f*; **~ earth** *n* notre bonne vieille terre *f*; **~ figure** *n* image *f* de la mère; **~fucker●** *n* fils *m* de pute●; **~fucking●** *adj* putain● de *inv* (*before n*); **Mother Goose** *n* ma Mère *f* l'Oye; **~ hen** *n* fig mère *f* poule

motherhood /'mʌðəhʊd/ *n* fait *m* d'être mère; **the responsibilities of ~** les responsabilités incombant à une mère de famille; **to combine ~ with a career** combiner les enfants et le travail

mothering /'mʌðərɪŋ/ *n* 1 ¢ (motherly care) soins *mpl* maternels; 2 (being a mother) fait *m* d'être mère

Mothering Sunday *n* GB fête *f* des Mères

mother: **~-in-law** *n* (*pl* **mothers-in-law**) belle-mère *f*; **~-in-law's tongue** *n* Bot sansevière *f*; **~land** *n* (all contexts) patrie *f*

motherless /'mʌðəlɪs/ *adj* [*child*] orphelin de mère; [*animal*] sans mère

mother love *n* amour *m* maternel

motherly /'mʌðəlɪ/ *adj* maternel/-elle

mother: **~-naked** *adj* tout nu, nu comme un ver; **Mother Nature** *n* Dame *f* Nature; **Mother of God** *n* mère *f* de Dieu

mother-of-pearl /ˌmʌðərəv'pɜ:l/
A *n* nacre *f*
B *modif* [*necklace, brooch, box*] de *or* en nacre

mother: **~-of-thousands** *n* ruine-de-Rome *f*, cymbalaire *f* spec; **~'s boy** *n* petit garçon *m* à sa maman○; **Mother's Day** *n* fête *f* des Mères; **~'s help** GB, **~'s helper** US *n* aide *f* maternelle; **~ ship** *n* ravitailleur *m*; **Mother Superior** *n* Mère *f* supérieure; **~-to-be** *n* future mère *f*, future maman *f*

mother tongue *n* 1 (native tongue) langue *f* maternelle; 2 (from which another evolves) langue *f* mère

mother wit *n* bon sens *m*

mothproof /'mɒθpru:f, US 'mɔ:θ-/ *vtr* traiter [qch] à l'antimite

motif /məʊ'ti:f/ *n* (in art, music) motif *m*; (in literature) thème *m*

motion /'məʊʃn/
A *n* 1 (movement) mouvement *m*; **to be in ~** être en mouvement; **to set sth in ~** lit mettre qch en marche [*pendulum*]; fig mettre qch en route [*plan*]; déclencher [*chain of events*]; **to set the wheels in ~** fig mettre les choses en route; **perpetual ~** mouvement *m* perpétuel; 2 (gesture) (of hands) geste *m*; (of head, body) mouvement *m*; 3 Admin, Pol motion *f*; **to table/second the ~** déposer/appuyer la motion; **to carry/defeat the ~ by 10 votes to 8** adopter/rejeter la motion par 10 voix contre 8; **a ~ of censure** une motion de censure; 4 Med selles *fpl*; **to have a ~** aller à la selle
B *vtr* **to ~ sb away/back** faire signe à qn de s'éloigner/reculer; **to ~ sb to approach** faire signe à qn de s'approcher
C *vi* faire signe (**to** à)
(Idioms) **to go through the ~s** faire qch machinalement; **to go through the ~s of doing** faire mine de faire

motionless /'məʊʃnlɪs/ *adj* [*sit, stand*] sans bouger; [*hawk, cloud*] immobile; **they sat ~** ils restèrent assis sans bouger

motion picture
A *n* film *m*
B *modif* [*industry*] du cinéma; [*director*] de cinéma

motion sickness *n* mal *m* des transports

motivate /'məʊtɪveɪt/
A *vtr* (all contexts) motiver (**to do** à faire)
B **motivating** *pres p adj* [*force, factor*] motivant
C *v refl* **to ~ oneself** se motiver

motivated /'məʊtɪveɪtɪd/ *adj* 1 [*person, pupil*] motivé; **highly** *ou* **well ~** très motivé; 2 **politically/racially ~** [*act*] politique/raciste

motivation /ˌməʊtɪ'veɪʃn/ *n* (all contexts) motivation *f* (**for** de; **for doing, to do** pour faire)

motivation(al) research *n* étude *f* de motivation

motivator /'məʊtɪveɪtə(r)/ *n* (person, thing) élément *m* moteur; **the team ~** le moteur de l'équipe; **to be a** *ou* **act as a ~** jouer un rôle moteur

motive /'məʊtɪv/
A *n* 1 gen motif *m* (**for, behind** de); **sb's ~ in doing** le motif qui pousse qn à faire; **a political ~** un motif politique; **base/noble ~s** des motifs ignobles/nobles; 2 Jur mobile *m* (**for** de)
B *adj* lit [*force, power*] moteur/-trice; **she was the ~ force behind the decision** fig elle était à l'origine de la décision

motiveless /'məʊtɪvlɪs/ *adj* [*crime, act*] gratuit

motivelessly /'məʊtɪvlɪslɪ/ *adv* gratuitement

motley /'mɒtlɪ/
A *n* (jester's costume) habit *m* bariolé du bouffon
B *adj* 1 [*crowd, gathering*] bigarré; [*collection*] hétéroclite; **a ~ crew** hum un groupe curieusement assorti; 2 [*coat*] bariolé

motocross /'məʊtəkrɒs/ ▸ p. 1253 *n* motocross *m*

motor /'məʊtə(r)/
A *n* 1 Elec, Mech (engine) moteur *m*; 2 fig **to be the ~ for sth** être le moteur de qch; 3 ○†(car) bagnole○ *f*
B *modif* 1 Aut [*industry, insurance, manufacturer, mechanic, racing, trade, vehicle*] automobile; [*exhibition, show*] de l'automobile; 2 Med [*activity, area of brain, disorder, function, nerve*] moteur/-trice
C *vi* 1 †(travel by car) voyager en voiture, rouler; **to ~ along/away** passer/s'éloigner en roulant *or* en voiture; **to ~ down to the coast** rouler vers la côte; 2 ○(go fast) tracer○; **she's really ~ing through the work** elle abat vraiment de la besogne

motorail /'məʊtəreɪl/ *n* GB train *m* auto-couchettes

motor: **~bike** *n* moto *f*; **~boat** *n* canot *m* automobile; **~cade** *n* cortège *m* (de véhicules); **~ car†** *n* automobile† *f*; **~ court**, **~ inn** *n* US = **motor lodge**; **~cycle** *n* motocyclette *f*; **~cycle escort** *n* escorte *f* de motards; **~cycle messenger** *n* coursier/-ière *m/f* à moto; **~cycling** ▸ p. 1253 *n* motocyclisme *m*; **~cyclist** *n* motocycliste *mf*; **~ home** *n* auto-caravane *f*, camping-car *m*

motoring /'məʊtərɪŋ/
A †*n* promenade *f* en voiture; **to go ~** aller se promener en voiture
B *modif* [*organization, correspondent, magazine*] automobile; [*accident*] de voiture; [*holiday*] en voiture; [*offence*] de conduite

motorist /'məʊtərɪst/ *n* automobiliste *mf*

motorization /ˌməʊtəraɪ'zeɪʃn, US -rɪ'z-/ *n* motorisation *f*

motorize /'məʊtəraɪz/
A *vtr* 1 motoriser [*vehicle, troops, police*]; 2 équiper [qch] d'un moteur [*system, camera, device*]
B **motorized** *pp adj* [*transport, vehicle, regiment*] motorisé; [*camera, device*] équipé d'un moteur

motor: **~ launch** *n* vedette *f*; **~ lodge** *n* US motel *m*; **~man** ▸ p. 1683 *n* US machiniste *m*; **~ mechanic** ▸ p. 1683 *n* mécanicien/-ienne *m/f* auto(mobile); **~mouth○** *n* moulin *m* à paroles○; **~ mower** *n* tondeuse *f* à moteur; **~ neurone disease** ▸ p. 1327 *n* maladie *f* de Charcot, sclérose *f* latérale amyotrophique spéc; **~ oil** *n* huile *f* de graissage; **~ scooter** *n* scooter *m*

motorway /'məʊtəweɪ/ GB
A *n* autoroute *f*
B *modif* [*markings, police, service station, telephone*] de l'autoroute; [*traffic, network, system, junction, building programme*] autoroutier/-ière; [*crash, pile-up*] sur l'autoroute; [*driving*] sur autoroute

Motown® /'məʊtaʊn/ *pr n*, *modif* Motown® (*m*)

mottled /'mɒtld/ *adj* [*skin, paper, file, binding*] marbré; [*hands*] tacheté; [*markings, design*] flou

motto /'mɒtəʊ/ *n* 1 (of person, institution) devise *f*, **that's my ~** c'est ce que je me dis; 2 GB (in cracker) (joke) blague *f*; (riddle) devinette *f*

mould GB, **mold** US /məʊld/
A *n* 1 (shape) moule *m*; **ring ~** ≈ moule à savarin; **candle ~** moule à chandelles; 2 fig moule *m*; **in the ~ of** dans le moule de; **in the same ~** dans le même moule; **to be cast in/to fit into a ~** être coulé dans/entrer dans un moule; **to break the ~** innover; 3 (pudding, jelly) entremets *m* froid; **rice ~** gâteau *m* de riz; 4 (fungi) moisissure *f*; 5 (soil) terreau *m*
B *vtr* 1 lit modeler [*plastic, clay*] (**into sth** pour en faire qch); modeler [*sculpture, shape*] (**out of, from, in** en); **to ~ sth around sth** mouler qch sur qch; 2 fig façonner [*opinion, character, society*] (**into** pour en faire)
C *vi* **to ~ to sth, to ~ round sth** mouler qch; **to be ~ed to sb's body** [*dress etc*] mouler (le corps de) qn
D **moulded** *pp adj* [*plastic, chair, frame*] moulé

mould-breaker *n* novateur/-trice *m/f*; **to be a ~** [*person, design, book, film*] être novateur/-trice; [*machine etc*] être une innovation

mould-breaking *adj* innovateur/-trice

moulder GB, **molder** US /'məʊldə(r)/ *vi* (also **~ away**) 1 lit [*building, ruins*] tomber en poussière; [*corpse, refuse*] se décomposer; 2 fig [*person*] pourrir

moulding GB, **molding** US /'məʊldɪŋ/ *n* 1 (of clay, model) moulage *m*; 2 (of opinion, character) modelage *m*; 3 (trim on wall, frame, car) moulure *f*

mouldy GB, **moldy** US /'məʊldɪ/ *adj* [*bread, food*] moisi; **a ~ smell** une odeur de moisi; **to go ~** moisir

moult GB, **molt** US /məʊlt/
A *n* mue *f*
B *vtr* perdre [*fur, feathers*]
C *vi* [*cat, dog*] perdre ses poils; [*bird*] muer

mound /maʊnd/ *n* 1 (hillock) monticule *m*, tertre *m*; 2 (heap) monceau *m* (**of** de); 3 US Sport monticule *m* du lanceur

m

mount /maʊnt/
A *n* **1** (mountain) mont *m*; **Mount Etna/Everest** le mont Etna/Everest; **2** (horse) monture *f*; **3** (support, surround) (for jewel, lens) monture *f*; (for picture) carton *m* de montage; (for microscope, slide) lame *f*; (for film slide) cadre *m*
B *vtr* **1** (ascend) gravir, monter [*stairs*]; monter sur [*platform, scaffold*]; monter sur, enfourcher [*horse, bicycle*]; **to ~ the throne** fig monter sur le trône; **to ~ the pavement** Aut monter sur le trottoir; **2** (fix into place) monter [*jewel, picture, photo*] (**on** sur); coller [*stamp*]; monter [*exhibit, specimen*]; mettre [qch] en position [*gun*]; Aut, Tech installer [*engine, device*]; **3** (set up, hold) monter [*exhibition, campaign*]; monter [*production*]; organiser [*demonstration*]; Mil monter [*attack*]; Fin lancer [*raid*]; **to ~ guard** monter la garde (**at, over** sur); **4** Zool (in copulation) monter; **5** Equit monter
C *vi* **1** [*climber, staircase*] monter (**to** jusqu'à); **the blood ~ed to his cheeks** le sang lui est monté au visage; **2** (increase) [*temperature, debts, prices*] monter; [*number, toll*] augmenter; [*concern*] grandir; **3** Equit se mettre en selle
D **mounting** *pres p adj* [*pressure, problems, tension etc*] croissant, de plus en plus important; [*bills*] de plus en plus élevé

mountain /ˈmaʊntɪn, US -ntn/
A *n* lit montagne *f*; fig montagne *f*, monceau *m* (**of** de); **in the ~s** à la montagne; **a ~ of debts** une montagne de dettes; **I've got ~s of work to do** j'ai énormément de travail à faire; **meat/butter ~** Econ excédents *mpl* de viande/de beurre
B *modif* [*road, stream, scenery*] de montagne; [*air*] de la montagne; [*tribe*] des montagnes
(Idiom) **to make a ~ out of a molehill** faire une montagne d'une taupinière

mountain: **~ ash** *n* sorbier *m* des oiseleurs; **~ bike** *n* vélo *m* tout-terrain, VTT *m*; **~ biker** *n* vététiste *mf*; **~ cat** *n* (puma) puma *m*; (lynx) lynx *m inv*; **~ climbing** ▸ p. 1253 *n* alpinisme *m*; **Mountain Daylight Time**, **MDT** *n* US heure *f* d'été des Montagnes Rocheuses; **~ dew**○ *n* whisky *m* de contrebande

mountaineer /ˌmaʊntɪˈnɪə(r), US -ntnˈɪər/ ▸ p. 1683 *n* **1** (climber) alpiniste *mf*; **2** US (mountain-dweller) montagnard/-e *m/f*

mountaineering /ˌmaʊntɪˈnɪərɪŋ, US -ntnˈɪərɪŋ/ ▸ p. 1253 *n* alpinisme *m*

mountain: **~ goat** *n* chèvre *f* chamoisée; **~ lion** *n* puma *m*, couguar *m*

mountainous /ˈmaʊntɪnəs, US -ntənəs/ *adj* [*region, landscape, country*] montagneux/-euse; fig (huge) [*wave, heap*] gigantesque

mountain: **~ range** *n* chaîne *f* de montagnes; **~ sickness** *n* mal *m* des montagnes; **~side** *n* flanc *m* or versant *m* d'une montagne; **Mountain Standard Time**, **MST** *n* US heure *f* des Montagnes Rocheuses; **Mountain (Standard) Time**, **M(S)T** *n* US heure *f* normale des Rocheuses; **~ top** *n* cime *f*

mountebank /ˈmaʊntɪbæŋk/ *n* littér charlatan *m*

mount: **~ed police** *n* (+ *v pl*) police *f* montée; **~ed policeman** *n* (*pl* **~ed policemen**) membre *m* de la police montée

Mountie /ˈmaʊntɪ/ *n* membre *m* de la police montée canadienne; **the ~s** la police montée canadienne

mounting block *n* montoir *m*

mourn /mɔːn/
A *vtr* pleurer [*person, death*]
B *vi* (observe ritual) porter le deuil; **to ~ for sth/sb** pleurer qch/qn

mourner /ˈmɔːnə(r)/ *n* (relation) parent *m* du défunt; (other) personne *f* assistant aux obsèques; **to be the chief ~** mener le deuil

mournful /ˈmɔːnfl/ *adj* [*person, expression, look, sound*] mélancolique, triste; **to look ~** avoir un air mélancolique

mournfully /ˈmɔːnfəlɪ/ *adv* mélancoliquement

mourning /ˈmɔːnɪŋ/ *n* **1** (state, clothes) deuil *m*; **to be in ~** être en deuil (**for** de); **to be in deep ~** être en grand deuil; **to wear ~** porter le deuil; **to go into/come out of ~** prendre/quitter le deuil; **2** ₵ (wailing) lamentations *fpl*

mourning: **~ band** *n* crêpe *m*; **~ clothes** *npl* vêtements *mpl* de deuil

mouse /maʊs/
A *n* (*pl* **mice**) lit, fig, Comput souris *f*
B *modif* Comput [*button, click*] de souris; [*pointer*] de la souris
C *vi* [*cat*] chasser les souris
(Idioms) **as quiet as a ~** aussi discret qu'une souris; **to play cat and ~** jouer au chat et à la souris (**with sb** avec qn)
■ **mouse over**: ▸ **~ over [sth]** passer la souris sur [*icon, button*]

mousehole /ˈmaʊshəʊl/ *n* trou *m* de souris

mousemat /ˈmaʊsmæt/ *n* Comput tapis *m* de souris

mouser /ˈmaʊsə(r)/ *n* souricier *m*

mousetrap /ˈmaʊstræp/ *n* souricière *f*

mousey /ˈmaʊsɪ/ *adj* **1** (colour) [*hair, colour*] châtain terne *inv*; **2** (timid) péj effacé; **3** [*odour*] de souris

moussaka /muːˈsɑːkə/ *n* moussaka *f*

mousse /muːs/ *n* (all contexts) mousse *f*

moustache /məˈstɑːʃ/ **mustache** US /ˈmʌstæʃ/ *n* moustache *f*; **a man with a ~** un homme moustachu

moustachio, **mustachio** US /məˈstɑːʃɪəʊ, US -stæʃ-/ *n* grosse moustache *f*

moustachioed, **mustachioed** US /məˈstɑːʃɪəʊd, US -stæʃ-/ *adj* à grosse moustache

mousy *adj* = **mousey**

mouth /maʊθ/
A *n* **1** (of human, horse) bouche *f*; (of other animal) gueule *f*; **in one's ~** dans la bouche; **to have five ~s to feed** avoir cinq bouches à nourrir; **to open/shut one's ~** ouvrir/fermer la bouche; **with my/his etc ~ open** bouche bée *inv*; **why did you have to open your (big) ~○?** qu'est-ce qui t'a pris d'ouvrir ta grande gueule◑?; **he's got a big ~○** il a une grande gueule◑; **me and my big ~○!** moi et ma grande gueule◑!; **2** (of cave, tunnel) entrée *f*; (of river) embouchure *f*; (of geyser, volcano) bouche *f*; (of valley) débouché *m*; (of jar, bottle, decanter) goulot *m*; (of bag, sack) ouverture *f*; **3** ○(talk) **he's all ~ (and no action)** il cause, c'est tout ce qu'il sait faire○; **that's enough ~ from you!** je t'ai assez entendu!; **to watch one's ~** surveiller son langage
B *vtr* **1** (move lips silently) articuler silencieusement [*word, lyrics, answer*]; **2** péj (say insincerely) débiter [*platitudes, rhetoric*]
C *vi* **1** (mime) mimer; **2** US (speak affectedly) déclamer
(Idioms) **by word of ~** de bouche à oreille; **don't put words in my ~** ne me fais pas dire ce que je n'ai pas dit; **his heart was in his ~** son cœur battait la chamade; **to be down in the ~** être tout triste; **to leave a bad** *ou* **nasty taste in one's** *ou* **the ~** fig laisser un arrière-goût amer; **to put one's foot in one's ~** faire une gaffe○; **to shoot one's ~ off** parler sans réfléchir; **to take the words right out of sb's ~** ôter les mots de la bouche de qn; **wash your ~ out!** ne dis pas de gros mots!; **I'll wash your ~ out with soap!** je vais te faire passer l'envie de dire des gros mots!
(Phrasal verb) ■ **mouth off**○ péj: ▸ **~ off** **1** (shout) tempêter (**about** à propos de; **at sb** contre qn); **2** US (be impudent) répondre insolemment; **3** US (speak indiscreetly) dégoiser○; ▸ **~ off [sth]** déballer○ [*opinions, prejudices*]

mouthful /ˈmaʊθfʊl/ *n* **1** (of food) bouchée *f*; (of liquid) gorgée *f*; **to swallow a meal in one ~** ne faire qu'une bouchée d'un repas; **2** ○(long hard word) mot *m* long d'un kilomètre○; (long hard name) nom *m* à coucher dehors○; **3** ○(abuse) engueulade○ *f*; **to give sb a ~** passer une engueulade○ à qn; **to get a ~** recevoir une engueulade○; **a ~ of obscenities/of curses** un chapelet d'obscénités/de jurons; **4** ○US (pertinent remark) remarque *f* importante

mouth organ ▸ p. 1462 *n* harmonica *m*

mouthpiece /ˈmaʊθpiːs/ *n* **1** (of musical instrument) embouchure *f*; (of telephone) microphone *m*; (of pipe, snorkel) embout *m*; **2** (person) souvent péj porte-parole *m* (**of, for** de); fig (newspaper) souvent péj organe *m* (**of** de)

mouth: **~-to-mouth** *adj* [*technique, method*] du bouche-à-bouche *inv*; **~-to-mouth resuscitation** *n* bouche-à-bouche *m inv*; **~ ulcer** *n* aphte *m*; **~wash** *n* eau *f* dentifrice

mouth-watering /ˈmaʊθwɔːtərɪŋ/ *adj* appétissant; **to look ~** faire venir l'eau à la bouche

mouthy○ /ˈmaʊðɪ/ *adj* grande gueule○ *inv*

movable /ˈmuːvəbl/ *adj* **1** gen mobile; **2** Jur [*goods, property*] mobilier/-ière
(Idiom) **a ~ feast** une fête mobile; **it's a ~ feast** fig hum c'est une réjouissance dont la date n'est pas connue

movables /ˈmuːvəblz/ *npl* biens *mpl* mobiliers

move /muːv/
A *n* **1** (movement) gen mouvement *m*; (gesture) geste *m*; **one ~ and you're dead!** un geste et vous êtes mort!; **to watch sb's every ~** surveiller chacun des gestes de qn; **don't make any sudden ~s** ne fais pas de mouvement brusque; **there was a ~ towards the door** il y a eu un mouvement vers la porte; **let's make a ~○** si on bougeait○?; **it's time I made a ~○** il est temps de partir
2 (transfer) (of residence) déménagement *m*; (of company) transfert *m*; **the ~ took a day** le déménagement a pris une journée; **the firm's ~ out of town** le transfert de la société à l'extérieur de la ville; **our friends helped with the ~** nos amis nous ont aidés à déménager; **our ~ to Brighton** notre installation à Brighton; **to make the ~ to London** [*family*] s'installer à Londres; [*firm*] être transféré à Londres; [*employee*] être muté à Londres; **she made the ~ from sales to management** elle est passée des ventes à la direction; **she's due for a ~** il est temps de la muter
3 Games coup *m*; **his last/next ~** son dernier/prochain coup; **white has the first ~** les blancs jouent en premier; **it's your ~** c'est ton tour, c'est à toi de jouer
4 (step, act) manœuvre *f*; **a good/bad ~** une bonne/mauvaise idée; **what's our next ~?** que faisons-nous ensuite?; **to make the first ~** faire le premier pas; **they have made no ~(s) to allay public anxiety** ils n'ont rien fait pour rassurer l'opinion publique; **there has been a ~ towards liberalization** il y a eu une évolution dans le sens de la libéralisation; **in a ~ to counter opposition attacks...** pour tenter de parer les attaques de l'opposition...
B **on the move** *adj phr* **to be on the ~** [*army*] être en mouvement; [*train*] être en marche; **to be always on the ~** [*diplomat, family*] être tout le temps en train de déménager; [*nomad, traveller*] être toujours sur les routes *or* par monts et par vaux; **the circus is on the ~ again** le cirque repart à nouveau; **a society on the ~** fig une société en pleine évolution
C *vtr* **1** (change position of) déplacer [*game piece, cursor, bus stop, car, furniture*]; transporter [*injured person, patient, army*]; (to clear a space) enlever [*object*]; **~ your things!** enlève tes affaires!; **to ~ sb to another hospital** transporter qn dans un autre hôpital; **he's too ill to be ~d** il est trop malade pour être transporté; **to ~ sth off** enlever qch de [*table, chair*]; **to ~ sth out of** enlever qch de [*room, house*]; **~ the chair out of the way** enlève la chaise de là; **~ your head, I can't see!** pousse

ta tête, je ne vois rien!; **to ~ sth into** transporter qch dans [*room, garden*]; **to ~ sth upstairs/downstairs** monter/descendre qch; **to ~ sth further away/closer** éloigner/rapprocher qch; **to ~ troops to the front** envoyer des troupes au front

2▶ (set in motion) [*person*] bouger, remuer [*limb, finger, head*]; [*wind, water, mechanism*] faire bouger [*leaf, branch, wheel, cog*]

3▶ (to new location or job) muter [*employee, staff*]; transférer [*office, headquarters*]; **I've asked to be ~d** j'ai demandé à être muté

4▶ (to new house, site) déménager [*furniture, belongings, equipment*]; **to ~ house** déménager; **a local firm ~d us** une entreprise locale a fait notre déménagement

5▶ (affect) émouvoir [*person*]; **to be ~d by sth** être ému par qch; **~d to tears** ému aux larmes

6▶ (prompt, motivate) **to ~ sb to/to do** [*circumstance*] amener qn à/à faire; **he was ~d to act by the letter** la lettre l'a incité à agir; **I felt ~d to protest** j'ai senti que je devais protester

7▶ (propose) proposer [*amendment, adjournment*]; **to ~ that the matter (should) be put to the vote** proposer que la question soit soumise au vote

8▶ (sell, shift) vendre [*goods, stock*]

D *vi* 1▶ (stir, not stay still) [*person, branch, earth*] bouger; [*lips*] remuer; **don't ~!** ne bouge pas!; **it won't ~** cela ne bouge pas; **will you please ~!** veux-tu te pousser?; **I can't ~ for plants in here** GB je ne peux pas bouger ici, tellement il y a de plantes; **you can't ~ for tourists in town** GB on ne peut rien faire en ville, tellement il y a de touristes

2▶ (proceed, travel) [*vehicle*] rouler; [*person*] avancer; [*procession, army*] être en marche; **we were moving at about 65 kilometres an hour** nous roulions à environ 65 kilomètres à l'heure; **we'd better keep moving** nous ferions mieux de continuer; **we must get things moving** fig nous devons faire avancer les choses; **things are starting to ~ on the job front** les choses commencent à avancer côté travail; **go on, get moving!** allez, avance!; **to ~ into** entrer dans; **to ~ out of** sortir de; **we are moving into a new era in science** nous entrons dans une nouvelle ère de la science; **to ~ along/across** avancer le long de/à travers; **his fingers ~d rapidly over the keys** ses doigts couraient sur les touches; **to ~ back** reculer; **to ~ forward** s'avancer; **to ~ away** s'éloigner; **she has ~d away from this view** elle a changé d'avis; **to ~ away from the window** s'écarter de la fenêtre; **to ~ up** monter; **to ~ down** descendre; **public opinion has ~d to the right** l'opinion publique a glissé vers la droite

3▶ ○(proceed quickly) **that cat can really ~!** ce chat est très vif!; **that traffic cop's○ really moving!** t'as vu comme il bombe ce motard○!

4▶ (change home, location) [*person, family, firm, shop*] déménager; **to ~ to** s'installer à [*countryside, Paris*]; s'installer en [*Scotland, France*]; **to ~ to a bigger/smaller house** s'installer dans une maison plus grande/plus petite; **to ~ to Avenue Gambetta/Oxford Street** s'installer avenue Gambetta/dans Oxford Street; **to ~ back to England** se réinstaller en Angleterre

5▶ (change job) être muté; **to ~ to** être muté à [*accounts, different department*]

6▶ (act) agir; **to ~ on** intervenir sur [*problem, question*]; **to ~ to do** intervenir pour faire; **he ~d swiftly to deny the allegations** il s'est empressé de démentir les allégations

7▶ Games [*player*] jouer; [*piece*] se déplacer

8▶ Comm (sell, be sold) se vendre; **this line is moving fast** ces articles se vendent bien

E ○*v refl* **to ~ oneself** se pousser; **~ yourself!** (get out of way) pousse-toi!; (hurry up) avance!

(Idioms) **to get a ~ on○** se magner○, se dépêcher; **to make a ~ on sb○** draguer○ qn; **to ~ with the times** vivre avec son temps; **to put the ~s on sb○** US faire des avances à qn

(Phrasal verbs) ■ **move about, move around**: ▶ **~ about** 1▶ (to different position) [*person*] remuer; [*object*] bouger; 2▶ (to different home) déménager; ▶ **~ [sb/sth] about** déplacer [*object, furniture*]; **they ~ him around a lot between branches/departments** on le fait souvent changer de succursale/service

■ **move along**: ▶ **~ along** 1▶ (stop loitering) circuler; (proceed) avancer; (squeeze up) se pousser; **~ along please!** (on bus) avancez un peu dans le fond s'il vous plaît!; 2▶ fig (progress) **things are moving along nicely** les choses se mettent en place; ▶ **~ [sb/sth] along** faire circuler [*loiterers, crowd*]; faire avancer [*herd, group*]

■ **move away**: ▶ **~ away** (by moving house) déménager; (by leaving scene of activity) partir; **to ~ away from** quitter [*area, accident scene*]; ▶ **~ [sb/sth] away, ~ away [sb/sth]** faire reculer [*crowd*]; déplacer [*obstruction*]

■ **move down**: ▶ **~ down** (in list, hierarchy) descendre; ▶ **~ [sb] down, ~ down [sb]** 1▶ GB Sch faire repasser [qn] au niveau inférieur [*pupil*]; 2▶ gen (in division, ranking) faire redescendre [*team, player*]; ▶ **~ [sth] down, ~ down [sth]** (to lower shelf etc) mettre [qch] plus bas

■ **move in**: ▶ **~ in** 1▶ (to house) emménager; **to ~ in with** s'installer avec [*friend, relative*]; aller vivre avec [*lover*]; 2▶ (advance, attack) [*troops, police, bulldozer*] s'avancer; **to ~ in on** [*police, attackers, demolition men*] s'avancer sur [*person, site*]; [*corporate raider, racketeer*] lancer une opération sur [*market, company*]; 3▶ (intervene) [*company, government*] intervenir; ▶ **~ [sb] in, ~ in [sb]** 1▶ (place in housing) [*authorities, council*] installer [*family etc*]; 2▶ (change residence) **a friend helped to ~ me in** un ami m'a aidé à emménager

■ **move off** [*procession, parade*] partir; [*vehicle*] se mettre en route; [*troops*] se mettre en marche

■ **move on**: ▶ **~ on** 1▶ [*person, traveller*] se mettre en route; [*vehicle*] repartir; [*time*] passer; **to ~ on to** aller à [*Manchester, Lille etc*]; **to ~ on to a new town** aller dans une autre ville; passer à [*next item*]; **to ~ on to consider sth** passer à qch; **to ~ on to sth better** faire quelque chose de mieux; **let's ~ on** (in discussion) passons au point suivant; 2▶ (keep moving) [*crowd, traffic*] circuler; 3▶ (develop) **things have ~d on since** depuis, les choses ont changé; **I'm OK now, I've ~d on** ça va maintenant, c'est du passé; ▶ **~ [sth] on, ~ on [sth]** GB faire avancer [*discussion*]; avancer [*clock hands*]; ▶ **~ [sb] on, ~ on [sb]** GB faire circuler [*busker, street trader*]

■ **move out**: ▶ **~ out** (of house) déménager; (of camp) [*soldiers, tanks*] quitter les lieux; **to ~ out of** quitter [*house, office, area*]; ▶ **~ [sb/sth] out, ~ out [sb/sth]** évacuer [*residents*]; enlever [*object*]

■ **move over**: ▶ **~ over** 1▶ se pousser; **~ over!** pousse-toi!; 2▶ fig (for younger generation etc) céder la place (**for sb** à qn); ▶ **~ [sb/sth] over** déplacer [*person, object*]; **~ it over to the left** déplace-le vers la gauche

■ **move up**: ▶ **~ up** 1▶ (make room) se pousser; 2▶ (be promoted) [*employee*] recevoir une promotion; **to ~ up to second place** (in list, chart) passer à la seconde place; **to ~ up to the first division** passer en première division; ▶ **~ [sb] up, ~ up [sb]** 1▶ GB Sch faire passer [qn] au niveau supérieur [*pupil*]; 2▶ Sport (into higher league, division) faire monter [*team, player*]; ▶ **~ [sth] up** (to higher shelf etc) mettre [qch] plus haut

moveable *adj* = **movable**

movement /'mu:vmənt/ *n* 1▶ (of person, dancer, head, wave, vehicle, machine part) mouvement *m*; (of hand, arm) geste *m*; **an upward/downward ~** un mouvement ascendant/descendant; **a graceful/sudden ~** (of arm) un geste gracieux/brusque; **to watch sb's ~s** surveiller les faits et gestes de qn; 2▶ fig (in prices, market, situation) mouvement *m*; **very little ~ on the stock exchange/the political front** très peu de mouvement à la Bourse/sur le front politique; **an upward/downward ~ in prices** une augmentation/diminution des prix; **a ~ towards liberalization** une évolution vers la libéralisation; **a ~ away from marriage** une tendance à rejeter le mariage; 3▶ (organization, group) mouvement *m* (**for** en faveur de); **mass ~** mouvement de masse; **the trade union ~** le mouvement syndicaliste; 4▶ Mus mouvement *m*; **in three ~s** en trois mouvements; 5▶ (transporting) acheminement *m* (**of** de; **by** par); 6▶ (circulation) circulation *f*; **the free ~ of goods** la libre circulation des marchandises; 7▶ Tech (of clock, watch) mouvement *m*; 8▶ Med (of bowels) selles *fpl*; **to have a ~** aller à la selle

mover /'mu:və(r)/ ▸ **p. 1683** *n* 1▶ (who proposes motion) personne *f* qui dépose une motion; 2▶ US (removal person) déménageur *m*; 3▶ ○(dancer) **to be a lovely** *ou* **great (little) ~○** bien danser

mover and shaker○ *n* US homme/femme *m/f* d'action

movie /'mu:vɪ/

A *n* surtout US film *m*; **to go to a ~** aller voir un film

B **movies** *npl* **the ~s** le cinéma; **to go to the ~s** aller au cinéma; **to be in ~s** travailler dans le cinéma

movie: **~ camera** *n* caméra *f*; **~ director** ▸ **p. 1683** *n* réalisateur/-trice *m/f* de cinéma

movie film *n* 1▶ (used to make movies) pellicule *f* cinématographique; 2▶ ○(movie) film *m*

movie: **~goer** *n* spectateur/-trice *m/f* de cinéma; **~-maker** ▸ **p. 1683** *n* cinéaste *mf*; **~ mogul** *n* grand/-e producteur/-trice *m/f* de cinéma; **~ producer** *n* producteur/-trice *m/f* de cinéma; **~ star** *n* vedette *f* de cinéma; **~ theater** *n* US cinéma *m*

movies-on-demand, **MOD** *npl* films *mpl* à la demande

moving /'mu:vɪŋ/ *adj* 1▶ [*vehicle, train*] en marche; [*parts, target*] mobile; [*staircase, walkway*] roulant; 2▶ fig (emotional) [*story, scene, speech*] émouvant; 3▶ fig (motivating) **to be the ~ force** *ou* **spirit behind sth** être l'âme de qch

movingly /'mu:vɪŋlɪ/ *adv* [*talk, describe, convey*] de façon émouvante

mow /məʊ/

A *n* **to give the lawn a ~** tondre la pelouse

B *vtr* (*pp* **~ed, mown**) tondre [*grass, lawn*]; couper [*hay*]; **new-mown** [*grass*] fraîchement tondu; [*hay*] fraîchement coupé

(Phrasal verb) ■ **mow down**: ▶ **~ down [sb], ~ [sb] down** faucher [*person*]

mower /'məʊə(r)/ *n* 1▶ (machine) tondeuse *f* à gazon; 2▶ (person) faucheur/-euse *m/f*

mowing /'məʊɪŋ/ *n* (of lawn) tonte *f*; (of hay) fauchage *m*

mown /məʊn/ *pp* ▸ **mow**

moxibustion /,mɒksɪ'bʌstʃn/ *n* moxibustion *f*

Mozambican /,məʊzæm'bi:kən/ ▸ **p. 1467**

A *n* Mozambicain/-e *m/f*

B *adj* mozambicain

Mozambique /,məʊzæm'bi:k/ ▸ **p. 1096** *pr n* Mozambique *m*

Mozart /'məʊtsɑ:t/ *pr n* Mozart

mozzie○ /'mɒzɪ/ *n* moustique *m*

MP *n* 1▶ GB (*abrév* = **Member of Parliament**) député *m*; ▸ **House of Commons**; 2▶ *abrév* ▸ **military policeman**

mpg *n* (*abrév* = **miles per gallon**) miles *mpl* au gallon; GB **35 ~** 8 litres aux cent; US **30 ~** 8 litres aux cent

mph *n* (*abrév* = **miles per hour**) miles *mpl* à l'heure; **to travel at 50 ~** rouler à 80 km/h

MPhil *n* Univ (*abrév* = **Master of Philosophy**) diplôme *m* supérieur de lettres et sciences humaines

MPS *n* GB (*abrév* = **Member of the Pharmaceutical Society**) *titre de pharmacien*

MPV *n* (*abrév* = **multipurpose vehicle**) véhicule *m* polyvalent

MP3: ~ **file** *n* Electron fichier *m* MP3; ~ **player** *n* MP3 *m*

Mr /ˈmɪstə(r)/ ▸ **p. 1237** *n* (*pl* **Messrs**) **1** (title for man) M., Monsieur; ~ **Gwyn Jones** M. Gwyn Jones; **I saw ~ Taylor** j'ai vu M. Taylor; **good morning, ~ Miller** bonjour, Monsieur Miller; ~ **Right** le Prince Charmant; **2** (title for position) ~ **President** Monsieur le Président; ~ **Big**° le grand chef

MRC *n* GB *abrév* ▸ **Medical Research Council**

MRCP *n* GB (*abrév* = **Member of the Royal College of Physicians**) *titre de médecin*

MRCS *n* GB (*abrév* = **Member of the Royal College of Surgeons**) *titre de chirurgien*

MRCVS *n* GB (*abrév* = **Member of the Royal College of Veterinary Surgeons**) *titre de médecin vétérinaire*

MRI *n* (*abrév* = **magnetic resonance imaging**) IRM *f*, imagerie *f* par résonance magnétique

Mrs /ˈmɪsɪz/ ▸ **p. 1237** *n* Mme, Madame; ~ **Sue Clark** Mme Sue Clark; ~ **John Clark** sout Mme John Clark; **I saw ~ Evans** j'ai vu Madame Evans; **good morning, ~ Martin** bonjour, Madame Martin

Ms /mɪz, məz/ ▸ **p. 1237** *n* ≈ Mme.

> ⚠ *Ms* est l'équivalent féminin de *Mr* (M.) et permet de s'adresser à une femme dont on connaît le nom sans préciser sa situation de famille: *Ms Brown*

MS *n* **1** *abrév écrite* = **manuscript**; **2** *abrév* ▸ **multiple sclerosis**; **3** US Post *abrév écrite* = **Mississippi**; **4** US Univ *abrév* ▸ **Master of Science**

MSc *n* Univ *abrév* ▸ **Master of Science**

MSI *n*: *abrév* ▸ **musculoskeletal injury**

MSP *n*: *abrév* ▸ **Member of the Scottish Parliament**

MST *n* US *abrév* ▸ **Mountain Standard Time**

Mt (*abrév écrite* = **Mount**) Mt

MT *n* **1** *abrév* ▸ **machine translation**; **2** US Post *abrév écrite* = **Montana**

mth *abrév écrite* = **month**

much /mʌtʃ/

> ⚠ When *much* is used as an adverb, it is translated by *beaucoup*: *it's much longer* = c'est beaucoup plus long; *she doesn't talk much* = elle ne parle pas beaucoup.
> For particular usages, see **A** below.
> When *much* is used as a pronoun, it is usually translated by *beaucoup*: *there is much to learn* = il y a beaucoup à apprendre. However, in negative sentences *grand-chose* is also used: *I didn't learn much* = je n'ai pas beaucoup appris *or* je n'ai pas appris grand-chose.
> When *much* is used as a quantifier, it is translated by *beaucoup de*: *they don't have much money* = ils n'ont pas beaucoup d'argent.
> For particular usages see **C** below.

A *adv* **1** (to a considerable degree) beaucoup; ~ **smaller/happier** beaucoup plus petit/ content (**than** que); **they're not ~ cheaper than the originals** ils ne sont pas beaucoup moins chers que les originaux; ~ **more interesting** beaucoup *or* bien plus intéressant; **the film was ~ better than expected** le film était bien meilleur que prévu; **it's ~ better organized** c'est beaucoup mieux organisé; **they're getting ~ less demanding** ils deviennent beaucoup moins exigeants; **the shoes are ~ too expensive** les chaussures sont beaucoup trop chères; **it's ~ too dangerous** c'est beaucoup trop dangereux; **he doesn't ~ care for them** il ne les aime pas beaucoup; **I didn't ~ like what I saw** je n'ai pas beaucoup aimé ce que j'ai vu; **she doesn't worry ~ about it** ça ne l'inquiète pas beaucoup; **we'd ~ rather stay here** nous préférerions de beaucoup rester ici; **the meeting has been ~ criticized** on a beaucoup critiqué la réunion; **they are ~ to be pitied** ils méritent qu'on ait pitié d'eux; ~ **loved by her friends** très aimée de ses amis; **your comments would be ~ appreciated** tous vos commentaires seront les bienvenus; **he's not ~ good at Latin/at tennis** il n'est pas très bon en latin/au tennis; **he's not ~ good at doing** il n'est pas très doué pour faire; **does it hurt ~?** est-ce que ça fait très mal?; **it's ~ the more interesting of the two studies** c'est de loin la plus intéressante des deux études; **she's ~ the best teacher here** elle est de loin le meilleur professeur ici; ~ **to our annoyance, they didn't phone back** ils n'ont pas rappelé, ce qui nous a beaucoup vexés; ~ **to my surprise** à ma grande surprise

2 (often) beaucoup, souvent; **we don't go out ~** nous ne sortons pas beaucoup; **they didn't see each other ~** ils ne se voyaient pas beaucoup; **she doesn't talk ~ about the past** elle ne parle pas beaucoup du passé; **do you go to concerts ~?** est-ce que tu vas souvent au concert?; **a ~ married film star** une vedette de cinéma qui s'est remariée plusieurs fois

3 (approximately, nearly) plus ou moins, à peu près; **to be ~ the same** être à peu près pareil (**as** que); **his condition is ~ the same as yesterday** son état est plus ou moins *or* à peu près le même qu'hier; **it's pretty ~ like driving a car** c'est plus ou moins la même chose que de conduire une voiture; **he behaved ~ the way the others did** il s'est comporté plus ou moins comme les autres; **in ~ the same way** à peu près de la même façon (**as** que); ~ **the same is true of China** la situation est à peu près la même en Chine

4 (specifying degree to which something is true) **too ~** trop; **you worry/talk too ~** tu t'inquiètes/ parles trop; **very ~** (a lot) beaucoup; (absolutely) tout à fait; **he misses you very ~** tu lui manques beaucoup; **I'd appreciate it very ~ if** j'apprécierais beaucoup que (+ *subj*); **thanks very ~** merci beaucoup; **we enjoyed ourselves very ~** nous nous sommes beaucoup amusés; **she's very ~ like her mother** elle ressemble beaucoup à sa mère; **it's very ~ the norm** c'est tout à fait la norme; **I felt very ~ the foreigner** je me sentais tout à fait étranger; **so ~** tellement; **I wanted so ~ to meet you** j'avais tellement envie de vous rencontrer; **it hurts so ~** ça fait tellement mal; **it's so ~ better** c'est tellement mieux; **he hates flying so ~ that he prefers to take the boat** il déteste tellement l'avion qu'il préfère prendre le bateau; **thanks so ~ for** merci beaucoup pour; **as ~** autant (**as** que); **I like them as ~ as you (do)** je les aime autant que toi; **she doesn't worry as ~ as before** elle ne s'inquiète pas autant qu'avant; **they hated each other as ~ as ever** ils se détestaient toujours autant; **she is as ~ entitled to a visa as you** elle a autant droit à un visa que toi; **they were as ~ a part of village life as the farmers** ils faisaient autant partie de la vie du village que les fermiers; **he wasn't sure and said as ~** il n'était pas sûr et il l'a dit; **I thought as ~** c'est bien ce qui me semblait; **however ~** même si; **you'll have to accept the decision however ~ you disagree** il va falloir que tu acceptes la décision même si tu n'es pas d'accord; **I couldn't cry out however ~ it hurt** je ne pouvais pas crier même si ça me faisait très mal

5 (emphatic: setting up a contrast) **not so ~ X as Y** moins X que Y, plus Y que X; **it wasn't so ~ a warning as a threat** c'était moins un avertissement qu'une menace, c'était plus une menace qu'un avertissement; **the discovery wasn't so ~ shocking as depressing** la découverte était moins choquante que déprimante; **it doesn't annoy me so ~ as make me wonder** ça m'agace moins que ça ne me surprend

B *pron* **1** (a great deal) beaucoup; (in negative sentences) grand-chose; **do you have ~ left?** est-ce qu'il vous en reste beaucoup?; **did he earn ~?** est-ce qu'il a gagné beaucoup?; **we have ~ to learn** nous avons beaucoup à apprendre (**from** de); **we didn't eat ~** nous n'avons pas mangé grand-chose; **there isn't ~ to do** il n'y a pas grand-chose à faire; **he doesn't have ~ to say** il n'a pas grand-chose à dire; **there isn't ~ one can do to prevent it** il n'y a pas grand-chose à faire pour empêcher ça; **he doesn't have ~ to complain about** il n'a pas à se plaindre; **it leaves ~ to be desired** ça laisse (vraiment) à désirer; **there's ~ to be said for** beaucoup de choses plaident en faveur de [*plan, country life, job-sharing*]; ~ **of** une grande partie de; ~ **of the difficulty lies in...** une grande partie de la difficulté réside dans...; ~ **of the meeting was spent discussing...** une grande partie de la réunion a été consacrée à discuter...; ~ **of their work involves...** une grande partie de leur travail consiste à...; ~ **of what remains is useless** une grande partie de ce qui reste est inutile; ~ **of the resentment is due to** le ressentiment vient en grande partie de; **I don't see ~ of them now** je ne les vois plus beaucoup maintenant; **to make ~ of sth** (focus on) insister sur qch; (understand) comprendre qch; **the report made ~ of the scandal** le rapport insistait sur le scandale *or* faisait grand cas du scandale; **I couldn't make ~ of her last book** je n'ai pas compris grand-chose à son dernier livre

2 (expressing a relative amount, degree) **so ~** tant; **they are willing to pay so ~ per vehicle** ils sont prêts à payer tant par véhicule; **we'd eaten so ~ that** nous avions tant mangé que; **she spends so ~ of her life abroad** elle passe une très grande partie de sa vie à l'étranger; **she spends so ~ of her life abroad that** elle passe une si grande partie de sa vie à l'étranger que; **so ~ of her work is gloomy** il y a une grande partie de son œuvre qui est sombre; **so ~ of the earth is polluted** la terre est tellement polluée; **so ~ of the time, it's a question of patience** la plupart du temps c'est une question de patience; **too ~** trop; **it costs too ~** c'est trop cher; **you eat too ~** tu manges trop; **it's too ~!** lit c'est trop!; (in protest) c'en est trop!; **it's too ~ of a strain** c'est trop éprouvant; **she was too ~ of an egotist to do** elle était trop égoïste pour faire; **I couldn't eat all that, it's too ~ for me!** je ne pourrais jamais manger tout ça, c'est trop pour moi!; **the heat/the work was too ~ for them** ils n'ont pas pu supporter la chaleur/le travail; **the measures proved too ~ for them** ils n'ont pas pu tolérer les mesures; **he was too ~ for his opponent** il était trop fort pour son adversaire; **I bought about this ~** j'en ai acheté à peu près ça; **he's read this ~ already** il a déjà lu tout ça; **I'll say this ~ for him, he's honest** il a au moins ça pour lui, il est honnête; **this ~ is certain, we'll have no choice** une chose est certaine, nous n'aurons pas le choix; **twice as ~** deux fois autant *or* plus; **if we had half as ~ as you** si nous avions la moitié de ce que tu as; **I'll need half as ~ again** il me faudra encore la moitié de ça; **as ~ as possible** autant que possible; **they paid as ~ as we did** ils ont payé autant que nous; **is it as ~ as that?** est-ce que ça fait autant que ça?; **I enjoy nature as ~ as the next person** j'apprécie la nature autant que n'importe qui; **it can cost as ~ as £50** ça peut coûter jusqu'à 50 livres sterling; **it was as ~ as I could do not to laugh** il a fallu que je me retienne pour ne pas rire; **as ~ as to say...** d'un air de dire...; **how ~?** combien?; **how ~ did you pay for it?** combien est-ce que tu l'as payé?; **tell them**

how ~ you won dis-leur combien tu as gagné; **how ~ do they know?** qu'est-ce qu'ils savent au juste?; **he never knew how ~ we missed him** il n'a jamais su à quel point *or* combien il nous a manqué; **do you know how ~ this means to me?** est-ce que tu sais à quel point *or* combien c'est important pour moi?

[3] (focusing on limitations, inadequacy) **it's not** *ou* **nothing ~** ce n'est pas grand-chose; **it's not up to ~** GB ça ne vaut pas grand-chose; **he 's not ~ to look at** il n'est pas très beau; **she doesn't think ~ of him** elle n'a pas très bonne opinion de lui; **she doesn't think ~ of it** elle n'en pense pas beaucoup de bien; **I'm not ~ of a letter-writer/reader** je n'aime pas beaucoup écrire des lettres/lire; **it's not ~ of a film** ce n'est pas un bon film; **it wasn't ~ of a life** ce n'était pas une vie; **it wasn't ~ of a holiday for us** ce n'était vraiment pas des vacances pour nous; **that's not ~ of a consolation!** ça ne me console pas tellement!; **I'm not ~ of a one for cooking**○ la cuisine ce n'est pas mon fort○

C *quantif* beaucoup de; **have you got ~ money/work?** est-ce que tu as beaucoup d'argent/de travail?; **I haven't got (very) ~ time** je n'ai pas beaucoup de temps; **we didn't get ~ support** nous n'avons pas eu beaucoup de soutien; **it doesn't make ~ sense** ça n'a pas beaucoup de sens; **there isn't ~ wine left** il ne reste pas beaucoup de vin; **does he watch ~ TV?** est-ce qu'il regarde beaucoup la télé○?; **she didn't speak ~ English** elle parlait peu anglais; **too ~ energy** trop d'énergie; **to spend too ~ money** dépenser trop d'argent; **we don't have too ~ time** nous n'avons pas beaucoup de temps; **don't use so ~ salt** ne mets pas tant de sel; **why does he make so ~ noise?** pourquoi fait-il tant de bruit?; **I spent so ~ time doing** j'ai passé tant de temps à faire; **she gets so ~ enjoyment out of the radio** elle a tant de plaisir à écouter la radio; **we paid twice as ~ money** nous avons payé deux fois plus d'argent; **how ~ time have we got left?** combien de temps nous reste-t-il?; **how ~ liquid does it contain?** combien de liquide est-ce que ça contient?

D **much+** (*dans composés*) **~-loved/-respected** très apprécié/respecté; **~-maligned** tant décrié; **~-needed** indispensable

E **much as** *conj phr* bien que (+ *subj*); **~ as he needed the money, he wouldn't beg for it** il avait vraiment besoin de cet argent et pourtant il ne pouvait se résoudre à mendier; **~ as we regret our decision we have no choice** bien que nous regrettions *or* nous avons beau regretter notre décision, nous n'avons pas le choix

F **much less** *conj phr* encore moins; **I've never seen him ~ less spoken to him** je n'ai jamais eu l'occasion de le voir encore moins de lui parler

G **so much as** *adv phr* **without so ~ as saying goodbye/as an apology** sans même dire au revoir/s'excuser; **if you so ~ as move/sigh** si tu fais le moindre mouvement/pousses le moindre soupir; **they can be imprisoned for so ~ as criticizing the regime** ils peuvent être emprisonnés ne serait-ce que pour avoir critiqué le régime

(Idioms) **~ wants more** plus on en a plus on en veut; **there isn't ~ in** GB *ou* **to** US **it** (in contest, competition) ils se suivent de près; **there isn't ~ in it for us** (to our advantage) ça ne va pas nous apporter grand-chose; **she's late again? that's a bit ~!** elle est encore en retard? elle exagère!; ▸ **so**

muchness /ˈmʌtʃnɪs/ *n*

(Idiom) **they're much of a ~** il n'y a pas beaucoup de différence entre eux

mucilage /ˈmju:sɪlɪdʒ/ *n* mucilage *m*

mucilaginous /ˌmju:sɪˈlædʒɪnəs/ *adj* (all contexts) mucilagineux/-euse

muck /mʌk/ *n* [1] lit (filth, rubbish) saletés *fpl*; (mud) boue *f*; (manure) fumier *m*; **cat/dog ~** crotte *f* de chat/de chien; **bird ~** fiente *f* d'oiseau; [2] ○fig (book, film etc) bêtises *fpl*; (food) saletés *fpl*

(Phrasal verbs) ■ **muck about**○, **muck around**○: ▸ **~ about** (fool about) faire l'imbécile; (potter about) traîner; **to ~ about with** traficoter○ [*appliance*]; toucher à [*object*]; ▸ **~ [sb] about** se ficher de

■ **muck in** (share task) mettre la main à la pâte○; (share accommodation) partager le gîte et le couvert (**with** avec)

■ **muck out**: ▸ **~ out [sth]** nettoyer [*cowshed, stable*]

■ **muck up**: ▸ **~ up [sth]** [1] (spoil) chambouler○ [*plans*]; cochonner○, bâcler [*task*]; louper○ [*exam, interview, opportunity*]; [2] salir [*clothes, carpet*]

muckraker /ˈmʌkreɪkə(r)/ *n* péj dénicheur/-euse *m/f* de scandales

muckraking /ˈmʌkreɪkɪŋ/

A *n* course *f* au scandale

B *adj* [*story*] infâme; [*campaign*] de diffamation

muck-up○ /ˈmʌkup/ *n* gâchis *m*

mucky○ /ˈmʌkɪ/ *adj* (muddy) boueux/-euse; (dirty) sale; **what ~ weather!** quel sale temps!; **you ~ pup**○**!** petit cochon○!

mucous /ˈmju:kəs/ *adj* muqueux/-euse

mucous membrane *n* (membrane *f*) muqueuse *f*

mucus /ˈmju:kəs/ *n* mucus *m*, mucosités *fpl*

mud /mʌd/ *n* boue *f*; **to sink in the ~** s'enfoncer dans la boue

(Idioms) **here's ~ in your eye**○**!** à la tienne, Étienne○!; **his name is ~** c'en est fait de sa réputation; **it's as clear as ~**○**!** c'est d'un clair○!; **to drag sb's name in** *ou* **through the ~** traîner qn dans la boue; **to sling ~ at sb** couvrir qn de boue

MUD *n* (*abrév* = **multi-user dungeon**) MUD *m*, donjon *m* à utilisateurs multiples

mud: **~bank** *n* banc *m* de vase; **~ bath** *n* (for person, animal) bain *m* de boue; fig bourbier *m*

muddle /ˈmʌdl/

A *n* [1] (mess) ¢ (of papers) pagaille○ *f*; (of string) embrouillamini *m*; fig (in administration) confusion *f*; **my documents are in a ~** mes documents sont en pagaille○; **the clients' records have got into a terrible ~** les dossiers des clients sont dans une pagaille○ épouvantable; **what a ~!** quelle pagaille○!; **your financial affairs are in a ~** vos affaires financières sont désordonnées; [2] (mix-up) malentendu *m*; **there was a ~ over my hotel reservation** il y a eu un malentendu à propos de ma réservation d'hôtel; [3] (mental confusion) **to be in a ~** avoir les idées embrouillées; **to be in a ~ over** *ou* **about** avoir les idées embrouillées à propos de; **to get into a ~** s'embrouiller

B *vtr* = **muddle up**

(Phrasal verbs) ■ **muddle along** vivoter○

■ **muddle through** se débrouiller

■ **muddle up**: ▸ **~ [sth] up, ~ up [sth]** (disorder) semer la pagaille○ dans [*papers*]; emmêler [*string*]; ▸ **~ [sb] up** (confuse) embrouiller les idées de [*person*]; **to get sth ~d up** s'embrouiller dans qch [*dates, names*]; **I got you ~d up with Martin** je t'ai confondu avec Martin

muddled /ˈmʌdld/ *adj* [1] (confused) **to be ~** [*person*] avoir l'esprit confus; [2] (unclear) [*account, story, thinking*] confus

muddle-headed /ˌmʌdlˈhedɪd/ *adj* [*person*] aux idées confuses (*after n*); [*attempt, idea, plan*] confus; **he's rather ~** il est assez confus

muddler /ˈmʌdlə(r)/ *n* esprit *m* brouillon

muddy /ˈmʌdɪ/

A *adj* [*hand*] couvert de boue; [*shoe, garment*] crotté; [*road, water, coffee*] boueux/-euse; [*pink*] sale; [*green, yellow*] terne; [*complexion*] terreux/-euse

B *vtr* couvrir [qch] de boue [*hands*]; crotter [*shoes, clothes*]; troubler [*water*]

(Idiom) **to ~ the waters** brouiller les pistes

mud: **~ flap** *n* pare-boue *m inv*; **~ flat** *n* Geog laisse *f*; **~guard** *n* garde-boue *m inv*; **~ hut** *n* hutte *f* de terre; **~pack** *n* Cosmet masque *m* de beauté à l'argile; **~ pie** *n* pâté *m* de terre; **~slide** *n* éboulement *m* de terrain; **~-slinging** *n* dénigrement *m*

muesli /ˈmju:zlɪ/ *n* GB müesli *m*

muezzin /mu:ˈezɪn, US mju:-/ *n* muezzin *m*

muff /mʌf/

A *n* [1] (mitten) manchon *m*; [2] ●US (vulva) chatte● *f*

B ○*vtr* louper○ [*shot, catch*]; rater○ [*chance*]; se tromper dans [*lines*]

muffin /ˈmʌfɪn/ *n* [1] GB muffin *m* (*petit pain plat et rond*); [2] US (cupcake) petite génoise *f* individuelle

muffle /ˈmʌfl/

A *vtr* [1] (wrap up) emmitoufler [*person*] (**in** dans); **~d in furs** emmitouflé dans des fourrures; [2] (mute) assourdir [*bell, drum*]; étouffer [*voice, laughter*]; fig **to ~ the voice of protest** étouffer les protestations

B **muffled** *pp adj* [*cough, giggle*] étouffé; [*bell, drum*] assourdi; **a ~d thump** *ou* **thud** un bruit sourd

muffler /ˈmʌflə(r)/ *n* [1] Fashn cache-nez *m inv*; [2] US Aut silencieux *m*

mufti /ˈmʌftɪ/ *n* [1] Relig mufti *m*; [2] Mil tenue *f* civile; **to wear ~** s'habiller en civil; **in ~** en pékin○

mug /mʌg/

A *n* [1] (for tea, coffee) grande tasse *f*; (for beer) chope *f*; [2] (contents) (*also* **~ful**) grande tasse *f* (of de); [3] ○(face) gueule◐ *f*; **what an ugly ~!** quelle sale gueule◐!; [4] GB (fool) poire○ *f*; **it's a ~'s game** c'est un attrape-nigaud; [5] US (photo) = **mug shot**; [6] ○(thug) gangster *m*

B *vtr* (*p prés etc* **-gg-**) agresser; **to be mugged** se faire agresser

C *vi* US (*p prés etc* **-gg-**) faire des grimaces

(Phrasal verb) ■ **mug up**○ GB: ▸ **~ up [sth]** potasser○ [*subject*]

mugger /ˈmʌgə(r)/ *n* agresseur *m*

mugging /ˈmʌgɪŋ/ *n* [1] **C** (attack) agression *f*; [2] ¢ (crime) agressions *fpl*; **~ is on the increase** les agressions deviennent plus fréquentes

muggins○ /ˈmʌgɪnz/ *n* hum GB **~ here will pay the bill** c'est ma pomme○ qui paiera l'addition

muggy /ˈmʌgɪ/ *adj* [*weather*] lourd; [*room, day*] étouffant; **it's ~ in here** on étouffe ici

mugho pine /ˌmju:gəʊˈpaɪn/ *n* pin *m* mugho

mug shot *n* [1] (of criminal) photo *f* de criminel; [2] hum photo *f*

mugwump /ˈmʌgwʌmp/ *n* US Pol indépendant/-e *m/f*

Muhammad /məˈhæmɪd/ *pr n* Mahomet

mujaheddin, **mujahedeen** /ˌmu:dʒəˈdi:n/ *npl* **the ~** les Moudjahidin *mpl*

mulatto /mju:ˈlætəʊ, US məˈl-/

A *n* mulâtre/-esse *m/f*

B *adj* mulâtre

mulberry /ˈmʌlbrɪ, US -berɪ/ ▸ **p. 1067**

A *n* [1] (tree) mûrier *m*; [2] (fruit) mûre *f*; [3] (colour) lie-de-vin *f inv*

B *modif* [*juice, wine*] de mûres; [*leaf*] de mûrier

mulch /mʌltʃ/

A *n* paillis *m*

B *vtr* pailler

mule /mju:l/ *n* [1] (animal) mulet *m*, mule *f*; [2] ○(stubborn person) tête *f* de mule; [3] (slipper) mule *f*; [4] Tex mule-jenny *f*; [5] ○(*also* **drug ~**) (person) mule *f*

(Idiom) **as stubborn as a ~** têtu comme une mule *or* une bourrique

mule: **~ driver** ▸ **p. 1683** *n* muletier/-ière *m/f*; **~ path** *n* chemin *m* muletier

muleteer† /ˌmju:lɪˈtɪə(r)/ ▸ **p. 1683** *n* muletier/-ière *m/f*

mulish /ˈmju:lɪʃ/ *adj* entêté

m

mulishness /ˈmjuːlɪʃnɪs/ *n* entêtement *m*

mull /mʌl/
A *vtr* Culin chauffer et épicer [*wine*]
B mulled *pp adj* Culin [*cider, wine*] chaud
(Phrasal verb) ■ **mull over**: ▸ ~ **over [sth]**, ~ **[sth] over** retourner [qch] dans sa tête

mullah /ˈmʌlə/ *n* mollah *m*

mullet /ˈmʌlɪt/ *n* (*pl* ~) (red) rouget *m*; (grey) mulet *m*

mulligan○ /ˈmʌlɪgən/ *n* (*also* ~ **stew**) US Culin ragoût *m* fourre-tout○

mulligatawny /ˌmʌlɪgəˈtɔːnɪ/ *n* (*also* ~ **soup**) soupe *f* au curry

mullion /ˈmʌlɪən/ *n* meneau *m*

mullioned /ˈmʌlɪənd/ *adj* à meneaux

multi+ /ˈmʌltɪ/ (*dans composés*) multi-

multi-access /ˌmʌltɪˈækses/ *n* Comput accès *m* multiple

multicellular /ˌmʌltɪˈseljʊlə(r)/ *adj* pluricellulaire

multichannel /ˌmʌltɪˈtʃænl/ *adj* [*television*] à canaux multiples; [*reception*] de plusieurs chaînes

multicoloured GB, **multicolored** US /ˌmʌltɪˈkʌləd/ *adj* multicolore

multicultural /ˌmʌltɪˈkʌltʃərəl/ *adj* multiculturel/-elle

multiculturalism /ˌmʌltɪˈkʌltʃərɪzəm/ *n* multiculturalisme *m*

multidimensional /ˌmʌltɪdaɪˈmenʃənl/ *adj* multidimensionnel/-elle

multidirectional /ˌmʌltɪdaɪˈrekʃənl, -dɪˈr-ek-/ *adj* multidirectionnel/-elle

multidisciplinary /ˌmʌltɪdɪsɪˈplɪnərɪ, US -nerɪ/ *adj* Sch, Univ pluridisciplinaire

multidisciplinary system *n* Sch, Univ pluridisciplinarité *f*

multi-ethnic /ˌmʌltɪˈeθnɪk/ *adj* multiethnique

multi-faceted /ˌmʌltɪˈfæsɪtɪd/ *adj* 1 (varied) [*career, character, personality*] à multiples facettes; 2 lit (gemstone) facetté

multifarious /ˌmʌltɪˈfeərɪəs/ *adj* d'une grande variété, divers

multiflora /ˌmʌltɪˈflɔːrə/ *n, adj* multiflore *f*

multiform /ˈmʌltɪfɔːm/ *adj* multiforme

multi-function /ˌmʌltɪˈfʌŋkʃn/ *adj* [*watch, calculator, computer*] multifonctions *inv*

multigym /ˈmʌltɪdʒɪm/ *n* appareil *m* de musculation (*constitué d'un jeu d'haltères*)

multihull /ˈmʌltɪhʌl/ *n* multicoque *m*

multilateral /ˌmʌltɪˈlætərəl/ *adj* 1 Pol [*talks, agreement*] multilatéral; 2 Math [*shape*] à plusieurs côtés

multilateralist /ˌmʌltɪˈlætərəlɪst/ *n, adj* Pol multilatéraliste (*mf*)

multilevel /ˌmʌltɪˈlevl/ *adj* 1 [*parking, access, analysis*] à plusieurs niveaux; [*building, complex*] de plusieurs étages; 2 Comput multiniveaux *inv*

multilingual /ˌmʌltɪˈlɪŋgwəl/ *adj* plurilingue

multilingualism /ˌmʌltɪˈlɪŋgwəlɪzəm/ *n* plurilinguisme *m*

multi-manager fund /ˌmʌltɪˈmænɪdʒə fʌnd/ *n* Fin fonds *m* de multigestion

multimedia /ˌmʌltɪˈmiːdɪə/ *adj* (all contexts) multimédia *inv*

multi-million /ˌmʌltɪˈmɪljən/ *adj* de plusieurs millions; ~ **pound/dollar** de plusieurs millions de livres/de dollars

multimillionaire /ˌmʌltɪˌmɪljəˈneə(r)/ *n* multimillionnaire *mf*

multi-million-pound /ˌmʌltɪˌmɪljənˈpaʊnd/ *adj* [*project, deal*] de plusieurs millions de livres

multi-nation /ˌmʌltɪˈneɪʃn/ *adj* multinational

multinational /ˌmʌltɪˈnæʃənl/
A *n* (*also* ~ **company**) multinationale *f*
B *adj* [*company, corporation, force, agreement*] multinational

multiparous /mʌlˈtɪpərəs/ *adj* multipare

multipartite /ˌmʌltɪˈpɑːtaɪt/ *adj* 1 Pol [*treaty*] multipartite; 2 [*document*] divisé en plusieurs parties

multi-party /ˌmʌltɪˈpɑːtɪ/ *adj* Pol [*government, system*] pluripartite

multiple /ˈmʌltɪpl/
A *n* 1 Math multiple *m* (**of** de); **sold in ~s of six** vendus par six; 2 GB (chain of shops) magasin *m* à succursales multiples; 3 Fin (share) action *f* multiple
B *adj* (all contexts) multiple

multiple: ~ **birth** *n* naissance *f* multiple; ~ **choice** *adj* [*test, question*] à choix multiple; ~ **entry visa** *n* visa *m* valable pour plusieurs entrées; ~ **fractures** *npl* fractures *fpl* multiples; ~ **fruit** *n* infrutescence *f*; ~ **injuries** *npl* blessures *fpl* multiples; ~ **occupancy** *n*: *occupation d'une maison par plusieurs personnes*; ~ **ownership** *n* multipropriété *f*; ~ **personality** *n* Psych dissociation *f*; ~ **pile-up** *n* carambolage *m*; ~ **risk** *adj* [*insurance, policy*] multirisque; ~ **sclerosis**, **MS** ▸ p. 1327 *n* sclérose *f* en plaques; ~ **stab wounds** *npl* plusieurs coups *mpl* de couteau; ~ **store** *n* GB magasin *m* à succursales multiples

multiplex /ˈmʌltɪpleks/
A *n* 1 Telecom multiplex *m*; 2 US Cin complexe *m* multi-salles
B *adj* Telecom multiplex *inv*
C *vtr* Telecom multiplexer

multiplexer /ˈmʌltɪpleksə(r)/ *n* Telecom multiplexeur *m*

multiplexing /ˈmʌltɪpleksɪŋ/ *n* Telecom multiplexage *m*

multipliable /ˈmʌltɪplaɪəbl/, **multiplicable** /ˈmʌltɪplɪkəbl/ *adj* multipliable (**by** par)

multiplicand /ˌmʌltɪplɪˈkænd/ *n* multiplicande *m*

multiplication /ˌmʌltɪplɪˈkeɪʃn/ *n* gen, Math multiplication *f*; **to do ~** faire des multiplications

multiplication: ~ **sign** *n* signe *m* de multiplication; ~ **table** *n* table *f* de multiplication

multiplicative /ˌmʌltɪˈplɪkətɪv/ *adj* multiplicatif/-ive

multiplicity /ˌmʌltɪˈplɪsətɪ/ *n* 1 (wide variety) multiplicité *f* (**of** de); 2 (numerousness) multitude *f*

multiplier /ˈmʌltɪplaɪə(r)/ *n* (all contexts) multiplicateur *m*

multiplier effect *n* effet *m* multiplicateur

multiply /ˈmʌltɪplaɪ/
A *vtr* (all contexts) multiplier (**by** par)
B *vi* 1 Math multiplier; 2 gen, Biol (increase) se multiplier

multiply handicapped /ˌmʌltɪplɪˈhændɪkæpt/
A *n* (+ *v pl*) **the ~** les polyhandicapés *mpl*
B *adj* polyhandicapé

multipolar /ˌmʌltɪˈpəʊlə(r)/ *adj* multipolaire

multiprocessing /ˌmʌltɪˈprəʊsesɪŋ/ *n* Comput multitraitement *m*

multiprocessor /ˌmʌltɪˈprəʊsesə(r)/ *n* Comput multiprocesseur *m*

multiprogramming /ˌmʌltɪˈprəʊgræmɪŋ/ *n* Comput multiprogrammation *f*

multipurpose /ˌmʌltɪˈpɜːpəs/ *adj* [*tool, gadget*] à usages multiples; [*area, organization*] polyvalent

multiracial /ˌmʌltɪˈreɪʃl/ *adj* multiracial

multirisk /ˈmʌltɪrɪsk/ *adj* Insur multirisque

multi-screen /ˈmʌltɪskriːn/ *adj* [*cinema*] multisalles

multisensory /ˌmʌltɪˈsensərɪ/ *adj* multisensoriel/-ielle

multistage /ˈmʌltɪsteɪdʒ/ *adj* 1 Aerosp [*rocket*] à plusieurs étages; 2 Tech [*turbine*] à étages multiples; [*compressor*] à plusieurs étages; 3 gen [*process, investigation*] à plusieurs échelons

multistandard /ˌmʌltɪˈstændəd/ *adj* TV multistandard *inv*

multistorey /ˌmʌltɪˈstɔːrɪ/ *adj* GB [*building*] à étages; ~ **carpark** parking *m* à étages

multi-talented /ˌmʌltɪˈtæləntɪd/ *adj* [*performer*] aux talents multiples

multitasking /ˌmʌltɪˈtɑːskɪŋ/ *n* traitement *m* multitâches

multi-tool /ˈmʌltɪtuːl/ *n* outil *m* multifonctionnel

multitrack /ˈmʌltɪtræk/ *adj* Audio multipiste *inv*

multitude /ˈmʌltɪtjuːd, US -tuːd/ *n* multitude *f*
(Idiom) **to hide** *ou* **cover a ~ of sins** hum dissimuler la dure réalité

multitudinous /ˌmʌltɪˈtjuːdɪnəs, US -ˈtuːdɪnəs/ *adj* innombrable

multiuser /ˌmʌltɪˈjuːzə(r)/ *adj* Comput [*computer*] à utilisateurs multiples; [*system, installation*] multiposte *inv*

multivalence /ˌmʌltɪˈveɪləns/, **multivalency** /ˌmʌltɪˈveɪlənsɪ/ *n* polyvalence *f*

multivalent /ˌmʌltɪˈveɪlənt/ *adj* polyvalent

multivitamin /ˌmʌltɪˈvɪtəmɪn, US mʌltɪˈvaɪtəmɪn/ *n* multivitamine *f*

mum○ /mʌm/ *n* 1 GB (mother) maman *f*; 2 *abrév* ▸ **chrysanthemum**
(Idioms) **~'s the word** motus et bouche cousue; **to keep ~** ne pas piper mot

mumble /ˈmʌmbl/
A *n* marmonnement *m*
B *vtr* marmonner [*apology, reply*]; **'sorry,' he ~d** 'pardon,' a-t-il marmonné
C *vi* **to ~ to oneself** marmonner

mumbo jumbo○ /ˌmʌmbəʊˈdʒʌmbəʊ/ *n* péj 1 (speech, writing) charabia○ *m* pej; 2 (ritual) cérémonial *m*

mummer /ˈmʌmə(r)/ *n* Theat mime *mf*

mummery /ˈmʌmərɪ/ *n* 1 Theat mimodrame *m*; 2 péj (ceremony) momerie *f*

mummification /ˌmʌmɪfɪˈkeɪʃn/ *n* momification *f*

mummify /ˈmʌmɪfaɪ/
A *vtr* momifier
B *vi* se momifier

mummy /ˈmʌmɪ/ *n* 1 ○GB (mother) maman *f*; 2 (embalmed body) momie *f*

mummy's boy *n* GB péj fils *m* à maman

mumps /mʌmps/ ▸ p. 1327 *n* (+ *v sg*) oreillons *mpl*; **to have (the) ~** avoir les oreillons

munch /mʌntʃ/ *vtr* 1 (eat) [*person*] mâcher [*food*]; [*animal*] mâchonner [*food*]; **to ~ one's way through** [*person, animal*] avaler, dévorer [*food*]; 2 hum [*machine*] avaler [*card, money*]
(Phrasal verbs) ■ **munch away** mâcher; **to ~ away at sth** croquer (voracement) qch
■ **munch on**: ▸ ~ **on [sth]** croquer

Munchhausen's syndrome /ˈmʊŋkhaʊznz sɪndrəʊm/ *n* syndrome *m* de Munchhausen

munchies○ /ˈmʌntʃiːz/ *npl* amuse-gueule *mpl inv*; **to have the ~** avoir la dalle○

mundane /mʌnˈdeɪn/ *adj* terre-à-terre, quelconque

mung bean /ˈmʌŋ biːn/ *n* haricot *m* mung

municipal /mjuːˈnɪsɪpl/ *adj* municipal

municipal court *n* US Jur tribunal *m* d'instance

municipality /mjuːˌnɪsɪˈpælətɪ/ *n* municipalité *f*

munificence /mjuːˈnɪfɪsns/ *n* sout munificence *f*

munificent /mjuːˈnɪfɪsnt/ *adj* sout [*person*] munificent; [*gift, donation*] généreux/-euse

muniments /'mju:nɪmənts/ *npl* Jur titres *mpl* (*de propriété etc*)

munitions /mju:'nɪʃnz/
A *npl* Mil munitions *fpl*
B *modif* [*factory, industry*] de munitions

Munro /mən'rəʊ/ *n* (in mountaineering) *sommet au-dessus de 1 000 mètres*

mural /'mjʊərəl/
A *n* gen peinture *f* murale; (in cave) peinture *f* rupestre
B *adj* [*art, decoration*] mural

murder /'mɜ:də(r)/
A *n* **1** Jur (crime) meurtre *m*; **attempted ~** tentative *f* de meurtre *or* d'assassinat; **2** ○(hell) **it's ~ in town today!** c'est infernal en ville aujourd'hui○!; **finding a parking space here is sheer ~!** trouver à se garer ici, c'est infernal○!; **to be ~ on the feet/nerves** être un cauchemar pour les pieds/nerfs
B *modif* [*inquiry, investigation*] sur un meurtre; [*scene, weapon*] du crime; [*squad, trial*] criminel/-elle; **~ hunt** chasse *f* à l'assassin; **~ suspect** meurtrier présumé/meurtrière présumée *m/f*; **~ victim** victime *f* (d'un meurtre); gen [*story, mystery*] policier/-ière
C *vtr* **1** Jur (kill) lit assassiner (**with** avec); **2** ○fig tuer○; **I could ~ that woman○!** elle est à tuer○, cette femme!; **3** ○(ruin) massacrer○ [*language, piece of music*]; **4** ○(defeat) écraser○, battre [qn] à plates coutures [*team, opponents*]; **5** ○GB (devour) **I could ~ a pint/a sandwich!** je me taperais bien◑ une bière/un sandwich!
D **murdered** *pp adj* **the ~ed man/woman** la victime

(Idioms) **to get away with ~** [*dishonest people*] s'en tirer impunément; **that child gets away with ~!** on lui passe tout à cet enfant!; **to scream** *ou* **yell blue** GB *ou* **bloody** US **~**○ [*child*] crier comme un putois; [*public figure, press*] s'indigner

murder case *n* (for police) affaire *f* d'homicide; (for court) procès *m* en homicide

murder charge *n* inculpation *f* de meurtre; **to face ~s** être inculpé de meurtre

murderer /'mɜ:dərə(r)/ *n* assassin *m*, meurtrier *m*

murderess /'mɜ:dərɪs/ *n* meurtrière *f*

murder one○ *n* US Jur homicide *m* volontaire (*avec circonstances aggravantes*)

murderous /'mɜ:dərəs/ *adj* **1** (deadly) [*regime, expression, look*] assassin; [*attack, deeds, tendencies, thoughts*] meurtrier/-ière; [*intent*] de meurtre; **2** ○(emphatic) [*heat, conditions, pressure*] infernal; **3** (dangerous) [*route, conditions*] meurtrier/-ière

murderous-looking /,mɜ:dərəs'lʊkɪŋ/ *adj* [*weapon*] meurtrier/-ière; **he's a ~ individual** il a une tête d'assassin

murderously /'mɜ:dərəslɪ/ *adv* [*jealous, suspicious*] farouchement; [*difficult*] épouvantablement; **~ long** qui n'en finit plus

murk /mɜ:k/ *n* littér (of water, light, sounds) opacité *f*; (of past, feelings) impénétrabilité *f*

murkiness /'mɜ:kɪnɪs/ *n* = **murk**

murky /'mɜ:kɪ/ *adj* **1** (gloomy) [*light, water, colour, hour*] glauque; [*weather*] maussade; [*distance*] opaque; **2** (suspect) [*past, secret*] trouble

murmur /'mɜ:mə(r)/
A *n* **1** (of traffic) bourdonnement *m* (**of** de); (of voices, stream) murmure *m* (**of** de); **2** (expressing reaction) murmure *m*; **a ~ of disapproval/agreement** un murmure de désapprobation/d'approbation; **to obey without a ~** obéir sans murmurer
B *vtr* (all contexts) murmurer
C *vi* murmurer

murmuring /'mɜ:mərɪŋ/
A *n* (of voices, stream, sea) murmure *m*
B **murmurings** *npl* (complaints) murmures *mpl* (**about** contre); (rumours) rumeurs *fpl*
C *adj* [*stream*] murmurant

Murphy's Law /'mɜ:fɪz lɔ:/ *n* loi *f* de l'emmerdement maximum○

muscat /'mʌskət/ *n* (*also* **~ grape**) (raisin *m*) muscat *m*

muscatel /,mʌskə'tel/ *n* **1** (wine) (vin *m*) muscat *m*; **2** (grape) (raisin *m*) muscat *m*

muscle /'mʌsl/
A *n* **1** (in arm, leg etc) muscle *m*; **calf/stomach ~s** muscles du mollet/de l'estomac; **without moving a ~** sans broncher; **don't move a ~!** ne bouge pas!; **2** Anat (tissue) ¢ muscles *mpl*, tissu *m* musculaire; **3** (clout) puissance *f*; **financial/military ~** poids *or* puissance financière/militaire; **they have no ~** ils ne font pas le poids; **we have the ~ to compete with these firms** nous avons assez de ressources pour être en compétition avec ces entreprises; **to give ~ to** donner du poids à [*argument, threat*]
B *modif* [*exercise, relaxant*] pour les muscles; [*fatigue, injury, tissue*] musculaire
C *vtr* **to ~ one's way into sth** essayer de s'imposer dans [*discussion*]; se frayer un chemin jusqu'à [*room*]

(Phrasal verb) ■ **muscle in**○ s'immiscer (**on** dans); **to ~ in on sb's territory** piétiner les plates-bandes de qn○

muscle: **~-bound** *adj* [*person*] aux muscles hypertrophiés; **~ car**○ *n* US voiture *f* à moteur gonflé

muscleman○ /'mʌslmæn/ *n* **1** (strong man) parfois péj monsieur *m* muscle péj; **2** (thug) péj homme *m* de main

muscle: **~ shirt** *n* US débardeur *m*; **~ strain** *n* élongation *f*

Muscovite /'mʌskəvaɪt/
A *n* Moscovite *mf*
B *adj* moscovite

muscular /'mʌskjʊlə(r)/ *adj* **1** Anat [*disease, tissue*] musculaire; **2** (strong) [*person, body, limbs*] musclé; **to have a ~ build** être tout en muscles; **3** fig (vigorous) [*attitude, pose*] musclé; **~ Christians** GB chrétiens *mpl* zélés

muscular dystrophy ▸ **p. 1327** *n* dystrophie *f* musculaire

musculature /'mʌskjʊlətʃə(r)/ *n* musculature *f*

musculoskeletal injury, MSI /,mʌskjʊləʊ'skelɪtl/ *n* Med trouble *m* musculosquelettique, TMS *m*

muse /mju:z/
A *n* muse *f*
B *vi* (in silence) songer (**on, over, about** à); (aloud) commenter, l'air songeur

museum /mju:'zɪəm/
A *n* musée *m*; **science/natural history/military ~** musée des sciences/d'histoire naturelle/militaire
B *modif* [*curator, display, collection*] de musée

museum piece *n* péj *ou* hum pièce *f* de musée

mush /mʌʃ/ *n* **1** (of vegetables) bouillie *f*; **boiled to a ~** cuit en bouillie; **2** US (corn porridge) bouillie *f* de farine de maïs; **3** ○(soppiness) mièvrerie *f*

mushroom /'mʌʃrʊm, -ru:m/ ▸ **p. 1067**
A *n* **1** Bot, Culin champignon *m*; **to spring** *ou* **pop up like ~s** fig pousser comme des champignons; **2** (colour) beige *m* rosé
B *modif* Culin [*soup, omelette*] aux champignons
C *adj* (*also* **~-coloured**) (de couleur) beige rosé *inv*
D *vi* [*buildings, towns*] pousser comme des champignons, proliférer; [*group, organization*] se multiplier, proliférer; [*business*] se développer; [*demand, profits*] s'accroître rapidement

mushroom: **~ cloud** *n* champignon *m* atomique; **~ growth** *n* croissance *f* rapide

mushrooming /'mʌʃru:mɪŋ, -rʊmɪŋ/
A *n* **1** (activity) **to go ~** aller aux champignons; **2** (spread) prolifération *f*
B *adj* [*demand*] croissant; [*trade*] florissant; [*payments, deficit*] grandissant

mushy○ /'mʌʃɪ/ *adj* **1** (pulpy) [*mixture, texture*] pâteux/-euse; [*vegetables*] en bouillie; [*ground*] spongieux/-ieuse; **2** (sentimental) [*film, story*] à l'eau de rose; [*person*] mièvre; **to go (all) ~** faire le sentimental (**over, about** à propos de)

mushy peas *npl* purée *f* de pois

music /'mju:zɪk/
A *n* **1** (art, composition) musique *f*; **guitar/piano ~** musique *f* pour guitare/piano; **to write ~** écrire de la musique; **to set sth to ~** mettre qch en musique; **2** (printed) partition *f*; **to read ~** lire la musique
B *modif* [*exam, lesson, teacher, festival*] de musique; [*appreciation, critic, practice*] musical

(Idioms) **to face the ~** affronter l'orage; **to be ~ to sb's ears** être doux à l'oreille de qn

musical /'mju:zɪkl/
A *n* (*also* **~ comedy**) comédie *f* musicale
B *adj* **1** [*person*] (gifted) musicien/-ienne; (interested) mélomane; **they are a very ~ family** ils sont très musiciens dans la famille; **2** [*voice, laughter*] mélodieux/-ieuse; **3** [*accompaniment, director, score*] musical

musical box *n* GB boîte *f* à musique

musical chairs ▸ **p. 1253** *npl* chaises *fpl* musicales

musical: **~ evening** *n* soirée *f* musicale; **~ instrument** ▸ **p. 1462** *n* instrument *m* de musique

musically /'mju:zɪklɪ/ *adv* **1** (in a musical way) musicalement; **2** (making a pleasant sound) mélodieusement

musicassette /,mju:zɪkə'set/ *n* Audio cassette *f* de musique

music: **~ box** *n* US boîte *f* à musique; **~ case** *n* porte-musique *m inv*; **~ centre** *n* GB chaîne *f* compacte stéréo; **~ college** *n* conservatoire *m* de musique

music hall GB
A *n* music-hall *m*
B *modif* [*artist*] de music-hall

musician /mju:'zɪʃn/ ▸ **p. 1683** *n* musicien/-ienne *m/f*

musicianship /mju:'zɪʃnʃɪp/ *n* talent *m* musical, maîtrise *f*

music lover *n* mélomane *mf*

musicologist /,mju:zɪ'kɒlədʒɪst/ ▸ **p. 1683** *n* musicologue *mf*

musicology /,mju:zɪ'kɒlədʒɪ/ *n* musicologie *f*

music: **~ stand** *n* pupitre *m* à musique; **~ stool** *n* tabouret *m* de piano; **~ video** *n* clip *m* (vidéo)

musing /'mju:zɪŋ/
A *n* ¢ songeries *fpl*
B **musings** *npl* songeries *fpl*
C *adj* [*stare, way*] songeur/-euse

musk /mʌsk/ *n* musc *m*

musk deer *n* (chevrotain *m*) porte-musc *m inv*

musket /'mʌskɪt/
A *n* mousquet *m*
B *modif* [*fire, drill*] de mousquet

musketeer /,mʌskɪ'tɪə(r)/ *n* Mil, Hist mousquetaire *m*

musketry /'mʌskɪtrɪ/ *n* Mil, Hist tirs *mpl* (de mousquets)

musk: **~melon** *n* cantaloup *m*; **~ ox** *n* bœuf *m* musqué; **~-rat** *n* rat *m* musqué; **~ rose** *n* rose *f* muscade

musky /'mʌskɪ/ *adj* musqué

Muslim /'mʊzlɪm, US 'mʌzləm/ = **Moslem**

muslin /'mʌzlɪn/
A *n* **1** (cloth) mousseline *f*; **2** Culin (for straining) étamine *f*
B *modif* [*apron, curtain*] en mousseline

muslin bag *n* Culin nouet *m*

muso○ /'mju:zəʊ/ *n* musicien/-ienne *m/f*

musquash /'mʌskwɒʃ/
A *n* (animal, fur) rat *m* musqué
B *modif* [*jacket, stole*] en rat musqué

m

ℹ Musical instruments

Playing an instrument

■ *Note the use of* de *with* jouer:

to play the piano
= jouer du piano

to play the clarinet
= jouer de la clarinette

but

to learn the piano
= apprendre le piano

Players

■ *English* -ist *is often French* -iste; *the gender reflects the sex of the player.*

a violinist
= un *or* une violoniste

a pianist
= un *or* une pianiste

■ *A phrase with* joueur/joueuse de X *is usually safe.*

a piccolo player
= un joueur *or* une joueuse de piccolo

a horn player
= un joueur *or* une joueuse de cor

■ *But note the French when these words are used with* good *and* bad *like this:*

he's a good pianist
= il joue bien du piano

he's not a good pianist
= il ne joue pas bien du piano

he's a bad pianist
= il joue mal du piano

■ *As in English, the name of the instrument is often used to refer to its player:*

she's a first violin
= elle est premier violon

Music

a piano piece
= un morceau pour piano

a piano arrangement
= un arrangement pour piano

a piano sonata
= une sonate pour piano

a concerto for piano and orchestra
= un concerto pour piano et orchestre

the piano part
= la partie pour piano

Use with another noun

■ De *is usually correct:*

to take piano lessons
= prendre des leçons de piano

a violin maker
= un fabricant de violons

a violin solo
= un solo de violon

a piano teacher
= un professeur de piano

■ *but note the* à *here:*

a violin case
= un étui à violon

m

muss○ /mʌs/ US
A *n* pagaille○ *f*
B *vtr* = **muss up**
(Phrasal verb) ■ **muss up**○: ▸ **~ [sth] up, ~ up [sth]** décoiffer [*hair*]; chiffonner [*clothing*]; mettre la pagaille○ dans [*papers, belongings*]

mussel /ˈmʌsl/ *n* moule *f*

mussel bed *n* parc *m* à moules

must¹ /mʌst, məst/

> ⚠ When *must* indicates obligation or necessity, French tends to use either the verb *devoir* or the impersonal construction *il faut que + subjunctive*: *I must go* = je dois partir, il faut que je parte. For examples and particular usages see **A 1** and **A 3** below. See also **have B 1** and the related usage note.
> When *must* expresses assumptions or probability, the verb *devoir* is always used: *it must strike you as odd that* = ça doit te sembler bizarre que (+ *subj*). See **A 7** below for further examples.
> For the conjugation of *devoir*, see the French verb tables.

A *modal aux* (*nég* **must not, mustn't**) **1** (indicating obligation, prohibition) **you ~ check your rearview mirror before indicating** il faut regarder dans le rétroviseur avant de mettre son clignotant; **the feeding bottles ~ be sterilized** les biberons doivent être stérilisés; **they said she ~ be consulted first** ils ont dit qu'il fallait d'abord la consulter; **~ we really be up by 7 am?** est-ce qu'il faut vraiment qu'on soit levé pour 7 heures?; **you mustn't mention this to anyone** il ne faut en parler à personne, tu ne dois en parler à personne; **all visitors ~ leave the premises** tous les visiteurs doivent quitter les lieux; **the loan ~ be repaid in one year** le prêt est remboursable en un an; **withdrawals ~ not exceed £200** les retraits ne doivent pas dépasser 200 livres sterling; **they begin, as all parents ~, to adapt** comme tous les parents, ils commencent à s'habituer; **it ~ eventually have an effect** ça doit finir par avoir des conséquences
2 (indicating requirement, condition) **candidates ~ be EU nationals** les candidats doivent être ressortissants d'un des pays de l'UE; **applicants ~ have spent at least one year abroad** les candidats doivent avoir passé au moins un an à l'étranger; **to gain a licence you ~ spend 40 hours in the air** pour obtenir son brevet il faut avoir 40 heures de vol
3 (stressing importance, necessity) **children ~ be alerted to the dangers** les enfants doivent être avertis des dangers, il faut que les enfants soient avertis des dangers; **we ~ do more to improve standards** il faut faire plus *or* nous devons faire plus pour améliorer le niveau; **immigrants ~ not become scapegoats** il ne faut pas que les immigrés deviennent des boucs émissaires, les immigrés ne doivent pas devenir des boucs émissaires; **you ~ be patient** il faut que tu sois patient, tu dois être patient; **tell her she mustn't worry** dis-lui de ne pas s'inquiéter; **we ~ never forget** il ne faut jamais oublier; **I ~ ask you not to smoke** je dois vous demander de ne pas fumer; **it's very odd I ~ admit** c'est très étrange je dois l'avouer; **I feel I ~ tell you that** je pense devoir te dire que; **it ~ be said that** il faut dire que; **I ~ apologize for being late** je vous demande d'excuser mon retard; **I ~ say I was impressed** je dois dire que j'étais impressionné; **that was pretty rude I ~ say!** je dois dire que c'était assez impoli!; **very nice, I ~ say!** iron très gentil vraiment! iron
4 (expressing intention) **we ~ ask them about it soon** il faut que nous leur demandions bientôt; **I ~ check the reference** je dois vérifier la référence, il faut que je vérifie la référence; **we mustn't forget to let the cat out** il ne faut pas *or* nous ne devons pas oublier de laisser sortir le chat
5 (indicating irritation) **well, come in if you ~** bon, entre si tu insistes; **why ~ she always be so cynical?** pourquoi faut-il toujours qu'elle soit si cynique?; **he's ill, if you ~ know** il est malade si tu veux vraiment le savoir; **~ you make such a mess?** est-ce que tu as vraiment besoin de mettre le désordre?
6 (in invitations, suggestions) **you ~ come and visit us!** il faut vraiment que vous veniez nous voir!; **we really ~ get together soon** il faudrait vraiment qu'on se voie bientôt; **you ~ meet Flora Brown** il faut absolument que tu fasses la connaissance de Flora Brown
7 (expressing assumption, probability) **it ~ be difficult living there** ça doit être difficile de vivre là-bas; **it ~ have been very interesting for you to do** ça a dû être très intéressant pour toi de faire; **there ~ be some mistake!** il doit y avoir une erreur!; **they ~ be wondering what happened to us** ils doivent se demander ce qui nous est arrivé; **what ~ people think?** qu'est-ce que les gens doivent penser?; **viewers ~ have been surprised** les téléspectateurs ont dû être surpris; **that ~ mean we're at the terminus** ça doit vouloir dire que nous sommes au terminus; **that ~ be Marie-Hélène's tea** ça doit être le thé de Marie-Hélène; **because he said nothing people thought he ~ be shy** comme il ne disait rien les gens pensaient qu'il devait être timide; **they ~ really detest each other** ils doivent vraiment se détester; **they ~ be even richer than we thought** ils doivent être encore plus riches qu'on ne le pensait; **'he said so'—'oh well it MUST be right, mustn't it?'** iron 'c'est ce qu'il a dit'—'ça doit être vrai alors!'; **anyone who believes her ~ be naïve** il faut vraiment être naïf pour la croire; **you ~ be out of your mind!** tu es fou!
8 (expressing strong interest, desire) **this I ~ see!** il faut que je voie ça!; **we simply ~ get away from here!** il faut à tout prix que nous sortions d'ici!
B *n* **it's a ~** c'est indispensable (**for** pour); **the book is a ~ for all gardeners** ce livre est indispensable *or* est un must○ pour tous les amateurs de jardinage; **Latin is no longer a ~ for access to university** le latin n'est plus indispensable pour entrer à l'université; **this film is a ~** ce film est à voir *or* à ne pas rater; **if you're going to Paris, a visit to the Louvre is a ~** si vous allez à Paris une visite au Louvre s'impose

must² /mʌst/ *n* Wine moût *m*

mustache *n* US = **moustache**

mustachio /məˈstɑːʃɪəʊ, US -stæʃ-/ *n* (*pl* **~s**) grosse moustache *f*

mustang /ˈmʌstæŋ/ *n* mustang *m*

mustard /ˈmʌstəd/ ▸ p. 1067
A *n* **1** (plant, condiment) moutarde *f*; **~ and cress** moutarde blanche et cresson alénois; **2** (colour) jaune *m* moutarde *m inv*
B *modif* [*powder, seed*] de moutarde; [*pot, spoon*] à moutarde
C *adj* moutarde *inv*
(Idioms) **to be as keen as ~** déborder d'enthousiasme; **he doesn't cut the ~** US il ne fait pas le poids

mustard: **~ bath** *n* bain *m* sinapisé; **~ gas** *n* Mil gaz *m* moutarde; **~ plaster** *n* sinapisme *m*

muster /ˈmʌstə(r)/
A *n* Mil rassemblement *m*
B *vtr* **1** (*also* **~ up**) (summon) rassembler [*energy, enthusiasm*]; rallier [*support, majority*]; préparer [*argument*]; **with all the dignity she could ~** avec toute la dignité dont elle était capable; **2** gen, Mil (gather) rassembler [*team, volunteers, troops*]
C *vi* gen, Mil se rassembler
(Idiom) **to pass ~** être acceptable

(Phrasal verbs) ■ **muster in** US Mil: ▸ **~ [sb] in** enrôler; ▸ **~ sb into [sth]** enrôler qn dans [*army*]
■ **muster out** US Mil: ▸ **~ [sb] out** rendre [qn] à la vie civile

muster station *n* point *m* de rassemblement

must-have○ /ˈmʌsthæv/
A *n* must○ *m*
B *adj* [*accessory, gadget*] indispensable, must○ *inv*; **a mobile is a ~ item for teenagers** le portable est must pour les ados○

mustiness /ˈmʌstɪnɪs/ *n* **1** (of room) odeur *f* de renfermé; (of book, clothing) odeur *f* de moisi; **2** fig (of ideas, thinking) aspect *m* vieux jeu

mustn't /ˈmʌsnt/ *abrév* = **must not**

must've /ˈmʌstəv/ = **must have**

musty /ˈmʌstɪ/ *adj* **1** [*room, area*] qui sent le renfermé; [*book, clothing*] qui a une odeur de moisi; [*smell*] (of room etc) de renfermé; (of book etc) de moisi; **to smell ~** sentir le moisi *or* le renfermé; **to taste ~** avoir un goût de moisi; **to go ~** moisir; **2** fig [*ideas, thinking*] vieux jeu *inv*

mutability /ˌmjuːtəˈbɪlətɪ/ *n* mutabilité *f*

mutable /ˈmjuːtəbl/ *adj* mutable (**into** en)

mutagen /ˈmjuːtədʒən/ *n* substance *f* mutagène

mutagenic /ˌmjuːtəˈdʒenɪk/ *adj* mutagène

mutant /ˈmjuːtənt/ *n, adj* mutant/-e (*m/f*)

mutate /mjuːˈteɪt, US ˈmjuːteɪt/
A *vtr* faire subir une mutation à
B *vi* [*cell, organism*] subir une mutation; [*alien, monster*] se métamorphoser (**into** en)

mutation /mjuːˈteɪʃn/ *n* **1** gen, Biol mutation *f*; **2** Ling altération *f*

mutatis mutandis /muːˌtɑːtɪs muːˈtændɪs/ *adv* mutatis mutandis

mute /mjuːt/
A *n* Mus sourdine *f*
B *adj* **1** (dumb) muet/-ette; **2** gen, Ling (silent) muet/-ette; **to remain ~** rester muet/-ette; **3** Jur **to stand ~** refuser de plaider
C *vtr* **1** Mus mettre la sourdine à [*instrument*]; **2** gen tempérer [*enthusiasm, resistance*]

> ⚠ Attention! Ce mot peut être perçu comme injurieux dans l'acception **B 1.** Lui préférer *speech impaired*

mute button *n* touche *f* sourdine

muted /ˈmjuːtɪd/ *adj* **1** (subdued) [*response*] tiède; [*celebration, pleasure*] mitigé; [*criticism*] voilé; [*colour*] sourd; [*sound*] assourdi; **2** Mus [*trumpet*] bouché

mutely /ˈmjuːtlɪ/ *adv* en silence

mute swan *n* cygne *m* tuberculé

mutilate /ˈmjuːtɪleɪt/ *vtr* mutiler

mutilation /ˌmjuːtɪˈleɪʃn/ *n* **1** (of body, property) mutilation *f*; **2** (injury) blessure *f*

mutineer /ˌmjuːtɪˈnɪə(r)/ *n* mutiné/-e *m/f*

mutinous /ˈmjuːtɪnəs/ *adj* [*soldier, sailor*] mutiné; [*pupil, behaviour, look*] rebelle; **to turn ~** se rebeller

mutiny /ˈmjuːtɪnɪ/ *n* mutinerie *f*

mutt○ /mʌt/ *n* **1** (dog) clébard○ *m*; **2** (person) corniaud○ *m*

mutter /ˈmʌtə(r)/
A *n* marmonnement *m*
B *vtr* marmonner [*prayer, reply*]; (disagreeably) grommeler [*curse, insult*]; **'too bad,' he ~ed** 'tant pis,' marmonna-t-il; (imitating people conferring) **'~, ~'** 'gna, gna, gna'
C *vi* marmonner; **to ~ about doing**○ parler de faire; **to ~ to oneself** marmonner; **what are you ~ing about**○**?** qu'est-ce que tu marmonnes?

muttering /ˈmʌtərɪŋ/ *n* ₵ grommellements *mpl* (**about** contre)

mutton /ˈmʌtn/
A *n* Culin mouton *m*
B *modif* [*stew, pie*] de mouton
(Idioms) **as dead as ~** mort et bien mort; **~ dressed as lamb** habillé trop jeune pour son âge

mutton: **~ chops** *npl* (whiskers) (favoris *mpl* en) côtelettes *fpl*; **~ head**○ *n* US tête *f* de veau○

mutual /ˈmjuːtʃʊəl/ *adj* **1** (reciprocal) mutuel/-elle, réciproque; **the feeling is ~** c'est réciproque; **2** (common) commun; **our ~ friend** notre ami commun; **by ~ agreement** d'un commun accord; **it is to their ~ advantage** c'est dans leur intérêt à tous deux; **it's to our ~ advantage to sign** c'est dans notre intérêt commun de signer; **3** Comm [*organization, society*] mutuel/-elle
(Idiom) **it's a ~ admiration society** ils/elles s'entr'admirent

mutual aid, **mutual assistance** *n* entraide *f*

mutual consent *n* gen, Jur consentement *m* mutuel; **to get divorced by ~** divorcer par consentement mutuel; **by ~** d'un commun accord

mutual fund *n* US Fin fonds *m* commun de placement

mutuality /ˌmjuːtʃʊˈælətɪ/ *n* gen, Jur réciprocité *f*

mutually /ˈmjuːtʊəlɪ/ *adv* mutuellement; **~ acceptable** acceptable pour les deux parties; **~ agreed** fixé d'un commun accord; **~ dependent** interdépendant; **~ exclusive options** des options qui s'excluent mutuellement; **I hope we find a ~ acceptable solution** j'espère que nous trouverons une solution qui nous satisfera tous les deux

Muzak® /ˈmjuːzæk/ *n* péj musique *f* d'ambiance (enregistrée)

muzzle /ˈmʌzl/
A *n* **1** (snout) museau *m*; **2** (worn by animal) muselière *f*; **3** (of gun) canon *m*; (of canon) bouche *f*
B *vtr* lit, fig museler

muzzle: **~loader** *n* [*gun*] qu'on charge par le canon; [*cannon*] qu'on charge par la bouche; **~ velocity** *n* vitesse *f* initiale

muzzy○ /ˈmʌzɪ/ *adj* **1** (confused) [*head*] embrumé; **my head's ~** je suis dans les vapes○; **2** (blurred) [*recollection*] brouillé; [*picture*] pas net/nette; **to go ~** gen se brouiller

MV *n* **1** Naut (*abrév* = **motor vessel**) bateau *m* à moteur; **2** Elec (*abrév* = **megavolt**) MV

MVP *n* Sport (*abrév* = **Most Valued Player**) vedette *f* de l'équipe

MW *n* Radio (*abrév* = **medium wave**) ondes *fpl* moyennes

MX (missile) *n* MX *m*

my /maɪ/

> ⚠ In French, determiners agree in gender and number with the noun that follows. So *my* is translated by *mon* + masculine singular noun (mon chien), *ma* + feminine singular noun (ma maison) BUT by *mon* + feminine noun beginning with a vowel or mute h (mon assiette) and by *mes* + plural noun (mes enfants).
> When *my* is stressed, *à moi* is added after the noun: MY *house* = ma maison à moi.
> For *my* used with parts of the body see the Usage Note ▸ **p. 997**.

A *det* **1** gen mon/ma/mes; **2** (used emphatically) MY **house** ma maison à moi
B *excl* **~ ~!** ça alors!

myalgia /maɪˈældʒə/ *n* Med myalgie *f*

myalgic /maɪˈældʒɪk/ *adj* myalgique

myalgic encephalomyelitis, **ME** /maɪˌældʒɪk enˌsefələʊˌmaɪəˈlaɪtɪs/ ▸ **p. 1327** *n* encéphalomyélite *f* myalgique

Myanmar /mjænˈmɑː(r)/ ▸ **p. 1096** *pr n* **Union of ~** Myanmar *m*

myasthenia /ˌmaɪəsˈθiːnɪə/ *n* Med myasthénie *f*

mycology /maɪˈkɒlədʒɪ/ *n* mycologie *f*

mycosis /maɪˈkəʊsɪs/ ▸ **p. 1327** *n* mycose *f*

myelopathy /ˌmaɪəˈlɒpəθɪ/ *n* Med myélopathie *f*

mynah /ˈmaɪnə/ *n* (*also* **~ bird**) mainate *m*

MYOB US (*abrév* = **mind your own business**) occupe-toi de tes affaires

myocarditis /ˌmaɪəʊkɑːˈdaɪtɪs/ *n* Med myocardite *f*

myopathy /maɪˈɒpəθɪ/ *n* Med myopathie *f*

myopia /maɪˈəʊpɪə/ *n* Med myopie *f* also fig

myopic /maɪˈɒpɪk/ *adj* **1** Med [*vision*] myope; **2** fig [*attitude, policy*] à courte vue; [*view*] étroit

myriad /ˈmɪrɪəd/
A *n* littér myriade *f* (**of** de)
B *adj* [*problems, opportunities, items*] innombrable; **~ detail** une myriade de détails

myrmidon /ˈmɜːmɪdən, US -dɒn/ *n* littér péj *ou* hum sbire *m* pej, homme *m* de main

myrrh /mɜː(r)/ *n* myrrhe *f*

myrtle /ˈmɜːtl/ *n* myrte *m*

myself /maɪˈself, məˈself/

> ⚠ When used as a reflexive pronoun, direct and indirect, *myself* is translated by *me* which is always placed before the verb: *I've hurt myself* = je me suis fait mal.
> When used as an emphatic the translation is *moi-même*: *I did it myself* = je l'ai fait moi-même.
> When used after a preposition *myself* is translated by *moi* or *moi-même*: *I did it for myself* = je l'ai fait pour moi *or* moi-même.
> For particular usages see below.

pron **1** (refl) me, (*before vowel*) m'; **2** (emphatic) moi-même; **I saw it ~** je l'ai vu moi-même; **for ~** pour moi, pour moi-même; **(all) by ~** tout seul; **3** (expressions) **I'm not much of a dog-lover ~** moi personnellement je n'aime pas trop les chiens; **I'm not ~ today** je ne suis pas dans mon assiette aujourd'hui

mysterious /mɪˈstɪərɪəs/ *adj* **1** (puzzling) mystérieux/-ieuse; **2** (enigmatic) [*person, smile, place*] mystérieux/-ieuse; **to give sb a ~ look** regarder qn d'un air mystérieux; **don't be so ~!** ne fais pas tant de mystères!; **to be ~ about** faire grand mystère de [*person, activity, object*]
(Idiom) **God moves in ~ ways** les voies du Seigneur sont impénétrables

mysteriously /mɪˈstɪərɪəslɪ/ *adv* [*die, disappear, appear*] mystérieusement; [*say, smile, signal*] d'un air mystérieux

mystery /ˈmɪstərɪ/
A *n* **1** (puzzle) mystère *m*; **to be/remain a ~ to sb** être/rester un mystère pour qn; **it's a ~ to me how/why/where** je n'arrive pas à comprendre comment/pourquoi/où; **it's a ~ how/where** on ne sait pas comment/où; **there is no ~ about her success** *ou* **about why she is successful** son succès n'a rien de mystérieux; **there's no ~ about it** ce n'est pas un mystère; **to make a great ~ of sth** faire grand mystère de qch; **2** (mysteriousness) mystère *m*; **the ~ surrounding sth** le mystère qui entoure qch; **shrouded in ~** enveloppé de mystère; **3** (book) roman *m* policier; **4** (film) film *m* policier; **5** Relig mystère *m*
B *modif* [*death, illness, voice*] mystérieux/-ieuse; [*guest, visitor*] mystère; [*prize, tour, trip*] surprise; **the ~ man/woman** l'inconnu/-e

mystery: **~ play** *n* Theat mystère *m*; **~ tour** *n* voyage *m* surprise

mystic /ˈmɪstɪk/
A *n* Relig mystique *mf*

B *adj* [*religion, union, beauty*] mystique; [*power*] occulte; [*practice*] ésotérique

mystical /ˈmɪstɪkl/ *adj* mystique

mysticism /ˈmɪstɪsɪzəm/ *n* mysticisme *m*

mystification /ˌmɪstɪfɪˈkeɪʃn/ *n* **1** (of issue, process) mystification *f*; **2** (of person) perplexité *f*; **in some ~, he...** quelque peu perplexe, il...

mystify /ˈmɪstɪfaɪ/ *vtr* laisser [qn] perplexe; **I am completely mystified** je suis tout à fait perplexe; **to be mystified to find** *ou* **discover that...** découvrir avec perplexité que...

mystifying /ˈmɪstɪfaɪɪŋ/ *adj* intrigant

mystifyingly /ˈmɪstɪfaɪɪŋlɪ/ *adv* bizarrement

mystique /mɪˈstiːk/ *n* aura *f* de mystique; **full of/clothed in ~** chargé de/enveloppé de mystère

myth /mɪθ/ *n* **1** **C** (story, fallacy) mythe *m*; **2** **¢** (mythology) mythologie *f*

mythic(al) /ˈmɪθɪk(l)/ *adj* **1** Mythol [*hero, creature, portrayal*] mythique; **2** fig [*proportions*] légendaire

mythological /ˌmɪθəˈlɒdʒɪkl/ *adj* mythologique

mythologize /mɪˈθɒlədʒaɪz/ *vtr* mythologiser

mythology /mɪˈθɒlədʒɪ/ *n* mythologie *f*

myxomatosis /ˌmɪksəməˈtəʊsɪs/ *n* myxomatose *f*

m

Nn

n, N /en/ *n* **1** (letter) n, N *m*; **2** **n** Math n; **to the power of n** à la puissance n; fig **to the nth degree** au énième degré; **for the nth time** pour la énième fois; **3** **N** Geog (*abrév écrite* = **north**) N; **4** **'n'** = **and**

n/a, N/A (*abrév* = **not applicable**) s/o

NA *n*: *abrév* ▸ **North America**

NAACP *n* US (*abrév* = **National Association for the Advancement of Colored People**) association *f* de défense des droits civiques des Noirs

Naafi /ˈnæfɪ/ *n* GB **1** (*abrév* = **Navy Army and Air Force Institutes**) intendance *f* militaire; **2** (canteen) cantine *f* de l'armée

nab /næb/

A *n* GB (*abrév* = **no alcohol beer**) bière *f* sans alcool

B ○*vtr* (*p prés etc* **-bb-**) **1** (catch) pincer○ [*wrongdoer*]; coincer○ [*passer-by*]; **2** (appropriate) mettre le grappin○ sur [*person, object*]; **3** (steal) piquer○

nablabs /ˈnæblæbs/ *npl* GB (*abrév* = **no alcohol beers and low alcohol beers**) *catégorie de bières sans alcool et à bas taux d'alcool*

nabob /ˈneɪbɒb/ *n* nabab *m*

nacelle /nəˈsel/ *n* nacelle *f*

nacho /ˈnætʃəʊ/ *n* nacho *m*

nacre /ˈneɪkə(r)/ *n* nacre *f*

nacreous /ˈneɪkrɪəs/ *adj* nacré

nadir /ˈneɪdɪə(r)/ *n* **1** (celestial point) nadir *m*; **2** fig (low point) point *m* le plus bas; **to reach a ~** tomber on ne peut plus bas

naff○ /næf/ *adj* GB ringard○

(Phrasal verb) ■ **naff off**◑ foutre le camp◑, s'en aller

naffing◑ /ˈnæfɪŋ/ *adj* GB foutu◑

NAFTA /ˈnæftə/ *n* (*abrév* = **North American Free Trade Agreement**) ALÉNA *m*

nag /næg/

A *n* **1** ○(horse) péj canasson○ *m* pej, vieux cheval *m*; **2** ○(woman) péj mégère *f* pej

B *vtr* (*p prés etc* **-gg-**) **1** (pester) enquiquiner○ [*person*] (**about** au sujet de); **he's been ~ging me for a new bike** il m'enquiquine○ pour que je lui achète un nouveau vélo; **to ~ sb into doing** enquiquiner○ qn pour qu'il/elle fasse; **2** (niggle) [*pain, discomfort*] lanciner; [*doubt, worry, conscience*] travailler, lanciner

C *vi* (*p prés etc* **-gg-**) **1** (moan) faire des remarques continuelles; **stop ~ing!** arrête de m'enquiquiner○!; **all you do is ~!** tu n'arrêtes pas de m'enquiquiner○!; **to ~ at sb** enquiquiner○ qn; **to ~ at sb to do** enquiquiner○ qn pour qu'il/elle fasse; **2** (niggle) **to ~ (away) at sb** [*pain*] harceler qn; [*conscience, worry*] travailler qn

D **nagging** *pres p adj* (niggling) [*pain, doubt, suspicion*] tenace; [*problem*] obsédant; **I still had a ~ging doubt** le soupçon continuait à me travailler

naiad /ˈnaɪæd/ *n* (*pl* **~s** *ou* **~es**) (all contexts) naïade *f*

nail /neɪl/

A *n* **1** Anat ongle *m*; **to bite one's ~s** se ronger les ongles; **2** Tech clou *m*

B *vtr* **1** (attach with nails) clouer; **they ~ed planks over the doors** ils ont cloué des planches sur les portes; **to ~ a picture to a wall** clouer un tableau sur un mur; **2** ○(trap, pin down) coincer○ [*wrongdoer*]; démasquer [*liar*]; **3** ○(expose) démentir [*rumour*]; démolir [*myth*]

(Idioms) **a ~ in sb's coffin** un coup dur; **to hit the ~ on the head** mettre le doigt dessus; **cash on the ~** argent *m* comptant; **to be as hard** *ou* **as tough as ~s** être sans cœur; **to fight tooth and ~** se battre avec acharnement (**against** contre). ▸ **mast**

(Phrasal verbs) ■ **nail down**: ▸ **~ down [sth], ~ [sth] down** **1** clouer; **2** fig (define) définir [*agreement, policy*]; ▸ **~ [sb] down** coincer○ [*person*]; **to ~ sb down to a time/date/price** obtenir de qn qu'il fixe (*subj*) une heure/une date/un prix

■ **nail up**: ▸ **~ up [sth], ~ [sth] up** **1** clouer [*picture, sign*]; **2** (board up) condamner (*avec des planches*) [*doors, windows*]; (seal) clouer [*box, crate*]

nail-biting /ˈneɪlbaɪtɪŋ/

A *n* habitude *f* de se ronger les ongles

B *adj* [*match, finish*] palpitant; [*wait*] angoissant

nail: **~ bomb** *n* bombe *f* à clous; **~brush** *n* brosse *f* à ongles; **~ clippers** *npl* coupe-ongles *m inv*; **~ enamel** *n* vernis *m* à ongles; **~ file** *n* lime *f* à ongles; **~ polish** *n* vernis *m* à ongles; **~ polish remover** *n* dissolvant *m*; **~ scissors** *npl* ciseaux *mpl* à ongles; **~ varnish** *n* vernis *m* à ongles; **~ varnish remover** *n* dissolvant *m*

naïve /naɪˈiːv/ *adj* gen, Art naïf/-ïve

naïvely /naɪˈiːvlɪ/ *adv* [*believe, say, behave*] naïvement; [*draw, write*] dans un style naïf; **~ forthright/loyal** d'une franchise/loyauté naïve

naïvety, naïveté /naɪˈiːvtɪ/ *n* naïveté *f*; **in my ~** en toute naïveté

naked /ˈneɪkɪd/ *adj* **1** (bare) [*person, body*] nu; **to go ~** se promener tout nu; **you can't go around stark ~!** tu ne peux pas te balader complètement nu *or* à poil○!; **~ to the waist** torse nu; **2** (exposed) [*flame, light bulb, sword*] nu; **3** (blunt) [*truth*] tout nu; [*facts*] brut; [*aggression, hostility, ambition, terror*] non déguisé; **4** (unaided) **visible to the ~ eye** visible à l'œil nu; **5** Jur (incomplete) **~ agreement** contrat *m* à titre gratuit; **6** Fin (unhedged) **~ option** option *f* découverte; **~ writer** vendeur *m* découvert

(Idiom) **as ~ as the day he was born** nu comme un ver, nu comme la main

nakedness /ˈneɪkɪdnɪs/ *n* nudité *f*

NALGO /ˈnælgəʊ/ *n* GB (*abrév* = **National and Local Government Officers' Association**) syndicat *m* des fonctionnaires de l'administration

NAM *n*: *abrév* ▸ **New Age Movement**

namby-pamby○ /ˌnæmbɪˈpæmbɪ/ *n, adj* péj gnangnan○ (*mf*) *inv*

name /neɪm/

A *n* **1** (title) (of person, place, object) nom *m*; (of book, film) titre *m*; **first ~** prénom *m*; **my ~ is Louis** je m'appelle Louis; **what is your ~?** comment vous appelez-vous?; **what ~ shall I say?** (on phone) c'est de la part de qui?; (in person) qui dois-je annoncer?; **a woman by the ~ of Catherine** une femme répondant au nom de Catherine; **he goes by the ~ of Max** il s'appelle Max; **I know it by another ~** je le connais sous un autre nom; **I know my regulars by ~** je connais mes habitués par leurs noms; **I only know the company by ~** je ne connais la société que de nom; **to refer to sb/sth by ~** désigner qn/qch par son nom; **the common/Latin ~ for this plant** le nom vulgaire/latin de cette plante; **in the ~ of God!** au nom de Dieu!; **in the ~ of freedom** au nom de la liberté; **in my ~** en mon nom; **a passport in the ~ of Nell Drury** un passeport au nom de Nell Drury; **she writes under the ~ Eve Quest** elle écrit sous le nom d'Eve Quest; **he's president in ~ only** il n'a de président que le nom; **they are married in ~ only** ils ne sont mariés que sur le papier; **to be party leader in all** *ou* **everything but ~** être chef du parti sinon en titre, du moins en pratique; **to give/lend one's ~ to sth** donner/prêter son nom à qch; **to put one's ~ to** apposer son nom à [*petition*]; **to take** *ou* **get one's ~ from** porter le nom de [*relative, flower*]; **to put one's ~ down for** s'inscrire à [*course, school*]; **she put her ~ down to act in the play** elle s'est proposée pour jouer dans la pièce; **the big ~s in showbusiness** les grands noms du monde du spectacle

2 (reputation) réputation *f*; **a good/bad ~** une bonne/mauvaise réputation; **they have a ~ for efficiency** ils ont la réputation d'être efficaces; **that was the film that made her ~** c'est ce film qui a fait sa réputation *or* qui l'a rendue célèbre; **to make one's ~ as a writer** se faire un nom comme écrivain; **to make a ~ for oneself as a singer/photographer** se faire un nom dans la chanson/la photo; **to make a ~ for oneself as a coward/liar** péj se faire une réputation de lâche/menteur

3 (insult) **to call sb ~s** injurier qn; **he called me all sorts of ~s** il m'a traité de tous les noms

B *vtr* **1** (call) appeler [*person, area*]; baptiser [*boat, planet*]; **they ~d the baby Nadine** ils ont appelé le bébé Nadine; **they ~d her after** GB *ou* **for** US **her mother** ils l'ont appelée comme sa mère; **we'll ~ him Martin after Martin Luther King** on l'appellera Martin en souvenir de Martin Luther King; **a boy ~d Joe** un garçon nommé Joe; **the product is ~d after its inventor** le produit porte le nom de son inventeur

2 (cite) citer [*country, name, planet*]; **~ three American States** citez trois États américains; **~ me all the members of the EU** citez-moi tous les pays membres de la UE; **France, Spain, Italy, to ~ but a few** la France, l'Espagne, l'Italie, pour n'en citer que quelques-uns; **illnesses? you ~ it, I've had it!** des maladies? je les ai toutes eues!; **hammers, drills, nails, you ~ it, we've got it!** marteaux, perceuses, clous, nous avons tout ce que vous voulez

3 (reveal identity of) citer [*names*]; révéler [*sources*]; révéler l'identité de [*suspect*]; **to ~ ~s** donner des noms; **naming no ~s** sans vouloir dénoncer personne; **to be ~d as a suspect** être désigné comme suspect

4 (appoint) nommer [*captain*]; donner la composition de [*team*]; désigner [*heir*]; nommer [*successor*]; **he's been ~d actor of the year** il a

n

été nommé acteur de l'année; **to ~ sb for** nommer qn à [*post, award*]
[5] (state) indiquer [*place, time*]; fixer [*price, terms*]; **~ your price** fixez votre prix; **to ~ the day** fixer la date du mariage

(Idioms) **that's the ~ of the game** c'est la règle du jeu; **competitiveness/perfection is the ~ of the game** c'est la compétitivité/la perfection qui prime; **to see one's ~ in lights** devenir célèbre

name-calling /ˈneɪmkɔːlɪŋ/ *n* injures *fpl*; **to resort to/indulge in ~** en venir/se laisser aller aux injures

namecheck *n* Radio *mention du nom d'une société en échange d'un service rendu*

name day *n* [1] Relig fête *f*; [2] **Name Day** Fin *deuxième jour d'une transaction en Bourse où le nom de l'acheteur est communiqué au vendeur*

name-drop /ˈneɪmdrɒp/ *vi* (*p prés etc* **-pp-**) péj citer des gens célèbres (*qu'on prétend connaître*)

name-dropper /ˈneɪmdrɒpə(r)/ *n* **he's a ~** péj il aime bien citer des gens connus (qu'il prétend connaître personnellement)

nameless /ˈneɪmlɪs/ *adj* [1] (anonymous) [*person, grave*] anonyme; **a certain person, who shall remain** *ou* **be ~** une personne que je ne nommerai pas; [2] (indefinable) [*fear, dread*] inexprimable

namely /ˈneɪmlɪ/ *adv* à savoir; **two countries, ~ France and Spain** deux pays, à savoir la France et l'Espagne

name part *n* Theat rôle *m* titre

name plate *n* (of manufacturer) plaque *f* (de fabrication); (of practitioner) plaque *f* (professionnelle); (of home owner) plaque *f*

name: **~sake** *n* homonyme *m*; **~ tag** *n* étiquette *f* (*sur laquelle est marqué le nom du propriétaire*); **~ tape** *n* Sewing nom *m* tissé

Namibia /nəˈmɪbɪə/ ▸ **p. 1096** *pr n* Namibie *f*

Namibian /nəˈmɪbɪən/ ▸ **p. 1467**
A *n* Namibien/-ienne *m/f*
B *adj* namibien

nan○ /næn/, **nana**○ /ˈnænə/ *n* mamie○ *f*, mémé○ *f*

nan bread /ˈnɑːn bred/ *n* pain *m* indien au levain (*plat et rond*)

nance○ /næns/, **nancy**○ /ˈnænsɪ/, **nancy-boy**○ /ˈnænsɪbɔɪ/ *n* injur tapette○ *f*, tante○ *f* offensive

nankeen /næŋˈkiːn/ *n* nankin *m*

Nanking /ˌnænˈkɪŋ/ ▸ **p. 1815** *pr n* Nankin

nanny /ˈnænɪ/ *n* GB [1] (nurse) bonne *f* d'enfants, nurse *f*; [2] ○(grandmother) mamie *f*, mémé *f*

nanny: **~ goat** *n* chèvre *f*, bique○ *f*; **~ state** *n* Pol État *m* hyperprotecteur

nano+ /ˈnænəʊ/ (*dans composés*) nano

nanosecond /ˈnænəʊsekənd/ *n* nanoseconde *f*

nanotechnology /ˌnænəʊtekˈnɒlədʒɪ/ *n* nanotechnologie *f*

nap /næp/
A *n* [1] (snooze) petit somme *m*; **afternoon ~** sieste *f*; **to have** *ou* **take a ~** faire un petit somme; (after lunch) faire la sieste; [2] Tex (pile) poil *m*; **velvet that has lost its ~** velours râpé *or* élimé; [3] Tex (direction of cut) sens *m*; **with the ~** dans le sens du tissu; **against the ~** à rebrousse-poil; [4] Games nap *m*; [5] GB Turf favori *m*
B *vtr* (*p prés etc* **-pp-**) GB Turf **to ~ the winner** donner le cheval gagnant
C *vi* (*p prés etc* **-pp-**) sommeiller, faire un petit somme

(Idioms) **to catch sb ~ping**○ (off guard) prendre qn au dépourvu *or* à l'improviste; **to go ~ (on sth)**○ tout miser (sur qch)

napalm /ˈneɪpɑːm/
A *n* napalm *m*
B *modif* [*bomb, attack*] au napalm
C *vtr* attaquer [qch] au napalm

nape /neɪp/ *n* nuque *f*; **the ~ of the neck** la nuque

naphtha /ˈnæfθə/ *n* naphte *m*

naphthalene /ˈnæfθəliːn/ *n* Chem naphtalène *m*; Comm naphtaline *f*

napkin /ˈnæpkɪn/ *n* [1] (serviette) serviette *f* (de table); **~ ring** rond *m* de serviette; [2] GB sout (nappy) couche *f* de bébé

Naples /ˈneɪplz/ ▸ **p. 1815** *pr n* Naples

napoleon /nəˈpəʊlɪən/ *n* [1] (coin) napoléon *m*; [2] US Culin ≈ millefeuille *m*; [3] = **nap A 3**

Napoleon /nəˈpəʊlɪən/ *pr n* Napoléon

Napoleonic /nəˌpəʊlɪˈɒnɪk/ *adj* napoléonien/-ienne

nappy /ˈnæpɪ/ *n* GB couche *f* (de bébé)

nappy liner *n* lange *m* fin

nappy rash *n* GB érythème *m* fessier; **to have ~** avoir les fesses irritées

narc○ /nɑːk/ *n* US (*abrév* = **narcotics agent**) agent *m* de la brigade des stupéfiants

narcissi /nɑːˈsɪsaɪ/ *pl* ▸ **narcissus**

narcissism /ˈnɑːsɪsɪzəm/ *n* narcissisme *m*

narcissist /ˈnɑːsɪsɪst/ *n* narcisse *m*

narcissistic /ˌnɑːsɪˈsɪstɪk/ *adj* narcissique

narcissus /nɑːˈsɪsəs/
A *n* (*pl* **-cissi** *ou* **~es**) Bot, Hort narcisse *m*
B **Narcissus** *pr n* Mythol Narcisse

narcolepsy /ˈnɑːkəlepsɪ/ *n* narcolepsie *f*

narcosis /nɑːˈkəʊsɪs/ *n* narcose *f*

narcotic /nɑːˈkɒtɪk/
A *n* (soporific) lit, fig narcotique *m*; (illegal drug) stupéfiant *m*; **to be arrested on a ~s charge** être arrêté pour trafic de stupéfiants
B *adj* lit, fig narcotique

narcotic: **~s agent** *n* US agent *m* de la brigade des stupéfiants; **~s squad** *n* US brigade *f* des stupéfiants

narcotize /ˈnɑːkətaɪz/ *vtr* administrer un narcotique à [*person*]

narcotourist /ˈnɑːkəʊtʊərɪst, -tɔːr-/ *n* narcotouriste *mf*

nark○ /nɑːk/
A *n* [1] GB (informant) mouchard○ *m*; [2] GB (grumbler) rouspéteur/-euse○ *m/f*; [3] US = **narc**
B *vtr* GB (annoy) mettre [qn] en boule○, agacer
C *vi* GB [1] (grumble) rouspéter○ (**about** contre); [2] (inform police) moucharder○
D **narked**○ *pp adj* en rogne○, en boule○; **to get ~ed** se ficher en boule○ *or* en rogne○

narky○ /ˈnɑːkɪ/ *adj* GB ronchon/-onne

narrate /nəˈreɪt/ *vtr* raconter, narrer liter

narration /nəˈreɪʃn/ *n* récit *m*, narration *f*

narrative /ˈnærətɪv/
A *n* [1] (account, story) récit *m*, histoire *f*; [2] (storytelling) narration *f*; **he is a master of ~** il est maître dans l'art du récit *ou* de la narration
B *modif* [*prose, poem*] narratif/-ive; [*skill, talent*] de conteur; **~ writer** narrateur/-trice *m/f*

narratology /ˌnærəˈtɒlədʒɪ/ *n* narratologie *f*

narrator /nəˈreɪtə(r)/ *n* Literat narrateur/-trice *m/f*; Mus récitant/-e *m/f*

narrow /ˈnærəʊ/ ▸ **p. 1389**
A **narrows** *npl* goulet *m*
B *adj* [1] (in breadth) [*street, valley, gap, vase, room, bridge, face*] étroit; **to grow** *ou* **become ~** [*road, river*] se rétrécir; [*valley*] se resserrer; **to have ~ eyes** avoir des petits yeux; **he is ~ across the shoulders, his shoulders are ~** il est étroit d'épaules; [2] (in scope) [*range, choice*] restreint; [*issue, field, boundaries, group, sense, definition*] étroit; [*vision, life, interests, understanding*] limité; [*views, version*] étriqué pej; [3] (in degree) [*majority, margin*] faible (*before n*); **to have a ~ lead** avoir une légère avance; **to suffer a ~ defeat** perdre de justesse; **to win a ~ victory** gagner de justesse; **to win by the ~est of margins** gagner d'une extrême justesse; **to have a ~ escape** *ou* **a ~ squeak**○ GB l'échapper belle; **that was a ~ squeak**○**!** GB on l'a échappé belle!; [4] (in size, shape) [*shoes, jacket, dress, skirt, trousers*] étroit; [5] Ling [*vowel*] tendu; [*transcription*] phonétique
C *vtr* [1] (limit) limiter [*choice, range, field, options*] (**to** à); restreindre [*sense, definition*] (**to** à); [2] (reduce) réduire [*gap, deficit, margin*] (**from** de; **to** à); **Elliott has ~ed the gap** (in race, poll) Elliott a réduit l'écart; [3] (reduce breadth of) rétrécir [*road, path, arteries*]; **to ~ one's eyes** plisser les yeux
D *vi* [1] (in breadth) [*street, lake, corridor*] se rétrécir; [*valley, arteries*] se resserrer; **the road ~ed to a track** la route se rétrécissait au point de devenir un chemin; **her eyes ~ed** elle plissait les yeux; [2] (fall off) [*gap, deficit, margin, lead*] se réduire (**to** à); [3] (in scope) [*choice*] se limiter (**to** à)
E **narrowing** *pres p adj* [*street, channel, passage*] qui se rétrécit; [*gap, deficit, field*] qui se réduit

(Idioms) **the straight and ~** le droit chemin; **to keep to/wander from the straight and ~** rester dans le/s'écarter du droit chemin

(Phrasal verb) ■ **narrow down**: [*investigation, search*] se limiter (**to** à); [*field of contestants, suspects*] se réduire (**to** à); ▸ **~ [sth] down, ~ down [sth]** réduire [*numbers, list, choice*] (**to** à); limiter [*investigation, research*] (**to** à)

narrow: **~ boat** *n* GB péniche *f*; **~ gauge** *n* voie *f* étroite; **~-gauge engine** *n* locomotive *f* pour voie étroite; **~-gauge railway** *n* chemin *m* de fer à voie étroite

narrowly /ˈnærəʊlɪ/ *adv* [1] (barely) de justesse; [2] (strictly) [*define, interpret*] strictement

narrow-minded /ˌnærəʊˈmaɪndɪd/ *adj* péj borné; **to be ~ about** avoir des vues étroites sur

narrow-mindedness /ˌnærəʊˈmaɪndɪdnɪs/ *n* péj étroitesse *f* d'esprit

narrowness /ˈnærəʊnɪs/ *n* (all contexts) étroitesse *f*

narwhal /ˈnɑːwəl/ *n* narval *m*

NAS *n* US (*abrév* = **National Academy of Sciences**) académie *f* des sciences

NASA /ˈnæsə/ *n* (*abrév* = **National Aeronautics and Space Administration**) NASA *f*

nasal /ˈneɪzl/
A *n* Ling nasale *f*
B *adj* [1] Ling [*vowel, pronunciation*] nasal; [2] gen [*voice, accent*] nasillard; **to speak with a ~ twang** parler du nez, nasiller

nasality /neɪˈzælətɪ/ *n* nasalité *f*

nasalization /ˌneɪzəlaɪˈzeɪʃn/ *n* nasalisation *f*

nasalize /ˈneɪzəlaɪz/ *vtr* nasaliser

nasally /ˈneɪzəlɪ/ *adv* [*speak*] d'une voix nasillarde

nasal spray *n* nébuliseur *m* (*pour le nez*)

nascent /ˈnæsnt/ *adj* [1] gen naissant; [2] Chem (à l'état) naissant

nastily /ˈnɑːstɪlɪ/ *adv* [1] (unkindly) [*behave, speak, laugh*] d'une façon désagréable; **to say sth ~** dire qch d'un ton sarcastique; [2] (severely) [*leak, crack*] sérieusement

nastiness /ˈnɑːstɪnɪs/ *n* [1] (spitefulness) méchanceté *f*; [2] (unpleasantness) (of food, medicine) mauvais goût *m*

nasturtium /nəˈstɜːʃəm/ *n* capucine *f*

nasty /ˈnɑːstɪ/
A ○*n* (in food, water, air) saleté *f*; **video ~** film *m* d'épouvante en vidéo
B *adj* [1] (unpleasant) [*crime, experience, sight, taste, surprise, suspicion*] horrible; [*feeling, task*] désagréable; [*habit*] mauvais; [*expression, look*] méchant; [*rumour*] inquiétant; [*stain*] gros/grosse; [*affair, business*] sale (*before n*); **I got a ~ fright** j'ai vraiment eu un choc; **the ~ weather** le mauvais temps; **to smell ~** sentir mauvais; **to taste ~** avoir mauvais goût; **it's ~ and hot** il fait une chaleur désagréable; **things could get ~** les choses pourraient mal tourner; **to turn ~** [*dog*] devenir méchant; [*person*] s'emporter; [*weather*] se gâter; **to be a ~ piece of work** être un sale type/une sale

n

ℹ Nationalities

■ *Words like* French *can also refer to the language (e.g.* a French textbook ▸ **p. 1378**) *and to the country (e.g.* French history ▸ **p. 1096**).

■ *Note the different use of capital letters in English and French; adjectives never have capitals in French:*

a French student
= un étudiant français/une étudiante française

a French nurse
= une infirmière française/un infirmier français

a French tourist
= un touriste français/une touriste française

■ *Nouns have capitals in French when they mean* a person of a specific nationality:

a Frenchman
= un Français

a Frenchwoman
= une Française

French people *or* ***the French***
= les Français *mpl*

a Chinese man
= un Chinois

a Chinese woman
= une Chinoise

Chinese people *or* ***the Chinese***
= les Chinois *mpl*

■ *English sometimes has a special word for a person of a specific nationality; in French, the same word can almost always be either an adjective (no capitals) or a noun (with capitals):*

Danish
= danois

a Dane
= un Danois, une Danoise

the Danes
= les Danois *mpl*

■ *Note the alternatives using either adjective* (il/elle est... etc.) *or noun* (c'est...) *in French:*

he is French
= il est français
or c'est un Français

she is French
= elle est française
or c'est une Française

they are French
= (*men or mixed*) ils sont français
or ce sont des Français
(*women*) elles sont françaises
or ce sont des Françaises

■ *When the subject is a noun, like* the teacher *or* Paul *below, the adjective construction is normally used in French:*

the teacher is French
= le professeur est français

Paul is French
= Paul est français

Anne is French
= Anne est française

Paul and Anne are French
= Paul et Anne sont français

■ *Other ways of expressing someone's nationality or origins are:*

he's of French extraction
= il est d'origine française

she was born in Germany
= elle est née en Allemagne

he is a Spanish citizen
= il est espagnol

a Belgian national
= un ressortissant belge

she comes from Nepal
= elle vient du Népal

femme; **2▸** (unkind) [*person*] désagréable; [*trick*] sale (*before n*), vilain; [*gossip, letter*] méchant; **you've got a ~ mind** tu vois toujours le mal partout; **a ~ sense of humour** un humour méchant; **he gets ~ when he's tired** il devient méchant quand il est fatigué; **to be ~ to** être dur envers; **to say ~ things about** dire des choses méchantes au sujet de; **3▸** (serious) [*cut, bruise*] vilain (*before n*); [*bump, crack, fall, accident*] grave; [*cold*] mauvais (*before n*); **4▸** (ugly) [*colour, shape, style*] affreux/-euse; **5▸** (tricky) [*problem, question*] difficile; [*bend*] dangereux/-euse

NAS/UWT *n* GB (*abrév* = **National Association of Schoolmasters/Union of Women Teachers**) syndicat *m* d'enseignants

natal /ˈneɪtl/ *adj* natal; **~ day** littér jour *m* de la naissance

Natal /nəˈtæl/ *pr n* Natal *m*

natality /nəˈtælətɪ/ *n* natalité *f*

natch○ /nætʃ/ *excl* US naturellement

NATFHE *n* GB (*abrév* = **National Association of Teachers in Further and Higher Education**) association *f* nationale des enseignants du troisième cycle

nation /ˈneɪʃn/ *n* **1▸** Pol (entity) nation *f*, pays *m*; **the ~'s past** le passé de la nation; **throughout** *ou* **across the ~** à travers tout le pays; **2▸** (people) peuple *m*; **to address the ~** s'adresser à la nation; **a ~ of storytellers** un pays de conteurs

national /ˈnæʃənl/
A *n* **1▸** Admin (citizen) ressortissant/-e *m/f*; **foreign/EU ~s** ressortissants étrangers/de la UE; **2▸** ○GB, Journ (newspaper) **the ~s** les grands quotidiens *mpl*
B *adj* **1▸** (concerning country) [*event, news, channel*] national; **the ~ press** *ou* **newspapers** GB les grands quotidiens *mpl*; **~ affairs** les affaires du pays; **in the ~ interest** dans l'intérêt national; **the ~ government** le gouvernement; **a ~ strike** une grève qui s'étend à l'ensemble du pays; **2▸** (particular to country) [*dress, flag, game, pastime*] national; **3▸** (government-run) [*railway, company*] national

national: **~ anthem** *n* hymne *m* national; **National Assembly** *n* Assemblée *f* nationale; **National Curriculum** *n* GB programme *m* scolaire national; **~ debt** *n* dette *f* publique; **National Enterprise Board, NEB** *n* GB ≈ institut *m* de développement industriel britannique; **National Foundation for the Arts and the Humanities** *n* US *institution gouvernementale subventionnant des activités artistiques et culturelles*; **National Front, NF** *n* GB *parti britannique d'extrême droite*; cf Front *m* national; **National Geographic Association** *n* US société *f* de géographie des États-Unis; **National Graphical Association, NGA** *n* fédération *f* du livre; **~ grid** *n* Elec réseau *m* national haute-tension; **National Guard, NG** *n* US *milice de volontaires au service de l'État et de la fédération*

National Health *n* GB **to get sth on the ~** ≈ se faire rembourser qch par la Sécurité Sociale

national: **National Health Service, NHS** *n* GB services *mpl* de santé britanniques, ≈ Sécurité *f* Sociale; ▸ **Welfare state**; **~ holiday** *n* fête *f* nationale; **~ income** *n* revenu *m* national; **National Insurance, NI** *n* GB securité *f* sociale britannique; ▸ **Welfare state**; **National Insurance contributions** *npl* cotisations *fpl* à la sécurité sociale; **National Insurance number** *n* numéro *m* de sécurité sociale

nationalism /ˈnæʃnəlɪzəm/ *n* nationalisme *m*

nationalist /ˈnæʃnəlɪst/ *n, adj* nationaliste (*mf*)

nationalistic /ˌnæʃnəˈlɪstɪk/ *adj* souvent péj nationaliste

nationality /ˌnæʃəˈnælətɪ/ *n* nationalité *f*; **what ~ is he?** il est de quelle nationalité?

nationalization /ˌnæʃnəlaɪˈzeɪʃn, US -lɪˈz-/ *n* nationalisation *f*

nationalize /ˈnæʃnəlaɪz/ *vtr* nationaliser [*industry, mine*]

nationally /ˈnæʃnəlɪ/ *adv* **1▸** (at national level) [*develop, institute, negotiate*] à l'échelon national; **there are problems locally and ~** il y a des problèmes aux plans local et national; **2▸** (nationwide) [*broadcast, enforce, employ, distribute*] sur l'ensemble du pays; [*known, respected, available*] dans tout le pays

national: **National Minimum Wage** *n* GB Soc Admin ≈ SMIC *m*; **~ monument** *n* monument *m* historique; **~ park** *n* parc *m* national; **National Power** *n* GB *compagnie d'électricité privée*

National Rifle Association, NRA *n* US Association *f* nationale des chasseurs à pied

National Rifle Association

Créé en 1871, ce groupe de pression en faveur du port d'armes est extrêmement puissant et compte aujourd'hui plus de trois millions de membres. Il s'appuie sur le second amendement à la Constitution (*Citizens are allowed to keep and bear arms*) pour s'opposer à un durcissement de la législation sur la détention et la vente des armes à feu.

national: **National Savings Bank** *n* GB ≈ Caisse *f* d'Épargne; **National Savings Certificate** *n* GB ≈ bon *m* de caisse; **National School, NS** *n* (in Ireland) école *f* primaire d'État; **National Science Foundation, NSF** *n* US centre *m* national de la recherche scientifique; **~ security** *n* sécurité *f* nationale; **National Security Adviser** *n* US conseiller/-ère *m/f* pour la sécurité auprès du Président américain; **National Security Council** *n* US conseil *m* national de sécurité; **~ service** *n* GB Hist service *m* militaire; **~ socialism** *n* Hist national-socialisme *m*

National Trust, NT *n* GB commission *f* nationale des sites et monuments historiques

National Trust

Association caritative britannique fondée en 1895 pour assurer la protection de certains bâtiments ou parties de littoral menacés par l'industrialisation. Depuis sa création, le *National Trust* a acquis ou a reçu comme dons de très nombreux sites et bâtiments, dont la plupart sont ouverts au public. Cette association est aujourd'hui le premier propriétaire foncier britannique et compte plus de deux millions de membres. En Écosse, son équivalent est le National Trust for Scotland. ▸ **English Heritage**

nationhood /ˈneɪʃnhʊd/ *n* statut *m* national

nation-state /ˌneɪʃnˈsteɪt/ *n* État-nation *m*

nationwide /ˌneɪʃnˈwaɪd/
A *adj* [*appeal, coverage, scheme, strike*] sur l'ensem-

ble du territoire; [*campaign*] national; [*survey, poll*] à l'échelle nationale

B *adv* [*broadcast, travel, compete*] dans tout le pays; **showing at cinemas ~** sortie sur tous les écrans

native /ˈneɪtɪv/

A *n* **1** gen, Bot, Zool (from a particular place) natif/-ive *m/f*; **to be a ~ of** [*person, plant*] être originaire de; **to speak a language like a ~** parler une langue comme si c'était sa langue maternelle; **2** Anthrop (indigenous inhabitant) indigène *mf*; **3** péj (local resident) autochtone *mf*; **the ~s never visit the museum** hum les gens du pays ne vont jamais au musée

B *adj* **1** (original) [*land*] natal; [*tongue*] maternel/-elle; **his ~ Austria** l'Autriche, son pays natal; **~ German speaker** personne *f* de langue maternelle allemande; **~ English speaker** anglophone *mf*; **~ French speaker** francophone *mf*; **2** Anthrop, Bot, Zool [*labour, peoples, quarter, species*] indigène; **~ to Northern Europe** originaire de l'Europe du Nord; **to go ~** hum adopter les coutumes locales; **3** (natural) [*cunning*] inné; [*wit*] naturel/-elle; **4** (local) [*produce*] du pays

Native American *n, adj* amérindien/-ienne (*m/f*)

> **Native American**
>
> Longtemps appelés *Indians*, les Amérindiens veulent que soit reconnu le fait qu'ils occupaient le territoire américain des centaines d'années avant l'arrivée des Européens. À peu près un million d'entre eux vivent dans des réserves qui ont chacune leur propre gouvernement et leur propre force de police. ▸ **Hyphenated American**

native son *n* enfant *m* du pays

native speaker *n* locuteur natif/locutrice native *m/f*; **to have ~ fluency** avoir l'aisance d'un locuteur natif; **'we require a ~ of English'** 'recherchons personne de langue maternelle anglaise'

nativism /ˈneɪtɪvɪzəm/ *n*: *politique favorisant la population autochtone d'un pays aux dépens des immigrants*

Nativity /nəˈtɪvətɪ/ *n* Relig, Art nativité *f*

Nativity: **~ Play** *n* mystère *m* de la Nativité; **~ scene** *n* nativité *f*

Nato, NATO *n* (*abrév* = **North Atlantic Treaty Organization**) OTAN *f*

natter○ /ˈnætə(r)/ GB

A *n* causette○ *f* (**about** sur); **to have a ~** faire un brin de causette○

B *vi* (*also* **~ on**) papoter (**about** sur; **to** à; **with** avec)

natterer○ /ˈnætərə(r)/ *n* GB bavard/-e *m/f*

natterjack (toad) /ˈnætədʒæk/ *n* calamite *m*, crapaud *m* des joncs

natty○ /ˈnætɪ/ *adj* **1** (smart) [*outfit*] chic *inv*; [*person*] chic *inv*, pimpant; **he's a ~ dresser** il est toujours pimpant; **2** (clever) [*machine, tool*] ingénieux/-ieuse, astucieux/-ieuse

natural /ˈnætʃrəl/

A *n* **1** ○(person) **as an actress, she's a ~** c'est une actrice née; **he's a ~ for the role of Hamlet** il est fait pour jouer Hamlet; **2** Mus (sign) bécarre *m*; (note) note *f* naturelle; **3** ‡(simpleton) imbécile *mf*

B *adj* **1** (not artificial or man-made) [*phenomenon, force, disaster, harbour, light, resources, process, progression, beauty, material, food*] naturel/-elle; **the ~ world** le monde naturel; **in its ~ state** à l'état naturel; **2** (usual, normal) naturel/-elle, normal; **it's ~ to do/to be** c'est normal de faire/d'être; **it's ~ for sb to do** c'est normal que qn fasse; **the ~ thing to do would be to protest** la chose la plus normale serait de protester; **it's only ~** c'est tout à fait naturel; **it's not ~!** ce n'est pas normal!; **to die of ~ causes** mourir de mort naturelle *or* de sa belle mort; **death from ~ causes** Jur mort naturelle; **for the rest of one's ~ life** Jur à vie; **3** (innate) [*gift, talent, emotion, trait*] inné; [*artist, professional, storyteller*] né; [*affinity*] naturel/-elle; **a ~ advantage** (of person, party, country) un atout; **4** (unaffected) [*person, manner*] simple, naturel/-elle; **try and look more ~** essaie d'avoir l'air plus naturel; **5** (actual, real) [*parent*] naturel/-elle; ‡(illegitimate) [*child*] naturel/-elle; **6** Mus naturel/-elle; **~ horn** cor *m* d'harmonie

natural: **~-born** *adj* né/née; **~ childbirth** *n* accouchement *m* sans douleur, accouchement *m* psychoprophylactique spec; **~ gas** *n* gaz *m* naturel; **~ history** *n* histoire *f* naturelle

naturalism /ˈnætʃrəlɪzəm/ *n* naturalisme *m*

naturalist /ˈnætʃrəlɪst/ *n, adj* naturaliste (*mf*)

naturalistic /ˌnætʃrəˈlɪstɪk/ *adj* naturaliste

naturalization /ˌnætrəlaɪˈzeɪʃn, US -lɪˈz-/ *n* **1** Admin naturalisation *f*; **~ papers** lettres *fpl or* documents *mpl* de naturalisation; **2** Bot, Zool acclimatation *f*

naturalize /ˈnætʃrəlaɪz/

A *vtr* **1** Admin naturaliser [*person*]; **to be ~d** se faire naturaliser; **she's a ~d American** elle est naturalisée Américaine; **2** Bot, Zool acclimater; **3** Ling naturaliser

B *vi* **1** Bot, Zool s'acclimater; **2** Admin [*person*] se faire naturaliser

natural: **~ justice** *n*: *principes d'égalité s'appliquant au règlement de disputes*; **~ language** *n* langage *m* naturel; **~ language processing, NLP** *n* traitement *m* automatique du langage naturel; **~ logarithm** *n* logarithme *m* naturel

naturally /ˈnætʃrəlɪ/ *adv* **1** (obviously, of course) naturellement, bien entendu, bien sûr; **~ enough, she refused** naturellement, elle a refusé; **2** (as a logical consequence) naturellement; **I ~ assumed that** j'ai tout naturellement pensé que; **3** (by nature) [*cautious, pale, shy etc*] de nature; **her hair is ~ blonde** elle a des cheveux blond naturel; **~ talented** naturellement doué; **I was doing what comes ~** j'ai fait ce qui me semblait naturel; **politeness comes ~ to him** il est d'un naturel poli; **politeness doesn't come ~ to him** iron on se demande où il a appris la politesse iron; **4** (unaffectedly, unselfconsciously) [*act, behave, speak, smile*] avec naturel; **she expressed herself quite ~** elle s'exprimait avec beaucoup de naturel; **just try and act ~** essaie simplement d'être naturel; **5** (in natural world) à l'état naturel; **~ occurring** présent à l'état naturel

naturalness /ˈnætʃrəlnɪs/ *n* (of manner, behaviour, person, style etc) naturel *m*

natural: **~ number** *n* nombre *m* naturel; **~ sciences**† *npl* sciences *fpl* naturelles; **~ selection** *n* sélection *f* naturelle; **~ wastage** *n* ₵ départs *mpl* naturels *or* volontaires

nature /ˈneɪtʃə(r)/

A *n* **1** (the natural world) nature *f*; **in ~** dans la nature; **the laws/wonders of ~** les lois *fpl*/les merveilles *fpl* de la nature; **it's ~'s way of doing sth** c'est la façon dont la nature fait qch; **let ~ take its course** laissez faire la nature; **contrary to ~, against ~** contre nature; **~ versus nurture** l'inné et l'acquis, la nature opposée à la culture; **to obey a call of ~** euph aller se soulager○; **to go back to** *ou* **return to ~** retourner à la nature; **state of ~** Philos état *m* de nature; **to paint from ~** peindre d'après nature; **one of ~'s gentlemen** un gentleman né; **2** (character, temperament) nature *f*, naturel *m*; **by ~** de *or* par nature; **it's not in her ~ to be aggressive** elle n'est pas agressive de nature; **he has a very loving ~** il est très affectueux par nature *or* de nature; **it is in the ~ of animals to kill** c'est dans la nature des animaux de tuer; **3** (kind, sort) nature *f*, sorte *f*; **what is the ~ of the problem?** quelle est la nature du problème?; **nothing of that ~ ever happened here** il ne s'est jamais rien produit de cette nature ici; **matters of a personal/medical ~** des choses d'ordre personnel/médical; **of a serious ~** d'une nature grave; **her letter was something in the ~ of a confession** sa lettre tenait de la confession; **'~ of contents'** Post 'désignation du contenu'; **4** (essential character) nature *f*, essence *f*; **it is in the ~ of things** il est dans l'ordre des choses; **dangerous by its very ~** dangereux/-euse de par sa nature même

B **-natured** (*dans composés*) **sweet-/pleasant-~d** d'un naturel doux/agréable

(Idiom) **~ abhors a vacuum** la nature a horreur du vide

nature: **~ conservancy** *n* protection *f* de la nature; **Nature Conservancy Council, NCC** *n* ≈ Conseil *m* National de la Protection de la Nature; **~ cure** *n* cure *f* d'air (naturiste); **~-identical** *adj* synthétique; **~ reserve** *n* réserve *f* naturelle; **~ trail** *n* sentier *m* écologique

naturism /ˈneɪtʃərɪzəm/ *n* naturisme *m*

naturist /ˈneɪtʃərɪst/ *n, adj* naturiste (*mf*)

naturopathy /ˌneɪtʃəˈrɒpəθɪ/ *n* naturopathie *f*

naught /nɔːt/ *n*‡ *ou* littér (nothing) rien *m*; **to bring sth to ~** réduire qch à zéro; **to come to ~** ne mener à rien

naughtily /ˈnɔːtɪlɪ/ *adv* **1** (disobediently) **to behave ~** [*child*] être vilain; **2** (suggestively) **she winked at him ~** hum elle lui a fait un clin d'œil coquin

naughtiness /ˈnɔːtɪnɪs/ *n* **1** (of child, pet etc) mauvaise conduite *f*, désobéissance *f*; **2** (of joke, story, picture, suggestion) grivoiserie *f*

naughty /ˈnɔːtɪ/ *adj* **1** (disobedient) [*child*] vilain; **you ~ boy!** vilain!; **don't be ~!** sois sage!; **a ~ word** un gros mot; **2** (suggestive) [*joke, picture, story*] coquin; **the ~ nineties** ≈ la Belle Époque

Nauru /nɑːˈuːruːs/ ▸ **p. 1096** *pr n* Nauru *f*

nausea /ˈnɔːsɪə, US ˈnɔːʒə/ *n* nausée *f*; **a wave of ~** une nausée; **to have a feeling of ~** avoir la nausée, avoir envie de vomir; **the idea filled her with ~** l'idée lui donnait la nausée

nauseate /ˈnɔːsɪeɪt, US ˈnɔːz-/ *vtr* lit, fig écœurer

nauseating /ˈnɔːsɪeɪtɪŋ, US ˈnɔːz-/ *adj* lit, fig écœurant, nauséabond

nauseatingly /ˈnɔːsɪeɪtɪŋlɪ, US ˈnɔːz-/ *adv* **~ sweet/rich** d'une douceur/richesse écœurante

nauseous /ˈnɔːsɪəs, US ˈnɔːʃəs/ *adj* [*taste, smell*] écœurant; [*gas*] qui donne des nausées; **to feel ~** avoir la nausée, avoir mal au cœur

nautical /ˈnɔːtɪkl/ *adj* [*instrument, term*] nautique, de marine; [*rules*] de navigation; [*almanac*] nautique; [*theme*] marin; [*career*] dans la marine; **~ mile** mile *m* marin *or* nautique; **~ telescope** lunette *f* marine

nautilus /ˈnɔːtɪləs/ *n* nautile *m*

Navaho (Indian) /ˈnævəhəʊ/ *n* Navaho *mf*, Navajo *mf*

naval /ˈneɪvl/ *adj* naval; [*officer, recruit, uniform, affairs*] de la marine; [*traditions, strength, building*] maritime

naval: **~ academy** *n* école *f* navale; **~ air force** *n* forces *fpl* aéronavales; **~ air station** *n* station base *f* aéronavale; **~ architect** *n* architecte *m* naval; **~ architecture** *n* construction *f* navale; **~ attaché** *n* attaché naval/attachée navale *m/f*; **~ base, ~ station** *n* base *f* navale; **~ battle** *n* bataille *f* navale; **~ dockyard** *n* chantier *m* naval; **~ forces** *npl* forces *fpl* navales; **~ stores** *npl* (depot) entrepôt *m* maritime; (supplies) fournitures *fpl* maritimes; **~ warfare** *n* combat *m* naval

nave /neɪv/ *n* **1** Archit nef *f*; **2** Tech (of wheel) moyeu *m*

navel /ˈneɪvl/ *n* nombril *m*, ombilic *m* spec

n

navel: **~-gazing** *n péj* nombrilisme○ *m*; **~ orange** *n* (orange *f*) navel *f*; **~ ring** *n* anneau *m* de nombril

navigable /ˈnævɪgəbl/ *adj* [*river*] navigable; [*balloon*] dirigeable; **a vessel in a ~ condition** un vaisseau en état de naviguer

navigate /ˈnævɪgeɪt/
A *vtr* **1** (sail) parcourir, naviguer; **2** (guide) [*navigator*] piloter [*plane, ship*]; **3** (steer) piloter [*plane*]; gouverner [*ship*]; **~ one's way through** retrouver son chemin dans [*streets*]; se frayer un chemin à travers [*crowd, obstacles, difficulties*]; **4** (on the Internet) **to ~ the Web** naviguer sur le web
B *vi* Naut, Aviat naviguer; Aut (in a rally) faire le copilote; (on a journey) [*passenger*] tenir la carte; (without a map) retrouver son chemin; **to ~ by the stars** s'orienter avec les étoiles

navigation /ˌnævɪˈgeɪʃn/ *n* **1** Naut, Aviat navigation *f*; **2** (on the Internet) navigation *f*

navigational /ˌnævɪˈgeɪʃənl/ *adj* [*instruments*] de navigation; [*science*] de la navigation

navigation: **~ channel** *n* couloir *m* de navigation; **~ laws** *npl* code *m* maritime; **~ lights** *npl* feux *mpl* de navigation

navigator /ˈnævɪgeɪtə(r)/ *n* Aviat, Naut navigateur/-trice *m/f*; Aut copilote *mf*

navvy○ /ˈnævɪ/ *n* GB ouvrier *m* du bâtiment

navy /ˈneɪvɪ/
A *n* **1** (fleet) flotte *f*; **2** (fighting force) marine *f*; **to join the ~** s'engager dans la marine
B *adj* ▸ p. 1067 **1** (*also* **~ blue**) (colour) bleu marine *inv*; **2** Mil, Naut [*life, uniform, wife*] de marin

navy: **~ bean** *n* US haricot *m* blanc; **~ yard** *n* US arsenal *m* de la marine

nay /neɪ/ ‡*ou* littér
A *particle* nenni‡, non
B *n* (negative vote) non *m*; **the ~s have it** les nons l'ont emporté
C *adv* et même; **she is pretty, ~ beautiful!** elle est jolie, que dis-je, belle!; **irreverent, ~ immoral** irrévérencieux, voire immoral

Nazi /ˈnɑːtsɪ/
A *n* nazi/-e *m/f*
B *adj* nazi

Nazi(i)sm /ˈnɑːtsɪzəm/ *n* nazisme *m*

NB (*abrév écrite* = **nota bene**) NB

NBA *n* US **1** (*abrév* = **National Basketball Association**) association *f* nationale de basket-ball; **2** (*abrév* = **National Boxing Association**) association *f* nationale de boxe; **3** *abrév* ▸ **Net Book Agreement**

NBC *n* US TV (*abrév* = **National Broadcasting Company**) *chaîne nationale de la télévision américaine*

NC **1** Comm (*abrév* = **no charge**) gratuit; **2** US Post *abrév écrite* = **North Carolina**; **3** ▸ **numerical control**

NCO *n* Mil (*abrév* = **noncommissioned officer**) sous-officier *m*, gradé *m*

NCVQ *n* GB (*abrév* = **National Centre for Vocational Qualifications**) conseil *m* national des qualifications professionnelles

ND US Post *abrév écrite* = **North Dakota**

NE **1** ▸ p. 1552 (*abrév* = **northeast**) NE *m*; **2** US Post *abrév écrite* = **Nebraska**

Neanderthal /nɪˈændətɑːl/
A *n* Néandertal *m*
B *adj* néandertalien/-ienne; **~ man** l'homme *m* de Néandertal

neap(-tide) /niːp/ *n* (marée *f* de) morte-eau *f*, marée *f* de quadrature

Neapolitan /nɪəˈpɒlɪtən/
A *n* Napolitain/-e *m/f*
B *adj* napolitain; **~ ice cream** tranche *f* napolitaine

near /nɪə(r)/
A *adv* **1** (nearby) **to live/work quite ~** habiter/travailler tout près; **to move** *ou* **draw ~** approcher (**to** de); **to move** *ou* **draw ~er** s'approcher davantage (**to** de); **to bring sth ~er** approcher qch
2 (close in time) **the exams are drawing ~** les examens approchent; **the time is ~ when...** dans peu de temps,...; **how ~ are they in age?** combien ont-ils de différence d'âge?
3 (nearly) **as ~ perfect as it could be** aussi proche de la perfection que possible; **nowhere ~ finished/ready** loin d'être fini/prêt; **he's not anywhere ~ as bright as her** il est loin d'être aussi intelligent qu'elle
B **near enough** *adv phr* **1** (approximately) à peu près ; **there were 20 yachts ~ enough** il y avait à peu près 20 yachts
2 (sufficiently close) **that's ~ enough** (not any closer) tu es assez près; (acceptable as quantity) ça ira; **to be ~ enough/come ~ enough to do** être assez près/s'approcher suffisamment pour faire
C *prep* **1** (in space) près de [*place, person, object*]; **~ here/there** près d'ici/de là; **don't go ~ the fire** ne t'approche pas trop du feu; **don't come ~ me** ne t'approche pas de moi
2 (in time) **~er the time** quand la date approchera; **it's getting ~ Christmas** Noël approche; **on or ~ the 12th** autour du 12; **their anniversary is ~ ours** leur anniversaire de mariage est à quelques jours du nôtre; **~er 40 than 30** plus proche *or* plus près de 40 ans que de 30
3 (in degree) proche de; **~er the truth** plus proche de la vérité; **~er this colour than that** plus proche de cette couleur-ci que de celle-là; **~er what I'm looking for** plus proche de ce que je cherche; **~ the beginning/end of the article** presque au début/à la fin de l'article; **~ the climax of the play** à l'approche du point culminant de la pièce; **I'm no ~er (finding) a solution than I was yesterday** je n'ai pas plus de solution que je n'en avais hier; **he's no ~er (making) a decision** il n'est pas plus décidé; **she's nowhere ~ finishing** elle est loin d'avoir fini; **£400? it cost ~er £600** 400 livres? je dirais plutôt 600; **nobody comes anywhere ~ her** fig personne ne lui arrive à la cheville
D **near to** *prep phr* **1** (in space) près de [*place, person, object*]; **~ to where** près de l'endroit où; **~er to** plus près de; **how ~ are we to Dijon?** à quelle distance sommes-nous de Dijon?
2 (on point of) au bord de [*tears, hysteria, collapse*]; **to be ~ to doing** être sur le point de faire; **how ~ are you to completing...?** est-ce que vous êtes sur le point de finir...?
3 (in degree) **to come ~est to** s'approcher le plus de [*ideal, conception*]; **to come ~ to doing** faillir faire; **he came ~ to giving up** il a failli abandonner
E *adj* **1** (close in distance, time) proche; **the ~est tree** l'arbre le plus proche; **our ~est neighbours** nos voisins les plus proches; **in the ~ future** dans un avenir proche
2 (in degree) **in the ~ darkness** dans la pénombre; **he's the ~est thing to an accountant we've got** c'est lui qui a le plus de connaissances en comptabilité parmi nos employés; **it's the ~est thing** (to article, colour required) c'est ça le plus approchant; **to calculate sth to the ~ whole number** Math arrondir un résultat
3 (short) **the ~est route** le chemin le plus court
F **near+** (*dans composés*) presque; **a ~-catastrophic blunder** une gaffe presque catastrophique; **a ~-perfect exam paper** un examen presque parfait *or* proche de la perfection
G *vtr* **1** (draw close to) approcher de [*place*]; **as we ~ed the city/the harbour** comme nous approchions de la ville/du port
2 fig approcher de [*peak, record high*]; **to ~ the end of** approcher de la fin de [*season, term*]; **to ~ the end of one's life** lit, fig approcher de sa fin; **to ~ completion** [*project, book*] toucher à sa fin; **to ~ retirement** partir bientôt à la retraite

nearby /nɪəˈbaɪ/
A *adj* [*person*] qui se trouve/trouvait etc à proximité; [*town, village etc*] d'à côté; **to a ~ bench/garage** jusqu'au banc/garage le plus proche
B *adv* [*park, wait, stand*] à proximité; **~, there's a village** tout près *or* juste à côté il y a un village

Near East *pr n* Proche-Orient *m*

nearly /ˈnɪəlɪ/ *adv* **1** (almost) presque; **~ as big** presque aussi grand; **she was ~ crying** elle pleurait presque; **we're ~ there** nous sommes presque arrivés; **I have ~ finished** j'ai presque fini; **it's ~ bedtime** c'est presque l'heure d'aller se coucher; **have you ~ finished?** as-tu bientôt fini?; **~ identical** quasiment *or* presque identique; **~ a week later** presque une semaine plus tard; **he ~ laughed** il a réprimé un rire; **I very ~ gave up** j'ai bien failli abandonner; **it's the same thing or very ~** c'est du pareil au même; **£1,000 or very ~** 1 000 livres sterling ou presque; **2** (used with negatives) **not ~** loin d'être; **not ~ as talented/surprised as** loin d'être aussi doué/surpris que; **he's not ~ ready** il est loin d'être prêt; **there isn't ~ enough to go around** c'est loin d'être suffisant pour tout le monde; **3** (closely) **the more you look, the more ~ it seems to resemble him** plus on regarde plus on trouve que la ressemblance est frappante

nearly new *adj* [*clothes*] d'occasion

near miss *n* Aviat risque *m* de collision; **to have a ~** [*planes*] frôler la collision; [*cars*] faillir se percuter

near money *n* US valeurs *fpl* réalisables à très court terme

nearness /ˈnɪənɪs/ *n* (of person, object, place) proximité *f*; (of event) approche *f*

nearside /ˈnɪəsaɪd/ GB Aut, Equit
A *n* GB côté *m* gauche; (elsewhere) côté *m* droit
B *modif* GB [*lane*] gauche; (elsewhere) [*lane*] droit

near: **~-sighted** *adj* myope; **~-sightedness** *n* myopie *f*

neat /niːt/
A *adj* **1** (tidy) [*person*] (in habits) ordonné; (in appearance) soigné, propre; [*room, house, desk*] bien rangé, ordonné; [*garden*] soigné; [*village*] coquet/-ette; [*handwriting*] soigné; [*accounts, copybook*] bien tenu; **their house is always ~ and tidy** leur maison est toujours impeccable; **she's a ~ worker** elle soigne toujours la présentation de son travail; **in ~ piles** en piles régulières; **2** (adroit) [*theory, explanation, solution*] habile, astucieux/-ieuse; [*formula*] bien trouvé; [*phrase, slogan*] bien tourné, bien trouvé; [*category, division*] bien défini, net/nette; [*summary*] concis; **that's a ~ way of doing it!** c'est astucieux!; **3** (trim) [*figure*] bien fait; [*waist*] fin; [*features*] régulier/-ière; **she has a ~ little figure** elle a une jolie silhouette; **she was wearing a ~ little hat** elle portait un joli petit chapeau; **4** ○US (very good) [*plan, party, car*] super○, formidable; [*profit, sum of money*] joli (*before n*), coquet/-ette; **that's a ~ idea○!** c'est une super○ idée!; **5** (unmixed) [*alcohol, spirits*] sans eau, pur; **a ~ vodka** une vodka pure *or* sans eau
B *adv* sec, sans eau; **he drinks his whisky ~** il boit son whisky sec *or* sans eau
(Idiom) **to be as ~ as a new pin** [*house*] être propre comme un sou neuf

neaten /ˈniːtn/ *vtr* arranger, rajuster [*tie, skirt*]; ranger [*pile of paper*]; **to ~ one's hair** arranger ses cheveux, se recoiffer

neatly /ˈniːtlɪ/ *adv* **1** (tidily) [*arrange, dress, wrap, fold*] avec soin, soigneusement; [*write*] proprement; **his hair was ~ combed** ses cheveux étaient impeccablement peignés; **2** (perfectly) [*link*] habilement; [*illustrate, summarize, match*] parfaitement; **the facts fit together ~** tout s'agence parfaitement; **~ put!** bien *or* joliment dit!; **the case is designed to fit ~ into your pocket** l'étui est

n

conçu pour rentrer facilement dans la poche

neatness /ˈniːtnɪs/ n 1 (tidiness, orderliness) (of person's appearance) aspect m soigné; (in habits) méticulosité f; (of room, house) propreté f, ordre m; (of garden) aspect m soigné; (of copybook) propreté f; (of handwriting) netteté f; **extra marks are given for ~** on tiendra compte de la présentation dans la notation; 2 (trimness) (of figure, features) finesse f; 3 (adroitness) (of explanation, solution) habileté f; (of divisions, categories) précision f

NEB n GB abrév ▸ **National Enterprise Board**

nebbish○ /ˈnebɪʃ/ US
A n empoté/-e○ m/f
B adj empoté○

Nebraska /nɪˈbræskə/ ▸ **p. 1737** pr n Nebraska m

Nebuchadnezzar /ˌnebjʊkədˈnezə(r)/ pr n Nabuchodonosor

nebula /ˈnebjʊlə/ n (pl **-ae**) nébuleuse f

nebular /ˈnebjʊlə(r)/ adj [cloud, gas] des nébuleuses

nebulous /ˈnebjʊləs/ adj 1 Astron nébuleux/-euse; 2 fig nébuleux/-euse, flou

NEC n (abrév = **National Executive Committee**) comité m exécutif national

necessarily /ˌnesəˈserəlɪ, ˈnesəsərəlɪ/ adv 1 (definitely) forcément; **it is not ~ the answer** ce n'est pas forcément la solution; **not ~!** pas forcément!; 2 (of necessity) [slow, brief] nécessairement; **a ~ cautious statement** une déclaration prudente par nécessité

necessary /ˈnesəsərɪ, US -serɪ/
A n 1 ○(money) fric○ m, argent m; **have you got the ~?** tu as le fric?; 2 (needed thing) **to do the ~** faire le nécessaire
B **necessaries** npl Jur minimum m vital
C adj 1 (required) [arrangement, decision, information, skill] nécessaire; [qualification] requis; **if ~, as ~** si besoin est; **it is ~ that you do** il vous faut faire; **'no experience ~'** 'aucune expérience requise'; 2 (essential) [action] nécessaire; **a ~ evil** un mal nécessaire; **to become ~** devenir urgent; **to find it ~ to do** éprouver le besoin de faire; **it is ~ for him to do** il faut qu'il fasse; **it is ~ that she should do** il faut vraiment qu'elle fasse; **to do what is ~** faire ce qui est nécessaire; **to do everything (that is) ~** faire tout ce qui est nécessaire; **when ~** quand cela sera nécessaire; **don't spend more time than is ~** n'y consacre pas plus de temps qu'il n'est nécessaire; **circumstances make it ~ for me to do** les circonstances font que je dois faire; 3 (inevitable) [consequence, result] nécessaire

necessitate /nɪˈsesɪteɪt/ vtr nécessiter [cuts, operation, work]; **the changes were ~d by** ces changements ont été rendus nécessaires par; **the job would ~ your moving** le travail t'obligerait à déménager

necessitous /nɪˈsesɪtəs/ adj sout [family, person] nécessiteux/-euse

necessity /nɪˈsesətɪ/ n 1 (need) nécessité f; **from** ou **out of ~** par nécessité; **the ~ of doing** la nécessité de faire; **the ~ for** le besoin de; **the ~ of** la nécessité de; **there is a ~ for** il existe un besoin de [action, change]; **there is no ~ for** il n'y a pas de réel besoin de [action, change]; **there is no ~ for tears** il n'y a pas lieu de pleurer; **the ~ for him to work** la nécessité pour lui de travailler; **there is no ~ for you to do that** tu n'as pas besoin de faire cela; **if the ~ arises** si le besoin se fait sentir; **of ~** nécessairement; 2 (essential item) **the necessities of life** les produits mpl de première nécessité; **to be a ~** être indispensable; **the bare necessities** les choses essentielles; 3 (essential measure) impératif m; **a political ~** un impératif politique; **to be a ~** être nécessaire; **to be an absolute ~** être indispensable; 4 (poverty) besoin m; **to live in ~** vivre dans le besoin; 5 Philos nécessité f
Idiom **~ knows no law** nécessité fait loi

neck /nek/
A n ▸ **p. 997** 1 Anat cou m; **to wear sth round one's ~** porter qch autour du cou; **to fling one's arms around sb's ~** sauter *or* se jeter au cou de qn; **to drip** ou **run down sb's ~** [liquid] dégouliner dans le cou de qn; **the back of the ~** la nuque; 2 Zool (of horse, donkey) encolure f; 3 Fashn (collar) col m; (neckline) encolure f; **with a high ~** à *or* avec un col montant; **with a low ~** décolleté; 4 Culin (of lamb) collet m; (of beef) collier m; **best end of ~** collet m; 5 (narrowest part) (of bottle, flask) goulot m, col m; (of vase) col m; **the ~ of the womb** le col de l'utérus; 6 Mus (of instrument) manche m; 7 Geog isthme m; 8 Dent collet m; 9 Tech (of screw) collet m; 10 Geol (of volcano) neck m
B ○vi se bécoter○
Idioms **to be a pain in the ~**○ être casse-pieds○; lit, fig **to be ~ and ~** être à égalité; **he's up to his ~ in it**○ il y est enfoncé jusqu'au cou; **he's up to his ~ in debt**○ il est endetté jusqu'au cou; **to get** ou **catch it in the ~**○ en prendre pour son grade○; **to risk one's ~**○ risquer sa peau○; **to stick one's ~ out**○ s'avancer; **to win by a ~** [horse] gagner d'une encolure; [person] gagner de peu; **in this ~ of the woods**○ par ici, dans ces parages; **to be dead from the ~ up**○ être abruti, n'avoir rien dans la cervelle

neckband /ˈnekbænd/ n 1 (part of garment) bande f d'encolure; 2 (choker) ruban m

neckerchief /ˈnekətʃɪf/ n foulard m

necking○ /ˈnekɪŋ/ n ¢ papouilles○ fpl

necklace /ˈneklɪs/
A n collier m; (longer) sautoir m
B vtr faire subir le supplice du collier à [victim]

neck: **~lacing** n (torture) supplice m du collier; **~let** n collier m

neckline /ˈneklaɪn/ n encolure f; **a plunging ~** un décolleté plongeant

neck: **~ scarf** n foulard m; **~tie** n US cravate f

necrological /ˌnekrəˈlɒdʒɪkl/ adj nécrologique

necrologist /neˈkrɒlədʒɪst/ n nécrologue mf

necrology /neˈkrɒlədʒɪ/ n nécrologie f

necromancer /ˈnekrəʊmænsə(r)/ n nécromancien/-ienne m/f

necromancy /ˈnekrəʊmænsɪ/ n nécromancie f

necrophile /ˈnekrəfaɪl/ n = **necrophiliac**

necrophilia /ˌnekrəˈfɪlɪə/ n nécrophilie f

necrophiliac /ˌnekrəˈfɪlɪæk/ n, adj nécrophile (mf)

necrophobe /ˌnekrəˈfəʊb/ n nécrophobe mf

necrophobia /ˌnekrəˈfəʊbɪə/ n nécrophobie f

necrophobic /ˌnekrəˈfəʊbɪk/ adj nécrophobe

necropolis /neˈkrɒpəlɪs/ n (pl **-poles**) nécropole f

necrotizing fasciitis /ˈnekrətaɪzɪŋ ˌfæsɪˈaɪtɪs/ n Med fasciite f nécrosante

nectar /ˈnektə(r)/ n (all contexts) nectar m

nectarine /ˈnektərɪn/ n (fruit) nectarine f, brugnon m; (tree) brugnonier m

NEDC n GB (abrév = **National Economic Development Council**) *organisme consultatif de l'économie britannique*

Neddy○ /ˈnedɪ/ n GB (abrév = **National Economic Development Council**) ▸ **NEDC**

née /neɪ/ adj née

need /niːd/

> ⚠ When *need* is used as a verb meaning *to require* or *to want* it is generally translated by *avoir besoin de* in French: *I need help* = j'ai besoin d'aide.
> When *need* is used as a verb to mean *must* or *have to* it can generally be translated by *devoir + infinitive* or by *il faut que + subjunctive*: *I need to leave* = je dois partir, il faut que je parte.
> When *need* is used as a modal auxiliary in the negative to say that there is no obligation it is generally translated by *ne pas être obligé de + infinitive*: *you needn't finish it today* = tu n'es pas obligé de le finir aujourd'hui.
> When *needn't* is used as a modal auxiliary to say that something is not worthwhile or necessary it is generally translated by *ce n'est pas la peine de + infinitive* or *ce n'est pas la peine que + subjunctive*: *I needn't have hurried* = ce n'était pas la peine de me dépêcher *or* ce n'était pas la peine que je me dépêche.
> For examples of the above and further uses of *need*, see the entry below.

A modal aux 1 (must, have to) **he didn't ~ to ask permission** il n'était pas obligé de demander la permission; **you needn't wait** tu n'es pas obligé d'attendre; **'I waited'—'you needn't have'** 'j'ai attendu'—'ce n'était pas la peine'; **I needn't have worn a jacket** ce n'était pas la peine que je mette une veste; **you needn't shout!** ce n'est pas la peine de crier!; **~ he reply?** est-ce qu'il faut qu'il réponde?, est-ce qu'il doit répondre?; **~ we discuss it now?** est-ce qu'il faut vraiment en parler maintenant?; **why do you always ~ to complain?** pourquoi faut-il toujours que tu te plaignes? ; **~ I say more?** tu vois ce que je veux dire? ; **I hardly ~ say that...** inutile de dire que...; **I ~ hardly remind you that** inutile de vous rappeler que; **did you ~ to be so unpleasant to him?** est-ce que tu avais besoin d'être si désagréable avec lui?; **'previous applicants ~ not apply'** 'les candidats ayant déjà répondu à l'annonce sont priés de ne pas se représenter'
2 (be logically inevitable) **~ that be true?** est-ce que c'est forcément vrai?; **it needn't be the case** ce n'est pas forcément le cas; **it needn't follow that** il ne s'ensuit pas forcément que; **it needn't cost a fortune** ça ne coûte pas forcément très cher; **microwaved food needn't be bland** les aliments cuits au micro-onde ne sont pas forcément insipides; **they needn't have died** leur mort aurait pu être évitée
B vtr 1 (require) **to ~ sth** avoir besoin de qch; **to ~ to do** avoir besoin de faire; **my shoes ~ to be polished, my shoes ~ polishing** mes chaussures ont besoin d'être cirées; **the proofs ~ careful checking** les épreuves ont besoin d'être vérifiées soigneusement; **I ~ you to hold the ladder** j'ai besoin de toi pour tenir l'échelle; **more money/more time is ~ed** nous avons besoin de plus d'argent/de plus de temps; **everything you ~** tout ce qu'il vous faut, tout ce dont vous avez besoin; **they ~ one another** ils ont besoin l'un de l'autre; **I gave it a much-~ed clean** je l'ai nettoyé, il en avait grand besoin, je l'ai nettoyé et ça n'était pas un luxe; **this job ~s a lot of concentration** ce travail demande beaucoup de concentration; **to raise the money ~ed for the deposit** réunir l'argent nécessaire pour la caution; **they ~ to have things explained to them** il faut tout leur expliquer; **it ~ed six men to restrain him** il a fallu six hommes pour le maîtriser; **you don't ~ me to tell you that...** vous n'êtes pas sans savoir que...; **everything you ~ to know about computers** tout ce que vous devez savoir sur les ordinateurs; **parents—who ~s them**○**!** les parents—à quoi ça sert?
2 (have to) **you ~ to learn some manners** il va falloir que tu apprennes à bien te tenir;

you'll ~ to work hard il va falloir que tu travailles dur; something ~ed to be done il fallait faire quelque chose; why do you always ~ to remind me? pourquoi faut-il toujours que tu me le rappelles?; it ~ only be said that il suffit de dire que; you only ~ed to ask il suffisait de demander, tu n'avais qu'à demander; nothing more ~ be said on n'en parlera plus; nobody ~ know que cela reste entre nous; nobody ~ know that I did it ou that it was me who did it personne ne doit savoir que c'est moi qui l'ai fait
3 (want) avoir besoin de; I ~ a holiday/a whisky j'ai besoin de vacances/d'un whisky; she ~s to feel loved elle a besoin de se sentir aimée; that's all I ~! il ne me manquait plus que ça, j'avais bien besoin de ça!
C *n* 1 (necessity) nécessité *f* (for de); the ~ for closer co-operation la nécessité d'une plus grande collaboration; I can't see the ~ for it je n'en vois pas la nécessité; without the ~ for an inquiry sans qu'une enquête soit nécessaire; to feel the ~ to do éprouver le besoin de faire; to have no ~ to work ne pas avoir besoin de travailler; there's no ~ to wait/hurry inutile d'attendre/de se dépêcher; there's no ~ for panic/ anger ça ne sert à rien de s'affoler/de se mettre en colère; there's no ~ for you to wait ce n'est pas la peine que tu attendes; there's no ~ to worry/ shout ce n'est pas la peine de s'inquiéter/de crier; if ~ be s'il le faut, si nécessaire; if the ~ arises si le besoin s'en fait sentir; there's no ~, I've done it inutile, c'est fait
2 (want, requirement) besoin *m* (for de); to be in ~ of sth avoir besoin de qch; to be in great ~ of sth avoir grand besoin de qch; to have no ~ of sth ne pas avoir besoin de qch; to satisfy/express a ~ répondre à/exprimer un besoin; to be in ~ of repair/painting avoir besoin d'être réparé/repeint; to meet sb's ~s répondre aux besoins de qn; to meet industry's ~ for qualified staff répondre aux besoins des entreprises en personnel qualifié; a list of your ~s une liste de ce dont vous avez besoin; my ~s are few j'ai peu de besoins; manpower/energy ~s besoins *mpl* en main-d'œuvre/en énergie
3 (adversity, distress) to help sb in times of ~ aider qn à faire face à l'adversité; she was there in my hour of ~ elle était là quand j'ai eu besoin d'elle; your ~ is greater than mine tu en as plus besoin que moi
4 (poverty) besoin *m*; to be in ~ être dans le besoin; families in ~ les familles qui sont dans le besoin

needful /ˈniːdfl/ *adj* sout nécessaire

neediness /ˈniːdɪnɪs/ *n* indigence *f*

needle /ˈniːdl/
A *n* lit (all contexts) aiguille *f*
B *vtr* 1 (annoy) harceler [*person*]; 2 ○US (increase alcoholic strength of) corser [*drink*]
(Idioms) as sharp as a ~ rusé comme un singe; to have pins and ~s avoir des fourmis; to get the ~○ GB prendre la mouche○; to give sb the ~○ mettre qn en rogne○; to be on the ~○ US argot des drogués se piquer○. ▸ haystack

needle: ~ **book**, ~ **case** *n* porte-aiguilles *m inv*; ~**craft** *n* travaux *mpl* d'aiguille; ~ **exchange** *n*: *local où les toxicomanes peuvent échanger des seringues usagées contre des neuves*; ~**point** *n* tapisserie *f* au petit point

needless /ˈniːdlɪs/ *adj* 1 [*anxiety, delay, suffering*] inutile; 2 [*intrusion, intervention*] inopportun; ~ to say inutile de dire que

needlessly /ˈniːdlɪslɪ/ *adv* [*worry, suffer, die*] inutilement, pour rien; [*disturbed, upset*] pour rien

needlessness /ˈniːdlɪsnɪs/ *n* 1 (unnecessary nature) inutilité *f* (of de); 2 (tactlessness) inopportunité *f*

needle: ~**woman**† *n* couturière *f*; ~**work** *n* couture *f*

needs /niːdz/ *adv*
(Idioms) ~ must† il faut bien; ~ must when the devil drives nécessité fait loi

need-to-know *adj* we operate on a ~ basis, we have a ~ policy nous avons pour principe de ne divulguer les informations qu'aux personnes strictement concernées

needy /ˈniːdɪ/
A *n* the ~ (+ *v pl*) les indigents *mpl*
B *adj* [*person*] nécessiteux/-euse, dans le dénuement; [*sector, area*] sans ressources

ne'er‡ /neə(r)/ *adv* (*abrév* = **never**) jamais

ne'er-do-well† /ˈneəduːwel/ péj
A *n* bon/bonne *m/f* à rien, propre *mf* à rien
B *adj* [*person*] bon/bonne *or* propre à rien; [*scheme*] fantaisiste

nefarious /nɪˈfeərɪəs/ *adj* sout abominable

nefariously /nɪˈfeərɪəslɪ/ *adv* sout de façon ignoble

negate /nɪˈgeɪt/ *vtr* 1 (cancel out) réduire [qch] à néant [*advantage, effect, measure, work*]; 2 (deny) nier [*concept, existence, fact*]; 3 (contradict) contredire [*theory, results*]; 4 Ling mettre [qch] au négatif [*phrase, meaning*]

negation /nɪˈgeɪʃn/ *n* 1 (contradiction) négation *f*; 2 (denial) réfutation *f*; 3 Ling, Philos négation *f*

negative /ˈnegətɪv/
A *n* 1 (refusal) réponse *f* négative; to answer *ou* reply in the ~ répondre par la négative; 2 Phot négatif *m*, cliché *m*; 3 Ling négation *f*; double ~ double négation; in the ~ à la forme négative; 4 Electron négatif *m*
B *adj* 1 (saying no) [*answer, decision, statement*] négatif/-ive; 2 Ling négatif/-ive; 3 (pessimistic) [*attitude, response, approach*] négatif/-ive; to be ~ about sth être négatif/-ive à l'égard de qch; don't be so ~! ne sois pas si négatif!; 4 (harmful) [*effect, influence*] néfaste; 5 (unpleasant) [*association, experience, feeling*] négatif/-ive; 6 Chem, Electron, Med, Phys négatif/-ive; 7 Accts, Math [*amount, answer, number*] négatif/-ive; [*bank balance*] débiteur/-trice; 8 Phot en négatif
C *excl* Mil, Radio négatif

negative income tax *n* Tax impôt *m* négatif

negatively /ˈnegətɪvlɪ/ *adv* 1 (unenthusiastically) [*react, respond*] négativement; 2 (harmfully) [*affect, influence*] de façon néfaste; 3 Electron, Phys ~ charged à charge négative

Negev /ˈnegev/ *pr n* the ~ (Desert) le désert *m* du Néguev

neglect /nɪˈglekt/
A *n* 1 (lack of care) (of person) négligence *f*; (of building, garden) manque *m* d'entretien; (of health, appearance) manque *m* de soin; (of equipment) manque *m* d'entretien; to fall into ~ être laissé à l'abandon; to be in a state of ~ être mal entretenu; 2 (lack of interest) indifférence *f* (of à l'égard de); the government's ~ of agriculture l'indifférence du gouvernement à l'égard de l'agriculture
B *vtr* 1 (fail to care for) ne pas s'occuper de [*person, dog, plant*]; ne pas entretenir [*garden, house*]; négliger [*health, appearance*]; 2 (ignore) [*person*] négliger [*problem, friend, work*]; [*government*] se désintéresser de [*industry, economy, sector*]; ne pas tenir compte de [*needs, wishes*]; 3 (fail) to ~ to do négliger de faire; 4 (overlook) ignorer [*offer, opportunity*]; négliger [*artist, writer, subject*]; to ~ to mention omettre de mentionner
C *v refl* to ~ oneself se laisser aller

neglected /nɪˈglektɪd/ *adj* 1 (uncared for) [*child, pet, appearance*] négligé; [*garden, building*] mal entretenu; to feel ~ se sentir délaissé; 2 (overlooked) [*writer, subject, masterpiece*] négligé

neglectful /nɪˈglektfl/ *adj* [*owner, parent*] négligent; to be ~ of être peu soucieux/-ieuse de [*appearance, health*]; to be ~ of sb négliger qn; to be ~ of one's duties avoir peu de conscience professionnelle

negligee, **négligée** /ˈneglɪʒeɪ, US ˌneglɪˈʒeɪ/ *n* déshabillé *m*

negligence /ˈneglɪdʒəns/ *n* 1 gen négligence *f*; through ~ par négligence; 2 Jur gross ~ faute *f* de nature délictuelle; criminal ~ négligence *f* criminelle, faute *f* grave; contributory ~ imprudence *f*; to sue for (medical) ~ intenter un procès en responsabilité médicale

negligent /ˈneglɪdʒənt/ *adj* 1 gen, Jur [*person, procedure*] négligent; to be ~ in doing/failing to do sth faire preuve de négligence en faisant/en manquant de faire qch; to be ~ of one's duties sout manquer à ses devoirs; 2 [*air, manner*] nonchalant

negligently /ˈneglɪdʒəntlɪ/ *adv* 1 gen, Jur (irresponsibly) négligemment, avec négligence; 2 (nonchalantly) nonchalamment

negligible /ˈneglɪdʒəbl/ *adj* négligeable

negotiable /nɪˈgəʊʃəbl/ *adj* 1 [*rate, terms, figure*] négociable; 'salary ~' 'salaire négociable'; 2 Comm [*cheque, bill of exchange*] négociable; 'not ~' non à ordre; 3 [*road, pass*] praticable; [*obstacle*] franchissable

negotiable instrument, **negotiable security** *n* effet *m* de commerce

negotiate /nɪˈgəʊʃɪeɪt/
A *vtr* 1 (discuss) négocier (with avec); 'to be ~d' 'à négocier'; 2 (manoeuvre around) négocier [*bend, turn*]; franchir [*obstacle, rapids*]; 3 (deal with) résoudre [*problem*]; surmonter [*difficulty*]; 4 Fin négocier [*cheque, bond, asset*]
B *vi* négocier (with avec; for pour obtenir)
C **negotiated** *pp adj* [*settlement, peace, solution*] négocié

negotiating /nɪˈgəʊʃɪeɪtɪŋ/ *pres p adj* 1 [*ploy, position*] de négociation; [*rights*] à la négociation; the ~ table la table des négociations; 2 [*team, committee*] qui conduit les négociations

negotiation /nɪˌgəʊʃɪˈeɪʃn/ *n* négociation *f* (between entre; with avec); to enter into ~(s) entrer en négociations; pay/arms ~s négociations *fpl* salariales/sur le désarmement; by ~ par la négociation; to be under ~ être en cours de négociations; to be open for ~ être négociable; to be up for ~ être à négocier

negotiator /nɪˈgəʊʃɪeɪtə(r)/ *n* négociateur/-trice *m/f*

Negress /ˈniːgrɪs/ *n* injur négresse *f*

Negro /ˈniːgrəʊ/
A *n* (*pl* -es) injur nègre *m*
B *adj* [*descent, race*] noir, nègre

Negroid /ˈniːgrɔɪd/ *adj* négroïde

Negro spiritual *n* négro-spiritual *m*

neigh /neɪ/
A *n* hennissement *m*
B *vi* hennir

neighbour, **neighbor** US /ˈneɪbə(r)/
A *n* 1 (person, country, object) voisin/-e *m/f*; next-door-~ voisin/-e *m/f* d'à côté; upstairs/ downstairs ~ voisin/-e *m/f* de dessus/de dessous; she's our next-door ~ elle habite à côté de chez nous; England's nearest ~ is France le pays le plus proche de l'Angleterre est la France; to be a good ~ être un bon voisin; 2 Relig, littér prochain *m*; love thy ~ aime ton prochain
B *vi* to ~ on sth [*building, site*] avoisiner qch; [*country*] border qch

neighbourhood GB, **neighborhood** US /ˈneɪbəhʊd/
A *n* 1 (district) quartier *m*; in the ~ dans le quartier; 2 (vicinity) in the ~ lit dans le voisinage; in the ~ of the station au voisinage de la gare
B *modif* [*facility, shop, office*] du quartier

neighbourhood: ~ **effect** Pol effet *m* de voisinage; ~ **television** *n* télévision *f* locale; ~ **watch (scheme)** *n* surveillance *f* par les gens du quartier

neighbouring GB, **neighboring** US /ˈneɪbərɪŋ/ *adj* voisin

n

neighbourliness GB, **neighborliness** US /ˈneɪbəlmɪs/ *n* rapports *mpl* de bon voisinage; **out of good ~** en bon voisin/en bonne voisine *m/f*

neighbourly GB, **neighborly** US /ˈneɪbəlɪ/ *adj* [*person, act*] gentil/-ille; [*relations*] de bon voisinage; **she is very ~** c'est une bonne voisine

neighbour states *npl* États *mpl* voisins

neighing /ˈneɪɪŋ/ *n* hennissement *m*

neither /ˈnaɪðə(r), ˈniːð-/

> ⚠ When used as co-ordinating conjunctions *neither...nor* are translated by *ni...ni*: *she speaks neither English nor French* = elle ne parle ni anglais ni français; *he is neither intelligent nor kind* = il n'est ni intelligent ni gentil; *neither tea, nor milk* = ni (le) thé, ni (le) lait. Note that the preceding verb is negated by *ne*.
>
> For examples and further uses see the entry **neither A 1**.
>
> When used as a conjunction to show agreement or similarity with a negative statement, *neither* is translated by *non plus*: *'I don't like him'—'neither do I'* = 'je ne l'aime pas'—'moi non plus'; *'he's not Spanish'—'neither is John'* = 'il n'est pas espagnol'—'John non plus'; *'I can't sleep'—'neither can I'* = 'je n'arrive pas à dormir'—'moi non plus'.
>
> When used to give additional information to a negative statement *neither* can often be translated by *non plus* preceded by a negative verb: *she hasn't written, neither has she telephoned* = elle n'a pas écrit, et elle n'a pas téléphoné non plus; *I don't wish to insult you, but neither do I wish to lose money* = je ne veux pas vous offenser, mais je ne souhaite pas non plus perdre de l'argent.
>
> For examples and further uses see the entry **neither A 2**.

A *conj* [1] (not either) ni...ni; **I have ~ the time nor the money** je n'ai ni le temps ni l'argent; **I've seen ~ him nor her** je ne les ai vus ni l'un ni l'autre; [2] (nor) **he doesn't have the time, ~ does he have the money** il n'a pas le temps, et il n'a pas l'argent non plus; **you don't have to tell him, ~ should you** tu n'es pas obligé de le lui dire, tu ferais même mieux d'éviter
B *det* aucun des deux; **~ book is suitable** aucun des deux livres ne convient; **~ girl replied** aucune des deux filles n'a répondu
C *pron* ni l'un/-e, ni l'autre *m/f*; **~ of them came** ni l'un ni l'autre n'est venu, ils ne sont venus ni l'un ni l'autre; **'which one is responsible?'—'~'** 'lequel des deux est responsable?'—'ni l'un ni l'autre'

Nelly, Nellie /ˈnelɪ/
A ◑*pr n* US péj folle *f*
B ◑*adj* US péj efféminé
(Idiom) **not on your ~**○ GB jamais de la vie

nelson /ˈnelsn/ *n* Sport (*also* **full nelson**) double nelson *m*; **half-~** gen clé *f* au bras; nelson *m*

nem con /ˌnemˈkɒn/ *adv* (*abrév* = **nemine contradicente**) à l'unanimité

nemesia /nɪˈmiːʒə/ *n* némésia *f*

nemesis /ˈneməsɪs/ *n* (punishment) juste punition *f*

Nemesis /ˈneməsɪs/ *pr n* Mythol Némesis

neo+ /niːəʊ/ (*dans composés*) néo-

Neocene /ˈniːəsiːn/ *n* = **Neogene**

neoclassical /ˌniːəʊˈklæsɪkl/ *adj* néoclassique

neoclassicism /ˌniːəʊˈklæsɪsɪzəm/ *n* néoclassicisme *m*

neocolonial /ˌniːəʊkəˈləʊnɪəl/ *adj* néocolonial

neocolonialism /ˌniːəʊkəˈləʊnɪəlɪzəm/ *n* néocolonialisme *m*

neocolonialist /ˌniːəʊkəˈləʊnɪəlɪst/ *n* néocolonialiste *mf*

neo-con /ˈniːəʊkɒn/ US Pol
A *n* néoconservateur/-trice *m/f*
B *adj* néoconservateur/-trice

neoconservative /ˌniːəʊkənˈsɜːvətɪv/ *n, adj* néoconservateur/-trice (*m/f*)

neodymium /ˌniːəˈdɪmɪəm/ *n* néodyme *m*

neofascism /ˌniːəʊˈfæʃɪzəm/ *n* néofascisme *m*

neofascist /ˌniːəʊˈfæʃɪst/ *n, adj* néo-fasciste (*mf*)

Neogene /ˈniːədʒiːn/
A *n* **the ~** le néogène
B *adj* néogène

neolith /ˈniːəlɪθ/ *n* pierre *f* polie

Neolithic /ˌnɪːəˈlɪθɪk/
A *n* **the ~** le néolithique
B *adj* néolithique

neologism /niːˈɒlədʒɪzəm/ *n* néologisme *m*

neologistic /ˌniːɒləˈdʒɪstɪk/ *adj* néologique

neologize /niːˈɒlədʒaɪz/ *vi* faire des néologismes

neomycin /ˌniːəʊˈmaɪsɪn/ *n* néomycine *f*

neon /ˈniːɒn/
A *n* [1] Chem (gas) néon *m*; [2] (type of lighting) néon *m*
B *modif* [*light, lighting, sign*] au néon; [*atom*] de néon

neonatal /ˌniːəʊˈneɪtl/ *adj* néonatal

neonate /ˈniːəneɪt/ *n* nouveau-né *m*

neonazi /ˌniːəʊˈnɑːtsɪ/
A *n* néonazi *mf*
B *adj* [*party, group*] néonazi

neophyte /ˈniːəfaɪt/ *n* (all contexts) néophyte *mf*

neoplasia /ˌniːəʊˈpleɪzɪə/ *n* Med néoplasie *f*

neoplasm /ˈniːəʊplæzəm/ *n* néoplasme *m*

Neo-Platonic /ˌniːəʊpləˈtɒnɪk/ *adj* néoplatonicien/-ienne

Neo-Platonism /ˌniːəʊˈpleɪtənɪzəm/ *n* néoplatonisme *m*

Neo-Platonist /ˌniːəʊˈpleɪtənɪst/ *n* néoplatonicien/-ienne *m/f*

Neozoic /ˌniːəʊˈzəʊɪk/ *adj* néozoïque

Nepal /nɪˈpɔːl/ ▸ **p. 1096** *pr n* Népal *m*; **in ~** au Népal

Nepalese /ˌnepəˈliːz/ ▸ **p. 1467**
A *n* (person) Népalais/-e *m/f*
B *adj* népalais

Nepali /nɪˈpɔːlɪ/ ▸ **p. 1467, p. 1378**
A *n* [1] (person) Népalais/-e *m/f*; [2] (language) népalais *m*
B *adj* népalais

nephew /ˈnevjuː, ˈnef-/ *n* neveu *m*

nephralgia /nɪˈfrældʒɪə/ ▸ **p. 1327** *n* néphralgie *f*

nephrectomy /nɪˈfrektəmɪ/ *n* néphrectomie *f*

nephritic /nɪˈfrɪtɪk/ *adj* néphrétique

nephritis /nɪˈfraɪtɪs/ ▸ **p. 1327** *n* néphrite *f*

nephrology /nɪˈfrɒlədʒɪ/ *n* néphrologie *f*

nephrosis /nɪˈfrəʊsɪs/ ▸ **p. 1327** *n* néphrose *f*

nephrotomy /nɪˈfrɒtəmɪ/ *n* néphrotomie *f*

nepotism /ˈnepətɪzəm/ *n* népotisme *m*

Neptune /ˈneptjuːn/ *pr n* [1] Mythol Neptune *m*; [2] Astron Neptune *f*

nerd◑ /nɜːd/ *n* péj crétin/-e○ *m/f*

nerdy◑ /ˈnɜːdɪ/ *adj* péj débile○

Nereid /ˈnɪərɪɪd/ *n* néréide *f*

Nero /ˈnɪərəʊ/ *pr n* Néron

nerve /nɜːv/
A *n* [1] Anat nerf *m*; Bot nervure *f*; [2] (courage) courage *m*; (confidence) assurance *f*; **to have the ~ to do** avoir le courage *or* le cran○ de faire; **to keep one's ~** conserver son sang-froid; **to lose one's ~** perdre son courage, se dégonfler○; **to recover one's ~** retrouver son assurance; [3] ○(impudence, cheek) culot○ *m*, audace *f*; **to have the ~ to do** avoir le culot○ de faire; **he's got a ~!** il est gonflé○!, il a du culot○!; **you've got a ~**○**!** tu as un sacré culot○!; **of all the ~!, what a ~!** quel culot○!
B **nerves** *npl* (nervousness) nerfs *mpl*; (stage fright) trac○ *m*; **to have an attack of ~s** faire une crise de nerfs; **she suffers from (her) ~s** c'est une grande nerveuse; **to be in a state of ~s** avoir les nerfs en pelote○; **it's only ~s!** c'est nerveux!; **his ~s were on edge** il était sur les nerfs; **that noise is getting on my ~s** ce bruit me tape sur les nerfs○; **to live on one's ~s** vivre sur les nerfs; **to be all ~s** être un paquet de nerfs; **to calm sb's ~s** calmer qn; **you need strong ~s to do that kind of work** il faut avoir les nerfs solides pour faire ce genre de travail; **to have ~s of steel** avoir des nerfs d'acier; **a war** *ou* **battle of ~s** une guerre des nerfs
C *vtr* **to ~ oneself to do** s'armer de courage pour faire
(Idioms) **to touch** *ou* **hit a raw ~** toucher un point sensible; **to strain every ~ to do** s'évertuer à faire

nerve: **~ cell** *n* cellule *f* nerveuse; **~ centre** GB, **~ center** US *n* Anat centre *m* nerveux; fig centre *m* névralgique; **~ ending** *n* terminaison *f* nerveuse; **~ gas** *n* gaz *m* neurotoxique; **~ impulse** *n* influx *m* nerveux

nerveless /ˈnɜːvlɪs/ *adj* [1] (numb) [*fingers, limbs*] (from cold) engourdi; (from fear, fatigue) inerte; [2] (brave) [*person*] courageux/-euse; [3] (lacking courage, vigour) mou/molle; [4] Anat non innervé; Bot sans nervures

nerve racking, ~ wracking *adj* angoissant, insoutenable

nerviness /ˈnɜːvɪnɪs/ *n* [1] GB (nervousness) nervosité *f*; [2] US (impudence) toupet○ *m*, aplomb *m*

nervous /ˈnɜːvəs/ *adj* [1] [*person*] (fearful) timide; (anxious) angoissé; (highly strung) nerveux/-euse; [*smile, laugh, habit*] nerveux/-euse; **to be ~ of** GB *ou* **around** US avoir peur de [*strangers, animals etc*]; **to be ~ of** GB *ou* **about** US redouter [*change, disagreement*]; **to be ~ about doing** avoir peur de faire; **to feel ~** (apprehensive) gen être angoissé; (before performance) avoir le trac○; (afraid) avoir peur; (ill at ease) se sentir mal à l'aise; **I feel ~ in crowds** les foules m'angoissent; **she makes me feel ~** (intimidates me) elle me met mal à l'aise; (puts my nerves on edge) elle me rend nerveux; **all this talk of war makes me ~** toutes ces rumeurs de guerre m'inquiètent ; **'not suitable for persons of a ~ disposition'** 'ce film est déconseillé aux âmes sensibles'; [2] Anat, Med nerveux/-euse; **~ disease** maladie *f* nerveuse; **~ exhaustion** fatigue *f* nerveuse; **~ tension** tension *f* nerveuse; [3] Fin [*market*] instable

nervous breakdown *n* dépression *f* nerveuse; **to have a ~** avoir *or* faire○ une dépression nerveuse

nervous energy *n* énergie *f*; **to be full of ~** être plein d'énergie

nervously /ˈnɜːvəslɪ/ *adv* nerveusement

nervous Nellie○ *n* US péj trouillard/-e○ *m/f*

nervousness /ˈnɜːvəsnɪs/ *n* [1] (of person) (shyness) timidité *f*; (fear) peur *f*; (anxiety) inquiétude *f*; (stage fright) trac○ *m*; (physical embarrassment) agitation *f*; (tenseness) nervosité *f*; [2] (of smile, laughter) nervosité *f*; [3] Fin (of market) instabilité *f*

nervous: **~ system** *n* système *m* nerveux; **~ wreck**○ *n* boule *f* de nerfs○

nervy○ /ˈnɜːvɪ/ *adj* [1] GB (tense, anxious) nerveux/-euse; [2] US (impudent) gonflé○

nest /nest/
A *n* [1] (of animal) nid *m*; **to build** *ou* **make its ~** faire son nid; **wasps'/ants' ~** nid de guêpes/de fourmis; [2] (group of baby birds, mice) nichée *f* (**of** de); [3] (of criminals, traitors) nid *m*; [4] (of

boxes, bowls) série *f*; **~ of tables** tables *fpl* gigognes; **5** (gun site) nid *m*; **machine-gun ~** nid de mitrailleuses

B *vi* **1** [*bird*] faire son nid; **2** [*tables*] s'insérer; [*boxes, pans*] s'emboîter

(Idioms) **to flee** *ou* **fly** *ou* **leave the ~** fig quitter le nid familial; **to feather one's (own) ~** se remplir les poches; **to foul one's (own) ~** [*polluter*] polluer le milieu dans lequel on vit; [*criminal, adulterer*] éclabousser l'honneur de ses proches; ▸ **viper**

nested /'nestɪd/ *adj* **1** [*pans, bowls*] qui s'emboîtent; **a set of ~ tables** des tables gigognes; **2** Comput [*loop, subroutine*] imbriqué, emboîté; **3** Ling [*phrase, expression*] enchâssé, emboîté

nest egg *n* magot○ *m*

nesting /'nestɪŋ/

A *n* **1** Zool construction *f* de nid, nidification *f* spec; **2** Comput emboîtement *m*, imbrication *f*; **3** Ling enchâssement *m*; **4** = **bird's-nesting**

B *modif* [*ground, habitat, place*] propice à la construction des nids; [*habit, season*] de construction des nids

nesting: **~ box** *n* nichoir *m*; **~ site** *n* site *m* de nidification

nestle /'nesl/

A *vtr* **to ~ one's head** appuyer sa tête (**on** sur; **against** contre); **to ~ a baby in one's arms** étreindre un bébé

B *vi* **1** [*person, animal*] se blottir (**against** contre; **under** sous); **to ~ into an armchair** se caler confortablement dans un fauteuil; **2** [*village, house, object*] être niché

(Phrasal verbs) ■ **nestle down** s'installer confortablement

■ **nestle up** se blottir (**against, to** contre)

nestling /'neslɪŋ/ *n* oisillon *m*

net /net/

A *n* **1** Fshg, Hort, Hunt filet *m*; **butterfly ~** filet à papillons; **2** Sport (in tennis) filet *m*; **to come (up) to the ~** monter au filet; (in football) filets *mpl*; **in the ~** dans les filets; **to put the ball into (the back of) the ~** mettre la balle dans les filets; **3** fig (trap) piège *m*; **the ~ is closing** l'étau se resserre; **to slip through the ~** passer à travers les mailles du filet; **4** Telecom réseau *m*; **5** Tex (voile *m* de) tulle *m*

B *adj* (*also* **nett**) **1** Fin, Comm [*profit, income, price, weight*] net/nette; [*loss*] sec/sèche; **~ of tax** net après impôt; **terms strictly ~** prix nets; **it weighs 20 kilos ~** cela pèse 20 kilos net; **an income of £30,000 ~** un revenu net de 30 000 livres sterling; **2** gen [*result, effect, increase*] net/nette

C *vtr* (*p prés etc* **-tt-**) **1** Fshg, Hunt prendre [qch] au filet [*fish, butterfly*]; **2** Comm, Fin [*person*] faire un bénéfice de; [*sale, export, deal*] rapporter; **to ~ sb sth** rapporter qch à qn; **3** Sport (in football) marquer, rentrer [*goal*]; **4** fig (catch) [*police*] attraper [*criminal*]; **5** (win) [*sportsman, team*] gagner [*trophy*]

(Idiom) **to cast one's ~ wide** ratisser large

Net /net/ *n* (*also* **net**) Comput Net *m*, Internet *m*

net: **~ asset value** *n* Fin valeur *f* liquidative; **~ball** *n*: *sport d'équipe proche du basket joué par les femmes*; **Net Book Agreement, NBA** *n* GB Comm convention *f* sur le prix unique du livre

net cord *n* Sport (in tennis) **1** (shot) net *m*; **2** (cord) corde *f* (du filet)

net curtain *n* voilage *m*

nethead○ /'nethed/ *n* fana○ *mf* d'Internet

nether‡ /'neðə(r)/ *adj* bas/basse; [*garments*] de dessous; **the ~ regions** (hell) les enfers; (lower body) euph hum les parties inférieures euph; (basement) les parties basses

Netherlander† /'neðələndə(r)/ ▸ **p. 1467** *n* Hollandais/-e *m/f*

Netherlands /'neðələndz/ ▸ **p. 1096**

A *pr n* **the ~** (+ *v sg*) les Pays-Bas *mpl*, la Hollande; **in the ~** aux Pays-Bas, en Hollande

B *adj* [*tradition, climate*] hollandais, des Pays-Bas

Netherlands Antilles /,neðələndz æn'tɪli:z/ ▸ **p. 1096** *pr n* Antilles *fpl* néerlandaises

nethermost‡ /'neðəməʊst/ *adj* le plus bas; **the ~ depths** les profondeurs

netiquette /'netɪket/ *n* nétiquette *f*

netizen /'netɪzn/ *n* internaute *mf*

net present value, NPV *n* Fin valeur *f* actuelle nette, VAN

netrepreneur /,netrəprə'nɜ:(r)/ *n* netprenaute *mf*, entrepreneur/-euse *m/f* sur Internet

netspeak /'netspi:k/ *n* jargon *m* d'Internet

netsuke /'netskɪ, 'netsʊkɪ/ *n* netsuké *m*

netsurf /'netsɜ:f/ *vi* surfer sur le net

netsurfer /'netsɜ:fə(r)/ *n* surfeur/-euse *mf*

netsurfing /'netsɜ:fɪŋ/ *n* surf *m* sur le net

nett *adj* GB = **net B**

netting /'netɪŋ/ *n* **1** (mesh) (of rope) filet *m*; (of metal, plastic) grillage *m*; **side ~** (in football) filets *mpl* latéraux; **2** Tex voile *m*, tulle *m*

nettle /'netl/

A *n* (*also* **stinging ~**) ortie *f*

B *modif* [*sting*] d'ortie; [*soup*] aux orties

C *vtr* agacer

(Idiom) **to grasp** *ou* **seize the ~** prendre le taureau par les cornes

nettle rash *n* urticaire *f*

net ton ▸ **p. 1883** *n* US tonne *f* courte

network /'netwɜ:k/

A *n* (all contexts) réseau *m* (**of** de); **computer/telephone ~** réseau informatique/téléphonique; **radio ~** réseau de radiodiffusion; **rail/road ~** réseau ferroviaire/routier; **TV** *ou* **television ~** réseau de télévision

B *vtr* **1** TV, Radio diffuser [*programme*]; **2** Comput interconnecter [*computers*]

C *vi* tisser un réseau de relations

D **networked** *pp adj* [*computer, workstation*] interconnecté

networking /'netwɜ:kɪŋ/ *n* **1** Comm constitution *f* de réseaux; **2** Comput interconnexion *f*; **3** (establishing contacts) **~ is important** c'est important d'avoir des contacts; **I was doing some ~** j'essayais de me faire des contacts

network: **~ operator** *n* Telecom opérateur *m* de réseau; **~ television** *n* US chaîne *f* nationale

Neuchâtel /,nɜ:ʃæ'tel/ ▸ **p. 1815, p. 1771** *pr n* Neuchâtel; **the canton of ~** le canton de Neuchâtel

neural /'njʊərəl, US 'nʊ-/ *adj* neuronal

neuralgia /,njʊə'rældʒə, US ,nʊ-/ ▸ **p. 1327** *n* névralgie *f*

neuralgic /,njʊə'rældʒɪk, US ,nʊ-/ *adj* névralgique

neural network *n* réseau *m* neuronal, réseau *m* neuromimétique

neurasthenia‡ /,njʊərəs'θi:nɪə, US ,nʊ-/ *n* neurasthénie *f*

neurasthenic‡ /,njʊərəs'θenɪk, US ,nʊ-/ *n, adj* neurasthénique (*mf*)

neuritis /,njʊə'raɪtɪs, US ,nʊ-/ ▸ **p. 1327** *n* névrite *f*

neurodegeneration /,njʊərəʊdɪ,dʒenə'reɪʃn/ *n* Med neurodégénérescence *f*

neurodegenerative /,njʊərəʊdɪ'dʒenərətɪv/ *adj* Med neurodégénératif/-ive

neurogenic /,njʊərəʊ'dʒenɪk, US ,nʊ-/ *adj* neurogène

neurolinguistic programming, NLP /,njʊərəʊlɪŋ'gwɪstɪk/ *n* programmation *f* neurolinguistique

neurological /,njʊərə'lɒdʒɪkl, US ,nʊ-/ *adj* neurologique

neurologist /,njʊ'rɒlədʒɪst, US ,nʊ-/ ▸ **p. 1683** *n* neurologue *mf*

neurology /,njʊə'rɒlədʒɪ, US ,nʊ-/ *n* neurologie *f*

neuroma /,njʊə'rəʊmə, US ,nʊ-/ *n* (*pl* **~s** *ou* **-mata**) névrome *m*

neuromuscular /,njʊərəʊ'mʌskjʊlə(r), US ,nʊ-/ *adj* neuromusculaire

neuron /'njʊərɒn, US 'nʊ-/, **neurone** /'njʊərəʊn, US 'nʊ-/ *n* neurone *m*

neuropathic /,njʊərəʊ'pæθɪk, US ,nʊ-/ *adj* névropathique

neuropathology /,njʊərəʊpə'θɒlədʒɪ/ *n* névropathologie *f*

neuropathy /njʊ'rɒpəθɪ, US nʊ-/ *n* neuropathie *f*

neurophysiological /,njʊərəʊ,fɪzɪə'lɒdʒɪkl, US ,nʊ-/ *adj* neurophysiologique

neurophysiologist /,njʊərəʊ,fɪzɪɒ'lədʒɪst, US ,nʊ-/ ▸ **p. 1683** *n* neurophysiologiste *mf*

neurophysiology /,njʊərəʊ,fɪzɪ'ɒlədʒɪ, US ,nʊ-/ *n* neurophysiologie *f*

neuropsychiatric /,njʊərəʊ,saɪkɪ'ætrɪk, US ,nʊ-/ *adj* neuropsychiatrique

neuropsychiatrist /,njʊərəʊsaɪ'kaɪətrɪst, US ,nʊ-/ ▸ **p. 1683** *n* neuropsychiatre *mf*

neuropsychiatry /,njʊərəʊsaɪ'kaɪətrɪ, US ,nʊ-/ *n* neuropsychiatrie *f*

neurosis /njʊə'rəʊsɪs, US nʊ-/ *n* (*pl* **-oses**) névrose *f*; fig **to have a ~ about sth** avoir une idée fixe à propos de qch

neurosurgeon /,njʊərəʊ'sɜ:dʒn, US ,nʊ-/ ▸ **p. 1683** *n* neurochirurgien *m*

neurosurgery /,njʊərəʊ'sɜ:dʒərɪ, US ,nʊ-/ *n* neurochirurgie *f*

neurosurgical /,njʊərəʊ'sɜ:dʒɪkl, US ,nʊ-/ *adj* [*technique, institution, patient*] de neurochirurgie; [*operation*] neurochirurgical

neurotic /njʊə'rɒtɪk, US nʊ-/

A *n* névrosé/-e *m/f*

B *adj* névrosé; **to be ~ about sth/about doing** être complètement maniaque en ce qui concerne qch/quand il s'agit de faire

neurotically /njʊə'rɒtɪklɪ, US nʊ-/ *adv* de façon obsessionnelle

neuroticism /njʊə'rɒtɪsɪzəm, US nʊ-/ *n* tendance *f* à la névrose

neurotoxic /,njʊərəʊ'tɒksɪk/ *adj* neurotoxique

neurovascular /,nʊərəʊ'væskjʊlə(r), US ,nʊ-/ *adj* neurovasculaire

neuter /'nju:tə(r), US 'nu:-/

A *n* Ling neutre *m*; **in the ~** au neutre

B *adj* Bot, Ling, Zool neutre

C *vtr* Vet châtrer

neutral /'nju:trəl, US 'nu:-/

A *n* **1** Mil, Pol neutre *mf*; **2** Aut point *m* mort; **in/into ~** au point mort

B *adj* (all contexts) neutre (**about** en ce qui concerne); **to have a ~ policy** pratiquer une politique de neutralité; **to have a ~ effect on sth** ne pas avoir d'effet sur qch

neutralism /'nju:trəlɪzəm, US 'nu:-/ *n* neutralisme *m*

neutralist /'nju:trəlɪst, US 'nu:-/ *n, adj* neutraliste (*mf*)

neutrality /nju:'trælətɪ, US nu:-/ *n* **1** Chem, Pol (status) neutralité *f*; **armed ~** neutralité *f* armée; **2** Pol, gen (attitude) attitude *f* de neutralité (**towards** vis-à-vis)

neutralization /,nju:trəlaɪ'zeɪʃn, US ,nu:trəlɪ'zeɪʃn/ *n* Chem, Mil, aussi euph, Pol neutralisation *f* also euph

neutralize /'nju:trəlaɪz, US 'nu:-/ *vtr* Chem, Mil, aussi euph, Pol neutraliser also euph

neutrino /nju:'tri:nəʊ, US nu:-/ *n* (*pl* **~s**) neutrino *m*

neutron /'nju:trɒn, US 'nu:-/

A *n* neutron *m*

B *modif* [*bomb, star*] à neutrons

neutron number *n* nombre *m* de neutrons

Nevada /nə'vɑ:də/ ▸ **p. 1737** *pr n* Nevada *m*; **in/to ~** au Nevada

Nevadan /nə'vɑ:dən/

A *n* habitant/-e *m/f* du Nevada

B *adj* [*landscape*] du Nevada; [*weather*] au Nevada

never /ˈnevə(r)/

> ⚠ When *never* is used to modify a verb (*she never wears a hat, I've never seen him*) it is translated *ne...jamais* in French; *ne* comes before the verb, and before the auxiliary in compound tenses, and *jamais* comes after the verb or auxiliary: *elle ne porte jamais de chapeau, je ne l'ai jamais vu*.
> When *never* is used without a verb, it is translated by *jamais* alone: *'admit it!'—'never!'* = 'avoue-le!'—'jamais'.
> For examples and particular usages, see the entry below.

adv **1** (not ever) **I ∼ go to London** je ne vais jamais à Londres; **he will ∼ forget it** il ne l'oubliera jamais; **she ∼ says anything** elle ne dit jamais rien; **I ∼ work on Saturdays** je ne travaille jamais le samedi; **I've ∼ known him to be late** ce n'est pas le genre à être en retard; **I've ∼ seen such a mess** je n'ai jamais vu un désordre pareil; **∼ have I seen such poverty** je n'ai jamais vu une telle pauvreté; **'have you ever been to Paris?'—'∼'** 'as-tu déjà visité Paris?'—'jamais'; **it's now or ∼** c'est le moment ou jamais; **∼ again** plus jamais; **∼ before has the danger been so great** le danger n'a jamais été aussi grand; **∼ in all my life** *ou* **born days** jamais de la vie; **∼ ever lie to me again!** ne me mens plus jamais!; **he ∼ ever drinks alcohol** il ne boit absolument jamais d'alcool; **∼ one to refuse a free meal, he agreed** il a accepté parce qu'il ne dit jamais non à un repas gratuit; **∼ a day passes but he phones me** pas un jour ne passe sans qu'il me téléphone; **better late than ∼** mieux vaut tard que jamais; **you ∼ know** on ne sait jamais; **2** (as an emphatic negative) **he ∼ said a word** il n'a rien dit; **I ∼ knew that** je ne le savais pas; **he ∼ so much as apologized** il ne s'est même pas excusé; **Bob, ∼ a strong swimmer, tired quickly** Bob, qui n'a jamais été un bon nageur, s'est vite fatigué; **she mustn't catch you crying! that would ∼ do** il ne faut surtout pas qu'elle te voie pleurer; ▸ **fear**, **mind**; **3** (expressing surprise, shock) **you're ∼ 40!** GB ce n'est pas possible, tu n'as pas 40 ans!; **you've ∼ gone and broken it have you**○**!** GB ne me dis pas que tu l'as cassé!; **∼!** pas possible!; **'I punched him'—'you ∼ (did)**○**!'** GB 'je lui ai donné un coup de poing'—'c'est pas vrai○!'; **well I ∼ (did)!** ça par exemple!

never-ending /ˌnevərˈendɪŋ/ *adj* interminable

nevermore /ˌnevəˈmɔː(r)/ *adv* plus jamais; **∼ will he see his homeland** il ne verra plus jamais sa patrie

never-never○ /ˌnevəˈnevə(r)/ *n* GB **to buy sth on the ∼** acheter qch à crédit

never-never land *n* pays *m* imaginaire; **to live in ∼** ne pas avoir les pieds sur terre

nevertheless /ˌnevəðəˈles/ *adv* **1** (all the same) quand même, malgré tout; **I like him ∼** je l'aime quand même; **he's my friend ∼** c'est quand même mon ami; **they go on trying ∼** ils continuent quand même à essayer; **thanks ∼** merci quand même; **∼, I think you should go** je crois que tu devrais y aller quand même; **2** (nonetheless) pourtant, néanmoins; **it's ∼ true that** c'est pourtant vrai que..., il est néanmoins vrai que; **so strong yet ∼ so gentle** si fort et pourtant si doux; **3** (however) pourtant, toutefois, néanmoins; **he did ∼ say that** il a pourtant *or* toutefois *or* néanmoins dit que

never-to-be-forgotten *adj* inoubliable

new /njuː, US nuː/ *adj* **1** (not known, seen, owned etc before) nouveau/-elle (*before n*); (brand-new) [*car, dress, carpet*] neuf/neuve; **the area is ∼ to me** la région m'est inconnue; **the work/subject is ∼ to me** je ne connais rien au travail/au sujet; **as good as ∼** lit, fig comme neuf; **'as ∼'** (in advertisement) 'état neuf'; **that's nothing ∼** ce n'est pas nouveau; **I feel like a ∼ man** je suis transformé; **'what's ∼?'** 'quoi de neuf?'; **that's a ∼ one on me** on en apprend tous les jours; **2** (different) [*boyfriend, life, era, approach, design*] nouveau/-elle (*before n*); **the New Left/Right** Pol la Nouvelle Gauche/Droite; **someone/something ∼** quelqu'un/quelque chose d'autre; **could I have a ∼ plate? This one is dirty** est-ce que je pourrais avoir une autre assiette? Celle-ci est sale; **3** (recently arrived) [*recruit, arrival*] nouveau/-elle (*before n*); **to be ∼ to** ne pas être habitué à [*job, way of life*]; **we're ∼ to the area** nous sommes nouveaux venus dans la région; **4** (latest) [*book, film, model*] nouveau/-elle (*before n*); [*fashion*] dernier/-ière (*before n*); **5** (harvested early) [*vegetable*] nouveau/-elle (*after n*)

New Age

A *n* New Age *m*

B *modif* [*music, ideas, sect*] New Age *inv*

New Age: **∼ Movement**, **NAM** *n* New Age *m*; **∼ Traveller** *n* voyageur/-euse *m/f* New Age

newbie○ /ˈnjuːbɪ/ *n* novice *mf* d'Internet

new blood *n* sang *m* frais

newborn /ˈnjuːbɔːn, US ˈnuː-/ *adj* nouveau-né/-née; **∼ baby** nouveau-né/-née *m/f*

(Idiom) **as innocent as a ∼ babe** innocent comme l'enfant qui vient de naître

new: **New Brunswick** *pr n* Nouveau-Brunswick *m*; **New Caledonia** ▸ **p. 1355** *pr n* Nouvelle-Calédonie *f*

newcomer /ˈnjuːkʌmə(r), US ˈnuː-/ *n* (in place, job, club) nouveau venu/nouvelle venue *m/f*; (in sport, theatre, cinema) nouveau/-elle *m/f*; **to be a ∼ to a job/town/team** être nouveau/-elle dans un emploi/une ville/une équipe

New Deal *n* US Hist New Deal *m*

New Delhi /ˌnjuː ˈdelɪ, US ˌnuː-/ ▸ **p. 1815** *pr n* New Delhi

new economy *n* nouvelle économie *f*

newel /ˈnjuːəl, US ˈnuːəl/ *n* **1** (*also* **∼ post**) (on banisters) pilastre *m*; **2** (for spiral stairs) noyau *m*

new: **New England** ▸ **p. 1737** *pr n* Nouvelle-Angleterre *f*; **∼fangled** *adj* péj moderne

newfound /ˈnjuːˌfaʊnd/ *adj* tout nouveau/toute nouvelle

Newfoundland /njuːˈfaʊndlənd, US nuː-/

A *pr n* Geog Terre-Neuve *f*; **to/in ∼** à Terre-Neuve

B *n* (dog) terre-neuve *m*

C *modif* [*people*] terre-neuvien/-ienne; [*landscape, industry*] de Terre-Neuve

Newfoundlander /njuːˈfaʊndləndə(r), US nuː-/ *n* Terre-Neuvien/-ienne *m/f*

new: **New Guinea** ▸ **p. 1355** *pr n* Nouvelle-Guinée *f*; **New Hampshire** ▸ **p. 1737** *pr n* US New Hampshire *m*; **New Hebrides** ▸ **p. 1096** *pr n* Hist Nouvelles-Hébrides *fpl*

newish /ˈnjuːɪʃ, US ˈnuː-/ *adj* assez neuf/neuve

new: **New Jersey** ▸ **p. 1737** *pr n* New Jersey *m*; **New Jerusalem** *pr n* Relig Nouvelle Jérusalem; **New Labour** *n* GB Pol nouveau parti *m* travailliste; **New Lad** *n* GB nouveau macho *m*; **New Latin** *n* latin *m* moderne

new look

A *n* (image) (for person, car, house) nouveau style *m*

B **new-look** *adj* [*product*] nouvelle version *inv*; [*car, team*] nouveau/-elle (*before n*); [*edition, show*] remanié

New Look *n, modif* Fashn Hist new-look (*m*) (*inv*)

newly /ˈnjuːlɪ, US ˈnuː-/ *adv* **1** (recently) [*arrived, bought, built, elected, formed, qualified*] nouvellement; [*washed, shaved*] fraîchement; **2** (differently) [*named, arranged*] différemment

newlyweds /ˈnjuːlɪwedz, US ˈnuː-/ *npl* jeunes mariés *mpl*

new: **∼ man** *n* homme *m* moderne *or* nouveau; **∼ math** *n* US maths *fpl* modernes; **New Mexico** ▸ **p. 1737** *pr n* Nouveau-Mexique *m*; **∼ moon** *n* nouvelle lune *f*; **∼-mown** *adj* (*épith*) fraîchement coupé *or* fauché (*after n*)

newness /ˈnjuːnɪs, US ˈnuː-/ *n* (of idea, feeling, fashion) nouveauté *f*; (of object, car, clothes) état *m* neuf

New Orleans ▸ **p. 1815** *pr n* Nouvelle-Orléans *f*

news /njuːz, US nuːz/ *n* **1** (new political or public information) nouvelle(s) *f(pl)*; **an item of ∼** gen une nouvelle; Journ une information; **the latest ∼ is that all is quiet** aux dernières nouvelles tout était calme; **the ∼ that she had resigned** la nouvelle selon laquelle elle aurait démissionné; **∼ of her resignation reached Parliament** la nouvelle de sa démission est parvenue au Parlement; **∼ is just coming in of an explosion** on vient juste d'apprendre la nouvelle d'une explosion; **here now with ∼ of today's sport is X** et voici maintenant, pour nous parler du sport aujourd'hui, X; **these events are not ∼** ces événements n'ont rien de nouveau; **to be in the ∼, to make (the) ∼** défrayer la chronique; **she's always in the ∼** on parle beaucoup d'elle dans les médias; **2** (personal information) nouvelle(s) *f(pl)*; **a bit** *ou* **piece of ∼** une nouvelle; **a sad bit of ∼** une triste nouvelle; **have you heard the ∼?** tu connais la nouvelle?; **it's wonderful ∼ about Louis!** nouvelle formidable à propos de Louis!; **I heard the ∼ from Jo** j'ai appris la nouvelle par Jo; **have I got ∼ for you**○**!** j'ai une nouvelle à t'apprendre!; **have you any ∼ of her?** est-ce que tu as de ses nouvelles?; **I have no ∼ of her** je n'ai aucune nouvelle d'elle; **tell me all your ∼!** raconte-moi ce que tu deviens!; **that's ∼ to me**○**!** ça, c'est du nouveau○!; **that's good/bad ∼** c'est une bonne/mauvaise nouvelle; **she's bad ∼**○**!** c'est un véritable fléau○!; **this is** *ou* **spells bad ∼ for** c'est une mauvaise nouvelle pour; **bad ∼ travels fast** les mauvaises nouvelles circulent vite; **3** Radio, TV (programme) **the ∼** les informations *fpl*, les infos○ *fpl*, le journal *m*; **to see sth/sb on the ∼** voir qch/qn aux informations; **4** Journ (column title) **'financial ∼'** 'chronique *f* financière'; **'Home News'** 'les informations *fpl* nationales'; **'The Baltimore News'** (newspaper title) 'Les Nouvelles *fpl* de Baltimore'

(Idiom) **no ∼ is good ∼** pas de nouvelles, bonnes nouvelles

news: **∼ agency** *n* agence *f* de presse; **∼agent** ▸ **p. 1683** *n* GB marchand *m* de journaux; **∼agent's** ▸ **p. 1683** *n* GB magasin *m* de journaux; **∼ analyst** ▸ **p. 1683** *n* US commentateur/-trice *m/f*; **∼ blackout** *n* black-out *m*; **∼boy** *n* vendeur *m* de journaux; **∼ bulletin** GB, **∼cast** US *n* Radio, TV bulletin *m* d'information; **∼caster** ▸ **p. 1683** *n* présentateur/-trice *m/f* des informations; **∼ conference** *n* conférence *f* de presse; **∼dealer** ▸ **p. 1683** *n* US marchand *m* de journaux

news desk *n* (at newspaper) (salle *f* de) rédaction *f*; **now over to our ∼ for the headlines** et maintenant les titres de l'actualité

news: **∼ editor** ▸ **p. 1683** *n* rédacteur/-trice *m/f*; **∼ flash** *n* flash *m* (d'information); **∼gathering** *n* collecte *f* de l'information; **∼group** *n* Comput forum *m* de discussion; **∼hawk**○ *n* US reporter *m*; **∼ headlines** *npl* TV titres *mpl* de l'actualité; **∼hound** *n* reporter *m*; **∼ item** *n* sujet *m* d'actualité, information *f*; **∼letter** *n* bulletin *m*; **∼ magazine** *n* magazine *m* d'informations; **∼man** ▸ **p. 1683** *n* journaliste *m*

news-on-demand, **NOD** *n* actualités *fpl* à la demande

New South Wales *pr n* Nouvelle-Galles *f* du Sud

newspaper /ˈnjuːspeɪpə(r), US ˈnuːz-/

A *n* **1** (item) journal *m*; **the Sunday ∼s** les journaux du dimanche; **2** (substance) papier *m* journal; **wrapped in ~** enveloppé dans du papier journal

B *modif* [*article, photograph*] de presse; [*archives*] du journal, de la rédaction; [*cuttings*] de journaux, de presse

Newspapers

Au Royaume-Uni, on fait généralement la distinction entre deux types de journaux : les *broadsheets* sont des quotidiens de grand format considérés comme des journaux de qualité (*Times, Guardian, Daily Telegraph* etc.) ; les *tabloids* font la moitié du grand format traditionnel et sont associés à la presse à sensation (*Sun, Daily Mail*, etc.). La diffusion des quotidiens est élevée (*Sun* : 4 millions ; *Telegraph* : 1 million) et la plupart d'entre eux publient une édition 'week-end' extrêmement populaire. Les États-Unis ne comptent pas véritablement de quotidien national (sauf *USA Today*), mais chaque grande ville a ses propres journaux (*Los Angeles Times, New York Times, Washington Post*, etc.). La presse du soir est plus abondante que celle du matin. Dans 80% des cas, les journaux sont distribués à domicile par des jeunes qui gagnent ainsi leur argent de poche.

newspaper: **~man** ▸ **p. 1683** *n* journaliste *m*; **~ office** *n* bureau *m* de rédaction; **~woman** ▸ **p. 1683** *n* journaliste *f*

newspeak /ˈnjuːspiːk, US ˈnuː-/ *n* péj jargon *m* administratif péj

news photographer ▸ **p. 1683** *n* reporter *m* photographe

news posting *n* (in a newsgroup) article *m*

newsprint /ˈnjuːzprɪnt, US ˈnuː-/ *n* (paper) papier *m* journal; (ink) encre *f* d'imprimerie

news: **~reader** ▸ **p. 1683** *n* GB présentateur/-trice *m/f* des informations; **~reel** *n* Cin Hist actualités *fpl*; **~room** *n* (salle *f* de) rédaction *f*

news service *n* **1** (agency) agence *f* de presse; **2** (service provided by media) service *m* d'information

news: **~ sheet** *n* bulletin *m*; **~stand** *n* kiosque *m* à journaux

new: **~-style** *adj* nouveau style *inv*; **New Style** *pr n* nouveau calendrier *m*, calendrier *m* grégorien

news: **~ value** *n* valeur *f* médiatique; **~ vendor** ▸ **p. 1683** *n* vendeur/-euse *m/f* de journaux; **~woman** ▸ **p. 1683** *n* journaliste *f*; **~worthy** *adj* médiatique

newsy /ˈnjuːzɪ, US ˈnuː-/ *adj* [*letter*] plein de nouvelles

newt /njuːt, US nuːt/ *n* triton *m*

(Idiom) **pissed as a ~**◐ soûl comme une bourrique○

New Testament, **NT** *pr n* Bible Nouveau Testament *m*

newton /ˈnjuːtn, US ˈnuː-/ *n* Phys newton *m*

Newtonian /njuːˈtəʊnɪən, US nuː-/ *adj* newtonien/-ienne

new town *n* ville *f* nouvelle

new wave

A *n* nouvelle vague *f*

B **New Wave** *pr n* Cin Nouvelle Vague *f*

C *adj* nouvelle vague *inv*

New World *n* Nouveau Monde *m*

New Year *n* **1** (January 1st) le nouvel an *m*; **at (the) ~** au nouvel an; **for** *ou* **over (the) ~** pour le nouvel an; **closed for ~** *ou* US **~'s** Comm fermé pour les fêtes du nouvel an; **to celebrate ~** *ou* US **~'s** célébrer le nouvel an; **to see in** *ou* **bring in the ~** fêter la Saint-Sylvestre; **Happy ~!** bonne année!; **2** (next year) (whole) l'année *f* prochaine; (the beginning) la nouvelle année; **early in the ~** au début de l'année prochaine

New Year's day GB, **New Year's** US *n* le jour *m* de l'an

New Year's Eve *n* la Saint-Sylvestre; **~ party** *ou* **celebrations** fêtes *fpl* de la Saint-Sylvestre

New Year: **~'s Honours list** *n* GB liste *f* des décorés du 1er janvier. ▸ **Honours List**; **~'s resolution** *n* résolution *f* pour la nouvelle année

new: **New York City** ▸ **p. 1815** *pr n* New York; **New Yorker** *n* New-Yorkais/-e *m/f*; **New York State** ▸ **p. 1737** *pr n* État *m* de New York *m*

New Zealand /ˌnjuːˈziːlənd, US ˌnuː-/

A ▸ **p. 1096** *pr n* Nouvelle-Zélande *f*

B *adj* néo-zélandais

New Zealander ▸ **p. 1467** *n* Néo-Zélandais/-e *m/f*

next /nekst/

⚠ When *next* is used as an adjective it is generally translated by *prochain* when referring to something which is still to come or happen and by *suivant* when referring to something which has passed or happened: *I'll be 40 next year* = j'aurai 40 ans l'année prochaine; *the next year, he went to Spain* = l'année suivante il est allé en Espagne.

For examples and further usages see the entry below.

See also the usage note on time units ▸ **p. 1804**.

A *pron* **after this train the ~ is at noon** le train suivant est à midi; **he's happy one minute, sad the ~** il passe facilement du rire aux larmes; **I hope my ~ will be a boy** j'espère que mon prochain enfant sera un garçon; **from one minute to the ~** d'un instant à l'autre; **take the ~ left** prends la prochaine rue à gauche; **to go from one pub to the ~** aller d'un pub à l'autre; **to survive from one day to the ~** survivre au jour le jour; **the ~ to speak was Emily** ensuite, c'est Emily qui a parlé; **the week/month after ~** dans deux semaines/mois

B *adj* **1** (in list, order or series) (following) suivant; (still to come) prochain; **the ~ page** la page suivante; **get the ~ train** prenez le prochain train; **he got on the ~ train** il a pris le train suivant; **the ~ person to talk will be punished** la prochaine personne qui parle sera punie; **she's ~ in the queue** GB elle sera la prochaine à être servie; **you're ~ on the list** tu es le prochain sur la liste; **what's ~ on the list?** qu'est-ce qu'on doit faire maintenant?; **the ~ thing to do is** ce qu'il faut faire maintenant c'est; **the ~ thing to do was** ce qu'il fallait faire ensuite c'était; **'~!'** 'au suivant!'; **'who's ~?'** 'c'est à qui le tour?'; **'you're ~'** 'c'est à vous'; **you're ~ in line** la prochaine fois c'est ton tour; **you're ~ but one** plus qu'une personne et c'est à toi; **~ to last** avant-dernier/-ière; **the ~ size (up)** la taille au-dessus; **the ~ size down** la taille en-dessous; **I don't know where my ~ meal is coming from** je vis au jour le jour; **I asked the ~ person I saw** j'ai demandé à la première personne que j'ai croisée

2 (in expressions of time) (in the future) prochain; (in the past) suivant; **~ Thursday, Thursday ~** jeudi prochain; **~ year** l'année prochaine; **~ month's forecasts** les prévisions pour le mois prochain; **when is the ~ meeting?** quand aura lieu la prochaine réunion?; **~ time you see her** la prochaine fois que tu la vois; **the ~ few hours are critical** les prochaines heures *or* les heures à venir seront décisives; **I'll phone in the ~ few days** je téléphonerai d'ici quelques jours; **he's due to arrive in the ~ 10 minutes** il est censé arriver d'ici 10 minutes; **this time ~ week** d'ici une semaine; **I'll do it in the ~ two days** je le ferai d'ici 2 jours; **the ~ week she was late** la semaine suivante elle était en retard; **the ~ day** le lendemain; **the ~ day but one** le surlendemain; **the ~ morning** le lendemain matin; **during the ~ few hours he rested** pendant les quelques heures qui ont suivi, il s'est reposé; **the ~ moment** l'instant d'après; **(the) ~ thing I knew, he'd stolen my wallet** il m'a volé mon portefeuille sans que je m'en rende compte; **~ thing you know he'll be writing you love poems!** si ça continue comme ça, il va bientôt t'envoyer des poèmes!; **(the) ~ thing I knew, the police were at the door** la police était à la porte avant que j'aie eu le temps de comprendre ce qui se passait; **we offer a ~-day service** nous proposons un service en 24 heures

3 (adjacent) [*room, street*] voisin; [*building, house*] voisin, d'à côté

C *adv* **1** (afterwards) ensuite, après; **what happened ~?** que s'est-il passé ensuite?; **what word comes ~?** quel mot vient après *or* y a-t-il après?; **whatever ~!** et quoi encore!

2 (now) **~, I'd like to say...** je voudrais maintenant dire...; **what shall we do ~?** qu'est-ce qu'on fait maintenant?

3 (on a future occasion) **when I ~ go there** la prochaine fois que j'irai; **when she ~ comes to visit** la prochaine fois qu'elle viendra nous voir; **when you phone her ~** la prochaine fois que tu lui téléphoneras; **they ~ met in 1981** ils se sont ensuite revus en 1981

4 (nearest in order) **the ~ tallest is Patrick** ensuite c'est Patrick qui est le plus grand; **she's the ~ oldest after Brigitte** c'est elle la plus âgée après Brigitte; **after 65, 50 is the ~ best score** c'est 65 le meilleur score, ensuite c'est 50; **after champagne, sparkling white wine is the ~ best thing** après le champagne, le mousseux est ce qu'il y a de mieux; **the ~ best thing would be to...** à défaut, le mieux serait de...

D **next to** *adv phr* presque; **~ to impossible** presque impossible; **~ to nobody** presque personne; **~ to no details/money** presque pas de détails/d'argent ; **to give sb ~ to nothing** ne donner pratiquement rien à qn; **to get sth for ~ to nothing** avoir qch pour quasiment rien; **in ~ to no time it was over** en un rien de temps c'était fini

E **next to** *prep phr* à côté de; **~ to the bank/table** à côté de la banque/table; **two seats ~ to each other** deux sièges l'un à côté de l'autre; **to wear silk ~ to the skin** porter de la soie à même la peau; **~ to Picasso, my favourite painter is Chagall** après Picasso c'est Chagall mon peintre préféré

(Idioms) **to get ~ to sb**○ US se mettre bien avec qn○; **I can sing as well as the ~ man** *ou* **person** je ne chante pas plus mal qu'un autre; **he's as honest as the ~ man** *ou* **person** il est aussi honnête que n'importe qui

next door

A *n* (people) les voisins *mpl*, les gens *mpl* d'à côté; **~'s cat** le chat des voisins; **~'s garden** le jardin d'à côté

B *adj* (also **next-door**) [*garden, building*] d'à côté; **the girl ~** lit la fille d'à côté *or* qui habite à côté; fig une fille très simple

C *adv* [*live, move in*] à côté; **to live ~ to sth/to sb** habiter à côté de qch/de chez qn; **to pop ~** faire un saut○ chez le/la voisin/-e

next-door neighbour *n* voisin/-e *m/f* (d'à côté); **we're ~s** nous habitons à côté l'un de l'autre

next of kin *n* (close relative) **to be sb's ~** être le parent le plus proche de qn; **to inform the ~** (close relative) prévenir le parent le plus proche; (family) prévenir la famille

nexus /ˈneksəs/ *n* (*pl* **~** *ou* **-uses**) **1** (link) connexion *f*; **2** (network) réseau *m*

NF *n* **1** GB Pol (*abrév* = **National Front**) *cf* FN *m*; **2** Fin (also **N/F**) (*abrév* = **no funds**) défaut *m* de provision

NFL *n* US (*abrév* = **National Football League**) Fédération *f* américaine de football américain. ▸ **Bowl games**

NFU *n* GB (*abrév* = **National Farmers' Union**) syndicat *m* agricole britannique

NG *n* US *abrév* ▸ **National Guard**

n

NGA *n* GB *abrév* ▸ **National Graphical Association**

NGO *n* (*abrév* = **Non-Governmental Organization**) ONG *f*

NHL *n* US (*abrév* = **National Hockey League**) Fédération *f* américaine de hockey sur glace

NHS
A *n* GB (*abrév* = **National Health Service**) services *mpl* de santé britanniques; **on the ~** ≈ remboursé par la sécurité sociale
B *modif* [*hospital, bed, ward*] conventionné; [*operation, treatment*] remboursé par la sécurité sociale; **~ waiting list** liste *f* d'attente (*pour une opération prise en charge par la sécurité sociale*). ▸ **Welfare state**

NI *n* **1** GB *abrév* ▸ **National Insurance**; **2** Geog (*abrév écrite* = **Northern Ireland**) Irlande *f* du Nord

niacin /'naɪəsɪn/ *n* acide *m* nicotinique

Niagara /naɪ'ægərə/ ▸ **p. 1633** *pr n* Niagara *m*; **~ Falls** chutes *fpl* du Niagara

nib /nɪb/
A *n* plume *f*
B -nibbed (*dans composés*) **fine-/steel-~bed** à plume fine/en acier

nibble /'nɪbl/
A *n* **1** (snack food) amuse-gueule *m inv*; **2** (action) mordillement *m*; **to have** *ou* **take a ~ at** grignoter; **3** (small meal) collation *f*; **to feel like** *ou* **fancy a ~** avoir envie de grignoter quelque chose
B *vtr* (eat) **1** [*mouse, rabbit, person*] grignoter; [*sheep, goat*] brouter; **2** (playfully) [*person, animal*] mordiller [*ear, neck*]
C *vi* **1** lit [*animal*] mordiller; [*person*] grignoter; **to ~ at** [*mouse, rabbit*] grignoter; [*sheep, goat*] brouter; [*fish*] mordre à [*bait*]; [*person*] manger [qch] du bout des dents; **2** fig **to ~ at** considérer [*idea, proposal*]

nibs○ /nɪbz/ hum **his ~** (+ *v sg*) son altesse hum

NIC /enaɪ'siː, nɪk/ *n* (*abrév* = **newly industrialized countries**) NPI *mpl*

Nicaragua /ˌnɪkə'rægjʊə/ ▸ **p. 1096** *pr n* Nicaragua *m*

Nicaraguan /ˌnɪkə'rægjʊən/ ▸ **p. 1467**
A *n* Nicaraguayen/-enne *m/f*
B *adj* nicaraguayen/-enne

nice /naɪs/ *adj* **1** (enjoyable, pleasant) [*drive, holiday*] agréable; **it would be ~ to do** ce serait bien de faire; **it would be ~ for him to do** ce serait bien qu'il fasse; **it's not very ~ doing** ce n'est pas très agréable de faire; **did you have a ~ time?** tu t'es bien amusé?; **~ weather isn't it?** beau temps, n'est-ce pas?; **a ~ cool drink** une boisson bien fraîche; **it's ~ and sunny** il fait beau; **to have a ~ long chat** bien bavarder; **~ work if you can get it!** hum il y en a qui ont de la veine○!; **~ to have met you** ravi d'avoir fait votre connaissance; **~ to see you** ça fait plaisir de te voir; **how ~!** comme c'est bien!; **have a ~ day!** bonne journée!; **2** (attractive) [*house, district, painting*] beau/belle; [*place*] agréable; **a really ~ house** une très belle maison; **Edinburgh is a really ~ place** Édimbourg est vraiment une ville agréable; **you look very ~** tu es très chic; **he has a ~ taste in clothes** il a très bon goût en matière de vêtements; **3** (tasty) bon/bonne; **to taste ~** avoir bon goût; **a ~ cup of tea** une bonne tasse de thé; **4** (kind) sympathique; **to be ~ to** être gentil avec; **it was ~ of her to do** c'était gentil de sa part de faire; **how ~ of you to come** comme c'est gentil d'être venu; **he's a really ~ guy**○ c'est un type très sympa○; **what a ~ man!** quel homme sympathique!; **he says really ~ things about you** il dit beaucoup de bien de toi; **5** (socially acceptable) [*manners, behaviour, neighbourhood, school*] comme il faut *inv*; **it is not ~ to do** ce n'est pas bien de faire; **a ~ girl** une jeune fille bien *or* comme il faut; **that's not very ~!** ça ne se fait pas!; **6** (used ironically) **~ friends you've got!** ils sont bien tes amis!; **a ~ mess you've got us into!** tu nous as fichus dans un beau pétrin○!; **that's a ~ way to talk to your father!** en voilà une façon de parler à ton père!; **this is a ~ state of affairs!** c'est du propre!; **7** sout (subtle) [*distinction*] subtil; **8** sout (pleasing to the mind) [*coincidence, contrast*] plaisant fml
(Idiom) **~ one!** (in admiration) bravo!; iron il ne manquait plus que ça

nice-looking /ˌnaɪs'lʊkɪŋ/ *adj* beau/belle

nicely /'naɪslɪ/ *adv* **1** (kindly) [*speak, treat, ask*] gentiment; **2** (attractively) [*decorated, furnished, dressed*] agréablement; **she sings very ~** elle chante très bien; **3** (satisfactorily) bien; **the engine is ticking over ~** le moteur tourne bien; **the building is coming along very ~** la construction avance très bien; **to be ~ chilled** être juste frais/fraîche comme il faut; **to be ~ done** [*steak*] être juste à point; **that will do ~** cela fera l'affaire; **to be ~ placed to do** être bien placé pour faire; **4** (politely) [*eat, speak*] convenablement; [*ask, explain*] poliment; **5** sout (subtly) [*distinguish*] subtilement

Nicene /ˌnaɪ'siːn/ *adj* de Nicée

niceness /'naɪsnɪs/ *n* **1** (kindness) gentillesse *f*; **2** (subtlety) (in distinction, contrast) subtilité *f*

nicety /'naɪsətɪ/ *n* **1** (subtle detail) subtilité *f*; **the niceties of protocol** les subtilités du protocole; **2** (refinement) **the social niceties** les raffinements *mpl* mondains

niche /nɪtʃ, niːʃ/ *n* **1** (role, occupation) place *f*; **to find one's ~** trouver sa place; **to carve out one's** *ou* **a ~** se faire une place; **2** Advertg créneau *m*; **3** (recess) niche *f*; **4** Ecol niche *f* écologique

niche: **~ market** *n* marché *m* spécialisé; **~ marketing** *n* marketing *m* de créneaux

Nicholas /'nɪkələs/ *pr n* Nicolas

nick /nɪk/
A *n* **1** (notch) encoche *f* (**in** dans); **to take a ~ out of sth** faire une encoche dans qch; **2** ○GB (condition) **to be in good/bad ~** [*car, machine, carpet etc*] être en bon/mauvais état; [*person*] être/ne pas être en forme; **3** ○GB (jail) taule○ *f*, prison *f*; **in the ~** en taule○; **4** ○GB (police station) poste *m*, commissariat *m*
B *vtr* **1** (cut) faire une entaille dans [*stick, surface*]; **to ~ one's finger** s'entailler le doigt; **2** ○GB (steal) piquer○, voler; **3** ○GB (arrest) pincer○, arrêter; **he got ~ed (for speeding)** il s'est fait pincer○ (pour excès de vitesse); **4** ○US (strike) donner un coup léger à; **5** ◑US (cheat, overcharge) arnaquer◑; **6** Equit, Vet anglaiser [*horse, tail*]
C *v refl* **to ~ oneself** s'écorcher
(Idiom) **just in the ~ of time** juste à temps
(Phrasal verb) ■ **nick off**○ GB se tailler○, s'enfuir

Nick /nɪk/ *pr n* **Old ~**○ le diable

nickel /'nɪkl/
A *n* **1** US (coin) pièce *f* de cinq cents; **2** (metal) nickel *m*
B *modif* [*coin, knife*] en nickel; [*alloy*] de nickel
C *vtr* nickeler

nickel-and-dime○ /ˌnɪklən'daɪm/ *adj* US qui ne vaut pas un clou○

nickelodeon /ˌnɪkə'ləʊdɪən/ *n* US **1** (juke box) juke-box *m*; **2** †(cinema) nickelodeon *m*, cinéma *m*

nickel: **~-plated** *adj* nickelé; **~ silver** *n* maillechort *m*

nicker /'nɪkə(r)/
A ○*n* (*pl* **~**) GB livre *f* sterling
B *vi* (neigh) hennir doucement

nickname /'nɪkneɪm/
A *n* surnom *m*
B *vtr* surnommer

Nicosia /ˌnɪkəʊ'siːə/ ▸ **p. 1815** *pr n* Nicosie

nicotiana /nɪˌkəʊʃɪ'ɑːnə/ *n* nicotiana *m*

nicotine /'nɪkətiːn/
A *n* nicotine *f*
B *modif* [*addiction, poisoning, chewing gum*] à la nicotine; [*stain*] de nicotine; **~ content** teneur *f* en nicotine; **~ patch** patch *m* à la nicotine; **~-stained** taché de nicotine

nicotinic acid /ˌnɪkə'tɪnɪk/ *n* acide *m* nicotinique

NICS *n* GB (*abrév* = **National Insurance Contributions**) cotisations *fpl* d'assurance maladie-retraite

niece /niːs/ *n* nièce *f*

Nietzschean /'niːtʃɪən/ *adj* nietzschéen/-éenne

Nièvre ▸ **p. 1129** *pr n* Nièvre *f*; **in/to ~** dans la Nièvre

niff○ /nɪf/
A *n* GB puanteur *f*
B *vi* GB puer

niffy○ /'nɪfɪ/ *adj* GB puant

nifty○ /'nɪftɪ/ *adj* **1** (skilful) [*manoeuvre, footwork, player*] habile; **2** (attractive) [*car, clothes, design*] chouette○

Niger /'naɪdʒə(r)/ ▸ **p. 1096**, **p. 1633** *pr n* (all contexts) Niger *m*

Nigeria /naɪ'dʒɪərɪə/ ▸ **p. 1096** *pr n* Nigeria *m*

Nigerian /naɪ'dʒɪərɪən/ ▸ **p. 1467**
A *n* Nigérian/-e *m/f*
B *adj* nigérian

niggardliness /'nɪgədlɪnɪs/ *n* avarice *f*

niggardly /'nɪgədlɪ/ *adj* **1** [*person*] avare; **2** [*portion, amount*] mesquin

nigger◑ /'nɪgə(r)/ *n* injur nègre/négresse *m/f* offensive, noir/-e *m/f*
(Idiom) **there is a ~ in the woodpile** il y a anguille sous roche

niggle○ /'nɪgl/
A *n* **1** (complaint) remarque *f*; **2** (worry) **I've a ~ at the back of my mind** il y a quelque chose qui me travaille
B *vtr* (irritate) tracasser
C *vi* (complain) se plaindre sans arrêt (**about, over** de; **that** que)

niggling /'nɪglɪŋ/
A *n* chicanerie *f*
B *adj* **1** [*person*] tatillon/-onne; **2** [*doubt, fear, worry*] insidieux/-ieuse

nigh /naɪ/
A ‡ *ou* littér *adj, adv* proche; **to draw ~** se rapprocher
B well nigh *adv phr* presque
C nigh on *prep phr* presque

night /naɪt/ ▸ **p. 1804** *n* **1** (period of darkness) nuit *f*; (before going to bed) soir *m*; **during the ~** pendant la nuit; **in the middle of the ~** au milieu de la nuit; **to travel/hunt by ~** voyager/chasser de nuit; **at ~** la nuit; **all ~ long** toute la nuit; **~ and day** nuit et jour; **Moscow by ~** Moscou la nuit; **to work ~s** travailler de *or* la nuit; **to be on ~s** être de nuit; **eight o'clock at ~** huit heures du soir; **late at ~** tard le soir; **late into the ~** tard dans la nuit; **he arrived last ~** il est arrivé hier soir; **I slept badly last ~** j'ai mal dormi la nuit dernière; **he arrived the ~ before last** il est arrivé avant-hier soir; **I slept badly the ~ before last** j'ai mal dormi (la nuit d')avant-hier; **she had arrived the ~ before** elle était arrivée la veille; **on the ~ of October 6** la nuit du 6 octobre; **on Tuesday ~s** le mardi soir; **it rained on Tuesday ~** il a plu mardi soir; **to sit up all ~ with sb** veiller toute la nuit avec qn; **to sit up all ~ reading** passer toute la nuit à lire; **to spend** *ou* **stay the ~ with sb** passer la nuit avec qn; **to have a good/bad ~** bien/mal dormir; **to have a comfortable/restless ~** passer une nuit reposante/agitée; **to have a late ~** se coucher tard; **to get an early ~** se coucher tôt; **to stay out all ~** ne pas rentrer de la nuit; **2** (evening) soir *m*; (evening as a whole) soirée *f*; **it's his ~ out** c'est son soir de sortie; **to take a ~ off** se libérer une soirée; **it's my ~ off** ce soir je suis libre; **a ~ to remember** une soirée mémorable; **a ~ at the opera** une soirée à l'opéra; **the play will run for three ~s** Theat la pièce aura trois représentations; **to make a ~ of it**○ faire la fête○; **3** (darkness) nuit *f*; **he left as ~ was falling** il est parti à la

n

tombée de la nuit; **to disappear into the ~** disparaître dans la nuit; **in our dark ~ of despair** littér au plus profond de notre désespoir

night bird *n* Zool oiseau *m* de nuit; fig couche-tard *mf inv*

night blindness *n* héméralopie *f*

nightcap /ˈnaɪtkæp/ *n* **1** (hat) bonnet *m* de nuit; **2** (drink) **to have a ~** boire quelque chose (avant d'aller se coucher)

night: **~clothes** *npl* vêtements *mpl* pour la nuit; **~club** *n* boîte *f* de nuit

nightclubbing *n* **to go ~** aller en boîte○

night: **~dress** *n* chemise *f* de nuit; **~ editor** *n* Journ rédacteur/-trice *m/f* de nuit

nightfall /ˈnaɪtfɔːl/ *n* tombée *f* de la nuit; **at ~** à la tombée de la nuit

nightgown† /ˈnaɪtgaʊn/ *n* chemise *f* de nuit

nighthawk /ˈnaɪthɔːk/ *n* **1** (bird) engoulevent *m* (d'Amérique); **2** ○US (person) couche-tard *mf inv*

nightie○ /ˈnaɪtɪ/ *n* chemise *f* de nuit

nightingale /ˈnaɪtɪŋgeɪl, US -tng-/*n* rossignol *m*

night: **~jar** *n* engoulevent *m* (d'Europe); **~ letter** *n* US télégramme *m* de nuit

nightlife /ˈnaɪtlaɪf/ *n* vie *f* nocturne; **there's not much ~** il n'y a rien à faire le soir

night-light /ˈnaɪtlaɪt/ *n* veilleuse *f*

nightlong /ˌnaɪtˈlɒŋ, US -ˈlɔːŋ/

A *adj* [*festivities, vigil*] qui dure toute la nuit

B *adv* littér [*work, watch*] toute la nuit

nightly /ˈnaɪtlɪ/

A *adj* [*journey, performance, visit*] de tous les soirs; [*prayers*] du soir; [*revels, visitor, disturbance*] littér nocturne

B *adv* **1** [*perform, visit*] tous les soirs; **performances ~** Theat représentation tous les soirs; **2** (at night) [*occur, happen*] de nuit

nightmare /ˈnaɪtmeə(r)/ *n* cauchemar *m*; **to have a ~ about sth** faire un cauchemar à propos de qch; **it was a living ~** c'était un vrai cauchemar; **a ~ journey/experience** un voyage/une expérience cauchemardesque

night: **~marish** *adj* cauchemardesque; **~-night**○ *excl* lang enfantin bonne nuit; **~ nurse** *n* infirmier/-ière *m/f* de nuit; **~ owl** *n* couche-tard *mf inv*; **~ porter** *n* portier *m* de nuit; **~ safe** *n* coffre *m* de nuit

night school *n* cours *mpl* du soir; **to study at** *ou* **go to ~** suivre des cours du soir

night: **~shade** *n* solanacée *f*; **~ shelter** *n* asile *m* de nuit

night shift *n* **1** (period) **to be/work on the ~** être/travailler de nuit; **2** (workers) équipe *f* de nuit

nightshirt /ˈnaɪtʃɜːt/ *n* chemise *f* de nuit (d'homme)

night sky *n* **the ~** le ciel (la nuit)

night: **~ soil** *n* excréments *mpl* (humains); **~ spot**○ *n* boîte○ *f* de nuit; **~stand** *n* US table *f* de nuit; **~stick** *n* US matraque *f*; **~ table** *n* table *f* de nuit

night-time /ˈnaɪttaɪm/

A *n* nuit *f*; **at ~** la nuit

B *modif* nocturne

night: **~ vision** *n* vision *f* nocturne; **~ watchman** ▸ **p. 1683** *n* veilleur *m* de nuit; **~wear** *n* vêtements *mpl* de nuit

nihilism /ˈnaɪɪlɪzəm, ˈnɪhɪl-/ *n* nihilisme *m*

nihilist /ˈnaɪɪlɪst, ˈnɪhɪl-/ *n, adj* nihiliste (*mf*)

nihilistic /ˌnaɪɪˈlɪstɪk, ˌnɪhɪˈl-/ *adj* nihiliste

nil /nɪl/ *n* **1** **to be ~** [*courage, enthusiasm*] être à zéro; [*importance, progress*] être zéro; **2** Sport zéro *m*; **3** (on forms) néant *m*

Nile /naɪl/ ▸ **p. 1633** *pr n* Nil *m*

nimbi /ˈnɪmbaɪ/ *pl* ▸ **nimbus**

nimble /ˈnɪmbl/ *adj* [*person, movement*] agile (**at doing** pour faire; **with** de); [*fingers*] habile; [*mind, wits*] vif/vive; **to be ~ on one's feet** avoir le pied agile

nimble-fingered /ˌnɪmblˈfɪŋgəd/ *adj* habile de ses doigts

nimbleness /ˈnɪmblnɪs/ *n* (of person) agilité *f*; (of fingers) habileté *f*

nimbly /ˈnɪmblɪ/ *adv* avec agilité

nimbostratus /ˌnɪmbəʊˈstreɪtəs, -ˈstrɑːtəs/ *n* (*pl* **-strati**) nimbostratus *m inv*

nimbus /ˈnɪmbəs/ *n* (*pl* **-bi** *ou* **~es**) **1** Meteorol nimbus *m*; **2** (halo) nimbe *m*

NIMBY, Nimby /ˈnɪmbɪ/ *n* (*abrév* = **not in my back yard**) (person) égoïste *mf* (*partisan du 'où vous voulez mais pas chez moi'*)

nincompoop○ /ˈnɪŋkəmpuːp/ *n* nigaud/-e *m/f*

nine /naɪn/ ▸ **p. 1487, p. 927, p. 1059**

A *n* neuf *m inv*

B *adj* neuf *inv*; **~ times out of ten** neuf fois sur dix, généralement; **~-hole golf course** parcours *m* de neuf trous; **to dial 999** GB appeler police secours; **a 999 call** GB un appel d'urgence

(Idioms) **a ~ day(s') wonder** la merveille d'un jour; **to have ~ lives** avoir neuf vies; **to be dressed up to the ~s**○ être sur son trente et un○

ninepin /ˈnaɪnpɪn/ *n* quille *f*

(Idiom) **to go down** *ou* **fall like ~s** tomber comme des mouches

ninepins ▸ **p. 1253** *n* (+ *v sg*) jeu *m* de quilles

nineteen /ˌnaɪnˈtiːn/ ▸ **p. 1487** *n, adj* dix-neuf (*m*) *inv*

(Idiom) **to talk ~ to the dozen** parler à n'en plus finir

nineteenth /ˌnaɪnˈtiːnθ/ ▸ **p. 1487, p. 1116**

A *n* **1** (in order) dix-neuvième *mf*; **2** (of month) dix-neuf *m inv*; **3** (fraction) dix-neuvième *m*

B *adj* dix neuvième

C *adv* [*come, finish*] dix-neuvième, en dix-neuvième position

nineteenth hole○ *n* hum bar *m* (*sur un terrain de golf*)

ninetieth /ˈnaɪntɪəθ/ ▸ **p. 1487** *n, adj, adv* quatre-vingt-dixième (*mf*)

nine-to-five /ˌnaɪntəˈfaɪv/

A *adj* [*job, routine*] de bureau

B **nine to five** *adv* [*work*] de neuf à cinq

ninety /ˈnaɪntɪ/ ▸ **p. 1487, p. 927** *n, adj* quatre-vingt-dix (*m*) *inv*

ninny○ /ˈnɪnɪ/ *n* niais/-e *m/f*

ninth /naɪnθ/ ▸ **p. 1487, p. 1116**

A *n* **1** (in order) neuvième *mf*; **2** (of month) neuf *m inv*; **3** (fraction) neuvième *m*; **4** Mus neuvième *f*

B *adj* neuvième

C *adv* [*come, finish*] neuvième, en neuvième position

nip /nɪp/

A *n* **1** (pinch) pincement *m*; **2** (bite) morsure *f*; **the dog gave him a ~ on the ankle** le chien l'a (légèrement) mordu à la cheville; **3** fig **there's a ~ in the air** il fait frisquet○, ça pince○; **4** ○(small measure) petit verre *m* (of de)

B **Nip**○ *n* injur Jap *m* offensive

C *vtr* (*p prés etc* **-pp-**) **1** (pinch) pincer; **to ~ one's finger in sth** se pincer le doigt dans qch; **2** (bite) mordre (légèrement), donner un petit coup de dent à; (playfully) mordiller; **he was ~ped on the ankle by a crab** il s'est fait pincer à la cheville par un crabe; **3** [*frost*] brûler [*seedlings*]; **4** ○(steal) piquer○, faucher○

D *vi* (*p prés etc* **-pp-**) **1** (bite) [*animal*] mordre; (playfully) mordiller; [*bird*] donner un petit coup de bec à; **2** ○GB (go) **to ~ into a shop** entrer (rapidement) dans un magasin; **to ~ in front of sb** passer devant qn; **to ~ out to the shops** faire un saut jusqu'aux magasins; **to ~ downstairs** descendre rapidement; **to ~ over to France for the weekend** faire un saut en France pour le weekend

(Idioms) **to ~ sth in the bud** étouffer *or* tuer qch dans l'œuf; **~ and tuck**○ (cosmetic surgery) chirurgie *f* esthétique; (neck and neck) US au coude à coude; **the race was ~ and tuck**○ **all the way** la course s'est faite au coude à coude

(Phrasal verbs) ■ **nip along** [*person, vehicle, train*] aller à bonne allure; **to ~ along to sth** faire un saut○ à [*shops*]

■ **nip in**: ▸ **~ in [sth], ~ [sth] in** cintrer [*garment*]

■ **nip off**: ▸ **~ off** [*person*] se sauver; ▸ **~ off [sth], ~ [sth] off** couper [*withered flower*]; pincer [*bud*]

nipper

A /ˈnɪpə(r)/ *n* **1** ○GB (child) gosse○ *mf*, mioche○ *mf*; **2** (of crab) pince *f*

B **nippers** *npl* (tool) **~s** pince *f*; **a pair of ~s** une pince

nipple /ˈnɪpl/ *n* **1** Anat mamelon *m*; **2** (*also* **grease ~**) Tech graisseur *m*

nipple ring *n* anneau *m* de mamelon

nippy○ /ˈnɪpɪ/ *adj* **1** (cold) [*air*] piquant; [*wind*] froid et vif; **it's a bit ~ today** il fait frisquet○ aujourd'hui, ça pince○ aujourd'hui; **2** GB (quick) [*person*] vif/vive, leste; [*car*] rapide; **be ~ about it!** grouille-toi○!, fais vite!; **3** (strong) [*flavour, cheese*] piquant

nirvana /nɪəˈvɑːnə/ *n* nirvana *m*

Nisei /ˈnɪseɪ/ *n* US *Américain/-e né/-e d'immigrants japonais*

nisi /ˈnaɪsaɪ/ *adj* Jur provisoire; **decree ~** jugement *m* provisoire (de divorce)

Nissen hut /ˈnɪsn/ *n* baraquement *m* en tôle ondulée (*de forme allongée et semi-cylindrique*)

nit /nɪt/ *n* **1** (egg) lente *f*; (larva) larve *f* de pou; **to have ~s** avoir des poux; **2** ○GB (idiot) imbécile *mf*

niter *n* US = **nitre**

nit: **~-pick** *vi* chercher la petite bête○; **~-picker** *n* pinailleur/-euse *m/f*

nit-picking /ˈnɪtpɪkɪŋ/

A *n* pinaillage *m*

B *adj* pinailleur/-euse

nitrate /ˈnaɪtreɪt/ *n* **1** Chem nitrate *m*; **sodium ~** nitrate de sodium; **2** (fertilizer) engrais *m* azoté

nitre GB, **niter** US /ˈnaɪtə(r)/ *n* nitre *m*

nitric /ˈnaɪtrɪk/ *adj* nitrique

nitric: **~ acid** *n* acide *m* nitrique; **~ oxide** *n* oxyde *m* nitrique

nitrogen /ˈnaɪtrədʒən/ *n* azote *m*

nitrogen dioxide *n* dioxide *m* d'azote

nitrogenous /naɪˈtrɒdʒɪnəs/ *adj* azoté

nitroglycerin(e) /ˌnaɪtrəʊˈglɪsəriːn, US -rɪn/ *n* nitroglycérine *f*

nitrous /ˈnaɪtrəs/ *adj* nitreux/-euse

nitrous: **~ acid** *n* acide *m* nitreux; **~ oxide** *n* oxyde *m* nitreux

nitty-gritty○ /ˌnɪtɪˈgrɪtɪ/

A *n* **the ~** la réalité pure et dure; **to get down to the ~** passer aux choses sérieuses

B *adj* pur et dur

nitwit○ /ˈnɪtwɪt/ *n* imbécile *mf*

nix○ /nɪks/ US

A *particle* non

B *excl* sûrement pas!

C *pron* que dalle◑, rien

D *vtr* mettre son veto à

NJ *abrév* = **New Jersey**

NLF (*abrév* = **National Liberation Front**) FLN *m*

NLP *n: abrév* ▸ **natural language processing**

NM *abrév* = **New Mexico**

NMR *n* (*abrév* = **nuclear magnetic resonance**) RMN *f*

no /nəʊ/

A *particle* non; **'lend me £10'—'~, I won't'** 'prête-moi dix livres'—'non'; **~ thanks** non merci; **oh ~!** (exasperation) oh NON!; (contradicting) non!; (polite reassurance) non non!

B *det* **1** (none, not any) **to have ~ coat/job/**

n

money/shoes ne pas avoir de manteau/de travail/d'argent/de chaussures; **~ intelligent man would have done that** aucun homme intelligent n'aurait fait cela; **~ two dresses are alike** il n'y a pas deux robes pareilles; **~ two people would agree on this** il n'y a pas deux personnes qui seraient d'accord là-dessus; **of ~ interest/importance** sans intérêt/importance; **with ~ help** sans aide; **I have ~ wish to do** je n'ai aucune envie de faire; **he has ~ intention of going** il n'a aucune intention d'y aller; **there's ~ chocolate like Belgian chocolate** il n'y a pas de meilleur chocolat que le chocolat belge; **2** (with gerund) **there's ~ knowing/saying what will happen** impossible de savoir/dire ce qui va arriver; **there's ~ denying that** inutile de nier que; **there's ~ arguing with him** ce n'est pas la peine de discuter avec lui; **3** (prohibiting) **~ smoking** défense de fumer; **~ parking** stationnement interdit; **~ talking!** silence!; **~ surrender!** on ne se rendra pas!; **~ job losses!** non aux licenciements!; **4** (for emphasis) **he's ~ expert** ce n'est certes pas un expert!; **you're ~ friend of mine!** tu n'es pas mon ami!; **this is ~ time to cry** ce n'est pas le moment de pleurer; **at ~ time did I say that** je n'ai jamais dit que; **this is ~ place to stop** ce n'est pas un endroit pour s'arrêter; **it was ~ easy task** ce n'était pas une tâche facile; **5** (hardly any) **in ~ time** en un rien de temps; **it was ~ distance** ce n'était pas loin
C *n* gen non *m inv*; (vote against) non *m inv*, voix *f* contre. ▸ **Division**
D *adv* **1** (not any) **it's ~ further/easier/more interesting than** ce n'est pas plus loin/facile/intéressant que; **I ~ longer work there** je n'y travaille plus; **~ later than Wednesday** pas plus tard que mercredi; **it's ~ different from driving a car** c'est exactement comme conduire une voiture; **~ fewer than 50 people** pas moins de 50 personnes; **they need ~ less than three weeks/£1,000** ils ont besoin d'au moins trois semaines/mille livres sterling; **it was the president, ~ less!** iron c'était le président, rien de moins!; **2** (not) non; **tired or ~, you're going to bed** que tu sois fatigué ou non, tu vas te coucher; **whether it rains or ~** qu'il pleuve ou non

no., **No.** (*abrév écrite* = **number**) n°

no-account○ /ˈnəʊəkaʊnt/ *n, adj* bon/bonne (*m/f*) à rien

Noah /ˈnəʊə/ *pr n* Noé; **~'s Ark** l'arche *f* de Noé

nob○ /nɒb/ *n* **1** GB (person) rupin○ *m*; **2** †(head) caboche○ *f*

no-ball /ˈnəʊbɔːl/ *n* Sport lancer *m* non valable

nobble○ /ˈnɒbl/ *vtr* GB **1** (drug) droguer [*horse*]; **2** (bribe) soudoyer; (threaten) menacer; **3** (catch) pincer○ [*criminal*]; **4** (get the attention of) attraper [qn] au passage; **5** (steal) piquer○

nobelium /nəʊˈbiːlɪəm/ *n* nobélium *m*

Nobel prize /nəʊˈbel ˈpraɪz/
A *n* prix *m* Nobel (**for** de)
B *modif* **a ~ physicist** un prix Nobel de physique

Nobel: **~ prizewinner** *n* lauréat/-e *m/f* du prix Nobel; **~ prizewinning** *adj* (person) lauréat/-e du prix Nobel (*after n*)

nobility /nəʊˈbɪlətɪ/ *n* (all contexts) noblesse *f*

noble /ˈnəʊbl/
A *n* noble *m*
B *adj* **1** [*birth, family, appearance*] noble (*after n*); **the ~ art of** le noble art de; **2** [*spirit, sentiment, character, act*] noble; **that was very ~ of you** c'était très gentil de ta part; **3** [*building, arch, proportions*] imposant; [*tree*] majestueux/-euse; **4** Chem noble

noble: **~man** *n* aristocrate *m*, noble *m*; **~-minded** *adj* magnanime

nobleness /ˈnəʊblnɪs/ *n* noblesse *f*

noble: **~ savage** *n* bon sauvage *m*; **~woman** *n* aristocrate *f*, noble *f*

nobly /ˈnəʊblɪ/ *adv* **1** [*behave, serve, strive*] noblement; [*give, donate, allow*] généreusement; **2** (aristocratically) noblement; **to be ~ born** être de haute naissance; **3** (of building) **~ proportioned** aux proportions majestueuses

nobody /ˈnəʊbədɪ/

> ⚠ When *nobody* is used as a pronoun it is almost always translated by *personne*.
> When the pronoun *nobody* is the subject or object of a verb, the French requires *ne* before the verb (or auxiliary): *nobody likes him* = personne ne l'aime; *I heard nobody* = je n'ai entendu personne.
> For examples and particular usages, see the entry below.

A *pron* (*also* **no-one**) personne; **'who's there?'—'~'** 'qui est là?'—'personne'; **~ saw her** personne ne l'a vue; **there was ~ in the car** il n'y avait personne dans la voiture; **~ but me** personne sauf moi; **it's ~'s business but mine** ça ne regarde personne d'autre que moi
B *n* **to be a ~** être insignifiant; **they're just nobodies** ils sont complètement insignifiants; **I knew her when she was still a ~** je la connaissais alors qu'elle n'était encore qu'une inconnue

(Idioms) **to work like ~'s business**○ GB travailler comme un fou/une folle *m/f*; **he's ~'s fool** on ne la lui fait pas○

no-claim(s) bonus *n* Insur bonus *m*

nocturnal /nɒkˈtɜːnl/ *adj* (all contexts) nocturne

nocturne /ˈnɒktɜːn/ *n* nocturne *m*

nod /nɒd/
A *n* signe *m* de (la) tête; **she gave him a ~** gen elle lui a fait un signe de (la) tête; (as greeting) elle l'a salué d'un signe de tête; (indicating assent) elle a fait oui; **to answer with a ~** répondre d'un signe de tête; **with a ~ to his guests he left the room** il a quitté la pièce en saluant ses invités d'un signe de tête
B *vtr* (*p prés etc* **-dd-**) **to ~ one's head** gen faire un signe de (la) tête; (to indicate assent) hocher la tête; **he ~ded his assent/approval** il a hoché la tête en signe d'assentiment/d'approbation
C *vi* (*p prés etc* **-dd-**) **1** gen faire un signe de tête; (in assent) faire oui (de la tête); **to ~ to sb** gen faire un signe de tête à qn; (in greeting) saluer qn d'un signe de tête; **she ~ded to him to sit down** d'un signe de tête, elle l'a invité à s'asseoir; **he ~ded in agreement** il a fait oui d'un signe de tête; **2** (sway) [*flowers, treetops, feathers*] onduler; **3** (be drowsy) sommeiller

(Idioms) **to get the ~**○ GB [*proposal, project*] avoir le feu vert; **to give sb/sth the ~**○ GB donner le feu vert à qn/qch; **on the ~**○ GB d'un commun accord; **a ~ is as good as a wink (to a blind man)** ne t'en fais pas○, on a compris

(Phrasal verb) ■ **nod off** s'endormir

nodal /ˈnəʊdl/ *adj* nodal

noddle○ /ˈnɒdl/ *n* caboche○ *f*

node /nəʊd/ *n* Astron, Ling, Bot, Phys, Math nœud *m*; (abnormal) Med nodosité *f*

nodular /ˈnɒdjʊlə(r), US ˈnɒdʒuːlə(r)/ *adj* nodulaire

nodule /ˈnɒdjuːl, US ˈnɒdʒuːl/ *n* (all contexts) nodule *m*

Noel /nəʊˈel/ *pr n* Noël *m*

no: **~-fault divorce** *n* US Jur divorce *m* par consentement mutuel; **~-fault insurance** *n* US Insur assurance *f* sans faute; **~-fly zone** *n* Mil Aviat zone *f* d'exclusion aérienne; **~-frills** *adj* [*insurance policy*] de base; [*approach*] simplifié

noggin† /ˈnɒgɪn/ *n* **1** (drink) petit verre *m*; (cup) pot *m*; **2** ○(head) caboche○ *f*

no-go○ /ˌnəʊˈgəʊ/ *adj* **it's (a) ~** ça ne sert à rien

no: **~-go area** *n* quartier *m* chaud (*où la police etc ne s'aventure plus*); **~-good**○ *adj* US bon/bonne à rien; **~-hoper**○ *n* raté/-e○ *m/f*

noise /nɔɪz/
A *n* **1** (sound) bruit *m*; **aircraft/background/traffic ~** bruit des avions/de fond/du trafic; **loud/soft ~** grand/léger bruit; **to make a ~** faire du bruit; **above the ~ of the engine** au-dessus du bruit du moteur; **a grinding/tinkling/rattling ~** un grincement/tintement/cliquetis; **2** (din) bruit *m*, vacarme *m*; (shouting) tapage *m*; **please make less ~!** s'il vous plaît, faites moins de bruit!; **hold your ~**○**!** ferme-la○!; **3** Elec, Telecom interférences *fpl*; **4** (comment, reaction) tapage *m* (**about** au sujet de); **to make ~s** *ou* **a ~ about sth** dire qch au sujet de qch; **to make polite/sympathetic ~s** dire des choses polies/compatissantes; **to make the right ~s** dire ce qui convient; **5** Theat **~s off** bruits *mpl* en coulisse

(Idiom) **to be a big ~ (in sth)**○ être une grosse légume (de qch)○

(Phrasal verb) ■ **noise abroad**†, **noise about**†: ▸ **~ [sth] abroad** ébruiter

noise generator *n* générateur *m* de bruit

noiseless /ˈnɔɪzlɪs/ *adj* silencieux/-ieuse

noiselessly /ˈnɔɪzlɪslɪ/ *adv* silencieusement

noise: **~ level** *n* niveau *m* sonore; **~ nuisance**, **~ pollution** *n* nuisances *fpl* sonores

noisily /ˈnɔɪzɪlɪ/ *adv* bruyamment

noisiness /ˈnɔɪzɪnɪs/ *n* (niveau *m* de) bruit *m*

noisome /ˈnɔɪsəm/ *adj* sout immonde

noisy /ˈnɔɪzɪ/ *adj* [*person, activity, machine, place, talk*] bruyant; [*argument*] tumultueux/-euse

no-knock raid *n* US descente *f* de police

nomad /ˈnəʊmæd/ *n* nomade *mf*

nomadic /nəʊˈmædɪk/ *adj* nomade

nomadism /ˈnəʊmædɪzəm/ *n* nomadisme *m*

no-man's land *n* (all contexts) no man's land *m*

nom de plume /ˌnɒm də ˈpluːm/ *n* pseudonyme *m*, nom *m* de plume

nomenclature /nəˈmenklətʃə(r), US ˈnəʊmənkleɪtʃər/ *n* nomenclature *f*

nominal /ˈnɒmɪnl/ *adj* **1** (in name only) nominal; **2** (small) [*fee, sum*] minimal; [*fine, penalty*] symbolique; [*rent*] dérisoire; **3** Ling nominal

nominal damages *n* Jur franc *m* symbolique (de dommages et intérêts)

nominalism /ˈnɒmɪnəlɪzəm/ *n* nominalisme *m*

nominalist /ˈnɒmɪnəlɪst/ *n, adj* nominaliste (*mf*)

nominalization /ˌnɒmɪnəlaɪˈzeɪʃn, US -lɪˈz-/ *n* nominalisation *f*

nominalize /ˈnɒmɪnəlaɪz/ *vtr* nominaliser

nominally /ˈnɒmɪnəlɪ/ *adv* (in name) nominalement; (in theory) théoriquement

nominal: **~ price** *n* prix *m* nominal *or* théorique; **~ value** *n* valeur *f* nominale

nominate /ˈnɒmɪneɪt/ *vtr* **1** (propose) proposer; **to ~ sb for a position/for president** proposer qn pour un poste/comme candidat à la présidence; **to ~ sb for a prize** sélectionner qn pour un prix; **2** (appoint) nommer; **to ~ sb (as) chairman/to a position** nommer qn président/à un poste; **to ~ sb to do** désigner qn pour faire

nomination /ˌnɒmɪˈneɪʃn/ *n* **1** (as candidate) proposition *f* de candidat; **his ~ was approved** sa proposition comme candidat a été approuvée; **the Democratic ~ went to Smith** Smith a été nommé candidat pour le parti démocrate; **2** (appointment) nomination *f*

n

(**to** à); **3▸** (for award) sélection *f*

nominative /ˈnɒmɪnətɪv/ *n, adj* nominatif (*m*)

nominator /ˈnɒmɪneɪtə(r)/ *n* personne *f* qui propose un candidat

nominee /ˌnɒmɪˈniː/ *n* candidat/-e *m/f* désigné/-e

nominee company *n* Fin fond *m* commun de créances

non+ /nɒn-/ (*dans composés*) (+ *noun*) non-; (+ *adj*) non

nonabsorbent /ˌnɒnəbˈsɔːbənt/ *adj* non absorbant

nonacademic /ˌnɒnækəˈdemɪk/ *adj* [*course*] pré-professionnel/-elle; [*staff*] non enseignant

nonacceptance /ˌnɒnəˈkseptəns/ *n* non-acceptation *f*

non-accountability /ˌnɒnəˈkaʊntəbɪlətɪ/ *n* irresponsabilité *f*

nonaddictive /ˌnɒnəˈdɪktɪv/ *adj* [*substance, drug*] qui ne crée pas de dépendance

nonadmission /ˌnɒnədˈmɪʃn/ *n* dénégation *f*

nonaffiliated /ˌnɒnəˈfɪlɪeɪtɪd/ *adj* non affilié

nonage /ˈnəʊnɪdʒ/ *n* gen immaturité *f*; Jur minorité *f*

nonagenarian /ˌnɒnədʒɪˈneərɪən/ *n, adj* nonagénaire (*mf*)

nonaggression /ˌnɒnəˈɡreʃn/
A *n* non-agression *f*
B *modif* [*pact, treaty*] de non-agression

nonalcoholic /ˌnɒnælkəˈhɒlɪk/ *adj* non alcoolisé

nonaligned /ˌnɒnəˈlaɪnd/ *adj* Pol non aligné

nonalignment /ˌnɒnəˈlaɪnmənt/ *n* Pol non-alignement *m*

nonallergenic /ˌnɒnæləˈdʒenɪk/, **non-allergic** /ˌnɒnəˈlɜːdʒɪk/ *adj* Med, Pharm anallergique

nonappearance /ˌnɒnəˈpɪərəns/ *n* Jur non-comparution *f*

nonapproved /ˌnɒnəˈpruːvd/ *adj* Fin, Insur non approuvé

nonarrival /ˌnɒnəˈraɪvl/ *n* (of letter) non-distribution *f*; (of person) absence *f*

nonattendance /ˌnɒnəˈtendəns/ *n* absence *f*

nonavailability /ˌnɒnəˌveɪləˈbɪlətɪ/ *n* pénurie *f*

nonavailable /ˌnɒnəˈveɪləbl/ *adj* non disponible

nonbank /ˌnɒnˈbæŋk/ *adj* US non bancaire

nonbeliever /ˌnɒnbɪˈliːvə(r)/ *n* non-croyant/-e *m/f*

nonbelligerent /ˌnɒnbɪˈlɪdʒərənt/ *adj* non belligérant

nonbiodegradable /ˌnɒnbaɪəʊdɪˈɡreɪdəbl/ *adj* non biodégradable

nonbiological /ˌnɒnbaɪəˈlɒdʒɪkl/ *adj* non biologique

nonbreakable /ˌnɒnˈbreɪkəbl/ *adj* incassable

non-broadcast video *n* enregistrement *m* vidéo à usage non commercial

non-budgetary /ˌnɒnˈbʌdʒɪtrɪ/ *adj* extra-budgétaire

non-Catholic /nɒnˈkæθəlɪk/
A *n* non-catholique *mf*
B *adj* non catholique

nonce /nɒns/ *n* **1▸** †(present) **for the ~** pour l'instant, pour la circonstance; **2▸** °(offender) argot des prisonniers violeur *m*

nonce word *n* mot *m* de circonstance

nonchalance /ˈnɒnʃələns/ *n* nonchalance *f*; **an air of ~** un air nonchalant

nonchalant /ˈnɒnʃələnt/ *adj* nonchalant

nonchalantly /ˈnɒnʃələntlɪ/ *adv* nonchalamment

non-chlorine bleached *adj* [*paper*] non blanchi avec des dérivés chlorés

non-Christian /nɒnˈkrɪstʃən/
A *n* non-chrétien/-ienne *m/f*
B *adj* non chrétien/-ienne

nonclassified /ˌnɒnˈklæsɪfaɪd/ *adj* [*information*] non confidentiel/-ielle

noncollegiate student /ˌnɒnkəˈliːdʒɪət/ *n* Univ étudiant/-e *m/f* qui n'appartient à aucun collège

noncom° /ˌnɒnˈkɒm/ *n* (*abrév* = **non-commissioned officer**) ≈ sous-off° *m*

noncombatant /ˌnɒnˈkɒmbətənt/
A *n* non-combattant/-e *m/f*
B *adj* non combattant

noncombustible /ˌnɒnkəmˈbʌstəbl/ *adj* incombustible

non-commercial /ˌnɒnkəˈmɜːʃəl/ *adj* [*event, activity*] à but non lucratif

noncommissioned officer *n* Mil sous-officier *m*

noncommittal /ˌnɒnkəˈmɪtl/ *adj* [*person, reply*] évasif/-ive (**about** au sujet de)

noncommittally /ˌnɒnkəˈmɪtəlɪ/ *adv* [*respond*] évasivement

noncommunicant /ˌnɒnkəˈmjuːnɪkənt/
A *n* non-communiant/-e *m/f*
B *adj* non communiant

noncommunication /ˌnɒnkəˌmjuːnɪˈkeɪʃn/ *n* non-communication *f*

noncompletion /ˌnɒnkəmˈpliːʃn/ *n* (of work) inachèvement *m*

noncompliance /ˌnɒnkəmˈplaɪəns/ *n* (with standards) (of substance, machine) non-conformité *f* (**with** à); (with orders) (of person) non-obéissance *f* (**with** à)

non compos mentis /ˌnɒn ˌkɒmpəs ˈmentɪs/ *adj phr* **to be ~** Jur être en état de démence (au moment des faits); gen ne pas avoir toutes ses facultés

nonconductor /ˌnɒnkənˈdʌktə(r)/ *n* Elec, Phys mauvais conducteur *m*

nonconformism /ˌnɒnkənˈfɔːmɪzəm/ *n* **1▸** gen non-conformisme *m*; **2▸** GB Relig (*also* **Nonconformism**) non-conformisme *m*

nonconformist /ˌnɒnkənˈfɔːmɪst/
A *n* non-conformiste *mf*
B *adj* non conformiste

nonconformity /ˌnɒnkənˈfɔːmətɪ/ *n* gen, Relig non-conformisme *m*; Tech (with standards) non-conformité *f*

noncontemporary /ˌnɒnkənˈtemprərɪ, US -pərerɪ/ *adj* non contemporain

non-contract /nɒnˈkɒntrækt/ *adj* sans contrat

noncontributory pension scheme /ˌnɒnkənˈtrɪbjʊtərɪ, US -tɔːrɪ/ *n* Soc Admin pension *f* à titre non onéreux

noncontroversial /ˌnɒnkɒntrəˈvɜːʃl/ *adj* non sujet/-ette à controverse

noncooperation /ˌnɒnkəʊˌɒpəˈreɪʃn/ *n* refus *m* de coopération

noncooperative /ˌnɒnkəʊˈɒpərətɪv/ *adj* non coopératif/-ive

non-core /ˌnɒnˈkɔː(r)/ *adj* [*business*] annexe

non-corroding /ˌnɒnkəˈrəʊdɪŋ/ *adj* inaltérable

non-custodial sentence *n* Jur condamnation *f* sans incarcération

nondairy /ˌnɒnˈdeərɪ/ *adj* sans lait

nondazzle /ˌnɒnˈdæzl/ *adj* antiaveuglant

nondemocratic /ˌnɒndeməˈkrætɪk/ *adj* non démocratique

nondenominational /ˌnɒndɪˌnɒmɪˈneɪʃənl/ *adj* [*church*] œcuménique; [*school*] laïque

nondescript /ˈnɒndɪskrɪpt/ *adj* [*person, clothes*] insignifiant; [*building*] quelconque; [*colour*] indéfinissable; [*performance, book*] sans intérêt

nondestructive /ˌnɒndɪˈstrʌktɪv/ *adj* non destructif/-ive

nondetachable /ˌnɒndɪˈtætʃəbl/ *adj* (from clothing) non amovible; (from equipment) indémontable

nondirectional /ˌnɒndɪˈrekʃənl, -daɪ-/ *adj* [*method, technique*] non directif/-ive

nondirective therapy /ˌnɒndɪˈrektɪv, -daɪ-/ *n* Psych psychothérapie *f* non directive

nondomestic /ˌnɒndəˈmestɪk/ *adj* [*premises*] non résidentiel/-ielle

nondrinker /ˌnɒnˈdrɪŋkə(r)/ *n* non-buveur/-euse *m/f*

nondriver /ˌnɒnˈdraɪvə(r)/ *n* personne *f* qui ne conduit pas

none /nʌn/
A *pron* **1▸** (not any, not one) aucun/-e *m/f*; **~ of us/you/them** aucun de nous/de vous/d'entre eux; **~ of the chairs/houses** aucune des chaises/maisons; **'have you any pens?'—'~ at all'** 'as-tu des stylos?'—'pas un seul'; **~ was more beautiful/interesting than...** il n'y en avait aucun de plus beau/intéressant que...; **he saw three dogs, ~ of which was black** il a vu trois chiens, aucun des trois n'était noir; **he waited for some sign of anger but saw ~** il guettait un signe de colère mais n'en a décelé aucun; **2▸** (not any, no part) **~ of the wine/milk** pas une goutte de vin/lait; **~ of the bread** pas une miette de pain; **~ of the cheese** pas un morceau de fromage; **'is there any money left?'—'~ at all'** 'est- ce qu'il reste de l'argent?'—'pas du tout'; **'did you have any difficulty?'—'~ whatsoever** *ou* **at all'** 'as-tu eu des difficultés?'—'aucune'; **we have ~** nous n'en avons pas; **there's ~ left** il n'y en a plus; **~ of it was true/of any interest** il n'y avait rien de vrai/d'intéressant; **he was having ~ of it** il ne voulait rien entendre; **we'll have ~ of that now!** ça suffit comme ça!; **some money is better than ~** un peu d'argent c'est toujours mieux que rien; **3▸** (nobody, not one person) personne; **~ can sing so well as her** personne ne chante aussi bien qu'elle; **there's ~ so clever/old as Jane** il n'y a personne de plus intelligent/vieux que Jane; **I waited but ~ came** j'ai attendu mais personne n'est venu; **if you need a lawyer, there's ~ better than George** si tu as besoin d'un avocat, il n'y en a pas de meilleur que George; **~ but him/you** personne sauf lui/toi; **I told ~ but him/you** je ne l'ai dit à personne sauf à lui/toi; **~ but a fool would do it** il n'y a qu'un imbécile pour faire une chose pareille; **it was ~ other than Peter/the prime minister (himself)** ce n'était autre que Peter/le premier ministre; **4▸** (on form, questionnaire) néant *m*
B *adv* (not, not at all) **it was ~ too easy/pleasant** c'était loin d'être facile/agréable; **it's ~ too warm** il ne fait pas trop chaud; **I was ~ too sure/happy that** je n'étais pas trop sûr/content que (+ *subj*); **'I'm here!'—'and ~ too soon!'** 'je suis là!'—'ce n'est pas trop tôt!'; **he was ~ the worse for the experience** il ne se portait pas plus mal après cette expérience; **the play is long, but ~ the worse for that** la pièce est longue mais ce n'est pas un défaut

nonedible /ˌnɒnˈedɪbl/ *adj* non comestible

nonemergency /ˌnɒnɪˈmɜːdʒənsɪ/ *adj* non urgent

nonenforcement /ˌnɒnɪnˈfɔːsmənt/ *n* US Jur inapplication *f*

nonentity /nɒˈnentətɪ/ *n* péj (person) être *m* insignifiant; **a complete** *ou* **total ~** un personnage complètement insignifiant

nonessential /ˌnɒnɪˈsenʃl/ *adj* non essentiel/-ielle

nonessentials /ˌnɒnɪˈsenʃlz/ *npl* (objects) accessoires *mpl*; (details) accessoire *msg*; **forget the ~** oublie l'accessoire

nonestablished /ˌnɒnɪˈstæblɪʃt/ *adj* non établi

nonetheless /ˌnʌnðəˈles/ *adv* ▸ **nevertheless**

n

non-EU *adj* [*country*] hors UE; [*national*] non ressortissant de la UE
nonevent /ˌnɒnɪˈvent/ *n* non-événement *m*
non-examination course *n* études *fpl* non sanctionnées par un examen
nonexecutive director *n* consultant/-e *m/f*
nonexistence /ˌnɒnɪgˈzɪstəns/ *n* gen inexistence *f*; (of God) non-existence *f*
nonexistent /ˌnɒnɪgˈzɪstənt/ *adj* inexistant
nonexplosive /ˌnɒnɪkˈspləʊsɪv/ *adj* inexplosible
nonfactual /ˌnɒnˈfæktʃʊəl/ *adj* fictif/-ive
non-family /ˌnɒnˈfæməlɪ/ *adj* en dehors de la famille
nonfat /ˌnɒnˈfæt/ *adj* sans matières grasses
nonfattening /ˌnɒnˈfætnɪŋ/ *adj* qui ne fait pas grossir
nonferrous /ˌnɒnˈferəs/ *adj* non ferreux/-euse
nonfiction /ˌnɒnˈfɪkʃn/
A *n* œuvres *fpl* non fictionnelles
B *modif* [*publishing, section, writing*] non fictionnel/-elle
non-finite form /ˌnɒnˈfaɪnaɪt/ *n* Ling forme *f* impersonnelle
non-finite verb *n* verbe *m* à un mode impersonnel
nonflammable /ˌnɒnˈflæməbl/ *adj* ininflammable
non-fulfilment /ˌnɒnfʊlˈfɪlmənt/ *n* (of contract, obligation) inexécution *f*; (of desire, wish) inaccomplissement *m*
non-governmental organization /ˌnɒngʌvnˈmentl/ *n* organisation *f* non gouvernementale
nongrammatical /ˌnɒngrəˈmætɪkl/ *adj* non grammatical
non grata /ˌnəʊn ˈgrɑːtɑ/ *adj* non grata
nongreasy /ˌnɒnˈgriːsɪ/ *adj* [*make-up, skin*] non gras/grasse; [*food*] sans graisses
non-infectious /ˌnɒnɪnˈfekʃəs/ *adj* intransmissible
noninflammable /ˌnɒnɪnˈflæməbl/ *adj* ininflammable
noninflationary /ˌnɒnɪnˈfleɪʃnrɪ, US -nerɪ/ *adj* non inflationniste
noninterference /ˌnɒnɪntəˈfɪərəns/ *n* non-interférence *f*
nonintervention /ˌnɒnɪntəˈvenʃn/ *n* non-intervention *f*
nonintoxicating /ˌnɒnɪnˈtɒksɪkeɪtɪŋ/ *adj* non alcoolisé
non-invasive /nɒnɪnˈveɪsɪv/ *adj* Med [*surgery, tumour*] non invasif/-ive
noninvolvement /ˌnɒnɪnˈvɒlvmənt/ *n* non-engagement *m*
noniron /ˌnɒnˈaɪən, US -ˈaɪərn/ *adj* infroissable
non-Jew /ˌnɒnˈdʒuː/ *n* non-juif/juive *m/f*
non-Jewish /ˌnɒnˈdʒuːɪʃ/ *adj* non juif/juive
nonjudgmental /ˌnɒndʒʌdʒˈmentl/ *adj* neutre
non-league /ˌnɒnˈliːg/ *adj* Sport hors division
nonliability /ˌnɒnlaɪəˈbɪlətɪ/ *n* non-responsabilité *f*
nonlinear /ˌnɒnˈlɪnɪə(r)/ *adj* non linéaire
nonlinguistic /ˌnɒnlɪŋˈgwɪstɪk/ *adj* non linguistique
nonmalignant /ˌnɒnməˈlɪgnənt/ *adj* Med bénin/bénigne
nonmember /ˌnɒnˈmembə(r)/ *n* non-membre *m*
nonmetal /ˌnɒnˈmetl/ *n* métalloïde *m*
nonmetallic /ˌnɒnmɪˈtælɪk/ *adj* non métallique
nonmetallic element *n* Chem métalloïde *m*
nonmilitary /ˌnɒnˈmɪlɪtrɪ, US -terɪ/ *adj* non militaire
non-negotiable /ˌnɒnnɪˈgəʊʃəbl/ *adj* gen, Jur non négociable
nonnuclear /ˌnɒnˈnjuːklɪə(r), US -ˈnuː-/ *adj* non nucléaire
no-no○ /ˈnəʊnəʊ/ *n* **that's a ~** ça ne se fait pas
nonobservance /ˌnɒnəbˈzɜːvəns/ *n* (of law) non-observation *f*
non obst. (*abrév* = **non obstante**) nonobstant
no-nonsense /ˌnəʊˈnɒnsəns/ *adj* [*manner, look, tone, attitude, policy*] direct; [*person*] franc/franche
nonoperational duties /ˌnɒnɒpəˈreɪʃənl/ *npl* (in police force) tâches *fpl* purement administratives
nonpareil /ˌnɒnpəˈreɪl, US -ˈrel/
A *n* (master) **he's the ~ of tragedians** c'est un tragédien sans égal
B **nonpareils** *npl* US Culin (decoration) nonpareilles *fpl*
nonpartisan /ˌnɒnpɑːtɪˈzæn/ *adj* impartial
nonparty /ˌnɒnˈpɑːtɪ/ *adj* [*issue, decision*] non partisan; [*person*] non affilié au parti
nonpayer /ˌnɒnˈpeɪə(r)/ *n* Tax récalcitrant/-e *m/f* à l'impôt
nonpaying /ˌnɒnˈpeɪɪŋ/ *adj* non payant
nonpayment /ˌnɒnˈpeɪmənt/ *n* non-paiement *m*
nonperishable /ˌnɒnˈperɪʃəbl/ *adj* non périssable
nonperson /ˈnɒnˈpɜːsn/ *n* **1** pej (insignificant person) être *m* falot; **2** Pol **officially, he's a ~** officiellement, il n'a jamais existé
nonplussed /ˌnɒnˈplʌst/ *adj* perplexe
nonpolitical /ˌnɒnpəˈlɪtɪkl/ *adj* apolitique
non-practising /ˌnɒnˈpraktɪsɪŋ/ *adj* **1** Relig non pratiquant; **2** [*barrister*] sans cause
nonproductive /ˌnɒnprəˈdʌktɪv/ *adj* improductif/-ive
nonprofessional /ˌnɒnprəˈfeʃənl/ *n, adj* amateur (*m*)
nonprofit /ˌnɒnˈprɒfɪt/ *adj* US = **nonprofitmaking**
non-profitmaking /ˌnɒnˈprɒfɪtmeɪkɪŋ/ *adj* [*organization*] à but non lucratif; **on a ~ basis** sans but lucratif; **to be ~** être sans but lucratif
nonproliferation /ˌnɒnprəlɪfəˈreɪʃn/ *n* non-prolifération *f*
nonpunitive /ˌnɒnˈpjuːnətɪv/ *adj* non punitif/-ive
nonreceipt /ˌnɒnrɪˈsiːt/ *n* non-réception *f*
nonrecurring expenses /ˌnɒnrɪˈkɜːrɪŋ/ *npl* dépenses *fpl* exceptionnelles
non-recyclable /ˌnɒnriːˈsaɪkləbl/ *adj* non recyclable
non-redeemable /ˌnɒnrɪˈdiːməbl/ *adj* Fin perpétuel/-elle
nonrefillable /ˌnɒnriːˈfɪləbl/ *adj* [*lighter, pen*] non rechargeable; [*can, bottle*] non réutilisable
nonreflective /ˌnɒnrɪˈflektɪv/ *adj* non réfléchissant
nonrefundable /ˌnɒnrɪˈfʌndəbl/ *adj* Fin non remboursable
nonreligious /ˌnɒnrɪˈlɪdʒəs/ *adj* laïque
nonrenewable /ˌnɒnrɪˈnjuːəbl, US -ˈnuː-/ *adj* non renouvelable
nonrenewal /ˌnɒnrɪˈnuːəl/ *n* (of contract, lease) non-reconduction *f*
nonresident /ˌnɒnˈresɪdənt/
A *n* non-résident/-e *m/f*
B *adj* **1** [*guest*] de passage; [*student, visitor*] non résident; [*caretaker*] de jour; **2** (*also* **nonresidential**) [*job, course*] sans hébergement; **3** Comput [*routine*] qui ne réside pas en permanence en mémoire centrale
nonrestrictive /ˌnɒnrɪˈstrɪktɪv/ *adj* Ling [*clause*] explicatif/-ive
nonreturnable /ˌnɒnrɪˈtɜːnəbl/ *adj* [*bottle*] non consigné
nonrun /ˌnɒnˈrʌn/ *adj* [*tights*] indémaillable
nonrunner /ˌnɒnˈrʌnə(r)/ *n* Turf non-partant *m*
nonsectarian /ˌnɒnsekˈteərɪən/ *adj* non sectaire
nonsegregated /ˌnɒnˈsegrɪgeɪtɪd/ *adj* [*area, arrangement*] sans ségrégation; [*society*] non ségrégationniste
nonsense /ˈnɒnsns, US -sens/ *n* **1** (foolishness) absurdités *fpl*; **it's a ~ that** c'est absurde que (+ *subj*); **to make (a) ~ of** être en totale contradiction avec [*law, system, claim, hard work*]; **(stuff and) ~!** balivernes! *fpl*; **what utter ~!** c'est complètement absurde!; **to talk/write ~** dire/écrire n'importe quoi; **what's all this ~ about feeling ill/leaving work?** qu'est-ce que c'est que ces histoires de te sentir malade/quitter le travail?; **I won't stand any more ~ from him/you!** j'en ai assez de ses/tes bêtises!; **there's no ~ about him** il ne permet pas de fantaisie; **2** (trifle) petit rien *m*
nonsense: **~ verse** *n* vers *mpl* fantaisistes; **~ word** *n* mot *m* fantaisiste
nonsensical /nɒnˈsensɪkl/ *adj* (stupid) absurde
nonsensically /nɒnˈsensɪklɪ/ *adv* de façon absurde
non-separation /ˌnɒnsepəˈreɪʃən/ *n* Pol **~ of powers** confusion *f* des pouvoirs
non sequitur /ˌnɒn ˈsekwɪtə(r)/ *n* **1** gen **to be a ~** être illogique; **2** Philos illogisme *m*
nonsexist /ˌnɒnˈseksɪst/ *adj* non sexiste
nonshrink /ˌnɒnˈʃrɪŋk/ *adj* irrétrécissable
nonsked○ /ˌnɒnˈsked/
A *n* US vol *m* spécial
B **non-sked** *adj* US [*flight*] spécial
nonskid /ˌnɒnˈskɪd/, **nonslip** /ˌnɒnˈslɪp/ *n* antidérapant *m*
nonsmoker /ˌnɒnˈsməʊkə(r)/ *n* (person) non-fumeur/-euse *m/f*
nonsmoking /ˌnɒnˈsməʊkɪŋ/ *adj* [*area, compartment*] non fumeur *inv*
nonsolvent /ˌnɒnˈsɒlvənt/
A *n* non-dissolvant *m*
B *adj* non dissolvant
non-speaking /ˌnɒnˈspiːkɪŋ/ *adj* Cin, Theat [*role*] muet/-ette
nonspecialist /ˌnɒnˈspeʃəlɪst/ *adj* [*publication*] de vulgarisation; **to the ~ ear** pour le non-spécialiste
non-specialized /ˌnɒnˈspeʃəlaɪzd/ *adj* généraliste
non-specific /ˌnɒnspəˈsɪfɪk/ *adj* gen, Med non spécifique; **~ urethritis** urétrite *f* non spécifique
nonstandard /ˌnɒnˈstændəd/ *adj* gen, Ling non standard *inv*
nonstarter /ˌnɒnˈstɑːtə(r)/ *n* fig **to be a ~** [*person*] être hors-course; [*plan, idea*] être voué à l'échec
nonstick /ˌnɒnˈstɪk/ *adj* [*coating, pan*] antiadhésif/-ive
nonstop /ˌnɒnˈstɒp/
A *adj* [*flight*] sans escale; [*journey*] sans arrêt; [*train*] direct; [*talk, work, pressure, noise*] incessant; [*service, show*] permanent; [*coverage*] non-stop *inv*
B *adv* [*work, talk, drive, argue*] sans arrêt; [*fly*] sans escale
non-stretch /ˌnɒnˈstretʃ/ *adj* inextensible
nonstriker /ˌnɒnˈstraɪkə(r)/ *n* non-gréviste *mf*
nonstudent /ˌnɒnˈstjuːdnt/ *n* non-étudiant/-e *m/f*
nonsuit /nɒnˈsjuːt, -ˈsuːt/ Jur
A *n* déboute *m*
B *vtr* débouter

nonsupport /ˌnɒnsə'pɔːt/ *n* US Jur défaut *m* de versement de pension alimentaire

nonswimmer /ˌnɒn'swɪmə(r)/ *n* personne *f* qui ne sait pas nager

non-taxable /ˌnɒn'taksabl/ *adj* non imposable

non-taxpayer /ˌnɒn'tækspeɪə(r)/ *n* Fin personne *f* non imposable

nonteaching staff /ˌnɒn'tiːtʃɪŋ/ *n* Sch personnel *m* non enseignant

nonthreatening /ˌnɒn'θretnɪŋ/ *adj* non menaçant

non-toxic /ˌnɒn'tɒksɪk/ *adj* non toxique

non-trading /ˌnɒn'treɪdɪŋ/ *adj* **~ partnership** association *f* professionnelle

non-transferable /ˌnɒntræns'fɜːrəbl/ *adj* [*ticket, share, vote*] non transférable

non-U○ /ˌnɒn'juː/ *adj* (*abrév* = **non upper class**) popu○, trivial

non-union /ˌnɒn'juːnɪən/ *adj* non syndiqué

nonverbal /ˌnɒn'vɜːbl/ *adj* [*communication*] non-verbal

nonviable /ˌnɒn'vaɪəbl/ *adj* non viable

non-vintage /nɒn'vɪntɪdʒ/ *adj* [*champagne*] non-millésimé; [*port*] ordinaire

nonviolence /ˌnɒn'vaɪələns/ *n* non-violence *f*

nonviolent /ˌnɒn'vaɪələnt/ *adj* nonviolent

nonvocational /ˌnɒnvəʊ'keɪʃənl/ *adj* non professionnel/-elle

nonvoluntary /ˌnɒn'vɒləntrɪ/ *adj* non bénévole

nonvoter /ˌnɒn'vəʊtə(r)/ *n* non-votant/-e *m/f*

nonvoting share /ˌnɒn'vəʊtɪŋ/ *n* Fin action *f* sans droit de vote

non-white, non-White /ˌnɒn'waɪt/
A *n* personne *f* de couleur
B *adj* [*person*] de couleur; [*immigration*] des personnes de couleur

non-worker /ˌnɒn'wɔːkə(r)/ *n* inactif/-ive *m/f*

non-working /ˌnɒn'wɔːkɪŋ/ *adj* inactif/-ive

nonwoven /ˌnɒn'wəʊvn/ *adj* non tissé

noodle /'nuːdl/
A *n* **1** ○US (head) caboche○† *f*, tête *f*; **2** ○† GB (fool) andouille○ *f*, imbécile○ *mf*
B **noodles** *npl* Culin nouilles *fpl*; **egg ~s** nouilles aux œufs

nook /nʊk/ *n* **1** (retreat) coin *m*; **2** (in room) coin *m*; (for ornaments) niche *f*; **breakfast ~** coin-repas *m*
(Idiom) **every ~ and cranny** tous les coins et recoins

nookie◑, **nooky**◑ /'nʊkɪ/ *n* **nice ~** de jolis petits culs◑; **to get some ~** baiser●, faire l'amour

noon /nuːn/
A *n* midi *m*; **by/about ~** à/vers midi; **at 12 ~** à midi; **at high ~** en plein midi
B *modif* [*heat, sun, train, deadline*] de midi
(Idiom) **morning, ~ and night** du matin au soir

noonday /'nuːndeɪ/
A *n*† midi *m*
B *modif* littér **the ~ sun** le soleil de midi

no-one /'nəʊwʌn/ *pron* = **nobody A**

noose /nuːs/ *n* **1** (loop) nœud *m* coulant; **2** (for hanging) corde *f*; **the hangman's ~** la corde de la potence; **to put a ~ around one's neck** mettre une corde autour de son cou; fig se mettre la corde au cou
(Idiom) **to put one's head in a ~** se jeter dans la gueule du loup

nope○ /nəʊp/ *excl* nan○, non

nor /nɔː(r), nə(r)/

> ⚠ If you want to know how to translate *nor* when used in combination with *neither* look at the entry **neither**.
>
> When used as a conjunction to show agreement or similarity with a negative statement, *nor* is very often translated by *non plus*: *'I don't like him'—'nor do I'* = 'je ne l'aime pas'—'moi non plus'; *'he's not Spanish'—'nor is John'* = 'il n'est pas espagnol'—'John non plus'; *'I can't sleep'—'nor can I'* = 'je n'arrive pas à dormir'—'moi non plus'.
>
> When used to give additional information to a negative statement *nor* can very often be translated by *non plus* preceded by a negative verb: *she hasn't written, nor has she telephoned* = elle n'a pas écrit, et elle n'a pas téléphoné non plus; *I do not wish to insult you, (but) nor do I wish to lose money* = je ne veux pas vous offenser, mais je ne souhaite pas non plus perdre de l'argent.

conj **you don't have to tell him, ~ should you** tu n'es pas obligé de le lui dire, tu ferais même mieux d'éviter

nor' /nɔː(r)/ *adj* nord *inv*; **to sail ~-~-east** naviguer nord-nord-est

noradrenalin(e) /ˌnɔːrə'drenəlɪn/ *n* noradrénaline *f*

Nord ▸ **p. 1243, p. 1129** *pr n* Nord *m*; **in/to the ~** dans le Nord

Nordic /'nɔːdɪk/ *adj* [*customs, appearance, country*] nordique; **the ~ peoples** les peuplades nordiques

Norfolk /'nɒːfək/ ▸ **p. 1612** *pr n* Norfolk *m*

norm /nɔːm/ *n* (all contexts) norme *f* (**for** pour); **it is the ~ to do** c'est la norme de faire; **above/below the ~** au-dessus/en dessous de la norme

normal /'nɔːml/
A *n* gen, Math normale *f*; **above/below ~** au-dessus/en dessous de la norme; **to get back** *ou* **return to ~** revenir à la normale; **a temperature above ~ for May** une température un peu élevée pour le mois de mai; **richer/bigger than ~** plus riche/plus grand que la normale
B *adj* **1** (usual) [*place, time*] habituel/-elle; [*amount, method, position, service, size, temperature*] normal; [*view*] courant; **it is ~ for sb to do** il est normal pour qn de faire; **it is ~ that** c'est normal que (+ *subj*); **it is ~ for trains to be late in winter** il est normal que les trains aient du retard en hiver; **as ~** comme d'habitude; **in the ~ course of events** si tout va bien; **in ~ circumstances** en temps normal; **2** Psych (conventional) [*person, behaviour*] normal; **3** Math normal; **4** Biol [*control*] sain; **5** Chem neutre

normalcy /'nɔːmlsɪ/ *n* normalité *f*

normality /nɔː'mælətɪ/ *n* normalité *f*; **to return to ~** revenir à la normale

normalization /ˌnɔːməlaɪ'zeɪʃn, US -lɪ'z-/ *n* normalisation *f*

normalize /'nɔːməlaɪz/
A *vtr* normaliser
B *vi* se normaliser

normalizing /'nɔːməlaɪzɪŋ/ *n* Tech (of steel) traitement *m* par trempage

normally /'nɔːməlɪ/ *adv* normalement

Norman /'nɔːmən/
A *n* **1** gen, Hist Normand/-e *m/f*; **2** (*also* **~ French**) Ling normand *m*
B *adj* **1** gen, Hist [*landscape, village*] normand; [*produce*] de Normandie; **2** Archit roman

Norman Conquest *n* conquête *f* normande

Normandy /'nɔːməndɪ/ ▸ **p. 1243** *pr n* Normandie *f*

Norman English *n* anglo-normand *m*

normative /'nɔːmətɪv/ *adj* normatif/-ive

Norse /nɔːs/
A *n* ▸ **p. 1467, p. 1378** **1** (language) norrois *m*; **Old ~** le vieux norrois; **2** (*also* **~ men**) **the ~** (+ *v pl*) les Scandinaves
B *adj* [*mythology, saga*] nordique

north /nɔːθ/ ▸ **p. 1552**
A *n* (compass direction) nord *m*; **true ~** le nord géographique
B **North** *pr n* **1** Pol, Geog, US Hist (part of world, country) **the North** le Nord; **the far North** le Grand Nord; **2** (in cards) nord *m*
C *adj* [*coast, side, face, wall*] nord *inv*; [*wind*] gen du nord; Meteorol de nord; **in/from ~ London** dans le/du nord de Londres
D *adv* [*move*] vers le nord; [*lie, live*] au nord (**of** de); **to go ~ of sth** passer au nord de qch

North Africa ▸ **p. 1096** *pr n* Afrique *f* du Nord

North African ▸ **p. 1467**
A *n* Nord-Africain/-e *m/f*
B *adj* [*town, custom, climate*] nord-africain

North America ▸ **p. 1096** *pr n* Amérique *f* du Nord

North American ▸ **p. 1467**
A *n* Nord-Américain/-e *m/f*
B *adj* nord-américain

Northamptonshire /nɔː'θæmptən,ʃɪə(r)/ ▸ **p. 1612** *pr n* Northamptonshire *m*

Northants /nɔː'θænts/ *n* GB Post *abrév écrite* = **Northamptonshire**

north: **North Atlantic Drift** *n* dérive *f* nord-atlantique; **North Atlantic Treaty Organization, NATO** *n* Organisation *f* du traité de l'Atlantique Nord

northbound /'nɔːθbaʊnd/ *adj* [*carriageway, traffic*] en direction du nord; **the ~ platform/train** GB (in underground) le quai/la rame direction nord

North Carolina ▸ **p. 1737** *pr n* Caroline *f* du Nord

Northd *n* GB Post *abrév écrite* ▸ **Northumberland**

North Dakota ▸ **p. 1737** *pr n* Dakota *m* du Nord

northeast /ˌnɔːθ'iːst/ ▸ **p. 1552**
A *n* nord-est *m*
B *adj* [*coast, side*] nord-est *inv*; [*wind*] de nord-est
C *adv* [*move*] vers le nord-est; [*lie, live*] au nord-est (**of** de)

northeaster /ˌnɔːθ'iːstə(r)/ *n* vent *m* de nord-est

northeasterly /ˌnɔːθ'iːstəlɪ/
A *n* vent *m* de nord-est
B *adj* [*wind*] de nord-est; [*point*] au nord-est; **in a ~ direction** en direction du nord-est

northeastern /ˌnɔːθ'iːstən/ ▸ **p. 1552** *adj* [*coast, boundary*] nord-est *inv*; [*town, custom, accent*] du nord-est; **~ Scotland** le nord-est de l'Écosse

northerly /'nɔːðəlɪ/
A *n* vent *m* du nord
B *adj* [*wind*] de nord; [*point*] au nord; [*area*] du nord; [*breeze*] venant du nord; **in a ~ direction** en direction du nord

northern /'nɔːðən/ ▸ **p. 1552** *adj* [*coast, boundary*] nord *inv*; [*town, region, custom, accent*] du nord; [*hemisphere*] Nord *inv*; [*latitude*] boréal; **~ England** le nord de l'Angleterre; **~ English** [*landscape etc*] du nord de l'Angleterre

northerner /'nɔːðənə(r)/ *n* **~s** les gens du Nord; **to be a ~** être du Nord

northern: **Northern Ireland** ▸ **p. 1096** *n* Irlande *f* du Nord; **Northern Ireland Assembly** *n* Pol Assembleé *f* d'Irlande du Nord; **Northern Ireland Office** *n* GB Pol ministère *m* de l'Irlande du Nord; **Northern Irish** *adj* d'Irlande du Nord; **Northern Lights** *npl* aurore *f* boréale; **~most** *adj* à l'extrême nord, le/la plus au nord; **Northern Territory, NT** *n* Territoire *m* du Nord

north: **~-facing** *adj* exposé au nord; **North Island** *n* Île *f* du Nord (*de la Nouvelle-Zélande*); **North Korea** ▸ **p. 1096** *pr n* Corée *f* du Nord; **Northman** *n* Viking *m*;

n

ℹ not

When *not* is used without a verb before an adjective, an adverb, a verb or a noun, it is translated by *pas*:

it's a cat not a dog
= c'est un chat pas un chien

not at all
= pas du tout

not bad
= pas mal

For examples and particular usages see the entry **not**.

When *not* is used to make the verb *be* negative (*it's not a cat*) it is translated by *ne ... pas* in French; *ne* comes before the verb or the auxiliary in compound tenses and *pas* comes after the verb or auxiliary: *ce n'est pas un chat*;

she hasn't been ill
= elle n'a pas été malade.

When *not* is used with the auxiliary *do* to make a verb negative (*he doesn't like oranges*) *do* + *not* is translated by *ne ... pas* in French: *il n'aime pas les oranges*.

When *not* is used in the present perfect tense (*I haven' t seen him, she hasn't arrived yet*), *ne ... pas* is again used in French on either side of the appropriate auxiliary (*avoir* or *être*): *je ne l'ai pas vu, elle n'est pas encore arrivée*.

When *not* is used with *will* to make a verb negative (*will not, won't*), *ne ... pas* is used with the future tense in French:

she won't come by car
= elle ne viendra pas en voiture

When used with a verb in the infinitive, *ne ... pas* are placed together before the verb:

he decided not to go
= il a décidé de ne pas y aller

you were wrong not to tell her
= tu as eu tort de ne pas le lui dire

When *not* is used in question tags, the whole tag can usually be translated by the French *n'est-ce pas, e.g.*

she bought it, didn't she?
= elle l'a acheté, n'est-ce pas?

For usages not covered in this note see the entry **not**.

North Pole *n* pôle *m* Nord

North Sea ▸ **p. 1493**
A *n* **the ~** la mer du Nord
B *modif* **~ oil/gas** pétrole/gaz *m* de la mer du Nord

North Star *n* étoile *f* polaire

Northumberland /nɒːˈθʌmbələnd/ ▸ **p. 1612** *pr n* Northumberland *m*

Northumbria /nɔːˈθʌmbrɪə/ ▸ **p. 1612** *pr n* Northumbrie *f* also Hist

Northumbrian /nɔːˈθʌmbrɪən/
A *n* 1 (native) habitant/-e *m/f* de Northumbrie; 2 (dialect) northumbrien *m*
B *adj* northumbrien/-ienne

northward /ˈnɔːθwəd/ ▸ **p. 1552**
A *adj* [*side*] nord *inv*; [*wall, slope*] du côté nord; [*journey, root, movement*] vers le nord; **in a ~ direction** en direction du nord, vers le nord
B *adv* (also **~s**) vers le nord

northwest /ˌnɔːθˈwest/ ▸ **p. 1552**
A *n* nord-ouest *m*
B *adj* [*coast, side*] nord-ouest *inv*; [*wind*] de nord-ouest
C *adv* [*move*] vers le nord-ouest; [*lie, live*] au nord-ouest (**of** de)

northwester /ˌnɔːθˈwestə(r)/ *n* vent *m* de nord-ouest, noroît *m*

northwesterly /ˌnɔːθˈwestəlɪ/
A *n* vent *m* de nord-ouest, noroît *m*
B *adj* [*wind*] de nord-ouest; [*point*] au nord-ouest; **in a ~ direction** en direction du nord-ouest

northwestern /ˌnɔːθˈwestən/ *adj* [*coast, boundary*] nord-ouest *inv*; [*town, accent, custom*] du nord-ouest; **~ Scotland** le nord-ouest de l'Écosse

northwest: **Northwest Passage** *pr n* passage *m* du Nord-Ouest; **Northwest Territories** *pr npl* Territoires *mpl* du Nord-Ouest

North Yorkshire /ˌnɔːθ ˈjɔːkʃɪə(r)/ ▸ **p. 1612** *pr n* North Yorkshire *m*

Norway /ˈnɔːweɪ/ ▸ **p. 1096** *pr n* Norvège *f*

Norwegian /nɔːˈwiːdʒən/ ▸ **p. 1467, p. 1378**
A *n* 1 (person) Norvégien/-ienne *m/f*; 2 (language) norvégien *m*
B *adj* norvégien/-ienne

no sale *n* non-vente *f*

nose /nəʊz/
A ▸ **p. 997** *n* 1 Anat nez *m*; **to breathe through one's ~** respirer par le nez; **to speak through one's ~** parler du nez; **the end** *ou* **tip of the ~** le bout du nez; **to bury one's ~ in a book** plonger le nez dans un livre; 2 (of plane, boat) nez *m*; (of car) avant *m*; **~ to tail traffic** des voitures pare-chocs contre pare-chocs; **to travel ~ to tail** rouler à touche-touche; 3 (sense of smell) gen odorat *m*; (of wine or perfume expert) nez *m*; (of dog) flair *m*; **a dog with a good ~** un chien qui a du flair; 4 (smell of wine) bouquet *m*; 5 fig (instinct) **to have a ~ for sth** avoir du flair pour qch; **to follow one's ~** se fier à son instinct
B *vtr* 1 (sniff) [*animal*] renifler; [*wine-trader*] sentir; 2 (manœuvre) **to ~ sth in/out** faire entrer/sortir qch avec précaution [*boat, vehicle*]; **the captain ~d the boat out of the harbour** le capitaine a fait sortir le bateau du port avec précaution; **the boat ~d its way out of the harbour** le bateau est sorti du port avec prudence
C *vi* **to ~ into/out of sth** [*boat, vehicle*] entrer dans/sortir de qch avec prudence; **the car ~d into the traffic** la voiture s'est faufilée dans la circulation

(Idioms) **it's as plain as the ~ on your face** cela se voit comme le nez au milieu de la figure; **it's six on the ~**○ US il est six heures pile○; **to count ~s**○ compter les personnes présentes; **to get up sb's ~**○ taper sur le système de qn○; **to hit sth on the ~** US taper qch dans le mille; **to keep one's ~ clean**○ se tenir hors du coup○; **to keep one's ~ out of sth**○ ne pas se mêler de qch; **to lead sb by the ~**○ mener qn par le bout du nez; **to look down one's ~ at sb/sth** prendre qn/qch de haut; **to pay through the ~ for sth** payer le prix fort pour qch; **to poke** *ou* **stick one's ~ into sth**○ fourrer○ son nez dans qch; **to see no further than the end of one's ~** ne pas voir plus loin que le bout de son nez; **to turn one's ~ up at sth** faire le dégoûté/la dégoûtée devant qch; **to turn up one's ~ at the idea of doing** faire le dégoûté/la dégoûtée à l'idée de faire; **(right) under sb's ~** sous le nez de qn; **to win by a ~** Turf gagner d'une courte tête; **with one's ~ in the air** d'un air supérieur. ▸ **joint, rub**

(Phrasal verbs) ■ **nose about**, **nose around** fouiner (**in** dans)

■ **nose at**: ▸ **~ at [sth]** [*animal*] renifler

■ **nose out**: ▸ **~ out** [*vehicle*] déboîter prudemment; [*boat*] sortir avec prudence; ▸ **~ out [sth], ~ [sth] out** 1 lit (sniff out) dépister [*animal, scent*]; 2 fig, péj (discover) dénicher [*facts, truth, secret*]; 3 fig Sport (put in second place) battre [qch] d'un cheveu [*car, horse*]

nose: **~bag** *n* musette *f* mangeoire; **~band** *n* muserolle *f*; **~bleed** *n* saignement *m* de nez; **~-cone** *n* Aerosp, Mil ogive *f*

nose-dive /ˈnəʊzdaɪv/
A *n* 1 Aviat piqué *m*; **to go into a ~** faire un piqué; 2 fig **to go into** *ou* **take a ~** [*currency, rate*] chuter
B *vi* [*plane*] descendre en piqué; [*demand, prices, sales*] chuter

nose: **~ drops** *npl* gouttes *fpl* pour le nez; **~gay** *n* petit bouquet *m*

nose job *n* **to have a ~** se faire refaire le nez

nose: **~piece** *n* (on glasses) pont *m*; **~ ring** *n* anneau *m* de nez; **~ stud** *n* clou *m* de nez; **~ wheel** *n* roue *f* avant

nosey○ *adj* = **nosy**

nosh○ /nɒʃ/
A *n* GB bouffe○ *f*, gueuleton○ *m*; US casse-croûte *m*
B *vtr* GB bouffer○
C *vi* 1 GB bouffer○; 2 US **to ~ on** grignoter [*food*]

no-show *n* US *personne ayant fait une réservation qui ne se présente pas à l'hôtel, l'aéroport etc*

nosh-up○ /ˈnɒʃʌp/ *n* GB bouffe○ *f*, gueuleton○ *m*

nosily /ˈnəʊzɪlɪ/ *adv* indiscrètement

nosing /ˈnəʊzɪŋ/ *n* (on stair) rebord *m*; (moulding) moulure *f*

nosography /nəˈsɒɡrəfɪ/ *n* nosographie *f*

nosological /ˌnɒsəˈlɒdʒɪkl/ *adj* [*book, experience*] de nosologie; [*theory, problem*] nosologique; [*expert*] en nosologie

nosologist /nəˈsɒlədʒɪst/ ▸ **p. 1683** *n* nosologiste *mf*

nosology /nəˈsɒlədʒɪ/ *n* nosologie *f*

nostalgia /nɒˈstældʒə/ *n* nostalgie *f*

nostalgic /nɒˈstældʒɪk/ *adj* [*feeling, portrayal*] nostalgique; **to feel ~ for** avoir la nostalgie de [*era, place*]

nostalgically /nɒˈstældʒɪklɪ/ *adv* [*talk, look back*] avec nostalgie

nostril /ˈnɒstrɪl/ *n* (of person) narine *f*; (of horse) naseau *m*

nostrum† /ˈnɒstrəm/ *n* péj (remedy) remède *m* de bonne femme; fig panacée *f*

nosy○ /ˈnəʊzɪ/ *adj* fouineur/-euse○

nosy parker○ /ˈnəʊzɪpɑːkə(r)/ *n* péj fouineur/-euse○ *m/f*

not /nɒt/
A *adv* 1 (negating verb) ne...pas; **she isn't at home** elle n'est pas chez elle; **they didn't like it** ils ne l'ont pas aimé; **we won't need a car** nous n'aurons pas besoin d'une voiture; **has he ~ seen it?** il ne l'a pas vu alors?; 2 (replacing word, clause, sentence etc) **'is he angry?'—'I hope ~'** 'est-il en colère?'—'j'espère que non'; **'is she married?'—'I believe** *ou* **think ~'** 'est-ce qu'elle est mariée?'—'je ne crois pas, je crois que non'; **I'm afraid ~** je crains que non; **certainly/probably ~** sûrement/probablement pas; **~ only** *ou* **simply** *ou* **merely** *ou* **just** pas seulement; **tired or ~, you're going to bed** fatigué ou non, tu vas te coucher; **do you know whether he's coming or ~?** est-ce que tu sais s'il vient ou pas?; **whether it rains or ~, I'm going** qu'il pleuve ou non, j'y vais; **why ~?** pourquoi pas?; 3 (contrasting) non pas; **they live in caves, ~ in houses, they live ~ in houses, but in caves** ils habitent non pas dans des maisons, mais dans des grottes; **I laughed, ~ because I was amused but from nervousness** je n'ai pas ri parce que je trouvais ça drôle, c'était nerveux; **he's ~ so much aggressive as assertive** il est plutôt sûr de lui qu'agressif; 4 (to emphasize opposite) **it's ~ impossible/cheap** ce n'est pas impossible/

bon marché; **she's ~ a dishonest/an aggressive woman** elle n'est pas malhonnête/agressive; **~ without problems/some reservations** non sans problèmes/quelques réserves; **you're ~ wrong** tu n'as pas tort; **a ~** *ou* **not an (entirely) unexpected response** une réponse prévisible; **5▸** (less than) moins de; **~ three miles/hours from here** à moins de trois miles/heures d'ici; **~ five minutes ago** il y a moins de cinq minutes; **6▸** (in suggestions) **hadn't we better pay the bill?** est-ce qu'on ne ferait pas mieux de payer l'addition?; **couldn't we tell them later?** est-ce qu'on ne pourrait pas le leur dire plus tard?; **why ~ do it now?**, **why don't we do it now?** pourquoi ne pas le faire tout de suite?; **7▸** (with all, every) **~ all doctors agree**, **~ every doctor agrees** tous les docteurs ne sont pas d'accord; **~ everyone likes it** tout le monde ne l'aime pas; **it's ~ everyone that can speak several foreign languages** tout le monde n'est pas capable de parler plusieurs langues; **it's ~ every day that** ce n'est pas tous les jours que; **8▸** (with a, one) **~ a** *ou* **one** pas un/-e, pas un/-e seul/-e; **not one** *ou* **a (single) chair/letter** pas une seule chaise/lettre; **~ a sound was heard** on n'entendait pas un bruit; **~ one** *ou* **a single person knew** personne ne le savait

B not at all *adv phr* gen pas du tout; (responding to thanks) de rien

C †not but what ▸ **not that**

D not that *conj phr* **(it's) ~ that he hasn't been helpful/friendly** non pas qu'il n'ait pas été serviable/aimable, ce n'est pas qu'il n'ait pas été serviable/aimable; **~ that I know of** pas (autant) que je sache; **if she refuses, ~ that she will...** si elle refuse, je ne dis pas qu'elle le fera...

> ⚠ Dans la langue parlée ou familière, *not* utilisé avec un auxiliaire ou un modal prend parfois la forme *n't* qui est alors accolée au verbe (eg *you can't go, he hasn't finished*)

notability /ˌnəʊtəˈbɪlətɪ/ *n* (person) notable *m*

notable /ˈnəʊtəbl/

A *n* sout notable *m*

B *adj* [*person*] remarquable; [*event, achievement, success, difference*] notable; **with a few ~ exceptions** à part quelques exceptions notables; **to be ~ for** être remarquable pour [*clarity, appearance, quality*]; être notoire pour [*incompetence, failure*]; **it is ~ that** il est remarquable *or* notable que (+ *subj*)

notably /ˈnəʊtəblɪ/ *adv* **1▸** (in particular) notamment; **most ~** plus *or* tout particulièrement; **2▸** (markedly) [*unimpressed, resilient*] remarquablement

notarial /nəʊˈteərɪəl/ *adj* [*seal, stamp*] notarial; [*status, profession*] de notaire

notarial deed acte *m* notarié

notarize /ˈnəʊtəraɪz/ *vtr* [*notary*] certifier; **to be ~d** être certifié devant notaire

notary /ˈnəʊtərɪ/ ▸ **p. 1683** *n* (*also* **~ public**) notaire *m*; **before a ~** devant notaire

notate /nəʊˈteɪt/ *vtr* transcrire

notation /nəʊˈteɪʃn/ *n* **1▸** Mus, Math notation *f*; **2▸** (system) (système *m* de) notation *f*; **3▸** (record) note *f*

notch /nɒtʃ/

A *n* **1▸** (nick) (in plank) entaille *f*; (in fabric, belt) cran *m*; (in lid) encoche *f*; **2▸** (as record) encoche *f*, entaille *f*; **3▸** ○(degree) cran *m*; **to go up a ~** [*opinion*] monter d'un cran; **to be several ~es above sb** être nettement au-dessus de qn; **4▸** US Geog (pass) défilé *m*

B *vtr* **1▸** (mark) encocher [*stick, surface, edge*]; cranter [*fabric*]; **2▸** ○(achieve) = **notch up**○

(Phrasal verb) ■ **notch up**○: ▸ **~ up [sth]** remporter [*win, point, prize*]; **to ~ up a notable success** se tailler un vif succès

note /nəʊt/

A *n* **1▸** (written record) note *f*; **to make a ~ in** mettre une note dans [*diary, notebook*]; **to make a ~ of** noter [*date, address*]; **to take ~ of** lit, fig prendre note de; **take ~!** prenez note!; **to take ~s** [*student, secretary*] prendre des notes; **to speak without ~s** parler sans notes; **according to police ~s** selon le rapport de la police; **2▸** (short letter) mot *m*; **to write sb a ~** écrire un mot à qn; **a ~ of thanks** un mot de remerciement; **3▸** (explanation, annotation) (in book, on form) note *f*; (accompanying form) notice *f*; (on theatre programme) commentaire *m*; **see ~ below** voir note ci-dessous; **4▸** fig (tone) ton *m*; **to hit the right ~** trouver le ton juste; **to strike** *ou* **hit a wrong ~** commettre un impair; **on a less serious ~** en passant à un registre moins sérieux; **to end on an optimistic ~** se terminer sur une note d'optimisme; **to sound a ~ of caution** émettre une mise en garde; **5▸** Mus (sound, symbol) note *f*; **to play** *ou* **hit a wrong ~** faire une fausse note; **a high/low ~** une note aiguë/basse; **the black ~s** (on keyboard) les touches *fpl* noires; **6▸** (tone) (in voice) note *f*; **a ~ of panic** une note de panique; **the engine took on a different ~** le bruit du moteur a changé; **7▸** (banknote) billet *m*; **£500 in ~s** 500 livres en billets; **a £20 ~** un billet de 20 livres; **8▸** (diplomatic memo) note *f*

B of note *adj phr* [*person*] éminent, réputé; [*development, contribution*] digne d'intérêt

C *vtr* **1▸** (observe) noter [*change, increase, similarity, absence*]; **to ~ that** noter que; **it is interesting to ~ that** il est intéressant de noter que; **the report ~d that** dans le rapport on a noté *or* constaté que; **noting the improvements, the minister said...** après avoir noté les améliorations, le ministre a dit...; **as I ~d last week...** comme je l'avais noté la semaine dernière...; **2▸** (pay attention to) prendre bonne note de [*comment, remarks, complaint, concern*]; **it should be ~d that** il faut noter que; **~ that she didn't mention him!** note bien qu'elle ne l'a pas mentionné!; **aspiring managers, please ~!** managers en puissance, prenez-en de la graine○!; **3▸** (write down) noter [*date, time, number, symptom*] **(in** dans); **'no change,' he ~d** 'aucun changement,' a-t-il noté

D noted *pp adj* [*intellectual, criminal*] célèbre; **to be ~d/not ~d for** être réputé/ne pas être réputé pour [*tact, wit*]

(Idiom) **to compare ~s** échanger ses impressions **(with** avec)

(Phrasal verb) ■ **note down**: ▸ **~ down [sth]**, **~ [sth] down** noter [*idea, detail*]

notebook /ˈnəʊtbʊk/ *n* **1▸** gen carnet *m*; **2▸** Jur, Accts livre *m* de comptes; **3▸** Journ (column title) **City ~** carnet *m* de la Bourse; **4▸** Comput agenda *m* électronique

note: **~book pc** *n* ordinateur-agenda *m*; **~case** *n* portefeuille *m*; **~ issue** *n* émission *f* fiduciaire; **~pad** *n* bloc-notes *m*; **~paper** *n* papier *m* à lettres

notelet *n* carte *f* de correspondance

noteworthy /ˈnəʊtwɜːðɪ/ *adj* remarquable

not guilty *adj* Jur [*person*] non coupable; [*verdict*] d'acquittement; **to plead ~** plaider non coupable; **to find sb ~** acquitter qn

nothing /ˈnʌθɪŋ/

A *pron* **1▸** (no item, event, idea) rien; (as object of verb) ne...rien; (as subject of verb) rien...ne; **she says ~** elle ne dit rien; **I knew ~ about it** je n'en savais rien; **we saw ~** nous n'avons rien vu; **we can do ~ (about it)** nous n'y pouvons rien; **there's ~ in the fridge** il n'y a rien dans le frigidaire®; **~ can alter the fact that** rien ne peut changer le fait que; **~ could be further from the truth** rien n'est plus faux; **can ~ be done to help?** est-ce qu'on ne peut rien faire pour aider?; **~ happened** il ne s'est rien passé; **they behaved as if ~ had happened** ils ont fait comme si de rien n'était; **there's ~ to drink** il n'y a rien à boire; **I've got ~ to wear** je n'ai rien à me mettre; **you have ~ to lose** vous n'avez rien à perdre; **there's ~ to stop you leaving** rien ne t'empêche de partir; **we've had ~ to eat** nous n'avons rien mangé; **you did ~ at all to stop them** tu n'as absolument rien fait pour les arrêter; **next to ~** presque rien; **~ much** pas grand-chose; **there's ~ much on TV** il n'y a pas grand-chose à la télé○; **~ much happens here** il ne se passe pas grand-chose ici; **I've ~ much to tell** je n'ai pas grand-chose à raconter; **~ more** rien de plus; **we ask for ~ more** nous ne demandons rien de plus; **is there ~ more you can do?** vous ne pouvez rien faire de plus?; **she's just a friend, ~ more or less** c'est une amie, c'est tout; **~ else** rien d'autre; **there's ~ else for us** il n'y a rien d'autre pour nous; **~ else matters** rien d'autre ne compte, il n'y a que ça qui compte; **she thinks about ~ else** elle ne pense à rien d'autre, elle ne pense qu'à cela; **there's ~ else one can say** il n'y a rien d'autre à dire; **if ~ else it will be a change for us** au moins ça nous changera les idées; **to have ~ against sb/sth** ne rien avoir contre qn/qch; **to have ~ to do with** (no connection) ne rien avoir à voir avec; (no dealings, involvement) ne rien avoir à faire avec; **the drop in sales has ~ to do with the scandal** la baisse des ventes n'a rien à voir avec le scandale; **it had ~ to do with safety** ça n'avait rien à voir avec la sécurité; **he had ~ to do with the murder** il n'avait rien à voir avec le meurtre, il n'était pour rien dans le meurtre; **I had ~ to do with it!** je n'y étais pour rien!; **that's got ~ to do with it!** ça n'a rien à voir!; **she will have** *ou* **she wants ~ to do with it/us** elle ne veut rien avoir à faire avec ça/nous; **it's ~ to do with us** ça ne nous regarde pas; **she acts as though it had ~ to do with her** elle fait comme si ça ne la concernait pas; **to come to ~** n'aboutir à rien; **to stop at ~** ne reculer devant rien **(to do** pour faire); **to have ~ on** (no clothes) être nu; (no engagements, plans) n'avoir rien de prévu; **you've got ~ on me**○**!** (to incriminate) vous n'avez rien contre moi!; **he's got ~ on you**○**!** (to rival) il ne t'arrive pas à la cheville○!; **Paris has ~ on this**○**!** Paris ne peut pas rivaliser avec ça!

2▸ (emphasizing insignificance) rien; **a fuss about ~** une histoire pour (un) rien; **to get upset**

> ## ℹ nothing
>
> When *nothing* is used alone as a reply to a question in English, it is translated by *rien*:
>
> ***'what are you doing?' 'nothing'***
> = 'que fais-tu?' 'rien'
>
> *nothing* as a pronoun when it is the subject of a verb is translated by *rien ne* in French:
>
> ***nothing changes***
> = rien ne change
>
> ***nothing has changed***
> = rien n'a changé
>
> *nothing* as a pronoun when it is the object of a verb is translated by *ne rien*; *ne* comes before the verb, and before the auxiliary in compound tenses, and *rien* comes after the verb or auxiliary:
>
> ***I see nothing***
> = je ne vois rien
>
> ***I saw nothing***
> = je n'ai rien vu
>
> When *ne rien* is used with an infinitive the two words are not separated:
>
> ***I prefer to say nothing***
> = je préfère ne rien dire
>
> For examples and particular usages, see **A** in the entry **nothing**.
>
> For translations of *nothing* as an adverb (*it's nothing like as difficult*) and for the phrases *nothing but*, *nothing less than*, *nothing more than*, see **B, E, F** and **G** respectively in the entry **nothing**.

over ~ s'énerver pour (un) rien; **we were talking about ~ much** nous parlions de tout et de rien; **to count for ~** ne compter pour rien; **he means** *ou* **is ~ to me** il n'est rien pour moi; **so all this effort means ~ to you?** alors tout ce travail t'est complètement égal?; **it meant ~ to him** ça lui était complètement égal (**that, whether** que + *subj*); **the names meant ~ to him** les noms ne lui disaient rien; **he cares ~ for convention** sout il se moque des conventions; **to think ~ of doing** (consider normal) trouver tout à fait normal de faire; (not baulk at) ne pas hésiter à faire; **I thought ~ of it until the next day** ça m'a paru tout à fait normal jusqu'au lendemain; **think ~ of it!** ce n'est rien!; **it was ~ to them to walk miles to school** ils trouvaient tout à fait normal de faire des kilomètres à pied pour aller à l'école; **there's ~ to driving a truck** ce n'est rien de conduire un camion; **there' s really ~ to it!** c'est tout ce qu'il y a de plus facile!
3 (very little indeed) lit, fig rien; **she's four foot ~** ≈ elle ne fait pas plus d'un mètre vingt, elle fait un mètre vingt à tout casser○; **it costs next to ~** ça ne coûte presque rien; **for ~** (for free) gratuitement, gratis○; (pointlessly) pour rien; **it's money for ~** c'est de l'argent vite gagné; **all this work for ~** tout ce travail pour rien; **they aren't called skyscrapers for ~** ce n'est pas pour rien qu'on appelle ça des gratte-ciel; **not for ~ is he known as...** ce n'est pas pour rien qu'il est connu comme...; **I'm not English for ~!** hum je ne suis pas anglais pour rien!
4 (indicating absence of trait, quality) **~ serious/useful** rien de grave/d'utile; **~ too fancy** rien de très compliqué; **~ interesting, ~ of any interest** rien d'intéressant ; **~ new to report** rien de nouveau à signaler; **have they ~ cheaper?** est-ce qu'ils n'ont rien de moins cher?; **there's ~ unusual about doing** il n'y a rien d'extraordinaire à faire; **there's ~ unusual about it** ça n'a rien d'extraordinaire; **it seems easy but it's ~ of the kind** cela paraît facile mais il n'en est rien; **~ of the kind should ever happen again** une chose pareille ne devrait jamais se reproduire; **you'll do ~ of the sort!** tu n'en feras rien!
5 (emphatic: setting up comparisons) **it's ~ like that at all!** ce n'est pas ça du tout!; **there's ~ like the sea air for doing** il n'y a rien de tel que l'air marin pour faire; **there's ~ like seeing old friends** revoir de vieux amis, il n'y a rien de tel; **there's ~ like it!** il n'y a rien de tel *or* de mieux!; **there's ~ so embarrassing as doing** il n'y a rien d'aussi gênant que de faire; **I can think of ~ worse than** je ne peux rien imaginer de pire que; **there's ~ more ridiculous than** il n'y a rien de plus ridicule que; **that's ~ to what he'll do if he finds out that** ce n'est rien comparé à *or* à côté de ce qu'il fera quand il découvrira que; **the hive resembles ~ so much as a business** la ruche ressemble tout à fait à une entreprise; **to say ~ of** sans parler de; **detested by his colleagues to say ~ of the students** détesté par ses collègues sans parler des étudiants
6 (no element, part) **to know ~ of** ne rien savoir de [*truth, events, plans*]; **he knows ~ of the skill involved** il n'imagine pas la technique que cela implique; **we heard ~ of what was said** nous n'avons rien entendu de ce qui s'est dit; **he has ~ of the aristocrat about him** il n'a rien d'un aristocrate; **there was ~ of the exotic in the place** l'endroit n'avait rien d'exotique
7 (no truth, value, use) **you get ~ out of it** ça ne rapporte rien; **there's ~ in it for me** ça n'a aucun intérêt pour moi; **there's ~ in it** (in gossip, rumour) il n'y a rien de vrai là-dedans; (in magazine, booklet) c'est sans intérêt
B *adv* **1** (in no way) **it is ~ like as important/difficult as** c'est loin d'être aussi important/difficile que; **it's ~ like enough!** c'est loin d'être suffisant!; **the portrait looks ~ like her** le portrait ne lui ressemble pas du tout; **she is ~ like her sister** elle ne ressemble pas du tout à sa sœur; **the city is ~ like what it was** la ville n'est plus du tout ce qu'elle était
2 (emphatic: totally, only) **it's ~ short of brilliant/disgraceful** c'est tout à fait génial/scandaleux; **~ short of a miracle can save them** il n'y a qu'un miracle qui puisse les sauver
3 (emphatic: decidedly) **she's ~ if not original in her dress** le moins qu'on puisse dire c'est qu'elle s'habille de façon originale; **I'm ~ if not stubborn!** le moins qu'on puisse dire c'est que je suis têtu!
C *adj* **to be ~ without sb/sth** ne rien être sans qn/qch; **he's ~ without you/his career** il n'est rien sans toi/sa carrière
D *n* **1** (nothingness) néant *m*
2 (trivial matter) **it's a mere ~ compared to** ce n'est pratiquement rien par rapport à; ▸ **sweet**
E nothing but *adv phr* **he's ~ but a coward** ce n'est qu'un lâche; **they've done ~ but moan**○ ils n'ont fait que râler○; **it' s caused me ~ but trouble** ça ne m'a valu que des ennuis; **~ but the best for me!** je ne veux que ce qu'il y a de meilleur!; **she has ~ but praise for them** elle ne tarit pas d'éloges sur eux
F nothing less than *adv phr* **it's ~ less than a betrayal** c'est une véritable trahison; **they want ~ less than reunification** ils ne seront satisfaits que quand il y aura la réunification; **~ less than real saffron will do** il n'y a que du vrai safran qui fera l'affaire
G nothing more than *adv phr* **it's ~ more than a strategy to do** ce n'est qu'une stratégie pour faire; **the stories are ~ more than gossip** ces histoires ne sont rien d'autre que des ragots; **they'd like ~ more than to do** ils ne demandent pas mieux que de faire
(Idioms) **~ doing**○**!** (outright refusal) pas question○!; (no chance of success) pas moyen○!; **there's ~ doing at the office**○ il ne se passe rien au bureau; **there was ~ for it but to call the doctor** GB il ne restait plus qu'à faire venir le médecin; **there's ~ for it!** GB il n'y a rien à faire; **you get ~ for ~** on n'a rien sans rien

nothingness /ˈnʌθɪŋnɪs/ *n* néant *m*

no throw *n* lancer *m* nonvalable

notice /ˈnəʊtɪs/
A *n* **1** (written sign) pancarte *f*, écriteau *m*; **2** (advertisement) annonce *f*; (announcing birth, marriage, death) avis *m*; **3** (attention) attention *f*; **to take ~** faire attention (**of** à); **they never take any ~ of what I say** ils ne font jamais attention à ce que je dis; **take no ~, don't take any ~** ne fais pas attention; **it was beneath her ~** ça ne méritait pas son attention; **to bring sth to sb's ~** porter qch à l'attention de qn; **it did not escape my ~ that** il n'a pas échappé à mon attention que; **it has come to my ~ that** il m'a été signalé que; **they took absolutely no ~, they didn't take a blind bit** *ou* **the slightest bit of ~** ils n'en ont tenu aucun compte; **4** Theat, Journ (review) compte rendu *m*, critique *f*; **5** (advance warning) préavis *m*; **we require a month's ~** nous exigeons un préavis d'un mois; **without ~** sans préavis; **to do sth at short ~/at a moment's ~/at two hours' ~** faire qch au pied levé/sur le champ/dans les deux heures qui suivent; **to give sb ~ of sth** avertir *or* prévenir qn de qch; **until further ~** jusqu'à nouvel ordre; **two days is very short ~** deux jours, c'est très court comme délai; **I'm sorry it's such short ~** je suis désolé de vous prévenir si tard; **6** Admin, Jur (notification) avis *m*; **to give sb ~ that, serve ~ on sb that** aviser qn que; **7** (notification of resignation, dismissal) **to give in** *ou* **hand in one's ~** donner sa démission; (domestic staff) donner ses huit jours; **to give sb (their) ~** congédier qn; **to get one's ~** recevoir son congé; **to get** *ou* **to be given three weeks' ~** recevoir trois semaines de préavis; **8** (to vacate premises) préavis *m*; **to give ~** [*tenant*] donner son préavis; **one month's ~** un mois de préavis; **to give sb ~ to quit** avertir qn qu'il doit évacuer les lieux; **to give the landlord ~** prévenir le propriétaire de son départ
B *vtr* remarquer, s'apercevoir de [*absence, mark*]; **I ~ that** je vois que; **I ~d you talking to that girl** je t'ai vu parler à cette fille; **to ~ that sth is happening** remarquer que qch se passe; **to get oneself ~d** se faire remarquer, attirer l'attention; **you'll ~ we don't stand on ceremony here!** tu remarqueras que nous ne faisons pas de façons ici!; **not so as you'd ~**○ pas vraiment; **I can't say I ~d** je n'ai pas fait attention

noticeable /ˈnəʊtɪsəbl/ *adj* [*flaw, scar, improvement, deterioration*] visible

noticeably /ˈnəʊtɪsəblɪ/ *adv* [*increase, improve*] sensiblement; [*different, better, colder*] nettement

notice: **~board** *n* panneau *m* d'affichage; **~ to pay** *n* avis *m* de paiement

notifiable /ˈnəʊtɪfaɪəbl/ *adj* [*disease, crime, incident*] à signaler, à déclarer; **to be ~ to** [*noncompliance, disease*] devoir être signalé à [*authorities*]

notification /ˌnəʊtɪfɪˈkeɪʃn/ *n* **1** ¢ Admin, Jur (communication) notification *f*; **to receive written ~ of sth** recevoir notification écrite de qch; **to receive ~ that** être avisé que; **2** C (of decision, changes) annonce *f*; (of disease) notification *f*; (of fine) rappel *m*; **3** Journ (formal announcement) gen avis *m*; Jur annonce *f*; **'please accept this as the only ~'** 'cet avis ne sera pas répété'

notify /ˈnəʊtɪfaɪ/ *vtr* **1** GB (give notice of) notifier; **all claims should be notified** toute demande d'indemnité doit être notifiée; **to ~ sb of** *ou* **about** aviser qn de [*result, incident*]; avertir qn de [*intention*]; **to ~ sth to sb** GB notifier qch à qn; **to ~ sb that** notifier à qn que; **2** (announce formally) **to ~ sb of** informer qn de [*birth, engagement, death*]

notion /ˈnəʊʃn/
A *n* **1** (idea) idée *f*; **I had a ~ (that) he was married** j'avais dans l'idée qu'il était marié; **I never had any ~ of asking her** il ne m'est jamais venu à l'idée de lui demander; **this gave him the ~ of going abroad** ceci lui a donné l'idée d'aller à l'étranger; **what gave you the ~ that they were rich?** qu'est-ce qui t'a fait penser qu'ils étaient riches?; **she has some strange ~s** elle a de drôles d'idées; **what a silly ~!** quelle drôle d'idée!; **another one of his silly ~s!** encore une de ses idées à lui!; **he got the ~ that he hadn't been invited** il s'est mis en tête qu'on ne l'avait pas invité; **she got the ~ into her head that** elle s'est mis en tête l'idée que; **what put such ~s into your head?** qu'est-ce qui t'a mis de pareilles idées en tête?; **don't be putting ~s into his head!** ne lui mets pas des idées dans la tête!; **2** (vague understanding) idée *f*, notion *f*; **some ~ of** quelques notions de; **he has no ~ of what is meant by discipline** il n'a aucune notion *or* idée de ce qu'est la discipline; **she has no ~ of time** elle n'a pas la notion du temps; **3** (whim, desire) idée *f*, envie *f*; **he had** *ou* **took a sudden ~ to go for a swim** il a eu l'envie soudaine d'aller nager
B notions *npl* US (haberdashery) (articles *mpl* de) mercerie *f*

notional /ˈnəʊʃənl/ *adj* **1** (hypothetical) [*element, amount, figure*] hypothétique, théorique; **2** Philos notionnel/-elle, conceptuel/-elle

notional: **~ grammar** *n* grammaire *f* notionnelle; **~ word** *n* mot *m* lexical, mot *m* plein

notoriety /ˌnəʊtəˈraɪətɪ/ *n* **1** (reputation) notoriété *f* (**for** pour); **the ~ surrounding sth** la publicité qui entoure qch; **2** GB péj (person) personne *f* ayant une certaine notoriété

notorious /nəʊˈtɔːrɪəs/ *adj* [*criminal, organization*] notoire (*after n*); [*district, venue*] mal famé; [*feature, opinion*] connu; [*example*] célèbre; [*case*] fameux/-euse; **~ for/as sth** [*person, place*] connu pour/comme qch; **the ~ Mr**

Brown/Bermuda Triangle le fameux M. Brown/triangle des Bermudes

notoriously /nəʊ'tɔ:rɪəslɪ/ *adv* [*erratic, difficult*] notoirement; **~ corrupt/inefficient** d'une corruption/inefficacité notoire; **they're ~ unreliable** il est bien connu qu'on ne peut pas compter sur eux

no trumps *n* sans atout

Nottinghamshire /'nɒtɪŋəmʃɪə(r)/ ▸ **p. 1612** *pr n* Nottinghamshire *m*

Notts *n* GB Post *abrév écrite* = **Nottinghamshire**

notwithstanding /,nɒtwɪθ'stændɪŋ/

A †*adv* néanmoins

B *prep* **~ the legal difficulties, the legal difficulties ~** en dépit des difficultés légales

nougat /'nu:gɑ:, 'nʌgət, US 'nu:gət/ *n* nougat *m*

nought /nɔ:t/

A *n* **1** (as number) zéro *m*; **three ~s** trois zéros; **2** ‡(nothing) = **naught**

B *adj* zéro; **~ per cent** zéro pour cent

noughts and crosses ▸ **p. 1253** *n* (+ *v sg*) (jeu *m* de) morpion *m*

noun /naʊn/ *n* nom *m*, substantif *m*

noun: **~ clause** *n* proposition *f* nominale; **~ phrase, NP** *n* syntagme *m* nominal

nourish /'nʌrɪʃ/ *vtr* **1** lit nourrir [*person, animal, plant, skin*] (**with** avec; **on** de); enrichir [*soil*] (**with** avec); **2** fig sout nourrir [*dream, illusion, feeling, belief*]

nourishing /'nʌrɪʃɪŋ/ *adj* nourrissant

nourishment /'nʌrɪʃmənt/ *n* **1** (nutrition) **there's lots of ~ in it** c'est très nourrissant; **there is no ~ in that** ce n'est absolument pas nourrissant; **2** (food) nourriture *f*; **to take ~** se nourrir; **to give sb ~** donner de la nourriture à qn; **3** fig **intellectual ~** nourritures *fpl* intellectuelles

nous○ /naʊs/ *n* GB bon sens *m*; **to have the ~ to do** avoir assez de bon sens pour faire; **political ~** intelligence politique

Nov *abrév écrite* = **November**

nova /'nəʊvə/ *n* (*pl* **-ae** *ou* **-as**) nova *f*

Nova Scotia /,nəʊvə 'skəʊʃə/ *pr n* Nouvelle-Écosse *f*

Nova Scotian /,nəʊvə'skəʊʃn/

A *n* Néo-écossais/-e *m/f*

B *adj* [*accent, climate, flora, village*] de la Nouvelle Écosse

novel /'nɒvl/

A *n* **1** (work) roman *m*; **historical/detective ~** roman historique/policier; **2** (genre) **the ~** le roman

B *adj* original

novelette /,nɒvə'let/ *n* **1** (short novel) gen petit roman *m*; péj (over-sentimental) roman *m* à l'eau de rose; (trivial) roman *m* à deux sous pej; **2** Literat (novella) nouvelle *f*

novelettish○ /,nɒvə'letɪʃ/ *adj* péj [*style*] à l'eau de rose pej

novelist /'nɒvəlɪst/ ▸ **p. 1683** *n* romancier/-ière *m/f*

novella /nə'velə/ *n* Literat nouvelle *f*

novelty /'nɒvəltɪ/

A *n* **1** nouveauté *f* (**of doing** de faire); **to be a ~ to sb** avoir l'attrait de la nouveauté pour qn; **to do sth for the ~** faire qch pour l'attrait de la nouveauté; **the ~ soon wore off** l'attrait de la nouveauté a vite passé; **2** (trinket) babiole *f*

B *modif* [*key ring, mug, stationery*] fantaisie

November /nə'vembə(r)/ ▸ **p. 1452** *n* novembre *m*

novena /nə'vi:nə/ *n* neuvaine *f*

novice /'nɒvɪs/

A *n* **1** gen (beginner) débutant/-e *m/f* (**in** en); **a political ~** un débutant en politique; **2** Relig (probationer) novice *mf*; **3** Sport (beginner) débutant/-e *m/f*; **4** Turf (horse) débutant *m*

B *modif* **1** gen [*writer, driver, salesperson, teacher*] débutant; **~ gardener/workman** apprenti *m* jardinier/ouvrier; **2** Sport [*class, crew*] débutant

novitiate /nə'vɪʃɪət/ *n* noviciat *m*

novocaine® /'nəʊvəkeɪn/ *n* novocaïne® *f*

no-vote /'nəʊvəʊt/ *n* Pol (single) non *m*; (collective) vote *m* noniste

now /naʊ/

A *conj* **~ (that) I know her** maintenant que je la connais; **~ (that) you've recovered** maintenant que tu es guéri

B *adj* (current) actuel/-elle

C *adv* **1** (at the present moment) **she's ~ 17** elle a 17 ans à présent; **I'm doing it ~** je suis en train de le faire; **the ~ familiar routine** la routine maintenant habituelle; **the ~ famous court case** l'affaire maintenant célèbre

2 (these days) maintenant; **they ~ have 5 children** ils ont 5 enfants maintenant; **she's working in Japan ~** elle travaille au Japon maintenant; **business is better ~** les affaires marchent mieux maintenant

3 (at once) maintenant; **right ~** tout de suite; **do it ~** fais-le maintenant; **I must go ~** il faut que je parte maintenant

4 (the present time) **you should have phoned him before ~** tu aurais dû lui téléphoner avant; **before** *ou* **until ~** jusqu'à présent; **he should be finished by ~** il devrait avoir fini maintenant; **between ~ and next Friday** d'ici vendredi prochain; **between ~ and then** entre-temps; **10 days from ~** d'ici 10 jours; **from ~ on(wards)** à partir de maintenant, dorénavant; **that's enough for ~** ça suffit pour le moment; **good-bye for ~** à bientôt; **~ is as good a time as any** le moment n'est pas plus mal choisi qu'un autre; **~ is the best time to do** c'est le meilleur moment pour faire

5 (in time expressions) **it's a week ~ since she left** cela fait une semaine maintenant qu'elle est partie; **it has been six months ~** cela fait six mois; **some years ago ~** il y a de cela quelques années maintenant; **he won't be long ~** il ne devrait pas tarder maintenant; **he could arrive any time** *ou* **moment ~** il peut arriver d'un moment à l'autre; **the results will be announced any day ~** les résultats peuvent être annoncés d'un jour à l'autre

6 (in view of events) maintenant; **I'll never get a job ~** je ne retrouverai plus jamais de travail maintenant; **~ I understand why** maintenant je comprends pourquoi; **how can you trust them ~?** comment peux-tu leur faire confiance maintenant?; **he ~ admits to being wrong** il reconnaît maintenant qu'il a eu tort; **I'll be more careful ~** je serai plus prudent dorénavant

7 (at that moment, then) **it was ~ 4 pm** il était alors 16 heures; **~ the troops attacked** à ce moment-là, les troupes ont attaqué; **by ~ it was too late** à ce moment-là, il était trop tard

8 (sometimes) **~ fast, ~ slowly** tantôt vite, tantôt lentement; **~ and then, ~ and again** de temps en temps, de temps à autre; **every ~ and then** de temps en temps

9 (introducing a change) **~ for the next question** passons à la question suivante; **~ for a drink** si on prenait un verre; **if we can ~ compare...** si nous comparons maintenant...; **~ then, where was I?** bon, où en étais-je?

10 (introducing information, opinion) **~, this is important because** c'est important parce que; **~ there's a man I can trust!** ah! voilà un homme en qui on peut avoir confiance!; **~ Paul would never do a thing like that** Paul, lui, ne ferait jamais une chose pareille; **~ that would never have happened 10 years ago** ça ne se serait jamais produit il y a dix ans

11 (in requests, warnings, reprimands) **careful ~!** attention!; **~ let's see** voyons donc; **~! ~!** voyons!; **come ~!** voyons!; **there ~, what did I tell you?** eh bien, qu'est-ce que je t'avais dit?; **~ then, let's get down to work** bon, reprenons le travail maintenant; **~ then! what's all this noise?** bon sang! qu'est-ce que c'est que tout ce bruit?

nowadays /'naʊədeɪz/ *adv* (these days) de nos jours, aujourd'hui; (at present, now) actuellement, maintenant; **I can't afford wine ~** maintenant je n'ai plus les moyens d'acheter du vin

noway /'nəʊweɪ/, **noways** /'nəʊweɪz/ US *adv* = **nowise**

nowhere /'nəʊweə(r)/

A *adv* nulle part; **~ special** nulle part; **~ but in Scotland** nulle part sauf en Écosse; **she's ~ to be seen** on ne la voit nulle part; **the key is ~ to be found** on ne trouve la clé nulle part; **I've got ~ else to go** je n'ai nulle part où aller; **~ else will you find a better bargain** vous ne trouverez pas de meilleure affaire ailleurs; **to appear** *ou* **come out of ~** venir de nulle part; **there's ~ better for a holiday** il n'y a pas de meilleur endroit pour passer des vacances; **there's ~ to sit down/park** il n'y a pas d'endroit pour s'asseoir/se garer; **~ is this custom more widespread than in China** c'est en Chine que cette coutume est la plus répandue; **business is good and ~ more so than in Tokyo** les affaires marchent bien, surtout à Tokyo; **these negotiations are going ~** ces négociations ne mènent nulle part; **this company/this team is going ~** l'entreprise/l'équipe ne fait aucun progrès; **£10 goes ~ these days** avec 10 livres sterling on ne va pas loin de nos jours; **all this talk is getting us ~** tout ce bavardage ne nous avance à rien; **flattery will get you ~!** tu n'arriveras à rien en me flattant; **she came out of ~ to win the race** elle a gagné la course contre toute attente

B **nowhere near** *adv phr, prep phr* **~ near sufficient/satisfactory** loin d'être suffisant/satisfaisant; **~ near big enough** loin d'être assez grand; **~ near as useful as** loin d'être aussi utile que; **the carpark is ~ near the bank** le parking est loin de la banque; **50 dollars is ~ near enough** 50 dollars, c'est loin d'être assez; **I'm ~ near finished** je ne suis pas près de finir; **we're ~ near finding a solution** nous ne sommes pas près de trouver une solution

(Idiom) **we're getting ~ fast** nous n'avançons pas du tout; ▸ **middle**

no-win /nəʊ,wɪn/ *adj* [*situation*] de perdant

nowise /'nəʊwaɪz/ *adv* aucunement, nullement

nowt /naʊt/ *n* GB dial rien *m*

(Idiom) **there's ~ so queer as folk** il faut de tout pour faire un monde

noxious /'nɒkʃəs/ *adj* (all contexts) nocif/-ive, délétère

nozzle /'nɒzl/ *n* **1** (of hose, pipe) ajutage *m*, jet *m*; (of bellows) bec *m*; (of hoover) suceur *m*; (for icing) douille *f*; **2** ○(nose) pif○ *m*, blair○ *m*

NP *n* Ling *abrév* ▸ **noun phrase**

NPV *n* Fin (*abrév* = **net present value**) VAN *f*

nr *abrév écrite* = **near**

NRA *n* US *abrév* ▸ **National Rifle Association**

NSPCC *n* GB (*abrév* = **National Society for the Prevention of Cruelty to Children**) *société pour la protection de l'enfance*

NSW *abrév écrite* = **New South Wales**

NT **1** Bible *abrév* ▸ **New Testament**; **2** GB *abrév* ▸ **National Trust**; **3** Geog *abrév* ▸ **Northern Territory**

nth /enθ/ *adj* Math, fig énième; **to the ~ power** *ou* **degree** à la puissance n; **for the ~ time** pour la énième fois

NTSC *n* TV (*abrév* = **national television system committee**) NTSC *m*; **~ standard** système *m* NTSC

nuance /'nju:ɑ:s, US 'nu:-/ *n* nuance *f*

nub /nʌb/ *n* **1** (of problem) fond *m*; **the ~ of the matter** le cœur du sujet; **2** (knob, lump) petit morceau *m*

n

nubby /ˈnʌbɪ/ *adj* [*fabric, tweed, silk*] à l'aspect noueux
Nubia /ˈnjuːbɪə, US ˈnuː-/ *pr n* Nubie *f*
Nubian /ˈnjuːbɪən, US ˈnuː-/
A *n* Nubien/-ienne *m/f*
B *adj* nubien/-ienne
nubile /ˈnjuːbaɪl, US ˈnuːbl/ *adj* 1 (attractive) désirable; 2 sout (marriageable) nubile
nubuck /ˈnjuːbʌk/ *n* nubuck *m*
nuchal /ˈnjuːkl/ *adj* Med nucal; **~ translucency** clarté *f* nucale; **~ fold measurement** mesure de la clarté nucale
nuclear /ˈnjuːklɪə(r), US ˈnuː-/ *adj* [*accident, arsenal, electricity, fission, fusion, fuel, industry, missile, potential, reaction, research, technology*] nucléaire
nuclear: **~ bomb** *n* bombe *f* atomique; **~ capability** *n* capacité *f* nucléaire; **~ deterrence** *n* dissuasion *f* nucléaire; **~ deterrent** *n* force *f* de dissuasion nucléaire; **~ device** *n* engin *m* nucléaire; **~ disarmament** *n* désarmement *m* nucléaire; **~ energy** *n* énergie *f* nucléaire *or* atomique; **~ family** *n* famille *f* nucléaire; **~-free zone** *n* GB zone *f* où les expériences nucléaires sont interdites; **~ physicist** ▸ p. 1683 *n* chercheur/-euse *m/f* en physique nucléaire; **~ physics** *n* (+ *v sg*) physique *f* nucléaire
nuclear power *n* 1 (energy) = **nuclear energy**; 2 (country) puissance *f* nucléaire
nuclear: **~-powered** *adj* fonctionnant à l'énergie nucléaire; **~ power station** *n* centrale *f* nucléaire; **~ reactor** *n* réacteur *m* nucléaire; **Nuclear Regulatory Commission** *n* US Commission *f* à l'énergie atomique; **~ reprocessing plant** *n* usine *f* de retraitement des déchets nucléaires; **~ scientist** *n* = **nuclear physicist**; **~ shelter** *n* abri *m* antiatomique; **~ submarine** *n* sous-marin *m* nucléaire *or* atomique; **~ test** *n* essai *m* nucléaire; **~ testing** *n* expérience *f* nucléaire; **~ umbrella** *n* parapluie *m* nucléaire; **~ warhead** *n* ogive *f* *or* tête *f* nucléaire; **~ waste** *n* déchets *mpl* nucléaires; **~ weapon** *n* arme *f* nucléaire *or* atomique; **~ winter** *n* hiver *m* nucléaire
nuclei /ˈnjuːklɪaɪ, US ˈnuː-/ *pl* ▸ **nucleus**
nucleic acid /njuːˌkliːɪk ˈæsɪd, US nuː-/ *n* acide *m* nucléique
nucleus /ˈnjuːklɪəs, US ˈnuː-/ *n* (*pl* **-clei**) (all contexts) noyau *m*; **atomic ~** noyau atomique
nude /njuːd, US nuːd/
A *n* 1 Art nu/-e *m/f*, nudité *f*; 2 **in the ~** nu
B *adj* [*person*] nu; **to do ~ scenes** jouer dans des scènes déshabillées
nudge /nʌdʒ/
A *n* coup *m* de coude, poussée *f*
B *vtr* (push, touch) pousser du coude, donner un petit coup de coude à; (accidentally) heurter; (brush against) frôler; **to ~ one's way through** se frayer un chemin à travers [qch] à coups de coude
(Idiom) **~ ~, wink wink**○ tu vois un peu ce que je veux dire
nudie○ /ˈnjuːdɪ, US ˈnuːdɪ/ *adj* porno○
nudism /ˈnjuːdɪzəm, US ˈnuː-/ *n* nudisme *m*
nudist /ˈnjuːdɪst, US ˈnuː-/
A *n* nudiste *mf*
B *modif* [*camp, colony*] de nudistes; [*beach*] nudiste
nudity /ˈnjuːdətɪ, US ˈnuː-/ *n* nudité *f*
nudnik○ /ˈnʌdnɪk/ *n* US casse-pieds○ *mf inv*
nugatory /ˈnjuːgətərɪ, US ˈnuːgətɔːrɪ/ *adj* sout (worthless) sans valeur; (invalid) non valable
nugget /ˈnʌgɪt/ *n* pépite *f*; **gold ~** pépite d'or; **a ~ of information** une information précieuse
nuisance /ˈnjuːsns, US ˈnuː-/ *n* 1 (annoyance) désagrément *m*; **the ~ caused by heavy traffic** le désagrément causé par la circulation intense; **the delay/noise was a ~** le retard/le bruit a été très pénible; 2 (annoying person) (child) peste○ *f*; (adult) personne *f* pénible; **children can be little ~s** les enfants sont parfois de véritables pestes; **Mr Jenkins is a real ~** M. Jenkins est vraiment pénible; **~s like him should not be on the committee** des gens aussi pénibles que lui ne devraient pas faire partie du comité; **to be a ~ to sb** [*person*] ennuyer qn; [*action, noise, smell*] gêner qn; **to make a ~ of oneself** embêter tout le monde; 3 (inconvenience) gêne *f*; **to be a ~** être gênant; **to cause a ~ to sb** gêner qn; **it's a ~ that...** c'est ennuyeux que... (+ *subj*); **it's a ~ for me to do** cela me gêne de faire; **it's a ~ doing/having to do** c'est gênant de faire/de devoir faire; **the ~ is that...** l'ennui c'est que...; **what a ~!** que c'est agaçant!; **I'm sorry to be such a ~** excusez-moi de vous déranger tout le temps; **to have a ~ value** servir à embêter○ les gens; 4 Jur nuisance *f*
nuisance call *n* Telecom appel *m* anonyme
nuisance caller *n* Telecom auteur *m* d'appels anonymes
NUJ *n* GB (*abrév* = **National Union of Journalists**) syndicat *m* des journalistes
nuke○ /njuːk, US nuːk/
A *n* 1 (weapon) arme *f* nucléaire *or* atomique; 2 US (plant) centrale *f* nucléaire
B *vtr* US 1 (bomb) détruire [qch] à l'arme atomique; 2 (microwave) passer [qch] aux micro-ondes
null /nʌl/ *adj* 1 Jur [*document, decision*] nul/nulle; **~ and void** nul et non avenu; **to render ~** annuler, invalider; 2 Math nul/nulle
null hypothesis *n* Stat hypothèse *f* nulle
nullification /ˌnʌlɪfɪˈkeɪʃn/ *n* invalidation *f*
nullify /ˈnʌlɪfaɪ/ *vtr* invalider, annuler
nullity /ˈnʌlətɪ/ *n* Jur (of act, contract, marriage) nullité *f*, invalidité *f*
nullity suit *n* demande *f* en nullité de mariage
NUM *n* GB (*abrév* = **National Union of Mineworkers**) syndicat *m* des mineurs
numb /nʌm/
A *adj* 1 [*limb, face*] (due to cold, pressure) engourdi; (due to anaesthetic) insensible; **to go ~** s'engourdir; **~ with cold** engourdi par le froid, gourd; 2 fig [*person*] hébété; **~ with shock** hébété par le choc; **to feel ~** être comme hébété
B *vtr* 1 [*cold*] engourdir; [*anaesthetic*] insensibiliser; **to ~ the pain** endormir la douleur; 2 [*news, shock*] laisser [qn] comme hébété
number /ˈnʌmbə(r)/ ▸ p. 1487
A *n* 1 (figure) nombre *m*; (written) chiffre *m*; **the ~ twelve** le nombre douze; **think of a ~** pensez à un nombre; **a three-figure ~** un nombre à trois chiffres; **odd/even ~** nombre impair/pair; **a list of ~s** une liste de chiffres
2 gen, Telecom (in series) (of bus, house, account, page, passport, telephone) numéro *m*; **to live at ~ 18** habiter au (numéro) 18; **the ~ 7 bus** le bus numéro 7; **to take a car's ~** relever le numéro d'une voiture; **a wrong ~** un faux numéro; **is that a London ~?** est-ce un numéro à Londres?; **there's no reply at that ~** ce numéro ne répond pas; **to be ~ three on the list** être troisième sur la liste; **to be ~ 2 in the charts** être numéro 2 au hit-parade
3 (amount, quantity) nombre *m*, quantité *f*; **a ~ of people/times** un certain nombre de personnes/fois, plusieurs personnes/fois; **for a ~ of reasons** pour plusieurs raisons; **a large ~ of** un grand nombre de; **to come in large ~s** venir nombreux *or* en grand nombre; **to come in such ~s that** venir en si grand nombre que; **large ~s of people** beaucoup de gens; **a small ~ of houses** quelques maisons; **in a small ~ of cases** dans un nombre réduit de cas, dans quelques cas; **on a ~ of occasions** plusieurs fois, un certain nombre de fois; **on a large ~ of occasions** maintes fois, souvent; **a fair ~** un assez grand nombre; **to be due to a ~ of factors** être dû à un ensemble de facteurs; **five people were killed, and a ~ of others were wounded** cinq personnes ont été tuées, et d'autres ont été blessées; **many/few in ~** en grand/petit nombre; **they were sixteen in ~** ils étaient (au nombre de) seize; **in equal ~s** en nombre égal; **any ~ of books** d'innombrables livres; **any ~ of times** maintes fois, très souvent; **any ~ of things could happen** tout peut arriver, il peut se passer beaucoup de choses; **this may be understood in any ~ of ways** cela peut être entendu de plusieurs façons *or* de diverses façons; **beyond** *ou* **without ~** littér innombrables, sans nombre; **times without ~** d'innombrables fois, à maintes reprises
4 (group) **one of our ~** un des nôtres; **three of their ~ were killed** trois d'entre eux *or* trois des leurs ont été tués; **among their ~, two spoke English** parmi eux, deux parlaient anglais
5 (issue) (of magazine, periodical) numéro *m*; **the May ~** le numéro de mai
6 Mus, Theat (act) numéro *m*; (song) chanson *f*; **for my next ~ I would like to sing...** maintenant j'aimerais vous chanter...
7 ○(object of admiration) **a little black ~** (dress) une petite robe noire; **that car is a neat little ~** elle est épatante○ *or* chouette○, cette voiture; **a nice little ~ in Rome** (job) un boulot sympa○ à Rome; **she's a cute little ~** elle est mignonne comme tout
8 Ling nombre *m*; **to agree in ~** s'accorder en nombre
B **numbers** *npl* (in company, school) effectifs *mpl*; (of crowd, army) nombre *m*; **a fall in ~s** une diminution des effectifs; **to estimate their ~s** estimer leur nombre; **to win by force** *or* **weight of ~s** gagner parce que l'on est plus nombreux; **to make up the ~s** faire le compte
C **Numbers** *pr n* Bible (livre *m* des) Nombres *mpl*
D *vtr* 1 (allocate number to) numéroter; **to be ~ed** [*page, house*] être numéroté; **they are ~ed from 1 to 100** ils sont numérotés de 1 à 100
2 (amount to) compter; **the regiment ~ed 1,000 men** le régiment comptait 1 000 hommes
3 (include) compter; **to ~ sb among one's closest friends** compter qn parmi ses amis les plus intimes; **to be ~ed among the great novelists** compter parmi les plus grands romanciers
4 (be limited) **to be ~ed** [*opportunities, options*] être compté; **his days are ~ed** ses jours sont comptés
E *vi* 1 (comprise in number) **a crowd ~ing in the thousands** une foule de plusieurs milliers de personnes; **to ~ among the great musicians** compter parmi les plus grands musiciens
2 = **number off**
(Idioms) **I've got your ~**○**!** je te connais!; **your ~'s up**○**!** ton compte est bon!, tu es fichu○!; **to do sth by the ~s** US *ou* **by ~s** faire qch mécaniquement; **to colour** *ou* **paint by ~s** colorier selon les indications chiffrées (*dans un album de coloriage*); **to play the ~s** *ou* **the ~s game** (lottery) jouer au loto; **to play a ~s game** *ou* **racket** US péj (falsify figures) truquer les chiffres; (embezzle money) détourner des fonds
(Phrasal verb) ■ **number off** gen, Mil se numéroter; **they ~ed off from the right** ils se sont numérotés en commençant par la droite
number: **~-cruncher**○ *n* hum (machine) calculatrice *f*, machine *f* à calculer; **~-crunching**○ *n* hum calcul *m*
numbering /ˈnʌmbərɪŋ/ *n* (action) numérotage *m*; (sequence of numbers) numérotation *f*
numbering machine *n* numéroteur *m*
numberless /ˈnʌmbəlɪs/ *adj* littér innombrable, sans nombre
number one
A *n* 1 ○(oneself) **she only thinks about ~** elle ne pense qu'à sa pomme○ *or* qu'à elle; **to**

Numbers

Cardinal numbers in French

0	zéro*
1	un†
2	deux
3	trois
4	quatre
5	cinq
6	six
7	sept
8	huit
9	neuf
10	dix
11	onze
12	douze
13	treize
14	quatorze
15	quinze
16	seize
17	dix-sept
18	dix-huit
19	dix-neuf
20	vingt
21	vingt et un
22	vingt-deux
30	trente
31	trente et un
32	trente-deux
40	quarante
50	cinquante
60	soixante
70	soixante-dix septante (*in Belgium, Canada, Switzerland etc.*)
71	soixante et onze septante et un (*etc*)
72	soixante-douze
73	soixante-treize
74	soixante-quatorze
75	soixante-quinze
76	soixante-seize
77	soixante-dix-sept
78	soixante-dix-nuit
79	soixante-dix-neuf
80	quatre-vingts‡
81	quatre-vingt-un§
82	quatre-vingt-deux
90	quatre-vingt-dix nonante (*in Belgium, Canada, Switzerland, etc*)
91	quatre-vingt-onze nonante et un
92	quatre-vingt-douze nonante-deux (*etc.*)
99	quatre-vingt-dix-neuf
100	cent
101	cent un†
102	cent deux
110	cent dix
111	cent onze
112	cent douze
187	cent quatre-vingt-sept
200	deux cents
250	deux cent‖ cinquante
300	trois cents
1000‖	mille
1001	mille un†
1002	mille deux
1020	mille vingt
1200	mille** deux cents
2000	deux mille††
10000	dix mille
10200	dix mille deux cents
100000	cent mille
102000	cent deux mille
1000000	un million‡‡
1264932	un million deux cent soixante-quatre mille neuf cent trente-deux
1000000000	un milliard‡‡
1000000000000	un billion‡‡

* *In English* 0 *may be called* nought, zero *or even* nothing*; French is always* zéro*;* a nought = un zéro.

† *Note that* one *is* une *in French when it agrees with a feminine noun, so* un crayon *but* une table, une des tables, vingt et une tables, combien de tables? – il y en a une seule *etc.*

‡ *Also* huitante *in Switzerland. Note that when 80 is used as a page number it has no* s*, e.g.* page eighty = page quatre-vingt.

§ *Note that* vingt *has no* s *when it is in the middle of a number. The only exception to this rule is when* quatre-vingts *is followed by* millions, milliards *or* billions, *e.g.* quatre-vingts millions, quatre-vingts billions *etc.*

¶ *Note that* cent *does not take an* s *when it is in the middle of a number. The only exception to this rule is when it is followed by* millions, milliards *or* billions, *e.g.* trois cents millions, six cents billions *etc. It has a normal plural when it modifies other nouns, e.g.* 200 inhabitants = deux cents habitants.

‖ *Note that figures in French are set out differently; where English would have a comma, French has simply a space. It is also possible in French to use a full stop (period) here, e.g.* 1.000. *French, like English, writes dates without any separation between thousands and hundreds, e.g.* in 1995 = en 1995.

** *When such a figure refers to a date, the spelling* mil *is preferred to* mille, *i.e.* en 1200 = en mil deux cents. *Note however the exceptions: when the year is a round number of thousands, the spelling is always* mille, *so* en l'an mille, en l'an deux mille *etc.*

†† Mille *is invariable; it never takes an* s.

‡‡ *Note that the French words* million, milliard *and* billion *are nouns, and when written out in full they take* de *before another noun, e.g.* a million inhabitants *is* un million d'habitants, a billion euros *is* un billion d'euros. *However, when written in figures,* 1,000,000 inhabitants *is* 1000000 habitants, *but is still spoken as* un million d'habitants. *When* million *etc. is part of a complex number,* de *is not used before the nouns, e.g.* 6,000,210 people = six millions deux cent dix personnes.

Use of *en*

■ *Note the use of* en *in the following examples:*

there are six
= il y en a six

I've got a hundred
= j'en ai cent

■ En *must be used when the thing you are talking about is not expressed (the French says literally* there of them are six, I of them have a hundred *etc.). However,* en *is not needed when the object is specified:*

there are six apples
= il y a six pommes

Approximate numbers

■ *When you want to say* about…, *remember the French ending* -aine*:*

about ten
= une dizaine

about ten books
= une dizaine de livres

about fifteen
= une quinzaine

about fifteen people
= une quinzaine de personnes

about twenty
= une vingtaine

about twenty hours
= une vingtaine d'heures

■ *Similarly* une trentaine, une quarantaine, une cinquantaine, une soixantaine *and* une centaine *(and* une douzaine *means* a dozen*). For other numbers, use* environ *(about):*

about thirty-five
= environ trente-cinq

about thirty-five euros
= environ trente-cinq euros

about four thousand
= environ quatre mille

about four thousand pages
= environ quatre mille pages

■ Environ *can be used with any number:* environ dix, environ quinze *etc. are as good as* une dizaine, une quinzaine *etc.*

■ *Note the use of* centaines *and* milliers *to express approximate quantities:*

hundreds of books
= des centaines de livres

I've got hundreds
= j'en ai des centaines

hundreds and hundreds of fish
= des centaines et des centaines de poissons

I've got thousands
= j'en ai des milliers

thousands of books
= des milliers de livres

thousands and thousands
= des milliers et des milliers

millions and millions
= des millions et des millions

Phrases

numbers up to ten
= les nombres jusqu'à dix

to count up to ten
= compter jusqu'à dix

almost ten
= presque dix

less than ten
= moins de dix

more than ten
= plus de dix

all ten of them
= tous les dix

all ten boys
= les dix garçons

■ *Note the French word order:*

my last ten pounds
= mes dix dernières livres

the next twelve weeks
= les douze prochaines semaines

the other two
= les deux autres

the last four
= les quatre derniers

Calculations in French

	say
10 + 3 = 13	dix et trois font *or* égalent treize
10 − 3 = 7	trois ôté de dix il reste sept *or* dix moins trois égale sept
10 × 3 = 30	dix fois trois égale trente
30 : 3 = 10	(30 ffi 3 = 10) trente divisé par trois égale dix

■ *Note how the French division sign differs from the English.*

5^2	cinq au carré
5^3	cinq puissance trois
5^4	cinq puissance quatre
5^{100}	cinq puissance cent
5^n	cinq puissance n
$\sqrt{12}$	racine carrée de douze
$\sqrt{25} = 5$	racine carrée de vingt-cinq égale cinq
B ⇢ A	B est plus grand que A
A ⇠ B	A est plus petit que B

Decimals in French

■ *Note that French uses a comma where English has a decimal point.*

	say
0,25	zéro virgule vingt-cinq
0,05	zéro virgule zéro cinq
0,75	zéro virgule soixante-quinze
3,45	trois virgule quarante-cinq
8,195	huit virgule cent quatre-vingt-quinze
9,1567	neuf virgule quinze cent soixante-sept *or* neuf virgule mille cinq cent soixante-sept
9,3456	neuf virgule trois mille quatre cent cinquante-six

☛ See next page

Numbers *continued*

Percentages in French

	say
25%	vingt-cinq pour cent
50%	cinquante pour cent
100%	cent pour cent
200%	deux cents pour cent
365%	troix cent soixante-cinq pour cent
4,25%	quatre virgule vingt-cinq pour cent

Fractions in French

	say
1/2	un demi*
1/3	un tiers
1/4	un quart
1/5	un cinquième
1/6	un sixième
1/7	un septième
1/8	un huitième
1/9	un neuvième
1/10	un dixième
1/11	un onzième
1/12	un douzième (*etc.*)
2/3	deux tiers†
2/5	deux cinquièmes
2/10	deux dixièmes (*etc.*)
3/4	trois quarts
3/5	trois cinquièmes
3/10	trois dixièmes (*etc.*)
1 1/2	un et demi
1 1/3	un (et) un tiers
1 1/4	un et quart
1 1/5	un (et) un cinquième
1 1/6	un (et) un sixième
1 1/7	un (et) un septième (*etc.*)
5 2/3	cinq (et) deux tiers
5 3/4	cinq (et) trois quarts
5 4/5	cinq (et) quatre cinquièmes

45/100ths of a second
= quarante-cinq centièmes de seconde

Ordinal numbers in French§

1st	1er‡	premier (*feminine* première)
2nd	2^e	second or deuxième
3rd	3^e	troisième
4th	4^e	quatrième
5th	5^e	cinquième
6th	6^e	sixième
7th	7^e	septième
8th	8^e	huitième
9th	9^e	neuvième
10th	10^e	dixième
11th	11^e	onzième
12th	12^e	douzième
13th	13^e	treizième
14th	14^e	quatorzième
15th	15^e	quinzième
16th	16^e	seizième
17th	17^e	dix-septième
18th	18^e	dix-huitième
19th	19^e	dix-neuvième
20th	20^e	vingtième
21st	21^e	vingt et unième
22nd	22^e	vingt-deuxième
23rd	23^e	vingt-troisième
24th	24^e	vingt-quatrième
25th	25^e	vingt-cinquième
30th	30^e	trentième
31st	31^e	trente et unième
40th	40^e	quarantième
50th	50^e	cinquantième
60th	60^e	soixantième
70th	70^e	soixante-dixième septantième (*in Belgium, Canada, Switzerland etc.*)
71st	71^e	soixante et onzième septante et unième (*etc.*)
72nd	72^e	soixante-douzième
73rd	73^e	soixante-treizième
74th	74^e	soixante-quatorzième
75th	75^e	soixante-quinzième
76th	76^e	soixante-seizième
77th	77^e	soixante-dix-septième
78th	78^e	soixante-dix-huitième
79th	79^e	soixante-dix-neuvième
80th	80^e	quatre-vingtième¶
81st	81^e	quatre-vingt-unième
90th	90^e	quatre-vingt-dixième nonantième (*in Belgium, Canada, Switzerland etc.*)
91st	91^e	quatre-vingt-onzième nonante et unième (*etc.*)
99th	99^e	quatre-vingt-dix-neuvième
100th	100^e	centième
101st	101^e	cent et unième
102nd	102^e	cent-deuxième
196th	196^e	cent quatre-vingt-seizième
200th	200^e	deux centième
300th	300^e	trois centième
400th	400^e	quatre centième
1,000th	1000^e	millième
2,000th	2000^e	deux millième
1,000,000th	1000000^e	millionième

■ *Like English, French makes nouns by adding the definite article:*

the first
= le premier (*or* la première,
or les premiers *mpl*
or les premières *fpl*)

the second
= le second
(*or* la seconde *etc.*)

the first three
= les trois premiers
or les trois premières

■ *Note the French word order in:*

the third richest country in the world
= le troisième pays le plus riche du monde

* *Note that* half, *when not a fraction, is translated by the noun* moitié *or the adjective* demi; *see the dictionary entry.*

† *Note the use of* les *and* d'entre *when these fractions are used about a group of people or things:* two-thirds of them = les deux tiers d'entre eux.

‡ *This is the masculine form; the feminine is* 1re *and the plural* 1ers *(m) or* 1res *(f).*

§ *All the ordinal numbers in French behave like ordinary adjectives and take normal plural endings where appropriate.*

¶ *Also* huitantième *in Switzerland.*

look after *ou* **look out for** *ou* **take care of ~** penser avant tout à son propre intérêt; 2▸ (most important) numéro un *m* (**in** de); **to be the world ~** Sport être le numéro un mondial; **their record is (at) ~** leur disque est numéro un; 3▸ ○euph, lang enfantin **to do ~** (urinate) faire pipi○, faire la petite commission○
B *modif* [*player, expert*] premier/-ière; [*problem, enemy, priority*] numéro un; **the world's ~ tennis player** le numéro un mondial du tennis; **rule ~ is to keep calm** il faut rester calme avant toute chose

number: **~plate** *n* GB plaque *f* minéralogique *or* d'immatriculation; **Number Ten** *n* GB Pol 10 Downing Street (*résidence officielle du premier ministre britannique*)

number two *n* 1▸ (second-in-command) gen, Pol numéro deux *m*; **the party ~** le numéro deux du parti; **to be sb's ~** être le second de qn; 2▸ ○euph (lang enfantin) **to do ~** faire caca○, faire la grosse commission○

numbly /ˈnʌmlɪ/ *adv* [*say, look*] avec un air hébété

numbness /ˈnʌmnɪs/ *n* (physical) engourdissement *m*; (emotional, mental) torpeur *f*

numbskull○ /ˈnʌmskʌl/ *n* nigaud/-e *m/f*, gourde○ *f*

numerable /ˈnjuːmərəbl/ *adj* dénombrable

numeracy /ˈnjuːmərəsɪ, US ˈnuː-/ *n* aptitude *f* au calcul; **to improve pupils' standards of ~** améliorer le niveau des élèves en calcul

numeracy hour *n* GB Scol heure *f* de calcul

numeral /ˈnjuːmərəl, US ˈnuː-/
A *n* chiffre *m*, nombre *m*; **Roman/Arabic ~s** chiffres romains/arabes
B *adj* numéral

numerate /ˈnjuːmərət, US ˈnuː-/ *adj* sachant compter; **to be ~** savoir compter; **~ degree**, **degree in a ~ subject** ≈ licence *f* scientifique

numeration /ˌnjuːməˈreɪʃn, US ˈnuː-/ *n* numération *f*

numerator /ˈnjuːməreɪtə(r), US ˈnuː-/ *n* (of fraction) numérateur *m*

numerical /njuːˈmerɪkl, US ˈnuː-/ *adj* numérique; **in ~ order** dans l'ordre numérique

numerical: **~ code** *n* = **numeric code**; **~ control**, **NC** *n* Ind commande *f* numérique

numerically /njuːˈmerɪklɪ, US nuː-/ *adv* numériquement; **we were ~ superior to them** nous leur étions supérieurs en nombre

numeric code *n* Math, Comput code *m or* indicatif *m* numérique

numerous /ˈnjuːmərəs, US ˈnuː-/ *adj* nombreux/-euse; **on ~ occasions** souvent, maintes fois, en de nombreuses occasions

numinous /ˈnjuːmɪnəs, US ˈnuː-/ *adj* (holy) sacré; (mysterious) mystérieux/-ieuse

numismatics /ˌnjuːmɪzˈmætɪks, US ˌnuː-/ *n* (+ *v sg*) numismatique *f*

numismatist /njuːˈmɪzmətɪst, US nuː-/ ▸ **p. 1683** *n* numismate *mf*

numskull○ *n* US = **numbskull**

nun /nʌn/ *n* religieuse *f*, bonne sœur *f*; **to become a ~** entrer au couvent, prendre le voile

nunciature /ˈnʌnʃətjʊə(r)/ *n* nonciature *f*

nuncio /ˈnʌnʃɪəʊ/ *n* (*pl* **-cios**) nonce *m*

nunnery‡ /ˈnʌnərɪ/ *n* couvent *m*

NUPE *n* GB (*abrév* = **National Union of Public Employees**) syndicat *m* des employés municipaux

nuptial /ˈnʌpʃl/ *adj* littér *ou* hum nuptial

nuptials /ˈnʌpʃlz/ *npl* littér *ou* hum cérémonie *f* nuptiale, noces *fpl*

NUR *n* GB (*abrév* = **National Union of Railwaymen**) syndicat *m* des cheminots

nurd○ *n* = **nerd**

nurse /nɜːs/ ▸ **p. 1683**
A *n* 1▸ Med infirmier/-ière *m/f*; **male ~** infirmier *m*; **school ~** infirmier/-ière scolaire; 2▸ = **nursemaid**
B *vtr* 1▸ Med soigner [*person, cold*]; **to ~ sb through an illness** soigner qn pendant sa maladie; **to ~ sb back to health** soigner qn

n

jusqu'à sa guérison; **to ~ one's pride** s'apitoyer sur son sort; **2** (clasp) serrer [*object*]; **to ~ a baby in one's arms** bercer un bébé dans ses bras; **to ~ one's drink** faire durer sa boisson; **3** (suckle) nourrir, allaiter [*baby*]; **4** (nurture) soigner [*project, young company, constituency*]; **the economy needs nursing** l'économie a besoin d'être gérée avec prudence; **5** (foster) entretenir, nourrir [*grievance, hatred, hope, dream*]
C *vi* **1** (be a nurse) être infirmier/-ière; **2** (feed) [*baby*] têter

nurseling *n* = **nursling**

nurse: **~maid** *n* nurse *f*, bonne *f* d'enfants; **~ practitioner** ▸ **p. 1683** *n* US infirmier/-ière *m/f* diplômé/-e d'État (spécialisé/-e)

nursery /ˈnɜːsərɪ/ *n* **1** (*also* **day ~**) gen crèche *f*; (in hotel, shop) garderie *f*; **2** (room) nursery *f*, chambre *f* d'enfants; **3** Hort pépinière *f*; **4** fig (cradle) pépinière *f*

nursery: **~ education** *n* éducation *f* maternelle; **~man** ▸ **p. 1683** *n* pépiniériste *m*; **~ nurse** ▸ **p. 1683** *n* puériculteur/-trice *m/f*; **~ rhyme** *n* comptine *f*; **~ school** *n* école *f* maternelle; **~ slope** *n* GB piste *f* pour débutants; **~ (school) teacher** ▸ **p. 1683** *n* instituteur/-trice *m/f* d'école maternelle

nurse's aide ▸ **p. 1683** *n* US aide-soignant/-e *m/f*

nursing /ˈnɜːsɪŋ/ ▸ **p. 1683**
A *n* **1** (profession) profession *f* d'infirmier/-ière; **to enter** *ou* **go into ~** devenir infirmier/-ière; **2** (care) soins *mpl*; **round-the-clock ~** soins 24 heures sur 24; **3** (breast-feeding) allaitement *m*
B *adj* **1** [*mother*] qui allaite; **2** Med [*staff*] infirmier/-ière; [*methods, practice*] de soins

nursing: **~ auxiliary** *n* GB aide-soignant/-e *m/f*; **~ bra** *n* soutien-gorge *m* d'allaitement

nursing home *n* **1** (old people's) maison *f* de retraite; (convalescent) maison *f* de repos; **2** GB (small private hospital) clinique *f*; (maternity) clinique *f* obstétrique

nursing: **~ orderly** ▸ **p. 1683** *n* auxiliaire *mf* médical/-e; **~ school** *n* école *f* d'infirmières; **~ sister** *n* GB infirmière *f* chef

nursling /ˈnɜːslɪŋ/ *n* nourrisson *m*

nurture /ˈnɜːtʃə(r)/
A *n* ₵ soins *mpl*
B *vtr* **1** lit élever [*child*]; soigner, entretenir [*plant*]; **2** fig nourrir [*hope, feeling, talent*]; veiller au développement de [*project*]
(Idiom) **the nature ~ debate** la question de l'inné et de l'acquis

NUS *n* GB (*abrév* = **National Union of Students**) syndicat *m* des étudiants

nut /nʌt/
A *n* **1** Culin (walnut) noix *f*; (hazelnut) noisette *f*; (almond) amande *f*; (peanut) cacahuète *f*; **2** Tech écrou *m*; **3** °(mad person) cinglé/-e° *m/f*, fou/folle *m/f*; **4** °(enthusiast) dingue° *mf*; **a cycling/health food ~** un dingue° du vélo/de la diététique; **5** °(head) caboche° *f*, tête *f*; **use your ~!** fais travailler tes méninges°!, réfléchis donc un peu!; **6** Mus (on bow) chevalet *m*; (on string instrument) sillet *m*; **7** (in climbing) coinceur *m*
B ●**nuts** *npl* (testicles) couilles● *fpl*, testicules *mpl*
C °**nuts** *adj* **1** (crazy) (*jamais épith*) cinglé°, fou/folle; **2** °(enthusiastic) **to be ~s about sb/sth** être fou/folle de qn/qch
D °*excl* zut°!
E °*vtr* GB (*p prés etc* **-tt-**) flanquer un coup de boule à° [*person*]
(Idioms) **~s to you!**° rien à foutre●!; **I can't draw/cook for ~s** GB je dessine/cuisine comme un pied°; **he's a hard** *ou* **tough ~ to crack** il est dur à convaincre; **to be off one's ~** être complètement cinglé°; **to do one's ~** piquer une crise°; **the ~s and bolts** les détails pratiques (**of** de)

NUT *n* GB (*abrév* = **National Union of Teachers**) syndicat *m* des enseignants

nut-brown /ˈnʌtbraʊn/ ▸ **p. 1067** *adj* [*hair*] châtain *inv*; [*skin*] mat; [*eyes*] noisette *inv*

nut: **~ burger** *n* steak *m* végétarien (*à base de noisettes*); **~case**° *n* cinglé/-e° *m/f*; **~crackers** *npl* casse-noisettes *m inv*; **~ cutlet** *n* côtelette *f* végétarienne (*à base de noisettes*); **~hatch** *n* Zool sittelle *f*

nuthouse° /ˈnʌthaʊs/ *n* maison *f* de fous°, asile *m* (d'aliénés); **he's in the ~** il est chez les fous° *or* à l'asile

nutmeg /ˈnʌtmeg/ *n* **1** (tree) muscadier *m*; **2** (fruit) noix *f* de muscade

nutmeg-grater *n* Culin râpe *f* à muscade

nutraceutical /ˌnjuːtrəˈsjuːtɪkl, US -ˈsuː-/ *n* alicament *m*

nutria /ˈnjuːtrɪə, US ˈnuː-/ *n* Zool, Fashn ragondin *m*

nutrient /ˈnjuːtrɪənt, US ˈnuː-/
A *n* substance *f* nutritive, élément *m* nutritif
B *adj* nutritif

nutriment /ˈnjuːtrɪmənt, US ˈnuː-/ *n* aliments *mpl*, nourriture *f*

nutrition /njuːˈtrɪʃn, US nuː-/ *n* **1** (act, process) nutrition *f*, alimentation *f*; **2** (science) diététique *f*

nutritional /njuːˈtrɪʃənl, US nuː-/ *adj* **1** (good for you) nutritif/-ive; **~ value** valeur *f* nutritive; **2** [*composition, information*] nutritionnel/-elle

nutritionist /njuːˈtrɪʃənɪst, US nuː-/ *n* nutritionniste *mf*

nutritious /njuːˈtrɪʃəs, US nuː-/ *adj* nourrissant, nutritif/-ive

nutritive *adj* = **nutritious**

nut roast *n* Culin gratin *m* à base de noix et de légumes

nuts-and-bolts *adj* (*épith*) pratique

nutshell /ˈnʌtʃel/ *n* **1** lit coquille *f* de noix *ou* noisette; **2** fig **in a ~** en un mot; **to put sth in a ~** résumer qch en un mot

nutter° /ˈnʌtə(r)/ *n* GB dingue° *mf*; **to be a ~** être dingue°

nutty /ˈnʌtɪ/ *adj* **1** (containing hazelnuts) [*cake, chocolate*] aux noisettes; [*taste*] de noisettes; **2** °(mad) [*person*] cinglé/-e°; [*idea, plan*] fou/folle

nutty slack *n* charbonnaille *f*

nuzzle /ˈnʌzl/
A *vtr* [*horse, dog, person*] frotter son nez contre; [*pig*] fouiller avec le groin, fouiner
B *vi* = **nuzzle up**
(Phrasal verb) ■ **nuzzle up: to ~ up against** *ou* **to sb** se blottir contre qn

NV US Post *abrév écrite* = **Nevada**

NVQ *n* GB (*abrév* = **National Vocational Qualification**) qualification *f* nationale professionnelle (*obtenue par formation continue ou initiale*)

NW ▸ **p. 1552** *n* (*abrév* = **northwest**) NW *m*

NY US *abrév écrite* = **New York**

Nyasaland /naɪˈæsəlænd/ *pr n* Hist Nyassaland *m*

NYC US *abrév écrite* = **New York City**

nylon /ˈnaɪlɒn/
A *n* nylon® *m*
B *modif* [*article*] de *or* en nylon®

nylons /ˈnaɪlɒnz/ *npl* bas *mpl* nylon

nymph /nɪmf/ *n* Mythol, Zool nymphe *f*

nymphet /nɪmˈfet/ *n* hum nymphette *f*

nympho° /ˈnɪmfəʊ/ *n* péj nympho° *f*, nymphomane *f*

nymphomania /ˌnɪmfəˈmeɪnɪə/ *n* nymphomanie *f*

nymphomaniac /ˌnɪmfəˈmeɪnɪæk/ *n, adj* péj nymphomane (*f*)

N Yorkshire *n* GB Post *abrév écrite* ▸ **North Yorkshire**

NYSE US (*abrév écrite* = **New York Stock Exchange**) Bourse *f* de New York

NZ *abrév écrite* = **New Zealand**

n

Oo

o, **O** /əʊ/
A *n* **1▸** (letter) o, O *m*; **2▸** **O** (spoken number) zéro
B **O** *excl* littér Ô
o' /ə/ *prep* (*abrév* = **of**) de
oaf /əʊf/ *n* (clumsy) balourd/-e *m/f*; (loutish) mufle *m*
oafish /ˈəʊfɪʃ/ *adj* [*person*] mufle; [*behaviour*] de mufle
oak /əʊk/
A *n* chêne *m*; **light/dark ~** chêne clair/foncé
B *modif* [*table*] en chêne; [*finish*] imitation chêne *inv*
(Idiom) **big** *or* **great ~s from little acorns grow** Prov les petits ruisseaux font les grandes rivières Prov
oak apple *n* noix *f* de galle, galle *f* du chêne
oaken /ˈəʊkən/ *adj* littér en chêne
oakleaf lettuce *n* feuille *f* de chêne
oakum /ˈəʊkəm/ *n* étoupe *f*; **to pick ~** faire de l'étoupe
OAP *n* GB **1▸** (*abrév* = **old age pensioner**) retraité/-e *m/f*; **2▸** (*abrév* = **old age pension**) retraite *f* de la Sécurité Sociale
oar /ɔː(r)/ *n* **1▸** rame *f*, aviron *m*; **2▸** (person) rameur/-euse *m/f*, nageur/-euse *m/f*
(Idiom) **to put** *ou* **shove** *ou* **stick one's ~ in**° mettre son grain de sel°
oar: **~lock** *n* US dame *f* de nage, tolet *m*; **~sman** *n* rameur *m*, nageur *m*; **~swoman** *n* rameuse *f*, nageuse *f*
OAS *n* US (*abrév* = **Organization of American States**) Organisation *f* des États américains
oasis /əʊˈeɪsɪs/ *n* (*pl* **oases**) **1▸** (in desert) oasis *f*; **2▸** fig (of civilization) oasis *f*; (of peace) havre *m*
oast /əʊst/ *n* four *m* à houblon
oasthouse /ˈəʊsthaʊs/ *n* sécherie *f* à houblon
oat /əʊt/
A *n* (plant) avoine *f*; **~s** avoine *f*
B *modif* [*biscuit, crop*] d'avoine
(Idioms) **to be off one's ~s**° manquer d'appétit; **to feel one's ~s**° (feel exuberant) être en pleine forme; (be self-important) faire l'important; **to be getting/not getting one's ~**° ne pas être privé/être privé sexuellement; **to sow one's wild ~s** jeter sa gourme
oatcake /ˈəʊtkeɪk/ *n* galette *f* d'avoine
oath /əʊθ/ *n* **1▸** Jur serment *m*; **under ~, on ~** GB sous serment; **to take the ~, to swear an ~** prêter serment (**to do** de faire; **that** que); **to administer the ~ to sb, to put sb under ~** faire prêter serment à qn; **she swore on** *ou* **under ~** elle a juré sous la foi du serment; **I'll take my ~ on it** j'en jurerais; **~ of office** serment; **~ of allegiance** serment d'allégeance; **2▸** (swearword) juron *m*; **a stream** *ou* **torrent of ~s** un torrent de jurons; **to let out an ~** lâcher un juron
oatmeal /ˈəʊtmiːl/
A *n* ₵ **1▸** (cereal) farine *f* d'avoine; **2▸** US (porridge) bouillie *f* d'avoine, porridge *m*; **3▸** (colour) beige *m*, grège *m*
B ▸ **p. 1067** *adj* [*fabric, garment*] beige, grège
OAU *n* Hist (*abrév* = **Organization of African Unity**) OUA *f*
Obadiah /ˌəʊbəˈdaɪə/ *pr n* Abdias
obbligato /ˌɒblɪˈgɑːtəʊ/
A *n* partie *f* obligée; **with piano ~** avec piano obligé
B *adj* obligé
obduracy /ˈɒbdjʊrəsɪ, US -dər-/ *n* **1▸** (stubborness) obstination *f*, entêtement *m*; **2▸** (hardheartedness) dureté *f* de cœur
obdurate /ˈɒbdjʊrət, US -dər-/ *adj* **1▸** (stubborn) obstiné, entêté; **2▸** (hardhearted) endurci
OBE *n* GB (*abrév* = **Officer of the Order of the British Empire**) officier *m* de l'ordre de l'empire britannique
obedience /əˈbiːdɪəns/ *n* **1▸** (to person, rite, law) obéissance *f*, soumission *f* (**to** à); **in ~ to** conformément à [*wish, order*]; **to show ~ to** obéir à; **to owe ~ to** devoir obéissance à; **2▸** Relig obédience *f* (**to** à)
obedient /əˈbiːdɪənt/ *adj* [*child, dog*] obéissant; **to be ~ to** obéir à; **your ~ servant** (in letters) votre très obéissant serviteur
obediently /əˈbiːdɪəntlɪ/ *adv* docilement, avec obéissance
obeisance /əʊˈbeɪsns/ *n* sout **1▸** (homage) hommage *m*; **2▸** (bow) révérence *f*
obelisk /ˈɒbəlɪsk/ *n* **1▸** Archit obélisque *m*; **2▸** Print croix *f*
obese /əʊˈbiːs/ *adj* obèse
obesity /əʊˈbiːsətɪ/ *n* obésité *f*
obey /əˈbeɪ/
A *vtr* obéir à [*person, order, conscience*]; obéir à, se conformer à [*law*]; observer, se conformer à [*instructions*]; obéir à, suivre [*instinct*]; Jur obtempérer à [*summons, order*]
B *vi* obéir
obfuscate /ˈɒbfəskeɪt/ *vtr* sout obscurcir [*issue, mind*]
obit° /ˈɒbɪt, ˈəʊbɪt/ *n* = **obituary**
obiter dicta /ˌɒbɪtə ˈdɪktə/ *npl* Jur opinions *fpl* incidentes
obituary /əˈbɪtʃʊərɪ, US -tʃʊerɪ/
A *n* (*also* **~ notice**) notice *f* nécrologique, nécrologie *f*
B *modif* [*column, page*] nécrologique
object
A /ˈɒbdʒɪkt/ *n* **1▸** (item) objet *m*; **everyday ~s** les objets de tous les jours; **2▸** (goal) but *m* (**of** de); **his ~ was to do** son but était de faire; **the ~ of the exercise** le but de l'exercice; **with the ~ of doing** dans le but de faire; **3▸** (focus) **to be the ~ of** être l'objet de; **to become the sole ~ of sb's affections** devenir l'unique objet de l'affection de qn; **4▸** Ling complément *m* d'objet; **direct/indirect ~** complément d'objet direct/indirect; **5▸** Philos objet *m*
B /əbˈdʒekt/ *vtr* **to ~ that** objecter que; **'it's unfair,' she ~ed** 'c'est injuste,' a-t-elle objecté
C /əbˈdʒekt/ *vi* soulever des objections; **if people ~** si les gens s'y opposent; **the neighbours started to ~** les voisins ont commencé à se plaindre; **'I ~!'** 'je proteste!'; **if you don't ~** si vous n'y voyez pas d'objection; **I won't do it if you ~** je ne le ferai pas si vous y voyez une objection; **would you ~ if...?** cela vous ennuie-t-il que...? (+ *subj*); **they didn't ~ when...** ils n'ont soulevé aucune objection quand...; **to ~ to** s'opposer à [*plan, action, law, attitude*]; se plaindre de [*noise, dirt, delay*]; être contre [*leader, candidate*]; récuser [*witness, juror*]; **to ~ strongly to** s'opposer catégoriquement à; **to ~ to sb as president** être contre qn comme président; **to ~ to sb on grounds of sex/age** objecter à qn son sexe/âge; **to ~ to sb('s) doing** s'opposer à ce que qn fasse; **do you ~ to my** *ou* **me smoking?** est-ce que cela t'ennuie que je fume?; **to ~ to doing** se refuser à faire; **I don't ~ to signing but...** je veux bien signer mais...
(Idiom) **money is no ~** l'argent n'est pas un problème
object clause *n* proposition *f* complétive
objectify /əbˈdʒektɪfaɪ/ *vtr* objectiver
objection /əbˈdʒekʃn/ *n* **1▸** gen objection *f* (**to** à; **from** de la part de); **are there any ~s?** y a-t-il des objections? **if you have no ~(s)** si vous n'y voyez pas d'inconvénient; **I've no ~(s)** je n'y vois pas d'inconvénient; **I can't see any ~** je ne vois aucune objection (**to doing** à faire); **the main ~ was to tax increases** l'objection principale concernait l'augmentation des impôts; **to have an ~ to sb** avoir quelque chose contre qn; **to have an ~ to doing** avoir une objection à faire; **have you some ~ to washing up?** iron aurais-tu une objection à faire la vaisselle? iron; **have you any ~ to people taking photos?** est-ce que cela vous dérange que les gens prennent des photos? **I've no ~ to them coming** cela ne me dérange pas qu'ils viennent; **the ~ that** l'objection selon laquelle; **2▸** Jur **to make ~ to** marquer son opposition à [*argument, statement*]; **~!** objection! (*formule employée par un avocat pour marquer son opposition à une affirmation de la partie adverse*); **~ sustained/overruled** objection retenue/rejetée
objectionable /əbˈdʒekʃənəbl/ *adj* [*remark, allegation*] désobligeant; [*views, behaviour, habit, language*] choquant; [*law, system*] inacceptable; [*person*] insupportable; **there's nothing ~ about him** il n'y a pas d'objection spéciale à son sujet
objective /əbˈdʒektɪv/
A *n* **1▸** gen, Med, Mil, Phot objectif *m*; **to do sth with the ~ of doing** faire qch dans le but de faire; **foreign policy ~s** objectifs *mpl or* visées *fpl* de la politique étrangère; **2▸** Ling accusatif *m*
B *adj* **1▸** (unbiased) objectif/-ive, impartial (**about** en ce qui concerne); **2▸** Philos objectif/-ive; **3▸** Ling accusatif/-ive
objective: **~ case** *n* Ling accusatif *m*, cas *m* régime; **~ complement** *n* Ling complément *m* d'objet direct
objectively /əbˈdʒektɪvlɪ/ *adv* **1▸** (fairly) objectivement, avec impartialité; **2▸** Ling, Philos objectivement
objectivism /əbˈdʒektɪvɪzəm/ *n* objectivisme *m*
objectivity /ˌɒbdʒekˈtɪvətɪ/ *n* objectivité *f*, impartialité *f*
object language *n* langage *m* objet
object lesson *n* démonstration *f* (**in** de); **an ~ in doing** *ou* **in how to do** une démonstration sur la façon de faire
objector /əbˈdʒektə(r)/ *n* opposant/-e *m/f*

object-oriented database *n* Comput base *f* de données orientée objet

objet d'art /ˌɒbʒeɪ ˈdɑː/ *n* objet *m* d'art

oblate /ˈɒbleɪt/
A *n* Relig oblat *m*
B *adj* Math aplati aux pôles

oblation /əʊˈbleɪʃn/ *n* Relig (offering) oblat *m*; (act) oblation *f*

obligate /ˈɒblɪgeɪt/ *vtr* contraindre (**to do** à faire)

obligation /ˌɒblɪˈgeɪʃn/ *n* **1** (duty) devoir *m* (**towards, to** envers); **family/moral ~s** devoirs familiaux/moraux; **to have an ~ to do** avoir le devoir de faire; **to be under (an) ~ to do** être obligé de faire; **to fulfil one's ~s** faire son devoir; **out of a sense of ~** par sens du devoir; **2** (commitment) (contractual) obligation *f* (**to** envers; **to do** de faire); (personal) engagement *m* (**to** envers); **without ~** Comm sans engagement; **there is no ~ to pay** vous n'êtes pas obligé de payer; **'no ~ to buy'** Comm 'sans obligation d'achat'; **to discharge** *ou* **fulfil one's ~s** remplir ses engagements; **he failed to meet his ~s** il a manqué à ses engagements; **to place sb under (an) ~ to do** mettre qn dans l'obligation de faire; **to be under ~ to do** être obligé de faire; **3** (debt) (financial) dette *f*; (of gratitude) dette *f* de reconnaissance; **to meet one's ~s** honorer ses dettes; **to repay an ~** s'acquitter d'une dette de reconnaissance; **to be under ~ to sb for sth** être redevable à qn de qch

obligatory /əˈblɪgətrɪ, US -tɔːrɪ/ *adj* **1** (compulsory) obligatoire (**to do** de faire); **to make it ~ for sb to do sth** obliger qn à faire qch; **2** (customary) de rigueur

oblige /əˈblaɪdʒ/ *vtr* **1** (compel) [*contract, event, law, person*] obliger (**to do** à faire); **to be/feel ~d to do** être/se sentir obligé de faire; **don't feel ~d to pay** ne vous croyez pas obligé de payer; **2** (be helpful) rendre service à [*person*]; **to ~ sb by doing** rendre service à qn en faisant; **could you ~ me with a lift?** auriez-vous l'amabilité de me déposer?; **anything to ~!** à votre service!; **3** (be grateful) **to be ~d to sb** être reconnaissant à qn (**for** de; **for doing** d'avoir fait); **I would be ~d if you'd stop smoking** je vous saurais gré de ne pas fumer; **much ~d!** merci beaucoup!

obliging /əˈblaɪdʒɪŋ/ *adj* [*manner, person*] serviable; **it is ~ of them** c'est aimable de leur part (**to do** de faire)

obligingly /əˈblaɪdʒɪŋlɪ/ *adv* aimablement

oblique /əˈbliːk/
A *n* Print oblique *f*
B *adj* **1** lit [*line, stroke, look*] oblique; **2** fig [*reference, compliment, method*] indirect; **3** Ling oblique

oblique angle *n* angle *m* qui n'est pas droit

obliquely /əˈbliːklɪ/ *adj* **1** lit [*placed, drawn*] obliquement, de biais; **2** fig [*answer, refer*] indirectement

obliqueness /əˈbliːknɪs/ *n* **1** (of line, look) obliquité *f*; **2** (of reference) indirect *m*

obliterate /əˈblɪtəreɪt/ *vtr* **1** (rub out, remove) effacer [*trace, print, word*]; **the village was completely ~d** le village a été rayé de la carte; **2** (cover) masquer [*sun, view*]; **3** (erase from mind) effacer [*memory*]; **4** (cancel) oblitérer [*stamp*]

obliteration /əˌblɪtəˈreɪʃn/ *n* **1** (of mark, memory, impression) effacement *m*; **2** (of city) destruction *f* totale

oblivion /əˈblɪvɪən/ *n* **1** (being forgotten) oubli *m*; (being as yet unknown) obscurité *f*; **to rescue sb/sth from ~** sauver qn/qch de l'oubli; **to sink into ~** tomber dans l'oubli; **2** (unconsciousness, nothingness) néant *m*; **to drink oneself into ~** boire jusqu'à sombrer dans le néant; **to long for ~** (death) aspirer au néant; (sleep, drug-induced) aspirer à un état d'inconscience

oblivious /əˈblɪvɪəs/ *adj* **1** (unaware) inconscient; **to be ~ of** *ou* **to** ne pas être conscient de [*surroundings, presence, risk, implications*]; **2** (forgetful) oublieux/-ieuse

oblong /ˈɒblɒŋ, US -lɔːŋ/
A *n* rectangle *m*
B *adj* [*table, building*] oblong/-ongue, rectangulaire

obloquy /ˈɒbləkwɪ/ *n* opprobre *m*

obnoxious /əbˈnɒkʃəs/ *adj* [*person, behaviour*] odieux/-ieuse, exécrable; [*smell*] nauséabond

obnoxiously /əbˈnɒkʃəslɪ/ *adv* odieusement

oboe /ˈəʊbəʊ/ ▸ **p. 1462** *n* hautbois *m*

oboist /ˈəʊbəʊɪst/ ▸ **p. 1683, p. 1462** *n* hautboïste *mf*

obscene /əbˈsiːn/ *adj* **1** [*film, publication, remark*] obscène; **2** fig [*wealth*] indécent; [*war*] monstrueux/-euse

obscenely /əbˈsiːnlɪ/ *adv* [*leer, suggest*] de manière obscène; **to be ~ rich** être tellement riche que c'en est indécent

obscenity /əbˈsenətɪ/ *n* **1** (obscene remark) obscénité *f*; **~ laws** Jur lois *fpl* sur l'obscénité; **2** (obscene nature) caractère *m* obscène, obscénité *f*; **the ~ of war** le scandale de la guerre

obscurantism /ˌɒbskjʊəˈræntɪzəm/ *n* obscurantisme *m*

obscurantist /ˌɒbskjʊəˈræntɪst/ *n, adj* obscurantiste (*mf*)

obscure /əbˈskjʊə(r)/
A *adj* **1** (hard to understand) [*meaning, theory, motive, origin*] obscur; **2** (little-known) [*book, writer*] obscur, inconnu; [*village*] inconnu; [*life*] obscur; **3** (indistinct) [*shape, memory*] indistinct; [*feeling*] vague
B *vtr* **1** (conceal) obscurcir [*truth, meaning*]; **to ~ the issue** embrouiller la question; **2** (cover) cacher [*moon, view*]; **3** (darken) obscurcir, assombrir

obscurely /əbˈskjʊəlɪ/ *adv* obscurément

obscurity /əbˈskjʊərətɪ/ *n* **1** (of argument, reference, origin, life) obscurité *f*; **to fall back into ~** retourner dans l'ombre; **2** (of shape) caractère *m* indistinct; **3** littér (darkness) obscurité *f*, ténèbres *fpl* liter

obsequies /ˈɒbsɪkwɪz/ *npl* sout obsèques *fpl*, funérailles *fpl*

obsequious /əbˈsiːkwɪəs/ *adj* obséquieux/-ieuse, servile (**to, towards** devant)

obsequiously /əbˈsiːkwɪəslɪ/ *adv* obséquieusement, servilement

obsequiousness /əbˈsiːkwɪəsnɪs/ *n* obséquiosité *f*, servilité *f*

observable /əbˈzɜːvəbl/ *adj* **1** (discernible) observable; **2** (noteworthy) notable

observably /əbˈzɜːvəblɪ/ *adv* [*move, react*] de façon notable; [*change, improve*] notablement; [*larger, smaller*] nettement

observance /əbˈzɜːvəns/ *n* **1** (of law, rule, right, code) respect *m* (**of** de); (of sabbath, religious festival) observance *f* (**of** de); (of anniversary) célébration *f* (**of** de); **2** (religious rite, ceremony) observance *f*; **religious ~s** observances religieuses

observant /əbˈzɜːvənt/ *adj* **1** [*person, eye, mind, reporter*] observateur/-trice; **2** (of law) respectueux/-euse (**of** de)

observation /ˌɒbzəˈveɪʃn/ *n* **1** gen, Sci, Med observation *f* (**of** de); **to be under ~** (in hospital) être en observation; **to keep sb/sth under ~** gen surveiller qn/qch; **powers of ~** dons *mpl* d'observation; **clinical/scientific ~s** observations cliniques/scientifiques; **2** (remark) remarque *f* (**about, on** sur); (critical) observation *f* (**about, on** sur); **to make an ~** faire une remarque; **to make the ~ that** faire observer que

observation: **~ balloon** *n* ballon *m* d'observation *or* d'aérostation; **~ car** *n* wagon *m* panoramique; **~ deck** *n* terrasse *f* panoramique; **~ post** *n* poste *m* d'observation; **~ satellite** *n* satellite *m* d'observation; **~ tower** *n* mirador *m*; **~ ward** *n* salle *f* des malades en observation

observatory /əbˈzɜːvətrɪ, US -tɔːrɪ/ *n* observatoire *m*

observe /əbˈzɜːv/ *vtr* **1** (see, notice) observer, remarquer (**that** que); **this was ~d to be true** on a observé *or* remarqué que cela était vrai; **2** (watch) [*doctor, police*] surveiller; [*scientist, researcher*] observer; **3** (remark) faire observer, faire remarquer (**that** que); **as Sartre ~d** comme le faisait observer Sartre; **'it's raining,' she ~d** 'il pleut,' fit-elle observer; **4** (adhere to) observer [*law, custom, condition, silence*]; **to ~ neutrality** rester neutre; **5** (celebrate) observer [*Sabbath, religious festival*]

observer /əbˈzɜːvə(r)/
A *n* **1** (of event, phenomenon, election) observateur/-trice *m/f* (**of** de); **to attend as an ~** assister en (tant qu')observateur; **an independent/outside ~** un observateur indépendant/extérieur; **2** Journ, Pol (commentator) spécialiste *mf*, observateur/-trice *m/f* (**of** de); **according to a well-placed ~...** de source bien informée, on sait que...
B *modif* [*delegation, group*] d'observateurs; [*mission*] d'observation; [*status*] d'observateur; [*country*] observateur/-trice

obsess /əbˈses/ *vtr* obséder; **~ed by** *ou* **with** obsédé par

obsession /əbˈseʃn/ *n* (state) obsession *f*, manie *f* (**with** de; **with doing** de faire); (object of attention) idée *f* fixe, obsession *f*; **she has an ~ with hygiene/with tidiness** elle a la manie de la propreté/de l'ordre; **sailing is an ~ with him** sa passion pour la voile tient de l'obsession; **to have an ~ with death** être obsédé par l'idée de la mort; **her life was dominated by one great ~** sa vie était dominée par une idée fixe

obsessional /əbˈseʃənl/ *adj* obsessionnel/-elle; **to be ~ about doing** avoir l'obsession de faire

obsessive /əbˈsesɪv/
A *n* Psych névrotique *mf* obsessionnel/-elle; fig obsédé/-e *m/f*
B *adj* [*person*] maniaque; [*neurosis*] obsessionnel/-elle; [*thought, memory*] obsédant; **his ~ fear of illness/death** sa hantise de la maladie/mort

obsessive-compulsive disorder *n* névrose *f* obsessionnelle compulsive

obsessively /əbˈsesɪvlɪ/ *adv* **~ clean** d'une propreté maniaque; **to be ~ interested in sth** s'intéresser à qch au point d'en être obsédé; **to be ~ concerned with sth** être obsédé par qch; **~ devoted/discreet** d'une dévotion/discrétion presque obsessive

obsidian /əbˈsɪdɪən/ *n* obsidienne *f*

obsolescence /ˌɒbsəˈlesns/ *n* obsolescence *f*; **built-in ~, planned ~** obsolescence planifiée

obsolescent /ˌɒbsəˈlesnt/ *adj* obsolescent

obsolete /ˈɒbsəliːt/ *adj* [*technology*] dépassé; [*custom, idea*] démodé; [*word*] obsolète

obstacle /ˈɒbstəkl/ *n* lit, fig obstacle *m*; **to be an ~ to sth** (accidentally) être un obstacle à qch, entraver qch; (deliberately) faire obstacle à qch; **to put an ~ in the way of sth** faire obstacle à qch; **to put an ~ in sb's way** faire obstacle à qn; **partition is the chief ~ in the talks** la partition constitue la pierre d'achoppement des pourparlers

obstacle: **~ course** *n* Mil parcours *m* du combattant; fig course *f* d'obstacles; **~ race** *n* course *f* d'obstacles

obstetric /əbˈstetrɪk/ *adj* [*service, technique*] obstétrical; **~ medicine** obstétrique *f*

obstetrician /ˌɒbstəˈtrɪʃn/ ▸ **p. 1683** *n* obstétricien/-ienne *m/f*

obstetrics /əbˈstetrɪks/ *n* (+ *v sg*) obstétrique *f*

obstinacy /ˈɒbstənəsɪ/ *n* (of person) obstination *f*, entêtement *m* (**in doing** à faire); (of cough, illnesss) persistance *f*; (of resistance) obstination *f*

obstinate /ˈɒbstənət/ *adj* [*person*] obstiné, têtu (**about** en ce qui concerne); [*behaviour, silence, effort*] obstiné; [*resistance*] acharné; [*illness, cough*] persistant; [*fever, stain*] rebelle;

O

he's being most ~ about it il n'en démord pas

obstinately /ˈɒbstənətlɪ/ *adv* [*refuse*] obstinément; [*defend, resist*] avec acharnement; **he ~ clings to the belief that** il s'obstine à croire que; **she ~ insisted on paying** elle a absolument tenu à payer

obstreperous /əbˈstrepərəs/ *adj* [*drunk, child*] tapageur/-euse; [*crowd*] tumultueux/-euse

obstreperously /əbˈstrepərəslɪ/ *adv* [*act*] de façon tapageuse; [*say*] en rouspétant

obstruct /əbˈstrʌkt/
A *vtr* **1** (block) cacher, obstruer [*view*]; bloquer [*road*]; Med obstruer (**with** de); **2** (impede) bloquer, gêner [*traffic*]; faire obstacle à [*plan*]; gêner, entraver [*progress*]; gêner [*person*]; faire obstruction à [*player*]; entraver le cours de [*justice*]; **to ~ the passage of a bill** Pol faire de l'obstruction pour empêcher le vote d'une loi; **to ~ the police** gêner la police dans l'exercice de ses fonctions
B *vi* Sport faire obstruction

obstruction /əbˈstrʌkʃn/ *n* **1** ¢ (act, state) (of road) encombrement *m*; (of pipe, artery) engorgement *m*; Pol obstruction *f*; **to be charged with ~ of the police (in the course of their duties)** être inculpé pour avoir gêné la police dans l'exercice de ses fonctions; **2** (thing causing blockage) (to traffic, progress) obstacle *m*; (in pipe) bouchon *m*; Med obstruction *f*; **~ of the bowels** obstruction *or* occlusion intestinale; **to cause an ~ to traffic** provoquer un bouchon, bloquer la circulation; **3** Sport obstruction *f*; **to commit an ~** faire obstruction

obstructionism /əbˈstrʌkʃənɪzəm/ *n* obstructionnisme *m*; **to have a policy of ~** pratiquer l'obstruction systématique

obstructionist /əbˈstrʌkʃənɪst/ *n, adj* obstructionniste (*mf*)

obstructive /əbˈstrʌktɪv/ *adj* **1** (uncooperative) [*policy, tactics*] obstructionniste; [*person*] peu coopératif/-ive, qui fait obstruction; [*behaviour*] récalcitrant; **he's just being ~** il ne cherche qu'à mettre des bâtons dans les roues; **2** Med qui obstrue, obstruant

obtain /əbˈteɪn/
A *vtr* obtenir [*information, permission, degree, visa*]; (for oneself) se procurer [*money, goods*]; acquérir [*experience*]; obtenir, remporter [*prize*]; **to ~ sth for sb** procurer qch à qn; **this effect is ~ed by mixing colours** cet effet s'obtient par le mélange des couleurs; **this chemical is ~ed from zinc** on obtient ce produit chimique à partir du zinc; **our products may be ~ed from any supermarket** vous trouverez nos produits dans tous les supermarchés
B *vi* sout [*practice, situation*] être courant, avoir cours; [*rule*] être de rigueur

obtainable /əbˈteɪnəbl/ *adj* **~ in all good bookstores** disponible dans toutes les bonnes librairies; **petrol is easily ~** on peut se procurer de l'essence facilement

obtrude /əbˈtruːd/ *vi* **1** sout (impinge) **to ~ on** [*person, law*] empiéter sur; **2** sout (become apparent) [*opinion, comedy*] transparaître; **3** (stick out) lit sortir

obtrusive /əbˈtruːsɪv/ *adj* **1** (conspicuous) [*decor*] choquant; [*stain, object*] visible; [*noise, smell*] gênant; **2** (indiscreet) [*person, behaviour*] importun

obtrusively /əbˈtruːsɪvlɪ/ *adv* [*behave*] de façon importune; [*stick out*] de façon visible

obtrusiveness /əbˈtruːsɪvnɪs/ *n* (of person) importunité *f*

obtuse /əbˈtjuːs, US -ˈtuːs-/ *adj* **1** (stupid) [*person*] obtus; [*remark*] stupide; **he's being deliberately ~** il joue les abrutis; **2** Math [*angle*] obtus

obtuseness /əbˈtjuːsnɪs, US -ˈtuːs-/ *n* stupidité *f*

obverse /ˈɒbvɜːs/
A *n* **1** (opposite) contraire *m*; **2** (of coin, medal) avers *m*
B *adj* **1** (contrary) [*argument*] contraire; **2** (of coin) **the ~ side** *ou* **face** l'avers *m*; **3** Bot [*leaf*] obovale

obviate /ˈɒbvɪeɪt/ *vtr* sout obvier à [*difficulty*]; éviter [*delay, requirement*]; écarter [*danger*]; **to ~ the need for sth** éviter d'avoir recours à qch; **this would ~ the need to do** cela éviterait d'avoir à faire

obvious /ˈɒbvɪəs/
A *n* **to state the ~** enfoncer les portes ouvertes; **statement of the ~** lapalissade *f*
B *adj* **1** (evident) évident (**to** pour); **it's ~ that...** il est évident que...; **her anxiety was ~** il était évident qu'elle était inquiète; **his disappointment was ~ to all** sa déception était écrite sur son visage; **it was ~ to everyone that there had been a mistake** il était évident pour tout le monde qu'il y avait eu erreur; **she is the ~ choice for the job** c'est la personne qu'il nous faut pour ce poste; **it was the ~ solution to choose** la solution s'imposait d'elle-même; **it was the ~ thing to do** c'était la chose à faire; **the ~ thing to do would be to...** la chose à faire serait de...; **for ~ reasons, I do not wish to discuss this** pour des raisons évidentes je ne veux pas en parler; **2** (unsubtle) [*lie*] flagrant; [*joke, symbolism*] lourd; **she was too ~ about it** elle a un peu trop manqué de finesse, on la voyait venir avec ses gros sabots○

obviously /ˈɒbvɪəslɪ/
A *adv* manifestement; **she ~ needs help** il est évident qu'elle a besoin d'aide; **he's ~ lying** il est clair qu'il ment; **she's ~ happy/clever** il est évident qu'elle est heureuse/intelligente; **he was ~ in pain** il souffrait visiblement; **'hasn't he heard of them?'—'~ not'** iron 'n'en a-t-il pas entendu parler?'—'on dirait que non'; **he had ~ been taking lessons** il était évident qu'il avait pris des leçons
B *excl* (indicating assent) bien sûr!, évidemment!

obviousness /ˈɒbvɪəsnɪs/ *n* gen évidence *f*, caractère *m* évident; (of outcome) prévisibilité *f*; (of remark) platitude *f*; (of plot) manque *m* d'originalité

OC *n* GB (*abrév* = **Officer Commanding**) officier *m* commandant

ocarina /ˌɒkəˈriːnə/ *n* ocarina *m*

occasion /əˈkeɪʒn/
A *n* **1** (particular time) occasion *f*; **on that ~** à cette occasion, cette fois-là; **on one ~** une fois; **on several ~s** à plusieurs occasions *or* reprises; **on a previous ~** précédemment; **on rare ~s** rarement, en de rares occasions; **on ~** de temps en temps, à l'occasion; **on the ~ of** à l'occasion de; **when the ~ demands it** lorsque les circonstances l'exigent; **to rise to the ~** se montrer à la hauteur des circonstances; **2** (opportunity) occasion *f*; **to have ~ to do** avoir l'occasion de faire; **it's no ~ for laughter/frivolity** ce n'est pas le moment de rire/d'être frivole; **should the ~ arise** le cas échéant, si l'occasion se présente; **3** (event, function) occasion *f*, événement *m*; **a big ~** une grande occasion, un grand événement; **on special ~s** dans les grandes occasions; **for the ~** pour l'occasion; **the wedding was quite an ~** le mariage a été un événement; **ceremonial ~, state ~** cérémonie *f* officielle; **4** sout (cause) raison *f*; **there was no ~ to be so rude** il n'y avait aucune raison d'être si impoli; **there is no ~ for alarm** il n'y a pas lieu de s'inquiéter; **we have no ~ for complaint** nous n'avons pas lieu de nous plaindre
B *vtr* sout occasionner, provoquer

occasional /əˈkeɪʒənl/ *adj* **1** [*event*] qui se produit *or* qui a lieu de temps en temps; **the ~ letter/cigarette** une lettre/cigarette de temps en temps; **they have the ~ row** ils se disputent de temps en temps; **~ showers** Meteorol averses *fpl* intermittentes; **2** sout [*poem, music*] de circonstance

occasionally /əˈkeɪʒənəlɪ/ *adv* de temps à autre; **very ~** très rarement, presque jamais

occasional table *n* petite table *f*

Occident /ˈɒksɪdənt/ *n* littér **the ~** l'Occident *m*

occidental /ˌɒksɪˈdentl/ *adj* occidental

occiput /ˈɒksɪpʌt/ *n* occiput *m*

occlude /əˈkluːd/ *vtr* occlure; **~d front** Meteorol front *m* occlus

occlusion /əˈkluːʒn/ *n* occlusion *f*

occlusive /əˈkluːsɪv/ Ling
A *n* (consonne *f*) occlusive *f*
B *adj* occlusif/-ive

occult
A /ɒˈkʌlt, US əˈkʌlt/ *n* **the ~** (+ *v sg*) les sciences *fpl* occultes
B /ɒˈkʌlt/ *adj* [*powers, arts, literature*] occulte

occultism /ɒˈkʌltɪzəm, US əˈ-/ *n* occultisme *m*

occupancy /ˈɒkjʊpənsɪ/ *n* occupation *f*; **full ~** pleine occupation; **multiple/sole ~ of a house** occupation d'une maison par plusieurs personnes/par une seule personne; **a change of ~** un changement d'occupant/-e *m/f*; **to have sole ~ of a house** être le seul occupant/la seule occupante *m/f* d'une maison; **available for immediate ~** libre immédiatement

occupant /ˈɒkjʊpənt/ *n* **1** (of building, bed) occupant/-e *m/f*; **2** (of vehicle) passager/-ère *m/f*; **3** (of post) titulaire *mf*

occupation /ˌɒkjʊˈpeɪʃn/
A *n* **1** (of house) **to be in ~** être installé; **ready for ~** prêt à être habité; **the date of their ~** la date où ils se sont installés dans les locaux; **to take up ~** s'installer (**of dans**); **2** Mil, Pol occupation *f* (**de of**); **to be under ~** être occupé; **to come under ~** être envahi; **an army of ~** une armée d'occupation; Hist **the Occupation** l'occupation *f*; **3** (job) (trade) métier *m*; (profession) profession *f*; **4** (leisure activity) occupation *f*
B *modif* [*army, forces, troops*] d'occupation

occupational /ˌɒkjʊˈpeɪʃənl/ *adj* [*accident, disease*] du travail; [*activity, group, opportunity, training*] professionnel/-elle; [*risk*] du métier; [*stress*] dû au travail; [*safety*] au travail

occupational: ~ hazard *n* risque *m* professionnel; **~ health** *n* médecine *f* du travail; **~ pension** *n* GB, Soc Admin retraite *f* professionnelle; **~ pension scheme** *n* GB, Soc Admin retraite *f* complémentaire; **~ psychologist** ▸ p. 1683 *n* psychologue *mf* du travail; **~ psychology** *n* psychologie *f* du travail; **~ therapist** ▸ p. 1683 *n* ergothérapeute *mf*; **~ therapy** *n* ergothérapie *f*

occupier /ˈɒkjʊpaɪə(r)/ *n* occupant/-e *m/f*

occupy /ˈɒkjʊpaɪ/
A *vtr* **1** (inhabit) occuper [*house, premises*]; **2** (fill) occuper [*bed, seat, room*]; **is this seat occupied?** est-ce que cette place est occupée *or* prise?; **3** (take over) occuper [*country, building*]; **an occupied territory** un territoire occupé; **the occupied territories** Pol les terres occupées; **the occupied zone** la zone d'occupation; **4** (take up) prendre [*time*]; [*activity*] durer [*day, afternoon*]; **the lecture occupies a whole day** la conférence dure toute une journée; occuper [*area, floor, surface*]; **that table occupies too much space** cette table tient trop de place; **5** (keep busy) occuper [*person*]; capter [*attention*]; **to be occupied in doing** être occupé à faire; **to be occupied with sb/sth** s'occuper de qn/qch; **something to ~ my mind** quelque chose pour m'occuper l'esprit; **6** (hold) remplir [*position, post, office*]
B *v refl* **to ~ oneself** s'occuper; **to keep oneself occupied** s'occuper (**by doing** en faisant)

occur /əˈkɜː(r)/ *vi* (*p prés etc* **-rr-**) **1** (happen) [*change, delay, event, fault, mistake*] se produire; [*epidemic, outbreak*] se déclarer; [*symptom*] apparaître; [*opportunity*] se présenter; [*sale,*

ℹ Oceans and seas

■ *Note that the words* océan *and* mer *do not have capitals in French.*

the Atlantic Ocean
= l'océan Atlantique

the Pacific Ocean
= l'océan Pacifique

the Indian Ocean
= l'océan Indien

the Caspian Sea
= la mer Caspienne

the Baltic Sea
= la mer Baltique

■ *As in English, French often drops the words* océan *or* mer. *When this happens, oceans have masculine gender (from the masculine word* océan*) and seas have feminine gender (from the feminine* mer*):*

the Pacific
= le Pacifique

the Baltic
= la Baltique

but

the Aegean
= la mer Égée

■ *If in doubt, look up the name in the dictionary.*

Use with other nouns

■ *Here are some useful patterns, using* Pacifique *as a typical name:*

the Pacific coast
= la côte du Pacifique

a Pacific crossing
= une traversée du Pacifique

a Pacific cruise
= une croisière dans le Pacifique

Pacific currents
= les courants du Pacifique

Pacific fish
= les poissons du Pacifique

the Pacific islands
= les îles du Pacifique

visit] s'effectuer; **2▸** (be present) [*disease, infection*] se produire; [*species, toxin*] se trouver; [*expression, phrase*] se rencontrer; [*misprint, mistake*] se trouver; **3▸** (suggest itself) **the idea ~red to me that...** l'idée m'est venue à l'esprit que...; **it ~s to me that she's wrong** il me semble qu'elle a tort; **it ~red to me to do** l'idée m'est venue à l'esprit de faire; **it didn't ~ to me to do** il ne m'est pas venu à l'idée de faire; **it only ~red to me later** cela ne m'a frappé que plus tard; **that she was mistaken never ~red to me** jamais je n'aurais pensé qu'elle se trompait

occurrence /ə'kʌrəns/ *n* **1▸** (event) fait *m*; **to be a rare/regular/daily ~** se produire rarement/régulièrement/tous les jours; **an unfortunate ~** une affaire malencontreuse; **2▸** (instance) occurrence *f* (**of** de); **3▸** (presence) (of disease, phenomenon) cas *m*; (of species) apparition *f*

ocean /'əʊʃn/
A *n* lit océan *m*
B oceans *npl* **~s of** plein de○ [*food, space, time, work etc*]
C *modif* [*voyage, wave*] océanique; **~ bed** fond *m* de l'océan

oceanarium /,əʊʃəneəriəm/ *n* (*pl* **~s** *ou* **-ria**) aquarium *m* d'eau de mer

ocean-going /'əʊʃngəʊɪŋ/ *adj* [*vessel, ship*] de haute mer; **~ liner** paquebot *m*

Oceania /,əʊʃɪ'eɪnɪə/ *pr n* Océanie *f*

Oceanian /,əʊʃɪ'eɪnɪən/
A *n* Océanien/-ienne *m/f*
B *adj* océanien/-ienne

oceanic /,əʊʃɪ'ænɪk/ *adj* océanique

oceanographer /,əʊʃə'nɒgrəfə(r)/ ▸ **p. 1683** *n* océanographe *mf*

oceanographic /,əʊʃənə'græfɪk/ *adj* océanographique

oceanography /,əʊʃə'nɒgrəfɪ/ *n* océanographie *f*

ocelot /'əʊsɪlɒt, US 'ɒsələt/ *n* ocelot *m*

och /ɒx/ *excl* Scot oh!

ochre GB, **ocher** US /'əʊkə(r)/ ▸ **p. 1067**
A *n* (pigment) ocre *f*; (colours) ocre *m*
B *adj* (colour) ocre

o'clock /ə'klɒk/ ▸ **p. 1059** *adv* **at one ~** à une heure; **it's two/three ~** il est deux/trois heures; **12 ~ midday/midnight** midi/minuit; **the 10 ~ screening** la séance de 10 heures; **to catch the six ~** prendre le train/bus etc de six heures

OCR
A *n* (*abrév* = **optical character recognition**) ROC *f*;
B *modif* **~ machine** *ou* **reader** lecteur *m* optique

Oct *abrév écrite* = **October**

octagon /'ɒktəgən, US -gɒn/ *n* octogone *m*

octagonal /ɒk'tægənl/ *adj* octogonal

octahedron /,ɒktə'hi:drən, -'hedrən, US -drɒn/ *n* octaèdre *m*

octal /'ɒktl/ Comput, Math
A *n* système *m* octal
B *adj* [*system, notation*] octal; **235 ~** 235 en base huit

octane /'ɒkteɪn/ *n* octane *m*

octane number, **octane rating** *n* indice *m* d'octane

octave /'ɒktɪv/ *n* **1▸** Mus octave *f*; **2▸** Literat huitain *m*

octavo /ɒk'teɪvəʊ/
A *n* (*pl* **~s**) in-octavo *m*
B *modif* [*volume*] in-octavo

octet /ɒk'tet/ *n* **1▸** Mus (group, composition) octuor *m*; **2▸** Comput octet *m*; **3▸** Literat huitain *m*

October /ɒk'təʊbə(r)/ ▸ **p. 1452** *n* octobre *m*; **the ~ Revolution** Hist la Révolution d'octobre

octogenarian /,ɒktədʒɪ'neərɪən/ *n, adj* octogénaire (*mf*)

octopus /'ɒktəpəs/ *n* **1▸** (*pl* **~es** *ou* **~**) Zool pieuvre *f*; Culin poulpe *m*; **2▸** (*pl* **~es**) GB (elastic straps) fixe-bagages *m inv*

octosyllabic /,ɒktəsɪ'læbɪk/ *adj* [*poem*] en vers octosyllabiques, en octosyllabes; [*word*] octosyllabique

octosyllable /'ɒktəsɪləbl/ *n* octosyllabe *m*

ocular /'ɒkjʊlə(r)/ *adj* [*defect*] oculaire; [*muscle*] de l'œil

oculist /'ɒkjʊlɪst/ ▸ **p. 1683** *n* ophtalmologiste *mf*

OD○ /əʊdi:/
A *n* = **overdose A**
B *vi* (*prés* **OD's**; *p prés* **OD'ing**; *prét, pp* **OD'd, OD'ed**) (on medicine) prendre une dose mortelle; (on drugs) prendre une overdose; **to ~ on** lit prendre une dose mortelle de [*tablets*]; prendre une overdose de [*drugs*]; fig se gaver de [*chocolate etc*]; s'abrutir de [*television*]

ODA *n* GB *abrév* ▸ **Overseas Development Administration**

odalisque /'əʊdəlɪsk/ *n* odalisque *f*

odd /ɒd/
A *adj* **1▸** (strange, unusual) [*person, object, occurrence*] bizarre; **there is something ~ about** il y a quelque chose de bizarre dans [*appearance, statement*]; **there is something ~ about her** elle a quelque chose de bizarre; **there is something/nothing ~ about it** il y a quelque chose/il n'y a rien de bizarre; **it is ~ that** c'est bizarre que (+ *subj*); (more formally) il est surprenant que (+ *subj*); **it is ~ to see** c'est bizarre de voir; (more formally) il est surprenant de voir; **it is ~ how people react** c'est bizarre de voir comme les gens réagissent; **it would be ~ if they were to do** il serait surprenant qu'ils fassent; **to be an ~ couple** former un drôle de couple; **that's ~** bizarre; **he's a bit ~** (eccentric) il est un peu loufoque○; **2▸** (occasional) **I have the ~ drink/pizza** il m'arrive de boire un verre/manger une pizza; **to write the ~ article** écrire un article de temps en temps; **to pay sb the ~ visit** aller voir qn de temps en temps; **the landscape was bare except for the ~ tree** le paysage était désert à part un arbre ou deux; **3▸** (not matching) [*socks, gloves*] dépareillé; **4▸** (miscellaneous) **there were some ~ envelopes/bits of cloth left** il restait encore quelques enveloppes/bouts de tissu; **a few ~ coins** un reste de monnaie; **5▸** Math [*number*] impair; **6▸** (different) **spot the ~ man** *ou* **one out** trouvez l'intrus; **to feel the ~ one out** ne pas se sentir à sa place
B -odd (*dans composés*) (approximately) **he lost a thousand-~ dollars** il a perdu mille dollars et quelques; **there were sixty-~ people** il y avait soixante et quelques personnes; **twenty-~ years later** une bonne vingtaine d'années après
(Idiom) **he's as ~ as two left feet**○ il marche à côté de ses pompes○

odd: **~ball**○ *n* farfelu/-e○ *m/f*; **~ bod**○ *n* GB drôle de mec○/nana○ *m/f*

oddity /'ɒdɪtɪ/ *n* (odd thing) bizarrerie *f*; (person) excentrique *mf*

odd job *n* (for money) petit boulot *m*; **to do ~s around the house** bricoler dans la maison

odd-jobman *n* homme *m* à tout faire

odd-looking *adj* à l'air bizarre (*after n*); **to be ~** avoir l'air bizarre

odd lot *n* **1▸** Comm (merchandise) lot *m* dépareillé; **2▸** Fin (in stock market) paquet *m* d'actions hors quotité

oddly /'ɒdlɪ/ *adv* [*dress*] bizarrement; **~ shaped** de forme bizarre; **~ enough...** chose curieuse...

oddment† /'ɒdmənt/ *n* chute *f* de tissu

oddness /'ɒdnɪs/ *n* bizarrerie *f*

odds /ɒdz/ *npl* **1▸** (in betting) cote *f* (**on** sur); **what are the ~?** quelle est la cote?; **the ~ are 20 to 1** la cote est 20 contre 1; **the ~ on Dayjar are 3 to 1** Dayjar est coté à 3 contre 1; **the ~ are six to one on** la cote est de un contre 6; **the ~ are five to two against** la cote est de cinq contre deux; **to give** *ou* **offer ~ of** proposer une cote de; **to quote ~ of 6 to 1** coter 6 contre 1; **the ~ on X are short/long** X est bien/mal coté; **2▸** (chance, likelihood) chances *fpl*; **the ~ are against/in favour of sth** qch est improbable/probable; **the ~ are against it** il y a peu de chances; **the ~ against/in favour of sth happening** les chances que qch n'arrive pas/arrive; **the ~ on sth happening are even** il y a une chance sur deux que qch arrive; **the ~ are against us/in our favour** la chance n'est pas/est de notre côté; **the ~ are in favour of her doing** elle a de fortes chances de faire; **the ~ are that she'll do** il y a de fortes chances qu'elle fasse; **to fight against the ~** lutter contre l'adversité; **to win against the ~** gagner contre toute attente; **to shorten/lengthen the ~ on sth** rendre qch plus/moins probable; **to shorten the ~ on sb doing** augmenter les chances que qn fasse
(Idioms) **it makes no ~** GB ça n'a pas d'importance; **to pay over the ~ for sth** payer qch plus que son prix; **to be at ~** (in dispute) être en conflit; (contradictory, inconsistent) être en contradiction

odds and ends, **odds and sods**○ GB *npl* bricoles○ *fpl*

odds-on /,ɒdz'ɒn/ *adj* **1▸** ○(likely) **it is ~ that** il y a de fortes chances que (+ *subj*); **he has an ~ chance of doing** il a de fortes chances de

O

faire; 2▸ (in betting) **to be the ~ favourite** être le grand favori

ode /əʊd/ *n* ode *f*

odious /ˈəʊdɪəs/ *adj* odieux/-ieuse

odiously /ˈəʊdɪəslɪ/ *adv* [*laugh, say*] de façon odieuse; **~ smug** d'une suffisance odieuse

odiousness /ˈəʊdɪəsnɪs/ *n* caractère *m* odieux

odium /ˈəʊdɪəm/ *n* réprobation *f* générale

odometer /ɒˈdɒmɪtə(r)/ *n* Aut US odomètre *m*

odontological /ɒˌdɒntəˈlɒdʒɪkl/ *adj* odontologique

odontologist /ˌɒdɒnˈtɒlədʒɪst/ ▸ **p. 1683** *n* odontologiste *mf*

odontology /ˌɒdɒnˈtɒlədʒɪ/ *n* odontologie *f*

odor *n* US = **odour**

odorous /ˈəʊdərəs/ *adj* littér odorant

odour GB, **odor** US /ˈəʊdə(r)/ *n* odeur *f*; **the ~ of sanctity** l'odeur de sainteté

(Idiom) **to be in bad ~** être mal vu (**with** de)

odourless GB, **odorless** US /ˈəʊdəlɪs/ *adj* [*gas, chemical*] inodore; [*cosmetic*] non parfumé

Odysseus /əˈdɪsjuːs/ *pr n* Odusseus

odyssey /ˈɒdɪsɪ/ *n* odyssée *f*; **the Odyssey** l'Odyssée *f*

OE Ling *abrév écrite* = **Old English**

OECD *n* (*abrév* = **Organization for Economic Cooperation and Development**) OCDE *f*

oecumenical *adj* = **ecumenical**

oedema GB, **edema** US /ɪˈdiːmə/ *n* œdème *m*

oedipal, **Oedipal** /ˈiːdɪpl/ *adj* Psych œdipien/-ienne

Oedipus /ˈiːdɪpəs/ *pr n* Œdipe

Oedipus complex *n* complexe *m* d'Œdipe

oenological /ˌiːnəˈlɒdʒɪkl/ *adj* œnologique

oenologist, GB **enologist** US /iːˈnɒlədʒɪst/ ▸ **p. 1683** *n* œnologue *mf*

oenology GB, **enology** US /iːˈnɒlədʒɪ/ *n* œnologie *f*

o'er /ɔː(r)/ littér = **over¹**

oesophagus GB, **esophagus** US /ɪˈsɒfəgəs/ *n* œsophage *m*

oestrogen GB, **estrogen** US /ˈiːstrədʒən/ *n* œstrogène *m*

oestrone GB, **estrone** US /ˈiːstrəʊn/ *n* folliculine *f*

oestrous GB, **estrous** US /ˈiːstrəs/ *adj* [*animal, cycle*] œstral

oestrus GB, **estrus** US /ˈiːstrəs/ *n* œstrus *m*

œuvre /ɜːvrə/ *n* 1▸ (complete works) œuvre *m*; 2▸ (individual painting etc) œuvre *f*

of /ɒv, əv/ *prep* 1▸ (in most uses) de; **the leg ~ the table** le pied de la table; **the difficulty ~ the work** la difficulté du travail; **the king ~ beasts** le roi des animaux; 2▸ (made or consisting of) **a ring (made) ~ gold** une bague en or; **a plaque (made) ~ grey marble** une plaque en marbre gris; **a will ~ iron** fig une volonté de fer; **a heart ~ stone** fig un cœur de pierre; 3▸ (indicating an agent) **that's kind ~ you/him** c'est très gentil de votre/sa part, c'est très gentil à vous/à lui; 4▸ (indicating a proportion or fraction) **some ~ us stayed for dinner** quelques-uns d'entre nous sont restés dîner; **several ~ them were rotten** plusieurs (d'entre eux) étaient pourris; **of the twelve ~ us only nine could swim** sur les douze (que nous étions) neuf seulement savaient nager; 5▸ GB (in expressions of time) **~ an evening** le soir; **~ a morning** le matin; **I like to play golf ~ an afternoon** j'aime jouer au golf l'après-midi; ▸ **late**, **old**

> **ℹ of**
>
> In almost all its uses the preposition *of* is translated by *de*. Exceptions to this are substances (*made of gold*), uses with a personal pronoun (*that's kind of you*), proportions (*some of us*, *of the 12 of us*...) and time expressions (*of an evening*). For translations of these, see the entry **of**. Remember that *de* + *le* always becomes *du* and that *de* + *les* always becomes *des*.
>
> To find translations for phrases beginning with *of* (*of course, of all, of interest, of late, of old*) you should consult the appropriate noun etc. entry (**course, all, interest, late, old** etc.).
>
> *of* also often appears as the second element of a verb (*consist of, deprive of, die of, think of*). For translations, consult the appropriate verb entry.
>
> *of* is used after certain nouns, pronouns and adjectives in English (*a member of, a game of, some of, most of, afraid of, capable of, ashamed of*). For translations, consult the appropriate noun, pronoun or adjective entry.
>
> When *of it* or *of them* are used for something already referred to, they are translated by *en*:
>
> ***there's a lot of it***
> = il y en a beaucoup
>
> ***there are several of them***
> = il y en a plusieurs
>
> Note, however, the following expressions used when referring to people:
>
> ***there are six of them***
> = ils sont six
>
> ***there were several of them***
> = ils étaient plusieurs
>
> For particular usages see the entry **of**.
>
> This dictionary contains usage notes on such topics as **age, capacity measurement, dates, illnesses, length measurement, quantities, towns and cities,** and **weight measurement**, many of which use *of*.
>
> For the index to these notes ▸ **p. 1948**.

off /ɒf, US ɔːf/

> ⚠ *Off* is often found as the second element in verb combinations (*fall off, run off etc*) and in offensive interjections (*clear off etc*). For translations consult the appropriate verb entry (**fall, run, clear** etc).
>
> *off* is used in certain expressions such as *off limits, off piste etc* and translations for these will be found under the noun entry (**limit, piste** etc).
>
> For other uses of *off* see the entry below.

A °*n* (start) **the ~** le départ; **just before the ~** (of race) juste avant le départ; **from the ~** fig dès le départ

B *adv* 1▸ (leaving) **to be ~** partir, s'en aller; **it's time you were ~** il est temps que tu partes; **they're ~ to the States today** ils partent pour les États-Unis aujourd'hui; **I'm ~** gen je m'en vais; (to avoid sb) je ne suis pas là; **to be ~ to a good start** avoir pris un bon départ; **'...and they're ~!'** Turf '...et les voici partis!'; **he's ~ again talking about his exploits!** fig et voilà c'est reparti, il raconte encore ses exploits!
2▸ (at a distance) **to be 30 metres/kilometres ~** être à 30 mètres/kilomètres; **some way/not far ~** assez/pas très loin
3▸ (ahead in time) **Easter is a month ~** Pâques est dans un mois; **the exam is still several months ~** l'examen n'aura pas lieu avant plusieurs mois
4▸ Theat **shouting/trumpet sound ~** on entend des cris/une trompette dans les coulisses

C *adj* 1▸ (free) **to have Monday ~ to do** prendre sa journée de lundi pour faire; **Tuesday's my day ~** je ne travaille pas le mardi; **did you have the morning ~?** est-ce que tu as pris ta matinée?; **I got time ~** on m'a permis de m'absenter
2▸ (turned off) **to be ~** [*water, gas*] être coupé; [*tap*] être fermé; [*light, TV*] être éteint; **in the '~' position** en position 'fermé'
3▸ (cancelled) **to be ~** [*match, party*] être annulé; **our engagement's ~** nous avons rompu nos fiançailles; **the coq au vin is ~** (from menu) il n'y a plus de coq au vin
4▸ (removed) **the lid** *ou* **top is ~** il n'y a pas de couvercle; **the handle's ~** la poignée s'est cassée; **with her make-up ~** sans maquillage; **with his shoes ~** sans ses chaussures; **to have one's leg ~**° se faire couper la jambe; **25% ~** Comm 25% de remise
5▸ °(bad) **to be ~** [*food*] être pourri; [*milk*] avoir tourné

D **off and on** *adv phr* par périodes; ▸ **on**

E *prep* 1▸ (away from in distance) **~ Rocky Point/the west coast** au large du Rocky Point/de la côte ouest; **three metres ~ the ground** à trois mètres (au-dessus) du sol
2▸ (away from in time) **to be a long way ~ doing** être encore loin de faire; **he's only a year ~ retirement** il n'a plus qu'un an avant la retraite
3▸ (*also* **just ~**) juste à côté de [*area*]; **there's a kitchen (just) ~ the dining room** il y a une cuisine juste à côté de la salle à manger; **a house just ~ the path** une maison à quelques mètres du sentier; **just ~ the motorway** juste à la sortie de l'autoroute; **in a street (leading) ~ the main road** dans une rue qui donne sur l'avenue principale
4▸ (astray from) **it is ~ the point** *ou* **subject** là n'est pas la question; **to be ~ centre** être mal centré
5▸ (detached from) **to be ~ its hinges/~ its base** être sorti de ses gonds/détaché de son socle; **there's a button ~ your cuff** il manque un bouton à ton poignet de chemise
6▸ °(no longer interested in) **to be ~ drugs** avoir arrêté de se droguer; **to be ~ one's food** ne pas avoir d'appétit; **I'm ~ her/men at the moment!** il ne faut plus me parler d'elle/des hommes!
7▸ °(*also* **~ of**) **to borrow sth ~ a neighbour** emprunter qch à un voisin; **to eat ~ a tray/a paper plate** manger sur un plateau/dans une assiette en papier; ▸ **street**

F *excl* **~! ~!** (as chant) dehors! dehors!; **~ with her head!** qu'on lui coupe la tête!; **(get) ~°!** (from wall etc) descends (de là)!

(Idioms) **how are we ~° for flour/sugar etc?** qu'est-ce qu'il nous reste comme farine/sucre etc?; **that's a bit ~°** GB ça c'est pas juste°; **to feel a bit ~°(-colour)** GB ne pas être dans son assiette°; **to have an ~ day** ne pas être dans un de ses bons jours; ▸ **better-off**, **well-off**

offal /ˈɒfl, US ˈɔːfl/ *n* abats *mpl*

offbeat /ˌɒfˈbiːt, US ˌɔːf-/
A *n* Mus temps *m* faible
B *adj* 1▸ Mus [*rhythm*] à temps faible; 2▸ (unusual) [*humour, approach, account*] cocasse

off-Broadway *adj* US Theat **~ production** production expérimentale différente des spectacles de Broadway; **~ theatre** théâtre situé en dehors de Broadway; ▸ **Broadway**

off: **~ camera** *adj, adv* hors champ; **~-centre** GB, **off-center** US *adj* décentré

off-chance /ˈɒftʃɑːns, US -tʃæns/ *n* chance *f*; **there's just an ~ that** il y a une chance pour que (+ *subj*); **on the ~ that** au cas où; **I came just on the ~!** je suis venu au cas où!

off: **~-color** *adj* US [*story, joke*] indécent; **~-colour**○ *adj* GB (unwell) patraque○; **~cuts** *npl* (of fabric) chutes *fpl*; (of pastry) restes *mpl*; (of meat, fish) parures *fpl*

offence GB, **offense** US /ə'fens/ *n* 1 Jur infraction *f*; **to commit an ~** commettre une infraction; **to charge sb with an ~** inculper qn d'une infraction; **it is an ~ to do** il est illégal de faire; **~s against property/the person/the state** atteintes *fpl* à la propriété/la personne/la sûreté de l'État; 2 (insult) offense *f*; **to cause** *ou* **give ~ to sb** offenser qn; **to take ~ (at)** s'offenser (de); **to avoid ~** éviter d'offenser; **this building is an ~ to the eye** ce bâtiment choque la vue; **no ~ intended, but...** je ne voudrais pas te vexer, mais...; **no ~ taken** il n'y a pas de mal; 3 (attack) atteinte *f* (**against** à); 4 Mil offensive *f*; **weapons of ~** armes *fpl* offensives; 5 US Sport **the ~** les attaquants *mpl*

offend /ə'fend/
A *vtr* 1 (hurt) [*person*] offenser [*person*]; [*article, remark*] blesser, offenser [*person*]; **to be ~ed by sth** être blessé par [*behaviour, remark*]; **to get ~ed** se vexer; **don't be ~ed** ne soyez pas vexé; 2 (displease) outrager; **the decision ~s my sense of justice** la décision outrage mon sens de la justice; **to ~ the eye** [*building etc*] choquer la vue
B *vi* Jur commettre une infraction (**against** à); **to ~ again** récidiver
C **offending** *pres p adj* 1 (responsible) [*component, object*] en cause; [*person*] responsable; 2 (offensive) [*photo, sentence*] choquant.
(Phrasal verb) ■ **offend against**: ▸ **~ against [sth]** 1 (commit a crime) enfreindre [*law, rule*]; 2 (violate) offenser [*good taste*]; être un outrage à [*common sense*]

offender /ə'fendə(r)/ *n* 1 Jur (against the law) délinquant/-e *m/f*; (against regulations) contrevenant/-e *m/f* (**against** à); 2 (culprit) coupable *mf*; **the press/the police are the worst ~s** la presse/la police est la plus à blâmer

offense *n* US ▸ **offence**

offensive /ə'fensɪv/
A *n* 1 Mil, Pol, Sport offensive *f* (**against** contre); **to go on/take the ~** passer à/prendre l'offensive; **air/diplomatic ~** offensive aérienne/diplomatique; **to be on the ~** être à l'attaque; 2 Advertg, Comm campagne *f*; **advertising/sales ~** campagne publicitaire/commerciale
B *adj* 1 (insulting) [*remark, suggestion*] injurieux/-ieuse (**to** pour); [*behaviour*] insultant; 2 (vulgar) [*language*] grossier/-ière; [*behaviour*] choquant; [*gesture*] vulgaire, choquant; 3 (revolting) [*smell*] repoussant; [*behaviour, idea*] répugnant; 4 Mil, Sport, [*action, play*] offensif/-ive

offensively /ə'fensɪvlɪ/ *adv* 1 (rudely) [*behave*] de manière offensante; [*speak, write*] de façon injurieuse (**about** au sujet de); 2 (aggressively) **to fight ~** attaquer

offensive weapon *n* Jur arme *f* offensive

offer /'ɒfə(r), US 'ɔ:f-/
A *n* 1 (proposition) gen, Fin offre *f* (**to do** de faire); **an ~ of help/work** une offre d'assistance/de travail; **to make sb an ~** faire une offre à qn; **job ~** offre d'emploi; **an ~ of marriage** une proposition de mariage; **an ~ of £10 per share** une offre à 10 livres sterling l'action; **~s over/around 40,000 dollars** offres supérieures à/autour de 40 000 dollars; **that's my final** *ou* **best ~** c'est mon dernier mot; **to be open to ~s** être ouvert à toute proposition; **to put in** *ou* **make an ~ on a house** faire une offre sur une maison; **the house is under ~** il y a une promesse d'achat sur cette maison; **or near(est) ~** (in property ad) à débattre; **~s in the region of £80,000** prix 80 000 livres, à débattre; 2 Comm (promotion) promotion *f*; **to be on special ~** être en promotion; 3 (available) **the goods/cases on ~ were dear** les marchandises/valises en vente étaient chères; **there's a lot/nothing on ~** il y a beaucoup/peu de choix; **what's on ~ in the catalogue?** qu'est-ce qu'on propose dans le catalogue?
B *vtr* 1 (proffer) donner [*advice, explanation, information, friendship*]; offrir [*cigarette, help, job, reward, suggestion, support*]; émettre [*opinion*]; faire [*reduction*]; proposer [*service*]; accorder [*discount*]; **to ~ sb sth, to ~ sth to sb** offrir qch à qn; **to ~ to do** se proposer pour faire; **'I'll do it,' she ~ed** 'je le ferai,' proposa-t-elle; **she has a lot to ~ the company** elle peut beaucoup apporter à la société; **he had little to ~ in the way of news/evidence** il n'avait pas beaucoup de nouvelles/preuves à apporter; 2 (provide) offrir [*facilities, advantages, guarantee, resistance*]; donner [*insight*]; **the tree ~s protection from the rain** l'arbre offre une protection contre la pluie; **this vest ~s protection against bullets** ce gilet protège des balles; 3 (possess) posséder [*language*]; avoir [*experience*]; **candidates must ~ two foreign languages** les candidats doivent posséder deux langues étrangères; 4 (sell) offrir [*goods*]; **the radios were being ~ed at bargain prices** les radios étaient vendues à prix réduit; **to ~ sth for sale** mettre qch en vente; 5 (present) présenter; **the army/battleship ~ed its flank to the enemy** l'armée/le cuirassé a présenté son flanc à l'ennemi
C *vi* (volunteer) se proposer
D *v refl* **to ~ oneself** se proposer (**for** pour); **to ~ itself** [*opportunity*] se présenter
(Phrasal verb) ■ **offer up**: ▸ **~ [sth] up, ~ up [sth]** offrir [*prayer*]; faire l'offrande de [*animal, sacrifice*]; **to ~ up one's life for sth** s'offrir en victime pour qch

OFFER /'ɒfə(r)/ *n* GB (*abrév* = **Office of Electricity Regulation**) *autorité de régulation du marché de l'électricité*

offeree /ˌɒfə'ri:, US ˌɔ:f-/ *n* Jur destinataire *mf* de l'offre

offering /'ɒfərɪŋ, US 'ɔ:f-/ *n* 1 (act of giving) offre *f*; **the ~ of bribes is unethical** l'offre de pots-de-vin est immorale; 2 (gift) cadeau *m*; **I heard the band's latest ~ yesterday** iron, péj j'ai écouté le dernier album du groupe hier; 3 Relig collecte *f*, quête *f*; 4 (sacrifice) offrande *f*; **to make an ~** faire une offrande

offeror /'ɒfərə(r), US 'ɔ:f-/ *n* Jur offrant *m*

offer price *n* Comm prix *m* de vente

offertory /'ɒfətrɪ, US 'ɔ:fətɔ:rɪ/ *n* Relig offertoire *m*

off-glide *n* Phon métastase *f*

offhand /ˌɒf'hænd, US ˌɔ:f-/
A *adj* (impolite) désinvolte
B *adv* **~, I don't know** comme ça au pied levé je ne sais pas

offhandedly /ˌɒf'hændɪdlɪ, US ˌɔ:f-/ *adv* de façon désinvolte

offhandedness /ˌɒf'hændɪdnɪs, US ˌɔ:f-/ *n* désinvolture *f*

office /'ɒfɪs, US 'ɔ:f-/
A *n* 1 (room or place of work) bureau *m*; **the accounts ~** le service comptable; **doctor's/dentist's ~** US cabinet *m* médical/dentaire; **lawyer's ~** étude *f or* cabinet *m* de notaire; **to work in an ~** travailler dans un bureau, être employé/-e de bureau; **the whole ~ knows** tout le bureau est au courant; **a day at the ~** une journée au bureau; 2 (position) fonction *f*, charge *f*; **public ~** fonctions *fpl* officielles; **to perform the ~ of** remplir les fonctions de; **to be in** *ou* **hold ~** [*president, mayor*] être en fonction; [*minister*] avoir un portefeuille; [*political party*] être au pouvoir; **to take ~** [*president, mayor*] entrer en fonction; [*political party*] arriver au *or* prendre le pouvoir; **to go out of ~** *ou* **leave ~** [*president, mayor*] quitter ses fonctions; [*minister*] perdre son portefeuille; [*political party*] perdre le pouvoir; **to stand** GB *ou* **run** US **for ~** être candidat aux élections; **to rise to high ~** être promu à un poste élevé; 3 Relig office *m*; **the ~ for the dead** l'office des morts
B **offices** *npl* 1 sout (services) offices *mpl*, aide *f*; **through their good ~s** par leurs bons offices; 2 GB (of property) **'the usual ~s'** (including outbuildings) 'cuisine *f* et dépendances *fpl*'; (in smaller house) 'cuisine *f* et salle *f* de bains'
C *modif* [*equipment, furniture, staff, job*] de bureau; **~ party** soirée *f* réunissant le personnel d'un bureau; **to go on an ~ outing** sortir avec les gens de son bureau

office automation *n* bureautique *f*

office bearer *n* 1 (of society) membre *m* du comité directeur; 2 Pol (of party) représentant *m*; **former ~s such as Reagan** des anciens présidents tel que Reagan

office: **~ block** *n* GB immeuble *m* de bureaux; **~ boy** *n* garçon *m* de bureau; **~ building** *n* = **office block**; **~holder** *n* = **office bearer**; **~ hours** *npl* heures *fpl* de bureau; **~ junior** *n* employé/-e *m/f* de bureau; **~ manager** *n* directeur *m* de bureau; **~ party** *n* fête *f* d'entreprise; **~ politics** *n* intrigues *fpl* de bureau

officer /'ɒfɪsə(r), US 'ɔ:f-/
A *n* 1 Mil, Naut officier *m*; 2 (official) (in a company) responsable *mf*; (in government) fonctionnaire *mf*; (in committee, union, club) membre *m* du comité directeur *or* du bureau exécutif; **information/personnel ~** responsable de la communication/du personnel; **the Committee shall elect its ~s** le Comité désignera son bureau; 3 (*also* **police ~**) policier *m*; **'excuse me, ~'** 'excusez-moi, monsieur l'agent'; **Officer Smith** US Agent Smith
B *vtr* Mil 1 (command) commander; 2 (supply with officers) pourvoir en officiers

officer: **~ of the day** *n* officier *m* de jour; **~ of the guard**, **OG** *n* officier *m* de la garde; **~ of the law** *n* = **police officer**; **~ of the watch** *n* officier *m* de quart; **~s' mess** *n* mess *m*; **Officers' Training Corps**, **OTC** *n* GB *organisation universitaire extra-scolaire qui donne une formation militaire de base aux futurs officiers*

office space *n* bureaux *mpl*; **1,500 m² of ~** 1 500 m² de bureaux

office technology *n* bureautique *f*

office worker ▸ p. 1683 *n* employé/-e *m/f* de bureau

official /ə'fɪʃl/
A *n* (of central or local government, of state) fonctionnaire *mf*; (of party, trade union) officiel/-ielle *m/f*; (of police, customs) agent *m*; (at town hall) employé/-e *m/f*
B *adj* [*statement, reason, document, function, visit, language, candidate, strike*] officiel/-ielle; [*biography*] autorisé; **it's ~!** journ c'est officiel!

Official Birthday *n* GB *anniversaire officiel du souverain*

> **Official Birthday**
> Le deuxième samedi de juin, à l'occasion de la cérémonie officielle qui célèbre son anniversaire, le souverain britannique assiste à une parade militaire (*Trooping the Colour*) et confère des distinctions honorifiques. ▸ **Honours List, Knight/Dame**

officialdom /ə'fɪʃldəm/ *n* bureaucratie *f*

officialese /əˌfɪʃə'li:z/ *n* péj jargon *m* administratif

officially /ə'fɪʃəlɪ/ *adv* [*announce, confirm, celebrate*] officiellement; **~ she has retired** officiellement elle est à la retraite

Official Receiver *n* administrateur *m* judiciaire

Official Secrets Act *n* GB loi *f* relative aux secrets d'État; **to have signed the ~** être astreint au secret

officiate /ə'fɪʃɪeɪt/ *vi* [*official*] présider; [*priest*] officier; [*referee, umpire*] arbitrer; **to ~ as host** remplir les fonctions d'hôte

officious /ə'fɪʃəs/ *adj* péj trop empressé, zélé

officiously /ə'fɪʃəslɪ/ *adv* [*say*] du haut de son importance

O

officiousness /ə'fɪʃəsnɪs/ *n* péj excès *m* d'empressement

offie○ /'ɒfɪ/ *n* GB magasin *m* de vins et de spiritueux

offing /'ɒfɪŋ/: **in the offing** *adv phr (tjrs épith, après n)* [*catastrophe, storm, war*] imminent; [*promotion, business deal, wedding*] en perspective

off: **~-key** *adj* Mus faux/fausse; **~-licence** *n* GB magasin *m* de vins et de spiritueux; **~-limits** *adj* interdit

offline, off-line /ɒf'laɪn/
A *adj* **1** (not connected to the Internet) [*access, service*] hors connexion; **to be ~** ne pas être en ligne, ne pas être connecté; **2** Comput [*equipment, system*] autonome; [*processing*] en différé; [*storage*] non connecté
B *adv* [*write, work, read*] hors connexion

off-load /ˌɒf'ləʊd, US ˌɔːf-/
A *vtr* **1** fig (get rid of) écouler [*goods, stock*]; se dégager de [*investments*]; **to ~ the blame onto sb** rejeter la responsabilité sur qn; **2** Comput décharger
B *vi* **to ~ onto sb** partager ses problèmes avec qn

off-message *adj* GB Pol **to be ~** ne pas être d'accord avec la politique gouvernementale

off-off-Broadway *adj* US Theat [*production*] d'avant-garde; ▸ **Broadway**

off-peak /ˌɒf'piːk, US ˌɔːf-/
A *adj* [*electricity*] au tarif de nuit; [*travel, flight, reductions*] en période creuse, en dehors des heures de pointe; **in the ~ period** en période creuse, en dehors des heures de pointe; **at the ~ rate** [*call*] au tarif réduit
B *adv* Telecom [*call, cost*] aux heures de tarif réduit

off-piste /ɒf'piːst/ *adj, adv* hors pistes

offprint /'ɒfprɪnt, US 'ɔːf-/
A *n* tiré *m* or tirage *m* à part
B *vtr* imprimer un tiré à part de [*article*]

off-putting /ˌɒf'pʊtɪŋ, US ˌɔːf-/ *adj* [*manner*] peu engageant; **it was very ~** c'était déroutant

off-roading /ɒf'rəʊdɪŋ/ *n* hors-route *m*

off: **~-road vehicle** *n* véhicule *m* tout terrain; **~-sales** *n* vente *f* d'alcool à emporter

off-screen /ˌɒf'skriːn, US ˌɔːf-/
A *adj* Cin [*action*] hors-champ; [*voice*] off *inv*; [*relationship*] dans la vie
B *adv* en privé

off-season /ˌɒf'siːzn, US ˌɔːf-/ Tourism
A *n* **during the ~** en hors saison
B *adj* [*cruise*] hors saison; [*losses, deficit*] de basse saison

offset /'ɒfset, US 'ɔːf-/
A *n* **1** gen **as an ~ to** pour compenser; **2** Bot rejeton *m*; **3** (*also* **~ pipe**) Tech coude *m*
B *vtr* (*p prés* **-tt-**; *prét, pp* **offset**) **1** compenser (**by** par); **to ~ sth against sth** mettre qch et qch en balance; **2** Print imprimer [qch] en offset

offset: **~ litho(graph)** *n* litho *f* en offset; **~ paper** *n* papier *m* offset; **~ press** *n* presse *f* offset; **~ printing** *n* offset *m*

offshoot /'ɒfʃuːt, US 'ɔːf-/ *n* (of tree, organization) ramification *f*; (of plant) rejeton *m*; (of idea, decision) conséquence *f*

offshore /ˌɒf'ʃɔː(r), US ˌɔːf-/
A *adj* **1** Naut [*waters*] du large; [*fishing*] au large; **~ wind** brise *f* de terre; **2** Fin [*funds, banking, tax haven*] hors-lieu *inv*, offshore; **3** (in oil industry) [*drilling, oilfield*] en mer, offshore; [*platform*] marin, offshore; **4** fig **~ English** anglais *m* international
B *adv* **1 to invest/bank ~** faire des investissements/ouvrir un compte hors-lieu; **2** (in oil industry) [*work*] en mer, offshore
C *vtr* US délocaliser [*services, manufacturing*]

offside /ˌɒf'saɪd, US ˌɔːf-/
A *n* GB Aut côté *m* conducteur; **on the ~** (du) côté conducteur
B *adj* **1** GB Aut **the ~ wing/window** l'aile/la vitre côté conducteur; **the ~ rear wheel** la roue arrière côté conducteur; **the ~ lane** gen la voie de gauche; GB la voie de droite; **2** Sport [*position*] hors jeu; **the ~ rule** la règle du hors-jeu

off-site /'ɒfsaɪt, US 'ɔːf-/ *adj, adv* hors site *inv*

offspring /'ɒfsprɪŋ, US 'ɔːf-/ *n* (*pl* **~**) (of animal) progéniture *f*; (of human) *also hum* progéniture *f*; **five ~** cinq enfants

offstage /ˌɒf'steɪdʒ, US ˌɔːf-/ *adj, adv* Theat dans les coulisses

off-street parking *n* emplacement *m* de stationnement

off-the-cuff
A *adj* [*remark, speech*] impromptu
B **off the cuff** *adv* spontanément

off-the-peg
A *adj* [*garment*] de prêt-à-porter
B **off the peg** *adv phr* **to buy clothes ~** acheter du prêt-à-porter

off-the-shelf
A *adj* **1** Comm [*goods*] disponible en magasin; **2** Comput [*software*] fixe
B **off the shelf** *adv phr* [*available*] à vue, sur stock

off-the-shoulder *adj* **an ~ dress** une robe qui dégage les épaules

off: **~-the-wall**○ *adj* loufoque○; **~-white** *adj* blanc cassé *inv*; **~ year** *n* US Pol *année sans élections importantes*

Ofgas /'ɒfgæs/ *n* GB (*abrév* = **Office of Gas Supply**) *autorité de régulation du marché du gaz*

Ofsted /'ɒfsted/ *n* GB (*abrév* = **Office for Standards in Education**) *organisme chargé de l'inspection des établissements scolaires*

oft /ɒft/ littér
A *adv* souvent
B **oft-** (*dans composés*) **~-quoted/-repeated/-heard** souvent cité/répété/entendu

Oftel /'ɒftel/ *n* GB (*abrév* = **Office of Telecommunications**) *autorité de régulation des télécommunications*

often /'ɒfn, 'ɒftən, US 'ɔːfn/ *adv* souvent; **very/so/too/less ~** très/si/trop/moins souvent; **more and more ~** de plus en plus souvent; **as ~ as not, more ~ than not** le plus souvent; **it's not ~ you see that** ce n'est pas souvent qu'on voit ça; **you'll ~ find that** tu constateras souvent que; **how ~ do you meet?** vous vous voyez tous les combien○?, vous vous voyez souvent?; **how ~ do the planes depart?** les avions partent tous les combien○?; **an ~-repeated remark** une remarque souvent répétée; **it cannot be said too ~ that** on ne répétera jamais assez que; **once too ~** une fois de trop; **every so ~** (in time) de temps en temps; (in distance, space) ça et là

oftimes /'ɒftaɪmz/ *adv* littér souvent

Ofwat /'ɒfwɒt/ *n* GB (*abrév* = **Office of Water Services**) *autorité de régulation du marché de l'eau*

ogival /əʊ'dʒaɪvl/ *adj* ogival

ogive /'əʊdʒaɪv/ *n* (all contexts) ogive *f*

ogle○ /'əʊgl/ *vtr* reluquer○

ogre /'əʊgə(r)/ *n* **1** (giant) ogre *m*; **2** fig (fearsome person) (man) monstre *m*; (woman) dragon○ *m*; **3** (grim vision) spectre *m*

ogress /'əʊgres/ *n* (giant) ogresse *f*; fig (fearsome woman) dragon○ *m*

oh /əʊ/ *excl* oh!; **~ dear!** (sympathetic) oh là là!; (dismayed, cross) mon Dieu!; **~ damn**○/**shit**◑**!** zut○/merde◑!; **~ (really)?** (interested) ah bon?; (sceptical) tiens donc!; **~ really!** (cross) ah c'est pas possible○!; **~ by the way** ah au fait; **~ Fred, can you lend me £10?** dis-moi Fred, tu peux me prêter 10 livres?; **~ all right** ah bon d'accord; **~ no!** non!; **~ no, not again!** oh non, encore!; **~ no it isn't!** mais non!; **~ yes?** (pleased) ah bon?; (sceptical) tiens donc!; **~ how I hate work!** ah ce que je déteste le travail!; **~ for some sun!** oh si seulement il faisait beau!; **~ to be in Paris!** oh si seulement j'étais à Paris!

OH US Post *abrév écrite* = **Ohio**

Ohio /əʊ'haɪəʊ/ ▸ **p. 1737** *n* Ohio *m*; **in ~** dans l'Ohio

ohm /əʊm/ *n* ohm *m*

OHMS GB (*abrév écrite* = **On Her/His Majesty's Service**) au service de sa majesté (*formule apparaissant sur le courrier officiel de l'administration*)

OHP *n*: *abrév* ▸ **overhead projector**

oik○ /ɔɪk/ *n* GB abruti/-e○ *m/f*

oil /ɔɪl/
A *n* **1** (for fuel) pétrole *m*; (for lubrication) huile *f*; **crude ~** pétrole brut; **engine ~** huile de moteur; **heating ~** fioul *m*, mazout *m*; **to check the ~** Aut vérifier le niveau d'huile; **to change the ~** Aut faire la vidange; **to strike ~** lit découvrir du pétrole; fig découvrir une mine d'or; **2** (for cooking) huile *f*; **corn/sunflower ~** huile de maïs/tournesol; **to cook with ~** cuisiner à l'huile; **an ~ and vinegar dressing** une vinaigrette; **3** Art (medium) huile *f* ₵; **to work in ~s** peindre à l'huile; **the portrait is (done) in ~s** c'est un portrait à l' huile; **4** Art (picture) huile *f*; **5** (medicinal, beauty) huile *f*; **essential ~s** huiles *fpl* essentielles; **~ of cloves/lemon** essence *f* de girofle/citron; **6** ○US (flattery) pommade○ *f*, flatterie *f*
B *modif* [*deposit, exporter, producer*] de pétrole; [*prices*] du pétrole; [*company, crisis, industry, exploration, production, terminal*] pétrolier/-ière; [*imports, reserves*] pétrolier/-ière; **an ~ magnate** un magnat du pétrole
C *vtr* **1** (lubricate) huiler, lubrifier [*mechanism, parts*]; huiler [*pan*]; **2** Cosmet huiler [*skin, hair*]
D **oiled** *pp adj* **1** [*hair, moustache*] huilé; [*pistons, mechanism*] huilé; [*seabird, animal*] mazouté; [*cloth, paper, silk*] huilé; **2** ○(drunk) bien beurré○, ivre

(Idioms) **~ and water do not mix** on ne peut pas marier l'eau et le feu; **to ~ the wheels** mettre de l'huile dans les rouages. **to pour ~ on troubled waters** apaiser les esprits

oil: **~-based** *adj* [*paint, plastic, polymer*] à base d'huile; **~-bearing** *adj* bitumeux/-euse; **~-burning** *adj* [*stove, boiler*] à mazout; **~ cake** *n* Agric tourteau *f* (pour bétail); **~can** *n* (applicator) burette *f* (d'huile); (container) bidon *m* (d'huile); **~ change** *n* vidange *f*; **~cloth** *n* toile *f* cirée; **~ colour** GB, **~ color** US *n* peinture *f* à l'huile; **~-cooled** *adj* [*engine*] à refroidissement par l'huile; **~ drill** *n* trépan *m*; **~ drum** *n* citerne *f* à pétrole

oiler /'ɔɪlə(r)/
A *n* **1** (ship) pétrolier *m*; **2** (worker) pétrolier *m*; **3** ○(oilcan) burette *f*
B **oilers** *npl* US Fashn cirés *mpl*

oil: **~ field** *n* champ *m* pétrolifère; **~ filter** *n* filtre *m* à huile; **~-fired** *adj* [*furnace, heating*] au fuel; **~ gauge** *n* jauge *f* de niveau d'huile; **~ heater** *n* poêle *m* à mazout

oiliness /'ɔɪlɪnɪs/ *n* (of food) (taste) goût *m* huileux; (look) aspect *m* huileux

oil: **~ lamp** *n* lampe *f* à pétrole; **~ level** *n* niveau *m* d'huile; **~ man** *n* pétrolier *m*

oil paint *n* couleur *f* à l'huile; **to use ~s** peindre à l'huile

oil painting *n* (picture, activity) peinture *f* à l'huile; **she's no ~!** hum ce n'est pas une beauté

oil: **~ palm** *n* palmier *m* à huile; **~ pan** *n* US carter *m*; **~ pipeline** *n* oléoduc *m*; **~ pollution** *n* pollution *f* aux hydrocarbures; **~ pressure** *n* pression *f* d'huile; **~-producing** *adj* [*country*] producteur/-trice de pétrole; **~ refinery** *n* raffinerie *f* de pétrole; **~ rig** *n* (offshore) plate-forme *f* pétrolière; (on land) tour *f* de forage; **~seed rape** *n* colza *m*

oilskin /'ɔɪlskɪn/ GB
A *n* (fabric) toile *f* huilée

B *adj* [*jacket, trousers*] en toile huilée
C **oilskins** *npl* Fashn cirés *mpl*
oil: ~ **slick** *n* marée *f* noire; ~ **spill** *n* déversement *m* accidentel d'hydrocarbures; ~**stone** *n* pierre *f* à aiguiser; ~ **stove** *n* poêle *m* à mazout; ~ **tank** *n* (domestic) cuve *f*; (industrial) réserve *f* de stockage de pétrole; ~ **tanker** *n* pétrolier *m*; ~ **technology** *n* technologie *f* du pétrole; ~ **well** *n* puits *m* de pétrole
oily /ˈɔɪlɪ/ *adj* **1** (saturated) [*cloth, stain, food, water, hair, skin*] gras/grasse; **his hands are** ~ il a les mains pleines de graisse; **2** (in consistency) [*substance, dressing*] huileux/-euse; [*lotion*] gras/grasse; **3** péj (slimy) [*person, manner, tone*] onctueux/-euse
oink /ɔɪŋk/
A *n* onomat *cri du cochon*
B *vi* [*pig*] grogner
ointment /ˈɔɪntmənt/ *n* pommade *f*
(Idioms) **she's the fly in the** ~ c'est elle l'empêcheuse de tourner en rond; **there's one fly in the** ~ il y a un os○
o.i.r.o. GB (*abrév écrite* = **offers in the region of**) ~ **£75,000** 75 000 livres à débattre
Oise ▸ **p. 1129** *pr n* Oise *f*; **in/to the** ~ dans l'Oise
OK **1** = **okay**; **2** US Post *abrév écrite* = **Oklahoma**
okapi /əʊˈkɑːpɪ/ *n* okapi *m*
okay, OK○ /ˌəʊˈkeɪ/
A *n* accord *m*; **to give one's** ~ **to sb/sth** donner son accord à qn/qch; **to give sth the** ~ donner le feu vert à qch; **to give sb the** ~ **to do** donner le feu vert à qn pour faire
B *adj* **1** [*car, colour, party, holiday, job*] pas mal○; [*plumber, babysitter*] bien (*inv*); **it's** ~ **to do** il n'y a pas de mal à faire; **it's** ~ **by me/him** ça ne me/le dérange pas; **is it** ~ **if ...?** est-ce que ça va si ...?; **to be** ~ **for time/money** avoir assez de temps/d'argent; **he's** ~ il est sympa○; **'is he a good teacher?'—'yes, he's** ~' 'c'est un bon prof?'–'oui, il est bien'; **to feel** ~ aller bien; **'how are you?'—'**~' 'comment vas-tu?'–'ça va'; **'how was the meeting/interview/exam?'—'**~' 'comment as-tu trouvé la réunion/l'entretien/l'examen?'–'ça s'est bien passé'; **'how was the match?'—'**~' 'comment as-tu trouvé le match?'–'pas mal'; **'is my hat/hair** ~**?'** 'ça va mon chapeau/mes cheveux○?'; **2** (acceptable) **that's** ~ **for men, but...** ça passe encore pour les hommes, mais...; **that may be** ~ **in other countries/in your house, but...** ça se passe peut être dans d'autres pays/chez toi, mais...; **it's** ~ **to call him by his nickname** tu peux l'appeler par son petit nom; **it's** ~ **to refuse drugs** on a le droit de dire non à la drogue; **3** (in agreement, confirmation) [*reply, signal*] d'accord
C *adv* [*cope, drive, ski, work out*] (assez) bien
D *particle* **1** (giving agreement) d'accord; **2** (seeking consensus) d'accord?, ça va?; **3** (seeking information) bon d'accord; ~, **whose idea was this?** bon d'accord, qui a eu cette idée?; **4** (introducing topic) bien; ~, **let's move on to...** bien, passons à...; ~, **now turn to page 26** bon, prenez la page 26 maintenant
E *vtr* approuver [*change, plan*]
okey-doke(y)○ /ˌəʊkɪˈdəʊkɪ/ *particle* OK○, d'accord
Okie○ /ˈəʊkɪ/ *n* US *résident de l'Oklahoma*
Oklahoma /ˌəʊkləˈhəʊmə/ ▸ **p. 1737** *pr n* Oklahoma *m*; **in** ~ dans l'Oklahoma
okra /ˈəʊkrə/ *n* Bot, Culin okra *m*, gombo *m*
old /əʊld/ ▸ **p. 927**
A *n* **1** (old people) **the** ~ (+ *v pl*) les personnes *fpl* âgées; ~ **and young together** jeunes et vieux ensemble
2 (earlier era) **(in days) of** ~ (au temps) jadis; **the knights of** ~ les chevaliers d'antan; **I know him of** ~ je le connais depuis longtemps
B ○**olds** *npl* (parents) les vieux○ *mpl*; **my** ~**s** mes vieux
C *adj* **1** (elderly, not young) vieux/vieille, âgé; **an** ~ **man** un vieil homme, un vieillard; ~ **people** les vieux; ~**er people** les personnes âgées; **if I live to be** ~ si je vis vieux; **to get** *ou* **grow** ~ vieillir, se faire vieux/vieille; **to look** ~ avoir l'air âgé; ~ **before one's time** vieux avant l'âge; **grief has made her** ~ **before her time** le chagrin l'a vieillie avant l'âge; **do you want** ~ **Mr Salter or young Mr Salter?** est-ce que vous voulez le père ou le fils Salter?
2 (of a particular age) **how** ~ **are you/is he?** quel âge as-tu/a-t-il?; **no-one knows how** ~ **this tree is** personne ne connaît l'âge de cet arbre; **she is 10 years** ~ elle a 10 ans; **a six-year-**~ **boy** un garçon (âgé) de six ans; **a six-year** ~ un enfant (âgé) de six ans; **when you were one year** ~ quand tu avais un an; **this bread is a week** ~ ce pain est vieux d'une semaine; **a centuries-**~ **tradition** une tradition vieille de plusieurs siècles; **to be as** ~ **as sb/as the century** avoir le même âge que qn/que le siècle; **I'm** ~**er than you** je suis plus âgé que toi; **she is 10 years** ~**er than him** elle a 10 ans de plus que lui; **the north wing is 100 years** ~**er than the east wing** l'aile nord a été construite 100 ans avant l'aile est; **my** ~**er brother/sister** mon frère aîné/ma sœur aînée; **an** ~**er man/woman** un homme/une femme plus âgé/-e; **the** ~**er children play here** les grands jouent ici; **I'll tell you when you're** ~**er** je te le dirai quand tu seras plus grand; **he's going to be handsome when he's** ~**er** ce sera un beau jeune homme plus tard; **as you get** ~**er you learn what really matters** en vieillissant on apprend ce qui est vraiment important; **I'm the** ~**est** c'est moi l'aîné/-e; **the** ~**est person there was 18** la personne la plus âgée de l'assemblée avait 18 ans; ~ **enough to be your father/mother** assez vieux/vieille pour être ton père/ta mère; **to be** ~ **enough to do** être en âge de faire; **you're** ~ **enough to know better** à ton âge tu devrais avoir plus de bon sens; **you're too** ~ **for silly games** ces jeux stupides ne sont plus de ton âge; **he's too** ~ **for you** il est trop vieux pour toi; **that dress is too** ~ **for you** cette robe fait trop vieux pour toi; **to be** ~ **for one's age** être mûr pour son âge
3 (not new) [*garment, object, car, song, tradition, family*] vieux/vieille; [*story, excuse*] classique; [*joke*] rebattu; **an** ~ **friend** un vieil ami; **the** ~ **town** la vieille ville; **an** ~ **firm** une maison établie depuis longtemps
4 (former, previous) [*address, school, job, boss, admirer, system*] ancien/-ienne (*before n*); **there's our** ~ **house** voilà notre ancienne maison; **where is her** ~ **confidence?** où est passée son ancienne assurance?; **do you see much of the** ~ **crowd**○**?** est-ce que tu en vois beaucoup de notre vieille bande○?; **in the** ~ **days** autrefois, dans le temps; **just like** ~ **times** comme au bon vieux temps; **in the good** ~ **days** au bon vieux temps
5 ○(as term of affection) vieux/vieille; **there was** ~ **Jim** il y avait ce bon vieux Jim○; **there's** ~ **Fido** voilà ce brave vieux Fido○; **dear** ~ **Max** ce cher vieux Max○; **good** ~ **Jon!** ce bon vieux Jon○!; **good** ~ **British weather!** iron ce sacré○ climat anglais!; **hello,** ~ **chap/girl**†! salut, mon vieux/ma vieille○!; **how are you,** ~ **devil**○**?** ça va, vieux○?
6 ○(as intensifier) **a right** ~ **battle/mess** une sacrée bataille/pagaille○; **they were having a high** *ou* **rare** ~ **time** ils s'amusaient comme des fous○; **just put them down any** ~ **how/where** mets-les n'importe comment/où; **I don't want just any** ~ **doctor/any** ~ **car** je ne veux pas de n'importe quel docteur/n'importe quelle voiture; **any** ~ **tie will do** n'importe quelle cravate fera l'affaire.

> ⚠ The irregular form *vieil* of the adjective *vieux/vieille* is used before masculine nouns beginning with a vowel or a mute 'h'

old age *n* vieillesse *f*; **in (one's)** ~ sur ses vieux jours
old: ~**-age pension** *n* GB Soc Admin pension *f* de retraite; ~**-age pensioner, OAP** *n* GB retraité/-e *m/f*; **Old Bailey** *pr n* cour *f* d'assises de Londres; **Old Bill**○ *n* GB police *f*
old boy *n* **1** (ex-pupil) ancien élève *m*; **2** ○(old man) vieux *m*; **3** ○†(dear chap) (mon) vieux *m*
old boy network *n* GB réseau *m* des anciens élèves des écoles privées

> **Old boy network**
> Expression qui désigne le système d'entraide professionnelle entre les anciens élèves des *public schools* ou des grandes universités. ▸ **Public schools**

old: ~ **country** *n* mère *f* patrie; **Old Dominion** *n* US Virginie *f*
olden /ˈəʊldən/ *adj* **in** ~ **times, in the** ~ **days** autrefois, jadis; **tell us about the** ~ **days** parle-nous de l'ancien temps
old: **Old English** *n* vieil anglais *m*; **Old English sheepdog** *n* bobtail *m*; ~**-established** *adj* ancien/-ienne, établi depuis longtemps
olde-worlde /ˌəʊldˈwɜːld/ *adj* hum *ou* péj pseudo-ancien/-ienne
old-fashioned /ˌəʊldˈfæʃnd/
A *n* US cocktail *m* à base de whisky
B *adj* [*person, ways, manners*] vieux jeu *inv*; [*idea, attitude, garment, machine*] à l'ancienne, démodé péj; **good** ~ **common sense** le bon vieux sens commun
old: ~**-fashioned look** *n* regard *m* dubitatif; ~ **favourite** *n* (song, film) succès *m* de toujours; (book, play) classique *m*; ~ **flame**○ *n* ancien béguin *m*; ~ **fogey** GB, ~ **fogy**○ US *n* vieux/vieille réactionnaire *mf*; ~ **folks' home**○ *n* = **old people's home**; **Old French** *n* ancien français *m*
old girl *n* **1** (ex-pupil) ancienne élève *f*; **2** ○(old lady) (petite) vieille *f*; **3** ○†(dear lady) (ma) vieille○
old: **Old Glory** *pr n* drapeau *m* des États-Unis; ▸ **Stars and Stripes**; ~ **gold** *n, adj* vieil or (*m*) *inv*; ~ **guard** *n* vieille *f* garde
old hand *n* vieux routier *m*; **to be an** ~ **at sth/at doing** s'y connaître en qch/à faire
old hat○ *adj* dépassé
oldie○ /ˈəʊldɪ/ *n* **1** (film, song) vieux succès *m*; **2** (person) ancien/-ienne *m/f*
old lady *n* **1** (elderly woman) vieille dame *f*; **2** ○(wife) **my/his/the** ~ ma/sa/la bourgeoise○; **3** ○(mother) **my** ~ ma maternelle○ *or* vieille○
old lag○ /ˌəʊldˈlæg/ *n* **1** (prisoner) récidiviste *mf*; **2** GB (experienced person) vieux routier *m*
old: **Old Latin** *n* latin *m* classique; ~ **maid** *n* péj vieille fille *f* pej
old man *n* **1** (elderly man) vieil homme *m*, vieillard *m*; **2** ○(husband) **my/her** ~ mon/son homme○; **3** ○(father) **my** ~ mon paternel○, mon vieux○; **4** ○†(dear chap) (mon) vieux○; **5** ○(boss) **the** ~ le patron○, le singe○
old man's beard *n* Bot clématite *f* des haies
old master *n* **1** (artist) maître *m* ancien; **2** (work) tableau *m* de maître ancien
old: **Old Nick**○† *n* le Malin; ~ **people's home** *n* (state-run) hospice *m*; (private) maison *f* de retraite; ~ **rose** *n, adj* vieux rose (*m*) *inv*; ~ **school tie** *n* GB lit cravate *f* aux couleurs d'une école; fig copinage *m* des anciens élèves; ~ **sod**○ *n* hum mère *f* patrie
old soldier *n* **1** (former soldier) ancien combattant *m*; **2** (old hand) vieux routier *m*
old: **Old South** *n* US Hist Sud *m* d'avant la guerre de Sécession; ~ **stager**○ *n* GB ancien/-ienne *m/f*
oldster○ /ˈəʊldstə(r)/ *n* ancien/-ienne *m/f*

O

old: **~ style** *adj* ancien style (*after n*); **Old Style** *adj [date]* d'après le calendrier julien; **Old Testament** *n* Ancien Testament *m*; **~-time** *adj* du temps jadis; **~-time dancing** *n* danses *fpl* de salon; **~ timer**○ *n* ancien/-ienne *m/f*; **~ wives' tale** *n* conte *m* de bonne femme

old woman *n* **1** (elderly lady) vieille femme *f*, vieille *f*; **2** péj (man) **to be an ~** avoir des manies de petite vieille; **3** ○(wife) **my** *ou* **the ~** la patronne○, la bourgeoise○; **4** ○(mother) **my** *ou* **the ~** ma maternelle○, ma vieille○

old: **~-world** *adj [cottage, charm, courtesy]* d'autrefois; **Old World** *n* Vieux monde *m*

ole○ /əʊl/ *adj* = **old**

oleaginous /ˌəʊlɪˈædʒɪnəs/ *adj* oléagineux/-euse

oleander /ˌəʊlɪˈændə(r)/ *n* laurier-rose *m*

olefin(e) /ˈəʊlɪfaɪn/ *n* oléfine *f*

oleo /ˈəʊlɪəʊ/ *n* US *abrév* = **oleomargarine**

oleomargarine /ˌəʊlɪəʊˌmɑːdʒəˈriːn, -ˈmɑːdʒərɪn/ *n* US margarine *f*

O level *n* GB (*abrév* = **Ordinary level**) examen *que l'on passait en fin de 1er cycle du secondaire, remplacé par le GCSE*

olfactory /ɒlˈfæktərɪ/ *adj* olfactif/-ive

oligarchic(al) /ˌɒlɪˈɡɑːkɪk(l)/ *adj* oligarchique

oligarchy /ˈɒlɪɡɑːkɪ/ *n* oligarchie *f*

Oligocene /ˈɒlɪɡəsiːn/ *n, adj* oligocène (*m*)

oligopoly /ˌɒlɪˈɡɒpəlɪ/ *n* oligopole *m*

olive /ˈɒlɪv/

A *n* **1** (fruit) olive *f*; **green/black ~** olive verte/noire; **2** (*also* **~ tree**) olivier *m*; **3** (colour) vert *m* olive

B *adj [dress, eyes]* vert olive *inv*; *[complexion]* olivâtre

(Idioms) **to hold out** *ou* **extend an ~ branch to** fig tendre la main à; **to be intended as an ~ branch** être une main tendue

olive: **~ drabs** *npl* vert *m* d'armée; **~ green** ▸ **p. 1067** *n, adj* vert (*m*) olive (*inv*); **~ grove** *n* oliveraie *f*; **~ oil** *n* huile *f* d'olive; **~ press** *n* pressoir *m* à olives; **~-skinned** *adj* au teint olivâtre

Olympia /əˈlɪmpɪə/ *pr n* Olympie *f*

Olympiad /əˈlɪmpɪæd/ *pr n* Olympiades *fpl*

Olympian /əˈlɪmpɪən/ *adj [god, hero]* de l'Olympe; *[calm]* olympien/-ienne

Olympic /əˈlɪmpɪk/

A *n* **the ~s** les jeux Olympiques

B *adj [torch, athlete, medal]* olympique

Olympic Games *npl* jeux *m* Olympiques

Olympus /əˈlɪmpəs/ *pr n* Olympe *m*

OM *n* (*abrév* = **Order of Merit**) ≈ OM *m*

Oman /əʊˈmɑːn/ ▸ **p. 1096** *pr n* Oman *m*

Omani /əʊˈmɑːnɪ/ ▸ **p. 1467**

A *n* Omanais/-e *m/f*

B *adj* omanais

ombudsman /ˈɒmbʊdzmən/ *n* Admin médiateur *m*

omega /ˈəʊmɪɡə, US əʊˈmeɡə/ *n* oméga *m*

omelette /ˈɒmlɪt/ *n* omelette *f*

(Idiom) **you can't make an ~ without breaking eggs** on ne fait pas d'omelette sans casser d'œufs

omen /ˈəʊmən/ *n* présage *m*

omentum /əʊˈmentəm/ *n* (*pl* **-ta**) Med épiploon *m*

omertà /ˌəʊmeəˈtɑː/ *n* omerta *f*

ominous /ˈɒmɪnəs/ *adj [presence, shadow, cloud]* menaçant; *[development, news]* inquiétant; *[sign]* de mauvais augure

ominously /ˈɒmɪnəslɪ/ *adv* **1** (threateningly) *[look, gesture, move]* de façon menaçante; *[say]* d'un ton menaçant; **the house was ~ silent** dans la maison régnait un silence menaçant; **2** (worryingly) **~, the child has not yet been found** on n'a pas encore retrouvé l'enfant, ce qui ne présage rien de bon

omission /əˈmɪʃn/ *n* **1** gen, Jur omission *f*; **2** (from list, team) absence *f*

omit /əˈmɪt/ *vtr* (*p prés etc* **-tt-**) omettre (**from** de; **to do** de faire)

omnibus /ˈɒmnɪbəs/

A *n* **1** (*also* **~ edition**) GB (of TV programme) *rediffusion des épisodes de la semaine*; **2** (*also* **~ volume**) (book) recueil *m*; **3** †(bus) omnibus† *m*

B *adj* US de portée générale

(Idioms) **the man on the Clapham ~** GB† Monsieur tout le monde

omnibus bill *n* US Pol *projet de loi comprenant des mesures diverses*

omnidirectional /ˌɒmnɪdɪˈrekʃənl, -daɪ-/ *adj* omnidirectionnel/-elle

omnipotence /ɒmˈnɪpətəns/ *n* omnipotence *f*, toute-puissance *f*

omnipotent /ɒmˈnɪpətənt/

A *pr n* **the Omnipotent** le Tout-Puissant

B *adj* omnipotent, tout-puissant

omnipresence /ˌɒmnɪˈprezns/ *n* omniprésence *f*

omnipresent /ˌɒmnɪˈpreznt/ *adj* omniprésent

omniscience /ɒmˈnɪsɪəns/ *n* omniscience *f*

omniscient /ɒmˈnɪsɪənt/ *adj* omniscient

omnivore /ˈɒmnɪvɔː(r)/ *n* omnivore *mf*

omnivorous /ɒmˈnɪvərəs/ *adj* **1** lit omnivore; **2** fig *[reader]* curieux/-ieuse de tout

omphalos /ˈɒmfəlɒs/ *n* littér nombril *m*

on /ɒn/

> ⚠ When *on* is used as a straightforward preposition expressing position (*on the beach, on the table*) it is generally translated by *sur*: sur la plage, sur la table; *on it* is translated by dessus: *there's a table over there, put the key on it* = il y a une table là-bas, mets la clé dessus.
>
> *on* is often used in verb combinations in English (*depend on, rely on, cotton on etc*). For translations, consult the appropriate verb entry (**depend, rely, cotton** etc).
>
> If you have doubts about how to translate a phrase or expression beginning with *on* (*on demand, on impulse, on top etc*) consult the appropriate noun or other entry (**demand, impulse, top** etc).
>
> This dictionary contains usage notes on such topics as dates, islands, rivers etc. Many of these use the preposition *on*. For the index to these notes ▸ **p. 1948**.
>
> For examples of the above and further uses of *on*, see the entry below.

A *prep* **1** (position) sur; **~ the table/the pavement** sur la table/le trottoir; **~ the coast/the lake** sur la côte/le lac; **~ top of the piano** sur le piano; **~ the wall/ceiling/blackboard** au mur/plafond/tableau noir; **~ the floor** par terre; **there's a stain ~ it** il y a une tache dessus; **to live ~ Park Avenue** habiter Park Avenue; **it's ~ Carson Road** c'est sur Carson Road; **~ the M4 motorway** sur l'autoroute M4; **a studio ~ Avenue Montaigne** un studio Avenue Montaigne; **the paintings ~ the wall** les tableaux qui sont au mur; **accidents ~ and off the piste** des accidents sur la piste et en dehors; **to climb/leap ~ to sth** grimper/sauter sur qch; ▸ **get, hang, jump, pin, sew, tie**

2 (indicating attachment, contact) **to hang sth ~ a nail** accrocher qch à un clou; **~ a string** au bout d'une *or* attaché à une ficelle; **to put a hand ~ sb's shoulder** mettre la main sur l'épaule de qn; **to punch sb ~ the nose/on the chin** donner un coup dans le nez/sur le menton de qn; ▸ **hit, pat, slap**

3 (on or about one's person) **I've got no small change ~ me** je n'ai pas de monnaie sur moi; **have you got the keys ~ you?** est-ce que tu as les clés (sur toi)?; **to have a ring ~ one's finger** avoir une bague au doigt; **the finger with the ring ~ it** le doigt qui porte la bague; **a girl with sandals ~ her feet** une fille avec des sandales aux pieds; **to have a smile/to have a frown ~ one's face** sourire/froncer les sourcils

4 (about, on the subject of) sur; **a book/a programme ~ Africa** un livre/une émission sur l'Afrique; **information ~ the new tax** des renseignements sur le nouvel impôt; **to read Freud ~ dreams** lire ce que Freud a écrit sur les rêves; **have you heard him ~ electoral reform?** est-ce que tu l'as entendu parler de la réforme électorale?; **we're ~ fractions in maths** en maths, nous en sommes aux fractions

5 (employed, active) **to be ~** faire partie de *[team]*; être membre de *[board, committee, council]*; **to be ~ the Gazette** travailler pour la Gazette; **a job ~ the railways** un travail dans les chemins de fer; **there's a bouncer ~ the door** il y a un videur à la porte; **there are 20 staff ~ this project** il y a 20 personnes qui travaillent sur ce projet

6 (in expressions of time) **~ 22 February** le 22 février; **~ Friday** vendredi; **~ Saturdays** le samedi; **~ the night of 15 May** la nuit du 15 mai; **~ or about the 23rd** vers le 23; **~ sunny days** quand il fait beau; **~ Christmas Day** le jour de Noël; **~ your birthday** le jour de ton anniversaire; ▸ **dot, hour**

7 (immediately after) **~ his arrival** à son arrivée; **~ the death of his wife** à la mort de sa femme; **~ hearing the truth she...** quand elle a appris la vérité, elle...; **~ reaching London he...** quand il est arrivé à Londres, il...

8 (taking, using) **to be ~ tablets/steroids/heroin** prendre des médicaments/des stéroïdes/de l'héroïne; **to be ~ drugs** se droguer; **to be ~ 40 (cigarettes) a day** fumer 40 cigarettes par jour; **to be ~ a bottle of whisky a day** boire une bouteille de whisky par jour; ▸ **antibiotic, pill, tranquillizer**

9 (powered by) **to work** *ou* **run ~ batteries** marcher à piles, fonctionner sur piles; **to run ~ electricity** être électrique

10 (indicating support) sur; **to stand ~ one leg** se tenir sur un pied; **to lie ~ one's back** s'allonger sur le dos; **put it ~ its side** pose-le sur le côté

11 (indicating a medium) **~ TV/the radio** à la télé/radio; **I heard it ~ the news** j'ai entendu ça au journal; **~ video/cassette** en vidéo/cassette; **~ disk/computer** sur disquette/ordinateur; **~ channel four** sur la quatrième chaîne; **to play sth ~ the piano** jouer qch au piano; **with Lou Luciano ~ drums** avec Lou Luciano à la batterie

12 (income, amount of money) **to be ~ £20,000 a year** gagner 20 000 livres sterling par an; **to be ~ a salary** *ou* **income of £15,000** gagner 15 000 livres sterling; **he's ~ more than me** il gagne plus que moi; **to be ~ a low income** avoir un bas salaire; ▸ **dole, grant, live¹, overtime**

13 (paid for by, at the expense of) **this round is ~ me** c'est ma tournée; **have a beer ~ me** je te paye une bière; ▸ **credit, expenses, house**

14 (repeated events) **disaster ~ disaster** désastre sur désastre; **defeat ~ defeat** défaite sur défaite

15 (in scoring) **to be ~ 25 points** avoir 25 points; **Martin is the winner ~ 50 points** Martin est le gagnant avec 50 points

16 Turf **he's got £10 ~ Easy Rider** il a parié 10 livres sterling sur Easy Rider; **I'll have 50 dollars ~ Rapido** je parie 50 dollars sur Rapido; ▸ **odds**

17 Transp **to travel ~ the bus/train** voyager en bus/train; **to be ~ the plane/the train** être dans l'avion/le train; **to be ~ the yacht** être sur le yacht; **to be ~ one's bike** être à vélo; **to leave ~ the first train/flight** prendre le premier train/avion; ▸ **foot, horseback**

B *adj* **1** (taking place, happening) **to be ~** *[event]* avoir lieu; **is the match still ~?** est-ce que le match aura lieu? ; **the engagement is back ~ again** ils sont à nouveau fiancés; **while the**

meeting is ~ pendant la réunion; **there's a war/recession ~** il y a une guerre/récession; **I've got nothing ~ tonight** je n'ai rien de prévu pour ce soir; **to have something ~** avoir quelque chose de prévu; **I've got a lot ~** je suis très occupé
2▸ (being broadcast, performed, displayed) **Euro-express is ~ tonight** il y a Euro-express à la télé ce soir; **the news is ~ in 10 minutes** le journal est dans 10 minutes; **it's ~ at the Rex** ça passe au Rex; **there's an exhibition ~ at the Town Hall** il y a une exposition à la mairie; **what's ~?** (on TV) qu'est-ce qu'il y a à la télé?; (at the cinema) qu'est-ce qui passe au cinéma?; (at the theatre) qu'est-ce qu'il y a à l'affiche *or* au théâtre?; **there's nothing ~** il n'y a rien de bien; **Hamlet is still ~** Hamlet est toujours à l'affiche
3▸ (functional, live) **to be ~** [*TV, oven, heating, light*] être allumé; [*handbrake*] être serré; [*dishwasher, radio, washing machine*] marcher; [*hot tap, gas tap*] être ouvert; **the power is ~** il y a du courant; **the power is back ~** le courant est rétabli; **the switch is in the '~' position** l'interrupteur est en position 'allumé'; ▸ **switch on, turn on**
4▸ GB (permissible) **it's just** *ou* **simply not ~** (out of the question) c'est hors de question; (not the done thing) ça ne se fait pas; (unacceptable) c'est inadmissible; **it's simply not ~ to expect me to do that** c'est inadmissible de penser que je vais faire ça
5▸ (attached, in place) **to be ~** [*lid, top, cap*] être mis; **the cap isn't properly ~** le couvercle est mal mis; **once the roof is ~** une fois le toit construit ; ▸ **put, screw**

C *adv* 1▸ (on or about one's person) **to have a hat/coat ~** porter un chapeau/manteau; **to have one's glasses ~** porter ses lunettes; **he's got his suit ~** il est en costume; **to have nothing ~** être nu, ne rien avoir sur le dos; **~ with your coats!** allez, mettez vos manteaux!; **to have make-up ~** être maquillé; **with sandals/slippers ~** en sandales/pantoufles; ▸ **put, try**
2▸ (ahead in time) **20 years ~ he was still the same** 20 ans plus tard, il n'avait pas changé; **a few years ~ from now** dans quelques années; **from that day ~** à partir de ce jour-là; **to be well ~ in years** ne plus être tout jeune; **the party lasted well ~ into the night** la soirée s'est prolongée tard dans la nuit; ▸ **later, now**
3▸ (further) **to walk ~** continuer à marcher; **to walk ~ another 2 km** faire encore 2 km; **to go ~ to Newcastle** continuer jusqu'à Newcastle; **to go to Paris then ~ to Marseilles** aller à Paris et de là à Marseille; **to play/work ~** continuer à jouer/travailler; **a little further ~** un peu plus loin; ▸ **carry, go, move, press, read**
4▸ (on stage) **I'm ~ after the juggler** je passe juste après le jongleur; **he's not ~ until Act II** il n'entre en scène qu'au deuxième acte; **you're ~!** en scène!

D on and off *adv phr* (*also* **off and on**) **to see sb ~ and off** voir qn de temps en temps; **she's been working at the novel ~ and off for years** ça fait des années que son roman est en chantier; **he lives there ~ and off** il y habite de temps en temps; **to flash ~ and off** clignoter

E on and on *adv phr* **to go ~ and ~** [*speaker*] parler pendant des heures; [*lectures, speech*] durer des heures; **he went** *ou* **talked ~ and ~ about the war** il n'a pas arrêté de parler de la guerre; **the list goes ~ and ~** la liste n'en finit pas

(Idioms) **you're ~** d'accord; **are you still ~ for tomorrow's party?** c'est toujours d'accord pour la soirée de demain?; **to be always ~ at sb** être toujours sur le dos de qn; **she's always ~ at me to get my hair cut** elle est toujours sur mon dos pour que je me fasse couper les cheveux; **what's he ~ about?** GB qu'est-ce qu'il raconte?; **I don't know what you're ~ about** je ne sais pas de quoi tu parles; **he's been ~ to me about the lost files** GB il m'a contacté à propos des dossiers perdus. ▸ **get, go, put**

onanism /ˈəʊnənɪzəm/ *n* onanisme *m*

on-board /ˈɒnbɔːd/ *adj* Aut embarqué

once /wʌns/

A *n* **I've only been there the ~** je n'y suis allé qu'une seule fois; **I'll do it just this ~** je le fais pour cette fois; **for ~** pour une fois

B *adv* 1▸ (one time) une fois; **~ or twice** une ou deux fois; **~ before** une fois déjà; **more than ~** plus d'une fois, à plusieurs reprises; **I will tell you ~ only** je ne te le dirai qu'une seule fois, je ne te le dirai pas deux fois○; **if I've told you ~ I've told you a hundred times** si je ne te l'ai pas dit cent fois je ne te l'ai pas dit une fois○; **~ is enough** une fois suffit; **~ again** *ou* **more** encore une fois, une fois de plus; **~ and for all** une bonne fois pour toutes; **never ~ did he offer** *ou* **he never ~ offered to help** il ne s'est pas une seule fois proposé pour aider; **~ released, he...** une fois libéré, il...; **~ too often** une fois de trop; **~ a day/year** une fois par jour/an; **~ every six months** une fois tous les six mois; **(every) ~ in a while** de temps en temps; **~ in a lifetime** une fois dans la vie; **it was a ~-in-a-lifetime experience** c'était une expérience unique; **you only live ~** on ne vit qu'une fois; **if ~ you forget the code** si jamais vous oubliez le code; **~ a Catholic, always a Catholic** qui a été catholique le restera toute sa vie; **~ a thief, always a thief** qui a volé, volera; 2▸ (formerly) autrefois, jadis; **she was ~ very famous** (autrefois) elle a été très célèbre; **a ~ famous actor** un acteur autrefois célèbre; **I'm not as young as I ~ was** je ne suis plus très jeune; **there was ~ a time when he would have said yes** il fut un temps où il aurait dit oui; **~ upon a time there was a queen** il était une fois une reine

C at once *adv phr* 1▸ (immediately) tout de suite; **all at ~** tout d'un coup; 2▸ (simultaneously) à la fois, en même temps; **don't all talk at ~!** ne parlez pas tous en même temps *or* tous à la fois!

D *conj* une fois que, dès que; **~ he had eaten he...** une fois qu'il eut mangé il...; **~ he arrives we...** une fois qu'il arrivera nous...

once-over○ /ˈwʌnsəʊvə(r)/ *n* 1▸ (quick look) **to give sth the ~** jeter un rapide coup d'œil à qch; **to give sb the ~** gen évaluer qn au premier coup d'œil; (check-up) faire un rapide bilan de santé à qn; 2▸ (quick clean) **to give sth a quick ~** (with duster) donner un coup de chiffon à qch; (with vacuum cleaner) donner un coup d'aspirateur à qch

oncogenetics /ˌɒŋkəʊdʒɪˈnetɪks/ *n* (+ *v sg*) Med oncogénétique *f*

oncologist /ɒŋˈkɒlədʒɪst/ *n* oncologue *mf*, oncologiste *mf*

oncology /ɒŋˈkɒlədʒɪ/ *n* oncologie *f*

oncoming /ˈɒnkʌmɪŋ/ *adj* 1▸ [*car, vehicle*] venant en sens inverse; **'beware of ~ traffic'** 'circulation dans les deux sens'; 2▸ [*event, election*] imminent

oncosts /ˈɒnkɒsts/ *npl* Comm frais *mpl* généraux

OND *n* (*abrév* = **Ordinary National Diploma**) *diplôme d'enseignement technique de fin d'études secondaires*

one /wʌn/ ▸ p. 927, p. 1059, p. 1487

> ⚠ When *one* is used as a personal pronoun it is translated by *on* when it is the subject of the verb: *one never knows* = on ne sait jamais. When *one* is the object of the verb or comes after a preposition it is usually translated by *vous*: *it can make one ill* = cela peut vous rendre malade.
> For more examples and all other uses, see the entry below.

A *det* 1▸ (single) un/une; **~ car** une voiture; **~ dog** un chien; **twenty-~ flowers** vingt et une fleurs; **to raise ~ hand** lever la main; **no ~ person can do it alone** personne ne peut faire cela tout seul
2▸ (unique, sole) seul; **my ~ and only tie** ma seule et unique cravate; **her ~ vice/pleasure** son seul vice/plaisir; **she' s the ~ person who can help** c'est la seule personne qui puisse nous aider; **the ~ and only Edith Piaf** l'incomparable Edith Piaf; **she's ~ fine artist** US c'est une très grande artiste; ▸ **hell**
3▸ (same) même; **in the ~ direction** dans la même direction; **at ~ and the same time** en même temps; **to be ~ and the same thing** être exactement la même chose; **they're ~ and the same person** il s'agit de la même personne; **two offers in the ~ day** deux offres dans la même journée; **to be of ~ mind** être d'accord; **it's all ~ to me** ça m'est égal
4▸ (in expressions of time) **~ day/evening** un jour/soir; **~ hot summer's day** par une chaude journée d'été; **~ of these days** un de ces jours
5▸ (for emphasis) **~ Simon Richard** un certain Simon Richard

B *pron* 1▸ (indefinite) un/une *m/f*; **can you lend me ~?** tu peux m'en prêter un/une?; **~ of them** (person) l'un d'eux/l'une d'elles; (thing) l'un/l'une *m/f*; **she's ~ of my best customers** c'est une de mes meilleures clientes; **~ after the other** l'un/l'une après l'autre; **I can't tell ~ from the other** je ne peux pas les distinguer (l'un de l'autre); **every ~ of them was broken** ils étaient tous cassés sans exception; **~ was grey and the other was pink** l'un était gris et l'autre était rose; **two volumes in ~** deux tomes en un volume; **it's a two-in-~ whisk and blender** cela fait à la fois batteur et mixeur; **Merry Christmas ~ and all** Joyeux Noël à tous; **she's ~ of us** elle est des nôtres; ▸ **any**
2▸ (impersonal) (as subject) on; (as object) vous; **~ would like to think that** on aimerait penser que; **~ can't help wondering** on ne peut pas s'empêcher de se demander; **if ~ wanted** si on voulait; **it's enough to make ~ despair** cela suffit pour vous démoraliser
3▸ (referring to a specific person) **the advice of ~ who knows** les conseils de quelqu'un qui s'y connaît; **for ~ who claims to be an expert** pour quelqu'un qui prétend être expert; **like ~ possessed** comme un possédé; **I'm not ~ for doing** ce n'est pas mon genre de faire; **she's a great ~ for doing** elle est très douée pour faire; **I'm not ~ for football** je ne suis pas amateur de foot; **he's ~ for the ladies** c'est un homme à femmes; **she's a clever ~** elle est intelligente; **you're a ~**○**!** toi alors!; **I for ~ think that** personnellement *or* pour ma part je crois que; **'who disagrees?'—'I for ~!'** 'qui n'est pas d'accord?'—'moi'; ▸ **never**
4▸ (demonstrative) **the grey ~** le gris/la grise; **the pink ~s** les roses; **my friend's ~** celui/celle de mon ami; **this ~** celui-ci/celle-ci; **that ~** celui-là/celle-là; **the ~ in the corner** celui/celle qui est dans le coin; **which ~?** lequel/laquelle?; **that's the ~** c'est celui-là/celle-là; **he's the ~ who** c'est lui qui; **buy the smallest ~** achète le/la plus petit/-e; **my new car is faster than the old ~** ma nouvelle voiture est plus rapide que l'ancienne
5▸ (in currency) **~-fifty** (in sterling) une livre cinquante; (in dollars) un dollar cinquante
6▸ ○(drink) **he's had ~ too many** il a bu un coup○ de trop; **a quick ~** un pot○ en vitesse; **make mine a large ~** sers-moi un grand verre; ▸ **road**
7▸ ○(joke) **that's a good ~!** elle est bien bonne celle-là!; **have you heard the ~ about...?** est-ce que tu connais l'histoire de...?
8▸ ○(blow) **to land** *ou* **sock sb ~** en coller une à qn○
9▸ ○(question, problem) **that's a tough** *ou* **tricky ~** c'est une colle○; **ask me another ~** pose-moi une autre question
10▸ (person one is fond of) **her loved** *ou* **dear ~s**

O

ceux qui lui sont chers; **to lose a loved ~** perdre un être cher; **the little ~s** les petits **11** (in knitting) **knit ~, purl ~** une maille à l'endroit, une maille à l'envers; **make ~** faire une augmentation
C *n* (number) un *m*; **~, two, three, go!** un, deux, trois, partez!; **to throw a ~** (on dice) faire un un; **there are three ~s in one hundred and eleven** il y a trois fois le chiffre un dans cent onze; **~ o'clock** une heure; **to arrive in ~s and twos** arriver par petits groupes
D **as one** *adv phr* [*rise*] comme un seul homme; [*shout, reply*] tous ensemble
E **in one** *adv phr* **to down a drink in ~** boire un verre cul sec○; **you've got it in ~** tu as trouvé tout de suite
F **one by one** *adv phr* [*pick up, collect, wash*] un par un/une par une
(Idioms) **to be ~ up on sb**○ avoir un avantage sur qn; **to be at ~ with sb** être en accord avec qn; **to go ~ better than sb** faire mieux que qn; **to give sb ~**◑ se faire qn◑; **to be a dictionary and grammar all in ~** *ou* **all rolled into ~** être à la fois un dictionnaire et une grammaire; **all for ~ and ~ for all** un pour tous et tous pour un; **to have a thousand** *ou* **million and ~ things to do** avoir un tas de choses à faire

one-act play *n* pièce *f* en un seul acte

one another

> ⚠ *One another* is very often translated by using a reflexive pronoun (*nous, vous, se, s'*).
> For examples and particular usages see the entry below.

pron **they love ~** ils s'aiment; **to help ~** s'aider mutuellement, s'entraider; **we often use ~'s cars** souvent nous échangeons nos voitures; **to worry about ~** s'inquiéter l'un pour l'autre; **separated from ~** séparés l'un de l'autre; **close to ~** proches l'un de l'autre

one: **~-armed** *adj* manchot; **~-armed bandit** *n* machine *f* à sous, jackpot *m*; **~-day** *adj* [*international, seminar*] d'une journée

one-dimensional /ˌwʌndɪˈmenʃənl/ *adj* **1** gen, Math [*array, image*] unidimensionnel/-elle; **2** fig (superficial) [*treatment*] superficiel/-ielle; **to be ~** [*character*] Literat manquer d'épaisseur

one-eyed /ˈwʌnaɪd/ *adj* borgne; **a ~ man/woman** un/une borgne

one-for-one *adj* = **one-to-one 2**

one-handed /ˌwʌnˈhændɪd/
A *adj* [*person*] manchot; [*tool*] utilisable d'une seule main
B *adv* [*catch, hold*] d'une seule main

one-horse town○ *n* bled○ *m*, trou○ *m*

one-legged /ˌwʌnˈlegɪd/ *adj* unijambiste; **a ~ man/woman** un/une unijambiste

one: **~-line** *adj* d'une seule ligne; **~-liner** *n* bon mot *m*

one-man /ˈwʌnmæn/ *adj* **1** (for one person) [*job*] pour lequel un seul homme suffit; **it's a ~ outfit** *ou* **operation** *ou* **company** il est tout seul; **she's a ~ woman** elle est fidèle en amour; **2** Sport [*bobsled*] monoplace

one-man band *n* homme-orchestre *m*

one man one vote *n* GB un homme une voix

> **One man one vote**
> Lors de la sélection des candidats à la députation pendant les conférences du parti travailliste au Royaume-Uni, ce mode de scrutin permet aux membres des syndicats de voter individuellement pour le candidat de leur choix. Ce système succède à celui du *block vote*, selon lequel toutes les voix d'un syndicat allaient au candidat choisi par le secrétaire général.

one-man show *n* **1** Theat one-man show *m*, spectacle *m* solo; **2** Art exposition *f* consacrée à un seul artiste; **3** fig (in business) **it's a ~**○ il est tout seul

oneness /ˈwʌnnɪs/ *n* (unity) unité *f*; (uniformity) uniformité *f*

one-night stand○ /ˌwʌnnaɪt ˈstænd/ *n* **1** (sexual) amour *m* de rencontre, aventure *f* d'un soir; **2** (of comic, singer) représentation *f* unique

one-off /ˌwʌnˈɒf/ GB
A *n* **to be a ~** [*TV programme*] ne pas faire partie d'une série; [*issue, magazine*] être un numéro spécial; [*design, order, object*] être unique; **it was a ~** (of event, accident) ça ne se reproduira pas
B *adj* [*experiment, order, deal, design, performance*] unique; [*event, decision, offer, payment*] exceptionnel/-elle; [*example*] peu courant

one: **~-on-one** *adj* = **one-to-one**; **~-parent family** *n* famille *f* monoparentale; **~-party system** *n* système *m* à parti unique

one-piece /ˈwʌnpiːs/ *adj* gen, Tech d'une seule pièce; **~ swimsuit** maillot *m* de bain une pièce

one: **~-price store** *n* magasin *m* à prix unique; **~-reeler** *n* Cin court-métrage *m*; **~-room flat**, **~-room apartment** *n* studio *m*

onerous /ˈɒnərəs/ *adj* **1** [*task, workload, responsibility*] lourd; **2** Jur [*conditions, terms*] dur

one's /wʌnz/

> ⚠ In French determiners agree in gender and number with the noun they qualify. So when *one's* is used as a determiner it is translated by *son* + masculine singular noun (*son argent*), by *sa* + feminine noun (*sa voiture*) BUT by *son* + feminine noun beginning with a vowel or mute h (*son assiette*) and by *ses* + plural noun (*ses enfants*).
> When *one's* is stressed, *à soi* is added after the noun.
> When *one's* is used as a reflexive pronoun it is translated by se or s' before a vowel or mute h: *to brush one's teeth* = se brosser les dents; ▸ **p. 997.**
> For examples and particular usages see the entry below.

A = **one is**, **one has**
B *det* son/sa/ses; **to wash ~ hands** se laver les mains; **~ books/friends** ses livres/amis; **one tries to do ~ best** on essaye de faire de son mieux; **it upsets ~ concentration** ça perturbe la concentration; **it limits ~ options** ça limite les choix; **a house/car of ~ own** une maison/voiture à soi

oneself /ˌwʌnˈself/

> ⚠ When used as a reflexive pronoun, direct and indirect, *oneself* is translated by *se* (or *s'* before a vowel): *to hurt oneself* = se blesser; *to enjoy oneself* = s'amuser.
> When used in emphasis the translation is *soi-même*: *to do something oneself* = faire quelque chose soi-même.
> After a preposition, the translation is *soi*.
> For particular usages see the entry below.

pron **1** (refl) se, s'; **to wash/cut ~** se laver/couper; **2** (for emphasis) soi-même; **3** (after prep) soi; **to be sure of ~** être sûr de soi; **to look pleased with ~** avoir l'air content de soi; **to have the house all to ~** avoir la maison pour soi tout seul/toute seule; **to talk to ~** parler tout seul/toute seule; **(all) by ~** tout seul/toute seule; ▸ **ashamed**, **keep**

one-shot *adj* US = **one-off**

one-sided /ˌwʌnˈsaɪdɪd/ *adj* **1** (biased) [*account*] partial; **2** (unequal) [*decision*] unilatéral; [*contest, fight, game*] inégal; [*bargain, deal*] inique; [*conversation, relationship*] à sens unique

one: **~-size** *adj* [*garment*] taille unique; **~-stop shopping** *n*: *possibilité de faire tous ses achats dans le même centre commercial*; **~-time** *adj* ancien/-ienne (*before n*)

one-to-one /ˌwʌntəˈwʌn/
A *adj* **1** (private, personal) **~ meeting** tête-à-tête *m inv*; **~ session** gen, Psych face *m* à face; **~ tuition** cours *mpl* particuliers; **to teach on a ~ basis** donner des cours particuliers; **2** Math [*correspondence, mapping*] biunivoque; **3** Sport [*contest, fight*] à deux (*after n*); [*marking*] individuel/-elle
B *adv* [*discuss*] en tête à tête; **to teach ~** donner des cours particuliers

one-track /ˌwʌnˈtræk/
(Idiom) **to have a ~ mind** gen avoir une idée fixe; (sexually) être obsédé

one-two○ /ˌwʌnˈtuː/
(Idiom) **to give sb the old ~** GB donner à qn un crochet de gauche suivi d'un crochet du droit *or* un une deux

one-up○ /ˌwʌnˈʌp/ *vtr* (*p prés etc* **-pp-**) US surenchérir sur [*person*]

one-upmanship /ˌwʌnˈʌpmənʃɪp/ *n* art *m* de paraître supérieur aux autres; **to practise ~** faire de la surenchère sur les autres

one-way /ˌwʌnˈweɪ/
A *adj* **1** Transp [*traffic, tunnel*] à sens unique; **~ street** *ou* **system** sens *m* unique; **2** (single) **~ ticket** aller *m* simple; **the ~ trip costs £300** l'aller simple coûte 300 livres sterling; **3** (not reciprocal) [*process, conversation*] à sens unique; [*friendship*] non partagé; [*transaction*] unilatéral; **4** Elec, Telecom [*cable, circuit*] unidirectionnel/-elle; **5** (nonrefundable) [*bottle*] non consigné; [*glass*] perdu; **6** (opaque in one direction) [*glass*] argus
B *adv* **it costs £10 ~** l'aller simple coûte 10 livres sterling; **there's no give-and-take with him**○, **it's all ~** aucun échange n'est possible avec lui, c'est toujours à sens unique

one-woman /ˌwʌnˈwʊmən/ *adj* [*job*] pour lequel une seule femme suffit; **it's a ~ outfit** *ou* **operation** *ou* **company** elle est toute seule; **he's a ~ man** il est fidèle en amour

one-woman show *n* **1** Theat one-woman show *m*, spectacle *m* solo; **2** Art exposition *f* consacrée à une seule artiste; **3** fig (in business) **it's a ~**○ elle est toute seule

ongoing /ˈɒngəʊɪŋ/ *adj* [*process*] continu; [*battle, saga*] continuel/-elle; **research is ~** des recherches sont en cours

onion /ˈʌnɪən/ *n* oignon *m*
(Idiom) **to know one's ~s**○ GB connaître son affaire

onion: **~ dome** *n* Archit dôme *m* bulbeux; **~ gravy** *n* sauce *f* à l'oignon; **~ rings** *npl* oignons *mpl* frits; **~skin** *n* (paper) papier *m* pelure; **~ soup** *n* soupe *f* à l'oignon

online, **on-line** /ˌɒnˈlaɪn/
A *adj* **1** (on the Internet) [*help, service, ordering, shopping*] en ligne; [*bank, retailer, bookshop*] en ligne; **to be ~** être en ligne, être connecté; **2** Comput [*access*] direct; [*mode*] connecté; [*data processing*] en direct
B *adv* [*bank, search, shop*] en ligne

onlooker /ˈɒnlʊkə(r)/ *n* spectateur/-trice *m/f*

only /ˈəʊnlɪ/
A *conj* (but) mais; **you can hold the baby, ~ don't drop him** tu peux tenir le bébé, mais surtout ne le lâche pas; **it's like hang-gliding ~ safer** c'est la même chose que le deltaplane mais en moins dangereux; **it's like a mouse ~ bigger** c'est comme une souris mais en plus gros; **I'd come ~ I'm working tonight** je viendrais bien mais ce soir je travaille; **he needs a car ~ he can't afford one** il a besoin d'une voiture mais il n'a pas les moyens d'en acheter une; ▸ **if B**
B *adj* **1** (sole) seul; **~ child** enfant unique; **the ~ one left** le seul/la seule *m/f* or le dernier/la

O

dernière *m/f* qui reste; **you're not the ~ one** tu n'es pas le seul; **we're the ~ people who know** nous sommes les seuls à le savoir; **it's the ~ way** c'est le seul moyen; **one and ~** seul; **the ~ thing is, I'm broke**○ le seul problème, c'est que je suis fauché○; **his ~ answer was to shrug his shoulders** pour toute réponse il haussa les épaules
2 (best, preferred) **skiing is the ~ sport for me** pour moi, aucun sport ne vaut le ski; **champagne is the ~ drink** rien ne vaut le champagne
C *adv* **1** (exclusively) **I'm ~ interested in European stamps** je ne m'intéresse qu'aux timbres européens; **~ in Italy can one...** il n'y a qu'en Italie que l'on peut...; **he ~ reads science-fiction** il ne lit que des romans de science-fiction; **we're ~ here for the free beer** nous ne sommes là que pour la bière gratuite; **it's ~ harmful if you eat a lot** ce n'est dangereux que si on en mange beaucoup; **I'll go but ~ if you'll go too** je n'irai que si tu y vas aussi; **I'll lend you money but ~ if you repay me** je ne te prêterai de l'argent que si tu me rembourses; **~ Annie saw her** Annie est la seule à l'avoir vue; **~ an expert can do that** seul un expert peut faire ça; **~ time will tell** seul l'avenir nous le dira; **'men ~'** 'hommes seulement'; **'for external use ~'** 'usage externe'
2 (nothing more than) **it's ~ fair to let him explain** ce n'est que justice de le laisser s'expliquer; **it's ~ polite** c'est la moindre des politesses; **it's ~ natural for her to be curious** c'est tout à fait normal qu'elle soit curieuse
3 (in expressions of time) **~ yesterday/last week** pas plus tard qu'hier/que la semaine dernière; **I saw him ~ recently** je l'ai vu très récemment; **it seems like ~ yesterday** j'ai l'impression que c'était hier
4 (merely) **he's ~ a baby** ce n'est qu'un bébé; **Mark is ~ sixteen** Mark n'a que seize ans; **it's ~ a suggestion** ce n'est qu'une suggestion; **it's ~ 10 o'clock** il n'est que 10 heures; **it ~ took five minutes** ça n'a pris que cinq minutes; **I ~ earn £2 an hour** je ne gagne que deux livres sterling à l'heure; **you ~ had to ask** tu n'avais qu'à demander; **I've ~ met her once** je ne l'ai rencontrée qu'une fois; **he ~ grazed his knees** il s'est juste égratigné les genoux; **~ half the money** juste la moitié de l'argent; **~ twenty people turned up** seules vingt personnes sont venues; **you've ~ got to look around you** il suffit de regarder autour de soi; **she's not ~ charming but also intelligent** elle n'est pas seulement charmante, elle est aussi intelligente; **I was ~ joking!** je plaisantais!; ▸ **name**
5 (just) **I ~ wish he would apologize** je voudrais simplement qu'il s'excuse; **I ~ hope she'll realize** j'espère simplement qu'elle s'en rendra compte; **you'll ~ make him angry** tu ne feras que le mettre en colère; **he'll ~ waste the money** il ne fera que gaspiller l'argent; **~ think, you could win the jackpot** imagine, tu pourrais gagner le gros lot; **I can ~ think that Claire did it** ça ne peut être que Claire qui l'a fait; **open up, it's ~ me** ouvre, c'est moi; **I got home ~ to find** *ou* **discover (that) I'd been burgled** quand je suis rentré à la maison j'ai découvert que j'avais été cambriolé
D **only just** *adv phr* **1** (very recently) **to have ~ just done** venir juste de faire; **I've ~ just arrived** je viens juste d'arriver
2 (barely) **it's ~ just tolerable** c'est à peine tolérable; **the plank is ~ just long enough** la planche est juste assez longue; **I caught the bus, but ~ just** j'ai eu le bus mais de justesse
E **only too** *adv phr* **it's ~ too obvious that** il n'est que trop évident que; **I remember it ~ too well** je m'en souviens trop bien; **they were ~ too pleased to help** ils étaient trop contents de se rendre utiles
(Idiom) **goodness** *ou* **God** *ou* **Heaven ~ knows!** Dieu seul le sait!

on-message /ɒnˈmesɪdʒ/ *adj* GB Pol **to be ~** être d'accord avec la politique gouvernementale
o.n.o. GB (*abrév écrite* = **or nearest offer**) à débattre
on-off *adj* [*button, control*] marche-arrêt
onomasiology /ˌɒnəmæzɪˈɒlədʒɪ/ *n* onomasiologie *f*
onomastic /ˌɒnəˈmæstɪk/ *adj* onomastique
onomastics /ˌɒnəˈmæstɪks/ *n* (+ *v sg*) onomastique *f*
onomatopoeia /ˌɒnəˌmætəˈpɪə/ *n* onomatopée *f*
onomatopoeic /ˌɒnəˌmætəˈpiːɪk/ *adj* onomatopéique
onrush /ˈɒnrʌʃ/ *n* (of water, tears) torrent *m*; (of people) ruée *f*; (of feelings, pain) accès *m*
on-screen /ˌɒnˈskriːn/
A *adj* **1** Comput sur l'écran; **2** Cin [*action etc*] sur l'écran; [*sex, relationship*] à l'écran
B *adv* Comput [*edit, display*] sur l'écran
onset /ˈɒnset/ *n* début *m* (**of** de)
onshore /ˈɒnʃɔː(r)/ *adj* **1** [*installation, oil field, work*] à terre; **2** [*wind, current*] du large
onside /ˌɒnˈsaɪd/ *adj, adv* Sport en jeu
on-site /ˌɒnˈsaɪt/
A *adj* sur place
B **on site** *adv phr* sur place
onslaught /ˈɒnslɔːt/ *n* attaque *f* (**on** contre)
onstage /ˌɒnˈsteɪdʒ/ *adj, adv* sur scène; **to come ~** entrer en scène
on-target earnings, OTE *npl* **'~ £30,000'** 'salaire plus commission pouvant atteindre 30 000 livres sterling'
Ontario /ɒnˈteərɪəʊ/ ▸ **p. 1815** *pr n* (city, province) Ontario *m*
on-the-job
A *adj* [*training*] sur le tas○, sur le lieu de travail
B **on the job** *adv phr* **to get one's training** *ou* **experience on the job** acquérir de l'expérience sur le tas○
on-the-spot
A *adj* [*team, reporting*] sur place; [*investigation*] sur les lieux; [*fine*] sur les lieux de l'infraction; [*advice, quotation*] immédiat
B **on the spot** *adv phr* **to be on the spot** gen être sur place; (of police) être sur les lieux; **our correspondent on the spot** notre correspondant sur place; **to agree/decide on the spot** donner son accord/décider sur place
onto /ˈɒntuː/ *prep* (*also* **on to**) sur; ▸ **get, go, move, open etc**
(Idioms) **to be ~ something**○ être sur une piste; **I think I'm ~ something big**○ je suis sur un gros coup○; **the police are ~ him**○ la police est après lui; **she's ~ us**○ elle sait ce que nous mijotons○; ▸ **good**
ontogenic /ˌɒntəˈdʒenɪk/, **ontogenetic** /ˌɒntədʒɪˈnetɪk/ *adj* ontogénique
ontogeny /ɒnˈtɒdʒənɪ/ *n* ontogénèse *f*
ontological /ˌɒntəˈlɒdʒɪkl/ *adj* ontologique
ontology /ɒnˈtɒlədʒɪ/ *n* ontologie *f*
onus /ˈəʊnəs/ *n* obligation *f*; **the ~ is on sb to do sth** il incombe à qn de faire qch; **to put the ~ on sb to do sth** obliger qn à faire qch
onward /ˈɒnwəd/
A *adj* **~ flight** correspondance *f* (**to** à destination de); **the coach then makes the ~ journey to Cairo** et puis le car continue sa route jusqu'au Caire; **the ~ march of progress** la marche inéluctable du progrès
B *adv* = **onwards**
onwards /ˈɒnwədz/ *adv* **1** (forwards) **the journey ~ to Tokyo** le voyage jusqu'à Tokyo; **to fly to Paris then ~ to Geneva** prendre l'avion jusqu'à Paris puis une correspondance pour Genève; **to go** *ou* **rise ~ and upwards** gravir les échelons de la hiérarchie; **2** (in time phrases) **from tomorrow/next year ~** à partir de demain/de l'année prochaine; **from now ~** à partir d'aujourd'hui; **from that day ~** à dater de ce jour
onyx /ˈɒnɪks/
A *n* onyx *m*
B *modif* [*brooch, chess piece, paperweight*] en onyx
oocyte /ˈəʊəsaɪt/ *n* ovocyte *m*
oodles○ /ˈuːdlz/ *n* des masses○ *fpl*; **to have ~ of** avoir beaucoup de
ooh /uː/
A *excl* oh!; **~s and ahs** des oh et des ah
B *vi*: **to ~ and ah** pousser des oh et des ah
oolite /ˈəʊəlaɪt/ *n* oolithe *m*
oompah /ˈʊmpɑː/ *n* flonflons *mpl*
oomph○ /ʊmf/ *n* punch○ *m*, dynamisme *m*
oophorectomy /ˌəʊəfəˈrektəmɪ/ *n* ovariectomie *f*
oophoritis /ˌəʊəfəˈraɪtɪs/ ▸ **p. 1327** *n* ovarite *f*
oops○ /uːps, ʊps/ *excl* oh là là!
oosphere /ˈəʊəsfɪə(r)/ *n* oosphère *f*
oospore /ˈəʊəspɔː(r)/ *n* oospore *f*
ooze /uːz/
A *n* (silt) vase *f*
B *vtr* **1** [*wound, scab*] suinter; **the wound ~d blood** du sang suintait de la blessure; **to ~ butter** déborder de beurre; **2** fig [*person*] rayonner de [*charm, sexuality*]
C *vi* **to ~ with** déborder de [*butter, cream*]; rayonner de [*charm, sexuality*]
(Phrasal verb) ■ **ooze out** s'écouler
op○ /ɒp/ *n* Med, Comput *abrév* = **operation 2, 5**
Op. *abrév écrite* = **opus**
opacity /əˈpæsətɪ/ *n* lit, fig opacité *f*
opal /ˈəʊpl/
A *n* opale *f*
B *modif* [*ring, brooch*] d'opale(s); [*necklace*] d'opales
opalescence /ˌəʊpəˈlesns/ *n* opalescence *f*
opalescent /ˌəʊpəˈlesnt/ *adj* opalescent
opaque /əʊˈpeɪk/ *adj* lit, fig opaque
opaqueness /əʊˈpeɪknɪs/ *n* lit, fig opacité *f*
opaque projector *n* épiscope *m*
op art *n* op art *m*
op artist *n* artiste *mf* op art
Opec, OPEC /ˈəʊpek/ (*abrév* = **Organization of Petroleum Exporting Countries**)
A *n* OPEP *f*
B *modif* [*meeting, member, oil*] de l'OPEP; [*price*] pratiqué par l'OPEP
op-ed page *n* US Journ (*abrév* = **opposite editorial page**) *page contenant des chroniques, des lettres et des commentaires*
open /ˈəʊpən/
A *n* **1** (outside) **the ~** le plein air; **in the ~** dehors, en plein air
2 (exposed position) terrain *m* découvert; **in/into the ~** en terrain découvert; fig **to be out in the ~** être étalé en plein jour; **to bring sth out into the ~** mettre qch au grand jour; **to come out into the ~ (and say...)** parler franchement (et dire...); **let's get all this out in the ~** mettons cartes sur table
3 (*also* **Open**) Sport (tournoi *m*) open *m*; **the US Open** l'open américain
B *adj* **1** (not closed) [*door, box, parcel, book, eyes, shirt, wound, flower*] ouvert; [*arms, legs*] écarté; (to the public) [*bank, shop, bar, bridge, meeting*] ouvert; **to get sth ~** ouvrir qch; **to burst** *ou* **fly ~** s'ouvrir brusquement *or* violemment; **'~ 9 to 5'** 'ouvert de 9 à 5'; **'~ on Sundays'** 'ouvert le dimanche'; **the book lay ~** le livre était ouvert; **the door was partly** *ou* **slightly** *ou* **half ~** la porte était entrouverte; **to be ~ for business** *ou* **to the public** être ouvert au public; **my door is always ~** ma porte est toujours ouverte; **is there a bank ~?** est-ce qu'il y a une banque ouverte?
2 (not obstructed) **to be ~** [*road*] être ouvert (à la circulation); [*canal, harbour*] être ouvert (à la navigation); [*telephone line, frequency*] être libre; **the ~ air** le plein air; **in the ~ air** en plein air, au grand air; (at night) à la belle étoile; **~ country** la rase campagne;

O

~ **ground** un terrain vague; **the ~ road** la grand-route; **the ~ sea** la haute mer; **an ~ space** un espace libre; **the (wide) ~ spaces** les (grands) espaces libres; **an ~ view** une vue dégagée (**of** de); **~ water** une étendue d'eau dégagée; **they're trying to keep the bridge/tunnel ~** ils essaient de laisser le pont/tunnel ouvert à la circulation
[3] (not covered)[*car, carriage*] découvert, décapoté; [*tomb*] ouvert; [*mine, sewer*] à ciel ouvert; **an ~ fire** un feu (de cheminée)
[4] (susceptible) **~ to the air/to the wind/to the elements** exposé à l'air/au vent/aux éléments; **~ to attack** exposé à l'attaque; **to be ~ to offers/to suggestions/to new ideas/to criticism** être ouvert aux offres/aux suggestions/aux nouvelles idées/à la critique; **to be ~ to persuasion** être prêt à se laisser convaincre; **to lay** *ou* **leave oneself ~ to criticism/to attack** s'exposer (ouvertement) à la critique/à l'attaque; **it is ~ to doubt** *ou* **question whether** on peut douter que (+ *subj*); **this incident has left his honesty ~ to doubt** *ou* **question** cet incident met en doute son honnêteté
[5] (accessible) (*jamais épith*) [*job, position*] libre, vacant; [*access, competition*] ouvert à tous; [*meeting, hearing, session*] public/-ique; **to be ~ to sb** [*competition, service, park, facilities*] être ouvert à qn; **there are several courses of action/choices ~ to us** nous avons le choix entre plusieurs lignes de conduite/plusieurs possibilités
[6] (candid) [*person, discussion, declaration, statement*] franc/franche; **to be ~ (with sb) about sth** être franc/franche (avec qn) à propos de qch
[7] (blatant) [*hostility, rivalry, attempt, contempt*] non dissimulé; [*disagreement, disrespect*] manifeste; **in ~ rebellion** *ou* **revolt** en rébellion ouverte
[8] (undecided) [*question*] non résolu, non tranché; **to leave the date/decision ~** laisser la date/décision en suspens; **the race/election is (wide) ~** l'issue de la course/l'élection est indécise; **to have** *ou* **keep an ~ mind about sth** réserver son jugement sur qch; **~ return/ticket** Transp retour *m*/billet *m* ouvert *or* open; **she kept my job ~** elle m'a gardé mon travail; **the job is still ~** l'emploi est toujours vacant; **I have an ~ invitation to visit him/Paris** je suis invité chez lui/à Paris quand je veux
[9] (with spaces) [*weave, material*] ajouré
[10] Sport [*tournament, contest*] open
[11] Mus [*string*] à vide
[12] Ling [*vowel, syllable*] ouvert
C *vtr* [1] (cause not to be closed) ouvrir [*door, envelope, letter, wound, box, shirt, umbrella, button, jar*]; **to ~ one's arms/legs** ouvrir *or* écarter les bras/jambes; ouvrir, déplier [*map, newspaper*]; dilater [*pores*]; **to ~ a door/window slightly** *ou* **a little** entrouvrir une porte/fenêtre; **to ~ one's eyes/mouth** ouvrir les yeux/la bouche; **to ~ one's mind (to sth)** s'ouvrir (à qch)
[2] (begin) ouvrir, entamer [*discussions, negotiations, meeting*]; entamer, engager [*conversation*]; ouvrir [*account, enquiry*]; **to ~ the score** *ou* **scoring** Sport ouvrir la marque; **to ~ fire** ouvrir le feu; **she ~ed the show with a song** elle a ouvert le spectacle avec une chanson; **to ~ the door to** ouvrir la porte à [*abuse, corruption*]
[3] Comm (set up) ouvrir [*shop, business, branch*]
[4] (inaugurate) inaugurer [*shop, bridge*]; ouvrir [*exhibition*]; **to ~ parliament** ouvrir la session parlementaire
[5] (make wider) ▸ **open up**
D *vi* [1] (become open) [*door, window, flower, curtain*] s'ouvrir; **his eyes/mouth ~ed** il a ouvert les yeux/la bouche; **to ~ into** *ou* **onto sth** [*door, room, window*] donner sur qch; **~ wide!** (at dentist's) ouvrez grand!; **to ~ slightly** *ou* **a little** [*window, door*] s'entrouvrir
[2] Comm (operate) [*shop, bank, bar*] ouvrir
[3] (begin) [*meeting, conference, discussion, play*] commencer; **to ~ with sth** [*person, meeting, play*] commencer par qch; **to ~ by doing** [*person*] commencer par faire
[4] Art, Cin, Theat (have first performance) [*film*] sortir (sur les écrans); [*exhibition*] ouvrir; **the play ~s in London on the 25th** la première de la pièce aura lieu à Londres le 25; **we ~ on the 25th** nous donnons la première le 25
[5] (be first speaker) [*person*] ouvrir le débat; **to ~ for the defence/the prosecution** Jur prendre la parole au nom de la défense/du ministère public
[6] (become wider) ▸ **open up**
[7] Fin [*shares*] débuter

(Phrasal verbs) ■ **open out**: ▸ **~ out** (become broader) [*river, passage, path, view*] s'élargir; [*countryside*] s'étendre; [*flower*] s'ouvrir, éclore; **to ~ out into** [*passage, tunnel*] déboucher sur [*room, cave*]; [*stream, river*] se jeter dans [*pool, lake*]; ▸ **~ [sth] out, ~ out [sth]** ouvrir, déplier [*garment, newspaper, map*]
■ **open up**: ▸ **~ up** [1] (unlock a building) ouvrir; **I'll ~ up for you** je t'ouvre; **'police! ~ up!'** 'police! ouvrez!'; [2] (become wider) [*gap*] se creuser; [*crack, split, crevice, fissure*] lit, fig se former; [3] (speak freely) s'ouvrir; [4] (develop) [*opportunities, possibilities, market*] s'ouvrir; [5] (become open) [*flower*] s'ouvrir, éclore; [6] Comm (start up) [*shop, business, branch*] ouvrir; [7] Mil (start firing) se mettre à tirer; ▸ **~ [sth] up, ~ up [sth]** [1] (make open) ouvrir [*parcel, suitcase, wound*]; [2] (make wider) creuser [*gap*]; **to ~ up a lead** [*athlete, racer*] creuser l'écart; [3] (unlock) ouvrir [*shop, building*]; [4] (start up) ouvrir [*shop, business, branch, mine*]; **to ~ up a plant** *ou* **factory** s'implanter; [5] (make accessible) ouvrir [*area, road, country*]; exploiter [*forest, desert*]; fig ouvrir [*opportunities, possibilities, career*]; **to ~ up new horizons for sb** ouvrir de nouveaux horizons à qn; **they are trying to ~ the region up to trade** ils essaient de développer le commerce dans cette région

open admissions (policy) *npl* US Univ *politique d'admission dans le cycle universitaire sans sélection des candidats*

open-air /ˌəʊpən'eə(r)/ *adj* [*swimming pool, market, stage*] en plein air; **~ theatre** théâtre *m* de verdure *or* en plein air

open: **~-and-shut** *adj* [*case*] transparent, clair; **~cast mining** *n* GB exploitation *f* minière à ciel ouvert; **~ circuit** *n* Elec circuit *m* ouvert; **~ competition** *n* concours *m*

open court *n* **in ~** en audience publique

open day *n* journée *f* portes ouvertes

open door
A *n* Econ, Pol porte *f* ouverte
B **open-door** *adj* Econ, Pol [*policy*] de la porte ouverte

open-ended /ˌəʊpən'endɪd/ *adj* [*policy, strategy*] flexible; [*contract*] modifiable; [*discussion, debate, question*] ouvert; [*relationship, situation*] flou; [*stay*] de durée indéterminée; [*period*] indéterminé; [*phrase, wording*] sujet/-ette à plusieurs interprétations

opener /'əʊpnə(r)/
A *n* [1] Sport (in cricket) premier batteur *m*; (in baseball) premier match *m* de la saison; [2] TV, Theat (first act) premier numéro *m*; (first episode) premier épisode *m*; [3] Games (in bridge) (bid) ouverture *f*; (player) ouvreur/-euse *m/f*; [4] (for bottles) décapsuleur *m*; (for cans, tins) ouvre-boîte *m*
B **for openers**○ *adv phr* pour commencer

open-eyed *adj* [1] (alert) alerte; [2] (agog) **to be ~ in wonder/surprise** avoir les yeux écarquillés d'émerveillement/de surprise

open: **~-faced** *adj* [*person*] à l'air franc; **~-face(d) sandwich** *n* US canapé *m*; **~ government** *n* Pol politique *f* de transparence; **~-handed** *adj* généreux/-euse; **~-hearted** *adj* chaleureux/-euse

open-heart surgery *n* Med [1] (discipline) chirurgie *f* à cœur ouvert; [2] (operation) opération *f* à cœur ouvert

open house *n* [1] (be hospitable) **to keep ~** être très hospitalier/-ière; **it's always ~ at the Batemans'** les Bateman sont très hospitaliers; [2] US (open day) journée *f* portes ouvertes

opening /'əʊpnɪŋ/
A *n* [1] (start) (of book, piece of music) début *m*; (of business, premises, shop) ouverture *f*; (of exhibition, parliament) ouverture *f*; (of play, film) première *f*; [2] (inauguration) (of building, business, shop etc) inauguration *f*; [3] (gap) (in wall, fence, garment) ouverture *f*, trouée *f*; (in forest) trouée *f*, percée *f*; **door ~** porte *f*; [4] (opportunity) gen occasion *f* (**to do** de faire); Comm (in market etc) débouché *m*, créneau *m*, marché *m* (**for** pour); (for employment) (in company) poste *m* (disponible); (in field) possibilité *f* de travail; **job** *ou* **career ~** possibilité *f or* offre *f* d'emploi; [5] Games ouverture *f*
B *adj* [*scene, line, chapter*] premier/-ière (*before n*); [*remarks, speech, statement*] préliminaire; Fin [*price, offer, bid*] de départ; (at Stock Exchange) [*share price*] d'ouverture; [*move, shot*] premier/-ière (*before n*)

opening: **~ balance** *n* Accts (of individual) solde *m* initial; (of company) solde *m* en début d'exercice; **~ ceremony** *n* (cérémonie *f* d') inauguration *f*; **~ gambit** *n* (in chess) gambit *m*; **~ hours** *n* Comm heures *fpl* d'ouverture; **~ night** *n* Cin, Theat (soir *m* de la) première *f*; **~ time** *n* Comm heure *f* d'ouverture

open: **~ learning** *n*: *formule d'enseignement à distance ou dans un centre ouvert à tous*; **~ letter** *n* lettre *f* ouverte (**to** à)

openly /'əʊpənlɪ/ *adv* (all contexts) ouvertement

open market *n* Econ marché *m* libre; **on the ~** sur le marché libre

open marriage *n* mariage *m* où l'infidélité est tolérée

open-minded /ˌəʊpən'maɪndɪd/ *adj* à l'esprit ouvert (*épith*), sans préjugés; **to be ~** avoir l'esprit ouvert; **to be ~ about sth** n'avoir aucun préjugé sur qch

open-mouthed /ˌəʊpən'maʊðd/ *adj* bouche bée *inv*; **~ with surprise/with admiration** béat d'étonnement/d'admiration

open-necked /ˌəʊpən'nekt/ *adj* [*shirt*] à col ouvert

openness /'əʊpənnɪs/ *n* [1] (candour) (of person) franchise *f*; (of manner, attitude) caractère *m* franc; (of government, atmosphere, society) transparence *f*; [2] (receptiveness) ouverture *f* d'esprit (**to** en ce qui concerne)

open: **~-plan** *adj* [*office*] paysagé; **~ primary** *n* US Pol élection *f* primaire ouverte à chaque électeur; **~ prison** *n* prison *f* ouverte; **~ sandwich** *n* Culin sandwich *m* ouvert; **~ scholarship** *n* Univ bourse *f* décernée par un concours ouvert à tous; **~ season** *n* Hunt saison *f* de la chasse; **~ secret** *n* secret *m* de Polichinelle; **~ sesame** *n* carte *f* d'entrée fig; **~ shop** *n* Ind, Pol *établissement où on peut être recruté indépendamment de son appartenance à un syndicat*; **~-toed** *adj* [*sandal*] ouvert

Open University, OU *n* GB Univ *enseignement universitaire par correspondance*

> **Open University**
>
> Organisme britannique d'enseignement universitaire par correspondance. Les cours sont également diffusés à la télévision et à la radio. Les étudiants de tous âges travaillent chez eux et envoient leurs travaux écrits à leur directeur d'études (*tutor*). Les diplômes obtenus ont la même valeur que ceux délivrés par les universités traditionnelles.

open verdict *n* Jur verdict *m* de décès sans cause déterminée

openwork /'əʊpənwɜːk/
A *n* [1] Sewing jours *mpl*, ajours *mpl*; [2] Archit claire-voie *f*

B *modif* **1** Sewing [*gloves, stockings*] ajouré; **2** Archit à claire-voie

opera /ˈɒprə/ *n* opéra *m*; **do you like ~?** aimez-vous l'opéra?; **tickets for the ~** billets pour l'opéra

operable /ˈɒprəbl/ *adj* **1** [*plan*] réalisable; [*machine*] en état de marche; [*system*] capable de fonctionner; **2** Med [*case, condition, tumour*] opérable

opera: **~ company** *n* troupe *f* d'opéra; **~ glasses** *n* jumelles *fpl* de théâtre; **~goer** *n* personne *f* qui va régulièrement à l'opéra; **~ house** *n* opéra *m*

operand /ˈɒpərænd/ *n* opérande *m*

opera singer ▸ p. 1683 *n* (male) chanteur *m* d'opéra; (female) chanteuse *f* d'opéra

operate /ˈɒpəreɪt/

A *vtr* **1** (run) faire marcher [*appliance, machine, vehicle*]; **2** (enforce) pratiquer [*policy, system*]; mettre [qch] en vigueur [*ban, control*]; **3** (manage) gérer, diriger [*service, radio station*]; exploiter [*mine, racket*]; [*bank*] avoir [*pension plan, savings scheme*]

B *vi* **1** (do business, engage in criminal activity) opérer; **they ~ out of London** ils ont Londres comme base d'opérations; **2** (function) marcher, fonctionner; **3** (take effect) agir; **4** Mil opérer; **5** fig (work) [*factor, force, law*] jouer (**in favour of** en faveur de; **against** contre); **6** (run) fonctionner; **does the shuttle service ~ on Saturdays?** est-ce que la navette fonctionne le samedi?; **7** Med opérer; **we shall have to ~** il faudra opérer; **to ~ on** opérer [*person*]; **to be ~d on** être opéré; **to ~ on sb's leg/ear** opérer qn à la jambe/l'oreille; **to ~ on sb for appendicitis** opérer qn de l'appendicite

operatic /ˌɒpəˈrætɪk/

A **operatics** *npl* opéra *m* d'amateurs

B *adj* **1** [*voice, career*] de chanteur/-euse d'opéra; [*composer*] d'opéras; [*society*] de chanteurs d'opéra amateurs; **2** (histrionic) [*gesture, tone*] de chanteur/-euse d'opéra

operating /ˈɒpəreɪtɪŋ/ *adj* [*costs, income*] d'exploitation

operating: **~ budget** *n* budget *m* d'exploitation; **~ instructions** *npl* mode *m* d'emploi; **~ manual** *n* manuel *m* d'utilisation; **~ room** *n* US salle *f* d'opération; **~ system** *n* système *m* d'exploitation; **~ table** *n* table *f* d'opération; **~ theatre** *n* GB salle *f* d'opération

operation /ˌɒpəˈreɪʃn/ *n* **1** (working) fonctionnement *m*; **2** Med opération *f*; **to have an ~** se faire opérer, subir une opération; **to have a major/minor ~** subir une grosse/petite opération; **to have an ~ on one's knee/ankle** se faire opérer du genou/de la cheville; **to have a heart/stomach ~** se faire opérer du cœur/de l'estomac; **3** (use, application) (of machinery) utilisation *f*; (of plant, mine) exploitation *f*; (of law, scheme) mise *f* en vigueur; **to be in ~** [*plan, scheme, rule*] être en vigueur; [*oil rig, mine*] être en exploitation; [*machine*] fonctionner; **to come into ~** [*law, scheme*] entrer en vigueur; **to put sth into ~** mettre qch en vigueur [*law, scheme*]; **to put sth out of ~** mettre qch hors service [*equipment, machinery, factory, vehicle*]; **4** (manoeuvres) (by police, armed forces) opération *f*; **5** Comput opération *f*; **6** (undertaking) opération *f*; **a big ~** une grosse opération; **7** (business) **their European ~ is expanding** ils étendent leurs activités en Europe; **8** Fin opération *f*

operational /ˌɒpəˈreɪʃənl/ *adj* **1** (working) en service, opérationnel/-elle; **to be fully ~** être pleinement opérationnel/-elle; **2** (encountered while working) [*budget, costs*] d'exploitation; **we have had some ~ problems** on a eu des problèmes d'exploitation; **~ requirements** conditions *fpl* de fonctionnement; **3** Mil (ready to operate) opérationnel/-elle

operational: **~ amplifier** *n* amplificateur *m* opérationnel; **~ manager** *n* chef *m* d'exploitation; **~ research** *n* recherche *f* opérationnelle

operation code *n* code *m* opération

operations research *n* US recherche *f* opérationnelle

operations room *n* **1** Mil salle *f* d'opérations; **2** (police) centre *m* d'opérations

operative /ˈɒpərətɪv, US -reɪt-/

A *n* (worker) employé/-e *m/f*; (secret agent) agent *m*

B *adj* **1** (effective) [*rule, law, system*] en vigueur; **how soon will the plan be ~?** quand le plan sera-t-il en vigueur?; **2** (important) [*word*] qui compte; **X being the ~ word** X étant le mot qui compte

operator /ˈɒpəreɪtə(r)/ ▸ p. 1683 *n* **1** Telecom standardiste *mf*; **2** Comput, Radio, Tech opérateur *m*; **3** Tourism compagnie *f* de voyages organisés; **4** (of equipment) opérateur/-trice *mf*; **5** Comm (of business) entrepreneur *m*; **he's a smooth** *ou* **shrewd ~** pej il sait s'y prendre

operetta /ˌɒpəˈretə/ *n* opérette *f*

ophthalmia /ɒfˈθælmɪə/ *n* ophtalmie *f*

ophthalmic /ɒfˈθælmɪk/ *adj* GB [*nerve, vein*] ophtalmique; [*surgeon, surgery, clinic, research*] ophtalmologique

ophthalmic optician ▸ p. 1683 *n* optométriste *mf*

ophthalmologist /ˌɒfθælˈmɒlədʒɪst/ ▸ p. 1683 *n* ophtalmologue *mf*, ophtalmologiste *mf*

ophthalmology /ˌɒfθælˈmɒlədʒɪ/ *n* ophtalmologie *f*

ophthalmoscope /ɒfˈθælməskəʊp/ *n* ophtalmoscope *m*

ophthalmoscopy /ˌɒfθælˈmɒskəpɪ/ *n* ophtalmoscopie *f*

opiate /ˈəʊpɪət/

A *n* **1** lit (derived from opium) opiacé *m*; **2** gen (narcotic) narcotique *m*

B *adj* littér opiacé

opine /əʊˈpaɪn/ *vi* littér émettre un avis, opiner liter

opinion /əˈpɪnɪən/ *n* **1** (belief, view) opinion *f* (**about** de), avis *m* (**about, on** sur); **conflicting ~s** avis contradictoires; **informed ~** opinion des gens informés; **legal/medical ~** avis juridique/médical; **personal ~** opinion personnelle; **public ~** opinion publique; **world ~** opinion mondiale; **to be of the ~ that** estimer que; **in my/his ~** à mon/son avis; **of the same ~** de la même opinion; **to express/venture an ~** exprimer/hasarder une opinion; **what's your ~?** quel est ton avis, qu'en penses-tu?; **that's my ~, for what it's worth** voilà mon avis, pour ce qu'il vaut; **if you want my honest/considered ~** si vous voulez savoir ce que je pense honnêtement /après mûre réflexion; **that's a matter of ~** chacun ses opinions; **in the ~ of experts, in the experts' ~** d'après les experts; **2** (evaluation) (of person, performance, action) opinion *f* (**of** de); **to have a high/low ~ of sb/sth** avoir une bonne/mauvaise opinion de qn/qch; **to seek** *ou* **get a second ~** gen demander un autre avis; Med consulter un autre médecin; **3** ¢ (range of views) opinions *fpl*; **a range of ~** une variété d'opinions; **a difference of ~** une divergence d'opinions; **~ is divided** les opinions sont partagées; **a programme of news and ~** Radio, TV un programme d'informations et de commentaires; **4** Jur (*also* **counsel's ~**) avis *m* motivé; **to take counsel's ~** consulter un avocat

opinionated /əˈpɪnɪəneɪtɪd/ *adj* [*person*] qui a des avis sur tout; [*tone of voice*] dogmatique

opinion poll *n* sondage *m* d'opinion; **to hold an ~** faire un sondage d'opinion

opium /ˈəʊpɪəm/ *n* opium *m*; **the ~ of the masses** l'opium du peuple

opium: **~ addict** *n* opiomane *mf*; **~ den** *n* fumerie *f* d'opium; **~ poppy** *n* pavot *m* somnifère

opossum /əˈpɒsəm/ *n* opossum *m*

opponent /əˈpəʊnənt/ *n* **1** gen, Pol, Sport (adversary) adversaire *mf*; **2** gen, Pol (of regime) opposant/-e *m/f* (**of** à); (of project, scheme) adversaire *mf* (**of** de)

opportune /ˈɒpətjuːn, US -tuːn/ *adj* [*time, moment, occasion*] opportun; **she considers it ~ to do** il lui paraît opportun de faire

opportunely /ˈɒpətjuːnlɪ, US -tuːn/ *adv* [*happen, come along*] au moment opportun; [*situated, placed*] à l'endroit idéal

opportuneness /ˈɒpətjuːnnɪs, US -tuːn-/ *n* opportunité *f*

opportunism /ˌɒpəˈtjuːnɪzəm, US -ˈtuːn-/ *n* opportunisme *m*

opportunist /ˌɒpəˈtjuːnɪst, US -ˈtuːn-/ *n, adj* opportuniste (*mf*)

opportunistic /ˌɒpətjuːˈnɪstɪk, US -tuːn-/ *adj* opportuniste

opportunistically /ˌɒpətjuːˈnɪstɪklɪ, US -tuːn-/ *adv* de façon opportuniste

opportunity /ˌɒpəˈtjuːnətɪ, US -ˈtuːn-/ *n* **1** (appropriate time, occasion) occasion *f* (**for** de; **to do, of doing, for doing** de faire); **to seek an ~ for discussion/rest** chercher une occasion de *or* pour discuter/se reposer; **to give sb an** *ou* **the ~ to do** donner à qn l'occasion de faire; **to give sb every ~** donner à qn toutes les chances (**to do** de faire); **to miss a golden ~** rater une occasion en or; **I should like to take this ~ to say** j'aimerais profiter de cette occasion pour dire; **at the earliest ~** à la première occasion; **2** (good chance, possibility) possibilité *f*; **training/career opportunities** possibilités de formation/de carrière; **export/investment ~** possibilité d'exportation/d'investissement; **a job with opportunities** un travail avec des perspectives; **'ideal ~ in industry for young graduate'** 'occasion idéale pour jeune diplômé de l'université d'entrer dans l'industrie'

(Idiom) **~ knocks!** la chance frappe à la porte!

opportunity cost *n* coût *m* d'opportunité

oppose /əˈpəʊz/

A *vtr* gen, Pol s'opposer à [*plan, bill*]; faire opposition à [*bail*]; **to be ~d to sth** être contre qch; **to be ~d to doing** être contre l'idée de faire; **to be ~d to sb doing sth** ne pas être d'accord pour que qn fasse qch; **I am not ~d to his coming** je ne m'oppose pas à ce qu'il vienne

B **as opposed to** *prep phr* par opposition à

C **opposing** *pres p adj* [*force, group, party, team*] adverse; [*army*] ennemi; [*view, style*] opposé; **the opposing voices** les voix contre

opposite /ˈɒpəzɪt/

A *n* contraire *m* (**to, of** de); **the exact ~, quite the ~** tout le contraire; **just the ~** exactement le contraire; **fat is the ~ of thin** gros est l'opposé de mince; **it does the ~ to what one expects** cela fait l'inverse de ce à quoi on pourrait s'attendre; **it's the attraction of ~s, ~s attract** les contraires s'attirent

B *adj* **1** (facing) [*direction, side, pole*] opposé also Math; [*building*] d'en face; [*page*] ci-contre; **at ~ ends of the table/street** aux deux bouts de la table/rue; **to live at ~ ends of the town** habiter dans des coins opposés de la ville; **2** (different) [*attitude, position, viewpoint, camp*] opposé; [*effect, approach*] inverse; [*sex*] autre

C *adv* [*live, stand*] en face; **directly ~** juste en face

D *prep* gen en face de [*building, park, person*]; Naut devant [*port*]; **to be/live/sit ~ sb/sth** être/habiter/être assis en face de qn/qch; **to stop/turn ~ sth** s'arrêter/tourner en face de qch; **to play ~ one another** Sport jouer l'un contre l'autre; Cin, Theat se donner la réplique

opposite number *n* gen, Pol homologue *m*; Sport adversaire *mf*

opposition /ˌɒpəˈzɪʃn/

A *n* **1** gen opposition *f* (**to** à); **to encounter** *ou* **meet with ~** rencontrer l'opposition; **to put up ~ against** faire opposition à; **to run into** *ou* **up against ~** se heurter à de l'opposition; **to express ~** exprimer son opposition (**to** à); **2** Pol (*also* **Opposition**) opposition *f*; **to**

O

be/remain in ~ [*party*] être/rester dans l'opposition; **3** Sport **the ~** l'adversaire *m*
B *modif* Pol [*politician, debate, party etc*] de l'opposition

Opposition bench *n* GB Pol banc *m* de l'opposition

oppress /ə'pres/ *vtr* **1** (subjugate) opprimer; **2** [*weather*] oppresser; [*anxiety, responsibility*] accabler

oppressed /ə'prest/
A *n* **the ~** les opprimés *mpl*
B *adj* **1** [*minority, group*] opprimé; **2** (by pain, emotion) accablé (**by** par)

oppression /ə'preʃn/ *n* oppression *f*

oppressive /ə'presɪv/ *adj* **1** [*law, regime*] oppressif/-ive; **2** [*heat*] accablant; [*atmosphere*] oppressant

oppressively /ə'presɪvlɪ/ *adv* [*govern, rule*] de façon oppressive; **it's ~ hot** il fait chaud à étouffer

oppressor /ə'presə(r)/ *n* oppresseur *m*

opprobrious /ə'prəʊbrɪəs/ *adj* sout **1** [*language*] méprisant; **2** [*behaviour*] infâme

opprobrium /ə'prəʊbrɪəm/ *n* sout **1** (censure) mépris *m*; **2** (disgrace) opprobre *m* liter

opt /ɒpt/ *vi* **to ~ for sth** opter pour qch; **to ~ to do/not to do** choisir de faire/de ne pas faire

(Phrasal verb) ■ **opt out** [*person, country*] décider de ne pas participer (**of** à); [*school, hospital*] renoncer au contrôle de l'État

optative /'ɒptətɪv, ɒp'teɪtɪv/
A *n* optatif *m*
B *adj* optatif/-ive

optic /'ɒptɪk/
A *n* GB (in bar) bouchon *m* doseur
B *adj* [*nerve, disc, fibre*] optique

optical /'ɒptɪkl/ *adj* (all contexts) optique

optical: **~ brightener** *n* azurant *m*; **~ character reader, OCR** *n* lecteur *m* optique de caractères; **~ character recognition, OCR** *n* reconnaissance *f* optique des caractères; **~ disk** *n* disque *m* optique; **~ disk drive** *n* Comput unité *f* de disque optique; **~ fibre** GB, **~ fiber** US *n* fibre *f* optique; **~ illusion** *n* illusion *f* d'optique; **~ wand** *n* crayon-lecteur *m* optique

optician /ɒp'tɪʃn/ ▸ **p. 1683** *n* (selling glasses etc) opticien/-ienne *m/f*; (eye specialist) GB optométriste *mf*, réfractionniste *mf*

optics /'ɒptɪks/ *n* (+ *v sg*) optique *f*

optimal /'ɒptɪml/ *adj* optimal

optimism /'ɒptɪmɪzəm/ *n* optimisme *m*

optimist /'ɒptɪmɪst/ *n* optimiste *mf*

optimistic /ˌɒptɪ'mɪstɪk/ *adj* optimiste (**about** quant à); **wildly/cautiously ~** exagérément/raisonnablement optimiste; **to be ~ that sth will happen** avoir grand espoir que qch arrivera

optimistically /ˌɒptɪ'mɪstɪklɪ/ *adv* [*imagine, promise, say*] avec optimisme

optimization /ˌɒptɪmaɪ'zeɪʃn/ *n* optimisation *f*

optimize /'ɒptɪmaɪz/ *vtr* optimiser

optimum /'ɒptɪməm/
A *n* optimum *m*; **at its ~** à son optimum
B *adj* [*age, conditions, level, rate, speed, value*] optimum, optimal (**for** pour)

option /'ɒpʃn/ *n* **1** gen, Comput (something chosen) option *f* (**to do** de faire); **best ~** meilleure option; **easy ~, soft ~** solution *f* facile; **safe ~** solution *f* la plus sûre; **zero ~** option zéro; **to choose/go for an ~** choisir/prendre une option; **it's the only ~ for us** nous n'avons pas d'autre possibilité; **the only ~ open to me** la seule possibilité que j'ai; **to keep one's ~s open** ne pas s'engager; **to consider one's ~s** considérer ses options; **2** (possibility of choosing) choix *m*; **to have the ~ of doing sth** pouvoir choisir de faire qch; **to give sb the ~ of doing sth** donner le choix à qn de faire qch; **with the ~ of doing** avec l'option de faire; **I had no ~ but to leave** je n'avais pas d'autre choix que de partir; **I had little/no ~** je n'avais guère/pas le choix; **3** Comm, Fin option *f* (**on** sur; **to do** pour faire); **call ~** option d'achat; **exclusive ~** option exclusive; **stock ~** option de souscription; **put ~** option de vente; **to take up an ~** lever une option; **with an ~ on sth** avec une option sur qch; **to have first ~** avoir priorité d'option; **to cancel one's ~s** annuler ses options; **4** GB Sch, Univ (course of study) option *f*; **5** Aut option *f*

optional /'ɒpʃənl/ *adj* [*activity, course, subject*] facultatif/-ive; [*colour, size*] au choix; **'evening dress ~'** 'tenue de soirée facultative'; **~ extras** accessoires *mpl* en option

option trading *n* marché *m* des options

optometrist /ˌɒptə'metrɪst/ ▸ **p. 1683** *n* optométriste *mf*

opt-out clause /'ɒptaʊt klɔːz/ *n* EU clause *f* d'exemption

optometry /ˌɒptə'metrɪ/ *n* optométrie *f*

opulence /'ɒpjʊləns/ *n* opulence *f*

opulent /'ɒpjʊlənt/ *adj* [*person, country*] opulent; [*clothing, object*] somptueux/-euse

opulently /'ɒpjʊləntlɪ/ *adv* avec opulence

opus /'əʊpəs/ *n* (*pl* **~es** *ou* **opera**) opus *m*; **magnum ~** œuvre *f* maîtresse

opuscule /ə'pʌskjuːl/ *n* opuscule *m*

or /ɔː(r)/

> ⚠ In most uses *or* is translated by *ou*. There are two exceptions to this:
> When used to link alternatives after a negative verb (*I can't come today or tomorrow*). For translations see **3** below.
> When used to indicate consequence (*be careful or you'll cut yourself*) or explanation (*it can't be serious or she'd have called us*) the translation is *sinon*: fais attention sinon tu vas te couper; ça ne peut pas être grave sinon elle nous aurait appelés. See **6** and **7** below.

conj **1** (linking two or more alternatives) ou; **with ~ without sugar?** avec ou sans sucre?; **would you like to eat here ~ in town?** est-ce que tu veux manger ici ou en ville?; **it can be roasted, grilled ~ fried** on peut le faire rôtir, griller ou frire; **any brothers ~ sisters?** tu as des frères et sœurs?; **2** (linking two clear alternatives) ou; **will you ~ won't you be coming?** est-ce que tu viens ou pas?; **either... ~...** soit... soit...; **essays may be either handwritten ~ typed** les dissertations peuvent être soit manuscrites soit dactylographiées; **they'll stay either here ~ at Dave's** ils vont habiter soit ici soit chez Dave, ils vont habiter ici ou chez Dave; **whether he likes it ~ not** que cela lui plaise ou non; **he wants to know whether ~ not you're free** il veut savoir si tu es libre ou pas; **I didn't know whether to laugh ~ cry** je ne savais pas s'il fallait rire ou pleurer; **rain ~ no rain, we're going out** qu'il pleuve ou non nous sortons; **car ~ no car, you've got to get to work** voiture ou pas, il faut que tu ailles travailler; **3** (linking alternatives in the negative) **I can't come today ~ tomorrow** je ne peux venir ni aujourd'hui ni demain; **don't tell Mum ~ Dad!** ne le dis ni à Maman ni à Papa!; **without food ~ lodgings** sans nourriture ni abri; **I couldn't eat ~ sleep** je ne pouvais ni manger ni dormir; **she doesn't drink ~ smoke** elle ne boit pas et ne fume pas non plus; **4** (indicating approximation, vagueness) ou; **once ~ twice a week** une ou deux fois par semaine; **I'll buy him a tie ~ something** je vais lui acheter une cravate ou quelque chose comme ça; **someone ~ other from Personnel** quelqu'un du service du personnel; **in a week ~ so** dans huit jours environ; **5** (introducing qualification, correction, explanation) ou; **I knew her, ~ at least I thought I did!** je la connaissais, ou plutôt je croyais la connaître!; **my daughter, ~ rather our daughter** ma fille, ou plutôt notre fille; **X, ~ should I say, Mr X** X ou bien devrais-je dire M. X; **Rosalind, ~ Ros to her friends** Rosalind ou Ros pour ses amis; **6** (indicating consequence: otherwise) sinon, autrement; **be careful ~ you'll cut yourself** fais attention sinon *or* autrement tu vas te couper; **do as you're told—~ else○!** fais ce qu'on te dit—sinon gare○ à toi *or* attention!; **7** (in explanation, justification) sinon, autrement; **it can't have been serious ~ she'd have called us** ça ne devait pas être très grave sinon *or* autrement elle nous aurait appelés

OR US Post *abrév écrite* = **Oregon**

oracle /'ɒrəkl, US 'ɔːr-/ *n* **1** gen, Hist, Relig oracle *m*; **2** **Oracle** GB TV *cf* Antiope *f*

oracular /ə'rækjʊlə(r)/ *adj* **1** fig (wise) d'oracle; (mysterious) sibyllin; **2** (of oracle) oraculaire

oral /'ɔːrəl/
A *n* GB Sch, US Univ oral *m*
B *adj* gen oral; [*contraceptive, medicine*] par voie orale; [*cavity, hygiene, thermometer*] buccal; [*history*] transmis oralement; [*evidence*] verbal

orally /'ɔːrəlɪ/ *adv* **1** gen [*communicate, testify, examine*] oralement; **2** Med par voie orale

oral: **~ sex** *n* relations *fpl* sexuelles buccogénitales; **~ skills** *npl* techniques *fpl* d'expression orale; **~ tradition** *n* tradition *f* orale

orange /'ɒrɪndʒ, US 'ɔːr-/ ▸ **p. 1067**
A *n* **1** (fruit) orange *f*; **2** (drink) boisson *f* à l'orange; **gin and ~** gin à l'orange; **3** (colour) orange *m*
B *modif* [*drink, pudding, sauce*] à l'orange; [*jam*] d'orange
C *adj* (colour) orange *inv*

orangeade /ˌɒrɪndʒ'eɪd, US ˌɔːr-/ *n* orangeade *f*

orange: **~ blossom** *n* fleur *f* d'oranger; **~ drink** US = **orange squash**; **~ flower water** *n* eau *f* de fleur d'oranger; **Orange Free State** *pr n* État *m* libre d'Orange; **~ grove** *n* orangeraie *f*; **~ juice** *n* jus *m* d'orange

Orangeman /'ɒrɪndʒmən, US 'ɔːr-/ *n* orangiste *m* (*protestant d'Irlande du Nord*)

orange peel *n* gen écorce *f* d'orange, peau *f* d'orange; Culin zeste *m* d'orange

orangery /'ɒrɪndʒərɪ, US 'ɔːr-/ *n* orangerie *f*

orange: **~ segment** *n* quartier *m* d'orange; **~ soda** *n* US boisson *f* à l'orange gazeuse; **~ squash** *n* GB ≈ sirop *m* d'orange; **~ stick** *n* bâtonnet *m* de manucure; **~ tree** *n* oranger *m*; **~wood** *n* (bois *m* d')oranger *m*

orang-outang GB, **orangutan** US /ɔːˌræŋuː'tæn, US əˌræŋə'tæn/ *n* orang-outan(g) *m*

orate /ɔː'reɪt/ *vi* sout discourir; péj pérorer pej

oration /ɔː'reɪʃn/ *n* sout harangue *f*

orator /'ɒrətə(r), US 'ɔːr-/ *n* sout orateur *m*

oratorical /ˌɒrə'tɒrɪkl, US ˌɔːrə'tɔːr-/ *adj* sout [*skill, tone*] oratoire; péj déclamatoire pej

oratorio /ˌɒrə'tɔːrɪəʊ, US ˌɔːr-/ *n* (*pl* **~s**) oratorio *m*; **Christmas ~** oratorio de Noël

oratory /'ɒrətrɪ, US 'ɔːrətɔːrɪ/ *n* **1** sout (public speaking) (art) art *m* oratoire; (talent) éloquence *f*; **2** Archit, Relig oratoire *m*

orb /ɔːb/ *n* littér (all contexts) globe *m*

orbit /'ɔːbɪt/
A *n* Aerosp, Anat, Astron orbite *f* also fig; **to be in ~ round sth** être en orbite autour de qch; **to go into ~** se mettre en orbite; **to put sth into ~** mettre qch sur orbite; **to make an ~** décrire une orbite
B *vtr* décrire une orbite autour de
C *vi* [*moon, planet*] graviter en orbite; [*spacecraft*] orbiter

orbital /'ɔːbɪtl/ *adj* gen, Astron orbital; Anat orbitaire; **~ road** rocade *f*

orbiter /'ɔːbɪtə(r)/ *n* orbiteur *m*

Orcadian /ɔː'keɪdɪən/
A *n* habitant/-e *m/f* des Orcades
B *adj* des Orcades

orchard /'ɔːtʃəd/ *n* verger *m*

orchestra /'ɔ:kɪstrə/ *n* orchestre *m*; **chamber/dance ~** orchestre de chambre/de danse; **string/symphony ~** orchestre à cordes/symphonique; **the full ~** l'orchestre au complet

orchestral /ɔ:'kestrəl/ *adj* [*concert, music*] orchestral; [*instrument, player*] d'orchestre

orchestra: **~ pit** *n* fosse *f* d'orchestre; **~ seats** US, **~ stalls** GB *n* fauteuils *mpl* d'orchestre

orchestrate /'ɔ:kɪstreɪt/ *vtr* lit, fig orchestrer (**for** pour)

orchestration /,ɔ:kɪ'streɪʃn/ *n* orchestration *f*

orchid /'ɔ:kɪd/ *n* orchidée *f*

orchis /'ɔ:kɪs/ *n* orchis *m*

orchitis /ɔ:'kaɪtɪs/ *n* Med orchite *f*

ordain /ɔ:'deɪn/ *vtr* **1** (decree) décréter (**that** que); **2** Relig ordonner; **he was ~ed priest** il a été ordonné prêtre

ordeal /ɔ:'di:l, 'ɔ:di:l/ *n* gen épreuve *f*; **to go through/come through an ~** passer par/se sortir d'une rude épreuve; **trial by ~** épreuve judiciaire

order /'ɔ:də(r)/

A *n* **1** (logical arrangement) ordre *m*; **a sense of ~** un sens de l'ordre; **it's in the natural ~ of things** c'est dans l'ordre naturel des choses; **to produce ~ out of chaos** produire de l'ordre à partir du désordre; **to put** *ou* **set sth in ~** mettre qch en ordre [*affairs*]; **to set** *ou* **put one's life in ~** remettre de l'ordre dans sa vie

2 (sequence) ordre *m*; **to be in alphabetical/chronological ~** être dans l'ordre alphabétique/chronologique; **to put sth in ~** classer [*files, record cards*]; **to put the names in alphabetical ~** mettre les noms par ordre alphabétique; **in ~ of priority** par ordre de priorité; **in ascending/descending ~** dans l'ordre croissant/décroissant; **in the right/wrong ~** dans le bon/mauvais ordre; **to be out of ~** [*files, records*] être en désordre, être mélangé

3 (discipline, control) ordre *m*; **to restore ~** rétablir l'ordre; **to keep ~** [*police, government*] maintenir l'ordre; [*teacher*] maintenir la discipline; ▸ **law and order**, **public order**

4 (established state) ordre *m*; **the old/existing ~** l'ordre ancien/actuel

5 (command) ordre *m*, consigne *f* (**to do** de faire); **to give/issue an ~** donner/lancer un ordre; **to carry out an ~** exécuter un ordre; **to give an ~ for the crowd to disperse** donner à la foule l'ordre de se disperser; **to be under sb's ~s** être sous les ordres de qn; **to have** *ou* **to be under ~s to do** avoir (l')ordre de faire; **my ~s are to guard the door** j'ai l'ordre de surveiller l'entrée; **I have ~s not to let anybody through** j'ai ordre de ne laisser passer personne; **to take ~s from sb** recevoir des ordres de qn; **they take their ~s from Paris** ils reçoivent leurs ordres de Paris; **I won't take ~s from you** je ne suis pas à vos ordres; **he won't take ~s from anybody** il ne supporte pas que quiconque lui donne des ordres; **on the ~s of the General** sur les ordres du Général; **to act on sb's ~** agir sur l'ordre de qn; **that's an ~!** c'est un ordre!; **~s are ~s** les ordres sont les ordres; **until further ~s** jusqu'à nouvel ordre

6 Comm (request to supply) commande *f* (**for** de); (in restaurant) commande *f* (**of** de); **to place an ~** passer une commande; **to put in** *ou* **place an ~ for sth** commander qch; **to place an ~ with sb for sth** commander qch à qn; **a grocery ~** une commande d'épicerie; **a telephone ~** une commande par téléphone; **a rush/repeat ~** une commande urgente/renouvelée; **the books are on ~** les livres ont été commandés; **made to ~** fait sur commande; **cash with ~** payable à la commande

7 (operational state) **to be in good/perfect ~** être en bon/parfait état; **in working** *ou* **running ~** en état de marche; **to be out of ~** [*phone line*] être en dérangement; [*lift, machine*] être en panne

8 (correct procedure) **to call the meeting to ~** déclarer la séance ouverte; **~! ~!** un peu de silence, s'il vous plaît!; **to call sb to ~** rappeler qn à l'ordre; **to be in ~** [*documents, paperwork*] être en règle; **the Honourable member is perfectly in ~** GB Pol Monsieur le député n'enfreint aucunement les règles; **the Speaker ruled the question out of ~** le Président de l'Assemblée a déclaré que cela était contraire à la procédure; **it is perfectly in ~ for him to refuse to pay** il a tout à fait le droit de refuser de payer; **would it be out of ~ for me to phone her at home?** est-ce que ce serait déplacé de lui téléphoner chez elle?; **your remark was way out of ~** ta remarque était tout à fait déplacée; **you're well** *ou* **way out of ~**° tu dépasses les bornes; **I hear that congratulations are in ~** il paraît que ça se fait de féliciter; **a toast would seem to be in ~** il me semble qu'un toast serait le bienvenu; **the ~ of the day** Mil, Pol l'ordre du jour; **economy is the ~ of the day** fig l'économie est à l'ordre du jour

9 (taxonomic group) ordre *m*

10 Relig ordre *m*; **closed/teaching ~** ordre *m* cloîtré/enseignant

11 (rank, scale) **craftsmen of the highest ~** des artisans de premier ordre; **investment of this ~ is very welcome** les investissements de cet ordre sont tout à fait souhaitables; **talent of this ~ is rare** un tel talent est rare; **the higher/lower ~s** les classes supérieures/inférieures; **of the ~ of 15%** GB, **in the ~ of 15%** US de l'ordre de 15%

12 Jur (decree) ordre *m*; **an ~ of the Court** un ordre du tribunal; **by ~ of the Minister** par ordre du ministre

13 Fin **pay to the ~ of T. Williams** (on cheque, draft) payer à l'ordre de T. Williams; ▸ **banker's order**, **money order**, **postal order**, **standing order**

14 (on Stock Exchange) ordre *m* (de Bourse); **buying/selling ~** ordre *m* d'achat/de vente; **limit ~** ordre *m* (à cours) limité; **stop ~** ordre *m* stop

15 GB (honorary association, title) ordre *m* (**of** de); **she was awarded the Order of the Garter** on lui a conféré l'Ordre de la Jarretière

16 Archit ordre *m*

17 Mil (formation) ordre *m*; (clothing) tenue *f*; **battle ~** ordre *m* de bataille; **close ~** ordre *m* serré; **short-sleeve ~** tenue *f* d'été

B **orders** *npl* Relig ordres *mpl*; **major/minor ~s** les ordres majeurs/mineurs; **to be in Holy ~** être dans les ordres; **to take Holy ~s** entrer dans les ordres

C **in order that** *conj phr* (with the same subject) afin de (+ *infinitive*), pour (+ *infinitive*); (with different subjects) afin que (+ *subj*), pour que (+ *subj*); **I've come in ~ that I might help you** je suis venu pour t'aider; **he brought the proofs in ~ that I might check them** il a apporté les épreuves pour que je puisse les vérifier

D **in order to** *prep phr* pour (+ *infinitive*), afin de (+ *infinitive*); **he came in ~ to talk to me** il est venu pour me parler; **I'll leave in ~ not to disturb you** je partirai pour ne pas te déranger

E *vtr* **1** (command) ordonner [*inquiry, retrial, investigation*]; **to ~ sb to do** ordonner à qn de faire; **to ~ the closure/delivery of sth** ordonner la fermeture/livraison de qch; **to ~ sb home/to bed** donner à qn l'ordre de rentrer chez lui/d'aller se coucher; **to ~ sth to be done** donner l'ordre de faire qch; **to ~ that sth be done** ordonner que qch soit fait; **the council ~ed the building to be demolished** le conseil municipal a ordonné la démolition de ce bâtiment; **the soldiers were ~ed to disembark** les soldats ont reçu l'ordre de débarquer; **'keep quiet,' she ~ed** 'taisez-vous,' a-t-elle ordonné

2 (request the supply of) commander [*goods, meal*] (**for sb** pour qn); réserver [*taxi*] (**for** pour)

3 (arrange) organiser [*affairs*]; classer [*files, cards*]; mettre [qch] dans l'ordre [*names, dates*]

F *vi* [*diner, customer*] commander

(Idiom) **in short ~** tout de suite

(Phrasal verbs) ■ **order about, order around**: ▸ **~ [sb] around** donner des ordres à qn; **he loves ~ing people around** il adore donner des ordres; **you've got no right to ~ me around** je n'ai pas d'ordre à recevoir de vous

■ **order off** Sport: ▸ **~ [sb] off** [*referee*] expulser [*player*]; **to ~ sb off** ordonner à qn de quitter [*land, grass*]

■ **order out**: ▸ **~ [sb] out** **1** (summon) appeler [*troops*]; [*union*] appeler [qn] à la grève [*members*]; **2** (send out) **to ~ sb out of** faire sortir qn de [*classroom*]

order book *n* carnet *m* de commandes

ordered /'ɔ:dəd/ *adj* **1** [*list*] méthodique; [*structure*] régulier/-ière; **an ~ whole** un ensemble ordonné; **a well-~ society/life** une société/vie bien ordonnée; **in ~ ranks** en rangs réguliers; **2** Math [*set*] ordonné

order: **~ form** *n* bon *m* or bulletin *m* de commande; **Order in Council** *n* GB Pol ≈ décret-loi *m*

orderliness /'ɔ:dəlɪnɪs/ *n* **1** (of life, habits) régularité *f*; **2** (of room, area) ordre *m*

orderly /'ɔ:dəlɪ/

A *n* **1** Mil planton *m*; **2** Med aide-soignant/-e *m/f*

B *adj* **1** (well-regulated) [*queue, line*] ordonné; [*arrangement, pattern*] régulier/-ière; [*file, row, rank*] régulier/-ière; [*mind, system*] méthodique; [*lifestyle, society*] bien réglé; **in an ~ fashion** *ou* **manner** [*leave etc*] dans le calme; **2** (calm) [*crowd, demonstration, debate*] calme

orderly: **~ officer** *n* Mil officier *m* de service; **~ room** *n* Mil salle *f* de *or* des rapports

order: **~ number** *n* numéro *m* de commande; **~ of service** *n* Relig office *m*; **~ paper** *n* GB Pol copie *f* de l'ordre du jour; **~ to view** *n* permis *m* de visiter (une maison à vendre)

ordinal /'ɔ:dɪnl, US -dənl/ *n, adj* ordinal (*m*)

ordinance /'ɔ:dɪnəns/ *n* **1** gen, Jur ordonnance *f*; **2** US Jur Admin arrêté *m* municipal

ordinand /'ɔ:dɪnənd/ *n* ordinand *m*

ordinarily /'ɔ:dənrəlɪ, US ,ɔ:rdn'erəlɪ/ *adv* d'ordinaire; **~, it would be fatal** d'ordinaire, ce serait fatal; **more than ~ quiet/cautious** plus calme/prudent que d'ordinaire

ordinariness /'ɔ:dənrɪnɪs, US 'ɔ:rdənerɪnɪs/ *n* banalité *f*

ordinary /'ɔ:dənrɪ, US 'ɔ:rdənerɪ/

A *n* **1** (normal) **to be out of the ~** sortir de l'ordinaire; **the trip was something out of the ~** c'était un voyage qui sortait de l'ordinaire; **it's nothing out of the ~** ça n'a rien d'extraordinaire; **2** Relig (of mass) ordinaire *m*; **3** US (penny-farthing) grand bi *m*

B *adj* **1** (normal) [*experience, clothes*] de tous les jours (*after n*); [*citizen, life, family*] ordinaire; **to seem quite ~** paraître tout à fait ordinaire; **to be just ~ people** n'être que des gens bien ordinaires; **most ~ mortals wouldn't understand it** le commun des mortels ne le comprendrait pas; **objects in ~ use** objets d'usage courant; **this is no ~ case** c'est un cas inhabituel; **in the ~ way, I'd have accepted** normalement *or* en temps ordinaire, j'aurais accepté; **2** (average) [*consumer, family*] moyen/-enne; **the ~ man in the street** monsieur Tout-le-monde; **3** péj (uninspiring) [*place, film, performance, meal, person*] quelconque

ordinary: **~ degree** *n* GB licence *f* de niveau moyen; **Ordinary Grade** *n* GB *examen officiel passé à l'âge de 16 ans en Écosse sanctionnant la fin des études obligatoires*; **~ seaman, OS** *n* Naut ≈ matelot *m* léger; **~ share** *n* Fin action *f* ordinaire

ordination /ˌɔːdɪˈneɪʃn, US -dnˈeɪʃn/ *n* ordination *f*
ordnance /ˈɔːdnəns/ *n* 1 ₵ (supplies) matériel *m* (militaire); 2 Admin (department) ≈ intendance *f*; 3 (artillery) artillerie *f*
ordnance: ~ **depot** *n* dépôt *m* de matériel de guerre; **Ordnance Survey**, **OS** *n* GB (body) *institut géographique national de Grande-Bretagne*; **Ordnance Survey map** *n* ≈ carte *f* d'état-major
Ordovician /ˌɔːdəˈvɪsɪən, ˌɔːdəʊˈvɪʃɪən/ *adj* ordovicien/-ienne
ordure /ˈɔːdjʊə(r), US -dʒər/ *n* ordure *f*
ore /ɔː(r)/ *n* minerai *m*; **iron** ~ minerai de fer
oregano /ˌɒrɪˈɡɑːnəʊ/ *n* origan *m*
Oregon /ˈɒrɪɡɒn/ *pr n* Oregon *m*; ▸ **state**
oreo /ˈəʊrɪəʊ/ *n* US *petit gâteau au chocolat fourré à la vanille*
Orestes /ɒˈrestiːz/ *pr n* Oreste
organ /ˈɔːɡən/ ▸ **p. 1462**
A *n* 1 Bot, Anat organe *m*; **to donate an** ~ donner un organe; **donor** ~, **transplant** ~ (sought) don *m* d'organe; (transplanted) transplant *m*; **male** ~ membre *m* viril; **reproductive/sexual** ~**s** organes reproducteurs/génitaux; **vital** ~ organe vital; ~**s of speech** organes de la parole; 2 (*also* **pipe** ~) Mus orgue *m*; **on the** ~ à l'orgue; **to play the** ~ jouer de l'orgue; (as job) tenir l'orgue; **chamber** ~ orgue meuble; **church/cinema** ~ orgue d'église/de cinéma; **electric/electronic** ~ orgue électrique/électronique; 3 fig (publication, organization) organe *m* (**of** de)
B *modif* Mus [*music, composition*] pour orgue; [*component*] d'orgue
organ: ~ **bank** *n* Med banque *f* d'organes; ~ **builder** *n* Mus facteur *m* d'orgues
organdie, **organdy** US /ˈɔːɡəndɪ/ *n* organdi *m*
organ: ~ **donor** *n* Med donneur/-euse *m/f* d'organes; ~ **gallery** *n* Archit tribune *f* d'orgue; ~ **grinder** ▸ **p. 1683** *n* Mus joueur *m* d'orgue de Barbarie
organic /ɔːˈɡænɪk/ *adj* 1 (not artificial) [*cultivation, grower, produce, restaurant*] biologique; [*fertilizer*] naturel/-elle; [*poultry*] élevé biologiquement; [*meat*] provenant de bétail élevé biologiquement; 2 (of body or plant) [*substance, disease, society*] organique; 3 (integral) [*structure, system, society, unit, whole*] intégré (**to** à); [*part*] intrinsèque; [*development*] organique; ~ **law** loi organique
organically /ɔːˈɡænɪklɪ/ *adv* 1 [*grown, raised*] biologiquement; 2 (physiologically) organiquement; 3 [*develop, structured*] organiquement
organic: ~ **chemist** ▸ **p. 1683** *n* chimiste *mf* spécialisé/-e en chimie organique; ~ **chemistry** *n* chimie *f* organique
organism /ˈɔːɡənɪzəm/ *n* (all contexts) organisme *m*
organist /ˈɔːɡənɪst/ ▸ **p. 1683**, **p. 1462** *n* organiste *mf*; **church/concert** ~ organiste d'église/de concert
organization /ˌɔːɡənaɪˈzeɪʃn, US -nɪˈz-/ *n* 1 (group) gen organisation *f*; (bureaucratic) organisme *m*; (voluntary) association *f*; **employers'/charitable** ~ organisation patronale/caritative; **government** ~ organisme gouvernemental; **voluntary/human rights** ~ association de bénévoles/de défense des droits de l'homme; 2 (arrangement) organisation *f* (**of** de); 3 Ind (unionization) syndicalisation *f*
organizational /ˌɔːɡənaɪˈzeɪʃənl, US -nɪˈz-/ *adj* [*ability, skill, role*] d'organisateur/-trice; [*problem, matter*] d'organisation; [*structure*] de l'organisation
organizationally /ˌɔːɡənaɪˈzeɪʃənəlɪ, US -nɪˈz-/ *adv* du point de vue de l'organisation
organization: ~ **and method(s)**, **O & M** *n* organisation *f* et méthode *f*; ~ **chart** *n* organigramme *m*; **Organization for Economic Cooperation and Development**, **OECD** *n* Organisation *f* de coopération et de développement économiques, OCDE *f*
organize /ˈɔːɡənaɪz/
A *vtr* 1 (arrange) organiser [*event, day, time, life, facts*]; ranger [*books, papers*]; **to** ~ **sth into groups/chapters** répartir qch en groupes/chapitres; **I'll** ~ **the drinks** je m'occuperai des boissons; **I have to** ~ **the children for school** il faut que je prépare les enfants pour l'école; **I had to** ~ **a babysitter** j'ai dû trouver une babysitter; **they** ~**d it** *ou* **things so I don't have to pay** ils se sont arrangés pour que je n'aie pas à payer; 2 Ind (unionize) syndiquer [*workforce, workers*]
B *vi* (unionize) se syndiquer
C *v refl* **to** ~ **oneself** s'organiser (**to do** pour faire)
organized /ˈɔːɡənaɪzd/ *adj* 1 [*person, thoughts, household, resistance, support*] organisé; **well/badly** ~ bien/mal organisé; **to get** ~ s'organiser; 2 [*workforce, workers*] syndiqué
organized: ~ **crime** *n* crime *m* organisé; ~ **labour** *n* main-d'œuvre *f* syndiquée; ~ **religion** *n*: *la religion en tant qu'institution*
organizer /ˈɔːɡənaɪzə(r)/ *n* 1 (person) organisateur/-trice *m/f* (**of** de); **union** ~, **labour** ~ militant/-e *m/f* syndicaliste (*recrutant des ouvriers à la sortie des usines*); 2 (*also* **personal** ~) (agenda *m*) organisateur *m*; **electronic** ~ agenda électronique; 3 (container) **desk** ~ (pot *m*) range-tout *m inv*; **shoe** ~ range-chaussures *m inv*
organizer: ~ **bag** *n* sac *m* multipoches; ~ **file** *n* range-dossiers *m inv*
organizing /ˈɔːɡənaɪzɪŋ/
A *n* organisation *f*; **she did all the** ~ c'est elle qui a tout organisé; **to be good at** ~ avoir le sens de l'organisation
B *adj* [*group, committee*] organisateur/-trice
organ loft = **organ gallery**
organophosphates /ɔːˌɡænəʊˈfɒsfeɪts/ *npl* Chem composés *mpl* organophosphorés
organ screen *n* Archit jubé *m*
organ stop *n* Mus (register) jeu *m* d'orgues; (knob) registre *m* d'orgues
organ transplant *n* Med transplantation *f* d'organe
organza /ɔːˈɡænzə/ *n* organza *m*
orgasm /ˈɔːɡæzəm/ *n* orgasme *m*
orgasmic /ɔːˈɡæzmɪk/ *adj* 1 Physiol orgasmique; 2 fig extatique
orgiastic /ˌɔːdʒɪˈæstɪk/ *adj* gen orgiaque; [*scene*] d'orgie
orgy /ˈɔːdʒɪ/ *n* (all contexts) orgie *f*
oriel /ˈɔːrɪəl/ *n* (*also* ~ **window**) oriel *m*
orient /ˈɔːrɪənt/
A *n* **the Orient** l'Orient *m*; **in the** ~ en Orient
B *adj* littér oriental; **the Orient Express** Rail l'Orient-Express *m*
C *vtr* 1 fig orienter [*person, society*] (**at** vers; **towards** en faveur de); **to be** ~**ed at** viser [*campaign, course*]; 2 lit orienter [*building, map*]
D *v refl* **to** ~ **oneself** fig s'adapter (**to**, **in** à); lit s'orienter
oriental /ˌɔːrɪˈentl/
A **Oriental** *n* souvent péj Oriental/-e *m/f*
B *adj* gen oriental; [*appearance, eyes*] d'Oriental; [*carpet*] d'Orient; ~ **poppy** pavot *m* orientalis
orientalist /ˌɔːrɪˈentəlɪst/ ▸ **p. 1683** *n* orientaliste *mf*
orientate /ˈɔːrɪənteɪt/ *vtr, v refl* = **orient C, D**
-orientated /-ˈɔːrɪenteɪtɪd/ (*dans composés*) = **-oriented**
orientation /ˌɔːrɪənˈteɪʃn/
A *n* 1 (training) gen, Univ cours *m* d'introduction; 2 (inclination) (political, intellectual) orientation *f*; (sexual) tendance *f*; 3 Archit, Tech orientation *f*
B *modif* [*course, week*] d'introduction
-oriented /-ˈɔːrɪentɪd/ (*dans composés*) **customer-/family-**~ orienté vers le client/la famille; **politically** ~ politiquement orienté
orienteering /ˌɔːrɪənˈtɪərɪŋ/ *n* course *f* d'orientation
orifice /ˈɒrɪfɪs/ *n* gen, Anat orifice *m*
origami /ˌɒrɪˈɡɑːmɪ/ *n* origami *m*
origin /ˈɒrɪdʒɪn/ *n* 1 gen (of custom, idea, person, relics) origine *f*; **his family has its** ~**s in Scotland** sa famille est d'origine écossaise; **the problem has its** ~**(s) in...** le problème provient de...; 2 (of goods) provenance *f*; **of unknown** ~ d'origine inconnue; **spare parts of European** ~ pièces détachées en provenance d'Europe; **prehistoric in** ~ d'origine préhistorique; **country of** ~ pays d'origine
original /əˈrɪdʒənl/
A *n* 1 (genuine article) original *m*; **this painting is an** ~ ce tableau est un original; **to read sth in the** ~ lire qch dans le texte original; 2 (unusual person) original/-e *m/f*
B *adj* 1 (initial) [*inhabitant, owner*] premier/-ière; [*version*] original; [*comment, question, site, strategy*] originel/-elle; [*member*] originaire; **I saw the film in the** ~ **version** j'ai vu le film en version originale; 2 (not copied) [*manuscript, painting*] original; [*invoice, receipt*] d'origine; 3 (creative) [*design, suggestion, work, writer*] original; **an** ~ **thinker** un esprit novateur; 4 (unusual) [*character, person*] original; **he's** ~ c'est un original
original: ~ **cost** *n* Comm, Econ prix *m* d'achat; ~ **evidence** *n* Jur preuve *f* ayant une force probante propre
originality /əˌrɪdʒəˈnælətɪ/ *n* originalité *f*; **of great** ~ d'une grande originalité
original jurisdiction *n* US Jur juridiction *f* de première instance
originally /əˈrɪdʒənəlɪ/ *adv* 1 (initially) au départ; ~ **I had refused** au départ j'avais refusé; 2 (in the first place) à l'origine; **this car was** ~ **built for export** cette voiture a été fabriquée à l'origine pour l'exportation; **I am** *ou* **come from France** ~ je suis originaire de France; 3 (innovatively) [*speak, think, write*] d'une manière originale
original sin *n* péché *m* originel
originate /əˈrɪdʒɪneɪt/
A *vtr* [*action, artiste, event*] donner naissance à
B *vi* [*custom, style, tradition*] voir le jour; [*fire*] se déclarer; **to** ~ **from** *ou* **with** [*goods*] provenir de; [*proposal*] émaner de; **this custom** ~**d in Rome/in the fifteenth century** cette tradition a vu le jour à Rome/au XVe siècle
originator /əˈrɪdʒɪneɪtə(r)/ *n* 1 (of artwork, idea, rumour) auteur *m*; 2 (of invention, system) créateur/-trice *m/f*; 3 Post, Telecom expéditeur/-trice *m/f*
Orinoco /ˌɒrɪˈnəʊkəʊ/ ▸ **p. 1633** *pr n* l'Orénoque *m*
oriole /ˈɔːrɪəʊl/ *n* loriot *m*
Orion /əˈraɪən/ *pr n* 1 Astron Orion *f*; 2 Mythol Orion *m*
Orkney /ˈɔːknɪ/ ▸ **p. 1355** *n* (*also* ~ **Islands** *pr npl*) (îles *fpl*) Orcades; **in/on** ~ dans les Orcades
Orlon® /ˈɔːlɒn/ *n* orlon® *m*
ormer /ˈɔːmə(r)/ *n* ormeau *m*
ormolu /ˈɔːməluː/
A *n* or *m* moulu, chrysocale *m*
B *modif* [*furniture, object*] en or moulu
ornament /ˈɔːnəmənt/
A *n* 1 **C** (trinket) bibelot *m*; **china** ~ bibelot en porcelaine; 2 ₵ (decoration) ornement *m*; **(only) for** ~ (juste) ornemental; 3 Mus ornement *m*
B *vtr* 1 gen orner (**with** de); 2 Mus ornementer
ornamental /ˌɔːnəˈmentl/
A *n* Hort (tree) arbre *m* ornemental; (plant) plante *f* ornementale
B *adj* [*plant*] ornemental; [*garden, lake*] d'agrément; [*motif, artwork, button*] décoratif/-ive

ornamentation /ˌɔːnəmen'teɪʃn/ *n* ornementation *f*

ornate /ɔː'neɪt/ *adj* gen richement orné; Literat [*style*] très fleuri

ornately /ɔː'neɪtlɪ/ *adv* gen richement; [*write*] dans un style fleuri

ornateness /ɔː'neɪtnɪs/ *n* (of art) style *m* chargé; (of writing) style *m* fleuri

Orne ▸ **p. 1129** *pr n* Orne *f*; **in/to the ~** dans l'Orne

ornery○ /'ɔːnərɪ/ *adj* US (nasty) [*person, comment, joke*] mesquin, méchant; (cantankerous) [*person*] revêche; (self-willed) entêté, têtu; **an ~ trick** un sale tour

ornithological /ˌɔːnɪθə'lɒdʒɪkl/ *adj* ornithologique

ornithologist /ˌɔːnɪ'θɒlədʒɪst/ ▸ **p. 1683** *n* ornithologue *mf*

ornithology /ˌɔːnɪ'θɒlədʒɪ/ *n* ornithologie *f*

orogeny /ɔː'rɒdʒənɪ/ *n* orogénèse *f*

orphan /'ɔːfn/
A *n* orphelin/-e *m/f*; **war ~** orphelin de guerre
B *adj* orphelin
C *vtr* rendre orphelin

orphanage /'ɔːfənɪdʒ/ *n* orphelinat *m*

orphan drug *n* Med, Pharm médicament *m* orphelin

orphan embryo *n* embryon *m* orphelin

Orpheus /'ɔːfɪəs/ *pr n* Orphée

orrery /'ɒrərɪ/ *n* planétaire *m*

orris(-)root /'ɒrɪsruːt, US 'ɔːr-/ *n* rhizome *m* d'iris

orthodontic /ˌɔːθə'dɒntɪk/ *adj* orthodontique

orthodontics /ˌɔːθə'dɒntɪks/ *n* (+ *v sg*) orthodontie *f*

orthodontist /ˌɔːθə'dɒntɪst/ ▸ **p. 1683** *n* orthodontiste *mf*

orthodox /'ɔːθədɒks/ *adj* gen, Relig orthodoxe; **Greek/Russian Orthodox church** église orthodoxe grecque/russe

orthodoxy /'ɔːθədɒksɪ/ *n* gen, Relig orthodoxie *f*

orthogonal /ɔː'θɒgənl/ *adj* Civ Eng, Math orthogonal

orthographic(al) /ˌɔːθə'græfɪk(l)/ *adj* gen orthographique; [*error, problem*] d'orthographe

orthographically /ˌɔːθə'græfɪklɪ/ *adv* **to be ~ correct/different** avoir une orthographe correcte/différente

orthography /ɔː'θɒgrəfɪ/ *n* orthographe *f*

orthokeratology /ˌɔːθəʊkerə'tɒlədʒɪ/ *n* Med orthokératologie *f*

orthopaedic, orthopedic US /ˌɔːθə'piːdɪk/ *adj* orthopédique; **~ surgeon** chirurgien *m* orthopédiste

orthopaedics, orthopedics US /ˌɔːθə'piːdɪks/ *n* (+ *v sg*) orthopédie *f*

orthopaedist, orthopedist US /ˌɔːθə'piːdɪst/ ▸ **p. 1683** *n* orthopédiste *mf*

orthoptics /ɔː'θɒptɪks/ *n* (+ *v sg*) orthoptie *f*

orthoptist /ɔː'θɒptɪst/ ▸ **p. 1683** *n* orthoptiste *mf*

ortolan /'ɔːtələn/ *n* ortolan *m*

Orwellian /ɔː'welɪən/ *adj* orwellien/-ienne

oryx /'ɒrɪks, US 'ɔːr-/ *n* (*pl* ~) oryx *m*

OS **1** Fashn *abrév* ▸ **outsize**; **2** GB Geog *abrév* ▸ **Ordnance Survey**; **3** Naut *abrév* ▸ **ordinary seaman**

Oscar /'ɒskə(r)/ *n* Oscar *m*

> **Oscars**
>
> Cérémonie annuelle à Los Angeles où *the Academy of Motion Picture Arts* récompense les talents cinématographiques par des *Academy Awards*. La statuette en or qui matérialise cette récompense s'appelle un *Oscar*. Ce nom viendrait d'une remarque de l'un des premiers membres du jury qui aurait dit en voyant une statuette : *He reminds me of my uncle Oscar*.

Oscar: **~ nomination** *n* nomination *f* à l'Oscar; **~-winning** *adj* lauréat d'un Oscar

oscillate /'ɒsɪleɪt/
A *vtr* Phys, Tech faire osciller
B *vi* gen, Phys, Tech osciller (**between** entre)

oscillation /ˌɒsɪ'leɪʃn/ *n* oscillation *f*

oscillator /'ɒsɪleɪtə(r)/ *n* oscillateur *m*

oscillograph /ə'sɪləgrɑːf, US -græf/ *n* oscillographe *m*

oscilloscope /ə'sɪləskəʊp/ *n* oscilloscope *m*

osculate /'ɒskjʊleɪt/ hum
A *vtr* embrasser
B *vi* s'embrasser

osculation /ˌɒskjʊ'leɪʃn/ *n* **1** Math osculation *f*; **2** littér baiser *m*

OSHA US (*abrév* = **Occupational Safety and Health Administration**) ≈ inspection *f* du travail

osier /'əʊzɪə(r), US 'əʊʒər/ *n* osier *m*

Osiris /əʊ'saɪrɪs/ *pr n* Osiris

Oslo /'ɒzləʊ/ ▸ **p. 1815** *pr n* Oslo

osmium /'ɒzmɪəm/ *n* osmium *m*

osmosis /ɒz'məʊsɪs/ *n* Biol, Chem, fig osmose *f*; **by ~** par osmose

osmotic /ɒz'mɒtɪk/ *adj* osmotique

osprey /'ɒspreɪ/ *n* balbuzard *m* pêcheur

osseous /'ɒsɪəs/ *adj* osseux/-euse

ossicle /'ɒsɪkl/ *n* osselet *m*

ossiferous /ɒ'sɪfərəs/ *adj* ossifère

ossification /ˌɒsɪfɪ'keɪʃn/ *n* **1** Anat ossification *f*; **2** fig sclérose *f*

ossify /'ɒsɪfaɪ/
A *vtr* **1** Anat ossifier; **2** fig scléroser; **to become ossified** se scléroser
B *vi* **1** Anat s'ossifier; **2** fig se scléroser

ossuary /'ɒsjʊərɪ/ *n* ossuaire *m*

ostalgia /ɒs'tældʒə/ *n* Med ostalgie *f*

Ostend /ɒs'tend/ ▸ **p. 1815** *pr n* Ostende

ostensible /ɒ'stensəbl/ *adj* apparent

ostensibly /ɒ'stensəblɪ/ *adv* apparemment

ostensive /ɒ'stensɪv/ *adj* Philos ostensif/-ive

ostentation /ˌɒsten'teɪʃn/ *n* ostentation *f*

ostentatious /ˌɒsten'teɪʃəs/ *adj* gen ostentatoire liter; [*surroundings, house, person*] prétentieux/-ieuse

ostentatiously /ˌɒsten'teɪʃəslɪ/ *adv* avec ostentation

osteoarthritis /ˌɒstɪəʊɑː'θraɪtɪs/ *n* ostéoarthrite *f*

osteoblast /'ɒstɪəʊblɑːst/ *n* ostéoblaste *m*

osteogenesis /ˌɒstɪəʊ'dʒenɪsɪs/ *n* ostéogénèse *f*

osteology /ˌɒstɪ'ɒlədʒɪ/ *n* ostéologie *f*

osteomalacia /ˌɒstɪəʊmə'leɪʃɪə/ ▸ **p. 1327** *n* ostéomalacie *f*

osteomyelitis /ˌɒstɪəʊmaɪ'laɪtɪs/ *n* ostéomyélite *f*

osteopath /'ɒstɪəpæθ/ ▸ **p. 1683** *n* ostéopathe *mf*

osteopathy /ˌɒstɪ'ɒpəθɪ/ *n* ostéopathie *f*

osteophyte /'ɒstɪəʊfaɪt/ *n* ostéophyte *m*

osteoplasty /'ɒstɪəplæstɪ/ *n* ostéoplastie *f*

osteoporosis /ˌɒstɪəʊpə'rəʊsɪs/ ▸ **p. 1327** *n* ostéoporose *f*

osteosarcoma /ˌɒstɪəʊsɑː'kəʊmə/ *n* Med ostéosarcome *m*

osteotomy /ˌɒstɪ'ɒtəmɪ/ *n* ostéotomie *f*

ostler /'ɒslə(r)/ ▸ **p. 1683** *n* garçon *m* d'écurie

ostracism /'ɒstrəsɪzəm/ *n* ostracisme *m*

ostracize /'ɒstrəsaɪz/ *vtr* mettre [qn] au ban de la société

ostrich /'ɒstrɪtʃ/
A *n* Zool, fig autruche *f*
B *modif* [*feather, egg*] d'autruche

OT *n* **1** Med *abrév* ▸ **occupational therapy, occupational therapist**; **2** Relig *abrév* ▸ **Old Testament**; **3** Admin *abrév* ▸ **overtime**

OTC
A *n* GB Mil *abrév* ▸ **Officers' Training Corps**
B *adv* Fin, Pharm *abrév* ▸ **over-the-counter**

OTE *n* Mgmt *abrév* ▸ **on-target earnings**

other /'ʌðə(r)/
A *adj* **1** (what is left, the rest) autre; **the ~ one** l'autre; **the ~ children** les autres enfants; **the ~ 25** les 25 autres
2 (alternative, additional) autre; **there was one ~ suggestion** il y a eu une autre suggestion; **I only have one ~ shirt** je n'ai qu'une seule autre chemise; **there are ~ possibilities** il y a d'autres possibilités; ▸ **hand, word**
3 (alternate) **every ~ week** toutes les deux semaines; **every ~ year** tous les deux ans; **every ~ Saturday** un samedi sur deux
4 (different, not the same) autre; **~ people** les autres; **~ people have read it** d'autres l'ont lu; **~ people's children** les enfants des autres; **in most ~ countries** dans la plupart des autres pays; **I wouldn't have him any ~ way** je ne voudrais pas qu'il change; **some ~ day** *ou* **time, perhaps** une autre fois peut-être; **it must have been some ~ child** ça devait être un autre enfant; **at all ~ times, phone Paul** en dehors de ces heures-là, téléphone à Paul; **the '~ woman'** (mistress) la maîtresse
5 (opposite) autre; **on the ~ side of the street** de l'autre côté de la rue; **at the ~ end of the garden** à l'autre bout du jardin; **he was going the ~ way** il allait dans l'autre direction
6 (recent) **she phoned the ~ week** elle a téléphoné la semaine dernière; **I saw them the ~ day** je les ai vus l'autre jour
7 (in lists) **it is found in, amongst ~ places, Japan** on en trouve, entre autres, au Japon; **pens , paper and ~ office stationery** des stylos, du papier et autres fournitures de bureau
B **other than** *prep phr* **1** (except) **~ than that, everything's OK** à part ça, tout va bien; **all countries ~ than Spain** tous les pays à part l'Espagne; **there's nobody here ~ than Carole** il n'y a personne d'autre ici à part Carole; **nobody knows ~ than you** personne d'autre que toi n'est au courant; **we can't get home ~ than by car** nous ne pouvons pas rentrer autrement qu'en voiture; **I have no choice ~ than to fire her** je n'ai pas d'autre solution que de la renvoyer
2 (anything or anyone but) **he could scarcely be ~ than relieved** il aurait difficilement pu être autre chose que soulagé; **ask somebody ~ than Catherine** demande à quelqu'un d'autre que Catherine; ▸ **none**
C *pron* **the ~s** les autres; **~s** (as subject) d'autres; (as object) les autres; **some like red wine, ~s prefer white** certains aiment le vin rouge, d'autres préfèrent le blanc; **some trains are faster than ~s** certains trains sont plus rapides que d'autres; **each one of them distrusts the ~s** chacun d'entre eux se méfie des autres; **one after the ~** l'un après l'autre; **he's cleverer than all the ~ s** il est plus intelligent que tous les autres; **nurses, social workers and ~s** les infirmières, les assistantes sociales et autres; **she doesn't like upsetting ~s** elle n'aime pas vexer les autres; **a family like many ~s** une famille comme beaucoup d'autres; **Lucy, among ~s, has been chosen** Lucy a été choisie parmi d'autres; **Rosie and three ~s** Rosie et trois autres; **there are some ~s** il y en a d'autres; **here's one of them, where's the ~?** en voici un, où est l'autre?; **one or ~ of them will phone** un d'entre eux téléphonera; **somebody** *ou* **someone or ~ recommended Pauline** quelqu'un m'a recommandé Pauline; **I read it in some book or ~** j'ai lu ça dans un livre, je ne sais plus lequel; **some day or ~** un jour ou l'autre; **somehow or ~** d'une manière ou d'une autre; **in some form or ~** sous une forme ou une autre; **for some**

O

reason or ~ pour une raison ou une autre; **he's called Bob something or ~** il s'appelle Bob quelque chose; ▸ **somewhere**

(Idioms) **do you fancy a bit of the ~○?** GB hum et si on faisait l'amour?; **my ~ half○** ma moitié○ *f*

other-directed *adj* conformiste

otherness /ˈʌðənɪs/ *n* étrangeté *f*, altérité *f*

otherwise /ˈʌðəwaɪz/

A *adv* **1** (differently, in other ways) **I have no reason to do ~** je n'ai aucune raison de faire autrement; **if you improve or ~ change the design** si vous améliorez ou que vous modifiez d'une manière ou d'une autre le concept; **no woman, married or ~** aucune femme, mariée ou non; **unless we are told ~, we will go ahead with the work** à moins qu'on nous dise le contraire, nous allons poursuivre le travail; **he says he's 29, but I know ~** il dit qu'il a 29 ans, mais je sais que ce n'est pas le cas; **she thinks she's going to be promoted, but I know ~** elle croit qu'elle va avoir une promotion mais je sais qu'elle se trompe; **William ~ known as Bill** William, qu'on connaît aussi sous le nom de Bill; **2** (in other respects) à part cela, par ailleurs; **my lonely but ~ happy childhood** mon enfance solitaire mais à part cela *or* par ailleurs heureuse; **he was able to say what he would ~ have kept to himself** il a eu l'occasion de dire ce qu'il aurait gardé pour lui autrement; **there was less damage than might ~ have been the case** il y a eu moins de dégâts qu'on aurait pu s'y attendre

B *conj* (or else, in other circumstances) sinon; **you have to agree to this, ~ I won't sign the contract** il faut que tu me donnes ton accord sinon je ne signe pas le contrat; **it's quite safe, ~ I wouldn't do it** ce n'est pas dangereux du tout, sinon je ne le ferais pas

otherworldly /ˌʌðəˈwɜːldlɪ/ *adj* **to be ~** [*person*] ne pas avoir les pieds sur terre

otiose /ˈəʊtɪəʊs, US ˈəʊʃɪəʊs/ *adj* (pointless) oiseux/-euse

otitis /əˈtaɪtɪs/ *n* otite *f*

oto(rhino)laryngology /ˌəʊtə(ˌraɪnəʊ)ˌlærɪŋˈgɒlədʒɪ/ *n* oto-rhino-laryngologie *f*

otology /əʊˈtɒlədʒɪ/ *n* Med otologie *f*

otorrhagia /ˌəʊtəʊˈreɪdʒɪə/ *n* Med ottorragie *f*

otorrhoea /ˌəʊtəʊˈrɪə/ *n* Med otorrée *f*

OTT *adj: abrév* ▸ **over-the-top**

Ottawa /ˈɒtəwə/ ▸ **p. 1815** *pr n* Ottawa

otter /ˈɒtə(r)/ *n* loutre *f*; **sea ~** loutre marine

ottoman /ˈɒtəmən/ *n* (sofa) ottomane *f*; (footstool) repose-pied *m*; (fabric) ottoman *m*

Ottoman /ˈɒtəmən/

A *n* Ottoman/-e *m/f*

B *adj* ottoman

OU *n* GB Univ *abrév* ▸ **Open University**

ouch /aʊtʃ/ *excl* aïe

ought /ɔːt/

> ⚠ In virtually all cases, *ought* is translated by the conditional tense of *devoir*: *you ought to go now* = tu devrais partir maintenant; *they ought to arrive tomorrow* ils devraient arriver demain.
> The past *ought to have done/seen etc* is translated by the past conditional of *devoir*: *he ought to have been more polite* = il aurait dû être plus poli. For further examples, including negative sentences, see the entry below.
> The French verb *devoir* is irregular. For its conjugation see the French verb tables.

modal aux **1** (expressing probability, expectation) **that ~ to fix it** ça devrait arranger les choses; **things ~ to improve by next week** la situation devrait s'améliorer d'ici la semaine prochaine; **the train ~ not to have left yet** le train ne devrait pas encore être parti; **he ~ to be back by now** il devrait être rentré depuis longtemps maintenant; **2** (making polite but firm suggestion) **oughtn't we to consult them first?** ne devrions-nous pas les consulter d'abord?; **you ~ to be in bed** tu devrais être au lit; **she ~ to see a doctor** elle devrait consulter un médecin; **3** (indicating moral obligation) **we really ~ to say something** nous devrions vraiment dire quelque chose; **you ~ not to say things like that** tu ne devrais pas dire des choses pareilles; **someone ~ to have accompanied her** quelqu'un aurait dû l'accompagner; **I ~ not to have been so direct** je n'aurais pas dû être aussi direct; **he felt he ~ not to be wasting time** il se disait qu'il n'avait pas de temps à perdre; **4** (when prefacing important point) **I ~ to say perhaps that** je devrais peut-être préciser que; **I think you ~ to know that** je pense qu'il vaudrait mieux que tu saches que

Ouija® /ˈwiːdʒə/ *n* (also **ouija board**) oui-ja *m inv*

ounce /aʊns/ ▸ **p. 1883, p. 1029** *n* **1** (weight) once *f* (= *28,35 g*); **2** GB (fluid) = *0,028 l*; US = *0,035 l*; **3** fig once *f*

our /ˈaʊə(r), ɑː(r)/

> ⚠ In French, determiners agree in gender and number with the noun they qualify. So *our* is translated by *notre* + masculine or feminine singular noun (notre chien, notre maison) and *nos* + plural noun (nos enfants).
> When *our* is stressed, *à nous* is added after the noun: OUR house = notre maison à nous.
> For *our* used with parts of the body ▸ **p. 997.**

det notre/nos; **~ mother** notre mère; **~ children** nos enfants

ours /ˈaʊəz/

> ⚠ In French, pronouns reflect the number and gender of the noun they are standing for. Thus *ours* is translated by *le nôtre, la nôtre* or *les nôtres* according to what is being referred to: *the blue car is ours* = la voiture bleue est la nôtre; *their children are older than ours* = leurs enfants sont plus âgés que les nôtres

pron le nôtre/la nôtre/les nôtres; **their car is red but ~ is blue** leur voiture est rouge mais la nôtre est bleue; **which tickets are ~?** lesquels de ces billets sont les nôtres?; **she's a friend of ~** c'est une amie à nous; **he's no friend of ~!** ce n'est pas un ami à nous!; **the book isn't ~ to lend you** nous ne pouvons pas te prêter ce livre, il n'est pas à nous; **~ is not an easy task** fml notre tâche n'est pas facile

ourself /aʊəˈself, ɑː-/ *pron* sout (royal, editorial) nous-même

ourselves /aʊəˈselvz, ɑː-/

> ⚠ When used as a reflexive pronoun, direct and indirect, *ourselves* is translated by *nous* in standard French: *we've hurt ourselves* = nous nous sommes fait mal. However, if the more informal *on* is used to translate *we*, the translation of ourselves will be *se* (or *s'* before a vowel): on s'est fait mal.
> When used as an emphatic the translation is *nous-mêmes*: *we did it ourselves* = nous l'avons fait nous-mêmes.
> When used after a preposition *ourselves* is translated by *nous* or *nous-mêmes.*

pron **1** (refl) nous; **2** (emphatic) nous-mêmes; **3** (after prep) **for ~** pour nous, pour nous-mêmes; **(all) by ~** tout seuls/toutes seules

oust /aʊst/ *vtr* évincer [*person*] (**from** de; **as** comme); forcer [qn] à démissionner [*government*]

out /aʊt/

> ⚠ *Out* is used after many verbs in English to alter or reinforce the meaning of the verb (*hold out, wipe out, filter out etc*). Very often in French, a verb alone will be used to translate these combinations. For translations you should consult the appropriate verb entry (**hold, wipe, filter** etc).
> When *out* is used as an adverb meaning *outside*, it often adds little to the sense of the phrase: *they're out in the garden = they're in the garden*. In such cases *out* will not usually be translated: *ils sont dans le jardin*.
> *out* is used as an adverb to mean *absent* or *not at home*. In this case *she's out* really means *she's gone out* and the French translation is *elle est sortie*.
> For the phrase *out of* see **C** in the entry below.
> For examples of the above and other uses, see the entry below.

A *vtr* révéler l'homosexualité de [*person*]; ▸ **come out**

B *adv* **1** (outside) dehors; **to stand ~ in the rain** rester (dehors) sous la pluie; **to be ~ in the garden** être dans le jardin; **~ there** dehors; **~ here** ici

2 (from within) **to go** *ou* **walk ~** sortir; **to pull/take sth ~** retirer/sortir qch; **I couldn't find my way ~** je ne trouvais pas la sortie; **'Out'** (exit) 'Sortie'; **(get) ~!** dehors!

3 (away from land, base) **~ in China/Australia** en Chine/Australie; **two days ~ from port/camp** à deux jours du port/camp; **when the tide is ~** à marée basse; **further ~** plus loin

4 (in the world at large) **there are a lot of people ~ there looking for work** il y a beaucoup de gens qui cherchent du travail en ce moment

5 (absent) **to be ~** gen être sorti; [*strikers*] être en grève; **while you were ~** pendant que tu étais sorti; **she's ~ shopping** elle est sortie faire les courses

6 (in slogans) **'Tories ~!'** 'les conservateurs dehors!'

7 (for social activity) **to invite sb ~ to dinner** inviter qn au restaurant; **a day ~ at the seaside** une journée au bord de la mer; **let's have an evening ~ this week** si on sortait un soir de la semaine?

8 (published, now public) **to be ~** [*book, exam results*] être publié; **my secret is ~** mon secret est révélé; **truth will ~** la vérité éclatera

9 (in bloom) **to be ~** [*tree, shrub*] être en fleurs; **to be fully ~** [*flower*] être épanoui

10 (in view) **to be ~** [*sun, moon, stars*] briller

11 (extinguished) **to be ~** [*fire, light*] être éteint; **lights ~ at 10.30 pm** extinction des feux à 22 h 30

12 Sport, Games **to be ~** [*player*] être éliminé; **'~!'** (of ball) 'out!'

13 (unconscious) **to be ~ (cold)**○ gen être dans les pommes○; [*boxer*] être K.O.

14 (over, finished) **before the week is ~** avant la fin de la semaine

15 GB (incorrect) **to be ~ in one's calculations** s'être trompé dans ses calculs; **to be three degrees ~** se tromper de trois degrés; **my watch is two minutes ~** (slow) ma montre retarde de deux minutes; (fast) ma montre avance de deux minutes

16 ○(not possible) **no that option is ~** non cette solution est exclue

17 ○(actively in search of) **to be ~ to do sth** être bien décidé à faire qch; **to be ~ for revenge** *ou* **to get sb** être bien décidé à se venger de qn; **he's just ~ for what he can get** péj il ne rate aucune occasion○

18 ○(not in fashion) **to be ~** [*style, colour*] être passé de mode

19 ○(in holes) **trousers with the knees ~** pantalon troué aux genoux
20 ○GB (ever) **he's the kindest/stupidest person ~** c'est la personne la plus gentille/stupide qui soit
20 Jur **to be ~** [*jury*] être en déliberation; fig **the jury's ~** le jury délibère (**on** sur)

C out of *prep phr* 1 (from) **to go** *ou* **walk** *ou* **come ~ of the house** sortir de la maison; **get ~ of here!** sors d'ici!; **to jump ~ of bed/of the window** sauter hors du lit/par la fenêtre; **to tear a page ~ of a book** arracher une page d'un livre; **to take sth ~ of a box/of a drawer** retirer qch d'une boîte/d'un tiroir; **to take sth ~ of one's bag/one's pocket** prendre qch dans son sac/sa poche
2 (expressing ratio) sur; **two ~ of every three people** deux personnes sur trois
3 (part of whole) **a paragraph ~ of a book** un paragraphe tiré d'un livre; **like something ~ of a horror movie** comme quelque chose qui sort tout droit d'un film d'horreur
4 (beyond defined limits) hors de [*reach, sight, water*]; en dehors de [*city, compound*]
5 (free from confinement) **to be ~ of hospital/of prison** être sorti de l'hôpital/de prison
6 (expressing shelter) à l'abri de [*sun, rain*]
7 (lacking) **to be (right) ~ of** ne plus avoir de [*item, commodity*]
8 (made from) en [*wood, plasticine, metal*]
9 (due to) par [*malice, respect etc*]
10 Equit, Turf (lineage of horse) **Rapido ~ of Lightning** Rapido par Lightning

(Idioms) **I want ~**○**!** je ne marche plus avec vous/eux etc○; **I'm ~ of here**○ je me casse◑, je pars; **go on, ~ with it**○**!** allez, accouche○!, allez, dis ce que tu as à dire; **to be on the ~s**○ **with sb** US être brouillé avec qn; **to be ~ and about** gen sortir; (after illness) être à nouveau sur pied; **to be ~ of it**○ être dans les vapes○; **to feel ~ of it** se sentir exclu; **you're well ~ of it** tu fais bien de ne pas t'en mêler

outage /'aʊtɪdʒ/ *n* 1 Comm (missing goods) marchandises *fpl* perdues; 2 Ind (stoppage) panne *f*; **power ~** panne de courant

out and away *adv* de loin; **he's ~ the best athlete** c'est de loin le meilleur athlète

out-and-out /ˌaʊtən'aʊt/ *adj* [*villain, liar etc*] fieffé (*before n*); [*adherent*] pur et dur; [*success, failure*] total

outback /'aʊtbæk/ *n* **the ~** la brousse (australienne)

outbalance /ˌaʊt'bæləns/ *vtr* l'emporter sur

outbid /ˌaʊt'bɪd/ *vtr* (*p prés* **-dd-**; *prét, pp* **outbid**) surenchérir sur

outboard /'aʊtbɔːd/
A *n* (engine) moteur *m* hors-bord; (boat) hors-bord *m inv*
B *adj* hors-bord *inv*

outbound /'aʊtbaʊnd/ *adj* [*mail, traffic*] sortant de la ville

out-box /'aʊtbɒks/ *n* (in email) boîte *f* d'envoi

outbreak /'aʊtbreɪk/ *n* (of war, unrest) déclenchement *m*; (of violence, spots) éruption *f*; (of disease) déclaration *f*; **at the ~ of war** quand la guerre a éclaté; **an ~ of rain** une ondée

outbuilding /'aʊtbɪldɪŋ/ *n* dépendance *f*

outburst /'aʊtbɜːst/ *n* (of laughter) éclat *m*; (of anger) accès *m*; (of weeping) crise *f*; (of energy) bouffée *f*; (of vandalism, trouble) éruption *f*

outcast /'aʊtkɑːst, US -kæst/ *n* exclu/-e *m/f*

outclass /ˌaʊt'klɑːs, US -'klæs/ *vtr* dominer

outcome /'aʊtkʌm/ *n* résultat *m*

outcrop /'aʊtkrɒp/ *n* affleurement *m*

outcry /'aʊtkraɪ/ *n* tollé *m* (**about, against** contre)

outdated /ˌaʊt'deɪtɪd/ *adj* [*idea, theory, practice*] dépassé; [*style, clothing, product*] démodé; [*word, expression*] vieilli

outdistance /ˌaʊt'dɪstəns/ *vtr* lit, fig distancer

outdo /ˌaʊt'duː/ (*prét* **outdid**, *pp* **outdone**)
A *vtr* surpasser (**in** en); **not to be outdone he redoubled his efforts** ne voulant pas être en reste, il redoubla ses efforts
B *v refl* **to ~ oneself** se surpasser

outdoor /'aʊtdɔː(r)/ *adj* [*life, activity, sport*] de plein air; [*cinema, entertainment*] en plein air; [*restaurant, sports facilities*] en plein air; [*centre*] de plein air; [*person*] sportif/-ive; [*plant, clothing*] d'extérieur; [*shoes*] de marche; **to lead an ~ life** vivre au grand air

outdoors /ˌaʊt'dɔːz/
A *n* **the great ~** (+ *v sg*) la pleine nature
B *adv* [*be, sit, work*] dehors; [*live*] en plein air; [*sleep*] à la belle étoile; **to go ~** sortir

outer /'aʊtə(r)/ *adj* 1 (furthest) [*limit*] extrême; 2 (outside) gen extérieur; [*clothing*] de dessus

outermost /'aʊtəməʊst/ *adj* 1 (furthest) le/la plus éloigné/-e; 2 (outside) premier/-ière

outer: **~ office** *n* ≈ réception *f*; **~ space** *n* espace *m* extra-atmosphérique *or* extérieur; **~ suburbs** *npl* grande banlieue *f*

outerwear /'aʊtəweə(r)/ *n* US vêtements *mpl* d'extérieur

outface /ˌaʊt'feɪs/ *vtr* dévisager

outfall /'aʊtfɔːl/ *n* (of drain) bouche *f* d'évacuation; (of lake, sewer) déversoir *m*; (of river) embouchure *f*

outfall pipe *n* tuyau *m* d'évacuation

outfield /'aʊtfiːld/ *n* Sport terrain *m* extérieur

outfit /'aʊtfɪt/
A *n* 1 (set of clothes) (for men) costume *m*; (for women) tenue *f*; (for fancy dress) panoplie *f*; **a cowboy's ~** une panoplie de cowboy; **riding/tennis ~** tenue *f* d'équitation/de tennis; 2 ○(company) boîte○ *f*, entreprise *f*; **publishing ~** maison *f* d'édition; 3 ○(group) Sport équipe *f*; Mus groupe *m*; Mil unité *f*; 4 (kit) équipement *m*
B *vtr* (*p prés etc* **-tt-**) 1 (equip) équiper [*company*]; 2 (dress) habiller [*person*]

outfitter /'aʊtfɪtə(r)/ ▸ p. 1683 *n* 1 (supplier) fournisseur *m*; 2 Fashn spécialiste *mf* de la confection; **ladies'/men's ~** spécialiste *mf* de confection pour femmes/hommes; **school/theatrical ~** fournisseur *m* d'uniformes scolaires/de costumes pour le théâtre; **an ~'s** une maison de confection

outflank /ˌaʊt'flæŋk/ *vtr* Mil, fig déborder

outflow /'aʊtfləʊ/ *n* (of money) sortie *f*; (of ideas, emigrants) fuite *f*; (of liquid) écoulement *m*

outfox /ˌaʊt'fɒks/ *vtr* se montrer plus malin que

outgoing /'aʊtgəʊɪŋ/ *adj* 1 (sociable) ouvert et sociable; 2 (departing) [*government, president, tenant*] sortant; [*mail*] à expédier; [*tide*] descendant; Telecom **~ call** appel téléphonique

outgoings /'aʊtgəʊɪŋz/ *npl* GB sorties *fpl* (de fonds)

outgrow /aʊt'grəʊ/ *vtr* (*prét* **outgrew**, *pp* **outgrown**) 1 (grow too big for) devenir trop grand pour; **the population has outgrown its resources** la croissance de la population a rendu ses ressources insuffisantes; 2 (grow too old for) se lasser de [qch] avec le temps; **don't worry he'll ~ it** ne t'inquiète pas ça lui passera; 3 (grow taller than) devenir plus grand que

outgrowth /'aʊtgrəʊθ/ *n* 1 Bot, Med excroissance *f*; 2 (spin-off) retombées *fpl*; (of theory) corollaire *m*

outguess /ˌaʊt'ges/ *vtr* (anticipate) deviner les intentions de; (outsmart) être plus malin que

outgun /ˌaʊt'gʌn/ *vtr* (*p prés etc* **-nn-**) fig dominer

outhouse /'aʊthaʊs/ *n* 1 (separate) dépendance *f*; (adjoining) appentis *m*; 2 US toilettes *fpl* (extérieures)

outing /'aʊtɪŋ/ *n* 1 (excursion) sortie *f*; **school ~** sortie avec l'école; **to go on an ~** faire une sortie; 2 (revealing homosexuality) **the ~ of sb** la révélation (au public) de l'homosexualité de qn

outlandish /aʊt'lændɪʃ/ *adj* bizarre

outlast /ˌaʊt'lɑːst, US -læst/ *vtr* durer plus longtemps que

outlaw /'aʊtlɔː/
A *n* hors-la-loi *m inv*
B *vtr* 1 déclarer illégal [*practice, organization*]; 2 Hist Jur mettre [qn] hors la loi [*criminal*]; 3 US Jur annuler [*contract*]

outlay /'aʊtleɪ/ *n* dépenses *fpl* (**on** en); **capital ~** frais *mpl* d'établissement; **initial ~** mise *f* de fonds initiale

outlet /'aʊtlet/ *n* 1 lit (for gas, air, water) tuyau *m* de sortie; **sink ~** tuyau d'écoulement; 2 Comm (market) débouché *m*; (shop) point *m* de vente; **retail ~, sales ~** point *m* de vente; 3 fig (for energy, emotion, talent) exutoire *m*; 4 US Elec prise *f* de courant

outlet valve *n* soupape *f* d'échappement

outline /'aʊtlaɪn/
A *n* 1 (of object) contour *m*; (of house, mountain, tree) contour *m*, profil *m*; (of face) profil *m*; 2 Art (sketch) ébauche *f*, premier jet *m*; **to draw sth in ~** dessiner qch au trait; 3 (general plan, synopsis) (of plan, policy, reasons) idée *f*, bref exposé *m*; (of essay) (sketchy) ébauche *f*; (more structured) plan *m*; **to describe a plan in broad ~** décrire un projet dans ses grandes lignes *or* à gros traits; **to give a brief ~ of a plan** présenter un projet dans ses grandes lignes; **in ~, the rules are...** en gros *or* grosso modo, les règles sont...; **'An Outline of World History'** (title) 'Éléments *mpl* de l'histoire du monde'; 4 (in shorthand) sténogramme *m*
B *vtr* 1 (give general summary of) exposer brièvement [*aims, motives, reasons*]; donner un aperçu de, présenter [qch] dans ses grandes lignes [*plan, solution*]; 2 (draw round, delineate) souligner le contour de [*eye, picture*] (**in, with** en); **to be ~ed against the sky** se découper sur le ciel

outline: **~ agreement** *n* accord-cadre *m*; **~ map** *n* fond *m* de carte; **~ planning application** *n* GB avant-projet *m* sommaire; **~ planning permission** *n* GB permis *m* de construire provisoire; **~ proposal** *n* GB = **outline planning application**

outlive /ˌaʊt'lɪv/ *vtr* 1 (live longer than) survivre à [*person*]; **she ~d her husband by ten years** elle a survécu dix ans à son mari; 2 (outlast) survivre à [*person, era*]; **he/it has ~d his/its usefulness** il a fait son temps

outlook /'aʊtlʊk/ *n* 1 (attitude) conception *f*, vue *f*; **a narrow/positive ~** une conception *or* vue étroite/positive; **to change one's ~ on life** changer sa conception de la vie; **to be conservative in ~** avoir une conception *or* vue conservatrice des choses; 2 (prospects) perspectives *fpl* (**for** pour); **the economic ~ is bleak/bright** les perspectives économiques sont sombres/excellentes; **the ~ for tomorrow is rain** Meteorol demain on prévoit un temps pluvieux; 3 (from window, house) vue *f* (**over, onto** sur); **rural ~** vue sur la campagne

outlying /'aʊtlaɪɪŋ/ *adj* (away from city centre) excentré; (remote) isolé

outmanoeuvre GB, **outmaneuver** US /ˌaʊtmə'nuːvə(r)/ *vtr* déjouer les plans de

outmoded /ˌaʊt'məʊdɪd/ *adj* dépassé

outnumber /ˌaʊt'nʌmbə(r)/ *vtr* être plus nombreux que; **they were ~ed by two to one** ils étaient deux fois moins nombreux

out of bounds *adj, adv* 1 **to be ~** [*area*] être interdit (**to** à); **'Out of bounds'** (on sign) 'Interdit'; 2 US Sport **to be ~** être hors jeu

out: **~-of-date** *adj* [*ticket, passport*] périmé; [*clothing, custom*] démodé; [*theory, concept*] dépassé; **~ of doors** *adv* = **outdoors**

out-of-pocket *adj* 1 **~ expenses** frais *mpl* complémentaires; 2 **to be out of pocket** être perdant

out-of-sight○ *adj* **1** (fantastic) fantastique○, super○; **2** (odd) farfelu○

out-of-the-way

A *adj* [*places*] à l'écart; **an ~ spot** un trou perdu○

B out of the way *adv phr* **get out of the way!** pousse-toi!; **I should stay out of the way until tomorrow** à ta place j'éviterais de me montrer jusqu'à demain

outpace /ˌaʊtˈpeɪs/ *vtr* lit distancer; fig devancer

outpatient /ˈaʊtpeɪʃnt/ *n* malade *mf* externe; **~s' clinic, ~s' department** service *m* de consultation

outplacement /ˈaʊtpleɪsmənt/

A *n* Comm aide *f* au placement de cadres surnuméraires

B *modif* [*agency, consultant*] de placement de cadres surnuméraires

outplay /ˌaʊtˈpleɪ/ *vtr* Sport dominer

outpoint /ˌaʊtˈpɔɪnt/ *vtr* Sport (in boxing) battre aux points

outpost /ˈaʊtpəʊst/ *n* Mil, gen avant-poste *m*; **the last ~ of imperialism** le dernier bastion de l'impérialisme

outpouring /ˈaʊtpɔːrɪŋ/ *n* (of words, emotion etc) débordement *m*

output /ˈaʊtpʊt/

A *n* **1** Comm, Ind (of land, machine, mine, worker) rendement *m*; (of factory) production *f*; **industrial ~, manufacturing ~** rendement industriel; **2** Electron, Mech (of equipment, engine) puissance *f*; (of monitor) signal *m*; **cardiac ~** débit *m* cardiaque; **3** Comput (données *fpl* de) sortie *f*; **computer ~** sortie *f* d'ordinateur; **4** (of composer, writer) production *f*; **5** Radio, TV production *f*

B *modif* [*data, device, equipment, message, power, routine*] de sortie

C *vtr* (*p prés* **-tt-**; *prét, pp* **-put** *ou* **-putted**) [*computer*] sortir [*data, results*]; **to ~ sth to a printer** sortir qch sur une imprimante

outrage /ˈaʊtreɪdʒ/

A *n* **1** (anger) indignation *f* (**at** devant); **sense of ~** sentiment de profonde indignation; **2** (horrifying act) attentat *m* (**against** contre); **bomb ~** attentat à la bombe; **3** (scandal) (against decency, morality) outrage *m* (**against** à; **to** à; **to do** de faire); **it's an ~ that** c'est un scandale que (+ *subj*)

B *vtr* outrager [*feelings, morality*]; scandaliser [*person, public*]

C outraged *pp adj* outragé (**by** par; **to do** de faire)

outrageous /aʊtˈreɪdʒəs/ *adj* **1** (disgraceful) scandaleux/-euse (**to do** de faire); **it is ~ that** il est scandaleux que (+ *subj*); **2** (unconventional) [*person, dress*] insensé; [*remark*] outrancier/-ière

outrageously /aʊtˈreɪdʒəslɪ/ *adv* outrageusement

outrageousness /aʊtˈreɪdʒəsnɪs/ *n* caractère *m* outrageant

outrank /ˌaʊtˈræŋk/ *vtr* avoir un grade supérieur à

outré /ˈuːtreɪ, US uːˈtreɪ/ *adj* outrancier/-ière

outreach /ˈaʊtriːtʃ/

A *n* **1** Soc Admin assistance *f*; **2** (extent) portée *f*

B *modif* **1** Soc Admin [*group, work*] d'assistance; **~ worker** bénévole *mf* d'un organisme d'assistance; **2** US [*program*] destiné au grand public

outrider /ˈaʊtraɪdə(r)/ *n* (*also* **motorcycle ~**) motard *m* (*d'une escorte*)

outrigger /ˈaʊtrɪgə(r)/ *n* outrigger *m*

outright /ˈaʊtraɪt/

A *adj* **1** (absolute) [*independence*] total; [*control, defiance, lead, majority*] absolu; [*gift, owner, purchase, sale*] inconditionnel/-elle; [*ban, refusal, rejection*] catégorique; [*attack*] direct; **2** (obvious) [*favourite, victory, winner*] incontesté; [*criminal, liar*] invétéré; **3** (unreserved) [*egoism*] sans mélange; [*contempt, disbelief, hostility*] pur et simple

B *adv* **1** (completely) [*ban, deny, oppose, refuse*] catégoriquement; [*win*] sans contestation possible; [*buy, sell*] comptant; [*kill*] sur le coup; **2** (openly) [*ask, say, tell*] franchement; **to laugh ~ at sb** rire au nez de qn; **he laughed ~ at my idea** mon idée l'a fait éclater de rire

outrun /ˌaʊtˈrʌn/ *vtr* (*p prés* **-nn-**; *prét, pp* **-ran**) **1** lit distancer; **2** fig (exceed) dépasser

outsell /ˌaʊtˈsel/

A *vtr* (*prét, pp* **-sold**) être meilleur vendeur que

B *vtr* [*product*] se vendre mieux que

outset /ˈaʊtset/ *n* **at the ~** au début; **from the ~** dès le début

outshine /ˌaʊtˈʃaɪn/ *vtr* fig éclipser

outside /aʊtˈsaɪd, ˈaʊtsaɪd/

A *n* **1** (of object, building) extérieur *m*; **to be blue/crisp on the ~** être bleu/croustillant à l'extérieur; **on the ~ of** (on surface itself) sur l'extérieur de [*box, file, fabric*]; (in external space) à l'extérieur de [*building*]; **you can't open the door from the ~** on ne peut pas ouvrir la porte de dehors *or* de l'extérieur; **2** Aut **to overtake on the ~** GB, Austral *etc* doubler sur la droite; US, Europe *etc* doubler sur la gauche; **3** (in motor racing) extérieur *m*; **4** (not within company, institution etc) extérieur *m*; **to bring in an expert from (the) ~** faire venir un expert de l'extérieur; **to smuggle sth in from (the) ~** faire entrer qch clandestinement; **5** fig (from objective position) **from (the) ~** de l'extérieur; **6** (maximum) **at the ~** au maximum

B *adj* **1** (outdoor) [*temperature*] extérieur; [*toilet*] à l'extérieur; TV, Radio [*broadcast*] enregistré hors studio; **2** (outer) [*measurement, edge, wall*] extérieur; **3** Telecom [*line*] extérieur; [*call*] de l'extérieur; **4** (beyond usual environment) [*interests, commitments*] (outside home) en dehors de la maison; (outside work) en dehors de son/votre etc travail; **the ~ world** le monde extérieur; **5** (from elsewhere) [*help*] de l'extérieur; [*influence*] extérieur; **an ~ opinion** l'avis de quelqu'un qui n'est pas impliqué; **6 ~ lane** GB, Austral *etc* voie *f* de droite; US, Europe *etc* voie *f* de gauche; (on athletics track) couloir *m* extérieur; **7** (faint) **an ~ chance** une faible chance

C *adv* [*play, wait*] dehors; [*film*] tourné en extérieur

D outside in *adj phr, adv phr* à l'envers

E *prep* (*also* **~ of**) **1** (not within) en dehors de [*city, community*]; de l'autre côté de [*boundary*]; à l'extérieur de [*convent, prison*]; au large de [*harbour*]; **2** (in front of) devant [*house, shop*]; **3** (over) **to wear a shirt ~ one's trousers** porter une chemise sur son pantalon; **4** fig (beyond) **~ her family/her work** en dehors de ses proches/son travail; **~ office hours** en dehors des heures de bureau; **~ our jurisdiction** hors de notre juridiction; **it's ~ my experience** je n'ai jamais été confronté à ce problème

outside: **~ examiner** *n* GB Sch, Univ examinateur/-trice *m/f* qui vient de l'extérieur; **~ left** (in football) ailier *m* gauche

outsider /ˌaʊtˈsaɪdə(r)/ *n* **1** (stranger) (in community) étranger/-ère *m/f*; (to organization, company) personne *f* de l'extérieur; **2** (person, horse) (unlikely to win) outsider *m*; **a complete** *ou* **rank ~** un parfait outsider

outside right (in football) ailier *m* droit

outsize /ˈaʊtsaɪz/

A *n* Comm grandes tailles *fpl*

B *modif* Comm [*department, shop, clothing*] grandes tailles

C *adj* gen (*also* **~d**) énorme

outsized /ˈaʊtsaɪzd/ *adj* démesuré, gigantesque

outsize load *n* Transp convoi *m* exceptionnel

outskirts /ˈaʊtskɜːts/ *npl* **1** (of town, city) périphérie *f*; **on the ~** à la périphérie (**of** de); **2** (of forest) lisière *f*

outsmart /ˌaʊtˈsmɑːt/ *vtr* se montrer plus futé que

outsource /aʊtˈsɔːs/ *vtr* Comm externaliser

outsourcing /ˈaʊtsɔːsɪŋ/ *n* Comm externalisation *f*

outspoken /ˌaʊtˈspəʊkən/ *adj* **1** (frank) [*opponent, support*] déclaré; [*critic*] qui ne mâche pas ses mots; [*criticism*] franc/franche; **to be ~ in one's remarks/criticism** parler/critiquer sans détour; **2** euph (rude) direct

outspokenly /ˌaʊtˈspəʊkənlɪ/ *adv* gen [*honest, feminist etc*] carrément; [*oppose*] catégoriquement

outspokenness /aʊtˈspəʊkənnɪs/ *n* francparler *m*

outspread /ˌaʊtˈspred/ *adj* [*arms*] grand ouvert; [*wings*] déployé; [*fingers*] écarté

outstanding /ˌaʊtˈstændɪŋ/ *adj* **1** (excellent) [*achievement, performance, career*] exceptionnel/-elle, remarquable; **2** (prominent, conspicuous) [*example, feature*] remarquable, frappant; **3** (unresolved) [*problem, issue*] en suspens; [*correspondence, orders*] en souffrance; [*work*] inachevé; [*bill, account*] impayé; [*interest*] échu; **what is the amount ~?** à combien s'élève l'arriéré?; **questions ~ from the previous meeting** des questions qui n'ont pas été résolues lors de la dernière réunion; **~ debts** créances *fpl* à recouvrer; **~ shares** Fin actions *fpl* en circulation

outstandingly /ˌaʊtˈstændɪŋlɪ/ *adv* **1** (particularly) exceptionnellement; **2** (extremely) remarquablement; **~ good** remarquable

outstay /ˌaʊtˈsteɪ/ *vtr* **to ~ sb** rester plus longtemps que qn

(Idiom) **to ~ one's welcome** s'éterniser

outstretched /ˌaʊtˈstretʃt/ *adj* [*hand, arm, fingers*] tendu; [*wings*] déployé; [*legs*] étendu; **to welcome sb with ~ arms** accueillir qn à bras ouverts

outstrip /ˌaʊtˈstrɪp/ *vtr* (*p prés etc* **-pp-**) dépasser [*person*]; excéder [*production*]; être supérieur à [*demand, supply*]

outtake /ˈaʊtteɪk/ *n* Cin chute *f*

out-tray *n* corbeille *f* départ

outturn /ˈaʊttɜːn/ *n* production *f*

outvote /ˌaʊtˈvəʊt/ *vtr* (in election) battre [qn] aux voix; (on issue) mettre [qn] en minorité; **to be ~d** être battu aux voix

outward /ˈaʊtwəd/

A *adj* **1** (external) [*appearance, sign*] extérieur; [*calm*] apparent; **to all ~ appearances** en apparence; **2** (from port, base) [*freight, ship*] en partance; **~ journey** aller *m*

B *adv* = **outwards**

outward bound

A *adj* [*ship*] en partance

B *adv* US **to be ~** être en partance (**from** de; **for** pour)

Outward Bound movement *n*: *groupe d'activités en plein air pour adolescents*

outwardly /ˈaʊtwədlɪ/ *adv* **1** (apparently) [*calm, confident, indifferent etc*] en apparence; **2** (seen from outside) de l'extérieur

outwards /ˈaʊtwədz/ *adv* (*also* **outward**) [*open, bend, grow*] vers l'extérieur; **to face ~** [*room*] donner sur la rue; [*person*] se tourner vers l'extérieur

outweigh /ˌaʊtˈweɪ/ *vtr* l'emporter sur (*never passive*); **the advantages ~ the disadvantages, the disadvantages are ~ed by the advantages** les avantages l'emportent sur les inconvénients

outwit /ˌaʊtˈwɪt/ *vtr* (*p prés etc* **-tt-**) gen être plus futé que; déjouer la surveillance de [*guard*]; déjouer les manœuvres de [*opponent*]

outwith /aʊtˈwɪθ/ *prep* Scot = **outside**

outwork /ˈaʊtwɜːk/ *n* GB travail *m* à domicile

outworker /ˈaʊtwɜːkə(r)/ *n* GB travailleur/-euse *m/f* à domicile

outworn /ˌaʊtˈwɔːn/ *adj* [*custom, theory, system*] désuet/-ète; [*clothing, expression*] usé

ouzel /ˈuːzl/ *n* = **ring ouzel**

ouzo /ˈuːzəʊ/ *n* ouzo *m*

ova /ˈəʊvə/ *pl* ▸ **ovum**

oval /'əʊvl/
A *n* ovale *m*
B *adj* (*also* **~-shaped**) ovale; **the Oval Office** US Pol le bureau ovale

ovarian /ə'veərɪən/ *adj* ovarien/-ienne

ovaritis /əʊvə'raɪtɪs/ ▸ **p. 1327** *n* = **oophoritis**

ovary /'əʊvərɪ/ *n* Anat, Bot ovaire *m*

ovate /'əʊveɪt/ *adj* ové

ovation /əʊ'veɪʃn/ *n* ovation *f*; **to give sb an ~** ovationner qn; **to give sb a standing ~** se lever pour ovationner qn

oven /'ʌvn/
A *n* four *m*; **electric/gas/microwave ~** four électrique/à gaz/à micro-ondes; **cook in a hot/moderate/slow ~** faites cuire à four chaud/moyen/doux; **it's like an ~ in here!** fig c'est une fournaise ici!
B *modif* [*door, temperature*] du four

oven: **~ chip** *n* frite *f* à four; **~ cleaner** *n* nettoyant *m* pour four; **~ dish** *n* plat *m* allant au four; **~ glove** *n* manique *f*; **~proof** *adj* qui va au four; **~ rack** *n* US = **oven shelf**; **~-ready** *adj* prêt à cuire; **~ shelf** *n* GB grille *f*; **~-to-tableware**, **~ware** *n* ₵ plats *mpl* de service allant au four

over¹ /'əʊvə(r)/

> ⚠ *Over* is used after many verbs in English (*change over, fall over, lean over etc*). For translations, consult the appropriate verb entry (**change, fall, lean** etc).
> *over* is often used with another preposition in English (*to, in, on*) without altering the meaning. In this case *over* is usually not translated in French: *to be over in France* = être en France; *to swim over to sb* = nager vers qn.
> *over* is often used with nouns in English when talking about superiority (*control over, priority over etc*) or when giving the cause of something (*delays over, trouble over etc*). For translations, consult the appropriate noun entry (**control, priority, delay, trouble** etc).
> *over* is often used as a prefix in verb combinations (*overeat*), adjective combinations (*overconfident*) and noun combinations (*overcoat*). These combinations are treated as headwords in the dictionary.
> For particular usages see the entry below.

A *prep* **1** (across the top of) par-dessus; **to jump/look/talk ~ a wall** sauter/regarder/parler par-dessus un mur; **to step ~ the cat** passer par-dessus le chat; **a bridge ~ the Thames** un pont sur la Tamise
2 (from or on the other side of) **my neighbour/the house ~ the road** mon voisin/la maison d'en face; **it's just ~ the road/river** c'est juste de l'autre côté de la rue/rivière; **the noise came from ~ the wall** le bruit venait de l'autre côté du mur; **~ here/there** par ici/là; **come ~ here!** viens (par) ici!; **from ~ the sea/the Atlantic/the Channel** d'outre-mer/d'outre-atlantique/d'outre-manche
3 (above but not touching) au-dessus de; **clouds ~ the valley** des nuages au-dessus de la vallée; **they live ~ the shop** ils habitent au-dessus de la boutique
4 (covering, surrounding) sur; **to spill tea ~ sth** renverser du thé sur qch; **he's spilled tea ~ it** il a renversé du thé dessus; **to carry one's coat ~ one's arm** porter son manteau sur le bras; **to wear a sweater ~ one's shirt** porter un pull par-dessus sa chemise; **shutters ~ the windows** des volets aux fenêtres
5 (physically higher than) **the water was** *ou* **came ~ my ankles** j'avais de l'eau jusqu'aux chevilles
6 (more than) plus de; **children (of) ~ six** les enfants de plus de six ans; **to be ~ 21** avoir plus de 21 ans; **well ~ 200** bien plus de 200; **to take ~ a year** prendre plus d'un an; **temperatures ~ 40°** des températures supérieures à 40°
7 (in rank, position) **to be ~ sb** gen être supérieur à qn; Mil être plus gradé que qn
8 (in the course of) **~ the weekend/the summer** pendant le week-end/l'été; **~ a period of** sur une période de; **~ the last decade/few days** au cours des dix dernières années/de ces derniers jours; **he has changed ~ the years** il a changé avec le temps; **to do sth ~ Christmas** faire qch à Noël *or* pendant les vacances de Noël; **to stay with sb ~ Easter** passer les vacances de Pâques chez qn; **to talk ~ coffee/lunch** parler autour d'une tasse de café/d'un déjeuner
9 (recovered from) **to be ~** s'être remis de [*illness, operation, loss*]; **she'll be ~ it soon** elle s'en remettra vite; **to be ~ the worst** avoir passé le pire
10 (by means of) **~ the phone** par téléphone; **~ the radio** à la radio
11 (everywhere in) **to travel all ~ the world/Africa** voyager partout dans le monde/en Afrique; **to search all ~ the house** chercher partout dans la maison; **to show sb ~ a house** montrer *or* faire visiter une maison à qn; **I've lived all ~ France** j'ai habité un peu partout en France
12 (because of) **to laugh ~ sth** rire de qch; **to pause ~ sth** s'arrêter sur qch; **how long will you be ~ it?** combien de temps cela te prendra-t-il?
13 Math **12 ~ 3 is 4** 12 divisé par 3 égale 4
B **over and above** *prep phr* **~ and above that** en plus de cela; **~ and above the minimum requirement** au-delà du minimum requis
C *adj, adv* **1** (use with verbs not covered in NOTE) **~ she went** elle est tombée; **~ you go!** allez hop!; **does it go under or ~?** est-ce que ça va en dessous ou au-dessus?
2 (finished) **to be ~** [*term, meeting, incident*] être terminé; [*war*] être fini; **after the war is ~** lorsque la guerre sera finie; **it was all ~ by Christmas** à Noël tout était fini; **when this is all ~** quand tout ceci sera fini; **to get sth ~ with** en finir avec qch
3 (more) **children of six and ~** *ou* **six or ~** les enfants de plus de six ans; **it can be two metres or ~** cela peut faire deux mètres ou plus; **temperatures of 40 ° and ~** des températures supérieures à 40°
4 (remaining) **two biscuits each and one ~** deux biscuits par personne et il en reste un; **six metres and a bit ~** un peu plus de six mètres; **2 into 5 goes 2 and 1 ~** 5 divisé par 2 font 2 et il reste 1; **there's nothing ~** il ne reste rien; ▸ **leave over**
5 (to one's house, country) **to invite** *ou* **ask sb ~** inviter qn; **come ~ for lunch** venez déjeuner; **we had them ~ on Sunday/for dinner** ils sont venus dimanche/dîner; **they were ~ for the day** ils sont venus pour la journée; **they're ~ from Sydney** ils sont venus de Sydney; **when you're next ~ this way** la prochaine fois que tu passes dans le coin
6 Radio, TV **~!** à vous!; **~ to you** à vous; **now ~ to Tim for the weather** laissons la place à Tim pour la météo; **now ~ to our Paris studios** nous passons l'antenne à nos studios de Paris
7 (showing repetition) **five/several times ~** cinq/plusieurs fois de suite; **to start all ~ again** recommencer à zéro; **I had to do it ~** US j'ai dû recommencer; **to hit sb ~ and ~ (again)** frapper qn sans s'arrêter; **I've told you ~ and ~ (again)...** je t'ai dit je ne sais combien de fois...
8 GB (excessively) **I'm not ~ keen** je ne suis pas très enthousiaste; **she wasn't ~ pleased** elle n'était pas très contente

over² /'əʊvə(r)/ *n* Sport partie *f* d'un match de cricket (*lors de laquelle le serveur lance six balles d'une extrémité du terrain*)

overachieve /əʊvərə'tʃi:v/ *vi* réussir mieux que prévu

overachiever /əʊvərə'tʃi:və(r)/ *n* surdoué/-e *m/f*

overact /,əʊvər'ækt/
A *vtr* charger [*rôle*]
B *vi* en faire trop

overactive /,əʊvər'æktɪv/ *adj* [*imagination*] débordant; **to have an ~ thyroid** souffrir d'hyperthyroïdie

overage /'əʊvərɪdʒ/ *n* US Comm excédent *m* (*de marchandises*)

overall /'əʊvərɔ:l/
A *n* GB (coat-type) blouse *f*; (child's) tablier *m*
B **overalls** *npl* GB combinaison *f*; US salopette *f*
C /,əʊvər'ɔ:l/ *adj* **1** [*cost, measurement, responsibility*] total; [*figures, improvement, increase, trend, value*] global; [*control, impression, standard*] général; [*ability, effect*] d'ensemble; [*majority*] Pol absolu; **2** Sport [*placing, winner*] au classement général
D *adv* **1** (in total) en tout; **2** (in general) dans l'ensemble; **3** Sport **first ~** premier/-ière au classement général; **4** littér (everywhere) partout

overalled /'əʊvərɔ:ld/ *adj* GB (coat-type) vêtu d'une blouse; (trouser-type) vêtu d'une combinaison; US vêtu d'une salopette

overanxious /,əʊvər'æŋkʃəs/ *adj* (nervous) trop anxieux/-ieuse; **I'm not ~ to go** je n'ai pas vraiment envie d'y aller

overarm /'əʊvərɑ:m/ *adj, adv* Sport [*serve, throw*] par le haut (*inv*); (in swimming) **~ stroke** crawl *m*

overate /,əʊvər'eɪt/ *prét* ▸ **overeat**

overawe /,əʊvər'ɔ:/ *vtr* intimider

overbalance /,əʊvə'bæləns/
A *vtr* déséquilibrer
B *vi* [*person*] perdre l'équilibre; [*pile of objects*] s'écrouler

overbearing /,əʊvə'beərɪŋ/ *adj* [*person, manner*] dominateur/-trice

overbid /,əʊvə'bɪd/
A *n* (at auction) surenchère *f*; (in bridge) annonce *f* exagérée
B *vtr* (*p prés* **-dd-**; *prét, pp* **~**) (at auction) enchérir sur [*person*]; (in bridge) **to ~ a hand** annoncer au-dessus de ses moyens
C *vi* (*p prés* **-dd-**; *prét, pp* **~**) (at auction) faire une enchère trop élevée; (in bridge) annoncer au-dessus de ses moyens

overblown /,əʊvə'bləʊn/ *adj* **1** [*style*] ampoulé; **2** [*flower*] trop ouvert; **3** [*beauty*] trop mûr

overboard /'əʊvəbɔ:d/ *adv* par-dessus bord, à l'eau; **to fall/jump ~** tomber à/sauter dans l'eau; **to push/throw sb/sth ~** pousser/jeter qn/qch par-dessus bord; **man ~!** un homme à la mer!; **to go ~**○ fig aller trop loin

overbook /,əʊvə'bʊk/ *vtr, vi* surréserver

overbooking /,əʊvə'bukɪŋ/ *n* surréservation *f*

overbuild /,əʊvə'bɪld/ *vtr* (*prét, pp* **-built**) trop bâtir; **to ~ a site** trop bâtir sur un terrain

overburden /,əʊvə'bɜ:dn/ *vtr* (with work) surcharger; (with responsibility, debt, guilt) accabler

overcapacity /,əʊvəkə'pæsətɪ/ *n* Econ surcapacité *f*

overcapitalize /,əʊvə'kæpɪtəlaɪz/ *vtr* surcapitaliser

overcast /,əʊvə'kɑ:st, US -'kæst/
A *vtr* (*prét, pp* **overcast**) (in sewing) surfiler
B *adj* **1** Meteorol couvert; **to become ~** se couvrir; **2** fig [*expression*] sombre

overcautious /,əʊvə'kɔ:ʃəs/ *adj* excessivement prudent

overcautiously /,əʊvə'kɔ:ʃəslɪ/ *adv* d'une manière excessivement prudente

overcharge /,əʊvə'tʃɑ:dʒ/
A *vtr* **1** (in money) faire payer trop cher à; **they ~d him** ils lui ont fait payer trop cher; **they ~d him by £10** ils lui ont fait payer 10 livres de trop; **they ~d him for it** ils le lui ont fait payer au prix fort; **2** Elec surcharger

O

B *vi* faire payer au prix fort
overcoat /ˈəʊvəkəʊt/ *n* pardessus *m*
overcome /ˌəʊvəˈkʌm/
A *vtr* (*prét* **-came**, *pp* **-come**) 1 (defeat) battre [*opponent*]; vaincre [*enemy*]; maîtriser [*nerves*]; surmonter [*dislike, fear, problem*]; 2 (overwhelm) **to be overcome by smoke** être suffoqué par la fumée; **to be overcome by** *ou* **with jealousy/despair** succomber à la jalousie/au désespoir; **overcome by fear** transi de peur; **tiredness overcame them** la fatigue a eu raison d'eux; **I was overcome when I heard the news** la nouvelle m'a terrassé
B *vi* (*prét* **-came**, *pp* **-come**) triompher
overcompensate /ˌəʊvəˈkɒmpenseɪt/ *vi* 1 gen trop compenser; **to ~ for sth** trop compenser qch (**by doing** en faisant); 2 Psych surcompenser
overcompensation /ˌəʊvəˌkɒmpenˈseɪʃn/ *n* Psych surcompensation *f*
overconfidence /ˌəʊvəˈkɒnfɪdəns/ *n* assurance *f* excessive
overconfident /ˌəʊvəˈkɒnfɪdənt/ *adj* trop sûr de soi (moi, toi etc)
overconsumption /ˌəʊvəkənˈsʌmpʃn/ *n* surconsommation *f*
overcook /ˌəʊvəˈkʊk/ *vtr* trop cuire
overcrowded /ˌəʊvəˈkraʊdɪd/ *adj* [*vehicle, shop, room*] (with people) bondé (**with** de); [*road*] surencombré; [*institution, city*] surpeuplé (**with** de); [*class*] surchargé; [*room*] (with furniture) encombré (**with** de); Dent [*teeth*] trop rapproché
overcrowding /ˌəʊvəˈkraʊdɪŋ/ *n* (in city, institution) surpeuplement *m*; (in transport) surencombrement *m*; **~ in classrooms** les classes surchargées
overdeveloped /ˌəʊvədɪˈveləpt/ *adj* 1 (physically) [*person*] trop développé; [*muscle*] hypertrophié; 2 [*sense of humour, of importance etc*] excessif/-ive; 3 Phot trop développé; 4 Pol, Econ surdéveloppé
overdo /ˌəʊvəˈduː/ *vtr* (*prét* **overdid**, *pp* **overdone**) 1 (exaggerate) exagérer [*sentiment, reaction*]; **to ~ it** *ou* **things** (when describing) exagérer, en rajouter○; (when performing) forcer la note○, en faire trop○; (when working) en faire trop○; **don't ~ the exercises/studying** ne force pas trop○ sur les exercices/les études; **he rather overdoes the devoted nephew** il joue un peu trop au neveu dévoué; 2 (use too much of) avoir la main lourde sur [*flavouring, perfume, makeup*]; 3 (overcook) faire trop cuire [*meat, vegetables*]
overdone /ˌəʊvəˈdʌn/ *adj* 1 (exaggerated) [*effect, emotion*] exagéré; **the comedy was ~** les passages comiques n'étaient pas très subtils; 2 (overcooked) trop cuit
overdose /ˈəʊvədəʊs/
A *n* 1 (large dose) surdose *f*, dose *f* excessive; **radiation/vitamin ~** dose excessive de radiation/vitamines; 2 (lethal dose) (of medicine) dose *f* mortelle; (of drugs) overdose *f*, surdose *f*; **to take an ~ of** prendre une dose mortelle de; **a heroin ~** une overdose d'héroïne
B /ˌəʊvəˈdəʊs/ *vtr* donner une trop forte dose à [*patient*]
C *vi* (on medicine) prendre une dose mortelle; (on drugs) faire une overdose; **to ~ on** lit prendre une dose mortelle de [*tablets*]; prendre une overdose de [*drugs*]; fig○ se gaver de [*chocolate etc*]; s'abrutir de [*television*]
overdraft /ˈəʊvədrɑːft, US -dræft/
A *n* découvert *m*; **to take out an ~** obtenir un découvert; **to have an ~** être à découvert; **agreed ~, ~ arrangement** découvert autorisé
B *modif* [*facility*] de découvert; [*limit*] de crédit
overdraw /ˌəʊvəˈdrɔː/
A *vtr* (*prét* **overdrew**, *pp* **overdrawn**) 1 Fin tirer à découvert; **I am £100 overdrawn** j'ai un découvert de 100 livres; **you are/your account is £100 overdrawn** vous êtes/votre compte est à découvert de 100 livres; 2 Literat (exaggerate) outrer
B **overdrawn** *pp adj* 1 Fin [*account*] à découvert; 2 Literat outré
overdress /ˌəʊvəˈdres/
A *vtr* trop habiller
B *vi* être trop habillé
overdrive /ˈəʊvədraɪv/ *n* Aut vitesse *f* surmultipliée; **in ~** en (vitesse) surmultipliée; **to go into ~** passer en (vitesse) surmultipliée; fig s'activer intensivement
overdue /ˌəʊvəˈdjuː, US -ˈduː/ *adj* [*plane, train, work*] en retard (**by** de); [*bill*] impayé; [*cheque*] présenté tardivement; [*baby, pregnant woman*] dont le terme est dépassé; **the car is ~ for a service** la voiture aurait déjà dû passer à la révision; **this measure is long ~** cette mesure aurait déjà dû être prise; **the book is ~** le livre aurait dû être rendu
overeager /ˌəʊvəˈiːɡə(r)/ *adj* [*person*] trop zélé
over easy *adj* US [*egg*] cuit des deux côtés
overeat /ˌəʊvərˈiːt/ *vi* (*prét* **overate**, *pp* **overeaten**) manger à l'excès
overeating /ˌəʊvərˈiːtɪŋ/ *n* excès *mpl* de table
overemphasize /ˌəʊvəˈemfəsaɪz/ *vtr* accorder trop d'importance à [*aspect, fact*]; exagérer [*importance*]; **I cannot ~ how vital it is** je ne saurais trop souligner combien c'est vital
overemployment /ˌəʊvəɪmˈplɔɪmənt/ *n* suremploi *m*
overenthusiastic /ˌəʊvərɪnˌθjuːzɪˈæstɪk, US -ˌθuː-/ *adj* trop enthousiaste; **to be ~ in doing** dépasser la mesure en faisant
overenthusiastically /ˌəʊvərɪnˌθjuːzɪˈæstɪklɪ, US -ˌθuː-/ *adv* avec trop d'enthousiasme
overestimate
A /ˌəʊvərˈestɪmət/ *n* surestimation *f*
B /ˌəʊvərˈestɪmeɪt/ *vtr* surestimer
overexcite /ˌəʊvərɪkˈsaɪt/ *vtr* surexciter
overexcited /ˌəʊvərɪkˈsaɪtɪd/ *adj* surexcité; **he gets ~ very easily** il est vite surexcité
overexcitement /ˌəʊvərɪkˈsaɪtmənt/ *n* surexcitation *f*
overexert /ˌəʊvərɪɡˈzɜːt/
A *vtr* surmener
B *v refl* **to ~ oneself** se surmener
overexertion /ˌəʊvərɪɡˈzɜːʃn/ *n* surmenage *m*
overexpose /ˌəʊvərɪkˈspəʊz/ *vtr* 1 Phot surexposer; 2 Cin, TV médiatiser [qn] de façon excessive [*actor*]
overexposure /ˌəʊvərɪkˈspəʊʒə(r)/ *n* 1 Phot surexposition *f*; 2 Cin, TV médiatisation *f* excessive
overfeed /ˌəʊvəˈfiːd/ *vtr* (*prét, pp* **-fed**) suralimenter [*child, pet*]; donner trop d'engrais à [*plant*]
overfeeding /ˌəʊvəˈfiːdɪŋ/ *n* suralimentation *f*
overfill /ˌəʊvəˈfɪl/ *vtr* trop remplir
overfish /ˌəʊvəˈfɪʃ/
A *vtr* surexploiter [*river, sea*]
B *vi* surexploiter les fonds de pêche
overfishing /ˌəʊvəˈfɪʃɪŋ/ *n* surexploitation *f* des fonds de pêche
overflow
A /ˈəʊvəfləʊ/ *n* 1 (surplus) **the ~ of students/passengers** les étudiants/les passagers en surnombre; **our school takes in the ~ from other areas** notre école accueille les élèves en surnombre dans les régions voisines; 2 (*also* **~ pipe**) (from bath, sink) trop-plein *m*; (from dam) déversoir *m*; 3 (spillage) (action) débordement *m*; (liquid spilt) trop-plein *m*; 4 Comput dépassement *m* de capacité
B /ˌəʊvəˈfləʊ/ *vtr* [*river*] inonder [*banks*]; [*crowd*] déborder de [*stadium, theatre*]
C /ˌəʊvəˈfləʊ/ *vi* [*bath, bin, river, water*] déborder (**into** dans; **onto** sur); [*crowd, refugees*] déborder; **they ~ed onto the steps/into the streets** ils ont débordé sur les marches/dans les rues; **to be full to ~ing** [*bath, bowl*] déborder; [*room, theatre*] être plein à craquer; **to ~ with** fig déborder de [*gratitude, love*]
D **overflowing** /ˌəʊvəˈfləʊɪŋ/ *pres p adj* [*school*] saturé; [*prison*] surpeuplé; [*dustbin, bath*] débordant
overflow car park GB, **overflow parking lot** US *n* parc *m* de stationnement supplémentaire
overfly /ˌəʊvəˈflaɪ/ *vtr* (*prét* **-flew**, *pp* **-flown**) survoler
overfull /ˌəʊvəˈfʊl/ *adj* trop plein
overgenerous /ˌəʊvəˈdʒenərəs/ *adj* trop généreux/-euse (**with** avec); [*amount, dose*] excessif/-ive
overgrown /ˌəʊvəˈɡrəʊn/ *adj* 1 (covered in weeds) envahi par la végétation; **~ with nettles** envahi par les orties; 2 (big) souvent hum géant; 3 **to behave like an ~ schoolboy** se conduire comme un collégien
overhand /ˈəʊvəhænd/ US *adj, adv* par le haut
overhang
A /ˈəʊvəhæŋ/ *n* 1 gen (of cliff) surplomb *m*; (of roof) avancée *f*; (of tablecloth, bedcover etc) pan *m*; 2 Fin surplus *m*
B /ˌəʊvəˈhæŋ/ *vtr* surplomber
C /ˌəʊvəˈhæŋ/ *vi* être en surplomb
overhanging /ˌəʊvəˈhæŋɪŋ/ *adj* [*ledge, cliff, rock*] en surplomb; [*tree, branch*] qui surplombe; [*balcony*] faisant saillie
overhaul
A /ˈəʊvəhɔːl/ *n* (of machine) révision *f*; fig (of system) restructuration *f*
B /ˌəʊvəˈhɔːl/ *vtr* 1 réviser [*car, machine*]; refaire [*roof*]; fig restructurer [*system, procedure*]; 2 (overtake) dépasser; (catch up with) rattraper [*rival, ship, vehicle*]
overhead /ˈəʊvəhed/
A *n* US frais *mpl* généraux
B **overheads** *npl* GB frais *mpl* généraux
C *adj* 1 Fin **~ charges** *ou* **costs** *ou* **expenses** frais *mpl* généraux; 2 [*cable, railway*] aérien/-ienne; 3 Sport [*stroke*] haut
D /ˌəʊvəˈhed/ *adv* 1 (in the sky) dans le ciel; 2 (above the head) au-dessus de la tête; **to hold sth ~** tenir qch au-dessus de la tête
overhead: **~ camshaft** *n* arbre *m* à cames en tête; **~ed price** *n* Fin prix *m* toutes charges comprises; **~ light** *n* plafonnier *m*; **~ locker** *n* Aviat compartiment *m* à bagages; **~ luggage rack** *n* Rail porte-bagages *m inv*; **~ projector, OHP** *n* rétroprojecteur *m*; **~ valve** *n* Aut soupape *f* en tête
overhear /ˌəʊvəˈhɪə(r)/
A *vtr* (*p prés, pp* **-heard**) entendre par hasard; **I overheard a conversation between...** j'ai surpris une conversation entre...
B **overheard** *pp adj* [*conversation, remark*] entendu par hasard
overheat /ˌəʊvəˈhiːt/
A *vtr* surchauffer [*room, economy*]; faire trop chauffer [*sauce, oven*]
B *vi* [*car, equipment*] chauffer; [*oven, furnace*] chauffer trop; [*child*] avoir trop chaud; [*economy*] être en surchauffe
overheated /ˌəʊvəˈhiːtɪd/ *adj* [*room*] surchauffé; [*debate, person*] emporté; [*imagination*] en ébullition; [*economy*] en surchauffe
overheating /ˌəʊvəˈhiːtɪŋ/ *n* surchauffe *f*
overindulge /ˌəʊvərɪnˈdʌldʒ/
A *vtr* gâter [*child, pet*]
B *vi* faire des excès (**in** de)
overindulgence /ˌəʊvərɪnˈdʌldʒəns/ *n* 1 (excess) abus *m* (**in de**); 2 (partiality) trop grande indulgence *f* (**of, towards** envers)
overindulgent /ˌəʊvərɪnˈdʌldʒənt/ *adj* trop indulgent (**to, towards** envers)
overinvest /ˌəʊvərɪnˈvest/ *vi* surinvestir (**in** dans)
overjoyed /ˌəʊvəˈdʒɔɪd/ *adj* [*person*] fou/folle de joie (**at** devant); [*cry, smile*] de joie intense; **to be ~ to do** être fou de joie de faire; **I was**

~ that she had returned son retour m'a rendu fou de joie

overkill /'əʊvəkɪl/ *n* **1** Mil capacité *f* de surextermination; **2** fig matraquage *m*; **advertising/media ~** matraquage médiatique/publicitaire

overland /'əʊvəlænd/
A *adj [route]* terrestre; *[journey]* par route
B *adv* par route; **to go ~ to India** aller en Inde par route

overlap
A /'əʊvəlæp/ *n* **1** (of organizations, services, systems, activities) chevauchement *m* (**between** de); (undesirable) empiétement *m* (**between** de); **an ~ between the public and private sectors** un chevauchement du secteur public sur le secteur privé; **an ~ between the two sectors** un chevauchement des deux secteurs; **2** Tech (in sewing) partie *f* qui déborde
B /,əʊvə'læp/ *vtr (p prés etc* **-pp-**) lit (partly cover) recouvrir partiellement; **the tiles ~ (each other)** les tuiles se recouvrent l'une l'autre
C /,əʊvə'læp/ *vi (p prés etc* **-pp-**) **1** *[organization, service, sector, system, activity]* chevaucher (**with** avec) ; (undesirably) empiéter (**with** sur); *[events]* coïncider (**with** avec); **the two sectors ~** les deux secteurs se chevauchent; **2** lit *[materials, edges]* se recouvrir partiellement; *[one edge]* dépasser
D overlapping /,əʊvə'læpɪŋ/ *pres p adj* **1** fig *[organizations, services, systems, activities]* qui se chevauchent; *[events]* qui coïncident; **2** *[edges, scales]* qui se recouvrent partiellement; *[one edge]* qui dépasse

overlay
A /'əʊvəleɪ/ *n* **1** (clear sheet) transparent *m*; **2** (decoration) revêtement *m*; **3** fig (layer) vernis *m*
B /,əʊvə'leɪ/ *vtr (prét, pp* **-laid**) recouvrir (**with** de)

overleaf /,əʊvə'li:f/ *adv* au verso; **see ~** voir au verso

overlie /,əʊvə'laɪ/ *vtr (prét* **-lay**; *pp* **-lain**) recouvrir

overload /'əʊvələʊd/
A *n* **1** Civ Eng, Electron surcharge *f*; **2** fig surcharge *f*
B /,əʊvə'ləʊd/ *vtr* surcharger *[machine, vehicle, system]* (**with** de)
C overloaded *pp adj* surchargé

overlong /,əʊvə'lɒŋ/ *adj* trop long/longue

overlook /,əʊvə'lʊk/ *vtr* **1** (have a view of) *[building, window]* donner sur; **we ~ the sea from the balcony** notre balcon donne sur la mer; **2** (miss) ne pas voir *[detail, error]*; **to ~ the fact that** négliger le fait que; **3** (ignore) laisser passer *[behaviour, fault, mistake]*; ne pas considérer *[candidate, person]*; ignorer *[effect, fact, need, problem]*

overlord /'əʊvəlɔ:d/ *n* suzerain *m*

overly /'əʊvəlɪ/ *adv* trop, excessivement

overmanned /,əʊvə'mænd/ *adj [factory, office]* en sureffectif

overmanning /,əʊvə'mænɪŋ/ *n* sureffectif *m*, effectif *m* pléthorique

overmantel /'əʊvəmæntl/ *n*: *étagère située au-dessus d'une cheminée*

overmedicalization /əʊvə,medɪkəlaɪ'zeɪʃn/ *n* surmédicalisation *f*

overmedicalize /əʊvə'medɪkəlaɪz/ *vtr* surmédicaliser

overmuch /,əʊvə'mʌtʃ/
A *adj* excessif/-ive
B *adv* trop

overnight /'əʊvənaɪt/
A *adj* **1** (night-time) *[crossing, boat, bus, flight, journey, train]* de nuit; *[stay]* d'une nuit; *[guest]* pour la nuit; *[stop]* pour une nuit; *[party, rain]* pendant toute la nuit; **2** fig (rapid) *[change, result, success]* immédiat
B /,əʊvə'naɪt/ *adv* **1** (in the night) dans la nuit; (for the night) pour la nuit; *[drive]* toute la nuit; *[stop]* pour la nuit; *[keep]* jusqu'au lendemain; **to stay ~** rester dormir; **2** fig (rapidly) du jour au lendemain
C *vi* (spend the night) **to ~ in Chicago** passer la nuit à Chicago; (travel overnight) voyager de nuit

overnight bag *n* petit sac *m* de voyage

over-optimistic /,əʊvərɒptɪ'mɪstɪk/ *adj* exagérément optimiste

overpaid /,əʊvə'peɪd/ *adj* surpayé

overparticular /,əʊvəpə'tɪkjʊlə(r)/ *adj* **1** (fussy) trop pointilleux/-euse; **2** (concerned) très soucieux/-ieuse (**about** de); **he's not ~ about his reputation** il n'est pas très soucieux de sa réputation; **I'm not ~** ça m'est égal

overpass /'əʊvəpɑ:s, US -pæs/ *n* **1** (for cars) toboggan *m*; **2** (footbridge) passerelle *f*

overpay /,əʊvə'peɪ/ *vtr (prét, pp* **-paid**) surpayer *[employee]*; **I was overpaid by £500** on m'a versé 500 livres de trop

overpayment /,əʊvə'peɪmənt/ *n* **1** (of tax etc) trop-perçu *m*; **2** (excess paid) trop-payé *m*

overplay /,əʊvə'pleɪ/ *vtr* **1** (exaggerate) exagérer *[benefits, problem, situation]*; **2** (overact) charger *[role, part]*
(Idiom) **to ~ one's hand** aller trop loin

overpopulated /,əʊvə'pɒpjʊleɪtɪd/ *adj* surpeuplé

overpopulation /,əʊvəpɒpjʊ'leɪʃn/ *n* surpopulation *f*

overpower /,əʊvə'paʊə(r)/ *vtr* **1** lit maîtriser *[thief]*; vaincre *[army, nation]*; **2** Sport dominer *[rival]*; **3** fig *[smell, smoke, heat]* accabler

overpowering /,əʊvə'paʊərɪŋ/ *adj [person]* dominateur/-trice; *[personality]* écrasant; *[desire, urge]* irrésistible; *[heat]* accablant; *[smell]* irrespirable; *[strength]* invincible

overpraise /,əʊvə'preɪz/ *vtr* faire trop de compliments sur *[person, achievement]*

overprescribe /,əʊvəprɪ'skraɪb/
A *vtr [doctor]* prescrire trop de *[drugs]*
B *vi* trop prescrire

overprice /,əʊvə'praɪs/ *vtr* vendre [qch] trop cher *[goods, services]*

overpriced /,əʊvə'praɪst/ *adj* **1** gen trop cher/chère; **2** Fin, Econ *[market]* gonflé

overprint /'əʊvəprɪnt/ Print
A *n* surcharge *f*
B /,əʊvə'prɪnt/ *vtr* **1** (add) imprimer [qch] en surcharge *[additions]*; surcharger *[stamp]*; **~ed in red** repiqué en rouge; **2** (cover up) recouvrir *[error]*
C *vi* (print too much) faire un surtirage

overproduce /,əʊvəprə'dju:s, US -du:s/
A *vtr* surproduire
B *vi* surproduire

overproduction /,əʊvəprə'dʌkʃn/ *n* surproduction *f*

overprotect /,əʊvəprə'tekt/ *vtr* surprotéger

overprotective /,əʊvəprə'tektɪv/ *adj [attitude, feelings]* excessivement protecteur/-trice; **an ~ father** un père qui couve ses enfants

overqualified /,əʊvə'kwɒlɪfaɪd/ *adj* surqualifié

overrate /,əʊvə'reɪt/ *vtr* surestimer *[person, ability, value]*

overrated /,əʊvə'reɪtɪd/ *adj* surfait

overreach /,əʊvə'ri:tʃ/ *v refl* **to ~ oneself** se fixer des objectifs trop ambitieux

overreact /,əʊvərɪ'ækt/ *vi* réagir de façon excessive (**to** à)

overreaction /,əʊvərɪ'ækʃn/ *n* réaction *f* excessive (**by** de la part de; **to** face à)

overreliance /,əʊvərɪ'laɪəns/ *n* dépendance *f* excessive (**on** vis-à-vis de)

override /'əʊvəraɪd/
A *n* commande *f* manuelle; **on ~** en (mode) manuel
B *modif [facility, mechanism]* manuel/-elle
C /,əʊvə'raɪd/ *vtr (prét* **-rode**; *pp* **-ridden**) **1** (control) passer [qch] en manuel *[machine]*; **2** (disregard) passer outre à *[consideration, opinion]*; **3** (take precedence) l'emporter sur *[decision, desire, theory]*; **4** (cancel) annuler *[order, law]*

overrider /,əʊvə'raɪdə(r)/ *n* GB butoir *m* de pare-chocs, banane *f*

overriding /,əʊvə'raɪdɪŋ/ *adj [importance]* primordial; *[problem, priority]* numéro un

overriding commission *n* Fin commission *f* additionnelle

overripe /,əʊvə'raɪp/ *adj [fruit]* trop mûr, blet/blette; *[cheese]* trop fait

overrule /,əʊvə'ru:l/ *vtr* Jur annuler *[decision, judgment]*; rejeter *[conclusion, plan, vote, objection]*; l'emporter sur la décision de *[person, committee]*

overrun /'əʊvərʌn/
A *n* Fin dépassement *m* (**of** de); **cost ~** dépassement *m* du budget, surcoût *m*
B /,əʊvə'rʌn/ *vtr (p prés* **-nn-**; *prét* **overran**, *pp* **overrun**) **1** (invade) envahir *[country, site]*; **to be overrun with** être envahi par; **2** (exceed) dépasser *[time, budget]*; **3** Aviat, Rail (overshoot) dépasser
C *vi [conference, activity, performer]* dépasser l'horaire (**by** de); **the lecturer overran his time by an hour** le conférencier a dépassé son temps d'une heure; **the lecture overran by an hour** la conférence a duré une heure de plus que prévu

overseas /,əʊvə'si:z/
A *adj* **1** (from abroad) *[student, visitor, investor, company]* étranger/-ère; **2** (in or to other countries) *[travel, investment]* à l'étranger; *[trade, market]* extérieur; **~ aid** aide *f* aux pays étrangers; **to get an ~ posting** être nommé à l'étranger
B *adv* (abroad) *[work, retire]* à l'étranger; (across the sea) outre-mer; (across the Channel) outre-manche; **from ~** de l'étranger

Overseas Development Administration, ODA *n* GB *organisme gouvernemental d'aide aux pays en voie de développement*

oversee /,əʊvə'si:/ *vtr (prét* **-saw**; *pp* **-seen**) superviser

overseer /'əʊvəsi:ə(r)/ *n* **1** (of workers, convicts) contremaître *m*; **2** (of project) responsable *mf*

oversell /,əʊvə'sel/
A *vtr (prét, pp* **-sold**) Fin, Econ **1** (sell aggressively) employer des méthodes agressives pour vendre; **2** (exaggerate the merits of) trop vanter *[idea, plan, job]*
B *v refl* **to ~ oneself** exagérer ses propres mérites

oversensitive /,əʊvə'sensɪtɪv/ *adj [person]* trop susceptible; *[attitude, approach]* très délicat; **to be ~ about public opinion** trop s'attendrir sur l'opinion publique

oversew /'əʊvəsəʊ/ *vtr (prét* **-sewed**; *pp* **-sewn**) surjeter

oversexed○ /,əʊvə'sekst/ *adj* péj **to be ~** être un/une obsédé/-e sexuel/-elle

overshadow /,əʊvə'ʃædəʊ/ *vtr* **1** (tower over) *[mountain]* dominer *[valley]*; **2** (spoil) *[death, news, war]* assombrir *[celebration]*; **3** (eclipse) éclipser *[achievement]*

overshoe /'əʊvəʃu:/ *n* (rubber) caoutchouc *m*

overshoot /,əʊvə'ʃu:t/ *vtr (prét, pp* **-shot**) dépasser *[junction, runway]*; rater *[traffic lights]*; tirer au-dessus de *[target]*; manquer *[hole]*
(Idiom) **to ~ the mark** se planter○, commettre une erreur de jugement

oversight /'əʊvəsaɪt/ *n* (omission) erreur *f*; (criticized) négligence *f*; **due to** *ou* **through an ~** par inadvertance

oversimplification /,əʊvə,sɪmplɪfɪ'keɪʃn/ *n* schématisation *f*; **it is an ~ to say** c'est simplifier à l'extrême de dire

oversimplify /,əʊvə'sɪmplɪfaɪ/
A *vtr* simplifier [qch] à l'excès
B oversimplified *pp adj* simpliste, trop simple

oversize(d) /'əʊvəsaɪzd/ *adj* **1** (very big) énorme; (too big) *[shirt, boots, sweater]* trop grand; **2** *[book]* grand format

O

oversleep /ˌəʊvəˈsliːp/ *vi* (*prét, pp* **-slept**) se réveiller trop tard; **sorry I'm late—I overslept** désolé d'être en retard—je ne me suis pas réveillé

oversold /ˌəʊvəˈsəʊld/ *adj* Fin [*market*] saturé

overspend /ˌəʊvəˈspend/
A *n* (in public spending) dépassement *m* budgétaire
B *vtr* (*prét, pp* **-spent**) dépasser [*budget, income*]
C *vi* (*prét, pp* **-spent**) trop dépenser; **they've overspent by £500** ils ont dépensé 500 livres de plus que prévu

overspending /ˌəʊvəˈspendɪŋ/
A *n* ¢ gen dépense *f* excessive; Fin, Admin dépassement *m* budgétaire
B *adj* [*council*] qui dépasse son budget

overspill /ˈəʊvəspɪl/
A *n* excédent *m* de population
B *modif* **an ~ (housing) development** une cité de relogement; **~ population** population *f* excédentaire; **~ town** ≈ ville *f* satellite

overstaffed /ˌəʊvəˈstɑːft, US -ˈstæft/ *adj* [*company*] au personnel pléthorique; **the section was ~** la section avait du personnel en surnombre

overstaffing /ˌəʊvəˈstɑːfɪŋ, US -ˈstæfɪŋ/ *n* sureffectif *m*

overstate /ˌəʊvəˈsteɪt/ *vtr* gen exagérer; **to ~ the case** exagérer; **the importance of this new product cannot be ~d** l'importance de ce nouveau produit ne saurait être trop soulignée

overstatement /ˌəʊvəˈsteɪtmənt/ *n* exagération *f*

overstay /ˌəʊvəˈsteɪ/ *vtr* trop prolonger [*visit*]; **to ~ one's welcome** prolonger indûment son séjour; **to ~ one's visa** dépasser la limite de validité de son visa

overstayer /ˌəʊvəˈsteɪə(r)/ *n: étranger qui a dépassé la limite de validité de son visa*

oversteer /ˈəʊvəstɪə(r)/ *vi* braquer trop

overstep /ˌəʊvəˈstep/ *vtr* (*p prés etc* **-pp-**) dépasser [*limits, bounds*]; outrepasser [*authority*]; **to ~ the mark** *ou* **line** dépasser les bornes

overstock /ˌəʊvəˈstɒk/
A *vtr* surpeupler [*farm enclosure*] (**with** de); approvisionner excessivement [*shop, factory*] (**with** en)
B *vi* surstocker; **the farm was ~ed** la ferme avait un cheptel excessif
C overstocking *pres p, n* Comm surstockage *m*

overstocked /ˌəʊvəˈstɒkt/ *adj* [*shop*] avec un stock excessif; Econ surstocké; [*farmland*] au cheptel excessif

overstrain /ˌəʊvəˈstreɪn/
A *vtr* surmener [*heart, animal*]; surexploiter [*resources, reserves*]; fatiguer [*metal*]
B *v refl* **to ~ oneself** se surmener

overstress /ˌəʊvəˈstres/ *vtr* trop souligner [*importance*]; Ling trop accentuer [*syllable*]

overstressed /ˌəʊvəˈstrest/ *adj* (person) surmené

overstretched /ˌəʊvəˈstretʃt/ *adj* [*budget*] excessivement serré; [*resources*] surexploité; **she is ~** elle essaie d'en faire trop

overstrung /ˌəʊvəˈstrʌŋ/ *adj* **~ piano** piano à cordes croisées

overstuffed /ˌəʊvəˈstʌft/ *adj* **an ~ armchair** un fauteuil rembourré à craquer

oversubscribed /ˌəʊvəsəbˈskraɪbd/ *adj* [*offer, tickets*] en excès de demandes; **an ~ share issue** une émission d'actions à couverture excédentaire

overt /ˈəʊvɜːt, US əʊˈvɜːrt/ *adj* manifeste

overtake /ˌəʊvəˈteɪk/ (*prét* **-took**, *pp* **-taken**)
A *vtr* **1** (pass) [*vehicle*] GB dépasser, doubler○; [*person*] dépasser; **2** (catch up with) rattraper; **3** fig [*disaster, change, misfortune*] frapper [*project, country*]; [*fear, surprise*] saisir [*person*]; [*storm*] surprendre [*person*]; **he was overtaken by** *ou* **with fear** il fut saisi par la peur; **utter weariness overtook me** un complet abattement s'est emparé de moi fml; **to be overtaken by events** être pris de vitesse; **4** fig (take the lead over) dépasser [*team, economy*]; **5** (supplant) [*problem, question*] prendre le pas sur; **his fear was overtaken by embarrassment** sa peur faisait place à de la gêne
B *vi* GB [*vehicle*] dépasser, doubler○; [*person*] dépasser; **'no overtaking'** 'dépassement interdit'

overtax /ˌəʊvəˈtæks/
A *vtr* **1** (strain) surmener; **2** Fin, Admin surimposer
B *v refl* **to ~ oneself** se surmener

over-the-counter /ˌəʊvəðəˈkaʊntə(r)/
A *adj* [*medicines*] vendu sans ordonnance; Fin hors cote
B *adv* **to sell medicines over the counter** vendre des médicaments sans ordonnance

over-the-top○, **OTT** /ˌəʊvəðəˈtɒp/ *adj* **1** (*épith*) outrancier/-ière; **2** (*après v*) **to go over the top** (with anger) sortir de ses gonds (**about** à propos de); (overreact) avoir une réaction exagérée; **to go over the top with one's hairstyle/clothes** avoir une coiffure/une tenue vestimentaire outrancière

overthrow /ˈəʊvəθrəʊ/
A *n* Pol renversement *m*
B /ˌəʊvəˈθrəʊ/ *vtr* (*prét* **-threw**; *pp* **-thrown**) Pol renverser [*government, system*]; fig fouler aux pieds [*values, standards*]

overtime /ˈəʊvətaɪm/
A *n* **1** (extra hours) heures *fpl* supplémentaires; **to put in** *ou* **do ~** faire des heures supplémentaires; **2** (*also* **~ pay**) (extra pay) heures *fpl* supplémentaires; **to earn £50 in ~** gagner 50 livres en heures supplémentaires; **3** US, Sport prolongations *fpl*; **to play ~** jouer les prolongations
B *adv* **to work ~** [*person*] lit, fig faire des heures supplémentaires; [*imagination*] travailler sans arrêt

overtime: **~ ban** *n* boycott *m* des heures supplémentaires; **~ rate** *n* tarif *m* des heures supplémentaires

overtired /ˌəʊvəˈtaɪəd/ *adj* gen épuisé; (baby, child) énervé

overtly /ˈəʊvɜːtlɪ, US əʊˈvɜːtlɪ/ *adv* ouvertement

overtone /ˈəʊvətəʊn/ *n* **1** (nuance) sous-entendu *m*, connotation *f*; **~s of racism** des connotations racistes; **2** (similarity) air *m*; **to have ~s of Proust** avoir des airs de Proust; **3** Mus son *m* harmonique

overtrick /ˈəʊvətrɪk/ *n* (in bridge) levée *f* supplémentaire

overtrump /ˌəʊvəˈtrʌmp/ *vtr* Games surcouper

overture /ˈəʊvətjʊə(r)/ *n* **1** Mus ouverture *f* (**to** de); **2** (approach) (*gén pl*) (social) ouverture *f*, offre *f* (**to** à); (business) proposition *f*; **to make friendly ~s** faire des ouvertures d'amitié; **romantic ~s** avances *fpl*

overturn /ˌəʊvəˈtɜːn/
A *vtr* **1** (roll over) renverser [*car, chair*]; faire chavirer [*boat*]; **2** (reverse) faire annuler [*decision, sentence*]; casser [*judgment, ruling*]; faire basculer [*majority*]
B *vi* [*car, chair*] se renverser; [*boat*] chavirer

overuse
A /ˌəʊvəˈjuːs/ *n* **1** (of word, product) abus *m*; **2** (of facility) utilisation *f* excessive; **to be worn through ~** être usé d'avoir trop servi
B /ˌəʊvəˈjuːz/ *vtr* trop se servir de [*machine*]; abuser de [*chemical, service*]; galvauder [*word*]

overvalue /ˌəʊvəˈvæljuː/ *vtr* Econ, Fin surévaluer [*currency, property*]

overview /ˈəʊvəvjuː/ *n* vue *f* d'ensemble (**of** de)

overweening /ˌəʊvəˈwiːnɪŋ/ *adj* démesuré

overweight /ˌəʊvəˈweɪt/ *adj* **1** [*person*] obèse; **to be ~** avoir des kilos en trop, être obèse Med; **to be ~ by 10 kilos** avoir 10 kilos de trop; **2** [*parcel, suitcase*] trop lourd; **to be ~** peser trop; **my case is 10 kilos ~** j'ai un excédent de bagages de 10 kilos

overwhelm /ˌəʊvəˈwelm, US -ˈhwelm/
A *vtr* **1** lit [*wave, avalanche*] submerger; [*flood*] inonder; [*enemy*] écraser; **2** fig [*emotion, letters, offers, phone calls*] submerger; [*feeling*] envahir; [*shame, unhappiness, work*] accabler; [*favours, kindness*] combler; **the performance ~ed me** la représentation m'a ébloui
B overwhelmed *pp adj* (with letters, offers, phone calls, kindness) submergé (**with, by** de); (with shame, unhappiness, work) accablé (**with, by** de); (by sight, experience) ébloui (**by** par)

overwhelming /ˌəʊvəˈwelmɪŋ, US -hwelm-/ *adj* [*defeat, victory, majority, argument, evidence*] écrasant; [*desire, beauty, generosity, welcome*] irrésistible; [*force, effect*] implacable; [*heat, sorrow*] accablant; [*concern, importance, impression*] dominant; [*response, support*] enthousiaste; [*conviction*] absolu

overwhelmingly /ˌəʊvəˈwelmɪŋlɪ, US -hwelm-/ *adv* [*beautiful, generous, successful*] extraordinairement; [*win, lose*] de manière écrasante; [*vote, accept, reject*] à une écrasante majorité; **the country is ~ Protestant** le pays est presque exclusivement protestant; **the meeting was ~ in favour of the motion** l'assemblée était à une majorité écrasante en faveur du projet

overwinter /ˌəʊvəˈwɪntə(r)/
A *vtr* hiverner [*animal*]; protéger [qch] du froid [*plant*]
B *vi* [*animal*] hiverner

overwork /ˈəʊvəwɜːk/
A *n* surmenage *m*
B /ˌəʊvəˈwɜːk/ *vtr* surmener [*animal, employee, heart*]
C *vi* se surmener

overworked /ˌəʊvəˈwɜːkt/ *adj* **1** [*employee, parent*] surmené; **2** [*excuse, word*] éculé

overwrite /ˌəʊvəˈraɪt/ *vtr* (*prét* **-wrote**; *pp* **-written**) Comput remplacer [*data, memory*]

overwrought /ˌəʊvəˈrɔːt/ *adj* à bout de nerfs; **to get ~ about sth** se mettre dans tous ses états à propos de qch

overzealous /ˌəʊvəˈzeləs/ *adj* [*person*] trop zélé; [*attitude, use*] excessif/-ive

Ovid /ˈɒvɪd/ *pr n* Ovide

oviduct /ˈəʊvɪdʌkt/ *n* oviducte *m*

oviform /ˈəʊvɪfɔːm/ *adj* Biol oviforme

ovine /ˈəʊvaɪn/ *adj* ovin

oviparous /əʊˈvɪpərəs/ *adj* ovipare

ovoid /ˈəʊvɔɪd/ *n, adj* ovoïde (*m*)

ovulate /ˈɒvjʊleɪt/ *vi* ovuler

ovulation /ˌɒvjʊˈleɪʃn/ *n* ovulation *f*

ovule /ˈəʊvjuːl/ *n* ovule *m*

ovum /ˈəʊvəm/ *n* (*pl* **ova**) ovule *m*

ow /aʊ/ *excl* aïe!

owe /əʊ/ *vtr* **1** (be indebted for) devoir [*money, invention, life, success*]; **to ~ sth to sb** tenir qch de qn [*good looks, talent*]; devoir qch à qn [*failure, money*]; **I ~ him £10 for the ticket** je lui dois 10 livres pour le billet; **he still ~s us for the ticket** il nous doit encore de l'argent pour le billet; **I've forgotten my purse, can I ~ it to you?** j'ai oublié mon porte-monnaie, est-ce que je peux te le rendre plus tard?; **my mother, to whom I ~ so much** ma mère, à qui je dois tout; **I ~ you one**○ *ou* **a favour** je te le revaudrai; **he ~s me one**○ *ou* **a favour** il me doit bien ça; **2** (be morally bound to give) devoir [*apology, duty, loyalty, explanation, thanks*]; **you ~ it to your parents to work hard** tu dois à tes parents de travailler dur; **you ~ it to yourself to try everything** tu te dois de tout essayer; **don't think the world ~s you a living**○**!** ne crois pas que le monde te doive quoi que ce soit!; **3** (be influenced by) **to ~ much/something to sb** devoir beaucoup/quelque chose à qn; **his style ~s much to the Impressionists** son style doit beaucoup aux impressionnistes

owing /ˈəʊɪŋ/
A *adj* (*après n, après v*) à payer, dû (**for** pour); **how much is ~ to you?** combien est-ce qu'on

vous doit (encore)?; **£20 is still ~** il y a encore 20 livres à payer; **the amount** *ou* **sum ~** le montant à payer *or* dû

B owing to *prep phr* en raison de; **~ to the fact that** parce que

owl /aʊl/ *n* hibou *m*; (with tufted ears) chouette *f*

(Idiom) **a wise old ~** un sage vieillard chenu

owlet /ˈaʊlɪt/ *n* jeune hibou *m*; (with tufted ears) jeune chouette *f*

owlish /ˈaʊlɪʃ/ *adj* [*appearance, gaze*] de hibou; [*expression*] solennel/-elle

own /əʊn/

A *adj* **1** (belonging to particular person, group etc) propre; **his ~ car/house** sa propre voiture/maison; **my ~ sister/daughter** ma propre sœur/fille; **his ~ children** ses propres enfants; **to have/start one's ~ business** avoir/lancer sa propre affaire; **the company has its ~ lawyer** l'entreprise a son propre avocat; **he has his ~ ideas about what the truth is** il a sa propre idée sur ce qui s'est vraiment passé; **he is responsible to his ~ government/department** il est responsable devant son gouvernement/service; **don't ask him to do it, he has his ~ problems** ne lui demande pas de le faire, il a assez de problèmes comme ça; **for your/his/their ~ safety** pour ta/sa/leur sécurité; **he's very nice in his ~ way** il est très gentil à sa manière; **the film was, in his ~ words, 'rubbish'** selon ses propres termes, le film était 'nul'; **the house has its ~ garage/garden** c'est une maison avec garage/jardin (privatif); **with my ~ eyes** de mes propres yeux; **she does her ~ cooking/washing** c'est elle qui se fait à manger/qui fait sa lessive (elle-même); **he makes his ~ decisions** il prend ses décisions tout seul

B *pron* **I don't have a company car, I use my ~** je n'ai pas de voiture de fonction, j'utilise la mienne; **he didn't borrow it, it's his ~** il ne l'a pas emprunté, c'est le sien; **she borrowed my pen, because she'd lost her ~** elle m'a emprunté mon stylo, parce qu'elle avait perdu le sien; **they have problems of their ~** ils ont assez de problèmes comme ça; **when you have children of your ~** quand tu auras des enfants; **he has a room of his ~** il a sa propre chambre; **I have a suggestion of my ~ to make** j'ai une suggestion personnelle à faire; **a house/a garden of our (very) ~** une maison/un jardin (bien) à nous; **it's his (very) ~** c'est à lui (tout seul); **we've got nothing to call our ~** nous n'avons rien à nous; **my time's not my ~** je n'ai pas une minute à moi

C *vtr* **1** (possess) avoir; [*car, house, dog*]; **she ~s three shops and a café** elle est propriétaire de trois magasins et d'un café; **who ~s this house/car?** à qui est cette maison/voiture?; **he walks around as if he ~s the place** pej il se conduit comme s'il était chez lui; **2** (admit) reconnaître, avouer; **to ~ that** avouer que

D *vi* **to ~ to a mistake** reconnaître son erreur; **he ~ed to having lied/cheated/forgotten** il a avoué *or* reconnu avoir menti/triché/oublié

(Idioms) **to come into one's ~** s'épanouir fig; **to do one's ~ thing** être indépendant; **each to his ~** chacun fait ce qu'il veut, chacun son truc°; **to get one's ~ back (on sb** de qn); **to hold one's ~** bien se défendre; **on one's ~** tout seul; **to get sb on their ~** voir qn en privé

(Phrasal verb) ■ **own up** avouer; **to ~ up to having done** *ou* **to doing** avouer *or* reconnaître avoir fait; **to ~ up to the murder/theft** avouer avoir commis le meurtre/vol

own brand, own label

A *n* marque *f* du distributeur

B own-brand, own-label *modif* [*product*] vendu sous la marque du distributeur

owner /ˈəʊnə(r)/ *n* propriétaire *mf*; **car/dog/home ~** propriétaire d'une voiture/d'un chien/d'un logement; **legal ~** propriétaire légitime; **previous ~** ancien/-ienne propriétaire; **proud ~** heureux/-euse propriétaire; **rightful ~** possesseur *m* légitime; **share ~** actionnaire *mf*; **'one careful ~'** (car ad) 'de première main, bien entretenue'

owner-driver /ˌəʊnəˈdraɪvə(r)/ *n* conducteur/-trice *m/f* propriétaire

ownerless /ˈəʊnəlɪs/ *adj* [*car*] sans propriétaire; [*dog*] sans maître

owner: ~-manager *n* propriétaire-gérant/-e *m/f*; **~-occupied** *adj* occupé par le propriétaire; **~-occupier** *n* propriétaire *mf* occupant/-e

ownership /ˈəʊnəʃɪp/ *n* propriété *f*; (of land) possession *f*; **foreign ~** propriété étrangère; **home ~** fait *m* d'être propriétaire de son logement; **joint ~** copropriété *f*; **private/public ~** propriété privée/publique; **property ~** propriété immobilière; **share ~** participation *f* dans le capital d'une société; **to be in** *ou* **under private ~** être en propriété privée; **to take into public ~** nationaliser; **'under new ~'** 'changement de propriétaire'; **under her ~ the club has flourished** depuis qu'elle a racheté le club celui-ci a prospéré; **home ~ is increasing** le nombre de personnes propriétaires de leur logement augmente; **to provide proof of ~** prouver qu'on est propriétaire

ownsome° /ˈəʊnsəm/ *n* GB hum **all on one's ~** tout seul

owt /aʊt/ *n* GB dial quelque chose

ox /ɒks/ *n* (*pl* **~en**) bœuf *m*

(Idioms) **as strong as an ~** fort comme un bœuf; **a blow that would have felled an ~** un coup qui aurait assommé un bœuf

oxalic acid /ˌɒksælɪkˈæsɪd/ *n* acide *m* oxalique

oxblood /ˈɒksblʌd/ *adj* [*shoes, polish*] rouge foncé *m inv*

oxbow /ˈɒksbəʊ/ *n* **1** Geog méandre *m* (*de forme arquée*); **2** = **oxbow lake**

oxbow lake *n* oxbow *m*, bras *m* mort

Oxbridge /ˈɒksbrɪdʒ/ *n* universités *fpl* d'Oxford et de Cambridge

> **Oxbridge**
>
> Formé de la combinaison de Oxford et Cambridge, ce mot-valise est fréquemment employé pour désigner les universités de ces deux villes, en particulier quand on veut les distinguer des autres universités britanniques, car ce sont les plus prestigieuses.

ox cart *n* char *m* à bœufs

oxen /ˈɒksn/ *pl* ▸ **ox**

oxeye daisy /ˌɒksaɪ ˈdeɪzɪ/ *n* marguerite *f*

Oxfam /ˈɒksfæm/ *n* (*abrév* = **Oxford Committee for Famine Relief**) Oxfam *m*

Oxford /ˈɒksfəd/ ▸ **p. 1815** *pr n* Oxford

Oxford: ~ bags *npl* Fashn pantalon *m* aux jambes larges; **~ blue** ▸ **p. 1067** *n* bleu *m* marine; **~ movement** *n* Relig mouvement *m* d'Oxford

oxfords /ˈɒksfədz/ *npl* chaussures *fpl* d'homme (*basses, à lacets et bouts renforcés*)

Oxfordshire /ˈɒksfədʃə(r)/ ▸ **p. 1612** *pr n* Oxfordshire *m*

oxidase /ˈɒksɪdeɪz/ *n* Physiol oxydase *f*

oxidation /ˌɒksɪˈdeɪʃn/ *n* oxydation *f*

oxide /ˈɒksaɪd/ *n* oxyde *m*

oxidize /ˈɒksɪdaɪz/

A *vtr* oxyder

B *vi* s'oxyder

Oxon /ˈɒksən/ **1** GB Post *abrév écrite* = **Oxfordshire**; **2** GB Univ (*abrév écrite* = **Oxoniensis**) d'Oxford

Oxonian /ɒkˈsəʊnjən/ sout

A *n* **1** (graduate) licencié/-e *m/f* de l'université d'Oxford; **2** (inhabitant) Oxfordien/-ienne *m/f*

B *adj* d'Oxford

ox: ~tail soup *n*: *soupe à base de queue de bœuf*; **~ tongue** *n* langue *f* de bœuf

oxyacetylene /ˌɒksɪəˈsetɪliːn/ *adj* oxyacétylénique

oxyacetylene burner, oxyacetylene lamp, oxyacetylene torch *n* chalumeau *m* oxyacétylénique

oxygen /ˈɒksɪdʒən/

A *n* oxygène *m*; **to be on ~** Med être sous oxygène

B *modif* [*bottle, cylinder, supply, tank*] d'oxygène; [*mask, tent*] à oxygène; **~ bar** bar *m* à oxygène

oxygenate /ɒkˈsɪdʒəneɪt/ *vtr* oxygéner

oxygenation /ˌɒkɪdʒəˈneɪʃn/ *n* oxygénation *f*

oxymoron /ˌɒksɪˈmɔːrɒn/ *n* Literat oxymoron *m*

oyster /ˈɔɪstə(r)/

A *n* **1** (fish) huître *f*; **2** (colour) gris *m* perle; **3** Culin (part of fowl) sot-l'y-laisse *m inv*

B *modif* [*knife*] à huîtres; [*sauce*] aux huîtres; [*shell*] d'huître

(Idiom) **the world's your ~** le monde est à toi

oyster: ~ bed *n* banc *m* d'huîtres; **~ catcher** *n* huîtrier *m*; **~ cracker** *n* US petit biscuit *m* salé; **~ farm** *n* parc *m* à huîtres; **~ farmer** ▸ **p. 1683** *n* ostréiculteur/-trice *m/f*; **~man** *n* ostréiculteur *m*; **~ mushroom** *n* pleurote *m*

oz *abrév écrite* = **ounce(s)**

Oz° /ɒz/ *n* GB Australie *f*

ozone /ˈəʊzəʊn/ *n* **1** Chem, Meteorol ozone *m*; **2** °(sea air) air *m* pur marin

ozone: ~-depleting *adj* [*chemical, gas*] qui détruit la couche d'ozone (*after n*); **~ depletion** *n* destruction *f* de la couche d'ozone; **~ distribution** *n* profil *m* d'ozonité; **~-friendly** *adj* qui protège la couche d'ozone (*after n*); **~ layer** *n* couche *f* d'ozone; **~ value** *n* taux *m* d'ozone

ozonosphere /əʊˈzəʊnəsfɪə/ *n* ozonosphère *f*, couche *f* d'ozone

Pp

p, P /piː/ *n* ① (letter) p, P *m*; ② **p** GB (*abrév* = **penny, pence**) (nouveau) penny *m*, (nouveaux) pence *mpl*

(Idiom) **you'd better mind** *ou* **watch your p's and q's** tu as intérêt à bien te tenir

pa○ /pɑː/ *n* papa *m*

p.a. (*abrév écrite* = **per annum**) par an

PA ① (*abrév* = **personal assistant**) secrétaire *mf* de direction; ② (*abrév* = **public address (system)**) système *m* de sonorisation, sono○ *f*; **to announce sth over the ~** annoncer qch par haut-parleurs; ③ US Post *abrév écrite* = **Pennsylvania**

PAC *n*: *abrév* ▸ **political action committee**

pace[1] /peɪs/

A *n* ① (step) pas *m*; **to take a ~ backwards/forwards** faire un pas en arrière/en avant; ② (measure) pas *m*; **the room measures 12 ~s by 14 ~s** la pièce fait 12 pas sur 14; **12 ~s away** à 12 pas; ③ (rate of movement) (of person walking, of life, change) rythme *m*, allure *f*; **at a fast/slow ~** vite/lentement; **at walking ~** au pas; **to quicken one's ~** presser le pas; **at my own ~** à mon propre rythme; **to keep up the ~** lit, fig tenir le rythme; **to keep ~ with sth** lit, fig arriver à suivre qch; **I can't stand the ~** lit, fig je n'arrive pas à suivre; **to step up/slow down the ~** accélérer/ralentir le rythme; **to set the ~** lit imposer le rythme; fig donner le ton; ④ (speed) vitesse *f*; **to have ~** être rapide; **to gather ~** [*vehicle, ball*] prendre de la vitesse; [*athlete*] accélérer; [*process*] prendre de l'ampleur; **his lack of ~ let him down** il a perdu à cause de son manque de rapidité; ⑤ Mus, Theat rythme *m*

B *vtr* arpenter [*cage, room*]

C *vi* (*also* **~ up and down**) (slowly) marcher à pas lents; (impatiently) faire les cent pas; **to ~ up and down sth** arpenter qch

D *v refl* **to ~ oneself** (in a race) doser son effort; (at work) se ménager

(Idiom) **to put sb through their ~s** mettre qn à l'épreuve

pace[2] /ˈpeɪsɪ/ *prep* sout n'en déplaise à

pacemaker /ˈpeɪsmeɪkə(r)/ *n* ① Med stimulateur *m* cardiaque, pacemaker *m*; ② Sport lièvre *m*, meneur/-euse *m/f* de train

pacer /ˈpeɪsə(r)/ *n* ① Equit amble *m*; ② Sport lièvre *m*, meneur/-euse *m/f* de train

pacesetter /ˈpeɪssetə(r)/ *n* ① Sport (horse) cheval *m* de jeu; (athlete) lièvre *m*, meneur/-euse *m/f* de train; ② fig (trendsetter) pionnier *m*

pachyderm /ˈpækɪdɜːm/ *n* pachyderme *m*

pacific /pəˈsɪfɪk/ *adj* pacifique

Pacific /pəˈsɪfɪk/ ▸ **p. 1493** *pr n* **the ~** le Pacifique

Pacific: **~ Daylight Time, PDT** *n* US heure *f* d'été du Pacifique; **~ Islands** *npl* îles *fpl* du Pacifique; **~ Ocean** *n* océan *m* Pacifique; **~ Rim** *n* ceinture *f* du Pacifique; **~ Standard Time, PST** *n* heure *f* du Pacifique

pacifier /ˈpæsɪfaɪə(r)/ *n* US (for baby) tétine *f*, sucette *f*

pacifism /ˈpæsɪfɪzəm/ *n* pacifisme *m*

pacifist /ˈpæsɪfɪst/ *n, adj* pacifiste (*mf*)

pacify /ˈpæsɪfaɪ/ *vtr* ① gen apaiser [*person*]; ② Mil, Pol pacifier [*country*]

pack /pæk/

A *n* ① (container) (box) paquet *m*; (large box) boîte *f*; (bag) sachet *m*; **a cigarette ~** un paquet de cigarettes; **a cornflakes ~** une boîte de cornflakes; ② (group) (of wolves, people, dogs) bande *f*; (of hounds, in hunting) meute *f*; (of scouts, guides) section *f*; ③ Sport (in rugby) pack *m*; (in race) peloton *m*; ④ Games (of cards) jeu *m* de cartes; ⑤ (load) (backpack) sac *m* à dos; (carried by animal) fardeau *m*, charge *f*; ⑥ Med enveloppement *m*; (smaller) compresse *f*

B -pack (*dans composés*) **a two/four-~** (of cassettes) un lot de deux/quatre; (of beer) un pack de deux/quatre

C *vtr* ① (stow) (in suitcase) mettre [qch] dans une valise [*clothes*]; (in box, crate) emballer [*ornaments, books*]; ② (put things into) emballer [*box, crate*]; **to ~ one's suitcase** faire sa valise; **to ~ one's bags** lit, fig faire ses valises; **to ~ sth with** remplir qch de; ③ (package commercially) emballer, conditionner [*fruit, meat, goods*]; ④ (cram into) [*people, crowd*] remplir complètement [*church, theatre, stadium*]; boucher [*corner, hole, gap*] (**with** avec); **to be ~ed with** être bondé de [*people*]; être plein de [*ideas, sweets*]; **to ~ sth into a hole** bourrer *ou* boucher un trou avec qch; ⑤ (press firmly) tasser [*snow, earth*]; ⑥ ○(carry) avoir [*pistol, gun*]; ⑦ Pol (influence composition of) s'assurer [*jury*]; rendre [qch] favorable à ses vues [*conference, meeting, committee*]

D *vi* ① (get ready for departure) [*person*] faire ses valises; ② (crowd) **to ~ into** s'entasser dans [*hall, theatre, church, stadium*]

(Idioms) **a ~ of lies** un tissu de mensonges; **to send sb ~ing** envoyer promener qn

(Phrasal verbs) ■ **pack away**: ▸ **~ [sth] away, ~ away [sth]** ranger [*clothes, books*]

■ **pack in**: ▸ **~ in**○ (break down) [*car*] tomber en panne; [*machine*] se détraquer○; [*heart, liver*] craquer○; ▸ **~ [sth] in, ~ in [sth]** ① (cram in) faire tenir [*people*]; **that play is really ~ing them in** cette pièce attire vraiment les foules; ② ○(give up) plaquer○ [*job, boyfriend*]; **to ~ it all in** tout plaquer○; **I've ~ed in smoking** j'ai arrêté de fumer; **~ it in!** arrête!, ça suffit!

■ **pack off**: ▸ **~ [sb] off, ~ off [sb]** expédier; **to ~ sb off to** expédier qn à [*school, bed*]; expédier qn en [*country*]

■ **pack up**: ▸ **~ up** ① (prepare to go) [*person*] faire ses valises; ② ○(break down) [*TV, machine*] se détraquer○; [*car*] tomber en panne; [*heart, liver*] craquer○; ③ ○(stop) s'arrêter; ▸ **~ [sth] up, ~ up [sth]** ① (put away) ranger [*books, clothes*]; (in boxes, crates) emballer [*books, objects*]; ② ○(stop) **to ~ up doing** arrêter de faire

package /ˈpækɪdʒ/

A *n* ① (parcel) paquet *m*, colis *m*; ② (collection) (of reforms, measures, proposals) ensemble *m* (**of** de); **aid ~** ensemble *m* de mesures d'assistance; **an insurance ~** une assurance; **the sunroof is not part of the ~** le toit ouvrant est en option; **the radio is part of the ~** la radio est comprise dans le prix; ③ US (pack) paquet *m* (**of** de); ④ Comput progiciel *m*; **word-processing ~** progiciel *m* de traitement de texte; ⑤ = **package holiday**

B *vtr* ① (put into packaging) emballer, conditionner [*goods, object*]; ② (present, design image for) concevoir un conditionnement pour [*product*]; présenter [*policy, proposal*]; concevoir la publicité de [*film, singer, band*]

package: **~ deal** *n* Comm offre *f* globale; **~ holiday** GB, **~ tour**, **~ vacation** US *n* voyage *m* organisé, forfait *m*

packaging /ˈpækɪdʒɪŋ/ *n* ① Comm (materials) emballage *m*; ② (way thing is presented, promoted) (of product) conditionnement *m*; (of company, policy, film, singer, politician) image *f* publique

pack animal *n* bête *f* de somme

pack drill *n* GB Mil punition *f* consistant à faire des tours de caserne avec l'équipement de combat

(Idiom) **no names, no ~** nous garderons les noms secrets

packed /pækt/ *adj* ① (crowded) comble, bondé; **~ with** plein de; **to play to ~ houses** Theat faire salle comble; ② (having done one's packing) **I'm ~** j'ai fait mes valises

packed lunch *n* panier-repas *m*

packer /ˈpækə(r)/ *n* Ind ① (person) emballeur/-euse *m/f*, conditionneur/-euse *m/f*; ② (machine) emballeuse *f*

packet /ˈpækɪt/

A *n* ① (container) (box) paquet *m*; (bag) sachet *m*; (for drinks) brique *f*; ② (parcel) paquet *m*, colis *m*; ③ †Naut paquebot *m*

B *modif* [*soup*] en sachet; [*drink*] en brique

(Idiom) **to cost/earn a ~**○ coûter/gagner un argent fou○

pack: **~ horse** *n* cheval *m* de somme; **~ ice** *n* pack *m*, banquise *f*

packing /ˈpækɪŋ/ *n* ① Comm emballage *m*, conditionnement *m*; ② (of suitcases) **to do one's ~** faire ses valises; ③ Tech (for making water- or gas-tight) garniture *f* d'étanchéité. ▸ **postage**

packing: **~ case** *n* caisse *f* d'emballage; **~ density** *n* Comput densité *f* d'enregistrement *or* de stockage

pack: **~saddle** *n* bât *m*; **~thread** *n* ficelle *f*

pact /pækt/ *n* gen, Pol pacte *m*; **to make a ~ with** conclure *or* signer un pacte avec [*country, government*]; faire un pacte avec [*person*]; **to make a ~ with the devil** pactiser avec le diable; **to make a ~ to do** [*people*] se mettre d'accord pour faire

pad /pæd/

A *n* ① (of paper) bloc *m*; ② (to prevent chafing or scraping) protection *f*; **foam/rubber/felt ~** protection *f* de mousse/de caoutchouc/de feutre; ③ (to absorb or distribute liquid) tampon *m*; **make-up remover/scouring ~** tampon *m* démaquillant/à recurer; ④ (to give shape to sth) rembourrage *m*; **foam ~** rembourrage de mousse; ⑤ (sticky part on object, plant, animal) ventouse *f*; ⑥ Sport (in general) protection *f*; (for leg in cricket, hockey) jambière *f*; ⑦ (of paw) coussinet *m*; (of finger) pulpe *f*; ⑧ (*also* **launch ~**) rampe *f* de lancement; ⑨ (sanitary towel) serviette *f* hygiénique; ⑩ ○† (flat) appart○ *m*, piaule◑ *f*; ⑪ ○US (bribe) pot-de-vin *m*

B *vtr* (*p prés etc* **-dd-**) ① (put padding in, on) rembourrer [*chair, shoulders, bra, jacket*] (**with** avec);

capitonner [*walls, floor, large surface*]; **to ~ a wound with cotton wool** mettre un tampon de coton sur une plaie; **2** (make longer) = **pad out**
C *vi* (*p prés etc* **-dd-**) **to ~ along/around** avancer/aller et venir à pas feutrés
(Phrasal verb) ■ **pad out**: ▸ **~ out [sth], ~ [sth] out** **1** fig étoffer, délayer pej [*essay, book, speech*] (**with** à l'aide de); allonger [*meal, course, dish*] (**with** avec); gonfler○ [*bill, expense account*] (**with** avec); **2** lit rembourrer [*shoulders, bust, costume*]
padded /ˈpædɪd/ *adj* [*armrest, bra, seat, jacket*] rembourré (**with** avec)
padded: **~ cell** *n* cellule *f* capitonnée; **~ envelope** *n* enveloppe *f* matelassée; **~ income**○ *n* US *revenu agrémenté d'à-côtés illicites*; **~ shoulder** *n* épaule *f* rembourrée
padding /ˈpædɪŋ/ *n* **1** (stuffing, foam) rembourrage *m*; (on wall, large surface) capitonnage *m*; **protective ~** rembourrage de protection; **2** (in speech, essay) remplissage *m*; **3** ○(filling food) plat *m* d'accompagnement bourratif○
paddle /ˈpædl/
A *n* **1** (oar) pagaie *f*; **2** (on waterwheel) aube *f*; **3** (wade) **to go for a ~** faire trempette *f*; **4** Culin spatule *f*; **5** US Sport raquette *f* de ping-pong®
B *vtr* **1** (row) **to ~ a canoe** pagayer; **2** (dip) patouiller○, agiter [*feet, fingers*] (**in** dans); **3** US (spank) donner une fessée à [*child*]
C *vi* **1** (row) pagayer; **2** (wade) patauger; **3** (swim about) [*duck, swan*] barboter
paddle boat *n* bateau *m* à aubes
paddle steamer *n* bateau *m* à aubes
paddle wheel *n* roue *f* à aubes
paddling pool *n* (public) pataugeoire *f*; (inflatable) piscine *f* gonflable
paddock /ˈpædək/ *n* **1** (field) enclos *m*, paddock *m*; **2** (in horse racing) paddock *m*; **3** (in motor racing) box *m*
paddy /ˈpædɪ/ *n* **1** (rice) (riz *m*) paddy *m*; **2** = **paddyfield**; **3** ○GB crise *f* de colère; **to get into a ~** piquer une colère○
Paddy○ /ˈpædɪ/ *n* injur Irlandais *m*
paddy: **~field** *n* rizière *f*; **~ wagon**○ *n* US panier *m* à salade○, voiture *f* cellulaire
padlock /ˈpædlɒk/
A *n* gen cadenas *m*; (for bicycle) antivol *m*
B *vtr* cadenasser [*door, gate*]; mettre un antivol à [*bicycle*]
padre /ˈpɑːdreɪ/ *n* (priest) prêtre *m*; Mil (chaplain) aumônier *m*
paean /ˈpiːən/ *n* littér péan *m*; fig hymne *m* (**to** à)
paederast *n* = **pederast**
paediatric *adj* = **pediatric**
paediatrician *n* = **pediatrician**
paediatrics *n* = **pediatrics**
paedophile *n* = **pedophile**
paedophilia *n* = **pedophilia**
paella /paɪˈelə/ *n* paella *f*
pagan /ˈpeɪgən/ *n, adj* païen/païenne (*m/f*)
paganism /ˈpeɪgənɪzəm/ *n* paganisme *m*
page /peɪdʒ/
A *n* **1** (in book, newspaper) page *f*; **on ~ two** à la page deux; **a six ~ letter** une lettre de six pages; **the book is 200 ~s long** le livre a 200 pages; **two ~s on fishing** deux pages consacrées à la pêche; **financial ~** page économique; **sports/women's ~** page des sports/lectrices; **2** Comput page-écran *f*; **3** (attendant) (in hotel) groom *m*, chasseur *m*; US (in Congress) coursier *m*; Hist page *m*; **4** fig (episode) page *f*
B *vtr* (on pager) rechercher; (over loudspeaker) faire appeler; **'paging Mr Jones'** 'on demande M. Jones'
(Idiom) **to turn the ~ on sth** tourner la page sur qch
pageant /ˈpædʒənt/ *n* (play) reconstitution *f* historique; (carnival) fête *f* à thème historique
(Idiom) **it's all part of life's rich ~** iron tel est notre pain quotidien
pageantry /ˈpædʒəntrɪ/ *n* pompe *f*
pageboy /ˈpeɪdʒbɔɪ/ *n* **1** (bride's attendant) garçon *m* d'honneur; **2** (hairstyle) coupe *f* à la Jeanne d'Arc
page: **~ break** *n* Comput saut *m* de page; **~ number** *n* numéro *m* de page, folio *m* spec; **~ proof** *n* Print tierce *f*
pager /ˈpeɪdʒə(r)/ *n* Telecom pager *m*, messager *m* de poche
page: **~ reference** *n* page *f*; **~ set-up** *n* Comput mise *f* en page; **~ three** *n* GB page *f* des pin-up (*aux seins nus dans certains journaux*); **~ three girl** *n* GB pin-up *f* (*dans un journal*)
Paget's disease /ˈpædʒɪts dɪziːz/ *n* Med maladie *f* de Paget
paginate /ˈpædʒɪmeɪt/ *vtr* paginer
pagination /ˌpædʒɪˈneɪʃn/ *n* pagination *f*
paging /ˈpeɪdʒɪŋ/ *n* Comput pagination *f*
pagoda /pəˈgəʊdə/ *n* pagode *f*
paid /peɪd/
A *prét, pp* ▸ **pay**
B *adj* [*job*] rémunéré; [*holiday*] payé; **~ assassin** tueur *m* à gages
(Idiom) **to put ~ to sth** GB mettre un terme à qch
paid: **~-up** *adj* GB [*payment, instalment*] à jour; [*share, capital*] remboursé; **~-up member** *n* GB adhérent/-e *m/f*
pail /peɪl/ *n* seau *m* (**of** de)
paillasse *n* = **palliasse**
pain /peɪn/
A *n* **1** (suffering) douleur *f*; **to feel ~, to be in ~** souffrir, avoir mal; **he's caused me a lot of ~** il m'a fait beaucoup souffrir; **the cramps are causing me a lot of ~** les crampes me font très mal; **the ~ of separation/loss** la douleur de la séparation/perte; **to feel no ~** lit ne ressentir aucune douleur; US fig (be drunk) être soûl○; **2** (localized) douleur *f*; **abdominal/chest ~s** douleurs *fpl* abdominales/à la poitrine; **period ~s** règles *fpl* douloureuses; **I have a ~ in my arm** j'ai mal au bras; **where is the ~?** où avez-vous mal?; **3** ○(annoying person, thing) **she can be a real ~** elle peut être très enquiquinante○ *or* énervante; **he gives me a ~** il m'enquiquine○, il m'énerve; **he's a ~ in the neck**○ il est casse-pieds○; **he's a ~ in the arse**● GB *ou* **ass**● US il est emmerdant◑; **4** **on ~ of death/of excommunication** sous peine de mort/d'excommunication
B **pains** *npl* **to be at ~s to do sth** prendre grand soin de faire qch; **I was at ~s to speak very slowly** j'ai pris (grand) soin de parler très lentement; **to take great ~s over** *ou* **with sth** se donner beaucoup de mal pour faire qch; **for my/his etc ~s** pour ma/sa etc peine; **he got a black eye for his ~s** pour tout remerciement il a eu droit à un œil au beurre noir
C *vtr* **1** (hurt) **my leg ~s me a little** ma jambe me fait un peu mal; **2** sout (grieve) chagriner; **it ~s me to have to tell you that** cela me chagrine de devoir vous dire que
D **pained** *pp adj* **with a ~ed expression** d'un air affligé
painful /ˈpeɪnfl/ *adj* **1** (injury, swelling etc) douloureux/-euse; fig [*lesson, memory, reminder*] pénible; [*blow*] dur; **it was ~ to watch** c'était pénible à regarder; **it was too ~ to bear** c'était trop dur *or* pénible à supporter; **2** (laborious) [*progress, task*] pénible; **3** ○(bad) [*display, performance*] lamentable
painfully /ˈpeɪnfəlɪ/ *adv* **1** (excruciatingly) **his arm is ~ swollen** son bras est enflé et lui fait mal; **to be ~ shy** être maladivement timide; **I am ~ aware of that** je n'en ai que trop conscience; **2** (laboriously) **progress has been ~ slow** les progrès ont été terriblement lents
pain: **~killer** *n* analgésique *m*; **~killing** *adj* analgésique
painless /ˈpeɪnlɪs/ *adj* **1** [*operation, injection*] indolore; [*death*] sans souffrance; **2** (trouble-free) sans peine
painlessly /ˈpeɪnlɪslɪ/ *adv* **1** (without physical pain) sans douleur; **2** (easily) [*achieved, completed*] sans trop de mal
painstaking /ˈpeɪnzteɪkɪŋ/ *adj* minutieux/-ieuse
painstakingly /ˈpeɪnzteɪkɪŋlɪ/ *adv* minutieusement
paint /peɪnt/
A *n* **1** gen, Art peinture *f*; **the ~ on the walls has yellowed** la peinture des murs a jauni; **all it needs is a fresh coat of ~** il suffirait d'un coup de badigeon; **'wet ~'** 'peinture fraîche'; **2** (make-up)† hum fard *m*
B **paints** *npl* Art couleurs *fpl*; **why don't you get out your ~s?** pourquoi ne prends-tu pas ta boîte de couleurs?
C *vtr* **1** lit peindre [*wall, subject*]; peindre le portrait de [*person*]; **to ~ sth blue/green** peindre qch en bleu/en vert; Art **to ~ sth in** peindre [*background, figure*]; **to ~ sth on** appliquer [*varnish, undercoat*]; **to ~ sth out** peindre par-dessus qch [*face, figure, wallpaper*]; **I'm going to ~ a picture** je vais peindre quelque chose; **to ~ one's nails** se vernir les ongles; **2** fig (depict) dépeindre; **to ~ a rather gloomy picture of sth** brosser un tableau assez sombre de qch; **to ~ an unflattering portrait of sb** décrire qn en termes peu élogieux; **3** Med badigeonner [*cut, wound*] (**with** de)
D *vi* peindre; **to ~ from life/outdoors** peindre d'après nature/en plein air; **to ~ in oils/watercolours** faire de la peinture à l'huile/de l'aquarelle
(Idioms) **he is not as black as he is ~ed** il n'est pas si méchant qu'on le prétend; **to ~ the town red** faire la noce
paint: **~ball** ▸ **p. 1253** *n* paintball *m*; **~ball gun** *n* marqueur *m*; **~box** *n* boîte *f* de couleurs; **~brush** *n* pinceau *m*
painted lady *n* Zool vanesse *f*
painter /ˈpeɪntə(r)/ ▸ **p. 1683** *n* **1** (artist, workman) peintre *m*; **~ and decorator** peintre-décorateur *m*; **2** Naut amarre *f*
painting /ˈpeɪntɪŋ/ *n* **1** ₵ (activity, art form) peinture *f*; **2** (work of art) tableau *m*; (unframed) toile *f*; (of person) portrait *m*; **a ~ by Watteau** un tableau de Watteau; **a ~ of Napoleon by David** un portrait de Napoléon peint par David; **a ~ of Flatford Mill** un tableau qui représente le moulin de Flatford; **3** ₵ (domestic decorating) peintures *fpl*; **finish the ~ before you put the carpets down** finissez les peintures avant de poser les tapis
painting book *n* album *m* à colorier
paintpot /ˈpeɪntpɒt/ *n* pot *m* de peinture
paint remover *n* **1** (for removing stains) solvant *m*; **2** = **paint stripper**
paint: **~ roller** *n* rouleau *m* à peinture; **~ spray** *n* bombe *f* de peinture, peinture *f* en aérosol; **~ stripper** *n* (chemical) décapant *m*; (tool) racloir *m*; **~ tray** *n* bac *m* à peinture
paintwork /ˈpeɪntwɜːk/ *n* **1** ₵ (on door, window) peintures *fpl*; **2** (on car) peinture *f*
pair /peə(r)/
A *n* **1** (two matching items) paire *f*; **to be one of a ~** faire partie d'une paire; **these candlesticks are sold in ~s** ces bougeoirs sont vendus par paires; **the children arrive in ~s** les enfants arrivent deux par deux; **to work in ~s** travailler en groupes de deux; **to put** *ou* **arrange sth in ~s** mettre en paires; **these gloves are not a ~** ces gants sont dépareillés; **I've only got one ~ of hands**○! je n'ai pas quatre bras○!; **2** (item made of two parts) paire *f*; **a ~ of glasses/scissors** une paire de lunettes/ciseaux; ▸ **trouser etc**; **3** (two people, animals etc) (sexually involved) couple *m*; (grouped together) paire *f*; **they're a ~ of crooks/fools** ce sont deux escrocs/imbéciles; **the**

p

~ **of them**○ **are on very good terms** ils s'entendent très bien tous les deux; **a coach and** ~ une voiture à deux chevaux; **4** GB Pol *parlementaire qui a passé un accord avec un parlementaire du parti opposé pour que tous deux s'abstiennent de voter*
B **pairs** *modif* Sport [*competition, final*] pour équipes de deux
C *vtr* apparier [*gloves, socks*]; **to** ~ **Paul with Julie** mettre Paul avec Julie; **to** ~ **jeans with a T-shirt** mettre un jean avec un T-shirt; **to** ~ **each name with a photograph** associer chaque nom à une photo; **to** ~ **one player against another** faire jouer un joueur contre un autre
(Phrasal verbs) ■ **pair off**: ▸ ~ **off** (as a couple) se mettre ensemble; (for temporary purposes) se mettre par deux; **to** ~ **Ruth off with Paul** mettre Ruth et Paul ensemble
■ **pair up**: ▸ ~ **up** [*dancers, lovers*] former un couple; [*competitors*] faire équipe; **to** ~ **Frank up with Rita** mettre ensemble Frank et Rita
pair: ~ **bond** *n* Zool union *f* monogame; ~ **bonding** *n* Zool union *f* monogame
paisley /'peɪzlɪ/
A *n* (fabric) tissu *m* à motifs cachemire
B *modif* [*scarf, skirt*] à motifs cachemire; ~ **pattern** motifs *mpl* cachemire
pajamas *npl* US = **pyjamas**
Paki◑ /'pækɪ/ GB injur
A *n* Pakistanais/-e *m/f*
B *adj* pakistanais
Paki: ~**-basher**◑ *n* GB *personne qui s'attaque aux immigrants pakistanais et indiens*; ~**-bashing**◑ *n* GB *violences contre les immigrants pakistanais et indiens*
Pakistan /ˌpɑːkɪ'stɑːn, ˌpækɪ-/ ▸ **p. 1096** *pr n* Pakistan *m*
Pakistani /ˌpɑːkɪ'stɑːnɪ, ˌpækɪ-/ ▸ **p. 1467**
A *n* Pakistanais/-e *m/f*
B *adj* pakistanais
pal○ /pæl/ *n* copain○/copine○ *m/f*; **to be** ~**s with sb** être copain avec qn; **be a** ~**!** sois sympa!
(Phrasal verb) ■ **pal up** devenir copain (**with** avec)
PAL /pæl/ *n* TV (*abrév* = **phase alternative line**) PAL *m*; ~ **standard** système *m* PAL
palace /'pælɪs/ *n* (of monarch) palais *m*; (of bishop) évêché *m*
palace revolution *n* Pol révolution *f* de palais
paladin /'pælədɪn/ *n* paladin *m*
palais (de danse)○† *n* GB salle *f* de bal
palatable /'pælətəbl/ *n* [*food*] savoureux; [*solution, law*] acceptable
palatal /'pælətl/ Phon
A *n* phonème *m* palatal
B *adj* palatal
palatalize /'pælətəlaɪz/ *vtr* Phon palataliser
palate /'pælət/ *n* **1** Anat palais *m*; **to have a discriminating** ~ fig avoir un palais fin; **2** (sense of taste) goût *m*; **too sweet for my** ~ trop sucré à mon goût
palatial /pə'leɪʃl/ *adj* immense
palatinate /pə'lætɪneɪt, US -tənət/ *n* palatinat *m*
palaver○ /pə'lɑːvə(r), US '-læv-/ *n* (bother) bazar○ *m*; **what a** ~ **doing** ça a été un de ces bazars○ pour faire
pale /peɪl/
A *adj* [*complexion, colour*] pâle; [*light, dawn*] blafard; ~ **blue** bleu pâle; **you look** ~ tu es pâle; **to turn** *ou* **go** ~ pâlir; ~ **with fright** blanc de peur
B *vi* **1** [*person, face*] pâlir; **2** fig **to** ~ **into insignificance** devenir dérisoire
(Idiom) **to be beyond the** ~ [*remark, behaviour*] être inadmissible; [*person*] (socially) être infréquentable
pale: ~ **ale** *n* GB pale-ale *m* (*bière blonde légère*); ~**face** *n* Visage pâle *mf*; ~**-faced** *adj* pâle
paleness /'peɪlnɪs/ *n* (of face, person, skin) pâleur *f*
paleographer /ˌpælɪ'ɒgrəfə(r)/ *n* paléographe *mf*
paleography /ˌpælɪ'ɒgrəfɪ/ *n* paléographie *f*
paleolithic /ˌpælɪəʊ'lɪθɪk/ *adj* paléolithique
paleontologist /ˌpælɪɒn'tɒlədʒɪst/ ▸ **p. 1683** *n* paléontologiste *mf*
paleontology /ˌpælɪɒn'tɒlədʒɪ/ *n* paléontologie *f*
Palermo /pə'lɜːməʊ/ ▸ **p. 1815** *pr n* Palerme
Palestine /'pæləstaɪn/ *pr n* Palestine *f*
Palestine Liberation Organization, PLO *n* Organisation *f* de Libération de la Palestine
Palestinian /ˌpælɪ'stɪnɪən/ ▸ **p. 1467**
A *n* Palestinien/-ienne *m/f*
B *adj* palestinien/-ienne
palette /'pælɪt/ *n* (object, colours) palette *f*
palette knife *n* **1** Art couteau *m* à palette; **2** Culin palette *f*
palfrey‡ /'pɔːlfrɪ/ *n* palefroi‡ *m*
palimony /'pælɪmənɪ/ *n* pension *f* alimentaire (*versée à un/-e ex-concubin/-e*)
palimpsest /'pælɪmpsest/ *n* palimpseste *m*
palindrome /'pælɪndrəʊm/ *n* palindrome *m*
paling /'peɪlɪŋ/
A *n* (stake) palis *m*
B **palings** *npl* (fence) palissade *f*
palisade /ˌpælɪ'seɪd/
A *n* (fence) palissade *f*
B **palisades** *npl* US (cliffs) muraille *f* de falaises à pic
pall /pɔːl/
A *n* **1** (coffin-cloth) drap *m* mortuaire; (coffin) cercueil *m*; **2** (covering) (of smoke, dust) nuage *m*; (of gloom, mystery, silence) manteau *m*
B *vi* **it never** ~**s** on ne s'en lasse jamais; **these pleasures soon** ~**ed** je me suis/il s'est etc vite lassé de ces plaisirs
Palladian /pə'leɪdɪən/ *adj* palladien/-ienne
pallbearer /'pɔːlbeərə(r)/ *n* porteur/-euse *m/f* de cercueil
pallet /'pælɪt/ *n* **1** (for loading) palette *f*; **2** †(mattress) paillasse *f*; **3** †(bed) grabat *m*
pallet truck *n* transpalette *m*
palliasse† /'pælɪæs, US ˌpælɪ'æs/ *n* paillasse *f*
palliate /'pælɪeɪt/ *vtr* sout pallier; **to** ~ **a crime** atténuer la gravité d'un crime
palliative /'pælɪətɪv/ *adj*
A *n* gen, Med palliatif *m*
B *adj* gen, Med palliatif/-ive *m/f*
pallid /'pælɪd/ *adj* [*skin, light*] blafard
pallor /'pælə(r)/ *n* pâleur *f*
pally○ /'pælɪ/ *adj* GB copain/copine○ (**with** avec)
palm /pɑːm/
A *n* **1** (of hand) paume *f*; **in the** ~ **of one's hand** dans le creux de la main; **he read my** ~ il m'a lu les lignes de la main; **2** Bot (*also* ~ **tree**) (plant) palmier *m*; **3** (branch) branche *f* de palmier; (leaf) palme *f*; **4** Relig rameau *m*
B *vtr* (hide in trick) escamoter [*card, coin*]; (steal) subtiliser [*money*]
(Idioms) **you have him in the** ~ **of your hand!** tu pourrais lui faire faire tout ce que tu veux!; **to grease** *ou* **oil sb's** ~ graisser la patte○ à qn; **to cross sb's** ~ **with silver** donner de l'argent à qn
(Phrasal verb) ■ **palm off**○: ▸ ~ **[sth] off**, ~ **off [sth]** faire passer qch (**as** pour); **to** ~ **sth off on sb**, **to** ~ **sb off with sth** refiler○ qch à qn
palmate /'pælmeɪt/ *adj* Bot, Zool palmé
palmetto /pæl'metəʊ/ *n* (*pl* **-toes**, **-tos**) palmier *m* nain
palm grove *n* palmeraie *f*
palmist /'pɑːmɪst/ ▸ **p. 1683** *n* chiromancien/-ienne *m/f*
palmistry /'pɑːmɪstrɪ/ *n* chiromancie *f*
palm: **Palm Sunday** *n* dimanche *m* des Rameaux; ~**top computer** *n* ordinateur *m* de poche
palmy /'pɑːmɪ/ *adj* **in the** ~ **days of sth** aux beaux jours de qch; **in my** ~ **days** pendant mes beaux jours
palomino /ˌpælə'miːnəʊ/ *n* palomino *m*
palooka○ /pə'luːkə/ *n* US imbécile○ *m*, cornichon○ *m*
palpable /'pælpəbl/ *adj* [*difference, fear, tension, relief*] palpable; [*lie, error, nonsense*] manifeste
palpably /'pælpəblɪ/ *adv* manifestement
palpate /'pælpeɪt/ *vtr* Med palper
palpitate /'pælpɪteɪt/ *vi* (all contexts) palpiter (**with** de)
palpitation /ˌpælpɪ'teɪʃn/ *n* Med palpitation *f*
palsied‡ /'pɔːlzɪd/ *adj* tremblant
palsy /'pɔːlzɪ/ *n* (paralysis) paralysie *f*; (trembling) tremblement *m*
palsy-walsy○ /ˌpælzɪ'wælzɪ/ *adj* US = **pally**
paltry /'pɔːltrɪ/ *adj* [*sum*] dérisoire; [*excuse*] piètre
pampas /'pæmpəs, US -əz/ *n* (+ *v sg*) pampa *f*
pampas grass *n* herbe *f* des pampas
pamper /'pæmpə(r)/
A *vtr* choyer [*person, pet*]; soigner [*skin*]
B *v refl* **to** ~ **oneself** se bichonner○
pamphlet /'pæmflɪt/ *n* **1** gen brochure *f*; **2** (political) tract *m*; **3** Hist (satirical) pamphlet *m*
pamphleteer† /ˌpæmflɪ'tɪə(r)/ *n* pamphlétaire *mf*
pan /pæn/
A *n* **1** Culin (saucepan) casserole *f*; **heavy** ~ casserole *f* à fond épais; **a** ~ **of water** une casserole d'eau; **heat up a** ~ **of water** faites bouillir de l'eau dans une casserole; **2** (on scales) plateau *m*; **3** (in lavatory) cuvette *f*; **4** (for washing ore) batée *f*
B *vtr* (*p prés etc* **-nn-**) **1** ○(criticize) éreinter [*performance, production*]; **2** Cin, Phot, TV faire un panoramique de; **3** laver [qch] à la batée [*gravel, silt*]; récolter [*gold*]
C *vi* **1** Phot (*p prés etc* **-nn-**) [*camera*] faire un panoramique; **to** ~ **around** faire un panoramique de [*room*]; **2** Miner **to** ~ **for** chercher [*gold*]
D **Pan+** (*dans composés*) **Pan-American** panaméricain/-aine; **Pan-Slavism** panslavisme *m*; **Pan-African** panafricain/-aine
(Phrasal verb) ■ **pan out** (turn out) marcher; (turn out well) s'arranger
panacea /ˌpænə'siːə/ *n* (all contexts) panacée *f*
panache /pæ'næʃ, US pə-/ *n* panache *m*
Panama /'pænəmɑː/
A *n* (*also* **panama**) (hat) panama *m*
B ▸ **p. 1096** *pr n* Panama *m*
Panama Canal *pr n* canal *m* de Panama
Panama City /ˌpænəmə 'sɪtɪ/ ▸ **p. 1815** *pr n* Panama
Panama hat *n* = **Panama A**
Panamanian /ˌpænə'meɪnɪən/ ▸ **p. 1467**
A *n* Panaméen/-éenne *m/f*
B *adj* panaméen/-éenne
pancake /'pæŋkeɪk/ *n* **1** Culin crêpe *f*; **2** Theat Cosmet fond *m* de teint
(Idiom) **as flat as a** ~○ complètement plat
pancake: ~ **day** *n* mardi *m* gras; ~ **filling** *n* garniture *f* pour crêpes; ~ **mix** *n* (in packet) préparation *f* pour pâte à crêpes; (batter) pâte *f* à crêpes; ~ **race** *n* course *f* du mardi gras (*avec poêle et crêpe*)
panchromatic /ˌpænkrə'mætɪk/ *adj* panchromatique
pancreas /'pæŋkrɪəs/ *n* pancréas *m*

P

pancreatic /ˌpæŋkrɪ'ætɪk/ *adj* pancréatique

panda /'pændə/ *n* panda *m*

panda car○ *n* GB voiture *f* pie

pandemic /pæn'demɪk/ Med
A *n* pandémie *f*
B *adj* pandémique

pandemonium /ˌpændɪ'məʊnɪəm/ *n* tohu-bohu *m*

pander /'pændə(r)/
A ‡*n* souteneur *m*
B *vi* **to ~ to** céder aux exigences de [*person*]; flatter [*whim, market*]

Pandora /pæn'dɔːrə/ *pr n* Pandore; **~'s box** Mythol, fig boîte *f* de Pandore

pane /peɪn/ *n* vitre *f*, carreau *m*; **a ~ of glass** une vitre, un carreau

panegyric /ˌpænɪ'dʒɪrɪk/ *n* littér panégyrique *m* (**on, of de**)

panel /'pænl/
A *n* **1** (group) (of experts, judges) commission *f*, comité *m*; TV, Radio (on discussion programme) invités *mpl*; (on quiz show) jury *m*; **to be on a ~** (of experts, judges) être membre d'un comité *or* d'une commission; TV, Radio faire partie d'un jury; **adjudication/investigating ~** commission *f* d'arbitrage/d'enquête; **2** Archit, Constr (section of wall) panneau *m*; **glass/wooden ~** panneau *m* de verre/en bois; **3** Aut, Tech (section) panneau *m*; (of instruments, switches) tableau *m*; **4** Jur (list) liste *f* (des jurés); (specific jury) jury *m*
B *vtr* (*p prés etc* **-ll-**, **-l-** US) recouvrir [qch] de panneaux
C **panelled**, **paneled** US *pp adj* [*fencing*] en panneaux; [*door, ceiling*] lambrissé; [*walls, bath*] cloisonné
D **-panelled**, **-paneled** US (*dans composés*) **oak-/wood-~led** couvert de panneaux en chêne/en bois

panel: **~ beater** *n* tôlier *m*; **~-beating** *n* tôlerie *f*; **~ discussion** *n* Radio, TV débat *m*; **~ game** *n* Radio jeu *m* radiophonique; TV jeu *m* télévisé

panelling, **paneling** US /'pænəlɪŋ/ *n* lambris *m*; **oak/pine ~** lambris *m* de chêne/de pin; **wood ~** boiseries *fpl*

panellist, **panelist** US /'pænəlɪst/ *n* Radio, TV invité/-e *m/f*

panel: **~ pin** *n* pointe *f*; **~ truck** *n* US camionnette *f*

pan-fry /'pænfraɪ/ *vtr* faire sauter

pang /pæŋ/ *n* **1** (emotional) serrement *m* de cœur; **a ~ of jealousy/regret** une pointe de jalousie/regret; **~s of conscience** *ou* **guilt** remords *mpl* de conscience; **2** (physical) **~s of hunger**, **hunger ~s** crampes *fpl* d'estomac; **birth ~s** lit douleurs *fpl* de l'enfantement; fig difficultés *fpl* initiales

panhandle○ /'pænhændl/ US
A *vtr* demander l'aumône à
B *vi* mendier

panhandler○ /'pænhændlə(r)/ *n* US mendiant/-e *m/f*

panic /'pænɪk/ (*p prés etc* **-ck-**)
A *n* **1** gen panique *f*, affolement *m*; **in a ~** dans l'affolement; **to get into a ~** s'affoler, être pris de panique (**about** à cause de); **to throw sb into a ~** affoler qn; **the news threw the city into a ~** la nouvelle a semé la panique dans la ville; **2** ○US **she's a ~** elle est impayable○
B *modif* [*decision*] pris dans un moment de panique; [*reaction*] de panique
C *vtr* affoler, paniquer○ [*person, animal*]; semer la panique dans [*crowd*]; **to be ~ked into doing** se laisser affoler et faire
D *vi* [*person, animal, crowd*] s'affoler, paniquer○; **don't ~!** pas de panique!; **to ~ at the idea/sight of** s'affoler à l'idée/la vue de

panic attack *n* crise *f* d'angoisse

panic button *n* signal *m* d'alarme; **to hit** *ou* **push the ~**○ paniquer○

panic buying *n* achats *mpl* par crainte de la pénurie

panicky /'pænɪkɪ/ *adj* paniqué○, affolé

panic: **~ measure** *n* Pol, Econ disposition *f* précipitée; **~ selling** *n* Fin mouvements *mpl* de panique chez les petits porteurs

panic stations *n* **it was ~** c'était la panique générale○

panic-stricken /'pænɪkstrɪkn/ *adj* pris de panique

pannier /'pænɪə(r)/ *n* **1** (on bike) sacoche *f*; **2** (on mule) panier *m* de bât

panoply /'pænəplɪ/ *n* panoplie *f*

panorama /ˌpænə'rɑːmə/ *n* lit, fig panorama *m*

panoramic /ˌpænə'ræmɪk/ *adj* panoramique

pan: **~pipes** *npl* flûte *f* de Pan; **~ scourer**, **~ scrubber** *n* tampon *m* à récurer

pansy /'pænzɪ/ *n* **1** Bot pensée *f*; **2** ○†(weak man) femmelette *f* pej; (homosexual) pédale○ *f*

pant /pænt/
A *n* halètement *m*
B *vtr* = **pant out**
C *vi* [*person*] haleter, souffler; [*animal*] haleter; **to be ~ing for breath** être tout essoufflé; **she came ~ing up the stairs** elle est arrivée essoufflée en haut de l'escalier

(Phrasal verb) ■ **pant out**: ▸ **~ out [sth]**, **~ [sth] out** dire [qch] d'une voix haletante

pantaloons† /ˌpæntə'luːnz/ *npl* culottes† *fpl*

pantechnicon† /pæn'teknɪkən/ *n* GB camion *m* de déménagement

pantheism /'pænθɪɪzəm/ *n* panthéisme *m*

pantheist /'pænθɪɪst/ *n, adj* panthéiste (*mf*)

pantheon /'pænθɪən, US -θɪɒn/ *n* (all contexts) panthéon *m*

panther /'pænθə(r)/ *n* **1** (leopard) panthère *f*; **2** US (puma) puma *m*

panties /'pæntɪz/ ▸ **p. 1694** *npl* slip *m* (de femme), petite culotte *f*

pantile /'pæntaɪl/ *n* tuile *f* flamande, tuile *f* panne

panting /'pæntɪŋ/
A *n* halètement *m*
B *adj* [*person, animal*] essoufflé; [*breath*] haletant

panto○ /'pæntəʊ/ *n* GB = **pantomime 1**

pantograph /'pæntəgrɑːf, US -græf/ *n* pantographe *m*

pantomime /'pæntəmaɪm/ *n* **1** GB Theat spectacle *m* pour enfants (*à Noël*); **2** (mime) mime *m*; **to explain sth in ~** expliquer qch en mimant

pantry /'pæntrɪ/ *n* **1** (larder) garde-manger *m*; **2** (butler's etc) office *m*

pants /pænts/ ▸ **p. 1694**
A *npl* **1** US (trousers) pantalon *m*; **he was still in short ~** il était encore en culottes courtes; **2** GB (underwear) slip *m*
B ○*vtr* US déculotter

(Idioms) **to beat the ~ off sb**○ mettre la pâtée à qn; **to bore the ~ off sb**○ faire mourir d'ennui qn; **to charm the ~ off sb**○ séduire qn fig; **to scare the ~ off sb**○ flanquer la trouille à qn○; **to catch sb with his/her ~ down**○ prendre qn au dépourvu; **to fly by the seat of one's ~** [*pilot*] naviguer à l'instinct; **a kick in the ~** lit, fig un coup de pied au derrière; **to wear the ~**○ porter la culotte○; **that's ~**○ c'est nul○

pantsuit /'pæntsuːt, -sjuːt/ *n* US tailleur-pantalon *m*

panty /'pæntɪ/ *n* ▸ **panties**

panty: **~ girdle** *n* gaine-culotte *f*; **~ hose** *npl* US collant *m*; **~-liner** *n* protège-slip *m*

pap /pæp/ *n* **1** (mush, babyfood) bouillie *f*; **2** ⊄ péj (in book, on TV) inepties *fpl*; **3** ‡(nipple) mamelon *m*

papa /pə'pɑː, US 'pɑːpə/ *n* **1** †père *m*; **2** papa *m*

papacy /'peɪpəsɪ/ *n* papauté *f*

papal /'peɪpl/ *adj* [*authority, blessing, residence*] papal, pontifical

papal: **~ bull** *n* bulle *f* pontificale; **~ nuncio** *n* nonce *m* apostolique; **Papal States** *pr n* États *mpl* pontificaux

paparazzi /ˌpæpə'rætsɪ/ *npl* paparazzi *mpl*

papaya /pə'paɪə/ *n* **1** (fruit) papaye *f*; **2** (tree) papayer *m*

paper /'peɪpə(r)/
A *n* **1** (substance) (for writing etc) papier *m*; **a piece/a sheet of ~** un morceau/une feuille de papier; **to get** *ou* **put sth down on ~** mettre qch par écrit; **it's a good idea on ~** fig c'est une bonne idée en théorie; **the car only exists on ~** la voiture n'existe que sur le papier; **this contract isn't worth the ~ it's written on** ce contrat ne vaut absolument rien; **2** (*also* **wall~**) papier *m* peint; **3** (newspaper) journal *m*; **local/Sunday ~** journal *m* local/du dimanche; **4** (scholarly article) article *m* (**on** sur); **5** (lecture) communication *f* (**on** sur); (report) exposé *m* (**on** sur); **I'm writing Monday's discussion ~** je prépare le sujet du débat de lundi; **6** (examination) épreuve *f* (**on** de); **the French ~** l'épreuve de français; **7** Fin effet *m* de commerce, papier *m*; **commercial ~** effet *m* de commerce; **financial ~** effet *m* de crédit; **long/short ~** effets *mpl* à long/court terme, papier *m* long/court; **8** (government publication) livre *m*
B **papers** *npl* Admin papiers *mpl*; **identification ~** papiers d'identité
C *modif* **1** lit [*bag, hat, napkin*] en papier; [*plate*] en carton; [*industry, manufacture*] de papier; **2** fig [*loss, profit*] théorique; [*promise, agreement*] sans valeur
D *vtr* (*also* **wall~**) tapisser [*room, wall*]
E *vi* **to ~ over the existing wallpaper** recouvrir le papier actuel; **to ~ over one's differences/problems** passer sur ses différences/problèmes

(Idiom) **to ~ over the cracks** passer sur les problèmes

paperback /'peɪpəbæk/
A *n* livre *m* de poche; **in ~** en livre de poche
B *modif* [*edition, version*] de poche, broché; [*copy rights*] en livre de poche; **~ book** livre *m* de poche

paper: **~ bank** *n* conteneur *m* de récupération de vieux papiers; **~board** *n* papier *m* cartonné; **~bound** *adj* Print, Publg broché; **~ boy** *n* livreur *m* de journaux; **~ chain** *n* guirlande *f* de papier; **~ chase** *n* jeu *m* de piste; **~clip** *n* trombone *m*; **~ cup** *n* gobelet *m* en carton; **~ currency** *n* monnaie *f* de papier; **~ fastener** *n* attache *f* parisienne; **~ feed tray** *n* Comput, Print bac *m* d'alimentation en papier; **~ girl** *n* livreuse *f* de journaux; **~ handkerchief** *n* mouchoir *m* en papier, kleenex® *m*; **~ knife** *n* coupe-papier *m inv*; **~ lantern** *n* lampion *m*

paperless /'peɪpəlɪs/ *adj* Comput [*office*] électronique; [*system*] informatisé

paper: **~ mill** *n* papeterie *f*, fabrique *f* de papier; **~ money** *n* monnaie *f* de papier; **~ pusher** *n* péj gratte-papier *m inv* pej; **~ qualifications** *npl* diplômes *mpl*

paper round *n* **he has** *ou* **does a ~** il livre des journaux

paper: **~ seller** *n* vendeur/-euse *m/f* de journaux; **~ shop** *n* marchand *m* de journaux; **~ shredder** *n* déchiqueteuse *f* à papier; **~ tape** *n* Comput bande *f* perforée; **~ thin** *adj* mince comme du papier à cigarette; **~ tiger** *n* fig tigre *m* de papier; **~ towel** *n* essuie-tout *m inv*, papier *m* absorbant; **~weight** *n* presse-papier *m inv*

paperwork /'peɪpəwɜːk/ *n* **1** (administration) travail *m* administratif; **2** (documentation) documents *mpl*

papery /'peɪpərɪ/ *adj* [*texture, leaves*] mince comme du papier; [*skin*] parcheminé

papilla /pə'pɪlə/ *n* (*pl* **-illae**) papille *f*

P

papist /ˈpeɪpɪst/ *n, adj* péj papiste (*mf*) pej
papoose /pəˈpu:s/ *n* bébé *m* peau-rouge
pappy○ /ˈpæpɪ/ *n* US papa *m*
paprika /ˈpæprɪkə, pəˈpri:kə/ *n* paprika *m*
Pap smear, **Pap test** *n* US frottis *m* vaginal
Papuan /ˈpɑ:pʊən, ˈpæ-/ ▸ **p. 1467, p. 1378**
A *n* (person) Papou/-e *m/f*
B *adj* [*culture, language*] papou
Papua New Guinea /ˌpɑ:pʊə nju: ˈgɪni:, US nu:-/ ▸ **p. 1096** *pr n* Papouasie-Nouvelle-Guinée *f*
papyrus /pəˈpaɪərəs/ *n* (*pl* **~es** *ou* **-pyri**) papyrus *m*
par /pɑ:(r)/ *n* **1** gen **to be on a ~ with** [*performance*] être comparable à; [*person*] être l'égal de; **to be up to ~** être à la hauteur; **to be below** *ou* **under ~** [*performance*] être en dessous de la moyenne; [*person*] ne pas se sentir en forme; **2** (in golf) par *m*; **two under ~** deux sous le par; **3** Econ, Fin pair *m*; **at ~** au pair; **above/below ~** au-dessus/au-dessous du pair
(Idiom) **to be ~ for the course** être typique
para /ˈpærə/ *n* **1** *abrév écrite* = **paragraph**; **2** ○GB Mil (*abrév* = **paratrooper**) para○ *m*
parable /ˈpærəbl/ *n* Bible parabole *f*
parabola /pəˈræbələ/ *n* Math parabole *f*
parabolic /ˌpærəˈbɒlɪk/ *adj* parabolique
parabolic reflector *n* réflecteur *m* parabolique
paraboloid /pəˈræbəlɔɪd/ *n* paraboloïde *m*
paracetamol /ˌpærəˈsetəmɒl, -ˈsi:təmɒl/ *n* GB paracétamol *m*
parachute /ˈpærəʃu:t/
A *n* parachute *m*
B *vtr* parachuter; **to ~ sth into a country** parachuter qch dans un pays
C *vi* descendre en parachute
parachute: **~ drop** *n* parachutage *m*; **~ jump** *n* saut *m* en parachute; **~ regiment** *n* régiment *m* de parachutistes; **~ silk** *n* soie *f* de parachute
parachuting /ˈpærəʃu:tɪŋ/ ▸ **p. 1253** *n* **to go ~** faire du parachutisme
parachutist /ˈpærəʃu:tɪst/ *n* parachutiste *mf*
parade /pəˈreɪd/
A *n* **1** (procession) parade *f*; **a ~ of floats** une parade de chars; **carnival ~** défilé *m* de carnaval; **circus ~** parade *f* de cirque; **2** Mil (public march) défilé *m*; (review) prise *f* d'armes; (in barracks) appel *m*; **to be on ~** être à l'exercice; **3** (display) (of designs, models) défilé *m*; (of ideas) souvent péj étalage *m*; **new inventions will be on ~** de nouvelles inventions seront exposées; **4** **to make a ~ of** péj faire étalage de [*grief, knowledge*]; **5** GB (row) **a ~ of shops/houses** une rangée *f* de magasins/maisons
B *vtr* **1** (display) souvent péj faire étalage de [*knowledge, morals, wares, wealth*]; **2** (claim) **to ~ sth as sth** présenter qch comme qch; **it was ~ed as the miracle solution** cela a été présenté comme la solution miracle
C *vi* **1** (march) défiler (**through** dans); **to ~ up and down** [*soldier, model*] défiler; [*child, person*] parader
(Phrasal verb) ■ **parade about, parade around** parader
parade ground *n* champ *m* de manœuvres
paradigm /ˈpærədaɪm/ *n* paradigme *m*
paradigmatic /ˌpærədɪgˈmætɪk/ *adj* paradigmatique
paradise /ˈpærədaɪs/ *n* Relig, fig paradis *m*; **in ~** au paradis; **an artist's ~** un paradis pour les peintres; **an island ~** une île paradisiaque
(Idiom) **to be living in a fool's ~** rêver
paradox /ˈpærədɒks/ *n* paradoxe *m*
paradoxical /ˌpærəˈdɒksɪkl/ *adj* paradoxal
paradoxically /ˌpærəˈdɒksɪklɪ/ *adv* paradoxalement
paraffin /ˈpærəfɪn/
A *n* **1** GB (fuel) pétrole *m*; **2** (*also* **~ wax**) paraffine *f*
B *modif* GB [*lamp, heater*] à pétrole
paraglider /ˈpærəglaɪdə(r)/ *n* parapente *m*
paragliding /ˈpærəglaɪdɪŋ/ ▸ **p. 1253** *n* parapente *m*
paragon /ˈpærəgən, US -gɒn/ *n* modèle *m* (**of** de); **a ~ of virtue** un parangon de vertu
paragraph /ˈpærəgrɑ:f, US -græf/
A *n* **1** (section) paragraphe *m*; **new ~** (in dictation) à la ligne; **2** Journ (article) entrefilet *m*; **3** Print (*also* **~ mark**) pied *m* de mouche
B *vtr* diviser en paragraphes
Paraguay /ˈpærəgwaɪ/ ▸ **p. 1096** *pr n* Paraguay *m*
Paraguayan /ˈpærəgwaɪən/ ▸ **p. 1467**
A *n* Paraguayen/-enne *m/f*
B *adj* paraguayen/-enne
parakeet /ˈpærəki:t/ *n* perruche *f*
paralanguage /ˈpærəlæŋgwɪdʒ/ *n* paralangage *m*
paralinguistic /ˈpærəlɪŋgwɪstɪk/ *adj* paralinguistique
parallactic /ˌpærəˈlæktɪk/ *adj* parallactique
parallax /ˈpærəlæks/ *n* parallaxe *f*
parallel /ˈpærəlel/
A *n* **1** Math parallèle *f*; **2** Geog parallèle *m*; **3** (comparison) parallèle *m* (**between** entre; **to** avec); **in ~** en parallèle; **to draw/establish a ~ between** faire/établir un parallèle entre; **to be on a ~ with sth** être comparable à qch; **without ~** sans pareil; **4** Electron **in ~** en parallèle
B *adj* **1** Math parallèle (**to, with** à); **~ lines** lignes *fpl* parallèles; **2** (similar) [*case, example, experience, situation*] analogue (**to, with** à); **to develop along ~ lines** évoluer de manière analogue; **3** (simultaneous) parallèle (**to, with** à); **4** Electron [*circuit, connection*] monté en parallèle; **5** Comput [*printer, transfer, transmission*] parallèle
C *adv* **~ to, ~with** parallèlement à; **the species evolved ~ to one another** les espèces ont évolué parallèlement
D *vtr* (*p prés* GB **-ll-**, US **-l-**) **1** (equal) égaler; **2** (find a comparison) trouver un équivalent à
parallel bars *npl* barres *fpl* parallèles
parallelepiped /ˌpærəleˈlepɪped/ *n* parallélépipède *m*
parallelism /ˈpærəlelɪzəm/ *n* **1** Math parallélisme *m* (**between** entre); **2** fig parallèle *m* (**between** entre)
parallelogram /ˌpærəˈleləgræm/ *n* parallélogramme *m*
parallel: **~-park** *vi* Aut faire un créneau; **~ processing** *n* Comput traitement *m* en parallèle; **~ programming** *n* Comput programmation *f* en parallèle; **~ turn** *n* Sport virage *m* parallèle
Paralympics /pærəˈlɪmpɪks/ *npl* Sport Jeux *mpl* paralympiques
paralysation GB, **paralyzation** US /ˌpærəlaɪˈzeɪʃn, US -lɪˈz-/ *n* **1** Med paralysie *f*; **2** (of network) immobilisation *f*
paralyse GB, **paralyze** US /ˈpærəlaɪz/ *vtr* Med, fig paralyser
paralysed GB, **paralyzed** US /ˈpærəlaɪzd/ *adj* **1** Med paralysé; **to be ~ from the waist down** être paraplégique; **her right arm is ~** elle est paralysée du bras droit; **2** fig [*network, industry, person*] paralysé (**with, by** par)
paralysis /pəˈræləsɪs/ *n* Med, fig paralysie *f*; **~ of the arm** paralysie du bras
paralytic /ˌpærəˈlɪtɪk/
A *n* paralytique *mf*
B *adj* **1** Med [*person*] paralytique; [*arm, leg*] paralysé; **2** ○GB (drunk) complètement bourré○, ivre mort
paramedic /ˌpærəˈmedɪk/ ▸ **p. 1683** *n* auxiliaire *mf* médical/-e
paramedical /ˌpærəˈmedɪkl/ *adj* paramédical
parameter /pəˈræmɪtə(r)/ *n* **1** Math, Comput paramètre *m*; **2** (limiting factor) paramètre *m*; **to define the ~s of** définir les paramètres *or* les grandes lignes de; **within the ~s of** dans les limites de
parametric /ˌpærəˈmetrɪk/ *adj* paramétrique
paramilitary /ˌpærəˈmɪlɪtrɪ, US -terɪ/
A *n* membre *m* d'une organisation paramilitaire
B *adj* paramilitaire
paramnesia /ˌpæræmˈni:zɪə, US -ˈni:ʒə/ *n* paramnésie *f*
paramount /ˈpærəmaʊnt/ *adj* [*consideration, goal*] suprême; **to be ~, to be of ~ importance** être d'une importance capitale
paramour‡ /ˈpærəmʊə(r)/ *n* amant/-e *m/f*
paranoia /ˌpærəˈnɔɪə/ ▸ **p. 1327** *n* Psych, fig paranoïa *f*
paranoi(a)c *n, adj* = **paranoid**
paranoid /ˈpærənɔɪd/
A *n* paranoïaque *mf*
B *adj* **1** Psych paranoïde; **2** (suspicious) paranoïaque, parano○ (**about** au sujet de); **to be ~ about being burgled** avoir une peur maladive d'être cambriolé
paranoid schizophrenia *n* schizophrénie *f* paranoïde
paranormal /ˌpærəˈnɔ:ml/ *n, adj* paranormal (*m*)
parapet /ˈpærəpɪt/ *n* Archit, Mil parapet *m*
(Idiom) **to stick one's head above the ~** fig se mouiller○, prendre un risque
paraphernalia /ˌpærəfəˈneɪlɪə/ *n* (+ *v sg*) **1** (articles, accessories) attirail *m*; **2** GB (rigmarole, procedure) comédie○ *f*
paraphrase /ˈpærəfreɪz/
A *n* paraphrase *f*
B *vtr* paraphraser
paraplegia /ˌpærəˈpli:dʒə/ *n* paraplégie *f*
paraplegic /ˌpærəˈpli:dʒɪk/
A *n* paraplégique *mf*
B *adj* [*person*] paraplégique; [*games*] pour les paraplégiques
parapsychology /ˌpærəsaɪˈkɒlədʒɪ/ *n* parapsychologie *f*
paraquat® /ˈpærəkwɒt/ *n* paraquat® *m*
parascending /ˈpærəsendɪŋ/ *n* GB parachutisme *m* ascensionnel; **to go ~** faire du parachute ascensionnel
parasite /ˈpærəsaɪt/ *n* lit, fig parasite *m*
parasitic(al) /ˌpærəˈsɪtɪk(l)/ *adj* **1** Bot, Zool, fig parasite (**on** de); **2** Med parasitaire
parasiticide /ˌpærəˈsɪtɪsaɪd/ *n* parasiticide *m*
parasol /ˈpærəsɒl, US -sɔ:l/ *n* (sunshade) ombrelle *f*; (for table) parasol *m*
parasympathetic /ˌpærəˌsɪmpəˈθetɪk/ *adj* parasympathique
parataxis /ˌpærəˈtæksɪs/ *n* parataxe *f*
parathyroid /ˌpærəˈθaɪrɔɪd/ *n* parathyroïde *f*
parathyroid gland *n* parathyroïde *f*
paratrooper /ˈpærətru:pə(r)/ ▸ **p. 1683** *n* parachutiste *m*
paratroops /ˈpærətru:ps/ *npl* (unités *fpl* de) parachutistes *mpl*
paratyphoid /ˌpærəˈtaɪfɔɪd/ ▸ **p. 1327** *n* (*also* **~ fever**) fièvre *f* paratyphoïde
parboil /ˈpɑ:bɔɪl/ *vtr* faire cuire [qch] à demi
parcel /ˈpɑ:sl/
A *n* **1** (package) paquet *m*, colis *m*; **2** (of land) parcelle *f*; **3** Fin (of shares) paquet *m*; **4** ○fig (of people, problems etc) tas○ *m*; **a ~ of lies** un tissu de mensonges
B *vtr* = **parcel up**
(Idiom) **to be part and ~ of** faire partie intégrante de
(Phrasal verbs) ■ **parcel out**: ▸ **~ out [sth],**

~ **[sth] out** répartir (**among** entre)
■ **parcel up**: ▸ ~ **up [sth]**, ~ **[sth] up** emballer

parcel: ~ **bomb** *n* colis *m* piégé; ~ **office** *n* (bureau *m* des) messageries *fpl*

parcel post *n* service *m* de colis postaux; **to send sth by** ~ envoyer qch par colis postal

parcel shelf *n* Aut cache-bagages *m*

parcels service *n* (company) société *f* d'expédition des colis postaux

parch /pɑːtʃ/ *vtr* dessécher

parched /pɑːtʃt/ *adj* 1 [*earth, grass, lips*] desséché; 2 ○(thirsty) **to be** ~ mourir de soif

parchment /ˈpɑːtʃmənt/ *n* 1 Hist (substance, document) parchemin *m*; 2 (paper) papier-parchemin *m*

pardon /ˈpɑːdn/
A *n* 1 (forgiveness) pardon *m*; **to beg sb's** ~ demander pardon à qn; **I beg your** ~? pardon?; 2 Jur (*also* **free** ~) grâce *f*; **royal** ~ grâce royale; 3 Relig indulgence *f*
B *excl* (what?) pardon?; (sorry!) pardon!
C *vtr* 1 (forgive) pardonner; **to** ~ **sb for sth** pardonner qch à qn; **to** ~ **sb for doing sth** pardonner à qn d'avoir fait qch; ~ **me for asking, but...** pardonnez-moi de vous poser la question, mais...; ~ **me!** pardon!; 2 Jur grâcier [*criminal*]

pardonable /ˈpɑːdnəbl/ *adj* pardonnable

pardonably /ˈpɑːdnəblɪ/ *adv* de façon (bien) pardonnable

pare /peə(r)/ *vtr* 1 (peel) peler [*apple*]; 2 (trim) rogner [*nails*]; 3 (reduce) = **pare down**

(Idiom) **to** ~ **sth to the bone** réduire qch au minimum vital

(Phrasal verbs) ■ **pare down**: ▸ ~ **[sth] down**, ~ **down [sth]** réduire (**to** à)
■ **pare off**: ▸ ~ **[sth] off**, ~ **off [sth]** 1 peler [*rind, peel*]; 2 réduire [*amount, percentage*]

pared-down /ˌpeəd ˈdaʊn/ *adj* [*budget*] réduit; [*version*] abrégé; [*prose, plot*] dépouillé

parent /ˈpeərənt/ *n* 1 (of child) parent *m*; **my** ~**s** mes parents; **as a** ~ en ma qualité de parent; ~**s are worried** les parents s'inquiètent; 2 Comm (company) maison *f* mère; (organization) organisation *f* mère

parentage /ˈpeərəntɪdʒ/ *n* ascendance *f*; **of unknown** ~ de parents *mpl* inconnus

parental /pəˈrentl/ *adj* [*rights, authority, involvement*] parental fml, des parents; **his** ~ **pride** sa fierté paternelle; **to leave the** ~ **home** quitter la maison de ses parents

parent: ~ **company** *n* maison *f* mère; ~**craft** *n* parentalité *f*; ~-**governor** *n* GB Sch *membre du conseil d'établissement et représentant des parents d'élèves*

parenthesis /pəˈrenθəsɪs/ *n* (*pl* **-theses**) parenthèse *f*; **in** ~ en parenthèse

parenthetic(al) /ˌpærənˈθetɪk(l)/ *adj* [*comment*] entre parenthèses

parenthetically /ˌpærənˈθetɪklɪ/ *adv* [*note, observe*] entre parenthèses

parenthood /ˈpeərənthʊd/ *n* (fatherhood) paternité *f*; (motherhood) maternité *f*; **ready for** ~ prêt à fonder une famille; **the joys of** ~ iron la joie d'être père/mère

parenting /ˈpeərəntɪŋ/ *n* éducation *f* des enfants

parent: ~ **organization** *n* organisation *f* mère; ~ **power** *n* Sch pouvoir *m* décisionnel des parents d'élèves; ~**s' evening** *n* Sch réunion *f* pour les parents d'élèves; ~-**teacher association**, **PTA** *n* association *f* des parents d'élèves et des professeurs; ~ **tree** *n* arbre *m* étalon; ~ **word** *n* Ling mot *m* souche

parer /ˈpeərə(r)/ *n* éplucheur-légumes *m inv*

pariah /pəˈraɪə, ˈpærɪə/ *n* paria *m*

parietal /pəˈraɪətl/ *n, adj* pariétal (*m*)

parietals /pəˈraɪətlz/ *npl* US Univ *règlement concernant les visites des personnes du sexe opposé dans les résidences universitaires*

paring /ˈpeərɪŋ/
A *n* (process) (of fruit) épluchage *m*; (of budget, economy) dégraissage *m*
B **parings** *npl* 1 (of fruit) épluchures *fpl*; 2 (of nails) rognures *fpl*

paring knife *n* couteau *m* à éplucher

Paris /ˈpærɪs/ ▸ p. 1815
A *pr n* Paris
B *modif* [*fashion, metro, restaurant*] parisien/-ienne

parish /ˈpærɪʃ/
A *n* 1 Relig paroisse *f*; 2 GB (administrative) commune *f*; 3 US comté *m* (*en Louisiane*)
B *modif* [*church, hall, meeting, register*] paroissial

parish council *n* Relig conseil *m* paroissial; Pol conseil *m* municipal GB

parishioner /pəˈrɪʃənə(r)/ *n* paroissien/-ienne *m/f*

parish priest *n* (Protestant) pasteur *m*; (Catholic) curé *m*

parish-pump *adj* GB ~ **politics** péj politique *f* de clocher péj

Parisian /pəˈrɪzɪən/
A *n* Parisien/-ienne *m/f*
B *adj* parisien/-ienne

parity /ˈpærətɪ/ *n* (equality) parité *f* (**with** avec); **nuclear/pay** ~ parité des forces nucléaires/des salaires

park /pɑːk/
A *n* 1 (public garden) jardin *m* public, parc *m*; 2 (estate) parc *m*; 3 Comm, Ind parc *m*; **business/industrial/science** ~ parc d'affaires/industriel/scientifique; 4 GB (pitch) terrain *m*; US (stadium) stade *m*; 5 (on automatic gearbox) position *f* parking
B *vtr* 1 Aut garer [*vehicle*]; 2 ○(deposit) laisser [*equipment, boxes, person*]
C *vi* [*driver*] se garer
D **parked** *pp adj* [*car, lorry*] en stationnement; **badly** ~**ed** mal garé
E ○*v refl* **to** ~ **oneself** s'installer

parka /ˈpɑːkə/ *n* parka *m or f*

parkade /pɑːˈkeɪd/ *n* Can parking *m*

park: ~-**and-ride** *n* GB Transp *parking situé à l'entrée d'une ville avec service de transport menant au centre*; ~ **bench** *n* banc *m* (public)

parkerhouse roll *n* US ≈ petit pain *m* brioché

parkin /ˈpɑːkɪn/ *n* GB *gâteau à l'avoine et au gingembre*

parking /ˈpɑːkɪŋ/
A *n* 1 (action) stationnement *m*; **'No** ~**'** 'stationnement interdit'; 2 (space for cars) place *f* de stationnement
B *modif* [*area, charge, permit, problem, regulations, restrictions*] de stationnement; [*facilities*] pour le stationnement

parking: ~ **attendant** ▸ p. 1683 *n* gardien/-ienne *m/f* de parking; ~ **bay** *n* place *f* de stationnement; ~ **brake** *n* Aut frein *m* à main, frein *m* de stationnement

parking garage *n* US (multi-storey) parking *m* aérien; (underground) parking *m* souterrain

parking: ~ **light** *n* Aut feu *m* de position; ~ **lot** *n* US parking *m*; ~ **meter** *n* parcmètre *m*; ~ **offence** GB, ~ **offense** US *n* infraction *f* aux règles de stationnement; ~ **place**, ~ **space** *n* place *f*

parking ticket *n* 1 (from machine) ticket *m* de stationnement; 2 (fine) contravention *f*, PV○ *m*

parkinsonism /ˈpɑːkɪnsənɪzəm/ *n* = **Parkinson's disease**

Parkinson: ~**'s disease** ▸ p. 1327 *n* maladie *f* de Parkinson; ~**'s law** *n* hum *adage selon lequel tout travail prendra le temps dont on dispose*

park: ~ **keeper** ▸ p. 1683 *n* gardien/-ienne *m/f* de parc; ~**land** *n* parc *m* boisé; ~ **ranger**, ~ **warden** ▸ p. 1683 *n* (on estate) garde *m* forestier; (in game reserve) garde-chasse *m*; ~**way** *n* US *route bordée de verdure*

parky○ /ˈpɑːkɪ/ *adj* GB frisquet○

parlance /ˈpɑːləns/ *n* langage *m*; **in legal/journalistic/common** ~ en langage juridique/journalistique/courant

parlay /ˈpɑːleɪ/ US
A *n* remise *f* en jeu des gains
B *vtr* 1 (bet) remettre ses gains en jeu; 2 (transform) transformer

parley /ˈpɑːlɪ/
A *n* pourparlers *mpl*
B *vi* parlementer (**with** avec)

parliament /ˈpɑːləmənt/
A *n* Pol parlement *m*; **in** ~ au parlement
B **Parliament** *pr n* GB 1 (institution, members) Parlement *m*; **to get into Parliament** se faire élire député; 2 (parliamentary session) session *f* parlementaire

> **Parliament**
>
> Corps législatif britannique composé de la Chambre des communes et de la Chambre des lords qui siègent au Palais de Westminster. Le souverain convoque et dissout le Parlement, ouvre chaque session parlementaire et signe les textes de lois. Des élections législatives ont lieu au minimum tous les cinq ans et renouvellent la totalité de la Chambre des communes.
> ▸ **House of Commons, House of Lords, Speaker**

parliamentarian /ˌpɑːləmenˈteərɪən/ *n* 1 (member) parlementaire *m*, membre *m* du parlement; 2 (expert in procedure) expert *m* des procédures parlementaires

parliamentary /ˌpɑːləˈmentrɪ, US -terɪ/ *adj* parlementaire

parliamentary: **Parliamentary Commissioner** *n* ≈ médiateur *m*; ~ **election** *n* élections *fpl* législatives; ~ **government** *n* régime *m* parlementaire; ~ **private secretary**, **PPS** *n* GB député *m* attaché ministériel (*chargé de la liaison avec les autres députés*); ~ **privilege** *n* immunité *f* parlementaire; ~ **secretary** *n* GB député *m* attaché ministériel; ~ **undersecretary** *n* GB sous-secrétaire *m* d'État

parlour GB, **parlor** US /ˈpɑːlə(r)/ *n* 1 †(in house) petit salon *m*; 2 (in convent) parloir *m*

parlour: ~ **game** *n* jeu *m* de salon; ~ **maid** *n* domestique *f* (*qui sert à table*)

parlous /ˈpɑːləs/ *adj* sout *ou* hum alarmant

Parma /ˈpɑːmə/ ▸ p. 1815 *pr n* Parme

Parma: ~ **ham** *n* jambon *m* de Parme; ~ **violet** *n* violette *f* de Parme

Parmesan /ˈpɑːmɪzæn, US ˌpɑːrmɪˈzæn/ *n* (*also* ~ **cheese**) parmesan *m*

Parnassus /pɑːˈnæsəs/ *pr n* mont *m* Parnasse

parochial /pəˈrəʊkɪəl/ *adj* 1 péj [*interest, view*] de clocher; 2 US (of parish) paroissial

parochialism /pəˈrəʊkɪəlɪzəm/ *n* péj esprit *m* de clocher

parochial school *n* US école *f* religieuse

parodic /pəˈrɒdɪk/ *adj* parodique

parodist /ˈpærədɪst/ *n* parodiste *mf*

parodontosis /ˌpærədɒnˈtəʊsɪs/ *n* Dent parodontose *f*

parody /ˈpærədɪ/
A *n* (all contexts) parodie *f*
B *vtr* parodier [*person, style*]

parole /pəˈrəʊl/
A *n* 1 Jur liberté *f* conditionnelle; **on** ~ en liberté conditionnelle; **to release sb on** ~ mettre qn en liberté conditionnelle; **he was granted/refused** ~ on lui a accordé/refusé la mise en liberté conditionnelle; **to break** ~ ne pas respecter les conditions de sa mise en liberté conditionnelle; 2 Mil parole *f* (d'honneur); **on** ~ sur parole; 3 Ling parole *f*
B *vtr* Jur mettre [qn] en liberté conditionnelle

P

parole board *n conseil chargé d'étudier les dossiers de mise en liberté conditionnelle*

parolee /pəˌrəʊ'liː/ *n* US prisonnier/-ière *m/f* libéré/-e sur parole

parole officer *n* contrôleur *m* judiciaire

paroxysm /'pærəksɪzəm/ *n* crise *f* (**of** de)

parquet /'pɑːkeɪ, US pɑːr'keɪ/
A *n* **1** (floor, flooring) parquet *m*; **to lay ~** poser du *or* un parquet; **2** US Theat parterre *m*
B *vtr* parqueter

parquetry /'pɑːkɪtrɪ/ *n* parquetage *m*, parquet *m*

parr /pɑː(r)/ *n* Zool tacon *m*

parricidal /ˌpærɪ'saɪdl/ *adj* parricide

parricide /'pærɪsaɪd/ *n* **1** (crime) parricide *m*; **2** (person) parricide *mf*

parrot /'pærət/
A *n* Zool, péj (person) perroquet *m*
B *vtr* péj répéter comme un perroquet
(Idioms) **as sick as a ~**○ en rage; **to have a mouth (that tastes) like the bottom of a ~'s cage**○ avoir la bouche pâteuse

parrot: **~-fashion** *adj* comme un perroquet; **~ fever** ▸ p. 1327 *n* psittacose *f*; **~ fish** *n* perroquet *m* de mer

parry /'pærɪ/
A *n* **1** Sport parade *f*; **2** (verbal) riposte *f*
B *vtr* **1** Sport parer; **2** éluder [*question*]
C *vi* (in fencing, boxing) parer

parse /pɑːz/ *vtr* Ling, Comput faire l'analyse grammaticale de; **to ~ a sentence** faire l'analyse grammaticale d'une phrase

parsec /'pɑːsek/ *n* parsec *m*

Parsee /ˌpɑː'siː/ *n* Parsi/-e *m/f*

parser /'pɑːzə(r)/ *n* Ling, Comput analyseur *m* (grammatical), parser *m*

parsimonious /ˌpɑːsɪ'məʊnɪəs/ *adj* sout parcimonieux/-ieuse fml

parsimoniously /ˌpɑːsɪ'məʊnɪəslɪ/ *adv* sout parcimonieusement

parsimony /'pɑːsɪmənɪ, US -məʊnɪ/ *n* sout parcimonie *f*

parsing /'pɑːzɪŋ/ *n* Ling, Comput analyse *f* grammaticale

parsley /'pɑːslɪ/ *n* persil *m*

parsley sauce *n* sauce *f* persillée

parsnip /'pɑːsnɪp/ *n* panais *m*
(Idiom) **fine words butter no ~s** les belles paroles n'arrangent rien

parson /'pɑːsn/ *n* pasteur *m*

parsonage /'pɑːsənɪdʒ/ *n* presbytère *m*

parson: **~'s nose**○ *n* croupion *m*; **Parsons table** *n* US table *f* basse (*en plastique*)

part /pɑːt/
A *n* **1** (of whole) gen partie *f*; (of country) région *f*; **~ of the book/time/district** une partie du livre/temps/quartier; **~ of me hates him** une partie de moi-même le déteste; **in** *ou* **around these ~s** dans la région; **in ~** en partie; **in ~ it's due to...** c'est dû en partie à...; **~ of the reason is...** c'est en partie parce que...; **to be (a) ~ of** faire partie de; **to feel ~ of** avoir le sentiment de faire partie de; **to form ~ of** faire partie de; **the early ~ of my life** ma jeunesse; **it's all ~ of being young** il faut bien que jeunesse se passe; **the latter ~ of the century** la fin du siècle; **that's the best/hardest ~** c'est ça le meilleur/le plus dur; **that's the ~ I don't understand** voilà ce que je ne comprends pas; **to be good in ~s** GB avoir de bons passages; **in ~s it's very violent** GB il y a des passages très violents; **for the most ~** dans l'ensemble; **my/our ~ of the world** mon/notre pays; **what are you doing in this ~ of the world?** qu'est-ce que tu fais par ici?
2 (component of car, engine, machine) pièce *f*; **machine/engine ~s** pièces de machine/de moteur; **spare ~s** pièces détachées; **~s and labour** pièces et main-d'œuvre
3 TV (of serial, programme, part work) partie *f*; **'end of ~ one'** 'fin de la première partie'; **a two-/four-~ series** une série en deux/quatre épisodes
4 (share, role) rôle *m* (**in** dans); **to do one's ~** jouer son rôle; **to have a ~ in sth** jouer un rôle dans qch; **to have a ~ in deciding to do/in choosing** jouer un rôle dans la décision de faire/dans le choix de; **I want no ~ in it, I don't want any ~ of it** je ne veux pas m'en mêler; **to take ~** participer, prendre part (**in** à); **they took no further ~ in it** ils n'ont rien fait de plus
5 Theat, TV, Cin rôle *m* (**of** de); **I got the ~!** j'ai le rôle!; **to play the ~ of** jouer le rôle de
6 (equal measure) mesure *f*; **two ~s tonic to one ~ gin** deux mesures de tonic pour une mesure de gin; **mix X and Y in equal ~s** mélangez une quantité égale de X et Y; **in a concentration of 30,000 ~s per million** dans une concentration de 3%
7 Mus (for instrument, voice) partie *f*; **the viola/tenor ~** la partie de l'alto/de ténor; **voice ~** partie vocale
8 Mus (sheet music) partition *f*; **the piano ~** la partition du piano
9 (behalf) **on the ~ of** de la part de; **it wasn't very nice on your ~** ce n'était pas très gentil de ta part; **for my/his ~** pour ma/sa part; **to take sb's ~** prendre le parti de qn
10 US (in hair) raie *f*
B *adv* (partly) en partie; **it was ~ fear, ~ greed** c'était à la fois de la crainte et de la cupidité
C *vtr* **1** (separate) séparer [*couple, friends, boxers*]; écarter [*legs*]; entrouvrir [*lips, curtains*]; fendre [*crowd, ocean, waves*]; **to be ~ed from** être séparé de; **'till death do us ~'** 'jusqu'à ce que la mort nous sépare'
2 (make parting in) **to ~ one's hair** se faire une raie; **he ~s his hair on the left** il se fait une raie à gauche
D *vi* **1** (take leave, split up) [*partners, husband and wife*] se séparer; **we ~ed friends** nous nous sommes quittés bons amis; **to ~ from** quitter [*husband, wife*]
2 (divide) [*crowd, sea, lips, clouds*] s'ouvrir; Theat [*curtains*] se lever
3 (break) [*rope, cable*] se rompre
(Idioms) **a man/a woman of (many) ~s** un homme/une femme qui a plusieurs cordes à son arc; **to look the ~** avoir la tête de l'emploi; **to take sth in good ~** prendre qch en bonne part
(Phrasal verb) ■ **part with**: ▸ **~ with [sth]** se défaire de [*money*]; se séparer de [*object*]

partake /pɑː'teɪk/ *vi* sout **1** **to ~ of** prendre [*food, drink*]; tenir de [*quality, nature*]; **2** **to ~ in** participer à

part-baked *adj* précuit

part exchange *n* GB reprise *f*; **to take sth in ~** reprendre qch

parthenogenesis /ˌpɑːθɪnəʊ'dʒenəsɪs/ *n* parthénogénèse *f*

parthenogenetic /ˌpɑːθɪnəʊdʒɪ'netɪk/ *adj* parthénogénétique

parthenogenetically /ˌpɑːθɪnəʊdʒɪ'netɪklɪ/ *adv* parthénogénétiquement

Parthenon /'pɑːθənɒn/ *pr n* **the ~** le Parthénon

Parthian shot /'pɑːθɪən/ *n* flèche *f* du Parthe

partial /'pɑːʃl/ *adj* **1** [*collapse, deafness, failure, reduction, success, truth, victory, withdrawal*] partiel/-ielle; **2** (biased) [*judgment, attitude*] partial; **3** (fond) **to be ~ to** avoir un faible pour

partial: **~ disability** *n* invalidité *f* partielle, incapacité *f* partielle; **~ eclipse** *n* éclipse *f* partielle; **~ exchange** *n* US = **part exchange**

partiality /ˌpɑːʃɪ'ælətɪ/ *n* **1** (bias) partialité *f*; **2** (liking) penchant *m* (**to, for** pour)

partially /'pɑːʃəlɪ/ *adv* **1** [*controlled, obscured, recovered, severed*] partiellement (*before adj*); en partie (*after adj*); **he was only ~ successful** il n'a eu qu'un succès mitigé; **2** [*treat, judge, regard*] avec partialité

partially clothed *adj* [*person, body*] à moitié nu

partially preserved *adj* **~ product** semi-conserve *f*

partially sighted
A *n* **the ~** (+ *v pl*) les malvoyants *mpl*
B *adj* malvoyant

partial pressure *n* pression *f* partielle

participant /pɑː'tɪsɪpənt/ *n* participant/-e *m/f* (**in** à)

participate /pɑː'tɪsɪpeɪt/ *vi* participer (**in** à)

participation /pɑːˌtɪsɪ'peɪʃn/ *n* participation *f* (**in** à); **audience/worker ~** participation de l'audience/des ouvriers

participatory /pɑːˌtɪsɪ'peɪtrɪ, US -tɔːrɪ/ *adj* **~ play** pièce avec participation du public; **~ democracy** ≈ démocratie *f* directe

participial /ˌpɑːtɪ'sɪpɪəl/ *adj* participial

participle /'pɑːtɪsɪpl/ *n* participe *m*; **past/present ~** participe passé/présent

particle /'pɑːtɪkl/ *n* **1** Phys particule *f*; **elementary/subatomic ~** particule élémentaire/subatomique; **2** (of ash, dust, metal, food) particule *f*; **not a ~ of truth/evidence** pas une once de vérité/preuve; **3** Ling particule *f*

particle: **~ accelerator** *n* accélérateur *m* de particules; **~ board** *n* US (bois *m*) aggloméré *m*; **~ physics** *n* physique *f* des particules

parti-coloured GB, **parti-colored** US /'pɑːtɪkʌləd/ *adj* bariolé

particular /pə'tɪkjʊlə(r)/
A *n* **1** (detail) détail *m*; **in every ~** dans tous les détails; **in one ~** sur un point précis; **in several ~s** à plus d'un titre; **to go into ~s** entrer dans les détails; **2** **in ~** en particulier; **France in general and Paris in ~** la France en général et Paris en particulier; **nothing in ~** rien de particulier; **are you looking for anything in ~?** vous cherchez quelque chose de précis?
B **particulars** *npl* (information) détails *mpl*, renseignements *mpl*; (description) (of person) (name, address etc) coordonnées *fpl*; (of missing person, suspect) signalement *m*; Admin (of vehicle, stolen goods etc) description *f*; **~s of sale** Jur ≈ cahier *m* des charges; **for further ~s please phone...** pour plus amples renseignements veuillez téléphoner à...
C *adj* **1** (specific) particulier/-ière; **for no ~ reason** sans raison particulière *or* précise; **in this ~ case** dans ce cas particulier *or* précis; **this ~ colour doesn't really suit me** cette couleur-là ne me va pas très bien; **I didn't watch that ~ programme** je n'ai pas regardé cette émission-là; **is there any ~ colour you would prefer?** est-ce que vous désirez une couleur en particulier?; **no ~ time has been arranged** on n'a pas fixé d'heure précise; **2** (special, exceptional) particulier/-ière; **to take ~ care over sth** faire qch avec un soin tout particulier; **I have ~ pleasure in welcoming tonight's guest speaker** j'éprouve un plaisir tout particulier à accueillir notre conférencier de ce soir; **this painting is a ~ favourite of mine** j'aime tout particulièrement ce tableau; **he is a ~ friend of mine** c'est un de mes meilleurs amis; **3** (fussy) méticuleux/-euse; **to be ~ about** être exigeant sur [*cleanliness, punctuality*]; faire attention à [*appearance*]; être difficile pour [*food*]; **'any special time?'—'no, I'm not ~'** 'y a-t-il une heure spéciale qui vous convient?'–'non, je n'ai pas de préférence'; **4** sout (exact) [*account, description*] détaillé, circonstancié

particularity /pəˌtɪkjʊ'lærətɪ/ *n* particularité *f*

particularize /pə'tɪkjʊləraɪz/ *vtr, vi* préciser

particularly /pəˈtɪkjʊləlɪ/ *adv* **1** (in particular) en particulier, particulièrement; **2** (especially) spécialement; **not ~** pas particulièrement, pas spécialement

parting /ˈpɑːtɪŋ/
A *n* **1** (separation) séparation *f*; **the ~ of the Red Sea** le passage de la Mer Rouge; **the ~ of the ways** la croisée des chemins; **2** GB (in hair) raie *f*; **centre/left ~** raie au milieu/à gauche; **side ~** raie sur le côté
B *adj* [*gift, words*] d'adieu also iron; **~ shot** flèche *f* du Parthe

partisan /ˈpɑːtɪzæn, ˌpɑːtɪˈzæn, US ˈpɑːrtɪzn/
A *n* Mil, gen partisan *m*
B *adj* **1** (biased) partisan; **2** [*army, attack*] de partisans

partisanship /ˈpɑːtɪzænʃɪp, ˌpɑːtɪ-, US ˈpɑːrt-/ *n* partialité *f*

partition /pɑːˈtɪʃn/
A *n* **1** (in room, office, house) cloison *f*; **glass/wooden ~** cloison en verre/en bois; **2** Pol (of country) partition *f*; **3** Jur (of property) morcellement *m*
B *vtr* **1** = **partition off**; **2** Pol diviser, partager [*country*]; **3** Jur morceler [*property*]
(Phrasal verb) ■ **partition off**: ▸ **~ off [sth]**, **~ [sth] off** cloisonner [*space, area, room*]

partition wall *n* cloison *f*

partitive /ˈpɑːtɪtɪv/ *adj* partitif/-ive

partly /ˈpɑːtlɪ/ *adv* [*explain, justify, funded, dependent, responsible*] en partie; **~, I did it because...** je l'ai fait en partie parce que...

partner /ˈpɑːtnə(r)/
A *n* **1** Comm, Jur associé/-e *m/f* (**in** dans); **active ~** associé-gérant *m*, commandité *m*; **business ~** associé/-e *m/f*; **general ~** commandité *m*; **limited ~** commanditaire *m*; **2** Econ, Pol partenaire *m*; **Britain's Nato ~s** les partenaires de la Grande Bretagne au sein de l'OTAN; **3** Sport, Dance partenaire *mf*; **golf/tennis ~** partenaire *mf* de golf/tennis; **4** (in relationship) (married) époux/-se *m/f*; (unmarried) partenaire *mf*; **5** (workmate) collègue *mf*; **6** ○US (form of address) mon pote *m*
B *vtr* être le collègue de [*workmate*]; être le partenaire de [*dancer*]; faire équipe avec [*player*]
(Idiom) **to be ~s in crime** être complices

partnership /ˈpɑːtnəʃɪp/ *n* **1** Jur association *f* (**between** entre; **with** avec); **to be in ~ with** être associé avec; **to go into ~ with** s'associer à; **in ~ with** en association avec; **to take sb into ~** prendre qn pour associé/-e *m/f*; **general ~** ≈ société *f* en nom collectif; **limited ~, special ~** ≈ société *f* en commandite (simple); **professional ~, non-trading ~** association *f* professionnelle; **2** (alliance) partenariat *m* (**between** entre; **with** avec); **in ~ with** en partenariat avec; **economic/industrial ~** partenariat *m* économique/industriel; **3** (pairing) association *f*; **acting/sporting ~** association d'acteurs/de sportifs; **a working ~** une équipe *f*; **we make a good ~** nous formons une bonne équipe

partnership: **~ agreement** *n* Comm Jur acte *m* d'association; **~ certificate** *n* US Comm Jur certificat *m* d'association commerciale; **~ limited by shares** *n* Comm Jur ≈ société *f* en commandite par actions

part: **~ of speech** *n* partie *f* du discours; **~ owner** *n* copropriétaire *mf*; **~ payment** *n* règlement *m* partiel

partridge /ˈpɑːtrɪdʒ/ *n* perdrix *f*

part song *n* chant *m* polyphonique

part-time /ˌpɑːtˈtaɪm/
A *n* temps *m* partiel; **to be on** *ou* **work ~** travailler à temps partiel
B *adj, adv* [*work, worker*] à temps partiel

part-timer /ˌpɑːtˈtaɪmə(r)/ *n* employé/-e *m/f* à temps partiel

parturition /ˌpɑːtjʊˈrɪʃn, US -tʃʊ-/ *n* parturition *f*

partway /ˌpɑːtˈweɪ/ *adv* **~ through the evening/film** à un moment de la soirée/du film; **~ down the page** vers le bas de la page; **to drill ~ through the rock** pénétrer en partie dans la roche; **to be ~ through doing** être en train de faire; **I'm ~ through the book** j'en suis à la moitié du livre

part work *n* GB fascicules *mpl* (*à relier en volumes*)

party /ˈpɑːtɪ/
A *n* **1** (social event) fête *f*; (in evening) soirée *f*; (formal) réception *f*; **birthday ~** (fête d')anniversaire *m*; **children's ~** goûter *m* d'enfants; **leaving ~** pot○ *m* de départ; **to give** *ou* **have a ~ for sb** organiser une fête pour qn; **I'm having a ~** je fais une fête; **2** (group) groupe *m*; Mil détachement *m*; **a ~ of tourists/children** un groupe de touristes/d'enfants; **reconnaissance ~** Mil détachement *m* de reconnaissance; **rescue ~** équipe *f* de secouristes; **3** Pol parti *m*; **political ~** parti *m* politique; **the Party** le Parti (Communiste); **4** Jur (individual, group) partie *f*; **a solution acceptable to both/all parties** une solution acceptable pour les deux parties/toutes les parties; **to be a ~ to a contract/treaty** être partie prenante dans un contrat/traité; **a ~ to the suit** Jur une personne en cause; **innocent ~** innocent/-e *m/f*; **5** sout (participant) **to be a ~ to** être complice de [*crime*]; **I won't be ~ to any violence** je ne me ferai complice d'aucune violence; **6** ○† hum (person) individu *m*.
B *modif* **1** [*atmosphere, spirit*] de fête; [*game*] de société; **2** Pol [*activist, conference, loyalty, meeting, member, policy*] du parti; **the ~ faithful** les fidèles du parti
C ○*vi* faire la fête

party animal○ *n* fêtard/-e○ *m/f*, noceur/-euse *m/f*

party dress *n* (formal) robe *f* de soirée; **she was wearing her ~** (child) elle avait mis sa belle robe

party: **~goer** *n* fêtard/-e○ *m/f*; **~ hat** *n* chapeau *m* en papier (*que l'on met pour s'amuser*)

party line *n* **1** Pol, fig **the ~** la ligne du parti; **to follow the ~** suivre la ligne du parti; **2** Telecom ligne *f* commune (*à plusieurs abonnés*)

party machine *n* machine *f* du parti

party piece *n* **to do one's ~**○ faire son numéro○

party: **~ political** *adj* [*issue, point*] exploité à des fins politiques; **~ political broadcast** *n émission dans laquelle un parti expose sa politique*; **~ politics** *n* pej politique *f* politicienne; **~ pooper**○ *n* rabat-joie *m inv*; **~ popper** *n* bouteille *f* de poppers; **~ wall** *n* mur *m* mitoyen

par value *n* Fin montant *m* nominal

PASCAL /ˌpæsˈkæl/ *n* Comput (*also* **Pascal**) Pascal *m*

paschal /ˈpæskl, ˈpɑːskl/ *adj* pascal

paschal: **~ candle** *n* cierge *m* pascal; **Paschal Lamb** *n* agneau *m* pascal

Pas-de-Calais ▸ **p. 1129** *pr n* Pas-de-Calais *m*; **in/to the ~** dans le Pas-de-Calais

pashmina /pʌʃˈmiːnə/ *n* Fashn pashmina *m*

Pashto /ˈpæʃtəʊ/ *n* Ling pachto *m*

pass /pɑːs, US pæs/
A *n* **1** (permission document) (to enter, leave) laissez-passer *m inv*; (for journalists) coupe-file *m inv*; (to be absent) permission *f* also Mil; (of safe conduct) sauf-conduit *m*
2 (travel document) carte *f* d'abonnement; **bus/train/monthly ~** carte d'abonnement pour le bus/pour le train/mensuelle
3 Sch, Univ (success) moyenne *f* (**in** en); **I'll be happy with a ~** je me contenterais de la moyenne; **to get a ~** être reçu
4 Sport (in ball games) passe *f*; (in fencing) botte *f*; **a backward/forward ~** une passe en arrière/en avant; **to make a ~** faire une passe
5 Geog (in mountains) col *m*; **mountain ~** col *m* de montagne
6 Aviat **he flew a low ~** il est passé à basse altitude; **to make a ~ over sth** survoler qch
B *vtr* **1** (go past) (to far side) passer [*checkpoint, customs*]; franchir [*lips, finishing line*]; (alongside and beyond) passer devant [*building, area*]; [*vehicle*] dépasser [*vehicle*]; dépasser [*level, understanding, expectation*]; **to ~ sb in the street** croiser qn dans la rue
2 (hand over) (directly) passer; (indirectly) faire passer; **~ me your plate** passe-moi ton assiette; **~ the salt along please** faites passer le sel s'il vous plaît; **to ~ stolen goods/counterfeit notes** faire passer des marchandises volées/des faux billets; **to ~ sth along the line** se passer qch de main en main; **'we'll ~ you back to the studio now'** TV, Radio 'maintenant nous repassons l'antenne au studio'
3 (move) passer; **~ the rope through/round the ring** passez la corde dans/autour de l'anneau; **he ~ed his hand over his face** il s'est passé la main sur le visage
4 Sport passer [*ball*]; **to ~ the ball backwards/forwards** passer la balle en arrière/en avant
5 (spend) passer [*time*] (**doing** à faire)
6 (succeed in) [*person*] réussir [*test, exam*]; [*car, machine etc*] passer [qch] (avec succès) [*test*]
7 (declare satisfactory) admettre [*candidate*]; approuver [*invoice*]; **to ~ sth (as being) safe/suitable etc** juger qch sans danger/convenable etc; **the censors ~ed the film as suitable for adults only** la censure a jugé que le film ne convenait qu'aux adultes
8 (vote in) adopter [*bill, motion, resolution*]
9 (pronounce) prononcer [*judgment, verdict, sentence*]; **to ~ sentence on** Jur prononcer un verdict à l'encontre de [*accused*]; **to ~ a remark about sb/sth** faire une remarque sur qn/qch
10 Med **to ~ water** uriner; **to ~ blood** avoir du sang dans les urines
11 Fin surtout US escamoter [*dividend*]
C *vi* **1** (go past) [*person, car*] passer; **let me ~** laissez-moi passer
2 (move) passer; **to ~ along/over sth** passer le long de/au-dessus de qch; **to ~ through sth** traverser qch; **~ down the bus please** avancez dans le fond s'il vous plaît
3 fig (go by) [*time, crisis, feeling*] passer; [*memory, old order*] disparaître; **the evening had ~ed all too quickly** la soirée avait passé beaucoup trop vite; **to ~ unnoticed** passer inaperçu; **let the remark ~** laissez couler
4 (be transferred) passer (**to** à); [*title, property*] passer (**to** à); [*letter, knowing look*] être échangé (**between** entre); **his mood ~ed from joy to despair** son humeur est passée de la joie au désespoir; **deeds which have ~ed into legend** exploits qui sont passés dans la légende
5 Sport passer; **to ~ to sb** faire une passe à qn
6 Games passer; **I'm afraid I must ~ on that one** fig (in discussion) je cède mon tour de parole
7 littér (happen) se passer; **to come to ~** arriver; **it came to ~ that...** Bible il advint que...; **to bring sth to ~** accomplir qch
8 (succeed) réussir; **she ~ed in both subjects** elle a réussi dans les deux matières
9 (be accepted) [*person, rudeness, behaviour*] passer; **he'd ~ for an Italian** il pourrait passer pour un Italien; **she ~es for 40** on lui donnerait 40 ans
10 US, Jur se prononcer (**on** sur)
11 Chem se transformer (**into** en)
(Idioms) **in ~ing** en passant; **to come to such a ~ that...** arriver à un tel point que...; **to make a ~ at sb** faire du plat○ à qn; **to ~ the word** passer la consigne; **to sell the ~** trahir la cause
(Phrasal verbs) ■ **pass along**: ▸ **~ [sth] along, ~ along [sth]** faire passer
■ **pass around, pass round**: ▸ **~ [sth] around, ~ around [sth]** faire circuler [*document, photos*]; faire passer [*food, plates etc*]
■ **pass away** euph décéder
■ **pass by** [*procession*] défiler; [*person*] passer;

P

life seems to have ~ed me by j'ai le sentiment d'être passé à côté de la vie
■ **pass down**: ▸ ~ [sth] down, ~ down [sth] transmettre [*secret, knowledge, title*] (from de; to à)
■ **pass off**: ▸ ~ off 1 (take place) [*demonstration*] se dérouler; [*fête*] se passer; 2 (disappear) [*headache, effects*] se dissiper; ▸ ~ [sb/sth] off, ~ off [sb/sth] faire passer [*person, incident*] (as pour)
■ **pass on**: ▸ ~ on poursuivre; to ~ on to sth passer à qch; let's ~ on to the next question passons à la question suivante; ▸ ~ [sth] on, ~ on [sth] transmettre [*good wishes, condolences, message, title*] passer [*book, clothes, cold*]; répercuter [*costs*]
■ **pass out**: ▸ ~ out 1 (faint) gen perdre connaissance; (fall drunk) tomber ivre mort; 2 Mil (complete training) sortir avec ses diplômes (of, from de); ▸ ~ [sth] out, ~ out [sth] distribuer [*leaflets*]
■ **pass over**: ▸ ~ over† = pass away; ▸ ~ [sb] over délaisser [*employee, candidate*]; he was ~ed over in favour of another candidate on lui a préféré un autre candidat; ▸ ~ over [sth] ne pas tenir compte de [*rude remark, behaviour*]
■ **pass through**: ▸ ~ through [sth] traverser [*substance, place*]; I'm just ~ing through je suis de passage
■ **pass up**○: ▸ ~ up [sth] laisser passer [*opportunity, offer*]

passable /ˈpɑːsəbl, US ˈpæs-/ *adj* 1 (of acceptable standard) [*English, quality, food*] passable; [*knowledge, performance*] assez bon/bonne; only ~ moyen/-enne sans plus; to have a ~ knowledge of sth connaître assez bien qch; 2 (traversable) [*road*] praticable; [*river*] franchissable

passably /ˈpɑːsəblɪ, US ˈpæs-/ *adv* passablement

passage /ˈpæsɪdʒ/ *n* 1 (*also* ~way) (indoors) corridor *m*; (outdoors) passage *m*; clear a ~ for the King livrez passage au roi; 2 Anat conduit *m*; ear/urinary ~ conduit *m* auditif/urinaire; nasal ~s fosses *fpl* nasales; 3 Mus, Literat passage *m*; selected ~s Literat morceaux *mpl* choisis; 4 (movement) passage *m*; the ~ of vehicles/ships le passage des véhicules/navires; ~ of arms passe *f* d'armes; the ~ of time le passage du temps; her beauty survived the ~ of time sa beauté a survécu au temps; 5 Jur (*also* right of ~) droit *m* de passage (over sur); to deny sb ~ refuser le droit de passage à qn; 6 (journey) traversée *f*; to book/work one's ~ réserver/travailler pour payer sa traversée; the bill had a stormy ~ through parliament fig la discussion de ce projet de loi au parlement a été mouvementée

pass: ~**band** *n* Audio bande *f* passante; ~**book** *n* Fin livret *m* (bancaire); ~ **degree** *n* Univ diplôme *m* avec mention passable

passé /ˈpæseɪ, US pæˈseɪ/ *adj* péj démodé

passenger /ˈpæsɪndʒə(r)/ *n* 1 (in car, boat, plane, ship) passager/-ère *m/f*; (in train, bus, coach, tube) voyageur/-euse *m/f*; 2 GB péj (idler) parasite *m*, tire-au-flanc○ *m inv*

passenger: ~ **car** *n* US = passenger coach; ~ **coach** GB *n* voiture *f or* wagon *m* de voyageurs; ~ **compartment** *n* GB Aut habitacle *m*; ~ **door** *n* portière *f* avant côté passager; ~ **ferry** *n* ferry *m*; ~ **inquiries** *npl* renseignements *mpl* (*pour les voyageurs*); ~ **jet** *n* avion *m* de ligne; ~ **list** *n* liste *f* des passagers; ~ **plane** *n* = passenger jet; ~ **seat** *n* place *f* du passager; ~ **service** *n* ligne *f*; ~ **train** *n* train *m* de voyageurs

passe-partout /ˌpæspɑːˈtuː, ˌpɑːs-/ *n* (key) passe-partout *m inv*; (frame) sous-verre *m inv*

passerby /ˌpɑːsəˈbaɪ/ *n* (*pl* **passersby**) passant/-e *m/f*

pass for press *n* bon *m* à tirer

passing /ˈpɑːsɪŋ, US ˈpæs-/
A *n* 1 (movement) passage *m*; the ~ of the years/boats le passage des années/bateaux; with the ~ of time avec le temps; 2 (end) fin *f*; the ~ of traditional customs la fin des coutumes traditionnelles; 3 euph (death) disparition *f* euph, mort *f*
B *adj* 1 (going by) [*motorist, policeman*] qui passe; witnessed by a ~ tourist vu par un touriste qui passait; with each ~ day de jour en jour; 2 (momentary) [*whim*] passager/-ère; 3 (cursory) [*reference*] en passant *inv*; 4 (vague) [*resemblance*] vague (*before n*)

passing: ~ **note** *n* Mus note *f* de passage; ~**-out parade** *n* Mil défilé *m* de promotion; ~ **place** *n* aire *f* de croisement; ~ **shot** *n* (in tennis) tir *m* passant

passion /ˈpæʃn/
A *n* 1 (love, feeling) passion *f*; a ~ for opera une passion pour l'opéra; 2 (anger) colère *f*; a fit of ~ un accès de colère
B **Passion** *pr n* Relig the Passion la Passion; Saint Matthew's Passion la Passion selon saint Matthieu.

passionate /ˈpæʃənət/ *adj* [*kiss, person, nature, speech*] passionné; [*advocate, belief, plea*] fervent; [*relationship*] passionnel/-elle

passionately /ˈpæʃənətlɪ/ *adv* [*love, kiss*] passionnément; [*write, defend*] avec passion; [*believe, want*] ardemment; [*oppose*] farouchement; to be ~ fond of sb/sth adorer qn/qch

passion: ~ **flower** *n* passiflore *f*, fleur *f* de la passion; ~ **fruit** *n* fruit *m* de la passion

passion-killer○ *n* it's a real ~○ hum ça tue l'amour

passionless /ˈpæʃənlɪs/ *adj* [*marriage*] sans amour; [*account*] détaché, neutre

passion: **Passion play** *n* mystère *m* de la Passion; **Passion Sunday** *n* dimanche *m* d'avant les Rameaux; **Passiontide** *n* temps *m* de la Passion; **Passion Week** *n* semaine *f* de la Passion

passive /ˈpæsɪv/
A *n* Ling the ~ le passif, la voix passive; in the ~ à la voix passive
B *adj* (all contexts) passif/-ive

passive disobedience *n* désobéissance *f* passive

passively /ˈpæsɪvlɪ/ *adv* 1 [*gaze, stare*] d'un air passif; [*wait, react*] passivement; 2 Ling [*use, express*] au passif

passive: ~ **resistance** *n* résistance *f* passive; ~ **smoking** *n* tabagisme *m* passif

passivity /pæˈsɪvətɪ/, **passiveness** /ˈpæsɪvnɪs/ *n* passivité *f*

pass: ~**key** *n* passe *m*; ~ **mark** *n* Sch, Univ moyenne *f*

Passover /ˈpɑːsəʊvə(r), US ˈpæs-/ *n* Pâque *f* juive

passport /ˈpɑːspɔːt, US ˈpæs-/ *n* passeport *m*; false ~ faux passeport; diplomatic ~ passeport diplomatique; visitor's ~ GB passeport temporaire; a ~ to success fig un passeport pour la réussite

passport holder *n* détenteur/-trice *m/f* d'un passeport

pass: ~ **the parcel** *n*: *jeu d'enfants*; ~**-through** *n* US passe-plat *m*; ~**word** *n* (all contexts) mot *m* de passe

past /pɑːst, US pæst/

> ⚠ For a full set of translations for *past* used in clocktime consult the usage note ▸ p. 1059

A *n* 1 gen passé *m*; in the ~ dans le passé, par le passé, autrefois; she had taught at the school in the ~ elle avait enseigné à l'école par le passé; I have done things in the ~ that I'm not proud of j'ai fait des choses dans le passé dont je ne suis pas fier; there are more students/unemployed people now than in the ~ il y a plus d'étudiants/de chômeurs qu'autrefois *or* que dans le passé; in the ~ we have (always) spent our holidays in Greece/taken the train jusqu'ici nous avons toujours passé nos vacances en Grèce/pris le train; to live in the ~ vivre dans le passé; that's a thing of the ~ c'est du passé; soon petrol-driven cars will be a thing of the ~ les voitures qui fonctionnent à l'essence feront bientôt partie du passé; he/she has a ~ il/elle a un passé chargé; 2 Ling (*also* ~ **tense**) passé *m*; in the ~ au passé
B *adj* 1 (preceding) [*week, days, month etc*] dernier/-ière; during the ~ few days/months ces derniers jours/mois; in the ~ three years/months dans les trois dernières années/derniers mois; the ~ two years have been difficult ces deux dernières années ont été difficiles; 2 (previous, former) [*generations, centuries, achievements, problems, experience*] passé; [*president, chairman, incumbent*] ancien/-ienne (*before n*); [*government*] précédent; in times ~ autrefois, jadis; 3 (finished) summer is ~ l'été est fini; that's all ~ c'est du passé
C *prep* 1 (moving beyond) to walk *ou* go ~ sb/sth passer devant qn/qch; to drive ~ sth passer devant qch (en voiture); to run ~ sth passer devant qch (en courant); 2 (beyond in time) it's ~ 6/midnight il est 6 heures passées/minuit passé; twenty ~ two deux heures vingt; half/quarter ~ two deux heures et demie/et quart; he is ~ 70 il a 70 ans passés, il a plus de 70 ans; 3 (beyond in position) après; ~ the church/the park après l'église/le parc; 4 (beyond or above a certain level) the temperature soared ~ 40°C la température est montée brutalement à plus de 40°C; he didn't get ~ the first chapter il n'est pas allé plus loin que le premier chapitre; he didn't get ~ the first interview (for job) il n'a pas passé la barrière du premier entretien; she can't count ~ ten elle ne sait compter que jusqu'à dix; 5 (beyond scope of) to be ~ understanding dépasser l'entendement; to be ~ caring ne plus s'en faire; he is ~ playing football/working ce n'est plus de son âge de jouer au foot/de travailler
D *adv* 1 (onwards) to go *ou* walk ~ passer; 2 (ago) two years ~ il y a deux ans
(Idioms) to be ~ it○ avoir passé l'âge; to be ~ its best [*cheese, fruit etc*] être un peu avancé; [*wine*] être un peu éventé; I wouldn't put it ~ him/them to do je ne pense pas que ça le/les gênerait de faire; ▸ care

pasta /ˈpæstə/ *n* ₵ pâtes *fpl* (alimentaires)

paste /peɪst/
A *n* 1 (glue) colle *f*; wallpaper ~ colle *f* à papier peint; 2 (mixture) pâte *f*; mix to a smooth ~ mélanger jusqu'à l'obtention d'une pâte souple; 3 Culin (fish, meat) pâté *m*; (vegetable, fruit) purée *f*; salmon ~ pâté *m* de saumon; tomato ~ purée *f* de tomates; 4 (in jewellery) strass *m*
B *modif* [*gem, ruby*] en strass
C *vtr* 1 (stick) coller [*label, paper*] (onto sur; into dans; together ensemble); 2 (coat in glue) encoller [*wallpaper*]; 3 ○(hit) tabasser [*person*]; 4 ○(defeat) battre [qn] à plates coutures○ [*opponent, team*]; 5 Comput coller
(Phrasal verb) ■ **paste up**: ▸ ~ [sth] up, ~ up [sth] 1 afficher [*notice, poster*]; 2 Print faire une maquette de [*article, page*]

pasteboard /ˈpeɪstbɔːd/
A *n* Print carton *m*
B *modif* (flimsy) en carton-pâte

pastel /ˈpæstl, US pæˈstel/
A *n* 1 (medium, stick) pastel *m*; to work in ~s dessiner au pastel; 2 (drawing) dessin *m* au pastel
B *modif* [*colour, green, pink, shade*] pastel; [*drawing*] au pastel

pastern /ˈpæstən/ *n* paturon *m*

paste: ~**-up** *n* Print maquette *f* (*de mise en page*); ~**-up artist** ▸ p. 1683 *n* Print maquettiste *mf*

pasteurization /ˌpɑːstʃəraɪˈzeɪʃn, US ˌpæstʃərɪˈzeɪʃn/ *n* pasteurisation *f*

pasteurize /ˈpɑːstʃəraɪz, US ˈpæst-/ *vtr* pasteuriser

pasteurized /'pɑːstʃəraɪzd, US 'pæst-/ *adj* pasteurisé

past historic *n* Ling passé *m* simple

pastiche /pæ'stiːʃ/ *n* (all contexts) pastiche *m*

pastille /'pæstəl, US pæ'stiːl/ *n* pastille *f*; **throat ~** pastille pour la gorge

pastime /'pɑːstaɪm, US 'pæs-/ *n* passe-temps *m inv*; **America's national ~** le sport national des Américains also iron

pasting○ /'peɪstɪŋ/ *n* 1 (defeat) gamelle○ *f*, défaite *f*; **to take a (severe) ~** ramasser une (sacrée) gamelle○; **to give sb a ~** battre qn à plates coutures○; 2 (criticism) **to take a ~** se faire descendre en flammes; **to give sb a ~** descendre qn en flammes

past master *n* **to be a ~ at doing** avoir l'art de faire

pastor /'pɑːstə(r), US 'pæs-/ ▸ **p. 1683** *n* pasteur *m*

pastoral /'pɑːstərəl, US 'pæs-/
A *n* pastorale *f*
B *adj* 1 [*life, idyll, scene, poem, society*] pastoral; 2 GB Sch, Univ [*role, work*] de conseiller/-ère; **he looks after students' ~ needs** il s'occupe du bien-être des étudiants; 3 Relig pastoral

pastoral care *n* GB, Sch, Univ **to be responsible for ~** avoir la charge du bien-être des étudiants

pastoral letter *n* lettre *f* pastorale

pastorate /'pɑːstərət, US 'pæs-/ *n* pastorat *m*

past perfect *n* Ling plus-que-parfait *m*

pastrami /pæ'strɑːmɪ/ *n* bœuf *m* fumé

pastry /'peɪstrɪ/ *n* 1 (mixture, substance) pâte *f*; **to make/to roll out ~** faire/étaler une pâte; **frozen ~** pâte congelée; 2 (item, cake) pâtisserie *f*

pastry: **~ bag** *n* US Culin poche *f* à douille; **~ board** *n* planche *f* à pâtisserie; **~ brush** *n* pinceau *m* à pâtisserie; **~ case** *n* fond *m* de tarte; **~ cook** *n* pâtissier/-ière *m/f*; **~ cutter** *n* Culin emporte-pièce *m inv*; **~ shell** *n* = **pastry case**

past tense *n* Ling passé *m*; **to talk about sb in the ~** parler de qn au passé

pasturage /'pɑːstʃərɪdʒ, US 'pæs-/ *n* ¢ 1 (land) pâturages *mpl*; 2 (right) droit *m* de pacage

pasture /'pɑːstʃə(r), US 'pæs-/
A *n* 1 (land) pré *m*, pâturage *m*; **rich ~** riches pâturages; **permanent ~** pâture *f* permanente; **to put a cow out to ~** mettre une vache au pré; 2 (grass) herbe *f*
B *vtr* faire paître [*animal*]
C *vi* paître
(Idioms) **to leave for ~s new** partir vers de nouveaux horizons; **to put sb out to ~** mettre qn au vert *or* à la retraite

pastureland /'pɑːstʃəlænd, US 'pæs-/ *n* ¢ pâturages *mpl*

pasty
A /'pæstɪ/ *n* GB Culin *petit pâté en croûte à la viande et aux pommes de terre*
B /'peɪstɪ/ *adj* 1 (white) [*face, skin*] terreux/-euse; 2 (doughy) [*consistency, mixture*] pâteux/-euse

pasty-faced /ˌpeɪstɪ'feɪst/ *adj* au teint terreux

pat /pæt/
A *n* 1 (gentle tap) petite tape *f*; **a ~ on the head/the knee** une tape sur la tête/le genou; 2 (of butter) noix *f*; (larger) morceau *m*
B *adj* 1 (glib) tout prêt; 2 (apt) pertinent
C *vtr* (*p prés etc* **-tt-**) 1 (tap gently) tapoter [*ball, hand, car*]; **to ~ one's hair into place** arranger ses cheveux; 2 (stroke) caresser [*dog*]
(Idioms) **to have sth off** GB *ou* **down** US **~** connaître qch par cœur; **to get a ~ on the back** se faire féliciter; **to give oneself a ~ on the back** s'applaudir; **to stand ~** US demeurer inflexible

Patagonia /ˌpætə'gəʊnɪə/ *pr n* Patagonie *f*

patch /pætʃ/
A *n* (*pl* **~es**) 1 (for repair) (in clothes) pièce *f*; (on tyre, airbed) rustine® *f*; 2 (protective cover) (on eye) bandeau *m*; (on wound) pansement *m*; 3 (small area) (of snow, ice) plaque *f*; (of colour, damp, rust, sunlight) tache *f*; (of fog) nappe *f*; (of oil) flaque *f*; (of blue sky) coin *m*; **to have a bald ~** être un peu dégarni; **in ~es** par endroits; 4 (area of ground) gen zone *f*; (for planting) carré *m*; **strawberry/vegetable ~** carré *m* de fraises/de légumes; **a ~ of grass** un coin d'herbe; **a ~ of daisies** une touffe de marguerites; 5 Hist, Cosmet mouche *f*; 6 GB○ (territory) (of gangster, salesman) territoire *m*; (of policeman, official) secteur *m*; 7 ○(period) période *f*; **to go through** *ou* **have a bad ~** traverser une mauvaise passe○; **in ~es** par moments; 8 Electron connexion *f*, raccordement *m*; 9 Comput correction *f* provisoire
B *vtr* 1 (repair) rapiécer [*hole, trousers*]; réparer [*tyre*]; 2 Electron raccorder [*circuits*]; 3 Comput corriger [*software*]
(Idioms) **he's not a ~ on his father** il n'arrive pas à la cheville de son père; **the film isn't a ~ on the book** le film est loin de valoir le livre
(Phrasal verbs) ■ **patch through** Telecom **to ~ a call through** faire un transfert (**to sb** vers qn)
■ **patch together**: ▸ **~ [sth] together** rafistoler○ [*pieces, fragments*]; concocter [*deal, report, team*]
■ **patch up**: ▸ **~ up [sth], ~ [sth] up** soigner [*person*]; rapiécer [*hole, trousers*]; réparer [*ceiling, tyre*]; fig rafistoler○ [*marriage*]; ▸ **~ up [sth]** résoudre [*differences, quarrel*]; **we've ~ed it up** nous nous sommes réconciliés

patch: **~ pocket** *n* poche *f* plaquée; **~ test** *n* Med test *m* cutané

patchwork /'pætʃwɜːk/
A *n* 1 Sewing patchwork *m*; 2 fig (of episodes, ideas, groups) patchwork *m*; (of colours, fields) mosaïque *f*
B *modif* 1 Sewing [*cover, quilt*] en patchwork; 2 (not uniform) [*approach, theory*] hétérogène

patchy /'pætʃɪ/ *adj* [*colour*] inégal; [*essay, novel*] inégal; [*quality, result, safety record*] inégal; [*performance*] de qualité inégale; [*knowledge*] incomplet/-ète; **~ cloud** nuages *mpl* épars; **~ fog** nappes *fpl* de brouillard

pate /peɪt/ *n*† crâne *m*; **a bald ~** un crâne chauve

pâté /'pæteɪ, US pɑː'teɪ/ *n* pâté *m*, terrine *f*; **liver/duck ~** pâté de foie/de canard; **salmon ~** terrine de saumon

patella /pə'telə/ *n* (*pl* **~e**) rotule *f*

paten /'pætn/ *n* patène *f*

patent /'pætnt, 'peɪtnt, US 'pætnt/
A *n* 1 (document) brevet *m* (**for, on** pour); **to hold/to take out a ~** détenir/obtenir un brevet; **to come out of ~** *ou* **off ~** tomber dans le domaine public; **~ pending** en cours de brevetage *m*; 2 (patented invention) invention *f* brevetée
B *adj* 1 (obvious) manifeste; 2 Jur (licensed) breveté
C *vtr* Jur faire breveter
D **patented** *pp adj* breveté

patentable /'pætntəbl, 'peɪt-, US 'pæt-/ *adj* brevetable

patent agent GB, **patent attorney** US ▸ **p. 1683** *n* juriste *mf* spécialisé/-e en propriété industrielle

patentee /ˌpeɪtn'tiː, US ˌpætn-/ *n* titulaire *mf* d'un brevet

patent leather *n* cuir *m* verni

patently /'peɪtntlɪ, US 'pæt-/ *adv* manifestement

patent: **~ medicine** *n*: *médicament de marque déposée délivré sans ordonnance*; **Patent Office** GB, **Patent and Trademark Office** US *n* ≈ Institut *m* national de la propriété industrielle

patentor /'peɪtntə(r), US 'pæt-/ ▸ **p. 1683** *n* (person) personne *f* délivrant des brevets; (body) organisme *m* délivrant des brevets

patent: **~ right** *n* Jur droit *m* exclusif d'exploitation; **Patent Rolls** *n* GB Jur registre *m* des brevets d'invention

pater† /'peɪtə(r)/ *n* GB hum paternel○ *m*

paterfamilias /ˌpeɪtəfə'mɪlɪæs, US ˌpæt-/ *n* sout paterfamilias *m*

paternal /pə'tɜːnl/ *adj* (all contexts) paternel/-elle; **to feel ~ towards sb** éprouver des sentiments paternels à l'égard de qn

paternalism /pə'tɜːnəlɪzəm/ *n* paternalisme *m*

paternalist /pə'tɜːnəlɪst/ *n, adj* paternaliste (*mf*)

paternalistic /pəˌtɜːnə'lɪstɪk/ *adj* péj paternaliste

paternalistically /pəˌtɜːnə'lɪstɪklɪ/ *adv* péj de façon paternaliste

paternally /pə'tɜːnəlɪ/ *adv* [*smile, greet*] paternellement

paternity /pə'tɜːnətɪ/ *n* paternité *f*; **to deny/acknowledge ~** nier/reconnaître la paternité

paternity: **~ leave** *n* congé *m* de paternité; **~ suit** *n* recherche *f* de paternité; **~ test** *n* test *m* de paternité

paternoster /ˌpætə'nɒstə(r)/ *n* 1 Relig (*also* **Paternoster**) Pater (noster) *m inv*; 2 (elevator) pater-noster *m*

path /pɑːθ, US pæθ/
A *n* 1 (track) (*also* **~way**) chemin *m*; (narrower) sentier *m*; **a mountain ~** un sentier de montagne; **to clear a ~ through the jungle** se frayer un chemin à travers la jungle; 2 (in garden) allée *f*; 3 (course) (of projectile, vehicle) trajectoire *f*; (of planet, river, sun) cours *m*; (of hurricane) passage *m*; **in the ~ of the car** sur la trajectoire de la voiture; **he threw himself in the ~ of the train** il s'est jeté sous le train; **to stand in sb's ~** lit, fig barrer le chemin à qn; 4 (option) voie *f*; **the ~ of least resistance** la voie de la facilité; 5 (means) (difficult) chemin *m* (**to** de); (easy) route *f* (**to** de)
B *n* (*abrév* = **pathology**) pathologie *f*
(Idiom) **to beat a ~ to sb's door** accourir en foule chez qn

Pathan /pə'tɑːn/
A *n* Pachtou *mf*, Pathan *mf*
B *adj* pachtou

pathetic /pə'θetɪk/ *adj* 1 (full of pathos) pathétique; 2 péj (inadequate) misérable; 3 ○péj (contemptible) lamentable

pathetically /pə'θetɪklɪ/ *adv* 1 [*vulnerable*] pathétiquement; [*grateful*] éperdument; **~ thin** d'une maigreur pathétique; 2 ○péj [*fail*] lamentablement; [*play, perform*] de façon lamentable

pathetic fallacy *n* ≈ sophisme *m* sentimental

pathological /ˌpæθə'lɒdʒɪkl/ *adj* 1 [*fear, hatred, condition*] pathologique; **he's a ~ liar**○ c'est pathologique chez lui, il ment sans arrêt○; 2 [*journal*] médical; [*research*] des causes pathologiques

pathologically /ˌpæθə'lɒdʒɪklɪ/ *adv* **he's ~ jealous/mean** sa jalousie/son avarice est pathologique

pathologist /pə'θɒlədʒɪst/ ▸ **p. 1683** *n* (doing post-mortems) médecin *m* légiste; (specialist in pathology) pathologiste *mf*

pathology /pə'θɒlədʒɪ/ *n* pathologie *f*

pathos /'peɪθɒs/ *n* pathétique *m*, pathos *m*

patience /'peɪʃns/ *n* 1 patience *f* (**with** avec); **to have no ~ with sth** n'avoir aucune patience avec qch; **to lose ~ (with sb)** perdre patience (avec qn); **to try** *ou* **test sb's ~** mettre la patience de qn à l'épreuve; **my ~ is running out** *ou* **wearing thin** ma patience s'épuise; 2 ▸ **p. 1253** (game) réussite *f*, patience *f*; **to play ~** faire une réussite

P

Idiom ~ **is a virtue** la patience est mère de toutes les vertus

patient /ˈpeɪʃnt/
A *n* patient/-e *m/f*; **private** ~ patient privé; **heart** ~ patient souffrant d'une maladie cardiaque; **mental** ~ malade *mf* mental/-e
B *adj* patient (**with** avec)

patiently /ˈpeɪʃntlɪ/ *adv* avec patience, patiemment

patina /ˈpætɪnə/ *n* **1** lit (on metal, wood) patine *f*; **2** fig (aura) aura *f*

patio /ˈpætɪəʊ/ *n* **1** (terrace) terrasse *f*; **2** (courtyard) patio *m*

patio: ~ **doors** *npl* porte-fenêtre *f*; ~ **furniture** *n* meubles *mpl* de jardin; ~ **garden** *n* patio *m*

Patna rice /ˈpætnə/ *n*: *variété de riz à long grain*

patois /ˈpætwɑː/ *n* Ling patois *m*; hum jargon *m*

patriarch /ˈpeɪtrɪɑːk, US ˈpæt-/ *n* **1** gen patriarche *m*; **2** Relig (*also* **Patriarch**) patriarche *m*

patriarchal /ˌpeɪtrɪˈɑːkl, US ˌpæt-/ *adj* **1** [*society, system*] patriarcal; **2** [*figure, beard*] de patriarche

patriarchate /ˈpeɪtrɪɑːkeɪt, US ˈpæt-/ *n* patriarcat *m*

patriarchy /ˈpeɪtrɪɑːkɪ, US ˈpæt-/ *n* patriarcat *m*

patrician /pəˈtrɪʃn/ *n, adj* patricien/-ienne (*m/f*)

patricide /ˈpætrɪsaɪd/ *n* **1** (act) parricide *m*; **2** sout (person) parricide *mf*

patrimony /ˈpætrɪmənɪ, US -məʊnɪ/ *n* sout patrimoine *m*

patriot /ˈpætrɪət, US ˈpeɪt-/ *n* patriote *mf*

patriotic /ˌpætrɪˈɒtɪk, US ˈpeɪt-/ *adj* [*person*] patriote; [*mood, emotion, song*] patriotique

patriotically /ˌpætrɪˈɒtɪklɪ, US ˌpeɪt-/ *adv* [*react, cheer, say*] en patriote; [*decorated*] de façon patriotique

patriotism /ˈpætrɪətɪzəm, US ˈpeɪt-/ *n* patriotisme *m*

patrol /pəˈtrəʊl/
A *n* **1** (surveillance, activity) patrouille *f*; **to be/go (out) on** ~ être de/aller en patrouille; **air/sea** ~ patrouille aérienne/maritime; **foot/traffic/night** ~ patrouille à pied/routière/de nuit; **to carry out a** ~ faire une ronde; **2** (of group) patrouille *f*; **a military/police** ~ une patrouille militaire/de police
B *modif* [*helicopter, vehicle*] de patrouille
C *vtr* (*p prés etc* **-ll-**) patrouiller; **a heavily** ~**led zone** une zone fréquemment patrouillée
D *vi* (*p prés etc* **-ll-**) patrouiller

patrol: ~ **boat**, ~ **vessel** *n* patrouilleur *m*; ~ **car** *n* voiture *f* de police; ~ **leader** *n* chef *m* de patrouille

patrolman /pəˈtrəʊlmən/ ▸ **p. 1683** *n* **1** US (policeman) agent *m* de police; **2** GB Aut *agent d'un service d'assistance routière privé*

patrol wagon *n* US fourgon *m* cellulaire

patron /ˈpeɪtrən/ *n* **1** (supporter) (of artist) mécène *m*; (of person) protecteur/-trice *m/f*; (of cause, charity) bienfaiteur/-trice *m/f*; ~ **of the arts** mécène *m*; **to be** ~ **of an organization** parrainer une organisation; **2** Comm (client) client/-e *m/f* (**of** de); **3** (*also* ~ **saint**) saint/-e *m/f* patron/-onne (**of** de)

patronage /ˈpætrənɪdʒ/ *n* **1** (support) patronage *m*; **under the** ~ **of** sous le patronage de; **Royal/government** ~ patronage royal/de l'État; ~ **of the arts** mécénat *m*; **2** Pol (right to appoint) droit *m* de présentation; **3** péj **political** ~ copinage *m*; **to get a** ~ **appointment** obtenir un poste grâce à ses relations; **4** GB Relig droit *m* de disposer d'un bénéfice (ecclésiastique); **5** Comm pratique† *f*

patronize /ˈpætrənaɪz/ *vtr* **1** péj traiter [qn] avec condescendance; **don't** ~ **me!** ne prends pas cet air supérieur avec moi!; **2** Comm fréquenter [*restaurant, cinema*]; se fournir chez [*shop*]; **3** (support) protéger [*charity, the arts*]

patronizing /ˈpætrənaɪzɪŋ/ *adj* péj condescendant

patronizingly /ˈpætrənaɪzɪŋlɪ/ *adv* [*smile, say, treat*] avec condescendance; [*behave*] de façon condescendante

patron saint *n* saint/-e *m/f* patron/-onne (**of** de)

patronymic /ˌpætrəˈnɪmɪk/
A *n* patronyme *m*
B *adj* patronymique

patsy◐ /ˈpætsɪ/ *n* péj pigeon○ *m*, dupe *f*

patter /ˈpætə(r)/
A *n* **1** (of raindrops) crépitement *m*; ~ **of footsteps** bruit *m* de pas rapides et légers; **we'll soon be hearing the** ~ **of tiny feet** hum la maison retentira bientôt de rires enfantins; **2** ○(of salesman, comedian, magician) baratin○ *m*, boniment *m*
B *vi* [*child, mouse*] trottiner; [*rain, hailstones*] crépiter (**on** sur)

pattern /ˈpætn/
A *n* **1** (decorative design) dessin *m*, motif *m*; **striped/floral** ~ motif à rayures/de fleurs; **a** ~ **of roses** un motif de roses; **he drew a** ~ **in the sand** il a tracé une figure dans le sable; **2** (regular or standard way of happening) ~ **of behaviour, behaviour** ~ mode *m* de comportement; **working** ~**s in industry** l'organisation *f* du travail dans l'industrie; **the current** ~ **of events** la situation actuelle; **the** ~ **of events leading to the revolution** l'enchaînement des événements qui a conduit à la révolution; **a clear** ~ **emerges from these statistics** une tendance nette ressort de ces statistiques; **the current scandal is part of a much wider** ~ **of corruption** le scandale actuel s'inscrit dans un climat de corruption généralisée; **he could detect a** ~ **in the plot** il arrivait à discerner une logique dans l'intrigue; **to follow a set** ~ se dérouler toujours de la même façon; **traffic** ~ distribution *f* de la circulation; **weather** ~**s** tendances *fpl* climatiques; ▸ **trade pattern**; **3** (model, example) modèle *m*; **on the** ~ **of** sur le modèle de; **to set the** ~ **for sth** déterminer le modèle de qch; **4** (in dressmaking) patron *m*; (in knitting) modèle *m*; **5** (style of manufacture) style *m*; **6** (sample) (of cloth, wallpaper etc) échantillon *m*; **7** Ling modèle *m*; **8** Tech (for casting metal) modèle *m*
B *vtr* (model) modeler (**on, after** sur)

pattern book *n* (of fabrics, wallpaper) catalogue *m* d'échantillons; (in dressmaking) catalogue *m* de patrons

patterned /ˈpætnd/ *adj* [*fabric etc*] à motifs

patterning /ˈpætnɪŋ/ *n* **1** (patterns) motifs *mpl*; (on animal's coat) (spots) taches *fpl*; (stripes) rayures *fpl*; **2** Psych conditionnement *m*

patternmaker /ˈpætnmeɪkə(r)/ *n* modeleur/-euse *m/f*

patty /ˈpætɪ/ *n* **1** US (in hamburger etc) steak *m* haché; **2** (pie) petit feuilleté *m*

paucity /ˈpɔːsətɪ/ *n* sout (of crops, fuel) pénurie *f*; (of money, evidence, work, information) manque *m*

Pauline /ˈpɔːlaɪn/ *adj* Relig paulinien/-ienne

paulownia /pɔːˈləʊnɪə/ *n* Bot paulownia *m*

paunch /pɔːntʃ/ *n* **1** (of person) ventre *m*, bedaine○ *f*; **2** (of ruminant) panse *f*

paunchy /ˈpɔːntʃɪ/ *adj* péj ventru

pauper /ˈpɔːpə(r)/ *n* indigent/-e *m/f*; **to die a** ~ mourir dans la misère; ~**'s funeral** enterrement *m* de pauvre; ~**'s grave** fosse *f* commune

pause /pɔːz/
A *n* **1** (brief silence) silence *m*; **an awkward** ~ un silence embarrassé; **2** (break) pause *f* (**in** dans; **for** pour); **3** (stoppage) interruption *f*; **there was a ten minute** ~ **in production** il y a eu une interruption de dix minutes dans la production; **without a** ~ sans interruption; **4** Mus point *m* d'orgue; **5** Literat césure *f*
B *vi* **1** (stop speaking) marquer une pause; **2** (stop) s'arrêter; **to** ~ **in** interrompre [*activity, work*]; **to** ~ **for lunch/thought** faire une pause pour déjeuner/réfléchir; **to** ~ **to do** s'arrêter pour faire; **3** (hesitate) hésiter

Phrasal verb ■ **pause over**: ▸ ~ **over [sth]** s'arrêter sur

pavane /pəˈvɑːn/ *n* pavane *f*

pave /peɪv/ *vtr* paver (**with** de)

Idiom **to** ~ **the way for sth** ouvrir la voie à qch

pavement /ˈpeɪvmənt/ *n* **1** GB (footpath) trottoir *m*; **2** US (roadway) chaussée *f*; (road surface) revêtement *m* (de la chaussée); **3** (paved area) surface *f* pavée; **4** US (material) dallage *m*

pavement: ~ **artist** ▸ **p. 1683** *n* GB artiste *mf* qui dessine sur les trottoirs; ~ **café** *n* GB ≈ café *m* avec terrasse; ~ **stall** *n* GB étalage *m* (dans la rue)

pavilion /pəˈvɪlɪən/ *n* (all contexts) pavillon *m*

paving /ˈpeɪvɪŋ/ *n* dalles *fpl*

paving slab, **paving stone** *n* dalle *f*

pavlova /ˈpævləvə, pævˈləʊvə/ *n* GB, Austral *gâteau meringué aux fruits*

Pavlovian /pævˈləʊvɪən/ *adj* Psych pavlovien/-ienne; fig [*response, reaction*] conditionné

paw /pɔː/
A *n* (of animal) patte *f*; péj (hand) patte○ *f*
B *vtr* **1** [*animal*] donner des coups de patte à; **to** ~ **the ground** [*horse*] piaffer; [*bull*] frapper le sol du sabot; **2** péj [*person*] peloter○

pawky /ˈpɔːkɪ/ *adj* GB pince-sans-rire *inv*

pawl /pɔːl/ *n* Tech cliquet *m*; Naut linguet *m*

pawn /pɔːn/
A *n* **1** (in chess) pion *m* also fig; **he's just a** ~ **(in their hands)** il n'est qu'un pion sur l'échiquier; **2** Comm (article deposited) gage *m*, nantissement *m*; **3** Comm **to be in** ~ être au mont-de-piété; **to get sth out of** ~ dégager qch (du mont-de-piété)
B *vtr* mettre au mont-de-piété

pawn: ~**broker** ▸ **p. 1683** *n* prêteur/-euse *m/f* sur gages; ~**shop** *n* mont-de-piété *m*, bureau *m* de prêteur sur gages; ~ **ticket** *n* reconnaissance *f* du mont-de-piété

pawpaw GB, **papaw** US /ˈpɔːpɔː/ *n* papaye *f*

pax /pæks/
A *n* Relig baiser *m* de paix
B ○†*excl* GB pouce!

pay /peɪ/
A *n* gen salaire *m*; (to manual worker) paie *f*, salaire *m*; (to soldier) solde *f*; (to domestic) gages† *mpl*, salaire *m*; Admin traitement *m*; **back** ~ rappel *m* de salaire; **extra** ~ prime *f* de salaire; **to be in the** ~ **of sb** péj être à la solde de qn; **rate of** ~ Admin taux de rémunération; **holidays** GB *ou* **vacation** US **with/without** ~ congés payés/sans solde; ~ **and allowances** rémunération principale et indemnités; **what's the** ~ **like?** est-ce que c'est bien payé?; **the** ~ **is good** c'est bien payé
B *modif* [*agreement, claim, negotiations, deal*] salarial; [*rise, cut*] de salaire; [*freeze, structure, policy*] des salaires
C *vtr* (*prét, pp* **paid**) **1** (for goods, services) payer [*tradesman, creditor*] (**for** pour; **to do** pour faire); payer, régler [*bill, debt, fees*]; payer [*price, sum etc*] (**for** pour); verser [*down payment*] (**on** sur); **to** ~ **cash** payer comptant; **to** ~ **£100 on account** verser un acompte de 100 livres; **she paid him £300 to repair the roof** elle l'a payé 300 livres pour réparer le toit; **to** ~ **sth into** verser qch sur [*account*]; verser qch à [*charity*]; **to** ~ **sb for his trouble** payer qn de sa peine
2 (for regular work) payer [*employee*]; **to** ~ **high/low wages** payer bien/mal; **to be paid weekly/monthly** être payé à la semaine/au mois; **all expenses paid** tous frais payés
3 Fin (accrue) [*account, bond*] rapporter [*interest*]; **to** ~ **dividends** fig finir par rapporter
4 (give) **to** ~ **attention/heed to** faire/prêter attention à; **to** ~ **a tribute to sb** rendre hommage à qn; **to** ~ **sb a compliment** faire des compliments à qn; **to** ~ **sb a visit** rendre visite à qn

5 (benefit) **it would ~ him/her etc to do** fig il/elle etc y gagnerait à faire; **it would ~ you to find out** tu y gagnerais à te renseigner; **it ~s to be honest** cela paie toujours d'être honnête; **it doesn't ~ to do** cela ne sert à rien de faire

6 Naut (*prét, pp* **paid** *ou* **payed**) laisser dériver [*vessel*]

D *vi* (*prét, pp* **paid**) **1** (hand over money) payer; **she/the insurance will ~** elle/l'assurance paiera; **to ~ for sth** payer qch also fig; **to ~ dearly for sth** fig payer chèrement qch; **I'll make you ~ for this!** fig tu me le paieras!; **I'll ~ for you** (in cinema etc) je vais payer pour toi; **they're paying for him to go to college/to Spain** ils lui paient ses études/son voyage en Espagne; **'~ on entry'** 'paiement à l'entrée'; **you have to ~ to get in** l'entrée est payante; **'~ and display'** (in carpark) 'payez et laissez le ticket en évidence'; **~ on demand** (on cheque) payer à vue

2 (settle) payer; **to ~ in cash/by cheque/in instalments** payer en espèces/par chèque/à tempérament; **to ~ one's own way** payer sa part

3 (reward employee) **the work doesn't ~ very well** le travail est mal payé

4 (bring gain) [*business*] rapporter; [*activity, quality*] payer; **to ~ handsomely** rapporter gros; **crime/dishonesty doesn't ~** le crime/la malhonnêteté ne paie pas; **to ~ for itself** [*business, purchase*] s'amortir; **to make sth ~** rentabiliser qch

(Idioms) **there'll be hell**○ *ou* **the devil to ~** ça va barder○; **to ~ a visit**○ euph aller au petit coin○

(Phrasal verbs) ■ **pay back**: ▸ **~ [sb] back** (reimburse) rembourser [*person*]; **I'll ~ him back for the trick he played on me** je lui revaudrai le tour qu'il m'a joué; **he'll ~ you back with interest** fig il te le rendra au centuple; ▸ **~ [sth] back, ~ back [sth]** rembourser [*money*]

■ **pay down**: ▸ **~ [sth] down** verser un acompte de; **I'd like to ~ £100 down** je voudrais verser un acompte de 100 livres

■ **pay in** GB: ▸ **~ [sth] in, ~ in [sth]** déposer [*cheque, sum*]

■ **pay off**: ▸ **~ off** fig être payant; **his hard work finally paid off** tout le travail qu'il a fourni a finalement été payant; ▸ **~ [sb] off, ~ off [sb]** **1** (dismiss from work) gen congédier [*worker*]; Naut débarquer [*seaman*]; **2** ○(buy silence) acheter le silence de [*possible informer*]; ▸ **~ off [sth], ~ [sth] off** rembourser [*mortgage, debt*]

■ **pay out**: ▸ **~ out [sth]** **1** (hand over) débourser [*sum*], dépenser [*sum*] (**in** pour); **we've paid out a lot in publicity** on a beaucoup dépensé pour la publicité; **he paid out £300 for his new washing machine** il a payé 300 livres sa nouvelle machine à laver; **2** (release) laisser filer [*rope*]

■ **pay up**○ **~ up** payer; **~ up!** payez!; ▸ **~ up [sth]** payer [*amount*]; **~ up the money you owe me!** paie-moi l'argent que tu me dois!

payable /ˈpeɪəbl/ *adj* **1** (which will be paid) [*amount, interest*] à payer; **the interest ~ on the loan** les intérêts à payer sur le prêt; **to make a cheque ~ to** faire un chèque à l'ordre de; **2** (requiring payment) **to be ~** [*amount, instalment, debt*] être payable; **~ when due** Comm, Fin, Jur payable à l'échéance; **~ on demand** payable à vue; **3** (may be paid) payable; **~ in instalments** payable en plusieurs versements; **4** (profitable) [*proposition, venture*] rentable

pay-and-display *adj* **~ parking** stationnement *m* payant (avec horodateur); **~ car park** parc *m* de stationnement (avec horodateur)

pay-as-you-earn, PAYE *n* GB Tax prélèvement *m* de l'impôt à la source

payback /ˈpeɪbæk/

A *n* **1** (of debt) remboursement *m*; **2** (revenge) vengeance *f*

B *modif* [*period*] de remboursement

pay: **~bed** *n* Med Admin lit *m* payant; **~book** *n* Mil livret *m* de solde; **~ channel** *n* TV chaîne *f* payante *or* à péage; **~ cheque** GB, **pay check** US *n* chèque *m* de paie; **~day** *n* (for wages) jour *m* de paie; (in Stock Exchange) séance *f* de liquidation; **~desk** *n* caisse *f*

pay dirt *n* US gisement *m* exploitable; **to strike ~**○ fig trouver le filon

PAYE *n* GB Tax *abrév* ▸ **pay-as-you-earn**

payee /peɪˈiː/ *n* bénéficiaire *mf*

payer /ˈpeɪə(r)/ *n* **1** ○gen payeur/-euse *m/f*; **he's a good/bad ~** c'est un bon/mauvais payeur; **2** Comm tireur *m*

pay gate *n* tourniquet *m*

paying /ˈpeɪɪŋ/ *adj* [*proposition*] rentable

paying guest, PG *n* hôte *m* payant

pay: **~ing-in book** GB, **~ing-in deposit book** US *n* carnet *m* de bordereaux de versement; **~ing-in slip** GB, **~ing-in deposit slip** US *n* bordereau *m* de versement

payload /ˈpeɪləʊd/ *n* **1** (of aircraft, ship) passagers et fret *mpl*; **2** (of bomb) charge *f* explosive; **3** (of spacecraft) charge *f* utile

paymaster /ˈpeɪmɑːstə(r), US -mæstər/ *n* **1** gen caissier *m*; Naut commissaire *m*; Mil trésorier *m*; **2** péj (employer) commanditaire *m*

Paymaster General, PMG *n* GB trésorier-payeur *m* de l'Échiquier

payment /ˈpeɪmənt/ *n* gen paiement *m*; (in settlement) règlement *m*; (into account, of instalments) versement *m*; (to creditor) remboursement *m*; fig (for kindness, help) récompense *f* also iron; **to make a ~** faire *ou* effectuer un paiement; **cash ~** (not credit) paiement comptant; (not cheque) paiement en liquide; **in ~ for the books received** en règlement de ma commande de livres; **in ~ for what I owe** en remboursement de ce que je dois; **~ in full is now requested** un règlement complet est désormais exigé; **in monthly ~s of £30** en mensualités de 30 livres; **~ on** (instalment) traite de [*television, washing machine etc*]; **on ~ of £30** moyennant 30 livres; **Social Security ~s** prestations *fpl* de la Sécurité sociale; **in ~ for your kindness** en récompense de votre gentillesse

payoff /ˈpeɪɒf/ *n* (reward) récompense *f*; fig bouquet *m*

payola○ /peɪˈəʊlə/ *n* US (bribe) pot-de-vin *m*; (practice) pratique *f* des pots-de-vin

pay: **~-packet** *n* enveloppe *f* de paie; fig paie *f*; **~ phone** *n* téléphone *m* public

payroll /ˈpeɪrəʊl/ *n* (list) fichier *m* des salaires; (sum of money) paie *f* (de tous les employés); (employees collectively) ensemble *m* du personnel; **to be on a company's ~** être employé par une entreprise; **to take sb off the ~** licencier qn; **a ~ of 500 workers** un effectif de 500 ouvriers

pay: **~round** *n* négociation *f* des salaires; **~slip** *n* bulletin *m* de salaire; **~ television** *n* télévision *f* à accès conditionnel

PBX *n* GB Telecom (*abrév* = **private branch exchange**) commutateur *m* privé, standard *m* privé

pc *n* **1** (*also* **PC**) *abrév* ▸ **personal computer**; **2** *abrév* ▸ **per cent**; **3** *abrév* ▸ **postcard**; **4** (*also* **PC**) *abrév* ▸ **political correctness, politically correct**

p/c *n* **1** (*abrév* = **prices current**) prix *mpl* courants; **2** *abrév* ▸ **petty cash**

PC *n* GB **1** *abrév* ▸ **Police Constable**; **2** *abrév* ▸ **Privy Council, Privy Councillor**

PCB *n* (*abrév* = **polychlorinated biphenyl**) polychlorobiphényle *m*

PCMCIA card *n* Comput carte *f* PCMCIA

PCN *n* (*abrév* = **Personal Communications Network**) PCN *m*

pd (*abrév* = **paid**) payé

PD *n* US *abrév* ▸ **Police Department**

PDA *n*: *abrév* ▸ **personal digital assistant**

PDO *n* (*abrév* = **protected designation of origin**) appellation *f* d'origine protégée, AOP *f*

pdq○ (*abrév* = **pretty damn quick**) illico○

PDQ machine *n* TPV *m*, terminal *m* point de vente

PE *n*: *abrév* ▸ **physical education**

pea /piː/ *n* **1** Bot pois *m*; **2** Culin (*also* **green ~**) petit pois *m*

(Idiom) **to be as like as two ~s in a pod** se ressembler comme deux gouttes d'eau

peabrain○ /ˈpiːbreɪn/ *n* cervelle *f* d'oiseau

peace /piːs/

A *n* **1** (absence of conflict) paix *f*; **to be at ~** être en paix; **to make ~** faire la paix (**with** avec); **to bring ~ to a country** rétablir la paix dans un pays; **to keep the ~** (between countries, individuals) maintenir la paix; (in town) [*police*] maintenir l'ordre public; [*citizen*] ne pas troubler l'ordre public; **2** (period without war) paix *f*; **a fragile/an uneasy/a negotiated ~** une paix fragile/instable/négociée; **3** (tranquillity) paix *f*, tranquillité *f*; **to live in ~** vivre en paix; **to leave sb in ~/give sb no ~** laisser qn/ne pas laisser qn en paix; **to break the ~ of sth** troubler la paix de qch; **I need a bit of ~ and quiet** j'ai besoin d'un peu de calme; **to find ~ of mind** trouver la paix; **to disturb sb's ~ of mind** troubler qn; **to be at ~** euph (dead) avoir trouvé la paix

B *modif* [*campaign, march, moves*] pour la paix; [*agreement, conference, initiative, mission, plan, settlement, talks, treaty*] de paix

(Idioms) **to be a man of ~** être un homme de paix; **to come in ~** venir avec des intentions pacifiques; **to hold one's ~** rester muet; **to make one's ~ with sb** faire la paix avec qn

peaceable /ˈpiːsəbl/ *adj* [*person*] pacifique

peaceably /ˈpiːsəblɪ/ *adv* pacifiquement

peace: **~ camp** *n* camp *m* de militants pacifistes; **~ campaigner** *n* militant/-e *m/f* pacifiste; **Peace Corps** *n* US Admin *organisation composée de volontaires pour l'aide aux pays en voie de développement*; **~ envoy** *n* négociateur/-trice *m/f* de paix

peaceful /ˈpiːsfl/ *adj* **1** (tranquil) [*place, holiday, scene*] paisible; **2** (without conflict) [*coexistence, protest, solution, reign*] pacifique

peacefully /ˈpiːsfəlɪ/ *adv* **1** (without disturbance) [*die, sleep*] paisiblement; [*situated*] à un endroit paisible; **2** (without violence) [*demonstrate*] pacifiquement; **the demonstration passed off ~** la manifestation s'est déroulée dans le calme

peacefulness /ˈpiːsflnɪs/ *n* **1** (calm) tranquillité *f*; **2** (nonviolent nature) caractère *m* pacifique; **the ~ of her reign** la paix qui caractérisa son règne

peacekeeping /ˈpiːskiːpɪŋ/

A *n* Mil, Pol maintien *m* de la paix

B *modif* [*force, troops*] de maintien de la paix

peace: **~ lobby** *n* US *lobby pour la paix et le désarmement nucléaire*; **~-loving** *adj* pacifique

peacemaker /ˈpiːsmeɪkə(r)/ *n* **1** Pol (statesman, nation) artisan *m* de la paix; **2** (in family) conciliateur *m*

peace: **Peace Movement** *n* Mouvement *m* pour la paix; **~ offensive** *n* offensive *f* de paix; **~ offering** *n* gage *m* de réconciliation; **~ pipe** *n* calumet *m* de la paix; **~ process** *n* Pol processus *m* de paix; **~ studies** *n* (+ *v sg ou pl*) études *fpl* sur la paix

peacetime /ˈpiːstaɪm/

A *n* temps *m* de paix; **in ~** en temps de paix

B *modif* [*activity*] qui se pratique en temps de paix; [*army, alliance, training*] en temps de paix; [*planning, government, administration*] de temps de paix

peach /piːtʃ/

A *n* **1** (fruit) pêche *f*; (tree) pêcher *m*; **2** (colour)

(couleur *f*) pêche *f*; 3 ○**a ~ of a game**○ un match formidable
B *modif* [*jam, yoghurt*] aux pêches; [*stone*] de pêche
C *adj* couleur *f* pêche *inv*
D *vi*○ argot des prisonniers **to ~ on sb** moucharder○ qn
peach: **~ blossom** *n* fleurs *fpl* de pêcher; **~ brandy** *n* eau-de-vie *f* de pêche; **~es and cream** *adj* [*complexion*] de pêche; **~ melba** *n* pêche *f* Melba
peachy○ /ˈpiːtʃɪ/ *adj* US super○, génial○
peacock /ˈpiːkɒk/ *n* paon *m*
Idiom **to be as proud as a ~** être fier/fière comme un paon
peacock: **~ blue** ▸ p. 1067 *n, adj* bleu (*m*) canard *inv*; **~ butterfly** *n* paon *m* de jour
pea green *n, adj* vert (*m*) pomme *inv*
peahen /ˈpiːhen/ *n* paonne *f*
pea jacket *n* caban *m*
peak /piːk/
A *n* 1 (of mountain) pic *m* (**of** de); 2 (of cap) visière *f*; 3 Stat (of inflation, quantity, demand, price, market) maximum *m* (**in** dans; **of** de); (in hormone, popularity) pic *m*; (on a graph) sommet *m*; **to be at its** *ou* **a ~** être à son maximum; 4 fig (high point) (of career, achievement, empire, mental powers, creativity) apogée *m* (**of** de); (of fitness, form) meilleur *m* (**of** de); **her success is at its ~, she is at the ~ of her success** son succès a atteint son apogée; **her fitness is at its ~, she is at the ~ of her fitness** elle est au meilleur de sa forme; **at his ~, he earned...** à l'apogée de sa carrière, il gagnait...; **in the ~ of condition** en excellente santé; **to be past its** *ou* **one's ~** avoir fait son temps; 5 (busiest time) gen heure *f* de pointe; Telecom heures *fpl* rouges; **to cost 40 pence ~** Telecom coûter 40p au tarif rouge; 6 (of roof) faîte *m*; (of hair) banane *f*; **'beat the egg white until it forms stiff ~s'** 'battre les blancs jusqu'à ce qu'ils deviennent fermes'
B *modif* [*demand, figure, level, population, price, risk*] maximum, maximal; [*fitness, form, performance*] meilleur
C *vi* [*inflation, rate, market, workload*] culminer (**at** à); fig [*career, performance, enthusiasm, interest*] culminer; **to ~ in May/in the morning** culminer en mai/dans la matinée; **to ~ too early** [*runner*] se lancer trop tôt; [*prodigy*] s'épanouir trop tôt; (in career) réussir trop tôt
Phrasal verb ■ **peak out**○ [*athlete, prowess, skill, luck*] commencer à décliner; [*inflation, rate*] commencer à décroître
peak demand *n* gen demande *f* record; Elec période *f* de consommation de pointe
peaked /piːkt/ *adj* 1 (with peak) [*cap, hat*] à visière; 2 (pointed) [*roof*] pointu; 3 US = **peaky**
peak hour
A *n* (on road, in shops) heure *f* de pointe; **at** *ou* **during ~s** aux heures de pointe
B *modif* [*delays, problems, traffic*] des heures de pointe
peak: **~ listening time** *n* Radio heures *fpl* de grande écoute; **~ load** *n* charge *f* maximale
peak period *n* (on road, in shops) période *f* de pointe; **at** *ou* **during ~s** en période de pointe
peak rate *n* Telecom tarif *m* rouge; **at ~** pendant les heures rouges
peak season *n* haute saison *f*
peak time
A *n* 1 (on TV) heures *fpl* de grande écoute; **at** *ou* **during ~** aux heures de grande écoute; 2 (for switchboard, traffic) heures *fpl* de pointe
B *modif* [*viewing, programme*] de grande écoute; [*series*] diffusé aux heures de grande écoute
peaky○ /ˈpiːkɪ/ *adj* pâlot/-otte
peak year *n* année *f* record
peal /piːl/
A *n* 1 (sound) (of bells) carillonnement *m*; (of doorbell) sonnerie *f*; (of thunder) grondement *m*; (of organ) retentissement *m*; **~s of laughter** éclats *mpl* de rire; 2 Tech (in bell-ringing) (motif, set of bells) carillon *m*
B *vi* = **peal out**
C *vtr* sonner (à toute volée) [*bells*]
Phrasal verb ■ **peal out** [*bells*] carillonner; [*thunder*] gronder; [*organ*] retentir; [*laughter*] éclater
peanut /ˈpiːnʌt/
A *n* (nut) cacahuète *f*; (plant) arachide *f*
B **peanuts**○ *npl* (meagre sum of money) clopinettes○ *fpl*; **they're paid ~s** ils sont payés trois fois rien
peanut: **~ butter** *n* beurre *m* de cacahuètes; **~ gallery** *n* Theat poulailler○ *m*; **~ oil** *n* huile *f* d'arachide
pea pod *n* cosse *f* de pois
pear /peə(r)/ *n* 1 (fruit) poire *f*; **~-shaped** en forme de poire, piriforme; 2 (*also* **~ tree**) poirier *m*
Idiom **to go ~-shaped**○ foirer◑
pearl /pɜːl/ ▸ p. 1067
A *n* 1 (real, imitation) perle *f*; fig (of dew, sweat) perle *f* (**of** de); **natural ~** perle fine *or* naturelle; 2 fig (prized person, object) perle *f*; (city, building) joyau *m*; **~s of wisdom** trésors *mpl* de sagesse; 3 (colour) (couleur *f*) perle *f*
B *modif* [*necklace, brooch, etc*] de perles; [*button*] en nacre; **~ earrings** boucles *fpl* d'oreilles en perles
C *adj* couleur perle *inv*
D *vi* 1 littér [*dew, liquid*] perler; 2 [*diver, fisherman*] pêcher les perles
pearl: **~ barley** *n* orge *m* perlé; **~ diver** *n* pêcheur/-euse *m/f* de perles; **~ diving** *n* pêche *f* des perles; **~ grey** ▸ p. 1067 *n, adj* gris (*m*) perle *inv*
pearl-handled /ˌpɜːlˈhændld/ *adj* [*knife, hairbrush etc*] au manche de nacre; [*revolver*] à la crosse en nacre
pearl: **~ necklace** *n* collier *m* de perles; **~ oyster** *n* huître *f* perlière
pearly /ˈpɜːlɪ/ *adj* nacré
Pearly Gates *npl* **the ~** hum les portes *fpl* du Paradis
pearly king, pearly queen *n* GB *marchand ou marchande des quatre saisons de l'est londonien dans son costume traditionnel cousu de boutons de nacre*
peasant /ˈpeznt/
A *n* 1 (rustic) paysan/-anne *m/f*; 2 péj plouc◑ *mf*, paysan/-anne *m/f* pej
B *modif* [*class, custom, cuisine, craft, life*] paysan/-anne; [*costume*] de paysan/-anne
peasant farmer ▸ p. 1683 *n* paysan *m*
peasantry /ˈpezntrɪ/ *n* (+ *v sg ou pl*) paysannerie *f*
peasant woman *n* paysanne *f*
pease pudding /ˌpiːzˈpʊdɪŋ/ *n* GB purée *f* de pois cassés
pea shooter *n* sarbacane *f*
pea soup *n* 1 lit soupe *f* aux pois; 2 (fog) (*also* **pea souper**) purée *f* de pois
peat /piːt/
A *n* 1 (substance) tourbe *f*; **to cut** *ou* **dig ~** extraire de la tourbe; 2 (piece) morceau *m* de tourbe
B *modif* [*lands, soil*] tourbeux/-euse; [*cutting, shrinkage*] de la tourbe
peat: **~ bog** *n* tourbière *f*; **~ cutter** *n* tourbier *m*; **~ moss** *n* sphaigne *f*
peaty /ˈpiːtɪ/ *adj* tourbeux/-euse
pebble /ˈpebl/
A *n* 1 caillou *m*; (on beach) galet *m*; 2 Tech cristal *m* de roche
B *modif* [*beach*] de galets
Idiom **he's not the only ~ on the beach** il n'y a pas que lui sur terre
pebbledash /ˈpebldæʃ/
A *n* crépi *m*, mouchetis *m*
B *modif* [*wall*] en crépi, moucheté
C *vtr* crépir
pecan /ˈpiːkən, prˈkæn, US prˈkɑːn/
A *n* 1 (nut) noix *f* de pécan; 2 (tree) pacanier *m*
B *modif* [*pie*] aux noix de pécan
peccadillo /ˌpekəˈdɪləʊ/ *n* (*pl* **~s** *ou* **~es**) peccadille *f*
peccary /ˈpekərɪ/ *n* pécari *m*
peck /pek/
A *n* 1 (from bird) coup *m* de bec; 2 ○(kiss) bise *f*; **to give sb a ~ (on the cheek)** faire *or* donner une bise à qn; 3 Meas ≈ picotin *m*
B *vtr* 1 (with beak) [*bird*] picorer [*food*]; donner un coup de bec à [*person, animal*]; **the bird ~ed my hand** l'oiseau m'a donné un coup de bec à la main; **to ~ a hole in sth** faire un trou dans qch à (force de) coups de bec; 2 ○(kiss) faire *or* donner une bise à [*person*]
C *vi* 1 (with beak) **to ~ at** picorer [*food*]; donner des coups de bec contre [*window, tree*]; **the hens were ~ing at the ground in the yard** les poules picoraient dans la cour; 2 ○fig (eat very little) **to ~ at one's food** [*person*] chipoter
Phrasal verb ■ **peck out**: ▸ **~ [sth] out, ~ out [sth]** arracher [qch] à coups de bec [*kernel, seeds*]; **to ~ sb's eyes out** [*bird*] crever les yeux à qn
pecker◑ /ˈpekə(r)/ *n* zob *m*◑, pénis *m*
Idiom **to keep one's ~ up** GB ne pas se laisser démonter
peckerwood /ˈpekəwʊd/ *n* US injur nègre *m* blanc offensive
pecking order *n* lit, fig ordre *m* hiérarchique
peckish○ /ˈpekɪʃ/ *adj* GB **to be** *ou* **feel ~** avoir un petit creux○, avoir un peu faim
pecs○ /peks/ *npl* pectoraux *mpl*
pectin /ˈpektɪn/ *n* pectine *f*
pectoral /ˈpektərəl/
A *n* (ornament) pectoral *m*
B **pectorals** *npl* pectoraux *mpl*
C *adj* pectoral
peculate /ˈpekjʊleɪt/ *vtr* Fin détourner [*funds*]
peculation /ˌpekjʊˈleɪʃn/ *n* Fin détournement *m* de fonds publics
peculiar /prˈkjuːlɪə(r)/ *adj* 1 (odd) bizarre, curieux/-ieuse, étrange (**that** que + *subj*); **to feel ~** se sentir bizarre; **funny ~**○ hum bizarre; 2 (exceptional) [*situation, importance, circumstances*] particulier/-ière; 3 (exclusive to) [*characteristic, language, system*] particulier/-ière; **to be ~ to sb/sth** [*feature, trait*] être particulier/-ière à *or* propre à qn/qch; **the species is ~ to Asia** on ne trouve cette espèce qu'en Asie; **he has his own ~ way of doing it** il a sa façon bien à lui de le faire
peculiarity /pɪˌkjuːlɪˈærətɪ/ *n* 1 (feature) particularité *f*; 2 (strangeness) bizarrerie *f*
peculiarly /prˈkjuːlɪəlɪ/ *adv* 1 (strangely) de façon étrange; 2 (particularly) particulièrement
pecuniary /prˈkjuːnɪərɪ, US -ɪerɪ/ *adj* pécuniaire
pedagogic(al) /ˌpedəˈgɒdʒɪkl/ *adj* pédagogique
pedagogue /ˈpedəgɒg/ *n* pédagogue *f*
pedagogy /ˈpedəgɒdʒɪ/ *n* pédagogie *f*
pedal /ˈpedl/
A *n* (all contexts) pédale *f*; **loud/soft ~** Mus pédale forte/douce
B *vtr* (*p prés etc* **-ll-** GB, **-l-** US) **to ~ a bicycle** pédaler
C *vi* (*p prés etc* **-ll-** GB, **-l-** US) 1 (use pedal) pédaler; **to ~ hard** *ou* **furiously** pédaler dur; 2 (cycle) **to ~ down/up/through** descendre/monter/traverser à vélo; **to ~ along/towards** pédaler le long de/vers
pedal: **~ bin** *n* GB poubelle *f* à pédale; **~ boat** *n* pédalo® *m*; **~ car** *n* voiture *f* à pédales; **~ cycle** *n* bicyclette *f*
pedalo /ˈpedələʊ/ *n* surtout GB (*pl* **~s** *ou* **~es**) pédalo® *m*

pedal: ~ **pushers** *npl* Fashn pantalon *m* corsaire; ~ **steel guitar** *n* guitare *f* hawaïenne

pedant /ˈpednt/ *n* pédant/-e *m/f*

pedantic /pɪˈdæntɪk/ *adj* pédant (**about** dans le domaine de)

pedantically /pɪˈdæntɪklɪ/ *adv* de façon pédante

pedantry /ˈpedntrɪ/ *n* pédantisme *m*

peddle /ˈpedl/
A *vtr* colporter [*wares, ideas*]; **to ~ drugs** faire du trafic de drogue (*à petite échelle*)
B *vi* faire du colportage

peddler /ˈpedlə(r)/ *n* **1** **drug ~** trafiquant *m*; **street ~** camelot *m*; **2** US = **pedlar**

pederast /ˈpedəræst/ *n* pédéraste *m*

pederasty /ˈpedəræstɪ/ *n* pédérastie *f*

pedestal /ˈpedɪstl/ *n* (of statue, column, ornament) socle *m*, piédestal *m*; (of washbasin) colonne *f*

(Idioms) **to put sb on a ~** mettre qn sur un piédestal; **to knock sb off their ~** détrôner qn

pedestal: ~ **desk** *n* bureau *m* ministre; ~ **table** *n* guéridon *m*; ~ **washbasin** *n* lavabo-colonne *m*

pedestrian /pɪˈdestrɪən/
A *n* piéton *m*; **for ~s only** réservé aux piétons
B *modif* [*street, area*] piétonnier/-ière, piéton/-onne
C *adj* (humdrum) terre à terre *inv*

pedestrian crossing *n* passage *m* pour piétons, passage *m* clouté

pedestrianization /pɪˌdestrɪənaɪˈzeɪʃn, US -nɪˈz-/ *n* transformation *f* en zone piétonnière

pedestrianize /pɪˈdestrɪənaɪz/ *vtr* transformer [qch] en zone piétonnière [*street, town centre*]

pedestrian: ~ **precinct** *n* GB zone *f* piétonne; ~ **traffic** *n* ¢ piétons *mpl*

pediatric /ˌpiːdɪˈætrɪk/ *adj* [*ward, department*] de pédiatrie; [*illness*] infantile; ~ **medicine** pédiatrie *f*; ~ **nurse** puéricultrice *f*; ~ **nursing** puériculture *f*

pediatrician /ˌpiːdɪəˈtrɪʃn/ ▸ **p. 1683** *n* pédiatre *mf*

pediatrics /ˌpiːdɪˈætrɪks/ *n* (+ *v sg*) pédiatrie *f*

pedicab /ˈpedɪkæb/ *n* cyclo-pousse *m*

pedicure /ˈpedɪkjʊə(r)/ *n* pédicurie *f*; **to have a ~** se faire soigner les pieds

pedigree /ˈpedɪgriː/
A *n* **1** (ancestry) (of animal) pedigree *m*; (of person, family) (line) ascendance *f*; (tree, chart) arbre *m* généalogique; (background) origines *fpl*; **2** (purebred animal) animal *m* avec pedigree; **my dog is a ~** mon chien a un pedigree; **3** fig (of book, sportsman, artist) antécédents *mpl*
B *modif* [*animal*] de pure race; ~ **registration certificate** pedigree *m*, certificat *m* d'origine

pediment /ˈpedɪmənt/ *n* fronton *m*

pedlar /ˈpedlə(r)/ *n* colporteur/-euse *m/f*

pedological /ˌpedəˈlɒdʒɪkl/ *adj* pédologique

pedologist /pɪˈdɒlədʒɪst/ ▸ **p. 1683** *n* pédologue *mf*

pedology /pɪˈdɒlədʒɪ/ *n* pédologie *f*

pedometer /pɪˈdɒmɪtə(r)/ *n* podomètre *m*

pedophile /ˈpedəfaɪl/ *n* pédophile *mf*

pedophilia /ˌpedəˈfɪlɪə/ *n* pédophilie *f*

pee○ /piː/
A *n* pipi○ *m*; **to have** *ou* **do a ~** faire pipi○
B *vi* faire pipi○; (more vulgar) pisser●

peek /piːk/
A *n* coup *m* d'œil furtif; **to have** *ou* **take a ~ at sb/sth** jeter un coup d'œil furtif à qn/qch
B *vi* jeter un coup d'œil furtif (**at** à, sur); **she was ~ing out at me from behind the curtains** elle me jetait des coups d'œil de derrière les rideaux; **no ~ing!** on ne regarde pas!

peekaboo /ˌpiːkəˈbuː/ *excl* coucou!; **to play ~** jouer à faire coucou

peel /piːl/
A *n* (before peeling) peau *f*; (after peeling) épluchures *fpl*; **potato ~** épluchures *fpl* de pommes de terre
B *vtr* éplucher [*vegetable, fruit*]; décortiquer [*prawn, shrimp*]; écorcer [*stick*]
C *vi* [*paint*] s'écailler; [*sunburnt person, skin*] peler; [*fruit, vegetable*] s'éplucher

(Phrasal verbs) ■ **peel away** [*paper, plastic*] se décoller; [*paint*] s'écailler; [*skin*] peler; ▸ ~ **away [sth]**, ~ **[sth] away** décoller [*layer, paper, plastic*]
■ **peel back** = **peel away**
■ **peel off** **1** (become removed) [*label*] se détacher (**from** de); [*paint*] s'écailler; [*paper*] se décoller; **2** ○hum (undress) se dévêtir; **3** Aviat [*plane*] quitter sa formation; ▸ ~ **off [sth]**, ~ **[sth] off** enlever [*clothing, label, leaves*]
■ **peel out** US **1** ○(accelerate) démarrer en trombe○; **2** [*bells*] tinter

peeler /ˈpiːlə(r)/ *n* **1** Culin (manual) économe *m*; (electric) éplucheur *m* électrique; **potato ~** épluche-légumes *m inv*; **2** ○US (stripper) strip-teaseuse *f*, effeuilleuse○ *f*

peeling /ˈpiːlɪŋ/
A *n* (skin of fruit, vegetable) épluchure *f*; **potato ~s** épluchures *fpl* de pommes de terre
B *adj* [*walls, paint, surface*] qui s'écaille; [*skin*] qui pèle

peep /piːp/
A *n* **1** (look) (quick) coup *m* d'œil; **to have a ~ at sth** jeter un coup d'œil à qch; (furtively) regarder qch à la dérobée; **can I have a ~?** puis-je jeter un coup d'œil?; **2** (noise) (of chick) pépiement *m*; (of mouse) couinement *m*; (of car horn) coup *m* de klaxon®; **there wasn't a ~ out of him** il n'a pas pipé mot; **one more ~ out of you and...** je ne veux plus entendre un mot, sinon...
B *vi* **1** (look) jeter un coup d'œil (**over** par-dessus; **through** par); **to ~ at sth/sb** gen jeter un coup d'œil à qch/qn; (furtively) regarder qch/qn furtivement; **no ~ing!** défense de regarder!; **to ~ round the door** passer la tête dans l'entrebâillement de la porte; **2** littér **daylight was ~ing through the curtains** le jour filtrait à travers les rideaux; **3** (make noise) [*chick*] pépier; [*mouse*] couiner; [*car horn*] klaxonner

(Idiom) **at the ~ of day** aux premiers feux du jour

(Phrasal verb) ■ **peep out** [*person, animal*] se montrer, apparaître; [*gun, hanky*] dépasser; **she ~ed out from behind the curtains** elle épiait de derrière les rideaux; **the sun ~ed out from behind the clouds** le soleil est apparu derrière les nuages; **to ~ out of** [*gun, hanky, pencil*] dépasser de [*bag, pocket*]

peeper○ /ˈpiːpə(r)/ *n* **1** (eye) quinquet○ *m*, œil *m*; **2** (voyeur) voyeur/-euse *m/f*

peep: ~**hole** /ˈpiːphəʊl/ *n* gen trou *m*; (in door) judas *m*; **Peeping Tom**○ *n* voyeur *m*; ~**show** /ˈpiːpʃəʊ/ *n* peep-show *m*; ~**toe sandals** *npl* escarpins *mpl* à bouts découpés; ~**-toe shoe** *n* chaussure *f* à bout ouvert

peer /pɪə(r)/
A *n* **1** (equal) (in status) pair *m*; (in profession) collègue *mf*; **2** (contemporary) (adult) personne *f* de la même génération; (child) personne *f* du même âge; **to be tried by one's ~s** être jugé par ses pairs; **3** GB Pol (*also* ~ **of the realm**) pair *m*; **4** (person of equal merit) égal/-e *m/f*; **to be without ~** *ou* **to have no ~ as a surgeon** ne pas avoir d'égal comme chirurgien
B *vi* **to ~ at** regarder (fixement); **to ~ shortsightedly/anxiously at sth** regarder qch avec des yeux de myope/d'un air inquiet; **to ~ through/over** regarder par/par-dessus; **to ~ into the mist** chercher à discerner quelque chose dans la brume

peerage /ˈpɪərɪdʒ/ *n* **1** GB Pol (aristocracy) pairie *f*; **2** GB Pol (title) pairie *f*; **to raise sb to the ~** conférer le titre de pair à qn; **to be given a ~** être anobli; **3** (book) nobiliaire *m*

peeress /ˈpɪəres/ *n* GB Pol pairesse *f*

peer group *n* **1** (of same status) pairs *mpl*; **2** (contemporary) (adults) personnes *fpl* de la même génération; (children) enfants *mpl* du même âge

peer group pressure *n* pression *f* du groupe

peerless /ˈpɪəlɪs/ *adj* hors pair *inv*

peer review *n* examen *m* par les pairs

peeve○ /piːv/
A *n* bête *f* noire
B *vtr* mettre [qn] en rogne○, irriter; **it ~s me that** cela m'irrite que (+ *subj*)

peeved○ /piːvd/ *adj* [*person, expression*] irrité, en rogne○

peevish /ˈpiːvɪʃ/ *adj* grognon

peevishly /ˈpiːvɪʃlɪ/ *adv* d'un air grognon

peevishness /ˈpiːvɪʃnɪs/ *n* maussaderie *f*

peewee /ˈpiːwiː/ *n, adj* US tout petit/toute petite (*m/f*)

peewit /ˈpiːwɪt/ *n* vanneau *m*

peg /peg/
A *n* **1** (to hang garment) patère *f*; **2** GB (*also* **clothes ~**) pince *f* à linge; **3** (to mark place in ground, game) piquet *m*; (for surveying) piquet *m* d'arpentage; **4** (in carpentry) cheville *f*; **5** (for tuning) cheville *f*; **6** Econ indice *m*; **7** (barrel stop) fausset *m*; **8** (piton) piton *m*; **9** GB (small drink) goutte○ *f*, doigt *m*
B *vtr* (*p prés etc* **-gg-**) **1** (fasten cloth) **to ~ sth on** *ou* **onto a line** accrocher qch sur une corde avec des pinces [*washing*]; **to ~ sth down** *ou* **in place** fixer qch avec des piquets [*fabric, tent*]; **2** (fasten wood) cheviller (**to** à; **together** ensemble); **3** Econ indexer [*price, currency, rate*] (**to** sur); **to ~ sth at 10%/at present levels** indexer qch à 10%/au niveau actuel; **to ~ sth for 12 months** indexer qch pour une durée de 12 mois; **4** US (characterize) cataloguer [*person*] (**as** comme)
C **pegged** *pp adj* [*price, rate, tax*] indexé

(Idioms) **to be a square ~ (in a round hole)** ne pas être dans son élément; **to be taken** *ou* **brought down a ~ (or two)**○ être rabaissé d'un cran (ou deux); **to take** *ou* **bring sb down a ~ (or two)**○ remettre qn à sa place; **to use sth as a ~ (to hang a discussion/a theory on)** se servir de qch comme prétexte (pour entamer la discussion/exposer une théorie)

(Phrasal verbs) ■ **peg away**○ travailler ferme, bosser○ (**at** sur)
■ **peg out**: ▸ ~ **out**○ (die) claquer○; (collapse) s'écrouler de fatigue; ▸ ~ **out [sth]**, ~ **[sth] out** **1** GB (hang out) étendre [*washing*]; **2** (stake out) délimiter [*land*]; **3** (spread out) tendre [qch] avec des piquets [*hide*]

Pegasus /ˈpegəsəs/ *pr n* Mythol Pégase

peg: ~**board** *n* Games, gen panneau *m* alvéolé; ~ **doll(y)** *n* GB poupée *f* fabriquée à partir d'une pince à linge; ~ **leg** *n* jambe *f* de bois; ~**(-top) pants** US, ~**(-top) trousers** GB *npl* pantalon *m* serré à la cheville

pejoration /ˌpɪdʒəˈreɪʃn/ *n* péjoration *f*

pejorative /pɪˈdʒɒrətɪv, US ˈdʒɔːr-/ *adj* péjoratif/-ive

peke○ /piːk/ *n* Zool pékinois *m*

Pekin(g)ese /ˌpiːkɪˈniːz/ ▸ **p. 1378** *n* Ling, Zool pékinois *m*

Peking /ˌpiːˈkɪŋ/ ▸ **p. 1815** *pr n* Pékin

Peking duck *n* ≈ canard *m* laqué

pekoe /ˈpiːkəʊ/ *n* pekoe *m*

pelagic /pəˈlædʒɪk/ *adj* pélagique

pelargonium /ˌpeləˈgəʊnɪəm/ *n* pélargonium *m*

pelf /pelf/ *n* péj lucre *m* pej

pelican /ˈpelɪkən/ *n* pélican *m*

pelican crossing *n* GB passage *m* pour piétons

pellagra /pɪˈlægrə, -ˈleɪg-/ ▸ **p. 1327** *n* pellagre *f*

pellet /ˈpelɪt/ *n* **1** (of paper, wax, mud) boulette *f*; **2** (of shot) plomb *m*; **3** Zool boulette *f* de résidus regorgés; 4 Pharm cachet *m*; 5 Chem gélule *f*; 6 Agric granulé *m*

pell-mell /ˌpelˈmel/ *adv* pêle-mêle

pellucid /peˈluːsɪd/ *adj* pellucide

pelmet /ˈpelmɪt/ *n* cantonnière *f*

Peloponnese /ˈpeləpəniːs/ *pr n* Péloponnèse *m*

Peloponnesian /ˌpeləpəˈniːʃn/ *adj* péloponnésien/-ienne; **the ~ war** la guerre du Péloponnèse

pelota /pəˈləʊtə/ ▸ **p. 1253** *n* pelote *f* basque

pelt /pelt/
A *n* (fur) fourrure *f*; (hide) peau *f*
B **at full pelt** *adv phr* à toute vitesse
C *vtr* bombarder [qn]; **to ~ sb with sth** lancer une volée de qch à qn [*stones*]
D *vi* 1 (fall) (*also* **~ down**) [*rain*] tomber à verse; **it's ~ing with rain** il pleut à verse; **the ~ing rain** la pluie battante; 2 ○(run) [*person*] courir à toutes jambes; **to ~ down/across the road** descendre/traverser la rue à toutes jambes

pelvic /ˈpelvɪk/ *adj* pelvien/-ienne; **~ floor** plancher *m* pelvien; **~ girdle** ceinture *f* pelvienne

pelvic inflammatory disease, PID ▸ **p. 1327** *n* inflammation *f* pelvienne

pelvis /ˈpelvɪs/ ▸ **p. 997** *n* bassin *m*, pelvis *m* spec; **upper/lower ~** grand/petit bassin

pemmican /ˈpemɪkən/ *n* pemmican *m*

pen /pen/
A *n* 1 (for writing) stylo *m*; **to put** *ou* **run one's ~ through sth** barrer qch; **to put ~ to paper** (write) écrire, prendre la plume; (give signature) signer; **to live by one's ~** vivre de sa plume; 2 (enclosure) (for animals) parc *m*, enclos *m*; (for child) parc *m*; 3 Zool cygne *m* femelle; 4 ○US (*abrév* = **penitentiary**) taule○ *f*, prison *f*
B *vtr* (*p prés etc* **-nn-**) 1 (write) écrire [*letter, article*]; 2 (*also* **~ in**) enfermer, parquer [*sheep, pigs*]

penal /ˈpiːnl/ *n* [*reform, law, code, system*] pénal; [*colony, institution*] pénitentiaire; **~ servitude** Hist travaux *mpl* forcés

penalization /ˌpiːnəlaɪˈzeɪʃn, US -lɪˈz-/ *n* (all contexts) pénalisation *f*

penalize /ˈpiːnəlaɪz/ *vtr* (all contexts) pénaliser (**for** pour); **to ~ sb for doing** pénaliser qn pour avoir fait

penalty /ˈpenltɪ/ *n* 1 Jur, gen (punishment) peine *f*, pénalité *f*; (fine) amende *f*; **on** *ou* **under ~ of** sous peine de; **the ~ for this offence is...** ce délit est passible d'une peine de...; 2 Tax pénalité *f*; 3 fig (unpleasant result) prix *m* (**for** de); **to pay the ~ for sth** payer le prix de qch, subir les conséquences de qch; 4 Sport (in soccer) penalty *m*, (in rugby) pénalité *f*; **to score (from) a ~** (in soccer) marquer un penalty; **to take a ~** tirer un penalty; 5 Games amende *f*; **a ten-point ~ for a wrong answer** une amende de dix points pour une mauvaise réponse.

penalty: **~ area** *n* Sport surface *f* de réparation; **~ box** *n* (in soccer) surface *f* de réparation; (in ice-hockey) banc *m* des pénalités; **~ clause** *n* Comm, Jur clause *f* pénale; **~ goal** *n* Sport (in rugby) but *m* sur pénalité; **~ kick** *n* Sport (in rugby) coup *m* de pied de pénalité; (in soccer) penalty *m*; **~ miss** *n* Sport (in soccer) penalty *m* raté; **~ shoot-out** *n* tirs *mpl* au but; **to decide a match by a ~** départager deux équipes aux tirs aux buts; **~ spot** *n* Sport (in soccer) point *m* de penalty

penance /ˈpenəns/ *n* gen, Relig pénitence *f*; **to do ~ (for one's sins)** gen, Relig faire pénitence (pour ses péchés)

pen-and-ink drawing *n* dessin *m* à la plume

pence /pens/ *npl* GB ▸ **penny**

penchant /ˈpɑːnʃɑːn, US ˈpentʃənt/ *n* penchant *m* (**for** pour); **to have a ~ for doing** avoir tendance *f* à faire

pencil /ˈpensl/
A *n* crayon *m*; **in ~** au crayon; **~ drawing** dessin *m* au crayon; **a ~ of light** fig un pinceau de lumière
B *vtr* (*p prés etc* **-ll-** GB, **-l-** US) écrire [qch] au crayon [*note*]

(Phrasal verb) ■ **pencil in**: ▸ **~ [sth] in, ~ in [sth]** lit écrire [qch] au crayon [*word, hyphen*]; fig marquer [qch] comme possibilité [*appointment, date*]; **let's ~ in the second of May** disons le deux mai pour l'instant

pencil: **~ box** *n* plumier *m*; **~ case** *n* trousse *f* (à crayons); **~ pusher**○ *n* US péj gratte-papier *m inv* pej; **~ sharpener** *n* taille-crayon *m*; **~ skirt** *n* Fashn jupe *f* droite

pendant /ˈpendənt/ *n* 1 (necklace) pendentif *m*; 2 (bauble) (on earring, chandelier) pendeloque *f*; (on necklace) pendentif *m*; 3 (ceiling light) lustre *m*

pending /ˈpendɪŋ/
A *adj* 1 (not yet concluded) Jur [*claim, case, charge*] en instance; gen [*deal, matter*] en souffrance; **patent ~** modèle *m* déposé; 2 (imminent) [*election, event, result*] imminent
B *prep* en attendant; **~ trial/a decision** en attendant le procès/une décision

pending tray *n* corbeille *f* des affaires en souffrance

pendulous /ˈpendjʊləs, US -dʒʊləs/ *adj* [*breasts, stomach*] tombant; [*lips, ears*] pendant

pendulum /ˈpendjʊləm, US -dʒʊləm/ *n* 1 (in clock) pendule *m*, balancier *m*; 2 fig balancier *m*; **the swings of the ~** les mouvements du pendule; 3 Phys pendule *m*; 4 (in climbing) pendule *m*

peneplain /ˈpiːnɪpleɪn/ *n* pénéplaine *f*

penetrate /ˈpenɪtreɪt/
A *vtr* 1 (enter into or through) pénétrer [*protective layer, territory, skin, surface*]; percer [*cloud, fog, darkness, silence, defences*]; traverser [*wall*]; (sexually) pénétrer [*woman*]; 2 fig (permeate) pénétrer [*consciousness, market, mind, soul, ideas*]; [*spy*] infiltrer [*organization*]; 3 (understand) percer [*disguise, mystery*]
B *vi* 1 (enter) pénétrer [*place, city*] (**into** dans; **as far as** jusqu'à); 2 (be perceived) [*sound*] parvenir (**to** à); [*understanding*] pénétrer (**to** à); **nothing I say seems to ~** j'ai l'impression de parler à un mur

penetrating /ˈpenɪtreɪtɪŋ/ *adj* 1 (invasive) [*cold, eyes, gaze, rain, wind*] pénétrant; [*sound, voice*] perçant; 2 (perceptive) [*analysis, criticism, comment, question*] pénétrant

penetratingly /ˈpenɪtreɪtɪŋlɪ/ *adv* 1 (loudly) [*speak, shout*] d'une voix pénétrante; 2 (perceptively) [*comment, analyse*] avec pénétration

penetration /ˌpenɪˈtreɪʃn/ *n* 1 (entering) pénétration *f* (**into** de); (by spies) infiltration *f*; (sexual) pénétration *f*; 2 Mil (ability to penetrate) (of bullets, shells) pouvoir *m* de pénétration; 3 (insight) perspicacité *f*

penetrative /ˈpenɪtrətɪv, US -treɪtɪv/ *adj* [*power*] pénétrant; **~ sex** relations *fpl* sexuelles avec pénétration

pen friend *n* correspondant/-e *m/f*

penguin /ˈpeŋgwɪn/ *n* pingouin *m*, manchot *m*

pen holder *n* porte-plume *m inv*

penicillin /ˌpenɪˈsɪlɪn/ *n* pénicilline *f*

peninsula /pəˈnɪnsjʊlə, US -nsələ/ *n* péninsule *f*

peninsular /pɪˈnɪnsjʊlə(r), US -nsələr/ *adj* péninsulaire; **the Peninsular War** la guerre d'Espagne

penis /ˈpiːnɪs/ *n* pénis *m*

penis envy *n* Psych envie *f* du pénis

penitence /ˈpenɪtəns/ *n* gen, Relig pénitence *f*, repentir *m*; **to show ~** montrer du repentir

penitent /ˈpenɪtənt/ *n, adj* gen, Relig pénitent/-e (*m/f*)

penitential /ˌpenɪˈtenʃl/ *adj* pénitentiel/-ielle; **the ~ psalms** les Psaumes pénitentiaux

penitentiary /ˌpenɪˈtenʃərɪ/ *n* 1 US (prison) pénitencier *m*, prison *f*; **federal/state ~** pénitencier fédéral/d'État; 2 Relig (cleric) pénitencier *m*; (tribunal) pénitencerie *f*

penitently /ˈpenɪtəntlɪ/ *adv* [*look*] d'un air pénitent; [*speak*] d'un ton pénitent

pen: **~knife** *n* canif *m*; **~manship** *n* calligraphie *f*; **~ name** *n* pseudonyme *m*, nom *m* de plume

pennant /ˈpenənt/ *n* 1 (flag) (on boat) flamme *f*; (in competition, procession, on car) fanion *m*; 2 US Sport championnat *m*; **~ holder** *ou* **winner** champion/-ionne *m/f*

penniless /ˈpenɪlɪs/ *adj* sans le sou, sans ressources; **to be left ~** se retrouver sans le sou *or* sans ressources

Pennine /ˈpenaɪn/ *pr n* **the ~s** les Pennines *fpl*; **the ~ chain** la chaîne *f* des Pennines

pennon /ˈpenən/ *n* (of knight) oriflamme *f*; Naut flamme *f*

Pennsylvania /ˌpensɪlˈveɪnɪə/ ▸ **p. 1737** *pr n* Pennsylvanie *f*

Pennsylvanian /ˌpensɪlˈveɪnɪən/
A *n* Pennsylvanien/-ienne *m/f*
B *adj* pennsylvanien/-ienne

penny /ˈpenɪ/ *n* 1 (*pl* **pennies**) (small amount of money) ≈ centime *m*; **it won't cost you a ~!** ça ne te coûtera pas un centime!; **not a ~ more!** pas un centime de plus!; **when he died she didn't get a ~** quand il est mort elle n'a pas eu un sou; **not to have a ~ to one's name** *ou* **two pennies to rub together** être sans le sou; 2 GB (*pl* **pence** *ou* **pennies**) (unit of currency) penny *m*; **fifty pence** *ou* **p** cinquante pence; **a five pence** *ou* **five p piece** une pièce de cinq pence; **a 25 pence** *ou* **25p stamp** un timbre-poste à 25 pence; 3 US (*pl* **pennies**) cent *m*

(Idioms) **a ~ for your thoughts** *ou* **for them**○ à quoi penses-tu?; **a ~ saved is a ~ gained** *ou* **earned** un sou économisé est un sou gagné; **a pretty ~**○ une jolie somme; **in for a ~ in for a pound** lorsque le vin est tiré, il faut le boire; **take care of the pennies and the pounds will take care of themselves** Prov il n'y a pas de petites économies; **the ~ dropped**○ ça a fait tilt○; **they are two** *ou* **ten a ~** on les ramasse à la pelle○; **to be ~ wise pound foolish** économiser un franc et en prodiguer mille; **to earn** *ou* **turn an honest ~** gagner honnêtement son pain; **to spend a ~**○ GB euph aller au petit coin euph; **to turn up like a bad ~** revenir continuellement.

> ⚠ Le pluriel de *penny* est *pence* pour une somme spécifique: *10 pence, 24 pence*. A l'oral et à l'écrit on utilise souvent l'abréviation *p*: *47p, 1p*. Le pluriel de *penny* est *pennies* pour les pièces en tant qu'objets comptables: *a bag of pennies*

penny: **Penny Black** *n* Penny Black *m* (*premier timbre adhésif apparu en Grande-Bretagne*); **~ dreadful**○† *n* roman *m* à quatre sous; **~-farthing** *n* grand bi *m*; **~-pincher** *n* grippe-sou *m*

penny-pinching /ˈpenɪpɪntʃɪŋ/
A *n* économies *fpl* de bouts de chandelle
B *adj* grippe-sou *inv*

penny: **~royal** *n* pouliot *m*; **~ whistle** *n* flûteau *m*; **~wort** *n* ombellifère *f*

pennyworth /ˈpenɪwəθ/ *n* **a ~ of sweets** un penny de bonbons

penologist /piːˈnɒlədʒɪst/ ▸ **p. 1683** *n* pénologue *mf*

penology /piːˈnɒlədʒɪ/ *n* pénologie *f*

pen: **~ pal**○ *n* correspondant/-e *m/f*; **~ pusher**○ *n* péj gratte-papier○ *m inv* pej; **~ pushing**○ *n* péj travaux *mpl* d'écritures

pension /ˈpenʃn/ *n* 1 (from state) pension *f*, retraite *f*; **to be** *ou* **live on a ~** être pensionné; **old age ~** pension *f* vieillesse; 2 (from employer) retraite *f*; **company ~** retraite *f* de société;

3 (in recognition of talent, services) pension *f*; **4** Tourism pension *f*

(Phrasal verb) ■ **pension off**: ▸ ~ **[sb] off**, ~ **off [sb]** mettre qn à la retraite

pensionable /ˈpenʃənəbl/ *adj* [*post, service*] donnant droit à la retraite; [*employee*] ayant droit à la retraite; **to be of ~ age** avoir l'âge de la retraite

pension book *n* livret *m* de retraite

pensioner /ˈpenʃənə(r)/ *n* retraité/-e *m/f*

pension: ~ **fund** *n* fonds *m* d'assurance-vieillesse; ~ **plan**, ~ **scheme** *n* plan *m* de retraite; ~ **rights** *npl* droit *m* à une retraite complémentaire

pensive /ˈpensɪv/ *adj* songeur/-euse, pensif/-ive

pensively /ˈpensɪvlɪ/ *adv* pensivement

pensiveness /ˈpensɪvnɪs/ *n* humeur *f* songeuse

pent /pent/

A *pp* ▸ **pen B 2**

B *adj* liter renfermé

pentacle /ˈpentəkl/ *n* pentacle *m*

pentagon /ˈpentəgən, US -gɒn/

A *n* **1** Math pentagone *m*; **2** **Pentagon** US Pol **the ~** le Pentagone

B **Pentagon** *modif* [*statement, official*] du Pentagone

> **Pentagon**
>
> Grand bâtiment pentagonal situé à Arlington (Virginie), qui abrite le ministère de la défense américain. Par extension ce mot est employé dans les médias pour désigner tout l'état-major américain.

pentagonal /penˈtægənl/ *adj* pentagonal

pentagram /ˈpentəgræm/ *n* pentagramme *m*

pentahedron /ˌpentəˈhiːdrən, US -drɒn/ *n* pentaèdre *m*

pentameter /penˈtæmɪtə(r)/ *n* pentamètre *m*

Pentateuch /ˈpentətjuːk/ *pr n* Pentateuque *m*

pentathlete /penˈtæθliːt/ *n* pentathlonien/-ienne *m/f*

pentathlon /penˈtæθlən, -lɒn/ *n* pentathlon *m*; **modern ~** pentathlon *m* moderne

pentatonic /ˌpentəˈtɒnɪk/ *adj* pentatonique

Pentecost /ˈpentɪkɒst, US -kɔːst/ *n* Pentecôte *f*

Pentecostal /ˌpentɪˈkɒstl, US -kɔːstl/ *adj* de la Pentecôte

Pentecostalism /ˌpentɪˈkɒstəlɪzəm, US -ˈkɔːst-/ *n* Pentecôtisme *m*

Pentecostalist /ˌpentɪˈkɒstəlɪst, US -ˈkɔːst-/ *n, adj* pentecôtiste (*mf*)

penthouse /ˈpenthaʊs/

A *n* **1** (flat) appartement *m* de grand standing (*construit au dernier étage d'un immeuble*); **2** (roof) auvent *m*

B *modif* [*accommodation, suite*] de grand standing; [*roof*] en auvent

pent-up /ˌpentˈʌp/ *adj* [*emotion, energy, frustration*] contenu; [*feelings*] réprimé

penultimate /penˈʌltɪmət/

A *n* Ling pénultième *f*

B *adj* avant-dernier/-ière

penumbra /prˈnʌmbrə/ *n* Astron, littér pénombre *f*

penurious /prˈnjʊərɪəs, US -ˈnʊr-/ *adj* sout **1** (poor) [*family*] indigent; [*existence*] misérable; [*soil*] infertile; **2** (mean) parcimonieux/-ieuse

penury /ˈpenjʊrɪ/ *n* indigence *f*

peon /ˈpiːən/ *n* péon *m*

peony /ˈpiːənɪ/ *n* pivoine *f*

people /ˈpiːpl/

A *n* (nation) peuple *m*, peuplade *f*; **an ancient ~** un peuple antique; **the English-speaking ~s** les anglophones *mpl*; **Stone Age ~s** les peuplades de l'âge de pierre; **the chosen ~** le peuple des élus

B *npl* **1** (in general) gens *mpl*; (specified or counted) personnes *fpl*; **disabled/old ~** les personnes handicapées/âgées; **they're nice ~** ce sont des gens sympathiques; **how many ~ are there?** combien y a-t-il de personnes?; **there were several/a few/500 ~** il y avait plusieurs/quelques/500 personnes; **there was a roomful of ~** il y avait une pièce pleine de monde; **there were a lot of ~** il y avait beaucoup de monde; **a lot of/most ~ think that** beaucoup de/la plupart des gens pensent que; **some ~ here think that** certaines personnes ici pensent que; **~ say that** les gens disent que; **what will ~ say?** que vont dire les gens?; **other ~ say that** d'autres disent que; **other ~'s property** la propriété des autres; **he likes helping ~** il aime aider les autres; **you shouldn't do that in front of ~** tu ne devrais pas faire ça en public; **~ at large**, **~ in general** le grand public; **what do you ~ want?** que voulez-vous?; **you of all ~!** je n'aurais jamais pensé ça de toi!; **you of all ~ should know that...** tu devrais savoir encore mieux que les autres que...; **I met Jack of all ~ at the party!** à la soirée il y avait Jack, figure-toi!; **2** (inhabitants) (of town) habitants *mpl*; (of a country) peuple *m*; **the ~ of Bath** les habitants de Bath; **the British ~** le peuple britannique, les Britanniques *mpl*; **the good ~ of Oxford** les bonnes gens d'Oxford; **3** (citizens, subjects) **the ~** le peuple; **the common ~** le peuple; **the ~ are protesting** le peuple proteste; **a man of the ~** un homme du peuple; **to address one's ~** s'adresser à son peuple; **4** ○(experts) gens○ *mpl*; **the tax/heating ~** les gens○ des impôts/du chauffage; **5** ○(relations) famille *f*; (parents) parents *mpl*

C *vtr* littér peupler (**with** de).

> ⚠ *gens* is masculine plural and never countable (you CANNOT say *'trois gens'*). When used with *gens*, some adjectives such as *vieux, bon, mauvais, petit, vilain* placed before *gens* take the feminine form: *les vieilles gens*

people management *n* **do you have experience of ~?** est-ce que vous avez déjà dirigé une équipe?

people: ~ **mover** *n* US tapis *m* roulant; ~ **power** *n* pouvoir *m* populaire; **~'s army** *n* armée *f* populaire; **~'s democracy** *n* démocratie *f* populaire; **~'s front** *n* front *m* populaire; **~'s park** *n* jardin *m* public; **People's Party** *n* US Hist parti *m* populiste; **~'s republic** *n* république *f* populaire; **People's Republic of China** ▸ **p. 1096** *pr n* République *f* populaire de Chine; ~ **trafficker** *n* trafiquant *m* d'êtres humains

pep /pep/ *n* entrain *m*, dynamisme *m*

(Phrasal verb) ■ **pep up**: ▸ ~ **up** [*person*] retrouver des forces; [*economy*] repartir; [*business*] reprendre; ▸ ~ **[sb/sth] up**, ~ **up [sb/sth]** remettre [qn] d'aplomb [*person*]; animer [*party, team*]

PEP *n* GB Fin *abrév* ▸ **Personal Equity Plan**

pepper /ˈpepə(r)/

A *n* **1** (spice) poivre *m*; **black/white ~** poivre noir/blanc; **2** (vegetable) poivron *m*; **red/green ~** poivron rouge/vert

B *vtr* **1** lit poivrer [*meal, food*]; **2** fig (sprinkle liberally) parsemer (**with** de); **to be ~ed with** être parsemé de [*swearwords, criticisms*]; **3** (fire at) cribler [*person, wall, area*] (**with** de)

pepper: **~-and-salt** *adj* [*hair*] poivre et sel; [*material*] chiné noir et blanc; **~corn** *n* grain *m* de poivre; **~corn rent** *n* GB loyer *m* symbolique; ~ **mill** *n* moulin *m* à poivre

peppermint /ˈpepəmɪnt/

A *n* **1** (sweet) pastille *f* de menthe; **2** (plant) menthe *f* poivrée

B *modif* (*also* **~-flavoured**) à la menthe

pepper pot, ~ **shaker** *n* poivrier *m*

peppery /ˈpepərɪ/ *adj* **1** (spicy) poivré; **2** (irritable) irascible

pep pill○ *n* excitant *m*

peppy○ /ˈpepɪ/ *adj* [*person*] plein d'entrain; [*car*] nerveux/-euse

pep rally *n* US Sch *défilé de supporters avant un match scolaire*

pepsin /ˈpepsɪn/ *n* pepsine *f*

pep talk○ *n* laïus○ *m* d'encouragement

peptic /ˈpeptɪk/ *adj* gen digestif/-ive; ~ **ulcer** ulcère *m* de l'estomac

peptone /ˈpeptəʊn/ *n* peptone *f*

per /pɜː(r)/ *prep* **1** (for each) par; **~ head** par tête *or* personne; **~ annum** par an; **~ diem** par jour; **80 km ~ hour** 80 km à l'heure; **to pay sb £5 ~ hour** payer qn 5 livres (de) l'heure; **revolutions ~ minute** tours-minute; **as ~ usual**○ comme d'habitude; **2** (by means of) **~ post** par la poste; **3** Comm **as ~ invoice/specifications** suivant facture/spécifications; **as ~ sample** conformément à l'échantillon; **as ~ your instructions** conformément à vos instructions

perambulate /pəˈræmbjʊleɪt/ sout

A *vtr* parcourir

B *vi* déambuler

perambulation /pəˌræmbjʊˈleɪʃn/ *n* sout promenade *f*

perambulator† /pəˈræmbjʊleɪtə(r)/ *n* GB voiture *f* d'enfant, landau *m*

perborate /pəˈbɔːreɪt/ *n* perborate *m*

per capita *adj, adv* par habitant

perceive /pəˈsiːv/

A *vtr* percevoir

B **perceived** *pp adj* [*need, benefit, success, failure*] perçu/-e comme tel/telle

C *v refl* **to ~ oneself as (being) sth** se percevoir comme qch

per cent, **pc** /pəˈsent/

A *n* centième *m*

B *adv* pour cent

percentage /pəˈsentɪdʒ/

A *n* pourcentage *m* (**of** de; **on** sur); **as a ~ of** calculé par rapport à; **a high/small ~** un fort/faible pourcentage; **to get a ~ on** toucher un pourcentage sur [*sale*]

B *modif* [*increase, decrease, change*] en pourcentage

percentage point *n* Fin point *m*

perceptible /pəˈseptəbl/ *adj* perceptible (**to** à); **barely ~** à peine perceptible

perceptibly /pəˈseptəblɪ/ *adv* sensiblement, de façon perceptible

perception /pəˈsepʃn/ *n* **1** Philos, Psych perception *f*; **visual ~** perception visuelle; **a child's ~ of his environment** la perception qu'a un enfant de son environnement; **2** (view) **my ~ of him/of the problem** l'idée que je me fais de lui/du problème; **the popular ~ of the 1960s as an era of liberation** l'idée que les gens se font des années soixante comme étant une époque de libération; **there is a ~ growing among nationalists that** on voit se répandre parmi les nationalistes l'idée selon laquelle; **3** (insight) (of person) perspicacité *f*; (of essay, novel) finesse *f*; **the psychological ~ of her later novels** la finesse de l'analyse psychologique dans ses derniers romans; **4** Comm, Tax perception *f*

perceptive /pəˈseptɪv/ *adj* **1** [*person, mind, wit*] perspicace; [*study, account, article*] pertinent; [*vignette, comedy*] spirituel/-elle; **how ~ of you!** quelle perspicacité (de votre part)!; **2** Psych perceptif/-ive

perceptively /pəˈseptɪvlɪ/ *adv* avec perspicacité; **as she ~ observes...** comme elle le fait très justement remarquer...

perceptiveness /pəˈseptɪvnɪs/ *n* = **perception 3**

perch /pɜːtʃ/

A *n* **1** (for bird) perchoir *m*; **2** fig (vantage point)

position *f* élevée; **3** Zool perche *f*; **4** †Meas ≈ 5 mètres
B *vtr* percher
C *vi* [*bird, person*] se percher (**on** sur); **to be ~ed on sth** [*bird, person, building*] être perché sur qch
(Idiom) **to knock sb off their ~**○ détrôner qn

perchance /pəˈtʃɑːns, US -ˈtʃæns/ *adv* liter (perhaps) peut-être; (by accident) par hasard

percipient /pəˈsɪpɪənt/ *adj* **1** sout [*person*] perspicace, fin; [*observation, remark*] pertinent; **2** Philos percipient

percolate /ˈpɜːkəleɪt/
A *vtr* passer [*coffee*]; **~d coffee** café fait dans une cafetière à pression
B *vi* (*also* **~ through**) [*coffee*] passer; [*water, rain*] passer, filtrer; [*news, idea, information*] filtrer (**into, to** jusqu'à)

percolator /ˈpɜːkəleɪtə(r)/ *n* cafetière *f* à pression

percussion /pəˈkʌʃn/
A *n* **1** Mus percussions *fpl*; **2** (striking together) choc *m*; (sound) percussion *f*
B *modif* [*board, lesson*] de percussions; [*instrument*] à percussion; **~ player** percussionniste *mf*; **~ section** percussions *fpl*

percussion: **~ bullet** *n* balle *f* explosive; **~ cap** *n* capsule *f* fulminante; **~ drill** *n* perceuse *f* à percussion

percussionist /pəˈkʌʃənɪst/ *n* percussionniste *mf*

percussion lock *n* percuteur *m*

percussive /pəˈkʌsɪv/ *adj* percutant

perdition /pəˈdɪʃn/ *n* Relig perdition *f*

peregrination /ˌperɪgrɪˈneɪʃn/ *n* littér pérégrination *f*

peregrine falcon /ˌperɪgrɪn ˈfɔːlkən, US ˈfælkən/ *n* faucon *m* pèlerin

peremptorily /pəˈremptrəlɪ, US ˈperəmptɔːrəlɪ/ *adv* péremptoirement

peremptory /pəˈremptərɪ, US ˈperəmptɔːrɪ/ *adj* péremptoire

perennial /pəˈrenɪəl/
A *n* plante *f* vivace; **hardy ~** plante *f* vivace
B *adj* **1** (recurring) perpétuel/-elle; **2** Bot [*plant*] vivace

perennially /pəˈrenɪəlɪ/ *adv* (all contexts) perpétuellement

perestroika /ˌpereˈstrɔɪkə/ *n* perestroïka *f*

perfect
A /ˈpɜːfɪkt/ *n* Ling parfait *m*; **in the ~** au parfait
B /ˈpɜːfɪkt/ *adj* **1** (flawless) [*arrangement, behaviour, blend, condition, copy, crime, example, French, health, match, performance, shape, score, technique, weather, world*] parfait (**for** pour); [*choice, holiday, moment, name, opportunity, place, partner, solution*] idéal (**for** pour); [*hostess*] exemplaire; **she is ~ for the part/the job** c'est la personne idéale pour le rôle/ce travail; **that screw will be ~ for the job** cette vis fera parfaitement l'affaire; **that recording is less than ~** cet enregistrement laisse franchement à désirer; **that jacket is a ~ fit** cette veste va parfaitement; **to do sth with ~ timing** faire qch au bon moment; **everything is ~** tout est parfait; **'all right?'—'~!'** 'ça va?'—'parfait!'; **2** (total) [*stranger, fool*] parfait (*before n*); [*pest*] véritable (*before n*); **to have a ~ right to do** avoir parfaitement le droit de faire; **3** Ling **the ~ tense** le parfait
C /pəˈfekt/ *vtr* perfectionner

perfectibility /pəˌfektɪˈbɪlətɪ/ *n* perfectibilité *f*

perfection /pəˈfekʃn/ *n* perfection *f* (**of** de); **to do sth to ~** faire qch à la perfection; **his singing/cooking was ~ (itself)** sa façon de chanter/de cuisiner était la perfection même

perfectionism /pəˈfekʃənɪzəm/ *n* perfectionnisme *m*

perfectionist /pəˈfekʃənɪst/ *n, adj* perfectionniste (*mf*)

perfective /pəˈfektɪv/ Ling
A *n* (verb) verbe *m* perfectif; (aspect) aspect *m* perfectif
B *adj* perfectif/-ive

perfectly /ˈpɜːfɪktlɪ/ *adv* **1** (totally) [*acceptable, all right, clear, happy, dreadful, healthy, normal, obvious, reasonable*] tout à fait; [*good*] parfaitement; **to be ~ entitled to do** avoir parfaitement le droit de faire; **2** (very well) [*fit, illustrate*] parfaitement

perfidious /pəˈfɪdɪəs/ *adj* perfide; **~ Albion** la perfide Albion

perfidiously /pəˈfɪdɪəslɪ/ *adv* perfidement

perfidy /ˈpɜːfɪdɪ/ *n* perfidie *f*

perforate /ˈpɜːfəreɪt/ *vtr* perforer

perforated ulcer /ˌpɜːfəreɪtɪd ˈʌlsə(r)/ *n* perforation *f* ulcéreuse

perforation /ˌpɜːfəˈreɪʃn/ *n* (all contexts) perforation *f*

perforce /pəˈfɔːs/ *adv* sout nécessairement

perform /pəˈfɔːm/
A *vtr* **1** (carry out) exécuter [*task*]; accomplir [*duties*]; procéder à [*operation, abortion, lobotomy*]; **2** (for entertainment) jouer [*piece, play*]; chanter [*song*]; exécuter [*dance, acrobatics, trick*]; **3** (enact) célébrer [*rite, ceremony*]
B *vi* **1** [*actor, musician*] jouer; **to ~ in public** jouer en public; **to ~ on the violin** jouer du violon; **she ~ed brilliantly as Viola** elle a brillamment joué le rôle de Viola; **2** (conduct oneself) **to ~ well/badly** [*team*] bien/mal jouer; [*interviewee*] faire bonne/mauvaise impression; **the students ~ed better than last year** les étudiants ont eu de meilleurs résultats que l'année dernière; **the minister ~s well on television** le ministre fait une bonne performance à la télévision; **3** Comm, Fin [*company, department*] avoir de bons résultats; **sterling ~ed badly** la livre sterling a baissé

performance /pəˈfɔːməns/ *n* **1** (rendition) interprétation *f* (**of** de); **his ~ of Hamlet** son interprétation du rôle de Hamlet; **her ~ in King Lear** son interprétation dans le Roi Lear; **2** (concert, show, play) représentation *f* (**of** de); **to give a ~ of** donner une représentation de; **to put on a ~** monter un spectacle; **3** (of team, sportsman) performance *f* (**in** à); **4** (economic, political record) performances *fpl*; **sterling's ~** les performances de la livre sterling; **5** (of duties) exercice *m* (**of** de); (of rite) célébration *f* (**of** de); (of task) exécution *f* (**of** de); **6** Aut (of car, engine) performances *fpl*; **7** ○(outburst) scène *f*; (elaborate procedure) affaire *f*; **what a ~!** quelle scène *or* affaire!; **it's a real ~ doing** c'est toute une affaire de faire; **8** Ling performance *f*

performance: **~ appraisal** *n* Mgmt évaluation *f* des performances; **~ art** *n* Art art *m* vivant, performance *f*; **~ artist** ▸ p. 1683 *n* performer *mf*; **~-enhancing drug** *n* Med, Sport substance *f* dopante; **~ indicators** *npl* Mgmt tableau *m* de bord; **~ review** *n* = **performance appraisal**

performative /pəˈfɔːmətɪv/ *adj* performatif/-ive

performer /pəˈfɔːmə(r)/ *n* **1** (artist) artiste *mf*; **2** (achiever) **the car is a good/bad ~ on hilly terrain** la voiture se comporte bien/mal en terrain vallonné

performing /pəˈfɔːmɪŋ/ *adj* [*seal, elephant*] savant

performing arts *npl* arts *mpl* scéniques

perfume /ˈpɜːfjuːm, US pərˈfjuːm/
A *n* parfum *m*
B *vtr* parfumer

perfumery /pəˈfjuːmərɪ/ *n* parfumerie *f*

perfunctorily /pəˈfʌŋktrəlɪ, US -tɔːrəlɪ/ *adv* [*search, bow, greet*] pour la forme; [*kiss, comment*] du bout des lèvres; [*investigate, carry out*] sommairement

perfunctory /pəˈfʌŋktərɪ, US -tɔːrɪ/ *adj* [*search, bow, greeting*] pour la forme; [*kiss, nod, shrug*] rapide, sans conviction; [*investigation*] sommaire

pergola /ˈpɜːgələ/ *n* pergola *f*

perhaps /pəˈhæps/ *adv* peut-être; **~ she's forgotten** elle a peut-être oublié; **~ he has missed the train** peut-être qu'il a manqué le train, peut-être a-t-il manqué le train; **~ I should explain that...** je devrais peut-être expliquer que...; **~ I might have a cup of tea?** pourrais-je avoir une tasse de thé?

perianth /ˈperɪænθ/ *n* périanthe *m*

pericardium /ˌperɪˈkɑːdɪəm/ *n* (*pl* **-dia**) péricarde *m*

pericarp /ˈperɪkɑːp/ *n* péricarpe *m*

peridot /ˈperɪdɒt/ *n* péridot *m*

perigee /ˈperɪdʒiː/ *n* périgée *m*

periglacial /ˌperɪˈgleɪʃl/ *adj* périglaciaire

peril /ˈperəl/ *n* péril *m*, danger *m*; **in ~ (of)** en danger (de); **in ~ of one's life** au péril de sa vie; **at my/your ~** à mes/tes risques et périls

perilous /ˈperələs/ *adj* périlleux/-euse

perilously /ˈperələslɪ/ *adv* dangereusement; **to be** *ou* **come ~ close to** être à deux doigts de○

perimenopause /perɪˈmenəpɔːz/ *n* périménopause *f*

perimeter /pəˈrɪmɪtə(r)/
A *n* périmètre *m*; **on the ~ of** aux abords de [*park, site*]; **to go round the ~ of** faire le tour de
B *modif* [*wall*] d'enceinte; [*path*] circulaire

perimeter fence *n* (*also* **~ fencing**) clôture *f* grillagée

perinatal /ˌperɪˈneɪtl/ *adj* périnatal

perinatology /perɪˌnəˈtɒlədʒɪ/ *n* Med périnatalogie *f*

perineal /ˌperɪˈniːəl/ *adj* [*tear, damage*] du périnée

perineum /ˌperɪˈniːəm/ *n* (*pl* **-nea**) périnée *m*

period /ˈpɪərɪəd/
A *n* **1** gen, Geol, Astron, Hist période *f*; (longer) époque *f*; **for a short ~** pendant une courte période; **a ~ of peace and prosperity** une période *or* une époque de paix et de prospérité; **trial/Christmas ~** période d'essai/de Noël; **the late Roman/pre-war ~** l'époque romaine tardive/l'époque *or* la période de l'avant-guerre; **cloudy/sunny ~s** Meteorol périodes nuageuses/d'ensoleillement; **bright ~s** Meteorol éclaircies *fpl*; **rainy ~s** Meteorol averses *fpl*; **for/over a two-year ~** pendant/en deux ans; **for a long ~** pendant longtemps; **2** Art période *f*; **Picasso's blue ~** la période bleue de Picasso; **3** US (full stop) lit, fig point *m*; **4** (menstruation) règles *fpl*; **5** Sch (lesson) cours *m*, leçon *f*; **a double ~ of French** deux cours de français à la suite; **to have a free ~** ≈ avoir une heure de libre; **6** Sport période *f* de jeu, manche *f*
B *modif* (of a certain era) [*costume, furniture, instrument*] d'époque; (reproduction) [*costume, instrument, style, performance*] caractéristique de l'époque; [*furniture*] de style (ancien)

periodic /ˌpɪərɪˈɒdɪk/ *adj* périodique

periodical /ˌpɪərɪˈɒdɪkl/ *n, adj* périodique (*m*)

periodically /ˌpɪərɪˈɒdɪklɪ/ *adv* périodiquement

periodicity /ˌpɪərɪəˈdɪsətɪ/ *n* périodicité *f*

periodic: **~ law** *n* principe *m* de classification périodique des éléments chimiques; **~ table** *n* tableau *m* de classification périodique des éléments

period: **~ of office** *n* Pol, Admin mandat *m*; **~ pains** *npl* règles *fpl* douloureuses; **~ piece** *n* curiosité *f* d'époque

periosteum /ˌperɪˈɒstɪəm/ *n* (*pl* **-tea**) périoste *m*

peripatetic /ˌperɪpəˈtetɪk/
A *n* (*also* **Peripatetic**) Philos péripatéticien/-ienne *m/f*
B *adj* [*life, existence*] itinérant; [*teacher*] affecté à plusieurs établissements scolaires

peripheral /pəˈrɪfərəl/
A *n* Comput périphérique *m*
B *adj* [*equipment, vision, suburb*] périphérique; [*issue, business, investment*] annexe; **to be ~ to** être secondaire par rapport à [*activity, issue*]

periphery /pəˈrɪfərɪ/ *n* **1** (edge) périphérie *f*; **2** fig (fringes) **to be on the ~ of** être dans la mouvance de [*party, movement*]; **to remain on the ~ of** rester à l'écart de [*event, movement*]

periphrasis /pəˈrɪfrəsɪs/ *n* (*pl* **-ses**) périphrase *f*

periscope /ˈperɪskəʊp/ *n* périscope *m*; **at ~ depth** en immersion périscopique

perish /ˈperɪʃ/ *vi* **1** littér (die) périr (**from** de); **to do sth or ~ in the attempt** hum faire qch coûte que coûte; **~ the thought!** le Ciel nous en préserve!; **2** (rot) [*food*] se gâter; [*rubber*] se détériorer

perishable /ˈperɪʃəbl/ *adj* périssable; **~ goods** denrées périssables

perishables /ˈperɪʃəblz/ *npl* denrées *fpl* périssables

perished○ /ˈperɪʃt/ *adj* **to be ~** [*person*] être gelé○

perisher○† /ˈperɪʃə(r)/ *n* GB **1** (nuisance) **little ~** petite peste *f*; **2** (child) **poor little ~** pauvre petit/-e *m/f*

perishing○ /ˈperɪʃɪŋ/ *adj* **1** (cold) **to be ~** (of weather) faire un froid de canard○; **2** †(emphatic) parfait; **~ idiot** parfait imbécile; **what a ~ nuisance!** quelle barbe○!

perishingly○ /ˈperɪʃɪŋlɪ/ *adv* **it's ~ cold** il fait froid à crever○

peristalsis /ˌperɪˈstælsɪs/ *n* (*pl* **-ses**) péristaltisme *m*

peristyle /ˈperɪstaɪl/ *n* péristyle *m*

peritoneum /ˌperɪtəˈniːəm/ *n* (*pl* **-nea** *ou* **~s**) péritoine *m*

peritonitis /ˌperɪtəˈnaɪtɪs/ ▸ **p. 1327** *n* péritonite *f*

periwig /ˈperɪwɪg/ *n* Hist perruque *f*

periwinkle /ˈperɪwɪŋkl/ ▸ **p. 1067** *n* **1** Bot pervenche *f*; **2** (*also* **~-blue**) bleu *m* pervenche *inv*; **3** Zool bigorneau *m*

perjure /ˈpɜːdʒə(r)/ *v refl* **to ~ oneself** Jur faire un faux serment; (morally) se parjurer

perjured /ˈpɜːdʒəd/ *adj* Jur [*witness*] parjure; [*testimony*] faux/fausse (*before n*)

perjurer /ˈpɜːdʒərə(r)/ *n* Jur parjure *mf*

perjury /ˈpɜːdʒərɪ/ *n* Jur faux témoignage *m*; **to commit ~** faire un faux témoignage

perk○ /pɜːk/
A *n* gen avantage *m*; (benefit in kind) avantage *m* en nature
B *vtr* (percolate) passer [*coffee*]
(Phrasal verb) ■ **perk up**: ▸ **~ up** [*person*] se ragaillardir; [*business, life, plant*] reprendre; [*weather*] s'adoucir; ▸ **~ [sth] up, ~ up [sth]** revigorer [*person, plant, business*]; égayer [*dress*]

perkily /ˈpɜːkɪlɪ/ *adv* avec entrain

perkiness /ˈpɜːkɪnɪs/ *n* entrain *m*

perky /ˈpɜːkɪ/ *adj* guilleret/-ette

perm /pɜːm/
A *n* **1** Cosmet permanente *f*; **to have a ~** se faire faire une permanente; **2** GB Sport (football pools) combinaison *f*
B *vtr* **1** **to ~ sb's hair** faire une permanente à qn; **2** (football pools) **to ~ 8 from 16** faire une combinaison de 8 équipes sur 16

permafrost /ˈpɜːməfrɒst, US -frɔːst/ *n* permagel *m*, permafrost *m*

permanence /ˈpɜːmənəns/ *n* permanence *f*

permanency /ˈpɜːmənənsɪ/ *n* **1** = **permanence**; **2** (job) emploi *m* à titre définitif

permanent /ˈpɜːmənənt/
A *n* US permanente *f*
B *adj* [*job, disability, exhibition, address, friendship*] permanent; [*premises, closure*] définitif/-ive; [*contract*] à durée indéterminée; [*staff*] ayant un contrat à durée indéterminée; **~ damage** (to property) dégâts *mpl* permanents; (to health, part of body) dommages *mpl* permanents; **to be in a ~ state of depression** être déprimé en permanence; **the payments are a ~ drain on our resources** les versements grèvent nos ressources en permanence; **I'm not ~ in this job** GB je ne suis pas ici à titre définitif; ▸ **fixture**

permanently /ˈpɜːmənəntlɪ/ *adv* (constantly) [*angry, happy, tired*] en permanence; (definitively) [*employed, disabled*] de façon permanente; [*appointed*] à titre définitif; [*close, emigrate, leave, settle*] définitivement; **a ~ high level of unemployment** un taux de chômage constamment élevé; **he will be ~ scarred** lit il aura cette cicatrice pour toujours; fig il sera marqué pour la vie

permanent: **~ press** *modif* [*trousers*] à pli permanent; [*skirt, fabric*] indéplissable; **~ secretary (of state)** *n* GB Pol Admin directeur/-trice *m/f* de cabinet; **~ under-secretary** *n* GB Pol Admin ≈ conseiller/-ère *m/f*; **~ wave**† *n* permanente *f*; **~ way** *n* Rail voie *f* ferrée

permanganate /pɜːˈmæŋgəneɪt/ *n* permanganate *m*; **potassium ~** permanganate *m* de potassium

permeability /ˌpɜːmɪəˈbɪlətɪ/ *n* perméabilité *f*

permeable /ˈpɜːmɪəbl/ *adj* perméable

permeate /ˈpɜːmɪeɪt/
A *vtr* **1** [*liquid, gas*] s'infiltrer dans; [*odour*] pénétrer dans; **2** fig [*ideas*] imprégner
B **permeated** *pp adj* **to be ~d with** être imprégné de also fig

Permian /ˈpɜːmɪən/
A *n* **the ~** le permien
B *adj* permien/-ienne

permissible /pəˈmɪsɪbl/ *adj* [*level, limit, conduct*] admissible; [*error*] acceptable, tolérable; **it is morally/legally ~ to do** il est moralement/légalement admissible de faire; **to tell sb what is ~** dire à qn ce qui est permis

permission /pəˈmɪʃn/ *n* gen permission *f*; (official) autorisation *f*; **to have ~ to do** avoir la permission *or* l'autorisation de faire; **to do sth without ~** faire qch sans permission *or* sans autorisation; **to get ~ to do** obtenir la permission *or* l'autorisation de faire; **to give ~ for sb to do, to give sb ~ to do** donner la permission à qn de faire, autoriser qn à faire; **he will not give ~ for any player to miss training** il n'autorisera aucun joueur à manquer l'entraînement; **she will not give ~ for the meeting to take place** elle n'autorisera pas la réunion; **to ask (for) sb's ~ to do** demander la permission à qn de faire; **written ~ to do** l'autorisation écrite de faire; **reprinted by ~ of the autor** reproduit avec l'autorisation de l'auteur; **by kind ~ of the management** avec l'aimable autorisation de la direction

permissive /pəˈmɪsɪv/ *adj* **1** (morally lax) permissif/-ive; **the ~ society** la société permissive; **during the ~ sixties** pendant la période permissive des années 60; **2** (liberal) [*view, law*] libéral; **to take a ~ view on sth** avoir une opinion libérale sur qch

permissively /pəˈmɪsɪvlɪ/ *adv* libéralement; **some of us view such problems more ~ than others** certains d'entre nous ont des vues plus libérales que d'autres

permissiveness /pəˈmɪsɪvnɪs/ *n* permissivité *f*

permit
A /ˈpɜːmɪt/ *n* **1** (document) permis *m*; (official permission) autorisation *f*; **to apply for/issue a ~** faire une demande de permis/délivrer un permis; **work/fishing ~** permis *m* de travail/pêche; **2** US Aut permis *m* (de conduire)
B /pəˈmɪt/ *vtr* (*p prés etc* **-tt-**) **1** (allow) permettre [*action, measure*]; **travel by herself? her parents would never ~ it!** voyager toute seule? ses parents ne le permettraient jamais; **smoking is not ~ted** il est interdit de fumer; **to ~ sb to do** permettre à qn de faire; **space does not ~ me to quote at length** l'espace ne me permet pas de citer en entier; **~ me, Madam, to assist you** permettez-moi, Madame, de vous aider; **2** (allow formally, officially) autoriser; **to ~ sb to do** autoriser qn à faire
C /pəˈmɪt/ *vi* (*p prés etc* **-tt-**) permettre; **weather ~ting** si le temps le permet; **time ~ting** à condition d'en avoir le temps; **as soon as circumstances ~, I will join you** dès que les circonstances le permettront, je vous rejoindrai; **to ~ of two interpretations** sout [*text, phrase*] se prêter à deux interprétations; **to ~ of no delay** sout [*matter*] n'admettre aucun retard; **to ~ of no defence** sout être indéfendable
D **permitted** *pp adj* [*additive, level*] autorisé
E /pəˈmɪt/ *v refl* **to ~ oneself** se permettre [*smile, drink*]

permutation /ˌpɜːmjuːˈteɪʃn/ *n* (all contexts) permutation *f*

permute /pəˈmjuːt/ *vtr* permuter

pernicious /pəˈnɪʃəs/ *adj* (all contexts) pernicieux/-ieuse

pernicious anaemia ▸ **p. 1327** *n* anémie *f* pernicieuse

perniciously /pəˈnɪʃəslɪ/ *adv* [*damage, spread*] de façon pernicieuse; [*invasive*] pernicieusement

pernickety○ GB /pəˈnɪkətɪ/ *adj* **1** (detail-conscious) pointilleux/-euse (**about** sur); **2** (choosy) péj tatillon/-onne (**about** quant à)

peroration /ˌperəˈreɪʃn/ *n* péroraison *f*

peroxide /pəˈrɒksaɪd/ *n* **1** Chem peroxyde *m*; **2** (*also* **hydrogen ~**) Pharm eau *f* oxygénée

peroxide blonde *n* péj blonde *f* décolorée

perpend /pəˈpend/ *n* Constr parpaing *m*

perpendicular /ˌpɜːpənˈdɪkjʊlə(r)/
A *n* **1** gen, Math verticale *f* (**to** à); **to lean from the ~** dévier de la verticale; **2** Archit style *m* perpendiculaire
B *adj* **1** [*line*] perpendiculaire; **a ~ cliff face** un à-pic; **2** Archit [*style*] perpendiculaire; [*building*] de style perpendiculaire

perpendicularly /ˌpɜːpənˈdɪkjʊləlɪ/ *adv* perpendiculairement

perpetrate /ˈpɜːpɪtreɪt/ *vtr* perpétrer [*deed, fraud*]; monter [*hoax*]

perpetration /ˌpɜːpɪˈtreɪʃn/ *n* **1** (carrying out) perpétration *f*; **2** †(crime) forfait *m*

perpetrator /ˈpɜːpɪtreɪtə(r)/ *n* auteur *m* (**of** de)

perpetual /pəˈpetʃʊəl/ *adj* [*meetings, longing, disloyalty, turmoil*] perpétuel/-elle; [*darkness, stench, state*] permanent; [*banter*] éternel/-elle

perpetually /pəˈpetʃʊəlɪ/ *adv* perpétuellement

perpetual motion *n* mouvement *m* perpétuel

perpetuate /pəˈpetjʊeɪt/ *vtr* perpétuer

perpetuation /pəˌpetʃʊˈeɪʃn/ *n* perpétuation *f* (**of** de)

perpetuity /ˌpɜːpɪˈtjuːətɪ, US -ˈtuː-/ *n* **1** (eternity) perpétuité *f*; **in ~** gen, Jur à perpétuité; **2** Fin annuité *f* à vie

perpetuity rule *n* Jur *règle empêchant tout contrat immobilier à perpétuité*

perplex /pəˈpleks/ *vtr* plonger [qn] dans la perplexité

perplexed /pəˈplekst/ *adj* perplexe; **to be ~ as to why/how** se demander pourquoi/comment

perplexedly /pəˈpleksɪdlɪ/ *adv* avec perplexité

perplexing /pəˈpleksɪŋ/ *adj* [*behaviour*] curieux/-ieuse; [*situation*] confus; [*question*] difficile

perplexity /pəˈpleksətɪ/ *n* perplexité *f*

perquisite /ˈpɜːkwɪzɪt/ *n* avantage *m*

perry /ˈperɪ/ *n* (drink) poiré *m*

per se /ˌpɜː ˈseɪ/ *adv* en soi

persecute /ˈpɜːsɪkjuːt/ *vtr* persécuter (**for** pour; **for doing** pour avoir fait); **he was ~d for being a member/for having a different view** on l'a persécuté parce qu'il était membre/parce qu'il avait une conception différente

persecution /ˌpɜːsɪˈkjuːʃn/ *n* persécution *f* (**of** de; **by** par)

persecution complex, **persecution mania** *n* délire *m* de persécution

persecutor /ˈpɜːsɪkjuːtə(r)/ *n* persécuteur/-trice *m/f*

Persephone /pɜːˈsefənɪ/ *pr n* Perséphone

Perseus /ˈpɜːsjuːs/ *pr n* Persée

perseverance /ˌpɜːsɪˈvɪərəns/ *n* persévérance *f*

persevere /ˌpɜːsɪˈvɪə(r)/ *vi* persévérer (**with**, **at** dans; **in doing** à faire)

persevering /ˌpɜːsɪˈvɪərɪŋ/ *adj* persévérant (**in** dans)

Persia /ˈpɜːʃə/ ▸ **p. 1096** *pr n* Hist Perse *f*

Persian /ˈpɜːʃn/ ▸ **p. 1467, p. 1378**

A *n* **1** (person) (ancient) Perse *mf*; (from 7th century on) Persan/-e *m/f*; **2** Ling persan *m*

B *adj* [*person, state*] (ancient) perse; (from 7th century on) persan; [*carpet, cat*] persan

Persian: **~ Gulf** ▸ **p. 1493** *pr n* Golfe *m* persique; **~ lamb** *n* astrakan *m*

persiflage /ˈpɜːsɪflɑːʒ/ *n* propos *mpl* frivoles

persimmon /pɜːˈsɪmən/ *n* **1** (tree) plaqueminier *m*, kaki *m*; **2** (fruit) kaki *m*

persist /pəˈsɪst/

A *vtr* **'go on,' she ~ed** 'allez-y,' a-t-elle insisté

B *vi* persister (**in** dans; **in doing** à faire)

persistence /pəˈsɪstəns/, **persistency** /pəˈsɪstənsɪ/ *n* gen persévérance *f*; pej persistance *f* (**in** dans; **in doing** à faire)

persistent /pəˈsɪstənt/ *adj* **1** [*person*] (persevering) persévérant; (obstinate) obstiné pej (**in** dans); **2** (continual) [*rain, denial, unemployment, nuisance*] persistant; [*inquiries, meddling, noise, pressure*] continuel/-elle; [*illness, fears, problem, idea*] tenace

persistently /pəˈsɪstəntlɪ/ *adv* continuellement

persistent offender *n* Jur récidiviste *mf*

persistent vegetative state *n* Med état *m* végétatif chronique

persnickety○ /pəˈsnɪkətɪ/ *adj* US = **pernickety**

person /ˈpɜːsn/ *n* **1** (human being) (*pl* **people**, **persons** sout) personne *f*; **there's room for one more ~** il y a de la place pour une autre personne; **you're just the ~ we're looking for!** vous êtes exactement la personne qu'il nous faut; **the average ~ cannot afford to run three cars** une personne ordinaire ne peut pas se permettre d'avoir trois voitures; **the English drink four cups of tea per ~ per day** les Anglais boivent quatre tasses de thé par personne et par jour; **to do sth in ~** faire qch en personne; **he's not the kind of ~ to do** *ou* **who would do such a thing** ce n'est pas le genre à faire ça; **help appeared in the ~ of passing motorist Jo Ware** le secours s'est manifesté dans la personne de Jo Ware, une automobiliste qui passait; **single ~** célibataire *mf*; **the ~ concerned** l'intéressé/-e *m/f*; **no such ~ as Sherlock Holmes ever existed** Sherlock Holmes n'a jamais existé; **'any ~ who knows of his whereabouts is requested to contact the police'** 'toute personne sachant où il se trouve est priée de contacter la police'; **the accident killed one ~ and injured four more** l'accident a fait un mort et quatre blessés; **a five-~ crew is being sent to the scene** on envoie une équipe de cinq personnes sur les lieux; **the very ~ I was looking for!** c'est justement toi que je cherchais!; **2** (type) **I didn't know she was a horsey ~**○**!** je ne savais pas que c'était une passionnée de cheval!; **I'm not a wine ~ myself** je ne suis pas amateur de vin; **what's she like as a ~?** en tant que femme, elle est comment?; **he's a very private/discreet ~** il est très réservé/discret; **3** (body) **to have/carry sth about one's ~** avoir/porter qch sur soi; **with drugs concealed about his ~** avec de la drogue cachée sur lui; Jur **offences against the ~** atteintes à la personne; **her ~ was pleasing**† elle était agréable de sa personne†; **4** Ling personne *f*; **the first ~ singular** la première personne du singulier

persona /pɜːˈsəʊnə/ *n* **1** Theat (*pl* **-ae**) personnage *m*; **dramatis ~e** personnages *mpl* (de la pièce); **2** Psych (*pl* **-ae** GB, **~s** US) personnage *m*

personable /ˈpɜːsənəbl/ *adj* [*man, woman*] qui présente bien; **to be ~** être bien de sa personne

personage /ˈpɜːsənɪdʒ/ *n* personnalité *f*; **a royal ~** une personnalité de la famille royale

persona grata *n* persona grata *inv*

personal /ˈpɜːsənl/

A *n* US petite annonce *f* personnelle

B *adj* [*opinion, life, problem, information, attack, remark*] personnel/-elle; [*consumption, freedom, choice, income, profit*] individuel/-elle; [*service*] personnalisé; [*discussion, dispute, matter*] personnel/-elle, privé; **don't be so ~!** ne fais pas d'allusions personnelles!; **the discussion/argument became rather ~** la discussion/dispute a pris un ton personnel; **on** *ou* **at a ~ level** sur le plan personnel; **for ~ reasons** pour des raisons personnelles; **he doesn't take enough care of his ~ appearance** il ne prend pas assez soin de son apparence; **to make a ~ appearance** venir en personne (**at** à); **he paid them a ~ visit** il leur a rendu visite en personne; **~ call** (on telephone) appel *m* personnel; **~ belongings** *ou* **effects** effets *mpl* personnels; **~ friend** ami personnel/amie personnelle *m/f*; **~ hygiene** hygiène *f* intime; **~ possessions** effets *mpl* personnels; **~ safety** sécurité *f* individuelle; **my ~ best is 10 seconds** mon meilleur temps est de 10 secondes; **as a ~ favour to you** pour te faire plaisir, spécialement pour toi

personal: **~ accident insurance** *n* Insur assurance *f* individuelle contre les accidents; **~ ad** *n* petite annonce *f* personnelle; **~ allowance** *n* GB Tax abattement *m* fiscal personnel; **~ assistant** ▸ **p. 1683** *n* (secretary) (*also* **PA**) secrétaire *mf* de direction; (assistant) assistant/-e *m/f*; **~ chair** *n* GB Univ chaire *f* personnelle; **~ column** *n* petites annonces *fpl* personnelles; **~ computer**, **PC** *n* ordinateur *m* (personnel); **~ damages** *npl* Jur dommages *mpl* individuels; **~ details** *npl* gen renseignements *mpl* d'ordre personnel; (more intimate) détails *mpl* intimes; Admin (on application form) état civil *m* et coordonnées *fpl*; **~ digital assistant**, **PDA** *n* Comput assistant *m* personnel; **Personal Equity Plan**, **PEP** *n* GB Fin *plan d'investissement en actions avec abattement fiscal plafonné sur les dividendes et plus-values*; **~ injury** *n* Jur préjudices *mpl* individuels

personality /ˌpɜːsəˈnælətɪ/ *n* **1** (character) personnalité *f*; **the study of ~** l'étude de la personnalité; **to have an attractive/extrovert ~** avoir une personnalité séduisante/extravertie; **to dominate others by sheer force of ~** dominer les autres par la seule force de sa personnalité; **she has a very strong ~** elle a une très forte personnalité, elle a beaucoup de caractère; **let's leave personalities out of this!** pas de commentaires personnels!; **2** (person) personnalité *f*; **a well-known local ~** une personnalité locale bien connue; **a sporting ~** une vedette du sport; **a television ~** une vedette de la télévision

personality: **~ cult** *n* culte *m* de la personnalité; **~ disorder** *n* troubles *mpl* de la personnalité; **~ test** *n* test *m* de personnalité

personalize /ˈpɜːsənəlaɪz/

A *vtr* **1** (tailor to individual) personnaliser [*stationery, numberplate, clothing, car, letter*]; **2** (aim at individual) ramener [qch] à un plan personnel [*issue, discussion, dispute*]

B **personalized** *pp adj* [*number-plate, badge*] personnalisé

personal loan *n* Fin (borrowed) emprunt *m* (à titre personnel); (given by bank etc) prêt *m* personnel

personally /ˈpɜːsənəlɪ/ *adv* personnellement; **~, I'm against the idea** personnellement *or* pour ma part, je suis contre; **~ speaking** personnellement; **to take sth ~** se sentir visé personnellement par qch

personal: **~ maid** *n* femme *f* de chambre (personnelle); **~ organizer** *n* ≈ agenda *m*; **~ pension plan**, **~ pension scheme** *n* Insur plan *m* de retraite; **~ pronoun** *n* Ling pronom *m* personnel; **~ property** *n* Jur biens *mpl* personnels; **~ shopper** *n* conseiller personnel/conseillère personnelle *m/f* en shopping; **~ stereo** *n* Audio baladeur *m*; **~ trainer** *n* Sport entraîneur personnel/entraîneuse personnelle *m/f*

personalty /ˈpɜːsənltɪ/ *n* Jur biens *mpl* mobiliers

persona non grata *n* persona non grata *inv*

personate /ˈpɜːsəneɪt/ *vtr* Theat incarner

personation /ˌpɜːsəˈneɪʃn/ *n* Theat incarnation *f* (**of** de)

person-day *n* personne/jour *m*

personification /pəˌsɒnɪfɪˈkeɪʃn/ *n* **1** (embodiment) incarnation *f* (**of** de); **2** Literat personnification *f*

personify /pəˈsɒnɪfaɪ/ *vtr* **1** incarner [*ideal, attitude*]; **2** Literat personnifier [*beauty, faith*]

personnel /ˌpɜːsəˈnel/ *n* **1** gen, Mil (staff, troops) personnel *m*; **2** Admin (*also* **Personnel**) service *m* du personnel; **you'll have to see ~ about that** vous devrez consulter le service du personnel à ce sujet

personnel: **~ carrier** *n* véhicule *m* de transport de troupes; **~ department** *n* service *m* du personnel; **~ file** *n* dossier *m* personnel; **~ management** *n* gestion *f* du personnel; **~ manager** ▸ **p. 1683** *n* directeur/-trice *m/f* du personnel; **~ officer** ▸ **p. 1683** *n* responsable *mf* du personnel

person-to-person

A *adj* Telecom [*call*] avec préavis

B *adv* Telecom [*phone, call*] en préavis

perspective /pəˈspektɪv/ *n* gen, Art perspective *f*; **new/historical ~** perspective nouvelle/historique; **from one's (own) ~** de son (propre) point de vue; **to keep things in ~** garder un sens de la mesure; **to let things get out of ~** perdre le sens de la mesure; **to put sth in its true ~** ramener qch à ses véritables proportions; **to put sth/things into ~** relativiser qch/les choses; **to see sth from a different ~** appréhender qch sous un angle différent

perspex® /ˈpɜːspeks/

A *n* plexiglas® *m*

B *modif* [*shield, window*] en plexiglas®

perspicacious /ˌpɜːspɪˈkeɪʃəs/ *adj* sout perspicace

perspicacity /ˌpɜːspɪˈkæsətɪ/ *n* sout perspicacité *f*

perspicuity /ˌpəspɪˈkjuːətɪ/ *n* sout netteté *f*

perspicuous /pəˈspɪkjʊəs/ *adj* sout clair

perspiration /ˌpɜːspɪˈreɪʃn/ *n* **1** (sweat) sueur *f*; **2** (sweating) transpiration *f*

perspire /pəˈspaɪə(r)/ *vi* transpirer

persuade /pəˈsweɪd/

A *vtr* **1** (influence) persuader, convaincre [*person*]; **to ~ sb to do/not to do** persuader *or* convaincre qn de faire/de ne pas faire; **to be ~d by sb to do** être convaincu par qn de

faire; **2** (convince intellectually) convaincre (**of** de); **to ~ sb that** convaincre qn que; **try and ~ her!** essaie de la convaincre!; **you will never ~ the rest of the family** tu ne convaincras jamais le reste de la famille
B *v refl* **to ~ oneself** réussir à se convaincre; **he ~d himself that it was true** il a réussi à se convaincre que c'était vrai

persuader○ /pəˈsweɪdə(r)/ *n* US (gun) flingue◑ *m*

persuasion /pəˈsweɪʒn/ *n* **1** ¢ (persuading, persuasiveness) persuasion *f*; **they had to use all their powers of ~ to get her to agree** ils ont dû employer toute leur force de persuasion pour l'amener à accepter; **no amount of ~ will make her change her mind** on aura beau essayer de la persuader, rien ne la fera changer d'avis; **to be open to ~** être prêt à se laisser convaincre; **2** Relig confession *f*; **3** (political view) conviction *f*; **people of very different political ~s** des personnes de convictions politiques très différentes; **that depends on your ~** cela dépend de vos convictions; **4** (kind, sort) sorte *f*; **people of that ~** les gens de cette sorte

persuasive /pəˈsweɪsɪv/ *adj* [*person*] persuasif/-ive, convaincant; [*argument, evidence, words*] convaincant; **he can be very ~** il peut être très persuasif

persuasively /pəˈsweɪsɪvlɪ/ *adv* [*speak*] d'un ton persuasif; [*prove, demonstrate*] d'une manière convaincante; **this view is ~ developed** ce point de vue est exposé de manière convaincante

persuasiveness /pəˈsweɪsɪvnɪs/ *n* force *f* de persuasion

pert /pɜːt/ *adj* [*person, manner*] espiègle; [*hat, nose*] coquin

pertain /pəˈteɪn/ *vi* **to ~ to** Jur dépendre de; gen se rapporter à

pertinacious /ˌpɜːtɪˈneɪʃəs, US -tnˈeɪʃəs/ *adj* sout opiniâtre

pertinaciously /ˌpɜːtɪˈneɪʃəslɪ, US -tnˈeɪʃəs-/ *adv* sout opiniâtrement

pertinacity /ˌpɜːtɪˈnæsətɪ, US -tnˈæ-/ *n* sout opiniâtreté *f* (**in** dans; **in doing** à faire)

pertinence /ˈpɜːtɪnəns, US -tənəns/ *n* sout pertinence *f*

pertinent /ˈpɜːtɪnənt, US -tənənt/ *adj* sout [*question, point*] pertinent; **to be ~ to** avoir rapport à; **to be ~ to do** être approprié de faire

pertinently /ˈpɜːtɪnəntlɪ, US -tənəntlɪ/ *adv* sout pertinemment

pertly /ˈpɜːtlɪ/ *adv* espièglement

pertness /ˈpɜːtnɪs/ *n* espièglerie *f*

perturb /pəˈtɜːb/ *vtr* [*news, rumour*] perturber; **to be ~ed by** [*person*] être troublé par; (more deeply) être alarmé par

perturbation /ˌpɜːtəˈbeɪʃn/ *n* **1** (disquiet) agitation *f*; **2** (disturbance) moment *m* d'agitation; **3** Astron, Phys perturbation *f*

perturbing /pəˈtɜːbɪŋ/ *adj* troublant; (more deeply) alarmant

pertussis /pəˈtʌsɪs/ ▸ p. 1327 *n* spéc coqueluche *f*

Peru /pəˈruː/ ▸ p. 1096 *pr n* Pérou *m*

Perugia /pəˈruːdʒə/ ▸ p. 1815 *pr n* Pérouse

perusal /pəˈruːzl/ *n* sout lecture *f*

peruse /pəˈruːz/ *vtr* sout passer en revue

Peruvian /pəˈruːvɪən/ ▸ p. 1467
A *n* Péruvien/-ienne *m/f*
B *adj* péruvien/-ienne

pervade /pəˈveɪd/ *vtr* imprégner; **to be ~d by** être imprégné par

pervasive /pəˈveɪsɪv/ *adj* [*smell*] pénétrant; [*idea, feeling*] envahissant

perverse /pəˈvɜːs/ *adj* **1** (twisted) [*person*] retors; [*desire*] pervers; **2** (contrary) [*refusal, attempt, behaviour, attitude*] illogique; [*effect*] contraire; **it is/was ~ of her to do** c'est/c'était illogique de sa part de faire; **to take a ~ pleasure** *ou* **delight in doing** prendre un malin plaisir à faire

perversely /pəˈvɜːslɪ/ *adv* avec un malin plaisir

perverseness /pəˈvɜːsnɪs/ *n* = **perversity 1**

perverse verdict *n* Jur *verdict en contradiction avec les directives du juge sur un point de droit*

perversion /pəˈvɜːʃn, US -ʒn/ *n* **1** (deviation) perversion *f* (**of** de); **~ of innocence** perversion de l'innocence; **2** (wrong interpretation) (of facts, justice) travestissement *m* (**of** de)

perversity /pəˈvɜːsətɪ/ *n* **1** (corruptness) (of person) mauvais esprit *m*; (of action) malignité *f*; **2** (perverse thing) caprice *m*

pervert
A /ˈpɜːvɜːt/ *n* pervers/-e *m/f*
B /pəˈvɜːt/ *vtr* **1** (corrupt) corrompre [*person, mind, behaviour*]; **2** (misrepresent) travestir [*truth, facts*]; dénaturer [*meaning, tradition*]; fausser [*values*]; **to ~ the course of justice** Jur entraver l'action de la justice

perverted /pəˈvɜːtɪd/ *adj* **1** (sexually deviant) [*person*] pervers; **2** (distorted) [*idea*] tordu; [*act*] vicieux/-ieuse

pervious /ˈpɜːvɪəs/ *adj* **1** [*surface, soil*] perméable (**to** à); **2** fig **~ to** [*person, mind*] ouvert à

peseta /pəˈseɪtə/ *n* Fin, Hist peseta *f*

pesky○ /ˈpeskɪ/ *adj* US (*épith*) satané○ (*before n*)

peso /ˈpeɪsəʊ/ ▸ p. 1108 *n* peso *m*

pessary /ˈpesərɪ/ *n* pessaire *m*

pessimism /ˈpesɪmɪzəm/ *n* pessimisme *m*

pessimist /ˈpesɪmɪst/ *n* pessimiste *mf*

pessimistic /ˌpesɪˈmɪstɪk/ *adj* pessimiste

pessimistically /ˌpesɪˈmɪstɪklɪ/ *adv* avec pessimisme

pest /pest/ *n* **1** Agric (animal) animal *m* nuisible; (insect) insecte *m* nuisible; **2** ○(person) gen enquiquineur/-euse○ *m/f*; (little boy) garnement *m*; (little girl) chipie○ *f*; **he's such a little ~!** c'est un vrai garnement!

pest control *n* (of insects) désinsectisation *f*; (of rats) dératisation *f*

pest control officer ▸ p. 1683 *n* (for insects) employé/-e *m/f* des services de désinsectation; (for rats) employé/-e *m/f* des services de dératisation

pester /ˈpestə(r)/ *vtr* **1** (annoy) harceler [*person, people*] (**with** de; **for** pour obtenir); [*fly*] harceler [*horse, cow, person*]; **to ~ sb to be allowed to do** harceler qn pour obtenir la permission de faire; **the children ~ed us to let them stay up late** les enfants nous ont harcelés pour qu'on les laisse veiller; **to be ~ed over the telephone** se faire harceler au téléphone; **stop ~ing me!** fiche-moi la paix!○; **to ~ the life out of sb**○ casser les pieds à qn○; **2** (harass sexually) harceler, poursuivre [qn] de ses assiduités

pesticidal /ˌpestɪˈsaɪdl/ *adj* pesticide

pesticide /ˈpestɪsaɪd/
A *n* pesticide *m*; **crops treated with ~** des cultures traitées aux pesticides
B *modif* [*level, residue*] de pesticide; [*manufacturer, use*] de pesticides

pestiferous /peˈstɪfərəs/ *adj* hum satané○

pestilence‡ /ˈpestɪləns/ *n* littér peste *f*

pestilent /ˈpestɪlənt/ *adj* sout [*air*] pestilentiel/-ielle

pestilential /ˌpestɪˈlenʃl/ *adj* **1** hum (annoying) satané○; **get those ~ kids out of here** fais sortir ces satanés gosses○; **2** (unhealthy) sout pestilentiel/-ielle

pestle /ˈpesl/ *n* pilon *m*

pesto /ˈpestəʊ/ *n* Culin pesto *m*

pet /pet/
A *n* **1** (animal) animal *m* de compagnie; **'no ~s'** 'les animaux domestiques ne sont pas acceptés'; **tenants may not keep ~s** les locataires n'ont pas le droit d'avoir des animaux; **2** (favourite) chouchou/chouchoute○ *m/f*; **teacher's ~** le chouchou du professeur○; **3** (sweet person) (used affectedly) chou○ *m*; **he's such a ~!** ce qu'il est chou○!; **4** †(term of endearment) **hello, ~!** bonjour mon chou○!
B *adj* (favourite) [*charity, theory*] favori/-ite; **~ dog/cat** chien/chat
C *vtr* (*p prés etc* **-tt-**) **1** (spoil) chouchouter○ [*person*]; **2** (caress) caresser [*animal*]
D *vi* (*p prés etc* **-tt-**) échanger des caresses, se peloter○

(Idiom) **to be in a ~**○ être de mauvais poil○

petal /ˈpetl/ *n* pétale *m*

Pete○ /piːt/ *pr n* (*abrév* = **Peter**) **for ~'s sake, stop it!** mais enfin, arrête!

peter /ˈpiːtə(r)/ *n*◑ US queue● *f*, pénis *m*; **to point ~** pisser◑

(Phrasal verb) ■ **peter out** [*conversation, creativity*] tarir; [*process, story, meeting*] tourner court; [*plan*] tomber à l'eau; [*flame*] mourir; [*road*] s'arrêter; [*supplies*] s'épuiser

Peter /ˈpiːtə(r)/ *pr n* Pierre

(Idiom) **to rob ~ to pay Paul** déshabiller Pierre pour habiller Paul

Peter: **~ principle** *n* principe *m* de Peter; **~'s pence** *npl* Relig denier *m* de Saint-Pierre

pet: **~ food** *n* aliments *mpl* pour chiens et chats; **~ hate** GB *n* bête *f* noire

pethidine /ˈpeθɪdiːn/ *n* Med péthidine *f*

petit bourgeois /ˌpetɪˈbɔːʒwɑː, US -bʊərʒ-/ *n, adj* petit/-e bourgeois/-e (*m/f*)

petite /pəˈtiːt/
A *n* (size) taille *f* petite
B *adj* [*woman*] menue; [*size*] petite

petit four /ˌpetɪˈfɔː(r)/ *n* petit four *m*

petition /pəˈtɪʃn/
A *n* **1** (document) pétition *f* (**to** à); **a ~ protesting against/calling for sth** une pétition protestant contre/réclamant qch; **a ~ signed by 10,000 people** une pétition portant 10 000 signatures; **2** (formal request) pétition *f*; **3** Jur demande *f*; **a ~ for divorce** une demande de divorce; **a ~ in bankruptcy** une demande en déclaration de faillite; **to present a ~** (in private bill) soumettre une demande; **to file one's ~** déposer son bilan; **a ~ for reprieve** un recours en grâce
B *vtr* adresser une pétition à [*person, body, government*]; Jur **to ~ the court for sth** réclamer qch au tribunal
C *vi* **1** gen faire une pétition; **2** **to ~ for divorce** demander le divorce

petitioner /pəˈtɪʃnə(r)/ *n* **1** (presenter of petition, signatory) pétitionnaire *mf*; **2** Jur gen requérant/-ante *m/f*; (in divorce) demandeur/-deresse *m/f*

petit jury *n* US Jur jury *m* d'accusation

petit mal /ˌpetɪ ˈmæl, ˌpətɪ/ ▸ p. 1327 *n* petit mal *m*

petit pois *n* petit pois *m*

pet: **~ name** *n* petit nom *m*; **~ peeve**○ *n* US bête *f* noire; **~ project** *n* enfant *m* chéri fig

Petrarch /ˈpetrɑːk/ *pr n* Pétrarque

Petrarchan sonnet *n* (by poet himself) sonnet *m* de Pétrarque; (of similar style) sonnet *m* pétrarquiste

petrel /ˈpetrəl/ *n* pétrel *m*

petrifaction /ˌpetrɪˈfækʃn/ *n* (*also* **petrification**) pétrification *f*

petrified /ˈpetrɪfaɪd/ *adj* (all contexts) pétrifié (**with, by** par)

petrify /ˈpetrɪfaɪ/
A *vtr* (all contexts) pétrifier
B *vi* [*substance*] se pétrifier; [*civilisation, system*] se fossiliser

petrifying /ˈpetrɪfaɪɪŋ/ *adj* (terrifying) terrifiant

petro+ /ˈpetrəʊ-/ (*dans composés*) pétro-

petrochemical /ˌpetrəʊˈkemɪkl/
A *n* produit *m* pétrochimique

B *adj* [*industry, plant*] pétrochimique; [*worker, expert*] de pétrochimie

petrodollar /ˈpetrəʊdɒlə(r)/ *n* pétrodollar *m*

petrographic /ˌpetrəʊˈgræfɪk/ *adj* pétrographique

petrography /peˈtrɒgrəfɪ/ *n* pétrographie *f*

petrol /ˈpetrəl/ GB

A *n* essence *f*; **to fill up with ~** faire le plein (d'essence); **to run on ~** fonctionner à l'essence; **to run out of ~** [*car*] tomber en panne d'essence; [*garage*] ne plus avoir d'essence

B *modif* [*prices, coupon, rationing*] d'essence; [*tax*] sur l'essence

petrol bomb GB

A *n* cocktail *m* Molotov

B **petrol-bomb** *vtr* lancer des cocktails Molotov sur [*building*]

petrol: **~ can** GB *n* bidon *m* à essence; **~ cap** *n* GB bouchon *m* de réservoir (d'essence); **~-driven** *adj* GB à essence; **~ engine** *n* GB moteur *m* à essence

petroleum /pəˈtrəʊlɪəm/

A *n* pétrole *m*

B *modif* [*product, industry, engineer*] pétrolier/-ière

petroleum jelly *n* vaseline® *f*

petrol gauge *n* GB jauge *f* d'essence

petroliferous /ˌpetrəʊˈlɪfərəs/ *adj* pétrolifère

petrology /pəˈtrɒlədʒɪ/ *n* pétrologie *f*

petrol: **~ pump** *n* GB (at garage, in engine) pompe *f* à essence; **~ station** *n* GB station *f* d'essence; **~ tank** *n* GB réservoir *m* d'essence; **~ tanker** *n* GB (ship) pétrolier *m*; (lorry) camion-citerne *m*

petro-politics /ˌpetrəʊˈpɒlɪtɪks/ *npl*: *politique menée par les pays exportateurs de pétrole*

pet: **~ shop** GB, **~ store** US *n* animalerie *f*, magasin *m* d'animaux de compagnie; **~ subject** *n* sujet *m* favori, dada *m*

petticoat /ˈpetɪkəʊt/ *n* (full slip) combinaison *m*; (half slip) jupon *m*

(Idiom) **to chase ~s** être coureur de jupons

pettifogging /ˈpetɪfɒgɪŋ/ *adj* péj pointilleux/-euse

pettily /ˈpetɪlɪ/ *adv* mesquinement

pettiness /ˈpetɪnɪs/ *n* mesquinerie *f*

petting /ˈpetɪŋ/ *n* caresses *fpl*, pelotage○ *m*

pettish /ˈpetɪʃ/ *adj* grincheux/-euse

pettishly /ˈpetɪʃlɪ/ *adv* [*speak*] d'un ton grincheux; [*react*] avec mauvaise humeur

petty /ˈpetɪ/ *adj* [*person, jealousy, squabble*] mesquin; [*detail*] insignifiant; [*regulation*] tracassier/-ière; [*snobbery*] étroit; **~ official** péj petit fonctionnaire *m*

petty: **~ cash, p/c** *n* petite caisse *f*; **~ crime** *n* petite délinquance *f*; **~ criminal** *n* petit/-e délinquant/-e *m/f*; **~ expenses** *npl* menues dépenses *fpl*; **~ larceny** *n* larcin *m*; **~-minded** *adj* mesquin; **~-mindedness** *n* mesquinerie *f*; **~ officer** *n* Naut ≈ maître *m*; **~ sessions** *npl* GB, Jur sessions *fpl* des juges de paix; **~ theft** *n* Jur larcin *m*

petulance /ˈpetjʊləns, US -tʃʊ-/ *n* irascibilité *f*

petulant /ˈpetjʊlənt, US -tʃʊ-/ *adj* irascible

petulantly /ˈpetʊləntlɪ, US -tʃʊ-/ *adv* avec humeur

petunia /pəˈtjuːnɪə, US -tuː-/ *n* pétunia *m*

pew /pjuː/ *n* banc *m* (d'église); **have** *ou* **take a ~**○ hum prenez un siège

pewter /ˈpjuːtə(r)/

A *n* **1** (metal) étain *m*; **2** (colour) (gris *m*) anthracite *m inv*

B *modif* [*plate, pot*] en étain

C *adj* (colour) (gris) anthracite *inv*

PFC *n* US Mil *abrév* ▸ **private first class**

PFI *n* GB (*abrév* = **Private Finance Initiative**) *partenariat public-privé où les dépenses en capital et la prestation de services sont prises en charge par l'entité privée*

PFLP *n* Mil (*abrév* = **Popular Front for the Liberation of Palestine**) FPLP *m*

PG *n* **1** Cin (*abrév* = **Parental Guidance**) *tous publics avec accord parental suggéré*; **2** *abrév* ▸ **paying guest**

PGCE *n* (*abrév* = **postgraduate certificate in education**) diplôme *m* de spécialisation dans l'enseignement

PGI *n* (*abrév* = **protected geographical indication**) IGP *f*, indication *f* géographique de provenance

pH /piːˈeɪtʃ/ *n* (*abrév* = **potential of hydrogen**) pH *m inv*

PH *n* Mil *abrév* ▸ **Purple Heart**

Phaedra /ˈfiːdrə/ *pr n* Phèdre

phaeton /ˈfeɪtn/ *n* phaéton *m*

phagocyte /ˈfægəsaɪt/ *n* phagocyte *m*

phagocytosis /ˌfægəsaɪˈtəʊsɪs/ *n* phagocytose *f*

phalange /ˈfælændʒ/ *n* Anat, Mil phalange *f*

phalanstery /ˈfælənstərɪ/ *n* phalanstère *m*

phalanx /ˈfælæŋks/ *n* phalange *f*

phalarope /ˈfælərəʊp/ *n* phalarope *m*

phallic /ˈfælɪk/ *adj* phallique

phallus /ˈfæləs/ *n* (*pl* **-luses** *ou* **-li**) phallus *m*

phantasm /ˈfæntæzəm/ *n* **1** (ghost) fantôme *m*; **2** Psych fantasme *m*

phantasmagoria /ˌfæntæzməˈgɒrɪə, US -ˈgɔːrɪə/ *n* fantasmagorie *f*

phantasmagoric(al) /ˌfæntæzməˈgɒrɪk(l), US -ˈgɔːrɪk(l)/ *adj* fantasmagorique

phantasmal /fænˈtæzml/ *adj* fantomatique

phantom /ˈfæntəm/

A *n* **1** (ghost) fantôme *m*; **2** Aviat (*also* **~ jet**) Phantom *m*

B *modif* [*army, bell, threat*] fantôme

phantom pregnancy *n* grossesse *f* nerveuse

pharaoh /ˈfeərəʊ/ *n* (*also* **Pharaoh**) pharaon *m*; (title) Pharaon *m*

Pharaoh ant *n* Zool fourmi *f* pharaon

Pharisaic(al) /ˌfærɪˈseɪk(l)/ *adj* souvent péj pharisaïque

Pharisee /ˈfærɪsiː/ *n* Pharisien/-ienne *m/f*

pharm /fɑːm/ *n* Agric ferme *f* pharmaceutique

pharmaceutical /ˌfɑːməˈsjuːtɪkl, US -ˈsuː-/ *adj* pharmaceutique

pharmaceuticals /ˌfɑːməˈsjuːtɪklz, US -ˈsuː-/

A *npl* produits *mpl* pharmaceutiques

B *modif* [*industry, factory*] pharmaceutique; [*salesman*] de produits pharmaceutiques

pharmacist /ˈfɑːməsɪst/ ▸ **p. 1683** *n* (person) pharmacien/-ienne *m/f*; **~'s shop** pharmacie *f*

pharmacological /ˌfɑːməkəˈlɒdʒɪkl/ *adj* pharmacologique

pharmacology /ˌfɑːməˈkɒlədʒɪ/ *n* pharmacologie *f*

pharmacopoeia /ˌfɑːməkəˈpiːə/ *n* pharmacopée *f*, codex *m*

pharmacy /ˈfɑːməsɪ/ ▸ **p. 1683** *n* **1** (shop) pharmacie *f*; **2** (*also* **pharmaceutics**) pharmaceutique *f*

pharm animal *n* animal *m* élevé en ferme pharmaceutique

pharming /ˈfɑːmɪŋ/ *n* Agric élevage *m* d'animaux transgéniques

pharyngitis /ˌfærɪnˈdʒaɪtɪs/ ▸ **p. 1327** *n* pharyngite *f*

pharynx /ˈfærɪŋks/ *n* pharynx *m*

phase /feɪz/

A *n* (all contexts) phase *f*; **the ~s of the moon** les phases de la lune; **to go through a difficult ~** traverser une phase difficile; **it's just a ~ (she's going through)** ça lui passera; **the war has entered a new ~** on est entré dans une nouvelle phase de la guerre; **the first ~ of the work** Constr la première phase *or* tranche des travaux; **to be in ~** Elec être en phase; fig être en harmonie; **to be out of ~** Elec être déphasé; fig ne pas être en harmonie

B *vtr* échelonner [*changes, innovations, modernization*] (**over** sur); **~d withdrawal of troops** retrait progressif de troupes

(Phrasal verbs) ■ **phase in**: ▸ **~ in [sth]** introduire [qch] progressivement
■ **phase out**: ▸ **~ out [sth]** supprimer [qch] peu à peu

phatic /ˈfætɪk/ *adj* phatique

PhD *n* (*abrév* = **Doctor of Philosophy**) doctorat *m*

pheasant /ˈfeznt/ *n* faisan/-e *m/f*; **~ shooting** chasse *f* aux faisans

phenix *n* US = **phoenix**

phenobarbitone /ˌfiːnəʊˈbɑːbɪtəʊn/ *n* phénobarbital *m*, gardénal® *m*

phenol /ˈfiːnɒl/ *n* phénol *m*

phenomena /fəˈnɒmɪnə/ *pl* ▸ **phenomenon**

phenomenal /fəˈnɒmɪnl/ *adj* phénoménal

phenomenally /fəˈnɒmɪnəlɪ/ *adv* [*grow, increase*] de manière phénoménale; (emphatic) [*stupid, difficult, successful*] extraordinairement

phenomenological /fəˌnɒmɪnəˈlɒdʒɪkl/ *adj* phénoménologique

phenomenologist /fəˌnɒmɪˈnɒlədʒɪst/ *n* phénoménologue *mf*

phenomenology /fəˌnɒmɪˈnɒlədʒɪ/ *n* phénoménologie *f*

phenomenon /fəˈnɒmɪnən/ *n* (*pl* **-na**) phénomène *m*

pheromone /ˈferəməʊn/ *n* phéromone *f*

phew /fjuː/ *excl* (in relief) ouf; (when too hot) pff; (in surprise) oh

phial /ˈfaɪəl/ *n* fiole *f*

Phi Beta Kappa /ˌfaɪ biːtə ˈkæpə/ *n* US Univ **1** (group) *association d'anciens étudiants d'élite*; **2** (person) membre *m* de Phi Beta Kappa

Philadelphia /ˌfɪləˈdelfɪə/ ▸ **p. 1815** *pr n* Philadelphie

Philadelphia lawyer *n* US péj avocat *m* retors

philander /fɪˈlændə(r)/ *vi* courir la gueuse○

philanderer /fɪˈlændərə(r)/ *n* coureur *m* de jupons○

philandering /fɪˈlændərɪŋ/ *n* batifolage *m*

philanthropic /ˌfɪlənˈθrɒpɪk/ *adj* philanthropique

philanthropist /fɪˈlænθrəpɪst/ *n* philanthrope *mf*

philanthropy /fɪˈlænθrəpɪ/ *n* philanthropie *f*

philatelic /ˌfɪləˈtelɪk/ *adj* philatélique

philatelist /fɪˈlætəlɪst/ *n* philatéliste *mf*

philately /fɪˈlætəlɪ/ *n* philatélie *f*

philharmonic /ˌfɪlɑːˈmɒnɪk/

A *n* (orchestra) **the Liverpool ~** le Philharmonique de Liverpool

B *adj* [*hall, orchestra*] philharmonique

Philip /ˈfɪlɪp/ *pr n* Philippe

philippic /fɪˈlɪpɪk/ *n* philippique *f*

Philippine /ˈfɪlɪpiːn/ ▸ **p. 1467** *adj* philippin

Philippines /ˈfɪlɪpiːnz/ ▸ **p. 1096** *pr n* Philippines *fpl*

philistine /ˈfɪlɪstaɪn/

A *n* béotien/-ienne *m/f*; **don't be such a ~!** ne sois pas aussi béotien!

B *adj* [*attitude, article*] béotien/-ienne; [*public*] de béotiens

philistinism /ˈfɪlɪstɪnɪzəm/ *n* philistinisme *m*

Phillips screwdriver *n* tournevis *m* cruciforme

philodendron /ˌfɪləʊˈdendrən/ *n* philodendron *m*

philological /ˌfɪləˈlɒdʒɪkl/ *adj* philologique
philologist /fɪˈlɒlədʒɪst/ *n* philologue *mf*
philology /fɪˈlɒlədʒɪ/ *n* philologie *f*
philosopher /fɪˈlɒsəfə(r)/ ▸ p. 1683 *n* lit, fig philosophe *mf*
philosopher's stone *n* pierre *f* philosophale
philosophic(al) /ˌfɪləˈsɒfɪk(l)/ *adj* 1 [*knowledge, question, treatise*] philosophique; 2 fig (calm, stoical) philosophe; **to be ~ about sth, to take a ~ view of sth** être philosophe à propos de qch
philosophically /ˌfɪləˈsɒfɪklɪ/ *adv* philosophiquement; **he took it all very ~** fig il a pris tout ça avec philosophie
philosophize /fɪˈlɒsəfaɪz/ *vi* philosopher (**about** sur)
philosophy /fɪˈlɒsəfɪ/ *n* philosophie *f*; **my ~ of life** ma philosophie de la vie; **~ of science** philosophie des sciences
philtre, philter US /ˈfɪltə(r)/ *n* philtre *m*
phizog○† /ˈfɪzɒɡ/ *n* hum binette○ *f*, tête *f*
phlebitis /flɪˈbaɪtɪs/ ▸ p. 1327 *n* phlébite *f*
phlebology /flɪˈbɒlədʒɪ/ *n* phlébologie *f*
phlebotomy /flɪˈbɒtəmɪ/ *n* phlébotomie *f*
phlegm /flem/ *n* 1 Med mucosité *f*; 2 (calm) flegme *m*
phlegmatic /flegˈmætɪk/ *adj* flegmatique (**about** au sujet de)
phlegmatically /flegˈmætɪklɪ/ *adv* avec flegme, flegmatiquement
phlox /flɒks/ *n* phlox *m*
pH meter *n* pH-mètre *m*
phobia /ˈfəʊbɪə/ *n* phobie *f*; **to have a ~ about rats/spiders/flying** avoir la phobie des rats/des araignées/de l'avion
phobic /ˈfəʊbɪk/
A *n* phobique *mf*
B *adj* phobique; **to be ~ about sth** avoir la phobie de qch
phoenix /ˈfiːnɪks/ *n* phénix *m*; **to rise like a ~ from the ashes** renaître de ses cendres tel le phénix
phonatory /ˈfəʊnətərɪ, US -tɔːrɪ/ *adj* phonatoire
phone /fəʊn/
A *n* 1 Telecom téléphone *m*; **to be on the ~** (be talking) être au téléphone; (be subscriber) avoir le téléphone; **she's on the ~ to her boyfriend** elle est au téléphone avec son copain; **he told me on** *ou* **over the ~ that** il m'a dit au téléphone que; **can you order by ~?** est-ce qu'on peut commander par téléphone?; 2 Ling phone *m*
B *vtr* passer un coup de fil à○, téléphoner à [*person, organization*]; **she ~d her instructions to her lawyer** elle a téléphoné ses instructions à son avocat; **to ~ France** téléphoner en France, appeler la France
C *vi* téléphoner; **to ~ for a doctor/taxi** appeler un médecin/taxi
(Phrasal verbs) ■ **phone in**: ▸ **~ in** [*listener, viewer*] téléphoner; ▸ **~ in [sth]** communiquer [qch] par téléphone [*information, answers*]; **she ~d in sick** elle a téléphoné au bureau pour dire qu'elle était malade
■ **phone up**: ▸ **~ up** téléphoner; ▸ **~ up [sb], ~ [sb] up** téléphoner à, appeler [*person, organization*]
phone: **~ book** *n* annuaire *m* (du téléphone); **~ booth, ~ box** GB *n* cabine *f* téléphonique
phone call *n* gen coup *m* de fil○, Admin communication *f* (téléphonique); **to make a ~** passer un coup de fil○ (**to** à)
phone: **~ card** *n* GB télécarte *f*, carte *f* de téléphone; **~-in** *n* émission *f* à ligne ouverte; **~ link** *n* liaison *f* téléphonique
phoneme /ˈfəʊniːm/ *n* phonème *m*
phonemic /fəˈniːmɪk/ *adj* phonémique
phonemics /fəˈniːmɪks/ *n* (+ *v sg*) phonématique *f*
phone: **~ number** *n* numéro *m* de téléphone; **~ pest** *n* Telecom auteur *m* d'appels anonymes malfaisants; **~ sex** *n* sexe *m* par téléphone; **~ tapping** *n* ¢ écoutes *fpl* téléphoniques
phonetic /fəˈnetɪk/ *adj* phonétique
phonetic alphabet *n* alphabet *m* phonétique
phonetician /ˌfəʊnəˈtɪʃn/ ▸ p. 1683 *n* phonéticien/-ienne *m/f*
phonetics /fəˈnetɪks/ *n* 1 (science) (+ *v sg*) phonétique *f*; 2 (transcription) (+ *v pl*) phonétique *f*
phone voucher *n* Telecom carte *f* téléphonique prépayée
phoney○ /ˈfəʊnɪ/ péj
A *n* (affected person) poseur/-euse *m/f*; (impostor) charlatan *m*; (forgery, fake) faux *m*; **he's not a real scientist, he's a ~** ce n'est pas un vrai scientifique, c'est un charlatan
B *adj* [*name, address, accent*] faux/fausse (*before n*); [*company, firm*] bidon○; [*story, excuse*] inventé, bidon○; [*emotion*] faux/fausse (*before n*), simulé; [*jewel*] faux/fausse (*before n*), en toc○; [*Old Master*] faux/fausse (*before n*); [*person*] poseur/-euse; **there's something ~ about her** il y a quelque chose de pas franc chez elle
phoney war *n* Hist **the ~** la drôle de guerre
phonic /ˈfɒnɪk/ *adj* phonique
phonograph /ˈfəʊnəɡrɑːf, US -ɡræf/ *n* phono○ *m*, phonographe *m*
phonological /ˌfəʊnəˈlɒdʒɪkl/ *adj* phonologique
phonologically /ˌfəʊnəˈlɒdʒɪklɪ/ *adv* phonologiquement
phonologist /fəˈnɒlədʒɪst/ ▸ p. 1683 *n* phonologue *mf*
phonology /fəˈnɒlədʒɪ/ *n* phonologie *f*
phony○ /ˈfəʊnɪ/ *adj* = **phoney**○
phony baloney○ /ˌfəʊnɪ bəˈləʊnɪ/ *n* US ¢ conneries◐ *fpl*, idioties *fpl*
phooey /ˈfuːɪ/ *excl* peuh!, pfft!
phosgene /ˈfɒzdʒiːn/ *n* phosgène *m*
phosphate /ˈfɒsfeɪt/
A *n* Chem phosphate *m*
B phosphates *npl* Agric phosphates *mpl*, engrais *mpl* phosphatés
phosphene /ˈfɒsfiːn/ *n* phosphène *m*
phosphide /ˈfɒsfaɪd/ *n* phosphure *m*
phosphine /ˈfɒsfiːn/ *n* phosphine *f*
phosphoresce /ˌfɒsfəˈres/ *vi* être phosphorescent
phosphorescence /ˌfɒsfəˈresns/ *n* phosphorescence *f*
phosphorescent /ˌfɒsfəˈresnt/ *adj* phosphorescent
phosphoric /fɒsˈfɒrɪk, US -ˈfɔːr-/ *adj* phosphorique
phosphorous /ˈfɒsfərəs/ *adj* phosphoreux/-euse
phosphorus /ˈfɒsfərəs/ *n* phosphore *m*
photo /ˈfəʊtəʊ/ *n* photo *f*; ▸ **photograph**
photo: **~ album** *n* album *m* de photos; **~ booth** *n* photomaton® *m*; **~call** *n* GB séance *f* de photos
photocell /ˈfəʊtəʊsel/ *n* cellule *f* photoélectrique
photochemical /ˌfəʊtəʊˈkemɪkl/ *adj* photochimique
photochemistry /ˌfəʊtəʊˈkemɪstrɪ/ *n* photochimie *f*
photocompose /ˌfəʊtəʊkəmˈpəʊz/ *vtr* US photocomposer
photocomposer /ˌfəʊtəʊkəmˈpəʊzə(r)/ *n* US photocomposeuse *f*
photocomposition /ˌfəʊtəʊˌkɒmpəˈzɪʃn/ *n* US photocomposition *f*
photoconductive /ˌfəʊtəʊkənˈdʌktɪv/ *adj* photoconducteur/-trice
photocopiable /fəʊtəʊˈkɒpɪəbl/ *adj* photocopiable
photocopier /ˈfəʊtəʊkɒpɪə(r)/ *n* photocopieuse *f*
photocopy /ˈfəʊtəʊkɒpɪ/
A *n* photocopie *f*
B *vtr* photocopier
photodisintegration /ˌfəʊtəʊdɪsˌɪntɪˈɡreɪʃn/ *n* photodésintégration *f*
photodynamic /ˌfəʊtəʊdaɪˈnæmɪk/ *adj* photodynamique
photodynamics /ˌfəʊtəʊdaɪˈnæmɪks/ *n* (+ *v sg*) photobiologie *f*
photoelasticity /ˌfəʊtəʊɪˈlæstɪsətɪ/ *n* photoélasticité *f*
photoelectric(al) /ˌfəʊtəʊɪˈlektrɪk(l)/ *adj* photo-électrique
photoelectricity /ˌfəʊtəʊɪlekˈtrɪsətɪ/ *n* photo-électricité *f*
photoelectron /ˌfəʊtəʊɪˈlektrɒn/ *n* photo-électron *m*
photoengrave /ˌfəʊtəʊɪnˈɡreɪv/ *vtr* reproduire [qch] en photogravure
photoengraving /ˌfəʊtəʊɪnˈɡreɪvɪŋ/ *n* photogravure *f*
photo finish *n* (result) arrivée *f* départagée au photo-finish; (picture) photo-finish *f*
Photofit® /ˈfəʊtəʊfɪt/ *n* GB portrait-robot *m*
photo: **~flash** *n* ampoule *f* de flash; **~flood** *n* projecteur *m*
photogenic /ˌfəʊtəʊˈdʒenɪk/ *adj* photogénique
photogeology /ˌfəʊtəʊdʒɪˈɒlədʒɪ/ *n* photogéologie *f*
photograph /ˈfəʊtəɡrɑːf, US -ɡræf/
A *n* photo *f*; **in the ~** sur la photo; **to take a ~ of sb/sth** prendre qn/qch en photo, prendre une photo de qn/qch; **he takes a good ~** (he is photogenic) il est photogénique, il est bien en photo; (he takes good photographs) il prend de bonnes photos; **I have a ~ of her** je l'ai en photo, j'ai une photo d'elle
B *vtr* photographier, prendre [qn/qch] en photo
C *vi* **to ~ well** [*person*] être photogénique, être bien en photo
photograph album *n* album *m* de photos
photographer /fəˈtɒɡrəfə(r)/ ▸ p. 1683 *n* photographe *mf*
photographic /ˌfəʊtəˈɡræfɪk/ *adj* [*method, image, reproduction, art, equipment*] photographique; [*studio*] de photo; [*shop, agency*] de photos; [*exhibition*] de photos, de photographies; **to have a ~ memory** avoir une mémoire visuelle exceptionnelle
photographically /ˌfəʊtəˈɡræfɪklɪ/ *adv* en termes de photographie
photographic library *n* photothèque *f*
photography /fəˈtɒɡrəfɪ/ *n* photographie *f*
photogravure /ˌfəʊtəʊɡrəˈvjʊə(r)/ *n* photogravure *f*
photojournalism /ˌfəʊtəʊˈdʒɜːnəlɪzəm/ *n* photojournalisme *m*
photojournalist /ˌfəʊtəʊˈdʒɜːnəlɪst/ ▸ p. 1683 *n* photojournaliste *mf*
photokinesis /ˌfəʊtəʊkaɪˈniːsɪs/ *n* photocinèse *f*
photolithograph /ˌfəʊtəʊˈlɪθəɡrɑːf, US -ɡræf/ *n* reproduction *f* photolithographique
photolithography /ˌfəʊtəʊlɪˈθɒɡrəfɪ/ *n* photolithographie *f*
photolysis /fəʊˈtɒləsɪs/ *n* photolyse *f*
photomap /ˈfəʊtəʊmæp/ *n* photocarte *f*
photomechanical /ˌfəʊtəʊmɪˈkænɪkl/ *adj* photomécanique
photometer /fəʊˈtɒmɪtə(r)/ *n* photomètre *m*
photometric /ˌfəʊtəʊˈmetrɪk/ *adj* photométrique
photometry /fəʊˈtɒmɪtrɪ/ *n* photométrie *f*
photomontage /ˌfəʊtəʊˈmɒntɑːʒ/ *n* photomontage *m*
photomultiplier /ˌfəʊtəʊˈmʌltɪplaɪə(r)/ *n* photomultiplicateur *m*

P

photon /ˈfəʊtɒn/ *n* photon *m*
photo-offset /ˌfəʊtəʊˈɒfset/ *n* offset *m*
photo opportunity *n* séance *f* de photos
photoperiod /ˌfəʊtəʊˈpɪərɪəd/ *n* photopériode *f*
photoperiodic /ˌfəʊtəʊpɪərɪˈɒdɪk/ *adj* photopériodique
photoperiodism /ˌfəʊtəʊˈpɪərɪədɪzəm/ *n* photopériodisme *m*
photophobia /ˌfəʊtəʊˈfəʊbɪə/ *n* (all contexts) photophobie *f*
photorealism /ˌfəʊtəʊˈrɪəlɪzəm/ *n* hyperréalisme *m*
photoreconnaissance /ˌfəʊtəʊrɪˈkɒnɪsns/ *n* reconnaissance *f* photographique
photosensitive /ˌfəʊtəʊˈsensətɪv/ *adj* photosensible
photosensitivity /ˌfəʊtəʊˌsensəˈtɪvətɪ/ *n* photosensibilité *f*
photosensitize /ˌfəʊtəʊˈsensətaɪz/ *vtr* rendre [qch] photosensible
photo session *n* séance *f* de photos
photoset /ˈfəʊtəʊset/ *vtr* (*p prés* **-tt-**, *prét, pp* **-set**) photocomposer
photo shoot *n* séance *f* de photos
Photostat® /ˈfəʊtəstæt/
A *n* photocopie *f*
B *vtr* (*p prés etc* **-tt-**) photocopier
photosynthesis /ˌfəʊtəʊˈsɪnθəsɪs/ *n* photosynthèse *f*
photosynthetic /ˌfəʊtəʊsɪnˈθetɪk/ *adj* photosynthétique
phototelegram /ˌfəʊtəʊˈtelɪgræm/ *n* phototélégramme *m*
phototelegraphy /ˌfəʊtəʊtɪˈlegrəfɪ/ *n* phototélécopie *f*
phototropic /ˌfəʊtəʊˈtrɒpɪk/ *adj* phototropique
phototropism /ˌfəʊtəʊˈtrəʊpɪzəm/ *n* phototropisme *m*
phototype /ˈfəʊtəʊtaɪp/ *n* (process) phototypie *f*; (print) phototype *m*
phototypesetting /ˌfəʊtəʊˈtaɪpsetɪŋ/ *n* US photocomposition *f*
phototypography /ˌfəʊtəʊtaɪˈpɒgrəfɪ/ *n* phototypographie *f*
phrasal verb *n* verbe *m* à particule
phrase /freɪz/
A *n* **1** (expression) gen expression *f*, Ling locution *f*; **in Rousseau's ~...** pour reprendre l'expression de Rousseau...; **2** Ling (part of clause) syntagme *m*; **noun/verb ~** syntagme nominal/verbal; **3** Mus phrase *f*
B *vtr* **1** (formulate) exprimer [*idea, notion*]; formuler [*question, sentence, speech*]; **a neatly ~d letter** une lettre bien tournée; **2** Mus phraser
phrase: **~book** *n* manuel *m* de conversation; **~ marker** *n* marqueur *m* syntagmatique
phraseology /ˌfreɪzɪˈɒlədʒɪ/ *n* phraséologie *f*
phrase structure *n* structure *f* syntagmatique
phrasing /ˈfreɪzɪŋ/ *n* **1** (of thought) expression *f*, formulation *f*; (of sentence, letter) formulation *f*; **2** Mus phrasé *m*
phreak○ /friːk/ *n* pirate *m* du téléphone
phreaking○ /ˈfriːkɪŋ/ *n* piratage *m* de lignes téléphoniques
phrenic /ˈfrenɪk/ *adj* Anat phrénique
phrenologist /frəˈnɒlədʒɪst/ ▸ **p. 1683** *n* phrénologiste *mf*, phrénologue *mf*
phrenology /frəˈnɒlədʒɪ/ *n* phrénologie *f*
Phrygian cap /ˈfrɪdʒɪən/ *n* bonnet *m* phrygien
phthisiology /ˌθaɪsɪˈɒlədʒɪ/ *n* phtisiologie *f*
phthisis /ˈθaɪsɪs/ ▸ **p. 1327** *n* phtisie *f*
phut○ /fʌt/ *adv* **to go ~** [*machine, car*] rendre l'âme; [*plans*] tomber à l'eau○
phycology /faɪˈkɒlədʒɪ/ *n* phycologie *f*
phylactery /fɪˈlæktərɪ/ *n* Relig phylactère *m*
phyletic /faɪˈletɪk/ *adj* phylogénétique
phylloxera /ˌfɪlɒkˈsɪərə, fɪˈlɒksərə/ *n* phylloxéra *m*
phylogenesis /ˌfaɪləʊˈdʒenəsɪs/, **phylogeny** /faɪˈlɒdʒɪnɪ/ *n* phylogénie *f*
phylogen(et)ic /ˌfaɪləʊˈdʒenɪk/ *adj* phylogénétique
phylum /ˈfaɪləm/ *n* phylum *m*
physic‡ /ˈfɪzɪk/ *n* (art of medicine) médecine *f*; (drug) médicament *m*
physical /ˈfɪzɪkl/
A○ *n* bilan *m* de santé; **to have a ~** se faire faire un bilan de santé
B *adj* **1** (of the body) [*strength, pain, violence, handicap, symptom*] physique; **~ abuse** sévices *mpl*; **it's a ~ impossibility** c'est physiquement impossible; **she's very ~** (demonstrative) elle est très démonstrative; **did he get ~?** (become intimate) est-ce qu'il s'est montré entreprenant?; (in quarrel) (become violent) est-ce qu'il en est venu aux mains?; **2** [*chemistry, science, property*] physique
physical: **~ anthropology** *n* anthropologie *f* physique; **~ culture** *n* culture *f* physique; **~ education, PE** *n* éducation *f* physique; **~ examination** *n* examen *m* médical; **~ fitness** *n* forme *f* physique; **~ geography** *n* géographie *f* physique; **~ jerks**○† *npl* GB gymnastique *f*
physically /ˈfɪzɪklɪ/ *adv* physiquement; **it is ~ impossible to...** il est physiquement impossible de...; **to be ~ abused** être victime de sévices
physically handicapped
A *n* **the ~** (+ *v pl*) les handicapés *mpl* physiques
B *adj* **to be ~** être handicapé/-e *m/f* physique
physical: **~ sciences** *npl* sciences *fpl* physiques; **~ therapist** ▸ **p. 1683** *n* US Med kinésithérapeute *mf*; **~ therapy** *n* US Med kinésithérapie *f*; **~ training, PT** *n* éducation *f* physique
physician /fɪˈzɪʃn/ ▸ **p. 1683** *n* GB†, US médecin *m*; GB spécialiste *mf*
physicist /ˈfɪzɪsɪst/ ▸ **p. 1683** *n* physicien/-ienne *m/f*
physics /ˈfɪzɪks/ *n* (+ *v sg*) physique *f*; **theoretical ~** physique théorique; **the ~ of sound/motion** la physique du son/mouvement
physio○ /ˈfɪzɪəʊ/ ▸ **p. 1683** *n* GB **1** (*abrév* = **physiotherapist**) kinési○ *mf*, kinésithérapeute *mf*; **2** (*abrév* = **physiotherapy**) kinési○ *f*, kinésithérapie *f*
physiognomist /ˌfɪzɪˈɒnəmɪst, US -ˈɒgnəmɪst/ ▸ **p. 1683** *n* physionomiste *mf*
physiognomy /ˌfɪzɪˈɒnəmɪ, US -ˈɒgnəʊmɪ/ *n* (all contexts) physionomie *f* (**of** de)
physiological /ˌfɪzɪəˈlɒdʒɪkl/ *adj* physiologique
physiologist /ˌfɪzɪˈɒlədʒɪst/ ▸ **p. 1683** *n* physiologiste *mf*
physiology /ˌfɪzɪˈɒlədʒɪ/ *n* physiologie *f*
physiotherapist /ˌfɪzɪəʊˈθerəpɪst/ ▸ **p. 1683** *n* kinésithérapeute *mf*
physiotherapy /ˌfɪzɪəʊˈθerəpɪ/ *n* kinésithérapie *f*
physique /fɪˈziːk/ *n* physique *m*
phytogeography /ˌfaɪtəʊdʒɪˈɒgrəfɪ/ *n* phytogéographie *f*
phytopathology /ˌfaɪtəʊpəˈθɒlədʒɪ/ *n* phytopathologie *f*
phytoplankton /ˌfaɪtəʊˈplæŋktn/ *n* phytoplancton *m*
pi /paɪ/ *n* Math pi *m*
pianissimo /ˌpɪəˈnɪsɪməʊ/ *adj, adv* pianissimo (*inv*)
pianist /ˈpɪənɪst/ ▸ **p. 1683, p. 1462** *n* pianiste *mf*
piano /pɪˈænəʊ/ ▸ **p. 1462**
A *n* piano *m*
B *modif* [*key, lesson, teacher, tuner*] de piano; [*concerto, music, piece, quartet*] pour piano
C *adj, adv* piano (*inv*)
piano: **~ accordion** ▸ **p. 1462** *n* accordéon *m* à clavier; **~ bar** *n* piano-bar *m*
pianoforte /ˌpɪænəʊˈfɔːtɪ/ ▸ **p. 1462** *n* sout piano-forte fml *m*
pianola® /pɪəˈnəʊlə/ ▸ **p. 1462** *n* piano *m* mécanique
piano: **~ organ** ▸ **p. 1462** *n* piano *m* mécanique; **~ player** *n* pianiste *mf*; **~ roll** *n* bande *f* perforée (*pour piano mécanique*); **~ stool** *n* tabouret *m* (de piano)
piazza /pɪˈætsə/ *n* **1** (public square) place *f*; **2** US (veranda) véranda *f*
pic○ /pɪk/ *n* photo *f*
pica /ˈpaɪkə/ *n* **1** Print cicéro *m*; **2** Med (craving) pica *m*
picador /ˈpɪkədɔː(r)/ *n* picador *m*
Picardy /ˈpɪkədɪ/ ▸ **p. 1243** *pr n* Picardie *f*; **in ~** en Picardie
picaresque /ˌpɪkəˈresk/ *adj* picaresque
picayune○† /ˌpɪkəˈjuːn/ *adj* US mesquin
piccalilli /ˌpɪkəˈlɪlɪ/ *n* ¢ pickles *mpl* à la moutarde
piccaninny○ /ˌpɪkəˈnɪnɪ/ *n* injur négrillon/-onne *m/f* offensive
piccolo /ˈpɪkələʊ/ ▸ **p. 1462** *n* piccolo *m*
pick /pɪk/
A *n* **1** (tool) gen pioche *f*, pic *m*; (of miner, geologist) pic *m*; (of climber) piolet *m*; (of mason) smille *f*; **to dig with a ~** creuser à la pioche
2 (choice) choix *m*; **to have one's ~ of** avoir le choix parmi; **to take one's ~** faire son choix (**of** parmi); **take your ~** choisis; **to get first ~** choisir le/la premier/-ière, être le/la premier/-ière à choisir
3 (best) meilleur/-e *m/f*; **the ~ of the crop** (fruit) les meilleurs fruits; **the ~ of this month's new films** les meilleurs films sortis ce mois-ci; **the ~ of the bunch** le/la etc meilleur/-e etc du lot
B *vtr* **1** (choose, select) gen choisir (**from** parmi); Sport sélectionner [*player*] (**from** parmi); former [*team*]; **'~ a card, any card'** 'choisis une carte, n'importe laquelle'; **to be ~ed for England/for the team** être sélectionné pour représenter l'Angleterre/pour faire partie de l'équipe; **you ~ed the right person/a good time to do it** tu as choisi la personne qu'il fallait/le bon moment pour faire cela; **you ~ed the wrong man** *ou* **person** tu as choisi la mauvaise personne; **he certainly knows how to ~ them!** il sait les choisir! also iron; **to ~ a fight** (physically) chercher à se bagarrer○ (**with** avec); **to ~ a fight** *ou* **a quarrel** chercher querelle (**with** à)
2 **to ~ one's way through** avancer avec précaution parmi [*rubble, litter*]; **to ~ one's way down** prendre des précautions pour descendre [*mountain, slope*]
3 (pluck, gather) cueillir [*fruit, flowers*]
4 (poke at) gratter [*spot, scab, skin*]; **to ~ sth from** *ou* **off sth** enlever qch de qch; **to ~ one's nose** mettre les doigts dans son nez; **to ~ one's teeth** se curer *or* se nettoyer les dents; **to ~ a hole in one's sweater** faire un trou dans son pull-over à force de tirer les mailles; **to ~ a lock** crocheter une serrure; **to ~ sb's pocket** faire les poches de qn
C *vi* **1** (choose) choisir; **you can afford to ~ and choose** tu peux te permettre de faire les difficiles *or* de faire la fine bouche (**among, between** pour choisir parmi)
2 (poke) ▸ **pick at, pick over etc**

(Phrasal verbs) ■ **pick at**: ▸ **~ at [sth]** **1** [*person*] manger [qch] du bout des dents [*food*]; gratter, tripoter○ [*spot, scab*]; tripoter○ [*fabric, knot*]; **2** [*bird*] picorer [*crumbs*]; ▸ **~ at [sb]** US ▸ **pick on**
■ **pick off**: ▸ **~ [sb] off, ~ off [sb]** (kill) abattre; **he ~ed them off one by one** il les visait soigneusement et les abattait un à un; **lions ~ off any stragglers** les lions se jettent sur les traînards; ▸ **~ [sth] off, ~ off [sth]** enlever [qch]; ▸ **~ [sth] off sth** cueillir [qch] sur

P

qch [*apple, cherry*]; **to ~ sth off the floor** prendre qch qui était par terre; **to ~ sth off the top of a cake** retirer qch qui était sur un gâteau

■ **pick on**: ▸ **~ on [sb]** (harass, single out) harceler; **stop ~ing on me!** arrête de me harceler comme ça, fiche-moi la paix!○; **~ on someone your own size!** ne t'attaque pas à quelqu'un de plus faible que toi

■ **pick out**: ▸ **~ [sb/sth] out, ~ out [sb/sth]** 1 (select) gen choisir; (single out) repérer; **to be ~ed out from the group** être remarqué dans le groupe; **to ~ out three winners** sélectionner trois gagnants (**from** parmi); 2 (make out, distinguish) distinguer [*object, landmark*]; saisir, comprendre [*words*]; reconnaître [*person in photo, suspect*]; repérer [*person in crowd*]; **to ~ out the theme in a variation** reconnaître le thème dans une variation; 3 (highlight) [*person, artist*] mettre en valeur [*title, letter*]; [*torch, beam*] révéler [*form, object*]; **to be ~ed out in red** être mis en valeur en rouge; 4 **to ~ out a tune (on the piano)** retrouver un air (au piano)

■ **pick over**: ▸ **~ [sth] over, ~ over [sth]** 1 lit trier [*articles, lentils, raisins*]; 2 fig analyser [*film, book*]

■ **pick up**: ▸ **~ up** 1 (improve) [*trade, market, business*] reprendre; [*weather, performance, health*] s'améliorer; [*ill person*] se rétablir; **things have ~ed up slightly** ça commence à aller mieux; 2 (resume) reprendre; **to pick up (from) where one left off** reprendre là où on s'est arrêté; ▸ **~ [sb/sth] up, ~ up [sb/sth]** 1 (lift, take hold of) (to tidy) ramasser [*object, litter, toys, clothes*]; (to examine) prendre; (after fall) relever [*person, child*]; (for cuddle) prendre [qn] dans ses bras [*person, child*]; **to ~ sth up in** *ou* **with one's left hand** prendre qch de sa main gauche; **to ~ up the telephone** décrocher le téléphone; **the wave ~ed up the boat** la vague a soulevé le bateau; **to ~ up the bill** *ou* **tab**○ régler l'addition, casquer○; 2 (collect) prendre [*passenger, cargo, hitcher*]; (passer) prendre [*dry-cleaning, ticket, keys*]; aller chercher [*person from airport, station*]; **could you ~ me up?** est-ce que tu peux venir me chercher?; ▸ **~ [sth] up, ~ up [sth]** 1 (buy) prendre, acheter [*milk, bread, newspaper*]; dénicher [*bargain, find*]; **could you ~ up some milk on the way home?** peux-tu prendre du lait en rentrant à la maison?; 2 (learn, acquire) apprendre [*language*]; prendre [*habit, accent*]; développer [*skill*]; **where did he ~ up those manners?** où a-t-il pris *or* attrapé ces manières?; **I'm hoping to ~ up some tips** j'espère obtenir quelques tuyaux; **it's not difficult, you'll soon ~ it up** ce n'est pas difficile, tu t'y mettras vite; 3 (catch) attraper [*illness, cold, infection*]; 4 (notice, register) [*person*] repérer [*mistake, error*]; [*person, machine*] détecter [*defect*]; 5 (detect) [*person, animal*] trouver [*trail, scent*]; [*searchlight, radar*] détecter la présence de [*aircraft, person, object*]; Radio, Telecom capter [*signal, broadcast*]; 6 (gain, earn) gagner [*point, size*]; acquérir [*reputation*]; **to ~ up speed** prendre de la vitesse; 7 (resume) reprendre [*conversation, career*]; **you'll soon ~ up your French again** ton français te reviendra vite; **to ~ up the pieces (of one's life)** recoller les morceaux; ▸ **~ [sb] up, ~ up [sb]** 1 (rescue) [*helicopter, ship*] recueillir [*person*]; 2 (arrest) [*police*] arrêter [*suspect*]; 3 (meet) péj ramasser [*person, partner, prostitute*]; 4 (find fault with) faire des remarques à [*person*] (**on** sur); **they'll ~ you up for being improperly dressed** ils vont te faire remarquer que tu n'es pas vêtu correctement; ▸ **~ oneself up** 1 lit (get up) se relever; 2 fig (recover) se reprendre

pickaback /ˈpɪkəbæk/ = **piggyback**

pickaninny *n* US = **piccaninny**

pickaxe GB, **pickax** US /ˈpɪkæks/ *n* pioche *f*

picker /ˈpɪkə(r)/ *n* cueilleur/-euse *m/f*

picket /ˈpɪkɪt/

A *n* 1 (in strike) (group of people) piquet *m* (de grève); (one person) gréviste *mf* (*qui fait partie d'un piquet*); **to be on a ~** faire partie d'un piquet de grève; ▸ **flying picket**; 2 Mil (detachment) détachement *m*; (one soldier) factionnaire *m*; **fire ~** piquet *m* d'incendie; 3 (stake) piquet *m*, pieu *m*

B *vtr* 1 (to stop work) installer un piquet de grève aux portes de [*factory, site*]; (to protest) former un cordon de protestation devant [*hall, meeting place, embassy*]; 2 (fence in) clôturer, palissader [*land*]

C *vi* organiser un piquet de grève

picket duty *n* **to be on ~** Ind faire partie d'un piquet de grève; Mil être (de service) de guet

picket fence *n* palissade *f*

picketing /ˈpɪkɪtɪŋ/ *n* ¢ piquets *mpl* de grève

picket line *n* (outside factory etc) (cordon *m* de) piquet *m* de grève; (outside embassy) cordon *m* de protestation; **to cross the ~** traverser les piquets de grève

picking /ˈpɪkɪŋ/

A *n* (of crop) cueillette *f*

B **pickings** *npl* (rewards) gains *mpl*; **there'll be slim ~ for us on this job** on ne tirera pas grand-chose de ce travail

pickle /ˈpɪkl/

A *n* 1 ¢ (preserved food) pickles *mpl*, conserves *fpl* au vinaigre; **cheese and ~** fromage et pickles; 2 C (item) (gherkin) cornichon *m*; **~s** pickles *mpl*; 3 ¢ (preserving substance) (brine) saumure *f*; (vinegar) vinaigre *m*; (marinade) marinade *f*

B *vtr* (in vinegar) conserver [qch] dans du vinaigre; (in brine) conserver [qch] dans de la saumure

(Idiom) **to be in a ~** hum être dans le pétrin○

pickled /ˈpɪkld/ *adj* 1 Culin [*onion, gherkin*] au vinaigre; 2 ○GB (drunk) bourré○

picklock /ˈpɪklɒk/ *n* 1 (tool) gen crochet *m*; (of burglar) rossignol *m*; 2 (burglar) crocheteur *m*

pick: **~-me-up** *n* (drink, medicine) remontant *m*; **~pocket** *n* voleur *m* à la tire, pickpocket *m*

pickup /ˈpɪkʌp/ *n* 1 (of record player) lecteur *m*, pick-up *m inv*; 2 (on electric guitar) capteur *m*; 3 Radio, TV (reception) réception *f*; 4 ○(sexual partner) partenaire *mf* de rencontre; 5 Transp (collection) (of goods) ramassage *m*; (passenger) passager/-ère *m/f* ramassé/-e en route; **the school bus makes about twenty ~s** le bus scolaire s'arrête une vingtaine de fois pour prendre des écoliers; **I've still got a number of ~s to make** je dois encore m'arrêter un certain nombre de fois pour prendre des passagers; 6 Aut (acceleration) reprises *fpl*; 7 (improvement, revival) (in business, economy) reprise *f* (**in** de); 8 = **pickup truck**

pickup: **~ arm** *n* = **pickup 1**; **~ point** *n* (for passengers) point *m* de ramassage; (for goods) point *m* de chargement; **~ truck**, **~ van** GB *n* pick-up *m inv*, camionnette *f* (à plateau découvert)

picky○ /ˈpɪkɪ/ *adj* difficile (**about** pour ce qui est de); **to be a ~ eater** être difficile pour ce qui est de la nourriture

pick your own, **PYO** *n* ferme *f* où l'on peut cueillir ses propres fruits ou légumes; (on sign) 'cueillette *f* à la ferme'

picnic /ˈpɪknɪk/

A *n* pique-nique *m*; **to go for** *ou* **on a ~** aller en pique-nique

B *vi* (*p prés etc* **-ck-**) pique-niquer

(Idiom) **it's no ~!** ce n'est pas une partie de plaisir!

picnic: **~ basket** *n* panier *m* à pique-nique; **~ ham** *n* jambonneau *m*; **~ hamper** *n* grand panier *m* à pique-nique

picnicker /ˈpɪknɪkə(r)/ *n* pique-niqueur/-euse *m/f*

picnic lunch *n* pique-nique *m*

Pict /pɪkt/ *n* Picte *m*

Pictish /ˈpɪktɪʃ/ *n, adj* picte (*m*)

pictogram /ˈpɪktəɡræm/ *n* 1 (symbol) pictogramme *m*; 2 (chart) carte *f* thématique

pictograph /ˈpɪktəɡrɑːf, US -ɡræf/ *n* = **pictogram**

pictorial /pɪkˈtɔːrɪəl/

A †*n* (magazine *m*) illustré *m*

B *adj* 1 (in pictures) [*calendar, magazine*] illustré; [*record, information*] graphique; [*style, technique, means*] artistique; 2 (resembling pictures) [*language, description*] imagé

pictorially /pɪkˈtɔːrɪəlɪ/ *adv* 1 (by means of pictures) [*portray, show*] par l'image; 2 (from a pictorial point of view) d'un point de vue graphique

picture /ˈpɪktʃə(r)/

A *n* 1 (visual depiction) (painting) peinture *f*, tableau *m*; (drawing) dessin *m*; (in book) gen illustration *f*; (in child's book) image *f*; (in mind) image *f*; **to draw a ~ of sb/sth** faire un dessin de qn/qch; **to paint a ~ of sb/sth** peindre qn/qch; **to paint sb's ~** faire le portrait de qn; 2 fig (description) description *f*, tableau *m*; **to paint a ~ of sb/sth** dépeindre qn/qch; **to paint** *ou* **draw a gloomy/optimistic ~ of sth** donner une image sombre/optimiste de qch; **to give** *ou* **present a clear/accurate ~ of sth** dépeindre qch avec clarté/précision; 3 Phot photo *f*, photographie *f*; **to take a ~ (of sb/sth)** prendre une photo (de qn/qch); 4 fig (overview) situation *f*; **to get the ~** comprendre la situation; **to put/keep sb in the ~** mettre/tenir qn au courant; **to be in the ~** être au courant; 5 Cin (film) film *m*; **to make a ~** faire un film; 6 TV image *f*; **the ~ is blurred** l'image est floue

B **pictures**○ *npl* **the ~s** le cinéma; **to go to the ~s** aller au cinéma

C *vtr* 1 (form mental image of) s'imaginer, se représenter [*person, place, scene*]; 2 (show in picture form) **to be ~d** être représenté; **the vase (~d above) is...** le vase (voir photo ci-dessus) est...

(Idioms) **to be the ~ of health** respirer la santé; **to be the ~ of sb** être le portrait tout craché de qn; **to look** *ou* **be a ~** être ravissant; **her face was a ~!** son expression en disait long!

picture: **~ book** *n* livre *m* d'images; **~ card** *n* Games figure *f* (*carte*); **~ desk** *n* Journ service *m* photo; **~ editor** ▸ **p. 1683** *n* Journ directeur/-trice *m/f* du service photo; **~ frame** *n* cadre *m*; **~ framer** ▸ **p. 1683** *n* encadreur/-euse *m/f*; **~ framing** *n* encadrement *m*; **~ gallery** *n* galerie *f* de peinture; **~ hat** *n* capeline *f*; **~ hook** *n* crochet *m* (à tableaux); **~ house**†, **~ palace**† *n* cinéma *m*; **~ postcard** *n* carte *f* postale; **~ rail** *n* cimaise *f*

picturesque /ˌpɪktʃəˈresk/ *adj* pittoresque

picturesquely /ˌpɪktʃəˈresklɪ/ *adv* avec pittoresque

picture: **~ window** *n* baie *f* vitrée; **~ wire** *n* fil *m* (pour accrocher les tableaux); **~ writing** *n* écriture *f* pictographique

PID *n*: *abrév* ▸ **pelvic inflammatory disease**

piddle○ /ˈpɪdl/

A *n* **to go for a ~** aller faire pipi○, aller pisser◑

B *vi* (urinate) faire pipi○

(Phrasal verbs) ■ **piddle away**: ▸ **~ away [sth], ~ [sth] away** gaspiller [*time, life*]

■ **piddle down** GB **it's piddling down** il pleut à verse

piddling○ /ˈpɪdlɪŋ/ *adj* insignifiant

pidgin /ˈpɪdʒɪn/ *n* 1 (*also* **~ English**) pidgin *m*; 2 (*also* **~ French**) (French with Arab) sabir *m*; (French with other language) petit nègre *m*; 3 (other languages spoken incorrectly) charabia *m*

pie /paɪ/ *n* 1 (savoury) gen tourte *f*; **meat/fish ~** tourte à la viande/au poisson; **pork ~** pâté *m* de porc en croûte; 2 (sweet) tarte *f* (*recouverte*

P

de pâte); **apple/plum ~** tarte aux pommes/ prunes

(Idioms) **it's all ~ in the sky** c'est de l'utopie; **to be as easy as ~** être simple comme bonjour; **to have a finger in every ~** être mêlé à tout; **they all want a piece of the ~** ils veulent tous leur part du gâteau; **to be as sweet** *ou* **nice as ~** gen être gentil/-ille comme tout, pej être tout sucre tout miel

piebald /ˈpaɪbɔːld/
A *n* cheval *m* pie
B *adj* pie *inv*

piece /piːs/
A *n* 1 (indeterminate amount) (of fabric, wood, paper, metal) morceau *m*, bout *m*; (of string, ribbon) bout *m*; (of cake, pie, pâté) morceau *m*, tranche *f*; (of meat, cheese, chocolate) morceau *m*; 2 (unit) **a ~ of furniture** un meuble; **a ~ of pottery** une poterie; **a ~ of sculpture** une sculpture; **a ~ of luggage** une valise; **a ~ of advice** un conseil; **a ~ of evidence** une preuve; **a ~ of information** un renseignement; **a ~ of legislation** une loi; **a ~ of news** une nouvelle; **a ~ of work** gen un travail; (referring to book, article etc) une œuvre; **a ~ of luck** un coup de chance; **a ~ of history** une tranche d'histoire; **to be paid by the ~** être payé à la pièce; **they cost £20 a ~** ils coûtent 20 livres pièce; 3 (component part) (of jigsaw, machine, model) pièce *f*; **~ by ~** pièce par pièce; **in ~s** en pièces (détachées); **to come in ~s** [*kit furniture*] être livré en kit; **to take sth to ~s** démonter qch; 4 (broken fragment) (of glass, cup) morceau *m*, fragment *m*; **in ~s** en morceaux, en miettes; **to fall to ~s** [*machine, object*] tomber en morceaux; fig [*case, argument*] s'effondrer; **it came to ~s in my hands** ça s'est cassé dans mes mains; **to go to ~s** fig [*person*] (from shock) s'effondrer; (emotionally) craquer○; (in interview) paniquer complètement; 5 (artistic work) (of music) morceau *m*; (sculpture) sculpture *f*; (painting) peinture *f*; (article) article *m* (**on** sur); (play) pièce *f*; **he read them a ~ out of the book** il leur a lu un passage du livre; 6 (instance) **a ~ of** un exemple de [*propaganda, materialism, flattery*]; **a wonderful ~ of running/acting/engineering** une très belle course/interprétation/réalisation technique; 7 (coin) pièce *f*; **a 50p ~** une pièce de 50 pence; **30 ~s of silver** 30 pièces d'argent; 8 Games (in chess) pièce *f*; (in draughts) pion *m*; **chess ~** pièce de jeu d'échecs; 9 Mil (gun) fusil *m*; (cannon) pièce *f* (d'artillerie); 10 ○(gun) flingue○ *m*, pistolet *m*; 11 ○(woman) beau brin *m* de fille○
B -piece (*dans composés*) **a 60-~ cutlery set** un service de couverts de 60 pièces; **a 5-~ band** Mus un groupe de 5 musiciens

(Idioms) **to be (all) of a ~** [*town, house*] être d'un style homogène; **to be (all) of a piece with sth** [*action, statement, ideas*] s'accorder avec qch; **to be still in one ~** [*object*] être intact; [*person*] être sain et sauf; **to give sb a ~ of one's mind** dire ses quatre vérités *or* son fait à qn; **to pick sth to ~s** descendre qch en flammes; **to pick up the ~s** recoller les morceaux; **to say one's ~** dire ce qu'on a à dire

(Phrasal verb) ■ **piece together**: ▸ **~ [sth] together**, **~ together [sth]** rassembler [*fragments, shreds*]; reconstituer [*vase, garment, letter*]; assembler [*puzzle*]; fig reconstituer [*facts, evidence, event, account*]; **they tried to ~ together what had happened** ils ont essayé de reconstituer ce qui s'était passé

pièce de résistance /ˌpjes də reˈzɪstɑːns, US -ˌreziːˈstɑːns/ *n* pièce *f* de résistance

piecemeal /ˈpiːsmiːl/
A *adj* [*approach, reforms, legislation*] fragmentaire; [*story, description*] décousu; [*research, construction, development*] (random) fragmentaire; (at different times) irrégulier/-ière
B *adv* [*develop, introduce*] petit à petit, par à-coups pej; [*sell off, arrive*] petit à petit

piecework /ˈpiːswɜːk/
A *n* **to be on ~** être payé à la pièce
B *modif* [*rate*] à la pièce

pie: **~ chart** *n* diagramme *m* circulaire sectorisé, camembert○ *m*; **~ crust** *n* croûte *f*

pied /paɪd/ *adj* gen bigarré; Zool pie *inv*

pied-à-terre /ˌpjeɪd ɑː ˈteə(r)/ *n* pied-à-terre *m inv*

pie dish *n* tourtière *f*, moule *m* à tarte

piedmont /ˈpiːdmɒnt/ *adj* Geol [*plain, glacier*] de piémont

Pied Piper /ˌpaɪd ˈpaɪpə(r)/ *n* **the ~ (of Hamelin)** le joueur de flûte de Hamelin

pied wagtail *n* bergeronnette *f* (lavandière)

pie-eyed○ /ˌpaɪˈaɪd/ *adj* rond○, soûl○

pier /pɪə(r)/ *n* 1 (at seaside resort) jetée *f* (sur pilotis) (*où les gens viennent se promener*); 2 (part of harbour) (built of stone) digue *f*; (landing stage) embarcadère *m*; 3 Constr (of bridge, dam, foundations) pile *f*; (pillar in church, of gateway) pilier *m*; (wall between openings) trumeau *m*

pierce /pɪəs/ *vtr* 1 lit (make hole in) percer; (penetrate) transpercer [*armour, skin, leather, paper*]; **to ~ a hole in** percer un trou dans; **to have one's ears ~d** se faire percer les oreilles; **to ~ the enemy lines** Mil pénétrer les lignes ennemies; 2 fig (penetrate) [*cry, light*] percer; [*cold, wind*] transpercer

piercing /ˈpɪəsɪŋ/ *adj* [*noise, scream, voice*] perçant; [*light*] intense; [*cold, wind*] glacial, pénétrant; **his ~ blue eyes** ses yeux bleus perçants

pier glass *n* glace *f* de trumeau

pierhead /ˈpɪəhed/
A *n* musoir *m*
B *modif* GB [*show, entertainment*] populaire; [*humour*] troupier pej; **~ comic** comique *m* de foire

pierrot /ˈpɪərəʊ/ *n* pierrot *m*

Pietism /ˈpaɪətɪzəm/ *n* Relig piétisme *m*

Pietist /ˈpaɪətɪst/ *n* Relig piétiste *mf*

pietistic(al) /ˌpaɪəˈtɪstɪk(l)/ *adj* péj bigot

piety /ˈpaɪətɪ/ *n* 1 (religiousness) piété *f*; 2 (belief or custom) pratique *f* pieuse

piezoelectric /piːˌeɪzəʊɪˈlektrɪk/ *adj* [*crystal, effect*] piézoélectrique

piezoelectricity /piːˌeɪzəʊˌɪlekˈtrɪsətɪ/ *n* piézo-électricité *f*

piezometer /ˌpaɪɪˈzɒmɪtə(r)/ *n* piézomètre *m*

piffle○ /ˈpɪfl/ *n* GB ¢ balivernes† *fpl*, fadaises *fpl*

piffling○ /ˈpɪflɪŋ/ *adj* GB insignifiant

pig /pɪg/
A *n* 1 (animal) porc *m*, cochon *m*; **to be in ~** [*sow*] être grosse; 2 ○fig péj (greedy) goinfre○ *m*; (dirty) cochon/-onne○ *m/f*; (nasty) sale type○ *m*, salaud◐ *m*; **to eat/live like a ~** (dirtily) manger/vivre comme un cochon; **to make a ~ of oneself** manger comme un goinfre○, se goinfrer○; **you ~!** (greedy person) quel goinfre○!; (dirty person) tu es un cochon○!; (nasty person) tu es vache○!; 3 ○pej (policeman) flic○ *m*, poulet○ *m*; **the ~s** les flics○ *mpl*, la flicaille○ *f*; 4 ○GB (task) **this is a real ~ to do!** c'est vachement○ dur à faire!
B *vi* [*sow*] mettre bas
C ○*v refl* **to ~ oneself** se goinfrer○, s'empiffrer○ (**on** de)

(Idioms) **to buy a ~ in a poke** acheter chat en poche; **~s might fly** le jour où les poules auront des dents!; **in a ~'s eye**○! US mon œil○!; **to make a ~'s ear of sth** bousiller○ qch; **to ~ it**○ vivre comme un cochon

(Phrasal verb) ■ **pig out** se goinfrer○, s'empiffrer○ (**on** de)

pigeon /ˈpɪdʒɪn/ *n* pigeon *m*

(Idioms) **that's your ~**○! ça, c'est ton affaire!; **to put** *ou* **set the cat among the ~s** faire des vagues

pigeon: **~-breasted**, **~-chested** *adj* à la poitrine bombée; **~ fancier** *n* colombophile *mf*

pigeonhole /ˈpɪdʒɪnhəʊl/ GB
A *n* 1 lit (in desk) case *f*, casier *m*; (in wall unit) casier *m*; 2 fig (neat category) catégorie *f*
B *vtr* 1 (categorize) étiqueter, cataloguer [*person, activity*] (**as** comme); 2 (file) classer [*papers, letters*]

pigeon house, **pigeon loft** *n* pigeonnier *m*

pigeon post *n* GB **to send sth by ~** envoyer qch par pigeon voyageur

pigeon: **~ racing** *n* ¢ courses *fpl* de pigeons voyageurs; **~ shooting** *n* tir *m* aux pigeons

pigeon-toed *adj* **to be ~** marcher les pieds en dedans

pig: **~ farm** *n* élevage *m* de porcs; **~ farmer** ▸ p. 1683 *n* éleveur/-euse *m/f* de porcs; **~ farming** *n* élevage *m* de porcs

piggery /ˈpɪgərɪ/ *n* (pigsty) porcherie *f*

piggish /ˈpɪgɪʃ/ *adj* (greedy) goinfre○; (dirty) sale; (rude) grossier/-ière

piggy /ˈpɪgɪ/
A *n* lang enfantin cochon *m*
B *adj* [*manners etc*] de cochon; **to have ~ eyes** péj avoir des petits yeux porcins

(Idiom) **to be ~ in the middle** fig se trouver entre deux chaises, avoir le cul○ entre deux chaises

piggyback /ˈpɪgɪbæk/
A *n* 1 (*also* **~ ride**) **to give sb a ~** porter qn sur son dos *or* sur ses épaules; 2 Rail, Aerosp ferroutage *m*
B *adv* [*ride, carry*] sur le dos
C *vtr* 1 (carry) porter [qn] sur son dos *or* sur ses épaules [*person*]; 2 Rail, Aerosp ferrouter; 3 **to be ~ed on** lit (superposed) être superposé sur; fig [*expenses*] être absorbé par
D *vi* 1 [*expenses*] être absorbé *or* couvert; 2 Rail, Aerosp être ferrouté

piggy bank *n* tirelire *f* (*en forme de cochon*)

pigheaded /ˌpɪgˈhedɪd/ *adj* péj entêté, obstiné

pigheadedness /ˌpɪgˈhedɪdnɪs/ *n* péj entêtement *m*, obstination *f*

pig: **~ ignorant**○ *adj* péj d'une ignorance crasse; **~ iron** *n* métal *m* en gueuse; **Pig Latin** *n* langage *m* secret des enfants

piglet /ˈpɪglɪt/ *n* porcelet *m*, petit cochon *m*

pigment /ˈpɪgmənt/ *n* Biol, Art pigment *m*

pigmentation /ˌpɪgmənˈteɪʃn/ *n* pigmentation *f*

pigmented /ˈpɪgməntɪd/ *adj* pigmenté

pigmy = **pygmy**

pigpen *n* US = **pigsty**

pigskin /ˈpɪgskɪn/
A *n* peau *f* de porc
B *modif* [*bag etc*] en peau de porc

pigsty /ˈpɪgstaɪ/ *n* (*pl* **-sties**) lit, fig porcherie *f*

pigswill /ˈpɪgswɪl/ *n* ¢ 1 lit pâtée *f* pour porcs; 2 fig (nasty food) bouillie *f*

pigtail /ˈpɪgteɪl/ *n* natte *f*; **to wear one's hair in ~s** porter des nattes

pike /paɪk/ *n* 1 Hist (spear) pique *f*; 2 (fish) brochet *m*; 3 GB (peak) pic *m*; 4 GB Sport (in swimming) plongeon *m* carpé; (in gymnastics) mouvement *m* carpé; 5 = **turnpike**

pike: **~man** *n* Hist piquier *m*; **~perch** *n* sanche *m*

piker○ /ˈpaɪkə(r)/ *n* US péj minable *mf*

pikestaff /ˈpaɪkstɑːf, US -stæf/ *n*

(Idiom) **it's as plain as a ~** ça se voit comme le nez au milieu de la figure

pilaf(f) /pɪˈlæf, US -ˈlɑːf/ *n* = **pilau**

pilaster /pɪˈlæstə(r)/ *n* pilastre *m*

pilau /pɪˈlaʊ/ *n* pilaf *m*; **~ rice** riz *m* pilaf

pilchard /ˈpɪltʃəd/ *n* pilchard *m*

pile /paɪl/
A *n* 1 (untidy heap) tas *m* (**of** de); (stack) pile *f* (**of** de); **to be in a ~** être en tas *or* en pile; **to leave sth in a ~** laisser qch en tas; **to sort sth**

into ~s trier qch en tas; **put those books into ~s** mettez ces livres en piles; **2** (of fabric, carpet) poil *m*; **deep-~ carpet** tapis *m* au poil épais; **to brush sth with the ~/against the ~** brosser qch dans le sens du poil/à rebrousse-poil; **3** ○(large amount) **a ~** *ou* **~s of** un tas *or* des tas de; **to have ~s of money** être plein aux as○; **4** Constr (post) pilier *m*; **5** Elec, Nucl pile *f*; **6** littér *ou* hum (building) édifice *m*
B **piles** *npl* Med hémorroïdes *fpl*
C *vtr* (in a heap) entasser (**on** sur); (in a stack) empiler (**on** sur); **to be ~d with** [*surface*] être recouvert de piles de [*books, objects*]; **the room was ~d high with boxes** il y avait une montagne de cartons dans la pièce; **a plate ~d high with cakes** une assiette avec une montagne de gâteaux; **to ~ luggage into a car** empiler des bagages dans une voiture
D *vi*○ **1** (board) **to ~ on/off** monter dans [qch]/sortir de [qch] en se bousculant [*bus, train*]; **to ~ into** s'engouffrer dans [*vehicle*]; **2** (crash) **to ~ into** [*vehicle*] rentrer dans [*other vehicle*]; **the bus ~d into them** le bus leur est rentré dedans
(Idioms) **to be at the top/bottom of the ~** être en haut/bas de l'échelle; **to make one's ~**○ faire son beurre○
(Phrasal verbs) ■ **pile in**○ monter en se serrant; **the bus came and we all ~d in** le bus est arrivé et nous y sommes montés en nous serrant
■ **pile on**○: **to ~ on the charm** en faire un peu trop pour séduire; **to ~ it on** mettre le paquet○
■ **pile up** [*leaves, snow, rubbish*] s'entasser; [*money*] s'amasser; [*debts, evidence, problems, work*] s'accumuler; [*cars*] (in accident) se rentrer dedans; ▸ **~ [sth] up, ~ up [sth]** **1** lit (in a heap) entasser; (in a stack) empiler; **to be ~d up** [*books, plates*] s'empiler (**on** sur); **2** fig accumuler [*debts, evidence, problems, work*]

pile: **~ driver** *n* sonnette *f* de battage; **~ fabric** *n* Tex (velvet) velours *m*; (other) fourrure *f* synthétique; **~ shoe** *n* Tech sabot *m* de pieu; **~up** *n* Aut carambolage *m*

pilfer /ˈpɪlfə(r)/
A *vtr* dérober (**from** dans)
B *vi* commettre des larcins

pilferage /ˈpɪlfərɪdʒ/ *n* Insur vol *m*

pilferer /ˈpɪlfərə(r)/ *n* voleur/-euse *m/f*

pilfering /ˈpɪlfərɪŋ/ *n* vol *m*

pilgrim /ˈpɪlgrɪm/ *n* pèlerin *m* (**to** de)

pilgrimage /ˈpɪlgrɪmɪdʒ/ *n* Relig, fig pèlerinage *m*; **to go on** *ou* **make a ~** faire un pèlerinage (**to** à)

Pilgrim Fathers *npl* Hist Pères *mpl* Pèlerins

> **The Pilgrim Fathers**
>
> Ce sont les 102 puritains anglais qui débarquèrent sur les côtes du Nouveau Monde en 1620 après avoir traversé l'Atlantique pour fuir les persécutions religieuses en Europe. Ils s'établirent dans le territoire qui correspond au Massachusetts actuel, mais ils ne purent pas faire de plantations cette année-là, et la moitié d'entre eux mourut au cours du premier hiver. L'année suivante, leur récolte leur permit de survivre et donna lieu à la première cérémonie d'Action de Grâces (*Thanksgiving*). ▸ **Thanksgiving**

pill /pɪl/
A *n* **1** Med, Pharm (for general use) comprimé *m*, cachet *m* (**for** contre, pour); **to take a ~** prendre un comprimé *or* un cachet; ▸ **pep pill**, **sleeping pill**; **2** (contraceptive) **the ~** la pilule; **to be on/to go on the ~** prendre/commencer à prendre la pilule; **to come off the ~** arrêter la pilule; **3** ○(idiot) abruti○ *m*
B *vi* [*sweater*] boulocher
(Idioms) **he found it a bitter ~ to swallow** il a trouvé la pilule amère; **to sugar** *ou* **sweeten** *ou* **gild the ~** dorer la pilule○

pillage /ˈpɪlɪdʒ/
A *n* pillage *m*
B *vtr, vi* piller

pillar /ˈpɪlə(r)/ *n* **1** Archit pilier *m*; **2** (of smoke, fire, rock etc) colonne *f*; **a ~ of salt** Bible une statue de sel; **the ~s of Hercules** Geog les Colonnes d'Hercule; **3** fig (of institution, society) pilier *m* (**of** de); **to be a ~ of strength to sb** être d'un grand soutien à qn; **4** Aut pied *m* de caisse, montant *m*; **5** Mining (as support) pilier *m*
(Idioms) **to go from ~ to post**○ courir à droite et à gauche○ (**doing** pour faire); **to be sent from ~ to post**○ (for information, papers) se faire renvoyer de service en service○

pillar: **~ box** *n* GB boîte *f* aux lettres; **~-box red** *n, adj* GB rouge (*m*) vif *inv*

pillared /ˈpɪləd/ *adj* [*building, arcade*] à colonnades

pillbox /ˈpɪlbɒks/ *n* **1** (for pills) boîte *f* à pilules; **2** Mil casemate *f*; **3** (*also* **~ hat**) toque *f*

pillion /ˈpɪlɪən/
A *n* (*also* **~ seat**) siège *m* de passager
B *modif* [*passenger*] arrière *inv*
C *adv* **to ride ~** monter en croupe

pillock◑ /ˈpɪlək/ *n* GB péj abruti○ *m* pej

pillory /ˈpɪlərɪ/
A *n* Hist pilori *m*
B *vtr* lit, fig mettre [qn] au pilori (**for** pour)

pillow /ˈpɪləʊ/
A *n* **1** (on bed) oreiller *m*; (of moss, grass) coussin *m*; **neck ~** oreiller *m* pour le cou; **2** (in lace-making) carreau *m*
B *vtr* **to be ~ed on** [*head*] reposer sur

pillow: **~case** *n* taie *f* d'oreiller; **~ fight** *n* bataille *f* d'oreillers *or* de polochons; **~ lace** *n* dentelle *f* au fuseau; **~slip** *n* GB = **pillowcase**; **~ talk**○ *n* confidences *fpl* sur l'oreiller

pill-popper○ *n* avaleur/-euse *m/f* de pillules

pill popping○ *adj* [*person*] qui prend des pilules

pilot /ˈpaɪlət/ ▸ **p. 1683**
A *n* **1** Aviat, Aerosp pilote *m*; **2** Radio, TV (programme) émission *f* pilote (**for** pour); **3** (on cooker etc) (*also* **~ light**) (gas) veilleuse *f*; (electric) voyant *m* lumineux; **4** Naut (navigator) pilote *m*
B *modif* **1** Comm, Ind [*course, project, study*] pilote; Radio, TV [*programme, series*] expérimental, pilote; **2** Aviat [*instruction, training*] des pilotes; [*error*] de pilotage
C *vtr* **1** Aviat, Naut (navigate) piloter; **to ~ sb through** fig guider qn à travers [*crowd, streets*]; **to ~ a bill through parliament** assurer le passage d'un projet de loi au parlement; **he ~ed the party to victory** il a mené le parti à la victoire; **2** (test) mettre [qch] au banc d'essai [*course, system*]

pilot: **~ boat** *n* bateau-pilote *m*; **~ burner** *n* (gas) veilleuse *f*; (electric) voyant *m* lumineux; **~ fish** *n* poisson *m* pilote; **~house** *n* poste *m* de pilotage; **~ officer** *n* GB sous-lieutenant *m*; **~ plant** *n* usine-pilote *f*; **~ scheme** *n* projet-pilote *m*; **~'s licence** *n* brevet *m* de pilote; **~ whale** *n* globicéphale *m*

pimento, **pimiento** /pɪˈmentəʊ/
A *n* **1** (vegetable) piment *m* doux; **2** (spice) piment *m* de la Jamaïque; **3** (tree) pimenta *m*
B *modif* [*cheese*] en piment

pimp /pɪmp/
A *n* proxénète *m*
B *vi* **1** (control prostitutes) faire du proxénétisme; **2** (find customers) servir d'entremetteur (**for** à)

pimpernel /ˈpɪmpənel/ *n* mouron *m*

pimping /ˈpɪmpɪŋ/ *n* proxénétisme *m*

pimple /ˈpɪmpl/ *n* bouton *m*; **to break out in ~s** avoir une éruption de boutons

pimply /ˈpɪmplɪ/ *adj* boutonneux/-euse also pej

pin /pɪn/
A *n* **1** (for sewing, fastening cloth or paper) épingle *f*; **2** Elec (of plug) fiche *f*; **two-/three-~ plug** prise *f* à deux/trois fiches; **3** Tech (to attach wood or metal) goujon *m*; (machine part) goupille *f*; **4** Med (in surgery) broche *f*; **5** (brooch) barrette *f*; **diamond ~** barrette avec brillant; **6** (in bowling) quille *f*; **7** (in golf) drapeau *m* (de trou)
B **pins**○ (legs) *npl* quilles○ *fpl*, jambes *fpl*
C *vtr* (*p prés etc* **-nn-**) **1** (attach with pins) épingler [*dress, hem, curtain*]; **to ~ sth to** épingler qch à; **to ~ sth on(to)** épingler qch sur; (with drawing pin) fixer qch avec une punaise sur [*board, wall*]; **to ~ two things together** épingler deux choses l'une avec l'autre; **to ~ sth with** attacher qch avec [*brooch, grip, pin*]; **2** (trap, press) coincer [*person, part of body*]; **to ~ sb against** *ou* **to** coincer qn contre [*wall, sofa, floor*]; **her arms were ~ned to her sides** elle avait les bras plaqués au corps; **to be ~ned under** être coincé sous [*fallen tree, wreckage*]; **3** ○(attribute, attach) **to ~ sth on sb** imputer qch à qn, rejeter qch sur qn [*blame, crime*]; **4** Mil, Sport coincer, bloquer; **France were ~ned in their own half** la France a été coincée sur son terrain; **5** (in chess) coincer [*piece*]
(Idioms) **for two ~s I would do** pour un peu je ferais; **to ~ one's ears back**○ ouvrir grand les oreilles○; **you could have heard a ~ drop** on aurait entendu voler une mouche; ▸ **hope**
(Phrasal verbs) ■ **pin down**: ▸ **~ down [sb]**, **~ [sb] down** **1** (physically) immobiliser (**to** à); **2** fig coincer; **he won't be ~ned down** il ne se laissera pas coincer; **to ~ sb down to a definite date/an exact figure** arriver à soutirer une date fixe/un chiffre exact à qn; **to ~ sb down to doing** obliger qn à s'engager à faire; ▸ **~ down [sth]**, **~ [sth] down** **1** lit accrocher [*piece of paper, cloth, map*]; épingler [*sheet*]; **2** fig (define) identifier [*concept, feeling*]; **I can't ~ it down** je n'arrive pas à mettre le doigt dessus
■ **pin up**: ▸ **~ up [sth]**, **~ [sth] up** accrocher [*poster, notice, map*] (**on** à); remonter [*hair*]

PIN /pɪn/ *n* (*also* **~ number**) (*abrév* = **personal identification number**) code *m* confidentiel (*pour carte bancaire*)

pinafore /ˈpɪnəfɔː(r)/ *n* (apron) tablier *m*; (overall) blouse *f*

pinafore dress *n* robe-chasuble *f*

pin: **~ball** ▸ **p. 1253** *n* flipper *m*; **~ball machine** *n* flipper *m*, billard *m* électrique

pince-nez /ˌpænsˈneɪ/ *n* (*pl* ~) pince-nez *m inv*

pincer /ˈpɪnsə(r)/
A *n* Zool pince *f*
B **pincers** *npl* (tool) tenailles *fpl*; **a pair of ~s** une paire de tenailles

pincer movement *n* mouvement *m* en tenailles

pinch /pɪntʃ/
A *n* **1** (nip) pincement *m*; **to give sb a ~ on the cheek** pincer la joue de qn; **2** (small quantity) (of salt, spice) pincée *f*; **a ~ of snuff** une prise de tabac
B *vtr* **1** (with fingers) pincer; **to ~ sb's arm/bottom, to ~ sb on the arm/bottom** pincer le bras/les fesses de qn; **2** [*shoe*] serrer [*foot*]; **3** ○(steal) faucher○ (**from** à); **4** [*crab*] pincer; **5** Hort **to ~ out** *ou* **off** enlever [*bud, tip*]; **6** ○US (arrest) pincer○
C *vi* [*shoe*] serrer
D *v refl* **to ~ oneself** lit, fig se pincer
(Idioms) **at** GB *ou* **on** US **a ~** à la rigueur; **to feel the ~** avoir de la peine à joindre les deux bouts; **to ~ and scrape** rogner sur tout

pinchbeck /ˈpɪntʃbek/
A *n* similor *m*
B *modif* **1** (of alloy) en similor; **2** fig (sham) en toc

pinched /pɪntʃt/ *adj* [*nerve*] pincé; **his face looked ~** il avait les traits tirés

pinch-hit /ˌpɪntʃˈhɪt/ *vi* US **1** Sport jouer à la place de qn; **2** (deputize) **to ~ for sb** remplacer qn au pied levé

P

pinch-hitter /ˌpɪntʃˈhɪtə(r)/ *n* US (all contexts) remplaçant/-e *m/f*

pincushion /ˈpɪnkʊʃn/ *n* pelote *f* à épingles

pine /paɪn/
A *n* **1** (*also* ~ **tree**) pin *m*; **2** (timber) pin *m*; **made of** ~ en pin; **stripped** ~ pin décapé
B *modif* [*branch, log, fragrance*] de pin; [*furniture, plank*] en pin; [*disinfectant*] parfumé au pin
C *vi* languir (**for** après; **to do** de faire)
(Phrasal verb) ■ **pine away** se laisser dépérir

pineal body, pineal gland /ˈpɪnɪəl, paɪˈniːəl/ *n* glande *f* pinéale

pineapple /ˈpaɪnæpl/
A *n* (fruit, plant) ananas *m*
B *modif* [*juice, flesh, slice*] d'ananas; [*dish, yogurt, cake*] à l'ananas

pineapple-flavoured GB, **pineapple-flavored** US *adj* parfumé à l'ananas

pine: **~-clad** *adj* littér couvert de sapins; **~cone** *n* pomme *f* de pin; **~ kernel** *n* pignon *m* de pin; **~ marten** *n* martre *f*; **~-needle** *n* aiguille *f* de pin; **~nut** *n* = **pine kernel**; **~-scented** *adj* [*cleanser, essence*] parfumé au pin; [*forest*] qui sent le pin

pinewood /ˈpaɪnwʊd/
A *n* (forest) forêt *f* de pins; (timber) pin *m*
B *modif* [*furniture*] en pin

ping /pɪŋ/
A *n* **1** (noise) (of bell) tintement *m*; (of bullet) claquement *m*; US (of car engine) bruit *m* inquiétant; **2** onomat ding
B *vtr* faire retentir [*bell*]; tirer [*elastic*]
C *vi* [*bell*] tinter; [*bullet*] claquer; [*cash register*] sonner
D **pinging** *pp adj* [*sound*] de ding

pinger○ /ˈpɪŋə(r)/ *n* minuterie *f*

ping-pong® /ˈpɪŋpɒŋ/ ▸ **p. 1253**
A *n* ping-pong® *m*; **to play** ~ jouer au ping-pong®
B *modif* [*game, equipment, player*] de ping-pong®

pinhead /ˈpɪnhed/ *n* **1** lit tête *f* d'épingle; **2** ○péj abruti/-e○ *m/f*

pin: **~hole** *n* trou *m* d'épingle; **~hole camera** *n* appareil *m* à sténopé

pinion /ˈpɪnɪən/
A *n* **1** littér (wing) aile *f*; **2** Zool (feather) rémige *f* primaire; **3** Tech pignon *m*
B *vtr* **1** (hold firmly) **to ~ sb against** plaquer qn contre [*wall, door*]; **to ~ sb's arms** tenir les bras de qn; **2** Vet rogner les ailes à [*bird*]

pinion wheel *n* roue *f* à pignon

pink /pɪŋk/
A *n* ▸ **p. 1067** **1** (colour) rose *m*; **a shade of** ~ un ton rosé; **2** Bot œillet *m* mignardise; **3** ▸ **p. 1253** (in snooker) bille *f* rose
B *adj* ▸ **p. 1067** **1** rose; **to go** *ou* **turn** ~ rosir; (blush) rougir (**with** de); **2** (leftwing) gauchisant; **3** ○(gay) homosexuel/-elle
C *vtr* **1** (scallop) denteler [*fabric*]; **2** (prick) toucher [*person*]
D *vi* GB Aut cliqueter
(Idiom) **to be in the** ~ être en pleine forme

pink: **~eye** *n* conjonctivite *f* aiguë; **~-footed goose** *n* oie *f* à bec court; **~ gin** *n* cocktail *m* de gin et d'angusture; **~(-fleshed) grapefruit** *n* pamplemousse *m* rose

pinkie /ˈpɪŋkɪ/ *n* US, Scot petit doigt *m*

pinking /ˈpɪŋkɪŋ/ *n* GB Aut cliquetis *m*

pinking shears, pinking scissors *npl* ciseaux *mpl* cranteurs

pinkish /ˈpɪŋkɪʃ/ ▸ **p. 1067** *adj* **1** [*colour*] rosâtre; **~-white** blanc rosé; **2** (leftwing) gauchisant

pinko○ /ˈpɪŋkəʊ/ péj
A *n* (*pl* **~s** *ou* **~es**) gauchiste *mf*
B *adj* gauchisant

pink pound *n* GB *pouvoir d'achat de la communauté homosexuelle*

pink slip *n* US lettre *f* de licenciement

pin money *n* argent *m* de poche

pinnace /ˈpɪnɪs/ *n* chaloupe *f*

pinnacle /ˈpɪnəkl/ *n* **1** fig sommet *m*, apogée *m* (**of** de); **2** Archit pinacle *m*; **3** (of rock) pic *m*, cime *f*

pinny○ /ˈpɪnɪ/ *n* **1** GB (apron) tablier *m*; **2** US (singlet) maillot *m* (d'une équipe)

pinochle /ˈpiːnɒkl/ ▸ **p. 1253** *n*: *jeu de cartes américain se jouant avec 48 cartes*

pinpoint /ˈpɪnpɔɪnt/
A *n* tête *f* d'épingle; **a ~ of light** un point lumineux
B *vtr* **1** (identify, pick out) indiquer [*problem, risk, causes*]; **2** (place exactly) indiquer [*location, position, site*]; déterminer [*time, exact moment*]

pinprick /ˈpɪnprɪk/ *n* **1** lit coup *m* d'épingle; (feeling caused) sensation *f* de piqûre; **2** fig (of jealousy, remorse) pointe *f*

pinstripe /ˈpɪnstraɪp/
A *n* (stripe) rayure *f* fine
B **pinstripes** *npl* (suit) costume *m* à fines rayures
C *modif* [*fabric, suit*] à fines rayures

pinstriped *adj* = **pinstripe C**

pint /paɪnt/ ▸ **p. 1029**
A *n* **1** Meas pinte *f* (GB = *0.57 litres*, US = *0.47 litres*); **a ~ of milk** ≈ un demi-litre de lait; **to be sold in ~s** être vendu par pinte; **to cost 50 pence a** ~ coûter 50 pence la pinte; **2** ○GB **to go for a** ~ aller boire une bière; **he's fond of a** ~ il aime bien sa bière
B *modif* [*carton, jug*] d'une pinte

pinta○ /ˈpaɪntə/ *n* GB *bouteille de lait d'une pinte*

pintable† /ˈpɪnteɪbl/ *n* flipper *m*

pint glass, pint pot *n* ≈ chope *f* (d'un demi-litre)

pinto /ˈpɪntəʊ/
A *n* US (*pl* **-os** *ou* **-oes**) cheval *m* pie
B *adj* [*horse, pony*] pie

pinto bean *n* haricot *m* pinto

pint-size(d) /ˈpaɪntsaɪzd/ *adj* petit

pin tuck *n* Sewing petit pli *m* (cousu), nervure *f*

pinup /ˈpɪnʌp/ *n* **1** (semi-naked) (woman) pin-up *f inv*; (man) photo *f* d'homme à moitié nu; **2** (poster of star) affiche *f* de vedette; (star) idole *f*

pinwheel /ˈpɪnwɪəl, US -hwɪəl/ *n* soleil *m* (*feu d'artifice*)

pioneer /ˌpaɪəˈnɪə(r)/
A *n* (all contexts) pionnier *m* (**of, in** de)
B *modif* [*research, work*] novateur/-trice; [*life*] de pionnier; [*farm, wagon*] de pionniers; **the ~ spirit** la mentalité de pionnier; **a ~ socialist/immunologist** un pionnier du socialisme/de l'immunologie; **a ~ astronaut** un des premiers astronautes
C *vtr* mettre [qch] au point [*invention, technique*]; **to ~ the use/study of** être le premier à utiliser/étudier
D **pioneering** *pres p adj* [*scientist, socialist, film-maker, scheme, study*] innovateur/-trice; [*surgery*] d'avant garde; **he did ~ing work in physics** il a fait des recherches jamais entreprises auparavant en physique

pioneer: **~ farmer** *n* pionnier *m*; **~ settler** *n* colon *m*

pinyin /pɪnˈjɪn/ *n* Ling pinyin *m*

pious /ˈpaɪəs/ *adj* **1** (devout) pieux/pieuse; **2** péj (sanctimonious) plein de componction; (insincere) faussement vertueux/-euse; **~ hope, ~ wish** vœu pieux

piously /ˈpaɪəslɪ/ *adv* **1** [*worship*] pieusement; **2** [*say, moralize*] avec componction

pip /pɪp/
A *n* **1** (seed) pépin *m*; **2** GB Telecom **the ~s** tonalité *f* (*indiquant qu'il faut introduire à nouveau de l'argent*); **3** Radio top *m* (*signal pour indiquer l'heure*); **4** (on card, dice, domino) point *m*; **5** GB (showing rank) étoile *f*
B *vtr*○ GB battre; **to ~ sb for sth** souffler○ qch à qn; **to ~ sb at** *ou* **to the post** souffler la place à qn; **to be ~ped at** *ou* **to the post** se faire souffler la victoire
(Idiom) **to give sb the ~**○† énerver qn

pipe /paɪp/ ▸ **p. 1462**
A *n* **1** (conduit) (in building) tuyau *m*; (underground) conduite *f*; **waste/gas** ~ tuyau d'écoulement/de gaz; **2** (for smoker) pipe *f*; **to smoke a** ~ (habitually) fumer la pipe; **to have a** ~ fumer une pipe; **to fill a** ~ bourrer une pipe; **3** Mus (on organ) tuyau *m* (d'orgue); **4** Mus (flute) chalumeau *m*; **5** (birdsong) chant *m*; **6** Naut sifflet *m*
B **pipes** *npl* Mus cornemuse *f*
C *vtr* **1** (carry) **to ~ water into a house** alimenter un foyer en eau; **oil is ~d across/under/to** le pétrole est transporté par canalisation à travers/sous/jusqu'à; **~d water** eau courante; **2** (transmit) diffuser [*music*] (**to** dans); **music is ~d throughout the store** la musique est diffusée dans tout le magasin; **3** (sing) [*person*] chanter [qch] d'une voix flûtée [*tune*]; **4** (play) (on bagpipes) jouer [qch] sur sa cornemuse [*tune*]; (on flute) jouer [qch] sur son chalumeau [*tune*]; **5** Sewing passepoiler [*cushion, collar*]; **a cushion ~d with pink** un coussin avec un passepoil rose; **6** Culin **to ~ icing onto a cake** décorer un gâteau; **to ~ sb's name on a cake** décorer un gâteau du nom de qn; **7** Naut siffler [*order*]; **to ~ sb aboard** accueillir qn à bord au son du sifflet; **to ~ 'all hands on deck'** siffler le rassemblement
D *vi* siffler
(Phrasal verbs) ■ **pipe down**○ (quieten down) faire moins de bruit; **~ down!** tais-toi!
■ **pipe in**: ▸ **~ [sth] in, ~ in [sth]** annoncer l'arrivée de [qch] au son d'une cornemuse [*haggis, guests*]
■ **pipe up** [*voice*] se faire entendre; **'it's me!' she ~d up** 'c'est moi!' dit-elle d'une petite voix

pipe: **~clay** *n* terre *f* de pipe; **~-cleaner** *n* cure-pipe *m*; **~d music** *n* musique *f* d'ambiance; **~-dream** *n* chimère *f*; **~ful** *n* pipée *f*

pipeline /ˈpaɪplaɪn/ *n* **1** Tech oléoduc *m*, pipeline *m*; **2** fig **to be in the** ~ [*change*] être en cours; [*product*] être en route; **she's got a new novel in the** ~ elle a un roman en chantier

pipe: **~ of peace** *n* calumet *m* de la paix; **~ organ** *n* Mus orgue *m*

piper /ˈpaɪpə(r)/ ▸ **p. 1683, p. 1462** *n* **1** (bagpipe player) joueur/-euse *m/f* de cornemuse; **2** (flute-player) joueur/-euse *m/f* de chalumeau
(Idiom) **he who pays the ~ calls the tune** Prov l'argent c'est le pouvoir

pipe: **~ rack** *n* râtelier *m* à pipes; **~-smoker** *n* fumeur/-euse *m/f* de pipe; **~-smoking** *adj* qui fume la pipe (*after n*); **~s of Pan** ▸ **p. 1462** *npl* flûte *f* de Pan; **~ tobacco** *n* tabac *m* à pipe

pipette /pɪˈpet/ *n* pipette *f*

pipework /ˈpaɪpwɜːk/ *n* tuyauterie *f*

piping /ˈpaɪpɪŋ/
A *n* **1** (conduit) tuyau *m*; (system of conduits) canalisations *fpl*; **2** (transportation) transport *m* par canalisation; **3** Sewing passepoil *m*; **4** Culin décoration *f* (en sucre)
B *adj* [*voice, tone*] flûté

piping: **~ bag** *n* poche *f* à douille; **~ cord** *n* Sewing ganse *f*; **~ hot** *adj* fumant

pipit /ˈpɪpɪt/ *n* pipit *m*

pipkin /ˈpɪpkɪn/ *n* poêlon *m*

pipsqueak○ /ˈpɪpskwiːk/ *n* demi-portion○ *f*, freluquet *m*

piquancy /ˈpiːkənsɪ/ *n* (of situation) piquant *m*; (of food) goût *m* piquant; **to add ~ to** donner du piquant à [*situation*]; donner un goût piquant à [*food*]

piquant /ˈpiːkənt/ *adj* (all contexts) piquant

piquantly /ˈpiːkəntlɪ/ *adv* [*remark, describe*] de façon piquante

p

pique /piːk/
A *n* dépit *m*; **to do sth in ~** *ou* **out of ~** faire qch par dépit; **in a fit of ~** dans un accès de dépit
B *vtr* **1** (hurt) froisser; **2** (arouse) piquer [*curiosity, interest*]

piqué /ˈpiːkeɪ/ *n* Tex piqué *m*

piqued /piːkt/ *adj* vexé (**at, by** par; **to do** de faire)

piquet /pɪˈket/ ▸ **p. 1253** *n* piquet *m*

piracy /ˈpaɪərəsɪ/ *n* **1** Naut piraterie *f*; **2** (of tapes, software) duplication *f* pirate (**of** de)

Piraeus /pəɪˈrɪəs/ ▸ **p. 1815** *pr n* le Pirée

piranha (fish) /pɪˈrɑːnə/ *n* piranha *m*

pirate /ˈpaɪərət/
A *n* **1** Naut pirate *m*; **2** (copy of tape etc) contrefaçon *f*, version *f* pirate; **3** (*also* **~ station**) station *f* pirate; **4** (entrepreneur) pirate *m*; **5** (copier) contrefacteur *m*
B *modif* [*video, tape, operator, firm*] pirate; [*ship, raid*] de pirates
C *vtr* pirater [*tape, video, software*]

pirated /ˈpaɪərətɪd/ *adj* [*video, tape, software, version*] pirate

pirate: **~ radio** *n* radio *f* pirate; **~ radio ship** *n* bateau *m* émetteur pirate; **~ radio station** *n* (station *f* de) radio *f* pirate

piratical /ˌpaɪəˈrætɪkl/ *adj* [*appearance, exploit*] de pirate

pirating /ˈpaɪərætɪŋ/ *n* piratage *m*

pirogue /pɪˈrəʊg/ *n* pirogue *f*

pirouette /ˌpɪrʊˈet/
A *n* pirouette *f*; **to do ~s** faire des pirouettes
B *vi* pirouetter

Pisa /ˈpiːzə/ ▸ **p. 1815** *pr n* Pise

Piscean /ˈpaɪsɪən/ ▸ **p. 1917**
A *n* **to be a ~** être Poissons
B *adj* **~ character** caractère/type des Poissons

Pisces /ˈpaɪsiːz/ ▸ **p. 1917** *n* (all contexts) Poissons *mpl*

pisciculture /ˈpɪsɪkʌltʃə(r)/ *n* pisciculture *f*

piss◑ /pɪs/
A *n* **1** lit pisse◑ *f*; **to need a ~** avoir envie de pisser◑; **to have** GB *ou* **take** US **a ~** aller pisser◑; **2** fig **to go (out) on the ~** GB aller se soûler
B *vtr* **to ~ blood** pisser◑ du sang; **to ~ one's pants** pisser◑ dans sa culotte
C *vi* pisser◑; **to ~ with rain** GB pleuvoir comme vache qui pisse◑
D *v refl* **to ~ oneself** pisser◑ sur soi; **to ~ oneself (laughing)** pisser◑ de rire
(Idioms) **it's a piece of ~**◑ GB c'est du gâteau○; **to take the ~ out of sb/sth**◑ se moquer de qn/qch; **it's ~ing in the wind**◑ c'est comme si on pissait◑ dans un violon
(Phrasal verbs) ■ **piss about, piss around**◑: ▸ **~ about** glander◑; ▸ **~ [sb] about** se foutre de◑
■ **piss away**◑ US: ▸ **~ away [sth]** claquer [*fortune*]
■ **piss down**◑ GB pleuvoir comme vache qui pisse◑
■ **piss off**◑: ▸ **~ off** se casser○; ▸ **~ [sb] off, ~ off [sb]** (make fed up) emmerder◑; (make angry) foutre [qn] en rogne◑
■ **piss on**◑: ▸ **~ on [sb]** (defeat) GB battre [qn] à plates coutures○; (treat contemptuously) US traiter qn comme de la merde●

piss artist◑ *n* GB pilier *m* de bistrot

pissed◑ /pɪst/ *adj* **1** GB bourré◑; **to get ~** se soûler la gueule◑; **2** US furieux/-ieuse (**at sb** contre qn)

pissed off◑ /ˌpɪstˈɒf/ *adj* **to be ~** en avoir marre○ (**with, at** de); **I'm ~ that** ça m'agace○ que; **a ~ tone** un ton agacé○

pisser◑ /ˈpɪsə(r)/ *n* US **1** (job) emmerdement◑ *m*; **2** (remarkable person, thing) merveille *f*

piss: **~head**○ *n* GB ivrogne *m*, poivrot○ *m*; **~ poor**◑ *adj* [*excuse*] nul/nulle○; [*person*] fauché○, pauvre; **~-take**◑ *n* GB (joke) blague○ *f*; (parody) parodie *f* (**of** de)

piss-up◑ /ˈpɪsʌp/ *n* GB beuverie *f*
(Idiom) **he couldn't organize a ~ in a brewery** il ne serait même pas foutu◑ de trouver de l'eau dans la mer

pistachio /pɪˈstɑːʃɪəʊ, US -æʃɪəʊ/
A *n* (*pl* **~s**) **1** (nut, flavour) pistache *f*; **2** (tree) pistachier *m*; **3** ▸ **p. 1067** (colour) (vert *m*) pistache *m*
B *adj* ▸ **p. 1067** (colour) (vert) pistache *inv*

pistachio: **~-coloured** ▸ **p. 1067** *adj* vert pistache *inv*; **~-flavoured** *adj* à la pistache

piste /piːst/ *n* piste *f*; **to ski off ~** faire du ski hors piste

pistil /ˈpɪstɪl/ *n* pistil *m*

pistol /ˈpɪstl/ *n* pistolet *m*; **automatic/starter's/toy ~** pistolet automatique/de starter/pour enfants
(Idiom) **to hold a ~ to sb's head** mettre le couteau sous la gorge de qn

pistol: **~ grip** *n* poignée *f* pistolet; **~-whip** *vtr* frapper [qn] à coups de crosse

piston /ˈpɪstən/ *n* piston *m*

piston: **~ engine** *n* moteur *m* à pistons; **~ pin** *n* axe *m* de piston; **~ ring** *n* segment *m* (de piston); **~ rod** *n* tige *f* de piston

pit /pɪt/
A *n* **1** (for storage, weapons, bodies) fosse *f*; **2** Mining mine *f*; **to work at the ~** travailler à la mine; **to go down the ~** aller travailler à la mine; **to work down the ~** être mineur; **3** (hollow) creux *m*; **the ~ of the stomach** le creux du ventre; **a ~ of depravity** fig un abîme de dépravation; **4** (quarry) **gravel ~** carrière *f* de gravier, gravière *f*; **5** (trap) trappe *f*; **6** US (in peach, cherry, olive) noyau *m*; **7** Fin corbeille *f*; **trading ~** parquet *m* de la Bourse; **wheat ~** Bourse *f* du blé; **8** Theat parterre *m*; **orchestra ~** fosse *f* d'orchestre; **9** Aut (at garage) fosse *f*; (at racetrack) stand *m*; **10** ○GB (bed) pieu *m*○, lit *m*
B *modif* Mining [*closure, fire, gates*] de mine; [*strike, village*] de mineurs; **~ disaster** désastre *m* minier
C *vtr* (*p prés etc* **-tt-**) **1** (in struggle) **to ~ sb against** opposer qn à [*opponent*]; **the match will ~ Scotland against Brazil** le match opposera l'Écosse au Brésil; **2** (mark) [*tool*] marquer [*surface, stone*]; [*acid*] ronger [*metal*]; **her skin was ~ted by smallpox/acne** elle avait la peau grêlée par la variole/marquée par l'acné; **3** US (remove stones from) dénoyauter [*peach, cherry, olive*]
D *v refl* **to ~ oneself against sb** se mesurer à qn; **to ~ one's wits against sb** se mesurer à qn
(Idioms) **it's the ~s**○**!** (of place, workplace) c'est l'enfer!; **this place is the ~s (of the earth)**○ c'est un des coins les plus moches du globe○; **to dig a ~ for sb** tendre un piège à qn

pitapat /ˌpɪtəˈpæt/ *n* (of rain, feet) martèlement *m*; (of heart) battement *m*; **to go ~** [*heart, rain*] faire toc-toc

pit bull terrier *n* pit bull *m*

pitch /pɪtʃ/
A *n* **1** Sport terrain *m*; **football/rugby ~** terrain de foot(ball)/rugby; **on the ~** sur le terrain; **2** (sound level) gen (of note, voice) also Phon hauteur *f*; Mus ton *m*; **to give the ~** Mus donner le ton; **the ~ is too high/low** Mus c'est trop haut/bas; **absolute ~, perfect ~** oreille *f* absolue; **3** (degree) degré *m*; (highest point) comble *m*; **excitement was at its (highest) ~** *ou* **was at full ~** l'excitation était à son comble; **a ~ of frustration had been reached** on avait atteint le comble de la frustration; **the situation has reached such a ~ that** la situation en est à un tel point que; **4** (sales talk or argument) gen, Comm boniment *m*; **sales ~** boniment de vente; **to make** *ou* **give** US **a ~ for sth** se prononcer pour [*idea, proposal*]; faire des avances à [*man, woman*]; **5** Constr, Naut (tar) brai *m*; **6** GB (for street trader, entertainer) emplacement *m*; **7** Naut (movement of boat) tangage *m*; **8** Sport (bounce) lancement *m*; **9** Constr (of roof) pente *f*; **10** (in mountaineering) longueur *f* (de corde)
B *vtr* **1** (throw) jeter, balancer○ [*object*] (**into** dans); Sport lancer; **to ~ hay** Agric jeter du foin avec une fourche; **the horse ~ed her off** le cheval l'a désarçonnée; **the carriage turned over and she was ~ed out** le wagon s'est renversé et elle a été éjectée; **the passengers were ~ed forward** les passagers ont été projetés vers l'avant; **2** (aim, adjust) adapter [*campaign, publicity, speech*] (**at** à); (set) fixer [*price*]; **newspaper/programme ~ed at young people** journal/émission qui vise un public jeune; **the exam was ~ed at a high level** l'examen a été ajusté à un haut niveau; **to ~ one's ambitions too high** placer ses ambitions trop haut; **to ~ sth a bit strong**○ y aller trop fort avec qch○; **3** Mus [*singer*] trouver [*note*]; [*player*] donner [*note*]; **to ~ one's voice higher/lower** hausser/baisser le ton de la voix; **the song is ~ed too high for me** cette chanson est trop haute pour moi; **4** (erect) planter [*tent*]; **to ~ camp** établir un camp; **5** **to ~ sb a story**○ sortir○ une histoire à qn; **to ~ sb an excuse**○ débiter○ une excuse à qn
C *vi* **1** gen (be thrown) [*rider, passenger, cyclist*] être projeté; **2** Naut [*boat*] tanguer; **to ~ and roll** *ou* **toss** tanguer; **3** US (in baseball) lancer (la balle); **4** GB Sport [*ball*] rebondir
(Phrasal verbs) ■ **pitch in**○ **1** (on job) (set to work) s'atteler à la tâche; (join in) y mettre du sien○; (help) mettre la main à la pâte○, donner un coup de main○; **everyone ~ed in with contributions** tout le monde a apporté sa contribution; **2** ○(start to eat) attaquer○
■ **pitch into**: ▸ **~ into [sth]** (attack) lit, fig attaquer [*attacker, opponent, speaker*]; attaquer [*work, meal*]; ▸ **~ [sb] into** (land in new situation) propulser [qn] dans [*situation*]; **the circumstances which ~ed him into the political arena** les circonstances qui l'ont propulsé dans l'arène politique; **the new director was ~ed straight into an industrial dispute** le nouveau directeur s'est retrouvé au beau milieu d'un conflit social
■ **pitch out**○: ▸ **~ out [sb/sth], ~ [sb/sth] out** éjecter [*troublemaker*] (**from** de), se débarrasser de [*object*]
■ **pitch over** culbuter

pitch: **~-and-putt** *n* mini-golf *m*; **~-black** *adj* tout noir; [*night*] d'un noir d'encre

pitchblende /ˈpɪtʃblend/ *n* pechblende *f*

pitch: **~ dark** *adj* tout noir; **~ darkness** *n* nuit *f* noire; **~ed battle** *n* lit, fig bataille *f* rangée; **~ed roof** *n* toit *m* en pente

pitcher /ˈpɪtʃə(r)/ *n* **1** (jug) cruche *f*; **2** US Sport lanceur *m*

pitchfork /ˈpɪtʃfɔːk/
A *n* fourche *f*
B *vtr* **1** Agric fourcher; **2** fig **to ~ sb into** parachuter qn dans [*situation*]

pitch: **~ invasion** *n* invasion *f* du terrain; **~-pine** *n* pitchpin *m*; **~ pipe** *n* diapason *m* à bouche

piteous /ˈpɪtɪəs/ *adj* [*cry, sight, story*] pitoyable; [*condition, state*] piteux/-euse

piteously /ˈpɪtɪəslɪ/ *adv* piteusement

pitfall /ˈpɪtfɔːl/ *n* **1** (of action) écueil *m* (**of** de); **the ~s of doing** les écueils qui guettent celui qui fait; **2** (of language) piège *m*; **3** lit (trap) piège *m*

pith /pɪθ/ *n* **1** (of fruit) peau *f* blanche; **2** (of stem) moelle *f*; **3** fig essence *f* (**of** de)

pit head *n* carreau *m* de mine

pithecanthropine /ˌpɪθɪkænˈθrəʊpaɪn/ *adj* pithécanthropien/-ienne

pithecanthropus /ˌpɪθɪkænˈθrəʊpəs/ *n* pithécanthrope *m*

pith helmet *n* casque *m* colonial

pithiness /ˈpɪθɪnɪs/ *n* densité *f*; (of remark, style, writing) (incisiveness) piquant *m*; (terseness) concision *f*

pithy /ˈpɪθɪ/ *adj* **1** [*remark, style, writing*] (incisive) piquant; (terse) concis; **2** [*fruit*] qui a une peau épaisse

pitiable /ˈpɪtɪəbl/ *adj* **1** (arousing pity) [*appearance, existence, sight*] pitoyable; [*situation*] lamentable; [*salary*] misérable; **a ~ beggar** un pauvre mendiant; **2** (arousing contempt) [*attempt, excuse*] lamentable; [*state*] déplorable

pitiably /ˈpɪtɪəblɪ/ *adv* **~ poor/weak** d'une pauvreté/faiblesse à faire pitié; **~ thin** maigre à faire peur

pitiful /ˈpɪtɪfl/ *adj* **1** (causing pity) [*appearance, cry, sight*] pitoyable; [*income*] misérable; [*condition, state*] lamentable; **2** (arousing contempt) [*attempt, excuse, speech, state*] lamentable; [*amount*] ridicule

pitifully /ˈpɪtɪfəlɪ/ *adv* **1** (arousing pity) [*thin*] à faire peur; [*cry, look, suffer*] pitoyablement; **2** (arousing contempt) [*perform, sing*] lamentablement; [*low, obvious, poor, small*] lamentablement

pitiless /ˈpɪtɪlɪs/ *adj* impitoyable

pitilessly /ˈpɪtɪlɪslɪ/ *adv* [*beat, punish, tease*] impitoyablement; [*stare*] sans pitié; **~ cruel** d'une cruauté sans pitié

piton /ˈpiːtɒn/ *n* piton *m*

pit: **~ pony** *n* cheval *m* de mine; **~ prop** *n* étai *m* de mine

pit stop *n* **1** (in motor racing) (for repairs) arrêt *m* mécanique; (for fuel) arrêt *m* de ravitaillement; **2** fig (quick break) petite pause *f*

pitta (bread) /ˈpɪtə/ *n* pitta *f*, pain *m* arabe

pittance /ˈpɪtns/ *n* **a ~** trois fois rien; **to live on/earn a ~** vivre avec/gagner trois fois rien

pitted /ˈpɪtɪd/ *adj* **1** [*surface*] rongé; [*face, skin*] grêlé (**with** de); **2** [*olive*] dénoyauté

pitter-patter /ˈpɪtəpætə(r)/ *n* = **pitapat**

pituitary /pɪˈtjuːɪtərɪ, US -tuːəterɪ/ *adj* pituitaire; **~ gland** hypophyse *f*, glande *f* pituitaire

pit worker ▸ p. 1683 *n* mineur *m* de fond

pity /ˈpɪtɪ/

A *n* **1** (compassion) pitié *f* (**for** pour); **out of ~** par pitié; **to feel ~** avoir de la pitié; **to have** *ou* **take ~ on sb** avoir pitié de qn; **to move sb to ~** faire pitié à qn; **2** (shame) dommage *m*; **what a ~!** quel dommage!; **that would be a ~** ce serait dommage; **it's a ~ that...** c'est dommage que (+ *subj*); **it would be a ~ if...** ce serait dommage si... (+ *indic*); **the ~ (of it) is that...** ce qui est vraiment dommage c'est que...; **what a ~ that...** quel dommage que (+ *subj*); **I'm not rich, more's the ~** je ne suis pas riche, c'est bien dommage; **I neglected to warn him, more's the ~** le pire c'est que j'ai négligé de le prévenir

B *vtr* **1** (feel compassion for) avoir pitié de [*animal, person*]; **he's to be pitied** il faut avoir pitié de lui; **it's the police I pity, not the criminals** c'est la police que je plains, pas les criminels; **2** (feel contempt for) plaindre [*person*]

pitying /ˈpɪtɪɪŋ/ *adj* **1** (compassionate) plein de pitié; **2** (scornful) méprisant

pityingly /ˈpɪtɪɪŋlɪ/ *adv* **1** (compassionately) avec pitié; **2** (scornfully) avec mépris

Pius /ˈpaɪəs/ *pr n* Pie

pivot /ˈpɪvət/

A *n* **1** Mech, Mil pivot *m*; **2** fig pivot *m*, centre *m*

B *vtr* **1** gen (turn) faire pivoter [*lever*]; orienter [*lamp*]; **2** Tech (provide with a bearing) monter [qch] sur pivot

C *vi* **1** [*lamp, mechanism, device*] pivoter (**on** sur); **to ~ on one's heels** pivoter sur ses talons; **to ~ from the hips** faire pivoter le torse; **2** fig [*outcome, success, discussion*] reposer (**on** sur)

pivotal /ˈpɪvətl/ *adj* [*factor, role, decision*] essentiel/-ielle, capital; [*moment*] crucial

pivot joint *n* articulation *f* trochoïde

pix○ /pɪks/ *npl* (*abrév* = **pictures**) **1** (photos) photos *fpl*; **2** (cinema) ciné○ *m*, cinoche○ *m*

pixel /ˈpɪksl/ *n* pixel *m*

pixie /ˈpɪksɪ/

A *n* lutin *m*

B *modif* [*hat, hood*] en pointe; [*haircut*] à la garçonne

pizza /ˈpiːtsə/

A *n* pizza *f*

B *modif* [*base, oven, pan*] à pizza

pizza parlour GB, **pizza parlor** US *n* pizzeria *f*

pizzazz○ /pɪˈzæz/ *n* panache *m*

pizzeria /ˌpiːtsəˈriːə/ *n* pizzeria *f*

pizzicato /ˌpɪtsɪˈkɑːtəʊ/ *adv* pizzicato

placard /ˈplækɑːd/

A *n* (at protest march) pancarte *f*; (on wall) affiche *f*

B *vtr* afficher [*slogan, notice*]; placarder [*wall*]

placate /pləˈkeɪt, US ˈpleɪkeɪt/ *vtr* apaiser, calmer

placatory /pləˈkeɪtərɪ, US ˈpleɪkətɔːrɪ/ *adj* apaisant

place /pleɪs/

A *n* **1** (location, position) endroit *m*; **to move from ~ to ~** se déplacer d'un endroit à l'autre; **I hope this is the right ~** j'espère que c'est le bon endroit; **we've come to the wrong ~** nous nous sommes trompés d'endroit; **the best ~ to buy sth** le meilleur endroit pour acheter qch; **same time, same ~** même heure, même endroit; **in many ~s** dans de nombreux endroits; **in ~s** [*hilly, damaged, worn*] par endroits; **her leg had been stung in several ~s** elle avait été piquée à la jambe à plusieurs endroits; **a ~ for** un endroit pour [*meeting, party, monument, office*]; **a ~ to do** un endroit pour faire; **a safe ~ to hide** un endroit sûr pour se cacher; **a good ~ to plant roses** un bon endroit pour planter des roses; **a ~ where** un endroit où; **it's no ~ for a child!** ce n'est pas un endroit pour un enfant!; **the perfect ~ for a writer** l'endroit *or* le lieu idéal pour un écrivain; **this is the ~ for me!** c'est le rêve ici!; **if you need peace and quiet, then this is not the ~!** si tu veux être tranquille, alors ce n'est pas l'endroit rêvé!; **to be in the right ~ at the right time** être là où il faut quand il le faut; **to be in two ~s at once** être au four et au moulin, être partout à la fois; **not here, of all ~s!** surtout pas ici!; **in Oxford, of all ~s!** à Oxford, figure-toi!

2 (town, hotel etc) endroit *m*; **a nice/strange ~ to live** un endroit agréable/bizarre pour vivre; **a good ~ to eat** une bonne adresse (pour manger); **we stayed at a ~ on the coast** nous étions sur la côte; **a little ~ called...** un petit village du nom de...; **in a ~ like Kent/Austria** dans une région comme le Kent/un pays comme l'Autriche; **this ~ is filthy!** cet endroit est dégoûtant!; **he threatened to burn the ~ down**○ il a menacé d'y mettre le feu; **to be seen in all the right ~s** se montrer dans les lieux qui comptent; **all over the ~** (everywhere) partout; fig○ [*speech, lecture*] complètement décousu; **your hair is all over the ~**○**!** tu es complètement décoiffé!

3 (for specific purpose) **~ of birth/work/pilgrimage** lieu *m* de naissance/travail/pèlerinage; **~ of residence** domicile *m*; **~ of refuge** refuge *m*

4 (home) (house) maison *f*; (apartment) appartement *m*; **David's ~** chez David; **a ~ by the sea** une maison au bord de la mer; **a ~ of one's own** un endroit à soi; **your ~ or mine?** chez toi ou chez moi?

5 (seat, space) (on bus, at table, in queue) place *f*; (setting) couvert *m*; **to keep a ~** garder une place (**for** pour); **to find/lose one's ~** trouver/perdre sa place; **to show sb to his/her ~** conduire qn à sa place; **please take your ~s** veuillez prendre place; **I couldn't find a ~ to park** je n'ai pas trouvé de place pour me garer; **to lay** *ou* **set a ~ for sb** mettre un couvert pour qn; **is this ~ taken?** cette place est-elle prise?

6 (on team, with firm) place *f* (**on** dans); (on committee, board) siège *m* (**on** au sein de); **a ~ as** une place comme [*au pair, cook, cleaner*]

7 GB Univ place *f* (**at** à); **to get a ~ on** obtenir une place dans [*course*]; **she got a ~ on the fashion design course** elle a obtenu une place en cours de stylisme; **she has a ~ on a carpentry course** elle a été acceptée pour suivre des cours de menuiserie

8 lit (in competition, race) place *f*; **to finish in first ~** terminer premier/-ière *or* à la première place; **he backed Red Rum for a ~** Turf il a joué Red Rum placé; **to take second ~** fig (in importance) passer au deuxième plan; **to take second ~ to sth** passer après qch; **to relegate sth to second ~** faire passer qch en second

9 (in argument, analysis) **in the first ~** (firstly) en premier lieu; (at the outset) pour commencer; **how much money did we have in the first ~?** combien d'argent avions-nous pour commencer?

10 (correct position) **to put sth in ~** mettre qch en place [*fencing, construction*]; **to push sth back into ~** remettre qch en place; **to return sth to its ~** remettre qch à sa place; **everything is in its ~** tout est bien à sa place; **to hold sth in ~** maintenir qch en place; **when the lever is in ~** quand le levier est engagé; **is the lid in ~?** est-ce que le couvercle est mis?; **in ~** [*law, system, scheme*] en place; **to put sth in ~** mettre qch en place [*scheme, system, regime*]

11 (rank) **sb's/sth's ~ in** la place de qn/qch dans [*world, society, history, politics*]; **to take one's ~ in society** prendre sa place dans la société; **to put sb in his/her ~** remettre qn à sa place; **to know one's ~** rester à sa place

12 (role) **it's not my ~ to do** ce n'est pas à moi de faire; **to fill sb's ~** remplacer qn; **to take sb's ~, take the ~ of sb** prendre la place de qn; **to have no ~ in** n'avoir aucune place dans [*organization, philosophy, creed*]; **there is a ~ for someone like her in this company** il y a une place pour une femme comme elle dans cette entreprise; **there are ~s for people like you**○**!** fig péj ça se soigne○!

13 (situation) **in my/his ~** à ma/sa place; **in your ~, I'd have done the same** à ta place, j'aurais fait la même chose; **to change** *ou* **trade ~s with sb** changer de place avec qn

14 (moment) moment *m*; **in ~s** [*funny, boring, silly*] par moments; **this is not the ~ to do** ce n'est pas le moment de faire; **this is a good ~ to begin** c'est un bon moment pour commencer; **there were ~s in the film where...** il y avait des moments dans le film où...

15 (in book) (in paragraph, speech) **to mark one's ~** marquer sa page; **to lose/find one's ~** (in book) perdre/retrouver sa page; (in paragraph, speech) perdre/retrouver le fil

16 ○US (unspecified location) **some ~** quelque part; **no ~** nulle part; **he had no ~ to go** il n'avait nulle part où aller; **he always wants to go ~s with us** il veut toujours venir avec nous; **she goes ~s on her bicycle** elle se déplace à bicyclette

B **out of place** *adj phr* [*remark, behaviour*] déplacé; [*language, tone*] inapproprié; **to look out of ~** [*building, person*] détonner; **to feel out of ~** ne pas se sentir à l'aise

C **in place of** *prep phr* à la place de [*person, object*]; **X is playing in ~ of Y** X remplace Y; **he spoke in my ~** il a parlé à ma place

D *vtr* **1** lit (put carefully) placer; (arrange) disposer; **~ the cucumber slices around the edge of the plate** disposez les rondelles de concombre autour de l'assiette; **she ~d the vase in the middle of the table** elle a placé le vase au milieu de la table; **~ the smaller bowl inside the larger one** mets le petit bol dans le grand; **to ~ sth back on** remettre qch sur [*shelf, table*]; **to ~ sth in the correct order** mettre qch dans le bon ordre

2 (locate) placer; **to be strategically/**

awkwardly ~d être bien/mal placé; **the switch had been ~d too high** l'interrupteur avait été placé trop haut

3 (using service) **to ~ an advertisement in the paper** mettre une annonce dans le journal; **to ~ an order for sth** passer une commande pour qch; **to ~ a bet** parier, faire un pari (**on** sur)

4 fig (put) **to ~ emphasis on sth** mettre l'accent sur qch; **to ~ one's trust in sb/sth** placer sa confiance en qn/qch; **to ~ sb in a difficult situation/in a dilemma** mettre qn dans une situation difficile/devant un dilemme; **to ~ sb at risk** faire courir des risques à qn; **to ~ the blame on sb** rejeter toute la faute sur qn; **two propositions were ~d before those present** deux propositions ont été soumises aux personnes présentes

5 (rank) (in competition) classer; (in exam) GB classer; **to be ~d third** *[horse, athlete]* arriver troisième

6 (judge) juger; **to be ~d among the top scientists of one's generation** être jugé comme un des plus grands scientifiques de sa génération; **where would you ~ him in relation to his colleagues?** comment le jugeriez-vous par rapport à ses collègues?

7 (identify) situer *[person]*; reconnaître *[accent]*; **I can't ~ his face** je ne le reconnais pas

8 (find home for) placer *[child]*

9 Admin (send, appoint) placer *[student, trainee]* (**in** dans); **to ~ sb in charge of staff/a project** confier la direction du personnel/d'un projet à qn; **to be ~d in quarantine** être placé en quarantaine

E placed *pp adj* 1 gen (situated) **to be well ~d** être bien placé (**to do** pour faire); **he is not well ~d to judge** il est mal placé pour juger; **she is well/better ~d to speak on this subject** elle est bien/mieux placée pour parler de ce sujet

2 Sport, Turf **to be ~d** *[horse]* GB être placé; US terminer en deuxième position

(Idioms) **that young man is really going ~s**○ voilà un jeune homme qui ira loin; **to have friends in high ~s** avoir des amis haut placés; **corruption in high ~s** la corruption en haut lieu; **to fall** *ou* **click** *ou* **fit into ~** devenir clair; ▸ **take place**

place-bet /ˈpleɪsbet/ *n* pari *m* placé; **to make a ~** jouer placé

placebo /pləˈsiːbəʊ/ *n* 1 Med placebo *m*; 2 fig os *m* à ronger

placebo effect *n* Med, fig effet *m* placebo

place card *n* carton *m* (de table)

placekick /ˈpleɪskɪk/ Sport

A *n* tir *m* de remise en jeu; **to take a ~** tirer la remise en jeu

B *vtr* **to ~ the ball** remettre le ballon en jeu

place mat *n* set *m* de table

placement /ˈpleɪsmənt/ *n* 1 GB (*also* **work ~**) (trainee post) stage *m*; **to get a ~** trouver un stage; 2 (in accommodation, employment) (of child, unemployed person) placement *m* (**in** dans); 3 Fin placement *m*

placement: **~ office** *n* US Univ centre *m* de liaison université-entreprises; **~ test** *n* US Sch (entrance exam) examen *m* d'entrée; (proficiency test) test *m* de niveau

place-name /ˈpleɪsneɪm/ *n* nom *m* de lieu; **dictionary of ~s** dictionnaire *m* toponymique

placenta /pləˈsentə/ *n* placenta *m*

place of safety order *n* GB Jur *ordre émis par un juge permettant de mettre un enfant en lieu sûr pour le soustraire aux mauvais traitements*

placer /ˈpleɪsə(r)/ *n* Geol placer *m*

place: **~ setting** *n* couvert *m*; **~-value** *n* position *f* numérique

placid /ˈplæsɪd/ *adj* *[person, animal, nature, smile]* placide

placidity /pləˈsɪdətɪ/ *n* placidité *f*

placidly /ˈplæsɪdlɪ/ *adv* placidement, avec placidité

placing /ˈpleɪsɪŋ/ *n* 1 (position) (in race, contest, league) classement *m*, place *f*; 2 (of ball, players) (positioning) positionnement *m*; (location) position *f*; 3 Fin placement *m*

plagal /ˈpleɪgl/ *adj* plagal

plagiarism /ˈpleɪdʒərɪzəm/ *n* plagiat *m*

plagiarist /ˈpleɪdʒərɪst/ *n* plagiaire *mf*

plagiaristic /ˌpleɪdʒəˈrɪstɪk/ *adj* plagié

plagiarize /ˈpleɪdʒəraɪz/

A *vtr* plagier; **to ~ a chapter/paragraph from sth** plagier un chapitre/paragraphe de qch

B *vi* plagier; **to ~ from** plagier *[writer, work]*

plague /pleɪg/

A *n* 1 Med (bubonic) peste *f*; (epidemic) épidémie *f*; **the ~** la peste; **I haven't got the ~!** hum je n'ai pas la gale○!; **a ~ on you**‡**!** la peste soit de toi‡!; 2 fig (nuisance) plaie *f*; **the noise is a constant ~ to residents** le bruit est une vraie plaie pour les résidents; **what a ~ that boy is!** quelle plaie ce garçon!; 3 (large number) (of ants, rats, locusts etc) invasion *f*; (of crimes) vague *f*; **to reach ~ proportions** atteindre des proportions astronomiques; 4 Bible plaie *f*

B *vtr* 1 (beset) **to be ~d by** *ou* **with** être en proie à, être assailli par *[doubts, remorse, difficulties]*; **he's ~d by ill health** il a sans arrêt des ennuis de santé; **we were ~d by bad weather** le mauvais temps s'est acharné sur nous; **we were ~d by wasps** nous avons été envahis par les guêpes; 2 (harass) harceler; **to ~ sb with questions** harceler qn de questions; **to ~ sb for sth** harceler qn pour obtenir qch; **to ~ the life out of sb**○ empoisonner l'existence de qn

(Idiom) **to avoid sb/sth like the ~** fuir qn/qch comme la peste

plague: **~-ridden** *adj* péj pestiféré; **~-stricken** *adj* *[person, village, population]* atteint de la peste

plaice /pleɪs/ *n* (*pl* **~**) plie *f*, carrelet *m*

plaid /plæd/

A *n* 1 (fabric) tissu *m* écossais; (pattern) motif *m* écossais; 2 (garment) plaid *m*

B *modif* *[scarf, shirt, design]* écossais

plain /pleɪn/

A *n* 1 Geog plaine *f*; **on the ~** dans la plaine; **the (Great) Plains** US les Grandes Plaines; 2 (knitting stitch) maille *f* à l'endroit; **a row of ~** un rang à l'endroit

B *adj* 1 (simple) *[dress, decor, food, living, language]* simple; *[building, furniture]* sobre; **~ cooking** cuisine *f* simple; **she's a good ~ cook** elle fait une bonne cuisine simple; **a ~ man** un homme simple; 2 (of one colour) *[background, fabric]* uni; *[envelope]* sans inscription; **a sheet of ~ paper** (unheaded) une feuille de papier libre; (unlined) une feuille de papier non reglé, **a ~ blue dress** une robe toute bleue; **under ~ cover** Post sous pli discret; 3 euph (unattractive) *[woman]* quelconque; **she's rather ~** elle a un visage quelconque, elle n'a rien d'une beauté; 4 (clear) *[line, marking]* net/nette; **in ~ view of sb** sous les yeux de qn; 5 (obvious) évident, clair; **it was ~ to everyone that he was lying** il était évident pour tout le monde qu'il mentait; **it's a ~ fact that** il est bien clair que; **it is ~ from this report that** il est clair d'après ce rapport que; **she's jealous, it's ~ to see** elle est jalouse, ça saute aux yeux; **her suffering was ~ to see** on ne pouvait pas ignorer sa souffrance; **to make it ~ to sb that** faire comprendre clairement à qn que; **let me make myself quite ~, I'm not going** que ce soit bien clair, je n'y vais pas; **do I make myself ~?** suis-je bien clair?; **she made her irritation quite ~** elle n'a pas caché son irritation; 6 (direct) *[answer, language]* franc/franche; **~ speaking** franchise *f*; **there was plenty of ~ speaking** tout le monde a eu son franc-parler; **can't you speak in ~ English?** tu ne peux pas parler en termes simples?; **in ~ English, this means that** en clair, ceci veut dire que; **the ~ truth of the matter is that** la vérité est que; 7 (*tjrs épith*) (downright) *[common sense]* simple (*before n*); *[ignorance, laziness]* pur et simple (*after n*); 8 (ordinary) **I knew him when he was ~ Mr Spencer** je l'ai connu quand il s'appelait M. Spencer tout court; 9 (unflavoured) *[yoghurt, crisps, rice]* nature *inv*; 10 (in knitting) à l'endroit

C *adv* 1 (completely) *[stupid, wrong]* tout bonnement, tout simplement; **~ lazy** tout bonnement paresseux; 2 (directly) **I can't put it any ~er than that** je ne peux pas être plus clair

(Idioms) **to be as ~ as day** être clair comme l'eau de roche; **to be ~ sailing** *[project, task etc]* marcher comme sur des roulettes

plain: **~chant** *n* plain-chant *m*; **~ chocolate** *n* chocolat *m* à croquer

plain clothes

A *npl* **to wear ~, to be in ~** être en civil

B plain-clothes *adj* (*tjrs épith*) *[policeman, customs officer]* en civil

plain: **~ dealing** *n* honnêteté *f*; **~ flour** *n* Culin farine *f* (*sans levure*)

plain Jane○ *n* **she's rather a ~** ce n'est pas une beauté

plainly /ˈpleɪnlɪ/ *adv* 1 (obviously) manifestement; **they were ~ lying** manifestement ils mentaient, il était évident qu'ils mentaient; **that is ~ not the case** cela n'est manifestement pas le cas; 2 (distinctly) *[hear]* distinctement; *[see]* clairement; *[remember]* parfaitement; **the rainbow was ~ visible** on voyait nettement l'arc-en-ciel; 3 (in simple terms) *[explain, state]* clairement; 4 (frankly) *[speak]* franchement; 5 (simply) *[dress, eat]* simplement; *[decorated, furnished]* sobrement

plainness /ˈpleɪnnɪs/ *n* 1 (simplicity) (of decor, dress) sobriété *f*; (of food, language) simplicité *f*; 2 (unattractiveness) manque *m* de beauté

plain: **Plains Indian** *n* Indien/-ienne *m/f* des Plaines; **~sman** *n* (*pl* **-men**) homme *m* des plaines; **~song** *n* plain-chant *m*; **~ speaker** *n* personne *f* qui a son franc-parler; **~-spoken** *adj* direct

plaint /pleɪnt/ *n* 1 littér (complaint) lamentation *f*; 2 Jur demande *f*

plain text *n* Comput, Telecom texte *m* en clair

plaintiff /ˈpleɪntɪf/ *n* Jur plaignant/-e *m/f*

plaintive /ˈpleɪntɪv/ *adj* plaintif/-ive

plaintively /ˈpleɪntɪvlɪ/ *adv* *[say]* d'un ton plaintif

plait /plæt/

A *n* natte *f*, tresse *f*; **to wear (one's hair in) ~s** avoir des nattes *or* des tresses

B *vtr* tresser *[hair, rope, necklace]*; **to ~ one's hair** se faire des nattes *or* des tresses

C plaited *pp adj* *[hair, rope, reed]* tressé

plan /plæn/

A *n* 1 (scheme, course of action) plan *m*; **to draw up a six-point ~** dresser un plan en six points; **a ~ of action/of campaign** un plan d'action/de campagne; **the ~ is to leave very early** nous avons prévu de partir très tôt; **the best ~ would be to stay here** le mieux serait de rester ici; **everything went according to ~** tout s'est passé comme prévu; **to revert to ~ B** fig se rabattre sur le plan de repli; 2 (definite aim) projet *m* (**for** de; **to do** pour faire); **to have a ~ to do** projeter de faire; 3 Archit, Constr, Tech plan *m* (**of** de); 4 (rough outline) (of essay, book) plan *m*; **make a ~ before you start to write** fais un plan avant de commencer à écrire; 5 (map) plan *m*

B plans *npl* 1 (arrangements) (known, fixed) projet *m*; (vague, not fixed) projets *mpl*; **the ~s for the school trip** le projet de voyage scolaire; **what are your ~s for the future?** quels sont vos projets d'avenir?; **to make ~s** faire des projets; **to make ~s for sth** (organize arrangements) organiser qch; (envisage) projeter qch; **to make ~s to do** projeter de faire; **to have ~s for sth/sb** avoir des projets pour qch/qn; **I have no particular ~s** (for tonight) je n'ai rien de prévu; (for the future) je n'ai pas de projets bien déterminés; **what are your holiday ~s?** quels sont vos projets pour les vacances?; **but Paul had other ~s** mais Paul avait prévu autre chose; 2 Archit, Constr **the ~s** les plans *mpl*; **submit the ~s before the end of the month**

soumettez les plans avant la fin du mois
C vtr (*p prés etc* **-nn-**) **1** (prepare, organize) planifier [*future, traffic system, economy, production*]; organiser, préparer [*timetable, meeting, operation, expedition*]; préparer [*retirement*]; organiser [*day*]; faire un plan de [*career*]; **to ~ it so that one can do** s'organiser pour pouvoir faire; **he ~ned it so he could leave early** il s'est organisé pour pouvoir partir tôt; **2** (intend, propose) projeter [*visit, trip*]; prévoir [*new development, factory*]; **to ~ to do** projeter de faire, se proposer de faire; **3** (premeditate) préméditer [*crime*]; **4** Archit, Constr (design) concevoir [*kitchen, garden, city centre, building*]; **5** (give structure to) construire [*essay, book*]; (make notes for) faire le plan de [*essay, book*]; **6** (decide on size of) **to ~ a family** planifier les naissances
D vi (*p prés etc* **-nn-**) prévoir; **to ~ for** prévoir [*changes, increase*]; **to ~ on doing/on sth** (expect) s'attendre à faire/à qch; (intend) compter faire/sur qch; **I'm not ~ning on losing the election** je ne m'attends pas à perdre les élections; **why don't you ever ~?** pourquoi ne t'organises-tu pas à l'avance?; **the present situation makes it impossible to ~** vu la situation actuelle, on ne peut pas faire de projets à l'avance
(Phrasal verbs) ■ **plan ahead** (vaguely) faire des projets; **it is impossible to ~ ahead** il est impossible de faire des projets; (look, think ahead) prévoir; **in business, you have to ~ ahead** en affaires, il faut savoir prévoir
■ **plan out**: ▸ **~ out [sth]** définir, arrêter [*strategy, policy*]; planifier [*expenditure, traffic system*]; arrêter [*itinerary*]

planchette /plɑːnˈʃet/ *n* planchette *f* (*en spiritisme*)

plane /pleɪn/
A *n* **1** Aviat avion *m*; **to travel by ~** voyager en *or* par avion; **2** (in geometry) plan *m*; **the horizontal/vertical ~** le plan horizontal/vertical; **3** (face of cube, pyramid) face *f*; **4** Tech (tool) rabot *m*; **5** Bot (*also* **~ tree**) platane *m*
B *modif* [*ticket, accident*] d'avion
C *adj* (flat) plan, uni
D *vtr* raboter [*wood, edge*]; **to ~ sth smooth** lisser qch au rabot
E *vi* [*bird, aircraft, glider*] planer
(Phrasal verb) ■ **plane down**: ▸ **~ down** [*bird, hanglider*] descendre en vol plané; ▸ **~ down [sth], ~ [sth] down** raboter [*surface, wood*]

plane: **~ geometry** *n* géométrie *f* plane; **~spotter** *n* passionné/-e *m/f* d'avions

planet /ˈplænɪt/ *n* planète *f*; **Planet Earth** la planète Terre; **to be on another ~**○ (dreaming) être dans les nuages; (weird) marcher à côté de ses pompes○

planetarium /ˌplænɪˈteərɪəm/ *n* (*pl* **~s** *or* **-aria**) planétarium *m*

planetary /ˈplænɪtrɪ, US -terɪ/ *adj* planétaire

planetology /ˌplænɪˈtɒlədʒɪ/ *n* planétologie *f*

plangent /ˈplændʒənt/ *adj* littér (plaintive) mélancolique; (resonant) retentissant

planisphere /ˈplænɪsfɪə(r)/ *n* planisphère *m*

plank /plæŋk/
A *n* **1** lit planche *f*; **to walk the ~** Naut Hist être exécuté par noyade; **2** fig (of policy, argument) point *m*; **to form the main** *ou* **central ~ of** être la pierre angulaire de
(Idiom) **to be as thick as two (short) ~s**○ en tenir une couche○
(Phrasal verb) ■ **plank down**: ▸ **~ down [sth], ~ [sth] down** faire du bruit en posant [*chair, case, money*]

planking /ˈplæŋkɪŋ/ *n* ₵ gen, Constr planches *fpl*; Naut bordé *m*

plankton /ˈplæŋktən/ *n* plancton *m*

planned /plænd/ *adj* [*growth, change, redundancy*] planifié; [*sale, development*] prévu; [*crime*] prémédité

planned: **~ economy** *n* économie *f* planifiée; **~ parenthood** *n* régulation *f* des naissances

planner /ˈplænə(r)/ *n* gen planificateur/-trice *m/f*; (in town planning) urbaniste *mf*

planning /ˈplænɪŋ/
A *n* **1** (organization) (of industry, economy, work) planification *f*; (of holiday, party, meeting) organisation *f*; **we need to do some ~** il faut que nous nous organisions; **that was bad ~** c'était mal calculé; **2** Archit (in town) urbanisme *m*; (out of town) aménagement *m* du territoire
B *modif* **1** gen, Admin [*decision*] prévisionnel/-elle; **at the ~ stage** à l'état de projet; **2** Transp, Constr, Archit [*department, authorities*] de l'urbanisme; [*policy*] d'urbanisme; [*decision*] en matière d'urbanisme

planning: **~ application** *n* demande *f* de permis de construire; **~ blight** *n* séquelles *fpl* des excès de la planification

planning board *n* **1** (in town-planning) commission *f* d'urbanisme; **2** Econ commission *f* de planification (économique)

planning: **~ committee** *n* = **planning board 1**; **~ permission** *n* permis *m* de construire; **~ regulations** *npl* règlements *mpl* d'urbanisme

plant /plɑːnt, US plænt/
A *n* **1** Bot, Hort gen plante *f*; (seedling) plant *m*; **tobacco/flowering ~** plante de tabac/à fleurs; **2** Ind (factory) usine *f*; (power station) centrale *f*; **chemical ~** usine chimique; **nuclear ~** centrale nucléaire; **steel ~** aciérie *f*; **3** ₵ Ind (buildings, machinery, fixtures) installations *fpl* industrielles et commerciales; (fixed machinery) installations *fpl*; (movable machinery) matériel *m*; **4** (person) taupe○ *f*; (piece of evidence) faux indice *m*
B *modif* Bot [*disease, reproduction*] des plantes; [*biologist, geneticist*] spécialisé dans l'étude des plantes
C *vtr* **1** (put to grow) planter [*seed, bulb, tree*]; semer [*crop*]; **to ~ a field with wheat** semer un champ de blé; **to ~ one's garden with trees** planter des arbres dans son jardin; **2** (illicitly put in place) placer [*bomb, explosive, tape recorder, spy*]; **to ~ drugs/a weapon on sb** placer de la drogue/une arme sur qn pour l'incriminer; **to ~ a story** faire paraître un article (pour influencer l'opinion); **to ~ a question** poser une question (dont on a tacitement convenu auparavant); **3** **to ~ a kiss/foot etc on sth** planter un baiser/pied etc sur qch; **to ~ a knife/a spade in sth** planter un couteau/une bêche dans qch; **4** (start, engender) donner [*idea*]; jeter [*doubt*]; **to ~ doubt in sb's mind** jeter le doute dans l'esprit de qn; **to ~ an idea in sb's mind** mettre une idée dans la tête de qn
D *v refl* **to ~ oneself between/in front of** se planter entre/devant
(Phrasal verb) ■ **plant out**: ▸ **~ [sth] out, ~ out [sth]** repiquer [*seedlings*]

plantain /ˈplæntɪn/ *n* **1** (tree, plant) plantain *m*; **2** (fruit) banane *f* plantain

plantar /ˈplæntə(r)/ *adj* plantaire

plantation /plænˈteɪʃn/ *n* (all contexts) plantation *f*; **tea/rubber ~** plantation de thé/d'hévéas

plant breeder *n* Hort sélectionneur/-euse *m/f*

planter /ˈplɑːntə(r), US ˈplænt-/ *n* **1** (person) planteur/-euse *m/f*; (machine) planteuse *f*; **2** (large plantpot) jardinière *f*; (to hold pot) cache-pot *m inv*

plant: **~ food** *n* engrais *m*; **~ geneticist** ▸ **p. 1683** *n* phytogénéticien/-ienne *m/f*; **~ hire** *n* GB location *f* de machines

planting /ˈplɑːntɪŋ, US ˈplænt-/ *n* plantation *f*; **tree ~** plantation d'arbres

plant: **~ kingdom** *n* règne *m* végétal; **~ life** *n* flore *f*; **~ louse** *n* puceron *m*; **~ pot** *n* pot *m* de fleurs

plaque /plɑːk, US plæk/ *n* **1** (on wall, monument) plaque *f*; **2** Dent plaque *f* dentaire

plash /plæʃ/ *n, vi* = **splash**

plasm /ˈplæzəm/ *n* **1** (protoplasm) protoplasme *m*; **2** = **plasma**

plasma /ˈplæzmə/ *n* Physiol, Med, Phys plasma *m*

plasma screen *n* écran *m* à plasma

plaster /ˈplɑːstə(r), US ˈplæs-/
A *n* **1** Constr, Med, Art plâtre *m*; **to have an arm in ~** avoir un bras dans le plâtre; **to put sb's leg in ~** plâtrer la jambe à qn; **2** GB (bandage) sparadrap *m*; **a (piece of) ~** un pansement; **to put a ~ on a cut** mettre un pansement sur une coupure
B *modif* [*model, figure, moulding*] en plâtre
C *vtr* **1** Constr **to ~ the walls of a house** faire les plâtres d'une maison; **2** (cover) (with posters, pictures) couvrir, tapisser (**with** de); (with oil, paint) badigeonner; **the rain had ~ed his clothes to his body** la pluie avait collé ses vêtements à sa peau; **the story was ~ed all over the front page** l'histoire s'étalait en première page; **3** Med plâtrer; **4** †(defeat) battre [qn] comme plâtre
(Phrasal verbs) ■ **plaster down**: ▸ **~ down [sth], ~ [sth] down** plaquer [*hair*]
■ **plaster over**: ▸ **~ over [sth]** Constr boucher [*crack, hole*]; fig masquer
■ **plaster up**: ▸ **~ up [sth], ~ [sth] up** = **plaster over**

plasterboard /ˈplɑːstəbɔːd, US ˈplæst-/
A *n* plaque *m* de plâtre
B *modif* [*wall, ceiling*] de plaque de plâtre

plaster cast *n* Med plâtre *m*; Art (mould) moulage *m*; (sculpture) plâtre *m*

plastered○ /ˈplɑːstəd, US ˈplæst-/ *adj* beurré○, pinté○; **to get ~** prendre une cuite○

plasterer /ˈplɑːstərə(r), US ˈplæst-/ ▸ **p. 1683** *n* plâtrier *m*

plastering /ˈplɑːstərɪŋ, US ˈplæst-/ *n* **to do the ~** faire les plâtres

plaster: **~ of Paris** *n* plâtre *m* de Paris; **~work** *n* ₵ plâtres *mpl*

plastic /ˈplæstɪk/
A *n* **1** (substance) plastique *m*; **2** ○₵ (credit cards) cartes *fpl* de crédit
B **plastics** *npl* (matières *fpl*) plastiques *mpl*
C *adj* **1** (of or relating to plastic) [*industry*] des plastiques; [*manufacture*] de plastique; [*bag, bucket, strap, pouch, component*] en plastique; **2** Art plastique; **the ~ arts** les arts *mpl* plastiques; **3** ○(unnatural) péj [*food*] insipide; [*smile, world, environment*] artificiel/-ielle

plastic bomb
A *n* bombe *f* au plastic
B *modif* **~ bomb attack** plasticage *m* (**on** de), attentat *m* au plastic (**on** de)

plastic: **~ bullet** *n* balle *f* (de) plastique; **~ cup** *n* gobelet *m* en plastique; **~ explosive** *n* plastic *m*; **~ foam** *n* polystyrène *m* expansé

Plasticine® /ˈplæstɪsiːn/
A *n* pâte *f* à modeler
B *modif* [*model, shape*] en pâte à modeler

plasticity /ˌplæsˈtɪsətɪ/ *n* plasticité *f*

plastic: **~ money**○ *n* cartes *fpl* de crédit; **~ surgeon** ▸ **p. 1683** *n* chirurgien *m* esthétique

plastic surgery *n* Cosmet chirurgie *f* esthétique; Med chirurgie *f* plastique; **to have ~** subir une intervention de chirurgie plastique *or* esthétique

plate /pleɪt/
A *n* **1** (dish) (for eating) assiette *f*; (for serving) plat *m*; **china/paper ~** assiette *f* en porcelaine/papier; **to hand** *ou* **present sth to sb on a ~** lit, GB fig apporter/présenter qch à qn sur un plateau; **2** (dishful) assiette *f*; **a ~ of spinach** une assiette d'épinards; **3** (sheet of metal) plaque *f*, tôle *f*; **a metal ~** une plaque de métal, une tôle; **4** (name plaque) plaque *f*; **5** (registration plaque) plaque *f* minéralogique; **foreign ~s** plaques *fpl* minéralogiques étrangères; **6** ₵ (silverware) gen argenterie *f*; Relig trésor *m*; **the**

church ~ was stolen on a volé le trésor de l'église; **7** (metal coating) plaqué *m*; **8** (illustration) planche *f*, hors-texte *m inv*; **9** Print planche *f*; **printer's ~** planche *f* d'imprimerie; **10** Phot plaque *f*; **11** Dent dentier *m*; **12** Geol plaque *f*; **13** Zool plaque *f*; **14** Sport (trophy) plaque *f*; (competition) coupe *f*; **15** Med plaque *f*

B *vtr* plaquer [*bracelet, candlestick*] (**with** avec, de)

C -plated (*dans composés*) **gold-/silver-~d** plaqué or/argent

(Idiom) **to have a lot on one's ~** avoir beaucoup à faire

plate armour *n* GB Hist armure *f* de plates

plateau /ˈplætəʊ, US plæˈtəʊ/ *n* (*pl* **~s** *or* **~x**) **1** Geog plateau *m*; **2** fig palier *m*; **to reach a ~** atteindre un palier

plateful /ˈpleɪtfʊl/ *n* assiette *f*

plate glass

A *n* verre *m* à vitre

B *modif* [*window, door*] en verre à vitre

platelayer /ˈpleɪtleɪə(r)/ ▸ **p. 1683** *n* GB Rail agent *m* de voie

platelet /ˈpleɪtlɪt/ *n* plaquette *f*

platen /ˈplætən/ *n* (on typewriter) rouleau *m*; (in printing press) platine *f*

plate: **~-rack** *n* (for draining) égouttoir *m*; (for storage) étagère *f* pour assiettes (*à rangement vertical*); **~ tectonics** *n* tectonique *f* des plaques; **~ warmer** *n* chauffe-assiettes *m inv*

platform /ˈplætfɔːm/

A *n* **1** (stage) (for performance) estrade *f*; (at public meeting) tribune *f*; **please address your remarks to the ~** adressez vos remarques à la tribune *or* aux membres de la tribune; **to share a ~ with sb** partager la tribune avec qn; **to provide a ~ for sb/sth** offrir une tribune à qn/qch; **2** (in oil industry, in scaffolding, on loading vehicle, for guns) plate-forme *f*; (on weighing machine) gen plateau *m*; (for vehicles) plate-forme *f*; **3** Pol (electoral programme) plate-forme *f* électorale; **to come to power on a ~ of economic reform** arriver au pouvoir grâce à une plate-forme de réformes économiques; **4** Rail quai *m*; **5** (springboard) also fig tremplin *m*; **6** Comput plate-forme *f*

B platforms *npl* = **platform shoes**

platform: **~ party** *n*: *personnes qui ont une place dans la tribune officielle*; **~ scales** *n* bascule *f*; **~ shoes** *npl* chaussures *fpl* à plateforme; **~ ticket** *n* GB Rail ticket *m* de quai

plating /ˈpleɪtɪŋ/ *n* **1** (metal coating) placage *m*; **silver/nickel ~** placage *m* d'argent/de nickel; **2** (protective casing) tôle *f*; **doors with steel ~** portes blindées

platinum /ˈplætɪnəm/

A *n* platine *m*

B *modif* [*ring, jewellery*] de *or* en platine; [*alloy*] de platine; [*hair*] platiné, platine; **~ disc record** disque *m* de platine

platinum blonde

A *n* blonde *f* platine *or* platinée

B *adj* **~ hair** cheveux *mpl* blond platine *or* blonds platinés

platitude /ˈplætɪtjuːd, US -tuːd/ *n* platitude *f*, lieu *m* commun

platitudinize /ˌplætɪˈtjuːdɪnaɪz, US -tuːd-/ *vi* se répandre en lieux communs (**about** sur)

Plato /ˈpleɪtəʊ/ *pr n* Platon

Platonic /pləˈtɒnɪk/ *adj* **1** (*also* **platonic**) [*love, relationship*] platonique; **2** Philos [*archetype, ideal*] platonicien/-ienne

platoon /pləˈtuːn/ *n* (+ *v sg ou pl*) **1** Mil (of soldiers, police, fireman) section *f*; (in cavalry, armoured corps) peloton *m*; **2** fig (of waiters, followers) régiment *m*

platoon: **~ commander** ▸ **p. 1599** *n* GB Mil chef *m* de section; **~ sergeant** ▸ **p. 1599** *n* US Mil sous-officier *m* adjoint de la section

platter /ˈplætə(r)/ *n* **1** (serving dish) plat *m* de service; (wooden) plat *m* en bois; **a silver ~** un plat d'argent; **2** (meal) assiette *f*; **the seafood/cold meat ~** l'assiette de fruits de mer/de charcuterie; **to hand sb sth on a ~** lit, fig apporter qch à qn sur un plateau d'argent; **3** US Audio (of turntable) plateau *m*; **4** US Audio (record) disque *m*

platypus /ˈplætɪpəs/ *n* ornithorynque *m*

plaudits /ˈplɔːdɪts/ *npl* applaudissements *mpl*

plausibility /ˌplɔːzəˈbɪlətɪ/ *n* (of story) plausibilité *f*; (of person) crédibilité *f*

plausible /ˈplɔːzəbl/ *adj* [*story, plot, alibi*] plausible, vraisemblable; [*person*] convaincant; **the characters are not very ~** les personnages manquent de vraisemblance

plausibly /ˈplɔːzəblɪ/ *adv* [*speak*] avec vraisemblance; **he claims quite ~ that...** il prétend, et c'est vraisemblable, que...

play /pleɪ/ ▸ **p. 1253, p. 1462**

A *n* **1** Theat pièce *f* (**about** sur); **the characters in a ~** les personnages d'une pièce; **a radio ~, a ~ for radio** une pièce radiophonique; **a one-/five-act ~** une pièce en un acte/en cinq actes

2 (amusement, recreation) **the sound of children at ~** le bruit d'enfants en train de jouer; **the rich at ~** les riches dans leurs moments de loisir; **to learn through ~** apprendre par le jeu

3 Sport, Games **~ starts at 11** la partie commence à 11 heures; **there was no ~ today** il n'y a pas eu de partie aujourd'hui; **rain stopped ~** la partie a dû être arrêtée à cause de la pluie; **one evening's ~** (in cards) une soirée de jeu; **the ball is out of ~/in ~** la balle est hors jeu/en jeu; **there was some good defensive ~** la défense a été bonne; **there was some fine ~ from the Danish team** l'équipe danoise a bien joué

4 (movement, interaction) jeu *m*; **to come into ~** entrer en jeu; **it has brought new factors into ~** cela a introduit de nouveaux éléments; **the ~ of light on the water/of shadows against the wall** le jeu de la lumière sur la surface de l'eau/des ombres contre le mur; **the ~ of forces beyond our comprehension** le jeu de forces qui dépassent notre compréhension; **the free ~ of the imagination** le libre jeu de l'imagination

5 (manipulation) jeu *m*; **a ~ on words** un jeu de mots; **a ~ on the idea of reincarnation** un jeu sur la notion de la réincarnation

6 US (in football) tactique *f*

7 Mech (scope for movement) jeu *m* (**between** entre; **in** dans); **there's some ~ in the lock** il y a du jeu dans la serrure

8 Fishg **to give a line more/less ~** donner du mou à/tendre une ligne

B *vtr* **1** (for amusement) **to ~ football/bridge** jouer au football/au bridge; **to ~ cards/a computer game** jouer aux cartes/à un jeu électronique; **to ~ sb at chess/at tennis, to ~ chess/tennis with sb** jouer aux échecs/au tennis avec qn; **to ~ a game of chess/of tennis with sb** jouer une partie d'échecs/de tennis avec qn; **I'll ~ you a game of chess** on peut faire une partie d'échecs si tu veux; **she ~s basketball for her country** elle est dans l'équipe nationale de basketball; **to ~ shop/hide and seek** jouer à la marchande/ à cache-cache; **to ~ a joke on sb** jouer un tour à qn

2 Mus jouer [*symphony, chord*]; **to ~ the guitar/the piano** jouer de la guitare/du piano; **to ~ a tune on a clarinet** jouer un air à la clarinette; **to ~ a piece to** *ou* **for sb** jouer un morceau à qn; **~ them a tune** joue-leur un air; **they will ~ a nationwide tour** ils vont en tournée dans tout le pays; **they're ~ing the jazz club on Saturday** ils jouent au club de jazz samedi

3 (act out) Theat interpréter, jouer [*role*]; **to ~ (the part of) Cleopatra** interpréter *or* jouer (le rôle de) Cléopâtre; **Cleopatra, ~ed by Elizabeth Taylor** Cléopâtre, interprétée *or* jouée par Elizabeth Taylor; **he ~s a young officer** il joue un jeune officier; **to ~ the diplomat/the sympathetic friend** fig jouer au diplomate/à l'ami compatissant; **to ~ a leading role in public affairs** jouer un rôle déterminant dans les affaires publiques; **to ~ a significant part in the creation of a clean environment** jouer un rôle important dans la création d'un environnement propre; **I'm not sure how to ~ things** je ne sais pas trop comment procéder; **that's the way I ~ things**○ c'est ma façon de faire; **to ~ a line for laughs** dire une réplique de façon à faire rire tout le monde

4 Audio mettre [*tape, video, CD*]; **~ me the record** mets-moi le disque; **to ~ music** écouter de la musique; **the tape was ~ed to the court** on a fait entendre la bande au tribunal; **let me ~ the jazz tape for you** je vais vous faire entendre la cassette de jazz

5 Sport (in a position) [*coach, manager*] faire jouer [*player*]; **to ~ goal/wing** être gardien de but/ailier; **he ~s goal for Fulchester** il est gardien de but dans l'équipe de Fulchester

6 Sport (hit, kick) [*golfer, tennis player*] envoyer [*ball*]; [*basketball player*] lancer [*ball*]; **to ~ the ball over the goal** tirer le ballon par-dessus la cage; **to ~ the ball to sb** passer la balle à qn; **to ~ a forehand** délivrer un coup droit

7 Games (in chess, draughts) déplacer [*piece*]; (in cards) jouer [*card*]; **to ~ a club** jouer du trèfle; **to ~ the tables** (in roulette) miser

8 Fin **to ~ the stock market** boursicoter○

9 Fishg épuiser [*fish*]

C *vi* **1** [*children*] jouer (**with** avec); **to ~ together** jouer ensemble; **can Rosie come out to ~?** est-ce que Rosie peut venir jouer?; **to ~ at soldiers/at keeping shop** jouer aux soldats/à la marchande; **to ~ at hide and seek** jouer à cache-cache

2 fig **she's only ~ing at her job** elle ne travaille pas vraiment; **to ~ at being a manager/an artist** jouer au directeur/à l'artiste; **what does he think he's ~ing at**○**?** GB qu'est-ce qu'il fabrique○?

3 Sport, Games jouer; **do you ~?** est-ce que tu sais jouer?; **have you ~ed yet?** avez vous joué?; **to ~ out of turn** jouer avant son tour; **I've seen them ~** (team) je les ai vus jouer; **England is ~ing against Ireland** l'Angleterre joue contre l'Irlande; **he ~s for Liverpool** il joue dans l'équipe de Liverpool; **she ~ed for her club in the semifinal** elle a joué dans l'équipe de son club en demi-finale; **to ~ in goal** être dans les buts; **to ~ for money** [*cardplayer*] jouer pour de l'argent; **to ~ fair** jouer franc jeu

4 Sport (hit, shoot) **to ~ into a bunker/the net** envoyer la balle dans un bunker/le filet; **to ~ to sb's backhand** jouer sur le revers de qn

5 Mus [*musician, band, orchestra*] jouer (**for** pour); **to ~ on the flute/on the xylophone** jouer de la flûte/du xylophone; **to ~ to large audiences/to small groups** jouer devant un grand public/pour de petits groupes

6 Cin, Theat [*play*] se jouer; [*film*] passer; [*actor*] jouer; **'Macbeth' is ~ing at the Gate** 'Macbeth' se joue au Gate; **she's ~ing opposite him in 'Macbeth'** elle joue avec lui dans 'Macbeth'; **he's ~ing to packed houses** il joue devant des salles combles

7 (make noise) [*fountain, water*] couler, jaser littér; **a record ~ed softly in the background** un disque jouait doucement en arrière-fond; **I could hear music/the tape ~ing in the next room** j'entendais de la musique/la bande dans la pièce à côté

8 (move lightly) **sunlight ~ed over the water** le soleil jouait sur l'eau; **a breeze ~ed across the lake** une brise effleurait la surface du lac; **a smile ~ed around** *ou* **on her lips** un sourire flottait sur ses lèvres

(Idioms) **to ~ for time** essayer de gagner du temps; **we have everything to ~ for** rien n'est encore gagné; **to ~ sb false** ne pas jouer franc jeu avec qn; **they ~ed to her strengths** (in interview) il ne lui ont rien demandé de difficile; **he doesn't ~ to his own strengths** il

P

n'utilise pas ses capacités; **all work and no ~ (makes Jack a dull boy)** Prov il n'y a pas que le travail dans la vie; **to make a ~ for sb**○ draguer qn○; **to make great ~ of sth/of the fact that** accorder beaucoup d'importance à qch/au fait que

(Phrasal verbs) ■ **play along** 1 (acquiesce) entrer dans le jeu; **to ~ along with sb** entrer dans le jeu de qn; 2 (accompany) **I'll sing, you ~ along on the piano** je chante et tu m'accompagnes au piano; **to ~ along with sb/with a song** accompagner qn/une chanson

■ **play around**○ 1 (be promiscuous) coucher à droite et à gauche○; 2 (act the fool) faire l'imbécile; **to ~ around with** (rearrange, juggle) changer [qch] de place [*chairs, ornaments*]; jongler avec [*dates, figures*]; (fiddle) jouer avec [*paperclips, pens*]; **to ~ around with the idea of doing** caresser vaguement l'idée de faire; **how much time/money do we have to ~ around with?** combien de temps/d'argent avons-nous à notre disposition?

■ **play back**: ▸ **~ [sth] back, ~ back [sth]** rejouer [qch] du début [*song*]; repasser [*film, video*]; **to ~ sth back to sb** faire réentendre qch à qn [*record, music*]; repasser qch à qn [*video, film*]

■ **play down**: ▸ **~ down [sth]** minimiser [*defeat, disaster, effects*]

■ **play off**: **to ~ sb off against sb** monter qn contre qn (pour en tirer avantage); **they can ~ the companies/buyers off against each other** ils peuvent créer une concurrence entre les sociétés/acheteurs

■ **play on**: ▸ **~ on** 1 [*musicians, footballers*] continuer à jouer; 2 (in cricket) *envoyer la balle sur son propre guichet*; ▸ **~ on [sth]** exploiter [*fears, prejudices*]; jouer avec [*idea*]

■ **play out**: ▸ **~ out [sth]** vivre [*fantasy*]; **their love affair was ~ed out against a background of war** leur histoire d'amour s'est déroulée sur un fond de guerre; **the drama which is being ~ed out in India** le drame qui se joue aux Indes

■ **play up**: ▸ **~ up**○ [*computer, person*] commencer à faire des siennes○; **the children are ~ing up again** les enfants recommencent à en faire des leurs○; **my rheumatism is ~ing up** mes rhumatismes me taquinent; ▸ **~ up [sth]** mettre l'accent sur [*dangers, advantages, benefits*]; **to ~ up a story** Journ monter une histoire en épingle

■ **play upon** = **play on**

■ **play with**: ▸ **~ with [sth]** 1 (fiddle) jouer avec [*pen, food, paperclip*]; **to ~ with oneself**○ euph (masturbate) se tripoter○; 2 (toy) **to ~ with words** jouer avec les mots; **to ~ with sb's affections** jouer avec les sentiments de qn; 3 (be insincere) **to ~ with sb** jouer avec qn

playable /ˈpleɪəbl/ *adj* [*shot, pitch*] jouable; **the record is still ~** on peut encore écouter le disque

play-acting /ˈpleɪæktɪŋ/ *n* comédie *f*, simagrées *fpl*; **stop your ~!** arrête ta comédie○!

play area *n* (outside) aire *f* de jeu; (inside) coin-jeu *m*

playback /ˈpleɪbæk/ *n* 1 (reproduction of sound, pictures) play-back *m inv*; 2 (device) appareil *m* de play-back

play: **~back head** *n* tête *f* de lecture (de magnétophone); **~bill** *n* Theat affiche *f*; **~ book** *n* US Sport *répertoire de tactiques pratiquées par une équipe de football américain*; **~boy** *n* playboy *m*; **~-by-play** *n* US Sport commentaire *m* suivi; **~-centred learning** *n* Sch apprentissage *m* par le jeu; **~ed-out** *adj* [*emotions, passions*] éteint; [*theories*] éculé

player /ˈpleɪə(r)/ *n* Sport, Mus joueur/-euse *m/f*; Theat comédien/-ienne *m/f*; fig (in market, negotiations, crisis) protagoniste *mf*; **tennis/chess ~** joueur/-euse *m/f* de tennis/d'échecs; **piano ~** pianiste *mf*

player-piano /ˈpleɪəpɪænəʊ/ *n* piano *m* mécanique

playfellow /ˈpleɪfeləʊ/ *n* compagnon *m* de jeu

playful /ˈpleɪfl/ *adj* [*remark, action*] enjoué; [*mood, person*] gai, enjoué; [*child, kitten*] joueur/-euse; **she's just being ~** elle fait (*or* elle dit) ça pour s'amuser

playfully /ˈpleɪfəlɪ/ *adv* [*remark, say*] pour plaisanter; [*tease, push, pinch*] malicieusement, avec espièglerie

playfulness /ˈpleɪflnɪs/ *n* (of remark, action, mood) caractère *m* enjoué; (of child, kitten) espièglerie *f*; (of person) enjouement *m*

playground /ˈpleɪgraʊnd/ *n* (in school) cour *f* de récréation; (in park, city) terrain *m* de jeu; **the island is a ~ for the rich** fig l'île est un lieu de divertissement pour les riches

play: **~group** *n* ≈ halte-garderie *f*; **~house** *n* théâtre *m*

playing /ˈpleɪɪŋ/ *n* 1 Mus, Theat interprétation *f*; **there was some excellent guitar ~** il y a eu quelques excellentes interprétations à la guitare; 2 Sport jeu *m*

playing card *n* carte *f* à jouer

playing field *n* terrain *m* de sport

(Idioms) **a level ~** l'égalité des chances; **to compete on a level ~** [*companies, individuals*] être sur un pied d'égalité

playlet /ˈpleɪlɪt/ *n* saynète *f*

playmaker /ˈpleɪmeɪkə(r)/ *n* Sport, fig stratège *m*

playmate /ˈpleɪmeɪt/ *n* camarade *mf* de jeu

play-off /ˈpleɪɒf/ *n* 1 GB (at end of match, game) prolongation *f*; 2 US (contest) match *m* crucial

play: **~pen** *n* parc *m* (*pour bébé*); **~ reading** *n* lecture *f* d'une pièce de théâtre; **~room** *n* salle *f* de jeux; **~school** *n* ≈ halte-garderie *f*; **~suit** *n* ensemble *m* short

plaything /ˈpleɪθɪŋ/ *n* lit, fig jouet *m*; **the ~s of the gods** les jouets des dieux; **I'm tired of being her ~** j'en ai assez d'être son pantin

play: **~time** *n* Sch récréation *f*; **~wright** *n* auteur *m* dramatique, dramaturge *m*

plaza /ˈplɑːzə, US ˈplæzə/ *n* 1 (public square) place *f*; **shopping ~** centre *m* commercial; 2 US Transp (services point) aire *f* de service; (toll point) péage *m*

plc, PLC (*abrév* = **public limited company**) GB SA

plea /pliː/

A *n* 1 (for tolerance, mercy etc) appel *m* (**for** à); (for money, food) demande *f* (**for** de); **her ~ that the school (should) be kept open** son appel pour que l'école soit maintenue; **to make a ~ for aid** lancer un appel à l'aide; **his ~ for the homeless** son appel en faveur des sans-abri; **she ignored his ~s** elle est restée sourde à ses prières; 2 Jur **to make** *ou* **enter a ~ of guilty/not guilty** plaider coupable/non coupable; **to make a ~ of self-defence/insanity** plaider la légitime défense/la démence; 3 (excuse) excuse *f*; **on the ~ that** sous prétexte que

plea bargaining *n* Jur *arrangement entre la défense et l'accusation visant à réduire les charges si l'accusé plaide coupable pour un délit moins grave*

plead /pliːd/

A *vtr* (*prét, pp* **pleaded**, US **pled**) 1 (beg) supplier; 2 (argue) plaider; **to ~ sb's case** Jur, fig plaider la cause de qn; **to ~ insanity** Jur plaider la démence; 3 (give as excuse) **to ~ ignorance** plaider l'ignorance; **she left early, ~ing a headache** elle est partie tôt, en prétextant un mal de tête

B *vi* (*prét, pp* **pleaded**, US **pled**) 1 (beg) supplier; (more fervently) implorer; **to ~ with sb** supplier, implorer qn (**to do** de faire); **to ~ with sb for mercy/forgiveness** implorer la clémence/le pardon de qn; **to ~ with sb for more time** supplier qn d'accorder plus de temps; 2 Jur plaider; **to ~ guilty/not guilty (to a charge)** plaider coupable/non coupable

pleading /ˈpliːdɪŋ/

A *n* 1 ¢ (requests) supplications *fpl*; 2 Jur (presentation of a case) plaidoirie *f*

B **pleadings** *npl* Jur (documents) conclusions *fpl*

C *adj* [*voice, look*] suppliant

pleadingly /ˈpliːdɪŋlɪ/ *adv* [*look*] d'un air suppliant; [*say*] d'un ton suppliant

pleasant /ˈpleznt/ *adj* [*taste, smell, voice, place etc*] agréable; [*person*] agréable, aimable (**to** avec); **it's ~ here** (nice surroundings) c'est agréable ici; (nice weather) il fait bon ici; **to spend a very ~ evening** passer une soirée agréable; **~ to the ear** agréable à l'oreille; **a very ~ place to live** un endroit où il fait bon vivre; **it makes a ~ change from work!** ça change du travail!

pleasantly /ˈplezntlɪ/ *adv* [*say, smile, behave*] aimablement; **~ surprised** agréablement surpris; **it was ~ warm** il faisait bon

pleasantness /ˈplezntnɪs/ *n* gen caractère *m* agréable; (of climate) clémence *f*; (of person, manner) amabilité *f*; (of voice) charme *m*

pleasantry /ˈplezntrɪ/

A *n* sout (joke) plaisanterie *f*

B **pleasantries** *npl* (polite remarks) civilités *fpl*; **to exchange pleasantries** bavarder aimablement

please /pliːz/

A *adv* 1 (with imperative) s'il vous plaît; (to close friend) s'il te plaît; **two teas ~** deux thés s'il vous plaît; **~ call me Mike** s'il vous plaît, appelez-moi Mike; **~ be seated** sout veuillez vous asseoir fml; **'~ do not smoke'** 'prière de ne pas fumer'; 2 (with question, request) s'il vous plaît; (to close friend) s'il te plaît; **can I speak to Jo ~?** est-ce que je pourrais parler à Jo, s'il vous plaît?; **'can I go?'—'say ~!'** 'je peux y aller?'—'dis s'il te plaît!'; **will you ~ be quiet!** tenez vous tranquilles, s'il vous plaît; 3 (accepting politely) **yes ~** oui, s'il vous plaît; **'more tea?'—'(yes) ~!'** 'encore du thé?'—'oui, s'il vous plaît'; 4 (encouraging, urging) je vous en prie; (to close friend) je t'en prie; **~, come in** entrez, je vous en prie; **~, you're my guest!** je vous en prie, vous êtes mon invité!; **'may I?'—'~ do'** 'je peux?'—'oui, je vous en prie'; **'can I take another?'—'~ do!'** 'je peux en prendre un autre?'—'vas-y!'; **~ tell me if you need anything** n'hésitez pas à me dire si vous avez besoin de quelque chose; 5 (in entreaty) **~ stop/don't!** arrêtez/pas ça, s'il vous plaît!; **~, that's enough** arrêtez, ça suffit; **Tom, ~, they can't help it** Tom, je t'en prie, ils ne le font pas exprès; **~ miss...** s'il vous plaît mademoiselle...; **oh ~!** (exasperated) et quoi encore!; **~ let it be me next!** (praying) mon Dieu, faites que ce soit moi le prochain!

B **if you please** *adv phr* 1 sout (please) si vous le voulez bien; 2 (indignantly) **he came to the wedding, if you ~!** il est venu au mariage, rien que ça!

C *vtr* 1 (give happiness, satisfaction to) faire plaisir à [*person*]; **the gift ~d him** le cadeau lui a fait plaisir; **it ~d her that** ça lui a plu que (+ *subj*); **she is easy/hard to ~** c'est facile/difficile de lui faire plaisir; **you're easily ~d!** ce n'est pas dur de te faire plaisir!; **there's no pleasing him** il n'est jamais satisfait; **there's no pleasing some people** il y a des gens qui ne sont jamais contents; **you can't ~ all of the people all of the time** on ne peut pas plaire à tout le monde; 2 sout (be the will of) plaire à [*person*]; **it ~d him to refuse** cela lui a plu de refuser; **may it ~ your Majesty** si votre Majesté le permet

D *vi* 1 (give happiness or satisfaction) plaire; **to be eager** *ou* **anxious to ~** être très désireux/-euse de plaire; **this is sure to ~** ceci plaira; **we aim to ~** vous satisfaire est notre priorité; 2 (like, think fit) **do as** *ou* **what you ~** fais comme il te plaira, fais comme tu veux; **as you ~!** comme il te plaira!, comme tu veux!; **I shall do as I ~** je ferai ce qui me plaît;

p

come whenever you ~ viens quand ça te plaira *or* quand tu veux; **take as much as you ~** tu peux en prendre autant que tu veux
E *v refl* **to ~ oneself** faire comme on veut; **you can ~ yourself what time you start** c'est à toi de décider à quelle heure tu commences; **~ yourself!** comme tu veux!

pleased /pli:zd/ *adj* content (**that** que + *subj*; **about, at** de; **with** de; **for sb** pour qn); **to look** *ou* **seem ~** avoir l'air content; **to be/look ~ with oneself** être/avoir l'air content de soi; **I was ~ to see her** j'ai été content *or* ça m'a fait plaisir de la voir; **I'm none too ~** je ne suis pas du tout content; **I am only too ~ to help** je ne suis que trop content de vous aider; **I am ~ to announce that/to inform you that** j'ai le plaisir d'annoncer que/de vous informer que; **I'm ~ to hear it!** quelle bonne nouvelle!; **~ to meet you** enchanté; **I'm ~ to say that we won** je suis content, nous avons gagné; **you've passed, I'm ~ to say** j'ai le plaisir de vous annoncer que vous avez réussi votre examen; **she is ~ to accept the invitation** fml elle a le plaisir d'accepter votre invitation

pleasing /ˈpli:zɪŋ/ *adj* [*appearance, shape, colour, voice*] agréable; [*manner, smile, personality*] avenant; [*effect, result*] heureux/-euse; **~ to the ear/the eye** agréable à l'oreille/l'œil

pleasingly /ˈpli:zɪŋlɪ/ *adv* agréablement

pleasurable /ˈpleʒərəbl/ *adj* agréable

pleasurably /ˈpleʒərəblɪ/ *adv* agréablement

pleasure /ˈpleʒə(r)/
A *n* 1▸ ₵ (enjoyment) plaisir *m* (**of** de; **of doing** de faire); **to give/bring ~ to millions** donner/apporter du plaisir à des millions de gens; **to watch/listen with ~** regarder/écouter avec plaisir; **to take all the ~ out of** enlever tout le plaisir de; **to take ~ in/in doing** prendre plaisir à/à faire; **to find ~ in** trouver du plaisir à; **to do sth for ~** faire qch par plaisir; **sb's ~ at sth** le plaisir qu'apporte qch à qn; **his ~ at my remark** le plaisir que lui apportait ma remarque; **it gives me no ~ to do** cela ne m'est pas agréable de faire; **to get more ~ out of life** avoir une vie plus agréable; 2▸ ₵ (sensual enjoyment) plaisir *m*; **sexual/sensual ~** plaisir sexuel/sensuel; 3▸ **C** (enjoyable activity, experience) plaisir *m* (**of** de); **he has few ~s in life** il a peu de plaisirs dans la vie; **it is my only ~** c'est mon seul plaisir; **it is/was a ~ to do** c'est/c'était agréable de faire; 4▸ ₵ (recreation) plaisir *m*; **to put duty before ~** faire passer le devoir avant le plaisir; **to mix business and ~** joindre l'utile à l'agréable; **are you in Paris for business or ~?** êtes-vous à Paris pour vos affaires ou en voyage d'agrément?; 5▸ (in polite formulae) **it gives me great ~ to do** c'est avec plaisir que je fais; **'will you come?'—'thank you, with (the greatest) ~'** 'voulez-vous venir?'—'merci, avec (le plus grand) plaisir'; **I look forward to the ~ of meeting you** j'espère avoir prochainement le plaisir de vous rencontrer; **'it's been a ~ meeting you** *ou* **to meet you'—'the ~ was all mine'** 'je suis ravi d'avoir fait votre connaissance'—'tout le plaisir est pour moi'; **my ~** (replying to request for help) avec plaisir; (replying to thanks) je vous en prie; **what an unexpected ~!** gen quelle excellente surprise!; iron ça! par exemple!; **may I have the ~ (of this dance)?** m'accorderez-vous cette danse?; **would you do me the ~ of dining with me?** me ferez-vous le plaisir de dîner avec moi?; **'Mr and Mrs Moor request the ~ of your company at their daughter's wedding'** 'M. et Mme Moor vous prient d'assister à la cérémonie de mariage de leur fille'; 6▸ sout (will, desire) **what is your ~?** gen que désirez-vous?; (offering drink) que prenez-vous?; **at one's ~** à son gré
B *vtr* (give sexual pleasure to) donner du plaisir à, faire jouir [*partner*]

pleasure: **~ boat** *n* bateau *m* de plaisance; **~ craft** *n* ₵ bateaux *mpl* de plaisance; **~ cruise** *n* croisière *f*

pleasure-loving *adj* **to be ~** être amateur de plaisirs

pleasure: **~ principle** *n* principe *m* de plaisir; **~-seeker** *n* viveur/-euse *m/f*, jouisseur/-euse *m/f*

pleat /pli:t/
A *n* pli *m*
B *vtr* plisser
C **pleated** *pp adj* [*skirt*] plissé; [*trousers*] à plis

pleb○ /pleb/ *n* GB péj prolo○ *mf*; **the ~s** la populace

plebeian /plɪˈbi:ən/
A *n* Hist *ou* péj plébéien/-ienne *m/f*; **the ~s** la plèbe
B *adj* plébéien/-ienne

plebiscite /ˈplebɪsɪt, US -saɪt/ *n* plébiscite *m*

plectrum /ˈplektrəm/ *n* (*pl* **~s** *or* **-tra**) médiator *m*

pled /pled/ US *prét, pp* ▸ **plead**

pledge /pledʒ/
A *n* 1▸ (promise) promesse *f*, engagement *m*; **to give a ~ to sb** faire une promesse à qn; **to give** *ou* **make a ~ to do** promettre *or* prendre l'engagement de faire; **to keep/break one's ~** tenir/rompre son engagement *or* sa promesse; **to take** *ou* **sign the ~**† hum faire vœu de tempérance† hum; 2▸ (thing deposited as security) (to creditor, pawnbroker) gage *m*; **to put/hold sth in ~** mettre/laisser qch en gage; **to take sth out of ~** dégager qch; 3▸ (token) gage *m*; **as a ~ of her friendship** en gage *or* en témoignage de son amitié; 4▸ (money promised to charity) promesse *f* de don; **make your ~s now!** faites vos dons dès maintenant!; 5▸ †(toast) toast *m* (**to** à); 6▸ US Univ *étudiant/-e en période d'initiation à l'entrée d'un club*
B *vtr* 1▸ (promise) promettre [*allegiance, aid, support*] (**to** à); **to ~ (oneself) to do, to ~ that one will do** s'engager à faire; **the treaty ~s the signatories to do** le traité engage les signataires à faire; **to be ~d to secrecy** être tenu au secret; **to ~ one's word** donner sa parole; **to ~ money to charity** promettre de faire un don aux œuvres charitables; **to ~ allegiance to the flag** jurer fidélité au drapeau; 2▸ (give as security) (to creditor, pawnbroker) mettre [*qch*] en gage; 3▸ †(toast) porter un toast à; 4▸ US Univ **to ~ a fraternity/sorority** accepter de subir l'épreuve d'initiation pour entrer dans un club d'étudiants/d'étudiantes

Pledge of Allegiance *n* US Serment *m* au drapeau

> **Pledge of Allegiance**
>
> Dans les écoles américaines, les élèves se rassemblent tous les jours dans la *Homeroom* avant le début des cours pour l'appel et pour prêter serment au drapeau. Debout, la main droite sur le cœur, ils jurent fidélité et loyauté aux États-Unis d'Amérique en prononçant ces paroles : *I pledge allegiance to the flag of the United States of America and to the republic for which it stands, one nation under God, indivisible, with liberty and justice for all.* Les immigrants qui prennent la nationalité américaine prêtent ce même serment.

Pleistocene /ˈpleɪstəsi:n/ *n, adj* pléistocène (*m*)

plenary /ˈpli:nərɪ, US -erɪ/ *adj* [*session, meeting, discussion*] plénier/-ière; [*powers*] plein; [*authority*] absolu

plenipotentiary /ˌplenɪpəˈtenʃərɪ, US -erɪ/
A *n* plénipotentiaire *m*
B *adj* [*powers*] plein; [*authority, ambassador*] plénipotentiaire

plenitude /ˈplenɪtju:d, US -tu:d/ *n* plénitude *f*

plenteous /ˈplentɪəs/ *adj* littér abondant

plentiful /ˈplentɪfl/ *adj* [*diet, food, harvest*] abondant; **fish were ~ in this river** il y avait du poisson en abondance dans cette rivière; **a ~ supply of** une abondance de; **in ~ supply** en abondance

plentifully /ˈplentɪfəlɪ/ *adv* en abondance

plenty /ˈplentɪ/
A *quantif* 1▸ (a lot, quite enough) **to have ~ of** avoir beaucoup de, ne pas manquer de [*time, money, friends*]; **there is ~ of time/money** on a tout le temps/l'argent qu'il faut, on a beaucoup de temps/d'argent; **there are ~ of other reasons/ideas** il y a beaucoup d'autres raisons/idées; **there was wine, and ~ of it!** du vin il y en avait, et en quantité!; **there is ~ more tea** il y a encore beaucoup de thé; **there's ~ more where that came from○!** (of food, joke etc) profites-en, j'en ai toute une réserve!; **to see ~ of sb** voir qn assez souvent; **to have ~ to eat/to do** avoir beaucoup *or* suffisamment à manger/à faire; **that's ~** c'est bien assez, ça suffit amplement; **£10 is/will be ~** 10 livres sterling suffisent/suffiront largement; **'have you any questions/money?'—'~!'** 'as-tu des questions/de l'argent?'—'tout plein○!', 'des tas○!'; **'do you know anything about cars?'—'~!'** 'est-ce que tu t'y connais en voitures?'—'oui, je m'y connais vraiment'; 2▸ ₵ (abundance) **a time of ~** une époque prospère; **in ~** en abondance; 3▸ ○(lots of) beaucoup de [*work, money, friends*]
B ○*adv* 1▸ (quite) **~ old/tall enough** suffisamment vieux/grand; **that's ~ big enough!** c'est bien assez *or* largement assez grand!; 2▸ US (very or very much) **to be ~ thirsty** avoir très soif; **he cried ~** il a beaucoup pleuré

plenum /ˈpli:nəm/ *n* plénum *m*

pleonasm /ˈpli:ənæzəm/ *n* pléonasme *m*

pleonastic /ˌplɪəˈnæstɪk/ *adj* pléonastique

plethora /ˈpleθərə/ *n* sout pléthore *f*, surabondance *f*; **there is a ~ of** il y a pléthore de

plethoric /plɪˈθɒrɪk/ *adj* sout pléthorique

pleura /ˈplʊərə/ *n* (*pl* **-ae**) plèvre *f*

pleurisy /ˈplʊərəsɪ/ ▸ **p. 1327** *n* pleurésie *f*

pleuritic /ˌplʊəˈrɪtɪk/ *adj* pleurétique

Plexiglass® /ˈpleksɪglɑ:s, US -glæs/ *n* plexiglas® *m*

plexus /ˈpleksəs/ *n* (*pl* **~es** *ou* **~**) plexus *m*

pliability /ˌplaɪəˈbɪlətɪ/ *n* (of materials) flexibilité *f*; (of minds) malléabilité *f*

pliable /ˈplaɪəbl/ *adj* [*twig, plastic*] flexible; [*person*] malléable

pliant /ˈplaɪənt/ *adj* [*branch, plastic*] flexible; [*person*] malléable

pliers /ˈplaɪəz/ *npl* pinces *fpl*; **a pair of ~** des pinces

plight /plaɪt/
A *n* 1▸ (dilemma) situation *f* désespérée; 2▸ (suffering) détresse *f*; **the ~ of the homeless** la détresse des sans-abri; **to ease sb's ~** soulager la détresse de qn
B *vtr*‡ **to ~ one's troth** engager sa foi†, se fiancer

plimsoll /ˈplɪmsəl/ *n* GB chaussure *f* de tennis

Plimsoll line /ˈplɪmsəl laɪn/ *n* ligne *f* de flottaison en charge

plink /plɪŋk/
A *n* bruit *m* métallique
B *vtr* tirer sur [*tin can*]
C *vi* tirer

plinth /plɪnθ/ *n* Archit plinthe *f*; (of statue) socle *m*

Pliny /ˈplɪnɪ/ *pr n* Pline; **~ the Younger/the Elder** Pline le Jeune/l'Ancien

Pliocene /ˈplaɪəʊsi:n/ *n, adj* pliocène (*m*)

PLO *n* (*abrév* = **Palestine Liberation Organization**) OLP *f*

plod /plɒd/
A *n* (slow walk) marche *f* pesante; **it's a long ~ home** c'est une route longue et pénible jusqu'à la maison
B *vi* (*p prés etc* **-dd-**) (walk) marcher péniblement

(Phrasal verbs) ■ **plod along** lit, fig avancer d'un pas lent
■ **plod away** travailler ferme, bosser○

P

■ **plod on** lit continuer à marcher; fig persévérer

■ **plod through**: ▸ **~ through [sth]** fig faire [qch] laborieusement

plodder /ˈplɒdə(r)/ *n* bûcheur/-euse○ *m/f*

plodding /ˈplɒdɪŋ/ *adj* [*step*] lourd; [*style, performance*] laborieux/-ieuse

plonk /plɒŋk/

A *n* **1** (sound) plouf○ *m*, son *m* creux; **2** ○(wine) vin *m* ordinaire, pinard◑ *m*

B ○*vtr* planter [*plate, bottle*] (**on** sur)

(Phrasal verb) ■ **plonk down**○: ▸ **~ [sth] down** poser [*box, sack*] (**on** sur); **to ~ oneself down on** s'installer dans [*armchair*]; s'installer sur [*sofa*]; **to ~ oneself down in front of sth** s'installer devant [*TV, screen*]; ▸ **~ down [sth]** US (pay) allonger○, payer [*sum*]

plonker /ˈplɒŋkə(r)/ *n* GB **1** ○(fool) imbécile *mf*; **2** ◑(penis) queue◑ *f*, pénis *m*

plop /plɒp/

A *n* floc *m*

B *vi* (*p prés etc* **-pp-**) faire floc; **the stone ~ped into the water** le caillou a fait floc en tombant dans l'eau

plosive /ˈpləʊsɪv/

A *n* (consonne *f*) occlusive *f*

B *adj* occlusif/-ive

plot /plɒt/

A *n* **1** (conspiracy) complot *m*, conspiration *f* (**against** contre; **to do** pour faire); **an assassination ~** un complot d'assassinat; **2** Cin, Literat (of novel, film, play) intrigue *f*; **the ~ thickens** l'histoire se corse; **3** Agric, Hort (allotment) **~ of land** parcelle *f* de terre; **a vegetable ~** un carré de légumes; **4** Constr (site) terrain *m* à bâtir; **5** (in cemetery) concession *f* funéraire

B *vtr* (*p prés etc* **-tt-**) **1** (plan) comploter [*murder, attack, return*]; fomenter [*revolution*]; **to ~ to do** comploter de faire; **2** (chart) relever [qch] sur une carte [*course*]; tracer [qch] sur une carte [*progress*]; **we ~ted our position on the map** nous avons pointé notre position sur la carte; **3** Math, Stat (on graph) tracer [qch] point par point [*curve, graph*]; reporter [*figures, points*]; **to ~ the progress/decline of sth** tracer la courbe de progression/déclin de qch; **4** Literat (invent) inventer [*episode, story, destiny*]; **a carefully/thinly ~ted play** une pièce à l'intrigue bien construite/bien mince

C *vi* (*p prés etc* **-tt-**) (conspire) conspirer (**against** contre); **to ~ together** conspirer ensemble

plotter /ˈplɒtə(r)/ *n* **1** (schemer) conspirateur/-trice *m/f*; **2** Comput traceur *m* (de courbes)

plotting /ˈplɒtɪŋ/ *n* ₵ (scheming) complots *mpl*; **to be accused of ~** être accusé d'avoir tramé un complot

plotting board, **plotting table** *n* table *f* traçante

plotzed○ /plɒtst/ *adj* US **to be (completely) ~** être (complètement) bourré○

plough GB, **plow** US /plaʊ/

A *n* Agric (implement) charrue *f*; **to come under the ~** [*land*] devenir labourable

B **Plough** *pr n* Astron **the ~** le Grand Chariot *m*, la Grande Ourse *f*

C *vtr* **1** Agric labourer [*land, field*]; creuser [*furrow*]; **2** (invest) **to ~ money into** investir de l'argent dans [*project, company*]; **3** †○GB (fail) [*candidate*] se faire recaler○ à [*exam*]; [*examiner*] recaler○ [*candidate*]

D *vi* Agric labourer

(Idiom) **to put one's hand to the ~** se mettre au travail

(Phrasal verbs) ■ **plough back**: ▸ **~ [sth] back**, **~ back [sth]** réinvestir [*profits, money*] (**into** dans)

■ **plough in**: ▸ **~ [sth] in**, **~ in [sth]** Agric enterrer [qch] en labourant [*crop, manure*]

■ **plough into**: ▸ **~ into [sth]** **1** (crash into) [*vehicle*] percuter [*tree, wall*]; **the car skidded and ~ed into the crowd** la voiture a dérapé et a fini sa course dans la foule; **2** US (begin enthusiastically) se lancer à corps perdu dans [*work*]

■ **plough through**: ▸ **~ through sth** [*vehicle, driver*] défoncer [*hedge, wall*]; fig [*person*] ramer○ sur [*book, task*]; [*walker*] se frayer un chemin dans [*mud, snow*]; [*vehicle*] avancer péniblement dans [*mud, snow*]

■ **plough under**: ▸ **~ [sth] under**, **~ under [sth]** faire disparaître [qch] en labourant [*crop, manure*]; ▸ **~ [sb] under**○ US (thrash) démolir○ [*opponents*]

■ **plough up**: ▸ **~ [sth] up**, **~ up [sth]** Agric mettre [qch] en labour [*field*]; fig [*car, person*] défoncer [*ground*]

plough horse *n* cheval *m* de labour

ploughing GB, **plowing** US /ˈplaʊɪŋ/ *n* labourage *m*

plough: **~land** GB, **plow-land** US *n* terres *fpl* arables *or* labourables; **~man** GB, **plow-man** US ▸ **p. 1683** *n* laboureur *m*; **~man's lunch** *n* GB *plat servi dans les pubs composé de fromage, de pain et de salade*

ploughshare GB, **plow-share** US /ˈplaʊʃeə(r)/ *n* soc *m* de charrue

(Idiom) **to turn** *ou* **beat (one's) swords into ~s** œuvrer pour la paix

plover /ˈplʌvə(r)/ *n* pluvier *m*

plow *n, vtr, vi* US = **plough**

ploy /plɔɪ/ *n* stratagème *m*; **it is a ~ to attract attention/to disarm his critics** c'est un stratagème pour attirer l'attention/pour désarmer ses détracteurs

PLR *n* GB *abrév* ▸ **Public Lending Right**

pluck /plʌk/

A *n* **1** (courage) courage *m*, cran○ *m*; **2** Culin fressure *f*

B *vtr* **1** cueillir [*flower, fruit*]; **to ~ sth from sb's grasp** arracher qch à qn; **to be ~ed from obscurity** être sorti de l'anonymat; **2** Culin plumer [*chicken*]; **3** Mus pincer [*strings*]; pincer les cordes de [*guitar*]; **4** **to ~ one's eyebrows** s'épiler les sourcils

(Idioms) **to ~ up one's courage** prendre son courage à deux mains; **to ~ up the courage to do sth** trouver le courage de faire qch

(Phrasal verbs) ■ **pluck at**: **to ~ at sb's sleeve/arm** tirer qn par la manche/le bras

■ **pluck off**: ▸ **~ off [sth]**, **~ [sth] off** arracher [*feathers, hair*]; enlever [*piece of fluff*]

■ **pluck out**: ▸ **~ out [sth]**, **~ [sth] out** arracher

pluckily /ˈplʌkɪlɪ/ *adv* vaillamment

pluckiness /ˈplʌkɪnɪs/ *n* bravoure *f*, cran○ *m*

plucky /ˈplʌkɪ/ *adj* courageux/-euse; **to be ~** avoir du cran○

plug /plʌg/

A *n* **1** Elec (on appliance) prise *f* (de courant); **to pull out the ~** débrancher la prise; **to be fitted with a ~** avoir une prise; **to pull the ~ on**○ retirer son soutien à [*scheme, project*]; **to pull the ~ on sb**○ Med débrancher le système de survie de qn; US fig trahir qn; **2** Audio, Comput, Electron (connecting device) fiche *f*; **3** Elec (socket) prise *f* (de courant); **a mains ~** une prise secteur; **4** (in bath, sink) bonde *f*; **to pull out the ~** retirer la bonde; **5** Constr (for screw) cheville *f*; **6** (stopper) (in barrel) bonde *f*; (for leak) bouchon *m*; (for medical purpose) tampon *m*; **7** Aut (in engine) (*also* **spark ~**) bougie *f*; **8** (for chewing) **a ~ of tobacco** une chique de tabac; **9** ○Advertg, Radio, TV (mention) pub○ *f*, publicité *f* (**for** pour); **to give sth a ~, put in a ~ for sth** faire de la pub○ *or* publicité pour qch; **10** US (fire hydrant) bouche *f* d'incendie; **11** Geol (*also* **volcanic ~**) culot *m*

B *vtr* (*p prés etc* **-gg-**) **1** (block) colmater [*leak*] (**with** avec); boucher [*hole*] (**with** avec); **to ~ a gap** lit boucher un trou; fig combler une lacune; **she ~ged a hole in my tooth** elle m'a rebouché une dent; **to ~ one's ears** se boucher les oreilles; **2** ○Advertg, Radio, TV (promote) faire de la pub○ *or* publicité pour [*book, show, product*]; **to ~ one's record on a programme** faire de la pub○ pour son disque au cours d'une émission; **3** Elec (insert) **to ~ sth into** brancher qch à [*socket*]; connecter qch à [*amplifier, computer*]; **4** ○†US (shoot) abattre, flinguer○

C *vi* (*p prés etc* **-gg-**) **to ~ into** (be compatible with) se connecter à [*TV, computer*]; **they have ~ged into the national mood**○ journ ils sont au courant de l'état d'esprit général

(Phrasal verbs) ■ **plug away**○ s'acharner (**at** sur); **he's ~ging away at his Latin** il bûche○ son latin

■ **plug in**: ▸ se brancher; ▸ **~ [sth] in**, **~ in [sth]** brancher [*appliance*]

■ **plug up**: ▸ **~ up [sth]**, **~ [sth] up** boucher [*hole, gap*] (**with** avec)

plug-and-play *n* Comput plug and play *m*, équipement *m* prêt à l'emploi

plughole /ˈplʌghəʊl/ *n* GB bonde *f*; **to go down the ~** lit [*water*] s'écouler par la bonde; [*ring*] tomber dans le trou de l'évier; fig○ s'en aller à vau-l'eau

plug-in /ˈplʌgɪn/

A *n* Comput module *m* complémentaire, plug-in *m inv*

B *adj* [*appliance*] enfichable; [*telephone*] à prise

plum /plʌm/ ▸ **p. 1067**

A *n* **1** Bot (fruit) prune *f*; (tree) prunier *m*; **2** (colour) couleur *f* prune *inv*

B *adj* **1** (colour) (*also* **~-coloured**) prune *inv*; **2** ○(good) **to get a ~ job/part** décrocher un boulot/rôle en or○

plumage /ˈplu:mɪdʒ/ *n* plumage *m*

plumb /plʌm/

A *n* **1** (*also* **~ line**) Constr fil *m* à plomb; Naut sonde *f*; **2** (perpendicular) **to be out of ~** *ou* **off ~** ne pas être d'aplomb

B *adv* **1** ○US (totally) [*crazy, wrong*] complètement; **2** ○(precisely) **~ in** *ou* **down** *ou* **through the middle** en plein milieu

C *vtr* **1** fig percer à jour [*mystery, soul*]; **to ~ the depths of** toucher le fond de [*despair, misery*]; atteindre le comble de [*bad taste*]; **2** lit sonder [*sea, depths*]

(Phrasal verb) ■ **plumb in**: ▸ **~ [sth] in**, **~ in [sth]** brancher

plumbago /plʌmˈbeɪgəʊ/ *n* **1** Miner plombagine *f*; **2** Bot plumbago *m*

plumber /ˈplʌmə(r)/ *n* plombier *m*

plumber: **~'s helper**○ *n* US déboucheur *m* à ventouse; **~s' merchant** *n* grossiste *m* en plomberie

plumbic /ˈplʌmbɪk/ *adj* plombique

plumbing /ˈplʌmɪŋ/ *n* plomberie *f*; **lead ~** tuyauterie *f* en plomb; **~ system** plomberie *f*

plum: **~ brandy** *n* eau-de-vie *f* de prunes; **~ cake** *n* (plum-)cake *m*; **~ duff**, **~ pudding** *n* (plum-)pudding *m*

plume /plu:m/

A *n* (feather) plume *f*; (of several feathers) panache *m*; fig (of steam, smoke etc) panache *m* (**of** de)

B *v refl* **to ~ oneself** lit [*bird*] se lisser les plumes; fig **to ~ oneself on sth** [*person*] tirer vanité de qch

plumed /plu:md/ *adj* [*horse, helmet*] empanaché; [*hat*] à plumes

plum jam *n* confiture *f* de prunes

plummet /ˈplʌmɪt/

A *n* Tech, Fishg plomb *m*

B *vi* **1** lit [*bird, aircraft*] tomber à pic; **2** fig [*share prices, birthrate, profits, sales*] s'effondrer; [*temperature, value*] baisser brusquement; [*standards, popularity, morale*] tomber à zéro

plummy /ˈplʌmɪ/ *adj* **1** ○GB [*voice*] maniéré; [*accent*] affecté; **2** (plum-coloured) (couleur) prune *inv*; **3** (of plums) [*taste*] de prune

plump /plʌmp/ *adj* [*person, chicken*] dodu; [*cheek, face*] rond, plein; [*arm, leg*] potelé; [*cushion*] bien rembourré

(Phrasal verbs) ■ **plump down**○: ▸ **~ down** [*person*] s'asseoir (lourdement) (**into** dans; **onto** sur); ▸ **~ [oneself] down**○ s'asseoir (lourdement); **~ yourself down over there**

P

assieds-toi là-bas; ▸ ~ **[sth] down**, ~ **down [sth]** déposer
■ **plump for**○: ▸ ~ **for [sth]** opter pour [*candidate, purchase*]; prendre [*food*]
■ **plump out** [*cheeks*] s'arrondir; [*person, animal*] prendre du poids
■ **plump up**: ▸ ~ **up [sth]** redonner du volume à [*cushion*]

plumpness /ˈplʌmpnɪs/ *n* (of person) embonpoint *m*; (of arms, legs etc) rondeur *f*

plum: ~ **tart** *n* tarte *f* aux prunes; ~ **tomato** *n* olivette *f*; ~ **tree** *n* prunier *m*

plunder /ˈplʌndə(r)/
A *n* **1** (act of stealing) pillage *m*; **2** (booty) butin *m*
B *vtr* [*soldiers*] piller [*shop, property, possessions*]; [*thieves*] dévaliser; **to ~ a museum of its treasures** piller les trésors d'un musée
C *vi* se livrer au pillage

plunderer /ˈplʌndərə(r)/ *n* pillard *m*

plundering /ˈplʌndərɪŋ/
A *n* pillage *m*
B *adj* [*mob, troops*] pillard

plunge /plʌndʒ/
A *n* **1** (from height) plongeon *m*; **death ~** journ plongeon de la mort; **to take a ~** (dive) piquer une tête; **2** Fin chute *f* libre; **a ~ in share** GB *ou* **stock** US **prices** une chute libre du prix des actions; **3** gen, fig **the company's ~ into debt** l'endettement subit de l'entreprise; **the ~ in confidence** la perte subite de confiance; **nothing could prevent the country's ~ into chaos** rien ne pouvait empêcher le pays de sombrer dans le chaos
B *vtr* **1** (thrust) **to ~ sth into sth** plonger qch dans qch; **he ~d the knife into her heart** il lui a plongé le couteau dans le cœur; **she ~d her hand into the water/the bag** elle a plongé sa main dans l'eau/le sac; **to be ~d into** être plongé dans [*crisis, danger, new experience, strike*]; être submergé de [*debt*]; **the house was ~d into darkness** la maison a été plongée dans l'obscurité; **2** (unblock) déboucher [qch] avec une ventouse [*sink*]
C *vi* **1** (fall from height) [*person, waterfall, submarine*] plonger; [*bird, plane*] piquer; [*road, cliff*] fig plonger; **the plane ~d to the ground** l'avion a piqué vers le sol; **the boy ~d over the precipice to his death** l'enfant a fait une chute mortelle dans le précipice; **the car ~d off the road** la voiture est sortie en catastrophe de la route; **2** fig (drop sharply) [*rate, value*] chuter; **3** fig (embark on) **to ~ into** se lancer dans [*activity, career, negotiations*]; sombrer dans [*chaos , crisis, decline*]; se ruer vers [*danger*]
(Idiom) **to take the ~** se jeter à l'eau
(Phrasal verbs) ■ **plunge forward** [*person*] s'élancer; [*boat*] piquer de l'avant; [*horse*] se ruer; [*vehicle*] foncer
■ **plunge in** [*swimmer*] plonger; fig (impetuously) se lancer

plunge: ~ **bath** *n* bain *m*; ~ **pool** *n* bassin *m*

plunger /ˈplʌndʒə(r)/ *n* (for sink) ventouse *f*

plunging /ˈplʌndʒɪŋ/ *adj* ~ **neckline** décolleté *m* plongeant

plunk○ /plʌŋk/
A *n* toc○ *m*, bruit *m* sourd
B *vtr* **1** (place) planter [*bottle, plate*] (**on** sur); **2** (strum) pincer les cordes de [*banjo, guitar*]
(Phrasal verb) ■ **plunk down**○ = **plonk down**

pluperfect /ˌpluːˈpɜːfɪkt/ Ling
A *n* plus-que-parfait *m*
B *modif* [*tense*] au plus-que-parfait; [*form*] du plus-que-parfait

plural /ˈplʊərəl/
A *n* Ling pluriel *m*; **in the ~** au pluriel
B *adj* **1** Ling [*noun, adjective*] au pluriel; [*form, ending*] du pluriel; **2** Pol (society, system) pluraliste

pluralism /ˈplʊərəlɪzəm/ *n* pluralisme *m*

pluralist /ˈplʊərəlɪst/
A *n* partisan/-e *m/f* du pluralisme
B *adj* [*society, policy, values*] pluraliste

plurality /plʊəˈrælətɪ/ *n* **1** (multitude) pluralité *f* (**of** de); **2** (diversity) pluralité *f*; **3** (majority) gen majorité *f*; US Pol majorité *f* relative

plus /plʌs/
A *n* **1** Math plus *m*; **2** (advantage) avantage *m*; **with the added ~ that** avec l'avantage supplémentaire que
B *adj* **1** Math, Elec positif/-ive; **2** (advantageous) ~ **factor**, ~ **point** atout *m*; **the ~ side** le côté positif; **3** (in expressions of age, quantity) **50 ~** plus de 50; **20 years ~** plus de 20 ans; **the 65-~ age group** les personnes qui ont 65 ans et plus
C *prep* Math plus; **15 ~ 12** 15 plus 12
D *conj* et; **bedroom ~ bathroom** chambre et salle de bains; **two adults ~ a baby** deux adultes et un bébé

plus-fours /ˈplʌsfɔːz/ *npl* culotte *f* de golf

plush /plʌʃ/
A *n* Tex peluche *f*
B *adj* **1** ○(luxurious) [*house, room, hotel, surroundings*] somptueux/-euse; [*district, area*] riche; **2** Tex [*curtain, furniture, carpet*] en *or* de peluche

plushy○ /ˈplʌʃɪ/ *adj* [*house, room, hotel*] somptueux/-euse

plus sign *n* Math signe *m* plus

Plutarch /ˈpluːtɑːk/ *pr n* Plutarque

Pluto /ˈpluːtəʊ/ *pr n* **1** Mythol Pluton *m*; **2** Astron Pluton *f*

plutocracy /pluːˈtɒkrəsɪ/ *n* ploutocratie *f*

plutocrat /ˈpluːtəkræt/ *n* ploutocrate *m*

plutocratic /ˌpluːtəˈkrætɪk/ *adj* ploutocratique

plutonium /pluːˈtəʊnɪəm/ *n* plutonium *m*

pluviometer /ˌpluːvɪˈɒmɪtə(r)/ *n* pluviomètre *m*

ply /plaɪ/
A *n* (thickness) épaisseur *f*; **two/three ~ paper** papier double/triple épaisseur; **two ~ wool** laine deux fils; **three/five ~ wood** contreplaqué trois/cinq plis
B *vtr* **1** (sell) vendre [*wares*]; **2** (perform) exercer [*trade*]; **3** (manipulate) manier [*pen, oars*]; **to ~ one's needle** tirer l'aiguille; **4** (travel) [*boat*] sillonner [*sea*]; **to ~ the route between two ports** faire la navette entre deux ports; **5** (press) **to ~ sb for** harceler qn pour obtenir [*information*]; **to ~ sb with** assaillir qn de [*questions*]; **to ~ sb with food/drink** ne cesser de remplir l'assiette/le verre de qn
C *vi* [*boat, bus*] faire la navette (**between** entre)

plywood /ˈplaɪwʊd/
A *n* contreplaqué *m*
B *modif* [*box, boat*] en contreplaqué; [*sheet*] de contreplaqué

pm ▸ **p. 1059** *adv* (*abrév* = **post meridiem**) **two pm** quatorze heures, deux heures de l'après-midi; **nine pm** vingt-et-une heures, neuf heures du soir

PM *n* GB *abrév* ▸ **Prime Minister**

PMG *n* **1** *abrév* ▸ **Paymaster General**; **2** *abrév* ▸ **Postmaster General**

PMS *n* (*abrév* = **premenstrual syndrome**) SPM *m*

PMT *n* (*abrév* = **premenstrual tension**) SPM *m*

PND *n* Med *abrév* ▸ **post-natal depression**

pneumatic /njuːˈmætɪk, US nuː-/ *adj* **1** Mech [*brakes, system, hammer*] pneumatique; **2** ○GB (rounded) [*woman*] bien roulé○; [*body*] bien fait; **to have a ~ figure** avoir des formes avantageuses

pneumatic drill *n* marteau *m* piqueur

pneumatics /njuːˈmætɪks, US nuː-/ *n* (+ *v sg*) pneumatique *f*

pneumatic tyre GB, ~ **tire** US pneu *m*

pneumoconiosis /ˌnjuːməʊˌkɒnɪˈəʊsɪs, US nuː-/ ▸ **p. 1327** *n* pneumoconiose *f*

pneumonia /njuːˈməʊnɪə, US nuː-/ ▸ **p. 1327** *n* pneumonie *f*

pneumothorax /njuːməʊˈθɔːræks, US nuː-/ *n* Med pneumothorax *m*

po○ /pəʊ/ *n* GB pot *m* de chambre

PO **1** *abrév* = **post office**; **2** *abrév* ▸ **postal order**

poach /pəʊtʃ/
A *vtr* **1** (hunt illegally) chasser [qch] illégalement [*game*]; pêcher [qch] illégalement [*fish*]; **2** fig (steal) débaucher [*staff, players*] (**from** de); s'approprier [*idea, information*] (**from** de); **3** Culin faire pocher [*fish, eggs*]
B *vi* **1** (hunt) lit braconner; **to ~ on sb's territory** fig empiéter sur le territoire de qn; **2** Sport (in tennis) *renvoyer la balle à la place de son partenaire*
C **poached** *pp adj* Culin [*egg, fish*] poché

poacher /ˈpəʊtʃə(r)/ *n* **1** (hunter) braconnier *m*; **2** Culin (pan) (for eggs) pocheuse *f*; (for fish) US poissonnière *f*

poaching /ˈpəʊtʃɪŋ/ *n* Hunt braconnage *m*

pock /pɒk/ *n* = **pockmark**

pocket /ˈpɒkɪt/
A *n* **1** (in garment) poche *f*; **jacket/trouser ~** poche de veste/de pantalon; **with one's hands in one's ~s** les mains dans les poches; **to put one's hand in one's ~** lit, fig mettre sa main dans sa poche; **to go through sb's ~s** faire les poches de qn; **to turn out one's ~s** vider *or* retourner ses poches; **he paid for it out of his own ~** il l'a payé de sa poche; **prices to suit every ~** fig des prix à la portée de tout le monde; **2** (in car door, suitcase, folder etc) poche *f*; **3** fig (small area) poche *f*; **~ of resistance/of opposition** poche *f or* foyer *m* de résistance/d'opposition; **4** Mining, Geol poche *f*; **air ~** Aviat trou *m* d'air; **5** (in billiards) bourse *f*
B *modif* [*calculator, flask, diary, dictionary, edition*] de poche
C *vtr* **1** (put in one's pocket) empocher, mettre [qch] dans sa poche; fig (keep for oneself) empocher [*money, profits*]; **2** US Pol **to ~ a bill** opposer un veto à une loi; **3** (in billiards) blouser
(Idioms) **to be in ~** GB être en fonds; **to be out of ~** GB en être de sa poche; **I'm £40 out of ~** j'ai 40 livres de moins en poche; **to have sb in one's ~** avoir qn dans sa poche; **to line one's ~s** se remplir les poches; **to live in each other's ~s** être tout le temps l'un sur l'autre; **to ~ one's pride** ravaler sa fierté

pocket battleship *n* cuirassé *m* de poche

pocket bike *n* minimoto *f*

pocket billiards *npl* **1** ▸ **p. 1253** Games billard *m* américain; **2** fig **to play ~**◑ jouer avec ses boules◑

pocketbook /ˈpɒkɪtbʊk/ *n* **1** (wallet) portefeuille *m*; **2** US (book) livre *m* de poche; **3** US (bag) sac *m* à main

pocket calculator *n* calculatrice *f* de poche, calculette *f*

pocketful /ˈpɒkɪtfʊl/ *n* poche *f* pleine (**of** de)

pocket-handkerchief /ˌpɒkɪtˈhæŋkətʃiːf/
A *n* pochette *f*
B *modif* [*garden, plot*] grand comme un mouchoir de poche

pocket: ~**knife** *n* couteau *m* de poche; ~ **money** *n* argent *m* de poche; ~**phone** *n* téléphone *m* de poche; ~**-size(d)** *adj* [*book, map, edition etc*] de poche; fig (tiny) tout petit; ~ **veto** *n* US Pol veto *m* implicite (*lorsque le Président ne signe pas un projet de loi dans les délais prévus*); ~ **watch** *n* montre *f* de gousset

pock: ~**mark** *n* cicatrice *f* (*de variole, d'acné etc*); ~**marked** *adj* [*skin, face*] grêlé

pod /pɒd/
A *n* **1** Bot (of peas, beans) (intact) gousse *f*; (empty) cosse *f*; (of vanilla) gousse *f*; **2** Aviat (for engine, weapons) nacelle *f*; (for fuel) bidon *m*; **3** Aerosp module *m*

P

ℹ Points of the compass

■ *abbreviated as*

north	=	nord	N
south	=	sud	S
east	=	est	E
west	=	ouest	O

■ nord, sud, est, ouest *is the normal order in French as well as English.*

northeast	=	nord-est	NE
northwest	=	nord-ouest	NO
north-northeast	=	nord-nord-est	NNE
east-northeast	=	est-nord-est	ENE

Where?

■ *Compass points in French are not normally written with a capital letter. However, when they refer to a specific region in phrases such as* I love the North *or* he lives in the North, *and it is clear where this North is, without any further specification such as* of France *or* of Europe, *then they are written with a capital letter, as they often are in English, too. In the following examples,* north *and* nord *stand for any compass point word.*

I love the North
= j'aime le Nord

to live in the North
= vivre dans le Nord

■ *Normally, however, these words do not take a capital letter:*

in the north of Scotland
= dans le nord de l'Écosse

Take care to distinguish this from

to the north of Scotland
(*i.e. further north than Scotland*)
= au nord de l'Écosse

in the south of Spain
= dans le sud de l'Espagne*

it is north of the hill
= c'est au nord de la colline

a few kilometres north
= à quelques kilomètres au nord

due north of here
= droit au nord

* *Note that the south of France is more usually referred to as* le Midi.

■ *There is another set of words in French for* north, south *etc., some of which are more common than others:*

(north) septentrion (*rarely used*)	septentrional(e)
(south) midi	méridional(e)
(east) orient	oriental(e)
(west) occident	occidental(e)

Translating *northern* etc.

a northern town
= une ville du Nord

a northern accent
= un accent du Nord

the most northerly outpost
= l'avant-poste le plus au nord

■ *Regions of countries and continents work like this:*

northern Europe
= l'Europe du Nord

the northern parts of Japan
= le nord du Japon

eastern France
= l'est de la France

■ *For names of countries and continents which include these compass point words, such as* North America *or* South Korea, *see the dictionary entry.*

Where to?

■ *French has fewer ways of expressing this than English has;* vers le *is usually safe:*

to go north
= aller vers le nord

to head towards the north
= se diriger vers le nord

to go northwards
= aller vers le nord

to go in a northerly direction
= aller vers le nord

a northbound ship
= un bateau qui se dirige vers le nord

■ *With some verbs, such as* to face, *the French expression changes:*

the windows face north
= les fenêtres donnent au nord

a north-facing slope
= une pente orientée au nord

■ *If in doubt, check in the dictionary.*

Where from?

■ *The usual way of expressing* from the *is* du:

it comes from the north
= cela vient du nord

from the north of Germany
= du nord de l'Allemagne

■ *Note also these expressions relating to the direction of the wind:*

the north wind
= le vent du nord

a northerly wind
= un vent du nord

prevailing north winds
= des vents dominants du nord

the wind is in the north
= le vent est au nord

the wind is coming from the north
= le vent vient du nord

Compass point words used as adjectives

■ *The French words* nord, sud, est *and* ouest *are really nouns, so when they are used as adjectives they are invariable.*

the north coast
= la côte nord

the north door
= la porte nord

the north face (of a mountain)
= la face nord

the north side
= le côté nord

the north wall
= le mur nord

Nautical bearings

■ *The preposition* by *is translated by* quart *in expressions like the following:*

north by northwest
= nord quart nord-ouest

southeast by south
= sud-est quart sud

B *vtr* (*p prés etc* **-dd-**) écosser [*beans, peas*]

podcast /ˈpɒdkɑːst, US -kæst/ Comput
A *n* podcast *m*, fichier *m* numérique téléchargeable audio ou vidéo
B ○ *vtr* podcaster, mettre à disposition sur un site internet des fichiers téléchargeables audio ou vidéo

podgy○ /ˈpɒdʒɪ/ *adj* grassouillet/-ette

podiatrist /pəˈdaɪətrɪst/ ▸ **p. 1683** *n* US pédicure *mf*

podiatry /pəˈdaɪətrɪ/ *n* US podologie *f*

podium /ˈpəʊdɪəm/ *n* (*pl* **-iums, -ia**) (for speaker, conductor) estrade *f*; (for winner) podium *m*

Podunk /ˈpɒdʌŋk/ *n* US bled○ *m* perdu

poem /ˈpəʊɪm/ *n* poème *m*

poet /ˈpəʊɪt/ *n* poète *m*

poetaster /ˌpəʊɪˈtæstə(r)/ *n* rimailleur *m*

poetess /ˈpəʊɪtes/ ▸ **p. 1683** *n* péj poétesse *f* pej

poetic /pəʊˈetɪk/ *adj* poétique

poetical /pəʊˈetɪkl/ *adj* poétique

poetically /pəʊˈetɪklɪ/ *adv* avec poésie

poeticize /pəʊˈetɪsaɪz/ *vtr* poétiser

poetic: **~ justice** *n* justice *f* immanente; **~ licence** GB, **~ license** US *n* licence *f* poétique

poetics /pəʊˈetɪks/ *n* (+ *v sg*) poétique *f*

poet laureate *n* poète *m* lauréat

> **Poet laureate**
>
> Le poète lauréat britannique est nommé à vie. Il est choisi parmi les plus grands poètes du pays pour écrire des vers à l'occasion des événements de portée nationale. Aux États-Unis, le poète lauréat est nommé tous les ans.

poetry /ˈpəʊɪtrɪ/ *n* poésie *f*; **to write/read ~** écrire/lire des poèmes *mpl*; **a collection of ~** un recueil de poèmes; **the ~ of Pope** la poésie de Pope; **~ reading** séance *f* de lecture de poésie

po-faced○ /ˈpəʊfeɪst/ *adj* GB **to look/be ~** avoir l'air pincé

pogo /ˈpəʊgəʊ/ *vi* danser le pogo

pogonip /ˈpəʊgəʊnɪp/ *n* US brouillard *m* glacial (*dans l'Ouest des États-Unis*)

pogo-stick /ˈpəʊgəʊstɪk/ *n* Games échasse *f* à ressort

pogrom /ˈpɒgrəm, US pəˈgrɒm/ *n* pogrom *m*; **a ~ against the Jews** un pogrom anti-juif

poignancy /ˈpɔɪnjənsɪ/ *n* (of situation, poem, play) caractère *m* poignant; **a song/moment of great ~** un chant/moment très émouvant; **to add ~ to sth** rendre qch plus poignant

poignant /ˈpɔɪnjənt/ *adj* poignant

poignantly /ˈpɔɪnjəntlɪ/ *adv* [*note, feel, describe*] de manière poignante; **the sacrifice was ~ vain** le sacrifice fut d'une futilité poignante

poinsettia /pɔɪnˈsetɪə/ *n* poinsettia *m*

point /pɔɪnt/
A *n* **1** (tip) (of knife, needle, pencil, tooth) pointe *f*; (of star) branche *f*; **the knife has a sharp ~** le couteau a la pointe très acérée; **the pencil has a sharp ~** le crayon est très bien taillé; **the tree comes to a ~ at the top** l'arbre se termine en pointe; **to threaten sb at knife ~** menacer qn avec un couteau
2 (place) (precise location, position on scale) point

m; (less specific) endroit *m*; **boiling ~** point d'ébullition; **compass ~** point de la boussole; **assembly ~** point de rassemblement; **embarkation ~** lieu *m* d'embarquement; **the furthest/highest ~** le point le plus éloigné/le plus élevé; **at the ~ where the path divides** à l'endroit où le chemin bifurque; **the road swings north at this ~** à cet endroit la route se dirige vers le nord; **~ of entry** (into country) point d'arrivée; (of bullet into body) point d'impact; (into atmosphere) point d'entrée; **~ of no return** point de non-retour

3 (extent, degree) point *m*; **the rope had been strained to breaking ~** la corde avait été tendue au point qu'elle pouvait se rompre; **his nerves were strained to breaking ~** il était très tendu; **to be driven to the ~ of exhaustion** être poussé jusqu'à l'épuisement; **I've got to the ~ where I can't take any more** j'en suis arrivé au point où je n'en peux plus; **to push sth to the ~ of absurdity** pousser qch jusqu'à l'absurde; **she was frank to the ~ of brutality** *ou* **of being brutal** elle était franche au point d'en être brutale; **to reach a ~ in sth when…** atteindre un stade dans qch où…; **up to a ~** jusqu'à un certain point

4 (moment) (precise) moment *m*; (stage) stade *m*; **to be on the ~ of doing** être sur le point de faire; **to be on the ~ of bankruptcy** être au bord de la faillite; **at this ~ I gave up** à ce stade-là j'ai abandonné; **at this ~ in her career** à ce stade-là de sa carrière; **at what ~ do we cease to feel sorry for him?** à quel moment cesse-t-on de le plaindre?; **at some ~ in the future** plus tard, **at one ~** à un moment donné; **the judge intervened at this ~** le juge est intervenu à ce moment-là; **it's at this ~ in the story that** c'est à ce stade de l'histoire que; **there comes a ~ when…** il arrive un moment où…; **when it came to the ~ of deciding** quand il a fallu décider; **at this ~ in time** dans l'état actuel des choses

5 (question, matter, idea) point *m*; (contribution in discussion) remarque *f*; **to make a ~** faire une remarque (**about** sur); **to make the ~ that** faire remarquer que; **you've made your ~, please let me speak** vous vous êtes exprimé, laissez-moi parler; **to make a ~ of doing** (make sure one does) s'efforcer de faire; (do proudly, insistently) mettre un point d'honneur à faire; (do obviously, to make a point) faire [qch] de manière visible; **to raise a ~ about sth** soulever la question de qch; **my ~ was that** ce que je voulais dire, c'était que; **to take up** *ou* **return to sb's ~** revenir sur un point soulevé par qn; **this proves my ~** cela confirme ce que je viens de dire; **are we agreed on this ~?** sommes-nous d 'accord sur ce point?; **a three/four-~ plan** un plan en trois/quatre points; **to go through a text ~ by ~** examiner un texte point par point; **the ~ at issue** le sujet de la discussion; **that's a good ~** c'est une remarque judicieuse; **I take your ~** (agreeing) je suis d'accord avec vous; **I take your ~, but** je vois bien où vous voulez en venir, mais; **all right, ~ taken!** très bien, j'en prends note; **good ~!** très juste!; **you've got a ~ there** vous n'avez pas tort; **in ~ of fact** en fait; **as a ~ of information** pour information

6 (central idea) point *m* essentiel; **the ~ is that** le point essentiel, c'est que; **the ~ is, another candidate has been selected** malheureusement, un autre candidat a été sélectionné; **to come straight to the ~** aller droit au fait; **he never got to the ~** il n'est jamais entré dans le vif du sujet; **to keep to** *ou* **stick to the ~** rester dans le sujet; **to miss the ~** ne pas comprendre; **I missed the ~ of what she said** je n'ai pas compris ce qu'elle a voulu dire; **to the ~** pertinent; **what she said was short and to the ~** ce qu'elle a dit était bref et pertinent; **that's beside the ~** là n'est pas la question; **what you're saying is beside the ~** ce que vous dites est à côté de la question; **to wander off the ~** s'écarter du sujet; **to see the ~** saisir; **to get the ~** comprendre; **that's not the ~** il ne s'agit pas de cela

7 (purpose) objet *m*; **what was the ~ of her visit?** quel était l'objet de sa visite?; **the exercise does have a ~** l'exercice n'est pas gratuit; **what's the ~?** à quoi bon? ; **what's the ~ of doing…?** à quoi bon faire…?; **there's no ~ in doing** ça ne sert à rien de faire; **I see little ~ in doing, I don't see the ~ of doing** je ne vois pas l'intérêt de faire

8 (feature, characteristic) point *m*, côté *m*; **his good/bad ~s** ses bons/mauvais côtés; **what ~s do you look for when buying a car?** que recherchez-vous lorsque vous achetez une voiture?; **punctuality is not her strong ~** la ponctualité n'est pas son point fort; **the ~s of similarity/difference between** les points communs/de divergence entre; **it's a ~ in their favour** c'est un point en leur faveur; **it has its ~s** il/elle n'est pas mauvais/-e

9 Sport, Fin (in scoring) point *m*; **to win/to be beaten by 4 ~s** gagner/être battu à 4 points près; **to win on ~s** (in boxing) remporter une victoire aux points; **the FT 100 was up/down three ~s** Fin l'indice FT 100 a gagné/perdu trois points; **Smurfit gained 4 ~s** Fin les actions Smurfit ont gagné 4 points; **to evaluate sth on a 5-~ scale** évaluer qch d'après une échelle à 5 degrés; **match/championship ~** (in tennis) balle *f* de match/championnat

10 (dot) point *m*; (decimal point) virgule *f*; (diacritic) signe *m* diacritique; **a ~ of light** un point lumineux

11 Math (in geometry) point *m*

12 Print, Comput (*also* **~ size**) corps *m* (de caractère)

13 Geog (headland) pointe *f*

B points *npl* **1** GB Rail aiguillages *mpl*, aiguilles *fpl*

2 Aut électrodes *fpl*

3 (in ballet) **to dance on ~(s)** faire des pointes *fpl*

C *vtr* **1** (aim, direct) **to ~ sth at sb** braquer qch sur qn [*camera, gun*]; **to ~ one's finger at sb** montrer qn du doigt; **to ~ the finger at sb** (accuser) accuser qn; **just ~ the camera and press** tu n'as qu'à viser avec l'appareil photo et appuyer; **to ~ sth towards** (of car, boat) diriger qch vers; **to ~ sb in the right direction** lit, fig mettre qn dans la bonne direction

2 (show) **to ~ the way to** lit (person, signpost) indiquer la direction de; **to ~ sb the way to** indiquer à qn la direction de; **the report ~s the way to a fairer system** le rapport ouvre la voie à un syst ème plus équitable

3 (in ballet, gym) **to ~ one's toes** faire des pointes

4 Constr jointoyer [*wall*]

D *vi* **1** (indicate) indiquer *or* montrer (du doigt); **it's rude to ~** ce n'est pas poli de montrer du doigt; **she ~ed over her shoulder** elle a indiqué derrière elle; **she ~ed in the direction of** elle a indiqué du doigt la direction de; **to ~ at sb/sth** montrer qn/qch du doigt; **he was ~ing with his stick at something** il indiquait quelque chose de son bâton; **to ~ to** désigner

2 (be directed, aligned) [*signpost, arrow*] indiquer; **to ~ at sb** *ou* **in sb's direction** [*gun, camera*] être braqué sur qn; **the needle ~s north** l'aiguille indique le nord; **the gun was ~ing straight at me** l'arme était braquée sur moi

3 (suggest) **to ~ to** [*evidence, facts*] sembler indiquer; **all the evidence ~s to murder** les preuves semblent indiquer qu'il s'agit d'un meurtre; **everything ~s in that direction** tout semble indiquer que c'est ainsi

4 (cite) **to ~ to** citer; **to ~ to sth as evidence of success** citer qch comme preuve d'une réussite

5 Comput **to ~ at sth** mettre le pointeur sur qch

6 [*dog*] se mettre à l'arrêt

(Phrasal verbs) ■ **point out: ▸ ~ out [sth/sb], ~ [sth/sb] out** (show) montrer (**to** à); **can you ~ him out to me?** peux-tu me le montrer?; **to ~ out where/who** montrer l'endroit où/la personne qui; **▸ ~ out [sth]** (remark on) faire remarquer [*fact, discrepancy*]; **to ~ out that** faire remarquer que; **as he ~ed out** comme il l'a fait remarquer

■ **point up: ▸ ~ up [sth]** mettre [qch] en avant [*contrast, similarity*]; faire ressortir [*lack, incompetence*]

point-blank /ˌpɔɪnt'blæŋk/

A *adj* **at ~ range** à bout portant

B *adv* **1** lit [*shoot*] à bout portant; **2** fig [*refuse, deny*] catégoriquement; [*ask*] à brûle-pourpoint, de but en blanc; [*reply*] de but en blanc

point duty *n* GB **to be on ~** [*policeman*] être affecté à la circulation

pointed /'pɔɪntɪd/ *adj* **1** (sharp) [*hat, stick, chin*] pointu; [*window*] en pointe; [*arch*] en ogive; **2** [*remark, reference, question*] qui vise quelqu'un; **her ~ remarks were not lost on me** les remarques qui me visaient ne m'ont pas échappé

pointedly /'pɔɪntɪdlɪ/ *adv* [*ignore, look*] ostensiblement; **somewhat ~, he remained silent** assez ostensiblement, il a gardé le silence

pointer /'pɔɪntə(r)/ *n* **1** (piece of information) indication *f*; **a ~ to sth** une indication concernant qch; **to give sb a few ~s to a problem** donner à qn quelques indications quant à l'approche d'un problème; **2** (dog) (breed) pointer *m*; Hunt chien *m* d'arrêt; **3** (for teaching) baguette *f*; **4** (on projector screen) flèche *f*; **5** Comput pointeur *m*

pointillism /'pɔɪntɪlɪzəm, 'pwæntiːlɪzəm/ *n* pointillisme *m*

pointing /'pɔɪntɪŋ/ *n* Constr jointoiement *m*

pointless /'pɔɪntlɪs/ *adj* [*request, demand, activity*] absurde; [*gesture*] inutile; [*attempt*] vain; **it's ~ to do/for me to do** ça ne sert à rien de faire/que je fasse

pointlessly /'pɔɪntlɪslɪ/ *adv* pour rien

pointlessness /'pɔɪntlɪsnɪs/ *n* absurdité *f*

point: **~ of contact** *n* contact *m*; **~ of delivery** *n* Comm point *m* de livraison; **~ of departure** *n* point *m* de départ, **~ of law** *n* point *m* de droit

point of order *n* question *f* relative à la procédure; **to reject sth on a ~** rejeter qch conformément à la procédure

point: **~ of principle** *n* point *m* de principe; **~ of reference** *n* point *m* de référence; **~ of sale** *n* point *m* de vente; **~-of-sale advertising** *n* publicité *f* sur les lieux de vente, PLV *f*; **~-of-sale terminal** *n* terminal *m* point de vente, TPV *m*

point of view *n* point *m* de vue; **to see sth from her ~** voir qch de son point de vue; **it depends on your ~** cela dépend de quel point de vue on se place

point: **~sman** ▸ **p. 1683** *n* GB Rail aiguilleur *m*; **~(s) system** *n* système *m* de points; **~-to-point** *n* Equit course *f* d'obstacles en extérieur

pointy /'pɔɪntɪ/ *adj* pointu

poise /pɔɪz/

A *n* **1** (aplomb) sang-froid *m inv*; **2** (confidence) assurance *f*; **3** (physical elegance) aisance *f*

B *vtr* tenir [*javelin, spade*]

poised /pɔɪzd/ *adj* **1** (self-possessed) [*person*] plein d'assurance; [*manner*] posé; **2** (elegant) plein d'aisance; **3** (suspended) [*pen, knife, hand*] en suspens; **~ in mid-air** suspendu dans l'air; **she sat there, pen ~** elle était assise, prête à écrire; **4** (balanced) **to be ~ on** lit se tenir sur [*rock, platform, cliff*]; **the power was ~ between ministers and businessmen** fig les ministres et les hommes d'affaires se partageaient le pouvoir; **~ on the brink of a great discovery** fig à la veille d'une grande découverte; **5** (on the point of) **to be ~ to do** être sur le point de faire; **to be ~ for sth** être prêt pour qch

poison /'pɔɪzn/

A *n* **1** lit, fig poison *m*; **to take ~** s'empoisonner; **2** ○†(drink) **what's your ~?** qu'est-ce que tu bois?, tu te soûles○ à quoi?

P

B vtr [person] empoisonner [person, animal] (**with** avec); [lead, chemical fumes] intoxiquer; (make poisonous) empoisonner [dart, arrowtip]; mettre du poison dans [foodstuffs, water]; Ecol (contaminate) empoisonner [environment, air, rivers] (**with** avec); fig (damage) empoisonner [relationship, life]; **to have a ~ed finger/toe** avoir une infection au doigt/à l'orteil; **to ~ sb's mind** corrompre l'esprit de qn; **they've ~ed his mind against his family** ils l'ont dressé contre sa famille

(Idiom) **to hate sb like ~** avoir qn en horreur

poisoner /'pɔɪzənər/ n empoisonneur/-euse m/f

poison gas n gaz m asphyxiant or toxique

poisoning /'pɔɪzənɪŋ/ n empoisonnement m; **alcoholic/cyanide ~** empoisonnement par l'alcool/au cyanure

poison ivy, **poison oak** n Bot sumac m vénéneux; Med (rash) urticaire f (provoquée par le sumac vénéneux)

poisonous /'pɔɪzənəs/ adj [1] (noxious) [chemicals, fumes, gas] toxique; [plant, mushroom, berry] vénéneux/-euse, toxique; Zool [snake, insect, bite, sting] venimeux/-euse; **the coffee's absolutely ~○!** le café est infect!; [2] fig (vicious) [rumour, propaganda, ideology] pernicieux/-ieuse; [person] malveillant

poison: **~-pen letter** n lettre f anonyme pleine de venin; **~ pill** n Fin *tactique qui consiste à décourager d'éventuels acquéreurs d'une société en vendant une OPA très coûteuse*

Poitou-Charentes ▸ **p. 1243** pr n Poitou-Charentes m; **in/to ~** dans le Poitou-Charentes

poke /pəʊk/

A n [1] (prod) coup m; **a ~ in the eye** lit un coup dans l'œil; fig un camouflet; **to give the fire a ~** tisonner le feu; [2] (punch) coup m de poing; **to take a ~ at sb** lit envoyer un coup de poing à qn; fig envoyer une pierre dans le jardin de qn; [3] ●(sex) coup● m; **to have a ~** tirer un coup●

B vtr [1] (jab, prod) pousser [person]; donner un coup dans [pile, substance]; tisonner [fire] **to ~ sb in the ribs/the eye** donner un coup dans les côtes/l'œil de qn; **to ~ oneself in the eye with a pencil** se mettre un crayon dans l'œil; **he ~d his food with his fork** il inspecta le contenu de son assiette avec sa fourchette; [2] (push, put) **to ~ sth into** enfoncer qch dans [hole, pot]; **to ~ one's finger into a hole/pot** mettre le doigt dans un trou/pot; **to ~ one's finger up one's nose** se mettre le doigt dans le nez; **to ~ one's head round the door/out of the window** passer la tête par la porte/par la fenêtre; **to ~ food through the bars** passer de la nourriture à travers les barreaux; [3] (pierce) **to ~ a hole in sth** percer qch, faire un trou dans qch (**with** avec)

C vi ▸ **poke at**, **poke out**, **poke up**

(Idiom) **it's better than a ~ in the eye (with a sharp stick)** c'est mieux que rien

(Phrasal verbs) ■ **poke around**, **poke about** GB fouiner, farfouiller (**in** dans; **for** pour trouver)

■ **poke at**: ▸ **~ at [sth]** chipoter devant [food, plate]

■ **poke out**: ▸ **~ out** [elbow, toe, blade, spring] dépasser; [flower] poindre; **to ~ out through** [spring, stuffing] dépasser [hole, old mattress]; [flower] poindre à travers [snow, rubble]; **to ~ out from under** dépasser de dessous [bed, covers]; ▸ **to ~ out [sth]**, **to ~ [sth] out** sortir [head, nose, tongue]; **to ~ sb's eye out** crever l'œil de qn

■ **poke up** [flower, shoot] poindre (**through** à travers)

poker /'pəʊkə(r)/ ▸ **p. 1253** n [1] (for fire) tisonnier m, pique-feu m inv; [2] (cardgame) poker m

(Idiom) **(as) stiff as a ~** raide comme la justice

poker dice npl dés mpl de poker d'as; **to play ~** jouer au poker d'as

poker-faced /'pəʊkəfeɪst/ adj [person] au visage impénétrable; [look] impénétrable

pokerwork /'pəʊkəwɜːk/ n pyrogravure f

pokey○ /'pəʊkɪ/ n taule◑ f

poky /'pəʊkɪ/ adj [1] (small) [room] minuscule; [2] ○US (slow) [waiter] lambin○

pol◑ US /pɒl/ n politicien/-ienne m/f

Polack○ /'pəʊlæk/ n injur polaque○ mf offensive

Poland /'pəʊlənd/ ▸ **p. 1096** pr n Pologne f

polar /'pəʊlə(r)/ adj Geog, Elec [icecap, lights, region] polaire; [attraction] (one) du pôle; (both) des pôles; **to be ~ opposites** fig être des pôles opposés

polar bear n ours m polaire

polarimeter /,pəʊlə'rɪmɪtə(r)/ n polarimètre m

Polaris /pə'lɑːrɪs/ n Mil, Nucl missile m Polaris

polarity /pə'lærətɪ/ n [1] Elec, Phys polarité f; **reversed ~** polarité opposée; [2] fig opposition f

polarization /,pəʊləraɪ'zeɪʃn, US -rɪ'z-/ n [1] Elec, Phys polarisation f; [2] fig (split) divergence f (**of** de)

polarize /'pəʊləraɪz/

A vtr [1] Elec, Phys polariser; **~d sun glasses** lunettes de soleil polarisantes; [2] (divide) diviser [opinion]; [3] (focus) polariser

B vi (divide) [opinions] diverger

Polaroid® /'pəʊlərɔɪd/

A n (photograph) photo f polaroïd®; (camera) polaroïd® m; (glass) polaroïd® m

B modif [camera, film, glass, photograph] polaroïd® inv

C **Polaroids**® npl lunettes fpl polaroïd®; **a pair of ~s**® une paire de lunettes polaroïd®

polder /'pəʊldə(r)/ n polder m

pole /pəʊl/

A n [1] (stick) gen perche f; (for tent, flag) mât m; (for athletics, boat, garden) perche f; Equit barre f; (for skiing) bâton m; (piste marker) piquet m; (for scaffolding) perche f; [2] Geog, Phys pôle m; **North/South ~** pôle m Nord/Sud; **negative/positive ~** pôle m négatif/positif; **to go from ~ to ~** fig faire le tour de la terre; **to be at the opposite ~ from** fig être aux antipodes de; [3] Fishg canne f à pêche; [4] Meas ≈ 5 mètres

B vtr pousser [qch] à la perche [boat]

(Idioms) **to be up the ~**○ (wrong) se tromper; (mad) être toqué○; **to be ~s apart** [theories, methods] être aux antipodes; [people] être vraiment différents; [opinions] être diamétralement opposés; **I wouldn't touch him with a ten-foot ~** US je ne voudrais rien avoir à faire avec lui; **I wouldn't touch it with a ten-foot ~** US je ne voudrais de cela pour rien au monde

Pole /pəʊl/ ▸ **p. 1467** n Polonais/-e m/f

poleaxe GB, **poleax** US /'pəʊlæks/

A n hache f d'armes

B vtr assommer [person, animal]

pole-axed○ /'pəʊlækst/ adj **to be ~** être renversé (par la surprise)

polecat /'pəʊlkæt/ n [1] (ferret) putois m; [2] US (skunk) mouf(f)ette f

polemic /pə'lemɪk/ n polémique f (**about** sur); **a ~ against sb/sth** un réquisitoire contre qn/qch; **a ~ on behalf of sb/sth** un plaidoyer en faveur de qn/qch

polemical /pə'lemɪkl/ adj polémique

polemicist /pə'lemɪsɪst/ n polémiste mf

polemics /pə'lemɪks/ npl polémique f ¢

pole position n pole position f; **to be in/to have ~** lit être en/avoir la pole position; **to be in ~** fig être à la meilleure place

pole star /'pəʊlstɑː(r)/ n Astron étoile f polaire; fig principe m directeur

pole vault /'pəʊlvɔːlt/

A n saut m à la perche

B vi faire du saut à la perche

pole: **~ vaulter** /'pəʊlvɔːltə(r)/ n perchiste mf; **~ vaulting** ▸ **p. 1253** n saut m à la perche

police /pə'liːs/

A n [1] (+ v pl) (official body) **the ~** gen la police; (in France outside cities) la gendarmerie; **to be in the ~** être dans la police; **to assist the ~ with their enquiries** euph être interrogé par la police; [2] (men and women) policiers mpl; (in France, outside cities) gendarmes mpl

B modif [action, involvement, intervention, protection] de la police; [raid, car, operation, vehicle] de police; [presence, escort] policier/-ière

C vtr [1] (keep order) maintenir l'ordre dans [area]; [2] (patrol) [area, frontier] surveiller; [3] (staff with police) **to ~ a demonstration/a match** organiser le service d'ordre pour une manifestation/un match; [4] (monitor) contrôler l'application de [measures, regulations]

police: **~ academy** n US = **police college**; **~ cell** n cellule f (dans un poste de police); **~ chief** n commissaire m divisionnaire; **~ college** n centre m de formation de la police; **Police Complaints Authority** n GB ≈ inspection f générale des services; **~ constable**, **PC** n agent m de police; (female) femme f agent (de police); **~ court** n *tribunal de police et correctionnel*

police custody n garde f à vue; **to be in ~** être en garde à vue

police: **Police Department**, **PD** n US services mpl de police (d'une ville); **~ dog** n chien m policier

police force n police f, forces fpl de l'ordre; **to join the ~** entrer dans la police

police: **~ headquarters** npl administration f centrale de la police; **~man** n agent m de police, gardien m de la paix; (in France, outside cities) gendarme m; **~ officer** n policier m

police record n casier m judiciaire; **to have no ~** avoir un casier judiciaire vierge

police: **~ state** n péj État m policier; **~ station** n poste m de police; (larger) commissariat m; (in France outside cities) gendarmerie f; **~ van** n fourgon m cellulaire, panier m à salade○; **~woman** n femme f policier; **~ work** n (detection) investigations fpl policières

policing /pə'liːsɪŋ/

A n [1] (maintaining law and order) maintien m de l'ordre; **the ~ of our city streets** le maintien de l'ordre dans nos rues; [2] (patrolling) surveillance f; **the ~ of the border** la surveillance de la frontière; [3] (staffing with police) organisation f du service d'ordre; **the ~ of football matches/demonstrations** l'organisation du service d'ordre pour les matchs/manifestations; [4] (monitoring) contrôle m; **the ~ of the new regulations** le contrôle de l'application des nouveaux règlements

B modif [measures, system, strategy] (at strike, demonstration, match) de maintien de l'ordre

policy /'pɒlɪsɪ/

A n [1] (political line) politique f (**on** sur); **economic/foreign ~** politique f économique/étrangère; **government ~** politique f du gouvernement; **to make ~** formuler une politique; [2] (administrative rule) politique f; **company ~** politique f de l'entreprise; **it is our ~ to do** nous avons pour politique de faire; **to have** ou **follow a ~ of doing** avoir politique de faire; **they make it their ~ to do** ils ont pour règle de faire; **it is our ~ that** nous avons pour règle que (+ subj); **it's a matter of ~** c'est une question de principe (**to do** que de faire); **our company has a no-smoking ~** notre société a mis en place des mesures de restriction du tabagisme; [3] Insur (type of cover) contrat m; (document) police f; **to take out a ~** contracter une assurance

B modif [decision, statement] de principe; [discussion, matter, meeting, paper] de politique générale

policy: **~holder** *n* Insur assuré/-e *m/f*; **~ maker** *n* décideur *m*

policy-making /ˈpɒləsɪmeɪkɪŋ/
A *n* décisions *fpl*
B *adj* [*body, group*] de décision (*after n*)

policy unit *n* comité *m* de conseillers politiques

polio /ˈpəʊlɪəʊ/ ▸ p. 1327 *n* (*abrév* = **poliomyelitis**) polio *f*

poliomyelitis /ˌpəʊlɪəʊˌmaɪəˈlaɪtɪs/ ▸ p. 1327 *n* poliomyélite *f*

polish /ˈpɒlɪʃ/
A *n* **1** (substance) (for wood, floor, furniture) cire *f*; (for shoes) cirage *m*; (for brass, silver) pâte *f* à polir; (for car) lustre *m*; **2** (action) **to give sth a ~** (dust) faire reluire *or* briller qch; (put polish on) cirer qch; **3** (shiny surface) éclat *m*; **to lose its ~** perdre son éclat; **table with a high ~** table *f* vernie; **4** fig (elegance) (of manner, performance) brio *m*; (of person) chic *m*
B *vtr* **1** lit cirer [*shoes, wood, floor, furniture*]; astiquer [*leather, car, glass, glasses, silver, brass*]; polir [*stone, jet, marble*]; **2** fig (refine) soigner [*performance, act, image*]; affiner [*manner, style*]
C *vi* cirer

Phrasal verbs ■ **polish off**○: ▸ **~ off [sth], ~ [sth] off** **1** (eat, finish) expédier○ [*food, meal, job, task*]; **2** (see off, beat or kill) liquider○ [*opponent, team, rival*]
■ **polish up**: ▸ **~ up [sth], ~ [sth] up** **1** lit astiquer [*glass, car, cutlery, silver*]; cirer [*wood, floor, table*]; **2** ○(perfect) parfaire [*Spanish, piano playing*]; perfectionner [*sporting skill*]; **to ~ up one's act** fignoler○ son numéro

Polish /ˈpəʊlɪʃ/ ▸ p. 1467, p. 1378
A *n* **1** Ling polonais *m*; **2** (people) **the ~** (+ *v pl*) les Polonais
B *adj* polonais

polished /ˈpɒlɪʃt/ *adj* **1** lit [*surface, wood*] poli; [*floor, shoes*] ciré; [*silver, brass*] astiqué; **highly ~** reluisant; **2** fig (refined) [*person, manner*] raffiné; **3** (accomplished) [*performance, production, speech*] (bien) rodé

polisher /ˈpɒlɪʃə(r)/ ▸ p. 1683 *n* **1** (machine) (for floor) cireuse *f*; (for stones, gems) polisseuse *f*; **2** (person) polisseur *m*

polite /pəˈlaɪt/ *adj* poli (**to** avec, envers fml); **to be ~ about sth** faire des commentaires polis sur qch; **when I complimented her I was only being ~** quand je l'ai complimentée c'était uniquement par politesse; **to make ~ conversation** échanger des politesses; **I made ~ noises about his present** je l'ai remercié de son cadeau pour la forme; **in ~ company** *ou* **society** en bonne société; **to keep a ~ distance** rester à une distance respectueuse; **to use the ~ form** Ling utiliser le vouvoiement, vouvoyer

politely /pəˈlaɪtlɪ/ *adv* poliment

politeness /pəˈlaɪtnɪs/ *n* politesse *f*; **out of ~** par politesse

politic /ˈpɒlətɪk/ *adj* sout (wise) **it is** *ou* **would be ~ to do** il serait avisé de faire; **to find** *ou* **feel it ~ to do** trouver plus avisé de faire; ▸ **body politic**

political /pəˈlɪtɪkl/ *adj* politique; **he's a ~ animal** c'est un politicien né

political: **~ act** *n* acte *m* politique; **~ action committee, PAC** *n* US comité *m* de soutien; **~ analyst** ▸ p. 1683 *n* commentateur/-trice *m/f* politique; **~ asylum** *n* asile *m* politique; **~ colour** *n* couleur *f* politique; **~ commentator** *n* = **political analyst**; **~ correctness, PC** *n*: *attitude idéologique qui s'applique à n'offenser ni brimer aucune minorité*; **~ economy** *n* économie *f* politique

political football *n* enjeu *m* politique; **the parties are playing ~** les partis politiques se renvoient la balle

politically /pəˈlɪtɪklɪ/ *adv* [*motivated, biased*] politiquement; **~ speaking** du point de vue politique

politically correct, PC *adj* politiquement correct

> **Politically correct, PC**
> Apparue dans les années 1980, la notion de 'politiquement correct' désigne les comportements et formes d'expression qui ne trahissent aucun préjugé sexuel, raciste ou xénophobe afin de ne choquer personne. Si certains changements de formulation rétablissent une vérité historique (*African American* plutôt que *Black*, ou *Native American* plutôt que *Indian*), certains euphémismes semblent excessifs, par exemple *involuntarily leisured* pour exprimer *unemployed*.

politically: **~-minded** *adj* [*person*] tourné vers la politique; **~-sensitive** *adj* [*issue, problem*] délicat sur le plan politique

political: **~ prisoner** *n* prisonnier/-ère *m/f* politique; **~ refugee** *n* réfugié/-e *m/f* politique; **~ science** *n* sciences *fpl* politiques; **~ scientist** ▸ p. 1683 *n* spécialiste *mf* en sciences politiques

politician /ˌpɒlɪˈtɪʃn/ ▸ p. 1683 *n* **1** Pol (man) homme *m* politique; (woman) femme *f* politique; **2** US péj politicard○ *m*

politicization /pəˌlɪtɪsaɪˈzeɪʃn/ *n* politisation *f*

politicize /pəˈlɪtɪsaɪz/ *vtr* politiser

politicking /ˈpɒlətɪkɪŋ/ *n* péj politique *f* politicienne

politico /pəˈlɪtɪkəʊ/
A *n* (*pl* **~s**) US péj (politician) politicard *m*
B **politico+** (*dans composés*) politico-

politics /ˈpɒlətɪks/
A *n* **1** (+ *v sg*) (political life, affairs) politique *f*; **English/local ~** la politique anglaise/locale; **to talk ~**○ parler politique○; **to make a career in ~** se lancer dans la politique; **2** (+ *v sg*) Sch, Univ sciences *fpl* politiques; **3** (+ *v pl*) (political views) opinions *fpl* politiques; **4** péj (+ *v pl*) (manoeuvering) **office ~** intrigues *fpl* au bureau
B *modif* Univ, Sch [*exam, student*] en sciences politiques; [*teacher, course*] de sciences politiques

polity /ˈpɒlətɪ/ *n* (form of government) régime *m* politique; (state) État *m*

polka /ˈpɒlkə, US ˈpəʊlkə/ *n* polka *f*

polka dot
A *n* pois *m*
B *modif* [*pattern, garment*] à pois

poll /pəʊl/
A *n* **1** (vote casting) scrutin *m*, vote *m*; (election) élections *fpl*; (number of votes cast) voix *fpl*, suffrages *mpl*; (counting of votes) dépouillement *m* (du scrutin); **to take a ~ on** procéder à un vote sur; **on the eve of the ~** à la veille des élections; **the result of the ~** les résultats du scrutin; **to top** *ou* **head the ~** arriver en tête du scrutin; **they got 45% of the ~** ils ont obtenu 45% des suffrages exprimés; **a light/heavy ~** une faible/forte participation électorale; **there was a 75% ~** le taux de participation aux élections a été de l'ordre de 75%; **to go to the ~s** se rendre aux urnes; **the party sustained a heavy defeat at the ~s** le parti a subi une lourde défaite aux élections; **2** (list of voters) liste *f* électorale; (list of taxpayers) liste *f* de contribuables; **3** (survey) sondage *m* (**on** sur); **to conduct a ~** effectuer un sondage; **a ~ of teachers/workers** un sondage effectué auprès des enseignants/ouvriers
B *vtr* **1** (obtain in election) obtenir [*votes*]; **2** (canvass) interroger [*group*]; **a majority of those ~ed were against censorship** une majorité des personnes interrogées étaient contre la censure; **3** Comput interroger
C *vi* **1** (obtain votes) **to ~ badly/well** recueillir peu de/beaucoup de voix; **2** (cast vote) voter

pollack, pollock /ˈpɒlək/ *n* Zool lieu *m* jaune

pollard /ˈpɒləd/ *vtr* étêter [*tree*]

pollen /ˈpɒlən/ *n* pollen *m*

pollen: **~ count** *n* taux *m* de pollen dans l'atmosphère; **~ sac** *n* sac *m* pollinique

pollinate /ˈpɒləneɪt/ *vtr* polliniser

pollination /ˌpɒləˈneɪʃn/ *n* pollinisation *f*

polling /ˈpəʊlɪŋ/ *n* **1** (voting) vote *m*; (election) élections *fpl*; (turnout) participation *f* électorale; **~ was light/heavy** la participation électorale était faible/forte; **2** Comput interrogation *f*

polling: **~ booth** *n* isoloir *m*; **~ day** *n* jour *m* des élections; **~ place** *n* US = **polling station**; **~ station** *n* bureau *m* de vote

pollster /ˈpəʊlstə(r)/ *n* sondeur *m*; **according to the ~s** d'après les instituts de sondage

poll tax *n* GB ≈ impôts *mpl* locaux.

> ⚠ Le terme officiel était **community charge**. Il a été remplacé par **council tax** en avril 1993

pollutant /pəˈluːtənt/ *n* polluant *m*

pollute /pəˈluːt/ *vtr* **1** Ecol polluer (**with** avec); **2** fig (morally) corrompre; (physically) souiller

polluter /pəˈluːtə(r)/ *n* pollueur/-euse *m/f*

pollution /pəˈluːʃn/
A *n* **1** Ecol pollution *f* (**of** de); **noise/oil ~** pollution sonore/par les hydrocarbures; **2** fig (moral) corruption *f*
B *modif* [*level, control, test*] de pollution; [*measures*] contre la pollution

Pollyanna /ˌpɒlɪˈænə/ *n* US optimiste *f* béate

polo /ˈpəʊləʊ/
A *n* **1** ▸ p. 1253 Equit, Sport polo *m*; **2** GB (sweater) col roulé *m*
B *modif* Equit, Sport [*match, player, stick etc*] de polo

polonaise /ˌpɒləˈneɪz/ *n* Dance, Mus polonaise *f*

polo: **~ neck** *n* GB (collar, sweater) col *m* roulé; **~ neck sweater** *n* pull *m* à col roulé

poltergeist /ˈpɒltəgaɪst/ *n* esprit *m* frappeur

poltroon‡ /pɒlˈtruːn/ *n* littér poltron/-onne *m/f*

poly /ˈpɒlɪ/
A ○*n* GB *abrév* ▸ **polytechnic**
B **poly+** (*dans composés*) poly-

polyandrous /ˌpɒlɪˈændrəs/ *adj* Bot, Sociol polyandre

polyandry /ˈpɒlɪændrɪ/ *n* polyandrie *f*

polyanthus /ˌpɒlɪˈænθəs/ *n* (*pl* **~** *ou* **-thuses**) primevère *f*

polyarchy /ˈpɒlɪɑːkɪ/ *n* polyarchie *f*

polychromatic /ˌpɒlɪkrəʊˈmætɪk/ *adj* polychromatique

polychrome /ˈpɒlɪkrəʊm/
A *n* objet *m* d'art polychrome
B *adj* polychrome

polychromy /ˈpɒlɪkrəʊmɪ/ *n* polychromie *f*

polycotton /ˌpɒlɪˈkɒtn/
A *n* polyester *m* et coton *m*
B *modif* [*sheets*] en polyester et coton

polycystic /ˌpɒlɪˈsɪstɪk/ *adj* Med polykystique

polyester /ˌpɒlɪˈestə(r)/
A *n* polyester *m*
B *modif* [*garment etc*] en *or* de polyester

polyethylene /ˌpɒlɪˈeθəliːn/ *n* = **polythene**

polygamist /pəˈlɪgəmɪst/ *n* polygame *mf*

polygamous /pəˈlɪgəməs/ *adj* polygame

polygamy /pəˈlɪgəmɪ/ *n* polygamie *f*

polyglot /ˈpɒlɪglɒt/ *n, adj* polyglotte (*mf*)

polygon /ˈpɒlɪgən, US -gɒn/ *n* polygone *m*

polygonal /pəˈlɪgənl/ *adj* polygonal

polygraph /ˈpɒlɪgrɑːf, US -græf/
A *n* détecteur *m* de mensonges
B *modif* [*test*] de détection de mensonges

P

polyhedral /ˌpɒlɪˈhedrəl/ *adj* [*form*] polyédrique; [*angle*] polyèdre

polyhedron /ˌpɒlɪˈhiːdrən, US -drɒn/ *n* polyèdre *m*

polymath /ˈpɒlɪmæθ/ *n* esprit *m* universel

polymer /ˈpɒlɪmə(r)/ *n* polymère *m*

polymorphism /ˌpɒlɪˈmɔːfɪzəm/ *n* polymorphisme *m*

polymorphous /ˌpɒlɪˈmɔːfəs/ *adj* polymorphe

Polynesia /ˌpɒlɪˈniːʒə/ *pr n* Polynésie *f*

Polynesian /ˌpɒlɪˈniːʒn/ ▸ **p. 1467, p. 1378**
A *n* ① (person) Polynésien/-ienne *m/f*; ② (language) polynésien *m*
B *adj* polynésien/-ienne

polynomial /ˌpɒlɪˈnəʊmɪəl/
A *n* polynôme *m*
B *adj* polynomial

polyp /ˈpɒlɪp/ *n* Med, Zool polype *m*

polyphase /ˈpɒlɪfeɪz/ *adj* polyphasé

polyphonic /ˌpɒlɪˈfɒnɪk/ *adj* polyphonique

polyphony /pəˈlɪfənɪ/ *n* polyphonie *f*

polypropylene /ˌpɒlɪˈprəʊpɪliːn/ *n* polypropylène *m*

polypus /ˈpɒlɪpəs/ *n* = **polyp**

polysemous /ˌpɒlɪˈsiːməs/ *adj* polysémique

polysemy /ˌpɒlɪˈsiːmɪ/ *n* polysémie *f*

polystyrene /ˌpɒlɪˈstaɪriːn/
A *n* polystyrène *m*; **expanded ~** polystyrène expansé
B *modif* [*packaging, tile*] en polystyrène

polystyrene: **~ cement** *n* colle *f* polystyrène; **~ chips** *npl* billes *fpl* de polystyrène

polysyllabic /ˌpɒlɪsɪˈlæbɪk/ *adj* polysyllabique

polysyllable /ˈpɒlɪsɪləbl/ *n* polysyllabe *m*

polytechnic /ˌpɒlɪˈteknɪk/ *n* GB établissement *m* d'enseignement supérieur

polytheism /ˈpɒlɪθiːɪzəm/ *n* polythéisme *m*

polytheistic /ˌpɒlɪθiːˈɪstɪk/ *adj* polythéiste

polythene /ˈpɒlɪθiːn/ GB
A *n* polyéthylène *m*
B *modif* [*sheeting*] de polyéthylène; **~ bag** sac *m* en plastique

polyunsaturated /ˌpɒlɪʌnˈsætʃəreɪtɪd/ *adj* [*fat*] polyinsaturé

polyunsaturates /ˌpɒlɪʌnˈsætʃərɪts/ *npl* acides *mpl* gras polyinsaturés; **high in ~** riche en acides gras polyinsaturés

polyurethane /ˌpɒlɪˈjʊərəθeɪn/ *n*, *modif* polyuréthane (*m*)

polyvalent /ˌpɒlɪˈveɪlənt/ *adj* polyvalent

polyvinyl /ˌpɒlɪˈvaɪnɪl/
A *n* polyvinyle *m*
B *modif* [*acetate, chloride*] de polyvinyle; [*resin*] polyvinylique

pom○ /pɒm/ *n* Austral injur = **pommy**

pomade /pəˈmɑːd/
A *n* brillantine *f*
B *vtr* brillantiner

pomander /pəˈmændə(r)/ *n* diffuseur *m* de parfum

pomegranate /ˈpɒmɪgrænɪt/ *n* ① (fruit) grenade *f*; ② (tree) grenadier *m*

pomelo /ˈpʌmələʊ/ *n* (fruit, tree) pomelo *m*

Pomeranian /ˌpɒməˈreɪnɪən/ *n* (dog) loulou *m* de Poméranie

pommel /ˈpʌml/
A *n* ① (on saddle, sword) pommeau *m*; ② (in gymnastics) poignée *f*
B *vtr* = **pummel**

pommel horse *n* (in gymnastics) cheval *m* d'arçons

pommy○ /ˈpɒmɪ/ *n* Austral injur Anglais/-e *m/f*

pomp /pɒmp/ *n* pompe *f*; **with great ~** en grande pompe; **~ and circumstance** grand apparat

Pompeii /pɒmˈpeiː/ ▸ **p. 1815** *pr n* Pompéi

Pompey /ˈpɒmpɪ/ *pr n* Pompée

pompom, **pompon** /ˈpɒmpɒm/ *n* pompon *m*

pompom girl *n* US majorette *f*

pomposity /pɒmˈpɒsətɪ/ *n* (of manner) air *m* pompeux; (of voice) ton *m* pompeux

pompous /ˈpɒmpəs/ *adj* [*person*] plein de suffisance; [*air, speech, style*] pompeux/-euse

pompously /ˈpɒmpəslɪ/ *adv* [*speak*] d'un ton pompeux; [*behave*] de manière pompeuse

ponce○† /pɒns/ GB
A *n* ① (pimp) souteneur *m*, maquereau○ *m*; ② péj (homosexual) tapette○ *f*; **he looks a ~** il fait tapette○

(Phrasal verb) ■ **ponce about**○, **ponce around**○ (show off) se pavaner

poncho /ˈpɒntʃəʊ/ *n* (*pl* **~s**) poncho *m*

pond /pɒnd/ *n* (large) étang *m*; (in garden) bassin *m*; (stagnant, for ducks) mare *f*

ponder /ˈpɒndə(r)/
A *vtr* considérer [*options, possible action*]; réfléchir à [*past events*]
B *vi* réfléchir (**on** à); (more deeply) méditer (**on** sur)

ponderous /ˈpɒndərəs/ *adj* [*movement*] maladroit, lourd; [*tone*] pesant

ponderously /ˈpɒndərəslɪ/ *adv* [*move*] lourdement; [*speak, write*] avec lourdeur

pond: **~ life** *n* vie *f* animale des eaux stagnantes; **~weed** *n* potamot *m*

pong○ /pɒŋ/ GB
A *n* puanteur *f*; **what a ~!** ça pue○!
B *vi* puer○

(Phrasal verb) ■ **pong out**○ GB: ▸ **~ out [sth]**, **~ [sth] out** empester [*place*]

pons Varolii /ˌpɒns væˈrəʊlɪaɪ/ *n* (*pl* **pontes Varolii**) pont *m* de Varole

pontiff /ˈpɒntɪf/ *n* pontife *m*; **the Supreme Pontiff** le souverain pontife

pontifical /pɒnˈtɪfɪkl/ *adj* ① Relig pontifical; ② pej [*manner, tone*] pontifiant

pontificate
A /pɒnˈtɪfɪkət/ *n* pontificat *m*
B /pɒnˈtɪfɪˌkeɪt/ *vi* pontifier (**about, on** sur)

Pontius Pilate /ˌpɒntjəs ˈpaɪlət/ *pr n* Ponce Pilate

pontoon /pɒnˈtuːn/ *n* ① (pier) ponton *m*; ② Aviat (float) flotteur *m*; ③ ▸ **p. 1253** GB Games vingt-et-un *m*

pontoon bridge *n* pont *m* flottant

pony /ˈpəʊnɪ/
A *n* ① poney *m*; ② ○GB (£25) vingt-cinq livres sterling
B *modif* [*ride, trekking*] à poney

ponytail /ˈpəʊnɪteɪl/ *n* queue *f* de cheval; **in a ~** en queue de cheval

pooch○ /puːtʃ/ *n* clebs○ *m*, chien *m*

poodle /ˈpuːdl/ *n* caniche *m*

poof○ /pʊf/, **poofter**○ /ˈpʊftə(r)/ *n* GB injur (homosexual) tapette◑ *f* offensive, homosexuel *m*

poofy○ /ˈpʊfɪ/ *adj* GB injur (effeminate) [*person, manner*] efféminé

pooh /puː/
A *n* GB lang enfantin caca○ *m* baby talk
B *excl* (expressing disgust) berk○!; (expressing scorn) peuh!

pooh-pooh○ /ˌpuːˈpuː/ *vtr* faire peu de cas de [*idea, anxiety*]

pool /puːl/
A *n* ① (pond) étang *m*; (artificial) bassin *m*; (still spot in river) plan *m* d'eau; (underground: of oil, gas) nappe *f*; ② (*also* **swimming ~**) piscine *f*; ③ (puddle) flaque *f*; **(to be lying in) a ~ of blood** (être étendu dans) une mare de sang; **a ~ of light** une flaque de lumière; ④ (kitty, in cards) mises *fpl*; gen cagnotte *f*; ⑤ (common supply) (of money, resources) pool *m*; (of experts) équipe *f* de réserve; (of ideas, experience) réservoir *m*; (of labour) réserve *f*; (of teachers, players, candidates) liste *f*; ⑥ Sport (billiards) billard *m* américain; ⑦ US Comm (monopoly trust) trust *m*; ⑧ US Fin (consortium) pool *m*; ▸ **car pool, gene pool etc**
B pools *npl* GB (*also* **football ~s**) ≈ loto *m* sportif (*limité aux matchs de football*); **to do the ~s** jouer au loto sportif
C *vtr* mettre [qch] en commun [*money, resources, information, experience*]

(Idiom) **to play dirty ~**○ US donner des coups en traître

pool: **~ attendant** ▸ **p. 1683** *n* surveillant/-e *m/f* de baignade; **~ liner** *n* revêtement *m* de piscine; **~ party** *n* réception *f* au bord de la piscine; **~ room** *n* salle *f* de billard américain; **~side** *adj* au bord de la piscine; **~ table** *n* table *f* de billard américain

poop /puːp/ *n*
A ① Naut (stern) poupe *f*; ② (*also* **~ deck**) dunette *f*; ③ ○(dog's dirt) ₵ crotte *f*
B ○*vi* US [*dog, child*] faire caca○

pooped○ /puːpt/ *adj* **to be ~ (out)** être crevé○

pooper-scooper○ /ˈpuːpəskuːpə(r)/ *n* caninette® *f*

poor /pɔː(r), US pʊər/
A *n* **the ~** (+ *v pl*) les pauvres *mpl*
B *adj* ① (not wealthy) [*person, country*] pauvre (*never before n*) (**in** en); **I ended up £100 the ~er** je me suis retrouvé plus pauvre de cent livres; **to become** *ou* **get ~er** s'appauvrir; ② (inferior) [*quality, start, result, record*] mauvais; [*work*] (of student, pupil) faible; (of worker, factory) mauvais; [*soldier, manager, performance*] piètre (*before n*), mauvais; [*education, English, communication, planning, advice*] mauvais; [*harvest, weather, forecast, visibility*] mauvais; [*health, eyesight, memory*] défectueux/-euse, mauvais; [*soil*] pauvre (*never before n*); [*appetite*] petit; [*chance, attendance*] faible; [*lighting*] mauvais; [*meal*] (insufficient) maigre; (lacking quality) mauvais; [*consolation*] piètre (*before n*); **to be ~ at** [*person*] être faible en [*maths, French*]; **to be a ~ sailor** ne pas avoir le pied marin; **I'm a ~ traveller** je supporte mal les voyages; **to be a ~ substitute for sth** ne pas valoir qch; ③ (deserving pity) pauvre (*before n*); **the ~ little boy** le pauvre petit garçon; **~ Eric!** pauvre Éric!; **~ you!** pauvre de toi!; **you ~ (old) thing!** mon/ma pauvre!; **she's got a cold, ~ thing** elle a attrapé un rhume, la pauvre; ④ (sorry, pathetic) [*attempt, creature*] pauvre; [*excuse*] piètre (*before n*)

(Idioms) **as ~ as a church mouse** pauvre comme Job; **the ~ man's champagne** le champagne du pauvre

poor: **~ box** *n* tronc *m* des pauvres; **~ boy (sandwich)** *n* US, Culin sandwich *m*; **~ house** *n* Hist asile *m* de pauvres; **Poor Laws** *npl* GB Hist *lois régissant l'aide aux pauvres dans l'Angleterre victorienne*

poorly /ˈpɔːlɪ, US ˈpʊərlɪ/
A *adj* malade, souffrant
B *adv* ① (not richly) [*live, dress, dressed*] pauvrement; **to be ~ off** être pauvre; ② (badly) [*written, designed, paid, argued*] mal; **to do ~** [*company, student*] obtenir des résultats médiocres; ③ (inadequately) [*funded, managed, lit*] mal

poor-mouth○ /ˈpɔːmaʊθ, US pʊərmaʊθ/ *vi* US se plaindre d'être pauvre

poorness /ˈpɔːnɪs, US ˈpʊərnɪs/ *n* (of land, soil, diet) pauvreté *f*; (of education, pay) médiocrité *f*; (of appetite) manque *m*; (of eyesight, hearing) défaillance *f*

poor: **~ relation** *n* lit, fig parent *m* pauvre; **~-spirited** *adj* timoré; **~ White** *n* US pej Blanc/Blanche *m/f* pauvre du Sud des États-Unis

pop /pɒp/
A *n* ① (sound) pan *m*; **to go ~** (explode) éclater; (make a sound) faire pan; **the balloons went ~** les ballons ont fait pan; ② ○(drink) soda *m*; ③ (popular music) pop *m*, pop music *f*; ④ ○US (dad) (*also* **~s**) papa *m*; ⑤ ○GB (punch) coup *m* de poing; **to take a ~ at** envoyer un coup de poing à
B *modif* [*concert, group, music, song, video*] pop;

P

[*record, singer, star*] de pop
C *vtr* (*p prés etc* **-pp-**) **1** ○(burst) faire éclater [*balloon, bubble*]; **2** (remove) faire sauter [*cork*]; **3** ○(put) **to ~ sth in(to)** mettre qch dans [*oven, cupboard, mouth*]; **to ~ a letter in the post** mettre une lettre à la poste; **to ~ one's head through the window** passer la tête par la fenêtre; **4** ○(take) prendre [*pills*]; **5** ○GB (pawn) mettre [qch] au clou○
D *vi* (*p prés etc* **-pp-**) **1** (go bang) [*balloon*] éclater; [*cork*] sauter; **2** [*ears*] se déboucher brusquement; **3** (bulge, burst) [*buttons*] sauter; **her eyes were ~ping out of her head** les yeux lui sortaient de la tête; **4** ○GB (go) **to ~ across** *ou* **over to** faire un saut○ dans [*shop, store*]; **to ~ into town/into the bank** faire un saut○ en ville/à la banque; **to ~ home/next door** faire un saut○ chez soi/chez les voisins
(Idiom) **to ~ the question** faire sa demande en mariage
(Phrasal verbs) ■ **pop back**○ GB revenir; **I'll ~ back in 20 minutes** je reviendrai dans 20 minutes
■ **pop in**○ GB passer; **I'll ~ in later** je passerai plus tard; **I've just ~ped in to say hello** je suis juste passé dire bonjour
■ **pop off**○ GB **1** (leave) filer○; **2** (die) crever○
■ **pop out** GB sortir; **I only ~ped out for a couple of minutes** je suis seulement sorti cinq minutes
■ **pop round** GB, **pop over** GB passer; **to ~ over and see sb** passer voir qn; **~ over if you have time** passe si tu as le temps
■ **pop up**○ GB (appear suddenly) [*head*] surgir; [*missing person*] refaire surface○

pop: **~ charts** *npl* hit-parade *m*; **~ corn** pop-corn *m*

pope /pəʊp/ *n* pape *m*; **Pope Paul VI** le Pape Paul VI

popery‡ /'pəʊpərɪ/ *n* péj papisme *m* pej

pop-eyed○ /'pɒpaɪd/ *adj* **1** (permanently) exorbités (*after n*); **to be ~** avoir les yeux exorbités; **2** (with amazement) ébahi

pop gun *n* pistolet *m* à bouchon

popish‡ /'pəʊpɪʃ/ *adj* péj papiste pej

poplar /'pɒplə(r)/ *n* peuplier *m*

poplin /'pɒplɪn/
A *n* popeline *f*
B *modif* [*dress, blouse*] en popeline

popover /'pɒpəʊvə(r)/ *n* US Culin chausson *m*

poppadom, **poppadum** /'pɒpədəm/ *n* poppadum *m* (*fine galette de blé croustillante*)

popper○ /'pɒpə(r)/ *n* **1** GB (press-stud) bouton-pression *m*; **2** US Culin poêle *f* (*pour faire des popcorns*); **3** ○(argot des drogués) nitrite *m* d'amyle

poppet○† /'pɒpɪt/ *n* GB **my (little) ~** ma puce; **she's a real ~** c'est un amour

poppy /'pɒpɪ/
A *n* **1** Bot pavot *m*; **wild ~** coquelicot *m*; **2** (colour) rouge *m* coquelicot; **3** GB (worn in buttonhole) coquelicot *m* en papier (*porté en commémoration des soldats tombés au champ d'honneur*)
B *modif* [*seeds, fields*] de pavot
C *adj* rouge coquelicot *inv*

poppycock○† /'pɒpɪkɒk/ *n* ₡ sornettes○† *fpl*, balivernes *fpl*

Poppy Day○ *n* GB anniversaire *m* de l'armistice (*de 1918*)

> **Poppy Day**
>
> C'est ainsi que les Britanniques ont surnommé la commémoration de l'Armistice de 1918 (aussi appelée *Remembrance Sunday* ou *Armistice Day*). Ce dimanche-là, de nombreuses personnes portent à la boutonnière des coquelicots en papier ou en plastique, vendus par les associations caritatives au profit des mutilés de guerre. Ils évoquent ainsi les fleurs des champs de France ou de Belgique où reposent les morts de la première guerre mondiale.

Popsicle® /'pɒpsɪkl/ *n* US glace *f* à l'eau

pop sock *n* mi-bas *m*

populace /'pɒpjʊləs/ *n* population *f*

popular /'pɒpjʊlə(r)/ *adj* **1** (generally liked) [*actor, singer, politician*] populaire (**with, among** parmi); [*profession, hobby, sport*] répandu (**with, among** chez); [*food, dish*] prisé (**with, among** par); [*product, resort, colour, design*] en vogue (**with, among** chez); **John is very ~** John a beaucoup d'amis; **Smith was a ~ choice as chairman** le choix de Smith comme président a été très apprécié; **she's ~ with the boys** elle a du succès auprès des garçons; **I'm not very ~ with my husband at the moment** je n'ai pas tellement la cote○ auprès de mon mari en ce moment; **2** (of or for the people) [*music, song*] populaire; [*entertainment, TV programme*] grand public *inv*; [*science, history etc*] de vulgarisation; [*enthusiasm, interest, support*] du public; [*discontent, uprising*] du peuple; [*movement*] populaire; **to have ~ appeal** avoir du succès auprès du public; **contrary to ~ belief** contrairement à ce qu'on pense généralement; **the ~ image of sth** l'image qu'on se fait généralement de qch; **the ~ view** *ou* **perception of sth** l'opinion générale sur qch; **by ~ demand** *ou* **request** à la demande générale; **the ~ press** la presse populaire

Popular Front *n* Front *m* populaire

popularist /'pɒpjʊlərɪst/ *adj* gen du grand public; pej des masses

popularity /,pɒpjʊ'lærətɪ/ *n* popularité *f* (**of** de; **with** auprès de); **to lose ~** perdre de sa popularité; **to gain ~** gagner en popularité

popularity rating *n* Pol cote *f* de popularité

popularization /,pɒpjʊləraɪ'zeɪʃn, US -rɪ'z-/ *n* popularisation *f*; (of ideas, science) vulgarisation *f*

popularize /'pɒpjʊləraɪz/ *vtr* **1** (make fashionable) généraliser; **2** (make accessible) vulgariser

popularizer /'pɒpjʊləraɪzə(r)/ *n* (of commodity) promoteur/-trice *m/f*; (of ideas, science) vulgarisateur/-trice *m/f*

popularly /'pɒpjʊləlɪ/ *adv* généralement; **it is a ~ held belief that** les gens croient généralement que

populate /'pɒpjʊleɪt/
A *vtr* peupler
B **populated** *pp adj* peuplé (**with, by** de); **densely/sparsely ~d** très/peu peuplé

population /,pɒpjʊ'leɪʃn/
A *n* population *f*
B *modif* [*increase, decrease, figure*] démographique

population: **~ control** *n* contrôle *m* des naissances; **~ explosion** *n* explosion *f* démographique

populism /'pɒpjʊlɪzəm/ *n* populisme *m*

populist /'pɒpjʊlɪst/ *n, adj* populiste (*mf*)

populous /'pɒpjʊləs/ *adj* populeux/-euse

pop: **~-up book** *n* livre *m* avec découpes en relief; **~-up headlight** *n* Aut phare *m* escamotable; **~-up menu** *n* Comput menu *m* déroulant mobile; **~-up toaster** grille-pain *m inv* vertical; **~ (window)** *n* Comput fenêtre *f* pop-up

porcelain /'pɔːsəlɪn/
A *n* **1** (ware) porcelaine *f*; **a piece of ~** une porcelaine; **to collect ~** collectionner les porcelaines; **2** (substance) porcelaine *f*
B *modif* [*cup, plate, doll*] en *or* de porcelaine; [*clay*] à porcelaine

porcelain ware *n* vaisselle *f* en *or* de porcelaine

porch /pɔːtʃ/ *n* **1** (of house, church) porche *m*; **2** US (veranda) véranda *f*

porcine /'pɔːsaɪn/ *adj* porcin

porcupine /'pɔːkjʊpaɪn/ *n* porc-épic *m*

porcupine fish *n* poisson-globe *m*

pore /pɔː(r)/ *n* (all contexts) pore *m*
(Phrasal verb) ■ **pore over**: ▸ **~ over [sth]** se plonger dans [*book*]; étudier soigneusement [*map, details*]; **she's always poring over her books** elle est toujours plongée dans ses livres

pork /pɔːk/ *n* (viande *f* de) porc *m*; **a leg of ~** un jambon

pork: **~ barrel**○ *n* US Pol magouille○ *f* (*consistant, pour un élu, à faire passer un projet qui profite surtout à sa circonscription*); **~ butcher** ▸ **p. 1683** *n* charcutier/-ière *m/f*; **~ chop** *n* côte *f* de porc

porker /'pɔːkə(r)/ *n* goret *m*

pork: **~ pie** *n* ≈ pâté *m* en croûte; **~ pie hat** *n* feutre *m* rond; **~ sausage** *n* saucisse *f*; **~ scratchings** *npl* GB grattons *mpl*

porky○ /'pɔːkɪ/ *adj* gras comme un porc

porn○ /pɔːn/ (*abrév* = **pornography**)
A *n* porno○ *m*; **it's ~** c'est du porno○
B *modif* [*film, magazine, shop*] porno○ *inv*

porno○ /'pɔːnəʊ/ *adj* (*abrév* = **pornographic**) porno○ *inv*

pornographic /,pɔːnə'græfɪk/ *adj* pornographique

pornography /pɔː'nɒgrəfɪ/ *n* pornographie *f*; **child ~** pornographie *f* avec mineurs

porosity /pɔː'rɒsətɪ/ *n* porosité *f*

porous /'pɔːrəs/ *adj* **1** [*rock, wood, substance*] poreux/-euse; **2** **~ border** *ou* **frontier** fig frontière-passoire *f*

porousness /'pɔːrəsnɪs/ *n* porosité *f*

porphyry /'pɔːfɪrɪ/ *n* porphyre *m*

porpoise /'pɔːpəs/ *n* Zool marsouin *m*

porridge /'pɒrɪdʒ, US 'pɔːr-/ *n* **1** Culin porridge *m* (*bouillie de flocons d'avoine*); **2** ○GB argot des prisonniers **to do ~** faire de la taule○

port /pɔːt/
A *n* **1** (harbour) port *m*; **in ~** au port; **to come into ~** entrer dans le port; **to put into ~** relâcher; **the ship left ~** le bateau a appareillé; **~ of despatch/embarkation/entry** port *m* d'expédition/d'embarquement/de débarquement; **~ of call** Naut escale *f*; fig (stop) arrêt *m*; **home ~** port *m* d'attache; **2** Wine porto *m*; **3** Aviat, Naut (window) = **porthole**; **4** Mil Naut (gunport) sabord *m*; **5** Aviat, Naut (left) bâbord *m*; **to ~/on the ~ side** à bâbord; **6** Tech (in engine) orifice *m*; **7** Comput port *m*
B *modif* **1** (harbour) [*area, authorities, facilities, security*] portuaire; [*dues*] de port; **2** Aviat, Naut (left) [*entrance, engine, bow*] de bâbord
C *vtr* Comput transporter [qch] (d'un système à l'autre)
(Idiom) **any ~ in a storm** nécessité fait loi

portability /,pɔːtə'bɪlətɪ/ *n* gen, Comput portabilité *f*

portable /'pɔːtəbl/
A *n* portable *m*
B *adj* **1** gen [*TV, telephone etc*] portatif/-ive, portable; **2** Comput [*software*] portable

portage /'pɔːtɪdʒ/ *n* **1** (transport) port *m*; **2** (costs) frais *mpl* de port

Portakabin® /'pɔːtəkæbɪn/ *n* gen bâtiment *m* préfabriqué; (on building site) baraque *f* (de chantier)

portal /'pɔːtl/ *n* gen, Comput portail *m*

portcullis /,pɔːt'kʌlɪs/ *n* herse *f* (*de forteresse*)

portend /pɔː'tend/ *vtr* littér présager (**for** pour)

portent /'pɔːtent/ *n* littér **1** (omen) présage *m* (**of** de, **for** pour); **a ~ of doom** un présage de malheur; **2** (importance) **a day of ~** un jour décisif

portentous /pɔː'tentəs/ *adj* littér **1** (ominous) sinistre; **2** (significant) très important, capital; **3** (solemn) grave; **4** (pompous) pompeux/-euse

portentously /pɔː'tentəslɪ/ *adv* littér **1** (ominously) [*say, announce*] d'un ton solennel;

2 (pompously) [*say, announce*] d'un ton pompeux

portentousness /pɔːˈtentəsnɪs/ *n* littér solennité *f* pej

porter /ˈpɔːtə(r)/ ▸ **p. 1683** *n* 1 (in station, airport, hotel) porteur *m*; (in hospital) brancardier *m*; (in market) débardeur *m*; (on expedition) porteur *m*; 2 GB (at entrance) (of hotel) portier *m*; (of apartment block) gardien/-ienne *m/f*; (of school, college) concierge *mf*; 3 US Rail (steward) employé *m* des wagons-lits; 4 (beer) porter *m*, bière *f* brune

porterage /ˈpɔːtərɪdʒ/ *n* (costs) frais *mpl* de portage

porterhouse (steak) /ˈpɔːtəhaʊs/ *n* chateaubriant *m*

portfolio /pɔːtˈfəʊlɪəʊ/ *n* 1 (case) porte-documents *m inv*; (for drawings) carton *m* (à dessins); 2 Art, Phot (sample) portfolio *m* (**of** de); 3 Pol (post) portefeuille *m* (ministériel); **defence/finance** ~ portefeuille de la Défense/des Finances; **minister without** ~ ministre sans portefeuille; 4 Fin (of investments) portefeuille *m* (**of** de)

portfolio: ~ **career** *n* carrière *f* mosaïque; ~ **management** *n* Fin gestion *f* de portefeuille; ~ **manager** *n* Fin gestionnaire *mf* de portefeuille

porthole /ˈpɔːthəʊl/ *n* hublot *m*

portico /ˈpɔːtɪkəʊ/ *n* portique *m*

portion /ˈpɔːʃn/ *n* 1 (part, segment) (of house, machine, document, country) partie *f* (**of** de); (of group) part *f* (**of** de); 2 (share) (of money, food item) part *f* (**of** de); (of responsibility, blame) part *f* (**of** de); 3 (at meal) portion *f*; **an extra** ~ une portion supplémentaire; 4 littér (fate) destin *m*

(Phrasal verb) ■ **portion out**: ▸ ~ **out [sth]**, ~ **[sth] out** répartir (**among** parmi; **between** entre)

portliness /ˈpɔːtlɪnɪs/ *n* corpulence *f*

portly /ˈpɔːtlɪ/ *adj* corpulent

portmanteau /pɔːtˈmæntəʊ/ *n* (*pl* **-teaus** *ou* **-teaux**) malle *f*

portmanteau word *n* mot-valise *m*

portrait /ˈpɔːtreɪt, -trɪt/ *n* 1 Art, fig portrait *m* (**of** de); **family/group** ~ portrait de famille/de groupe; 2 Comput portrait *m*

portrait gallery *n* galerie *f* de portraits

portraitist /ˈpɔːtreɪtɪst, -trɪtɪst/ ▸ **p. 1683** *n* portraitiste *mf*

portrait: ~ **lens** *n* objectif *m* à portrait; ~ **painter** ▸ **p. 1683** *n* portraitiste *mf*; ~ **photography** *n* photographie *f* de portrait

portraiture /ˈpɔːtreɪtʃə(r), -trɪtʃə(r), US -treɪtʃʊər/ *n* art *m* du portrait

portray /pɔːˈtreɪ/ *vtr* 1 (depict) dépeindre, décrire [*place, era, event*] (**as** comme étant); présenter [*person, group, situation*] (**as** comme étant); 2 Cin, Theat [*actor*] interpréter [*figure, character*]; [*film, play*] évoquer [*period*]; 3 Art [*artist*] peindre [*person*]; [*picture, artist*] représenter [*scene*]

portrayal /pɔːˈtreɪəl/ *n* 1 (by actor) interprétation *f* (**of** de); 2 (by author, filmmaker) portrait *m* (**of** de, **as** comme); **the media's** ~ **of women** le portrait que les médias dressent de la femme; **his** ~ **of country life** le tableau qu'il brosse de la vie à la campagne

Portugal /ˈpɔːtʃʊgl/ ▸ **p. 1096** *pr n* Portugal *m*; **in/to** ~ au Portugal

Portuguese /ˌpɔːtʃʊˈgiːz/ ▸ **p. 1467, p. 1378**
A *n* 1 (native) Portugais/-e *m/f*; **the** ~ (+ *v pl*) les Portugais; 2 Ling portugais *m*
B *adj* [*lesson, class, course*] de portugais; [*custom, landscape, literature*] portugais; [*ambassador, prime minister*] portugais, du Portugal

Portuguese: ~ **man-of-war** *n* Zool galère *f* portugaise; ~**-speaking** *adj* [*person, country*] lusophone

pose /pəʊz/
A *n* 1 (for portrait, photo) pose *f*; **to adopt a** ~ adopter une pose; 2 péj (posture) pose *f*, frime *f*; **it's all a** ~ c'est pour épater la galerie○; **to strike a** ~ prendre une pose
B *vtr* (present) poser [*problem*] (**for** pour); présenter [*challenge*] (**to** à); représenter [*threat, risk*] (**to** pour); soulever [*question*] (**about** de)
C *vi* 1 (for artist) poser (**for** pour; **with** avec); **to** ~ **for one's portrait** se faire faire son portrait; 2 (in front of mirror, audience) prendre des poses; 3 (masquerade) **to** ~ **as** se faire passer pour [*nurse, salesman*]; 4 péj (posture) frimer

Poseidon /pɒˈsaɪdn/ *pr n* Poséidon

poser○ /ˈpəʊzə(r)/ *n* 1 (person) frimeur/-euse○ *m/f*; 2 (question) colle *f*

poseur /pəʊˈzɜː(r)/ *n* frimeur/-euse○ *m/f*

posh○ /pɒʃ/ *adj* 1 (high-class) [*person*] huppé○; [*house, resort, clothes, car*] chic *inv*; [*voice, accent*] distingué; [*wedding, party*] mondain; **the** ~ **part of town** les quartiers chic de la ville; 2 péj (snobbish) [*person*] snob; [*school, district*] de riches, de rupins○; [*clientele, club*] sélect○; **to talk** ~○ parler comme les gens de la haute○

(Phrasal verb) ■ **posh up**○ GB: **to be all** ~**ed up** [*person*] être tiré à quatre épingles; [*room, flat*] être briqué

posit /ˈpɒzɪt/ *vtr* sout avancer

position /pəˈzɪʃn/
A *n* 1 (situation, state) situation *f*; **to be in an awkward/impossible** ~ se trouver dans une situation délicate/impossible; **the management is in a strong** ~ la direction est en position de force; **to be in a** ~ **to do** être en mesure de faire; **to be in a good** ~ **to do** être bien placé pour faire; **to be in no** ~ **to do** être mal placé pour faire; **to undertake sth from a** ~ **of strength** entreprendre qch à partir d'une position de force; **to be** *ou* **find oneself in the happy/unhappy** ~ **of doing** avoir la chance/malchance de faire; **if I were in your** ~ si j'étais à ta place: **put yourself in my** ~! mets-toi à ma place!; **well, what's the** ~? alors, qu'est-ce qui se passe?; 2 (attitude, stance) position *f*; **I understand your** ~, **but...** je comprends ta position, mais...; **the official/British** ~ la position officielle/britannique; **there has been a change in their negotiating** ~ ils ont changé leur position dans les négociations; 3 (place, location) position *f*; **to be in** ~ (in place) être en place; (ready) être prêt; **to get into** ~ se mettre en place, prendre position; **to hold sth in** ~ [*glue, string*] maintenir qch en place; **please put everything back in its original** ~ veuillez tout remettre à sa place; **I can't see anything from this** ~ je ne vois rien d'ici; **the house is in a good** ~ la maison est bien située; 4 (posture, attitude of body) position *f*; **the sitting** ~ la position assise; **to be in a sitting/kneeling** ~ être assis/agenouillé; 5 (of lever, switch) position *f*; **in the on/off** ~ sur la position ouvert/fermé; 6 (ranking) place *f*, rang *m*; (in sport, competitive event) position *f*; **can the airline retain its** ~ **among the leaders?** la compagnie aérienne peut-elle conserver sa place parmi les premières?; **to be in third** ~ être en troisième position; 7 Sport poste *m*; **his usual** ~ **as goalkeeper** son poste habituel de gardien de but; **what** ~ **does he play?** quel est son poste?; 8 (job) poste *m*; **to hold** *ou* **occupy a senior** ~ occuper un poste responsable; **her** ~ **as party leader** son poste de chef du parti; **a** ~ **of responsibility** un poste de responsabilité; 9 (place in society) position *f*, statut *m*; 10 Mil position *f*; 11 (counter) guichet *m*; '~ **closed**' 'guichet fermé'
B *vtr* 1 (station) poster [*policemen, soldiers*]; 2 (situate) disposer [*flowerbed, house extension*]; 3 (get correct angle) orienter [*telescope, lamp, aerial*]
C *v refl* **to** ~ **oneself** prendre position

positive /ˈpɒzətɪv/
A *n* 1 Ling (degré *m*) affirmatif *m*; **in the** ~ à la forme affirmative; 2 Phot positif *m*; 3 Math nombre *m* positif; 4 Elec (pôle *m*) positif *m*
B *adj* 1 (affirmative) [*answer*] positif/-ive; 2 (optimistic) [*message, person, response, attitude, tone*] positif/-ive; **to be** ~ **about** être enthousiaste à propos de [*idea, proposal*]; ~ **thinking** manière *f* de voir les choses de façon positive; **to think** ~ voir les choses de façon positive; 3 (constructive) [*contribution, effect, progress*] positif/-ive; [*advantage, good*] réel/réelle; **these measures could do some** ~ **good** ces mesures pourraient produire un bien réel; 4 (pleasant) [*association, experience, feeling*] positif/-ive; 5 (sure) [*identification, proof*] formel/-elle; [*fact*] indéniable; **to be** ~ être sûr (**about** de; **that** que); ~! certain!; 6 (forceful) [*action, measure*] catégorique; [*kick, shot*] sec/sèche; [*order*] formel/-elle; 7 Med, Sci [*reaction, result, test*] positif/-ive; 8 Chem, Electron, Math, Phot, Phys positif/-ive; 9 (extreme) [*pleasure*] pur (*before n*); [*disgrace, outrage*] véritable (*before n*); [*genius*] véritable (*before n*)

positive discrimination *n* discrimination *f* positive; ▸ **Affirmative action**

positive feedback *n* retour *m* positif, rétro-action *f* positive Can

positively /ˈpɒzətɪvlɪ/ *adv* 1 (constructively) [*contribute, criticize*] de façon constructive; **to think** ~ voir les choses de façon positive; 2 (favourably) [*react, refer, respond, speak*] favorablement; 3 (actively) [*participate, prepare, promote*] activement; 4 (definitely) [*identify, prove*] formellement; 5 (absolutely) [*beautiful, dangerous, miraculous, disgraceful, idiotic*] vraiment; [*refuse, forbid*] catégoriquement; **I** ~ **hated the film** j'ai carrément détesté ce film; ~ **not/nothing** absolument pas/rien; 6 Electron, Phys ~ **charged** à charge positive

positiveness /ˈpɒzətɪvnɪs/ *n* positivité *f*

positive vetting *n* Admin enquête *f* administrative

positivism /ˈpɒzɪtɪvɪzəm/ *n* positivisme *m*

positivist /ˈpɒzɪtɪvɪst/ *n* positiviste *mf*

positron /ˈpɒzɪtrɒn/ *n* posit(r)on *m*

positron imaging technology, **PET** *n* Med tomographie *f* par émission de positrons, TEP *f*

posse /ˈpɒsɪ/ *n* 1 Hist (sheriff's) détachement *m*; 2 (group) (of pressmen) équipe *f* (**of** de); (of security men) détachement *m* (**of** de); 3 ○(gang) bande *f*

(Idiom) **to be ahead of the** ~ être le premier/la première

possess /pəˈzes/
A *vtr* 1 (have) posséder [*property, weapon, proof*]; (illegally) détenir [*arms, drugs*]; 2 (be endowed with) posséder [*quality, facility, charm*]; avoir [*power, advantage*]; **to be** ~**ed of** sout avoir [*charm, feature*]; 3 (take control of) [*anger, fury*] s'emparer de [*person*]; [*devil*] posséder [*person*]; **to be** ~**ed by** être obsédé par [*idea, illusion*]; être dévoré par [*jealousy*]; **what** ~**ed you/him to do that?** qu'est-ce qui t'a/lui a pris de faire ça?
B **possessed** *pp adj* (by demon) possédé; **he was screaming like one** ~**ed** il hurlait comme un possédé

possession /pəˈzeʃn/
A *n* 1 (state of having) possession *f* (**of** de); **the** ~ **of certain abilities** le fait d'avoir certaines compétences; **to be in** ~ **of** être en possession de [*passport, degree, evidence*]; **to come into sb's** ~ entrer en la possession de qn; **to come into the** ~ **of a newspaper** [*information*] tomber en la possession d'un journal; **to have sth in one's** ~ avoir qch en sa possession; **to have** ~ **of sth** posséder qch; **to get** ~ **of sth** (legally) acquérir qch; (by force) s'approprier qch; **among the documents in our** ~ parmi les documents dont nous disposons; 2 Jur (illegal) détention *f* (**of** de); **to be in** ~ **of** détenir [*arms, drugs*]; 3 Jur (of property) jouissance *f* (**of** de) ; **to come into** ~ **of** entrer en jouissance *or* en possession de; **to take** ~ **of** prendre possession de [*premises, property*]; **to be in** ~ occuper les lieux; 4 Sport **to be in** *ou* **have** ~ contrôler le ballon; **to win/lose** ~ s'emparer du/perdre le ballon; 5 (by demon)

p

possession *f* (**by** par); **6** (colonial) possession *f*

B possessions *npl* (belongings) biens *mpl*

(Idiom) ~ **is nine-tenths** *ou* **nine points of the law** Prov possession vaut titre Prov

possession order *n* ordonnance *f* de retour en possession

possessive /pəˈzesɪv/

A *n* Ling possessif *m*; **in the ~** à la forme possessive

B *adj* **1** (jealous) [*person, behaviour*] possessif/-ive (**towards** à l'égard de; **with** avec); **2** (slow to share) possessif/-ive; **he's ~ about his toys** il n'aime pas prêter ses jouets; **3** Ling [*pronoun, adjective*] possessif/-ive

possessively /pəˈzesɪvlɪ/ *adv* de façon possessive

possessiveness /pəˈzesɪvnɪs/ *n* (with people) possessivité *f* (**towards** envers); (with things) instinct *m* de possession (**about** vis-à-vis de)

possessor /pəˈzesə(r)/ *n* possesseur *m*; **to be the ~ of** être en possession de [*object*]; **the proud ~ of** l'heureux/-euse propriétaire *m/f* de

possibility /ˌpɒsəˈbɪlətɪ/

A *n* **1** (chance, prospect) possibilité *f*; **he had ruled out the ~ that he might win** *ou* **of winning** il avait exclu la possibilité de gagner; **there is a definite ~ that he'll come** il y a de très grandes chances qu'il vienne; **there is no ~ of him succeeding** il est impossible qu'il réussisse; **the ~ of him succeeding** ses chances de réussite; **there is no ~ of changing the text** il est impossible de changer le texte; **within the bounds of ~** dans la limite du possible; **beyond the bounds of ~** au delà des limites du possible; **there is little or no ~ of a strike** les chances de grève sont minimes; **2** (eventuality) **the ~ of a refusal/of failure** l'éventualité d'un refus/d'un échec; **the collapse of the company is now a ~** l'effondrement de la société est à présent possible

B possibilities *npl* (potential) **the idea/the market has possibilities** l'idée/le marché a un fort potentiel; **this invention opens up fantastic possibilities** cette invention ouvre des perspectives fantastiques

possible /ˈpɒsəbl/

A *n* **a list of ~s for the vacancy** une liste de candidats possibles pour le poste; **she's a ~ for the team** c'est une joueuse possible pour l'équipe; **it's within the realms of the ~** c'est dans le domaine du possible

B *adj* **1** (likely to happen) [*consequence, litigation, risk*] possible; **it's quite ~** c'est tout à fait possible; **2** (that can be achieved) [*strategy, result, improvements*] possible; **to be ~ to do sth** être possible de faire qch; **the experiments are technically ~** les expériences sont techniquement possibles; **if ~, I would like a change** j'aimerais changer, si possible; **he did as much as ~** il a fait tout son possible; **as far as ~** dans la mesure du possible; **I'll do it as soon as ~** je le ferai dès que possible; **as quickly as ~** le plus vite possible; **we interviewed witnesses wherever ~** nous avons interrogé les témoins chaque fois que c'était possible; **to make sth ~** rendre qch possible; **none of this would have been ~ without your help** rien de tout cela n'aurait été possible sans votre aide; **3** (when conjecturing) possible (**to do** de faire; **that** que + *subj*); **it's ~ (that) he took it** il est possible qu'il l'ait pris; **4** (acceptable) [*solution, explanation, candidate*] possible; **5** (for emphasis) **of what ~ interest/benefit can it be to you?** quel intérêt/avantage cela peut-il bien avoir pour toi?; **there can be no ~ excuse for such behaviour** un tel comportement est inexcusable

possibly /ˈpɒsəblɪ/ *adv* **1** (maybe) peut-être; **pornography is ~ to blame** la pornographie en est peut-être la cause; **the infection is ~ due to contaminated water** l'infection est peut-être due à de l'eau contaminée; **the house was ~ once an inn** autrefois la maison était peut-être une auberge; **'will it rain tonight?'—'~'** 'va-t-il pleuvoir ce soir?'—'peut-être (bien)'; **~, but is there any evidence?** peut-être (bien), mais y a-t-il des preuves?; **2** (for emphasis) **how could they ~ understand?** comment donc pourraient-ils comprendre?; **what can he ~ do to you?** qu'est-ce que tu veux qu'il te fasse?; **we can't ~ afford it** nous n'en avons absolument pas les moyens; **I can't ~ stay here** je ne peux absolument pas rester ici; **I'll do everything I ~ can** je ferai (absolument) tout mon possible; **she'll come as soon as she ~ can** elle viendra dès que cela lui sera possible

possum○ /ˈpɒsəm/ *n* opossum *m*; **to play ~** faire le mort

post /pəʊst/

A *n* **1** Admin (job) poste *m* (**as** comme; **of** de); **administrative ~** poste *m* administratif; **defence ~** poste *m* à la défense; **management ~** poste *m* de cadre; **party ~** poste *m* au parti; **to hold a ~** occuper un poste; **to have/fill a ~** avoir/remplir un poste; **to take up a ~** prendre un poste; **to offer sb a ~** proposer un poste à qn; **2** GB Post (system) poste *f*; (letters) courrier *m*; (delivery) distribution *f*; **to send sth/notify sb by ~** envoyer qch/avertir qn par la poste; **(to reply) by return of ~** (répondre) par retour du courrier; **to put sth in the ~** mettre qch à la poste; **it was lost in the ~** cela s'est égaré dans le courrier; **to get sth through the ~** recevoir qch par la poste; **your cheque is in the ~** votre chèque est au courrier; **is there any ~ for me?** est-ce que j'ai du courrier?; **has the ~ come yet?** est-ce que le courrier est arrivé?; **to deal with/answer one's ~** s'occuper de/répondre à son courrier; **it came in today's ~** il est arrivé par la poste aujourd'hui; **has the ~ gone yet?** le courrier est-il déjà parti?; **please take this letter to the ~** voulez-vous me poster cette lettre?; **to catch/miss the ~** ne pas manquer/manquer la levée; **3** (duty, station) gen, Mil poste *m*; **at one's ~** à son poste; **to remain at one's** *ou* **in ~** demeurer à son poste; **4** (pole) gen, Turf poteau *m*; **starting/finishing ~** poteau *m* de départ/d'arrivée; **beaten at the ~** battu au poteau; **to be the first past the ~** Turf être le premier à l'arrivée; fig Pol obtenir la majorité; **5** (in soccer) montant *m* des cages; **6** †(for stagecoach) poste *f*

B post- (*dans composés*) post-; **~-1992, things changed** après 1992, les choses ont changé; **in ~-1992 Europe** dans l'Europe d'après 1992; **in the ~-Cold War years** dans les années qui ont suivi la guerre froide

C *vtr* **1** GB (send by post) poster *or* expédier (par la poste); (put in letterbox) mettre [qch] à la poste; **2** (stick up) afficher [*notice, poster, rules*]; annoncer [*details, results*]; **to be ~ed missing in action** être porté disparu au combat; **~ no bills** défense d'afficher; **3** gen, Mil (send abroad) affecter (**to** à); **to be ~ed overseas/to a unit** être affecté outre-mer/à une unité; **4** (station) gen, Mil poster [*guard, sentry*]; **5** US Jur fournir [*bail*]; **6** Accts inscrire [*entry*]; tenir [qch] à jour [*ledger*]

D *vi* Hist voyager par la poste

(Idioms) **to keep sb ~ed (about sth)** tenir qn au courant (de qch); **to be left at the ~** rester sur la touche

(Phrasal verbs) ■ **post off** GB: ▸ **~ [sth] off, ~ off [sth]** mettre [qch] à la poste

■ **post on** GB: ▸ **~ on [sth], ~ [sth] on** faire suivre; **I will ~ it on to you** je vous le ferai suivre

■ **post up**: ▸ **~ up [sth], ~ [sth] up** afficher [*information, notice*]

postage /ˈpəʊstɪdʒ/ *n* affranchissement *m*, tarif *m* postal; **how much is the ~ for Belgium?** quel est le tarif (postal) pour la Belgique?; **including ~ and packing** frais *mpl* d'expédition inclus; **~ extra** affranchissement en supplément; **£12 plus ~** 12 livres sterling plus affranchissement; **~ free** franc de port

postage: **~ meter** *n* US machine *f* à affranchir; **~ rates** *npl* tarifs *mpl* postaux; **~ stamp** *n* timbre-poste *m*

postal /ˈpəʊstl/ *adj* [*charges, district*] postal; [*worker*] des Postes; [*application*] par la poste; [*strike*] des employés des Postes; **~ service** courrier *m*; **US ~ Service** Service *m* des Postes des États-Unis; **~ ballot** vote *m* par correspondance

postal order, **PO** *n* GB mandat *m* (**for** de)

postal vote *n* GB (process) vote *m* par correspondance; (paper) bulletin *m* de vote par correspondance

postbag /ˈpəʊstbæg/ *n* GB **1** lit sac *m* postal; **2** (mail) courrier *m*

post: **~box** *n* GB boîte *f* aux lettres; **~card**, **pc** *n* carte *f* postale; **~ chaise** *n* chaise *f* de poste; **~ code** *n* GB code *m* postal

postdate /ˌpəʊstˈdeɪt/ *vtr* postdater

postdoctoral /ˌpəʊstˈdɒktərəl/ *adj* [*research, studies*] d'après-doctorat

poster /ˈpəʊstə(r)/ *n* (for information) affiche *f*; (decorative) poster *m*; **election/Aids ~** affiche *f* électorale/sur le sida; **to put up a ~** mettre une affiche *or* un poster au mur

poste restante /ˌpəʊst ˈrestɑːnt, US reˈstænt/ *n, modif, adv* GB poste *f* restante; **to send sth ~** envoyer qch poste restante

posterior /pɒˈstɪərɪə(r)/

A *n* hum (buttocks) derrière *m*

B *adj* sout postérieur (**to** à)

posterity /pɒˈsterətɪ/ *n* **1** (future generations) postérité *f*; **to go down to ~ as** passer à la postérité en tant que; **2** (descendants) sout postérité *f*

poster paint *n* gouache *f*

post-feminist /pəʊstˈfemɪnɪst/ *adj* post-féministe

post-free /ˌpəʊstˈfriː/ *adj, adv* franc de port *inv*

postgraduate /ˌpəʊstˈgrædʒʊət/

A *n* ≈ étudiant/-e *m/f* de troisième cycle

B *adj* ≈ de troisième cycle

post: **~ haste**† *adv* GB en toute hâte; **~-horn** *n* cornet *m* de poste; **~-horse** *n* cheval *m* de poste; **~-house** *n* relais *m* de poste

posthumous /ˈpɒstjʊməs, US ˈpɒstʃəməs/ *adj* posthume

posthumously /ˈpɒstjʊməslɪ, US ˈpɒstʃəməslɪ/ *adv* [*publish*] après la mort de l'auteur; [*award*] à titre posthume

postiche /pɒˈstiːʃ/

A *n* mascarade *f*

B *adj* postiche

postil(l)ion /pɒˈstɪlɪən/ *n* postillon *m*

postimpressionism /ˌpəʊstɪmˈpreʃənɪzəm/ *n* post-impressionnisme *m*

postimpressionist /ˌpəʊstɪmˈpreʃənɪst/ *n, adj* post-impressionniste (*mf*)

postindustrial /ˌpəʊstɪnˈdʌstrɪəl/ *adj* post-industriel/-ielle

posting /ˈpəʊstɪŋ/ *n* **1** (job) affectation *f* (**to** à); **an overseas ~** une affectation outre-mer; **2** GB Post envoi *m*; **proof of ~** justificatif *m* d'expédition

Post-it® /ˈpəʊstɪt/ *n* Post-it® *m*, feuillet *m* adhésif repositionnable

post-lingually deaf *adj* sourd post-linguistique

postman /ˈpəʊstmən/ ▸ p. 1683 *n* facteur *m*

postmark /ˈpəʊstmɑːk/

A *n* cachet *m* de la poste; **date as ~** le cachet de la poste faisant foi

B *vtr* timbrer; **the card was ~ed Brussels** la carte était timbrée de Bruxelles

post: **~master** ▸ p. 1683 *n* receveur *m* des Postes; **Postmaster General**, **PMG** *n*

P

ministre *m* des Postes et Télécommunications; **~mistress** ▸ **p. 1683** *n* receveuse *f* des Postes

postmodern /ˌpəʊst'mɒdn/ *adj* postmoderne

postmodernism /ˌpəʊst'mɒdənɪzəm/ *n* postmodernisme *m*

postmodernist /ˌpəʊst'mɒdənɪst/ *n, adj* postmoderniste (*mf*)

post-mortem /ˌpəʊst'mɔːtəm/
A *n* Med autopsie *f*; fig autopsie *f*, analyse *f* rétrospective
B *adj* [*investigation*] rétrospectif/-ive; **~ examination** autopsie *f*

post-natal /ˌpəʊst'neɪtl/ *adj* postnatal

post-natal depression, PND *n* dépression *f* postnatale

post office
A *n* **1** (building) poste *f*, bureau *m* de poste; **main ~** poste *f* principale; **2** (institution) (*also* **Post Office, PO**) **the ~** la poste, le service des Postes
B *modif* [*management, staff, strike*] de la poste, des Postes

Post Office Box *n* boîte *f* postale

post-operative /ˌpəʊst'ɒpərətɪv, US -reɪt-/ *adj* Med postopératoire

post paid *adv* port payé

postpone /pə'spəʊn/ *vtr* reporter, remettre (**until** à; **for** de)

postponement /pə'spəʊnmənt/ *n* report *m*, renvoi *m* (**of** de; **until** à)

postposition /ˌpəʊstpə'zɪʃn/ *n* postposition *f*

postpositive /ˌpəʊst'pɒzətɪv/
A *n* postposition *f*
B *adj* postpositif/-ive

postprandial /ˌpəʊst'prændɪəl/ *adj* sout hum (nap, speech etc) (d')après le repas; Med postprandial

postscript /'pəʊsskrɪpt/ *n* **1** (at end of letter) post-scriptum *m inv* (**to** à); (to book, document) postface *f* (**to** à); fig suite *f* (**to** à); **2** fig (spoken) **can I add a brief ~ to that?** puis-je ajouter un petit quelque chose?

post-tax /ˌpəʊst'tæks/ *adj, adv* après paiement des impôts

post-traumatic /pəʊstˌtrɔː'mætɪk, US -trаʊ-/ *adj* post-traumatique; **~ stress disorder** syndrome *m* de stress post-traumatique

postulant /'pɒstjʊlənt, US -tʃʊ-/ *n* postulant/-e *m/f*

postulate
A /'pɒstjʊlət, US -tʃʊ-/ *n* postulat *m*
B /'pɒstjʊleɪt, US -tʃʊ-/ *vtr* poser [qch] comme postulat; **to ~ that** postuler que

posture /'pɒstʃə(r)/
A *n* **1** (pose) posture *f*; fig (stance) position *f*; **2** (bearing) maintien *m*; **to have good/bad ~** se tenir bien/mal
B *vi* péj poser, prendre des poses

posturing /'pɒstʃərɪŋ/ *n* péj affectation *f*

post-viral (fatigue) syndrome ▸ **p. 1327** *n* encéphalomyélite *f* myalgique

postvocalic /ˌpəʊstvə'kælɪk/ *adj* postvocalique

postwar /ˌpəʊst'wɔː(r)/ *adj* d'après-guerre; **the ~ period** *ou* **years** l'après-guerre *m*

postwoman /'pəʊstwʌmən/ ▸ **p. 1683** *n* préposée *f* (des Postes)

posy /'pəʊzɪ/ *n* petit bouquet *m* (de fleurs)

pot /pɒt/
A *n* **1** (container) (for jam) pot *m* (**of** de); (for paint, glue) pot *m* (**of** de); **2** (*also* **tea ~**) théière *f*; **a ~ of tea for two** deux thés; **to make a ~ of tea** faire du thé; **3** (*also* **coffee ~**) cafetière *f*; **to make a ~ of coffee** faire du café; **4** (saucepan) casserole *f*; **~s and pans** casseroles; **5** (piece of pottery) poterie *f*; **to throw a ~** tourner un pot; **6** (*also* **plant ~**) pot *m* (**of** de); **7** ○(drug) (marijuana) herbe○ *f*; (hashish) hasch○ *m*; **to smoke ~** fumer de l'herbe○ (*or* du hasch○); **8** (*also* **chamber ~**) pot *m* de chambre; (for infant) pot *m*; **9** ○(belly) bedaine *f*; **10** (in billiards) mise *f* en blouse; **11** US (in gambling) (pool) cagnotte *f*; **12** ○(trophy) coupe *f*
B *vtr* (**-tt-**) **1** mettre [qch] en pot [*jam*]; mettre [qch] en conserve [*shrimps*]; **2** (in billiards) **to ~ the red** blouser la bille rouge; **3** mettre [qn] sur le pot [*baby*]; **4** (*also* **~ up**) mettre [qch] en pot, empoter [*plant*]; **5** ○(shoot) abattre [*rabbit, pigeon*]
C *vi* **1** [*potter*] faire de la poterie; **2** **to ~○ at sth** canarder○ qch
D **potted** *pp adj* **1** Culin **~ted meat** GB terrine *f* de viande; **~ted shrimps** crevettes *fpl* conservées (*dans du beurre*); **2** [*palm, plant*] en pot; **3** (condensed) [*biography, history*] bref/brève; [*version*] abrégé

(Idioms) **to go to ~○** (person) se laisser aller; (thing) aller à vau-l'eau; **to have/make ~s of money○** GB avoir/faire un tas○ d'argent; **to keep the ~ boiling** (in children's games) garder le rythme; **a watched ~ never boils** Prov quand on est impatient chaque seconde semble durer une éternité; **to take ~ luck** (for meal) GB manger à la fortune du pot; (for hotel room etc) prendre ce que l'on trouve

potable /'pəʊtəbl/ *adj* potable

potash /'pɒtæʃ/ *n* potasse *f*

potassium /pə'tæsɪəm/
A *n* potassium *m*
B *modif* [*carbonate, compound*] de potassium

potation /pə'teɪʃn/ *n* sout (act) libations *fpl*; (drink) boisson *f*

potato /pə'teɪtəʊ/ *n* (*pl* **-es**) Bot, Culin pomme *f* de terre; **a little more ~?** encore un peu de pommes de terre?

potato: **~ beetle** *n* doryphore *m*; **~ blight** *n* maladie *f* de la pomme de terre; **~ bug** *n* = **potato beetle**; **~ crisps** GB, **~ chips** US *npl* chips *fpl*; **~ masher** *n* presse-purée *m inv*; **~ peeler** *n* épluche-légumes *m inv*, économe *m*, couteau-éplucheur *m*; **~ salad** *n* salade *f* de pommes de terre

pot: **~ bellied** *adj* [*person*] (from overeating) bedonnant○; (from hunger) au ventre ballonné; [*stove*] renflé; **~ belly** *n* (from overeating) bedaine *f*; (from malnutrition) ventre *m* gonflé; **~boiler** *n* péj œuvre *f* alimentaire; **~-bound** [*plant*] à l'étroit dans son pot; **~ cheese** *n* US fromage blanc *m* (*égoutté*)

poteen /pɒ'tiːn/ *n* whisky *m* (distillé en fraude)

potency /'pəʊtnsɪ/ *n* **1** (strength) (of drug, remedy, image, voice) puissance *f*; (of drink) force *f*; **2** (sexual ability) virilité *f*

potent /'pəʊtnt/ *adj* **1** (strong) [*argument, factor, force, weapon, image, symbol, drug, remedy*] puissant; [*alcoholic drink, mixture*] fort; **2** (able to have sex) [*man*] viril

potentate /'pəʊtnteɪt/ *n* potentat *m*

potential /pə'tenʃl/
A *n* (all contexts) potentiel *m* (**as** en tant que; **for** de); **growth/human/industrial/sales ~** potentiel de croissance/humain/industriel/de vente; **the ~ to do** les qualités nécessaires pour faire; **to have ~** avoir du potentiel *or* des capacités; **to fulfil one's ~** montrer de quoi on est capable
B *adj* (possible) [*buyer, danger, energy, disaster, market, target, value, victim*] potentiel/-ielle; [*champion, bestseller, rival*] en puissance; [*bidder, investor*] éventuel/-elle; **he is a ~ leader/musician** il a toutes les qualités d'un futur chef/musicien; **the play is a ~ success** la pièce a toutes les qualités pour réussir

potential difference *n* Phys différence *f* de potentiel

potentiality /pəˌtenʃɪ'ælətɪ/ *n* capacités *fpl* (**as** comme)

potentially /pə'tenʃəlɪ/ *adv* potentiellement

pothead○ /'pɒthed/ *n* drogué/-e *m/f* (*à la marijuana*)

pother○ /'pɒðə(r)/ *n* agitation *f*; **to be in a ~** être très agité

pothole /'pɒthəʊl/ *n* **1** (in road) fondrière *f*, nid *m* de poule; **2** Geol (in riverbed) marmite *f* torrentielle; (in rock) grotte *f*, gouffre *m*; (system of passages) réseau *m* souterrain (de grottes)

pot: **~holer** *n* GB spéléologue *mf*; **~holing** ▸ **p. 1253** *n* GB spéléologie *f*; **~hook** *n* crémaillère *f*; **~-hunter** *n* chasseur *m* de trophées

potion /'pəʊʃn/ *n* potion *f*; **magic ~** potion magique; **love ~** philtre *m* (d'amour)

potlatch /'pɒtlætʃ/ *n* **1** Anthrop fête *f* des échanges de cadeaux (*chez les Indiens d'Amérique*); **2** US (party) fête *f* à tout casser○

pot: **~pie** *n* US tourte *f* à la viande; **~ plant** *n* plante *f* d'appartement

potpourri /ˌpəʊ'pʊərɪ, US ˌpəʊpə'riː/ *n* (all contexts) pot-pourri *m*

pot roast /'pɒtrəʊst/
A *n* rôti *m* (*cuit dans une cocotte*)
B **pot-roast** *vtr* faire cuire [qch] à la cocotte

pot: **~ scrub** *n* tampon *m* à récurer; **~sherd** *n* tesson *m* de poterie

potshot /'pɒtʃɒt/ *n* **to take a ~ at sth** tirer à vue sur qch

potter /'pɒtə(r)/
A ▸ **p. 1683** *n* potier *m*
B *vi* GB = **potter about**

(Phrasal verbs) ■ **potter about, potter around** GB (do odd jobs) bricoler○; (go about daily chores) suivre son petit train-train○; (pass time idly) traîner
■ **potter along** GB poursuivre son petit bonhomme de chemin

potter: **~'s field** *n* US cimetière *m* des pauvres; **~'s wheel** *n* tour *m* de potier

pottery /'pɒtərɪ/
A *n* **1** (craft, subject) poterie *f*; **2** ¢ (ware) poteries *fpl*; **a piece of ~** une poterie; **to sell/make ~** vendre/fabriquer des poteries; **3** (factory, workshop) poterie *f*
B *modif* [*dish*] en terre; **~ class** cours *m* de poterie; **~ town** ville réputée pour ses poteries

pot: **~ting compost** *n* terreau *m*; **~ting shed** *n* abri *m* de jardin

potty○ /'pɒtɪ/
A *n* lang enfantin pot *m* (d'enfant)
B *adj* GB **1** (crazy) dingue○; **to drive sb ~** rendre qn dingue○; **2** (foolish) [*scheme, idea*] farfelu○; **3** (enthusiastic) **to be ~ about sb/sth** être toqué○ de qn/qch

potty-train /'pɒtɪtreɪn/ *vtr* **to ~ a child** apprendre à un enfant à aller sur le pot

potty-trained /'pɒtɪtreɪnd/ *pp adj* [*child*] propre

pouch /paʊtʃ/ *n* **1** (bag) petit sac *m*; (for tobacco) blague *f* (à tabac); (for ammunition) étui *m* (à munitions); (for cartridges) giberne *f*; (for mail) sac *m* postal; (for money) bourse *f*; (of clothes, skin) poche *f*; **2** Zool (of marsupials) poche *f* ventrale; (of rodents) abajoue *f*

pouf(fe) /puːf/ *n* **1** (cushion) pouf *m*; **2** GB = **poof**

poulterer /'pəʊltərə(r)/ ▸ **p. 1683** *n* GB volailler/-ère *m/f*

poultice /'pəʊltɪs/
A *n* cataplasme *m*; **mustard ~** cataplasme à la moutarde
B *vtr* mettre un cataplasme sur [*head, knee*]

poultry /'pəʊltrɪ/ *n* ¢ (birds) volailles *fpl*; (meat) volaille *f*

poultry: **~ dealer** ▸ **p. 1683** *n* marchand/-e *m/f* de volailles; **~ farm** *n* (ferme *f* d')élevage *m* de volailles; **~ farmer** ▸ **p. 1683** *n* volailleur/-euse *m/f*; **~ farming** *n* élevage *m* de volailles, aviculture *f*; **~man** ▸ **p. 1683** *n* US volailleur *m*

pounce /paʊns/
A *n* bond *m*
B *vi* bondir; **to ~ on** [*animal*] bondir sur [*prey, object*]; [*person*] se jeter sur [*victim*]; **he ~d on my mistake** il s'est jeté sur l'occasion de relever mon erreur

pound /paʊnd/
A *n* **1** Meas ▸ **p. 1883** livre *f* (*de 453,6 g*); **two ~s**

of apples ≈ un kilo de pommes; **pears are 80 pence a** *ou* **per** ~ ≈ les poires sont à 80 pence la livre; ~ **for** ~ **chicken is better value than pork** tout comparé le poulet revient moins cher que le porc; **to lose ten ~s in weight** ≈ perdre quatre kilos et demi; [2] (unit of currency) ▸ **p. 1108** livre *f*; **the British/Irish/Maltese** ~ la livre sterling/irlandaise/maltaise; **£500 worth of traveller's cheques**, (spoken) **five hundred ~s' worth of traveller's cheques** 500 livres sterling en chèques de voyage; **I'll match your donation ~ for ~** je donnerai exactement la même somme que toi; [3] (compound) (for dogs, cars) fourrière *f*

B *modif* [*weight*] d'une livre, de 453,6 grammes; [*coin, note*] d'une livre; **a £200,000 house**, (spoken) **a two hundred thousand ~ house** une maison de 200 000 livres sterling; **a two million ~ fraud/robbery** une escroquerie/un hold up de deux millions de livres; **a five/ten ~ note** un billet de cinq/dix livres

C *vtr* [1] Culin (crush) piler [*spices, grain, salt*]; aplatir [*meat*]; **to ~ sth to** réduire qch en [*powder, paste, pieces*]; [2] (beat) [*waves*] battre [*shore*]; **to ~ one's chest** se frapper la poitrine; **to ~ sth with one's fists** frapper sur qch avec ses poings [*door, table*]; **to ~ a stake into the ground** enfoncer un pieu dans la terre; [3] (bombard) [*artillery*] pilonner [*city*]; [4] (tread heavily) **to ~ the streets** battre le pavé; **to ~ the beat** [*policeman*] faire sa ronde

D *vi* [1] (knock loudly) **to ~ on** marteler [*door, wall*]; [2] (beat) [*heart*] battre; **to ~ on** [*waves*] battre contre [*beach, rocks*]; [3] (run noisily) **to ~ up/down the stairs** monter/descendre l'escalier d'un pas lourd; **to come ~ing down** *ou* **along the street** descendre la rue d'un pas lourd; [4] (throb) **my head is ~ing, I've got a ~ing headache** j'ai des élancements dans la tête

(Phrasal verbs) ■ **pound away**: ▸ **~ away at [sth]** [1] (strike hard) taper à tour de bras sur [*piano, typewriter*]; [2] (work doggedly) travailler d'arrache-pied sur [*novel, report*]

■ **pound out**: ▸ **~ out** [*music*] retentir; ▸ **~ [sth] out, ~ out [sth]** [1] (play) faire ressortir [*rhythm, tune*]; [2] °(produce) pondre° [qch] sur une machine à écrire [*script*]; [3] US Culin (flatten) aplatir [*steak*]

■ **pound up**: ▸ **~ [sth] up, ~ up [sth]** concasser [*rocks, pepper*]

poundage /ˈpaʊndɪdʒ/ *n* [1] (weight) poids *m*; [2] (tax) taxe *f* perçue par livre sterling

poundcake /ˈpaʊndkeɪk/ *n* ≈ quatre-quarts *m inv*

-pounder° /ˈpaʊndə(r)/ (*dans composés*) [1] gen **a ten~** (fish) ≈ un poisson de quatre kilos et demi; (baby) ≈ un bébé de quatre kilos et demi; [2] Mil **a thirty~** une pièce de trente

pounding /ˈpaʊndɪŋ/ *n* [1] (sound) (of waves, drums, heart) battement *m*; (of fists, hooves) martèlement *m*; (of guns) pilonnage *m*; [2] (damage, defeat) **to take a ~** [*area, building*] être pilonné; **we took a ~ in the final**° Sport on s'est pris la pâtée° en finale; **we gave the other team a ~**° nous avons donné une bonne raclée° à l'autre équipe

pound sign *n* symbole *m* de la livre sterling (£)

pour /pɔː(r)/

A *vtr* [1] verser [*liquid*]; couler [*cement, metal, wax*]; **to ~ sth into/over** verser qch dans/sur; **she ~ed the milk down the sink** elle a versé le lait dans l'évier; **she looks as if she's been ~ed into that dress**°**!** elle a l'air moulée dans cette robe

[2] (*also* **~ out**) (serve) servir [*drink*]; **I ~ed him a cup of coffee** je lui ai versé *or* servi un café; **he ~ed her a drink, he ~ed a drink for her** il lui a servi un verre; **~ me a drink please** sers-moi un verre, s'il te plaît; **can I ~ you some more coffee?** puis-je vous resservir du café?; **to ~ oneself a drink** se servir un verre; **she ~ed herself another whisky** elle s'est resservi un whisky

[3] (supply freely) **to ~ money into industry/education** investir des sommes énormes dans l'industrie/l'éducation; **to ~ one's energies into one's work** mettre toute son énergie dans son travail; **they're still ~ing troops into the region** ils envoient encore beaucoup de troupes dans la région

B *vi* [1] (flow) [*liquid*] couler (à flots); **to ~ into** [*water, liquid*] couler dans; [*smoke, fumes*] se répandre dans; [*light*] inonder; **to ~ out of** *ou* **from** [*smoke, fumes*] s'échapper de; [*water*] ruisseler de; **there was blood ~ing from the wound** le sang coulait à flots de la blessure; **perspiration/tears ~ed down her face** la transpiration ruisselait/les larmes ruisselaient sur son visage; **water ~ed down the walls** l'eau coulait le long des murs; **light ~ed through the window** la lumière entrait à flots par la fenêtre; **relief ~ed over me** j'ai été envahi par une sensation de soulagement

[2] fig **to ~ into** [*people*] affluer dans; **to ~ from** *ou* **out of** [*people, cars*] sortir en grand nombre de; [*supplies, money*] sortir en masse de; **to ~ across** *ou* **over** [*people*] traverser [qch] en grand nombre [*border, bridge*]; **workers came ~ing through the factory gates** les ouvriers sortaient en masse de l'usine

[3] (serve tea, coffee) **shall I ~?** je sers?, je fais le service?

[4] [*jug, teapot*] verser; **to ~ well/badly** verser bien/mal

C **pouring** *pres p adj* [1] **in the ~ing rain** sous la pluie battante

[2] **to be of ~ing consistency** Culin être liquide

D *v impers* **it's ~ing (with rain)** il pleut à verse; **it's ~ing buckets**° il pleut à seaux

(Idioms) **to ~ cold water on sth** se montrer peu enthousiaste pour qch; **to ~ it on**° péj en rajouter°; ▸ **oil**

(Phrasal verbs) ■ **pour away**: ▸ **~ away [sth], ~ [sth] away** vider [*surplus, dregs*]

■ **pour down** pleuvoir à verse; **the rain was ~ing down** la pluie tombait à verse

■ **pour forth** littér = **pour out**

■ **pour in**: ▸ **~ in** [*people*] affluer; [*letters, requests*] pleuvoir; [*money, job offers*] arriver en masse; [*water*] entrer à flots; **invitations came ~ing in** il y a eu une avalanche d'invitations; ▸ **~ in [sth], ~ [sth] in** verser [*water, cream*]

■ **pour off**: ▸ **~ off [sth], ~ [sth] off** vider [*excess, fat, cream*]

■ **pour out**: ▸ **~ out** [*liquid, smoke*] se déverser; [*people*] sortir en grand nombre; **all her troubles came ~ing out** elle a vidé son cœur; ▸ **~ out [sth], ~ [sth] out** [1] verser, servir [*coffee, wine etc*]; [2] fig donner libre cours à [*ideas, feelings, anger, troubles*] (**to sb** devant qn); rejeter [*fumes, sewage*]; déverser [*music*]; engloutir [*money, funding*] (**on** dans); déverser [*goods, exports*]; **to ~ out one's troubles** *ou* **heart to sb** s'épancher auprès de qn; **he ended up ~ing out all he knew about...** il a fini par livrer tout ce qu'il savait sur...

pout /paʊt/

A *n* moue *f*; **to answer with a ~** répondre en faisant la moue

B *vtr* **to ~ one's lips** faire la moue

C *vi* faire la moue

poverty /ˈpɒvətɪ/ *n* [1] (lack of money) pauvreté *f*; (more severe) misère *f*; **to live in ~** vivre dans la misère; **to be reduced to ~** en être réduit à l'indigence; [2] (of imagination, resources) pauvreté *f* (**of** de)

poverty line, poverty level *n* seuil *m* de pauvreté; **below/near the ~** au-dessous du/presque au seuil de pauvreté

poverty-stricken /ˈpɒvətɪstrɪkn/ *adj* misérable

poverty trap *n* GB *situation d'une personne assistée qui perd toutes ses aides dès qu'elle gagne un peu d'argent*

POW *n* (*abrév* = **prisoner of war**) prisonnier/-ière *m/f* de guerre

powder /ˈpaʊdə(r)/

A *n* gen, Cosmet poudre *f*; (snow) poudreuse *f*; **face ~** poudre *f*; **washing ~** lessive *f*; **to crush** *ou* **reduce to a ~** réduire [qch] en poudre; **to grind to a ~** moudre; **in ~ form** en poudre

B *vtr* [1] (dust) Cosmet poudrer [*face*]; (with snow) saupoudrer (**with** de); [2] (grind up) réduire [qch] en poudre

C **powdered** *pp adj* [*egg, milk, coffee*] en poudre

(Idioms) **to keep one's ~ dry** être paré; **to ~ one's nose** euph hum se refaire une beauté euph hum

powder: **~ blue** ▸ **p. 1067** *n, adj* bleu (*m*) pastel *inv*; **~ compact** *n* Cosmet poudrier *m*

powder keg *n* [1] Mil baril *m* de poudre; [2] fig poudrière *f* fig

powder: **~ magazine** *n* Mil poudrière *f*; **~ puff** *n* houppette *f*; **~ room** *n* euph toilettes *fpl* pour dames; **~ snow** *n* poudreuse *f*

powdery /ˈpaʊdərɪ/ *adj* [1] (in consistency) poudreux/-euse; [*stone*] friable; [2] (covered with powder) couvert de poudre

power /ˈpaʊə(r)/

A *n* [1] gen, Pol (control) pouvoir *m*; **to take** *ou* **seize ~** prendre le pouvoir; **to be in/come to ~** être/accéder au pouvoir; **to be returned/swept to ~** être rétabli/propulsé au pouvoir; **~ to the people!** le pouvoir au peuple!; **~ corrupts** le pouvoir corrompt; **to be in sb's ~** être à la merci de qn; **to have sb in one's ~** tenir qn à sa merci; [2] (strength) puissance *f*; **divine ~** la puissance divine; **to wield enormous ~** détenir une puissance énorme; **a poem/speech of great ~** un poème/discours d'une puisssance extraordinaire; [3] (influence) influence *f* (**over** sur); **I have no ~ over the committee/over how the money is spent** je n'ai aucune influence sur le comité/sur la façon dont l'argent est dépensé; [4] (capability) pouvoir *m*; **~(s) of concentration/persuasion** pouvoir de concentration/persuasion; **it is in ~** *ou* **within my ~ to do** il est en mon pouvoir de faire; **it is in** *ou* **you have it in your ~ to change things** il est en votre pouvoir de changer les choses; **it does not lie within my ~ to help you** sout il n'est pas en mon pouvoir de vous aider; **to do everything in one's ~** faire tout ce qui est en son pouvoir (**to do** pour faire); **to lose the ~ of speech** perdre l'usage de la parole; **to be at the height of one's ~s** gen avoir atteint la plénitude de ses moyens; [*artist*] être au sommet de son art; [5] ⊄ (authority) attributions *fpl*; **the act gives new ~s to the taxman** la loi donne de nouvelles attributions au fisc; **the courts/police have the ~ to do sth** il est dans les attributions de la justice/police de faire qch; [6] (physical force) (of person, explosion) force *f*, puissance *f*; (of storm) violence *f*; [7] Phys, Tech gen énergie *f*; (electrical) énergie *f* électrique; (current) courant *m*; **to switch on the ~** mettre le courant; **a cheap source of ~** une source d'énergie peu coûteuse; [8] Mech (of vehicle, plane) puissance *f*; **we're losing ~** nous perdons de la puissance; **to be running at full/half ~** fonctionner à plein/mi-régime; [9] Sci (magnification) puissance *f*; [10] Math **8 to the ~ of 3** 8 puissance 3; **to the nth ~** (à la) puissance n; [11] (country) puissance *f*; **the big ~s** les grandes puissances

B *modif* Tech, Elec [*drill, lathe, circuit, cable*] électrique; [*steering, brakes*] assisté; [*mower*] à moteur; [*shovel*] mécanique

C *vtr* faire marcher [*engine*]; propulser [*plane, boat*]; **~ed by** propulsé par [*engine*]; alimenté par [*electricity, gas, generator*]

D **-powered** (*dans composés*) **electrically-~ed** fonctionnant à l'électricité, électrique; ▸ **nuclear-powered**

(Idioms) **to do sb a ~ of good** faire à qn un bien fou; **to be the ~ behind the throne** être l'éminence grise, tirer les ficelles°; **the ~s of darkness** les puissances des ténèbres; **the ~s that be** les autorités

p

power: **~-assisted** *adj* [*steering*] assisté; **~ base** *n* base *f* politique; **~boat** *n* hors-bord *m inv*; **~ breakfast** *n* petit déjeuner *m* de travail; **~ broker** *n*: *celui/celle qui détient les clés du pouvoir*; **~ cut** *n* coupure *f* de courant; **~ dispute** *n* grève *f* dans le secteur de l'électricité; **~ dive** *n* Aviat descente *f* en piqué; **~ dressing** *n* tenue *f* vestimentaire qui en impose (*portée par les femmes cadres au travail*); **~-driven** *adj* [*lawnmower, bike*] à moteur

powerful /'paʊəfl/ *adj* [*person, arms, build, athlete, engine, computer, description*] puissant; [*government, regime*] fort; [*bomb*] de forte puissance; [*smell, emotion, impression, light, voice*] fort; [*kick, blow*] bon/bonne; [*argument, evidence*] solide; [*portrayal*] saisissant; [*performance*] magistral

powerfully /'paʊəfəlɪ/ *adv* [*influenced, affected*] fortement; [*portrayed*] d'une manière saisissante; [*attack, urge*] vivement; [*argue*] avec force; [*reek, smell*] fortement (**of** de); **to be ~ built** avoir une forte carrure

power game *n* rapport *m* de force

powerhouse /'paʊəhaʊs/ *n* **1** lit centrale *f* électrique; **2** °fig (of ideas etc) laboratoire *m*; **3** fig (person) locomotive *f*; **she's a ~!** c'est une vraie locomotive!; **to be a ~ in attack** [*team*] avoir une attaque en béton

powerless /'paʊəlɪs/ *adj* impuissant (**against** face à); **I was ~ to prevent it** il m'était impossible de l'empêcher; **the police were ~ to intervene** la police n'a pas pu intervenir

powerlessness /'paʊəlɪsnɪs/ *n* impuissance *f*

power: **~ line** *n* ligne *f* à haute tension; **~ lunch** *n* déjeuner *m* de travail; **~ nap** *n* petit somme *m* de récupération; **~ of attorney** *n* procuration *f*; **~ pack** *n* US Elec bloc *m* d'alimentation; **~ plant** US = **power station**; **~ play** *n* US fig coup *m* de force; **~ point** *n* prise *f* (de courant); **~ politics** *npl* (using military force) politique *f* de la force armée; (using coercion) politique *f* d'intimidation; **~ sharing** *n* partage *m* du pouvoir; **~ shower** *n* douche *f* (à chauffe-eau électrique instantané); **~ station** *n* centrale *f* (électrique); **~ structure** *n* répartition *f* des pouvoirs; **~ surge** *n* Elec surintensité *f*; **~ tool** *n* outil *m* électrique; **~ user** *n* Comput utilisateur/-trice *m/f* avancé/-e; **~ workers** *npl* ouvriers *mpl* dans les centrales électriques

powwow /'paʊwaʊ/ *n* **1** Anthrop assemblée *f* (*d'Indiens d'Amérique*); **2** °fig discussion *f* importante

Powys /'paʊɪs/ ▸ **p. 1612** *pr n* Powys *m*

pox /pɒks/ ▸ **p. 1327** *n* **1** ‡(smallpox) variole *f*, petite vérole *f*; **2** °†(syphilis) syphilis *f*

(Idiom) **a ~ on you!** maudit sois-tu!

poxy° /'pɒksɪ/ *adj* GB [*face, dog, house*] moche°; [*meal*] infect; [*present, reward, salary*] minable°

pp **1** (on document) (*abrév* = **per procurationem**) po; **2** Mus (*abrév* = **pianissimo**) pp; **3** (*abrév* = **pages**) pp.

p & p *n* (*abrév* = **postage and packing**) frais *mpl* d'expédition

PPE GB Univ (*abrév* = **philosophy, politics and economics**) philosophie, politique et économie *f*

PPS *n* GB *abrév* ▸ **Parliamentary Private Secretary**

Pr *abrév écrite* = **prince**

PR *n* **1** *abrév* ▸ **public relations**; **2** *abrév* ▸ **proportional representation**; **3** US Post *abrév écrite* = **Puerto Rico**; **4** °US injur (*abrév* = **Puerto Rican**) portoricain/-e *m/f*

practicability /ˌpræktɪkə'bɪlətɪ/ *n* **1** (feasibility) (of proposal, plan) faisabilité *f*; **2** (of roads, access) praticabilité *f*

practicable /'præktɪkəbl/ *adj* **1** (feasible) [*proposal, plan*] réalisable; **2** (passable) [*road*] praticable

practical /'præktɪkl/

A *n* (exam) épreuve *f* pratique; (lesson) travaux *mpl* pratiques

B *adj* **1** (concrete, not theoretical) pratique; **for all ~ purposes** en pratique; **in ~ terms** en pratique; **2** [*person*] (sensible) pratique; (with hands) adroit; **to be ~** avoir l'esprit pratique; **3** (functional) [*clothes, shoes, furniture, equipment*] pratique; **4** (viable) [*plan etc*] réalisable; **5** (virtual) **it's a ~ certainty that** c'est pratiquement certain que

practicality /ˌpræktɪ'kælətɪ/

A *n* **1** (of person) esprit *m* pratique; (of clothes, equipment) facilité *f* d'utilisation; **2** (of scheme, idea, project) aspect *m* pratique

B **practicalities** *npl* détails *mpl* pratiques

practical: **~ joke** *n* farce *f*; **~ joker** *n* farceur/-euse *m/f*

practically /'præktɪklɪ/ *adv* **1** (almost, virtually) pratiquement; **2** (in a practical way) d'une manière pratique

practicalness /'præktɪklnɪs/ *n* = **practicality A**

practical nurse ▸ **p. 1683** *n* aide-soignant/-e *m/f*

practice /'præktɪs/

A *n* **1** ¢ (exercises) exercices *mpl*; (experience) entraînement *m*; **it's just a matter of ~** ce n'est qu'une question d'entraînement; **to do one's piano ~** faire ses exercices de piano, travailler son piano; **to have had ~ in** *ou* **at sth/in** *ou* **at doing** avoir l'expérience en qch/pour ce qui est de faire; **it's all good ~** cela fait partie de l'entraînement; **to be in ~** (for sport) être bien entraîné; (for music) être bien exercé; **to be out of ~** être rouillé°; **2** (meeting) (for sport) entraînement *m*; (for music, drama) répétition *f*; **I've got football ~ tonight** j'ai un entraînement de football ce soir; **3** (procedure) pratique *f*, usage *m*; **it's standard/common ~ to do** il est d'usage/courant de faire; **against normal ~** contre l'usage; **business ~** usage en affaires; **it's normal business ~ to do** il est courant de faire; **4** **C** (habit) habitude *f*; **my usual ~ is to do** j'ai l'habitude de faire; **to make a ~ of doing, to make it a ~ to do** prendre l'habitude de faire; **as is my usual ~** comme je le fais d'habitude; **5** (custom) coutume *f*; **the ~ of doing** la coutume selon laquelle on fait; **they make a ~ of doing, they make it a ~ to do** c'est la coutume chez eux de faire; **6** (business of doctor, lawyer) cabinet *m*; **to have a ~ in London** avoir un cabinet à Londres; **to be in ~** exercer; **to be in ~ in Oxford** exercer à Oxford; **to set up in** *ou* **go into ~** (as doctor) s'établir en tant que médecin; (in law) s'établir en tant que juriste; **7** ¢ (as opposed to theory) pratique *f*; **in ~** en pratique; **to put sth into ~** mettre qch en pratique

B *modif* [*game, match*] d'essai; [*flight*] d'entraînement; **~ exam** examen *m* blanc

C *vtr, vi* US = **practise**

(Idiom) **~ makes perfect** Prov c'est en forgeant qu'on devient forgeron Prov

practice: **~ run** *n* essai *m*; **~ teacher** *n* US (secondary) professeur *m* stagiaire; (primary) instituteur/-trice *m/f* stagiaire

practise GB, **practice** US /'præktɪs/

A *vtr* **1** (work at) travailler [*song, speech, French*]; s'exercer à [*movement, shot*]; réviser [*technique*]; répéter [*play, performance*]; **to ~ the piano** travailler le piano; **to ~ one's scales** faire ses gammes; **she's practising what to say to him** elle répète ce qu'elle va lui dire; **to ~ doing** *ou* **how to do** s'entraîner à faire; **to ~ one's French on sb** essayer son français sur qn; **2** (use) pratiquer [*restraint, kindness, economy*]; utiliser [*method*]; employer [*torture*]; **3** (follow a profession) exercer; **to ~ medicine/law** exercer la médecine/la profession de juriste; **4** (observe) pratiquer [*custom, religion*]

B *vi* **1** (train) (at piano, violin) s'exercer; (for sports) s'entraîner; (for play, concert) répéter; **to ~ for** s'entraîner pour [*match, game*]; répéter [*play, speech*]; **2** (follow a profession) exercer; **to ~ as** exercer la profession de [*doctor, lawyer*]

(Idiom) **to ~ what one preaches** prêcher par l'exemple

practised GB, **practiced** US /'præktɪst/ *adj* [*player, lawyer, cheat*] expérimenté; [*eye, ear, movement, performance*] expert; **to be ~ in/in doing** être fort dans/pour faire

practising GB, **practicing** US /'præktɪsɪŋ/ *adj* [*Christian, Muslim*] pratiquant; [*doctor, lawyer*] en exercice; [*homosexual*] actif/-ive

practitioner /præk'tɪʃənə(r)/ *n* **1** (of profession) praticien/-ienne *m/f*; **legal ~** juriste *m*; **dental ~** dentiste *mf*; **2** (of art, belief) praticien/-ienne *m/f*; **~ of** adepte *mf* de

praesidium *n* = **presidium**

praetorian /priː'tɔːrɪən/ *adj* prétorien/-ienne

pragmatic /præg'mætɪk/ *adj* gen, Philos pragmatique

pragmatical /præg'mætɪkl/ *adj* pragmatique

pragmatically /præg'mætɪklɪ/ *adv* [*say, accept etc*] avec pragmatisme; [*considered*] d'un point de vue pragmatique

pragmatics /præg'mætɪks/ *n* (+ *v sg*) **1** Ling pragmatique *f*; **2** (of scheme, situation) détails *mpl* pratiques

pragmatism /'prægmətɪzəm/ *n* pragmatisme *m*

pragmatist /'prægmətɪst/ *n* gen, Ling pragmatiste *mf*

Prague /prɑːg/ ▸ **p. 1815** *pr n* Prague

prairie /'preərɪ/ *n* plaine *f* (herbeuse), prairie *f*

prairie: **~ chicken** *n* US Zool cupidon *m* des prairies; **~ dog** *n* chien *m* de prairie

prairie oyster *n* US **1** °(drink) *mélange à base d'œuf cru utilisé comme remède après des excès d'alcool*; **2** Culin (testicles) testicules *mpl* de veau cuisinés

prairie: **~ schooner** *n* chariot *m* bâché; **~ wolf** *n* US coyote *m*

praise /preɪz/

A *n* **1** gen éloges *mpl*, louanges *fpl* (**for** de; **for doing** pour avoir fait); **in ~ of sb** à la louange de qn; **in ~ of sth** louant qch; **beyond ~** au-dessus de tout éloge; **worthy of ~** digne d'éloges; **to be loud in one's ~ of sb/sth** ne pas tarir d'éloges sur qn/qch; **to heap ~ on sb** couvrir qn d'éloges; **to be highly ~d** être couvert d'éloges; **faint ~** éloge mesuré; **high ~** éloge enthousiaste; **that's ~ indeed coming from her** venant d'elle c'est un compliment; **2** Relig louange(s) *f(pl)*

B *vtr* **1** gen faire l'éloge de [*person, book, achievement*]; **to ~ sb for sth/for doing** féliciter qn pour qch/pour avoir fait; **to ~ sb/sth as sth** faire l'éloge de qn/qch en tant que qch; **to ~ sb/sth to the skies** porter qn/qch aux nues; **to sing sb's/sth's ~s** chanter les louanges de qn/qch; **2** Relig louer [*God*] (**for** pour); **Praise be to God!** Dieu soit loué!

praiseworthiness /'preɪzwɜːðɪnɪs/ *n* mérite *m* (**of** de)

praiseworthy /'preɪzwɜːðɪ/ *adj* digne d'éloges, méritoire (**to do** de faire)

pram /præm/ *n* GB landau *m*

prance /prɑːns, US præns/ *vi* [*horse*] caracoler; [*person*] (gaily) sautiller; (smugly) se pavaner; **to ~ in/out** [*person*] entrer/sortir allègrement

prang°† /præŋ/ GB

A *n* accident *m*

B *vtr* bousiller° [*car*]

prank /præŋk/ *n* farce *f*; **to play a ~ on sb** faire une farce à qn; **childish ~s** gamineries *fpl*

prankster /'præŋkstə(r)/ *n* farceur/-euse *m/f*

p

praseodymium /ˌpreɪzɪəˈdɪmɪəm/ *n* praséodyme *m*

prat◐ /præt/ *n* GB abruti/-e○ *m/f*

prate† /preɪt/ *vi* (also ~ **on**) jaser (**about** à propos de)

pratfall◐ /ˈprætfɔːl/ *n* lit, fig peau *f* de banane

prattle /ˈprætl/

A *n* bavardage *m*, papotage○ *m*; (of children) babillage *m*

B *vi* papoter○; [*children*] babiller; **to ~ on about sth** parler de qch à n'en plus finir

prawn /prɔːn/

A *n* crevette *f* rose, bouquet *m*

B *modif* [*salad, sandwich*] aux crevettes; **~ cocktail** salade *f* de crevettes; **~ cracker** beignet *m* de crevettes

pray /preɪ/

A‡ *adv* also iron je vous prie; **what is that, ~?** qu'est-ce donc, je vous prie?; **~ be seated** asseyez-vous, je vous prie; **~ silence for his lordship** veuillez faire silence pour sa seigneurie

B *vtr* **1** Relig prier (**that** pour que + *subj*); **to ~ God for forgiveness/mercy** prier Dieu pour son pardon/sa miséricorde; **2** ‡ (request) prier; **to ~ sb (to) do sth** prier qn de faire qch

C *vi* gen, Relig prier (**for** pour); **to ~ to God for sth** prier Dieu pour qch; **to ~ for rain/fair weather** prier pour qu'il pleuve/qu'il fasse beau

prayer /ˈpreə(r)/

A *n* Relig prière *f*; fig (hope) souhait *m*; **in ~** en prière; **to be at ~** *ou* **at one's ~s** être à la prière; **to say a ~ that** faire une prière pour que (+ *subj*); **to say one's prayers** faire sa prière; **his ~s were answered** lit, fig sa prière a été exaucée; **you are in my ~s** je prie pour vous et votre bien-être; **the Book of Common Prayer** le rituel de l'Église anglicane

B prayers *npl* (informal) prière *f*; (formal) office *m*; **family/evening ~s** prière *f* en famille/du soir; **Evening/Morning ~s** office *m* du soir/du matin

C *modif* Relig [*group, meeting*] de prière

(Idioms) **not to have a ~**○ ne pas avoir la moindre chance; **on a wing and a ~**○ Dieu sait comment

prayer beads *npl* chapelet *m*

prayer book *n* gen livre *m* de prières; **the Prayer Book** le rituel de l'Église anglicane

prayer: **~ mat**, **~ rug** *n* tapis *m* de prière; **~ shawl** *n* taled *m*; **~ wheel** *n* moulin *m* à prière

praying /ˈpreɪɪŋ/

A *n* prières *fpl*

B *adj* en prière

praying mantis *n* mante *f* religieuse

preach /priːtʃ/

A *vi* Relig prêcher (**to** à); fig péj sermonner; **to ~ at sb** sermonner qn

B *vtr* Relig prêcher (**to** à); fig prêcher, prôner [*tolerance, virtue, pacifism etc*]; **to ~ a sermon** faire un sermon, prêcher

(Idioms) **to practise what one ~es** conformer ses actes à ses paroles; **to ~ to the converted** enfoncer une porte ouverte

preacher /ˈpriːtʃə(r)/ *n* pasteur *m*

preachify○ /ˈpriːtʃɪfaɪ/ *vi* péj faire du prêchi-prêcha○, prêcher

preachy○ /ˈpriːtʃɪ/ *adj* sermonneur/-euse

preamble /priːˈæmbl/ *n* préambule *m* (**to** à)

preamplifier /priːˈæmplɪfaɪə(r)/ *n* préamplificateur *m*

prearrange /ˌpriːəˈreɪndʒ/ *vtr* fixer [qch] à l'avance

prebend /ˈprebənd/ *n* prébende *f*

prebendary /ˈprebəndərɪ/ *n* prébendier *m*

precancerous /priːˈkænsərəs/ *adj* précancéreux/-euse

precarious /prɪˈkeərɪəs/ *adj* précaire

precariously /prɪˈkeərɪəslɪ/ *adv* de manière précaire

precast /ˌpriːˈkɑːst, US -ˈkæst/ *adj* [*concrete*] précoulé

precaution /prɪˈkɔːʃn/ *n* précaution *f* (**against** contre); **as a ~** par précaution; **to take ~s** (all contexts) prendre des précautions; **to take ~s to ensure/avoid** prendre des précautions pour assurer/éviter; **to take the ~ of doing** prendre la précaution de faire

precautionary /prɪˈkɔːʃənərɪ, US -nerɪ/ *adj* préventif/-ive; **~ measure** mesure *f* de précaution

precede /prɪˈsiːd/ *vtr* précéder; **to ~ sb as** précéder qn comme [*president, leader*]; **~d by** précédé de *or* par; **to ~ a speech with a few words of thanks** faire précéder un discours de quelques mots de remerciement

precedence /ˈpresɪdəns/ *n* **1** (in importance) priorité *f*; **to take** *ou* **have ~ over sth/sb** avoir la priorité sur qch/qn; **2** (in rank) préséance *f*; **to have ~ over sb** avoir la préséance sur qn; **in order of ~** par ordre de préséance

precedent /ˈpresɪdənt/ *n* précédent *m*; **to set a ~** créer un précédent

preceding /prɪˈsiːdɪŋ/ *adj* précédent

precentor /prɪˈsentə(r)/ *n* maître *m* de chapelle

precept /ˈpriːsept/ *n* précepte *m*

preceptor /ˈpriːseptə(r)/ *n* **1** ‡(teacher) maître *m*; précepteur/-trice‡ *m/f*; **2** US Univ **~** moniteur/-trice *m/f*

pre-Christian /prɪˈkrɪstʃən/ *adj* préchrétien/-ienne

precinct /ˈpriːsɪŋkt/

A *n* **1** GB (also **shopping ~**) quartier *m* commerçant; **2** GB (also **pedestrian ~**) zone *f* piétonne; **3** US Admin circonscription *f*

B precincts *npl* **1** (surrounding area) alentours *mpl*; **2** GB (of university, cathedral) enceinte *f*

C *modif* US Admin [*captain, police station*] de quartier; **~ worker** US Pol militant/-e *m/f* politique de quartier

precious /ˈpreʃəs/

A *n* (as endearment) mon trésor; **Diane come here ~** Diane viens ici mon trésor

B *adj* **1** (valuable) [*resource, possession, land, time*] précieux/-ieuse; **2** (held dear) [*person*] cher/chère (**to** à); **3** ○iron (beloved) cher/chère; **4** pej (affected) [*person, style*] précieux/-ieuse, affecté

C *adv* (very) **~ little time/sense** fort peu de temps/de bon sens; **~ little to do** fort peu à faire; **~ few cars/solutions** fort peu de voitures/de solutions

precious metal *n* métal *m* précieux

preciousness /ˈpreʃəsnɪs/ *n* **1** (value) (of time, possessions) valeur *f*; **2** (affectedness) préciosité *f*

precious stone *n* pierre *f* précieuse

precipice /ˈpresɪpɪs/ *n* lit, fig précipice *m*

precipitance /prɪˈsɪpɪtəns/ *n* sout précipitation *f*

precipitant /prɪˈsɪpɪtənt/

A *n* Chem agent *m* de précipitation

B *adj* sout (hasty) précipité

precipitate

A /prɪˈsɪpɪteɪt/ *n* Chem précipité *m*

B /prɪˈsɪpɪtət/ *adj* (hasty) [*action, decision, departure*] précipité; [*person*] (trop) prompt

C /prɪˈsɪpɪteɪt/ *vtr* Chem, Meteorol, gen précipiter

D /prɪˈsɪpɪteɪt/ *vi* **1** Chem précipiter; **2** Meteorol être précipité

precipitately /prɪˈsɪpɪtətlɪ/ *adv* sout précipitamment

precipitation /prɪˌsɪpɪˈteɪʃn/ *n* **1** Chem précipitation *f*; **2** Meteorol précipitations *fpl*

precipitous /prɪˈsɪpɪtəs/ *adj* **1** sout (steep) [*cliff*] à pic *inv*; [*road*] escarpé; [*steps*] raide; **2** (hasty) = **precipitate B**

precipitously /prɪˈsɪpɪtəslɪ/ *adv* sout à pic

précis /ˈpreɪsiː, US preɪˈsiː/

A *n* résumé *m*

B *vtr* faire un résumé de [*text, speech*]

precise /prɪˈsaɪs/ *adj* **1** (exact) [*idea, moment, sum, measurement*] précis; **can you be more ~?** pourriez-vous être plus précis?; **to be ~...** pour être précis...; **not at this ~ moment** pas pour l'instant; **2** (meticulous) [*person, mind*] méticuleux/-euse

precisely /prɪˈsaɪslɪ/ *adv* **1** (exactly) exactement, précisément; **I saw her ~ four times** je l'ai vue quatre fois exactement; **~ because** précisément parce que; **that's ~ why...** c'est précisément la raison pour laquelle...; **at ten o'clock ~** à dix heures précises; **2** (accurately) [*describe, record*] avec précision

preciseness /prɪˈsaɪsnɪs/ *n* méticulosité *f*

precision /prɪˈsɪʒn/

A *n* précision *f*; **with ~** avec précision; **with military/surgical ~** avec une précision militaire/chirurgicale

B *modif* [*engineering, steering, tool*] de précision

precision bombing *n* bombardement *m* de précision

preclude /prɪˈkluːd/ *vtr* exclure [*choice, possibility*]; empêcher [*action, involvement*]; **to ~ sb/sth (from) doing** empêcher qn/qch de faire

precocious /prɪˈkəʊʃəs/ *adj* gen précoce; **a ~ child** péj un petit prodige

precociously /prɪˈkəʊʃəslɪ/ *adv* précocement

precociousness /prɪˈkəʊʃəsnɪs/, **precocity** /prɪˈkɒsətɪ/ *n* précocité *f*

precognition /ˌpriːkɒgˈnɪʃn/ *n* précognition *f*

pre-Columbian /ˌpriːkəˈlʌmbɪən/ *adj* précolombien/-ienne

precombustion /ˌpriːkəmˈbʌstʃən/

A *n* précombustion *f*

B *modif* **~ chamber** chambre *f* de précombustion; **~ engine** moteur *m* à précombustion

preconceived /ˌpriːkənˈsiːvd/ *adj* préconçu

preconception /ˌpriːkənˈsepʃn/ *n* opinion *f* préconçue (**about** au sujet de)

preconcerted /ˌpriːkənˈsɜːtɪd/ *adj* prévu

precondition /ˌpriːkənˈdɪʃn/

A *n* condition *f* requise

B *vtr* Psych conditionner

precook /ˌpriːˈkʊk/

A *vtr* précuire

B precooked *pp adj* précuit

precool /ˌpriːˈkuːl/ *vtr* préréfrigérer

precursor /ˌpriːˈkɜːsə(r)/ *n* (person) précurseur *m*; (sign) signe *m* avant-coureur; (prelude) prélude *m* (**to, of** à); (earlier form) ancêtre *m*

precursory /ˌpriːˈkɜːsərɪ/ *adj* préalable

predate /ˌpriːˈdeɪt/ *vtr* **1** (put earlier date) antidater [*cheque, document*]; **2** (exist before) [*event, discovery, building*] être antérieur à

predator /ˈpredətə(r)/

A *n* **1** (animal) prédateur *m*; **2** Comm (in takeover) prédateur *m*, attaquant *m*

B *modif* **~ group**, **~ company** prédateur *m*, attaquant *m*

predatory /ˈpredətrɪ, US -tɔːrɪ/ *adj* **1** [*animal*] prédateur/-trice; [*habits*] de prédateur; **2** Comm [*consortium, company, raid*] hostile

predatory: **~ competition** *n* Comm concurrence *f* déloyale *or* sauvage par dumping; **~ pricing** *n* Comm dumping *m*; **~ stake** *n* Fin participation *f* résultant d'une OPA hostile

predecease /ˌpriːdɪˈsiːs/ *vtr* sout Jur décéder antérieurement à

predecessor /ˈpriːdɪsesə(r), US ˈpredə-/ *n* prédécesseur *m*

predestination /ˌpriːdestɪˈneɪʃn/ *n* prédestination *f*

predestine /ˌpriːˈdestɪn/ *vtr* [*God, fate*] prédestiner (**to** à; **to do** à faire); **it is** *ou* **has been ~d that** il est écrit que

predetermination /ˌpriːdɪtɜːmɪˈneɪʃn/ *n* **1** Relig prédétermination *f*; **2** (of outcome) détermination *f* préalable

predetermine /ˌpriːdɪˈtɜːmɪn/ *vtr* 1 (fix beforehand) déterminer d'avance; ~**d personality/strategy** personnalité/stratégie déterminée d'avance; 2 Relig, Philos prédéterminer

predicable /ˈpredɪkəbl/ *adj* Philos prédicable

predicament /prɪˈdɪkəmənt/ *n* situation *f* difficile; **to help sb out of his/her ~** aider qn à se sortir d'un mauvais pas

predicate
A /ˈpredɪkət/ *n* Ling, Philos prédicat *m*
B /ˈpredɪkət/ *adj* 1 Ling, Philos prédicatif/-ive; 2 Math ~ **calculus** calcul des prédicats
C /ˈpredɪkeɪt/ *vtr* 1 gen (assert) avancer [*theory*]; **to ~ sth to be** poser que qch est; **to ~ that** poser que; 2 Philos (affirm) affirmer (**of** de); 3 (base) fonder (**on** sur); 4 **to be ~ed on** (have as condition) impliquer

predicative /prɪˈdɪkətɪv, US ˈpredɪkeɪtɪv/ *adj* Ling prédicatif/-ive

predicatively /prɪˈdɪkətɪvlɪ, US ˈpredɪkeɪtɪvlɪ/ *adv* Ling [*use*] en tant que prédicat

predict /prɪˈdɪkt/ *vtr* prédire [*future, event*]; **to ~ that** prédire que; **to ~ where/when/how** prédire où/quand/la façon dont

predictability /prɪˌdɪktəˈbɪlətɪ/ *n* prévisibilité *f*

predictable /prɪˈdɪktəbl/ *adj* prévisible; **you're so ~** tes actions sont si prévisibles

predictably /prɪˈdɪktəblɪ/ *adv* [*boring, late*] comme prévu; ~, **nobody came** comme on pouvait s'y attendre, personne n'est venu

prediction /prɪˈdɪkʃn/ *n* prédiction *f* (**about** sur; **of** de; **that** selon laquelle); **a ~ that inflation will fall** une prédiction selon laquelle l'inflation va baisser

predictive /prɪˈdɪktɪv/ *adj* prophétique

predigested /ˌpriːdaɪˈdʒestɪd/ *adj* prédigéré

predilection /ˌpriːdɪˈlekʃn, US ˌpredlˈek-/ *n* prédilection *f* (**for** pour)

predispose /ˌpriːdɪˈspəʊz/ *vtr* prédisposer (**to** à; **to do** à faire)

predisposition /ˌpriːdɪspəˈzɪʃn/ *n* prédisposition *f* (**to** à; **to do** à faire)

predominance /prɪˈdɒmɪnəns/ *n* prédominance *f* (**of** de; **over** sur)

predominant /prɪˈdɒmɪnənt/ *adj* prédominant

predominantly /prɪˈdɒmɪnəntlɪ/ *adv* [*represent, feature*] principalement; [*Muslim, female, French-speaking*] essentiellement; ~ **influenced by** influencé principalement par; **the flowers were ~ pink** la plupart des fleurs étaient roses

predominate /prɪˈdɒmɪneɪt/ *vi* prédominer (**over** sur)

pre-eclampsia /priːɪˈklæmpsɪə/ *n* Med prééclampsie *f*

pre-embryo /ˌpriːˈembrɪəʊ/ *n*: *embryon de moins de 14 jours*

preemie○ /ˌpriːˈemiː/ *n* (also **premie**) US Med prématuré/-e *m/f*

pre-eminence /ˌpriːˈemɪnəns/ *n* gen suprématie *f*; Sport supériorité *f*

pre-eminent /ˌpriːˈemɪnənt/ *adj* 1 (distinguished) [*celebrity, scientist*] éminent; 2 (leading) [*nation, cult, company*] dominant

pre-eminently /ˌpriːˈemɪnəntlɪ/ *adv* 1 (highly) [*successful, distinguished*] particulièrement; 2 (above all) avant tout

pre-empt /ˌpriːˈempt/ *vtr* 1 (anticipate) anticiper [*question, decision, move*]; devancer [*person*]; 2 (thwart) contrecarrer [*action, plan*]; 3 Jur (appropriate) préempter [*building, land*]

pre-emption /ˌpriːˈempʃn/
A *n* 1 gen action *f* préventive; 2 Jur (of sale) préemption *f*
B *modif* Jur [*right*] de préemption

pre-emptive /ˌpriːˈemptɪv/ *adj* 1 Jur [*right*] de préemption; [*purchase*] par préemption; 2 Mil [*strike, attack*] préventif/-ive; 3 Games (in bridge) [*bid*] de barrage

preen /priːn/
A *vtr* [*bird*] lisser [*feathers*]
B *vi* [*bird*] se lisser les plumes
C *v refl* **to ~ oneself** [*bird*] se lisser les plumes; [*person*] péj se pomponner

pre-establish /ˌpriːɪˈstæblɪʃ/ *vtr* préétablir

pre-exist /ˌpriːɪɡˈzɪst/
A *vtr* préexister à
B *vi* [*situation, phenomenon*] préexister; [*person, soul*] avoir une vie antérieure
C **pre-existing** *pres p adj* préexistant; **a ~ing medical condition** un antécédent médical

pre-existence /ˌpriːɪɡˈzɪstəns/ *n* 1 (of phenomenon) préexistence *f*; 2 (of person) vie *f* antérieure

pre-existent /ˌpriːɪɡˈzɪstənt/ *adj* préexistant

prefab /ˈpriːfæb, US ˌpriːˈfæb/
A *n* (bâtiment *m*) préfabriqué *m*
B *adj* préfabriqué

prefabricate /ˌpriːˈfæbrɪkeɪt/ *vtr* préfabriquer

prefabrication /ˌpriːfæbrɪˈkeɪʃn/ *n* préfabrication *f*

preface /ˈprefɪs/
A *n* (to book) préface *f* (**to** à); (to speech) préambule *m*
B *vtr* préfacer [*livre*]; **to ~ sth with sth** faire précéder qch de qch; **I would like to ~ my remarks with a word of thanks to...** avant d'aborder mon sujet, je voudrais remercier...

prefaded /ˌpriːˈfeɪdɪd/ *adj* délavé

prefatory /ˈprefətrɪ, US -tɔːrɪ/ *adj* [*comments*] préliminaire; [*pages, notes*] liminaire

prefect /ˈpriːfekt/ *n* 1 GB Sch *élève de dernière année chargé de la surveillance*; 2 Pol préfet *m*

prefecture /ˈpriːfektjʊə(r), US -tʃər/ *n* Pol préfecture *f*

prefer /prɪˈfɜː(r)/
A *vtr* 1 (like better) préférer, aimer mieux; **to ~ sth to** préférer qch à; **to ~ doing** préférer faire; **I ~ painting to drawing** je préfère peindre plutôt que de dessiner; **to ~ to do** préférer faire; **to ~ to walk rather than to take the bus** préférer y aller à pied plutôt que de prendre le bus; **to ~ sb to do/not to do** préférer que qn fasse/ne fasse pas; **to ~ that** préférer que (+ *subj*); **to ~ it if** aimer mieux que (+ *subj*); **I would ~ it if you didn't smoke** j'aimerais mieux que tu ne fumes pas; 2 Jur **to ~ charges** porter plainte; **to ~ charges against sb** engager des poursuites contre qn; 3 (promote) élever [*clergyman*]
B **preferred** *pp adj* (*tjrs épith*) [*term, method, route, option, solution*] préféré; **~red position** journ emplacement *m* privilégié; **~red creditor** Fin créancier/-ière *m/f* prioritaire; **there is a ~red candidate** (in job ad) il y a un candidat prioritaire

preferable /ˈprefrəbl/ *adj* préférable (**to** à); **it is ~ to do** il est préférable de faire

preferably /ˈprefrəblɪ/ *adv* de préférence

preference /ˈprefrəns/ *n* préférence *f* (**for** pour); **in ~ to** de préférence à; **in ~ to doing** plutôt que de faire; **to give ~ to sb (over sb)** donner la préférence à qn (plutôt qu'à qn)

preference share *n* GB Fin action *f* privilégiée

preferential /ˌprefəˈrenʃl/ *adj* (all contexts) préférentiel/-ielle

preferment /prɪˈfɜːmənt/ *n* Admin élévation *f*, avancement *m*

preferred stock *n* US, Fin actions *fpl* privilégiées

prefiguration /ˌpriːfɪɡəˈreɪʃn/ *n* préfiguration *f*

prefigure /ˌpriːˈfɪɡə(r), US -ɡjər/ *vtr* 1 (be an early sign of) [*event*] préfigurer; [*person*] être le précurseur de; 2 (imagine beforehand) imaginer d'avance

prefix /ˈpriːfɪks/
A *n* (*pl* **-es**) 1 Ling préfixe *m*; 2 GB Telecom indicatif *m*; 3 GB Aut *première lettre d'une immatriculation automobile*
B *vtr* préfixer [*word*]; **to ~ X to Y** faire précéder Y de X

preflight /ˈpriːflaɪt/ *adj* [*checks*] précédant le décollage; **he suffers from ~ nerves** il est très angoissé avant le décollage

preform /ˌpriːˈfɔːm/ *vtr* préformer [*components*]

preformation /ˌpriːfɔːˈmeɪʃn/ *n* préformage *m*

prefrontal /ˌpriːˈfrʌntl/ *adj* [*lobe, lobotomy*] préfrontal

preggers○† /ˈpreɡəz/ *adj* GB grosse○, enceinte

pregnancy /ˈpreɡnənsɪ/ *n* (of woman) grossesse *f*; (of animal) gestation *f*

pregnancy test *n* test *m* de grossesse

pregnant /ˈpreɡnənt/ *adj* 1 Med [*woman*] enceinte; [*female animal*] pleine; **to become ~** se retrouver enceinte; **~ mothers** femmes enceintes; **to get ~**○ tomber enceinte○; **to get ~ by sb** se trouver enceinte de qn; **to get sb ~**○ faire un enfant à qn○; **two months ~** enceinte de deux mois; **to be ~ with twins** attendre des jumeaux; 2 fig [*pause*] éloquent; ~ **with meaning/danger** lourd de sens/danger

preheat /ˌpriːˈhiːt/ *vtr* préchauffer [*oven*]

prehensile /ˌpriːˈhensaɪl, US -sl/ *adj* préhensile

prehistoric /ˌpriːhɪˈstɒrɪk, US -tɔːrɪk/ *adj* Archeol, fig préhistorique; **in ~ times** à l'époque préhistorique

prehistory /ˌpriːˈhɪstrɪ/ *n* 1 Hist préhistoire *f*; 2 fig (beginnings) débuts *mpl*

pre-ignition /ˌpriːɪɡˈnɪʃn/ *n* autoallumage *m*

prejudge /ˌpriːˈdʒʌdʒ/ *vtr* juger [qn] d'avance [*person*]; préjuger [*issue*]

prejudice /ˈpredʒʊdɪs/
A *n* 1 (single, specific) préjugé *m* (**against** contre; **in favour of** en faveur de); **to overcome one's ~s** surmonter ses préjugés 2 ¢ préjugés *mpl*; **racial/political ~** préjugés raciaux/en matière de politique; 3 (harm) gen, Jur préjudice *m*; **to the ~ of** au préjudice de; **without ~** sans préjudice (**to** de)
B *vtr* 1 (bias) influencer; **to ~ sb against/in favour of** prévenir qn contre/en faveur de; 2 (harm, jeopardize) porter préjudice à [*claim, case*]; léser [*person*]; compromettre [*chances*]; **to ~ the course of justice** Jur entraver le cours de la justice

prejudiced /ˈpredʒʊdɪst/ *adj* [*person*] plein de préjugés; [*judge, jury*] partial; [*opinion*] préconçu; [*judgment, account*] tendancieux/-ieuse, partial; **to be ~ against/in favour of** avoir des préjugés contre/en faveur de; **you're ~** tu es partial

prejudicial /ˌpredʒʊˈdɪʃl/ *adj* sout préjudiciable (**to** à)

prelacy /ˈpreləsɪ/ *n* prélature *f*

prelate /ˈprelət/ *n* prélat *m*

prelaw /ˈpriːlɔː/ *adj* US Univ [*studies*] préparatoire aux études de droit; [*student*] en classe préparatoire aux études de droit

prelim /ˈpriːlɪm/ *n* (*gén pl*) 1 GB Univ examen *m* de passage en deuxième année; 2 GB Sch ≈ bac *m* blanc; 3 Print pièces *fpl* liminaires; 4 Sport épreuve *f* éliminatoire

preliminary /prɪˈlɪmɪnərɪ, US -nerɪ/
A *n* 1 **as a ~ to** en prélude à; 2 Sport épreuve *f* éliminatoire
B **preliminaries** *npl* préliminaires *mpl* (**to** à)
C *adj* [*comment, data, test*] préliminaire; [*heat, round*] éliminatoire; ~ **to** préalable à

preliminary: ~ **hearing** *n* GB Jur audience *f* préliminaire; ~ **inquiry**, ~ **investigation** *n* Jur enquête *f* préliminaire; ~ **ruling** *n* Jur décision *f* préliminaire

p

prelude /ˈprelju:d/
A n gen, Mus prélude m (**to** à)
B sout vtr préluder à fml, annoncer

premarital /ˌpri:ˈmærɪtl/ adj [sex, relations] avant le mariage; [contract] de mariage

pre-match /ˈpri:mætʃ/ n Sport avant-match m

premature /ˈpremətjʊə(r), US ˌpri:məˈtʊər/ adj **1** gen prématuré; **it is ~ to do, it is ~ to be doing** il est prématuré de faire; **2** Med [baby, birth, ageing] prématuré; [ejaculation, menopause] précoce; **to be born two weeks ~** naître deux semaines avant terme

prematurely /ˈpremətjʊəlɪ, US ˌpri:məˈtʊərlɪ/ adv [act, be born, die, flower] prématurément; [aged, born, bald, wrinkled] prématurément; **to retire ~** prendre une retraite anticipée

premed /ˌpri:ˈmed/
A n GB Med (abrév = **premedication**) prémédication f
B adj US Univ (abrév = **premedical**) [studies] préparatoire aux études de médecine; [student] en classe préparatoire aux études de médecine

premedication /ˌpri:medɪˈkeɪʃn/ n Med prémédication f

premeditate /ˌpri:ˈmedɪteɪt/ vtr gen, Jur préméditer [act, attack, crime]

premeditation /ˌpri:medɪˈteɪʃn/ n gen, Jur préméditation f

premenstrual /ˌpri:ˈmenstrʊəl/ adj prémenstruel/-elle

premenstrual: **~ syndrome**, **PMS** n spec syndrome m prémenstruel; **~ tension**, **PMT** n syndrome m prémenstruel

premier /ˈpremɪə(r), US ˈpri:mɪər/
A n **1** (prime minister) premier ministre m; **2** (head of government) chef m du gouvernement
B adj premier/-ière

première /ˈpremɪeə(r), US ˈpri:mɪər/
A n première f; **world/British/London ~** première mondiale/en Grande-Bretagne/à Londres
B vtr donner [qch] en première [film, play]
C vi [film] passer en première

premiership /ˈpremɪəʃɪp, US prɪˈmɪərʃɪp/ n **1** Pol (of prime minister) fonction f de premier ministre; (of head of government) fonction f de chef du gouvernement; (period of office) ministère m; **2** GB (in football, rugby) **the Premiership** la première division

premise /ˈpremɪs/
A n GB (also **premiss** GB) prémisse f; **on the ~ that** en supposant que (+ subj)
B **premises** npl locaux mpl; **business/council ~s** locaux mpl commerciaux/de la mairie; **embassy ~s** ambassade f; **office ~s** bureaux mpl; **on the ~s** sur place; **off the ~s** à l'extérieur; **she asked me to leave the ~s** elle m'a demandé de quitter les lieux; **the accident happened off our ~s** l'accident s'est produit en dehors de nos locaux

premium /ˈpri:mɪəm/ n **1** gen (extra payment) supplément m; **to buy/sell at a ~ (price)** acheter/vendre au prix fort; **2** (Stock Exchange) prime f d'émission; **to sell shares** ou **stock at a ~** vendre des actions au-dessus du pair; **3** Insur prime f (d'assurance); **4** Comm (payment for lease) reprise f; **5** fig **to be at a ~** valoir de l'or; **time is at a ~** le temps devient précieux; **to put** ou **place** ou **set a (high) ~ on sth** mettre qch au (tout) premier plan

premium: **~ bond** GB n obligation f à lots; **~ fuel** GB, **~ gasoline** US n supercarburant m; **~ price** n prix m fort; **~ product** n produit m de luxe; **~ rate** n [call, number] à tarification normale; **~ rent** n loyer m très cher

premolar /ˌpri:ˈməʊlə(r)/ n prémolaire f

premonition /ˌpri:məˈnɪʃn, ˌpre-/ n prémonition f; **to have a ~ of/that** avoir la prémonition de/que

premonitory /prɪˈmɒnɪtərɪ, US -tɔ:rɪ/ adj sout prémonitoire

prenatal /ˌpri:ˈneɪtl/ adj surtout US prénatal

prenuptial /ˌpri:ˈnʌpʃl/ adj prénuptial; **~ agreement**, **pre-nup**○ Jur contrat m prénuptial

preoccupation /ˌpri:ɒkjʊˈpeɪʃn/ n préoccupation f; **to have a ~ with** se préoccuper de; **his ~ with** son obsession pour

preoccupied /ˌpri:ˈɒkjʊpaɪd/ adj préoccupé (**with, by** par)

preoccupy /ˌpri:ˈɒkjʊpaɪ/ vtr (prét, pp **-pied**) préoccuper

pre-op○ /ˌpri:ˈɒp/
A n médicament m préopératoire
B adj = **preoperative**

preoperative /ˌpri:ˈɒpərətɪv, US -reɪt-/ adj préopératoire; **~ injection/medication** piqûre f/médicament m préopératoire

preordain /ˌpri:ɔ:ˈdeɪn/
A vtr **1** prescrire [qch] d'avance [decree, order]; **2** Relig, Philos prédestiner [sb's fate]; préétablir [shape of world]
B **preordained** pp adj **1** [decree, order] prescrit d'avance; **2** Relig, Philos [outcome] prédestiné; [pattern] préétabli

prep○ /prep/
A n **1** GB Sch (homework) devoirs mpl; (study period) étude f; **2** US Sch (student) élève mf d'un lycée privé; **3** US Med (of patient) préparation f
B vtr US Med préparer [patient]
C vi (p prés etc **-pp-**) US **1** **to ~ for**○ se préparer à [exam, studies]; **2** Sch être en classe préparatoire

prepack /ˌpri:ˈpæk/, **prepackage** /ˌpri:ˈpækɪdʒ/ vtr pré-emballer

prepaid /ˌpri:ˈpaɪd/ adj gen payé d'avance; **carriage ~** port payé; **~ reply card** carte-réponse f avec port payé; **~ envelope** enveloppe f affranchie pour la réponse

preparation /ˌprepəˈreɪʃn/
A n **1** (of meal, report, lecture, event) préparation f; **~s** préparatifs mpl; **to make ~s for** faire les préparatifs de; **in ~ for** en vue de [event, journey, meeting, conflict]; **to be in ~** être en préparation; **2** (physical, psychological) préparation f (**for** pour); (sporting) entraînement m (**for** pour); **education should be a ~ for life** l'éducation devrait préparer à la vie; **3** Cosmet, Culin, Med (substance) préparation f (**for** pour; **to do** pour faire); **4** GB (homework) ¢ devoirs mpl
B modif [time] de préparation; [stage] préparatoire

preparatory /prɪˈpærətrɪ, US -tɔ:rɪ/ adj [training, course, studies] préparatoire; [meeting, report, research, steps, investigations] préliminaire, préalable; [drawing] préparatoire; **~ to sth** en vue de qch, avant qch; **~ to doing** avant de faire

preparatory school n **1** GB école f primaire privée; **2** US lycée m privé

prepare /prɪˈpeə(r)/
A vtr (plan) préparer [food, meal, bed, room, class, speech, report, plan] (**for** pour); préparer [surprise] (**for** à); **to ~ to do** se préparer or s'apprêter à faire; **to ~ sb for** préparer qn à [exam, situation, shock]; **to ~ one's defence** Jur préparer sa défense; **to ~ the ground** ou **way for sth** préparer le terrain or la voie pour qch
B vi **to ~ for** se préparer à [trip, talks, exam, election, storm, war]; se préparer pour [party, ceremony, game]; **to ~ for action** Mil se préparer à l'action
C v refl **to ~ oneself** se préparer; **~ yourself for some bad news** prépare-toi à recevoir une mauvaise nouvelle

prepared /prɪˈpeəd/ adj **1** (willing) **to be ~ to do** être prêt à faire; **2** (ready) **to be ~ for** [disaster, strike, conflict, change] être prêt à; **to be well-/ill-~** (with materials) être bien/mal équipé; **to come ~** venir bien préparé; **be ~!** soyez prêt!; **to be ~ for the worst** s'attendre au pire; **I really wasn't ~ for this!** je ne m'attendais pas du tout à ça!; **3** (ready-made) [meal] tout prêt; [speech, statement, response, text] préparé d'avance

preparedness /prɪˈpeərɪdnɪs/ n **1** **~ for** préparation f en cas de [disaster, development]; **a state of ~** Mil un état d'alerte; **2** (willingness) **her ~ to address major issues** son empressement à aborder des problèmes importants

prepay /ˌpri:ˈpeɪ/ vtr payer [qch] d'avance

prepayment /ˌpri:ˈpeɪmənt/ n paiement m d'avance

pre-plan /pri:ˈplæn/ vtr (p prés etc **-nn-**) préplanifier

preponderance /prɪˈpɒndərəns/ n prépondérance f (**of** de; **over** sur); **it differs from previous governments in the ~ of ministers below the age of 63** il se distingue des gouvernements précédents par la prépondérance de ministres de moins de 63 ans

preponderant /prɪˈpɒndərənt/ adj prépondérant

preponderantly /prɪˈpɒndərəntlɪ/ adv principalement

preponderate /prɪˈpɒndəreɪt/ vi prédominer (**over** sur)

preposition /ˌprepəˈzɪʃn/ n préposition f

prepositional /ˌprepəˈzɪʃənəl/ adj prépositionnel/-elle; **~ phrase** (used as preposition) locution f prépositive; (introduced by preposition) syntagme m prépositionnel

prepositionally /ˌprepəˈzɪʃənəlɪ/ adv comme préposition

prepossess /ˌpri:pəˈzes/ vtr sout **1** (preoccupy) préoccuper; **2** (influence) influencer

prepossessing /ˌpri:pəˈzesɪŋ/ adj avenant

preposterous /prɪˈpɒstərəs/ adj grotesque

preposterously /prɪˈpɒstərəslɪ/ adv ridiculement

preppie, **preppy** /ˈprepɪ/ US
A n (pl **-pies**) (student) élève mf d'un lycée privé; fig péj jeune bourgeois/-e mf à l'allure bon chic bon genre
B adj bon chic bon genre inv, B.C.B.G.

preprogrammed /ˌpri:ˈprəʊgræmd, US -grəmd/ adj gen programmé (**to do** pour faire); Comput préprogrammé

prep school /ˈprepsku:l/ n **1** GB école f primaire privée; **2** US lycée m privé

> **Prep school**
>
> Au Royaume-Uni, école privée qui accueille des élèves âgés de 7 à 13 ans et les prépare à l'entrée dans une bonne école, le plus souvent une *public school*. Aux États-Unis, école secondaire privée très sélective qui prépare les élèves à l'entrée dans les meilleures universités.
>
> ▸ The **Ivy League, Public schools**

prepster○ /ˈprepstə(r)/ n US Sch élève mf d'un lycée privé

prepuce /ˈpri:pju:s/ n prépuce m

prequel /ˈpri:kwəl/ n Literat, Cin épisode m précédent

Pre-Raphaelite /ˌpri:ˈræfəlaɪt/
A n préraphaélite mf
B adj [style, sensibility] préraphaélite; [face, look] préraphaélique

prerecord /ˌpri:rɪˈkɔ:d/
A vtr TV, Radio enregistrer à l'avance [programme]
B **prerecorded** pp adj [broadcast] préenregistré, en différé inv

preregister /ˌpri:ˈredʒɪstə(r)/ vi US Univ s'inscrire

preregistration /ˌpri:redʒɪˈstreɪʃn/ n US Univ préinscription f

prerelease /ˌpri:rɪˈli:s/ adj Cin [screening, publicity] d'avant-première inv

prerequisite /ˌpri:ˈrekwɪzɪt/
A n **1** gen préalable m (**of** de; **for** à); **2** US Univ unité f de valeur; **to be a ~ for** [course] être

l'unité de valeur dont l'obtention conditionne l'inscription en [*higher course*]
B *adj* [*condition*] préalable

prerogative /prɪ'rɒgətɪv/ *n* (official) prérogative *f*; (personal) droit *m*; **~s of the head of State/of the regime** prérogatives du chef de l'État/du régime; **that is your ~** c'est votre droit

presage /'presɪdʒ/ sout
A *n* présage *m* (**of** de)
B *vtr* laisser présager [*disaster*]

presbyopia /ˌprezbɪ'əʊpɪə/ *n* presbytie *f*

Presbyterian /ˌprezbɪ'tɪərɪən/ *n, adj* presbytérien/-ienne (*m/f*)

Presbyterianism /'prezbɪ'tɪərɪənɪzəm/ *n* presbytérianisme *m*

presbytery /'prezbɪtrɪ, US -terɪ/ *n* **1** (priest's house) presbytère *m*; **2** (ruling body) (+ *v sg ou pl*) consistoire *m* presbytérien; **3** (part of church) chœur *m*

preschool /ˌpriː'skuːl/
A *n* US (kindergarten) école *f* maternelle; **in ~** à l'école maternelle
B *adj* [*child*] d'âge préscolaire *inv*; [*years*] préscolaire

preschooler /ˌpriː'skuːlə(r)/ *n* US Sch enfant *mf* d'âge préscolaire

preschool playgroup *n* GB ≈ jardin *m* d'enfants

prescience /'presɪəns/ *n* prescience *f*

prescient /'presɪənt/ *adj* prescient

prescribe /prɪ'skraɪb/
A *vtr* **1** Med fig prescrire (**for sb** à qn; **for sth** pour qch); **he was ~d aspirin** on lui a prescrit de l'aspirine®; **what do you ~?** hum qu'est-ce que je peux faire docteur?; **2** (lay down) imposer [*rule*]
B **prescribed** *pp adj* **1** Med, fig (recommended) [*drug, treatment, course of action*] prescrit; **2** (set) [*rule*] imposé; Sch, Univ [*book*] inscrit au programme

prescription /prɪ'skrɪpʃn/
A *n* **1** Med (paper) ordonnance *f* (**for** pour); **on ~** sur ordonnance; **repeat ~** ordonnance renouvelable; **2** Med (recommendation) prescription *f* (**of** de); **3** fig (formula) recette *f* (**for** de); (set of rules) prescription *f*
B *modif* Med [*glasses, lenses*] correcteur/-trice; **~ drug** préparation médicinale

prescription charges *npl* GB Med frais *mpl* d'ordonnance (*payables en pharmacie*)

prescriptive /prɪ'skrɪptɪv/ *adj* **1** gen, Ling (with set rules) normatif/-ive; **2** Jur [*right, title*] prescriptible; **3** gen, sout consacré par l'usage

prescriptivism /prɪ'skrɪptɪvɪzəm/ *n* normativisme *m*

presence /'prezns/ *n* **1** présence *f*; **in sb's ~, in the ~ of sb** en présence de qn; **in my ~** en ma présence; **to be admitted to sb's ~** être admis auprès de qn; **signed in the ~ of X** Jur signé par-devant X; **your ~ is requested at** vous êtes prié d'assister à; **2** (personal quality) présence *f*, prestance *f*; **stage ~** présence sur scène; **3** (of troops, representatives) présence *f*; **a military/UN ~** une présence militaire/de l'ONU; **to maintain a ~ in a country** maintenir une présence dans un pays; **a heavy police ~** (in streets) une forte présence policière; (at match, demonstration) un important service d'ordre; **4** (human or ghostly) présence *f*; **to sense a ~** sentir une présence; **ghostly ~** présence surnaturelle
(Idiom) **to make one's ~ felt** ne pas passer inaperçu

presence of mind *n* présence *f* d'esprit

present
A /'preznt/ *n* **1** (gift) cadeau *m*; **to give sb a ~** offrir un cadeau à qn; **to give sb sth as a ~** offrir qch à qn; **2 the ~** (now) le présent; **the past and the ~** le passé et le présent; **to live in the ~** vivre dans le présent *or* l'instant; **for the ~** pour le moment, pour l'instant; **3** Ling (*also* **~ tense**) présent *m*; **in the ~** au présent
B **presents** *npl* Jur présentes *fpl*
C /'preznt/ *adj* **1** (attending) [*person*] présent; **all those ~, everybody ~** toutes les personnes présentes, tous les présents; **half of those ~** la moitié des personnes présentes *or* des présents ; **to be ~ at** assister à; **to be ~ in** [*substance, virus*] être présent dans [*blood, wine, population*]; **there are ladies ~**† il y a des dames dans l'assistance†; **~ company excepted** à l'exception des personnes ici présentes; **all ~ and correct!** tous présents à l'appel!; **2** (current) [*address, arrangement, circumstance, government, leadership, situation*] actuel/-elle; **in the ~ climate** fig dans le climat actuel; **up to the ~ day** jusqu'à ce jour; **at the ~ time** *ou* **moment** actuellement; **during the ~ year/decade** pendant cette année/décennie; **3** (under consideration) [*case, argument, issue*] présent; **the ~ writer feels that** l'auteur (de cet article) pense que; **4** Ling [*tense, participle*] présent
D **at present** *adv phr* (at this moment) en ce moment; (nowadays) actuellement, à présent
E /prɪ'zent/ *vtr* **1** (raise) présenter [*problem, challenge, obstacle, risk*]; offrir [*chance, opportunity*]; **2** (proffer, show) présenter [*tickets, documents, sight, picture*]; **to ~ a cheque for payment** présenter un chèque à l'encaissement; **to be ~ed with a choice/dilemma** se trouver face à un choix/dilemme; **to be ~ed with a huge bill/with a splendid view** se retrouver avec une énorme facture/devant un panorama splendide; **3** (submit for consideration) présenter [*plan, report, figures, views, bill, case*]; présenter, soumettre [*petition*]; fournir [*evidence*]; **to ~ sth to sb, to ~ sb with sth** présenter qch à qn; **4** (formally give) remettre [*bouquet, prize, award, certificate, cheque*]; présenter [*apologies, respects, compliments*]; **to ~ sth to sb, to ~ sb with sth** remettre qch à qn; **5** (portray) présenter, représenter [*person, situation*] (**as** comme étant); **to ~ sth in a good/different light** présenter qch sous un jour favorable/différent; **6** TV, Radio présenter [*programme, broadcast, show*]; **~ed by** présenté par; **7** (put on, produce) donner [*production, play, concert*]; présenter [*exhibition, actor, star*]; **we are proud to ~ Don Wilson** nous sommes fiers de vous présenter Don Wilson; **8** sout (introduce) présenter; **may I ~ my son Piers?** permettez-moi de vous présenter mon fils Piers; **to be ~ed at court** être présenté à la Cour; **9** Mil présenter [*arms*]; **~ arms!** présentez armes!
F *vi* Med [*baby, patient*] se présenter; [*symptom, humour, condition*] apparaître
G *v refl* **1** **to ~ oneself** se présenter (**as** comme étant; **at** à; **for** pour); **to learn how to ~ oneself** apprendre à mettre en avant ses qualités; **2** **to ~ itself** [*opportunity, thought*] se présenter
(Idiom) **there is no time like the ~** il ne faut jamais remettre au lendemain ce que l'on peut faire le jour même

presentable /prɪ'zentəbl/ *adj* présentable

presentation /ˌprezən'teɪʃn/ *n* **1** (of plan, report, bill, petition etc) présentation *f*; **on ~ of this coupon** Comm sur présentation de ce coupon; **2** (by salesman, colleague, executive etc) exposé *m*; **to do** *ou* **give** *ou* **make a ~ on** faire un exposé sur; **3** (of gift, cheque, award) remise *f* (**of** de); **the chairman will make the ~** le président remettra le prix; **there will be a ~ at 5.30** il y aura une cérémonie à 17h 30; **4** (person's way of communicating sth) présentation *f*; **5** (portrayal) représentation (**of** de; **as** comme); **6** Theat représentation *f*; **7** Med (of baby) présentation *f*; **8** (introduction) sout présentation *f*

presentational skills *npl* = **presentation skills**

presentation: **~ box** *n* coffret-cadeau *m*; **~ copy** *n* hommage *m* (*de l'auteur ou de l'éditeur*); **~ pack** *n* présentoir *m*

presentation skills *npl* **to have good ~** avoir le sens de la communication

present-day /ˌprezənt'deɪ/ *adj* actuel/-elle

presenter /prɪ'zentə(r)/ ▸ **p. 1683** *n* TV, Radio présentateur/-trice *m/f*; **television/radio ~** présentateur/-trice de télévision/de radio

presentiment /prɪ'zentɪmənt/ *n* sout pressentiment *m*

presently /'prezəntlɪ/ *adv* **1** (currently) à présent, en ce moment; **2** (soon afterwards, in past) peu de temps après; **3** (soon, in future) bientôt; **he will be here ~** il va bientôt arriver

presentment /prɪ'zentmənt/ *n* **1** Fin présentation *f*; **~ for payment** présentation à l'encaissement; **2** US, Jur déclaration *f* d'accusation (*émise par le jury*)

present perfect *n* passé *m* composé

preservation /ˌprezə'veɪʃn/ *n* (of building, wildlife, tradition, peace, dignity) préservation *f* (**of** de); (of food) conservation *f* (**of** de); (of life) protection *f* (**of** de)

preservation order *n* **to put a ~ on sth** classer qch; **there is a ~ on the tree** l'arbre est classé

preservative /prɪ'zɜːvətɪv/
A *n* (for food) agent *m* de conservation; (for wood) revêtement *m* (protecteur)
B *adj* [*mixture, product, effect*] de conservation

preserve /prɪ'zɜːv/
A *n* **1** Culin (jam) (*also* **~s**) confiture *f*; (pickle) conserve *f*; **peach/cherry ~** confiture *f* de pêche/de cerise; **2** (territory) lit, fig chasse *f* gardée (**of** de); **to be a male ~** être la chasse gardée des hommes, être reservé aux hommes
B *vtr* **1** (save from destruction) préserver [*land, building, manuscript, memory, tradition, language*] (**for** pour); entretenir [*wood, leather, painting*]; **2** (maintain) préserver [*peace, harmony, standards, rights*]; maintenir [*order*]; **3** (keep, hold onto) [*person*] garder [*sense of humour, dignity, silence, beauty, health*]; **4** (rescue, save life of) préserver; **God ~ us!**† Dieu nous garde!; **heaven** *ou* **the saints ~ us from that!**† *ou* hum le ciel nous en préserve!; **5** Culin (prevent from rotting) conserver [*food*]; **6** (make into jam) faire de la confiture de [*fruit*]
C **preserved** *pp adj* [*food*] en conserve; [*site, castle*] protégé; **~d in vinegar/peat** conservé dans le vinaigre/la tourbe; **~d on film/on tape** conservé sur la pellicule/sur bande

preserver /prɪ'zɜːvə(r)/ *n* Relig sauveur *m*; gen gardien/-ienne *m/f*

preserving pan *n* bassine *f* à confiture

preset /ˌpriː'set/ *vtr* (*prét, pp* **-set**) programmer [*timer, cooker, video*] (**to do** pour faire)

preshrunk /ˌpriː'ʃrʌŋk/ *adj* [*fabric*] irrétrécissable

preside /prɪ'zaɪd/ *vi* présider; **to ~ at** présider [*meeting, conference*]; **to ~ over** (chair) présider [*conference, committee*]; (oversee) présider à [*activity, change*]

presidency /'prezɪdənsɪ/ *n* présidence *f*

president /'prezɪdənt/ ▸ **p. 1237** *n* **1** gen, Pol président/-e *m/f*; **President Kennedy** le président Kennedy; **to run for ~** être candidat/-e à la présidence; **2** US Comm président-directeur *m* général

president-elect *n* président/-e *m/f* élu/-e (*avant sa prestation de serment*)

presidential /ˌprezɪ'denʃl/ *adj* [*election, government, term*] présidentiel/-ielle; [*race, candidate*] à la présidence; [*adviser, office, policy*] du président

president: **President of the European Commission** EU *n* Président/-e *m/f* de la Commission européenne; **Presidents' Day** *n* US *jour férié pour commémorer l'anniversaire de Washington*

presidium /prɪ'sɪdɪəm/ *n* Pol présidium *m*

P

pre-soak /ˌpriːˈsəʊk/ *vtr* faire tremper [*washing*]

presort /ˌpriːˈsɔːt/ *vtr* US trier par codes postaux [*mail*]

press /pres/

A *n* **1** **the ~, the Press** (+ *v sg ou pl*) la presse *f*; **in the ~** dans la presse; **to get a good/bad ~** lit, fig avoir bonne/mauvaise presse
2 (*also* **printing ~**) presse *f*; **to come off the ~** sortir des presses; **to go to ~** être mis sous presse; **at** *ou* **in (the) ~** sous presse; **to pass sth for ~** donner le bon à tirer à qch; **at the time of going to ~** à l'heure où nous mettons *or* mettions sous presse
3 (publishing house) maison *f* d'éditon; (print works) imprimerie *f*; **the University Press** les Presses *fpl* Universitaires; **the Starlight Press** les Éditions Starlight
4 (device for flattening) presse *f*; ▸ **cider press, garlic press etc**
5 (act of pushing) pression *f*; **to give sth a ~** appuyer sur qch; **at the ~ of a button** en appuyant sur un bouton
6 (with iron) repassage *m*; **to give sth a ~** repasser qch
7 (crowd) foule *f* (**of** de)
8 Sport épaulé-jeté *m*, épaulé-développé *m*
9 GB dial (cupboard) placard *m*

B *modif* [*acclaim, freedom, criticism*] de la presse; [*campaign, photo, photographer*] de presse; [*announcement, advertising*] par voie de presse; **~ story, ~ report** reportage *m*

C *vtr* **1** (push) appuyer sur [*button, switch, pedal*]; **to ~ sth in** enfoncer qch; **~ the pedal right down** appuie à fond sur la pédale; **~ the switch down** pousse l'interrupteur vers le bas; **to ~ sth into** enfoncer qch dans [*clay, mud, ground*]; **to ~ sth into place** appuyer sur qch pour le mettre en place; **to ~ a lid onto sth** mettre le couvercle de qch; **to ~ sth into sb's hand** glisser qch dans la main de qn
2 (apply) **to ~ one's nose/face against sth** coller son nez/visage contre qch; **to ~ a blotter/cloth onto sth** appliquer un buvard/chiffon sur qch; **to ~ a stamp/a label onto sth** apposer un timbre/une étiquette sur qch; **to ~ one's hands to one's ears** se plaquer les mains contre les oreilles; **to ~ the receiver to one's ear** mettre l'écouteur contre son oreille; **to ~ one's face into the pillow** enfoncer son visage dans l'oreiller; **to ~ one's knees together** serrer les genoux; **to ~ two objects together** presser deux objets l'un contre l'autre
3 (squeeze) presser [*fruit, flower*]; serrer [*arm, hand, person*]; **to ~ sb to one** presser qn contre soi; **to ~ sb to one's bosom** presser qn contre son cœur; **to ~ the soil flat** aplanir *or* niveler le sol; **to ~ clay into shape** modeler de l'argile
4 (iron) repasser [*clothes*]; **to ~ the pleats flat** aplatir les plis
5 (urge) faire pression sur [*person*]; insister sur [*point*]; mettre [qch] en avant [*matter, issue*]; défendre [qch] avec insistance [*case*]; **to ~ sb to do** presser qn de faire; **to ~ sb for action** presser qn d'agir; **to ~ sb into a role** forcer qn à jouer un rôle; **to ~ sb into doing** forcer qn à faire; **I must ~ you for an answer** je dois avoir une réponse; **when ~ed, he admitted that...** quand on a insisté, il a reconnu que...; **to ~ a point** insister; **to ~ one's suit**† faire une cour insistante
6 Tech former [*shape, object*]; presser [*record, CD*]; emboutir [*steel, metal, car body*]; **~ed steel** acier embouti; **to ~ out pieces** reproduire des pièces par pression
7 Naut Hist racoler, enrôler [qn] de force [*recruit, man*]
8 Sport soulever [*weight*]
9 Hist (as torture) soumettre [qn] au supplice de l'écrasement

D *vi* **1** (push with hand, foot, object) **to ~ down** appuyer; **to ~ (down) on, to ~ against** appuyer sur [*pedal, surface*]; **the blankets are ~ing (down) on my leg** les couvertures pèsent sur ma jambe; **her guilt ~ed down on her** sa culpabilité lui pesait
2 (throng, push with body) [*crowd, person*] se presser (**against** contre; **around** autour de; **forward** vers l'avant); **to ~ through the entrance** se presser à l'entrée; **to ~ through the crowd** se frayer un chemin à travers la foule

E *v refl* **to ~ oneself against** se plaquer contre [*wall*]; se presser contre [*person*]

(Phrasal verbs) ■ **press ahead** aller de l'avant; **to ~ ahead with [sth]** faire avancer [*reform, plan, negotiations*]
■ **press for**: ▸ **~ for [sth]** faire pression pour obtenir [*change, support, release*]; **to be ~ed for sth** ne pas avoir beaucoup de qch
■ **press on**: ▸ **~ on** **1** (on journey) continuer; **to ~ on through the rain** continuer sous la pluie; **2** (carry on) aller de l'avant; **to ~ on regardless** continuer malgré tout; **3** (move on, keep moving) fig passer à la suite; **let's ~ on to the next item** passons au point suivant; **to ~ on with** faire avancer [*reform, plan, negotiation, agenda*]; passer à [*next item*]; ▸ **~ [sth] on sb** forcer qn à prendre [*gift, food, drink*]

press: **~ agency** *n* agence *f* de presse; **~ agent** ▸ **p. 1683** *n* attaché /-e *m/f* de presse; **Press Association** *n* GB agence *f* de presse britannique; **~ attaché** *n* = **press agent**; **~ baron** *n* magnat *m* de la presse; **~ box** *n* tribune *f* de la presse; **~ card** *n* carte *f* de presse; **~ clipping** *n* coupure *f* de presse; **~ conference** *n* conférence *f* de presse; **~ corps** *n* journalistes *mpl*; **~ cutting** *n* coupure *f* de presse; **~ gallery** *n* tribune *f* de la presse

press-gang /ˈpresgæŋ/
A *n* Hist (+ *v sg ou pl*) racoleurs *mpl*
B *vtr* Hist racoler; **to ~ sb into the navy** recruter qn de force dans la marine; **to ~ sb into doing** fig forcer qn à faire

pressie° /ˈprezɪ/ *n* GB cadeau *m*

pressing /ˈpresɪŋ/
A *n* **1** (of olives) pression *f*; **2** (of records) pressage *m*
B *adj* **1** (urgent) [*need, business, concern, duty*] pressant, urgent; [*issue, problem, question*] urgent; **2** (insistent) [*invitation*] pressant; [*anxiety, feeling*] oppressant

press lord *n* magnat *m* de la presse

pressman /ˈpresmən/ ▸ **p. 1683** *n* **1** (printer) imprimeur/-euse *m/f*; **2** GB (journalist) journaliste *m*

press: **~mark** *n* GB cote *f*; **~ officer** ▸ **p. 1683** *n* attaché/-e *m/f* de presse; **~ of sail** *n* Naut force *f* de voiles; **~-on** *adj* adhésif/-ive; **~ pack** *n* dossier *m* de presse; **~ pass** *n* coupe-file *m inv*; **~ release** *n* communiqué *m* de presse; **~room** *n* Print salle *f* des presses *or* d'imprimerie; Journ, Pol salle *f* de presse; **~ run** *n* tirage *m*; **~ secretary** *n* attaché/e *m/f* de presse; **~-stud** *n* GB (bouton-)pression *m*; **~-up** *n* pompe° *f*, flexion *f* en appui sur les bras

pressure /ˈpreʃə(r)/
A *n* **1** gen, Tech, Meteorol pression *f*; **to exert/put ~ on sth** exercer une/faire pression sur qch; **to store sth under ~** stocker qch sous pression; **a ~ of 1 kg per cm²** une pression de 1 kg par cm²; ▸ **blood pressure, high pressure etc**; **2** fig (on person) pression *f*; **the ~ on her to conform** la pression exercée sur elle pour qu'elle se conforme à la norme; **to put ~ on sb** faire pression sur qn (**to do** pour qu'il/elle fasse); **to do sth under ~** faire qch sous la contrainte; **to do sth under ~ from sb** faire qch sous la pression de qn; **to work well/badly under ~** travailler bien/mal sous pression; **he is under ~ from his boss to do** son patron fait pression sur lui pour qu'il fasse; **she has come under a lot of ~ to do** on exerce de fortes pressions sur elle pour l'amener à faire; **to be put under ~ by one's job** être stressé° par son travail; **due to ~ of work** pour cause d'emploi du temps chargé; **financial ~s** contraintes financières; **the ~s of fame** les tensions amenées par la célébrité; **the ~s of modern life** le stress de la vie moderne; **3** (volume) (of traffic, tourists, visitors) flux *m*
B *vtr* = **pressurize**

pressure: **~ cabin** *n* cabine *f* pressurisée; **~-cook** *vtr* cuire [qch] dans un autocuiseur *or* à la cocotte-minute®; **~ cooker** *n* cocotte-minute *f*®, autocuiseur *m*; **~ gauge** *n* manomètre *m*, indicateur *m* de pression; **~ group** *n* (+ *v sg ou pl*) groupe *m* de pression; **~ point** *n* point *m* de compression; **~ suit** *n* combinaison *f* pressurisée; **~ vessel** *n* Nucl réservoir *m* à pression

pressurization /ˌpreʃəraɪˈzeɪʃn, US -rɪˈz-/ *n* Aerosp pressurisation *f*

pressurize /ˈpreʃəraɪz/ *vtr* **1** (maintain pressure in) pressuriser [*cabin, compartment, suit*]; **2** (put under pressure) lit pressuriser [*liquid, gas*]; **~d gas** gaz pressurisé; **3** fig faire pression sur [*person*]; **to be ~d into doing** être contraint de faire

pressurized water reactor *n* réacteur *m* à eau pressurisée

presswoman /ˈpreswʊmən/ ▸ **p. 1683** *n* GB journaliste *f*

Prestel® /presˈtel/ *n* GB Telecom *cf* Télétel® *m*

prestidigitation /ˌprestɪdɪdʒɪˈteɪʃn/ *n* prestidigitation *f*

prestige /preˈstiːʒ/
A *n* prestige *m*
B *modif* [*car, site*] de prestige; [*housing, hotel*] de grand standing

prestigious /preˈstɪdʒəs/ *adj* prestigieux/-ieuse

presto /ˈprestəʊ/
A *adv* Mus presto
B *excl* **hey ~!** hop!

prestressed /ˌpriːˈstrest/ *adj* Constr précontraint

presumably /prɪˈzjuːməblɪ, US -ˈzuːm-/ *adv* sans doute

presume /prɪˈzjuːm, US -ˈzuːm/
A *vtr* **1** (suppose) supposer, présumer (**that** que); **I ~ (that) he's honest** je suppose qu'il est honnête; **I ~d him to be honest** je le croyais honnête; **to be ~d to be** être présumé être; **I ~ it was him** je suppose que c'était lui; **'does he know?'—'I ~ so/I ~ not'** 'le sait-il?'—'probablement/probablement pas'; **you'll come, I ~?** tu viendras, je suppose?; **~d dead/innocent/guilty** présumé mort/innocent/coupable; **2** (presuppose) présupposer (**that** que); **3** (dare) **to ~ to do** se permettre de faire
B *vi* **to ~ upon** abuser de [*person, kindness*]; **I hope I'm not presuming** j'espère que je ne m'avance pas trop

presumption /prɪˈzʌmpʃn/ *n* **1** (supposition) supposition *f* (**that** que); Jur présomption *f* (**of** de); **on the ~ that** en supposant que; **to make a ~** supposer; **the ~ is that** on suppose que; **2** (basis) arguments *mpl* (**against** contre; **in favour of** en faveur de); **3** (impudence) audace *f*

presumptive /prɪˈzʌmptɪv/ *adj* **1** gen par présomption; **2** Jur [*heir*] présomptif/-ive; **~ evidence** présomptions *fpl*

presumptuous /prɪˈzʌmptʃʊəs/ *adj* audacieux/-ieuse (**of** de la part de; **to do** de faire)

presumptuously /prɪˈzʌmptʃʊəslɪ/ *adv* avec audace

presumptuousness /prɪˈzʌmptʃʊəsnɪs/ *n* audace *f*

presuppose /ˌpriːsəˈpəʊz/ *vtr* présupposer (**that** que)

presupposition /ˌpriːsʌpəˈzɪʃn/ *n* présupposition *f* (**that** que)

pre-tax /ˌpriːˈtæks/ *adj* avant impôts *inv*; **a ~ profit of £3m** un bénéfice de 3 millions de livres avant impôts

preteen /ˌpriːˈtiːn/
A *n* préadolescent/-e *m/f*; **the ~s** (period) la préadolescence; (people) les préadolescents
B *adj* (*also* **pre-teen**) préadolescent

pretence GB, **pretense** US /prɪˈtens/ *n*
1 (false show) faux-semblant *m*; **to make a ~ of sth** feindre qch; **to make a ~ of doing** faire semblant de faire; **to make no ~ of sth** ne pas se donner la peine de feindre qch; **on** *ou* **under the ~ of doing** sous prétexte de faire; **under the ~ that** sous prétexte que; **to keep up/abandon the ~ of doing** entretenir/cesser d'entretenir l'illusion de faire; **he spoke with no ~ at** *ou* **of politeness** il a parlé sans même faire semblant d'être poli; 2 (sham) simulacre *m* (**of** de); (of illness) simulation *f* (**of** de); **a ~ of love/sympathy** un amour/une sympathie feint/-e; ▸ **false pretences**

pretend /prɪˈtend/
A ○*adj* lang enfantin (make-believe) [*gun, car*] imaginaire; [*jewels*] faux/fausse (*before n*); **it's only ~!** c'est pour rire!
B *vtr* 1 (feign) simuler [*emotion, illness, ignorance*]; **to ~ that** faire comme si; **to ~ to do** faire semblant de faire; **let's ~ (that) it never happened/we are cowboys** faisons comme si cela n'était pas arrivé/nous étions des cowboys; **a thief ~ing to be a policeman** un voleur se faisant passer pour un policier; 2 (claim) **to ~ to know/understand** avoir la prétention de savoir/comprendre; **to ~ to be** prétendre être
C *vi* 1 (feign) faire semblant; **to play let's ~** jouer à faire semblant; 2 (maintain deception) jouer la comédie; **after 40 years of marriage it is time to stop ~ing** après 40 ans de mariage il faut cesser de se jouer la comédie; **I was only ~ing** c'était pour rire; 3 (claim) **to ~ to** prétendre à [*throne*]; revendiquer son droit à [*title, crown*]
D **pretended** *pp adj* [*emotion, ignorance, illness*] simulé

pretender /prɪˈtendə(r)/ *n* prétendant/-e *m/f* (**to** à)

pretense *n* US = **pretence**

pretension /prɪˈtenʃn/ *n* prétention *f*; **to have ~s to sth** prétendre à qch; **to have ~s to doing** avoir la prétention de faire

pretentious /prɪˈtenʃəs/ *adj* prétentieux/-ieuse

pretentiously /prɪˈtenʃəslɪ/ *adv* avec prétention

pretentiousness /prɪˈtenʃəsnɪs/ *n* prétention *f*

preterite /ˈpretərət/ *n* prétérit *m*; **in the ~** au prétérit

preternatural /ˌpriːtəˈnætʃərəl/ *adj* surnaturel/-elle

pretext /ˈpriːtekst/ *n* prétexte *m* (**for** à; **for doing** pour faire); **under** *ou* **on the ~ of sth/of doing** sous le prétexte de qch/de faire

Pretoria /prɪˈtɔːrɪə/ ▸ **p. 1815** *pr n* Pretoria

pretrial /ˌpriːˈtraɪl/
A *n* US Jur *séance qui a lieu avant le procès pour clarifier les détails légaux*
B *adj* précédant le procès

prettify /ˈprɪtɪfaɪ/ *vtr* enjoliver

prettily /ˈprɪtɪlɪ/ *adv* [*arrange, dress, decorate, perform, talk*] joliment; [*blush, smile*] de façon charmante; [*apologize, thank*] gentiment

pretty /ˈprɪtɪ/
A *adj* 1 (attractive) joli; **it was not a ~ sight** ce n'était pas beau à voir; 2 (trite) péj [*speech*] joli; [*music*] joli, petit; 3 ○(considerable) [*sum*] coquet/-ette (*before n*)
B ○*adv* (very) vraiment; (fairly) assez; (almost) pratiquement; **~ certain, ~ sure** pratiquement sûr; **~ good** pas mal du tout; **~ well all, ~ much all** pratiquement tout; **'how are you?'—'~ well'** 'comment ça va?'–'très bien'
(Idioms) **~ as a picture** ravissant; **I'm not just a ~ face**○ hum j'ai aussi quelque chose dans la tête; **this is a ~ mess** *ou* **a ~ state of affairs** iron voilà du beau travail iron; **that must have cost you a ~ penny**○ ça a dû te coûter cher; **to be sitting ~** ○ avoir une bonne situation, se la couler douce○; **things have come to a ~ pass when…** ça commence à ne plus aller du tout quand…
(Phrasal verb) ■ **pretty up**: ▸ **~ [sth] up, ~ up [sth]** enjoliver

pretty: **~ boy**○ *n* péj minet○ *m* péj; **~-pretty** *adj* péj trop coquet/-ette

pretzel /ˈpretsl/ *n* bretzel *m*

prevail /prɪˈveɪl/ *vi* 1 (win) [*ability, commonsense, vice, virtue*] prévaloir (**against** contre); 2 (be usual) prédominer
(Phrasal verb) ■ **prevail upon**: ▸ **~ upon [sb]** persuader (**to do** de faire)

prevailing /prɪˈveɪlɪŋ/ *adj* 1 gen [*custom, attitude, idea, style*] qui prévaut, prévalent; 2 Fin [*rate*] en vigueur; 3 Meteorol [*wind*] dominant

prevalence /ˈprevələns/ *n* 1 (widespread nature) fréquence *f*; 2 (superior position) prédominance *f*

prevalent /ˈprevələnt/ *adj* 1 (widespread) répandu; 2 (predominant) qui prévaut

prevaricate /prɪˈværɪkeɪt/ *vi* sout se dérober, tergiverser

prevarication /prɪˌværɪˈkeɪʃn/ *n* sout tergiversation *f*; **after much ~** après bien des tergiversations

prevent /prɪˈvent/ *vtr* prévenir [*fire, illness, violence*]; éviter [*conflict, disaster, damage*]; faire obstacle à [*marriage*]; **to ~ the outbreak of war/the introduction of reform** empêcher le déclenchement d'une guerre/l'introduction de réformes; **to ~ sb/sth from doing** empêcher qn/qch de faire; **to ~ sb/sth from being criticized** empêcher que qn/qch soit critiqué; **to prevent sb's death** empêcher que qn ne meure

preventable /prɪˈventəbl/ *adj* évitable; **the accident was ~** l'accident aurait pu être évité, l'accident était évitable

preventative /prɪˈventətɪv/ *adj* = **preventive**

prevention /prɪˈvenʃn/ *n* prévention *f*; **accident ~** gen prévention *f* des accidents; (on road) prévention *f* routière; **crime ~** lutte *f* contre la délinquance; **fire ~** prévention *f* contre les incendies
(Idiom) **~ is better than cure** Prov mieux vaut prévenir que guérir Prov

preventive /prɪˈventɪv/ *adj* préventif/-ive; **~ detention** Jur détention *f* (*à titre préventif*)

preview /ˈpriːvjuː/
A *n* 1 (showing) (of film, play) avant-première *f*; (of exhibition) vernissage *m*; 2 (report) (of match, programme) présentation *f* (**of** de)
B *vtr* présenter [*match, programme*]

previous /ˈpriːvɪəs/
A *adj* 1 (before) (*épith*) [*day, meeting, manager, chapter*] gen précédent; (further back in time) antérieur; **the ~ page** la page précédente; **the ~ day** la veille, le jour précédent *or* d'avant; **the ~ week/year** la semaine/l'année précédente *or* d'avant; **in a ~ life** dans une vie antérieure; **on a ~ occasion** (une fois) déjà; **on ~ occasions** à plusieurs reprises; **she has two ~ convictions** Jur elle a déjà fait l'objet de deux inculpations; **he has no ~ convictions** Jur il a un casier judiciaire vierge; **to have a ~ engagement** être déjà pris; **'~ experience essential'** 'expérience préalable indispensable'; 2 ○(hasty) (*jamais épith*) [*decision*] hâtif/-ive; [*action*] prématuré; **he was a little ~ in making the decision alone** c'était un peu hâtif de sa part de prendre seul cette décision
B **previous to** *prep phr* avant; **~ to living here, he …** avant de vivre ici, il…

previously /ˈpriːvɪəslɪ/ *adv* (before) auparavant, avant; (already) déjà; **two years/days ~s** deux ans/jours auparavant; **we've met ~** nous nous sommes déjà rencontrés

prewar /ˌpriːˈwɔː(r)/ *adj* d'avant-guerre *inv*; **the ~ period** *ou* **years** l'avant-guerre *m or f*

prewash /ˌpriːˈwɒʃ/ *n* prélavage *m*

prexy○ /ˈpreksɪ/ *n* US président *m* (*de l'Université*)

prey /preɪ/ *n* lit, fig proie *f*; **to fall ~ to sth/sb** devenir la proie de qch/qn; **he was ~ to anxiety** il était en proie à l'anxiété
(Phrasal verb) ■ **prey on**: ▸ **~ on [sth]** 1 (hunt) [*animal*] chasser, faire sa proie de [*rodents, birds*]; 2 fig (worry) **to ~ on sb's mind** [*accident, exam, problems*] préoccuper qn; 3 (exploit) exploiter [*fears, worries*]; ▸ **~ on [sb]** [*con man*] choisir ses victimes parmi [*the elderly, the gullible*]; [*mugger, rapist*] s'attaquer à [*women, joggers etc*]

prezy○ /ˈprezɪ/ *n* US Pol président *m*

prezzie○ /ˈprezɪ/ *n* GB cadeau *m*

price /praɪs/
A *n* 1 gen, Comm, lit, fig (cost) prix *m*; **the ~ per ticket/kilo/head** le prix du billet/du kilo/par personne; **to sell sth for** *ou* **at a good ~** vendre qch à un bon prix; **at competitive/attractive ~s** à des prix compétitifs/intéressants; **'we pay top ~s for…'** 'nous payons le prix fort pour…'; **cars have gone up/fallen in ~** les voitures ont augmenté/baissé; **to give sb a ~** (estimate) donner un prix à qn; **what sort of ~ did you have to pay?** à peu près combien est-ce que tu as eu à payer?; **to pay a high ~ for sth** lit payer cher qch; **to pay a high ~ for sth/for doing** fig payer cher qch/d'avoir fait; **loss of independence was a high ~ to pay for peace** perdre son indépendance c'était cher pour obtenir la paix; **no ~ is too high for winning their support** on ferait tout pour obtenir leur soutien; **that's the ~ one pays for being famous** c'est le prix de la célébrité; **he paid a very low ~ for it** lit il l'a acheté à très bas prix; **that's a small ~ to pay for sth/for doing** fig ce n'est pas un gros sacrifice pour obtenir qch/pour faire; **you can achieve success—but at a ~!** tu peux réussir–mais à quel prix!; **that can be arranged—for a ~!** gen, hum ça peut s'arranger, si tu y mets le prix!; **she wants to get on in life, at any ~** *ou* **whatever the ~** elle veut à tout prix réussir dans la vie; **peace at any ~** la paix à n'importe quel prix; **I wouldn't buy/wear that horrible thing at any ~!** pour rien au monde je n'achèterais/ne porterais cette horrible chose!; ▸ **half price, full price, selling price etc**
2 gen, Comm, lit, fig (value) valeur *f*; **of great ~** d'une grande valeur; **beyond** *ou* **above ~** (d'une valeur) inestimable; **to put a ~ on** lit évaluer [*object, antique*]; **to put** *ou* **set a high ~ on** attacher beaucoup de prix à [*loyalty, hard work*]; **you can't put a ~ on friendship** l'amitié n'a pas de prix; **what ~ all his good intentions now!** qu'en est-il maintenant de ses bonnes intentions!
3 (in betting) lit cote *f*; **what ~ he'll turn up late?** fig qu'est-ce que tu paries qu'il va arriver en retard?
B *vtr* 1 (fix, determine the price of) fixer le prix de [*product, object*] (**at** à); **a dress ~d at £30** une robe à 30 livres; **this product is reasonably/competitively ~d** ce produit est à un prix raisonnable/compétitif; **a moderately-~d hotel** un hôtel aux tarifs raisonnables
2 (estimate, evaluate the worth of) estimer la valeur de [*object*]
3 (mark the price of) marquer le prix de [*product*]
(Idioms) **every man** *ou* **everyone has his ~** on peut acheter n'importe qui à condition d'y mettre le prix; **to put a ~ on sb's head** mettre à prix la tête de qn; **he has a ~ on his head** sa tête a été mise à prix
(Phrasal verbs) ■ **price down**: ▸ **~ [sth] down, ~ down [sth]** GB diminuer le prix de
■ **price out**: **~ oneself** *ou* **one's goods out of the market** perdre un marché en pratiquant des prix trop élevés; **we've been ~d out of business/the British market** nous avons

perdu notre affaire/notre place dans le marché britannique à cause de nos prix trop élevés; **X has ~d Y out of the market** X a évincé Y du marché en pratiquant des prix moins élevés

■ **price up**: ▸ **~ [sth] up, ~ up [sth]** GB augmenter le prix de [qch]

price: **~ bracket** *n* = **price range**; **~ control** *n* contrôle *m* des prix; **~ cut** *n* baisse *f* du prix; **~ cutting** *n* baisse *f* des prix; **~ discrimination** *n* discrimination *f* des prix; **~-earning ratio** *n* coefficient *m* de capitalisation des résultats; **~ fixing** *n* détermination *f* illégale des prix; **~ freeze** *n* blocage *m* des prix; **~ index** *n* indice *m* des prix; **~ inflation** *n* inflation *f* des prix; **~ label** *n* étiquette *f*

priceless /ˈpraɪslɪs/ *adj* **1** (extremely valuable) [*object, treasure, person, advice, information*] inestimable; **2** (amusing) [*person, joke, speech*] impayable○, tordant

price list *n* (in shop, catalogue) liste *f* des prix; (in bar, restaurant) tarif *m*

price range *n* fourchette *f*; **cars in a ~ of £15,000 to £20,000** des voitures dont les prix se situent dans une fourchette allant de 15 000 à 20 000 livres sterling; **that's out of/in my ~** cela n'est pas/est dans mes prix

price: **~ restrictions** *n* contrôle *m* des prix; **~ rigging** *n* manipulation *f* des prix; **~ ring** *n* cartel *m* de vendeurs; **~ rise** *n* hausse *f* des prix, augmentation *f* des prix; **~s and income policy** *n* politique *f* des prix et des revenus; **~ support** *n* politique *f* de soutien des prix

price tag *n* **1** (label) étiquette *f*; **2** fig (cost) coût *m* (**on, for** de)

price: **~ ticket** *n* étiquette *f*; **~ war** *n* guerre *f* des prix

pricey○ /ˈpraɪsɪ/ *adj* cher/chère

prick /prɪk/

A *n* **1** (of needle etc) (feeling) piqûre *f*; (hole) trou *m* (d'épingle); **to give sth a ~** piquer qch; **a ~ of conscience** fig un petit remords *m*; **2** ●(penis) bitte● *f*, pénis *m*; **3** ◑(idiot) con/-nne● *m/f*

B *vtr* **1** (cause pain) [*needle, thorn, person*] piquer (**with** avec); **to ~ one's finger** se piquer le doigt; **to ~ sb's conscience** fig peser sur la conscience de qn; **his conscience ~ed him** fig il avait mauvaise conscience; **2** (pierce) percer [*paper, plastic*] (**with** avec); crever [*bubble, balloon*] (**with** avec); Culin piquer [*potato etc*]; **to ~ a hole in sth** percer un trou dans qch; **3** = **prick up**

C *vi* **1** (sting) [*eyes*] piquer; [*skin*] picoter; **my eyes are ~ing** j'ai les yeux qui piquent; **my eyes ~ed with tears** les larmes me piquaient les yeux; **2** [*bush, thorn*] piquer

D *v refl* **to ~ oneself** se piquer (**on, with** avec)

(Idiom) **to kick against the ~s** s'obstiner pour rien

(Phrasal verbs) ■ **prick out**: ▸ **~ out [sth], ~ [sth] out** **1** Hort repiquer [*seedlings*]; **2** Art piquer [*design, outline*]

■ **prick up**: ▸ **~ up** [*dog's ears*] se dresser; **at that, my ears ~ed up** cela m'a fait dresser l'oreille; **to ~ up its/one's ears** [*dog*] dresser les oreilles; [*person*] dresser l'oreille

pricking /ˈprɪkɪŋ/

A *n* (internal feeling) fourmillement *m*; (result of pin etc) picotement *m*

B *modif* [*sensation, feeling*] de fourmillement

prickle /ˈprɪkl/

A *n* **1** (of hedgehog, thistle, holly) piquant *m*; **2** (feeling) frisson *m*; **to feel ~s down one's spine** avoir des frissons dans le dos; **to feel a ~ of hostility** ressentir une pointe d'hostilité

B *vtr* [*clothes, jumper*] gratter

C *vi* [*hairs*] se hérisser (**with** de); **my skin ~d** j'ai eu la chair de poule

prickly /ˈprɪklɪ/ *adj* **1** (with prickles) [*bush, rose, leaf*] épineux/-euse; [*animal*] armé de piquants; [*thorn*] piquant; **2** (itchy) [*jumper, beard*] qui gratte; **my skin feels ~** j'ai la peau qui me gratte; **3** ○(touchy) irritable (**about** à propos de)

prickly heat *n* fièvre *f* miliaire

prickly pear *n* **1** (plant) figuier *m* de Barbarie; **2** (fruit) figue *f* de Barbarie

prick teaser● *n* allumeuse○ *f*

pride /praɪd/

A *n* **1** (satisfaction) fierté *f* (**in sb/sth** éprouvée pour qn/qch); **with ~** avec fierté; **to take ~ in** être fier/fière de [*ability, achievement, talent*]; soigner [*appearence, work*]; **2** (self-respect) amour-propre *m*; péj orgueil *m*; **to hurt** *ou* **wound sb's ~** blesser l'amour-propre de qn; **her ~ was hurt** elle était blessée dans son amour-propre; **she has no ~** elle n'a aucune fierté; **~ alone prevented him from...** il avait trop d'amour-propre pour...; **family ~** honneur *m* familial; **national ~** sentiment *m* de fierté nationale; **3** (source of satisfaction) fierté *f*; **to be the ~ of** être la fierté de; **to be sb's ~ and joy** être la (grande) fierté de qn; **4** (group of lions) troupe *f* (**of** de)

B *v refl* **to ~ oneself on sth/on doing** être fier/fière de qch/de faire

(Idioms) **to have ~ of place** être mis en vedette; **to give sth ~ of place** mettre qch en vedette; **~ comes before a fall** Prov péché d'orgueil ne va pas sans danger

priest /priːst/ *n* prêtre *m*; **parish ~** curé *m*

priestess /ˈpriːstes/ *n* prêtresse *f*

priesthood /ˈpriːsthʊd/ *n* (calling) prêtrise *f*; (clergy) clergé *m*; **to enter the ~** entrer dans les ordres

priestly /ˈpriːstlɪ/ *adj* sacerdotal

prig /prɪg/ *n* bégueule *mf*

priggish /ˈprɪgɪʃ/ *adj* bégueule

priggishness /ˈprɪgɪʃnɪs/ *n* bégueulerie *f*

prim /prɪm/ *adj* (*also* **~ and proper**) [*person*] collet monté *inv*, guindé; [*manner, appearance*] guindé, très comme il faut○ *inv*; [*expression*] pincé; [*voice*] affecté; [*clothing*] très convenable

prima ballerina /ˌpriːmə ˌbæləˈriːnə/ *n* danseuse *f* étoile

primacy /ˈpraɪməsɪ/ *n* **1** (primary role) (of principle, language, skill) primauté *f* (**of** de, **over** sur); (of party, power) suprématie *f* (**of** de); **to have ~** avoir la primauté; **2** Relig (*also* **Primacy**) primatie *f*

prima donna /ˌpriːmə ˈdɒnə/ *n* Théât prima donna *f inv*; fig (difficult person) **to be a (real) ~** jouer les divas

primaeval *adj* = **primeval**

prima facie /ˌpraɪmə ˈfeɪʃiː/

A *adj* Jur, gen légitime (à première vue); **to make a ~ case** Jur produire des éléments suffisants; **~ evidence** Jur commencement *m* de preuve

B *adv* Jur, gen de prime abord

primal /ˈpraɪml/ *adj* [*quality, feeling, myth*] primitif/-ive; [*stage, origins*] premier/-ière (*before n*); [*cause*] premier/-ière (*after n*); **~ scream** Psych cri *m* primal

primarily /ˈpraɪmərəlɪ, US praɪˈmerəlɪ/ *adv* **1** (chiefly) essentiellement; **2** (originally) à l'origine

primary /ˈpraɪmərɪ, US -merɪ/

A *n* **1** US Pol (*also* **~ election**) primaire *f*; ▸ **closed primary, open primary**; **2** Zool (*also* **~ feather**) rémige *f* primaire; **3** Sch ▸ **primary school**

B *adj* **1** (main) [*aim, cause, concern, factor, reason, role, source, task*] principal; [*sense, meaning*] premier/-ière (*after n*); [*importance*] primordial; **of ~ importance** de première importance; **2** Sch (elementary) [*teaching, education*] primaire; [*post*] dans l'enseignement primaire; **3** (initial) [*stage*] premier/-ière (*before n*); **4** Geol [*rock*] primaire; **5** Econ (*épith*) [*commodities, industry, products*] de base

> **Primaries**
>
> Aux États-Unis, les partis politiques choisissent leurs délégués au cours des élections primaires. Les délégués se réunissent ensuite dans une convention nationale pour désigner le candidat du parti à la présidence et le candidat à la vice-présidence : c'est le *presidential ticket*.

primary: **~ colour** *n* couleur *f* primaire; **~ evidence** *n* Jur preuve *f* de première main; **~ health care** *n* soins *mpl* de premier recours; **~ infection** *n* primo-infection *f*

primary school

A *n* école *f* primaire

B *modif* **~ children** élèves *mpl* de l'enseignement primaire; **children of ~ age** élèves *mpl* du cycle élémentaire

primary: **~ sector** *n* Econ secteur *m* primaire; **~ stress** *n* accent *m* tonique (principal); **~ (school) teacher** ▸ **p. 1683** *n* surtout GB instituteur/-trice *m/f*

primate /ˈpraɪmeɪt/ *n* **1** Zool (mammal) primate *m*; **2** Relig (*also* **Primate**) primat *m* (**of** de); **the Primate of all England** l'archevêque de Cantorbéry

prime /praɪm/

A *n* **1** (peak period) **in one's ~** (politically, professionally) à son apogée; (physically) dans la fleur de l'âge; **in its ~** [*organization, industry*] à son apogée; **to be past one's ~** [*person*] avoir passé son heure de gloire; **to be past its ~** [*building, institution, car*] avoir connu des jours meilleurs; **in the ~ of life** dans la fleur de l'âge; **2** Math (*also* **~ number**) nombre *m* premier; **3** Relig prime *f*

B *adj* **1** (chief) [*aim, candidate, factor, target, suspect*] principal; [*importance*] primordial; **of ~ importance** de première importance; **2** Comm (good quality) (*épith*) [*site, location, land*] de premier ordre; [*meat, cuts*] de premier choix; [*foodstuffs*] d'une parfaite fraîcheur; **in ~ condition** [*machine*] en parfait état; [*livestock*] en parfaite condition; **of ~ quality** de première qualité; **3** (classic) [*example, instance*] excellent (*before n*); **4** Math premier/-ière (*after n*)

C *vtr* **1** (brief) préparer [*witness, interviewee*]; **to ~ sb about** mettre qn au courant de [*details, facts*]; **to ~ sb to say** souffler à qn de dire; **to be ~d for sth** être préparé pour qch; **2** Constr (apply primer to) appliquer un apprêt sur [*wood, metal*]; **3** Mil amorcer [*device, bomb, firearm*]; **4** Tech amorcer [*pump*]

prime: **~ bill** *n* effet *m* de premier ordre; **~ cost** *n* prix *m* de revient; **~ meridian** *n* premier méridien *m*; **~ minister, PM** ▸ **p. 1237** *n* Premier ministre *m*. ▸ **Cabinet, Downing Street**; **~-ministerial** *adj* [*power, role, responsibility*] de Premier ministre; **~ ministership** *n* (duties) fonctions *fpl* de Premier Ministre; (term of office) ministère *m*

prime mover *n* **1** (influential force) (person) promoteur/-trice *m/f*; (drive, instinct) moteur *m* principal; **2** Phys, Tech force *f* motrice; **3** Philos cause *f* première

primer /ˈpraɪmə(r)/ *n* **1** Constr (first coat) apprêt *m*; **2** †(textbook) (introductory) livre *m* élémentaire; (for reading) abécédaire† *m*; **3** (for detonating) amorce *f*

prime rate *n* taux *m* d'escompte bancaire

prime time

A *n* heures *fpl* de grande écoute, prime-time *m*

B **prime-time** *modif* [*advertising, programme*] passant aux heures de grande écoute

primeval /praɪˈmiːvl/ *adj* **1** (ancient) [*condition, force, creative*] primitif/-ive; **the ~ forest** la forêt vierge; **2** (instinctive) [*instinct, innocence, terror*] primitif/-ive

primeval soup *n* Biol soupe *f* primitive

P

priming /ˈpraɪmɪŋ/ *n* 1 Mil (of weapon) amorçage *m*; 2 Constr (of surface) application *f* d'un apprêt

priming coat *n* couche *f* d'apprêt

primitive /ˈprɪmɪtɪv/
A *n* 1 Art primitif *m*; 2 Anthrop (person) primitif/-ive *m/f*
B *adj* (all contexts) primitif/-ive

primly /ˈprɪmlɪ/ *adv* 1 (starchily) [*behave, smile*] d'une manière guindée; [*say, reply*] d'un ton guindé; 2 (demurely) [*behave, sit*] très sagement

primness /ˈprɪmnɪs/ *n* 1 (prudishness) air *m* collet monté; 2 (demureness) aspect *m* très convenable

primogeniture /ˌpraɪməʊˈdʒenɪtʃə(r)/ *n* primogéniture *f*

primordial /praɪˈmɔːdɪəl/ *adj* [*chaos, matter*] primitif/-ive; ~ **life** la vie à l'état primitif; ~ **soup** soupe *f* primitive

primp /prɪmp/ *vtr* (also ~ **and preen**) se pomponner

primrose /ˈprɪmrəʊz/ *n* primevère *f* (jaune)
(Idiom) **the ~ path** le chemin de la facilité

primrose yellow ▸ **p. 1067** *n, adj* jaune (*m*) pâle *inv*

primula /ˈprɪmjʊlə/ *n* primevère *f*

Primus® /ˈpraɪməs/ *n* (also ~ **stove**) réchaud *m* de camping

prince /prɪns/ ▸ **p. 1237** *n* prince *m* also fig; **Prince Charles** le prince Charles; **Prince Charming** le prince charmant; **the ~ of darkness** le prince des ténèbres

Prince Edward Island ▸ **p. 1355** *pr n* île *f* du Prince-Édouard

princeling /ˈprɪnslɪŋ/ *n* (young) jeune prince *m*; (petty) péj principicule *m* pej

princely /ˈprɪnslɪ/ *adj* [*amount, salary, court, style*] princier/-ière; [*life, rôle*] de prince

prince regent *n* prince *m* régent

princess /prɪnˈses/ ▸ **p. 1237** *n* princesse *f*; **Princess Anne** la princesse Anne; **the Princess Royal** la princesse royale (*la fille aînée du souverain*)

principal /ˈprɪnsəpl/
A *n* 1 ▸ **p. 1237** (headteacher) (of senior school) proviseur *m*; (of junior school, college) directeur/-trice *m/f*; 2 Theat acteur/-trice *m/f* principal/-e; 3 Mus chef *m* de pupitre; 4 (client) mandant *m*; 5 Fin (interest-bearing sum) capital *m*; (debt before interest) principal *m*; 6 Jur auteur *m* principal (d'un crime ou délit); 7 GB Soc Admin chef *m* de section
B *adj* 1 (main) principal; 2 Dance, Mus, Theat [*violin, clarinet*] premier/-ière (*before n*); [*dancer*] étoile; 3 Ling [*clause*] principal; **the ~ parts of a verb** les temps primitifs d'un verbe

principal boy *n* Theat rôle *m* principal masculin (*dans une pantomime tenu par une actrice*)

principality /ˌprɪnsəˈpælətɪ/ *n* principauté *f*

principally /ˈprɪnsəplɪ/ *adv* principalement

principle /ˈprɪnsəpl/ *n* 1 (basic tenet) principe *m*; **run on socialist ~s** géré selon des principes socialistes; 2 (rule of conduct) principe *m*; **to be against sb's ~s** être contraire aux principes de qn (**to do** de faire); **to have high ~s** avoir beaucoup de principes; **on ~** par principe; **it's the ~ of the thing, it's a point of ~** c'est pour le principe; **a woman of ~** une femme de principes; **to make it a ~ to do** avoir pour principe de faire; 3 (scientific law) principe *m*; **it relies on the ~ that water evaporates** cela repose sur le principe que l'eau s'évapore; **to get back to first ~s** repartir sur des bases concrètes; **in ~** en principe

principled /ˈprɪnsəpld/ *adj* [*decision*] de principe; [*person*] de principes; **to be ~** avoir des principes; **to act in a ~ way** agir conformément à des principes

prink /prɪŋk/ *vi* (also ~ **and preen**) se pomponner

print /prɪnt/
A *n* 1 (typeface) ¢ caractères *mpl*; **in small/large ~** en petits/gros caractères; **the ~ is very small** c'est écrit très petit; **the small** *ou* **fine ~** fig les détails; **don't forget to read the small ~** n'oubliez pas de lire tous les détails; **to set sth up in ~** Print composer qch en lettres d'imprimerie; 2 (published form) **in ~** disponible en librairie; **out of ~** épuisé; **to go into ~** être publié; **to put** *ou* **get sth into ~** publier qch; **to appear in ~, to get into ~** être publié; **to see sth in ~** voir qch noir sur blanc; **to see oneself in ~** se voir publié; **'at the time of going to ~'** 'à l'heure où nous mettons sous presse'; 3 Art (etching) estampe *f*; (engraving) gravure *f*; 4 Phot (from negative) épreuve *f*; **to make a ~ from a negative** tirer une épreuve d'un négatif; 5 Cin (of film) copie *f*, positif *m* spec; 6 (impression) (of finger, hand, foot) empreinte *f*; (of tyre) trace *f*; **to leave ~s** laisser des empreintes; **to take sb's ~s** prendre les empreintes de qn; 7 Tex tissu *m* imprimé; 8 (handwriting) script *m*
B *modif* Tex [*blouse, curtains, dress*] en tissu imprimé
C *vtr* 1 Print imprimer [*poster, document, book, banknote*] (**on** sur); **to ~ sth in italics** imprimer qch en italique; **over 1,000 copies of the book have been ~ed** le livre a été imprimé *or* tiré à plus de 1 000 exemplaires; **'~ed in Japan'** 'imprimé au Japon'; 2 Journ (publish) publier [*story, report, interview, photo*]; **the article was ~ed in the local press** l'article est paru *or* a été publié dans la presse locale; 3 Art, Tex imprimer [*pattern, motif, design*] (**in** dans; **on** sur); 4 Phot (from negative) tirer [*copy*]; faire développer [*photos*]; 5 (write) écrire [qch] en script [*detail, letter*] (**on** sur); **'~ your name in block capitals'** 'écrivez votre nom en majuscules'
D *vi* 1 (write) écrire en script; 2 Print imprimer
E **printed** *pp adj* [*design, fabric, paper*] imprimé; **'~ed matter'** Post 'imprimés' *mpl*; **~ed notepaper** papier *m* à lettres à en-tête; **the power of the ~ed word** le pouvoir de l'écrit
(Phrasal verbs) ■ **print off**: ▶ ~ **off [sth]**, ~ **[sth] off** tirer [*copies*]
■ **print out**: ▶ ~ **out [sth]**, ~ **[sth] out** gen, Comput imprimer

printable /ˈprɪntəbl/ *adj* 1 (publishable) publiable; **barely** *ou* **scarcely ~** difficilement publiable; 2 Print imprimable

print character *n* caractère *m* d'imprimerie

printer /ˈprɪntə(r)/ *n* 1 (person, firm) imprimeur *m*; **at the ~'s** *ou* **~s** chez l'imprimeur; 2 Print, Comput (machine) imprimante *f*

printer: **~'s devil** *n* apprenti *m* imprimeur; **~'s error** *n* faute *f* d'impression; **~'s ink** *n* encre *f* d'imprimerie; **~'s reader** *n* correcteur/-trice *m/f* (d'épreuves)

print: **~ format** *n* format *m* d'impression; **~head** *n* tête *f* d'impression

printing /ˈprɪntɪŋ/
A *n* 1 Art, Ind, Print (technique) imprimerie *f*; (result) impression *f*; 2 (print run) tirage *m*
B *modif* **~ business** imprimerie *f*; **~ industry** imprimerie *f*

printing: **~ frame** *n* châssis-presse *m inv*; **~ house** *n* imprimerie *f*; **~ ink** *n* encre *f* d'imprimerie; **~ press** *n* presse *f* (typographique); **~ works** *n* imprimerie *f*

print: **~ journalism** *n* (journalisme *m* de) presse *f* écrite; **~maker** *n* graveur/-euse *m/f*; **~making** *n* gravure *f*

printout /ˈprɪntaʊt/ *n* Comput sortie *f* sur imprimante; (with perforations) listing *m*

print-preview /prɪntˈpriːvjuː/ *n* Comput aperçu *m* avant impression

print run *n* tirage *m*

print shop *n* 1 Print (workshop) imprimerie *f*; 2 (art shop) boutique *f* d'art

print: **~-through** *n* effet *m* d'empreinte; **~ union** *n* syndicat *m* de l'imprimerie; **~wheel** *n* roue *f* d'impression

prion /ˈpriːɒn/ *n* prion *m*

prior /ˈpraɪə(r)/
A *n* Relig prieur *m*
B *adj* 1 (previous) [*appointment, engagement*] préalable; **~ notice** préavis *m*; 2 (more important) prioritaire; **she has a ~ claim on the legacy** elle a (un) droit de priorité sur l'héritage
C **prior to** *prep phr* **~ to sth/to doing** avant qch/de faire

prior charge *n* Fin titre *m* prioritaire

prioress /ˌpraɪəˈres/ *n* prieure *f*

priority /praɪˈɒrətɪ, US -ˈɔːr-/
A *n* 1 C (main concern) priorité *f*; **the main** *ou* **highest ~** la priorité absolue; **to get one's priorities right/wrong** définir correctement/mal définir l'ordre de ses priorités; 2 ¢ (prominence) priorité *f*; **to have** *ou* **take ~ over sth** avoir la priorité sur qch; **to get ~** avoir la priorité; 3 Transp priorité *f*; **~ to the right** priorité à droite
B *modif* [*case, debt, expense, mail*] prioritaire; [*call*] de priorité; [*appointment*] en priorité

priority share *n* Fin action *f* privilégiée *or* prioritaire

prior preferred stock *n* US Fin actions *fpl* privilégiées *or* prioritaires

priory /ˈpraɪərɪ/ *n* prieuré *m*

prise /praɪz/ *vtr*:
(Phrasal verbs) ■ **prise apart**: ▶ ~ **[sth] apart** lit, fig séparer [*layers, planks, people*]; ouvrir [qch] de force [*lips, teeth*]
■ **prise away**: **to ~ sb away from** fig arracher qn à [*TV, work*]
■ **prise off**: ▶ ~ **[sth] off** enlever [qch] en forçant [*lid*]
■ **prise open**: ▶ ~ **[sth] open**, ~ **open [sth]** ouvrir [qch] en forçant [*box, door*]
■ **prise out**: ▶ ~ **[sth] out** lit retirer [*bullet, nail*] (**of, from** de); **to ~ sth out of sb** arracher qch à qn [*details, information, secret*]; **to ~ sb out of** arracher qn de [*bed, chair*]
■ **prise up**: ▶ ~ **[sth] up** soulever [qch] en forçant [*floorboard*]; arracher [*nail*]

prism /ˈprɪzəm/ *n* prisme *m*

prismatic /prɪzˈmætɪk/ *adj* prismatique

prismatic: **~ binoculars** *npl* jumelles *fpl* prismatiques; **~ compass** *n* boussole *f* à prisme

prison /ˈprɪzn/
A *n* 1 (place) prison *f*; **to be in ~** être en prison; **to go to ~** aller en prison; **to send sb to ~** envoyer qn en prison; **he sent them to ~ for 12 years** il les a condamnés à 12 ans de prison; **to put sb in ~** emprisonner qn; **to have been in ~** avoir fait de la prison; **her house felt like a ~** elle se sentait prisonnière entre ses quatre murs; 2 (punishment) emprisonnement *m*, prison *f*
B *modif* [*death, life, suicide*] en prison; [*administration, regulation*] pénitentiaire; [*population, reform*] pénal; [*cell, governor, yard*] de prison; [*chapel, kitchen*] de la prison; [*conditions*] de détention

prison: **~ authorities** *npl* administration *f* pénitentiaire; **~ camp** *n* camp *m* de prisonniers

prisoner /ˈprɪznə(r)/ *n* gen, fig prisonnier/-ière *m/f*; (in jail) détenu/-e *m/f*; **to hold** *ou* **keep sb ~** garder qn prisonnier; **they took me ~** ils m'ont fait prisonnier; **~ of war/conscience** prisonnier/-ière *m/f* de guerre/d'opinion; **~ of war camp** camp *m* de prisonniers/-ières de guerre; **I'm a ~ in my own home** je suis prisonnier dans ma propre maison
(Idiom) **to take no ~s** [*army*] ne faire aucun prisonnier; [*boxer, team*] faire un massacre; [*negotiating team, rival*] ne pas faire de concessions

prison: **~ guard** ▸ **p. 1683** *n* US surveillant/-e *m/f* de prison; **~ issue** *modif* fourni par la prison; ~ **officer** ▸ p. 1683 *n* GB (officially) surveillant/-e *m/f* de prison; gen gardien/-ienne *m/f* de prison; ~ **riot** *n* mutinerie *f*

prison sentence, prison term *n* peine *f* de prison; **a two-year** ~ une peine de deux ans de prison

prison: ~ **service** *n* administration *f* pénitentiaire; ~ **van** *n* fourgon *m* cellulaire; ~ **visiting** *n* visite *f* de détenus en prison; ~ **visitor** *n* visiteur/-euse *m/f* de prison

prissy /ˈprɪsɪ/ *adj* [*person*] collet monté *inv*; [*style*] surchargé

pristine /ˈprɪstiːn, ˈprɪstaɪn/ *adj* [*snow, sheets, cloth*] immaculé; **to be in** ~ **condition** être comme neuf/neuve; **'in** ~ **condition'** 'état neuf'

privacy /ˈprɪvəsɪ, ˈpraɪ-/ *n* **1** (private life, freedom from interference) vie *f* privée; **to respect/invade sb's** ~ respecter/s'immiscer dans la vie privée de qn; **the right to** ~ le droit à la vie privée; **2** (solitude, seclusion) intimité *f*; **in the** ~ **of your own home** dans l'intimité de votre foyer; **there's no** ~ **here!** pas moyen d'être seul ici!

privacy laws *npl* Jur lois *fpl* relatives aux atteintes à la vie privée

private /ˈpraɪvɪt/

A *n* ▸ **p. 1599** simple soldat *m*; **Private Taylor** soldat Taylor

B privates○ *npl* parties○ *fpl*, organes *mpl* génitaux

C *adj* **1** (not for general public) [*property, land, beach, chapel, jet, vehicle, line, collection, party, viewing*] privé; **room with** ~ **bath** chambre avec salle de bains particulière; **the funeral/the wedding will be** ~ l'enterrement/le mariage aura lieu dans la plus stricte intimité; **2** (personal, not associated with company) [*letter, phone call, use of car*] personnel/-elle; [*life*] privé; [*income, means*] personnel/-elle; [*sale*] de particulier à particulier; **a person of** ~ **means** une personne qui a des revenus personnels; **she is making a** ~ **visit** elle est en visite privée; **to act in a** ~ **capacity** *ou* **as a** ~ **person** agir à titre personnel; **the** ~ **citizen** le (simple) particulier; **3** (not public, not state-run) [*sector, healthcare, education, school, hospital, prison, firm*] privé; [*housing, accommodation, landlord*] particulier/-ière; ~ **industry** le (secteur) privé; ~ **lessons** cours *mpl* particuliers; **4** (not to be openly revealed) [*conversation, talk, meeting, matter*] privé; [*reason, opinion, thought*] personnel/-elle; **to come to a** ~ **understanding** s'arranger à l'amiable; **to keep sth** ~ préserver l'intimité de qch; **a** ~ **joke** une plaisanterie pour initiés; **5** (undisturbed) [*place, room, corner*] tranquille; **let's go inside where we can be** ~ allons dans la maison, nous y serons tranquilles; **6** (secretive) [*person*] renfermé (sur soi-même)

D in private *adv phr* en privé

(Idiom) **to go** ~ GB Med se faire soigner dans le (secteur) privé

private: ~ **bar** *n* GB bar *m* (*le plus confortable d'un pub*); ~ **bill** *n* projet *m* de loi d'intérêt privé; ~ **buyer** *n* particulier *m*; ~ **company** *n* société *f* privée; ~ **detective** ▸ **p. 1683** *n* détective *m* privé; ~ **enterprise** *n* entreprise *f* privée; ~ **equity firm** *n* Fin fonds *m* d'investissement; ~ **eye**○ *n* privé○ *m*, détective *m* privé; ~ **first class, PFC** ▸ **p. 1599** *n* US Mil caporal *m*; ~ **hotel** *n* ≈ pension *f* de famille; ~ **investigator** ▸ **p. 1683** *n* = **private detective**; ~ **investor** *n* petit porteur *m*, petit actionnaire *m*; ~ **law** *n* droit *m* privé

privately /ˈpraɪvɪtlɪ/ *adv* **1** (in private, not publicly) [*tell, talk, admit, question*] en privé; **2** (out of public sector) [*educate, be treated*] dans le privé; ~ **managed** à gestion privée; ~**-owned** privé, ~ **funded**, ~ **financed** à financement privé; **3** (secretly, in one's heart) [*feel, believe, doubt*] en mon/son etc for intérieur

private: ~ **member's bill** *n* GB Pol Jur *proposition de loi émanant d'un membre de l'assemblée législative n'appartenant pas au gouvernement*; ~ **nuisance** *n* Jur atteinte *f* aux droits de l'individu; ~ **parts** *npl* euph parties *fpl* génitales

private practice *n* GB Med cabinet *m* privé; **to work** *ou* **be in** ~ travailler hors des services de santé de l'État

private secretary *n* gen secrétaire *mf* particulier/-ière; Pol conseiller/-ère *mf* particulier/-ière

private soldier *n* simple soldat *m*

private treaty *n* **by** ~ de gré à gré

private view *n* Art vernissage *m*

privation /praɪˈveɪʃn/ *n* privations *fpl*; **to suffer** ~ subir des privations

privatization /ˌpraɪvɪtaɪˈzeɪʃn, US -tɪˈz-/ *n* privatisation *f*

privatize /ˈpraɪvɪtaɪz/

A *vtr* privatiser

B privatized *pp adj* privatisé

privet /ˈprɪvɪt/ *n* troène *m*; **a** ~ **hedge** une haie de troènes

privilege /ˈprɪvəlɪdʒ/ *n* **1** (honour, advantage) privilège *m*; **it's been a great** ~ **to work with you** travailler avec vous a été un grand privilège; **tax** ~**s** avantages *mpl* fiscaux; **diplomatic** ~ immunité *f* diplomatique; **rights and** ~**s** droits et privilèges; **2** (prerogative) apanage *m*; **travel was then the** ~ **of the rich** les voyages étaient alors l'apanage des riches; **3** US Fin option *f*

privileged /ˈprɪvəlɪdʒd/

A *n* (+ *v pl*) **the** ~ les privilégiés *mpl*; **the less** ~ (economically) les économiquement faibles; (unlucky) les moins privilégiés

B *adj* [*minority, life, position*] privilégié; [*information*] confidentiel/-ielle; **to be** ~ **to meet sb/to see sth** avoir le privilège de rencontrer qn/de voir qch; **to be** ~ **to have had a good education** avoir eu le privilège de recevoir une bonne éducation; **the** ~ **few** les quelques privilégiés

privily‡ /ˈprɪvɪlɪ/ *adv* en secret

privy /ˈprɪvɪ/

A†*n* cabinet *m* (d'aisances)†

B *adj* **to be** ~ **to sth** être au courant de qch

Privy Council, PC *n* GB Conseil *m* privé (*du roi ou de la reine*)

Privy Councillor, PC *n* GB Conseiller/-ère *m/f* privé/-e (*du roi ou de la reine*)

privy purse *n* GB cassette *f* royale

prize /praɪz/

A *n* **1** (award) prix *m*; (in lottery) lot *m*; **first** ~ premier prix; (in lottery) gros lot; **cash** ~ prix en espèces; **to win a** ~ remporter un prix; **the** ~ **for coming first in the test will be a book** le prix accordé au gagnant de l'épreuve sera un livre; **2** littér (valued object) trésor *m*; (reward for effort) récompense *f*; **3** Mil Naut prise *f* (de guerre)

B *modif* **1** [*rose, vegetable, bull etc*] (grown or bred for competitions) de concours; (prize-winning) primé; fig (excellent) [*pupil*] hors-pair *inv*; **a** ~ **example of** un parfait exemple de; **I felt like a** ~ **idiot!** j'avais l'air d'un parfait idiot!; **2** [*possession*] précieux/-ieuse

C *vtr* **1** (value) priser [*independence, possession*]; **2** = **prise**

D prized *pp adj* [*possession, asset*] précieux/-ieuse; **to be** ~**d for sth** être prisé pour qch

(Idiom) **no** ~**s for guessing who was there!** il n'est pas difficile de deviner qui était là!

prize: ~ **day** *n* jour *m* de la distribution des prix; ~ **draw** *n* (for charity) tombola *f*; (for advertising) tirage *m* au sort; ~ **fight** *n* combat *m* professionnel; ~ **fighter** *n* boxeur *m* professionnel; ~ **fighting** *n* boxe *f* professionnelle; ~**-giving** *n* remise *f* des prix

prize money *n* (for one prize) argent *m* du prix; (total amount given out) montant *m* total des prix; **all the** ~ **was stolen** on a volé tout le montant des prix

prize: ~ **ring** *n* ring *m*; ~**winner** *n* (in lottery, draw etc) gagnant/-e *m/f*; (of academic, literary award) lauréat/-e *m/f*; ~**-winning** *adj* primé

pro /prəʊ/

A *n* **1** ○(professional) pro○ *mf*; **to turn** ~ passer pro○; **golf** ~ pro *m* de golf; **2** ○(prostitute) prostitué/-e *m/f*; **3** (advantage) **the** ~**s and cons** le pour et le contre; **the** ~**s and cons of sth** les avantages et les inconvénients de qch

B ○*prep* (in favour of) pour; **are you** ~ **the plan?** es-tu pour le projet?

C pro- (*dans composés*) **to be** ~**-democracy/-nuclear power** être pour la démocratie/l'énergie nucléaire; **to be a** ~**-abortionist/-Marketeer** être partisan/-e de l'avortement/du Marché commun; **to be** ~**-American/-Smith** être proaméricain/pro-Smith

PRO *n* **1** *abrév* ▸ **public relations officer**; **2** *abrév* ▸ **Public Records Office**

proactive /prəʊˈæktɪv/ *adj* **1** Psych proactif/-ive; **2** (dynamic) [*approach, role*] dynamique

pro-am /prəʊˈæm/ *adj* pro-am *inv*

probability /ˌprɒbəˈbɪlətɪ/ *n* **1** ¢ (likelihood) (of desirable event) chances *fpl*; (of unwelcome event) risques *mpl*; **in all** ~ selon toute probabilité; **the** ~ **of our getting a pay rise is good** il y a de fortes chances pour qu'on ait une augmentation; **what is the** ~ **of an avalanche?** quels sont les risques d'avalanche?; **the** ~ **of winning** les chances de gagner; **the** ~ **of losing** les risques de perdre; **the** ~ **of sth happening/taking place** les chances pour que qch se passe/ait lieu; **the** ~ **of an accident/a wedding is remote** il est peu probable qu'il y ait un accident/un mariage; **2** ¢ (likely result) probabilité *f*; **war/an election is a** ~ il est probable qu'il y aura une guerre/une élection; **3** Math, Stat probabilité *f* (**that** pour que + *subj*); **the theory of** ~, ~ **theory** la théorie des probabilités

probable /ˈprɒbəbl/

A *n* **the** ~ le probable

B *adj* probable (**that** que + *subj*)

probably /ˈprɒbəblɪ/ *adv* probablement; **very** ~ (as reply) c'est fort probable; **he's very** ~ **in Paris** il est certainement à Paris

probate /ˈprəʊbeɪt/

A *n* Jur **1** (process) homologation *f*; **to grant** ~ **(of a will)** homologuer un testament; **to be in** ~ être en cours d'homologation; **2** (document) lettres *fpl* d'homologation; **3** (probate copy of will) copie *f* homologuée d'un testament

B *vtr* US homologuer [*will*]

probate: ~ **action** *n* Jur *action judiciaire qui tend à faire homologuer un testament*; **Probate Registry** *n* GB Jur greffe *m* du tribunal d'homologation des testaments

probation /prəˈbeɪʃn, US prəʊ-/ *n* **1** Jur (for adult) sursis *m* avec mise à l'épreuve, probation *f* spec; (for juvenile) mise *f* en liberté surveillée; **to put sb on** ~ (adult) mettre qn en sursis avec mise à l'épreuve; **2** (trial period) période *f* d'essai; **to be on three months** ~ être à l'essai pendant trois mois; **to be on (academic)** ~ US Sch, Univ être en période d'essai (*après un avertissement pour indiscipline ou travail insuffisant*)

probationary /prəˈbeɪʃnrɪ, US prəʊˈbeɪʃənerɪ/ *adj* **1** (trial) [*period, year*] d'essai; **2** (training) [*month, period*] probatoire

probationary teacher *n* GB Sch *professeur en première année d'exercice après le diplôme d'enseignement* ≈ professeur *m* en stage pratique

probationer /prəˈbeɪʃənə(r), US prəʊ-/ *n* **1** (trainee) stagiaire *mf*; **2** (employee on trial) employé/-e *m/f* engagé/-e à l'essai; **3** Jur (adult) probationnaire *m*; (juvenile) jeune délinquant/-e *m/f* en liberté surveillée

probation: ~ **officer** ▸ **p. 1683** *n* Jur (for juveniles) délégué/-e *m/f* à la liberté surveillée; (for adults) agent *m* de probation; ~ **order** *n* Jur ordonnance *f* de probation *or* de sursis avec mise à l'épreuve; ~ **service** *n* Jur comité *m* de probation

probe /prəʊb/
A *n* **1** (investigation) enquête *f* (**into** sur); **death/drugs** ~ enquête *f* sur la mort/la drogue; **2** Dent, Med, Tech (instrument) sonde *f*; (operation) sondage *m*; **3** Aerosp sonde *f*; **space** ~ sonde *f* spatiale
B *vtr* **1** (investigate) enquêter sur [*affair, causes, mystery, scandal*]; **2** Dent examiner [qch] avec une sonde [*tooth*]; **3** Med, Tech sonder [*ground, wound*] (**with** avec); tâter [*swelling*]; **4** Aerosp explorer [*space*]; **5** (explore) explorer [qch] avec soin [*hole, surface*]; [*searchlight*] fouiller [*darkness*]; **'do you still love her?' he ~ed** 'tu l'aimes toujours?' s'enquit-il
C *vi* faire des recherches; **to ~ for** rechercher, fouiner à la recherche de pej [*details, scandal*]
(Phrasal verb) ■ **probe into**: ▸ ~ **into [sth]** enquêter sur [*suspicious activity*]; regarder [qch] de plus près, fouiller *or* fouiner dans pej [*private affairs*]; sonder [*mind*]; scruter [*thoughts*]; fouiller dans [*post*]

probing /'prəʊbɪŋ/
A *n* **1** (examination) exploration *f*; **2** (questions) questions *fpl*
B *adj* [*look*] inquisiteur/-trice; [*question*] pénétrant; [*study, examination*] très poussé

probity /'prəʊbətɪ/ *n* probité *f*

problem /'prɒbləm/
A *n* **1** (difficulty) problème *m*; **to have ~s** avoir des problèmes *or* des ennuis (**with** avec); **to have a drink/weight ~** avoir un problème d'alcoolisme/de poids; **to cause** *ou* **present a ~** poser un problème; **it's a real ~** c'est un vrai problème; **it's a bit of a ~** c'est un peu un problème; **what's the ~?** quel *or* où est le problème?; **the ~ is that...** le problème, c'est que...; **that's the least of my ~s!** c'est le moindre de mes problèmes!; **to be a ~ to sb** poser des problèmes à qn; **their son is becoming a real ~** leur fils leur pose beaucoup de problèmes; **she's a real ~** elle est vraiment difficile à vivre; **it wouldn't be any ~ (to me) to do it** cela ne (me) poserait aucun problème de le faire; **I'll have a ~ explaining that to her** j'aurai des problèmes pour lui expliquer cela; **it was quite a ~ getting him to cooperate** c'était vraiment difficile de le faire coopérer, c'était tout un problème que de le faire coopérer; **it was no ~ parking the car** ce n'était pas un problème de garer la voiture, garer la voiture n'a posé aucun problème; **it's** *ou* **that's not my ~!** cela ne me regarde pas!, ce n'est pas mon problème!; **it's no ~, I assure you!** cela ne pose aucun problème, je vous assure!; **sure, no ~**○**!** bien sûr, pas de problème○!; **what's your ~**○**?** t'as un problème ou quoi○?; **2** gen, Math (of logic) problème *m*; **to solve a ~** résoudre un problème
B *modif* **1** Psych, Sociol [*child*] difficile, caractériel/-ielle; [*family*] à problèmes; [*group*] qui pose des problèmes; **2** Literat [*play, novel*] à thèse

problematic(al) /,prɒblə'mætɪk/ *adj* problématique

problem: ~ **case** *n* Sociol cas *m* social; ~ **page** *n* courrier *m* du cœur; ~ **solver** *n* personne *f* apte à résoudre les problèmes; ~ **solving** *n* aptitude *f* à résoudre les problèmes

proboscis /prə'bɒsɪs/ *n* **1** Zool trompe *f*; **2** hum (nose) appendice *m* (nasal)

procedural /prə'si:dʒərəl/ *adj* [*change, detail, error*] de procédure

procedural language *n* Comput langage *m* procédural

procedure /prə'si:dʒə(r)/ *n* **1** gen procédure *f* (**for doing** pour faire); **to follow a ~** suivre une procédure; **(the) normal ~ is to do** la procédure normale est de faire; **parliamentary ~** procédure *f* parlementaire; **2** Comput procédure *f*

proceed /prə'si:d, prəʊ-/
A *vtr* **to ~ to do** entreprendre de faire; **'so...,' he ~ed** 'alors...,' a-t-il continué
B *vi* **1** (act) [*person, committee*] (set about) procéder; (continue) poursuivre; **to ~ with** poursuivre, donner suite à [*idea, plan, sale*]; procéder à [*ballot, election*]; **to ~ to** passer à [*item, problem*]; **let us ~** (begin) commençons; (continue) poursuivons; **please ~** (begin) veuillez commencer; (continue) poursuivez, je vous en prie; **I'm not sure how to ~** je ne sais pas trop comment procéder; **to ~ with care** *ou* **caution** procéder avec prudence; **before we ~ any further...** (at beginning of meeting) avant d'aller plus loin...; (in middle of speech) avant de poursuivre...; **we'll arrange a meeting and ~ from there** nous organiserons une réunion et procéderons à partir de là; **2** (be in progress) [*project, work*] avancer; [*interview, talks, trial*] se poursuivre; (take place) [*work, interview, talks*] se dérouler; **to ~ smoothly** se dérouler sans incident; **everything is ~ing according to plan** tout se passe comme prévu; **3** (move along) [*person, road, river*] continuer; [*vehicle*] avancer; **to ~ along/to** [*person*] continuer le long de/jusqu'à; [*car*] avancer sur/jusqu'à; **4** sout (issue) **to ~ from** provenir de; **5** Jur **to ~ against sb** [*police, plaintiff*] engager des poursuites contre qn

proceeding /prə'si:dɪŋ/
A *n* (procedure) procédure *f*
B proceedings *npl* **1** gen (meeting) réunion *f*; (ceremony) cérémonie *f*; (discussion) débats *mpl*; **to direct ~s** diriger les opérations; **2** Jur poursuites *fpl*, procédure *f*; **disciplinary ~s** poursuites disciplinaires; **extradition ~s** procédure d'extradition; **to take** *ou* **institute ~s** engager des poursuites (**against** contre), intenter un procès (**against** à); **to start divorce ~s** intenter un procès en divorce; **to commence criminal ~s** engager une action pénale (**against** contre); **3** (report, record) gen rapport *m*; (of conference, society) actes *mpl*

proceeds /'prəʊsi:dz/ *npl* (of sale, privatization) produit *m*; (of fair, concert) recette *f*

process
A /'prəʊses, US 'prɒses/ *n* **1** gen processus *m* (**of** de); **the peace ~** le processus de paix; **the ~ of doing** le processus consistant à faire; **to begin the ~ of doing** entreprendre de faire; **to be in the ~ of doing** être en train de faire; **in the ~ of doing this, he...** pendant qu'il faisait cela, il...; **in the ~** en même temps ; **it's a long** *ou* **slow ~** cela prend du temps; **2** (method) procédé *m* (**for** pour; **for doing** pour faire); **manufacturing ~** procédé de fabrication; **3** Jur (lawsuit) procès *m*; (summons) citation *f*; **to bring a ~ against** intenter un procès à qn; **to serve a ~ on** citer [qn] à comparaître; **4** Comput processus *m*, traitement *m*; **5** Bot, Zool excroissance *f*
B /'prəʊses, US 'prɒses/ *vtr* **1** gen, Admin, Comput traiter [*data, form, application*]; **2** Ind transformer [*raw materials, food product*]; traiter [*chemical, synthetic fibre, waste*]; **3** Phot développer [*film*]; **4** Culin [*person, blender*] (mix) mixer; (chop) hacher; **5** US (straighten) décrêper [*hair*]
C /prə'ses/ *vi* **1** Relig, Hist faire des processions; **2** sout (move) **to ~ down/along** défiler dans/le long de [*road*]
D processed /'prəʊsest/ *pp adj* [*food*] qui a subi un traitement; [*meat, peas*] en conserve; [*steel*] traité; **~ed cheese** fromage *m* fondu en tranches

process control *n* contrôle *m* de processus industriel, automatisme *m* industriel

processing /'prəʊsesɪŋ, US 'prɒ-/ *n* **1** (of data, form, application) traitement *m*; **2** Ind (of raw material, food product) transformation *f*; (of chemical, synthetic fibre, waste) traitement *m*; **the food ~ industry** l'industrie alimentaire; **3** Phot développement *m*

procession /prə'seʃn/ *n* (of demonstration, carnival) défilé *m*; (for formal occasion) cortège *m*; Relig procession *f*; **carnival ~** défilé de carnaval; **funeral/wedding ~** cortège funèbre/nuptial; **to walk/drive along in ~** marcher/rouler en cortège *or* en défilé

processional /prə'seʃənl/ *n* Relig (book) processionnal *m*; (hymn) hymne *m* processionnel

processor /'prəʊsesə(r), US 'prɒ-/ *n* **1** Comput unité *f* centrale; **2** = **food processor**

process: ~ **printing** *n* quadrichromie *f*; **~-server** ▸ **p. 1683** *n* Jur ≈ huissier *m*

pro-choice /prəʊ'tʃɔɪs/ *adj* [*voter, candidate*] favorable à l'avortement; ~ **lobby** *ou* **movement** campagne *f* en faveur du libre choix en matière d'avortement; ~ **supporter** partisan/-e *m/f* du libre choix en matière d'avortement

pro-choicer /,prəʊ'tʃɔɪsə(r)/ *n* partisan/-e *m/f* du libre choix en matière d'avortement

proclaim /prə'kleɪm/
A *vtr* (all contexts) proclamer (**that** que)
B *v refl* **to ~ oneself a Christian/communist** se proclamer chrétien/communiste

proclamation /,prɒklə'meɪʃn/ *n* proclamation *f* (**of** de)

proclivity /prə'klɪvətɪ/ *n* propension *f* (**for, to, towards** à); **sexual proclivities** tendances *fpl* sexuelles

proconsul /,prəʊ'kɒnsl/ *n* Antiq proconsul *m*; (in colony) gouverneur *m*

procrastinate /prəʊ'kræstɪneɪt/ *vi* atermoyer

procrastination /prəʊ,kræstɪ'neɪʃn/ *n* ¢ atermoiements *mpl*; **to accuse sb of ~** accuser qn d'atermoyer
(Idiom) **~ is the thief of time** Prov ne remettez pas à demain ce que vous pouvez faire aujourd'hui

procrastinator /prəʊ'kræstɪneɪtə(r)/ *n* **to be a ~** (by nature) avoir tendance à toujours remettre au lendemain

procreate /'prəʊkrɪeɪt/
A *vtr* procréer [*children, young*]
B *vi* se reproduire

procreation /,prəʊkrɪ'eɪʃn/ *n* (human) procréation *f*; (animal) reproduction *f*

Procrustean /prəʊ'krʌstɪən/ *adj* Mythol de Procruste; fig [*measures, solution*] draconien/-ienne

proctor /'prɒktə(r)/
A *n* GB Univ responsable *mf* de la discipline (*à Oxford et Cambridge*); US Univ (invigilator) surveillant/-e *m/f* (*d'examen*)
B *vtr* US Univ surveiller [*exam*]

procuration /,prɒkjʊ'reɪʃn/ *n* **1** sout (obtaining) obtention *f*; **2** Jur (of prostitutes) proxénétisme *m*

procurator /'prɒkjʊreɪtə(r)/ *n* Antiq procurateur *m*; (in church of Rome) procureur *m*

procurator-fiscal /,prɒkjʊreɪtə'fɪskl/ *n* Scot Jur procureur *m* général

procure /prə'kjʊə(r)/
A *vtr* **1** sout (obtain) procurer [*object, arms, supplies*]; **to ~ sth for sb** (directly) procurer qch à qn; (indirectly) faire obtenir qch à qn; **to ~ sth for oneself** se procurer qch; **2** Jur procurer [*prostitutes*]
B *vi* Jur (in prostitution) faire du proxénétisme

procurement /prə'kjʊəmənt/ *n* gen obtention *f*; Mil, Comm acquisition *f*; **arms/steel ~** acquisition d'armes/d'acier

procurement department *n* US Mil, Admin ¢ service *m* central des approvisionnements

procurer /prə'kjʊərə(r)/ *n* **1** Admin, Comm acheteur/-euse *m/f*; **2** Jur (in prostitution) proxénète *m*

procuress /prə'kjʊərɪs/ *n* Jur (in prostitution) proxénète *f*

prod /prɒd/
A *n* **1** lit (poke) petit coup *m*; **to give sth/sb a ~**

(with implement) donner un petit coup à qch/qn; (with finger) toucher qn/qch; **2** ○fig (encouragement, reminder) **to give sb a ~** secouer○ qn; **he/she needs a ~ to do** il faut le/la pousser pour qu'il/elle fasse; **he needs a gentle ~ to do** il faut lui rappeler gentiment de faire; **3** Agric (*also* **cattle ~**) aiguillon *m*

B *vtr* (*p prés etc* **-dd-**) (*also* **~ at**) **1** (poke) (with foot, instrument, stick) donner des petits coups à, pousser [qch] doucement; (with finger) toucher; (with fork) piquer; **stop ~ding me!** arrête de me bousculer!; **to ~ sb in the stomach** (hard) enfoncer les doigts dans l'estomac de qn; **to ~ sb's stomach** (gently) [*doctor*] tâter le ventre de qn; **2** ○(remind, encourage) pousser, secouer○; **to ~ sb into doing** pousser qn à faire; **the government will have to be ~ded into acting** il faudra pousser le gouvernement pour qu'il agisse; **he needs to be ~ed occasionally** il a besoin d'être secoué de temps en temps○; **3** (interrogate) interroger

Prod○ /prɒd/ *n* GB injur protestant/-e *m/f*

prodding /ˈprɒdɪŋ/ *n* **1** (reminding) **after a bit of ~ he agreed** il a fallu insister pour qu'il donne son accord; **she needs a bit of ~** elle a besoin d'être poussée; **2** (interrogation) questions *fpl*

prodigal /ˈprɒdɪgl/ *adj* littér [*expenditure, generosity*] extravagant; [*government, body*] prodigue; **to be ~ with** *ou* **of** être prodigue de [*gifts, money*]; **the ~ son** Bible le fils prodigue; fig l'enfant prodigue

prodigality /ˌprɒdɪˈgæləti/ *n* littér prodigalité *f*

prodigally /ˈprɒdɪgəlɪ/ *adv* [*spend, use*] de façon prodigue; [*give, entertain*] avec prodigalité

prodigious /prəˈdɪdʒəs/ *adj* prodigieux/-ieuse

prodigiously /prəˈdɪdʒəslɪ/ *adv* [*eat, drink*] énormément; [*drunk, fat*] extrêmement; [*talented, successful*] prodigieusement; [*increase, grow*] prodigieusement

prodigy /ˈprɒdɪdʒɪ/ *n* **1** (person) prodige *m*; **child ~** enfant prodige; **music/tennis ~** prodige de la musique/du tennis; **2** (wonder) prodige *m*; **to be a ~ of learning** être une merveille de savoir

produce

A /ˈprɒdju:s, US -du:s/ *n* ¢ produits *mpl*; **agricultural ~** produits agricoles; **'~ of Spain'** 'produit d'Espagne'

B /prəˈdju:s, US -ˈdu:s/ *vtr* **1** (cause) produire [*effect, agreement, result, success*]; provoquer [*reaction, change*]; **2** Agric, Ind [*region, industry, farmer, company*] produire (**from** à partir de), [*worker, machine*] fabriquer; **3** (biologically) [*gland, animal, plant*] produire; **to ~ young** produire des petits; **to ~ children** donner naissance à des enfants, procréer hum; **4** (generate) produire [*heat, electricity, sound, energy, fumes, gas*]; rapporter [*gains, profits, returns*]; **to ~ electricity from coal** produire de l'électricité à partir du charbon; **5** (form, create) [*school, course, era, country*] produire [*scientist, artist, worker*]; **the country that ~ed Picasso** le pays qui a vu naître Picasso; **to ~ a work of art** produire une œuvre d'art; **6** (present) produire [*passport, voucher, document, report, statement*]; fournir [*evidence, argument, example*]; **to ~ sth from** sortir qch de [*pocket, bag*]; **to ~ sth from behind one's back** faire apparaître qch de derrière son dos; **7** Cin, Mus, Radio, TV produire [*film, programme, show*]; GB Theat mettre [qch] en scène [*play*]; **well-~d** [*film, programme, recording*] bien réalisé; **8** (put together) préparer [*meal*]; mettre au point [*argument, timetable, package, solution*]; éditer [*leaflet, brochure, guide*]; **a well-~d brochure** une brochure bien faite; **9** Sport (achieve) marquer [*goal*]; obtenir [*result*]; **to ~ a fine performance** jouer remarquablement; **10** Math prolonger [*line*]

producer /prəˈdju:sə(r), US -ˈdu:s-/ ▸ p. 1683 *n* **1** (supplier) (of produce, food) producteur *m*; (of machinery, goods) fabricant *m*; **the world's leading tea ~** le premier producteur du thé du monde; **2** Cin, Radio, TV producteur/-trice *m/f*; GB Theat metteur *m* en scène

producer: **~ gas** *n* gaz *m* à l'air; **~ goods** *n* biens *mpl* d'équipement; **~ price index** *n* indice *m* des prix à la production

producing /prəˈdju:sɪŋ, US -ˈdu:s-/

A *adj* [*country*] producteur/-trice

B **-producing** (*dans composés*) producteur/-trice de; **oil-/cocaine-~ countries** pays producteurs de pétrole/cocaïne; **wine-~ region** région vinicole

product /ˈprɒdʌkt/

A *n* **1** (commercial item) produit *m*; **consumer ~s** produits de consommation; **the finished ~** Comm le produit fini; **2** (result) **to be a ~ of** être un produit de [*period, causes, event, imagination, training*]; **he was the ~ of a certain era** il était le produit d'une certaine époque; **the end ~** le résultat final; **3** Math produit *m* (**of** de)

B *modif* [*design, launch, development, testing*] d'un produit; **~ range** gamme *f* de produits

product designer ▸ p. 1683 *n* créateur/-trice *m/f* de produit

production /prəˈdʌkʃn/

A *n* **1** Agric, Ind (of crop, produce, foodstuffs, metal) production *f* (**of** de); (of machinery, furniture, cars) fabrication (**of** de); **to go into** *ou* **be in ~** être fabriqué; **the model has gone** *ou* **is out of ~** on ne fabrique plus le modèle; **to be in full ~** [*factory*] tourner à plein rendement; **to take land out of ~** cesser l'exploitation d'une terre; **2** (output) production *f*; **crop ~** production agricole; **~ fell by 5%** la production a baissé de 5%; **3** Biol, Sci (generating) (of cells, antibodies, energy, sound) production *f* (**of** de); **4** (presentation) (of document, ticket, report) présentation *f* (**of** de); (of evidence) production *f* (**of** de); **on ~ of** sur présentation de; **5** (of programme, film, record) production *f*; (of play) mise *f* en scène; **to work in TV ~** être producteur/-trice à la télévision; **6** **C** (film, opera, programme, show) production *f* (**of** de); (play) mise *f* en scène (**of** de); **X's ~ of 'Le Cid'** 'Le Cid', mis en scène par X; **to put on a ~ of** Theat mettre en scène [*play, work*]

B *modif* [*costs, difficulties, levels, methods, quota, unit*] de production; [*control, department*] de la production

production company *n* société *f* de production

production line *n* chaîne *f* de fabrication; **to come off the ~** sortir de la chaîne de fabrication; **to work on a ~** travailler à la chaîne

production manager ▸ p. 1683 *n* directeur/-trice *m/f* de la production

productive /prəˈdʌktɪv/ *adj* **1** (efficient) [*factory, industry, land, worker*] productif/-ive; [*system, method, use*] efficace; **2** (constructive) [*discussion, collaboration, experience*] fructueux/-euse; [*day, phase, period*] productif/-ive; **3** Econ [*sector, capital, task, capacity*] productif/-ive; **4** (resulting in) **to be ~ of** être générateur/-trice de [*knowledge, tyranny, health*]; **5** Med **~ cough** toux *f* grasse

productively /prəˈdʌktɪvlɪ/ *adv* [*work, organize*] de façon profitable; [*farm, cultivate*] de façon rentable; [*spend time*] utilement

productivity /ˌprɒdʌkˈtɪvətɪ/

A *n* productivité *f*; **to increase ~** augmenter la productivité

B *modif* [*agreement, bonus, drive, gains, growth*] de productivité

product: **~ liability** *n* responsabilité *f* de produits; **~ licence** *n* autorisation *f* de mise sur le marché; **~ lifecycle** *n* cycle *m* de vie d'un produit; **~ manager** ▸ p. 1683 *n* chef *m* de produit; **~ placement** *n* placement *m* de produit; **~ range** *n* gamme *f* (de produits)

pro-European /prəʊˌjʊərəˈpɪən/ *n, adj* Pol pro-européen/-enne (*mf*)

prof○ /prɒf/ *n* (professor) prof○ *mf* (*d'Université*)

Prof *abrév écrite* = **professor**

pro-family /prəʊˈfæməlɪ/ *adj* [*policies*] en faveur de la famille

profanation /ˌprɒfəˈneɪʃn/ *n* sout profanation *f*

profane /prəˈfeɪn, US prəʊˈfeɪn/

A *adj* **1** (blasphemous) impie; **2** (secular) profane

B *vtr* profaner [*shrine, tradition, honour*]

profanity /prəˈfænətɪ, US prəʊ-/ *n* sout **1** (behaviour) impiété *f*; **2** (oath) blasphème *m*

profess /prəˈfes/ *vtr* **1** (claim) prétendre (**to do** de faire; **that** que); **to ~ total ignorance of the matter** prétendre ne rien savoir de l'affaire; **I don't ~ to be a lover of poetry** je ne prétends pas adorer la poésie; **2** (declare openly) faire profession de, professer [*opinion, religion*]; **she ~ed faith in their policies** elle a déclaré sa confiance dans leur politique

professed /prəˈfest/ *adj* **1** gen [*supporter, atheist, Christian etc*] (genuine) déclaré; (pretended) soi-disant; **2** Relig [*nun, monk*] profès/-esse

professedly /prəˈfesɪdlɪ/ *adv* sout (avowedly) [*antagonistic, supportive*] de son/leur etc propre aveu; (with notion of insincerity) soi-disant; **~ on business** soi-disant pour affaires

profession /prəˈfeʃn/ *n* **1** (occupation) profession *f*; **by ~** de profession; **the ~s** les professions libérales; **to enter a ~** embrasser une profession; **the oldest ~ (in the world)** euph le plus vieux métier du monde; **2** (group) profession *f*; **the legal/medical/teaching ~** le corps judiciaire/médical/enseignant; **3** (statement) déclaration *f* (**of** de)

professional /prəˈfeʃənl/

A *n* **1** (not amateur) professionnel/-elle *m/f*; **2** (in small ad) salarié/-e *m/f*

B *adj* **1** (relating to an occupation) [*duty, experience incompetence, qualification, status*] professionnel/-elle; **~ career** carrière *f*; **to seek ~ advice** demander l'avis d'un professionnel; **he needs ~ help** il devrait consulter un professionnel; **they are ~ people** ils exercent une profession libérale; **2** (not amateur) [*footballer, dancer*] professionnel/-elle; [*diplomat, soldier*] de carrière; **to turn ~** [*actor, singer*] devenir professionnel/-elle; [*footballer, athlete*] passer professionnel/-elle; **he's a ~ trouble-maker/gossip** iron c'est un fauteur de troubles/bavard professionnel; **3** (of high standard) [*attitude, work, person*] professionnel/-elle; **he did a very ~ job** il a fait un travail de professionnel

professional: **~ fee** *n* honoraire *m*; **~ foul** *n* Sport faute *f* délibérée

professionalism /prəˈfeʃənəlɪzəm/ *n* **1** (high standard) (of person, organization) professionnalisme *m*; (of performance, piece of work) (haute) qualité *f*; **2** Sport professionnalisme *m*

professionally /prəˈfeʃənəlɪ/ *adv* **1** (expertly) [*decorated, designed*] par un professionnel; **to have sth ~ done** faire faire qch par un professionnel; **~ qualified** diplômé; **he is ~ trained** il a reçu une formation professionnelle; **2** (from an expert standpoint) d'un point de vue professionnel, professionnellement; **3** (in work situation) [*know, meet*] dans un cadre professionnel; **he is known ~ as Tim Jones** dans le métier *or* la profession, il est connu sous le nom de Tim Jones; **4** (as a paid job) [*play sport*] en professionnel/-elle; **he sings/dances ~** il est chanteur/danseur professionnel; **5** (to a high standard) [*do, work, behave*] de manière professionnelle

professional school *n* US Univ (business school) école *f* de commerce; (law school) faculté *f* de droit; (medical school) faculté *f* de médecine

professor /prəˈfesə(r)/ ▸ p. 1237 *n* 1 Univ (chair holder) professeur *m* d'Université; **Professor Barker** Monsieur le Professeur Barker; 2 US Univ (teacher) professeur *m*

professorial /ˌprɒfɪˈsɔːrɪəl/ *adj* 1 Univ [*duties, post, salary*] de professeur (d'Université); US professoral; 2 (imposing) [*manner, appearance*] imposant

professorship /prəˈfesəʃɪp/ *n* 1 (chair) chaire *f*; **to apply for/obtain a ~** postuler pour/obtenir une chaire; **the ~ of Physics** la chaire de physique; 2 US Univ (teaching post) poste *m* de professeur

proffer /ˈprɒfə(r)/ *vtr* sout 1 (hold out) tendre [*hand, pen, handkerchief*]; 2 (offer) offrir [*advice, friendship*]

proficiency /prəˈfɪʃnsɪ/ *n* (practical) compétence *f* (**in, at** en; **in doing** à faire); (academic) niveau *m* (**in** en); **to show/lack ~** faire preuve de/manquer de compétence

proficiency test *n* test *m* de niveau

proficient /prəˈfɪʃnt/ *adj* compétent (**at, in** en; **at doing** pour faire); **she is a highly ~ musician/swimmer** c'est une très bonne musicienne/nageuse

profile /ˈprəʊfaɪl/

A *n* 1 (of face) profil *m* (*also* fig); **in ~** de profil; **a photo in three-quarter ~** une photo de trois quarts; **to keep** *ou* **maintain a low ~** fig maintenir *or* adopter un profil bas; **to have/maintain a high ~** fig occuper/rester sur le devant de la scène; **he enjoys a high ~ in the literary world** il est très en vue dans le monde littéraire; **you have the right ~ for the job** vous avez le bon profil pour ce poste; **to raise one's ~** se rendre plus connu; 2 (of body, mountain) silhouette *f*; 3 Journ (of celebrity) portrait *m* (**of** de); 4 (graph, table, list) profil *m*; 5 (of person, genes) profil *m*; **psychological/DNA ~** profil psychologique/ADN; **reader ~** profil du lecteur

B *vtr* Journ dresser le portrait de [*person*]

C **profiled** *pp adj* (silhouetted) **to be ~d** se profiler (**against** sur)

profit /ˈprɒfɪt/

A *n* 1 Comm bénéfice *m*, profit *m*; **gross/net ~** bénéfice brut/net; **~ and loss** pertes et profits; **to make** *ou* **turn a ~** faire *or* réaliser un bénéfice (**on** sur); **the banks make handsome ~s** les banques font de jolis bénéfices; **they're only interested in making quick ~s** tout ce qui les intéresse c'est de faire de l'argent rapidement; **to sell sth at a ~** vendre qch à profit *or* avec un bénéfice; **they sold the house at a ~ of £6,000** ils ont réalisé un bénéfice de 6 000 livres sterling en vendant la maison; **to operate at a ~** être rentable; **to bring in** *ou* **yield a ~** rapporter un bénéfice; **there isn't much ~ in that line of business nowadays** ce genre de métier ne rapporte pas gros aujourd'hui; **with ~s insurance policy** police *f* d'assurance avec participation aux bénéfices; 2 fig (benefit) profit *m*, avantage *m*; **to turn sth to ~** fig mettre qch à profit

B *vtr* littér profiter à; **it will ~ you nothing to do this** cela ne vous profitera en rien de faire cela

C *vi* **to ~ by** *ou* **from sth** tirer profit de qch

profitability /ˌprɒfɪtəˈbɪlətɪ/ *n* rentabilité *f*

profitable /ˈprɒfɪtəbl/ *adj* Comm [*business, investment, market*] rentable, lucratif/-ive; fig [*meeting, negotiations*] fructueux/-euse; **it is ~ to do** c'est rentable de faire; **to make ~ use of sth** mettre qch à profit; **a most ~ afternoon** un après-midi très fructueux

profitably /ˈprɒfɪtəblɪ/ *adv* 1 Fin [*sell*] à profit, avec bénéfice; [*trade*] à profit; [*invest*] avec profit; 2 (usefully) utilement

profit: **~ and loss account** *n* compte *m* de pertes et profits; **~ balance** *n* solde *m* bénéficiaire; **~ centre** GB, **~ center** US *n* centre *m* de profit

profiteer /ˌprɒfɪˈtɪə(r)/ péj

A *n* profiteur/-euse *m/f* pej; **war ~** profiteur/-euse *m/f* de guerre

B *vi* faire des bénéfices excessifs

profiteering /ˌprɒfɪˈtɪərɪŋ/ péj

A *n* réalisation *f* de bénéfices excessifs; **to engage in ~** faire des bénéfices excessifs

B *adj* profiteur/-euse

profit: **~ forecast** *n* prévisions *fpl* de bénéfices; **~ graph** *n* courbe *f* de rentabilité

profitless /ˈprɒfɪtlɪs/ *adj* inutile

profit: **~-making organization** *n* organisation *f* à but lucratif; **~ margin** *n* marge *f* bénéficiaire; **~ motive** *n* souci *m* de rentabilité; **~ sharing** *n* intéressement *m* des salariés aux bénéfices; **~ sharing scheme** *n* système *m* d'intéressement des salariés aux bénéfices; **~ squeeze** *n* Fin contraction *f* des marges bénéficiaires; **~ taking** *n* prise *f* de bénéfices

profligacy /ˈprɒflɪɡəsɪ/ *n* sout 1 (extravagance) extrême prodigalité *f*; 2 (debauchery) débauche *f*

profligate /ˈprɒflɪɡət/ *adj* sout 1 (extravagant) [*government, body*] extrêmement prodigue; [*spending*] excessif/-ive; **~ use of taxpayers' money** le gaspillage de l'argent des contribuables; 2 (dissolute) débauché

pro-form /ˌprəʊˈfɔːm/ *n* proforme *f*

pro forma invoice /ˌprəʊˌfɔːməˈɪnvɔɪs/ *n* facture *f* pro forma

profound /prəˈfaʊnd/ *adj* profond

profoundly /prəˈfaʊndlɪ/ *adv* 1 (emphatic) [*traumatized, unnatural, affected*] profondément; 2 (wisely) [*observe, remark*] avec profondeur

profundity /prəˈfʌndətɪ/ *n* sout 1 (of understanding, changes) profondeur *f*; 2 (wise remark) remarque *f* profonde also iron

profuse /prəˈfjuːs/ *adj* [*growth, bleeding*] abondant; [*apologies, praise, thanks*] profus

profusely /prəˈfjuːslɪ/ *adv* [*sweat, bleed*] abondamment; [*bloom*] à profusion; [*thank*] avec effusion; **to apologize ~** se confondre en excuses

profusion /prəˈfjuːʒn/ *n* profusion *f* (**of** de); **to grow in ~** pousser à foison

prog○ /prɒɡ/ *n* GB TV, Radio émission *f*

progenitor /prəʊˈdʒenɪtə(r)/ *n* sout (father) père *m*; (mother) mère *f*; (of idea) auteur *m*; (of movement) père *m*

progeny /ˈprɒdʒənɪ/ *n* sout (+ *v sg ou pl*) 1 (children) progéniture *f*; 2 (descendants) descendance *f*; fig successeurs *mpl*

progesterone /prəʊˈdʒestərəʊn/ *n* progestérone *f*

prognathous /prɒɡˈneɪθəs/ *adj* prognathe

prognosis /prɒɡˈnəʊsɪs/ *n* 1 Med pronostic *m* (**on, about** sur); 2 (prediction) pronostics *mpl* (**for** sur)

prognostic /prɒɡˈnɒstɪk/ *adj* pronostique

prognosticate /prɒɡˈnɒstɪkeɪt/ *vtr* pronostiquer (**that** que)

prognostication /prɒɡˌnɒstɪˈkeɪʃn/ *n* pronostic *m*

program /ˈprəʊɡræm, US -ɡrəm/

A *n* 1 Comput programme *m*; **to run a ~** lancer un programme; 2 US Radio, TV émission *f*

B *vtr* (**-mm-** GB, **-m-** US) gen, Comput programmer (**to do** pour faire)

C *vi* Comput programmer (**in** en)

programer *n* US = **programmer**

programing *n* US = **programming**

programme GB, **program** US /ˈprəʊɡræm, US -ɡrəm/

A *n* 1 TV, Radio (single broadcast) émission *f* (**about** sur); (schedule of broadcasting) programme *m*; **jazz/news ~s** émissions de jazz/d'actualités; **to do a ~** diffuser *or* passer une émission (**on** sur); 2 (plan, schedule) programme *m* (**of** de); **research/training ~** programme *m* de recherche/formation; **what's on the ~ (for today)?** qu'y a-t-il au programme (aujourd'hui)?; 3 Mus, Theat (booklet) programme *m*; (plan for season) programme *m*

B *vtr* (set) programmer [*machine*] (**to do** pour faire); **we are ~d from birth to be social beings** nous sommes programmés dès la naissance pour vivre en société

programme: **~d learning** *n* enseignement *m* programmé; **~ music** *n* Mus musique *f* à programme; **~ note** *n* commentaire *m* de programme

programmer GB, **programer** US /ˈprəʊɡræmə(r), US -ɡrəm-/ ▸ p. 1683 *n* programmeur/-euse *m/f*

programming GB, **programing** US /ˈprəʊɡræmɪŋ, US -ɡrəm-/ *n* 1 Comput programmation *f*; 2 TV, Radio programmation *f*

programming language *n* langage *m* de programmation

progress

A /ˈprəʊɡres, US ˈprɒɡres/ *n* 1 (advances) progrès *m*; **in the name of ~** au nom du progrès; **~ towards a settlement has been slow** les progrès en vue d'un accord ont été longs; **to make ~ in one's work/in physics** faire des progrès dans son travail/en physique; **to make slow/steady ~** progresser lentement/régulièrement; **to work for ~ on human rights** œuvrer pour progresser dans le domaine des droits de l'homme; **the patient is making ~** l'état de santé du malade s'améliore; 2 (course, evolution) (of person, vehicle, inquiry, event) progression *f*; (of talks, dispute, disease, career) évolution *f*; **we are watching the ~ of the negotiations/of the research with interest** nous assistons avec intérêt à l'évolution des négociations/la progression des recherches; **to make (slow/steady) ~** progresser *or* avancer (lentement/régulièrement); **to be in ~** [*discussions, meeting, work*] être en cours; **work is already in ~** les travaux sont déjà commencés; **'examination in ~'** 'examen en cours'

B /prəˈɡres/ *vi* 1 (develop, improve) [*work, research, studies, society*] progresser; [*person*] faire des progrès, progresser; **to ~ towards democracy** s'acheminer vers la démocratie; 2 (follow course) [*person, vehicle, discussion*] progresser, avancer; [*storm*] s'intensifier; **as the day ~ed** à mesure que la journée s'écoulait; **as the novel ~es** à mesure que l'on avance dans la lecture du roman

progression /prəˈɡreʃn/ *n* 1 (development) (evolution) évolution *f*; (improvement) progression *f*; **natural/logical ~** suite *f or* progression *f* naturelle/logique; 2 (series) succession *f*, suite *f*; 3 Math suite *f*; 4 Mus progression *f*

progressive /prəˈɡresɪv/

A *n* 1 gen, Pol (person) progressiste *mf*; 2 Ling progressif *m*

B *adj* 1 (gradual) [*increase, change*] progressif/-ive; [*illness*] évolutif/-ive; **~ taxation** impôt progressif; **to show a ~ improvement** s'améliorer progressivement; 2 (radical) [*person, idea, policy*] progressiste; [*school*] parallèle; [*age, period*] progressif/-ive; **~ rock** Mus rock *m* progressiste; 3 Ling progressif/-ive

progressively /prəˈɡresɪvlɪ/ *adv* progressivement

progressiveness /prəˈɡresɪvnɪs/ *n* progressivité *f*

progress report *n* (on construction work) rapport *m* sur l'état *or* l'évolution des travaux; (on project) rapport *m* sur l'état *or* l'évolution du projet; (on patient) bulletin *m* de santé; (on pupil) bulletin *m* scolaire

prohibit /prəˈhɪbɪt, US prəʊ-/ *vtr* 1 (forbid) interdire; **to ~ sb from doing** interdire à qn de faire; **children are ~ed from using the elevator** il est interdit aux enfants d'utiliser l'ascenseur; **'smoking ~ed'** 'défense de fumer'; 2 sout (make impossible) empêcher (**from doing** de faire); **his poor health ~s him from playing sports** sa mauvaise santé l'empêche de faire du sport

prohibition /ˌprəʊhɪˈbɪʃn, US ˌprəʊəˈbɪʃn/

A *n* 1 (forbidding) interdiction *f*, défense *f* (**of** de);

2 (ban) interdiction *f* (**on, against** de)
B **Prohibition** *pr n* **the Prohibition** US Hist la prohibition
C *modif* [*law, party*] prohibitionniste; [*America, days, years*] de la prohibition

prohibitionism /ˌprəʊhɪˈbɪʃənɪzəm, US ˌprəʊə-/ *n* prohibitionnisme *m*

prohibitionist /ˌprəʊhɪˈbɪʃənɪst, US ˌprəʊə-/ *n* prohibitionniste *mf*

prohibitive /prəˈhɪbətɪv, US prəʊ-/ *adj* [*cost, price*] prohibitif/-ive

prohibitively /prəˈhɪbɪtɪvlɪ, US prəʊ-/ *adv* **prices are ∼ high** les prix sont prohibitifs

project
A /ˈprɒdʒekt/ *n* **1** (plan, scheme) projet *m* (**to do** pour faire); **a ∼ to build a road** un projet de construction d'une route; **2** Sch dossier *m* (**on** sur); Univ mémoire *m* (**on** sur); **research ∼** programme *m* de recherches; **3** US (state housing) (large) ≈ cité *f* HLM; (small) ≈ lotissement *m* HLM; **to grow up in the ∼s** grandir au milieu des HLM
B /ˈprɒdʒekt/ *modif* [*budget, funds*] d'un projet; **∼ manager** gen directeur/-trice *m/f* de projet; Constr maître *m* d'œuvre; **∼ outline** avant-projet *m*
C /prəˈdʒekt/ *vtr* **1** (throw, send) projeter [*object*]; envoyer [*missile*]; faire porter [*voice*]; **2** (put across) donner [*image*]; **to ∼ a new image** donner une nouvelle image; **3** (transfer) projeter [*guilt, doubts, anxiety*] (**onto** sur); **4** (estimate) prévoir [*figures, results*]; **5** Cin, Phys projeter [*light, film, slide*] (**onto** sur); **6** Geog faire la projection de [*earth, map*]; Math projeter [*solid*]
D /prəˈdʒekt/ *vi* **1** gen (stick out) faire saillie (**from** sur); **to ∼ over** surplomber; **2** Theat [*actor*] passer la rampe
E **projected** *pp adj* [*figure, deficit*] prévu; **their ∼ed visit** la visite qu'ils ont prévue; **a ∼ed £4 m deficit** un deficit prévu de 4 millions de livres; **the ∼ed figures are...** les prévisions pour les chiffres sont...
F /prəˈdʒekt/ *v refl* **to ∼ oneself** **1** (make an impression) faire impression; **to ∼ oneself as being** donner l'impression d'être; **2** **to ∼ oneself into the future** se projeter dans l'avenir

projectile /prəˈdʒektaɪl, US -tl/ *n* projectile *m*

projecting /prəˈdʒektɪŋ/ *adj* saillant

projection /prəˈdʒekʃn/ *n* **1** (of object, thoughts, emotions) projection *f*; **2** (estimate) prévision *f*; **3** Cin, Math, Geog projection *f*

projectionist /prəˈdʒekʃənɪst/ ▸ **p. 1683** *n* projectionniste *mf*

projection room *n* cabine *f* de projection

projective /prəˈdʒektɪv/ *adj* projectif/-ive

projector /prəˈdʒektə(r)/ *n* projecteur *m*

prolactin /prəʊˈlæktɪn/ *n* prolactine *f*

prolapse /ˈprəʊlæps/
A *n* prolapsus *m*
B *vi* [*organ*] descendre

prole○ /prəʊl/ *n* péj prolo○ *mf* pej

proletarian /ˌprəʊlɪˈteərɪən/
A *n* prolétaire *mf*
B *adj* **1** Pol, Econ [*class, revolution*] prolétarien/-ienne; **2** gen [*decency, life*] ouvrier/-ière

proletarianize /ˌprəʊlɪˈteərɪənaɪz/ *vtr* prolétariser

proletariat /ˌprəʊlɪˈteərɪət/ *n* prolétariat *m*

pro-life /ˌprəʊˈlaɪf/ *adj* [*movement, campaigner, lobby*] contre l'avortement

pro-lifer /ˌprəʊˈlaɪfə(r)/ *n* adversaire *mf* de l'avortement

proliferate /prəˈlɪfəreɪt, US prəʊ-/ *vi* proliférer

proliferation /ˌprəlɪfəˈreɪʃn, US ˌprəʊ-/ *n* prolifération *f* (**of** de)

proliferous /prəˈlɪfərəs/ *adj* sout [*plant*] prolifère; [*animal*] proliférant; [*coral*] bourgeonnant

prolific /prəˈlɪfɪk/ *adj* **1** (productive) [*writer*] prolifique; [*decade*] fécond; **∼ scorer** (of goals) excellent buteur; **2** (in reproduction) [*plant*] prolifique; [*animal, person*] prolifique, fécond; [*growth*] rapide

prolix /ˈprəʊlɪks, US prəʊˈlɪks/ *adj* sout prolixe

prolixity /prəʊˈlɪksətɪ/ *n* sout prolixité *f*

prologue /ˈprəʊlɒg, US -lɔːg/ *n* **1** Literat prologue *m* (**to** de); **2** (preliminary) prélude *m* (**to** à)

prolong /prəˈlɒŋ, US -ˈlɔːŋ/ *vtr* prolonger

prolongation /ˌprəʊlɒŋˈgeɪʃn, US -lɔːŋ-/ *n* (in time) prolongation *f*; (in space) prolongement *m*

prolonged /prəˈlɒŋd, US -ˈlɔːŋd/ *adj* prolongé

prom○ /prɒm/ *n* **1** GB (concert) concert *m*; **2** US (at high school) bal *m* de lycéens; (college) bal *m* d'étudiants; **3** GB (at seaside) front *m* de mer

> **Proms**
>
> Festival annuel de musique classique qui se déroule au Royal Albert Hall à Londres. La dernière soirée (*Last Night of the Proms*) est toujours un événement ; on y joue des airs célèbres (*Land of Hope and Glory, Rule, Britannia!*) que l'auditoire reprend avec l'orchestre. *Proms* est l'abréviation de *promenade concerts*, car une partie des auditeurs reste debout. ▸ **Britannia**

promenade /ˌprɒməˈnɑːd, US -ˈneɪd/
A *n* **1** (path) promenade *f*; (by sea) front *m* de mer; **2** Dance promenade *f*
B *vtr* sout promener [*virtues etc*]
C *vi* sout se promener

promenade: **∼ concerts** *npl* GB série *f* annuelle de concerts; **∼ deck** *n* pont *m* promenade

Prometheus /prəˈmiːθjuːs/ *pr n* Prométhée

promethium /prəˈmiːθɪəm/ *n* prométhium *m*

prominence /ˈprɒmɪnəns/ *n* **1** (of person, issue) importance *f*; **to rise to ∼** devenir connu; **to give ∼ to sth** donner *or* accorder de l'importance à qch; **to come to ∼ as a writer** devenir célèbre comme écrivain; **2** (of feature, building, object) proéminence *f*

prominent /ˈprɒmɪnənt/ *adj* **1** [*person, figure, activist, campaigner*] très en vue, important; [*artist, intellectual, industrialist*] éminent; **to play a ∼ part** *ou* **role in sth** jouer un rôle de premier plan dans qch; **2** [*position, place, feature*] proéminent, en vue; [*peak, ridge*] saillant; [*marking, mole*] bien visible; **leave the key in a ∼ place** laisse la clé en évidence; **3** [*nose, forehead*] proéminent; [*cheekbone*] saillant; [*eye*] exorbité; [*tooth*] en avant

prominently /ˈprɒmɪnəntlɪ/ *adv* [*displayed, hung, shown*] en évidence; **to feature** *ou* **figure ∼ in sth** jouer un rôle important dans qch

promiscuity /ˌprɒmɪˈskjuːətɪ/ *n* **1** (sexual) vagabondage *m* sexuel; **2** (mixing) sout promiscuité *f*

promiscuous /prəˈmɪskjʊəs/ *adj* péj [*person*] aux mœurs légères; [*behaviour*] léger/-ère

promise /ˈprɒmɪs/
A *n* **1** (undertaking) promesse *f*; **to make a ∼ to sb** faire une promesse à qn; **to break/keep one's ∼** manquer à/tenir sa promesse; **they held him to his ∼** ils lui ont fait tenir sa promesse; **under a ∼ of secrecy** sous la promesse du secret; **'I'll come next time!'—'is that a ∼?'** 'je viendrai la prochaine fois!'—'c'est promis?'; **2** ¢ (hope, prospect) espoir *m*; **there seems little ∼ of peace** il semble qu'il y ait peu d'espoir de paix; **her early life held little ∼ of her future happiness** sa jeunesse ne laissait pas présager de son bonheur futur; **full of Eastern ∼** plein des charmes de l'Orient; **3** ¢ (likelihood of success) **she shows great ∼** elle promet beaucoup; **a young writer of ∼** un jeune écrivain qui promet
B *vtr* **1** (pledge) **to ∼ sb sth** promettre qch à qn; **to ∼ to do** promettre de faire; **she ∼d me (that) she would come** elle m'a promis qu'elle viendrait; **they ∼d him their support/to do** ils lui ont promis leur soutien/de faire; **I can't ∼ anything** je ne peux rien promettre; **as ∼d** comme promis; **2** (give prospect of) annoncer, promettre; **the clouds ∼d rain** les nuages annonçaient de la pluie; **it ∼s to be a fine day** la journée s'annonce belle; **3** (assure) assurer; **it won't be easy, I ∼ you** cela ne sera pas facile, je te l'assure; **4** ‡**to be ∼d in marriage to sb** être promis en mariage à qn
C *vi* **1** (give pledge) promettre; **do you ∼?** c'est promis?; **I ∼** je le promets; **but you ∼d!** mais tu avais promis!; **2** fig **to ∼ well** [*young talent, candidate*] être très prometteur; [*result, situation, event*] s'annoncer bien; **this doesn't ∼ well for the future** cela ne présage rien de bon pour le futur
D *v refl* **to ∼ oneself sth** se promettre qch; **to ∼ oneself to do** se promettre de faire
(Idiom) **to ∼ sb the earth** promettre la lune à qn

Promised Land *n* lit, fig Terre *f* Promise

promising /ˈprɒmɪsɪŋ/ *adj* [*situation, sign, result, career, future*] prometteur/-euse; [*artist, candidate*] qui promet; **the weather/the future looks more ∼** le temps/l'avenir s'annonce meilleur; **it doesn't look very ∼** [*weather, outlook, scheme*] cela n'a pas l'air très prometteur; [*exam results*] cela n'a pas l'air très encourageant; **'I've been shortlisted for the job'—'that's ∼'** 'je suis sur la liste des candidats retenus'—'c'est bon signe'; **the film gets off to a ∼ start but...** le film démarre bien mais...; **a ∼ young actor** un jeune acteur qui promet

promisingly /ˈprɒmɪsɪŋlɪ/ *adv* d'une façon prometteuse; **the talks started off quite ∼ but...** les discussions ont plutôt bien commencé mais...

promissory note /ˈprɒmɪsərɪ, US ɛɔːrɪ/ *n* billet *m* à ordre

promo○ /ˈprəʊməʊ/
A *n* (for product) vidéo *f* publicitaire; (for performer) vidéo *f* de présentation
B *adj* publicitaire

promontory /ˈprɒməntrɪ, US -tɔːrɪ/ *n* promontoire *m*

promote /prəˈməʊt/
A *vtr* **1** (in rank) promouvoir (**to** à); **to be ∼d from secretary to administrator** être promu du rang de secrétaire à celui d'administrateur; **she was ∼d to manager** elle a été promue directrice; **2** (advertise) faire de la publicité pour [*product*]; (market) promouvoir [*brand, book, town*]; promouvoir [*theory, image*]; **to ∼ a candidate** mettre un candidat en avant; **to ∼ a bill** Pol présenter un projet de loi; **3** (encourage) promouvoir [*democracy, understanding etc*]; **4** GB (in football) **to be ∼d from the fourth to the third division** passer de quatrième en troisième division; **5** US Sch être admis dans la classe supérieure
B *vtr* **to ∼ oneself** se mettre en avant

promoter /prəˈməʊtə(r)/ *n* (all contexts) promoteur/-trice *m/f*

promotion /prəˈməʊʃn/ *n* **1** (of employee) promotion *f*; **her ∼ to manager** sa promotion au poste de directrice; **after his ∼ from captain to colonel** après sa promotion du grade de capitaine à celui de colonel; **to gain ∼** être promu; **to recommend sb for ∼** recommander qn pour une promotion; **to apply for ∼** demander une promotion; **to be in line for ∼** avoir des chances d'être promu; **2** Comm promotion *f* (**of** de); **sales ∼** (activity) promotion *f* des ventes; (campaign) campagne *f* de publicité; **3** (encouragement) promotion *f* (**of** de); **4** US Sch admission *f* dans la classe supérieure

promotional /prəˈməʊʃənl/ *adj* **1** Comm promotionnel/-elle; **2** (in workplace) **the ∼ ladder** les échelons *mpl*

P

promotional video *n* (for product) vidéo *f* publicitaire; (for performer) vidéo *f* de présentation

promotion prospects *npl* (long-term) perspectives *fpl* d'avenir; (immediate) possibilités *fpl* d'avenir

promotions manager ▸ p. 1683 *n* directeur/-trice *m/f* de la publicité

prompt /prɒmpt/

A *n* **1** Comput (on command line) invite *f*; (instructions) message *m* guide-opérateur; **2** Comm délai *m* de paiement; **3** gen, Theat **to give sb a ~** souffler une réplique à qn

B *adj* [*attention, reply, result, refund*] rapide; [*action, recovery*] rapide, prompt; **to be ~ to do** être prompt à faire

C *adv* pile; **at six o'clock ~** à six heures pile *or* précises

D *vtr* **1** (cause) provoquer [*reaction, decision, anger, action, revolt*]; susciter [*concern, accusation, comment, warning*]; déclencher [*alert, strike*]; **to ~ sb to do sth** inciter *or* pousser qn à faire qch; **2** (encourage to talk) **'and then what?' she ~ed** 'et puis quoi?' demanda-t-elle; **'... boring?' he ~ed** '... ennuyeux?' suggéra-t-il; **3** gen, Theat (remind) souffler à [*person*]

E *vi* gen, Theat souffler

prompt box *n* Theat trou *m* du souffleur

prompter /ˈprɒmptə(r)/ *n* **1** Theat souffleur/-euse *m/f*; **2** US TV téléprompteur *m*

prompting /ˈprɒmptɪŋ/ *n* encouragement *m*; **without any ~** de mon/son etc plein gré

promptitude /ˈprɒmptɪtjuːd, US -tuːd/ *n* sout **1** (speed) promptitude *f*; **2** (punctuality) ponctualité *f*

promptly /ˈprɒmptlɪ/ *adv* **1** (immediately) immédiatement, sur-le-champ; **he lifted it up and ~ dropped it** il l'a soulevé et aussitôt *or* immédiatement il l'a laissé tomber; **2** (without delay) [*reply, act, pay*] rapidement; **3** (punctually) [*arrive, leave, start*] à l'heure; **~ at six o'clock** à six heures précises

promptness /ˈprɒmptnɪs/ *n* **1** (speed) rapidité *f* (**in doing** à faire); **2** (punctuality) ponctualité *f*

prompt: **~ note** *n* Comm rappel *m* de paiement; **~ side** *n* Theat, GB côté *m* cour; US côté *m* jardin

promulgate /ˈprɒmlgeɪt/ *vtr* **1** (promote) répandre [*theory, idea*]; **2** (proclaim) promulguer [*law, doctrine*]

promulgation /ˌprɒmlˈgeɪʃn/ *n* (promotion) dissémination *f*; (announcement) promulgation *f*

prone /prəʊn/

A *adj* **1** (liable) **to be ~ to** être sujet/-ette à [*migraines, colds*]; être enclin à [*depression, violence*]; **to be ~ to do** *ou* **to doing** être enclin à faire; **2** (prostrate) **to lie ~** (sleeping, sunbathing) être allongé sur le ventre; (injured) être allongé face contre terre

B -prone (*dans composés*) **accident-~** sujet/-ette aux accidents; **flood-~** inondable

prong /prɒŋ, US prɔːŋ/ *n* (on fork) dent *f*; (on antler) pointe *f*

-pronged /prɒŋd, US prɔːŋd/ (*dans composés*) **1** (sided) **two-/three-~ attack** attaque *f* sur deux/trois fronts; **2** [*fork, spear*] **two-/three-~** à deux/trois dents

pronominal /prəʊˈnɒmɪnl/ *adj* pronominal

pronoun /ˈprəʊnaʊn/ *n* pronom *m*

pronounce /prəˈnaʊns/

A *vtr* **1** Ling prononcer [*letter, word*]; **is the letter 'h' ~d?** est-ce que le 'h' se prononce?; **2** (announce) prononcer [*judgment, sentence*]; rendre [*verdict*]; émettre [*opinion*]; **to ~ sb dead/guilty** déclarer qn mort/coupable; **to ~ sth (to be) genuine/satisfactory** déclarer que qch est authentique/satisfaisant; **to ~ that** déclarer que; **'this is a fake,' she ~d** 'c'est un faux,' déclara-t-elle; **I now ~ you man and wife** je vous déclare unis par les liens du mariage

B *vi* Jur prononcer; **to ~ for/against sb** rendre un jugement favorable/défavorable à qn

C *v refl* **to ~ oneself satisfied/bored** se déclarer satisfait/ennuyé; **to ~ oneself for/against sth** se prononcer pour/contre qch.

(Phrasal verb) ■ **pronounce on**: ▸ **~ on [sth]** se prononcer sur [*case, matter*]; affirmer [*existence, truth*]; juger de [*merits*]

pronounceable /prəˈnaʊnsəbl/ *adj* prononçable

pronounced /prəˈnaʊnst/ *adj* **1** (noticeable) [*accent, limp, tendency*] prononcé; [*stammer*] fort; [*change, difference, increase*] marqué; **2** (strongly felt) [*idea, opinion, view*] arrêté

pronouncement /prəˈnaʊnsmənt/ *n* **1** (statement) déclaration *f* (**on** sur, à propos de); **2** (verdict) verdict *m* (**on** sur, à propos de)

pronto° /ˈprɒntəʊ/ *adv* illico°

pronuclear /prəʊˈnjuːklɪə(r), US -ˈnuː-/ *adj* pronucléaire

pronunciation /prəˌnʌnsɪˈeɪʃn/ *n* prononciation *f*

proof /pruːf/

A *n* **1** ₵ (evidence) preuve *f* **C** (**of** de; **that** que); **I have ~** j'ai une preuve *or* des preuves; **you have no ~** vous n'avez aucune preuve; **to have ~ that** pouvoir prouver que; **there is no ~ that** rien ne prouve que; **do you have (any) ~?** avez-vous des preuves?, en avez-vous la preuve?; **the ~ is that** la preuve en est que; **this is ~ that** cela prouve que; **to produce sth as ~** produire qch à titre de preuve; **to take sth as ~ that** considérer qch comme la preuve que; **absolute/conclusive ~** preuve absolue/irréfutable; **to fail through lack of ~** échouer faute de preuves; **to be ~ of sb's worth/age/existence** prouver la valeur/l'âge/l'existence de qn; **to be living ~ of sth** être la preuve vivante de qch; **~ of identity** pièce *f* d'identité; **2** Math, Philos preuve *f*; **3** Print épreuve *f*; **at ~ stage** au stade des épreuves; **to read sth in ~** lire qch sur épreuves; **4** Phot épreuve *f*; **5** (of alcohol) niveau *m* étalon; **over/under ~** au-dessus/au-dessous du niveau étalon; **to be 70° ou 70% ~** ≈ titrer 40° d'alcool

B *adj* **to be ~ against** être à l'épreuve de [*wind, infection, heat, time*]; être à l'abri de [*temptation, charms*]

C -proof (*dans composés*) (resistant to) **vandal-~** protégé contre les vandales; **earthquake-~** antisismique; **toddler-~ toys** jouets résistant aux petits

D *vtr* **1** (make waterproof) imperméabiliser [*fabric*]; (make soundproof) insonoriser [*room, house*]; **2** = **proofread**

proof: **~ of delivery** *n* reçu *m* de livraison; **~ of ownership** *n* titre *m* de propriété; **~ of postage** *n* certificat *m* d'expédition; **~ of purchase** *n* justificatif *m* d'achat

proofread /ˈpruːfriːd/

A *vtr* (*prét, pp* **-read** /red/) **1** (check copy) corriger; **2** (check proofs) corriger les épreuves de [*novel, article*]

B *vi* (*prét, pp* **-read** /red/) **1** (check copy) corriger; **2** (check proofs) corriger des épreuves

proof: **~reader** ▸ p. 1683 *n* correcteur/-trice *m/f*; **~reading** *n* correction *f* d'épreuves; **~ spirit** *n* GB alcool *m* à 57,1°; US alcool *m* à 50°

prop /prɒp/

A *n* **1** Constr, Tech (support) étai *m*; **2** (supportive person) soutien *m* (**for** pour); **3** Theat (*abrév* = **property**) accessoire *m*; **stage ~** accessoire *m* de théâtre; **4** °Aviat (*abrév* = **propeller**) hélice *f*; **5** Sport (in rugby) pilier *m*; **6** Hort (for plant) tuteur *m*; (for crop) rame *f*

B *vtr* (*p prés etc* **-pp-**) **1** (support) étayer [*roof, tunnel, wall*]; **I ~ed his head on a pillow** je lui ai soutenu la tête avec un oreiller; **2** (lean) **to ~ sb/sth against sth** appuyer qn/qch contre qch

C *v refl* (*p prés etc* **-pp-**) **to ~ oneself against sth** s'appuyer à [*tree, wall*].

(Phrasal verb) ■ **prop up**: ▸ **~ [sth] up**, **~ up [sth]** lit étayer [*beam, wall*]; fig soutenir [*company, currency, economy, person, regime*]

propaganda /ˌprɒpəˈgændə/

A *n* propagande *f* (**against** contre; **for** pour)

B *modif* [*campaign, exercise, film, war*] de propagande

propagandist /ˌprɒpəˈgændɪst/ *n* propagandiste *mf*

propagandize /ˌprɒpəˈgændaɪz/ *vi* faire de la propagande

propagate /ˈprɒpəgeɪt/

A *vtr* **1** (spread) propager [*myth, story*]; **2** Hort propager [*plant*] (**from** par)

B *vi* Hort se propager

propagated error *n* erreur *f* répercutée

propagation /ˌprɒpəˈgeɪʃn/ *n* propagation *f*

propagator /ˈprɒpəgeɪtə(r)/ *n* (tray) germoir *m*

propane /ˈprəʊpeɪn/ *n* propane *m*

propel /prəˈpel/

A *vtr* (*p prés etc* **-ll-**) **1** (power) propulser [*vehicle, ship*]; **2** (push) pousser [*person*]; (more violently) propulser [*person*]; **to ~ sb into power/into the limelight** propulser qn au pouvoir/au premier plan

B -propelled (*dans composés*) **wind-~led** propulsé par le vent; ▸ **jet-propelled**, **rocket-propelled**

propellant /prəˈpelənt/ *n* **1** (in aerosol) gaz *m* propulseur; **2** (in rocket) propergol *m*; **3** (in gun) poudre *f* propulsive

propeller /prəˈpelə(r)/ *n* Aviat, Naut hélice *f*

propeller: **~ blade** *n* pale *f* (d'hélice); **~-head**° *n* obsédé/-e *m/f* d'informatique; **~ shaft** *n* Aut arbre *m* de transmission; Naut arbre *m* porte-hélice; Aviat arbre *m* de propulsion

propelling pencil *n* GB portemine *m*

propensity /prəˈpensətɪ/ *n* propension *f* (**to, for** à; **to do, for doing** à faire)

proper /ˈprɒpə(r)/

A *n* Relig propre *m*

B *adj* **1** (right) [*term, spelling*] correct; [*order, manner, tool, choice, response*] bon/bonne; [*sense*] propre; [*precautions*] nécessaire; [*clothing*] qu'il faut (*after n*); **it is only ~ for sb to do** il est tout naturel que qn fasse; **it's only ~ for her to keep the money** il est tout naturel qu'elle garde l'argent; **everything is in the ~ place** tout est à sa place; **to go through the ~ channels** passer par la filière officielle; **in the ~ way** correctement, comme il faut; **2** (adequate) [*funding, recognition*] convenable; [*education, training*] bon/bonne; [*care, control*] requis; **there are no ~ safety checks** il n'y a pas les contrôles de sécurité requis; **we have no ~ tennis courts** nous n'avons pas de courts de tennis convenables; **it has ~ facilities** c'est bien équipé; **3** (fitting) **~ to** sout convenant à [*position, status*]; **to show ~ respect for tradition/for the dead** montrer le respect dû à la tradition/aux morts; **I did as I thought ~** j'ai agi comme je l'ai jugé bon; **4** (respectably correct) [*person*] correct; [*upbringing*] convenable; **it wouldn't be ~ to do** ce ne serait pas convenable de faire; **it is only ~ that he be invited** ce serait correct de l'inviter; **prim and ~** très convenable; **to do the ~ thing by a girl** euph se marier pour régulariser la situation; **5** (real, full) [*doctor, holiday, job*] vrai (*before n*); [*opportunity*] bon/bonne; **he did a ~ job of repairing the car** il a bien réparé la voiture; **6** °(complete) **I felt a ~ fool!** je me suis senti complètement stupide!; **it was a ~ disaster** c'était un désastre complet; **we're in a ~ mess** *ou* **pickle now** nous voilà dans de beaux draps; **7** (actual) (*après n*) **in the village ~** dans le village même; **the show/competition ~** le spectacle/concours proprement dit; **8** sout (particular to) **~ to sb/sth** propre à qn/qch

(Idiom) **to beat sb good and ~** fig battre qn haut la main

p

proper fraction *n* fraction *f* proprement dite

properly /ˈprɒpəlɪ/ *adv* **1** (correctly) correctement; **I like to do things ~** j'aime faire les choses correctement; **to do one's job ~** faire correctement son travail; **you acted very ~ in reporting the theft** vous avez très bien agi en déclarant le vol; **~ speaking** à proprement parler; **2** (fully) [*completed, shut, open*] complètement; **read the letter ~** lis la lettre correctement; **you're not ~ dressed** tu n'es pas assez habillé; **~ prepared for the interview** bien préparé pour l'entretien; **I didn't have time to thank you ~** je n'ai pas eu le temps de vous remercier; **walk/behave ~!** (to child) marche/tiens-toi comme il faut!; **3** (adequately) [*eat, rest, plan*] convenablement; [*insured, ventilated*] convenablement; **4** (suitably) [*dressed*] correctement; **he was ~ apologetic/grateful** il a fait les excuses/montré la reconnaissance qu'il fallait

proper: **~ motion** Astron *n* mouvement *m* propre; **~ name**, **~ noun** *n* Ling nom *m* propre

propertied /ˈprɒpətɪd/ *adj* [*class*] possédant; **a ~ man/woman** un/-e possédant/-e *m/f*

property /ˈprɒpətɪ/

A *n* **1** ₵ (belongings) propriété *f*, bien(s) *m(pl)*; **government ~** propriété *f* de l'État; **personal ~** bien(s) *m(pl)* personnel(s); **public ~** bien *m* public; **'private ~'** (on sign) 'propriété privée'; **that is not your ~** cela ne vous appartient pas; **2** ₵ (real estate) biens *mpl* immobiliers; **to have ~ abroad** avoir des biens à l'étranger; **to invest in ~** investir dans l'immobilier *m*; **~ was damaged** il y a eu des dégâts matériels; **3** C (house) propriété *f*; **the ~ is detached** c'est une maison indépendante; **4** Chem, Phys (characteristic) propriété *f*; **5** Jur (copyrighted work) propriété *f*

B **properties** *npl* **1** Fin immobilier *m*; **2** Theat accessoires *mpl*

C *modif* (real estate) [*company, development, group, law, speculator, value*] immobilier/-ière; [*market, prices*] de l'immobilier

(Idioms) **to be hot ~** être demandé; **~ is theft** la propriété, c'est le vol

property: **~ dealer** *n* marchand *m* de biens; **~ developer** *n* promoteur *m* immobilier; **~ insurance** *n* assurance *f* des biens; **~ owner** *n* propriétaire *mf*; **~ sales** *npl* vente *f* immobilière; **~ speculation** *n* spéculation *f* foncière; **~ tax** *n* impôt *m* foncier

prophecy /ˈprɒfəsɪ/ *n* prophétie *f* (**that** selon laquelle); **to make a ~ that** prophétiser que

prophesy /ˈprɒfəsaɪ/

A *vtr* prophétiser (**that** que)

B *vi* faire des prophéties (**about** sur)

prophet /ˈprɒfɪt/ *n* prophète *m*; **~ of doom** lit, fig prophète de malheur

Prophet /ˈprɒfɪt/ *n* Relig **the ~** (Mohammed) le Prophète; **the ~s** Bible les Prophètes *mpl*

prophetess /ˈprɒfɪtes/ *n* prophétesse *f*

prophetic /prəˈfetɪk/ *adj* prophétique

prophetically /prəˈfetɪklɪ/ *adv* prophétiquement

prophylactic /ˌprɒfɪˈlæktɪk/

A *n* **1** Med (treatment) traitement *m* prophylactique; (measure) mesure *f* prophylactique; **2** (condom) préservatif *m*

B *adj* prophylactique

prophylaxis /ˌprɒfɪˈlæksɪs/ *n* prophylaxie *f*

propinquity /prəˈpɪŋkwətɪ/ *n* sout **1** (in space) proximité *f*; **2** (in relationship) consanguinité *f*

propitiate /prəˈpɪʃɪeɪt/ *vtr* se concilier [*person, gods*]

propitiation /prəˌpɪʃɪˈeɪʃn/ *n* (sacrifice) sacrifice *m* propitiatoire; (act) acte *m* propitiatoire; **to do sth in ~** faire qch à titre propitiatoire

propitiatory /prəˈpɪʃɪətrɪ, US -tɔːrɪ/ *adj* Relig propitiatoire; gen conciliateur/-trice

propitious /prəˈpɪʃəs/ *adj* propice (**for** à)

propitiously /prəˈpɪʃəslɪ/ *adv* [*start*] sous de bons auspices; [*arrive*] fort à propos; [*disposed*] favorablement

propjet /ˈprɒpdʒet/ *n* turbopropulseur *m*

proponent /prəˈpəʊnənt/ *n* partisan/-e *m/f* (**of** de)

proportion /prəˈpɔːʃn/

A *n* **1** (part, quantity) (of group, population etc) proportion *f*, pourcentage *m* (**of** de); (of income, profit, work etc) part *f* (**of** de); **a large/small ~ of the students** une proportion élevée/une faible proportion des étudiants; **a large ~ of the work** une grande part du travail; **in equal ~s** en proportions égales, à parts égales; **2** (ratio) also Math proportion *f*; **the ~ of pupils to teachers** la proportion d'élèves par rapport aux professeurs; **productivity increases in ~ to the incentives offered** l'augmentation de la productivité est directement proportionnelle aux primes de rendement; **tax should be in ~ to income** les contributions devraient être en fonction des revenus; **3** (harmony, symmetry) **out of/in ~** hors de/en proportion; **the door is out of ~ with the rest of the building** la porte est hors de proportion avec le reste du bâtiment *or* est disproportionnée par rapport au reste du bâtiment; **4** fig (perspective) **to get sth out of all ~** faire tout un drame de qch; **her reaction was out of all ~ to the event** sa réaction était tout à fait disproportionnée par rapport à l'événement; **you've got to have a sense of ~** il faut avoir le sens de la mesure

B **proportions** *npl* (of building, ship, machine) dimensions *fpl*; (of problem, project) dimensions *fpl*; **a lady of ample ~s** une dame aux proportions généreuses; **to reach alarming/epidemic ~s** atteindre des proportions alarmantes/épidémiques

C **-proportioned** (*dans composés*) **well-/badly-~ed** bien/mal proportionné

proportional /prəˈpɔːʃənl/

A *n* Math quatrième proportionnelle *f*

B *adj* proportionnel/-elle (**to** à)

proportional: **~ assessment** *n* péréquation *f*; **~ counter** *n* détecteur *m* de rayonnements ionisants

proportionally /prəˈpɔːʃənəlɪ/ *adv* proportionnellement

proportional representation, **PR** *n* représentation *f* proportionnelle; **to be elected by ~** être élu à la proportionnelle

proportionate /prəˈpɔːʃənət/ *adj* proportionnel/-elle

proportionately /prəˈpɔːʃənətlɪ/ *adv* [*larger, higher*] proportionnellement; [*distribute*] en proportion

proposal /prəˈpəʊzl/ *n* **1** (suggestion) proposition *f*; **to make/put forward a ~** faire/avancer une proposition; **a ~ for changes/new regulations** une proposition de changements/nouvelle réglementation; **a ~ for doing** *ou* **to do** une proposition visant à faire; **the ~ that everybody should get a pay rise** la proposition selon laquelle tout le monde devrait recevoir une augmentation; **2** (offer of marriage) demande *f* en mariage; **to receive a ~** être demandé en mariage; **3** Insur (*also* **~ form**) proposition *f* d'assurance

propose /prəˈpəʊz/

A *vtr* **1** (suggest) proposer [*change, course of action, rule, solution*]; présenter [*motion*]; proposer [*toast*] (**to** en l'honneur de); **to ~ doing** proposer de faire; **to ~ that** proposer que (+ *subj*); **2** (intend) **to ~ doing** *ou* **to do** proposer de faire; **3** **to ~ marriage to sb** demander qn en mariage; **4** (nominate) proposer [*person*] (**as** comme; **for** pour)

B *vi* faire sa demande en mariage (**to** à)

C **proposed** *pp adj* [*action, reform*] envisagé

proposer /prəˈpəʊzə(r)/ *n* **1** (of motion) auteur *m*; **2** (of candidate) *personne proposant un candidat à un poste*; **3** (of member) parrain/marraine *m/f*; **4** GB Insur assuré *m* proposant

proposition /ˌprɒpəˈzɪʃn/

A *n* **1** (suggestion) proposition *f*; **a ~ to do** une proposition visant à faire; **2** (assertion) assertion *f*; **the ~ that** l'assertion selon laquelle; **3** Math, Philos proposition *f*; **4** (enterprise) affaire *f*; **an economic** *ou* **a paying** *ou* **a commercial ~** une affaire rentable; **that's quite a different ~** c'est une tout autre affaire; **he's a tough** *ou* **difficult ~** il n'est pas facile; **5** (sexual overture) proposition *f*

B *vtr* faire une proposition à [*person*]

propositional /ˌprɒpəˈzɪʃənl/ *adj* Math, Comput propositionnel/-elle

propound /prəˈpaʊnd/ *vtr* avancer

proprietary /prəˈpraɪətrɪ, US -terɪ/ *adj* **1** [*rights, duties, interest*] du propriétaire; [*manner, attitude*] de propriétaire; **2** Comm [*information*] qui est la propriété de la compagnie; [*system*] breveté

proprietary: **~ brand** *n* marque *f* déposée; **~ colony** *n* colonie *f* (*concédée à un ou plusieurs individus*); **~ hospital** *n* US hôpital *m* privé; **~ medicine** *n* spécialité *f* pharmaceutique

proprietor /prəˈpraɪətə(r)/ *n* propriétaire *mf* (**of** de)

proprietorial /prəˌpraɪəˈtɔːrɪəl/ *adj* de propriétaire

proprietorship /prəˈpraɪətəʃɪp/ *n* (fact of owning) possession *f*; **under his ~** pendant qu'il est/était etc propriétaire

proprietress /prəˈpraɪətrɪs/ *n* propriétaire *f* (**of** de)

propriety /prəˈpraɪətɪ/ *n* **1** (politeness) correction *f*; **2** (morality) décence *f*

prop root *n* racine *f* aérienne

prop shaft *n*: *abrév* ▸ **propeller shaft**

prop: **~s master** *n* Theat accessoiriste *m*; **~s mistress** *n* Theat accessoiriste *f*

propulsion /prəˈpʌlʃn/ *n* propulsion *f*

propulsive /prəˈpʌlsɪv/ *adj* [*force, power*] de propulsion; [*gas*] propulsif/-ive

prop word *n* Ling (empty word) mot *m* vide; (substitute) pronom *m*, substitut *m*

pro rata /ˌprəʊ ˈrɑːtə/

A *adj* **on a ~ basis** en rapport, au prorata

B *adv* [*increase*] dans la même proportion; **salary £15,000 ~** salaire 15 000 livres sterling au prorata des heures travaillées

prorate /ˌprəʊˈreɪt/

A *vtr* **1** (divide) diviser [qch] de façon proportionnelle; **2** (assess) calculer [qch] de façon proportionnelle

B *vi* affecter au prorata

prorogation /ˌprəʊrəˈgeɪʃn/ *n* Pol prorogation *f*

prorogue /prəˈrəʊg/ Pol

A *vtr* proroger

B *vi* se proroger

prosaic /prəˈzeɪɪk/ *adj* [*style, description, existence*] prosaïque

prosaically /prəˈzeɪɪklɪ/ *adv* prosaïquement

proscenium /prəˈsiːnɪəm/ *n* **1** Theat avant-scène *f*; **2** Antiq proscenium *m*

proscenium arch *n* arc *m* de scène

proscribe /prəˈskraɪb, US prəʊ-/ *vtr* proscrire

proscription /prəˈskrɪpʃn, US prəʊ-/ *n* proscription *f*

prose /prəʊz/ *n* **1** (not verse) prose *f*; **in ~** en prose; **her elegant ~ style** sa prose élégante; **2** GB Sch, Univ (translation) thème *m*

prosecute /ˈprɒsɪkjuːt/

A *vtr* **1** Jur poursuivre [qn] en justice; **to ~ sb for doing** poursuivre qn pour avoir fait; **'trespassers will be ~d'** 'défense d'entrer sous peine de poursuites'; **'shoplifters will be ~d'** 'tout vol est passible de poursuites'; **2** (pursue) poursuivre [*war, research, interests*]

B *vi* engager des poursuites

prosecuting: **~ attorney** *n* US (lawyer) avocat/-e *m/f* de la partie civile; (public official)

P

procureur *m*; ~ **lawyer** *n* avocat/-e *m/f* de l'accusation *or* de la partie civile

prosecution /ˌprɒsɪˈkjuːʃn/ *n* 1 Jur (institution of charge) poursuites *fpl* (judiciaires); **to face/result in** ~ s'exposer à/entraîner des poursuites; **liable to** ~ passible de poursuites; **the** ~ **process** la procédure d'inculpation; 2 Jur (party) **the** ~ (private individual) le/les plaignant/-s; (state, Crown) le ministère public; **Mr Green, for the** ~**, said...** Maître Green, pour le ministère public, a dit...; 3 (of war, research) poursuite *f* (**of** de); **in the** ~ **of one's duties** dans l'accomplissement *m* de ses fonctions

prosecutor /ˈprɒsɪkjuːtə(r)/ *n* Jur 1 (instituting prosecution) **to be the** ~ être chargé des poursuites; 2 (in court) procureur *m*; 3 US (prosecuting attorney) avocat/-e *m/f* de la partie civile; (public official) procureur *m*

proselyte /ˈprɒsəlaɪt/
A *n* prosélyte *mf*
B *vtr, vi* US = **proselytize**

proselytism /ˈprɒsəlɪtɪzəm/ *n* prosélytisme *m*

proselytize /ˈprɒsəlɪtaɪz/
A *vtr* essayer de convertir
B *vi* faire du prosélytisme

proseminar /prəʊˈsemɪnɑː(r)/ *n* US Univ séminaire *m* (*pour étudiants de licence de niveau avancé*)

prose: ~ **poem** *n* poème *m* en prose; ~ **writer** *n* prosateur/-trice *m/f*

prosodic /prəˈsɒdɪk/ *adj* prosodique

prosody /ˈprɒsədɪ/ *n* prosodie *f*

prospect
A /ˈprɒspekt/ *n* 1 (hope, expectation) (of change, improvement, promotion) espoir *m*; (of success) chance *f* (**of doing** de faire); **there is some** ~**/little** ~ **of improvement** il y a espoir/peu d'espoir que cela s'améliore; **a bleak/gloomy** ~ une perspective triste/sombre; **there is some** ~ **that** il y a un espoir que (+ *subj*); **there is no** ~ **of the strike ending soon/of my** *ou* **me being released** il n'y a aucun espoir que la grève se termine bientôt/que je sois libéré; **to hold out the** ~ **of sth** présager qch; **to face the** ~ **of sth/of doing** faire face à la perspective de qch/de faire; **to face the** ~ **that** faire face à la perspective que (+ *subj*); **to rule out the** ~ **of sth** écarter l'espoir de qch; 2 (outlook) perspective *f*; **to have sth in** ~ avoir qch en perspective; **to be in** ~ [*changes, cuts*] être à prévoir; 3 (good option) (for job) recrue *f* potentielle; (for sports team) espoir *m*; **this new product seems like a good** ~ **for the company** ce nouveau produit semble ouvrir de bonnes perspectives pour la compagnie; 4 Comm (likely client) client/-e *m/f* potentiel/-ielle; 5 (view) littér vue *f* (**of** sur)
B prospects *npl* perspectives *fpl* d'avenir; **she has good career** ~**s** elle a de bonnes perspectives de carrière; **the** ~**s for the economy/for growth** les perspectives pour l'économie/de croissance; **what are the** ~**s of promotion/of being promoted?** quelles sont les perspectives de promotion/les chances d'être promu?; **an industry with excellent** ~**s** une industrie avec d'excellentes perspectives; **a job with good** ~**s** un emploi ayant de bonnes perspectives; **to have no** ~**s** [*person*] ne pas avoir d'avenir; [*job*] être sans avenir; **a young man with** ~**s** un jeune homme qui a de l'avenir
C /prəˈspekt, US ˈprɒspekt/ *vtr* prospecter [*land, region*]
D /prəˈspekt, US ˈprɒspekt/ *vi* prospecter; **to** ~ **for** chercher [*gold, oil, diamonds*]

prospecting /prəˈspektɪŋ/
A *n* Comm, Geol prospection *f*; **gold/mineral/oil** ~ prospection aurifère/de minéraux/pétrolière
B *modif* [*rights, licence*] de prospection

prospective /prəˈspektɪv/ *adj* [*buyer, earnings, candidate, use*] potentiel/-ielle; [*son-in-law, mother-in-law*] futur (*before n*)

prospector /prəˈspektə(r), US ˈprɒspektər/ *n* prospecteur/-trice *m/f*; **oil** ~ prospecteur/-trice *m/f* de pétrole; **gold** ~ chercheur/-euse *m/f* d'or

prospectus /prəˈspektəs/ *n* (booklet) gen brochure *f*, prospectus *m*; (for shares, flotation) prospectus *m* d'émission; **university** ~**, college** ~ ≈ livret *m* de l'étudiant

prosper /ˈprɒspə(r)/ *vi* prospérer

(Idiom) **cheats never** ~ Prov ça ne paie jamais de tricher

prosperity /prɒˈsperətɪ/ *n* prospérité *f*

prosperous /ˈprɒspərəs/ *adj* [*person, farm, country*] prospère; [*appearance*] de prospérité

prostaglandin /ˌprɒstəˈglændɪn/ *n* prostaglandine *f*

prostate /ˈprɒsteɪt/ *n* (*also* ~ **gland**) prostate *f*; **to have a** ~ **operation** se faire opérer de la prostate

prostatectomy /ˌprɒsteɪtˈektəmɪ/ *n* prostatectomie *f*

prosthesis /ˈprɒsθəsɪs, -ˈθiːsɪs/ *n* Med prothèse *f*

prosthetic /prɒsˈθetɪk/ *adj* Med prothétique

prosthodontics /ˌprɒsθəˈdɒntɪks/ *n* (+ *v sg ou pl*) prothèse *f* dentaire (*technique*)

prosthodontist /ˌprɒsθəˈdɒntɪst/ ▸ **p. 1683** *n* prothésiste *mf* dentaire

prostitute /ˈprɒstɪtjuːt, US -tuːt/
A *n* 1 (woman) prostituée *f*; 2 **male** ~ prostitué *m*
B *vtr* prostituer [*person, talent*]
C *v refl* **to** ~ **oneself** lit, fig se prostituer

prostitution /ˌprɒstɪˈtjuːʃn, US -tuː-/ *n* prostitution *f* (**of** de); **to be forced into** ~ être forcé à entrer dans la prostitution

prostrate
A /ˈprɒstreɪt/ *adj* 1 (on stomach) [*body, figure*] allongé à plat ventre; **to lie** ~ être allongé de tout son long; 2 fig (incapacitated) [*nation, country, sick person*] prostré; ~ **with grief** accablé de chagrin; 3 Bot rampant
B /prɒˈstreɪt, US ˈprɒstreɪt/ *vtr* **to be** ~**d by** être abattu par [*illness, grief*]
C *v refl* **to** ~ **oneself** se prosterner (**before** devant)

prostration /prɒˈstreɪʃn/ *n* 1 (in submission, worship) prosternation *f*; 2 (from illness, overwork) prostration *f*

prosy /ˈprəʊzɪ/ *adj* ennuyeux/-euse

Prot○ *n* injur (*abrév écrite* = **Protestant**) protestant/-e *m/f*

protagonist /prəˈtægənɪst/ *n* 1 Literat, Cin protagoniste *mf*; **the main** ~ le héros/l'héroïne *m/f*; 2 (advocate) partisan/-e *m/f* (**of** de); (participant) participant/-e *m/f*

protean /ˈprəʊtɪən, -ˈtiːən/ *adj* littér changeant

protect /prəˈtekt/
A *vtr* 1 (keep safe) protéger [*environment, home, identity, person, data, possessions, skin, surface*] (**against** contre; **from** de, contre); 2 (defend) défendre [*consumer, interests, privilege*] (**against** contre); préserver [*privacy*]; protéger [*investment, standards, economy, industry*] (**against** contre; **from** de, contre)
B *v refl* **to** ~ **oneself** (against threat) se protéger (**against** contre; **from** de, contre); (against attack) se défendre (**against, from** contre)

protection /prəˈtekʃn/ *n* 1 (safeguard) lit, fig protection *f* (**against, from** contre; **for** pour); **to give** *ou* **offer sb** ~ **against sth** [*coat, insurance, police, shelter, vaccine*] protéger qn contre qch; **to need** ~ **against sth** avoir besoin d'être protégé contre qch; **to use sth as** ~ **against sth** se servir de qch pour se protéger contre qch; **under the** ~ **of** sous la protection de; **environmental** ~ protection de l'environnement; **for his own** ~ (moral) pour son bien; (physical) pour le protéger; 2 Econ (*also* **trade** ~) protectionnisme *m*; 3 (extortion) **to pay sb** ~ payer un impôt à qn (*pour assurer sa protection*) iron; **to buy** ~ iron acheter sa tranquillité (*à un racketteur*); 4 Comput protection *f*; **data/file** ~ protection *f* de données/fichiers; **memory** ~**, storage** ~ protection *f* de mémoire; 5 (protective clothing) **head** ~ casque *m*; **eye** ~ lunettes *fpl*

protection factor *n* (of sun cream) indice *m* de protection

protectionism /prəˈtekʃənɪzəm/ *n* protectionnisme *m*; **agricultural/trade** ~ protectionnisme *m* dans le secteur agricole/commercial

protectionist /prəˈtekʃənɪst/ *n, adj* protectionniste *mf*

protection: ~ **money** *n* euph argent versé à un racketteur; **to pay** ~ **to sb** se faire extorquer par qn; ~ **racket** *n* racket *m*

protective /prəˈtektɪv/
A *n* US (condom) préservatif *m*
B *adj* 1 (providing security) [*clothing, cover, gear, layer*] protecteur/-trice; [*measure*] de protection; 2 (caring) [*attitude, gesture, tone*] protecteur/-trice; **to feel** ~ **towards** avoir une attitude protectrice envers [*person*]; **to be** ~ **of** veiller jalousement sur [*car, possessions*]; protéger [*discovery, research*]; 3 Econ [*tarif, system*] protectionniste

protective coloration *n* Zool homochromie *f*

protective custody *n* Jur **to place sb in** ~ détenir qn pour sa (propre) protection

protectively /prəˈtektɪvlɪ/ *adv* d'une manière protectrice

protectiveness /prəˈtektɪvnɪs/ *n* instinct *m* de protection

protector /prəˈtektə(r)/ *n* 1 (defender) gen protecteur/-trice *m/f*; (of rights) défenseur *m*; 2 (protective clothing) **ear** ~**s** casque *m* antibruit; **elbow/shin** ~ protège-coude/-tibia *m*; 3 GB Hist **the Protector** le Protecteur *m* (*Oliver Cromwell*)

protectorate /prəˈtektərət/ *n* Pol (*also* **Protectorate**) protectorat *m*

protectress /prəˈtektrɪs/ *n* protectrice *f*

protein /ˈprəʊtiːn/ *n* protéine *f*; **high-/low-**~ riche/pauvre en protéines

protein: ~ **content** *n* teneur *f* en protéines; ~ **deficiency** *n* carence *f* en protéines

pro tem /ˌprəʊ ˈtem/
A *adj* provisoire
B *adv* provisoirement

protest
A /ˈprəʊtest/ *n* 1 ₵ (disapproval) protestation *f*; **in** ~ en signe de protestation; **without** ~ sans protester; **in** ~ **at** *ou* **against sth** pour protester contre qch; **I paid/followed him under** ~ je l'ai payé/suivi contre mon gré; 2 C (complaint) réclamation *f*, plainte *f* (**about, at** à propos de; **from** de la part de); **as a** ~ **against** *ou* **at sth** pour protester contre qch; **to lodge/register a** ~ faire/déposer une réclamation; 3 (demonstration) manifestation *f* (**against** contre); **to stage a** ~ organiser une manifestation; 4 Jur protêt *m*
B /ˈprəʊtest/ *modif* [*march, movement, rally, song*] de protestation
C /prəˈtest/ *vtr* 1 (declare) affirmer [*truth*]; **to** ~ **one's innocence** protester de son innocence; 2 (complain) **'that's unfair!' they** ~**ed** 'c'est injuste!' s'écrièrent-ils; **to** ~ **that** protester que; 3 US (complain about) protester contre (**to** auprès de); 4 Fin Jur **to** ~ **a bill** dresser un protêt de non-paiement, protester un effet
D /prəˈtest/ *vi* 1 (complain) protester (**about, at, over** à propos de; **to** auprès de); **to** ~ **at being chosen/ignored** protester contre le fait d'avoir été choisi/ignoré; 2 (demonstrate) manifester (**against** contre)

Protestant /ˈprɒtɪstənt/
A *n* protestant/-e *m/f*
B *adj* protestant; **the** ~ **Church** gen l'Église protestante; (in official names) l'Église Réformée; **the** ~ **service** le culte

Protestantism /ˈprɒtɪstəntɪzəm/ *n* protestantisme *m*

protestation /ˌprɒtɪˈsteɪʃn/ *n* protestation *f*; **in ~** pour protester

protester /prəˈtestə(r)/ *n* manifestant/-e *m/f*

protocol /ˌprəʊtəˈkɒl, US -kɔːl/ *n* gen, Pol, Comput protocole *m*

proton /ˈprəʊtɒn/ *n* proton *m*

protoplasm /ˈprəʊtəplæzəm/ *n* protoplasme *m*

prototype /ˈprəʊtətaɪp/
A *n* prototype *m* (**of** de)
B *modif* [*vehicle, aircraft*] prototype

prototype system *n* Comput maquette *f* système

prototyping /ˈprəʊtəʊtaɪpɪŋ/ *n* maquettage *m*

protozoan /ˌprəʊtəˈzəʊən/
A *n* protozoaire *m*
B *adj* du protozoaire

protozoon /ˌprəʊtəˈzəʊɒn/ *n* (*pl* **-zoa**) protozoaire *m*

protract /prəˈtrækt, US prəʊ-/ *vtr* prolonger

protracted /prəˈtræktɪd, US prəʊ-/ *adj* prolongé

protraction /prəˈtrækʃn, US prəʊ-/ *n* prolongation *f*

protractor /prəˈtræktə(r), US prəʊ-/ *n* Math rapporteur *m*

protrude /prəˈtruːd, US prəʊ-/ *vi* gen dépasser (**from** de); [*teeth*] avancer

protruding /prəˈtruːdɪŋ, US prəʊ-/ *adj* **1** [*rock*] en saillie; [*nail*] qui dépasse; **2** [*eyes*] globuleux/-euse; [*ears*] décollé; [*ribs*] saillant; [*chin*] en galoche°, en avant; **to have ~ teeth** avoir les dents qui avancent

protrusion /prəˈtruːʒn, US prəʊ-/ *n* sout (on rocks) saillie *f*; (part of building) avancée *f*; (on skin) protubérance *f*

protrusive /prəˈtruːsɪv, US prəʊ-/ *adj* sout [*eyes, teeth, chin, ears*] proéminent

protuberance /prəˈtjuːbərəns, US prəʊˈtuː-/ *n* sout protubérance *f*

protuberant /prəˈtjuːbərənt, US prəʊˈtuː-/ *adj* sout protubérant

proud /praʊd/ *adj* **1** (satisfied) [*person, parent, winner*] fier/fière (**of** de; **of doing** de faire); [*owner*] heureux/-euse; **to be ~ of oneself** être fier de soi; **I was ~ that I had been chosen** j'étais fier d'avoir été choisi; **she is ~ that he has won** elle est fière qu'il ait gagné; **I'm working-class and ~ of it** j'appartiens à la classe ouvrière et j'en suis fier; **I hope you're ~ of yourself!** iron tu peux être fier de toi! iron; **it was his ~ boast that he had won the gold medal** sa grande fierté était d'avoir gagné la médaille d'or; **2** (self-respecting) [*person, nation, race*] fier/fière; péj orgueilleux/-euse, fier/fière; **3** (great) [*day, moment*] grand (*before n*); **4** GB (protruding) protubérant; **fill the hole ~** bouchez le trou en laissant une protubérance; **to stand ~ of** dépasser [*crack, hole, surface*]

(Idioms) **to do sb ~** (entertain) traiter qn royalement; (praise) faire honneur à qn; **your honesty does you ~** ton honnêteté te fait honneur; **to do oneself ~** ne rien se refuser

proudly /ˈpraʊdlɪ/ *adv* [*display, show*] avec fierté; [*sit, speak, stand, fly, walk*] fièrement; **a ~ independent country** un pays fier de son indépendance; Cin **Disney Studios ~ present 'Bambi'** les studios Disney ont le plaisir de présenter 'Bambi'

prov (*abrév écrite*) *n* **1** = **province**; **2** = **proverb**

provable /ˈpruːvəbl/ *adj* démontrable

prove /pruːv/
A *vtr* **1** (show) gen prouver (**that** que); (by argument) prouver (**that** que); (by demonstration) démontrer [*theorem, opposite theory*]; **it remains to be ~d** il reste à prouver; **it all goes to ~ that** tout cela prouve que; **to ~ beyond doubt** prouver sans le moindre doute; **events ~d him right/wrong** les événements lui ont donné raison/tort; **to ~ a point** montrer qu'on a raison; **2** Jur authentifier [*will*]; **3** Culin faire lever [*dough*]
B *vi* **1** (turn out) s'avérer; **to ~ to be difficult/broken** s'avérer être difficile/cassé; **it ~d otherwise** il en est allé autrement; **if I ~ to be mistaken** s'il arrive que j'aie tort; **2** Culin [*dough*] lever
C *v refl* **to ~ oneself** faire ses preuves; **to ~ oneself (to be)** se révéler; **he ~d himself the best/the winner** il s'est révélé le meilleur/le gagnant

proven /ˈpruːvn/ *adj* **1** [*competence, reliability, method, talent*] éprouvé; **2** Scot Jur **a verdict of not ~** un non-lieu

provenance /ˈprɒvənəns/ *n* provenance *f*

Provençal /ˌprɒvɒnˈsɑːl/ *n, adj* provençal (*m*)

Provence /prɒˈvɑːns/ ▸ p. 1243 *n* Provence *f*

Provence-Alpes-Côte d'Azur ▸ p. 1243 *pr n* Provence-Alpes-Côte d'Azur *f*; **in/to ~** en Provence-Alpes-Côte d'Azur

provender† /ˈprɒvɪndə(r)/ *n* provende† *f*

proverb /ˈprɒvɜːb/
A *n* proverbe *m*
B **Proverbs** *pr npl* Proverbes *mpl*

proverbial /prəˈvɜːbɪəl/ *adj* **1** [*wisdom, saying*] proverbial; **he's got me over the ~ barrel** il me tient, comme on dit; **2** (widely known) légendaire

proverbially /prəˈvɜːbɪəlɪ/ *adv* **he is ~ stupid/mean** il est d'une stupidité/avarice légendaire

provide /prəˈvaɪd/
A *vtr* **1** (supply) fournir [*opportunity, evidence, jobs, meals*] (**for** à); apporter [*answer, support, understanding*] (**for** à); donner [*satisfaction*] (**for** à); assurer [*service, food, shelter*] (**for** à); **the club ~s a meeting place** le club fournit un lieu de réunion; **to ~ access** [*path*] assurer l'accès; (to records, information) fournir l'accès; **'training ~d'** 'formation assurée'; **to ~ sb with** fournir [qch] à qn [*job, room, opportunity*]; assurer [qch] à qn [*food, shelter, service*]; apporter [qch] à qn [*support, understanding*]; **the course ~d them with a chance to meet people** le stage leur a fourni l'occasion de rencontrer des gens; **to ~ the perfect introduction to** être une introduction parfaite à [*subject, work*]; **to ~ an incentive to do** être un encouragement à faire; **please use the bin ~d** veuillez utiliser la poubelle mise à votre disposition; **write your answer in the space ~d** écrivez votre réponse dans l'espace indiqué; **2** Jur, Admin (stipulate) [*law, clause, agreement*] prévoir (**that** que); **except as ~d** sauf indication contraire
B *vi* pourvoir aux besoins

(Phrasal verbs) ■ **provide against**: ▸ **~ against [sth]** parer à [*possibility, hardship, disaster*]
■ **provide for**: ▸ **~ for [sth]** **1** (account for) envisager [*contingency, expenses, eventuality*]; **to ~ for sth to be done** envisager de faire qch; **2** Jur [*treaty, agreement, clause*] prévoir; **the law ~s for sth to be done** la loi prévoit que qch sera fait; ▸ **~ for [sb]** [*person, will*] subvenir aux besoins de; **she ~s for her family** *ou* **her family's needs** elle subvient aux besoins de sa famille; **to be well ~d for** être à l'abri du besoin

provided /prəˈvaɪdɪd/, **providing** /prəˈvaɪdɪŋ/ *conj* (*also* **~ that**) à condition que (+ *subj*); **I'll go ~ (that) sth is done** j'irai à condition que qch soit fait; **you can go ~ (that) you do** tu peux y aller à condition de faire; **~ always that** Jur, Admin sous réserve que (+ *subj*)

providence /ˈprɒvɪdəns/ *n* **1** (*also* **Providence**) (fate) providence *f*; **divine ~** la divine providence; **2** sout (foresight, thrift) prévoyance *f*

provident /ˈprɒvɪdənt/ *adj* prévoyant

provident association *n* GB société *f* de prévoyance

providential /ˌprɒvɪˈdenʃl/ *adj* sout providentiel/-ielle

providentially /ˌprɒvɪˈdenʃəlɪ/ *adv* sout de manière providentielle

providently /ˈprɒvɪdəntlɪ/ *adv* sout prudemment

provider /prəˈvaɪdə(r)/ *n* **1** (in family) **to be a good/bad ~** bien/mal subvenir aux besoins de sa famille; **to be the sole ~** être le/la seul/-e à subvenir aux besoins de la famille; **2** Comm pourvoyeur/-euse *m/f*

providing /prəˈvaɪdɪŋ/ *conj* = **provided**

province /ˈprɒvɪns/ *n* **1** (region) province *f*; **in the ~s** en province; **2** fig (field, area) domaine *m*; **that is not my ~** ce n'est pas mon domaine; **3** Relig (of archbishop) archevêché *m*; (of religious order) diocèse *m*

provincial /prəˈvɪnʃl/
A *n* **1** (person from provinces) provincial/-e *m/f* also péj; **2** Relig supérieur *m*
B *adj* **1** [*doctor, newspaper, capital*] de province; [*life*] provincial; [*tour*] en province; **2** péj (narrow) provincial

provincialism /prəˈvɪnʃəlɪzəm/ *n* péj provincialisme *m*

proving ground *n* terrain *m* d'essai

provision /prəˈvɪʒn/
A *n* **1** (supplying) (of housing, information, facility, equipment) mise *f* à disposition (**to** à); (of food) approvisionnement *m* (**to** à); (of service) prestation *f* (**to** à); **health care ~** services *mpl* pour la santé; **to be responsible for the ~ of transport/teachers** être responsable d'assurer le transport/de fournir des enseignants; **2** (for future, old age) précautions *fpl*, dispositions *fpl* (**for** pour; **against** contre); **to make ~ for** prendre des dispositions pour; **3** Jur, Admin (stipulation) (of agreement, treaty) clause *f*; (of bill, act) disposition *f*; **~ to the contrary** stipulation *f* du contraire; **to make ~ for** prévoir; **under the ~s of** aux termes de; **with the ~ that** à la condition que (+ *subj*); **within the ~s of the treaty** dans le cadre du traité; **to exclude sth from its ~s** [*act, treaty*] exclure qch de ses termes
B **provisions** *npl* (food) provisions *fpl*; **to get ~s in** faire des provisions
C *vtr* ravitailler [*ship*] (**with** en); approvisionner [*house, person*] (**with** en)

provisional /prəˈvɪʒənl/ *adj* provisoire

Provisional /prəˈvɪʒənl/ *n* membre *m* de la faction dure de l'IRA

provisional driving licence *n* GB ≈ permis *m* de conduire d'élève conducteur

Provisional IRA *n* faction *f* dure de l'IRA

provisionally /prəˈvɪʒnəlɪ/ *adv* provisoirement, à titre provisoire

proviso /prəˈvaɪzəʊ/ *n* gen condition *f*; Jur clause *f* conditionnelle; **with the ~ that** à condition que (+ *subj*)

provisory /prəˈvaɪzərɪ/ *adj* [*contract, clause, agreement*] conditionnel/-elle

provitamin /prəʊˈvɪtəmɪn, US -ˈvaɪt-/ *n* provitamine *f*

Provo° /ˈprəʊvəʊ/ *n*: *abrév* = **Provisional**

provocation /ˌprɒvəˈkeɪʃn/ *n* provocation *f*; **at the slightest ~** à la moindre provocation; **he will react under ~** il réagit si on le provoque

provocative /prəˈvɒkətɪv/ *adj* **1** (causing anger, controversy) [*remark, statement, tactics*] provocant; **to be ~** faire de la provocation; **he is being deliberately ~** il cherche à vous/les etc provoquer; **2** (sexually) [*pose, behaviour, dress*] provocant; **to look ~** avoir l'air provocant; **3** (challenging) [*book, film, title*] qui fait réfléchir

provocatively /prəˈvɒkətɪvlɪ/ *adv* de manière provocante

provoke /prəˈvəʊk/ *vtr* **1** (annoy) provoquer [*person, animal*]; **to ~ sb to do** *ou* **into doing**

sth pousser qn à faire qch; **he is harmless, unless ~d** il est gentil, sauf si on le provoque; **2** (cause, arouse) susciter *[anger, complaints]*; provoquer *[laughter, crisis]*; **to ~ a reaction** provoquer une réaction (**in sb** chez qn)

provost /ˈprɒvəst/ *n* **1** GB Univ, Sch principal *m*; **2** US Univ doyen *m*; **3** (in Scotland) maire *m*; **4** Relig prévôt *m*

provost: **~ court** *n* tribunal *m* prévôtal; **~ guard** *n cf* prévôté *f*; **~ marshal** *n* prévôt *m*

prow /praʊ/ *n* proue *f*

prowess /ˈpraʊɪs/ *n* ₵ **1** (skill) prouesses *fpl*; **her ~ as a gymnast** ses prouesses de gymnaste; **2** (bravery) vaillance *f*; **3** hum (sexual) prouesses *fpl*

prowl /praʊl/
A *n* **to be on the ~** rôder (**for** en quête de); **to go on the ~** *[animal]* partir en quête d'une proie; fig *[person]* faire une virée
B *vtr* **to ~ the streets at night** rôder dans les rues la nuit
C *vi* (also **~ around**, **~ about** GB) *[animal, person]* gen rôder; (restlessly) *[person]* faire les cent pas; *[animal]* (in cage) tourner

prowl car *n* US voiture *f* de police

prowler /ˈpraʊlə(r)/ *n* rôdeur/-euse *m/f*

proximity /prɒkˈsɪmətɪ/ *n* proximité *f* (**of** de); **in the ~ of** à proximité de; **its close ~ to the station/to London** le fait qu'il se trouve près de la gare/de Londres

proximity fuse *n* fusée *f* de proximité

proxy /ˈprɒksɪ/ *n* **1** (person) mandataire *mf*; **to be sb's ~** avoir procuration pour qn; **2** (authority) gen, Pol, Fin procuration *f*; **by ~** par procuration

proxy: **~ battle**, **~ fight** *n* Mil conflit *m* par adversaires interposés; Fin bataille *f* de procédures; **~ vote** *n* vote *m* par procuration

Prozac® /ˈprəʊzæk/ *n* Pharm Prozac® *m*

prude /pruːd/ *n* bégueule *mf*, prude *mf*; **to be a ~** être bégueule

prudence /ˈpruːdns/ *n* sout prudence *f*

prudent /ˈpruːdnt/ *adj* sout *[person, choice]* prudent, avisé; *[decision, policy]* prudent; **it would be ~ to wait** il serait prudent d'attendre

prudential /pruːˈdenʃl/ *adj* sout prudent

prudently /ˈpruːdntlɪ/ *adv* sout (with caution) avec circonspection; (wisely) prudemment

prudery /ˈpruːdərɪ/ *n* pruderie *f*

prudish /ˈpruːdɪʃ/ *adj* pudibond, prude; **to be ~ about sth/about doing** être pudibond quand il s'agit de qch/de faire

prudishness /ˈpruːdɪʃnɪs/ *n* pruderie *f*

prune /pruːn/
A *n* **1** Culin pruneau *m*; **2** ◑US (prude) sainte-nitouche *f*
B *vtr* **1** Hort (also **~ back**) (cut back) tailler; (thin out) élaguer; **2** fig élaguer *[essay, article]*; réduire *[budget, expenditure]*

pruning /ˈpruːnɪŋ/ *n* (of bush, tree) taille *f*; **to do the ~** tailler

pruning shears *npl* cisailles *fpl*

prurience /ˈprʊərɪəns/ *n* sout lubricité *f*

prurient /ˈprʊərɪənt/ *adj* sout lubrique

Prussia /ˈprʌʃə/ *pr n* Prusse *f*

Prussian /ˈprʌʃn/
A *n* Prussien/-ienne *m/f*
B *adj* prussien/-ienne

Prussian blue *n* Art, Chem bleu *m* de Prusse

prussic acid /ˌprʌsɪk ˈæsɪd/ *n* acide *m* prussique

pry /praɪ/
A *n* US levier *m*
B *vtr* US **1** lit **to ~ sth open** ouvrir qch en faisant levier; **to ~ the lid off a jar** forcer le couvercle d'un pot; **2** fig **to ~ sth out of** *ou* **from sb** soutirer qch à qn
C *vi* **to ~ into** mettre son nez dans *[business]*

prying /ˈpraɪɪŋ/ *adj* curieux/-ieuse, indiscret/-ète

PS (*abrév* = **postscriptum**) PS *m*

psalm /sɑːm/ *n* psaume *m*; **(the book of) Psalms** Bible le Livre des Psaumes

psalmbook /ˈsɑːmbʊk/ *n* psautier *m*

psalmist /ˈsɑːmɪst/ *n* psalmiste *m*

psalmody /ˈsɑːmədɪ/ *n* psalmodie *f*

psalter /ˈsɔːltə(r)/ *n* psautier *m*

PSBR *n*: *abrév* ▸ **Public Sector Borrowing Requirement**

psephologist /seˈfɒlədʒɪst, US siː-/ ▸ **p. 1683** *n* spécialiste *mf* du comportement électoral

psephology /seˈfɒlədʒɪ, US siː-/ *n* étude *f* du comportement électoral

pseud○ /sjuːd, US ˈsuːd/ *n, adj* prétentieux/-ieuse (*m/f*)

pseudo+ /ˈsjuːdəʊ, US ˈsuːdəʊ/ (*dans composés*) pseudo-

pseudonym /ˈsjuːdənɪm, US ˈsuːd-/ *n* pseudonyme *m* (**of** de); **under a ~** sous un pseudonyme

pseudonymous /sjuːˈdɒnɪməs, US suː-/ *adj* *[novel, article]* écrit sous un pseudonyme

psi (*abrév* = **pounds per square inch**) livres *fpl* par pouce carré

psittacosis /ˌsɪtəˈkəʊsɪs/ ▸ **p. 1327** *n* psittacose *f*

psoriasis /səˈraɪəsɪs/ ▸ **p. 1327** *n* psoriasis *m*

PST *abrév* ▸ **Pacific Standard Time**

PSV GB *abrév* ▸ **public service vehicle**

psych /saɪk/
A ○*n* US Univ psycho○ *f*
B *vtr* = **psych out**
C ○*excl* US je t'ai eu○!

(Phrasal verbs) ■ **psych out**○: ▸ **~ [sb/sth] out**, **~ out [sb/sth]**○ **1** (intimidate, unnerve) déstabiliser *[person, opponent]*; **2** US (outguess) deviner *[intentions, response]*; **I ~ed her out** je l'ai sentie venir○, j'ai deviné ses intentions
■ **psych up**○: **to ~ oneself up** se préparer (psychologiquement) (**for** pour); **to get** *ou* **be all ~ed up for** être remonté à bloc○ pour

psyche /ˈsaɪkɪ/ *n* psychisme *m*, psyché *f* spec

psychedelia /ˌsaɪkɪˈdiːlɪə/ *n* ₵ (objects) objets *mpl* psychédéliques; (music) musique *f* psychédélique

psychedelic /ˌsaɪkɪˈdelɪk/ *adj* psychédélique

psychiatric /ˌsaɪkɪˈætrɪk/ *adj* *[hospital, care, nurse, treatment, help]* psychiatrique; *[illness, disorder]* mental; *[patient]* d'un hôpital psychiatrique

psychiatrist /saɪˈkaɪətrɪst, US sɪ-/ ▸ **p. 1683** *n* psychiatre *mf*

psychiatry /saɪˈkaɪətrɪ, US sɪ-/ *n* psychiatrie *f*

psychic /ˈsaɪkɪk/
A *n* médium *m*, voyant/-e *m/f*
B *adj* **1** (paranormal) *[phenomenon, experience]* parapsychologique, psychique○ controv; (telepathic) *[person]* télépathe; **to have ~ powers** avoir des dons de voyance; **you must be ~**○**!** tu dois être devin!; **2** (psychological) psychologique, psychique

psychical /ˈsaɪkɪkl/ *adj* = **psychic B**

psychic: **~ determinism** *n* déterminisme *m* psychique; **~ investigator**, **~ researcher** ▸ **p. 1683** *n* parapsychologue *mf*; **~ research** *n* parapsychologie *f*; **~ surgery** *n* opération *f* à main nue

psycho◑ /ˈsaɪkəʊ/ *n* dingue○ *mf*

psychoactive /saɪkəʊˈaktɪv/ *adj* *[drug]* psychotrope

psychoanalyse GB, **psychoanalyze** US /ˌsaɪkəʊˈænəlaɪz/ *vtr* psychanalyser

psychoanalysis /ˌsaɪkəʊəˈnæləsɪs/ *n* psychanalyse *f*; **to undergo ~** se faire psychanalyser

psychoanalyst /ˌsaɪkəʊˈænəlɪst/ ▸ **p. 1683** *n* psychanalyste *mf*

psychoanalytic(al) /ˌsaɪkəʊˌænəˈlɪtɪk(l)/ *adj* psychanalytique

psychobabble /ˈsaɪkəʊbæbl/ *n* péj jargon *m* des psychologues

psychodrama /ˈsaɪkəʊdrɑːmə/ *n* psychodrame *m*

psychokinesis /ˌsaɪkəʊkɪˈniːsɪs/ *n* psychokinésie *f*

psychokinetic /ˌsaɪkəʊkɪˈnetɪk/ *adj* psychokinétique

psycholinguistic /ˌsaɪkəʊlɪŋˈgwɪstɪk/ *adj* psycholinguistique

psycholinguistics /ˌsaɪkəʊlɪŋˈgwɪstɪks/ *n* (+ *v sg*) psycholinguistique *f*

psychological /ˌsaɪkəˈlɒdʒɪkl/ *adj* (all contexts) psychologique; **~ abuse** harcèlement *m* psychologique

psychologically /ˌsaɪkəˈlɒdʒɪklɪ/ *adv* psychologiquement

psychological warfare *n* guerre *f* psychologique

psychologist /saɪˈkɒlədʒɪst/ ▸ **p. 1683** *n* psychologue *mf*

psychology /saɪˈkɒlədʒɪ/ *n* (all contexts) psychologie *f* (**of** de); **it is bad ~ to do** ce n'est pas très habile de faire

psychometric /ˌsaɪkəʊˈmetrɪk/ *adj* psychométrique

psychometrics /ˌsaɪkəʊˈmetrɪks/ *n* (+ *v sg*) psychométrie *f*

psychomotor /ˈsaɪkəʊməʊtə(r)/ *adj* psychomoteur/-trice

psychoneurosis /ˌsaɪkəʊnjʊəˈrəʊsɪs, US -nʊ-/ *n* psychonévrose *f*

psychopath /ˈsaɪkəʊpæθ/ *n* Psych psychopathe *mf* also fig

psychopathic /ˌsaɪkəʊˈpæθɪk/ *adj* *[personality]* psychopathique; **he's ~** Psych c'est un psychopathe also fig

psychopathology /ˌsaɪkəʊpəˈθɒlədʒɪ/ *n* psychopathologie *f*

psychopharmacological /ˌsaɪkəʊˌfɑːməkəˈlɒdʒɪkl/ *adj* psychopharmacologique

psychopharmacology /ˌsaɪkəʊˌfɑːməˈkɒlədʒɪ/ *n* psychopharmacologie *f*

psychophysical /ˌsaɪkəʊˈfɪzɪkl/ *adj* psychophysique

psychophysics /ˌsaɪkəʊˈfɪzɪks/ *n* (+ *v sg*) psychophysique *f*

psychophysiological /ˌsaɪkəʊˌfɪzɪəˈlɒdʒɪkl/ *adj* psychophysiologique

psychophysiology /ˌsaɪkəʊˌfɪzɪˈɒlədʒɪ/ *n* psychophysiologie *f*

psychosis /saɪˈkəʊsɪs/ *n* psychose *f*

psychosocial /ˌsaɪkəʊˈsəʊʃl/ *adj* psychosocial

psychosomatic /ˌsaɪkəʊsəˈmætɪk/ *adj* psychosomatique

psychosurgery /ˌsaɪkəʊˈsɜːdʒərɪ/ *n* psychochirurgie *f*

psychotherapist /ˌsaɪkəʊˈθerəpɪst/ ▸ **p. 1683** *n* psychothérapeute *mf*

psychotherapy /ˌsaɪkəʊˈθerəpɪ/ *n* psychothérapie *f*

psychotic /saɪˈkɒtɪk/ *n, adj* psychotique (*mf*)

psywar○ /saɪˈwɔː(r)/ *n* US guerre *f* psychologique

pt *n*: *abrév écrite* = **pint**

Pt *n* (*abrév écrite* = **platinum**) Pt *m*

PT *abrév* ▸ **physical training**

PTA *n* (*abrév* = **Parent-Teacher Association**) association *f* de parents d'élèves *cf* APE *f*

ptarmigan /ˈtɑːmɪgən/ *n* lagopède *m*

Pte *n*: *abrév écrite* = **Private**

pterodactyl /ˌterəˈdæktɪl/ *n* ptérodactyle *m*

PTO (*abrév* = **please turn over**) TSVP

Ptolemaic /ˌtɒləˈmeɪɪk/ *adj* **1** Astron ptoléméen/-éenne; **2** Antiq ptolémaïque

Ptolemaic system *n* système *m* de Ptolémée

P

Ptolemy /ˈtɒləmɪ/ *n* Ptolémée; **the Ptolemies** Antiq les Ptolémées

ptomaine /ˈtəʊmeɪn/ *n* ptomaïne *f*

ptosis /ˈtəʊsɪs/ *n* ptôse *f*; (of eyelid) ptôsis *m*

ptyalin /ˈtaɪəlɪn/ *n* ptyaline *f*

PU *excl* US pouah!

pub○ /pʌb/ *n* GB pub *m*; **in the ~** au pub

pub crawl *n* GB **to go on a ~** faire la tournée des pubs

pube◑ /pju:b, US pu:b/ *n* poil *m* du pubis

puberty /ˈpju:bətɪ/ *n* puberté *f*; **at ~** à la puberté; **the age of ~** l'âge de la puberté

pubescence /pju:ˈbesns/ *n* **1** (stage) début *m* de la puberté; **2** Zool, Bot (downiness) pubescence *f*

pubescent /pju:ˈbesnt/ *adj* **1** [*girl, boy*] pubère; **2** Zool, Bot (downy) pubescent

pub food, **pub grub**○ *n* GB cuisine *f* de pub

pubic /ˈpju:bɪk/ *adj* pubien/-ienne

pubic: **~ bone** *n* symphyse *f* pubienne; **~ hair** (single hair) poil *m* du pubis; (area) poils *mpl* du pubis

pubis /ˈpju:bɪs/ *n* pubis *m*

public /ˈpʌblɪk/

A *n* **the ~** le public; **open to the ~** ouvert au public; **to please/disappoint one's ~** plaire à/décevoir son public; **the theatre-going/racing ~** les amateurs *mpl* de théâtre/de courses

B *adj* [*call box, health, property, park, footpath, expenditure, inquiry, admission, announcement, execution, image*] public/-ique; [*disquiet, enthusiasm, indifference, support*] général; [*library, amenity*] municipal; [*duty, spirit*] civique; **in the ~ interest** dans l'intérêt public; **to receive ~ acclaim** recevoir les éloges du public; **to be in ~ life** participer à la vie publique; **to be in the ~ eye** être exposé à l'opinion publique; **to make one's views ~, to go ~ with one's views** rendre ses opinions publiques; **she has decided to go ~ (with her story)** elle a décidé de rendre son histoire publique; **the company is going ~** la société va être cotée en Bourse; **the ~ good** le bien public; **it is ~ knowledge that** il est de notoriété publique que; **he's become ~ property** il est devenu une figure publique; **let's go somewhere less ~** allons dans un endroit plus discret; **at ~ expense** aux frais du contribuable

C **in public** *adv phr* en public

public: **~ access channel** *n*: *chaîne de télévision ou station de radio accordant du temps d'antenne au public*; **~ address (system)** *n* (système *m* de) sonorisation *f*

public affairs *npl* affaires *fpl* publiques, **~ manager, director of ~** responsable *mf* des relations publiques

publican /ˈpʌblɪkən/ ▸ **p. 1683** *n* **1** GB (bar owner) patron/-onne *m/f* de pub; **2** Antiq publicain *m*

public appearance *n* (of dignitary) apparition *f* publique; (of star, celebrity) apparition *f* en public; **to make a ~** paraître en public

public assistance *n* US aide *f* sociale

publication /ˌpʌblɪˈkeɪʃn/ *n* **1** (printing) publication *f*; **to accept sth for ~** accepter de publier qch; **date of ~** date *f* de publication *or* de parution; **on the day of ~** le jour de la sortie *or* de la parution; **at the time of ~** au moment de la parution *or* de la publication; **'not for ~'** 'confidentiel'; **2** (book, journal) publication *f*; **'~s'** (on CV) 'articles publiés'

publications list *n* liste *f* de titres

public: **~ bar** *n* GB bar *m* (*la salle la plus simplement meublée d'un pub*); **~ bill** *n* projet *m* de loi qui concerne l'ensemble des citoyens; **~ company** *n* société *f* anonyme par actions; **~ convenience** *n* GB toilettes *fpl*; **~ corporation** *n* GB organisme *m* public; **~ debt** *n* dette *f* publique; **~ defender** *n* US avocat *m* commis d'office (*par le bureau d'aide judiciaire*)

public domain *n* Jur, gen domaine *m* public; **in the ~** dans le domaine public; **to fall into the ~** tomber dans le domaine public

public: **~ domain software** *n* logiciel *m* appartenant au domaine public; **~ enemy** *n* ennemi *m* public; **~ enemy number one**○ *n* ennemi *m* public numéro un; **~ examination** *n* examen *m* ouvert à tous; **~ gallery** *n* tribune *f* réservée au public; **~ holiday** *n* GB jour *m* férié

public house *n* **1** GB pub *m*; **2** US auberge *f*

publicist /ˈpʌblɪsɪst/ *n* (advertiser) agent *m* de publicité; (press agent) attaché/-e *m/f* de presse

publicity /pʌbˈlɪsətɪ/

A *n* **1** (media attention) **to attract ~** attirer l'attention *f* des médias; **to shun ~** fuir les médias; **to take place in a blaze of ~** avoir lieu sous les feux des médias; **to receive bad** *ou* **adverse ~** faire l'objet de critiques dans les médias; **there is no such thing as bad ~** toute publicité est bonne à prendre; **2** (advertising) publicité *f*; **to be responsible for ~** être responsable de la publicité; **to give sth great ~, to be great ~ for sth** faire beaucoup de publicité pour qch; **to be bad ~ for** être une mauvaise publicité pour; **advance ~** promotion *f* (**for** pour); **3** (advertising material) (brochures) brochures *fpl* publicitaires; (posters) affiches *fpl* publicitaires; (films) films *mpl* publicitaires; **I've seen some of their ~** j'ai vu quelques-unes de leurs brochures *or* affiches

B *modif* [*bureau, launch*] de publicité, publicitaire

publicity: **~ agency** *n* agence *f* de publicité; **~ agent** ▸ **p. 1683** *n* attaché/-e *m/f* de presse; **~ campaign** *n* (to sell product) campagne *f* publicitaire *or* de publicité; (to raise social issue) campagne *f* de sensibilisation; **~ drive** *n* = **publicity campaign**; **~ machine** *n* machine *f* publicitaire; **~ photograph** *n* photo *f* publicitaire; **~ stunt** *n* coup *m* publicitaire *or* de pub○

publicize /ˈpʌblɪsaɪz/ *vtr* **1** (raise awareness of) attirer l'attention du public sur, sensibiliser l'opinion publique au sujet de [*issue, event, predicament*]; **well-~d, much-~d** [*event*] dont on parle beaucoup dans les médias; [*scandal, controversy*] qui fait *or* qui a fait la une de tous les journaux; **the event was little ~d** on a peu parlé de l'événement dans les médias; **2** (make public) rendre [qch] public [*intentions, reasons, matter*]; **3** (advertise) faire de la publicité pour; **well-~d, much-~d** [*show, concert*] annoncé à grand renfort de publicité

public: **~ law** *n* droit *m* public; **Public Lending Right, PLR** *n* GB *droits perçus par un auteur pour le prêt public de ses ouvrages*

publicly /ˈpʌblɪklɪ/ *adv* [*state, announce, renounce, exhibit*] publiquement; **~ owned** (state-owned) public; (floated on market) à actionnaires multiples; **~-funded** [*project, scheme*] réalisé à l'aide de fonds publics

public: **~ nuisance** *n* Jur atteinte *f* aux droits du public; **~ opinion** *n* opinion *f* publique; **~ order** *n* ordre *m* public; **~ order act** *n* loi *f* concernant l'ordre public; **~ order offence** *n* trouble *m* de l'ordre public

public ownership *n* **to be in/be taken into ~** être nationalisé; **to bring sth under** *ou* **into ~** nationaliser [*industry*]

public: **~ prosecutor** *n* procureur *m* général; **~ purse** *n* Trésor *m* public; **Public Records Office, PRO** *npl* Archives *fpl* nationales

public relations, **PR**

A *n* relations *fpl* publiques

B *modif* [*manager, department*] des relations publiques; [*consultant, expert*] en relations publiques; [*firm*] de relations publiques

public relations officer, **PRO** *n* responsable *mf* des relations publiques

public restroom *n* US toilettes *fpl*

public school *n* **1** GB école *f* privée; **to have a ~ education** faire ses études dans une école privée; **2** US école *f* publique

> **Public schools**
>
> Contrairement à ce que leur nom indique, les *public schools* anglaises sont des écoles privées. Elles sont en général réservées aux enfants de l'*Establishment* ou de milieux aisés, car le coût de la scolarité y est très élevé, notamment dans les plus prestigieuses d'entre elles (*Eton, Harrow, Winchester, Rugby*). Cependant, ces écoles accordent également la gratuité de la scolarité ou des bourses d'études à des élèves brillants mais peu fortunés.
> ▸ **Secondary schools**

public: **~ schoolboy** *n* GB élève *m* d'école privée; **~ sector** *n* secteur *m* public; **Public Sector Borrowing Requirement, PSBR** *n* besoins *mpl* de financement du secteur public; **~ servant** *n* fonctionnaire *mf*

public service *n* **1** **C** (transport, education, utility etc) service *m* public; **2** **₵** (public administration, civil service) fonction *f* publique; **a career in ~** une carrière dans la fonction publique

public: **~ service broadcasting** *n* **₵** chaînes *fpl* de télévision et radios *fpl* publiques; **~ service corporation** *n* US service *m* public non étatisé; **~ service vehicle, PSV** *n* véhicule *m* de transport en commun

public speaking *n* **the art of ~** l'art de parler en public; **to be unaccustomed to ~** ne pas avoir l'habitude de parler en public

public-spirited *adj* à l'esprit civique; **it was ~ of you to do** tu as fait preuve de civisme en faisant

public: **~ transport** *n* transports *mpl* en commun; **~ utilities** *npl* équipements *mpl* collectifs; **~ utility** *n* service *m* public; **~ works** *npl* travaux *mpl* publics

publish /ˈpʌblɪʃ/

A *vtr* **1** (print commercially) publier [*book, article, letter, guide*]; éditer [*newspaper, magazine*]; **who ~es Amis?** qui est-ce qui édite Amis?; **his novel has just been ~ed** son roman vient de paraître *or* de sortir; **to be ~ed weekly/monthly** paraître toutes les semaines/tous les mois; **2** (make public) publier [*accounts, figures, findings*]; **3** [*scholar, academic*] **have you ~ed anything?** est-ce que vous avez des publications?

B *vi* [*scholar, academic*] faire une publication *or* des publications

> **Publish or perish**
>
> Cette expression traduit l'obligation pour les universitaires de publier régulièrement des ouvrages ou des articles s'ils veulent faire carrière. Cette pression exercée par le système universitaire est parfois critiquée puisqu'elle pousse certains à consacrer plus d'énergie à leurs publications qu'à leurs fonctions d'enseignants.

publishable /ˈpʌblɪʃəbl/ *adj* publiable

publisher /ˈpʌblɪʃə(r)/ ▸ **p. 1683** *n* (person) éditeur/-trice *m/f*; (company) maison *f* d'édition; **newspaper ~** (person) patron *m* de presse; (company) maison *f* de presse

publishing /ˈpʌblɪʃɪŋ/

A *n* édition *f*; **a career in ~** une carrière dans l'édition

B *modif* [*group, empire*] de presse

publishing house *n* maison *f* d'édition

pub lunch *n* GB **to go for a ~** aller déjeuner dans un pub; **do they do ~es?** est-ce qu'ils font à manger à midi dans ce pub?

puce /pju:s/ ▸ **p. 1067**

A *n* rouge-brun *m*

P

B adj rouge-brun inv; (curtains, silk) cramoisi; **to turn ~** (with rage, embarrassment) devenir cramoisi

puck /pʌk/ n 1 (in ice-hockey) palet m; 2 (sprite) lutin m

pucker /ˈpʌkə(r)/
A vi 1 [face, mouth] se plisser; 2 [fabric] se plisser; [skirt] goder; [seam, cloth] froncer
B **puckered** pp adj [brow, mouth] plissé; [seam] froncé

pud /pʊd/ n 1 ○GB abrév = **pudding 1, 2, 3**; 2 ◑US (penis) zizi○ m

pudding /ˈpʊdɪŋ/ n 1 (cooked sweet dish) pudding m, pouding m; **chocolate/bread-and-butter ~** pudding au chocolat/de pain; **apple ~** gâteau m aux pommes; 2 GB (dessert) dessert m; **what's for ~?** qu'est-ce qu'il y a pour le dessert?; 3 (cooked savoury dish) pudding m; **steak-and-kidney ~** pain m de viande au bœuf et aux rognons; 4 GB (sausage) **black/white ~** boudin m noir/blanc; 5 pej (fat person) patapouf○ mf; (slow person) empoté○/-e m/f
Idiom **the proof of the ~ is in the eating** Prov la qualité se révèle à l'usage

pudding basin, **pudding bowl**
A n jatte f
B modif **~ basin** ou **bowl haircut** coupe f au bol

pudding: **~ rice** n riz m à grains ronds; **~stone** n poudingue m

puddle /ˈpʌdl/ n flaque f

puddling /ˈpʌdlɪŋ/ n Ind puddlage m

pudenda /pjuːˈdendə/ npl parties fpl génitales

pudgy○ /ˈpʌdʒɪ/ adj = **podgy**○

pueblo /ˈpwebləʊ/ n (pl **~s**) village m

Pueblo Indian n Pueblo mf

puerile /ˈpjʊəraɪl, US -rəl/ adj sout puérile

puerility /pjʊəˈrɪlətɪ/ n sout puérilité f

puerperal /pjuːˈɜːpərəl/ adj puerpéral

Puerto Rican /ˌpwɜːtəʊ ˈriːkən/ ▸ **p. 1467**
A n Portoricain/-e m/f
B adj portoricain

Puerto Rico /ˌpwɜːtəʊ ˈriːkəʊ/ ▸ **p. 1096** pr n Porto Rico f

puff /pʌf/
A n 1 (of air, smoke, steam) bouffée f; (of breath: from mouth) souffle m; **to blow out the candles in one ~** souffler les bougies d'un seul coup; **to take a ~ at** tirer une bouffée de [cigarette, pipe]; **to vanish** ou **disappear in a ~ of smoke** lit disparaître dans un nuage de fumée; fig partir en fumée; **~s of cloud** quelques petits nuages; 2 ○GB (breath) souffle m; **to be out of ~**○ être essoufflé, être à bout de souffle; **to get one's ~**○ **back** reprendre son souffle; 3 Culin feuilleté m; **jam ~** feuilleté à la confiture; 4 Cosmet = **powder puff**; 5 ○GB injur (homosexual) tante◑ f offensive; 6 ○(favourable review) article m élogieux; (favourable publicity) battage○ m; **to give a ~ to** faire du battage autour de [play, show]
B vtr 1 tirer sur [pipe]; **to ~ smoke** [person, chimney, train] lancer des bouffées de fumée; **to ~ smoke into sb's face** envoyer de la fumée à la figure de qn; 2 ○(praise) faire du battage○ autour de [book, film, play]
C vi 1 souffler; **smoke ~ed from the chimney** des bouffées de fumée s'échappaient de la cheminée; **to ~ (away) at** tirer des bouffées de [pipe, cigarette]; **to ~ in/out/along** [train] entrer/sortir/avancer en lançant des bouffées de fumée; 2 (pant) souffler, haleter; **he was ~ing hard** ou **~ing and panting** il soufflait comme un bœuf; **she came ~ing and blowing up the hill** elle s'essoufflait en montant la côte
Phrasal verbs ■ **puff out**: ▸ **~ out** [sails] se gonfler; [sleeve, skirt] bouffer; ▸ **~ out [sth], ~ [sth] out** 1 (swell) gonfler [sails]; **to ~ out one's cheeks** gonfler ses joues; **to ~ out one's chest** bomber le torse; **the bird ~ed out its feathers** l'oiseau a hérissé ses plumes; 2 (give out) **to ~ out smoke** [person, chimney, train] lancer des bouffées de fumée; ▸ **~ [sb] out**○ essouffler; **the run had ~ed him out**○ il était tout essoufflé d'avoir couru
■ **puff up**: ▸ **~ up** [feathers] se hérisser; [eyes] bouffir, se gonfler; [rice] gonfler; ▸ **~ up [sth], ~ [sth] up** hérisser [feathers, fur]; **her eyes were all ~ed up** elle avait les yeux bouffis; **to be ~ed up with pride** être rempli d'orgueil

puff: **~-adder** n vipère f heurtante; **~ball** n Bot vesse-de-loup f

puffed /pʌft/ adj 1 ○(breathless) [person] essoufflé; 2 [sleeve] bouffant

puffer /ˈpʌfə(r)/ n 1 Zool poisson-globe m; 2 ○(train) locomotive f à vapeur

puffin /ˈpʌfɪn/ n macareux m

puffiness /ˈpʌfɪnɪs/ n (of face, eyes) boursouflure f; **~ around the eyes indicates fatigue** les yeux gonflés peuvent indiquer la fatigue

puff: **~ing billy**○ n locomotive f à vapeur; **~ pastry** n pâte f feuilletée; **~ puff**○ n lang enfantin train m

puffy /ˈpʌfɪ/ adj [face] bouffi, boursouflé; [eye] gonflé, bouffi; **face ~ with sleep** visage bouffi de sommeil; **~-lipped** aux lèvres bouffies or boursouflées

pug /pʌg/
A n (also **~dog**) (dog) carlin m
B vtr (p prés etc **-gg-**) pétrir [clay]

pugilism /ˈpjuːdʒɪlɪzəm/ n sout boxe f

pugilist /ˈpjuːdʒɪlɪst/ n pugiliste m

pugnacious /pʌgˈneɪʃəs/ adj combatif/-ive; pugnace fml

pugnaciously /pʌgˈneɪʃəslɪ/ adv avec pugnacité fml

pugnacity /pʌgˈnæsətɪ/ n pugnacité f fml

pug: **~ nose** n nez m camus; **~-nosed** adj au nez camus

puke◑ /pjuːk/
A n dégueulis◑ m
B vi [adult] dégueuler◑, gerber◑, vomir; [baby] vomir
Phrasal verb ■ **puke up**: ▸ **~ [sth] up, ~ up [sth]** rendre, vomir

pukka /ˈpʌkə/ adj GB 1 (true, genuine) vrai de vrai○ (before n); 2 ○(excellent) génial○, super○

pulchritude /ˈpʌlkrɪtjuːd, US -tuːd/ n littér vénusté f liter

Pulitzer Prize pr n US prix m Pulitzer

> **Pulitzer Prize**
> Prix fondé par le journaliste Joseph Pulitzer et décerné chaque année à des journalistes, écrivains, poètes et musiciens américains par l'école de journalisme de *Columbia University* (New York).

pull /pʊl/
A n 1 (tug) coup m; **one good ~ and the door opened** un bon coup et la porte s'est ouverte; **to give sth a ~** tirer sur qch
2 (attraction) lit force f; fig attrait m; **gravitational ~** force gravitationnelle; **the ~ of Hollywood/of the sea** l'attrait d'Hollywood/de la mer
3 ○(influence) influence f; **to exert a ~ over sb** exercer une certaine influence sur qn; **to have a lot of ~ with sb** avoir beaucoup d'influence auprès de qn; **to have the ~ to do** avoir le bras suffisamment long pour faire
4 ○(swig) lampée○ f; **to take a ~ from the bottle** boire une lampée○ à même la bouteille
5 ○(on cigarette etc) bouffée f; **to take a ~ at** ou **on a cigarette** tirer une bouffée sur une cigarette
6 Sport (in rowing) coup m d'aviron; (in golf) coup m hooké
7 (snag) (in sweater) maille f tirée; **there's a ~ in my sweater** il y a une maille tirée sur mon pull
8 Print épreuve f
9 (prolonged effort) **it was a hard ~ to the summit** cela a été très dur d'arriver jusqu'au sommet; **the next five kilometres will be a hard ~** les cinq prochains kilomètres vont être durs
B vtr 1 (tug) tirer [chain, curtain, hair, tail]; tirer sur [cord, rope]; **to ~ the door open/shut** ouvrir/fermer la porte; **to ~ the sheets over one's head** se cacher la tête sous les draps; **to ~ a sweater over one's head** (to put it on) enfiler un pull-over; (to take it off) retirer un pull-over
2 (tug, move) (towards oneself) tirer (**towards** vers); (by dragging) traîner [reticent person, heavy object] (**along** le long de); (to show sth) entraîner par le bras [person]; **to ~ sb by the arm/hair** tirer qn par le bras/les cheveux; **to ~ sb/sth through** faire passer qn/qch par [hole, window]
3 (draw) [vehicle] tracter [caravan, trailer]; [horse] tirer [cart, plough]; [person] tirer [handcart, sled]
4 (remove, extract) extraire [tooth]; cueillir [peas, beans, flowers]; arracher [potatoes]; **to ~ sth off** [small child, cat] faire tomber qch de [shelf, table]; **he ~ed her attacker off her** il a fait lâcher prise à son assaillant; **to ~ sth out of** tirer qch de [pocket, drawer]; **to ~ sb out of** retirer qn de [wreckage]; sortir qn de [river]
5 ○(brandish) sortir [gun, knife]; **to ~ a gun on sb** menacer qn avec un pistolet
6 (operate) appuyer sur [trigger]; tirer [lever]
7 Med (strain) se faire une élongation à [muscle]; **a ~ed muscle** une élongation
8 (hold back) [rider] retenir [horse]; **to ~ one's punches** [boxer] retenir ses coups; fig **he didn't ~ his punches** il n'a pas mâché ses mots
9 (steer, guide) **to ~ a boat into the bank** amener une barque jusqu'à la berge; **to ~ a plane out of a dive** redresser un avion
10 Sport [golfer, batsman] hooker [ball, shot]
11 Print tirer [proof]
12 ○GB (pour) tirer [beer]
13 ○(attract) attirer [audience, voters, girls, men]
14 (make) **to ~ a face** faire la grimace; **to ~ faces** faire des grimaces; **to ~ a strange expression** faire une drôle de tête○
C vi 1 (tug) tirer (**at, on** sur); **to ~ at sb's sleeve** tirer qn par la manche
2 (resist restraint) [dog, horse] tirer (**at, on** sur)
3 (move) tirer; **the car ~s to the left** la voiture tire à gauche; **the brakes are ~ing to the left** quand on freine la voiture tire à gauche; **to ~ ahead of sb** [athlete, rally driver] prendre de l'avance sur qn; [company] avoir de l'avance sur [competitor]
4 (smoke) **to ~ at** tirer une bouffée sur [cigarette]
5 Sport [golfer, batsman] hooker
6 (row) ramer
Idioms **~ the other one (it's got bells on)**○! à d'autres (mais pas à moi)○!; **to be on the ~**◑ draguer○
Phrasal verbs ■ **pull along**: ▸ **~ [sth] along, ~ along [sth]** tirer [sled]; ▸ **~ [sb] along** tirer qn par le bras
■ **pull apart**: ▸ **~ apart** [component, pieces] se séparer; ▸ **~ [sb/sth] apart** 1 (dismantle) démonter [machine, toy]; 2 (destroy) [child] mettre en pièces [toy]; [animal] déchiqueter [object, prey]; **I'll find the key, I don't care if I have to ~ the house apart!** fig je trouverai cette clé, même si je dois mettre la maison sens dessus dessous!; 3 fig (disparage) descendre [qch] en flammes [essay]; 4 (separate) séparer [combattants, dogs, pages]
■ **pull away**: ▸ **~ away** 1 (move away, leave) [car] démarrer; [person] s'écarter; 2 (become detached) [component, piece] se détacher; 3 (open up lead) [car, horse] se détacher (**from** de); ▸ **~ away from [sb/sth]** [car, person] s'éloigner de [person, kerb]; ▸ **~ [sb/sth] away** éloigner [person]; retirer [hand]; **to ~ [sth] away from sb** arracher [qch] à qn [held object]; **to ~ sb/sth away from** éloigner qn/qch de [danger]; écarter qn/qch de [window, wall etc]
■ **pull back**: ▸ **~ back** 1 (withdraw) [troops]

se retirer (**from** de); **2** (move backwards) [*car, person*] reculer; **3** (close the gap) rattraper mon/son etc retard; **she's ~ing back** (in race) elle est en train de rattraper son retard; ▸ **~ [sb/sth] back, ~ back [sb/sth]** **1** (restrain) retenir [*person, object*]; **~ her back, she'll fall** retiens-la, elle va tomber; **2** (tug back) **~ the rope back hard** tire fort sur la corde

■ **pull down**: ▸ **~ [sth] down, ~ down [sth]** **1** (demolish) démolir [*building*]; **2** (lower) baisser [*curtain, blind*]; **to ~ down one's trousers** baisser son pantalon; **3** (reduce) baisser [*prices*]; réduire [*inflation*]; ▸ **~ [sb/sth] down, ~ down [sb/sth]** (drag down) tirer [*person, object*] (**onto** sur); fig entraîner [*person, company*]; **he'll ~ you down with him** il va t'entraîner avec lui

■ **pull in**: ▸ **~ in** [*car, bus, driver*] s'arrêter; **~ in at the next service station** arrêtez-vous à la prochaine station-service; **the police signalled to the motorist to ~ in** GB la police a fait signe à l'automobiliste de s'arrêter; **to ~ in to the kerb** s'arrêter le long du trottoir; ▸ **~ [sb] in, ~ in [sb]** **1** (bring in) [*police*] appréhender qn; **to ~ sb in for questioning** appréhender qn pour l'interroger; **2** (attract) [*exhibition, show*] attirer [*crowds, tourists*]; ▸ **~ [sth] in, ~ in [sth]** **1** (retract) [*animal*] rentrer [*antenna, tentacle, claw*]; [*person*] rentrer [*stomach*]; **2** °(earn) [*appeal, event*] réunir [*sum*]; **3** (steer) [*driver*] arrêter

■ **pull off**: ▸ **~ off** [*flashgun, lid*] s'enlever; [*handle*] être amovible; ▸ **~ off [sth]** (leave) quitter [*motorway, road*]; ▸ **~ off [sth], ~ [sth] off** **1** (remove) ôter [*coat, sweater*]; enlever [*shoes, socks*]; enlever [*lid, wrapping, sticker*]; **2** °(clinch) réussir [*raid, robbery*]; conclure [*deal*]; réaliser [*coup, feat*]; décrocher [*win, victory*]

■ **pull out**: ▸ **~ out** **1** (emerge) [*car, truck*] déboîter; **I got to the platform just as the train was ~ing out** je suis arrivé sur le quai au moment où le train partait; **to ~ out of** quitter [*drive, parking space, station*]; **2** (withdraw) [*army, troops*] se retirer; [*candidate, competitor*] se retirer; **to ~ out of** se retirer de [*negotiations, Olympics, area*]; **3** (come away) [*drawer*] s'enlever; [*component, section*] se détacher; ▸ **~ [sth] out, ~ out [sth]** **1** (extract) extraire [*tooth*]; enlever [*splinter*]; arracher [*weeds*]; **2** (take out) sortir [*knife, gun, wallet, handkerchief*]; **3** (withdraw) retirer [*troops, army*]

■ **pull over**: ▸ **~ over** [*motorist, car*] s'arrêter (sur le côté); ▸ **~ [sb/sth] over** [*police*] forcer [qn/qch] à se ranger sur le côté [*driver, car*]

■ **pull through**: ▸ **~ through** [*accident victim*] s'en tirer, s'en sortir; ▸ **~ [sb/sth] through** faire passer [*object, person, wool*]; **~ the thread through to the front** faites passer le fil devant

■ **pull together**: ▸ **~ together** faire un effort, s'y mettre; **we must all ~ together** il faut que tout le monde fasse un effort *ou* s'y mette; ▸ **~ [sth] together ~ the two ends of the rope together** mettez la corde bout à bout; **~ the two pieces together** mettez les deux morceaux l'un contre l'autre; **to ~ oneself together** se ressaisir, se reprendre

■ **pull up**: ▸ **~ up** **1** (stop) [*car, athlete*] s'arrêter; **2** (regain lost ground) [*athlete, pupil*] rattraper son retard; ▸ **~ up [sth], ~ [sth] up** **1** (uproot) arracher [*weeds*]; **2** (lift) lever [*anchor, drawbridge*]; **to ~ up one's trousers/one's socks** remonter son pantalon/ses chaussettes; **to ~ up a chair** prendre une chaise; **3** (stop) [*rider*] arrêter [*horse*]; ▸ **~ [sb] up** **1** (lift) hisser; **to ~ sb up a cliff/out of a well** hisser qn en haut d'une falaise/hors d'un puits; **to ~ oneself up** se hisser; **2** (reprimand) réprimander qn; **he ~ed me up for working too slowly** il m'a réprimandé parce que je travaillais trop lentement; **3** (stop) [*policeman*] arrêter [*driver*]; Sport [*official*] disqualifier [*athlete*]

pull-down menu *n* Comput menu *m* déroulant

pullet /ˈpʊlɪt/ *n* poulette *f*

pulley /ˈpʊlɪ/ *n* poulie *f*

pull-in /ˈpʊlɪn/ *n* GB **1** °(café) routier *m*; **2** (lay-by) aire *f* de stationnement (en bordure de la chaussée)

pulling power *n* pouvoir *m* d'attraction

Pullman /ˈpʊlmən/ *n* **1** (train) pullman *m*; (carriage) voiture *f* pullman; **2** US (suitcase) valise *f*

Pullman kitchen *n* US cuisinette *f*

pull-off /ˈpʊlɒf/ *adj* détachable

pull-out /ˈpʊlaʊt/

A *n* **1** Print encart *m*; **2** (withdrawal) retrait *m*; **~ of the troops** retrait des troupes

B *adj* [*section, supplement*] détachable; [*map, diagram*] hors-texte *inv*, dépliant

pullover /ˈpʊləʊvə(r)/ *n* pull-over *m*

pull-through *n* Mil, Mus écouvillon *m*

pullulate /ˈpʌljʊleɪt/ *vi* pulluler

pull-up /ˈpʊlʌp/ *n* Sport traction *f*

pulmonary /ˈpʌlmənərɪ, US -nerɪ/ *adj* pulmonaire

pulp /pʌlp/

A *n* **1** (soft centre) (of fruit, vegetable) pulpe *f*, chair *f*; (of tooth) pulpe *f*; **2** (crushed mass) pâte *f*; **to reduce** *ou* **crush to a ~** réduire [qch] en pulpe *or* en purée [*fruit, vegetable*]; réduire [qch] en pâte [*wood, cloth*]; **to beat sb to a ~**° réduire qn en bouillie°; **3** °péj (trashy books) littérature *f* de gare pej

B *modif* [*novel, literature*] de gare; [*magazine*] à sensation

C *vtr* **1** (crush) écraser, réduire [qch] en pulpe *or* en purée [*fruit, vegetable*]; réduire [qch] en pâte [*wood, cloth*], mettre [qch] au pilon [*newspapers, books*]; **2** °fig (in fight) écrabouiller° [*person, head*]

pulp: **~ cavity** *n* cavité *f* pulpaire; **~ fiction** *n* littérature *f* de gare pej

pulpit /ˈpʊlpɪt/ *n* (in church) chaire *f*

pulpwood /ˈpʌlpwʊd/ *n* bois *m* à pâte

pulsar /ˈpʌlsɑː(r)/ *n* pulsar *m*

pulsate /pʌlˈseɪt, US ˈpʌlseɪt/

A *vi* [*vein, heart*] palpiter; [*blood*] circuler

B **pulsating** *pres p adj* **1** lit (beating) [*heart, vein*] qui palpite; [*beat, rhythm*] entraînant; **2** fig (exciting) [*finale*] palpitant

pulsation /pʌlˈseɪʃn/ *n* pulsation *f*

pulse /pʌls/

A *n* **1** Anat, Med pouls *m*; **his ~ raced** son cœur battait très vite; **to take/feel sb's ~** prendre/tâter le pouls de qn; **to take the ~ of Europe in the 90s** fig prendre le pouls *or* la température de l'Europe dans les années 90; **to have one's finger on the ~ of sth** fig être à l'écoute de qch, suivre qch de près; **2** (beat, vibration) (of music) rythme *m*; (of drums) battement *m* rythmique; **3** Audio, Elec, Phys impulsion *f*; **4** Bot, Culin graine *f* de légumineuse

B *vi* [*blood*] circuler; [*heart*] battre fort; **she could feel the blood pulsing through her body** son cœur battait à tout rompre

pulse: **~-jet** *n* pulsoréacteur *m*; **~ modulation** *n* modulation *f* d'impulsions; **~ rate** *n* pouls *m*

pulverization /ˌpʌlvəraɪˈzeɪʃn, US -rɪˈz-/ *n* lit, fig pulvérisation *f*

pulverize /ˈpʌlvəraɪz/

A *vtr* lit, fig pulvériser

B *vi* se pulvériser

puma /ˈpjuːmə/ *n* puma *m*

pumice /ˈpʌmɪs/ *n* (*also* **~ stone**) pierre *f* ponce

pummel /ˈpʌml/ *vtr* (*p prés etc* **-ll-** GB, **-l-** US) marteler

pump /pʌmp/

A *n* **1** Tech pompe *f*; **bicycle ~** pompe à bicyclette; **air/vacuum ~** pompe à air/à vide; **to prime the ~** lit amorcer la pompe; fig réamorcer la pompe; **2** (squeeze) **to give sb's hand a ~** donner une poignée de main vigoureuse à qn; **3** (plimsoll) chaussure *f* de sport; **4** GB (flat shoe) ballerine *f*; **5** US (shoe with heel) chaussure *f* à talon; **6** †(dancing shoe) chausson *m* de danse (pour homme); **7** (fire-engine) autopompe *f*

B *vtr* **1** (push) pomper [*air, gas, water, blood*] (**out of** de); **to ~ oil around the engine** pomper l'huile autour du moteur; **to ~ air into a tyre** injecter de l'air dans un pneu; **to ~ sewage into the sea** déverser les eaux usées dans la mer; **the boiler ~s water to the radiators** la chaudière distribue l'eau dans les radiateurs; **to ~ the hold dry** pomper la cale à sec; **to ~ bullets** cracher des balles; **to ~ sb full of drugs**° gaver qn de médicaments; **to ~ sb full of lead**° truffer qn de plomb°, mitrailler qn; **to ~ iron**° faire de la gonflette°; **2** (move) actionner [*handle, lever*]; **to ~ the brakes** freiner par petits coups successifs; **3** (shake) **to ~ sb's hand** donner une poignée de main vigoureuse à qn; **4** °(question) cuisiner° [*person*] (**about** à propos de); **to ~ sb for sth** essayer de soutirer qch à qn [*details, information*]; **to ~ sth out of sb** soutirer qch à qn; **5** Med **to ~ sb's stomach** faire un lavage d'estomac à qn; **to have one's stomach ~ed** avoir un lavage d'estomac

C *vi* **1** (function) [*machine, piston*] fonctionner; **2** (flow) gicler (**from, out of** de); **3** (beat) [*blood, heart*] battre violemment

(Idiom) **all hands to the ~s!** il faut que tout le monde s'y mette!

(Phrasal verbs) ■ **pump out**: ▸ **~ out [sth], ~ [sth] out** **1** (pour out) débiter [*music, propaganda*]; cracher [*fumes*]; déverser [*sewage*]; **2** (empty) pomper [qch] à sec [*hold, pool*]; **to ~ sb's stomach out** faire un lavage d'estomac à qn

■ **pump up**: ▸ **~ up [sth], ~ [sth] up** **1** (inflate) gonfler [*tyre, air bed*]; **2** °(increase) monter [*volume*]

pump: **~-action** *adj* [*gun*] à pompe; **~ attendant** ▸ p. 1683 *n* pompiste *mf*; **~ dispenser** *n* Cosmet vaporisateur *m*

pumpernickel /ˈpʌmpənɪkl/ *n* pumpernickel *m*, pain *m* noir

pump house *n* station *f* de pompage

pumpkin /ˈpʌmpkɪn/ *n* citrouille *f*

pumpkin: **~head**° *n* abruti/-e° *m/f*; **~ pie** *n* tourte *f* à la citrouille

pump prices *npl* (of petrol) prix *m* à la pompe

pump priming /ˈpʌmppraɪmɪŋ/

A *n* **1** Tech amorçage *m* d'une pompe; **2** Fin injection *f* de crédits

B **pump-priming** *modif* [*aid, capital, funds*] de soutien (*after n*)

pump room *n* GB Hist buvette *f* (*d'un établissement thermal*)

pun /pʌn/

A *n* jeu *m* de mots, calembour *m* (**on** sur)

B *vi* (*p prés etc* **-nn-**) faire des jeux de mots, faire des calembours

punch /pʌntʃ/

A *n* **1** (blow) coup *m* de poing; **to give sb a ~** donner un coup de poing à qn; **she gave him a ~ on the nose/on the chin** elle lui a donné un coup de poing dans le nez/au menton; **to hit sb in the face with a ~** donner un coup de poing dans la figure de qn; **2** fig (forcefulness) (of person) punch° *m*; (of style, performance) énergie *f*; **it lacks ~** ça manque de nerf; **a slogan with a bit more ~** un slogan plus frappant; **3** (tool) (for leather) alène *f*; (for metal) perçoir *m*; Comput perforateur *m*; **ticket ~** pince *f* à composter; **4** (drink) punch *m*

B *vtr* **1** (hit) **to ~ sb in the face** donner un coup de poing dans la figure de qn; **to ~ sb on the nose/on the chin** donner un coup de poing dans le nez/au menton de qn; **to ~ sb hard** frapper qn très fort avec le poing; **he was ~ed and kicked** on lui a donné des coups de poing et des coups de pied; **2** Comput, Telecom perforer [*cards, tape*]; appuyer sur [*key*]; **3** (make hole in) (manually) poinçonner; (in machine) composter [*ticket*]; **to ~ holes in sth** (in paper, leather) faire des trous

dans qch; (in metal) perforer qch
C *vi* cogner, donner des coups de poing
(Idioms) **to pack a ~**○ [*boxer*] avoir du punch; [*cocktail*] être corsé; [*book, film*] avoir un fort impact; **to pull no ~es** lit, fig ne pas y aller de main morte
(Phrasal verbs) ■ **punch in**: ▸ **~ in [sth], ~ [sth] in** Comput introduire [*data*]
■ **punch out**: ▸ **~ out [sth], ~ [sth] out** (shape) découper qch à l'emporte-pièce; **to ~ out a number on the phone** composer un numéro au téléphone

Punch /pʌntʃ/ *pr n* Polichinelle
(Idiom) **to be as pleased as ~** être ravi

Punch-and-Judy show *n* ≈ spectacle *m* de guignol *m*

punch: **~bag** *n* GB Sport sac *m* de sable; (whipping-boy) souffre-douleur *m inv*; **~ ball** *n* punching-ball *m*; **~ bowl** *n* coupe *f* à punch; **~ card** *n* carte *f* perforée; **~-drunk** *adj* (in boxing) abruti par les coups; fig (from tiredness) abruti de fatigue; **~ed card** = **punch card**; **~ed paper tape** *n* bande *f* perforée; **~ed tape** *n* bande *f* perforée; **~ing bag** *n* US = **punchbag**; **~ line** *n* chute *f* (*d'une histoire drôle*); **~-up**○ *n* GB bagarre○ *f*

punchy○ /'pʌntʃɪ/ *adj* **1** [*person, music, style*] énergique; [*article*] percutant; **2** = **punch-drunk**

punctilio /pʌŋk'tɪlɪəʊ/ *n* sout (etiquette) formalisme *m*; (point of etiquette) point *m* d'étiquette

punctilious /pʌŋk'tɪlɪəs/ *adj* sout [*observance, attention*] scrupuleux/-euse; **to be ~ about (one's) work** être méticuleux/-euse dans son travail

punctiliously /pʌŋk'tɪlɪəslɪ/ *adv* sout scrupuleusement

punctual /'pʌŋktʃʊəl/ *adj* [*person, delivery*] ponctuel/-elle; **to be ~ for sth** être à l'heure pour qch; **to be ~ in doing** être ponctuel quand il s'agit de faire

punctuality /ˌpʌŋktʃʊ'ælətɪ/ *n* ponctualité *f*

punctually /'pʌŋktʃʊəlɪ/ *adv* [*start, arrive, leave*] à l'heure; **to arrive ~ at 10** arriver ponctuellement à 10 heures

punctuate /'pʌŋktʃʊeɪt/
A *vtr* **1** lit ponctuer [*text, letter*]; **2** (interrupt) ponctuer (**with, by** de)
B *vi* ponctuer

punctuation ➡
/ˌpʌŋktʃʊ'eɪʃn/ *n* ponctuation *f*

punctuation mark *n* signe *m* de ponctuation

puncture /'pʌŋktʃə(r)/
A *n* (in tyre, balloon, airbed) crevaison *f*; (in skin) piqûre *f*; (to lung) perforation *f*; **we had a ~ on the way** on a crevé en venant
B *vtr* **1** (perforate) crever [*tyre, balloon, airbed*]; ponctionner [*organ*]; crever [*abscess*]; **to ~ a hole in** faire *ou* percer un trou dans; **to ~ a lung** Med se perforer un poumon; **2** fig (deflate) démolir [*myth*]; **to ~ sb's pride** *ou* **ego** décontenancer qn, rabattre le caquet○ à qn
C *vi* [*tyre, balloon*] crever

puncture: **~ (repair) kit** *n* boîte *f* de rustines®; **~-proof** *adj* increvable; **~ wound** *n* trace *f* de piqûre

pundit /'pʌndɪt/ *n* **1** (expert) expert/-e *m/f*; **2** Relig pandit *m*

pungency /'pʌndʒənsɪ/ *n* **1** (of sauce, dish) goût *m* piquant; (of smoke, smell) âcreté *f*; **2** (of speech, satire) mordant *m*

pungent /'pʌndʒənt/ *adj* **1** (strong) [*flavour*] relevé; [*smell*] fort; [*gas, smoke*] âcre; **2** [*speech, satire*] mordant, virulent

pungently /'pʌndʒəntlɪ/ *adv* Culin **a ~ flavoured sauce** une sauce relevée

Punic /'pju:nɪk/ *n, adj* punique (*m*)

Punic Wars *npl* guerres *fpl* puniques

punish /'pʌnɪʃ/ *vtr* **1** punir [*person, crime*]; **to ~ sb for sth/for doing** punir qn de qch/pour avoir fait; **a crime ~ed by death** un crime puni de mort; **2** ○(treat roughly) malmener [*opponent*]; fatiguer, ne pas ménager [*car, horse*]

punishable /'pʌnɪʃəbl/ *adj* [*offence*] punissable, passible d'une peine; **~ by a fine** passible d'une amende; **to be ~ by law** tomber sous le coup de la loi

punishing /'pʌnɪʃɪŋ/
A *n* (act) punition *f*; **to take a ~**○ [*opponent, team*] prendre une raclée○, se faire dérouiller○
B *adj* [*schedule, pace*] éprouvant; [*defeat*] cuisant

punishment /'pʌnɪʃmənt/ *n* **1** punition *f*; (stronger) châtiment *m*; Jur peine *f*; **as ~ for** en punition de; **as ~, they were sent to bed** pour les punir, on les a envoyés se coucher; **2** ○fig (rough treatment) **to take a lot of ~**○ [*team, car, engine*] être mis à rude épreuve

punitive /'pju:nətɪv/ *adj* [*measure, action*] punitif/-ive; [*taxation*] très sévère; **~ damages** Jur dommages et intérêts à valeur répressive

Punjab /ˌpʌn'dʒɑ:b/ *pr n* Pendjab *m*

Punjabi /ˌpʌn'dʒɑ:bɪ/ ▸ p. 1378
A *n* **1** (language) panjabi *m*; **2** (person) habitant/-e *m/f* du Pendjab
B *adj* du Pendjab

punk /pʌŋk/
A *n* **1** (music, fashion, movement) punk *m*; **2** (person) punk *mf*; **3** ○US péj (hoodlum) voyou *m*; (presumptuous youth) blanc-bec○ *m*
B *adj* [*music, record, band, hairstyle, clothes*] punk *inv*

punk rock *n* (rock *m*) punk *m*

punnet /'pʌnɪt/ *n* GB barquette *f*

punster /'pʌnstə(r)/ *n* faiseur/-euse *m/f* de jeux de mots

punt /pʌnt/
A *n* **1** (boat) barque *f* (*à fond plat*); **2** (Irish pound) livre *f* irlandaise; **3** (bet) mise *f*
B *vi* **1** (travel by punt) **to go ~ing** faire une promenade en barque; **2** (bet) miser

punter○ /'pʌntə(r)/ *n* GB **1** (at horse races) parieur *m*; (at casino) joueur/-euse *m/f*; **2** (average client) client/-e *m/f*

puny /'pju:nɪ/ *adj* [*person, body*] chétif/-ive; [*effort*] piteux/-euse

pup /pʌp/
A *n* **1** Zool (dog) chiot *m*; (seal, otter etc) petit *m*; **2** ○(person) **a cheeky young ~** un petit insolent
B *vi* (*p prés etc* **-pp-**) [*bitch, seal*] mettre bas
(Idiom) **to be sold a ~**○ se faire avoir●

pupa /'pju:pə/ *n* (*pl* **pupae**) pupe *f*

pupate /pju:'peɪt, US 'pju:peɪt/ *vi* se métamorphoser en pupe

pupil /'pju:pɪl/ *n* **1** Sch élève *mf*; **2** Anat pupille *f*

puppet /'pʌpɪt/
A *n* lit, fig marionnette *f*
B *modif* [*government, state*] fantoche

puppeteer /ˌpʌpɪ'tɪə(r)/ ▸ p. 1683 *n* marionnettiste *mf*

puppetry /'pʌpɪtrɪ/ *n* art *m* de la marionnette

puppet: **~ show** *n* spectacle *m* de marionnettes; **~ theatre** GB, **~ theater** US *n* théâtre *m* de marionnettes

puppy /'pʌpɪ/ *n* chiot *m*; **to have puppies** avoir des chiots

puppy: **~ fat** *n* rondeurs *fpl* de l'enfance; **~ love** *n* amour *m* d'adolescent/-e

pup tent *n* tente *f* légère

purblind /'pɜ:blaɪnd/ *adj* **1** sout (lacking insight) aveugle fig; **2** ‡(partly blind) presque aveugle, malvoyant

purchase /'pɜ:tʃəs/
A *n* **1** Comm achat *m*; **to make a ~** faire un achat; **2** (grip) prise *f*; **to get** *ou* **gain (a) ~ on** [*climber*] trouver une prise *or* un point d'appui sur; [*vehicle*] adhérer à
B *vtr* **1** Comm acheter, faire l'acquisition de [*hat, painting, house*]; **to ~ sth from sb/from the butcher's/from Buymore** acheter qch à qn/chez le boucher/chez Buymore; **2** fig acquérir [*victory, liberty*]

purchase: **~ ledger** *n* registre *m or* livre *m* des achats; **~ order** *n* ordre *m* d'achat; **~ price** *n* prix *m* d'achat

purchaser /'pɜ:tʃəsə(r)/ *n* acheteur/-euse *m/f*, acquéreur *m*

purchase tax *n* GB taxe *f* sur les produits de luxe

purchasing /'pɜ:tʃəsɪŋ/ *n* achat *m*

purchasing: **~ department** *n* service *m* des achats; **~ officer** ▸ p. 1683 *n* agent *m* des achats; **~ power** *n* pouvoir *m* d'achat

purdah /'pɜ:də/ *n*: *isolement des femmes conformément à certaines religions*; **to go into ~** fig s'isoler

pure /pjʊə(r)/ *adj* **1** (unadulterated) [*gold, oxygen, air, water*] pur; [*silk, cotton, wool*] pur (*before n*); **~ alcohol** Chem alcool *m* absolu *or* pur; **~ new wool** laine *f* vierge; **a ~ voice** une voix pure; **2** (chaste) [*person, life*] pur; **to be ~ in mind and body** être sain de corps et d'esprit; **blessed are the ~ in heart** Bible bienheureux les cœurs purs; **3** (sheer) [*happiness, nonsense, malice*] pur (*after n*); **out of ~ curiosity** par pure curiosité; **by ~ chance** par pur hasard; **by ~ accident** de façon purement accidentelle; **~ and simple** pur et simple; **4** (not applied) [*mathematics, science*] pur; **~ research** recherche *f* fondamentale
(Idiom) **as ~ as the driven snow** innocent comme l'enfant *or* l'agneau qui vient de naître

purebred /'pjʊəbred/
A *n* (horse) pur-sang *m inv*
B *adj* de race, pur-sang *inv*

puree /'pjʊəreɪ, US pjʊə'reɪ/
A *n* purée *f*; **vegetable ~** purée *f* de légumes; **apple ~** compote *f* de pommes
B *vtr* écraser [*vegetables, fruit*]; **~d vegetables** purée de légumes

pure line *n* Zool, Bot lignée *f* pure

purely /'pjʊəlɪ/ *adv* purement; **~ and simply** purement et simplement; **~ to be polite** uniquement pour être poli; **~ as a pretext** uniquement comme prétexte

pureness /'pjʊənɪs/ *n* pureté *f*

pure vowel *n* monophtongue *f*

purgation /pɜ:'geɪʃn/ *n* Relig purgation *f*, purification *f*; Med, Pol purge *f*

purgative /'pɜ:gətɪv/
A *n* purgatif *m*
B *adj* purgatif/-ive

purgatorial /ˌpɜ:gə'tɔ:rɪəl/ *adj* [*punishment, test*] du purgatoire; fig [*experience, place*] infernal

purgatory /'pɜ:gətrɪ, US -tɔ:rɪ/ *n* lit, fig purgatoire *m*; **it was (sheer) ~ to do** c'était un véritable supplice de faire

purge /pɜ:dʒ/
A *n* (action) gen purge *f*; Pol purge *f*, épuration *f* (**of** de); Med purge *f*
B *vtr* **1** gen, Med purger (**of** de); **2** Pol purger [*country, party*] (**of** de), éliminer [*extremists, traitors, dissidents etc*] (**from** de); **3** Relig expier [*sin*]; fig libérer, purger liter [*mind, heart*] (**of** de); **4** Jur **to ~ one's contempt** faire amende honorable; **to ~ an offence** purger une peine
C *v refl* **~ oneself of** Relig se laver de [*sin*]; **to ~ oneself of a charge** Jur se disculper

purification /ˌpjʊərɪfɪ'keɪʃn/ *n* **1** (of water, air, chemicals) épuration *f*; **2** Relig (of person, soul) purification *f*

purification plant *n* station *f* d'épuration

purifier /'pjʊərɪfaɪə(r)/ *n* (for water) épurateur *m*; (for air) purificateur *m*

purify /'pjʊərɪfaɪ/ *vtr* **1** gen, Tech épurer [*air, water, chemical*]; **2** Relig purifier [*person, soul*]

purism /'pjʊərɪzəm/ *n* purisme *m*

purist /'pjʊərɪst/ *n, adj* puriste (*mf*)

➡ see Effective French

puritan /ˈpjʊərɪtən/ *n, adj* fig puritain/-e *(m/f)*
Puritan /ˈpjʊərɪtən/ *pr n, adj* Relig, Hist puritain/-e *(m/f)*
puritanical /ˌpjʊərɪˈtænɪkl/ *adj* gen, Relig puritain
puritanism /ˈpjʊərɪtənɪzəm/
A *n* gen puritanisme *m*
B **Puritanism** *pr n* puritanisme *m*
purity /ˈpjʊərətɪ/ *n* pureté *f*
purl /pɜːl/
A *n* maille *f* à l'envers
B *adj* [*row, stitch*] à l'envers
C *vtr* tricoter [qch] à l'envers [*row, stitch*]
purlieus /ˈpɜːljuːz/ *npl* sout abords *mpl*
purlin /ˈpɜːlɪn/ *n* Constr panne *f*
purloin /pɜːˈlɔɪn/ *vtr* littér dérober liter
purple /ˈpɜːpl/ ▸ p. 1067
A *n* 1 (colour) violet *m*; 2 Relig **the** ~ (rank) la pourpre; (bishops) GB évêques *mpl* anglicans
B *adj* (bluish) violet; (reddish) pourpre; **to turn** ~ gen virer au violet; [*person*] (in anger) devenir rouge de colère
purple heart *n* 1 (pill) argot des drogués comprimé *m* d'amphétamine; 2 Bot bois *m* d'amarante
purple: **Purple Heart**, **PH** *n* US Mil *médaille accordée aux blessés ou morts à la guerre*; ~ **martin** *n* US hirondelle *f* pourpre; ~ **passage**, ~ **patch** *n* Literat péj passage *m* ampoulé; ~ **prose** *n* style *m* ampoulé
purplish /ˈpɜːplɪʃ/ ▸ p. 1067 *adj* violacé
purport sout
A /ˈpɜːpɒt/ *n* sens *m*
B /pəˈpɔːt/ *vtr* **to** ~ **to do** prétendre faire; **a woman** ~**ing to be a social worker** une femme qui prétend/prétendait être visiteuse sociale
purported /pəˈpɔːtɪd/ *adj* sout prétendu
purportedly /pəˈpɔːtɪdlɪ/ *adv* prétendument
purpose /ˈpɜːpəs/
A *n* 1 (aim) but *m*; **for the** ~ **of doing** dans le but de faire; **what was his** ~ **in coming?** dans quel but est-il venu?; **to have a** ~ **in life** avoir un but dans la vie; **for cooking/business** ~**s** pour la cuisine/les affaires; **for our** ~**s, we can assume that…** dans l'optique qui nous intéresse, on peut considérer que…; **for the** ~**s of this book, I shall confine myself to the 18th century** pour (les besoins de) ce livre, je me limiterai au XVIIIe siècle; **for all practical** ~**s** en pratique; ~ **unknown** usage *m* inconnu; **this knife will serve the** ~ ce couteau fera l'affaire; **this bag is large enough for the** ~ ce sac est assez grand; **put it in the bin provided for the** ~ mets-le dans la poubelle prévue à cet effet; **to some** *ou* **good** ~ utilement; **to no** ~ inutilement; **to the** ~ sout à propos; **not to the** ~ sout hors de propos; 2 (determination) (*also* **strength of** ~) résolution *f*; **to have a sense of** ~ savoir ce que l'on veut, être déterminé; **lack of** ~ indécision *f*
B **on** ~ *adv phr* (deliberately) exprès; **I didn't do it on** ~ je ne l'ai pas fait exprès; **she said it on** ~ **to frighten him** elle l'a dit exprès pour l'effrayer
C *vtr*‡ se proposer liter (**to do** de faire)
purpose-built /ˌpɜːpəsˈbɪlt/ *adj* GB conçu pour un usage déterminé; **a** ~ **apartment** ≈ un appartement indépendant; **it's not a** ~ **apartment** ça a été transformé en appartement
purposeful /ˈpɜːpəsfl/ *adj* résolu
purposefully /ˈpɜːpəsfəlɪ/ *adv* résolument
purposeless /ˈpɜːpəslɪs/ *adj* sans but
purposely /ˈpɜːpəslɪ/ *adv* exprès, intentionnellement; **he said it** ~ **to annoy her** il l'a dit exprès pour l'agacer
purpose-made /ˌpɜːpəsˈmeɪd/ *adj* GB fait spécialement (**for** pour)
purr /pɜː(r)/
A *n* (of cat, engine) ronronnement *m*
B *vtr* fig roucouler [*endearments*]
C *vi* [*cat, engine*] ronronner
purse /pɜːs/ *n* 1 (for money) porte-monnaie *m inv*; 2 US (handbag) sac *m* à main; 3 fig (resources) moyens *mpl*; **it's beyond my** ~ c'est au-delà de mes moyens; 4 (prize) somme *f* d'argent, prix *m*
(Idioms) **to hold/loosen/tighten the** ~**-strings** tenir/délier/serrer les cordons de la bourse; **to** ~ **one's lips** faire une moue désapprobatrice
purse-proud /ˈpɜːspraʊd/ *adj* US fier/fière de sa fortune
purser /ˈpɜːsə(r)/ ▸ p. 1683 *n* commissaire *m* de bord
purse snatcher *n* US voleur/-euse *m/f* de sacs à main
pursuance /pəˈsjuːəns, US -ˈsuː-/ *n* Jur **in** ~ **of** (in accordance with) conformément à [*instructions, clause etc*]; (during the execution of) en exécution de
pursuant /pəˈsjuːənt, US -ˈsuː-/ *adj* Jur ~ **to** conformément à
pursue /pəˈsjuː, US -ˈsuː-/ *vtr* poursuivre [*person, aim, ambition, studies*]; mener [*policy*]; se livrer à [*occupation, interest*]; rechercher [*excellence*]; **to** ~ **a career** faire carrière (**in** dans); **to** ~ **a line of inquiry/of thought** suivre une piste/un raisonnement
pursuer /pəˈsjuːə(r), US -ˈsuː-/ *n* poursuivant/-e *m/f*
pursuit /pəˈsjuːt, US -ˈsuː-/ *n* 1 ₵ (following) poursuite *f*; **in** ~ **of** à la poursuite de; **the** ~ **of happiness** la recherche du bonheur; **in close** ~, **in hot** ~ à vos/ses etc trousses; 2 (hobby, interest) passe-temps *m inv*; **artistic** ~**s** travaux *mpl* artistiques; **scientific** ~**s** recherches *fpl* scientifiques
pursuit plane *n* avion *m* de chasse
purulence /ˈpjʊərələns/ *n* purulence *f*
purulent /ˈpjʊərələnt/ *adj* purulent
purvey /pəˈveɪ/ *vtr* sout fournir [*goods, services, information*]
purveyance /pəˈveɪəns/ *n* sout fourniture *f*
purveyor /pəˈveɪə(r)/ *n* sout gen fournisseur/-euse *m/f*; ~ **of pornography** pourvoyeur/-euse *m/f* de pornographie
purview /ˈpɜːvjuː/ *n* gen Jur (of act, law) portée *f*; **to be within the** ~ **of sb/sth** être du ressort de qn/qch
pus /pʌs/ *n* pus *m*
push /pʊʃ/
A *n* 1 lit (shove, press) poussée *f*; **to give sb/sth a** ~ pousser qn/qch; **the car won't start—we need a** ~ la voiture ne veut pas démarrer–il faut la pousser; **at the** ~ **of a button** en appuyant sur un bouton
2 (campaign, drive) campagne *f* (**for** en faveur de; **to do** pour faire)
3 fig (stimulus) impulsion *f*; **to give sth/sb a** ~ encourager qch/qn; **this gave me the** ~ **I needed** c'est ça qui m'a décidé à faire quelque chose; **to give sth a** ~ **in the right direction** faire avancer qch dans la bonne direction
4 Mil poussée *f* (**to** à; **towards** vers); **the big** ~ la grande offensive
5 (spirit, drive) esprit *m* battant
B *vtr* 1 (move, shove, press) pousser [*person, animal, chair, door, car, pram*]; appuyer sur [*button, switch, bell*]; **to** ~ **sb/sth away** repousser qn/qch; **to** ~ **sth down/up sth** pousser qch en bas/en haut de qch [*hill, street*]; **she** ~**ed him down the stairs** elle l'a poussé dans l'escalier; **to** ~ **sb/sth into** pousser qn/qch dans [*lake, ditch, house*]; **to** ~ **one's finger/a stick into** enfoncer son doigt/un bâton dans; **to** ~ **sth into sb's hand** mettre qch de force dans la main de qn; **I** ~**ed her in** je l'ai poussée dedans; **to** ~ **sth to** pousser qch jusqu'à [*place, garage*]; **to** ~ **sb/sth out of the way** écarter qn/qch; **to** ~ **sb/a suggestion aside** écarter qn/une suggestion; **to** ~ **one's way through sth** se frayer un chemin à travers qch; **to** ~ **sth off the road** enlever qch de la chaussée; **to** ~ **the door open/shut** pousser la porte; **to** ~ **a thought to the back of one's mind** repousser une pensée dans un coin de son esprit
2 (urge, drive) pousser [*pupil, person*] (**to do, into doing** à faire); **to** ~ **sb too hard** trop pousser qn; **to** ~ **sb too far** pousser qn à bout; **don't** ~ **me!**○ ne me pousse pas à bout!; **to be** ~**ed**○ (under pressure) être à la bourre○; **to be** ~**ed for sth**○ (short of) être à court de qch
3 ○(promote) faire la promotion de [*product*]; promouvoir [*policy, theory*]
4 ○(sell) vendre [*drugs*]
C *vi* pousser; **to get out and** ~ sortir pour pousser; **'Push' 'Poussez'; there's no need to** ~**!** ce n'est pas la peine de pousser!; **to** ~ **against** s'appuyer contre; **to** ~ **at sth** repousser qch; **to** ~ **past sb** bousculer qn; **to** ~ **through** se frayer un chemin à travers [*crowd, room*]
D *v refl* **to** ~ **oneself to** ~ **oneself upright** se redresser; **to** ~ **oneself into a sitting position** se redresser en position assise; **to** ~ **oneself through the crowd** se frayer un chemin à travers la foule; **to** ~ **oneself through a gap** passer par un trou; (drive oneself) se pousser (**to do** à faire)
(Idioms) **at a** ~○ GB s'il le faut; **if it comes to the** ~ si on en vient à cette extrémité; **to be** ~**ing 50** friser la cinquantaine; **to give sb the** ~○ GB (fire) virer qn○; (break up with) larguer qn○; **to** ~ **one's luck, to** ~ **it**○ forcer sa chance; **that's** ~**ing it a bit!**○ (cutting it fine) c'est un peu juste *or* risqué!; **when** *ou* **if** ~ **comes to shove**○ au pire
(Phrasal verbs) ■ **push ahead** (with plans) persévérer (**with** dans); (on journey) continuer
■ **push around**○: ▸ ~ **[sb] around** fig bousculer
■ **push back**: ▸ ~ **[sth] back**, ~ **back [sth]** pousser [*object, furniture*]; repousser [*forest, shoreline*]; ramener [qch] en arrière [*hair*]; repousser [*army, enemy, frontier*]; repousser [*date, meeting*]
■ **push down**: ▸ ~ **[sth] down**, ~ **down [sth]** faire chuter [*price, rate, temperature*]; ▸ ~ **down [sb]**, ~ **[sb] down** faire tomber [*person*]
■ **push for**: ▸ ~ **for [sth]** faire pression en faveur de [*reform, action*]
■ **push forward**: ▸ ~ **forward** (with plans) persévérer (**with** dans); (on journey) continuer; ▸ ~ **[sth] forward**, ~ **forward [sth]** faire valoir [*idea, proposal*]; **to** ~ **oneself forward** se mettre en avant (**as** comme; **for** pour)
■ **push in**: ▸ ~ **in** s'introduire dans la file; ▸ ~ **[sth] in**, ~ **in [sth]** enfoncer [*button, door, window*]
■ **push off** 1 ○GB filer○; ~ **off!** file!; 2 Naut pousser; ~ **off from** Naut s'éloigner de qch en poussant [*bank, jetty*]
■ **push on** = **push ahead**
■ **push over**: ▸ ~ **over**○ (move over) se pousser; ▸ ~ **over [sth/sb]**, ~ **[sth/sb] over** renverser [*person, table, car*]
■ **push through**: ▸ ~ **[sth] through**, ~ **through [sth]** faire voter [*bill, legislation*]; faire passer [*deal*]; **to** ~ **through a passport application** accélérer l'obtention d'un passeport; **to** ~ **a bill through parliament** faire voter rapidement un projet de loi
■ **push up**: ▸ ~ **up [sth]**, ~ **[sth] up** faire monter [*price, rate, unemployment*]
push-bike○ /ˈpʊʃbaɪk/ *n* vélo *m*
push-button /ˈpʊʃbʌtn/
A **push button** *n* bouton-poussoir *m*
B *adj* (*épith*) [*control, tuning, selection*] par bouton-poussoir; [*telephone*] à touches; [*radio*] à boutons-poussoirs; [*dialling*] au clavier; ~ **warfare** guerre *f* presse-bouton
push: ~**cart** *n* charrette *f* à bras; ~**chair** *n* GB poussette *f*
pusher /ˈpʊʃə(r)/ *n* 1 ○(*also* **drug** ~) revendeur/-euse *m/f* de drogue; 2 (aircraft propeller) hélice *f* propulsive

pushiness /ˈpʊʃɪnɪs/ *n* (ambition) arrivisme *m*; (tenacity) obstination *f*

pushing /ˈpʊʃɪŋ/ *n* bousculade *f*; **a lot of ~ and shoving** une grosse bousculade

Pushkin /ˈpʊʃkɪn/ *pr n* Pouchkine

pushover○ /ˈpʊʃəʊvə(r)/ *n* **1** (easy to do, beat) jeu *m* d'enfant; **the team were no ~** battre cette équipe n'a pas été un jeu d'enfant; **2** (easily convinced) **to be a ~** être facile à convaincre

push: **~pin** *n* US punaise *f*; **~-pull** *adj* Elec symétrique, push-pull *inv*; **~rod** *n* Mech poussoir *m*

push-start
A /ˈpʊʃstɑːt/ *n* **to give sth a ~** pousser qch pour le/la faire démarrer
B /ˌpʊʃˈstɑːt/ *vtr* pousser [qch] pour le/la faire démarrer [*vehicle*]

push technology *n* distribution *f* sélective, distribution *f* personnalisée

push-up /ˈpʊʃʌp/ *n* Sport pompe○ *f*

pushy○ /ˈpʊʃɪ/ *adj* (ambitious) arriviste; **she's very ~** (assertive) elle s'impose

pusillanimity /ˌpjuːsɪləˈnɪmətɪ/ *n* sout pusillanimité *f*

pusillanimous /ˌpjuːsɪˈlænɪməs/ *adj* sout pusillanime

puss○ /pʊs/ *n* **1** (cat) minet○ *m*; **2** (girl) nana○ *f*; **3** US (mouth) gueule○ *f*

pussy /ˈpʊsɪ/ *n* **1** GB (cat) lang enfantin minet *m*; **2** ●(female genitals) chatte◑ *f*; (intercourse) baise● *f*

pussy cat *n* **1** lang enfantin minou *m* baby talk; **2** ○fig **he's a real ~** il est très conciliant

pussyfoot○ /ˈpʊsɪfʊt/ *vi* (*also* **~ around, ~ about**) tourner autour du pot○

pussyfooting○ /ˈpʊsɪfʊtɪŋ/
A *n* ¢ tergiversations *fpl*
B *adj* [*attitude, behaviour*] timoré

pussy willow *n* **1** (tree) saule *m* blanc; **2** (catkin) chaton *m* de saule

pustule /ˈpʌstjuːl, US -tʃuːl/ *n* pustule *f*

put /pʊt/
A *n* Fin = **put option**
B *vtr* (*p prés* **-tt-**; *prét, pp* **put**) **1** (place) mettre [*object*]; **~ them here please** mettez-les ici s'il vous plaît; **to ~ sth on/under/around etc** mettre qch sur/sous/autour de etc; **to ~ a stamp on a letter** mettre un timbre sur une lettre; **to ~ a lock on the door/a button on a shirt** mettre une serrure sur la porte/un bouton sur une chemise; **to ~ one's arm around sb** mettre son bras autour de qn; **to ~ one's hands in one's pockets** mettre les mains dans ses poches; **to ~ sth in a safe place** mettre qch en lieu sûr; **to ~ sugar in one's tea** mettre du sucre dans son thé; **to ~ more sugar in one's tea** ajouter du sucre dans son thé; **to ~ more soap in the bathroom** remettre du savon dans la salle de bains
2 (cause to go or undergo) **to ~ sth through** glisser qch dans [*letterbox*]; passer qch par [*window*]; faire passer qch à [*mincer*]; **to ~ one's head through the window** passer la tête par la fenêtre; **to ~ one's fist through the window** casser la fenêtre d'un coup de poing; **to ~ sth through the books** Accts faire passer qch dans les frais généraux; **to ~ sth through a test** faire passer un test à qch; **to ~ sth through a process** faire suivre un processus à qch; **to ~ sb through** envoyer qn à [*university, college*]; faire passer qn par [*suffering, ordeal*]; faire passer [qch] à qn [*test*]; faire suivre [qch] à qn [*course*]; **after all you've put me through** après tout ce que tu m'as fait subir; **to ~ sb through hell** faire souffrir mille morts à qn; **to ~ one's hand/finger to** porter la main/le doigt à [*mouth*]
3 (cause to be or do) mettre [*person*]; **to ~ sb in prison/on a diet** mettre qn en prison/au régime; **to ~ sb on the train** mettre qn dans le train; **to ~ sb in goal/in defence** GB mettre qn dans les buts/en défense; **to ~ sb in a bad mood/in an awkward position** mettre qn de mauvaise humeur/dans une situation délicate; **to ~ sb to work** mettre qn au travail; **to ~ sb to mending/washing sth** faire réparer/laver qch à qn
4 (devote, invest) **to ~ money/energy into sth** investir de l'argent/son énergie dans qch; **if you ~ some effort into your work, you will improve** si tu fais des efforts, ton travail sera meilleur; **to ~ a lot into** s'engager à fond pour [*work, project*]; sacrifier beaucoup à [*marriage*]; **to ~ a lot of effort into sth** faire beaucoup d'efforts pour qch; **she ~s a lot of herself into her novels** il y a beaucoup d'éléments autobiographiques dans ses romans
5 (add) **to ~ sth towards** mettre qch pour [*holiday, gift, fund*]; **~ it towards some new clothes** dépense-le en nouveaux vêtements; **to ~ tax/duty on sth** taxer/imposer qch; **to ~ a penny on income tax** GB augmenter d'un pourcent l'impôt sur le revenu
6 (express) **how would you ~ that in French?** comment dirait-on ça en français?; **how can I ~ it?** comment dirai-je?; **it was—how can I ~ it—unusual** c'était—comment dire—original; **that's one way of ~ting it!** iron on peut le dire comme ça!; **as Sartre ~s it** comme le dit Sartre; **to ~ it simply** pour le dire simplement; **to ~ it bluntly** pour parler franchement; **let me ~ it another way** laissez-moi m'exprimer différemment; **that was very well** *ou* **nicely put** c'était très bien tourné; **to ~ one's feelings/one's anger into words** trouver les mots pour exprimer ses sentiments/sa colère; **to ~ sth in writing** mettre qch par écrit
7 (offer for consideration) présenter [*argument, point of view, proposal*]; **to ~ sth to** soumettre qch à [*meeting, conference, board*]; **to ~ sth to the vote** mettre qch au vote; **I ~ it to you that** Jur j'ai la présomption que
8 (rate, rank) placer; **where would you ~ it on a scale of one to ten?** où est-ce que tu placerais cela sur une échelle allant de un à dix?; **to ~ sb in the top rank of artists** placer qn au premier rang des artistes; **I ~ a sense of humour before good looks** je place le sens de l'humour avant la beauté; **I ~ a sense of humour first** pour moi le plus important c'est le sens de l'humour; **to ~ children/safety first** faire passer les enfants/la sécurité avant tout; **to ~ one's family before everything** faire passer sa famille avant tout
9 (estimate) **to ~ sth at** évaluer qch à [*sum*]; **to ~ the value of sth at** estimer la valeur de qch à [*sum*]; **I'd ~ him at about 40** je lui donnerais à peu près 40 ans
10 Sport lancer [*shot*]
11 Agric (for mating) **to ~ a heifer/mare to** amener une génisse/jument à [*male*]
C *v refl* (*p prés* **-tt-**; *prét, pp* **put**) **to ~ oneself in a strong position/in sb's place** se mettre dans une position de force/à la place de qn

Idioms **I didn't know where to ~ myself** je ne savais pas où me mettre; **I wouldn't ~ it past him!** je ne pense pas que ça le gênerait! (**to do** de faire); **I wouldn't ~ anything past her!** je la crois capable de tout!; **~ it there**○**!** (invitation to shake hands) tope là!; **to ~ it about a bit**◑ péj coucher à droite et à gauche◑; **to ~ one over** *ou* **across** GB **on sb**○ faire marcher qn○

Phrasal verbs ■ **put about** ▸ **~ about** Naut virer de bord; ▸ **~ [sth] about, ~ about [sth]** **1** (spread) faire circuler [*rumour, gossip, story*]; **to ~ (it) about that** faire courir le bruit que; **it is being put about that** le bruit court que; **2** Naut faire virer de bord [*vessel*]

■ **put across**: ▸ **~ across [sth], ~ [sth] across** communiquer [*idea, message, concept, case, point of view*]; mettre [qch] en valeur [*personality*]; **to ~ oneself across** se mettre en valeur

■ **put aside**: ▸ **~ aside [sth], ~ [sth] aside** mettre [qch] de côté [*money, article, differences, divisions, mistrust*]

■ **put away**: ▸ **~ away [sth], ~ [sth] away** **1** (tidy away) ranger [*toys, dishes*]; **2** (save) mettre [qch] de côté [*money*]; **3** ○(consume) avaler [*food*]; descendre○ [*drink*]; ▸ **~ away [sb]**○, **~ [sb] away**○ **1** (in mental hospital) enfermer; **he had to be put away** il a fallu l'enfermer; **2** (in prison) boucler○ [*person*] (**for** pour)

■ **put back**: ▸ **~ back [sth], ~ [sth] back** **1** (return, restore) remettre [*object*]; **to ~ sth back where it belongs** remettre qch à sa place; **2** (postpone) remettre, repousser [*meeting, departure*] (**to** à; **until** jusqu'à); repousser [*date*]; **3** retarder [*clock, watch*]; **remember to ~ your clocks back an hour** n'oubliez pas de retarder votre pendule d'une heure; **4** (delay) retarder [*project, production, deliveries*] (**by** de); **5** ○(knock back) descendre○ [*drink, quantity*]

■ **put by** GB: ▸ **~ [sth] by, ~ by [sth]** mettre [qch] de côté [*money*]; **to have a bit (of money) put by** avoir un peu d'argent de côté

■ **put down**: ▸ **~ down** (land) [*aircraft*] atterrir (**on** sur); ▸ **~ [sth] down, ~ down [sth]** **1** (on ground, table) poser [*object, plane*] (**on** sur); mettre [*rat poison etc*]; **2** (suppress) réprimer [*uprising, revolt, opposition*]; **3** (write down) mettre (par écrit) [*date, time, name*]; **~ down whatever you like** mets ce que tu veux; **4** (ascribe) **to ~ sth down to** mettre qch sur le compte de [*incompetence, human error etc*]; **to ~ sth down to the fact that** imputer qch au fait que; **5** (charge) **to ~ sth down to** mettre qch sur [*account*]; **6** Vet (by injection) piquer; (by other method) abattre; **to have a dog put down** faire piquer un chien; **7** (advance, deposit) **to ~ down a deposit** verser des arrhes; **to ~ £50 down on sth** verser 50 livres d'arrhes sur qch; **8** (lay down, store) mettre [qch] en cave [*wine*]; affiner [*cheese*]; **9** (put on agenda) inscrire [qch] à l'ordre du jour [*motion*]; ▸ **~ [sb] down, ~ down [sb]** **1** (drop off) déposer [*passenger*]; **to ~ sb down on the corner** déposer qn au coin de la rue; **2** ○(humiliate) rabaisser [*person*]; **3** gen Sch (into lower group) faire descendre [*pupil, team*] (**from** de; **to, into** à); **4** (classify, count in) **to ~ sb down as** considérer qn comme [*possibility, candidate, fool*]; **I'd never have put you down as a Scotsman!** je ne t'aurais jamais pris pour un Écossais!; **to ~ sb down for** (note as wanting or offering) compter [qch] pour qn [*contribution*]; (put on waiting list) inscrire qn sur la liste d'attente pour [*school, club*]; **~ me down for a meal** compte un repas pour moi; **to ~ sb down for £10** compter 10 livres pour qn; **to ~ sb down for three tickets** réserver trois billets pour qn

■ **put forth** littér: ▸ **~ forth [sth], ~ [sth] forth** **1** présenter [*shoots, leaves, buds*]; **2** fig émettre [*idea, theory*]

■ **put forward**: ▸ **~ forward [sth], ~ [sth] forward** **1** (propose) avancer [*idea, theory, name*]; soumettre [*plan, proposal, suggestion*]; émettre [*opinion*]; **2** (in time) avancer [*meeting, date, clock*] (**by** de; **to** à); **don't forget to ~ your clocks forward one hour** n'oubliez pas d'avancer votre pendule d'une heure; ▸ **~ [sb] forward, ~ forward [sb]** présenter la candidature de (**for** pour); ▸ **~ sb forward as** présenter qn comme [*candidate*]; **to ~ oneself forward** présenter sa candidature, se présenter; **to ~ oneself forward as a candidate** présenter sa candidature; **to ~ oneself forward for** se présenter pour [*post*]

■ **put in**: ▸ **~ in** **1** [*ship*] faire escale (**at** à; **to** dans; **for** pour); **2** (apply) **to ~ in for** [*person*] postuler pour [*job, promotion, rise*]; demander [*transfer, overtime*]; ▸ **~ in [sth], ~ [sth] in** **1** (fit, install) installer [*central heating, shower, kitchen*]; **to have sth put in** faire installer qch; **2** (make) faire [*request, claim, offer, bid*]; **to ~ in an application for** déposer une demande de [*visa, passport*]; poser sa candidature pour [*job*]; **to ~ in a protest** protester; **to ~ in an appearance** faire une apparition; **3** (contribute) passer [*time, hours, days*]; contribuer pour [*sum, amount*]; **they are**

P

each ~ting in £1 m chacun apporte une contribution d'un million de livres; **to ~ in a lot of time doing** consacrer beaucoup de temps à faire; **to ~ in a good day's work** avoir une bonne journée de travail; **to ~ in a lot of work** se donner beaucoup de mal; **thank you for all the work you've put in** merci pour tout le mal que tu t'es donné; **4** (insert) mettre [*paragraph, word, reference*]; **to ~ in that** mettre que; **to ~ in how/why** expliquer comment/pourquoi; **5** (elect) élire; **that ~s the Conservatives in again** les conservateurs ont donc été élus encore une fois; ► **~ [sb] in for** présenter [qn] pour [*exam, scholarship*]; poser la candidature de [qn] pour [*promotion, job*]; recommander [qn] pour [*prize, award*]; **to ~ oneself in for** poser sa candidature pour [*job, promotion*]

■ **put off**: ► **~ off** Naut partir; ► **~ off from** s'éloigner de [*quay, jetty*]; ► **~ off [sth], ~ [sth] off** **1** (delay, defer) remettre [qch] (à plus tard) [*wedding, meeting*]; **to ~ sth off until June/until after Christmas** remettre qch à juin/à après Noël; **I should see a doctor, but I keep ~ting it off** je devrais voir un médecin, mais je remets toujours ça à plus tard; **to ~ off visiting sb/doing one's homework** remettre à plus tard une visite chez qn/ses devoirs; **2** (turn off) éteindre [*light, radio*]; couper [*radiator, heating*]; ► **~ off [sb], ~ [sb] off** **1** (fob off, postpone seeing) décommander [*guest*]; dissuader [*person*]; **to ~ sb off coming with an excuse** trouver une excuse pour dissuader qn de venir; **to be easily put off** se décourager facilement; **2** (repel) [*appearance, smell, colour*] dégoûter; [*manner, person*] déconcerter; **to ~ sb off sth** dégoûter qn de qch; **don't be put off by the colour—it tastes delicious!** ne te laisse pas dégoûter par la couleur—c'est délicieux!; **3** GB (distract) distraire; **stop trying to ~ me off!** arrête de me distraire!; **you're ~ting me off my work** tu me distrais de mon travail; **4** (drop off) déposer [*passenger*]

■ **put on**: ► **~ on [sth], ~ [sth] on** **1** mettre [*garment, hat, cream, lipstick*]; **2** (switch on, operate) allumer [*light, gas, radio, heating*]; mettre [*record, tape, music*]; **to ~ the kettle on** mettre de l'eau à chauffer; **to ~ the brakes on** freiner; **3** (gain) prendre [*weight, kilo*]; **4** (add) rajouter [*extra duty, tax*]; **5** (produce) monter [*play, exhibition*]; **6** (assume, adopt) prendre [*air, accent, look, expression*]; **he's ~ting it on** il fait semblant; **7** (lay on, offer) ajouter [*extra train, bus service*]; proposer [*meal, dish*]; **8** (put forward) avancer [*clock*]; **9** Turf (bet) parier [*amount*]; **to ~ a bet on** faire un pari; ► **~ [sb] on** **1** Telecom (connect) passer; **I'll ~ him on** je vous le passe; **2** °US faire marcher° [*person*]; **3** (recommend) **to ~ sb on to sth** indiquer qch à qn; **who put you on to me?** qui vous a envoyé à moi?; **4** (put on track of) **to ~ sb on to** mettre qn sur la piste de [*killer, criminal, runaway*]

■ **put out**: ► **~ out** **1** Naut partir (**from** de); **to ~ out to sea** mettre à la mer; **2** ◑US péj coucher avec n'importe qui°; ► **~ out [sth], ~ [sth] out** **1** (extend) tendre [*hand, arm, foot, leg*]; **to ~ out one's tongue** tirer la langue; **2** (extinguish) éteindre [*fire, cigarette, candle, light*]; **3** (take outside) sortir [*bin, garbage*]; faire sortir [*cat*]; **4** (issue) diffuser [*description, report, warning*]; faire [*statement*]; propager [*rumour*]; **5** (make available, arrange) mettre [*food, dishes, towels etc*]; **6** (sprout) déployer [*shoot, bud, root*]; **7** (cause to be wrong) fausser [*figure, estimate, result*]; **8** (dislocate) se démettre [*shoulder, ankle*]; **9** (subcontract) confier [qch] en sous-traitance [*work*] (**to** à); ► **~ [sb] out** **1** (inconvenience) déranger; **to ~ oneself out** se mettre en quatre° (**to do** pour faire); **to ~ oneself out for sb** se donner beaucoup de mal pour qn; **don't ~ yourself out for us** ne vous dérangez pas pour nous; **2** (annoy) contrarier; **he looked really put out** il avait l'air vraiment contrarié; **3** (evict) expulser

■ **put over** = **put across**

■ **put through**: ► **~ [sth] through, ~ through [sth]** **1** (implement) faire passer [*reform, bill, amendment, plan, measure*]; **2** Telecom (transfer) passer [*call*] (**to** à); **she put through a call from my husband** elle m'a passé mon mari°; ► **~ [sb] through** Telecom passer [*caller*] (**to** à); **I'm just ~ting you through** je vous le/la passe; **I was put through to another department** on m'a passé un autre service

■ **put together**: ► **~ [sb/sth] together, ~ together [sb/sth]** **1** (assemble) assembler [*pieces, parts*]; **to ~ sth together again, to ~ sth back together** reconstituer qch; **more/smarter than all the rest put together** plus/plus intelligent que tous les autres réunis; **2** (place together) mettre ensemble [*animals, objects, people*]; **3** (form) former [*coalition, partnership, group, team, consortium*]; **4** (edit, make) constituer [*file, portfolio, anthology*]; rédiger [*newsletter, leaflet*]; établir [*list*]; faire [*film, programme, video*]; **5** (concoct) improviser [*meal*]; **6** (present) constituer [*case*]; construire [*argument, essay*]

■ **put up**: ► **~ up** **1** (stay) **to ~ up at sb's** se faire héberger par qn; **to ~ up in a hotel** descendre à l'hôtel; **2** **to ~ up with** (tolerate) supporter [*behaviour, person*]; **to have a lot to ~ up with** avoir beaucoup de choses à supporter; ► **~ up [sth]** opposer [*resistance*]; **to ~ up a fight/struggle** combattre; **to ~ up a good performance** [*team, competitor*] bien se défendre; ► **~ [sth] up, ~ up [sth]** **1** (raise) hisser [*flag, sail*]; relever [*hair*]; **to ~ up one's hand/leg** lever la main/la jambe; **~ your hands up!** (in class) levez le doigt!; **~ 'em up°!** (to fight) bats-toi!; (to surrender) haut les mains!; **2** (post up) mettre [*sign, poster, notice, plaque, decorations*]; afficher [*list*]; **to ~ sth up on the wall/on the board** afficher qch sur le mur/au tableau; **3** (build, erect) dresser [*fence, barrier, tent*]; construire [*building, memorial*]; **4** (increase, raise) augmenter [*rent, prices, tax*]; faire monter [*temperature, pressure*]; **5** (provide) fournir [*money, amount, percentage*] (**for** pour; **to do** pour faire); **6** (present) soumettre [*proposal, argument*]; **to ~ sth up for discussion** soumettre qch à la discussion; **7** (put in orbit) placer [qch] en orbite [*satellite, probe*]; ► **~ [sb] up, ~ up [sb]** **1** (lodge) héberger; **2** (as candidate) présenter [*candidate*]; **to ~ sb up for** proposer qn comme [*leader, chairman*]; proposer qn pour [*promotion, position*]; **to ~ oneself up for** se proposer comme [*chairman*]; se proposer pour [*post*]; **3** (promote) faire passer [qn] au niveau supérieur [*pupil*]; **to be put up** [*pupil, team*] monter (**to** dans); **4** (incite) **to ~ sb up to sth/to doing** pousser [qn] à/à faire; **somebody must have put her up to it** quelqu'un a dû l'y pousser

■ **put upon**: ► **~ upon [sb]** abuser de [*person*]; **to be put upon** se faire marcher sur les pieds; **to feel put upon** avoir l'impression de se faire marcher sur les pieds; **I won't be put upon any more** je ne me ferai plus jamais avoir°

put and call *n* GB Fin double option *f*

putative /ˈpjuːtətɪv/ *adj* sout putatif/-ive

put-down /ˈpʊtdaʊn/ *n* remarque *f* humiliante; **it was a real ~** ça l'a vraiment remis à sa place

put: **~ option** *n* Fin Comm option *f* de vente; **~-out°** *adj* (offended) contrarié

putrefaction /ˌpjuːtrɪˈfækʃn/ *n* putréfaction *f*

putrefy /ˈpjuːtrɪfaɪ/
A *vtr* putréfier
B *vi* se putréfier

putrescence /pjuːˈtresns/ *n* sout putrescence *f*

putrescent /pjuːˈtresnt/ *adj* sout putrescent, en voie de putréfaction

putrid /ˈpjuːtrɪd/ *adj* **1** sout (decaying) putride; **2** °(awful) dégoûtant

putsch /pʊtʃ/ *n* putsch *m*

putt /pʌt/
A *n* putt *m*
B *vtr, vi* putter

puttee /ˈpʌtɪ/ *n* bande *f* molletière

putter /ˈpʌtə(r)/
A *n* Sport putter *m*
B *vi* **1** **to ~ along/past** avancer/passer dans un ronronnement de moteur; **2** US = **potter B**

putting green *n* green *m*

putty /ˈpʌtɪ/
A *n* mastic *m*
B *vtr* mastiquer
(Idiom) **he's like ~ in my hands** j'en fais ce que je veux

put: **~-up job°** *n* coup *m* monté; **~-you-up°** *n* GB canapé-lit *m*

putz /pʊts/ *n* US **1** ◑(person) détraqué/-e° *m/f*; **2** ●(penis) bitte● *f*, pénis *m*

Puy-de-Dôme ► **p. 1129** *pr n* Puy-de-Dôme *m*; **in/to the ~** dans le Puy-de-Dôme

puzzle /ˈpʌzl/
A *n* **1** (mystery) mystère *m*; **it's a ~ to me how/why** je n'arrive pas à comprendre comment/pourquoi; **it's a bit of a ~°** GB c'est un peu mystérieux; **2** Games casse-tête *m inv*; ► **crossword, jigsaw**
B *vtr* [*question, attitude*] déconcerter [*person*]
C *vi* **to ~ over sth** réfléchir à qch
(Phrasal verb) ■ **puzzle out**: ► **~ out [sth], ~ [sth] out** deviner [*identity, meaning*]

puzzle book *n* livre *m* de jeux

puzzled /ˈpʌzld/ *adj* [*person, smile*] perplexe; **to be ~ as to why/how** se demander pourquoi/comment

puzzlement /ˈpʌzlmənt/ *n* perplexité *f*

puzzler /ˈpʌzlə(r)/ *n* énigme *f*

puzzling /ˈpʌzlɪŋ/ *adj* curieux/-ieuse

PVC *n* (*abrév* = **polyvinyl chloride**) PVC *m*

Pvt *n* Mil *abrév écrite* = **private**

pw (*abrév* = **per week**) par semaine

PWR *n* (*abrév* = **pressurized water reactor**) REP *m*

PX *n* US (*abrév* = **Post Exchange**) coopérative *f* militaire

pygmy /ˈpɪgmɪ/
A *n* **1** Anthrop (*also* **Pygmy**) pygmée *mf*; **2** péj pygmée *m*
B *modif* [*feature, tradition, race*] pygmée

pygmy shrew *n* musaraigne *f* pygmée

pyjama GB, **pajama** US /pəˈdʒɑːmə/
A *modif* [*cord, jacket, trousers*] de pyjama
B **pyjamas** *npl* pyjama *m*; **a pair of ~s** un pyjama; **to be in one's ~s** être en pyjama

pylon /ˈpaɪlən, -lɒn/ *n* Elec, Aviat, Antiq pylône *m*; **electricity ~** pylône *m* électrique

pylori /paɪˈlɔːraɪ/ *pl* ► **pylorus**

pyloric /paɪˈlɒrɪk/ *adj* pylorique

pylorus /paɪˈlɔːrəs/ *n* (*pl* **-lori**) pylore *m*

PYO *n*: *abrév* ► **pick your own**

pyorrhea /ˌpaɪəˈrɪə/ ► **p. 1327** *n* pyorrhée *f*

pyramid /ˈpɪrəmɪd/
A *n* pyramide *f*
B *vi* Fin spéculer en réinvestissant des bénéfices fictifs

pyramidal /pɪˈræmɪdl/ *adj* pyramidal

pyramidal tract *n* Anat faisceau *m* pyramidal

pyramid selling *n* vente *f* en cascade

pyre /ˈpaɪə(r)/ *n* bûcher *m*

Pyrenean /ˌpɪrəˈniːən/ *adj* pyrénéen/-éenne

Pyrenean mountain dog *n* berger *m* des Pyrénées

Pyrenees /ˌpɪrəˈniːz/ *pr npl* Pyrénées *fpl*

Pyrénées-Atlantiques ► **p. 1129** *pr n* Pyrénées-Atlantiques *fpl*; **in/to the ~** dans les Pyrénées-Atlantiques

Pyrénées-Orientales ► **p. 1129** *pr n* Pyrénées-Orientales *fpl*; **in/to the ~** dans les Pyrénées-Orientales

pyrethrin /paɪˈriːθrɪn/ *n* pyréthrine *f*

pyrethrum /paɪˈriːθrəm/ *n* (plant, insecticide) pyrèthre *m*

p

pyretic /paɪ'retɪk, pɪ-/ *adj* pyrétique

Pyrex® /'paɪreks/

A *n* Pyrex® *m*

B *modif* [*dish, jug*] en Pyrex®

pyrexia /paɪ'reksɪə/ *n* pyrexie *f*

pyrexic /paɪ'reksɪk/ *adj* pyrétique

pyrite(s) /paɪ'raɪt(iːz), US pɪ'raɪt(iːz)/ *n* pyrite *f*

pyritic /paɪ'rɪtɪk/ *adj* pyriteux/-euse

pyromania /,paɪrəʊ'meɪnɪə/ *n* pyromanie *f*

pyromaniac /,paɪrəʊ'meɪnɪæk/ *n* pyromane *mf*

pyrotechnic /,paɪrə'teknɪk/ *adj* pyrotechnique; ~ **display** feu *m* d'artifice

pyrotechnics /,paɪrə'teknɪks/ *n* **1** (+ *v sg*) (science) pyrotechnie *f*; **2** (+ *v sg*) (display) feu *m* d'artifice; **3** (+ *v pl*) **verbal/intellectual** ~ feux *mpl* d'artifice verbaux/intellectuels

Pyrrhic /'pɪrɪk/ *adj* **a** ~ **victory** une victoire à la Pyrrhus

Pythagoras /paɪ'θægərəs/ *pr n* Pythagore

Pythagorean /paɪ,θægə'riːən/ *adj* [*philosophy*] pythagoricien/-ienne; [*theorem*] de Pythagore; [*number*] pythagorique

python /'paɪθn, US 'paɪθɒn/ *n* python *m*

pyx /pɪks/ *n* (in church) custode *f*; (for the sick) pyxide *f*

p

Qq

q, **Q** /kjuː/ *n* q, Q *m*

Q and A *n* (*abrév* = **question and answer**) questions-réponses *fpl*

Qatar /kæˈtɑː/ ▸ **p. 1096** *pr n* Qatar *m*

Qatari /kæˈtɑːrɪ/ ▸ **p. 1467**

A *n* Qatari *mf*

B *adj* qatari

QC *n* GB, Jur (*abrév* = **Queen's Counsel**) *titre conféré à un avocat éminent*

QE2 *n* Naut *abrév* = **Queen Elizabeth II**

QED (*abrév* = **quod erat demonstrandum**) CQFD

qt○ /kjuːˈtiː/ *n* (*abrév* = **quiet**) **on the ~** en cachette

Q-tip® *n* coton-tige® *m*

qty *n*: *abrév écrite* = **quantity**

quack /kwæk/

A *n* **1** (impostor) charlatan *m*; **2** ○GB (doctor) toubib○ *m*; **3** onomat coin-coin *m inv*

B *vi* onomat cancaner

quackery /ˈkwækərɪ/ *n* charlatanisme *m*

quack grass *n* US chiendent *m*

quad /kwɒd/ *n* **1** *abrév* ▸ **quadrangle**; **2** *abrév* ▸ **quadruplet**

quad bike *n* quad *m*

quad biking ▸ **p. 1253** *n* quad *m*; **to go ~** faire du quad

Quadragesima /ˌkwɒdrəˈdʒesɪmə/ *n* quadragésime *f*

quadrangle /ˈkwɒdræŋgl/ *n* **1** Math quadrilatère *m*; **2** Archit cour *f* carrée

quadrangular /kwɒˈdræŋgjʊlə(r)/ *adj* quadrangulaire

quadrant /ˈkwɒdrənt/ *n* quadrant *m*

quadraphonic /ˌkwɒdrəˈfɒnɪk/ *adj* quadriphonique

quadraphonics /ˌkwɒdrəˈfɒnɪks/ *n* (+ *v sg*) quadriphonie *f*

quadraphony /kwɒˈdrɒfənɪ/ *n* quadriphonie *f*

quadrat /ˈkwɒdrət/ *n* Biol, Ecol quadrat *m*

quadratic /kwɒˈdrætɪk/ *adj* quadratique

quadratic equation *n* équation *f* du second degré

quadrature /ˈkwɒdrətʃə(r)/ *n* Math, Astron, Electron quadrature *f*

quadriceps /ˈkwɒdrɪˌseps/ *n* (*pl* ~) quadriceps *m*

quadrilateral /ˌkwɒdrɪˈlætərəl/

A *n* quadrilatère *m*

B *adj* quadrilatéral

quadrilingual /ˌkwɒdrɪˈlɪŋgwəl/ *adj* quadrilingue

quadrille /kwɒˈdrɪl/ *n* quadrille *m*

quadrillion /kwɒˈdrɪlɪən/ *n* GB quatrillion *m*, US trillion *m*

quadripartite /ˌkwɒdrɪˈpɑːtaɪt/ *adj* quadripartite

quadriplegia /ˌkwɒdrɪˈpliːdʒə/ *n* tétraplégie *f*

quadriplegic /ˌkwɒdrɪˈpliːdʒɪk/ *adj* tétraplégique

quadroon /kwɒˈdruːn/ *n* quarteron/-onne *m/f*

quadrophonic *adj* = **quadraphonic**

quadruped /ˈkwɒdrʊped/ *n, adj* quadrupède (*m*)

quadruple

A /ˈkwɒdrʊpl, US kwɒˈdruːpl/ *n, adj* quadruple (*m*)

B /kwɒˈdruːpl/ *vtr, vi* quadrupler

quadruplet /ˈkwɒdrʊplət, US kwɒˈdruːp-/ *n* quadruplé/-e *m/f*; **a set of ~s** des quadruplés

quadruple therapy *n* Med quadrithérapie *f*

quadruplicate /kwɒˈdruːplɪkət/ *n* **in ~** en quatre exemplaires

quaff‡ /kwɒf, US kwæf/ *vtr* lamper [*wine, ale*]

quagmire /ˈkwɒgmaɪə(r), ˈkwæg-/ *n* bourbier *m* also fig

quahog /ˈkwɔːˌhɒg/ *n* clam *m*

quail /kweɪl/

A *n* (*pl* **~s** *ou collect* **~**) (bird) caille *f*; **~'s eggs** œufs de caille

B *vi* fléchir; **he ~ed before her/at the thought of all that work** il a fléchi devant elle/à la pensée de tout ce travail

quaint /kweɪnt/ *adj* **1** (pretty) [*pub, village, name*] pittoresque; **how ~!** comme c'est pittoresque! also iron; **2** [*manners, ways*] (old-world) d'un charme suranné; (slightly ridiculous) au charme vieillot; **3** (odd) [*reminder, conviction*] bizarre; (unusual) [*title, name*] original

quaintly /ˈkweɪntlɪ/ *adv* [*speak, dress*] d'une manière pittoresque

quaintness /ˈkweɪntnɪs/ *n* pittoresque *m*

quake /kweɪk/

A *n* (earthquake) tremblement *m* de terre

B *vi* [*earth, person*] trembler; **to ~ with fear** trembler de peur

Quaker /ˈkweɪkə(r)/ *n* Quaker/-eresse *m/f*

Quaker gun *n* US fusil *m* factice

Quakerism /ˈkweɪkərɪzəm/ *n* quakerisme *m*

Quaker meeting *n* réunion *f* de Quakers

qualification /ˌkwɒlɪfɪˈkeɪʃn/ *n* **1** (diploma, degree etc) diplôme *m* (**in** en); (experience, skills) qualification *f*, compétence *f*; (attribute) qualité *f*; **to have the (necessary** *ou* **right) ~s for/for doing** *ou* **to do** (on paper) avoir les titres requis pour/pour faire; (in experience, skills) avoir les qualifications *or* les compétences pour/pour faire; **2** GB (graduation) **my first job after ~** mon premier travail après avoir reçu mon diplôme; **3** (restriction) restriction *f*; **to accept sth without ~** accepter qch sans restriction; **my only ~ is (that)** ma seule réserve est que; **4** Admin (eligibility) droit *m*; **~ for benefits** droit à des allocations; **5** Ling qualification *f*

qualification share *n* Fin action *f* de garantie

qualified /ˈkwɒlɪfaɪd/ *adj* **1** (for job) (having diploma) diplômé; (having experience, skills) qualifié; **~ homeopath/nurse** homéopathe/infirmier/-ière diplômé/-e; **to be ~ for sth/to do** (on paper) avoir les titres requis pour qch/pour faire; (by experience, skills) être qualifié pour qch/pour faire; **~ teacher** GB *professeur ayant achevé sa formation pédagogique*; **2** (competent) (having authority) qualifié (**to do** pour faire), habilité fml (**to do** à faire); (having knowledge) compétent (**to do** pour faire); **not having read the report, I am not ~ to discuss it** n'ayant pas lu le rapport, je ne suis pas compétent pour en discuter; **3** (modified) [*approval, praise, success*] nuancé, mitigé

qualified majority voting *n* EU vote *m* à la majorité qualifiée

qualifier /ˈkwɒlɪfaɪə(r)/ *n* **1** Sport (contestant) qualifié/-e *m/f*; (match) éliminatoire *m*; **2** Ling qualificatif *m*

qualify /ˈkwɒlɪfaɪ/

A *vtr* **1** (make competent) **to ~ sb for a job/to do** [*degree, diploma*] habiliter qn à exercer un emploi/à faire; [*experience, skills*] rendre qn apte à exercer un emploi/à faire; **to ~ to do** avoir les connaissances requises pour faire; **2** Admin **to ~ sb for sth** donner droit à qch à qn [*membership, benefit, legal aid*]; **to ~ sb to do** donner à qn le droit de faire; **to ~ to do** avoir le droit de faire; **3** gen (give authority to) **to ~ sb to do** autoriser qn à faire; **that doesn't ~ you to criticize me** cela ne t'autorise pas à me critiquer; **taking a few family photos hardly qualifies him as a photographer** le fait qu'il prenne quelques photos de famille n'en fait pas pour autant un photographe; **4** (modify) nuancer [*acceptance, approval, opinion*]; préciser [*statement, remark*]; **5** Ling qualifier

B *vi* **1** (obtain diploma, degree etc) obtenir son diplôme (**as** de, en); (have experience, skill) avoir les connaissances requises (**for** pour); **while she was ~ing as an engineer/teacher** pendant qu'elle faisait ses études d'ingénieur/pour devenir professeur; **2** Admin remplir les conditions (requises); **to ~ for** avoir droit à [*membership, benefit, legal aid*]; **3** (meet standard) **he hardly qualifies as a poet** ce n'est pas vraiment ce que l'on peut appeler un poète; **4** Sport se qualifier (**for** pour)

qualifying /ˈkwɒlɪfaɪɪŋ/ *adj* **1** gen [*match, exam*] de qualification; **~ round** Sport épreuve de qualification; **~ period** (until trained) (periode *f* de) stage *m*; (until eligible) période *f* d'attente; **2** Ling qualificatif/-ive

qualitative /ˈkwɒlɪtətɪv, US -teɪt-/ *adj* qualitatif/-ive

qualitatively /ˈkwɒlɪtətɪvlɪ/ *adv* qualitativement

quality /ˈkwɒlətɪ/

A *n* **1** (worth) qualité *f*; **good/poor ~** bonne/mauvaise qualité; **the ~ of life** la qualité de la vie; **2** (attribute) qualité *f*; **3** †**the ~** (upper classes) les gens de qualité†

B *modif* [*car, jacket, food, workmanship, newspaper, press*] de qualité

quality assurance *n* Comm contrôle *m* de la qualité

quality control

A *n* contrôle *m* de qualité

B *modif* [*techniques, procedure*] de contrôle de qualité

quality controller ▸ **p. 1683** *n* inspecteur/-trice *m/f* chargé/-e du contrôle de la qualité, qualiticien/-ienne *m/f*

quality time *n* (with loved one) temps *m* en tête à tête, temps *m* de qualité

Quantities

■ *Note the use of* en (of it *or* of them) *in the following examples. This word must be included when the thing you are talking about is not expressed (the French says literally* there is of it a lot, there is of it two kilos, I have of them a lot *etc.*). *However,* en *is not needed when the commodity is specified e.g.* there is a lot of butter = il y a beaucoup de beurre.

how much is there?
= combien y en a-t-il?

there's a lot
= il y en a beaucoup*

there's not much
= il n'y en a pas beaucoup

there's two kilos
= il y en a deux kilos

how much sugar have you got?
= combien de sucre as-tu?

I've got a lot
= j'en ai beaucoup

I've not got much
= je n'en ai pas beaucoup

I've got two kilos
= j'en ai deux kilos

how many are there?
= combien y en a-t-il?

there are a lot
= il y en a beaucoup

there aren't many
= il n'y en a pas beaucoup

there are twenty
= il y en a vingt

how many apples have you?
= combien de pommes as-tu?
or tu as combien de pommes?

I've got a lot
= j'en ai beaucoup

I haven't many
= je n'en ai pas beaucoup

I've got twenty
= j'en ai vingt

A has got more than B
= A en a plus que B

A has got more money than B
= A a plus d'argent que B

much more than
= beaucoup plus que

a little more than
= un peu plus que

A has got more apples than B
= A a plus de pommes que B

many more apples than B
= beaucoup plus de pommes que B

a few more apples than B
= quelques pommes de plus que B

a few more people than yesterday
= quelques personnes de plus qu'hier

B has got less money than A
= B a moins d'argent que A

B has got less than A
= B en a moins que A

much less than
= beaucoup moins que

a little less than
= un peu moins que

B has got fewer than A
= B en a moins que A

B has got fewer apples than A
= B a moins de pommes que A

many fewer than
= beaucoup moins que

Relative quantities

how many are there to the kilo?
= combien y en a-t-il au kilo?

there are ten to the kilo
= il y en a dix au kilo

you can count six to the kilo
= il faut en compter six au kilo

how many do you get for ten euros?
= combien peut-on en avoir pour dix euros?

you get five for ten euros
= il y en a cinq pour dix euros

how much does it cost a litre?
= combien coûte le litre?

it costs £5 a litre
= ça coûte cinq livres le litre

how much do apples cost a kilo?
= combien coûte le kilo de pommes?

apples cost two euros a kilo
= les pommes coûtent deux euros le kilo

how much does it cost a metre?
= combien coûte le mètre?

how much does your car do to the gallon?
= combien consomme votre voiture?

it does 28 miles to the gallon
= elle fait dix litres aux cent

■ (*Note that the French calculate petrol consumption in litres per 100 km. To convert mpg to litres per 100 km and vice versa, simply divide 280 by the known figure.*)

how many glasses do you get to the bottle?
= combien y a-t-il de verres par bouteille?

you get six glasses to the bottle
= il y a six verres par bouteille

* *Never use* très *with* beaucoup.

qualm /kwɑːm/ *n* scrupule *m*; **to have no ~s about doing** ne pas avoir le moindre scrupule à faire; **to suffer ~s of guilt** *ou* **conscience** avoir des scrupules

quandary /ˈkwɒndərɪ/ *n* embarras *m*; (serious) dilemme *m*; **to be in a ~** être devant un dilemme (**about, over** à propos de)

quango /ˈkwæŋgəʊ/ *n* (*pl* **~s**) GB organisme *m* autonome d'État

> **Quango**
> Organisme semi-public financé par l'État, qui dispose cependant d'une large autonomie pour administrer un secteur particulier de la vie nationale (*Arts Council, Equal Opportunities Commission*, etc.). Ce mot est formé des premières lettres de l'expression *quasi-autonomous non-governmental organization.*

quanta /ˈkwɒntə/ *npl* ▸ **quantum**

quantifiable /ˌkwɒntɪˈfaɪəbl/ *adj* facile à évaluer

quantifier /ˈkwɒntɪfaɪə(r)/ *n* Ling, Philos quantificateur *m*

quantify /ˈkwɒntɪfaɪ/ *vtr* gen évaluer avec précision; Philos, Phys quantifier

quantitative /ˈkwɒntɪtətɪv, US -teɪt-/ *adj* gen quantitatif/-ive; Literat de quantité; **~ analysis** Chem analyse quantitative

quantitatively /ˈkwɒntɪtətɪvlɪ/ *adv* quantitativement

quantity /ˈkwɒntətɪ/ ▸ **p. 1590**
A *n* gen, Literat quantité *f*; **in ~** en grande quantité; **a ~ of** une quantité de; **unknown ~** Math, fig inconnue *f*
B *modif* [*purchase, sale*] en grande quantité; [*production*] en série

quantity: **~ mark** *n* Literat signe *m* de quantité; **~ surveying** *n* métrage *m*; **~ surveyor** ▸ **p. 1683** *n* métreur *m*

quantum /ˈkwɒntəm/
A *n* (*pl* **-ta**) quantum *m*
B *modif* [*mechanics, number, optics, statistics*] quantique

quantum: **~ leap** *n* Phys saut *m* quantique; fig bond *m* prodigieux; **~ theory** *n* théorie *f* quantique

quarantine /ˈkwɒrəntiːn, US ˈkwɔːr-/
A *n* quarantaine *f*; **in ~** en quarantaine; **to go into/come out of ~** être placé en/sortir de quarantaine; **six months' ~** six mois de quarantaine
B *modif* [*hospital, kennels, period, laws*] de quarantaine
C *vtr* mettre [qn/qch] en quarantaine

quark /kwɑːk/ *n* quark *m*

quarrel /ˈkwɒrəl, US ˈkwɔːrəl/
A *n* **1** (argument) dispute *f* (**between** entre; **over** au sujet de); **to have a ~** se disputer; **2** (feud) brouille *f* (**about, over** au sujet de); **to have a ~ with sb** être brouillé avec qn; **3** (difference of opinion) différend *m*; **to have no ~ with sb** ne rien avoir contre qn; **to have no ~ with sth** ne rien avoir à redire à qch
B *vi* (*p prés etc* **-ll-**, US **-l-**) **1** (argue) se disputer; **2** (sever relations) se brouiller; **3** (dispute) **to ~ with** contester [*claim, idea, statistics*]; se plaindre de [*price, verdict*]

quarrelling, **quarreling** US /ˈkwɒrəlɪŋ, US ˈkwɔː-/ *n* **₵** disputes *fpl*; **stop your ~!** arrêtez de vous disputer!

quarrelsome /ˈkwɒrəlsəm, US ˈkwɔː-/ *adj* [*person, nature*] querelleur/-euse; [*comment, remark*] agressif/-ive

quarry /ˈkwɒrɪ, US ˈkwɔːrɪ/
A *n* **1** (in ground) carrière *f*; **chalk/slate ~** carrière de craie/d'ardoise; **2** (prey) proie *f*; (in hunting) gibier *m* also fig
B *vtr* (*also* **~ out**) extraire [*stone*]
C *vi* **to ~ for** extraire [*stone, gravel*]

quarry: **~man** ▸ **p. 1683** *n* carrier *m*; **~ tile** *n* carreau *m* de terre cuite; **~-tiled floor** *n* carrelage *m* en terre cuite

quart /kwɔːt/ ▸ **p. 1029** *n* ≈ litre *m* (GB *1.136 l*, US *0.946 l*)

(Idiom) **you can't get a ~ into a pint pot** (ça ne peut pas entrer) il n'y a vraiment pas la place

quarter /ˈkwɔːtə(r)/ ▸ **p. 1059, p. 1108, p. 1883**
A *n* **1** (one fourth) (of area, cake, litre, kilometre, tonne) quart *m*; **a ~ of a hectare/of the population** un quart d'hectare/de la population; **2** (15 minutes) **~ of an hour** quart *m* d'heure; **in ~ of an hour** dans un quart d'heure; **3** gen, Fin (three months) trimestre *m*; **4** (district) quartier *m*; **residential/poor/artists' ~** quartier résidentiel/pauvre/des artistes; **5** (group) milieu *m*; **there was criticism in some** *ou* **certain ~s** il y a eu des critiques dans certains milieux; **don't expect help from that ~** n'attends aucune aide de ce côté-là; **6** (mercy) littér quartier *m* liter, pitié *f*; **to get no ~ from sb** ne recevoir aucune pitié de la part de qn; **to give no ~** ne pas faire de quartier; **7** US (25 cents) vingt-cinq cents *mpl*; **8** GB Meas = 113,4 g; **9** US Meas = 12,7 kg; **10** Culin quartier *m*; **~ of beef** quartier de bœuf; **11** Sport (time period) quart *m* de temps; **12** Astron quartier *m*; **13** gen, Naut **on the port/starboard ~** par la hanche de bâbord/tribord; **a wind from a southerly ~** un vent du sud; **from all**

~s of the globe fig de tous les coins du monde; 14 Herald quartier m

B quarters npl Mil quartiers mpl, gen logement m; **to take up ~s** se loger (in dans); **to retire to one's ~s** rentrer dans ses quartiers; **to be confined to ~s** Mil être cantonné dans ses quartiers; **single/married ~s** logements pour célibataires/familles; **servants' ~s** quartiers des domestiques; **we're living in very cramped ~s** nous vivons à l'étroit; **battle** ou **general ~s** Mil poste m de combat

C pron 1 (25%) quart m; **only a ~ passed** seul le quart a réussi; **you can have a ~ now and the rest later** tu peux en avoir le quart maintenant et le reste plus tard; 2 (in time phrases) **at (a) ~ to 11** GB, **at a ~ of 11** US à onze heures moins le quart; **an hour and a ~** une heure et quart; 3 (in age) **she's ten and a ~** elle a dix ans et trois mois

D adj **she has a ~ share in the company** elle a un quart des actions de l'entreprise; **a ~ century** (25 years) un quart de siècle; (25 runs at cricket) *25 points au cricket*; **a ~ mile** ≈ 500 m; **a ~ tonne** ≈ 250 kg; **three and a ~ years** trois ans et trois mois

E adv **a ~ full** au quart plein; **a ~ as big** quatre fois moins grand; **~ the price/size** quatre fois moins cher/grand

F at close quarters adv phr de près; **I had never seen a zebra at close ~s** je n'avais jamais vu un zèbre de près; **seen at close ~s, he's ugly** vu de près il est laid; **to fight at close ~s** lutter au corps à corps

G vtr 1 (divide into four) couper [qch] en quatre [*cake, apple*]; 2 (accommodate) cantonner [*troops*]; loger [*people*]; abriter [*livestock*]; 3 Hist (torture) écarteler [*prisoner*]; 4 Hunt [*dogs*] quêter

quarter: **~back** n US quarterback m (*joueur qui dirige l'attaque*); **~-binding** n demi-reliure f (sans coins); **~-bound** adj demi-reliure f; [*book, manuscript*] en demi-reliure; **~-day** n (jour m du) terme m

quarterdeck /'kwɔːtəˌdek/ n 1 Naut (on ship) plage f arrière; 2 (officers) officiers mpl

quarterfinal n quart m de finale

quartering /'kwɔːtərɪŋ/ n 1 Mil cantonnement m (**on sb** chez qn); 2 Herald écartelure f

quarter-light n Aut déflecteur m

quarterly /'kwɔːtəlɪ/

A n Publg trimestriel m

B adj trimestriel/-ielle

C adv tous les trois mois

quarter: **~master** ▸ p. 1599 n (in army) intendant m; (in navy) maître m de timonerie; **~master general** ▸ p. 1599 n Mil GB commissaire m; US commissaire m général de division; **~master sergeant** ▸ p. 1599 n US Mil fourrier m; **~-miler** n Sport ≈ spécialiste mf du 400 m; **~note** n US Mus noire f; **~-pounder** n Culin *hamburger contenant environ 100 grammes de bœuf*; **~staff** n Hist, Mil bâton m

quartet /kwɔː'tet/ n gen, Mus quatuor m; **piano/string ~** quatuor avec piano/à cordes; **jazz ~** quartette m

quarto /'kwɔːtəʊ/

A n (pl **-tos**) in-quarto m; **bound in ~** relié in-quarto

B modif [*size, book*] in-quarto

quartz /kwɔːts/

A n quartz m

B modif [*crystal, deposit, mine*] de quartz; [*clock, lamp, watch*] à quartz

quartz glass n verre m de silice

quartzite /'kwɔːtsaɪt/ n quartzite m

quasar /'kweɪzɑː(r)/ n quasar m

quash /kwɒʃ/ vtr 1 Jur annuler; 2 gen rejeter [*decision, proposal*]; réprimer [*rebellion*]

quasi+ /'kweɪzaɪ, 'kwɑːzɪ/ (*dans composés*) quasi (+ *adj*), quasi- (+ *noun*); **~-military/-official** quasi militaire/officiel; **a ~-state** un quasi-État

quatercentenary /ˌkwætəsen'tiːnərɪ, US -'sentənerɪ/ n quatrième centenaire m

quaternary /kwə'tɜːnərɪ/

A n 1 Math quatre m; (set) ensemble m de quatre; 2 Geol **the Quaternary** le quaternaire

B adj Chem, Geol quaternaire

quatrain /'kwɒtreɪn/ n quatrain m

quaver /'kweɪvə(r)/

A n 1 Mus GB croche f; 2 (trembling) tremblement m (in dans)

B vtr **'Yes,' he ~ed** 'Oui,' dit-il d'une voix tremblotante

C vi trembloter

quavering /'kweɪvərɪŋ/

A n tremblotement m

B adj tremblotant

quaveringly /'kweɪvərɪŋlɪ/ adv d'une voix tremblotante

quavery /'kweɪvərɪ/ adj = **quavering B**

quay /kiː/ n quai m; **at** ou **alongside the ~** à quai; **on the ~** sur le quai

quayside /'kiːsaɪd/ n quai m; **at the ~** (boat) à quai; (people, cargo) sur le quai

queasiness /'kwiːzɪnɪs/ n nausée f

queasy /'kwiːzɪ/ adj 1 lit **to be** ou **feel ~** avoir mal au cœur; **to have a ~ stomach** (tendency) avoir l'estomac délicat; (temporary) avoir l'estomac un peu dérangé; 2 fig [*conscience*] mauvais; **to have a ~ feeling about sth, to feel ~ about sth** se sentir mal à l'aise en ce qui concerne qch

Quebec ➡ /kwɪ'bek/ ▸ p. 1815

A pr n 1 (town) Québec m; **in ~** à Québec; 2 (province) Québec m; **in ~** au Québec

B modif [*people, architecture, culture*] québécois

Quebec(k)er /kwɪ'bekə(r)/, **Quebecois** /kwɪ'bekwɑː/ n Québécois/-e m/f

Quechua /'ketʃwə/ ▸ p. 1378 n Ling quechua m

queen /kwiːn/

A n ▸ p. 1237 1 (monarch) lit, fig reine f; **the Queen** la Reine; **Queen Anne** la Reine Anne; 2 Zool reine f; 3 Games (in chess) reine f; (in cards) dame f; 4 °injur (homosexual) tante° f offensive, homosexuel m

B vtr (in chess) damer [*pawn*]

(Idiom) **to ~ it over sb** prendre de grands airs avec qn

queen: **Queen Anne** modif [*chair, house*] de l'époque de la Reine Anne (*1702–14*); **Queen Anne's lace** n Bot carotte f fourragère

queen bee n 1 Zool reine f des abeilles; 2 fig **she thinks she's (the) ~ bee** elle se prend pour la reine; **she's (the) ~ around here** c'est elle qui commande ici

queen: **~ cake** n GB *petit gâteau aux raisins secs*; **~ consort** n reine f (*épouse du roi*); **~ dowager** n reine f douairière

queenly /'kwiːnlɪ/ adj de reine

queen: **~ mother** n Reine mère f; **~ post** n Constr poinçon m; **~ regent** n régente f; **Queen's Bench (Division)** n GB, Jur *division de la Cour Supérieure de Justice*; **Queen's Counsel, QC** n GB, Jur avocat m éminent (*qui tient son titre de la Reine*)

Queen's English n **to speak the ~** parler un anglais correct. ▸ **Received Pronunciation**

Queen's evidence n **to turn ~** GB Jur dénoncer ses complices contre promesse de pardon

queen-size bed n grand lit m (*de 1,50 m de large*)

Queensland /'kwiːnzlənd/ pr n Queensland m

Queen's Regulations npl GB Mil code m militaire

Queen's shilling

(Idiom) **to take the ~** s'engager dans l'armée

Queen's speech n GB Pol discours m du monarque à l'ouverture de la session parlementaire (*exposant le programme du gouvernement*). ▸ **State Opening of Parliament**

queer /kwɪə(r)/

A °n injur (homosexual) pédale° f offensive, homosexuel m

B adj 1 (strange) étrange, bizarre; 2 (suspicious) louche, suspect; 3 †GB (ill) patraque°; **to come over° ou feel ~** se sentir mal or patraque°; 4 °injur (homosexual) pédé° offensive, homosexuel/-elle

(Idioms) **to ~ sb's pitch** contrecarrer les plans de qn; **to be in Queer Street** GB être dans une mauvaise passe

queer bashing° n injur agression f contre des homosexuels

queerly /'kwɪəlɪ/ adv singulièrement

queerness /'kwɪənɪs/ n singularité f, étrangeté f

quell /kwel/ vtr étouffer [*anger, anxiety, revolt*]; **to ~ sb with a look** foudroyer qn du regard

quench /kwentʃ/ vtr 1 littér éteindre [*flame*]; étancher [*thirst*]; étouffer [*desire, enthusiasm, hope*]; 2 Tech tremper [*metal*]

quern /kwɜːn/ n moulin m à bras

querulous /'kwerʊləs/ adj grincheux/-euse

querulously /'kwerʊləslɪ/ adv d'un ton grincheux

query /'kwɪərɪ/

A n 1 (request for information) question f (**about** au sujet de); **to reply to** ou **answer a ~** répondre à une question; **a ~ from sb** une question venant de qn; **queries from customers/parents** demandes fpl de renseignement venant des clients/des parents; **readers' queries** questions des lecteurs; 2 (expression of doubt) question f (**about** à propos de); **to raise a ~ about sth** soulever une question à propos de qch; **I have a ~ about your statement** j'ai une question à propos de votre déclaration; 3 Comput interrogation f; 4 (question mark) point m d'interrogation

B vtr mettre en doute; **to ~ whether** se demander si; **nobody dares to ~ that** personne n'ose douter du fait que; **to ~ sb's ability** mettre en doute les capacités de qn; **we are ~ing the way the government is handling this matter** nous mettons en doute la façon dont le gouvernement s'occupe de l'affaire; **some may ~ my interpretation of the data** il se peut que certains doutent de mon interprétation des données

query language n Comput langage m d'interrogation

query window n Comput 1 (dialogue box) boîte f de dialogue; 2 (for web search) fenêtre f de requête

quest /kwest/ n quête f; **the ~ for sb/sth** la recherche de qn/qch; **his/their ~ to do** son/leur désir de faire; **to abandon/resume one's ~** abandonner/reprendre sa quête

question /'kwestʃən/

A n 1 (request for information) question f (**about** sur); (in exam) question f; **to ask sb a ~** poser une question à qn; **answer the ~ about where you were last night** répondez à la question: où étiez-vous la nuit dernière?; **in reply to a ~ from Mr John Molloy** en réponse à une question posée par M. John Molloy; **to ask a ~** poser une question; **to put a ~ to sb** poser une question à qn; **to reply to** ou **to answer a ~** répondre à une question; **to reply to sb's ~** répondre à la question de qn; **to do sth without ~** faire qch sans poser de question; **what a ~!** en voilà une question!; **it's an open ~ as to whether he was innocent** la question reste posée de savoir s'il était innocent; **a ~ from the floor** (in parliament) une question provenant de l'assemblée; **to put down a ~ for sb** GB Pol poser une interpellation à qn; 2 (practical issue) problème m; (ethical issue) question f; **the Hong Kong/Palestinian ~** la

➡ *see* Varieties of French

q

question de Hong-Kong/palestinienne; **the ~ of pollution/of military spending** le problème de la pollution/des dépenses militaires; **it's a ~ of doing** il s'agit de faire; **the ~ of animal rights** la question des droits des animaux; **the ~ of how to protect the hostages** le problème de la protection des otages; **the ~ of where to live/of what families want** le problème de savoir où habiter/de savoir ce que veulent les familles; **the ~ of whether** *ou* **as to whether they can do better** la question de savoir s'ils peuvent faire mieux; **the ~ for him now is how to react** la question pour lui est de savoir comment réagir; **the ~ arises as to who is going to pay the bill** la question se pose, à savoir qui va payer la note; **the ~ raised is one of justice** il s'agit ici de justice; **that's another ~** c'est une autre affaire; **the ~ is whether/when** il s'agit ici de savoir si/quand; **there was never any ~ of you paying** il n'a jamais été question que tu paies; **the money/person in ~** l'argent/la personne en question; **it's out of the ~** il est hors de question; **it's out of the ~ for him to leave** il est hors de question qu'il parte; **3** (uncertainty) doute *m*; **to call** *ou* **bring sth into ~** mettre qch en doute; **to prove beyond ~ that** prouver sans l'ombre d'un doute que; **it's open to ~** cela se discute; **whether we have succeeded is open to ~** qu'on ait réussi ou pas, cela se discute; **his honesty was never in ~** on n'a jamais douté de son honnêteté

B *vtr* **1** (interrogate) questionner [*suspect, politician*]; **to ~ sb about sth** questionner qn à propos de qch; **to ~ sb closely** interroger qn minutieusement; **2** (cast doubt upon) (on one occasion) mettre en doute [*tactics, methods*]; (over longer period) douter de [*tactics, methods*]; **to ~ whether** douter que (+ *subj*); **he ~ed the use of arms against the people** il a mis en doute l'utilisation des armes contre le peuple

questionable /ˈkwestʃənəbl/ *adj* (debatable) [*record, motive, decision*] discutable; (dubious) [*virtue, evidence, taste*] douteux/-euse; **it is ~ whether** il est douteux que (+ *subj*)

question-begging *n* Philos pétition *f* de principe

questioner /ˈkwestʃənə(r)/ *n* interrogateur/-trice *m/f*; **police ~** enquêteur/-euse *m/f* de police; **his ~s asked him if he was going to resign** on lui a demandé s'il allait démissionner

questioning /ˈkwestʃənɪŋ/

A *n* **1** (of person) interrogation *f*; (relentless) interrogatoire *m*; **~ about the scandal continues** on continue à poser des questions à propos du scandale; **to avoid ~ about sth** éviter les questions à propos de qch; **his ~ of his mother** l'interrogatoire auquel il a soumis sa mère; **the ~ of motorists by the police** l'interrogation des automobilistes par la police; **~ by police/by reporters** un interrogatoire par la police/les journalistes; **to bring a suspect in for ~** amener un suspect pour interrogatoire; **he is wanted for ~ in connection with the explosion** la police le recherche suite à l'explosion; **to admit sth under ~** avouer qch pendant un interrogatoire; **a line of ~** une série de questions; **what is his line of ~?** quelles questions pose- t-il?; **police ~** interrogatoire *m* policier; **2** (of system, criteria, values) remise *f* en question (**of** de)

B *adj* **1** [*glance, look, tone*] interrogateur/-trice; **2** [*techniques, tactics*] d'interrogation; (by police, judge) d'interrogatoire

question mark *n* **1** (in punctuation) point *m* d'interrogation; **2** (doubt) **there is a ~ about his honesty** on s'interroge quant à son honnêteté; **there is a ~ about his suitability for the job** on se demande s'il est apte à occuper ce poste; **there is a ~ hanging over the factory/over his future** l'incertitude plane sur l'usine/sur son avenir

question master *n* animateur/-trice *m/f* de jeu

questionnaire /ˌkwestʃəˈneə(r)/ *n* questionnaire *m* (**on** sur; **to do** pour faire); **to compile a ~** composer un questionnaire; **to fill in** *ou* **complete a ~** remplir un questionnaire; **a survey by ~** une étude établie à partir d'un questionnaire

question: **~ tag** *n* Ling queue *f* de phrase interrogative, tag○ *m*; **~ time** *n* GB Pol *séance pendant laquelle les parlementaires posent des questions au gouvernement.* ▸ **Parliament**

queue /kjuː/

A *n* GB (of people) queue *f*, file *f* (d'attente); (of vehicles) file *f*; **to stand in a ~** faire la queue; **to join the ~** [*person*] se mettre à la queue; [*car*] se mettre dans la file; **go to the back of the ~!** à la queue!; **to jump the ~**○ passer avant son tour also fig

B *vi* GB = **queue up**

Phrasal verb ■ **queue up** [*people*] faire la queue (**for** pour); [*taxis*] attendre en ligne; **to ~ up to do sth** fig se précipiter pour faire qch

queue-jump *vi* GB resquiller, passer avant son tour

queue: **~-jumper** *n* GB resquilleur/-euse *m/f* (*dans une queue*); **~-jumping** *n* GB resquille○ *f* (*dans une queue*)

quibble /ˈkwɪbl/

A *n* chicane *f* (**about, over** sur)

B *vi* chicaner (**about, over** sur)

quibbler /ˈkwɪblə(r)/ *n* chicaneur/-euse *m/f*

quibbling /ˈkwɪblɪŋ/

A *n* chicanerie *f*

B *adj* chicanier/-ière

quiche /kiːʃ/ *n* quiche *f*

quick /kwɪk/

A *n* Anat, Med chair *f* vive; **to bite one's nails to the ~** se ronger les ongles jusqu'au sang

B *adj* **1** (speedy) [*pace, train, heartbeat*] rapide; [*solution, reply, profit, result*] rapide; [*storm, shower of rain*] bref/brève; [*meal*] sur le pouce, rapide; **to make a ~ phone call** passer un coup de téléphone rapide; **to have a ~ coffee** prendre un café en vitesse; **I'm going to have a ~ wash** je vais faire une toilette rapide; **the ~est way to get there is...** le chemin le plus rapide pour y aller est...; **she's a ~ worker** elle travaille vite; **the ~est way to lose your friends is to...** le meilleur moyen de perdre ses amis est de...; **she wasn't ~ enough** elle n'a pas été assez rapide; **we'll have to make a ~ decision** il faudra que nous nous décidions rapidement; **we're hoping for a ~ sale** nous espérons que cela se vendra rapidement; **we had a ~ chat about our plans** nous avons rapidement discuté de nos projets; **to make a ~ recovery** se rétablir vite; **to pay a ~ visit to sb** faire une petite visite à qn; **be ~ (about it)!** dépêche-toi!; **a ~ hit** (on drugs) sensation *f* de jouissance brève et forte (*due à la prise de drogue*); **2** (clever) [*child, student*] vif/vive d'esprit; **to be ~ at arithmetic** être bon/bonne en arithmétique; **3** (prompt) **to be ~ to do** être prompt à faire; **to be ~ to anger/take offence/defend one's friends** être prompt à s'emporter/s'offenser/défendre ses amis; **to be ~ to learn, to be a ~ learner** apprendre vite; **to be (too) ~ to criticize/condemn** critiquer/condamner (trop) facilement; **to be ~ to admit one's mistakes** être prêt à reconnaître ses erreurs; **she was ~ to see the advantages** elle a tout de suite vu les avantages; **4** (lively) **to have a ~ temper** s'emporter facilement; **a ~ temper** un tempérament vif; **to have a ~ wit** avoir l'esprit vif

C *adv* **(come) ~!** (viens) vite!; **(as) ~ as a flash** avec la rapidité de l'éclair

Idioms **a ~ one = quickie 1, 2, 3**; **the ~ and the dead** les vivants et les morts; **to cut** *ou* **sting sb to the ~** piquer qn au vif; **to make a ~ buck** gagner de l'argent facile; **to make a ~ killing** faire fortune rapidement

quick: **~-assembly** *adj* facile à monter; **~ assets** *npl* Fin disponibilités *fpl*; **~-change artist** *n*: *artiste qui change de déguisement rapidement pour interpréter différents personnages*; **~-drying** *adj* qui sèche rapidement

quicken /ˈkwɪkən/

A *vtr* **1** lit accélérer [*pace, rhythm*]; **2** fig, littér stimuler [*interest, excitement*]

B *vi* **1** lit [*pace, rhythm, heartbeat*] s'accélérer; **2** fig, littér [*anger, jealousy*] s'intensifier; **3** [*fœtus*] bouger

quickening /ˈkwɪkənɪŋ/ *n* **1** lit (of heartbeat) accélération *f*; **2** fig, littér (of interest, life) éveil *m*; **3** (of fœtus) éveil *m*

quick fire /ˈkwɪkfaɪə/

A *n* lit tir *m* rapide

B **quick-fire** *modif* [*question, sketch*] rapide

quick fix *n* solution *f* à court terme, bidouille○ *f*; **we did a ~ on the software** on a fait une bidouille sur le logiciel

quick-freeze *vtr* (*prét* **-froze**, *pp* **-frozen**) surgeler

quickie○ /ˈkwɪkɪ/ *n* **1** (drink) pot○ *m* en vitesse; **2** (question) question *f* rapide; **3** ◑GB **to have a ~** faire l'amour en vitesse; **4** US Cin *film fait rapidement et à petit budget*

quickie divorce○ *n* divorce *m* à l'amiable

quicklime *n* chaux *f* vive

quickly /ˈkwɪklɪ/ *adv* (rapidly) vite, rapidement; (without delay) sans tarder; **the police arrived ~** la police est arrivée très vite, la police est arrivée rapidement; **the problem was ~ resolved** le problème a été vite résolu *or* résolu rapidement; **we must sort this problem out ~** il nous faut régler ce problème sans tarder; **(come) ~!** (viens) vite!; **as ~ as possible** aussi vite que possible; **I acted ~ on his advice** je me suis dépêché de suivre ses conseils; **I ~ changed the subject** je me suis empressé de changer de sujet; **she dealt with the problem ~ and efficiently** elle s'occupa du problème promptement et efficacement

quick march Mil

A *n* ≈ pas *m* cadencé

B *excl* ≈ pas cadencé marche!

quickness /ˈkwɪknɪs/ *n* **1** (speed) (of person, movement) rapidité *f*; **~ to respond/react** promptitude *f* à répondre/réagir; **2** (nimbleness) (of person, movements) vivacité *f*; **3** (liveliness of mind) vivacité *f* d'esprit

quick-release /kwɪkrɪˈliːs/ *adj* [*mechanism*] à ouverture rapide

quick: **~sand** *n* ¢ lit sables *mpl* mouvants; fig bourbier *m*; **~-set hedge** *n* haie *f* vive; **~-setting** *adj* à prise rapide

quicksilver /ˈkwɪksɪlvə(r)/

A *n* Chem mercure *m*, vif-argent† *m*

B *modif* fig **~ wit** esprit *m* très vif

quickstep /ˈkwɪkstep/ *n* (dance, dance tune) quickstep *m*; (march tune) musique *f* de cadence

quick: **~-tempered** *adj* coléreux/-euse, qui s'emporte facilement; **~thorn** *n* aubépine *f*; **~ time** *n* US marche *f* rapide; **~ trick** *n* (in bridge) levée *f* assurée; **~ win** *n* gain *m* rapide; **~-witted** *adj* [*person*] à l'esprit vif; [*reaction*] vif/vive

quid /kwɪd/ *n* **1** ○GB (*pl* ~) livre *f* (sterling); **2** (tobacco) chique *f*

quiddity /ˈkwɪdətɪ/ *n* Philos quiddité *f*

quid pro quo /ˌkwɪd prəʊ ˈkwəʊ/ *n* contrepartie *f*

quiescence /kwaɪˈesns, kwɪˈesns/ *n* (of person) passivité *f*

quiescent /kwaɪˈesnt, kwɪˈesnt/ *adj* [*person*] passif/-ive; [*mood, state*] tranquille; [*soul, spirit*] en repos

quiet /ˈkwaɪət/

A *n* **1** (silence) silence *m*; **in the ~ of the morning** dans le silence du petit matin; **~ please!** silence, s'il vous plaît!; **2** (peace) tranquillité *f*; **the ~ of the countryside** la tranquillité de la campagne; **let's have some peace and ~**

pourrions-nous avoir un peu de calme maintenant; **3** ○(secret) **to do sth on the ∼** faire qch discrètement

B *adj* **1** (silent) [*church, person, room*] silencieux/-ieuse; **to keep** *ou* **stay ∼** garder le silence; **to go ∼** [*person, assembly*] se taire; **the room went ∼** la salle s'est tue; **to keep sth ∼** empêcher [qch] de faire du bruit [*bells, machinery*]; faire taire [*dog, child*]; **be ∼** (stop talking) tais-toi; (make no noise) ne fais pas de bruit; **you're ∼, are you OK?** tu es bien silencieux, ça va?; **2** (not noisy) [*voice*] bas/basse; [*car, engine*] silencieux/-ieuse; [*music*] doux/douce; [*cough, laugh*] discret/-ète; **in a ∼ voice** à voix basse; **that should keep the children ∼** cela devrait tenir les enfants tranquilles; **3** (discreet) [*diplomacy, chat*] discret/-ète; [*deal*] en privé; [*confidence, optimism*] serein; [*despair, rancour*] voilé; [*colour, stripe*] sobre, discret/-ète; **I had a ∼ laugh over it** j'en ai ri sous cape; **to have a ∼ word with sb** parler avec qn en privé; **4** (calm) [*village, holiday, night*] tranquille; **business/the stock market is ∼** le marché/la Bourse est calme; **to lead a ∼ life** mener une vie tranquille; **OK! anything for a ∼ life!** tout ce que tu veux pourvu que je sois tranquille!; **5** (for few people) [*dinner, meal*] intime; [*wedding, funeral*] célébré dans l'intimité; **6** (docile) [*child, pony*] paisible; **7** (secret) **to keep [sth] ∼** ne pas divulguer [*plans*]; garder [qch] secret/-ète [*engagement*]

C *vtr* US **1** (calm) calmer [*crowd, class*]; **2** (allay) dissiper [*fears, doubts*]; **3** (silence) faire taire [*person*]

quieten /ˈkwaɪətn/ *vtr* **1** (calm) calmer [*child, crowd, animal*]; **2** (allay) dissiper [*fear, doubts*]; **3** (silence) faire taire [*critics, children*]

(Phrasal verb) ■ **quieten down:** ▸ **∼ down** **1** (become calm) [*person, queue, activity*] se calmer; **I'll wait for things to ∼ down** je vais attendre que les choses se calment; **2** (fall silent) se taire; ▸ **∼ down [sb/sth], ∼ [sb/sth] down** **1** (calm) calmer [*baby, crowd, animal*]; **2** (silence) faire taire [*child, class*]

quietism /ˈkwaɪətɪzəm/ *n* quiétisme *m*

quietist /ˈkwaɪətɪst/ *n, adj* quiétiste (*mf*)

quietly /ˈkwaɪətlɪ/ *adv* **1** (not noisily) [*move, tread*] sans bruit; [*cough, speak, sing, play*] doucement; **2** (silently) [*play, read, sit*] en silence; **3** (discreetly) [*pleased, optimistic, confident*] modérément; **to be ∼ confident that** avoir la conviction intime que; **4** (simply) [*live*] simplement; [*get married*] sans cérémonie; **5** (calmly) calmement; **6** (soberly) [*dress, decorate*] de façon discrète

quietness /ˈkwaɪətnɪs/ *n* **1** (silence) silence *m*, calme *m*; **2** (calmness) (of person) douceur *f*; **3** (lowness) (of voice) faiblesse *f*; **4** (lack of activity) (of village, street) tranquillité *f*

quietude /ˈkwaɪɪtju:d, US -tu:d/ *n* littér quiétude *f*

quiff /kwɪf/ *n* GB (on forehead) toupet *m*; (on top of head) houppe *f*

quill /kwɪl/ *n* **1** (feather) penne *f*; (stem of feather) tuyau *m* de plume; **2** (on porcupine) piquant *m*; **3** (*also* **∼ pen**) (for writing) plume *f* d'oie

quilt /kwɪlt/

A *n* **1** GB (duvet) couette *f*; **2** (bed cover) dessus *m* de lit

B *vtr* matelasser

C **quilted** *pp adj* [*cover, garment*] matelassé

quilting /ˈkwɪltɪŋ/ *n* (technique) matelassage *m*; (fabric) matelassure *f*

quilting bee *n* US groupe *m* de couturières (*de patchwork*)

quim● /kwɪm/ *n* GB chatte● *f*, sexe *m* féminin

quin /kwɪn/ *n* GB *abrév* = **quintuplet**

quince /kwɪns/ *n* (fruit) coing *m*; (tree) cognassier *m*

quincentenary /ˌkwɪnsenˈti:nərɪ, US -ˈsentənerɪ/ *n* cinq centième anniversaire *m*

quinine /kwɪˈni:n, US ˈkwaɪnaɪn/ *n* quinine *f*

Quinquagesima /ˌkwɪŋkwəˈdʒesɪmə/ *n* Quinquagésime *f*

quinquennial /kwɪnˈkwenɪəl/ *adj* quinquennal

quinsy /ˈkwɪnzɪ/ *n* abcès *m* periamygdalien

quint /kwɪnt/ *n* US = **quintuplet**

quintessence /kwɪnˈtesns/ *n* (perfect example) parfait exemple *m*; (essential part) quintessence *f*

quintessential /ˌkwɪntɪˈsenʃl/ *adj* [*character, quality*] fondamental; **he is the ∼ Renaissance man** c'est l'homme de la Renaissance par excellence

quintet /kwɪnˈtet/ *n* Mus quintette *m*

quintuple

A /ˈkwɪntjʊpl, US kwɪnˈtu:pl/ *adj* quintuple

B /kwɪnˈtjʊpl/ *vtr* quintupler

quintuplet /ˈkwɪntju:plet, US kwɪnˈtu:plɪt/ *n* quintuplé/-e *m/f*

quip /kwɪp/

A *n* trait *m* d'esprit

B *vi* (*p prés etc* **-pp-**) plaisanter

quire /ˈkwaɪə(r)/ *n* Print (4 folded sheets) cahier *m*; (24 or 25 sheets) main *f*

quirk /kwɜ:k/ *n* (of person) excentricité *f*; (of fate, nature) caprice *m*

quirky /ˈkwɜ:kɪ/ *adj* excentrique

quisling /ˈkwɪzlɪŋ/ *n* péj collaborateur/-trice *m/f* pej

quit /kwɪt/

A *adj* **to be well ∼ of sth/sb** être bien débarrassé de qch/qn

B *vtr* **1** (leave) (*p prés* **-tt-**, *prét, pp* **quitted** *ou* **quit**) (leave) démissionner de, laisser tomber○ [*job*]; quitter [*place, person, profession, school*]; quitter [*politics, teaching*]; **to give a tenant notice to ∼** donner congé à un locataire; **2** Comput quitter [*application, program*]

C *vi* (*p prés* **-tt-**, *prét, pp* **quitted** *ou* **quit**) **1** (stop, give up) arrêter (**doing** de faire); **I've had enough, I ∼** j'en ai assez, je laisse tomber; **to ∼ whilst one is ahead** *ou* **on top** gen s'arrêter avant que les choses se gâtent; (in career) partir au summum de la gloire; **2** (resign) [*employee, boss*] démissionner; [*politician*] démissionner; **he ∼ as chairman** il a démissionné de son poste de président; **3** Comput quitter, sortir d'une application

quite /kwaɪt/ *adv* **1** (completely) [*new, ready, differently*] tout à fait; [*alone, amazed, empty, exhausted, obnoxious, ridiculous*] complètement; [*impossible*] totalement; [*justified*] entièrement; [*extraordinary, peculiar*] vraiment; **I ∼ agree** je suis tout à fait *or* complètement d'accord; **I ∼ understand** je comprends tout à fait; **you're ∼ right** vous avez complètement raison; **you're ∼ wrong** vous vous trompez complètement; **it's ∼ all right** (in reply to apology) c'est sans importance; **it's ∼ out of the question** il n'en est pas du tout question, c'est complètement hors de question; **I can ∼ believe it** je veux bien le croire; **are you ∼ sure?** en êtes-vous certain?; **to be ∼ aware of sth/that** être tout à fait conscient de qch/du fait que; **∼ frankly** très franchement; **I saw it ∼ clearly** je l'ai vu très clairement; **it's ∼ clear** c'est parfaitement clair; **it's ∼ clear to me that** pour moi il est complètement évident que; **he's ∼ clearly mad/stupid** il est manifestement complètement fou/stupide; **and ∼ right too!** à juste titre!; **that's ∼ enough!** ça suffit!; **have you ∼ finished?** iron ce sera tout?

2 (exactly) **not ∼** pas exactement; **it's not ∼ what I wanted** ce n'est pas exactement ce que je voulais; **I'm not ∼ sure** je ne sais pas exactement; **not ∼ so much** un petit peu moins; **not ∼ as many as last time** pas tout à fait autant que la dernière fois, un peu moins que la dernière fois; **not ∼ as interesting/expensive** pas tout à fait aussi *or* un peu moins intéressant/cher; **he didn't ∼ understand** il ne comprenait pas vraiment; **I don't ∼ know** je ne sais pas du tout; **nobody knew ∼ what he meant** personne ne savait exactement ce qu'il voulait dire; **it's not ∼ that** ce n'est pas tout à fait ça; **that's not ∼ all** (giving account of sth) et ce n'est pas tout

3 (definitely) **it was ∼ the best answer/the most expensive seat** c'était de loin la meilleure réponse/la place la plus chère; **he's ∼ the stupidest man!** il est vraiment stupide!; **our whisky is ∼ simply the best!** Advertg notre whisky est tout simplement le meilleur!

4 (rather) [*big, wide, easily, often*] assez; **it's ∼ small** ce n'est pas très grand; **it's ∼ good** ce n'est pas mauvais; **it's ∼ cold today** il ne fait pas chaud aujourd'hui; **it's ∼ warm today** il fait bon aujourd'hui; **it's ∼ likely that** il est très probable que; **I ∼ like Chinese food** j'aime assez la cuisine chinoise; **∼ a few** *ou* **∼ a lot of people/examples etc** un bon nombre de personnes/d'exemples etc; **∼ a lot of money** pas mal d'argent; **∼ a lot of opposition** une opposition assez forte; **it's ∼ a lot colder/warmer today** il fait nettement plus froid/plus doux aujourd'hui; **I've thought about it ∼ a bit** j'y ai pas mal réfléchi

5 (as intensifier) **∼ a difference/drop** une différence/baisse considérable; **that will be ∼ a change for you** ça te changera beaucoup; **she's ∼ a woman, she's ∼ some woman!** quelle femme!; **that was ∼ some party!** quelle soirée!; **their house/car is really ∼ something**○ leur maison/voiture vaut le coup d'œil○; **it was ∼ a sight** iron ça valait le coup d'œil○

6 (expressing agreement) c'est sûr; **'he could have told us'—'∼ (so)'** 'il aurait pu nous le dire'—'c'est sûr'

quits○ /kwɪts/ *adj* **to be ∼** être quitte (**with sb** envers qn); **to call it ∼** en rester là; **let's call it ∼!** restons-en là!

quitter○ /ˈkwɪtə(r)/ *n* **he's a ∼** il n'est pas tenace; **I'm no ∼** quand je commence quelque chose je le termine

quiver /ˈkwɪvə(r)/

A *n* **1** (trembling) (of voice, part of body) tremblement *m*; (of leaves) frémissement *m*; **a ∼ of excitement** un frémissement d'excitation; **2** (for arrows) carquois *m*

B *vi* [*hand, voice, lip, animal*] trembler (**with** de); [*leaves*] frémir; [*wings, eyelids*] battre; [*flame*] vaciller

qui vive /ˌki: ˈvi:v/ *n* **to be on the ∼** être sur le qui-vive

quixotic /kwɪkˈsɒtɪk/ *adj* (chivalrous) chevaleresque; (unrealistic) chimérique

quixotically /kwɪkˈsɒtɪklɪ/ *adv* de manière chevaleresque

quiz /kwɪz/

A *n* (*pl* **∼zes**) **1** (game) jeu *m* de questions-réponses, quiz *m*; (written, in magazine) questionnaire *m* (**about** sur); **a sports/general knowledge ∼** un jeu de questions-réponses sur le sport/en culture générale; **2** US Sch interrogation *f*

B *vtr* (*p prés etc* **-zz-**) questionner (**about** au sujet de)

quiz: **∼ game, ∼ show** *n* jeu *m* de questions-réponses; **∼ master** *n* animateur *m* de jeu de questions-réponses

quizzical /ˈkwɪzɪkl/ *adj* interrogateur/-trice

quizzically /ˈkwɪzɪklɪ/ *adv* d'un air interrogateur

quod○ /kwɒd/ *n* GB taule○ *f*

quoin /kɔɪn/ *n* pierre *f* d'angle

quoit /kɔɪt, US kwɔɪt/

A *n* palet *m*

B ▸ p. 1253 **quoits** *npl* jeu *m* de palet; **to play ∼s** jouer au palet

q

quondam /ˈkwɒndæm/ *adj* ancien/-ienne (*before n*)

Quonset hut® /ˈkwɒnsɪt/ *n* US Mil baraquement *m* (*en tôle, de forme allongée et semi-cylindrique*)

quorate /ˈkwɔːrət, -reɪt/ *adj* GB **the meeting is ~** la réunion a atteint le quorum

Quorn® /kwɔːn/ *n* aliment *m* à base de protéines végétales

quorum /ˈkwɔːrəm/ *n* quorum *m*; **the ~ is ten** le quorum est fixé à dix; **to have a ~** avoir atteint le quorum

quota /ˈkwəʊtə/ *n* **1** gen, Comm, EU (prescribed number) quota *m* (**of, for** de); **this year's ~** le quota fixé pour cette année; **milk/export ~s** quotas laitiers/d'exportation; **we haven't got our full ~ of passengers** nous n'avons pas notre quota de passagers; **2** (share) part *f* (**of** de); (officially allocated) quote-part *f*

quotable /ˈkwəʊtəbl/ *adj* (that may be quoted) que l'on peut citer; (worth quoting) digne d'être cité; **what she said just wasn't ~** ce qu'elle a dit était trop grossier pour être répété

quota system *n* Comm, EU système *m* de quotas

quotation /kwəʊˈteɪʃn/ *n* **1** (phrase, passage cited) citation *f*; **2** (estimate) devis *m*; **3** Fin cours *m*, cote *f*

quotation marks *npl* guillemets *mpl*; **to put sth in ~, to put ~ around sth** mettre qch entre guillemets

quote /kwəʊt/

A *n* **1** (quotation) citation *f* (**from** de); **2** (statement to journalist) déclaration *f*; **3** (estimate) devis *m*; **4** Fin cote *f*

B quotes *npl* = **quotation marks**

C *vtr* **1** (repeat, recall) citer [*person, passage, proverb*]; rapporter [*words*]; rappeler [*reference number*]; **to ~ Shakespeare/the Bible** citer Shakespeare/la Bible; **to ~ sb/sth as an example** citer qch/qn en exemple; **please ~ this number in all correspondence** veuillez rappeler ce numéro dans toute correspondance; **don't ~ me on this, but...** ne répète pas ce que je dis, mais...; **she was ~d as saying that** elle aurait dit que; **to ~ Plato,...** pour citer Platon,...; **2** Comm (state) indiquer [*price, figure*]; **they ~d us £200 for repairing the car** dans leur devis, ils ont demandé £200 pour la réparation de la voiture; **3** (on stock exchange) coter [*share, price*] (**at** à); **~d company/share** société *f*/valeur *f* cotée en Bourse; **to be ~d on the Stock Exchange** être coté à la Bourse; **4** Turf **to ~ odds of 3 to 1** proposer une cote de 3 à 1; **to be ~d 6 to 1** être coté entre 6 et 1

D *vi* (from text, author) faire des citations; **to ~ from Keats/the classics** citer Keats/les classiques; **~ ... unquote** (in dictation) ouvrez les guillemets ... fermez les guillemets; (in lecture, speech) je cite ... fin de citation; **he's in Paris on ~ 'business' unquote** il est à Paris soi-disant pour affaires

quoth /kwəʊθ/ *vtr*‡ **'alas,' ~ he** 'hélas,' fit-il

quotient /ˈkwəʊʃnt/ *n* **1** Math quotient *m*; **2** gen niveau *m*

qv (*abrév écrite* = **quod vide**) voir

QWERTY /kwɜːtɪ/ *adj* **~ keyboard** clavier *m* qwerty

p

r, **R** /ɑ:(r)/ *n* **1** (letter) r, R *m*; **the three R's** l'écriture, la lecture et le calcul; **2** **R** *abrév écrite* = **right**; **3** **R** *abrév écrite* = **river**; **4** **R** GB *abrév* = **Rex, Regina**

RA *n* GB (*abrév* = **Royal Academy**) membre *m* de l'Académie Royale des Arts

RAAF *n* (*abrév* = **Royal Australian Air Force**) Armée *f* de l'air australienne

rabbet /'ræbɪt/ *n* rainure *f*

rabbet plane *n* guillaume *m*

rabbi /'ræbaɪ/ *n* rabbin *m*; **the Chief Rabbi** le grand rabbin

rabbinic(al) /rə'bɪnɪk(l)/ *adj* rabbinique

Rabbinic /rə'bɪnɪk/ ▸ **p. 1378** *n* (language) hébreu *m* rabbinique

rabbit /'ræbɪt/
A *n* gen (male) lapin *m*; (female) lapine *f*; (fur, meat) lapin *m*; **a tame/wild ~** un lapin domestique/de garenne
B *modif* [*stew, pie*] de lapin; [*jacket*] en lapin
C *vi* **to go ~ing** aller à la chasse au lapin
(Idioms) **to breed like ~s** se reproduire comme des lapins; **to pull a ~ out of a hat** fig faire un coup de théâtre
(Phrasal verb) ■ **rabbit on**° GB parler sans cesse (**about** de)

Rabbit® /'ræibit/ *pr n* Telecom ≈ Bibop® *m*

rabbit: **~ burrow** *n* terrier *m* de lapin; **~ ears** *n* US (TV aerial) antenne *f* d'intérieur (*en V*); **~ hole** *n* = **rabbit burrow**; **~ hutch** *n* clapier *m*; **~ punch** *n* coup *m* du lapin; **~ warren** *n* lit garenne *f*; fig (maze) labyrinthe *m*

rabble /'ræbl/ *n* péj **1** (crowd) foule *f*; **2** (populace) **the ~** la populace pej

rabble-rouser /'ræblraʊzə(r)/ *n* agitateur/-trice *m/f*

rabble-rousing /'ræblraʊzɪŋ/
A *n* incitation *f* à la violence
B *adj* qui incite à la violence

Rabelaisian /ˌræbə'leɪzɪən/ *adj* rabelaisien/-ienne

rabid /'ræbɪd, US 'reɪbɪd/ *adj* **1** Vet enragé; **2** (fanatical) fanatique

rabidly /'ræbɪdlɪ, US 'reɪ-/ *adv* farouchement

rabies /'reɪbi:z/ ▸ **p. 1327**
A *n* rage *f*; **to have ~** avoir la rage
B *modif* [*controls, injection, legislation*] antirabique; [*virus*] de la rage

RAC *n* GB (*abrév* = **Royal Automobile Club**) organisme *m* d'assistance pour les automobilistes

raccoon /rə'ku:n, US ræ-/
A *n* (*pl* **~s** *ou* **~**) raton *m* laveur
B *modif* [*garment*] en raton laveur

race /reɪs/
A *n* **1** Sport course *f* (**between** entre; **against** contre); **to come fifth in a ~** arriver cinquième dans une course; **to have a ~** faire la course (**with** avec; **against** contre); **to run a ~** courir (**with** contre); **boat/bicycle ~** course nautique/cycliste; **a ~ against the clock** lit, fig une course contre la montre; **2** fig (contest) course *f* (**for** à; **to do** pour faire); **the ~ to reach the moon** la course à la lune; **presidential/mayoral ~** course à la présidence/à la mairie; **a ~ against time** une course contre la montre; **3** Anthrop, Sociol race *f*; **of an ancient ~** d'une race ancienne; **discrimination on the grounds of ~** discrimination *f* raciale; **4** Bot, Zool espèce *f*; **5** (current) courant *m* fort
B **races** *npl* Turf courses *fpl*
C *modif* [*attack, equality, hatred, law*] racial
D *vtr* **1** (compete with) faire la course avec [*person, jockey, car, horse*]; **to ~ sb to sth** faire la course avec qn jusqu'à qch; **2** (rush) **to ~ to do** se précipiter pour faire; **3** (enter for race) faire courir [*horse, dog*]; courir en [*car, bike, boat, yacht*]; courir sur [*Ferrari, Formula One*]; faire voler [qch] en compétition [*pigeon*]; **4** (rev) faire ronfler [*engine*]
E *vi* **1** (compete in race) courir (**against** contre; **at** à; **to** vers; **with** avec); **to ~ around the track** faire le tour de la piste; **2** (rush, run) **to ~ in/out** entrer/sortir en courant; **to ~ after sb/sth** courir après qn/qch; **to ~ down the stairs/the street** dévaler l'escalier/la rue; **to ~ for the house/the train** courir pour atteindre la maison/attraper le train; **to ~ through** faire [qch] rapidement [*exercise, task*]; **3** [*heart, pulse*] battre précipitamment; [*engine*] s'emballer; **my mind started to ~** je me suis mis à imaginer toutes sortes de choses; **4** (hurry) se dépêcher (**to do** de faire); **to ~ against time** courir contre la montre
(Phrasal verbs) ■ **race away** partir en courant; **to ~ away from** [*runner*] se détacher de [*pack*]; gen s'éloigner en courant de [*person, place*]
■ **race by** [*time, person, bike*] passer à toute allure

race: **~ card** *n* Turf programme *m* des courses; **~course** *n* champ *m* de courses; **~goer** *n* Turf turfiste *mf*; **~horse** *n* cheval *m* de course

raceme /rə'si:m, 'ræsi:m, US reɪ'si:m/ *n* Bot grappe *f*

race meeting *n* GB réunion *f* de courses

racer /'reɪsə(r)/ *n* **1** (bike) vélo *m* de course; (motorbike) moto *f* de course; **2** (yacht) voilier *m* de course; **3** (car) voiture *f* de course; **4** (dog) chien *m* de course; **5** (horse) cheval *m* de course; **6** (runner, cyclist etc) coureur/-euse *m/f*

race: **~ relations** *npl* relations *fpl* interraciales; **~ riot** *n* émeute *f* raciale

racetrack /'reɪstræk/ *n* Sport **1** Turf champ *m* de courses; **2** (track) (for cars) circuit *m*; (for dogs, cycles) piste *f*

raceway /'reɪsweɪ/ *n* US (for cars) circuit *m*; (for dogs, harness racing) piste *f*

Rachmanism /'rækmənɪzəm/ *n* pej GB intimidation *f* de locataires (*par un propriétaire pour obtenir leur départ*)

racial /'reɪʃl/ *adj* (all contexts) racial

racialism /'reɪʃəlɪzəm/ *n* racisme *m*

racialist /'reɪʃəlɪst/ *n, adj* raciste (*mf*)

racially /'reɪʃəlɪ/ *adv* [*mixed, balanced, segregated, tolerant*] racialement; **the attack was ~ motivated** l'attaque avait le racisme pour mobile

raciness /'reɪsɪnɪs/ *n* **1** (lively quality) verve *f*; **2** (risqué quality) audace *f*

racing /'reɪsɪŋ/
A *n* **1** Turf hippisme *m*, sport *m* hippique; **did you see the ~?** as-tu vu les courses (de chevaux)?; **2** (with cars, bikes, boats, dogs) course *f*; **motor ~** GB, **car ~** US course automobile; **pigeon ~** concours *m* de pigeons voyageurs
B *modif* [*car, bike, boat, yacht*] de course; [*fan, commentator*] des courses

racing: **~ certainty**° *n* certitude *f*; **itís a ~ certainty that heíll be fit**ʇjíai la certitude quíil sera en forme; **~ colours** GB, **~ colors** US *n* couleurs *fpl* d'une écurie; **~ cyclist** *n* coureur/-euse *m/f* cycliste; **~ driver** *n* coureur/-euse *m/f* automobile; **~ pigeon** *n* pigeon *m* de compétition; **~ stable** *n* écurie *f* de courses

racism /'reɪsɪzəm/ *n* racisme *m*

racist /'reɪsɪst/ *n, adj* raciste (*mf*)

rack /ræk/
A *n* **1** (stand) (for plates) égouttoir *m*; (in dishwasher) panier *m*; (for luggage on train etc) compartiment *m* à bagages; (for clothes) portant *m*; (for cakes) grille *f* (*à gâteau*); (for bottles) casier *m*; (for newspapers) porte-revues *m inv*; (shelving) étagère *f*; ▸ **roof rack**; **2** (torture) chevalet *m*; **to put sb on the ~** mettre qn sur le chevalet; **to be on the ~** fig être au supplice; **3** Culin **~ of lamb** carré *m* d'agneau
B *vtr* **1** fig (torment) [*pain, guilt, fear*] torturer; [*cough, sobs*] secouer; **to be ~ed with guilt/with sobs** être torturé par le remords/secoué de sanglots; **an industry ~ed by crisis** une industrie très éprouvée par la crise; **2** Wine siphonner
(Idiom) **to ~ one's brains** se creuser la cervelle°; ▸ **ruin**
(Phrasal verb) ■ **rack up**° US: ▸ **~ up [sth]** décrocher [*victory*]; marquer [*points*]; remporter [*success*]

rack: **~-and-pinion** *n* Aut, Tech crémaillère *f*; **~-and-pinion steering** *n* Aut direction *f* à crémaillère

racket /'rækɪt/
A *n* **1** Sport raquette *f*; **2** °(noise) vacarme *m*, raffut° *m*; **to make a ~** faire du vacarme, faire du raffut; **3** (swindle) escroquerie *f*; **it's a ~!** c'est de l'escroquerie!; **4** (illegal activity) trafic *m*; **the drugs ~** le trafic des stupéfiants; **he's in on the ~**° il est dans le coup°; **5** °(business) métier *m*, boulot° *m*
B *modif* Sport [*cover, handle, string, control*] de raquette
(Phrasal verb) ■ **racket around**° (noisily) faire du vacarme; (having fun) faire la fête

racket abuse *n* Sport **to be penalized for ~** être pénalisé pour jet de raquette

racketeer /ˌrækə'tɪə(r)/ *n* racketteur *m*

racketeering /ˌrækə'tɪərɪŋ/ *n* racket *m*

racket press *n* Sport presse-raquette *m inv*

rackets /'rækɪts/ *n* (+ *v sg*) ≈ squash *m*

racking /'rækɪŋ/ *adj* [*pain*] atroce; [*sobs*] déchirant

rack railway *n* chemin *m* de fer à crémaillère

raconteur /ˌrækɒnˈtɜː(r)/ *n* conteur/-euse *m/f*
racoon *n* = **raccoon**
racquet *n* = **racket A 1**
racquetball /ˈrækɪtbɔːl/ ▸ **p. 1253** *n* US ≈ squash *m* (*avec raquette à manche court*)
racy /ˈreɪsɪ/ *adj* 1 (lively, spirited) [*account, style, book*] plein de verve; 2 (risqué) osé
RADA /ˈrɑːdə/ *n* GB (*abrév* = **Royal Academy of Dramatic Art**) Académie *f* d'art dramatique (britannique)
radar /ˈreɪdɑː(r)/
A *n* radar *m*; **by ~** par radar
B *modif* [*beacon, echo, operator, screen, station*] radar
radar: **~ astronomy** *n* radarastronomie *f*; **~ scanner** *n* déchiffreur *m* de radar
radar trap *n* contrôle-radar *m inv*; **to get caught in a ~** se faire piéger par un radar; **to go through a ~** passer devant un radar
raddle /ˈrædl/ Agric
A *n* (harness) collier *m* marqueur
B *vtr* marquer [*ram*]
raddled /ˈrædld/ *adj* 1 (worn) [*woman*] au visage marqué par la vie; [*features*] marqué par la vie; 2 (over made-up) péj [*woman*] peinturluré pej
radial /ˈreɪdɪəl/
A *n* (*also* **~ tyre**) pneu *m* radial
B *adj* [*lines, roads*] rayonnant; [*engine, layout*] en étoile
radiance /ˈreɪdɪəns/, **radiancy** /ˈreɪdɪənsɪ/ *n* 1 (brightness) éclat *m*; (softer) lueur *f*; 2 fig (of beauty, smile) éclat *m*, rayonnement *m*
radiant /ˈreɪdɪənt/
A *n* 1 (on electric fire) résistance *f* chauffante; 2 Astron point *m* radiant
B *adj* 1 fig [*person, beauty, smile*] radieux/-ieuse; **to be ~ with** être rayonnant de [*joy, health*]; 2 (shining) éclatant; 3 Phys [*heat, energy*] radiant
radiantly /ˈreɪdɪəntlɪ/ *adv* [*shine*] d'un vif éclat; [*smile*] d'un air radieux; **~ beautiful** d'une beauté radieuse
radiate /ˈreɪdɪeɪt/
A *vtr* 1 [*person*] rayonner de [*health, happiness*]; déborder de [*confidence*]; 2 Phys émettre [*heat*]
B *vi* 1 **to ~ from sb** [*confidence, happiness*] émaner de qn; **to ~ out from sth** [*roads, buildings etc*] rayonner (à partir) de qch; 2 Phys [*heat*] rayonner; [*light*] irradier
C **radiating** *pres p adj* [*roads, lines*] en étoile
radiation /ˌreɪdɪˈeɪʃn/
A *n* 1 Med, Nucl radiation *f*; **to be exposed to ~** être exposé à des radiations; **a high level of ~** un taux élevé de radiations; **a low level of ~** un faible niveau de radiations; **a dose of ~** une dose de radiations; 2 Phys rayonnement *m*
B *modif* [*levels*] de radiation; [*effects*] des radiations; [*leak*] de radiations
radiation: **~ exposure** *n* irradiation *f*; **~ processing** *n* traitement *m* des produits radioactifs; **~ sickness** *n* mal *m* or maladie *f* des rayons; **~ therapy** *n* radiothérapie *f*; **~ worker** *n* travailleur/-euse *m/f* de l'industrie nucléaire
radiator /ˈreɪdɪeɪtə(r)/
A *n* 1 (for heat) radiateur *m*; **to put on/turn off a ~** allumer/éteindre un radiateur; **to turn up/down a ~** monter/baisser le chauffage; 2 Aut radiateur *m*
B *modif* [*cap, thermostat, valve*] de radiateur
radiator grille *n* Aut calandre *f*
radical /ˈrædɪkl/
A *n* 1 Pol radical/-e *m/f*; 2 Chem **free ~s** radicaux *mpl* libres
B *adj* gen, Pol radical
radicalism /ˈrædɪkəlɪzəm/ *n* radicalisme *m*
radicalize /ˈrædɪkəlaɪz/ *vtr* radicaliser
radically /ˈrædɪklɪ/ *adv* radicalement
radices /ˈreɪdɪsiːz/ *pl* ▸ **radix**
radicle /ˈrædɪkl/ *n* 1 Bot radicule *f*; 2 Chem radical *m*
radiculitis /rædɪkjʊˈlaɪtɪs/ *n* Med radiculite *f*
radii /ˈreɪdɪaɪ/ *pl* ▸ **radius**
radio /ˈreɪdɪəʊ/
A *n* (*pl* **~s**) 1 Audio radio *f*; **on the ~** à la radio; **she was on the ~ this morning** elle est passée à la radio ce matin; 2 Telecom radio *f*; **to send a message by ~** [*ship, taxi cab*] envoyer un message (par) radio
B *modif* [*contact, engineer, equipment, operator, receiver, signal, transmitter*] radio *inv*; [*mast, programme*] de radio
C *vtr* (3ᵉ *pers sg prés* **~s**; *prét, pp* **~ed**) **to ~ sb that** envoyer à qn un message radio disant que; **to ~ sb for sth** appeler qn par radio pour demander qch; **to ~ sth (to sb)** communiquer qch par radio (à qn)
D *vi* (3ᵉ *pers sg prés* **~s**; *prét, pp* **~ed**) **to ~ for help** appeler au secours par radio
radio: **~active** *adj* radioactif/-ive; **~activity** *n* radioactivité *f*; **~ alarm (clock)** *n* radio-réveil *m*; **~ announcer** *n* speaker/-erine *m/f*; **~ astronomy** *n* radioastronomie *f*; **~ beacon** *n* radiophare *m*; **~biology** *n* radiobiologie *f*; **~ broadcast** *n* émission *f* de radio, émission *f* radiophonique; **~ broadcasting** *n* radio *f*; **~ button** *n* Comput case *f* d'option; **~ cab** *n* radio-taxi *m*; **~ car** *n* voiture-radio *f*; **~carbon** *n* radiocarbone *m*; **~carbon dating** *n* datation *f* au carbone quatorze; **~ cassette (recorder)** *n* radiocassette *f*; **~chemistry** *n* radiochimie *f*; **~ communication** *n* contact *m* radio *inv*; **~ compass** *n* radiocompas *m*; **~-controlled** *adj* [*toy, boat*] télécommandé; [*taxi*] radioguidé; **~ documentary** *n* documentaire *m* radiophonique; **~element** *n* radioélément *m*; **~ frequency** *n* radiofréquence *f*
radiogram† /ˈreɪdɪəʊgræm/ GB *n* combiné *m* radio et pick-up
radiograph /ˈreɪdɪəʊgrɑːf, US -græf/ *n* radiographie *f*
radiographer /ˌreɪdɪˈɒgrəfə(r)/ ▸ **p. 1683** *n* manipulateur/-trice *m/f* radiographe
radiography /ˌreɪdɪˈɒgrəfɪ/ *n* radiographie *f*
radio: **~ ham**○ *n* radio-amateur *m*; **~ interview** *n* entretien *m* radiophonique; **~isotope** *n* isotope *m* radioactif; **~ journalist** *n* journaliste *mf* de radio; **~ link** *n* liaison *f* radio *inv*
radiological /ˌreɪdɪəˈlɒdʒɪkl/ *adj* radiologique
radiologist /ˌreɪdɪˈɒlədʒɪst/ ▸ **p. 1683** *n* radiologue *mf*
radiology /ˌreɪdɪˈɒlədʒɪ/
A *n* radiologie *f*
B *modif* [*department*] de radiologie
radiolysis /ˌreɪdɪˈɒləsɪs/ *n* radiolyse *f*
radiometer /ˌreɪdɪˈɒmɪtə(r)/ *n* radiomètre *m*
radio: **~ microphone**, **~ mike**○ *n* micro *m* sans fil; **~-phonograph**† *n* US combiné *m* radio et pick-up; **~ play** *n* pièce *f* pour la radio
radioscopy /ˌreɪdɪˈɒskəpɪ/ *n* radioscopie *f*
radio: **~ set**† *n* poste *m* de radio; **~ silence** *n* silence *m* radio; **~ source**, **~ star** *n* radiosource *f*; **~ station** *n* (channel) station *f* de radio; (installation) station *f* émettrice; **~ taxi** *n* radio-taxi *m*; **~telephone** *n* radiotéléphone *m*; **~telephony** *n* radiotéléphonie *f*; **~ telescope** *n* radiotélescope *m*; **~therapist** *n* radiothérapeute *mf*; **~therapy** *n* radiothérapie *f*; **~ wave** *n* onde *f* radio
radish /ˈrædɪʃ/ *n* radis *m*
radium /ˈreɪdɪəm/ *n* radium *m*
radium therapy *n* curiethérapie *f*
radius /ˈreɪdɪəs/ *n* (*pl* **-dii** *ou* **-diuses**) 1 Math rayon *m* (**of** de); 2 (distance) rayon *m*; **within a 10 km ~ of here** dans un rayon de 10 km; 3 Anat radius *m*
radix /ˈreɪdɪks/ *n* (*pl* **-dices**) base *f*
radome /ˈreɪdəʊm/ *n* Naut radôme *m*
radon /ˈreɪdɒn/ *n* radon *m*
RAF *n* GB Mil *abrév* ▸ **Royal Air Force**
raffia /ˈræfɪə/
A *n* raphia *m*
B *modif* [*basket, mat*] en raphia
raffish /ˈræfɪʃ/ *adj* littér [*person, behaviour*] libertin; [*figure, look*] canaille; [*place*] mal famé
raffle /ˈræfl/
A *n* tombola *f*; **in a ~** à une tombola
B *modif* [*prize, ticket*] de tombola
C *vtr* ▸ **raffle off**
(Phrasal verb) ■ **raffle off**: ▸ **~ off [sth]** mettre [qch] en tombola
raft /rɑːft, US ræft/ *n* 1 (floating) radeau *m*; 2 ○US (lot) **~s** *ou* **a ~ of** un tas de○
rafter /ˈrɑːftə(r), US ˈræftə(r)/ *n* Constr chevron *m*
rafting /ˈrɑːftɪŋ, US ˈræftɪŋ/ *n* rafting *m*; **to go ~** faire du rafting
rag /ræg/
A *n* 1 (cloth) chiffon *m*; **a bit of ~** un chiffon; 2 ○(newspaper) (local) canard○ *m*; péj (tabloid) torchon○ *m* pej, quotidien *m* populaire; 3 (*also* **~time**) rag *m*
B **rags** *npl* (old clothes) loques *fpl*; **in ~s** en haillons
C ○*vtr* (*p prés etc* **-gg-**) **to ~ sb** taquiner qn (**about** à propos de)
(Idioms) **it's like a red ~ to a bull** ça a le don de l'exciter; **to be on the ~**● US (menstruate) avoir ses règles; **to feel like a wet ~** se sentir vidé; **to go from ~s to riches** connaître une ascension spectaculaire; **a ~s-to-riches story** une histoire de réussite sociale spectaculaire; **to lose one's ~**○ GB sortir de ses gonds○
ragamuffin /ˈrægəmʌfɪn/ *n* 1 †(urchin) va-nu-pieds *mf inv*; 2 Mus ragamuffin *m*
rag: **~-and-bone man**○† *n* GB chiffonnier *m*; **~bag** *n* fig (jumble) ramassis *m*; **~ doll** *n* poupée *f* de chiffon
rage /reɪdʒ/
A *n* 1 (anger) rage *f*, colère *f*; **tears of ~** des larmes de rage; **purple with ~** rouge de colère; **trembling with ~** tremblant de rage; 2 (fit of anger) colère *f*; **sudden ~s** des colères soudaines; **to be in/to fly into a ~** être/entrer dans une colère noire; 3 ○(fashion) **to be (all) the ~** faire fureur; **it's all the ~ in Paris** ça fait fureur à Paris
B *vi* 1 [*storm, fire, battle*] faire rage (**across, through** à travers); [*controversy, debate*] se déchaîner (**over, about** à propos de); 2 [*angry person*] tempêter (**at, against** contre); 3 ○(party) faire la fête
ragga /ˈrægə/ *n* Mus ragga *m*
ragged /ˈrægɪd/ *adj* 1 (tatty) [*garment, cloth*] en loques; [*cuff, collar*] effiloché; [*person*] dépenaillé; 2 (uneven) [*lawn, hedgerow, fringe, beard*] irrégulier/-ière; [*outline, cloud*] déchiqueté; 3 (motley) [*group, community*] disparate; 4 (in quality) [*performance, race*] inégal
(Idiom) **to run sb ~**○ épuiser qn
ragged robin *n* Bot coucou *m*
raging /ˈreɪdʒɪŋ/ *adj* 1 (of feelings) [*passion, argument, hatred*] violent; [*thirst, hunger, pain*] atroce; **a ~ toothache** une rage de dents; **she was absolutely ~** elle était folle de rage; 2 (of forces) [*blizzard, sea*] déchaîné; **there was a ~ storm** la tempête faisait rage
raglan /ˈræglən/ *adj* raglan *inv*
rag-roll /ˈrægrəʊl/ *vtr* peindre [qch] au chiffon
rag-rolling /ˈrægrəʊlɪŋ/ *n* peinture *f* au chiffon
rag rug *n* tapis *m* en lirette

ragtag○ /ˈrægtæg/ *adj* péj *[group, organisation]* désordonné

(Idiom) **the ~ and bobtail**○ la canaille

ragtime /ˈrægtaɪm/ *n* (also **~ music**) ragtime *m*

ragtop○ /ˈrægtɒp/ *n* US décapotable *f*

rag trade○ /ˈrægtreɪd/ *n* **the ~** la confection

rag: **~weed** *n* Bot ambroisie *f*; **~ week** *n* GB Univ semaine *f* du carnaval étudiant (*au profit d'institutions caritatives*); **~wort** *n* jacobée *f*

rah /rɑː/ *excl* US hourra!

rah-rah○ /ˈrɑːrɑː/ *adj* US *[response]* hyperenthousiaste; **~ skirt** jupette *f* à volants

raid /reɪd/

A *n* **1** (attack) (military) raid *m* (**on** sur); (on bank) hold-up *m* (**on** de); (on home) cambriolage *m* (**on** de, dans); (by police, customs) rafle *f* (**on** dans); **to carry out a ~** *[military]* faire un raid; *[robbers]* attaquer; *[police]* faire une rafle; **2** Fin (on stock market) raid *m* (**on** sur)

B *vtr* **1** (attack) *[military]* faire un raid sur *[base, town]*; *[robbers]* attaquer *[bank]*; cambrioler *[house]*; *[police]* faire une rafle dans *[pub, office, house]*; **2** fig hum casser *[piggybank]*; faire une razzia○ sur *[fridge, orchard]*; **3** Fin *[company]* entamer *[fund, reserves]*

raider /ˈreɪdə(r)/ *n* **1** (thief) pillard *m*; **2** Fin (corporate) raider *m*, attaquant *m*; **3** (soldier) (membre *m* d'un) commando *m*; **4** Mil Naut navire *m* de course

rail /reɪl/

A *n* **1** (for protection, support) (in fence) barreau *m*; (on balcony) balustrade *f*; (on bridge, tower) parapet *m*, garde-fou *m*; (handrail) rampe *f*; (on ship) bastingage *m*; **2** (for display) (in shop) présentoir *m*; **3** (for curtains) tringle *f*; ▸ **towel rail**, **picture rail**; **4** Transp (track) rail *m*; **by ~** *[travel, send]* par rail

B rails *npl* Turf corde *f*; **to come up on the ~s** tenir la corde

C *modif [network, traffic, transport]* ferroviaire; *[journey, travel]* en train; **~ strike** grève *f* des cheminots; **~ ticket** billet *m* de train

D *vi* sout **to ~ against** *ou* **at** s'insurger contre *[injustice, pollution, politician]*

(Idiom) **to go off the ~s** dérailler○

(Phrasal verb) ■ **rail off**: ▸ **~ [sth] off, ~ off [sth]** séparer [qch] par un grillage *[areas]*; entourer [qch] d'un grillage *[area]*

rail: **~car** *n* autorail *m*; **~card** *n* GB carte *f* d'abonnement; **~ fence** *n* US palissade *f* de rondins; **~head** *n* tête *f* de ligne

railing /ˈreɪlɪŋ/ *n* **1** (also **~s**) (in street, park, stadium) grille *f*; **2** (on wall) main courante *f*; (on tower) garde-fou *m*; (on balcony) balustrade *f*

raillery /ˈreɪlərɪ/ *n* littér raillerie *f* liter

railroad /ˈreɪlrəʊd/

A *n* US Rail **1** (network) chemin *m* de fer; **2** (also **~ track**) voie *f* ferrée; **3** (company) compagnie *f* des chemins de fer

B *modif* US Rail *[industry, link, tunnel, accident]* ferroviaire; *[bridge, tracks]* de chemin de fer

C *vtr* **1** ○(push) **to ~ sb into doing** forcer qn à faire; **to ~ the bill through (parliament)** tout faire pour faire adopter le projet de loi (par le parlement); **2** US (send by rail) expédier [qch] par chemin de fer; **3** ○US (imprison) expédier○ [qn] en prison

railroad car *n* US (for goods) wagon *m*; (for people) voiture *f*, wagon *m*

rail terminus *n* GB (gare *f*) terminus *m*

railway /ˈreɪlweɪ/ GB Rail

A *n* **1** (network) chemin *m* de fer; **to use the ~s** voyager en train; **2** (also **~ line**) ligne *f* (de chemin de fer); **light/high-speed ~** ligne locale/à grande vitesse; **3** (also **~ track**) voie *f* ferrée; **4** (company) compagnie *f* des chemins de fer

B *modif [bridge]* de chemin de fer; *[museum]* des chemins de fer; *[link, tunnel, accident]* ferroviaire

railway: **~ carriage** *n* GB (for goods) wagon *m*; (for people) voiture *f*, wagon *m*; **~ embankment** *n* remblai *m*; **~ engine** *n* GB locomotive *f*; **~ junction** *n* gare *f* de jonction *or* de raccordement

railway line *n* GB **1** (route) ligne *f* de chemin de fer; **2** (tracks) voie *f* ferrée

railway: **~man** ▸ p. 1683 GB *n* cheminot *m*; **~ station** *n* GB gare *f*

raiment‡ /ˈreɪmənt/ *n* habits *mpl*

rain /reɪn/

A *n* **1** Meteorol pluie *f*; **the ~ was falling** *ou* **coming down** la pluie tombait, il pleuvait; **the ~ started/stopped** il a commencé à/il s'est arrêté de pleuvoir; **a light/heavy ~** une pluie fine/battante; **steady/driving/pouring ~** pluie régulière/battante/diluvienne; **in the ~** sous la pluie; **come in out of the ~!** rentre, ne reste pas sous la pluie!; **it looks like ~** le temps est à la pluie; **2** fig (of arrows, ash) pluie *f* (**of** de)

B rains *npl* saison *f* des pluies; **the ~s have failed** la saison a été sèche

C *modif [cloud, hood, water]* de pluie

D *vtr* **to ~ blows on sb** *[person]* rouer qn de coups; **to ~ questions/compliments on sb** inonder qn de questions/compliments

E *v impers* **1** Meteorol pleuvoir; **it's ~ing** il pleut; **it ~ed all night/all summer** il a plu toute la nuit/tout l'été; **it was ~ing hard** il pleuvait à verse; **2** fig = **rain down**

(Idioms) **come ~ or shine** qu'il pleuve ou qu'il vente; **it never ~s but it pours** un malheur n'arrive jamais seul; **to be (as) right as ~** GB *[person]* se porter comme un charme; *[object]* être en parfait état de marche

(Phrasal verbs) ■ **rain down**: ▸ **~ down** *[blows, bullets, ash, insults]* pleuvoir (**on, onto** sur); ▸ **~ down [sth], ~ [sth] down** faire pleuvoir (**on, onto** sur)

■ **rain off** GB **to be ~ed off** (cancelled) être annulé pour cause de pluie; (stopped) être interrompu par la pluie

■ **rain out** US = **rain off**

rainbow /ˈreɪnbəʊ/

A *n* lit, fig arc-en-ciel *m*

B *modif [colours, stripes]* de l'arc-en-ciel

(Idiom) **at the ~'s end** du domaine du rêve

rainbow coalition *n* Pol coalition *f* arc-en-ciel

rainbow trout *n* (*pl* **~**) truite *f* arc-en-ciel

rain chart *n* carte *f* pluviométrique

rain check *n* US **1** Comm *ticket permettant au client de réserver un article à prix réduit en cas de rupture de stock*; **2** Sport *billet pour un autre match si le premier est annulé pour cause de pluie*

(Idiom) **to take a ~ on sth** reporter qch

rain: **~coat** *n* imperméable *m*; **~drop** *n* goutte *f* de pluie

rainfall /ˈreɪnfɔːl/ *n* niveau *m* de précipitations; **50 cm of ~** un niveau de précipitations de 50 cm; **heavy/low ~** fortes/faibles précipitations

rain forest *n* forêt *f* tropicale humide; **to save the ~s** sauver la forêt tropicale; **the ~s of Brazil** les forêts tropicales du Brésil

rain gauge *n* pluviomètre *m*

rainless /ˈreɪnlɪs/ *adj* sec/sèche

rain: **~maker** *n* faiseur/-euse *m/f* de pluie; **~making** *n* rites *mpl* pour faire venir la pluie; **~ shadow** *n* zone *f* sous le vent à l'abri de la pluie; **~-soaked** *adj [person, garment]* trempé de pluie; *[ground]* détrempé par la pluie; **~storm** *n* trombe *f* d'eau; **~wear** *n* vêtements *mpl* de pluie

rainy /ˈreɪnɪ/ *adj [afternoon, climate, place]* pluvieux/-ieuse; **~ day** jour *m* pluvieux *or* de pluie; **~ season** saison *f* des pluies

(Idioms) **to keep** *ou* **save something for a ~ day** mettre de l'argent de côté; **I'm saving it for a ~ day** je le mets de côté pour le jour où j'en aurai besoin

raise /reɪz/

A *n* **1** US (pay rise) augmentation *f*

2 Games (in poker) mise *f* supérieure; (in bridge) annonce *f* supérieure

B *vtr* **1** (lift) lever *[baton, barrier, curtain]*; hisser *[flag]*; soulever *[box, trap door, lid]*; élever *[level, standard]*; renflouer *[sunken ship]*; **to ~ one's hand/head** lever la main/tête; **to ~ one's hands above one's head** lever les mains au-dessus de la tête; **he ~d the glass to his lips** il a porté le verre à ses lèvres; **to ~ a glass to sb** lever son verre à l'honneur de qn; **to ~ one's hat to sb** soulever son chapeau pour saluer qn; **I've never ~d a hand to my children** je n'ai jamais levé la main sur mes enfants; **to ~ an eyebrow** lit froncer les sourcils; **nobody ~d an eyebrow at my suggestion** fig ma suggestion n'a fait sourciller personne; **to ~ sb from the dead** ressusciter qn

2 (place upright) dresser *[mast, flagpole]*; redresser *[patient]*

3 (increase) augmenter *[fees, price, offer, salary, volume]* (**from** de; **to** à); élever *[standard]*; reculer *[age limit]* (**for** pour); **to raise sb's awareness** *ou* **consciousness of** sensibiliser qn à; **to ~ one's voice** (to be heard) parler plus fort; (in anger) élever la voix; **to ~ one's voice against** fig élever la voix contre; **to ~ the temperature** lit, fig faire monter la température; **to ~ sb's hopes** donner de faux espoirs à qn; **to ~ one's sights** augmenter ses prétentions

4 (cause) faire naître *[doubts, fears, suspicions]*; rappeler *[memories]*; soulever *[dust]*; **to ~ a storm of protest** provoquer une tempête de protestations; **to ~ a cheer** *[speech]* déclencher des hourras; **to ~ a laugh/smile** *[joke]* faire rire/sourire; **to ~ a fuss** faire des histoires○; **to ~ a commotion** faire du vacarme○

5 (mention) soulever *[issue, objection, problem, possibility]*; **please ~ any queries** *ou* **questions now** si vous avez des questions, posez-les maintenant

6 (bring up) élever *[child, family]*; **to be ~d (as) an atheist/a Catholic** être élevé dans l'athéisme/la foi catholique

7 (breed) élever *[livestock]*

8 (find) trouver *[capital, money]*; **I need to ~ 3,000 dollars** il faut que je trouve 3 000 dollars

9 (form) lever *[army]*; former *[team]*

10 (collect) lever *[tax]*; obtenir *[support]*; collecter *[money]*; **they ~d money for charity** ils ont collecté de l'argent pour une œuvre de charité; **the gala ~d a million dollars** le gala a permis de collecter un million de dollars, **the money ~d from the concert was donated to UNICEF** la recette du concert a été donnée à l'UNICEF; **I ~d £300 against my watch** j'ai engagé ma montre pour 300 livres sterling

11 (erect) élever *[monument, statue]* (**to sb** en l'honneur de qn)

12 (end) lever *[ban, siege]*

13 (contact) contacter *[person]*; **I can't ~ her on the phone** je n'arrive pas à la joindre au téléphone

14 (give) **to ~ the alarm** lit sonner l'alarme; fig donner l'alarme; **she ~d a smile** elle a eu un sourire forcé

15 (improve) **to ~ the tone** hausser le ton; **to ~ sb's spirits** remonter le moral à qn

16 (increase the stake) **I'll ~ you 200 dollars!** 200 dollars de mieux!; **to ~ the bidding** (in gambling) monter la mise; (at auction) monter l'enchère

17 Math **to ~ a number to the power (of) three/four** élever un chiffre à la puissance trois/quatre

C *v refl* **to ~ oneself** se redresser; **to ~ oneself to a sitting position** se redresser (en position assise); **to ~ oneself up on one's elbows** prendre appui sur ses coudes

raised /reɪzd/ *pp adj [platform, jetty]* surélevé; **I heard ~ voices** j'ai entendu des éclats de voix; **to cause ~ eyebrows** faire froncer les sourcils; **there were ~ eyebrows when I suggested it** ma suggestion a fait froncer les sourcils

raised: **~ beach** *n* Geol plage *f* soulevée; **~-head** *adj* (*épith*) Tech à tête saillante

raiser /ˈreɪzə(r)/ *n* Agric éleveur/-euse *m/f*

raisin /ˈreɪzn/ *n* raisin *m* sec; **seedless ~** raisin sec sans pépins

raising agent *n* Culin agent *m* de levage

Raj /rɑːdʒ/ *n* GB Hist **the ~** (gouvernement *m* de) l'empire *m* britannique aux Indes

rajah /ˈrɑːdʒə/ *n* radjah *m*

rake /reɪk/

A *n* 1▸ (tool) râteau *m*; (in casino) râteau *m* de croupier; 2▸ †(libertine) débauché *m*; 3▸ (slope) inclinaison *f*; 4▸ (angle) angle *m* d'inclinaison; 5▸ Naut (of bow) élancement *m*; (of mast) quête *f*

B *vtr* 1▸ Agric, Hort ratisser [*earth*]; **to ~ sth into a pile** ratisser qch en tas; 2▸ (scan) [*gun, beam, soldier*] balayer [*enemy, ground, sky*]; **her eyes ~d the horizon** elle a parcouru l'horizon du regard

C *vi* **to ~ among** *ou* **through** fouiller dans [*papers, possessions*]

D raked *pp adj* incliné

(Phrasal verbs) ■ **rake in**○: ▸ **~ in [sth]** amasser [*money, profits*]; **he's raking it in**○**!** il remue l'argent à la pelle○!

■ **rake out**: ▸ **~ [sth] out**, **~ out [sth]** étouffer [*fire*]

■ **rake over**: ▸ **~ over [sth]** 1▸ lit ratisser [*soil, flowerbed*]; 2▸ fig remuer [*memories*]

■ **rake up**: ▸ **~ up [sth]**, **~ [sth] up** 1▸ lit ratisser, ramasser [qch] avec un râteau [*leaves, weeds*]; 2▸ fig ressusciter [*grievance*]; remuer [*past*]

rake-off○ /ˈreɪkɒf/ *n* (legal) commission *f*; (illicit) ristourne *f* illicite

rakish /ˈreɪkɪʃ/ *adj* 1▸ †(dissolute) débauché; 2▸ (jaunty) désinvolte; **to wear one's hat at a ~ angle** porter son chapeau de façon désinvolte

rally /ˈrælɪ/

A *n* 1▸ (meeting) rassemblement *m*; **peace ~** rassemblement pour la paix; 2▸ (car race) rallye *m*; 3▸ (in tennis) échange *m*; 4▸ (recovery) gen amélioration *f* (**in** dans); Fin reprise *f*

B *modif* [*car, circuit, course, driver*] de rallye

C *vtr* (gather) rassembler [*support, supporters, troops*]; rallier [*public opinion*]; **to ~ one's supporters around** *ou* **behind one** rassembler ses supporters autour de soi

D *vi* 1▸ (come together) [*people, troops*] se rallier (**to** à); **to ~ to the defence of sb** se porter au secours de qn; **to ~ to the cause** se rallier à la cause; 2▸ (recover) [*dollar, prices*] remonter; [*patient*] se rétablir; [*sportsperson*] se ressaisir; **her spirits rallied** elle a repris courage

(Phrasal verb) ■ **rally round**, **rally around**: ▸ **~ round** [*friends, supporters*] se rallier; ▸ **~ round [sb]** soutenir [*person*]

rally driving ▸ **p. 1253** *n* rallye *m*

rallying /ˈrælɪɪŋ/ *n* rallye *m*; **to go ~** faire des rallyes

rallying: **~ call**, **~ cry** *n* lit, fig cri *m* de ralliement; **~ point** *n* lit, fig point *m* de ralliement

ram /ræm/

A *n* 1▸ Zool, Astrol bélier *m*; 2▸ Constr (of pile driver) marteau *m*; Tech (plunger) (piston *m*) plongeur *m*; **hydraulic ~** bélier *m* hydraulique

B *vtr* (*p prés etc* **-mm-**) 1▸ (crash into) [*vehicle*] rentrer dans, heurter [*car, boat etc*]; 2▸ (push) enfoncer [*fist, object*] (**into** dans)

C *vi* (*p prés etc* **-mm-**) **to ~ into sth** [*vehicle*] rentrer dans qch, heurter qch

(Phrasal verbs) ■ **ram down**: ▸ **~ [sth] down**, **~ down [sth]** enfoncer qch

■ **ram home**: ▸ **~ [sth] home**, **~ home [sth]** lit placer [*ball, fist*]; fig faire clairement comprendre [*message, point*]

RAM /ræm/ *n* (*abrév* = **random access memory**) RAM *f*

Ramadan /ˌræməˈdæn, -ˈdɑːn/ *n* ramadan *m*

ramble /ˈræmbl/

A *n* (planned) randonnée *f* (pédestre); (casual) balade *f* (à pied); **to go for a ~** faire une randonnée

B *vi* 1▸ (walk) (with itinerary) faire une randonnée; (without itinerary) faire une balade; 2▸ Hort [*plant*] grimper

(Phrasal verb) ■ **ramble on** (talk) discourir (**about** sur)

rambler /ˈræmblə(r)/ *n* 1▸ (hiker) randonneur/-euse *m/f*; 2▸ Hort plante *f* grimpante

rambling /ˈræmblɪŋ/

A *n* randonnée *f*

B *adj* 1▸ [*house*] plein de coins et de recoins; [*town*] construit au hasard; 2▸ [*talk, article*] décousu; 3▸ Hort grimpant

rambunctious○ /ræmˈbʌŋkʃəs/ *adj* US exubérant

RAMC *n* (*abrév* = **Royal Army Medical Corps**) service *m* de santé de l'armée britannique

ramekin /ˈræməkɪn/ *n* ramequin *m*

ramification /ˌræmɪfɪˈkeɪʃn/ *n* gen, Anat, Bot ramification *f*

ramify /ˈræmɪfaɪ/

A *vtr* ramifier

B *vi* se ramifier

ramjet (engine) /ˈræmdʒet/ *n* Aviat statoréacteur *m*

ramp /ræmp/ *n* gen rampe *f*; (for wheelchair) rampe *f* d'accès; (in roadworks) GB dénivellation *f*; (to slow traffic) GB ralentisseur *m*; Aut, Tech (for raising vehicle) pont *m* de graissage; Aviat passerelle *f*; US Aut (on, off highway) bretelle *f*; **hydraulic ~** pont *m* élévateur

rampage

A /ˈræmpeɪdʒ/ *n* **to be** *ou* **go on the ~** tout saccager

B /ræmˈpeɪdʒ/ *vi* se déchaîner (**through** dans)

rampant /ˈræmpənt/ *adj* 1▸ [*crime, disease, rumour*] endémique; 2▸ [*plant*] exubérant; 3▸ Herald rampant

rampart /ˈræmpɑːt/ *n* lit, fig rempart *m*

ram-raid /ˈræmreɪd/ *vtr* GB dévaliser un magasin (*après avoir défoncé la vitrine au moyen d'une voiture bélier*)

ramrod /ˈræmrɒd/ *n* (for small gun) baguette *f* (*pour une arme*); (for cannon) refouloir *m*

(Idiom) **straight as a ~** raide comme un piquet

ramshackle /ˈræmʃækl/ *adj* lit, fig délabré

ran /ræn/ *prét* ▸ **run**

RAN *n* (*abrév* = **Royal Australian Navy**) Marine *f* royale australienne

ranch /rɑːntʃ, US ræntʃ/ *n* ranch *m*

rancher /ˈrɑːntʃə(r), US ˈræntʃə(r)/ *n* US propriétaire *mf* de ranch

ranch: **~ hand** *n* garçon *m* de ferme; **~ (style) house** *n* maison *f* style ranch

ranching /ˈrɑːntʃɪŋ/, US /ræn-/ *n* élevage *m* en ranch

rancid /ˈrænsɪd/ *adj* rance; **to go ~** rancir; **to smell ~** sentir le rance

rancidness /ˈrænsɪdnɪs/, **rancidity** /rænˈsɪdətɪ/ *n* rance *m*

rancorous /ˈræŋkərəs/ *adj* rancunier/-ière (**towards** envers)

rancour GB, **rancor** US /ˈræŋkə(r)/ *n* rancœur *f* (**against** envers)

rand /rænd/ ▸ **p. 1108** *n* rand *m*

random /ˈrændəm/

A *n* **at ~** au hasard

B *adj* (fait) au hasard; **on a ~ basis** au hasard

randomize /ˈrændəmaɪz/ *vtr* randomiser

randomly /ˈrændəmlɪ/ *adv* au hasard

randy○ /ˈrændɪ/ *adj* (highly-sexed) porté sur la chose; (sexually excited) d'humeur érotique

rang /ræŋ/ *prét* ▸ **ring**

range /reɪndʒ/

A *n* 1▸ Comm, gen (choice) (of prices, colours, models, products) gamme *f*; (of activities, alternatives, options) éventail *m*, choix *m*; **a top/bottom of the ~ computer** un ordinateur haut/bas de gamme; **in a wide ~ of prices** à tous les prix; **in a wide ~ of colours** dans un grand choix de couleurs; 2▸ (spectrum) (of people, abilities, beliefs, emotions) variété *f*; (of benefits, salaries, incentives) éventail *m*; (of issues, assumptions) série *f*; **age ~** tranche *f* d'âge; **price ~** éventail de prix; **salary ~** éventail des salaires; **in the 30–40% ~** dans les 30 à 40%; **in the £50–£100 ~** entre 50 et 100 livres sterling; **what is your price ~?** quel prix voulez-vous y mettre?, dans quel ordre de prix?; **to have a wide ~ of interests** s'intéresser à beaucoup de choses; **a wide ~ of views/opinions** des vues/opinions très diverses; **I teach pupils right across the ability ~** j'enseigne à des élèves de niveaux différents; **there is a wide ability ~ in this class** il y a des niveaux très différents dans cette classe; 3▸ (assortment) variété *f*; 4▸ (scope) (of influence, knowledge) étendue *f*; (of investigation, research) domaine *m*; 5▸ (distance) distance *f*; **at a ~ of 200 m** à une distance de 200 m; **from long ~** de loin; **to shoot sb at close ~** tirer sur qn à bout portant; **within hearing ~** à portée de voix; 6▸ (capacity) (of radar, weapon, transmitter) portée *f* (**of** de); **to be out of ~** être hors de portée; 7▸ Aerosp, Aut, Aviat autonomie *f*; 8▸ US (prairie) prairie *f*; **on the ~** dans les pâturages; 9▸ (of mountains) chaîne *f*; 10▸ (stove) (wood etc) fourneau *m*; (gas, electric) cuisinière *f*; 11▸ Fin limites *fpl*; **the dollar is within its old ~** les fluctuations du dollar sont rentrées dans leurs anciennes limites; 12▸ (firing area) (for weapons) champ *m* de tir; (for missiles) zone *f* de tir; 13▸ Theat (of actor) répertoire *m*; 14▸ Mus (of voice, instrument) tessiture *f*

B *vtr* 1▸ (set) opposer (**against** à); 2▸ (draw up) aligner, ranger [*forces, troops*]

C *vi* 1▸ (run) aller (**from** de; **to** à); 2▸ (vary) varier (**between** entre); 3▸ (cover) **to ~ over sth** couvrir qch; **his speech ~d over a wide variety of subjects** son discours couvrait toute une gamme de sujets; 4▸ (roam, wander) vagabonder; 5▸ Mil **to ~ over** [*gun, missile*] avoir une portée de [*20 km*]

rangefinder /ˈreɪndʒfaɪndə(r)/ *n* télémètre *m*

ranger /ˈreɪndʒə(r)/ *n* 1▸ Ecol, Agric garde-forestier *m*; 2▸ US, Mil ranger *m*; 3▸ GB (in Guides) ≈ éclaireuse *f* aînée

Rangoon /ræŋˈguːn/ ▸ **p. 1815** *pr n* Rangoun

rangy /ˈreɪndʒɪ/ *adj* élancé

rank /ræŋk/

A *n* 1▸ (in military, police) grade *m*; (in company, politics) rang *m*; (social status) rang *m*; **of high/low ~** de haut/bas rang; **to pull ~** abuser de son rang; 2▸ (line) (of people) rang *m*; (of objects) rangée *f*; **~ upon ~ of soldiers** des rangs de soldats; **to arrange [sth] in ~s** disposer [qch] en rangées [*toy soldiers*]; **to break ~s** lit [*soldiers*] rompre les rangs; fig [*politicians*] se rebeller; **to close ~s (against)** lit, fig serrer les rangs (contre); 3▸ (for taxis) station *f*; **taxi ~** station de taxis; 4▸ Ling rang *m*; 5▸ (in chess) rangée *f*; ▸ **p. 1599**

B ranks *npl* 1▸ Mil, Pol, Ind rangs *mpl*; **to be in the ~s** Mil être dans les rangs; **to rise through the ~s** sortir du rang; **a leader chosen from the ~s of the party** un dirigeant choisi dans les rangs du parti; **the ~s of the unemployed/of the homeless** les rangs des chômeurs/des sans-abri; **to be reduced to the ~s** Mil être dégradé; 2▸ (echelons) échelons *mpl*; **to rise through the ~s of the civil service** gravir les échelons de la fonction publique

C *adj* 1▸ (absolute) péj (for emphasis) [*outsider, begin-*

ℹ Military ranks and titles

■ *The following list gives the principal ranks in the French services. For translations, see the individual dictionary entries.*

The Navy = La marine nationale

amiral
vice-amiral d'escadre
vice-amiral
contre-amiral
capitaine de vaisseau
capitaine de frégate
capitaine de corvette
lieutenant de vaisseau
enseigne de vaisseau (1re et 2e classe)
aspirant
major
maître principal
premier maître
maître
second maître
quartier-maître (1re et 2e classe)
matelot

The Army = L'armée de terre

général d'armée
général de corps d'armée
général de division
général de brigade
colonel
lieutenant-colonel
commandant
capitaine
lieutenant
sous-lieutenant
aspirant
major
adjudant-chef
adjudant
sergent-chef
or maréchal des logis-chef (*cavalry*)
sergent
or maréchal des logis (*cavalry*)
caporal-chef
or brigadier-chef (*cavalry*)
caporal
or brigadier (*cavalry*)
soldat
or cavalier (*cavalry*)

The Air Force = L'armée de l'air

général d'armée aérienne
général de corps aérien
général de division aérienne
général de brigade aérienne
colonel
lieutenant-colonel
commandant
capitaine
lieutenant
sous-lieutenant
aspirant
major
adjudant-chef
adjudant
sergent-chef
sergent
caporal-chef
caporal
aviateur

Speaking about someone

he's a colonel
= il est colonel

to be promoted to colonel
= être promu colonel

he has the rank of colonel
= il a le rang de colonel

she's a lieutenant in the Army
= elle est lieutenant dans l'armée de terre

he's just a private
= il est simple soldat

Colonel Smith has arrived
= le colonel Smith est arrivé

Speaking to someone

■ *In the* armée de terre, *the* mon *is used to superior officers from* lieutenant *upwards, except for* major. Mon *is never prefixed to ranks in the* marine nationale *or the* armée de l'air *and never used to personnel of inferior rank in any of the three services.*

Service personnel to superior officers

yes, sir
= oui, mon colonel
(*or* mon capitaine, mon lieutenant *etc.*)

yes, ma'am
= oui, colonel
(*or* capitaine, lieutenant *etc.*)

Service personnel to someone of lower rank

yes, sergeant
= oui, sergent

ner] complet/-ète; [*favouritism, injustice, stupidity*] flagrant; 2▸ (foul) [*odour*] fétide; 3▸ (exuberant) [*ivy, weeds*] envahissant; **to be ~ with weeds** [*garden*] être envahi par les mauvaises herbes
D *adv* **to smell ~** avoir une odeur fétide
E *vtr* 1▸ (classify) [*person*] classer [*player, novel, restaurant*] (**among** parmi; **above** au-dessus de; **below** au-dessous de); **to be ~ed third in the world** être classé troisième au niveau mondial; 2▸ US (be senior to) [*officer, colleague*] commander [*person*]
F *vi* 1▸ (rate) se classer; **how do I ~ compared to her?** où est-ce que je me classe *or* situe par rapport à elle?; **to ~ as a great composer** être considéré comme un grand compositeur; **to ~ among** *ou* **with the champions** être classé parmi les *or* au nombre des champions; **to ~ above/below/alongside sb** occuper un rang supérieur/inférieur/égal à qn; **this has to** *ou* **must ~ as one of the worst films I've ever seen** c'est un des films les pires que j'aie jamais vus; **that doesn't ~ very high on my list of priorities** cela ne figure pas très haut dans ma liste de priorités; 2▸ US Mil (be most senior) [*admiral, general*] commander

rank and file /ˌræŋkən'faɪl/
A *n* base *f*
B **rank-and-file** *modif* [*opinion*] de la base; [*committee, member, membership, socialist*] de base

ranker /'ræŋkə(r)/ *n* Mil 1▸ (ordinary soldier) simple soldat *m*; 2▸ (officer) officier *m* sorti du rang

ranking /'ræŋkɪŋ/
A *n* Sport classement *m*; **to improve one's ~** monter dans le classement
B **-ranking** (*dans composés*) **high/low-~** de haut/bas rang

rankle /'ræŋkl/ *vi* **to ~ with sb** rester en travers de la gorge de qn○; **there are some things that still ~** il y a encore des choses qui ne sont pas passées; **but it still ~s** mais ça laisse toujours un goût saumâtre

rankness /'ræŋknɪs/ *n* 1▸ (foul smell) odeur *f* fétide; 2▸ (exuberance) exubérance *f*

ransack /'rænsæk, US ræn'sæk/ *vtr* 1▸ (search) fouiller (**for** pour trouver); 2▸ (plunder) mettre [qch] à sac; **to ~ a house** mettre une maison à sac

ransom /'rænsəm/
A *n* 1▸ (sum) (*also* **~ money**) rançon *f*; **to demand/pay a ~** exiger/payer une rançon (**for** pour); 2▸ **to hold sb to** GB *ou* **for** US **~** lit garder qn en otage; fig tenir qn en otage
B *vtr* payer une rançon pour
(Idiom) **a king's ~** une somme fabuleuse

rant /rænt/ *vi* déclamer
(Idiom) **to ~ and rave** tempêter (**at** contre)
(Phrasal verbs) ■ **rant at**: ▸ **~ at [sb]** pester contre (**about** à propos de)
■ **rant on** divaguer (**about** sur)

ranting /'ræntɪŋ/
A *n* (*also* **~s** *npl*) rodomontades *fpl*
B *adj* déchaîné

ranunculus /rə'nʌŋkjʊləs/ *n* (*pl* **-li**) renoncule *f*

rap /ræp/
A *n* 1▸ (tap) coup *m* sec; **a ~ on the table/at the door** un coup sec sur la table/à la porte; 2▸ Mus (*also* **~ music**) rap *m*; 3▸ ○US (conversation) conversation *f*; 4▸ ○(accusation) accusation *f*; **to beat the ~** s'en tirer à bon compte; **to hang a murder/burglary ~ on sb** faire endosser un meurtre/cambriolage à qn; **to take the ~** écoper○ (**for** pour)
B *modif* Mus [*artist, poet, record*] rap *inv*
C *vtr* (*p prés etc* **-pp-**) 1▸ (tap) frapper sur; 2▸ (criticize) Journ tancer [*person*] (**for** pour; **for doing** d'avoir fait)
D *vi* (*p prés etc* **-pp-**) 1▸ (tap) donner des coups secs (**with** avec); **to ~ on the table/at the door** donner des coups secs sur la table/à la porte; 2▸ Mus faire du rap; 3▸ ○US (talk) causer○, parler (**about** de)
(Phrasal verb) ■ **rap out**: ▸ **~ out [sth]** lancer [*order, question*]

rapacious /rə'peɪʃəs/ *adj* rapace

rapaciously /rə'peɪʃəslɪ/ *adv* avec rapacité

rapacity /rə'pæsətɪ/ *n* rapacité *f*

rape /reɪp/
A *n* 1▸ Jur, fig viol *m*; **attempted ~** tentative *f* de viol; 2▸ Agric, Bot colza *m*
B *modif* Jur [*case, charge*] de viol; **~ alarm** alarme *f* anti-viol *inv*; **~ counselling** assistance *f* aux victimes d'un viol; **~ victim** (in general) victime *f* d'un viol; (one specific) victime *f* du viol
C *vtr* violer

rape(seed) oil *n* huile *f* de colza

rapid /'ræpɪd/ *adj* gen rapide; **in ~ succession** coup sur coup

rapid: **~ deployment force** *n* Mil force *f* d'intervention rapide; **~ eye movement, REM** *n* mouvements *mpl* oculaires rapides; **~ fire** *n* Mil, fig feu *m* roulant

rapidity /rə'pɪdətɪ/ *n* rapidité *f*

rapidly /'ræpɪdlɪ/ *adv* rapidement

Rapid Reaction Force *n* Force *f* d'intervention rapide

rapids /'ræpɪdz/ *npl* rapides *mpl*; **to shoot** *ou* **ride the ~** descendre les rapides

rapid transit *n* US Transp transport *m* public

rapier /ˈreɪpɪə(r)/ *n* rapière *f*
rapine /ˈræpaɪn, US ˈræpɪn/ *n* rapine *f*
rapist /ˈreɪpɪst/ *n* violeur *m*
rapper /ˈræpə(r)/ *n* **1** Mus chanteur/-euse *m/f* de rap, rappeur/-euse *m/f*; **2** US (door-knocker) heurtoir *m*
rapping /ˈræpɪŋ/ *n* **1** (knocking) coups *mpl* secs; **2** Mus rap *m*
rapport /ræˈpɔː(r), US -ˈpɔːrt/ *n* bons rapports *mpl* (**with** avec; **between** entre); **in ~ with** en harmonie avec; **to establish a ~** établir un bon rapport; **a close ~** un rapport étroit
rapprochement /ræˈprɒʃmɒŋ, ræˈprəʊʃ-, US ˌræprəʊʃˈmɒŋ/ *n* rapprochement *m* (**between** entre)
rapscallion‡ /ræpˈskæljən/ *n* vaurien *m*
rap sheet○ *n* US casier *m* (judiciaire)
rapt /ræpt/ *adj* gen absorbé; [*smile*] extasié; **~ with wonder** émerveillé; **to watch with ~ attention** regarder très attentivement
rapture /ˈræptʃə(r)/ *n* ravissement *m*; **with ~, in ~** avec ravissement; **to go into ~s over** *ou* **about sth** s'extasier sur qch; **to be in ~s over** *ou* **about sth** être en extase devant qch
rapturous /ˈræptʃərəs/ *adj* [*delight*] extasié; [*welcome*] enthousiaste; [*applause*] frénétique
rapturously /ˈræptʃərəslɪ/ *adv* avec extase; [*applaud*] avec frénésie
rare /reə(r)/ *adj* **1** (uncommon) rare (*before n*); **it is ~ to see** il est rare de voir; **it is ~ for sb to do** il est rare que qn fasse; **with a few ~ exceptions** à quelques rares exceptions près; **on the ~ occasions when...** les rares fois où...; **a ~ event** un événement exceptionnel; **2** [*steak*] saignant; **I like it very ~** je l'aime bleu; **3** [*atmosphere, air*] raréfié; **4** †(wonderful) **to have a ~ old time** bien s'amuser
rarebit /ˈreəbɪt/ *n* ▸ **Welsh rarebit**
rarefied /ˈreərɪfaɪd/ *adj* [*atmosphere*] lit raréfié; fig étouffant
rarely /ˈreəlɪ/ *adv* rarement
rareness /ˈreənɪs/ *n* rareté *f*
raring /ˈreərɪŋ/ *adj* **to be ~ to do** être très impatient de faire; **to be ~ to go** piaffer d'impatience
rarity /ˈreərətɪ/ *n* **1** (plant) plante *f* rare; (bird) oiseau *m* rare; (collector's item) pièce *f* rare; **2** (rare occurrence) phénomène *m* rare; **to be a ~** être rare; **it is a ~ for sb to do** il est rare que qn fasse; **3** (rareness) rareté *f*
rascal /ˈrɑːskl, US ˈræskl/ *n* **1** (used affectionately) coquin/-e *m/f*; **he's an old ~** c'est un vieux chenapan; **2** †(reprobate) voyou *m*
rascally /ˈrɑːskəlɪ/ *adj* **her ~ son** son coquin de fils
rash /ræʃ/
A *n* **1** (skin) rougeurs *fpl*; **to have a ~** avoir des rougeurs; **to come out** *ou* **break out in a ~** se couvrir de rougeurs; **2** fig (spate) vague *f* (**of** de)
B *adj* [*person, decision, move, plan*] irréfléchi; **it was ~ to do** il n'était pas raisonnable de faire; **to be ~ enough to do** avoir l'imprudence de faire; **in a ~ moment** dans un moment d'emballement
rasher /ˈræʃə(r)/ *n* (of bacon) (slice) tranche *f*; (serving) US portion *f*
rashly /ˈræʃlɪ/ *adv* sans réfléchir
rashness /ˈræʃnɪs/ *n* (of person, behaviour) inconséquence *f*
rasp /rɑːsp, US ræsp/
A *n* **1** (of saw, voice) grincement *m*; **2** (file) râpe *f*
B *vtr* **1** (rub) râper; **2** fig **'no!,' she ~ed** 'non!,' dit-elle d'une voix rauque *or* râpeuse
C *vi* [*saw, file*] grincer
D rasping *pres p adj* [*voice, sound*] râpeux/-euse
raspberry /ˈrɑːzbrɪ, US ˈræzberɪ/
A *n* **1** (fruit) framboise *f*; **2** (noise) **to blow a ~** faire un bruit de dérision
B *modif* [*ice cream, tart*] à la framboise; [*jam*] de framboise; **~ cane** Hort framboisier *m*
Rasta○ /ˈræstə/ *n, adj* Rasta (*mf*)
Rastafarian /ˌræstəˈfeərɪən/
A *n* rasta *mf*, rastafari *mf*
B *adj* rasta
rat /ræt/
A *n* **1** Zool rat *m*; **2** ○péj (person) salaud◑/salope◑ *m/f*; **3** US (informer) mouchard/-e○ *m/f*
B *vi* (*p prés etc* **-tt-**) **1** ○**to ~ on** moucharder○, dénoncer [*person*]; se dédire de [*deal*]; renoncer à [*belief, commitments*]; **2** †**to go ~ting** faire la chasse aux rats
C rats *excl* mince alors○!
(Idioms) **to look like a drowned ~** être trempé comme une soupe○; **to smell a ~** flairer quelque chose de louche; **~s leave a sinking ship** Prov les rats quittent le navire
ratable *adj* = **rateable**
rat-arsed● *adj* GB bourré◑; **to get ~** se bourrer la gueule◑
rat: **~bag**○ *n* crapule○ *f*; **~catcher** *n* Hist chasseur *m* de rats
ratchet /ˈrætʃɪt/
A *n* (toothed rack) crémaillère *f*; (wheel) roue *f* à rochet; (tooth) cliquet *m*
B *vtr* **to ~ (up)** faire augmenter [*prices*]
rate /reɪt/
A *n* **1** (speed) rythme *m*; **the ~ of improvement/of production** le rythme d'amélioration/de production; **the ~ at which children learn** le rythme auquel les enfants apprennent; **to work at a steady ~** travailler à un rythme régulier; **at a ~ of 50 an hour** au rythme de 50 par heure; **at this ~ we'll finish in no time** à ce rythme nous aurons fini en moins de deux; **at this ~ we'll never be able to afford a car** fig à ce rythme-là nous n'aurons jamais les moyens d'acheter une voiture; **at the ~ you're going...** fig au train où tu vas...; **to drive/work at a terrific ~** conduire/travailler à toute vitesse
2 (number of occurrences) taux *m*; **the divorce/birth/unemployment ~** le taux de divorce/natalité/chômage; **the pass/failure ~ for that exam is 60%** le taux de réussite/d'échec à l'examen est de 60%
3 (level) **the interest/mortgage ~** le taux d'intérêt/de l'emprunt-logement; **the ~ of growth/of inflation/of exchange** le taux de croissance/d'inflation/de change
4 (charge) tarif *m*; **postal/advertising ~s** les tarifs postaux/publicitaires; **translator's ~s** les tarifs des traducteurs; **what is the ~ for a small ad?** quel est le tarif pour une petite annonce?; **telephone calls are charged at several ~s** il existe plusieurs tarifs pour les communications téléphoniques; **at a reduced ~** à tarif réduit; **to get a reduced ~** bénéficier d'un tarif réduit; **what's the going ~ for a Picasso?** quel est le prix moyen d'un Picasso?
5 (wage) tarif *m*; **his hourly ~ is £12** son salaire horaire est de 12 livres sterling; **to pay sb the going ~ for the job** payer qn au tarif en vigueur; **what's the going ~ for a babysitter?** quel est le tarif actuel pour une babysitter?; **what is your hourly ~ of pay?** combien gagnez-vous de l'heure?, quel est votre salaire horaire?
6 Fin (in foreign exchange) cours *m*
B rates *npl* GB Tax impôts *mpl* locaux; **business ~s** ≈ taxe *f* professionnelle
C *modif* GB Econ Fin [*increase, rebate*] des impôts locaux
D *vtr* **1** (classify) **I ~ his new novel very highly** j'admire beaucoup son nouveau roman; **how do you ~ this restaurant/him as an actor?** que pensez-vous de ce restaurant/de lui comme acteur?; **how do you ~ the food in that restaurant?** comment trouvez-vous la cuisine de ce restaurant?; **to ~ sb as a great composer** considérer qn comme un grand compositeur; **to ~ sb among the best pianists in the world** classer qn parmi les meilleurs pianistes du monde; **highly ~d** très coté
2 (deserve) mériter [*medal, round of applause*]; **this hotel ~s three stars** cet hôtel mérite trois étoiles; **the joke/the story hardly ~s a mention** la plaisanterie/l'histoire ne mérite pas qu'on en parle
3 (value) estimer [*honesty, friendship, person*]; **I ~ courage very highly** j'estime beaucoup le courage
E *vi* (rank) **how did our cheese/wine ~?** où notre fromage/vin s'est-il classé?; **where do I ~ compared to him?** où est-ce que je me classe *or* situe par rapport à lui?; **she ~s among the best sopranos in Europe** elle compte parmi les meilleures sopranos européennes; **that ~s as the best wine I've ever tasted** c'est le meilleur vin que j'aie jamais goûté; **that doesn't ~ high on my list of priorities** cela ne figure pas très haut dans ma liste de priorités
F *v refl* **how do you ~ yourself as a driver?** comment vous jugez-vous en tant que conducteur?; **she doesn't ~ herself very highly** elle n'a pas une très haute opinion d'elle-même
(Idiom) **at any ~** en tout cas
rateable GB, **ratable** US /ˈreɪtəbl/ *adj* **1** (liable for local tax) [*property*] imposable; **~ value** GB valeur *f* locative imposable; **2** (assessable) évaluable
rate-cap /ˈreɪtkæp/ *vtr* (*p prés etc* **-pp-**) GB Pol Econ imposer un plafond aux impôts locaux
rate: **~-capping** *n* GB Tax plafonnement *m* des impôts locaux; **~ of change** *n* vitesse *f* de changement; **~ of climb** *n* Aviat vitesse *f* ascensionnelle; **~ of flow** *n* Sci débit *m*; **~payer** *n* GB contribuable *mf*
ratfink◑ /ˈrætfɪŋk/ *n* salaud◑ *m*, crapule *f*
rather /ˈrɑːðə(r)/
A *adv* **1** (somewhat, quite) plutôt; **it's ~ fun/expensive** c'est plutôt amusant/cher; **he's ~ young** il est plutôt jeune; **it's ~ like an apple** ça ressemble un peu à une pomme; **~ easily/stupidly** plutôt facilement/bêtement; **I ~ like him** je le trouve plutôt sympathique; **I ~ think she's right** j'ai plutôt l'impression qu'elle a raison; **he's ~ a bore** il est plutôt *or* assez ennuyeux; **he's ~ a cruel man** c'est un homme plutôt *or* assez cruel; **I'm in ~ a hurry** je suis plutôt *or* assez pressé; **it's ~ a pity** c'est assez dommage; **it's ~ too/more difficult** c'est un peu trop/plus difficile; **2** (more readily, preferably) **~ than sth** plutôt que qch; **~ than do** plutôt que de faire; **I would** *ou* **had ~ do** je préférerais faire (**than do** que faire); **I would** *ou* **had much ~ do** je préférerais de loin faire; **would you ~ wait?** préférez-vous attendre?; **he'd die ~ than admit it** il préférerait mourir plutôt que de l'avouer; **I'd ~ die!** plutôt mourir!; **I'd ~ not** j'aimerais mieux pas; **I'd ~ not say** je préférerais *or* j'aimerais mieux ne pas dire; **I'd ~ you did/didn't** je préférerais *or* j'aimerais mieux que tu fasses/ne fasses pas; **3** (more exactly) plutôt; **a tree, or ~ a bush** un arbre, ou plutôt un buisson; **practical ~ than decorative** pratique plutôt que décoratif; **'did it improve?'—'no, ~ it got worse'** 'ça s'est amélioré?'—'non, ça a plutôt empiré'
B *excl*† GB et comment!
rathskeller○ /ˈrætskelə(r)/ *n* US brasserie *f*
ratification /ˌrætɪfɪˈkeɪʃn/ *n* ratification *f*; **for ~** pour ratification
ratify /ˈrætɪfaɪ/ *vtr* ratifier
rating /ˈreɪtɪŋ/
A *n* **1** (score) cote *f*; **what is her ~ in the polls?** quelle est sa cote dans les sondages?; **she got a good ~ at her appraisal** elle a reçu une mention favorable à son évaluation; **popularity ~** indice *or* cote de popularité; **IQ ~** GB QI; **2** Fin (status) cote *f*; **share ~** cote en Bourse; **her credit ~ is good** son crédit est bon; **3** GB Tax (local tax due) montant *m* des impôts locaux; (valuation for local tax) valeur *f*

r

imposable; 4 Mil Naut ≈ matelot *m*

B ratings *npl* TV Radio indice *m* d'écoute, audimat® *m*; **to be top/bottom of the ∼s** avoir un indice d'écoute maximum/minimum; **the series has gone up/down in the ∼s** l'indice d'écoute de la série a augmenté/diminué; **a series with audience ∼s of six million** une série regardée par six millions de téléspectateurs

rating system *n* GB Tax répartition *f* des impôts locaux

ratio /'reɪʃɪəʊ/ *n* rapport *m*; **the pupil/teacher ∼** le nombre d'élèves par enseignant; **a ∼ of one teacher to 25 pupils** un rapport d'un professeur pour 25 élèves; **the ∼ of men to women is two to five** il y a deux hommes pour cinq femmes; **in direct/inverse ∼ to** en raison directe/inverse de; **in** *ou* **by a ∼ of 60:40** dans une proportion de 60 à 40

ratiocination /ˌrætɪɒsɪ'neɪʃn, US ˌræʃɪ-/ *n* sout raisonnement *m*

ration /'ræʃn/

A *n* 1 (of food, petrol) ration *f* (**of** de); **meat/coal ∼** ration de viande/de charbon; 2 fig (of problems, doubts) compte *m* (**of** de); (of TV, music, parties) dose *f* (**of** de)

B rations *npl* Mil rations *fpl*; **on short ∼s** à rations réduites; **on full ∼s** à pleines rations

C *vtr* rationner [*food, petrol*] (**to** à); limiter la ration de [*person*] (**to** à); **sugar was ∼ed to one kilo per family** le sucre était rationné à un kilo par famille

(Phrasal verb) ■ **ration out**: ▸ **∼ [sth] out, ∼ out [sth]** partager [qch] en rations (**among** entre)

rational /'ræʃənl/ *adj* [*approach, argument, decision, position*] rationnel/-elle; [*person*] sensé; **a ∼ being** Philos un être doué de raison; **it is ∼ to do** il est logique de faire; **I try to be ∼** j'essaie d'être objectif

rationale /ˌræʃə'nɑːl, US -'næl/ *n* (*sans pl*) 1 (reasons) raisons *fpl* (**for** pour); **the ∼ for doing** les raisons de faire; 2 (logic) (of system, argument) logique *f*; **the ∼ behind** la logique de [*decision, treatment*]

rationalism /'ræʃnəlɪzəm/ *n* rationalisme *m*

rationalist /'ræʃnəlɪst/ *n, adj* rationaliste (*mf*)

rationalistic /ˌræʃnə'lɪstɪk/ *adj* rationaliste

rationality /ˌræʃə'nælətɪ/ *n* rationalité *f*

rationalization /ˌræʃnəlaɪ'zeɪʃn/ *n* 1 (justification) justification *f* (**for** de); 2 GB, Econ (of operation, company, industry) rationalisation *f*

rationalize /'ræʃnəlaɪz/ *vtr* 1 (justify) justifier; 2 GB Econ rationaliser [*operation, company, industry*]

rationally /'ræʃnəlɪ/ *adv* de façon rationnelle, rationnellement

ration: **∼ book** *n* livret *m* de rationnement; **∼ card** *n* carte *f* de rationnement

rationing /'ræʃnɪŋ/ *n* rationnement *m*; **food/water ∼** rationnement *m* de la nourriture/de l'eau

rat: **∼ pack**○ *n* paparazzis *mpl*; **∼ poison** *n* mort-aux-rats *f inv*; **∼ race** *n* péj foire *f* d'empoigne; **∼-run** *n* GB Aut *petite rue servant de raccourci*; **∼sbane** *n* = **rat poison**

rattan /ræ'tæn/

A *n* (tree, material) rotin *m*; (stick) canne *f* en rotin

B *modif* [*chair, table*] en rotin

rat-tat-tat /ˌrættæt'tæt/ *n* toc-toc *m*

rattle /'rætl/

A *n* 1 (noise) (of bottles, cutlery, chains) cliquetis *m*; (of window, door) vibration *f*; (of car engine) cliquetis *m*; (of car bodywork) fracas *m*, bruit *m* de ferraille; (of rattlesnake) bruit *m* de crécelle; (of machine gun fire) crépitement *m*; 2 (toy) (of baby) hochet *m*; (of sports fan) crécelle *f*; 3 (rattlesnake's tail) cascabelle *f*

B *vtr* 1 (shake) [*person*] faire s'entrechoquer [*bottles, cutlery, chains*]; [*wind*] faire vibrer [*window, door*]; [*person*] s'acharner sur [*door handle*]; 2 ○(annoy) énerver; **to get ∼d** s'énerver

C *vi* [*bottles, cutlery, chains*] s'entrechoquer; [*window, door*] vibrer; **when I shook the box, it ∼d** quand j'ai secoué la boîte, quelque chose a fait du bruit à l'intérieur; **the car ∼d along/off etc** la voiture avançait/est partie etc dans un bruit de ferraille

(Idiom) **to shake sb until their teeth ∼** secouer qn comme un prunier

(Phrasal verbs) ■ **rattle away**○ = **rattle on**

■ **rattle off**○: ▸ **∼ off [sth]** (write) écrire [qch] à toute vitesse; (recite, read) débiter [qch] à toute vitesse

■ **rattle on**○, **rattle away**○ parler sans discontinuer (**about** à propos de)

■ **rattle through**○: **they ∼d through the rest of the meeting** ils ont expédié la fin de la réunion; **she ∼d through the list of names** elle a lu la liste des noms à toute vitesse

rattler○ /'rætlə(r)/ *n* = **rattlesnake**

rattlesnake /'rætlsneɪk/ *n* serpent *m* à sonnette, crotale *m*

rattletrap○† /'rætltræp/ *n* vieille guimbarde○ *f*

rattling /'rætlɪŋ/

A *n* = **rattle A 1**

B *adj* 1 (vibrating) [*chain, door, window*] bruyant; [*cough*] rauque; **∼ sound** cliquetis *m*; 2 (quick) **at a ∼ pace** à vive allure

C *adv* **a ∼**○† **good book/meal** un livre/repas de tout premier ordre

rat trap *n* piège *m* à rats, ratière *f*

ratty○ /'rætɪ/ *adj* 1 GB (grumpy) [*character*] grincheux/-euse; 2 US (shabby) miteux/-euse; 3 US (tangled) [*hair*] emmêlé

raucous /'rɔːkəs/ *adj* 1 [*laughter, shout, cry*] éraillé; 2 [*person, gathering*] tapageur/-euse, bruyant

raucously /'rɔːkəslɪ/ *adv* [*laugh, call*] d'une voix éraillée; [*behave*] de manière tapageuse

raucousness /'rɔːkəsnɪs/ *n* 1 (of voice, laughter) éraillement *m*; 2 (of person) **he's known for his ∼** ses manières tapageuses sont bien connues

raunch /rɔːntʃ/ *n* US (bawdiness) paillardise *f*

raunchy○ /'rɔːntʃɪ/ *adj* 1 (earthy) [*performer, voice, song*] torride; [*extract, story*] salé○; 2 US (bawdy) paillard; 3 US (dirty, sloppy) dégueulasse◑

ravage /'rævɪdʒ/

A ravages *npl* ravages *mpl* (**of** de)

B *vtr* (all contexts) ravager

rave /reɪv/

A ○*n* 1 GB (wild party) bringue○ *f* (branchée○); 2 (praise) commentaire *m* louangeur; 3 (craze) vogue *f*

B ○*adj* [*club, restaurant*] en vogue; **a ∼ review** une critique dithyrambique

C *vi* 1 (enthusiastically) s'emballer (**about** au sujet de); 2 (angrily) tempêter (**at, against** contre); 3 (when fevered) délirer also fig

(Idiom) **to ∼ it up**○ GB faire la bringue○

raven /'reɪvn/ *n* grand corbeau *m*

raven-haired /ˌreɪvn'heəd/ *adj* aux cheveux de jais

ravening /'rævənɪŋ/ *adj* vorace

Ravenna /rə'venə/ ▸ **p. 1815** *pr n* Ravenne

ravenous /'rævənəs/ *adj* [*animal*] vorace; [*appetite*] féroce; **to be ∼** avoir une faim de loup

ravenously /'rævənəslɪ/ *adv* [*eat, look*] voracement, avec voracité; **to be ∼ hungry** avoir une faim de loup

raver○ /'reɪvə(r)/ *n* GB 1 (merrymaker) noceur/-euse○ *m/f*; 2 (trendy person) branché/-e *m/f*

rave-up○ /'reɪvʌp/ *n* GB bringue○ *f*, fête *f*

ravine /rə'viːn/ *n* ravin *m*

raving /'reɪvɪŋ/

A ravings *npl* divagations *fpl*; **the ∼s of a lunatic** les divagations d'un fou

B *adj* 1 (fanatical) enragé; 2 **a ∼ idiot** *ou* **lunatic** un fou furieux/une folle furieuse; 3 (tremendous) [*success*] éclatant; **she's a ∼ beauty** elle est d'une beauté radieuse

(Idiom) **to be (stark) ∼ mad**○ être complètement dingue○ *or* fou

ravioli /ˌrævɪ'əʊlɪ/ *n* ravioli *mpl*

ravish /'rævɪʃ/ *vtr* 1 littér (delight) ravir; 2 ‡(rape) violer

ravishing /'rævɪʃɪŋ/ *adj* ravissant; **to look ∼** être ravissant

ravishingly /'rævɪʃɪŋlɪ/ *adv* **to be ∼ beautiful** être d'une beauté exquise

raw /rɔː/ *adj* 1 (uncooked) [*food*] cru; 2 (unprocessed) lit, fig [*cotton, silk, rubber, sugar*] brut; [*data, statistics*] brut; [*sewage*] non traité; [*edge*] (in sewing) non surfilé; (on paper, wood) coupé; 3 (without skin) [*part of body, patch*] à vif; **his hands had been rubbed ∼** ses mains avaient été mises à vif; 4 (cold) [*weather, day*] froid et humide; [*air*] cru; [*wind*] pénétrant; 5 (inexperienced) [*novice, recruit, youngster*] inexpérimenté; 6 (realistic) [*description, dialogue, performance*] cru; 7 (undisguised) [*emotion*] à l'état brut; [*energy*] sauvage; 8 US (vulgar) obscène

(Idioms) **in the ∼**○ GB (naked) nu; **life in the ∼** la vie dans le vif; **to get sb on the ∼** GB toucher qn au vif; **to get** *ou* **have a ∼ deal**○ être défavorisé; **to give sb a ∼ deal**○ traiter qn de façon injuste; **to touch a ∼ nerve** toucher un point sensible

rawboned /ˌrɔː'bəʊnd/ *adj* décharné

rawhide /'rɔːhaɪd/ *n* 1 (leather) cuir *m* brut; 2 (whip) fouet *m* à lanières

Rawlbolt® /'rɔːlbəʊlt/ *n* cheville *f*

Rawlplug® /'rɔːlplʌg/ *n* Constr cheville *f*

raw: **∼ material** *n* lit, fig matière *f* première; **∼ material costs** *npl* coûts *mpl* des matières premières

rawness /'rɔːnɪs/ *n* 1 (of language, style) crudité *f*; 2 (realism) brutalité *f*; 3 (naïvety) inexpérience *f*; 4 (of wind) âpreté *f*

raw score *n* US Sch résultat *m* absolu

ray /reɪ/ *n* 1 (beam) rayon *m* (**of** de); **a ∼ of sunshine** un rayon de soleil; 2 fig **a ∼ of hope/of comfort** une lueur d'espoir/de réconfort; 3 (fish) raie *f*; 4 Mus ré *m*

ray gun *n* pistolet *m* à rayons

rayon /'reɪɒn/

A *n* rayonne *f*; **made of ∼** en rayonne

B *modif* [*garment*] en rayonne

raze /reɪz/ *vtr* raser; **to ∼ sth to the ground** raser qch

razor /'reɪzə(r)/ *n* rasoir *m*

(Idiom) **to live on a ∼('s) edge** être au bord de l'abîme

razor: **∼back** *n* US pécari *m*; **∼bill** *n* petit pingouin *m*; **∼ blade** *n* lame *f* de rasoir; **∼ burn** *n* feu *m* du rasoir; **∼ clam** *n* US Zool couteau *m*; **∼ cut** *n* coupe *f* au rasoir

razor-sharp /ˌreɪzə'ʃɑːp/ *adj* 1 [*blade, knife, edge*] tranchant comme un rasoir; 2 [*wit, mind*] acéré

razor: **∼-shell** *n* GB Zool couteau *m*; **∼ wire** *n* feuillard *m*

razz○ /ræz/ *vtr* US taquiner

razzle○ /'ræzl/ *n* GB **to go on the ∼**○ faire la bringue○ *or* la fête○

razzledazzle○ /ˌræzl'dæzl/

A *n* éclat *m* (trompeur)

B *modif* [*politics, salesmanship*] accrocheur/-euse○

razzmatazz○ /ˌræzmə'tæz/ *n* folklore○ *m*, cirque○ *m*

R & B *n* (*abrév* = **rhythm and blues**) rhythm and blues *m*

RC *n, adj*: *abrév* ▸ **Roman Catholic**

RCAF *n* (*abrév* = **Royal Canadian Air Force**) armée *f* de l'air canadienne

RCMP *n* (*abrév* = **Royal Canadian Mounted Police**) police *f* montée canadienne

RCN *n* 1 GB (*abrév* = **Royal College of Nursing**) école *f* d'infirmières; 2 (*abrév* = **Royal Canadian Navy**) marine *f* canadienne

Rd *n: abrév écrite* = **road**

R&D *n: abrév* ▸ **research and development**

RDA *n* (*abrév* = **recommended daily amount**) AQR *mpl*

re¹ /reɪ/ *n* ré *m*

re² /riː/ *prep* (*abrév* = **with reference to**) (in letter head) 'objet:'; (about) au sujet de; **~ your letter...** suite à votre lettre...

RE *n* 1 GB Sch (*abrév* = **Religious Education**) éducation *f* religieuse; 2 GB Mil (*abrév* = **Royal Engineers**) génie *m* militaire britannique

reach /riːtʃ/

A *n* 1 (physical range) portée *f*; **a long ~** une longue portée; **beyond** *ou* **out of ~ of** hors de portée; **'keep out of ~ of children'** 'tenir hors de portée des enfants'; **out of my ~** hors de ma portée; **within (arm's) ~** à portée de (la) main; **within easy ~ of** [*place*] à proximité de [*shops, facility*]; **to be within easy ~** être tout près

2 (capability) **beyond** *ou* **out of ~ for** hors de portée de [*person*]; **within ~ for** à la portée de [*person*]; **to put sth within/beyond sb's ~** [*price*] mettre qch à la/hors de la portée de qn; **it's still well within her ~** c'est encore tout à fait à sa portée

B reaches *npl* 1 (of society) **the upper/lower ~es** les échelons *mpl* les plus hauts/les plus bas

2 Geog (river) **the upper/lower ~es** la partie *f* supérieure/inférieure

C *vtr* 1 (after travel) [*person, train, river, ambulance*] atteindre [*place, person*]; [*sound, news, letter*] parvenir à [*person, place*]; **to ~ land** toucher terre; **the message took three days to ~ Paris** le message a mis trois jours pour arriver jusqu'à Paris; **the product has yet to ~ Italy/the shops** le produit n'est pas encore arrivé en Italie/dans les magasins; **easily ~ed by bus** facilement accessible par le bus

2 (on scale, continuum) atteindre [*age, level, position, peak*]; **matters ~ed a point where** les choses en sont arrivées à un point où; **to ~ the finals** parvenir en finale

3 (come to) arriver à [*decision, compromise, deal, understanding, conclusion*]; **to ~ a verdict** Jur rendre un verdict; **agreement has been ~ed on** on a abouti à un accord sur [*point*]

4 (by stretching) atteindre [*object, shelf, switch*]; **can you ~ that box for me?** peux-tu me passer cette boîte?; **can you ~ me down that box?** GB peux-tu me descendre cette boîte?

5 (contact) joindre; **to ~ sb by telephone** joindre qn au téléphone; **to ~ sb on** GB *ou* **at 514053** joindre qn au numéro 514053

6 (make impact on) toucher [*audience, public, market*] (**with** avec)

7 (in height, length) arriver à [*floor, ceiling, roof*]; **the snow had ~ed the window** la neige arrivait jusqu'à la fenêtre; **curtains that ~ the floor** des rideaux qui descendent jusqu'au sol; **those trousers don't even ~ your ankles** ce pantalon ne t'arrive même pas aux chevilles; **her feet don't ~ the pedals** ses pieds ne touchent pas les pédales

D *vi* 1 (stretch) **to ~ up/down** lever/baisser le bras (**to do** pour faire); **to ~ across and do** étendre le bras et faire; **can you ~ out and close the door?** peux-tu étendre le bras et fermer la porte?; **to ~ for one's gun/a switch** étendre le bras pour saisir son arme/appuyer sur l'interrupteur; **the film will have you ~ing for your hanky!** hum ce film va vous faire sortir votre mouchoir!; **~ for the sky!** les mains en l'air!

2 (extend) **to ~ (up/down) to** arriver jusqu'à; **her hair ~ed down to her waist** ses cheveux lui arrivaient jusqu'à la taille; **to ~ as far as** [*ladder, rope*] arriver jusqu'à

(Phrasal verbs) ■ **reach back**: ▸ **~ back to** [sth/sb] remonter à [*era, person*]

■ **reach out**: ▸ **~ out** lit étendre le bras; **to ~ out for** chercher [*affection, success*]; **to ~ out to** (help) aider; (make contact) établir un contact avec; ▸ **~ out [sth], ~ [sth] out** tendre; **to ~ out one's hand** tendre le bras

react /rɪˈækt/ *vi* 1 (respond) réagir (**to** à; **against** contre); 2 Med (physically) réagir (**to** à); 3 Chem réagir (**with** avec; **on** sur)

reaction /rɪˈækʃn/ *n* 1 (response) réaction *f* (**to** à; **against** contre; **from** de); 2 Med réaction *f* (**to** à); **adverse ~s** effets *mpl* indésirables; 3 Chem réaction *f* (**with** avec; **between** entre); 4 Pol réaction *f*; **the forces of ~** les forces de la réaction

reactionary /rɪˈækʃənrɪ, US -ənerɪ/ *n, adj* péj réactionnaire pej (*mf*)

reaction engine *n* moteur *m* à réaction

reactivate /rɪˈæktɪveɪt/ *vtr* remettre [qn/qch] en fonction

reactive /rɪˈæktɪv/ *adj* 1 Chem réactif/-ive; 2 Psych réactionnel/-elle

reactor /rɪˈæktə(r)/ *n* 1 (nuclear) réacteur *m* (nucléaire); 2 Electron bobine *f* de réactance; 3 (agent) réacteur *m*; 4 (vat) réacteur *m*

read

A /riːd/ *n* surtout GB **to have a ~ of**○ jeter un coup d'œil sur○, lire [*article, magazine*]; **I enjoy a quiet ~** j'aime bien lire tranquillement; **I've already seen the newspaper, do you want a ~?** j'ai déjà regardé le journal, est-ce que tu veux le lire?; **to be an easy/exciting ~** être facile/passionnant à lire; **this book is a good ~** c'est un bon livre

B /riːd/ *vtr* (*prét, pp* **read** /red/) 1 (in text etc) lire [*book, instructions, map, music, sign*] (**in** dans); **I read somewhere that** j'ai lu quelque part que; **to ~ sth to sb, to ~ sb sth** lire qch à qn; **to ~ sth aloud** lire qch à haute voix; **to ~ sth to oneself** lire qch; **she can ~** elle sait lire; **I can ~ German** je lis l'allemand

2 (say) **the card ~s 'Happy Birthday Dad'** sur la carte il est écrit 'bon anniversaire Papa'; **the thermometer ~s 20 degrees** le thermomètre indique 20 degrés; **the sentence should ~ as follows** la phrase correcte est

3 (decipher) lire [*braille, handwriting*]; ▸ **lip-read**

4 (interpret) reconnaître [*signs*]; interpréter [*intentions, reactions*]; voir [*situation*]; **to ~ sb's thoughts** *ou* **mind** lire dans les pensées de qn; **to ~ sb's mood** connaître les humeurs de qn; **to ~ sb's tea-leaves** ≈ lire dans le marc de café; **to ~ palms** lire les lignes de la main; **to ~ a remark/statement as** considérer une remarque/déclaration comme; **don't ~ his comments as proof of his sincerity** ne considère pas ses commentaires comme une preuve de sa sincérité; **the book can be read as a satire** le livre peut se lire comme une satire; **to ~ sth into** lire qch derrière [*comment, message, sentence*]; **don't ~ too much into his reply** ne va pas imaginer des choses qu'il n'a pas dites

5 GB Univ étudier; **she is ~ing history at Oxford** elle fait des études d'histoire à Oxford

6 (take a recording) relever [*meter*]; lire [*dial, barometer, gauge*]; **I can't ~ what the dial says** je n'arrive pas à lire le cadran

7 Radio, Telecom recevoir [*person, pilot*]; **I can ~ you loud and clear** je vous reçois cinq sur cinq

8 Publg lire; **for 'cat' in line 12 ~ 'cart'** au lieu de 'cat' à la ligne 12, (il faut) lire 'cart'

9 Comput [*computer*] lire [*data, file*]

C /riːd/ *vi* (*prét, pp* **read** /red/) 1 (look at or articulate text) lire (**to sb** à qn); **to ~ aloud** lire à haute voix (**to sb** à qn); **to ~ about sth** lire quelque chose sur [*accident, discovery*]; **I read about it in the 'Times'** j'ai lu quelque chose là-dessus dans le 'Times'; **I read about him yesterday** j'ai lu quelque chose à son sujet hier; **to ~ to sb from sth** lire qch à qn

2 GB (study) **to ~ for a degree** ≈ préparer une licence (**in** de); **to ~ for the Bar** GB Jur préparer son entrée au barreau

3 (create an impression) **the document ~s well/badly** le document se lit bien/mal; **the translation ~s like the original** la traduction est aussi bonne que l'original

D read /red/ *pp adj* **to take sth as read** considérer qch comme lu [*minutes, report*]; **the press took it as read that he was lying** pour la presse il était évident qu'il mentait; **can we take it as read that everybody will agree?** pouvons-nous considérer que tout le monde sera d'accord?

(Idiom) **to ~ between the lines** lire entre les lignes

(Phrasal verbs) ■ **read back**: ▸ **~ [sth] back** relire [*message, sentence*] (**to** à)

■ **read in**: ▸ **~ [sth] in, ~ in [sth]** [*computer*] enregistrer [*data*]

■ **read off**: ▸ **~ off [sth], ~ [sth] off** annoncer [*names, scores*]

■ **read on** continuer à lire

■ **read out**: ▸ **~ [sth] out, ~ out [sth]** lire [qch] à haute voix

■ **read over, read through**: ▸ **~ over** *ou* **through [sth], ~ [sth] over** *ou* **through** (for the first time) lire [*article, essay*]; (reread) relire [*notes, speech*]

■ **read up**: **to ~ up on sth/sb** étudier qch/qn à fond, potasser○

readability /ˌriːdəˈbɪlətɪ/ *n* 1 (legibility) lisibilité *f*; 2 (clarity) clarté *f*

readable /ˈriːdəbl/ *adj* 1 (legible) lisible; 2 (enjoyable) agréable à lire

readdress /ˌriːəˈdres/ *vtr* 1 Post changer l'addresse sur [*envelope*]; réexpédier [*mail*]; 2 (take up again) revenir à [*question*]

reader /ˈriːdə(r)/ *n* 1 gen lecteur/-trice *m/f*; **an avid ~ of science fiction** un lecteur passionné de science fiction; **our regular ~s** nos lecteurs (réguliers); **she's a great ~ of French novels** elle aime beaucoup les romans français; **he's a slow ~** il lit lentement; 2 Sch (book) livre *m* de lecture; 3 GB Univ (person) chargé/-e *m/f* de cours; 4 US Univ (person) directeur/-trice *m/f* d'études; 5 (anthology) recueil *m* de textes; 6 Electron lecteur *m*; 7 Publg lecteur/-trice *m/f* dans une maison d'édition

readership /ˈriːdəʃɪp/ *n* 1 GB Univ poste *m* de chargé/-e *m/f* de cours (**in** en); 2 ¢ Publg lecteurs *mpl*; **he shocked his female ~** il a choqué ses lectrices; **to have a huge ~** [*person*] être énormément lu; **the magazine has a ~ of 35,000** la revue a 35 000 lecteurs

read head *n* Comput tête *f* de lecture

readily /ˈredɪlɪ/ *adv* 1 (willingly) [*accept, agree, reply, admit, give*] sans hésiter; [*say*] avec empressement; 2 (easily) [*available, accessible, adaptable, comprehensible*] facilement; [*forget, forgive, understand, achieve, obtain*] facilement

readiness /ˈredɪnɪs/ *n* 1 (preparedness) niveau *m* de préparation; **in ~ for sth** en prévision de qch; **to be in a state of ~** être (fin) prêt; 2 (willingness) empressement *m* (**to do** à faire); 3 (of response, wit) vivacité *f*

reading /ˈriːdɪŋ/ *n* 1 (skill, pastime) lecture *f*; **~ is one of my hobbies** la lecture est l'un de mes passe-temps; **~ and writing** la lecture et l'écriture; **his ~ is poor** il lit mal; 2 (books) lecture *f*; **these texts are recommended/required ~** la lecture de ces textes est recommandée/obligatoire; **her novels make light/heavy ~** ses romans sont faciles/difficiles à lire; **a woman of wide ~** une femme très cultivée; 3 (recorded measurement) (on meter) relevé *m* (**on** de); (on instrument) indication *f* (**on** de); **to take a ~** faire *or* prendre un relevé; **gas ~** relevé du gaz; **barometer ~** indication barométrique; 4 (interpretation) interprétation *f* (**of** de); 5 (spoken extract) lecture *f* (**from** de); 6 (of will, banns) lecture *f*; 7 Bible lecture *f* (**from** de); 8 GB Pol lecture *f* (**of** de); **the bill was defeated at its second ~**

le projet de loi a été rejeté en deuxième lecture

reading age *n* Sch niveau *m* de lecture; **he has a ~ of eight** il a le niveau de lecture d'un enfant de huit ans; **children of ~** les enfants en âge de lire

reading: **~ glass** *n* loupe *f*; **~ glasses** *npl* lunettes *fpl* (pour lire); **~ group** *n* groupe *m* de lecture

reading knowledge *n* **to have a ~ of German** savoir lire l'allemand; **her ~ of Italian is good** son niveau de lecture en italien est bon

reading: **~ lamp** *n* (by bed) lampe *f* de chevet; (on desk) lampe *f* de bureau; **~ list** *n* Sch, Univ liste *f* d'ouvrages recommandés

reading matter *n* **it is not suitable ~ for children** ce n'est pas une lecture pour les enfants; **I've run out of ~** je n'ai plus rien à lire; **I'm looking for ~** je cherche de la lecture

reading: **~ room** *n* salle *f* de lecture; **~ scheme** *n* GB Sch méthode *f* d'enseignement de la lecture; **~ speed** *n* Comput vitesse *f* de lecture

readjust /ˌriːəˈdʒʌst/
A *vtr* rajuster [*hat*]; régler [qch] de nouveau [*television, lens*]; remettre [qch] à l'heure [*watch*]; réajuster [*salary*]
B *vi* se réadapter (**to** à)

readjustment /ˌrɪːəˈdʒʌstmənt/ *n* **1** (of television, machine) réglage *m*; (of salary) réajustement *m*; **2** (to new situation) réadaptation *f* (**to** à)

read: **~ mode** *n* Comput mode *m* lecture (seulement); **~-only memory, ROM** *n* Comput mémoire *f* morte; **~-out** *n* Comput extraction *f*

readvertise /riːˈædvətaɪz/
A *vtr* refaire paraître une annonce pour [*post, sale, item*]
B *vi* refaire paraître une annonce

readvertisement /ˌriːədˈvɜːtɪsmənt, US ˌriːədvərˈtaɪzmənt/ *n* seconde insertion *f*; **'this is a ~'** Journ 'cette annonce paraît pour la seconde fois'

read: **~-write access** *n* Comput consultation *f* et mise *f* à jour; **~-write head** *n* Comput tête *f* de lecture-écriture; **~-write memory** *n* Comput mémoire *f* vive

ready /ˈredɪ/
A *n* **(to have) a gun/pen at the ~** (être) prêt à tirer/écrire
B ○**readies** *npl* fric○ *m*, argent *m*
C *adj* **1** (prepared) [*person, car, product*] prêt (**for sth** pour qch); **~ to do** prêt à faire; **to get ~** se préparer; **to get sth ~** préparer qch; **to make ~ to do** se préparer à faire; **~ for anything** prêt à tout; **~ when you are** quand tu veux; **~, steady, go** Sport à vos marques, prêts, partez!; **~ about!** Naut paré à virer!; **I'm ~, willing and able** je suis à votre service; **~ and waiting** fin prêt; **2** (willing) prêt (**to do** à faire); **more than ~ to do** plus que disposé à faire; **she/the house looked ~ to collapse** elle/la maison semblait prête à s'effondrer; **to be ~ for** avoir besoin de [*meal, vacation*]; **to feel ~ for a rest** avoir besoin de se reposer; **3** (quick) [*answer*] tout prêt; [*wit*] vif/vive; [*smile*] facile; **to be ~ with one's criticism/excuses** être prompt à critiquer/faire des excuses; **4** (available) [*market, supply, source*] à portée (de main); [*access*] direct; **~ to hand** à portée de main; **~ cash**○, **~ money**○ (argent *m*) liquide *m*
D *vtr* préparer [*ship, car*] (**for sth** à qch)
E *v refl* **to ~ oneself** se préparer (**for sth** à qch)

ready-made /ˌredɪˈmeɪd/
A *n* Art objet *m* trouvé
B *adj* **1** (for immediate use) [*suit, jacket*] de prêt-à-porter; [*curtains*] prêt à poser; [*furniture*] déjà monté; **2** [*excuse, idea, phrase*] tout fait

ready: **~ meal** *n* plat *m* cuisiné; **~-mix** *n* (cement) béton *m* pré-mélangé; **~ reckoner** *n* barème *m*; **~-to-serve** *adj* [*food*] cuisiné; **~-to-wear** *adj* [*garment*] prêt-à-porter

reaffirm /ˌriːəˈfɜːm/ *vtr* réaffirmer

reafforestation GB, **reforestation** US /ˌriːəˌfɒrɪˈsteɪʃn/ *n* reboisement *m*

reagent /riːˈeɪdʒənt/ *n* réactif *m*

real /rɪəl/
A *n* réel *m*
B *adj* **1** (actual, not imaginary or theoretical) véritable, réel/réelle; **~ or imagined insults** des injures réelles ou imaginaires; **the threat is very ~** la menace est tout à fait réelle; **there's no real cause for alarm** il n'y a pas vraiment de raison de s'inquiéter; **he has no ~ power** il n'a pas de pouvoir véritable; **in ~ life** dans la réalité; **the ~ world** le monde réel, la réalité; **it's not like that in the ~ world** ce n'est pas comme ça dans la réalité; **in ~ terms** en réalité; **2** (not artificial or imitation) [*champagne, diamond, flower, leather*] vrai (*before n*), authentique; **are these ~ orchids?** est-ce que ce sont de vraies orchidées?; **the ~ thing, the ~ McCoy**○ de l'authentique, du vrai de vrai○; **this time it's the ~ thing** cette fois c'est pour de vrai○; **3** (true, proper) [*Christian, Socialist, altruism*] véritable, vrai (*before n*); **it's ages since I had a ~ holiday** ça fait très longtemps que je n'ai pas eu de véritables vacances; **he knows the ~ you/me** il connaît ta/ma vraie personnalité; **the ~ France/Africa** la France/l'Afrique profonde; **4** (for emphasis) [*idiot, charmer, stroke of luck, pleasure*] vrai (*before n*); **it's a ~ shame** c'est vraiment dommage; **it was a ~ laugh**○ on s'est bien marré○; **this room is a ~ oven** cette pièce est une vraie fournaise; **5** Fin, Comm [*asset, capital, cost, income, value*] réel/réelle; **in ~ terms** en termes réels; **6** Math réel/réelle
C *adv*○ US [*good, sorry, soon, fast*] vraiment
(Idioms) **for ~**○ pour de vrai○; **is he for ~?** US (serious) il est sérieux?; (what a fool) quel idiot○!; **get ~**○! reviens sur terre!

real: **~ accounts** *npl* Comm comptes *mpl* de valeur; **~ ale** *n* GB bière *f* (*de fabrication artisanale*)

real estate *n* **1** Jur Comm (property) biens *mpl* immobiliers; **2** US (selling land, houses) immobilier *m*; **to be in ~** être dans l'immobilier

real estate: **~ agent** *n* US agent *m* immobilier; **~ developer** *n* US promoteur *m*; **~ office** *n* US agence *f* immobilière

realign /ˌriːəˈlaɪn/
A *vtr* **1** lit remettre [qch] à l'alignement [*objects*]; changer le tracé de [*runway, road*]; **2** fig redéfinir [*views*]; **3** Fin réaligner [*currency*]
B *vi* Pol former de nouvelles alliances; **to ~ with** se réaligner sur

realignment /ˌriːəˈlaɪnmənt/ *n* **1** (of runway, road) nouveau tracé *m*; **2** fig (of view) redéfinition *f*; Pol (of stance) réalignement *m*; **3** Fin (of currency) réalignement *m*

realism /ˈriːəlɪzəm/ *n* (all contexts) réalisme *m*; **to lend ~ to sth** donner du réalisme à qch

realist /ˈriːəlɪst/ *n, adj* (all contexts) réaliste (*mf*)

realistic /ˌrɪəˈlɪstɪk/ *adj* (all contexts) réaliste; **it is not ~ to do** ce n'est pas réaliste de faire

realistically /ˌrɪəˈlɪstɪklɪ/ *adv* [*look at, think, portray, describe*] de façon réaliste; **~, she can expect...** en réalité, elle peut s'attendre à...

reality /rɪˈælətɪ/ *n* (all contexts) réalité *f* (**of** de); **to be out of touch with ~** vivre hors des réalités; **the economic realities** les réalités économiques; **the ~ is that** la réalité c'est que; **in ~** en réalité

reality TV *n* TV télé réalité *f*

realizable /ˈrɪəlaɪzəbl/ *adj* (all contexts) réalisable

realization /ˌrɪəlaɪˈzeɪʃn, US -lɪˈz-/ *n* **1** (awareness) prise *f* de conscience (**of** de; **that** du fait que); **to come to the ~ that** se rendre compte que; **the ~ dawned (on her) that** elle s'est rendu compte que; **there is a growing ~ in society that** la société prend de plus en plus conscience que; **2** (of dream, goal, fear, design, opera) réalisation *f* (**of** de); **3** (of self, potential) épanouissement *m*; **4** Fin conversion *f* en espèces

realize /ˈrɪəlaɪz/ *vtr* **1** (know, be aware of) se rendre compte de [*error, gravity, significance, fact, extent*]; **I suddenly ~d who he was** tout d'un coup je me suis rendu compte qui c'était; **to ~ that** se rendre compte que; **I ~ you feel differently** je me rends bien compte que vous n'êtes pas du même avis; **to ~ how/why/what** comprendre comment/pourquoi/ce que; **more/less than people ~** plus/moins que les gens n'en ont conscience; **to come to ~ sth** prendre conscience de qch; **I fully realize that...** je comprends complètement que...; **to make sb ~ sth** faire comprendre qch à qn; **I didn't ~!** je ne le savais pas!; **you don't ~ what you're doing** tu es complètement inconscient; **I ~ that!** oui, je sais bien!; **do you ~ that I'm waiting for you?** tu te rends compte que je t'attends ?; **you do ~, of course, that** tu as bien sûr conscience que; **I ~ you're busy/it's late, but...** j'ai conscience que vous êtes occupé/qu'il est tard, mais...; **2** (make concrete, real) réaliser [*idea, dream, goal, design*]; **my worst fears were ~d** ce que je craignais le plus est arrivé; **to ~ one's potential** développer ses capacités; **3** Fin (liquidate) réaliser, liquider [*assets*]; **4** Comm [*sale, house, object*] rapporter [*sum*]; [*person, vendor*] faire [*sum*] (**on** en vendant); **to ~ a profit** réaliser un bénéfice

reallocate /riːˈæləˌkeɪt/ *vtr* réattribuer [*funds, resources, space, task, time*]

reallocation /ˌriːæləˈkeɪʃən/ *n* réattribution *f*

really /ˈrɪəlɪ/
A *adv* **1** (for emphasis) vraiment, réellement; **they ~ enjoyed the film** le film leur a vraiment plu; **you ~ ought to have ironed them** tu aurais vraiment dû les repasser; **I don't believe it, ~ I don't** je n'y crois vraiment pas; **you ~ must taste it** il faut absolument que tu y goûtes; **I ~ like that colour** j'aime vraiment cette couleur; **2** (very) [*cheap, hot, badly, well*] très, vraiment; **~ big** très grand; **~ good** très bon/bonne; **3** (in actual fact) en fait, réellement; **it was ~ 100 dollars not 50 dollars** en fait, c'était 100 dollars et non pas 50 dollars; **what I ~ mean is that...** en fait, ce que je veux dire c'est que...; **I suppose I did exaggerate ~** en fait, j'ai peut-être exagéré un peu; **he's a good teacher ~** en fait, c'est un bon professeur; **ghosts don't ~ exist** les fantômes n'existent pas; **I'll tell you what ~ happened** je vais te dire ce qui s'est réellement passé; **4** (seriously, in all honesty) vraiment; **I ~ don't know** je ne sais vraiment pas; **do you ~ think he'll apologize?** tu penses vraiment qu'il s'excusera?; **~?** (expressing disbelief) c'est vrai?; **'I'm 45'—'are you ~?'** 'j'ai 45 ans'—'c'est vrai?'; **does she ~?** c'est vrai?
B *excl* (*also* **well ~**) (expressing annoyance) franchement!

realm /relm/ *n* **1** littér (kingdom) royaume *m*; **2** fig domaine *m*

real: **~ number** *n* Math nombre *m* réel; **~ presence** *n* Relig présence *f* réelle; **~ tennis** *n* jeu *m* de paume; **~ time** *n* Comput, gen temps *m* réel; **~-time computer** *n* ordinateur *m* exploité en temps réel; **~-time processing** *n* traitement *m* en temps réel; **~-time system** *n* système *m* temps réel

realtor ➡ /ˈriːəltə(r)/ *n* US agent *m* immobilier (*accrédité*)

realty /ˈriːəltɪ/ *n* US biens *mpl* immobiliers; **to be in ~** travailler dans l'immobilier

---

➡ *see* Life in France

r

ream /riːm/
A *n* 1 (of paper) rame *f* (de papier); **she wrote ~s about it** fig elle en a écrit des tonnes○ *or* toute une tartine○
B *vtr* Tech fraiser
reamer /ˈriːmə(r)/ *n* Tech fraise *f*
reanimate /ˌriːˈænɪmeɪt/ *vtr* ranimer
reap /riːp/
A *vtr* 1 Agric moissonner, recueillir [*crop*]; 2 fig récolter [*benefits, profits*]; **to ~ the rewards of one's efforts** recueillir le fruit de ses efforts
B *vi* moissonner
(Idiom) **to ~ what one has sown** récolter ce qu'on a semé
reaper /ˈriːpə(r)/ *n* 1 (machine) moissonneuse *f*; 2 (person) moissonneur/-euse *m/f*
reaper-and-binder *n* moissonneuse-lieuse *f*
reaping /ˈriːpɪŋ/ *n* moisson *f*
reaping: **~ hook** *n* faucille *f*; **~ machine** *n* moissonneuse *f*
reappear /ˌriːəˈpɪə(r)/ *vi* reparaître
reappearance /ˌriːəˈpɪərəns/ *n* réapparition *f*
reapply /ˌriːəˈplaɪ/ *vi* reposer sa candidature (**for** à)
reappoint /ˌriːəˈpɔɪnt/ *vtr* renommer (**to** à)
reappointment /ˌriːəˈpɔɪntmənt/ *n* renouvellement *m* de nomination (**to** à)
reapportion /ˌriːəˈpɔːʃn/ *vtr* 1 redistribuer, répartir à nouveau [*land, money etc*]; 2 US Pol redécouper [*electoral distribution*]
reapportionment /ˌriːəˈpɔːʃnmənt/ *n* US Pol redécoupage *m* électoral
reappraisal /ˌriːəˈpreɪzl/ *n* (of question, policy) réexamen *m*; (of writer, work) réévaluation *f*
reappraise /ˌriːəˈpreɪz/ *vtr* réexaminer [*question, policy*]; réévaluer [*writer, work*]
rear /rɪə(r)/
A *n* 1 (of building, car, room etc) arrière *m*; **at the ~ of the house** derrière la maison; **(viewed) from the ~** [*building, monument etc*] vu de l'arrière; [*person*] vu de dos; **'to ~'** (in estate agent's brochure) 'à l'arrière'; 2 (of procession, train) queue *f*; Mil (of unit, convoy) arrière-garde *f*, arrières *mpl*; (of column) queue *f*; **at the ~ of the train** en queue de train; **to attack the enemy in the ~** attaquer l'ennemi à revers; **to bring up the ~** gen, Mil fermer la marche; 3 euph (of person) derrière○ *m*
B *adj* 1 [*entrance, garden*] de derrière; 2 Aut [*light, seat, suspension*] arrière *inv*
C *vtr* élever [*child, family, animals*]; cultiver [*plants*]; **to be ~ed on classical music** être nourri de musique classique; ▸ **ugly**
D *vi* (*also* **~ up**) [*horse*] se cabrer; [*snake*] se dresser; fig [*building, tree etc*] s'élever, se dresser
rear: **~ access** *n* accès *m* arrière; **~ admiral** *n* contre-amiral *m*; **~ bumper** *n* Aut pare-chocs *m inv* arrière *inv*; **~ compartment** *n* Aut arrière *m*; **~ door** *n* (in house) porte *f* de derrière; Aut portière *f* arrière *inv*, porte *f* arrière *inv*; **~-drive** *adj* à traction *f* arrière
rear end /ˌrɪər ˈend/
A *n* 1 (of vehicle) arrière *m*; 2 euph (of person) derrière *m*
B ○**rear-end** *vtr* US emboutir○ l'arrière de [*person, car*]
rear-engined /ˌrɪərˈendʒɪnd/ *adj* avec moteur à l'arrière
rearguard /ˈrɪəgɑːd/ *n* Mil, fig arrière-garde *f*
rearguard action *n* combat *m* d'arrière-garde; **to fight a ~** mener un combat d'arrière-garde (**against** contre)
rear gunner *n* mitrailleur *m* arrière *inv*
rearm /ˌriːˈɑːm/ *vtr, vi* réarmer
rearmament /ˌriːˈɑːməmənt/ *n* réarmement *m*
rearmost /ˈrɪəməʊst/ *adj* gen tout/-e dernier/-ière; [*carriage*] de queue; [*room*] du fond
rear: **~-mounted** *adj* installé à l'arrière; **~ projection** *n* (projection *f* par) transparence *f*
rearrange /ˌriːəˈreɪndʒ/ *vtr* réarranger [*hair, hat*]; redisposer [*furniture*]; réaménager [*room*]; modifier [*plans*]; déplacer [*engagement*]
rearrangement /ˌriːəˈreɪndʒmənt/ *n* (of furniture) redisposition *f*; (of room) réaménagement *m*; (of plans) modification *f*
rear-view mirror *n* rétroviseur *m*
rearward /ˈrɪəwəd/
A *n* arrière *m*
B *adj* [*position*] à l'arrière; [*movement*] en arrière
C (*also* **rearwards**) *adv* vers l'arrière
rear wheel *n* Aut roue *f* arrière *inv*
rear-wheel drive Aut
A *n* traction *f* arrière
B *modif* [*vehicle*] à traction arrière
rear window *n* Aut vitre *f* arrière *inv*
reason /ˈriːzn/
A *n* 1 (cause) raison *f* (**for, behind** de); **for a (good) ~** pour une bonne raison; **for no (good) ~, without good ~** sans raison valable; **not without ~** non sans raison; **for some ~ or other** pour une raison ou pour une autre; **if you are late for any ~** si tu es en retard, pour une raison ou pour une autre; **for ~s best known to herself** pour des raisons connues d'elle seule; **for the (very) good** *ou* **simple ~ that** pour la simple et bonne raison que; **for ~s of space/time** pour des raisons de place/temps; **for health ~s** pour raisons de santé; **I have ~ to believe that...** j'ai des raisons de croire que...; **by ~ of** sout en raison de; **for that ~ I can't do it** c'est pour cette raison *or* c'est pour cela que je ne peux pas le faire; 2 (explanation) raison *f*; **the ~ why** la raison pour laquelle; **there are several ~s why I have to go** il y a plusieurs raisons qui m'obligent à partir; **I'll tell you the ~ why...** je vais te dire pourquoi...; **and that's the ~ why...** et c'est pourquoi...; **give me one ~ why I should!** et pourquoi donc devrais-je le faire?; **what was his ~ for resigning?** pour quelle raison a-t-il démissionné?; **the ~ for having rules** la raison pour laquelle il y a des règles; **the ~ is that** la raison en est que; **the ~ given is that** la raison invoquée est que; **for some unknown ~** pour une raison inconnue; 3 (grounds) raison *f*; **a good/bad ~ for doing** une bonne/mauvaise raison pour faire; **to have every ~ for doing** *ou* **to do** avoir tout lieu de faire; **to have good ~ to do** avoir tout lieu de faire; **he had better ~ than most to complain** il avait davantage lieu que d'autres de se plaindre; **I see no ~ to think so** il n'y a pas lieu à mon avis de le penser; **there was no ~ for you to worry** il n'y avait pas de quoi vous inquiéter; **all the more ~ to insist on it** raison de plus pour insister; **she was angry, and with good ~** elle était fâchée, et à juste titre; 4 (common sense) raison *f*; **the power/the voice of ~** le pouvoir/la voix de la raison; **to lose one's ~** perdre la raison; **to listen to** *ou* **see ~** entendre raison; **it stands to ~ that** il va sans dire que; **within ~** dans la limite du raisonnable; **sweet ~** hum bon sens
B *vtr* 1 (argue) soutenir (**that** que); **'suppose she killed him,' he ~ed** 'suppose qu'elle l'ait tué,' dit-il; 2 (conclude) déduire (**that** que); **'she must have killed him,' he ~ed** 'elle a dû le tuer,' en a-t-il déduit
C *vi* **to ~ with sb** raisonner qn
D **reasoned** *pp adj* [*argument, approach*] raisonné
(Phrasal verb) ■ **reason out**: ▸ **~ out [sth], ~ [sth] out** trouver une solution à [*problem*]
reasonable /ˈriːznəbl/ *adj* 1 (sensible) [*person*] raisonnable; **be ~!** sois raisonnable!; 2 (understanding) [*person*] compréhensif/-ive (**about** au sujet de); 3 (justified) légitime; **it is ~ for sb to do** il est légitime que qn fasse; **it is ~ that he should want to know** son désir de savoir est légitime; **beyond ~ doubt** Jur sans aucun doute possible; 4 (not too expensive) raisonnable; 5 ○(moderately good) convenable; **the food is ~** la cuisine est convenable; **there is a ~ chance that** il est fort possible que
reasonableness /ˈriːznəblnɪs/ *n* 1 (of remark, argument) bien-fondé *m*; 2 (understanding) réaction *f* posée (**over, about** à propos de)
reasonably /ˈriːznəblɪ/ *adv* 1 (legitimately) légitimement; (sensibly) raisonnablement; 2 (rather) [*comfortable, convenient, confident, satisfied*] assez; **'how are you getting on?'—'~ well'** 'comment ça va?'—'assez bien'
reasoning /ˈriːznɪŋ/
A *n* raisonnement *m*; **powers of ~** capacités de raisonnement; **what is the ~ behind the decision?** quel raisonnement a motivé cette décision?
B *modif* [*skills*] de raisonnement
reassemble /ˌriːəˈsembl/
A *vtr* 1 rassembler [*troops, pupils*]; 2 Tech remonter [*unit, engine etc*]
B *vi* [*people*] se rassembler; **school ~s on 7 January** l'école reprend le 7 janvier
reassert /ˌriːəˈsɜːt/
A *vtr* réaffirmer [*authority, claim*]
B *v refl* **to ~ oneself** [*person*] s'imposer à nouveau; **old habits soon ~ themselves** les vieilles habitudes reprennent vite le dessus
reassess /ˌriːəˈses/ *vtr* gen réexaminer, reconsidérer [*problem, situation*]; Tax recalculer [*liability*]; Jur réévaluer [*damages*]
reassessment /ˌriːəˈsesmənt/ *n* gen (of situation) réexamen *m*; Tax nouveau calcul *m*; Jur réévaluation *f*
reassurance /ˌriːəˈʃɔːrəns, US -ˈʃʊər-/ *n* 1 (comfort) réconfort *m*; 2 (security) assurance *f*; **you'll have the ~ of a three-year guarantee** Comm vous aurez la sécurité d'une garantie de trois ans; 3 (official guarantee) **to receive ~s/a ~ from sb that** recevoir de qn des garanties/la garantie que
reassure /ˌriːəˈʃɔː(r), US -ˈʃʊər-/ *vtr* rassurer (**about** sur)
reassuring /ˌriːəˈʃɔːrɪŋ, US -ˈʃʊər-/ *adj* gen rassurant; Psych sécurisant
reassuringly /ˌriːəˈʃɔːrɪŋlɪ, US -ˈʃʊər-/ *adv* [*smile*] d'une manière rassurante; [*say*] sur un ton rassurant; **~ familiar** d'une familiarité rassurante
reawaken /ˌriːəˈweɪkən/
A *vtr* 1 sout réveiller à nouveau [*person*]; 2 fig faire renaître [*interest, enthusiasm*]
B *vi* sout [*person*] se réveiller de nouveau
reawakening /ˌriːəˈweɪkənɪŋ/ *n* sout réveil *m*
reb, Reb○ /reb/ *n* US Hist (*also* **Johnny Reb**) soldat *m* confédéré
rebarbative /rɪˈbɑːbətɪv/ *adj* sout rébarbatif/-ive, rebutant
rebate /ˈriːbeɪt/ *n* 1 (refund) remboursement *m*; 2 (discount) remise *f*
rebel
A /ˈrebl/ *n* révolté/-e *m/f*, rebelle *mf* also fig
B /ˈrebl/ *modif* [*soldier, group*] rebelle
C /rɪˈbel/ *vi* (*p prés etc* **-ll-**) lit, fig se rebeller (**against** contre), se révolter (**against** contre)
rebellion /rɪˈbelɪən/ *n* rébellion *f*, révolte *f*; **to rise in ~** se rebeller, se soulever
rebellious /rɪˈbelɪəs/ *adj* [*nation, people, child*] rebelle, insoumis; [*school, class*] indiscipliné
rebelliousness /rɪˈbelɪəsnɪs/ *n* (tendency) esprit *m* de rébellion; (behaviour) attitude *f* rebelle
rebirth /ˌriːˈbɜːθ/ *n* lit, fig renaissance *f*
rebirthing /riːˈbɜːθɪŋ/ *n* respiration *f* consciente
reboot /ˌriːˈbuːt/ *vtr* Comput réinitialiser, réamorcer
rebore
A /ˈriːbɔː(r)/ *n* réalésage *m*
B /ˌriːˈbɔː(r)/ *vtr* réaléser

reborn /ˌriːˈbɔːn/ *adj* [1] Relig **to be ~** renaître (**into** à); [2] **to be ~ as sth** réapparaître sous la forme de qch

rebound
A /ˈriːbaʊnd/ *n* (of ball) rebond *m*; (in basketball) panier *m*; **he caught the ball on the ~** il a attrapé le ballon après le rebond; **to be on the ~** [*prices*] remonter; **to marry sb on the ~** épouser qn sous le coup d'une déception amoureuse
B /rɪˈbaʊnd/ *vi* [1] lit (bounce) rebondir; [2] fig **to ~ on** (affect adversely) se retourner contre; [3] (recover) [*prices, interest rates*] remonter

rebranding /riːˈbrændɪŋ/ *n* Comm changement *m* de marque

rebroadcast /ˌriːˈbrɔːdkɑːst, US -kæst/
A *n* (repeat) rediffusion *f*; (live) retransmission *f*
B *vtr* (*prét, pp* **-cast** *ou* **-casted**) (repeat) rediffuser; (relay live) retransmettre

rebuff /rɪˈbʌf/
A *n* rebuffade *f*; **to meet with a ~** essuyer une rebuffade
B *vtr* rabrouer [*person*]; repousser [*suggestion, advances*]

rebuild /ˌriːˈbɪld/ *vtr* (*prét, pp* **rebuilt** /riːˈbɪlt/) Constr reconstruire, rebâtir [*building*]; gen reconstruire [*country, business*]

rebuilding /ˌriːˈbɪldɪŋ/ *n* reconstruction *f*

rebuke /rɪˈbjuːk/
A *n* réprimande *f*
B *vtr* réprimander (**for** pour; **for doing** pour avoir fait)

rebus /ˈriːbəs/ *n* (*pl* **~es**) rébus *m*

rebut /rɪˈbʌt/ *vtr* (*p prés etc* **-tt-**) réfuter

rebuttal /rɪˈbʌtl/ *n* réfutation *f*

rec○ /rek/ *n* GB (*abrév* = **recreation ground**) terrain *m* de jeux

recalcitrance /rɪˈkælsɪtrəns/ *n* sout esprit *m* récalcitrant

recalcitrant /rɪˈkælsɪtrənt/ *adj* sout récalcitrant

recalculate /ˌriːˈkælkjʊleɪt/ *vtr* recalculer [*price, loss etc*]

recall
A /ˈriːkɔːl/ *n* [1] (memory) mémoire *f*; **he has amazing powers of ~** il a une mémoire extraordinaire; **to have total ~ of sth** se souvenir de qch dans les moindres détails; **lost beyond** *ou* **past ~** irrévocablement perdu; [2] gen, Mil, Comput (summons) rappel *m*
B /rɪˈkɔːl/ *vtr* [1] (remember) se souvenir de; **I ~ seeing/what happened** je me souviens d'avoir vu/de ce qui est arrivé; **as I ~** si je m'en souviens bien; **you will ~ that...** comme vous le savez...; **'it was in 1972,' he ~ed** 'c'était en 1972,' se remémora-t-il; [2] (remind of) rappeler; [3] (summon back) gen, Mil, Comput rappeler [*troops, witness, ambassador, faulty product*]; convoquer [*parliament*]

recant /rɪˈkænt/
A *vtr* abjurer [*heresy*]; désavouer [*opinion*]; rétracter [*statement*]
B *vi* gen se rétracter; Relig abjurer

recantation /ˌriːkænˈteɪʃn/ *n* (of statement) rétractation *f*; (of opinion) désaveu *m*; Relig abjuration *f*

recap
A *n* [1] ○/ˈriːkæp/ *abrév* ▸ **recapitulation**; [2] /ˌriːˈkæp/ US (tyre) pneu *m* rechapé
B *vtr* (*p prés etc* **-pp-**) [1] ○/ˈriːkæp/ *abrév* ▸ **recapitulate**; [2] /ˌriːˈkæp/ US rechaper [*tyre*]

recapitalization /ˌrɪːkæpɪtəlaɪˈzeɪʃən/ *n* Fin recapitalisation

recapitalization plan *n* Fin plan *m* de recapitalisation

recapitalize /ˌriːˈkæpɪtəˌlaɪz/ *vtr* Fin recapitaliser

recapitulate /ˌriːkəpɪtʃʊleɪt/ sout
A *vtr* reprendre, récapituler
B *vi* reprendre, récapituler; **to ~ on sth** reprendre *or* récapituler qch

recapitulation /ˌriːkəpɪtʃʊˈleɪʃn/ *n* sout récapitulation *f*

recapture /ˌriːˈkæptʃə(r)/
A *n* (of prisoner, animal) capture *f*; (of town, position) reprise *f*
B *vtr* [1] (catch) recapturer [*prisoner, animal*]; [2] (get back) Mil reprendre [*town, position*]; Pol reconquérir [*seat*]; [3] fig retrouver [*feeling*]; recréer [*period, atmosphere*]

recast /ˌriːˈkɑːst, US -ˈkæst/ *vtr* (*prét, pp* **recast**) [1] (reformulate) reformuler [*sentence, argument*] (**as** pour en faire); remanier [*text, plan*]; [2] Theat, Cin reprendre [qch] avec d'autres acteurs [*work*]; changer le rôle de [*actor*]; [3] Tech, Ind refondre

recce○ /ˈrekɪ/ *n* gen, Mil reconnaissance *f*; **to be on a ~** faire une reconnaissance

recd Comm *abrév écrite* = **received**

recede
A /rɪˈsiːd/ *vi* [1] lit, gen s'éloigner; [*tide*] descendre; fig [*hope, memory, prospect*] s'estomper; [*threat*] s'éloigner; [*prices*] baisser; [2] (go bald) [*person*] se dégarnir
B receding /rɪˈsiːdɪŋ/ *pres p adj* [*chin, forehead*] fuyant; **he has a receding hairline** son front se dégarnit; **to have receding gums** avoir les gencives qui s'atrophient

receipt /rɪˈsiːt/
A *n* [1] Comm (in writing) reçu *m*, récépissé *m* (**for** pour); (from till) ticket *m* de caisse; (for rent) quittance *f*; [2] Post (on sending) reçu *m*; (on delivery) accusé *m* de réception (**for** pour); [3] Admin, Comm (of goods, letters) réception *f*; **within 30 days of ~** à 30 jours de la réception; **to acknowledge ~ of sth** accuser réception de qch; **on ~ of sth** dès réception de qch; **to be in ~ of** recevoir [*income, benefits*]
B receipts *npl* Comm (takings) recette *f* (**from** de); **net/gross ~s** recette nette/brute
C *vtr* acquitter [*bill, invoice*]

receipt book *n* livre *m or* carnet *m* de quittances

receivable /rɪˈsiːvəbl/
A receivables *npl* comptes *mpl* clients (**on** de)
B *adj* Comm, Fin [*bills*] à recevoir; **accounts ~** comptes *mpl* clients

receive /rɪˈsiːv/
A *vtr* [1] (get) recevoir [*letter, money, award, advice, support, treatment, education, training*] (**from** de); subir, essuyer [*setback*]; (wrongfully) receler [*stolen goods*]; recevoir [*bribe, illegal payment*]; **he ~d a 30-year sentence** Jur il a été condamné à 30 ans de prison; **'~d with thanks'** Comm 'pour acquit'; **to ~ its premiere** [*film*] avoir sa première projection; [*composition*] avoir sa première audition; **the bill will ~ its first reading** Pol le projet de loi sera examiné en première lecture; [2] (meet) accueillir, recevoir [*visitor, guest*]; recevoir [*delegation, ambassador*]; recevoir, accueillir [*proposal, article, play*] (**with** avec); **to be warmly ~d** être chaleureusement accueilli; **to be well** *ou* **positively ~d** être bien reçu; [3] **to be ~d into** être reçu *or* admis dans [*church, order*]; [4] Radio, TV recevoir [*channel, radio message*]; capter, recevoir [*programme, satellite signals*]; [5] Admin (accept) accepter [*application*]; **'all contributions gratefully ~d'** 'merci d'avance de vos dons'; [6] US (in baseball) réceptionner
B *vi* [1] †sout [*host*] recevoir; [2] GB Jur être coupable de recel
C received *pp adj* [*ideas, opinions*] reçu

Received Pronunciation, RP *n* GB prononciation *f* standard (de l'anglais)

> **Received Pronunciation, RP**
> Il s'agit d'une prononciation normalisée de l'anglais britannique, sans trace d'accent régional, généralement associée aux couches élevées de la société et employée à la radio et à la télévision. Les expressions *BBC English* et *Queen's English* y font également référence.

received: **Received Standard** *n* US = **Received Pronunciation**; **~ wisdom** *n* opinion *f* générale

receiver /rɪˈsiːvə(r)/ *n* [1] (telephone) combiné *m*; **to pick up the ~** décrocher (le combiné); **to put down the ~** raccrocher (le combiné); [2] Radio, TV (equipment) (poste *m*) récepteur *m*; [3] GB Fin Jur (*also* **Official Receiver**) administrateur *m* judiciaire; **to be in the hands of the ~s** être sous administration judiciaire; [4] GB Jur **~ (of stolen goods)** receleur/-euse *m/f*; [5] Admin (recipient) (of goods, consignment) réceptionnaire *mf*; (of mail) destinataire *mf*; [6] US (in baseball) **(wide) ~** joueur *m* à la réception.

receiver dish *n* antenne *f* parabolique

receivership /rɪˈsiːvəʃɪp/ *n* GB Fin Jur **to go into ~** être placé sous administration judiciaire

receiving /rɪˈsiːvɪŋ/
A *n* GB Jur recel *m*
B *adj* Comm (*épith*) [*department, office*] des réceptions

(Idioms) **to be on the ~ end of** faire les frais de [*criticism, hostility*]; recevoir [*blow, punch*]; **he'd be a lot less happy if he was on the ~ end** il serait un peu moins ravi si c'était à lui que ça arrivait

receiving: **~ blanket** *n* US doux nid *m*; **~ clerk** ▸ **p. 1683** *n* Comm réceptionnaire *mf*; **~ line** *n* US *accueil des invités à un mariage*; **~ note** *n* bon *m* à embarquer; **~ order** *n* ordonnance *f* de mise sous séquestre

recension /rɪˈsenʃn/ *n* [1] (act) révision *f*; [2] (text) texte *m* révisé

recent /ˈriːsnt/ *adj* [*event, change, arrival, film*] récent; [*acquaintance, development*] nouveau/-elle; **in ~ times** récemment; **in ~ years/weeks** au cours des dernières années/semaines; **to be a ~ graduate** être nouvellement diplômé

recently /ˈriːsntlɪ/ *adv* récemment, dernièrement; **quite/only ~** assez/tout récemment; **as ~ as Monday** pas plus tard que lundi; **until ~** jusqu'à ces derniers temps

receptacle /rɪˈseptəkl/ *n* récipient *m*

reception /rɪˈsepʃn/ *n* [1] (*also* **~ desk**) réception *f*; **at ~** à la réception, à l'accueil; [2] (gathering) réception *f* (**for sb** en l'honneur de qn; **for sth** à l'occasion de qch); [3] (public response) accueil *m* (**for** de); **to get** *ou* **be given a favourable/hostile ~** recevoir un accueil favorable/hostile; **they gave us a great ~** [*fans, audience*] ils nous ont fait un accueil formidable; [4] (of guests, visitors) réception *f*; [5] Radio, TV réception *f* (**on** sur)

reception area *n* réception *f*

reception camp, **reception centre** *n* centre *m* d'accueil (**for** pour)

reception: **~ class** *n* GB Sch ≈ cours *m* préparatoire; **~ committee** *n* comité *m* d'accueil also fig

receptionist /rɪˈsepʃənɪst/ ▸ **p. 1683** *n* réceptionniste *mf*

reception room *n* [1] (in house) (grande) pièce *f*, pièce *f* de réception; [2] (in hotel) salle *f* de réception, salon *m*

receptive /rɪˈseptɪv/ *adj* réceptif/-ive (**to** à); **when he's in a more ~ mood** quand il sera plus disposé à écouter

receptiveness /rɪˈseptɪvnɪs/, **receptivity** /ˌriːsepˈtɪvətɪ/ *n* réceptivité *f* (**to** à)

receptor /rɪˈseptə(r)/ *n* récepteur *m*

recess /rɪˈses, US ˈriːses/
A *n* [1] Jur, Pol (parliamentary) vacances *fpl* parlementaires; (in courts) vacances *fpl* judiciaires; **to be in ~** être en vacances; [2] US (break) (in school) récréation *f*; (during meeting) pause *f*; [3] Constr (for door, window) embrasure *f*; (large alcove) alcôve *f*; (smaller) niche *f*; (very small) recoin *m*
B recesses *npl* **the ~es of** les recoins *mpl* de [*cupboard, room, building, cave*]; **in the ~es of her mind/her memory** dans les recoins de

r

son esprit/sa mémoire; **in the deepest ~es of his heart** au plus profond de son cœur
C *vtr* **1** Constr encastrer [*bath, light*]; **2** US (interrupt) suspendre [*meeting, hearing*]
D *vi* US Jur, Pol suspendre les séances
E recessed *pp adj* Constr [*bath, cupboard, seat, lighting*] encastré

recession /rɪ'seʃn/ *n* **1** Econ (slump) récession *f*; **a world ~** une récession mondiale; **to go into ~** entrer dans la récession; **to be in ~** être en récession; **2** (of flood waters) retrait *m*

recessional /rɪ'seʃənl/ Mus, Relig
A *n* cantique *m* final
B *adj* [*hymn*] final

recessionary /rɪ'seʃənrɪ, US -ənerɪ/ *adj* [*effect, measure, period*] de récession

recessive /rɪ'sesɪv/ *adj* [*characteristic, gene*] récessif/-ive

recharge /ˌriː'tʃɑːdʒ/ *vtr* recharger [*battery*]; **to ~ one's batteries** fig recharger ses batteries

rechargeable /ˌriː'tʃɑːdʒəbl/ *adj* [*battery*] rechargeable

recidivism /rɪ'sɪdɪvɪzəm/ *n* récidive *f*

recidivist /rɪ'sɪdɪvɪst/ *n* récidiviste *mf*

recipe /'resəpɪ/ *n* **1** Culin recette *f* (**for** de); **2** fig **it's a ~ for disaster/confusion** ça mène tout droit à la catastrophe/confusion; **a ~ for business success** *ou* **for succeeding in business** une recette pour réussir dans les affaires

recipe book *n* livre *m* de recettes

recipient /rɪ'sɪpɪənt/ *n* (receiver) (of mail) destinataire *mf*; (of benefits, aid, cheque) bénéficiaire *mf*; (of prize, award) lauréat/-e *m/f*; (of diploma) récipiendaire *mf*; (of blood, tissue etc) receveur/-euse *m/f*; **welfare ~** bénéficiaire *mf* d'aides sociales

reciprocal /rɪ'sɪprəkl/
A *n* Math inverse *m*
B *adj* (all contexts) réciproque

reciprocally /rɪ'sɪprəklɪ/ *adv* réciproquement

reciprocate /rɪ'sɪprəkeɪt/
A *vtr* retourner [*compliment*]; payer [qch] de retour [*love, kindness*]; rendre [*affection, invitation*]
B *vi* rendre la pareille

reciprocating engine *n* moteur *m* alternatif

reciprocation /rɪˌsɪprə'keɪʃn/ *n* (exchange) échange *m*; (return) retour *m*

reciprocity /ˌresɪ'prɒsətɪ/ *n* gen, Math, Phot réciprocité *f*

recital /rɪ'saɪtl/
A *n* **1** (of music, poetry) récital *m*; **to give a piano ~** donner un récital de piano; **in ~** en récital; **2** (narration) gen récit *m*; (tedious) énumération *f*
B *modif* [*room, hall*] de concert
C recitals *npl* Jur préambule *m*

recitation /ˌresɪ'teɪʃn/ *n* Theat, Sch récitation *f*

recitative /ˌresɪtə'tiːv/ *n* Mus récitatif *m*

recite /rɪ'saɪt/
A *vtr* réciter [*speech, poem, list*]; énumérer [*facts, complaints*]
B *vi* réciter

reckless /'reklɪs/ *adj* [*person*] (bold) téméraire; (foolish) imprudent; [*promise*] imprudent; **~ behaviour** inconscience *f*; **~ driving** Jur conduite *f* imprudente

recklessly /'reklɪslɪ/ *adv* [*act*] (dangerously) avec imprudence; [*promise, spend*] de manière inconsciente

recklessness /'reklɪsnɪs/ *n* (of person, behaviour) imprudence *f*

reckon /'rekən/
A *vtr* **1** (judge, consider) estimer (**that** que); **we ~ that this solution is the best** nous estimons que cette solution est la meilleure; **sb/sth is ~ed to be** on estime que qn/qch est; **the region is ~ed to be uninhabitable** on estime que la région est inhabitable; **she is ~ed (to be) the cleverest** elle est considérée comme la plus intelligente; **he is ~ed among our best salesmen** il est considéré comme l'un de nos meilleurs vendeurs; **2** ○(think) **to ~ (that)** croire que; **I ~ we should leave now** je crois que nous devrions partir maintenant; **3** (estimate) estimer; **the number of part-time workers is ~ed at two million** le nombre des employés à temps partiel est estimé à deux millions; **I ~ he's about 50** à mon avis il a à peu près 50 ans; **what do you ~ our chances of survival are?** quelles sont, à votre avis, nos chances de survie?; **4** (expect) **to ~ to do** compter faire; **we ~ to reach London by midday** nous comptons arriver à Londres avant midi; **5** (calculate accurately) calculer [*charges, amount, number, rent*]; **6** ○(believe to be good) **I don't ~ your chances of success** je doute de vos chances de succès; **7** ○(like) estimer [*person*]
B *vi* calculer

(Phrasal verbs) ■ **reckon on**○: ▶ **~ on [sb/sth]** compter sur; ▶ **~ on doing** s'attendre à faire; ▶ **~ on sb** *ou* **sb's doing** (expect) attendre de qn qu'il fasse; (rely) compter sur qn pour qu'il fasse
■ **reckon up**: ▶ **~ up** calculer; ▶ **~ [sth] up, ~ up [sth]** calculer
■ **reckon with**: ▶ **~ with [sb/sth]** compter avec; **we had to ~ with a lot of opposition** il nous a fallu compter avec une opposition importante; **a force to be ~ed with** une force avec laquelle il faut compter
■ **reckon without**: ▶ **~ without [sb/sth]** compter sans

reckoning /'rekənɪŋ/ *n* **1** gen (estimation) estimation *f*; (accurate calculation) calculs *mpl*; **you were £10 out in your ~** vous vous êtes trompé de dix livres dans vos calculs; **by my ~/the president's ~** d'après mes estimations/les estimations du président; **to bring sb/to come into the ~** ramener qn/être dans la course; **2** Naut estime *f*

(Idiom) **day of ~** Relig jour *m* du Jugement (dernier); **there's bound to be a day of ~ (for him/them etc)** hum, fig il lui/leur etc faudra payer un jour

reclaim /rɪ'kleɪm/ *vtr* **1** Ecol reconquérir [*coastal land*]; mettre en valeur [*site*]; assécher [*marsh*]; défricher [*forest*]; assainir [*polluted land*]; irriguer [*desert*]; (recycle) récupérer [*glass, metal*]; **2** (get back) récupérer [*possessions, deposit, money*]; **3** littér (redeem) récupérer; **a ~ed drunkard** un alcoolique repenti

reclaimable /rɪ'kleɪməbl/ *adj* **1** [*waste product*] récupérable; **2** [*expenses*] remboursable

reclamation /ˌreklə'meɪʃn/ *n* **1** (recycling) récupération *f*; **2** (of land) mise *f* en valeur; (of marsh) assèchement *m*; (of polluted land) assainissement *m*; (of forest) défrichement *m*

recline /rɪ'klaɪn/
A *vtr* appuyer [*head*]
B *vi* **1** [*person*] s'allonger; **2** [*seat*] s'incliner

reclining /rɪ'klaɪnɪŋ/ *adj* **1** Art [*figure*] allongé; **2** [*seat*] inclinable; [*chair*] réglable

recluse /rɪ'kluːs/ *n* reclus/-e *m/f*

reclusive /rɪ'kluːsɪv/ *adj* solitaire

recognition /ˌrekəg'nɪʃn/ *n* **1** (identification) reconnaissance *f*; **to avoid ~** pour éviter d'être reconnu; **to change/to improve out of all** *ou* **beyond ~** changer/s'améliorer jusqu'à en être méconnaissable; **they've changed the town beyond ~** ils ont rendu la ville méconnaissable; **2** (realization) reconnaissance *f* (**of** de); **there is a growing ~ that** il devient de plus en plus apparent que; **3** gen, Pol (acknowledgement) reconnaissance *f*; **to gain international ~** être reconnu mondialement; **he never got the ~ he deserved** il n'a jamais été reconnu comme il le méritait; **union ~** reconnaissance officielle des syndicats; **to give state ~ to sth** reconnaître qch officiellement; **to receive** *ou* **win ~ for** être reconnu pour [*talent, work, achievement, contribution*]; **in ~ of** en reconnaissance de; **4** Comput (of data) reconnaissance *f*; **voice ~** reconnaissance de la parole; **5** Aviat (identification) identification *f*

recognizable /ˌrekəg'naɪzəbl, 'rekəgnaɪzəbl/ *adj* reconnaissable; **she is instantly ~ by her hat** on la reconnaît tout de suite à son chapeau

recognizably /ˌrekəg'naɪzəblɪ, 'rekəgnaɪzəblɪ/ *adv* manifestement

recognizance /rɪ'kɒgnɪzns/ *n* Jur (promise) engagement *m* (devant un tribunal); (sum) caution *f*; **to enter into ~s for sb** se porter caution pour qn

recognize /'rekəgnaɪz/
A *vtr* **1** (identify) reconnaître [*person, voice, sound, place*] (**by** à; **as** comme étant); identifier [*sign, symptom*] (**as** comme étant); **did you ~ each other?** est-ce que vous vous êtes reconnus?; **2** (acknowledge) reconnaître [*problem, fact, value, achievement*]; (officially) reconnaître [*government, authority, claim etc*]; **to ~ that** reconnaître que; **to be ~d as** être reconnu comme étant [*heir, owner*]; **to be ~d by law** être reconnu légalement; **3** US (in debate) donner la parole à [*speaker, debater*]
B recognized *pp adj* **1** (acknowledged) [*expert, organization*] reconnu; **2** Comm (with accredited status) [*firm, supplier*] accrédité; **~d agent** agent *m* accrédité; **~d dealer** concessionnaire *m* attitré

recoil
A /'riːkɔɪl/ *n* (of gun) recul *m*; (of spring) détente *f*
B /rɪ'kɔɪl/ *vi* **1** [*person*] (physically) avoir un mouvement de recul, reculer (**from, at** devant); (mentally) reculer (**from** devant); **to ~ in horror/in disgust** reculer d'horreur/de dégoût; **2** [*gun*] reculer en tirant; [*spring*] se détendre; **3** (affect adversely) **to ~ on sb** retomber sur qn

recollect /ˌrekə'lekt/
A *vtr* se souvenir de, se rappeler
B *vi* se souvenir; **as far as I ~** autant qu'il m'en souvienne
C *v refl* **to ~ oneself** se ressaisir

recollection /ˌrekə'lekʃn/ *n* souvenir *m*; **to have some ~ of** se souvenir vaguement de; **to the best of my ~** autant qu'il m'en souvienne

recommence /ˌriːkə'mens/
A *vtr* recommencer (**doing** à faire)
B *vi* reprendre

recommend /ˌrekə'mend/ *vtr* **1** (commend) recommander [*person, company, film, book*] (**as** comme étant); **to ~ sb for a job** recommander qn pour un emploi; **she comes highly ~ed** elle est chaudement recommandée; **2** (advise) conseiller, recommander [*investigation, treatment, policy*]; **the judge ~ed the defendant serve a minimum of 20 years** Jur le juge a requis pour l'accusé une peine minimum de 20 ans; **the scheme is ~ed for approval** c'est un projet qui devrait être approuvé; **'~ed'** Journ [*film etc*] 'à voir'; **3** (favour) **the strategy has much to ~ it** la stratégie présente de nombreux avantages; **the hotel has little to ~ it** on ne peut pas dire grand-chose en faveur de cet hôtel; **her reputation for laziness did not ~ her to potential employers** sa réputation de paresse ne jouait pas en sa faveur auprès d'éventuels employeurs

recommendable /ˌrekə'mendəbl/ *adj* **the film is highly ~** c'est un film à recommander vivement

recommendation /ˌrekəmen'deɪʃn/ *n* **1** (by authority, report) recommandation *f* (**to** à; **on** sur); **to make a ~** faire une recommandation; **he was sentenced to life imprisonment with a ~ that he serve at least 30 years** Jur il a été condamné à la réclusion criminelle à perpétuité assortie d'une mesure de sécurité de 30 ans; **his ~ was to lift the ban** il a conseillé de lever l'interdiction; **2** (by colleague, friend) recommandation *f*; **on the ~ of** sur la recommandation de; **we found our plumber by personal ~** notre plombier nous a été recommandé par des gens que nous connaissons; **to speak in ~ of sb/sth** recommander qn/qch; [3] (by employer, referee) **to give sb a ~** recommander qn; **to write sb a ~** donner une lettre de recommandation à qn; [4] (advantage) **the hotel's location is its only ~** l'emplacement de l'hôtel est son seul atout

recommendatory /ˌrekə'mendətrɪ, US -tɔ:rɪ/ *adj* sout [*letter, remark*] de recommandation

recommend: **~ed daily amount, RDA** *n* apports *mpl* quotidiens recommandés, AQR; **~ed reading** *n* livres *mpl* conseillés *or* recommandés; **~ed retail price** *n* prix *m* de vente conseillé

recommit /ˌri:kə'mɪt/ *vtr* (*p prés etc* **-tt-**) US Pol renvoyer [qch] en commission [*bill*]

recommittal /ˌri:kə'mɪtl/ *n* US Pol renvoi *m* en commission

recompense /'rekəmpens/
A *n* [1] sout (reward) récompense *f* (**for** de); **as a ~ for** en récompense de; [2] Jur dédommagement *m* (**for** pour)
B *vtr* [1] sout (reward) récompenser (**for** de); [2] gen, Jur dédommager (**for** de)

recompose /ˌri:kəm'pəʊz/ *vtr* (rewrite) recomposer

reconcilable /'rekənsaɪləbl/ *adj* [*differences*] conciliable; [*views*] compatible (**with** avec)

reconcile /'rekənsaɪl/ *vtr* [1] (after quarrel) réconcilier [*people*]; **to be** *ou* **become ~d** se réconcilier (**with** avec); [2] (see as compatible) concilier [*attitudes, views*] (**with** avec); [3] (persuade to accept) **to ~ sb to sth/to doing** réconcilier qn avec qch/avec l'idée de faire; **to become ~d to sth/to doing** se résigner à qch/à faire

reconciliation /ˌrekənˌsɪlɪ'eɪʃn/ *n* (of people) réconciliation *f*; (of ideas) conciliation *f*

recondite /'rekəndaɪt/ *adj* sout abstrus

recondition /ˌri:kən'dɪʃn/ *vtr* remettre [qch] à neuf

reconnaissance /rɪ'kɒnɪsns/
A *n* Mil reconnaissance *f*; **on ~** en reconnaissance
B *modif* [*mission, plane, patrol, satellite*] de reconnaissance

reconnoitre GB, **reconnoiter** US /ˌrekə'nɔɪtə(r)/ Mil
A *vtr* reconnaître
B *vi* faire une reconnaissance

reconsider /ˌri:kən'sɪdə(r)/
A *vtr* (re-examine) réexaminer [*plan, opinion*]
B *vi* (think further) repenser; (change mind) changer d'avis; **we ask you to ~** nous vous demandons d'y repenser

reconsideration /ˌri:kənsɪdə'reɪʃn/ *n* (of decision) remise *f* en cause; (of question) nouvel examen *m*, réexamen *m*

reconstitute /ˌri:'kɒnstɪtju:t, US -tu:t/ *vtr* [1] Admin, Pol reconstituer [*committee, party*]; [2] Culin réhydrater

reconstituted family *n* famille *f* recomposée

reconstitution /ˌri:ˌkɒnstɪ'tju:ʃn, US -tu:ʃn/ *n* [1] Admin, Pol reconstitution *f*; [2] Culin réhydratation *f*

reconstruct /ˌri:kən'strʌkt/ *vtr* [1] (rebuild) reconstruire [*building*]; réédifier [*system*]; reconstituer [*text*]; [2] (surgically) reconstituer; [3] Cin, TV recréer [*event, period*]; [4] [*police*] faire une reconstitution de [*crime*]

reconstruction /ˌri:kən'strʌkʃn/
A *n* [1] (of building) reconstruction *f*; (of system) réédification *f*; [2] (of object, event, crime) reconstitution *f*; [3] Med reconstitution *f*
B **Reconstruction** *pr n* US **the Reconstruction** la Reconstruction de l'union

reconstructive /ˌri:kən'strʌktɪv/ *adj* [*surgery*] réparateur/-trice

reconvene /ˌri:kən'vi:n/
A *vtr* **to ~ a meeting** fixer une nouvelle réunion
B *vi* se réunir à nouveau

record
A /'rekɔ:d, US 'rekərd/ *n* [1] (written account) (of events) compte rendu *m*; (of official proceedings) procès-verbal *m*; **to keep a ~ of** noter [*order, calls*]; **I have no ~ of your application** je n'ai aucune trace de votre demande; **the hottest summer on ~** l'été le plus chaud qu'on ait jamais enregistré; **to be on ~ as saying that** avoir déclaré officiellement que; **to say sth off the ~** dire qch en privé; **off the ~, I think it' s a bad idea** entre nous, je crois que c'est une mauvaise idée; **just for the ~, did you really do it?** entre nous, tu l'as vraiment fait?; **I'd like to set the ~ straight** je voudrais mettre les choses au clair; [2] (data) (*also* **~s**) (historical) archives *fpl*; (personal, administrative) dossier *m*; **~s of births/deaths** registre *m* des naissances/décès; **public ~s** archives *fpl* publiques; **sb's medical ~s** le dossier médical de qn; **official ~s** dossiers officiels; [3] (history) (of individual) passé *m*; (of organization, group) réputation *f*; **to have a good ~ on** avoir une bonne réputation en ce qui concerne [*human rights, recycling, safety*]; **she has a distinguished ~ as a diplomat** son passé en tant que diplomate est remarquable; **service ~** passé *m* militaire; **academic ~** niveau *m* d'études; [4] Audio disque *m* (**by, of** de); **pop/jazz ~** disque de pop/jazz; **to make/to cut a ~** faire/graver un disque; **to put on/to play a ~** mettre/passer un disque; **change the ~**°**!** change de disque°!; [5] (best performance) record *m* (**for, in** de); **the sprint ~** le record du sprint; **to set/to hold a ~** établir/détenir un record; [6] Comput (collection of data) enregistrement *m*; [7] Jur (*also* **criminal ~**) casier *m* judiciaire; **to have no ~** avoir un casier judiciaire vierge
B /'rekɔ:d, US 'rekɔrd/ *modif* [1] Audio [*collection, company, label, producer, sales, shop*] de disques; [*industry*] du disque; [2] (high) [*result, sales, score, speed, time*] record (*inv, after n*); **to do sth in ~ time** faire qch en un temps record; **to be at a ~ high/low** être à son niveau le plus haut/bas
C /rɪ'kɔ:d/ *vtr* [1] (note) noter [*detail, idea, opinion*]; prendre acte de [*transaction*]; **to ~ that** noter que; **to ~ the way in which** prendre note de la façon dont; [2] (on disc, tape) enregistrer [*album, interview, song*] (**on** sur); **to ~ sb doing** enregistrer qn en train de faire; [3] (register) [*equipment*] enregistrer [*temperature, rainfall*]; [*dial, gauge*] indiquer [*pressure, speed*]; [4] (provide an account of) [*diary, report*] rapporter [*event, conditions*]; **to ~ that** rapporter que
D *vi* [*video, tape recorder*] enregistrer; **he is ~ing in Paris** il enregistre un disque à Paris

record book *n* livre *m* des records; **to go down in the ~s** entrer dans le livre des records

record-breaker /'rekɔ:dbreɪkə(r), US 'rekərd-/ *n* **to be a ~** avoir battu un record

record: **~-breaking** *adj* record (*inv, after n*); **~ button** *n* bouton *m* d'enregistrement; **~ card** *n* fiche *f*; **~ deck** *n* platine *f* disques

recorded /rɪ'kɔ:dɪd/ *adj* [1] (on tape, record) [*interview, message, music*] enregistré; [2] (documented) [*case, sighting*] connu; [*fact*] reconnu

recorded delivery *n* GB Post recommandé *m*; **to send sth ~** envoyer qch en recommandé

recorder /rɪ'kɔ:də(r)/ *n* [1] Sci appareil *m* enregistreur; [2] Mus flûte *f* à bec; [3] GB Jur *avocat remplissant temporairement les fonctions d'un juge*

record-holder /'rekɔ:dhəʊldə(r), US 'rekərd-/ *n* recordman/recordwoman *m/f*

recording /rɪ'kɔ:dɪŋ/
A *n* enregistrement *m*; **a video/sound ~** un enregistrement vidéo/sonore; **to make a ~ of** enregistrer
B *modif* [*engineer*] du son; [*artist*] qui enregistre (*after n*); [*contract, head, rights, studio*] d'enregistrement

record: **~ library** *n* discothèque *f* de prêt; **~ player** *n* tourne-disque *m*; **~ sleeve** *n* pochette *f* de disque

records office *n* [1] (of births, deaths) bureau *m* des archives; [2] Jur (of court records) greffe *m*

record token *n* chèque-cadeau *m* pour disques

recount /rɪ'kaʊnt/ *vtr* raconter, conter

re-count
A /'ri:kaʊnt/ *n* Pol deuxième compte *m* des suffrages; **to demand a ~** demander que les suffrages soient recomptés
B /ˌri:'kaʊnt/ *vtr* recompter

recoup /rɪ'ku:p/ *vtr* compenser [*losses*]; **to ~ one's costs** rentrer dans ses frais

recourse /rɪ'kɔ:s/ *n* recours *m*; **to have ~ to** avoir recours à; **without ~ to** sans avoir recours à

recover /rɪ'kʌvə(r)/
A *vtr* [1] (get back) retrouver, récupérer [*money, property, vehicle*]; récupérer [*territory*]; (from water) repêcher, retrouver [*body, wreck*]; **they ~ed the car from the river** ils ont repêché la voiture dans la rivière; **the bodies were ~ed from the wreckage of the car** on a sorti les cadavres de la voiture accidentée; **to ~ one's sight/health** recouvrer la vue/santé; **to ~ one's confidence/one's strength/one's breath** reprendre confiance/des forces/son souffle; **to ~ consciousness** reprendre connaissance; **to ~ one's composure** se ressaisir, se reprendre; [2] (recoup) recouvrer [*loan, debt, taxes, costs*] (**from** auprès de); réparer, compenser [*losses*]; **to ~ damages** Jur obtenir des dommages-intérêts; **the right to ~ damages** Jur le droit à l'allocation de dommages et intérêts; [3] (reclaim for use) récupérer [*waste, bottles, uranium*]; **to ~ land from the sea** reconquérir du terrain sur la mer
B *vi* [1] gen, Med [*person*] (from illness) se remettre, se rétablir (**from** de); (from defeat, mistake) se ressaisir (**from** après); [2] Econ, Fin [*economy, market*] se redresser; [*shares, currency*] remonter; [3] Jur obtenir gain de cause
C **recovered** *pp adj* [*property, uranium*] récupéré

re-cover /ˌri:'kʌvə(r)/ *vtr* recouvrir [*book, chair*]

recoverable /rɪ'kʌvərəbl/ *adj* [1] Fin recouvrable; [2] Ecol, Ind récupérable

recovered memory syndrome *n* Psych syndrome *m* des souvenirs retrouvés

recovery /rɪ'kʌvərɪ/ *n* [1] (getting better) rétablissement *m*, guérison *f*; fig (of team, player, performer) ressaisissement *m*; **to be on the road to ~** être sur la voie de la guérison; **to make a ~** (from illness) se rétablir, guérir; (from mistake, defeat) se ressaisir; **she has made a full ~** elle est complètement rétablie; [2] Econ, Fin (of economy, country, company, market) redressement *m*, reprise *f*; (of shares, prices, currency) remontée *f*; **the economy has staged a ~** il y a eu une relance de l'économie; [3] (getting back) (of vehicle) rapatriement *m* (**of** de); (of property, money) récupération *f* (**of** de); (of costs, debts) recouvrement *m* (**of** de); (of losses) réparation *f* (**of** de)

recovery: **~ operation** *n* Aerosp, Aviat, Naut opération *f* de récupération; **~ position** *n* Med position *f* latérale de sécurité; **~ room** *n* Med salle *f* de réveil; **~ ship** *n* Aerosp, Naut navire *m* de récupération (*des véhicules spatiaux*); **~ team** *n* Aerosp, Aviat, Naut équipe *f* de récupération; Aut équipe *f* de dépannage; **~ vehicle** *n* Aut (car) voiture *f* de dépannage; (truck) camion *m* de dépannage

recreate /'rekrɪeɪt, ˌri:krɪ'eɪt/ *vtr* recréer

recreation /ˌrekrɪ'eɪʃn/
A *n* [1] (leisure) loisirs *mpl*; **what do you do for**

r

~? que faites-vous pour vous détendre?; **2** (pastime) récréation *f*; **3** Sch (break) récréation *f*
B *modif* [*facilities, centre*] de loisirs; **~ area** (indoor) salle *f* de récréation; (outdoor) terrain *m* de jeux; **~ ground** terrain *m* de jeux; **~ room** US salle *f* de jeux

re-creation /ˌriːkrɪˈeɪʃn/ *n* (historical reconstruction) reconstitution *f*

recreational /ˌrekrɪˈeɪʃənl/ *adj* [*facilities, amenities*] de loisirs

recreational: **~ drug** *n*: *drogue que l'on prend de façon occasionnelle*; **~ user** *n* utilisateur/-trice *m/f* occasionnel/-elle de drogue; **~ vehicle**, **RV** *n* US camping-car *m*, autocaravane *f*

recriminate /rɪˈkrɪmɪneɪt/ *vi* récriminer (**against** contre)

recrimination /rɪˌkrɪmɪˈneɪʃn/ *n* récrimination *f* (**against** contre)

rec room○ *n* US salle *f* de jeux

recrudesce /ˌriːkruːˈdes/ *vi* littér être en recrudescence

recrudescence /ˌriːkruːˈdesns/ *n* littér recrudescence *f*

recrudescent /ˌriːkruːˈdesnt/ *adj* littér recrudescent

recruit /rɪˈkruːt/
A *n* **1** Mil, Pol recrue *f* (**to** dans); **2** (new staff member) recrue *f*, personne *f* nouvellement recrutée; **the company is seeking ~s** la société recrute
B *vtr* **1** Mil, Pol recruter [*soldier, member, agent, spy*] (**from** dans); **to ~ sb as** recruter qn comme [*courier, agent*]; **2** gen recruter, embaucher [*staff, teachers, nurses*]; **to ~ graduates/women** recruter *or* embaucher des diplômés/des femmes; **to be ~ed to do** être embauché pour faire
C *vi* recruter

recruiting /rɪˈkruːtɪŋ/ *n* = **recruitment**

recruiting officer *n* officier *m* recruteur

recruitment /rɪˈkruːtmənt/
A *n* recrutement *m*
B *modif* [*agency, drive, ground, office, policy, problem*] de recrutement

rectal /ˈrektəl/ *adj* rectal

rectangle /ˈrektæŋgl/ *n* rectangle *m*

rectangular /rekˈtæŋgjʊlə(r)/ *adj* rectangulaire

rectifiable /ˈrektɪfaɪəbl, ˌrektɪˈfaɪəbl/ *adj* rectifiable

rectification /ˌrektɪfɪˈkeɪʃn/ *n* gen, Chem, Math rectification *f*; Elec redressement *m*

rectifier /ˈrektɪfaɪə(r)/ *n* Elec redresseur *m*

rectify /ˈrektɪfaɪ/ *vtr* **1** rectifier [*error, omission*]; réparer [*oversight*]; **2** Math, Chem rectifier; **3** Elec redresser

rectilineal /ˌrektɪˈlɪnɪəl/, **rectilinear** /ˌrektɪˈlɪnɪə(r)/ *adj* rectiligne

rectitude /ˈrektɪtjuːd, US -tuːd/ *n* droiture *f*

rector /ˈrektə(r)/ *n* **1** Relig (in Church of England) pasteur *m* anglican; (in seminary) supérieur *m*; (in Episcopal Church) curé *m*; **2** Univ *président élu d'un établissement d'enseignement supérieur*

rectory /ˈrektərɪ/ *n* presbytère *m* (anglican)

rectoscopy /rekˈtɒskəpɪ/ *n* Med rectoscopie *f*

rectum /ˈrektəm/ *n* rectum *m*

recumbent /rɪˈkʌmbənt/ *adj* littér allongé

recuperate /rɪˈkuːpəreɪt/
A *vtr* réparer [*loss*]
B *vi* Med se rétablir (**from** de), récupérer

recuperation /rɪˌkuːpəˈreɪʃn/ *n* **1** (of losses) réparation *f*; **2** Med rétablissement *m* (**from** de), récupération *f*

recuperative /rɪˈkuːpərətɪv/ *adj* réparateur/-trice; **~ powers** pouvoirs de récupération

recur /rɪˈkɜː(r)/ *vi* (*p prés etc* **-rr-**) [*event, error, dream*] se reproduire; [*problem, illness, symptom*] réapparaître; [*theme, phrase, thought*] revenir; Math [*number*] se répéter à l'infini

recurrence /rɪˈkʌrəns/ *n* (of illness) récurrence *f*; (of symptom) réapparition *f*; **let's hope there will be no ~ of the problem** espérons que le problème est définitivement réglé

recurrent /rɪˈkʌrənt/ *adj* récurrent

recurring /rɪˈkɜːrɪŋ/ *adj* **1** (frequent) [*dream, thought, pain*] récurrent, qui revient; **2** Math **~ decimal** suite *f* décimale illimitée

recursion /rɪˈkɜːʃn/ *n* Math récursivité *f*; Comput récursivité *f*, récurrence *f*

recursive /rɪˈkɜːsɪv/ *adj* Ling récursif/-ive; Comput récurrent

recursively /rɪˈkɜːsɪvlɪ/ *adv* de façon récursive

recusant /ˈrekjʊznt/ *n, adj* GB Relig Hist réfractaire (*mf*)

recyclable /ˌriːˈsaɪkləbl/ *adj* recyclable

recycle /ˌriːˈsaɪkl/ *vtr* **1** Ecol recycler [*paper, waste*]; **~d paper** papier *m* recyclé; **2** Fin réinvestir [*revenue, profits*]

recycling /ˌriːˈsaɪklɪŋ/
A *n* Ecol recyclage *m*
B *modif* [*facility, plant, process*] de recyclage

red /red/ ▸ **p. 1067**
A *n* **1** (colour) rouge *m*; **I like ~** j'aime le rouge; **~ means 'danger'** le rouge signifie 'danger'; **in ~** en rouge; **a shade of ~** une nuance de rouge; **2** ○pej (*also* **Red**) (communist) rouge *mf*; **3** (deficit) **to be in the ~** [*individual, account*] être à découvert; [*company*] être en déficit; **to be £500 in the ~** être à découvert de 500 livres; **you've gone into the ~** vous avez un découvert; **4** (wine) rouge *m*; **5** (red ball) bille *f* rouge (*de billard/snooker*); **6** (in roulette) rouge *m*
B *adj* **1** (in colour) [*apple, blood, lips, sky*] rouge; [*person, face, cheek*] rouge (**with** de); [*hair, curl*] roux/rousse; **to go** *ou* **turn ~** devenir rouge, rougir; **to paint/dye sth ~** peindre/teindre qch en rouge; **to dye one's hair ~** se teindre les cheveux en roux; **her eyes were ~ with weeping** ses yeux étaient rouges d'avoir pleuré; **his face** *ou* **he went very ~** il a rougi très fort; **~ in the face** tout rouge; **was my face ~!** comme j'étais gêné!; **there'll be ~ faces when...** certains vont être bien gênés quand...; **2** ○(communist) péj rouge
(Idioms) **to see ~s under the bed**○ voir un complot communiste partout; **to be caught ~-handed** être pris la main dans le sac○; **to see ~** voir rouge

red admiral *n* Zool vulcain *m*

red alert *n* **1** Mil, Nucl alerte *f* rouge; **to be on/to be put on ~** être en/être placé en alerte rouge; **2** gen alerte *f* maximale

red: **Red Army** *n* Armée *f* rouge; **~ biddy**○ *n* gros rouge *m* qui tache○; **~ blood cell** *n* globule *m* rouge; **~-blooded** *adj* [*male, man*] ardent; **~breast** *n* Zool rouge-gorge *m*; **~-breasted merganser** *n* harle *m* huppé; **~brick university** *n* GB université *f* autre que Cambridge et Oxford; **~-brown** ▸ **p. 1067** *adj* brun rouge *inv*; **~ cabbage** *n* chou *m* rouge

redcap /ˈredkæp/ *n* **1** GB agent *m* de la police militaire; **2** US porteur *m*

red card *n* Sport carton *m* rouge; **to be shown the ~** recevoir un carton rouge

red carpet *n* tapis *m* rouge; **to roll out the ~ for sb** lit, fig sortir le tapis rouge pour qn; **to give sb the ~ treatment** faire un accueil somptueux à qn

red cent○ *n* US rond○ *m*, sou *m*; **not to have a ~** ne pas avoir le rond○; **not to give sb a ~** ne pas donner un rond○ à qn

Red China *n* Chine *f* Communiste

redcoat /ˈredkəʊt/ *n* **1** GB (at holiday camp) animateur/-trice *m/f*; **2** soldat *m* anglais (*du XVIIIe siècle*)

red: **~ corpuscle** *n* globule *m* rouge; **Red Crescent** *n* Croissant-Rouge *m*; **Red Cross** *n* Croix-Rouge *f*

redcurrant /ˌredˈkʌrənt/
A *n* groseille *f*
B *modif* [*jam, jelly*] de groseilles

red deer *n* cerf *m* commun

redden /ˈredn/
A *vtr* rougir
B *vi* [*face*] rougir; [*leaves*] roussir

reddish /ˈredɪʃ/ *adj* rougeâtre; **~ hair** cheveux tirant sur le roux

red: **~ duster**○ *n* GB = **Red Ensign**; **~ dwarf** *n* naine *f* rouge

redecorate /ˌriːˈdekəreɪt/ *vtr* (paint and paper) repeindre et retapisser, refaire; (paint only) repeindre

redecoration /ˌriːdekəˈreɪʃn/ *n* travaux *mpl* de peinture; **the house needs ~** toutes les peintures et les papiers sont à refaire

redeem /rɪˈdiːm/
A *vtr* **1** (exchange) échanger [*voucher*] (**for** contre); (for cash) convertir [qch] en espèces [*bond, security*]; **2** (pay off) racheter [*pawned goods*], rembourser [*debt, loan, mortgage*]; **3** (salvage) rattraper [*occasion*]; sauver [*situation*]; racheter [*fault*]; **a mediocre play ~ed by X's performance** une pièce médiocre rachetée par la prestation de X; **4** (satisfy) s'acquitter de [*obligation*]; tenir [*pledge*]; **5** Relig racheter
B **redeeming** *pres p adj* **her one ~ing feature** *ou* **quality is** ce qui la rachète, c'est; **a film without any ~ing social value** un film qu'aucune valeur morale ne rachète
C *v refl* **to ~ oneself** se racheter (**by doing** en faisant)

redeemable /rɪˈdiːməbl/ *adj* **1** Fin [*bond, security*] convertible; [*loan, mortgage*] remboursable; **2** Comm [*voucher*] échangeable; [*pawned goods*] rachetable

Redeemer /rɪˈdiːmə(r)/ *n* Relig Rédempteur *m*

redefine /ˌriːdɪˈfaɪn/ *vtr* (all contexts) redéfinir

redemption /rɪˈdempʃn/
A *n* **1** Fin (of loan, debt, bill) remboursement *m*; (of mortgage) purge *f*; (from pawn) dégagement *m*; **2** Relig rédemption *f*; **beyond** *ou* **past ~** [*situation*] irrémédiable; [*machine*] irréparable; [*person*] hum irrécupérable
B *modif* [*date, price, rate, premium*] de remboursement; **~ value** (of bond) valeur *f* de remboursement; (of share) valeur *f* de rachat

redemptive /rɪˈdemptɪv/ *adj* Relig rédempteur/-trice

Red Ensign /ˌred ˈensən/ *n* pavillon *m* rouge (*de la marine marchande britannique*)

redeploy /ˌriːdɪˈplɔɪ/ *vtr* redéployer [*resources, troops*]; réaffecter [*staff*]

redeployment /ˌriːdɪˈplɔɪmənt/ *n* (of troops, resources) redéploiement *m*; (of staff) réaffectation *f*

redesign /ˌriːdɪˈzaɪn/ *vtr* transformer [*area, building*]; **to ~ a logo/book jacket** créer un nouveau logo/une nouvelle jaquette

redevelop /ˌriːdɪˈveləp/ *vtr* réaménager [*site, town centre*]; revaloriser [*run-down district*]

redevelopment /ˌriːdɪˈveləpmənt/
A *n* (of site, town) réaménagement *m*; (of run-down area) revalorisation *f*
B *modif* [*costs, plans*] de réaménagement

redeye○ /ˈredaɪ/ *n* US (*also* **~ flight**) vol *m* de nuit

red-eyed /ˈredaɪd/ *adj* aux yeux rouges; **to be ~** avoir les yeux rouges

red-faced /ˌredˈfeɪst/ *adj* **1** (with emotion, exertion) rouge; fig (embarrassed) [*officials, ministers*] penaud; **2** (permanently) rougeaud

red: **~ flag** *n* drapeau *m* rouge; **~ fox** *n* renard *m* roux; **~-gold** ▸ **p. 1067** *adj* blond vénitien *inv*; ~ **grouse** *n* grouse *f*, lagopède *m* d'Écosse; **Red Guard** *n* (organization) Garde *f* rouge; (person) Garde *m* rouge; **~-haired** *adj* roux/rousse; ~ **hat** *n* Relig chapeau *m* de cardinal; **~head** *n* roux/rousse *m/f*; **~headed** *adj* roux/rousse

red herring *n* **1** (distraction) faux problème *m*; **2** (cured fish) hareng *m* saur; **3** US Fin prospectus *m* d'émission

red-hot /ˌredˈhɒt/
A ○*n* US hot-dog *m*
B *adj* **1** [*metal, lava, coal, poker*] chauffé au rouge; **2** [*passion, enthusiasm, lover*] ardent; **the ~ favourite** le grand favori; **3** [*news, story*] tout frais/toute fraîche

redial /ˌriːˈdaɪəl/ Telecom
A *vtr* recomposer [*number*]
B *vi* recomposer le numéro

redial: ~ **button** *n* touche *f* bis; ~ **facility** *n* rappel *m* du dernier numéro composé

redid /ˌriːˈdɪd/ *prét* ▸ **redo**

Red Indian *n* injur Peau-Rouge *mf*

redirect /ˌriːdɪˈrekt/ *vtr* canaliser [*resources*]; dévier [*traffic*]; faire suivre, réexpédier [*mail*]

redirection /ˌriːdɪˈrekʃn/ *n* (of mail) réacheminement *m*, réexpédition *f*

rediscover /ˌriːdɪˈskʌvə(r)/ *vtr* (find again) retrouver; (re-experience) redécouvrir

rediscovery /ˌriːdɪˈskʌvərɪ/ *n* redécouverte *f*

redistribute /ˌriːdɪˈstrɪbjuːt/ *vtr* redistribuer

redistribution /ˌriːdɪstrɪˈbjuːʃn/ *n* redistribution *f*

redistrict /ˌriːdɪsˈtrɪkt/ *vtr* US Pol faire un redécoupage électoral de

redistricting /ˌriːdɪsˈtrɪktɪŋ/ *n* US Pol redécoupage *m* électoral

red: ~ **kidney bean** *n* haricot *m* rouge; ~ **lead** *n* minium *m*; ~ **lentil** *n* lentille *f* rouge; **~-letter day** *n* jour *m* mémorable

red light *n* feu *m* rouge; **to go through a ~** brûler un feu rouge

red light area *n* quartier *m* chaud

red: **~lining** *n* US *refus d'accorder des prêts hypothécaires dans des quartiers jugés délabrés*; **~man** *n* US injur Peau-Rouge *mf*; ~ **meat** *n* viande *f* rouge; ~ **mullet** *n* (*pl* ~) rouget *m*

redneck /ˈrednek/
A *n* injur péquenaud/-e○ *m/f* offensive
B *adj* ultraréactionnaire

redness /ˈrednɪs/ *n* rougeur *f*

redo /ˌriːˈduː/ *vtr* (*3e pers sg prés* **redoes**; *prét* **redid**; *pp* **redone**) refaire

redolent /ˈredələnt/ *adj* littér **to be ~ of sth** lit sentir qch; fig évoquer qch

redone /ˌriːˈdʌn/ *pp* ▸ **redo**

redouble /ˌriːˈdʌbl/
A *n* Games surcontre *m*
B *vtr* **1** gen redoubler; **to ~ one's efforts** redoubler d'efforts; **2** (in bridge) surcontrer
C *vi* redoubler

redoubt /rɪˈdaʊt/ *n* **1** Mil réduit *m*; **2** (outpost) redoute *f*

redoubtable /rɪˈdaʊtəbl/ *adj* redoutable

redound /rɪˈdaʊnd/ *vi* sout **1** (contribute to) **to ~ to sb's honour** GB *ou* **honor** US être tout à l'honneur de qn; **2** (recoil) **to ~ (up) on sb/sth** retomber sur qn/qch

red: **~-pencil** *vtr* corriger; ~ **pepper** *n* poivron *m* rouge

redraft /ˌriːˈdrɑːft/ *vtr* rédiger [qch] à nouveau

redress /rɪˈdres/
A *n* gen, Jur (of wrong) réparation *f*; **to seek/to obtain (legal) ~** demander/obtenir réparation (légale) (**for** pour); **they have no (means of) ~** ils n'ont aucun recours
B *vtr* réparer [*error, wrong*]; redresser [*situation*]; **to ~ the balance** rétablir l'équilibre

red: **Red Riding Hood** *n* le Petit Chaperon rouge; ~ **route** *n* Transp axe *m* rouge; ~ **salmon** *n* saumon *m* rouge; **Red Sea** *n* mer *f* Rouge; ~ **sea bream** *n* dorade *f* rose, rousseau *m*; **~shank** *n* chevalier *m* gambette; **~skin** *n* injur Peau-Rouge *mf*; ~ **snapper** *n* vivaneau *m*; **Red Square** *n* place *f* Rouge; ~ **squirrel** *n* écureuil *m* roux; **~start** *n* Zool rouge-queue *m*; ~ **tape** *n* paperasserie *f*, bureaucratie *f*

reduce /rɪˈdjuːs, US -ˈduːs/
A *vtr* **1** (make smaller) réduire [*inflation, number, pressure, impact*] (**by** de); baisser [*prices, temperature*]; Med résorber [*swelling*]; faire baisser [*fever*]; **the jackets have been ~d by 50%** Comm le prix des vestes a été réduit de 50%; '**~ speed now**' Aut 'ralentir'; **2** (in scale) réduire [*map, drawing*]; (condense) réduire [*chapter, article*]; **3** Mil (in status) rétrograder; **to be ~d to the ranks** être cassé; **4** (alter the state of) **to ~ sth to shreds** (book, document etc) réduire qch en pièces; **to ~ sth to ashes** réduire qch en cendres; **5** (bring forcibly) **to ~ sb to tears** faire pleurer qn; **to be ~d to silence** être réduit au silence; **to be ~d to begging/prostitution** en être réduit à la mendicité/prostitution; **he was ~d to apologizing** il en a été réduit à s'excuser; **6** (simplify) réduire [*argument, existence*] (**to** à); Math réduire [*equation*]; **7** Jur réduire [*sentence*] (**to** à; **by** de); **8** Culin faire réduire [*sauce, stock*]
B *vi* **1** US (lose weight) maigrir (*en suivant un régime*); **2** Culin [*sauce, stock*] réduire; **let the sauce ~ to half its volume** faites réduire la sauce de moitié
C **reduced** *pp adj* **1** (in price) réduit; **at a ~d price** à prix réduit; **~d goods** marchandises en solde; **2** [*scale, rate*] réduit; **3** (straitened) **in ~d circumstances** sout dans la gêne

reducer /rɪˈdjuːsə(r), US -ˈduːsə(r)/ *n* Phot réducteur *m*

reducible /rɪˈdjuːsəbl, US -ˈduːsəbl/ *adj* réductible (**to** à)

reductio ad absurdum /rɪˌdʌktɪəʊ æd əbˈsɜːdəm/ *n* raisonnement *m* par l'absurde

reduction /rɪˈdʌkʃn/ *n* **1** (decrease, diminution) (of volume, speed) réduction *f* (**in** de); (of weight, size, cost) diminution *f* (**in** de); ~ **in strength** (of army, workforce) réduction des effectifs; **2** Comm réduction *f*, rabais *m*; **huge ~s!** rabais importants!; **3** (simplification) réduction *f*; **the ~ of life to the basics** la réduction de la vie à l'essentiel; **4** Chem réduction *f*; **5** Mil (in status) rétrogradation *f*

reductionist /rɪˈdʌkʃənɪst/
A *n* **1** gen péj réducteur/-trice; **2** Philos réductionniste
B *n* Philos réductionniste *mf*

reductive /rɪˈdʌktɪv/ *adj* [*theory, explanation*] réducteur/-trice, simplificateur/-trice

redundancy /rɪˈdʌndənsɪ/
A *n* **1** GB Ind licenciement *m*; **400 redundancies** 400 licenciements; **to take ~** choisir le licenciement *or* d'être licencié; **to face ~** être confronté au chômage; **2** Comput, Telecom, Ling redondance *f*
B *modif* **1** GB [*scheme, pay, notice*] de licenciement; **2** ~ **check** Comput contrôle *m* par redondance

redundant /rɪˈdʌndənt/ *adj* **1** GB Ind [*worker*] licencié; **to be made ~** être licencié, être mis au *or* en chômage; **2** (not needed, unused) [*information, device*] superflu; [*land, machinery*] inutilisé; **to feel ~** se sentir de trop; **3** GB (outdated) [*technique, practice*] inutile; [*craft*] dépassé; **4** Comput, Ling redondant

reduplicate
A /rɪˈdjuːplɪkeɪt, US -ˈduː-/ *vtr* **1** refaire [*work*]; faire [qch] deux fois [*task*]; **2** Ling redoubler
B /rɪˈdjuːplɪkɪt/ *adj* **1** Bot rédupliqué; **2** Ling redoublé

reduplication /rɪˌdjuːplɪˈkeɪʃn, US -ˈduː-/ *n* gen, Ling redoublement *m*

reduplicative /rɪˈdjuːplɪkətɪv, US -ˈduː-/ *adj* Ling réduplicatif/-ive

red: ~ **wine** *n* vin *m* rouge; ~ **wine vinegar** *n* vinaigre *m* de vin rouge; **~wing** *n* mauvis *m*; **~wood** *n* séquoia *m*

re-echo /ˌriːˈekəʊ/ (*prét, pp* **~ed**)
A *vtr* reprendre [*sentiments*]
B *vi* retentir *or* résonner (à l'infini)

reed /riːd/
A *n* **1** Bot roseau *m*; **2** Mus (device) anche *f*; **the ~s** les instruments *mpl* à anche
B *modif* **1** [*basket, hut*] en roseau; **2** Mus [*instrument*] à anche
(Idiom) **to be a broken ~** être quelqu'un sur qui on ne peut plus compter

reed: ~ **bunting** *n* Zool bruant *m* des roseaux; ~ **stop** *n* jeu *m* d'orgue à anche

re-educate /ˌriːˈedʒʊkeɪt/ *vtr* rééduquer

re-education /ˌriːedʒʊˈkeɪʃn/ *n* rééducation *f*

reedy /ˈriːdɪ/ *adj* [*voice, tone*] aigu/-uë

reef /riːf/
A *n* **1** (in sea) récif *m*, écueil *m* also fig; **coral ~** récif de corail; **2** Mining veine *f*, filon *m*; **3** Naut ris *m*
B *vtr* Naut prendre un ris dans [*sail*]
C *vi* Naut prendre un ris

reefer /ˈriːfə(r)/ *n* **1** (*also* ~ **jacket**) caban *m*; **2** ○(joint) argot des drogués joint *m*, cigarette *f* de marijuana; **3** ○US (ship) bateau *m* frigorifique

reef knot *n* nœud *m* plat

reek /riːk/
A *n* lit puanteur *f*, relent *m*; fig relent *m*; **the ~ of corruption** un relent de corruption
B *vi* **1** (stink) **to ~ of sth** lit empester *or* puer qch; fig avoir des relents de qch; **2** dial [*chimney, lamp*] fumer

reel /riːl/
A *n* **1** (for cable, cotton, film, tape) bobine *f*; Fishg moulinet *m*; **~-to-~** [*tape recorder*] à bobines; **a ~ of cotton, a cotton ~** une bobine de coton; **a three-~ film** un film en trois bobines; **2** Dance quadrille *m* écossais
B *vtr* (wind onto reel) bobiner [*cotton*]
C *vi* (sway) [*person*] tituber; **he ~ed across the room** il a traversé la pièce en titubant; **the blow sent him ~ing** le coup l'a projeté en arrière; **the news sent him ~ing** fig la nouvelle l'a bouleversé; **his mind was ~ing at the thought of** il était dans tous ses états à l'idée de; **the government is still ~ing after its defeat** le gouvernement ne s'est pas encore remis de sa défaite
(Idiom) **off the ~** US sans hésiter
(Phrasal verbs) ■ **reel back** [*person*] reculer en titubant
■ **reel in** Fishg ramener [*fish*]
■ **reel off**: ▸ **~ off [sth]** dérouler [*thread*]; débiter [*list, names*]
■ **reel out**: ▸ **~ out [sth]** dérouler

re-elect /ˌriːɪˈlekt/ *vtr* réélire

re-election /ˌriːɪˈlekʃn/ *n* réélection *f*; **to stand for** GB *ou* **run for ~** se représenter (aux élections)

re-embark /ˌriːɪmˈbɑːk/ *vtr, vi* rembarquer

re-embarkation /ˌriːˌembɑːˈkeɪʃn/ *n* rembarquement *m*

re-emerge /ˌriːɪˈmɜːdʒ/ *vi* [*person, sun*] réapparaître; [*problem*] resurgir

re-employ /ˌriːɪmˈplɔɪ/ *vtr* réembaucher

re-enact /ˌriːɪˈnækt/ *vtr* **1** reproduire [*scene*]; reconstituer [*crime, movements*]; rejouer [*role*]; **to be ~ed** [*scene, drama*] se reproduire; **2** Jur remettre en vigueur

re-enactment /ˌriːɪˈnæktmənt/ *n* **1** (of scene, movements) reconstitution *f*; **2** Jur remise *f* en vigueur

re-engage /ˌriːɪnˈgeɪdʒ/ *vtr* **1** Admin réengager [*employee*]; **2** Tech rengrener [*cogwheel*]; **3** Aut rembrayer [*clutch*]

r

re-engagement /ˌriːɪnˈɡeɪdʒmənt/ *n* 1 Admin (of employee) réengagement *m*; 2 Tech rengrènement *m*; 3 Aut (of clutch) rembrayage *m*

re-enlist /ˌriːɪnˈlɪst/
A *vtr* 1 Mil rengager [*soldier*]; 2 fig **to ~ sb's help** s'assurer à nouveau l'aide de qn
B *vi* se rengager

re-enter /ˌriːˈentə(r)/
A *vtr* revenir dans, entrer à nouveau dans [*room, country etc*]; **to ~ the atmosphere** Aerosp rentrer dans l'atmosphère
B *vi* 1 (come back in) [*person, vehicle etc*] revenir; 2 **to ~ for** se représenter à [*competition, exam*]

re-entry /ˌriːˈentrɪ/ *n* 1 gen, Aerosp rentrée *f*; 2 fig (into politics etc) retour *m* (**into** dans); **~ to the political scene** retour sur la scène politique; 3 Comput réintroduction *f*

re-entry: **~ point** *n* Aerosp point *m* de rentrée; Comput point *m* de retour; **~ visa** *n* visa *m* aller-retour

re-erect /ˌriːɪˈrekt/ *vtr* reconstruire [*building, monument*]; remonter [*scaffolding*]; rebâtir [*system*]

re-establish /ˌriːɪˈstæblɪʃ/ *vtr* 1 (restore) rétablir [*contact, order, law*]; remonter [*business*]; 2 (reaffirm status of) réhabiliter [*person, party, art form*]

re-establishment /ˌriːɪˈstæblɪʃmənt/ *n* 1 (of order, business) rétablissement *m*; (of dynasty) restauration *f*; 2 (restoring of status) réhabilitation *f*; **his ~ as a great author** sa réhabilitation comme grand écrivain

re-evaluate /riːɪˈvæljʊeɪt/ *vtr* réévaluer

re-evaluation /riːɪˌvæljʊˈeɪʃn/ *n* réévaluation *f*

reeve /riːv/
A *n* 1 GB Hist (king's agent) bailli *m*; (on estate) intendant *m*; 2 (in Canada) président *m* du conseil municipal
B *vtr* (*prét* **rove, reeved**; *pp* **reeved**) Naut capeler

re-examination /ˌriːɪɡˌzæmɪˈneɪʃn/ *n* 1 (of issue, problem) réexamen *m*; 2 Sch, Univ **to present oneself for ~** [*candidate*] se représenter à l'examen *or* aux examens; 3 gen nouvel interrogatoire *m*

re-examine /ˌriːɪɡˈzæmɪn/ *vtr* 1 réexaminer [*issue, problem*]; 2 gen, Jur (question) interroger à nouveau [*witness, accused, candidate*]

ref /ref/
A *n* 1 Comm *abrév écrite* = **reference**; 2 ○Sport (*abrév* = **referee**) arbitre *m*
B ○*vtr* arbitrer [*match*]
C ○*vi* servir d'arbitre

refectory /rɪˈfektrɪ, ˈrefɪktrɪ/ *n* réfectoire *m*

refer /rɪˈfɜː(r)/ (*p prés etc* **-rr-**)
A *vtr* 1 (pass on) renvoyer [*task, problem, enquiry, matter*] (**to** à); 2 Jur déférer [*case*] (**to** à); **to ~ a dispute to arbitration** soumettre un litige à un arbitrage; 3 Med Admin **to be ~red to a specialist/to a hospital** être envoyé en consultation chez un spécialiste/dans un hôpital; 4 (direct) **to ~ sb to** [*person*] envoyer qn à [*department*]; [*critic, text*] renvoyer qn à [*article, footnote*]; 5 Comm, Fin **the cheque has been ~red** le chèque ne peut être honoré pour l'instant
B *vi* 1 (allude to, talk about) **to ~ to** parler de, faire allusion à [*person, topic, event*]; **I wasn't ~ring to you** je ne parlais pas de toi; 2 (as name, label) **she ~s to him as Bob** elle l'appelle Bob; **this is what I ~ to as our patio** c'est ce que j'appelle notre terrasse; **he's always ~red to as 'the secretary'** quand on parle de lui, on dit toujours 'le secrétaire'; **don't ~ to him as an idiot** ne le traite pas d'imbécile; 3 (signify) **to ~ to** [*number, date, term*] se rapporter à; **what does this date here ~ to?** à quoi se rapporte cette date?; 4 (consult) [*person*] **to ~ to** consulter [*notes, article, system*]; 5 (apply) **to ~ to sb/sth** s'adresser à qn/qch; **this ~s to you in particular** ceci s'adresse particulièrement à toi; 6 Comm Fin **'~ to drawer'** 'voir le tireur'; **'~ to bank'** (in cash machine) 'adressez-vous à votre banque'

(Phrasal verb) ■ **refer back**: ▸ **~ back to** [*speaker*] revenir sur [*issue*]; ▸ **~ [sth] back** renvoyer [*matter, decision, question*] (**to** à)

referable /rɪˈfɜːrəbl/ *adj* **~ to** [*case*] qui peut être soumis à [*court, arbitration*]

referee /ˌrefəˈriː/
A *n* 1 Sport arbitre *m*; 2 GB (giving job reference) personne *f* pouvant fournir des références; **to act as a ~ for sb** fournir des références sur qn
B *vtr, vi* arbitrer

reference /ˈrefərəns/
A *n* 1 (mention, allusion) référence *f* (**to** à), allusion *f* (**to** à); **in a pointed ~ to recent events** dans une allusion claire aux événements récents; **there are three ~s to his son in the article** son fils est mentionné trois fois dans l'article; **few ~s are made to** peu d'allusions sont faites à; 2 (consultation) **to do sth without ~ to sb/sth** faire qch sans consulter qn/qch; **'for ~ only'** (on library book) 'consultation sur place'; **I'll keep this leaflet for future ~** je garde ce prospectus: il pourra me servir plus tard; **for future ~, dogs are not allowed** pour information, je vous signale que les chiens sont interdits ici; **for easy ~, we recommend the pocket edition** nous recommandons l'édition de poche comme ouvrage facile à consulter; 3 (consideration) **without ~ to** sans tenir compte de [*cases, statistics, objectives, needs*]; 4 (allusion) allusion *f* (**to** à); **to make ~ to sb/sth** faire allusion à qn/qch; 5 Print (in book) référence *f*; 6 (*also* **~ mark**) renvoi *m*; 7 Comm (on letter, memo) référence *f*; **please quote this ~** prière de rappeler cette référence; 8 (testimonial) **a ~** des références *fpl*; **to write** *ou* **give sb a ~** fournir des références à qn; 9 (referee) personne *f* pouvant fournir des références; 10 Ling référence *f*; 11 Geog **map ~s** coordonnées *fpl*
B **with reference to** *prep phr* en ce qui concerne, quant à; **with particular/specific ~ to** particulièrement/spécifiquement en ce qui concerne; **with ~ to your letter/request** suite à votre lettre/demande
C *vtr* fournir les sources de [*book, article*]; **the book is not well ~d** le livre n'indique pas suffisamment ses sources

reference: **~ book** *n* ouvrage *m* de référence; **~ library** *n* bibliothèque *f* d'ouvrages de référence; **~ number** *n* numéro *m* de référence; **~ point** *n* fig point *m* de repère

referendum /ˌrefəˈrendəm/ *n* (*pl* **-da**) référendum *m*; **to hold a ~** organiser un référendum

referent /ˈrefərənt/ *n* Ling référent *m*

referential /ˌrefəˈrenʃl/ *adj* référentiel/-ielle

referral /rɪˈfɜːrəl/ *n* 1 Med Admin (person) patient/-e *m/f* envoyé/-e à un confrère; (system) *fait d'envoyer un malade chez un spécialiste*; **you cannot see a specialist without a ~ from your doctor** il faut passer par votre médecin pour pouvoir consulter un spécialiste; 2 gen (of matter, problem) renvoi *m* (**to** à); **~ to the committee would be time-consuming** soumettre l'affaire au comité prendrait trop longtemps

refill
A /ˈriːfɪl/ *n* 1 (for fountain pen) cartouche *f*; (for ball-point, lighter, perfume) recharge *f*; (for pencil) mine *f* de rechange; (for album, notebook etc) feuilles *fpl* de rechange; 2 ○(drink) **how about a ~?** encore un peu?
B /ˌriːˈfɪl/ *vtr* recharger [*pen, lighter*]; remplir [qch] à nouveau [*glass, bottle*]
C /ˌriːˈfɪl/ *vi* [*tank*] se remplir à nouveau

refinancing /ˌriːfaɪˈnænsɪŋ, ˌriːˈfaɪnænsɪŋ/ *n* refinancement *m*

refine /rɪˈfaɪn/
A *vtr* 1 Ind raffiner [*oil, sugar etc*]; 2 (improve) peaufiner [*theory, concept*]; raffiner [*manners*]; affiner [*method, taste, language*]
B *vi* **to ~ upon** raffiner sur

refined /rɪˈfaɪnd/ *adj* 1 (cultured) raffiné; 2 (improved) [*method, model*] très au point; [*theory, concept*] peaufiné; 3 Ind [*oil, sugar etc*] raffiné; [*metal*] affiné

refinement /rɪˈfaɪnmənt/ *n* 1 (elegance) raffinement *m*; **a man of ~** un homme raffiné; 2 (refined, reworked version) (of plan, joke) version *f* améliorée; 3 (addition, improvement) raffinement *m*

refiner /rɪˈfaɪnə(r)/ *n* (of oil, foodstuff) raffineur/-euse *m/f*; (of metal) affineur/-euse *m/f*

refinery /rɪˈfaɪnərɪ/ *n* (for oil, foodstuff) raffinerie *f*

refining /rɪˈfaɪnɪŋ/ *n* Ind (of oil, sugar etc) raffinage *m*

refit
A /ˈriːfɪt/ *n* (of shop, factory etc) rééquipement *m*; (of ship) réarmement *m*; **the ship is under ~** le navire est au radoub
B /ˌriːˈfɪt/ *vtr* (*p prés etc* **-tt-**) réarmer [*ship*]; rééquiper [*shop, factory*]; **the liner was ~ted as a warship** le paquebot a été transformé en navire de guerre
C /ˌriːˈfɪt/ *vi* (*p prés etc* **-tt-**) (ship) être réarmé

refitment /ˈriːfɪtmənt/ *n* (of shop, factory etc) rééquipement *m*; (of ship) réarmement *m*

refitting /ˌriːˈfɪtɪŋ/ *n* = **refitment**

reflate /ˌriːˈfleɪt/ *vtr* Econ relancer

reflation /ˌriːˈfleɪʃn/ *n* Econ relance *f*

reflationary /ˌriːˈfleɪʃnrɪ, US -nerɪ/ *adj* Econ [*measure*] de relance; **to be ~** entraîner la relance

reflect /rɪˈflekt/
A *vtr* 1 lit, fig refléter [*image, face, ideas, views, problems*]; **to be ~ed in sth** lit, fig se refléter dans qch; **he saw himself/her face ~ed in the mirror** il a vu son reflet/le reflet de son visage dans le miroir; 2 (throw back) lit renvoyer, réfléchir [*light, heat, sound*]; 3 (think) se dire, penser (**that** que); **'it's my fault,' he ~ed** 'c'est ma faute,' pensa-t-il *or* se dit-il
B *vi* 1 (think) réfléchir (**on, upon** à); 2 **to ~ well/badly on sb** faire honneur/tort à qn; **her behaviour ~s well on her parents** son comportement fait honneur à ses parents; **how is this going to ~ on the school?** quelles vont être les conséquences pour l'école?

reflection /rɪˈflekʃn/ *n* 1 (image) lit, fig reflet *m*, image *f* (**of** de); 2 (thought) réflexion *f*; **on ~** à la réflexion; **lost in ~** perdu dans ses pensées; **this is a time for ~** le temps est à la réflexion; 3 (idea) réflexion *f*, pensée *f* (**on** sur); (remark) remarque *f* (**that** que); **the ~ that** la pensée *or* l'idée que; 4 (criticism) **it is a sad ~ on our society that...** ce n'est pas à la gloire de notre société que...; **no ~ on you, but...** je ne vous critique pas, mais...

reflective /rɪˈflektɪv/ *adj* 1 (thoughtful) [*mood*] pensif/-ive; [*person*] réfléchi; [*style, piece of music, passage*] profond; 2 (which reflects light, heat) [*material, strip, surface*] réfléchissant

reflectively /rɪˈflektɪvlɪ/ *adv* d'un air pensif

reflector /rɪˈflektə(r)/ *n* 1 (on vehicle) cataphote® *m*, catadioptre *m*; 2 (of light, heat) réflecteur *m*

reflex /ˈriːfleks/
A *n* gen, Physiol réflexe *m*
B *adj* 1 gen, Physiol réflexe; **a ~ action** un réflexe; 2 Math [*angle*] rentrant; 3 Phys [*light, heat*] réfléchi

reflex camera *n* reflex *m*

reflexion *n* = **reflection**

reflexive /rɪˈfleksɪv/ Ling
A *n* 1 (*also* **~ verb**) verbe *m* pronominal réfléchi; 2 (*also* **~ form**) forme *f* réfléchie; **in the ~** à la forme réfléchie
B *adj* réfléchi

r

reflexively /rɪˈfleksɪvlɪ/ *adv* Ling à la forme réfléchie

reflexive verb *n* = **reflexive A 1**

reflexologist /ˌriːflekˈsɒlədʒɪst/ ▸ **p. 1683** *n* réflexologue *mf*

reflexology /ˌriːflekˈsɒlədʒɪ/ *n* réflexologie *f*

refloat /ˌriːˈfləʊt/
A *vtr* Naut, Econ renflouer
B *vi* Naut être renfloué

reflux /ˈriːflʌks/ *n* reflux *m*

reforestation /ˌriːˌfɒrəˈsteɪʃn/ *n* reboisement *m*

reform /rɪˈfɔːm/
A *n* réforme *f*
B *modif* [*programme, movement*] de réforme
C *vtr* réformer
D *vi* se réformer
E reformed *pp adj* **1** [*state, system*] réformé; [*criminal*] repenti; **he's a ~ed character** il s'est assagi; **2** (in Protestantism) réformé; (in Judaism) libéral

re-form /ˌriːˈfɔːm/
A *vtr* gen, Mil reformer
B *vi* **1** Mus [*group*] se reformer; **2** Mil [*troops*] reformer les rangs

reformat /ˌriːˈfɔːmæt/ *vtr* Comput reformater

reformation /ˌrefəˈmeɪʃn/
A *n* (of system, person) réforme *f*
B Reformation *pr n* Relig Réforme *f*

reformative /rɪˈfɔːmətɪv/ *adj* réformateur/-trice

reformatory /rɪˈfɔːmətrɪ, US -tɔːrɪ/ *n* maison *f* de redressement†

reformer /rɪˈfɔːmə(r)/ *n* réformateur/-trice *m/f*

reformist /rɪˈfɔːmɪst/ *n, adj* réformiste (*mf*)

reform: **Reform Judaism** *n* judaïsme *m* réformé; **~ school** *n* US maison *f* de redressement†

refract /rɪˈfrækt/ *vtr* Phys réfracter

refracting telescope *n* lunette *f* d'approche

refraction /rɪˈfrækʃn/ *n* Phys réfraction *f*

refractive /rɪˈfræktɪv/ *adj* Phys réfringent; **~ index** indice *m* de réfraction

refractor /rɪˈfræktə(r)/ *n* Phys (substance) milieu *m* réfringent; (object) dispositif *m* de réfraction

refractory /rɪˈfræktərɪ/ *adj* (all contexts) réfractaire

refrain /rɪˈfreɪn/
A *n* Mus, Literat, fig refrain *m*
B *vi* se retenir; **to ~ from doing** s'abstenir de faire; **to ~ from comment** s'abstenir de tout commentaire; **he could not ~ from saying** il ne put s'empêcher de dire; **please ~ from smoking** sout ayez l'obligeance de ne pas fumer fml

refrangible /rɪˈfrændʒəbl/ *adj* réfrangible

refresh /rɪˈfreʃ/
A *vtr* **1** (invigorate) [*bath, cold drink*] rafraîchir; [*hot drink*] revigorer; [*holiday, rest*] reposer; **to feel ~ed** se sentir reposé *or* rafraîchi *or* revigoré; **2** (renew) rafraîchir [*image, design*]; **to ~ sb's memory** rafraîchir la mémoire à qn
B *v refl* **to ~ oneself** (with rest) se reposer; (with bath, beer) se rafraîchir

refresher /rɪˈfreʃə(r)/ *n* GB Jur honoraires *mpl* supplémentaires

refresher course *n* cours *m* de recyclage

refreshing /rɪˈfreʃɪŋ/ *adj* **1** (invigorating) [*drink, shower, breeze*] rafraîchissant; [*sleep, rest*] réparateur/-trice; **2** (novel) [*humour, outlook, insight, theme*] original; **it is ~ to see/to hear etc** cela fait du bien de voir/d'entendre etc; **it makes a ~ change** ça change agréablement

refreshment /rɪˈfreʃmənt/
A *n* (rest) repos *m*; (food, drink) restauration *f*; **to stop for ~** s'arrêter pour se restaurer
B refreshments *npl* (drinks) rafraîchissements *mpl*; **light ~s** (on journey) repas *m* léger; **~s will be served** (at gathering) il y aura un buffet

refreshment: **~ bar**, **~ stall**, **~ stand** *n* buvette *f*; **~s tent** *n* buvette *f* (sous tente)

refresh rate *n* Comput vitesse *f* de régénération

refrigerant /rɪˈfrɪdʒərənt/ *n, adj* Tech, Elec, Med réfrigérant (*m*)

refrigerate /rɪˈfrɪdʒəreɪt/
A *vtr* frigorifier; **'keep ~d'** 'conserver au réfrigérateur'
B refrigerated *pp adj* [*product*] frigorifié; [*transport*] frigorifique

refrigeration /rɪˌfrɪdʒəˈreɪʃn/
A *n* réfrigération *f*; **under ~** au réfrigérateur
B *modif* [*equipment*] frigorifique; [*engineer*] frigoriste

refrigerator /rɪˈfrɪdʒəreɪtə(r)/
A *n* (appliance) réfrigérateur *m*, frigidaire® *m*; (room) chambre *f* frigorifique
B *modif* [*truck, wagon*] frigorifique

refrigeratory /rɪˈfrɪdʒərətrɪ, US -tɔːrɪ/ *adj* réfrigérant

refringent /rɪˈfrɪndʒənt/ *adj* réfringent

refuel /ˌriːˈfjʊəl/ (*p prés etc* **-ll-** GB, **-l-** US)
A *vtr* lit ravitailler [qch] en carburant [*plane, boat*]; fig ranimer [*fears, speculation*]
B *vi* se ravitailler en carburant

refuelling GB, **refueling** US /ˌriːˈfjʊəlɪŋ/ *n* ravitaillement *m* en carburant; **~ stop** Aviat escale *f* technique

refuge /ˈrefjuːdʒ/ *n* **1** (protection) refuge *m* (**from** contre); **to take ~ from** se mettre à l'abri de [*danger, people*]; s'abriter de [*weather*]; **to take ~ in** se réfugier dans [*place, drink, drugs*]; **to seek/to find ~** (from danger, people) chercher/trouver refuge; (from weather) chercher/trouver un abri; **2** (hostel) foyer *m*

refugee /ˌrefjʊˈdʒiː, US ˈrefjʊdʒiː/
A *n* réfugié/-e *m/f* (**from** de)
B *modif* [*camp*] de réfugiés; [*status*] de réfugié

refulgence /rɪˈfʌldʒəns/ *n* littér splendeur *f*

refulgent /rɪˈfʌldʒənt/ *adj* littér resplendissant

refund
A /ˈriːfʌnd/ *n* remboursement *m*; **to get a ~ on sth** se faire rembourser qch; **did you get a ~?** est-ce que tu t'es fait rembourser?
B /ˌriːˈfʌnd/ *vtr* rembourser [*price, charge, excess paid*]; **your expenses will be ~ed** vos frais vous seront remboursés; **I took the book back and they ~ed the money** j'ai rapporté le livre et ils me l'ont remboursé

refundable /riːˈfʌndəbl/ *adj* remboursable

refurbish /ˌriːˈfɜːbɪʃ/ *vtr* rénover

refurbishment /ˌriːˈfɜːbɪʃmənt/ *n* rénovation *f*

refurnish /ˌriːˈfɜːnɪʃ/ *vtr* remeubler

refusal /rɪˈfjuːzl/ *n* **1** (negative response) refus *m* (**to do** de faire); **his ~ of aid** son refus d'être aidé; **her ~ to accept** son refus de [*situation, advice etc*]; **they saw no grounds for ~** ils ne voyaient pas de raison de refuser; **2** (to application, invitation) réponse *f* négative; **3** Comm (option to refuse) **to give sb first ~** donner la priorité à qn; **to give sb first ~ of sth** offrir qch à qn en premier; **she has first ~** elle est la première sur la liste; **4** Jur **~ of justice** déni *m* de justice; **5** Equit refus *m*

refuse[1] /rɪˈfjuːz/
A *vtr* **1** refuser (**to do** de faire); **to ~ sb sth** refuser qch à qn; **the bank ~d them the loan** la banque leur a refusé le prêt; **I was ~d admittance** on a refusé de me laisser entrer; **2** Equit **to ~ a fence** refuser un obstacle
B *vi* **1** refuser; **we asked her for a day off but she ~d** nous lui avons demandé un jour de congé mais elle a refusé; **2** Equit faire un refus

refuse[2] /ˈrefjuːs/ GB
A *n* (household) ordures *fpl*; (industrial) déchets *mpl*; (garden) déchets *mpl* de jardinage
B *modif* [*collection, burning*] des ordures

refuse bin *n* GB poubelle *f*

refuse chute *n* GB vide-ordures *m inv*

refuse refjuːs: **~ collector** ▸ **p. 1683** *n* GB éboueur *m*; **~ disposal** GB *n* traitement *m* des ordures; **~ disposal service** *n* service *m* de ramassage des ordures; **~ disposal unit** *n* broyeur *m* d'ordures; **~ dump** *n* GB décharge *f* publique; **~ lorry** *n* GB camion *m* des éboueurs, benne *f* de ramassage des ordures

refusenik /rɪˈfjuːznɪk/ *n* refuznik *m*

refuse skip *n* GB benne *f* à ordures

refutable /rɪˈfjuːtəbl, ˈrefjʊtəbl/ *adj* réfutable

refutation /ˌrefjuːˈteɪʃn/ *n* réfutation *f*

refute /rɪˈfjuːt/ *vtr* réfuter

regain /rɪˈɡeɪn/ *vtr* **1** (win back) retrouver, recouvrer [*health, strength, sight, freedom*]; reconquérir [*territory, power, seat*]; retrouver [*balance, composure*]; reprendre [*title, lead, control*]; rattraper [*time*]; **to ~ possession of** rentrer en possession de; **to ~ one's footing** reprendre pied; **to ~ consciousness** revenir à soi, reprendre connaissance; **2** (return to) sout regagner [*place*]

regal /ˈriːɡl/ *adj* royal

regale /rɪˈɡeɪl/ *vtr* régaler (**with** de)

regalia /rɪˈɡeɪlɪə/ *npl* (official) insignes *mpl*; (royal) insignes *mpl* de la royauté; **in full ~** lit, hum en grande tenue

regally /ˈriːɡəlɪ/ *adv* majestueusement

regard /rɪˈɡɑːd/
A *n* **1** (consideration) égard *m* fml (**for** pour); **out of ~ for his feelings** par égard pour ses sentiments; **without ~ for the rules/human rights** sans égard pour les règles/les droits humains; **2** (esteem) estime *f* (**for** pour); **to have little ~ for money** faire peu de cas de l'argent; **to hold sb/sth in high ~**, **to have a high ~ for sb/sth** avoir beaucoup d'estime pour qn/qch; **3** (connection) **with** *ou* **in ~ to the question of pay, I would like to say that** en ce qui concerne *or* pour ce qui est de la question de salaires, je voudrais dire que; **his attitude/his policy with ~ to minorities** son attitude/sa politique en ce qui concerne les minorités; **in this ~** à cet égard
B regards *npl* (good wishes) amitiés *fpl*; **kindest** *ou* **warmest ~s** avec toutes mes (*or* nos) amitiés; **with ~s** bien amicalement; **give them my ~s** transmettez-leur mes amitiés
C as regards *prep phr* concernant; **as ~s the question of pay, I would like to point out that** en ce qui concerne la question de salaires, je voudrais signaler que
D *vtr* **1** (consider) considérer; **to ~ sb/sth as sth** considérer qn/qch comme qch; **he is ~ed as** il est considéré comme; **to ~ sb/sth with contempt/dismay** considérer qn/qch avec mépris/consternation; **to ~ sb with suspicion** se montrer soupçonneux à l'égard de qn; **her work is very highly ~ed** son travail est très apprécié; **they ~ him very highly** il est très estimé; **2** (respect) sout tenir compte de; **without ~ing our wishes** sans tenir compte de nos désirs; **3** (look at) **to ~ sb/sth closely** considérer qn/qch avec attention; **4** (concern) sout concerner

regardful /rɪˈɡɑːdfl/ *adj* sout attentif/-ive (**of** à)

regarding /rɪˈɡɑːdɪŋ/ *prep* concernant

regardless /rɪˈɡɑːdlɪs/
A *prep* **~ of cost/of age/of colour** sans tenir compte du prix/de l'âge/de la couleur; **~ of the weather/the outcome** quel que soit le temps/le résultat
B *adv* [*continue, press on*] malgré tout

regatta /rɪˈɡætə/ *n* régate *f*

regency /ˈriːdʒənsɪ/
A *n* régence *f*
B Regency *modif* [*style, furniture*] Regency *inv*

regenerate /rɪˈdʒenəreɪt/
A *vtr* régénérer
B *vi* se régénérer

r

ℹ British regions and counties

■ *The names of British regions and counties usually have the definite article in French, except when used with the preposition* en.

In, to and from somewhere

■ *Most counties and regions are masculine; with these, in and to are translated by* dans le, *and from by* du:

to live in Sussex
= vivre dans le Sussex

to go to Sussex
= aller dans le Sussex

to come from Sussex
= venir du Sussex

■ *Note however:*

Cornwall
= la Cornouailles

to live in Cornwall
= vivre en Cornouailles

to go to Cornwall
= aller en Cornouailles

to come from Cornwall
= venir de la Cornouailles

Uses with nouns

■ *There are rarely French equivalents for English forms like Cornishmen, and it is always safe to use* de *with the definite article:*

Cornishmen
= les habitants *mpl* de la Cornouailles

Lancastrians
= les habitants du Lancashire

■ *In other cases,* du *is often possible:*

a Somerset accent
= un accent du Somerset

the Yorkshire countryside
= les paysages du Yorkshire

■ *but it is usually safe to use* du comté de:

the towns of Fife
= les villes du comté de Fife

the rivers of Merioneth
= les rivières du comté de Merioneth

■ *or* de la région de:

Grampian cattle
= le bétail de la région des Grampians

regeneration /rɪˌdʒenəˈreɪʃn/ *n* (economic, political etc) régénération *f*; (urban) restauration *f*

regenerative /rɪˈdʒenərətɪv/ *adj* régénérateur/-trice

regent /ˈriːdʒənt/ *n* **1** Pol Hist régent/-e *m/f*; **2** US Univ *membre du conseil d'administration d'une université*

reggae /ˈregeɪ/ *n* reggae *m*

regicide /ˈredʒɪsaɪd/ *n* **1** (act) régicide *m*; **2** (person) régicide *mf*

regime, régime /reɪˈʒiːm, ˈreʒiːm/ *n* **1** Pol régime *m*; **2** Med sout régime *m*; **to be on a ~** suivre un régime

regimen /ˈredʒɪmen/ *n* Med sout régime *m*

regiment /ˈredʒɪmənt/ *n* Mil, fig régiment *m*

regimental /ˌredʒɪˈmentl/
A *adj* [*colours, band*] du régiment
B **regimentals** *npl* uniforme *m*

Regimental Sergeant-Major, RSM ▸ **p. 1599** *n* adjudant-chef *m*

regimentation /ˌredʒɪmenˈteɪʃn/ *n* discipline *f* excessive

regimented /ˈredʒɪmentɪd/ *adj* soumis à une discipline toute militaire

Regina /rəˈdʒaɪnə/ *n* GB Jur **~ v Jones** la Couronne contre Jones

region /ˈriːdʒən/
A *n* **1** Geog région *f*; **in the Oxford ~** dans la région d'Oxford; **in the ~s** GB en province; **the lower ~s** euph les enfers *mpl*; **2** Physiol **in the back/the shoulder ~** dans le dos/l'épaule
B **in the region of** *prep phr* environ; **(somewhere) in the ~ of £300** environ 300 livres sterling

regional /ˈriːdʒənl/ *adj* régional

regional: **~ aid** *n* aide *f* régionale; **~ council** *n* Scot Admin conseil *m* régional; **~ development** *n* Ind aménagement *m* du territoire

regionalism /ˈriːdʒənəlɪzəm/ *n* régionalisme *m*

regionalist /ˈriːdʒənəlɪst/ *n, adj* régionaliste (*mf*)

register /ˈredʒɪstə(r)/
A *n* **1** gen, Admin, Comm registre *m*; Sch cahier *m* des absences; **to keep a ~** tenir un registre; **to enter sth in a ~** inscrire qch dans *or* sur un registre; **to take the ~** Sch remplir le cahier des absences; **~ of births, marriages and deaths** registre public de l'état civil; **missing persons' ~** registre des personnes disparues; **2** Mus, Ling, Comput, Print registre *m*; **lower/middle/upper ~** Mus registre grave/médium/aigu; **3** US (till) caisse *f* enregistreuse; **to ring sth up on the ~** enregistrer qch
B *vtr* **1** (declare officially) [*member of the public*] déclarer [*birth, death, marriage*]; faire immatriculer [*vehicle*]; faire enregistrer [*luggage*]; déposer [*trademark, patent, invention*]; faire enregistrer [*company*]; déclarer [*firearm*]; déposer [*complaint*]; **to ~ a protest** protester; **2** [*official*] inscrire [*student*]; enregistrer [*name, birth, death, marriage, company, firearm, trademark*]; immatriculer [*vehicle*]; **she has a German-~ed car** elle a une voiture immatriculée en Allemagne; **to be ~ed (as) disabled/unfit for work** être officiellement reconnu handicapé/incapable de travailler; **3** [*measuring instrument*] indiquer [*speed, temperature, pressure*]; (show) [*person, face, expression*] exprimer [*anger, disapproval, disgust*]; [*action*] marquer [*emotion, surprise, relief*]; **the earthquake ~ed six on the Richter scale** le tremblement de terre a atteint la magnitude six sur l'échelle de Richter; **4** (mentally) (notice) remarquer; (realize) se rendre compte; **I ~ed (the fact) that he was late** j'ai remarqué qu'il était en retard; **she suddenly ~ed that, it suddenly ~ed (with her) that** elle s'est soudain rendu compte que; **5** (achieve, record) [*person, bank, company*] enregistrer [*loss, gain, victory, success*]; **6** Post envoyer [qch] en recommandé [*letter*]; enregistrer [*luggage*]; **7** Tech [*person, machine*] faire coïncider [*parts*]; **to be ~ed** [*parts*] coïncider; **8** Print mettre [qch] en registre [*printing press*]
C *vi* **1** (declare oneself officially) [*person*] (to vote, for course, school) s'inscrire; (at hotel) se présenter; (with police, for national services, for taxes) se faire recenser (**for** pour); (for shares) souscrire (**for** à); **to ~ for voting/for a course/for a school** s'inscrire pour voter/à un cours/dans une école; **to ~ with a doctor/dentist** s'inscrire sur la liste des patients d'un médecin/dentiste; **2** (be shown) [*speed, temperature, earthquake*] être enregistré; **3** (mentally) **the enormity of what had happened just didn't ~** on ne se rendait pas compte de l'énormité de ce qui était arrivé; **his name didn't ~ with me** son nom ne me disait rien; **4** Tech [*parts*] coïncider

registered /ˈredʒɪstəd/ *adj* **1** [*voter*] inscrit; [*vehicle*] immatriculé; [*charity*] ≈ agréé; [*student*] immatriculé; [*firearm*] déclaré; [*company*] inscrit au registre du commerce; [*shares, securities, debentures*] Fin nominatif/-ive; [*design, invention*] déposé; [*childminder*] agréé; **to be ~ (as) disabled/blind** être officiellement reconnu handicapé/aveugle; **a ~ drug addict** *un toxicomane qui suit un programme de désintoxication*; **2** Post [*letter*] recommandé; [*luggage*] enregistré

registered: **~ general nurse, RGN** *n* GB ≈ infirmier/-ière *m/f* diplômé/-e d'État; **~ nurse, RN** *n* US ≈ infirmier/-ière *m/f* diplômé/-e d'État

registered post *n* (service) envoi *m* recommandé; **by ~** en recommandé

registered: **~ shareholder** *n* actionnaire *mf* inscrit/-e; **~ trademark** *n* nom *m* déposé

register office *n* = **registry office**

registrar /ˌredʒɪsˈtrɑː(r), ˈredʒ-/ ▸ **p. 1683** *n* **1** GB Admin officier *m* d'état civil; **2** Univ (for admissions) chef *m* de la division de la scolarité; **3** GB Med adjoint *m*; **4** GB Jur greffier/-ière *m/f* en chef

Registrar of Companies *n* Comm greffier/-ière *m/f* du tribunal du commerce

registration /ˌredʒɪˈstreɪʃn/ *n* **1** (of person) (for course, institution) inscription *f*; (for taxes) ≈ déclaration *f*; (for national service) recensement *m* militaire; (of trademark, patent) dépôt *m*; (of firearm) déclaration *f*; (of birth, death, marriage) déclaration *f*; (of company) enregistrement *m*; (of luggage) enregistrement *m*; **2** (entry in register) inscription *f*; **3** Aut année *f* de première immatriculation

registration: **~ form** *n* formulaire *m* d'inscription; **~ number** *n* numéro *m* d'immatriculation, numéro *m* minéralogique; **~ plate** *n* plaque *f* d'immatriculation, plaque *f* minéralogique

registry /ˈredʒɪstrɪ/ *n* **1** GB (in church, university) salle *f* des registres; **2** Naut immatriculation *f*

registry office *n* GB bureau *m* de l'état civil; **to get married in a ~** se marier civilement; **a ~ wedding** un mariage civil

regius professor /ˌriːdʒɪəs prəˈfesə(r)/ *n* GB Univ professeur *m* (*titulaire d'une chaire de fondation royale*)

regorge /rɪˈɡɔːdʒ/ sout
A *vtr* régurgiter
B *vi* refluer (**into** dans)

regress /ˈriːɡres/
A *n* régression *f*, retour *m* en arrière
B *vi* Biol, Psych régresser (**to** au stade de); fig [*civilization, economy*] régresser; **to ~ to childhood** retomber en enfance

regression /rɪˈɡreʃn/ *n* **1** Biol, Psych, Stat, fig régression *f*; **2** Med détérioration *f*

regressive /rɪˈɡresɪv/ *adj* **1** Biol, Psych régressif/-ive; **2** péj [*behaviour, measure, policy*] rétrograde; [*effects*] régressif/-ive; **~ tax** *impôt qui favorise les grandes fortunes*

regret /rɪˈɡret/
A *n* regret *m* (**about** à propos de; **that** que (+ *subj*)); **my ~ at** *ou* **for having done** mon regret d'avoir fait; **to have no ~s about doing** ne pas regretter d'avoir fait; **to my great ~** à mon grand regret; **no ~s?** sans regret?
B **regrets** *npl* (apologies) excuses *fpl*
C *vtr* (*p prés etc* **-tt-**) **1** (rue) regretter [*action, decision, remark*]; **to ~ that** regretter que (+ *subj*); **to ~ doing** *ou* **having done** regretter d'avoir fait; **to live to ~ sth** regretter qch toute sa vie; **2** (feel sad about) regretter [*absence, lost youth*]; **I ~ to say that** je suis au regret de dire que; **I ~ to inform you that** j'ai le regret de vous informer que; **it is to be ~ted that** il est regrettable que (+ *subj*)

regretful /rɪˈɡretfl/ *adj* [*air, glance, smile*] plein de regrets; **to be ~ about sth** regretter qch

regretfully /rɪˈɡretfəlɪ/ *adv* **1** (with sadness) [*abandon, accept, decide*] à regret; [*announce, smile, wave*] avec regret; **2** (unfortunately) regrettablement

regrettable /rɪˈɡretəbl/ *adj* regrettable; **it is ~ that** il est regrettable que (+ *subj*)

regrettably /rɪˈɡretəblɪ/ *adv* **1** (sadly) malheureusement; **~ for him** malheureusement pour lui; **2** (very) [*low, slow, weak*] fâcheusement

regroup /ˌriːˈɡruːp/
A *vtr* regrouper
B *vi* se regrouper

regrouping /ˌriːˈɡruːpɪŋ/ *n* regroupement *m*

regt *abrév écrite* = **regiment**

regular /ˈreɡjʊlə(r)/
A *n* **1** (habitual client, visitor etc) habitué/-e *m/f*; **2** GB Mil soldat *m* de métier; **3** US (petrol) ordinaire *m*; **4** US Sport (team member) sociétaire *mf*; **5** US Pol (person loyal to party) fidèle *mf*
B *adj* **1** (fixed, evenly arranged in time or space) régulier/-ière; **at ~ intervals** à intervalles réguliers; **on a ~ basis** de façon régulière; **to keep ~ hours** avoir un emploi du temps régulier; **to be ~ in one's habits** avoir des habitudes régulières; **~ features** traits réguliers; **~ income** revenu régulier; **to take ~ exercise** prendre de l'exercice régulièrement; **2** (usual) [*activity, customer, dentist, doctor, offender, partner, time, visitor*] habituel/-elle; Comm [*price, size*] normal; **I am a ~ listener to your programme** j'écoute régulièrement votre émission, je suis un de vos auditeurs fidèles; **3** (constant) [*job*] régulier/-ière; **to be in ~ employment** avoir un emploi permanent; **in ~ use** constamment utilisé; **4** GB Admin, Mil [*army, soldier*] de métier; [*army officer, policeman*] de carrière; [*staff*] permanent; **5** Med (breathing, pulse, heartbeat) régulier/-ière; **~ bowel movement** selles *fpl* régulières; **6** (honest) [*procedure, method*] régulier/-ière; **7** Ling [*verb, conjugation, declension etc*] régulier/-ière; **8** °(thorough) véritable (*before n*); **he's a ~ crook** c'est un véritable escroc; **9** °US (nice) chic° *inv*; **he's a ~ guy** c'est un chic type°

regularity /ˌreɡjʊˈlærətɪ/ *n* régularité *f*; **with unfailing ~** avec une parfaite régularité

regularize /ˈreɡjʊləraɪz/ *vtr* régulariser

regularly /ˈreɡjʊləlɪ/ *adv* régulièrement

regulate /ˈreɡjʊleɪt/
A *vtr* **1** (control) réguler [*behaviour, lifestyle, activity, traffic, tendency*]; contrôler [*money supply*]; réglementer [*use*]; **2** (adjust) régler [*mechanism, temperature, pressure, flow, speed*]
B -regulated *pp adj* (*dans composés*) **well-~d** bien réglé; **state-~d** sous le contrôle de l'État

regulate: **~d market economy** *n* économie *f* dirigée; **~d tenancy** *n* GB location *f* déclarée

regulation /ˌreɡjʊˈleɪʃn/
A *n* **1** (rule) (for safety, fire) consigne *f*; (for discipline) règlement *m*; (legal requirements) disposition *f* réglementaire (**for** pour); **a set of ~s** une réglementation; **building ~s** normes *fpl* de construction; **college/school ~** règlement *m* du collège/scolaire; **EU ~s** réglementation *f* communautaire; **fire ~s** (laws) normes *fpl* anti-incendie; (instructions) consignes *fpl* en cas d'incendie; **government ~s** réglementation *f* gouvernementale; **safety ~s** règles *fpl or* normes *fpl* de sécurité; **traffic ~s** règles *fpl* de la circulation; **under the (new) ~s** selon la (nouvelle) réglementation *or* les (nouvelles) normes; **against** *ou* **contrary to the ~s** contraire au règlement *or* aux normes; **to meet the ~s** [*person, company*] se conformer à la réglementation; [*equipment, conditions etc*] être conforme à la réglementation; **2** (act or process of controlling) réglementation *f* (**of** de); **to free sth from excessive ~** libérer qch des réglementations excessives
B *modif* (legal) [*width, length etc*] réglementaire; hum (standard) [*garment*] de rigueur

regulator /ˈreɡjʊleɪtə(r)/ *n* **1** (device) régulateur *m*; **2** (person) régulateur/-trice *m/f*; **3** Econ organisme *m* de contrôle

regulatory /ˈreɡjʊleɪtrɪ, US -tɔːrɪ/ *adj* de contrôle

regulo® /ˈreɡjʊləʊ/ *n* GB thermostat *m*

regurgitate /rɪˈɡɜːdʒɪteɪt/ *vtr* [*animal, person*] régurgiter; [*drain, pipe*] refluer; [*machine*] rejeter; fig péj ressortir [qch] [*facts, opinions, lecture notes*]

regurgitation /rɪˌɡɜːdʒɪˈteɪʃn/ *n* lit régurgitation *f*; fig péj resucée° *f*

rehab /ˈriːhæb/ *n* US *abrév* ▸ **rehabilitation**

rehabilitate /ˌriːəˈbɪlɪteɪt/ *vtr* **1** (medically) rééduquer; (to society) réinsérer [*handicapped person, ex-prisoner*]; réhabiliter [*addict, alcoholic*]; **2** gen, Pol (reinstate) réhabiliter; **3** (restore) réhabiliter [*building, area*]; assainir [*environment*]; **~d building** US immeuble *m* réhabilité

rehabilitation /ˌriːəbɪlɪˈteɪʃn/
A *n* **1** (of person) (medical) rééducation *f*; (social) réinsertion *f*; **2** gen, Pol (reinstatement) réhabilitation *f*; **3** (restoration) (of building, area) réhabilitation *f*; (of environment) assainissement *m*
B *modif* [*course, programme*] (for the handicapped) de rééducation; (for alcoholics etc) de réinsertion

rehabilitation centre GB, **rehabilitation center** US *n* (for the handicapped) centre *m* de rééducation; (for addicts etc) centre *m* de réinsertion (*pour toxicomanes, alcooliques ou anciens détenus*)

rehash péj
A /ˈriːhæʃ/ *n* resucée° *f*
B /ˌriːˈhæʃ/ *vtr* remanier, piller péj

rehear /ˌriːˈhɪə(r)/ *vtr* (*prét, pp* **reheard**) Jur réviser [*lawsuit*]

rehearsal /rɪˈhɜːsl/ *n* **1** Theat répétition *f* (**of** de); fig préparation *f* (**of** de); **in ~** en répétition; **2** sout (of facts, grievances) énumération *f*

rehearsal call *n* appel *m* de répétition

rehearse /rɪˈhɜːs/
A *vtr* **1** Theat répéter [*scene*]; faire répéter [*performer*]; fig préparer [*speech, excuse*]; **2** sout (recount) rabâcher [*story*]; énumérer [*grievances*]
B *vi* répéter (**for** pour)

reheat /ˌriːˈhiːt/ *vtr* réchauffer

reheel /riːˈhiːl/ *vtr* **to have one's shoes ~ed** faire refaire les talons de ses chaussures

rehouse /ˌriːˈhaʊz/ *vtr* reloger

reign /reɪn/
A *n* lit, fig règne *m*; **in the ~ of** sous le règne de [*monarch*]; **during the ~ of Churchill** quand Churchill était au pouvoir; **reign of terror** fig régime *m* de terreur; **the Reign of Terror** Hist la Terreur
B *vi* lit, fig régner (**over** sur); **to ~ supreme** régner en maître absolu

reigning /ˈreɪnɪŋ/ *adj* [*monarch*] régnant; [*champion*] en titre

reiki /ˈreɪkɪ/ *n* reiki *m*

reimburse /ˌriːɪmˈbɜːs/ *vtr* rembourser; **to ~ sb for sth** rembourser qch à qn, rembourser qn de qch

reimbursement /ˌriːɪmˈbɜːsmənt/ *n* remboursement *m* (**of** de; **for** pour)

reimpose /ˌriːɪmˈpəʊz/ *vtr* réimposer

rein /reɪn/ *n* Equit, fig rêne *f*; **to take up/hold the ~s** lit, fig prendre/tenir les rênes; **to keep a horse on a short ~** garder les rênes courtes; **to keep sb on a tight ~** fig tenir qn de près; **to keep a ~ on sth** surveiller qch de près; **to give full** *ou* **free ~ to** donner libre cours à

(Phrasal verbs) ■ **rein back**: ▸ **~ back [sth]** **1** lit faire reculer [*horse*]; **2** fig freiner [*expansion, spending*]
■ **rein in**: ▸ **~ in [sth]** **1** lit freiner [qch] (avec les rênes) [*horse*]; **2** fig contenir [*spending, inflation*]; retenir [*person*]

reincarnate /ˌriːɪnˈkɑːneɪt/
A *adj* réincarné
B *vtr* **to be ~d** se réincarner (**as** en)

reincarnation /ˌriːɪnkɑːˈneɪʃn/ *n* réincarnation *f* (**of** de)

reindeer /ˈreɪndɪə(r)/ *n* (*pl* **~**) renne *m*

reindeer moss *n* cladonie *f*

reinforce /ˌriːɪnˈfɔːs/ *vtr* **1** gen, Mil, Constr renforcer; **2** fig renforcer [*feeling, opinion, prejudice, trend*]; conforter [*hopes*]; étayer [*argument, theory*]; **to ~ the belief that** renforcer l'opinion selon laquelle; **this ~s my belief that** ceci me conforte dans mon opinion que

reinforced concrete *n* béton *m* armé

reinforcement /ˌriːɪnˈfɔːsmənt/
A *n* **1** (action) renforcement *m* (**of** de); **2** (support) renfort *m*
B reinforcements *npl* Mil, fig renforts *mpl*; **to send for ~s** demander des renforts

reinforcement rod *n* armature *f*

reinsert /ˌriːɪnˈsɜːt/ *vtr* réinsérer

reinstate /ˌriːɪnˈsteɪt/ *vtr* réintégrer [*employee*]; réintégrer [*team*]; rétablir [*legislation, service*]; ranimer [*belief*]

reinstatement /ˌriːɪnˈsteɪtmənt/ *n* (of employee) réintégration *f*; (of legislation, service) rétablissement *m*

reinstitute /ˌriːˈɪnstɪtjuːt, US -tuːt/ *vtr* rétablir

reinsurance /ˌriːɪnˈʃɔːrəns, US -ˈʃʊər-/ *n* réassurance *f*

reinsure /ˌriːɪnˈʃɔː(r), US -ˈʃʊə(r)/ *vtr* réassurer

reintegrate /ˌriːˈɪntɪɡreɪt/ *vtr* réintégrer (**into** dans)

reintegration /ˌriːɪntɪˈɡreɪʃn/ *n* réintégration *f*

reinvest /ˌriːɪnˈvest/ *vtr* réinvestir (**in** dans)

reinvestment /ˌriːɪnˈvestmənt/ *n* réinvestissement *m* (**in** dans)

reinvigorate /ˌriːɪnˈvɪɡəreɪt/ *vtr* revigorer

reissue /ˌriːˈɪʃuː/
A *n* **1** (new version) Mus, Publg réédition *f*; Cin reprise *f*; **2** (act) Publg réédition *f*; Cin redistribution *f*
B *vtr* rééditer [*book, record*]; ressortir [*film*]; renouveler [*invitation, warning*]; émettre [qch] à nouveau [*share certificates*]

REIT /riːt/ *n* Fin (*abrév* = **Real Estate Investment Trust**) ≈ société *f* d'investissement immobilier cotée, SIIC *f*

reiterate /riːˈɪtəreɪt/ *vtr* réitérer, répéter

reiteration /riːˌɪtəˈreɪʃn/ *n* réitération *f*, répétition *f*

reiterative /riːˈɪtərətɪv/ *adj* réitératif/-ive

reject
A /ˈriːdʒekt/ *n* **1** Comm marchandise *f* de deuxième choix; **2** fig **to be a social ~** [*person*] être un paria
B /ˈriːdʒekt/ *modif* Comm [*goods, stock*] de deuxième choix
C /rɪˈdjekt/ *vtr* **1** gen rejeter, repousser [*advice, decision, request, application, motion*]; refuser [*invitation, candidate, manuscript*]; démentir [*claim, suggestion*]; repousser [*advances, suitor*]; rejeter [*child, parent*]; **2** Med, Tech, Comput, Psych rejeter
D rejected /rɪˈdjektɪd/ *pp adj* **to feel ~ed** se sentir rejeté

rejection /rɪˈdʒekʃn/ *n* **1** gen rejet *m*; (of candidate, manuscript) refus *m*; **to meet with ~** se heurter à un refus; **to experience ~ as a child** se sentir rejeté pendant son enfance; **2** Med, Comput, Tech rejet *m*

rejection: **~ letter** *n* lettre *f* de refus; **~ slip** *n* Publg avis *m* de refus

reject shop ▸ **p. 1683** *n* boutique *f* spécialisée dans la vente de marchandises de deuxième choix

rejig /ˌriːˈdʒɪɡ/ GB, **rejigger** /ˌriːˈdʒɪɡə(r)/ US *vtr* réviser [*plans, timetable*]

rejoice /rɪˈdʒɔɪs/
A *vtr* réjouir; **to ~ that** se réjouir du fait que
B *vi* se réjouir (**at, over** de); **to ~ in** se réjouir de [*good news, story*]; se régaler de [*joke, story*]; profiter de [*freedom, independence*]; **to ~ in the name of** iron avoir l'insigne honneur de s'appeler iron

rejoicing /rɪˈdʒɔɪsɪŋ/
A *n* (jubilation) allégresse *f*
B **rejoicings** *npl* sout (celebrations) réjouissances *fpl*

rejoin¹ /riːˈdʒɔɪn/ *vtr* **1** (join again) rejoindre [*companion, regiment*]; réintégrer [*team, organization*]; [*road*] rejoindre [*coast, route*]; **to ~ ship** Naut rallier le bord; **2** (put back together) réunir

rejoin² /rɪˈdʒɔɪn/ *vtr* répliquer, riposter

rejoinder /rɪˈdʒɔɪndə(r)/ *n* gen, Jur réplique *f*

rejuvenate /rɪˈdʒuːvɪneɪt/ *vtr* lit, fig rajeunir

rejuvenation /rɪˌdʒuːvɪˈneɪʃn/ *n* lit, fig rajeunissement *m*

rekindle /ˌriːˈkɪndl/
A *vtr* lit, fig ranimer, raviver
B *vi* [*fire*] se rallumer; [*emotion*] se ranimer, se raviver

relapse
A /ˈrilæps/ *n* Med, fig rechute *f*; **to have a ~** avoir *or* faire une rechute
B /rɪˈlæps/ *vi* gen retomber (**into** dans); Med rechuter

relate /rɪˈleɪt/
A *vtr* **1** (connect) **to ~ sth and sth** établir un rapport entre qch et qch; **to ~ sth to sth** associer qch à qch; **2** (recount) raconter, conter [*story*] (**to** à); **to ~ that/how** raconter que/comment
B *vi* **1** (have connection) **to ~ to** se rapporter à; **the figures ~ to last year** les chiffres se rapportent à l'an dernier; **the two things ~** les deux choses sont liées; **everything relating to** *ou* **that ~s to him** tout ce qui a un rapport avec lui; **2** (communicate) **to ~ to** s'entendre avec; **the way children ~ to their teachers** la façon dont les enfants communiquent avec leurs professeurs; **to have problems relating (to others)** avoir des difficultés à se lier avec les autres; **3** (respond, identify) **to ~ to** apprécier [*idea, music*]; **I can't ~ to the character/ the painting** le personnage/l'œuvre ne me touche pas; **I can ~ to that!** ça, je comprends!

related /rɪˈleɪtɪd/
A *adj* **1** (in the same family) [*person, language*] apparenté (**by, through** par; **to** à); **we are ~ by marriage** nous sommes parents par alliance; **2** (connected) [*subject, matter*] connexe (**to** à); [*area, evidence, idea, information, incident*] lié (**to** à); [*substance, species, type*] similaire (**to** à); **the murders are ~** les crimes sont liés; **plastic and ~ substances** le plastique et ses dérivées; **3** Mus relatif/-ive
B **-related** (*dans composés*) lié à; **drug/work-~** lié à la drogue/au travail

relation /rɪˈleɪʃn/
A *n* **1** (relative) parent/-e *m/f*; **my ~s** ma famille; **Paul Presley, no ~ to Elvis** Paul Presley, qui n'est pas apparenté à *or* n'a aucun lien de parenté avec Elvis Presley; **2** (connection) rapport *m* (**between** entre; **of** de; **with** avec); **to bear no ~ to** n'avoir aucun rapport avec [*reality, truth*]; **3** (story) récit *m* (**of** de); **4** (comparison) **in ~ to** par rapport à; **with ~ to** en ce qui concerne; **5** Math rapport *m*
B **relations** *npl* **1** (mutual dealings) relations *fpl* (**between** entre; **with** avec); **to have business ~s with** avoir des relations professionnelles avec; **East-West ~s** les relations Est-Ouest; **2** euph (intercourse) relations *fpl* sexuelles

relational /rɪˈleɪʃənl/ *adj* Ling, Comput relationnel/-elle

relational: **~ database** *n* base *f* de données relationnelles; **~ model** *n* modèle *m* relationnel; **~ operator** *n* opérateur *m* relationnel

relationship /rɪˈleɪʃnʃɪp/ *n* **1** (human connection) relations *fpl* (**with** avec); **to form ~s** se lier (**with** avec); **to have a good ~ with** avoir de bonnes relations avec; **a working ~** des relations professionnelles; **the superpower ~** les relations entre les superpuissances; **a doctor-patient ~** une relation médecin-patient; **a father-son ~** des rapports *mpl* de père à fils; **an actor's ~ with the audience** le contact d'un acteur avec son public; **2** (in a couple) relation *f* (**between** entre; **with** avec); **sexual ~** relation sexuelle; **are you in a ~?** est-ce que vous partagez votre vie avec quelqu'un?; **we have a good ~** nous nous entendons bien; **3** (logical or other connection) rapport *m* (**between** entre; **to, with** avec); **4** (family bond) lien *m* de parenté (**between** entre; **to** avec); **family ~s** liens de parenté

relative /ˈrelətɪv/
A *n* **1** (relation) parent/-e *m/f*; **my ~s** ma famille; **2** Ling relatif *m*
B *adj* **1** (comparative) [*comfort, ease, happiness, wealth*] relatif/-ive; **he's a ~ stranger** c'est presque un inconnu; **the ~ merits of X and Y** les mérites respectifs de X et Y; **~ to** (compared to) par rapport à; **supply is ~ to demand** l'offre varie en fonction de la demande; **2** Meas, Sci, Tech [*density, frequency, value, velocity*] relatif/-ive; **3** (concerning) **~ to** relatif/-ive à; **4** Ling [*pronoun, clause*] relatif/-ive; **5** Mus relatif/-ive; **6** Comput relatif/-ive

relatively /ˈrelətɪvlɪ/ *adv* [*cheap, easy, high, small*] relativement; **~ speaking** toutes proportions gardées

relativism /ˈrelətɪvɪzəm/ *n* relativisme *m*

relativist /ˈrelətɪvɪst/ *n, adj* relativiste (*mf*)

relativistic /ˌrelətɪˈvɪstɪk/ *adj* Phys relativiste

relativity /ˌreləˈtɪvətɪ/ *n* gen, Ling, Phys relativité *f* (**of** de); **the theory of ~** la théorie de la relativité

relativize /ˈrelətɪvaɪz/ *vtr* relativiser

relax /rɪˈlæks/
A *vtr* desserrer, relâcher [*grip*]; décontracter [*jaw, muscle, limb*]; relâcher [*concentration, attention, efforts*]; assouplir [*restrictions, discipline, policy*]; détendre [*body, mind*]; défriser [*hair*]
B *vi* **1** (unwind) [*person*] se détendre; **~!** ne t'en fais pas!; **I won't ~ until she arrives** je ne serai tranquille que quand elle sera arrivée; **2** (loosen, ease) [*grip*] se desserrer, se relâcher; [*jaw, muscle, limb*] se décontracter; [*face, features*] se détendre; [*discipline, policy, restrictions*] s'assouplir; **her face ~ed into a smile** son visage s'est détendu et elle a souri

relaxant /rɪˈlæksnt/ *n* relaxant *m*, décontractant *m*

relaxation /ˌriːlækˈseɪʃn/
A *n* **1** (recreation) détente *f*; **it's a form of ~** c'est une détente; **her only (form of) ~** sa seule détente; **what do you do for ~?** qu'est-ce que vous faites pour vous détendre?; **2** (loosening, easing) (of grip) relâchement *m*; (of jaw, muscle) décontraction *f*; (of efforts, concentration) relâchement *m*; (of restrictions, discipline, policy) assouplissement *m* (**in** de); (of body, mind) détente *f*, relaxation *f*
B *modif* [*exercises, technique, session*] de relaxation

relaxed /rɪˈlækst/ *adj* [*person, manner, atmosphere, discussion*] détendu, décontracté; [*muscle*] décontracté; **he's quite ~ about it** ça ne lui pose aucun problème

relaxer /rɪˈlæksə(r)/ *n* défrisant *m*

relaxing /rɪˈlæksɪŋ/ *adj* [*atmosphere, activity, evening*] délassant, relaxant; [*period, vacation*] reposant

relay
A /ˈriːleɪ/ *n* **1** (shift) (of workers) équipe *f* (*de relais*); (of horses) attelage *m*; **to work in ~s** [*rescue workers*] se relayer; [*employees*] travailler par roulement; **2** Radio, TV émission *f* retransmise; **3** (*also* **~ race**) course *f* de relais; **4** Elec relais *m*
B *modif* Sport [*team, runner*] de relais
C *vtr* **1** /ˈriːleɪ, riˈleɪ/ (*prét, pp* **relayed**) Radio, TV retransmettre, relayer (**to** à); fig transmettre [*message, question*] (**to** à); **2** /riːˈleɪ/ (*prét, pp* **relaid**) reposer [*carpet*]

relay station *n* Radio, TV relais *m*

release /rɪˈliːs/
A *n* **1** (liberation) libération *f*; **the ~ of the hostages (from captivity)** la libération des otages; **on his ~ from prison** à sa sortie de prison; **2** fig (relief) soulagement *m*; **a feeling of ~** un sentiment de soulagement; **death came as a merciful ~** la mort est venue comme une délivrance; **3** Tech, Ind (of pressure) relâchement *m*; (of steam, gas) dégagement *m*; (of liquid, chemicals) déversement *m*; **4** Mil (of missile) lancement *m*; (of bomb) largage *m*; **5** Tech (of mechanism) déclenchement *m*; (handle) manette *f*; **6** Journ (announcement) communiqué *m*; **7** Cin, Video (making publicly available) sortie *f*; **since the ~ of his latest film** depuis la sortie de son dernier film; **the film is now on general ~** le film passe maintenant dans toutes les grandes salles de cinéma; **8** Cin, Video (film, video, record) nouveauté *f*; **9** Transp (from customs, warehouse) sortie *f*; **~ for shipment** autorisation de sortie; **10** (discharge form) décharge *f*; **to sign the ~** signer la décharge; **11** (of employee for training) ▸ **day release**
B *modif* Tech [*button, mechanism*] d'ouverture; Admin [*documents*] de décharge
C *vtr* **1** (set free) libérer [*hostage, prisoner*]; dégager [*accident victim*]; relâcher [*animal*]; **2** fig **to ~ sb from** dégager qn de [*promise, obligation*]; **to ~ sb from a debt** faire la remise d'une dette à qn; **to ~ sb to attend a course** accorder un congé à qn pour lui permettre de suivre un stage; **3** Tech (unlock) faire jouer [*safety catch, clasp*]; Phot déclencher [*shutter*]; Aut desserrer [*handbrake*]; **to ~ the clutch (pedal)** embrayer; **4** (launch into flight) décocher [*arrow*]; Mil larguer [*bomb*]; lancer [*missile*]; **5** (let go of) lâcher [*object, arm, hand*]; **to ~ one's grip** lâcher prise; **to ~ one's grip of sth** lâcher qch; **6** Journ communiquer [*news, statement, bulletin*]; publier [*photo, picture*]; **7** Cin, Video, Mus faire sortir [*film, video, record*]; **8** gen, Jur (relinquish) céder [*title, right*]; remettre [*vehicle, keys*]; **9** Med libérer [*hormone, drug*]

relegate /ˈrelɪɡeɪt/ *vtr* **1** (downgrade) reléguer [*person, object, issue, information*] (**to** à); **to be ~d to the scrap heap** fig être mis au rebut; **2** GB Sport reléguer (**to** en); **to be ~d** descendre dans la division inférieure; **to be ~d to the third division** être relégué en troisième division; **3** sout (assign) renvoyer (**to** à)

relegation /ˌrelɪˈɡeɪʃn/ *n* **1** gen (downgrading) relégation *f* (**to** à); **2** GB Sport relégation *f* (**to** en); **3** sout (of problem, matter) renvoi *m* (**to** à)

relent /rɪˈlent/ *vi* [*person, government*] céder; [*weather, storm*] se calmer; **the rain showed little sign of ~ing** la pluie ne semblait pas vouloir se calmer

relentless /rɪˈlentlɪs/ *adj* [*ambition, urge, pressure*] implacable; [*noise, activity*] incessant; [*attack, pursuit, enemy*] acharné; [*advance*] inexorable

relentlessly /rɪˈlentlɪslɪ/ *adv* **1** (incessantly) [*rain*] sans arrêt; [*shine*] implacablement; [*argue, attack*] sans arrêt; **2** (mercilessly) [*advance*] inexorablement

relet /ˌriːˈlet/ *vtr* (*p prés* **-tt-**; *prét, pp* **relet**) relouer

relevance /ˈreləvəns/ *n* (of issue, theory, fact, remark, information, resource) pertinence *f*, intérêt *m* (**to** pour); (of art) intérêt *m* (**to** pour); **the ~ of politics to daily life** le rapport entre la politique et la vie quotidienne; **to be of ~ to** être lié à; **of little/great ~** peu/très pertinent; **to have ~ for sb** présenter de l'intérêt pour qn; **this has no ~ to the issue** ceci n'a aucun rapport avec la question

relevant /ˈreləvənt/ *adj* **1** (pertinent) [*issue, theory, facts, remark, point, law*] pertinent; [*information, resource*] utile; **to be ~ to** avoir rapport à; **that's not ~ to the subject** cela n'a aucun rapport *or* n'a rien à voir avec le sujet; **such considerations are not ~** de telles considérations sont hors de propos; **2** (appropriate, corresponding) [*chapter*] correspondant; [*time, period*] en question; **~ document** Jur pièce *f* justificative; **the ~ authorities** les autorités compétentes; **to have ~ experience** avoir une expérience préalable dans le domaine

reliability /rɪˌlaɪəˈbɪlətɪ/ *n* (of friend, witness) honnêteté *f*, intégrité *f*; (of employee, firm) sérieux *m*; (of car, machine) fiabilité *f*; (of information, memory, account) exactitude *f*

reliable /rɪˈlaɪəbl/ *adj* [*friend, neighbour, witness*] digne de confiance, fiable; [*employee, firm*] sérieux/-ieuse; [*car, machine, memory, account*] fiable; [*information*] sûr; **he's not very ~** on ne peut pas lui faire confiance *or* compter sur lui; **a ~ source of information** une source sûre; **the weather is not very ~** le temps est très variable

reliably /rɪˈlaɪəblɪ/ *adv* [*operate, work*] correctement; **to be ~ informed that** tenir de source sûre que

reliance /rɪˈlaɪəns/ *n* dépendance *f* (**on** vis-à-vis de)

reliant /rɪˈlaɪənt/ *adj* **to be ~ on** [*person*] être dépendant de [*drugs, welfare payments*]; [*country*] être tributaire de [*industry, exports*]; [*industry*] être tributaire de [*material*]

relic /ˈrelɪk/ *n* **1** fig (custom, building) vestige *m* (**of de**); (object) relique *f* (**of de**); **2** Relig relique *f*

relict /ˈrelɪkt/ *n* relique *f*

relief /rɪˈliːf/
A *n* **1** (from pain, distress, anxiety) soulagement *m*; **(greatly) to my ~** à mon grand soulagement; **it was a ~ to them that** ils ont été soulagés que (+ *subj*); **it was a ~ to hear that/to see that** j'ai été soulagé d'apprendre que/de voir que; **to bring** *ou* **give ~ to sb** apporter du soulagement à qn; **to seek ~ from depression in drink** chercher un soulagement à sa dépression dans la boisson; **that's a ~!** c'est un soulagement!; **2** (alleviation) (of poverty) allégement *m*; **tax/debt ~** allégement fiscal/des dettes; **3** (help) aide *f*, secours *m*; **famine ~** aide aux victimes de la famine; **to come to the ~ of sb** venir à l'aide *or* au secours de qn; **to send ~ to** envoyer des secours à; **4** US Soc Admin aides *fpl* sociales; **to be on ~** bénéficier des aides sociales; **5** (diversion) divertissement *m*; **to provide light ~** apporter un peu de divertissement; **he reads magazines for light ~** il lit des magazines pour se distraire; **6** Mil (of garrison, troops) délivrance *f* (**of** de); **7** Art, Archit, Geog relief *m*; **high/low ~** haut-/bas-relief; **in ~** en relief; **to bring** *ou* **throw sth into ~** mettre qch en relief; **to stand out in (sharp) ~ against** se détacher (nettement) sur; **8** (replacement on duty) relève *f*; **9** Jur (of grievance) réparation *f*
B *modif* [*operation*] de secours; [*programme, project*] d'aide; [*driver, guard*] de relève; [*bus, train, service*] supplémentaire

relief: **~ agency** *n* organisation *f* humanitaire; **~ effort** *n* effort *m* d'aide; **~ fund** *n* gen fonds *m* d'aide; (in emergency) fonds *m* de secours; **~ map** *n* carte *f* en relief; **~ organization** *n* organisation *f* humanitaire; **~ road** *n* route *f* de délestage; **~ shift** *n* équipe *f* de relève; **~ supplies** *npl* secours *mpl*; **~ valve** *n* soupape *f* de sûreté; **~ work** *n* travail *m* humanitaire; **~ worker** *n* secouriste *mf*

relieve /rɪˈliːv/
A *vtr* **1** (alleviate) soulager [*pain, suffering, distress, anxiety, tension*]; dissiper [*boredom*]; remédier à [*poverty, social conditions, famine*]; alléger [*debt*]; rompre [*monotony*]; **to ~ one's feelings** (when distressed) décharger son cœur; (when angry) décharger sa colère; **to ~ congestion** Med, Aut décongestionner; **2** (brighten) rendre moins sévère; **a black dress ~d by a string of pearls** une robe noire rendue moins sévère par un collier de perles; **3** (take away) **to ~ sb of** débarrasser qn de [*plate, coat, bag*]; soulager qn de [*burden*]; **to ~ sb of a post/command** relever qn de son poste/ses fonctions; **a pickpocket ~d him of his wallet** hum un voleur l'a soulagé de son portefeuille hum; **4** (help) venir en aide à, secourir [*troops, population*]; **5** (take over from) relever [*worker, sentry*]; **to ~ the guard** relever la garde; **6** Mil délivrer, faire lever le siège de [*town*]
B **relieved** *pp adj* **to feel ~d** se sentir soulagé; **to be ~d to hear that** être soulagé d'apprendre que; **to be ~d that** être soulagé que (+ *subj*); **to be ~d at** être soulagé par [*news, results*]
C *v refl* **to ~ oneself** euph se soulager euph

religion /rɪˈlɪdʒən/ *n* religion *f*; **what ~ is he?** de quelle religion est-il?; **the Christian/Muslim ~** la religion chrétienne/musulmane; **freedom of ~** liberté *f* de religion *or* de culte; **it's against my ~ to...** c'est contraire à ma religion de... also hum; **to make a ~ of sth** se faire une religion de qch; **her work is her ~** son travail est une religion pour elle; **to get ~**○ péj devenir bigot; **to lose one's ~** perdre la foi

religiosity /rɪˌlɪdʒɪˈɒsətɪ/ *n* péj bigoterie *f*

religious /rɪˈlɪdʒəs/
A *n* religieux/-ieuse *m/f*
B *adj* **1** [*belief, conversion, faith, fanatic, practice*] religieux/-ieuse; [*war*] de religion; [*person*] croyant; [*art, music*] religieux/-ieuse; **she's very ~** elle est très croyante; **2** fig [*attention, care*] religieux/-ieuse

religious: **~ affairs** *npl* Journ, Pol affaires *fpl* religieuses; **Religious Education, Religious Instruction** *n* instruction *f* religieuse; **~ leader** *n* chef *m* religieux

religiously /rɪˈlɪdʒəslɪ/ *adv* lit religieusement; fig rituellement

religiousness /rɪˈlɪdʒəsnɪs/ *n* piété *f*

reline /ˌriːˈlaɪn/ *vtr* **1** Sewing redoubler [*garment, curtains*]; **2** Aut changer les garnitures de [*brakes*]

relinquish /rɪˈlɪŋkwɪʃ/ *vtr* sout **1** (surrender) renoncer à [*claim, right, privilege, title*] (**to** en faveur de); céder [*post, task, power*] (**to** à); **2** (abandon) abandonner [*efforts, struggle, responsibility*]; **to ~ one's hold** *ou* **grip on sth** lâcher qch

reliquary /ˈrelɪkwərɪ, US -kwerɪ/ *n* reliquaire *m*

relish /ˈrelɪʃ/
A *n* **1** **to eat/drink with ~** manger/boire avec un plaisir évident; **2** fig goût *m* (**for** pour); **with ~** [*perform, sing*] avec un plaisir évident; **she announced the news with ~** elle a annoncé la nouvelle avec délectation *or* (gloatingly) en jubilant; **3** (flavour) saveur *f*; fig (appeal) attrait *m*; **4** Culin condiment *m*
B *vtr* **1** savourer [*food*]; **2** fig apprécier [*joke, sight*]; se réjouir de [*opportunity, prospect*]; **I don't ~ the thought** *ou* **prospect of telling her the news** je me passerais bien de lui annoncer la nouvelle

relive /ˌriːˈlɪv/ *vtr* revivre

relly○ /ˈrelɪ/ *n* GB parent/-e *m/f*; **your rellies** ta famille

reload /ˌriːˈləʊd/ *vtr* recharger

relocate /ˌriːləʊˈkeɪt, US ˌriːˈləʊkeɪt/
A *vtr* muter [*employee*] (**to** à, en); transférer [*offices*] (**to** à, en); Comput translater
B *vi* [*company*] déménager; [*employee*] être muté; (for low labour costs) délocaliser (**to** à)

relocation /ˌriːləʊˈkeɪʃn/
A *n* (of company) relocalisation *f*, déménagement *m*; (of employee) mutation *f* (**to** à, en); (of population, refugees) transfert *m* (**to** vers); Comput translation *f*; (for low labour costs) délocalisation *f* (**to** à)
B *modif* [*costs, expenses*] de déménagement

relocation: **~ allowance** *n* prime *f* de relogement; **~ package** *n* indemnités *fpl* de déménagement

reluctance /rɪˈlʌktəns/ *n* **1** gen réticence *f*; (stronger) répugnance *f*; **to show ~ to do** manifester de la réticence *or* de la répugnance à faire; **with great ~** de mauvaise grâce, à contrecœur; **to do sth with ~** faire qch à contrecœur; **to make a show of ~** se faire prier; **2** Elec réluctance *f*

reluctant /rɪˈlʌktənt/ *adj* **1** (unwilling) peu enthousiaste; **to be ~ to do** être peu disposé à faire, rechigner à faire; **she is a rather ~ celebrity** elle est devenue une célébrité malgré elle; **2** (lukewarm) [*consent, promise, acknowledgement*] accordé à contrecœur

reluctantly /rɪˈlʌktəntlɪ/ *adv* [*act, agree, decide*] à contrecœur

rely /rɪˈlaɪ/ *vi* **1** (be dependent) **to ~ on** [*person, place, group*] dépendre de [*industry, subsidy, aid*]; [*economy*] reposer sur [*exports, industry*]; [*system, plant*] reposer sur [*method, technology*]; [*government*] s'appuyer sur [*deterrent, military*]; **he relies on her for everything** il s'en remet à elle pour tout; **2** (count) **to ~ on sb/sth** compter sur qn/qch (**to do** pour faire); **you can ~ on me!** vous pouvez compter sur moi!; **she cannot be relied (up)on to help** on ne peut pas compter sur elle pour aider; **don't ~ on their being on time** ne compte pas sur eux pour être à l'heure; **you can't ~ on the evening being a success** on ne peut pas garantir que la soirée soit une réussite; **3** (trust in) **to ~ on sb/sth** se fier à qn/qch; **he can't be relied (up)on** on ne peut pas lui faire confiance

REM *n* (*abrév* = **rapid eye movement**) mouvements *mpl* oculaires rapides

remailer /riːˈmeɪlə(r)/ *n* (on Internet) service *m* de réexpédition anonyme, remailer *m*

remain /rɪˈmeɪn/
A *vi* **1** (be left) rester; **not much ~s of the building** il ne reste pas grand-chose du bâtiment; **a lot ~s to be done** il reste beaucoup à faire; **the fact ~s that** il reste que, toujours est-il que; **it ~s to be seen whether** il reste à voir si; **that ~s to be seen** cela reste à voir; **it only ~s for me to say** il ne me reste qu'à dire; **2** (stay) [*person, memory, trace*] rester, demeurer; [*problem, doubt*] subsister; **to ~ standing/seated** rester debout/assis; **to ~ silent** garder le silence; **to ~ hopeful** continuer à espérer; **to let things ~ as they are** laisser les choses en l'état; **to ~ with sb all his/her life** [*memory*] accompagner qn toute sa vie; **if the weather ~s fine** si le temps se maintient au beau; **'I ~, yours faithfully'** 'je vous prie d'agréer mes salutations les meilleures'
B **remaining** *pres p adj* restant; **for the ~ months of my life** pendant les mois qu'il me reste à vivre

remainder /rɪˈmeɪndə(r)/
A *n* **1** (remaining things, money) reste *m*; (remaining people) autres *mfpl*; (remaining time) reste *m*, restant *m*; **for the ~ of the day** pendant le reste *or* le restant de la journée; **2** Math reste *m*; **3** Jur retour *m* en pleine propriété
B **remainders** *npl* Comm invendus *mpl* soldés
C *vtr* solder [*books, goods*]

remains /rɪˈmeɪnz/ *npl* **1** (of meal, fortune) restes *mpl*; (of building, city) vestiges *mpl*, restes *mpl*; **literary ~** œuvres *fpl* posthumes; **2** (corpse) restes *mpl*; **human ~** restes humains

remake
A /ˈriːmeɪk/ *n* nouvelle version *f*, remake *m*
B /ˌriːˈmeɪk/ *vtr* (*prét, pp* **remade**) refaire

remand /rɪˈmɑːnd, US rɪˈmænd/ Jur
A *n* renvoi *m* (*à une audience ultérieure*); **to be on ~** (in custody) être en détention provisoire; (on bail) être en liberté sous caution
B *vtr* renvoyer, déférer [*case, accused*]; **to be ~ed in custody** être placé en détention provisoire; **to be ~ed on bail** être mis en liberté sous caution; **to ~ sb for trial** renvoyer qn à

r

une audience ultérieure; **to be ~ed to a higher court** être déféré à une instance supérieure; **the case was ~ed for a week** l'affaire a été renvoyée à huitaine

remand: **~ centre** *n* GB centre *m* de détention (provisoire); **~ home** *n* GB centre *m* de détention (*pour mineurs*); **~ prisoner** *n* GB prisonnier/-ière *m/f* en détention provisoire; **~ wing** *n* GB quartier *m* des prisonniers en détention provisoire

remark /rɪˈmɑːk/
A *n* **1** (comment, note) remarque *f* (**about** à propos de, sur); **opening ~s** préambule *m*; **closing ~s** conclusion *f*; **2** (casual observation) réflexion *f* (**about** à propos de, sur); **keep your ~s to yourself** garde tes réflexions pour toi; **3** (notice) **worthy of ~** remarquable; **to escape ~** passer inaperçu
B *vtr* **1** (comment) **to ~ that** faire remarquer que (**to** à); **'strange!' she ~ed** 'étrange!' remarqua-t-elle; **2** (notice) sout remarquer [*change, gesture*]; **to ~ that** remarquer que
(Phrasal verb) ■ **remark on, remark upon**: ► **~ on** *ou* **upon [sth]** faire des remarques sur *or* à propos de [*conduct, dress, weather*] (**to** à)

remarkable /rɪˈmɑːkəbl/ *adj* [*performance, ease, person*] remarquable; **it is ~ that** il est remarquable que (+ *subj*)

remarkably /rɪˈmɑːkəblɪ/ *adv* remarquablement; **~ enough** aussi étonnant que cela paraisse

remarriage /ˌriːˈmærɪdʒ/ *n* remariage *m*

remarry /ˌriːˈmærɪ/
A *vtr* se remarier avec
B *vi* se remarier

remaster /riːˈmɑːstə(r)/ *vtr* Audio remastériser; **digitally ~ed** remastérisé numériquement

rematch /ˈriːˌmætʃ/ *n* Sport gen match *m* de retour; (in boxing) deuxième combat *m*

remediable /rɪˈmiːdɪəbl/ *adj* réparable, remédiable

remedial /rɪˈmiːdɪəl/ *adj* **1** gen [*measures*] de redressement; **to take ~ action** prendre des mesures (de redressement); **2** Med [*treatment*] curatif/-ive; **~ exercises** gymnastique *f* corrective; **3** Sch [*class*] de rattrapage, de soutien; **~ French course** cours *m* de rattrapage de français; **~ education** *enseignement pour les élèves en difficulté*

remedy /ˈremədɪ/
A *n* Med, fig remède *m* (**for** à, contre); Jur recours *m*; **to be beyond (all) ~** être irrémédiable *or* sans remède
B *vtr* remédier à; **the situation cannot be remedied** la situation est irrémédiable *or* sans remède
(Idiom) **desperate diseases require desperate remedies** aux grands maux les grands remèdes

remember /rɪˈmembə(r)/
A *vtr* **1** (recall) se souvenir de, se rappeler [*fact, name, place, event*]; se souvenir de [*person*]; **to ~ that** se rappeler que, se souvenir que; **it must be ~ed that** il faut bien se rappeler que; **~ that he was only 20 at the time** n'oublie pas *or* rappelle-toi qu'il n'avait que 20 ans à l'époque; **to ~ doing** se rappeler avoir fait, se souvenir d'avoir fait; **I ~ him as a very dynamic man** je me souviens de lui comme d'un homme très dynamique; **I ~ a time when** je me souviens de l'époque où; **I don't ~ anything about it** je n'en ai aucun souvenir; **I can never ~ names** je ne retiens jamais les noms; **I can't ~ her name for the moment** je n'arrive pas à me rappeler son nom pour l'instant, son nom m'échappe pour l'instant; **I wish I had something to ~ him by** j'aurais aimé avoir un souvenir de lui; **I've been working here for longer than I care to ~** cela fait une éternité que je travaille ici; **that's longer ago than I care to ~** il y a de cela une éternité; **that's worth ~ing** c'est bon à savoir; **a night to ~** une soirée mémorable; **2** (not forget) **to ~ to do** penser à faire, ne pas oublier de faire; **did you ~ to get a newspaper/feed the cat?** tu as pensé à acheter un journal/donner à manger au chat?; **~ that it's fragile** n'oublie pas que c'est fragile; **~ where you are!** un peu de tenue!; **to ~ sb in one's prayers** ne pas oublier qn dans ses prières; **3** (give money to) euph **he always ~s me on my birthday** il n'oublie jamais mon anniversaire; **she ~ed me in her will** elle ne m'a pas oublié dans son testament; **4** (commemorate) commémorer [*battle, war dead*]; **5** (convey greetings from) **to ~ sb to sb** rappeler qn au bon souvenir de qn; **she asks to be ~ed to you** elle m'a prié de vous transmettre son bon souvenir
B *vi* se souvenir; **if I ~ correctly** *ou* **rightly** si je me souviens bien; **not as far as I ~** pas que je sache; **as far as I can ~** pour autant que je me souvienne, autant qu'il m'en souvienne
C *v refl* **to ~ oneself** se reprendre

remembrance /rɪˈmembrəns/ *n* **1** (memento) souvenir *m*; **2** (memory) souvenir *m*, mémoire *f*; **in ~ of** en souvenir de

remembrance: **~ ceremony** *n* cérémonie *f* commémorative; **Remembrance Day**, **Remembrance Sunday** GB *n jour consacré à la mémoire des soldats tués au cours des deux guerres mondiales*. ► **Poppy Day**

remind /rɪˈmaɪnd/
A *vtr* rappeler; **to ~ sb of sth** rappeler qch à qn; **to ~ sb to do** rappeler à qn de faire; **he ~s me of my brother** il me rappelle mon frère, il me fait penser à mon frère; **to ~ sb that** rappeler à qn que; **you are ~ed that** nous vous rappelons que; **I forgot to ~ her about the meeting** je n'ai pas pensé à lui reparler de la réunion; **that ~s me...** à propos...
B *v refl* **to ~ oneself** se dire (**that** que)

reminder /rɪˈmaɪndə(r)/ *n* rappel *m* (**of** de; **that** du fait que); **a ~ to sb to do** un rappel à qn lui demandant de faire; **(letter of) ~** Admin (lettre *f* de) rappel *m*; **to be** *ou* **to serve as a ~ that** nous rappeler que; **to be** *ou* **to serve as a ~ of the importance of the treaty** rappeler à tous l'importance du traité; **to be a ~ of the problems faced by parents** rappeler les problèmes auxquels sont confrontés les parents; **~s of the past** des souvenirs du passé; **~s of her status** des signes rappelant sa position

reminisce /ˌremɪˈnɪs/ *vi* évoquer ses souvenirs (**about** de)

reminiscence /ˌremɪˈnɪsns/ *n* **1** (recalling) réminiscence *f*; **2** (memory) souvenir *m*

reminiscent /ˌremɪˈnɪsnt/ *adj* **to be ~ of sb/sth** rappeler qn/qch, faire penser à qn/qch

reminiscently /ˌremɪˈnɪsntlɪ/ *adv* [*smile, look*] avec nostalgie; **to talk ~ of sth/sb** évoquer ses souvenirs de qch/qn

remiss /rɪˈmɪs/ *adj* négligent; **it was ~ of him not to reply** c'était négligent de sa part de ne pas répondre

remission /rɪˈmɪʃn/ *n* **1** Jur (of sentence) remise *f*; **2** Med, Relig rémission *f*; **3** (of debt) remise *f*; **fee ~** exonération *f* de frais; **4** (deferment) remise *f* à plus tard

remit
A /ˈriːmɪt/ *n* attributions *fpl* (**to do** pour faire; **for** pour); **it's outside my ~** ce n'est pas dans mes attributions; **to exceed one's ~** aller au-delà de ses attributions
B /rɪˈmɪt/ *vtr* (*p prés etc* **-tt-**) **1** (send back) renvoyer [*case, problem*] (**to** devant); **2** (reduce) remettre [*penalty, taxation*]; **3** (send) envoyer [*money*]; **4** (postpone) différer [*payment*]; **5** Relig remettre [*sin*]
C /rɪˈmɪt/ *vi* (*p prés etc* **-tt-**) (abate) diminuer

remittal /rɪˈmɪtl/ *n* Jur remise *f* de peine

remittance /rɪˈmɪtns/ *n* **1** (payment) versement *m*; **2** (allowance) rente *f*

remittance advice *n* avis *m* de règlement

remittent /rɪˈmɪtnt/ *adj* Med rémittent

remix /ˌriːˈmɪks/ Mus
A *n* (version *f*) remix *m*
B *vtr* remixer

remnant /ˈremnənt/ *n* (of food, commodity) reste *m*; (of building, past, ideology) vestige *m*; Comm (of fabric) coupon *m*; **the ~s of the crowd/of the army** ce qui restait de la foule/de l'armée

remodel /ˌriːˈmɒdl/ *vtr* (*p prés etc* GB **-ll-**, US **-l-**) réorganiser, restructurer [*company, institution*]; transformer [*policy*]; remanier [*constitution*]; remodeler [*nose*]; transformer, remodeler [*house, town*]

remonstrance /rɪˈmɒnstrəns/ *n* sout remontrance *f*

remonstrate /ˈremənstreɪt/ sout
A *vtr* faire remarquer (**that** que)
B *vi* protester; **to ~ with sb about sth** faire des remontrances à qn (avec véhémence) au sujet de qch

remorse /rɪˈmɔːs/ *n* remords *m* (**for** de); **a fit of ~** un accès de remords; **a feeling of ~** un remords; **she felt no ~ for her crime** elle n'éprouvait aucun remords d'avoir commis ce crime

remorseful /rɪˈmɔːsfl/ *adj* [*person, apology, confession*] plein de remords

remorsefully /rɪˈmɔːsfəlɪ/ *adv* [*speak*] avec remords; [*cry*] de remords

remorseless /rɪˈmɔːslɪs/ *adj* **1** (brutal) impitoyable; **2** (relentless) [*ambition, attempt, progress*] implacable; [*enthusiasm, optimism*] perpétuel/-elle

remorselessly /rɪˈmɔːslɪslɪ/ *adv* implacablement

remorselessness /rɪˈmɔːslɪsnɪs/ *n* acharnement *m*

remote /rɪˈməʊt/
A *n* **1** Radio, TV émission *f* en direct (en dehors des studios); **2** ○Audio (gadget) télécommande *f*
B *adj* **1** (distant) [*era*] lointain; [*antiquity*] haut; [*ancestor, country, planet*] éloigné; **in the ~ future/past** dans un avenir/passé lointain; **in the ~ distance** au lointain; **in the ~st corner of Asia** au fin fond de l'Asie; **2** (isolated) [*area, village*] isolé; **~ from society** à l'écart de la société; **the leaders are too ~ from the people** les dirigeants sont isolés du peuple; **3** fig (aloof) [*person*] distant; **4** (slight) [*chance, connection, resemblance*] vague, infime; **I haven't (got) the ~st idea** je n'en ai pas la moindre idée; **there is only a ~ possibility that they survived** il est très peu probable qu'ils aient survécu; **5** Comput [*printer, terminal*] satellite

remote: **~ access** *n* Comput téléconsultation *f*, accès *m* à distance; **~ central locking** *n* verrouillage *m* centralisé à distance

remote control *n* **1** (gadget) télécommande *f*; **2** (technique) télécommande *f*, commande *f* à distance; **to operate sth by ~** télécommander qch

remote: **~-controlled** *adj* télécommandé; **~ damage** *n* Jur préjudice *m* indirect; **~ job entry** *n* Comput télésoumission *f* de travaux

remotely /rɪˈməʊtlɪ/ *adv* **1** (at a distance) [*located, situated*] à l'écart de tout; **~ operated** télécommandé; **2** (slightly) [*resemble*] vaguement; **he's not ~ interested** ça ne l'intéresse pas du tout; **it is ~ possible that** il est tout juste possible que (+ *subj*); **this does not taste ~ like caviar** ça n'a rien à voir avec le goût du caviar; **I don't look ~ like her** je ne lui ressemble pas le moins du monde; **~ related events** des événements vaguement liés *or* ayant un rapport lointain

remoteness /rɪˈməʊtnɪs/ *n* **1** (isolation) isolement *m* (**from** par rapport à); **his ~ from the electorate** son isolement par rapport à l'électorat; **2** (in time) éloignement *m* (dans le temps) (**from** par rapport à); **3** (of person) attitude *f* distante (**from** envers)

remote: **~ sensing** *n* télédétection *f*; **~ surveillance** *n* télésurveillance *f*

remould GB, **remold** US
A /ˈriːməʊld/ *n* GB pneu *m* rechapé
B /ˌriːˈməʊld/ *vtr* **1** GB Aut rechaper [*tyre*]; **2** fig (transform) restructurer [*company, institution*]; corriger [*person, personality*]

remount /ˌriːˈmaʊnt/
A *vtr* **1** enfourcher [qch] de nouveau [*bicycle*]; remonter [*hill, stairs*]; grimper de nouveau à [*ladder*]; **to ~ a horse** se remettre en selle; **2** Art remonter [*exhibition*]; encadrer [qch] à nouveau [*picture*]
B *vi* [*cyclist*] remonter à bicyclette; [*rider*] remonter à cheval

removable /rɪˈmuːvəbl/ *adj* amovible

removal /rɪˈmuːvl/
A *n* **1** (elimination) (of tax, barrier, subsidy, threat) suppression *f*; (of doubt, worry) disparition *f*; **2** (cleaning) **for the ~ of grease stains** pour enlever les taches de graisse; **stain ~** détachage *m*; **3** (withdrawal) (of troops) retrait *m*; **4** Med (excision) ablation *f*; **5** (change of home, location) déménagement *m* (**from** de; **to** à); **6** (dismissal) (of employee, official) renvoi *m*; (of leader) déposition *f*, révocation *f*; **after his ~ from office** à la suite de sa déposition *or* révocation; **7** (of demonstrators, troublemakers) expulsion *f*; **8** (collecting) **he's responsible for the ~ of the rubbish/boxes** il est chargé d'enlever les ordures/cartons; **9** (transfer) (of patient, prisoner) transfert *m*; **10** ○(killing) euph liquidation *f*
B *modif* [*costs, firm*] de déménagement

removal: **~ expenses** *npl* frais *mpl* de déménagement; **~ man** *n* déménageur *m*; **~ order** *n* Jur ordre *m* de déportation; **~ van** *n* camion *m* de déménagement

remove /rɪˈmuːv/
A *n* sout **to be at one ~ from/at many ~s from** être tout proche de/très loin de; **genius that is (at) only one ~ from madness** le génie qui frise la folie
B *vtr* **1** enlever [*object*] (**from** de); enlever, ôter [*clothes, shoes*]; enlever, faire partir [*stain*]; enlever, supprimer [*passage, paragraph, word*]; supprimer [*tax, subsidy*]; Med enlever, faire l'ablation de [*tumour, breast, organ*]; **she ~d her hand from his shoulder** elle a enlevé sa main de son épaule; **over 30 bodies were ~d from the rubble** plus de 30 cadavres ont été retirés des décombres; **to ~ a child from a school** retirer un enfant d'une école; **to ~ goods from the market** retirer des marchandises de la vente; **to ~ industry from state control** supprimer le contrôle de l'État sur l'industrie; **to ~ sb's name from a list** rayer qn d'une liste; **to be ~d to hospital** GB être emmené à l'hôpital, être hospitalisé; **to ~ one's make-up** se démaquiller; **to ~ unwanted hair from one's legs** s'épiler les jambes; **2** (oust) démettre, renvoyer [*employee*]; **to ~ sb from office** démettre qn de ses fonctions; **to ~ sb from power** destituer qn; **3** (dispel) dissiper [*suspicion, fears, boredom*]; chasser [*doubt*]; écarter [*obstacle, difficulty*]; supprimer [*threat*]; **4** euph (kill) supprimer, liquider○ [*person*]; **5** Comput effacer
C *vi* sout déménager; **they have ~d from London to the country** ils ont déménagé de Londres pour aller s'installer à la campagne
D *v refl* **to ~ oneself** hum se retirer (**to** à)
E **removed** *pp adj* **1** **to be far ~d from** être très éloigné de [*reality, truth*]; **2** (in kinship) **cousin once/twice ~d** cousin au deuxième/troisième degré

remover /rɪˈmuːvə(r)/ *n* (person) déménageur *m*; ▸ **stain remover etc**

REM sleep *n* sommeil *m* paradoxal, sommeil *m* rapide

remunerate /rɪˈmjuːnəreɪt/ *vtr* rémunérer (**for** pour)

remuneration /rɪˌmjuːnəˈreɪʃn/ *n* sout (all contexts) rémunération *f*

remunerative /rɪˈmjuːnərətɪv, US -nəreɪtɪv/ *adj* sout rémunérateur/-trice

renaissance /rɪˈneɪsns, US ˈrenəsɑːns/ *n* (of culture) renaissance *f*; (of interest etc) renouveau *m*

Renaissance /rɪˈneɪsns, US ˈrenəsɑːns/
A *pr n* **the ~** la Renaissance
B *modif* [*art, palace*] de la Renaissance

Renaissance man *n* fig esprit *m* universel

renal /ˈriːnl/ *adj* [*failure, function*] rénal

renal: **~ dialysis** *n* hémodialyse *f*; **~ specialist** ▸ **p. 1683** *n* néphrologue *mf*; **~ unit** *n* centre *m* de néphrologie

rename /ˌriːˈneɪm/ *vtr* rebaptiser

renascent /rɪˈnæsnt/ *adj* renaissant

rend /rend/ *vtr* (*prét, pp* **rent**) lit, fig déchirer

render /ˈrendə(r)/
A *n* Constr enduit *m*
B *vtr* **1** (cause to become) **to ~ sth impossible/harmless/lawful** rendre qch impossible/inoffensif/légal; **to ~ sb unconscious/homeless/speechless** laisser qn inconscient/sans abri/sans voix; **2** (provide) rendre [*service*] (**to** à); apporter [*assistance, aid*] (**to** à); **'for services ~ed'** 'pour services rendus'; **3** (give) rendre [*homage, respect, allegiance*] (**to** à); **to ~ one's life for sth** littér se sacrifier pour qch; **4** Art, Literat, Mus rendre [*work, mood, style*]; **5** (translate) rendre [*nuance*]; traduire [*text, phrase*] (**into** en); **6** Comm (submit) remettre [*account*]; présenter [*statement*]; **'for account ~ed'** 'suivant compte remis'; **7** Jur rendre [*judgment, decision*]; **8** Constr enduire, recouvrir [*wall, surface*]; **9** (melt down) ▸ **render down**

Phrasal verbs ■ **render down**: ▸ **~ [sth] down, ~ down [sth]** faire bouillir [qch] pour le/la dégraisser [*carcass, meat*]
■ **render up**: ▸ **~ up [sth]** littér rendre [*soul, arms, treasure*]

rendering /ˈrendərɪŋ/ *n* **1** Art, Literat, Mus interprétation *f* (**of** de); **2** (translation) traduction *f* (**of** de); **3** Constr (plaster) enduit *m*

rendezvous /ˈrɒndɪvuː/
A *n* (*pl* ~) (meeting, place) rendez-vous *m inv*; **to have a ~ with sb** avoir rendez-vous avec qn
B *vi* (meet) se retrouver; **to ~ with sb** rejoindre qn

rendition /renˈdɪʃn/ *n* Art, Literat, Mus interprétation *f*

renegade /ˈrenɪgeɪd/
A *n* **1** (abandoning beliefs) renégat/-e *m/f*; **2** (rebel) rebelle *mf*
B *adj* **1** (abandoning beliefs) renégat; **2** (rebel) rebelle

renege /rɪˈniːg, -ˈneɪg/ *vi* se rétracter; **to ~ on an agreement** revenir sur sa parole

renegotiate /ˌriːnɪˈgəʊʃɪeɪt/ *vtr* renégocier [*deal, contract*]

renegotiation /ˌriːnɪˌgəʊʃɪˈeɪʃn/ *n* renégociation *f* (**of** de)

renegue *vi* = **renege**

renew /rɪˈnjuː, US -ˈnuː/
A *vtr* renouveler [*efforts, stock, passport, contract*]; renouer [*acquaintance*]; reprendre [*negotiations*]; changer [*tyres*]; raviver [*courage*]; faire prolonger [*library book*]
B **renewed** *pp adj* [*interest, optimism*] accru; [*attack, call*] renouvelé

renewable /rɪˈnjuːəbl, US -ˈnuːəbl/
A *n* (*gén pl*) forme *f* d'énergie renouvelable
B *adj* (all contexts) renouvelable

renewal /rɪˈnjuːəl, US -ˈnuːəl/
A *n* (of subscription, passport, lease) renouvellement *m*; (of hostilities, diplomatic relations) reprise *f*; (of interest) regain *m*; (of premises, drains) rénovation *f*; **to come up for ~** arriver à expiration, expirer
B *modif* [*date, fee, form*] de renouvellement

rennet /ˈrenɪt/ *n* présure *f*

renounce /rɪˈnaʊns/
A *vtr* renoncer à [*claim, party, habit, nationality, strategy, violence*]; renier [*faith, family, friend*]; répudier [*succession*]; dénoncer [*agreement, treaty*]
B *vi* Games renoncer

renovate /ˈrenəveɪt/ *vtr* rénover [*building*]; restaurer [*statue*]; remettre [qch] à neuf [*vehicle, electrical appliance*]

renovation /ˌrenəˈveɪʃn/
A *n* (process) rénovation *f*; **property in need of ~** maison à rénover
B **renovations** *npl* travaux *mpl* de rénovation
C *modif* [*scheme, project, work*] de rénovation.

renovation grant *n* GB prime *f* pour l'amélioration de l'habitat

renown /rɪˈnaʊn/ *n* renommée *f*; **of world/international ~** de renommée mondiale/internationale

renowned /rɪˈnaʊnd/ *adj* célèbre (**for** pour)

rent ➡▯ /rent/
A *prét, pp* ▸ **rend**
B *n* **1** (for accommodation) loyer *m*; **two months' ~ in advance** deux mois de loyer à l'avance; **for ~** à louer; **2** (rip) lit, fig déchirure *f*
C *modif* [*control, strike*] des loyers; [*increase*] de loyer
D *vtr* **1** (hire) louer [*car, TV, house, apartment*]; **2** (let) = **rent out**
E *vi* **1** [*tenant*] être locataire; **2** [*landlord*] **he ~s to students** il loue des logements à des étudiants; **3** [*property*] **to ~ for £600 a month** être loué pour 600 livres par mois
F **rented** *pp adj* [*room, villa*] loué; [*car, phone*] de location

Phrasal verb ■ **rent out**: ▸ **~ [sth] out, ~ out [sth]** louer (**to** à)

rent: **~-a-crowd**○ *adj* hum pej [*party, event*] *où l'on invite le plus de monde possible pour faire de l'effet*; **Rent Act** *n* GB Jur *décret régissant les relations entre locataires et bailleurs*; **~ agreement** *n* bail *m*

rental /ˈrentl/ *n* (of car, premises, equipment) location *f*; (of phone line) abonnement *m*; **monthly/weekly ~** location au mois/à la semaine; **car ~** location de voitures; **line ~** abonnement téléphonique; **the weekly ~ for the TV is £2** nous payons 2 livres par semaine pour la location de notre télévision

rental: **~ agreement** *n* bail *m*, contrat *m* de location; **~ building** *n* US immeuble *m* locatif; **~ company** *n* organisme *m* de location; **~ income** *n* rapport *m* locatif

rent: **~-a-mob**○ *n* péj agitateurs *mpl* (*recrutés*); **~ arrears** *npl* arriérés *mpl* de loyer; **~ book** *n* carnet *m* de quittances; **~ boy** *n* GB jeune prostitué *m*; **~ collector** *n* personne *f* chargée d'encaisser les loyers; **~-controlled** *adj* dont le loyer est contrôlé

renter /ˈrentə(r)/ *n* **1** (tenant) locataire *mf*; **2** (landlord) bailleur/-eresse *m/f*

rent-free /ˌrentˈfriː/
A *adj* [*house*] prêté gratuitement
B *adv* [*live, use*] sans payer de loyer

rent: **~ rebate** *n* remboursement *m* de loyer; **~ tribunal** *n* GB Jur *organisme chargé de fixer les loyers*

renumber /ˌriːˈnʌmbə(r)/ *vtr* renuméroter

renunciation /rɪˌnʌnsɪˈeɪʃn/ *n* (of faith, family, friend) reniement *m* (**of** de); (of pleasures) renoncement *m* (**of** à); (of right, nationality, title) renonciation *f* (**of** à); (of succession) répudiation *f* (**of** de)

reoccupy /ˌriːˈɒkjʊpaɪ/ *vtr* réoccuper [*territory*]; reprendre [*position*]

reoffend /riːəˈfend/ *vi* récidiver

reopen /ˌriːˈəʊpən/
A *vtr* (all contexts) rouvrir; **to ~ old wounds** fig rouvrir de vieilles plaies

---

➡▯ see Life in France

r

B *vi* [*school, shop*] rouvrir; [*trial, talks, play*] reprendre

reopening /ˌriːˈəʊpənɪŋ/ *n* réouverture *f*

reorder /ˌriːˈɔːdə(r)/
A *n* nouvelle commande *f*
B *vtr* commander [qch] à nouveau
C *vi* passer une nouvelle commande

reorganization /ˌriːˌɔːɡənaɪˈzeɪʃn/ *n* réorganisation *f*

reorganize /ˌriːˈɔːɡənaɪz/
A *vtr* réorganiser [*office, industry*]
B *vi* se réorganiser

rep /rep/ ▸ **p. 1683** *n* **1** Comm, Ind (*abrév* = **representative**) représentant *m* (de commerce); **2** Theat *abrév* ▸ **repertory**; **3** Tex reps *m*

Rep /rep/ *n* **1** US Pol *abrév* ▸ **Representative**; **2** US Pol *abrév* ▸ **Republican**

repackage /riːˈpækɪdʒ/ *vtr* **1** Comm reconditionner [*product*]; **2** fig reconditionner [*pay offer*]; modifier l'image publique de [*politician, media personality*]

repaid /ˌriːˈpeɪd/ *prét, pp* ▸ **repay**

repaint /ˌriːˈpeɪnt/ *vtr* repeindre

repair /rɪˈpeə(r)/
A *n* **1** gen réparation *f*; (of clothes) réparation *f*; Naut (of hull) radoub *m*; **to be under ~** [*building*] être en réparation; [*ship*] être au radoub; **the ~s to the roof cost £900** la réparation du toit a coûté 900 livres; **we have carried out the necessary ~s** gen nous avons fait les réparations nécessaires; Constr nous avons fait les travaux nécessaires; **to be (damaged) beyond ~** être irréparable; **'road under ~'** 'travaux'; **'heel ~s while you wait'** 'talon minute'; **2** sout (condition) **to be in good/bad ~, to be in a good/bad state of ~** être en bon/mauvais état; **to keep sth in good ~** (bien) entretenir qch
B *vtr* **1** lit réparer [*clothes*]; réparer, refaire [*road*]; réparer [*clock, machine*]; Naut radouber [*hull*]; **2** sout fig réparer [*wrong*]; améliorer [*relations*]
C *vi* (go) sout se retirer

repairable /rɪˈpeərəbl/ *adj* [*article*] réparable; [*wrong, situation*] remédiable

repairer /rɪˈpeərə(r)/ *n* réparateur/-trice *m/f*

repair: **~ kit** *n* trousse *f* de réparation; **~man** *n* réparateur *m*

repaper /ˌriːˈpeɪpə(r)/ *vtr* retapisser

reparation /ˌrepəˈreɪʃn/
A *n* sout réparation *f*; **to make ~ for sth** réparer qch
B **reparations** *npl* Pol indemnités *fpl* de guerre

repartee /ˌrepɑːˈtiː/ *n* **1** (conversation) échange *m* de bons mots; **2** (wit) repartie *f*; **3** (reply) réplique *f*, repartie *f*

repast /rɪˈpɑːst, US rɪˈpæst/ *n* littér repas *m*

repatriate /riːˈpætrɪeɪt, US -ˈpeɪt-/ *vtr* gen, Fin rapatrier

repatriation /ˌriːpætrɪˈeɪʃn, US -peɪt-/
A *n* rapatriement *m*
B *modif* [*scheme*] de rapatriement; [*arrangements*] pour le rapatriement

repay /rɪˈpeɪ/ *vtr* (*prét, pp* **repaid**) **1** rembourser [*person, sum, loan, debt*]; **2** rendre [*hospitality, favour*]; **to ~ a debt of gratitude** acquitter une dette de reconnaissance; **how can I ever ~ you (for your kindness)?** comment pourrai-je jamais vous remercier (de votre gentillesse)?; **you've been very hospitable, I hope one day I will be able to ~ you** vous m'avez généreusement accordé l'hospitalité, j'espère pouvoir un jour vous rendre la pareille; **3** sout (reward) **this book ~s careful reading** ce livre gagne à être lu attentivement

repayable /rɪˈpeɪəbl/ *adj* remboursable; **~ in instalments** remboursable par versements échelonnés

repayment /rɪˈpeɪmənt/ *n* remboursement *m* (**on** de); **to fall behind with one's ~s** accumuler des arriérés de remboursement

repayment: **~ mortgage** *n* emprunt *m* hypothécaire à remboursements; **~ schedule** *n* échéancier *m* (de remboursement)

repeal /rɪˈpiːl/
A *n* Jur abrogation *f* (**of** de)
B *vtr* abroger

repeat /rɪˈpiːt/
A *n* **1** (of event, performance, act) répétition *f*; Theat (in same week) deuxième représentation *f*; **2** Radio, TV rediffusion *f*, reprise *f*; **3** Mus (of movement) reprise *f*
B *modif* gen [*attack, attempt, offer, order, performance*] répété; **~ offender** Jur récidiviste *mf*; **~ prescription** Med ordonnance *f* renouvelable
C *vtr* **1** gen répéter [*word, action, success, offer, test*]; Sch redoubler [*year*]; recommencer [*course*]; Radio, TV rediffuser [*programme*]; **to ~ that** répéter que; **to be ~ed** gen [*event, attack*] se répéter; Radio, TV être rediffusé; Comm [*offer*] se représenter, être renouvelé; **2** Mus reprendre [*movement, motif*]
D *vi* **cucumbers ~ on me** euph je digère mal les concombres
E *v refl* **to ~ oneself** se répéter; **history is ~ing itself** l'histoire se répète

repeatable /rɪˈpiːtəbl/ *adj* répétable

repeated /rɪˈpiːtɪd/ *adj* **1** gen [*warnings, requests, criticisms, refusals*] répété, réitéré; [*efforts, attempts*] répété; [*defeats, difficulties, setbacks*] successif/-ive; **2** Mus [*movement, theme*] repris

repeatedly /rɪˈpiːtɪdlɪ/ *adv* plusieurs fois, à plusieurs reprises

repeater /rɪˈpiːtə(r)/ *n* **1** (gun) arme *f* à répétition; **2** (watch) montre *f* à répétition; **3** Elec répétiteur *m* (de signaux électriques); **4** US Sch redoublant/-e *m/f*; **5** US Jur (habitual offender) récidiviste *mf*

repeating firearm *n* arme *f* à répétition

repeg /ˌriːˈpeɡ/ *vtr* (*p prés etc* **-gg-**) réaligner

repel /rɪˈpel/ *vtr* (*p prés etc* **-ll-**) **1** (defeat) repousser [*invader, advances*]; **2** (disgust) dégoûter; **to be ~led by sb** trouver qn repoussant; **3** Electron, Phys [*electric charge*] repousser; [*surface*] résister à [*water*]

repellent /rɪˈpelənt/ *adj* [*idea, image*] repoussant; ▸ **insect repellent**

repent /rɪˈpent/
A *vtr* **1** (feel remorse about) se repentir de; **2** (regret) regretter
B *vi* se repentir

(Idiom) **marry in haste ~ at leisure** Prov qui se marie promptement s'en repent à loisir

repentance /rɪˈpentəns/ *n* repentir *m*

repentant /rɪˈpentənt/ *adj* repentant fml

repercussion /ˌriːpəˈkʌʃn/ *n* **1** (consequence) répercussion *f* (**of** de; **on** sur; **for** pour); **to have ~s** avoir des répercussions; **2** Phys (recoil) répercussion *f*

repertoire /ˈrepətwɑː(r)/ *n* (all contexts) répertoire *m*

repertory /ˈrepətrɪ, US -tɔːrɪ/ *n* **1** **to work in ~** jouer avec une troupe de province; **2** = **repertoire**

repertory company *n* troupe *f* de théâtre de province

repetition /ˌrepɪˈtɪʃn/ *n* répétition *f*

repetitious /ˌrepɪˈtɪʃəs/ *adj* répétitif/-ive

repetitive /rɪˈpetɪtɪv/ *adj* répétitif/-ive

repetitively /rɪˈpetɪtɪvlɪ/ *adv* de façon répétitive

repetitiveness /rɪˈpetɪtɪvnɪs/ *n* répétitivité *f*

repetitive strain injury, **RSI** *n* Med microtraumatismes *mpl* répétés, trouble *m* musculo-squelettique, TMS *m*

rephrase /ˌriːˈfreɪz/ *vtr* reformuler [*remark*]

repine /rɪˈpaɪn/ *vi* littér se plaindre (**at** de)

replace /rɪˈpleɪs/ *vtr* **1** (put back) remettre [*lid, cork*]; remettre [qch] à sa place [*book, ornament*]; **to ~ the receiver** raccrocher; **2** (supply replacement for) remplacer [*goods*] (**with** par); **3** (in job) remplacer [*person*]; **4** euph (dismiss) remplacer; **5** Comput remplacer

replaceable /rɪˈpleɪsəbl/ *adj* remplaçable

replacement /rɪˈpleɪsmənt/
A *n* **1** (person) remplaçant/-e *m/f* (**for** de); **2** Comm **we will give you a ~** (article) on vous le/la remplacera; **3** (act) remplacement *m*; **4** (spare part) pièce *f* de rechange
B *modif* [*staff*] intérimaire; [*cost*] de remplacement; [*engine, part*] de rechange

replant /ˌriːˈplɑːnt/ *vtr* replanter

replay
A /ˈriːpleɪ/ *n* Sport match *m* rejoué; fig répétition *f*; **action ~, instant ~** US replay *m*, reprise *f* d'une séquence
B /ˌriːˈpleɪ/ *vtr* **1** Mus rejouer [*piece*]; **2** Audio écouter [qch] à nouveau [*disc, cassette*]; **3** Sport rejouer [*match*]

replenish /rɪˈplenɪʃ/ *vtr* reconstituer [*stocks*]; remplir [*larder*]; restocker [*shop shelves*]; réapprovisionner [*account*]; **may I ~ your glass?** laissez-moi vous resservir

replenishment /rɪˈplenɪʃmənt/ *n* (of stocks) reconstitution *f*; (of larder) remplissage *m*; (of shop shelves) restockage *m*; (of account) réapprovisionnement *m*

replete /rɪˈpliːt/ *adj* **1** (after eating) rassasié (**with** de); **2** (fully supplied) rempli (**with** de)

repletion /rɪˈpliːʃn/ *n* sout satiété *f*

replica /ˈreplɪkə/ *n* réplique *f*, copie *f* (**of** de)

replicate /ˈreplɪkeɪt/
A *vtr* gen renouveler [*success*]; copier [*style, document*]; reproduire [*result*]
B *vi* Med [*virus, chromosome*] se reproduire (par réplication)

replication /ˌreplɪˈkeɪʃn/ *n* Biol réplication *f*; fig (of error, result) reproduction *f*

reply /rɪˈplaɪ/
A *n* gen, Jur réponse *f*; **in ~ to** en réponse à; **to make no ~** ne pas répondre
B *vtr* répondre
C *vi* gen, Jur répondre (**to** à)

repoint /ˌriːˈpɔɪnt/ *vtr* rejointoyer [*wall*]

repointing /ˌriːˈpɔɪntɪŋ/ *n* rejointoyage *m*

repo man○ /ˈriːpəʊ mæn/ *n* = **repossession man**

report ➡ /rɪˈpɔːt/
A *n* **1** (written account) rapport *m* (**on** sur); (verbal account, minutes) compte rendu *m*
2 (notification) **have you had any ~s of lost dogs this evening?** est-ce qu'on a signalé des chiens perdus ce soir?
3 Admin (published findings) rapport *m*; (of enquiry) rapport *m* d'enquête; **to prepare/publish a ~** préparer/publier un rapport; **the chairman's/committee's ~** le rapport présidentiel/de la commission; **the Warren commission's ~** le rapport d'enquête de la commission Warren
4 Journ, Radio, TV communiqué *m*; (longer) reportage *m*; **and now a ~ from our Moscow correspondent** et maintenant un communiqué de notre envoyé spécial à Moscou; **we bring you this special ~** voici un communiqué spécial
5 GB Sch bulletin *m* scolaire
6 US Sch (review) critique *f*; **to write a ~** faire une critique
7 (noise) détonation *f*
B **reports** *npl* Journ, Radio, TV, gen (unsubstantiated news) **we are getting ~s of heavy fighting** des combats intensifs auraient lieu; **there have been ~s of understaffing in prisons** les prisons manqueraient de gardiens; **according to ~s, the divorce is imminent** selon certaines sources, le divorce serait imminent; **I've**

➡ see Effective French

r

heard ~s that the headmaster is taking early retirement j'ai entendu dire que le directeur va partir en préretraite
C *vtr* **1** (relay) signaler [*fact, occurrence*]; **I have nothing to ~** je n'ai rien à signaler; **to ~ sth to sb** transmettre qch à qn [*result, decision, news*]; **the Union ~ed the vote to the management** le syndicat a transmis le résultat du vote à la direction; **did she have anything of interest to ~?** avait-elle quelque chose d'intéressant à raconter?; **my friend ~ed that my parents are well** mon ami m'a dit que mes parents vont bien
2 Journ, TV, Radio (give account of) faire le compte rendu de [*debate*]; **Peter Jenkins is in Washington to ~ the latest developments** Peter Jenkins est à Washington pour nous tenir au courant des dernières nouvelles; **only one paper ~ed their presence in Paris** un seul journal a fait état de leur présence à Paris; **the French press has ~ed that the tunnel is behind schedule** selon la presse française il y aurait du retard dans la construction du tunnel
3 Admin (notify authorities) signaler, déclarer [*theft, death, accident, case*]; **15 new cases of cholera were ~ed this week** on a signalé 15 nouveaux cas de choléra cette semaine; **five people are ~ed dead** on signale cinq morts; **no casualties have been ~ed** on ne signale pas de victimes; **three people were ~ed missing after the explosion** trois personnes ont été portées disparues après l'explosion
4 (allege) **it is ~ed that** il paraît que; **she is ~ed to have changed her mind** elle aurait (paraît-il) changé d'avis, il paraît qu'elle a changé d'avis
5 (make complaint about) signaler [*person*]; péj dénoncer [*person*]; **I shall ~ you to your headmaster** je vais te signaler à ton directeur; **your insubordination will be ~ed** votre insubordination sera signalée; **you will be ~ed to the boss** le directeur sera mis au courant; **the residents ~ed the noise to the police** les habitants se sont plaints du bruit au commissariat
D *vi* **1** (give account) **to ~ on** faire un compte rendu sur [*talks, progress*]; Journ faire un reportage sur [*event*]; **he will ~ to Parliament on the negotiations** il fera un compte rendu des négociations au parlement
2 (present findings) [*committee, group*] faire son rapport (**on** sur); **the committee will ~ in June** le comité fera son rapport en juin
3 (present oneself) se présenter; **~ to reception/to the captain** présentez-vous à la réception/au capitaine; **to ~ for duty** prendre son service; **to ~ sick** se faire porter malade; **to ~ to one's unit** Mil rejoindre son unité
4 Admin (have as immediate superior) **to ~ to** être sous les ordres (directs) de [*superior*]; **she ~s to me** elle est sous mes ordres
(Phrasal verb) ■ **report back**: ▸ **~ back**
1 (after absence) [*employee*] se présenter; **2** (present findings) [*committee, representative*] présenter un rapport (**about, on** sur)
reportage /ˌrepɔːˈtɑːʒ/ *n* reportages *mpl*
report: **~ card** *n* US bulletin *m* scolaire; **~ed clause** *n* proposition *f* indirecte
reportedly /rɪˈpɔːtɪdlɪ/ *adv* **he is ~ unharmed** il serait indemne; **they are ~ planning a new offensive** selon certaines sources, ils prépareraient une nouvelle offensive
reported speech *n* style *m* indirect
reporter /rɪˈpɔːtə(r)/ ▸ **p. 1683** *n* journaliste *mf*, reporter *mf*
reporting /rɪˈpɔːtɪŋ/ *n* Journ reportages *mpl*
report: **~ing restrictions** *npl* Jur, Journ embargo *m* sur l'information; **~ stage** *n* GB Pol *soumission à la Chambre d'un projet de loi après le passage en commission*
repose /rɪˈpəʊz/ sout
A *n* (rest) repos *m*; (peace of mind) tranquillité *f*; **in ~** au repos
B *vtr* placer [*trust*] (**in** dans)
C *vi* (lie buried) reposer; hum (be lying) [*person*] être allongé; [*object*] reposer
repository /rɪˈpɒzɪtrɪ, US -tɔːrɪ/ *n* **1** (person, institution) (of secret, power, authority) dépositaire *mf*; (of hopes, fears) confident/-e *m/f*; (of learning) gardien/-ienne *m/f*; **2** (place) dépôt *m* (**of, for** de)
repossess /ˌriːpəˈzes/ *vtr* [*bank, building society*] saisir [*house*]; [*landlord, creditor*] reprendre possession de [*property, goods*]
repossession /ˌriːpəˈzeʃn/ *n* saisie *f* immobilière; **to seek ~ of a house** faire saisir une maison
repossession: **~ man** *n* ≈ huissier *m*; **~ order** *n* ordre *m* de saisie immobilière
repp *n* = **rep 3**
reprehend /ˌreprɪˈhend/ *vtr* sout réprimander
reprehensible /ˌreprɪˈhensɪbl/ *adj* sout répréhensible
reprehensibly /ˌreprɪˈhensɪblɪ/ *adv* sout [*behave, act*] de façon répréhensible
reprehension /ˌreprɪˈhenʃn/ *n* sout réprimande *f*
represent /ˌreprɪˈzent/
A *vtr* **1** (act on behalf of) gen, Jur, Pol représenter [*person, group, region*]; **to be under-~ed** être insuffisamment représenté; **to be well ~ed** (numerous) être bien représenté; **2** (present, state to be) présenter [*person, situation, event*] (**as** comme); **3** (convey, declare) exposer [*facts, results, reasons etc*]; **4** (portray) [*painting, sculpture etc*] représenter; **5** (be sign or symbol of) (on map etc) représenter; **6** (correspond to, constitute) représenter; **that ~s an awful lot of work** cela représente une énorme somme de travail; **7** (be typical of, exemplify) représenter; **he ~s the best in the tradition** il représente ce qu'il y a de mieux dans la tradition; **8** Theat jouer [*character*]; interpréter [*role, part*]
B *v refl* **to ~ oneself as** se faire passer pour
re-present /ˌriːprɪˈzent/ *vtr* présenter de nouveau
representation /ˌreprɪzenˈteɪʃn/
A *n* **1** gen, Pol représentation *f* (**of** de; **by** par); **the right of workers to union ~** le droit des travailleurs à se faire représenter par un syndicat; **2** Theat (of character, scene) représentation *f*; (of role) interprétation *f*
B **representations** *npl* **to make ~s to sb** (make requests) faire des démarches auprès de qn; (complain) se plaindre officiellement auprès de qn; **to receive ~s from sb** recevoir les doléances de qn
representational /ˌreprɪzenˈteɪʃənl/ *adj* **1** gen représentatif/-ive; **2** Art figuratif/-ive
representative /ˌreprɪˈzentətɪv/
A ▸ **p. 1683** *n* gen représentant/-e *m/f*; Comm représentant/-e *m/f*, agent *m* (commercial); US Pol député *m*
B *adj* **1** (typical) représentatif/-ive, typique (**of** de); **a ~ cross-section** *ou* **sample of the population** un échantillon représentatif de la population; **2** Pol [*government, election, institution*] représentatif/-ive
repress /rɪˈpres/ *vtr* **1** (suppress) réprimer [*reaction, smile etc*]; Psych refouler; **2** (subjugate) opprimer [*people*]; réprimer [*revolt*]
repression /rɪˈpreʃn/ *n* **1** (of people) répression *f*; **2** Psych refoulement *m*
repressive /rɪˈpresɪv/ *adj* répressif/-ive
reprieve /rɪˈpriːv/
A *n* **1** Jur remise *f* de peine; **2** (delay) sursis *m*; **3** (respite) répit *m*
B *vtr* **1** Jur accorder une remise de peine à [*prisoner*]; **2** **the school was ~d** l'école a été sauvée; (for limited period) l'école a bénéficié d'un sursis
reprimand /ˈreprɪmɑːnd, US -mænd/
A *n* Admin, gen réprimande *f*
B *vtr* Admin, gen réprimander
reprint
A /ˈriːprɪnt/ *n* réimpression *f*
B /ˌriːˈprɪnt/ *vtr* réimprimer; **the book is being ~ed** le livre est en réimpression
C /ˌriːˈprɪnt/ *vi* [*book*] être en réimpression
reprisal /rɪˈpraɪzl/
A *n* représailles *fpl* (**for** à); **in ~ for, in ~ against** en représailles contre
B **reprisals** *npl* représailles *fpl* (**for** à; **against** contre); **to take ~s** exercer des représailles
reprise /rɪˈpriːz/
A *n* Mus reprise *f*
B *vtr* Mus reprendre
repro /ˈriːprəʊ/
A *n* **1** Print *abrév* ▸ **reprographics**; **2** Print (*also* **~ proof**) *abrév* ▸ **reproduction proof**; **3** ○*abrév* = **reproduction**
B ○*adj* [*house*] de style ancien; [*furniture*] de style
reproach /rɪˈprəʊtʃ/
A *n* (all contexts) reproche *m*; **above** *ou* **beyond ~** irréprochable
B *vtr* reprocher à [*person*]; **to ~ sb with** *ou* **for sth** reprocher qch à qn; **to ~ sb for doing** *ou* **having done** reprocher à qn d'avoir fait
C *v refl* **to ~ oneself** se reprocher (**for doing** d'avoir fait); **to ~ oneself for** *ou* **with sth** se reprocher qch
reproachful /rɪˈprəʊtʃfl/ *adj* [*person, remark, look, expression*] réprobateur/-trice; [*letter, word*] de reproche
reproachfully /rɪˈprəʊtʃfəlɪ/ *adv* [*look at*] d'un air réprobateur; [*say*] d'un ton réprobateur
reprobate /ˈreprəbeɪt/ *n* **the old ~** le vieux loustic
reprobation /ˌreprəˈbeɪʃn/ *n* réprobation *f*
reprocess /ˌriːˈprəʊses/ *vtr* retraiter
reprocessing /ˌriːˈprəʊsesɪŋ/ *n* retraitement *m*
reprocessing plant *n* Nucl usine *f* de retraitement (des déchets nucléaires)
reproduce /ˌriːprəˈdjuːs, US -ˈduːs/
A *vtr* (all contexts) reproduire
B *vi* Biol (*also* **~ oneself**) se reproduire
reproducible /ˌriːprəˈdjuːsəbl, US -ˈduːsəbl/ *adj* reproductible
reproduction /ˌriːprəˈdʌkʃn/ *n* reproduction *f*; **photographic/sound ~** reproduction photographique/sonore
reproduction: **~ furniture** *n* meubles *mpl* de style; **~ proof** *n* Print contre-épreuve *f*
reproductive /ˌriːprəˈdʌktɪv/ *adj* [*organ, process*] reproducteur/-trice; **~ cycle** cycle *m* reproductif
reprogram(me) /ˌriːˈprəʊgræm/ *vtr* reprogrammer
reprographic /ˌriːprəˈgræfɪk/ *adj* de reprographie (*after n*)
reprographics /ˌriːprəˈgræfɪks/, **reprography** /rɪˈprɒgrəfɪ/
A *n* (+ *v sg*) reprographie *f*
B *modif* [*process, copy*] de reprographie
reproof /rɪˈpruːf/ *n* réprimande *f*; **in ~** d'un air de réprimande
re-proof /ˌriːˈpruːf/ *vtr* réimperméabiliser [*coat, tent*]
reprove /rɪˈpruːv/ *vtr* réprimander [*person*] (**for** pour; **for doing** de faire)
reproving /rɪˈpruːvɪŋ/ *adj* réprobateur/-trice (*after n*)
reprovingly /rɪˈpruːvɪŋlɪ/ *adv* [*look, gesture*] d'un air réprobateur; [*say, speak*] d'un ton réprobateur
reptile /ˈreptaɪl, US -tl/ *n* Zool reptile *m* also fig, pej
reptile house *n* vivarium *m*
reptilian /repˈtɪlɪən/
A *n* Zool reptile *m*
B *adj* **1** Zool reptilien/-ienne; **2** ○fig, pej de reptile (*after n*)
republic /rɪˈpʌblɪk/ *n* république *f*

r

republican /rɪˈpʌblɪkən/
A *n* républicain/-e *m/f*
B *adj* républicain

Republican /rɪˈpʌblɪkən/
A *n* Pol **1** US Républicain/-e *m/f*; **2** (in Northern Ireland) Républicain/-e *m/f*; (IRA supporter) partisan/-e *m/f* de l'IRA
B *adj* républicain

republicanism /rɪˈpʌblɪkənɪzəm/ *n* **1** gen républicanisme *m*; **2** **Republicanism** Pol US tendance *f* républicaine; (in Northern Ireland) Républicanisme *m*; (support for IRA) tendance *f* pro-IRA

republication /ˌriːpʌblɪˈkeɪʃn/ *n* réédition *f*

republish /ˌriːˈpʌblɪʃ/ *vtr* rééditer

repudiate /rɪˈpjuːdɪeɪt/ *vtr* **1** (reject) gen rejeter; répudier [*spouse*]; **2** (give up) abandonner [*action, violence, aim*]; **3** Jur refuser d'honorer [*treaty, contract, obligation*]

repudiation /rɪˌpjuːdɪˈeɪʃn/ *n* (of charge, claim, violence) rejet *m*; (of spouse) répudiation *f*; (of treaty) refus *m* d'honorer

repugnance /rɪˈpʌgnəns/ *n* aversion *f* (**for sth** pour qch; **for sb** contre qn)

repugnant /rɪˈpʌgnənt/ *adj* répugnant; **to be ~ to sb** répugner à qn

repulse /rɪˈpʌls/
A *vtr* gen, Mil repousser [*attack, force*]
B **repulsed** *pp adj* (disgusted) répugné

repulsion /rɪˈpʌlʃn/ *n* (all contexts) répulsion *f*

repulsive /rɪˈpʌlsɪv/ *adj* **1** (disgusting) repoussant; **2** Phys répulsif/-ive

repulsively /rɪˈpʌlsɪvlɪ/ *adv* [*act*] de façon repoussante; **~ ugly/dirty** d'une laideur/saleté repoussante

repulsiveness /rɪˈpʌlsɪvnɪs/ *n* aspect *m* repoussant

repurchase /ˌriːˈpɜːtʃɪs/
A *n* rachat *m*
B *vtr* racheter

repurchase agreement *n* Fin contrat *m* de report

reputable /ˈrepjʊtəbl/ *adj* [*accountant, firm, shop*] de bonne réputation; [*profession*] honorable

reputation /ˌrepjʊˈteɪʃn/ *n* réputation *f*; **to have a good/bad ~** avoir bonne/mauvaise réputation; **she has a ~ as a good lawyer** elle a la réputation d'être un bon avocat; **your ~ as** ta réputation de [*lawyer, poet etc*]; **he has a ~ for honesty/arriving late** il a la réputation d'être honnête/d'arriver en retard; **to have the ~ of being** avoir la réputation d'être; **by ~** de réputation; **to live up to one's ~** être à la hauteur de sa réputation

repute /rɪˈpjuːt/ *n* **of ~** réputé; **to be of high/low ~** avoir bonne/mauvaise réputation; **to hold sb/sth in high ~** tenir qn/qch en haute estime; **a woman of ill ~** euph une femme de mauvaise vie; **a house of ill ~** euph une maison close

reputed /rɪˈpjuːtɪd/ *adj* **1** (well known) réputé; **2** (alleged) Jur putatif/-ive; **3** **to be ~ to be** (have reputation of being) avoir la réputation d'être; **he is ~ to be very rich** à ce que l'on dit il serait très riche

reputedly /rɪˈpjuːtɪdlɪ/ *adv* à ce que l'on dit

request /rɪˈkwest/
A *n* **1** (comment) demande *f* (**for** de; **to** à), requête *f* (**for** de; **to** à); **to make a ~** faire une demande; **on ~** sur demande; **at the ~ of** sur la demande de; **at your ~** sur votre demande; **by popular ~** à la demande générale; **by special ~** sur demande spéciale; **I have received a ~ that I do/do not do** on m'a demandé de faire/de ne pas faire; **a ~ that we (should) be allowed to do** une demande d'autorisation de faire; **'No flowers by ~'** 'Ni fleurs ni couronnes'; **2** Radio dédicace *f*; **to play a ~ for sb** passer un disque à la demande de qn
B *vtr* demander [*information, help, money*] (**from** à); **to ~ sb to do** demander à qn de faire; **to ~ sb's help** demander de l'aide à qn; **to ~ that sth be done** demander que qch soit fait; **you are kindly ~ed not to smoke** prière de ne pas fumer; **as ~ed** (in correspondance) conformément à votre demande

request stop *n* GB arrêt *m* facultatif

requiem /ˈrekwɪem/ *n* requiem *m*; **Mozart's Requiem** le Requiem de Mozart

requiem mass *n* messe *f* de requiem

require /rɪˈkwaɪə(r)/
A *vtr* **1** (need) [*person, client, company*] avoir besoin de [*help, money, staff, surgery*]; **this machine ~s servicing** cette machine a besoin d'être révisée; **take the tablets as ~d** en cas de besoin prenez les cachets; **'does Madam ~ tea?'** sout 'Madame désire-t-elle du thé?'; **2** (demand) [*job, law, person, situation*] exiger [*explanation, funds, obedience, qualifications*]; **to be ~d by law** être exigé par la loi; **to ~ that** exiger que (+ *subj*); **to ~ sth of** *ou* **from** exiger qch de; **to be ~d to do** être tenu de faire; **this job ~s an expert** ce travail nécessite un expert
B **required** *pp adj* [*amount, shape, size, qualification*] exigé; **to be ~d reading** [*writer*] être une lecture exigée; **by the ~d date** en temps voulu, avant la date exigée; **~d course** US Univ matière *f* obligatoire

requirement /rɪˈkwaɪəmənt/ *n* **1** (need) besoin *m* (**for** pour); **to meet sb's ~s** satisfaire les besoins de qn; **market/customer ~s** besoins du marché/client; **performance ~s** critères *mpl* de performance; **2** (condition) condition *f*; **university entrance ~s** conditions d'entrée à l'université; **to fulfil** *ou* **meet** *ou* **satisfy the ~s** remplir les conditions; **what are the ~s for membership?** quelles sont les conditions pour devenir membre?; **3** (obligation) obligation *f* (**to do** de faire); **legal ~** obligation légale; **there is no ~ for you to do** vous n'êtes pas obligé de faire; **the ~ for us to do** l'obligation pour nous de faire; **there is a ~ that we do** nous devons faire, nous sommes tenus de faire; **there is a ~ that guns be registered** les armes doivent être déclarées; **4** US Univ (required course) matière *f* obligatoire

requisite /ˈrekwɪzɪt/
A *n* condition *f* (**for** pour)
B **requisites** *npl* (for artist, office) fournitures *fpl*; **toilet/smokers' ~s** articles *mpl* de toilette/pour fumeurs
C *adj* exigé, requis

requisition /ˌrekwɪˈzɪʃn/
A *n* **1** Mil réquisition *f*; **2** Admin commande *f*; **the paper is on ~** le papier a été commandé
B *vtr* **1** Mil réquisitionner [*supplies, vehicle*]; **2** Admin faire une commande de [*equipment, stationery*]

requisition order *n* Jur arrêté *m* de réquisition

requital /rɪˈkwaɪtl/ *n* sout (reward) récompense *f*; (revenge) punition *f*; **in ~ of** (reward) en récompense de; (revenge) pour se venger de

requite /rɪˈkwaɪt/ *vtr* sout (repay kindness) récompenser [*person, service*] (**for** de; **with** par); (repay bad deed) se venger de [*person, wrong, injury*]; **~d love** amour partagé

reran /ˌriːˈræn/ *prét* ▸ **rerun** *vtr*

reread /ˌriːˈriːd/ *vtr* (*prét, pp* **reread**) relire

reredos /ˈrɪədɒs/ *n* retable *m*

reroof /ˌriːˈruːf/ *vtr* refaire la toiture de [*building*]

reroute /ˌriːˈruːt/ *vtr* changer l'itinéraire de [*flight*]; dévier [*traffic, race*]

rerun
A /ˈriːrʌn/ *n* (*also* **re-run**) Cin, Theat reprise *f*; TV rediffusion *f*; fig (of incident, problem) répétition *f*
B /ˌriːˈrʌn/ *vtr* (*prét* **reran**; *pp* **rerun**) Cin, Theat reprendre [*film, play*]; TV rediffuser; Pol refaire [*election, vote*]; Sport recommencer [*race*]

resale /ˈriːseɪl, riːˈseɪl/ *n* revente *f*; **not for ~** ne peut être vendu

resat /ˌriːˈsæt/ *prét, pp* ▸ **resit** *vtr*

reschedule /ˌriːˈʃedjuːl, US -ˈskedʒʊl/ *vtr* **1** gen (change time) changer l'heure de; (change date) changer la date de [*match, performance*]; **2** Fin rééchelonner [*debt, repayment*]

rescheduling /ˌriːˈʃedjuːlɪŋ, US -ˈskedʒʊlɪŋ/ *n* Fin rééchelonnement *m*

rescind /rɪˈsɪnd/ *vtr* Jur *ou* sout abroger [*law*]; annuler [*decision, order, treaty*]; résilier [*contract, agreement*]; casser [*judgment*]; retirer [*statement*]

rescission /rɪˈsɪʒn/ *n* Jur *ou* sout (of law) abrogation *f*; (of decision, order, treaty) annulation *f*; (of contract, agreement) résiliation *f*; (of judgment) cassation *f*; (of statement) retrait *m*

rescript /ˌriːˈskrɪpt/ *vtr* récrire

rescue /ˈreskjuː/
A *n* **1** (aid) secours *m*; **to wait for ~** attendre les secours; **to come/to go to sb's/sth's ~** venir/aller au secours de qn/qch; **to come/to go to the ~** venir/aller à la rescousse; **X to the ~!** X à la rescousse!; **2** (operation) sauvetage *m* (**of** de); **3** (service) service *m* de secours; **air-sea ~** service aéro-naval de sauvetage
B *modif* [*bid, helicopter, mission, operation, work*] de sauvetage; [*centre, service, team*] de secours
C *vtr* **1** (save life of) sauver (**from** de); **2** (aid) porter secours à [*person, company*]; venir à l'aide de [*economy, industry*]; **3** (release) libérer (**from** de); **4** (preserve) (from destruction) sauver [*planet, wildlife*]; (from closure) éviter la fermeture de [*school, museum, factory*]; **5** (salvage) récupérer [*valuables, documents*]; sauver [*plan, game*]

rescue: **~ cover** *n* Insur assurance *f* sauvetage; **~ package** *n* Fin plan *m* de sauvetage; **~ party** *n* équipe *f* de secours

rescuer /ˈreskjuːə(r)/ *n* sauveteur *m*

rescue worker *n* secouriste *mf*

research /rɪˈsɜːtʃ, ˈriːsɜːtʃ/
A *n* **1** (academic, medical etc) recherche *f* (**into, on** sur); **to do ~** faire de la recherche; **money for cancer ~** de l'argent pour la recherche sur le cancer; **she's doing some ~ on cancer** elle fait des recherches sur le cancer; **animal ~** expériences *fpl* sur les animaux; **a piece of ~** une recherche; **2** Comm (for marketing) études *fpl*; **~ shows that** les études montrent que; **market ~** étude *f* de marché; **3** Journ, Radio, TV documentation *f* (**into** sur)
B **researches** *npl* (investigations) recherches *fpl* (**into, on** sur)
C *modif* [*assistant, department, grant, institute, programme, project, unit*] de recherche; [*student*] qui fait de la recherche; [*funding*] pour la recherche; **~ work** recherche *f*; **~ biologist/chemist/physicist/scientist** chercheur/-euse *m/f* en biologie/chimie/physique/science
D *vtr* **1** gen, Univ faire des recherches dans [*field*]; faire des recherches sur [*topic*]; préparer [*book, article, play*]; **2** Journ, Radio, TV se documenter sur [*issue, problem*]; **well ~ed** bien documenté; **3** Comm faire une étude sur [*consumer attitudes, customer needs*]; **to ~ the market** faire une étude de marché; **you will be required to ~ techniques for...** votre tâche consistera à mettre au point des techniques de...
E *vi* **to ~ into** faire des recherches sur

research: **~ and development, R&D** *n* recherche-développement *f*, recherche *f* et développement *m*; **~ assistant** ▸ **p. 1683** *n* GB Univ assistant/-e *m/f* d'un chercheur

researcher /rɪˈsɜːtʃə(r), ˈriːsɜːtʃə(r)/ ▸ **p. 1683** *n* **1** (academic, scientific) chercheur/-euse *m/f*; **2** TV documentaliste *mf*

research: **~ establishment** *n* centre *m* de recherches; **~ fellow** *n* GB Univ chercheur/-euse *m/f* universitaire; **~ fellowship** *n* GB Univ poste *m* de chercheur universitaire; ~ **laboratory** *n* laboratoire *m* de recherches; ~ **worker** ▸ p. 1683 *n* chercheur/-euse *m/f*

reseat /ˌriːˈsiːt/ *vtr* **1** faire rasseoir [*person*]; **2** regarnir le fond de [*chair*]

resection /ˌriːˈsekʃn/ *n* Med résection *f*

reselect /ˌriːsɪˈlekt/ *vtr* Pol réélire [qn] (*à l'intérieur d'un parti*)

reselection /ˌriːsɪˈlekʃn/ *n* Pol réélection *f* (*à l'intérieur d'un parti*); **to stand for** ~ se présenter à une réélection

resell /riːˈsel/ *vtr* (*prét, pp* **-sold**) revendre

resemblance /rɪˈzembləns/ *n* ressemblance *f* (**between** entre; **to** avec); **family** ~ air *m* de famille; **to bear a close** ~ **to** ressembler fort à; **to bear no** ~ **to** ne pas ressembler à; **there the** ~ **ends** la ressemblance s'arrête là

resemble /rɪˈzembl/ *vtr* ressembler à [*person, building, object*]; **to** ~ **each other** se ressembler; **she** ~**s him in manner** elle a les mêmes manières que lui; **he had never had anything resembling a steady job** il n'avait jamais rien eu qui ressemble à un emploi stable; **he** ~**d nothing so much as a tramp** il avait vraiment l'air d'un clochard

resent /rɪˈzent/ *vtr* en vouloir à [*person*]; mal supporter [*change, system*]; ne pas aimer [*tone, term*]; **he** ~**ed her** il lui en voulait (**for doing** d'avoir fait); **to** ~ **sb's success** en vouloir à qn pour son succès; **to** ~ **having to do** ne pas supporter de faire; **I** ~ **that remark** cette réflexion ne me plaît pas du tout; **to** ~ **sb doing** ne pas supporter que qn fasse; **he** ~**ed her being better paid** il ne supportait pas qu'elle soit mieux payée que lui; **to** ~ **the fact that** ne pas supporter le fait que (+ *subj*)

resentful /rɪˈzentfl/ *adj* [*person*] plein de ressentiment (**at** à; **of** à l'égard de); [*look*] de ressentiment; **to be** ~ **of sb** en vouloir à qn

resentfully /rɪˈzentfəlɪ/ *adv* [*look, reply*] avec ressentiment

resentment /rɪˈzentmənt/ *n* ressentiment *m* (**about** au sujet de; **against** envers; **at** à l'égard de); ~ **among** mécontentement *m* parmi [*workers, residents, locals*]

reservation /ˌrezəˈveɪʃn/ *n* **1** (doubt, qualification) réserve *f*; **mental** ~ restriction *f* mentale; **without** ~ sans réserve; **with some** ~**s** avec certaines réserves; **to have** ~**s about sth** avoir des doutes sur qch; **they expressed some** ~**s about the plan** ils ont émis des réserves au sujet du projet; **2** (booking) réservation *f*; **to make a** ~ **at a restaurant** réserver *or* retenir une table au restaurant; **do you have a** ~**?** avez-vous réservé?; **3** US (Indian land) réserve *f*; **4** Jur réserve *f* conventionnelle

reservation desk *n* bureau *m* des réservations

reserve /rɪˈzɜːv/

A *n* **1** (resource, stock) (of commodity) réserve *f*; (of food, parts, ammunition) réserve *f*, stock *m*; **oil/gold** ~**s** réserves de pétrole/d'or; **capital/currency** ~**s** réserves de capitaux/de devises; **to have** ~**s of energy/of patience** avoir des réserves d'énergie/de patience; **to keep** *ou* **hold sth in** ~ tenir qch en réserve; **2** (reticence) réserve *f*; **to break through sb's** ~ percer la réserve de qn; **to lose one's** ~ perdre sa réserve, sortir de sa réserve; **3** (doubt, qualification) réserve *f*, restriction *f*; **without** ~ sans réserve *or* restriction; **4** Mil **the** ~ la réserve; **the** ~**s** les réservistes, la réserve; **5** Sport remplaçant/-e *m/f*; **6** (area of land) réserve *f*; **wildlife** ~ réserve naturelle; **7** Comm = **reserve price**

B *modif* [*currency, fund, stock, supplies*] de réserve; Sport [*team*] de réserve; [*player*] remplaçant; Mil [*army, forces*] de réserve

C *vtr* **1** (set aside) réserver, mettre [qch] en réserve *or* de côté; **she** ~**s her fiercest criticism for...** elle réserve ses critiques les plus féroces pour...; **to** ~ **a warm welcome for sb** réserver un accueil chaleureux à qn; **to** ~ **one's strength** ménager ses forces; **to** ~ **the right to do sth** se réserver le droit de faire qch; **the management** ~**s the right to refuse admission** la direction se réserve le droit de refuser l'entrée; **to** ~ **judgment** réserver son jugement; **2** (book) réserver [*room, seat*]

reserve bank *n* US banque *f* de réserve

reserved /rɪˈzɜːvd/ *adj* **1** [*person, manner*] réservé; **to be** ~ **about sth** rester réservé sur qch; **2** (booked) [*table, room, seat etc*] réservé; **3** Comm **all rights** ~ tous droits réservés; **4** Comput ~ **word** mot *m* réservé

reservedly /rɪˈzɜːvɪdlɪ/ *adv* avec réserve

reserve: ~ **list** *n* liste *f* de réserve; ~ **petrol tank** *n* réservoir *m* d'essence de secours; ~ **price** *n* GB prix *m* minimum, mise *f* à prix

reservist /rɪˈzɜːvɪst/ *n* réserviste *m*

reservoir /ˈrezəvwɑː(r)/ *n* **1** lit réservoir *m*; **2** fig (of funds) réserve *f* (**of** de); (of labour) réservoir *m*

reset /ˌriːˈset/ *vtr* (*p prés* **-tt-**; *prét, pp* **reset**) **1** gen (adjust) régler [*control, machine*]; remettre [qch] à l'heure [*clock*]; remettre [qch] à zéro [*counter*]; **2** Med réduire [*broken bone*]; **3** Comput réinitialiser [*computer*]; **4** Print recomposer [*type*]; **5** [*jeweller*] ressertir [*stone, gem*]

reset: ~ **button** *n* Comput, Print bouton *m* de réinitialisation; ~ **key** *n* Comput touche *f* de réinitialisation

resettle /ˌriːˈsetl/

A *vtr* réinstaller [*refugee, worker, immigrant*]; repeupler [*area*]

B *vi* se réinstaller

resettlement /ˌriːˈsetlmənt/ *n* (of immigrants, refugees) intégration *f*; (of prisoner, delinquent) réinsertion *f*

resettlement house *n* US centre *m* de réinsertion

reshape /ˌriːˈʃeɪp/ *vtr* **1** lit remodeler [*form*]; remodeler [*nose, chin etc*]; **2** (restructure) restructurer, réorganiser [*industry, economy, policy, constitution*]; réorganiser [*life*]

reshuffle /ˌriːˈʃʌfl/

A *n* **1** Pol remaniement *m*; **cabinet** ~ remaniement ministériel; **2** (of cards) remélange *m*

B *vtr* **1** Pol remanier [*cabinet*]; **2** Games rebattre [*cards*]

reside /rɪˈzaɪd/ *vi* sout **1** gen, Jur (live) résider, habiter (**with** avec); **2** (be present in) résider (**in** dans)

residence /ˈrezɪdəns/ *n* **1** (in property ad) maison *f*; (prestigious) maison *f* de standing; **family** ~ maison *f or* demeure *f* familiale; **2** sout (dwelling) maison *f*, demeure *f* fml; **3** Admin **official/permanent** ~ résidence *f* officielle/permanente; **4** Admin, Jur (in area, country) résidence *f*; **place of** ~ lieu de résidence; **to take up** ~ [*person, animal*] élire domicile; **she has taken up** ~ **in France/Paris** elle a élu domicile en France/à Paris; **to be in** ~ sout [*monarch*] être au château; **artist/writer in** ~ artiste/écrivain résident; ▸ **hall of residence**; **5** US Univ (*also* ~ **hall**) résidence *f* universitaire

residence permit ➡▣
n permis *m* de séjour

residency /ˈrezɪdənsɪ/

A *n* **1** (for artist, orchestra) tournée *f*; **2** Jur (residence) droit *m* de séjour; **3** US Med (training) internat *m*

B *modif* [*requirement, right*] de séjour

resident /ˈrezɪdənt/

A *n* (of city, region, suburbs) résident/-e *m/f*; (of street) riverain/-e *m/f*; (of home, hostel) résident/-e *m/f*; (of guest house) pensionnaire *mf*; **'~s' parking only'** stationnement *m* réservé aux riverains; **the local** ~**s** les habitants du quartier

B *adj* **1** (permanent) [*population, species*] local; [*work force*] permanent; **to be** ~ **in** [*town, district, region*] résider dans; **to be** ~ **abroad/in the UK/in Paris** résider à l'étranger/au Royaume-Uni/à Paris; **2** (live-in) (*épith*) [*staff, nurse, tutor, caretaker, specialist*] à demeure; **3** [*band, orchestra*] permanent

resident head *n* US Univ directeur/-trice *m/f* d'une résidence universitaire

residential /ˌrezɪˈdenʃl/ *adj* **1** [*area, district, development*] résidentiel/-ielle; ~ **accommodation** logements *mpl*; **2** (living in) [*staff*] à demeure; [*course*] en internat; ~ **home** GB (for elderly) maison *f* de retraite; (for disabled) institution *f* pour handicapés; (for youth) foyer *m* d'accueil; ~ **school** Sch établissement *m* d'éducation spécialisée; **to be in** ~ **care** Soc Admin être pris en charge par une institution; **a** ~ **post** un poste imposant résidence à demeure.

residential qualification *n* quotité *f* d'imposition pour être électeur

resident: ~**s association** *n* association *f* de quartier; ~ **student** *n* US Univ *étudiant résidant dans le même état que son université*

residual /rɪˈzɪdjʊəl, US -dʒʊ-/

A *n* **1** Math reste *m*; **2** Chem résidu *m*; **3** Stat écart *m*

B **residuals** *npl* Jur *droits d'auteur versés en cas de rediffusion d'un programme télévisé ou d'un film*

C *adj* **1** gen [*desire, prejudice, need*] persistant; [*income, value*] résiduel/-elle; **a** ~ **fear of authority** une peur de l'autorité qui persiste; **2** Chem, Phys résiduel/-elle; **3** Geol résiduaire

residuary /rɪˈzɪdjʊərɪ, US -dʒʊerɪ/ *adj* = **residual C 1**

residuary: ~ **estate** *n* Jur propriété *f* résiduelle; ~ **legatee** *n* Jur légataire *m* universel

residue /ˈrezɪdjuː, US -duː/ *n* **1** gen, Chem résidu *m* (**of** de); **2** fig reste *m* (**of** de); **3** Jur reliquat *m* d'une succession

resign /rɪˈzaɪn/

A *vtr* démissionner de [*post, job*]; **to** ~ **one's seat** (on committee) démissionner de son poste; (as MP) démissionner de son mandat parlementaire; **to** ~ **one's commission** Mil démissionner de l'armée

B *vi* démissionner (**as** du poste de; **from** de; **over** à cause de); **to be called on to** ~ être prié de démissionner

C *v refl* **to** ~ **oneself** se résigner (**to** à; **to doing** à faire)

resignation /ˌrezɪɡˈneɪʃn/

A *n* **1** (from post) démission *f* (**from** de; **as** du poste de); **to offer** *ou* **tender one's** ~ présenter sa démission; **to send in** *ou* **hand in one's** ~ donner sa démission; **2** (patience) résignation *f*; **with** ~ avec résignation

B *modif* [*letter*] de démission

resigned /rɪˈzaɪnd/ *adj* résigné (**to** à; **to doing** à faire)

resignedly /rɪˈzaɪnɪdlɪ/ *adv* [*act, look at*] d'un air résigné; [*speak*] d'un ton résigné

resilience /rɪˈzɪlɪəns/ *n* **1** (of person, group) (mental) détermination *f*; (physical) résistance *f* physique; **2** (of industry, economy) faculté *f* de reprise; **3** (of substance, material) élasticité *f*

resilient /rɪˈzɪlɪənt/ *adj* **1** (morally) déterminé; (physically) résistant; **2** [*demand, market*] élastique; **3** [*material, substance*] élastique

resin /ˈrezɪn, US ˈrezn/ *n* (natural, synthetic) résine *f*

resinate /ˈrezɪneɪt/ *vtr* ajouter de la résine à [*wine*]

resinous /ˈrezɪnəs, US ˈrezənəs/ *adj* résineux/-euse

resist /rɪˈzɪst/

A *vtr* **1** (oppose) s'opposer à [*reform, attempt, conscription*]; **2** (struggle against) résister à [*attack, shock*]; **to** ~ **arrest** refuser de se laisser arrêter; **3** (refrain from) résister à [*temptation, offer, suggestion*]; **to** ~ **doing** s'empêcher de faire; **4** (to be unaffected by) résister à [*damage, rust, heat*]

➡▣ *see* Life in France

r

B *vi* résister

resistance /rɪ'zɪstəns/ *n* **1** (to change, enemy) also Psych résistance *f* (**to** à); **to meet with/to overcome ~** se heurter à/vaincre une résistance; **to put up ~** résister; **consumer ~** résistance du consommateur; **fierce ~** résistance acharnée; **2** Physiol résistance *f* (**to** à); **his ~ is low** sa résistance est amoindrie; **to build up a ~ to sth** devenir plus résistant à qch; **the body's ~** la résistance de l'organisme; **3** Elec résistance *f*

(Idiom) **to take the line** *ou* **path of least ~** choisir la voie de la facilité

Resistance /rɪ'zɪstəns/ *n* Pol Hist **the ~** la Résistance

resistance: **~ fighter** *n* résistant/-e *m/f*; **~ movement** *n* mouvement *m* de résistance

resistant /rɪ'zɪstənt/

A *adj* **1** [*virus, strain*] rebelle (**to** à); **2** (opposed) **~ to** réfractaire à [*change, demands etc*]; **3** [*rock, wall*] résistant (**to** à)

B -resistant (*dans composés*) **heat-/rust-~** résistant à la chaleur/à la rouille; **water-~** imperméable; **fire-~** qui résiste au feu

resistor /rɪ'zɪstə(r)/ *n* résistance *f*, résistor *m*

resit GB

A /'ri:sɪt/ *n* session *f* de rattrapage

B /ˌri:'sɪt/ *vtr* (*prét, pp* **resat**) repasser [*exam, test*]

reskill /ri:'skɪl/ *vtr* recycler [*staff*]

reskilling /ri:'skɪlɪŋ/ *n* recyclage *m*

resold /ˌri:'səʊld/ *prét, pp* ▸ **resell**

resole /ˌri:'səʊl/ *vtr* ressemeler

resolute /'rezəlu:t/ *adj* [*approach, attitude, person*] résolu; [*action, measure, decision*] ferme; **to remain ~** demeurer résolu; **with a ~ air** d'un air résolu

resolutely /'rezəlu:tlɪ/ *adv* [*oppose, persist*] résolument; [*refuse*] fermement; [*independent, objective*] résolument; **to be ~ opposed to sth** être résolument opposé à qch

resoluteness /'rezəlu:tnɪs/ *n* résolution *f*, détermination *f*

resolution /ˌrezə'lu:ʃn/ *n* **1** (determination) résolution *f*; **to lack ~** manquer de résolution; **2** (decree) résolution *f* (**against** contre; **that** selon laquelle); **a ~ calling for sth/condemning sth** une résolution appelant à qch/condamnant qch; **to pass a ~** voter une résolution; **3** (promise) résolution *f* (**to do** de faire); **to make a ~ to do** prendre la résolution de faire; **4** (solving of problem) résolution *f* (**of** de); **conflict ~** la résolution des conflits; **5** Chem, Phys résolution *f* (**into** en); **6** Med résolution *f*; **7** Mus résolution *f*; **8** Comput résolution *f*

resolvable /rɪ'zɒlvəbl/ *adj* [*problem*] soluble; [*crisis, difficulty*] qui peut être résolu

resolve /rɪ'zɒlv/

A *n* **1** (determination) détermination *f*; **to strengthen/weaken sb's ~** rendre qn plus/moins décidé; **to show ~** faire preuve de détermination; **2** (decision) résolution *f*

B *vtr* **1** (solve) résoudre [*dispute, crisis, contradiction*]; dissiper [*doubts*]; **2** (decide) **to ~ that** décider que; **to ~ to do** résoudre de faire; **3** (break down) résoudre [*problem, argument*] (**into** en); Phys, Chem résoudre (**into** en); **4** Med résoudre [*inflammation*]; **5** Mus résoudre

C *vi* (decide) [*person, government*] résoudre; **to ~ on doing** résoudre de faire; **to ~ on sth** se décider pour qch

D *v refl* **to ~ itself** se résoudre (**into** en)

resolved /rɪ'zɒlvd/ *adj* sout résolu (**to do** à faire; **that** à ce que + *subj*)

resonance /'rezənəns/ *n* (all contexts) résonance *f*

resonant /'rezənənt/ *adj* sout **1** [*voice, sound*] sonore; **2** [*place, object*] résonant

resonate /'rezəneɪt/ *vi* sout **1** [*voice, sound*] résonner; **2** [*place*] résonner (**with** de); **3** [*language, word*] résonner (**with** de)

resonator /'rezəneɪtə(r)/ *n* résonateur *m*

resorption /rɪ'zɔ:pʃn/ *n* résorption *f*

resort /rɪ'zɔ:t/

A *n* **1** (resource) recours *m*; **a last ~** un dernier recours; **as a last ~** en dernier recours; **2** **in the last ~** au bout du compte; **3** (recourse) recours *m*; **to have ~ to sth** avoir recours à qch; **4** (holiday centre) lieu *m* de villégiature; **seaside ~** station *f* balnéaire; **ski ~** station *f* de ski; ▸ **health resort**; **5** US (hotel) hôtel-club *m*; **6** sout (haunt) repaire *m*

B *vi* **to ~ to** recourir à

resound /rɪ'zaʊnd/ *vi* **1** [*noise*] retentir (**through** partout dans); **2** [*place*] retentir (**with** de); **3** [*fame, reputation, action*] avoir un grand retentissement (**through, throughout** dans)

resounding /rɪ'zaʊndɪŋ/ *adj* **1** [*voice, cheers, crash*] retentissant; **2** [*success, victory*] éclatant; [*failure*] écrasant; **the answer was a ~ 'no'** la réponse a été un 'non' retentissant

resoundingly /rɪ'zaʊndɪŋlɪ/ *adv* **1** [*echo, crash*] d'une manière retentissante; **2** (thoroughly) **to be ~ successful** connaître un succès éclatant; **to be ~ defeated** subir une défaite écrasante

resource /rɪ'sɔ:s, -'zɔ:s, US 'ri:sɔ:rs/

A *n* **1** gen, Econ, Ind, Admin ressource *f*; **natural/energy/financial ~s** ressources naturelles/énergétiques/financières; **the world's ~s of coal/oil** les ressources mondiales en charbon/pétrole; **to put more ~s into sth** investir davantage dans qch; **to draw on one's ~s** mettre en œuvre ses ressources; **he has no inner ~s** fig il n'a pas beaucoup de ressource; **reading is her only ~ against boredom** la lecture est son seul recours contre l'ennui; **to be left to one's own ~s** être livré à soi-même; **2** (facility, service) richesse *f*; **the library is a valuable ~** la bibliothèque est un outil précieux; **3** Comput ressource *f*; **4** sout (cleverness) ressource *f*; **a man of (great) ~** un homme (plein) de ressources; **5** (expedient) ressource *f*

B *vtr* accorder les ressources nécessaires à [*institution, service*]; **to be under-~d** ne pas disposer de ressources suffisantes

resource: **~ allocation** *n* Comput allocation *f* des ressources; **~ centre** GB, **~ center** US *n* centre *m* de documentation

resourceful /rɪ'sɔ:sfl, -'zɔ:sfl, US 'ri:sɔ:rsfl/ *adj* [*person*] plein de ressources, débrouillard○; [*adaptation, management*] ingénieux/-ieuse

resourcefully /rɪ'sɔ:sfəlɪ, -'zɔ:sfəlɪ, US 'ri:sɔ:rsfəlɪ/ *adv* d'une manière ingénieuse

resourcefulness /rɪ'sɔ:sflnɪs, -'zɔ:sflnɪs, US 'ri:sɔ:rsflnɪs/ *n* (of person) ressource *f*, débrouillardise○ *f*; (of adaptation) ingéniosité *f*

resource: **~ management** *n* Comput gestion *f* des ressources; **~(s) room** *n* salle *f* de documentation; **~ sharing** *n* Comput partage *m* des ressources

respect /rɪ'spekt/

A *n* **1** (admiration) respect *m*, estime *f*; **I have the greatest** *ou* **highest ~ for him/for his works** j'ai infiniment de respect pour lui/pour son œuvre; **to win** *ou* **earn the ~ of sb** gagner l'estime de qn; **to command ~** imposer le respect; **as a mark** *ou* **token of his ~** en témoignage de son respect; **2** (politeness, consideration) respect *m*; **out of ~** par respect (**for** pour); **to have no ~ for sb/sth** n'avoir aucun respect pour qn/qch; **you've got no ~!** tu ne respectes rien!; **with (all due** *ou* **the utmost) ~** sauf votre respect, sauf le respect que je vous dois; **to treat sb with ~** lit traiter qn avec respect *or* des égards; **to treat sth with ~** fig manipuler qch avec précaution [*machine, appliance*]; **in ~ of** (as regards) pour ce qui est de; (for) pour; **with ~ to** par rapport à; **3** (recognition, regard) (for human rights, privacy, the law) respect *m* (**for** de); **4** (aspect, detail) **in this ~** à cet égard; **in some/all ~s** à certains/tous égards; **in many/in several/in other ~s** à bien des/à plusieurs/à d'autres égards; **in few ~s** à peu d'égards; **in what ~?** à quel égard?

B respects *npl* respects *mpl*; **to offer** *ou* **pay one's ~s to sb** présenter ses respects à qn; **to pay one's last ~s to sb** rendre un dernier hommage à qn

C *vtr* (honour, recognize) respecter; **as ~s sth** quant à qch, pour ce qui est de qch

D *v refl* **to ~ oneself** se respecter

respectability /rɪˌspektə'bɪlətɪ/ *n* respectabilité *f*

respectable /rɪ'spektəbl/ *adj* **1** (reputable) [*person, home, family*] respectable; [*upbringing*] bon/bonne; **in ~ society** entre gens convenables; **I'm a ~ married man!** hum je suis un homme marié et respectable!; **2** (adequate) [*size, number, crowd*] respectable; [*mark, performance, piece of work*] honorable; **to earn a ~ wage** gagner honorablement sa vie; **to finish a ~ fourth** terminer honorablement quatrième

respectably /rɪ'spektəblɪ/ *adv* **1** (reputably) [*dress, behave, speak*] convenablement, correctement; **2** (adequately) **a ~ large audience** une assistance plutôt importante; **she finished ~ in fourth place** elle a fini honorablement quatrième; **he plays tennis very ~** il se défend○ très bien au tennis

respecter /rɪ'spektə(r)/ *n* sout **to be a ~ of sth** être respectueux/-euse de qch; **illness/death is no ~ of persons** nous sommes tous égaux devant la maladie/la mort; **diseases are no ~s of geographical boundaries** les maladies se propagent indépendamment des frontières

respectful /rɪ'spektfl/ *adj* [*person, behaviour, distance, silence*] respectueux/-euse (**of** de; **to, towards** envers)

respectfully /rɪ'spektfəlɪ/ *adv* respectueusement

respectfulness /rɪ'spektflnɪs/ *n* attitude *f* respectueuse (**to, towards** envers *or* à l'égard de qn)

respecting /rɪ'spektɪŋ/ *prep* concernant, ayant trait à

respective /rɪ'spektɪv/ *adj* respectif/-ive

respectively /rɪ'spektɪvlɪ/ *adv* respectivement

respiration /ˌrespɪ'reɪʃn/ *n* (all contexts) respiration *f*; **~ rate** rythme *m* respiratoire

respirator /'respɪreɪtə(r)/ *n* **1** (artificial) respirateur *m*; **to be on a ~** être sous respirateur; **2** (protective) masque *m* à filtre

respiratory /rɪ'spɪrətrɪ, US -tɔ:rɪ/ *adj* respiratoire; **~ quotient** quotient *m* respiratoire; **~ tract** appareil *m* respiratoire

respire /rɪ'spaɪə(r)/ *vi* Med, Bot respirer

respite /'respaɪt, 'respɪt/ *n* **1** sout (relief) répit *m* (**from** dans); **a brief ~** un court répit; **2** Comm, Jur (delay) sursis *m*; **a week's ~** un sursis d'une semaine; **to grant a ~ for payment** surseoir au paiement

resplendent /rɪ'splendənt/ *adj* sout resplendissant; **to look ~** être resplendissant

respond /rɪ'spɒnd/ *vi* **1** (answer) répondre (**to** à); **to ~ with a letter/a phone call** répondre par une lettre/en téléphonant; **2** (react) [*patient, organism*] réagir (**to** à); [*engine, car*] répondre; **to ~ to sb's needs** répondre aux besoins de qn; **they ~ed by putting up their prices** ils ont réagi en augmentant leur prix; **to ~ to pressure** Pol, Admin céder aux pressions; **3** (listen, adapt) s'adapter; **4** Relig (by singing) chanter les répons; (by speaking) répondre

respondent /rɪ'spɒndənt/ *n* **1** (to questionnaire) personne *f* interrogée; **2** Jur défendeur/-eresse *m/f*

r

response /rɪ'spɒns/ *n* 1 (answer) réponse *f* (**to** à); **in ~ to** en réponse à; **appropriate/lukewarm/official ~** réponse appropriée/peu enthousiaste/officielle; 2 (reaction) réaction *f* (**to** à; **from** de); **to meet with a favourable ~** être bien reçu; 3 Relig **the ~s** les répons

response time *n* Comput temps *m* de réponse

responsibility /rɪˌspɒnsə'bɪlətɪ/ *n* responsabilité *f* (**for** de; **for doing, to do** de faire); **to have a ~ to sb/to sth** avoir une responsabilité envers qn/quant à qch; **to take ~ for sth** prendre la responsabilité de qch; **a sense of ~** le sens des responsabilités; **a great sense of ~** un grand sens des responsabilités; **his responsibilities as chairman include...** ses responsabilités en tant que président comprennent...; **'we take no ~ for loss or damage to possessions'** 'nous déclinons toute responsabilité en cas de perte ou de détérioration de biens personnels'; **the company disclaimed** *ou* **denied any ~ for the accident** la compagnie a décliné toute responsabilité dans l'accident; **it's not my ~ to do** ce n'est pas à moi de faire; **it's your ~** c'est à vous de vous en occuper; **the terrorists claimed ~ for the attack** les terroristes ont revendiqué l'attaque

responsible /rɪ'spɒnsəbl/ *adj* 1 (answerable) responsable (**for** de); **~ for killing ten people/destroying the forest** responsable de la mort de dix personnes/de la destruction de la forêt; **~ for producing the leaflets/looking after the children** chargé de produire les brochures/de s'occuper des enfants; **to be ~ to sb** être responsable devant qn; **to hold sb ~** tenir qn pour responsable (**for** de); **the person ~** la personne responsable; **those ~** les personnes responsables; **I won't be ~ for my actions** je ne réponds plus de moi; 2 (trustworthy) [*person, organization, attitude*] responsable; **she is very ~** elle a le sens des responsabilités, elle est très responsable; 3 (involving accountability) [*job, task*] à responsabilités

responsibly /rɪ'spɒnsəblɪ/ *adv* de manière responsable

responsive /rɪ'spɒnsɪv/ *adj* 1 (alert) [*audience, class, pupil*] réceptif/-ive; 2 (affectionate) affectueux/-euse; 3 (adaptable) [*organization*] dynamique; **a more ~ political system** un système politique plus proche des gens; 4 Aut [*car, engine*] nerveux/-euse; [*brakes, steering*] qui répond bien

responsiveness /rɪ'spɒnsɪvnɪs/ *n* 1 (of audience, class, pupil) réceptivité *f*; 2 (affection) affection *f*; 3 (of organization) dynamisme *m*

respray /'riːspreɪ/
A *n* **the car had been given a ~** on avait refait la peinture de la voiture
B /rɪ'spreɪ/ *vtr* refaire la peinture de [*vehicle*]

rest /rest/
A *n* 1 (what remains) **the ~** (of food, books, day, story) le reste (**of** de); **you can keep/leave the ~** tu peux garder/laisser le reste *or* ce qui reste; **I've forgotten the ~** j'ai oublié le reste; **for the ~ of my life** pour le restant de mes jours; **for the ~...** pour ce qui est du reste...; **and all the ~ of it**° et tout et tout°; 2 (other people) **he is no different from the ~ (of them)** il n'est pas différent des autres; **why can't you behave like the ~ of us?** pourquoi ne peux-tu pas faire comme nous?; 3 (repose, inactivity) repos *m*; **a day of ~** un jour de repos; **to recommend six weeks' ~** conseiller six semaines de repos; **to set** *ou* **put sb's mind at ~** rassurer qn; **to lay sb/sth to ~** lit, fig enterrer qn/qch; 4 (break) pause *f*; (nap, lie-down) sieste *f*; **to have** *ou* **take a ~** se reposer; **to have a ~ in the afternoon** faire une sieste dans l'après-midi; **let's have a little ~** et si on faisait une petite pause?; **it was a ~ from the serious business of the day** cela nous a reposés des dures taches de la journée; **he really needs a ~** il a vraiment besoin de se reposer; 5 (object which supports) support *m*; 6 Mus pause *f*; 7 (immobility) **to be at ~** être au repos; **to come to ~** s'arrêter
B *vtr* 1 (lean) **to ~ sth on** appuyer qch sur [*rock, table*]; 2 (allow to rest) reposer [*legs, feet*]; ne pas utiliser [*injured limb*]; laisser [qch] au repos [*horse*]; **~ your legs!** repose tes jambes!; 3 Agric (leave uncultivated) laisser [qch] en jachère [*land*]; 4 (keep from entering) [*organizer, team*] ne pas faire participer [*competitor*]; 5 Jur **to ~ one's case** conclure; **I ~ my case** fig il n'y a rien à ajouter
C *vi* 1 (relax, lie down) [*person*] se reposer; **I won't ~ until I know** je n'aurai de cesse de savoir; **to ~ easy** être tranquille; 2 (be supported) **to ~ on** [*hand, weight, shelf*] reposer sur; **to be ~ing on** [*elbow, arm*] être appuyé sur; **to ~ on one's spade** s'appuyer sur sa bêche; **I need something to ~ on** j'ai besoin d'un support; 3 euph [*actor*] **to be ~ing** être sans engagement; 4 [*dead person*] **to ~ in peace** reposer en paix; **may he ~ in peace** qu'il repose en paix; **God ~ his soul** Dieu ait son âme; 5 fig (lie) **to let the matter** *ou* **things ~** en rester là; **you can't just let it ~ there!** tu ne peux pas laisser les choses en l'état!

(Idioms) **a change is as good as a ~** Prov le changement a les mêmes vertus que le repos; **to ~ on one's laurels** se reposer sur ses lauriers; **give it a ~**°! ça suffit comme ça°!; **... and there the matter ~s** voilà la situation actuelle, voilà où en est l'affaire

(Phrasal verbs) ■ **rest in:** ▸ **~ in [sth]** [*key, solution*] consister à [*change*]; **to ~ in doing** consister à faire
■ **rest on:** ▸ **~ on [sb/sth]** 1 [*eyes, gaze*] s'arrêter sur [*object, person*]; 2 (depend) reposer sur [*assumption, reasoning*]
■ **rest up** se reposer
■ **rest with:** ▸ **~ with [sb/sth]** [*decision, choice*] être entre les mains de, appartenir à

rest area *n* aire *f* de repos

restart /'riːstɑːt/
A *n* 1 Sport (in football) reprise *f*; (in motor-racing) nouveau départ *m*; 2 GB (retraining) (*also* **~ scheme**) stage *m* de reconversion
B /ˌriː'stɑːt/ *vtr* 1 reprendre [*work, service, talks*]; 2 remettre [qch] en marche [*engine, boiler etc*]
C *vi* [*cycle, activity, person*] recommencer, reprendre; [*engine*] se remettre en marche

restate /ˌriː'steɪt/ *vtr* réaffirmer (**that** que); **he ~d the case for imposing sanctions** il a réaffirmé la nécessité d'imposer des sanctions

restatement /riː'steɪtmənt/ *n* réaffirmation *f*

restaurant /'restrɒnt, US -tərənt/ *n* restaurant *m*

restaurant: ~ car *n* GB wagon-restaurant *m*; **~ owner** *n* restaurateur/-trice *m/f*

restaurateur /ˌrestərə'tɜː(r)/ ▸ **p. 1683** *n* restaurateur/-trice *m/f*

rest cure *n* lit cure *f* de repos; **it wasn't exactly a ~!** hum ce n'était pas vraiment une sinécure!

restful /'restfl/ *adj* [*holiday, hobby, music, colour*] reposant; [*spot, place*] paisible

rest home *n* maison *f* de retraite

resting place *n* **his last ~** sa dernière demeure

restitution /ˌrestɪ'tjuːʃn, US -'tuː-/ *n* gen, Jur restitution *f*; **to make ~ of sth** restituer qch; Jur Hist **~ of conjugal rights** ordre *m* de réintégration du domicile conjugal

restitution order *n* Jur ordonnance *f* de restitution

restive /'restɪv/ *adj* [*person, crowd*] énervé; [*animal*] rétif/-ive

restively /'restɪvlɪ/ *adv* nerveusement

restiveness /'restɪvnɪs/ *n* (of person) énervement *m*; (of animal) agitation *f*

restless /'restlɪs/ *adj* [*person, animal, movement*] agité; **to get** *ou* **grow ~** [*audience, person*] commencer à donner des signes d'impatience; [*minority, populace*] commencer à s'agiter; **to feel ~** (on edge) être énervé

restlessly /'restlɪslɪ/ *adv* nerveusement

restlessness /'restlɪsnɪs/ *n* 1 (physical) agitation *f*; 2 (of character) instabilité *f*; 3 (in populace, party) mécontentement *m*

restock /ˌriː'stɒk/ *vtr* 1 (fill) regarnir [*shelf*] (**with** en); réapprovisionner [*shop*] (**with** en); repeupler [*river, forest*] (**with** de); 2 (re-order) se réapprovisionner en

restoration /ˌrestə'reɪʃn/ *n* 1 (of property, territory) restitution *f* (**to** à); 2 (of custom, right) restauration *f*; (of law, order, democracy) rétablissement *m*; (of monarch, dynasty) restauration *f*; 3 (of building, work of art) restauration *f*

Restoration /ˌrestə'reɪʃn/ *n* **the ~** la Restauration anglaise

Restoration drama *n* le théâtre de la Restauration (*en Angleterre*)

restorative /rɪ'stɒrətɪv/
A *n* fortifiant *m*
B *adj* [*tonic*] fortifiant; [*exercises*] de remise en forme; [*sleep*] réparateur/-trice; **~ powers** vertus *fpl* réparatrices

restore /rɪ'stɔː(r)/ *vtr* 1 (return) restituer, rendre [*property*] (**to** à); 2 (bring back) rétablir [*health*]; rendre [*faculty*]; redonner [*confidence, good humour*] (**to** à); restaurer, rétablir [*right, custom, tradition*] (**to** à); rétablir [*peace, law, tax*] (**to** à); Pol rétablir [*monarch, regime*]; **to ~ sb's sight** rendre la vue à qn; **to be ~d to health** être rétabli; **his sight/health was ~d to him** il a recouvré la vue/la santé; **to ~ sb to life** ramener qn à la vie; **to ~ law and order** rétablir l'ordre; **to ~ sb to power** ramener qn au pouvoir; **to ~ sacked workers to their jobs** réintégrer des travailleurs licenciés; **you ~ my faith in humanity** tu me redonnes confiance dans le genre humain; 3 (repair) restaurer [*work of art, building*]; rénover [*leather*]; 4 Comput redimensionner [*window*]

restorer /rɪ'stɔːrə(r)/ *n* (person) restaurateur/-trice *m/f*; ▸ **hair restorer**

restrain /rɪ'streɪn/
A *vtr* 1 (hold back) retenir [*person, tears, laughter*]; contenir [*desires*]; maîtriser [*attacker, animal*]; contenir [*crowd*]; **to ~ sb from doing sth** empêcher qn de faire qch; 2 (curb) limiter [*spending, demand*]; maîtriser [*inflation*]; 3 (control) limiter [*demonstration, picketing*]; 4 GB Jur **~ing order** injonction *f*
B *v refl* **to ~ oneself** se retenir

restrained /rɪ'streɪnd/ *adj* 1 (sober) [*style, music, colour*] sobre; [*lifestyle*] simple; [*dress*] discret/-ète; [*writer*] qui a un style dépouillé; [*musician*] qui joue avec sobriété; 2 (kept in check) [*emotion, hysteria*] contenu; [*manner*] réservé; [*protest, argument*] mesuré; [*discussion*] calme

restraining order *n* injonction *f*

restraint /rɪ'streɪnt/ *n* 1 (moderation) modération *f*; **to exercise ~** faire preuve de modération; **he showed remarkable ~** il a fait preuve de beaucoup de modération; **to advocate ~** prôner la modération; 2 (restriction) restriction *f*; **to talk without ~** parler sans retenue; **pay** *ou* **wage ~s** contrôle *m* des salaires; **to impose price/wage ~s** introduire le contrôle des prix/des salaires; 3 (rule) **social ~s** conventions *fpl* sociales

restrict /rɪ'strɪkt/
A *vtr* limiter [*activity, choice, growth*] (**to** à); restreindre [*freedom*]; réserver [*access, membership*] (**to** à); **visibility was ~ed to 50 metres** la visibilité était limitée à 50 mètres; **~ed to applicants over 18** réservé aux plus de 18 ans
B *v refl* **to ~ oneself to sth/to doing** se limiter à qch/à faire

restricted /rɪ'strɪktɪd/ *adj* [*budget, growth, movement, powers*] limité; [*hours*] réglementé; [*document, file*] confidentiel/-ielle; [*film*] US interdit aux moins de 17 ans

restricted: ~ access *n* accès *m* réservé; **~ area** *n* zone *f* à accès réservé; **~ code**

n Ling code *m* restreint; ~ **language** *n* Ling langage *m* restreint; ~ **parking** *n* stationnement *m* réglementé; ~ **users group** *n* Comput groupe *m* d'utilisateurs autorisés

restriction /rɪˈstrɪkʃn/ *n* 1 (rule) limitation *f*; **to impose ~s on sth/sb** imposer des mesures de restriction sur qch/à qn; **the ~s on sb** les mesures de restriction imposées à qn; **~s on arms sales** limitations de ventes d'armes; **credit ~s** encadrement *m* (*sg*) du crédit; **currency ~s** contrôle *m* (*sg*) des devises; **parking ~s** règles *fpl* de stationnement; **price ~s** contrôle *m* (*sg*) des prix; **speed ~s** limitations de vitesse; **travel ~s** restrictions *fpl* à la libre circulation (des citoyens); **weight ~s** (for vehicles) limitations de poids; 2 (limiting) (of amount) limitation *f* (**on** de); (of freedom) restrictions *fpl* (**of** à)

restrictive /rɪˈstrɪktɪv/ *adj* 1 gen [*law, measure*] restrictif/-ive; [*environment, routine*] étouffant; 2 Ling déterminatif/-ive

restrictive: ~ **covenant** *n* Jur servitude *f*; ~ **practices** *npl* (by companies) entraves *fpl* à la libre concurrence; (by trade unions) pratiques *fpl* restrictives

re-string
A /ˈriːstrɪŋ/ *n* (racket) raquette *f* recordée
B /ˌriːˈstrɪŋ/ *vtr* (*prét, pp* **re-strung**) changer les cordes de [*instrument*]; recorder [*racket*]; renfiler [*necklace, beads*]

rest room *n* US toilettes *fpl*

restyle
A /ˈriːstaɪl/ *n* nouvelle coiffure *f*; **to have a ~** changer de coiffure
B /ˌriːˈstaɪl/ *vtr* changer la ligne de [*car*]; **to ~ sb's hair** faire une nouvelle coupe (de cheveux) à qn
C **restyled** *pp adj* [*car*] nouvelle version *inv*

result /rɪˈzʌlt/
A *n* 1 (consequence) résultat *m*, conséquence *f* (**of** de); **as a ~ of** à la *or* par suite de; **with the ~ that the company went bankrupt** résultat, la compagnie a fait faillite; **as a ~** en conséquence; **without ~** sans résultat; 2 (of exam, match, election) résultat *m*; **exam(ination) ~s** résultats aux examens; **football ~s** résultats de football; 3 ○(successful outcome) résultat *m*; Sport victoire *f*; **to get ~s** obtenir des résultats; **to need a ~** Sport avoir besoin d'une victoire; 4 Math résultat *m*
B **results** *npl* Comm, Fin résultats *mpl*
C *vi* résulter ; **to ~ from** résulter de; **to ~ in** avoir pour résultat [*death, abolition, re-election, loss*]; **the accident ~ed in him losing his job** l'accident a eu pour résultat de lui faire perdre son emploi

resultant /rɪˈzʌltənt/
A *n* Math résultante *f*
B *adj* résultant

resume /rɪˈzjuːm, US -ˈzuːm/
A *vtr* reprendre [*flight, work, talks*]; regagner [*seat*]; renouer [*relations*]; **to ~ doing** se remettre à faire
B *vi* reprendre

résumé ➔ /ˈrezjuːmeɪ, US ˌrezʊˈmeɪ/ *n* 1 (summary) résumé *m*; 2 US (cv) curriculum vitae *m inv*

resumption /rɪˈzʌmpʃn/ *n* gen reprise *f* (**of** de); (of relations) rétablissement *m* (**of** de)

resurface /ˌriːˈsɜːfɪs/
A *vtr* refaire (la surface de) [*road, court*]
B *vi* [*submarine*] faire surface; [*doubt, prejudice, rumour*] réapparaître; [*person, group*] refaire surface

resurgence /rɪˈsɜːdʒəns/ *n* (of party, danger, tradition) résurgence *f*; (of interest) regain *m*; (of economy) reprise *f*; (of currency) remontée *f*

resurgent /rɪˈsɜːdʒənt/ *adj* [*country, party*] renaissant; [*economy*] qui redémarre

resurrect /ˌrezəˈrekt/ *vtr* lit, fig ressusciter

resurrection /ˌrezəˈrekʃn/ *n* résurrection *f*; Relig **the Resurrection** la Résurrection

resuscitate /rɪˈsʌsɪteɪt/ *vtr* 1 Med réanimer; 2 fig déterrer [*plan, project*]

resuscitation /rɪˌsʌsɪˈteɪʃn/
A *n* réanimation *f*
B *modif* [*equipment, doll, unit*] de réanimation

resuscitator /rɪˈsʌsɪteɪtə(r)/ *n* (apparatus) appareil *m* de respiration artificielle

ret. *abrév écrite* = **retired, returned**

retail /ˈriːteɪl/
A *n* vente *f* au détail
B *modif* [*business, sector, customer*] de détail
C *adv* au détail
D *vtr* 1 Comm vendre [qch] au détail; 2 (spread) colporter [*gossip*]
E *vi* **to ~ at** se vendre au détail à

retailer /ˈriːteɪlə(r)/ *n* 1 (company) détaillant *m*; 2 (person) détaillant/-e *m/f*

retailing /ˈriːteɪlɪŋ/
A *n* distribution *f*
B *modif* [*giant, sector*] de la distribution; [*group, operations*] de distribution

retail: ~ **park** *n* parc *m* d'activités commerciales, lotissement *m* commercial; ~ **price** *n* prix *m* de détail; ~ **price index, RPI** *n* indice *m* des prix à la consommation; ~ **price maintenance, RPM** *n* imposition *f* d'un prix maximum; ~ **sales** *npl* ventes *fpl* au détail; ~ **space** *n* surface *f* de vente; ~ **trade** *n* (companies) détaillants *mpl*; (industry) commerce *m* de détail

retain /rɪˈteɪn/ *vtr* 1 (keep) garder [*dignity, control, identity, support*]; conserver [*trophy, property*]; 2 (contain) retenir [*water*]; conserver [*heat*]; 3 (remember) retenir [*fact*]; conserver [*image*]; 4 Jur engager [*lawyer*]

retain: ~**ed earnings** *n* bénéfices *mpl* non distribués; ~**ed object** *n* complément *m* d'objet (d'un verbe au passif)

retainer /rɪˈteɪnə(r)/ *n* 1 (fee) (for services) somme *f* versée à l'avance (*pour s'assurer des services de quelqu'un*); (for lawyer) provision *f*; (for accommodation) loyer *m* réduit (*permettant de conserver son logement en cas d'absence*); 2 Dent appareil *m* dentaire; 3 ‡(servant) domestique *mf*

retain: ~**ing dam** *n* barrage *m* de retenue; ~**ing ring** *n* anneau *m* de blocage; ~**ing wall** *n* mur *m* de soutènement

retake
A /ˈriːteɪk/ *n* Cin nouvelle prise *f* (de vues)
B /ˌriːˈteɪk/ *vtr* (*prét* **retook**; *pp* **retaken**) 1 Cin faire une nouvelle prise de [*scene*]; 2 Sch, Univ repasser [*exam*]; 3 Mil reprendre [*town, island*]

retaliate /rɪˈtælɪeɪt/ *vi* (all contexts) réagir

retaliation /rɪˌtælɪˈeɪʃn/ *n* représailles *fpl* (**for** de; **against** contre); **in ~** en représailles (**for** de; **against** contre)

retaliatory /rɪˈtælɪətrɪ, US -tɔːrɪ/ *adj* (violent) de représailles; (nonviolent) de rétorsion

retard /rɪˈtɑːd/
A ◑*n* US injur retardé/-e *m/f*
B *vtr* retarder

retardation /ˌriːtɑːˈdeɪʃn/ *n* 1 gen retard *m*; 2 Tech accélération *f* négative; 3 US Psych retard *m* mental

retarded /rɪˈtɑːdɪd/ *adj* 1 Psych retardé; 2 ◑US (stupid) débile○

retch /retʃ/
A *n* haut-le-cœur *m inv*
B *vi* avoir des haut-le-cœur

retd *abrév écrite* = **retired**

retell /ˌriːˈtel/ *vtr* (*prét, pp* **retold**) raconter à nouveau

retelling /ˌriːˈtelɪŋ/ *n* nouvelle version *f*

retention /rɪˈtenʃn/ *n* 1 (of right, territory) maintien *m*; 2 (storing of facts) mémoire *f*; 3 Med rétention *f*

retention money *n* Comm retenue *f* de garantie

retentive /rɪˈtentɪv/ *adj* 1 [*memory*] fidèle, bon; 2 [*soil*] rétentif/-ive

rethink
A /ˈriːθɪŋk/ *n* **to have a ~** repenser
B /ˌriːˈθɪŋk/ *vtr* (*prét, pp* **rethought**) repenser
C *vi* (*prét, pp* **rethought**) revoir la question

reticence /ˈretɪsns/ *n* réticence *f* (**on, about** à propos de), réserve *f* (**on, about** sur)

reticent /ˈretɪsnt/ *adj* réticent, réservé; **to be ~ about sth** ne pas parler beaucoup de qch

reticently /ˈretɪsntlɪ/ *adv* avec réticence, avec réserve

reticle /ˈretɪkl/ *n* Tech réticule *m*

reticulate /rɪˈtɪkjʊlət/ *adj* réticulé

reticule‡ /ˈretɪkjuːl/ *n* réticule *m*

retina /ˈretɪnə, US ˈretənə/ *n* rétine *f*

retinal /ˈretɪnəl, US ˈretənəl/ *adj* rétinien/-ienne; ~ **rivalry** Psych rivalité *f* rétinienne

retinue /ˈretɪnjuː, US ˈretənuː/ *n* escorte *f*

retire /rɪˈtaɪə(r)/
A *vtr* mettre [qn] à la retraite (**on grounds of** pour raisons de); **to be compulsorily ~d** être mis à la retraite d'office
B *vi* 1 (from work) prendre sa retraite; **to ~ from sth** quitter qch; **to ~ as** se retirer en tant que; **to ~ early** partir en retraite anticipée; **to ~ on £100 a week** prendre sa retraite et toucher 100 livres par semaine; 2 (withdraw) [*jury, person*] se retirer (**from** de); **to ~ to the drawing-room/to one's room** sout se retirer au salon/dans sa chambre; 3 †**to ~ (to bed)** aller se coucher; **to ~ early** (aller) se coucher tôt; 4 Sport abandonner; **to ~ from sth** se retirer de qch; **to ~ with an injury, to ~ injured** abandonner à la suite d'une blessure; 5 Mil se replier (**to** sur)
C **retired** *pp adj* retraité
D **retiring** *pres p adj* qui prend sa retraite

retiree /ˌrɪtaɪəˈriː/ *n* US retraité/-e *m/f*

retirement /rɪˈtaɪəmənt/ *n* 1 (action) départ *m* à la retraite (**of** de); **to announce one's ~** annoncer son départ à la retraite; **to take early ~** partir en retraite anticipée; 2 (state) retraite *f*; **a peaceful ~** une retraite tranquille; **to come out of ~** reprendre ses activités (après avoir pris sa retraite)

retirement: ~ **age** *n* âge *m* de la retraite; ~ **bonus** *n* prime *f* de départ à la retraite

retirement home *n* 1 (individual) maison *f* pour la retraite; 2 (communal) maison *f* de retraite

retirement pension *n* (pension *f* de) retraite *f*

retiring /rɪˈtaɪərɪŋ/
A *pres p* ▸ **retire**
B *adj* (shy) réservé

retool /ˌriːˈtuːl/
A *vtr* 1 (re-equip) rééquiper [*factory*]; 2 US (reorganize) réorganiser, restructurer [*factory*]
B *vi* 1 (re-equip) se rééquiper (en machines); 2 US (reorganize) se réorganiser, se restructurer

retort /rɪˈtɔːt/
A *n* 1 (reply) riposte *f*; 2 Chem cornue *f*; 3 Tech convertisseur *m*, cornue *f*
B *vtr* répliquer, rétorquer (**that** que)

retouch
A /ˈriːtʌtʃ/ *n* retouche *f*
B /ˌriːˈtʌtʃ/ *vtr* retoucher

retrace /riːˈtreɪs/ *vtr* reconstituer [*movements*]; **to ~ one's steps** revenir sur ses pas; **to ~ one's path** *ou* **route** rebrousser chemin

retract /rɪˈtrækt/
A *vtr* 1 (withdraw) rétracter [*statement, allegation*]; retirer [*claim*]; 2 (pull in) escamoter [*landing gear*]; [*animal*] rétracter [*claws etc*]
B *vi* [*landing gear*] s'escamoter; [*horns etc*] se rétracter

retractable /rɪˈtræktəbl/ *adj* [*landing gear, headlights*] escamotable; [*pen*] à pointe rétractable

retractile /rɪˈtræktaɪl/ *adj* rétractile

retraction /rɪˈtrækʃn/ *n* gen rétractation *f*; (of landing gear) escamotage *m*

retrain /ˌriːˈtreɪn/
A *vtr* recycler

➔ *see* Seeking employment

B *vi* se recycler

retraining /ˌriːˈtreɪnɪŋ/ *n* recyclage *m*

retransmit /ˌriːtrænzˈmɪt/ *vtr* retransmettre

retread
A /ˈriːtred/ *n* pneu *m* rechapé
B /ˌriːˈtred/ *vtr* (*prét, pp* **~ed**) rechaper [*tyre*]

retreat /rɪˈtriːt/
A *n* **1** (withdrawal) retraite *f* (**from** de; **into** dans); **to beat** *ou* **make a ~** battre en retraite; **to beat a hasty ~** battre en retraite précipitamment; **to sound/beat the ~** Mil sonner/battre la retraite; **to be in ~** [*ideology etc*] reculer; **2** (house) retraite *f*; **mountain ~** refuge *m*; **country ~** retraite campagnarde; **3** Relig retraite *f*; **to go into/go on a ~** entrer en/faire une retraite
B *vtr* Games ramener [*piece*]
C *vi* **1** gen [*person*] se retirer (**into** dans; **from** de); **to ~ before sth** battre en retraite devant qch; **2** Mil [*army*] se replier (**to** sur; **into** dans; **behind** derrière); **3** fig se retirer (**to** à; **from** de); **to ~ into a dream world/into silence** se réfugier dans un monde imaginaire/dans le silence; **to ~ into oneself** se replier sur soi-même; **4** [*glacier, flood water, desert*] reculer

retrench /rɪˈtrentʃ/ sout
A *vtr* restreindre [*expenditure*]; faire des coupures dans [*book*]
B *vi* se restreindre dans ses dépenses

retrenchment /rɪˈtrentʃmənt/ *n* sout **1** (economizing) restriction *f* (des dépenses); **2** Mil retranchement *m*

retrial /ˌriːˈtraɪəl/ *n* Jur nouveau procès *m*

retribution /ˌretrɪˈbjuːʃn/ *n* sout châtiment *m* (**for, against** pour)

retributive /rɪˈtrɪbjʊtɪv/ *adj* sout vengeur/-eresse

retrievable /rɪˈtriːvəbl/ *adj* **1** gen [*sum*] recouvrable; [*loss, mistake*] récupérable; **2** Comput accessible

retrieval /rɪˈtriːvl/ *n* **1** gen (of property) récupération *f*; (of money) recouvrement *m*; **2** Comput extraction *f*

retrieve /rɪˈtriːv/
A *vtr* **1** (get back) récupérer [*object*]; **2** (save) redresser [*situation*]; **3** Hunt [*dog*] rapporter [*game*]; **4** Comput extraire [*data*]
B *vi* Hunt [*dog*] rapporter

retriever /rɪˈtriːvə(r)/ *n* retriever *m*

retro /ˈretrəʊ/
A *n* rétro *m*
B *modif* [*rock, art, chic*] rétro *inv*

retroactive /ˌretrəʊˈæktɪv/ *adj* rétroactif/-ive

retroactively /ˌretrəʊˈæktɪvlɪ/ *adv* de manière rétroactive

retroengine /ˌretrəʊˈendʒɪn/ *n* rétrofusée *f*

retrofit /ˈretrəʊfɪt/ *vtr* (*p prés etc* **-tt-**) rééquiper

retroflex /ˈretrəfleks/ *adj* rétroflexe

retroflexion /ˌretrəˈflekʃn/ *n* rétroflexion *f*

retrograde /ˈretrəgreɪd/ *adj* rétrograde

retrogress /ˌretrəˈgres/ *vi* **1** gen rétrograder (**to** jusqu'à) also fig; **2** Biol, Med régresser

retrogression /ˌretrəˈgreʃn/ *n* régression *f*

retrogressive /ˌretrəˈgresɪv/ *adj* **1** gen rétrograde; **2** Biol régressif/-ive

retropack /ˈretrəʊpæk/ *n* Aerosp faisceau *m* de rétrofusées

retrorocket /ˈretrəʊrɒkɪt/ *n* rétrofusée *f*

retrospect /ˈretrəʊspekt/: **in retrospect** *adv phr* rétrospectivement, après coup

retrospection /ˌretrəˈspekʃn/ *n* examen *m* rétrospectif

retrospective /ˌretrəˈspektɪv/
A *n* (*also* **~ exhibition** *ou* **~ show**) Art, Cin rétrospective *f*
B *adj* **1** gen [*approach, view*] rétrospectif/-ive; **2** Jur, Admin [*regulation, application, rebate*] rétroactif/-ive

retrospectively /ˌretrəˈspektɪvlɪ/ *adv* **1** Jur, Admin [*apply, validate*] rétroactivement; **2** gen rétrospectivement, après coup

retroviral /ˈretrəʊˌvaɪərəl/ *adj* Med rétroviral

retrovirus /ˈretrəʊvaɪərəs/ *n* rétrovirus *m*

retry /ˌriːˈtraɪ/ *vtr* **1** Jur juger à nouveau [*case, person*]; **2** Comput essayer de relancer [*operation*]

retsina /retˈsiːnə, US ˈretsɪnə/ *n* résiné *m*

retune /ˌriːˈtjuːn, US -ˈtuːn/ *vtr* Mus accorder; Radio, Telecom, Aut régler

return /rɪˈtɜːn/
A *n* **1** lit, fig (getting back, going back) retour *m* (**to** à; **from** de); **my ~ to London** mon retour à Londres; **a ~ to power** un retour au pouvoir; **a ~ to traditional values** un retour aux valeurs traditionnelles; **on my ~ home** (as soon as I return) dès mon retour; (when I return) à mon retour; **on your ~ to work** dès que vous aurez repris votre travail; **2** (recurrence, coming back) retour *m* (**of** de); **I'm hoping for a ~ of the fine weather** j'espère que le beau temps va revenir; **3** (restitution, bringing back) (of law, practice) retour *m* (**of** de); (of object) restitution *f* (**of** de); **I hope for its ~** j'espère qu'on me le/la rendra; **on ~ of the vehicle** à la restitution du véhicule; **4** (sending back of letter, goods) renvoi *m* (**of** de); **5** (reward) récompense *f*; **is this my ~ for helping you?** est-ce là ma récompense pour vous avoir aidé?; **6** Fin (yield on investment) rendement *m*, rapport *m* (**on** de); (on capital) rémunération *f*; **the law of diminishing ~s** la loi des rendements décroissants; **7** Transp (ticket) aller-retour *m* *inv*; **two ~s to Paris** deux aller-retour pour Paris; **8** Theat (ticket) billet *m* rendu à la dernière minute; **'~s only'** 'complet' (*sous réserve de billets rendus à la dernière minute*); **9** Publg (book) invendu *m*; **10** Sport (of ball) retour *m*
B returns *npl* Pol résultats *mpl*
C in return *adv phr* en échange (**for** de)
D *vtr* **1** (give back) rendre [*book, video, car*]; rembourser [*money*]; **2** (bring back, take back) rapporter [*purchase, library book*] (**to** à); **keep the receipt in case you have to ~ your purchase** gardez votre ticket de caisse en cas de remboursement; **3** (put back) remettre [*file, book*]; **to ~ sth to its place** remettre qch à sa place; **4** (send back) renvoyer [*parcel, sample*]; **'~ to sender'** 'retour à l'expéditeur'; **5** (give, issue in return) rendre [*greeting, invitation*]; **to ~ the compliment** hum retourner le compliment; **to ~ the compliment by doing** remercier qn en faisant; **to ~ the favour** en faire autant; **I'll be glad to ~ the favour** j'en ferai autant pour vous; **6** (reciprocate) répondre à [*love, feelings, affection*]; **7** Mil riposter à [*fire*]; **8** Sport renvoyer [*ball, shot*]; **9** (reply, rejoin) répliquer; **10** Tax **to ~ details of one's income** déclarer ses revenus; **11** Jur prononcer [*verdict*]; **12** Fin (yield) rapporter [*profit*]; **13** Pol (elect) élire [*candidate*]; **to be ~ed** être élu; **14** Telecom **to ~ sb's call** rappeler qn
E *vi* **1** (come back) revenir (**from** de); **he left never to ~** il est parti pour ne plus jamais revenir; **2** (go back) retourner (**to** à); **3** (come or go back from abroad) rentrer (**from** de); **4** (get back home) rentrer chez soi; **what time did you ~?** à quelle heure êtes-vous rentré?; **5** (resume) **to ~ to** reprendre [*activity*]; **to ~ to one's book** reprendre sa lecture; **to ~ to the point I made earlier** pour reprendre ce que je disais tout à l'heure; **to ~ to power** revenir au pouvoir; **to ~ to sanity** retrouver son équilibre; **6** (recur, come back) [*symptom, feeling, doubt*] réapparaître; [*days, times, season*] revenir

(Idioms) **by ~ of post** par retour du courrier; **many happy ~s!** bon anniversaire!

returnable /rɪˈtɜːnəbl/ *adj* [*bottle*] consigné; **~ by 6 April** à rendre avant le 6 avril

returner /rɪˈtɜːnə(r)/ *n* femme *f* qui reprend le travail (*après avoir élevé ses enfants*)

return: **~ fare** *n* prix *m* d'un billet aller-retour; **~ flight** *n* vol *m* de retour; **~ing officer** *n* GB président/-e *m/f* d'un bureau d'élections

return journey GB, **return trip** US *n* retour *m*; **on her ~** à son retour

return: **~ stroke** *n* course *f* retour; **~ ticket** *n* billet *m* aller-retour; **~ visit** *n* retour *m*

reunification /ˌriːjuːnɪfɪˈkeɪʃn/ *n* réunification *f*

reunify /ˌriːˈjuːnɪfaɪ/ *vtr* réunifier

reunion /ˌriːˈjuːnɪən/ *n* **1** (celebration) réunion *f*; **2** (meeting) retrouvailles *fpl* (**with** avec)

Réunion /ˌriːˈjuːnɪən/ ▸ **p. 1129, p. 1355** *pr n* (île *f* de) la Réunion; **in/to ~** à la Réunion

reunite /ˌriːjuːˈnaɪt/
A *vtr* (*gén au passif*) réunir [*family*]; réunifier [*country, party*]; **he was ~d with his family** il a retrouvé sa famille
B *vi* [*country, party*] se réunifier

re-up○ /ˌriːˈʌp/ *vi* US argot des soldats rempiler○ soldiers' slang, se rengager

reusable /ˌriːˈjuːzəbl/ *adj* réutilisable

reuse
A /ˌriːˈjuːs/ *n* réutilisation *f*
B /ˌriːˈjuːz/ *vtr* réutiliser

rev○ /rev/
A *n* Aut (*abrév* = **revolution (per minute)**) tour *m* (par minute)
B *vtr* (*p prés etc* **-vv-**) (*also* **~ up**) monter le régime de [*engine*]
C *vi* (*p prés etc* **-vv-**) (*also* **~ up**) [*engine*] monter en régime

Rev(d) *n*: *abrév écrite* = **Reverend**

revalorization /ˌriːvælərаɪˈzeɪʃn, US -rɪˈz-/ *n* Fin réévaluation *f*

revalorize /ˌriːˈvælərаɪz/ *vtr* Fin réévaluer

revaluation /ˌriːvæljuːˈeɪʃn/ *n* Comm, Fin réévaluation *f*

revalue /ˌriːˈvæljuː/ *vtr* Comm, Fin réévaluer

revamp /ˌriːˈvæmp/
A *n* **1** (process) rajeunissement *m*; **2** (result) nouvelle version *f*
B *vtr* rajeunir [*image, play*]; réorganiser [*company*]; retaper○ [*building, clothing*]
C revamped *pp adj* [*programme, management, play*] rajeuni; [*building, room, clothing*] retapé○

revanchism /rɪˈvæntʃɪzəm/ *n* revanchisme *m*

revanchist /rɪˈvæntʃɪst/ *n, adj* revanchiste (*mf*)

rev counter○ /ˈrev kaʊntə(r)/ GB *n* compte-tours *m inv*

reveal /rɪˈviːl/
A *vtr* **1** (make public) dévoiler [*truth, plan, fault*]; révéler [*secret*]; **to ~ that** révéler que; **to ~ sth to sb** révéler qch à qn; **to ~ sb to be sth** révéler qn comme étant qch; **to ~ sb's identity** révéler l'identité de qn; **to ~ all** (divulge) tout dire; (undress) tout montrer; **2** (make visible) découvrir [*view, picture*]; **~ed religion** religion *f* révélée
B *v refl* **to ~ oneself** [*person*] se montrer; [*God*] se révéler; **to ~ oneself to be** se révéler être

revealing /rɪˈviːlɪŋ/ *adj* **1** [*remark, interview, report*] révélateur/-trice; **2** [*dress, blouse*] décolleté

reveille /rɪˈvælɪ, US ˈrevəlɪ/ *n* Mil réveil *m*

revel /ˈrevl/
A *npl* **~s** festivités *fpl*
B *vi* (*p prés etc* **-ll-**, **-l-** US) **1** US (celebrate) faire la fête; **2** (enjoy) **to ~ in sth/in doing** se délecter de qch/à faire

revelation /ˌrevəˈleɪʃn/ *n* gen, Relig révélation *f* (**of** de)

Revelation /ˌrevəˈleɪʃn/ *pr n* Bible Apocalypse *f*

revelatory /ˌrevəˈleɪtrɪ, US -tɔːrɪ/ *adj* révélateur/-trice

r

reveller, US **reveler** /'revələ(r)/ *n* fêtard/-e° *m/f*

revelry /'revəlrɪ/ *n* (also **revelries**) réjouissances *fpl*

revenge /rɪ'vendʒ/
A *n* **1** (punitive act) vengeance *f*; **in** ~ par vengeance; **in** ~ **for sth** pour venger qch; **to take** *ou* **get one's** ~ se venger (**for** de; **on** sur); **2** (getting even) revanche *f*; **by way of** ~ en revanche; **to get one's** ~ prendre sa revanche (**on** sur; **for** de)
B *v refl* **to** ~ **oneself** se venger (**on** sur; **for** de)
(Idiom) ~ **is sweet** la vengeance est un plat qui se mange froid

revengeful /rɪ'vendʒfl/ *adj* [*nature*] vindicatif/-ive; [*mood*] vengeur/-eresse

revenue /'revənjuː, US -ənuː/
A *n* revenus *mpl*; **a source of** ~ une source de revenus
B revenues *npl* **oil** ~**s** revenus *mpl* pétroliers; **tax** ~**s** recettes *fpl* fiscales

Revenue /'revənjuː, US -ənuː/ *n* GB Tax = **Inland Revenue**

revenue: ~ **sharing** *n* US *réattribution partielle des impôts fédéraux aux autorités locales*; ~ **stamp** *n* timbre *m* fiscal

reverberate /rɪ'vɜːbəreɪt/
A *vtr* Tech fondre au four à réverbère
B *vi* [*hills, room*] résonner (**with** de); [*thunder, footsteps*] résonner (**through** dans, par); [*debate, shock wave*] se propager (**through** dans); [*light, heat*] se réverbérer

reverberation /rɪˌvɜːbə'reɪʃn/ *n* lit réverbération *f*; fig répercussion *f*

reverberator /rɪ'vɜːbəreɪtə(r)/ *n* Ind four *m* à réverbère

revere /rɪ'vɪə(r)/ *vtr* révérer

reverence /'revərəns/ *n* profond respect *m*

reverend† /'revərənd/ *adj* vénérable

Reverend /'revərənd/ ▸ **p. 1237** *n* **1** (person) (Roman Catholic) curé *m*; (Protestant) pasteur *m*; (Anglican) révérend *m*; **2** (as title) **the** ~ **Jones** (Roman Catholic) l'abbé Jones; (Protestant) le pasteur Jones; (Anglican) le révérend Jones; **the Very** ~ **X** (Roman Catholic) Monseigneur X; (Anglican) le très révérend X; **the Most** ~ **X** le Révérendissime X; ~ **Mother** Révérende Mère; ~ **Father** Révérend Père

reverent /'revərənt/ *adj* [*hush*] religieux/-ieuse; [*attitude, expression*] de respect

reverential /ˌrevə'renʃl/ *adj* sout [*awe*] révérenciel/-ielle fml; [*tones, attitude*] révérencieux/-ieuse fml

reverently /'revərəntlɪ/ *adv* [*speak*] très respectueusement; [*listen*] religieusement

reverie /'revərɪ/ *n* rêverie *f*; **to fall into a** ~ se perdre dans une rêverie

revers /rɪ'vɪə(r)/ *npl* Fashn revers *mpl*

reversal /rɪ'vɜːsl/ *n* **1** gen (of policy) renversement *m*; (of order, method, trend) inversion *f*; (of fortune) revers *m*; **a** ~ **of traditional roles** un renversement des rôles traditionnels; **2** Jur annulation *f*

reverse /rɪ'vɜːs/
A *n* **1** (opposite) **the** ~ le contraire; **rather the** ~ plutôt le contraire; **quite the** ~ bien au contraire; **the truth was exactly the** ~ la vérité était tout le contraire; **2** (back) **the** ~ (of coin) le revers; (of banknote) le verso; (of fabric, picture) l'envers *m*; **3** (setback) revers *m*; **4** Aut (also ~ **gear**) marche *f* arrière; **you're in** ~ tu es en marche arrière; **to go into** ~ [*driver*] se mettre en marche arrière; fig [*process*] s'inverser; **to put a plan/policy into** ~ fig faire marche arrière dans son plan/sa politique; **the same process but in** ~ le même procédé mais en sens inverse
B *adj* **1** (opposite) [*argument, effect, trend*] contraire; [*direction*] opposé; **2** (other) **the** ~ **side** (of coin, medal) le revers; (of fabric, picture) l'envers *m*; **3** (backwards) [*somersault*] en arrière; **to answer the questions in** ~ **order** répondre aux questions en commençant par la dernière; **4** Aut ~ **gear** marche *f* arrière; ~ **turn** virage *m* en marche arrière
C in reverse *adv phr* [*do, function*] en sens inverse
D *vtr* **1** (invert) inverser [*order, trend, process, policy*]; **2** (exchange, switch) renverser [*roles*]; **3** GB Pol retourner [*defeat*]; **4** Tech, Aut faire tourner [qch] à l'envers [*mechanism, machine*]; faire rouler [qch] en marche arrière [*car*]; **to** ~ **a car out of a garage** sortir une voiture d'un garage en marche arrière; **5** Jur annuler; **6** Telecom **to** ~ **the charges** appeler en PCV
E *vi* [*driver*] faire marche arrière; **he** ~**d into a tree** il a heurté un arbre en faisant marche arrière; **to** ~ **down the lane/into a parking space** descendre l'allée/se garer en marche arrière

reverse: ~ **charge call** *n* appel *m* en PCV; ~ **engineer** *vtr* désassembler; ~ **engineering** *n* désassemblage *m*, ingénierie *f* inverse; ~ **thrust** *n* poussée *f* inversée

reversibility /rɪˌvɜːsə'bɪlətɪ/ *n* réversibilité *f*

reversible /rɪ'vɜːsəbl/ *adj* (all contexts) réversible

reversing light *n* feu *m* de recul

reversion /rɪ'vɜːʃn, US -ʒn/ *n* **1** (process of reverting) retour *m* (**to** à); ~ **to its wild state** retour à son état sauvage; ~ **to type** (of plant, animal) réversion *f* au type primitif; **2** Jur, Insur réversion *f*

reversionary /rɪ'vɜːʃənərɪ, US -ʒənerɪ/ *adj* gen, Insur [*pension, annuity, bonus*] réversible

reversionary: ~ **characteristic** *n* Biol caractère *m* régressif; ~ **rights** *npl* Jur droits *mpl* de retour

revert /rɪ'vɜːt/ *vi* **1** (return) **to** ~ **to** [*person*] reprendre [*habit, name*]; [*area*] redevenir [*moorland, wilderness*]; **to** ~ **to doing** [*person*] recommencer *or* se remettre à faire; **to** ~ **to normal** redevenir normal; **2** Biol, Zool **to** ~ **to type** retourner *or* revenir au type primitif; **he** ~**ed to type** fig le naturel a repris le dessus; **3** (return in speaking, discussing) **to** ~ **to your first question** pour en revenir à votre première question; **4** Jur retourner, revenir (**to** à)

revet /rɪ'vet/ *vtr* (*p prés etc* **-tt-**) revêtir

review /rɪ'vjuː/
A *n* **1** gen, Admin, Jur, Pol (reconsideration) révision *f* (**of** de); (report) rapport *m* (**of** sur); **policy** ~ révision de la politique; **to be under** ~ [*policy*] être en train d'être réexaminé; [*pay, salaries*] être en train d'être révisé; **to come under** ~ être réexaminé; **to keep sth under** ~ réviser qch régulièrement; **to set up a** ~ établir une révision; **to be subject to** ~ pouvoir être reconsidéré; **the week in** ~ Radio, TV la semaine passée en revue; **2** Journ, Literat (critical assessment) critique *f* (**of** de); **book** ~ critique d'un livre; **music** ~ critique musicale; **rave** ~° revue *f* excellente; **to get a good/bad** ~ avoir une bonne/mauvaise critique; **to write a** ~ faire une critique; **to send a book for** ~ envoyer un livre pour la critique; **3** Journ (magazine) revue *f*; **the Saturday Review** la Revue du Samedi; **4** Mil revue *f*; **to hold a** ~ passer les troupes en revue; **5** US Sch, Univ (of lesson) révision *f*
B *vtr* **1** (re-examine) reconsidérer [*facts, question, situation*]; réviser [*attitude, case, pension, policy, sentence*]; passer [qch] en revue [*performance, progress, success, troops*]; **2** Journ, Literat faire la critique de [*book, film, play etc*]; **to be well/badly** ~**ed** se faire bien/mal accueillir par la critique; **3** US Sch, Univ réviser [*subject, lesson*]
C *vi* Journ rédiger des critiques (**for sb** pour qn; **in sth** pour qch)

review: ~ **article** *n* article *m* de revue; ~ **board**, ~ **body** *n* Admin comité *m* de révision; ~ **copy** *n* Publg exemplaire *m* de service de presse; ~ **date** *n* date *f* de révision; ~ **document** *n* document *m* de révision

reviewer /rɪ'vjuːə(r)/ *n* Literat, Mus *etc* critique *m*; **book/film** ~ critique littéraire/de cinéma

review process *n* Admin processus *m* de révision

revile /rɪ'vaɪl/ *vtr* sout vilipender fml

revisable /rɪ'vaɪzəbl/ *adj* révisable

revise /rɪ'vaɪz/
A *n* Print seconde *f* (épreuve *f*)
B *vtr* **1** (alter) réviser, modifier [*proposal, treaty, estimate, figures*]; changer [*attitude*]; **to** ~ **one's position** revenir sur sa position; **to** ~ **one's opinion of sb/sth** réviser son jugement sur *or* à propos de qn/qch; **to be** ~**d upwards/downwards** [*figures, profits etc*] être révisé à la hausse/à la baisse; **2** GB (for exam) réviser, revoir [*subject, notes*]; **3** Print (amend, correct) revoir, réviser [*text*]; ~**d edition** édition revue et corrigée
C *vi* GB réviser; **to** ~ **for one's exams** réviser pour ses examens; **she's busy revising** elle est en plein dans ses révisions

revise: **Revised Standard Version**, **RSV** *n*: *traduction américaine de la Bible 1946–52*; **Revised Version**, **RV** *n*: *nouvelle version corrigée de la bible autorisée 1881–85*

reviser /rɪ'vaɪsə(r)/ ▸ **p. 1683** *n* (of text, manuscript etc) réviseur/-euse *m/f*; (proofreader) correcteur/-trice *m/f*; Journ réviseur/-euse *m/f*, rewriter *m*

revision /rɪ'vɪʒn/ *n* révision *f*

revisionism /rɪ'vɪʒənɪzəm/ *n* révisionnisme *m*

revisionist /rɪ'vɪʒənɪst/ *n, adj* révisionniste (*mf*)

revisit /ˌriː'vɪzɪt/ *vtr* revisiter [*museum etc*]; retourner voir [*person, childhood home*]; fig (look at again) revoir; **Flaubert** ~**ed** Flaubert vu sous un jour nouveau

revitalization /ˌriːvaɪtəlaɪ'zeɪʃn, US -lɪ'z-/ *n* **1** (of economy) relance *f*; **2** (of depressed area) renaissance *f*; **3** Cosmet revitalisation *f*

revitalize /riː'vaɪtəlaɪz/ *vtr* **1** relancer [*economy*]; faire démarrer [*company*]; **2** Cosmet revitaliser [*complexion*]

revival /rɪ'vaɪvl/ *n* **1** gen, Med (of person) rétablissement *m*; fig (of economy, trade) reprise *f*, redressement *m*; (of hope, interest) regain *m*; **2** (restoration) (of custom, language, fashion) renouveau *m*; (of law) remise *f* en vigueur; **the Gothic** ~ le renouveau de l'art gothique; **3** Theat reprise *f*; **4** Relig (renewal of commitment) renouveau *m* de la foi; (meeting) réunion *f* pour le renouveau de la foi; **5** Mus Hist Revival *m*

revivalism /rɪ'vaɪvəlɪzəm/ *n* **1** Relig renouveau *m* de la foi; **2** gen, Archit **fifties** ~ retour *m* au style des années cinquante; **Gothic** ~ esprit *m* de renouveau de l'art gothique

revivalist /rɪ'vaɪvəlɪst/
A *n* **1** Relig prédicateur/-trice *m/f* revivaliste; **2** Archit, Mus *etc* (of custom, style) partisan/-e *m/f* du retour d'un style; **3** Mus Hist tenant/-e *m/f* du Revival
B *adj* **1** Relig revivaliste; **2** Archit, Mus *etc* [*style*] **Greek/Gothic** ~ néo-grec/-gothique; **3** Mus Hist [*jazz*] du Revival

revive /rɪ'vaɪv/
A *vtr* **1** gen remonter; (from coma, faint etc) réanimer, faire reprendre connaissance à [*person*]; **the fresh air will** ~ **you** tu te sentiras mieux quand tu auras respiré un peu d'air frais; **2** fig raviver [*custom, institution, memory*]; ranimer [*anger, fears, enthusiasm, interest, hopes, friendship*]; remettre [qch] à l'ordre du jour [*proposals*]; remettre en vigueur [*law*]; relancer [*debate, career, movement*]; remettre [qch] à la mode [*style, fashion*]; revigorer [*economy*]; faire revivre [*language*]; **to** ~ **sb's (flagging) spirits** remonter le moral à qn; **to** ~ **interest**

r

in sb/sth susciter un regain d'intérêt pour qn/qch; **3** Theat reprendre [*play*]
B *vi* [*person*] (from coma, faint) reprendre connaissance; [*wilting flowers*] retrouver leur fraîcheur; [*hopes, interest, enthusiasm*] renaître; [*market, economy*] reprendre; **he ~d once he went outside** il s'est senti mieux dès qu'il est sorti; **our spirits soon ~d** nous avons vite retrouvé le moral

revivify /rɪ'vɪvɪfaɪ/ *vtr* sout revivifier fml

revocation /ˌrevə'keɪʃn/ *n* sout *ou* Jur (of licence, permission) retrait *m*; (of law) abrogation *f*; (of will, offer, edict) révocation *f*; (of decision, order) annulation *f*

revoke /rɪ'vəʊk/
A *n* (in bridge) renonce *f*
B *vtr* sout *ou* Jur retirer [*licence, permission, statement*]; révoquer [*will, offer, edict*]; abroger [*law*]; annuler [*decision, order*]
C *vi* (in bridge) faire une renonce

revolt /rɪ'vəʊlt/
A *n* (physical) révolte *f* (**against** contre); (verbal) rébellion *f* (**over** contre); **to be in ~** être en révolte *or* en rébellion; **they are in ~ over the bill** ils se rebellent contre le projet de loi; **to rise in ~** se soulever (**against** contre); **to be in open ~** être en rébellion ouverte
B *vtr* dégoûter, révolter; **to be ~ed by sth** être dégoûté *or* révolté par qch
C *vi* (physically) se révolter (**against** contre); (verbally) se rebeller (**against, over** contre)

revolting /rɪ'vəʊltɪŋ/ *adj* **1** (morally) révoltant; (physically) répugnant; **2** ○[*food*] infect; [*place, people*] affreux/-euse; **to taste/smell ~** avoir un goût/une odeur exécrable

revoltingly /rɪ'vəʊltɪŋlɪ/ *adv* affreusement

revolution /ˌrevə'lu:ʃn/ *n* **1** Pol, fig révolution *f* (**in** dans); **to bring about a ~ in sth** révolutionner qch; **2** Aut, Tech tour *m* (*d'un moteur*); **200 ~s per minute** 200 tours à la minute; **3** Astron révolution *f* (**round** autour de)

revolutionary /ˌrevə'lu:ʃənərɪ, US -nerɪ/ *n, adj* révolutionnaire (*mf*)

revolutionize /ˌrevə'lu:ʃənaɪz/ *vtr* révolutionner

revolve /rɪ'vɒlv/
A *vtr* faire tourner
B *vi* **1** lit tourner (**on** sur; **around** autour de); **2** fig **to ~ around** (be focused on) être axé sur

revolver /rɪ'vɒlvə(r)/ *n* revolver *m*

revolving /rɪ'vɒlvɪŋ/ *adj* [*chair, stand*] pivotant; [*cylinder*] rotatif/-ive; [*heavenly body*] en rotation; [*stage*] tournant

revolving credit *n* Fin crédit *m* permanent

revolving door
A *n* (porte *f* à) tambour *m*
B ○*modif* [*government, president*] transitoire

revolving: **~ door sex**○ *n* relations *fpl* sexuelles avec plusieurs partenaires; **~ fund** *n* fonds *m* renouvelable; **~ presidency** *n* EU présidence *f* par rotation

revue /rɪ'vju:/ *n* Theat revue *f*

revulsion /rɪ'vʌlʃn/ *n* dégoût *m* (**against** pour); **to feel ~ at sth/at having to do** être dégoûté par qch/de devoir faire; **to regard sth with ~** considérer qch avec dégoût; **to shudder in ~** frissonner de dégoût

reward /rɪ'wɔ:d/
A *n* **1** (recompense) récompense *f*; **a £50 ~ will be offered** on offre 50 livres sterling de récompense; **a poor ~** fig une maigre récompense; **2** fig (satisfaction) satisfaction *f*
B *vtr* gen (for efforts, service) récompenser (**for** de, pour); **to ~ sb with a cheque/prize** donner un chèque/prix à qn en récompense
(Idiom) **virtue is its own ~** Prov la vertu est sa propre récompense

rewarding /rɪ'wɔ:dɪŋ/ *adj* [*experience*] enrichissant; [*job, work*] gratifiant; [*pursuit*] qui en vaut la peine; **a ~ novel** un roman qui vaut la peine d'être lu; **financially ~** rémunérateur/-trice

rewind /ˌri:'waɪnd/ *vtr* (*prét, pp* **rewound**) rembobiner [*tape, film*]

rewind button *n* bouton *m* de retour en arrière

rewinding /ˌri:'waɪndɪŋ/ *n* rembobinage *m*

rewire /ˌri:'waɪə(r)/ *vtr* refaire l'installation électrique de [*building*]

reword /ˌri:'wɜ:d/ *vtr* reformuler [*paragraph, law, proposal*]

rework /ˌri:'wɜ:k/ *vtr* **1** gen retravailler [*theme, metal*]; **2** Mus, Literat créer une nouvelle version de [*classic*]

reworking /ˌri:'wɜ:kɪŋ/ *n* Mus, Literat nouvelle version *f* (**of** de)

rewound /ˌri:'waʊnd/ *prét, pp* ▸ **rewind**

rewrite
A /'ri:raɪt/ *n* réécriture *f*; **to do three ~s of a story** réécrire une histoire trois fois
B /ˌri:'raɪt/ (*prét* **rewrote**; *pp* **rewritten**) *vtr* **1** (rework) ré(é)crire [*story, script*]; **to ~ history** ré(é)crire l'histoire; **to ~ a play as a novel** ré(é)crire une pièce sous la forme d'un roman; **2** US Journ rédiger [*article*]

rewriter /ˌri:'raɪtə(r)/ ▸ **p. 1683** *n* US Journ rédacteur/-trice *m/f*

rewrite rule *n* règle *f* de réécriture

rewritten /ˌri:'rɪtn/ *pp* ▸ **rewrite**

rewrote /ˌri:'rəʊt/ *prét* ▸ **rewrite**

Rex /reks/ *n* GB Jur **~ v Jones** la Couronne contre Jones

Reykjavik /'reɪkjəvi:k/ ▸ **p. 1815** *pr n* Reykjavik

RFC *n* Sport (*abrév* = **rugby football club**) club *m* de rugby

RFD *n* US (*abrév* = **rural free delivery**) *distribution du courrier à la campagne*

rhapsodic /ræp'sɒdɪk/ *adj* **1** Mus rhapsodique; **2** Literat [*prose, article*] dithyrambique; **3** fig sout [*welcome*] enthousiaste

rhapsodize /'ræpsədaɪz/ *vi* **to ~ about** *ou* **over sth** s'extasier sur qch

rhapsody /'ræpsədɪ/ *n* **1** Mus, Literat rhapsodie *f*; **2** fig **to go into rhapsodies over** *ou* **about sth** s'extasier sur qch

rhd *n*: *abrév* ▸ **right-hand drive**

rhea /'rɪə/ *n* nandou *m*

rheme /ri:m/ *n* rhème *m*

rhenium /'ri:nɪəm/ *n* rhénium *m*

rheostat /'ri:əstæt/ *n* rhéostat *m*

rhesus: **~ baby** *n* enfant *m* rhésus; **~ factor** *n* facteur *m* rhésus; **~ monkey** *n* rhésus *m*; **~ negative** *adj* [*blood, person*] rhésus négatif *inv*; **to be ~ negative** être rhésus négatif; **~ positive** *adj* [*blood, person*] rhésus positif *inv*

rhetoric /'retərɪk/ *n* **1** Literat rhétorique *f*; **2** gen **the ~ of romanticism** le langage du romantisme; **the ~ of terrorism** le discours terroriste; **empty ~** mots *mpl* creux

rhetorical /rɪ'tɒrɪkl, US -'tɔ:r-/ *adj* **1** Literat rhétorique; **~ figure** figure *f* de rhétorique; **~ question** question *f* rhétorique; **2** péj [*style, speech*] ronflant pej

rhetorically /rɪ'tɒrɪklɪ, US -'tɔ:r-/ *adv* **1** [*ask*] sans s'attendre à une réponse; **2** (in theory) en théorie; **~ (speaking)** d'un point de vue tout théorique

rhetorician /ˌretə'rɪʃn/ *n* **1** Antiq (teacher) rhéteur *m*; **2** (good writer, speaker) rhétoricien/-ienne *m/f*

rheum /ru:m/ *n* (from eyes) chassie *f*; (from nose) écoulement *m* nasal aqueux

rheumatic /ru:'mætɪk/
A *n* (sufferer) rhumatisant/-e *m/f*
B *adj* [*joints, person*] rhumatisant; [*condition, pain*] rhumatismal

rheumatic fever ▸ **p. 1327** *n* rhumatisme *m* articulaire aigu

rheumatics○ /ru:'mætɪks/ *n* (+ *v sg*) rhumatismes *mpl*

rheumatism /'ru:mətɪzəm/ ▸ **p. 1327** *n* rhumatisme *m*; **to suffer from ~** souffrir de rhumatisme(s)

rheumatoid /'ru:mətɔɪd/ *adj* [*symptom*] rhumatoïde

rheumatoid arthritis ▸ **p. 1327** *n* polyarthrite *f* rhumatoïde

rheumatologist /ˌru:mə'tɒlədʒɪst/ ▸ **p. 1683** *n* rhumatologue *mf*

rheumatology /ˌru:mə'tɒlədʒɪ/ *n* rhumatologie *f*

rheumy /'ru:mɪ/ *adj* littér [*eyes*] chassieux/-ieuse

Rhine /raɪn/ ▸ **p. 1633** *pr n* Rhin *m*

Rhine: **~land** *n* Rhénanie *f*; **~land Palatinate** *n* Rhénanie-Palatinat *f*

rhinestone /'raɪnstəʊn/
A *n* diamant *m* fantaisie
B *modif* [*necklace, bracelet*] en strass

Rhine wine *n* vin *m* du Rhin

rhino /'raɪnəʊ/ *n* (*pl* **~s** *ou* **~**) rhinocéros *m*

rhinoceros /raɪ'nɒsərəs/ *n* (*pl* **-eroses, -eri** *ou* **~**) rhinocéros *m*

rhinoceros beetle *n* rhinocéros *m* (*insecte*)

rhizome /'raɪzəʊm/ *n* rhizome *m*

Rhode Island red *n* (male) coq *m* Rhode-Island; (female) poule *f* Rhode-Island

Rhodesia /rəʊ'di:zjə/ ▸ **p. 1096** *pr n* Hist Rhodésie *f*

Rhodesian /rəʊ'di:zjən/ ▸ **p. 1467** Hist
A *n* Rhodésien/-ienne *m/f*
B *adj* rhodésien/-ienne

rhododendron /ˌrəʊdə'dendrən/ *n* rhododendron *m*

rhomb /rɒm/ *n* losange *m*, rhombe† *m*

rhombic /'rɒmbɪk/ *adj* rhombique

rhomboid /'rɒmbɔɪd/
A *n* rhomboïde† *m*
B *adj* rhomboïdal

rhombus /'rɒmbəs/ *n* (*pl* **-buses** *ou* **-bi**) losange *m*, rhombe† *m*

Rhone /rəʊn/ ▸ **p. 1633**
A *pr n* Rhône *m*
B *modif* [*glacier, delta*] du Rhône

Rhône /rəʊn/ ▸ **p. 1129** *pr n* Rhône *m*; **in/to the ~** dans le Rhône

Rhône-Alpes ▸ **p. 1243** *pr n* Rhône-Alpes *m*; **in/to the ~** dans le Rhône-Alpes

rhubarb /'ru:bɑ:b/
A *n* **1** Culin rhubarbe *f*; **it's a ~ plant** c'est de la rhubarbe; **2** GB (nonsense word) **to say '~, ~'** dire 'bla, bla, bla et bla, bla, bla'; **3** ○US prise *f* de bec○
B *modif* [*pie, pudding*] à la rhubarbe; [*leaf, patch, wine, stem*] de rhubarbe; [*jam*] à la rhubarbe, de rhubarbe

rhyme /raɪm/
A *n* **1** (poem) vers *mpl*; (children's) comptine *f*; **2** (fact of rhyming) rime *f*; **in ~** en vers *mpl*; **to find a ~ for sth** trouver un mot qui rime avec qch
B *vtr* faire rimer [*words, lines*] (**with** avec)
C *vi* rimer (**with** avec)
(Idiom) **without ~ or reason** sans rime ni raison

rhyme: **~ royal** *n*: *strophe composée de sept vers de 10 pieds (avec des rimes ababbcc)*; **~ scheme** *n* agencement *m* des rimes

rhyming couplet *n* distique *m* rimé

rhyming slang *n* argot *m* rimé

> **Rhyming slang**
>
> L'argot rimé des Cockneys est impossible à comprendre par un non-initié. Le principe consiste à remplacer un mot par une expression qui rime avec ce mot. Par exemple, *Adam and Eve* pour *believe* ou *loaf of bread* pour *head*. Pour corser le tout, les Cockneys tronquent parfois la fin de ces expressions dans la conversation : *Use your loaf!* pour *Use your head!*.
>
> ▸ Cockney

rhymster† /ˈraɪmstə(r)/ *n* péj rimailleur/-euse○ *m/f* pej

rhythm /ˈrɪðəm/ *n* gen Mus, Literat rythme *m*; **the ~ of the seasons** le rythme des saisons; **to have a sense of ~** avoir le sens du rythme; **to the ~ of** au rythme de [*band, music*]; **in iambic ~** Literat en vers iambiques

rhythm: **~ and blues** *n* rhythm and blues *m* (*musique influencée par le blues*); **~ band** *n* US orchestre *m* d'instruments de percussion

rhythmic(al) /ˈrɪðmɪk(l)/ *adj* [*beat, music*] rythmé; [*movement*] rythmique; [*breathing*] régulier/-ière

rhythmically /ˈrɪðmɪklɪ/ *adv* [*breathe, press*] régulièrement; **he isn't playing/dancing ~** il n'est pas dans le rythme quand il joue/danse; **to move ~ to the music** danser en rythme avec la musique

rhythmicity /rɪðˈmɪsətɪ/ *n* rythme *m* biologique, biorythme *m*

rhythm: **~ method** *n* Med méthode *f* des températures; **~ section** *n* section *f* rythmique

RI *n* **1** Sch (*abrév* = **religious instruction**) ≈ catéchisme *m* (*cours d'instruction religieuse à l'école*); **2** US Post *abrév écrite* = **Rhode Island**

rib /rɪb/

A *n* **1** Anat, Culin côte *f*; **broken ~** côte cassée; **to give sb a dig in the ~** donner un coup de coude à qn; **2** (structural) (in umbrella) baleine *f*; Bot nervure *f*; Archit nervure *f*; Naut membrure *f*; Aviat nervure *f*; **3** (in knitting) (stitch) côte *f*; **to knit sth in ~** tricoter qch en côtes

B *vtr*○ (*p prés etc* **-bb-**) (tease) taquiner

(Idiom) **to stick to one's ~s**○ [*food*] être bourratif○

ribald /ˈrɪbld/ *adj* paillard

ribaldry /ˈrɪbldrɪ/ *n* paillardise *f*

riband† /ˈrɪbənd/ *n* ruban *m*

ribbed /rɪbd/ *adj* [*garment*] à côtes; [*ceiling, vault*] à nervures; [*seashell*] strié

ribbing /ˈrɪbɪŋ/ *n* **1** Constr, Archit nervures *fpl*; **2** (in knitting) côtes *fpl*; **3** ○(teasing) **to give sb a ~** taquiner qn

ribbon /ˈrɪbən/ *n* **1** (for hair, medal, typewriter) ruban *m*; **to tie sth with a ~** attacher qch avec un ruban; **2** fig **a ~ of land/cloud** une étroite bande de terre/nuages; **a ~ of smoke** un filet *m* de fumée; **in ~s** en lambeaux *mpl*; **to tear sth to ~s** mettre qch en lambeaux

ribbon: **~ development** *n*: *concentration d'habitations le long d'un axe routier*; **~fish** *n* régalec *m*; **~ worm** *n* némertien *m*

rib cage *n* cage *f* thoracique

riboflavin /ˌraɪbəʊˈfleɪvɪn/ *n* riboflavine *f*

ribonucleic acid, **RNA** /raɪbəunjuːˈkliːɪk/ *n* acide *m* ribonucléique, ARN *m*

rib: **~ roast** *n* côte *f* de bœuf; **~ tickler**○ *n* histoire *f* drôle *or* tordante○; **~-tickling**○ *adj* drôle, tordant○

rice /raɪs/ *n* riz *m*; **boiled ~** riz nature

rice bowl *n* **1** (container) bol *m* à riz; **2** (area) région *f* productrice de riz

rice: **~field** *n* rizière *f*; **~ paper** *n* Culin galette *f* de pain azyme; Art papier *m* de riz; **~ pudding** *n* riz *m* au lait

ricer /ˈraɪsə(r)/ *n* US Culin (utensil) presse-purée *m inv*

rice wine *n* saké *m*

rich /rɪtʃ/

A *n* (+ *v pl*) **the ~** les riches *mpl*; **to take from the ~ to give to the poor** prendre aux riches pour donner aux pauvres

B **riches** *npl* richesses *fpl*; ▸ **rag**

C *adj* **1** [*person, family, country, soil, land, harvest, tradition, life, history*] riche; [*profit*] gros/grosse; **to grow** *ou* **get ~** s'enrichir; **to make sb ~** enrichir qn; **~ in** riche en [*oil, vitamins, symbolism*]; **2** (lavish) [*costume, furnishings, gift*] riche; **3** (full, strong) [*colour, sound, smell, voice, food, flavour, diet*] riche; **4** Literat **~ rhyme** rime *f* riche

D **-rich** (*dans composés*) **oil-/protein-~** riche en pétrole/protéines

(Idioms) **that's a bit ~**○**!** GB ça, c'est un peu fort○! iron; **that's a bit ~ coming from her**○**!** ça lui va bien○ de dire (*or* de faire) ça! iron; **to strike it ~** faire fortune

Richard /ˈrɪtʃəd/ *pr n* Richard; **~ the Lionheart** Richard Cœur de Lion

richly /ˈrɪtʃlɪ/ *adv* [*dressed, furnished, ornamented, coloured*] richement; [*talented*] extrêmement; **~ deserved** amplement mérité

richness /ˈrɪtʃnɪs/ *n* **1** (of person, family, country, soil, land, experience, life, history) richesse *f*; (of harvest) abondance *f*; **2** (lavishness) (of costumes, furnishings, meal) richesse *f*; (fullness, vividness) (of colours, voice) richesse *f*

Richter scale /ˈrɪktə/ *n* échelle *f* de Richter; **on the ~** sur l'échelle de Richter

rick /rɪk/

A *n* (of hay) meule *f*; (of wood) US tas *m* (de petit bois)

B *vtr* **to ~ one's ankle** GB se faire une entorse à la cheville

rickets /ˈrɪkɪts/ ▸ **p. 1327** *n* (+ *v sg*) rachitisme *m*

rickety /ˈrɪkətɪ/ *adj* **1** (shaky) [*chair, staircase*] branlant; [*house*] délabré; **2** fig [*coalition, government*] branlant; **3** Med rachitique

rickey /ˈrɪkɪ/ *n* US ≈ gin-fizz *m*

rickrack /ˈrɪkræk/ *n* US tresse *f* de galon

rickshaw /ˈrɪkʃɔː/ *n* pousse-pousse *m inv*; **in a ~** en pousse-pousse

ricky-tick○ /ˌrɪkɪˈtɪk/ *adj* US démodé

ricochet /ˈrɪkəʃeɪ, US ˌrɪkəˈʃeɪ/

A *n* ricochet *m*; **killed by a ~** tué par une balle qui a ricoché

B *vi* (*prét, pp* **ricocheted**, **ricochetted** /-ˌʃeɪd/) ricocher (**off** sur)

rictus /ˈrɪktəs/ *n* sout rictus *m*

rid /rɪd/

A *vtr* (*p prés* **-dd-**; *prét, pp* **rid**) **to ~ the house of mice/the streets of cars** débarrasser la maison de souris/les rues de voitures; **to ~ the world of famine/of imperialism** venir à bout de la famine/de l'impérialisme dans le monde; **to ~ sb of his/her illusions** faire perdre ses illusions à qn

B *v refl* (*p prés* **-dd-**; *prét, pp* **rid**) **to ~ oneself of sth** se débarrasser de qch

C *pp adj* **to be (well) ~ of** être (bien) débarrassé de; **to get ~ of** se débarrasser de [*waste, old car, guests*]; faire cesser [*pain, famine*]; se défaire de [*prejudice*]

riddance /ˈrɪdns/ *n*

(Idiom) **good ~ (to bad rubbish)!** bon débarras○!

ridden /ˈrɪdn/

A *pp* ▸ **ride**

B **-ridden** (*dans composés*) **1** (afflicted by) **debt-~** criblé de dettes; **crisis-~** en crise; **guilt-~** rongé par un sentiment de culpabilité; **2** (full of) **flea/snake-~** infesté de puces/de serpents; **famine/drug-~** où règne la famine/la drogue; **cliché-~** bourré d'idées reçues

riddle /ˈrɪdl/

A *n* **1** (puzzle) devinette *f*; **to ask sb/tell sb a ~** poser/raconter une devinette à qn; **to speak in ~s** parler par énigmes; **the ~ of the Sphinx** l'énigme du Sphinx; **2** (mystery) énigme *f*; **he's a ~** c'est une énigme; **3** Hort crible *m*

B *vtr* **1** (perforate) **to ~ sth with** cribler qch de [*bullets, holes*]; **2** (undermine) **to be ~d with** [*person, organ*] être rongé *or* miné par [*disease*]; [*person*] être rongé par [*doubt, guilt*]; [*issue, language*] fourmiller de [*problems, ambiguities, errors*]; **it's ~d with corruption** la corruption règne; **3** Hort passer [qch] au crible [*soil*]

ride /raɪd/

A *n* **1** (from A to B) trajet *m* (**in, on** en, à); (for pleasure) tour *m*, promenade *f*, balade○ *f*; **bus/train ~** trajet en bus/en train; **horse/bike ~** promenade à cheval/à vélo; **sleigh ~** tour de luge; **it's a short/long ~** le trajet est court/long; **it's a £3 bus ~** ça coûte trois livres en bus; **it's a five-minute ~ by taxi** c'est à cinq minutes en taxi; **to go for a ~** aller faire un tour; **to have a ~ in a steam train/in a cart/on a merry-go-round** faire un tour dans un train à vapeur/sur une charrette/sur un manège; **he took his mother for a nice ~** il a emmené sa mère faire une jolie promenade (en voiture); **to give sb a ~** US emmener qn (en voiture); **give the child a ~ on your shoulders** promène l'enfant sur tes épaules

2 Equit (in race) course *f*; (for pleasure) promenade *f* à cheval; **the jockey has got three ~s today** Turf le jockey a trois courses aujourd'hui

3 fig (path) parcours *m*; **an easy ~ to the Presidency** un parcours facile vers la présidence; **he'll have a difficult ~** son parcours sera difficile

4 Aut **smooth ~** confort *m*

5 (bridlepath) allée *f* cavalière

B *vtr* (*prét* **rode**; *pp* **ridden**) **1** (as rider) monter [*animal*]; rouler à [*bike*]; chevaucher [*broomstick, hobby horse*]; courir [*race*]; **can you ~ a bike?** sais-tu faire du vélo?; **to ~ a good race** Turf courir une belle course; **who's riding Pharlap in the 3.30?** Turf qui monte Pharlap dans la course de 15 h 30?; **do you want to ~ my bike/horse?** est-ce que tu veux prendre mon vélo/monter mon cheval?; **he ~s his bike to school** il va à l'école à vélo; **to ~ one's bike up/down the road** monter/descendre la rue à vélo

2 US (travel on) prendre [*subway, bus*]; parcourir [*prairies, range*]

3 (float on) [*surfer*] chevaucher [*wave*]; [*bird*] être porté par [*air current*]

4 ○US (pressure) **to ~ sb about sth** casser les pieds○ à qn à propos de qch; **you're riding them too hard** vous y allez trop fort avec eux; **don't let him ~ you** ne te laisse pas faire par lui

C *vi* (*prét* **rode**; *pp* **ridden**) **1** (as rider) (to describe position) être; (to express movement) aller; **to ~ astride/side-saddle** être à califourchon/en amazone; **to ~ behind/pillion** être en croupe/derrière; **she was riding on a camel/his shoulders** elle était sur un chameau/ses épaules; **she rode to London on her bike** elle est allée à Londres à vélo; **they had been riding for hours** ils allaient à cheval/à vélo etc depuis des heures; **I can't ~ any further** je ne peux plus avancer; **to ~ across** traverser; **to ~ along sth** longer qch; **to ~ along the lane and back** parcourir l'allée dans les deux sens

2 (travel) **to ~ in** *ou* **on** [*passenger*] prendre [*bus, taxi etc*]; [*bird, surfer*] être porté par [*air current, wave*]; **I've never ridden on a bus** je n'ai jamais pris le bus; **riding on a wave of popularity** fig porté par une vague de popularité; **to ~ up and down the escalators** monter et descendre les escaliers mécaniques

3 Equit, Sport (as leisure activity) faire du cheval; Turf (race) courir; **can you ~?** sais-tu faire du cheval?; **to ~ in the 2.00 race** courir dans la course de 14 h 00; **to ~ well** [*person*] être un bon cavalier/une bonne cavalière; [*horse*] être facile à monter

4 (be at stake) **to ~ on** [*money, future*] être en jeu dans; **there's a lot riding on this project**

beaucoup de choses sont en jeu dans ce projet

(Idioms) **to be in for a rough** *or* **bumpy ~** avoir à affronter des temps difficiles; **to be riding for a fall** courir à sa perte; **to be riding high** (of moon) littér être haut dans le ciel; (of person) baigner dans l'euphorie; **to give sb a rough ~** donner du fil à retordre à qn; **to go along for the ~** lit y aller pour le plaisir; fig être là en spectateur; **to let sth** *ou* **things ~** laisser courir; **to ~ sb on a rail** US chasser qn après l'avoir l'enduit de goudron et de plumes; **to take sb for a ~**° (swindle) rouler qn°; US euph (kill) emmener qn faire un tour euph

(Phrasal verbs) ■ **ride about, ride around** se déplacer

■ **ride back** retourner (**to** à)

■ **ride down**: ▸ **~ [sb] down, ~ down [sb]** 1 (trample) piétiner; 2 (catch up with) rattraper

■ **ride on** continuer

■ **ride off**: partir; **to ~ off to** se diriger vers

■ **ride out**: ▸ **~ out** aller (**to** jusqu'à); ▸ **~ [sth] out, ~ out [sth]** surmonter [*crisis*]; survivre à [*recession*]; **to ~ out the storm** Naut étaler la tempête; fig surmonter la crise

■ **ride up** 1 (approach) [*rider*] s'approcher (**to** de); 2 (rise) [*skirt, sweater*] remonter (**over** sur)

ride-off *n* /ˈraɪdɒf/ (in competition) barrage *m*

rider /ˈraɪdə(r)/ *n* 1 (person) (on horse) cavalier/-ière *m/f*; (on motorbike) motocycliste *mf*; (on bike) cycliste *mf*; (in bike race) coureur/-euse *m/f*; (in horse race) jockey *m*; (in circus) écuyer/-ère *m/f*; 2 (stipulation) (as proviso) correctif *m*; (as addition) Insur, Jur avenant *m*; (to document) annexe *f*; (to contract) clause *f* additionnelle

ridge /rɪdʒ/

A *n* 1 Geog (along mountain top) arête *f*, crête *f*; (on hillside) corniche *f*; (in ocean) dorsale *f*; (mountain range) chaîne *f*; 2 (raised strip) (on rock, metal surface) strie *f*; (on fabric) côte *f*; (in ploughed land) crête *f*, billon *m*; (of potatoes, plants) rang *m*, rangée *f*; (in wet sand) ride *f*; 3 Anat (of nose) arête *f*, (of back) raie *f*; (in skin) ride *f*; 4 Constr (on roof) faîte *m*, faîtage *m*; 5 Meteorol **~ of high pressure** ligne *f* de hautes pressions, dorsale *f* barométrique

B *vtr* strier [*rock, metal surface*]; rider [*sand*]; enfaîter [*roof*]; Agric billonner [*land*]

ridge: **~ pole** *n* (of roof) faîte *m*, madrier *m* de faîtage; (of tent) barre *f* horizontale (de faîte); **~ tent** *n* (tente *f*) canadienne *f*; **~ tile** *n* (tuile *f*) faîtière *f*, enfaîteau *m*; **~way** *n* GB chemin *m* de faîte

ridicule /ˈrɪdɪkjuːl/

A *n* ridicule *m*; **to hold sb/sth up to ~** tourner qn/qch en ridicule; **to be met with ~** être tourné en ridicule; **to be an object of ~** [*hat, hairstyle*] provoquer la risée de tous; [*person*] être la risée de tous

B *vtr* tourner [qch] en ridicule [*idea, proposal*]

ridiculous /rɪˈdɪkjʊləs/ *adj* ridicule; **to look ~** avoir l'air ridicule; **he's quite ~** il est parfaitement ridicule; **a ~ price** un prix ridicule

ridiculously /rɪˈdɪkjʊləslɪ/ *adv* [*dressed*] de façon ridicule; [*cheap, easy, long, expensive*] ridiculement; **~ high prices** des prix ridiculement élevés

ridiculousness /rɪˈdɪkjʊləsnɪs/ *n* ridicule *m*

riding /ˈraɪdɪŋ/ ▸ p. 1253 Equit

A *n* équitation *f*; **to go ~** faire de l'équitation

B *modif* [*clothes, equipment, lesson*] d'équitation

riding: **~ boots** *npl* bottes *fpl* d'équitation; **~ breeches** *npl* culotte *f* d'équitation; **~ crop** *n* cravache *f*; **~ habit** *n* tenue *f* d'amazone; **~ school** *n* centre *m* équestre; **~ stables** *n* manège *m*; **~ whip** *n* = **riding crop**

rife /raɪf/ *adj* (*après v*) **to be ~** [*crime, disease, drug abuse*] régner; **speculation was ~** les conjectures allaient bon train; **a city ~ with disease/crime** une ville très touchée par la maladie/où règne le crime

riff /rɪf/ *n* riff *m*; **guitar ~** un riff à la guitare

riffle /ˈrɪfl/ *vtr* (*also* **~ through**) feuilleter [*pages*]

riffraff /ˈrɪfræf/ *n* péj populace *f* pej

rifle /ˈraɪfl/

A *n* Mil, Hunt fusil *m*; (at fairground) carabine *f*; **to aim one's ~ at** braquer son fusil sur; **to fire a ~** tirer un coup de fusil (**at** sur)

B *vtr* 1 vider, dévaliser [*house*]; vider [*drawer, safe*]; 2 (make grooves in) rayer [*gun barrel*]

(Phrasal verb) ■ **rifle through**: ▸ **~ through [sth]** fouiller dans

rifle: **~ butt** *n* crosse *f* d'un fusil; **~ grenade** *n* grenade *f* à fusil; **~ range** *n* Mil champ *m* de tir; (at fairground) stand *m* de tir; **~ shot** *n* coup *m* de fusil

rift /rɪft/ *n* 1 (disagreement) désaccord *m* (**between** entre; **with** avec; **about** sur); (permanent) rupture *f* (**between** entre; **with** avec; **about** à propos de); **there is a widening** *ou* **deepening ~** le fossé se creuse; 2 (split) (in rock) fissure *f*; (in clouds) trouée *f*; **a deep ~** une crevasse; 3 US (in stream) haut-fond *m* créant des rapides

rift valley *n* rift *m*

rig /rɪg/

A *n* 1 Naut gréement *m*; 2 (for drilling oil) (on land) tour *f* de forage; (offshore) plate-forme *f* pétrolière; **floating ~** plate-forme (pétrolière) flottante; 3 (piece of equipment) appareil *m*; **lighting ~** système *m* d'éclairage; 4 US (carriage) équipage *m*; 5 °US (lorry) semi-remorque *m*; 6 °(clothes) ▸ **rig-out**

B *vtr* (*p prés etc* **-gg-**) 1 Naut gréer [*boat*]; 2 (control fraudulently) truquer [*election, result competition, race*]; manipuler [*market*]

(Phrasal verbs) ■ **rig out**: ▸ **~ [sth/sb] out, ~ out [sb/sth]** 1 (equip) habiller [*soldier, person*] (**with** de); équiper [*car, house*] (**with** de); 2 °(dress) **to ~ sb out in sth** habiller qn de qch; **he was ~ged out in his best clothes** il portait ses plus beaux habits

■ **rig up**: ▸ **~ up [sth]** installer [*equipment, system*]; improviser [*clothesline, shelter*]

rigger /ˈrɪgə(r)/ ▸ p. 1683 *n* 1 Naut gréeur *m*; 2 (in rowing) portant *m*; 3 (oil-rig worker) *ouvrier sur une plate-forme pétrolière*

rigging /ˈrɪgɪŋ/ *n* 1 Naut gréement *m*; 2 Aviat (of balloon, biplane) haubanage *m*; 3 (fraudulent control) (of election, competition, result) truquage *m*; (of share prices) Fin manipulation *f* illégale; **vote-** *ou* **poll-~** fraude *f* électorale

right /raɪt/ ▸ p. 1139

A *n* 1 (side, direction) droite *f*; **keep to the ~** Aut tenez votre droite; **on** *ou* **to your ~ is the town hall** à votre droite se trouve la mairie; **he doesn't know his left from his ~** il ne sait pas distinguer sa droite de sa gauche; **take the second ~ after Richmond Road** prenez la deuxième à droite après Richmond Road

2 Pol (*also* **Right**) **the ~** la droite; **they are further to the ~ than the Conservatives** ils sont plus à droite que les conservateurs

3 (morally) bien *m*; **~ and wrong** le bien et le mal; **he doesn't know ~ from wrong** il ne sait pas distinguer le bien du mal; **to be in the ~** avoir raison

4 (just claim) droit *m*; **to have a ~ to sth** avoir droit à qch; **to have a** *ou* **the ~ to do** avoir le droit de faire; **the ~ to work/to strike** le droit au travail/de grève; **she has no ~ to treat you like that** elle n'a pas le droit de te traiter comme ça; **he may be the boss, but that doesn't give him the ~ to treat you like that** c'est peut-être lui le patron, mais ça ne lui donne pas le droit de te traiter comme ça; **what ~ have you to criticize me like that?** de quel droit est-ce que vous me critiquez comme ça?; **I've got every ~ to be annoyed** j'ai toutes les raisons d'être agacé; **you have every ~ to do so** c'est tout à fait ton droit; **to know one's ~s** connaître ses droits; **one's ~s as a consumer** ses droits de consommateur; **human ~s** droits de l'homme; **civil ~s** droits civils; **to be within one's ~s** être dans son droit; **you would be quite within your ~s to refuse** tu serais tout à fait dans ton droit de refuser; **the property belongs to him as of ~** la propriété lui revient de plein droit; **her husband is a celebrity in his own ~** son mari est une célébrité à part entière; **the gardens are worth a visit in their own ~** à eux seuls, les jardins méritent la visite; **she is a countess in her own ~** elle est comtesse de par sa naissance

5 (in boxing) droite *f*; **he hit him a ~ to the jaw** il lui a porté une droite *or* un direct du droit à la mâchoire

B **rights** *npl* 1 Comm, Jur droits *mpl*; **the translation/film ~s of a book** les droits de traduction/d'adaptation cinématographique d'un livre; **mining ~s, mineral ~s** droits miniers; **to have the sole ~s to sth** avoir l'exclusivité des droits de qch

2 (moral) **the ~s and wrongs of a matter** les aspects *mpl* moraux d'une question; **the ~s and wrongs of capital punishment** les arguments *mpl* pour et contre la peine de mort

C *adj* 1 (as opposed to left) droit, de droite; **one's ~ eye/arm** son œil/bras droit; **on my ~ hand** (position) sur ma droite; **'eyes ~!'** Mil 'tête droite!'

2 (morally correct) bien; (fair, just) juste; **it's not ~ to steal** ce n'est pas bien de voler; **you were quite ~ to criticize him** tu as eu tout à fait raison de le critiquer; **it's only ~ that she should know** c'est normal qu'elle soit mise au courant; **I thought it ~ to tell him** j'ai jugé bon de lui dire; **it is ~ and proper that they should be punished** ce n'est que justice qu'ils soient punis; **to do the ~ thing** faire ce qu'il faut; **I hope we're doing the ~ thing** j'espère que nous ne faisons pas une erreur; **you know you're doing the ~ thing** tu sais que c'est la meilleure chose à faire; **to do the ~ thing by sb** faire son devoir envers qn

3 (correct, true) [*choice, conditions, decision, direction, road etc*] bon/bonne; [*word*] juste; (accurate) [*time*] exact; **to be ~** [*person*] avoir raison; [*answer*] être juste; **I was ~ to distrust him** j'avais raison de me méfier de lui; **you were ~ about her, she's a real gossip** tu avais raison à son sujet, c'est une vraie commère; **you're quite ~!** tu as tout à fait raison!; **that's the ~ answer** c'est la bonne réponse; **she got all the answers ~** elle a répondu juste à toutes les questions; **that 's ~** c'est ça; **that's ~, call me a liar!** iron c'est ça, traite-moi de menteur!; **that can't be ~** ça ne peut pas être ça; **what's the ~ time?** quelle est l'heure exacte?; **it's not the ~ time to go away on holiday** GB *ou* **vacation** US ce n'est pas le bon moment pour partir en vacances; **I hear you're going away on holiday** GB *ou* **vacation** US, **is that ~?** on m'a dit que tu partais en vacances, est-ce que c'est vrai?; **so you're a student, is that ~?** alors tu es étudiant, c'est ça?; **am I ~ in thinking that...?** ai-je raison de penser que...?; **I think I am ~ in saying that** je pense ne pas me tromper en disant que; **is this the ~ train for Dublin?** c'est bien le train pour Dublin?; **is this the ~ way to the station?** est-ce que c'est la bonne direction pour aller à la gare?; **to do sth the ~ way** faire qch comme il faut; **the ~ side of a piece of material** l'endroit d'un tissu; **make sure it's facing the ~ side** *ou* **way up** fais bien attention à ce qu'il soit à l'endroit; **to get one's facts ~** être sûr de ce qu'on avance; **you've got the spelling ~** l'orthographe est bonne; **I can't think of the ~ word for it** je n'arrive pas à trouver le mot juste; **they've been rehearsing that scene for weeks and they still haven't got it ~** ils répètent cette scène depuis des semaines et elle n'est toujours pas au point; **let's hope he gets it ~ this time** espérons qu'il y arrivera cette fois-ci; **it's not the ~ size** ce n'est pas la bonne taille; **it wouldn't look ~ if we didn't attend** ça serait

r

mal vu si on n'y assistait pas; how ~ you are! comme vous avez raison!; time proved him ~ le temps lui a donné raison
4 (most suitable) qui convient; those aren't the ~ clothes for gardening ce ne sont pas des vêtements qui conviennent au jardinage; you need to have the ~ equipment il te faut le matériel approprié; when the time is ~ quand le moment sera venu; you need to choose the model that's ~ for you il faut que vous choisissiez le modèle qui vous convient; I'm sure she's the ~ person for the job je suis sûr que c'est la personne qu'il faut pour le poste; to be in the ~ place at the ~ time être là où il faut au bon moment; to know the ~ people connaître des gens bien placés; he was careful to say all the ~ things il a pris grand soin de dire tout ce qu'il faut dire dans ce genre de situation; just the ~ combination of humour and pathos juste le bon équilibre entre l'humour et le pathétique
5 (in good order) [*machine, vehicle*] en bon état, qui fonctionne bien; (healthy) [*person*] bien portant; I don't feel quite ~ these days je ne me sens pas très bien ces jours-ci; a drink will set you ~ un verre te fera du bien; the engine isn't quite ~ le moteur ne fonctionne pas très bien; there's something not quite ~ about him il a quelque chose de bizarre; I sensed that things were not quite ~ j'ai senti qu'il y avait quelque chose qui n'allait pas; things are coming ~ at last les choses commencent enfin à s'arranger
6 (in order) to put *ou* set ~ corriger [*mistake*]; réparer [*injustice*]; arranger [*situation*]; réparer [*machine, engine etc*]; to put *ou* set one's watch ~ remettre sa montre à l'heure; they gave him a month to put *ou* set things ~ ils lui ont donné un mois pour arranger les choses; to put *ou* set sb ~ détromper qn; I soon put her ~ je l'ai vite détrompée; this medicine should put *ou* set you ~ ce médicament devrait vous remettre sur pied
7 Math [*angle, cone*] droit; at ~ angles to à angle droit avec, perpendiculaire à
8 ○GB (emphatic) he's a ~ idiot! c'est un idiot fini!; it's a ~ mess c'est un vrai gâchis
9 ○GB (ready) prêt; are you ~? tu es prêt?
D *adv* 1 (of direction) à droite; to turn ~ tourner à droite; she looked neither ~ nor left elle n'a regardé ni à droite ni à gauche; they looked for him ~, left and centre○ ils l'ont cherché partout; they are arresting/killing people ~, left and centre○ ils arrêtent/tuent les gens en masse
2 (directly, straight) droit, directement; it's ~ in front of you c'est droit *or* juste devant toi; I'll be ~ back je reviens tout de suite; go ~ home rentrez directement; the path goes ~ down to the river le chemin conduit tout droit à la rivière; ~ before juste avant; ~ after dinner/Christmas juste après le dîner/Noël; the train goes ~ through to Nice le train va directement à Nice; he walked ~ up to her il a marché droit vers elle
3 (exactly) ~ in the middle of the room en plein milieu *or* au beau milieu de la pièce; he interrupted them ~ in the middle of their dinner il les a interrompus en plein milieu *or* au beau milieu de leur dîner; ~ now (immediately) tout de suite; (at this point in time) en ce moment; I'm staying ~ here je ne bougerai pas d'ici; your book's ~ there by the window ton livre est juste là à côté de la fenêtre; he sat down ~ beside me il s'est assis juste à côté de moi; the bullet hit him ~ in the forehead la balle l'a touché en plein front; they live ~ on the river ils habitent juste au bord de la rivière; the house gives ~ onto the street la maison donne directement sur la rue
4 (correctly) juste, comme il faut; you're not doing it ~ tu ne fais pas ça comme il faut; you did ~ not to speak to her tu as bien fait de ne pas lui parler; I guessed ~ j'ai deviné juste; if I remember ~ si je me souviens bien; nothing seems to be going ~ for me rien ne va dans ma vie; did I hear you ~? est-ce que je t'ai bien entendu?
5 (completely) tout; a wall goes ~ around the garden il y a un mur tout autour du jardin; go ~ to the end of the street allez tout au bout de la rue; if you go ~ back to the beginning si vous revenez tout au début; ~ at the bottom tout au fond; to turn ~ around faire demi-tour; her room is ~ at the top of the house sa chambre est tout en haut de la maison; to read a book ~ through lire un livre jusqu'au bout; the noise echoed ~ through the building le bruit a retenti dans tout l'immeuble; she looked ~ through me fig elle a fait semblant de ne pas me voir; to turn the radio/the central heating ~ up mettre la radio/le chauffage central à fond; ~ up until the 1950s jusque dans les années 50; the door handle came ~ off in my hand la poignée m'est restée dans les mains; the roof of the house was blown ~ off by the explosion le toit de la maison a été emporté dans l'explosion; we're ~ behind you! nous vous soutenons totalement!
6 ▸ p. 1237 GB (in titles) the Right Honourable Jasper Pinkerton le très honorable Jasper Pinkerton; the Right Honourable Gentleman (form of address in parliament) ≈ notre distingué collègue; the Right Reverend Felix Bush le très Révérend Felix Bush
7 †*ou* GB dial (emphatic) très; he knew ~ well what was happening il savait très bien ce qui se passait; a ~ royal reception une réception somptueuse
8 (very well) bon; ~, let's have a look bon, voyons ça
E *vtr* 1 (restore to upright position) redresser [*vehicle, ship*]
2 (correct) réparer [*injustice*]; to ~ a wrong redresser un tort
F *v refl* to ~ oneself [*person*] se redresser; to ~ itself [*ship, plane*] se rétablir; [*situation*] se rétablir
(Idioms) to see sb ~ (financially) dépanner○ qn; (in other ways) sortir qn d'affaire; here's £10, that should see you ~ voici 10 livres, ça devrait te dépanner○; ~ you are○!, ~-oh○! GB d'accord!, d'ac○!; ~ enough○ effectivement; he's ~ up there! il est parmi les meilleurs!; by ~s normalement, en principe; by ~s it should belong to me normalement *or* en principe, ça devrait m'appartenir; to put *ou* set sth to ~s arranger qch

right: ~ **angle** *n* angle *m* droit; ~-**angled** *adj* à angle droit; ~-**angled triangle** *n* triangle *m* rectangle; ~ **away** *adv* tout de suite

right-click /ˌraɪtˈklɪk/ *vi* Comput cliquer en appuyant sur le bouton droit (de la souris) (on sur)

righteous /ˈraɪtʃəs/
A *n* the ~ (+ *v pl*) les justes *mpl*
B *adj* 1 (virtuous) [*anger*] juste (*before n*); [*thoughts, person*] vertueux/-euse; to feel ~ se sentir vertueux; 2 (justifiable) [*anger*] juste (*before n*); [*indignation*] vertueux/-euse (*before n*)

righteously /ˈraɪtʃəslɪ/ *adv* de façon vertueuse

righteousness /ˈraɪtʃəsnɪs/ *n* (rectitude) droiture *f*; Bible (goodness) vertu *f*

rightful /ˈraɪtfl/ *adj* légitime

rightfully /ˈraɪtfəlɪ/ *adv* [*mine, yours etc*] légitimement; [*claim, belong*] en droit

right-hand /ˈraɪthænd/ *adj* du côté *m* droit; it's on the ~ side c'est sur la droite

right-hand drive, rhd
A *n* conduite *f* à droite; car with ~ voiture avec (la) conduite à droite
B *modif* [*vehicle*] avec (la) conduite à droite

right: ~-**handed** *adv* [*person*] droitier/-ière; [*blow, stroke*] du droit; Tech [*screw*] à droite; ~-**hander** *n* (person) droitier/-ière *m/f*; (blow) coup *m* du droit

right-hand man *n* bras *m* droit; he's her ~ c'est son bras droit

rightism /ˈraɪtɪzəm/ *n* Pol opinions *fpl* de droite, droitisme *m*

rightist /ˈraɪtɪst/ souvent péj
A *n* droitiste *mf*
B *adj* [*party, régime*] de droite

rightly /ˈraɪtlɪ/ *adv* 1 (accurately) [*describe, guess*] correctement; 2 (justifiably) à juste titre; and ~ so et pour cause; ~ or wrongly à tort ou à raison; 3 (with certainty) au juste; I can't ~ say je ne peux pas dire; I don't ~ know je ne sais pas au juste

right: ~-**minded** *adj* bien-pensant; ~-**of-centre** *adj* Pol centre-droite *inv*; ~ **off** *adv* tout de suite

right of way *n* 1 Aut priorité *f*; it's your ~ c'est vous qui avez la priorité; 2 (over land, property) (right) droit *m* de passage; (path) sentier *m* public

right-on○ /ˌraɪtˈɒn/
A *adj* péj they're very ~○ ils s'appliquent à être idéologiquement corrects sur tout
B right on *excl* US ça marche!

right: ~**s issue** *n* émission *f* de droits de souscription; ~-**thinking** *adj* bien-pensant; ~-**to-die** *adj* [*movement, protester*] pro-euthanasie, pour le droit de mourir; ~-**to-life** *adj* [*movement, protester*] pour le droit de vivre; ~ **whale** *n* baleine *f* franche

right wing
A *n* 1 Pol (*also* Right Wing) the ~ la droite; 2 Sport ailier *m* droit
B right-wing *adj* Pol [*party, policy, attitude*] de droite; they are very ~ ils sont très à droite

right-winger *n* 1 Pol personne *f* de droite; 2 Sport ailier *m* droit

righty-ho○ /ˈraɪtɪhəʊ/ *excl* GB d'accord!, d'ac○!

rigid /ˈrɪdʒɪd/ *adj* 1 (strict) [*rules, system*] rigide; [*controls, adherence, timetable*] strict; 2 (inflexible) [*person, attitude*] rigide; 3 (stiff) [*material, container*] rigide; [*body, bearing*] raide; to stand ~ se tenir très raide; to be ~ with fear être mort de peur
(Idioms) to bore sb ~○ ennuyer qn à mourir; to shake sb ~○ GB filer un choc à qn○

rigidity /rɪˈdʒɪdətɪ/ *n* rigidité *f*; moral ~ rigidité dans le domaine moral; the ~ of her bearing la raideur de son maintien

rigidly /ˈrɪdʒɪdlɪ/ *adv* 1 [*stand, lie*] de façon très raide; [*stand to attention*] avec beaucoup de raideur; 2 [*opposed*] fermement; [*controlled*] rigoureusement; [*obey*] rigoureusement; [*act, behave*] avec rigidité

rigmarole /ˈrɪgmərəʊl/ *n* long discours *m* (about au sujet de); to go through a ~ (verbal) se lancer dans un long discours; (procedure) faire tout un circuit○

rigor *n* US ▸ rigour

rigor mortis /ˌrɪgə ˈmɔːtɪs/ *n* rigidité *f* cadavérique; ~ had set in la rigidité cadavérique était amorcée

rigorous /ˈrɪgərəs/ *adj* 1 (strict) [*rules, discipline, controls*] rigoureux/-euse; [*regime*] sévère; [*adherence, observance*] strict; 2 (careful) rigoureux/-euse

rigorously /ˈrɪgərəslɪ/ *adv* [*test, enforce, interrogate*] rigoureusement

rigour GB, **rigor** US /ˈrɪgə(r)/
A *n* (severity, scrupulousness) rigueur *f*; academic *ou* intellectual ~ rigueur intellectuelle; the ~ of the law l'inflexibilité de la loi
B rigours *npl* (hardship) rigueurs *fpl*

rig-out○ /ˈrɪgaʊt/ *n* tenue *f*

rile○ /raɪl/ *vtr* énerver; it ~s me that cela m'énerve que (+ *subj*); to get ~d (up) s'énerver (about à propos de)

rill /rɪl/ *n* 1 littér (stream) ruisselet *m*; 2 (on moon) rainure *f*

rim /rɪm/
A *n* 1 (of container, crater) bord *m*; a cup with a

r

gold ~ une tasse cerclée d'or; [2] (on wheel) jante *f*; [3] (in basketball) anneau *m*
[B] *vtr* (*p prés etc* **-mm-**) [*mountains*] entourer [*valley*]
[C] **-rimmed** (*dans composés*) **steel-/gold-~med spectacles** lunettes *fpl* à monture d'acier/d'or

rime /raɪm/ *n* [1] = **rhyme**; [2] littér *ou* dial (frost) givre *m*

rimless glasses /'rɪmlɪs/ *n* lunettes *fpl* non cerclées

rind /raɪnd/ *n* [1] (on cheese) croûte *f*; (on bacon) couenne *f*; [2] (on fruit) peau *f*; **lemon ~** Culin zeste *m* de citron; [3] (bark) écorce *f*

ring /rɪŋ/
[A] *n* [1] (metal hoop) (for ornament, gymnast, attaching rope) anneau *m*; **to have a ~ in one's/its nose** avoir un anneau au nez; **a diamond/engagement ~** une bague de diamants/de fiançailles; **she wasn't wearing a (wedding) ~** elle ne portait pas d'alliance
[2] (circle) (of people, on page) cercle *m*; **to form a ~** former un cercle: **to put a ~ round** entourer [qch] d'un cercle [*name, ad*]; **to have ~s under one's eyes** avoir les yeux cernés
[3] (sound) (at door) coup *m* de sonnette; (of phone) sonnerie *f*; (of crystal) tintement *m*; **hang up after three ~s** laisse sonner trois fois et puis raccroche; **to have a hollow ~** lit, fig sonner creux; **to have the ~ of truth** sonner vrai; **to have a nice ~ to it** sonner bien; **that story has a familiar ~ (to it)** j'ai déjà entendu cette histoire quelque part
[4] GB (phone call) coup *m* de téléphone *or* fil○; **to give sb a ~** passer un coup de fil○ à qn
[5] Sport (for horses, circus) piste *f*; (for boxing) ring *m*; **to retire from the ~ aged 35** se retirer de la boxe à l'âge de 35 ans
[6] (of smugglers, pornographers) réseau *m*; (of dealers, speculators) syndicat *m*; **drugs ~** réseau de trafiquants de drogue
[7] Zool (on swan, bird) bague *f*
[8] Astron anneau *m*; **Saturn's ~s** les anneaux de Saturne
[9] (on cooker) (electric) plaque *f*; (gas) brûleur *m*; **three-~ hob** cuisinière *f* à trois plaques *or* brûleurs
[10] (set of bells) jeu *m* (**of** de)
[B] *vtr* [1] (cause to sound) (*prét* **rang**; *pp* **rung**) faire sonner [*bell*]; **to ~ the doorbell** *ou* **bell** sonner
[2] GB Telecom (*prét* **rang**; *pp* **rung**) appeler [*person, number, station*]
[3] (encircle) (*prét, pp* **ringed**) [*trees, buildings*] entourer; [*police, troops, protesters*] encercler; **to be ~ed in black/by cliffs** être entouré de noir/par des falaises
[4] Zool, Ecol (*prét, pp* **ringed**) baguer [*tree, swan, bird*]
[C] *vi* (*prét* **rang**; *pp* **rung**) [1] (sound) [*bell, telephone*] sonner; **the doorbell rang** on a sonné à la porte; **it** *ou* **the number is ~ing** ça sonne
[2] (sound bell) [*person*] sonner; **to ~ at the door** sonner à la porte; **to ~ for sb** sonner qn; **you rang, Sir?** Monsieur a sonné?; **'please ~ for service'** 'prière de sonner'
[3] (resonate) [*footsteps, laughter, words*] résonner; **his words were still ~ing in my ears** ses mots résonnaient encore à mes oreilles; **their steps rang down the corridor** leurs pas résonnaient dans le couloir; **the house rang with laughter** la maison résonnait de rires; **that noise makes my ears ~** ce bruit fait bourdonner mes oreilles; **to ~ true** sonner vrai; **to ~ false** *ou* **hollow** fig sonner creux/creuse
[4] GB Telecom téléphoner; **to ~ for** appeler [*taxi, ambulance*]
(Idioms) **to ~ down/up the curtain** baisser/lever le rideau; fig **to ~ down the curtain on an era** marquer la fin d'une ère; **to ~ in the New Year** fêter le Nouvel An; **~ out the old, ~ in the new** tournons le dos au passé et faisons confiance à l'avenir; **to run ~s round** éclipser
(Phrasal verbs) ■ **ring around** GB (haphazardly) téléphoner un peu partout; (transmitting message) appeler tous les intéressés
■ **ring back** GB: ► **~ back** rappeler; ► **~ [sth] back** rappeler [*caller*]
■ **ring in** GB (to work) téléphoner au bureau; **to ~ in sick** téléphoner (au bureau) pour dire qu'on est souffrant
■ **ring off** GB raccrocher
■ **ring out**: ► **~ out** [*voice, cry*] retentir; [*bells*] sonner; ► **~ out [sth]** [*bells*] carillonner [*news, message*]
■ **ring round** = **ring around**
■ **ring up** GB: ► **~ up** téléphoner; ► **~ up [sth]**, **~ [sth] up** [1] (on phone) téléphoner à [*enquiries, station*]; [2] (on cash register) enregistrer [*figure, total*]; ► **~ up [sb]**, **~ [sb] up** téléphoner à [*friend, operator*]

ring: **~-a-ring-a-roses** ▸ **p. 1253** *n*: *ronde et jeu enfantins*; **~ binder** *n* classeur *m* à anneaux

ringdove /'rɪŋdʌv/ *n* [1] (wood pigeon) ramier *m*; [2] (turtle dove) tourterelle *f* rieuse

ringed plover /ˌrɪŋd 'plʌvə(r)/ *n* grand gravelot *m*

ringer○ /'rɪŋə(r)/ *n* US imposteur *m*

ring: **~-fence** *vtr* GB réserver [*funds, grant*]; **~ finger** *n* annulaire *m*

ringing /'rɪŋɪŋ/
[A] *n* [1] (noise of bell, alarm) sonnerie *f*; [2] (in ears) bourdonnement *m*; [3] = **bell-ringing**
[B] *adj* lit, fig [*declaration, voice*] retentissant

ringing tone *n* GB tonalité *f* de sonnerie

ringleader /'rɪŋliːdə(r)/ *n* meneur/-euse *m/f*

ringlet /'rɪŋlɪt/ *n* anglaise *f*

ring main *n* circuit *m* principal

ringmaster /'rɪŋmɑːstə(r)/ *n* Monsieur Loyal; **the ~ entered** Monsieur Loyal est entré

ring: **~ ouzel** *n* merle *m* à plastron; **~-pull** *n* anneau *m*; **~-pull can** *n* boîte *f* à ouverture facile

ringroad /'rɪŋrəʊd/*n* GB périphérique *m*; **inner ~** ceinture *f*

ringside /'rɪŋsaɪd/ *n* **at the ~** près du ring; **our commentator at the ~** notre commentateur en direct du match de boxe
(Idiom) **to have a ~ seat** fig être aux premières loges

ring: **~ spanner** *n* clé *f* polygonale; **~-tailed** *adj* à queue rayée

ringtone /'rɪntəʊn/ *n* Telecom sonnerie *f*

ringworm /'rɪŋwɜːm/ ▸ **p. 1327** *n* herpès *m* circiné, mycose *f*; **~ on the scalp** teigne *f*

rink /rɪŋk/ *n* patinoire *f*

rinky-dink○ /ˌrɪŋkɪ'dɪŋk/ US
[A] *n* pacotille *f*
[B] *adj* (old-fashioned) ringard○; (broken-down) déglingué○; (cheap quality) de pacotille

rinse /rɪns/
[A] *n* rinçage *m*; **to give sth a ~** rincer qch [*clothes, dishes*]; **give your mouth/hands a ~** rincez-vous la bouche/les mains
[B] *vtr* [1] (to remove soap) rincer [*dishes, clothes*]; [2] (wash) laver; **to ~ the soap off one's hands/out of one's hair** se rincer les mains/les cheveux; **to ~ one's hands/mouth** se rincer les mains/la bouche
(Phrasal verb) ■ **rinse out**: ► **~ out** [*colour, dye*] partir au lavage; ► **~ [sth] out**, **~ out [sth]** rincer [*mouth, glass*]

rinse cycle *n* cycle *m* de rinçage

Rio de Janeiro /ˌriːəʊ də dʒə'nɪərəʊ/ ▸ **p. 1815** *pr n* Rio de Janeiro

riot /'raɪət/
[A] *n* [1] gen (disturbance) émeute *f*, révolte *f*; Jur émeute *f*; **food ~** émeute suscitée par la pénurie alimentaire; **football ~** affrontement *m* de supporters; **prison ~** mutinerie *f*; **race ~** émeute raciale; [2] (profuse display) a **~ of** une profusion de [*colours, patterns*]; [3] ○**to be a ~** (hilarious) être tordant○
[B] *vi* gen se soulever; [*prisoner*] se mutiner
(Idiom) **to run ~** (behave wildly) lit se déchaîner; fig [*emotion, imagination*] se débrider; [*inflation*] galoper; (grow profusely) [*plant*] proliférer

Riot Act *n* Jur, Hist loi *f* britannique antiémeutes
(Idiom) **to read the riot act to sb** chapitrer qn

riot control *n* contrôle *m* des émeutes

rioter /'raɪətə(r)/ *n* gen émeutier/-ière *m/f*; (in prison) mutin *m*

riot: **~ gear** *n* tenue *f* antiémeutes; **~ gun** *n* mousqueton *m*

rioting /'raɪətɪŋ/
[A] *n* ¢ émeutes *fpl*, bagarres *fpl*
[B] *adj* [*people, crowds*] insurgé

riotous /'raɪətəs/ *adj* [1] Jur séditieux/-ieuse; **~ assembly** attroupement *m* séditieux; [2] (boisterous) [*laughter*] exubérant; [*welcome*] délirant; [*play, film*] hilarant; [3] (wanton) [*living, party, evening*] débridé

riotously /'raɪətəslɪ/ *adv* **~ funny** à se tordre *or* mourir de rire

riotousness /'raɪətəsnɪs/ *n* déchaînement *m*

riot: **~ police** *n* forces *fpl* d'ordre; **~ shield** *n* bouclier *m* antiémeutes; **~ squad** *n* brigade *f* antiémeutes

rip /rɪp/
[A] *n* [1] (tear) accroc *m* (**in** dans); [2] = **riptide**
[B] *vtr* (*p prés etc* **-pp-**) [1] (tear) déchirer; **to ~ sth with one's bare hands/with one's teeth/with a knife** déchirer qch à mains nues/avec les dents/avec un couteau; **to ~ a hole in sth** faire un trou dans qch; **to ~ sth/sb to pieces** *ou* **shreds** lit, fig réduire qch/qn en pièces; [2] (snatch, pull) **to ~ sth off** *ou* **from sth/from sb** arracher qch de qch/à qn
[C] *vi* (*p prés etc* **-pp-**) [*fabric*] se déchirer
(Idioms) **to let ~**○ tempêter○ (**against** contre; **about** à propos de); **to let ~ at sb** engueuler◑ qn; **to let ~ a stream of abuse** lancer un flot d'injures; **let it** *ou* **her ~**○! (of car) fonce○!
(Phrasal verbs) ■ **rip apart**: ► **~ [sth] apart** [1] lit [*bomb blast, person*] déchiqueter [*car, building, object*]; [2] ○fig défoncer [*team, team's defences*]; descendre○ [*reputation*]
■ **rip down**: ► **~ down [sth]**, **~ [sth] down** arracher [*picture, notice*]
■ **rip off**: ► **~ off [sth]**, **~ [sth] off** [1] lit [*person, wind, blast*] arracher [*garment, roof*]; [2] ○(steal) rafler○ [*idea, design, goods*]; ► **~ off [sb]**, **~ [sb] off**○ arnaquer◑; **to get ~ped off** se faire arnaquer◑
■ **rip into**: ► **~ into [sth /sb]** [1] (enter forcefully) [*knife*] s'enfoncer dans; [2] (attack) [*wind*] frapper [qch] de plein fouet; fig descendre [qn] en flammes [*person*]
■ **rip open**: ► **~ open [sth]**, **~ [sth] open** déchirer [*envelope, parcel*]; crever [*bag*]
■ **rip out**: ► **~ out [sth]**, **~ [sth] out** arracher [*page, fireplace, heart*]
■ **rip through**: ► **~ through [sth]** [*bomb blast*] défoncer [*building*]; [*fire*] investir, envahir [*building*]
■ **rip up**: ► **~ up [sth]**, **~ [sth] up** déchirer [*letter, paper, contract*]; arracher [*floorboards, carpet*]

RIP (*abrév* = **requiescat** *ou* **requiescant in pace**) **Anne Smith, ~** ici repose Anne Smith

riparian /raɪ'peərɪən/ *n, adj* Jur riverain/-e (*m/f*) (*d'un cours d'eau*)

riparian rights *npl* riveraineté *f* ¢

ripcord *n* poignée *f* d'ouverture

ripe /raɪp/ *adj* [1] [*fruit*] mûr; [*cheese*] fait; [2] (ready) [*person*] liter mûr (**for** pour); **the time is ~** c'est le bon moment; **the time is ~ for change/reform** c'est le moment d'introduire des changements/des réformes; **a site ~ for development** un terrain bon pour la construction; [3] péj (coarse) [*language*] grossier/-ière; **to smell ~** sentir mauvais
(Idiom) **to live to a ~ old age** vivre jusqu'à un âge très avancé; **she lived to the ~ old age of**

90 elle a vécu jusqu'au bel âge de 90 ans

ripen /ˈraɪpən/
A *vtr* mûrir [*fruit*]; affiner [*cheese*]; **sun-~ed peaches** pêches mûries au soleil
B *vi* **1** [*fruit*] mûrir; [*cheese*] se faire; **2** littér [*feelings, relationship*] s'épanouir; **their friendship ~ed into love** leur amitié se transforma en amour

ripeness /ˈraɪpnɪs/ *n* lit, fig maturité *f*

rip: **~-off**○ *n* (all contexts) arnaque◑ *f*; **~-off artist**○, **~-off merchant**○ *n* arnaqueur/-euse◑ *m/f*

riposte /rɪˈpɒst/ *n* **1** littér riposte *f*; **to make a witty** *ou* **clever ~** faire une riposte spirituelle; **to make a ~** riposter; **2** (in fencing) riposte *f*

ripper /ˈrɪpə(r)/ *n* (murderer) éventreur *m*

ripping†○ /ˈrɪpɪŋ/ *adj* GB épatant, sensationnel/-elle; **~ yarn** histoire *f* sensationnelle

ripple /ˈrɪpl/
A *n* **1** (in water, corn, hair) ondulation *f*; **to make ~s in the water** faire des ondulations dans l'eau; **2** (sound) **a ~ of applause/laughter** une cascade d'applaudissements/de rires; **3** (repercussion) répercussion *f*; **this measure will send ~s through the economy** cette mesure aura des répercussions sur l'économie; **4** (ice cream) glace *f* panachée
B *vtr* faire onduler [*hair*]; faire des vaguelettes à la surface de [*water*]; **to ~ one's muscles** faire saillir ses muscles
C *vi* **1** [*water*] (make waves) se rider; (make sound) clapoter; **the water ~d down the pane/over the stones** l'eau coulait sur la vitre/sur les pierres; **2** [*corn*] ondoyer; [*hair, fabric*] onduler; [*muscles*] saillir; **applause/laughter ~d through the room** on entendait des cascades d'applaudissements/de rires dans la salle

ripple: **~ effect** *n* effet *m* secondaire; **~ mark** *n* ondulation *f* dans le sable

rip-rap *n* Civ Eng enrochement *m*

rip-roaring○ /ˈrɪprɔːrɪŋ/ *adj* [*party, show*] délirant; [*success*] dingue○; **to have a ~ time** s'éclater○

rip: **~saw** *n* scie *f* à refendre; **~tide** *n* courant *m* de marée

rise /raɪz/
A *n* **1** (increase) (in amount, number, inflation, rates) augmentation *f* (**in** de); (in prices, pressure) hausse *f* (**in** de); (in temperature) élévation *f* (**in** de); (in standards) amélioration *f* (**in** de); **to be on the ~** [*crime, inflation, number*] être en augmentation; [*prices*] être en hausse
2 GB (*also* **pay ~**, **wage ~**) augmentation *f* (de salaire)
3 (upward movement) (of plane, balloon) ascension *f*; (of water, liquid, sea) montée *f*; **the ~ and fall of his chest** le mouvement de sa respiration
4 (progress) (of person) ascension *f*; (of country, company, empire) essor *m*; (of doctrine, ideology) montée *f*; **Hitler's ~ and fall** l'ascension et la chute de Hitler; **the ~ and fall of the Roman Empire** l'essor et le déclin de l'Empire romain; **her ~ to fame** son accession *f* à la gloire
5 (slope) montée *f*; **there's a slight ~ in the road here** la route monte légèrement ici
6 (hill) butte *f*
7 (source) Geog source *f*; **the river has its ~ in...** le fleuve prend sa source dans...; **to give ~ to** fig donner lieu à [*rumours, speculation, suspicion*]; susciter [*happiness, resentment, frustration*]; causer [*problem, increase, unemployment*]
B *vi* (*prét* **rose**; *pp* **risen**) **1** (become higher) [*water*] monter; [*price, rate, number, temperature*] augmenter; [*voice*] devenir plus fort; **to ~ above** [*temperature, amount*] dépasser; **his voice rose to a shout** il a élevé la voix jusqu'à crier; **his voice rose in anger** la colère lui a fait élever la voix
2 fig (intensify) [*pressure*] augmenter; [*tension*] monter; [*frustration, anger, hopes*] grandir
3 (get up) [*person*] se lever; (after falling) se relever; **to ~ from the chair** se lever du fauteuil; **to ~ from the dead** ressusciter des morts; **'~ and shine!'** 'debout!'; **'all ~'** Jur 'Messieurs, la cour!'
4 (ascend) = **rise up**
5 (rebel) = **rise up**
6 (meet successfully) **to ~ to** se montrer à la hauteur de [*occasion, challenge*]
7 (progress) [*person*] réussir; **to ~ to** devenir [*director, manager*]; s'élever à [*rank, position*]; **to ~ to fame** atteindre la célébrité; **he rose from apprentice to manager** il a commencé comme apprenti et est devenu directeur; **she rose from nothing to become** partant de rien elle a réussi à devenir; **to ~ through the ranks** gravir tous les échelons
8 (slope upwards) [*ground, road*] monter; [*mountain, cliff*] s'élever; **to ~ to a height of** s'élever à une hauteur de
9 (appear over horizon) [*sun, moon, star*] se lever
10 Geog (have source) **to ~ in** [*river*] prendre sa source dans [*mountain, area*]
11 Culin [*dough, cake*] lever
12 Admin, Jur, Pol [*committee, court, parliament*] lever la séance
13 Fishg [*fish*] venir nager à la surface
(Idioms) **to get** *ou* **take a ~ out of sb**○ faire enrager qn; **to ~**○ **to sth** (react) réagir à qch
(Phrasal verbs) ■ **rise above**: ▸ **~ above [sth]** (overcome) surmonter [*problems, jealousy, disagreements*]
■ **rise up** **1** (ascend) [*ball, balloon, bird, plane*] s'élever; [*smoke, steam*] monter; fig [*building, mountain*] se dresser; **an office building rose up on the site of the old church** un immeuble de bureaux s'est construit à l'emplacement de la vieille église; **a great shout rose up from the crowd** un grand cri a jailli de la foule; **2** (rebel) littér [*people, region, nation*] se soulever (**against** contre); **to ~ up in revolt** se révolter

risen /ˈrɪzn/
A *pp* ▸ **rise**
B *adj* Relig ressuscité

riser /ˈraɪzə(r)/ *n* **1** (person) **to be an early/a late ~** être un lève-tôt/un lève-tard; **2** (part of stair) contremarche *f*

risibility /ˌrɪzəˈbɪlətɪ/ *n* sout ridicule *m*

risible /ˈrɪzəbl/ *adj* sout ridicule

rising /ˈraɪzɪŋ/
A *n* **1** (of sun, moon) lever *m*; (of tide) montée *f*; **2** (rebellion) soulèvement *m*
B *adj* **1** (increasing) [*price, costs, inflation, unemployment, temperature*] en hausse; [*demand, sales*] en augmentation; [*activity, tension, expectations*] grandissant; [*optimism, discontent, concern, number*] croissant; **2** (moving upwards) [*sun, moon*] levant; **3** (becoming successful) [*politician, singer*] en pleine ascension; [*talent*] prometteur/-euse; **he's a ~ star** il est en pleine ascension; **4** (moving to maturity) **the ~ generation** la nouvelle génération
C *adv* **to be ~ twelve/forty** aller sur ses douze/quarante ans

rising: **~ damp** *n* Constr humidité *f* (*s'élevant du sol*); **~ fives** *npl* GB Sch *enfants sur le point d'avoir cinq ans*

risk /rɪsk/
A *n* **1** gen risque *m* (**of** de; **of doing** de faire); **there's a ~ of him catching the illness** *ou* **that he'll catch the illness** il risque d'attraper la maladie; **is there any ~ of him catching the illness?** est-ce qu'il risque d'attraper la maladie?; **there's a ~ that the operation will not succeed** l'opération comporte un risque d'échec; **there is no ~ to consumers** il n'y a aucun danger pour le consommateur; **without ~s to health** sans danger pour la santé; **to run the ~ of being injured/ridiculed** courir le risque d'être blessé/tourné en ridicule; **they run a higher ~ of cancer** ils courent un risque supérieur de cancer; **to take ~s** prendre des risques; **it's not worth the ~** le risque est trop grand; **children at ~** enfants menacés de violence; **their jobs are at ~** leurs emplois sont menacés; **the factory is at ~ of closure** l'usine est menacée de fermeture; **to put one's life/health at ~** mettre sa vie/santé en danger; **her health could be at ~** sa santé pourrait être compromise; **at one's own ~** à ses risques et périls; **he saved the child at considerable ~ to himself** il a sauvé l'enfant en prenant des risques considérables; **at the ~ of seeming ungrateful/paradoxical** au risque de paraître ingrat/de sembler paradoxal; **'at owner's ~'** 'aux risques et périls du propriétaire'; **2** Fin, Insur risque *m*; **to be a good/bad ~** être un bon/mauvais risque; **to spread a ~** diviser les risques; **an all-~s policy** Insur une assurance tous risques
B *vtr* **1** (endanger) **to ~ one's life** risquer sa vie; **to ~ one's health** compromettre sa santé; **to ~ one's neck (doing)** lit, fig risquer sa peau (à faire); **2** (venture) **to ~ doing** courir le risque de faire; **we're prepared to ~ cash** nous sommes prêts à risquer de l'argent; **to ~ death** risquer la mort; **to ~ injury** risquer de se blesser; **to ~ one's all** risquer le tout pour le tout; **we decided to ~ it** nous avons décidé de prendre le risque; **let's ~ it anyway** c'est un risque à prendre

risk: **~ asset ratio** *n* ratio *m* de couverture des risques; **~ capital** *n* Fin capital *m* à risque, capital-risque *m*; **~ factor** *n* facteur *m* de risque

riskiness /ˈrɪskɪnɪs/ *n* risques *mpl* (**of** de)

risk: **~ management** *n* gestion *f* des risques; **~ manager** ▸ p. 1683 *n* Insur gestionnaire *mf* des risques

risk-taker /ˈrɪskteɪkə(r)/ *n* fonceur/-euse○ *m/f*; **he's always been a ~** il a toujours aimé prendre des risques

risk-taking /ˈrɪskteɪkɪŋ/ *n* **there must be no ~** on ne doit pas prendre de risques; **~ is part of the job** prendre des risques fait partie du travail

risky /ˈrɪskɪ/ *adj* [*decision, undertaking*] risqué; [*bond, share, investment*] à risques; **it's too ~ to appoint a new director now** il est trop risqué de nommer un nouveau directeur maintenant; **it's ~ to invest so much money in one company** investir autant d'argent dans une seule société est risqué; **it's too ~** c'est trop risqué

risotto /rɪˈzɒtəʊ/ *n* (*pl* **~s**) risotto *m*

risqué /ˈriːskeɪ, US rɪˈskeɪ/ *adj* osé

rissole /ˈrɪsəʊl/ *n* rissole *f*

rite /raɪt/ *n* rite *m*; **to perform a ~** accomplir un rite; **initiation ~** rite d'initiation; **~ of passage** rite de passage; **the Rite of Spring** Mus le Sacre du printemps

ritual /ˈrɪtʃʊəl/
A *n* rituel *m*, rites *mpl*; **to go through a ~** fig accomplir des gestes *mpl* rituels; **the courtship ~** Zool le cérémonial *m* d'approche; **he went through the ~ of thanking people** fig il a exprimé les remerciements de rigueur
B *adj* [*dance, gesture, murder*] rituel/-elle; [*visit*] traditionnel/-elle

ritualism /ˈrɪtʃʊəlɪzəm/ *n* ritualisme *m*

ritualistic /ˌrɪtʃʊəˈlɪstɪk/ *adj* [*activity*] rituel/-elle; Relig ritualiste

ritually /ˈrɪtʃʊəlɪ/ *adv* (ceremonially) selon le rituel; fig (routinely) rituellement

ritzy○ /ˈrɪtsɪ/ *adj* chic *inv*

rival /ˈraɪvl/
A *n* (person) rival/-e *m/f*; (company) concurrent/-e *m/f*; **business ~s** concurrents en affaires; **~s in love** rivaux en amour
B *adj* [*supporter, suitor, team, bid, business*] rival; [*claim*] opposé
C *vtr* (*p prés etc* **-ll-**, **-l-** US) (equal) égaler (**in** en); (compete favourably) rivaliser avec (**in** de); **to ~ sb/sth in popularity** rivaliser de popularité avec qn/qch; **few can ~ his style** son style est sans égal; **his ignorance is ~led only by his obstinacy** son ignorance n'a d'égal que son entêtement

rivalry /ˈraɪvlrɪ/ *n* rivalité *f* (**between** entre); **bitter/intense ~** rivalité acharnée/intense;

r

ℹ Rivers

■ *The English word river can be either* fleuve *or* rivière *in French. Major rivers, all of which flow into the sea, are* fleuves*: the rest are* rivières. *Here are some examples of* fleuves *in France:* la Garonne, la Loire, la Seine, le Rhin, le Rhône *and* la Somme*: other* fleuves *include:* le Nil, le Danube, le Gange, le Tage, l'Indus, l'Amazone, le Congo, le Mississippi, le Niger *and* le Saint-Laurent.

■ *The following French rivers are* rivières*:* la Marne, l'Oise, l'Allier, la Dordogne, la Saône.

■ *As in English, French uses the definite article with names of rivers:*

the Thames
= la Tamise

to go down the Rhine
= descendre le Rhin

to live near the Seine
= habiter près de la Seine

the course of the Danube
= le cours du Danube

In English you can say the X, the X river *or* the river X. *In French it is always* le X *(or* la X*):*

the river Thames
= la Tamise

the Potomac river
= le Potomac

■ *When the name of the river is used as an adjective, French has* de + *definite article:*

Seine barges
= les péniches de la Seine

a Rhine castle
= un château des bords du Rhin

the Rhine estuary
= l'estuaire du Rhin

inter-company ~ rivalités entre les compagnies

riven /ˈrɪvn/ *adj* sout déchiré (**by** par)

river /ˈrɪvə(r)/ *n* 1 (flowing into sea) fleuve *m*; (tributary) rivière *f*; **up ~/down ~** en amont/en aval; 2 fig (of lava, mud, oil) fleuve *m*; **~s of blood** des fleuves de sang

(Idioms) **to sell sb down the ~** trahir qn; **to send sb up the ~** US envoyer qn au pénitentiaire

riverbank /ˈrɪvəbæŋk/ *n* berge *f*; **along the ~** le long de la rivière

river: **~ basin** *n* bassin *m* fluvial; **~bed** *n* (going into sea) lit *m* de fleuve; (of tributary) lit *m* de rivière; **~ blindness** ▸ **p. 1327** *n* Med cécité *f* des rivières, onchocercose *f* spec; **~boat** *n* navire *m* à aubes; **~ bus** *n* Transp bateau-bus *m*; **~front** *n* quais *mpl*; **~ mouth** *n* embouchure *f*; **~ police** *n* police *f* fluviale

riverside /ˈrɪvəsaɪd/
A *n* rive *f*
B *adj* [*pub, café*] au bord de la rivière

river traffic *n* navigation *f* fluviale

rivet /ˈrɪvɪt/
A *n* rivet *m*; **to drive a ~ into sth** poser un rivet dans qch
B *vtr* 1 (captivate) **to be ~ed by** être captivé par [*performance*]; 2 (fix) **to be ~ed on** [*eyes, gaze*] être rivé sur; **to be ~ed to the spot** [*person*] être cloué sur place; 3 Tech (fasten with rivets) riveter

riveter /ˈrɪvɪtə(r)/ *n* (machine) riveteuse *f*

riveting /ˈrɪvɪtɪŋ/ *adj* fascinant

Riviera /ˌrɪvɪˈeərə/ *n* **the Italian ~** la Riviera; **the French ~** la Côte d'Azur

rivulet /ˈrɪvjʊlɪt/ *n* 1 Geog (stream) ruisselet *m*; gen **~s of lava** petits ruisseaux *mpl* de lave; 2 fig **~s of water/of sweat/of blood** filets *mpl* d'eau/de sueur/de sang

Riyadh /rɪˈjɑːd/ ▸ **p. 1815** *pr n* Riyad

riyal /rɪˈjɑːl/ ▸ **p. 1108** *n* riyal *m*

RM GB *abrév* ▸ **Royal Marines**

RN *n* 1 US (*abrév* = **registered nurse**) infirmier/-ière *m/f* diplômé/-e; 2 GB *abrév* ▸ **Royal Navy**

RNA *n*: *abrév* ▸ **ribonucleic acid**

RNLI *n* GB (*abrév* = **Royal National Lifeboat Institution**) société *f* nationale de sauvetage en mer

roach /rəʊtʃ/ *n* 1 (fish) (*pl* ~) gardon *m*; 2 ○US (insect) cafard *m*; 3 ○argot des drogués filtre *m* de joint

road /rəʊd/
A *n* 1 (between places) route *f* (**from** de; **to** à); **the ~ to Leeds, the Leeds road** la route de Leeds; **the ~ north/inland** la route du nord/qui mène à l'intérieur; **the ~ home** la route qui mène à la maison; **the ~ back to sth** la route du retour à qch; **are we on the right ~ for Oxford?** c'est bien la route pour Oxford?; **follow the ~ round to the right** suivez la route qui tourne à droite; **follow the ~ ahead** allez tout droit; **a dog in the ~** un chien sur la route; **after three hours on the ~** après trois heures de route; **across the ~** de l'autre côté de la route, en face; **along the ~** plus loin; **it's just along the ~** c'est juste un peu plus loin; **down the ~** plus bas, plus loin; **by ~** par la route; **transported by ~** transporté par *or* sur route; **to hit the ~**○, **to take (to) the ~** prendre la route, se mettre en route; **to be on the ~** [*car*] être en état de rouler; **a bargain at £5,000 on the ~** une occasion à 5 000 livres sterling clés en main; [*driver, person*] être sur la route; [*band, performers*] être en tournée; **to be** *ou* **get back on the ~** reprendre la route; **I've been on the ~ all night** j'ai roulé toute la nuit; **to go on the ~ with a show** partir en tournée avec un spectacle; **to be off the ~** [*vehicle*] être hors d'usage; 2 (in built-up area) rue *f*; **at the top** *ou* **end of my ~** au bout de ma rue; **he lives just along** *ou* **down the ~** il habite un peu plus loin dans la rue; **Tom from down the ~** Tom qui habite plus bas dans la rue; 3 fig (way) voie *f*; **a difficult ~ to follow** une voie difficile à suivre; **to be on the ~ to success/disaster** être sur la voie du succès/désastre; **we think we're on the right ~** nous pensons être sur la bonne voie; **we don't want to go down that ~** nous ne voulons pas suivre cette voie; **they are further down** *ou* **along the ~ to union** ils sont plus avancés sur la voie de l'union; **somewhere along the ~ she learned** en cours de route elle a appris; **to reach the end of the ~** déboucher sur une impasse; **it's the end of the ~ for us** c'est la fin pour nous; **(get) out of my ~○!** dégage○!; 4 Naut rade *f*
B *modif* [*bridge, condition, congestion, junction, layout, network, map, safety, surface, traffic*] routier/-ière; [*building, construction, maintenance, repair, resurfacing*] des routes; [*accident*] de la route

(Idioms) **any ~ (up)**○ GB dial n'importe comment○; **let's get this show on the ~!** c'est parti!; **one for the ~** un dernier verre pour la route

roadbed /ˈrəʊdbed/ *n* Rail ballast *m*; (of road) empierrement *m*

roadblock /ˈrəʊdblɒk/
A *n* 1 lit barrage *m* routier; **police/army ~** barrage de police/de troupes armées; **to set up/mount a ~** établir/mettre en place un barrage; 2 fig US obstacle *m*
B *vtr* fig US faire obstacle à

road bridge *n* pont *m* routier

road fund licence *n* GB Aut 1 (tax) taxe *f* routière; 2 (disc) ≈ vignette *f*

road: **~ haulage** *n* transports *mpl* routiers; **~ haulier** ▸ **p. 1683** *n* (firm) entreprise *f* de transports routiers; (person) transporteur *m* routier; **~ hog**○ *n* chauffard○ *m*; **~holding** *n* tenue *f* de route

roadhouse /ˈrəʊdhaʊs/ *n* 1 (inn) relais *m* (routier); 2 US (nightclub) boîte *f* de nuit (*située au bord d'une route de campagne*)

road hump *n* ralentisseur *m*

roadie○ /ˈrəʊdɪ/ *n* machiniste *mf* (*d'un groupe rock en tournée*)

road: **~ kill** *n* ¢ animaux *mpl* tués par les voitures; **~man** ▸ **p. 1683** *n* cantonnier *m*; **~ manager** ▸ **p. 1683** *n* organisateur/-trice *m/f* de tournée; **~ map** *n* gen carte *f* routière; Pol feuille *f* de route; **~-mender** ▸ **p. 1683** *n* cantonnier *m*; **~ metal** *n* empierrement *m*; **~ movie** *n* road-movie *m*; **~ racer** *n* (cyclist) routier/-ière *m/f*; **~ racing** ▸ **p. 1253** *n* compétition *f* sur route; **~ rage** *n* violence *f* au volant; **~ rider** *n* = **road racer**; **~roller** *n* rouleau *m* compresseur; **~runner** *n* Zool coucou *m* terrestre; **~ sense** *n* conscience *f* des dangers de la route

roadshow /ˈrəʊdʃəʊ/ *n* 1 (play, show) spectacle *m* de tournée; 2 (TV, radio programme) émission *f* itinérante en direct; 3 (publicity tour, workshop etc) tour *m* promotionnel

roadside /ˈrəʊdsaɪd/
A *n* bord *m* de la route; **at** *ou* **by** *ou* **on the ~** au bord de la route
B *modif* [*café, inn, meal, hedge, advertising*] au bord de la route; [*breath test, questioning*] sur les lieux; **to carry out ~ repairs** faire des réparations de fortune; **we offer ~ recovery and repairs** nous avons un service de rapatriement ou remorquage de véhicules et dépannage

road: **~sign** *n* panneau *m* de signalisation; **~stead** *n* Naut rade *f*

roadster /ˈrəʊdstə(r)/ *n* (car) roadster *m*; (bike) vélo *m* de route

road: **~sweeper** ▸ **p. 1683** *n* (person) balayeur/-euse *m/f*; (machine) balayeuse *f*; **~ tax** *n* taxe *f* routière; **~ tax disc** *n* vignette *f*

road test
A *n* essai *m* sur route
B *vtr* lit tester [*qch*] sur route [*car*]; US fig tester [*idea*]

road: **~ transport** *n* transports *mpl* routiers; **~ user** *n* usager *m* de la route; **~way** *n* chaussée *f*; **~work** *n* Sport course *f* sur route; **~works** *npl* travaux *mpl* (routiers); **~worthy** *adj* en état de rouler

roam /rəʊm/
A *vtr* parcourir [*world, countryside*]; faire le tour de [*cafés, shops, villages*]; **to ~ the streets** (purposefully) parcourir les rues; (aimlessly) traîner dans les rues
B *vi* **freedom to ~** la liberté de se promener à sa guise; **to ~ through** parcourir [*region, countryside, woods*]; faire le tour de [*building*]

(Phrasal verb) ■ **roam around** [*person*] vadrouiller○

roamer /ˈrəʊmə(r)/ *n* bourlingueur/-euse○ *m/f*

roaming /ˈrəʊmɪŋ/ *n* (wandering) vagabondage *m*; Telecom itinérance *f*

roan /rəʊn/
A *n* 1 Equit rouan/rouanne *m/f*; 2 (in bookbinding) basane *f*
B *adj* [*horse*] rouan/rouanne

roar /rɔː(r)/
A *n* 1 (of lion) rugissement *m*; **to give a ~** rugir; 2 (of person) hurlement *m*; **to give a ~** pousser un hurlement; 3 (vibration) (of engine, machine) vrombissement *m*; (of traffic, waterfall) grondement *m*; 4 (of sea, wind) mugissement *m*; 5 (of crowd) clameur *f*; **a ~ of laughter** un éclat de rire; **a ~ of applause** un tonnerre d'applaudissements
B *vtr* 1 (shout) **'quiet!' he ~ed** 'silence!' a-t-il vociféré; **to ~ one's approval** hurler son accord; 2 (rev up) faire vrombir [*engine*]
C *vi* 1 [*lion*] rugir; 2 [*person*] vociférer; **to**

~ **with pain** rugir de douleur; **to ~ at sb** vociférer devant qn; **to ~ with laughter** rire à gorge déployée; **3** (make noise) [*sea, thunder, wind*] mugir; [*fire*] ronfler; [*crowd*] hurler; [*engine, machine*] vrombir; **to ~ past sth** passer devant qch en vrombissant; **the car ~ed into life** la voiture a démarré en vrombissant

(Phrasal verb) ■ **roar out**: ▸ **~ out [sth]** hurler [*command*]

roaring /ˈrɔːrɪŋ/
A *n* **1** (of lion, person) rugissement *m*; **2** (of storm, wind, sea) mugissement *m*; **3** (of thunder, waterfall) grondement *m*; **4** (of engine, machine) vrombissement *m*; **5** (of crowd) clameur *f*
B *adj* **1** (loud) [*storm*] rugissant; [*engine, traffic*] grondant; **a ~ fire** une belle flambée; **the ~ forties** Geog les quarantièmes rugissants; **2** [*success*] fou/folle; **to do a ~ trade** faire des affaires en or (**in** dans la vente de); **the ~ Twenties** Hist les Années folles
C *adv* [*drunk*] complètement

roast /rəʊst/
A *n* **1** Culin rôti *m*; **~ of veal/pork etc** rôti de veau/porc etc; **2** US (barbecue) barbecue *m*; **3** ○US (entertainment) *spectacle amusant où une célébrité se fait éreinter par son entourage*
B *adj* [*meat, poultry, potatoes*] rôti; **~ beef** rôti *m* de bœuf, rosbif *m*; **~ chestnuts** châtaignes *fpl* grillées
C *vtr* **1** rôtir [*meat, potatoes*]; (faire) griller [*peanuts, chestnuts*]; torréfier [*coffee beans*]; **dry ~ed peanuts** cacahuètes *fpl* grillées; **to be ~ed alive** fig être grillé vif; **2** ○(criticize severely) descendre [qn] en flammes
D *vi* [*meat*] rôtir; [*person*] ○fig (in sun, by fire) rôtir; **I'm ~ing**○**!** je crève de chaud○!

roaster /ˈrəʊstə(r)/ *n* **1** Culin (chicken) poulet *m* à rôtir; **2** ○(hot day) jour *m* de canicule; **3** Culin (oven pan) plat *m* à rôtir; (small oven) US rôtissoire *f*

roasting /ˈrəʊstɪŋ/
A ○*n* (scolding) **to give sb a ~** passer un bon savon à qn○; **the play got a ~ from the critics** la pièce s'est fait éreinter par la critique
B *adj* **1** Culin [*chicken, cut of meat*] à rôtir; [*pan*] à rôtir; **2** ○[*weather*] chaud à crever○

rob /rɒb/ *vtr* (*p prés etc* **-bb-**) **1** [*thief*] voler [*person*]; dévaliser [*bank, shop, train*]; **to be ~bed of sth** se faire voler qch; **to ~ the till** voler de l'argent dans la caisse; **2** (deprive) **to ~ sb of sth** priver qn de qch

(Idioms) **to ~ Peter to pay Paul** déshabiller Pierre pour habiller Paul; **to ~ sb blind** escroquer qn

robber /ˈrɒbə(r)/ *n* voleur/-euse *m/f*; **train ~** bandit *m* (*qui attaque un train*)

robber baron *n* Hist baron *m* pillard; fig requin *m* de l'industrie

robbery /ˈrɒbərɪ/ *n* vol *m*; **it's sheer ~!** fig c'est du vol!; **train ~** acte *m* de banditisme ferroviaire; **~ with violence, ~ and assault** Jur vol *m* avec coups et blessures, vol *m* avec voies de fait

robe /rəʊb/
A *n* **1** (ceremonial garment) robe *f*; **christening/coronation ~** robe de baptême/de sacre; **to wear one's ~ of office** gen porter la robe; [*academic, judge*] porter la toge; **ceremonial ~s** vêtements *mpl* de cérémonie; **2** US (bath robe) peignoir *m*
B *vtr* vêtir [*dignitary*]; **~d in silk/in white** vêtu de soie/de blanc

robin /ˈrɒbɪn/ *n* **1** (*also* **~ redbreast**) rouge-gorge *m*; **2** US merle *m* migrateur

robot /ˈrəʊbɒt/
A *n* (in sci-fi, industry) robot *m* also pej
B *modif* [*arm*] robotisé; [*method of production, welding*] automatique

robot bomb *n* bombe-robot *f*

robotic /rəʊˈbɒtɪk/ *adj* [*movement, voice*] de robot; [*tool, device, machine*] robotisé

robotics /rəʊˈbɒtɪks/ *n* (+ *v sg*) robotique *f*

robotization /ˌrəʊbətaɪˈzeɪʃn, US -tɪˈz-/ *n* robotisation *f*

robotize /ˈrəʊbətaɪz/
A *vtr* robotiser
B **robotized** *pp adj* robotisé

robot plane *n* avion-robot *m*

robust /rəʊˈbʌst/ *adj* **1** [*health, person, appetite, furniture, toy*] robuste; [*economy*] solide; **2** [*humour*] fruste; [*defence, reply, attitude, approach, tackle*] énergique; [*common sense*] solide; **3** [*wine, flavour*] corsé

robustly /rəʊˈbʌstlɪ/ *adv* **1** lit [*constructed, made*] solidement; **2** fig [*answer, deny, defend*] avec force; [*confident, practical*] foncièrement

robustness /rəʊˈbʌstnɪs/ *n* **1** (of object) robustesse *f*; **2** (of answer, defence) fermeté *f*; (of economy) solidité *f*

roc /rɒk/ *n* Mythol roc *m*

rock /rɒk/
A *n* **1** ȼ (substance) roche *f*; **solid/molten ~** roche dure/en fusion; **hewn out of solid ~** taillé dans le roc; **2** C (boulder) rocher *m*; **the ship hit the ~s** le bateau a heurté les rochers *or* les récifs; **on the ~s** lit, Naut sur les récifs; [*drink*] avec des glaçons; **to be on the ~s** fig [*marriage*] aller à vau-l'eau; **3** (stone) pierre *f*; **'falling ~s'** 'chute de pierres'; **4** (*also* **~ music**) rock *m*; **5** GB (sweet) sucre *m* d'orge; **6** ○(diamond) (*gén pl*) diam○ *m*, diamant *m*; **7** ○argot des drogués (crack) caillou○ *m*, crack *m*
B **rocks**● *npl* (testicles) couilles● *fpl*; **to get one's ~s off** prendre son pied○
C *modif* Mus [*band, concert, musician*] rock; [*industry*] du rock
D *vtr* **1** (move gently) balancer [*cradle*]; bercer [*baby, boat*]; **she sat ~ing herself in her chair** elle se balançait sur sa chaise; **I ~ed the baby to sleep** j'ai endormi le bébé en le berçant; **2** (shake) [*tremor, bomb*] secouer [*town*]; [*scandal, revelation*] ébranler [*party, government*]; [*waves*] secouer [*vessel*]
E *vi* **1** (sway) [*person, cradle*] se balancer; **to ~ to and fro/back and forth** se balancer de droite à gauche/d'avant en arrière; **to ~ with laughter** être secoué de rire; **2** (shake) [*earth, ground, building*] trembler; **3** (dance) **to ~ (away)** danser le rock; **by midnight, the place is ~ing**○ vers minuit, la fête bat son plein

(Idioms) **caught between a ~ and a hard place** pris entre le marteau et l'enclume; **as firm** *ou* **solid as a ~** solide comme le roc; **as hard as a ~** dur comme du fer *or* le roc

rockabilly /ˈrɒkəbɪlɪ/ Mus
A *n* rockabilly *m*
B *modif* de rockabilly

rock and roll /ˌrɒkənˈrəʊl/
A *n* rock and roll *m*
B *modif* [*band, singer*] de rock and roll; [*era, music*] du rock and roll
C *vi* danser le rock and roll

rock bass *n* crapet *m* de roche

rock bottom /ˌrɒkˈbɒtəm/
A *n* point *m* le plus bas; **to reach** *ou* **hit ~** toucher le fond; **to be at ~** être au plus bas
B **rock-bottom** *adj* [*price*] le plus bas

rockbound /ˈrɒkbaʊnd/ *adj* [*island*] entouré de rochers; [*coast*] bordé de rochers

rock: **~ bun, ~ cake** *n* GB *petit gâteau aux raisins secs*; **~ candy** *n* US *friandise à base de sucre candi*; **~ carving** *n* sculpture *f* sur roc; **~ climber** *n* varappeur/-euse *m/f*

rock climbing ▸ **p. 1253** *n* varappe *f*; **to go ~** faire de la varappe

rock: **~ crystal** *n* cristal *m* de roche; **~ dash** *n* US crépi *m*

rocker /ˈrɒkə(r)/ *n* **1** US (chair) fauteuil *m* à bascule; **2** (on cradle, chair) bascule *f*; **3** (*also* **~ switch**) interrupteur *m* à bascule; **4** GB (biker) rockeur/-euse *m/f*; **5** ○(performer) musicien/-ienne *m/f* rock, rockeur/-euse *m/f*; **6** ○(rock fan) fana○ *mf* de rock

(Idiom) **to be/go off one's ~**○ débloquer○

rocker: **~ arm** *n* Tech culbuteur *m*; **~ panel** *n* Aut bas *m* de caisse

rockery /ˈrɒkərɪ/ *n* GB rocaille *f*

rocket /ˈrɒkɪt/
A *n* **1** (spacecraft, firework) fusée *f*; **distress ~** fusée de détresse; **to take off like a ~** partir en trombe; **2** Mil fusée *f*; **3** Bot, Culin roquette *f*
B *modif* [*range, base*] de lancement de fusées; [*research, technology*] spatiale
C *vi* **1** [*price, profit, level, value*] monter en flèche; **to ~ from 10 to 100/by 400%** grimper de 10 à 100/de 400%; **2** [*person, vehicle*] **to ~** *ou* **go ~ing past sth** passer en trombe devant qch; **to ~ to fame** accéder rapidement à la célébrité

(Idiom) **to give sb a ~**○ GB sonner les cloches à qn○

rocket: **~ attack** *n* attaque *f* à la roquette; **~ engine** *n* moteur-fusée *m*; **~ fuel** *n* propergol *m*; **~ launcher** *n* lance-fusées *m inv*; **~-propelled** *adj* autopropulsé; **~ propulsion** *n* autopropulsion *f*

rocketry /ˈrɒkɪtrɪ/ *n* fuséologie *f*

rocket ship *n* (spacecraft) vaisseau *m* spatial

rock: **~ face** *n* paroi *f* rocheuse; **~fall** *n* chute *f* de pierres; **~fish** *n* rascasse *f*; **~ formation** *n* formation *f* rocheuse; **~ garden** *n* rocaille *f*; **~-hard** *adj* extrêmement dur

Rockies /ˈrɒkiːz/ *pr npl* montagnes *fpl* Rocheuses

rocking /ˈrɒkɪŋ/
A *n* (gentle) balancement *m*; (vigorous) ballottement *m*
B *adj* [*boat*] qui se balance; **a ~ motion** un balancement

rocking: **~ chair** *n* fauteuil *m* à bascule; **~ horse** *n* cheval *m* à bascule

rockling /ˈrɒklɪŋ/ *n* loche *f* (de mer)

rock: **~ lobster** *n* homard *m* épineux, langouste *f*; **~'n'roll** = **~ and roll**; **~ painting** *n* peinture *f* rupestre; **~ plant** *n* plante *f* de rocaille; **~ pool** *n* bassin *m* dans les rochers; **~rose** *n* ciste *m*; **~ salmon** *n* GB Culin roussette *f*; **~ salt** *n* sel *m* gemme; **~ star** *n* rock-star *f*; **~-steady** *adj* extrêmement stable; **~ wool** *n* laine *f* minérale

rocky /ˈrɒkɪ/ *adj* **1** (covered in rocks) [*beach, path, soil*] rocailleux/-euse; [*coast, headland, peninsula*] rocheux/-euse; **a ~ road** lit une route rocailleuse; fig un chemin difficile; **2** ○(unstable) [*personal life, relationship, period, career*] difficile; [*health, business*] précaire; **her marriage is a bit ~** son mariage bat (un peu) de l'aile○

rocky: **Rocky Mountains** *pr npl* montagnes *fpl* Rocheuses; **Rocky Mountain spotted fever** *n* rickettsiose *f* spec, fièvre *f* pourpre des montagnes Rocheuses

rococo /rəˈkəʊkəʊ/ *n, adj* rococo (*m*) (*inv*)

rod /rɒd/ *n* **1** (stick) (of wood) tige *f*; (of metal) tringle *f*, Tech tige *f*; **curtain/stair ~** tringle à rideaux/de marche; **steel ~** tige en acier; **2** (for punishment) baguette *f*; **3** Fishg canne *f* à pêche; **to fish with a ~ and line** pêcher à la ligne; **4** (staff of office) bâton *m* de commandement; **5** Meas perche *f*; **6** (in eye) bâtonnet *m* (rétinien); **7** ○US (pistol) flingue○ *m*; **to pack a ~**○ avoir un flingue○ sur soi; **8** ●US (penis) bite● *f*

(Idioms) **to make a ~ for one's own back** s'attirer des ennuis; **to rule with a ~ of iron** gouverner avec une main de fer; **spare the ~ and spoil the child** Prov qui aime bien châtie bien Prov

rode /rəʊd/ *prét* ▸ **ride**

rodent /ˈrəʊdnt/ *n* rongeur *m*

rodent ulcer *n* épithélioma *m* cutané

rodeo /ˈrəʊdɪəʊ/ *n* (*pl* **~s**) rodéo *m*

rodomontade /ˌrɒdəmɒnˈteɪd, -tɑːd/ *n* littér péj rodomontade *f* liter, fanfaronnade *f*

roe /rəʊ/ *n* **1** ¢ (*also* **hard** ~) œufs *mpl* (de poisson); **cod's/lumpfish** ~ œufs de cabillaud/de lump; **2** (*also* **soft** ~) laitance *f*

roebuck /ˈrəʊbʌk/ *n* (*pl* ~) chevreuil *m*

roe deer /ˌrəʊˈdɪə(r)/ *n* **1** (generically) chevreuil *m*; **2** (female) chevrette *f*

Rogation Days /rəʊˈgeɪʃn/ *n* (journées *fpl* des) rogations *fpl*

rogations /rəʊˈgeɪʃnz/ *npl* rogations *fpl*

rogatory /ˈrɒgətrɪ/ *adj* rogatoire; ~ **letter** commission *f* rogatoire internationale

roger /ˈrɒdʒə(r)/
A *excl* **1** Telecom reçu; **2** ○(OK) d'accord!
B ◑*vtr* GB enfiler◑ [*woman*]

rogue /rəʊg/
A *n* **1** hum coquin *m*; **charming/handsome** ~ charmante/belle canaille *f*; **2** péj fripouille *f*; ~**s' gallery** lit *fichier de photos constitué par la police*; fig hum collection *f* de canailles; **3** (animal) solitaire *m*
B *modif* **1** (maverick) [*elephant, politician, detective*] solitaire; **2** péj [*builder, landlord, trader*] véreux/-euse

roguery /ˈrəʊgərɪ/ *n* **1** péj (dishonesty) malhonnêteté *f*; **2** (mischief) espièglerie *f*

roguish /ˈrəʊgɪʃ/ *adj* espiègle, coquin

roguishly /ˈrəʊgɪʃlɪ/ *adv* [*smile, say*] avec espièglerie

roister† /ˈrɔɪstə(r)/ *vi* faire du tapage

roisterer† /ˈrɔɪstərə(r)/ *n* fêtard *m*

role /rəʊl/ *n* Theat, fig rôle *m* (**as** comme; **in** dans); **in the** ~ **of** dans le rôle de; **to reverse** ~**s** permuter les rôles; **to take a** ~ interpréter un rôle; **leading/supporting** ~ lit, fig rôle principal/secondaire; **title** ~ rôle-titre *m*; **vital** ~, **key** ~ fig rôle primordial

role model *n* gen, Psych modèle *m*

role-play /ˈrəʊlpleɪ/
A *n* Psych psychodrame *m*; Sch jeu *m* de rôle
B *vtr* jouer [*part, scene*]; imaginer [*situation, feeling*]

role reversal, **role swapping** *n* permutation *f* de rôles

roll /rəʊl/
A *n* **1** (wad) (of paper, cloth) rouleau *m*; (of banknotes) liasse *f*; (of flesh) bourrelet *m*; **a** ~ **of film** une pellicule
2 Culin (bread) petit pain *m*; **cheese** ~ sandwich *m* au fromage; **chicken/turkey** ~ (meat) ≈ galantine *f* de poulet/dinde
3 (rocking motion) (of ship, train) roulis *m*; **to walk with a** ~ **of the hips** marcher en balançant les hanches
4 Sport (in gymnastics) roulade *f*; **forward/backward** ~ roulade avant/arrière
5 Aviat tonneau *m*
6 Games (of dice) lancer *m*
7 (deep sound) (of drums) roulement *m*; (of thunder) grondement *m*
8 (register) liste *f*; **class** ~ liste des élèves; **electoral** ~ listes électorales; **to have 200 members on the** ~ avoir 200 membres inscrits; **to call the** ~ faire l'appel; **falling school** ~**s** baisse *f* des effectifs scolaires
9 (squirm) **to have a** ~ **on** [*dog*] se rouler dans [*grass, sand*]
B *vtr* **1** (push) rouler [*ball, barrel, log*]; **to** ~ **sth away** rouler qch pour l'éloigner (**from** de); **to** ~ **sth forward** rouler qch en avant; **to** ~ **sth back a few metres** rouler qch en arrière de quelques mètres
2 (make) rouler [*cigarette*]; **to** ~ **one's own** rouler ses cigarettes soi-même; **to** ~ **sth into a ball** (of paper) faire une boulette de qch; (of dough, clay) faire une boule de qch; (of wool) faire une pelote de qch
3 (flatten) étendre [*dough*]; rouler [*lawn*]; laminer [*metal*]
4 (turn) **to** ~ **one's eyes** rouler des yeux; ~ **the patient onto his back** faire rouler le patient sur le dos; **she** ~**ed her car**○ sa voiture s'est retournée
5 Cin, Print faire tourner [*camera, presses*]
6 Games faire rouler [*dice*]
7 Ling **to** ~ **one's 'r's** rouler les r
C *vi* **1** (move) [*ball, coin, rock*] rouler (**onto** sur); [*person, animal*] se rouler; **to** ~ **backwards** [*car*] reculer; **to** ~ **down** [*car, rock*] dévaler [*hill*]; [*person*] rouler de haut en bas de [*slope*]; **to** ~ **into** [*train*] entrer en [*station*]; **to** ~ **off** [*car*] tomber de [*cliff*]; [*coin, dice*] rouler de [*table*]; [*person*] tomber de [*couch*]; **to** ~ **out of** [*person*] rouler hors de [*bed*]; **the ball** ~**ed over the line** la balle a dépassé la ligne
2 (rotate) [*car, plane*] faire un tonneau; [*eyes*] rouler dans leurs orbites
3 (sway) [*ship*] tanguer; **to** ~ **from side to side** [*person*] se balancer
4 (reverberate) [*thunder*] gronder; [*drum*] rouler
5 (function) [*camera, press*] tourner
D **rolled** *pp adj* [*steel*] laminé; ▸ **rolled gold**
E **rolling** *pres p adj* **1** [*countryside, hills*] vallonné
2 [*walk, gait*] balancé

(Idioms) **heads will** ~**!** des têtes vont tomber!; **let the good times** ~**!** que la fête commence!; ~ **on the holidays!** vivement les vacances!; **to be on a** ~○ être dans une période faste; **to be** ~**ing in it**○ rouler sur l'or; **to be X, Y and Z** ~**ed into one** être à la fois X, Y et Z

(Phrasal verbs) ■ **roll about** GB, **roll around** [*animal, person*] se rouler; [*marbles, tins*] rouler; **to** ~ **around on the grass** se rouler dans l'herbe
■ **roll along** [*car*] rouler tranquillement
■ **roll back**: ▸ ~ **back** Comput faire une reprise; ▸ ~ **[sth] back**, ~ **back [sth]** **1** (push back) rouler [*carpet*]; **2** fig faire reculer [*years*]; repousser [*frontiers*]; **3** Fin baisser [*prices*]
■ **roll down**: ▸ ~ **[sth] down**, ~ **down [sth]** baisser [*blind, window, sleeve, trouser leg*]
■ **roll in** **1** (pour in) [*tourists, money, orders*] affluer; **2** (gather) [*clouds*] se rassembler; **3** (advance) [*tanks, trucks*] avancer; **the tanks** ~**ed into the city** les chars sont entrés dans la ville; **4** ○(stroll in) s'amener○; **to** ~ **in 20 minutes late** s'amener 20 minutes en retard
■ **roll off**: ▸ ~ **off [sth]** [*cars*] sortir de [*production line*]; [*newspapers*] sortir de [*presses*]
■ **roll on**: ▸ ~ **on** [*time, hours*] passer; ▸ ~ **[sth] on**, ~ **on [sth]** enfiler [*stockings*]; **to** ~ **on deodorant** se mettre du déodorant
■ **roll out**: ▸ ~ **[sth] out**, ~ **out [sth]** étirer [*pastry*]; laminer [*metal*]; faire disparaître [*bumps*]; dérouler [*rug*]
■ **roll over**: ▸ ~ **over** **1** [*car, boat*] se retourner; **2** [*person*] se retourner; **to** ~ **over on one's back/stomach** rouler sur le dos/ventre; ▸ ~ **[sth] over** Accts Fin reconduire [*debt, loan*]; ▸ ~ **[sb] over** tourner [*patient, invalid*] (**onto** sur)
■ **roll up**: ▸ ~ **up** **1** ○(arrive) [*guests, visitors*] s'amener○, arriver; ~ **up!** approchez!; **2** (form a cylinder) [*poster, mat*] s'enrouler; ▸ ~ **up [sth]**, ~ **[sth] up** enrouler [*rug, poster*]; **to** ~ **up one's sleeves** retrousser ses manches; **I** ~**ed his sleeve up** je lui ai retroussé la manche; **to** ~ **sth/sb up in** enrouler qch/qn dans [*blanket*]

roll: ~**away bed** *n* US lit *m* pliant; ~**back** *n* US Econ baisse *f* des prix imposée; ~**bar** *n* Aut arceau *m* de sécurité; ~**-call** *n* Mil appel *m*

rolled gold
A *n* or *m* plaqué
B *modif* [*watch, bracelet*] plaqué or

roll: ~**ed oats** *npl* Culin flocons *mpl* d'avoine; ~**ed-up** *pp adj* [*newspaper, carpet*] roulé

roller /ˈrəʊlə(r)/ *n* **1** Hort, Ind, Tech rouleau *m*; **road/paint** ~ rouleau compresseur/de peintre; **2** (curler) bigoudi *m*; **3** (wave) rouleau *m*; **4** ○GB Aut Rolls *f* (Royce)

roller: ~**ball** *n* stylo *m* à bille; ~ **blind** *n* store *m*; ~ **coaster** *n* montagnes *fpl* russes; ~ **disco** *n*: *discothèque où l'on danse sur patins à roulettes*; ~**drome** *n* piste *f* de patin à roulettes

rollerblade /ˈrəʊləbleɪd/
A *n* patin *m* en ligne
B *vi* faire du patin en ligne

rollerblader /ˈrəʊləbleɪdə(r)/ *n* patineur/-euse *m/f* en ligne

rollerblading /ˈrəʊləbleɪdɪŋ/ *n* patinage *m* en ligne

roller-skate /ˈrəʊləskeɪt/
A *n* patin *m* à roulettes
B *vi* faire du patin à roulettes; **to** ~ **to work/round the park** aller au travail/faire le tour du parc en patins à roulettes

roller-skater /ˈrəʊləskeɪtə(r)/ *n* patineur/-euse *m/f* à roulettes

roller-skating /ˈrəʊləskeɪtɪŋ/ ▸ **p. 1253** *n* patinage *m* à roulettes; **to go** ~ faire du patin à roulettes

roller-skating rink *n* patinoire *f*

roller towel *n* essuie-main *m* à enrouleur

roll film *n* Phot pellicule *f* en bobine

rollick○ /ˈrɒlɪk/ *vi* (*also* ~ **about**) faire la java○

rollicking /ˈrɒlɪkɪŋ/
A ○*n* GB savon○ *m*; **to give sb a** ~ passer un savon à qn
B *adj* [*person*] exubérant; [*comedy*] bouffon/-onne; [*party*] délirant

rolling /ˈrəʊlɪŋ/ *n* Ind laminage *m*

rolling: ~ **mill** *n* laminoir *m*; ~ **news** *n* Radio, TV informations *fpl* en continu; ~ **pin** *n* Culin rouleau *m* à pâtisserie; ~ **stock** *n* Rail matériel *m* roulant; ~ **stone** *n* fig vagabond/-e *m/f*; ~ **strike** *n* Ind grève *f* tournante

roll: ~**mop** *n* Culin rollmops *m*; ~**neck** *n* Fashn col *m* roulé

roll of honour GB, **roll of honor** US *n* **1** Sch, Sport tableau *m* d'honneur; **2** Mil liste *f* des soldats tombés au champ d'honneur

roll-on /ˈrəʊlɒn/ *n* Cosmet déodorant *m* à bille

roll-on roll-off, **RORO**
A *n* roulage *m*
B *adj* Naut ~ **ferry** *ou* **ship** navire *m* roulier; **the** ~ **system** le roulage

roll: ~**out** *n* Comm, Ind lancement *m*; ~**over** *n* Fin refinancement *m* (d'une obligation arrivée à maturité); ~**over credit** *n* Fin crédit *m* renouvelable à taux révisable; ~**over jackpot** *n* super-cagnotte *f* (*en raison de l'absence d'un gagnant la fois précédente*); ~**-top desk** *n* bureau *m* cylindre; ~**-up**○ *n* GB (cigarette *f*) roulée○ *f*

roly-poly /ˌrəʊlɪˈpəʊlɪ/ *n* **1** ○hum patapouf○ *m*; **to be a** ~ être potelé; **2** GB Culin roulé *m* à la confiture

ROM /rɒm/ *n*: *abrév* ▸ **read-only memory**

romaine /rəˈmeɪn/ *n* US (*also* ~ **lettuce**) romaine *f*

roman /ˈrəʊmən/ *n*, *adj* Print romain (*m*)

Roman /ˈrəʊmən/
A *n* Romain/-e *m/f*; **(the Epistle to the)** ~**s** Bible l'Épître *f* aux Romains
B *adj* [*empire, history, calendar, alphabet, architecture*] romain; [*way of life*] des Romains

Roman: ~ **candle** *n* chandelle *f* romaine; ~ **Catholic**, **RC** *n*, *adj* catholique (*mf*); ~ **Catholicism** *n* catholicisme *m*

romance /rəʊˈmæns/
A *n* **1** (of era, way of life, place) charme *m*; (of travel) côté *m* romantique; **2** (love affair) histoire *f* d'amour; (love) amour *m*; **to have a** ~ vivre une histoire d'amour; **it was the great** ~ **of his life** ça a été le grand amour de sa vie; **a holiday** GB *ou* **vacation** US ~ une aventure de vacances; **3** (entertainment) (novel) roman *m* d'amour; (film) film *m* d'amour; **historical** ~ (love story) roman d'amour historique; (heroic) roman de cape et d'épée; **4** Literat (medieval) roman *m* du moyen âge; (Shakespearean) pièce *f* romanesque; **5** Mus romance *f*
B *vi* idéaliser; **to** ~ **about sth** idéaliser qch

Romance /rəʊˈmæns/ *n*, *adj* Ling roman (*m*)

r

romancer /rəʊˈmænsə(r)/ *n* conteur/-euse *m/f*; **to be a ~** iron avoir l'imagination fertile

Romanesque /ˌrəʊməˈnesk/ *adj* roman

Romania /rəʊˈmeɪnɪə/ ▸ **p. 1096** *pr n* Roumanie *f*

Romanian /rəʊˈmeɪnɪən/ ▸ **p. 1467, p. 1378**
A *n* **1** (person) Roumain/-e *m/f*; **2** Ling roumain *m*
B *adj* roumain

romanize /ˈrəʊmənaɪz/ (also **Romanize**) *vtr* Antiq, Ling romaniser

Roman: **~ law** *n* droit *m* romain; **~ nose** *n* nez *m* aquilin; **~ numerals** *npl* chiffres *mpl* romains; **~ rite** *n* rite *m* romain; **~ road** *n* voie *f* romaine

Romans(c)h /rəʊˈmænʃ/ *n* romanche *m*

romantic /rəʊˈmæntɪk/
A *n* romantique *mf*
B *adj* **1** [*place, setting, story, person, idea*] romantique; **2** (involving affair) sentimental; **to form a ~ attachment with sb** nouer une histoire sentimentale avec qn; **3** [*novel, film*] d'amour; **the ~ lead** le rôle du héros romantique

Romantic /rəʊˈmæntɪk/ *n, adj* romantique (*mf*)

romantically /rəʊˈmæntɪklɪ/ *adv* [*describe, sing, play*] de façon romantique; [*behave*] avec romantisme; **they are ~ involved** il y a quelque chose entre eux

romantic: **~ comedy** *n* comédie *f* sentimentale; **~ fiction** *n* (genre) romans *mpl* d'amour; (in bookshop) 'sentiment' *m*

romanticism /rəʊˈmæntɪsɪzəm/ *n* romantisme *m*

Romanticism /rəʊˈmæntɪsɪzəm/ *n* romantisme *m*

romanticist /rəʊˈmæntɪsɪst/ *n* romantique *mf*

romanticize /rəʊˈmæntɪsaɪz/ *vtr* idéaliser [*person, period, childhood*]; présenter [qch] sous un jour romantique [*violence, war*]

Romany /ˈrɒmənɪ/ ▸ **p. 1378**
A *n* **1** (gypsy) Tzigane *mf*, Romani *mf*; **2** Ling tzigane *m*, romani *m*
B *adj* tzigane, romani

Rome /rəʊm/ ▸ **p. 1815** *pr n* Rome
(Idioms) **all roads lead to ~** Prov tous les chemins mènent à Rome Prov; **~ wasn't built in a day** Prov Paris ne s'est pas fait *or* Rome ne s'est pas faite en un jour Prov; **when in ~ do as the Romans do** Prov il faut faire comme les gens du pays; **to go over to ~** Relig se convertir au catholicisme

Romeo /ˈrəʊmɪəʊ/ *pr n* **1** (character) Roméo *m*; **2** fig don Juan *m*

Romish /ˈrəʊmɪʃ/ *adj* péj papiste pej

romp /rɒmp/
A *n* **1** (frolic) ébats *mpl*; **bedroom ~s** hum ébats amoureux; **the film is an 18th century ~** c'est un film plein d'exubérance qui se passe au XVIIIe siècle; **2** (easy victory) victoire *f* facile; **to come in at a ~** Turf arriver dans un fauteuil
B *vi* [*children, puppies*] s'ébattre; **to ~ home** l'emporter facilement
(Phrasal verbs) ■ **romp away** [*bidding, prices*] s'envoler
■ **romp through**: ▸ **~ through [sth]** gagner [qch] avec une parfaite aisance [*match*]; exécuter [qch] avec une parfaite aisance [*piece, work*]

rompers /ˈrɒmpəz/ *npl* (also **romper suit**) barboteuse *f*

rondel /ˈrɒndl/ *n* rondeau *m* double

rondo /ˈrɒndəʊ/ *n* (*pl* **~s**) rondo *m*

Roneo® /ˈrəʊnɪəʊ/ *vtr* ronéotyper

rood /ruːd/ *n* **1** Relig crucifix *m*; **2** †GB (unit) quart *m* d'arpent†, ≈ 10 ares

roodscreen /ˈruːdskriːn/ *n* jubé *m*

roof /ruːf/
A *n* **1** (of building, car, cave, mine) toit *m*; **under one** *ou* **the same ~** sous le même toit; **a room under the ~** une chambre sous les toits *or* combles; **to have a ~ over one's head** avoir un toit sur la tête; **the ~ of the world** fig le toit du monde; **2** Anat **the ~ of the mouth** la voûte du palais, la voûte palatine spec
B *vtr* faire la couverture de [*building*]
C **-roofed** (*dans composés*) **slate-~ed houses** des maisons couvertes en ardoises
(Idioms) **to go through** *ou* **hit the ~**○ [*person*] sauter au plafond○; [*prices*] battre tous les records○; **to raise the ~** (be angry) sauter au plafond○; (make noise) faire un boucan de tous les diables○
(Phrasal verbs) ■ **roof in**: ▸ **~ in [sth]** couvrir [*area*]
■ **roof over**: ▸ **~ over [sth]**, **~ [sth] over** couvrir [*area*]

roofer /ˈruːfə(r)/ ▸ **p. 1683** *n* couvreur *m*

roof garden *n* jardin *m* aménagé sur le toit

roofing /ˈruːfɪŋ/
A *n* **1** (material) toiture *f*, couverture *f*; **2** (process) pose *f* de la toiture
B *modif* [*materials*] de couverture

roofing: **~ contractor** *n* couvreur *m*; **~ felt** *n* carton *m* bitumé

roof: **~ light** *n* Archit, Constr fenêtre *f* de toit; **~ rack** *n* galerie *f*; **~ tax** *n* GB Hist ≈ taxe *f* d'habitation

rooftop /ˈruːftɒp/
A *n* toit *m*; **to shout sth from the ~s** crier qch sur tous les toits
B *modif* **~ protest** occupation *f* des toits

rook /rʊk/
A *n* **1** Zool (corbeau *m*) freux *m*; **2** Games tour *f*
B ○†*vtr* (cheat) avoir○

rookery /ˈrʊkərɪ/ *n* (colony) (of rooks) colonie *f* de freux; (of seals, penguins) colonie *f*

rookie○ /ˈrʊkɪ/ US
A *n* bleu○ *m*
B *modif* [*player, cop*] débutant

room /ruːm, rʊm/
A *n* **1** (closed area) (for living) pièce *f*; (for sleeping) chambre *f*; (for working) bureau *m*; (for meetings, teaching, operating) salle *f*; **a three ~ apartment** un appartement de trois pièces; **the ~ fell silent** tout le monde se tut; **in the next ~** dans la pièce d'à côté; **'~s to let'** 'chambres à louer'; **~ 159** la chambre 159; **~ and board** chambre avec repas; **he gets ~ and board** il est logé (et) nourri; **2** ¢ (space) place *f* (**for** pour; **to do** pour faire); **to make ~** faire de la place; **to take up ~** prendre de la place; **to be short of ~** manquer de place; **3** (opportunity) **~ for improvement/doubt** possibilité *f* d'amélioration/de doute; **~ for manoeuvre** marge *f* de manœuvre
B **rooms**† *npl* **1** (rented) meublé *m*; **2** GB Univ chambre *f* d'étudiant
C *vi* US loger; **to ~ with sb** loger chez qn; **we ~ together** nous habitons ensemble
D **-roomed** (*dans composés*) **4-~ed** de 4 pièces
(Idiom) **there is always ~ at the top** quand on veut réussir dans la vie on peut

room: **~ clerk** ▸ **p. 1683** *n* US réceptionniste *mf*; **~ divider** *n* étagère *f* de séparation

roomer /ˈruːmə(r)/ *n* US locataire *mf*

roomette /ruːˈmet, rʊ-/ *n* US compartiment *m* de wagon-lit

roomful /ˈruːmfʊl/ *n* **a ~ of children** une pièce remplie d'enfants; **'have you got many books?'—'a ~'** 'avez-vous beaucoup de livres?'—'une pièce entière'

roominess /ˈruːmɪnɪs/ *n* (of house) caractère *m* spacieux; (of car) habitabilité *f*

rooming house *n* immeuble *m* locatif; **to live in a ~** habiter en location

rooming-in *n* Med *cohabitation de la mère et du nouveau-né*

roommate /ˈruːmmeɪt/ *n* **1** (in same room) camarade *mf* de chambre; **2** US (flatmate) compagnon/compagne *m/f* d'appartement

room service *n* service *m* de chambre

room temperature *n* température *f* ambiante; **to serve a wine at ~** servir un vin chambré

roomy /ˈruːmɪ/ *adj* [*car, house*] spacieux/-ieuse; [*garment*] large; [*bag, cupboard*] grand

roost /ruːst/
A *n* (perch, tree) perchoir *m*; **the belfry is a ~ for pigeons** le clocher est l'endroit où nichent les pigeons
B *vi* (in trees) percher (pour la nuit); (in belfry, attic) se nicher
(Idioms) **his chickens have come home to ~** il a récolté ce qu'il a semé; **to rule the ~** faire la loi

rooster /ˈruːstə(r)/ *n* coq *m*

root /ruːt/
A *n* **1** Bot, fig racine *f*; **to take ~** [*plant*] prendre racine; [*idea, value, system, feeling*] s'établir; [*company, industry*] s'implanter; **to pull sth up by the ~s** déraciner qch; **to pull sb's hair out by the ~s** arracher les cheveux à qn; **to destroy/reject sth ~ and branch** détruire/rejeter complètement qch; **~ and branch review/opposition** revue/opposition radicale; **2** (origin) (of problem, matter) fond *m*; (of unhappiness, evil) origine *f*; **to get to the ~ of the problem** prendre le problème à la racine; **to be at the ~ of sth** être à l'origine de qch; **3** Ling racine *f*; **4** Math racine *f*; **the fourth ~ of sth** la quatrième racine de qch
B **roots** *npl* **1** (of dyed hair) racines *fpl*; **2** fig racines *fpl*; **to try to get back to one's ~s** essayer de retrouver ses racines; **she has no ~s** elle n'a aucune racine; **to pull up one's ~s** s'arracher à son milieu; **to put down new ~s** se créer de nouvelles racines
C *modif* **1** fig [*cause*] profond; [*problem*] de base; [*question, issue*] fondamental; **2** Bot [*growth*] des racines; [*system*] radiculaire
D *vtr* **1** fig **to be ~ed in sth** [*music, film, person*] être ancré dans qch; **deeply-~ed** lit, fig bien enraciné; **to be/stand ~ed to the spot** *ou* **the ground** être/rester figé sur place; **2** Bot faire prendre racine [*plant*]
E *vi* **1** Bot prendre racine; **2** (search) [*person, animal*] fouiller (**in, through** dans)
(Phrasal verbs) ■ **root around, root about** [*person, animal*] fouiller (**in** dans)
■ **root for**○: ▸ **~ for [sb]** (cheer) encourager [*team, contestant*]; **good luck in the exams—we're all ~ing for you!** bonne chance pour tes examens—nous sommes tous avec toi!
■ **root out**: ▸ **~ out [sth]**, **~ [sth] out** traquer [*corruption, inefficiency*]; ▸ **~ [sb] out**, **~ out [sb]** déloger

root: **~ beer** *n* US *boisson pétillante non-alcoolisée aux extraits de plantes*; **~ canal** *n* Dent canal *m* radiculaire; **~ canal treatment**, **~ canal work** *n* Dent dévitalisation *f*; **~ crop** *n* plante *f* à tubercules comestibles; **~ ginger** *n* gingembre *m* frais

rootless /ˈruːtlɪs/ *adj* [*person, existence*] sans racines

root: **~ sign** *n* Math radical *m*; **~stock** *n* rhizome *m*

rootsy○ /ˈruːtsɪ/ *adj* [*music, song, sound*] d'inspiration folklorique

root: **~ vegetable** *n* légume *m* à racine comestible; **~ word** *n* mot *m* racine

rope /rəʊp/
A *n* **1** gen (also for climbing) corde *f*; **a piece of ~** un bout de corde; **the ~** (hanging) la corde; **to bring back the ~** réintroduire la pendaison; **to be on the ~s** (in boxing) lit être dans les cordes; fig avoir le dos au mur; **2** fig (of pearls) rang *m*; (of hair) tresse *f*
B *vtr* **1** attacher [*victim, animal*] (**to** à); encorder [*climber*]; nouer [qch] avec une corde [*trunk*]; **a ~d party (of climbers)** une cordée

d'alpinistes; ② US (lasso) prendre [qch] au lasso [*cattle*]; fig○ mettre le grappin sur○ [*husband, job*]

(Idioms) **give him enough ~ and he'll hang himself** si on le laisse faire, il va se casser la figure○ *or* s'enferrer; **to give sb plenty of ~** laisser à qn toute la liberté qu'il/elle veut; **to know the ~s** connaître les ficelles○; **to show sb the ~s** montrer les ficelles à qn○; **to be at the end of one's ~**○ US être au bout du rouleau○

(Phrasal verbs) ■ **rope in**○: ▸ **~ [sb], ~ in [sb]** ① GB (to help with task) embaucher○, mettre [qn] à contribution; ② US (by trickery) (into situation, deal) embringuer○; **to get ~d in** se faire embringuer○

■ **rope off**: ▸ **~ off [sth], ~ [sth] off** barrer [qch] avec une corde

■ **rope up** (in climbing) s'encorder

rope: **~ ladder** *n* échelle *f* de corde; **~-length** *n* Sport longueur *f* de corde; **~maker** *n* cordier/-ière *m/f*; **~ trick** *n* tour *m* de la corde

rop(e)y○ /ˈrəʊpɪ/ *adj* GB [*food, performance*] minable; **to feel a bit ~** se sentir un peu patraque○

RORO /ˈrəʊrəʊ/ *abrév* ▸ **roll-on roll-off**

rorqual /ˈrɔːkwəl/ *n* Zool rorqual *m*

rort○ /rɔːt/ *n* Austral escroquerie *f*

rosary /ˈrəʊzərɪ/ *n* ① (prayer) rosaire *m*; **to say the ~** réciter le rosaire; ② (*also* **~ beads**) chapelet *m*, rosaire *m*

rose /rəʊz/

A *prét* ▸ **rise**

B *n* ① (flower) rose *f*; ② (shrub) rosier *m*; ③ (colour) rose *m*; ④ (nozzle) (on watering can) pomme *f* d'arrosoir; (on shower) pomme *f* de douche; ⑤ (gem) pierre *f* taillée en rose; ⑥ Archit (window) rosace *f*; (on ceiling) rosace *f*; (motif) rose *f*; ⑦ (girl) **an English ~** une Anglaise au teint de porcelaine; ⑧ (emblem) rose *f*; GB Hist **the Wars of the Roses** la guerre *f* des Deux-Roses

(Idioms) **life is not a bed of ~s** ce n'est pas tous les jours la fête; **his life is not all ~s** sa vie n'est pas toujours rose; **everything is coming up ~s** tout se passe merveilleusement bien; **under the ~** en confidence; **to put the ~s back in sb's cheeks** redonner des couleurs à qn; **to come up smelling of ~s** s'en tirer sans tache

rosé /ˈrəʊzeɪ, US rəʊˈzeɪ/ *n, adj* Wine rosé (*m*)

roseate /ˈrəʊzɪət/ *adj* littér rosé

rose: **~bay** *n* US Bot rhododendron *m*; **~bay willowherb** *n* Bot épilobe *m* à épi; **~bed** *n* parterre *m* de roses; **~bowl** *n* vase *m* (*spécialement conçu pour les roses*)

rosebud /ˈrəʊzbʌd/ *n* bouton *m* de rose

rose: **~bud mouth** *n* bouche *f* aux lèvres ourlées; **~bud vase** *n* soliflore *m*; **~ bush** *n* rosier *m*

rose-coloured GB, **rose-colored** US /ˈrəʊzkʌləd/ ▸ **p. 1067** *adj* ① (red) vermeil/-eille; ② (optimistic) [*idea, view*] à l'eau de rose

(Idioms) **to see the world through ~ spectacles** *ou* **glasses** voir la vie en rose; **to see sb/sth through ~ spectacles** ne voir que les bons côtés de qn/qch

rose: **~-cut** *adj* [*gem*] taillé en rose; **~garden** *n* roseraie *f*; **~grower** *n* rosiériste *mf*; **~hip** *n* gratte-cul *m*, cynorhodon *m*; **~hip syrup** *n* sirop *m* d'églantine

rosemary /ˈrəʊzmərɪ, US -merɪ/ *n* romarin *m*

rose of Sharon *n* GB millepertuis *m* à grandes fleurs; US hibiscus *m* (syriacus)

roseola /rəʊˈziːələ/ *n* roséole *f*

rose: **~ petal** *n* pétale *m* de rose; **~ pink** ▸ **p. 1067** *adj* rose; **~-red** ▸ **p. 1067** *adj* vermeil/-eille; **~-tinted** ▸ **p. 1067** *adj* = **rose-coloured**

rosette /rəʊˈzet/ *n* ① (for supporter, winner) cocarde *f*; Equit flot *m*; (on gift wrap) faveur *f*, nœud *m*; ② Bot (of leaves) rosette *f*; ③ Archit (carving) rosette *f*; (window) rosace *f*

rose: **~-water** *n* eau *f* de rose; **~ window** *n* rosace *f*

rosewood /ˈrəʊzwʊd/

A *n* bois *m* de rose

B *modif* [*chair, table*] en bois de rose

Rosicrucian /ˌrəʊzɪˈkruːʃn/ *n, adj* rosicrucien/-ienne (*m/f*)

rosin /ˈrɒzɪn, US ˈrɒzn/ *n* colophane *f*

ROSPA *n* GB (*abrév* = **Royal Society for the Prevention of Accidents**) association *f* pour la prévention des accidents

roster /ˈrɒstə(r)/ *n* (*also* **duty ~**) tableau *m* de service

rostrum /ˈrɒstrəm/ *n* (*pl* **-trums** *ou* **-tra**) estrade *f*

rosy /ˈrəʊzɪ/ *adj* ① (pink) [*cheek, face, lip, light*] rose; [*dawn*] rosé; **~-cheeked** aux joues roses (*after n*); ② (favourable) [*future, picture*] prometteur/-euse; **things are looking ~** les choses s'annoncent bien; **our prospects are not ~** nos perspectives ne sont pas bonnes; **to paint a ~ picture of sth** peindre un tableau favorable de qch

(Idiom) **everything in the garden is ~** tout va très bien

rot /rɒt/

A *n* ① lit pourriture *f*; fig mal *m*; **the ~ in the system** le mal qui ronge le système; **to stop the ~** fig arrêter le mal *or* la gangrène; **the ~ set in when…** les choses ont commencé à se gâter quand…; ② ○†GB (rubbish) balivernes† *fpl*, bêtises *fpl*; **to talk ~** raconter des balivernes†; ③ Vet piétin *m*

B *vtr* (*p prés etc* **-tt-**) pourrir

C *vi* (*p prés etc* **-tt-**) (*also* **~ away**) lit pourrir; fig [*person*] moisir○; **to leave sb to ~ in prison** laisser moisir○ *or* croupir○ qn en prison

D rotting *pres p adj* pourrissant

rota /ˈrəʊtə/ *n* GB tableau *m* de service; **on a ~ basis** à tour de rôle, par roulement

Rotarian /rəʊˈteərɪən/ *n* rotarien *m*, membre *m* du Rotary Club

rotary /ˈrəʊtərɪ/

A *n* US Aut rond-point *m*

B *adj* [*motion*] rotatif/-ive, rotatoire; [*engine, pump, mower*] rotatif/-ive

rotary: **~ clothes line** *n* séchoir *m* parapluie; **Rotary club** *n* Rotary Club *m*; **~ plough** GB, **~ plow** US *n* motoculteur *m*; **~ (printing) press** *n* rotative *f*

rotate /rəʊˈteɪt, US ˈrəʊteɪt/

A *vtr* ① faire tourner [*handle, blade*]; faire pivoter [*mirror*]; ② (alternate) occuper [qch] par roulement, faire [qch] à tour de rôle [*job*]; alterner [*roles*]; ③ Agric alterner [*crops*]

B *vi* [*blade, handle, wings*] tourner

rotating /rəʊˈteɪtɪŋ, US ˈrəʊteɪtɪŋ/ *adj* ① (turning) [*blade, globe*] tournant; [*mirror*] pivotant; ② [*post, presidency*] tournant

rotation /rəʊˈteɪʃn/ *n* ① (of blade, wheel, crops) rotation *f*; ② (taking turns) **job ~** occupation *f* des postes par roulement; **to work in ~** travailler par roulement *or* à tour de rôle; **in strict ~** [*answer, ask*] à tour de rôle

rote /rəʊt/ *n* **by ~** [*learn*] par cœur

rote learning *n* par cœur○ *m*; **to encourage ~** encourager à apprendre par cœur

rotgut◑ /ˈrɒtgʌt/ *n* péj tord-boyaux○ *m inv*

rotisserie /rəʊˈtiːsərɪ/ *n* rôtissoire *f*

rotogravure /ˌrəʊtəgrəˈvjʊə(r)/ *n* rotogravure *f*

rotor /ˈrəʊtə(r)/ *n* gen, Elec, Aviat rotor *m*

rotor: **~ arm** *n* Aut toucheau *m*; **~ blade** *n* pale *f* de rotor

rotorcraft /ˈrəʊtəkrɑːft, US -kræft/ *n* (*pl* **~**) giravion *m*

rototill /ˈrəʊtətɪl/ *vtr* US = **rotovate**

Rototiller® /ˈrəʊtətɪlə(r)/ *n* US motoculteur *m*

rotovate /ˈrəʊtəveɪt/ *vtr* GB retourner [qch] au motoculteur [*garden*]; passer [qch] au rotavator [*field*]

rotovator® /ˈrəʊtəveɪtə(r)/ *n* GB (for garden) motoculteur *m*; (on farm) rotavator *m*

rotproof /ˈrɒtpruːf/ *adj* imputrescible

rotten /ˈrɒtn/

A *adj* ① (decayed) [*produce, wood, vegetation*] pourri; [*teeth*] gâté; [*ironwork*] rongé par la rouille; [*smell*] de pourri, de pourriture; ② (corrupt) pourri○; ③ ○(bad) [*weather*] pourri; [*food*] infect; [*cook, driver*] exécrable; **what ~ luck!** quel manque de bol○!; **to feel ~** se sentir patraque○; **I feel ~ about it** j'en suis malade; **that was a ~ thing to do!** c'était vraiment un sale coup○!; **a ~ bastard**● un vrai salaud●

B *adv* **to spoil sb ~**○ pourrir qn○

(Idiom) **to be ~ to the core** être pourri jusqu'à l'os

rotten: **~ apple** *n* fig brebis *f* galeuse; **~ borough** *n* GB bourg *m* pourri (*circonscription électorale dépeuplée mais toujours représentée au Parlement*)

rottenness /ˈrɒtnɪs/ *n* pourriture *f*

rotter○† /ˈrɒtə(r)/ GB *n* chameau○ *m*

Rottweiler /ˈrɒtvaɪlə(r)/ *n* rottweiler *m*

rotund /rəʊˈtʌnd/ *adj* ① [*person*] grassouillet/-ette; [*stomach*] rebondi; ② [*object, building*] aux formes arrondies

rotunda /rəʊˈtʌndə/ *n* rotonde *f*

rotundity /rəʊˈtʌndətɪ/ *n* (of person) embonpoint *m*; (of stomach, building) rotondité *f*

rouble /ˈruːbl/ ▸ **p. 1108** *n* rouble *m*

roué /ˈruːeɪ/ *n* littér débauché *m*

rouge† /ruːʒ/

A *n* Cosmet rouge *m* à joues

B *vtr* **to ~ one's cheeks** se mettre du rouge aux joues

rough /rʌf/

A *n* ① Sport (in golf) rough *m*; ② (unfinished copy) (draft) brouillon *m*; (sketch) gen, spec ébauche *f*; **to write sth out in ~** écrire qch au brouillon

B *adj* ① (not smooth) [*hand, skin*] rêche; (stronger) rugueux/-euse; [*surface, rock*] rugueux/-euse; [*material, paper*] rêche; [*road, terrain*] cahoteux/-euse; [*landscape*] sauvage; [*grass*] sec/sèche; **to smooth (off) the ~ edges** (of stone, wood, glass etc) polir; ② (brutal) [*person, treatment, behaviour, sport*] brutal, violent; [*area, district*] dur; **to be ~ with sb/sth** être brutal avec qn/qch; **to get ~ (with sb)** devenir violent (avec qn); ③ (approximate) [*description, map, indication*] sommaire; [*translation, calculation*] sommaire, rapide; [*figure, estimate*] approximatif/-ive; **can you give me a ~ idea of the cost?** est-ce que vous pouvez me donner une idée approximative du coût?; **~ justice** justice *f* sommaire *or* expéditive; ④ (difficult) [*life, period*] dur, difficile; **to be ~ on sb** [*person*] être dur avec qn; **it's ~ on you/him** c'est dur pour toi/lui; **we're having a ~ time** on traverse une période difficile; **to give sb a ~ ride** rendre la vie dure à qn; **he's had a ~ deal**○ il a été traité injustement; ⑤ (crude) [*person, manner, behaviour*] grossier/-ière; [*dwelling, shelter, table*] rudimentaire; ⑥ (harsh) [*voice, sound, taste, wine*] âpre; ⑦ (stormy) [*sea, crossing*] agité; [*weather*] gros/grosse; (in plane) [*landing*] mouvementé; ⑧ ○(unwell) **to feel/to look ~** se sentir/avoir l'air patraque○

C *adv* ① (outdoors) **to sleep/to live ~** dormir/vivre à la dure; ② (violently) [*fight, play*] brutalement

(Idioms) **to cut up ~** s'énerver; **to ~ it** vivre à la dure

(Phrasal verbs) ■ **rough in**: ▸ **~ in [sth]** (sketch) esquisser; (estimate) ébaucher, donner une idée de [*figures, details*]

■ **rough out**: ▸ **~ out [sth]** esquisser, ébaucher [*plan, proposal, drawing*]

■ **rough up**○: ▸ **~ [sb] up, ~ up [sb]**

1 (manhandle) bousculer euph, malmener; 2 (beat up) tabasser○

roughage /ˈrʌfɪdʒ/ *n* fibres *fpl*

rough-and-ready /ˌrʌfənˈredɪ/ *adj* 1 (unsophisticated) [*person, manner*] fruste; [*house, conditions*] rudimentaire; 2 (improvised) [*calculation, method, system*] sommaire

rough-and-tumble /ˌrʌfənˈtʌmbl/
A *n* 1 (rough behaviour) chahut *m*; 2 fig (of life, politics, business) mêlée *f* (**of** de)
B *adj* [*life, world, profession*] brutal, impitoyable

roughcast /ˈrʌfkɑːst, US -kæst/ Constr
A *n* crépi *m*
B *adj* [*wall*] crépi
C *vtr* (*prét, pp* **-cast**) crépir [*wall*]

rough diamond *n* 1 (jewel) diamant *m* brut; 2 GB (man) brave homme *m*

roughen /ˈrʌfn/
A *vtr* (make rough) rendre [qch] rêche *or* rugueux [*skin, hand*]; [*wind, weather*] rendre [qch] rugueux [*rock, stone*]
B *vi* [*hands, skin*] devenir rêche *or* rugueux

rough-hewn /ˈrʌfhjuːn/ *adj* [*wood, stone*] équarri; fig [*features*] buriné

rough house○ *n* bagarre○ *f*

roughly /ˈrʌflɪ/ *adv* 1 (approximately) [*calculate, describe, sketch, indicate*] grossièrement, rapidement; [*equal, equivalent*] à peu près; [*triangular, circular*] à peu près; **~ speaking** en gros, approximativement; **~ 10%/100 people** à peu près *or* approximativement 10%/100 personnes; **~ the same age/size** à peu près le même âge/la même taille; 2 (with force) [*push, treat, hit*] brutalement; 3 (crudely) [*put together, make, chop, grate*] grossièrement

roughneck○ /ˈrʌfnek/ ▸ p. 1683 *n* 1 (violent person) dur○ *m*; 2 (oil-rig worker) *ouvrier sur une plate-forme pétrolière*

roughness /ˈrʌfnɪs/ *n* 1 (lack of smoothness) (of skin, hand, rock, surface, material) rugosité *f*; (of road, terrain) inégalité *f*; 2 (violence) (of person, treatment) brutalité *f*; 3 (lack of sophistication) (of person, manner, voice, appearance) rudesse *f*; (of furniture, house) simplicité *f*; 4 (storminess) **it all depends on the ~ of the sea** tout dépend de l'état de la mer

rough: **~ paper** *n* feuille *f* de brouillon; **~ puff pastry** *n* Culin pâte *f* feuilletée minute; **~rider** *n* dresseur/-euse *m/f* de chevaux

roughshod /ˈrʌfʃɒd/ *adj*
(Idiom) **to ride ~ over sb/sth** se moquer (totalement) de qn/qch

rough: **~-spoken** *adj* grossier/-ière; **~ stuff**○ *n* violence *f*, bagarre○ *f*; **~ trade**○ *n*: *partenaire homosexuel d'un bas niveau social et souvent enclin à la violence*; **~ work** *n* Sch brouillon *m*

roulette /ruːˈlet/ *n* roulette *f*

roulette: **~ table** *n* table *f* de roulette; **~ wheel** *n* roulette *f*

Roumania *pr n* = **Romania**

Roumanian *n, adj* = **Romanian**

round /raʊnd/

> ⚠ *Round* often appears after verbs in English (*change round, gather round, pass round*). For translations, consult the appropriate verb entry (**change, gather, pass**).
> For *go round, get round* see the entries **go, get**.

A *adv* 1 GB (on all sides) **all ~** lit tout autour; **whisky all ~!** du whisky pour tout le monde!; **there were smiles all ~** tout le monde souriait; **to go all the way ~** [*fence, wall, moat*] faire tout le tour
2 GB (in circular movement) **to go ~ and ~** [*wheel, carousel*] tourner (en rond); [*person*] fig tourner en rond; lit aller et venir; **the tune was going ~ and ~ in my head** j'avais cet air dans la tête
3 GB (to specific place, home) **to be** *ou* **go ~ to** passer à [*office, school*]; **to ask sb (to come) ~** dire à qn de passer; **she's coming ~ today** elle passe aujourd'hui; **to invite sb ~ for lunch** inviter qn à déjeuner (chez soi); **I'm just going ~ to Sandra's** je pars chez Sandra; **I'll be ~ in a minute** j'arrive (dans un instant)
4 GB (in circumference) **three metres ~** [*tree trunk*] de trois mètres de circonférence
5 GB (as part of cycle) **all year ~** toute l'année; **this time ~** cette fois-ci; **as summer comes ~** à l'approche de l'été; **my birthday will soon be ~ again** c'est bientôt mon anniversaire
B *prep* GB 1 (expressing location) autour de [*table, garden etc*]; **let's sit ~ the table** asseyons-nous autour de la table; **to sit ~ the fire** s'asseoir au coin du feu; **the wall goes right ~ the house** le mur fait le tour de la maison; **he had a scarf ~ his neck** il avait une écharpe autour du cou; **what do you measure ~ the waist?** combien fais-tu de tour de taille?
2 (expressing direction) **to go ~ the corner** tourner au coin de la rue; **to go ~ a bend** (in road) prendre un virage; **the baker's is just ~ the corner** la boulangerie est tout près; **to go ~ a roundabout** prendre un rond-point; **to go ~ an obstacle** contourner un obstacle
3 (on tour, visit) **shall I take you ~ the house?** voulez-vous visiter la maison?; **her sister took us ~ Oxford** sa sœur nous a fait visiter Oxford; **to go ~ the shops** faire les magasins
C **round about** *adv phr* 1 (approximately) à peu près, environ; **~ about 50 people/9 am** à peu près *or* environ 50 personnes/9 h; **it happened ~ about here** ça s'est passé par ici
2 (vicinity) **the people/streets ~ about** les gens/rues des environs; ▸ **roundabout**
D *n* 1 (set, series) série *f* (**of** de); **the social ~** les réceptions *fpl* mondaines; **the daily ~ of activities** le train-train quotidien; ▸ **payround, wage round**
2 (in competition) rencontre *f*; **qualifying ~** (in football, rugby, tennis) match *m* de qualification
3 (game of golf, cards) partie *f* (**of** de); (in boxing, wrestling) round *m*
4 Equit (in event) parcours *m*; **a clear ~** un parcours sans faute
5 Pol (in election) tour *m*
6 (of drinks) tournée *f* (**of** de); **it's my ~!** c'est ma tournée!; **to pay for a ~** offrir une tournée
7 Mil (unit of ammunition) balle *f*; **~ of ammunition** cartouche *f*; **to fire ~ after ~** tirer balle sur balle; ▸ **baton round**
8 Mil (shot fired) salve *f*; **~s of machine-gun fire** des salves de mitraillette
9 (burst) **~ of applause** salve *f* d'applaudissements; **to get a ~ of applause** être applaudi; **let's have a ~ of applause for David!** on applaudit bien fort David!
10 Culin (of bread) **a ~ of toast** un toast, une tranche de pain grillé; **a ~ of ham sandwiches** des sandwichs *mpl* pain de mie au jambon
11 (regular route) tournée *f*; ▸ **milk round, paper round**
12 (circular shape) rondelle *f* (**of** de)
13 Mus (canon) canon *m*
14 Theat **theatre in the ~** théâtre *m* en rond
15 Art **in the ~** [*sculpture*] en ronde-bosse
16 Dance ronde *f*
17 (of cheese) roue *f*
18 Culin **~ of beef** rond *m*
E **rounds** *npl* **to do one's ~s** [*doctor*] visiter ses malades; [*postman, refuse collector*] faire sa tournée; [*security guard*] faire sa ronde; **to be out on one's ~s** [*doctor*] être en visite; **to do** *ou* **go** *ou* **make the ~s** [*rumour, joke, document, flu*] circuler; **to go the ~s of** [*story*] faire le tour de [*village, office*]; [*garment, book*] faire le tour de [*relations, family*]; **to do the ~s of** faire le tour de [*employment agencies, relations*]
F *adj* 1 (circular) [*object, building, glasses, face, head*] rond; **her eyes grew ~** elle a ouvert des yeux ronds
2 (rounded, curved) [*arch*] arrondi; [*handwriting*] rond; [*cheeks, breasts*] rond; **to have ~ shoulders** avoir le dos voûté
3 (spherical) rond
4 (complete) [*figure*] rond; **in ~ figures** en chiffres ronds; **in ~ figures, that's £100** ça fait 100 livres sterling en arrondissant; **a ~ dozen** une douzaine exactement; **a nice ~ sum** une somme appréciable *or* rondelette○
G **round+** (*dans composés*) **~-cheeked/-eyed** aux joues rondes/aux yeux ronds; **~-faced** au visage rond; ▸ **round-shouldered**
H *vtr* 1 gen, Naut (go round) contourner [*point, headland*]; **to ~ the corner** tourner au coin; **to ~ a bend** prendre un virage
2 (make round) arrondir [*lips*]
3 Phon arrondir [*vowels*]

(Phrasal verbs) ■ **round down**: ▸ **~ [sth] down, ~ down [sth]** arrondir [qch] au chiffre inférieur [*figures*]
■ **round off**: ▸ **~ off [sth], ~ [sth] off** 1 (finish off) finir [*meal, evening, visit, season*] (**with** par) ; conclure [*speech*]; parfaire [*education, process*]; 2 (make smooth) arrondir [*corner, edge*]; 3 (change) arrondir [*figure, number*]
■ **round on** GB: ▸ **~ on [sb]** attaquer violemment [*critic, opponent*]; **suddenly she ~ed on me** tout d'un coup elle m'est tombée dessus○
■ **round out**: ▸ **~ [sth] out, ~ out [sth]** compléter [*list, numbers, range*]
■ **round up**: ▸ **~ up [sb], ~ [sb] up** regrouper [*protesters, inhabitants*]; ramasser○ [*thieves, prostitutes, suspects*]; **to be ~ed up** être pris dans une rafle; ▸ **~ up [sth], ~ [sth] up** 1 rassembler [*livestock*]; 2 arrondir [qch] au chiffre supérieur [*figure*]

roundabout /ˈraʊndəbaʊt/
A *n* 1 GB (in fairground etc) manège *m*; 2 GB (in playpark) tourniquet *m*; 3 GB Transp rond-point *m*
B *adj* **to come by a ~ way** *ou* **route** faire un détour; **by ~ means** par des moyens détournés; **a ~ way of saying sth** une façon détournée *or* alambiquée○ de dire qch; **he goes about things in rather a ~ way** il se complique la vie
(Idioms) **it's swings and ~s, what you gain on the swings you lose on the ~s** ce que tu gagnes d'un côté, tu le perds de l'autre

round: **~ brackets** *npl* GB parenthèses *fpl*; **~ dance** *n* Dance ronde *f*

rounded /ˈraʊndɪd/ *adj* 1 [*shape, corner, edge*] arrondi; [*tone, style*] étoffé; 2 Phon [*vowel*] arrondi; 3 (developed) [*phrase*] bien tourné; [*account*] détaillé

roundel /ˈraʊndl/ *n* 1 Aviat cocarde *f*; 2 Liter-at rondeau *m*; 3 Mus ronde *f*

rounders /ˈraʊndəz/ *n* GB Sport (+ *v sg*) ≈ baseball *m*

round: **Roundhead** *n* GB Hist Tête *f* ronde; **~house** *n* Rail rotonde *f*

roundly /ˈraʊndlɪ/ *adv* [*condemn, criticize*] sans ambages; [*defeat*] joliment

round-neck(ed) sweater *n* pull-over *m* ras-de-cou *inv*

roundness /ˈraʊndnɪs/ *n* rondeur *f*

round robin *n* 1 (collective statement) lettre *f* de protestation (*où les signatures sont disposées en rond*); 2 (circulated document) circulaire *f*; 3 Sport tournoi *m*

round-shouldered /ˌraʊndˈʃəʊldəd/ *adj* **to be ~** avoir le dos voûté

roundsman /ˈraʊndzmən/ *n* (*pl* **-men**) livreur *m*

round table
A *n* table *f* ronde
B **round-table** *adj* **~ discussions, ~ talks** une table ronde

Round Table *n* Mythol Table *f* ronde

round-the-clock
A *adj* GB [*care, nursing, surveillance*] 24 heures sur 24; **~ shifts** les trois-huit *m inv*

r

B **round the clock** *adv phr* [*work, guard*] 24 heures sur 24

round-the-world
A *adj* [*cruise, trip*] autour du monde; [*sailor*] qui a fait le tour du monde
B *adv* **to sail round the world** faire le tour du monde à la voile

round trip
A *n* aller-retour *m*
B **round-trip** *adj* [*price*] tout compris; **~ ticket** billet *m* aller-retour

roundup /'raʊndʌp/ *n* **1** (swoop) rafle *f*; **2** (herding of people, animals) rassemblement *m* (**of** de); **3** (summary) résumé *m* (**of** de); **'news ~'** 'l'actualité en bref'

roundworm /'raʊndwɜ:m/ *n* ascaris *m*

rouse /raʊz/ *vtr* **1** sout (wake) réveiller; **to ~ sb from a deep sleep** tirer qn d'un sommeil profond; **2** (stir) réveiller [*person, troops, nation*]; susciter [*anger, interest*]; **to ~ public opinion** soulever l'opinion publique (**against** contre); **to ~ sb to anger** susciter la colère de qn; **to ~ sb to action** pousser qn à l'action; **when she's ~d** quand elle est en colère

rousing /'raʊzɪŋ/ *adj* [*reception, welcome*] enthousiaste; [*speech, words*] galvanisant; [*song, music*] exaltant

roustabout /'raʊstəbaʊt/ *n* **1** (on oil-rig) manœuvre *m* (de chantier pétrolier); **2** US (docker) débardeur *m*; **3** (in circus) homme *m* à tout faire (*dans un cirque*)

rout /raʊt/
A *n* **1** (defeat) déroute *f*, défaite *f*; **to put sb to ~** mettre qn en déroute; **2** Jur attroupement *m* illicite d'individus
B *vtr* **1** Mil mettre [qn] en déroute [*enemy*]; **2** fig battre [qn] à plates coutures [*team*]
(Phrasal verb) ■ **rout out**: ▸ **~ [sth/sb] out**, **~ out [sth/sb]** **1** (find) dénicher [*person, animal, object*]; **2** (force out) déloger [*person, animal*] (**of** de)

route /ru:t, US raʊt/
A *n* **1** gen (way) chemin *m*, (to workplace) trajet *m* (**to** pour aller à); **on the ~ to Oxford** sur le chemin d'Oxford; **the main/shortest ~** le chemin le plus direct/le plus court (**to** pour); **escape ~** chemin d'évasion; **to plan a ~** décider d'un itinéraire; **by a different ~** par un chemin différent; **2** Transp route *f*; Aviat, Tourism ligne *f*; **domestic ~s** les lignes intérieures; **shipping ~** route maritime; **bus/rail ~** ligne d'autobus/de chemin de fer; **traffic ~** axe *m* routier; **Route 86** US l'autoroute *f* 86; **the main drug ~s** les principaux circuits de la drogue; **3** (official itinerary) parcours *m*; **they lined the ~** ils se tenaient le long du parcours; **4** fig (to power, success etc) voie *f* (**to** de); **5** US /raʊt/ **(newspaper) ~** tournée *f* de livraison; **6** Med **~ of infection** mode *m* de transmission
B *vtr* expédier, acheminer [*goods*] (**to** vers); acheminer [*trains*] (**to** vers, sur); **this flight is ~d to Athens via Rome** ce vol va à Athènes via Rome

route march *n* marche *f* d'entraînement

router /'ru:tə(r), US 'raʊtər/ *n* (on the Internet) router *m*

routine /ru:'ti:n/
A *n* **1** (regular procedure) routine *f* (**of** de); **the daily ~** la routine quotidienne; **office ~** travail *m* de routine; **government ~** les affaires *fpl* courantes du gouvernement; **to establish a ~** (at work) s'organiser; (for spare time) se faire un emploi du temps; **as a matter of ~** systématiquement; **2** (drudgery) routine *f* (**of** de); **it would be a break from ~** ça changerait de la routine; **3** Mus, Theat (act) numéro *m*; **a song and dance ~** un numéro de chant et de danse; **4** ○péj (obvious act) numéro○ *m*; **don't give me that ~!** arrête ton numéro○!; **5** Comput sous-programme *m*; **input/main ~** sous-programme d'introduction/principal; **6** Sport enchaînement *m*
B *adj* **1** (normal) [*check, enquiry, matter, mission*] de routine; **it's fairly ~** c'est la routine; **~ procedure** la procédure habituelle; **~ maintenance** (of vehicle, building) entretien *m* courant; **2** (uninspiring) [*task, lifestyle, performance*] routinier/-ière

routinely /ru:'ti:nlɪ/ *adv* **1** (as part of routine) [*check, contact, review*] systématiquement; **2** (commonly) [*tortured, abused*] régulièrement

rove /rəʊv/
A *vtr* [*person*] (aimlessly) vagabonder dans [*country*]; (prowl) rôder dans [*streets*]
B *vi* (*also* **~ around**, **~ about**) [*person*] (aimlessly) vagabonder; (prowl) rôder; **his eye ~d around the room** son regard balayait la pièce

rover /'rəʊvə(r)/ *n* **to be a ~** aimer bouger

roving /'rəʊvɪŋ/ *adj* [*ambassador*] itinérant; [*band*] en vagabondage; **~ reporter** hum reporter *m* qui est toujours sur la route; **to have a ~ eye** être toujours à l'affût d'une aventure

row[1] /rəʊ/ ▸ **p. 1253**
A *n* **1** (line) (of people, plants, stitches) rang *m* (**of** de); (of houses, seats, books) rangée *f* (**of** de); **seated in a ~/in ~s** assis en rang/en rangs; **a ~ of cars** une file de voitures; **~s and ~s of** des rangs et des rangs de; **~ after ~ of** rang après rang de; **in the front ~** au premier rang; **2** (succession) **six times in a ~** six fois de suite; **the third time/week in a ~** la troisième fois/semaine d'affilée; **3** (in boat) promenade *f* en barque; **to go for a ~** faire de la barque
B *vtr* **1** (for transport, pleasure) **to ~ a boat across/up the river** traverser/remonter la rivière à la rame; **to ~ sb across** faire traverser [qch] à qn en barque [*lake, river*]; **2** Sport **to ~ a race** faire une course d'aviron
C *vi* ramer (**for** pour; **against** contre); **to ~ across/up** traverser/remonter [qch] à la rame [*river, lake*]

row[2] /raʊ/
A *n* **1** (dispute) (public) querelle *f* (**between** entre; **about, over** à propos de; **with** avec); (private) dispute *f* (**between** entre; **about, over** à propos de; **with** avec); **a family ~** une querelle de famille; **to have** *ou* **get into a ~ with** se disputer avec; **2** (loud noise) tapage *m*; **the ~ from next door** le tapage des voisins; **to make a ~** faire du tapage
B *vi* se disputer (**with** avec; **about, over** à propos de)

rowan /'rəʊən, 'raʊ-/ *n* **1** (tree) sorbier *m*; **2** (berry) sorbe *f*

rowboat *n* US bateau *m* à rames

rowdiness /'raʊdɪnɪs/ *n* (in streets, at match) (noise) tapage *m*; (violence) bagarre○ *f*; (in classroom) chahut *m*

rowdy /'raʊdɪ/
A *n* (hooligan) voyou *m*; (in classroom) chahuteur/-euse *m/f*
B *adj* [*youth, behaviour*] (noisy) tapageur/-euse; (violent) bagarreur/-euse; [*pupil*] chahuteur/-euse

rowdyism /'raʊdɪɪzəm/ *n* = **rowdiness**

rower /'rəʊə(r)/ *n* rameur/-euse *m/f*, nageur/-euse *m/f*

row house *n* US maison *f* qui fait partie d'une série de constructions identiques

rowing /'rəʊɪŋ/ ▸ **p. 1253**
A *n* aviron *m*; **to like ~** aimer (faire de) l'aviron
B *modif* [*club, team, star*] d'aviron

rowing: **~ boat** *n* GB bateau *m* à rames; **~ machine** *n* rameur *m*

rowlock *n* GB dame *f* de nage, tolet *m*

royal /'rɔɪəl/
A *n* **1** ○(person) membre *m* de la famille royale; **2** (paper) cavalier *m*
B *adj* **1** (*also* **Royal**) [*couple, palace, visit, prerogative*] royal; **the ~ 'we'** le pluriel de majesté; **2** (splendid) **to give sb a (right) ~ welcome** faire un accueil royal à qn; **3** ○US (thorough) **to be a ~ pain** être le roi des emmerdeurs◐

royal: **Royal Air Force**, **RAF** *n* GB armée *f* de l'air britannique; **Royal Assent** *n* GB approbation *f* royale (*d'un projet de loi*); **~ blue** ▸ **p. 1067** *n*, *adj* bleu (*m*) roi (*inv*); **Royal Commission** *n* GB commission *f* d'enquête parlementaire; **~ family** *n* famille *f* royale; **~ flush** *n* quinte *f* royale

Royal Highness ▸ **p. 1237** *n* **His/Her ~** Son Altesse *f* royale; **Their ~es** Leurs Altesses *fpl* royales; **Your ~** Votre Altesse *f*

royal icing *n* GB glaçage *m* aux blancs d'œufs

royalist, **Royalist** /'rɔɪəlɪst/ *n*, *adj* royaliste (*mf*)

royal jelly *n* gelée *f* royale

royally /'rɔɪəlɪ/ *adv* [*received, entertained*] royalement

royal: **Royal Mail** *n* GB service *m* postal britannique; **Royal Marines** *npl* GB fusiliers-marins *mpl* britanniques; **Royal Navy** *n* GB marine *f* britannique; **Royal Society** *n* GB Académie *f* des Sciences

royalty /'rɔɪəltɪ/ *n* **1** ₵ (person) membre *m* d'une famille royale; (persons) membres *mpl* d'une famille royale; **we were treated like ~** on nous a traités comme des rois; **2** (state of royal person) royauté *f*; **3** (money) (to author, musician) droits *mpl* d'auteur (**on** sur); (to publisher) redevance *f* (**on** sur); (on patent, coal deposits) royalties *fpl* (**on** sur); **to receive £100 in royalties** (on book) toucher 100 livres sterling de droits d'auteur

royal: **Royal Ulster Constabulary**, **RUC** *n* GB police *f* d'Irlande du Nord; **~ warrant** *n* brevet *m* de fournisseur de la Cour

rozzer○ /'rɒzə(r)/ *n* GB flic○ *m*

RP *n* GB (*abrév* = **Received Pronunciation**) RP *f* (*prononciation de l'anglais considérée comme standard*)

RPI *abrév* ▸ **retail price index**

rpm (*abrév* = **revolutions per minute**) tr/min

RPM *abrév* = **retail price maintenance**

R & R *n* US Mil (*abrév* = **rest and recuperation**) permission *f* (*récupération entre deux combats*)

RRP GB (*abrév écrite* = **recommended retail price**) prix *m* de détail conseillé

RSA *n* GB (*abrév* = **Royal Society of Arts**) Académie *f* des Beaux Arts

RSI *abrév* ▸ **repetitive strain injury**

RSM (*abrév* = **Regimental Sergeant-Major**) adjudant-chef *m*

RSPB *n* GB (*abrév* = **Royal Society for the Protection of Birds**) ligue *f* pour la protection des oiseaux

RSPCA *n* GB (*abrév* = **Royal Society for the Prevention of Cruelty to Animals**) société *f* protectrice des animaux

RSV *n*: *abrév* ▸ **Revised Standard Version**

RSVP *abrév écrite* RSVP

Rt Hon GB *abrév écrite* = **Right Honourable**

Rt Rev *abrév écrite* = **Right Reverend**

rub /rʌb/
A *n* **1** (massage) friction *f*; **to give [sth] a ~** frictionner [*back*]; bouchonner [*horse*]; **2** (polish) coup *m* de chiffon; **to give [sth] a ~** donner un coup de torchon à [*spoon*]; donner un coup de chiffon à [*table*]; frotter [*stain*]; **3** (liniment) baume *m* pour les muscles; **4** † *ou* hum (drawback) hic○ *m*, inconvénient *m*; **there's the ~** voilà le hic○
B *vtr* (*p prés etc* **-bb-**) **1** (touch) se frotter [*chin, eyes, nose*]; **to ~ noses** (in greeting) se frotter le nez; **to ~ one's hands with glee** se frotter les mains de joie; **2** (polish) frotter [*stain, surface*]; **to ~ sth dry** sécher qch avec un torchon; **to ~ sth away** faire disparaître qch [*stain*]; **to ~ a hole in sth** faire un trou dans qch; **3** (massage) frictionner [*back, shoulders*]; **she ~bed my back** elle m'a frictionné le dos; **4** (apply) **to ~ sth on to the skin** appliquer qch sur la peau; **to ~ sth into the skin** faire pénétrer qch dans la peau; **5** (incorporate) **to**

~ **sth into** Culin incorporer qch à *[flour]*; ~ **the cream into your skin** faire pénétrer la pommade en massant; ~ **the shampoo into your hair** bien répartir le shampooing en massant; **6** (chafe) *[shoe]* blesser *[heel]*; *[wheel]* frotter contre *[mudguard]*
C *vi* (*p prés etc* **-bb-**) **1** (scrub) frotter; **2** (chafe) **these shoes** ~ ces chaussures me blessent
D *v refl* (*p prés etc* **-bb-**) **to** ~ **oneself** se frotter (**against** contre); se frictionner (**with** avec); **to** ~ **oneself dry** se frictionner pour se sécher
E **rubbed** *pp adj* *[furniture]* patiné; *[book cover]* usé
(Idioms) **to** ~ **salt into sb's wounds** remuer le couteau dans la plaie; **to** ~ **sb up the wrong way** prendre qn à rebrousse-poil○; **to** ~ **shoulders with sb** côtoyer *or* fréquenter qn; **to** ~ **sb's nose in it** mettre à qn son nez dans son caca○
(Phrasal verbs) ■ **rub along**○: **to** ~ **along with** s'entendre assez bien avec *[person]*
■ **rub down**: ▸ ~ **[sb] down,** ~ **down [sb]** frictionner *[athlete]*; ▸ ~ **[sth] down,** ~ **down [sth]** **1** (massage) bouchonner *[horse]*; **to** ~ **oneself down** se frictionner; **2** (smooth) poncer *[plaster, wood]*
■ **rub in**: ▸ ~ **[sth] in,** ~ **in [sth]** Culin incorporer *[butter]*; faire pénétrer *[lotion]*; **there's no need to** ~ **it in**○**!** fig inutile d'en rajouter○!; **he's always** ~**bing it in how rich he is** il nous rebat les oreilles avec sa richesse○
■ **rub off**: ▸ ~ **off** **1** (come off) *[dye, ink]* déteindre; **the ink** ~**bed off on my hands** l'encre a déteint sur mes mains; **I hope your integrity** ~**s off on him** j'espère que ton honnêteté déteindra sur lui; **2** (wipe off) **the chalk/the pencil** ~**s off easily** la craie/le crayon s'efface facilement; ▸ ~ **[sth] off,** ~ **off [sth]** effacer, faire disparaître *[stain, pattern]*
■ **rub out**: ▸ ~ **out** *[chalk, pencil]* s'effacer; ▸ ~ **[sth] out,** ~ **out [sth]** effacer *[word, drawing]*; ▸ ~ **[sb] out**○ US fig liquider○ qn

rubato /ru:'bɑ:təʊ/ *n, adv* rubato (*m*)

rubber /'rʌbə(r)/
A *n* **1** (substance) caoutchouc *m*; **made of** ~ en caoutchouc; **2** GB (for erasing pencil) gomme *f*; **3** (for cleaning) chiffon *m*; **4** ○US (condom) préservatif *m*, capote○ *f*; **5** Games, Sport partie *f*
B **rubbers** *npl* US (galoshes) caoutchoucs *mpl*
C *modif* *[ball, sole, hose, insulation]* de *or* en caoutchouc
(Idiom) **to burn** *ou* **peel** ~○ US mettre la gomme○

rubber: ~ **band** *n* élastique *m*; ~ **bullet** *n* balle *f* de caoutchouc; ~ **cement** *n* mastic *m* au caoutchouc; ~ **check**○ US chèque *m* en bois○; ~ **dinghy** *n* canot *m* pneumatique; ~ **glove** *n* gant *m* en *or* de caoutchouc

rubberized /'rʌbəraɪzd/ *adj* *[fabric, floor surface]* caoutchouté

rubber johnny◑ *n* préservatif *m*, capote○ *f*

rubberneck○ /'rʌbənek/
A *n* **1** (onlooker) curieux/-ieuse *m/f*; **2** (tourist) touriste *mf*
B *vi* péj regarder d'un air béat

rubbernecker○ /'rʌbənekə(r)/ *n* péj US **1** (onlooker) curieux/-ieuse *m/f*; **2** (tourist) touriste *mf*

rubber: ~ **plant** *n* caoutchouc *m*; ~ **plantation** *n* plantation *f* d'hévéas; ~ **sheet** *n* alaise *f*; ~**-soled** *adj* *[shoes]* à semelles de caoutchouc; ~ **solution** *n* dissolution *f*

rubber stamp
A *n* **1** lit tampon *m*; **2** fig pej **to be a** ~ **for sb's decisions** *[body, group]* entériner sans discuter les décisions de qn
B **rubber-stamp** *modif* péj *[parliament, assembly]* à l'autorité purement formelle
C **rubber-stamp** *vtr* **1** lit (stamp) tamponner *[document, form]*; **2** fig pej entériner [qch] sans discuter *[decision]*

rubber: ~ **tapper** *n* personne *f* qui récolte le latex; ~ **tapping** *n* récolte *f* du latex par saignée; ~ **tree** *n* hévéa *m*

rubbery /'rʌbərɪ/ *adj* *[material, food]* caoutchouteux/-euse

rubbing /'rʌbɪŋ/ *n* **1** (friction) frottement *m*; (in massage) friction *f*; **2** (picture) reproduction *f* par frottement

rubbish /'rʌbɪʃ/
A *n* **1** (refuse) (in street) déchets *mpl*; (domestic) ordures *fpl*; (from garden) détritus *mpl*; (on building site) gravats *mpl*; **2** (inferior goods) camelote○ *f*; (discarded objects) saletés○ *fpl*; **3** (nonsense) **to talk** ~ raconter n'importe quoi; **this film/book is** ~○! ce film/livre est nul○!; **(what a load of)** ~! n'importe quoi!; **there's nothing but** ~ **on the TV** il n'y a vraiment rien de bien à la télé
B *vtr* GB *[critic, article]* descendre [qn/qch] en flammes *[person, work, achievement]*

rubbish: ~ **bin** *n* GB poubelle *f*; ~ **chute** *n* GB vide-ordures *m inv*; ~ **collection** *n* GB ramassage *m* des ordures; ~ **dump** GB décharge *f* (publique); ~ **heap** *n* gen tas *m* d'ordures; (in garden) tas *m* de saletés○; ~ **tip** *n* GB décharge *f* (publique)

rubbishy○ /'rʌbɪʃɪ/ *adj* *[article, film, book]* nul/nulle○; **all that** ~ **food** toutes ces cochonneries○

rubble /'rʌbl/ *n* **1** ¢ (after explosion) décombres *mpl*; (on building site) gravats *mpl*; **the house was reduced to a pile of** ~ il ne restait de la maison qu'un tas de décombres; **2** Constr blocaille *f*

rub-down /'rʌbdaʊn/ *n* **to give sb a** ~ frictionner qn; **to give [sth] a** ~ bouchonner *[horse]*; poncer *[woodwork, plaster]*

Rube Goldberg○ /ˌru:bɪ 'gəʊldbɜ:g/ *adj* US tarabiscoté○

rubella /ru:'belə/ ▸ **p. 1327**
A *n* rubéole *f*; **to have** ~ avoir la rubéole
B *modif* *[vaccine]* contre la rubéole

Rubicon /'ru:bɪkən, US -kɒn/ *pr n* Hist **the** ~ le Rubicon
(Idiom) **to cross the** ~ franchir le Rubicon

rubicund /'ru:bɪkənd/ *adj* littér rubicond liter

rubidium /ru:'bɪdɪəm/ *n* rubidium *m*

ruble *n* surtout US = **rouble**

rubric /'ru:brɪk/ *n* sout rubrique *f*

ruby /'ru:bɪ/
A *n* **1** (gem) rubis *m*; **2** ▸ **p. 1067** (colour) rouge *m* rubis
B *modif* *[bracelet, necklace]* de rubis; **a** ~ **ring** une bague en rubis
C *adj* *[liquid, lips]* vermeil/-eille; ~ **port** porto *m* (ruby)

ruby: ~**-coloured** GB, ~**-colored** US ▸ **p. 1067** *adj* rouge rubis *inv*; ~ **red** *n, adj* rouge (*m*) rubis (*inv*); ~ **wedding** *n* noces *fpl* de vermeil

RUC *n*: *abrév* ▸ **Royal Ulster Constabulary**

ruck /rʌk/
A *n* **1** (in rugby) mêlée *f* ouverte; **2** pej littér (mass) **the (common)** ~ la masse péj; **3** (crease) faux pli *m*
(Phrasal verb) ■ **ruck up** *[dress, skirt]* se plisser

rucksack /'rʌksæk/ *n* sac *m* à dos

ruckus○ /'rʌkəs/ *n* surtout US **a** ~ du grabuge○ *m*

ructions○ /'rʌkʃnz/ *npl* GB grabuge○ *m* ¢

rudder /'rʌdə(r)/ *n* (on boat) gouvernail *m*; (on plane) gouverne *f*; **horizontal/vertical** ~ Aviat gouverne de direction/de profondeur

ruddy /'rʌdɪ/ *adj* **1** *[cheeks, complexion]* coloré; *[sky, glow]* rougeâtre; **2** ○†GB maudit

rude /ru:d/ *adj* **1** (impolite) *[comment, question, reply]* impoli; *[person]* mal élevé; **to be** ~ **to sb** être impoli envers qn; **it is** ~ **to do** il est impoli *or* c'est mal élevé de faire; **it was very** ~ **of him to do** c'était très impoli de sa part de faire; **I don't mean to be** ~ **but I have to go** je ne veux pas vous vexer mais je dois partir; **2** (indecent) *[joke, gesture]* grossier/-ière; euph ou hum *[book, film, scene]* osé; **a** ~ **word** un gros mot; **3** (abrupt) *[shock, reminder]* brutal; **4** littér (simple) *[tool, dwelling]* rudimentaire; *[lifestyle, peasant]* rude liter
(Idiom) **to be in** ~ **health** littér avoir une santé de fer

rudely /'ru:dlɪ/ *adv* **1** (impolitely) de façon impolie; **before I was so** ~ **interrupted** avant d'être interrompu de façon si impolie; **2** (abruptly) brutalement; **3** littér (simply) *[live]* grossièrement

rudeness /'ru:dnɪs/ *n* manque *m* de correction (**to, towards** envers); **she was brusque to the point of** ~ elle était d'une brusquerie qui frisait l'impolitesse

rudimentary /ˌru:dɪ'mentrɪ/ *adj* (all contexts) rudimentaire

rudiments /'ru:dɪmənts/ *npl* rudiments *mpl* (**of** de)

rue /ru:/
A *n* Bot rue *f*
B *vtr* se repentir de *[decision, action]*; **you'll** ~ **the day you joined up** hum tu regretteras le jour où tu t'es engagé

rueful /'ru:fl/ *adj* *[smile, look]* attristé; *[thought]* triste

ruefully /'ru:fəlɪ/ *adv* tristement

ruff /rʌf/
A *n* **1** (of lace) fraise *f*; **2** (of fur, feathers) collier *m*; **3** (bird) chevalier *m* combattant; **4** (in bridge) coupe *f* (avec un atout)
B *vi* (in bridge) couper (avec un atout)

ruffian† /'rʌfɪən/ *n* voyou *m*

ruffianly /'rʌfɪənlɪ/ *adj* littér *[person, manner]* brutal; *[appearance]* de voyou

ruffle /'rʌfl/
A *n* **1** (at sleeve) manchette *f*; (at neck) ruche *f*; (on shirt front) jabot *m*; (on curtain) volant *m*; **2** (on water, surface) ride *f*
B *vtr* **1** (stroke) ébouriffer *[hair, fur]*; **2** hérisser *[feathers]*; **3** *[wind]* rider *[water, cornfield]*; **4** (disconcert) énerver; (upset) froisser; **5** (rumple) froisser *[sheet, cover]*
(Idiom) **to** ~ **sb's feathers** hum froisser qn

ruffled /'rʌfld/ *adj* **1** *[hair]* ébouriffé; *[feathers]* hérissé; *[waters]* ridé; **2** (disconcerted) énervé; (upset) froissé
(Idiom) **to smooth** ~ **feathers** calmer le jeu

Rufflette (tape)® /'rʌflet/ *n* GB ruflette® *f*

rug /rʌg/ *n* **1** (mat, carpet) tapis *m*; (by bed) descente *f* de lit; **2** GB (blanket) plaid *m*, couverture *f*; **3** ○US (toupee) postiche *m*
(Idioms) **to be as snug as a bug in a** ~○ être bien au chaud; **to pull the** ~ **out from under sb's feet** couper l'herbe sous le pied à qn

rugby /'rʌgbɪ/ ▸ **p. 1253**
A *n* rugby *m*
B *modif* *[ball, club, match, pitch, player]* de rugby

rugby international **1** (match) match *m* de rugby international; **2** (player) international *m* de rugby

rugby: ~ **league** *n* rugby *m* à 13; ~ **tackle** *n* plaquage *m*; ~ **union** *n* rugby *m* à 15

rugged /'rʌgɪd/ *adj* **1** *[terrain, landscape]* accidenté; *[coastline, cliffs]* déchiqueté; *[mountains, backdrop]* en dents de scie; **2** *[man, features]* rude; **his** ~ **good looks** sa beauté sauvage; **3** (tough) *[character, personality]* coriace; *[team, defence]* acharné; **4** (durable) *[vehicle, equipment]* solide

ruggedness /'rʌgɪdnɪs/ *n* **1** (of terrain) caractère *m* accidenté; (of coastline, landscape) caractère *m* sauvage; **2** (of character, appearance) rudesse *f*

rugger○† /'rʌgə(r)/ ▸ **p. 1253** *n* GB rugby *m*

Ruhr /rʊə/ *pr n* **the** ~ la Ruhr

ruin /'ru:ɪn/
A *n* **1** ¢ (collapse) (physical, financial) ruine *f*; (moral) perte *f*; **in a state of** ~ *[town, building]* en ruines; **to fall into** ~ tomber en ruines; **to be**

on the brink of (financial) ~ être au bord de la ruine; 2 (building) ruine *f*
B ruins *npl* (remains) ruines *fpl* (of de); to be *ou* lie in ~s lit, fig être en ruines
C *vtr* 1 (destroy) ruiner [*city, economy, career, person*]; to ~ one's health se ruiner la santé; to ~ one's eyesight s'abîmer la vue; to ~ sb's chances of doing anéantir les espoirs de qn de faire; 2 (spoil) gâcher [*place, holiday, meal, film*]; abîmer [*shoes, clothes*]; fig gâter [*child, pet*]; it's ~ing our lives ça nous gâche la vie
(Idiom) to go to rack and ~ [*house etc*] se délabrer; [*company, finances etc*] aller à vau-l'eau

ruination /ˌruːɪˈneɪʃn/ *n* ruine *f*; you'll be the ~ of me! hum tu vas me ruiner! hum

ruined /ˈruːɪnd/ *adj* 1 (derelict) [*building, street, city*] en ruines; 2 (spoilt) [*life, holiday, meal*] gâché; [*clothes, furniture*] abîmé; [*reputation, marriage*] ruiné; (financially) ruiné; he is ~ politically c'est un homme politiquement fini

ruinous /ˈruːɪnəs/ *adj* [*costs, lawsuit*] ruineux/-euse; [*prices*] exorbitant; [*war, dependence, course of action*] désastreux/-euse

ruinously /ˈruːɪnəslɪ/ *adv* ~ expensive ruineux/-euse

rule /ruːl/
A *n* 1 (regulation) (of game, sport, language, religion) règle *f*; (of school, company, organization) règlement *m*; the ~s of the game lit, fig les règles *or* la règle du jeu; school/EU ~s le règlement de l'école/de la UE; to obey/break/bend the ~s obéir à/violer/contourner les règles *or* le règlement; to be against the ~s être contraire aux règles *or* au règlement (to do de faire); it is a ~ that il est de règle que; under this ~ selon cette règle *or* le règlement; ~s and regulations réglementation *f*; I make it a ~ always/never to do j'ai pour règle de toujours/de ne jamais faire; 2 (usual occurrence) règle *f*; hot summers are the ~ here les étés chauds sont la règle ici; as a ~ généralement; as a general ~ en règle générale; 3 ¢ (authority) domination *f*, gouvernement *m*; colonial ~ domination coloniale; majority ~ gouvernement majoritaire; under Tory ~ sous un gouvernement conservateur; under the ~ of a tyrant sous la domination d'un tyran; 4 (for measuring) règle *f*; a metre ~ une règle d'un mètre
B *vtr* 1 Pol [*ruler, law, convention*] gouverner; [*monarch*] régner sur; [*party*] diriger; [*army*] commander; 2 (control) [*money, appetite*] dominer [*life, character*]; [*person, consideration*] diriger [*behaviour*]; [*factor*] dicter [*strategy*]; to be ~d by sb† se laisser diriger par qn; to let one's heart ~ one's head laisser son cœur dominer sa raison; 3 (draw) faire, tirer [*line*]; ~d paper papier réglé; 4 [*tribunal, court, judge, umpire*] to ~ that décréter que; to ~ sth unlawful décréter que qch est illégal
C *vi* 1 gen, Pol [*monarch*] régner; [*government*] gouverner; anarchy ~s l'anarchie règne; Leeds United ~ OK○! vive Leeds United!; 2 [*tribunal, court, judge, umpire*] statuer (against contre)
(Phrasal verbs) ■ rule off: ▸ ~ off faire *or* tirer un trait; ▸ ~ off [sth], ~ [sth] off faire *or* tirer un trait sous [*part of writing*]
■ rule out: ▸ ~ out [sth], ~ [sth] out 1 (eliminate) exclure [*chance, possibility, candidate*] (of de); to ~ out doing exclure de faire; 2 (prevent) interdire [*activity*]

rulebook /ˈruːlbʊk/ *n* règlement *m*; to throw away the ~ fig envoyer promener les conventions

rule: ~ **of law** *n* Pol séparation *f* constitutionnelle de la justice et du pouvoir; ~ **of the road** *n* code *m* de la route; ~ **of three** *n* règle *f* de trois

rule of thumb *n* principe *m* de base

ruler /ˈruːlə(r)/ *n* 1 (leader) dirigeant/-e *m/f* (of de); 2 (measure) règle *f*

ruling /ˈruːlɪŋ/
A *n* décision *f* (against à l'encontre de; by de; on sur); to give a ~ rendre une décision; a ~ that he must pay une décision selon laquelle il doit payer
B *adj* 1 (in power) [*circle, class, body, group, party*] dirigeant; 2 (dominant) [*idea, passion, principle*] dominant

rum /rʌm/
A *n* (alcohol) rhum *m*; white ~ rhum blanc
B *adj* ○†GB (odd) bizarre; a ~ do hum une affaire louche

Rumania *pr n* = **Romania**

Rumanian *adj* = **Romanian**

rumble /ˈrʌmbl/
A *n* 1 (of thunder, artillery, trucks, machines) grondement *m*; (of stomach, pipes) gargouillement *m*; (from unhappy crowd) grondement *m*; 2 ○US (fight) bagarre○ *f* (*entre bandes de jeunes*)
B *vtr* 1 ○GB (unmask) flairer○ [*trick*]; I ~d your game○! je t'ai vu venir○!; we've been ~d! on nous a démasqués!; 2 (growl) 'well?' he ~d 'alors?' dit-il en grommelant
C *vi* 1 (make noise) [*thunder, artillery, machines, voice*] gronder; [*stomach, pipes*] gargouiller; [*person*] grommeler; 2 (trundle) to ~ in/by [*vehicle*] entrer/passer bruyamment; 3 (growl) grommeler
(Phrasal verb) ■ rumble on [*debate, controversy*] continuer à faire parler beaucoup de monde

rumble: ~ **seat** *n* US Aut spider *m*; ~ **strip** *n* bande *f* sonore (*sur l'autoroute*)

rumbling /ˈrʌmblɪŋ/
A *n* ¢ (of thunder, vehicles, machines) grondement *m*; (of stomach, in pipes) gargouillement *m*
B rumblings *npl* (angry) murmures *mpl*; ~s of discontent des murmures de mécontentement

rumbustious /rʌmˈbʌstɪəs/ *adj* [*music, game*] bruyant; [*person*] exubérant

ruminant /ˈruːmɪnənt/ *n, adj* ruminant (*m*)

ruminate /ˈruːmɪneɪt/ *vi* 1 ruminer; to ~ on *ou* about ruminer [*event, decision*]; ruminer sur [*meaning of life*]; 2 Zool ruminer

rumination /ˌruːmɪˈneɪʃn/ *n* (all contexts) rumination *f*

ruminative /ˈruːmɪnətɪv, US -neɪtɪv/ *adj* littér songeur/-euse

ruminatively /ˈruːmɪnətɪvlɪ, US -neɪtɪvlɪ/ *adv* littér [*look, stare*] d'un air pensif

rummage /ˈrʌmɪdʒ/
A *n* 1 (look) to have a ~ in fouiller dans; 2 US (jumble) vieilleries *fpl*
B *vi* fouiller (in, among, through dans; for à la recherche de)
(Phrasal verb) ■ rummage about, rummage around fouiller (in dans)

rummy /ˈrʌmɪ/ ▸ p. 1253 rami *m*

rumor US = **rumour**

rumored US = **rumoured**

rumour GB, **rumor** US /ˈruːmə(r)/ *n* rumeur *f*, bruit *m* (about sur); to start a ~ faire courir une rumeur *or* un bruit; to deny a ~ démentir une rumeur; ~s are circulating that, ~ has it that le bruit court que; there is no truth in any of the ~s les rumeurs sont dénuées de tout fondement; I heard a ~ about the factory closing j'ai entendu dire que l'usine allait fermer

rumoured GB, **rumored** US /ˈruːməd/ *adj* it is ~ that il paraît que, on dit que; she is ~ to be a millionaire il paraît *or* on dit qu'elle est millionnaire; the buyer, ~ to be the Swedish group l'acheteur qui, selon les rumeurs, serait le groupe suédois

rumourmonger GB, **rumormonger** US /ˈruːməmʌŋgə(r)/ *n* personne *f* qui fait courir une rumeur

rump /rʌmp/ *n* 1 (*also* ~ **steak**) rumsteck *m*; 2 (of animal) croupe *f*; (of bird) croupion *m*; 3 hum (of person) postérieur *m*, derrière○ *m*; 4 (of party, group) vestiges *mpl*; the Rump Parliament GB Pol Hist le Parlement Croupion

rumple /ˈrʌmpl/
A *vtr* ébouriffer [*hair*]; froisser [*clothes, sheets, papers*]
B rumpled /ˈrʌmpld/ *pp adj* [*clothes, sheets, papers*] froissé; [*hair*] ébouriffé

rumpus○ /ˈrʌmpəs/ *n* 1 (noise) boucan○ *m*; 2 (angry protest) esclandre *m* (about, over au sujet de); to kick up a ~ [*protesters*] faire un esclandre; [*child*] faire la comédie○

rumpus room *n* US salle *f* de jeux

rum toddy *n* grog *m*

run /rʌn/
A *n* 1 (act or period of running) course *f*; a two-mile ~ une course de deux miles; that was a splendid ~ by Reeves Reeves a fait une course magnifique; to go for a ~ aller courir; to take the dog for a ~ in the park aller faire courir le chien au parc; to break into a ~ se mettre à courir; to do sth at a ~ faire qch en courant; to take a ~ at prendre son élan pour franchir [*fence, hedge, stream*]; to give sb a clear ~ fig laisser le champ libre à qn (at doing pour faire)
2 (flight) on the ~ [*prisoner*] en fuite, en cavale○; to be on the ~ from sb/sth fuir qn/qch; to have sb on the ~ lit mettre qn en fuite; fig réussir à effrayer qn; to make a ~ for it fuir, s'enfuir; to make a ~ for the door se précipiter vers la porte
3 (series) (of successes, failures, reds, blacks) série *f* (of de); to have a ~ of (good) luck être en veine; to have a ~ of bad luck jouer de malchance; a ~ of fine weather une période de beau temps; we've had a long ~ without any illness nous avons eu une longue période sans maladie; the product has had a good ~ but... le produit a bien marché mais...
4 Theat série *f* de représentations; to have a long ~ tenir longtemps l'affiche; to have a six-month ~ tenir l'affiche pendant six mois; the play is beginning its Broadway ~ la pièce commence à se jouer à Broadway
5 (trend) (of events, market) tendance *f*; the ~ of the cards/dice was against me le jeu était contre moi; against the ~ of play Sport en sens inverse du cours réel du jeu; in the normal ~ of things dans l'ordre normal des choses; out of the common ~ hors du commun
6 (series of thing produced) (in printing) tirage *m*; (in industry) série *f*; a paperback ~ of 10,000 un tirage de 10 000 exemplaires en poche
7 Fin (on Stock Exchange) (rush) ruée *f*; a ~ on une ruée sur [*stock market, bank, item*]; a ~ on sterling/the dollar une ruée spéculative sur la livre sterling/le dollar
8 (trip, route) route *f*, trajet *m*; it's only a short ~ into town (in car) avec la voiture on est tout de suite en ville; to go out for a ~ in the car aller faire un tour en voiture; the ~ up to York la route jusqu'à York; he does the Leeds ~ twice a week il fait le trajet jusqu'à Leeds deux fois par semaine; a ferry on the Portsmouth–Caen ~ le ferry faisant la traversée Portsmouth–Caen; a bombing ~ une mission de bombardement
9 (in cricket, baseball) point *m*; to score *ou* make a ~ marquer un point
10 (for rabbit, chickens) enclos *m*
11 (in tights, material) échelle *f*
12 (for skiing etc) piste *f*
13 (in cards) suite *f*; a ~ of three une suite de trois cartes; ▸ **practice run**, **test run**, **trial run**
B runs○ *npl* the ~s la courante○, la diarrhée
C *vtr* (*prét* ran; *pp* run) 1 (cover by running) courir [*race, heat, stage, distance, marathon*]; I ran the rest of the way j'ai couru le reste du chemin; she ran a brilliant race/a very fast time elle a fait une course superbe/un très bon temps; the race will be run at 10.30 la course se court à 10 h 30
2 (drive) to ~ sb to the station/to hospital conduire qn à la gare/à l'hôpital; to ~ sb home *ou* back reconduire qn; to ~ the car over to the garage conduire la voiture au

r

garage; **to ∼ sth over to sb's house** apporter qch chez qn en voiture; **to ∼ the car into a tree** jeter la voiture contre un arbre

3▸ (pass, move) **to ∼ one's hand over sth** passer la main sur qch; **to ∼ one's finger down the list** parcourir la liste du doigt; **to ∼ one's eye(s) over sth** parcourir rapidement qch; **to ∼ a duster/the vacuum cleaner over sth** passer un coup de chiffon/d'aspirateur sur qch; **to ∼ one's pen through sth** rayer qch

4▸ (manage) diriger [*business, hotel, store, school, country*]; **a well-/badly-run organization** une organisation bien/mal dirigée; **who is ∼ning things here?** qui est-ce qui commande ici?; **I'm ∼ning this show**○**!** c'est moi qui commande○!; **stop trying to ∼ my life!** arrête de vouloir diriger ma vie!

5▸ (operate) faire fonctionner [*machine*]; faire tourner [*motor, engine*]; exécuter [*program*]; entretenir [*car*]; **to ∼ sth off the mains/off batteries** faire fonctionner qch sur secteur/avec des piles; **the car is cheap to ∼** la voiture est peu coûteuse à entretenir; **to ∼ a tape/a film** mettre une cassette/un film; **to ∼ tests on sth** effectuer des tests sur qch; **to ∼ a check on sb** [*police*] vérifier les antécédents de qn; (generally) prendre des renseignements sur qn

6▸ (organize, offer) organiser [*competition, lessons, course*]; mettre [qch] en place [*train, bus, service*]

7▸ (extend, pass) (of cable, wire, pipe) **to ∼ sth between/from/to/around** faire passer qch entre/de/à/autour de; **to ∼ a rope through a ring** faire passer une corde dans un anneau

8▸ (cause to flow) faire couler [*water, bath*]; ouvrir [*tap*]; **I'll ∼ you a bath** je vais te faire couler un bain; **to ∼ water into/over sth** faire couler de l'eau dans/sur qch

9▸ Journ [*newspaper*] publier, faire passer○ [*story, article*]

10▸ (pass through) franchir [*rapids*]; forcer [*blockade*]; brûler [*red light*]

11▸ (smuggle) faire passer [qch] en fraude [*guns, drugs*]

12▸ (enter in contest) faire courir [*horse*]; présenter [*candidate*]

D *vi* (*prét* **ran**; *pp* **run**) **1▸** (move quickly) [*person, animal*] courir; **to ∼ to catch the bus/to help sb** courir pour attraper le bus/pour aider qn; **to ∼ to meet sb** courir à la rencontre de qn; **to ∼ across/down/up sth** traverser/descendre/monter qch en courant; **to ∼ around the house/around (in) the garden** courir dans toute la maison/dans le jardin; **will you ∼ over to the shop and get some milk?** peux-tu courir au magasin chercher du lait?; **to ∼ for the train** courir pour attraper le train; **to ∼ for the exit** courir vers la sortie; **to ∼ for one's country** Sport courir pour son pays; **to ∼ in the 100 metres/in the 3.30 (race)** courir le 100 mètres/dans la course de 15 h 30; **she came ∼ning towards me** elle a couru vers moi; **the customers will come ∼ning** fig les clients vont se précipiter

2▸ (flee) fuir, s'enfuir; **I dropped everything and ran** j'ai tout jeté et je me suis enfui; **to ∼ for one's life** s'enfuir pour sauver sa peau○; **∼ for your life!**, **∼ for it**○**!** sauve qui peut!, déguerpissons○!; **I had to ∼ for it**○ j'ai dû déguerpir○; **there's nowhere to ∼ (to)** il n'y a nulle part où aller; **to go ∼ning to the police** courir à la police; **to go ∼ning to one's parents** se réfugier chez ses parents

3▸ ○(rush off) filer○; **sorry—must ∼!**○ désolé—il faut que je file!○

4▸ (function) [*machine, generator*] marcher; [*engine, press*] tourner; **to leave the engine ∼ning** laisser tourner le moteur; **to ∼ off** fonctionner sur [*mains, battery*]; **to ∼ on** marcher à [*diesel, unleaded*]; **to ∼ fast/slow** [*clock*] prendre de l'avance/du retard; **the organization ∼s very smoothly** l'organisation fonctionne parfaitement

5▸ (continue, last) [*contract, lease*] courir; **to have another month to ∼** avoir encore un mois à courir; **to ∼ from... to...** [*school year, season*] aller de... à...

6▸ Theat [*play, musical*] tenir l'affiche; **this show will ∼ and ∼!** ce spectacle tiendra l'affiche pendant des mois!; **to ∼ for six months** tenir l'affiche pendant six mois; **the film will ∼ (for) another week** le film reste à l'affiche une semaine encore

7▸ (pass) **to ∼ past/through sth** [*frontier, path, line*] passer/traverser qch; **to ∼ (from) east to west** aller d'est en ouest, être orienté est-ouest; **the road ∼s north for about ten kilometres** la route va vers le nord sur une dizaine de kilomètres; **to ∼ parallel to sth** être parallèle à qch; **the stripes ∼ vertically** les rayures sont verticales; **the bird has a green stripe ∼ning down its back** l'oiseau a une bande verte le long du dos; **a scar ∼s down her arm** une cicatrice court le long de son bras

8▸ (move) [*sledge, vehicle*] glisser (**on** sur; **forward** vers l'avant; **back** vers l'arrière); [*curtain*] coulisser (**on** sur); **to ∼ through sb's hands** [*rope*] filer entre les mains de qn; **a pain ran up my leg** une douleur m'est remontée le long de la jambe; **a wave of excitement ran through the crowd** un frisson d'excitation a parcouru la foule; **his eyes ran over the page** il a parcouru la page des yeux; **the news ran from house to house** la nouvelle s'est transmise de maison en maison

9▸ (operate regularly) [*buses, trains*] circuler; **they don't ∼ on Sundays** ils ne circulent pas le dimanche; **a taxi service/ferry ∼s between X and Y** il existe un service de taxi/un ferry entre X et Y; **the train is ∼ning late** le train est en retard; **programmes are ∼ning late this evening** (on TV) les émissions ont du retard ce soir; **we are ∼ning 30 minutes behind schedule** *ou* **late** nous avons 30 minutes de retard; **we're ∼ning ahead of schedule** nous sommes en avance

10▸ (flow) [*water, liquid, stream, tap, bath, nose*] couler; **the tap is ∼ning** le robinet coule *or* est ouvert; **my nose is ∼ning** j'ai le nez qui coule; **tears ran down his face** les larmes coulaient sur son visage; **there was water ∼ning down the walls** il y avait de l'eau qui coulait le long des murs; **my body was ∼ning with sweat** mon corps ruisselait de sueur; **the streets will be ∼ning with blood** fig le sang coulera à flots dans les rues; **the river ran red with blood** la rivière est devenue rouge de sang; **the meat juices ran pink/clear** le jus qui est sorti de la viande était rose/incolore

11▸ (flow when wet or melted) [*colour, dye, garment*] déteindre; [*ink, makeup, butter, cheese*] couler

12▸ Pol (as candidate) se présenter; **to ∼ for** être candidat/-e au poste de [*mayor, governor*]; **to ∼ for president** être candidat/-e à la présidence; **to ∼ against** se présenter *or* être candidat/-e contre [*person*]

13▸ (be worded) [*message, speech*] se présenter, être libellé sout; **the telex ∼s...** le télex se présente *or* est libellé comme suit...; **so the argument ∼s** selon l'argument habituellement avancé

14▸ (snag) [*tights, material*] filer

(Idioms) **to have the ∼ of sth** avoir qch pour soi; **to give sb the ∼ of sth** mettre qch à la disposition de qn; **in the long ∼** à la longue, à longue échéance; **in the short ∼** à brève échéance

(Phrasal verbs) ■ **run about**, **run around**: ► **∼ around** **1▸** (hurrying, playing etc) courir; **I've been ∼ning around all over the place looking for you** j'ai couru partout pour essayer de te trouver; **2▸** ○(have affair with) courir○; **to ∼ around**○ **with** voir○, sortir avec [*woman, man*]

■ **run across**○: ► **∼ across [sth/sb]** tomber sur○ [*acquaintance, reference*]

■ **run after**: ► **∼ after [sb]** lit, fig courir après [*thief, woman, man*]

■ **run along** se sauver○, filer○; **∼ along!** sauve-toi○!

■ **run at**: ► **∼ at [sth]** **1▸** (charge towards) se précipiter sur [*door, person*]; **2▸** (be at) [*inflation, unemployment*] atteindre, être de l'ordre de [*percentage, rate, figure*]; **with inflation ∼ning at 12%** avec une inflation de l'ordre de 12%

■ **run away**: ► **∼ away** **1▸** (flee) s'enfuir (**from sb** devant qn; **to do** pour faire); **to ∼ away from home** s'enfuir de chez soi; **to ∼ away from one's responsibilities/a situation** fuir ses responsabilités/une situation; **2▸** (run off) [*water, liquid*] couler; ► **∼ away with [sth/sb]** **1▸** (flee) partir avec [*profits, object, person*]; **2▸** (carry off easily) rafler○ [*prizes, title*]; **3▸** GB dial (use up) [*activity*] engloutir [*money*]; **4▸** (get into one's head) **to ∼ away with the idea** *ou* **notion that** s'imaginer que; **I don't want him ∼ning away with that idea** je ne veux pas qu'il s'imagine ça; **to let one's emotions/one's enthusiasm ∼ away with one** se laisser emporter par ses émotions/son enthousiasme

■ **run back**: ► **∼ back [sth]**, **∼ [sth] back** rembobiner [*tape, film*]

■ **run back over**: ► **∼ back over [sth]** revenir sur [*points, plans*]

■ **run down**: ► **∼ down** [*battery*] se décharger; [*watch*] retarder; [*exports, reserves*] diminuer; [*machine, industry, company*] s'essouffler; ► **∼ down [sth/sb]**, **∼ [sth/sb] down** **1▸** (in vehicle) renverser; **to be** *ou* **get run down by sth** être renversé par qch; **2▸** (reduce, allow to decline) réduire [*production, operations, defences, industry, reserves*]; user [*battery*]; **3▸** (disparage) dénigrer [*person, economy*]; **4▸** Naut éperonner, heurter [*boat*]; **5▸** (track down) retrouver [*person*]; dénicher○ [*thing*]

■ **run in**: ► **∼ in [sth]**, **∼ [sth] in** roder [*car, machine*]; **'∼ning in—please pass'** 'en rodage'; ► **∼ [sb] in**○ (arrest) épingler○ [*person*]

■ **run into**: ► **∼ into [sth/sb]** **1▸** (collide with) [*car, person*] heurter, rentrer dans ○ [*car, wall*]; **2▸** (encounter) rencontrer [*person, difficulty, opposition, bad weather*]; **to ∼ into debt** s'endetter; **3▸** (amount to) [*debt, income, sales*] se compter en [*hundreds, millions*]; **the trial could ∼ into months** le procès pourrait durer des mois

■ **run off**: ► **∼ off** **1▸** [*person, animal*] partir en courant; **to ∼ off with** partir avec [*person, savings*]; **2▸** [*liquid, water*] couler; ► **∼ off [sth]**, **∼ [sth] off** **1▸** (print) sortir [*copy*] (**on** sur); **2▸** (contest) disputer [*heats*]

■ **run on**: ► **∼ on** [*meeting, seminar*] se prolonger; ► **∼ on [sth]** (be concerned with) [*mind*] être préoccupé par; [*thoughts*] revenir sur; [*conversation*] porter sur; ► **∼ on [sth]**, **∼ [sth] on** **1▸** Print faire suivre [qch] sans alinéa; **2▸** Literat faire enjamber [*line*]

■ **run out**: ► **∼ out** **1▸** (become exhausted) [*supplies, resources, oil*] s'épuiser; **time is ∼ning out** le temps manque; **my money ran out** mes ressources s'étaient épuisées; **my patience is ∼ning out** je suis en train de perdre patience; **2▸** (have no more) [*pen, vending machine*] être vide; **sorry, I've run out** désolé, je n'en ai plus; **quick, before we ∼ out** vite, avant que nous n'ayons plus rien; **3▸** (expire) [*lease, passport*] expirer; ► **∼ out of** ne plus avoir de [*petrol, time, money, ideas*]; **the car ran out of petrol** la voiture est tombée en panne d'essence; **to be ∼ning out of** n'avoir presque plus de [*petrol, time, money, ideas*]

■ **run out on**: ► **∼ out on [sb]** abandonner, laisser tomber○ [*family, lover, ally*]

■ **run over**: ► **∼ over** **1▸** [*meeting, programme*] se prolonger, dépasser l'horaire prévu; **to ∼ over by 10 minutes/by an hour** dépasser l'horaire prévu de 10 minutes/d'une heure; **2▸** (overflow) [*container*] déborder; **my cup ∼neth over** Bible la coupe est pleine; ► **∼ over [sth]** (run through) passer [qch] en revue [*arrangements, main points*]; ► **∼ over [sth/sb]**, **∼ [sth/sb] over** **1▸** (injure) renverser [*person, animal*]; (kill) écraser [*person, animal*]; **you'll get run over** tu vas te faire écraser; **2▸** (drive over) passer sur [*log, bump, corpse*]

r

■ **run through**: ► ~ **through [sth]** 1 (pass through) [*thought, tune, murmur*] courir dans; 2 (be present in) [*theme, concern, prejudice*] se retrouver dans [*work, society*]; 3 (look through) parcourir [*list, article, notes*]; (discuss briefly) passer [qch] en revue [*main points, schedule*]; 4 (use, get through) dépenser [*money, inheritance*]; ► ~ **through [sth]**, ~ **[sth] through** (rehearse) répéter [*scene, speech*]; ► ~ **[sb] through** littér (with sword) transpercer [*person*] (**with** avec, de); **to ~ sth through the computer** passer qch dans l'ordinateur; **to ~ sth through a series of tests** faire passer une série de tests à qch

■ **run to**: ► ~ **to [sth]** (extend as far as) [*book, report*] faire [*number of pages, words*]; **her tastes don't ~ to modern jazz** ses goûts ne vont pas jusqu'au jazz moderne; **his salary doesn't ~ to Caribbean cruises** son salaire ne lui permet pas une croisière aux Caraïbes; **I don't think I can ~ to that** je ne crois pas pouvoir me permettre cela

■ **run up**: ► ~ **up [sth]**, ~ **[sth] up** 1 (accumulate) accumuler [*bill, debt*]; 2 (make) fabriquer [*dress, curtains*]; 3 (raise) hisser [*flag*]

■ **run up against**: ► ~ **up against [sth]** se heurter à [*obstacle, difficulty*]

runabout○ /'rʌnəbaʊt/ *n* GB petite voiture *f*

runaround /'rʌnəraʊnd/ *n* **he's giving me/her etc the ~** il se défile○

runaway /'rʌnəweɪ/

A *n* (child) fugueur/-euse *m/f*; (slave) fugitif/-ive *m/f*

B *adj* 1 (having left) [*child, teenager*] fugueur/-euse; [*slave*] fugitif/-ive; [*wife, father*] en fuite; 2 (out of control) [*vehicle*] incontrôlé, fou/folle journ; [*horse*] emballé; [*inflation*] galopant; 3 (great) [*success, victory*] éclatant

rundown /'rʌn,daʊn/ *n* 1 (report) récapitulatif *m* (**on** de); **to give sb a quick ~ on sth** donner un récapitulatif rapide de qch à qn; 2 (of industry, factory) réduction *f* de l'activité (**of** de)

run-down /,rʌn'daʊn/ *adj* 1 (exhausted) [*person*] fatigué, à plat○; 2 (shabby) [*house, area*] décrépit

rune /ru:n/ *n* rune *f*

run-flat /,rʌn'flæt/ *n* pneu *m* à affaissement limité

rung /rʌŋ/

A *pp* ► **ring**

B *n* 1 (of ladder) barreau *m*; **the bottom ~** le premier barreau; 2 (in hierarchy) échelon *m*; **to move up a few ~s** gravir quelques échelons

runic /'ru:nɪk/ *adj* runique

run-in○ /'rʌnɪn/ *n* prise *f* de bec○

runner /'rʌnə(r)/ *n* 1 (person, animal) coureur *m*; **to be a fast ~** être très rapide à la course; 2 Sport, Turf partant/-e *m/f*; 3 (messenger) Mil estafette *f*; Fin coursier/-ière *m/f*; 4 (for door, seat) glissière *f*; (for drawer) coulisseau *m*; (for curtain) chariot *m*; (on sled) patin *m*; 5 Bot, Hort stolon *m*; 6 (cloth) chemin *m* de table; (carpet) (in hall) chemin *m* de couloir; (on stairs) chemin *m* d'escalier; 7 ○(car) **'good ~'** (in ad) 'en bon état mécanique'

(Idiom) **to do a ~**○ (from restaurant, taxi) s'esquiver sans payer; (from house etc) déménager à la cloche de bois

runner bean *n* GB haricot *m* d'Espagne

runner up /,rʌnər'ʌp/ *n* (*pl* **~s up**) second/-e *m/f* (**to** après); **the 50 ~s up** les 50 suivants *mpl*

running /'rʌnɪŋ/

A *n* 1 (sport, exercise) course *f* à pied; **to take up ~** se mettre à la course à pied; 2 (management) direction *f* (**of** de)

B *modif* [*gear, shoes, shorts*] de course

C *adj* 1 (flowing) [*water*] courant; [*tap*] ouvert; [*knot*] coulant; **~ sore** lit plaie *f* suppurante; fig abcès *m*, plaie *f* ouverte; 2 (consecutive) de suite *inv*; **five days ~** cinq jours de suite

(Idioms) **go take a ~ jump**○! va te faire voir○!; **to be in the ~** être dans la course (**for** pour); **to be out of the ~** ne plus être dans la course (**for** pour); **to make the ~** lit, fig mener la course

running: **~ battle** *n* éternel conflit *m* (**with** avec, contre); **~ board** *n* marchepied *m*; **~ commentary** *n* commentaire *m* ininterrompu; **~ costs** *n* (of factory, scheme) dépenses *fpl* courantes; (of a machine) coûts *mpl* de fonctionnement; (of car) frais *mpl* d'entretien; **~ head** *n* titre *m* courant; **~ light** *n* Naut, Aviat feu *m* de position

running mate *n* gen co-candidat/-e *m/f*; (vice-presidential) candidat/-e *m/f* à la vice-présidence

running order *n* Radio, Theat, TV (of programme) ordre *m* de diffusion; (of items in programme) ordre *m* des titres développés; (of acts in show) ordre *m* des numéros

running: **~ race** *n* épreuve *f* de course à pied; **~ repairs** *npl* réparations *fpl* courantes; **~-stitch** *n* point *m* devant; **~ time** *n* (of film, cassette) durée *f*; **~ title** *n* = **running head**; **~ total** *n* total *m* cumulé; **~ track** *n* piste *f*

runny /'rʌnɪ/ *adj* [*jam, sauce, icing*] liquide; [*butter, chocolate*] fondu; [*omelette, scrambled eggs*] baveux/-euse; [*fried egg*] avec le jaune à peine cuit; [*poached or boiled egg*] mollet; [*nose, eye*] qui coule; **to have a ~ nose** avoir le nez qui coule

runoff /'rʌnɒf/ *n* 1 (decider) Pol scrutin *m* de ballotage; Sport course *f* finale; 2 (of water, liquid) ruissellement *m*, écoulement *m*

run: **~-of-the-mill** *adj* ordinaire, banal; **~-on** *adj* Print qui suit sans alinéa; **~-on line** *n* Literat (in poetry) enjambement *m*

runproof /'rʌnpru:f/ *adj* 1 [*stockings, fabric*] indémaillable; 2 [*makeup, mascara*] résistant à l'eau

runt /rʌnt/ *n* 1 (of litter) *le plus faible d'une portée*; 2 péj (weakling) avorton *m* pej

run-through /'rʌnθru:/ *n* 1 (practice) répétition *f*; 2 (cursory reading, summary) aperçu *m*

run-up /'rʌnʌp/ *n* 1 Sport course *f* d'élan; **to take a ~** prendre son élan pour sauter; 2 (preceding period) **the ~ to** la dernière ligne droite avant [*election, Christmas*]

runway /'rʌnweɪ/ *n* Aviat piste *f* d'aviation

rupee /ru:'pi:/ ► **p. 1108** *n* roupie *f*

rupture /'rʌptʃə(r)/

A *n* 1 Med (hernia) hernie *f*; (of blood vessel, kidney) rupture *f*; 2 Tech (in tank, container) rupture *f*; 3 (in relations) rupture *f* (**between** entre)

B *vtr* 1 Med se faire éclater [*kidney, appendix*]; **to ~ oneself** se faire une hernie; 2 rompre [*relations, unity*]

C *vi* 1 Med [*kidney, appendix*] se rompre; 2 Tech [*container*] éclater

D **ruptured** *pp adj* Med éclaté

rural /'rʊərəl/ *adj* 1 [*life, community, industry, tradition*] rural; **~ France** la France rurale; 2 (pastoral) [*scene, beauty*] champêtre

rural dean *n* GB Relig doyen *m* rural

ruse /ru:z/ *n* stratagème *m*

rush /rʌʃ/

A *n* 1 (of crowd) ruée *f* (**to do** pour faire); **a ~ of photographers/volunteers** une ruée de journalistes/volontaires; **a ~ for the door/towards the buffet** une ruée vers la porte/vers le buffet; **to make a ~ at/for sth** [*crowd*] se ruer sur/vers qch; [*individual*] se précipiter sur/vers qch

2 (hurry) **to be in a ~** être pressé (**to do** de faire); **there's no ~** ce n'est pas pressant; **to do sth in a ~** faire qch en vitesse; **what's the ~?** pourquoi faire vite?; **it all happened in such a ~** tout s'est passé si vite; **we had a ~ to finish it** il a fallu qu'on se dépêche pour le terminer; **is there any ~?** y a-t-il urgence?

3 (peak time) (during day) heure *f* de pointe; (during year) période *f* de pointe; **the morning/evening ~** l'heure de pointe du matin/soir; **the summer/Christmas ~** la période de pointe de l'été/autour de Noël; **beat the ~!** évitez la foule!; **there's a ~ on in the book department** il y a une bousculade au rayon des livres

4 (surge) (of liquid, energy, adrenalin) montée *f*; (of air) bouffée *f*; (of emotion) vague *f*; (of complaints) flot *m*; **a ~ of blood to one's cheeks/into a limb** un afflux de sang aux joues/dans un membre; **a ~ of blood to the head** fig un coup de tête; **it gives you a ~**○ c'est euphorisant

5 Bot jonc *m*

6 US Univ *courte période pendant laquelle les associations d'étudiants essaient d'attirer de nouveaux membres*

B **rushes** *npl* Cin rushes *mpl*, épreuves *fpl* de tournage

C *modif* [*basket, matting, screen*] en jonc

D *vtr* 1 (transport urgently) **to ~ sth to** envoyer qch d'urgence à; **troops were ~ed to the scene** des troupes ont été envoyées d'urgence sur les lieux; **to be ~ed to the hospital** être emmené d'urgence à l'hôpital; **'please ~ me my copy'** journ 'envoyez-moi d'urgence mon exemplaire'

2 (do hastily) expédier [*task, essay, speech*]; **don't try to ~ things** ne va pas trop vite

3 (pressurize, hurry) presser, bousculer [*person*]; **I don't want to ~ you, but** je ne voudrais pas te bousculer, mais; **the agent ~ed me round the house in five minutes** l'agent m'a fait faire le tour de la maison en cinq minutes

4 (charge at) sauter sur [*guard, defender, player*]; prendre d'assaut [*building, platform*]

5 US Univ [*student*] essayer de devenir membre de [*sorority, fraternity*]

E *vi* 1 [*person*] (make haste) se dépêcher (**to do** de faire); (rush forward) se précipiter (**to do** pour faire); **don't ~** ne te précipite pas; **to ~ to explain** se dépêcher d'expliquer; **to ~ up to sb/out of the room** se précipiter vers qn/hors de la pièce; **to ~ at sb/sth** se précipiter sur qn/qch; **to ~ down the stairs/round the house** descendre l'escalier/faire le tour de la maison à toute vitesse; **to ~ along** marcher à toute vitesse; **he ~ed off before I could tell him** il a disparu avant que je n'aie pu le lui dire

2 (travel) [*train, vehicle*] **to ~ past** passer à toute vitesse; **to ~ along at 120 km/h** filer à 120 km/h; **the stream ~ed down the mountainside** le torrent dévalait le flanc de la montagne; **a ~ing stream** un ruisseau jaillissant; **the sound of ~ing water** le son de l'eau jaillissante

(Phrasal verbs) ■ **rush into**: ► ~ **into [sth]** se lancer dans [*commitment, purchase, sale*]; **to ~ into marriage/a decision** se marier/prendre une décision précipitamment; ► ~ **[sb] into doing** pousser [qn] à faire; **to ~ sb into marriage/a decision** pousser qn au mariage/à prendre une décision; **don't be ~ed into it** ne te laisse pas bousculer

■ **rush out**: ► ~ **out** [*person*] sortir en vitesse; ► ~ **out [sth]**, ~ **[sth] out** sortir *or* publier [qch] en vitesse [*pamphlet , edition*]

■ **rush through**: ► ~ **through [sth]** expédier [*task, agenda*]; parcourir [qch] en vitesse [*book, article*]; ► ~ **[sth] through**, ~ **through [sth]** adopter en vitesse [*legislation, bill, amendment*]; traiter en priorité [*order, application*]; **to ~ a bill through parliament** faire passer une loi en vitesse; ► ~ **[sth] through to** envoyer [qch] d'urgence à [*person, scene*]

rushed /rʌst/ *adj* [*attempt, letter, job*] expédié, bâclé○ pej; [*person, staff*] sous pression

rush hour /'rʌʃaʊə(r)/

A *n* heures *fpl* de pointe; **the morning ~** les heures de pointe du matin; **in** *ou* **during the ~** aux *or* pendant les heures de pointe

B *modif* [*congestion, problems, crowds*] des heures de pointe; [*traffic*] aux heures de pointe; **to get caught in the ~ traffic** être pris dans les embouteillages

rush job○ *n* travail *m* urgent, urgence *f*; **to have a ~ on** avoir un travail urgent *or* une urgence

r

rush: **~light** *n* GB chandelle *f* à mèche de jonc; **~ order** *n* commande *f* urgente

rusk /rʌsk/ *n* biscuit *m* pour bébés

russet /ˈrʌsɪt/
A *n* **1** (colour) brun *m* roux; **2** (apple) canada *f inv*
B *adj* roussâtre

Russia /ˈrʌʃə/ ▸ **p. 1096** *pr n* Russie *f*

Russian /ˈrʌʃn/ ▸ **p. 1467, p. 1378**
A *n* **1** (native) Russe *mf*; **2** Ling russe *m*
B *modif* [*book, class, course*] de russe
C *adj* russe

Russian Federation *n* Fédération *f* de Russie

Russian Orthodox *adj* orthodoxe russe; **the ~ Church** l'Église orthodoxe russe

Russian: **~ Revolution** *n* révolution *f* russe; **~ roulette** *n* roulette *f* russe; **~ salad** *n* salade *f* russe; **~-speaking** *adj* russophone

Russky° GB, **Russki(e)**° US /ˈrʌskɪ/ *n* russe *mf*

Russophile /ˈrʌsəʊfaɪl/ *n* russophile *mf*

rust /rʌst/
A *n* Agric, Chem, Hort rouille *f*
B *vtr* **1** lit rouiller; **2** fig altérer
C *vi* **1** lit se rouiller; **2** fig [*skill*] s'altérer
D **rusted** *pp adj* rouillé; **to become ~ed** se rouiller

(Phrasal verbs) ■ **rust away**, **rust out** US, **rust through** être mangé par la rouille
■ **rust up** se rouiller

rust-coloured GB, **rust-colored** US /ˈrʌstkʌləd/ ▸ **p. 1067** *adj* couleur rouille *inv*

rustic /ˈrʌstɪk/
A *n* campagnard/-e *m/f*; pej rustaud/-e *m/f*
B *adj* [*furniture, fence, bridge*] rustique; [*charm*] champêtre; [*accent*] rustique

rusticate /ˈrʌstɪkeɪt/
A *vtr* GB Univ exclure [qn] temporairement
B *vi* sout se retirer à la campagne

rustle /ˈrʌsl/
A *n* (of paper, fabric, dry leaves) froissement *m*; (of leaves, silk) bruissement *m*
B *vtr* **1** froisser [*papers, plastic bag*]; **the wind ~d the leaves** on entendait le bruissement du vent dans les feuilles; **stop rustling your newspaper!** arrête de faire du bruit avec ton journal!; **2** US voler [*cattle, horses*]

(Phrasal verb) ■ **rustle up**: ▸ **~ up [sth]** préparer [qch] en vitesse [*supper, salad*]; se débrouiller pour trouver [*money*]

rustler /ˈrʌslə(r)/ *n* US (cattle thief) voleur/-euse *m/f* de bétail; (horse thief) voleur/-euse *m/f* de chevaux

rustling /ˈrʌslɪŋ/ *n* **1** (of paper, fabric, dry leaves) froissement *m*; (of leaves, silk) bruissement *m*; (of mice) furètement *m*; **2** US (cattle stealing) vol *m* de bétail; (horses) vol *m* de chevaux

rust-proof /ˈrʌstpruːf/
A *adj* [*material*] inoxydable; [*paint, coating*] antirouille
B *vtr* traiter [qch] contre la rouille

rustproofing /ˈrʌstpruːfɪŋ/ *n* traitement *m* antirouille

rusty /ˈrʌstɪ/ *adj* lit, fig rouillé

rut /rʌt/
A *n* **1** (in ground) ornière *f*; **2** (routine) **to be (stuck) in a ~** être enlisé dans la routine; **to get into a ~** s'enliser dans la routine; **3** Zool (mating) **the ~** le rut
B *vtr* (*p prés etc* **-tt-**) faire des ornières dans
C *vi* (*p prés etc* **-tt-**) Zool (mate) être en rut
D **rutted** *pp adj* plein d'ornières

rutabaga /ˌruːtəˈbeɪgə/ *n* US rutabaga *m*

ruthenium /ruːˈθiːnɪəm/ *n* ruthénium *m*

ruthless /ˈruːθlɪs/ *adj* impitoyable (**in** dans; **towards** envers)

ruthlessly /ˈruːθlɪslɪ/ *adv* impitoyablement

ruthlessness /ˈruːθlɪsnɪs/ *n* caractère *m* impitoyable

rutting /ˈrʌtɪŋ/
A *n* Zool rut *m*; **~ season** saison du rut
B *adj* en rut

RV *n* **1** Bible *abrév* ▸ **Revised Version**; **2** US Aut *abrév* ▸ **recreational vehicle**

Rwanda /rʊˈændə/ ▸ **p. 1096** *pr n* Rwanda *m*

Rwandan /rʊˈændən/ ▸ **p. 1467**
A *n* Rwandais/-e *m/f*
B *adj* rwandais

Rx US
A *n* Pharm *symbole signifiant 'ordonnance'*
B *modif* **~ drug** médicament *m* sur ordonnance

rye /raɪ/
A *n* **1** Agric, Culin seigle *m*; **2** US = **rye whiskey**
B *modif* [*bread, flour*] de seigle

rye: **~ grass** *n* ivraie *f* vivace; **~ whiskey** *n* whisky *m* à base de seigle

r

Ss

s, S /es/ *n* [1] (letter) s, S *m*; [2] **S** *abrév écrite* = **South**; [3] **S** (*abrév écrite* = **Saint**) St/Ste; [4] *abrév écrite* = **small**

SA *n* [1] *abrév écrite* = **South Africa**; [2] *abrév écrite* = **South America**; [3] *abrév écrite* = **South Australia**

Sabbatarian /ˌsæbəˈteərɪən/
[A] *n* observateur/-trice *m/f* du Sabbat
[B] *adj* [*family*] qui observe le Sabbat; **~ principles** principes *mpl* d'observance du Sabbat

sabbath /ˈsæbəθ/ *n* (*also* **Sabbath**) (Jewish) sabbat *m*; (Christian) jour *m* du seigneur; **to observe/to break the ~** respecter/ne pas respecter le sabbat *or* le jour du seigneur

sabbatical /səˈbætɪkl/
[A] *n* congé *m* sabbatique; **to take a ~, to go on ~** prendre un congé sabbatique; **to be on ~** être en congé sabbatique
[B] *adj* [*leave, year*] sabbatique

saber *n* US = **sabre**

sable /ˈseɪbl/
[A] *n* [1] (fur, animal) zibeline *f*; [2] Herald sable *m*; [3] littér (black) noir *m*
[B] *modif* [*hat, garment*] en zibeline; **~ coat/stole** zibeline *f*
[C] *adj* littér noir

sabot /ˈsæbəʊ, US sæˈbəʊ/ *n* sabot *m* (*en bois*)

sabotage /ˈsæbətɑːʒ/
[A] *n* sabotage *m*; **to commit ~** faire du sabotage; **due to ~** causé par un sabotage
[B] *vtr* saboter [*equipment, campaign, discussion*]; saper [*economy*]

saboteur /ˌsæbəˈtɜː(r)/ *n* saboteur/-euse *m/f*

sabre, **saber** US /ˈseɪbə(r)/ *n* Mil, Sport sabre *m*

sabre: **~ rattling** *n* rodomontade *f*; **~tooth, ~-toothed tiger** *n* machairodonte *m*

sac /sæk/ *n* [1] Anat, Bot sac *m*; **hernial ~** sac herniaire; [2] Zool (of liquid) poche *f*; **honey ~** poche à miel

saccharin /ˈsækərɪn/ *n* saccharine *f*

saccharine /ˈsækəriːn/ *adj* péj [1] [*sentimentality, novel*] à l'eau de rose; [*smile*] mielleux/-euse; [2] [*drink, food*] trop sucré

sacerdotal /ˌsækəˈdəʊtl/ *adj* sout sacerdotal

sachet /ˈsæʃeɪ, US sæˈʃeɪ/ *n* (all contexts) sachet *m*

sack /sæk/
[A] *n* [1] (bag) sac *m*; **potato ~** sac à pommes de terre; **mail ~** sac postal; [2] (contents) sac *m*; **a ~ of flour** un sac de farine; [3] ○(dismissal) **to get the ~** se faire mettre à la porte○; **to give sb the ~** mettre qn à la porte○; **to be threatened with the ~** être menacé de renvoi; [4] ○(bed) **the ~** le lit, le pieu◑; **to hit the ~**○ se coucher, se pieuter◑; **to be great in the ~**◑ bien baiser◑; [5] littér (pillage) sac *m*; [6] ‡Wine *vin blanc d'Espagne*
[B] *vtr* [1] ○(dismiss) mettre [qn] à la porte○ [*employee*] (**for** pour; **for doing** pour avoir fait); **to be** *ou* **get ~ed** se faire mettre à la porte○; [2] littér (pillage) mettre à sac [*town*]

(Idiom) **to look like a ~ of potatoes** être fagoté comme un sac

(Phrasal verb) ■ **sack out**○ US dormir

sackbut /ˈsækbʌt/ *n* sacquebute *f*

sackcloth /ˈsækklɒθ/ *n* toile *f* à sac

(Idiom) **to be in** *ou* **wear ~ and ashes** faire son mea culpa (en public)

sack dress *n* robe *f* sac

sackful /ˈsækfʊl/, **sackload** /ˈsækləʊd/ *n* sac *m*; **a ~ of toys** un sac de jouets; **cash/letters by the ~** de l'argent/des lettres en quantité

sacking /ˈsækɪŋ/ *n* [1] Tex (for sacks) toile *f* à sac; (jute) toile *f* de jute; [2] ○(dismissal) licenciement *m*

sack race *n* course *f* en sac

sacral /ˈseɪkrəl/ *adj* Anat sacré

sacrament /ˈsækrəmənt/ *n* (religious ceremony) sacrement *m*

Sacrament /ˈsækrəmənt/ *n* (Communion bread) Saint sacrement *m*; **to receive the ~(s)** communier

sacramental /ˌsækrəˈmentl/ *adj* sacramentel/-elle

sacred /ˈseɪkrɪd/
[A] *n* **the ~ and the profane** le sacré et le profane
[B] *adj* [1] (holy) [*place, object*] sacré (**to** pour); **to hold sth ~** tenir qch pour sacré; [2] (revered) [*name*] sacré; [*tradition*] sacro-saint; **is nothing ~?** hum il n'y a rien de sacré?; **'~ to the memory of...'** 'à la mémoire de...'; [3] (binding) [*duty, mission*] sacré; [*trust*] inviolable

sacred: **~ cow** *n* fig vache *f* sacrée; **Sacred Heart** *n* Sacré Cœur *m*

sacrifice /ˈsækrɪfaɪs/
[A] *n* [1] (act) Relig, fig sacrifice *m* (**to sb** à qn; **of** de); **to make a ~/many ~s for sb** faire un sacrifice/de nombreux sacrifices pour qn; [2] (offering) Relig sacrifice *m*; **a human ~** un sacrifice humain
[B] *vtr* [1] fig sacrifier (**to** à); **to ~ sth for one's friends/for one's principles** sacrifier qch pour ses amis/à ses principes; **principles ~d on the altar of profit** les principes immolés sur l'autel du profit; [2] Relig offrir [qch] en sacrifice (**to** à)
[C] *v refl* **to ~ oneself** se sacrifier (**for** pour)

sacrificial /ˌsækrɪˈfɪʃl/ *adj* [*victim*] offert en sacrifice; [*knife, robe*] du sacrifice

sacrificial lamb *n* Relig agneau *m* pascal; fig **to be the ~** être sacrifié

sacrilege /ˈsækrɪlɪdʒ/ *n* Relig, fig, hum sacrilège *m*; **it's ~ to do** c'est un sacrilège de faire

sacrilegious /ˌsækrɪˈlɪdʒəs/ *adj* Relig, fig, hum sacrilège

sacristan /ˈsækrɪstən/ *n* sacristain *m*

sacristy /ˈsækrɪstɪ/ *n* sacristie *f*

sacroiliac /ˌsækrəʊˈɪlɪæk/
[A] *n* articulation *f* sacro-iliaque
[B] *adj* sacro-iliaque

sacrosanct /ˈsækrəʊsæŋkt/ *adj* sacro-saint

sacrum /ˈseɪkrəm/ *n* (*pl* **-cra**) sacrum *m*

sad /sæd/ *adj* [1] [*person, face, voice, song, film, news*] triste; **to be ~ to do** [*person*] être triste de faire; **it makes me ~** cela me rend triste; **to be ~ that** [*person*] être triste que (+ *subj*); **we are ~ about** *ou* **at the accident** l'accident nous attriste; **it's ~ that** c'est triste que (+ *subj*); **it's ~ to hear that** il est triste d'apprendre que; **it was a ~ sight** c'était triste à voir; [2] (unfortunate) [*fact, truth*] triste (*before n*); **it is my ~ duty to sentence you to...** c'est mon triste devoir de vous condamner à...; **~ to say,...** c'est malheureux à dire, mais...; [3] (deplorable) [*attitude, situation*] navrant; **a ~ change has come over society** notre société a changé de façon navrante; **it's a ~ state of affairs when one can't/one has to...** c'est triste de ne pas pouvoir/d'avoir à...; **it's a ~ day for democracy/football** c'est un sombre jour pour la démocratie/le football

(Idiom) **to be a ~der but wiser person** avoir reçu une leçon dure mais profitable

SAD /sæd/ *n*: *abrév* ▸ **seasonal affective disorder**

sadden /ˈsædn/
[A] *vtr* attrister [*person*]; **it ~s me that/to think that** cela m'attriste que (+ *subj*)/de penser que
[B] **saddened** *pp adj* **to be ~ed by sth/to hear sth** être attristé par qch/d'apprendre qch; (stronger) être affligé par qch/d'apprendre qch
[C] **saddening** *pres p adj* **it is ~ing to hear/to think that** c'est désolant d'apprendre/de penser que

saddle /ˈsædl/
[A] *n* [1] (on horse, bike) selle *f*; **to climb into the ~** Equit se mettre en selle; [2] GB Culin **~ of lamb/venison** selle *f* d'agneau/de chevreuil; **~ of hare** râble *m* de lièvre; [3] Geog (ridge) col *m*
[B] *vtr* [1] Equit seller [*horse*]; [2] (impose) **to ~ sb with sth** mettre qch sur les bras de qn [*responsibility, task, debt*]; **he was ~d with the running of the club** on lui a mis l'organisation du club sur les bras; [3] Turf (enter in race) [*trainer*] faire courir [*horse*]
[C] *v refl* **to ~ oneself with sth** se mettre qch sur les bras

(Phrasal verb) ■ **saddle up**: ▸ **~ up** seller son cheval; ▸ **~ up [sth]** seller [*horse*]

saddle: **~-backed** *adj* ensellé; **~ bag** *n* sacoche *f*; **~bow** *n* pommeau *m*; **~cloth** *n* tapis *m* de selle; **~ horse** *n* cheval *m* de selle

saddler /ˈsædlə(r)/ ▸ **p. 1683** *n* sellier *m*, bourrelier *m*

saddlery /ˈsædlərɪ/ *n* sellerie *f*

saddle: **~ shoes** *n* US chaussures *fpl* d'hommes (*blanches avec une bande noire ou marron*); **~ soap** *n* savon *m* glycériné (*pour nettoyer le cuir*)

saddle sore
[A] *n* plaie *f* causée par le frottement de la selle
[B] **saddle-sore** *adj* [1] (having sores) [*horse, rider*] blessé à cause du frottement de la selle; [2] (sore) [*rider*] **to be ~** avoir mal aux fesses à force d'être resté en selle

saddo○ /ˈsædəʊ/ *n* nul/nulle○ *m/f*

Sadducee /ˈsædjʊsiː/ *n* sadducéen/-éenne *m/f*

sad: **~-eyed** *adj* [*person*] aux yeux tristes; **~-faced** *adj* [*person*] au visage triste

sadism /ˈseɪdɪzəm/ *n* sadisme *m*

sadist /ˈseɪdɪst/ *n* sadique *mf*

sadistic /səˈdɪstɪk/ *adj* sadique

sadistically /sə'dɪstɪklɪ/ *adv* [*laugh, say*] sadiquement; [*treated, tortured*] de manière sadique

sadly /'sædlɪ/ *adv* **1** (with sadness) [*sigh, say*] tristement; **he will be ~ missed** il nous manquera beaucoup; **2** (unfortunately) malheureusement; **~, she's right** elle a malheureusement raison; **3** (emphatic) **he is ~ lacking in sense** le bon sens lui fait cruellement défaut; **you are ~ mistaken** vous vous trompez fort

sadness /'sædnɪs/ *n* tristesse *f*

sadomasochism, **S&M** /ˌseɪdəʊ'mæsəkɪzəm/ *n* sadomasochisme *m*

sadomasochist /ˌseɪdəʊ'mæsəkɪst/ *n* sadomasochiste *mf*

sadomasochistic /ˌseɪdəʊˌmæsə'kɪstɪk/ *adj* sadomasochiste

sad sack○ *n* US empoté/-e○ *m/f*

sae *n*: *abrév* ▸ **stamped addressed envelope**

safari /sə'fɑːrɪ/ *n* safari *m*; **to go on/to be on ~** aller faire/faire un safari

safari: **~ hat** *n* casque *m* colonial; **~ jacket** *n* saharienne *f*; **~ park** *n* parc *m* (zoologique) (*où les animaux vivent en semi-liberté*); **~ suit** *n* costume *m* safari

safe /seɪf/

A *n* **1** (for valuables) coffre-fort *m*
2 (for meat) garde-manger *m inv*

B *adj* **1** (after ordeal, risk) [*person*] sain et sauf, indemne fml; [*object*] intact; **we know they are ~** nous les savons hors de danger; **to hope for sb's ~ return/arrival** espérer que qn reviendra/arrivera sans encombre; **~ and sound** [*person*] sain et sauf
2 (free from threat, harm) **to be ~** [*person*] être en sécurité; [*document, valuables*] être en lieu sûr; [*company, job, position, reputation*] ne pas être menacé; **to feel ~/~er** se sentir en sécurité/plus en sécurité; **you're quite ~ here** vous ne risquez rien ici; **is the bike ~ here?** est-ce qu'on peut laisser le vélo ici sans risque?; **he's ~ in bed** il dort tranquillement dans son lit; **have a ~ journey!** bon voyage!; **to keep sb ~** protéger qn (**from** contre, de); **to keep sth ~** (protect) mettre qch à l'abri (**from** de); (store) garder qch en lieu sûr; **to be ~ from** être à l'abri de [*attack, curiosity*]; **no-one is ~ from** personne n'est à l'abri de [*unemployment, infection*]; tout le monde peut être la victime de [*killer, person*]; **to be ~ with sb** ne rien risquer avec qn; **the money is ~ with him** avec lui l'argent ne risque rien; **to be ~ in sb's hands** être en sécurité entre les mains de qn
3 (risk-free) [*product, toy, level, method*] sans danger; [*place, environment, vehicle, route*] sûr; [*structure, building*] solide; [*animal*] inoffensif/-ive; [*speed*] raisonnable; **the ~st way to do** la façon la plus sûre de faire; **to watch from a ~ distance** observer à distance respectueuse; **in a ~ condition** [*machine, building*] en bon état; **let's go—it's ~** allons-y—il n'y a plus de danger; **it's not ~** c'est dangereux; **to be ~ for sb** être sans danger pour qn; **the drug is ~ for pregnant women** le médicament ne présente pas de risques pour les femmes enceintes; **the toy/park is not ~ for children** le jouet/parc est dangereux pour les enfants; **it's ~ for swimming** *ou* **to swim in** on peut s'y baigner sans danger; **the meat is ~ for eating** *ou* **to eat** on peut manger la viande sans danger; **the water is ~ for drinking** l'eau est potable; **it is ~ to do** on peut faire sans danger; **it would be ~r for you to do** ce serait plus sûr *or* prudent pour toi de faire; **it is not ~ to do** il est dangereux de faire; **it isn't ~ for you to talk to strangers** tu prends des risques en parlant à des étrangers; **that car is not ~ to drive** cette voiture est dangereuse; **nothing here is ~ to eat** ici rien n'est comestible; **to make sth ~** rendre [qch] (plus) sûr [*premises, beach*]; rendre [qch] inoffensif/-ive [*bomb*]; **to make food ~** rendre la nourriture comestible; **to make a stadium ~ for the public** assurer la sécurité du public dans un stade; **in order to make the world ~ for democracy** pour que la démocratie puisse régner dans le monde
4 (prudent) [*investment*] sûr; [*estimate, choice, tactic*] prudent; [*topic, question*] anodin; **he's a bit too ~** il est un peu trop timoré; **the ~st thing to do would be to leave** le plus sûr serait de partir; **it would be ~r not to do** il vaudrait mieux ne pas faire; **it is ~ to say/predict that** on peut dire/prédire à coup sûr que; **it's ~ to assume that** on peut raisonnablement penser que
5 (reliable) [*driver*] prudent; [*companion, guide, confidant*] sûr; **to be in ~ hands** être en bonnes mains; **to have a ~ pair of hands** être adroit
6 ○GB (great) chouette○, vachement bien○

(Idioms) **as ~ as houses** GB (secure) [*person*] en sécurité; [*place*] sûr; (risk-free) sans risque; **better ~ than sorry!** mieux vaut prévenir que guérir!; **just to be on the ~ side** simplement par précaution; **to play (it) ~** être prudent, jouer la sécurité○

safe bet *n* **it's/he's a ~** c'est quelque chose/quelqu'un de sûr; **it's a ~ that** il est certain que

safe: **~-blower** *n* perceur *m* de coffres-forts (*qui utilise des explosifs*); **~-breaker** *n* perceur *m* de coffres-forts

safe-conduct /ˌseɪf'kɒndʌkt/ *n* **1** (guarantee) **to demand/be offered ~ to/from** exiger/obtenir un laissez-passer pour/de; **2** (document) sauf-conduit *m*

safe: **~-cracker**○ *n* perceur *m* de coffres-forts; **~-deposit box** *n* coffre *m* (à la banque)

safeguard /'seɪfgɑːd/

A *n* garantie *f* (**for** pour; **against** contre)

B *vtr* protéger (**against, from** contre)

safe haven *n* lieu *m* de refuge

safe house *n* refuge *m*

safekeeping /ˌseɪf'kiːpɪŋ/ *n* **in sb's ~** à la garde de qn; **to entrust sth to sb's ~, to give sth to sb for ~** confier qch à la garde de qn, confier la garde de qch à qn

safely /'seɪflɪ/ *adv* **1** (unharmed) [*come back*] (of person) sans encombre; (of parcel, goods) sans dommage; [*land, take off*] sans problème; **I arrived/got back ~** je suis bien arrivé/rentré; **you can walk around quite ~** vous pouvez vous promener en toute sécurité; **to see sb ~ across the road** faire traverser la route à qn; **to be ~ across the border/aboard** être en sécurité de l'autre côté de la frontière/à bord; **2** (without worry or risk) [*leave, do, go*] en toute tranquillité; **you can ~ dispense with that** vous pouvez vous passer de ça sans problème; **we can ~ assume/conclude/say that...** nous pouvons penser/conclure/dire avec certitude que...; **3** (causing no concern) [*locked, hidden, stored*] bien; **to be ~ tucked up in bed** être bien bordé dans son lit; **he's ~ behind bars** heureusement il est sous les verrous; **he's ~ through to the final** il s'est qualifié sans problème pour la finale; **with her parents ~ out of the way...** par chance, ses parents étant absents...; **4** (carefully) prudemment; **drive ~!** conduis prudemment!

safeness /'seɪfnɪs/ *n* (of structure, building) solidité *f*; (of method, treatment, product) sécurité *f*; (of investment) sûreté *f*

safe: **~ passage** *n* laissez-passer *m inv* (**to** pour; **for sb** pour qn); **~ period** *n* période *f* sans danger; **~ seat** *n* Pol siège *m* assuré

safe sex *n* rapports *mpl* sexuels sans risque; **to practise ~** avoir des rapports sexuels sans risque

safety /'seɪftɪ/

A *n* **1** (freedom from harm or hazards) sécurité *f*; **passenger ~** la sécurité des passagers; **to fear for** *ou* **be concerned about sb's ~** craindre pour la sécurité de qn; **there are fears for her ~** on est inquiet sur son sort; **in ~** en (toute) sécurité; **to help sb to ~** aider qn à se mettre à l'abri; **to flee to ~** courir se mettre à l'abri; **to reach ~** parvenir en lieu sûr; **to transfer sth to ~** transférer qch en lieu sûr; **in the ~ of one's home** chez soi en sécurité; **to watch from the ~ of the hills** observer en sécurité sur les collines; **2** (as public issue) sécurité *f*; **road ~** sécurité routière; **~ in the home** la sécurité domestique; **~ first** la sécurité d'abord; **3** ○US (condom) capote○ *f*, préservatif *m*

B *modif* [*check, code, level, limit, measure, regulations, test*] de sécurité; [*bolt, blade, strap*] de sûreté; **~ record** résultats *mpl* en matière de sécurité

(Idioms) **there's ~ in numbers** plus on est nombreux, moins on court de risques; **to play for ~** être prudent, jouer la sécurité○

safety: **~ belt** *n* ceinture *f* de sécurité; **~ catch** *n* (on gun, knife) cran *m* de sûreté; **~ chain** *n* chaîne *f* de sûreté; **~ curtain** *n* rideau *m* de fer; **~-deposit box** *n* coffre *m* (à la banque); **~ glass** *n* verre *m* de sécurité; **~ helmet** *n* casque *m* de protection; **~ island** *n* US refuge *m* (*pour piétons*); **~ lamp** *n* lampe *f* de sûreté; **~ match** *n* allumette *f* de sûreté

safety net *n* **1** lit filet *m* (de protection); **2** fig (safeguard) filet *m* de sécurité

safety: **~ pin** *n* épingle *f* de sûreté; **~ razor** *n* rasoir *m* mécanique; **~ valve** *n* lit, fig soupape *f* de sécurité; **~ zone** *n* US refuge *m* (*pour piétons*)

saffron /'sæfrən/

A *n* (all contexts) safran *m*

B *modif* [*flavour, flower*] de safran; [*rice*] au safran

C ▸ **p. 1067** *adj* [*robes, cloth*] safran

sag /sæg/

A *n* **1** (in ceiling, mattress) affaissement *m*; **2** (in value) baisse *f*

B *vi* (*p prés etc* **-gg-**) **1** [*ceiling, mattress*] s'affaisser; **to ~ in the middle** [*tent, rope*] ne pas être bien tendu; **2** [*breasts*] pendre; [*flesh*] être flasque; **3** (weaken) **her spirits ~ged** elle a perdu courage; **4** (fall) [*currency, exports*] baisser

saga /'sɑːgə/ *n* **1** ○(lengthy story) histoire *f*; **a domestic ~** une histoire de couple compliquée; **2** Literat saga *f*

sagacious /sə'geɪʃəs/ *adj* sout [*person*] sagace; [*advice, decision*] sage (*before n*); [*act, remark*] sensé

sagaciously /sə'geɪʃəslɪ/ *adv* sout [*say*] avec sagacité

sagacity /sə'gæsətɪ/, **sagaciousness** /sə'geɪʃəsnɪs/ *n* sagacité *f*

sage /seɪdʒ/

A *n* **1** Bot sauge *f*; **2** (wise person) sage *m*

B *adj* (wise) [*person, comment, air*] avisé; **to give ~ advice** donner de sages conseils

sage: **~-and-onion stuffing** *n* farce *f* à l'oignon et à la sauge; **~brush** *n* armoise *f*; **Sagebrush State** *n* US Nevada *m*; **~ Derby** *n* GB fromage *m* à la sauge; **~ green** ▸ **p. 1067** *n, adj* vert (*m*) cendré *inv*

sagely /'seɪdʒlɪ/ *adv* [*reply, nod*] avec sagesse

sagging /'sægɪŋ/ *pres p adj* **1** [*beam, roof*] affaissé; [*cable, tent*] mal tendu; **2** [*breast*] tombant; **~ flesh** chairs *fpl* flasques; **3** [*spirits, morale*] défaillant

Sagittarian /ˌsædʒɪ'teərɪən/ ▸ **p. 1917**

A *n* (person) sagittaire *m*

B *adj* [*personality, trait*] du sagittaire

Sagittarius /ˌsædʒɪ'teərɪəs/ ▸ **p. 1917** *n* Sagittaire *m*

sago /'seɪgəʊ/ *n* sagou *m*

sago: **~ palm** *n* sagoutier *m*; **~ pudding** *n* bouillie *f* de sagou au lait

Sahara /sə'hɑːrə/ *pr n* Sahara *m*; **the ~ desert** le désert du Sahara

Saharan /sə'hɑːrən/ *adj* saharien/-ienne

sahib /'sɑːhɪb/ *n* Monsieur *m*

S

said /sed/
A *prét, pp* ▸ **say**
B *pp adj* sout *ou* Jur dit; **the ~ Mr X** le dit M. X; **on the ~ day** le jour dit

sail /seɪl/
A *n* **1** (on boat) voile *f*; **to take in ~** rentrer des voiles; **2** (navigation) **to set ~** prendre la mer; **to set ~ from/for** partir en bateau de/pour; **to be under ~** être en mer; **to cross the ocean under ~** traverser l'océan à la voile; **a ship in full ~** un navire toutes voiles dehors; **the age of ~** l'âge de la voile; **3** (on windmill) aile *f*; **4** (journey) **to go for a ~** faire un tour en bateau; **it's two days' ~ from here** c'est à deux jours de bateau d'ici
B *vtr* **1** (be in charge of) piloter [*ship, yacht*]; faire voguer [*model boat*]; (steer) manœuvrer [*ship, yacht*]; **to ~ a ship between two islands/into the port** manœuvrer un navire entre deux îles/pour entrer au port; **2** (travel across) traverser [qch] en bateau [*ocean, channel*]; **3** (own) avoir [*yacht*]; **I used to ~ a catamaran** j'avais un catamaran
C *vi* **1** (travel by boat) [*person*] voyager en bateau; **to ~ from... to** voyager en bateau de... jusqu'à; **to ~ around the world** faire le tour du monde en bateau; **to ~ north** voyager en bateau vers le nord; **we flew there and ~ed back** nous avons pris l'avion à l'aller et le bateau au retour; **2** (move across water) [*ship*] **to ~ across** traverser [*ocean*]; **to ~ into** entrer dans [*port*]; **the ship ~ed into Brest** le bateau est entré dans la rade de Brest; **to ~ at 15 knots** filer à 15 nœuds; **to ~ under the Danish flag** naviguer sous pavillon danois; **3** (leave port, set sail) prendre la mer; **the Titanic ~ed on 10 April** le Titanic a pris la mer le 10 avril; **we ~/the boat ~s at 10 am** nous partons/le bateau part à 10 h; **4** (as hobby) faire de la voile; **to go ~ing** faire de la voile; **5** (move smoothly) **to ~ past sb** passer près de qn sans même le/la remarquer; **to ~ into a room** entrer dans une pièce d'un pas nonchalant; **the ball ~ed over the fence** la balle est passée par-dessus la barrière
(Idioms) **to ~ close to the wind** jouer avec le feu; **to take the wind out of sb's ~s** rabattre le caquet à qn
(Phrasal verbs) ■ **sail into**○ US: ▸ **~ into [sb]** passer un savon à○
■ **sail through**: ▸ **~ through [sth]** gagner [qch] facilement [*match, election*]; **to ~ through an exam** réussir un examen les doigts dans le nez○; **he ~ed through the interview** il s'en est bien tiré○ à l'entretien

sail: **~board** *n* planche *f* à voile; **~boarder** *n* véliplanchiste *mf*; **~boarding** *n* planche *f* à voile; **~boat** *n* US voilier *m*; **~cloth** *n* toile *f* à voile

sailing /ˈseɪlɪŋ/ ▸ **p. 1253**
A *n* **1** (sport) voile *f*; **I love ~** j'adore la voile; **a week's ~** une semaine de voile; **2** (departure) **the next ~** le prochain bateau; **three ~s a day** trois bateaux par jour
B *modif* [*club, equipment, holiday, instructor*] de voile; [*boat, vessel*] à voiles; [*time, date*] de départ du bateau

sailing: **~ dinghy** *n* dériveur *m*; **~ ship** *n* voilier *m*

sail maker ▸ **p. 1683** *n* fabricant/-e *m/f* de voiles

sailor /ˈseɪlə(r)/ *n* **1** ▸ **p. 1599** (seaman) marin *m*; **2** (sea traveller) **to be a good/bad ~** avoir/ne pas avoir le pied marin

sailor suit *n* costume *m* marin

sailplane /ˈseɪlpleɪn/ *n* planeur *m*

sainfoin /ˈseɪnfɔɪn, ˈsæn-/ *n* sainfoin *m*

saint /seɪnt, snt/ *n* Relig, fig saint/-e *m/f*; **Saint Mark** Saint Marc
(Idiom) **to have the patience of a ~** avoir une patience d'ange

sainted /ˈseɪntɪd/ *adj* sanctifié

Saint Gall ▸ **p. 1815, p. 1771** *pr n* Saint-Gall; **the canton of ~** le canton de Saint-Gall

sainthood /ˈseɪnthʊd/ *n* sainteté *f*

saintliness /ˈseɪntlɪnɪs/ *n* sainteté *f*

saintly /ˈseɪntlɪ/ *adj* [*person, manner, expression*] plein de bonté; [*virtue, quality*] de saint

Saint-Pierre-et-Miquelon ▸ **p. 1129** *pr n* Saint-Pierre-et-Miquelon; **in/to ~** à Saint-Pierre-et-Miquelon

saint's day *n* fête *f*

saithe /seɪθ/ *n* GB Zool, Culin lieu *m* noir

sake /seɪk/ *n* **1** (purpose) **for the ~ of** pour [*principle, prestige, nation*]; **for the ~ of clarity, for clarity's ~** pour la clarté; **for the ~ of argument** à titre d'exemple; **to kill for the ~ of killing** tuer pour le plaisir de tuer; **to do sth for its own ~** faire qch pour le plaisir; **peace/production for its own ~** la paix/la production pour la paix/la production; **for old times' ~** en souvenir du bon vieux temps; **2** (benefit) **for the ~ of sb, for sb's ~** par égard pour qn; **for my/her/their ~** par égard pour moi/elle/eux; **for all our ~s** dans notre intérêt à tous; **I'm telling you this for your own ~** c'est pour ton bien que je te dis cela; **3** (in anger, in plea) **for God's/heaven's ~!** pour l'amour de Dieu/du ciel!

saki, **sake** /ˈsɑːkɪ/ *n* sake *m*

sal /sɑːl/ *n* Chem, Pharm sel *m*

salaam /səˈlɑːm/
A *n* salut *m* (*chez les musulmans*); **to make a ~** saluer
B *vi* saluer

salability *n* US ▸ **saleability**

salable *adj* US ▸ **saleable**

salacious /səˈleɪʃəs/ *adj* salace

salaciousness /səˈleɪʃəsnɪs/ *n* salacité *f*

salad /ˈsæləd/ *n* salade *f*; **bean/ham ~** salade de haricots/au jambon; **green/mixed ~** salade verte/composée

salad: **~ bar** *n* buffet *m* de crudités; **~ bowl** *n* saladier *m*; **~ cream** *n* GB ≈ sauce *f* mayonnaise; **~ days** *npl* littér (youth) années *fpl* de jeunesse; **~ dressing** *n* sauce *f* pour salade; **~ oil** *n* huile *f* de table; **~ servers** *npl* couverts *mpl* à salade; **~ shaker** *n* panier *m* à salade; **~ spinner** *n* essoreuse *f* à salade

salamander /ˈsæləmændə(r)/ *n* Zool, Mythol salamandre *f*

salami /səˈlɑːmɪ/ *n* saucisson *m* sec

sal ammoniac /ˌsæləˈməʊnɪæk/ *n* sel *m* ammoniac

salaried /ˈsælərɪd/ *adj* salarié

salary /ˈsælərɪ/
A *n* salaire *m*
B *modif* [*cheque, increase*] de salaire; [*bracket*] de salaires; [*scale*] des salaires

sale /seɪl/
A *n* **1** (selling) vente *f* (**of** de; **to** à); **for ~** à vendre; **to put sth up** *ou* **offer sth for ~** mettre qch en vente; **on ~** GB en vente; US en solde; **to go on ~** GB être mis en vente; US être mis en solde; **on ~ or return** en vente avec reprise des invendus; **for general ~** destiné à la vente (au public); **at point of ~** au point de vente; **2** (cut price) solde *f*; **the ~s** les soldes; **in the ~(s)** GB, **on ~** US en solde; **to put sth in the ~** GB *ou* **on ~** US solder qch; **to have a ~** solder; **the ~s are on** c'est la saison des soldes; **the summer/January ~s** les soldes estivales/de janvier; **3** (event) vente *f*; **book/furniture ~** vente de livres/de meubles; **to have** *ou* **hold a ~** organiser une vente; **4** (by salesman) vente *f*; **to make a ~** réaliser une vente
B **sales** *npl* **1** (amount sold) ventes *fpl*; **arms/wine ~s** ventes *fpl* d'armes/de vin; **~s are up/down** les ventes sont en hausse/en baisse; **2** (career) commerce *m*; **3** (department) service *m* des ventes
C **sales** *modif* [*department, growth*] des ventes

saleability /ˌseɪləˈbɪlɪtɪ/ *n* qualité *f* marchande

saleable /ˈseɪləbl/ *adj* vendable, demandé

sale: **~ item** *n* article *m* soldé; **~ of work** *n* vente *f* de charité; **~ price** *n* prix *m* soldé

Salerno /səˈleənəʊ/ *pr n* Salerne; **the ~ landings** le débarquement de Salerne

sale: **~room** *n* hôtel *m* des ventes; **~s assistant** ▸ **p. 1683** *n* GB vendeur/-euse *m/f*; **~s book** *n* Comm journal *m* des ventes; **~s chart** *n* graphique *m* des ventes; **~sclerk** ▸ **p. 1683** *n* US vendeur/-euse *m/f*; **~s director** ▸ **p. 1683** *n* directeur/-trice *m/f* commercial/-e; **~s drive** *n* campagne *f* de vente; **~s executive** ▸ **p. 1683** *n* cadre *m* commercial; **~s figures** *npl* chiffre *m* de ventes, chiffre *m* d'affaires; **~s force** *n* force *f* de vente; **~s forecast** *n* prévisions *fpl* de vente; **~sgirl** ▸ **p. 1683** *n* vendeuse *f*; **~slady** ▸ **p. 1683** *n* US vendeuse *f*

salesman /ˈseɪlzmən/ ▸ **p. 1683** *n* (*pl* **-men**) **1** (representative) représentant *m*; **insurance ~** représentant d'assurances; **2** (in shop, showroom) vendeur *m*; **used car ~** revendeur *m* de voitures d'occasion

sales manager *n* = **sales director**

salesmanship /ˈseɪlzmənʃɪp/ *n* aptitude *f* à la vente

sale: **~s office** *n* bureau *m* des ventes; **~sperson** ▸ **p. 1683** *n* (*pl* **-persons** *ou* **-people**) vendeur/-euse *m/f*; **~s pitch** *n* baratin○ *m* publicitaire; **~s point** *n* caisse *f*; **~s rep, sales representative** ▸ **p. 1683** *n* représentant/-e *m/f*; **~s resistance** *n* résistance *f* à l'achat; **~s slip** *n* ticket *m* de caisse; **~s staff** *n* commerciaux *mpl*, équipe *f* commerciale; **~s talk** *n* boniments *mpl*; **~s target** *n* objectif *m* de vente; **~s tax** *n* US taxe *f* à l'achat; **~swoman** ▸ **p. 1683** *n* (representative) représentante *f*; (in shop) vendeuse *f*; **~ value** *n* valeur *f* marchande

Salic law /ˈsælɪk lɔː/ *n* loi *f* salique

salient /ˈseɪlɪənt/
A *n* Mil saillant *m*
B *adj* (striking) saillant; (principal) essentiel/-ielle

salina /səˈlaɪnə/ *n* **1** Geog marais *m* salant; **2** (salt works) saline *f*

saline /ˈseɪlaɪn/
A *n* Med (*also* **~ solution**) sérum *m* physiologique; **~ drip** perfusion *f* de sérum physiologique
B *adj* [*liquid, spring*] salé; [*deposit*] salin

salinity /səˈlɪnətɪ/ *n* salinité *f*

saliva /səˈlaɪvə/ *n* salive *f*

salivary /səˈlɪvərɪ, səˈlaɪvərɪ, US ˈsæləverɪ/ *adj* salivaire; **~ gland** glande *f* salivaire

salivate /ˈsælɪveɪt/ *vi* saliver

salivation /ˌsælɪˈveɪʃn/ *n* salivation *f*

sallow /ˈsæləʊ/
A *n* Bot saule *m* marsault
B *adj* (pale) cireux/-euse

sallowness /ˈsæləʊnɪs/ *n* pâleur *f* cireuse

sally /ˈsælɪ/ *n* **1** †Mil sortie *f*; **2** (witty remark) trait *m* d'esprit, saillie *f* liter
(Phrasal verb) ■ **sally forth** hum (set off) se mettre en route avec entrain; (go out) sortir avec entrain

Sally Army○ *n* GB Armée *f* du Salut

salmagundi /ˌsælməˈɡʌndɪ/ *n* US ragoût *m*

salmon /ˈsæmən/
A *n* (*pl* **~**) saumon *m*
B *modif* [*fillet, pâté*] de saumon; [*fishing, sandwich*] au saumon

salmonella /ˌsælməˈnelə/ *n* (*pl* **-æ** *ou* **-as**) Biol salmonelle *f*

salmonella poisoning ▸ **p. 1327** *n* salmonellose *f*

salmonellosis /ˌsælmaneˈləʊsɪs/ ▸ **p. 1327** *n* salmonellose *f*

salmon: **~ pink** ▸ **p. 1067** *n, adj* rose (*m*) saumon *inv*; **~ steak** *n* darne *f* de saumon; **~ trout** *n* truite *f* saumonée

Salome /səˈləʊmɪ/ *pr n* Salomé

S

salon /ˈsælɒn, US səˈlɒn/ *n* (all contexts) salon *m*; **hairdressing/beauty ~** salon de coiffure/de beauté

saloon /səˈlu:n/
A *n* **1** (*also* **~ car**) GB Aut berline *f*; **2** (*also* **~ bar**) GB salle *f* confortable (*d'un pub*); US (in Wild West) saloon *m*, bar *m* (*du Far West américain*); **3** (on boat) salon *m*

saloon car racing ▸ p. 1253 *n* GB courses *fpl* de voitures de tourisme

Salop *pr n* GB Post *abrév écrite* ▸ **Shropshire**

salpingitis /ˌsælpɪnˈdʒaɪtɪs/ ▸ p. 1327 *n* Med salpingite *f*

salsa /ˈsælsə/ *n* **1** (dance) salsa *f*; **2** (sauce) sauce *f* pimentée

salsify /ˈsælsɪfɪ/ *n* salsifis *m*

salt /sɔ:lt/
A *n* **1** Chem, Culin sel *m*; **there's too much ~ in the rice** le riz est trop salé; **I don't like a lot of ~ on my food** je n'aime pas manger très salé; **~ and pepper** du sel et du poivre; **to put ~ on food/a road** saler les aliments/une route; **2** ○†(sailor) **an old ~** un vieux loup de mer
B **salts** *npl* Pharm sels *mpl*
C *modif* [*molecule, crystal, solution*] de sel; [*industry, refining*] du sel; [*production, factory*] de sel; [*water, lake*] salé; [*beef, pork*] salé
D *vtr* saler [*meat, fish, road, path*]
(Idioms) **to cry ~ tears** littér verser des larmes amères ; **to be the ~ of the earth** être le sel de la terre; **you should take his remarks with a grain** *ou* **a pinch of ~** il ne faut pas prendre ses remarques pour argent comptant; **any teacher worth his ~ knows that** tout enseignant digne de ce nom sait cela
(Phrasal verb) ■ **salt away**: ▸ **~ away [sth]**, **~ [sth] away** mettre [qch] de côté

SALT /sɔ:lt/ *n* (*abrév* = **Strategic Arms Limitation Talks**) négociations *fpl* SALT

salt: **~box** *n* lit boîte *f* à sel; fig, US *maison ayant deux étages à l'avant et un seul à l'arrière*; **~cellar** *n* salière *f*

salted /ˈsɔ:ltɪd/ *adj* [*butter, peanuts*] salé

salt flat *n* marais *m* salant

saltine /ˈsɔ:ltaɪn/ *n* US biscuit *m* salé

saltiness /ˈsɔ:ltɪnɪs/ *n* **1** (taste) (of food) goût *m* salé; **2** (salt content) (of solution, water) teneur *f* en sel

saltings /ˈsɔ:ltɪŋz/ *npl* GB prés *mpl* salés

salt: **~ lick** *n* (naturally occurring) pierre *f* salée; Agric bloc *f* de sel; **~ marsh** *n* salin *m*

saltmine /ˈsɔ:ltmaɪn/ *n* Mining mine *f* de sel; **it's back to the ~s for me** fig je dois retourner au boulot○

salto /ˈsæltəʊ/ *n* Sport salto *m*

saltpan /ˈsɔ:ltpæn/ *n* puits *m* de sel

saltpetre GB, **saltpeter** US /ˌsɔ:ltˈpi:tə(r)/ *n* salpêtre *m*

salt: **~shaker** *n* salière *f*; **~ spoon** *n* cuillère *f* à sel; **~ tax** *n* Hist gabelle *f*; **~water** *adj* [*fish*] de mer; [*plant, mammal*] marin; **~works** *npl* salines *fpl*

salty /ˈsɔ:ltɪ/ *adj* **1** [*water, food, flavour*] salé; **to taste ~** avoir un goût salé; **2** Miner [*deposit, soil*] salin; **3** fig [*language, humour, slang*] salé

salubrious /səˈlu:brɪəs/ *adj* lit salubre; fig [*neighbourhood*] tout à fait respectable; **it isn't a very ~ place** c'est un endroit peu recommandable

salubrity /səˈlu:brətɪ/ *n* sout salubrité *f*

saluki /səˈlu:kɪ/ *n* sloughi *m*

salutary /ˈsæljʊtrɪ, US -terɪ/ *adj* salutaire

salutation /ˌsælju:ˈteɪʃn/ *n* **1** sout (greeting) salutation *f*; **in ~** en guise de salutation; **2** (in letter writing) forme *f* d'adresse

salutatorian /ˌsælju:teɪˈtɔ:rɪən/ *n* US Sch, Univ *étudiant/-e qui se classe deuxième de sa promotion et qui prononce le discours de fin d'année*

salute /səˈlu:t/
A *n* **1** Mil, gen (greeting) salut *m*; **to give a ~** faire un salut; **in ~** en guise de salut; **to take the ~** assister au défilé des troupes; **victory ~** V *m* de la victoire; **2** Mil (firing of guns) salve *f*; **a 21-gun ~** une salve de 21 coups de canon; **3** (tribute) hommage *m* (**to** à)
B *vtr* **1** Mil, gen (greet) saluer; **2** fig (honour) saluer
C *vi* saluer

Salvador(e)an /ˌsælvəˈdɔ:rɪən/ ▸ p. 1467
A *pr n* Salvadorien/-ienne *m/f*
B *adj* salvadorien/-ienne

salvage /ˈsælvɪdʒ/
A *n* **1** (rescue) sauvetage *m* (**of** de); **2** (goods rescued) biens *mpl* récupérés; **3** (reward) prime *f* de sauvetage
B *modif* [*operation, team, equipment*] de sauvetage
C *vtr* **1** (rescue) gen, Naut sauver [*cargo, materials, belongings*] (**from** de); effectuer le sauvetage de [*ship*]; **2** fig sauver [*plan, marriage, reputation*]; sauver [*point, game*]; obtenir [*draw*]; préserver [*pride, memories*]; **3** (save for recycling) récupérer [*metal, paper etc*]

salvation /sælˈveɪʃn/ *n* Relig, gen salut *m*; **national ~** le salut national

Salvation Army
A *n* Armée *f* du Salut
B *modif* [*band, hostel, officer*] de l'Armée du Salut

salvationist /sælˈveɪʃənɪst/ *n* salutiste *mf*

salve /sælv, US sæv/
A *n* **1** lit, fig (balm) baume *m*; **2** (comfort) **as a ~ to one's/sb's conscience** pour soulager sa conscience/la conscience de qn
B *vtr* **to ~ one's conscience** soulager sa conscience

salver /ˈsælvə(r)/ *n* plateau *m* (à boissons)

salvia /ˈsælvɪə/ *n* salvia *m*

salvo /ˈsælvəʊ/ *n* (*pl* **-os** *ou* **-oes**) Mil fig salve *f*

sal volatile /ˌsælvəˈlætəlɪ/ *n* sel *m* volatil

salvor /ˈsælvə(r)/ *n* sauveteur *m* en mer

Salzburg /ˈsæltsbɜ:g/ ▸ p. 1815 *pr n* Salzbourg

SAM *n*: *abrév* ▸ **surface air missile**

Samaria /səˈmeərɪə/ *pr n* Samarie *f*

Samaritan /səˈmærɪtən/
A *n* **1** Geog, Hist Samaritain/-e *m/f*; **the Good ~** le bon Samaritain; **to be a good ~** avoir de la compassion; **2** (organization) **the ~s** les Samaritains *mpl*
B *adj* Geog, Hist samaritain

samarium /səˈmeərɪəm/ *n* samarium *m*

samba /ˈsæmbə/ *n* samba *f*

sambo○† /ˈsæmbəʊ/ *n* injur nègre/négresse *m/f* offensive

Sam Browne belt /ˌsæmbraʊnˈbelt/ *n* ceinturon *m* et baudrier *m*

same /seɪm/
A *adj* **1** (identical) même; **to be the ~** être le *or* la même; **the result was the ~** le résultat était le même; **people are the ~ everywhere** les gens sont partout les mêmes; **you're all the ~!** vous êtes tous les mêmes!; **it's the ~ everywhere** c'est partout la même chose; **it is the ~ for** c'est la même chose pour; **it is the ~ with** il en est de même pour; **to look the ~** être pareil; **they all look the ~ to him** pour lui, ils sont tous pareils; **to be the ~ as sth** être comme qch; **a bag the ~ as the one I lost** un sac comme celui que j'ai perdu; **it is the ~ as doing** c'est comme de faire; **one wine is the ~ as another to him** pour lui un vin en vaut un autre; **the ~ time last week** la semaine dernière à la même heure; **the ~ time last year** l'année dernière à la même époque; **~ time ~ place** même heure même endroit; **in the ~ way** (in a similar manner) de la même manière (**as** que); (likewise) de même; **to do sth (in) the ~ way that sb else does** faire qch comme qn d'autre; **we did it the ~ way as you** on a fait comme toi; **to feel the ~ way about** avoir les mêmes sentiments à l'égard de; **to think the ~ way on** *ou* **about sth** être du même avis sur qch; **to go the ~ way as** lit aller dans la même direction que; fig connaître le même sort que; **the ~ thing** la même chose; **it's the ~ thing** c'est pareil; **it amounts** *ou* **comes to the ~ thing** cela revient au même; **it's all the ~ to me** ça m'est complètement égal; **if it's all the ~ to you** si ça ne te fait rien
2 (for emphasis) (very) même (**as** que); **the ~ one** le/la même; **'ready the ~ day'** 'prêt dans la journée'; **that ~ week** la même semaine; **later that ~ day/week** plus tard dans la journée/semaine; **in that ~ house** dans cette même maison; **those ~ people** ceux-là mêmes; **at the ~ time** (all contexts) en même temps; **they are one and the ~ (person)** il s'agit d'une seule et même personne; **the very ~** exactement le *or* la même; **the very ~ day that** le jour même où
3 (unchanged) même; **it's still the ~ town** c'est toujours la même ville; **she's not the ~ woman** ce n'est plus la même femme; **to be still the ~** être toujours le/la même; **things are just the ~ as before** rien n'a changé; **it's/he's the ~ as ever** c'est/il est toujours pareil; **my views are the ~ as they always were** mes opinions n'ont pas changé; **she's much the ~** elle n'a pas beaucoup changé; **to remain** *ou* **stay the ~** ne pas changer; **things can't stay the ~ forever** rien n'est immuable; **things were never the ~ again** rien n'était plus comme avant; **it's not the ~ without you** ce n'est pas pareil sans toi; **life wouldn't be the ~ without** la vie ne serait plus la même sans; **the ~ old routine/excuse/clothes** toujours la même routine/la vieille excuse/les mêmes vieux vêtements; **~ old John, always late!** ça c'est bien John, toujours en retard!; ▸ **story**
B **the same** *adv phr* [*act, speak, dress*] de la même façon; **they're pronounced the ~** ils se prononcent de la même façon; **to feel the ~ (as sb)** penser comme qn; **to feel the ~ about** avoir les mêmes sentiments à l'égard de; **life goes on just the ~** la vie continue comme d'habitude; **I love you just the ~** je t'aime toujours autant
C **the same** *pron* **1** gen (the identical thing) la même chose (**as** que); **I'll have the ~** je prendrai la même chose; **the ~ applies to** *ou* **goes for...** il en va de même pour...; **to say the ~ about** en dire autant de; **the ~ cannot be said of** on ne peut pas en dire autant de; **to do the ~ as sb** faire comme qn; **and we're hoping to do the ~** et on espère en faire autant; **I would do the ~ for you** j'en ferais autant pour toi; **I'll do the ~ for you one day** un jour j'en ferai autant pour toi; **I'd do the ~ again** je recommencerais; **the ~ to you!** (in greeting) à toi aussi, à toi de même!; (of insult) et toi-même○!; **(the) ~ again please!** la même chose s'il vous plaît!; **it'll be more of the ~!** péj c'est reparti pour un tour!; **(the) ~ here**○**!** moi aussi!
2 Jur celui-ci *m*, celle-ci *f*; **'are you Mrs X?'—'the ~'** 'êtes-vous Mme X?'—'elle-même!'
3 Accts, Comm le *or* la même; **to installing ~** installation du même
(Idioms) **all the ~...., just the ~,...** tout de même,...; **thanks all the ~** merci quand même

same-day /ˌseɪmˈdaɪ/ *adj* [*processing, dry-cleaning, service*] effectué dans la journée

sameness /ˈseɪmnɪs/ *n* **1** péj (lack of variety) monotonie *f*; **2** (similarity) similitude *f*

same-sex /ˈseɪmseks/ *adj* de même sexe; **~ couple** couple *m* de même sexe; **~ marriage** mariage *m* entre deux personnes du même sexe

Samoa /səˈməʊə/ ▸ p. 1355 *pr n* Samoa *m*

Samoan /səˈməʊən/ ▸ p. 1467, p. 1378
A *n* **1** (inhabitant) Samoan/-e *m/f*; **2** (language) samoan *m*
B *adj* samoan

samosa /sə'məʊsə/ *n*: *petit pâté épicé en croûte*

samovar /'sæməvɑː(r)/ *n* samovar *m*

sampan /'sæmpæn/ *n* sampan *m*

sample /'sɑːmpl, US 'sæmpl/

A *n* **1** gen, Comm, Geol (of product, fabric, rock etc) échantillon *m*; **to take a soil ~** prélever un échantillon de sol; **2** Med, Biol (of tissue, DNA) (of individual for analysis) prélèvement *m*; (one of many kept in lab) échantillon *m*; **to take a blood ~** faire une prise de sang; **you should bring a urine ~** ≈ on va vous faire une analyse d'urine; **3** Ecol, Biol (of water etc) prélèvement *m*; **4** Stat (of public, population) panel *m*, échantillon *m*; **representative/limited ~** panel *m* représentatif/restreint; **5** Mus sample *m*

B *modif* **1** Comm [*cassette, video etc*] de promotion; **~ bottle/packet etc** Comm échantillon *m*; **2** (representative) [*exam question*] type; [*letter*] modèle; **~ prices** prix *mpl* donnés à titre d'exemple; **he sent a ~ chapter of his thesis to the publishers** il a envoyé un chapitre de sa thèse aux éditeurs

C *vtr* **1** goûter (à) [*food, dish, wine etc*]; **to ~ the delights of Paris** goûter aux plaisirs de Paris; **2** Comm essayer [*products*]; **3** Sociol, Stat sonder [*opinion, market*]

sampler /'sɑːmplə(r), US 'sæmplər/ *n* **1** (embroidery) *toile illustrant différents points de broderie*, ≈ abécédaire *m*; **2** (person) échantillonneur/-euse *m/f*; **3** US (box of chocolates) boîte *f* de chocolats assortis

sample survey *n* sondage *m*

sampling /'sɑːmplɪŋ, US 'sæmpl-/

A *n* **1** (taking of specimens) prélèvement *m*, échantillonnage *m*; **2** (of population group) échantillonnage *m*; **3** (of wine, cheese) dégustation *f*; **4** Mus échantillonnage *m*, sampling *m*

B *modif* **~ procedures** Sociol, Stat méthodes *fpl* de sondage; **~ technique** Med, Geol méthodes *fpl* de prélèvement; Ind (in factory) technique *f* d'échantillonnage

samurai /'sæmuːraɪ/ *n* (*pl* **~**) samouraï *m*

San Andreas fault /ˌsænˌændreɪəs'fɔːlt/ *pr n* **the ~** la faille de San Andreas

sanatorium /ˌsænə'tɔːrɪəm/ *n* (*pl* **-riums** *ou* **-ria**) GB **1** (clinic) sanatorium *m*; **2** (in boarding school) infirmerie *f*

sanctification /ˌsæŋktɪfɪ'keɪʃn/ *n* sanctification *f*

sanctify /'sæŋktɪfaɪ/ *vtr* sanctifier

sanctimonious /ˌsæŋktɪ'məʊnɪəs/ *adj* péj supérieur

sanctimoniously /ˌsæŋktɪ'məʊnɪəslɪ/ *adv* [*say*] d'un air de supériorité vertueuse

sanction /'sæŋkʃn/

A *n* **1** (authorization) autorisation *f*; (approval) sanction *f*; **with the ~ of** avec l'autorisation de [*court, owner etc*]; **2** Jur (deterrent) **legal ~, criminal ~** sanction *f* pénale; **the ultimate ~** l'ultime sanction; **3** Pol, Econ (punishment, embargo etc) sanction *f*; **powers of ~** pouvoirs *mpl* de sanction

B sanctions *npl* Pol, Econ sanctions *fpl* (**against** contre); **economic/trade ~s** sanctions économiques/commerciales; **to impose ~s** prendre des sanctions (**on** contre); **to break ~s against a country** violer l'embargo contre un pays

C *vtr* **1** (give permission for) autoriser; **2** (give approval to) sanctionner

sanctions busting *n* violation *f* de l'embargo

sanctity /'sæŋktətɪ/ *n* **1** (of life, law) inviolabilité *f*; **2** Relig sainteté *f*

sanctuary /'sæŋktʃʊərɪ, US -tʃʊerɪ/ *n* **1** (safe place) refuge *m*; **a place of ~** un refuge; **to take ~** trouver asile; **2** (holy place) sanctuaire *m*; **3** (for wildlife) réserve *f*; (for mistreated pets) refuge *m*

sanctum /'sæŋktəm/ *n* (*pl* **-tums** *ou* **-ta**) **1** (private place) refuge *m*, **his inner ~** le lieu où il se retire (du monde); **2** Relig **the (inner) ~** (in Jewish temple) le Saint des Saints; gen (holy place) le sanctuaire

sand /sænd/

A *n* **1** (fine grit) sable *m*; **fine/coarse ~** sable fin/grossier; **2** °US (courage) cran° *m*, courage *m*

B sands *npl* **1** (beach) plage *f*; **2** (desert) sables *mpl*; **the shifting ~s of international politics** fig le terrain fragile de la politique internationale

C *vtr* **1** (*also* **~ down**) (smooth) poncer [*floor*]; frotter *or* passer [qch] au papier de verre [*car body, woodwork*]; **2** (put sand on) sabler [*icy road, path*]

(Idioms) **as happy as a ~boy** gai comme un pinson; **to stick** *ou* **bury one's head in the ~** pratiquer la politique de l'autruche; **the ~s of time run slow** le temps s'écoule lentement; **the ~s of time are running out for the government** les jours du gouvernement sont comptés; **to build on ~** fig bâtir sur le sable

(Phrasal verb) ■ **sand up** [*estuary, river*] s'ensabler

sandal /'sændl/ *n* sandale *f*

sandalwood /'sændlwʊd/

A *n* (tree) santal *m*; (wood) (bois *m* de) santal *m*

B *modif* [*oil, soap*] au santal; [*box*] en bois de santal

sandbag /'sændbæg/

A *n* sac *m* de sable

B *vtr* (*p prés etc* **-gg-**) **1** (protect) (against gunfire) renforcer [qch] avec des sacs de sable [*position*]; (against flood) ériger un mur de sacs de sable contre [*doorway*]; **2** (hit) assommer [qn] avec un sac de sable [*person*]; **3** °fig (bully) malmener [*person*]; **to ~ sb into doing** contraindre qn à faire

sand: **~bank** *n* banc *m* de sable; **~ bar** *n* barre *f* de sable

sandblast /'sændblɑːst, US -blæst/ *vtr* décaper [qch] à la sableuse

sand: **~blaster** *n* sableuse *f*; **~blasting** *n* sablage *m*, décapage *m* au jet de sable; **~ castle** *n* château *m* de sable; **~ dollar** *n* Zool oursin *m* plat; **~ dune** *n* dune *f*; **~ eel** *n* anguille *f* de sable, lançon *m*

sander /'sændə(r)/ *n* ponceuse *f*

sand: **~ flea** *n* puce *f* de mer, talitre *m* spéc; **~ fly** *n* phlébotome *m*; **~ hopper** *n* = **sand flea**

Sandhurst /'sændhɜːst/ *pr n* GB *école militaire de l'armée de terre*

sanding /'sændɪŋ/ *n* Tech ponçage *m*

sanding disc *n* disque *m* abrasif

sandlot /'sændlɒt/ US

A *n* terrain *m* vague (*où les enfants jouent*)

B *modif* [*baseball, game*] de terrain vague

sand: **~man** *n* marchand *m* de sable; **~ martin** *n* hirondelle *f* de rivage

sandpaper /'sændpeɪpə(r)/

A *n* papier *m* de verre

B *vtr* poncer [*plaster, wood*]; polir [*glass, metal*]

sandpiper /'sændpaɪpə(r)/ *n* bécasseau *m* de Baird

sandpit /'sændpɪt/ *n* **1** (for quarrying) sablière *f*; **2** (for children) bac *m* à sable

sandshoe† /'sændʃuː/ *n* GB chaussure *f* de sport

sandstone /'sændstəʊn/

A *n* grès *m*; **white/red ~** grès blanc/rose

B *modif* [*building, façade*] en grès; [*cliff, quarry*] de grès

sand: **~storm** *n* tempête *f* de sable; **~trap** *n* US Sport (in golf) bunker *m*, obstacle *m* de sable

sandwich /'sænwɪdʒ, US -wɪtʃ/

A *n* **1** sandwich *m*; **cucumber ~** sandwich au concombre; **I just had a ~ for lunch** j'ai déjeuné d'un sandwich; **2** GB (cake) génoise *f* (*fourrée au chocolat, à la confiture etc*)

B *vtr* **to be ~ed between** [*car, building, person*] être pris en sandwich entre, être coincé entre; **her talk was ~ed between two meetings** son discours s'insérait entre deux réunions

sandwich: **~ bar** *n* sandwich bar *m*, sandwicherie *f*; **~ board** *n* panneau *m* publicitaire (*porté par un homme-sandwich*); **~ course** *n* GB cours *m* avec stage pratique, formation *f* en alternance; **~ loaf** *n* pain *m* en tranches; **~ man** ▸ **p. 1683** *n* homme-sandwich *m*

sandworm /'sændwɜːm/ *n* arénicole *f*

sandy /'sændɪ/ *adj* **1** Geol [*beach*] de sable; [*path, soil*] sablonneux/-euse; [*sediment, water*] sableux/-euse; **2** (yellowish) [*hair*] blond roux *inv*; [*colour*] sable (*after n*)

sand yacht /'sændjɒt/

A *n* char *m* à voile

B *vi* faire du char à voile

sane /seɪn/ *adj* **1** (not mad) [*person*] sain d'esprit; **it's the only thing that keeps me ~** c'est la seule chose qui m'empêche de devenir fou; **2** (reasonable) [*policy, judgment*] sensé

sanely /'seɪnlɪ/ *adv* **1** (not madly) [*behave*] comme quelqu'un qui est sain d'esprit; **2** (wisely) [*judge, decide*] de façon sensée

Sanforized® /'sænfəraɪzd/ *adj* sanforisé®

San Francisco /ˌsæn frən'sɪskəʊ/ ▸ **p. 1815** *pr n* San Francisco

sang /sæŋ/ *prét* ▸ **sing**

sangfroid /sɒŋ'frwɑː/ *n* sang-froid *m inv*

sangria /sæn'griːə/ *n* sangria *f*

sanguinary /'sæŋgwɪnərɪ, US -nerɪ/ *adj* sout sanguinaire

sanguine /'sæŋgwɪn/ *adj* sout (hopeful) [*person, remark*] optimiste (**about** au sujet de); **to take a ~ view** voir les choses avec optimisme

sanguinely /'sæŋgwɪnlɪ/ *adv* de façon optimiste

sanitarium US = **sanatorium 1**

sanitary /'sænɪtrɪ, US -terɪ/ *adj* **1** [*facilities, installations*] sanitaire; **2** (hygienic) hygiénique; (clean) propre

sanitary: **~ engineer** ▸ **p. 1683** *n* ingénieur *m* sanitaire; **~ protection** *n* garniture *f* périodique; **~ towel** GB, **~ napkin** US *n* serviette *f* hygiénique *or* périodique; **~ware** *n* équipement *m* sanitaire

sanitation /ˌsænɪ'teɪʃn/ *n* (toilets) ¢ installations *fpl* sanitaires

sanitation worker ▸ **p. 1683** *n* US éboueur *m*

sanitize /'sænɪtaɪz/

A *vtr* **1** péj (tone down) aseptiser [*art, politics*]; expurger [*document*]; **a film that tries to ~ violence** un film qui cherche à rendre la violence plus acceptable; **2** (sterilize) désinfecter

sanitized /'sænɪtaɪzd/ *adj* péj [*art, politics*] aseptisé péj; [*document*] expurgé

sanity /'sænətɪ/ *n* **1** (mental health) équilibre *m* mental; **to keep** *ou* **preserve one's ~** rester sain d'esprit; **to prove one's ~** prouver qu'on est sain d'esprit; **2** (good sense) bon sens *m*; **~ prevailed** le bon sens l'emporta; **can you do a ~ check on my report?** est-ce que tu peux vérifier si mon rapport tient la route°?

sank /sæŋk/ *prét* ▸ **sink C**

San Marinese /ˌsæn mærɪ'niːz/ ▸ **p. 1467**

A *n* Saint-Marinais/-e *m/f*

B *adj* saint-marinais

San Marino /ˌsæn mə'riːnəʊ/ ▸ **p. 1096** *pr n* Saint-Marin *m*

sansevieria /ˌsænsɪ'vɪərɪə/ *n* sansevière *f*

Sanskrit /'sænskrɪt/ ▸ **p. 1378** *n* sanscrit *m*

Santa (Claus) /'sæntə (klɔːz)/ *pr n* le père Noël

Santiago /ˌsæntɪ'ɑːgəʊ/ ▸ **p. 1815** *pr n* **1** (*also* **~ de Compostela**) (in Spain) Saint-Jacques-de-Compostelle; **2** (in Chile) Santiago

Saone /səʊn/ ▸ **p. 1633** *pr n* Saône *f*

Saône-et-Loire ▸ **p. 1129** *pr n* Saône-et-Loire *f*; **in/to the ~** en Saône-et-Loire

Sao Tomé and Principe /saʊ ˌtəʊmes ən prɪn'siːp/ ▸ **p. 1096** *pr n* Sao Tomé-et-Principe *m*

S

sap /sæp/
A *n* **1** sève *f*; **in spring the ~ rises** lit au printemps la sève monte; fig le printemps est la saison des ébats amoureux; **2** ○ US péj abruti○ pej
B *vtr* (*p prés etc* **-pp-**) (weaken) saper [*strength, courage, confidence*]

saphead○ /'sæphed/ *n* US abruti○ *m*

sapling /'sæplɪŋ/ *n* jeune arbre *m*

sapper /'sæpə(r)/ ▸ **p. 1599** *n* GB Mil soldat *m* du génie

Sapphic /'sæfɪk/ *adj* (all contexts) saphique

sapphire /'sæfaɪə(r)/ ▸ **p. 1067**
A *n* **1** (stone) saphir *m*; **2** (colour) bleu *m* saphir
B *adj* (colour) bleu saphir *inv*

sappy /'sæpɪ/ *adj* **1** ○(silly) bêbête○; **2** [*plant, twig etc*] plein de sève

sarabande /'særəbænd/ *n* (dance, music) sarabande *f*

Saracen /'særəsn/ *n* Sarrasin/-e *m/f*

Saragossa /,særə'gɒsə/ ▸ **p. 1815** *pr n* Saragosse

saranwrap® /sə'rænræp/ *n* US ≈ scellofrais® *m*

sarcasm /'sɑ:kæzəm/ *n* sarcasme *m*

sarcastic /sɑ:'kæstɪk/ *adj* sarcastique

sarcastically /sɑ:'kæstɪklɪ/ *adv* [*say, comment*] d'un ton sarcastique

sarcoma /sɑ:'kəʊmə/ *n* (*pl* **-mata** *ou* **-mas**) sarcome *m*

sarcomatosis /sɑ:,kəʊmə'təʊsɪs/ ▸ **p. 1327** *n* sarcomatose *f*

sarcophagus /sɑ:'kɒfəgəs/ *n* (*pl* **-gi** *ou* **-guses**) sarcophage *m*

sardine /sɑ:'di:n/
A *n* Zool, Culin sardine *f*; **to be packed** *ou* **squashed (in) like ~s** être serrés comme des sardines (en boîte)
B **sardines** *npl* jeu *m* de cache-cache (*dans lequel les joueurs qui découvrent la personne cachée se cachent avec elle*)

Sardinia /sɑ:'dɪnɪə/ ▸ **p. 1355** *pr n* Sardaigne *f*

Sardinian /sɑ:'dɪnɪən/ ▸ **p. 1467, p. 1378**
A *n* **1** (person) Sarde *mf*; **2** (language) sarde *m*
B *adj* sarde

sardonic /sɑ:'dɒnɪk/ *adj* [*laugh, look*] sardonique; [*person, remark*] acerbe

sardonically /sɑ:'dɒnɪklɪ/ *adv* [*laugh*] sardoniquement; [*comment, say*] de façon acerbe

sargasso /sɑ:'gæsəʊ/ *n* (*also* **~ weed**) sargasse *f*

Sargasso Sea ▸ **p. 1493** *pr n* mer *f* des Sargasses

sarge○ /sɑ:dʒ/ *n*: *abrév* = **sergeant**

sari /'sɑri:/ *n* sari *m*

Sark /sɑ:k/ ▸ **p. 1355** *pr n* Sercq *m*

sarky○ /'sɑ:kɪ/ *adj* GB *abrév* = **sarcastic**

sarnie○ /'sɑ:nɪ/ *n* GB sandwich *m*

sarong /sə'rɒŋ/ *n* sarong *m*

sarsaparilla /,sɑ:səpə'rɪlə/ *n* US **1** (drink) *boisson gazeuse à la salsepareille*; **2** (plant) salsepareille *f*

Sarthe ▸ **p. 1129** *pr n* Sarthe *f*; **in/to the ~** dans la Sarthe

sartorial /sɑ:'tɔ:rɪəl/ *adj* sout [*elegance, eccentricity*] vestimentaire

sartorius /sɑ:'tɔ:rɪəs/ *n* (*pl* **-ii**) muscle *m* couturier

SARS /sɑ:z/ *n* (*abrév* = **severe acute respiratory syndrome**) SRAS *m*

SAS *n* GB (*abrév* = **Special Air Service**) commandos *mpl* britanniques aéroportés

sash /sæʃ/ *n* **1** (round waist) large ceinture *f* (*en tissu*); **2** (ceremonial) écharpe *f* (*servant d'insigne*); **3** (window frame) châssis *m* d'une fenêtre à guillotine

sashay○ /'sæʃeɪ/ *vi* (walk casually) marcher d'un air dégagé; (walk seductively) marcher de manière aguichante

sash: **~ cord** *n* corde *f* (*d'une fenêtre à guillotine*); **~lock** *n* serrure *f* à pêne demi-tour; **~ window** *n* fenêtre *f* à guillotine

Saskatchewan /sæs'kætʃɪwən/ ▸ **p. 1633** *pr n* Saskatchewan *f*

sass○ /sæs/ US
A *n* insolence *f*
B *vtr* **to ~ sb** être insolent avec qn

sassafras /'sæsəfræs/
A *n* sassafras *m*
B *modif* [*oil, tea*] de sassafras

Sassenach /'sæsənæk/ *n* péj Anglais/-e *m/f* (*expression écossaise*)

sassy○ /'sæsɪ/ *adj* US **1** (cheeky) culotté○; **2** (smart) chic

sat /sæt/ *prét, pp* ▸ **sit**

Sat ▸ **p. 1882** *abrév écrite* = **Saturday**

SAT /sæt/ *n* **1** GB Sch *abrév* = **Standard Assessment Task**; **2** US Sch *abrév* ▸ **Scholastic Aptitude Test**

> **SAT**
>
> Aux États-Unis, le *SAT Reasoning Test* (anciennement connu sous le nom de *Scholastic Aptitude* ou *Assessment Test*), est un test standardisé utilisé par les collèges et universités pour aider à la sélection des candidats étudiants. Au Royaume-Uni, les *SATs* /sæts/ (*Standard Assessment Tasks*) sont des tests d'évaluation nationaux conçus pour mesurer le niveau de connaissance des élèves du *National Curriculum*. La plupart des élèves passent cet examen à l'âge de 7, 11 et 14 ans.

Satan /'seɪtn/ *pr n* Satan

satanic /sə'tænɪk/ *adj* [*rites*] satanique; [*pride, smile*] démoniaque

satanic abuse *n*: *violences sexuelles impliquant des enfants au cours de rites sataniques*

satanically /sə'tænɪklɪ/ *adv* [*laugh, smile*] démoniaquement; **he is ~ charming** il a un charme démoniaque

satanism, Satanism /'seɪtənɪzəm/ *n* satanisme *m*

satanist, Satanist /'seɪtənɪst/
A *n*: *personne qui voue un culte à Satan*
B *adj* [*ritual, practice*] satanique

satay /'sæteɪ/ *n* Culin saté *m*

satchel /'sætʃəl/ *n* cartable *m* (*à bandoulière*)

Satcom /'sætkɒm/ *n* (*abrév* = **Satellite Communications System**) *système de télécommunications par satellite*

sate /seɪt/ *vtr* sout satisfaire [*appetite*]

sated /'seɪtɪd/ *adj* sout (*jamais épith*) [*desire*] assouvi; [*person*] rassasié; [*appetite*] satisfait; **to be ~ with** être repu de

sateen /sæ'ti:n/ *n* satinette *f*

satellite /'sætəlaɪt/
A *n* (all contexts) satellite *m*; **weather/communications ~** satellite météorologique/de télécommunications
B *modif* [*broadcasting, link, transmission*] par satellite; [*town, country, computer, terminal, photograph*] satellite

satellite: **~ dish** *n* antenne *f* parabolique; **~ operator** *n* satello-opérateur *m*; **~ receiver** *n* ▸ **satellite dish**; **~ technology** *n* technologie *f* satellite; **~ television, ~ TV** *n* télévision *f* par satellite

satiate /'seɪʃɪeɪt/
A *vtr* rassasier [*person*]; satisfaire [*appetite*]; assouvir [*desire*]
B **satiated** *pp adj* [*person*] rassasié, repu; [*appetite*] satisfait; [*desire*] assouvi; fig [*audience*] repu (**with** de)

satiation /,seɪʃɪ'eɪʃn/ *n* assouvissement *m*

satiety /sə'taɪətɪ/ *n* satiété *f*

satin /'sætɪn, US 'sætn/
A *n* satin *m*
B *modif* [*garment, shoe*] de satin; **~ stitch** point *m* de plumetis; **to have a ~ finish** (of paper, paint) être satiné

satinette /,sætɪ'net/ *n* satinette *f*

satinwood /'sætɪnwʊd, US 'sætn-/ *n* **1** (tree) chloroxylon *m*; **2** (wood) bois *m* satiné de l'Inde

satiny /'sætɪnɪ, US 'sætnɪ/ *adj* satiné

satire /'sætaɪə(r)/ *n* satire *f* (**on** sur)

satiric(al) /sə'tɪrɪkl/ *adj* satirique

satirically /sə'tɪrɪklɪ/ *adv* d'une manière satirique

satirist /'sætərɪst/ *n* satiriste *mf*

satirize /'sætəraɪz/ *vtr* faire la satire de; **~d by** qui a été l'objet de la satire de

satisfaction /,sætɪs'fækʃn/ *n* ¢ **1** (pleasure) satisfaction *f*; **to express ~ with sth** se déclarer satisfait de qch; **to get** *ou* **derive ~ from sth** retirer des satisfactions de qch; **to get** *ou* **derive ~ from doing sth** éprouver du plaisir à faire qch; **the decision was of great ~ to residents** les résidents ont été très satisfaits de la décision; **with great/immense ~** avec une grande/immense satisfaction; **to be a source of ~** être un sujet de satisfaction (**to** pour); **if it gives you any ~, she has been fired** si ça peut te faire plaisir, elle a été licenciée; **he felt he had done the work to his own ~** il était satisfait de son travail; **the conclusions were to everybody's ~** les conclusions ont satisfait tout le monde; **'~ guaranteed'** Comm 'satisfaction garantie'; **2** (fulfilment) satisfaction *f* (**of sth** de qch; **of doing** de faire); **the ~ of basic needs/of human desires** la satisfaction des besoins essentiels/des désirs humains; **an acceptable level of ~** une satisfaction moyenne; **a high level of ~** une grande satisfaction; **3** (compensation) dédommagement *m*; (apology) réparation *f*; **to obtain ~ (for sth)** obtenir satisfaction (pour qch); **he received no ~ from the company** (financial, apology) la compagnie ne lui a pas donné satisfaction

satisfactorily /,sætɪs'fæktərəlɪ/ *adv* de manière satisfaisante

satisfactory /,sætɪs'fæktərɪ/ *adj* [*explanation, progress, arrangement*] satisfaisant; **to be ~ to sb** convenir à qn; **the solution is less than ~** la solution est loin d'être satisfaisante; **his work is far from ~** son travail laisse fort à désirer; **her condition was said to be ~** Med son état a été déclaré satisfaisant; **'if this product does not reach you in a ~ condition...'** Comm 'en cas de réclamation...'; **to bring a matter to a ~ conclusion** mener une affaire à bien

satisfied /'sætɪsfaɪd/ *adj* **1** (pleased) satisfait (**with, about** de); **a ~ customer** un client satisfait; **if you are not completely ~** Comm si vous n'êtes pas entièrement satisfait; **not ~ with winning the match, they went on to win the cup** non contents de gagner le match, ils ont aussi remporté la coupe; **now are you ~?** (said angrily) tu es content maintenant?; **2** (convinced) convaincu (**by** par); **to be ~ that** être convaincu que

satisfy /'sætɪsfaɪ/
A *vtr* **1** (fulfil) satisfaire [*need, wants, desires, curiosity*]; satisfaire [*person, customer*]; assouvir [*hunger, desire*]; **2** (persuade, convince) convaincre [*critics, police, public opinion*] (**that** que); **I am not satisfied by your explanation** je ne trouve pas votre explication bien convaincante; **3** (meet) satisfaire à [*criteria, demand, regulations, requirements*]; être conforme à [*definition*]; satisfaire à [*conditions*]
B *vi* **to fail to ~** [*book, film etc*] être peu satisfaisant
C *v refl* **to ~ oneself** s'assurer (**that** que)

satisfying /'sætɪsfaɪɪŋ/ *adj* **1** (filling) [*meal*] substantiel/-ielle; [*diet, vegetable, fruit*] nourrissant; **2** (rewarding) [*job*] qui apporte de la satisfaction; [*life*] bien rempli; [*relationship*] heureux/-euse; [*afternoon, evening*] très agréable; **3** (pleasing) [*result, sales, progress, solution*] satisfaisant; **it is ~ to see/know that...** il est satisfaisant de voir/savoir que...

S

satisfyingly /ˈsætɪsfaɪɪŋlɪ/ *adv* agréablement

satsuma /ˈsætsuːmə/ *n* satsuma *f*

saturate /ˈsætʃəreɪt/ *vtr* 1 (soak) gen tremper [*clothes, ground*] (**with** de); fig saturer [*market*] (**with** de); 2 Chem saturer; 3 (bomb) bombarder intensivement (**with** avec)

saturated /ˈsætʃəreɪtɪd/ *adj* 1 gen [*person, clothes*] trempé; [*soil, ground*] détrempé; fig [*market*] saturé (**with** de); 2 Chem saturé; 3 [*fat*] saturé; 4 Art [*colour*] saturé

saturation /ˌsætʃəˈreɪʃn/
A *n* (all contexts) saturation *f*
B *modif* 1 Advertg [*campaign, coverage, marketing*] de saturation; 2 Mil **~ bombing** bombardement *m* intensif

saturation point *n* (all contexts) point *m* de saturation; **to reach ~** fig arriver à saturation

Saturday /ˈsætədeɪ, -dɪ/ ▸ **p. 1882** *n* samedi *m*; **he has a ~ job** GB il a un petit boulot○ le samedi

Saturday night special○ *n* US revolver *m*

Saturn /ˈsætən/ *pr n* 1 Mythol Saturne *m*; 2 Astron Saturne *f*

Saturnalia /ˌsætəˈneɪlɪə/ *n* saturnales *fpl*

saturnine /ˈsætənaɪn/ *adj* sombre

satyr /ˈsætə(r)/ *n* lit, fig satyre *m*

sauce /sɔːs/
A *n* 1 Culin sauce *f*; **orange/pepper ~** sauce à l'orange/au poivre; **tomato ~** sauce tomate; US (stewed fruit) compote *f* de fruits; 2 ○†(impudence) toupet○ *m*; 3 ○US (alcohol) **the ~** la boisson; **to be on the ~** picoler◐ dur
B ○*vtr* être insolent avec

(Idiom) **what's ~ for the goose is ~ for the gander** ce qui vaut pour l'un vaut pour l'autre

sauce: **~boat** *n* saucière *f*; **~box**○† *n* impertinent/-e *m/f*

saucepan /ˈsɔːspən/ *n* casserole *f*

saucer /ˈsɔːsə(r)/ *n* soucoupe *f*; **with eyes like** *ou* **as big as ~s** aux yeux ronds comme des soucoupes

saucily /ˈsɔːsɪlɪ/ *adv* [*speak, behave*] avec impertinence; [*dress*] coquettement

sauciness /ˈsɔːsɪnɪs/ *n* (cheek) impertinence *f*; (of dress) coquetterie *f*

saucy† /ˈsɔːsɪ/ *adj* 1 [*person*] (impudent) impertinent; (sexually suggestive) égrillard; 2 [*hat, dress etc*] aguichant

Saudi /ˈsaʊdɪ/ ▸ **p. 1467**
A *n* Saoudien/-ienne *m/f*
B *adj* saoudien/-ienne

Saudi Arabia /ˌsaʊdɪ əˈreɪbɪə/ ▸ **p. 1096** *pr n* Arabie *f* saoudite

Saudi Arabian /ˌsaʊdɪ əˈreɪbɪən/ ▸ **p. 1467** *n* = **Saudi**

sauerkraut /ˈsaʊəkraʊt/ *n* choucroute *f*

Saul /sɔːl/ *pr n* Bible Saül

sauna /ˈsɔːnə, ˈsaʊnə/ *n* sauna *m*; **it's like a ~ in here!** c'est une étuve ici!

saunter /ˈsɔːntə(r)/
A *n* 1 (stroll) petite balade○ *f*; **to go for a ~** faire une petite balade○; 2 (leisurely pace) allure *f* nonchalante
B *vi* (*also* **~ along**) marcher d'un pas nonchalant; **to ~ off** s'éloigner d'un pas nonchalant

saurian /ˈsɔːrɪən/
A *n* saurien *m*
B *adj* saurien/-ienne

sausage /ˈsɒsɪdʒ, US ˈsɔːs-/ *n* (for cooking) saucisse *f*; (ready to eat) saucisson *m*

(Idiom) **not a ~**○ GB des clopinettes○, rien du tout

sausage: **~ dog**○ *n* teckel *m*; **~ meat** *n* chair *f* à saucisse; **~ roll** *n* feuilleté *m* à la chair à saucisse

sauté /ˈsəʊteɪ, US səʊˈteɪ/ Culin
A *adj* (*also* **sauté(e)d**) sauté
B *vtr* (*p prés* **-éing** *ou* **-éeing**; *prét, pp* **-éd** *ou* **-éed**) faire sauter

savage /ˈsævɪdʒ/
A *n* sauvage *mf* also pej
B *adj* 1 lit [*kick, blow, beating*] violent; [*attacker, rapist*] cruel/-elle; [*attack*] sauvage; [*gunfire, riots*] d'une extrême violence; 2 fig [*temper*] violent; [*mood, humour, satire*] féroce; [*criticism, review*] virulent; [*prison sentence*] lourd; 3 Econ journ [*price increases*] violent; **~ cuts** coupes *fpl* claires (**in** dans)
C *vtr* 1 (physically) [*dog*] attaquer sauvagement [*person, animal*]; [*lion*] déchirer [*person, animal*]; 2 fig descendre [qch/qn] en flammes [*book, film, opponents, critics*]

savagely /ˈsævɪdʒlɪ/ *adv* 1 lit [*beat, attack*] sauvagement; 2 fig [*criticize, satirize*] férocement; [*hostile, critical*] férocement

savagery /ˈsævɪdʒrɪ/ *n* (of war, primitive people) barbarie *f*; (of attack) (physical) sauvagerie *f*; (verbal) férocité *f*; **an act of ~ of the worst kind** un acte d'une épouvantable sauvagerie

savanna(h) /səˈvænə/ *n* savane *f*

savant /ˈsævənt, US sæˈvɑːnt/ *n* sout érudit/-e *m/f*

save /seɪv/
A *n* 1 Sport arrêt *m* de but; 2 Comput sauvegarde *f*
B *vtr* 1 (rescue) sauver [*person, environment, job, match, film, marriage, sanity*] (**from** de); **to ~ sb's sight/leg** sauver la vue/la jambe à qn; **to ~ sb/sth from doing** empêcher qn/qch de faire; **to ~ sb from himself** protéger qn contre lui-même; **to ~ lives** sauver des vies humaines; **to ~ sb's life** lit, fig sauver la vie à qn; **he can't speak German to ~ his life**○! il est absolument incapable de parler allemand!; **to ~ the day** *ou* **the situation** sauver la situation (**by doing** en faisant); **to ~ face** sauver la face; 2 (put by, keep) mettre [qch] de côté [*money, food*] (**to do** pour faire); garder [*goods, documents*] (**for** pour); **to have money ~d** avoir de l'argent de côté; **to ~ sth for sb, to ~ sb sth** garder [qch] pour qn [*place, food*]; **to ~ sth for future generations** préserver qch pour les générations à venir; **to ~ a dance/an evening for sb** réserver une danse/une soirée à qn; **to ~ sth until the end** *ou* **till last** garder qch pour la fin; 3 (economize on) économiser [*money, fuel, energy, water*] (**by doing** en faisant); gagner [*time, space*] (**by doing** en faisant); **to ~ one's energy/voice** ménager ses forces/sa voix; **you'll ~ money/£20** vous ferez des économies/une économie de 20 livres; **to ~ sb sth** faire économiser qch à qn [*money*]; éviter qch à qn [*trouble, expense, journey*]; faire gagner qch à qn [*time*]; **it will ~ us time/money** cela nous fera gagner du temps/de l'argent; **to ~ sb/sth (from) doing** éviter à qn/qch de faire; **to ~ doing** éviter de faire; 4 Sport arrêter [*goal, penalty*]; 5 Relig sauver [*soul, mankind*] (**from** de); 6 Comput sauvegarder, enregistrer [*file, data*] (**on, to** sur); 7 (collect) collectionner [*stamps, cards*]
C *vi* 1 (put by funds) = **save up**; 2 (economize) économiser, faire des économies; **to ~ on** faire des économies de [*energy, paper, heating*]
D *v refl* **to ~ oneself** 1 (rescue oneself) lit, fig s'en tirer (**by doing** en faisant); **to ~ oneself from doing** éviter de faire; **to ~ oneself from drowning** éviter la noyade; 2 (keep energy, virginity) se réserver (**for** pour); 3 (avoid waste) **to ~ oneself money** économiser; **to ~ oneself time** gagner du temps; **to ~ oneself trouble/a journey** s'éviter des tracas/un déplacement
E ‡*prep* sauf; **~ for** à l'exception de, hormis liter; **~ that he was a friend** s'il n'avait été un ami

(Idiom) **~ it**○! ça va, à d'autres○!

(Phrasal verb) ■ **save up**: ▸ **~ up** faire des économies, mettre de l'argent de côté (**to do** pour faire); **to ~ up for** *ou* **towards** mettre de l'argent de côté pour s'acheter [*car, house*]; mettre de l'argent de côté pour s'offrir [*holiday, trip*]; ▸ **~ up [sth], ~ [sth] up** mettre [qch] de côté [*money*] (**to do** pour faire); collectionner [*stamps, newspapers*]

save-as-you-earn, SAYE /ˌseɪvəsjuːˈɜːn/ *n* GB *épargne par prélèvement automatique sur salaire*

saveloy /ˈsævəlɔɪ/ *n* GB cervelas *m*

saver /ˈseɪvə(r)/ *n* épargnant/-e *m/f*

Savile Row /ˌsævɪlˈrəʊ/ *pr n*: *rue de Londres connue pour ses tailleurs, chers et de qualité*

saving /ˈseɪvɪŋ/
A *n* 1 (reduction) économie *f* (**in** de; **on** sur); **a 25% ~** une économie de 25%; **to make ~s** faire des économies; 2 ₵ Econ, Fin (activity) épargne *f*; **to learn about ~** apprendre à épargner; 3 (conservation) économie *f*; **energy ~** économies *fpl* d'énergie
B **savings** *npl* économies *fpl*; **to live off one's ~s** vivre de ses économies; **to lose one's life ~s** perdre les économies de toute une vie
C **-saving** (*dans composés*) **energy-/fuel-~** qui réduit la consommation d'énergie/de carburant; ▸ **face-saving, labour-saving etc**
D ‡*prep* sout sauf; **~ your presence** sauf votre respect†

saving clause *n* clause *f* restrictive

saving grace *n* bon côté *m*; **it's his ~** c'est ce qui le sauve

savings account *n* 1 GB compte *m* d'épargne; 2 US compte *m* rémunéré

saving: **~s and loan (association), S&L** *n* US société *f* d'investissement et de crédit immobilier; **~s bank** *n* caisse *f* d'épargne; **~s bond** *n* bon *m* de caisse; **~s book** *n* livret *m* de caisse d'épargne; **~s certificate** *n* bon *m* de caisse; **~s plan** *n* plan *m* d'épargne; **~s stamp** *n* GB timbre-épargne *m*

saviour GB, **savior** US /ˈseɪvɪə(r)/ *n* sauveur *m* also Relig

Savoie ▸ **p. 1129** *pr n* Savoie *f*; **in/to ~** en Savoie

savoir-faire /ˌsævwɑːˈfeə(r)/ *n* 1 (social) savoir-vivre *m inv*; 2 (practical) savoir-faire *m inv*

savor /ˈseɪvə(r)/ *n* US = **savour**

savory /ˈseɪvərɪ/
A *n* 1 (herb) sarriette *f*; 2 US = **savoury**
B *adj* US = **savoury**

savour GB, **savor** US /ˈseɪvə(r)/
A *n* 1 lit saveur *f*; **to have a (slight) ~ of** avoir un (léger) goût de; 2 fig (enjoyable quality) goût *m*; **life has lost its ~ for her** elle a perdu goût à la vie; 3 (trace, hint) pointe *f*; **a ~ of cynicism** une pointe de cynisme
B *vtr* lit, fig savourer
C *vi* **to ~ of** sentir; **to ~ of hypocrisy** sentir l'hypocrisie

savourless /ˈseɪvəlɪs/ GB *adj* insipide

savoury GB, **savory** US /ˈseɪvərɪ/
A *n* (pie, flan, stew) plat *m* salé; (after dessert) GB canapé *m* (*servi après le dessert*)
B *adj* 1 Culin (not sweet) salé; (appetizing) appétissant; (tasty) savoureux/-euse; **~ biscuits** biscuits *mpl* apéritif; 2 fig **not a very ~ individual/area/club** un individu/quartier/club peu recommandable; **not a very ~ reputation** une réputation équivoque; **the less ~ aspects of the matter** le côté plutôt louche de l'affaire

Savoy /səˈvɔɪ/ ▸ **p. 1243**
A *pr n* Savoie *f*
B *modif* [*cuisine, wines*] de Savoie; **the ~ Alps** les Alpes *fpl* savoyardes

Savoyard /səˈvɔɪɑːd, ˌsævɔɪˈɑːd/
A *n* 1 (person) Savoyard/-e *m/f*; 2 (dialect) savoyard *m*
B *adj* savoyard

savoy cabbage *n* chou *m* de Milan

savvy○ /ˈsævɪ/
A *n* 1 (shrewdness) jugeote○ *f*; 2 (know-how) savoir-faire *m inv*
B *adj* US calé
C *vi* (know) savoir; (understand) piger◐

S

saw /sɔː/
A *prét* ▸ **see**
B *n* **1** (tool) scie *f*; **electric/power ~** scie électrique/mécanique; **2** †(saying) adage *m*; **an old ~** un vieil adage
C *vtr* (*prét* **sawed**; *pp* **sawn** GB, **sawed** US) scier; **to ~ through/down/off** scier; **to ~ sth in half** scier qch en deux; **he was ~ing away at the bread** il essayait de couper le pain; **to ~ the air** faire de grands gestes
(Phrasal verb) ■ **saw up**: ▸ **~ up [sth], ~ [sth] up** débiter qch à la scie
saw: **~bones**○† *n* hum chirurgien *m*; **~dust** *n* sciure *f* (de bois)
sawed /sɔːd/ *pp* US ▸ **saw C**
saw-edged /ˌsɔːˈedʒd/ *adj* à lame dentée
sawed-off /ˈsɔːdɒf/ *adj* US ▸ **sawn-off**
saw: **~fish** *n* poisson-scie *m*; **~horse** *n* chevalet *m* (de scieur de bois); **~mill** *n* scierie *f*
sawn /sɔːn/ *pp* GB ▸ **saw C**
sawn-off /ˈsɔːnɒf/ *adj* GB [*gun, shotgun*] à canon scié; **a ~ barrel** un canon scié
sax○ /sæks/ ▸ **p. 1462**
A *n* (*pl* **~es**) (*abrév* = **saxophone**) saxo○ *m*
B *modif* **~ player** saxo○ *m*
saxhorn /ˈsækshɔːn/ ▸ **p. 1462** *n* saxhorn *m*
saxifrage /ˈsæksɪfreɪdʒ/ *n* saxifrage *f*
Saxon /ˈsæksn/
A *pr n* **1** (person) Saxon/-onne *m/f*; **2** (language) saxon *m*
B *adj* saxon/-onne
Saxony /ˈsæksənɪ/ *pr n* Saxe *f*
saxophone /ˈsæksəfəʊn/ ▸ **p. 1462** *n* saxophone *m*
saxophonist /sækˈsɒfənɪst/ ▸ **p. 1683, p. 1462** *n* saxophoniste *mf*
say /seɪ/
A *n* **to have one's ~** dire ce qu'on a à dire (**on** sur); **to have a ~/no ~ in sth** avoir/ne pas avoir son mot à dire sur qch; **to have no ~ in the matter** ne pas avoir voix au chapitre; **to have a ~ in appointing sb/allocating sth** avoir son mot à dire sur la nomination de qn/l'affectation de qch; **they want more** *ou* **a bigger ~** ils veulent avoir davantage leur mot à dire; **to have the most** *ou* **biggest ~** avoir le plus de poids
B *vtr* (*prét, pp* **said**) **1** [*person*] dire [*words, line, prayer, hello, goodbye, yes, no*] (**to** à); **'hello,' he said** 'bonjour,' dit-il; **~ after me...** répète après moi...; **to ~ one's piece** dire ce qu'on a à dire; **to ~ (that)** dire que; **she ~s he's ill** elle dit qu'il est malade; **he said it was ready** il a dit que c'était prêt; **she said there would be an accident** elle a dit qu'il y aurait un accident; **I just wanted to ~ I'm sorry** je voulais juste te dire que j'étais désolé; **she said we were to wait** *ou* **we should wait** elle a dit que nous devions attendre; **he said to wait here** il a dit d'attendre ici; **it's my way of ~ing thank you** c'est ma façon de dire merci; **'residents ~ no to nuclear waste'** 'les résidents disent non au stockage des déchets nucléaires'; **I didn't ~ so, but I thought** je ne l'ai pas dit, mais j'ai pensé que; **if he was angry, he didn't ~ so** s'il était en colère, il ne l'a pas dit; **how nice of you to ~ so** merci, c'est gentil; **didn't I ~ so?** je l'avais bien dit!; **if** *ou* **though I do ~ so myself!** je ne devrais pas le dire, mais...!; **so they ~** (agreeing) il paraît; **or so they ~** (doubtful) du moins c'est ce qu'on dit; **or so he ~s** du moins c'est ce qu'il prétend; **so to ~** pour ainsi dire; **as you ~...** comme tu le dis...; **as they ~** comme on dit; **what will people ~** *ou* **they ~** qu'est-ce que les gens diront; **I don't care what anyone ~s** je me moque du qu'en-dira-t-on; **(you can) ~ what you like, I think that...** tu peux dire ce que tu veux, moi je crois que...; **people** *ou* **they ~ she's very rich, she is said to be very rich** on dit qu'elle est très riche; **some (people) ~ the house is haunted, the house is said to be haunted** certains disent que la maison est hantée; **to have something/to have nothing to ~** avoir quelque chose/ne rien avoir à dire; **to ~ sth about sth/sb** dire qch au sujet de qch/qn; **to ~ sth on a subject** parler d'un sujet; **something was said about that at the meeting** on en a parlé à la réunion; **nothing much was said about that** on n'a pas dit grand-chose à ce sujet; **she'll have something to ~ about that!** elle aura certainement quelque chose à dire là-dessus!; **to ~ sth to oneself** se dire qch; **she said to herself (that) it couldn't be true** elle s'est dit que cela ne pouvait pas être vrai; **what do you ~ to that?** qu'est-ce que tu en dis? **what do you ~ to the argument that...?** que répondez-vous à l'argument selon lequel...?; **what would you ~ to people who think that...?** que répondriez-vous à ceux qui pensent que...?; **what would you ~ to a little walk?** qu'est-ce que tu dirais d'une petite promenade?; **I wouldn't ~ no to another slice** je ne dirais pas non à une autre tranche; **what (do you) ~ we eat now**○**?** et si on mangeait maintenant?; **to ~ whether/who** dire si/qui; **that's for the committee to ~** c'est au comité de décider; **it's not for me to ~** ce n'est pas à moi de le dire; **you said it**○**!** tu l'as dit!; **you can ~ that again**○**!** ça, tu peux le dire○!; **I should ~ it is/they were!** et comment○!; **well said!** bien dit!; **and so ~ all of us!** nous sommes tous d'accord là-dessus!; **~ no more**○ ça va, j'ai compris!○; **let's ~ no more about it** n'en parlons plus; **enough said**○ ça va, j'ai compris○; **there's no more to be said** il n'y a rien à ajouter; **it goes without ~ing that** il va sans dire que; **don't ~ I didn't warn you!** tu ne pourras pas dire que je ne t'avais pas prévenu!; **don't ~ it's raining again!** ne me dis pas qu'il pleut de nouveau!; **you might just as well ~ education is useless** autant dire que l'instruction est inutile; **that is to ~** c'est-à-dire; **that's not to ~ that** cela ne veut pas dire que; **he was displeased, not to ~ furious** il était mécontent, pour ne pas dire furieux; **I'll ~ this for her...** je dois dire à sa décharge que...; **one thing you have to ~ about Liz is...** s'il y a une chose qu'il faut reconnaître à propos de Liz c'est...; **I must ~ (that)** je dois dire que; **it seems rather expensive, I must ~** cela paraît un peu cher, je dois dire; **well, I must ~!** ça alors!; **to have a lot to ~ for oneself** être bavard; **what have you got to ~ for yourself?** qu'est-ce que tu as comme excuse?; **that isn't ~ing much**○ ça ne veut pas dire grand-chose○; **that's ~ing a lot**○ ce n'est pas peu dire
2 [*writer, book, letter, report, map*] dire; [*painter, painting, music, gift*] exprimer; [*sign, poster, dial, gauge*] indiquer; [*gesture, signal*] signifier; **as Plato ~s** comme le dit Platon; **she wrote ~ing she couldn't come** elle a écrit pour dire qu'elle ne pouvait pas venir; **it ~s on the radio/in the rules that** la radio/le règlement dit que; **it ~s here that** il est dit ici que; **the clock ~s three** la pendule indique trois heures; **the dial ~s 300** le cadran indique 300; **a notice ~ing where to meet** une affiche qui indique le lieu de réunion; **this music ~s something/doesn't ~ anything to me** cette musique me parle/ne me parle pas
3 (guess) dire (**that que**); **to ~ how much/when/whether** dire combien/quand/si; **that's impossible to ~** c'est impossible à dire; **how high would you ~ it is?** à ton avis, quelle en est la hauteur?; **I'd ~ it was a bargain** à mon avis c'est une bonne affaire; **I'd ~ she was about 25** je lui donnerais environ 25 ans; **he's about six foot, wouldn't you ~?** il mesure environ un mètre quatre-vingts, tu ne crois pas?
4 (assume) **to ~ (that)** supposer que (+ *subj*), mettre que (+ *indic or subj*); **let's ~ there are 20** mettons *ou* supposons qu'il y en ait 20; **~ you have an accident** suppose que tu aies un accident; **~ we win, we'll still have to beat Liverpool** à supposer que nous gagnions, il faudra encore battre Liverpool
C *vi* (*prét, pp* **said**) **1** **stop when I ~** arrête quand je te le dirai; **he wouldn't ~** il n'a pas voulu le dire; **I'd rather not ~** je préfère ne pas le dire; **you don't ~!** iron sans blague!, pas possible!; **~s you**○**!** (taunting) que tu dis○!; **~s who**○**?, who ~s**○**?** (sceptical) ah oui?; (on whose authority?) et sur les ordres de qui?
2 †GB **I ~!** (listen) écoute, dis donc; (shocked) ma parole!; (to hail sb) hé!
D *adv* disons, mettons; **you'll need, ~, £50 for petrol** tu auras besoin de, disons *or* mettons, 50 livres sterling pour l'essence
E *excl* US dis-donc!; **~, who are you?** dites-donc, qui êtes-vous?
(Idioms) **it doesn't ~ much for their marriage/her commitment** cela en dit long sur leur mariage/son engagement; **it ~s a lot** *ou* **something about his education that he succeeded** le fait qu'il a réussi en dit long sur son éducation; **it ~s a lot for sb/sth** c'est tout à l'honneur de qn/qch; **that ~s it all** c'est tout dire, cela se passe de commentaire; **there's a lot to be said for that method** cette méthode est très intéressante à bien des égards; **there's a lot to be said for keeping quiet** il y a intérêt à se taire; **when all is said and done** tout compte fait, en fin de compte
SAYE *n* GB *abrév* ▸ **save-as-you-earn**
saying /ˈseɪɪŋ/ *n* dicton *m*, adage *m*; **which proves the old ~ true** ce qui prouve la justesse du vieux dicton; **as the ~ goes** comme on dit
say-so○ /ˈseɪsəʊ/ *n* permission *f*
S-bend *n* gen (in road) courbe *f* en S; (in pipe) coude *m* en S
s/c *adj* (*abrév écrite* = **self-contained**) indépendant
SC *n* US Post *abrév écrite* = **South Carolina**
scab /skæb/ *n* **1** Med croûte *f*; **2** Bot, Vet gale *f*; **3** ○péj (strikebreaker) jaune○ *m* pej, briseur *m* de grève
scabbard /ˈskæbəd/ *n* (for sword) fourreau *m*; (for dagger) gaine *f*
scabby /ˈskæbɪ/ *adj* **1** [*skin*] couvert de croûtes *fpl*; **2** [*animal, plant*] attaqué par la gale; **3** ○(nasty) moche○
scabies /ˈskeɪbiːz/ ▸ **p. 1327** *n* gale *f*
scabious /ˈskeɪbɪəs, US ˈskæb-/
A *n* Bot scabieuse *f*
B *adj* Med scabieux/-ieuse
scab labour○ *n péj personnel qui remplace des travailleurs en grève*
scabrous /ˈskeɪbrəs, US ˈskæb-/ *adj* **1** (rough) [*bark, skin*] rugueux/-euse; **2** fig (smutty) scabreux/-euse
scads○ /skædz/ *npl* US **~ of** des tas *mpl* de; **he's got ~ of money** il est plein aux as
scaffold /ˈskæfəʊld/ *n* **1** (gallows) échafaud *m*; **2** Constr échafaudage *m*
scaffolder /ˈskæfəʊldə(r)/ ▸ **p. 1683** *n* monteur *m* d'échafaudages
scaffolding /ˈskæfəldɪŋ/ *n* (structure) échafaudage *m*; (materials) matériel *m* d'échafaudage; **a piece of ~** un tube d'échafaudage
scag◐ /skæg/ *n* US, argot des drogués héroïne *f*
scalar /ˈskeɪlə(r)/ *n, adj* scalaire (*m*)
scalawag○ /ˈskæləwæg/ *n* US ▸ **scallywag**
scald /skɔːld/
A *n* brûlure *f* (*causée par un liquide bouillant ou par la vapeur*)
B *vtr* **1** (burn) ébouillanter [*person*]; **to ~ one's arm** s'ébouillanter le bras; **2** (heat) ébouillanter [*fruit, vegetable*]; **3** (sterilize) stériliser [*jar*] à l'eau bouillante [*jar*]; **4** (nearly boil) faire chauffer [qch] sans bouillir [*milk*]
C *v refl* **to ~ oneself** s'ébouillanter
(Idiom) **to run off like a ~ed cat** prendre ses jambes à son cou
scalding /ˈskɔːldɪŋ/
A *adj* [*heat, tears, water*] brûlant; [*shame*] cuisant; [*criticism, remark*] virulent

B *adv* ~ **hot** brûlant

scale /skeɪl/

A *n* **1** (extent) (of crisis, disaster, success, violence) étendue *f* (**of** de); (of reform, development, defeat, recession, task) ampleur *f* (**of** de); (of activity, operation) envergure *f* (**of** de); (of support, change) degré *m* (**of** de); **on a large/small** ~ à grande/petite échelle; **on an unexpected/a modest** ~ d'une ampleur inattendue/modeste; **2** (grading system) échelle *f*; **pay** ~, **salary** ~ échelle des salaires; **social** ~ échelle sociale; ~ **of values** échelle de valeurs; **at the other end of the** ~ à l'autre bout de l'échelle; **on a** ~ **of 1 to 10** sur une échelle allant de 1 à 10; **3** (for maps, models) échelle *f*; **on a** ~ **of 2 km to 1 cm** à une échelle de 1 cm pour 2 km; **the model is out of** *ou* **not to** ~ la maquette n'est pas à l'échelle; **4** (on thermometer, gauge etc) graduation *f*; **5** (for weighing) balance *f*; **6** Mus gamme *f*; **to play/sing a** ~ faire/chanter une gamme; **the** ~ **of G** la gamme de sol; **7** Zool (on fish, insect) écaille *f*; **8** (deposit) (in kettle, pipes) (dépôt *m*) calcaire *m*; (on teeth) tartre *m*

B scales *npl* balance *f*

C *vtr* **1** (climb) escalader [*wall, peak, tower*]; **2** (take scales off) écailler [*fish*]

(Idiom) **the** ~**s fell from my eyes** tout d'un coup j'ai compris

(Phrasal verbs) ■ **scale back** = **scale down 2**

■ **scale down**: ▸ ~ **[sth] down**, ~ **down [sth] 1** (reduce according to scale) réduire l'échelle de [*drawing, map*]; **2** fig (reduce) ralentir [*production*]; réduire [*expenditure, import, involvement, activity*]

■ **scale up**: ▸ ~ **[sth] up**, ~ **up [sth] 1** lit augmenter l'échelle de [*drawing, map*]; **2** fig augmenter [*activity, work*]

scale: ~**d-down** *adj* réduit; ~ **drawing** *n* dessin *m* à l'échelle; ~ **model** *n* maquette *f* à l'échelle; ~ **pan** *n* plateau *m* de balance

scallion /'skælɪən/ *n* US **1** (spring onion) ciboule *f*; **2** (shallot) échalote *f*; **3** (leek) poireau *m*

scallop, **scollop** /'skɒləp/

A *n* **1** Zool pecten *m*, peigne *m*; **2** Culin coquille *f* Saint-Jacques; **3** Sewing feston *m*

B *vtr* **1** Sewing festonner [*border*]; **2** Culin servir [qch] en coquille [*seafood*]; ~**ed fish** coquille *f* de poisson; ~**ed potatoes** ≈ gratin *m* de pommes de terre

scallop shell *n* coquille *f* Saint-Jacques

scally○ /'skælɪ/ *n* GB voyou *m*

scallywag /'skælɪwæg/ *n* **1** ○(rascal) (child) petite canaille *f*; (adult) vaurien/-ienne *m/f*; **2** US Hist péj *Sudiste en faveur de l'émancipation des noirs*

scalp /skælp/

A *n* **1** Anat cuir *m* chevelu; **2** fig (trophy) scalp *m*; **he's after my** ~○ il veut ma peau○

B *vtr* **1** (remove scalp) scalper; **2** ○fig US (defeat) écraser; **3** ○US (sell illegally) revendre [qch] au marché noir [*tickets*]; **4** US, Fin spéculer sur [*stocks*]

scalpel /'skælpl/ *n* Med scalpel *m*

scalper○ /'skælpə(r)/ *n* US vendeur/-euse *m/f* de billets à la sauvette

scaly /'skeɪlɪ/ *adj* [*wing, fish*] écailleux/-euse; [*skin, fruit, bark*] squameux/-euse; [*plaster, wall*] écaillé

scam○ /skæm/

A *n* escroquerie *f*

B *vi* (*p prés etc* **-mm-**) faire des escroqueries

scamp /skæmp/

A ○*n* (child) petite canaille *f*; (dog) vilain/-e *m/f*

B *vtr* bâcler [*work*]

scamper /'skæmpə(r)/

A *n* (of child, dog) galopade *f*; (of mouse) trottinement *m*

B *vi* (*also* ~ **about**, ~ **around**) [*child, dog*] gambader; [*mouse*] trottiner; **to** ~ **across/along** [*child*] galoper à travers/le long de; [*mouse*] trottiner à travers/le long de; **to** ~ **away** *ou* **off** détaler

scampi /'skæmpɪ/ *npl* (fresh) langoustines *fpl*; (breaded) scampi *mpl*

scan /skæn/

A *n* **1** Med (CAT) scanner *m*, scanographie *f* spec; (ultrasound) échographie *f*; **to do a** ~ faire un scanner; **I had a** ~ on m'a fait un scanner; **2** (radar, TV) balayage *m*; (picture resulting) analyse *f*

B *vtr* (*p prés etc* **-nn-**) **1** (cast eyes over) lire rapidement [*list, small ads*]; **2** (examine) scruter [*face, horizon*]; **3** [*beam of light, radar etc*] balayer [*area*]; **4** Med faire un scanner de [*organ*]; **5** Literat scander; **6** Comput scanner, numériser [*document, image*]

C *vi* (*p prés etc* **-nn-**) Literat pouvoir se scander

scandal /'skændl/ *n* **1** (incident, outcry) scandale *m*; **a financial/political** ~ un scandale financier/politique; **a drug/prostitution** ~ un scandale lié à la drogue/la prostitution; **the Grunard** ~ l'affaire *f* Grunard; **the price of coffee is a** ~ le prix du café est scandaleux; **2** (gossip) potins○ *mpl*; (shocking stories) histoires *fpl* scandaleuses

scandalize /'skændəlaɪz/ *vtr* (shock) scandaliser (**by doing** en faisant)

scandalized /'skændəlaɪzd/ *adj* scandalisé (**by** *ou* **at sth** par qch)

scandalmonger /'skændlmʌŋgə(r)/

A *n* mauvaise langue *f*; ~**ing** commérage *m*

B *vi* faire des commérages

scandalous /'skændələs/ *adj* (all contexts) scandaleux/-euse

scandalously /'skændələslɪ/ *adv* [*behave, live*] de façon scandaleuse; [*expensive, underpaid*] scandaleusement

scandal sheet *n* journal *m* à scandales

Scandinavia /ˌskændɪ'neɪvɪə/ *pr n* Scandinavie *f*

Scandinavian /ˌskændɪ'neɪvɪən/

A *n* Scandinave *mf*

B *adj* scandinave

scanner /'skænə(r)/ *n* **1** Med (CAT) scanner *m*; **2** (for bar codes, electronic data etc) lecteur *m* optique; **3** (radar) scanner *m*; **4** Comput scanneur *m*, numériseur *m*, scanner *m*

scanning /'skænɪŋ/

A *n* **1** Med scanner *m*, scanographie *f* spec; **2** (radar) balayage *m*

B *modif* [*equipment, device, system*] Med de scanographie; [*radar*] de balayage

scansion /'skænʃn/ *n* scansion *f*

scant /skænt/ *adj* [*concern, coverage*] maigre; **a** ~ **five metres** à peine cinq mètres; **he has been given** ~ **credit for his work** on n'a pas suffisamment reconnu son travail; **to pay** ~ **attention to sth** ne faire guère attention à qch; **to show** ~ **regard for sth** n'être guère préoccupé de qch

scantily /'skæntɪlɪ/ *adv* insuffisamment; ~ **clad**, ~ **dressed** très légèrement vêtu; ~ **cut** très échancré

scantiness /'skæntɪnɪs/ *n* **1** gen insuffisance *f*; **2** (of clothing) minimalisme *m*

scanty /'skæntɪ/ *adj* [*meal, report, supply*] maigre; [*information*] sommaire; [*knowledge*] rudimentaire; [*swimsuit*] minuscule

scapegoat /'skeɪpgəʊt/ *n* bouc *m* émissaire (**for** de); **to make a** ~ **of sb** faire de qn un bouc émissaire

scapegrace† /'skeɪpgreɪs/ *n* mauvais sujet *m*

scapula /'skæpjʊlə/ *n* (*pl* **-ae** *ou* **-as**) omoplate *f*

scapular /'skæpjʊlə(r)/

A *n* Relig scapulaire *m*

B *adj* Anat scapulaire

scar /skɑː(r)/

A *n* **1** lit, fig cicatrice *f*; (from knife on face) balafre *f*; **acne** ~**s** traces *fpl* d'acné; **her years in prison left a permanent** ~ ses années de prison l'ont marquée à jamais; **the country still bears the** ~**s of its violent past** le pays porte toujours la cicatrice de son passé violent; **2** (crag) rocher *m* escarpé

B *vtr* (*p prés etc* **-rr-**) (physically, psychologically) marquer; (with knife on face) balafrer; fig défigurer [*landscape*]; **to** ~ **sb for life** lit laisser à qn une cicatrice permanente; fig marquer qn pour la vie; ~**red by acne** ravagé par l'acné; **society** ~**red by crime** société mutilée par le crime

C *vi* (*p prés etc* **-rr-**) se cicatriser

scarab /'skærəb/ *n* (all contexts) scarabée *m*

scarce /skeəs/

A *adj* **1** (rare) [*animal, antique, food, plant, water*] rare; **2** (insufficient) [*funds, information, resources*] limité; **to become** ~ se faire rare

B ‡*adv* (hardly) à peine

(Idiom) **to make oneself** ~○ s'éclipser○

scarcely /'skeəslɪ/ *adv* **1** (only just) [*credible, noticeable*] à peine; [*know, remember*] à peine; **it** ~ **matters** il n'importe guère; **the bus was** ~ **moving** le bus roulait à peine; ~ **a week passes without someone telephoning me** presque chaque semaine quelqu'un me téléphone; **to speak** ~ **a word of French** parler à peine français; **there were** ~ **50 people in the room** il y avait à peine 50 personnes dans la salle; ~ **anybody believes it** presque personne ne le croit; **there is** ~ **anything left to be done** il ne reste pratiquement plus rien à faire; **we have** ~ **any money** nous n'avons pratiquement pas d'argent; ~ **ever** presque jamais; **2** (not really) iron difficilement; **I can** ~ **accuse him** je peux difficilement l'accuser; **3** (not sooner) à peine; ~ **had she finished when the door opened** à peine avait-elle fini que la porte s'est ouverte

scarceness /'skeəsnɪs/ *n* rareté *f*

scarcity /'skeəsətɪ/ *n* **1** (dearth) pénurie *f* (**of** de); **2** (rarity) rareté *f* (**of** de); ~ **value** valeur *f* de rareté

scare /skeə(r)/

A *n* **1** (fright) peur *f*; **to give sb a** ~ faire peur à qn; **to get a** ~ avoir peur; **2** (alert) alerte *f*; **security** ~ alerte *f*; **3** (rumour) bruits *mpl* alarmistes; **food** ~ alerte *f* à l'intoxication alimentaire; **bomb/rabies** ~ alerte à la bombe/rage

B *vtr* faire peur à, effrayer [*animal, person*]; **to** ~ **sb into doing sth** forcer qn à faire qch par intimidation; **to** ~ **sb out of doing** empêcher qn de faire par intimidation; **to** ~ **sb stiff**○ *ou* **stupid**○ paralyser qn de peur

C *vi* **to** ~ **easily** s'effrayer facilement

(Phrasal verbs) ■ **scare away**, **scare off**: ▸ ~ **away [sth/sb]**, ~ **[sth/sb] away 1** (put off) dissuader [*burglars, investors, customers*]; **2** (drive away) faire fuir [*animal, attacker*]

■ **scare up**○ US: ▸ ~ **up [sth]**, ~ **[sth] up** dégoter○ [*food, money, people*]

scarecrow /'skeəkrəʊ/ *n* épouvantail *m*; **to look like a** ~ avoir l'air d'un épouvantail

scared /skeəd/ *adj* [*animal, person*] effrayé; [*look*] apeuré; **to be** *ou* **feel** ~ avoir peur; **to be** ~ **of** avoir peur de; **to be** ~ **of doing** avoir peur de faire; **to be** ~ **about sth** craindre qch; **to be** ~ **that** avoir peur que (+ *subj*); **to be** ~ **to do** avoir peur de faire; **to be** ~ **stiff**○ *ou* **stupid of/of doing** avoir une peur bleue de/de faire○; **to be running** ~ avoir peur; **to be running** ~ **of sb** éviter qn

scaredy cat○ /'skeədɪkæt/ *n* lang enfantin poule *f* mouillée○, lâche *mf*

scare: ~**monger** *n* alarmiste *mf*; ~**mongering** *n* alarmisme *m*; ~ **story** *n* rumeur *f* alarmiste; ~ **tactic** *n* tactique *f* alarmiste

scarf /skɑːf/ *n* (*pl* **scarves**) (long) écharpe *f*; (square) foulard *m*

scarify /'skeərɪfaɪ/ *vtr* Agric, Hort, Med scarifier

scarlatina /ˌskɑːlə'tiːnə/ ▸ **p. 1327** *n* scarlatine *f*

scarlet /'skɑːlət/ ▸ **p. 1067**

A *n* **1** (colour) écarlate *f*; **to blush** *ou* **go** ~ devenir écarlate; **2** (cloth) Relig pourpre *m*; Hist veste *f* écarlate

B *adj* écarlate

S

scarlet: ~ **fever** ▸ p. 1327 *n* scarlatine *f*; ~ **pimpernel** *n* mouron *m* rouge; ~ **runner** *n* haricot *m* d'Espagne; ~ **woman** *n* littér femme *f* de mauvaise vie

scarp /skɑːp/ *n* escarpement *m*

scarper○ /'skɑːpə(r)/ *vi* GB déguerpir

scar tissue *n* tissu *m* conjonctif

scarves /skɑːvz/ *pl* ▸ **scarf**

scary○ /'skeərɪ/ *adj* **1** (inspiring fear) [*film, monster, noise*] qui fait peur (*after n*); **to be ~** faire peur; **2** (causing distress) [*experience, moment, situation*] angoissant

scat /skæt/
A *n* scat *m*
B *excl* ouste!

scathing /'skeɪðɪŋ/ *adj* [*remark, report, tone, wit*] cinglant; [*criticism*] virulent; [*look*] noir; **to be ~ about sb/sth** être cinglant vis-à-vis de qn/qch

scathingly /'skeɪðɪŋlɪ/ *adv* [*speak, write*] de façon cinglante; **to look ~ at sb** foudroyer qn du regard; **~ honest** d'une honnêteté dévastatrice; **~ witty** d'un humour cinglant

scatological /ˌskætə'lɒdʒɪkl/ *adj* scatologique

scatology /skæ'tɒlədʒɪ/ *n* scatologie *f*

scatter /'skætə(r)/
A *n* **1** (of houses, stars, papers) éparpillement *m* (**of de**); **2** Stat dispersion *f*
B *vtr* **1** (*also* **~ around**, **~ about**) (throw around) répandre [*seeds, earth*]; éparpiller [*books, papers, clothes*]; disperser [*debris*]; **to be ~ed around** *ou* **about** [*people, islands, buildings, books*] être éparpillé; **to be ~ed with sth** être jonché de qch; **2** (cause to disperse) disperser [*crowd, animals*]; disperser, faire envoler [*birds*]; **3** Phys disperser [*electrons, light*]
C *vi* [*people, animals, birds*] se disperser

scatter: **~brain** *n* écervelé/-e *m/f*; **~-brained** *adj* [*person*] étourdi; [*idea*] farfelu○; **~ cushion** *n* coussinet *m*; **~ diagram**, **~ graph** *n* Stat diagramme *m* de dispersion

scattered /'skætəd/ *adj* **1** (dispersed) [*houses, villages, trees, population, clouds*] épars; [*books, litter*] éparpillé; [*support, resistance*] clairsemé; **the village is ~** les maisons du village sont dispersées; **2** Meteorol **~ showers** averses *fpl* intermittentes

scattering /'skætərɪŋ/ *n* (of leaves, papers, people) éparpillement *m*; (of shops, restaurants etc) constellation *f*

scatter: **~ rug** *n* carpette *f*; **~shot** *adj* [*cartridge*] de fusil de chasse; fig [*criticism*] à tout va

scattiness○ /'skætɪnɪs/ *n* GB étourderie *f*

scatty○ /'skætɪ/ *adj* GB étourdi

scavenge /'skævɪndʒ/
A *vtr* **1** lit récupérer [*food, scrap metal*] (**from** dans); **2** fig mendier [*funds, subsidies*]
B *vi* **to ~ in** *ou* **through the dustbins for sth** [*person*] faire les poubelles à la recherche de qch; [*dog*] fouiller les poubelles à la recherche de qch

scavenger /'skævɪndʒə(r)/ *n* **1** (for food) faiseur *m* de poubelles; **2** (for objects) récupérateur *m*; **3** (animal) charognard *m*

scavenger: **~ beetle** *n* scarabée *m* phytophage; **~ hunt** *n* chasse *f* au trésor

scenario /sɪ'nɑːrɪəʊ, US -'nær-/ *n* (*pl* **~s**) **1** Cin scénario *m*; **2** fig scénario *m*; **the worst-case ~** le pire scénario; **a nightmare ~** un scénario catastrophe; **this is a ~ for war** cela pourrait bien mener à la guerre

scenarist /sɪ'nɑːrɪst, US -'nær-/ ▸ p. 1683 *n* scénariste *mf*

scene /siːn/ *n* **1** (in play, film, novel) scène *f*; **act I, ~ 2** acte I, scène 2; **the balcony/seduction ~** la scène du balcon/de séduction; **street/crowd ~** scène de rue/foule; **the ~ is set in a Scottish town** la scène se déroule dans une ville écossaise; **first, let's set the ~: a villa in Mexico** situons le décor d'abord: une villa au Mexique; **this set the ~ for another war/argument** fig ceci a preparé le terrain pour une autre guerre/dispute; **the ~ was set for a major tragedy** fig tous les éléments étaient réunis pour qu'une grande tragédie se produise; **2** Theat (stage scenery) décor *m*; **behind the ~s** lit, fig dans les coulisses *fpl*; **to work behind the ~s** fig travailler en coulisses; **3** (location) lieu *m*; **the ~ of the crime/accident** le lieu du crime/de l'accident; **these streets have been the ~ of violent fighting** ces rues ont été le théâtre de violents affrontements; **to come on the ~** [*police, ambulance*] arriver sur les lieux; fig arriver; **you need a change of ~** tu as besoin de changer d'air *or* de décor; **4** (sphere, field) scène *f*; **she is a new arrival on the political ~** c'est une nouvelle venue sur la scène politique; **the economic ~** la scène économique; **the jazz/fashion ~** le monde du jazz/de la mode; **it's not my ~** ce n'est pas mon genre; **5** (emotional incident) scène *f*; **there were chaotic/angry ~s in parliament** il y a eu des scènes de désordre/de colère au parlement; **there were ~s of violence after the match** il y a eu des incidents violents après le match; **to make a ~** faire une scène; **he will do anything to avoid a ~** il fera n'importe quoi pour éviter une scène; **6** (image, sight) image *f*; **~s of death and destruction** des images de mort et de destruction; **it's a ~ that will remain with me forever** c'est une image qui demeurera à jamais en moi; **7** (view) vue *f*, tableau *m*; Art scène *f*; **he admired the beauty of the ~** il a admiré la beauté de la vue; **rural/outdoor ~** scène rurale/extérieure

scene: **~ change** *n* Theat changement *m* de décor; **~ designer**, **~ painter** *n* ▸ p. 1683 Theat décorateur/-trice *m/f*

scenery /'siːnərɪ/ *n* ₵ **1** (landscape) paysages *mpl*; **mountain ~** paysages de montagne; **a change of ~** fig un changement de décor; **2** Theat décors *mpl*; **a piece of ~** un élément de décor

scene shifter ▸ p. 1683 *n* machiniste *mf*

scenic /'siːnɪk/ *adj* [*drive, route, walk*] panoramique; [*location, countryside*] pittoresque; **the area is well-known for its ~ beauty** la région est renommée pour la beauté de son panorama

scenic railway *n* (train) petit train *m* (touristique); (rollercoaster) GB montagnes *fpl* russes

scenography /siː'nɒgrəfɪ/ *n* Art, Antiq scénographie *f*

scent /sent/
A *n* **1** (smell) odeur *f*; (more positive) parfum *m*; **2** (body smell) (of animal) fumet *m*, odeur *f*; **3** Hunt piste *f*, trace *f*; fig (of scandal, crime, criminal) relents *mpl*; **to pick up the ~** lit, fig trouver la piste; **to throw the dogs/the police off the ~** brouiller la piste aux chiens/à la police; **to be (hot) on the ~ of sth/sb** suivre qch/qn à la trace; **4** (perfume) parfum *m*
B *vtr* **1** (smell) lit flairer [*prey, animal*]; [*police dog*] flairer [*drugs, explosives*]; fig pressentir [*danger, trouble*]; flairer [*scandal*]; **2** (perfume) parfumer [*air, room*]

Phrasal verb ■ **scent out**: ▸ **~ [sth] out, ~ out [sth]** lit, fig flairer

scented /'sentɪd/
A *adj* [*soap, paper, flower, tree*] parfumé; [*air, breeze*] odorant; **~ with** parfumé de
B -scented (*dans composés*) **1** (with scent added) parfumé à; **rose-~ soap** du savon parfumé à la rose; **2** (natural) à l'odeur de; **honey-~ flowers** des fleurs à l'odeur de miel; **the pine-~ air** l'air qui flaire le pin liter; **sweet-~** à l'odeur suave

scented orchid *n* orchis *m* moucheron

scentless /'sentlɪs/ *adj* inodore

scepter US *n* = **sceptre**

sceptic GB, **skeptic** US /'skeptɪk/ *n* sceptique *mf*

sceptical GB, **skeptical** US /'skeptɪkl/ *adj* sceptique (**about, of** en ce qui concerne)

sceptically GB, **skeptically** US /'skeptɪklɪ/ *adv* avec scepticisme *m*

scepticism GB, **skepticism** US /'skeptɪsɪzəm/ *n* scepticisme *m* (**about** à propos de)

sceptre GB, **scepter** US /'septə(r)/ *n* sceptre *m*

Schaffhausen ▸ p. 1815, p. 1771 *pr n* Schaffhouse; **the canton of ~** le canton de Schaffhouse

schedule /'ʃedjuːl, US 'skedʒʊl/
A *n* **1** Admin, Comm, Constr programme *m*; (projected plan) prévisions *fpl*; **building ~** programme de construction; **production ~** prévisions de production; **to be ahead of/behind ~** être en avance/en retard sur les prévisions; **to work to a tight ~** travailler selon un programme serré; **to keep to a ~** suivre un programme; **to draw up** *ou* **make out a ~** établir un programme; **to be on ~ (for July)** progresser comme prévu (pour l'échéance de juillet); **finished on ~** fini à temps; **according to ~** comme prévu; **a ~ of events** un calendrier; **2** (of appointments) programme *m*; **work ~** programme de travail; **a full/crowded ~** gen, Sport un programme chargé/très chargé; **to fit sb/sth into one's ~** intégrer qn/qch dans son programme; **3** TV programme *m*; **autumn/winter ~** programme d'automne/d'hiver; **4** Transp (timetable) horaire *m*; **bus/train ~** horaire des bus/trains; **to arrive on/ahead of/behind ~** arriver à l'heure/en avance/en retard; **5** Comm, Jur (list) (of prices, charges) barème *m*; (of repayments) taux *m*; (of contents, listed buildings) inventaire *m*; (to a contract) annexe *f*; **as per the attached ~** conformément à la liste ci-jointe; **6** GB Tax barème *m* d'imposition
B *vtr* **1** (plan) prévoir [*activity*]; (arrange) programmer [*holiday, appointment*]; **to do sth as ~d** faire qch comme prévu; **I am ~d to speak at 2.00** je dois parler à 2 h; **the plane is ~d to arrive at 2.00** l'avion est attendu à 2 h; **the station is ~d for completion in 1997** la gare doit être terminée en 1997; **2** GB Archeol, Tourism (list) inventorier [*building, site*]

schedule: **~d building** *n* GB immeuble *m* classé; **~d flight** *n* vol *m* régulier; **~d territories** *npl* GB zone *f* sterling

scheduling /'ʃedjuːlɪŋ, US 'skedʒʊl-/ *n* (of project, work) programmation *f*; (of monument) GB classification *f*

schema /'skiːmə/ *n* (*pl* **-mata**) schéma *m*

schematic /skɪ'mætɪk/ *adj* schématique

schematically /skɪ'mætɪklɪ/ *adv* schématiquement

scheme /skiːm/
A *n* **1** (systematic plan) projet *m*, plan *m* (**to do** pour faire); **a ~ for sth/for doing** un plan pour qch/pour faire; **2** GB Admin (system) système *m*, projet *m*; **discount ~** système de rabais; **insurance ~** projet d'assurance; **road ~** projet de développement routier; **employees under this ~ will earn more** les employés concernés par le projet gagneront plus; **under the government's ~...** conformément au projet gouvernemental...; **3** péj (impractical idea) plan *m*; **to think** *ou* **dream up a ~** inventer un plan; **I think that's a bad ~** à mon avis, c'est une mauvaise idée; **4** (plot) combine *f* (**to do** pour faire); **5** (design, plan) (for house, garden etc) plan *m*; ▸ **colour scheme**
B *vi* péj comploter (**to do** pour faire; **against sb** contre qn)

Idioms **in the ~ of things, this incident is not very important** si on considère la situation dans son ensemble, cet incident n'est pas très grave; **she was unsure how she fitted into the ~ of things** elle ne savait pas où elle se situait; **in the Marxist/Keynesian ~ of things** selon la conception de Marx/Keynes; **in my/his ~ of things** dans mon/son monde

schemer /'ski:mə(r)/ *n* péj intrigant/-e *m/f*

scheming /'ski:mɪŋ/ péj
A *n* ¢ machinations *fpl*
B *adj* [*person*] intrigant

scherzando /skeə'tsændəʊ/
A *n* (*pl* **-di** *ou* **-dos**) scherzo *m*
B *adv* [*play*] scherzando, scherzo

scherzo /'skeətsəʊ/ *n* (*pl* **-zos** *ou* **-zi**) scherzo *m*

schilling /'ʃɪlɪŋ/ *n* Fin, Hist schilling *m*

schism /'sɪzəm/ *n* schisme *m* (**in** au sein de)

schismatic /sɪz'mætɪk/ *n, adj* schismatique (*mf*)

schist /ʃɪst/ *n* schiste *m*

schizo○ /'skɪtsəʊ/ *n, adj* schizo○ (*mf*)

schizoid /'skɪtsɔɪd/
A *n* schizoïde *mf*
B *adj* 1 Med [*person*] schizoïde; 2 fig [*attitudes, ideas*] contradictoire

schizophrenia /ˌskɪtsəʊ'fri:nɪə/ *n* Med, fig schizophrénie *f*

schizophrenic /ˌskɪtsəʊ'frenɪk/
A *n* schizophrène *mf*
B *adj* [*behaviour, problems*] schizophrénique; [*patient*] schizophrène

schlemiel◑, **schlemihl**◑ /ʃlə'mi:l/ *n* US (bungler) empoté/-e○ *m/f*; (victim) gogo○ *m*

schlep(p)◑ /ʃlep/ US
A *n* 1 (bungler) empoté/-e○ *m/f*; 2 (long journey) trotte○ *f*
B *vtr* traîner○, trimballer○
C *vi* (*also* ~ **around**) se traîner○

schlock◑ /ʃlɒk/ US
A *n* camelote○ *f*
B *adj* (*also* **schlocky**) en toc, qui ne vaut rien

schlump◑ /ʃlʊmp/ *n* US (person) traîne-savates○ *m inv*

schmal(t)z○ /ʃmɔ:lts/ *n* sensiblerie *f*

schmal(t)zy○ /'ʃmɔ:ltsɪ/ *adj* [*lovesong, novel, film*] larmoyant; [*music*] sirupeux/-euse

schmear◑ /'ʃmɪə(r)/ *n* US **the whole** ~ (of details) tout le baratin○; (of people) la troupe entière

schmo(e)◑ /ʃməʊ/ *n* US andouille○ *f*

schmooze◑ /ʃmu:z/
A *n* ¢ bavardages *mpl*
B *vi* bavarder

schmuck◑ /ʃmʌk/ *n* US (jerk) andouille○ *f*; (bastard) salaud◑ *m*

schnap(p)s /ʃnæps/ *n* schnaps○ *m*

schnorkel /'ʃnɔ:kl/ *n* US = **snorkel**

schnorrer◑ /'ʃnɔ:rə(r)/ *n* US parasite *m*

schnoz(zle)○ /'ʃnɒzl/ *n* pif○ *m*

scholar /'skɒlə(r)/ *n* 1 (learned person) érudit/-e *m/f*; **Shakespeare/classical/Hebrew** ~ spécialiste *mf* de Shakespeare/de lettres classiques/de l'hébreu; **he's not much of a** ~ il est plutôt primaire; 2 (student with scholarship) lauréat/-e *m/f* détenteur/-trice d'une bourse; 3 †(school pupil) élève *mf*

scholarly /'skɒləlɪ/ *adj* 1 (erudite) [*essay, approach, perspective*] érudit; 2 [*journal, periodical, circles*] (academic) universitaire; (serious) intellectuel/-elle; 3 (like a scholar) [*appearance*] d'intellectuel/-elle

scholarship /'skɒləʃɪp/
A *n* 1 (award) bourse *f* (**to** pour); **to win a** ~ **to Eton** obtenir une bourse pour Eton; **to award a** ~ **to sb** décerner une bourse à qn; 2 (meticulous study) érudition *f*; 3 (body of learning) savoir *m*, connaissances *fpl*; (of individual) érudition *f*; **Oxford is a centre of** ~ Oxford est un haut-lieu du savoir; **the book is a fine piece of** ~ c'est un livre d'une grande érudition
B *modif* [*student*] lauréat/-e *m/f* détenteur/-trice d'une bourse

> **Scholarship**
>
> Bourse attribuée par une école privée ou une université à de brillants élèves qui n'ont pas les moyens de poursuivre leurs études dans ce type d'établissements. Aux États-Unis, ces bourses sont aussi accordées aux étudiants dont les qualités sportives contribueront au prestige de l'université qui les recrute.

scholastic /skə'læstɪk/
A *n* Philos, Relig scolastique *mf*
B *adj* 1 Philos scolastique; 2 (of school) scolaire

Scholastic Aptitude Test, **SAT** *n* US examen *m* d'admission à l'université

> **Scholastic Aptitude Test, SAT**
>
> Examen standardisé que les élèves américains passent à la fin de leurs études secondaires. Il consiste en un QCM dans plusieurs matières qui teste davantage les capacités de compréhension que les connaissances. En général, les établissements d'enseignement supérieur tiennent compte des résultats à cet examen dans leurs critères d'admission. ▸ College

scholasticism /skə'læstɪsɪzəm/ *n* Philos scolastique *f*

school /sku:l/
A *n* 1 Sch école *f*; **at** ~ à l'école; **to go to/start/leave** ~ aller à/commencer/quitter l'école; **to send sb to** ~ envoyer qn à l'école; **the whole** ~ **was there** toute l'école était là; **used in** ~**s** utilisé à l'école; **broadcasts for** ~**s** émissions scolaires; **before/after** ~ avant/après l'école *or* la classe; ~ **starts/finishes/restarts** les cours commencent/finissent/reprennent; **no** ~ **today** pas de classe aujourd'hui; **a** ~ **for the blind/gifted** une école pour aveugles/surdoués; 2 (college) (of music, education etc) école *f*; **to go to medical/law** ~ faire des études de médecine/droit; 3 US (university) université *f*; 4 (of painting, literature, thought) école *f*; 5 (of whales, dolphins, porpoises) banc *m*; 6 (group of gamblers, drinkers etc) groupe *m*
B *modif* gen [*holiday, outing, life, uniform, year*] scolaire; (of particular school) [*canteen, library, minibus, playground, register*] de l'école
C *vtr* 1 (educate) **to** ~ **sb in sth** enseigner qch à qn [*art, trick, ways*]; 2 (train) dresser [*horse*]
D *v refl* **to** ~ **oneself in** s'enseigner [*patience, prudence*]
(Idioms) **of the old** ~ de la vieille école; **to go to the** ~ **of hard knocks** aller à l'école de la vie; **to grow up/learn sth in a hard** ~ grandir/apprendre qch à dure école

school age
A *n* âge *m* scolaire
B *modif* ~ **child** enfant d'âge scolaire

schoolbag /'sku:lbæg/ *n* gen sac *m* de classe; (traditional) cartable *m*

school board *n* 1 GB Hist *comité élu responsable des écoles publiques locales*; 2 US (of school) comité *m* de gestion d'une école; (of schools) comité *m* de gestion des écoles

schoolbook /'sku:lbʊk/ *n* livre *m* de classe

schoolboy /'sku:lbɔɪ/
A *n* (gen) élève *m*; (of primary age) écolier *m*; (secondary) collégien *m*; (sixth former) GB lycéen *m*
B *modif* 1 [*attitude, behaviour*] de collégien; [*slang, word*] d'élève; [*joke, prank, humour*] de potache○; 2 [*champion, player, championships*] junior

school: ~ **bus** *n* car *m* scolaire; ~ **captain** *n* GB Sch *élève responsable de la discipline*; **School Certificate** *n* GB Hist *autrefois certificat de fin d'études à 16 ans*; ~**child** *n* écolier/-ière *m/f*; ~ **council** *n*: *conseil d'enseignants et de représentants des élèves*; ~ **crossing patrol** *n*: *personne remplissant les fonctions d'agent de la circulation à la sortie des écoles*; ~**days** *npl* années *fpl* d'école; ~ **dinner** *n* = **school lunch**; ~ **district** *n* US secteur *m* scolaire; ~ **fees** *n* frais *mpl* de scolarité; ~**fellow**† *n* camarade *mf* d'école; ~**friend** *n* camarade *mf* de classe

schoolgirl /'sku:lgɜ:l/
A *n* gen élève *f*; (of primary age) écolière *f*; (secondary) collégienne *f*; (sixth former) GB lycéenne *f*
B *modif* [*complexion, figure*] de jeune fille; ~ **crush** béguin *m* d'adolescence (**on** pour)

school: ~ **graduation age** *n* US Sch = **school leaving age**; ~ **hours** *npl* heures *fpl* de classe; ~**house** *n* école *f*

schooling /'sku:lɪŋ/ *n* 1 (of child) scolarité *f*; 2 Equit (of horse) dressage *m*

school: ~ **inspector** ▸ p. 1683 *n* inspecteur/-trice *m/f*; ~**kid**○ *n* (primary) écolier/-ière *m/f*; (junior) collégien/-ienne *m/f*; (senior) lycéen/-éenne *m/f*; ~**-leaver** *n* GB jeune *mf* ayant fini sa scolarité; ~ **leaving age** *n* âge *m* de fin de scolarité; ~ **lunch** *n* repas *m* de la cantine scolaire; ~**man**, **Schoolman** *n* Hist scolastique *m*; ~**marm**, ~**ma'am** *n* péj maîtresse *f* d'école

schoolmarmish *adj* **she is** ~ elle fait vieille fille pudibonde

school: ~**master** ▸ p. 1683 *n* enseignant *m*; ~**mate** *n* camarade *mf* d'école; ~ **meal** *n* ▸ **school lunch**; ~**mistress** ▸ p. 1683 *n* enseignante *f*; ~ **of thought** *n* école *f* (de la pensée); ~ **phobia** *n* phobie *f* de l'école; ~ **phobic** *n* enfant *mf* qui souffre de la phobie de l'école; ~ **prefect** *n* GB Sch *élève de terminale chargé de la discipline*; ~ **record** *n* ≈ dossier *m* scolaire; ~ **report** GB, ~ **report card** US *n* bulletin *m* scolaire; ~**room** *n* salle *f* de classe

schoolteacher /'sku:lti:tʃə(r)/ ▸ p. 1683 *n* (gen) enseignant/-e *m/f*; (secondary) professeur *m*; (primary) gen instituteur/-trice *m/f*; Admin professeur *m* des écoles

school: ~**teaching** *n* enseignement *m*; ~ **time** *n* heures *fpl* de classe

schoolwork /'sku:lwɜ:k/ *n* travail *m* de classe; **to do well in one's** ~ bien travailler à l'école

schooner /'sku:nə(r)/ *n* 1 (boat) goélette *f*, schooner *m*; ~**-rigged** gréé en goélette; 2 (glass) US grande chope *f* (à bière); GB grand verre *m* à Xérès

schuss /ʃʊs/ *n* Sport schuss *m inv*

schwa /ʃwɑ:/ *n* Phon schwa *m*, chva *m*

Schwyz ▸ p. 1815, p. 1771 *pr n* Schwyz; **the canton of** ~ le canton de Schwyz

sciatic /saɪ'ætɪk/ *adj* Med sciatique

sciatica /saɪ'ætɪkə/ ▸ p. 1327 *n* Med sciatique *f*; **to have** ~ avoir une sciatique

science /'saɪəns/
A *n* 1 science *f*; ~ **and technology** la science et la technologie; ~ **and the arts** les sciences et les arts; **to teach/study** ~ enseigner/étudier les sciences; **the physical/natural** ~**s** les sciences physiques/naturelles; **sports/military** ~ science du sport/militaire; 2 (skill) habileté *f*
B *modif* [*correspondent, exam, journal, subject*] scientifique; [*department, faculty*] des sciences; [*lecturer, teacher, textbook*] de sciences
(Idiom) **to blind sb with** ~ épater qn avec sa science

science fiction
A *n* science-fiction *f*
B *modif* [*book, film, writer*] de science-fiction

science park *n* parc *m* scientifique

scientific /ˌsaɪən'tɪfɪk/ *adj* scientifique; **to prove/test sth using** ~ **method** prouver/tester qch scientifiquement; **it's a very** ~ **game** c'est un jeu qui exige de l'analyse intellectuelle

scientifically /ˌsaɪən'tɪfɪklɪ/ *adv* 1 [*investigate, prove, show*] scientifiquement; 2 [*trained, knowledgeable*] du point de vue scientifique

scientist /'saɪəntɪst/ ▸ p. 1683 *n* gen scientifique *mf*; (eminent) savant *m*

S

scientologist /ˌsaɪən'tɒlədʒɪst/ *n* adepte *mf* de la scientologie

Scientology /ˌsaɪən'tɒlədʒɪ/ *n* scientologie *f*

sci-fi○ /'saɪfaɪ/
A *n* (*abrév* = **science fiction**) science-fiction *f*
B *modif* [*book, film, writer*] de science-fiction

Scillies /'sɪlɪz/, **Scilly Isles** /'sɪlɪ aɪlz/ ▸ **p. 1355** *pr n* (îles *fpl*) Sorlingues *fpl*

scimitar /'sɪmɪtə(r)/ *n* cimeterre *m*

scintillate /'sɪntɪleɪt, US -təleɪt/ *vi* lit scintiller; fig [*person, debate*] briller

scintillating /'sɪntɪleɪtɪŋ, US -təleɪtɪŋ/ *adj* lit scintillant; fig [*person, conversation*] brillant; [*wit*] vif/vive; [*success*] éclatant

scion /'saɪən/ *n* **1** sout (person) jeune descendant/-e *m/f*; **2** Bot scion *m*

Scipio /'skɪpɪəʊ/ *pr n* Scipion

scissor /'sɪzə(r)/ *vtr* couper avec des ciseaux

scissor bill *n* bec *m* en ciseaux

scissors /'sɪzəz/ *npl* ciseaux *mpl*; **a pair of ~** une paire de ciseaux; **kitchen/sewing ~** ciseaux de cuisine/de couture; **a ~-and-paste job** un collage; fig péj un tissu d'idées glanées à droite à gauche

scissors: **~ jump** *n* saut *m* en ciseaux; **~ kick** *n* ciseaux *mpl*

sclera /'sklɪərə/ *n* sclérotique *f*

sclerosis /sklɪə'rəʊsɪs/ ▸ **p. 1327** *n* Med, fig sclérose *f*

sclerotic /sklɪə'rɒtɪk/ *adj* scléreux/-euse, sclérosé

SCM GB *abrév* ▸ **State Certified Midwife**

scoff /skɒf, US skɔ:f/
A ○*n* GB (food) bouffe○ *f*
B **scoffs** *npl* moqueries *fpl*
C *vtr* **1** (mock) **'love!' she ~ed** 'l'amour!' dit-elle avec dédain; **2** ○GB (eat) engloutir○, bouffer○
D *vi* se moquer (**at** de); **the play was ~ed at by the critics** la pièce a été la risée des critiques

scoffer /'skɒfə(r), US 'skɔ:fə(r)/ *n* moqueur/-euse *m/f*

scoffing /'skɒfɪŋ, US 'skɔ:fɪŋ/
A *n* moqueries *fpl*
B *adj* moqueur/-euse

scofflaw○ /'skɒflɔ:, US 'skɔ:f-/ *n* US personne *f* qui se moque de la loi

scold /skəʊld/
A †*n* (woman) mégère *f*
B *vtr* gronder (**for doing** pour avoir fait)
C *vi* râler○

scolding /'skəʊldɪŋ/ *n* ¢ gronderie *f*; **to give sb a ~** gronder qn; **to get a ~** se faire gronder

scoliosis /ˌskɒlɪ'əʊsɪs/ ▸ **p. 1327** *n* scoliose *f*

scollop *n* = **scallop**

sconce /skɒns/ *n* applique *f*

scone /skɒn, skəʊn, US skəʊn/ *n* GB scone *m* (*petit pain rond*)

scoop /sku:p/
A *n* **1** (implement) (for shovelling, ladling) pelle *f*; (for measuring coffee etc) mesure *f*; (for ice cream) cuillère *f* à glace; **coffee ~** mesure à café; **2** (scoopful) (of coffee, flour) mesure *f*; (of earth) pelletée *f*; (of ice cream) boule *f*; **3** Journ exclusivité *f*; **to get a ~** avoir une exclusivité; **4** ○US **the ~** tuyeau○ *m*, renseignements *mpl*
B ○*vtr* (win, obtain) décrocher○ [*prize, sum, medal*]; journ décrocher○ [*story, interview*]

(Phrasal verbs) ■ **scoop out**: ▸ **~ out [sth]**, **~ [sth] out** creuser [*earth*]; **to ~ out a hole** creuser un trou; **to ~ the flesh out of a tomato** évider une tomate
■ **scoop up**: ▸ **~ [sth] up**, **~ up [sth]** pelleter [*earth, snow*]; recueillir [*water*]; soulever [*child*]

scoopful /'sku:pfʊl/ *n* (of coffee, flour, sugar) mesure *f*; (of ice cream) boule *f*

scoot○ /sku:t/ *vi* filer○; **to ~ in/out** entrer/sortir à fond de train

scooter /'sku:tə(r)/ *n* **1** (child's) trottinette *f*, patinette *f*; **2** (motorized) scooter *m*; **3** US (boat) yacht *m* à glace

scope /skəʊp/ *n* **1** (opportunity) possibilité *f*; **~ for sth** possibilité(s) de qch; **~ for sb to do** possibilités pour qn de faire; **to have ~ to do** avoir la possibilité de faire; **to give sb ~ to do** laisser toute latitude à qn de faire; **2** (range, extent) (of plan) envergure *f*; (of inquiry, report, study) portée *f*; (of changes, disaster, knowledge, power) étendue *f*; (of textbook) champ *m*, portée *f*; **the research is broad/narrow in ~** le champ de la recherche est large/étroit; **to be within/outside the ~ of the study** faire partie du/sortir du champ de l'étude; **to fall within the ~ of the survey** rentrer dans le champ du sondage; **to extend the ~ of the investigation** élargir le champ de l'enquête; **3** (capacity) compétences *fpl*; **to be within/beyond the ~ of sb** entrer dans/dépasser les compétences de qn; **4** Ling portée *f*

scope creep *n* débordement *m*

scorbutic /skɔ:'bju:tɪk/ *adj* scorbutique

scorch /skɔ:tʃ/
A *n* (*also* **~ mark**) légère brûlure *f*
B *vtr* [*fire*] brûler; [*sun*] dessécher [*grass, trees*]; [*sun*] griller [*lawn*]; [*iron etc*] roussir [*fabric*]; **~ed earth policy** Mil tactique *f* de la terre brûlée
C *vi* **1** [*grass*] se dessécher; [*lawn*] griller; **this fabric ~es easily** ce tissu est fragile au repassage; **2** ○GB (*also* **~ along**) (speed) [*car, driver, athlete etc*] foncer○

scorcher○ /'skɔ:tʃə(r)/ *n* journée *f* de canicule; **yesterday was a real ~!** hier c'était la canicule!

scorching○ /'skɔ:tʃɪŋ/ *adj* (*also* **~ hot**) [*heat, conditions, day*] torride; [*sun*] brûlant; [*weather, summer*] caniculaire; [*sand, surface, coffee*] brûlant

score /skɔ:(r)/
A *n* **1** (number of points gained) Sport score *m*, marque *f*; (in cards) marque *f*; **to get the maximum ~** obtenir le score maximum; **there is still no ~** le score *or* la marque est toujours zéro à zéro; **the final ~ was 3–1** le score final était de 3 à 1; **to keep (the) ~** gen marquer les points *or* les résultats; (in cards) tenir la marque; **what's the ~?** (in game, match) où en est le jeu *or* le match?; (in cards) quelle est la marque?; fig où en sommes-nous?; **to know the ~** fig savoir où on est
2 (in exam, test) note *f*, résultat *m*; **his ~ in the test was poor** *ou* **low** il a obtenu une mauvaise note *or* un mauvais résultat au test
3 Mus (written music) partition *f*; (for ballet) musique *f* (du ballet); (for film) musique *f* (du film); **full/short ~** partition intégrale/réduite; **violin ~** partition pour violon; **orchestral ~** partition d'orchestre; **who wrote the ~?** Cin qui a composé la musique (du film)?
4 (twenty) **a ~** vingt *m*, une vingtaine *f*; **a ~ of sheep** une vingtaine de moutons; **three ~ years and ten** soixante-dix ans; **by the ~** à la pelle; **~s of requests** des tas de demandes; **~s of times** d'innombrables fois
5 (scratch) gen éraflure *f*; (on rock) strie *f*
6 (cut, incision) entaille *f*
7 (account) sujet *m*; **on this ~** à ce sujet, à cet égard; **you need have no worries on that ~** tu n'as aucun souci à te faire à ce sujet
B *vtr* **1** Sport marquer [*goal, point*]; remporter [*victory, success*]; **to ~ three goals** marquer trois buts; **to ~ 9 out of 10** avoir 9 sur 10; **to ~ a hit** (in swordsmanship) toucher; (in shooting) mettre dans le mille; fig remporter un grand succès; **to ~ a point against** *ou* **off** *ou* **over** (in argument, debate) l'emporter sur, marquer un point sur [*opponent*]
2 Mus (arrange) adapter; (orchestrate) orchestrer (**for** pour); Cin composer la musique de [*film*]; **~d for the piano** écrit pour le piano
3 (mark) (with chalk, ink) marquer, rayer
4 (cut) entailler [*wood, metal, leather*]; strier [*rock*]; inciser [*meat, fish*]; **the water had ~d channels into the rock** l'eau avait creusé des rainures dans les rochers; **a face ~d with wrinkles** un visage sillonné de rides
C *vi* **1** Sport (gain point) marquer un point; (obtain goal) marquer un but; **to ~ twice** marquer deux buts; **they failed to ~** (in match) ils n'ont pas réussi à marquer un but; **to ~ well** *ou* **highly** obtenir un bon résultat; **to ~ over** *ou* **against sb** (in argument, debate) prendre le dessus sur qn
2 (keep score) marquer les points *or* les résultats
3 ○(be successful) avoir du succès, l'emporter; (sexually) faire une touche○; **to ~ with a novel/with the critics** avoir du succès avec un roman/auprès de la critique; **you ~d last night!** tu as fait une touche○ hier soir!
4 ○argot des drogués réussir à se procurer de la drogue

(Idioms) **to settle a ~** régler ses comptes; **I have an old ~ to settle with her** j'ai un vieux compte à régler avec elle

(Phrasal verbs) ■ **score off**: ▸ **~ off [sth]**, **~ [sth] off** rayer, barrer [*name, figure*]; **to ~ sb's name off a list** rayer qn d'une liste; ▸ **~ off [sb]** (in argument) marquer des points sur [*opponent*]
■ **score out** = **score off**
■ **score up**: ▸ **~ up [sth]**, **~ [sth] up** inscrire [*debt*]; marquer, dénombrer [*points*]

score: **~board** *n* gen tableau *m* d'affichage; (in billiards) boulier *m*; **~card** *n* gen, Sport carte *f* de score; (in cards) feuille *f* de marque; **~line** *n* score *m*

scorer /'skɔ:rə(r)/ *n* **1** (of goal) marqueur/-euse *m/f* (de but); **2** (keeping score) marqueur/-euse *m/f*

scoresheet /'skɔ:ʃi:t/ *n* feuille *f* de match; **to add one's name to the ~** marquer un but

scoring /'skɔ:rɪŋ/ *n* **1** Sport **to open the ~** ouvrir la marque *or* le score; **2** Mus arrangement *m*; **3** gen, Culin (cuts) incisions *fpl*

scorn /skɔ:n/
A *n* mépris *m*, dédain *m* (**for** pour); **she has nothing but ~ for him** elle n'a que du mépris pour lui; **to be held up to ~ by sb** être l'objet des railleries de qn; **to pour** *ou* **heap ~ on** accabler [qn] de mépris [*person*], dénigrer [*attempt, argument, organization*]
B *vtr* **1** (despise) mépriser [*person, action*]; dédaigner [*fashion, make-up*]; **2** (reject) rejeter [*advice, invitation, offer of help*]; accueillir avec mépris [*claim, suggestion*]; **3** sout **to ~ to do, to ~ doing** ne pas daigner faire

(Idioms) **hell hath no fury like a woman ~ed** une femme humiliée est capable de tout; **to laugh sth to ~** exprimer son mépris pour qch

scornful /'skɔ:nfl/ *adj* méprisant, dédaigneux/-euse; **to be ~ of** manifester du mépris pour

scornfully /'skɔ:nfəlɪ/ *adv* avec mépris, dédaigneusement

Scorpio /'skɔ:pɪəʊ/ ▸ **p. 1917** *n* Scorpion *m*

scorpion /'skɔ:pɪən/ *n* scorpion *m*

scorpion fish *n* rascasse *f*, scorpène *f* spec

Scot /skɒt/ ▸ **p. 1467** *n* Écossais/-e *m/f*

scotch /skɒtʃ/ *vtr* étouffer [*rumour, revolt*]; contrecarrer [*plans*]; anéantir [*hopes*]

Scotch /skɒtʃ/
A *n* (*also* **~ whisky**) whisky *m*, scotch *m*
B *adj* écossais

Scotch: **~ broth** *n* potage *m* écossais (*à base de mouton, d'orge et de légumes*); **~ egg** *n* GB *œuf dur enrobé de chair à saucisse*; **~-Irish** *adj* irlando-écossais; **~ mist** *n* bruine *f*, crachin *m*; **~ pancake** *n* GB petite crêpe *f* épaisse; **~ pine** *n* = **Scots pine**; **~ tape**® *n* US scotch® *m*; **~ terrier** *n* = **Scottish terrier**

S

scot-free /ˌskɒtˈfriː/ *adj* **to get off** *ou* **go ~** (unpunished) s'en tirer sans être inquiété; (unharmed) s'en sortir indemne

Scotland /ˈskɒtlənd/ ▸ **p. 1096** *pr n* Écosse *f*

Scotland Yard *n* Scotland Yard (*police judiciaire britannique*)

Scots /skɒts/ ▸ **p. 1378** *n, adj* Ling écossais (*m*)

Scots: **~man** *n* Écossais *m*; **~ pine** *n* pin *m* sylvestre; **~woman** *n* Écossaise *f*

Scotticism /ˈskɒtɪsɪzəm/ *n* expression *f* écossaise

Scottie /skɒtɪ/ *n* scotch-terrier *m*, terrier *m* écossais

Scottish /ˈskɒtɪʃ/ ▸ **p. 1467** *adj* écossais; **the ~ Highlands** les Highlands *mpl* d'Écosse

Scottish: **~ country dancing** danse *f* folklorique écossaise; **~ Nationalist** *n* membre *m* du Parti national écossais; **~ National Party**, **SNP** *n* Parti *m* national écossais; **~ Office** *n* Pol, Hist ministère *m* des Affaires écossaises

Scottish Parliament *n* Parlement *m* écossais; ▸ **Devolution**

Scottish Parliament

En 1997, les Écossais se sont prononcés par référendum pour le rétablissement de leur parlement. Celui-ci siège depuis 1999 à Édimbourg et comprend 129 membres (appelés *MSPs* ou *Members of the Scottish Parliament*). Ses compétences s'étendent aux affaires internes à l'Écosse (santé, éducation, environnement, etc.), mais il dispose d'un pouvoir fiscal limité; la défense, les affaires étrangères et les finances restent contrôlées par le parlement à Westminster.

Scottish: **~ Secretary** *n* Pol ministre *m* chargé des Affaires écossaises; **~ terrier** *n* scotch-terrier *m*, terrier *m* écossais

scoundrel /ˈskaʊndrəl/ *n* péj gredin *m*; hum chenapan *m*

scour /ˈskaʊə(r)/
A *n* (erosion) erosion *f*
B *vtr* **1** (scrub) récurer; **2** (erode) [*river, wind*] éroder; **3** (search) parcourir [*area, book, list*] (**for** à la recherche de); lire [qch] d'un bout à l'autre [*book, list*] (**for** à la recherche de); **to ~ the shops for sth** faire le tour des magasins à la recherche de qch; **4** (wash) dégraisser [*wool, cloth*]

(Phrasal verb) ■ **scour out**: ▸ **~ out [sth]**, **~ [sth] out** récurer

scourer /ˈskaʊərə(r)/ *n* **1** (pad) tampon *m* à récurer; **2** (powder) poudre *f* à récurer

scourge /skɜːdʒ/
A *n* lit, fig fléau *m*
B *vtr* **1** lit fouetter; **2** fig [*ruler*] opprimer; [*famine, disease, war*] frapper
C *v refl* **to ~ oneself** [*monk, nun*] se donner la discipline

scouring pad *n* tampon *m* à récurer

scouring powder *n* poudre *f* à récurer

scouse° /skaʊs/ GB
A *n* (person) personne *f* originaire de Liverpool; (dialect) dialecte *m* de Liverpool
B *adj* de Liverpool

scouser° /ˈskaʊsə(r)/ *n* GB personne *f* originaire de Liverpool

scout /skaʊt/
A *n* **1** (*also* **Scout**) (Catholic) scout *m*; (non-Catholic) éclaireur *m*; **2** Mil éclaireur *m*; **to have a ~ around** Mil aller en reconnaissance; fig explorer; **3** (*also* **talent ~**) découvreur/-euse *m/f* de nouveaux talents; **4** GB Univ (cleaner) domestique *mf*
B *modif* (*also* **Scout**) [*camp, leader, movement*] scout; [*uniform*] de scout; [*troop*] de scouts
C *vi* **1** Mil aller en reconnaissance; **2** Sport (search) **to ~ for talent** prospecter pour trouver des joueurs

(Phrasal verb) ■ **scout around** Mil aller en reconnaissance; gen explorer (**to do** pour faire); **to ~ around for sth** rechercher qch

scout: **Scout Association** *n* association *f* de scouts; **~ hut** *n* GB local *m* de scouts

scouting /ˈskaʊtɪŋ/ *n* scoutisme *m*

scoutmaster /ˈskaʊtmɑːstə(r)/ *n* chef *m* scout

scow /skaʊ/ *n* chaland *m*

scowl /skaʊl/
A *n* air *m* renfrogné; **with a ~** d'un air renfrogné
B *vi* prendre un air renfrogné; **she ~ed at me** elle a pris un air renfrogné

scowling /ˈskaʊlɪŋ/ *adj* maussade

scrabble /ˈskræbl/ *vi* **1** (*also* **~ around**) (search) fouiller; **2** (scrape) gratter; **he ~d desperately for a hold** il a cherché désespérément à s'accrocher quelque part

Scrabble® /ˈskræbl/ *n* Scrabble® *m*

scrag /skræg/ *n* **1** (*also* **~ end**) Culin collet *m* de mouton; **2** (thin person) maigrichon *m*

scraggly /ˈskræglɪ/ *adj* US [*beard*] en bataille

scraggy /ˈskrægɪ/ *adj* [*person*] maigrichon/-onne; [*part of body*] décharné; [*animal*] famélique

scram° /skræm/ *vi* (*p prés etc* **-mm-**) filer°

scramble /ˈskræmbl/
A *n* **1** (rush) course *f* (**for** pour; **to do** pour faire); **the ~ for the best seats** la course pour avoir les meilleurs sièges; **2** (climb) escalade *f*; **3** Sport motocross *m*; **4** Aviat, Mil décollage *m* d'urgence
B *vtr* **1** (*also* **~ up**) (jumble) mettre [qch] en désordre [*papers*]; emmêler [*string, wool*]; **2** Culin **to ~ eggs** faire des œufs brouillés; **3** (code) Radio, Telecom brouiller [*signal*]; TV coder, crypter [*signal*]; **4** Mil faire décoller [qch] d'urgence [*aircraft, squadron*]
C *vi* **1** (clamber) grimper; **to ~ up/down** escalader [*slope, wall*]; **to ~ over** escalader [*rocks, debris*]; **to ~ through** se frayer un passage à travers [*bushes*]; **to ~ to one's feet** se lever en sursaut; **2** (compete) **to ~ for** se disputer [*contracts, jobs, prizes*]; **to ~ to do** se dépêcher de faire; **3** (rush) **to ~ for** se précipiter sur [*door, buffet*]; **to ~ to do** se démener pour faire

scrambled egg *n* **1** (*also* **~s**) Culin œufs *mpl* brouillés; **2** °Mil galon *m* d'officier

scramble net *n* filet *m* d'escalade

scrambler /ˈskræmblə(r)/ *n* **1** Radio, Telecom brouilleur *m*; **2** GB (motorcyclist) trialiste *mf*

scrambling /ˈskræmblɪŋ/ ▸ **p. 1253** *n* **1** Sport motocross *m*; **2** Radio, Telecom brouillage *m*; **3** TV cryptage *m*

scrap /skræp/
A *n* **1** (fragment) (of paper, cloth) petit morceau *m*; (of news, information, verse) fragment *m*; (of conversation) bribe *f*; (cutting) coupure *f*; (of land) parcelle *f*; **they devoured every ~ of food** ils ont tout dévoré jusqu'à la dernière miette; **there wasn't a ~ of evidence** il n'y avait pas la moindre preuve; **there isn't a ~ of truth in what they say** il n'y a pas une parcelle *or* un atome de vérité dans leurs propos; **she never does a ~ of work** elle ne fiche° jamais rien; **2** °(fight) bagarre° *f*; **to get into a ~ with sb** se bagarrer° avec qn; **3** (discarded goods) (metal) ferraille *f*; **to sell sth for ~** mettre qch à la casse
B **scraps** *npl* (of food) restes *mpl*; (in butcher's) déchets *mpl*; (of bread) bouts *mpl*
C *modif* [*price, value*] à la casse; **~ trade** marché *m* de la ferraille
D *vtr* (*p prés etc* **-pp-**) **1** °(do away with) abandonner [*system, policy, agreement, scheme, talks, tax*]; **2** (dispose of) détruire [*aircraft, weaponry, equipment*]
E °*vi* (*p prés etc* **-pp-**) (fight) se bagarrer° (**with** avec)

scrap: **~book** *n* album *m* (de coupures de journaux etc); **~ (metal) dealer** ▸ **p. 1683** *n* marchand *m* de ferraille

scrape /skreɪp/
A *n* **1** °(awkward situation) **to get into a ~** s'attirer des ennuis; **to get sb into a ~** mettre qn dans le pétrin°; **he's always getting into ~s** il s'attire toujours des ennuis, il se retrouve toujours dans des situations impossibles; **2** (in order to clean) **to give sth a ~** gratter qch; **3** (sound) (of cutlery, shovels, boots) raclement *m*; **4** (small amount) **a ~ of** un petit peu de [*butter, jam*]
B *vtr* **1** (clean) gratter [*vegetables, shoes*]; **to ~ sth clean** nettoyer qch en le grattant; **2** (damage) érafler [*paintwork, car part, furniture*]; **3** (injure) écorcher [*elbow, knee etc*]; **to ~ one's knee** s'écorcher le genou; **4** (making noise) racler [*chair, feet*]; **5** °(get with difficulty) **to ~ a living** s'en sortir à peine (**doing** en faisant); **she ~d a ten in biology** elle a laborieusement décroché un dix en biologie
C *vi* **1** **to ~ against sth** [*car part*] érafler qch; [*branch*] battre contre qch; **2** (economize) économiser le moindre sou

(Idiom) **to ~ the bottom of the barrel** gen être réduit à faire avec ce que l'on a sous la main; (when raising money) racler les fonds de tiroir

(Phrasal verbs) ■ **scrape back**: ▸ **~ [sth] back**, **~ back [sth]** tirer [qch] en arrière [*hair*].
■ **scrape by** s'en tirer°; **he manages to ~ by on £80 a week** il réussit à s'en tirer avec 80 livres sterling par semaine
■ **scrape home** Sport gagner de justesse
■ **scrape in** (to university, class) entrer de justesse
■ **scrape off**: ▸ **~ off [sth]**, **~ [sth] off** enlever [qch] en grattant
■ **scrape out**: ▸ **~ out [sth]**, **~ [sth] out** enlever [qch] en grattant [*contents of jar*]; nettoyer [qch] en grattant [*saucepan*]
■ **scrape through**: ▸ **~ through** s'en tirer de justesse; ▸ **~ through [sth]** réussir [qch] de justesse [*exam, test*]
■ **scrape together**: ▸ **~ [sth] together**, **~ together [sth]** arriver à amasser [*sum of money*]; arriver à réunir [*people*]
■ **scrape up** = **scrape together**

scraper /ˈskreɪpə(r)/ *n* (for decorating) couteau *m* de peintre; (for shoes) grattoir *m*

scrap heap /ˈskræp hiːp/ *n* lit tas *m* de ferraille; **to be thrown on** *ou* **consigned to the ~** fig être mis au rebut

scrapie /ˈskreɪpɪ/ *n* scrapie *f*

scraping /ˈskreɪpɪŋ/
A *n* **1** (noise) (of feet, chairs, cutlery) raclement *m* (**on sur**); **2** GB (small amount) **a ~ of** un petit peu de [*butter, jam*]; **3** (scratching) grattement *m*
B **scrapings** *npl* GB (of paint, food etc) restes *mpl*
C *pres p adj* [*noise*] de raclement, de grattement

scrap: **~ iron** *n* ferraille *f*; **~ merchant** ▸ **p. 1683** *n* marchand *m* de ferraille; **~ metal** *n* ferraille *f*; **~ paper** *n* papier *m* brouillon

scrappy /ˈskræpɪ/ *adj* **1** (disorganized) [*play, programme, report, essay*] décousu; [*game, playing*] désordonné; [*meal*] de bric et de broc; **2** °US, péj (pugnacious) [*person*] bagarreur/-euse°

scrap yard /ˈskræp jɑːd/ *n* chantier *m* de ferraille, casse *f*; **to take sth to/buy sth from the ~** mettre qch/acheter qch à la casse

scratch /skrætʃ/
A *n* **1** (wound) gen égratignure *f*; (from a claw, fingernail) griffure *f*; **to escape without a ~** s'en tirer sans une égratignure; **to get a ~ from a cat** se faire griffer par un chat; **2** (mark) (on metal, furniture) éraflure *f*; (on record, disc, glass) rayure *f*; **3** (action to relieve an itch) **to have a ~** se gratter; **to give one's arm/foot a ~** se gratter le bras/pied; **4** (sound) grattement *m*; **5** °(satisfaction, standard) **he/his work is not up to ~** il/son travail n'est pas à la hauteur; **to keep sth up to ~** maintenir qch au niveau voulu; **6** (zero) **to start from ~** partir de zéro; **to plan/study sth from ~** concevoir/

S

étudier qch en partant de zéro; [7] Sport **to play off ~** jouer scratch
B *adj* [*team*] de fortune; [*meal*] improvisé; **he's a ~ golfer** il joue scratch
C *vtr* [1] (cancel) supprimer [*race, meeting*]; [2] Comput (delete) effacer [*file*]; [3] (trace) **to ~ one's initials on sth** graver ses initiales sur qch; **to ~ a line in the soil** tracer une ligne dans la terre; [4] (wound) [*cat, person*] griffer [*person*]; [*thorns, rosebush*] égratigner [*person*]; **to get ~ed** (by cat) se faire griffer; (by thorns) être égratigné; **to ~ sb's eyes out** arracher les yeux à quelqu'un; [5] (react to itch) gratter [*spot*]; **to ~ one's arm/chin** se gratter le bras/menton; **to ~ an itch** se gratter; **to ~ sb's back** gratter le dos de qn; **to ~ one's head** lit se gratter la tête; fig être perplexe; [6] (damage) [*person, branch*] érafler [*car*]; [*cat*] se faire les griffes sur [*furniture*]; [*person, toy*] érafler [*furniture, wood*]; rayer [*record*]; **the table is all ~ed** la table est toute éraflée; [7] Sport (withdraw) retirer, scratcher [*horse, competitor*]
D *vi* [1] (relieve itch) [*person*] se gratter; [2] (inflict injury) [*person, cat*] griffer
E *v refl* **to ~ oneself** [*dog, person*] se gratter
(Idioms) **to ~ a living from the soil** tirer une maigre subsistance du sol; **you ~ my back and I'll ~ yours** un service en vaut un autre; **~ a translator and you'll find a writer underneath!** dans tout traducteur il y a un écrivain qui sommeille!
(Phrasal verbs) ■ **scratch around** [*hen*] gratter (**in** dans); **to ~ around to find the money** gratter un peu partout pour trouver l'argent nécessaire
■ **scratch at**: ▶ **~ at [sth]** gratter à [*door*]

scratch: **~card** *n* (game) carte *f* à gratter; (card) ticket *m* (*de jeu de grattage*); **~ file** *n* fichier *m* de travail; **~ mark** *n* éraflure *f*; **~ pad** *n* bloc-notes *m*; **~ tape** *n* bande *f* de travail; **~ test** *n* Med test *m* cutané; **~ video** *n* cassette *f* de montage

scratchy /'skrætʃɪ/ *adj* [*fabric, wool*] rêche

scrawl /skrɔːl/
A *n* gribouillage *m*
B *vtr, vi* gribouiller

scrawny /'skrɔːnɪ/ *adj* [*person, animal*] décharné; [*vegetation*] maigre

scream /skriːm/
A *n* [1] (sound) (of person, animal) cri *m* (perçant); (stronger) hurlement *m*; (of brakes) grincement *m*; (of tyres) crissement *m*; **~s of laughter** éclats *mpl* de rire; [2] ○(funny person) **to be a ~** être tordant○
B *vtr* lit crier, hurler [*words, insult, order*]; fig Journ [*headline*] annoncer (en titre)
C *vi* [*person, animal, bird*] crier, pousser des cris; (stronger) hurler; [*brakes*] grincer; [*tyres*] crisser; fig [*colour*] crier; **to ~ at sb** crier après qn○; **to ~ at sb to do sth** crier à qn de faire qch; **to ~ for sth/sb** réclamer qch/qn avec des cris; **to ~ with** hurler de [*fear, pain, rage*]; pousser des cris de [*excitement, pleasure*]; **to ~ with laughter** rire aux éclats
(Idioms) **to ~ the place down** pousser des hurlements; **he was kicking and ~ing** il se débattait en criant; **to drag sb kicking and ~ing to the dentist** forcer qn à aller chez le dentiste; **the company was dragged kicking and ~ing into the twentieth century** l'entreprise a été forcée à s'adapter aux exigences du monde moderne

screamer○ /'skriːmə(r)/ *n* US (headline) manchette *f*, gros titre *m*

screaming /'skriːmɪŋ/
A *n* (of person, animal, bird) cris *mpl*; (stronger) hurlements *mpl*; (of brakes) grincements *mpl*; (of tyres) crissements *mpl*
B *adj* fig [*headline*] racoleur/-euse; [*colour*] criard; ▸ **scream C**

screamingly /'skriːmɪŋlɪ/ *adv* **~ funny** à mourir de rire; **~ obvious** absolument évident

scree /skriː/ *n* éboulis *m*

screech /skriːtʃ/
A *n* gen cri *m* strident; (of tyres) crissement *m*
B *vtr* hurler
C *vi* [*person, animal*] pousser un cri strident; [*tyres*] crisser; **to ~ to a halt** s'arrêter dans un crissement de pneus

screech-owl *n* GB effraie *f*; US petit-duc *m* maculé

screed /skriːd/ *n* [1] épître *f*; **to write ~s** écrire des pages et des pages; [2] Constr (strip) règle *f*; (surfacing) chape *f* de nivellement

screen /skriːn/
A *n* [1] Cin, Comput, TV écran *m*; **computer/television ~** écran d'ordinateur/de télévision; **on ~** Comput sur l'écran; Cin, TV à l'écran; **the big ~** fig le grand écran, le cinéma; **the small ~** fig le petit écran, la télévision; **the ~** fig le grand écran, le cinéma; **a star of stage and ~** une vedette du théâtre et du cinéma; **he writes for the ~** Cin il écrit pour le cinéma; TV il écrit pour la télévision; ▸ **on-screen**; [2] (panel) (decorative or for getting changed) paravent *m*; (partition) cloison *f* mobile; (to protect) écran *m*; **bullet-proof ~** écran *m* pare-balles; **the hedge formed a ~ which hid the house from the road** la haie formait un écran qui rendait la maison invisible de la route; **a ~ of trees** un rideau d'arbres; [3] fig (cover) couverture *f*; **to act as a ~ for** servir de couverture à [*illegal activity*]; [4] Med visite *f* de dépistage; [5] Mil rideau *m*; [6] (sieve) crible *m*; [7] US (in door) grille *f*
B *modif* Cin [*actor, star*] de cinéma; [*appearance, debut, performance*] cinématographique, au cinéma
C *vtr* [1] (show on screen) Cin projeter [*film*]; TV diffuser, transmettre [*programme, film, event*]; [2] (shield) (conceal) cacher, masquer [*person, house*]; (protect) protéger (**from** de); **she wore a hat to ~ her eyes from the sun** elle portait un chapeau pour se protéger les yeux du soleil; **to ~ sth from sight** *ou* **view** cacher *or* masquer qch; [3] (subject to test) Admin examiner le cas de [*applicants, candidates*]; contrôler le statut de [*refugees*]; (at airport) contrôler [*baggage*]; Med faire passer des tests de dépistage à [*person, patient*]; **to be ~ed** [*staff*] faire l'objet d'une enquête de sécurité; **to ~ sb for cancer/Aids** faire passer à qn des tests de dépistage du cancer/du sida; **to ~ for cancer/Aids** faire des tests de dépistage du cancer/du sida; [4] (sieve) cribler
(Phrasal verbs) ■ **screen off**: ▶ **~ off [sth]**, **~ [sth] off** isoler [*part of room, garden*]
■ **screen out**: ▶ **~ [sb] out**, **~ out [sb]** refuser [*candidate*]; refuser la demande (de statut) de [*refugee*]; ▶ **~ out [sth]**, **~ [sth] out** filtrer [*unwanted data, nuisance calls*]; filtrer [*light, noise*]

screen: **~ capture** *n* capture *f* d'écran; **~ door** *n* porte *f* munie d'une moustiquaire; **~ dump** *n* Comput recopie *f* d'écran

screening /'skriːnɪŋ/ *n* [1] (showing) Cin projection *f*; TV diffusion *f*; **the film has already had two ~s this year** le film a été diffusé deux fois déjà cette année; [2] (testing) (of candidates) sélection *f*, tri *m*; Med (of patients) examens *mpl* systématiques, examens *mpl* de dépistage; **blood ~** Med analyse *f* de sang (de dépistage); **cancer ~** dépistage *m* du cancer; [3] (vetting) (of calls, information) filtrage *m*; [4] (sieving) criblage *m*

screening: **~ room** *n* Cin salle *f* de projection; **~ service** *n* Med service *m* de dépistage

screen: **~play** *n* Cin scénario *m*; **~ printing** *n* sérigraphie *f*; **~ rights** *npl* droits *mpl* d'adaptation à l'écran; **~saver** *n* Comput économiseur *m* d'écran; **~ test** *n* Cin bout *m* d'essai

screen wash *n* Aut [1] (device) lave-glace *m*; [2] (liquid) liquide *m* lave-glace

screenwriter /'skriːnraɪtə(r)/ ▸ **p. 1683** *n* Cin, TV scénariste *mf*

screw /skruː/
A *n* [1] Tech vis *f*; [2] Aviat, Naut hélice *f*; [3] ○GB (prison guard) maton/-onne○ *m/f*; [4] ●(sex) **to have a ~** tirer un coup●; **to be a good ~** bien baiser●; [5] ○GB (wage) **to earn a fair ~** gagner un bon paquet○
B *vtr* [1] Tech visser [*object*] (**into** dans); **to ~ sth onto** *ou* **to a door/to the floor** visser qch sur une porte/au plancher; **he ~ed the top on the bottle** il a vissé le bouchon sur la bouteille; [2] ◑(extort) **to ~ sth out of sb** extorquer qch à qn; [3] ◑(swindle) arnaquer◑ [*person*]; [4] ◑(have sex with) se taper●, baiser● [*person*]
C *vi* [1] Tech **to ~ onto/into sth** [*part, component*] se visser sur/dans qch; [2] ◑(have sex) baiser●
(Idioms) **~ you◑!** va te faire voir○!; **to have a ~ loose**○ avoir une case en moins○; **to have one's head ~ed on** avoir la tête sur les épaules; **to put the ~s on sb**○ forcer la main à qn
(Phrasal verbs) ■ **screw around**: ▶ **~ around** [1] ◑(sleep around) coucher à droite et à gauche; [2] ○US (do nothing) glander◑; [3] ○US (refuse to be serious) déconner◑; **quit ~ing around** arrête de déconner◑
■ **screw down**: ▶ **~ down** [*lid, hatch*] se visser; ▶ **~ [sth] down**, **~ down [sth]** visser (à fond) [*lid, screw*]
■ **screw in**: ▶ **~ in** [*handle, attachment*] se visser; ▶ **~ [sth] in**, **~ in [sth]** visser [*bolt*]
■ **screw off**: ▶ **~ off** [*cap, lid*] se dévisser; ▶ **~ [sth] off**, **~ off [sth]** dévisser [*cap, lid*]
■ **screw on**: ▶ **~ on** [*lid, cap, handle*] se visser; ▶ **~ [sth] on**, **~ on [sth]** visser [*lid, cap, handle*]
■ **screw round**: **to ~ one's head round** tourner la tête
■ **screw together**: ▶ **~ together** [*parts*] se visser l'un à l'autre; ▶ **~ [sth] together**, **~ together [sth]** assembler [qch] avec des vis [*table, model*]; **she ~ed the two parts together** elle a vissé les deux pièces l'une à l'autre
■ **screw up**: ▶ **~ up**○ (mess up) [*person, company*] merder◑, cafouiller○; ▶ **~ [sth] up**, **~ up [sth]** [1] (crumple) froisser [*piece of paper, material*]; **to ~ up one's eyes** plisser les yeux; **to ~ up one's face** faire la grimace; [2] ○(make a mess of) faire foirer○ [*plan, preparations, task*]; [3] (summon) **to ~ up one's courage** prendre son courage à deux mains; **to ~ up the courage to do** trouver le courage de faire; ▶ **~ [sb] up**○ perturber [*person*]; **he's really ~ up** il est vraiment perturbé

screwball○ /'skruːbɔːl/
A *n* cinglé/-e○ *m/f*
B *modif* [*person*] cinglé○

screw: **~bolt** *n* boulon *m*; **~-cap** *n* bouchon *m* à vis

screwdriver /'skruːdraɪvə(r)/ *n* [1] (tool) tournevis *m*; [2] (cocktail) vodka-orange *f*

screw: **~-in** *adj* [*lightbulb*] à vis; **~-off**○ *n* US fumiste○ *mf*; **~ thread** *n* Tech filetage *m*

screw top
A *n* bouchon *m* à vis
B **screw-top** *modif* [*jar*] avec un couvercle à vis; [*bottle*] avec un bouchon à vis

screwy○ /'skruːɪ/ *adj* cinglé○

scribble /'skrɪbl/
A *n* gribouillage *m*, griffonnage *m*; **I can't read his ~** je n'arrive pas à lire son gribouillage; **his signature was just a ~** sa signature était illisible
B *vtr* griffonner, gribouiller; **to ~ a note to sb** griffonner un mot à qn
C *vi* lit, fig griffonner, gribouiller
(Phrasal verbs) ■ **scribble down**: ▶ **~ [sth] down**, **~ down [sth]** griffonner [*message, note*]
■ **scribble out**: ▶ **~ [sth] out**, **~ out [sth]** raturer [*sentence, word*]

scribbler /'skrɪblə(r)/ *n* gen gribouilleur/-euse *m/f*; (author) écrivaillon *m* pej, écrivain *m* de deuxième catégorie

scribbling /ˈskrɪblɪŋ/ *n* lit, fig griffonnage *m*, gribouillage *m*

scribe /skraɪb/ *n* Hist, Bible scribe *m*

scrimmage /ˈskrɪmɪdʒ/ *n* 1 US (in football) mêlée *f*; 2 (struggle) bousculade *f*

scrimp /skrɪmp/ *vi* économiser; **to ~ on sth** lésiner sur qch péj; **to ~ and save** se priver de tout

scrimshank○ /ˈskrɪmʃæŋk/ *vi* GB Mil tirer au flanc○

scrimshanker○ /ˈskrɪmʃæŋkə(r)/ *n* GB Mil tire-au-flanc○ *m inv*

scrimshaw /ˈskrɪmʃɔː/ *n: objets sculptés sur de l'ivoire ou de l'os (par les marins)*

scrip /skrɪp/ *n* 1 (shares) actions *fpl* gratuites; 2 (certificate) certificat *m* d'actions provisoire

scrip issue *n* émission *f* d'actions gratuites

script /skrɪpt/
A *n* 1 (text) Cin, Radio, TV script *m*; Theat texte *m*; 2 (handwriting) écriture *f*; (print imitating handwriting) script *m*; **Cyrillic/italic ~** écriture cyrillique/italique; 3 GB Sch, Univ copie *f* (d'examen); 4 Jur document *m* original; 5 Comput script *m*
B *vtr* écrire le scénario de [*film etc*]

scripted /ˈskrɪptɪd/ *adj* Cin, Radio, TV écrit

scriptural /ˈskrɪptʃərəl/ *adj* sout biblique

scripture /ˈskrɪptʃə(r)/ *n* 1 Relig (*also* **Holy Scripture**, **Holy Scriptures**) (Christian) Saintes Écritures *fpl*; (other) textes *mpl* sacrés; 2 †Sch instruction *f* religieuse

scriptwriter /ˈskrɪptraɪtə(r)/ ▸ **p. 1683** *n* Cin, Radio, TV scénariste *mf*

scrofula /ˈskrɒfjʊlə/ ▸ **p. 1327** *n* scrofule *f*

scrofulous /ˈskrɒfjʊləs/ *adj* scrofuleux/-euse (also fig)

scroll /skrəʊl/
A *n* 1 (manuscript) rouleau *m* (manuscrit); (painting, commemorative) rouleau *m*; **the Dead Sea Scrolls** les Manuscrits *mpl* de la mer Morte; 2 Archit, Art (on column, violin) volute *f*
B *vtr* Comput **to ~ sth up/down** faire défiler qch vers le haut/vers le bas
C *vi* Comput défiler

scroll arrow *n* Comput flèche *f* de défilement; **up/down/left/right ~** flèche de défilement vers le haut/le bas/la gauche/la droite

scroll bar *n* barre *f* de défilement

scrolling /ˈskrəʊlɪŋ/ *n* Comput défilement *m*

scroll saw *n* scie *f* à ruban de précision

scrollwork /ˈskrəʊlwɜːk/ *n* Art ornementations *fpl* en volute

Scrooge○ /skruːdʒ/ *n* grippe-sou *m*

scrotum /ˈskrəʊtəm/ *n* (*pl* **~s** *ou* **-ta**) scrotum *m*

scrounge○ /skraʊndʒ/
A *n* **to be on the ~** être toujours en train de mendier
B *vtr* quémander; **to ~ sth off sb** gen taper○ qn de qch
C *vi* 1 **to ~ off sb** vivre sur le dos de qn; 2 **to ~ (around) for sth** chercher qch

scrounger○ /ˈskraʊndʒə(r)/ *n* parasite *m*

scroungy○ /ˈskraʊndʒɪ/ *adj* US minable

scrub /skrʌb/
A *n* 1 (clean) **to give sth a (good) ~** (bien) nettoyer qch; 2 Bot broussailles *fpl*; 3 Cosmet **facial ~** gommage *m or* exfoliant *m* pour le visage; **body ~** gommage *m or* exfoliant *m* pour le corps
B *vtr* (*p prés etc* **-bb-**) 1 (clean) frotter [*floor, object, back, child*]; nettoyer [*mussel, vegetable*]; **to ~ sth with a brush** brosser qch; **to ~ one's nails/hands** se brosser les ongles/les mains; **to ~ sth clean** nettoyer qch à fond; 2 ○(scrap) laisser tomber○ [*meeting, idea*]
C *vi* (*p prés etc* **-bb-**) nettoyer, frotter
D *v refl* (*p prés etc* **-bb-**) **to ~ oneself** se frotter
(Phrasal verbs) ■ **scrub down**: ▸ **~ down [sth/sb]**, **~ [sth/sb] down** nettoyer [qch/qn] à fond
■ **scrub off**: ▸ **~ off [sth]**, **~ [sth] off** nettoyer, enlever [*stain, graffiti*]
■ **scrub out**: ▸ **~ out [sth]**, **~ [sth] out** 1 (clean inside) récurer [*pan, oven, sink*]; 2 (rub out) effacer [*mark, word, line*]
■ **scrub up** [*surgeon*] se stériliser les mains (*avant une opération*)

scrubber /ˈskrʌbə(r)/ *n* 1 Ind (gas purifier) épurateur *m*; 2 (scourer) tampon *m* à récurer; 3 ◑GB Austral injur pouffiasse◑ *f* offensive

scrubbing brush, **scrub brush** US *n* brosse *f* de ménage

scrubby /ˈskrʌbɪ/ *adj* 1 [*land, hill*] broussailleux/-euse; 2 [*tree, bush*] rabougri

scrubwoman /ˈskrʌbwʊmən/ ▸ **p. 1683** *n* US femme *f* de ménage

scruff /skrʌf/ *n* 1 (nape) **by the ~ of the neck** par la peau du cou; 2 ○GB (untidy person) **he's a bit of a ~**○ il est peu soigné

scruffily /ˈskrʌfɪlɪ/ *adv* [*dress*] de façon négligée

scruffiness /ˈskrʌfɪnɪs/ *n* 1 (of person) allure *f* négligée; 2 (of clothes) aspect *m* négligé; 3 (of building, district) délabrement *m*

scruffy /ˈskrʌfɪ/ *adj* [*clothes, person*] dépenaillé; [*flat, town*] délabré

scrum /skrʌm/ *n* 1 (in rugby) mêlée *f*; **loose/tight ~** mêlée ouverte/fermée; 2 ○GB (crowd) bousculade *f*
(Phrasal verb) ■ **scrum down** (*p prés etc* **-mm-**) former la mêlée

scrum half *n* Sport demi *m* de mêlée

scrummage /ˈskrʌmɪdʒ/
A *n* (in rugby) mêlée *f*
B *vi* (in rugby) jouer en mêlée

scrummy○ /ˈskrʌmɪ/ *adj* délicieux/-ieuse, fameux/-euse

scrump○ /skrʌmp/ *vtr* GB chiper○ [*apples*]

scrumptious○ /ˈskrʌmpʃəs/ *adj* délicieux/-ieuse

scrumpy /ˈskrʌmpɪ/ *n* GB cidre *m*

scrunch /skrʌntʃ/
A *n* crissement *m*
B *vi* [*footsteps, tyres*] crisser
(Phrasal verb) ■ **scrunch up**: ▸ **~ up** US se tasser; ▸ **~ [sth] up**, **~ up [sth]** faire une boule de

scrunch-dry /ˈskrʌntʃdraɪ/ *vtr* **to ~ one's hair** se sécher les cheveux en coiffant avec les doigts

scruple /ˈskruːpl/
A *n* scrupule *m* (**about** vis-à-vis de); **without ~** sans aucun scrupule; **to have ~s about doing** avoir des scrupules à faire; **to have no ~s about doing** n'avoir aucun scrupule à faire
B *vi* **not to ~ to do** n'avoir aucun scrupule à faire

scrupulous /ˈskruːpjʊləs/ *adj* [*attention, detail, person*] scrupuleux/-euse; **to be ~ about punctuality/hygiene** être d'une ponctualité/d'une hygiène scrupuleuse

scrupulously /ˈskruːpjʊləslɪ/ *adv* [*wash, prepare, avoid*] scrupuleusement; **~ honest/fair/clean** d'une honnêteté/équité/propreté scrupuleuse

scrutineer /ˌskruːtɪˈnɪə(r), US -tnˈɪər/ *n* scrutateur/-trice *m/f*

scrutinize /ˈskruːtɪnaɪz, US -tənaɪz/ *vtr* scruter [*face, motives*]; examiner [qch] minutieusement [*document, plan*]; vérifier [*accounts, votes*]; surveiller [*activity, election*]

scrutiny /ˈskruːtɪnɪ, US ˈskruːtənɪ/ *n* 1 (investigation) examen *m*; **close ~** examen approfondi; **the results are subject to ~** les résultats sont donnés sous réserve de vérification; **to come under ~** être examiné; **to avoid ~** échapper au contrôle; 2 (surveillance) surveillance *f*; 3 (look) regard *m* scrutateur

SCSI *n* Comput (*abrév* = **small computer systems interface**) *interface pour minisystèmes informatiques*

scuba /ˈskuːbə/ *n* matériel *m* de plongée

scuba: **~ diver** *n* Sport plongeur/-euse *m/f* sous-marin/-e; **~ diving** ▸ **p. 1253** *n* plongée *f* sous-marine

scud /skʌd/ *vi* (*p prés etc* **-dd-**) 1 Naut [*ship*] fuir; 2 [*cloud*] filer; **to ~ across the sky** filer dans le ciel

scuff /skʌf/
A *n* (*also* **~ mark**) 1 (on leather) éraflure *f*; 2 (on floor, furniture) rayure *f*
B *vtr* érafler [*shoes*]; rayer [*floor, furniture*]; **to ~ one's feet** traîner les pieds
C *vi* [*shoes*] s'érafler; [*floor*] se rayer
(Phrasal verb) ■ **scuff up** soulever [*dust*]; abîmer [*lawn*]

scuffle /ˈskʌfl/
A *n* bagarre *f*
B *vi* se bagarrer

scull /skʌl/
A *n* 1 (boat) outrigger *m*; **single ~** skiff *m*; **double ~** deux *m* de couple; 2 (single oar) godille *f*; 3 (one of a pair of oars) aviron *m*
B *vtr* 1 (with one oar) faire avancer [qch] à la godille; 2 (with two oars) faire avancer [qch] à l'aviron
C *vi* 1 (with one oar at stern) godiller; 2 (with two oars) ramer en couple; **to ~ up/down the river** remonter/descendre la rivière à l'aviron

scullery /ˈskʌlərɪ/ *n* GB arrière-cuisine *f*

scullery maid ▸ **p. 1683** *n* Hist fille *f* de cuisine

sculpt /skʌlpt/ *vtr, vi* sculpter

sculptor /ˈskʌlptə(r)/ ▸ **p. 1683** *n* sculpteur *m*

sculptress /ˈskʌlptrɪs/ ▸ **p. 1683** *n* sculpteur *m*

sculptural /ˈskʌlptʃərəl/ *adj* sculptural

sculpture /ˈskʌlptʃə(r)/
A *n* sculpture *f*
B *modif* [*class, gallery*] de sculpture
C *vtr* sculpter

scum /skʌm/ *n* 1 (on pond) couche *f*; 2 (on liquid) mousse *f*; 3 (on bath) crasse *f*; 4 ◑injur (worthless person) ordure◑ *f* offensive; (worthless group) racaille *f*; **they're the ~ of the earth** ce sont des moins que rien

scumbag◑ /ˈskʌmbæg/ *n* injur salaud◑/salope◑ *m/f* offensive

scummy /ˈskʌmɪ/ *adj* 1 (dirty) [*bath, canal, pond*] crasseux/-euse; [*liquid*] mousseux/-euse; 2 ◑injur (rotten) **you ~ bastard●!** espèce de salaud◑! offensive

scupper /ˈskʌpə(r)/
A *n* Naut dalot *m*
B *vtr* 1 GB Naut saborder [*ship*]; 2 ○GB (ruin) faire capoter [*attempt, deal, plan*]; **we're ~ed!** nous sommes fichus○!

scurf /skɜːf/ *n* ¢ 1 (dandruff) pellicules *fpl*; 2 (dead skin) peau *f* morte

scurfy /ˈskɜːfɪ/ *adj* [*hair*] pelliculeux/-euse; [*skin*] squameux/-euse

scurrility /skəˈrɪlətɪ/ *n* sout 1 (viciousness) calomnie *f*; 2 (vulgarity) vulgarité *f*

scurrilous /ˈskʌrɪləs/ *adj* 1 (defamatory) calomnieux/-ieuse; 2 (vulgar) scabreux/-euse

scurrilously /ˈskʌrɪləslɪ/ *adv* 1 (insultingly) [*abuse, attack*] avec calomnie; 2 (vulgarly) [*describe, write*] de façon scabreuse

scurry /ˈskʌrɪ/
A *n* (*tjrs sg*) **the ~ of feet** le bruit de pas rapides
B *vi* (*prét, pp* **-ried**) se précipiter; **to ~ across/along/into** se précipiter à travers/le long de/dans; **to ~ to and fro** courir dans tous les sens; **to ~ to and fro between the kitchen and the living room** courir de la cuisine au salon; **to ~ away**, **to ~ off** se sauver

scurvy /ˈskɜːvɪ/
A *n* Med scorbut *m*
B ‡*adj* [*knave, fellow*] misérable; [*trick*] perfide

scut /skʌt/ *n* Zool queue *f*

scutcheon /ˈskʌtʃən/ *n* écusson *m*

scuttle /ˈskʌtl/
A *n* 1 (hatch) écoutille *f*; 2 (basket) panier *m* à

S

fond plat; **3** ▸ **coal scuttle**
B *vtr* lit saborder [*ship*]; fig faire échouer [*talks, project, etc*]
C *vi* courir à toute vitesse; **to ~ across sth** traverser qch à toute vitesse; **to ~ after sb/sth** courir après qn/qch; **to ~ away, to ~ off** filer

scuttlebutt /ˈskʌtlbʌt/ *n* **1** Naut Hist charnier *m*; **2** °US (gossip) ragots *mpl*

Scylla /ˈsɪlə/ *pr n*
(Idiom) **to be between ~ and Charybdis** être entre le marteau et l'enclume

scythe /saɪð/
A *n* faux *f inv*
B *vtr* faucher [*grass*]; [*sword*] fendre [*air*]

SD *n* US Post *abrév* ▸ **South Dakota**

SDI *n* US Mil Hist (*abrév* = **Strategic Defense Initiative**) IDS *f*

SDLP *n* Pol (in Ireland) (*abrév* = **Social Democratic and Labour Party**) SDLP *m*

SDP *n* GB Pol Hist (*abrév* = **Social Democratic Party**) parti *m* social démocrate britannique

SDR *n* Fin (*abrév* = **special drawing rights**) DTS *mpl*

SE ▸ p. 1552 *n* (*abrév* = **southeast**) SE *m*

sea /siː/ ▸ p. 1493
A *n* **1** (as opposed to land) gen mer *f*; (distant from shore) large *m*; **beside** *ou* **by the ~** au bord de la mer; **the open ~** le large; **to look/be swept out to ~** regarder/être entraîné vers le large; **to be at ~** être en mer; **once we get out to ~** une fois qu'on sera en mer; **once out to ~** une fois en pleine mer; **to put (out) to ~** prendre la mer; **to go to ~** [*boat*] prendre la mer; **a long way out to ~** très loin de la côte; **by ~** [*travel*] en bateau; [*send*] par bateau; **to travel over land and ~** littér parcourir océans et continents; **to bury sb at ~** immerger le corps de qn; **2** (surface of water) **the ~ is calm/rough/very rough/choppy** la mer est calme/mauvaise/démontée/agitée; **the ~ was like glass** la mer était d'huile; **3** (*also* **Sea**) **the Mediterranean/North ~** la mer Méditerranée/du Nord; **the ~ of Galilee** la mer de Galilée; **the Sea of Storms** l'océan des Tempêtes; **4** (as career) **to go to ~** (join Navy) s'engager dans la marine; (join ship) se faire engager comme marin; **after six months at ~** gen après six mois comme marin; (in Navy) après six mois dans la marine; **5** (sailor's life) **the ~** la vie de marin; **to give up the ~** abandonner la vie de marin; **6** fig **a ~ of** une nuée de [*banners, faces*]; **a ~ of troubles** littér une avalanche d'ennuis
B **seas** *npl* **the heavy ~s** la tempête; **to sink in heavy ~s** couler par gros temps
C *modif* gen [*air, breeze, mist*] marin; [*bird, water*] de mer; [*crossing, voyage*] par mer; [*boot, chest*] de marin; [*battle*] naval; [*creature, nymph*] de la mer; [*power*] maritime
(Idioms) **to be all at ~** être complètement perdu; **to get one's ~ legs** s'habituer au roulis; **worse things happen at ~!** ça aurait pu être pire!

sea: **~ anchor** *n* ancre *f* flottante; **~ anemone** *n* anémone *f* de mer; **~ bag** *n* sac *m* de marin; **~ bass** *n* loup de mer *m*

seabed /ˈsiːbed/ *n* **the ~** les fonds *mpl* marins; **on the ~** sur les fonds marins

Seabee /ˈsiːbiː/ *n* US Mil Naut soldat *m* au service du génie maritime

sea: **~board** *n* côte *f*; **~borne** *adj* [*attack*] venant de la mer; [*algae*] flottant; [*trade*] maritime; **~ bream** *n* dorade *f*; **~ captain** ▸ p. 1599 *n* capitaine *m* de la marine marchande; **~ change** *n* transformation *f* radicale; **~ cow** *n* vache *f* marine; **~ defences** GB, **~ defenses** US *npl* digues *fpl*; **~ dog** *n* (vieux) loup *m* de mer, marin *m* chevronné; **~ dumping** *n* déversement *m* de déchets en mer; **~ eagle** *n* aigle *m* de mer; **~ eel** *n* anguille *f* de mer; **~ elephant** *n* éléphant *m* de mer; **~farer** *n* marin *m*

seafaring /ˈsiːfeərɪŋ/ *adj* [*nation*] de marins; **my ~ days** ma vie de marin; **a ~ man** un marin

sea fish farming *n* aquaculture *f*

seafood /ˈsiːfuːd/
A *n* fruits *mpl* de mer
B *modif* [*kebab, cocktail, platter*] de fruits de mer; [*sauce*] aux fruits de mer

seafront /ˈsiːfrʌnt/ *n* front *m* de mer, bord *m* de mer; **a hotel on the ~** un hôtel situé sur le front de mer; **to stroll along the ~** se promener sur le front de mer

sea: **~going** *adj* [*vessel, ship*] pour la navigation maritime; **~-green** ▸ p. 1067 *n, adj* vert *m* d'eau; **~gull** *n* mouette *f*; **~ horse** *n* hippocampe *m*; **~kale** *n* chou *m* marin

seal /siːl/
A *n* **1** Zool phoque *m*; **2** Jur, gen (insignia) sceau *m*; **to set one's ~ on** lit apposer son cachet sur [*document*]; fig conclure [*championship, match*]; **to set the ~ on** sceller [*friendship*]; confirmer [*trend, regime*]; **I need your ~ of approval** j'ai besoin de votre approbation; **to give sth one's ~ of approval** approuver qch; **look for our ~ of quality** exigez le label de qualité; **3** (integrity mechanism) (on container) plomb *m*; (on package, letter) cachet *m*; (on door) scellés *mpl*; **4** (closing mechanism) fermeture *f*; **the cork provides a tight ~** le bouchon ferme hermétiquement; **cheap envelopes have a poor ~** les enveloppes bon marché se collent mal; **an airtight/watertight ~** une fermeture étanche (à l'air/à l'eau); **the rubber strip forms a ~ around the door** la bande de caoutchouc scelle le tour de la porte
B *modif* Zool [*hunting*] au phoque; [*meat*] de phoque; [*population*] de phoques
C *vtr* **1** (authenticate) cacheter [*document, letter*]; **the letter was ~ed with a kiss** un baiser servit de sceau à la lettre; **2** (close) fermer [*envelope, package*]; plomber [*container, lorry*]; sceller [*oil well, pipe*]; boucher [*gap*]; **3** (make airtight, watertight) fermer [qch] hermétiquement [*jar, tin*]; lisser [*plaster*]; rendre [qch] étanche [*roof, window frame*]; **4** (settle definitively) sceller [*alliance, friendship*] (**with** par); conclure [*deal*] (**with** par); **to ~ sb's fate** décider du sort de qn
D *vi* Hunt chasser le phoque; **to go ~ing** aller à la chasse au phoque
E **sealed** *pp adj* [*envelope*] cacheté; [*package*] scellé; [*bid, instructions, orders*] sous pli cacheté; [*jar*] fermé hermétiquement; [*door, vault*] scellé
(Phrasal verbs) ■ **seal in** conserver [*flavour*]
■ **seal off**: ▸ **~ [sth] off, ~ off [sth]** **1** (isolate) isoler [*corridor, wing*]; **2** (cordon off) boucler [*area, building*]; barrer [*street*]
■ **seal up**: ▸ **~ [sth] up, ~ up [sth]** fermer [qch] hermétiquement [*jar*]; boucher [*gap*]

sea lane *n* couloir *m* de navigation

sealant /ˈsiːlənt/ *n* **1** (coating) enduit *m* d'étanchéité; **2** (filler) mastic *m*

sea: **~-launched missile** *n* missile *m* mer-sol; **~ lavender** *n* lavande *f* de mer

seal: **~ cull** *n* Hunt massacre *m* des phoques; **~ culling** *n* massacre *m* de phoques

sealer /ˈsiːlə(r)/ *n* **1** Hunt (person) chasseur *m* de phoques; (ship) navire *m* chasseur de phoques; **2** Constr enduit *m* d'étanchéité

sea level *n* niveau *m* de la mer; **above/below ~** au-dessus/en dessous du niveau de la mer; **1,000 m above ~** à 1000 m au-dessus du niveau de la mer; **rising ~s threaten the coastline** la montée du niveau de la mer menace les côtes

sealing /ˈsiːlɪŋ/ *n* **1** Hunt chasse *f* aux phoques; **2** (closing) (of letter) cachetage *m*; (of container) plombage *m*

sealing wax *n* cire *f* à cacheter

sea: **~ lion** *n* lion *m* de mer; **~ loch** *n* loch *m* (*en Écosse, ouvert sur la mer*); **Sea Lord** *n* GB *l'un des deux officiers d'active de la Marine qui tiennent un poste-clé au Ministère de la Défense*

seal ring *n* bague *f* portant un sceau

sealskin /ˈsiːlskɪn/
A *n* peau *f* de phoque
B *modif* [*coat, gloves*] en peau de phoque

seam /siːm/
A *n* **1** Sewing couture *f*; **to be bursting at the ~s** [*building*] être bondé; [*suitcase*] être plein à craquer; **his coat is bursting at the ~s** les coutures de son manteau sont prêtes à craquer; **to come apart at the ~** [*marriage, plan*] s'écrouler; [*garment*] craquer; **2** Ind, Tech (cordon *m* de) soudure *f*; **3** Geol veine *f*; **4** (suture) couture *f*; **5** (in cricket) *couture centrale de la balle de cricket*
B *vtr* Sewing coudre

seaman /ˈsiːmən/ *n* (*pl* **-men**) **1** ▸ p. 1599 Mil Naut matelot *m*; **2** (amateur) marin *m*

seaman apprentice *n* US, Mil Naut matelot *m* de seconde classe breveté provisoire

seamanlike /ˈsiːmənlaɪk/ *adj* **to look ~** avoir l'air d'un vrai marin; **in a ~ manner** comme un vrai marin

seaman recruit *n* US, Mil Naut matelot *m* de seconde classe sans spécialité

seamanship /ˈsiːmənʃɪp/ *n* capacités *fpl* de navigateur

seamed /siːmd/ *pp adj* [*stockings, tights*] à coutures; **a face ~ with wrinkles** un visage sillonné de rides

sea: **~ mile** *n* mille *m* marin; **~ mist** *n* brume *f*

seamless /ˈsiːmlɪs/ *adj* [*garment, cloth*] sans coutures; [*transition*] sans heurts; [*process, whole*] continu

seamstress /ˈsemstrɪs/ ▸ p. 1683 *n* couturière *f*

seamy /ˈsiːmɪ/ *adj* [*intrigue, scandal*] sordide; [*area*] malfamé; **the ~ side of sth** le côté peu reluisant de qch

seance /ˈseɪɑːns/ *n* séance *f* de spiritisme

sea: **~ otter** *n* loutre *f* de mer; **~ perch** *n* perche *f* de mer; **~plane** *n* hydravion *m*; **~ pollution** *n* pollution *f* marine; **~port** *n* port *m* maritime

sear /sɪə(r)/
A *adj* littér [*plant*] flétri
B *vtr* **1** (scorch) calciner; **2** (seal) cautériser [*wound*]; saisir [*meat*]; **3** (wither) flétrir; **4** (brand) lit brûler [*flesh*]; fig graver

search /sɜːtʃ/
A *n* **1** (seeking) recherches *fpl* (**for sb/sth** pour retrouver qn/qch); **in ~ of** à la recherche de; **in the ~ for a solution/for peace** à la recherche d'une solution/de la paix; **2** (examination) (of house, area, bag, cupboard) fouille *f* (**of** de); **house ~** Jur perquisition *f*; **right of ~** Jur, Naut droit *m* de visite; **to carry out a ~ of sth** fouiller qch; **3** Comput recherche *f*; **to do a ~** effectuer une recherche
B *vtr* **1** (examine) fouiller [*area, countryside, woods*]; fouiller, perquisitionner dans Jur [*house, office, premises*]; fouiller dans [*cupboard, drawer*]; [*police, customs*] fouiller [*person, luggage*]; [*person*] fouiller dans, chercher dans [*memory*]; examiner (attentivement) [*page, map, records*]; **I ~ed his face for some sign of remorse** j'ai scruté son visage pour y déceler quelque trace de remords; **~ me°!** aucune idée!, j'en sais rien°!; **2** Comput rechercher dans [*file*]
C *vi* **1** (seek) chercher; **to ~ for** *ou* **after sb/sth** chercher qn/qch; **2** (examine) **to ~ through** fouiller dans [*cupboard, bag*]; examiner [*records, file*]; **3** Comput **to ~ for** rechercher [*data, item, file*]
(Phrasal verbs) ■ **search about, search around** chercher, fouiller (**in** dans); **to ~ around for sb/sth** chercher qn/qch
■ **search out**: ▸ **~ [sb/sth] out, ~ out [sb/sth]** découvrir

search-and-replace *n* Comput chercher-remplacer *m*

ℹ Seasons

■ *French never uses capital letters for names of seasons as English sometimes does.*

spring
= le printemps

summer
= l'été *m*

autumn or fall
= l'automne *m*

winter
= l'hiver *m*

in spring
= au printemps

in summer
= en été

in autumn or ***fall***
= en automne

in winter
= en hiver

■ *In the following examples,* summer *and* été *are used as models for all the season names. French normally uses the definite article, whether or not English does.*

I like summer or ***I like the summer***
= j'aime l'été

during the summer
= pendant l'été *or* au cours de l'été

in early summer
= au début de l'été

in late summer
= à la fin de l'été

for the whole summer
= pendant tout l'été

throughout the summer
= tout au long de l'été

last summer
= l'été dernier

next summer
= l'été prochain

the summer before last
= il y a deux ans en été

the summer after next
= dans deux ans en été

■ *However, words like* chaque, ce *etc. may replace the definite article:*

every summer
= tous les ans en été

this summer
= cet été

■ *There is never any article when* en *is used:*

in summer
= en été

until summer
= jusqu'en été

Seasons used as adjectives with other nouns

■ De *alone, without article, is the usual form, e.g.*

summer clothes
= des vêtements d'été

the summer collection
= la collection d'été

the summer sales
= les soldes d'été

a summer day
= une journée d'été

a summer evening
= un soir d'été

a summer landscape
= un paysage d'été

summer weather
= un temps d'été

search engine *n* Comput moteur *m* de recherche

searcher /ˈsɜːtʃə(r)/ *n* sauveteur/-euse *m/f*

searching /ˈsɜːtʃɪŋ/ *adj* [*look, question*] pénétrant

searchingly /ˈsɜːtʃɪŋlɪ/ *adv* [*look at, gaze at*] d'un air pénétrant

search: **~light** *n* projecteur *m*; **~ party** *n* équipe *f* de secours; **~ warrant** *n* Jur mandat *m* de perquisition

searing /ˈsɪərɪŋ/ *adj* [*heat*] incandescent; [*pace, pain*] fulgurant; [*criticism, indictment*] virulent

sea: **~ route** *n* voie *f* maritime; **~ salt** *n* Culin sel *m* de mer; Ind sel *m* marin; **~scape** *n* Art marine *f*; **Sea Scout** *n* scout *m* marin; **~ shanty** *n* chanson *f* de marins; **~shell** *n* coquillage *m*

seashore /ˈsiːʃɔː(r)/ *n* [1] (part of coast) littoral *m*; **the Cornish ~** le littoral de la Cornouailles; [2] (beach) plage *f*; **to go for a walk along the ~** se promener sur la plage

seasick /ˈsiːsɪk/ *adj* **to be** *ou* **get** *ou* **feel ~** avoir le mal de mer

seasickness /ˈsiːsɪknɪs/ *n* mal *m* de mer; **to suffer from ~** souffrir du mal de mer

seaside /ˈsiːsaɪd/
[A] *n* **the ~** le bord de la mer; **to go to the ~** aller à la mer *or* au bord de la mer
[B] *modif* [*holiday*] à la mer; [*hotel*] en bord de mer; [*town*] maritime

seaside resort *n* station *f* balnéaire

season /ˈsiːzn/
[A] *n* [1] (time of year) saison *f*; **in the dry/rainy ~** pendant la saison sèche/des pluies; **the growing/planting ~** la saison de croissance/des semis; **the mating** *ou* **breeding ~** la saison des amours; **it's the ~ for tulips** c'est la saison des tulipes; **strawberries are in/out of ~** c'est/ce n'est pas la saison des fraises; **when do melons come into ~?** quelle est la saison des melons?; [2] Fashn, Tourism, Sport saison *f*; **the football/hunting ~** la saison de football/de la chasse; **hotels are full during the ~** les hôtels sont complets pendant la saison; **the town is quiet out of ~** la ville est calme hors saison *ou* pendant la basse saison; **early in the tourist ~** au début de la saison touristique; **late in the ~** dans l'arrière-saison; **the holiday ~** la période des vacances; **the new ~'s fashions** les nouvelles tendances de la saison; [3] (feast, festive period) **the ~ of Advent/of Lent** le temps de l'Avent/du Carême; **the Christmas ~** la période de Noël *or* des fêtes; **Season's greetings!** (on Christmas cards) Joyeuses fêtes!; [4] Cin, Theat, TV saison *f*; **I played two ~s at Stratford** j'ai joué deux saisons à Stratford; **a ~ of French films** un festival du film français; **a Fellini/Beethoven ~** un festival Fellini/Beethoven; [5] Vet **to be in ~** [*animal*] être en chaleur; [6] †(period of social activity) saison *f*; **her first ~** ses débuts dans le monde; [7] (suitable moment) **there is a ~ for everything** littér il y a un temps pour tout; **a word in ~**† un mot opportun
[B] *vtr* [1] Culin (with spices) relever; (with condiments) assaisonner; **~ with salt and pepper** salez et poivrez; [2] (prepare) sécher [*timber*]; abreuver [*cask*]

seasonable /ˈsiːznəbl/ *adj* [*weather*] de saison

seasonal /ˈsiːzənl/ *adj* [1] [*change, unemployment, work, rainfall*] saisonnier/-ière; [*fruit, produce*] de saison; **the price/menu varies on a ~ basis** le prix/menu varie selon la saison; [2] (befitting festive period) **he's full of ~ cheer** il déborde de bonne volonté (à la période de Noël)

seasonal affective disorder, SAD *n* Med dépression *f* saisonnière

seasonally /ˈsiːzənəlɪ/ *adv* [1] (periodically) [*change, vary*] selon la saison; [2] Fin **~ adjusted figures** chiffres *mpl* corrigés en fonction des variations saisonnières

seasoned /ˈsiːznd/ *adj* [1] Constr [*timber*] bien séché; [2] (experienced) [*soldier, veteran*] aguerri; [*traveller*] grand (*before n*); [*politician, leader*] chevronné; [*campaigner, performer*] expérimenté; [3] Culin [*dish*] assaisonné; **highly ~** relevé, épicé; [4] Wine vieilli en fût

seasoning /ˈsiːznɪŋ/ *n* [1] Culin assaisonnement *m*; [2] (preparation) (of timber) séchage *m*; [3] Wine (of barrel) avinage *m*; (of wine) vieillissement *m* en fût

season: **~ ticket** *n* Transp carte *f* d'abonnement; Sport, Theat abonnement *m*; **~ ticket holder** *n* Transp détenteur/-trice *m/f* de carte d'abonnement; Sport, Theat abonné/-e *m/f*

seat /siːt/
[A] *n* [1] (allocated place) place *f*; **I sat down on** *ou* **in the first ~ I could find** je me suis assis à la première place que j'ai trouvée; **the nearest available ~** la place la plus proche; **to book** *ou* **reserve a ~** (in theatre, on train) réserver une place; **to keep a ~ for sb** garder une place pour qn; **to give up one's ~ to sb** céder sa place à qn; **to take sb's ~** prendre sa place à qn; **has everybody got a ~?** est-ce que tout le monde est assis?; **keep your ~s please** nous vous prions de rester assis; **take your ~s please** Theat (before performance) veuillez gagner vos places; (after interval) veuillez regagner vos places; **the best ~s in the house** les meilleures places; **would you prefer a ~ next to the window or next to the aisle?** (on plane) voulez-vous (une place côté) fenêtre ou (une place côté) couloir?; [2] (type, object) gen, Aut siège *m*; (bench-type) banquette *f*; **leather/fabric ~s** sièges en cuir/en tissu; **the back ~** la banquette arrière; **how many ~s do we need to put out in the hall?** combien de sièges est-ce qu'il faut installer dans la salle?; **'take a ~'** (indicating) 'prenez un siège'; **take** *ou* **have a ~** asseyez-vous; **sit in the front ~** assieds-toi à l'avant; [3] GB Pol (in parliament, on committee) siège *m*; **safe/marginal ~** siège sûr/menacé; **to win a ~** gagner un siège; **they won the ~ from the Democrats** ils ont enlevé ce siège aux Démocrates; **the CDU lost seven ~s to the Greens** la CDU a perdu six sièges au profit des Verts; **to keep/lose one's ~** garder/perdre son siège; **to have a ~ on the council** siéger au conseil; **to take up one's ~** entrer en fonction; [4] (part of chair) siège *m*; [5] (location, centre) siège *m*; **~ of government/learning** siège du gouvernement/savoir; [6] (residence) résidence *f* familiale; **country ~** résidence de campagne; [7] Equit **to have a good ~** avoir une bonne assiette; **to keep one's ~** rester en selle; **to lose one's ~** perdre son assiette; [8] euph (bottom) postérieur *m*; [9] (of pants, trousers) fond *m*
[B] **-seat** (*dans composés*) **a 150-~ plane/cinema** un avion/cinéma de 150 places; **a single-~ constituency** GB une circonscription à siège unique
[C] *vtr* [1] (assign place to) placer [*person*]; **to ~ sb next to sb** placer qn à côté de qn; [2] (have seats for) **the car ~s five** c'est une voiture à

S

cinq places; **how many does it ~?** (of car) elle a combien de places?; **the table ~s six** c'est une table de six couverts; **the room ~s 30 people** la salle peut accueillir 30 personnes

D *v refl* **to ~ oneself** prendre place; **to ~ oneself at the piano/next to sb** prendre place au piano/à côté de qn

E **seated** *pp adj* assis; **to be ~ed at** être assis à [*table, desk*]; **is everybody ~ed?** est-ce que tout le monde est assis?; **please remain ~ed** veuillez rester assis

(Idiom) **to take/occupy a back ~** fig se mettre/se tenir en retrait

seatbelt /ˈsiːtbelt/ *n* ceinture *f* (de sécurité); **please fasten your ~s** veuillez attacher vos ceintures; **to put on one's ~** mettre sa ceinture; **he wasn't wearing a ~** il n'avait pas mis sa ceinture; **adjustable ~** ceinture réglable

seatbelt tensioner *n* Aut enrouleur *m* (de ceinture de sécurité)

seat cover *n* Aut housse *f* de siège

-seater /ˈsiːtə(r)/ (*dans composés*) **a two~** (plane) un avion à deux places; (car) un coupé; **a three/four~** (car) une trois/quatre places; (plane) un trois/quatre places; **a two/three~** (sofa) un (canapé) deux/trois places; **all~ stadium** GB stade *m* sans places debout

seating /ˈsiːtɪŋ/

A *n* **1** (places) places *fpl* assises; **a stadium with ~ for 50,000** un stade de 50 000 places (assises); **to introduce extra ~** ajouter plus de sièges; **2** (arrangement) **I'll organize the ~** je placerai les gens

B *modif* **~ arrangements** placement *m* des gens; **~ capacity** nombre *m* de places assises; **what is the ~ capacity?** combien y a-t-il de places?; **~ plan** plan *m* de table; **~ requirements** nombre *m* requis de places assises; **the lounge has ~ accommodation for 250 passengers** le hall d'embarquement peut accueillir 250 passagers

seatmate /ˈsiːtmeɪt/ *n* US voisin/-e *m/f* (*dans les transports en commun*)

sea: **~ trout** *n* truite *f* de mer; **~ urchin** *n* oursin *m*; **~ view** *n* vue *f* sur la mer; **~wall** *n* digue *f*

seaward /ˈsiːwəd/

A *adj* [*side of building*] qui donne sur la mer; [*side of cape, isthmus*] qui fait face au large

B *adv* (also **~s**) [*fly, move*] vers la mer; [*gaze*] vers le large

sea: **~way** *n* chenal *m*; **~weed** *n* algue *f* marine; **~worthiness** *n* navigabilité *f*

seaworthy /ˈsiːwɜːðɪ/ *adj* [*ship, vessel*] qui tient la mer; **to make a vessel ~** vérifier qu'un bateau tient la mer

sebaceous /sɪˈbeɪʃəs/ *adj* sébacé

Sebastian /sɪˈbæstɪən/ *pr n* Sébastien

Sebastopol /sɪˈbæstəpl/ ▸ **p. 1815** *pr n* Sébastopol

seborrhoea /ˌsebəˈrɪə/ ▸ **p. 1327** *n* Med séborrhée *f*

sebum /ˈsiːbəm/ *n* sébum *m*

sec /sek/ *n* **1** (*abrév écrite* = **second**) s; **2** °(short instant) instant *m*; **hang on a ~!** attends un instant!

SEC *n* US (*abrév* = **Securities and Exchange Commission**) commission *f* des opérations de Bourse; *cf* COB

SECAM /ˈsiːkæm/ *n* TV (*abrév* = **sequentiel couleur à mémoire**) SECAM *m*; **~ standard** système *m* SECAM

secant /ˈsiːkənt/ *n* Math sécante *f*

secateurs /ˌsekəˈtɜːz, ˈsekətɜːz/ *npl* GB sécateur *m*; **a pair of ~** un sécateur

secede /sɪˈsiːd/ *vi* faire sécession (**from** de)

secession /sɪˈseʃn/ *n* sécession *f* (**from** de)

secessionist /sɪˈseʃənɪst/ *n, adj* sécessionniste (*mf*)

seclude /sɪˈkluːd/ *vtr* isoler (**from** de)

secluded /sɪˈkluːdɪd/ *adj* retiré

seclusion /sɪˈkluːʒn/ *n* isolement *m* (**from** à l'écart de); **to live in ~** vivre isolé; **in the ~ of one's own home** dans l'intimité de son foyer

second ▸ **p. 1059, p. 1487, p. 1116**

A /ˈsekənd/ *n* **1** (unit of time) also Math, Phys seconde *f*; (instant) instant *m*; **the whole thing was over in ~s** tout s'est passé en (l'espace de) quelques secondes; **with (just) ~s to spare** à quelques secondes près; **this won't take a ~** cela ne prendra qu'un instant; **now just a ~!** un instant, là!; **(with)in ~s she was asleep** elle s'est endormie en l'espace de quelques instants; **they should arrive any ~ now** ils devraient arriver d'un instant à l'autre; **we arrived at six o'clock to the ~** nous sommes arrivés à six heures pile

2 ▸ **p. 1487** (ordinal number) deuxième *mf*, second/-e *m/f*; **she came a good** *ou* **close ~** elle ne s'est fait battre que de justesse dans la course; **X was the most popular in the survey, but Y came a close ~** dans le sondage X était le plus populaire mais Y suivait de près; **he came a poor ~** il est arrivé deuxième, mais loin derrière le premier; **his family comes a poor ~ to his desire for success** sa famille passe loin après son désir de réussir; **the problem of crime was seen as ~ only to unemployment** le problème du crime venait juste derrière le chômage

3 ▸ **p. 1116** (date) **the ~ of May** le deux mai

4 GB Univ **upper/lower ~** ≈ licence *f* avec mention bien/assez bien

5 (*also* **~ gear**) Aut deuxième *f*, seconde *f*; **in ~** en deuxième *or* seconde

6 (defective article) article *m* à défauts; **these plates are (slight) ~s** ce sont des assiettes à défauts

7 (in boxing, wrestling) soigneur *m*; (in duel) témoin *m*; **~s out (of the ring)!** (in boxing, wrestling) soigneurs, hors du ring!

8 Mus (interval) seconde *f*

B °**seconds** /ˈsekəndz/ *npl* rab° *m*; **to ask for/have ~s** demander/prendre du rab°

C /ˈsekənd/ *adj* deuxième, second; **for the ~ time** pour la deuxième fois; **the ~ teeth** les dents définitives; **~ violin** Mus second violon; **he thinks he's a ~ Churchill** il se prend pour un second Churchill; **every ~ day/Monday** un jour/un lundi sur deux; **to have** *ou* **take a ~ helping (of sth)** reprendre (de qch); **to have a ~ chance to do sth** avoir une nouvelle chance de faire; **you won't get a ~ chance!** (good opportunity) l'occasion ne se représentera pas; (to take exams) tu n'auras pas de deuxième chance; **to ask for a ~ opinion** (from doctor) demander l'opinion d'un autre médecin; (from lawyer) demander l'opinion d'un autre avocat; **I like this one, but can you give me a ~ opinion?** j'aime bien celui-ci, mais qu'en penses-tu?

D /ˈsekənd/ *adv* **1** (in second place) deuxième; **to come** *ou* **finish ~** (in race, competition) arriver *or* finir deuxième *or* en deuxième position; **I agreed to speak ~** j'ai accepté de parler le deuxième; **to travel ~** voyager en deuxième classe; **the ~ biggest/most beautiful building** le deuxième bâtiment de par sa grandeur/sa beauté; **the ~ oldest in the family** le deuxième de la famille; **his loyalty to the firm comes ~ to** *ou* **after his personal ambition** sa loyauté envers la société passe après son ambition personnelle; **the fact that he's my father comes ~** le fait qu'il soit mon père est secondaire

2 (*also* **secondly**) deuxièmement; **~, I have to say...** deuxièmement, je dois dire...

E *vtr* **1** /ˈsekənd/ (help) gen seconder [*person*]; Sport être le soigneur de [*boxer*]; être le témoin de [*duellist*]

2 /ˈsekənd/ (support) gen soutenir [*person*]; appuyer [*idea*]; (in debate, election) appuyer [*motion, resolution, vote of thanks*]

3 /sɪˈkɒnd/ Mil, Comm détacher (**from** de; **to** à)

(Idioms) **every ~ counts** chaque seconde compte; **to be ~ nature** être une seconde nature; **after a while, driving becomes ~ nature** au bout d'un certain temps, conduire devient une seconde nature; **it's ~ nature to him** c'est une seconde nature chez lui; **to be ~ to none** être sans pareil; **to do sth without (giving it) a ~ thought** faire qch sans se poser de questions; **he didn't give them a ~ thought** il ne s'est pas posé de questions à leur sujet; **on ~ thoughts** à la réflexion; **to have ~ thoughts** avoir quelques hésitations *or* doutes; **to have ~ thoughts about doing** avoir moins envie de faire; **to get one's ~ wind** trouver son second souffle

secondarily /ˈsekəndrəlɪ, US ˌsekənˈderəlɪ/ *adv* accessoirement

secondary /ˈsekəndrɪ, US -derɪ/

A *n* **1** Med métastase *f*; **2** = **secondary colour**

B *adj* **1** gen [*consideration, importance, process, effect, cause*] secondaire; [*sense, meaning*] dérivé; **2** Ling [*accent, stress*] secondaire; **3** Psych [*process*] secondaire; **4** Philos [*cause, quality*] second; **~ to sth** moins important que qch; **5** Sch [*education, level*] secondaire; [*teacher*] du secondaire

secondary: **~ colour** GB, **~ color** US couleur *f* secondaire, couleur *f* binaire; **~ evidence** *n* Jur preuve *f* secondaire; **~ glazing** *n* survitrage *m*; **~ health care** *n* ≈ soins *mpl* hospitaliers; **~ infection** *n* surinfection *f*; **~ modern (school)** *n* GB ≈ collège *m* d'enseignement général. ▸ **Secondary schools**; **~ picket** *n* piquet *m* de grève de solidarité; **~ picketing** *n* mise *f* en place de piquets de grève de solidarité; **~ road** *n* route *f* secondaire

secondary school *n* ≈ école *f* secondaire

> **Secondary schools**
>
> La plupart des écoles secondaires britanniques sont des *comprehensive schools* (ou *comprehensives*) contrôlées et financées par les *Local Education Authorities (LEAs)*. L'entrée n'y est pas soumise à sélection. Au sein du secteur d'état, il existe différents types d'écoles secondaires. Conçues pour remplacer des écoles en échec, les *academies* sont fondées par l'État et des organismes extérieurs tels que des institutions religieuses ou des sociétés. Les *foundation schools* ont une autonomie financière vis-à-vis des *LEAs* et font figure de modèles pour les autres écoles. Les *specialist schools* excellent dans les matières spécifiques telles que les technologies de l'information, le sport, la musique, les arts, etc. Ils se servent de leurs spécialisations pour rehausser leurs critères et partagent leurs ressources avec d'autres écoles de la localité Les *community colleges* donnent accès à l'éducation à toute la communauté, par exemple, en promouvant l'éducation des adultes.

secondary sexual characteristic *n* caractère *m* sexuel secondaire

second ballot *n* second tour *m*, deuxième tour *m* (du scrutin)

second best

A *n* **I refuse to settle for** *ou* **take ~** je refuse de me contenter de pis-aller; **as a ~, I suppose it will do** je suppose que faute de mieux, cela fera l'affaire

B *adv* **he came off** GB *ou* **out** US **~** il a été largement battu; **in the choice between quality and price, quality often comes off ~** quand il faut choisir entre la qualité et le prix, c'est généralement la qualité qui passe après

second chamber *n* chambre *f* haute

second class

A *n* **1** Post ≈ acheminement *m* lent; **2** Rail deuxième classe *f*

B **second-class** *adj* **1** Post [*post, mail, stamp*] au tarif lent; **2** Rail [*carriage, ticket*] de

deuxième classe; **3** GB Univ ~ **degree** ≈ licence *f* obtenue avec mention assez bien; **4** (second rate) [*goods, product, treatment*] de qualité inférieure; ~ **citizen** citoyen/-enne *m/f* de seconde zone
C *adv* Rail [*travel*] en deuxième classe; Post [*send*] au tarif lent

second: **Second Coming** *n* second avènement *m*; ~ **cousin** *n* cousin/-e *m/f* issu/-e de germains; ~ **degree** *n* Univ ≈ diplôme *m* de troisième cycle; ~**-degree burn** *n* brûlure *f* au deuxième degré; ~**-degree murder** *n* US Jur homicide *m* involontaire

Second Empire
A *n* Second Empire *m*
B *modif* [*furniture, decor, style*] Second Empire *inv*

seconder /ˈsekəndə(r)/ *n* personne *f* qui appuie une motion

second estate *n* Hist noblesse *f*

second generation
A *n* deuxième génération *f*
B *modif* [*artist, computer*] de la deuxième génération

second-guess○ /ˌsekəndˈges/ *vtr* anticiper [*thoughts, reaction*]; **to ~ sb** anticiper les actions de qn

second hand /ˈsekəndhænd/
A *n* (on watch, clock) trotteuse *f*
B **second-hand** /ˌsekəndˈhænd/ *adj* [*clothes, car, goods*] d'occasion; [*market*] de l'occasion; [*news, information, report*] de seconde main; [*opinion*] d'emprunt; ~ **dealer** vendeur/-euse *m/f* d'objets d'occasion; ~ **car dealer** *ou* **salesman** vendeur/-euse *m/f* de voitures d'occasion; ~ **value** valeur *f* à la revente
C *adv* [*buy*] d'occasion; [*find out, hear*] indirectement

second in command ▸ p. 1599 *n* **1** Mil commandant *m* en second; **2** gen second *m* adjoint *m*

second: ~ **language** *n* seconde langue *f*; ~ **lieutenant** ▸ p. 1599 *n* Mil sous-lieutenant *m*

secondly /ˈsekəndlɪ/ *adv* deuxièmement

second mate ▸ p. 1599 *n* Naut deuxième lieutenant *m*

secondment /sɪˈkɒndmənt/ *n* détachement *m* (**from** de; **to** à); **on ~** en détachement

second mortgage *n* hypothèque *f* de second rang

second name *n* **1** (surname) nom *m* de famille; **2** (second forename) deuxième prénom *m*

second officer *n* Naut ▸ **second mate**

second person *n* Ling deuxième personne *f*; **in the ~ singular/plural** à la deuxième personne du singulier/du pluriel

second: ~**-rate** *adj* [*actor, writer, novel, institution, mind*] de second ordre; [*product*] de qualité inférieure; ~**-rater** *n* médiocre *mf*; ~ **reading** *n* Pol seconde lecture *f*

second sight *n* double vue *f*; **to have (the gift of) ~** avoir le don de double vue

second strike Mil
A *n* deuxième frappe *f*
B *modif* [*capability, missile, strategy*] de deuxième frappe

second string *n* Sport recours *m*

secrecy /ˈsiːkrəsɪ/ *n* secret *m*; **in ~** en secret; **why all the ~?** pourquoi tous ces secrets?; **the ~ surrounding their finances** le secret qui entoure leurs finances; **there's no need for ~** ce n'est pas un secret; **she's been sworn to ~** on lui a fait jurer le secret; **a veil/an air of ~** un voile/un air de mystère

secret /ˈsiːkrɪt/
A *n* **1** (unknown thing) secret *m*; **to tell sb a ~** confier un secret à qn; **to keep a ~** garder un secret; **to let sb in on a ~** mettre qn dans le secret; **I make no ~ of my membership of the party** je ne fais pas mystère de mon appartenance au parti; **it's an open ~ that...** tout le monde sait que...; **there's no ~ about who/when/how etc** tout le monde sait qui/quand/comment etc; **I have no ~s from my sister** je n'ai pas de secrets pour ma sœur; **2** (key factor) secret *m* (**of** de)
B *adj* [*passage, meeting, ingredient*] secret/-ète; [*contributor*] anonyme; [*admirer, admiration*] secret/-ète; **to keep sth ~ from sb** cacher qch à qn; **to be a ~ drinker** boire en cachette
C **in secret** *adv phr* gen en secret; Jur à huis clos

secret agent *n* agent *m* secret

secretaire /ˌsekrɪˈteə(r)/ *n* secrétaire *m*

secretarial /ˌsekrəˈteərɪəl/ *adj* [*course, skills, work*] de secrétaire; [*college*] de secrétariat; ~ **staff** personnel *m* de secrétariat

secretariat /ˌsekrəˈteərɪət/ *n* secrétariat *m*

secretary /ˈsekrətrɪ, US -rəterɪ/ ▸ p. 1683 *n* **1** Admin secrétaire *mf* (**to sb** de qn); **general/regional ~** secrétaire général/régional; **party ~** Hist (in USSR) secrétaire du parti (communiste); **personal/private ~** secrétaire personnel/privé; **2** **Secretary** GB Pol **Foreign/Home/Defence ~** ministre *m* des Affaires étrangères/de l'Intérieur/de la Défense; **Environment/Northern Ireland ~** *ou* **~ of State for the Environment/for Northern Ireland** ministre *m* de l'Environnement/pour l'Irlande du Nord; **3** **Secretary** US Pol **Defense Secretary** ministre *m* de la Défense; **Secretary of State** ministre *m* des Affaires étrang ères; **4** US (desk) secrétaire *m*

secretary: ~ **bird** *n* serpentaire *m*; ~**-general** ▸ p. 1683 *n* secrétaire *m* général

secrete /sɪˈkriːt/ *vtr* **1** Biol, Med sécréter [*fluid*]; **2** (hide) cacher

secretion /sɪˈkriːʃn/ *n* **1** Biol, Med sécrétion *f*; **2** (hiding) action *f* de cacher

secretive /ˈsiːkrətɪv/ *adj* [*person, nature, organization*] secret/-ète; [*expression, conduct*] mystérieux/-ieuse; [*smile*] énigmatique; **to be ~ about sth** faire un mystère de qch

secretively /ˈsiːkrətɪvlɪ/ *adv* [*behave, smile*] (mysteriously) énigmatiquement; (furtively) furtivement

secretiveness /ˈsiːkrətɪvnɪs/ *n* air *m* de mystère

secretly /ˈsiːkrɪtlɪ/ *adv* secrètement

secret: ~ **police** *n* police *f* secrète; ~ **service** *n* services *mpl* secrets; **Secret Service** *n* US services *mpl* chargés de la protection du président; ~ **society** *n* société *f* secrète; ~ **weapon** *n* lit, fig arme *f* secrète

sect /sekt/ *n* secte *f*

sectarian /sekˈteərɪən/ *n, adj* sectaire (*mf*)

sectarianism /sekˈteərɪənɪzəm/ *n* sectarisme *m*

section /ˈsekʃn/
A *n* **1** (part) (of train, aircraft, town, forest, area) partie *f*; (of pipe, tunnel, road, river) tronçon *m*; (of object, kit) élément *m*; (of orange, grapefruit) quartier *m*; (of public, population, group) tranche *f*; **women's ~s** Pol sections *fpl* féminines; **2** (department) (of company, office, department, government) service *m*; (of library, shop) rayon *m*; **computer/consular ~** service *m* informatique/consulaire; **3** (subdivision) (of act, bill, report) article *m*; (of newspaper) rubrique *f*; **under ~ 24** aux termes de l'article 24; **sports/books ~** rubrique *f* sportive/littéraire; **4** (passage) (of book) passage *m* (**on** sur); (larger) partie *f* (**on** qui traite de); **there's a ~ on verbs at the end** il y a un chapitre sur les verbes à la fin; **5** Mil groupe *m*; **6** Biol, Geol lamelle *f*; **7** Math section *f*; **8** Med sectionnement *m*; **9** Rail (part of network) canton *m* (*de voie ferrée*); **10** US Rail (of sleeping car) compartiment-couchettes *m*; **11** US Rail (relief train) train *m* supplémentaire
B *vtr* **1** (divide) sectionner [*document, text*]; segmenter [*computer screen*]; **2** Med (in surgery) sectionner; **3** GB Med (confine to mental hospital) décider l'internement de [*person*]

(Phrasal verb) ■ **section off**: ▸ **~ off [sth]**, **~ [sth] off** séparer [*part, area*]

sectional /ˈsekʃənl/ *adj* **1** (factional) [*interest*] catégoriel/-ielle; [*hatred, discontent*] de groupe; **2** (in section) [*drawing, view*] en coupe; **3** US [*bookcase, sofa*] à éléments

sectionalism /ˈsekʃənəlɪzəm/ *n* US péj régionalisme *m*

section: ~ **gang** *n* US équipe *f* de cheminots; ~ **hand** ▸ p. 1683 *n* US cantonnier *m*; ~ **mark** *n* symbole *m* du paragraphe

sector /ˈsektə(r)/ *n* (all contexts) secteur *m*; **public/private ~** secteur *m* public/privé

sectorial /sekˈtɔːrɪəl/ *adj* [*analysis etc*] sectoriel/-ielle

secular /ˈsekjʊlə(r)/ *adj* [*politics, law, society, education*] laïque; [*belief, music*] profane; [*priest, power*] séculier/-ière

secularism /ˈsekjʊlərɪzəm/ *n* (doctrine) laïcisme *m*; (political system) laïcité *f*

secularization /ˌsekjʊlərаɪˈzeɪʃn, US -rɪˈz-/ *n* (of society, education) sécularisation *f*, laïcisation *f*; (of church property) sécularisation *f*

secularize /ˈsekjʊləraɪz/ *vtr* séculariser, laïciser [*society, education*]; séculariser [*church property*]

secure /sɪˈkjʊə(r)/
A *adj* **1** (stable, not threatened) [*job, marriage, income, financial position*] stable; [*basis, base, foundation*] solide; [*world record, sporting position*] assuré; [*investment*] sûr; **2** (safe) [*hiding place, route*] sûr; ~ **hospital** hôpital-prison *m* de haute sécurité; **to be ~ against sth** être à l'abri de qch; **3** (reliable) [*padlock, bolt, nail, knot*] solide; [*structure, ladder*] stable; [*foothold, handhold*] sûr; [*rope*] bien attaché; [*door, window*] bien fermé; **to make a rope ~** bien attacher une corde; **to make a door ~** bien fermer une porte; **4** Psych [*feeling*] de sécurité; [*family, background*] sécurisant; **to feel ~** se sentir en sécurité; **to be ~ in the knowledge that** avoir la certitude que; **5** (fraud-proof) [*line, transaction*] sécurisé
B *vtr* **1** (procure, obtain) obtenir [*agreement, promise, job, majority, money, release, conviction, visa, right, victory*]; atteindre [*objective*]; **2** (make firm, safe) bien attacher [*rope*]; bien fermer [*door, window*]; fixer [*wheel*]; stabiliser [*ladder*]; **3** (make safe) protéger [*house, camp, flank*]; assurer [*position, future, job*]; **4** Fin garantir [*loan, debt*] (**against, on** sur); **5** Mil sécuriser [*bridge, landing ground*]

secure: ~**d bond** *n* obligation *f* garantie; ~**d loan** *n* emprunt *m* garanti

securely /sɪˈkjʊəlɪ/ *adv* **1** (carefully) [*fasten, fix, tie*] solidement; [*wrap, tuck, pin*] soigneusement; **2** (safely) [*lock up, hide, invest, store*] en sûreté; **3** fig [*founded, settled, rooted*] bel et bien; **it is not very ~ founded** ce n'est pas très fermement fondé

secure unit *n* (in children's home) *section surveillée dans une maison de rééducation*; (in psychiatric hospital) quartier *m* de haute sécurité (*dans un hôpital psychiatrique*)

securities /sɪˈkjʊərətɪz/
A *npl* Fin titres *mpl*
B *modif* Fin [*company, market, trading*] des titres

securitization /sɪˌkjʊərɪtaɪˈzeɪʃn/ *n* Fin titrisation *f*

securitize /sɪˈkjʊərɪtaɪz/ *vtr* Fin titriser

security /sɪˈkjʊərətɪ/
A *n* **1** (safe state or feeling) (of person, child, financial position, investment) sécurité *f*; **~ of employment, job ~** sécurité de l'emploi; **2** (measures) (for site, prison, nation, VIP) sécurité *f*; **to tighten ~** renforcer la sécurité; **state** *ou* **national ~** sûreté *f* de l'État; **3** (department) service *m* de sécurité; **to call ~** appeler la sécurité; **4** (guarantee) garantie *f* (**on** sur); **to take/leave sth as ~** prendre/laisser qch en garantie; **to stand ~ for sb** se porter garant de qn; **5** Fin (*souvent pl*) valeur *f* (boursière), titre *m*
B *modif* [*arrangements, badge, barrier, camera,*

check, code, device, door, lock, measures, standards] de sécurité; [*firm, staff*] de surveillance

security: ~ **blanket** *n* Psych doudou○ *m*, objet *m* transitionnel spec; ~ **clearance** *n* habilitation *f* sécuritaire; **Security Council** *n* Conseil *m* de sécurité; ~ **forces** *npl* forces *fpl* de sécurité; ~ **guard** ▸ **p. 1683** *n* garde *m* sécurité, vigile *m*; ~ **leak** *n* fuite *f* (*d'information*); ~ **officer** ▸ **p. 1683** *n* responsable *mf* de la sécurité; ~ **risk** *n* (person) danger *m* pour la sécurité; ~ **van** *n* GB fourgon *m* blindé (*pour le transport de fonds*)

sedan /sɪˈdæn/ *n* US berline *f*

sedan chair *n* chaise *f* à porteurs

sedate /sɪˈdeɪt/

A *adj* [*person*] posé; [*lifestyle, pace*] tranquille; [*décor*] propret/-ette

B *vtr* mettre [qn] sous calmants [*patient*]

C **sedated** *pp adj* sous calmants

sedately /sɪˈdeɪtlɪ/ *adv* tranquillement

sedateness /sɪˈdeɪtnɪs/ (of attitude) *n* pondération *f*; (of manner) air *m* posé

sedation /sɪˈdeɪʃn/ *n* Med sédation *f*; **to be under ~** être sous calmants

sedative /ˈsedətɪv/

A *n* sédatif *m*, calmant *m*

B *adj* [*effect, drug*] sédatif/-ive

sedentary /ˈsedntrɪ, US -terɪ/ *adj* [*job, lifestyle, population*] sédentaire

sedge /sedʒ/ *n* laiche *f*, carex *m* spec

sedge warbler *n* Zool phragmite *m* des joncs

sediment /ˈsedɪmənt/ *n* gen dépôt *m*; Geol sédiment *m*; Wine lie *f*

sedimentary /ˌsedɪˈmentrɪ, US -terɪ/ *adj* sédimentaire

sedimentation /ˌsedɪmenˈteɪʃn/ *n* Geol, Chem sédimentation *f*

sedition /sɪˈdɪʃn/ *n* sédition *f*

seditious /sɪˈdɪʃəs/ *adj* [*view, activity*] séditieux/-ieuse

seduce /sɪˈdjuːs, US -ˈduːs/ *vtr* 1▸ (sexually) [*person*] séduire; 2▸ fig [*idea, project etc*] tenter, attirer; **to ~ sb into doing** persuader qn de faire; **to be ~d into doing** se laisser convaincre de faire; **to ~ sb away from sth** détourner qn de qch

seducer /sɪˈdjuːsə(r), US -ˈduːs/ *n* séducteur *m*

seduction /sɪˈdʌkʃn/ *n* 1▸ (act of seducing) séduction *f*; 2▸ (attractive quality) attrait *m* (of de)

seductive /sɪˈdʌktɪv/ *adj* [*person*] séduisant; [*argument, proposal*] alléchant; [*smile*] aguicheur/-euse

seductively /sɪˈdʌktɪvlɪ/ *adv* [*smile, murmur*] d'une manière séduisante

seductiveness /sɪˈdʌktɪvnɪs/ *n* pouvoir *m* de séduction

seductress /sɪˈdʌktrɪs/ *n* séductrice *f*

sedulous /ˈsedjʊləs, US ˈsedʒʊləs/ *adj* sout [*student*] zélé; [*devotion*] assidu; [*attention*] empressé

sedulously /ˈsedjʊləslɪ, US ˈsedʒʊləslɪ/ *adv* sout [*strive*] assidûment; [*guard*] avec zèle

see /siː/

A *n* (of bishop) évêché *m*; (of archbishop) archevêché *m*

B *vtr* (*prét* **saw**, *pp* **seen**) 1▸ (perceive) voir [*object, person*]; **to ~ sb/sth with one's own eyes** voir qn/qch de ses propres yeux; **to ~ that** voir que; **to ~ where/how etc** voir où/comment etc; **you'll ~ how it's done** tu verras comment c'est fait; **to ~ sb do sth** *ou* **doing sth** voir qn faire qch; **I saw him steal** *ou* **stealing a car** je l'ai vu voler une voiture; **we didn't ~ anything** nous n'avons rien vu; **I saw something in the dark** j'ai vu quelque chose dans l'obscurité; **there's nothing to ~** il n'y a rien à voir; **there's nobody to be seen** il n'y a personne en vue; **I couldn't ~ her in the crowd** je ne la voyais pas dans la foule; **can you see him?** est-ce que tu le vois?; **I could ~ (that) she'd been crying** je voyais bien qu'elle avait pleuré; **I can ~ her coming down the road** je la vois qui arrive sur la route; **there was going to be trouble: I could ~ it coming** *ou* **I could ~ it a mile off** il allait y avoir des problèmes: je le sentais venir; **I don't like to ~ you so unhappy** je n'aime pas te voir si malheureux; **I hate to ~ an animal in pain** je déteste voir souffrir les animaux; **I don't know what you ~ in him**○ je ne sais pas ce que tu lui trouves○; **he must ~ something attractive in her**○ il doit lui trouver quelque chose d'attirant; **I must be ~ing things!** j'ai des visions!; **to ~ one's way** voir où on va; **to ~ one's way (clear) to doing sth** trouver le moyen de faire qch

2▸ (look at) (watch) voir [*film, programme*]; (inspect) voir [*accounts, work*]; **I've seen the play twice** j'ai vu cette pièce deux fois; **~ page 156** voir page 156; **~ over(leaf)** voir au verso

3▸ (go to see, visit) voir [*person, country, building*]; **to ~ the Parthenon** voir le Parthénon; **to ~ a doctor about sth** voir un médecin au sujet de qch; **what did you want to ~ me about?** pourquoi vouliez-vous me voir?; **I'm ~ing a psychiatrist** je vais chez un psychiatre; **to ~ the sights** faire du tourisme

4▸ (meet up with) voir [*person*]; **I'll be ~ing him in June** je le verrai en juin; **I happened to ~ her in the post office** je l'ai vue par hasard à la poste; **they ~ a lot of each other** ils se voient souvent; **~ you**○! salut○!; **~ you next week/(on) Sunday**○! à la semaine prochaine/à dimanche!; **he's ~ing a married woman** il fréquente une femme mariée

5▸ (receive) recevoir [*person*]; **the doctor/headmaster will ~ you now** le docteur/directeur va vous recevoir

6▸ (understand) voir [*relevance, advantage, problem*]; comprendre [*joke*]; **to ~ sth from sb's point of view** voir qch du point de vue de qn; **can't you ~ that...?** ne vois-tu donc pas que...?; **to ~ how/where...** voir comment/où...; **do you ~ what I mean?** tu vois ce que je veux dire?

7▸ (look upon, consider) voir; **I ~ things differently now** je vois les choses différemment maintenant; **to ~ sb as** considérer qn comme [*leader, hero*]; **I ~ it as an opportunity** je pense que c'est une occasion à saisir; **I ~ it as an insult** je prends ça pour une insulte; **not to ~ sb/sth as...** ne pas croire que qn/qch soit...; **I don't ~ it as a problem of poverty** je ne crois pas que ce soit un problème lié à la pauvreté; **I don't ~ him as honest** je ne crois pas qu'il soit honnête

8▸ (note, observe) voir (**that** que); **as we have already seen,...** comme nous l'avons déjà vu,...; **it can be seen from this example that...** cet exemple nous montre que...

9▸ (envisage, visualize) **I can't ~ sb/sth doing** je ne pense pas que qn/qch puisse faire; **I can't ~ the situation changing** je ne pense pas que la situation puisse changer; **I can ~ a time when this country will be independent** je peux imaginer qu'un jour ce pays sera indépendant

10▸ (make sure) **to ~ (to it) that...** veiller à ce que... (+ *subj*); **~ (to it) that the children are in bed by nine** veillez à ce que les enfants soient couchés à neuf heures; **~ that you do!** (angrily) tu as intérêt à le faire!

11▸ (find out) voir; **to ~ how/if/when etc** voir comment/si/quand etc; **I'm going to ~ what she's doing/how she's doing** je vais voir ce qu'elle fait/comment elle se débrouille; **I'll have to ~ if I can get permission** il faudra que je voie si je peux obtenir la permission; **it remains to be seen whether** *ou* **if...** reste à voir si...

12▸ (witness) voir; (experience) connaître; **a period which saw enormous changes/the birth of computer science** une période qui a vu d'énormes changements/naître l'informatique; **next year will ~ the completion of the road** la route sera terminée l'année prochaine; **I never thought I'd ~ the day that he'd admit to being wrong!** je ne pensais vraiment pas que je le verrais un jour reconnaître qu'il avait tort!; **we'll never ~ her like again** jamais nous ne reverrons sa pareille

13▸ (accompany) **to ~ sb to the door** raccompagner qn (jusqu'à la sortie); **to ~ sb to the station** accompagner qn à la gare; **to ~ sb home** raccompagner qn chez lui

14▸ (in betting) **I'll ~ your £10** j'égalise à 10 livres; **I'll ~ you for £10** je parie 10 livres

C *vi* (*prét* **saw**, *pp* **seen**) 1▸ (with eyes) voir; **I can't ~** je ne vois rien; **~ for yourself** voyez vous-même; **as you can ~** comme vous pouvez le voir; **to ~ beyond sth** voir au-delà de qch; **try to ~ beyond your own immediate concerns** tâche de voir plus loin que tes préoccupations immédiates; **so I ~** c'est ce que je vois; **move over: I can't ~ through you** pousse-toi! tu n'es pas transparent!; **some animals can ~ in the dark** certains animaux y voient la nuit; **you can ~ for miles** on y voit à des kilomètres

2▸ (understand) voir; **do you ~?** tu vois?; **yes, I ~** oui, je vois; **now I ~** maintenant, je comprends; **can't you ~?: the situation is different now** tu ne vois donc pas que la situation n'est plus la même?; **as far as I can ~** autant que je puisse en juger

3▸ (check, find out) **I'll go and ~** je vais voir; **we'll just have to wait and ~** il ne nous reste plus qu'à attendre

4▸ (think, consider) **I'll have to ~** il faut que je réfléchisse; **let's ~, let me ~** voyons (un peu)

D *v refl* (*prét* **saw**, *pp* **seen**) **to ~ oneself** lit, fig se voir; **he saw himself already elected** il se voyait déjà élu; **I can't ~ myself as** *ou* **being...** je ne pense pas que je vais être...; **I can't ~ myself being chosen/as a famous ballerina** je ne pense pas que je vais être choisi/devenir une ballerine célèbre

(Idioms) **I'll ~ you right**○ je ne te laisserai pas tomber○; **now I've seen it all!** j'aurai tout vu!

(Phrasal verbs) ■ **see about**: ▸ **~ about [sth]** s'occuper de; **we'll soon ~ about that**○! iron c'est ce qu'on va voir!; **to ~ about doing** penser à faire

■ **see off**: ▸ **~ [sb] off, ~ [off] sb** 1▸ (say goodbye to) dire au revoir à qn; **we saw him off at the station** nous lui avons dit au revoir à la gare; 2▸ (throw out) **the drunk was seen off the premises** on a mis l'ivrogne à la porte; **to ~ sb off the premises** veiller à ce que qn quitte les lieux

■ **see out**: ▸ **~ [sth] out, ~ out [sth]** **we have enough coal to ~ the winter out** nous avons assez de charbon pour passer l'hiver; ▸ **~ [sb] out** raccompagner [qn] à la porte; **I'll ~ myself out** (in small building) je m'en vais mais ne vous dérangez pas; (in big building) je trouverai la sortie, ne vous dérangez pas

■ **see through**: ▸ **~ through [sth]** déceler [*deception, lie*]; **it was easy enough to ~ through the excuse** c'était évident que c'était une fausse excuse; **I can ~ through your little game**○! je vois clair dans ton petit jeu!; ▸ **~ through [sb]** percer [qn] à jour; ▸ **~ [sth] through** mener [qch] à bonne fin; ▸ **~ [sb] through: there's enough food to ~ us through the week** il y a assez à manger pour tenir toute la semaine; **this money will ~ you through** cet argent te dépannera

■ **see to**: ▸ **~ to [sth]** s'occuper de [*person, task*]; **there is no cake left, the children saw to that!** il ne reste plus de gâteau, les enfants se sont chargés de le faire disparaître!

seed /siːd/

A *n* 1▸ Bot, Agric (of plant) graine *f*; (fruit pip) pépin *m*; 2▸ ¢ Agric (for sowing) semences *fpl*; Culin graines *fpl*; **to go** *ou* **run to ~** lit [*plant*] monter en graine; fig [*person*] se ramollir; [*organization, country*] être en déclin; 3▸ fig (beginning) germes *mpl*; **the ~(s) of discontent/hope** les germes du mécontentement/de l'espoir; **the ~s of doubt were sown in her mind** le doute avait germé dans son esprit; 4▸ Sport tête *f* de

S

série; **the top ~** la tête de série numéro un; **the fifth** *ou* **number five ~** la tête de série numéro cinq; ⑤ ‡(semen) semence *f*; ⑥ ‡(descendants) progéniture *f*
B *vtr* ① (sow) ensemencer [*field, lawn*] (**with** de); ② (*also* **deseed**) épépiner [*grape, raisin*]; ③ Sport classer [qn] tête de série; **to be ~ed sixth** *ou* **(number) six** être classé tête de série numéro six; **a ~ed player** une tête de série; ④ Meteorol ensemencer [*clouds*]
C *vi* [*plant*] monter en graine

seedbed /ˈsiːdbed/ *n* ① lit semis *m*; ② fig pépinière *f*

seed: **~ box** *n* = **seed tray**; **~cake** *n* gâteau *m* au carvi; **~ corn** *n* lit blé *m* de semence; fig germes *mpl*

seeder /ˈsiːdə(r)/ *n* semoir *m*

seedily /ˈsiːdɪlɪ/ *adv* [*dress, live*] de façon minable

seediness /ˈsiːdɪnɪs/ *n* ① (shabbiness) aspect *m* minable; ② (sordidness) caractère *m* sordide

seeding /ˈsiːdɪŋ/ *n* ① Agric ensemencement *m*; ② Sport classement *m* des têtes de série

seeding machine *n* semoir *m* mécanique

seed leaf *n* cotylédon *m*

seedless /ˈsiːdlɪs/ *adj* sans pépins

seedling /ˈsiːdlɪŋ/ *n* plant *m*

seed merchant ▸ **p. 1683** *n* (person) grainetier/-ière *m/f*; **~'s (shop)** graineterie *f*

seed: **~ money** *n* Fin capitaux *mpl* de lancement; **~ oyster** *n* naissain *m* d'huîtres; **~ pearl** *n* perle *f* de très petite dimension; **~ pod** *n* péricarpe *m*; **~ potato** *n* pomme *f* de terre de semence; **~ tray** *n* germoir *m*

seedy /ˈsiːdɪ/ *adj* ① (shabby) [*hotel, street*] miteux/-euse; [*person*] minable; ② (disreputable) [*activity, person*] louche; [*area, club*] mal famé; ③ °(ill) patraque°, indisposé; **to feel ~** se sentir patraque°

seeing /ˈsiːɪŋ/ *conj* **~ that**, **~ as** étant donné que, vu que; **~ that** *ou* **as they can't swim, it's not a good idea** étant donné *or* vu qu'ils ne savent pas nager, ce n'est pas une bonne idée; **~ as how she doesn't live here anymore**° vu qu'elle n'habite plus ici

seek /siːk/ (*prét, pp* **sought**)
A *vtr* ① (try to obtain, wish to have) chercher [*agreement, asylum, confrontation, means, promotion, refuge, solution*]; demander [*advice, help, permission, public inquiry, backing, redress*]; **to ~ revenge** chercher à se venger; **to ~ sb's approval/a second term of office** chercher à obtenir l'approbation de qn/un second mandat; **to ~ to do** chercher à faire, tenter de faire; **I do not ~ to do** je ne cherche pas à faire; **to ~ one's fortune** chercher fortune; ② (look for) [*police, employer, person*] rechercher [*person, object*]; **'sporty 45-year-old divorcee ~s similar'** Journ 'femme divorcée, 45 ans, sportive, cherche âme sœur'
B -seeking (*dans composés*) en quête de (*before n*)
C *vi* **to ~ for** *ou* **after sth** rechercher qch
(Phrasal verb) ■ **seek out**: ▸ **~ out [sth/sb]**, **~ [sth/sb] out** aller chercher, dénicher; **to ~ out and destroy** Mil repérer et détruire

seeker /ˈsiːkə(r)/ *n* **~ after** *ou* **for sth** personne *f* en quête de qch

seem /siːm/ *vi* ① (give impression) sembler; (in less formal French) avoir l'air; **he ~s happy/sad** il a l'air heureux/triste; **he ~ed disappointed** il a semblé déçu; **the statistics/experiments ~ to indicate that...** les statistiques/expériences semblent indiquer que...; **there ~s to be a fault in the generator** il semble y avoir un problème dans le générateur; **he ~s to be looking for/to have lost...** on dirait qu'il cherche/qu'il a perdu...; **it would ~ so/not** on dirait que oui/non; **the whole house ~ed to shake** on aurait dit que toute la maison tremblait; **things ~ to be a lot better between them now** ça a l'air d'aller bien mieux entre eux maintenant; **things are not always what they ~** les apparences sont souvent trompeuses; **how does she ~ today?** comment va- t-elle aujourd'hui?; ② (have impression) **it ~s to me that...** il me semble que... (+ *indic*); **there ~ to me to be two possibilities** il me semble qu'il y a deux possibilités; **it ~s/it very much ~s as if** *ou* **as though** il semble/semble fort que (+ *subj*); **I ~ to have done** j'ai l'impression que j'ai fait; **I ~ to have offended him** j'ai l'impression que je l'ai vexé; **I ~ to have forgotten my money** je crois que j'ai oublié mon argent; **I ~ to remember I left it on the table** je crois me rappeler que je l'ai laissé sur la table; **it ~s hours since we left** on dirait qu'il y a des heures que nous sommes partis; **that would ~ to be the right thing to do** j'ai l'impression que c'est ce qu'il faut faire; **there doesn't ~ to be any solution** il semble qu'il n'y ait aucune solution; **there ~s to be some mistake** il semble qu'il y ait erreur; **it ~ed like a good idea at the time** cela avait l'air d'une bonne idée; ③ (expressing criticism or sarcasm) **he/she ~s to think that...** il/elle a l'air de croire que...; **they don't ~ to realize that...** ils n'ont pas l'air de se rendre compte que...; **you ~ to have forgotten this point** tu sembles avoir oublié ce détail; (from evidence) **they haven't, it ~s, reached a decision yet** ils ne sont pas encore arrivés à une décision apparemment; **it ~s that sugar is bad for you** apparemment cela vous fait du mal de manger du sucre; **what ~s to be the problem?** quel est le problème?; ④ (despite trying) **he can't ~ to do** on dirait qu'il n'arrive pas à faire; **I just can't ~ to do** je n'arrive pas à faire

seeming /ˈsiːmɪŋ/ *adj* [*ease, lack*] apparent

seemingly /ˈsiːmɪŋlɪ/ *adv* [*unaware, oblivious*] apparemment

seemliness /ˈsiːmlɪnɪs/ *n* sout (of behaviour) bienséance *f*; (of dress) décence *f*

seemly /ˈsiːmlɪ/ *adj* sout [*conduct*] bienséant; [*dress*] décent; **it would be more ~ to...** ça serait plus convenable de...

seen /siːn/ *pp* ▸ **see**

seep /siːp/ *vi* suinter; **to ~ out of sth** suinter de qch; **to ~ into/under sth** s'infiltrer dans/sous qch; **to ~ away** s'écouler; **to ~ through sth** [*water, gas*] s'infiltrer à travers qch; [*light*] filtrer à travers qch; **the blood ~ed through the bandages** le sang suintait à travers le pansement

seepage /ˈsiːpɪdʒ/ *n* (trickle) suintement *m*; (leak) (from container, tank) fuite *f*; (drainage into structure, soil) infiltration *f* (**into** dans)

seer /ˈsiːə(r), sɪə(r)/ *n* voyant/-e *m/f*

seersucker /ˈsɪəsʌkə(r)/ *n* Tex seersucker *m*

seesaw /ˈsiːsɔː/
A *n* lit tapecul *m*; fig (motion) va-et-vient *m inv*
B *vi* lit faire du tapecul; fig [*price, rate*] osciller; **the fight/debate ~ed** l'avantage du combat/débat allait de l'un à l'autre

seethe /siːð/ *vi* ① [*water, sea*] bouillonner; ② **to ~ with rage/impatience** [*person*] bouillir de colère/d'impatience; **he was seething** il était furibond; ③ (teem) grouiller; **the streets were seething with tourists** les rues grouillaient de touristes; **to ~ with activity** être en effervescence; **a country seething with unrest** un pays en proie à l'agitation

see-through /ˈsiːθruː/ *adj* transparent

segment
A /ˈsegmənt/ *n* ① Anat, Comput, Math, Ling, Zool segment *m*; ② (of economy, market) secteur *m*; (of population, vote) part *f*; ③ (of orange) quartier *m*
B /segˈment/ *vtr* segmenter [*market, surface*]; couper [qch] en quartiers [*orange*]

segmental /segˈmentl/ *adj* ① Zool segmentaire; ② Ling segmental

segmentation /ˌsegmenˈteɪʃn/ *n* segmentation *f*

segregate /ˈsegrɪgeɪt/ *vtr* ① (separate) [*government, policy*] séparer [*races, sexes, fans*] (**from** de); **to ~ pupils by ability/sex** séparer les élèves en fonction des capacités/du sexe; ② (isolate) isoler [*patient, prisoner*] (**from** de); **to ~ sb from society** exclure qn de la société

segregated /ˈsegrəgeɪtɪd/ *adj* [*education, parliament, society*] ségrégationniste; [*area, school*] où la ségrégation raciale (*or* religieuse) est en vigueur; [*facilities*] séparé

segregation /ˌsegrɪˈgeɪʃn/ *n* (of races, religions, social groups) ségrégation *f* (**from** de); (of rivals) séparation *f*; (of prisoners) isolement *m* (**from** de)

segregationist /ˌsegrɪˈgeɪʃənɪst/ Pol *n, adj* ségrégationniste (*mf*)

seine /seɪn/
A *n* (*also* **~ net**) Fishg seine *f*, senne *f*
B Seine ▸ **p. 1633** *pr n* Geog **the (river) Seine** la Seine

Seine-et-Marne ▸ **p. 1129** *pr n* Seine-et-Marne *f*; **in/to ~** en Seine-et-Marne

Seine-Maritime ▸ **p. 1129** *pr n* Seine-Maritime *f*; **in/to ~** en Seine-Maritime

Seine-Saint-Denis ▸ **p. 1129** *pr n* Seine-Saint-Denis *f*; **in/to ~** en Seine-Saint-Denis

seismic /ˈsaɪzmɪk/ *adj* sismique

seismograph /ˈsaɪzməgrɑːf, US -græf/ *n* sismographe *m*

seismography /saɪzˈmɒgrəfɪ/ *n* sismographie *f*

seismologist /ˌsaɪzˈmɒlədʒɪst/ ▸ **p. 1683** *n* sismologue *mf*

seismology /saɪzˈmɒlədʒɪ/ *n* sismologie *f*

seismometer /saɪzˈmɒmɪtə(r)/ *n* = **seismograph**

seize /siːz/
A *vtr* ① lit (take hold of) saisir [*person, object*]; **to ~ sb around the waist** saisir qn par la taille; **to ~ hold of** se saisir de [*person*]; s'emparer de [*object*]; sauter sur [*idea*]; ② fig (grasp) saisir [*opportunity, moment*]; prendre [*initiative*]; **to be ~d by** être pris de [*emotion, pain, fit*]; ③ Mil, Pol (capture) s'emparer de [*territory, hostage, prisoner, installation, power*]; prendre [*control*]; ④ Jur saisir [*arms, drugs, property*]; appréhender [*person*]
B *vi* [*engine, mechanism*] se gripper
(Phrasal verbs) ■ **seize on, seize upon**: ▸ **~ on [sth]** sauter sur [*idea, suggestion, offer, error*]
■ **seize up** [*engine, mechanism*] se gripper; [*limb, back*] se bloquer

seizure /ˈsiːʒə(r)/ *n* ① (taking) (of territory, installation, power, control) prise *f*; (of arms, drugs, goods, property) saisie *f*; (of person) (legal) arrestation *f*; (illegal) capture *f*; (of hostage) prise *f*; ② Med, fig attaque *f*; **to have a ~** avoir une attaque

seldom /ˈseldəm/ *adv* rarement, ne... guère... fml; **I ~ hear from him** j'ai rarement *or* je n'ai guère fml de ses nouvelles; **~ have I seen such a good film** j'ai rarement vu un aussi bon film; **~ if ever** rarement, pour ne pas dire jamais

select /sɪˈlekt/
A *adj* [*group, audience*] privilégié; [*hotel, restaurant*] chic *inv*, sélect; [*area*] chic *inv*, cossu; **a ~ few** seulement quelques privilégiés
B *vtr* sélectionner [*team, candidate*] (**from, from among** parmi); choisir, sélectionner [*item, gift etc*] (**from, from among** parmi)
C selected *pp adj* [*poems, letters*] choisi; [*candidate, country, question, materials*] sélectionné; [*ingredients*] de premier choix; **in ~ed stores** dans certains magasins; **taxes on ~ed imports** des taxes sur certains produits importés; **to ~ed customers** à un certain nombre de clients privilégiés; **pilot programmes in ~ed areas** des programmes pilotes dans des zones-test

select committee *n* commission *f* d'enquête. ▸ **House of Commons**

selectee /ˌsɪlekˈtiː/ *n* US Mil appelé *m* du contingent

S

selection /sɪ'lekʃn/
A *n* **1** (act) gen sélection *f*, choix *m*; Sport sélection *f*; **to make a ~** (for display, sale) faire une sélection; (for purchase) faire un choix; ▸ **natural selection**; **2** (assortment) sélection *f*, choix *m*; **~s from Mozart** morceaux *mpl* choisis de Mozart
B *modif* [*committee, panel, process*] de sélection

selective /sɪ'lektɪv/ *adj* **1** (positively biased) [*memory*] sélectif/-ive; [*recruitment, school*] sélectif/-ive; [*admission, education*] basé sur la sélection; **she should be more ~ about the friends she makes/about what she reads** elle devrait mieux choisir ses amis/ses lectures; **2** (negatively biased) [*account, perspective*] tendancieux/-ieuse; **the media were very ~ in their coverage of events** les médias ont couvert les événements de façon tendancieuse; **3** Hort [*weedkiller*] sélectif/-ive

selective breeding *n* sélection *f* artificielle (*en élevage*)

selectively /sɪ'lektɪvlɪ/ *adv* de manière sélective

selective service *n* US Hist service *m* militaire obligatoire

selectivity /,sɪlek'tɪvətɪ/ *n* gen sélection *f*; Elec, Radio sélectivité *f*

selectman /sɪ'lektmən/ ▸ **p. 1683** *n* US conseiller *m* municipal (*en Nouvelle-Angleterre*)

selector /sɪ'lektə(r)/ *n* **1** GB Sport (person) sélectionneur/-euse *m/f*; **2** Tech (device) sélecteur *m*

selenium /sɪ'li:nɪəm/ *n* sélénium *m*

self /self/ *n* (*pl* **selves**) **1** gen, Psych moi *m*; **she's looking for her true ~** elle cherche son vrai moi; **the difference between our private and public selves** la différence entre notre moi privé et notre moi public; **tickets for ~ and secretary** (on memo) billets pour ma secrétaire et moi-même; **without thought of ~** sans une pensée pour soi/lui/elle etc; **the conscious ~** le conscient; **he's back to his old ~ again** il est redevenu lui-même; **he's back to his old, miserly ~** il est redevenu aussi avare qu'avant; **your good ~** vous-même; **your good selves** vous-mêmes; **one's better ~** le meilleur de soi/de lui/d'elle etc; **2** Fin (on cheque) moi-même

self: **~-abasement** *n* autodénigrement *m*; **~-absorbed** *adj* égocentrique; **~-absorption** *n* égocentrisme *m*; **~-abuse** *n* gen autodestruction *f*; (masturbation) masturbation *f*; **~-accusation** *n* auto-accusation *f*; **~-acting** *adj* automatique; **~-addressed envelope**, **SAE**, **sae** *n* enveloppe *f* à mon/votre etc adresse; **~-adhesive** *adj* auto-adhésif/-ive, autocollant; **~-adjusting** *adj* autorégulateur/-trice; **~-advertisement** *n* propagande *f* personnelle; **~-advocacy** *n* Soc Admin plaidoyer *m* pour sa/ma etc propre condition; **~-aggrandizement** *n* autoglorification *f*; **~-analysis** *n* auto-analyse *f*; **~-apparent** *adj* évident, qui coule de source (*after n*); **~-appointed** *adj* [*leader, guardian*] autonommé (*after n*); **~-appraisal** *n* auto-évaluation *f*; **~-assembly** *adj* en kit; **~-assertion** *n* affirmation *f* de soi/de lui-même etc; **~-assertive** *adj* sûr de soi/de lui/d'elle etc; **~-assessment** *n* auto-évaluation *f*; GB Fin auto-évaluation *f* (fiscale); **~-assurance** *n* assurance *f*

self-assured /,selfə'ʃɔ:d, US -'ʃʊərd/ *adj* [*person, performance*] plein d'assurance; **to be very ~** avoir beaucoup d'assurance

self: **~-aware** *adj* conscient de ma/sa etc personne; **~-awareness** *n* conscience *f* de soi/de lui-même etc; **~-belief** *n* confiance *f* en soi/en elle etc; **~-betterment** *n* amélioration *f* de soi-même/de lui-même etc

self-catering /,self'keɪtərɪŋ/ GB
A *n* meublé *m*
B *modif* [*flat, accommodation*] meublé; **~ holiday** vacances *fpl* en location

self: **~-censorship** *n* autocensure *f*; **~-centred** GB, **~-centered** US *adj* égocentrique; **~-certification** *n* GB certificat *m* de maladie (*signé par le malade*); **~-cleaning** *adj* autonettoyant; **~-closing** *adj* à fermeture automatique; **~-coloured** GB, **~-colored** US *adj* uni; **~-confessed** *adj* avoué; **~-confidence** *n* assurance *f*; **~-confident** *adj* [*person*] sûr de soi/de lui etc; [*attitude, performance*] plein d'assurance; **~-congratulation** *n* autosatisfaction *f*; **~-congratulatory** *adj* plein d'autosatisfaction

self-conscious /,self'kɒnʃəs/ *adj* **1** (shy) timide; **to be ~ about sth/about doing** être gêné par qch/de faire; **2** (deliberate) [*style, artistry*] conscient; **3** = **self-aware**

self-consciously /,self'kɒnʃəslɪ/ *adv* **1** (shyly) [*behave, dance*] timidement; **2** (deliberately) [*imitate, refer*] consciemment

self-consciousness /,self'kɒnʃəsnɪs/ *n* **1** (timidity) gêne *f*; **2** (deliberateness) conscience *f*; **3** = **self-awareness**

self-contained /,selfkən'teɪnd/ *adj* **1** [*flat*] indépendant; [*project, unit*] autonome; **2** [*person*] réservé

self: **~-contempt** *n* mépris *m* de soi; **~-contradiction** *n* contradiction *f* en soi; **~-contradictory** *adj* [*statement, argument*] contradictoire; [*person*] qui se contredit (*after n*)

self-control /,selfkən'trəʊl/ *n* sang-froid *m inv*, maîtrise *f* de soi; **to exercise ~** avoir du sang-froid

self: **~-controlled** *adj* [*person*] maître/maîtresse de soi/de lui-même/d'elle-même etc; [*behaviour, manner*] contrôlé; **~-correcting** *adj* à système autocorrecteur; **~-critical** *adj* critique à l'égard de soi/de lui-même/d'elle-même etc; **~-criticism** *n* autocritique *f*; **~-deception** *n* aveuglement *m* à son/votre etc propre égard

self-defeating /,selfdɪ'fi:tɪŋ/ *adj* autodestructeur/-trice (*after n*); **that would be ~** cela irait à l'encontre du but recherché

self-defence GB, **self-defense** US /,selfdɪ'fens/
A *n* gen autodéfense *f*; Jur légitime défense *f*; **to learn ~** apprendre l'autodéfense; **to shoot sb in ~** tirer sur qn en état de légitime défense; **can I say in ~ that...** est-ce que je peux dire pour ma défense que...
B *modif* [*class, course, instructor*] d'autodéfense

self: **~-definition** *n* détermination *f* de soi; **~-delusion** *n* aveuglement *m* à son/mon etc propre égard; **~-denial** *n* abnégation *f*; **~-denying** *adj* plein d'abnégation; **~-deprecating** *adj* [*person*] qui se dénigre (*after n*); [*joke, manner, remark*] d'autodénigrement (*after n*); **~-deprecation** *n* autodénigrement *m*

self-destruct /,selfdɪ'strʌkt/
A *adj* [*button, mechanism*] d'autodestruction
B *vi* s'autodétruire

self: **~-destructive** *adj* autodestructeur/-trice; **~-determination** *n* gen, Pol autodétermination *f*; **~-determining** *adj* [*country*] autonome; [*action, move*] d'autodétermination; **~-diagnosis** *n* gen, Med autodiagnostic *m*; **~-discipline** *n* autodiscipline *f*; **~-disciplined** *adj* autodiscipliné; **~-discovery** *n* découverte *f* de soi/d'elle-même etc; **~-disgust** *n* dégoût *m* de soi; **~-doubt** *n* doute *m* de soi-même/de lui-même etc; **~-drive** *adj* GB [*car, van*] de location sans chauffeur; [*holiday*] en voiture; **~-educated** *adj* autodidacte; **~-effacement** *n* effacement *m*; **~-effacing** *adj* effacé

self-elected *adj* lit [*committee*] autoélu; [*leader*] autoproclamé; **he's a ~ expert on...** il se prétend expert en...

self-employed /,selfɪm'plɔɪd/
A *n* **the ~** (+ *v pl*) les travailleurs *mpl* indépendants
B *adj* [*work, worker*] indépendant (*after n*); **to be ~** travailler à son compte

self: **~-employment** *n* travail *m* indépendant; **~-esteem** *n* amour-propre *m*; **~-evident** *adj* évident, qui coule de source (*after n*); **~-evidently** *adv* de toute évidence

self-examination /,selfɪg,zæmɪ'neɪʃn/ *n* **1** (of conscience, motives) examen *m* de conscience; **2** Med auto-examen *m*

self-explanatory /,selfɪk'splænətrɪ, US -tɔ:rɪ/ *adj* explicite

self-expression /,selfɪk'spreʃn/ *n* expression *f* de soi/de lui-même etc; **a means of ~** un moyen de s'exprimer

self: **~-fertilization** *n* autofécondation *f*; **~-fertilizing** *adj* autofertile

self-financing /,self'faɪnænsɪŋ/
A *n* autofinancement *m*
B *adj* autofinancé

self: **~-fulfilling prophecy** *n* prédiction *f* qui s'accomplit d'elle-même; **~-fulfilment** *n* accomplissement *m* de soi; **~-funded** *adj* autofinancé; **~-glorification** *n* pej autoglorification *f*; **~-governing** *adj* autonome; **~-governing trust** *n* GB *organisme médical qui gère son budget de manière autonome*; **~-government** *n* autonomie *f*; **~-gratification** *n* gratification *f* personnelle; **~-harm** *n* Psych automutilation *f*; **~-hate**, **~-hatred** *n* haine *f* de soi

self-help /,self'help/
A *n* **to learn ~** apprendre à se débrouiller seul; **~ is a necessity for this country** savoir se débrouiller seul est essentiel pour ce pays
B *modif* [*group, scheme, meeting*] d'entraide; **~ book** manuel *m* d'aide

selfhood /'selfhʊd/ *n* individualité *f*

self: **~-hypnosis** *n* autohypnose *f*; **~-ignite** *vi* s'allumer spontanément; **~-ignition** *n* auto-allumage *m*; **~-image** *n* image *f* de soi-même/de lui-même etc; **~-importance** *n* péj suffisance *f*; **~-important** *adj* péj suffisant; **~-imposed** *adj* auto-imposé; **~-improvement** *n* progrès *mpl* personnels; **~-incrimination** *n* incrimination *f* par soi-même; **~-induced** *adj* auto-infligé; **~-induced hypnosis** *n* autohypnose *f*; **~-indulgence** *n* complaisance *f*, laisser-aller *m inv*; **~-indulgent** *adj* complaisant; **~-inflicted** *adj* auto-infligé; **~-interest** *n* intérêt *m* personnel; **~-interested** *adj* [*person, motive*] intéressé; **~-involved** *adj* égocentrique

selfish /'selfɪʃ/ *adj* égoïste (**to do** de faire); **it was ~ of him to do** c'était égoïste de sa part de faire

selfishly /'selfɪʃlɪ/ *adv* égoïstement

selfishness /'selfɪʃnɪs/ *n* égoïsme *m*; **the ~ of her behaviour** son comportement égoïste

self: **~-justification** *n* autojustification *f*; **~-justifying** *adj* d'autojustification (*after n*); **~-knowledge** *n* connaissance *f* de soi/d'elle-même etc

selfless /'selflɪs/ *adj* [*person*] dévoué; [*action, devotion*] désintéressé

selflessly /'selflɪslɪ/ *adv* [*give, donate*] sans penser à soi/à lui etc; **to be ~ devoted to** être entièrement dévoué à

selflessness /'selflɪsnɪs/ *n* (of person) dévouement *m*; (of action, devotion) désintéressement *m*

self: **~-loader** *n* arme *f* automatique; **~-loading** *adj* [*gun, rifle*] automatique; **~-loathing** *n* haine *f* de soi/d'elle-même etc; **~-locking** *adj* à verrouillage automatique; **~-love** *n* amour *m* de soi/de lui-même/d'elle-même etc; **~-lubricating** *adj* autolubrifiant

self-made /ˌselfˈmeɪd/ *adj* [*star, millionaire*] qui s'est fait tout seul (*after n*); **~ man** self-made man *m*

self: **~-management** *n* Comm autogestion *f*; Psych gestion *f* de sa vie; **~-mastery** *n* maîtrise *f* de soi/d'elle-même etc; **~-mockery** *n* autodérision *f*; **~-mocking** *adj* plein d'autodérision; **~-motivated** *adj* très motivé; **~-motivation** *n* motivation *f* personnelle; **~-mutilate** *vi* s'automutiler; **~-mutilation** *n* automutilation *f*; **~-obsessed** *adj* obsédé par sa/ma etc personne; **~-ordained** *adj* autopromu; **~-parody** *n* auto-parodie *f*; **~-perpetuating** *adj* qui se perpétue (*after n*); **~-pity** *n* apitoiement *m* sur soi-même

self-pitying /ˌselfˈpɪtɪɪŋ/ *adj* [*person*] qui s'apitoie sur son sort (*after n*); [*look, account*] plein de pitié pour soi-même/lui-même etc; **he is in a ~ mood** il est d'humeur à s'apitoyer sur lui-même

self-portrait /ˌselfˈpɔːtreɪt/ *n* autoportrait *m*

self-possessed /ˌselfpəˈzest/ *adj* [*person*] maître/maîtresse de soi; **she gave a ~ performance** sa performance témoignait d'une grande maîtrise de soi *or* d'elle-même

self: **~-possession** *n* maîtrise *f* de soi/de lui-même etc, sang-froid *m inv*; **~-praise** *n* autosatisfaction *f*; **~-presentation** *n* façon *f* de se présenter

self-preservation /ˌselfprezəˈveɪʃn/ *n* autoconservation *f*; **the ~ instinct** l'instinct *m* de conservation

self: **~-proclaimed** *adj* autoproclamé; **~-promotion** *n* promotion *f* personnelle; **~-propelled** *adj* autopropulsé

self-protection /ˌselfprəˈtekʃn/ *n* autoprotection *f*; **in ~** pour se/me etc protéger

self: **~-protective** *adj* autoprotecteur/-trice; **~-publicist** *n* péj spécialiste *mf* de la propagande personnelle; **~-punishment** *n* autopunition *f*; **~-raising flour** GB, **~-rising flour** US *n* farine *f* à gâteau; **~-realization** *n* (discovery) prise *f* de conscience de soi/d'elle-même etc; (fulfilment) accomplissement *m*; **~-referential** *adj* autoréférentiel/-ielle; **~-regard** *n* (concern for oneself) égard *m* pour soi-même/lui-même etc; (self-respect) respect *m* de soi/de lui-même etc; **~-regarding** *adj* (concerned for oneself) plein d'égards pour soi-même/lui-même etc; **~-regulating**, **~-regulatory** *adj* autorégulateur/-trice; **~-regulation** *n* autorégulation *f*; **~-reliance** *n* autosuffisance *f*; **~-reliant** *adj* autosuffisant; **~-renewal** *n* (of country, person) renouvellement *m*; **~-replicating** *adj* Biol autoreproducteur/-trice

self-representation /ˌselfreprɪzenˈteɪʃn/ *n* **1** Soc Admin, Jur (before tribunal) possibilité *f* de se représenter; **2** (self-portrait) autoportrait *m*

self: **~-reproach** *n* ¢ reproches *mpl* à soi-même/à elle-même etc; **~-respect** *n* respect *m* de soi/de lui-même etc; **~-respecting** *adj* [*teacher, journalist, comedian*] (worthy of that name) qui se respecte (*after n*); [*person*] respectueux/-euse de sa/ma etc personne; **~-restraint** *n* retenue *f*; **~-ridicule** *n* autodérision *f*; **~-righteous** *adj* péj autosatisfait; **~-righteously** *adv* péj [*say, behave*] en se donnant raison; **~-righteousness** *n* péj autosatisfaction *f*; **~-righting** *adj* qui se redresse tout seul; **~-rising flour** *n* US= **self-raising flour**; **~-rule** *n* autonomie *f*; **~-ruling** *adj* autonome; **~-sacrifice** *n* abnégation *f*; **~-sacrificing** *adj* [*person*] plein d'abnégation; [*gesture, act*] d'abnégation; **~same** *adj* même (*after n*); **~-satisfaction** *n* autosatisfaction *f*; **~-satisfied** *adj* péj autosatisfait; **~-sealing** *adj* [*envelope*] autocollant

self-seeking /ˌselfˈsiːkɪŋ/
A *n* égoïsme *m*
B *adj* égoïste

self-service /ˌselfˈsɜːvɪs/
A *n* libre-service *m*
B *adj* [*cafeteria*] en libre-service

self-serving /ˌselfˈsɜːvɪŋ/ *adj* péj intéressé

self-starter /ˌselfˈstɑːtə(r)/ *n* **1** (person) personne *f* ambitieuse et indépendante; **2** †Aut démarreur *m* automatique

self: **~-study** *modif* [*book, aid*] d'autoéducation; **~-styled** *adj* autoproclamé; **~-sufficiency** *n* (all contexts) autosuffisance *f*; **~-sufficient** *adj* autosuffisant (**in** en matière de); **~-supporting** *adj* (all contexts) indépendant; **~-sustaining** *adj* autosuffisant; **~-tanning** *adj* autobronzant; **~-taught** *adj* [*person, musician, typist*] autodidacte; **~-test** *n* autotest *m*; **~-torture** *n* torture *f* de soi-même; **~-treatment** *n* gen traitement *m* autoprescrit; (with medicines) automédication *f*; **~-will** *n* volonté *f* inébranlable; **~-willed** *adj* entêté; **~-winding** *adj* à remontage automatique; **~-worth** *n* estime *f* de soi

sell /sel/
A ○*n* (deception, disappointment) déception *f*; **it was a real ~!** qu'est-ce qu'on s'est fait avoir○!; ▸ **hard sell, soft sell**
B *vtr* (*prét, pp* **sold**) **1** gen, Comm vendre [*goods, article, house, car, insurance*]; **to ~ sth at a loss/low price/profit** vendre qch à perte/à bas prix/avec du bénéfice; **shop that ~s clothes/groceries/stamps** magasin qui *or* où l'on vend des vêtements/de l'épicerie/des timbres; **to ~ sth to sb, to ~ sb sth** vendre qch à qn; **I sold her my car, I sold my car to her** je lui ai vendu ma voiture; **to ~ sth for £3** vendre qch (pour) 3 livres; **to ~ sth at** *ou* **for £5 each/a dozen** vendre qch 5 livres pièce /la douzaine; **'stamps/phonecards sold here'** 'ici on vend des timbres/des cartes de téléphone'; **'sold'** (on article, house) 'vendu'; **sold to the lady in the corner** (at auction) adjugé, vendu à la dame dans le coin; **the novel has sold millions (of copies)** le roman s'est vendu à des millions d'exemplaires; **to ~ sth back** revendre qch; **to be sold into slavery** être vendu comme esclave
2 (promote sale of) [*quality, reputation, scandal*] faire vendre [*product, book, newspaper*]; **her name will help to ~ the film** son nom aidera à promouvoir le film
3 (put across, make attractive) [*person, campaign, government*] faire accepter, vendre péj [*idea, image, policy, party*]; **to ~ sth to sb, to ~ sb sth** faire accepter qch à qn, vendre qch à qn péj; **the party failed to ~ its policies to the electorate** le parti n'a pas réussi à faire accepter *or* vendre sa politique aux électeurs
4 ○(cause to appear true) **to ~ sb sth, to ~ sth to sb** faire avaler○ qch à qn [*lie, story, excuse*]; **he tried to ~ me some line about losing his diary** il a essayé de me faire avaler je ne sais quelle histoire comme quoi il avait perdu son agenda○
5 (surrender, betray) trahir [*honour, integrity, reputation, country*]
C *vi* (*prét, pp* **sold**) **1** [*person, shop, dealer*] vendre; **to ~ at a loss/profit/high price** vendre à perte/avec du bénéfice/à un bon prix; **to ~ to sb** vendre à qn; **I'll ~ to the highest bidder** je vendrai au plus offrant; **to ~ for £50** [*dealer, seller*] vendre à 50 livres; **I'll ~ for the best price** je vendrai au meilleur prix; **to ~ as is** Comm vendre en l'état; **'~ by June 27'** 'date limite de vente: 27 juin'
2 [*goods, product, house, book*] se vendre; **the new model is/isn't ~ing (well)** le nouveau modèle se vend bien/mal; **to ~ in millions/in great quantities** se vendre à des millions d'exemplaires/en grande quantités; **it only ~s to a sophisticated market/to children** cela ne se vend que sur un marché raffiné/qu'aux enfants
D *v refl* (*prét, pp* **sold**) **1** (prostitute oneself) **to ~ oneself** lit, fig se vendre (**to** à; **for** pour) **2** (put oneself across) **to ~ oneself** se vendre○; **you've got to ~ yourself at the interview** il faut que tu te vendes○ lors de l'entretien

(Idioms) **to be sold on** être emballé○ par [*idea, person*]; **you've been sold○!** tu t'es fait rouler○ *or* avoir!

(Phrasal verbs) ■ **sell off**: ▸ **~ [sth] off, ~ off [sth]** gen liquider [*goods, stock*]; (in sale) solder [*item, old stock*]
■ **sell out**: ▸ **~ out** **1** gen, Comm [*merchandise, tickets, newspapers*] se vendre; **they're ~ing out fast!** ils se vendent vite!; **the tickets/today's papers have sold out, we've sold out of tickets/today's papers** tous les billets/les journaux du jour ont été vendus; **sorry, we've sold out** désolé, mais nous avons tout vendu *or* il n'y en a plus; **2** Theat, Cin **the play/show has sold out** la pièce/le spectacle affiche complet; **3** Fin (of company, shares) vendre ses parts (**to** à); **I've decided to ~ out** j'ai décidé de vendre mes parts; **4** ○(betray one's principles) retourner sa veste; **he's sold out to the opposition** il est passé dans l'opposition; ▸ **~ [sth] out, ~ out [sth]** **1** gen, Comm **the concert is sold out** le concert affiche complet; **the book has sold out its initial print run** la première édition du livre est épuisée; **'sold out'** 'en rupture de stock'; **2** Fin vendre [*shares, interest in company*]
■ **sell up**: ▸ **~ up** vendre (tout); **they've sold up** ils ont tout vendu; ▸ **~ up [sth]** vendre [*business, property*]

sell-by date *n* date *f* limite de vente

seller /ˈselə(r)/ *n* **1** (person) vendeur/-euse *m/f*; **2** (product, book etc) **it's a good/poor ~** cela se vend bien/mal

seller: **~'s market** *n* Fin marché *m* à la hausse; Comm marché *m* où la demande est forte; **~'s option** *n* Fin prime *f*

selling /ˈselɪŋ/ *n* ¢ vente *f*; **telephone ~** vente par téléphone; **panic ~** Fin vente(s) précipitée(s)

selling: **~ cost** *n* prix *m* de vente; **~-off** *n* (of company, assets) liquidation *f*; (of stock) écoulement *m*; **~ point** *n* (all contexts) argument *m* de vente; **~ price** *n* prix *m* de vente; **~ rate** *n* taux *m* de vente

Sellotape® /ˈseləʊteɪp/
A *n* scotch® *m*
B **sellotape** *vtr* scotcher

sellout /ˈselaʊt/
A *n* **1** **the show was a ~** le spectacle affichait complet; **the product has been a ~** le produit s'est très bien vendu; **2** ○(betrayal) revirement *m*; **what a ~!** quel revirement!
B *modif* [*concert, performance, production*] à guichets fermés; **they played to a ~ crowd of 12,000** ils ont joué à guichets fermés devant une foule de 12000 spectateurs; **the play was a ~ success** la pièce a eu un succès retentissant

seltzer /ˈseltsə(r)/ *n* (*also* **~ water**) eau *f* de Seltz

selvage, **selvedge** /ˈselvɪdz/ *n* Tex lisière *f*

selves /selvz/ *pl* ▸ **self**

semantic /sɪˈmæntɪk/ *adj* sémantique

semantically /sɪˈmæntɪklɪ/ *adv* sémantiquement

semanticist /sɪˈmæntɪsɪst/ *n* sémanticien/-ienne *m/f*

semantics /sɪˈmæntɪks/
A *n* (subject) (+ *v sg*) sémantique *f*
B *npl* (meaning) (+ *v pl*) sémantique *f*

semaphore /ˈseməfɔː(r)/ *n* sémaphore *m*

semblance /ˈsembləns/ *n* semblant *m*; **a** *ou* **some ~ of** un semblant de [*order, normality, confidence*]; **to give (sb/sth) some ~ of doing** donner (à qn/à qch) l'illusion de faire; **to maintain a ~ of composure** garder un air dégagé

seme /ˈsemeɪ/ *n* sème *m*

S

semen /ˈsiːmən/
A *n* ₵ sperme *m*
B *modif* [*donor, sample*] de sperme
semester /sɪˈmestə(r)/ *n* semestre *m*
semi /ˈsemɪ/
A ○*n* **1** GB (house) maison *f* jumelée; **2** US Aut semi-remorque *f*
B **semi+** (*dans composés*) **1** (half) semi-, demi-; **2** (partly) plus ou moins; **it was a ~-serious suggestion** c'était une idée plus ou moins sérieuse *or* pas tout à fait sérieuse
semi: **~annual** *adj* [*publication*] publié deux fois par an; [*event*] qui a lieu deux fois par an; **~aquatic** *adj* semi-aquatique; **~automatic** *n, adj* semi-automatique (*m*); **~autonomous** *adj* semi-autonome; **~basement** *n* GB ≈ rez-de-jardin *m inv*; **~bold** *n* caractère *m* demi-gras; **~breve** *n* GB Mus ronde *f*; **~centenary**, **~centennial** *n, adj* cinquantenaire (*m*); **~circle** *n* demi-cercle *m*; **~circular** *adj* semi-circulaire, en demi-cercle; **~circular canal** *n* canal *m* semi-circulaire; **~colon** *n* point-virgule *m*; **~conductor** *n* semi-conducteur *m*; **~conscious** *adj* à peine conscient; **~consciousness** *n* état *m* de demi-conscience; **~consonant** *n* semi-consonne *f*; **~darkness** *n* pénombre *f*, demi-jour *m*
semidesert /ˌsemɪˈdesət/
A *n* zone *f* semi-aride
B *adj* semi-aride, semi-désertique
semi: **~-detached (house)** *n* maison *f* jumelée; **~final** *n* demi-finale *f*; **~finalist** *n* demi-finaliste *mf*; **~fluid** *n, adj* semi-fluide (*m*); **~literate** *adj* presque illettré; **~lunar** *adj* semi-lunaire
semimonthly /ˌsemɪˈmʌnθlɪ/ US
A *n* publication *f* bi-mensuelle
B *adj* bi-mensuel/-elle
seminal /ˈsemɪnl/ *adj* **1** gen [*work, thinker, influence*] déterminant; **2** Physiol [*fluid*] séminal
seminar /ˈsemɪnɑː(r)/ *n* séminaire *m* (**on** sur)
seminarian /ˌsemɪˈneərɪən/, **seminarist** /ˈsemɪnərɪst/ *n* séminariste *m*
seminar room *n* salle *f* de séminaire
seminary /ˈsemɪnərɪ, US -nerɪ/ *n* Relig séminaire *m*
semiofficial /ˌsemɪəˈfɪʃl/ *adj* semi-officiel/-ielle
semiology /ˌsemɪˈɒlədʒɪ/ *n* sémiologie *f*
semiopaque /ˌsemɪəˈpeɪk/ *adj* à demi opaque, semi-opaque
semiotic /ˌsemɪˈɒtɪk/ *adj* sémiotique
semiotics /ˌsemɪˈɒtɪks/ *n* (+ *v sg*) sémiotique *f*
semi: **~permanent** *adj* semi-permanent; **~permeable** *adj* à demi perméable, semi-perméable; **~precious** *adj* [*metal*] semi-précieux/-ieuse; [*stone*] fin, semi-précieux/-ieuse; **~professional** *n, adj* semi-professionnel/-elle (*m/f*); **~quaver** *n* GB Mus double croche *f*; **~rigid** *adj* semi-rigide; **~skilled** /ˌsemɪˈskɪld/ *adj* [*work*] d'ouvrier spécialisé; [*worker*] spécialisé; **~skimmed** /ˌsemɪˈskɪmd/ *adj* demi-écrémé; **~solid** *adj* semi-solide
Semite /ˈsiːmaɪt/ *n* Sémite *mf*
Semitic /sɪˈmɪtɪk/ *adj* **1** gen sémite; **2** Ling sémitique
semi: **~tone** *n* Mus demi-ton *m*; **~trailer** *n* US (truck) semi-remorque *m*; (trailer) semi-remorque *f*; **~tropical** *adj* semi-tropical; **~vowel** *n* semi-voyelle *f*; **~weekly** *n, adj* semi-hebdomadaire (*m*); **~yearly** *adj* = **semiannual**
semolina /ˌseməˈliːnə/ *n* semoule *f*
sempiternal /ˌsempɪˈtɜːnl/ *adj* littér perpétuel/-elle
Sen **1** *abrév écrite* = **senator**; **2** *abrév écrite* = **senior**
SEN GB *abrév* ▸ **State Enrolled Nurse**

senate /ˈsenɪt/ *n* **1** Pol, Hist sénat *m*; ▸ **Congress**; **2** Univ conseil *m* (d'université)
senator /ˈsenətə(r)/ ▸ **p. 1237** *n* sénateur *m* (**for de**)
senatorial /ˌsenəˈtɔːrɪəl/ *adj* sénatorial
send /send/ *vtr* (*prét, pp* **sent**) **1** (dispatch) gen envoyer [*letter, parcel, goods, message, person*]; Radio envoyer [*signal*]; **to ~ help** envoyer des secours; **to ~ sth to sb, to ~ sb sth** envoyer qch à qn; **to ~ sth to the cleaner's** faire nettoyer qch; **to ~ sb to do sth** envoyer qn faire qch; **she sent him to the supermarket for some milk** elle l'a envoyé au supermarché acheter du lait; **they'll ~ a car for you** ils enverront une voiture vous chercher; **to ~ sb home** (from school, work) renvoyer qn chez lui; **to ~ sb to bed** envoyer qn se coucher; **to ~ sb to prison** mettre qn en prison; **~ her my love!** embrasse-la de ma part; **~ them my regards/best wishes** transmettez-leur mes amitiés/meilleurs vœux; **Kirsten ~s her regards** tu as le bonjour de Kirsten; (more formally) vous avez les amitiés de Kirsten; **to ~ word that** faire dire que
2 (cause to move) envoyer; **the explosion sent debris in all directions** l'explosion a envoyé des débris dans toutes les directions; **the blow sent him crashing to the ground** le coup l'a envoyé rouler par terre; **the noise sent people running in all directions** le bruit a fait courir les gens dans toutes les directions; **to ~ share prices soaring/plummeting** faire monter/s'effondrer le cours des actions; **the impact sent the car over the cliff** le choc a fait basculer la voiture du haut de la falaise; **the collision sent the car straight into a wall/into a hedge** la collision a été si forte que la voiture a embouti un mur/est rentrée dans une haie; **the fire sent flickers of light across the room** le feu lançait des lueurs à travers la pièce; **to ~ shivers down sb's spine** donner froid dans le dos à qn
3 (cause to become) rendre; **to ~ sb mad/berserk** rendre qn fou/fou furieux; **to ~ sb into a rage** mettre qn dans une rage folle; **to ~ sb to sleep** endormir qn; **to ~ sb into fits of laughter** faire éclater de rire qn
4 ○(excite) **she really ~s me!** elle me botte○ *or* m'emballe○ vraiment!; **this music really ~s me!** cette musique me botte○ *or* me plaît vraiment!
(Idiom) **to ~ sb packing**○, **to send sb about her/his business**○ envoyer balader qn○
(Phrasal verbs) ■ **send along**: ▸ **~ [sb/sth] along, ~ along [sb/sth]** envoyer; **~ him/the documents along to room three** envoyez-le/les documents à la salle trois
■ **send around** US = **send round**
■ **send away**: ▸ **~ away for [sth]** commander [qch] par correspondance; ▸ **~ [sb/sth] away** faire partir, renvoyer [*person*]; ▸ **to ~ a child away to boarding school** envoyer un enfant en pension; **to ~ an appliance away to be mended** envoyer un appareil chez le fabricant pour le faire réparer
■ **send down**: ▸ **~ [sb/sth] down, ~ down [sb/sth]** envoyer; **~ him down to the second floor** dites-lui de descendre au deuxième étage; **can you ~ it down to me?** pouvez-vous me le faire parvenir?; ▸ **~ [sb] down** **1** GB Univ renvoyer [qn] de l'université (**for** pour; **for doing** pour avoir fait); **2** ○GB (put in prison) mettre *or* envoyer qn en prison; **he was sent down for ten years for armed robbery** il a été condamné à dix ans pour vol à main armée
■ **send for**: ▸ **~ for [sb/sth]** appeler, faire venir [*doctor, taxi, plumber*]; demander [*reinforcements*]; **the headmaster has sent for you** le directeur te réclame
■ **send forth**: ▸ **~ forth [sb/sth]** littér envoyer [*messenger, army, ray of light*]
■ **send in**: ▸ **~ [sb/sth] in, ~ in [sb/sth]** envoyer [*letter, form*]; envoyer [*police, troops*]; faire entrer [*visitor*]; **to ~ in one's application** poser sa candidature
■ **send off**: ▸ **~ off for [sth]** commander [qch] par correspondance; ▸ **~ [sth] off, ~ off [sth]** (post) envoyer, expédier [*letter, parcel, form*]; ▸ **~ [sb] off, ~ off [sb]** Sport expulser [*player*] (**for** pour; **for doing** pour avoir fait); ▸ **~ [sb] off to** envoyer [qn] à [*shops, school*]; **to ~ [sb] off to do** envoyer [qn] faire
■ **send on**: ▸ **~ [sb] on (ahead)** Mil (as scout) envoyer [qn] en éclaireur; **~ him on ahead to open up the shop** dites-lui de partir devant ouvrir le magasin; ▸ **~ [sth] on, ~ on [sth]** **1** (send in advance) expédier [qch] à l'avance [*luggage*]; **2** (forward) faire suivre [*letter, mail*]
■ **send out**: ▸ **~ out for [sth]** envoyer quelqu'un chercher [*sandwich, newspaper*]; ▸ **~ [sth] out, ~ out [sth]** **1** (post) envoyer [*letters, leaflets*]; **2** (emit) émettre [*light, heat, flames*]; (produce) [*tree, plant*] produire [*leaf, bud, creeper*]; ▸ **~ [sb] out** faire sortir [*pupil*]; ▸ **~ [sb] out for** envoyer [qn] chercher [*pizza, sandwich*]
■ **send round** GB: ▸ **~ [sb/sth] round, ~ round [sb/sth]** **1** (circulate) faire circuler [*letter, memo etc*]; **2** (cause to go) envoyer [*person, object*]; **I've sent him round to my neighbour's** je l'ai envoyé chez le voisin
■ **send up**: ▸ **~ [sth] up** (post) envoyer; **~ your ideas up to the BBC** envoyez vos idées à la BBC; ▸ **~ [sb] up**○ US (put in prison) mettre *or* envoyer [qn] en prison; ▸ **~ [sb/sth] up, ~ up [sb/sth]** **1** (into sky, space) envoyer [*astronaut, probe*]; **2** (to upper floor) **you can ~ him up now** vous pouvez lui dire de monter maintenant; **can you ~ it up to me?** pouvez-vous me le faire parvenir?; **3** ○GB (parody) parodier [*person, institution*]
sender /ˈsendə(r)/ *n* expéditeur/-trice *m/f*
send-off /ˈsendɒf/ *n* adieux *mpl*; **her family gave her a warm ~** sa famille lui a fait des adieux chaleureux; **the president was given a big ~** une foule nombreuse était venue souhaiter bon voyage au président
send-up○ /ˈsendʌp/ *n* GB parodie *f*
Seneca /ˈsenɪkə/ *pr n* Sénèque
Senegal /ˌsenɪˈgɔːl/ ▸ **p. 1096** *pr n* Sénégal *m*
Senegalese /ˌsenɪgəˈliːz/ ▸ **p. 1467**
A *n* Sénégalais/-e *m/f*
B *adj* sénégalais
senile /ˈsiːnaɪl/ *adj* sénile also pej
senile dementia *n* démence *f* sénile
senility /sɪˈnɪlətɪ/ *n* sénilité *f*
senior /ˈsiːnɪə(r)/
A *n* **1** (older person) aîné/-e *m/f*; **to be sb's ~ by ten years** avoir dix ans de plus que qn; **to be sb's ~** être plus âgé que qn; **2** (superior) supérieur/-e *m/f*; **3** GB Sch élève *mf* dans les grandes classes; **4** US Sch élève *mf* de terminale; **5** US Univ étudiant/-e *m/f* de licence; **6** Sport senior *m*
B *modif* **1** Sport [*circuit, league, player, tournament*] senior; **2** US Univ [*year, prom*] de fin d'études
C *adj* **1** (older) [*person*] plus âgé; [*organization*] plus ancien/-ienne; **to be ~ to sb** être plus âgé que qn; **to be ~ to sb by 12 years** avoir 12 ans de plus que qn; **Mr Becket ~** M. Becket père; **2** (superior) [*person*] plus haut placé; [*civil servant, diplomat*] haut (*before n*); [*aide, adviser, employee, minister*] haut placé; [*colleague*] plus ancien/-ienne; [*figure, member*] prédominant; [*job, post*] supérieur; **to be ~ to sb** être le supérieur de qn
senior: **~ aircraftman** ▸ **p. 1599** *n* GB Mil Aviat ≈ caporal *m*; **~ airman** ▸ **p. 1599** *n* US Mil Aviat ≈ caporal-chef *m*; **~ chief petty officer** ▸ **p. 1599** *n* US Mil Naut ≈ maître *m* principal; **~ citizen** *n* Soc Admin personne *f* du troisième âge
Senior Common Room *n* GB Univ **1** (staff room) *salle de repos réservée au corps enseignant d'une université*; **2** (college staff) *corps enseignant d'une université*
senior: **~ editor** ▸ **p. 1683** *n* Journ, Publg rédacteur/-trice *m/f* en chef; **~ executive**

n cadre *m* supérieur; **~ high school** *n* US Sch ≈ lycée *m*. ▸ **High school**

seniority /ˌsiːnɪˈɒrətɪ, US -ˈɔːr-/ *n* **1** (in years) âge *m*; **in order of ~** par ordre d'âge; **2** (in rank) statut *m* supérieur; **~ brings with it certain privileges** un statut supérieur comporte certains privilèges; **in order of ~** par ordre hiérarchique; **3** (in years of service) ancienneté *f*; **in order of ~** par ordre d'ancienneté

seniority bonus *n* prime *f* d'ancienneté

senior: **~ lecturer** *n* GB Univ ≈ maître *m* de conférence (de premier échelon); **~ management** *n* Admin direction *f*; **~ manager** *n* cadre *m* supérieur; **~ master** *n* GB Sch ≈ conseiller *m* d'éducation; **~ master sergeant** ▸ **p. 1599** *n* US Mil adjudant *m*; **~ medical officer** ▸ **p. 1599** *n* Mil directeur *m* du service de santé; **~ mistress** *n* GB Sch ≈ conseillère *f* d'éducation

senior officer *n* **1** (in police) officier *m* de police supérieur; **2** Soc Admin haut/-e fonctionnaire *m/f*; **inform your ~** informez votre supérieur

senior: **~ official** *n* haut/-e fonctionnaire *m/f*; **~ partner** *n* associé/-e *m/f* principal/-e; **~ registrar** ▸ **p. 1683** *n* GB Med chef *m* de clinique; **~ school** *n* GB (secondary school) lycée *m*; (older pupils) grandes classes *fpl*; **Senior Service** *n* GB Mil Naut marine *f* de guerre britannique

senior staff *n* **1** Admin cadres *mpl* supérieurs; **2** GB Univ corps *m* enseignant

senior year *n* **1** GB Sch (year) dernière année *f* de l'enseignement (secondaire); **2** (pupils) élèves *mfpl* de dernière année; **3** US Univ dernière année *f* du cycle universitaire

senna /ˈsenə/ *n* séné *m*

sensation /senˈseɪʃn/ *n* **1** (physical feeling) sensation *f* (**of** de); **a burning/choking ~** une sensation de brûlure/d'étouffement; **2** (impression) sensation *f*; **a floating/drowning ~** la sensation de flotter/de se noyer; **3** (stir) sensation *f*; **to cause** *ou* **create a ~** faire sensation. **4** °(person) **to be a ~** être formidable

sensational /senˈseɪʃənl/ *adj* **1** (dramatic) [*discovery, event, development*] sensationnel/-elle; **2** (sensationalist) péj [*allegation, news*] sensationnel/-elle; **~ story/article** histoire *f*/article *m* à sensation péj; **3** °(emphatic) sensationnel/-elle

sensationalism /senˈseɪʃənəlɪzəm/ *n* **1** (of tabloids) péj recherche *f* du sensationnel; **2** Philos sensationnisme *m*, sensualisme *m*

sensationalist /senˈseɪʃənəlɪst/

A *n* **1** (person) péj **to be a ~** aimer dramatiser péj; **2** Philos sensationniste *mf*, sensualiste *mf*

B *adj* **1** Journ péj [*headline, story, writer*] à sensation péj; **it's too ~** c'est dramatisé péj; **2** Philos sensationniste, sensualiste

sensationalize /senˈseɪʃənəlaɪz/ *vtr* péj faire un reportage à sensation sur [*event, story*]

sensationally /senˈseɪʃənəlɪ/ *adv* **1** (luridly) péj [*write, describe*] en dramatisant péj; **2** °(emphatic) [*good, beautiful, rich, stylish*] extraordinairement; [*bad, incompetent*] époustablement

sense /sens/

A *n* **1** (faculty) sens *m*; **~ of hearing** ouïe *f*; **~ of sight** vue *f*; **~ of smell** odorat *m*; **~ of taste** goût *m*; **~ of touch** toucher *m*; **to dull/sharpen the ~s** émousser/aiguiser les sens; **2** fig (ability to appreciate) **a ~ of** le sens de; **a ~ of direction/of rhythm** le sens de l'orientation/du rythme; **a writer with a ~ of history/the absurd** un écrivain doué du sens de l'histoire/l'absurde; **to have no ~ of style/decency** n'avoir aucun style/aucune notion de la décence; **to lose all ~ of time** perdre toute notion du temps; **3** (feeling) **a ~ of** un sentiment de [*guilt, security, failure, identity*]; **his ~ of having failed/being excluded** son sentiment d' avoir échoué/d'être exclu; **he had the ~ that something was wrong/that he had forgotten something** il avait le sentiment que quelque chose n'allait pas/d'avoir oublié quelque chose; **a ~ of purpose** le sentiment d'avoir un but; **the town has a great ~ of community** la ville a un grand sens de la communauté; **4** (practical quality) bon sens *m*; **to have the (good) ~ to do** avoir le bon sens de faire; **to have more ~ than to do** avoir suffisamment de bon sens pour ne pas faire; **5** (reason) **there's no ~ in doing** cela ne sert à rien de faire; **what's the ~ in getting angry/leaving now?** à quoi sert de se fâcher/partir maintenant?; **to make ~ of sth** comprendre qch; **I can't make ~ of this article/this sentence** je ne comprends rien à cet article/cette phrase; **it makes ~ to do** c'est une bonne idée de faire; **it makes good business ~ to employ an accountant** ce serait profitable d'employer un comptable; **to make ~** [*sentence, film, theory*] avoir un sens; **not to make any ~** [*sentence, film, theory*] n'avoir aucun sens; **what he said didn't make much ~ to me** ce qu'il a dit ne m'a pas semblé très logique; **6** (meaning) gen, Ling sens *m*; **in the literal/strict ~ (of the word)** au sens littéral/strict (du mot); **in all ~s** *ou* **in every ~ of the word** dans tous les sens du mot; **in the ~ that** en ce sens que; **he is in a** *ou* **one** *ou* **some ~ right to complain, but...** dans un certain sens il a raison de se plaindre, mais...; **they are in no ~ democratic** ils ne sont en aucune manière démocratiques; **7** sout (opinion) opinion *f* (générale)

B **senses** *npl* (sanity) raison *f*; **to bring sb to his ~s** ramener qn à la raison; **to come to one's ~s** revenir à la raison; **to take leave of one's ~s** perdre la raison *or* l'esprit

C *vtr* **1** (be aware of) deviner (**that** que); **he ~d her uneasiness/her anger/her sorrow** il devinait son malaise/sa colère/son chagrin; **to ~ where/how etc** deviner où/comment etc; **to ~ danger/hostility** sentir un danger/de l'hostilité; **to ~ sb** *ou* **sb's presence** sentir la présence de qn; **2** (detect) [*machine*] détecter [*heat, light*]; **3** Comput (detect) détecter [*location*]; (read) lire [*data*]

(Idioms) **to knock** *ou* **hammer** *ou* **pound** US **some ~ into sb** ramener qn à la raison; **to see ~** entendre raison; **to talk ~** dire des choses sensées

sense datum *n* Philos donnée *f* des sens

senseless /ˈsenslɪs/ *adj* **1** (pointless) [*violence, killing*] gratuit; [*idea, discussion*] absurde; [*act, waste*] insensé; **it is ~ to do** *ou* **doing** il est insensé de faire; **2** (unconscious) sans connaissance, inconscient; **he lay ~ on the floor** il était étendu sans connaissance par terre; **to knock sb ~** faire perdre connaissance à qn

senselessly /ˈsenslɪslɪ/ *adv* [*waste, spend*] de manière insensée

senselessness /ˈsenslɪsnɪs/ *n* **1** (pointlessness) caractère *m* insensé (**of** de); **2** (unconsciousness) inconscience *f*

sense organ *n* organe *m* sensoriel; **the ~s** les organes des sens

sensibility /ˌsensəˈbɪlətɪ/

A *n* **1** sout (sensitivity) sensibilité *f* (**to** à); **2** Bot (of plant) susceptibilité *f*

B **sensibilities** *npl* sout **1** (feelings) susceptibilités *fpl*; **2** (capacity to respond) sensibilités *fpl*

sensible /ˈsensəbl/ *adj* **1** (showing common sense) [*person, idea, attitude, remark*] raisonnable, sensé; [*policy, solution, reform, investment*] judicieux/-ieuse; [*diet*] intelligent; **it is ~ (for sb) to do** il est raisonnable (de la part de qn) de faire; **2** (practical) [*shoes, coat, underwear*] pratique; **3** (perceptible) sensible; **4** littér (aware) **~ of sth** conscient de qch, sensible à qch

sensibly /ˈsensəblɪ/ *adv* [*eat, dress, act, talk*] de façon raisonnable; [*dressed, equipped*] de façon pratique; [*chosen, managed, organised*] de façon judicieuse; **~ priced** à un prix raisonnable

sensitive /ˈsensətɪv/ *adj* **1** (easily affected) [*skin, instrument, nerve, plant, area*] sensible (**to** à); **2** fig (easily hurt) [*person, character*] sensible, susceptible (**to** à); **3** (aware, intelligent) [*person, treatment, approach*] sensible; [*portrayal, work of art, artist*] sensible, fin; **4** (delicate) [*situation*] délicat; [*discussions, issue, job*] difficile; **5** (confidential) [*information, material*] confidentiel/-ielle

sensitively /ˈsensətɪvlɪ/ *adv* [*speak, act, treat, tackle, react*] avec délicatesse; [*chosen, portrayed*] avec sensibilité

sensitive plant *n* Hort sensitive *f*; **she's a ~** fig elle est susceptible

sensitivity /ˌsensəˈtɪvətɪ/ *n* (all contexts) sensibilité *f* (**to** à)

sensitize /ˈsensɪtaɪz/ *vtr* (all contexts) sensibiliser

sensor /ˈsensə(r)/ *n* détecteur *m*

sensory /ˈsensərɪ/ *adj* [*nerve, organ, impression*] sensoriel/-ielle

sensory deprivation *n* Psych perte *f* sensorielle

sensual /ˈsenʃʊəl/ *adj* sensuel/-elle

sensualism /ˈsenʃʊəlɪzəm/ *n* gen sensualité *f*; Philos sensualisme *m*

sensualist /ˈsenʃʊəlɪst/ *n* gen, Philos sensualiste *mf*

sensuality /ˌsenʃʊˈælətɪ/ *n* sensualité *f*

sensually /ˈsenʃʊəlɪ/ *adv* [*speak, laugh, move, dance*] avec sensualité; [*evocative, exciting*] sensuellement

sensuous /ˈsenʃʊəs/ *adj* sensuel/-elle, voluptueux/-euse

sensuously /ˈsenʃʊəslɪ/ *adv* de façon sensuelle

sensuousness /ˈsenʃʊəsnɪs/ *n* sensualité *f*, volupté *f*

sent /sent/ *prét, pp* ▸ **send**

sentence /ˈsentəns/

A *n* **1** Jur peine *f*, condamnation *f*; **a jail** *ou* **prison ~** une peine d'emprisonnement; **the death ~** la peine de mort; **a death ~** une condamnation à mort; **to be under ~ of death** être condamné à mort; **to serve a ~** purger une peine; **to pass ~ on sb** prononcer une peine *or* une condamnation contre qn; **she got a three year ~** elle a été condamnée à trois ans de prison; **2** Ling phrase *f*

B *vtr* condamner (**to** à; **to do** à faire; **for** pour); **to ~ sb to jail** condamner qn à une peine de prison

sentence adverb *n* adverbe *m* de phrase

sententious /senˈtenʃəs/ *adj* sentencieux/-ieuse

sententiously /senˈtenʃəslɪ/ *adv* [*speak*] d'un ton sentencieux; [*write*] d'un style sentencieux

sentient /ˈsenʃnt/ *adj* doué de sensations

sentiment /ˈsentɪmənt/ *n* **1** (feeling) sentiment *m* (**for** pour, **towards** envers); **public ~** le sentiment général; **2** (opinion) opinion *f*; **what are your ~s about this?** quelle est votre opinion sur cela?; **my ~s exactly!** c'est bien mon avis!; **3** (sentimentality) gen sentimentalité *f*; pej sensiblerie *f*

sentimental /ˌsentɪˈmentl/ *adj* sentimental also pej; **of (purely) ~ value** de valeur (purement) sentimentale; **to be ~ about** faire du sentiment pour [*children, animals*]; évoquer [qch] avec émotion [*childhood, past*]; **we can't afford to be ~** on ne peut (pas) se permettre de faire du sentiment; **it's too ~** [*book, film*] c'est trop mélo°

sentimentalism /ˌsentɪˈmentəlɪzəm/ *n* sentimentalisme *m*

sentimentalist /ˌsentɪˈmentəlɪst/ *n* sentimental/-e *m/f*

sentimentality /ˌsentɪmenˈtælətɪ/ *n* sentimentalité *f*; pej sensiblerie *f*

sentimentalize /ˌsentɪˈmentəlaɪz/

A *vtr* (treat sentimentally) traiter [qn/qch] de façon sentimentale; (be sentimental about) faire du sentiment pour

B *vi* faire du sentiment (**about, over** pour)

S

sentimentally /ˌsentɪˈmentəlɪ/ *adv* sentimentalement

sentinel /ˈsentɪnl/ *n* 1 (guard) factionnaire *m*; **to stand ~** monter la garde; 2 Comput drapeau *m*, marque *f*

sentry /ˈsentrɪ/ *n* sentinelle *f*

sentry box *n* guérite *f*

sentry duty *n* faction *f*; **to be on ~** être de faction

sentry post *n* poste *m* de garde

Seoul /səʊl/ ▸ **p. 1815** *pr n* Séoul

Sep *abrév écrite* = **September**

sepal /ˈsepl/ *n* sépale *m*

separable /ˈsepərəbl/ *adj* séparable (**from** de)

separate

A **separates** /ˈsepərəts/ *npl* Fashn coordonnés *mpl*

B /ˈsepərət/ *adj* 1 (with singular noun) [*piece, section, organization*] à part; [*discussion, issue, occasion*] autre; [*problem*] à part; [*identity*] propre (*before n*); **she has a ~ room** elle a une chambre à part; **each room has a ~ bathroom** chaque chambre a sa propre salle de bains; **the flat is ~ from the rest of the house** l'appartement est indépendant du reste de la maison; **a ~ appointment for each child** un rendez-vous pour chaque enfant; **I had a ~ appointment** j'avais un autre rendez-vous; **under ~ cover** Post sous pli séparé; 2 (with plural noun) [*pieces, sections, discussions, issues, problems*] différent; [*organizations, agreements, treaties*] distinct; [*dates, appointments*] différent; **they have ~ rooms** ils ont chacun leur chambre; **they dined at ~ tables** ils ont dîné à des tables différentes; **they asked for ~ bills** (in restaurant) ils ont demandé chacun leur addition; **these are two ~ problems** ce sont deux problèmes différents

C /ˈsepərət/ *adv* **keep the knives ~** rangez les couteaux séparément *or* à part; **keep the knives ~ from the forks** séparez les couteaux des fourchettes

D /ˈsepəreɪt/ *vtr* 1 (divide) [*wall, river*] séparer [*country, community*]; [*intolerance, belief*] diviser [*people*]; séparer [*milk, egg*]; **only five seconds ~d the two athletes** cinq secondes seulement séparaient les deux athlètes; **to be ~d by** être séparé par [*river, wall*]; être divisé à cause de [*prejudice, intolerance*]; **to ~ sth from sth** [*wall, river*] séparer qch de qch; **to ~ the cream from the milk** séparer la crème du lait; **to ~ sb from sb** [*belief, disapproval*] éloigner qn de qn; **her beliefs ~d her from her sister** ses croyances l'ont éloignée de sa sœur; **the child became ~d from his mother** (in crowd etc) l'enfant s'est retrouvé séparé de sa mère; **to ~ the issue of pay from that of working hours** dissocier la question des salaires de celle des heures de travail; 2 (*also* **~ out**) (sort out) répartir [*people*]; trier [*objects, produce*]; **he ~d (out) the children according to age** il a réparti les enfants selon leur âge

E /ˈsepəreɪt/ *vi* (all contexts) [*person, couple, component*] se séparer (**from** de)

F **separated** *pp adj* [*person, couple*] séparé

(Phrasal verb) ■ **separate out** [*liquid*] se séparer

separately /ˈsepərətlɪ/ *adv* (all contexts) séparément

separation /ˌsepəˈreɪʃn/ *n* gen séparation *f* (**from** de); (of couple) séparation *f* (**from** d'avec)

separatism /ˈsepərətɪzəm/ *n* séparatisme *m*

separatist /ˈsepərətɪst/ *n, adj* séparatiste (*mf*)

separator /ˈsepəreɪtə(r)/ *n* séparateur *m*

Sephardic /sɪˈfɑːdɪ/ *adj* séfarade

sepia /ˈsiːpɪə/

A *n* 1 ▸ **p. 1067** (colour) sépia *f*; 2 (cuttlefish) seiche *f*

B *modif* [*photograph, ink*] sépia *inv*; **~ wash** lavis *m* (en) sépia; **~ drawing** sépia *f*

sepoy /ˈsiːpɔɪ/ *n* cipaye *m*

sepsis /ˈsepsɪs/ *n* Med septicité *f*

Sept *abrév écrite* = **September**

septa /ˈseptə/ *pl* ▸ **septum**

September /sepˈtembə(r)/ ▸ **p. 1452** *n* septembre *m*

September Massacre *n* Hist massacres *mpl* de septembre, septembrisades *fpl*

Septembrist /sepˈtembrɪst/ *n* Hist septembriseur *m*

septet /sepˈtet/ *n* Mus septuor *m*

septic /ˈseptɪk/ *adj* infecté, septique spec; **to go** *ou* **turn ~** s'infecter

septicaemia /ˌseptɪˈsiːmɪə/ ▸ **p. 1327** *n* septicémie *f*

septic tank *n* fosse *f* septique

septuagenarian /ˌseptjʊədʒɪˈneərɪən, US -tʃʊdʒə-/ *n, adj* septuagénaire (*mf*)

septuagesima /ˌseptjʊəˈdʒesɪmə, US -tʃʊdʒə-/ *n* Septuagésime *m*

septum /ˈseptəm/ *n* (*pl* **-ta**) septum *m*

septuplet /ˈseptjʊplɪt, sepˈtjuːplɪt/ *n* septuplé/-e *m/f*

sepulchral /sɪˈpʌlkrəl/ *adj* 1 fig, littér [*atmosphere, tone*] sépulcral liter; 2 sout [*statue, tomb*] funéraire

sepulchre GB, **sepulcher** US /ˈseplkə(r)/ *n* tombeau *m*

sequel /ˈsiːkwəl/ *n* (all contexts) suite *f* (**to** à)

sequence /ˈsiːkwəns/ *n* 1 (of problems) succession *f*; (of photos) série *f*; **the ~ of events** la suite des événements; 2 (order) ordre *m*; **in ascending/chronological ~** par ordre ascendant/chronologique; 3 (in film) séquence *f*; **the dream ~** la scène de rêve; 4 (dance) numéro *m* de danse; 5 (of notes, chords) séquence *f*; 6 Comput, Math, Games séquence *f*

sequence of tenses *n* concordance *f* des temps

sequencer /ˈsiːkwənsə(r)/ *n* Comput, Electron, Mus (all contexts) séquenceur *m*

sequential /sɪˈkwenʃl/ *adj* (all contexts) séquentiel/-ielle

sequential: **~ access** *n* Comput accès *m* séquentiel; **~ control** *n* Comput exécution *f* séquentielle des instructions

sequester /sɪˈkwestə(r)/

A *vtr* 1 Fin, Jur mettre [qch] sous séquestre; 2 sout (lock away) séquestrer

B **sequestered** *pp adj* sout [*life*] cloîtré; [*place*] reculé

sequestrate /ˈsiːkwestreɪt/ *n* Fin Jur mettre [qch] sous séquestre

sequestration /ˌsiːkwɪˈstreɪʃn/ *n* mise *f* sous séquestre

sequin /ˈsiːkwɪn/ *n* paillette *f*

sequin(n)ed /ˈsiːkwɪnd/ *adj* [*garment*] pailleté

sequoia /sɪˈkwɔɪə/ *n* (tree, wood) séquoia *m*

seraglio /seˈrɑːlɪəʊ/ *n* (*pl* **~s**) sérail *m*

serape /seˈrɑːpeɪ/ *n* couverture-habit *f* (mexicaine)

seraph /ˈserəf/ *n* (*pl* **~s** *ou* **~im**) séraphin *m*

seraphic /səˈræfɪk/ *adj* littér séraphique

seraphim /ˈserəfɪm/ *pl* ▸ **seraph**

Serb /sɜːb/ ▸ **p. 1467, p. 1378**

A *n* 1 (person) Serbe *mf*; 2 Ling serbe *m*

B *adj* serbe

Serbia /ˈsɜːbɪə/ ▸ **p. 1096** *pr n* Serbie *f*

Serbian /ˈsɜːbɪən/ *n, adj* = **Serb**

Serbo-Croat(ian) /ˌsɜːbəʊˈkrəʊæt, -krəʊˈeɪʃn/ ▸ **p. 1378** *n, adj* Ling serbo-croate (*m*)

SERC /sɜːk/ *n* GB (*abrév* = **Science and Engineering Research Council**) centre *m* national de recherches scientifiques

serenade /ˌserəˈneɪd/

A *n* sérénade *f*

B *vtr* donner une sérénade à

serendipitous /ˌserənˈdɪpɪtəs/ *adj* sout [*find, meeting*] heureux/-euse

serendipity /ˌserənˈdɪpətɪ/ *n* sout don *m* de faire des trouvailles; **it was pure ~ that I found this house** c'est par un heureux hasard que je suis tombé sur cette maison

serene /sɪˈriːn/ *adj* serein; **His/Her Serene Highness** Son Altesse Sérénissime

serenely /sɪˈriːnlɪ/ *adv* [*say, smile*] sereinement; **~ indifferent** d'une indifférence sereine

serenity /sɪˈrenətɪ/ *n* sérénité *f*

serf /sɜːf/ *n* serf/serve *m/f*

serfdom /ˈsɜːfdəm/ *n* servage *m*

serge /sɜːdʒ/

A *n* serge *f*

B *modif* [*garment*] en serge

sergeant /ˈsɑːdʒənt/ ▸ **p. 1599** *n* 1 GB Mil sergent *m*; 2 US Mil caporal-chef *m*; 3 (in police) ≈ brigadier *m*

sergeant at arms *n* 1 (who keeps order) huissier *m*; (in court) huissier-audiencier *m*; 2 Hist (armed attendant) sergent *m* d'armes

sergeant: **~ first class** *n* ▸ **p. 1599** US Mil sergent-chef *m*; **~ major** *n* ▸ **p. 1599** adjudant *m*

serial /ˈsɪərɪəl/

A *n* 1 TV, Radio, Publg (story) feuilleton *m*; **radio/TV ~** feuilleton radiophonique/télévisé; **a seven part ~** un feuilleton en sept épisodes; **to broadcast sth as a ~** diffuser qch en feuilleton; **to adapt** *ou* **make sth into a ~** faire un feuilleton de qch; 2 Publg (publication) périodique *m*

B *adj* 1 Comput [*access, computer*] séquentiel/-ielle; [*input/output, printer, programming, transfer*] série *inv*; 2 Mus sériel/-ielle

serial bigamist *n* polygame *mf*

serialism /ˈsɪərɪəlɪzəm/ *n* Mus sérialisme *m*

serialization /ˌsɪərɪəlaɪˈzeɪʃn, US -lɪˈz-/ *n* adaptation *f* en feuilleton

serialize /ˈsɪərɪəlaɪz/ *vtr* adapter [qch] en feuilleton

serial killer *n* auteur *m* de meurtres en série

serially /ˈsɪərɪəlɪ/ *adv* 1 TV, Radio, Publg en feuilleton; 2 (in sequence) en série

serial monogamy *n* monogamie *f* en série

serial number *n* (of machine, car etc) numéro *m* de série; US (of soldier) numéro *m* matricule

serial rights *npl* droits *mpl* d'adaptation en feuilleton

seriatim /ˌsɪərɪˈeɪtɪm/ *adv* sout l'un après l'autre

sericulture /ˈserɪkʌltʃə(r)/ *n* sériciculture *f*

series /ˈsɪəriːz/

A *n* (*pl* **~**) 1 (set) série *f* (**of** de); **a ~ of attacks/of measures** une série d'attaques/de mesures; **a ~ of stamps** une série de timbres; **a ~ of books** une collection de livres; 2 Radio, TV, Literat série *f* (**about** sur); **a drama/comedy ~** une série de fiction/de comédie; **this is the last in the present ~** voici la dernière partie de ce programme; 3 Sport championnat *m* (*à plusieurs épreuves*); 4 Elec, Electron série *f*; **in ~** en série

B *modif* Elec, Electron [*circuit, connection*] série *inv*

series: **~ winding** *n* Elec enroulement *m* en série; **~-wound** *adj* Elec enroulé en série

seriocomic /ˌsɪərɪəʊˈkɒmɪk/ *adj* sérieux/-ieuse et comique à la fois

serious /ˈsɪərɪəs/ *adj* 1 (not frivolous or light) [*person, expression, discussion, approach, issue, offer, purpose*] sérieux/-ieuse; [*work, literature, actor, scientist, survey*] de qualité; [*attempt, concern*] réel/réelle; [*intention*] ferme; **to be ~ about sth** prendre qch au sérieux; **to be ~ about doing** avoir vraiment l'intention de faire; **is he ~ about going to America?** est-ce qu'il a vraiment l'intention d'aller aux États-Unis?; **is he ~ about her?** est-ce qu'il tient vraiment à elle?; **they're ~ about each other**

S

c'est du sérieux entre eux; **to give ~ thought to sth** penser sérieusement à qch; **there's no ~ case for arguing that...** il n'y a pas vraiment lieu de soutenir que...; **this is deadly ~**○ c'est on ne peut plus sérieux; **you can't be ~** tu veux rire○; **they got down to the ~ business of eating** hum ils sont passés aux choses sérieuses: ils se sont mis à manger; **being a parent is a ~ business** être parent est une grande responsabilité; **to make/spend ~ money**○ gagner/dépenser beaucoup d'argent; **if you want to do some ~ shopping/surfing...**○ si tu veux vraiment faire des courses/du surf...; **he's a ~ drinker**○ hum c'est un buveur professionnel; **2** (grave) [*accident, condition, allegation, crime, crisis, error, problem*] grave; [*concern, doubt, misgiving*] sérieux/-ieuse; **nothing ~, I hope** rien de grave, j'espère; **this is a very ~ matter** l'affaire est très grave

Serious Fraud Office, SFO *n* GB Service *m* de répression des fraudes

seriously /ˈsɪərɪəslɪ/ *adv* **1** (not frivolously) [*speak, write, think, listen*] sérieusement; **to ~ consider doing sth** penser sérieusement à faire qch; **~, do you need help?** sérieusement, avez-vous besoin d'aide?; **are you ~ suggesting that...?** tu veux vraiment dire que...?; **but ~,...** blague à part,...○; **to take sb/sth ~** prendre qn/qch au sérieux; **he takes himself too ~** il se prend trop au sérieux; **police are treating the threat very ~** la police prend la menace très au sérieux; **2** (gravely) [*ill, injured, damaged, divided, at risk, flawed*] gravement; [*mislead, underestimate*] vraiment; **something is ~ wrong** il y a quelque chose qui ne va vraiment pas; **3** ○(extremely) [*boring, funny*] vraiment

seriousness /ˈsɪərɪəsnɪs/ *n* **1** (of person, film, treatment, study, approach) sérieux *m*; (of tone, air, occasion, reply) gravité *f*; (of intention) sincérité *f*; **in all ~** sérieusement; **2** (of illness, damage, allegation, problem, situation) gravité *f*

serjeant‡ *n* = **sergeant**

sermon /ˈsɜːmən/ *n* sermon *m*; **to give/preach a ~** Relig faire un sermon; **to give/preach sb a ~** (lecture) sermonner qn

sermonize /ˈsɜːmənaɪz/ *vi* péj pérorer (**about** sur)

sermonizing /ˈsɜːmənaɪzɪŋ/ *n* péj péroraisons *fpl*

serodiscordant /ˌsɪərəʊdɪˈskɔːdənt/ *adj* [*couple, partners*] sérodiscordant

serogroup /ˈsɪərəʊɡruːp/ *n* Med sérogroupe *m*

seropositive /ˌsɪərəʊˈpɒzɪtɪv/ *adj* séropositif/-ive

serous /ˈsɪərəs/ *adj* séreux/-euse

serpent /ˈsɜːpənt/ *n* (all contexts) serpent *m*

serpentine /ˈsɜːpəntaɪn, US -tiːn/
A *n* Miner serpentine *f*
B *adj* littér [*river, road*] sinueux/-euse

SERPS /sɜːps/ *n* GB Soc Admin (*abrév* = **state earnings-related pension scheme**) caisse *f* de retraite

serrated /sɪˈreɪtɪd, US ˈsereɪtɪd/ *adj* dentelé; **~ knife** couteau-scie *m*

serration /sɪˈreɪʃn/ *n* dentelure *f*

serried /ˈserɪd/ *adj* serré

serum /ˈsɪərəm/ *n* sérum *m*; **snake-bite ~** sérum antivenimeux

servant /ˈsɜːvənt/ *n* **1** ▸ p. 1683 (in household) domestique *mf*; **to keep a ~** avoir un domestique; **2** fig serviteur *m*; **your ~, sir**† votre serviteur!; **your obedient ~**† (in letter) votre très obéissant serviteur†

servant: ~ girl *n* bonne *f*; **~'s hall** *n* office *m*

serve /sɜːv/
A *n* Sport service *m*; **it's my ~** à moi de servir; **to have a big ~** avoir un très bon service
B *vtr* **1** (work for) servir [*God, King, country, community, cause, ideal, public, company*]; travailler au service de [*employer, family*]; **to ~ sb/sth well** rendre de grands services à qn/qch; **to ~ two masters** fig servir deux maîtres à la fois
2 (attend to customers) servir; **are you being ~ed?** on vous sert?
3 Culin servir [*client, guest, meal, dish*]; **to ~ sb with sth** servir qch à qn; **let me ~ you some beef** laissez-moi vous servir du bœuf; **lunch is ~d** le déjeuner est servi; **we can't ~ them chicken again!** nous ne pouvons pas leur resservir du poulet!; **~ it with a salad** servez-le avec une salade; **~ hot** servir chaud; **~s four** (in recipe) pour quatre personnes
4 (provide facility) [*public utility, power station, reservoir*] alimenter; [*public transport, library, hospital*] desservir [*area, community*]; **the area is well/poorly ~d with transport** la région est bien/mal desservie par les transports; **the area is well ~d with shops** le quartier est très commerçant
5 (satisfy) servir [*interests*]; satisfaire [*needs*]
6 (function) être utile à; **this old pen/my sense of direction has ~d me well** ce vieux stylo/mon sens de l'orientation m'a été très utile; **he has been badly ~d by his advisers** ses conseillers ne lui ont pas été très utiles; **if my memory ~s me well** si j'ai bonne mémoire; **to ~ sb as sth** servir de qch à qn; **the table ~s me as a desk** la table me sert de bureau; **to ~ a purpose** *ou* **function** être utile; **to ~ no useful purpose** ne servir à rien; **what purpose is ~d by separating them?** à quoi sert de les séparer?; **having ~d its purpose, the committee was disbanded** ayant rempli son rôle, la commission a été dissoute; **to ~ the** *ou* **sb's purpose** faire l'affaire; **this map will ~ the** *ou* **my purpose** cette carte fera l'affaire
7 (spend time) **to ~ a term** Pol remplir un mandat; **to ~ one's time** (in army) faire son temps de service; (in prison) purger sa peine; **to ~ a sentence** purger une peine (de prison); **to ~ five years** faire cinq ans de prison
8 Jur délivrer [*injunction*] (**on sb** à qn); **to ~ a writ** signifier une assignation; **to ~ a writ on sb, to ~ sb with a writ** assigner qn en justice; **to ~ a summons** signifier une citation; **to ~ a summons on sb, to ~ sb with a summons** citer qn à comparaître; **to ~ notice of sth on sb** Jur, fig signifier qch à qn
9 Sport servir [*ball, ace*]
10 (mate with) couvrir, saillir [*cow, mare*]
C *vi* **1** (in shop, church) servir; (at table) faire le service
2 (on committee, in government) exercer ses fonctions (**as** de); **members ~ for two years** les membres exercent leurs fonctions pendant deux ans; **she's serving as general secretary** elle exerce la fonction *or* les fonctions de secrétaire général; **to ~ on** être membre de [*committee, board, jury*]
3 Mil servir (**as** comme; **under** sous); **to ~ in** *ou* **with a regiment** servir dans un régiment; **I ~d with him** j'étais dans l'armée avec lui
4 (meet a need) faire l'affaire; **any excuse will ~** n'importe quelle excuse fera l'affaire; **to ~ as sth** servir de qch; **this room ~s as a spare bedroom** cette pièce sert de chambre d'ami; **this should ~ as a warning** cela devrait nous servir d'avertissement; **the photo ~d as a reminder to me of the holidays** la photo me rappelait les vacances; **to ~ to do** servir à faire; **it ~s to show that...** cela sert à montrer que...
5 Sport servir (**for** pour); **Conti to ~** au service, Conti

(Idioms) **it ~s you right!** ça t'apprendra!; **it ~s him right for being so careless!** ça lui apprendra à être si négligent!

(Phrasal verbs) ■ **serve out:** ▸ **~ out [sth], ~ [sth] out** **1** Culin servir [*meal, food*] (**to** à); distribuer [*rations, provisions*]; **2** (finish) finir [*term of duty*]; purger [*prison sentence*]
■ **serve up** Culin servir; ▸ **~ up [sth], ~ [sth] up** **1** Culin servir; **to ~ sth up again** resservir qch; **2** ○fig, pej resservir [*fashion, idea, programme, policy*]; donner [*excuse*]

serve-and-volley *adj* [*game, player*] service-volée *inv*

server /ˈsɜːvə(r)/ *n* **1** Sport serveur *m*; **2** Comput serveur *m*; **3** Culin couvert *m* de service; **4** Relig servant *m*

server-managed *adj* Comput géré par serveur

servery /ˈsɜːvərɪ/ *n* GB (room) office *m*; (counter) comptoir *m*

service /ˈsɜːvɪs/
A *n* **1** (department) service *m*; **(accident and) emergency ~** service des urgences; **information ~** service d'informations *or* de renseignements
2 (facility, work done) service *m*; **advisory ~** service de conseil; **professional ~s** services *mpl* professionnels; **public ~** service public; **for ~s rendered** Comm pour services rendus; **to offer/provide a ~** offrir/fournir un service; **we need the ~s of an accountant** nous avons besoin (des services) d'un comptable; **to dispense with sb's ~s** se passer des services de qn; **she received an award for ~s to the arts/industry** elle a reçu un prix pour les services qu'elle a rendus à la culture/à l'industrie; **it's all part of the ~** (don't mention it) c'est tout naturel; (it 's all included) tout est compris; **'normal ~ will be resumed as soon as possible'** Radio, TV 'dans quelques instants la suite de votre programme'; **my ~s don't come cheap!** je me fais payer cher!
3 (work, period of work done) gen, Admin, Mil service *m* (**in** dans; **to** de); **30 years of ~** 30 ans de service; **a lifetime of ~ to the firm/community** une vie passée au service de l'entreprise/de la communauté; **at sb's ~** au service de qn; **I'm at your ~** je suis à votre service; **to put** *ou* **place sth at sb's ~** mettre qch à la disposition de qn; **in sb's ~** au service de qn; **in the ~ of humanity** au service de l'humanité; **he travelled a lot in the ~ of his firm** il a beaucoup voyagé pour sa compagnie; **he gave his life in the ~ of his country** il a donné sa vie pour servir son pays; **to be in ~** Hist travailler comme domestique; **to go into ~ with sb** entrer au service de qn; **to see ~ in the army/in Egypt** servir dans l'armée/en Egypte
4 Comm (customer care) service *m* (**to** à); **to get good/bad ~** être bien/mal servi; **we add on 15% for ~** nous ajoutons 15% pour le service; **'includes ~'** (on bill) 'service compris'; **is the ~ included?** (in restaurant) le service est compris?; **can we have some ~ here please?** est-ce que quelqu'un peut nous servir s'il vous plaît?; **we must improve the quality of ~** nous devons améliorer la qualité du service; **we have a reputation for good ~** nous sommes réputés pour la qualité de notre service
5 (from machine, vehicle, product) usage *m*; **to give good** *ou* **long ~** [*machine*] fonctionner longtemps; [*vehicle, product, garment*] faire de l'usage; **I've had years of ~ from that car/typewriter** cette voiture/machine à écrire m'a duré des années; **to be in ~** être en service; **the plane is still in ~ with many airlines** cet avion est encore en service dans de nombreuses compagnies aériennes; **to come into/go out of ~** entrer en/cesser d'être en service; **it went out of ~ years ago** il n'est plus en service depuis des années; **to take sth out of ~** retirer qch du service [*plane, machine*]; **'out of ~'** (on bus) 'hors service'; (on machine) 'en panne'
6 (transport facility) service *m* (**to** pour); **bus/coach/taxi/train ~** service d'autobus/de cars/de taxi/de trains; **to run a regular ~** assurer un service régulier; **an hourly bus/train ~** un autobus/train toutes les heures; **the number 28 bus ~** la ligne du 28
7 Aut, Tech (overhaul) révision *f*; **a 15,000 km ~** la révision des 15 000 km; **the photocopier/washing machine is due for a ~** la photocopieuse/machine à laver a besoin d'être révisée
8 Relig office *m*; **morning/Sunday ~** office

du matin/du dimanche; **marriage ~** cérémonie *f* nuptiale; **form of ~** (printed) déroulement *m* de l'office

9 (crockery) service *m*; **dinner ~** service de table; **tea ~** service à thé

10 Sport service *m*; **your ~!** à toi de servir!; **return of ~** retour *m* de service

11 (help, good turn) service *m*; **to do sb a ~** rendre service à qn; **to be of ~ to sb** [*person*] aider qn; [*thing*] être utile à qn

12 Jur signification *f*

13 (of female animal) saillie *f*

B **services** *npl* 1 **the ~s** Mil, Naut les armées; **a career in the ~s** une carrière dans l'armée

2 (on motorway) aire *m* de services; **'~s 40 km'** 'aire de services à 40 km'

C *modif* Mil [*gun*] de guerre; [*pay, pension*] militaire; [*personnel*] de l'armée; [*life*] dans l'armée; **~ dress** tenue *f* militaire

D *vtr* 1 Aut, Tech (maintain, overhaul) faire la révision de [*vehicle*]; entretenir, assurer l'entretien de [*machine, boiler*]; **to have one's car ~d** faire réviser sa voiture, donner sa voiture à réviser

2 Fin payer les intérêts de [*debt, loan*]

3 (mate with) couvrir [*cow, mare*]

serviceable /'sɜːvɪsəbl/ *adj* 1 (usable) utilisable; **the vehicle is still ~** le véhicule est encore utilisable; 2 (practical) pratique; **a ~ grey coat** un manteau gris pratique

service area *n* aire *f* de services

service break *n* Sport **to have a ~** avoir fait le break

service centre GB, **service center** US *n* centre *m* de service après-vente

service charge *n* 1 (in restaurant) service *m*; **there is a ~** le service n'est pas compris; **what is the ~?** le service est de combien?; 2 (in banking) frais *mpl* de gestion de compte; 3 (for property maintenance) charges *fpl* locatives

service: **~ company** *n* société *f* de service; **~ contract** *n* Comm contrat *m* d'entretien; **~ department** *n* (office) service *m* entretien; (workshop) atelier *m* d'entretien; **~ elevator** *n* US = **service lift**; **~ engineer** ▸ p. 1683 *n* technicien *m* de maintenance; **~ entrance** *n* entrée *f* des fournisseurs, livraisons *fpl*; **~ family** *n* famille *f* d'une personne dans l'armée; **~ flat** *n* GB appartement *m* (*dont le ménage est assuré par l'agence de location*); **~ game** *n* service *m*; **~ hatch** *n* passe-plats *m inv*; **~ industry** *n* Comm (company) industrie *f* de services; (sector) secteur *m* tertiaire; **~ lift** *n* GB (in hotel, building) ascenseur *m* de service; (for heavy goods) monte-charge *m*; **~ line** *n* ligne *f* de service; **~man** *n* militaire *m*; **~ module** *n* Aerosp module *m* de service; **~ operation** *n* service *m* commercial; **~ provider** *n* Comput fournisseur *m* d'accès; **~ road** *n* GB, gen voie *f* d'accès; Constr voie *f* de service; **~ sector** *n* secteur *m* tertiaire; **~ station** *n* station-service *f*; **~ till** *n* GB (in shop) caisse *f*; (cash dispenser) distributeur *m* automatique de billets de banque; **~woman** *n* femme *f* soldat

servicing /'sɜːvɪsɪŋ/ *n* Aut, Tech révision *f*; **the machine has gone in for ~** la machine est en révision

serviette /ˌsɜːvɪ'et/ *n* GB serviette *f* de table

servile /'sɜːvaɪl, US -vl/ *adj* servile

servility /sɜː'vɪlətɪ/ *n* servilité *f*

serving /'sɜːvɪŋ/

A *n* (helping) portion *f*; **enough for four ~s** pour quatre personnes

B *adj* [*officer*] Mil en activité; [*official, chairman*] Admin en exercice

serving: **~ dish** *n* plat *m* (de service); **~ hatch** *n* passe-plats *m inv*; **~man†** *n* domestique *m*; **~ spoon** *n* cuillère *f* de service

servitude /'sɜːvɪtjuːd, US -tuːd/ *n* servitude *f*

servo /'sɜːvəʊ/ *n*: *abrév* ▸ **servomechanism**

servo: **~ amplifier** *n* servoamplificateur *m*; **~(-assisted) brake** *n* servofrein *m*; **~ control** *n* servocommande *f*; **~mechanism** *n* servomécanisme *m*; **~motor** *n* servomoteur *m*

sesame /'sesəmɪ/

A *n* sésame *m*

B *modif* [*oil, seed*] de sésame

sesquipedalian /ˌseskwɪpɪ'deɪlɪən/ *adj* sout [*word*] à rallonge; [*style*] ampoulé

session /'seʃn/ *n* 1 Pol (term) session *f*; **parliamentary ~** session parlementaire; 2 Admin, Jur, Pol (sitting) séance *f*; **emergency ~** séance exceptionnelle; **the court is in ~** Jur le tribunal tient séance; **to go into closed** *ou* **private ~** siéger à huis clos; 3 (meeting) réunion *f*; (informal discussion) discussion *f*; **drinking ~**○ beuverie *f*; 4 GB Sch (year) année *f* scolaire; US (term) trimestre *m*; **autumn ~** premier trimestre; (period of lessons) cours *mpl*; **morning/afternoon ~** cours du matin/de l'après-midi; 5 Med, Dent etc séance *f* (**with** chez); 6 Mus, Sport séance *f*; **training ~** Sport séance d'entraînement; **studio ~** Mus séance d'enregistrement; 7 Fin (at stock exchange) séance *f*; **trading ~** séance de Bourse

session musician ▸ p. 1683 *n* musicien/-ienne *m/f* de séance

set /set/

A *n* 1 (collection) (of keys, spanners, screwdrivers) jeu *m*; (of golf clubs, stamps, coins, chairs) série *f*; (of cutlery) service *m*; (of encyclopedias) collection *f*; fig (of data, rules, instructions, tests) série *f*; **a ~ of china** un service de table; **a new/clean ~ of clothes** des vêtements neufs/propres; **they're sold in ~s of 10** ils sont vendus par lots de 10; **a ~ of bills** Comm, Fin un jeu de connaissements; **a ~ of fingerprints** des empreintes *fpl* digitales; **a ~ of stairs** un escalier; **a ~ of traffic lights** des feux *mpl* (de signalisation)

2 (kit, game) **a backgammon/chess ~** un jeu de jacquet/d'échecs; **a magic ~** une mallette de magie

3 (pair) **a ~ of sheets** une paire de draps; **a ~ of footprints** l'empreinte des deux pieds; **a ~ of false teeth** un dentier; **my top/bottom ~** (of false teeth) la partie supérieure/inférieure de mon dentier; **one ~ of grandparents lives in Canada** deux de mes grands-parents habitent au Canada; **both ~s of parents agreed with us** ses parents comme les miens étaient d'accord avec nous

4 Sport (in tennis) set *m*; **'~ to Miss Wilson'** 'set Mademoiselle Wilson'

5 (television) poste *m*; **TV ~**, **television ~** poste de télévision

6 (group) (social) monde *m*; (sporting) milieu *m*; **aristocratic/literary ~** monde aristocratique/littéraire; **the racing/yachting ~** le milieu des courses/du yachting; **the smart** *ou* **fashionable ~** les gens à la mode; **he's not part of our ~** il ne fait pas partie de notre groupe

7 (scenery) Theat décor *m*; Cin, TV plateau *m*; **on the ~** Cin, TV sur le plateau

8 Math ensemble *m*

9 GB Sch (class, group) groupe *m*; **to be in the top ~ for maths** être dans le groupe des meilleurs en maths

10 (hair-do) mise *f* en plis; **to have a shampoo and ~** se faire faire un shampooing et une mise en plis

11 Mus concert *m*

12 (position) (of sails) réglage *m*; **you could tell by the ~ of his jaw that he was stubborn** ça se voyait à sa tête qu'il était têtu

13 (direction) sens *m*; **the ~ of the tide/wind** le sens de la marée/du vent

14 (of badger) terrier *m*

15 Hort plante *f* à repiquer

16 Hunt (of hound) arrêt *m*

B *adj* 1 (fixed) (épith) [*pattern, procedure, rule, task*] bien déterminé; [*time, price*] fixe; [*menu*] à prix fixe; [*formula*] toute faite; [*idea*] arrêté; **I had no ~ purpose in arranging the meeting** je n'avais pas d'objectif précis quand j'ai organisé cette réunion; **~ phrase**, **~ expression** expression *f* consacrée, locution *f* figée; **to be ~ in one's ideas** *ou* **opinions** avoir des idées bien arrêtées; **to be ~ in one's ways** avoir ses habitudes; **the weather is ~ fair** le temps est au beau fixe

2 (stiff) [*expression, smile*] figé

3 Sch, Univ (prescribed) [*book, text*] au programme; **there are five ~ topics on the history syllabus** il y a cinq sujets au programme d'histoire

4 (ready) (*jamais épith*) prêt (**for** pour); **to be (all) ~ to leave/start** être prêt à partir/commencer; **they're ~ to win/lose** tout laisse à croire qu'ils vont gagner/perdre

5 (determined) **to be (dead) ~ against sth/doing** être tout à fait contre qch/l'idée de faire; **he's really ~ against my resigning/marrying** il est tout à fait contre ma démission/mon mariage; **to be ~ on sth/on doing** tenir absolument à qch/à faire

6 (firm) [*jam, jelly, honey*] épais/épaisse, consistant; [*cement*] dur; [*yoghurt*] ferme

C *vtr* (*p prés* **-tt-**; *prét, pp* **set**) 1 (place, position) placer [*chair, ornament*] (**on** sur); poster [*guard, sentry*]; monter, sertir [*gem*] (**in** dans); **to ~ sth against a wall** mettre qch contre un mur [*bike, ladder*]; **to ~ sth before sb** lit placer qch devant qn [*food, plate*]; fig présenter qch à qn [*proposals, findings*]; **to ~ sth in the ground** enfoncer qch dans le sol [*stake*]; **to ~ sth into sth** encastrer qch dans qch; **to ~ sth straight** lit (align) remettre qch droit [*painting*]; fig (tidy) remettre de l'ordre dans qch [*papers, room*]; **to ~ sth upright** redresser qch; **a house set among the trees** une maison située au milieu des arbres; **to ~ matters** *ou* **the record straight** fig mettre les choses au point; **a necklace set with rubies** un collier incrusté de rubis; **his eyes are set very close together** ses yeux sont très rapprochés

2 (prepare) mettre [*table*]; tendre [*trap*]; **~ three places** mets trois couverts; **to ~ the stage** *ou* **scene for sth** fig préparer le lieu de qch [*encounter, match*]; **the stage is set for the final** tout est prêt pour la finale; **to ~ one's mark** *ou* **stamp on sth** laisser sa marque sur qch

3 (affix, establish) fixer [*date, deadline, place, price, target*]; lancer [*fashion, trend*]; donner [*tone*]; établir [*precedent, record*]; **to ~ a good/bad example to sb** montrer le bon/mauvais exemple à qn; **to ~ one's sights on** viser [*championship, job*]

4 (adjust) mettre [qch] à l'heure [*clock*]; mettre [*alarm clock, burglar alarm*]; programmer [*timer, video*]; **to ~ the oven to 180°** mettre le four sur 180°; **to ~ the controls to manual** passer au mode manuel; **to ~ the video to record the film** programmer le magnétoscope pour enregistrer le film; **to ~ the alarm for 7 am** mettre le réveil pour 7 heures; **~ your watch by mine** règle ta montre sur la mienne; **I set the heating to come on at 6 am** j'ai réglé le chauffage pour qu'il se mette en route à six heures; **to ~ the counter back to zero** remettre le compteur à zéro

5 (start) **to ~ sth going** mettre qch en marche [*machine, motor*]; **to ~ sb laughing/thinking** faire rire/réfléchir qn; **to ~ sb to work doing** charger qn de faire; **the noise set the dogs barking** le bruit a fait aboyer les chiens

6 (impose, prescribe) [*teacher*] donner [*homework, essay*]; poser [*problem*]; créer [*crossword puzzle*]; **to ~ an exam** préparer les sujets d'examen; **to ~ a book/subject for study** mettre un texte/un sujet au programme; **to ~ sb the task of doing** charger qn de faire

7 Cin, Literat, Theat, TV situer; **to ~ a book in 1960/New York** situer un roman en 1960/à New York; **the film/novel is set in Munich/in the 1950's** le film/roman se passe à Munich/dans les années 50

8 Mus **to ~ sth to music** mettre qch en musique [*libretto, lyrics*]

S

9 Print composer [*text, type*] (**in** en)
10 Med immobiliser, éclisser spec [*bone, broken leg*]
11 (style) **to ~ sb's hair** faire une mise en plis à qn; **to have one's hair set** se faire faire une mise en plis
12 (cause to harden) faire prendre [*jam, concrete*]
13 (esteem) **to ~ sb above/below sb** placer qn au-dessus/en dessous de qn
14 GB Sch grouper [qn] par niveau [*pupils*]

D *vi* (*p prés* **-tt-**; *prét, pp* **set**) 1 [*sun*] se coucher
2 (harden) [*jam, concrete*] prendre; [*glue*] sécher
3 Med [*fracture, bone*] se ressouder

E *v refl* (*p prés* **-tt-**; *prét, pp* **set**) **to ~ oneself sth** se fixer qch [*goal, target*]

(Idioms) **to be well set-up**○ (financially) avoir les moyens○; (physically) [*woman*] être bien balancé○; **to make a (dead) ~ at sb**○ GB se lancer à la tête de qn○

(Phrasal verbs) ■ **set about**: ▸ **~ about [sth]** se mettre à [*work, duties*]; **to ~ about doing** commencer à faire; **to ~ about the job** *ou* **task** *ou* **business of doing** commencer à faire; **I know what I want to do but I don't know how to ~ about it** je sais ce que je veux faire mais je ne sais pas comment m'y prendre; ▸ **~ about [sb]**○ attaquer qn (**with** avec); ▸ **~ [sth] about** faire courir [*rumour, story*]; **to ~ it about that...** faire courir le bruit que...

■ **set against**: ▸ **~ [sb] against** monter qn contre [*person*]; **to ~ oneself against sth** s'opposer à qch; ▸ **~ sth against sth** (compare) confronter qch à qch; **you have to ~ his evidence against what you already know** vous devez examiner son témoignage à la lumière de ce que vous savez déjà; **the benefits seem small, set against the risks** par rapport aux risques les bénéfices semblent maigres

■ **set apart**: ▸ **~ [sb/sth] apart** distinguer [*person, book, film*] (**from** de)

■ **set aside**: ▸ **~ [sth] aside, ~ aside [sth]** 1 (put down) poser [qch] de côté [*book, knitting*]; 2 (reserve) réserver [*area, room, time*] (**for** pour); mettre [qch] de côté [*money, stock*]; 3 (disregard) mettre [qch] de côté [*differences, prejudices*]; 4 Admin, Jur (reject) rejeter [*decision, request, verdict*]; casser [*judgment, ruling*]

■ **set back**: ▸ **~ [sth] back** 1 (position towards the rear) reculer [*chair, table*]; **the house is set back from the road** la maison est située un peu en retrait de la route; 2 (adjust) retarder [*clock, watch*]; ▸ **~ back [sth], ~ [sth] back** (delay) retarder [*production, recovery, work*]; ▸ **~ [sb] back**○ coûter les yeux de la tête à○; **that car must have set you back a bit** cette voiture a dû te coûter les yeux de la tête; **it set me back 2,000 dollars** ça m'a coûté 2 000 dollars

■ **set by**: ▸ **~ [sth] by, ~ by [sth]** mettre [qch] de côté

■ **set down**: ▸ **~ [sb/sth] down** déposer [*passenger*]; poser [*suitcases, vase*]; ▸ **~ down [sth], ~ [sth] down** 1 (establish) fixer [*code of practice, conditions, criteria*]; 2 (record) enregistrer [*event, fact*]; **to ~ down one's thoughts (on paper)** consigner ses pensées par écrit; 3 (land) poser [*helicopter*]

■ **set forth**: ▸ **~ forth** (leave) se mettre en route; ▸ **~ forth [sth]** exposer [*findings, facts*]; présenter [*argument*]

■ **set in**: ▸ **~ in** [*infection, gangrene*] se déclarer; [*complications*] survenir; [*winter*] arriver; [*depression, resentment*] s'installer; **the rain has set in for the afternoon** la pluie va durer toute l'après-midi; ▸ **~ [sth] in** Sewing rapporter [*sleeve*]

■ **set off**: ▸ **~ off** partir (**for** pour); **to ~ off on a journey/an expedition** partir en voyage/expédition; **to ~ off to do** partir faire; **he set off on a long description/story** il s'est lancé dans une longue description/histoire; ▸ **~ [off] sth, ~ [sth] off** 1 (trigger) déclencher [*alarm*]; faire partir [*firework*]; faire exploser [*bomb*]; déclencher [*riot, row, panic*]; 2 (enhance) mettre [qch] en valeur [*colour, dress, tan*]; 3 Fin **to ~ sth off against profits/debts** déduire qch des bénéfices/des dettes; ▸ **~ [sb] off** faire pleurer [*baby*]; **she laughed and that set me off** elle a ri et ça m'a fait rire à mon tour; **don't mention politics, you know it always ~s him off** ne parle pas de politique tu sais bien que quand il est parti on ne peut plus l'arrêter

■ **set on**: ▸ **~ on [sb]** attaquer qn; ▸ **~ [sth] on sb** lâcher [qch] contre qn [*dog*]; **to ~ sb onto sb** *ou* **sb's track** mettre qn sur la piste de qn

■ **set out**: ▸ **~ out** (leave) se mettre en route (**for** pour; **to do** pour faire); **we set out from Paris/the house at 9 am** nous avons quitté Paris/la maison à 9 heures; **to ~ out on a journey/an expedition** partir en voyage/expédition; **to ~ out to do** (intend) [*book, report, speech*] avoir pour but de faire; [*person*] chercher à faire; (start) commencer à faire; ▸ **~ [sth] out, ~ out [sth]** 1 (spread out) disposer [*goods*]; disposer [*food*]; étaler [*books, papers*]; disposer [*chairs*]; préparer [*board game*]; disposer [*chessmen*]; organiser [*information*]; 2 (state, explain) présenter [*conclusions, ideas, proposals*]; formuler [*objections, terms*]

■ **set to** s'y mettre

■ **set up**: ▸ **~ up** (establish oneself) [*business person, trader*] s'établir; **to ~ up on one's own** s'établir à son compte; **to ~ up (shop) as a decorator/caterer** s'établir en tant que décorateur/traiteur; **to ~ up in business** monter une affaire; ▸ **~ [sth] up, ~ up [sth]** 1 (erect) monter [*stand, stall*]; assembler [*equipment, easel*]; déplier [*deckchair*]; ériger [*roadblock*]; dresser [*statue*]; **to ~ up home** *ou* **house** s'installer; **to ~ up camp** installer un campement; 2 (prepare) préparer [*experiment*]; Sport préparer [*goal, try*]; 3 (found, establish) créer [*business, company*]; implanter [*factory*]; former [*support group, charity*]; constituer [*committee, commission*]; ouvrir [*fund*]; lancer [*initiative, scheme*]; 4 (start) provoquer [*vibration*]; susciter [*reaction*]; 5 (organize) organiser [*conference, meeting*]; mettre [qch] en place [*procedures*]; 6 Print composer [*page*]; ▸ **~ [sb] up** 1 (establish in business) **she set her son up (in business) as a gardener** elle a aidé son fils à s'installer comme jardinier; 2 (improve one's health, fortune) remettre [qn] sur pied; **there's nothing like a good vacation to ~ you up** rien de tel que de bonnes vacances pour vous remettre sur pied; **that deal has set her up for life** grâce à ce contrat elle n'aura plus à se soucier de rien; 3 ○GB (trap) [*police*] tendre un piège à [*criminal*]; [*colleague, friend*] monter un coup contre [*person*]; 4 Comput installer, configurer; ▸ **~ [oneself] up** 1 Comm **she set herself up as a financial advisor** elle s'est mise à son compte comme conseiller financier; **to ~ oneself up in business** se mettre à son compte; 2 (claim) **I don't ~ myself up to be an expert** je ne prétends pas être expert; **she ~s herself up as an authority on French art** elle prétend faire autorité en matière d'art français

■ **set upon**: ▸ **~ upon [sb]** attaquer qn

set-aside *n* Agric gel *m* des terres

setback /ˈsetbæk/ *n* 1 gen, Mil revers *m* (**for** pour); **to suffer a ~** essuyer un revers; **this would be a ~ to our plans** cela compromettrait nos projets; **it was a ~ to his hopes of winning** cela a compromis ses chances de gagner; **a temporary ~** un recul passager; 2 Fin recul *m*; **after an early ~ prices rose steadily** Fin après un recul initial les prix ont augmenté régulièrement

set: **~ designer** ▸ p. 1683 *n* Theat décorateur/-trice *m/f*; **~-in sleeve** *n* Sewing manche *f* rapportée

set piece
A *n* 1 Sport coup *m* préparé; 2 Mus morceau *m* célèbre; 3 Theat (piece of scenery) ferme *f*, décor *m* mobile; 4 (firework display) spectacle *m* de feux d'artifice
B **setpiece** *modif* [*manoeuvre, offensive*] préparé d'avance

set: **~ play** *n* Sport, gen coup *m* préparé; **~ point** *n* balle *f* de set; **~ scrum** *n* (in rugby) mêlée *f* ordonnée; **~ square** *n* GB Tech équerre *f*

sett /set/ *n* (of badger) tanière *f*

settee /seˈtiː/ *n* canapé *m*

setter /ˈsetə(r)/ *n* 1 Zool setter *m*; 2 ▸ p. 1683 (jeweller) sertisseur/-euse *m/f*

set theory *n* Math théorie *f* des ensembles

setting /ˈsetɪŋ/ *n* 1 (location) (for a building, event, film, novel) cadre *m*; **a historic/rural/magnificent ~** un cadre historique/rural/magnifique; **a house in a riverside ~** une maison au bord d'une rivière; **it's the perfect ~ for a holiday/romance** c'est le cadre idéal pour des vacances/une histoire d'amour; **Milan will be the ~ for the gala/film** le gala/le film va se passer à Milan; **Dublin is the ~ for her latest novel** l'action de son dernier roman se passe à Dublin; **this street was the ~ for a riot/murder** cette rue a été le théâtre d'une émeute/d'un meurtre; 2 (in jewellery) monture *f*; 3 (position on dial) position *f* (de réglage); **speed ~** vitesse *f*; **put the iron/heater on the highest ~** mets le fer à repasser/radiateur au maximum; 4 (hardening) (of jam) épaississement *m*; (of cement, glue) durcissement *m*; 5 Mus arrangement *m*; 6 **the ~ of the sun** le coucher du soleil; 7 Print composition *f*; 8 Comput **~s** paramètres *mpl*

setting: **~ lotion** *n* fixateur *m*; **~ ring** *n* bague *f* de réglage

setting-up /ˌsetɪŋˈʌp/ *n* (of committee, programme, scheme, business) création *f*; (of inquiry) ouverture *f*; (of factory) implantation *f*

settle /ˈsetl/
A *n* banquette *f* coffre
B *vtr* 1 (position comfortably) installer [*person, animal*]; **to ~ a child on one's lap** asseoir un enfant sur ses genoux; **to get one's guests ~d** installer ses invités; **to get the children ~d for the night** mettre les enfants au lit
2 (calm) calmer [*stomach, nerves*]; dissiper [*qualms*]
3 (resolve) régler [*matter, business, dispute*]; aplanir [*conflict, strike*]; régler, résoudre [*problem*]; Sport décider [*match*]; **~ it among yourselves** réglez ça entre vous; **that's ~d** voilà qui est réglé; **that's one thing ~d** c'est une chose de réglée; **that ~s it! I'm leaving tomorrow!** (making decision) c'est décidé! je pars demain!; (in exasperation) c'en est trop! je pars demain!; **to ~ an argument** (acting as referee) trancher
4 (agree on) fixer [*arrangements, terms of payment*]; **nothing is ~d yet** rien n'est encore fixé
5 (put in order) **to ~ one's affairs** (before dying) mettre de l'ordre dans ses affaires
6 Comm (pay) régler [*bill, debt, claim*]
7 (colonize) coloniser [*country, island*]
8 ○(deal with) **we'll soon ~ her!** on va régler ça! *or* on va lui régler son compte!
9 (bequeath) **to ~ money on sb** léguer une somme à qn
10 (keep down) **spray the path to ~ the dust** arrose le chemin pour que la poussière se tasse
11 US (impregnate) féconder [*animal*]
C *vi* 1 (come to rest) [*bird, insect, wreck*] se poser; [*dust, dregs, tea leaves*] se déposer; **the boat ~d on the bottom** le bateau s'est posé sur le fond; **let the wine ~** laisse le vin décanter; **to let the dust ~** lit laisser retomber la poussière; fig attendre que les choses se calment; **to ~ over** [*mist, clouds*] descendre sur [*town, valley*]; fig [*silence, grief*] s'étendre sur [*community*]
2 (become resident) gen s'installer; (more permanently) se fixer
3 (become compacted) [*contents, ground, wall*] se tasser

[4] (calm down) [*child, baby*] gen se calmer; (go to sleep) s'endormir
[5] (become stable) [*weather*] se mettre au beau fixe
[6] (take hold) **to be settling** [*snow*] tenir; [*mist*] persister; **his cold has ~d on his chest** son rhume s'est transformé en bronchite
[7] (be digested) **let your lunch ~!** attends d'avoir digéré ton déjeuner!
[8] Jur (agree) régler; **to ~ out of court** parvenir à un règlement à l'amiable

D *v refl* **to ~ oneself in** s'installer dans [*chair, bed*]

(Idioms) **to ~ a score with sb** régler ses comptes avec qn; **to ~ old scores** régler des comptes

(Phrasal verbs) ■ **settle back**: ▸ **~ back** s'installer confortablement; **to ~ back in** se caler dans [*chair*]
■ **settle down**: ▸ **~ down** [1] (get comfortable) s'installer (**on** sur; **in** dans); [2] (calm down) [*person*] se calmer; [*situation*] s'arranger; **~ down, children!** du calme, les enfants!; [3] (marry) se ranger; **to ~ down to work** se concentrer sur son travail; **to ~ down to doing** se résoudre à faire
■ **settle for**: ▸ **~ for [sth]** se contenter de [*alternative, poorer option*]; **why ~ for less?** pourquoi se contenter de moins?; **to ~ for second best** se contenter d'un pis-aller
■ **settle in** [1] (move in) s'installer; [2] (become acclimatized) s'adapter
■ **settle on**: ▸ **~ on [sth]** choisir [*name, colour*]
■ **settle to**: ▸ **~ to [sth]** se concentrer sur [*work*]; **I can't ~ to anything** je n'arrive pas à me concentrer
■ **settle up**: ▸ **~ up** [1] (pay) payer, régler; [2] (sort out who owes what) faire les comptes; **shall we ~ up?** tu veux qu'on fasse les comptes?; [3] **to ~ up with** régler [*waiter, tradesman*]

settled /setld/ *adj* [*alliance*] stable, solide; [*person, weather, future, relationship*] stable; **she's a lot more ~ now** elle est beaucoup plus stable maintenant; **I feel ~ here** (in home) je me sens chez moi

settlement /'setlmənt/ *n* [1] (agreement) accord *m*; [2] (resolving) règlement *m*; **~ of industrial disputes** règlement des conflits sociaux; [3] Jur règlement *m*; [4] Fin (of money) constitution *f* (**on** en faveur de); [5] Sociol (social work centre) centre *m* social; [6] (dwellings) village *m*; **to form a ~** créer un village; [7] (creation of new community) implantation *f*; **~ in the occupied territories** implantation dans les territoires occupés; [8] Constr tassement *m*

settlement day *n* Fin jour *m* de la liquidation

settler /'setlə(r)/ *n* colon *m*

settlor /'setlə(r)/ *n* Jur disposant/-e *m/f*

set-to○ /'settu:/ *n* prise *f* de bec○, dispute *f*; **to have a ~ with sb** avoir une prise de bec avec qn○, se disputer avec qn

set-top box /set,tɒp bɒks/ *n* TV décodeur *m*

set-up○ /'setʌp/
A *n* [1] (system, organization) organisation *f*; [2] (trick, trap) traquenard○ *m*
B *modif* [*costs*] initial; [*time*] de préparation

seven /'sevn/ ▸ **p. 1487, p. 927, p. 1059**
A *n* sept *m inv*
B **sevens** *npl* Sport rugby *m* à sept
C *adj* sept; **the ~ deadly sins** les sept péchés capitaux; **the ~ wonders of the world** les sept merveilles du monde; **the ~ seas** toutes les mers

seven league boots *npl* bottes *fpl* de sept lieues

Seven Sisters *n* US Univ **the ~** les Sept Sœurs *fpl* (*groupement d'universités féminines du nord-est des USA*)

seventeen /,sevn'ti:n/ ▸ **p. 1487, p. 927** *n, adj* dix-sept (*m inv*)

seventeenth /,sevn'ti:nθ/ ▸ **p. 1487, p. 1116**
A *n* [1] (in order) dix-septième *mf*; [2] (of month) dix-sept *m inv*; [3] (fraction) dix-septième *m*
B *adj* dix-septième
C *adv* [*come, finish*] dix-septième, en dix-septième position

seventh /'sevnθ/ ▸ **p. 1487, p. 1116**
A *n* [1] (in order) septième *mf*; [2] (of month) sept *m inv*; [3] (fraction) septième *m*; [4] Mus septième *f*
B *adj* septième
C *adv* [*come, finish*] septième, en septième position

(Idiom) **to be in ~ heaven** être au septième ciel

seventies /'sevntɪz/ ▸ **p. 927, p. 1116** *npl* [1] **the ~** les années *fpl* soixante-dix; [2] **to be in one's ~** avoir plus de soixante-dix ans; **a man in his ~** un septuagénaire

seventieth /'sevntɪəθ/ ▸ **p. 1487** *n, adj* soixante-dixième (*mf*)

seventy /'sevntɪ/ ▸ **p. 1487, p. 927** *n, adj* soixante-dix (*m*) *inv*

seventy-eight /,sevəntɪ'eɪt/ *n* Audio **a ~ (record** *ou* **disc)** un soixante-dix-huit tours *m inv*

seven-year itch *n* démon *m* de l'infidélité (après sept ans de mariage)

sever /'sevə(r)/ *vtr* [1] lit sectionner [*wire, limb, head, nerve, artery*]; couper [*rope, branch*]; **to ~ sth from** séparer qch de; [2] fig (break off) rompre [*link, relations*]; couper [*contact, communications*]

severability /,sevrə'bɪlətɪ/ *n* Jur caractère *m* facultatif

severable /'sevrəbl/ *adj* Jur facultatif/-ive

several /'sevrəl/
A *pron* **~ of you/us** plusieurs d'entre vous/d'entre nous; **~ of our group** plusieurs membres de notre groupe
B *quantif* [1] (a few) plusieurs; **~ books** plusieurs livres; [2] sout (respective) respectif/-ive; **their ~ briefcases** leur mallette respective; **they went their ~ ways** chacun est parti de son côté

severally /'sevrəlɪ/ *adv* séparément; ▸ **jointly**

severance /'sevərəns/ *n* [1] (separation) rupture *f*; [2] (redundancy) licenciement *m*

severance pay *n* indemnités *fpl* de licenciement

severe /sɪ'vɪə(r)/ *adj* [1] (extreme) [*problem, damage, shortage, injury, depression, shock*] grave; [*weather, cold, winter*] rigoureux/-euse; [*headache*] violent; [*loss*] lourd; [2] (harsh) [*person, punishment, criticism*] sévère (**with sb** avec qn); [3] (austere) [*haircut, clothes*] austère, sévère

severely /sɪ'vɪəlɪ/ *adv* [1] (seriously) [*restrict, damage*] sévèrement; [*affect, shock*] durement; [*disabled*] gravement; [*injured*] grièvement; [2] (harshly) [*treat, speak, punish*] sévèrement; [*beat*] violemment; [3] (austerely) [*dress*] de façon austère

severity /sɪ'verətɪ/ *n* [1] (seriousness) (of problem, situation, illness) gravité *f*; (of shock, pain) violence *f*; [2] (harshness) (of punishment, sentence, treatment) sévérité *f*; (of climate) rigueur *f*

Seville /sə'vɪl/ ▸ **p. 1815** *pr n* Séville

Seville: **~ orange** *n* orange *f* amère; **~ orange marmalade** *n* confiture *f* d'oranges amères

sew /səʊ/ (*prét* **sewed**, *pp* **sewn, sewed**)
A *vtr* coudre; **to ~ sth on to sth** coudre qch; **he ~ed the button back on** il a recousu le bouton; **she ~s all her children's clothes** elle fait tous les vêtements de ses enfants elle-même
B *vi* coudre, faire de la couture

(Phrasal verb) ■ **sew up**: ▸ **~ [sth] up, ~ up [sth]** [1] recoudre [*hole, tear*]; faire [*seam*]; (re)coudre [*wound*]; [2] ○(settle) conclure [*deal*]; conclure [qch] victorieusement [*game*]; (control) dominer [*market*]; **they've got the match/election sewn up** ils sont sûrs de gagner le match/les élections; **the deal is all sewn up!** l'affaire est dans le sac○!

sewage /'su:ɪdʒ, 'sju:-/ *n* eaux *fpl* usées

sewage: **~ disposal** *n* évacuation *f* des eaux usées; **~ farm** *n* = **sewage works**; **~ outfall, ~ outlet** *n* émissaire *m* d'évacuation; **~ sludge** *n* boues *fpl* d'épuration; **~ system** *n* réseau *m* d'égout; **~ treatment** *n* traitement *m* des eaux usées; **~ works** *n* champ *m* d'épandage

sewer /'su:ə(r), 'sju:-/ *n* égout *m*

sewerage† /'su:ərɪdʒ, 'sju:-/ *n* = **sewage**

sewer: **~ gas** *n* gaz *m* d'égout; **~ rat** *n* rat *m* d'égout

sewing /'səʊɪŋ/
A *n* (activity) couture *f*; (piece of work) ouvrage *m*; **I hate ~** je déteste coudre
B *modif* [*scissors, thread*] à coudre

sewing: **~ basket** *n* corbeille *f* à ouvrage; **~ bee** *n* réunion *f* de couture; **~ cotton** *n* fil *m* à coudre; **~ machine** *n* machine *f* à coudre; **~ silk** *n* fil *m* de soie

sewn /səʊn/ *pp* ▸ **sew**

sex /seks/
A *n* [1] (gender) sexe *m*; **people of both ~es** des gens des deux sexes; [2] (intercourse) (one act) rapport *m* sexuel; (repeated) rapports *mpl* sexuels; **to have ~ with sb** avoir des rapports sexuels avec qn; **he thinks about nothing but ~** il ne pense qu'à ça○
B *modif* Biol [*chromosome, hormone, organ, education, hygiene*] sexuel/-elle
C *vtr* déterminer le sexe de [*animal*]
D **sexed** *pp adj* Bot, Zool sexué; **highly ~ed** [*person*] hypersexué

(Phrasal verb) ■ **sex up**○ US: ▸ **~ [sb] up** allumer○

sex: **~ abuse** *n* violence *f* sexuelle; **~ act** *n* acte *m* sexuel

sexagenarian /,seksədʒɪ'neərɪən/ *n* sexagénaire *mf*

Sexagesima /,seksə'dʒesɪmə/ *n* sexagésime *f*

sex: **~ aid** *n* gadget *m* érotique; **~ appeal** *n* sex-appeal *m*; **~ attack** *n* agression *f* sexuelle; **~ attacker** *n personne ayant commis un acte d'agression sexuelle*

sex change *n* **to have a ~** changer de sexe

sex: **~ crime** *n* gen crimes et délits *mpl* sexuels; (one incident) crime *m* sexuel; **~ discrimination** *n* discrimination *f* sexuelle; **~ drive** *n* besoins *mpl* sexuels, libido *f*; **~ education** *n* éducation *f* sexuelle; **~ fiend**○ *n* hum maniaque *m* sexuel; **~ god**○**/goddess**○ *n* sex-symbol *m*

sexism /'seksɪzəm/ *n* sexisme *m*

sexist /'seksɪst/ *n, adj* sexiste (*mf*)

sex kitten○ *n* minette○ *f* sexy

sexless /'sekslɪs/ *adj* asexué

sex: **~ life** *n* vie *f* sexuelle; **~ mad**○ *adj* dingue○ de sexe; **~ maniac**○ *n* maniaque *m* sexuel; **~ object** *n* objet *m* sexuel; **~ offence** *n* GB délit *m* sexuel; **~ offender** *n* délinquant/-e *m/f* sexuel/-elle

sexologist /sek'sɒlədʒɪst/ ▸ **p. 1683** *n* sexologue *mf*

sexology /sek'sɒlədʒɪ/ *n* sexologie *f*

sexpert○ /'sekspɜ:t/ *n* sexologue *mf*

sexploitation /,seksplɔɪ'teɪʃn/ *n* exploitation *f* sexuelle

sex: **~pot**○ *n* aguicheuse *f*; **~ scandal** *n* journ scandale *m* sexuel; **~ scene** *n* Cin, Theat scène *f* érotique; **~ shop** *n* sex-shop *m*; **~ show** *n* spectacle *m* érotique, spectacle *m* de cul◑; **~-starved**○ *adj* frustré, en manque○; ~ **symbol** *n* sex-symbole *m*

sextant /'sekstənt/ *n* sextant *m*

sextet /sek'stet/ *n* sextuor *m*

sex: ~ **therapist** ▸ p. 1683 *n* sexologue *mf*; ~ **therapy** *n* thérapie *f* sexuelle

sexton /'sekstən/ *n* sacristain *m*

sex: ~ **tourism** *n* tourisme *m* sexuel; ~ **tourist** *n* touriste *mf* sexuel/-elle

sextuple /seks'tju:pl/ *vtr, vi* sextupler

sextuplet /'sekstjʊplɪt, -'tju:plɪt/ *n* sextuplé/-e *m/f*

sexual /'sekʃʊəl/ *adj* sexuel/-elle

sexual: ~ **abuse** *n* violence *f* sexuelle; ~ **conversion** *n* changement *m* de sexe; ~ **harassment** *n* harcèlement *m* sexuel; ~ **intercourse** *n* rapports *mpl* sexuels

sexuality /ˌsekʃʊ'ælətɪ/ *n* [1] (sexual orientation) sexualité *f*; **female/male** ~ sexualité féminine/masculine; [2] (eroticism) érotisme *m*

sexualization /'sekʃjʊəlaɪ'zeɪʃn/ *n* sexualisation *f*

sexualize /'sekʃjʊəlaɪz/ *vtr* sexualiser

sexually /'sekʃʊəlɪ/ *adv* [*dominant, explicit, mature, normal, violent*] sexuellement; [*attract, repel*] sexuellement; [*discriminate, distinguish*] selon le sexe; [*transmit, infect*] par voie sexuelle; ~ **abused** victime de violence sexuelle

sexually transmitted disease, STD *n* maladie *f* sexuellement transmissible, MST

sexual: ~ **organs** *npl* organes *mpl* sexuels; ~ **partner** *n* partenaire *mf* sexuel/-elle

sex: ~ **urge** *n* pulsion *f* sexuelle; ~ **worker** *n* travailleur sexuel/travailleuse sexuelle *m/f*

sexy○ /'seksɪ/ *adj* [1] (erotic) [*book, film, show*] érotique; [*person, clothing*] sexy○ *inv*; [2] Advertg (appealing) [*image, product, slogan etc*] accrocheur/-euse

Seychelles /seɪ'ʃelz/ ▸ p. 1096, p. 1355 *pr n* **the** ~ les Seychelles *fpl*; **in the** ~ aux Seychelles

sez○ /sez/ = **says**

SF *n* (*abrév* = **science fiction**) science-fiction *f*

SFO *n* GB *abrév* ▸ **Serious Fraud Office**

S Glam *n* GB Post *abrév écrite* ▸ **South Glamorgan**

SGML *n* (*abrév* = **Standard Generalized Mark-up Language**) SGML *m*

Sgt. *n* (*abrév écrite* = **sergeant**) sergent *m*

sh /ʃ/ *excl* chut

shabbily /'ʃæbɪlɪ/ *adv* [*dressed*] pauvrement, de façon miteuse; [*behave, treat*] de manière peu élégante

shabbiness /'ʃæbɪnɪs/ *n* (of clothes, place) aspect *m* miteux; (of behaviour) mesquinerie *f*

shabby /'ʃæbɪ/ *adj* [*person*] habillé de façon miteuse; [*room, furnishings, clothing*] miteux/-euse; [*treatment*] mesquin; **what a** ~ **trick!** quel sale tour!

shabby: ~**-genteel** /ˌʃæbɪdʒen'ti:l/ *adj* [*person*] pauvre mais digne; ~**-looking** *adj* [*house, car*] délabré; [*person*] d'apparence miteuse

shack /ʃæk/ *n* cabane *f*

(Phrasal verb) ■ **shack up**○: ▸ ~ **up with sb** se maquer◑ avec qn, se mettre en ménage avec qn

shackle /'ʃækl/

A *n* (chain) fer *m*; fig (constraint) chaîne *f*; **to throw off the** ~**s of sth** briser les chaînes de qch

B *vtr* mettre [qn] aux fers

C shackled *pp adj* enchaîné (**to** à)

shad /ʃæd/ *n* alose *f*

shade /ʃeɪd/

A *n* [1] (shadow) ombre *f*; **40° in the** ~ 40° à l'ombre; **in the** ~ **of** à l'ombre de; **to provide** ~ donner de l'ombre; [2] (tint) (of colour) ton *m*; fig (of opinion, meaning) nuance *f*; **pastel** ~**s** tons pastels; **an attractive** ~ **of blue** un beau bleu; **to turn a deep** ~ **of red** devenir tout rouge; **this word has several** ~**s of meaning** ce mot a plusieurs nuances; **a solution that should appeal to all** ~**s of opinion** une solution qui devrait plaire à toutes les tendances; [3] (small amount, degree) **a** ~ **too loud** un tout petit peu *or* un tantinet○ hum trop fort; **a** ~ **of envy/resentment** un soupçon de jalousie/ressentiment; [4] (*also* **lamp** ~) abat-jour *m inv*; ▸ **eyeshade**; [5] US (*also* **window** ~) store *m*; [6] †littér (ghost) ombre *f*, fantôme *m*

B shades *npl* [1] ○(sunglasses) lunettes *fpl* de soleil; [2] (undertones) ~**s of Mozart/of the sixties** ça fait penser à Mozart/aux années soixante

C *vtr* [1] (screen) [*tree, canopy, sunshade*] donner de l'ombre à, protéger [qn/qch] du soleil; **the hat** ~**d her face** le chapeau projetait une ombre sur son visage; **the garden was** ~**d by trees** le jardin était ombragé par des arbres; **to** ~ **one's eyes (with one's hand)** s'abriter les yeux de la main; [2] = **shade in**

D *vi* (blend) [*colour, tone*] se fondre (**into** en); **the blue** ~**s off into green** le bleu se fond en vert; **right** ~**s into wrong** le bien et le mal se confondent

E shaded *pp adj* [1] (shady) [*place*] ombragé; [2] (covered) [*light, lamp*] avec un abat-jour; [3] Art (*also* ~**-in**) [*area, background*] gen sombre; (produced by hatching) hachuré

(Idioms) **to put sb in the** ~ éclipser qn; **to put sth in the** ~ surpasser *or* surclasser qch

(Phrasal verb) ■ **shade in**: ▸ ~ **in [sth]**, ~ **[sth] in** [*artist*] ombrer [*drawing*]; (by hatching) hachurer [*area, map*]; [*child*] colorier [*picture*]

shadiness /'ʃeɪdɪnɪs/ *n* [1] (shadow) ombre *f*; [2] (dishonesty) caractère *m* louche

shading /'ʃeɪdɪŋ/ *n* (in drawing, painting) ombres *fpl*; (hatching) hachures *fpl*

shadow /'ʃædəʊ/

A *n* [1] (shade) lit, fig ombre *f*; **in (the)** ~ dans l'ombre; **in the** ~ **of** à l'ombre de [*tree, wall*]; dans l'ombre de [*doorway*]; **to live in the** ~ **of** (near) vivre à proximité de [*mine, power station*]; (in fear of) vivre dans la crainte de [*Aids, unemployment, war*]; **to stand in the** ~**s** se tenir dans l'ombre; **to be afraid of one's own** ~ fig avoir peur de son ombre; **to live in sb's** ~ fig vivre dans l'ombre de qn; **to cast a** ~ **over sth** lit projeter une ombre sur qch; fig jeter une ombre sur qch; **she's a** ~ **of her former self** elle n'est plus que l'ombre d'elle-même; **she casts a long** ~ fig son influence se fait toujours sentir; **the war casts a long** ~ les effets de la guerre se font toujours sentir; **the remake is only a pale** ~ **of the original** le remake n'est qu'une pâle imitation de l'original; **to have** ~**s under one's eyes** avoir les yeux cernés; [2] (person who follows another) gen ombre *f*; (detective) détective *m or* policier *m* qui file qn; **to put a** ~ **on sb** faire filer *or* suivre qn; **to be sb's** ~ suivre qn comme son ombre, être l'ombre de qn; [3] (on X ray) ombre *f*, voile *m*; [4] (hint) **not a** ~ **of truth** pas le moindre soupçon de vérité; **not a** ~ **of suspicion** pas le moindre soupçon; **without** *ou* **beyond the** ~ **of a doubt** sans l'ombre d'un doute

B shadows *npl* littér (darkness) ténèbres *fpl*

C *vtr* [1] (cast shadow on) [*wall, tree*] projeter une ombre (or des ombres) sur; **this tragedy** ~**ed him all his life** fig cette tragédie l'a hanté toute sa vie; [2] (follow) filer, prendre [qn] en filature

shadow: ~ **box** *vtr* boxer à vide; ~ **boxing** *n* lit *entraînement de boxe sans adversaire*; fig attaque *f* purement formelle

shadow cabinet *n* GB Pol cabinet *m* fantôme

> **Shadow cabinet**
>
> Cabinet formé par le chef de l'opposition au Royaume-Uni. Il nomme des députés qui interviennent à la Chambre des communes sur les questions qui concernent leur domaine et qui assumeraient les fonctions de ministre si leur parti arrivait au pouvoir. Les différents postes des membres du cabinet 'fantôme' sont calqués sur ceux qui sont occupés par les ministres du gouvernement en exercice. Par exemple, le '*Shadow Minister for Transport*' donne la répartie au '*Minister for Transport*' du gouvernement. ▸ **Leader of the Opposition**

shadow: ~ **minister** *n* GB Pol = **shadow secretary**; ~ **play** *n* théâtre *m* d'ombres; ~ **puppet** *n* marionnette *f* de théâtre d'ombres

shadow secretary *n* GB Pol **the** ~ **for employment/foreign affairs** le porte-parole de l'opposition dans le domaine de l'emploi/des affaires étrangères

shadowy /'ʃædəʊɪ/ *adj* [1] (dark) [*path, corridor, woods*] sombre; [2] (indistinct) [*image, outline*] flou; [*form*] indistinct, vague; [3] (mysterious) [*group, world*] mystérieux/-ieuse; **he has always been a** ~ **figure** il a toujours été un peu énigmatique

shady /'ʃeɪdɪ/ *adj* [1] [*place*] ombragé; [2] (dubious) [*deal, business*] louche, véreux/-euse; [*businessman, financier*] véreux/-euse

shaft /ʃɑ:ft, US ʃæft/

A *n* [1] (rod) (of tool) manche *m*; (of arrow) tige *f*; (of spear, sword) hampe *f*; (in machine) axe *m*; (on a cart) brancard *m*; (of feather) rachis *m*; (of hair) tige *f*; (of bone) diaphyse *f*; [2] (passage, vent) puits *m*; [3] fig (of wit) trait *m*; ~ **of light** rai *m*; ~ **of lightning** éclair *m*; [4] ●(penis) bite● *f*, pénis *m*

B *vtr* [1] ●(have sex with) baiser●, avoir des rapports sexuels avec; [2] ◑US (cheat) escroquer; (treat unfairly) sacquer○, être injuste avec

shag /ʃæg/

A *n* [1] (tobacco) (tabac *m*) gris *m*; [2] (bird) cormoran *m* huppé

B *adj* [*rug*] à longues mèches

C *vtr* (*p prés etc* **-gg-**) [1] ●GB (have sex with) baiser●, coucher avec; [2] ○US Sport attraper

shagged◑ /ʃægd/ *adj* GB crevé○

shaggy /'ʃægɪ/ *adj* [*hair, beard, eyebrows*] en broussailles; [*animal*] poilu; [*carpet*] à longues mèches

shaggy dog story *n* histoire *f* drôle sans queue ni tête

shagreen /ʃæ'gri:n/ *n* [1] (leather) chagrin *m*, cuir *m*; [2] (skin of shark, ray) galuchat *m*

Shah /ʃɑ:/ *n* shah *m*

shake /ʃeɪk/

A *n* [1] **to give sb/sth a** ~ secouer qn/qch [*person, pillow, dice, cloth, branch*]; agiter, secouer [*bottle, mixture*]; **with a** ~ **of the** *ou* **one's head** avec un hochement de tête [2] (*also* **milk-**~) milk-shake *m*

B *vtr* (*prét* **shook**, *pp* **shaken**) [1] [*person*] secouer [*person, pillow, dice, cloth, branch*]; agiter, secouer [*bottle, mixture*]; [*blow, earthquake, explosion*] secouer [*building, town, area*]; **the dog seized the rat and shook it** le chien a attrapé le rat et l'a secoué; '~ **before use**' 'agiter avant emploi'; **he shook the seeds out of the packet/into my hand** il a fait tomber les graines du paquet/dans ma main; **to** ~ **the snow from** *ou* **off one's coat** secouer la neige de son manteau; **to** ~ **powder over the carpet** répandre de la poudre sur le tapis; **to** ~ **salt over the dish** saupoudrer le plat de sel; **to** ~ **one's fist/a stick at sb** menacer qn du poing/d'un bâton; **I shook him by the shoulders** je l'ai pris par les épaules et je l'ai secoué; **to** ~ **one's hands dry** se secouer les mains pour les sécher; **to** ~ **one's head**

hocher la tête; **to ~ hands with sb, to ~ sb's hand** serrer la main de qn, donner une poignée de main à qn; **to ~ hands** se serrer la main, se donner une poignée de main; **she took my hand and shook it vigorously** elle m'a pris la main et l'a secouée vigoureusement; **to ~ hands on the deal** se serrer la main *or* se donner une poignée de main pour conclure l'affaire; **to ~ hands on it** (after argument) se serrer la main *or* se donner une poignée de main en signe de réconciliation; ▸ **shake off**

2 fig (shock) (by undermining) ébranler [*belief, confidence, faith, resolve, argument, person*]; (by surprise occurrence) [*event, disaster*] secouer [*person*]; **an event that shook the world** un événement qui a secoué le monde; **it really shook me to find out that...** cela m'a vraiment donné un choc de découvrir que...; **now this will really ~ you!** (telling story) cela va te faire un coup!; ▸ **shake out**

3 US (get rid of) = **shake off**

C *vi* (*prét* **shook**, *pp* **shaken**) **1** (tremble) [*person, hand, voice, leaf, grass*] trembler; [*building, windows, ground*] trembler, vibrer; **to ~ with** [*person, voice*] trembler de [*fear, cold, emotion*]; se tordre de [*laughter*]

2 (shake hands) **they shook on it** (on deal, agreement) ils se sont serré la main *or* se sont donné une poignée de main en signe d'accord; (after argument) ils se sont serré la main *or* se sont donné une poignée de main en signe de réconciliation; **'~!'** 'serrons-nous la main!'

D *v refl* (*prét* **shook**, *pp* **shaken**) **to ~ oneself** [*person, animal*] se secouer; **to ~ oneself awake** se secouer pour se réveiller; **to ~ oneself free** se débattre pour se dégager

(Idioms) **in a ~○** *ou* **two ~s○** *ou* **a couple of ~s○** en un clin d'œil, en un tour de main; **in two ~s of a lamb's tail○** en deux coups de cuillère à pot○; **to be no great ~s○** ne pas valoir grand-chose; **I'm no great ~s at singing/as a singer** je ne vaux pas grand-chose en chant/comme chanteur; **to get a fair ~○** décrocher une bonne affaire○; **to have the ~s○** (from fear, cold, infirmity) avoir la tremblote○; (from alcohol, fever) trembler; **we've got more of these than you can ~ a stick at○!** on en a encore autant qu'un curé pourrait en bénir○

(Phrasal verbs) ■ **shake about, shake around**: ▸ **~ about** *ou* **around** être secoué; ▸ **~ [sth] about** *ou* **around** secouer [qch] dans tous les sens

■ **shake down**: ▸ **~ down** **1** (settle down) [*contents*] se tasser; **2** ○(to sleep) se coucher, se pieuter◑; ▸ **~ [sb/sth] down, ~ down [sb/sth]** **1** **to ~ apples down (off a tree)** secouer un arbre pour faire tomber les pommes; **to ~ down the contents of a packet/jar** secouer un paquet/un bocal pour tasser le contenu; **2** ○US (search) fouiller [*person, building, apartment*]; **3** ○US faire chanter, extorquer de l'argent à [*person*]

■ **shake off**: ▸ **~ [sb/sth] off, ~ off [sb/sth]** (get rid of, escape from) se débarrasser de [*cough, cold, depression, habit, unwanted person*]; se défaire de [*feeling*]; semer○ [*pursuer*]; **I can't seem to ~ off this flu** je n'arrive pas à me débarrasser de cette grippe

■ **shake out**: ▸ **~ [sth] out, ~ out [sth]** secouer [*tablecloth, sheet, rug*]; **to ~ some tablets out of a bottle** secouer un flacon pour en faire tomber quelques comprimés; ▸ **~ [sb] out of** secouer [qn] pour le faire sortir de [*depression, bad mood, complacency*]; **in a effort to ~ them out of their lethargy, he...** pour tenter de les faire sortir de leur léthargie, il...

■ **shake up**: ▸ **~ up [sth], ~ [sth] up** secouer [*cushion, pillow*]; agiter, secouer [*bottle, mixture*]; ▸ **~ [sb/sth] up, ~ up [sb/sth]** **1** [*car ride, bumpy road*] secouer [*person*]; **2** fig (rouse, stir, shock) secouer [*person*]; **they're too complacent—they need shaking up!** ils sont trop contents d'eux-mêmes—il faut les secouer!; **they were very shaken up by the experience** ils ont été très secoués par cette expérience; **3** (reorganize) Comm réorganiser (radicalement) [*company, department, management*]; Pol remanier [*cabinet*]

shakedown /ˈʃeɪkdaʊn/

A *n* **1** (improvised bed) lit *m* de fortune; **2** ○US (extorsion) (by verbal intimidation) chantage *m*; (by physical intimidation) racket *m*; **3** ○US (search) fouille *f*; **4** Aviat, Naut essai *m* final

B *modif* Aviat, Naut [*voyage, flight, run*] des essais finaux

shaken /ˈʃeɪkən/

A *pp* ▸ **shake**

B *adj* (shocked) choqué; (upset) bouleversé

shaken baby syndrome *n syndrome présenté par un nourrisson suite à des lésions causées par des secousses violentes*

shake-out /ˈʃeɪkaʊt/ *n* **1** Fin, Econ (in securities market) déconfiture *f* des boursicoteurs; (recession) tassement *m* du marché; **2** Comm, Ind (reorganization) réorganisation *f*, restructuration *f* (*souvent accompagnée de licenciements*); **3** Pol remaniement *m*

shaker /ˈʃeɪkə(r)/ *n* (for cocktails) shaker *m*; (for dice) gobelet *m* *or* cornet *m* à dés; (for salt) salière *f*; (for pepper) poivrière *f*; (for salad) saladier *m*

Shakespearean /ʃeɪkˈspɪərɪən/ *adj* Literat [*drama, role*] shakespearien/-ienne; [*production, quotation*] de Shakespeare

shake-up /ˈʃeɪkʌp/ *n* Comm réorganisation *f* (importante), restructuration *f* (importante); Pol remaniement *m*

shakily /ˈʃeɪkɪlɪ/ *adv* [*say, speak*] d'une voix tremblante; [*walk*] d'un pas chancelant; **he writes ~** il écrit en tremblant; **they started rather ~** leur début était chancelant *or* mal assuré

shako /ˈʃeɪkəʊ/ *n* (*pl* **~s** *ou* **~es**) shako *m*

shaky /ˈʃeɪkɪ/ *adj* **1** (liable to shake) [*chair, ladder, structure*] branlant, peu stable; **my hands are rather ~** j'ai les mains qui tremblent; **I feel a bit ~** je me sens un peu flageolant; **2** fig (liable to founder) [*marriage, relationship, position*] instable; [*evidence, argument, grounds*] peu solide, peu fiable; [*knowledge, memory, prospects*] peu sûr; [*regime, democracy*] chancelant; **3** fig (uncertain) [*start*] chancelant, mal assuré; **we got off to a rather ~ start** (in relationship, business) au début cela a été difficile pour nous; (in performance) nous étions très peu sûrs de nous au début; **my French is a bit ~** mon français est un peu hésitant; **to be on ~ ground** être peu sûr de soi

shale /ʃeɪl/

A *n* shale *m*

B *modif* [*beach, quarry*] de shale

shale oil *n* huile *f* de schiste

shall /ʃæl, ʃəl/

> ⚠ When *shall* is used to form the future tense in English, the same rules apply as for *will*. You will find a note on this and on question tags and short answers near the entry **will**

modal aux **1** (in future tense) **I ~** *ou* **I'll see you tomorrow** je vous verrai demain; **we ~ not** *ou* **shan't have a reply before Friday** nous n'aurons pas de réponse avant vendredi; **2** (in suggestions) **~ I set the table?** est-ce que je mets la table?; **~ we go to the cinema tonight?** et si on allait au cinéma ce soir?; **let's buy some peaches, ~ we?** et si on achetait des pêches?; **3** sout (in commands, contracts etc) **you ~ do as I say** tu dois faire ce que je te dis; **the sum ~ be paid on signature of the contract** le montant devra être versé à la signature du contrat; **thou shalt not steal** Bible tu ne voleras point

shallot /ʃəˈlɒt/ *n* **1** GB échalote *f*; **2** US cive *f*

shallow /ˈʃæləʊ/ ▸ **p. 1389**

A **shallows** *npl* bas fonds *mpl*

B *adj* [*container, hollow, water, grave*] peu profond; [*stairs*] aux marches basses; [*breathing, character, response*] superficiel/-ielle; [*writing, conversation*] plat; [*wit*] creux/creuse; **the ~ end of the pool** l'extrémité la moins profonde de la piscine

shallowness /ˈʃæləʊnɪs/ *n* (of water) peu *m* de profondeur; (of person) manque *m* de profondeur; (of conversation) caractère *m* superficiel

shalt‡ /ʃælt/ *2nd pers sg* ▸ **shall**

sham /ʃæm/

A *n* (person) imposteur *m*; (organization) imposture *f*; (democracy, election) parodie *f*; (ideas, views) mystification *f*; (activity) supercherie *f*; **his love was a ~** son amour était de la comédie

B *adj* (*épith*) [*election, democracy*] prétendu (*before n*); [*object, building, idea, view*] factice; [*activity, emotion*] feint; [*organization*] fantoche

C *vtr* (*p prés etc* **-mm-**) **to ~ sleep/illness/death** faire semblant de dormir/d'être malade/d'être mort

D *vi* (*p prés etc* **-mm-**) faire semblant

shaman /ˈʃeɪmən/ *n* chaman *m*

shamanism /ˈʃeɪmənɪzəm/ *n* chamanisme *m*

shamanistic /ˌʃeɪməˈnɪstɪk/ *adj* chamaniste

shamateur /ˈʃæmətɜː(r)/ *n* GB Sport pseudo-amateur *mf* (*qui se fait payer*)

shamble /ˈʃæmbl/ *vi* aller d'un pas traînant

shambles○ /ˈʃæmblz/ *n* (of administration, organization, room) pagaille○ *f*; (of meeting etc) désastre *m*

shambolic○ /ʃæmˈbɒlɪk/ *adj* GB hum [*place, situation*] désorganisé; [*person*] débraillé

shame /ʃeɪm/

A *n* **1** (embarrassment) honte *f*; **to feel ~** ressentir de la honte; **he has no (sense of) ~** il n'a honte de rien; **to feel ~ at** être honteux/-euse de; **2** (disgrace) honte *f*; **to her/our ~** à sa/notre honte; **to my eternal ~** à ma très grande honte; **the ~ of doing** la honte de faire; **the ~ of it!** quelle honte!, la honte○!; **there's no ~ in doing** il n'y a pas de honte à faire; **to bring ~ on** être *or* faire la honte de; **~ on you!** tu devrais avoir honte!, tu n'as pas honte?; **~ on him for doing** il devrait avoir honte de faire; **~!** c'est un scandale!; **there were cries of '~!'** les gens criaient au scandale; **3** (pity) **it is a ~ that** c'est dommage que (+ *subj*); **it seems a ~** il semble dommage; **it was a great** *ou* **such a ~ (that) she lost** c'est tellement dommage qu'elle ait perdu; **it would be a ~ if he couldn't come** il serait dommage qu'il ne puisse pas venir; **it's a ~ to do** c'est dommage de faire; **it seemed a ~ to do** il semblait dommage de faire; **it's a ~ about the factory closing** c'est dommage que l'usine ait fermé *or* ferme; **it's a ~ about your father** (if not very serious matter) c'est dommage pour ton père; (if serious) je suis désolé pour ton père; **nice costumes—~ about the play○!** les costumes étaient réussis—mais la pièce○!; **what a ~!** quel dommage!; **isn't it a ~?** c'est vraiment dommage

B *vtr* **1** (embarrass) faire honte à [*person*]; **I was ~d by her words** ses paroles m'ont fait honte; **to ~ sb into doing** obliger qn à faire en lui faisant honte; **he was ~d into a confession** il avait tellement honte qu'il a avoué; **to ~ sb out of** faire passer [qch] à qn en lui faisant honte [*habit, fault*]; **2** (disgrace) déshonorer [*family, country*] (**by doing** en faisant); **they ~d the nation** ils ont fait la honte de la nation

(Idiom) **to put sb to ~** faire honte à qn; **your garden puts the others to ~** tous les jardins semblent minables comparés au tien

shamefaced /ˌʃeɪmˈfeɪst/ *adj* [*person, look*] penaud

shamefacedly /ˌʃeɪmˈfeɪstlɪ/ *adv* [*return, say*] d'un air penaud

S

shameful /ˈʃeɪmfl/ *adj* [*conduct, ignorance, neglect, waste*] honteux/-euse; **it was ~ of her to do** c'était honteux de sa part de faire; **it was ~ of me to do** j'ai honte d'avoir fait; **it is ~ that** c'est une honte que (+ *subj*)

shamefully /ˈʃeɪmfəlɪ/ *adv* [*behave, act*] honteusement; [*mistreated, neglected*] abominablement; **~ ignorant** d'une ignorance crasse

shameless /ˈʃeɪmlɪs/ *adj* [*person*] éhonté; [*attitude, negligence, request*] effronté; **a ~ display of** un étalage impudique de [*emotion, wealth*]; **to be quite ~ about** n'avoir pas du tout honte de; **she's a ~ hussy!** péj c'est une dévergondée!

shamelessly /ˈʃeɪmlɪslɪ/ *adv* [*behave, boast, exploit, lie*] sans vergogne

shamelessness /ˈʃeɪmlɪsnɪs/ *n* impudence *f*

shaming /ˈʃeɪmɪŋ/ *adj* [*defeat, behaviour*] humiliant; **it is ~ that** il est humiliant que (+ *subj*)

shammy○ /ˈʃæmɪ/ *n* ▸ **chamois**

shampoo /ʃæmˈpuː/

A *n* (all contexts) shampooing *m*

B *vtr* (*prés* **-poos**; *prét, pp* **-pooed**) shampooiner [*customer, pet*]; **to ~ one's hair** se faire un shampooing; **to have one's hair ~ed** se faire faire un shampooing

shampooer /ʃæmˈpuːə(r)/ *n* **1** (person) shampooineur/-euse *m/f*; **2** (carpet cleaner) shampooineuse *f*

shamrock /ˈʃæmrɒk/ *n* trèfle *m*

shamus○ /ˈʃeɪməs/ *n* US (policeman) flic○ *m*; (private detective) privé *m*

shandy /ˈʃændɪ/, **shandygaff** /ˈʃændɪgæf/ US *n* panaché *m*

shanghai /ʃæŋˈhaɪ/ *vtr* **1** Naut (pressgang) embarquer [qn] de force; **2** ○fig **to ~ sb into doing sth** contraindre qn à faire qch

Shanghai /ʃæŋˈhaɪ/ ▸ **p. 1815** *pr n* Shanghai

Shangri-La /ˌʃæŋgrɪˈlɑː/ *n* paradis *m* terrestre

shank /ʃæŋk/ *n* **1** Zool jambe *f*; **2** Culin jarret *m*; **3** (of knife) soie *f*; (of golf-club) manche *m*; (of drill-bit) queue *f*; (of screw, door handle) tige *f*; (of shoe) cambrure *f*

(Idiom) **by ~'s pony** *ou* **mare** à pied

shan't /ʃɑːnt/ = **shall not**

shantung /ʃænˈtʌŋ/ *n* shantung *m*

shanty /ˈʃæntɪ/ *n* **1** (hut) baraque *f*; **2** (song) chanson *f* de marins

shantytown /ˈʃæntɪtaʊn/ *n* bidonville *m*

shape /ʃeɪp/

A *n* **1** (form, outline) (of object, building etc) forme *f*; (of person) silhouette *f*; **a square/triangular/star ~** une forme carrée/triangulaire/d'étoile; **what ~ is it?** de quelle forme est-ce?; **to change ~** [*substance*] changer de forme; **to be an odd ~** avoir une drôle de forme; **to be the right/wrong ~** [*object*] avoir/ne pas avoir la forme qu'il faut; [*person*] avoir/ne pas avoir la silhouette qu'il faut; **to be round/square in ~** avoir la forme d'un rond/d'un carré; **it's like a leaf in ~** de forme cela ressemble à une feuille; **in the ~ of a star/a cat** en forme d'étoile/de chat; **to carve/cut/mould sth into ~** donner forme à qch en le sculptant/taillant/modelant; **to keep its ~** [*garment*] garder sa forme; **to keep one's ~** [*person*] garder sa ligne; **to take ~** [*sculpture, building*] prendre forme; **to be out of ~** [*garment*] ne plus avoir de forme; **to go out of ~, to lose its ~** [*garment*] se déformer; **to bend/knock sth out of ~** gauchir/défoncer qch; **in all ~s and sizes** de toutes les formes et de toutes les tailles; **cookers come in all ~s and sizes** il existe des cuisinières de toutes les formes et de toutes les tailles; **the prince took on the ~ of a frog** le prince a pris la forme d'une grenouille

2 (optimum condition) forme *f*; **to be in/out of ~** être/ne pas être en forme; **to get in/keep in ~** se mettre/se maintenir en forme; **to get/knock/lick○ sb in(to) ~** mettre qn en forme; **to get/knock/lick○/whip○ sth into ~** mettre qch au point *or* en état [*project, idea, proposal, report, essay*]

3 fig (character, structure) gen forme *f*; (of organization) structure *f*; **technology that influences the ~ of the labour market** technologie qui influe sur la structure du marché du travail; **he determined the whole ~ of 20th century poetry** il a déterminé la forme de la poésie du vingtième siècle; **to take ~** [*plan, project, idea*] prendre forme; [*events*] prendre tournure; **the likely ~ of currency union** la forme que prendra probablement l'union monétaire; **this will determine the ~ of political developments over the next decade** ceci déterminera l'évolution politique de la prochaine décennie; **my contribution took the ~ of helping/advising...** j'ai contribué en aidant/en conseillant...; **whatever the ~ of the new government** (in composition) quelle que soit la composition du nouveau gouvernement; (in style) quelle que soit la forme que prendra le nouveau gouvernement; **to spell out the ~ of a proposal** expliquer clairement les grandes lignes d'une proposition; **to decide what ~ one's apology should take** décider comment on va présenter ses excuses; **developments which have changed the ~ of our lives** des développements qui ont changé notre mode de vie; **the ~ of things to come** ce que sera *or* ce que nous réserve l'avenir; **X comes in many ~s and forms** il y a toutes sortes de X; **tips in any ~ or form are forbidden** les pourboires de toutes sortes sont interdits; **I don't condone violence in any ~ or form** je ne pardonne pas la violence, sous quelque forme que ce soit; **I wasn't involved in the matter in any way, ~ or form** je n'étais, en aucune manière, impliqué dans cette affaire

4 (guise) **in the ~ of** sous (la) forme de; **help arrived in the ~ of a policeman/a large sum of money** les secours sont arrivés en la personne d'un agent de police/sous (la) forme d'une importante somme d'argent; **he eats a lot of fat in the ~ of chips and burgers** il mange beaucoup de matière grasse sous (la) forme de frites et de hamburgers

5 (vague, indistinguishable form) forme *f*, silhouette *f*; **the ~ under the bedclothes groaned** la forme sous les couvertures a grogné

6 Culin (mould for jelly, pastry) moule *m*

7 Culin (moulded food) (of jelly) gelée *f*; (of pudding, rice) gâteau *m*; (of meat) pâté *m*, terrine *f*

B *vtr* **1** (fashion, mould) [*person*] modeler [*clay, dough*]; sculpter [*wood, stone*]; [*wind, rain*] façonner, sculpter [*rock, region*]; [*hairdresser*] couper [*hair*]; **he ~d my hair into a bob/into layers** il m'a coupé les cheveux au carré/en dégradé; **we ~d the sand into a mound** nous avons façonné le sable en forme de butte; **the statue had been ~d out of a single block of stone** la statue avait été sculptée dans un seul bloc de pierre; **caves ~d out of the rock by the action of the water** des grottes creusées dans la roche par l'action de l'eau; **~ the dough into balls** faites des boules avec la pâte; **to ~ the material/cardboard into a triangle** faire un triangle dans le tissu/carton

2 fig [*person, event*] influencer; (stronger) déterminer [*future, idea*]; modeler [*character*]; [*person*] formuler [*policy, project*]; **you could play a part in shaping this country's future** vous pourriez avoir un rôle dans la détermination de l'avenir du pays

3 Sewing (fit closely) ajuster [*garment*]; **a jacket ~d at the waist** une veste cintrée

(Phrasal verb) ■ **shape up** **1** (develop) [*person*] s'en sortir; **she's shaping up really well as a manager** elle s'en sort bien comme directrice; **how are things shaping up at (the) head office?** quelle tournure prennent les choses au siège?; **to be shaping up to be** être en train de devenir; **this game is shaping up to be an enthralling contest** ce jeu est en train de devenir un concours passionnant; **2** (meet expectations) être à la hauteur; **if he doesn't ~ up, fire him** s'il n'est pas à la hauteur, renvoie-le; **~ up or ship out○!** si tu n'es pas à la hauteur prends la porte!; **3** (improve one's figure) se mettre en forme

SHAPE /ʃeɪp/ *n* (*abrév* = **Supreme Headquarters Allied Powers Europe**) SHAPE *m* (*quartier général des forces alliées de l'OTAN en Europe*)

shaped /ʃeɪpt/

A *adj* **to be ~ like sth** avoir la forme de qch; **a teapot ~ like a house** une théière en forme de maison

B **-shaped** (*dans composés*) **star-/V-~** en forme d'étoile/de V; **oddly-/delicately-~** de forme étrange/délicate; **egg-~** en forme d'œuf

shapeless /ˈʃeɪplɪs/ *adj* sans forme, informe

shapelessness /ˈʃeɪplɪsnɪs/ *n* absence *f* de forme

shapeliness /ˈʃeɪplɪnɪs/ *n* (of object, leg) galbe *m*; **the ~ of her figure** sa silhouette bien proportionnée

shapely /ˈʃeɪplɪ/ *adj* [*object, limb, ankle*] bien galbé; [*figure*] bien proportionné; [*woman*] bien fait

shard /ʃɑːd/ *n* tesson *m*

share /ʃeə(r)/

A *n* **1** (of money, food, profits, blame) part *f* (**of** de); **to have a ~ in** être pour quelque chose dans, contribuer à [*success, result*]; **to have a ~ in doing** contribuer à faire; **she's had more than her (fair) ~ of bad luck** elle a eu plus que sa part de malchance; **to do one's ~ of sth** faire sa part de qch; **you're not doing your ~** tu ne fais pas ta part de travail; **to pay one's (fair) ~** payer sa part; **to take** *ou* **accept one's ~ of the responsibility** accepter sa part de responsabilité; **a ~ of the market** une part du marché; **to have a ~ in a company** avoir une participation dans une société; **to own a half-~** posséder la moitié; **2** Fin action *f*; **to have ~s in an oil company/in oil/in Grunard** avoir des actions d'une compagnie pétrolière/dans le pétrole/de Grunard; **3** Agric soc *m* (de charrue)

B *modif* Fin [*allocation, capital, certificate, flotation, issue, offer, portfolio, transfer*] d'actions; [*price, value*] des actions

C *vtr* partager [*money, food, house, room, prize, responsibility, opinion, taxi, enthusiasm, news*] (**with** avec); [*two or more people*] se partager [*task, chore*]; [*one person*] participer à [*task, chore*]; **we ~ a birthday** nous avons notre anniversaire le même jour; **we ~ an interest in animals** nous aimons tous les deux les animaux; **they ~ an interest in history** ils s'intéressent tous les deux à l'histoire

D *vi* **to ~ in** prendre part à [*success, happiness, benefits*]

(Idiom) **~ and ~ alike** il faut partager; ▸ **halve**

(Phrasal verb) ■ **share out**: ▸ **~ [sth] out, ~ out [sth]** [*people, group*] partager [*food, profits, presents*]; [*person, organization*] répartir [*food, profits, supplies*] (**among, between** entre); **we ~d the money/the cakes out between us** nous nous sommes partagé l'argent/les gâteaux

share: **~cropper** *n* US métayer/-ère *m/f*; **~cropping** *n* US métayage *m*

shared /ʃeəd/ *adj* [*office, room, facilities*] commun; [*belief, experience, interest*] commun, partagé; [*grief*] partagé; [*house, flat*] partagé

shared care *n* GB Med *système de soins dispensés par plusieurs personnes*

shared ownership *n* copropriété *f*

shareholder /ˈʃeəhəʊldə(r)/ *n* actionnaire *mf*; **the ~s** l'actionnariat *m*

shareholder: **~s' equity** *n* fonds *mpl* propres, capital *m* social; **~s' meeting** *n* assemblée *f* des actionnaires

S

shareholding /ˈʃeəhəʊldɪŋ/ *n* détention *f or* possession *f* d'actions; **a majority ~** une participation majoritaire

share: **~ option scheme** *n* plan *m* de participation par achat d'actions; **~-out** *n* partage *m*, répartition *f*; **~ware** *n* Comput logiciel *m* contributif

shark /ʃɑːk/ *n* requin *m* also fig

shark: **~-infested** *adj* infesté de requins; **~'s fin soup** *n* soupe *f* aux ailerons de requins; **~skin** *n* Zool galuchat *m*; Tex peau *f* d'ange; **~'s tooth** *adj* [*pattern*] en dents de scie

sharp /ʃɑːp/

A *n* dièse *m*

B *adj* 1 (good for cutting) [*knife, razor*] tranchant; [*edge*] coupant; [*blade, scissors*] bien aiguisé; [*saw*] bien affûté; 2 (pointed) [*tooth, fingernail*] acéré; [*end, needle, rock, peak*] pointu; [*pencil*] bien taillé; [*point*] acéré, fin; [*features*] anguleux/-euse; [*nose, chin*] pointu; 3 (abrupt) [*angle*] aigu/-uë; [*bend, turning*] brusque, serré; [*movement, reflex*] brusque; [*drop, incline*] fort; Econ, Fin [*fall, rise, change*] brusque, brutal; 4 (acidic) [*taste, smell*] âcre; [*fruit*] acide; 5 (piercing) [*pain*] vif/vive; [*cry*] aigu/-uë; [*blow*] sévère; [*frost*] fort, intense; [*cold, wind*] vif/vive, pénétrant; 6 fig (aggressive) [*tongue*] acéré; [*tone, reply, rebuke*] acerbe; [*disagreement*] vif/vive; 7 (alert) [*person*] vif/vive, dégourdi; [*mind, intelligence*] vif/vive; [*eyesight, eye*] perçant; [*hearing, ear*] fin; **to have a ~ wit** avoir de la repartie; **to keep a ~ lookout** rester sur le qui-vive (**for** pour); **to have a ~ eye for sth** fig avoir l'œil pour qch; 8 (clever) péj [*businessman, person*] malin/-igne; **~ operator** filou *m*; 9 (clearly defined) [*image, outline, picture, sound*] net/nette; [*contrast*] prononcé; [*difference, distinction*] net/nette; **to bring sth into ~ focus** lit cadrer qch avec netteté; fig faire passer qch au premier plan; 10 °GB [*suit*] tape-à-l'œil (*inv*) pej; **to be a ~ dresser** prendre grand soin de son apparence; 11 °US (stylish) chic (*inv*); 12 Mus dièse; (too high) aigu/-uë

C *adv* 1 (abruptly) [*stop, pull up*] net; **to turn ~ left/right** tourner brusquement vers la gauche/la droite; 2 (promptly) **at 9 o'clock ~** à neuf heures pile° *or* précises; 3 Mus [*sing, play*] trop haut

(Idioms) **to be at the ~ end** être en première ligne; **to look ~°** se dépêcher; **you're so ~ you'll cut yourself** tu te crois vraiment très malin/-igne

sharpen /ˈʃɑːpən/

A *vtr* 1 lit aiguiser, affûter [*blade, knife, razor*]; aiguiser [*scissors, shears*]; tailler [*pencil*]; **to ~ sth to a point** tailler qch en pointe; **to ~ its claws** [*cat etc*] se faire les griffes; 2 (accentuate) rendre [qch] plus net [*line, contrast*]; affiner [*focus*]; régler [*image, picture*]; 3 (make stronger) aviver [*anger, desire, fear, interest*]; accroître [*feeling, loneliness*]; **to ~ sb's appetite** lit, fig aiguiser l'appétit de qn (**for** pour); **to ~ one's wits** se dégourdir l'esprit; **to ~ sb's wits** dégourdir l'esprit de qn; **to ~ sb's reflexes** affiner les réflexes de qn

B *vi* [*tone, voice, look*] se durcir; [*pain*] s'aviver

(Phrasal verb) ■ **sharpen up**: ▶ **~ up [sth]** affiner [*reflexes*]; **to ~ oneself up for** se préparer pour [*race, competition*]; **to ~ up one's wits** se dégourdir l'esprit; **to ~ up one's image** améliorer son image

sharpener /ˈʃɑːpənə(r)/ *n* (for pencil) taille-crayon *m*; (for knife) fusil *m*, aiguisoir *m*

sharper /ˈʃɑːpə(r)/ *n* gen escroc *m*; (*also* **card~**) tricheur/-euse *m/f* professionnel/-elle

sharp-eyed /ˌʃɑːpˈaɪd/ *adj* 1 (observant) vigilant; 2 (with good eyesight) à la vue perçante

sharp-featured /ˌʃɑːpˈfiːtʃəd/ *adj* [*person*] aux traits anguleux

sharpish° /ˈʃɑːpɪʃ/ *adv* GB [*do, move, leave*] illico°, vite

sharply /ˈʃɑːplɪ/ *adv* 1 (abruptly) [*turn, change, rise, fall*] brusquement, brutalement; [*stop*] net; 2 (harshly) [*say, speak, reply*] d'un ton brusque; [*criticize, accuse*] vivement, sévèrement; [*look, glare*] durement; **the article was ~ critical of the government** l'article était une critique virulente du gouvernement; 3 (distinctly) [*differ, contrast, stand out*] nettement; [*defined*] nettement; **to bring sth ~ into focus** lit cadrer qch avec netteté; fig faire passer qch au premier plan; 4 (perceptively) [*say*] très justement; [*observe*] avec acuité; [*characterized, drawn*] avec acuité; [*aware*] vivement; **to be ~ intelligent** avoir une intelligence vive

sharpness /ˈʃɑːpnɪs/ *n* 1 (of blade, scissors) tranchant *m* (**of** de); 2 (pointedness) (of pencil, needle, nail) finesse *f* de la pointe (**of** de); (of peak, rock) aspérités *fpl* (**of** de); 3 (of turn, bend) angle *m* brusque (**of** de); 4 (of image, outline, contrast, sound) netteté *f* (**of** de); 5 (harshness) (of voice, tone) brusquerie *f* (**of** de); (of reproach, criticism) sévérité *f* (**of** de); 6 (of pain, guilt) acuité *f* (**of** de); 7 (acidity) (of taste) piquant *m*; (of smell) âcreté *f*; (of fruit, drink) acidité *f*.

sharp: **~ practice** *n* filouterie *f*; **~ sand** *n* Constr sable *m* liant; **~shooter** *n* tireur/-euse *m/f* d'élite; **~-sighted** *adj* [*person*] à la vue perçante; **~-tempered** *adj* soupe au lait (*after v*); **~-tongued** *adj* [*person*] à la langue acérée; **~-witted** *adj* dégourdi

shat /ʃæt/ *prét, pp* ▸ **shit**

shatter /ˈʃætə(r)/

A *vtr* 1 lit fracasser [*window, glass*]; 2 fig rompre [*peace, silence*]; briser [*life, confidence, hope, dream*]; démolir [*nerves*]; **to be ~ed by sth** être bouleversé par qch

B *vi* [*window, glass*] voler en éclats

shattered /ˈʃætəd/ *adj* 1 [*dream, ideal*] brisé; [*life, confidence*] anéanti; 2 [*person*] (devastated) effondré; (tired)° crevé°, épuisé

shattering /ˈʃætərɪŋ/ *adj* [*disappointment, blow, effect*] accablant; [*experience, news*] bouleversant

shatterproof /ˈʃætəpruːf/ *adj* [*windscreen*] en verre securit®

shatterproof glass *n* verre *m* securit® *inv*

shave /ʃeɪv/

A *n* **to have a ~** se raser; **to give sb a ~** raser qn

B *vtr* (*pp* **~d** *ou* **shaven**) 1 lit [*barber*] raser [*person*]; **to ~ sb's beard off** raser la barbe de qn; **to ~ one's beard off** se raser la barbe; **to ~ sb's head** raser la tête de qn; **to ~ one's legs/head** se raser les jambes/la tête; 2 (plane) raboter [*wood*]; 3 fig réduire [*prices, profits*]

C *vi* (*pp* **~d** *ou* **shaven**) [*person*] se raser

D **shaven**, **shaved** *pp adj* [*head*] rasé

(Idioms) **to have a close ~** l'échapper belle; **that was a close ~!** je l'ai/il l'a etc échappé belle!

shaver /ˈʃeɪvə(r)/ *n* 1 (*also* **electric ~**) rasoir *m* électrique; 2 °†(boy) gosse° *m*, gamin *m*

shaver point GB, **shaver outlet** US prise *f* pour rasoir électrique

Shavian /ˈʃeɪvɪən/ *adj* [*wit*] à la Bernard Shaw; [*corpus, scholar*] de Bernard Shaw

shaving /ˈʃeɪvɪŋ/ *n* 1 (process) rasage *m*; 2 (sliver) (of wood) copeau *m*; (of metal) rognure *f*, copeau *m*

shaving: **~ brush** *n* blaireau *m*; **~ cream** *n* crème *f* à raser; **~ foam** *n* mousse *f* à raser; **~ gel** *n* gel *m* à raser; **~ kit** *n* nécessaire *m* de rasage; **~ mirror** *n* petit miroir *m*; **~ soap** *n* savon *m* à barbe; **~ stick** *n* bâton *m* de savon à barbe

shawl /ʃɔːl/ *n* châle *m*

shawl collar *n* col *m* châle

shawm /ʃɔːm/ ▸ **p. 1462** *n* Mus chalumeau *m*

she /ʃiː, ʃɪ/

> ⚠ *She* is translated by *elle*: *she closed the door* = elle a fermé la porte. For particular usages, see the entry below

pron elle; **~'s not at home** elle n'est pas chez elle; **here ~ is** la voici; **there ~ is** la voilà; **SHE didn't take it** ce n'est pas elle qui l'a pris; **~'s a genius** c'est un génie; **~ who, ~ that** celle qui; **~ who sees** celle qui voit; **~ whom** celle que; **~'s a lovely boat** c'est un beau bateau; **it's a ~°** (of baby) c'est une fille; (of animal) c'est une femelle

shea /ʃiː/ *n* karité *m*

shea butter *n* beurre *m* de karité

sheaf /ʃiːf/ *n* (*pl* **sheaves**) (of corn, flowers) gerbe *f*; (of papers) liasse *f*

shear /ʃɪə(r)/

A *vtr* (*prét* **sheared**, *pp* **shorn**) tondre [*grass, hair, sheep*]

B **shorn** *pp adj* fig dépouillé (**of** de)

(Phrasal verbs) ■ **shear off**: ▶ **~ off** [*metal component*] céder; ▶ **~ off [sth]**, **~ [sth] off** tondre [*hair, fleece*]; [*accident, storm*] emporter [*branch, part of building*]

■ **shear through**: ▶ **~ through [sth]** cisailler [*metal, screw*]; fig fendre [*water*]

shearer /ˈʃɪərə(r)/ ▸ **p. 1683** *n* (*also* **sheep-~**) tondeur/-euse *m/f*

shearing /ˈʃɪərɪŋ/ *n* (*also* **sheep-~**) tonte *f*

shearing shed *n* hangar *m* où on tond les moutons

shearling /ˈʃɪəlɪŋ/ *n* US (material) ≈ peau *f* de mouton

shears /ʃɪərz/ *npl* 1 Hort cisaille *f*; 2 (for sheep) tondeuse *f*

sheath /ʃiːθ/ *n* 1 (condom) préservatif *m*; 2 Bot gaine *f*; 3 (case) (of sword) fourreau *m*; (of knife, cable) gaine *f*

sheath dress *n* robe *f* fourreau

sheathe /ʃiːð/ *vtr* rengainer [*sword, dagger*]; rentrer [*claws*]; replier [*wings*]; gainer [*cable*]; **~d in** gainé de [*silk etc*]

sheath knife *n* couteau *m* à gaine

sheaves /ʃiːvz/ *npl* ▸ **sheaf**

Sheba /ˈʃiːbə/ *pr n* **the Queen of ~** la reine de Saba

shebang° /ʃɪˈbæŋ/ *n* US **the whole ~°** tout le tremblement°

shebeen /ʃɪˈbiːn/ *n* Ir 1 (whiskey) whisky *m* (*fabriqué clandestinement*); 2 (still) débit *m* de boissons clandestin

shed /ʃed/

A *n* gen remise *f*, abri *m*; (lean-to) appentis *m*; (bigger) (at factory site, port etc) hangar *m*

B *vtr* (*prét, pp* **shed**) 1 verser, répandre [*tears*]; perdre [*leaves, petals, blossoms, weight, antlers*]; enlever, se dépouiller de [*clothes*]; se débarrasser de [*inhibitions, reputation, image*]; Constr [*roof*] évacuer [*rainwater*]; [*waterproof*] ne pas retenir [*rain*]; **to ~ hair** [*animal*] perdre ses poils, muer; **to ~ skin** [*snake*] muer; **to ~ blood** (one's own) perdre du sang; **too much blood has been ~ in the name of patriotism** trop de sang a coulé au nom du patriotisme; **to ~ jobs** *ou* **staff** euph supprimer des emplois; **a truck has shed its load on the road** un camion a déversé son chargement sur la route; 2 (transmit) répandre [*light, warmth, happiness*]

C *vi* (*prét, pp* **shed**) [*dog, cat*] perdre ses poils

she'd /ʃiːd, ʃɪd/ = **she had**, **she would**

she-devil *n* sorcière *f* pej

sheen /ʃiːn/ *n* (of hair) éclat *m*; (of silk) lustre *m*; **to take the ~ off sth** fig ternir l'éclat de qch

sheep /ʃiːp/ *n* (*pl* **~**) mouton *m*; (ewe) brebis *f*; **black ~** fig brebis *f* galeuse; **lost ~** fig brebis *f* égarée

(Idioms) **to count ~** fig compter les moutons; **to follow sb/sth like ~** suivre qn/qch comme des moutons; **to make ~'s eyes at sb** faire les yeux doux à qn; **may as well be hung for a ~ as for a lamb** tant qu'à être condamné

S

pour un crime, autant qu'il en vaille la peine; ▸ **goat**

sheep: **~cote** ▸ **sheepfold**; **~ dip** *n* bain *m* parasiticide (pour les moutons); **~ dog** *n* chien *m* de berger; **~ dog trials** *npl* concours *m* de chiens de berger; **~ farm** *n* ferme *f* d'élevage de moutons; **~ farmer** ▸ **p. 1683** *n* éleveur *m* de moutons; **~ farming** *n* élevage *m* de moutons; **~fold** *n* parc *m* à moutons; **~herder** ▸ **p. 1683** *n* US berger *m*

sheepish /ˈʃi:pɪʃ/ *adj* penaud

sheepishly /ʃi:pɪʃlɪ/ *adv* [*answer, admit*] d'un air penaud, d'un air gêné

sheepishness /ˈʃi:pɪʃnɪs/ *n* air *m* penaud

sheep: **~man** *n* US = **sheep farmer**; **~ pasture** *n* pâturage *m* à moutons; **~shank** *n* Naut (nœud *m* de) jambe *f* de chien

sheepshearer ▸ **p. 1683** *n* **1** (person) tondeur/-euse *m/f* (de moutons); **2** (machine) tondeuse *f*

sheepshearing *n* tonte *f*

sheepskin /ˈʃi:pskɪn/
A *n* **1** peau *f* de mouton; **2** ○US Univ diplôme *m*
B *modif* [*gloves, jacket*] en peau lainée

sheep: **~'s milk** *n* lait *m* de brebis; **~'s milk cheese** *n* fromage *m* de brebis; **~ station** *n* élevage *m* de moutons (*en Australie*); **~ stealing** *n* vol *m* de moutons; **~ track** *n* piste *f* à moutons

sheer /ʃɪə(r)/
A *adj* **1** (pure, unadulterated) [*boredom, desperation, hypocrisy, immorality, panic, stupidity*] pur; **it was ~ coincidence/luck** c'était pure coïncidence/chance; **out of ~ malice/stupidity** par pure méchanceté/bêtise; **it is ~ lunacy to do/on his part** c'est pure folie de faire/de sa part; **to cry out in ~ amazement/happiness** pousser un cri de stupeur/bonheur; **to succeed by ~ bravery/determination/hard work** réussir uniquement grâce à son courage/sa détermination/son acharnement au travail; **by ~ accident** tout à fait par accident; **2** (utter) **the ~ immensity/volume of it is incredible** son immensité/volume même est incroyable; **3** (steep) [*cliff, rockface*] à pic; **4** (fine) [*fabric*] léger/-ère, fin; [*stockings*] extra-fin
B *adv* [*rise, fall*] à pic
(Phrasal verb) ■ **sheer away**, **sheer off** faire une embardée; **to ~ away** *ou* **off to the right/left** effectuer un virage à droite/gauche

sheet /ʃi:t/
A *n* **1** (of paper) gen, Print feuille *f*; **blank/loose ~** feuille blanche/volante; **~ of stamps** feuille de timbres; **2** (for bed) drap *m*; (shroud) linceul *m*; **waterproof ~** alaise *f*; **dust ~** housse *f*; **3** Journ (periodical) périodique *m*; (newspaper) journal *m*; **fact** *ou* **information ~** bulletin *m* d'informations; **scandal ~** feuille *f* à scandales; **4** (of plastic, rubber) feuille *f*; (of canvas, tarpaulin) bâche *f*; (of metal) plaque *f*; (thinner) feuille *f*; (of glass) plaque *f*; (thinner) vitre *f*; **~ of iron** tôle *f*; **baking ~** tôle *f*; **cookie ~** US plaque *f* à gâteaux; **5** (expanse) (of snow, water etc) couche *f*; (of mist, fog) nappe *f*; **a ~ of ice** (thick) une plaque de glace; (thin) une couche de glace; (on road) une plaque de verglas; **a ~ of flame** un rideau de flammes; **the rain was coming down in ~s** il pleuvait à torrents; **6** Naut écoute *f*; **7** ○US Jur casier *m*
B *vtr* recouvrir [qch] d'une housse [*furniture*]; recouvrir [qch] d'une bâche, bâcher [*cargo*]
(Idioms) **to be as white as a ~** être blanc comme un linge; **to be three ~s to the wind**† avoir du vent dans les voiles○; **to get in between the ~s with sb** sauter au lit avec qn○; **to have a clean ~** Sport avoir un palmarès vierge

sheet anchor *n* Naut ancre *f* de veille; fig planche *f* de salut

sheeting /ˈʃi:tɪŋ/ *n* (fabric) toile *f* à draps; Constr (iron) tôle *f*; **plastic/vinyl ~** bâche *f* en plastique/de vinyle

sheet: **~ iron** *n* tôle *f*; **~ lightning** *n* éclairs *mpl* de chaleur; **~ metal** *n* Aut, Mining tôle *f*; **~ music** *n* partitions *fpl*

sheik /ʃeɪk, US ʃi:k/ *n* cheik *m*

sheikdom /ˈʃeɪkdəm, US ʃi:k-/ *n* territoire *m* sous l'autorité d'un cheik

sheila○ /ˈʃi:lə/ *n* Austral nana○ *f*, femme *f*

shekel /ʃekl/
A *n* **1** Bible, Hist sicle *m*; **2** ▸ **p. 1108** (currency of Israel) shekel *m*
B **shekels**○ *npl* (money) fric○ *m*, argent *m*

sheldrake /ˈʃeldreɪk/ *n* tadorne *m* de Belon

shelduck /ˈʃeldʌk/ *n* femelle *f* du tadorne de Belon

shelf /ʃelf/ *n* (*pl* **shelves**) **1** (at home) gen étagère *f*; (in oven) plaque *f*; (in fridge) rayon *m*, clayette *f*; (in shop, library) rayon *m*; **top/bottom ~** étagère du haut/du bas; **a set of shelves** une étagère; **a whole ~ of books** toute une étagère de livres; **you won't find it on the supermarket ~** vous ne le trouverez pas en supermarché; **2** Geol (of rock, ice) corniche *f*
(Idiom) **to be left on the ~** (remain single) rester vieille fille; (be abandoned) être laissé pour compte

shelfful /ˈʃelfful/ *n* (at home) pleine étagère *f* (**of** de); (in shop) plein rayon *m* (**of** de)

shelf-life /ˈʃelflaɪf/ *n* **1** lit (of product) durée *f* de conservation; **2** fig (of technology, pop music) durée *f* de vie; (of politician, star) période *f* de gloire

shelf mark *n* cote *f*

shell /ʃel/
A *n* **1** Bot, Zool (of egg, nut, sea creature, snail) coquille *f*; (of crab, tortoise, shrimp) carapace *f*; **sea ~** coquillage *m*; **to develop a hard ~** fig [*person*] se forger une carapace; **2** Mil (bomb) obus *m*; (cartridge) cartouche *f*; **to fire ~s at sb** pilonner qn d'obus; **3** Ind, Tech (of vehicle) carcasse *f*; (of building) cage *f*; (of machine) enveloppe *f*; (of nuclear plant) enceinte *f* de confinement; **body ~** Aut carrosserie *f*; **4** (remains) (of building) carcasse *f*; **5** Naut (boat) outrigger *m*
B *vtr* **1** Mil pilonner [*town, installation*]; **2** Culin écosser [*peas*]; décortiquer [*prawn, nut*]; écailler [*oyster*]
(Idioms) **to come out of/go back into one's ~** sortir de/rentrer dans sa coquille; **it's as easy as ~ing peas** c'est simple comme bonjour
(Phrasal verb) ■ **shell out**○: ▸ **~ out** casquer○ (**for** pour); ▸ **~ out [sth]** débourser [*sum*] (**for** pour)

she'll /ʃi:l/ = **she will**

shellac /ʃəˈlæk, ˈʃelæk/ US
A *n* (*also* **~ varnish**) gomme-laque *f*
B *vtr* (*prét, pp* **-acked**; *p prés* **-acking**) **1** (varnish) lacquer; **2** ○US (beat) piler○, battre [qn] à plates coutures

shellacking○ /ʃəˈlækɪŋ, ˈʃelækɪŋ/ *n* US pile○ *f*, défaite *f* complète; **to get a ~** se faire battre à plates coutures○

shell company *n* société *f* écran

shellfire /ˈʃelfaɪə(r)/ *n* pilonnage *m*; **to come under ~** se faire pilonner

shellfish /ˈʃelfɪʃ/ *npl* **1** Zool (crustacea) crustacés *mpl*; (mussels, oysters) coquillages *mpl*; **2** Culin fruits *mpl* de mer

shell: **~ game** *n* lit bonneteau *m*; fig escroquerie *f*; **~hole** *n* nid *m* d'obus

shelling /ˈʃelɪŋ/ *n* pilonnage *m*

shell-like /ˈʃellaɪk/
A ○*n* GB hum oreille *f*
B *adj* en forme de coquillage

shell: **~ pink** ▸ **p. 1067** *adj* nacré; **~-proof** *adj* blindé; **~ shock** *n* traumatisme *m* du soldat (*soumis au bombardement*)

shell-shocked /ˈʃelʃɒkt/ *adj* **1** lit [*soldier*] traumatisé (*par un bombardement*); **2** fig [*person*] en état de choc

shell suit *n* survêtement *m* en nylon®

shelter /ˈʃeltə(r)/
A *n* **1** ¢ (protection, refuge) abri *m*; **in the ~ of** à l'abri de; **to take ~ from** se mettre à l'abri de [*people, danger*]; s'abriter de [*weather*]; **to give sb ~** [*person*] donner un abri à qn; [*hut, tree*] offrir un abri à qn; [*country*] donner asile à qn; **2** (covered place against bomb, rain etc) ¢ abri *m* (**from** contre); **underground ~** abri souterrain; **3** (for victims, homeless) refuge *m* (**for** pour); (for fugitive, refugee) asile *m*
B **Shelter** *pr n* GB *organisation bénévole pour les sans-logis*
C *vtr* **1** (protect against weather) abriter (**from**, **against** de); **the garden is ~ed by walls** le jardin est abrité par des murs; **2** (protect from competition, reality, truth) protéger (**from** de); **3** (give refuge, succour to) accueillir [*neighbour, refugee, criminal*]; **to ~ sb from sb/sth** accueillir qn pour qu'il/elle échappe à qn/qch
D *vi* **1** (from weather, bomb) se mettre à l'abri; **to ~ from the storm** s'abriter de l'orage; **to ~ under a tree** s'abriter sous un arbre; **2** [*refugee, fugitive*] se réfugier

sheltered /ˈʃeltəd/ *adj* **1** [*place*] abrité; **2** [*life, child, upbringing*] protégé; **3** [*workshop, work*] protégé

sheltered accommodation, **sheltered housing** *n* GB foyer-résidence *m*

shelve /ʃelv/
A *vtr* **1** (postpone) mettre [qch] en suspens [*plan, project*]; **2** (store on shelf) mettre [qch] sur les rayons [*library, book, product*]; **3** (provide with shelves) garnir [qch] d'étagères
B *vi* [*beach, sea bottom etc*] descendre en pente; **to ~ quickly** être en pente raide; **to ~ gently** descendre en pente douce

shelves /ʃelvz/ *pl* ▸ **shelf**

shelving /ˈʃelvɪŋ/ *n* ¢ (at home) étagères *fpl*; (in library, shop) rayons *mpl*

shemozzle○ /ʃɪˈmɒzl/ *n* ramdam○ *m*

shenanigans○ /ʃɪˈnænɪgənz/ *npl* **1** (rumpus) chahut *m*; **2** (trickery) magouilles○ *fpl*, intrigues *fpl*

shepherd /ˈʃepəd/ ▸ **p. 1683**
A *n* berger *m*
B *vtr* **1** [*host, guide, teacher*] escorter [*group, guests, children*]; **to ~ sb into/out of** escorter qn jusque dans/jusqu'à la sortie de [*room*]; **2** [*herdsman*] guider [*animals*]; **to ~ animals into a pen** faire entrer des animaux dans un enclos

shepherd: **~ boy** *n* jeune berger *m*; **~ dog** *n* chien *m* de berger

shepherdess /ˌʃepəˈdes, US ˈʃepərdɪs/ ▸ **p. 1683** *n* bergère *f*

shepherd: **~'s crook** *n* houlette *f*; **~'s pie** *n* hachis *m* Parmentier; **~'s purse** *n* Bot bourse-à-pasteur *f*

sherbet /ˈʃɜ:bət/ *n* **1** GB (powder) confiserie *f* en poudre acidulée; **2** US (sorbet) sorbet *m*

sheriff /ˈʃerɪf/ ▸ **p. 1683** *n* **1** GB Jur (in England) shérif *m*; (in Scotland) juge *m*; **2** US shérif *m*

sheriff court *n* Jur (in Scotland) ≈ tribunal *m* d'instance

sherpa /ˈʃɜ:pə/ *n* sherpa *m*

sherry /ˈʃerɪ/ *n* xérès *m*, sherry *m*

she's /ʃi:z/ = **she is**, **she has**

Shetland /ˈʃetlənd/ ▸ **p. 1355**
A *pr n* (*also* **~ Islands**) îles *fpl* Shetland; **in ~**, **in the ~s** dans les îles Shetland
B *modif* (*also* **~ wool**) [*scarf, sweater, gloves*] en shetland
C *adj* [*crofter, family*] shetlandais

Shetlander /ˈʃetləndə(r)/ *n* Shetlandais/-e *m/f*

Shetland: **~ pony** *n* poney *m* des Shetland; **~ wool** *n* shetland *m*

shew‡ /ʃəʊ/ *vtr, vi* = **show**

shhh /ʃ/ *excl* chut!

Shia(h) /ˈʃi:ə/
A *n* chiisme *m*

S

B *adj* chiite

shiatsu /ʃiːˈætsuː/ *n* shiatsu *m*

shibboleth /ˈʃɪbəleθ/ *n* principe *m*

shied /ʃaɪd/ *prét, pp* ▸ **shy B, C**

shield /ʃiːld/

A *n* 1 Mil (of warrior, soldier etc) bouclier *m*; Herald écusson *m*; fig protection *f*, bouclier *m* liter (**against** contre); 2 Sport ≈ trophée *m*; 3 Tech (screen) (on machine, against radiation) écran *m* de protection; (around gun) pare-balles *m inv*; (of tunnel) bouclier *m* (d'avancement); 4 US (policeman's badge) insigne *m*; 5 Zool (shell of animal) carapace *f*

B *vtr* (from weather) protéger, abriter (**from** de); (from danger, discovery, truth) gen protéger (**from** de); (from authorities) (by lying) couvrir; (by harbouring) donner asile à [*suspect, criminal*]; **to ~ one's eyes from the sun** se protéger les yeux du soleil; **to ~ sb with one's body** faire (un) bouclier de son corps à qn

shieling /ˈʃiːlɪŋ/ *n* GB dial cabane *f* de berger

shift /ʃɪft/

A *n* 1 (alteration) changement *m* (**in** de), modification *f* (**in** de); **there has been a ~ in public opinion** l'opinion publique a changé; **a sudden ~ in public opinion** un retournement de l'opinion publique; **a ~ of policy** un changement de politique; **a ~ to the left/right** Pol un glissement vers la gauche/la droite; **the ~ from agriculture to industry** le passage de l'agriculture à l'industrie

2 Ind (period of time) période *f* de travail (posté); (group of workers) équipe *f*, poste *m*; **to work ~s** *ou* **be on ~s** faire un travail posté; **to be on day/night ~s** être (d'équipe) de jour/de nuit; **to work an eight-hour ~** faire une période de huit heures (en travail posté), faire les trois-huit; **the next ~ comes on at 10** la prochaine équipe commence à 10 heures

3 (woman's dress) robe *f* droite *or* fourreau *inv*; (undergarment)† chemise *f*

4 Ling mutation *f*; **a ~ in meaning** un glissement de sens

5 Geol (fault) faille *f*; (movement of rocks) glissement *m*

6 Comput décalage *m*

7 US Aut = **gearshift**

8 (on keyboard) = **shift key**

B *vtr* 1 (move) déplacer, changer [qch] de place [*furniture*]; déplacer [*vehicle*]; bouger, remuer [*arm, leg, head*]; Theat changer [*scenery*]; **will somebody help me ~ this piano?** est-ce que quelqu'un peut m'aider à déplacer ce piano?; **I can't ~ this lid** je n'arrive pas à enlever ce couvercle; **to ~ sth from** enlever qch de; **to ~ sth away from** éloigner qch de [*wall, window*]; **to ~ sth into** mettre qch dans [*room, garden*]; **~ your arse◑!** GB bouge ton cul◑! **to ~ one's ground** *ou* **position** fig changer de position *or* d'avis

2 (get rid of) faire partir, enlever [*stain, dirt*]; **I can't ~ this cold○!** GB je n'arrive pas à me débarrasser de mon rhume

3 (transfer) (to another department) affecter; (to another town, country) muter [*employee*]; fig rejeter [*blame, responsibility*] (**onto** sur); **to ~ attention away from a problem** détourner l'attention d'un problème; **to ~ one's weight from one foot to another** se dandiner d'un pied sur l'autre; **the company is ~ing production to Asia** l'entreprise va transférer ses usines en Asie

4 US Aut **to ~ gear** changer de vitesse

C *vi* 1 (*also* **~ about**) (move around) [*load, contents*] se déplacer, bouger; [*cargo*] bouger; **to ~ uneasily in one's chair** remuer dans sa chaise l'air mal à l'aise; **to ~ from one foot to the other** se dandiner d'un pied sur l'autre

2 (move) **the scene ~s to Ireland** Cin, Theat la scène se situe maintenant en Irlande; **this stain won't ~!** cette tache ne veut pas partir!; **can you ~ along** *ou* **over a little?** peux-tu te pousser un peu?; **~○!** GB pousse-toi○!

3 (change) [*opinion, attitude*] se modifier; [*wind*] tourner; **opinion has ~ed to the right** l'opinion a glissé vers la droite; **she won't ~** elle ne veut pas changer d'avis

4 ○GB (go quickly) [*person*] se grouiller○; [*vehicle*] foncer○

5 US Aut **to ~ into second gear** passer en seconde; **to ~ from first into second** passer de première en seconde

D *v refl* **to ~ oneself** se pousser; **~ yourselves○!** poussez-vous○!; **you'll have to ~ yourself into another room** tu vas être obligé de déménager dans une autre pièce

(Idioms) **to ~ for oneself** se débrouiller tout seul; **to make ~ with†** se débrouiller avec

shiftily /ˈʃɪftɪlɪ/ *adv* [*look*] furtivement; [*behave*] de façon suspecte

shiftiness /ˈʃɪftɪnɪs/ *n* (of person) caractère *m* louche

shifting /ˈʃɪftɪŋ/ *adj* [*light, alliance, belief*] changeant; [*population*] toujours renouvelé

shifting: **~ cultivation** *n* culture *f* itinérante; **~ sands** *npl* lit sables *mpl* mouvants; fig terrain *m* mouvant

shift key *n* touche *f* de majuscule

shiftless /ˈʃɪftlɪs/ *adj* 1 (lazy) paresseux/-euse, apathique; 2 (lacking initiative) qui manque d'ambition

shift: **~ lock** *n* touche *f* de verrouillage des majuscules; **~ register** *n* Comput registre *m* à décalage; **~ system** *n* Ind travail *m* par équipes

shift work *n* travail *m* posté; **to be on ~** faire un travail posté, travailler par roulement

shift worker *n* ouvrier/-ière *m/f* qui fait un travail posté *or* qui fait les trois-huit

shifty /ˈʃɪftɪ/ *adj* [*person, manner*] louche; **to have ~ eyes** avoir le regard fuyant

shiitake mushroom /ʃɪˈtɑːkeɪ ˈmʌʃruːm, ʃɪɪ-/ *n* champignon *m* shitake

Shiite /ˈʃiːaɪt/

A *n* chiite *mf*

B *adj* chiite

shiksa /ˈʃɪksə/ *n* US péj jeune fille *f* goy

shill /ʃɪl/ US

A *n* complice *mf* qui fait monter les enchères

B *vi* faire monter les enchères

shillelagh /ʃɪˈleɪlə, -lɪ/ ▸ **p. 1462** *n* Ir gourdin *m*

shilling /ˈʃɪlɪŋ/ ▸ **p. 1108** *n* shilling *m*

(Idioms) **to be down to one's last ~** en être à son dernier sou; **to take the King's** *ou* **Queen's ~** GB partir sous les drapeaux; **to watch the pounds, ~s and pence** être à un sou près

shillyshally○ /ˈʃɪlɪʃælɪ/ *vi* tergiverser

shillyshallying○ /ˈʃɪlɪʃælɪɪŋ/ *n* tergiversations *fpl*

shimmer /ˈʃɪmə(r)/

A *n* (of jewels, water) scintillement *m*; (of silk) chatoiement *m*; (of heat) vibration *f*

B *vi* 1 [*jewels, water*] scintiller; [*silk*] chatoyer; 2 (in heat) [*landscape*] vibrer

shimmering /ˈʃɪmərɪŋ/

A *n* = **shimmer**

B *adj* [*water, jewels*] scintillant; [*silk*] chatoyant; [*heat*] vibrant

shimmy /ˈʃɪmɪ/

A *n* 1 (dance) shimmy *m*; 2 Aut shimmy *m*

B *vi* 1 danser le shimmy; 2 Aut vibrer

shin /ʃɪn/ *n* tibia *m*; **to kick sb in the ~s** donner à qn un coup de pied dans le tibia

(Phrasal verbs) ■ **shin up**: ▸ **~ up [sth]** grimper à [*tree*]

■ **shin down**: ▸ **~ down [sth]** descendre [qch] en s'agrippant [*tree, drainpipe*]

shinbone /ˈʃɪnbəʊn/ *n* tibia *m*

shindig○ /ˈʃɪndɪg/, **shindy○** /ˈʃɪndɪ/ *n* 1 (disturbance) ramdam○ *m*; **to kick up a ~** faire du ramdam○; 2 (party) nouba○ *f*

shine /ʃaɪn/

A *n* (of floor, hair, marble, metal, wood) lustre *m*; (of parquet) brillant *m*; **to give sth a ~** cirer [*floor, shoes*]; rendre [qch] brillant [*hair*]; faire reluire [*silver*]

B *vtr* 1 (*prét, pp* **shone**) braquer [*headlights, spotlight, torch*]; 2 (*prét, pp* **shined**) faire reluire [*brass, silver*]; cirer [*shoes*]

C *vi* (*prét, pp* **shone**) 1 [*hair, light, sun*] briller; [*brass, floor*] reluire; **to ~ through** percer [*mist, gloom*]; **the light is shining in my eyes** j'ai la lumière dans les yeux; **his face shone with exertion** son visage luisait sous l'effort; 2 fig (be radiant) [*eyes*] briller (**with** de); [*face*] rayonner (**with** de); **her courage shone forth** littér elle a montré un courage éclatant; 3 (excel) briller; **to ~ at** être brillant en [*science, languages etc*]; **he never shone at school** il n'a jamais été brillant à l'école; 4 (be very clean) reluire; **the kitchen shone** la cuisine reluisait

(Idioms) **to get** *ou* **have a chance to ~** avoir l'occasion de briller; **to ~ up to sb○** US passer de la pommade○ à qn; **to take a ~ to sb○** s'enticher○ de qn; fig **to take the ~ off sth** gâcher qch; **where the sun doesn't ~◑** où je pense◑

(Phrasal verbs) ■ **shine in** pénétrer; **to ~ in through** pénétrer par [*window, chink*]

■ **shine through** [*talent*] éclater au grand jour

■ **shine out** [*light*] briller, apparaître; **the light shone out through the doorway** la porte ouverte laissait passer la lumière

shiner○ /ˈʃaɪnə(r)/ *n* 1 (black eye) œil *m* poché, œil *m* au beurre noir○; 2 US (fish) petit poisson *m*

shingle /ˈʃɪŋgl/

A *n* 1 ₵ (pebbles) galets *mpl*; 2 Constr (tile) bardeau *m*; 3 ○US (nameplate) plaque *f*; 4 (hairstyle) coiffure *f* à la garçonne

B *vtr* 1 Constr couvrir [qch] de bardeaux [*roof*]; 2 (style hair) coiffer [qn] à la garçonne

C *modif* 1 [*beach*] de galets; 2 Constr [*roof*] de bardeaux

D **shingled** *pp adj* [*hair*] à la garçonne

(Idiom) **to hang up** *ou* **out one's ~○** US accrocher sa plaque○

shingles /ˈʃɪŋglz/ ▸ **p. 1327** *npl* Med zona *m*; **to have ~** avoir un zona

shingly /ˈʃɪŋglɪ/ *adj* [*beach*] de galets

shinguard, **shinpad** /ˈʃɪngɑːd, ˈʃɪnpæd/ *n* jambière *f*

shininess /ˈʃaɪnɪnɪs/ *n* lustre *m*

shining /ˈʃaɪnɪŋ/ *adj* 1 (shiny) [*car*] étincelant; [*hair*] brillant, lustré; [*bald spot*] luisant; [*brass, silver*] brillant, luisant [*floor*] reluisant; 2 (glowing) [*eyes*] brillant; [*face*] radieux/-ieuse; **with ~ eyes she tore the ribbon off the present** les yeux brillants, elle a arraché le ruban qui attachait le cadeau; 3 fig [*achievement*] brillant

(Idioms) **to be a ~ example of sth** être le parfait exemple de qch; **to be a ~ light** Relig répandre de la lumière

shinny /ˈʃɪnɪ/

A *n* US Sport = **shinty**

B *vi* US grimper

Shinto(ism) /ˈʃɪntəʊ(ɪzəm)/ *n* shintoïsme *m*

Shintoist /ˈʃɪntəʊɪst/ *n* shintoïste *mf*

shinty /ˈʃɪntɪ/ *n* GB Sport hockey *m* (*version simplifiée*)

shiny /ˈʃaɪnɪ/ *adj* 1 [*metal, coin, photographic finish, surface, hair*] brillant; 2 [*shoes, parquet, wood*] bien ciré; 3 [*seat of trousers*] lustré; **a ~ mac** GB un ciré

ship /ʃɪp/

A *n* navire *m*; (smaller) bateau *m*; **passenger ~** paquebot *m*; **Her Majesty's ~ (HMS) Victory** le Victory (*navire faisant partie de la flotte de guerre britannique*); **to travel by ~** voyager par bateau; **to send sth by ~** envoyer qch par bateau; **to take ~ for India†** prendre le bateau pour l'Inde; **a ~ of the line** Hist un bâtiment de ligne; **the good ~ Ivanhoe†** littér l'Ivanhoe

B *vtr* (*p prés etc* **-pp-**) 1 (send) (by sea) transporter [qch] par mer; (by air) transporter [qch] par avion; (overland) acheminer; 2 (take on board) charger [*cargo, supplies*]; rentrer [*oars*]; to ~ water embarquer de l'eau

(Idioms) we are like ~s that pass in the night nous ne faisons que nous croiser; the ~ of state le char de l'État; the ~ of the desert (camel) le vaisseau du désert; to run a tight ~ mener tout le monde à la baguette; when my ~ comes in quand j'aurai fait fortune

(Phrasal verbs) ■ **ship off**: ► ~ [sth/sb] off, ~ off [sth/sb] expédier also hum
■ **ship out**: ► ~ out US (go to sea) embarquer; ► ~ [sth] out, ~ out [sth] = ship off
■ **ship over** US s'engager dans la marine

ship: ~**board** *adj* [*ceremony*] à bord; [*duty*] du bord; ~**broker** ► p. 1683 *n* courtier *m* maritime

shipbuilder /ˈʃɪpbɪldə(r)/ ► p. 1683 *n* constructeur *m* naval; a firm of ~s une entreprise de construction navale

ship: ~**building** *n* construction *f* navale; ~ **canal** *n* canal *m* maritime; ~**load** *n* cargaison *f*; ~**mate** *n* camarade *m* de bord

shipment /ˈʃɪpmənt/ *n* 1 (cargo) (by sea) cargaison *f*; (by air, land) chargement *m*; arms ~ chargement *m* d'armes; 2 (sending) expédition *f*

ship owner *n* armateur *m*

shipper /ˈʃɪpə(r)/ *n* expéditeur/-trice *m/f*

shipping /ˈʃɪpɪŋ/
A *n* 1 (boats) navigation *f*, trafic *m* maritime; a danger to ~ un danger pour la navigation; open/closed to ~ ouvert/fermé à la navigation; British ~ marine *f* britannique; attention all ~! avis à toutes les embarcations!; 2 (sending) acheminement *m* (par bateau); US (nonmaritime) acheminement *m*; (as profession, industry) transport *m* maritime
B *modif* [*agent, exchange, industry, office*] maritime

shipping: ~ **charges** *npl* frais *mpl* de transport; ~ **clerk** ► p. 1683 *n* expéditionnaire *mf*; ~ **company** *n* (sea) compagnie *f* maritime; (road) entreprise *f* de transport routier; ~ **forecast** *n* météo *f* marine; ~ **lane** *n* couloir *m* de navigation; ~ **line** *n* compagnie *f* de navigation

ship: ~**'s biscuit** *n* biscuit *m* (de ration); ~**'s boat** *n* (lifeboat) canot *m* de sauvetage; ~**'s chandler** ► p. 1683 *n* marchand *m* d'équipement pour bateaux; ~**'s company** *n* équipage *m*; ~**'s doctor** ► p. 1683 *n* médecin *m* de bord

shipshape /ˈʃɪpʃeɪp/ *adj* GB bien en ordre; ~ and Bristol fashion dans un ordre impeccable

ship: ~**'s mate** ► p. 1599 *n* lieutenant *m*; ~**'s papers** *npl* documents *mpl* de bord; ~**-to-shore radio** *n* liaison *f* radio avec la côte

shipwreck /ˈʃɪprek/
A *n* (event) naufrage *m*; (ship) épave *f*
B *vtr* to be ~ed faire naufrage; a ~ed sailor un marin naufragé

shipwright /ˈʃɪpraɪt/ ► p. 1683 *n* constructeur *m* naval

shipyard /ˈʃɪpjɑːd/
A *n* chantier *m* naval
B *modif* [*worker*] de chantier naval

shire /ˈʃaɪə(r)/ GB
A *n* 1 †comté *m* (du centre de l'Angleterre); 2 Pol the ~s les provinces
B *modif* Pol [*county, politician*] de province

shire horse *n* shire *m*

shirk /ʃɜːk/
A *vtr* esquiver [*task, duty*]; fuir [*responsibility*]; éluder [*problem*]; to ~ doing sth éviter de faire qch
B *vi* se défiler

shirker /ˈʃɜːkə(r)/ *n* tire-au-flanc○ *m inv*

shirr /ʃɜː(r)/
A *vtr* Sewing froncer [qch] sur élastique [*bodice etc*]
B **shirred** *pp adj* 1 Culin [*eggs*] en cocotte; 2 Sewing [*bodice etc*] froncé sur élastique

shirring /ˈʃɜːrɪŋ/ *n* Sewing (process) fronçure *f* sur élastique; (result) fronçures *fpl* sur élastique

shirt /ʃɜːt/ ► p. 1694
A *n* (man's) chemise *f*; (woman's) chemisier *m*; (for sport) maillot *m*; long-/short-sleeved ~ chemise à manches longues/courtes; open-necked ~ chemise à col ouvert
B *modif* [*button, collar, cuff*] de chemise

(Idioms) keep your ~ on○! du calme!; to lose one's ~○ laisser jusqu'à sa dernière chemise○; to put one's ~ on sth○ tout miser sur qch; to sell the ~ off one's back vendre père et mère○

shirt: ~**dress** *n* US = shirtwaist(er); ~**front** *n* plastron *m*

shirting /ˈʃɜːtɪŋ/ *n* shirting *m*

shirt-sleeve /ˈʃɜːtsliːv/
A *n* manche *f* de chemise; in one's ~s en manches de chemise; to roll up one's ~s remonter ses manches (de chemise) also fig
B *adj* US (plain) [*approach*] direct

shirttail /ˈʃɜːtteɪl/ *n* 1 (of shirt) pan *m* de chemise; 2 ○US Journ *commentaire en bas d'un article*

shirt: ~**tail cousin** *n* US cousin/-e *m/f* à la mode de Bretagne; ~**waist(er)** *n* GB robe-chemisier *f*

shirty○ /ˈʃɜːtɪ/ *adj* GB [*person*] de mauvais poil○; to get ~ prendre la mouche○

shish-kebab /ˈʃiːʃkəbæb/ *n* chiche-kebab *m*

shit◑ /ʃɪt/
A *n* 1 (excrement) merde◑ *f*, crotte○ *f*; dog ~ crotte de chien; horse ~ crottin *m*; 2 (act of excreting) to have *ou* take US/need a ~ chier◑/avoir envie de chier◑; to have the ~s avoir la chiasse◑; 3 (*also* bull~) conneries◑ *fpl*; to talk ~ dire des conneries◑; I've taken all the ~ I'm going to tu m'as fait assez chier◑ comme ça; 4 (nasty person) emmerdeur/-euse◑ *m/f*; 5 US (things) trucs○ *mpl*, bordel◑ *m*; 6 ◑US (heroin) héroïne *f*; 7 ◑(marijuana) shit◑ *m*, marijuana *f*
B *adv* (*also* ~-all) he knows ~ about it il n'y connaît que dalle◑
C *vtr* (*prét, pp* **shat**) 1 (excrete) chier◑ dans; to ~ one's pants chier◑ dans son froc; 2 US (fool) prendre [qn] pour un con◑
D *vi* (*prét, pp* **shat**) chier◑
E *v refl* (*prét, pp* **shat**) to ~ oneself chier◑ dans son froc
F *excl* merde◑!; tough ~! tant pis!

(Idioms) are you ~ting? US tu déconnes◑?; I don't give a ~ for *ou* about sb/sth je me fous◑ de qn/qch; no ~? sans blague○?; to be in the ~ *ou* in deep ~ être dans la merde◑ jusqu'au cou; to beat *ou* kick *ou* knock the ~ out of sb rosser○ qn; to eat ~ en chier◑; to scare the ~ out of sb flanquer la frousse○ à qn; to ~ on sb traiter qn comme de la merde◑; when the ~ hits the fan quand l'affaire éclatera

shit: ~ **ass**◑ US = shitface; ~**bag**◑ *n* trou-du-cul◑ *m*

shite◑ /ʃaɪt/ *n* = shit

shit: ~**-eating**◑ *adj* US (gloating) [*grin*] satisfait; ~**face**◑ *n* connard◑ *m*/connasse◑ *f*; ~**faced**◑ *adj* bourré○; ~**head**◑ *n* = shitbag; ~**-hole**◑ *n* trou *m* à rats○; ~**-hot**◑ *adj* super○; ~**house**◑ *n* chiottes◑ *fpl*

shitless◑ /ˈʃɪtlɪs/ *adj* to scare sb ~ flanquer la frousse○ à qn; to be scared ~ mouiller son froc de peur○

shit-list◑ *n* liste *f* noire

shit scared◑ *adj* to be ~ mouiller son froc de peur○

shit-stirrer◑ *n* emmerdeur/-euse◑ *m/f*

shitter◑ /ˈʃɪtə(r)/ *n* US 1 (toilets) chiottes◑ *fpl*; 2 (*also* bull~) baratineur/-euse○ *m/f*

shitty◑ /ˈʃɪtɪ/ *adj* 1 lit merdeux/-euse◑; 2 fig [*person*] merdeux/-euse◑; [*situation, object*] merdique◑; 3 US (ill) to feel ~ être mal foutu◑

shitwork◑ /ˈʃɪtwɜːk/ *n* US sale boulot○ *m*; to have to do the ~ devoir faire le sale boulot

shiv○ /ʃɪv/
A *n* US couteau *m*
B *vtr* (*p prés etc* **-vv-**) poignarder

shivaree /ˌʃɪvəˈriː/ *n* US charivari *m*

shiver /ˈʃɪvə(r)/
A *n* lit, fig frisson *m*; to give a ~ avoir un frisson; to send a ~ down sb's spine faire courir un frisson dans le dos à qn
B **shivers** *npl* frissons *mpl*; an attack of the ~s un accès de frissons; to give sb the ~s lit donner des frissons à qn; fig donner froid dans le dos à qn
C *vtr* briser en mille morceaux
D *vi* 1 (with cold, fever) grelotter (**with** de); (with fear, excitement) frémir (**with** de); (with emotion, disgust) frissonner (**with** de); 2 (shatter) se briser en mille morceaux; 3 littér [*leaves etc*] frémir

(Idiom) ~ my timbers†! que le diable m'emporte†!

shivery /ˈʃɪvərɪ/ *adj* (feverish) fébrile

shoal /ʃəʊl/ *n* 1 (of fish) banc *m*; 2 fig (of visitors) foule *f*; (of letters, complaints) quantité *f*; 3 Geog (of sand) banc *m* de sable; (shallows) bas-fond *m*

shock /ʃɒk/
A *n* 1 (psychological) choc *m*; to get *ou* have a ~ avoir un choc; to give sb a ~ faire un choc à qn; the ~ of seeing/hearing le choc de voir/d'entendre; it came as a bit of a ~ cela m'a fait comme un choc; her death came as a ~ to us sa mort a été un choc pour nous; it's a ~ to the system when… c'est un vrai choc quand…; to recover from *ou* get over the ~ surmonter le choc; a sense of ~ un choc; he's in for a nasty○ ~ when he gets the bill il va avoir un sacré○ choc quand il recevra la note; to express one's ~ (indignation) exprimer son indignation; (amazement) exprimer sa surprise; his ~ at their mistreatment son indignation en apprenant leur mauvais traitement; her ~ at her surprisingly good results sa surprise en apprenant ses bons résultats; ~! horror! journ *ou* hum scandale épouvantable!; minister's resignation ~! journ coup de théâtre: le ministre démissionne!; 2 Med état *m* de choc; to be in (a state of) ~ être en état de choc; to go into ~ entrer en état de choc; to treat sb for ~ soigner qn en état de choc; in deep ~ en grave état de choc; to be suffering from ~ souffrir d'un choc; severe/mild ~ choc grave/léger; 3 Elec décharge *f*; electric ~ décharge électrique; to get/receive a ~ prendre/recevoir une décharge; to give sb a ~ donner une décharge à qn; 4 (physical impact) (of collision) choc *m*; (of earthquake) secousse *f*; (of explosion) souffle *m*; 5 (of corn) gerbe *f*; fig (of hair) tignasse *f*; 6 ○(*also* ~ absorber) amortisseur *m*
B ○*modif* gen, journ [*approach, effect*] de choc; [*announcement, decision, result*] sidérant
C *vtr* (distress) consterner; (scandalize) choquer
D **shocked** *pp adj* (distressed) consterné; (scandalized) choqué; to be ~ed at *ou* by sth être choqué *or* consterné par qch; to be ~ed to hear *ou* learn that… être choqué *or* consterné d'apprendre que…; she's not easily ~ed on ne la choque pas facilement

shock absorber *n* amortisseur *m*

shocker○ /ˈʃɒkə(r)/ *n* (person) provocateur/-trice *m/f*; (book, film, programme) provocation *f*

shocking /ˈʃɒkɪŋ/ *adj* 1 (upsetting) [*sight*] consternant; (scandalous) [*news*] choquant; 2 ○(appalling) désastreux/-euse○

shockingly /ˈʃɒkɪŋlɪ/ *adv* [*behave*] scandaleusement; [*expensive*] extrêmement; it was ~ unfair c'était d'une injustice scandaleuse; his work is ~ bad son travail est désastreux

shocking pink ► p. 1067 *n, adj* rose (*m*) vif *inv*

shock: **~ jock** ○*n* Radio présentateur/-trice *m/f* qui aime choquer; **~proof**, **~ resistant** *adj* antichoc *inv*; **~ tactics** *npl* gen, Mil tactique *f* de choc; **~ therapy** *n* thérapie *f* de choc; **~ treatment** *n* Psych traitement *m* par électrochocs; fig traitement *m* de choc; **~ troops** *npl* troupes *fpl* de choc

shock value *n* **the ~ of the book is the attraction** le côté provocateur du livre est le seul intérêt; **it's just for ~** c'est juste pour choquer

shock wave *n* [1] lit onde *f* de choc; [2] fig remous *mpl*; **the news has sent ~s through the stock market** la nouvelle a provoqué des remous à la Bourse

shod /ʃɒd/
A *pret, pp* ▸ **shoe C**
B *pp adj* chaussé; **well/poorly ~** bien/mal chaussé

shoddily /ˈʃɒdɪlɪ/ *adv* [1] **to be ~ made/built** être de fabrication/de construction sommaire; [2] [*behave*] avec bassesse

shoddiness /ˈʃɒdɪnɪs/ *n* (of work, product etc) mauvaise qualité *f*

shoddy /ˈʃɒdɪ/
A *n* gros drap *m*
B *adj* [1] [*product*] de mauvaise qualité; [*work*] mal fait; [2] [*behaviour*] mesquin; **a ~ trick** un sale tour

shoe /ʃuː/ ▸ **p. 1694**
A *n* [1] (footwear) chaussure *f*; **a pair of ~s** une paire de chaussures; **to take off/put on one's ~s** enlever/mettre ses chaussures; [2] (for horse) fer *m*; [3] Phot (for flash) griffe *f*; [4] Aut (*also* **brake ~**) sabot *m* de frein; [5] Civ Eng (*also* **pile ~**) sabot *m* de pieu
B *modif* [*box, brush, cleaner, cream*] à chaussures; [*factory, manufacturer, retailer, shop*] de chaussures
C *vtr* (*p prés* **shoeing**; *prét, pp* **shod**) ferrer [*horse*]; chausser [*person*]
(Idioms) **it's a question of dead men's ~s** il s'agit d'attendre la mort de quelqu'un pour prendre sa place; **to be in sb's ~s** être à la place de qn; **what would you have done in my ~s?** qu'aurais-tu fait à ma place?; **to save/wear out ~ leather** ménager/user ses semelles; **to shake** *ou* **shiver in one's ~s** avoir peur, avoir la frousse○; **to step into** *ou* **fill sb's ~s** prendre la place de qn

shoe: **~bill** *n* bec-en-sabot *m*; **~black** *n* ▸ **shoeshine (boy)**; **~horn** *n* chausse-pied *m*

shoelace /ˈʃuːleɪs/ *n* lacet *m* de chaussure; **to do** *ou* **tie up one's ~s** lacer ses chaussures

shoe: **~maker** ▸ **p. 1683** *n* cordonnier/-ière *m/f*; **~ polish** *n* cirage *m*; **~ rack** *n* porte-chaussures *m*; **~ repairer** ▸ **p. 1683** *n* cordonnier *m*; **~ repairs** *npl* cordonnerie *f*; **~ repair shop** ▸ **p. 1683** *n* cordonnerie *f*; **~shine (boy)** *n* cireur *m* de chaussures; **~ shop** ▸ **p. 1683** *n* magasin *m* de chaussures

shoe size ▸ **p. 1694** *n* pointure *f*; **what's your ~?** quelle pointure fais-tu?

shoestring /ˈʃuːstrɪŋ/ *n* US lacet *m* de chaussure
(Idiom) **on a ~**○ avec peu de moyens

shoe: **~string budget**○ *n* budget *m* de misère; **~ tree** *n* embauchoir *m*

shogun /ˈʃəʊgʊn/ *n* Hist shogun *m*; fig magnat *m*

shone /ʃɒn/ *prét, pp* ▸ **shine**

shoo /ʃuː/
A *excl* ouste
B *vtr* (*also* **~ away**) chasser

shoo-in /ˈʃuːɪn/ *n* US favori/-ite *m/f*; **Bates is a ~ to win the election** Bates est donné comme favori pour remporter les élections

shook /ʃʊk/ *prét* ▸ **shake**

shoot /ʃuːt/
A *n* [1] Bot (young growth) pousse *f*; (offshoot) rejeton *m*
[2] GB, Hunt (meeting) partie *f* de chasse; (area of land) (terrain *m* de) chasse *f*
[3] Cin tournage *m*
[4] (rapid) rapide *m*
[5] Geol, Mining couloir *m* (de minerai)
B ○*excl* US [1] (expressing disbelief) oh non alors!
[2] (telling sb to speak) vas-y, parle○!
C *vtr* (*prét, pp* **shot**) [1] (fire) tirer [*bullet*]; lancer [*missile*]; tirer, décocher [*arrow*]; **to ~ sth at sb/sth** (with gun) tirer qch sur qn/qch; (with missiles) lancer qch sur qn/qch; **to ~ one's way out of somewhere** s'échapper de quelque part en tirant de tous côtés
[2] (hit with gun) tirer sur [*person, animal*]; (kill) abattre [*person, animal*]; **she shot him in the leg/back** elle lui a tiré dans la jambe/le dos; **to be shot in the leg/back** recevoir une balle dans la jambe/le dos; **he was shot in the head** on lui a tiré une balle dans la tête; **to ~ sb for desertion/spying** fusiller qn pour désertion/espionnage; **to ~ sb dead** abattre qn; **you'll get shot if someone catches you!** fig tu vas te faire tuer si on te surprend!; **I could ~ him!** je pourrais le tuer!; **to be shot to pieces**○ lit être criblé de balles; fig être réduit à néant
[3] (direct) lancer, décocher [*look*] (**at** à); jeter [*smile*] (**at** à) ; **to ~ questions at sb** bombarder qn de questions
[4] Cin, Phot (film) tourner [*film, scene*]; prendre [qch] (en photo) [*subject*]
[5] (push) mettre, pousser [*bolt*]
[6] (in canoeing) **to ~ the rapids** franchir les rapides
[7] (in golf) **to ~ 75** faire un score de 75
[8] US Sport, Games jouer à [*pool, craps*]; **to ~ dice** jouer aux dés
[9] Hunt chasser [*pheasant, game*]; chasser sur [*moor*]
[10] ○(inject) ▸ **shoot up**○
D *vi* (*prét, pp* **shot**) [1] (fire a gun) tirer (**at** sur); **to ~ to kill/wound** tirer pour tuer/blesser
[2] (move suddenly) **to ~ out of/into/down sth** sortir de/entrer dans/descendre qch en flèche; **to ~ forward/backwards** s'élancer/reculer à toute vitesse; **the car shot past** la voiture est passée en trombe *or* à toute allure; **the pain shot down** *ou* **along his arm** ça lui a élancé dans le bras, il a eu une douleur lancinante dans le bras; **to ~ to fame** fig percer, devenir célèbre subitement
[3] Bot (grow) [*plant*] pousser
[4] Cin tourner
[5] Sport (in football, hockey etc) [*player*] tirer, shooter
[6] Hunt [*person*] chasser
E *v refl* (*prét, pp* **shot**) **to ~ oneself** se tirer une balle dans la tête; **to ~ oneself in the head/leg** se tirer une balle dans la tête/la jambe
(Idioms) **to ~ a line**○ frimer○; **to ~ oneself in the foot**○ agir contre son propre intérêt; **to ~ the works**○ US dépenser tout son argent; **the whole (bang) ~**○ tout le bataclan○; ▸ **mouth**
(Phrasal verbs) ■ **shoot down**: ▸ **~ down [sb/sth]**, **~ [sb/sth] down** Aviat, Mil abattre, descendre○ [*plane, pilot*]; **he was shot down over France** son avion a été abattu quand il volait au-dessus de la France; **to ~ [sb/sth] down in flames** lit, fig descendre [qn/qch] en flammes [*person, plane, argument*]; ▸ **~ [sb] down**, **~ down [sb]** [*gunman*] abattre [*person*]
■ **shoot off**: **his foot was shot off** il a eu un pied emporté par un éclat d'obus
■ **shoot out**: ▸ **~ out** [*flame, water*] jaillir; **the car shot out of a side street** la voiture est sortie en trombe d'une petite rue; **to ~ one's foot/arm out** tendre la jambe/le bras; **the snake shot its tongue out** le serpent a dardé sa langue; **to ~ it out**○ [*gunmen*] régler leurs comptes à coups de feu
■ **shoot up**: ▸ **~ up** [1] [*flames, spray*] jaillir; fig [*prices, profits*] monter en flèche; [2] (grow rapidly) [*plant*] pousser vite; **that boy has really shot up!** fig qu'est-ce que ce garçon a grandi!; [3] (inject oneself) argot des drogués se shooter○; ▸ **~ up [sth]**, **~ [sth] up** [1] ○(inject) argot des drogués se shooter à○ [*heroin*]; [2] (with bullets) tirer sur [*person*]; **he was badly shot up** il a été gravement blessé

shoot-'em-up○ *n* US film *m* violent

shooting /ˈʃuːtɪŋ/
A *n* [1] (act) (killing) meurtre *m* (par arme à feu), assassinat *m* (par arme à feu); **the ~ of the prisoner took place at dawn** le prisonnier a été fusillé à l'aube; [2] ȼ (firing) coups *mpl* de feu, fusillade *f*; [3] Hunt chasse *f*; **to go ~** aller à la chasse; [4] ▸ **p. 1253** Sport (at target etc) tir *m*; [5] Cin tournage *m*
B *pres p adj* [*pain*] lancinant

shooting: **~ box** *n* Hunt pavillon *m* de chasse; **~ brake**† *n* GB Aut break *m*; **~ gallery** *n* Sport stand *m* de tir; **~ incident** *n* échange *m* de coups de feu; **~ iron**○ *n* US flingue○ *m*, pistolet *m*; **~ party** *n* Hunt groupe *m* de chasseurs; **~ range** *n* stand *m* de tir; **~ script** *n* Cin découpage *m*; **~ star** *n* Astron étoile *f* filante; **~ stick** *n* canne-siège *f*

shoot-out○ /ˈʃuːtaʊt/ *n* fusillade *f*

shop /ʃɒp/
A *n* [1] (where goods are sold) magasin *m*; (small, fashionable) boutique *f*; **to work in/open a ~** travailler dans/ouvrir un magasin; **to go to the ~s** aller faire les courses; **he's out at the ~s** il est sorti faire les courses; **to set up ~** lit, fig s'installer; **he set up ~ as a photographer** fig il s'est installé comme photographe; **to shut up ~**○ lit, fig fermer boutique; [2] US (in department store) rayon *m*; **gourmet/beauty ~** rayon gastronomique/de beauté; [3] (workshop) atelier *m*; **repair/print ~** atelier de réparation/d'imprimerie; [4] US Sch atelier *m*; [5] ○GB (shopping) **to do the weekly ~** faire les courses pour la semaine; **to do a big ~** faire le plein○
B ○*vtr* (*p prés etc* **-pp-**) GB (inform on) donner○, vendre [*person*]
C *vi* (*p prés etc* **-pp-**) faire ses courses; **to be ~ping for sth** vouloir acheter qch; **to go ~ping** gen aller faire des courses; (as browser) aller faire les magasins; **to go ~ping for sth** aller acheter qch
(Idioms) **all over the ~**○ GB fig partout; **to talk ~** parler boutique; **you've come to the wrong ~** GB vous vous trompez d'adresse
(Phrasal verb) ■ **shop around** (compare prices) faire le tour des magasins (**for** pour trouver); fig (compare courses, services etc) bien chercher; **if you ~ around, you'll find the best course** en cherchant bien vous trouverez le meilleur cours

shopaholic○ /ʃɒpəˈhɒlɪk/ *n* accro○ *mf* du shopping

shop: **~ assistant** ▸ **p. 1683** *n* GB vendeur/-euse *m/f*; **~ fitter** ▸ **p. 1683** *n* GB installateur/-trice *m/f* de magasins; **~ fitting** *n* GB installation *f* de magasins

shopfloor /ˌʃɒpˈflɔː(r)/
A *n* **problems on the ~** des problèmes parmi les ouvriers; **conditions on the ~** les conditions des ouvriers
B *modif* **~ opinion** l'opinion des ouvriers

shop: **~ front** *n* devanture *f*; **~ girl** *n* GB vendeuse *f*; **~keeper** ▸ **p. 1683** *n* commerçant/-e *m/f*; **~lift** *vi* voler à l'étalage; **~lifter** *n* voleur/-euse *m/f* à l'étalage; **~lifting** *n* vol *m* à l'étalage

shopper /ˈʃɒpə(r)/ *n* **the streets were crowded with ~s** il y avait des foules de gens dans les rues en train de faire leurs courses

shopping /ˈʃɒpɪŋ/ *n* ȼ [1] (activity) courses *fpl*; **to do some/the ~** faire des/les courses; **we are open for lunch-time ~** le magasin est ouvert à l'heure du déjeuner; [2] (purchases) courses *fpl*

shopping: **~ bag** *n* sac *m* à provisions; **~ basket** *n* panier *m* (à provisions); (in supermarket) panier *m*; **~ cart** *n* US caddie® *m*; **~ centre** GB, **~ center** US *n* centre *m* commercial; **~ complex** *n* centre *m* commercial; **~ list** *n* liste *f* de courses; **~ mall**

S

Shops, trades and professions

Shops

■ *In English you can say* at the baker's *or* at the baker's shop; *in French the construction with* chez *(at the house or premises of...) is common but you can also use the name of the particular shop:*

at the baker's
= chez le boulanger *or* à la boulangerie

I'm going to the grocer's
= je vais chez l'épicier *or* à l'épicerie

I bought it at the fishmonger's
= je l'ai acheté chez le poissonnier *or* à la poissonnerie

go to the chemist's
= va à la pharmacie *or* chez le pharmacien

at or to the hairdresser's
= chez le coiffeur/la coiffeuse

to work in a butcher's
= travailler dans une boucherie

■ Chez *is also used with the names of professions:*

at** or **to the doctor's
= chez le médecin

at** or **to the lawyer's
= chez le notaire

at or to the dentist's
= chez le dentiste

■ *Note that there are specific names for the place of work of some professions:*

the lawyer's office
= l'étude *f* du notaire

***the doctor's surgery** (GB) or **office** (US)*
= le cabinet du médecin

■ Cabinet *is also used for architects and dentists. If in doubt, check in the dictionary.*

People

■ *Talking of someone's profession, we could say* he is a dentist. *In French this would be either* il est dentiste *or* c'est un dentiste. *Only when the sentence begins with* c'est, *can the indefinite article* (un *or* une) *be used.*

Paul is a dentist
= Paul est dentiste

she is a dentist
= elle est dentiste *or* c'est une dentiste

she's a geography teacher
= elle est professeur de géographie *or* c'est un professeur de géographie

■ *With adjectives, only the* c'est *construction is possible:*

she is a good dentist
= c'est une bonne dentiste

■ *In the plural, if the construction begins with* ce sont *then you need to use* des *(or* de *before an adjective):*

they are mechanics
= ils sont mécaniciens *or* ce sont des mécaniciens

they are good mechanics
= ce sont de bons mécaniciens

Trades and professions

what does he do?
= qu'est-ce qu'il fait?

what's your job?
= qu'est-ce que vous faites dans la vie?

I'm a teacher
= je suis professeur

to work as a dentist
= travailler comme dentiste

to work for an electrician
= travailler pour un électricien

to be paid as a mechanic
= être payé comme mécanicien

he wants to be a baker
= il veut devenir boulanger

---

n US centre *m* commercial; ~ **precinct** *n* zone *f* commerçante

shopping trip *n* **to go on a ~** aller faire les magasins

shopping trolley *n* caddie® *m*

shop-soiled *adj* **to be ~** [*garment*] être sali

shop: ~ steward *n* représentant/-e *m/f* syndical/-e; **~talk**○ *n* conversation *f* professionnelle; **~ window** *n* vitrine *f* also fig; **~worn** *adj* US ▸ **shopsoiled**

shore /ʃɔ:(r)/
A *n* **1** (coast, edge) (of sea) côte *f*, rivage *m*; (of lake) rive *f*; (of island) côte *f*; **on the ~** sur le rivage; **off the ~ of** Naut au large de; **2** gen, Naut (dry land) terre *f*; **on ~** à terre; **from ship to ~** en liaison avec la côte; **3** (beach) grève *f*, plage *f*; **down to/on the ~** vers/sur la grève *or* la plage
B shores *npl* littér rives *fpl*
(Phrasal verb) ■ **shore up**: ▸ **~ up [sth], ~ [sth] up** étayer [*building, river bank*]; fig soutenir [*economy, system*]

shore-based *adj* Tourism **~ vacation** *vacances en mer avec nuit et repas à terre*

shore: ~ leave *n* permission *f* de descendre à terre; **~line** *n* côte *f*; **~ patrol** *n* patrouille *f* côtière

shoreward /'ʃɔ:wəd/
A *adj* [*wind, direction*] vers la côte
B *adv* (also **shorewards**) vers la côte

shorn /ʃɔ:n/ *pp* ▸ **shear**

short /ʃɔ:t/ ▸ **p. 1389**
A *n* **1** (drink) alcool *m* fort
2 Elec = **short-circuit**
3 Cin court métrage *m*
4 Fin (deficit) manque *m*, déficit *m*
5 Fin (on stock exchange) vente *f* à découvert
B shorts *npl* short *m*; (underwear) caleçon *m*; **a pair of (tennis) ~s** un short (de tennis)
C *adj* **1** (not long-lasting) [*time, stay, memory, period*] court (*before n*); [*course*] de courte durée; [*conversation, speech, chapter*] bref/brève; **a ~ time ago** il y a peu de temps; **that was a ~ hour/month** c'était une petite heure/un petit mois; **in four ~ years** en quatre brèves années; **to work ~er hours** travailler moins d'heures; **the days are getting ~er** les jours diminuent *or* raccourcissent; **to go for a ~ walk** faire une petite promenade *or* un petit tour; **the meeting was ~ and sweet** la réunion a été brève; **let's keep it ~ (and sweet)** soyons brefs!; **the ~ answer is that** la réponse est tout simplement que
2 (not of great length) [*hair, dress, distance, stick*] court (*before n*); [*animal's coat, fur*] court (*before n*); (very short) ras; **the suit is too ~ in the sleeves** les manches du costume sont trop courtes; **to have one's hair cut ~** se faire couper les cheveux court; **to win by a ~ head** Turf l'emporter d'une courte tête
3 (not tall) [*person*] petit
4 (scarce) [*water, food*] difficile à trouver; **to be in ~ supply** être difficile à trouver; **food/coal is getting ~** la nourriture/le charbon se fait rare; **time is getting ~** le temps presse
5 (inadequate) [*rations*] insuffisant; **we're ~ by three** il nous en manque trois; **he gave me a ~ measure** (in shop) il a triché sur le poids
6 (lacking) **I am/he is ~ of sth** il me/lui manque qch; **to be ~ on** [*person*] manquer de [*talent, tact*]; **to go ~ of** manquer de [*clothes, money, food*]; **my wages are £30 ~** il me manque 30 livres sur mon salaire; **I don't want you to go ~** je ne veux pas qu'il te manque quoi que ce soit; **to be running ~ of sth** commencer à manquer de qch
7 (in abbreviation) **Tom is ~ for Thomas** Tom est le diminutif de Thomas; **this is Nicholas, Nick for ~!** je te présente Nicholas, mais on l'appelle Nick
8 (abrupt) [*person, personality*] (*jamais épith*) brusque; [*laugh*] bref/brève; **to be ~ with sb** être brusque avec qn
9 Ling [*vowel*] bref/brève
10 Fin [*bill*] à courte échéance; [*loan, credit*] à court terme; [*seller*] à découvert
11 Culin [*pastry*] brisé
D *adv* (abruptly) [*stop*] net; **to stop ~ of doing** se retenir pour ne pas faire; ▸ **cut short**
E in short *adv phr* bref
F short of *prep phr* **1** (just before) un peu avant; **the ball landed (just) ~ of the green** la balle est tombée un peu avant le green
2 (just less than) pas loin de; **a little ~ of £1,000** pas loin de 1 000 livres; **that's nothing ~ of blackmail!** c'est du chantage, ni plus ni moins!
3 (except) à moins de; **~ of locking him in, I can't stop him leaving** à moins de l'enfermer à clé, je ne peux pas l'empêcher de partir
G *vtr, vi* Elec = **short-circuit**
(Idioms) **to bring** *ou* **pull sb up ~** couper qn dans son élan; **to have a ~ temper, to be ~-tempered** être coléreux *or* soupe au lait○; **to have sb by the ~ hairs**◑ US *ou* **~ and curlies**○ GB tenir qn à la gorge, **to sell oneself ~** se sous-estimer; **to make ~ work of sth/sb** expédier qch/qn; **to be taken** *ou* **caught ~** être pris d'un besoin pressant; **the long and ~ of it is that they...** en un mot (comme en cent), ils...

short account *n* Fin position *f* vendeur

shortage /'ʃɔ:tɪdʒ/ *n* pénurie *f*, manque *m* (of de); **a ~ of teachers/food** une pénurie d'enseignants/de vivres; **~s of sth** une pénurie *or* un manque de qch; **at a time of ~** en période de pénurie; **housing ~** crise *f* du logement; **there is no ~ of applicants/opportunity** les candidats/occasions ne manquent pas *or* ne font pas défaut

short: ~-arse◑ *n* GB bas-du-cul◑ *m*; **~ back and sides** *n* coupe *f* de cheveux masculine (*dégageant la nuque et les oreilles*); **~bread** *n* sablé *m*; **~cake** *n* (shortbread) sablé *m*; (dessert) tarte *f* sablée; **~-change** *vtr* lit [*shop assistant*] ne pas rendre toute sa monnaie à [*shopper*]; fig rouler○ [*associate, investor*]

short circuit /ˌʃɔ:t'sɜ:kɪt/
A *n* court-circuit *m*
B short-circuit *vtr* lit, fig court-circuiter
C short-circuit *vi* faire court-circuit

short: ~comings *npl* défauts *mpl*, points *mpl* faibles; **~ covering** *n* Fin rachat *m* (pour couvrir un découvert); **~crust pastry** *n* pâte *f* brisée

shortcut *n* **1** lit raccourci *m*; **to take a ~ through the park** prendre un raccourci à travers le parc, couper par le parc; **2** fig **to take ~s** bâcler○; **there are no ~s to becoming a musician** on ne s'improvise pas musicien; **3** Comput raccourci *m*

short division *n* Math division *f* facile

shorten /'ʃɔ:tn/
A *vtr* abréger [*visit, life*]; raccourcir [*garment*]; réduire [*journey time, list*]; raccourcir, abréger

[*draft, talk, book*]; alléger [*syllabus*]; **to ~ sail** Naut réduire la voilure
B *vi* [*days, nights*] raccourcir, diminuer; [*wait, odds, period of time*] diminuer

shortening /ˈʃɔːtnɪŋ/ *n* **1** Culin matière *f* grasse; **2** (reduction) réduction *f* (**of** de); **3** (abridging) abrégement *m*

short exchange *n* Fin papier *m* court

shortfall /ˈʃɔːtfɔːl/ *n* (in budget, accounts) déficit *m*; (in earnings, exports etc) manque *m*; **there is a ~ of £10,000 in our budget** il manque 10000 livres à notre budget; **there is a ~ of several hundred in the expected number of applications** le nombre de demandes est inférieur de plusieurs centaines au nombre attendu; **to meet** *ou* **make up the ~ between cost and subsidy** combler la différence *or* le déficit entre le coût et les subventions

short-haired /ˌʃɔːtˈheəd/ *adj* [*person*] aux cheveux courts; [*animal*] à poil ras

shorthand /ˈʃɔːthænd/
A *n* **1** Comm sténographie *f*, sténo° *f*; **to take sth down in ~** prendre qch en sténo°; **2** fig (euphemism, verbal shortcut) formule *f* consacrée
B *modif* [*note*] en sténo; [*notebook, qualification*] de sténo

short-handed /ˌʃɔːtˈhændɪd/ *adj* (in company) à court de personnel; (on farm, building site) à court de main-d'œuvre

shorthand: **~-typing** *n* sténo-dactylo *f*; **~-typist** ▸ p. 1683 *n* sténo-dactylo *f*

short: **~-haul** *adj* Aviat court-courrier; **~-haul carrier** *n* court-courrier *m*; **~horn** /ˈʃɔːthɔːn/ *n* race *f* shorthorn

shortie° /ˈʃɔːtɪ/ *n* ▸ **shorty**

shortlist /ˈʃɔːtlɪst/
A *n* liste *f* des candidats sélectionnés
B *vtr* sélectionner [*applicant*] (**for** pour)

short-lived /ˌʃɔːtˈlɪvd, US -ˈlaɪvd/ *adj* [*triumph, success, happiness*] bref/brève, de courte durée; [*effect, phenomenon*] passager/-ère; **to be ~** ne pas durer longtemps

shortly /ˈʃɔːtlɪ/ *adv* **1** (very soon) bientôt; **she'll be back ~** elle sera bientôt de retour; **volume four will be published ~** le quatrième volume paraîtra prochainement *or* sous peu; **2** (a short time) **~ after(wards)/before** peu (de temps) après/avant; **~ before/after lunch** peu avant/après le déjeuner; **3** (crossly) [*reply*] sèchement, brusquement

shortness /ˈʃɔːtnɪs/ *n* (in time) courte durée *f*; **~ of breath** manque *m* de souffle

short: **~ odds** *npl* faible cote *f*; **~-order cook** ▸ p. 1683 *n* US *cuisinier préparant des plats rapides dans un établissement modeste*; **~-range** *adj* [*weather forecast*] à court terme; [*missile*] à courte portée; [*aircraft*] à court rayon d'action; **~ sharp shock (treatment)** *n* GB régime *m* pénal sévère (*destiné à la rééducation d'adolescents*); **~ sight** *n* myopie *f*

shortsighted /ˌʃɔːtˈsaɪtɪd/ *adj* **1** lit myope; **~ people** les myopes; **2** fig (lacking foresight) [*person*] peu clairvoyant; [*policy, decision*] à courte vue; **it would be very ~ to do** il serait déraisonnable de faire; **to have a ~ attitude** manquer de perspicacité

shortsightedness /ˌʃɔːtˈsaɪtɪdnɪs/ *n* **1** lit myopie *f*; **2** fig manque *m* de perspicacité (**about** à propos de)

short-sleeved /ˌʃɔːtˈsliːvd/ *adj* à manches courtes

short-staffed /ˌʃɔːtˈstɑːft, US -stæft/ *adj* **to be ~** manquer de personnel

short: **~-stay** *adj* [*car park*] de courte durée; [*hostel, housing*] à court terme; **~ story** *n* Literat nouvelle *f*; **~-tailed** *adj* Zool à queue courte; **~-tempered** *adj* (by nature) coléreux/-euse, soupe au lait° (*after n*); (temporarily) irritable

short term
A *n* **in the ~** (looking to future) dans l'immédiat; (looking to past) pendant un temps, pour commencer
B **short-term** *adj* gen, Fin à court terme

short time *n* (in industry) chômage *m* partiel; **to be on ~** être en chômage partiel

shortwave
A *n* ondes *fpl* courtes
B *modif* [*radio*] à ondes courtes; [*broadcast*] sur ondes courtes

short-winded /ˌʃɔːtˈwɪndɪd/ *adj* **to be ~** avoir le souffle court

shorty° /ˈʃɔːtɪ/ *n* pej (person) nabot *m*

shot /ʃɒt/
A *prét, pp* ▸ **shoot**
B *n* **1** (from gun etc) coup *m* (de feu); **to fire** *ou* **take a ~ at sb/sth** tirer sur qn/qch; **it took several ~s to kill him** il fallu plusieurs balles pour l'achever; **the government fired the opening ~ by saying…** fig le gouvernement a ouvert le feu en disant…; **2** Sport (in tennis, golf, cricket) coup *m*; (in football) tir *m*; **to have** *ou* **take a ~ at goal** (in football) tirer au but; **'good ~!'** 'bien joué!'; **two ~s up on/behind sb** (in golf) deux coups d'avance/de retard sur qn; **3** Phot photo *f* (**of** de); **4** Cin plan *m* (**of** de); **action ~** scène *f* d'action; **to be in/out of ~** Cin être dans le champ/hors champ; **5** (injection) piqûre *f* (**of** de); **to give sb a ~** faire une piqûre à qn; **6** (attempt) **to have a ~ at doing** essayer de faire qch; **to give it one's best ~** faire de son mieux; **7** (in shotputting) poids *m*; **to put the ~** lancer le poids; **8** (pellet) **C** balle *f*, plomb *m*; (pellets collectively) **₵** plomb *m*; (smaller) cendrée *f*; **9** (person who shoots) **to be a good/poor ~** être un bon/mauvais tireur; **10** °(dose) **a ~ of whisky/gin** une lampée° de whisky/gin; **11** Aerosp (of rocket etc) lancement *m*, tir *m*; **a moon ~** un tir lunaire
C *adj* **1** (*also* **~ through**) (streaked) [*silk*] changeant; **~ (through) with gold/red etc** [*material*] strié d'or/de rouge etc; **her hair was ~ (through) with grey** ses cheveux étaient parsemés de gris; **2** °(*also* **~ away**) (destroyed) **he is ~ (away)** il n'a plus toute sa tête; **his nerves were ~** il était à bout de nerfs; **his confidence is ~** il a perdu toute confiance
(Idioms) **to call the ~s** dicter la loi; **to be ~ of sb/sth** être débarrassé de qn/qch; **to get ~ of sb/sth** se débarrasser de qn/qch; **to give sth a ~ in the arm** revigorer qch; **the dog was after the cat like a ~** le chien s'est lancé brusquement à la poursuite du chat; **he'd go like a ~, if he had the chance** il partirait sans hésiter, s'il en avait l'occasion; **'I don't care what you think,' was his parting ~** 'je me moque de ce que vous pensez,' a-t-il décoché en partant; **it was a ~ in the dark** ça a été dit au hasard

shot-blasting *n* Ind grenaillage *m*

shotgun /ˈʃɒtɡʌn/ *n* fusil *m*
(Idiom) **to ride ~**° être sur le qui-vive

shot: **~gun wedding** *n* mariage *m* forcé; **~ hole** *n* Ind trou *m* de mine; **~ put** *n* Sport lancer *m* de poids; **~-putter** *n* Sport lanceur/-euse *m/f* de poids

should /ʃʊd, ʃəd/ *modal aux* (*conditional of* **shall**) **1** (ought to) **you shouldn't smoke so much** tu ne devrais pas fumer autant; **you ~ have told me before** tu aurais dû me le dire avant; **we ~ try and understand him better** nous devrions essayer de mieux le comprendre; **why shouldn't I do it?** pourquoi est-ce que je ne le ferais pas?; **I ~ explain that** je devrais peut-être expliquer que; **we ~ be there by six o'clock** nous devrions arriver vers six heures; **dinner ~ be ready by now** le dîner devrait être prêt maintenant; **it shouldn't be difficult to convince them** ça ne devrait pas être difficile de les convaincre; **that ~ be them arriving now!** ça doit être eux qui arrivent!; **how ~ I know?** comment veux-tu que je le sache?; **everything is as it ~ be** tout est en ordre; **…which is only as it ~ be** …ce qui est parfaitement normal; **his hearing is not as good as it ~ be** il entend moins bien qu'il (ne) le devrait; **flowers! you shouldn't have!** des fleurs! il ne fallait pas!; **2** (in conditional sentences) **had he asked me, I ~ have accepted** s'il me l'avait demandé, j'aurais accepté; **if they didn't invite me, I ~ be offended** s'ils ne m'invitaient pas, je serais très vexé; **had they invited me, I ~ have gone** s'ils m'avaient invité, j'y serais allé; **I don't think it will happen, but if it ~…** je ne pense pas que cela arrive, mais si toutefois cela arrivait…; **~ you be interested, I can give you some more information** si cela vous intéresse, je peux vous donner plus de renseignements; **if you ~ change your mind, don't hesitate to contact me** si vous changez d'avis n'hésitez pas à me contacter; **~ anybody phone, tell them I'm out** si quelqu'un téléphone, dis que je suis sorti; **~ the opportunity arise** si l'occasion se présente; **3** (expressing purpose) **she simplified it in order that they ~ understand** elle l'a simplifié pour qu'ils comprennent; **he kept it a secret from them so that they ~ not be worried** il le leur a caché pour qu'ils ne se fassent pas de soucis; **we are anxious that he ~ succeed** nous souhaitons vivement qu'il réussisse; **4** (in polite formulas) **I ~ like a drink** je prendrais volontiers un verre; **I ~ like to go there** j'aimerais bien y aller; **5** (expressing opinion, surprise) **I ~ think so!** je l'espère!; **I ~ think not!** j'espère bien que non!; **'how long will it take?'—'an hour, I ~ think'** 'combien de temps est-ce que ça va prendre?'—'une heure, je suppose'; **I ~ think she must be about 40** à mon avis, elle doit avoir 40 ans environ; **'I'll**

ⓘ should

Meaning *ought to*

When *should* is used to mean *ought to*, it is translated by the conditional tense of *devoir*:

we should leave at seven
= nous devrions partir à sept heures

The past *should have* meaning *ought to have* is translated by the past conditional of *devoir*:

she should have told him the truth
= elle aurait dû lui dire la vérité

The same verb is used in negative sentences:

you shouldn't do that
= vous ne devriez pas faire ça

he shouldn't have resigned
= il n'aurait pas dû démissionner

For the conjugation of *devoir*, see the French verb tables.

In conditional sentences

When *should* is used as an auxiliary verb to form the conditional, *should* + verb is translated by the conditional of the appropriate verb in French:

I should like to go to Paris
= j'aimerais aller à Paris

I should have liked to go to Paris
= j'aurais aimé aller à Paris

As a subjunctive in purpose clauses

When *should* is used as an auxiliary verb in *that* clauses, *should* + verb is translated by the subjunctive of the appropriate verb in French:

in order that they should understand
= pour qu'ils comprennent

For particular usages see the entry **should**.

pay you for it'—'I ~ hope so!' 'je vous le rembourserai'—'je l'espère bien!'; I ~ say so! et comment!; I shouldn't be surprised if she did that! cela ne m'étonnerait pas qu'elle le fasse!; I shouldn't worry about it if I were you moi à ta place je ne m'en ferais pas○, si j'étais toi je ne m'inquiéterais pas; I ~ have thought he'd be glad of a holiday j'aurais pensé qu'il serait content de partir en vacances; who ~ walk in but John! devine qui est arrivé—John!; and then what ~ happen, but it began to rain! et devine quoi—il s'est mis à pleuvoir!

shoulder /ˈʃəʊldə(r)/

A n ▸ p. 997 1 Anat épaule f; on ou over one's ~ à l'épaule; on ou over one's ~s sur les épaules; this jacket is too tight across the ~s cette veste est trop étroite d'épaules; to put one's ~s back rejeter les épaules en arrière; to straighten one's ~s redresser les épaules; to look over sb's ~ regarder par-dessus l'épaule de qn; to cry on sb's ~ pleurer sur l'épaule de qn; I am always there if you need a ~ to cry on je suis toujours là si tu as besoin d'une épaule pour pleurer; his ~s shook with laughter/sobs il était secoué de rire/de sanglots; to have round ~s avoir le dos rond; to look (back) over one's ~ lit, fig regarder derrière soi; the burden/responsibility is ou falls on my ~s la charge/la responsabilité m'incombe; to stand ~ to ~ lit [two people] être côte à côte; to work ~ to ~ travailler coude à coude or côte à côte; 2 (on mountain) replat m; 3 Sewing épaule f; 4 (on road) bas-côté m; 5 Culin épaule f

B vtr 1 lit mettre [qch] sur l'épaule [bag, implement]; to ~ one's gun mettre son fusil sur l'épaule; to ~ arms Mil se mettre au port d'armes; ~ arms! Mil l'arme sur l'épaule!; 2 fig se charger de [burden, expense, task]; endosser [responsibility]; 3 (push) to ~ one's way through se frayer un chemin à coups d'épaules à travers [crowd]; to ~ sb aside écarter qn d'un coup d'épaule

C -shouldered (dans composés) to be round-~ed avoir le dos rond; to be narrow/square-~ed avoir les épaules étroites/carrées

(Idioms) to be ou stand head and ~s above sb lit dépasser qn d'une bonne tête; fig laisser qn loin derrière; to have a good head on one's ~s avoir la tête sur les épaules; to have an old head on young ~s être mûr avant l'âge; to put one's ~ to the wheel s'atteler à la tâche; to rub ~s with sb côtoyer qn; straight from the ~○ [comment, criticism] franc/franche; to give it to sb straight from the ~○ dire qch à qn sans détours

shoulder: ~ **bag** n sac m à bandoulière; ~ **belt** n US Aut sangle f transversale (d'une ceinture de sécurité); ~ **blade** n omoplate f

shoulder-high /ˌʃəʊldəˈhaɪ/ adj [crop] à hauteur d'homme; to carry sb ~ porter qn en triomphe

shoulder: ~ **holster** n étui m de revolver (qui se porte à l'épaule); ~ **joint** n articulation f de l'épaule; ~**-length** adj [veil] qui arrive jusqu'aux épaules; [hair] mi-long; ~ **pad** n épaulette f; ~ **patch** n US Mil écusson m

shoulder strap n (of garment) bretelle f; (of bag) bandoulière f

shouldn't /ˈʃʊdnt/ = should not

shout /ʃaʊt/

A n 1 (cry) cri m (of de); to give a ~ of warning/joy pousser un cri d'avertissement/de joie; there were ~s of 'bravo!' on cria 'bravo!'; 2 ○GB (round of drinks) tournée f

B vtr 1 (cry out) crier; (stronger) hurler; 'stop!' she ~ed 'arrêtez!' cria-t-elle; 2 ○GB (buy) to ~ a round (of drinks) payer une tournée

C vi crier; to ~ at sb crier après qn; to ~ at ou to sb to do crier à qn de faire; to ~ with excitement/anger crier d'excitation/de colère; to ~ for help crier pour demander de l'aide; what are they ~ing about? pourquoi crient-ils?

(Idioms) I'll give you a ~ je te ferai signe; it's nothing to ~ about ça n'a rien d'extraordinaire

(Phrasal verbs) ■ shout down: ▸ ~ down [sb], ~ [sb] down faire taire [qn] (en criant plus fort que lui)

■ shout out: ▸ ~ out pousser un cri; ▸ ~ out [sth] lancer [qch] à haute voix [names, answers]

shouting /ˈʃaʊtɪŋ/ n cris mpl

(Idiom) it's all over bar the ~ c'est pratiquement terminé

shouting match○ n engueulade○ f

shove○ /ʃʌv/

A n to give sb/sth a ~ pousser qn/qch; she gave me a ~ in the back elle m'a poussé dans le dos; the door needs a good ~ il faut pousser fort la porte

B vtr 1 (push) pousser (against contre; towards vers); to ~ sth through pousser qch dans [letterbox]; pousser qch par [gap]; to ~ sth about ou around déplacer qch; to ~ sb/sth back repousser qn/qch; to ~ sb/sth aside ou out of the way écarter qn/qch en le poussant; they ~d him down the stairs/out of the window ils lui ont fait descendre l'escalier en le poussant/l'ont poussé par la fenêtre; to be ~d into○ être flanqué○ dans [room, institution]; être flanqué○ à [street]; to be ~d out of être viré○ de [building]; to ~ sth in sb's face fourrer○ qch sous le nez de qn [camera, microphone]; to ~ sth down sb's throat fig imposer qch à qn; 2 (stuff hurriedly, carelessly) fourrer; to ~ sth into fourrer qch dans [container, pocket, room, gap]; she ~d the clothes back in the drawer elle a remis les vêtements dans le tiroir n'importe comment; 3 (jostle, elbow) bousculer [person]; to ~ (one's way) past sb passer devant qn en le bousculant; he ~d his way to the front of the crowd il s'est frayé un chemin à travers la foule

C vi pousser; to ~ past sb passer devant qn en le bousculant; people were pushing and shoving les gens poussaient et se bousculaient

(Idioms) if push comes to ~ au pire; tell him to ~ it◑ ou he can ~ it◑! dis-lui qu'il peut se le mettre où je pense◑!

(Phrasal verbs) ■ shove off GB 1 ○(leave) se tirer○; (why don't you) just ~ off! tire-toi○! fiche-moi le camp○!; 2 (in boat) déborder

■ shove over○: ▸ ~ over se pousser; ▸ ~ [sth] over, ~ over [sth] passer [object, foodstuff]; ~ it over here! passe-le moi○!

■ shove up○ se pousser

shove halfpenny /ˌʃʌvˈheɪpnɪ/ ▸ p. 1253 n GB ≈ jeu m de palet (sur table)

shovel /ˈʃʌvl/

A n 1 (spade) pelle f; 2 (mechanical digger) pelleteuse f

B vtr (p prés etc -ll GB, -l- US) enlever [qch] à la pelle [dirt, snow] (off de); to ~ sth into sth verser qch dans qch à l'aide d'une pelle; to ~ food into one's mouth○ s'enfourner○ la nourriture dans la bouche

(Phrasal verb) ■ shovel up: ▸ ~ up [sth], ~ [sth] up ramasser [qch] à la pelle [dirt, leaves, snow]

shoveler /ˈʃʌvlə(r)/ n Zool canard m souchet

shovelful /ˈʃʌvlfʊl/ n pelletée f (of de)

show /ʃəʊ/

A n 1 (as entertainment) Theat, gen spectacle m; (particular performance) représentation f; Cin séance f; Radio, TV émission f; (of slides) projection f; live ~ Radio, TV émission en direct; US (sex show) spectacle érotique; to put on ou stage a ~ monter un spectacle; family ~ spectacle pour tous; on with the ~! (as introduction) place au spectacle!; (during performance) que la représentation continue!; the ~ must go on lit la représentation doit avoir lieu vaille que vaille; fig il faut continuer vaille que vaille; to do○ ou take in○ a ~ s'offrir un spectacle

2 Comm (as promotion, display) (of cars, boats etc) salon m; (of fashion) défilé m; (of flowers, crafts) exposition f; motor/boat ~ salon de l'auto/de la navigation; flower ~ exposition florale; to be on ~ être exposé

3 (outward display) (of feelings) semblant m (of de); (of strength) démonstration f (of de); (of wealth) étalage m (of de); a ~ of affection/defiance un semblant d'affection/de rébellion; a ~ of unity une démonstration d'unité; to make ou put on a (great) ~ of doing s'évertuer pour la galerie à faire; to put on a ~ poser pour la galerie; he made a ~ of gratitude/concern il a affiché sa gratitude/sa sollicitude; to be all ~ n'être que de la comédie; to be all for ou just for ~ être de l'esbroufe○; the glitter and ~ of the circus l'éclat et la splendeur du cirque; the roses make a splendid ~ les roses sont un véritable ravissement pour l'œil

4 (performance) he put up a good/poor ~ c'était parfait/lamentable; it was a poor ~ not to thank them ce n'était pas très adroit de ne pas les remercier; good ~ old chap† bravo mon ami†

5 ○(business, undertaking) affaire f; she runs the whole ~ c'est elle qui fait marcher l'affaire; to run one's own ~ avoir sa propre affaire; it's not his ~ ce n'est pas lui qui prend les décisions

6 Med (at onset of labour) perte f du bouchon muqueux

B vtr (prét **showed**, pp **shown**) 1 (present for viewing) montrer [person, object, photo] (to à); présenter [ticket, fashion collection] (to à); [TV channel, cinema] passer [film]; the explosion was shown on the evening news ils ont montré l'explosion aux informations du soir; to ~ sb sth montrer qch à qn; ~ him your book montre-lui ton livre; to ~ sb reclining/being arrested montrer qn étendu/en train d'être arrêté; to be shown on TV/at the cinema passer à la télé/au cinéma

2 (display competitively) présenter [animal]; exposer [flower, vegetables]

3 (reveal) montrer [feeling, principle, fact]; [garment] laisser voir [underclothes, dirt, stain]; [patient] présenter [symptoms]; to ~ interest in montrer de l'intérêt pour; to ~ that bien montrer que; to ~ how/why/when etc montrer comment/pourquoi/quand etc

4 (indicate) montrer [object, trend, loss, profit, difficulty]; indiquer [time, direction, area]; to ~ sb where to go indiquer à qn où aller; the lights are ~ing red les feux sont au rouge

5 (demonstrate, express) [person, action] montrer [skill, principle]; [writing] montrer [originality]; [reply] témoigner de [wit, intelligence]; [gesture, gift] témoigner de [respect, gratitude]; ~ them what you can do montre-leur ce que tu sais faire; to ~ consideration/favouritism towards sb, to ~ sb consideration/favouritism être gentil avec/favoriser qn; to ~ sb that... montrer à qn que...; just to ~ there's no ill-feeling juste pour montrer qu'il n'y a pas de rancune; to ~ one's age accuser son âge; as shown in diagram 12/scene two comme on le voit figure 12/dans la deuxième scène

6 (prove) démontrer [truth, validity, guilt]; to ~ that [document] prouver que; [findings] démontrer que; [facial expression] montrer que; this ~s him to be a liar cela montre qu'il est menteur; it all goes to ~ that... ça prouve que...

7 (conduct) to ~ sb to their seat [host, usher] placer qn; to ~ sb to their room accompagner qn à sa chambre; to ~ sb up/down the stairs accompagner qn en haut/en bas; to ~ sb to the door reconduire qn

8 ○(teach a lesson to) I'll ~ you/him! (as revenge) je vais t'apprendre/lui apprendre○; (when challenged) je te/lui ferai voir○

C vi (prét **showed**; pp **shown**) 1 (be noticeable) [stain, label] se voir; [fear, anger, distress] (by actions, appearance) se voir; (in eyes) se lire

2 (be exhibited) [artist] exposer; [film] passer; to ~ to advantage [colour, object] faire bel effet

3 ○(turn up) se montrer○; he didn't ~ after

S

all il ne s'est pas montré finalement **4** US Turf (be placed) être placé; **to ~ ahead** être en tête

D *v refl* (*prét* **showed**; *pp* **shown**) **to ~ oneself** [*person, animal*] se montrer; **to ~ oneself to be** prouver qu'on est

(Idioms) **it just goes to ~** c'est ça la vie; **~ a leg**○! debout!; **to have nothing to ~ for sth** ne rien avoir tiré de qch; **to ~ one's face**○ montrer son nez○; **to ~ one's hand** abattre son jeu; **to ~ the way** montrer la voie; **to ~ the way forward** ouvrir la voie; **to steal** *ou* **stop the ~** être l'attraction; ▸ **door**

(Phrasal verbs) ■ **show in**: ► **~ [sb] in** faire entrer

■ **show off**: ► **~ off**○ faire le fier/la fière; **to ~ off to** *ou* **in front of sb** faire l'intéressant/-e devant qn; ► **~ [sb/sth] off**, **~ off [sb/sth]** mettre [qch] en valeur [*figure, special feature*]; faire admirer [*skill, talent*]; exhiber [*baby, boyfriend, car*]

■ **show out**: ► **~ [sb] out** accompagner [qn] à la porte

■ **show round**: ► **~ [sb] round** faire visiter

■ **show through**: ► **~ through** [*courage, determination*] transparaître; ► **~ through [sth]** se voir à travers

■ **show up**: ► **~ up** **1** (be visible) [*dust, mark*] se voir; [*pollution, signs, symptoms*] se manifester; [*details, colour*] ressortir; **2** ○(arrive) se montrer○; ► **~ up [sth]** révéler [*fault, mark*]; ► **~ [sb] up** **1** (let down) faire honte à [*person*]; **2** (reveal truth about) **research has shown him up for what he is** des recherches ont montré sa vraie nature

show: **~ biz**○ *n* = **show business**; **~boat** *n* US bateau-théâtre *m*; **~ business** *n* industrie *f* du spectacle

showcase /'ʃəʊkeɪs/

A *n* lit vitrine *f*; fig (for products, paintings, inventions, ideas etc) vitrine *f* (**for** de); (for new artists, actors etc) tremplin *m* (**for** pour)

B *modif* [*village, prison*] modèle

C *vtr* servir de tremplin à [*actor, musician, band*]

showdown /'ʃəʊdaʊn/ *n* (between people) confrontation *f*; (between factions) affrontement *m*

shower /'ʃaʊə(r)/

A *n* **1** (for washing) douche *f*; **to have** *ou* **take a ~** prendre une douche; **to be in the ~** être sous la douche; **2** Meteorol averse *f*; **light/heavy ~** petite/grosse averse; **3** (of confetti, sparks, fragments) pluie *f* (**of** de); (of praise, blessings, gifts) avalanche *f* (**of** de); **4** US **bridal/baby ~** *fête donnée à l'occasion d'un mariage/d'une naissance où chaque invité apporte un cadeau*; **5** ○GB péj (gang) bande *f*

B *modif* [*cubicle, curtain, head, rail, spray*] de douche

C *vtr* **1** (wash) doucher [*dog, child*]; **2** **to ~ sth on** *ou* **over sb/sth**, **to ~ sb/sth with sth** [*fire, explosion, volcano*] faire pleuvoir qch sur qn/qch; [*person*] asperger qn/qch de qch [*water, champagne etc*]; **sparks ~ed me** je me suis trouvé sous une pluie d'étincelles; **3** fig **to ~ sb with sth, to ~ sth on sb** couvrir qn de [*gifts, blessings, compliments*]; **I was ~ed with praise** on m'a couvert de louanges

D *vi* **1** [*person*] prendre une douche; **2** **petals/sparks ~ed on me** une pluie de pétales/d'étincelles est tombée sur moi; **ash ~ed down** une pluie de cendres est retombée

shower: **~ attachment** *n* douchette *f* de lavabo; **~ cap** *n* bonnet *m* de douche; **~proof** *adj* imperméabilisé; **~ room** *n* (private) salle *f* de bains (avec douche); (public) douches *fpl*; **~ unit** *n* douche *f*

showery /'ʃaʊərɪ/ *adj* [*day, weather*] pluvieux/-ieuse; **it will be ~ tomorrow** demain le temps sera pluvieux

show: **~ flat** *n* GB appartement-témoin *m*; **~girl** *n* girl *f*; **~ground** *n* gen champ *m* de foire; Equit terrain *m* de concours; **~ house** *n* maison-témoin *f*

showily /'ʃəʊɪlɪ/ *adv* péj [*dressed, decorated*] d'une façon ostentatoire

showing /'ʃəʊɪŋ/ *n* **1** Cin (individual screening) séance *f*; **there are two ~s daily** il y a deux séances par jour; **2** ¢ Cin (putting on) présentation *f* (**of** de); **3** (performance) gen prestation *f*; Sport performance *f*; **if his last ~ is anything to go by** si l'on en croit sa dernière prestation

showing-off○ /ˌʃəʊɪŋ'ɒf/ *n* esbroufe○ *f*

showjumper /'ʃəʊdʒʌmpə(r)/ *n* **1** (person) cavalier/-ière *m/f* de saut; **2** (horse) cheval *m* de saut

showjumping /'ʃəʊdʒʌmpɪŋ/ ▸ **p. 1253** *n* saut *m* d'obstacles

showman /'ʃəʊmən/ *n* **to be a ~** fig avoir le sens du spectacle

showmanship /'ʃəʊmənʃɪp/ *n* sens *m* du spectacle

shown /ʃəʊn/ *pp* ▸ **show B, C, D**

show: **~-off**○ *n* m'as-tu-vu○/-e *m/f*; **~ of hands** *n* vote *m* à mains levées

showpiece /'ʃəʊpi:s/ *n* **1** (exhibit) œuvre *f* exposée; (in trade fair) objet *m* exposé; **that picture is a real ~** fig ce tableau est une véritable pièce de musée; **this hospital is a ~** fig cet hôpital est un modèle du genre; **2** (popular piece of music) morceau *m* classique

showplace /'ʃəʊpleɪs/ *n* US (for tourists) haut lieu *m* touristique

showroom /'ʃəʊru:m, -rʊm/ *n* exposition *f*; **to look at cars/kitchens in a ~** regarder les voitures/les cuisines exposées; **in ~ condition** [*furniture, car*] dans un état impeccable

show: **~stopper**○ *n* clou○ *m* d'un spectacle; **~ trial** *n* procès *m* pour l'exemple

showy /'ʃəʊɪ/ *adj* péj [*clothing, style*] tape-à-l'œil○ *inv*

shrank /ʃræŋk/ *prét* ▸ **shrink B, C**

shrapnel /'ʃræpnl/ *n* éclats *mpl* d'obus; **a piece of ~** un éclat d'obus

shred /ʃred/

A *n* **1** fig (of evidence, emotion, sense, truth) parcelle *f*; **2** (of paper, fabric) lambeau *m*; **to be** *ou* **hang in ~s** être en lambeaux

B *vtr* (*p prés etc* **-dd-**) déchiqueter [*documents, paper*]; râper [*vegetables*]; **~ded newspaper** déchirures *fpl* de journaux; **~ding attachment** Culin accessoire-râpe *m*

shredder /'ʃredə(r)/ *n* **1** (for paper) déchiqueteuse *f*; **to put papers through the ~** faire passer des papiers à la déchiqueteuse; **2** Culin râpe *f*

shrew /ʃru:/ *n* **1** Zool musaraigne *f*; **2** †(woman) péj mégère *f*; **'The Taming of the Shrew'** 'La Mégère Apprivoisée'

shrewd /ʃru:d/ *adj* [*person*] habile; [*face*] plein d'astuce; [*move, assessment, investment*] astucieux/-ieuse; **to have a ~ idea that** être porté à croire que; **to make a ~ guess** deviner juste

shrewdly /'ʃru:dlɪ/ *adv* [*act, say*] habilement; [*decide, assess*] avec perspicacité

shrewdness /'ʃru:dnɪs/ *n* (of person, decision) perspicacité *f*; (of move, suggestion) astuce *f*

shrewish /'ʃru:ɪʃ/ *adj* acariâtre

shriek /ʃri:k/

A *n* **1** (of pain, fear) cri *m* perçant, hurlement *m*; (of delight) cri *m*; **~s of laughter** éclats *mpl* de rire; **2** (of bird) cri *m*

B *vtr* crier, hurler; **'no!' he ~ed** 'non!' a-t-il crié

C *vi* (with pain, fear) crier, hurler (**in, with** de); (with pleasure) crier (**with** de); **to ~ with laughter** hurler de rire

D **shrieking** *pres p adj* criard

shrift /ʃrɪft/ *n* **to give sb/sth short ~** expédier qn/qch sans ménagements; **to get** *ou* **receive short ~ from** se faire expédier sans ménagements par

shrike /ʃraɪk/ *n* pie-grièche *f*

shrill /ʃrɪl/

A *adj* **1** [*voice, cry, laugh*] perçant; [*whistle, tone*] strident; **2** péj [*criticism, protest*] vigoureux/-euse

B *vi* [*bird*] pousser un cri aigu; [*telephone*] retentir

shrillness /'ʃrɪlnɪs/ *n* **1** (of voice, cry) ton *m* perçant; (of whistle, tone) stridence *f*; **2** péj (of criticism, protest) vigueur *f*

shrilly /'ʃrɪlɪ/ *adv* **1** [*laugh, scream, shout*] d'une voix perçante; **2** péj [*demand, protest*] avec vigueur

shrimp /ʃrɪmp/ *n* **1** Zool, Culin crevette *f* grise; **2** ○(small person) gringalet *m*

shrimping /'ʃrɪmpɪŋ/ *n* pêche *f* à la crevette; **to go ~** aller à la pêche à la crevette

shrine /ʃraɪn/ *n* **1** (place of worship) lieu *m* de pèlerinage (**to** consacré à); **2** (in catholicism: alcove) autel *m*; (building) chapelle *f*; **3** (tomb) tombeau *m*

shrink /ʃrɪŋk/

A ○*n* (psychoanalyst) psychanalyste *mf*; (psychiatrist) psy○ *mf*, psychiatre *mf*

B *vtr* (*prét* **shrank**; *pp* **shrunk** *ou* **shrunken**) faire rétrécir [*fabric*]; contracter [*wood*]; Anthrop réduire [*head*]

C *vi* (*prét* **shrank**; *pp* **shrunk** *ou* **shrunken**) **1** [*fabric*] rétrécir; [*timber*] se contracter; [*piece of dough, meat*] réduire; [*forest, area of land*] reculer; [*boundaries*] se rapprocher; [*economy, sales*] être en recul; [*resources, funds*] s'amenuiser; [*old person, body*] se tasser; **the staff has shrunk from 200 to 50** les effectifs sont tombés de 200 à 50; **to have shrunk to nothing** [*team, household*] être quasiment réduit à néant; [*person*] n'avoir plus que la peau sur les os; **2** (recoil) (physically) reculer; **to ~ from** se dérober devant [*conflict, responsibility*]; **to ~ from doing** hésiter à faire; **he didn't ~ from the task** il n'a pas rechigné à la tâche

(Phrasal verb) ■ **shrink back** reculer; **to ~ back in horror** reculer d'horreur

shrinkage /'ʃrɪŋkɪdʒ/ *n* (of fabric) rétrécissement *m*; (of timber) contraction *f*; (of economy, trade) recul *m*; (of resources, profits) diminution *f*; (of forest, area) diminution *f*, recul *m*

shrinking /'ʃrɪŋkɪŋ/ *adj* [*amount, numbers*] qui diminue; [*population, market, revenue*] en baisse; [*resource, asset*] qui se raréfie; [*audience*] qui s'amenuise

shrinking violet○ *n* hum personne *f* timorée; **she's no ~!** elle n'a pas froid aux yeux○!

shrink-wrap /'ʃrɪŋkræp/

A *n* film *m* plastique (thermo-rétractable)

B *vtr* (*p prés etc* **-pp-**) emballer [qch] sous film plastique, pré-emballer [*food*]

shrive‡ /ʃraɪv/ *vtr* (*prét* **shrived** *ou* **shrove**, *pp* **shrived** *ou* **shriven**) Relig confesser et absoudre

shrivel /'ʃrɪvl/

A *vtr* [*sun, heat*] flétrir [*skin*]; dessécher [*plant, leaf*]

B *vi* (*p prés etc* **-ll-**, **-l-** US) (*also* **~ up**) [*fruit, vegetable*] se ratatiner; [*skin*] se flétrir; [*plant, leaf, meat*] se dessécher

shrivelled, **shriveled** US /'ʃrɪvld/ *adj* [*fruit, vegetable*] ratatiné; [*skin, body, face*] flétri; [*plant, leaf, meat*] desséché

shriven /'ʃrɪvn/ *pp* ▸ **shrive**

Shropshire /'ʃrɒpʃə(r)/ ▸ **p. 1612** *pr n* Shropshire *m*

shroud /ʃraʊd/

A *n* **1** (cloth) linceul *m*, suaire *m*; **2** fig (of fog, secrecy) voile *m* (**of** de); **3** Naut (rope) hauban *m*; **4** (*also* **~ line**) (on parachute) suspente *f*

B *vtr* envelopper [*body, person*] (**in** dans); **to be ~ed in** être enveloppé de [*mist, mystery, secrecy*]

shrove /ʃrəʊv/ *prét* ▸ **shrive**

shrove: **Shrovetide** *n* Relig carême-prenant *m*; **Shrove Tuesday** *n* Relig Mardi *m* gras

shrub /ʃrʌb/ *n* arbuste *m*

shrubbery /ˈʃrʌbərɪ/ *n* **1** GB **C** (in garden) massif *m* d'arbustes; **2** **Ȼ** (shrubs collectively) arbustes *mpl*

shrub rose *n* rosier *m* arbuste

shrug /ʃrʌg/

A *n* (*also* **~ of the shoulders**) haussement *m* d'épaules; **to give a ~** hausser les épaules

B *vtr* (*p prés etc* **-gg-**) (*also* **~ one's shoulders**) hausser les épaules *fpl*

(Phrasal verb) ■ **shrug off**: ▸ **~ off [sth]**, **~ [sth] off** ignorer [*problem, rumour*]

shrunk /ʃrʌŋk/ *pp* ▸ **shrink B, C**

shrunken /ˈʃrʌŋkən/ *adj* [*person, body*] rabougri; [*apple*] ratatiné; [*budget*] réduit; **~ head** Anthrop tête *f* réduite

shtick○ /ʃtɪk/ *n* US Theat numéro *m*

shuck /ʃʌk/

A *n* US (of nut) écale *f*; (of bean, pea) cosse *f*; (of corn) enveloppe *f*, spathe *f* spec; (of oyster) coquille *f*

B *vtr* US écaler, décortiquer [*nut*]; écosser [*pea*]; effeuiller [*corn*]; ouvrir [*oyster*]; [*person*] ôter [*clothes*]

(Idiom) **it's not worth ~s**○ US ça ne vaut pas tripette○

shucks○ /ʃʌks/ *excl* US **1** (in irritation) zut○, mince○; **2** (in embarrassment) allons donc

shudder /ˈʃʌdə(r)/

A *n* **1** (of person) frisson *m* (**of** de); **the news sent a ~ of terror through them** à l'annonce de la nouvelle, un frisson de terreur les parcourut; **to give a ~** frissonner; **with a ~** en frissonnant; **2** (of vehicle) secousse *f*; **to give a ~** avoir une secousse

B *vi* **1** [*person*] frissonner; **to ~ with fear/pleasure/cold** frissonner de peur/plaisir/froid; **to ~ at the sight/thought of sth** frissonner à la vue/l'idée de qch; **I ~ to think!** j'en ai des frissons rien que d'y penser!; **2** [*vehicle*] (once) avoir un soubresaut; **to ~ to a halt** avoir quelques soubresauts et s'arrêter

C **shuddering** *pres p adj* **to come to a ~ing halt** avoir quelques soubresauts et s'arrêter

shuffle /ˈʃʌfl/

A *n* **1** (way of walking) pas *mpl* traînants; **2** (sound of walk) bruit *m* de pas traînants; **3** Games **to give the cards a ~** battre les cartes; **4** Dance *danse à petits pas glissés*; **5** US (confusion) confusion *f*

B *vtr* **1** (*also* **~ about**) (change position of) déplacer [*furniture, objects, people*]; **2** **to ~ one's feet (in embarrassment)** agiter ses pieds (par embarras); **3** (mix together) brasser [*papers*]; mélanger [*data*]; **4** Games battre [*cards*]

C *vi* traîner les pieds; **to ~ along/in** marcher/entrer en traînant les pieds

(Phrasal verb) ■ **shuffle off**: ▸ **~ off** partir en traînant les pieds; ▸ **~ off [sth]** se décharger de [*responsibility, blame, guilt*] (**on(to) sb** sur qn)

shuffleboard /ˈʃʌflbɔːd/ *n* Games **1** ▸ **p. 1253** (game) (jeu *m* de) palets *mpl*; **2** (court) *espace aménagé pour le jeu de palets*

shufty○ /ˈʃʊftɪ/ *n* GB coup *m* d'œil; **to take** *ou* **have a ~ at sth** jeter un coup d'œil sur qch

shun /ʃʌn/ *vtr* (*p prés etc* **-nn-**) **1** (avoid) fuir [*contact, people, publicity, responsibility, temptation*]; dédaigner [*work*]; **2** (reject) rejeter [*job, person, offer, suggestion*]

shunt /ʃʌnt/

A *n* Med, Electron shunt *m*

B *vtr* **1** ○(send) expédier○; **to be ~ed from place to place** être expédié d'un endroit à l'autre; **to ~ sb back and forth** ballotter qn d'un côté à l'autre; **we were ~ed from one official to the next** on a été ballottés d'un responsable à l'autre; **2** ○(marginalize) expédier○; **to ~ sb into another department** expédier qn dans un autre service; **to ~ sb into a siding** fig mettre qn sur une voie de garage; **3** Rail (move) aiguiller [*wagon, engine*] (**into** sur)

C *vi* [*train*] changer de voie; **to ~ back and forth** manœuvrer

shunter /ˈʃʌntə(r)/ *n* locomotive *f* de manœuvre

shunting /ˈʃʌntɪŋ/ *n* manœuvres *fpl* d'aiguillage

shunting: **~ engine** *n* locomotive *f* de manœuvre; **~ yard** *n* gare *f* de manœuvre

shush /ʃʊʃ/

A *excl* chut!

B ○*vtr* faire taire [*person*]

shut /ʃʌt/

A *adj* **1** (closed) [*door, book, box, mouth*] fermé; **my eyes were ~** j'avais les yeux fermés; **to slam the door ~** claquer la porte (pour bien la fermer); **to slam ~** se refermer en claquant; **to keep one's mouth ~**○ se taire; **2** (of business) fermé; **it's ~ on Fridays** c'est fermé le vendredi

B *vtr* (*p prés* **-tt-**; *prét, pp* **shut**) **1** (close) fermer [*door, book, box, mouth*]; **she shut her eyes** elle a fermé les yeux; **~ your mouth** *ou* **trap** *ou* **face**○! ferme-la○!, ta gueule◑!; **2** (of business) fermer [*office, school, factory*]; **to ~ the shop for a week** fermer le magasin pendant une semaine; **3** (confine) = **shut up 2**

C *vi* (*p prés* **-tt-**; *prét, pp* **shut**) **1** [*door, book, box, mouth*] se fermer; **to ~ with a bang** se refermer en claquant; **2** [*office, factory*] fermer; **the shop ~s at five** le magasin ferme à cinq heures

(Idiom) **put up or ~ up**○! prouve ce que tu dis ou alors tais-toi

(Phrasal verbs) ■ **shut away**: ▸ **~ [sb/sth] away**, **~ away [sb/sth]** **1** (lock up) enfermer [*person*]; mettre [qch] sous clé [*valuables, medicine*]; **2** (keep at bay) tenir [qn] à distance [*person*]; écarter [*difficulties*]; ▸ **~ [oneself] away** se mettre à l'écart (**from** de)

■ **shut down**: ▸ **~ down** [*business*] fermer; [*plant, machinery*] s'arrêter; ▸ **~ [sth] down**, **~ down [sth]** fermer [*business, amenity, factory*]; arrêter [*service, reactor, machinery, power*]

■ **shut in**: ▸ **~ [sb/sth] in** enfermer [*person, animal*]; **to feel shut in** fig se sentir étouffé; **to ~ oneself in** s'enfermer

■ **shut off**: ▸ **~ [sth] off**, **~ off [sth]** couper [*supply, motor*]; arrêter [*oven, heater, fan*]; fermer [*access, valve*]; ▸ **~ [sb/sth] off** isoler (**from** de); **to ~ oneself off** s'isoler (**from** de)

■ **shut out**: ▸ **~ out [sth/sb]**, **~ [sth/sb] out** **1** (keep out) laisser [qch] dehors [*animal, person*]; éliminer [*noise, draught*]; **to be shut out** être à la porte; **2** (keep at bay) chasser [*thought, memory, image*]; **3** (reject) repousser [*person, world*]; **to feel shut out** se sentir exclu; **4** (block) empêcher [qch] d'entrer [*light, sun*]; bloquer [*view*]; **5** US Sport empêcher [qn] de marquer

■ **shut up**: ▸ **~ up**○ se taire (**about** au sujet de); **I wish she'd ~ up!** j'aimerais bien qu'elle la boucle○!; **~ up!** (brisk) tais-toi!; (aggressive) boucle-la○!, ferme-la○!; (brutal) ta gueule◑!; ▸ **~ [sb] up**, **~ up [sb]** **1** ○(silence) faire taire [*person, animal*]; **that soon shut her up!** ça lui a cloué le bec○!; **2** (confine) enfermer [*person, animal*] (**in** dans); **to ~ oneself up** s'enfermer (**in** dans); **3** (close) fermer [*house, business*]; **to ~ up shop**○ lit, fig fermer boutique○

shutdown /ˈʃʌtdaʊn/ *n* gen fermeture *f*; Nucl arrêt *m* (du réacteur)

shut-eye○ /ˈʃʌtaɪ/ *n* **to get some ~** (short sleep) piquer un roupillon○; (go to bed) aller se coucher

shut: **~off valve** *n* dispositif *m* d'arrêt automatique; **~out** *n* US victoire *f* écrasante (*l'équipe perdante ne marquant aucun point*)

shutter /ˈʃʌtə(r)/ *n* **1** (on window) (wooden, metal) volet *m*; (on shopfront) store *m*; **to put up the ~s** lit fermer le magasin; fig fermer boutique○; **2** Phot (camera) obturateur *m*

shuttered /ˈʃʌtəd/ *adj* [*houses, windows*] aux volets fermés; **the house was ~ (up)** la maison avait les volets fermés

shutter release *n* Phot déclencheur *m*

shutter speed *n* vitesse *f* d'obturation

shuttle /ˈʃʌtl/

A *n* **1** Transp navette *f*; **2** Aerosp (*also* **space ~**) navette *f* spatiale; **3** (in sewing machine, loom) navette *f*; **4** (in badminton) volant *m*

B *vtr* transporter [*passengers*]

C *vi* **to ~ between** faire la navette entre [*terminals*]

shuttle: **~ bus** *n* navette *f*; **~cock** *n* volant *m*; **~ diplomacy** *n* Pol démarches *fpl* diplomatiques; **~ mission** *n* Aerosp mission *f* de la navette spatiale; **~ programme** GB, **~ program** US *n* Aerosp programme *m* de la navette spatiale; **~ service** *n* Transp service *m* de navette

shy /ʃaɪ/

A *adj* **1** (timid) [*person*] timide (**with, of** avec); [*animal*] farouche (**with, of** avec); **2** (afraid) **to be ~ of sb/of doing** avoir peur de qn/de faire; **to make sb feel ~** intimider qn; **3** (avoid) **to fight ~ of** fuir devant; **to fight ~ of doing** éviter à tout prix de faire; **4** US (short) **I'm 10 cents ~ of a dollar** il me manque 10 cents pour faire un dollar; **he's two years ~ of 40** dans deux ans il aura 40 ans

B *vtr* (throw) **to ~ sth at** jeter qch à

C *vi* [*horse*] faire un écart (**at** devant)

(Phrasal verb) ■ **shy away** se tenir à l'écart (**from** de); **to ~ away from doing** répugner à faire

shyly /ˈʃaɪlɪ/ *adv* timidement

shyness /ˈʃaɪnɪs/ *n* timidité *f*

shyster○ /ˈʃaɪstə(r)/ *n* US escroc *m*

si /siː/ *n* Mus **1** (in fixed-doh system) si *m*; **2** (in solmization system) (note *f*) sensible *f*

SI *n* (*abrév* = **Système International**) SI *m*

Siam /ˌsaɪˈæm/ ▸ **p. 1096** *pr n* Hist Siam *m*

Siamese /ˌsaɪəˈmiːz/ ▸ **p. 1467, p. 1378**

A *n* **1** (person) Siamois/-e *m/f*; **2** (language) siamois *m*; **3** (cat) siamois/-e *m/f*

B *adj* siamois

Siamese: **~ cat** *n* chat/chatte *m/f* siamois/-e; **~ twins** *npl* Med frères/sœurs *mpl/fpl* siamois/-es

SIB *n* GB Fin (*abrév* = **Securities and Investments Board**) commission *f* des opérations de Bourse

Siberia /saɪˈbɪərɪə/ ▸ **p. 1096** *pr n* Sibérie *f*

Siberian /saɪˈbɪərɪən/ ▸ **p. 1467**

A *n* Sibérien/-ienne *m/f*

B *adj* sibérien/-ienne

sibilant /ˈsɪbɪlənt/

A *n* Ling sifflante *f*

B *adj* **1** Ling [*consonant, sound*] sifflant; **2** fig **a ~ sound** un sifflement

sibling /ˈsɪblɪŋ/ *n* frère/sœur *m/f*

sibling rivalry *n* rivalité *f* entre frères et sœurs

Sibyl /ˈsɪbl/ *n* Antiq sibylle *f*

sibylline /ˈsɪbəlaɪn, sɪˈbɪlaɪn, US *also* ˈsɪbəliːn/ *adj* sibyllin

sic /sɪk/

A *adv* sic

B *excl* US (to dog) attaque!

C *vtr* (*p prés etc* **-ck-**) US **to ~ a dog on sb** lancer un chien sur qn

Sicilian /sɪˈsɪlɪən/ ▸ **p. 1467**

A *n* **1** (person) Sicilien/-ienne *m/f*; **2** (dialect) sicilien *m*

B *adj* sicilien/-ienne

Sicily /ˈsɪsɪlɪ/ ▸ **p. 1355** *pr n* Sicile *f*

sick /sɪk/

A *n* **1** **the ~** (+ *v pl*) les malades *mpl*; **2** ○GB (vomit) vomi *m*

B *adj* **1** (ill) malade; **to feel ~** ne pas se sentir bien; **to fall** *ou* **take ~** GB tomber malade; **to be off ~** GB être absent pour cause de maladie; **to go ~**○ se faire porter malade; **2** (nauseous) **to be ~** vomir; **to feel ~** avoir mal au cœur, avoir envie de vomir; **rhubarb makes him ~** il ne supporte pas la rhubarbe; **you'll make yourself ~ if you eat all that chocolate** tu vas te rendre malade si tu manges tout ce chocolat; **to have a ~ feeling in one's stomach** (from nerves) avoir l'estomac noué; (from food) avoir l'estomac barbouillé; **3** (tasteless) [*joke, story*] malsain, de mauvais goût; **he has a really ~ sense of humour** son sens de l'humour est plus que douteux; **4** (disturbed) [*mind, imagination*] malsain; **what a ~ thing to do!** il faut avoir l'esprit dérangé pour faire une chose pareille!; **5** (disgusted) écœuré, dégoûté; **you make me ~!** tu m'écœures!; **it's enough to make you ~!** il y a de quoi vous rendre malade!; **it makes me ~ to think of how they treated him** ça me rend malade de voir comment ils l'ont traité; **6** °(fed-up) **to be ~ of sth/sb**° en avoir assez *ou* marre° de qn/qch; **to be ~ and tired of sth/sb**° en avoir ras le bol° de qch/qn; **to be ~ to death of sth/sb**° en avoir par-dessus la tête de qch/qn; **to be ~ of the sight of sth/sb**° ne plus supporter qch/qn

(Idioms) **to be ~ at heart** avoir la mort dans l'âme; **to be worried ~**° **about sth** être malade d'inquiétude au sujet de qch

(Phrasal verb) ■ **sick up**° GB: ▸ **~ up [sth], ~ [sth] up**° vomir, dégueuler◑ [*food*]

sick: **~ bag** *n* sac *m* en papier (*mis à la disposition des voyageurs qui sont malades*); **~ bay** *n* infirmerie *f*

sickbed /ˈsɪkbed/ *n* lit *m* de malade; **to rise from** *ou* **leave one's ~** quitter son lit de malade

sick: **~ building** *n* construction *f* insalubre; **~ building syndrome** *n* syndrome *m* causé par un milieu de travail insalubre

sicken /ˈsɪkən/

A *vtr* rendre [qn] malade; fig dégoûter, écœurer

B *vi* **1** littér [*person, animal*] tomber malade, dépérir; **to be ~ing for something** couver quelque chose; **2** fig (grow weary) **to ~ of** se lasser de, en avoir assez de

sickening /ˈsɪkənɪŋ/ *adj* **1** (nauseating) écœurant; [*sight*] qui soulève le cœur; [*smell*] nauséabond, écœurant; fig [*cruelty, violence*] écœurant; **2** °(annoying) [*person, behaviour*] insupportable

sickeningly /ˈsɪkənɪŋlɪ/ *adv* **~ sweet** écœurant; **he is ~ smug** il est d'une suffisance écœurante

sickie◑ /ˈsɪkɪ/ *n* US = **sicko**

sickle /ˈsɪkl/ *n* faucille *f*

sick leave *n* congé *m* de maladie; **to be on ~ leave** être en congé de maladie

sickle cell anaemia ▸ p. 1327 *n* Med anémie *f* à hématies falciformes

sickliness /ˈsɪklɪnɪs/ *n* **1** (of person) état *m* maladif, mauvaise santé *f*; (of plant) étiolement *m*; (of complexion) pâleur *f* maladive; **2** (nauseousness) (of taste, colour) fadeur *f*; **the ~ of the smell** l'odeur nauséabonde

sick list *n* **to be on the ~** être porté malade

sickly /ˈsɪklɪ/ *adj* **1** (unhealthy) [*baby, person, pallor*] maladif/-ive; [*plant*] mal en point; [*complexion*] blafard; **2** (nauseating) [*smell, taste*] écœurant; [*colour*] fadasse; **~ sentimental** mièvre; **~ sweet** douceâtre; **she gave a ~ smile** elle a souri faiblement

sick-making° *adj* écœurant

sickness /ˈsɪknɪs/ *n* **1** (illness) maladie *f*; **to be absent because of ~** être absent pour cause de maladie; **there has been a lot of ~ in the school lately** il y a eu beaucoup de malades à l'école récemment; **the ~ of the economy** la faiblesse de l'économie; **in ~ and in health** ≈ pour le meilleur et pour le pire; **2** ȼ (nausea) vomissements *mpl*; **to suffer bouts of ~** avoir des vomissements; **3** (distasteful nature) (of joke, story) goût *m* douteux

sickness: **~ benefit** *n* ȼ GB prestations *fpl* de l'assurance-maladie; **~ insurance** *n* assurance *f* maladie

sick note° *n* (for school) mot *m* d'excuse; (for work) certificat *m* médical

sicko◑ /ˈsɪkəʊ/ GB *n* malade° *mf*, débile° *mf*

sick: **~pay** *n* indemnité *f* de maladie; **~room** *n* (in school, institution) infirmerie *f*; (at home) chambre *f* de malade

side /saɪd/

A *n* **1** (part) (of person's body, object, table) côté *m*; (of animal's body, of hill, boat) flanc *m*; (of ravine, cave) paroi *f*; (of box), (outer) flanc *m*; (inner) paroi *f*; **the right/left ~ of the road** le côté droit/gauche de la route; **on my left/right ~** à ma gauche/droite; **by my/her ~** à côté de moi/d'elle; **on one's/its ~** sur le côté; **~ by ~** côte à côte; **he never leaves her ~** il ne la quitte jamais; **don't leave my ~** reste près de moi; **from every ~** de tous côtés; **on the mountain/hill ~** à flanc de montagne/de coteau; **go round the ~ of the building** contournez le bâtiment; **the south ~ of the mountain** le versant sud de la montagne; **the north/south ~ of town** le nord/sud de la ville; **'this ~ up'** (on package, box) 'haut'
2 (surface of flat object) (of paper, cloth) côté *m*; (of record) face *f*; **the right ~** (of cloth) l'endroit *m*; (of coin) l'avers *m*; (of paper) le recto *m*; **the wrong ~** (of cloth) l'envers *m*; (of coin) le revers *m*; (of paper) le verso *m*
3 (edge) (of lake, road) bord *m*; (of building) côté *m*; **at** *ou* **by the ~ of** au bord de [*lake, road*]; à côté de [*building*]
4 (aspect) (of person, argument) côté *m*; (of problem, question) aspect *m*; (of story, case) version *f*; **there are two ~s to every question** chaque question a deux aspects; **whose ~ are we to believe?** quelle version faut-il croire?; **try to see it from my ~** essayez de comprendre mon point de vue; **she's on the science/arts ~** (academically) elle a opté pour les sciences/arts; **he's on the marketing/personnel ~** (in company) il fait partie du service de marketing/du service du personnel
5 (opposing group) côté *m*, camp *m*; **to change ~s** changer de camp; **to take ~s** prendre position
6 Sport (team) équipe *f*; **which ~ does he play for?** il joue dans quelle équipe?; **you've really let the ~ down** fig tu nous as laissés tomber
7 (page) page *f*
8 (line of descent) côté *m*; **on his mother's ~** du côté de sa mère
9 °(TV channel) chaîne *f*
10 Sport (spin) (in snooker) **to put ~ on the ball** donner de l'effet à la boule

B *modif* [*door, window, entrance*] latéral

C **-sided** (*dans composés*) **four/six-~d figure** figure *f* à quatre/six côtés; **glass-~d container** récipient *m* à parois de verre; **many-~d problem** problème *m* complexe

D **on the side** *adv phr* **a steak with salad on the ~** un steak avec de la salade; **to do sth on the ~** (in addition) faire qch à côté; (illegally) faire qch au noir

E *vi* (of car, skier) déraper; (of plane) glisser sur l'aile

(Idioms) **he's/she's like the ~ of a house** il/elle est énorme; **to have a bit on the ~**° avoir une liaison; **time is on our ~** le temps travaille pour nous; **to be on the safe ~** (allowing enough time) pour calculer large; (to be certain) pour être sûr; **to be (a bit) on the big/small ~** être plutôt grand/petit; **to be on the wrong/right ~ of 40** avoir/ne pas avoir dépassé la quarantaine; **to get on the wrong ~ of sb** prendre qn à rebrousse-poil; **to have no ~** ne pas être prétentieux/-ieuse; **to have right on one's ~** être dans son droit; **to get/keep on the right ~ of sb** se mettre/rester bien avec qn; **to put/leave sth to one ~** mettre/laisser [qch] de côté [*object, task*]; **to take sb to one ~** prendre qn à part

(Phrasal verb) ■ **side with** se mettre du côté de [*person*]

side: **~ arm** *n* (weapon) arme *f* de protection; **~board** *n* buffet *m*; **~boards** GB, **sideburns** *npl* (on face) pattes *fpl*; **~car** *n* side-car *m*; **~ dish** *n* Culin plat *m* d'accompagnement; **~ drum** ▸ **p. 1462** *n* Mus caisse *f* claire; **~ effect** *n* lit (of drug) effet *m* secondaire; fig (of action) répercussion *f*; **~ elevation** *n* Archit élévation *f* de profil; **~-impact bars** *npl* Aut renforts *mpl* latéraux; **~ issue** *n* question *f* annexe; **~kick**° *n* acolyte *m*

sidelight /ˈsaɪdlaɪt/ *n* **1** Aut feu *m* de position; **2** Naut (to port) feu *m* rouge de babord; (to starboard) feu *m* vert de tribord; **3** (window) (in house) lucarne *f*; (in car) déflecteur *m*

sideline /ˈsaɪdlaɪn/

A *n* **1** (extra) à-côté *m*; **he sells clothes as a ~** il vend des vêtements comme à-côté; **2** Sport ligne *f* de touche; **to kick the ball over the ~** envoyer la balle en touche; **to be on the ~s** lit, fig être sur la touche

B *vtr* US Sport remplacer [*player*]; fig **to be ~d** être mis sur la touche

side: **~long** *adj* [*glance, look*] oblique; **~man** *n* Mus instrumentiste *mf*; **~ order** *n* Culin portion *f*; **~ plate** *n* petite assiette *f*

sidereal /saɪˈdɪərɪəl/ *adj* sidéral

side road *n* petite route *f*

side saddle

A *n* selle *f* d'amazone

B *adv* **to ride ~** monter en amazone

side: **~ salad** *n* salade *f* d'accompagnement; **~ shoot** *n* Bot pousse *f* latérale; **~ show** *n* (at fair) attraction *f*

sideslip /ˈsaɪdslɪp/

A *n* (of car, skier) dérapage *m*; (of plane) glissement *m* sur l'aile

B *vi* (*p prés etc* **-pp-**) [*car, skier*] déraper; [*plane*] glisser sur l'aile

side: **~sman** *n* (in church) ≈ sacristain *m*; **~splitting**° *adj* très drôle, tordant°

sidestep /ˈsaɪdstep/

A *n* pas *m* de côté

B *vtr* (*p prés etc* **-pp-**) lit éviter [*opponent, tackle*]; fig éluder [*question, issue*]

side: **~ street** *n* petite rue *f*; **~ stroke** *n* (in swimming) brasse *f* indienne

sideswipe /ˈsaɪdswaɪp/

A *n* coup *m* sur le côté

B *vtr* emboutir [qch] sur le côté

side table *n* desserte *f*

sidetrack /ˈsaɪdtræk/

A *n* Rail voie *f* secondaire

B *vtr* fig fourvoyer [*person*]; **to get ~ed** se fourvoyer

side: **~ view** *n* (of object) vue *f* latérale; **~walk** *n* US trottoir *m*

sideways /ˈsaɪdweɪz/

A *adj* [*look, glance*] de travers; **a ~ move in his career** une bifurcation dans sa carrière

B *adv* [*move*] latéralement; [*carry*] sur le côté; [*park*] de biais; [*look at*] de travers; **to be turned ~** [*person*] être de profil; **~ on** de profil

(Idiom) **to knock sb ~** fig sidérer qn

side: **~-wheel** *n* roue *f* à aubes; **~-wheeler** *n* Naut navire *m* à aubes; **~-whiskers** *npl* favoris *mpl*

sidewinder /ˈsaɪdwaɪndə(r)/ *n* **1** Zool crotale *m* des sables; **2** Mil missile *m* air-air guidé par infra-rouge, missile *m* sidewinder; **3** US (in boxing) (violent) crochet *m*; **left ~** crochet du gauche

siding /ˈsaɪdɪŋ/ *n* **1** Rail voie *f* de garage; **2** US (weatherproof coating) revêtement *m* extérieur

sidle /ˈsaɪdl/ *vi* **to ~ into/out of/along...** se faufiler dans/hors de/le long de...; **to ~ up to sb/sth** s'avancer furtivement vers qn/qch

SIDS /sɪdz/ *n* Med *abrév* ▸ **sudden infant death syndrome**

siege /siːdʒ/ *n* siège *m*; **to lay ~ to sth** lit, fig assiéger qch; **to come under ~** être assiégé

(Idiom) **to suffer from** *ou* **have a ~ mentality** être toujours sur la défensive

S

siege warfare *n* guerre *f* de siège

Siena /sɪ'enə/ *pr n* Sienne

sienna /sɪ'enə/ *n* terre *f* de Sienne

sierra /sɪ'erə/ *n* Geog sierra *f*

Sierra Leone /sɪˌerəlɪ'əʊn/ ▸ **p. 1096** *pr n* Sierra Leone *f*

Sierra Leonean /sɪ'erə lɪ'əʊnɪən/ ▸ **p. 1467**
A *n* Sierra-Léonais/-e *m/f*
B *adj* [*art, custom*] sierra-léonais

siesta /sɪ'estə/ *n* sieste *f*; **to have a ~** faire la sieste

sieve /sɪv/
A *n* (for draining) passoire *f*; (for sifting) tamis *m*; (for coal, stones) crible *m*; (for wheat) van *m*; **to put sth through a ~** passer qch au tamis
B *vtr* tamiser [*earth, flour, sugar*]; passer [qch] au crible [*coal*]; vanner [*wheat*]
(Idioms) **to have a head/memory like a ~** avoir la tête/la mémoire comme une passoire; **to leak like a ~** être une vraie passoire

sift /sɪft/
A *vtr* **1** (sieve) tamiser, passer [qch] au tamis [*flour, soil*]; passer [qch] au crible [*coal*]; vanner [*wheat*]; **2** fig (sort) passer [qch] au crible [*data, evidence, information*]
(Phrasal verbs) ■ **sift out**: ▸ **~ [sb] out**, **~ out [sb]** (dispose of) éliminer [*troublemakers*]; ▸ **~ [sth] out**, **~ out [sth]** extraire [*gold etc*]
■ **sift through**: ▸ **~ through [sth]** explorer [*applications, ashes, rubble*]

sifter /'sɪftə(r)/ *n* saupoudreuse *f*

sigh /saɪ/
A *n* soupir *m*; **to breathe** *ou* **give** *ou* **heave a ~** pousser un soupir
B *vtr* **'how beautiful!' she ~ed** 'comme c'est beau!' soupira-t-elle
C *vi* **1** (exhale) [*person*] soupirer, pousser un soupir; **to ~ with relief** pousser un soupir de soulagement; **2** (pine) **to ~ for sth** regretter qch; **3** (complain) **to ~ over sth** se lamenter sur qch; **4** (whisper) [*wind*] gémir; [*trees*] bruisser

sight /saɪt/
A *n* **1** (faculty) vue *f*; **to have good/poor ~** avoir une bonne/mauvaise vue; **her ~ is failing** elle perd la vue; **2** (act of seeing) vue *f*; **at first ~** à première vue; **at the ~ of** à la vue de [*blood, uniform, luxury, injustice*]; **at the ~ of her** en la voyant; **she felt misgivings at the ~** en voyant cela, elle fut saisie d'un doute; **this was my first ~ of** c'était la première fois que je voyais; **to have ~ of** Jur voir [*correspondence, will, document*]; **to catch ~ of sb/sth** apercevoir qn/qch; **to lose ~ of sb/sth** lit, fig perdre qn/qch de vue; **we mustn't lose ~ of the fact that** fig nous ne devons pas perdre de vue que; **to know sb by ~** connaître qn de vue; **to shoot sb on ~** tirer à vue sur qn; **I took a dislike to him on ~** je l'ai détesté dès que je l'ai vu; **I can't stand the ~ of him!** je ne peux pas le voir (en peinture)!; **3** (range of vision) **to be in ~** [*town, land, border*] être en vue; [*peace, victory, freedom, new era*] être proche; **the end/our goal is in ~!** on approche de la fin/du but!; **there's no solution in ~** on n'a pas encore trouvé de solution; **the war goes on with no end in ~** la guerre continue sans aucun espoir de paix; **there wasn't a soldier/boat in ~** il n'y avait pas un soldat/bateau en vue; **in the ~ of God** sout devant Dieu; **to come into ~** apparaître; **to be out of ~** (hidden) être caché; (having moved) ne plus être visible; **to do sth out of ~ of** faire qch sans être vu par [*observer, guard*]; **to keep** *ou* **stay out of ~** rester caché; **to keep sb/sth out of ~** cacher qn/qch; **don't let her out of your ~!** ne la quitte pas des yeux!; **4** (thing seen) spectacle *m*; **a familiar/sorry ~** un spectacle familier/triste; **a ~ to behold** un spectacle à voir; **it was not a pretty ~!** iron ce n'était pas beau à voir!; **5** (a shock to see) (place) porcherie *f*; (person) **you're a ~!** tu n'es pas présentable!; **I look such a ~** je ne suis pas présentable; **she looked a ~ in that hat** elle avait une de ces allures avec ce chapeau
B **sights** *npl* **1** (places worth seeing) attractions *fpl* touristiques (**of** de); **to see the ~s** visiter; **to show sb the ~s** faire visiter à qn; **the ~s and sounds of a place** l'ambiance d'un lieu; **2** (on rifle, telescope) viseur *m*; **3** fig **to have sth in one's ~s** avoir qch dans la mire; **to have sb in one's ~s** avoir qn dans le collimateur○; **to set one's ~s on sth** viser qch; **to set one's ~s too high** viser trop haut; **to raise/lower one's ~s** viser plus haut/plus bas; **to have one's ~s firmly fixed on sth** se fixer qch pour but
C *vtr* apercevoir [*land, plane, ship, rare bird*]; **to ~ a gun** (aiming) viser; (adjusting) régler le viseur de son fusil
(Idioms) **a damned** *ou* **jolly** GB **~ better/harder** beaucoup mieux/plus dur; **out of ~, out of mind** Prov loin des yeux, loin du cœur Prov; **out of ~○!** fantastique○!

sight bill *n* effet *m* payable à vue

sighted /'saɪtɪd/
A *npl* **the ~** (+ *v pl*) les voyants (*mpl*)
B *adj* [*person*] doué de la vue; ▸ **far-sighted, near-sighted, partially sighted etc**

sighting /'saɪtɪŋ/ *n* **there have been a number of reported ~s of the animal/the escaped prisoner** plusieurs personnes ont déclaré avoir vu l'animal/le prisonnier en fuite

sight: **~-read** *vtr, vi* déchiffrer; **~-reading** *n* déchiffrage *m*; **~-screen** *n* GB Sport (in cricket) *écran blanc qui permet aux joueurs de voir la balle*

sightseeing /'saɪtsiːɪŋ/ *n* tourisme *m*; **to go ~** faire du tourisme

sightseer /'saɪtsiːə(r)/ *n* **1** (visitor) touriste *mf*; **2** (drawn to scene of disaster) badaud/-e *m/f*, curieux/-ieuse *m/f*

sight unseen *adv* Comm [*buy*] sur description

sign /saɪn/
A *n* **1** (symbolic mark) signe *m*, symbole *m*; **the pound/dollar ~** le symbole de la livre/du dollar
2 (object) (roadsign, billboard) panneau *m* (**for** pour); (smaller, indicating opening hours) pancarte *f*; (outside inn, shop) enseigne *f*
3 (gesture) geste *m*; **to make a rude ~** faire un geste grossier; **to give sb a V ~** faire un geste obscène à qn; **to make the ~ of the cross** faire le signe de la croix
4 (signal) signal *m*; **that will be the ~ for us to leave** ce sera le signal du départ *or* pour que nous partions
5 (visible evidence) signe *m* (**of** de); **the first ~s of global warming** les premiers signes du réchauffement de la planète; **there was no ~ of any troops** il n'y avait pas l'ombre d'un soldat; **there was no ~ of life at the Smiths'** il n'y avait aucun signe de vie chez les Smith; **there was still no ~ of them at midday** à midi, ils n'étaient toujours pas arrivés
6 (indication, pointer) signe *m* (**of** de); **it's a ~ of age** c'est un signe qu'on vieillit; **it's a good/bad ~** c'est bon/mauvais signe; **this is a ~ that** c'est signe que, ça indique que; **it's a sure ~ that** c'est la preuve que; **the ~s are that** tout indique que; **there is no ~** *ou* **there are no ~s of** il n'y a rien qui annonce [*improvement, change, recovery, solution*]; **there is little ~ of an improvement** il n'y a rien qui annonce vraiment une amélioration; **to show ~s of** montrer des signes de [*stress, weakness, growth, talent*]; **to show no ~s of sth** ne montrer aucun signe de qch; **to show ~s of doing** sembler faire; **she shows no ~s of changing her mind** rien ne laisse penser qu'elle va changer d'avis; **a ~ of the times** un signe des temps
7 ▸ **p. 1917** Astrol (of zodiac) signe *m*; **what ~ are you?** tu es de quel signe?
B *vtr* **1** (put signature to) signer [*agreement, letter, document*]; **to ~ one's own death warrant** signer son arrêt de mort; **~ed, sealed and delivered** lit dûment signé et remis à qui de droit; fig terminé
2 (on contract) engager [*footballer, musician, band*]
C *vi* **1** [*person*] signer; **~ for** signer un reçu pour [*key, parcel*]
2 Sport [*player*] signer son contrat (**with** avec; **for** pour)
3 (signal) **to ~ to sb to do** faire signe à qn de faire
4 (communicate in sign language) communiquer en langage des sourds-muets
(Phrasal verbs) ■ **sign away**: ▸ **~ away [sth]**, **~ [sth] away** renoncer à [qch] par écrit [*rights, inheritance*]
■ **sign in**: ▸ **~ in** signer le registre (à l'arrivée); ▸ **~ in [sb]**, **~ [sb] in** inscrire [*guest*]
■ **sign off**: ▸ **~ off** **1** (on radio ou TV show) terminer; **this is X ~ing off and wishing you...** c'était X qui vous souhaite...; **2** (end letter) terminer; ▸ **~ off (on)** approuver [*accounts, proposal*]
■ **sign on**: ▸ **~ on** **1** GB Soc Admin pointer au chômage; **2** (commit oneself) (to training period, time in forces) s'engager; (for course of study) s'inscrire (**for** à, dans); ▸ **~ on [sb]** engager [*player, employee*]
■ **sign out** signer le registre (au départ); **to ~ out a library book** GB signer quand on emprunte un livre dans une bibliothèque
■ **sign over**: ▸ **~ over [sth]**, **~ [sth] over** céder [qch] par écrit [*estate, property*]
■ **sign up**: ▸ **~ up** **1** (in forces, by contract) s'engager; **2** (for course) s'inscrire (**for** à, dans); ▸ **~ up [sb]** engager [*player, filmstar*]

signal /'sɪgnl/
A *n* **1** (cue) signal *m* (**for** de); **to be the ~ for violent protest** être le signal de violentes protestations; **to give the ~ to leave/to attack** donner le signal du départ/de l'attaque; **this is a ~ to do** cela indique qu'il faut faire; **2** (sign, indication) signe *m* (**of** de); **danger ~** signe de danger; **to be a ~ that** être signe que, indiquer que; **to send a ~ to sb that** indiquer (clairement) à qn que; **3** Rail signal *m*; **4** Radio, TV, Electron signal *m*; **to pick up a radar ~** capter un signal radar; **5** fig (message) **to send out conflicting ~s** envoyer des messages contradictoires; **to read the ~s** comprendre
B *adj* sout (*épith*) [*triumph, achievement, success*] éclatant; [*honour*] véritable (*before n*); [*failure*] notoire
C *vtr* (*p prés etc* **-ll-** GB, **-l-** US) **1** lit (gesture to) to **~ (to sb) that** faire signe (à qn) que; **to ~ sb to do** faire signe à qn de faire; **I ~led John to get the car** j'ai fait signe à John d'aller chercher la voiture; **2** fig (indicate) indiquer [*shift, determination, reluctance, disapproval, support*]; annoncer [*release*]; **to ~ one's intention to do** annoncer son intention de faire; **to ~ one's readiness to do** annoncer qu'on est prêt à faire; **to ~ that** indiquer que; **3** (mark) marquer [*end, beginning, decline*]
D *vi* (*p prés etc* **-ll-** GB, **-l-** US) faire des signes; **he was ~ling frantically** il faisait des signes désespérés; **to ~ with one's arm/head** faire signe du bras/de la tête

signal: **~ box** *n* Rail poste *m* d'aiguillage; **~ generator** *n* Elec générateur *m* de fréquence

signally /'sɪgnəlɪ/ *adv* [*fail*] de façon notoire

signalman /'sɪgnlmən/ ▸ **p. 1683** *n* **1** Rail aiguilleur *m*; **2** Naut sémaphoriste *m*

signal strength *n* intensité *f* de réception

signatory /'sɪgnətrɪ, US -tɔːrɪ/ *n, adj* signataire (*mf*)

signature /'sɪgnətʃə(r)/ *n* signature *f*; **to put** *ou* **set one's ~ to** apposer sa signature à [*letter, document*]; **please return the document to us for ~** veuillez nous renvoyer le document pour que nous puissions le signer

signature: **~ dish** *n* Culin spécialité *f*; **~ file** *n* fichier *m* signature; **~ tune** *n* indicatif *m*

signboard /'saɪnbɔ:d/ *n* panneau *m* d'affichage

signer /'saɪnə(r)/ *n*: *personne qui traduit en langage des sourds-muets*

signet /'sɪgnət/ *n* sceau *m*

signet ring /'sɪgnɪtrɪŋ/ *n* chevalière *f*

significance /sɪg'nɪfɪkəns/ *n* **1** (importance) importance *f*; **not of any ~**, **of no ~** sans aucune importance; **2** (meaning) signification *f*

significant /sɪg'nɪfɪkənt/ *adj* **1** (substantial) [*amount, influence, impact, increase, saving*] considérable; **2** (important) [*event, aspect, role, victory*] important; **statistically ~** statistiquement important; **3** (meaningful) [*gesture*] éloquent; [*name, figure*] significatif/-ive; [*phrase*] lourd de sens; **it is ~ that** il est significatif que (+ *subj*)

significantly /sɪg'nɪfɪkəntlɪ/ *adv* **1** (considerably) sensiblement; **not ~ bigger/faster** pas vraiment plus grand/plus rapide; **2** (meaningfully) [*entitle, name*] de façon significative; [*smile, look, nod*] d'un air sous-entendu; **~, he arrived late** fait révélateur, il est arrivé en retard

signification /,sɪgnɪfɪ'keɪʃn/ *n* signification *f*

signifier /'sɪgnɪfaɪə(r)/ *n* Ling signifiant *m*

signify /'sɪgnɪfaɪ/

A *vtr* **1** (denote) [*symbol*] indiquer; [*dream*] signifier; [*clouds*] annoncer [*rain*]; **2** (imply) [*fact, gesture, statement*] indiquer; **3** (display) exprimer [*affection, disapproval, joy, willingness*]; **to ~ that** indiquer que

B *vi* sout (matter) importer; **it doesn't ~** cela importe peu

signing /'saɪnɪŋ/ *n* (of treaty, agreement) signature *f*; (of footballer etc) signature *f*; **Liverpool's latest ~, James Addyman** la dernière recrue de Liverpool, James Addyman

sign language *n* code *m* or langage *m* gestuel; **to talk in ~** communiquer par signes

signpost /'saɪnpəʊst/

A *n* **1** (old free-standing type) poteau *m* indicateur; **2** (any direction sign) panneau *m* indicateur; **3** fig (indication, pointer) indice *m*, indication *f*

B *vtr* indiquer [*place, direction*]; **to be ~ed** être indiqué

signposting /'saɪnpəʊstɪŋ/ *n* signalisation *f* routière

sign: **~ test** *n* test *m* des signes; **~ writer** ▸ **p. 1683** *n* peintre *m* d'enseignes

Sikh /si:k/ *n, adj* sikh (*mf*)

silage /'saɪlɪdʒ/ *n* fourrage *m* ensilé, ensilage *m*

silage making *n* ensilage *m*

silence /'saɪləns/

A *n* **1** (quietness) silence *m*; **in ~** en silence; **~ please!** silence, s'il vous plaît!; **~ fell** le silence se fit; **~ reigns** le silence règne; **to call for ~** demander le silence; **to break the ~** rompre le silence; **to reduce sb to ~** réduire qn au silence; **2** (pause) silence *m*; **a two-minute ~** un silence de deux minutes; **3** (absence of communication) silence *m* (**about, on, over** sur); **to break one's ~** sortir de son silence; **right of ~** Jur *droit pour un accusé de se taire avant ou pendant son procès*; **4** (discretion) silence *m*; **to buy sb's ~** acheter le silence de qn

B *vtr* **1** (quieten) réduire [qn] au silence [*crowd, child*]; **to ~ the enemy's guns** faire taire le feu de l'ennemi; **2** (gag) faire taire [*critic, press*]

silencer /'saɪlənsə(r)/ *n* Mil, GB Aut silencieux *m*

silent /'saɪlənt/ *adj* **1** (quiet) [*engine, person, room*] silencieux/-ieuse; **to be ~** se taire; **to keep** *ou* **remain** *ou* **stay ~** rester silencieux; **to fall ~** se taire; **2** (taciturn) taciturne; **3** (uncommunicative) [*person, official, report*] muet/muette; **the minister remains ~ about** *ou* **on the matter of** le ministre reste muet au sujet de; **the law is ~ on this point** la loi est muette sur ce point; **4** (unexpressed) [*accusation, disapproval, oath, prayer*] muet/muette; **5** Cin muet/muette; **the ~ screen** le cinéma muet; **6** Ling muet/muette

(Idiom) **as ~ as the grave** muet comme une tombe

silently /'saɪləntlɪ/ *adv* [*appear, leave, move*] silencieusement; [*listen, pray, stare, work*] en silence

silent: **~ majority** *n* majorité *f* silencieuse; **~ partner** *n* Comm, Jur commanditaire *m*

Silesia /saɪ'li:zɪə/ ▸ **p. 1096** *pr n* Silésie *f*

silex /'saɪleks/ *n* silex *m*

silhouette /,sɪlu:'et/

A *n* silhouette *f*; **in ~** en silhouette; **the ~ of a tree against the sky** la silhouette d'un arbre se détachant sur le ciel

B *vtr* **to be ~d against sth** se détacher sur qch

silica /'sɪlɪkə/ *n* silice *f*

silica gel *n* gel *m* de silice

silicate /'sɪlɪkeɪt/

A *n* silicate *m*

B *modif* **~ rock**, **~ mineral** silicate *m*

siliceous /sɪ'lɪʃəs/ *adj* siliceux/-euse

silicon /'sɪlɪkən/ *n* silicium *m*

silicon chip *n* Comput puce *f* électronique

silicone /'sɪlɪkəʊn/ *n* Chem silicone *f*; Pharm silicone *m*

silicone rubber *n* silicone *m* élastomère

Silicon Valley *pr n* Silicon Valley *f*, zone *f* d'industries électroniques

silicosis /,sɪlɪ'kəʊsɪs/ ▸ **p. 1327** *n* silicose *f*

silk /sɪlk/

A *n* **1** (fabric) soie *f*; **2** (thread) fil *m* de soie; **3** (clothing) (*gén pl*) soierie *f*; **4** (of spider) soie *f*; **5** GB, Jur avocat *m* de la couronne; **to take the ~** être nommé avocat de la couronne

B *modif* [*garment, flower, sheet*] de soie; [*industry, production*] de la soie

(Idiom) **as soft** *ou* **smooth as ~** doux comme de la soie

silken /'sɪlkən/ *adj* **1** (shiny) [*hair, sheen, skin*] soyeux/-euse; **2** (made of silk) de soie; **3** (soft) [*voice*] (pleasant) doux/douce; péj doucereux/-euse

silk: **~ factory** *n* soierie *f*; **~ farming** *n* sériciculture *f*

silk finish

A *n* **a fabric with a ~** un tissu soyeux; **a paint with a ~** une peinture satinée

B *modif* [*fabric*] soyeux/-euse; [*paint*] satiné

silk hat *n* haut-de-forme *m*

silkiness /'sɪlkɪnɪs/ *n* **1** (of hair, fabric, skin) aspect *m* soyeux; **2** (of voice) (pleasant) douceur *f*; péj ton *m* doucereux

silk: **~ route** *n* route *f* de la soie; **~-screen printing** *n* sérigraphie *f*; **~ square** *n* carré *m* de soie

silk stocking

A *n* **1** lit bas *m* de soie; **2** US fig (rich person) aristocrate *mf*, riche *mf*

B *modif* US (rich) [*district*] chic; [*party*] mondain

silk: **~ weaving** *n* Ind soierie *f*; **~worm** *n* ver *m* à soie

silky /'sɪlkɪ/ *adj* **1** (like silk) [*fabric, hair, skin*] soyeux/-euse; **2** (soft) [*tone, voice*] (pleasant) doux/douce; péj doucereux/-euse

silky smooth *adj* [*hair, skin*] soyeux/-euse

sill /sɪl/ *n* (of door) seuil *m*; (of window) (interior) rebord *m*; (exterior) appui *m*; (of car) bas *m* de caisse

silliness /'sɪlɪnɪs/ *n* sottise *f*, stupidité *f*; **I've had enough of this ~!** j'en ai assez de ces sottises!

silly /'sɪlɪ/

A ○*n* lang enfantin idiot/-e *m/f*

B *adj* [*person*] idiot; [*question, mistake, story, game*] stupide; [*behaviour, clothes*] ridicule; [*price*] astronomique; **don't be ~** ne dis pas de bêtises; **you are a ~ boy!** tu es idiot!; **you ~ fool!** espèce d'idiot/-e!; **what a ~ thing to do!** quelle bêtise!; **he made me feel really ~!** à cause de lui je me suis senti complètement idiot!; **to do something ~** faire une bêtise; **to make sb look ~** faire passer qn pour un/-e idiot/-e

C *adv* (senseless) **he knocked him ~** il l'a mis KO○; **to drink oneself ~** s'abrutir d'alcool; **to bore sb ~** assommer qn

silly: **~ billy**○ *n* idiot/-e *m/f*; **Silly Putty**® *n* US Silly Putty® *m*, pâte *f* à modeler; **~ season** *n* GB Journ période *f* creuse (*où il y a une pénurie d'informations et la presse se contente de frivolités*)

silo /'saɪləʊ/ *n* (*pl* **~s**) Agric, Mil silo *m*; **missile ~** silo à missiles

silt /sɪlt/

A *n* limon *m*, vase *f*

B *vi* (*also* **~ up**) [*mud, sand*] se déposer; [*river*] (with mud) s'envaser; (with sand) s'ensabler.

(Phrasal verb) ■ **silt up**: ▸ **~ up** = **silt B**; ▸ **~ [sth] up**, **~ up [sth]** [*mud*] envaser [*estuary*]; [*sand*] ensabler [*river*]

Silurian /saɪ'lʊərɪən/ *adj* silurien/-ienne

silver /'sɪlvə(r)/ ▸ **p. 1067**

A *n* **1** (metal, colour) argent *m*; **2** (items) (silverware) argenterie *f*; (cutlery) couverts *mpl* en argent; (coins) monnaie *f*; **£10 in ~** 10 livres sterling en monnaie; **3** (medal) médaille *f* d'argent

B *adj* **1** [*ring, cutlery, coin*] en argent; **2** (colour) [*hair, decoration, moon, lake*] argenté; [*paint*] gris métallisé *inv*

C *vtr* argenter [*cutlery, dish*]; étamer [*mirror*]

silver birch *n* bouleau *m* argenté

silvered /'sɪlvəd/ *adj* argenté

silver: **~ fir** *n* sapin *m* argenté; **~fish** *n* (insect) petit poisson *m* d'argent, lépisme *m*; **~ foil** *n* GB papier *m* d'aluminium

silver fox *n* **1** Zool renard *m* argenté; **2** (fur) fourrure *f* de renard argenté.

silver-gilt *n* vermeil *m*

silver-grey ▸ **p. 1067**

A *n* gris *m* argenté

B *adj* [*hair, silk*] gris-argent *inv*; [*paint*] gris métallisé *inv*

silver: **~-haired** *adj* aux cheveux argentés; **~ jubilee** *n* (date) vingt-cinquième anniversaire *m*; **~ mine** *n* mine *f* d'argent; **~ paper** *n* papier *m* d'argent; **~ plate** *n* métal *m* argenté; **~ plated** *adj* plaqué argent, en métal argenté; **~ plating** *n* argenture *f*; **~ polish** *n* crème *f* pour polir l'argenterie; **~ screen** *n* Cin écran *m*; **~ service** *n* service *m* stylé; **~side** *n* Culin gîte *m*; **~smith** ▸ **p. 1683** *n* orfèvre *mf*; **~ surfer**○ *n* internaute *mf* senior, papy/mamy *m/f* internaute○; **~-tongued** *adj* à la parole facile; **~ware** *n* (solid) argenterie *f* massive; (plate) métal *m* argenté; **~ wedding** *n* noces *fpl* d'argent

silvery /'sɪlvərɪ/ *adj* **1** [*hair, water*] argenté; **2** [*voice, sound*] argentin

silviculture /'sɪlvɪkʌltʃə(r)/ *n* sylviculture *f*

SIM card /'sɪm kɑ:d/ *n* Comput carte *f* SIM

simian /'sɪmɪən/

A *n* simien *m*

B *adj* **1** Zool [*family, characteristic*] simien/-ienne; **2** fig [*expression, grin*] simiesque

similar /'sɪmɪlə(r)/ *adj* **1** [*object, number, taste, problem, situation*] similaire, analogue; **something ~** quelque chose de similaire; **10 ~ offences** 10 délits similaires; **~ to** analogue à, comparable à; **it's ~ to riding a bike** c'est comme faire du vélo; **~ in size/price** comparable pour ce qui est des dimensions/du prix; **it is ~ in appearance to...** ça ressemble à...; **~ in colour** dans les mêmes tons; **2** Math [*triangle*] semblable

similarity /,sɪmɪ'lærətɪ/ *n* **1** (fact of resembling) ressemblance *f*, similarité *f* (**to, with** avec; **in** dans); **there the ~ ends** la ressemblance s'arrête là; **2** (aspect of resemblance) ressemblance *f*, similitude *f* (**to, with** avec; **in**

ℹ since

As a preposition

In time expressions

since is used in English after a verb in the present perfect or progressive present perfect tense to indicate when something that is still going on started. To express this French uses a verb in the present tense + *depuis*:

I've been waiting since Saturday
= j'attends depuis samedi

I've lived in Rome since 1988
= j'habite à Rome depuis 1988

When *since* is used after a verb in the past perfect tense, French uses the imperfect + *depuis*:

I had been waiting since nine o'clock
= j'attendais depuis neuf heures

In negative time expressions

Again *since* is translated by *depuis*, but in negative sentences the verb tenses used in French are the same as those used in English:

I haven't seen him since Saturday
= je ne l'ai pas vu depuis samedi

I hadn't seen him since 1998
= je ne l'avais pas vu depuis 1998

As a conjunction

In time expressions

When *since* is used as a conjunction, it is translated by *depuis que* and the tenses used in French parallel exactly those used with the preposition *depuis* (see above):

since she's been living in Oxford
= depuis qu'elle habite à Oxford

since he'd been in Paris
= depuis qu'il était à Paris

Note that in time expressions with *since* French native speakers will generally prefer to use a noun where possible when English uses a verb:

I haven't seen him since he left
= je ne l'ai pas vu depuis son départ

she's been living in Nice since she got married
= elle habite à Nice depuis son mariage

For particular usages see the entry **since**.

Meaning because

When *since* is used to mean *because*, it is translated by *comme* or *étant donné que*:

since she was ill, she couldn't go
= comme elle était malade *or* étant donné qu'elle était malade, elle ne pouvait pas y aller

As an adverb

When *since* is used as an adverb it is translated by *depuis*:

he hasn't been seen since
= on ne l'a pas vu depuis

For particular usages see **C** in the entry **since**.

dans); **there are certain similarities** il y a certaines ressemblances *or* similitudes

similarly /ˈsɪmɪləlɪ/ *adv* [*behave, react, dressed, arranged*] de la même façon, de façon similaire; [*elaborate, hostile, distasteful*] aussi (*before adj*); **and ~,...** et de même,...

simile /ˈsɪmɪlɪ/ *n* comparaison *f*

similitude /sɪˈmɪlɪtjuːd, US -tuːd/ *n* sout 1 (likeness) similitude *f*; 2 (simile) comparaison *f*

simmer /ˈsɪmə(r)/
A *n* ébullition *f* lente
B *vtr* faire cuire [qch] à feu doux [*soup, vegetables etc*]; laisser frémir [*water*]
C *vi* 1 [*soup, vegetables etc*] cuire à feu doux, mijoter; [*water*] frémir; 2 fig [*person*] (with discontent) bouillonner (**with** de); (with passion, excitement) frémir (**with** de); [*quarrel, revolt, violence*] couver; 3 ○(in sunshine, heat) [*person, car, city*] cuire○

(Phrasal verb) ■ **simmer down**○ [*person*] se calmer; [*quarrel, riots, violence*] s'apaiser

simmering /ˈsɪmərɪŋ/ *adj* [*conflict, tension, revolt, etc*] latent

simnel cake /ˈsɪmnl ˌkeɪk/ *n* GB *cake enrobé de pâte d'amandes servi à Pâques*

Simon says /ˈsaɪmən ˌsez/ ▸ **p. 1253** *n* pigeon *m* vole; **to play ~** jouer à pigeon vole

simony /ˈsaɪmənɪ/ *n* Relig simonie *f*

simper /ˈsɪmpə(r)/
A *n* péj sourire *m* affecté
B *vi* péj minauder

simpering /ˈsɪmpərɪŋ/
A *n* péj minauderie *f*
B *adj* péj [*person*] minaudier/-ière; [*smile*] affecté

simperingly /ˈsɪmpərɪŋlɪ/ *adv* péj [*smile*] en minaudant; [*speak*] avec affectation

simple /ˈsɪmpl/ *adj* 1 (not complicated) [*task, method, instructions, solution, answer*] simple; **it's quite ~** c'est très simple; **it's a ~ matter to change a wheel** c'est très simple de changer une roue; **the ~ truth** la vérité pure et simple; **for the ~ reason that** pour la simple raison que; **I can't make it any ~r** je ne peux pas simplifier davantage; **the ~st thing would be to...** la solution la plus simple serait de...; **what could be ~r?** rien de plus facile!; **computing made ~** l'informatique à la portée de tous; 2 (not elaborate) [*dress, furniture, design, style*] sobre; [*food, lifestyle, tastes*] simple; 3 (unsophisticated) [*pleasures, people*] simple; **her parents were ~ shopkeepers** ses parents étaient de simples commerçants; **I'm a ~ soul** iron j'ai des goûts simples; 4 (dimwitted) simplet/-ette○, simple d'esprit; 5 (basic) [*structure*] simple; [*life-form*] primaire; [*sentence, tense*] simple

simple: **~ equation** *n* équation *f* du premier degré; **~ fraction** *n* fraction *f*; **~ fracture** *n* fracture *f* simple; **~-hearted** *adj* sincère; **~ interest** *n* intérêts *mpl* simples; **~-minded** *adj* péj [*person*] simple d'esprit; [*view, attitude, solution*] naïf/naïve; **~-mindedness** *n* péj (of person) simplicité *f* d'esprit; (of view, solution) naïveté *f*; **Simple Simon** *n* nigaud○ *m*; **~ time** *n* mesure *f* simple

simpleton /ˈsɪmpltən/ *n* simple *mf* d'esprit, nigaud/-e○ *m/f*

simplicity /sɪmˈplɪsətɪ/ *n* 1 (of task, method, instructions, solution, answer) simplicité *f*; **it's ~ itself** c'est la simplicité même; 2 (of dress, furniture, design) simplicité *f*, sobriété *f*; 3 (of food, lifestyle, tastes) simplicité *f*

simplification /ˌsɪmplɪfɪˈkeɪʃn/ *n* simplification *f* (**of** de)

simplify /ˈsɪmplɪfaɪ/ *vtr* simplifier; **this should ~ matters** cela devrait simplifier les choses

simplistic /sɪmˈplɪstɪk/ *adj* simpliste

Simplon Pass /ˈsɪmplən/ *pr n* col *m* du Simplon

simply /ˈsɪmplɪ/ *adv* 1 [*explain, write, dress, live, eat*] simplement, avec simplicité; **to put it ~...** en deux mots...; 2 (just, merely) simplement; **it's ~ a question of concentrating** c'est simplement une question de concentration; **it's ~ a question of explaining** il suffit d'expliquer; 3 (absolutely) absolument; **the concert was ~ wonderful** le concert était absolument merveilleux; **I ~ must dash!** il faut absolument que je m'en aille!; **her latest novel is, quite ~, magnificent** son dernier roman est, tout simplement, magnifique

simulacrum /ˌsɪmjʊˈleɪkrəm/ *n* (*pl* **-acra**) sout simulacre *m*

simulate /ˈsɪmjʊleɪt/ *vtr* 1 (feign) simuler [*anger, death, illness, grief*]; affecter [*indifference, interest*]; 2 (reproduce) simuler [*behaviour, conditions, effect, flight*]; imiter [*blood, hair, sound*]; **computer-~d** simulé sur ordinateur

simulated /ˈsɪmjʊleɪtɪd/ *adj* 1 (fake) [*fur, pearls, snakeskin*] artificiel/-ielle; 2 (feigned) [*anger, grief*] simulé, feint

simulation /ˌsɪmjʊˈleɪʃn/ *n* 1 Comput, Med, Psych, Sci simulation *f*; 2 Zool mimétisme *m*

simulator /ˈsɪmjʊleɪtə(r)/ *n* simulateur *m*; **flight ~** simulateur de vol; **driving** *ou* **road ~** simulateur de conduite

simulcast /ˈsɪməlkɑːst, US -kæst/
A *n* émission *f* diffusée simultanément à la radio et à la télévision
B *vtr* diffuser [qch] simultanément à la radio et à la télévision

simultaneity /ˌsɪmltəˈniːətɪ, US ˌsaɪm-/ *n* simultanéité *f*

simultaneous /ˌsɪmlˈteɪnɪəs, US ˌsaɪm-/ *adj* simultané; **to be ~** avoir lieu en même temps (**with** que)

simultaneous equations *npl* système *m* d'équations

simultaneously /ˌsɪmlˈteɪnɪəslɪ, US ˌsaɪm-/ *adv* simultanément; **~ with** en même temps que

sin /sɪn/
A *n* 1 Relig péché *m*; fig crime *m*; **to live in ~** vivre dans le péché; **it's a ~ to steal** voler est un péché; **it's a ~ to waste food** gaspiller la nourriture est un crime; 2 Math (*abrév* = **sine**) sinus *m*
B *vi* (*p prés etc* **-nn-**) pécher (**against** contre)

(Idioms) **to be more ~ned against than ~ning** être plus victime que coupable; **for my/his ~s** hum malheureusement pour moi/lui

Sinai /ˈsaɪnaɪ/ *pr n* Sinaï *m*; **Mount ~** le mont Sinaï

Sinai desert *pr n* désert *m* du Sinaï

sin-bin /ˈsɪnbɪn/ *n* (in ice-hockey) prison *f*; fig hum cendrier *m*

since /sɪns/
A *prep* depuis; **he's been in France ~ March** il est en France depuis le mois de mars; **she'd been a teacher ~ 1965** elle était professeur depuis 1965; **she's been waiting ~ 10 am** elle attend depuis 10 heures; **I haven't spoken to her ~ yesterday** je ne lui ai pas parlé depuis hier; **I haven't seen him ~ then** je ne l'ai pas vu depuis; **~ arriving** *ou* **~ his arrival he...** depuis son arrivée *or* depuis qu'il est arrivé, il...; **~ when do you open other people's mail?** depuis quand est-ce que tu ouvres le courrier des autres?
B *conj* 1 (from the time when) depuis que; **~ he's been away** depuis qu'il est absent; **ever ~ I married him** depuis que nous nous sommes mariés, depuis notre mariage; **I've known him ~ I was 12** je le connais depuis que j'ai 12 ans ; **it's 10 years ~ we last met** cela fait 10 ans que nous ne nous sommes pas revus; 2 (because) comme, étant donné que; **~ it was raining I stayed at home** comme il pleuvait *or* étant donné qu'il pleuvait je suis resté à la maison; **~ you ask, I'm fine** puisque tu poses la question, je vais bien; **~ you're so clever, why don't you do it yourself?** puisque tu es tellement malin, pourquoi ne le fais-tu pas toi-même?

S

C *adv* (subsequently) **she has ~ qualified** depuis elle a obtenu son diplôme; **we've kept in touch ever ~** nous ne nous sommes pas perdus de vue depuis; **I haven't phoned her ~** je ne lui ai pas téléphoné depuis; **they've long ~ left** ils sont partis il y a longtemps; **not long ~** il y a peu de temps

sincere /sɪnˈsɪə(r)/ *adj* [*person, apology, belief*] sincère; [*attempt*] réel/réelle; **~ thanks** sincères *or* profonds remerciements *mpl*; **to be ~ in one's wish/plan** être sincère dans son désir/projet; **it is my ~ belief that** je crois sincèrement que

sincerely /sɪnˈsɪəlɪ/ *adv* sincèrement; **Yours ~, Sincerely yours** US (end of letter) Veuillez agréer, Monsieur/Madame etc, l'expression de mes sentiments les meilleurs; (less formally) cordialement (vôtre)

sincerity /sɪnˈserətɪ/ *n* sincérité *f*; **in all ~** en toute sincérité; **with ~** sincèrement

sine /saɪn/ *n* Math sinus *m*

sinecure /ˈsaɪnɪkjʊə(r), ˈsɪn-/ *n* sinécure *f*

sine die /ˌsaɪnɪ ˈdaɪɪ, ˌsɪneɪ ˈdiːeɪ/ *adj, adv* sine die

sine qua non /ˌsɪneɪ kwɑː ˈnəʊn/ *n* condition *f* sine qua non

sinew /ˈsɪnjuː/ *n* Anat tendon *m*

sine wave *n* onde *f* sinusoïdale

sinewy /ˈsɪnjuːɪ/ *adj* **1▸** [*person, animal*] (mince et) musclé; **2▸** [*meat*] tendineux/-euse

sinfonietta /ˌsɪnfənˈjetə/ *n* Mus sinfonietta *f*

sinful /ˈsɪnfl/ *adj* [*behaviour, pleasure, thought, waste*] immoral; [*place*] de perdition; [*world*] impie; **a ~ man/woman** un pécheur/une pécheresse

sinfully /ˈsɪnfəlɪ/ *adv* [*act, think*] d'une façon immorale; [*waste*] scandaleusement

sinfulness /ˈsɪnflnɪs/ *n* (of person) péchés *mpl*; (of action, behaviour) caractère *m* immoral

sing /sɪŋ/

A *n* US = **sing-along**

B *vtr* (*prét* **sang**; *pp* **sung**) [*person*] chanter [*song, note*]; **to ~ a role** chanter dans un rôle; **to ~ the part of...** chanter dans le rôle de...; **to ~ sth to/for sb** chanter qch à/pour qn; **~ him something** chante-lui quelque chose; **to ~ sth in front of** *ou* **for an audience** chanter qch devant un public; **to ~ sb to sleep** chanter pour endormir qn; **'Happy birthday!' they sang** 'bon anniversaire!' ont-ils chanté; **to ~ sb's praises** chanter les louanges de qn

C *vi* (*prét* **sang**; *pp* **sung**) **1▸** [*person*] chanter (**in** dans; **to sb** à qn; **for sb** pour qn); **you can't ~** tu ne sais pas chanter; **to ~ well** chanter bien; **to ~ in/out of tune** chanter juste/faux; **to ~ in front of** *ou* **for an audience** chanter devant un public; **to ~ to an accompaniment** chanter avec un accompagnement; **he ~s about love** il parle d'amour dans ses chansons; **she sang of her country** littér sa chanson parlait de son pays; **2▸** [*bird, cricket, instrument, kettle*] chanter; [*wind*] siffler; [*ears*] siffler; **to make sb's ears ~** faire siffler les oreilles de qn; **3▸** ○(confess) se mettre à table○

(Idiom) **to ~ a different** *ou* **another song** changer d'avis.

(Phrasal verbs) ■ **sing along** chanter en même temps (**with** que)

■ **sing out**: ▸ **~ out** (sing loud) entonner; (call out) appeler; ▸ **~ out [sth]** (shout) crier

■ **sing up** chanter plus fort

sing. *abrév écrite* = **singular**

sing-along /ˈsɪŋəlɒŋ/ *n* US **to have a ~** chanter ensemble

Singapore /ˌsɪŋəˈpɔː(r)/ ▸ **p. 1815, p. 1355** *pr n* Singapour *f*; **in/to ~** à Singapour

Singaporean /ˌsɪŋəˈpɔːrɪən/ ▸ **p. 1467**

A *n* Singapourien/-ienne *m/f*

B *adj* singapourien/-ienne

singe /sɪndʒ/

A *n* (*also* **~ mark**) gen légère brûlure *f*; (from iron) roussissure *f*

B *vtr* (*p prés* **singeing**) **1▸** gen brûler [qch] légèrement [*hair, clothing*]; (when ironing) roussir [*clothes*]; **2▸** Culin flamber [*feathers, poultry*]

singer /ˈsɪŋə(r)/ *n* chanteur/-euse *m/f*; **he's a ~ in a band** il est chanteur dans un groupe; **she's a good ~** elle chante bien; ▸ **opera**

Singhalese *n, adj* = **Sinhalese**

singing /ˈsɪŋɪŋ/

A *n* **1▸** Mus chant *m*; **to teach ~** enseigner le chant; **opera ~** chant d'opéra; **I love ~** j'adore chanter; **to hear ~** entendre chanter; **there was ~ in the bar** on chantait au bar; **2▸** (sound) (of kettle) sifflement *m*; (in ears) bourdonnement *m* (**in** dans); (of wind) sifflement *m*

B *modif* [*lesson, teacher*] de chant; [*role, part*] chantant; [*group*] de chanteurs; [*career*] dans la chanson

singing voice *n* voix *f*

single /ˈsɪŋgl/

A *n* **1▸** Transp (*also* **~ ticket**) aller *m* simple; **2▸** Tourism (*also* **~ room**) chambre *f* à une personne; **3▸** Mus (record) 45 tours *m*; **4▸** Theat **we only have ~s left** vous ne serez pas ensemble

B *adj* **1▸** (sole) seul; **a ~ rose/vote** une seule rose/voix; **in a ~ day** en une seule journée; **2▸** (not double) [*sink*] à un bac; [*unit*] simple; [*door*] à un battant; [*wardrobe*] à une porte; [*sheet, duvet*] pour une personne; **inflation is in ~ figures** Econ l'inflation est inférieure à 10%; **3▸** (for one) [*bed, tariff, portion*] pour une personne; **4▸** (unmarried) célibataire; **the ~ homeless** les personnes seules et sans abri; **5▸** (used emphatically) **every ~ day** tous les jours sans exception; **every ~ one of those people** chacune de ces personnes; **there isn't a ~ word of truth in it** il n'y a pas un seul mot de vrai dans cela; **there wasn't a ~ person there** il n'y avait absolument personne; **not a ~ thing was left** il ne restait pas la moindre chose; **6▸** (describing main cause, aspect) **the ~ most important event/factor** l'événement/le facteur principal; **the ~ most important reason for the decline is...** la cause majeure du déclin est...; **heart disease is the ~ biggest killer in Britain** les maladies cardiaques sont la cause majeure de décès en Grande-Bretagne

(Phrasal verb) ■ **single out**: ▸ **~ [sb/sth] out, ~ out [sb/sth]** [*person*] choisir; **to be ~d out for** faire l'objet de [*special treatment, praise*]; être l'objet de [*attention*]; être la proie de [*criticism*]; **to ~ sb out for criticism** prendre qn pour cible de ses critiques

single: **~-action** *adj* [*gun*] à un coup; **~-breasted** *adj* [*jacket*] droit; **~-celled** *adj* unicellulaire; **~ combat** *n* combat *m* singulier; **~ cream** *n* ≈ crème *f* fraîche liquide; **~ decker** *n* autobus *m* sans impériale; **~ European currency** *n* monnaie *f* unique européenne; **~ European market** *n* marché *m* unique européen

single entry

A *n* comptabilité *f* en partie simple

B **single-entry** *modif* [*bookkeeping, account*] en partie simple

single file *adv* (*also* **in ~**) [*walk, move*] en file indienne

single-handed /ˌsɪŋglˈhændɪd/

A *adj* **it was a ~ effort on her part** elle a fait ça toute seule

B *adv* [*do, cope*] tout seul; [*sail, fly*] en solitaire

single-handedly /ˌsɪŋglˈhændɪdlɪ/ *adv* [*manage, cope*] tout seul; **he ruined the company ~** il a ruiné la société à lui seul

single: **~-lens reflex, SLR** *n* reflex *m* à un objectif; **~ market** *n* marché *m* unique

single-minded /ˌsɪŋglˈmaɪndɪd/ *adj* [*determination, pursuit*] farouche; [*person*] tenace, résolu; **to be ~ about doing** être résolu à faire

single: **~-mindedness** *n* ténacité *f*; **~ mother** *n* mère *f* qui élève ses enfants seule

singleness /ˈsɪŋglnɪs/ *n* **~ of purpose** ténacité *f*

single parent

A *n* parent *m* isolé

B **single-parent** *modif* [*family*] monoparental

single-party /ˌsɪŋglˈpɑːtɪ/ *adj* [*government, rule*] à parti unique

singles /ˈsɪŋglz/

A *n* **1▸** Sport (event) **the women's/men's ~** le simple dames/messieurs. **2▸** (people) célibataires *mpl*; **for ~** [*club, vacation*] pour célibataires

B *modif* **1▸** Sport [*final*] du simple; **2▸** [*club, vacation*] pour célibataires

singles: **~ bar** *n* bar *m* de rencontres pour célibataires; **~ charts** *npl* palmarès *m* des 45 tours

single: **~ seater** *n* avion *m* monoplace; **~-sex** *adj* [*school, hostel*] non mixte; **~-sided disk** *n* disquette *f* simple face

single spacing *n* interligne *m* simple; **typed in ~** tapé avec un interligne simple

single-storey /ˌsɪŋglˈstɔːrɪ/ *adj* [*house*] de plain-pied

singlet /ˈsɪŋglɪt/ *n* GB **1▸** Sport maillot *m*; **2▸** (vest) maillot *m* de corps

singleton /ˈsɪŋgltən/ *n* **1▸** gen exemple *m* unique; **2▸** Math, Games singleton *m*

single-track /ˌsɪŋglˈtræk/ *adj* **1▸** Transp [*line, road*] à une voie; **2▸** fig [*commitment*] entier/-ière

single: **~ transferable vote** *n* vote *m* unique transférable; **~ yellow line** *n* GB *marquage au sol autorisant le stationnement à certaines heures*

single varietal /ˈsɪŋgl vəˈraɪətl/ *n* monocépage *m*

singly /ˈsɪŋglɪ/ *adv* **1▸** (one by one) un à un; **2▸** (alone) individuellement

singsong /ˈsɪŋsɒŋ/ GB

A *n* **to have a ~** chanter ensemble; **how about a ~?** si on chantait?

B *adj* [*voice, language, dialect*] chantant

singular /ˈsɪŋgjʊlə(r)/

A *n* Ling singulier *m*; **in the ~** au singulier

B *adj* **1▸** Ling [*form*] du singulier; [*noun, verb*] au singulier; **2▸** (strange, exceptional) singulier/-ière

singularity /ˌsɪŋgjʊˈlærətɪ/ *n* singularité *f*

singularly /ˈsɪŋgjʊləlɪ/ *adv* singulièrement

Sinhalese /ˌsɪŋhəˈliːz/ ▸ **p. 1467, p. 1378**

A *n* **1▸** (*pl inv*) (person) Cingalais/-e *m/f*; **2▸** Ling cingalais *m*

B *adj* cingalais

sinister /ˈsɪnɪstə(r)/ *adj* **1▸** [*person, place, plot, look, sign, silence*] sinistre; **2▸** Herald sénestre

sink /sɪŋk/

A *n* **1▸** (basin) (in kitchen) évier *m*; (in bathroom) lavabo *m*; **double ~** évier à deux bacs; **2▸** (cesspit) lit fosse *f* d'aisance; fig cloaque *m*; **3▸** (*also* **~hole**) Geol doline *f*

B *vtr* (*prét* **sank**; *pp* **sunk**) **1▸** Naut (by scuttling) couler [*ship*]; (by torpedo) torpiller [*ship*]; **2▸** (bore) forer [*oilwell, shaft*]; creuser [*foundations*]; **3▸** (embed) enfoncer [*post, pillar*] (**into** dans); **to ~ one's teeth into** mordre à pleines dents dans [*sandwich etc*]; **the dog sank its teeth into my arm** le chien a planté ses crocs dans mon bras; **to ~ a knife into** enfoncer un couteau dans [*cake*]; **4▸** ○GB (drink) descendre○ [*drink*]; **5▸** Sport mettre [qch] dans le trou [*billiard ball*]; rentrer [*putt*]; **6▸** (destroy) [*scandal*] faire couler [*party*]; **without capital/a leader we're sunk** sans capital/chef nous sommes perdus; **7▸** Fin amortir [*debt*]; **8▸** (invest heavily) **to ~ money into sth** investir de l'argent dans [*project, company*]

C *vi* (*prét* **sank**; *pp* **sunk**) **1▸** (fail to float) [*ship, object, person*] couler; **to ~ without a trace** fig

S

[idea, project etc] tomber dans les oubliettes; 2 (drop to lower level) [sun] baisser; [cake] se dégonfler; [pressure, temperature, water level] baisser; **the sun ~s in the West** le soleil disparaît à l'ouest; **to ~ to the floor** s'effondrer; **to ~ to one's knees** tomber à genoux; **to ~ into a chair** s'affaler dans un fauteuil; **to ~ into a deep sleep/coma** sombrer dans un profond sommeil/dans le coma; 3 fig (fall) [profits, production] baisser; **he has sunk in my estimation** il a baissé dans mon estime; **my heart** ou **spirits sank** j'ai eu un serrement de cœur; **I wouldn't ~ so low as to beg from him** je ne m'abaisserais pas à lui demander de l'argent; 4 (subside) [building, wall] s'effondrer; **to ~ into** [person, feet] s'enfoncer dans [mud]; [country, person] sombrer dans [anarchy, apathy]; [celebrity] sombrer dans [obscurity]; **to ~ under the weight of** [shelf] plier sous le poids de [boxes etc]; [person, company] crouler sous le poids de [debt]

(Idiom) **to ~ one's differences** oublier ses différences

(Phrasal verb) ■ **sink in** 1 [lotion, water] pénétrer; **let the lotion ~ in** laisse la crème pénétrer; 2 fig [news, announcement] faire son chemin; **it took several minutes for the good news/truth to ~ in** il m'a fallu plusieurs minutes pour réaliser la bonne nouvelle/accepter la vérité; **the result hasn't sunk in yet** je n'ai encore pas réalisé les conséquences du résultat

sinker /'sɪŋkə(r)/ n 1 Fishg plomb m; 2 US Culin ≈ beignet m

(Idiom) **he fell for the story hook, line and ~** il a gobé○ toute mon histoire

sinkhole /'sɪŋkhəʊl/ n Geol doline f

sinking /'sɪŋkɪŋ/

A n 1 Naut (accidental) naufrage m; (by torpedo) torpillage m; (by flooding) sabordage m; 2 Constr, Mining forage m; 3 Fin (of debt) amortissement m

B adj [feeling] angoissant

sink: **~ing fund** n Fin fonds m d'amortissement; **~ tidy** n égouttoir m pour brosses et éponges à vaisselle; **~ unit** n évier m encastré

sinless /'sɪnlɪs/ adj sans péché

sinner /'sɪnə(r)/ n pécheur/-eresse m/f

Sinn Féin /ʃɪn 'feɪn/ n Sinn Féin m (en Irlande: parti républicain nationaliste, branche politique de l'IRA)

Sinologist /saɪ'nɒlədʒɪst/ ▸ p. 1683 n sinologue mf

Sinology /saɪ'nɒlədʒɪ/ n sinologie f

sin tax○ n impôt m sur l'alcool et le tabac

sinuosity /,sɪnjʊ'ɒsətɪ/ n sinuosité f

sinuous /'sɪnjʊəs/ adj sinueux/-euse

sinuously /'sɪnjʊəslɪ/ adv sinueusement

sinus /'saɪnəs/ n (pl **~es**) sinus m inv; **to have ~ trouble** avoir de la sinusite

sinusitis /,saɪnə'saɪtɪs/ ▸ p. 1327 n sinusite f

Sioux /suː/

A n 1 (pl inv) (person) Sioux mf; 2 Ling sioux m

B adj sioux inv

sip /sɪp/

A n petite gorgée f

B vtr (p prés etc **-pp-**) gen boire [qch] à petites gorgées; (with pleasure) siroter○

siphon /'saɪfn/

A n siphon m

B vtr 1 siphonner [petrol, water]; **to ~ petrol out of a car** siphonner de l'essence dans le réservoir d'une voiture; 2 Fin détourner [money] (**out of, from** de; **into** au profit de)

(Phrasal verb) ■ **siphon off**: ▸ **~ [sth] off, ~ off [sth]** 1 siphonner [petrol, water]; 2 fig péj détourner [money]; récupérer [resources, workforce]

SIPP /sɪp/ n GB, Fin (abrév = **Self-Invested Pension Plan**) plan de retraite géré par le titulaire

sir /sɜː(r)/ ▸ p. 1237 n 1 (form of address) Monsieur; **yes ~** gen oui, Monsieur; (to president) oui, Monsieur le président; (to headmaster) oui, Monsieur le directeur; Mil oui, mon commandant or mon lieutenant etc; **my dear ~** iron mon cher Monsieur; **Dear Sir** (in letter) Monsieur; 2 GB (in titles) **Sir James** Sir James; ▸ **Knight**/**Dame**; 3 ○US (emphatic) **yes/no ~** ça oui/non!

sire /'saɪə(r)/

A n 1 (of animal) père m; 2 ▸ p. 1237 ‡(form of address) (to king) Sire; (to lord) seigneur m

B vtr engendrer

siree○ /,sɜː'riː/ n US **yes/no ~** ça oui/non○!

siren /'saɪərən/

A n 1 (alarm) sirène f; 2 Mythol sirène f also fig

B modif fig [song, call, charms] irrésistible

sirloin /'sɜːlɔɪn/ n aloyau m

sirloin steak n biftek m dans l'aloyau

sirocco /sɪ'rɒkəʊ/ n sirocco m

sis○ /sɪs/ n (abrév = **sister**) sœurette f

sisal /'saɪsl/

A n sisal m

B modif [leaf, fibre] de sisal; [rope] en or de sisal

siskin /'sɪskɪn/ n tarin m

sissy○ /'sɪsɪ/

A n pej (coward) poule f mouillée○; **he's a real ~!** (effeminate) c'est une vraie fille!

B adj **that's a ~ game!** c'est un jeu de fille!; **that's a ~ sweater** ce pull-over fait fille

sister /'sɪstə(r)/

A n 1 (sibling) sœur f; **older** ou **elder/younger ~** sœur aînée/cadette; **big/little ~** grande/petite sœur; **she's like a ~ to me** elle est une sœur pour moi; 2 GB Med infirmière f chef; **yes, ~** oui, Madame; 3 (also **Sister**) Relig sœur f; **yes, ~** oui, ma sœur; 4 (fellow woman) sœur f; 5 ○US (form of address) ma vieille○

B modif [company, institution, organization] sœur; [newspaper, publication] apparenté; **~ country, ~ state** pays frère; **~ nation** nation sœur

sisterhood /'sɪstəhʊd/ n 1 Relig (foundation) communauté f religieuse; 2 (being sisters) fraternité f; 3 (in feminism) solidarité f féminine; **the ~** le mouvement m de la libération de la femme

sister-in-law n (pl **sisters-in-law**) belle-sœur f

sisterly /'sɪstəlɪ/ adj 1 [feeling, affection, kiss] fraternel/-elle; **~ rivalry** rivalité f entre sœurs; 2 [solidarity] féminin

sister ship n sister-ship m

Sistine /'sɪstiːn, 'sɪstaɪn/ adj **the ~ Chapel** la chapelle Sixtine

Sisyphus /'sɪsɪfəs/ pr n Sisyphe

sit /sɪt/ (p prés **-tt-**; prét, pp **sat**)

A vtr 1 (put) **to ~ sb in/on/near sth** asseoir qn dans/sur/près de qch; **to ~ sth in/on/near sth** placer qch dans/sur/près de qch

2 GB Sch, Univ [candidate] se présenter à, passer [exam]

B vi 1 (take a seat) s'asseoir (**at** à; **in** dans; **on** sur); **to ~ on the floor** s'asseoir par terre

2 (be seated) [person, animal] être assis (**around** autour de; **at** à; **in** dans; **on** sur); [bird] être perché (**on** sur); **to be ~ting reading/knitting** être assis à lire/tricoter; **I like to ~ and read/watch TV** j'aime bien m'asseoir et lire/regarder la télé; **to ~ over sth** être penché sur [accounts, books]; **to ~ for two hours** rester assis pendant deux heures; **to ~ quietly/comfortably** être tranquillement/confortablement assis; **to ~ still** se tenir tranquille; **to ~ at home** rester à la maison; **don't just ~ there!** ne reste pas là à ne rien faire!

3 (meet) [committee, court] siéger

4 (hold office) **to ~ for** [MP] représenter [constituency]; **to ~ as** être [judge, magistrate]; **to ~ on** faire partie de [committee, jury]

5 (fit) **to ~ well/badly (on sb)** [suit, jacket] bien/mal tomber (sur qn); **the jacket ~s well across the shoulders** la veste tombe bien aux épaules; **success/power ~s lightly on her** fig le succès/le pouvoir ne lui pèse guère

6 (remain untouched) **the books/keys were still ~ting on the desk** les livres/clés étaient toujours sur le bureau; **the car is ~ting rusting in the garage** la voiture reste à rouiller dans le garage

7 GB Jur **to ~ for the Bar** se présenter au barreau

8 Agric, Zool **to ~ on** [bird] couver [eggs]

(Idiom) **to make sb ~ up and take notice** faire réagir qn

(Phrasal verbs) ■ **sit about, sit around** rester assis à ne rien faire; **to ~ around waiting** rester assis à attendre

■ **sit back**: ▸ **~ back** 1 (lean back) se caler dans son fauteuil; 2 (relax) se détendre; **to ~ back in** se caler dans [chair]; **to ~ back on one's heels** s'asseoir sur les talons

■ **sit by** rester là à ne rien faire

■ **sit down**: ▸ **~ down** s'asseoir (**at** à; **in** dans; **on** sur); **it's time we sat down and discussed your ideas** il est temps que nous nous voyions pour discuter de vos projets; **to ~ down to dinner** ou **a meal** se mettre à table; ▸ **~ [sb] down** lit asseoir qn; fig **he sat me down and told me what he thought of me** il m'a emmené à l'écart et m'a dit ce qu'il pensait de moi; **to ~ oneself down** s'asseoir

■ **sit in**: **to ~ in** [observer] assister; **to ~ in on sth** assister à [meeting]

■ **sit on**○: ▸ **~ on [sth/sb]** 1 (not deal with) garder [qch] sous le coude○ [application form, letter]; 2 (bring to heel) remettre [qn] à sa place

■ **sit out**: ▸ **~ out** s'asseoir dehors; ▸ **~ [sth] out** 1 (stay to the end) rester jusqu'à la fin de [lecture]; 2 (not take part in) ne pas jouer [game]; fig attendre la fin de [crisis, war]; **I'll ~ the next one out** (dance) je ne danserai pas la prochaine

■ **sit through**: ▸ **~ through [sth]** devoir assister à [lecture, concert]

■ **sit up**: ▸ **~ up** 1 (raise oneself upright) se redresser; **to be ~ing up** être assis; **he was ~ting up in bed reading** il était assis dans son lit à lire; **~ up straight!** tiens-toi droit!; 2 (stay up late) rester debout (**doing** pour faire); **to ~ up with sb** veiller qn; ▸ **~ [sb] up** redresser

sitar /'sɪtɑː(r), sɪ'tɑː(r)/ ▸ p. 1462 n sitar m

sitcom○ /'sɪtkɒm/ n (abrév = **situation comedy**) sitcom m

sit-down /'sɪtdaʊn/

A n GB **to have a ~** s'asseoir; **I could do with a ~** je m'assoirais avec plaisir

B modif [lunch, meal] assis

sit-down strike n grève f sur le tas

site /saɪt/

A n 1 Constr (also **building ~, construction ~**) (before building) terrain m; (during building) chantier m; **on ~** sur le chantier; 2 (land for specific activity) terrain m; **caravan ~** terrain de caravaning; 3 (of building, town) emplacement m; Archeol site m; 4 (of recent event, accident) lieux mpl; 5 (on the Web) site m

B vtr construire [building]; **to be ~d** être situé

site: **~ measuring** n arpentage m; **~ office** n baraque f de chantier; **~-specific** adj Art in situ

sit-in /'sɪtɪn/ n sit-in m inv, manifestation f avec occupation des locaux

siting /'saɪtɪŋ/ n (of building) emplacement m; (of weaponry) installation f

sitter /'sɪtə(r)/ n 1 Art, Phot modèle m; 2 (babysitter) babysitter mf

sitting /'sɪtɪŋ/

A n 1 Admin, Art, Phot (session) séance f; **an all-night ~** Admin une séance de nuit; **I read it at one ~** je l'ai lu d'un seul trait; 2 (period in which food is served) service m; 3 (incubation period) couvaison f

S

ⓘ Sizes

■ *In the following tables of equivalent sizes, French sizes have been rounded up, where necessary. (It is always better to have clothes a little too big than a little too tight.)*

Men's shoe sizes		Women's shoe sizes		
in UK & US	in France	In UK	in US	in France
6	40	3	6	35
7	41	3½	6½	36
8	42	4	7	37
9	43	5	7½	38
10	44	6	8	39
11	45	7	8½	40
12	46	8	9	41

Men's clothing sizes		Women's clothing sizes		
in UK & US	in France	in UK	in US	in France
28	38	8	4	34
30	40	10	6	36
32	42	12	8	38–40
34	44	14	10	42
36	46	16	12	44–46
38	48	18	14	48
40	50	20	16	50
42	52			
44	54			
46	56			

Men's shirt collar sizes			
in UK & US	in France	in UK & US	in France
14	36	16½	41
14½	37	17	42
15	38	17½	43
15½	39	18	44
16	40		

■ *Note that for shoe and sock sizes French uses* pointure, *so a size 37 is* une pointure 37. *For all other types of garment (even stockings and tights) the word* taille *is used, so a size 16 shirt is* une chemise taille 40, *etc.*

what size are you?
= quelle taille faites-vous?
or quelle pointure faites-vous?

I take size 40 (in clothes)
= je prends du 40
or je fais du 40

I take a size 7 (in shoes)
= je chausse du 40
or je fais du 40

my collar size is 15
= je porte un 38 *or* je porte du 38

I'm looking for collar size 16
= je cherche un 40

his shoe size is 39
= il chausse du 39

a pair of shoes size 39
= une paire de chaussures pointure 39

have you got the same thing in a 16?
= avez-vous ce modèle en 40?

have you got this in a smaller size?
= avez-vous ce modèle dans une plus petite taille (*or* pointure)?
or avez-vous ce modèle en plus petit?

have you got this in a larger size?
= avez-vous ce modèle dans une plus grande taille (*or* pointure)?
or avez-vous ce modèle en plus grand?

they haven't got my size
= ils n'ont pas ma taille (*or* ma pointure)

B **sittings** *npl* GB Jur *les quatre sessions de l'année judiciaire*
C *adj* **1** (seated) **to be in a ~ position** être assis; **2** Agric [*hen*] couveuse *f*

sitting: **~ duck**○ *n* cible *f or* victime *f* facile; **~ member** *n* GB Pol député *m* en exercice; **~ room** *n* salon *m*; **~ target** *n* lit, fig cible *f* facile; **~ tenant** *n* Jur locataire *mf* dans les lieux; **~ trot** *n* Equit trot *m* assis

situate /ˈsɪtjʊeɪt, US ˈsɪtʃʊeɪt/ *vtr* **1** situer [*building, town, factory etc*]; **to be ~d** être situé, se trouver; **conveniently ~d** bien situé; **well/badly ~d** bien/mal situé; **2** fig **to be well ~d to do** [*person*] être bien placé pour faire; **she is rather badly ~d at the moment** fig (in difficulties) elle se trouve dans une situation assez défavorable en ce moment; (financially) elle a des ennuis d'argent en ce moment; **how are you ~d for money?** comment est-ce que ça va pour l'argent?; **3** (put into context) situer [*idea, problem, event*]

situation /ˌsɪtjʊˈeɪʃn, US ˌsɪtʃʊ-/ *n* **1** (set of circumstances) situation *f*; **to save the ~** sauver la situation; **in the present economic ~** dans la conjoncture économique *or* la situation économique actuelle; **the human rights ~** la situation des droits de l'homme; **in an interview/exam ~** lors d'un entretien/d'un examen; **the housing/food ~ is worsening** la crise du logement/de l'alimentation s'aggrave; **he doesn't know how to behave in social ~s** il ne sait pas se conduire en société; **2** (location) (of house, town etc) situation *f*; **to be in a beautiful ~** être magnifiquement situé; **3** sout *ou* † (job) situation *f*, emploi *m*; **'~s vacant'** 'offres *fpl* d'emploi'; **'~s wanted'** 'demandes *fpl* d'emploi'

situational /ˌsɪtjʊˈeɪʃənl, US ˌsɪtʃʊ-/ *adj* situationnel/-elle

situation comedy *n* comédie *f* de situation

sit-ups /ˈsɪtʌps/ *npl* abdominaux *mpl*

SI units *npl* unités *fpl* du Système International

six /sɪks/ ▸ **p. 1487, p. 927, p. 1059**
A *n* six *m inv*
B *adj* six *inv*
(Idioms) **to be (all) at ~es and sevens** [*person*] ne pas savoir où donner de la tête; [*thing, affairs*] être sens dessus dessous; **it's ~ of one and half a dozen of the other** c'est bonnet blanc et blanc bonnet, c'est du pareil au même; **to be ~ foot** *ou* **feet under** être enterré; **to get ~ of the best** GB recevoir une correction; **to hit** *ou* **knock sb for ~**○ GB laisser qn KO○

sixain /ˈsɪkseɪn/ *n* Literat sizain *m*

six: **Six Counties** *pr npl* six comtés *mpl* de l'Irlande du Nord; **Six Day War** *pr n* guerre *f* des Six Jours; **~-eight time** *n* mesure *f* à six-huit

six-footer○ /ˌsɪksˈfʊtə(r)/ *n* personne *f* grande d'au moins un mètre quatre-vingts; **they were both ~s** ils faisaient tous les deux plus d'un mètre quatre-vingts

six: **~-gun**○ /ˈsɪksɡʌn/ *n* six-coups *m inv*; **~-pack** *n* pack *m* de six; **~pence** *n* GB (ancienne) pièce *f* de six pence; **~penny** *adj* GB (*épith*) à six pence; **~-shooter** *n* revolver *m* à six coups

sixteen /ˌsɪkˈstiːn/ *n, adj* ▸ **p. 1487, p. 927** seize (*m inv*)
(Idiom) **she's sweet ~ (and never been kissed)** elle a la fraîcheur de ses seize ans

sixteenth /sɪkˈstiːnθ/ ▸ **p. 1487, p. 1116**
A *n* **1** (in order) seizième *mf*; **2** (of month) seize *m inv*; **3** (fraction) seizième *m*
B *adj* seizième
C *adv* [*come, finish*] seizième, en seizième position

sixth /sɪksθ/ ▸ **p. 1487, p. 1116**
A *n* **1** (in order) sixième *mf*; **2** (of month) six *m inv*; **3** (fraction) sixième *m*; **4** Mus sixième *f*; **5** GB Sch (lower) ≈ première *f*; (upper) ≈ terminale *f*
B *adj* sixième
C *adv* [*come, finish*] sixième, en sixième position

sixth chord *n* accord *m* de sixte

sixth form GB Sch
A *n* (lower) ≈ classes *fpl* de premières; (upper) ≈ classes *fpl* de terminales; **to be in the ~** ≈ être en première *or* en terminale
B *modif* [*pupil, lesson*] ≈ de terminale

sixth: **~ form college** *n* GB Sch lycée *m* (*n'ayant que des classes de première et terminale*); **~ former** *n* ≈ élève *mf* de terminale

sixthly /ˈsɪksθlɪ/ *adv* sixièmement, en sixième lieu

sixth: **~ sense** *n* sixième sens *m*; **~ year** *n* Scot Sch ≈ terminale *f*

sixties /ˈsɪkstɪz/ ▸ **p. 927, p. 1116** *npl* **1** (decade) **the ~** les années *fpl* soixante; **2** (age) **to be in one's ~** avoir la soixantaine; **a man in his ~** un sexagénaire

sixtieth /ˈsɪkstɪəθ/ ▸ **p. 1487**
A *n* **1** (in sequence) soixantième *mf*; **2** (fraction) soixantième *m*
B *adj* soixantième
C *adv* [*come, finish*] soixantième, en soixantième position

sixty /ˈsɪkstɪ/ ▸ **p. 1487, p. 927** *n, adj* soixante (*m*) *inv*

sixty: **~-fourth note** *n* US quadruple croche *f*; **~-four thousand dollar question**○ *n* question *f* à mille francs○; **~-fourth rest** *n* US seizième *m* de soupir; **~ nine**○ *n* soixante-neuf○ *m inv*

six: **~ yard area**, **~ yard box** *n* (in soccer) zone *f* de la surface de but; **~ yard line** *n* (in soccer) limite *f* de la surface de but

sizable = **sizeable**

size /saɪz/ ▸ **p. 1694**
A *n* **1** (dimensions) (of person, head, hand, nose) taille *f*; (of box, glass, plate, stamp) grandeur *f*; (of building, room, garden) grandeur *f*, dimensions *fpl*; (of tree) taille *f*, grandeur *f*; (of apple, egg, bead) grosseur *f*, calibre *m*; (of carpet, chair, bed, machine) dimensions *fpl*; (of book, parcel) grosseur *f*, dimensions *fpl*; (of paper, envelope, picture) taille *f*, dimensions *fpl*; (of country, island, estate) étendue *f*; **a town of some ~** une ville assez importante *or* assez grande; **chairs of all ~s** des chaises de toutes les grandeurs; **it's about the ~ of an egg/of this room** c'est à peu près de la grosseur d'un œuf/de la grandeur de cette pièce; **he 's about your ~** il est à peu près de ta taille; **to increase in ~** [*plant, tree*] pousser, s'accroître; [*company, town*] s'agrandir; **to cut sth to ~** découper qch à la dimension voulue; **to be of a ~** [*people*] être de la même taille; [*boxes*] être de la même grandeur; **2** (number) (of population, audience) importance *f*; (of class, school, company) effectif *m*; **to increase in ~** [*population*] augmenter; **3** ▸ **p. 1694** Fashn (of jacket, dress, trousers, bra) taille *f*; (of shirt collar) encolure *f*; (of shoes, gloves) pointure *f*; **what ~ are you?, what ~ do you take?** (in jacket, trousers, dress) quelle taille faites-vous?; (in shoes) quelle pointure faites-vous?; **what ~ waist are you?** quel est votre tour de taille?; **what ~ shoes do you take?** quelle pointure faites-vous?, vous chaussez du combien?; **to take ~ X** (in clothes) faire du X; **to take ~ X shoes** chausser *or* faire du X; **I think you need a ~ bigger** je crois qu'il vous faut la taille *or* la pointure au-dessus; **that jacket is two ~s too big** ce veston est deux tailles trop grand; **'one ~'** 'taille unique'; **try this for ~** lit essayez ceci pour voir si c'est votre taille; fig essayez ceci pour voir si cela vous convient; **4** Tech (substance) (for paper, textiles) apprêt *m*; (for plaster) colle *f*
B *vtr* **1** classer [qch] selon la grosseur *or* le calibre, calibrer [*eggs, fruit*]; **2** Tech apprêter [*textile, paper*]; encoller [*plaster*]; **3** [*jeweller*] (make bigger) agrandir [*ring*]; (make smaller) rétrécir [*ring*]; **4** Comput dimensionner [*window*]

Idioms **that's about the ~ of it!** c'est à peu près ça!; **to cut sb down to ~** remettre qn à sa place, rabattre le caquet à qn○

Phrasal verb ■ **size up**: ▸ **~ up [sb/sth], ~ [sb/sth] up** jauger, juger [*person*]; évaluer [qch] du regard [*room, surroundings*]; évaluer [*situation*]; mesurer [*problem, difficulty*]; **they seemed to be sizing each other up** ils avaient l'air de se mesurer des yeux

sizeable /'saɪzəbl/ *adj* [*proportion, section, chunk*] non négligeable; [*amount, sum, salary*] assez important; [*fortune*] assez gros/grosse; [*house, field, town*] assez grand; **to have a ~ majority** avoir assez largement la majorité

sizeism /'saɪzɪzəm/ *n* discrimination *f* en fonction de la taille des individus

sizzle /'sɪzl/
A *n* grésillement *m*
B *vi* grésiller

sizzler○ /'sɪzlə(r)/ *n* journée *f* caniculaire

sizzling /'sɪzlɪŋ/ *adj* **1** [*fat, sausage*] qui grésille; **a ~ sound** un grésillement; **2** ○(also **~ hot**) [*day, weather*] brûlant, caniculaire; **3** ○(erotic) [*love scene*] osé; [*film*] avec des scènes osées; [*look*] aguichant

SJ *n: abrév* ▸ **Society of Jesus**

sjambok /'ʃæmbɒk/
A *n* gros fouet *m* en cuir
B *vtr* fouetter

ska /skɑː/ *n* Mus ska *m*

skat /skɑːt/ ▸ **p. 1253** *n: jeu de cartes*

skate /skeɪt/
A *n* **1** Sport (ice) patin *m* à glace; (roller) patin *m* à roulettes; **2** Zool (fish) raie *f*
B *vtr* exécuter [*figure*]
C *vi* patiner (**on, along** sur); **to ~ across** *ou* **over** traverser [qch] en patins [*pond, lake*]

Idioms **get your ~s on**○**!** grouille-toi○!; **we'd better get our ~s on**○**!** il va falloir qu'on se grouille○!; **to be skating on thin ice** s'aventurer sur un terrain glissant

Phrasal verbs ■ **skate over**: ▸ **~ over [sth]** fig glisser sur [*problem, issue, fact*]
■ **skate round, skate around**: ▸ **~ round [sth]** fig contourner [*requirement, issue*]

skateboard /'skeɪtbɔːd/
A *n* skateboard *m*, planche *f* à roulettes
B *vi* faire du skateboard

skateboarder /'skeɪtbɔːdə(r)/ *n* skateur/-euse *m/f*

skateboarding /'skeɪtbɔːdɪŋ/ ▸ **p. 1253** *n* skateboard *m*, planche *f* à roulettes; **to go ~** faire du skateboard

skater /'skeɪtə(r)/ *n* patineur/-euse *m/f*

skating /'skeɪtɪŋ/ ▸ **p. 1253**
A *n* Sport patinage *m*; **to go ice/roller ~** faire du patin à glace/à roulettes
B *modif* [*championship, club, competition*] de patinage

skating: **~ boots** *npl* GB patins *mpl* à glace; **~ rink** *n* (ice) patinoire *f*; (roller-skating) piste *f* de patins à roulettes

skedaddle○ /skɪ'dædl/ *vi* décamper○, déguerpir

skeet /skiːt/ ▸ **p. 1253** *n* Sport skeet *m*

skein /skeɪn/ *n* **1** (of wool) écheveau *m*; **2** (of birds) vol *m*

skeletal /'skelɪtl/ *adj* **1** Anat squelettique; **the ~ structure** le squelette; **~ remains** Med restes de squelette(s); **2** fig squelettique

skeletal code *n* Comput séquence *f* paramétrable

skeleton /'skelɪtn/
A *n* **1** Anat, Constr squelette *m*; **a living** *ou* **walking ~** un squelette ambulant; **to be reduced to a ~** ne plus avoir que la peau et les os; **2** fig (of plan, novel) grandes lignes *fpl*
B *modif* fig [*army, staff*] réduit au strict minimum; [*service*] minimum

Idiom **to have a ~ in the cupboard** GB *ou* **closet** US avoir un cadavre dans le placard○

skeleton key *n* passe-partout *m inv*

skep /skep/ *n* (basket) panier *m*; (beehive) ruche *f* (en osier)

skeptic *n, adj* US = **sceptic**

skeptical *adj* US = **sceptical**

skeptically *adv* US = **sceptically**

skepticism *n* US = **scepticism**

sketch /sketʃ/
A *n* **1** (drawing, draft) esquisse *f*; (hasty outline) croquis *m*; **rough ~** ébauche *f*; **2** (comic scene) sketch *m*; **to write ~es** écrire des sketches; **3** (brief account) aperçu *m*; **to give a ~ of sth** donner un aperçu de qch; **a character ~ of sb** une ébauche du personnage de qn
B *vtr* **1** (make drawing of) faire une esquisse de; (hastily) faire un croquis de; **to ~ the outline of sth** esquisser les contours de qch; **2** (describe briefly) ébaucher [*plans, story*]
C *vi* (as art, hobby) faire des esquisses

Phrasal verbs ■ **sketch in**: ▸ **~ in [sth], ~ [sth] in** (by drawing) ajouter l'esquisse de [*detail, background, trees*]; fig (by describing) donner un aperçu de [*detail, background, reasons*]; **to be hastily/superficially ~ed in** fig être rapidement/superficiellement ébauché
■ **sketch out** ▸ **~ out [sth], ~ [sth] out** esquisser [*layout, plan*]; fig ébaucher [*policy, plan, agenda*]

sketchbook /'sketʃbʊk/ *n* (for sketching) carnet *m* à croquis; (book of sketches) carnet *m* de croquis

sketchily /'sketʃɪlɪ/ *adv* [*treat, analyze, describe*] superficiellement; [*remember*] vaguement

sketch: **~ map** *n* carte *f* faite à main levée; **~pad** *n* bloc *m* à dessin

sketchy /'sketʃɪ/ *adj* [*information, details, evidence, report*] insuffisant; [*memory*] vague; [*work*] rapide

skew /skjuː/
A *n* **on the ~** de travers
B *adj* de travers
C *vtr* **1** (distort) [*false data, bias*] fausser [*result, survey*]; (deliberately) déformer [*result, report*]; **2** (angle) incliner [*object*]; **3** (divert) faire obliquer [*vehicle, vessel*]
D *vi* (*also* **~ round**) [*vehicle, ship*] obliquer
E **skewed** *pp adj* **1** (distorted) [*result, research*] faussé (**by** par); (deliberately) déformé (**by** par); **2** [*object*] de travers

skew: **~ arch** *n* Archit (vault) voûte *f* biaise; (arch) arche *f* biaise; **~bald** *n* cheval *m* pie alezan

skewer /'skjuːə(r)/
A *n* (for kebab) brochette *f*; (for joint) broche *f*
B *vtr* lit embrocher [*joint, carcass*]; mettre [qch] en brochette [*kebab*]

skew: **~-nail** *vtr* clouer [qch] en biais; **~ symmetry** *n* symétrie *f* oblique

skew-whiff○ /ˌskjuː'wɪf/ *adj* GB de guingois○

ski /skiː/
A *n* **1** Sport (for snow) ski *m*; (for water) ski *m* (nautique); **cross-country ~s** skis *mpl* de fond; **downhill ~s** skis *mpl* alpins; **on ~s** à ski; **to put on one's ~s** mettre ses skis; **2** Aviat patin *m*
B *vi* (*prét, pp* **ski'd** *ou* **skied**) (as hobby) faire du ski; (move on skis) skier; **he ~ed over to the instructor** il a skié vers le moniteur; **to ~ across/down a slope** traverser/descendre une pente à skis; **I ~ a lot** je fais beaucoup de ski

ski binding *n* fixation *f* (de ski)

skibob /'skiːbɒb/ ▸ **p. 1253**
A *n* ski-bob *m*
B *vi* faire du ski-bob

skibobbing /'skiːbɒbɪŋ/ ▸ **p. 1253** *n* ski-bob *m*

ski: **~ boot** *n* chaussure *f* de ski; **~ club** *n* club *m* de ski

skid /skɪd/
A *n* **1** (of car etc) dérapage *m*; **to go** *ou* **get into a ~** déraper; **to correct a ~** redresser *or* contrôler un dérapage; **front-wheel ~** dérapage des roues avant; **2** fig (of prices) dérapage *m*; **3** (plank to help move sth) traîneau *m*; **4** (on wheel) patin *m or* sabot *m* d'enrayage
B *vi* (*p prés etc* **-dd-**) **1** [*car, person, animal*] déraper (**on** sur); **to ~ all over the road** [*car*] déraper en travers de la route; **to ~ into a wall/off the road** déraper et aller se cogner contre un mur/et sortir de la route; **to ~ across the floor** [*person, object*] glisser sur le sol; **to ~ to a halt** [*vehicle*] s' arrêter dans un dérapage; **2** fig [*prices*] déraper

Idioms **to be on** *ou* **hit** US **the ~s** être sur le déclin; **to put the ~s under sb/sth** (pressurize) obliger qn à faire vite; (wreck, undermine) faire échouer qn/qch

skid: **~lid**○† *n* casque *m* de moto; **~ mark** *n* trace *f* de pneus; **~pan** *n* GB piste *f* de dérapage; **~proof** *adj* antidérapant

skid road *n* US **1** (in lumbering) voie *f* de glissement (*pour le transport du bois*); **2** = **skid row**

skid row○ *n* US *quartier pauvre et délabré de la ville*; fig **to be/end up on ~** être/finir clochard○

skier /'skiːə(r)/ *n* skieur/-euse *m/f*

skies /skaɪz/ *pl* ▸ **sky**

skiff /skɪf/ *n* Naut gen petite embarcation *f* légère; (working boat) youyou *m*; (for racing) skiff *m*

skiffle /'skɪfl/ *n: musique pop des années 50*

ski hat *n* bonnet *m* de ski

skiing /'skiːɪŋ/ ▸ **p. 1253**
A *n* ski *m*; **to go ~** faire du ski; **cross country ~** ski *m* de fond; **downhill ~** ski *m* alpin
B *modif* [*lesson, equipment*] de ski

skiing: **~ holiday** *n* vacances *fpl* de neige; **~ instructor** ▸ **p. 1683** *n* moniteur/-trice *m/f* de ski

ski instructor ▸ **p. 1683** *n* moniteur/-trice *m/f* de ski

ski jump
A *n* **1** (jump) saut *m* à skis; **2** (ramp) tremplin *m* (de skis); **3** (event) compétition *f* de saut à skis
B *vi* (once) faire un saut à skis; (as activity) faire du saut à skis

ski: **~ jumper** *n* Sport concurrent *m* au saut à skis; **~ jumping** *n* ▸ **p. 1253** saut *m* à skis

skilful GB, **skillful** US /'skɪlfl/ *adj* **1** (clever) [*person, team*] habile, adroit; [*performance, portrayal, speech*] excellent; [*leadership*] compétent; **~ at sth** habile en qch; **~ at doing** habile à faire; **~ with his hands/feet** adroit de ses mains/pieds; **2** (requiring talent) [*operation, manoeuvre*] délicat

skilfully GB, **skillfully** US /'skɪlfəlɪ/ *adv* **1** (with ability) [*play, rule, write*] habilement; [*written, painted*] de façon habile; **2** (with agility) adroitement

skilfulness GB, **skillfulness** US /'skɪlflnɪs/ *n* (mental) habileté *f*; (physical) adresse *f*; **her ~ at negotiating** son habileté à négocier; **his ~ at riding** son adresse à cheval; **my ~ as a negotiator/writer** mes talents de négociateur/d'écrivain

ski lift *n* remontée *f* mécanique

skill /skɪl/
A *n* **1** ¢ (flair) (intellectual) habileté *f*, adresse *f*; (physical) dextérité *f*; **~ at** habileté *or* adresse à; **~ in** *ou* **at doing** habileté à faire; **to have ~** être doué; **with ~** avec talent; **a writer of great ~** un écrivain de talent; **2** **C** (special ability) (acquired) compétence *f*, capacités *fpl*; (innate) aptitude *f*; (practical) technique *f*; (gift) talent *m*; **carpentry is a useful ~** la menuiserie est une compétence utile; **your ~(s) as** vos talents de [*linguist, politician, mechanic*]; **~ at** *ou* **in doing** talent à faire; **~ at** *ou* **in sth** compétence en qch
B **skills** *npl* (training) connaissances *fpl*; **computer/management ~s** connaissances en informatique/gestion

S

Skillcentre /ˈskɪlsentə(r)/ *n* GB centre *m* de formation professionnelle (*pour la réinsertion des demandeurs d'emploi*)

skilled /skɪld/ *adj* 1 (trained) [*labour, worker, job, work*] qualifié; **semi-~** spécialisé; 2 (talented) [*angler, actress, cook, negotiator*] consommé; **to be ~ as** avoir des talents de [*writer, diplomat*]; **to be ~ at doing** savoir faire; **to be ~ in the use of** savoir utiliser [*technique, computers*]; **to be ~ at translation** savoir traduire, être un bon traducteur

skillet /ˈskɪlɪt/ *n* poêle *f* (à frire)

skillful *adj* US ▸ **skilful**

skillfully *adv* US ▸ **skilfully**

skillfulness *n* US ▸ **skilfulness**

skill: **~ level** *n* niveau *m* de compétence; **~ sharing** *n* Mgmt échange *m* d'expériences; **~s shortage** *n* manque *m* de main-d'œuvre qualifiée

skim /skɪm/ (*p prés etc* **-mm-**)

A *vtr* 1 (remove cream) écrémer [*milk*]; (remove scum) écumer [*liquid*]; (remove fat) dégraisser [*sauce, soup*]; **to ~ the fat from the surface of the soup, to ~ the soup to remove the fat** dégraisser la soupe; **to ~ oil from the sea** enlever le pétrole de la surface de la mer par écumage; 2 (touch lightly) [*plane, bird*] raser, frôler [*surface, treetops*]; **the article only ~s the surface of the problem** l'article ne fait qu'effleurer le problème; 3 (read quickly) parcourir [*letter, page*]; 4 (throw on water) faire des ricochets avec [*piece of glass, object*]; **to ~ stones** faire des ricochets avec des cailloux; 5 ○US Tax ne pas déclarer [*part of income*]

B *vi* 1 [*plane, bird*] **to ~ over** *ou* **across** *ou* **along sth** raser qch; 2 [*reader*] **to ~ through** *ou* **over sth** parcourir qch; **in his speech he ~med over the unpalatable facts** dans son discours il est passé rapidement sur les faits désagréables

(Phrasal verb) ■ **skim off**: ▸ **~ off [sth], ~ [sth] off** retirer, enlever [*cream, fat, scum, dross*]; **to ~ off the fat from the sauce** dégraisser la sauce; **~ off the cream from the milk** écrémer le lait

ski mask *n* cagoule *f* de ski

skimmer /ˈskɪmə(r)/ *n* 1 Culin écumoire *f*; 2 (bird) bec-en-ciseaux *m*; 3 (for oil spill) écumoire *f*

skim milk, **skimmed milk** *n* lait *m* écrémé

skimming /ˈskɪmɪŋ/ *n* écumage *m*

ski mountaineering ▸ p. 1253 *n* ski *m* de haute-montagne

skimp /skɪmp/ *vi* lésiner; **to ~ on** lésiner sur [*expense, food, materials*]; économiser [*effort, money*]; être avare de [*praise*]

skimpily /ˈskɪmpɪlɪ/ *adv* [*eat*] chichement; [*work, make*] à la va-vite; **~ dressed** en tenue minimale; **a ~ stocked larder** un garde-manger maigrement approvisionné

skimpiness /ˈskɪmpɪnɪs/ *n* (of portion, allowance, income) maigreur *f*; (of piece of work) insuffisance *f*; **the ~ of her dress** sa tenue minimale

skimpy /ˈskɪmpɪ/ *adj* [*garment*] minuscule; [*portion, allowance, income*] maigre (*before n*); [*work*] maigre

skin /skɪn/

A *n* 1 (of person) peau *f*; **to have dry/greasy/sensitive ~** avoir la peau sèche/grasse/sensible; **to wear cotton next to the ~** porter du coton à même la peau; 2 (of animal) peau *f*; **leopard/rabbit ~** peau de léopard/de lapin; 3 Culin (of fruit, vegetable, sausage) peau *f*; (of onion) pelure *f*; **remove the ~ before cooking** (of fruit, vegetable) éplucher avant de faire cuire; 4 (on hot milk, cocoa) peau *f*; 5 (of ship, plane) revêtement *m*; 6 ○US (in handshake) paluche○ *f*, pince○ *f*; **give** *ou* **slip me some ~!** serrons-nous la pince○!; 7 ◑(cigarette paper) papier *m* à cigarette

B *vtr* (*p prés etc* **-nn-**) 1 Culin dépecer [*animal*]; 2 (graze) **to ~ one's knee/elbow** s'écorcher le genou/coude; 3 ○US (swindle) plumer○; 4 ○US (cut hair) scalper

(Idioms) **to be nothing but ~ and bones** n'avoir que la peau sur les os; **to get under sb's ~** taper sur les nerfs de qn; **I've got you under my ~** je t'ai dans la peau○; **to have a thick/thin ~** avoir une peau d'éléphant○/l'épiderme sensible○; **to jump out of one's ~** sauter au plafond○; **to save one's (own) ~** sauver sa peau○; **to be** *ou* **get soaked to the ~** être trempé jusqu'aux os○; **to ~ sb alive** écorcher qn vif; **it's no ~ off my nose** *ou* **back**○ je m'en balance○; **to keep one's eyes ~ned** rester attentif *or* vigilant; **by the ~ of one's teeth** [*manage, pass, survive*] de justesse; **to escape** *ou* **avoid disaster by the ~ of one's teeth** l'échapper belle

skin cancer ▸ p. 1327 *n* cancer *m* de la peau

skin care

A *n* soins *mpl* pour la peau

B *modif* [*product, range*] de soins pour la peau

skin cream *n* crème *f* pour la peau

skin-deep /ˌskɪnˈdiːp/ *adj* superficiel/-ielle

(Idiom) **beauty is only ~** Prov la beauté est superficielle

skin: **~ disease** *n* maladie *f* de peau; **~ diver** *n* plongeur/-euse *m/f*; **~ diving** ▸ p. 1253 *n* plongée *f* sous-marine; **~ flick**○ *n* film *m* porno○; **~flint** *n* radin/-e○ *m/f*; **~ food** *n* crème *f* nourrissante pour la peau

skinful○ /ˈskɪnfʊl/ *n* **he's had a ~** il est complètement bourré○

skin game○ *n* US arnaque◑ *f*

skin graft *n* 1 ¢ (*also* **~ grafting**) greffe *f* de la peau; 2 (grafted area) greffon *m* de peau

skinhead /ˈskɪnhed/ *n* 1 GB (youth) skinhead *m*; 2 US (bald person) chauve *m*; (with close cropped hair) tondu *m*

skin: **~ lotion** *n* lotion *f* pour la peau; **~ magazine** *n* revue *f* porno○

skinner /ˈskɪnə(r)/ *n* 1 (dealer) pelletier *m*; 2 (processor) peaussier *m*

skinny○ /ˈskɪnɪ/ *adj* maigre

(Idiom) **to get the ~ on sb** US obtenir les ragôts○ sur qn

skinny: **~-dipping**○ *n* baignade *f* à poil○; **~-ribbed sweater** *n* pull-chaussette *m*

skin-popping○ /ˈskɪnpɒpɪŋ/ *n* argot des drogués injection *f* sous-cutanée de drogue

skint○ /skɪnt/ *adj* GB fauché○

skin: **~ test** *n* cuti-réaction *f*; **~tight** *adj* moulant

skip /skɪp/

A *n* 1 (jump) petit bond *m*; **he gave a little ~** il a fait un petit bond; 2 GB (rubbish container) benne *f*

B *vtr* (*p prés etc* **-pp-**) 1 (not attend) sauter [*meeting, lunch, bath, class, school*]; 2 (leave out) sauter [*pages, chapter*]; **you can ~ the formalities** vous pouvez sauter les formalités; **~ it**○! laisse tomber!; 3 ○(leave) **to ~ town/the country** filer○ de la ville/du pays

C *vi* (*p prés etc* **-pp-**) 1 (jump) (once) bondir; (several times) sautiller; **to ~ out of the way of sth** *ou* **out of sth's way** bondir pour éviter qch; 2 (with rope) sauter à la corde; 3 (travel, move) **to ~ from town to town** courir d'une ville à l'autre; **she ~ped from Paris to Lyons** elle a fait un saut de Paris à Lyon; **to ~ from one idea/chapter to another** sauter d'une idée/d'un chapitre à l'autre

(Phrasal verb) ■ **skip over** sauter [*passage, paragraph*]

ski: **~ pants** *n* fuseau *m* (de ski); **~ pass** *n* forfait-skieur *m*

skipjack /ˈskɪpdʒæk/ *n* (*also* **~ tuna**) Zool bonite *f* à ventre rayé; (canned) ≈ thon *m* blanc

ski: **~ plane** *n* avion *m* à skis; **~ pole** *n* = **ski stick**

skipper /ˈskɪpə(r)/

A *n* 1 Naut (of merchant ship) capitaine *m*; (of fishing boat) patron *m*; (of yacht) skipper *m*; 2 gen (leader) chef *m*

B *vtr* commander

skipping /ˈskɪpɪŋ/ *n* saut *m* à la corde

skipping: **~ rhyme** *n* comptine *f* (*pour sauter à la corde*); **~ rope** *n* corde *f* à sauter

ski: **~ racer** *n* skieur/-euse *m/f* alpin/-e; **~ racing** ▸ p. 1253 *n* ski *m* alpin; **~ rack** *n* porte-skis *m inv*; **~ resort** *n* station *f* de ski

skirl /skɜːl/ *n* son *m* aigu (de la cornemuse)

skirmish /ˈskɜːmɪʃ/

A *n* 1 (fight) gen accrochage *m*; Mil escarmouche *f*; 2 (argument) prise *f* de bec○

B *vi* 1 (fight) gen avoir un accrochage (**with** avec); Mil s'engager dans une escarmouche (**with** avec); 2 (argue) avoir une prise de bec○

skirt /skɜːt/ ▸ p. 1694

A *n* 1 Fashn (garment, of dress) jupe *f*; (of frock coat) basques *fpl*; **full/long/straight ~** jupe ample/longue/droite; 2 (of vehicle, machine) jupe *f*; (of sofa) volant *m*; 3 ○(woman) minette○ *f*; **a bit of ~** une sacrée minette○; **to chase ~s** courir le jupon; 4 GB (of beef) hampe *f*; 5 Equit petit quartier *m*

B **skirts** *npl* = **outskirts**

C *vtr* 1 contourner [*wood, village, city*]; 2 esquiver [*problem*]

(Idiom) **to cling to one's mother's ~s** s'accrocher aux jupes de sa mère

(Phrasal verb) ■ **skirt round, skirt around**: ▸ **~ round [sth]** (all contexts) contourner

skirting /ˈskɜːtɪŋ/ *n* 1 (in room) plinthe *f*; 2 (fabric) tissus *mpl* pour jupes

skirting board *n* plinthe *f*

skirt length *n* (piece of fabric) hauteur *f* de jupe; (measurement) longueur *f* d'une jupe; **~s vary** la longueur des jupes varie

ski: **~ run** *n* piste *f* de ski; **~ slope** *n* piste *f*; **~ stick** *n* bâton *m* de ski; **~ suit** *n* combinaison *f* de ski

skit /skɪt/ *n* (parody) parodie *f* (**on** de); (sketch) sketch *m* (satirique) (**on, about** sur)

ski: **~ touring** ▸ p. 1253 *n* randonnée *f* à skis; **~ tow** *n* téléski *m*; **~ trousers** *npl* fuseau *m* (de ski)

skitter /ˈskɪtə(r)/ *vi* 1 (*also* **~ around, ~ about**) (scamper) [*mouse*] trottiner; [*person, horse*] s'agiter; 2 (skim) **to ~ across the water/ground** [*bird, leaf*] voltiger au ras de l'eau/du sol

skittish /ˈskɪtɪʃ/ *adj* 1 (difficult to handle) capricieux/-ieuse; 2 (playful) joueur/-euse

skittishly /ˈskɪtɪʃlɪ/ *adv* 1 (unpredictably) d'une manière capricieuse; 2 (playfully) de façon joueuse

skittle /ˈskɪtl/ ▸ p. 1253

A *n* quille *f*

B **skittles** *npl* (jeu *m* de) quilles *fpl*

skittle alley *n* piste *f* de jeu de quilles

skive○ /skaɪv/ GB

A *n* (easy job) planque○ *f*

B *vtr* (*also* **~ off**) 1 (shirk) tirer au flanc○; 2 (be absent) (from school) sécher l'école○; (from work) ne pas aller au boulot○; 3 (leave early) se tirer○

skiver○ /ˈskaɪvə(r)/ *n* GB (lazy person) tire-au-flanc○ *m inv*; **I was a real ~ (when I was at school)** (quand j'étais à l'école) je n'arrêtais pas de sécher les cours

skivvy /ˈskɪvɪ/

A ○*n* GB lit, fig bonne *f* à tout faire

B **skivvies** *npl* US Fashn sous-vêtements *mpl* (masculins)

C ○*vi* GB faire la bonne (**for** pour)

ski: **~ wax** *n* fart *m*; **~ wear** *n* vêtements *mpl* de ski

skua /ˈskjuːə/ *n* stercoraire *m*; **arctic ~** stercoraire parasite; **great ~** grand stercoraire

skulduggery○ /skʌl'dʌgərɪ/ *n* ¢ magouille○ *f*; **a piece of (political)** ~ une magouille○ (politique)

skulk /skʌlk/ *vi* rôder; **he's** ~**ing around the house** il rôde autour de la maison; **to** ~ **in/out/off** entrer/sortir/s'éloigner furtivement.

(Phrasal verb) ■ **skulk around, skulk about** rôder

skull /skʌl/ *n* 1 Anat crâne *m*; 2 ○(brain) crâne *m*; **get that into your (thick)** ~! mets-toi ça dans le crâne!

skull: ~ **and crossbones** *n* (emblem) tête *f* de mort; (flag) pavillon *m* à tête de mort; ~ **cap** *n* (Catholic) calotte *f*; (Jewish) kippa *f*

skunk /skʌŋk/
A *n* 1 Zool moufette *f*; 2 (fur) sconse *m*; 3 ◑fig, pej (person) salopard◑ *m*; 4 ○(cannabis) cannabis *m* riche en résine
B *vtr* US (defeat) battre [qn] à plates coutures○ *[team, opponent]*

sky /skaɪ/
A *n* ciel *m*; **clear** ~ ciel dégagé; **morning** ~ ciel du matin; **night** ~ ciel nocturne; **open** ~ ciel dégagé; **to scud across the** ~ filer dans le ciel; **in(to) the** ~ dans le ciel; **the** ~ **over Paris** le ciel de Paris; **a patch of blue** ~ une trouée de ciel bleu; **there are blue skies ahead** fig il y a une éclaircie à l'horizon; **to sleep under the open** ~ dormir à la belle étoile
B **skies** *npl* Meteorol ciel *m*; fig, littér cieux *mpl*; Art ciels *mpl*; **summer skies** ciel d'été; **a day of rain and cloudy skies** un jour pluvieux et couvert; **the sunny skies of Italy** les cieux ensoleillés d'Italie; **Turner's dramatic skies** les ciels dramatiques de Turner; **to take to the skies** *[plane]* décoller
C *vtr* Sport **to** ~ **a ball** faire une chandelle
(Idioms) **out of a clear blue** ~ de façon tout à fait inattendue; **the** ~**'s the limit** tout est possible; **reach for the** ~○! haut les mains!

sky: ~**-blue** ▸ p. 1067 *n, adj* bleu (*m*) ciel *inv*; ~**-blue pink**○ *n, adj* hum bleu (*m*) cerise *inv*; ~**cap** *n* US porteur *m* (*dans un aéroport*); ~**dive** *vi* faire du saut en chute libre; ~**diver** *n* parachutiste *mf* (en chute libre); ~**diving** ▸ p. 1253 *n* parachutisme *m* (en chute libre)

Skye /skaɪ/ ▸ p. 1355 *pr n* Skye *f*

Skye terrier *n* skye-terrier *m*

sky-high /ˌskaɪ'haɪ/
A *adj [prices, rates]* exorbitant
B *adv* **to rise** ~ monter en flèche; **to blow sth** ~ faire voler qch en éclats

skyjack○ /'skaɪdʒæk/
A *n* (*also* ~**ing**) détournement *m* d'avion
B *vtr* détourner

skyjacker /'skaɪdʒækə(r)/ *n* pirate *m* de l'air

skylark /'skaɪlɑːk/
A *n* alouette *f* des champs
B ○*vi* chahuter

sky: ~**larking**○ *n* chahut *m*; ~**light** *n* fenêtre *f* à tabatière; ~**light filter** *n* filtre *m* UV; ~**line** *n* (in countryside) ligne *f* d'horizon; (in city) ligne *f* des toits; ~ **marshal** *n* US Aviat *agent fédéral chargé de prévenir le détournement des vols commerciaux*; ~ **pilot**○† *n* aumônier *m* militaire

skyrocket /'skaɪrɒkɪt/
A *n* fusée *f*
B *vi [price, inflation]* monter en flèche

sky: ~**scape** *n* vue *f* du ciel; ~**scraper** *n* gratte-ciel *m inv*

Sky Television *n*: *chaîne privée de télévision britannique transmise par satellite*

sky: ~ **train** *n* aérotrain *m*; ~**walk** *n* Archit passerelle *f* aérienne; ~**ward(s)** *adj, adv* vers le ciel; ~**ways** *npl* US Aviat couloirs *mpl* aériens; ~**writing** *n* publicité *f* tracée dans le ciel (*par un avion*)

S & L *n* US *abrév* ▸ **savings and loan (association)**

slab /slæb/ *n* 1 (piece) (of stone, wood, concrete) dalle *f*; (of meat, cheese, cake) pavé *m*; (of ice) plaque *f*; (of chocolate) (large) plaque *f*; (small) tablette *f*; **butcher's/fishmonger's** ~ étal *m* de boucher/de poissonnier; 2 ○(operating table) billard○ *m*, table *f* d'opération; (mortuary table) table *f* d'autopsie

slab cake *n* pavé *m* (*grand gâteau rectangulaire*)

slack /slæk/
A *n* 1 lit (in rope, cable) mou *m*; **to take up the** ~ **in a rope** tendre une corde; **to take up the** ~ fig (take over) prendre le relais; 2 fig (in schedule etc) marge *f*; 3 (coal) poussier *m*; 4 (drop in trade) ralentissement *m* des affaires
B **slacks** *npl* pantalon *m*; **a pair of** ~**s** un pantalon
C *adj* 1 (careless) *[worker]* peu consciencieux/-ieuse; *[management]* négligent; *[student]* peu appliqué; *[work]* peu soigné; **to be** ~ **about sth/about doing** négliger qch/négliger de faire; **to get** *ou* **grow** ~ *[worker, discipline, surveillance]* se relâcher; 2 (not busy) *[period, season]* creux/creuse (*after n*); *[demand, sales]* faible; **business is** ~ les affaires tournent au ralenti; **the trading** *ou* **market is** ~ le marché est peu actif; 3 (loose, limp) *[cable, rope, body, mouth]* détendu; **to go** ~ se détendre
D *vi [worker]* se relâcher dans son travail
(Phrasal verbs) ■ **slack off**: ▸ ~ **off** *[business, trade]* diminuer; *[rain]* se calmer; ▸ ~ **[sth] off,** ~ **off [sth]** donner du mou à *[rope]*; desserrer *[nut]*
■ **slack up** *[person]* se relâcher dans son travail

slacken /'slækən/
A *vtr* 1 (release) donner du mou à *[rope, cable]*; lâcher *[reins]*; relâcher *[grip, hold, pressure]*; desserrer *[nut]*; **he** ~**ed his grip on the rope** il a relâché sa prise sur la corde; 2 (reduce) réduire *[pace, speed]*; 3 (loosen) assouplir *[control, rule]*
B *vi* 1 (loosen) *[grip, hold, pressure, rope]* se relâcher; *[nut, bolt]* se desserrer; **his grip on the rope** ~**ed** il a relâché sa prise sur la corde; 2 (ease off) *[activity, momentum, pace, speed, business, sales, trade]* ralentir; *[pressure, interest]* diminuer; *[rain, gale]* se calmer
(Phrasal verbs) ■ **slacken down** *[driver]* ralentir
■ **slacken off**: ▸ ~ **off** *[business, trade, demand]* diminuer; *[gale, rain]* se calmer; ▸ ~ **off [sth],** ~ **[sth] off** donner du mou à *[rope, cable]*; desserrer *[nut, bolt]*
■ **slacken up** *[person]* se relâcher dans son travail

slackening /'slækənɪŋ/ *n* (of grip, discipline, rope, reins, skin) relâchement *m*; (of pace, speed, business, trade, demand, economy) ralentissement *m*; (of tension) diminution *f*

slacker /'slækə(r)/ *n* gen fainéant/-e *m/f*, tire-au-flanc○ *m inv*

slackness /'slæknɪs/ *n* (of worker, student) laisser-aller *m inv*; (in trade, business, economy) stagnation *f*; (in discipline, security) relâchement *m*

slack: ~ **side** *n* brin *m* mou; ~ **water** *n* (in lake, river) eaux *fpl* mortes; (at sea) mer *f* étale

slag /slæg/ *n* 1 (from coal) GB stériles *mpl*; (from metal) scories *fpl*; 2 ◑GB injur (promiscuous woman) traînée◑ *f* offensive.
(Phrasal verb) ■ **slag off**◑: ▸ ~ **off [sb/sth],** ~ **[sb/sth] off** GB casser du sucre sur○ *[person]*; critiquer *[government, book, place]*

slag heap *n* terril *m*; **it's ready for the** ~ fig c'est bon pour la casse

slag hole *n* chiot *m* à laitier

slain /sleɪn/
A *pp* ▸ **slay**
B *n* **the** ~ (+ *v pl*) gen les morts *mpl*; (soldiers) les soldats *mpl* tombés au champ d'honneur

slake /sleɪk/ *vtr* 1 (quench) étancher *[thirst]*; fig assouvir *[desire]*; 2 Chem éteindre *[lime]*

slaked lime *n* chaux *f* éteinte

slalom /'slɑːləm/ ▸ p. 1253 *n* slalom *m*; ~ **course** piste *f* de slalom; **giant/special** ~ slalom géant/spécial; ~ **event** épreuve *f* de slalom

slam /slæm/
A *n* 1 (of door) claquement *m*; **to shut sth with a** ~ claquer qch; 2 Games chelem *m*; **grand/little** *ou* **small** ~ grand/petit chelem; 3 ◑US (jail) taule◑ *f*
B *vtr* (*p prés etc* **-mm-**) 1 (shut loudly) *[person]* claquer *[door]*; *[wind]* faire claquer *[door]*; **to** ~ **sth shut** fermer brutalement qch; **to** ~ **the door behind one** sortir en claquant la porte derrière soi; **to** ~ **the door in sb's face** lit, fig claquer la porte au nez de qn; 2 (with violence) **to** ~ **one's fist/a cup onto the table** taper du poing/poser brutalement une tasse sur la table; **to** ~ **the ball into the net** renvoyer brutalement la balle dans le filet; **to** ~ **sb into a wall** jeter qn contre le mur; **to** ~ **the brakes on, to** ~ **on the brakes**○ freiner à mort○; 3 ○(criticize) critiquer [qn] violemment (**for** pour; **for doing** pour avoir fait); **to** ~ **a policy as useless** critiquer violemment une politique pour son inutilité; **to** ~ **sb as a dictator** critiquer violemment qn comme étant un dictateur; **to be** ~**med by sb** se faire critiquer violemment par qn; 4 ○(defeat) écraser; 5 ○(hack into) pirater *[phone line]*
C *vi* (*p prés etc* **-mm-**) 1 *[door, window]* claquer (**against** contre); **to hear the door** ~ entendre claquer la porte; **to** ~ **shut** se refermer en claquant; 2 **to** ~ **into sth** *[vehicle]* s'écraser contre qch; *[boxer, body]* heurter violemment qch
(Phrasal verb) ■ **slam down**: ▸ ~ **down** *[heavy object, lid]* s'écraser (**onto** sur); ▸ ~ **down [sth],** ~ **[sth] down** raccrocher violemment *[receiver, phone]*; refermer violemment *[lid, car bonnet]*; jeter brutalement *[object, book]* (**on, onto** sur)

slam-bang○ /ˌslæm'bæŋ/
A *adj* US 1 (loud) bruyant; 2 (all-out) *[effort]* maximum
B *adv* **to walk** *ou* **go** ~ **into sth** enfoncer violemment qch

slam-dunk○ /'slæmdʌŋk/ *n* US Sport lancer *m* coulé

slammer○ /'slæmə(r)/ *n* **the** ~ la taule○. ▸ **tequila slammer**

slander /'slɑːndə(r), US 'slæn-/
A *n* 1 C (slanderous statement) calomnie *f* (**on** sur); 2 ¢ Jur diffamation *f* orale; **to sue sb for** ~ intenter un procès en diffamation contre qn
B *vtr* gen calomnier; Jur diffamer

slanderer /'slɑːndərə(r), US 'slæn-/ *n* gen calomniateur/-trice *m/f*; Jur diffamateur/-trice *m/f*

slanderous /'slɑːndərəs, US 'slæn-/ *adj* gen calomnieux/-ieuse; Jur diffamatoire

slanderously /'slɑːndərəslɪ, US 'slæn-/ *adv* gen calomnieusement; Jur de façon diffamatoire

slang /slæŋ/
A *n* argot *m*; **army/school** ~ argot des casernes/des écoles
B *modif* ~ **phrase,** ~ **expression** argotisme *m*
C ○*vtr* injurier

slanginess /'slæŋɪnɪs/ *n* caractère *m* argotique

slanging match *n* GB prise *f* de bec○

slangy○ /'slæŋɪ/ *adj [style]* argotique

slant /slɑːnt, US slænt/
A *n* 1 (perspective) point *m* de vue (**on** sur); **with a European** ~ d'un point de vue européen; **to give a new** ~ **on sth** offrir un angle nouveau sur qch; 2 péj (bias) tendance *f*; **with a definite/right-wing** ~ avec une tendance marquée/de droite; 3 (slope) pente *f*; **the floor has a** ~ le plancher est en pente; **to hang at** *ou* **on a** ~ *[painting]* être de travers; 4 Print barre *f* oblique

S

B *vtr* **1** (twist) présenter [qch] avec parti pris [*story, facts*]; **2** (lean) incliner [*object*]
C *vi* [*floor, ground*] être en pente; [*handwriting*] pencher (**to** vers) ; [*painting*] être de travers; **rays of sun ~ed through the trees/the window** des rayons de soleil passaient obliquement à travers les arbres/la fenêtre
D **slanting** *pres p adj* [*roof, floor*] en pente; **~ing rain** pluie *f* qui tombe en oblique; **~ing eyes** yeux *mpl* bridés

slanted /ˈslɑːntɪd, US ˈslæn-/ *adj* **1** (biased) orienté (**to, towards** vers); **2** (sloping) en pente

slant-eyed○ /ˌslɑːntˈaɪd, US ˌslæn-/ *adj* injur chinetoque○ offensive

slantwise /ˈslɑːntwaɪz, US ˈslæn-/
A *adj* **in a ~ direction** de biais
B *adv* (*also* **slantways**) en biais

slap /slæp/
A *n* **1** (blow) tape *f* (**on** sur); (stronger) claque *f* (**on** sur); **a ~ on the face** une gifle; **the ~ of the waves against sth** le clapotis des vagues contre qch; **it was a real ~ in the face for him** fig il a reçu une claque; **to give sb a ~ on the back** (friendly gesture) donner à qn une tape dans le dos; fig (in congratulation) féliciter qn; **2** (sound of blow) (bruit *m* d'une) claque *f*
B *adv* = **slap bang**
C *vtr* (*p prés etc* **-pp-**) **1** (hit) donner une tape à [*person, animal*]; **to ~ sb for/for doing** gifler qn pour/pour avoir fait; **to ~ sb on the arm/leg, to ~ sb's arm/leg** donner une tape à qn sur le bras/la jambe; **to ~ sb across the face** gifler qn; **to ~ a child's bottom** donner une tape sur les fesses d'un enfant; **to ~ sb on the back** (in friendly way) donner une (grande) claque *or* tape dans le dos de qn; fig (congratulate) féliciter qn; **to ~ one's thighs** se taper sur les cuisses; **to ~ sb in the face** lit gifler qn; fig donner une claque à qn; **to ~ sb on the wrist** fig taper sur les doigts de qn; **2** (put) **he ~ped the money (down) on the table** il a flanqué○ l'argent sur la table; **he ~ped some paint on the wall** il a flanqué○ quelques coups de pinceau sur le mur; **she ~ped some make-up on her face** elle s'est maquillée en vitesse; **they ~ped○ 50p on the price** ils ont gonflé○ le prix de 50 pence

(Phrasal verbs) ■ **slap around**○: ▸ **~ [sb] around** donner quelques coups à [*person*]
■ **slap down**: ▸ **~ [sth] down, ~ down [sth]** (put) poser brusquement [*book, money*]; **to ~ sth down on** flanquer○ qch sur [*table, counter*]; ▸ **~ [sb] down** rembarrer
■ **slap on**○: ▸ **~ [sth] on, ~ on [sth]** **1** (apply) flanquer○ [*paint*]; mettre [qch] en vitesse [*make-up*]; **2** (add to price) **they ~ped on 50p** ils ont gonflé○ le prix de 50 pence

slap bang○ /ˌslæpˈbæŋ/ *adv* **he ran ~ into the wall** il s'est cogné en plein dans le mur en courant; **~ in the middle (of)** au beau milieu (de)

slapdash○ /ˈslæpdæʃ/ *adj* [*person*] brouillon/-onne○; [*work*] bâclé○, fait à la va-vite; **in a ~ way** à la va-vite

slaphappy○ /ˌslæpˈhæpɪ/ *adj* **1** (careless) insouciant; **2** (punch-drunk) sonné○, groggy

slaphead○ /ˈslæphed/ *n* péj, hum chauve *m*

slapper○ /ˈslæpə(r)/ *n* injur salope◑ *f* offensive

slapstick /ˈslæpstɪk/
A *n* comique *m* tarte à la crème, slapstick *m*
B *modif* [*comedy, routine*] tarte à la crème *inv*

slap-up○ /ˈslæpʌp/ *adj* GB [*meal*] bon/bonne; **to go out for a ~ meal** aller faire un bon gueuleton○

slash /slæʃ/
A *n* **1** (wound) balafre *f* (**on** à); **2** (cut) (in fabric, seat, tyre) lacération *f*; (in painting, wood) entaille *f*; **3** Print barre *f* oblique; **4** Comm, Fin réduction *f*; **a 10% ~ in prices** une réduction de 10% sur les prix; **5** Fashn (in skirt) fente *f*; (in sleeve) crevé *m*; **6** ○GB **to have/go for a ~** (urinate) pisser○/aller pisser○, uriner/aller uriner; **7** (sword stroke) coup *m* d'épée
B *vtr* **1** (wound) balafrer [*cheek*]; faire une balafre à [*person*]; couper [*throat*]; [*knife*] entailler [*face*]; **he ~ed me across the face** il m'a balafré le visage; **to ~ one's wrists** se tailler les veines; **2** (cut) taillader [*painting, fabric, tyres*]; trancher [*cord*]; **to ~ one's way through** se tailler un chemin à travers [*undergrowth*]; **3** (reduce) réduire [qch] (considérablement), sacrifier [*price*]; réduire [qch] (considérablement) [*amount, bill, cost, spending, size*]; **to ~ 40% off the price** réduire le prix de 40%; **4** Fashn faire des crevés dans [*sleeve*]; fendre [*skirt*]; **a ~ed sleeve** une manche à crevés; **5** ○(criticize) démolir○, critiquer [*book, plan*]
C *vi* **to ~ at** cingler [*grass*]; frapper [qch] d'un grand coup [*ball*]; **to ~ at sb with a sword** donner un grand coup d'épée à qn; **to ~ through** trancher [*cord*]; taillader [*fabric*]

(Phrasal verbs) ■ **slash down**: ▸ **~ [sth] down, ~ down [sth]** faucher [*grass*]; faire tomber [*opponent*]
■ **slash open**: ▸ **~ [sth] open, ~ open [sth]** balafrer [*face*]; éventrer [*packet, sack*]

slash: **~-and-burn cultivation** *n* Agric culture *f* sur brûlis; **~-and-burn method** *n* Agric brûlis *m*; **~er film, ~er movie** US○ *n* film *m* d'horreur sanglant; **~ pocket** *n* poche *f* fendue

slat /slæt/ *n* **1** (of shutter, blind) lamelle *f*; (of table, bench, bed) lame *f*; **2** Aviat bec *m* de sécurité

slate /sleɪt/
A *n* **1** (rock) ardoise *f*; **made of ~** en ardoise; **2** (piece, tablet) ardoise *f*; **a roof ~** une ardoise; **3** US Pol liste *f* de candidature
B *modif* [*roof, floor*] d'ardoises; [*quarry, mining*] d'ardoise
C *vtr* **1** lit couvrir [qch] d'ardoises [*roof*]; **2** ○GB (criticize) [*press, critic*] taper sur○ [*play, film, politician, policy*] (**for** pour); [*boss, teacher*] blâmer [*worker, pupil*] (**for** pour); **3** US Pol mettre [qn] sur la liste [*candidate*]; **4** US (be expected) **to be ~d to go far** [*person*] avoir de fortes chances d'aller loin

(Idioms) **to put sth on the ~**○ mettre qch sur l'ardoise○; **to start again with a clean ~** repartir à zéro; **to wipe the ~ clean** faire table rase

slate: **~ blue** ▸ **p. 1067** *n, adj* bleu (*m*) ardoise *inv*; **~-coloured** GB, **~-colored** US ▸ **p. 1067** *adj* (couleur) ardoise *inv*; **~ grey** GB, **~ gray** US ▸ **p. 1067** *n, adj* gris (*m*) ardoise *inv*

slater /ˈsleɪtə(r)/ ▸ **p. 1683** *n* **1** (roofer) couvreur-ardoisier *m*; **2** (quarrier) ardoisier *m*; **3** Zool cloporte *m*

slating /ˈsleɪtɪŋ/ *n* **1** (laying slates) pose *f* des ardoises; **2** (material) couverture *f* d'ardoises; **3** ○GB (criticism) **to give sb a ~** [*critic*] démolir qn○; [*boss*] passer un savon à qn○; **to get a ~ from sb** (from critic) se faire démolir par qn○; (from boss) recevoir un savon de la part de qn○

slatted /ˈslætɪd/ *adj* [*shelving, table*] en lames; [*blind, shutter*] à lamelles

slattern† /ˈslætən/ *n* péj souillon *f*

slatternly† /ˈslætənlɪ/ *adj* péj [*woman, appearance*] négligé; [*behaviour, clothes*] de souillon

slaty /ˈsleɪtɪ/ *adj* **1** [*colour, blue, grey*] ardoise *inv*; **2** (containing slate) qui contient de l'ardoise

slaughter /ˈslɔːtə(r)/
A *n* **1** (in butchery) abattage *m*; **to send sth for ~** envoyer qch à l'abattage; **to go to ~** aller à l'abattoir; **2** (massacre) massacre *m*, boucherie○ *f*; **~ on the roads** carnage *m* sur les routes; **3** Sport fig massacre *m*
B *vtr* **1** (in butchery) abattre; **2** (massacre) massacrer; **3** ○Sport journ écraser

(Idiom) **like a lamb to the ~** comme un agneau à l'abattoir

slaughterer /ˈslɔːtərə(r)/ ▸ **p. 1683** *n* (in butchery) abatteur *m* de bétail

slaughterhouse /ˈslɔːtəhaʊs/ *n* abattoir *m*

Slav /slɑːv, US slæv/
A *n* Slave *mf*
B *adj* slave

slave /sleɪv/
A *n* **1** (servant) esclave *mf*; **2** fig (victim) **to be a ~ to** *ou* **of** être l'esclave de [*fashion, habit*]; **a ~ to convention** l'esclave des conventions
B *modif* **1** [*colony, owner, revolt*] d'esclaves; [*market*] aux esclaves; **2** Comput [*computer, station*] asservi
C *vi* (*also* **~ away**) travailler comme un forçat, trimer○; **to ~ away from morning to night** trimer○ du matin au soir; **to ~ (away) at housework/at one's job** s'escrimer à faire le ménage/sur son travail; **to ~ over** s'escrimer sur [*accounts, housework*]

(Idiom) **to work like a ~** travailler comme un forçat

slave: **~ ant** *n* fourmi *f* cendrée; **Slave Coast** *pr n* Hist Côte *f* des Esclaves; **~ cylinder** *n* cylindre *m* de frein (hydraulique); **~ driver** *n* lit Hist surveillant *m* d'esclaves; fig négrier/-ière *m/f* fig; **~holder** *n* propriétaire *mf* d'esclaves

slave labour *n* (activity) travail *m* de forçat; (manpower) main-d'œuvre *f* esclave

slaver[1] /ˈsleɪvə(r)/ *n* Hist **1** (dealer) négrier *m*; **2** (ship) navire *m* négrier

slaver[2] /ˈslævə(r)/
A *n* salive *f*
B *vi* (drool) baver; **to ~ over** [*animal*] saliver devant [*meat, bone*]; péj *ou* hum [*person*] baver devant [*dish*]; **to ~ over the prospect of doing** baver à l'idée de faire; **he was ~ing over her** il bavait d'envie en la regardant

slavery /ˈsleɪvərɪ/ *n* **1** (practice, condition) esclavage *m*; **to be sold into ~** être vendu comme esclave; **2** fig (devotion) **~ to** asservissement à [*fashion, convention, passion*]

slave: **~ ship** *n* (vaisseau *m*) négrier *m*; **Slave State** *n* US Hist État *m* esclavagiste

slave trade *n* commerce *m* des esclaves; **the African ~** la traite des Noirs

slave: **~-trader** *n* marchand *m* d'esclaves, pej négrier *m*; **~-trading** *n* commerce *m* des esclaves; (in Africa) traite *f* des Noirs

slavey○ /ˈsleɪvɪ/ *n* GB bon(n)iche○ *f*

Slavic /ˈslɑːvɪk, US ˈslæv-/ *adj* [*country, name*] slave

slavish /ˈsleɪvɪʃ/ *adj* **1** (servile) [*devotion, adherence, person*] servile; **2** (unoriginal) [*imitation, translation, reworking*] servile

slavishly /ˈsleɪvɪʃlɪ/ *adv* servilement

Slavonic /sləˈvɒnɪk/ ▸ **p. 1378** *n, adj* slave (*m*)

slaw /slɔː/ *n* US = **coleslaw**

slay /sleɪ/ *vtr* (*prét* **slew, slayed**; *pp* **slain**) **1** (*prét* **slew**; *pp* **slain**) littér (kill) faire périr [*enemy*]; pourfendre [*dragon*]; **2** ○(*prét, pp* **slayed**) fig (impress) emballer○ [*audience*]; (amuse) faire mourir de rire [*audience, crowd*]

slayer /ˈsleɪə(r)/ *n* tueur *m*; **dragon ~** pourfendeur *m* de dragon

SLD GB Pol (*abrév* = **Social and Liberal Democrat**)
A *n* parti *m* Démocrate Socio-Libéral
B *modif* [*MP*] du parti Démocrate Socio-Libéral; [*voter*] pour le parti Démocrate Socio-Libéral

sleaze○ /sliːz/ *n* péj **1** (pornography) pornographie *f*; **2** (corruption) corruption *f*; **3** (sordid nature) (of newspaper, novel) caractère *m* scabreux; (of place) caractère *m* sordide

sleazebag◑ /ˈsliːzbæg/, **sleazeball**◑ /ˈsliːzbɔːl/ *n* US péj fumier◑ *m*, ordure◑ *f*

sleazy○ /ˈsliːzɪ/ *adj* péj [*club, area, character*] louche; [*story, aspect*] scabreux/-euse; [*café, hotel*] borgne; **a ~ joint**○ un bouiboui○

sled /sled/
A *n* luge *f*; (pulled) traîneau *m*
B *vi* (*p prés etc* **-dd-**) faire de la luge; **to go ~ding** faire de la luge

(Idiom) **it was hard ~ding** US c'était dur

sled dog *n* US chien *m* de traîneau

S

sledge /sledʒ/
A *n* **1** GB luge *f*; **2** (pulled) traîneau *m*
B *vtr* **1** lit transporter [qch] en traîneau; **2** ○fig Austral (rubbish) descendre [qn/qch] en flammes
C *vi* GB faire de la luge; **to go sledging** faire de la luge

sledgehammer /ˈsledʒhæmə(r)/ *n* masse *f*
(Idiom) **to take a ~ to crack a nut** écraser une mouche avec un gant de boxe

sleek /sliːk/ *adj* **1** (glossy) [*hair*] lisse et brillant; [*animal*] au poil lisse et brillant; **2** (smooth) [*elegance*] raffiné; [*shape*] élégant; [*figure, body*] mince et harmonieux/-ieuse; **3** (prosperous-looking) [*person*] à l'air cossu
(Phrasal verb) ■ **sleek back**: ▸ **~ back [sth]**, **~ [sth] back** lisser [qch] en arrière [*hair*]

sleekness /ˈskiːknɪs/ *n* (of hair) brillant *m*; (of line) pureté *f*

sleep /sliːp/
A *n* **1** sommeil *m*; **to go** *ou* **get to ~** s'endormir; **to go back to ~** se rendormir; **to send** *ou* **put sb to ~** [*heat, speech, tablet*] endormir qn; **to get some ~** *ou* **to have a ~** gen dormir; (have a nap) faire un petit somme; **my leg has gone to ~**○ j'ai la jambe engourdie; **to be in a deep ~** dormir profondément; **I didn't get any ~** *ou* **a wink of ~ last night** j'ai passé une nuit blanche, je n'ai pas fermé l'œil de la nuit; **I need my ~** il me faut beaucoup de sommeil; **how much ~ did you get last night?** tu as dormi combien d'heures la nuit dernière?; **to have a good night's ~** passer une bonne nuit, bien dormir; **you'll feel much better after a ~** ça te fera du bien de dormir; **to sing/rock a baby to ~** chanter une chanson à/bercer un bébé jusqu'à ce qu'il s'endorme; **to talk in one's ~** parler dans son sommeil; **to walk in one's ~** marcher en dormant; **I could do it in my ~!** je pourrais le faire les yeux fermés!; **she's losing ~ over it** ça l'empêche de dormir; **I'm not going to lose any ~ over that!** ce n'est pas ça qui va m'empêcher de dormir!; **don't lose any ~ over it!** ne t'en fais pas pour ça!, il ne faut pas que ça t'empêche de dormir!; **he rubbed the ~ from his eyes** il a frotté ses paupières collées par le sommeil
2 Vet **to put an animal to ~** euph faire piquer un animal
B *vtr* (*prét, pp* **slept**) **the house ~s six (people)** on peut loger *or* coucher six personnes dans la maison; **the caravan ~s four (people)** on peut coucher à quatre (personnes) dans la caravane; **'apartment, ~s 6'** (in ad) appartement 6 personnes
C *vi* (*prét, pp* **slept**) **1** dormir; **to ~ deeply** *ou* **soundly** dormir profondément; **to ~ soundly** (without worry) dormir tranquille, dormir sur ses deux oreilles; **to ~ around the clock** faire le tour du cadran; **to ~ on one's feet** dormir debout; **~ tight!** dors bien!
2 (stay night) coucher; **to ~ at a friend's house** coucher chez un ami; **you'll have to ~ on the sofa** il va falloir que tu dormes *or* couches sur le canapé; **to ~ with sb** euph (have sex) coucher avec qn
(Idioms) **the big ~** le dernier sommeil, le sommeil des morts; **to cry oneself to ~** pleurer jusqu'à épuisement; **to ~ like a log** *ou* **top** dormir comme une souche *or* un loir
(Phrasal verbs) ■ **sleep around**○ coucher à droite et à gauche○
■ **sleep in** **1** (stay in bed late) faire la grasse matinée; (oversleep) dormir trop tard; **2** US (live in) [*maid, servant*] être logé sur place
■ **sleep off**: ▸ **~ off [sth]**, **~ [sth] off** dormir pour faire passer [*headache, hangover*]; **to ~ it off**○ cuver son vin○
■ **sleep on**: ▸ **~ on** continuer à dormir; **she slept on until midday** elle a fait la grasse matinée *or* elle a dormi jusqu'à midi; **Louis slept on for two more hours** Louis a dormi encore deux heures; **to ~ on a decision/problem** attendre le lendemain pour prendre une décision/résoudre un problème; **it's a tricky decision to make and I'd like to ~ on it** c'est une décision difficile à prendre, et j'aimerais bien dormir dessus; **don't decide now, ~ on it first** ne décide pas maintenant, attends jusqu'à demain, la nuit te portera conseil
■ **sleep out** **1** (in the open) dormir *or* coucher à la belle étoile; **2** US (live out) [*servant*] ne pas loger sur place
■ **sleep through**: **I slept through until midday** j'ai dormi jusqu'à midi; **she slept (right) through the storm** l'orage ne l'a pas réveillée
■ **sleep over** passer la nuit, coucher; **to ~ over at sb's house** passer la nuit *or* coucher chez qn

sleep apnoea *n* apnée *f* du sommeil

sleeper /ˈsliːpə(r)/
A *n* **1** dormeur/-euse *m/f*; **to be a sound ~** avoir le sommeil profond; **the baby is not a good ~** le bébé se réveille beaucoup; **2** Rail (berth) couchette *f*; (sleeping car) wagon-lit *m*, voiture-lit *f*; (train) train-couchettes *m inv*; **3** GB (on railway track) traverse *f*; **4** GB (earring) dormeuse *f*; **5** ○US (successful book, film etc) succès *m* à retardement; **6** (spy) espion/-ionne *m/f* en sommeil
B **sleepers** *npl* US grenouillière *f*, pyjama *m* pour bébé

sleepily /ˈsliːpɪlɪ/ *adv* [*say*] d'un ton endormi; [*look, move*] d'un air endormi

sleepiness /ˈsliːpɪnɪs/ *n* (of person) envie *f* de dormir, sommeil *m*; (of village, town) somnolence *f*, torpeur *f*

sleeping /ˈsliːpɪŋ/ *adj* [*person, animal*] qui dort, endormi; **what are the ~ arrangements for our visitors?** où est-ce que nos invités vont dormir?
(Idiom) **let ~ dogs lie** il ne faut pas réveiller le chat qui dort

sleeping: **~ bag** *n* sac *m* de couchage; **~ car** *n* voiture-lit *f*, wagon-lit *m*; **~ draught**† *n* soporifique *m*; **~ partner** *n* GB Comm commanditaire *mf*; **~ pill** *n* somnifère *m*; **~ policeman**○ *n* GB ralentisseur *m*, gendarme *m* couché; **~ quarters** *npl* (in house) chambres *fpl*; (in barracks) chambrée *f*; (dormitory) dortoir *m*; **~ sickness** ▸ p. 1327 *n* maladie *f* du sommeil; **~ tablet** *n* somnifère *m*

sleep learning *n* hypnopédie *f*

sleepless /ˈsliːplɪs/ *adj* [*person*] incapable de trouver le sommeil; [*vigil, hours*] sans sommeil; **to pass a ~ night** passer une nuit blanche; **she had spent many ~ nights worrying about it** elle avait passé plus d'une nuit blanche à s'inquiéter

sleeplessly /ˈsliːplɪslɪ/ *adv* sans dormir, sans réussir à trouver le sommeil

sleeplessness /ˈsliːplɪsnɪs/ *n* insomnie *f*

sleepover /ˈsliːpəʊvə(r)/ *n* soirée *f* et nuit qu'un groupe d'amies passe chez l'une ou l'autre d'entre elles; **she's having a ~** elle invite un groupe d'amies à passer la nuit

sleep: **~walk** *vi* marcher en dormant, être somnambule; **~walker** *n* somnambule *mf*; **~walking** *n* somnambulisme *m*; **~wear** *n* ¢ vêtements *mpl* de nuit

sleepy /ˈsliːpɪ/ *adj* [*person*] qui a sommeil, qui a envie de dormir; [*voice, town, village*] endormi, somnolent; **to feel** *ou* **be ~** avoir envie de dormir, avoir sommeil; **to make sb ~** [*fresh air*] donner envie de dormir à qn; [*wine*] endormir qn, assoupir qn

sleepyhead○ /ˈsliːpɪhed/ *n* endormi/-e *m/f*; **'get up, ~!'** 'debout, paresseux/-euse!'

sleepyheaded○ /ˌsliːpɪˈhedɪd/ *adj* à moitié endormi

sleet /sliːt/
A *n* neige *f* fondue
B *v impers* **it's ~ing** il tombe de la neige fondue

sleety /ˈsliːtɪ/ *adj* [*showers, rain*] mêlé de neige

sleeve /sliːv/
A *n* **1** (of garment) manche *f*; **to pull** *ou* **tug at sb's ~** tirer qn par la manche; **to roll up one's ~s** lit, fig retrousser ses manches; **2** (of record) pochette *f*; (of CD) boîtier *m*; **3** Tech (inner) chemise *f*; (outer) gaine *f*; (short outer) manchon *m*
B **-sleeved** (*dans composés*) **long-/short-~d** à manches longues/courtes
(Idioms) **to laugh up one's ~** rire sous cape; **to wear one's heart on one's ~** laisser voir ses sentiments; **to have an ace up one's ~** fig avoir un atout en réserve; **to have something up one's ~** avoir quelque chose en réserve; **to have a proposal up one's ~** fig avoir une proposition en réserve; **to have a few tricks up one's ~** fig avoir plus d'un tour dans son sac; **what's he got up his ~?** qu'est-ce qu'il nous réserve?

sleeve: **~ board** *n* jeannette *f*; **~ coupling** *n* Tech accouplement *m* à manchon; **~ design** *n* maquette *f* de pochette de disque; **~ designer** ▸ p. 1683 *n* maquettiste *mf*; **~ joint** *n* Tech assemblage *m* à manchon

sleeveless /ˈsliːvlɪs/ *adj* sans manches

sleeve: **~ notes** *npl* texte *m* (sur la pochette d'un disque); **~ valve** *n* soupape *f* à chemise

sleigh /sleɪ/
A *n* traîneau *m*
B *vi* aller en traîneau

sleigh: **~ bell** *n* grelot *m* de traîneau; **~ ride** *n* promenade *f* en traîneau

sleight of hand /ˌslaɪtəvˈhænd/ *n* **1** (dexterity) dextérité *f*; **2** (cunning) agilité *f*; **3** (trick) tour *m* de passe-passe

slender /ˈslendə(r)/ *adj* **1** (thin) [*person*] mince; [*waist*] fin; [*finger*] effilé; [*neck*] gracile; [*stem, arch*] élancé; **2** (slight) [*majority, margin*] faible (*before n*); **to win by a ~ margin** gagner de justesse; **3** (meagre) [*income, means*] modeste, maigre (*before n*)

slenderize /ˈslendəraɪz/ US
A *vtr* amincir
B *vi* mincir

slenderly /ˈslendəlɪ/ *adv* **~ built** mince

slenderness /ˈslendənɪs/ *n* **1** (of person) sveltesse *f*; (of part of body) minceur *f*; **2** (of majority, margin) étroitesse *f*

slept /slept/ *prét, pp* ▸ **sleep**

sleuth /sluːθ/ *n* limier *m*, détective *m*

S-level *n* GB Sch (*abrév* = **Special Level**) *épreuve optionnelle d'un niveau supérieur que l'on passe à l'âge de dix-huit ans*

slew /sluː/
A *pp* ▸ **slay**
B *n* **1** ○(pile) **a ~ of** un tas de○; **2** (bog) marécage *m*
C *vtr* faire déraper [*vehicle*]; faire pivoter [*mast*]
D *vi* [*vehicle*] déraper; [*mast*] pivoter

slewed○ /sluːd/ *adj* soûl○

slice /slaɪs/
A *n* **1** (portion) (of bread, meat, cheese, fish) tranche *f*; (of pie, tart) part *f*; (of lemon, cucumber, sausage) rondelle *f*; **to cut sth into ~s** couper qch en tranches [*loaf, meat*]; couper qch en rondelles [*cucumber, sausage*]; **2** (proportion) (of income, profits, market, aid) part *f*; (of territory, population) partie *f*; **3** Culin (utensil) spatule *f*; **4** Sport (stroke, shot) slice *m*; **forehand ~** coup *m* droit; **back-hand ~** revers *m* slicé
B *vtr* **1** (section) couper [qch] (en tranches) [*loaf, roast, onion*]; couper [qch] en rondelles [*lemon, sausage, cucumber*]; **2** (cleave) fendre [*water, air*]; **to ~ sb's throat/cheek** trancher la gorge/joue à qn; **3** Sport (as tactic) slicer, couper [*ball*]
C *vi* [*knife, blade, fin, shape*] **to ~ through** fendre [*water, air*]; trancher [*timber, rope, meat*]; **the metal ~d into her ankle** le métal lui a pénétré la cheville
D **sliced** *pp adj* [*meat, peaches*] coupé en tran-

ches; [*cucumber, salami*] coupé en rondelles; **thinly/thickly ~d** [*meat, bread*] en tranches minces/épaisses; **50 g mushrooms, thinly ~d** 50 g de champignons, finement émincés

(Phrasal verbs) ■ **slice off**: ▸ **~ off [sth]**, **~ [sth] off** détacher [*bodypart, section*]; **the propeller ~d his arm/head off** il a eu le bras coupé/la tête tranchée par l'h élice

■ **slice up**: ▸ **~ [sth] up**, **~ up [sth]** couper [qch] en tranches [*meat, cheese, vegetable*]; couper [qch] en rondelles [*salami, lemon*]

slice bar *n* ringard *m* (de chaufferie)

sliced bread *n* pain *m* en tranches

(Idiom) **it's the best** *ou* **greatest thing since ~°!** hum on n'a pas fait mieux depuis l'invention du fil à couper le beurre

sliced loaf *n* pain *m* en tranches

slice of life Cin, Theat

A *n* tranche *f* de vie

B **slice-of-life** *modif* [*play, naturalism*] réaliste

slick /slɪk/

A *n* 1▸ (oil) (on water) nappe *f* de pétrole; (on shore) marée *f* noire; 2▸ (*also* **~ tyre** GB, **~ tire** US) slick *m*; 3▸ US (magazine) magazine *m* de luxe

B *adj* 1▸ (adeptly executed) [*production, performance, campaign, handling*] habile; [*operation, deal, takeover*] mené rondement; **it's a ~ piece of work** c'est du travail vite fait bien fait°; 2▸ péj (superficial) [*programme, publication, production*] qui a un éclat plutôt superficiel; 3▸ péj (insincere) [*person*] roublard°; [*answer, chat*] astucieux/-ieuse; [*excuse*] facile; **~ salesman** vendeur qui a du bagou°; **a ~ operator°** un rusé, un malin; 4▸ surtout US (slippery) [*road, surface*] glissant; [*hair*] lissé

(Phrasal verbs) ■ **slick back**: ▸ **~ [sth] back**, **~ back [sth]** lisser [qch] en arrière [*hair*]; **~ed-back hair** des cheveux gominés

■ **slick down**: ▸ **~ [sth] down**, **~ down [sth]** (with hand, comb) se lisser [*hair*]; (with cream) se gominer [*hair*]

slicker /ˈslɪkə(r)/ *n* US (raincoat) ciré *m*

slickly /ˈslɪklɪ/ *adv* parfois péj 1▸ (cleverly) [*presented, produced*] de manière habile; [*worded, formulated*] habilement; 2▸ (smoothly) [*carried out, performed*] efficacement; 3▸ (stylishly) [*dressed*] de manière branchée°

slickness /ˈslɪknɪs/ *n* 1▸ (cleverness) (of film, production, style) brillant *m*; (of answer, person) habileté *f*; (of salesman) bagou° *m*; 2▸ (smoothness) (of magician) dextérité *f*; (of operation) efficacité *f*

slide /slaɪd/

A *n* 1▸ (chute) (in playground, factory) toboggan *m*; (for logs) glissoir *m*; (on ice) glissoire *f*; **escape/water ~** toboggan d'évacuation/aquatique; 2▸ Phot diapositive *f*; **holiday ~s** diapositives de vacances; **lecture with ~s** conférence avec projections; 3▸ (microscope plate) lame *f* porte-objet; 4▸ GB (hair clip) barrette *f*; 5▸ Mus (slur) coulé *m*; 6▸ Mus (trombone) coulisse *f*; 7▸ fig (decline) baisse *f* (**in** de)

B *vtr* (*prét, pp* **slid**) (move) faire glisser [*bolt, component*]; **to ~ sth forward** faire glisser quelque chose vers l'avant; **they slid the boat into the water** ils ont fait glisser le bateau dans l'eau; **to ~ a letter into an envelope/under the door** glisser une lettre dans une enveloppe/sous la porte; **to ~ a key into one's pocket** glisser une clé dans sa poche; **to ~ a sword out of its scabbard** sortir une épée de son fourreau

C *vi* (*prét, pp* **slid**) 1▸ (*also* **~ about** GB, **~ around**) (slip) [*car, person*] glisser, partir en glissade (**into** dans; **on** sur); **to ~ off** glisser de [*roof, table, deck*]; sortir de [*road*]; 2▸ (move) **to ~ down** dévaler [*slope*]; glisser le long de [*bannister*]; **to ~ in and out** [*drawer, component*] coulisser; **to ~ up and down** [*window*] coulisser de bas en haut; **to ~ out of/into** [*person*] se glisser hors de/dans [*seat, room*]; 3▸ (decline) [*prices, shares*] baisser; **the economy is sliding into recession** l'économie est sur la pente de la récession; **to let sth ~** laisser qch aller à la dérive; **after his wife's death he let things ~** après la mort de sa femme il a tout laissé aller à la dérive

(Phrasal verbs) ■ **slide away** [*person*] s'éclipser°

■ **slide back**: ▸ **~ [sth] back**, **~ back [sth]** reculer [*car seat*]; tirer [*bolt*]; refermer [*hatch, sunroof*]

■ **slide out** [*drawer, component*] coulisser

slide: **~-action** *adj* [*gun*] à culasse mobile; **~ fastener** *n* US fermeture *f* à glissière, fermeture *f* éclair®; **~ guitar** ▸ **p. 1462** *n* Mus bottleneck *m*; **~-in** *adj* Tech coulissant; **~ projector** *n* projecteur *m* de diapositives; **~ rule** GB, **~ ruler** US *n* règle *f* à calcul; **~ show** *n* (at exhibition) diaporama *m*; (at lecture, at home) séance *f* de projection; **~ trombone** ▸ **p. 1462** *n* trombone *m* à coulisse; **~ valve** *n* soupape *f* à tiroir

sliding /ˈslaɪdɪŋ/ *adj* [*door*] coulissant; [*roof*] ouvrant

sliding: **~ friction** *n* Mech frottement *m* de glissement; **~ scale** *n* échelle *f* mobile; **~ seat** *n* (in car) siège *m* réglable; (in boat) banc *m* à glissière

slight /slaɪt/

A *n* affront *m* (**on** à; **from** de la part de); **to suffer a ~** subir un affront

B *adj* 1▸ [*change, delay, exaggeration, improvement, injury, movement, rise, shock, stroke*] léger/-ère (*before n*); [*risk, danger*] faible (*before n*); [*pause, hesitation*] petit (*before n*); **the improvement/her interest is ~** l'amélioration/son intérêt est faible; **the chances of it happening are ~** il y a de faibles chances pour que cela arrive; **not to have the ~est difficulty/idea** ne pas avoir la moindre difficulté/idée; **at the ~est provocation** à la moindre provocation; **not in the ~est** pas le moins du monde; 2▸ [*figure, physique, person*] mince; **to be ~ of build** être mince; 3▸ (lightweight) [*book, article, film*] superficiel/-ielle

C *vtr* 1▸ (offend) humilier [*person*]; 2▸ US (underestimate) sous-estimer

D **slighted** *pp adj* [*person*] humilié

slighting /ˈslaɪtɪŋ/ *adj* [*remark, reference*] offensant

slightingly /ˈslaɪtɪŋlɪ/ *adv* [*describe, speak*] de manière offensante

slightly /ˈslaɪtlɪ/ *adv* [*change, fall, rise*] légèrement; [*more, less, different, dear, damaged*] légèrement; [*embarrassed, uneasy, unfair*] un peu; **~ built** mince

slightness /ˈslaɪtnɪs/ *n* 1▸ (of build) minceur *f*; 2▸ (of argument, film, work) superficialité *f*; 3▸ (of change, chance, risk) caractère *m* négligeable

slim /slɪm/

A *adj* 1▸ (shapely) [*person, waist, figure*] mince; [*ankle, wrist, leg, finger*] fin, mince; **of ~ build** mince; **to get ~** devenir mince, s'amincir; 2▸ (thin) [*book, volume*] mince; [*watch, calculator*] plat; 3▸ (slight) [*chance, hope, margin, majority*] mince

B *vtr* (*p prés etc* **-mm-**) réduire les effectifs de, dégraisser° [*business*]; réduire [*budget, workforce*]

C *vi* (*p prés etc* **-mm-**) GB (lose weight) maigrir; **I'm ~ming** je fais un régime

(Phrasal verb) ■ **slim down**: ▸ **~ down** 1▸ [*person*] maigrir, perdre du poids; 2▸ [*company, organization*] réduire ses effectifs; ▸ **~ [sth] down**, **~ down [sth]** réduire les effectifs de, dégraisser° [*industry, company*]; réduire [*portfolio, workforce*]

slime /slaɪm/ *n* gen dépôt *m* gluant; (on riverbed) vase *f*; (in tank) dépôt *m* visqueux; (on beach) algues *fpl*; (of slug, snail) bave *f*

slimebag◑ /ˈslaɪmbæg/, **slimeball**◑ /ˈslaɪmbɔːl/ *n* US fumier◑ *m*, ordure◑ *f*

sliminess /ˈslaɪmɪnɪs/ *n* 1▸ lit viscosité *f*; 2▸ GB (of person) servilité *f*

slimline /ˈslɪmlaɪn/ *adj* 1▸ [*garment*] amincissant; 2▸ [*drink*] diététique; 3▸ [*organization*] aux effectifs réduits; 4▸ [*object, gadget*] mini (*before n*)

slimmer /ˈslɪmə(r)/ *n* GB personne *f* suivant un régime amaigrissant; **~s' magazine** magazine *m* de diététique; **~s' disease°** anorexie *f* mentale

slimming /ˈslɪmɪŋ/ GB

A *n* fait *m* de suivre un régime amaigrissant

B *modif* [*club, group*] d'amaigrissement; [*pill, product*] pour maigrir

C *adj* [*garment*] amincissant

slimness /ˈslɪmnɪs/ *n* 1▸ (of person) sveltesse *f*; 2▸ (of book) minceur *f*; 3▸ (of chance) minceur *f*

slimy /ˈslaɪmɪ/ *adj* 1▸ [*weed, mould, monster*] visqueux/-euse; [*plate, fingers*] gluant; [*wall*] suintant; 2▸ GB péj (obsequious) servile; 3▸ US péj (sleazy) louche

sling /slɪŋ/

A *n* 1▸ (weapon) fronde *f*; (smaller) lance-pierres *m inv*; 2▸ (for support) Med écharpe *f*; (for carrying baby) porte-bébé *m*; (for carrying a load) élingue *f*; 3▸ Sport (in climbing) boucle *f* d'assurance

B *vtr* (*prét, pp* **slung**) 1▸ °(throw) lit, fig lancer [*object, insult*] (**at** à); **to ~ a shawl around one's shoulders** se mettre un châle sur les épaules; **to ~ a bag over one's shoulder** mettre son sac sur son épaule; 2▸ (carry or hang loosely) suspendre [*hammock, rope*]; **to ~ sth over one's shoulder** *ou* **across one's body** porter [qch] en bandoulière [*bag, rifle*]; **to ~ sth from** suspendre qch à [*beam, branch, hook*]; **to be slung over/across/round sth** être jeté par dessus/en travers de/autour de qch

(Idiom) **to ~ one 's hook°†** GB ficher le camp°

(Phrasal verbs) ■ **sling away°**: ▸ **~ [sth] away**, **~ away [sth]** jeter, se débarrasser de [*object*]

■ **sling out°**: ▸ **~ [sth] out**, **~ out [sth]** jeter, se débarrasser de; ▸ **~ [sb] out** flanquer° [qn] à la porte

slingback /ˈslɪŋbæk/

A *n* escarpin *m* à bride

B *modif* [*shoe, sandal*] à bride

slingshot /ˈslɪŋʃɒt/ *n* lance-pierres *m inv*

slink /slɪŋk/ *vi* (*prét, pp* **slunk**) **to ~ in/out** entrer/sortir furtivement; **to ~ off** [*person*] s'éloigner furtivement; [*dog*] s'en aller la queue basse

slinkily° /ˈslɪŋkɪlɪ/ *adv* [*walk*] en roulant les hanches; **~ dressed** habillé sexy

slinky° /ˈslɪŋkɪ/ *adj* [*dress*] moulant; [*music, vocals*] sexy°

slip /slɪp/

A *n* 1▸ (error) gen erreur *f*; (by schoolchild) faute *f* d'étourderie; (faux pas) gaffe° *f*; **to make a ~** faire une erreur *or* une faute d'étourderie; **to make a ~ in one's calculations** faire une erreur de calcul; **a ~ of the tongue/a ~ of the pen** un lapsus

2▸ (piece of paper) bout *m* de papier; (receipt) reçu *m*; (for salary) bulletin *m*; **credit card ~** reçu *m* de carte de crédit; **a ~ of paper** un bout de papier

3▸ (act of slipping) glissade *f* involontaire; (stumble) faux pas *m*

4▸ °†(slender person) **a ~ of a girl/child** une fille/un enfant frêle

5▸ Fashn (petticoat) (full) combinaison *f*; (half) jupon *m*

6▸ ¢ (clay) engobe *m*

7▸ Hort bouture *f*

8▸ (landslide) glissement *m* de terrain

9▸ Aviat (*also* **side ~**) glissade *f*

10▸ Geol charriage *m*, chevauchement *m*

B **slips** *npl* Naut **the ~s** = **slipway**

C *vtr* (*p prés etc* **-pp-**) 1▸ (slide) **to ~ sth into** glisser qch dans [*note, coin, joke, remark*]; passer qch dans [*hand, foot, arm*]; **to ~ one's feet into one's shoes** enfiler ses chaussures; **to ~ sth out of** sortir qch de [*object, foot, hand*]; **she ~ped the shirt over her head** (put on) elle a enfilé la chemise; (take off) elle a retiré la chemise; **to ~ a shawl around one's shoulders** passer un châle autour de ses épaules; **to**

S

~ sth onto sb's finger passer qch au doigt de qn; **to ~ sth into place** mettre qch en place; **to ~ a car into gear** embrayer

2 ○(give surreptitiously) **to ~ sb sth, to ~ sth to sb** glisser qch à qn

3 (escape from) [*dog*] se dégager de [*leash, collar*]; Naut [*boat*] filer [*moorings*]; **it ~ped my notice** *ou* **attention that** je ne me suis pas aperçu que; **it ~ped his/my notice** *ou* **attention** fig ça lui a/m'a échappé; **it had ~ped my mind** *ou* **memory (that)** fig j'avais complètement oublié (que); **to let ~ an opportunity** *ou* **a chance (to do)** laisser échapper une occasion (de faire); **to let ~ a remark** laisser échapper une remarque; **to let (it) ~ that** laisser entendre que

4 (release) **to ~ the dog's leash** défaire la laisse du chien; **to ~ a stitch** (in knitting) glisser une maille

5 Med **to ~ a disc** avoir une hernie discale

6 Aut **to ~ the clutch** faire patiner l'embrayage; ▸ **disc**

D *vi* (*p prés etc* **-pp-**) **1** (slide quickly) **~ into** passer [*dress, costume*]; s'adapter à [*rôle*]; tomber dans [*coma*]; sombrer doucement dans [*confusion, madness*]; **to ~ into sleep** littér s'assoupir; **to ~ into bad habits** fig prendre de mauvaises habitudes; **to ~ out of** enlever [*dress, coat, costume*]

2 (slide quietly) **to ~ into/out of** [*person*] se glisser dans/hors de [*room, building*]; **he ~ped through the fence** il est passé à travers la clôture; **the boat ~ped through the water** le bateau glissait sur l'eau; **to ~ over** *ou* **across the border** passer la frontière en cachette

3 (slide accidentally) [*person, animal, object, vehicle*] glisser (**on** sur; **off** de); [*knife, razor*] glisser, déraper; [*pen*] déraper; [*load*] tomber; **the glass ~ped out of his hand/through his fingers** le verre lui a échappé des mains/des doigts; **to ~ through sb's fingers** fig filer entre les doigts de qn

4 ○(lose one's grip) **I must be ~ping!** je baisse○!; **it's not like you to miss something like that, you're ~ping!** ça ne te ressemble pas de manquer quelque chose de ce genre! tu n'y es plus○!

5 Aut [*clutch*] patiner

(Idiom) **to give sb the ~** semer○ qn

(Phrasal verbs) ■ **slip away** **1** (leave unnoticed) partir discrètement; **to ~ away to Paris** faire un saut○ à Paris; **2** (die) euph s'éteindre doucement

■ **slip back**: ▸ **~ back** [*person*] revenir discrètement (**to** à); [*boat*] retourner doucement, revenir doucement (**into** dans; **to** à); **I'll just ~ back and ask her** je retourne vite le lui demander; ▸ **~ [sth] back** glisser, remettre

■ **slip by** [*life, weeks, months*] s'écouler; [*time*] passer

■ **slip down** **1** (fall over) [*person*] glisser et tomber; **2** (taste good) **this wine ~s down well** ce vin descend bien

■ **slip in**: ▸ **~ in** (enter quietly) [*person*] entrer discrètement; [*animal*] entrer furtivement; **I'll just ~ in and get it** je vais juste entrer le prendre; **a few errors have ~ped in** il y a quelques erreurs; ▸ **~ [sth] in, ~in [sth]** glisser [*remark*]; **to ~ in the clutch** embrayer

■ **slip off**: ▸ **~ off** [*person*] partir discrètement; ▸ **~ [sth] off, ~ off [sth]** enlever [*coat, gloves, ring*]

■ **slip on**: ▸ **~ [sth] on, ~ on [sth]** passer, enfiler [*coat, gloves, ring*]

■ **slip out** **1** (leave quietly) [*person*] sortir discrètement; **I have to ~ out for a moment** il faut que je sorte un instant; **he's just ~ped out to the supermarket** il a juste fait un saut○ au supermarché; **2** (come out accidentally) **the words just ~ped out before he could think** les mots lui ont échappé avant même qu'il ait eu le temps de réfléchir; **it just ~ped out!** ça m'a échappé!

■ **slip over** [*person*] glisser et tomber

■ **slip past = slip by**

■ **slip through**: **a few errors have ~ped through** il y a encore quelques erreurs

■ **slip up**○ (make mistake) faire une gaffe○ (**on, about** à propos de)

slip: **~case** *n* emboîtage *m*; **~cover** *n* housse *f*; **~ gauge** *n* Tech cale *f* étalon; **~knot** *n* nœud *m* coulant; **~noose** *n* nœud *m* coulant; **~-on (shoe)** *n* mocassin *m*; **~over** *n* Fashn pull-over *m* sans manches

slippage /ˈslɪpɪdʒ/ *n* **1** (delay) (in production etc) retard *m*; **2** (discrepancy) décalage *m*; **3** Tech (power loss) pertes *fpl* d'énergie

slipped disc *n* Med hernie *f* discale

slipper /ˈslɪpə(r)/

A *n* **1** (houseshoe) pantoufle *f*; **2** †(evening shoe) escarpin *m*

B *vtr* battre [qn] avec une pantoufle

slipper baths† *npl* bains *mpl* publics

slippery /ˈslɪpərɪ/ *adj* **1** (difficult to grip) [*road, path, fish, material*] glissant; **2** (difficult to deal with) [*subject, situation*] délicat; **3** ○(untrustworthy) [*person*] fuyant; **a ~ customer**○ un personnage suspect

(Idiom) **to be on the ~ slope** être sur une pente savonneuse

slippy○ /ˈslɪpɪ/ *adj* **1** (slippery) [*path, surface*] glissant; **2** (quick) **look ~ about it!** grouille-toi○!

slip: **~ road** *n* Transp bretelle *f* d'accès à l'autoroute; **~shod** *adj* [*person, worker*] négligent (**about, in** dans); [*appearance, workmanship, work*] négligé, peu soigné

slip stitch

A *n* Sewing point *m* de côté

B *vtr* coudre [qch] à points de côté

slipstream /ˈslɪpstriːm/

A *n* sillage *m*

B *vtr* Sport (in motor racing) rouler dans le sillage de [*car*]

slip: **~-up**○ *n* bourde○ *f*; **~ware** *n* céramique *f* façonnée à l'engobe; **~way** *n* Naut cale *f* de construction

slit /slɪt/

A *n* **1** fente *f* (**in** dans); **to make a ~ in sth** faire une fente dans qch; **his eyes narrowed to ~s** il plissa les yeux; **2** ●(vagina) con● *m*, vagin *m*

B *modif* [*eyes*] bridé; [*skirt*] fendu

C *vtr* (*prét, pp* **slit**) (on purpose) faire une fente dans; (by accident) déchirer; **to ~ a letter open** ouvrir une lettre; **to ~ sb's throat** égorger qn; **to ~ one's (own) throat** s'égorger; **to ~ one's wrists** s'ouvrir les veines

slither /ˈslɪðə(r)/ *vi* [*person, snake*] glisser; **to ~ about on** avoir du mal à garder son équilibre sur [*ice, surface*]; **to ~ down the bank** glisser jusqu'au bas du talus; **to ~ into one's seat** se glisser dans son fauteuil

slit: **~ pocket** *n* poche *f* passepoilée; **~ trench** *n* tranchée *f*

sliver /ˈslɪvə(r)/ *n* (of glass) éclat *m*; (of soap) reste *m*; (of food) mince tranche *f*; **just a ~!** une toute petite tranche!

Sloane /sləʊn/ *n* GB péj (*also* **~ Ranger**) ≈ BCBG○ *mf*

> **Sloane**
>
> À l'origine, *Sloane ranger* (*Sloane Square + Lone ranger*) désignait une jeune femme de la haute bourgeoisie londonienne qui habitait et sortait dans les quartiers chics de Kensington et Chelsea. Aujourd'hui l'étiquette *Sloane* est également utilisée hors de Londres et désigne un jeune homme ou une jeune femme issus d'un milieu aisé, qui portent des vêtements et des accessoires de marque.

slob○ /slɒb/ *n* (lazy) flemmard/-e○ *m/f*; (with messy habits) cochon/-onne○ *m/f*; **get up, fat ~!** debout, gros lard○!

slobber○ /ˈslɒbə(r)/

A *n* bave *f*

B *vi* baver

(Phrasal verb) ■ **slobber over**○: ▸ **~ over [sb/sth]** baver d'attendrissement devant

slobbery○ /ˈslɒbərɪ/ *adj* péj [*kiss*] mouillé

sloe /sləʊ/ *n* **1** (fruit) prunelle *f*; **2** (bush) prunellier *m*

sloe: **~-eyed** *adj* aux yeux de biche; **~ gin** *n* liqueur *f* à base de gin et de prunelles

slog○ /slɒg/

A *n* **1** (hard work) **a hard ~** un travail de Romain○, un travail dur; **it was a real ~** c'était vraiment dur; **it's a long, hard ~ to the village** il faut un long effort pour atteindre le village; **setting the economy right will be a long hard ~** il faudra un long effort pour redresser l'économie; **2** ○(hard stroke) coup *m* violent; **to have** *ou* **take a ~ at the ball** taper de toutes ses forces dans la balle

B *vtr* (*p prés etc* **-gg-**) **1** (hit hard) frapper [qn] violemment [*opponent*]; taper de toutes ses forces dans [*ball*]; **to ~ it out** lit, fig se battre; **2** (progress with difficulty) **to ~ one's way through/towards** se frayer un chemin à travers/vers

C *vi* (*p prés etc* **-gg-**) **1** (work hard) travailler dur, bosser○; **2** (progress with difficulty) **we ~ged up/down the hill** nous avons escaladé/descendu la colline avec effort; **3** (hit hard) **to ~ at** cogner [*person*]; taper de toutes ses forces dans [*ball*]

(Phrasal verb) ■ **slog away** travailler dur (**at** sur)

slogan /ˈsləʊgən/ *n* slogan *m*

slogger /ˈslɒgə(r)/ *n* **1** (person who hits hard) cogneur/-euse *m/f*; **2** (hard worker) bûcheur/-euse○ *m/f*

sloop /sluːp/ *n* sloop *m*

sloop-rigged /ˈsluːprɪgd/ *adj* gréé en sloop

slop /slɒp/

A *n* **1** Agric (pigswill) pâtée *f*; **2** ○péj (food) bouillie *f*; **3** ○péj (sentimentality) sentimentalité *f*

B **slops** *npl* **1** (liquid food) aliment *m* liquide; **2** (dirty water) eaux *fpl* sales

C *vtr* (*p prés* etc **-pp-**) renverser [*liquid*] (**onto** sur; **into** dans)

D *vi* (*p prés* etc **-pp-**) (*also* **~ over**) déborder (**into** dans)

(Phrasal verbs) ■ **slop around, slop about** [*person*] traînasser

■ **slop out** vider sa tinette (*en prison*)

slop: **~ bucket, ~ pail** *n* (in prison) seau *m* hygiénique, tinette *f*; **~ chest** *n* cambuse *f*

slope /sləʊp/

A *n* **1** (incline) gen pente *f*; (of writing) inclinaison *f*; **to be on a ~** être en pente; **the ~ on the road is considerable** la pente de la route est importante; **a 40° ~, a ~ of 40°** une pente de 40°; **a steep/gentle ~** une pente raide/douce; **2** (hillside) flanc *m*; **north/south ~** versant *m* nord/sud; **uphill ~** montée *f*; **downhill ~** descente *f*; **upper ~s** sommet *m* de la montagne; **halfway up** *ou* **down the ~** (road) à mi-côte; (mountain) à mi-pente

B *vtr* Mil **~ arms!** portez armes!

C *vi* [*road, path, roof, garden etc*] être en pente (**towards** vers); [*writing*] pencher (**to** vers); **to ~ down** *ou* **away** descendre en pente (**to** vers); **to ~ to the left/right** descendre vers la gauche/la droite. ▸ **slippery**

(Phrasal verb) ■ **slope off**○ se barrer○

sloping /ˈsləʊpɪŋ/ *adj* [*ground, roof*] en pente; [*ceiling*] incliné; [*shoulders*] tombant; [*writing*] penché

sloppily /ˈslɒpɪlɪ/ *adv* [*made, dressed*] n'importe comment; **~ run** mal administré

sloppiness /ˈslɒpɪnɪs/ *n* (of thinking, discipline) manque *m* de rigueur; (of work) manque *m* de soin; (of dress) débraillé *m*

slopping out *n* GB vidage *m* de la tinette (*en prison*)

sloppy /ˈslɒpɪ/ *adj* **1** ○(careless) [*personal appearance*] débraillé; [*language, workmanship*] peu soigné; [*management, administration*] laxiste; [*discipline, procedure*] relâché; [*method, thinking*] qui manque de rigueur; Sport

S

[*defence*] mou/molle; **to be a ~ dresser** être toujours débraillé; **to be a ~ worker** travailler n'importe comment; **to be a ~ eater** manger salement; **2** ○(sentimental) [*person, film*] sentimental; **3** GB (baggy) [*sweater*] ample

sloppy joe○ /ˌslɒpɪ'dʒəʊ/ *n* **1** GB grand pull *m*; **2** US viande *f* hachée à la sauce tomate

slopwork /'slɒpwɜːk/ *n* confection *f* (*de vêtements de qualité inférieure*)

slosh /slɒʃ/

A *vtr* **1** ○(spill) répandre (en éclaboussant) [*liquid*]; **2** ◑GB (hit) flanquer un coup○ à [*person*]

B ○*vi* (*also* **~ about**) clapoter

C ○**sloshed** *pp adj* bourré○; **to get ~ed** prendre une cuite○

slot /slɒt/

A *n* **1** (slit) (for coin, ticket) fente *f*; (for letters) ouverture *f*; **2** (groove) rainure *f*; **3** (in TV, radio, airline schedule, school timetable) créneau *m*; **a prime-time ~** une tranche horaire de grande écoute; **4** (position, job) place *f*

B *vtr* (*p prés etc* **-tt-**) **to ~ sth into a machine/groove** insérer qch dans une machine/rainure; **to ~ a film into the timetable** trouver un créneau pour un film dans le programme; **I've decided to ~ her into the newly created position** j'ai décidé de la placer au poste nouvellement créé

C *vi* (*p prés etc* **-tt-**) **to ~ into** [*coin, piece, component*] s'insérer dans [*groove, machine*]; **she has ~ted into her new position very well** elle s'est très bien adaptée à son nouveau poste; **to ~ into place** *ou* **position** s'encastrer; **the two parts ~ into each other** les deux éléments s'encastrent l'un dans l'autre

(Phrasal verbs) ■ **slot in**: ▸ **~ in** [*coin, piece, component*] se mettre en place; ▸ **~ [sth] in, ~ in [sth]** insérer [*coin, piece, component*]; trouver un créneau pour [*film, programme*]; placer [*person*]

■ **slot together**: ▸ **~ together** s'emboîter; ▸ **~ [sth] together** emboîter [*parts*]

slot: **~ aerial**, **~ antenna** *n* antenne *f* à fente; **~ car** *n* US petite voiture-jouet *f* (*de circuit électrique*)

sloth /sləʊθ/ *n* **1** Zool paresseux *m*; **2** sout (idleness) paresse *f*

sloth bear *n* ours *m* lippu

slothful /'sləʊθfl/ *adj* sout paresseux/-euse

slot: **~ machine** *n* Games machine *f* à sous; (for vending) distributeur *m* automatique; **~ meter** *n* (for gas, electricity) compteur *m* à pièces; (parking meter) parcmètre *m*; **~ted spoon** *n* ≈ écumoire *f*

slouch /slaʊtʃ/

A *n* **1** **to walk with a ~** gen marcher le dos voûté; [*fashion model*] US marcher d'une façon indolente; **she's got a terrible ~** elle a l'air complètement avachie; **2** ○(lazy person) traîne-savates *m inv*; **he's no ~** il n'a rien d'un traîne-savates; **he's no ~ at sth** il se défend pas mal en qch○

B *vi* **1** (sit or stand badly) être avachi; **2** (*also* **~ around**) traînasser

(Phrasal verb) ■ **slouch forward** être avachi

slouch hat *n* chapeau *m* mou

slough¹ /slaʊ, US *also* sluː/ *n* **1** fig (of despair) abîme *m*; **2** (bog) marécage *m*

slough² /slʌf/ *n* (of snake, worm) mue *f*

(Phrasal verb) ■ **slough off**: ▸ **~ off [sth], ~ [sth] off** **1** Zool perdre [*skin*]; **2** fig se débarrasser de

Slovak(ian) /slə'vækɪən/ ▸ **p. 1467, p. 1378**

A *n* **1** (person) Slovaque *mf*; **2** (language) slovaque *m*

B *adj* slovaque

Slovakia /slə'vækɪə/ ▸ **p. 1096** *pr n* Slovaquie *f*

Slovene /'sləʊviːn/, **Slovenian** /slə'viːnɪən/ ▸ **p. 1467, p. 1378**

A *n* **1** (person) Slovène *mf*; **2** (language) slovène *m*

B *adj* slovène

Slovenia /slə'viːnɪə/ ▸ **p. 1096** *pr n* Slovénie *f*

slovenliness /'slʌvnlɪnɪs/ *n* laisser-aller *m inv*

slovenly /'slʌvnlɪ/ *adj* **1** (unkempt) [*person, dress, appearance*] négligé; [*habits*] malpropre; **2** (sloppy) [*work*] bâclé; [*speech, style*] négligé

slow /sləʊ/

A *adj* **1** (not quick) [*runner, vehicle, gesture, movement, progress, process, development*] lent; **the pace of life is ~ here** on vit au ralenti ici; **to fall into a ~ decline** tomber lentement dans le déclin; **to make ~ progress/a ~ recovery** avancer/se remettre lentement; **the ~ movement** Mus le mouvement lent; **to be ~ to do** tarder à faire; **attitudes are ~ to change** les attitudes changent lentement; **he is ~ to anger** il lui en faut beaucoup pour se mettre en colère; **to be ~ in doing** être lent à faire; **2** (dull) [*film, novel, play, plot*] lent; **3** (slack) [*business, demand, trade, market*] stagnant; [*economic growth*] lent; **4** (intellectually unresponsive) [*child, pupil, learner*] lent (d'esprit); **~ at sth** faible en qch; **5** (showing incorrect time) [*clock, watch*] **to be ~** retarder; **to be 10 minutes ~** retarder de 10 minutes; **6** (not too hot) [*oven, flame*] doux/douce; **7** Sport [*pitch, court*] lourd

B *adv* [*go, drive, travel*] gen lentement; **to go ~** [*workers*] freiner la production; **~-acting** à action lente; **~-cooked dish** plat mijoté. ▸ **go-slow**

C *vtr, vi* ▸ **slow down**

(Phrasal verbs) ■ **slow down**: ▸ **~ down** [*train, runner, pulse, output, economy*] ralentir; **to ~ (down) to a crawl** rouler au pas; **to ~ (down) to 20 km/h** ralentir à 20 km/h; **to ~ (down) to 2%** tomber à 2%; **at your age you should ~ down** à ton âge tu devrais ralentir (tes activités); ▸ **~ down [sth/sb], ~ [sth/sb] down** ralentir [*car, traffic, runner, progress, production*]; **the illness has ~ed her down** la maladie l'a diminuée

■ **slow up** = **slow down**

slow-burning /ˌsləʊ'bɜːnɪŋ/ *adj* **1** lit [*fuse, wire, fuel*] à combustion lente; **2** fig [*anger, rage*] froid

slow: **~coach**○ *n* GB traînard/-e○ *m/f*; **~ cooker** *n* mijoteuse *f* électrique

slowdown /'sləʊdaʊn/ *n* ralentissement *m*; **~ in demand/in the housing market** ralentissement de la demande/du marché immobilier

slow: **~ handclapping** *n*: *applaudissements exprimant l'impatience ou le mécontentement*; **~ lane** *n* (in UK, Australia) voie *f* de gauche; (elsewhere) voie *f* de droite

slowly /'sləʊlɪ/ *adv* lentement; **~ but surely** lentement mais sûrement

slow march *n* Mil marche *f* lente; **'slow... MARCH!'** 'pas ralenti... MARCHE!'

slow match *n* mèche *f* à combustion lente

slow motion *n* ralenti *m*; **in ~** au ralenti

slow-moving /ˌsləʊ'muːvɪŋ/ *adj* lent

slowness /'sləʊnɪs/ *n* **1** (of motion, vehicle, progress, pace, plot) lenteur *f*; **2** Sport (of pitch, court) lourdeur *f*; **3** (of mind, intelligence) lourdeur *f*

slow: **~poke**○ *n* US = **slowcoach**; **~ puncture** *n* crevaison *f* (*où l'air s'échappe lentement du pneu*); **~ train** *n* omnibus *m*; **~-witted** *adj* à l'esprit lent; **~worm** *n* orvet *m*

SLR *n* Phot *abrév* = **single-lens reflex**

sludge /slʌdʒ/ *n* **1** (*also* **sewage ~**) eaux *fpl* usées; **2** (mud) vase *f*; (in drain) dépôt *m*; **3** Aut, Tech cambouis *m*

sludgeworks /'slʌdʒwɜːks/ *n* station *f* de recyclage des eaux usées

sludgy /'slʌdʒɪ/ *adj* bourbeux/-euse

slug /slʌg/

A *n* **1** Zool limace *f*; **2** ○(bullet) balle *f*, pruneau○*m*; **3** (of alcohol) lampée○ *f*; **4** ○(blow) coup *m*; **5** ○US jeton *m* trafiqué

B ○*vtr* (*p prés etc* **-gg-**) **1** ◑(hit) cogner [*person*]; **to ~ sb one**○ en envoyer une à qn○; **2** ○US Sport taper○ dans [*ball*]; **3** ○(drink) descendre [*whisky etc*]

(Idiom) **to ~ it out**◑ se tabasser○

slug bait *n*, **slug pellets** *npl* granulés *mpl* antilimaces

slugfest○ /'slʌgfest/ *n* US bagarre○ *f*

sluggard /'slʌgəd/ *n* paresseux/-euse *m/f*

slugger◑ /'slʌgə(r)/ *n* cogneur *m*

sluggish /'slʌgɪʃ/ *adj* **1** [*person, animal*] léthargique; [*circulation, reaction*] lent; [*traffic*] engorgé; [*river*] stagnant; **2** Fin [*demand, economy, market, trade*] qui stagne; **after a ~ start** après un démarrage difficile

sluggishly /'slʌgɪʃlɪ/ *adv* lentement

sluggishness /'slʌgɪʃnɪs/ *n* lenteur *f*

sluice /sluːs/

A *n* (*also* **~way**) canal *m*

B *vtr* US (float) faire flotter [*logs*]

(Phrasal verbs) ■ **sluice down**: ▸ **~ down** se déverser; ▸ **~ down [sth], ~ [sth] down** laver [qch] à grande eau

■ **sluice out**: ▸ **~ out** jaillir; ▸ **~ out [sth], ~ [sth] out** laver [qch] à grande eau

sluice gate *n* vanne *f*

slum /slʌm/

A *n* **1** (poor area) bidonville *m*; **the ~s** les basquartiers *mpl* (**of** de); **2** ○(messy house, room) taudis *m*

B *modif* [*area, housing, house*] misérable; [*child, children*] des bidonvilles; [*conditions*] dans les bidonvilles

C *vi*○ (*p prés etc* **-mm-**) (*also* **~ it**) s'encanailler, zoner○

slumber /'slʌmbə(r)/

A *n* sommeil *m*

B *vi* lit, fig sommeiller

slumber party *n* US *soirée où tous les invités sont en pyjama*

slum: **~ clearance** *n* démolition *f* de taudis; **~ dwelling** *n* taudis *m*

slumgullion○ /ˌslʌm'gʌlɪən/ *n* US ragoût *m*

slumlord○ /'slʌmlɔːd/ *n* US péj vautour○ *m*, propriétaire *m* sans scrupules

slummy○ /'slʌmɪ/ *adj* [*area, house, background*] misérable; **what a ~ kitchen**○**!** c'est infâme, cette cuisine!

slump /slʌmp/

A *n* **1** (fall in trade, price, profit etc) effondrement *m* (**in** de); **retail/shares ~** effondrement de la vente au détail/des valeurs boursières; **~ in the property market** l'effondrement du marché immobilier; **to experience a ~** [*economy, market*] s'effondrer; **2** (in popularity) chute *f* (**in** de); (in support) baisse *f* (**in** de); **the team/party is experiencing a ~** l'équipe/le parti est en déclin

B *vi* **1** [*demand, trade, value, price*] chuter (**from** de; **to** à; **by** de); **2** [*economy, market*] s'effondrer; **3** [*support, popularity*] être en forte baisse; **4** [*person, body*] s'affaler○; **to ~ into an armchair/to the ground** s'affaler○ dans un fauteuil/sur le sol; **5** [*player, team*] chuter (**to** à)

C **slumped** *pp adj* [*person, body*] affalé○; **~ed over the steering wheel/across the table/in a chair** affalé○ sur le volant/en travers de la table/dans un fauteuil

slung /slʌŋ/ *prét, pp* ▸ **sling**

slunk /slʌŋk/ *prét, pp* ▸ **slink**

slur /slɜː(r)/

A *n* **1** (aspersion) calomnie *f*; **to cast a ~ on sb/sth** répandre des calomnies sur qn/qch; **to be a ~ on sb/sth** porter atteinte à qn/qch; **an outrageous ~** une odieuse calomnie; **a racial ~** une diffamation raciale; **2** Mus liaison *f*; **3** (indistinct utterance) marmonnement *m*

B *vtr* (*p prés etc* **-rr-**) **1** marmonner [*remark*]; **'goodnight,' he ~red** 'bonne nuit,' marmonna-t-il; **to ~ one's speech** *ou* **words** gen manger ses mots; [*drunkard*] bafouiller; **2** Mus lier [*notes*]

S

C *vi* (*p prés etc* **-rr-**) [*speech, voice, words*] être inarticulé
D **slurred** *pp adj* [*voice, words, speech*] inarticulé
(Phrasal verb) ■ **slur over**: ▸ ~ **over [sth]** éluder [*problem, question, fact*]; passer rapidement sur [*incident, error, discrepancy*]

slurp /slɜːp/
A *n* aspiration *f* bruyante
B *vtr* aspirer [qch] bruyamment

slurry /ˈslʌrɪ/ *n* **1** (of cement) gâchis *m*; **2** (waste products) (from animals) purin *m*; (from factory) déchets *mpl*

slush /slʌʃ/ *n* **1** (melted snow) neige *f* fondue; **2** ○péj (sentimentality) sensiblerie *f*; **3** US Culin granité *m*

slush fund *n* caisse *f* noire

slushy /ˈslʌʃɪ/ *n* **1** lit [*snow*] fondu; [*street*] couvert de neige fondue; **2** ○fig [*novel, film*] à l'eau de rose, sentimental

slut /slʌt/ *n* **1** ◑injur (promiscuous woman) traînée◑ *f* offensive, dévergondée *f*; **2** ○(dirty woman) souillon *f*, marie-salope◑ *f* offensive

sluttish /ˈslʌtɪʃ/ *adj* **1** ◑injur (promiscuous) [*woman, behaviour*] dévergondé; **2** ○(dirty) malpropre

sly /slaɪ/ *adj* **1** (cunning) [*person, animal, trick, look*] rusé, sournois pej; **2** (secretive) [*smile, wink, look, remark*] entendu; **a ~ (old) dog**○ un fin renard
(Idiom) **on the ~**○ en douce○, en cachette

slyboots○ /ˈslaɪbuːts/ *n* US malin/-igne *m/f*

slyly /ˈslaɪlɪ/ *adv* **1** (with cunning) [*behave, say, ask*] avec malice, malicieusement; [*hide, conceal*] malicieusement; [*persuade*] par la ruse; **2** (secretively) [*say*] d'un ton entendu; [*smile, look*] d'un air entendu

slyness /ˈslaɪnɪs/ *n* (of smile, look, remark) malice *f*; (of person, act) fourberie *f*

S & M *abrév* ▸ **sadomasochism**

smack /smæk/
A *n* **1** (blow) (with hand) claque *f*; (on face) gifle *f*; (with bat) coup *m*; **2** (sound of blow) (of object) bruit *m* sec; (of waves) clapotis *m*; (by hand or person) coup *m*; **3** (loud kiss) gros baiser *m*; **4** Naut barque *f* de pêche; **5** ◑argot des drogués (heroin) héroïne *f*, héro◑ *f*
B *adv*○ (*also* **~ bang**, **~ dab** US) en plein○; **~ in the middle of** en plein milieu de; **~ in front of** en plein devant
C *excl* paf!
D *vtr* **1** taper [*object*] (**on** sur; **against** contre); écraser [*car, aeroplane*] (**on** sur; **against** contre); **2** (have suggestion of) **to ~ of** sentir; **it ~s of incompetence** ça sent l'incompétence
E *vi* (hit) **to ~ into** *ou* **against sth** taper contre qch
(Idioms) **to ~ one's lips** se lécher les babines (**at sth** à l'idée de qch); **a ~ in the eye** un coup dur (**for** pour)

smacker○ /ˈsmækə(r)/ *n* **1** (kiss) (grosse) bise *f*; **2** (money) GB livre *f*; US dollar *m*

smacking /ˈsmækɪŋ/ *n* fessée *f*; **to get a ~** recevoir une fessée

small /smɔːl/ ▸ **p. 1694**
A *n* **the ~ of the back** le creux du dos, les reins *mpl*; **in the ~ of her back** dans le creux du dos
B ○**smalls** *npl* GB euph petit linge *m*
C *adj* **1** (not big) [*house, car, book, coin, dog, bag*] petit (*before n*); [*change, job, mistake, matter*] petit (*before n*); [*increase, majority, proportion, quantity, amount, stake*] faible (*before n*); [*sum, number*] petit (*before n*); **the dress is too ~ for her** la robe est trop petite pour elle; **a ~ sweatshirt** un sweatshirt de petite taille; **the change was ~** le changement était sans importance; **his influence was ~** son influence était négligeable; **it would cost a ~ fortune**○ ça me coûterait une petite fortune; **the ~ matter of the £1,000 you owe me** iron la bagatelle de 1 000 livres que tu me dois iron; **it is written with a ~ letter** ça s'écrit avec une minuscule; **in his** *ou* **her own ~ way** gen à sa façon; (financially) dans la mesure de ses modestes moyens; **~ amount of** ajoutez un peu de; **to cut sth up ~** couper qch en petits morceaux; **to fold sth up ~** plier qch plusieurs fois; **everybody, great and ~, will be affected** riches et pauvres, tout le monde sera touché; **the ~est room**○ euph le petit coin○ euph; **it's a ~ world!** que le monde est petit!; **2** (petty) [*person, act*] mesquin; **3** (not much) **to have ~ cause** *ou* **reason for worrying** *ou* **to worry** n'avoir guère de raisons de s'inquiéter ; **it is ~ comfort** *ou* **consolation to sb** c'est une piètre consolation pour qn; **it is of ~ consequence** c'est sans importance; **it is of no ~ consequence** c'est loin d'être sans importance; **~ wonder he left!** pas étonnant qu'il soit parti!; **4** (quiet) [*voice, noise*] petit; [*sound*] faible; **5** (humiliated) **to feel** *ou* **look ~** être dans ses petits souliers○; **to make sb feel** *ou* **look ~** humilier qn; **'I did it,' she said in a ~ voice** 'c'est moi qui l'ai fait' a-t-elle dit d'une petite voix
D *adv* [*write*] petit
(Idioms) **he's ~ beer**○ *ou* **potatoes**○ US il est insignifiant; **it's ~ beer** *ou* **potatoes** US c'est de la petite bière○

small: **~ ad** *n* GB petite annonce *f*; **~ arms** *npl* armes *fpl* légères; **~ arms fire** *n* tirs *mpl* à l'arme légère; **~ business** *n* petite entreprise *f*; **~ businessman** ▸ **p. 1683** *n* petit entrepreneur *m*; **~ change** *n* petite monnaie *f*; **~ claims court** *n* GB, Jur ≈ tribunal *m* d'instance; **~ fry** *npl* menu fretin *m*; **~holder** ▸ **p. 1683** *n* GB Agric, Jur petit exploitant *m*; **~holding** *n* GB Agric petite exploitation *f*

small hours *npl* petit matin *m*; **in the (wee) ~** au petit matin

small intestine *n* intestin *m* grêle

smallish /ˈsmɔːlɪʃ/ *adj* assez petit

small: **~-minded** *adj* mesquin; **~-mindedness** *n* mesquinerie *f*

smallness /ˈsmɔːlnɪs/ *n* (of object, person, group) petite taille *f*; (of sum) modicité *f*

smallpox /ˈsmɔːlpɒks/ ▸ **p. 1327** *n* variole *f*

small print *n* **1** Print petits caractères *mpl*; **2** fig **to read the ~** lire tout jusque dans les moindres détails; **to read the ~ of a contract** éplucher un contrat

small print condition *n* clause *f* restrictive (*imprimée en petits caractères*)

small-scale /ˌsmɔːlˈskeɪl/ *adj* [*model*] réduit; [*map, plan*] à petite échelle; [*industry*] petit (*before n*)

small: **~ screen** *n* petit écran *m*; **~ shopkeeper** ▸ **p. 1683** *n* petit commerçant *m*

small talk *n* banalités *fpl*; **to make ~** faire la conversation

small-time /ˈsmɔːltaɪm/ *adj* [*actor, performer*] médiocre; **~ crook** petit escroc *m*

small-town /ˈsmɔːltaʊn/ *adj* péj provincial

smarm○ /smɑːm/ *vi* GB **to ~ over sb** lécher les bottes à qn○

smarmy○ /ˈsmɑːmɪ/ *adj* GB [*manner, person*] obséquieux/-ieuse; [*tone, voice*] doucereux/-euse; **to be ~** être lèche-bottes○; **he's a ~ git**◑ il est visqueux

smart /smɑːt/
A *adj* **1** (elegant) élégant; **to look ~** avoir l'air élégant; **you're looking very ~ today** tu es très élégant aujourd'hui; **2** ○(intelligent) [*child, decision*] malin, futé; (shrewd) [*politician, journalist*] habile; **to be ~ at doing** être habile à faire; **it was definitely the ~ choice** c'est certainement ce qu'il fallait choisir; **he's a ~ kid**○ c'est un enfant futé; **would he be ~ enough to spot the error?** serait-il assez futé○ pour repérer l'erreur?; **if you're ~ you'll book in advance** ce serait futé○ de ta part de réserver à l'avance; **are you trying to be ~?** tu veux faire le malin?; **you think it's ~ to smoke** tu penses que c'est malin de fumer; **he thinks he's so ~** il se croit malin; **3** [*restaurant, hotel, street*] chic *inv*; **the ~ set** le beau monde; **4** (stinging) [*blow*] vif/vive; [*rebuke, retort*] cinglant; **5** (brisk) **to set off/walk at a ~ pace** partir/marcher à vive allure; **that was ~ work!** ça a été vite fait!; **6** Comput [*system, terminal*] intelligent
B *vi* **1** [*graze, cut, cheeks*] brûler; **his eyes were ~ing from the smoke** la fumée lui brûlait les yeux; **her cheek ~ed from the slap** elle avait la joue brûlante sous l'effet de la gifle; **2** fig (emotionally) être piqué au vif; **he ~ed under** *ou* **at the insult** il a été piqué au vif par l'insulte, l'insulte l'a piqué au vif; **they are ~ing over** *ou* **from their defeat** ils sont sous le coup de leur défaite

smart alec(k)○ /ˌsmɑːtˈælɪk/ *n* gros malin○/grosse maligne○ *m/f*

smartarse◑ /ˈsmɑːtɑːs/ GB
A *n* (person) grande gueule◑ *f*
B *modif* [*comments, attitude*] à la con◑ *inv*

smart: **~ass**◑ *n* US = **smartarse**; **~ bomb** *n* bombe *f* intelligente; **~ card** *n* Comput, Fin carte *f* à puce; **~ drug** *n* médicament *m* à cible très spécifique

smarten /ˈsmɑːtn/:
(Phrasal verb) ■ **smarten up**: ▸ **~ [sth/sb] up**, **~ up [sth/sb]** embellir [*premises, room*]; **we'll have to ~ you up** il va falloir qu'on te fasse beau; **he's really ~ed himself up** il s'est beaucoup arrangé

smartly /ˈsmɑːtlɪ/ *adv* **1** [*dressed*] (neatly) soigneusement; (elegantly) élégamment; **2** (quickly) [*retort, rebuke*] sèchement; **she slapped him ~ on the cheek** elle l'a giflé sèchement; **she tapped him ~ on the head** elle lui a donné un petit coup sec sur la tête; **3** (briskly) [*step, turn, walk*] vivement; **4** (cleverly) [*answer*] avec malice

smart money○ *n* **the ~ was on Desert Orchid** Desert Orchid était une mise sûre; **the ~ is on our shares** nos actions sont un investissement

smartness /ˈsmɑːtnɪs/ *n* **1** (of clothes) élégance *f*; (of appearance) aspect *m* soigné; **2** (cleverness) pej malice *f*; **3** (of pace) rapidité *f*

smarty-pants○ /ˈsmɑːtɪpænts/ *n* = **smart alec(k)**

smash /smæʃ/
A *n* **1** (crash) (of glass, china) bruit *m* fracassant; (of vehicles) fracas *m*; **I heard the ~ of breaking glass** j'ai entendu des bruits de verre; **~! there goes another plate!** crac! encore une assiette cassée!; **2** ○(*also* **~-up**) (accident) collision *f*; **'rail ~'** 'collision ferroviaire'; **3** ○(*also* **~ hit**) Mus tube○ *m*; Cin film *m* à grand succès; **to be a ~** faire un tabac○; **4** Fin (collapse) débâcle *f*; (on stock exchange) krach *m*; **5** Sport (tennis) smash *m*
B *adv* **the motorbike ran ~ into a wall** la motocyclette est allée se fracasser contre un mur; **to go ~** Fin faire faillite
C *vtr* **1** briser [*glass, door, car etc*] (**with** avec); (more violently) fracasser; **to ~ sb's skull/leg** fracasser le crâne/la jambe de qn; **to ~ sth to bits** *ou* **pieces** briser *or* casser qch en mille morceaux; **the boat was ~ed against the rocks** le bateau s'est fracassé sur les rochers; **thieves ~ed their way into the shop** les voleurs sont entrés dans la boutique en cassant tout; **he ~ed my arm against the door** il m'a écrasé le bras contre la porte; **she ~ed the car into a tree** elle est rentrée dans un arbre; **~ing his fist into his attacker's face** écrasant son poing sur la figure de son agresseur; **he ~ed the hammer down on the vase** il a fracassé le vase à coups de marteau; **2** (destroy) écraser [*demonstration, protest, opponent*]; démanteler [*drugs ring, gang*]; enrayer [*inflation*]; **3** Sport (break) pulvériser○ [*record*]; **4** Sport **to ~ the ball** faire un smash
D *vi* **1** (disintegrate) se briser, se fracasser (**on** sur, **against** contre); **2** (crash) **to ~ into** [*vehicle, aircraft*] aller s'écraser contre [*wall, vehicle*]; **the raiders ~ed through the door** les cambrioleurs ont enfoncé la porte; **the waves ~ed through the dyke** les vagues ont

S

rompu la digue; **3** Fin faire faillite

(Phrasal verbs) ■ **smash down**: ▸ **~ [sth] down**, **~ down [sth]** enfoncer *[door, fence, wall]*

■ **smash in**: ▸ **~ [sth] in** défoncer *[door, skull]*; **I'll ~ your face** *ou* **head in**○! je te casse la gueule◑!

■ **smash open**: ▸ **~ [sth] open**, **~open [sth]** défoncer *[door, safe, container]*

■ **smash up**: ▸ **~ [sth] up**, **~ up [sth]** démolir *[vehicle, building, furniture]*; **they'll ~ the place up!** ils vont tout casser!; **he got ~ed up**○ **in a car crash** il a été amoché○ dans un accident de voiture

smash-and-grab○ GB *n* (*also* **~ raid**) cambriolage *m* (*avec destruction de vitrine*)

smashed /smæʃt/ *adj* **1** ○(intoxicated) (on alcohol) bourré○; (on drugs) défoncé○ (**on** à); **to get ~** se soûler la gueule◑; **2** (shattered) *[limb, vehicle]* écrasé; *[window]* fracassé

smasher○ /ˈsmæʃə(r)/ *n* GB **1** (attractive man) beau mec○ *m*; (woman) belle nana○ *f*; **2** (term of approval) **you're a ~!** tu es un chou○!; **her car's a real ~** sa bagnole est vraiment sensass○!

smashing○ /ˈsmæʃɪŋ/ *adj* GB épatant○

smattering /ˈsmætərɪŋ/ *n* notions *fpl*, rudiments *mpl* (**of** de); **to have a ~ of Russian** avoir quelques connaissances en russe; **to have a ~ of culture** avoir quelques bribes de culture

SME *n* (*abrév* = **small and medium enterprise**) PME *f inv*

smear /smɪə(r)/

A *n* **1** (mark) (spot) tache *f*; (streak) traînée *f*; **a ~ of grease** une tache de graisse; **2** (defamation) propos *m* diffamatoire; **a ~ on sb's character** une tache sur la réputation de qn; **he dismissed the rumour as a ~** il a rejeté la rumeur comme diffamatoire; **3** Med = **smear test**

B *vtr* **1** (dirty) faire des taches sur *[glass, window]*; **to ~ the walls with paint, to ~ paint on the walls** barbouiller les murs de peinture; **the baby ~ed his food over his face** le bébé s'est barbouillé le visage avec sa nourriture; **her face was ~ed with jam** elle avait le visage barbouillé de confiture; **2** (slander) diffamer *[person]*; salir, entacher *[reputation]*; **3** (spread) étaler *[butter, ink, paint]*; appliquer *[sunoil, lotion]* (**on** sur); **she ~ed eyeshadow on her eyelids** elle s'est appliquée du fard sur les paupières; **4** ○(defeat) US écraser *[opposition, rival]*

C *vi* *[ink, paint]* s'étaler; *[lipstick, make-up]* couler

smear: **~ campaign** *n* campagne *f* de diffamation (**against** contre); **~ tactics** *npl* manœuvres *fpl* diffamatoires; **~ test** *n* Med frottis *m*

smeary /ˈsmɪərɪ/ *adj* *[glass, window]* couvert de traces; *[face]* sale

smell /smel/

A *n* **1** (odour) gen odeur *f*; (unpleasant) (mauvaise) odeur *f*; **a ~ of cooking/burning** une odeur de cuisine/de brûlé; **there's a bit of a ~ in here** il y a une drôle d'odeur ici; **what a ~!** comme ça sent mauvais!; **2** (sense) odorat *m*; **sense of ~** odorat, sens *m* olfactif; **3** (action) **to have a ~ of** *ou* **at sth** sentir un peu qch; **4** fig (of absence, fraud, dishonesty) relents *mpl*

B *vtr* (*prét, pp* **smelled, smelt** GB) **1** lit (notice, detect) sentir; (sniff deliberately) *[person]* sentir; *[animal]* renifler, sentir; **I could ~ alcohol on his breath** je sentais à son haleine qu'il avait bu; **I can ~ lemons/burning** ça sent le citron/le brûlé; **2** fig (detect) flairer *[danger, problem, success, change, good worker]*; repérer *[liar, cheat]*; **a good reporter can always ~ a good story** un bon journaliste flaire toujours une bonne histoire

C *vi* (*prét, pp* **smelled, smelt** GB) **1** (have odour) gen sentir; (unpleasantly) sentir (mauvais); **that ~s nice/horrible** ça sent bon/très mauvais; **this gas/flower doesn't ~** ce gaz/cette fleur ne sent rien; **to ~ of roses/garlic** sentir la rose/l'ail; **that ~s like curry** ça sent le curry; **2** fig **to ~ of racism/complacency/corruption** sentir le racisme/la complaisance/la corruption; **3** (have sense of smell) avoir de l'odorat

(Phrasal verb) ■ **smell out**: ▸ **~ [sth] out**, **~ out [sth]** **1** (sniff out, discover) lit *[dog]* flairer *[drugs, explosives]*; **2** fig *[person]* découvrir *[plot, treachery, corruption]*; démasquer *[spy, traitor]*; **3** (cause to stink) empester, empuantir *[room, house]*

smelliness /ˈsmelɪnɪs/ *n* mauvaise odeur *f*

smelling salts *npl* Med sels *mpl*

smelly /ˈsmelɪ/ *adj* **1** lit *[animal, person, clothing]* qui sent mauvais; *[breath]* fétide; **2** ○fig *[idea, place, person]* vilain

smelt /smelt/

A *pret, pp* ▸ **smell**

B *n* Zool (*pl* **~** *ou* **~s**) éperlan *m*

C *vtr* extraire [qch] par fusion *[metal]*; fondre *[ore]*

smelter /ˈsmeltə(r)/ *n* (*also* **smeltery**) fonderie *f*

smelting /ˈsmeltɪŋ/ *n* extraction *f* par fusion

smidgen, smidgin○ /ˈsmɪdʒən/ *n* (of flavouring) soupçon *m*; (of alcohol) goutte *f*, doigt *m*; (of emotion) brin *m*; **just a ~** un tout petit peu

smile /smaɪl/

A *n* sourire *m*; **a ~ of welcome/approval** un sourire de bienvenue/d'approbation; **to give a ~** sourire; **to give sb a ~** adresser un sourire à qn; **with a ~** en souriant; **to have a ~ on one's face** sourire; **take that ~ off your face** il n'y a pas de quoi sourire; **to wipe the ~ off sb's face** faire passer l'envie de sourire à qn; **to be all ~s** être tout sourire; **to crack a ~**○ US consentir à sourire

B *vtr* **1** **to ~ one's consent/thanks** acquiescer/remercier d'un sourire; **to ~ a greeting** saluer d'un sourire; **'Of course,' he ~d** 'bien sûr,' dit-il en souriant; **2** **to ~ a grateful/sad smile** avoir un sourire reconnaissant/triste

C *vi* sourire (**at sb** à qn; **with** de); **we ~d at the idea/his confusion** cette idée/sa confusion nous a fait sourire; **to ~ to think of sth/that** sourire à la pensée de qch/que; **to ~ to oneself** sourire intérieurement; **keep smiling!** garde le sourire!

(Phrasal verb) ■ **smile on**: ▸ **~ on [sb/sth]** *[luck, fortune, weather]* sourire à; *[person, police, authority]* être favorable à

smiley /ˈsmaɪlɪ/ *n* **1** (happy symbol) souriant *m*; **2** (emoticon) frimousse *f*, binette *f* Can

smiling /ˈsmaɪlɪŋ/ *adj* souriant

smilingly /ˈsmaɪlɪŋlɪ/ *adv* en souriant

smirk /smɜːk/

A *n* (self-satisfied) petit sourire *m* satisfait; (knowing) sourire *m* en coin

B *vi* (in a self-satisfied way) avoir un petit sourire satisfait; (knowingly) avoir un sourire en coin

smite‡ /smaɪt/ *vtr* (*prét* **smote**; *pp* **smitten**) **1** (strike) frapper; **2** littér (punish) châtier liter

smith /smɪθ/ ▸ **p. 1683** *n* maréchal-ferrant *m*

smithereens /ˌsmɪðəˈriːnz/ *npl* **in ~** en mille morceaux; **to smash to ~** voler en éclats; **to smash sth to ~** faire voler qch en éclats

smithy /ˈsmɪðɪ/ *n* forge *f*

smitten /ˈsmɪtn/

A ‡*pp* ▸ **smite**

B *adj* **1** (afflicted) **~ by** rongé par *[guilt, regret]*; terrassé par *[illness]*; **2** (in love) fou/folle d'amour; **to be ~ by** *ou* **with sb** être fou amoureux/folle amoureuse de qn

smock /smɒk/

A *n* blouse *f*, sarrau *m*

B *vtr* faire des smocks à

smocking /ˈsmɒkɪŋ/ *n* smocks *mpl*

smog /smɒg/ *n* smog *m*

smog mask *n* masque *m* antipollution

smoke /sməʊk/

A *n* **1** (fumes) fumée *f*; **full of tobacco ~** plein de fumée de tabac; **a cloud/a wisp of ~** un nuage/une volute de fumée; **to go up in ~**○ lit brûler, partir en fumée; fig tomber à l'eau○; **to vanish in a puff of ~** disparaître dans un nuage de fumée; **2** ○(cigarette) clope○ *f*, cigarette *f*; **to have a ~** fumer; **she went out for a quick ~** elle est sortie pour fumer *or* pour en fumer une○; **3** ○**the ~** la ville; **the big Smoke** GB Londres

B *vtr* **1** (use) fumer *[cigarette, pipe, marijuana]*; **2** Culin fumer *[fish, meat]*

C *vi* **1** (use tobacco, substances) fumer; **when did you start smoking?** quand est-ce que tu as commencé à fumer?; **2** (be smoky) *[fire, lamp, fuel]* fumer

D **smoked** *pp adj* *[food]* fumé; *[glass]* fumé

(Idioms) **there's no ~ without fire, where there's ~ there's fire** il n'y a pas de fumée sans feu; **stick that in your pipe and ~ it!** si ça ne te plaît pas c'est le même prix!; **to ~ like a chimney**○ fumer comme un pompier○

(Phrasal verb) ■ **smoke out**: ▸ **~ [sth] out**, **~ out [sth]** enfumer *[animal]*; ▸ **~ [sb] out**, **~ out [sb]** lit déloger qn en l'enfumant *[fugitive, sniper]*; fig débusquer *[traitor, culprit]*; ▸ **~ [sth] out** enfumer *[room, house]*; **you'll ~ the place out!** tu vas enfumer toute la pièce!

smoke: **~ alarm** *n* détecteur *m* de fumée; **~ bomb** *n* grenade *f* fumigène; **~ detector** *n* détecteur *m* de fumée; **~-dried** *adj* fumé; **~-dry** *vtr* fumer; **~-filled** *adj* enfumé

smokeless /ˈsməʊklɪs/ *adj* *[fuel]* non polluant; *[zone]* où l'utilisation de combustibles polluants est interdite

smoker /ˈsməʊkə(r)/ *n* **1** (person) fumeur/-euse *m/f*; **a heavy ~** un grand fumeur; **a light ~** une personne qui fume peu; **a ~'s cough** une toux de fumeur; **2** (on train) compartiment *m* fumeurs

smoke screen *n* **1** Mil écran *m* de fumée; **2** fig diversion *f*; **to create** *ou* **throw up a ~** faire diversion

smoke signal *n* signal *m* de fumée

smokestack /ˈsməʊkstæk/ *n* (chimney) cheminée *f* d'usine; (funnel) cheminée *f*

smokestack industries *n* industries *fpl* traditionnelles

smokey = **smoky**

smoking /ˈsməʊkɪŋ/

A *n* Med tabac *m*; **~ and drinking** le tabac et l'alcool; **'~ damages your health'** 'le tabac nuit à la santé'; **to give up ~** arrêter de fumer; **to cut down on one's ~** fumer moins; **a ban on ~** une interdiction de fumer; **'no ~'** 'défense de fumer'; **they want to reduce ~ among pupils** ils veulent réduire la consommation du tabac parmi les élèves

B *adj* (*épith*) **1** (emitting smoke) *[chimney, volcano]* qui fume; *[cigarette]* allumé; **2** (for smokers) *[compartment, section]* fumeurs (*after n*)

smoking: **~ ban** *n* interdiction *f* de fumer; **~ compartment** GB, **~ car** US *n* compartiment *m* fumeurs; **~ jacket** *n* veste *f* d'intérieur; **~-related** *adj* *[disease]* associé au tabac; **~ room** *n* fumoir *m*

smoky /ˈsməʊkɪ/

A ○*n* US flic *m* motard○

B *adj* **1** *[atmosphere, room]* enfumé; **it's a bit ~ here** c'est un peu enfumé ici; **2** *[fire]* qui fume; **3** Culin *[cheese, ham, bacon]* fumé; **4** *[glass]* fumé

smolder *vi* US = **smoulder**

smoldering *adj* US = **smouldering**

smooch○ /smuːtʃ/

A *n* **1** (kiss and cuddle) pelotage○ *m*; **to have a ~** *[couple]* se peloter○; **2** GB (slow dance) slow *m*

B *vi* **1** (kiss and cuddle) se peloter○; **2** GB Dance danser un slow

smoochy○ /ˈsmuːtʃɪ/ *adj* GB langoureux/-euse; **a ~ record** un slow

smooth /smu:ð/
A *adj* **1** lit (even, without bumps) [*stone, sea, surface, skin, hair, fabric*] lisse; [*road*] plan; [*curve, line, breathing*] régulier/-ière; [*sauce, gravy, paste*] homogène; [*crossing, flight*] sans heurts, calme; [*movement*] aisé; [*music, rhythm, playing*] fluide; **the tyres are worn ~** les pneus sont (devenus) lisses; **to have a ~ landing** atterrir en douceur; **bring the car to a ~ stop** arrêtez la voiture en douceur; **the engine is very ~** le moteur tourne parfaitement rond; **2** fig (problem-free) [*journey, flight, life*] paisible; **such a change is rarely ~** un tel changement se fait rarement en douceur; **the bill had a ~ passage through Parliament** la loi a été adoptée sans difficultés par le Parlement; **3** (pleasant, mellow) [*taste, wine, whisky*] moelleux/-euse; **4** (suave) gen, pej [*person*] mielleux/-euse; [*manners, appearance*] onctueux/-euse; **to be a ~ talker** être enjôleur/-euse; ▸ **operator**
B *vtr* **1** lit (flatten out) lisser [*clothes, paper, hair, surface*]; (get creases out) défroisser [*fabric, paper*]; **to ~ the creases from sth** défroisser qch; **she ~ed her skirt over her hips** elle a lissé sa jupe au niveau des hanches; **to ~ one's hair back** se lisser les cheveux en arrière; **~ the cream into your skin/over your face** étalez la crème sur votre peau/visage; **this cream ~s rough skin** cette crème adoucit les peaux desséchées; **2** fig (make easier) faciliter [*process, transition, path*]; **talks to ~ the path towards peace** des pourparlers pour faciliter la voie vers la paix
(Idioms) **to take the rough with the ~** prendre les choses comme elles viennent; **the course of true love never did run ~** l'amour vrai n'a jamais été facile à vivre; ▸ **silk, baby, ruffled**
(Phrasal verbs) ■ **smooth away**: ▸ **~ away [sth], ~ [sth] away** lit, fig faire disparaître [*wrinkles, creases, problems*]
■ **smooth down**: ▸ **~ [sth] down, ~ down [sth]** gen lisser [*clothes, hair, fabric*]; polir [*wood, rough surface*] (to get creases out) défroisser [*clothes, fabric*]
■ **smooth out**: ▸ **~ [sth] out, ~ out [sth]** **1** lit (lay out) étendre [*map, paper, cloth*]; (remove creases) défroisser [*paper, cloth*]; **2** fig aplanir [*difficulties*]; faire disparaître [*imperfections*]; **to ~ out the impact of sth** diminuer l'impact de qch
■ **smooth over**: ▸ **~ [sth] over, ~ over [sth]** fig atténuer [*differences, awkwardness*]; aplanir [*difficulties, problems*]; tempérer [*bad feelings*]; améliorer [*relationship*]; **to ~ things over** arranger les choses

smooth-cheeked, **smooth-faced** *adj* glabre

smoothie○, **smoothy**○ /'smu:ðɪ/ *n* **1** péj (person) charmeur/-euse *m/f*, beau parleur *m*; **2** US (milk-shake) ≈ milk-shake *m*

smoothly /'smu:ðlɪ/ *adv* **1** (easily) lit [*move, flow, glide*] doucement; [*start, stop, brake, land*] en douceur; [*write, spread*] de façon unie; fig (without difficulties) sans heurts, sans problèmes; **the key turned ~ in the lock** la clé a tourné facilement dans la serrure; **to run ~** [*engine, machinery*] tourner rond; fig [*business, department*] marcher bien; [*holiday*] se dérouler sans problèmes; **things are going very ~ for me** tout va bien *or* marche bien pour moi; **2** (suavely) [*speak, say, persuade, lie*] gen en douceur; pej mielleusement

smoothness /'smu:ðnɪs/ *n* **1** lit (of surface, skin, hair) aspect *m* lisse; (of crossing, flight) tranquillité *f*; (of car, machine, engine) régularité *f*; (of music, rhythm, playing) fluidité *f*; (of movement) aisance *f*; **2** fig (absence of problems) (of operation, process, transition, journey) harmonie *f*; **3** (mellowness) (of wine, whisky, taste) douceur *f*; **4** (suaveness) (of person, manner, speech) onctuosité *f*

smooth running
A *n* (of machinery, engine) bon fonctionnement *m*; (of organization, department, event) bonne marche *f*
B **smooth-running** *adj* [*machinery, engine*] qui tourne bien; [*organization, department, event*] qui marche bien

smooth-tongued *adj* péj enjôleur/-euse

smoothy○ *n* = **smoothie**○

smorgasbord /'smɔ:gəsbɔ:d/ *n* **1** Culin buffet *m* (*à la scandinave*); **2** fig assortiment *m* **(of de)**

smote‡ /sməʊt/ *prét* ▸ **smite**

smother /'smʌðə(r)/
A *vtr* **1** (stifle) étouffer [*person, fire, flames, laugh, yawn, doubts, opposition, scandal, emotion*]; **2** (cover) couvrir **(with de)**; **to ~ sb with kisses** couvrir qn de baisers; **a cake ~ed in cream** un gâteau recouvert de crème; **her face was ~ed in powder** son visage était recouvert d'une épaisse couche de poudre; **to be ~ed in blankets/furs** être tout emmitouflé dans des couvertures/des fourrures; **3** (overwhelm) (with love, kindness etc) étouffer
B *vi* [*person*] être étouffé

smoulder GB, **smolder** US /'sməʊldə(r)/ *vi* **1** lit [*fire, cigarette, ruins*] se consumer; **2** fig [*hatred, resentment, jealousy*] couver; **to ~ with** se consumer de [*resentment, jealousy*]

smouldering GB, **smoldering** US /'sməʊldərɪŋ/ *adj* **1** lit [*fire, cigarette*] qui se consume; [*ashes, ruins*] fumant; **2** fig (intense) [*hatred, resentment, jealousy*] sourd; **3** (sexy) [*eyes, look*] ardent

SMS *n* Telecom (*abrév* = **Short Message Service**) SMS *m*

smudge /smʌdʒ/
A *n* **1** (mark) trace *f*; **2** US Agric feu *m* de fumigation
B *vtr* étaler [*make-up, print*]; faire des traces sur [*paper, paintwork*]; étaler [*ink, wet paint*]
C *vi* [*paint, ink, print, make-up*] s'étaler
D **smudged** *pp adj* [*paint, make-up*] qui a coulé (*after n*); [*writing, letter*] maculé; [*paper, cloth*] taché; **your make-up/the paint is ~d** ton maquillage/la couleur a coulé

smudgy /'smʌdʒɪ/ *adj* **1** (marked) [*paper, face*] taché; [*writing, letter*] à moitié effacé; **2** (indistinct) [*photograph, image*] voilé; [*outline*] estompé

smug /smʌg/ *adj* suffisant; **don't be so ~!** ne prends pas cet air suffisant!; **to be ~ about winning** être fier d'avoir gagné; **I can't afford to be ~** je ne peux pas m'endormir sur mes lauriers

smuggle /'smʌgl/
A *vtr* gen faire passer [qch] clandestinement [*message, food*] **(into** dans); faire du trafic de [*arms, drugs*]; (to evade customs) faire passer [qch] en contrebande [*watches, cigarettes, alcohol*]; **to ~ sth/sb in** faire entrer qch/qn clandestinement; **to ~ sb into a** *ou* **the country** faire entrer qn clandestinement; **to ~ sb into Britain/into the club** faire entrer qn clandestinement en Grande-Bretagne/dans le club; **to ~ sth/sb out (of)** (faire) sortir qch/qn clandestinement (de); **to ~ sth through** *ou* **past customs** faire passer qch en fraude *or* en contrebande
B *vi* faire de la contrebande
C **smuggled** *pp adj* [*cigarettes, diamonds*] de contrebande; **~d goods** produits *mpl* de contrebande

smuggler /'smʌglə(r)/ *n* contrebandier/-ière *m/f*; **drug/arms ~** passeur/-euse *m/f* de drogue/d'armes

smuggling /'smʌglɪŋ/ *n* gen contrebande *f*; **drug/arms ~** trafic *m* de drogue/d'armes

smuggling ring *n* gen réseau *m* de contrebandiers; (of drugs, arms) réseau *m* de trafiquants

smugly /'smʌglɪ/ *adv* [*smile, act*] d'un air suffisant; [*say*] d'un ton suffisant

smugness /'smʌgnɪs/ *n* suffisance *f*

smut /smʌt/ *n* **1** ¢ (vulgarity) grivoiseries *fpl*; **2** (stain) tache *f*; **3** Hort, Agric charbon *m*

smuttiness /'smʌtɪnɪs/ *n* grivoiserie *f*

smutty /'smʌtɪ/ *adj* **1** (crude) grivois; **2** (dirty) [*face, object*] noir, sale; [*mark*] noirâtre

snack /snæk/
A *n* **1** (small meal) (in café, pub) repas *m* léger; (between meals, instead of meal) casse-croûte *m inv*; **to have** *ou* **eat a ~** manger quelque chose; **2** (crisps, peanuts etc) amuse-gueule *m inv*
B *vi* grignoter, manger légèrement; **to ~ on sth** faire un léger repas de qch

snack bar *n* snack-bar *m*

snaffle /'snæfl/
A *n* (*also* **~ bit**) mors *m* de filet
B ○*vtr* GB (steal) barboter○

snafu◑ /snæ'fu:/
A *n* **1** US (mistake) connerie◑ *f*; **2** (mess) pagaille○ *f*
B *vtr* (*prés* **~es**; *prét, pp* **~ed**) semer la pagaille dans
C *vi* (*prés* **~es**; *prét, pp* **~ed**) **1** US (make a mistake) faire une connerie◑; **2** (cause havoc) semer la pagaille

snag /snæg/
A *n* **1** (hitch) inconvénient *m* **(in** de); **there's just one ~** il y a un problème *or* un os○; **that's the ~** voilà le problème *or* le hic○; **the ~ is that...** l'inconvénient *or* le problème, c'est que...; **to hit** *ou* **run into a ~** [*person*] avoir des problèmes, tomber sur un os○; [*plan*] se heurter à des obstacles; **2** (tear) accroc *m* **(in** à); **3** (projection) aspérité *f* **(in** sur); **4** ○Austral saucisse *f*
B *vtr* (*p prés etc* **-gg-**) **1** (tear) filer [*tights, stocking*] **(on** contre); accrocher [*sleeve, garment, fabric*] **(on** à); se casser [*fingernail*] **(on** sur); s'égratigner [*hand, finger*] **(on** sur); **2** ○US (take) piquer○, dérober
C *vi* (*p prés etc* **-gg-**) (catch) **to ~ on** [*rope, fabric*] s'accrocher à; [*propeller, part*] frotter contre

snail /sneɪl/ *n* escargot *m*; **at a ~'s pace** à une allure d'escargot

snail: **~ farm** *n* escargotière *f*; **~ farming** *n* héliciculture *f*; **~ mail**○ *n* poste *f* (traditionnelle); **~ shell** *n* coquille *f* d'escargot

snake /sneɪk/
A *n* **1** Zool serpent *m*; **2** péj (person) traître/traîtresse *m/f*
B *vi* [*road*] serpenter **(through** à travers); **the road ~d down the mountain** la route descendait la montagne en serpentant
(Idiom) **a ~ in the grass** péj un traître/une traîtresse

snakebite /'sneɪkbaɪt/ *n* **1** (injury) morsure *f* de serpent; **2** (drink) snakebite *m*, mélange *m* de cidre et bière

snake: **~ charmer** *n* charmeur/-euse *m/f* de serpent; **~ eyes** *n* Games double un *m* (*aux dés*)

snakelike /'sneɪklaɪk/ *adj* [*movement*] ondulant; [*expression*] impénétrable; [*eyes, skin*] de serpent (*after n*)

snake: **~ oil** *n* US remède *m* de charlatan; **~ pit** *n* fosse *f* aux serpents; **~s and ladders** ▸ p. 1253 *n* (+ *v sg*) GB Games ≈ jeu *m* de l'oie

snakeskin /'sneɪkskɪn/
A *n* peau *f* de serpent
B *modif* [*bag, shoes*] en (peau de) serpent

snap /snæp/ ▸ p. 1253
A *n* **1** (cracking sound) (of branch) craquement *m*; (of fingers, lid, elastic) claquement *m*; **2** (bite) claquement *m*; **with a sudden ~ of his jaws, the fox...** d'un brusque claquement des mâchoires, le renard...; **3** ○Phot photo *f*; **holiday** GB *ou* **vacation** US **~** photo *f* de vacances; **4** Games ≈ bataille *f*; **5** ○US (easy thing) **it's a ~!** c'est du gâteau○!; **6** ○(vigour) vigueur *f*, nerf○ *m*; **put a bit of ~ into it!** mettez-y un peu de vigueur *or* nerf○!; **7** Sewing = **snap fastener**; ▸ **cold snap**
B *adj* [decision, judgment, vote] rapide; [election] subit
C *vtr* (*p prés etc* **-pp-**) **1** (click) faire claquer [*fingers, jaws, elastic*]; **to ~ sth shut** fermer qch

S

avec un bruit sec; **2** (break) (faire) casser net [qch]; **3** (say crossly) dire [qch] hargneusement; **'stop it!' she ~ped** 'arrête!' a-t-elle dit *or* répondu hargneusement; **4** °Phot prendre une photo de [*person, building etc*]
D *excl* **1** Games ≈ bataille!; **2** °**~! we're wearing the same tie!** coïncidence! nous portons la même cravate!
E *vi* (*p prés etc* **-pp-**) **1** lit (break) [*branch, bone, pole*] se casser; [*elastic, rope, wire*] (se) casser; **the mast ~ped in two** le mât s'est cassé en deux; **2** fig (lose control) [*person*] être à bout, craquer°; **suddenly something just ~ped in me** tout à coup, j'ai craqué°; **my patience finally ~ped** ma patience était arrivée à bout; **3** (click) **to ~ open/shut** s'ouvrir/se fermer d'un coup sec; (louder) s'ouvrir/se fermer avec un claquement; **the attachment ~ped into place** l'accessoire s'est encastré avec un claquement; **4** (speak sharply) parler hargneusement
(Idioms) **~ out of it**°! cesse de faire la tête *or* la gueule◑!; **~ to it**°! et plus vite que ça°!; **to ~ to attention** Mil se figer au garde-à-vous
(Phrasal verbs) ■ **snap at**: ▸ **~ at [sth/sb]** **1** (speak sharply) parler hargneusement à [*person*]; **2** (bite) [*dog, fish etc*] essayer de mordre
■ **snap off**: ▸ **~ off** [*branch, knob, protrusion*] casser net; ▸ **~ off [sth], ~ [sth] off** casser [qch] net
■ **snap out**: ▸ **~ out [sth]** glapir [*order, reply*]
■ **snap up**: ▸ **~ up [sth]** arracher [*bargain, opportunity*]

snap: **~dragon** *n* Bot muflier *m*; **~ fastener** *n* bouton-pression *m*; **~-on** *adj* [*lid, attachment*] à pression

snapper /'snæpə(r)/ *n* Zool lutjanidé *m*

snappily /'snæpɪlɪ/ *adv* **1** (crossly) hargneusement; **2** (smartly) [*dress*] de façon tapageuse

snappish /'snæpɪʃ/ *adj* hargneux/-euse

snappy /'snæpɪ/ *adj* **1** (bad-tempered) [*person, animal*] hargneux/-euse; **2** (lively) [*rhythm, reply, item*] rapide; (punchy) [*advertisement, feature*] accrocheur/-euse; **3** °(smart) [*clothing*] chic *inv*; **he's a ~ dresser** il s'habille chic
(Idiom) **make it ~**°! grouille-toi°!

snapshot /'snæpʃɒt/ *n* photo *f*

snare /sneə(r)/
A *n* piège *m* also fig
B *vtr* prendre [qn/qch] au piège [*animal, person*]
(Idiom) **a ~ and a delusion** un miroir aux alouettes

snare drum ▸ **p. 1462** *n* tambour *m* à timbre

snarl /snɑːl/
A *n* **1** (growl) (of animal) grondement *m*; (of traffic) bourdonnement *m*; **'you'd better watch out!' he said with a ~** 'tu ferais mieux de faire attention!' dit-il d'un ton hargneux; **2** (grimace) mine *f* hargneuse; **3** (tangle) (in single rope, flex) nœud *m*; (of several ropes, flexes) enchevêtrement *m*
B *vtr* rugir [*order, insult, threat*] **'don't be so stupid,' he ~ed** 'ne sois pas si stupide,' dit-il d'un ton hargneux
C *vi* (growl) [*animal*] gronder férocement; [*person*] grogner; **the dog ~ed at me** le chien m'a montré les dents; **he ~s at the new recruits** il grogne après les nouvelles recrues
(Phrasal verb) ■ **snarl up**: ▸ **~ up** [*rope, wool*] s'emmêler; ▸ **~ up [sth]** bloquer [*traffic, road*]; **to be ~ed up** [*road, network, traffic*] être bloqué; [*economy, system*] être paralysé; [*plans, negotiations*] être bloqué; **I got ~ed up in the traffic** j'ai été pris dans les embouteillages; **the hook got ~ed up in the net** l'hameçon s'est pris dans le filet

snarl-up /'snɑːlʌp/ *n* (in traffic) embouteillage *m*; (in distribution network) blocage *m*

snatch /snætʃ/
A *n* (*pl* **~es**) **1** (fragment) (of conversation) bribe *f*; (of poem, poet) quelques vers *mpl*; (of concerto, composer) quelques mesures *fpl*; (of tune) quelques notes *fpl*; **I only caught a ~ of the conversation** je n'ai entendu que des bribes de la conversation; **he remembers odd ~es of the song** il ne se souvient que de quelques bribes de la chanson; **2** (grab) **to make a ~ at sth** essayer d'attraper qch; **3** (theft) vol *m*; **bag ~** vol à l'arraché; **£100,000 was stolen in a wages ~** 100 000 livres ont été volées lors de l'attaque d'un fourgon qui contenait la paie des salariés; **4** Sport (in weightlifting) arraché *m*; **5** ●US (vulva) chatte● *f*
B *vtr* **1** (grab) attraper [*book, key*]; saisir [*opportunity*]; arracher [*victory*]; prendre [*lead*]; **to ~ sth from sb** arracher qch à qn; **she ~ed the letter out of my hands** elle m'a arraché la lettre des mains; **to be ~ed from the jaws of death** être arraché aux griffes de la mort; **2** °(steal) piquer°, voler [*handbag, jewellery*] (**from** à); kidnapper [*baby*]; voler [*kiss*] (**from** à); **3** (take hurriedly) **try to ~ a few hours' sleep** essaie de dormir quelques heures; **have we got time to ~ a meal?** a-t-on le temps de manger quelque chose en vitesse?; **we managed to ~ a week's holiday** nous avons réussi à grappiller une semaine de vacances
C *vi* **to ~ at sth** tendre vivement la main vers [*rope, letter*]
(Phrasal verbs) ■ **snatch away**: ▸ **~ [sth] away** arracher qch (**from sb** à qn)
■ **snatch up**: ▸ **~ up [sth]** ramasser [qch] en vitesse [*clothes, papers*]; saisir [*child*]; **to ~ up a bargain** faire une affaire

snatch squad *n* GB forces *fpl* d'intervention antiémeutes

snazzy° /'snæzɪ/ *adj* [*clothing, colour*] criard; [*car*] tape-à-l'œil° *inv*

sneak /sniːk/
A °*n* péj **1** GB (tell-tale) rapporteur/-euse *m/f*, mouchard/-e° *m/f*; **2** (devious person) sournois/-e *m/f*
B *modif* [*attack, raid*] en traître; [*visit*] furtif/-ive
C *vtr* **1** °(have secretly) manger [qch] en cachette [*chocolate etc*]; fumer [qch] en cachette [*cigarette*]; **2** °(steal) piquer°, voler (**out of, from** dans); **I ~ed some brandy from the cupboard** j'ai piqué° du cognac dans le placard; **they ~ed him out by the back door** ils l'ont fait sortir discrètement par la porte de derrière; **to ~ a look at sth** jeter un coup d'œil furtif à qch
D *vi* **1** (move furtively) **to ~ away** s'éclipser discrètement; **to ~ around** rôder; **to ~ in/out** entrer/sortir furtivement; **to ~ into** se faufiler dans [*room, bed*]; **to ~ past sth/sb** passer furtivement devant qch/qn; **to ~ up on sb/sth** s'approcher sans bruit de qn/qch; **he ~ed up behind me** il s'est approché de moi par derrière sans bruit; **she ~ed out of the room** elle s'est glissée hors de la pièce; **2** °GB (tell tales) rapporter, moucharder°; **to ~ on sb** dénoncer qn

sneaker /'sniːkə(r)/ *n* US basket *f*, (chaussure *f* de) tennis *f*

sneaking /'sniːkɪŋ/ *adj* [*suspicion*] vague; **I have a ~ suspicion that I've made a mistake** j'ai le vague sentiment d'avoir fait une erreur; **she has a ~ suspicion that he's lying** elle a le vague sentiment qu'il ment; **I have a ~ admiration/respect for her** je ne peux m'empêcher de l'admirer/d'avoir du respect à son égard

sneak preview *n* Cin, fig avant-première *f*; **to give sb a ~ of sth** montrer qch à qn en avant-première

sneak thief *n* chapardeur/-euse *m/f*

sneaky /'sniːkɪ/ *adj* **1** péj (cunning) [*act, behaviour, move, person*] sournois; [*method, plan*] rusé; **2** (furtive) **to have a ~ look at sth** regarder qch en cachette

sneer /snɪə(r)/
A *n* **1** (expression) sourire *m* méprisant; **to say sth with a ~** dire qch avec un sourire méprisant; **2** (remark) raillerie *f*
B *vi* **1** (smile) sourire avec mépris; **2** (speak) railler; **to ~ at sb** railler qn

sneering /'snɪərɪŋ/
A *n* railleries *fpl*
B *adj* [*remark*] railleur/-euse; [*smile*] méprisant

sneeringly /'snɪərɪŋlɪ/ *adv* [*say, watch*] avec un sourire méprisant

sneeze /sniːz/
A *n* éternuement *m*
B *vi* éternuer
(Idiom) **it is not to be ~d at** ce n'est pas à dédaigner

snick° /snɪk/
A *n* **1** (small cut) encoche *f*; **2** (knot) nœud *m*
B *vtr* **1** (cut) faire une encoche à; **2** Sport donner un petit coup oblique à [*ball*]

snicker /'snɪkə(r)/
A *n* **1** (whinny) hennissement *m*; **2** US = **snigger**
B *vi* **1** (neigh) [*horse*] hennir doucement; **2** US = **snigger**

snide /snaɪd/ *adj* sournois

sniff /snɪf/
A *n* **1** (of person with cold, person crying) reniflement *m*; (of disgust, disdain) grimace *f*, moue *f*; **2** (inhalation) inhalation *f*; **a single ~ of this substance can be fatal** une seule inhalation de cette substance peut être mortelle; **to take a ~ of** sentir [*perfume, cheese*]; **let me have a ~** laisse-moi sentir; **3** fig (slight scent) **there was a ~ of corruption in the air** cela sentait la corruption; **there has never been a ~ of scandal** il n'y a jamais eu le moindre soupçon de scandale; **I didn't get a ~ of the profits** je n'ai pas vu la couleur des bénéfices; **I didn't get a ~ of the ball** je n'ai pas eu le ballon une seule fois
B *vtr* [*dog*] flairer [*trail, lamppost*]; [*person*] humer [*air*]; sentir [*perfume, food, flower*]; inhaler, sniffer° [*glue, cocaine*]; respirer [*smelling salts*]
C *vi* lit [*person*] renifler; [*dog*] renifler, flairer; fig [*person*] faire une moue; **to ~ at sth** lit renifler [*food, liquid*]; fig faire la grimace à [*suggestion, idea*]; faire la fine bouche devant [*dish, food*]; **a free car/a 10% pay rise is not to be ~ed at** une voiture gratuite/une augmentation de 10%, ça ne se refuse pas
(Phrasal verb) ■ **sniff out**: ▸ **~ out [sth]** [*dog*] flairer [*explosives, drugs*]; fig [*journalist*] flairer [*scandal*]; [*police*] dénicher [*culprit*]; [*shopper*] flairer [*bargain*]

sniffer: **~ dog** *n*: *chien policier entraîné pour détecter la drogue ou les explosifs*; **~ program** *n* Comput sniffer *m*

sniffle° /'snɪfl/
A *n* **1** (sniff) reniflement *m*; **2** (slight cold) petit rhume *m*; **to have the ~s**° être enrhumé
B *vi* renifler

sniffy° /'snɪfɪ/ *adj* dédaigneux/-euse; **to be ~ about sth** faire la fine bouche au sujet de qch

snifter /'snɪftə(r)/ *n* **1** °(drink) petit coup° *m*, petit verre *m*; **2** US (glass) (verre *m*) ballon *m*

snigger /'snɪgə(r)/
A *n* ricanement *m*; **with a ~** en ricanant
B *vi* ricaner; **to ~ at [sb/sth]** se moquer de [*person*]; ricaner en entendant [*remark*]; ricaner en voyant [*appearance, action*]

sniggering /'snɪgərɪŋ/
A *n* ₵ ricanements *mpl*; **stop your ~** cessez de ricaner
B *adj* [*person*] qui ricane

snip /snɪp/
A *n* **1** (action) petit coup *m* (de ciseaux etc); **2** onomat cliquetis *m*; **3** (piece) (of fabric) échantillon *m*; **4** °(bargain) (bonne) affaire *f*; **5** Turf gagnant *m* sûr
B *vtr* (*p prés etc* **-pp-**) découper (à petits coups de ciseaux) [*fabric, paper*]; tailler [*hedge*]
(Phrasal verb) ■ **snip off**: ▸ **~ [sth] off, ~ off [sth]** couper [*nail, twig, corner*]

snipe /snaɪp/
A *n* Zool bécassine *f*
B *vtr* **'rubbish,' he ~d** 'balivernes,' lança-t-il

C *vi* **to ~ at** (shoot) tirer sur, canarder○ [*person, vehicle*]; (criticize) envoyer des piques à [*person*]
sniper /ˈsnaɪpə(r)/ *n* Mil tireur *m* embusqué
sniper fire *n* Mil tir *m* de tireurs embusqués
sniping /ˈsnaɪpɪŋ/ *n* ¢ piques *fpl*
snippet /ˈsnɪpɪt/ *n* (*gén pl*) (of conversation, information) bribe *f*; (of text, fabric, music) fragment *m*
snitch○ /snɪtʃ/
A *n* 1 (nose) nez *m*, pif○ *m*; 2 (telltale) (adult) mouchard○ *m*; (child) rapporteur/-euse *m/f*
B *vtr* (steal) faucher○, voler
C *vi* (reveal secret) moucharder○; **to ~ on sb** dénoncer qn, balancer○ qn
snivel /ˈsnɪvl/ *vi* (*p prés etc* **-ll-**) pleurnicher
sniveller○ /ˈsnɪvlə(r)/ *n* péj pleurnicheur/-euse *m/f*
snivelling /ˈsnɪvlɪŋ/
A *n* ¢ pleurnicheries *fpl*
B *adj* [*child, coward*] pleurnicheur/-euse
snob /snɒb/
A *n* snob *mf*
B *modif* [*value, appeal*] pour les snobs
snobbery /ˈsnɒbərɪ/ *n* snobisme *m*
snobbish /ˈsnɒbɪʃ/ *adj* snob *inv*
snobbishness /ˈsnɒbɪʃnɪs/ *n* snobisme *m*
snobby○ /ˈsnɒbɪ/ *adj* snobinard○
snog○ /snɒg/ GB
A *n* bécotage○ *m*
B *vi* (*p prés etc* **-gg-**) se bécoter○
C *vtr* (*p prés etc* **-gg-**) se bécoter○ avec
snogging○ /ˈsnɒgɪŋ/ *n* bécotage○ *m*
snood /snuːd/ *n* Hist résille *f*; (modern) cagoule *f*
snook /snuːk/ *n* (fish) brochet *m* de mer
(Idiom) **to cock a ~ at sb** faire la nique à qn
snooker /ˈsnuːkə(r)/ ▸ p. 1253
A *n* 1 (game) snooker *m* (*variante du billard*); 2 (shot) coup *m* fumant
B *modif* [*ball, cue, tournament, player*] de snooker
C *vtr* 1 Sport, fig coincer [*player, person*]; **I'm ~ed** fig je suis coincé; 2 US (deceive) avoir○, tromper [*person*]; **we've been ~ed** on nous a eus○
snoop○ /snuːp/
A *n* = **snooper**
B *vi* espionner; **to ~ into sth** mettre son nez○ dans qch; **to ~ on sb** espionner qn
(Phrasal verb) ■ **snoop around**○ fouiner, fureter
snoop around○ *n* **to have a ~** jeter un coup d'œil
snooper○ /ˈsnuːpə(r)/ *n* péj fouineur/-euse○ *m/f*
snooping○ /ˈsnuːpɪŋ/
A *n* (by state, police, journalist) espionnage *m*
B *adj* fouineur/-euse○
snoot /snuːt/ *n* Phot réflecteur *m*
snooty○ /ˈsnuːtɪ/ *adj* [*restaurant, club, college*] huppé; [*tone, person*] prétentieux/-ieuse
snooze○ /snuːz/
A *n* petit somme *m*; **to have a ~** faire un petit somme
B *vi* sommeiller
snooze button *n* bouton *m* de répétition de l'alarme
snore /snɔː(r)/
A *n* ronflement *m*
B *vi* ronfler
snorer○ /ˈsnɔːrə(r)/ *n* ronfleur/-euse *m/f*
snoring /ˈsnɔːrɪŋ/ *n* ¢ ronflements *mpl*
snorkel /ˈsnɔːkl/
A *n* (US **schnorkel**) 1 (for swimmer) tuba *m*, tube *m* respiratoire; 2 (on submarine) schnorchel *m*
B *vi* (*p prés etc* **-ll-**) faire de la plongée avec tuba
snorkelling /ˈsnɔːklɪŋ/ ▸ p. 1253 *n* Sport plongée *f* avec tuba
snort /snɔːt/
A *n* 1 (of horse, bull) ébrouement *m*; (of person, pig) grognement *m*; **to give a ~** [*horse, bull*] s'ébrouer; [*person, pig*] grogner; 2 (of cocaine) argot des drogués sniff *m*; 3 ○(drink) petit coup *m*
B *vtr* 1 **'hooligans!' he ~ed** 'voyous!' grogna-t-il; 2 argot des drogués sniffer [*drug*]
C *vi* [*person, pig*] grogner; [*horse, bull*] s'ébrouer; **to ~ with laughter** rire comme un cheval
snorter○ /ˈsnɔːtə(r)/ *n* 1 (drink) **to have a quick ~** boire un petit coup; 2 (horror) **the exam/speech was a real ~** l'examen/le discours était carabiné○; **a ~ of a letter/question** une lettre/question carabinée
snot○ /snɒt/ *n* 1 (mucus) morve *f*; 2 péj (child) morveux/-euse *m/f*; (adult) péteux/-euse○ *m/f*
snotty○ /ˈsnɒtɪ/
A *n* (in Navy) midshipman *m*
B *adj* 1 [*nose*] plein de morve; **~-nosed child** enfant avec de la morve au nez; 2 (of person) prétentieux/-ieuse
snout /snaʊt/ *n* 1 (of most animals) museau *m*; (of pig) groin *m*; 2 fig, hum (of person) museau○ *m*; **keep your ~ out of this** ne mets pas ton museau dedans; 3 argot des prisonniers (tobacco) perlot○ *m*; (cigarettes) sèches○ *fpl*; 4 argot des policiers (informer) indic○ *m*
(Idiom) **to have one's ~ in the trough** avoir sa part du gâteau
snow /snəʊ/
A *n* 1 Meteorol neige *f*; **a fall of ~** une chute de neige; 2 Radio, TV neige *f*; 3 ○argot des drogués (cocaine) neige○ *f*, cocaïne *f*
B **snows** *npl* neiges *fpl*; **the ~s of Siberia** les neiges de Sibérie
C *vtr*○ US emberlificoter○ [*person*]
D *v impers* neiger; **it's ~ing** il neige
(Phrasal verbs) ■ **snow in** (*also* **~ up**): **to be ~ed in** être bloqué par la neige; **we were ~ed in for three days** on est resté bloqué à l'intérieur pendant trois jours à cause de la neige
■ **snow under**: **to be ~ed under** lit [*car, house*] être couvert de neige; fig (with work, letters) être submergé (**with** de)
snowball /ˈsnəʊbɔːl/
A *n* 1 lit boule *f* de neige; 2 (drink) *cocktail*; 3 ○argot des drogués (drug cocktail) mélange *m* de cocaïne et d'héroïne
B *vtr* bombarder [qn] de boules de neige
C *vi* fig [*profits, problem, plan, support*] faire boule de neige
(Idioms) **it hasn't got a ~'s chance in hell**○ c'est perdu d'avance; **he hasn't got a ~'s chance in hell**○ il n'a pas la moindre chance
snowball fight *n* bataille *f* de boules de neige
snow: **~bank** US *n* congère *f*; **~belt** *n* US *États américains qui connaissent des hivers rigoureux*; **~ blindness** *n* cécité *f* des neiges
snowboard /ˈsnəʊbɔːd/ Sport
A *n* surf *m* des neiges
B *vi* faire du surf des neiges
snowboarder /ˈsnəʊbɔːdə(r)/ *n* surfeur/-euse *m/f*
snowboarding /ˈsnəʊbɔːdɪŋ/ ▸ p. 1253 *n* surf *m* (des neiges), snowboard *m*
snow: **~boot** *n* Fashn, Sport après-ski *m inv*; **~bound** *adj* [*house, person, vehicle, village*] bloqué par la neige; [*region*] paralysé par la neige; **~ bunting** *n* Zool bruant *m* des neiges; **~-capped** *adj* [*mountains*] aux sommets enneigés; **~ chains** *npl* Aut chaînes *fpl*
Snowdon /ˈsnəʊdən/ *pr n* le (mont) Snowdon *m*
Snowdonia /snəʊˈdəʊnɪə/ *pr n* massif *m* du Snowdon
snow: **~drift** *n* congère *f*; **~drop** *n* Bot perce-neige *m inv*; **~fall** *n* chute *f* de neige; **~field** *n* champ *m* de neige; **~flake** *n* flocon *m* de neige; **~ goose** *n* oie *f* des neiges; **~ job**○ *n* US baratin○ *m*; **~ leopard** *n* léopard *m* des neiges, once *f*; **~ line** *n* limite *f* des neiges éternelles; **~man** *n* bonhomme *m* de neige; **~ mobile** *n* Aut motoneige *f*; **~ plough** GB, **~ plow** US *n* Aut, Sport chasse-neige *m inv*; **~ report** *n* Meteorol bulletin *m* d'enneigement; **~ shoe** *n* raquette *f*; **~slide**, **~slip** *n* Meteorol mini-avalanche *f*; **~storm** *n* tempête *f* de neige; **~ suit** *n* combinaison *f* de ski; **~ tyre** GB, **~ tire** US *n* pneu-neige *m*, pneu *m* clouté;
Snow White *pr n* Blanche Neige *f*
snowy /ˈsnəʊɪ/ *adj* 1 lit (after a snowfall) [*landscape, peak, slope*] enneigé, couvert de neige; (usually under snow) [*region, range*] neigeux/-euse; **it will be ~ tomorrow** il neigera demain; 2 ▸ p. 1067 fig (white) [*beard, cloth*] blanc/blanche (comme neige); **a ~-haired old man** un vieil homme aux cheveux blancs
snowy owl *n* harfang *m*
SNP *n* GB Pol *abrév* ▸ **Scottish National Party**
Snr. *abrév écrite* = **Senior**
snub /snʌb/
A *n* rebuffade *f*
B *vtr* (*p prés etc* **-bb-**) rembarrer; **to be ~bed** essuyer une rebuffade (**by** de la part de)
snub: **~ nose** *n* nez *m* retroussé; **~-nosed** *adj* au nez retroussé
snuck○ /snʌk/ *prét, pp* ▸ **sneak**
snuff /snʌf/
A *n* tabac *m* à priser
B *vtr* 1 (put out) moucher [*candle*]; 2 (sniff) humer [*air*]
(Idiom) **to ~ it**○ casser sa pipe○
(Phrasal verb) ■ **snuff out**: ▸ **~ [sth] out, ~ out [sth]** 1 moucher [*candle*]; 2 fig éteindre [*hope, interest*]; étouffer [*rebellion, enthusiasm*]; 3 ○(kill) descendre○ [*person*]
snuffbox /ˈsnʌfbɒks/ *n* tabatière *f*
snuffer /ˈsnʌfə(r)/
A *n* (*also* **candle ~**) éteignoir *m*
B **snuffers** *npl* mouchettes *fpl*
snuffle /ˈsnʌfl/
A *n* (of animal, person) reniflement *m*; **to have the ~s** renifler parce qu'on est enrhumé
B *vi* [*animal, person*] renifler
(Phrasal verb) ■ **snuffle around** renifler
snuff movie *n*: *film pornographique avec meurtre non simulé*
snug /snʌg/
A *n* GB *petite arrière-salle d'un bar*
B *adj* [*bed, room*] douillet; [*coat*] chaud; **we were ~ in our new coats/the kitchen** nous étions bien au chaud dans nos nouveaux manteaux/la cuisine. ▸ **rug**
snuggery /ˈsnʌgərɪ/ *n* GB = **snug A**
snuggle /ˈsnʌgl/ *vi* se blottir, se pelotonner (**into** dans; **against** contre); **to ~ together** se blottir *or* se pelotonner l'un contre l'autre; **to ~ down in one's bed** se pelotonner dans son lit
(Phrasal verb) ■ **snuggle up** se blottir (**against, beside** contre); **to ~ up to sth/sb** se blottir contre qch/qn
snugly /ˈsnʌglɪ/ *adv* **the coat fits ~** le manteau est parfaitement ajusté; **the lid of the box should fit ~** le couvercle de la boîte devrait s'adapter parfaitement; **the pieces of the jigsaw fit ~ together** les pièces du puzzle s'emboîtent parfaitement; **the card fits ~ into the envelope** l'enveloppe est exactement de la bonne taille pour la carte; **the baby was ~ wrapped up in a blanket** le bébé était douillettement enveloppé dans une couverture; **he's ~ tucked up in bed** il est bien au chaud dans son lit
so /səʊ/
A *adv* 1 (so very) si, tellement; **~ stupid/quickly** si *or* tellement stupide/vite; **he's ~ fat he can't get in** il est tellement *or* si gros qu'il ne peut pas rentrer; **~ thin/tall etc that** si *or* tellement maigre/grand etc que; **what's ~ funny?** qu'est-ce qu'il y a de si drôle?; **not ~ thin/tall as** pas aussi maigre/grand que [*person*]; **he's not ~ stern a father as yours** ce

S

n'est pas un père aussi sévère que le tien; **not ~ good a plumber** pas un aussi bon plombier; **not nearly ~ expensive as your pen** pas du tout aussi cher que ton stylo; **I'm not feeling ~ good**○ je ne me sens pas très bien; ▸ **as**

2▸ littér (*also* **~ much**) tellement; **she loved him/worries ~** elle l'aimait/s'inquiète tellement

3▸ (to limited extent) **we can only work ~ fast and no faster** nous ne pouvons vraiment pas travailler plus vite; **you can only do ~ much (and no more)** tu ne peux rien faire de plus

4▸ (in such a way) **~ arranged/worded that** organisé/rédigé d'une telle façon que; **walk ~** marchez comme ça; **and ~ on and ~ forth** et ainsi de suite; **just as X is equal to Y, ~ A is equal to B** soit X égale Y, A égale B; **just as you need him, ~ he needs you** tout comme tu as besoin de lui, il a besoin de toi; **just as in the 19th century, ~ today** tout comme au XIXᵉ siècle, aujourd'hui; **~ be it!** soit!; **she likes everything to be just ~** elle aime que les choses soient parfaitement en ordre

5▸ (for that reason) **~ it was that** c'est ainsi que; **she was young and ~ lacked experience** elle était jeune et donc sans expérience; **she was tired and ~ went to bed** elle était fatiguée donc elle est allée se coucher

6▸ (true) **is that ~?** c'est vrai?; **if (that's) ~** si c'est vrai *or* le cas

7▸ (also) aussi; **~ is she/do I etc** elle/moi etc aussi; **if they accept ~ do I** s'ils acceptent, j'accepte aussi

8▸ ○(thereabouts) environ; **20 or ~** environ 20; **a year or ~ ago** il y a environ un an

9▸ (as introductory remark) **~ there you are** te voilà donc; **~ that's the reason** voilà donc pourquoi; **~ you're going are you?** alors tu y vas?

10▸ (avoiding repetition) **he's conscientious, perhaps too much ~** il est consciencieux, peut-être même trop; **he's the owner or ~ he claims** c'est le propriétaire du moins c'est ce qu'il prétend; **he dived and as he did ~...** il a plongé et en le faisant...; **he opened the drawer and while he was ~ occupied...** il a ouvert le tiroir et pendant qu'il était en train de le faire...; **perhaps ~** c'est possible; **I believe ~** je crois; **~ I believe** c'est ce que je crois; **I'm afraid ~** j'ai bien peur que oui *or* si; **~ it would appear** c'est ce qu'il semble; **~ to speak** si je puis dire; **I told you ~** je te l'avais bien dit; **~ I see** je le vois bien; **I think/don't think ~** je pense/ne pense pas; **who says ~?** qui dit ça?; **he said ~** c'est ce qu'il a dit; **we hope ~** nous espérons bien; **only more ~** mais encore plus; **the question is unsettled and will remain ~** la question n'est pas résolue et ne le sera pas

11▸ sout (referring forward or back) **yes if you ~ wish** oui si vous le voulez; **if you ~ wish you may...** si vous le souhaitez, vous pouvez...

12▸ (reinforcing a statement) **'I thought you liked it?'—'~ I do'** 'je croyais que ça te plaisait'—'mais ça me plaît'; **'it's broken'—'~ it is'** 'c'est cassé'—'je le vois bien!'; **'I'd like to go to the ball'—'~ you shall'** 'j'aimerais aller au bal'—'tu iras'; **'I'm sorry'—'~ you should be'** 'je suis désolé'—'j'espère bien'; **it just ~ happens that** il se trouve justement que

13▸ ○(refuting a statement) **'he didn't hit you'—'he did ~!'** 'il ne t'a pas frappé?'—'si, il m'a frappé'; **I can ~ make waffles** si, je sais faire les gaufres

14▸ ○(as casual response) et alors; **'I'm leaving'—'~?'** 'je m'en vais'—'et alors?'; **~ why worry!** et alors, il n'y pas de quoi t'en faire!

B **so (that)** *conj phr* **1▸** (in such a way that) de façon à ce que (+ *subj*); **she wrote the instructions ~ that they'd be easily understood** elle a rédigé les instructions de façon à ce qu'elles soient faciles à comprendre

2▸ (in order that) pour que; **she fixed the party for 8 ~ that he could come** elle a prévu la soirée pour 8 heures pour qu'il puisse venir; **be quiet ~ I can work** tais-toi que je puisse travailler

C **so as** *conj phr* pour; **~ as to attract attention/not to disturb people** pour attirer l'attention/ne pas déranger les gens

D **so much** *adv phr, pron phr* **1▸** (*also* **~ many**) (such large quantity) tant de [*sugar, friends*]; **~ much of her life** une si grande partie de sa vie; **~ many of her friends** un si grand nombre de ses amis; **~ much of the information** une large partie des renseignements; ▸ **ever**

2▸ (*also* **~ many**) (in comparisons) **to behave like ~ many schoolgirls** se conduire comme des écolières; **tossed like ~ much flotsam** ballotté comme des épaves flottantes

3▸ (*also* **~ many**) (limited amount) **I can only make ~ much bread** *ou* **~ many loaves** je ne peux pas faire plus de pains; **I can pay ~ much** je peux payer tant; **there's only ~ much you can take** il y a des limites à ce qu'on peut supporter

4▸ (to such an extent) tellement; **~ much worse** tellement pire; **to like/hate sth ~ much that** aimer/détester qch tellement que; **she worries ~ much** elle s'inquiète tellement; **he was ~ much like his sister** il ressemblait tellement à sa sœur; **~ much ~ that** à un tel point que; **thank you ~ much** merci beaucoup

5▸ (in contrasts) **not ~ much X as Y** moins X que Y; **it wasn't ~ much shocking as depressing** c'était moins choquant que déprimant; **it doesn't annoy me ~ much as surprise me** ça m'agace moins que ça ne me surprend; ▸ **much**

E **so much as** *adv phr* (even) même; **he never ~ much as apologized** il ne s'est même pas excusé; ▸ **without**

F **so much for** *prep phr* **1▸** (having finished with) **~ much for that problem, now for...** assez parlé de ce problème, parlons maintenant de...

2▸ ○(used disparagingly) **~ much for equality/liberalism** bonjour l'égalité/le libéralisme○; **~ much for saying you'd help** c'était bien la peine de dire que tu aiderais

G **so long as**○ *conj phr* ▸ **long**

(Idioms) **~ long**○**!** (goodbye) à bientôt!; **~ much the better/the worse** tant mieux/pis; **~ ~** comme ci comme ça; **~ there!** d'abord!; **I did it first, ~ there!** c'est moi qui l'ai fait le premier, d'abord!

soak /səʊk/

A *n* **1▸** **to give sth a ~** GB faire *or* laisser tremper qch; **to have a ~** [*person*] prendre un long bain; **2▸** ○(drunk) poivrot/-ote○ *m/f*, ivrogne *mf*

B *vtr* **1▸** (wet) tremper [*person, clothes*]; **to get ~ed** se faire tremper; **2▸** (immerse) laisser *or* faire tremper [*clothes, dried foodstuff*]; **3▸** ○fig (drain) faire casquer○ [*customer, taxpayer*]

C *vi* **1▸** (be immersed) tremper; **to leave sth to ~** mettre qch à tremper [*clothes*]; **2▸** (be absorbed) **to ~ into** [*water*] être absorbé par [*earth, paper, fabric*]; **to ~ through** [*blood*] traverser [*bandages*]; [*rain*] traverser, transpercer [*coat*]

D *v refl* **to ~ oneself** (get wet) se tremper; (in bath) prendre un long bain

E **soaked** *pp adj* [*person, clothes, shoes*] trempé; **to be ~ed through** *ou* **~ed to the skin** être trempé jusqu'aux os

F **-soaked** *dans composés* **blood-~ed bandages** des pansements imbibés de sang; **sweat-~ed** trempé de sueur; **rain-~ed** [*pitch, track*] détrempé; **sun-~ed** ensoleillé

(Phrasal verbs) ■ **soak away** [*water*] être absorbé

■ **soak in** [*water, ink*] pénétrer; **let the stain remover ~ in** laisse le détachant pénétrer

■ **soak off**: ▸ **~ off** [*label, stamp*] se décoller; **the label on the bottle ~s off** l'étiquette se décolle quand on fait tremper la bouteille dans l'eau; ▸ **~ [sth] off, ~ off [sth]** décoller [qch] en le mouillant [*label*]

■ **soak out**: ▸ **~ out** [*dirt, stain*] partir; ▸ **~ [sth] out, ~ out [sth]** faire partir [qch] en le laissant tremper [*stain*]

■ **soak up**: ▸ **~ [sth] up, ~ up [sth]** [*earth, sponge*] absorber, boire [*water*]; ▸ **~ up [sth]** [*person*] s'imprégner de [*atmosphere*]; **to ~ up the sun** faire le plein○ de soleil

soakaway /ˈsəʊkəweɪ/ *n* Constr puisard *m*

soaking /ˈsəʊkɪŋ/

A *n* GB douche○ *f*; **to get a ~** prendre une bonne douche○; **to give sb a ~** tremper qn

B *adj* trempé; **a ~ wet towel/sock** une serviette/chaussette complètement trempée; **I'm ~ wet** je suis trempé jusqu'aux os

soap /səʊp/

A *n* **1▸** (for washing) savon *m*; **a bar of ~** un savon; **with ~ and water** avec de l'eau et du savon; **2▸** ○(flattery) (*also* **soft ~**) pommade○ *f*, flatterie *f*; **3▸** ○= **soap opera**

B *vtr* savonner; **to ~ sb's back** savonner le dos à qn

C *v refl* **to ~ oneself** se savonner

soapbox /ˈsəʊpbɒks/ *n* (for speeches) tribune *f* improvisée; **to get on one's ~** enfourcher son cheval de bataille

soapbox: **~ orator** *n* harangueur/-euse *m/f*; **~ oratory** *n* harangue *f* de démagogue

soap: **~dish** *n* porte-savon *m*; **~flakes** *npl* savon *m* en paillettes

soap opera *n* Radio, TV feuilleton *m*

> **Soap operas**
>
> Feuilletons radiophoniques ou télévisés très populaires dans les pays anglo-saxons. Ils racontent la vie quotidienne de plusieurs familles ou d'un groupe de personnages fictifs et sont en général courts (30 minutes) et diffusés tous les jours aux heures de grande écoute. *Coronation St* (depuis 1960), *Brookside* et *Eastenders* figurent parmi les plus connus en Grande-Bretagne ; *As the World Turns*, *Days of Our Lives*, entre autres, sont très appréciés aux États-Unis. On les appelle des *soaps* parce qu'ils étaient, à l'origine, subventionnés par des grandes marques de lessive.

soap: **~ powder** *n* lessive *f* (en poudre); **~ star** *n* vedette *f* de feuilleton; **~stone** *n* stéatite *f*; **~suds** *npl* (foam) mousse *f* de savon; (water) eau *f* savonneuse

soapy /ˈsəʊpɪ/ *adj* **1▸** lit [*water*] savonneux/-euse; [*hands, face*] plein de savon; [*taste*] de savon; **2▸** (cajoling) [*compliment, voice, tone*] mielleux/-euse; [*manner*] onctueux/-euse

soar /sɔː(r)/ *vi* **1▸** (rise sharply) [*popularity, price, temperature, costs*] monter en flèche; [*hopes, spirits, morale*] s'accroître considérablement; **2▸** gen, Fin (rise) **to ~ beyond/above/through** dépasser; **the index ~ed through 2,000** l'indice a dépassé les 2 000; **to ~ to** [*figures, shares, popularity*] atteindre; **inflation has ~ed to a new level** l'inflation a atteint un niveau record; **to ~ from X to Y** passer de X à Y; **3▸** (rise up) = **soar up**; **4▸** (glide) [*bird, plane*] planer; **5▸** littér [*flames, sound*] s'élever; [*tower, cliffs*] se dresser

(Phrasal verb) ■ **soar up** [*bird, plane*] prendre son essor; [*ball*] filer

soaring /ˈsɔːrɪŋ/ *adj* [*inflation, demand, profits*] en forte progression; [*prices, temperatures*] en forte hausse; [*hopes, popularity*] croissant; [*spire, skyscraper*] élancé

sob¹ /sɒb/

A *n* sanglot *m*; **'forgive me,' he said with a ~** 'pardonne-moi,' dit-il en sanglotant

B *vtr* (*p prés etc* **-bb-**) **'it hurts,' he ~bed** 'ça fait mal,' dit-il en sanglotant; **to ~ oneself to sleep** s'endormir à force de sangloter

C *vi* (*p prés etc* **-bb-**) sangloter

(Idiom) **to ~ one's heart out** pleurer toutes les larmes de son corps

(Phrasal verb) ■ **sob out**: ▸ **~ out [sth]** raconter [qch] en sanglotant [*story*]

S

sob²○, **SOB** /esəʊ'biː/ *n* injur (*abrév* = **son of a bitch**) **you** ~! espèce d'enfoiré●!

sobbing /'sɒbɪŋ/
A *n* ¢ sanglots *mpl*; **the sound of** ~ un bruit de sanglots
B *adj* [*child*] sanglotant

sober /'səʊbə(r)/
A *adj* **1** (not drunk) **I'm** ~ je n'ai pas bu d'alcool; (in protest) je ne suis pas ivre; **2** (no longer drunk) dessoûlé; **don't drive until you're** ~ ne prend pas le volant tant que tu n'as pas dessoûlé; **3** (serious) [*person*] sérieux/-ieuse; [*mood*] grave; **4** (realistic) [*estimate, judgment, statement*] modéré; [*reminder*] réaliste; **5** (discreet) [*colour, decor, style*] sobre; [*tie, suit, pattern*] sobre, discret/-ète
B *vtr* **1** (after alcohol) dessoûler [*person*]; **2** (make serious) [*news, reprimand*] calmer [*person*]. ▸ **judge**

Phrasal verb ■ **sober up**: ▸ ~ **up** dessoûler; ▸ ~ **[sb] up** [*fresh air, coffee*] dégriser [*person*]

sobering /'səʊbərɪŋ/ *adj* **it was a** ~ **thought/reminder** cette pensée/ce rappel donnait à réfléchir; **it is** ~ **to think that we will all be out of work soon** l'idée que nous allons tous être sans emploi bientôt donne à réfléchir

soberly /'səʊbəlɪ/ *adv* **1** (seriously) [*speak*] avec modération; [*describe*] avec sobriété; [*estimate*] sérieusement; **2** (discreetly) [*dress, dressed*] discrètement; [*decorate, decorated*] sobrement

soberness /'səʊbənɪs/ *n* **1** (seriousness) sérieux *m*; **2** (plainness of decor etc) sobriété *f*

sober sides† *n* hum rabat-joie *mf inv*

sobriety /sə'braɪətɪ/ *n* **1** (moderation) sobriété *f*; **2** (seriousness) sérieux *m*; **3** (simplicity of dress, decor) sobriété *f*

sobriquet /'səʊbrɪkeɪ/ *n* sout sobriquet *m*

sob sɒb: ~ **sister** ○ *n* US Journ journaliste *mf* qui se spécialise dans le courrier du cœur; ~ **story** ○ *n* mélo○ *m*, histoire *f* larmoyante; ~ **stuff** ○ *n* péj sensiblerie *f* pej

soca /'sɒnkə/ *n* Mus calypso *m* soul

soccer /'sɒkə(r)/ ▸ **p. 1253**
A *n* football *m*
B *modif* [*player, team, club*] de football; [*star*] du football; ~ **violence** violence *f* dans les tribunes

sociability /ˌsəʊʃə'bɪlətɪ/ *n* sociabilité *f*

sociable /'səʊʃəbl/ *adj* [*person*] sociable; [*village*] accueillant; **a** ~ **way to shop/relax** une façon agréable de faire les courses/se détendre

sociably /'səʊʃəblɪ/ *adv* [*behave*] de façon amicale; [*chat*] amicalement

social /'səʊʃl/
A *n* (party) soirée *f*; (gathering) réunion *f*
B *adj* **1** (relating to human society) [*background, class, ladder, mobility, structure, system*] social; ~ **contract** contrat *m* social; **2** (in the community) [*custom, function, group, problem, status, unrest, unit*] social; **3** (recreational) [*activity*] de groupes; [*call, visit*] amical; **he's a** ~ **drinker** il boit de l'alcool en société; **he's a** ~ **smoker** c'est un fumeur occasionnel; **he's got no** ~ **skills** il ne sait pas se comporter en société; **4** (gregarious) [*animal*] social, sociable

social: ~ **accounting** *n* Econ, Fin comptabilité *f* nationale; ~ **anthropology** *n* anthropologie *f* sociale; ~ **chapter** *ou* **charter** *n* EU Charte *f* sociale européenne; ~ **climber** *n* (still rising) arriviste *mf*; (at his/her peak) parvenu/-e *mf*; ~ **club** *n* club *m*; ~ **column** *n* carnet *m* mondain, rubrique *f* mondaine

social conscience *n* **to have a** ~ être conscient des injustices sociales

social: ~ **contact** *n* contact *m*; ~ **democracy** *n* social-démocratie *f*; ~ **democrat** *n* social-démocrate *mf*; ~ **democratic** *n* social-démocrate; ~ **disease** *n* euph maladie *f* honteuse euph; ~ **duty** *n* devoir *m* de citoyen; ~ **engagement** *n* obligation *f* sociale; ~ **engineering** *n* manipulation *f* des structures sociales; ~ **evening** *n* soirée *f*; ~ **event** *n* événement *m* mondain; ~ **exclusion** *n* exclusion *f* sociale; **Social Fund** *n* GB Soc Admin *fonds national de solidarité sous forme de prêt*; ~ **gathering** *n* réunion *f* entre amis; ~ **historian** ▸ **p. 1683** *n* historien/-ienne *m/f* spécialisé/-e dans les faits de société; ~ **history** *n* histoire *f* sociale; ~ **housing** *n* logements *mpl* sociaux; ~ **insurance** *n* US Soc Admin ≈ sécurité *f* sociale

socialism /'səʊʃəlɪzəm/ *n* socialisme *m*

socialist /'səʊʃəlɪst/ *n, adj* (*also* **Socialist**) socialiste (*mf*)

socialistic /ˌsəʊʃə'lɪstɪk/ *adj* péj socialisant

socialite /'səʊʃəlaɪt/ *n* mondain/-e *m/f*

socialization /ˌsəʊʃəlaɪ'zeɪʃn, US -lɪ'z-/ *n* socialisation *f*

socialize /'səʊʃəlaɪz/
A *vtr* (adapt to society) socialiser [*child*]
B *vi* (mix socially) rencontrer des gens; **to** ~ **with sb** fréquenter qn

socializing /'səʊʃəlaɪzɪŋ/ *n* **we don't do much** ~ on ne sort pas beaucoup

social: ~ **ladder** *n* ascenseur *m* social; ~ **life** *n* (of person) vie *f* sociale; (of town) vie *f* culturelle

socially /'səʊʃəlɪ/ *adv* [*meet, mix*] en société; [*acceptable*] en société; [*inferior, superior*] du point de vue social; [*oriented*] vers le social; **I know him** ~, **not professionally** je le connais personnellement, mais pas sur le plan professionnel

socially excluded
A *n* (+ *v pl*) **the** ~ les exclus *mpl*
B *adj* exclu

social: ~ **marketing** *n* Advertg promotion *f* d'une cause sociale; ~ **misfit** *n* inadapté/-e *m/f*; ~ **outcast** *n* paria *m*; ~ **rank** *n* position *f* dans la société; ~ **realism** *n* Art, Cin, Literat réalisme *m* social; ~ **register** *n* US carnet *m* mondain, rubrique *f* mondaine

social scene *n* **she's well known on the London** ~ elle est très connue dans la société londonienne; **what's the Oxford** ~ **like?** qu'est-ce qu'il y a à faire à Oxford?

social science
A *n* science *f* sociale
B *modif* [*faculty*] des sciences sociales; [*degree*] de *or* en sciences sociales; [*exam*] de sciences sociales

social: ~ **scientist** ▸ **p. 1683** *n* spécialiste *mf* des sciences sociales; ~ **secretary** *n* (of celebrity) secrétaire *mf* particulier/-ière; (of club) secrétaire *mf* (du club)

social security ➜▥
A *n* Soc Admin (benefit) aide *f* sociale; **to live off** ~ vivre de l'aide sociale; **to be on** ~ recevoir l'aide sociale
B *modif* [*budget, claimant*] d'aide sociale; [*payment*] de l'aide sociale; [*minister*] des affaires sociales; ▸ **Welfare state**

social: **Social Security Administration**; **SSA** *n* US Soc Admin *service de gestion de la retraite et des pensions*; ~ **service** *n* US ▸ **social work**

Social Services GB
A *npl* services *mpl* sociaux
B *modif* [*secretary, director*] des affaires sociales; [*department, office*] de l'aide sociale

social studies *n* (+ *v sg*) sciences *fpl* humaines

social welfare
A *n* Soc Admin protection *f* sociale
B *modif* [*system*] de protection sociale; [*organization, group*] à caractère social

social work
A *n* travail *m* social
B *modif* [*specialist*] du travail social; [*qualifications, skills*] de travailleur social

social worker ▸ **p. 1683** *n* travailleur/-euse *m/f* social/-e

societal /sə'saɪətl/ *adj* sociétal

society /sə'saɪətɪ/
A *n* **1** ¢ (the human race) société *f*; **2** **C** (individual social system) société *f*; **a civilized/closed/multicultural** ~ une société civilisée/fermée/multiculturelle; **3** (group) (for social contact) association *f*; (for mutual hobbies) club *m*; (for intellectual, business, religious contact) société *f*; **drama/music** ~ société de théâtre/de musique; **4** (upper classes) (*also* **high** ~) haute société *f*; **London** ~ la haute société londonienne; **fashionable** ~ le beau monde; **5** (company) sout société *f*; **I like the** ~ **of young people** j'apprécie la société des jeunes
B *modif* [*artist, columnist, photographer, wedding*] mondain; [*hostess*] des soirées mondaines; ~ **gossip** les échos mondains

society: ~ **column** *n* carnet *m* mondain; **Society of Friends** *pr n* Relig Société *f* des Amis; **Society of Jesus**, **SJ** *pr n* Relig Société *f* de Jésus, SJ

sociobiology /ˌsəʊsɪəʊbaɪ'ɒlədʒɪ/ *n* sociobiologie *f*

socioeconomic /ˌsəʊsɪəʊˌiːkə'nɒmɪk/ *adj* socio-économique

sociolinguistic /ˌsəʊsɪəʊlɪŋ'gwɪstɪk/
A *adj* sociolinguistique
B **sociolinguistics** *n* (+ *v sg*) sociolinguistique *f*

sociological /ˌsəʊsɪə'lɒdʒɪkl/ *adj* [*study, research, issue*] sociologique; [*studies*] de sociologie

sociologically /ˌsəʊsɪə'lɒdʒɪklɪ/ *adv* sociologiquement; (sentence adverb) ~ **(speaking),...** du point de vue sociologique,...

sociologist /ˌsəʊsɪ'ɒlədʒɪst/ ▸ **p. 1683** *n* sociologue *mf*

sociology /ˌsəʊsɪ'ɒlədʒɪ/
A *n* sociologie *f*
B *modif* [*studies, teacher*] de sociologie

sociometry /ˌsəʊsɪ'ɒmətrɪ/ *n* sociométrie *f*

sociopath /'səʊsɪəpæθ/ *n* US sociopathe *mf*

sociopathic /ˌsəʊsɪə'pæθɪk/ *adj* US [*report, study*] sociopathique; [*patient*] sociopathe

sociopolitical /ˌsəʊsɪəʊpə'lɪtɪkl/ *adj* sociopolitique

sock /sɒk/ ▸ **p. 1694**
A *n* (US *pl* ~**s** *ou* **sox**) **1** (footwear) chaussette *f*; **2** Aviat (*also* **wind** ~) manche *f* à air; **3** ○(punch) beigne○ *f*
B ○*vtr* flanquer une beigne○ à [*person*]; ~ **him one!** flanque-lui une beigne

Idioms **to put a** ~ **in it**○ la boucler○; **I wish he'd put a** ~ **in it**○ si seulement il la bouclait○; **to** ~ **it to them**○ donner le maximum; **to pull one's** ~**s up**○ se remuer

socket /'sɒkɪt/ *n* **1** Elec (for plug) prise *f* (de courant); (for bulb) douille *f*; **2** Anat (of joint) cavité *f* articulaire; (of eye) orbite *f*; (of tooth) alvéole *m*; **he nearly pulled my arm out of its** ~ il a failli me déboîter le bras; **3** Tech (carpentry joint) mortaise *f*; (of spanner) douille *f*

Socrates /'sɒkrətiːz/ *pr n* Socrate

Socratic /sə'krætɪk/ *adj* socratique

sod /sɒd/
A *n* **1** ◑(person) salopard/salope◑ *m/f*; (task) chierie◑ *f*; **you stupid** ~ espèce de connard◑; **poor** ~ le pauvre; **poor little** ~**s** (of children) pauvres petits; **2** (turf) motte *f* (de gazon); **3** littér étendue *f* d'herbe
B ◑*excl* ~ **it!** merde◑!; ~ **him** qu'il aille se faire voir◑; ~ **this typewriter** cette machine à écrire m'emmerde◑

Phrasal verb ■ **sod off**◑ dégager◑, partir; **why don't you just** ~ **off!** tu veux pas dégager◑!

soda /'səʊdə/
A *n* **1** Chem soude *f*; **2** (*also* **washing** ~) soude *f* ménagère; **3** (*also* ~ **water**) eau *f* de seltz; **whisky and** ~ whisky *m* soda; **4** (*also* ~ **pop**) US soda *m*
B *modif* [*bottle*] de soda; [*crystals*] de soude

➜▥ *see* Life in France

S

soda: ~ **ash** *n* Chem soude *f* ménagère; ~ **biscuit** *n* biscuit *m* digestif; ~ **bread** *n* pain *m* au lait (*et à la levure chimique*); ~ **cracker** *n* US = **soda biscuit**; ~ **fountain** *n* US distributeur *m* de soda

sodality /səʊ'dælətɪ/ *n* sout gen, Relig confrérie *f*

sod all◑ /ˌsɒd'ɔːl/ *pron* des clopinettes○ *fpl*; **what did I get out of it?** ~! et qu'ai-je gagné? des clopinettes○!; **he knows** ~ **about it** il n'y connaît que dalle◑; **to do** ~ glander◑

soda siphon /'səʊdə saɪfn/ *n* siphon *m* d'eau de seltz

sodden /'sɒdn/ *adj* **1** (wet through) [*towel, clothing*] trempé; [*ground*] détrempé; **2** fig ~ **with drink** abruti d'alcool

sodding◑ /'sɒdɪŋ/ *adj* foutu◑

sodium /'səʊdɪəm/ *n* sodium *m*

sodium: ~ **bicarbonate** *n* bicarbonate *m* de soude; ~ **carbonate** *n* carbonate *m* de sodium; ~ **chloride** *n* chlorure *m* de sodium; ~ **hydroxide** *n* hydroxyde *m* de sodium; ~ **hypochlorite** *n* hypochlorite *m* de sodium; ~ **lamp**, ~ **light** *n* lampe *f* au sodium; ~ **nitrate** *n* nitrate *m* de sodium; ~ **sulphate** *n* sulfate *m* de sodium

Sodom /'sɒdəm/ *pr n* Sodome

sodomite /'sɒdəmaɪt/ *n* sodomite *m*

sodomize /'sɒdəmaɪz/ *vtr* sodomiser

sodomy /'sɒdəmɪ/ *n* sodomie *f*

Sod's Law○ /ˌsɒdz'lɔː/ *n* hum loi *f* de l'emmerdement◑ maximum

sofa /'səʊfə/ *n* canapé *m*; **convertible** ~ canapé convertible

sofa bed *n* canapé-lit *m*

Sofia /'səʊfɪə/ ▸ **p. 1815** *pr n* Sofia

soft /sɒft, US sɔːft/

A *adj* **1** (yielding, not rigid or firm) [*ground, soil, clay*] meuble; Sport, Turf lourd; [*rock, metal*] tendre; [*snow*] léger/-ère; [*bed, cushion, pillow*] moelleux/-euse; [*fabric, fur, skin, hand, cheek*] doux/douce; [*brush, hair, leather*] souple; [*muscle*] flasque; [*mixture, dough, butter*] mou/molle; [*pencil*] doux/douce; **to get** ~ [*soil, ground, butter, mixture*] s'amollir; [*mattress*] devenir mou; [*muscle*] se ramollir; **to make sth** ~ amollir qch [*ground*]; ramollir qch [*butter, mixture*]; assouplir qch [*fabric*]; adoucir qch [*hard water, skin*]; ~ **to the touch** doux au toucher; ~ **ice cream** glace *f* italienne; **2** (muted) [*colour, glow, light, tone, sound, laugh, music, note, voice, accent*] doux/douce; [*step, knock*] feutré; ~ **lighting** éclairage *m* tamisé; **3** (gentle, mild) [*air, climate, rain, breeze, look, words*] doux/douce; [*reply*] apaisant; [*impact, pressure, touch*] léger/-ère; [*eyes, heart*] tendre; [*approach*] gen diplomatique; Pol modéré; **the** ~ **left** la gauche modérée; **to take a** ~ **line with sb** adopter une ligne modérée avec qn; **4** (not sharp) [*outline, shape*] flou; [*fold*] souple; **5** Econ [*market, prices*] instable à la baisse; [*loan*] privilégié; **6** (lenient) [*parent, teacher*] (trop) indulgent; **to be** ~ **on sb/sth** être (trop) indulgent envers qn/qch; **7** ○(in love) **to be** ~ **on sb** en pincer○ pour qn; **8** Chem [*water*] doux/douce; **9** (idle, agreeable) [*life, job*] peinard○; **10** ○(cowardly) trouillard○; **11** ○(stupid) stupide; **to be** ~ **in the head** être ramolli du cerveau; **12** Ling [*consonant*] doux/douce

B *adv* = **softly**

soft: ~**back** *n* Publg livre *m* à couverture plastifiée; ~**ball** *n* US *variante du baseball*; ~**-boiled** *adj* [*egg*] à la coque; ~ **centre** *n* (chocolate) chocolat *m* fourré (*de matière fondante*); ~**-centred** *adj* [*chocolate*] fourré; ~ **cheese** *n* fromage *m* à pâte molle; ~ **copy** *n* Comput visualisation *f* sur écran; ~**-core** *adj* érotique; ~ **currency** *n* Fin monnaie *f* faible; ~ **drink** *n* boisson *f* non-alcoolisée; ~ **drug** *n* drogue *f* douce

soften /'sɒfn, US 'sɔːfn/

A *vtr* **1** lit (make less firm or rough) amollir [*ground, metal*]; adoucir [*skin, hard water*]; ramollir [*butter*]; assouplir [*fabric*]; **2** fig atténuer [*blow, impact, image, impression, shock, pain, resistance*]; adoucir [*personality, refusal*]; assouplir [*approach, attitude, position, rule, view*]; minimiser [*fact*]; **3** (make quieter) adoucir [*sound, voice*]; baisser [*music*]; **4** (make less sharp) adoucir [*contour, form, outline, light*]

B *vi* **1** lit [*light, outline, music, colour*] s'adoucir; [*skin*] devenir plus doux; [*substance, ground*] se ramollir; [*consonant*] devenir doux; **2** fig [*person, character, approach, attitude, position, view*] s'assouplir (**towards sb** vis-à-vis de qn); **3** Econ [*currency, economy, market*] fléchir

(Phrasal verb) ■ **soften up**: ▸ ~ **up** [*butter, malleable substance*] amollir; ▸ ~ **up [sb]**, ~ **[sb] up** fig affaiblir [*enemy, opponent*]; attendrir [*customer*]

softener /'sɒfnə(r), US 'sɔːf-/ *n* **1** (*also* **fabric** ~) (produit *m*) assouplissant *m*; **2** (*also* **water** ~) adoucisseur *m*

softening /'sɒfnɪŋ, US 'sɔːf-/ *n* **1** (becoming soft) lit (of substance, surface) ramollissement *m*; fig (of light, colour, outline, consonant, water) adoucissement *m*; (of character, attitude, view) assouplissement *m* (**towards sb/sth** vis-à-vis de qn/qch); (of sound) atténuation *f*; **2** Fin (of economy) fléchissement *m*; **3** Med ~ **of the brain** ramollissement *m* cérébral

soft focus *n* flou *m* artistique; **in** ~ en flou artistique

soft focus lens *n* lentille *f* diffusante

soft-footed /ˌsɒft'fʊtɪd, US sɔːft/ *adj* lit **to be** ~ marcher d'un pas feutré; fig **a** ~ **approach** une attitude diplomatique

soft: ~ **fruit** *n* ₵ fruits *mpl* charnus; ~ **furnishings** *npl* tapis et tissus *mpl* d'ameublement; ~ **goods** *npl* Comm biens *mpl* non durables

soft-headed /ˌsɒft'hedɪd, US ˌsɔːft-/ *adj* **1** ○(silly) fêlé○; **2** Mil [*bullet*] à pointe creuse expansive

soft: ~**-hearted** *adj* [*person*] qui se laisse facilement apitoyer *or* attendrir; ~**-heartedness** *n* (extrême) gentillesse *f*

softie○ *n* = **softy**

softish○ /'sɒftɪʃ, US 'sɔːft-/ *adj* **1** [*consistency, bed*] assez mou/molle; **2** Sport [*ground*] assez lourd

soft landing *n* Aviat, Econ atterrissage *m* en douceur

softly /'sɒftlɪ, US 'sɔːft-/ *adv* [*speak, touch, play, tread, laugh, blow, shine, shut*] doucement; [*fall*] en douceur

(Idiom) ~ ~ **catchee monkey**† hum il faut être prudent

softly-softly /ˌsɒftlɪ'sɒftlɪ, US ˌsɔːftlɪ'sɔːftlɪ/ *adj* [*approach*] ultraprudent; **to take a** ~ **approach** prendre des gants

softness /'sɒftnɪs, US 'sɔːft-/ *n* (of texture, surface, skin, colour, light, outline, character, sound) douceur *f*; (of substance) consistance *f* molle; fig (of attitude, approach, view) modération *f*; (in economy) fléchissement *m*

soft option *n* facilité *f*; **to take the** ~ choisir la facilité

soft palate *n* voile *m* du palais

soft-pedal /ˌsɒft'pedl, US ˌsɔːft-/

A **soft pedal** *n* Mus pédale *f* douce

B *vi* (*p prés etc* **-ll-** GB, **-l-** US) **1** Mus mettre la pédale douce; **2** fig mettre un bémol fig (**on** à)

soft: ~ **porn**○ *n* soft○ *m*; ~ **sell** *n* (méthode *f* de) vente *f* persuasive; ~**-shell crab** *n* crabe *m* à carapace molle; ~ **shoulder** *n* accotement *m* non stabilisé

soft soap

A *n* **1** lit savon *m* semi-liquide; **2** ○fig flagornerie○ *f*

B **soft-soap** *vtr* fig passer de la pommade○ à [*person*]

C **soft-soap** *vi* flagorner○

soft-spoken /ˌsɒft'spəʊkn, US ˌsɔːft-/ *adj* **1** lit à la voix douce; **to be** ~ avoir une voix douce; **2** fig (glib) beau parleur/belle parleuse

soft spot○ *n* **to have a** ~ **for sb** avoir un faible○ pour qn

soft: ~ **target** *n* Mil, fig cible *f* vulnérable; ~ **tissue** *n* Med parties *fpl* charnues; ~**-top** *n* Aut décapotable *f*; ~ **touch**○ *n* poire○ *f*; ~ **toy** *n* peluche *f*; ~ **verge** *n* accotement *m* non stabilisé; ~**-voiced** *adj* à la voix douce

software /'sɒftweə(r), US 'sɔːft-/

A *n* logiciel *m*; **computer** ~ logiciel *m* (informatique)

B *modif* [*development, engineering, protection*] informatique; [*company, designer, manufacturer, project, publishing*] de logiciels; [*industry, market*] du logiciel; ~ **product** logiciel *m*

software: ~ **developer** *n* développeur/-euse *m/f*; ~ **house** *n* fabricant *m* de logiciels; ~ **package** *n* Comput progiciel *m*

softwood /'sɒftwʊd, US 'sɔːft-/ *n* **1** (timber) bois *m* tendre; **2** (tree) conifère *m*

softy○ /'sɒftɪ, US 'sɔːftɪ/ *n* **1** péj (weak person) mauviette○ *f*; **2** (indulgent person) bonne pâte○ *f*

SOGAT, **Sogat** /'səʊgæt/ *n* GB (*abrév* = **Society of Graphical and Allied Trades**) confédération *f* des métiers graphiques et associés

soggy /'sɒgɪ/ *adj* [*ground*] détrempé; [*clothes*] trempé; [*food*] ramolli

soh /səʊ/ *n* Mus sol *m*

soil /sɔɪl/

A *n* sol *m*, terre *f*; **on British/foreign** ~ en territoire britannique/étranger

B *vtr* lit, fig salir

(Idiom) **to** ~ **one's hands with sth/by doing** iron se salir les mains avec qch/à faire

soiled /sɔɪld/ *adj* **1** (dirty) lit, fig sali; **2** (*also* **shop-**~) Comm [*clothing, stock, items*] vendu avec défaut

soilless culture /'sɔɪllɪs 'kʌltʃə(r)/ *n* Agric hors-sol *m*

soil pipe *n* tuyau *m* d'écoulement

soiree /'swɑːreɪ, US swɑː'reɪ/ *n* soirée *f*

sojourn /'sɒdʒən, US səʊ'dʒɜːrn/ sout

A *n* séjour *m*

B *vi* séjourner

solace /'sɒləs/

A *n* **1** (feeling of comfort) consolation *f*; **to seek** *ou* **find** ~ **in sth** chercher sa consolation dans qch; **to draw** ~ **from sth** se consoler de qch; **2** (source of comfort) réconfort *m*; **to be a** ~ **to sb** être d'un grand réconfort pour qn

B *vtr* consoler (**for** de)

solanum /sə'leɪnəm/ *n* solanacée *f*

solar /'səʊlə(r)/ *adj* [*battery, energy, furnace, ray, system, year*] solaire; [*warmth*] du soleil

solar: ~ **cell** *n* pile *f* solaire, photopile *f*; ~ **collector** *n* capteur *m* solaire; ~ **eclipse** *n* éclipse *f* de soleil; ~ **flare** *n* Astron éruption *f* solaire; ~ **heated** *adj* chauffé à l'énergie *f* solaire; ~ **heating** *n* chauffage *m* solaire

solarium /sə'leərɪəm/ *n* (*pl* **-riums** *ou* **-ria**) (all contexts) solarium *m*

solar: ~ **panel** *n* panneau *m* solaire; ~ **plexus** *n* (*pl* **-uses**) plexus *m* solaire; ~ **power** *n* énergie *f* solaire; ~ **powered** *adj* qui fonctionne à l'énergie solaire; ~ **wind** *n* Meteorol vent *m* solaire

sold /səʊld/ *prét, pp* ▸ **sell**

solder /'səʊldə(r), 'sɒ-, US 'sɒdər/

A *n* **1** (alloy) soudure *f*; **soft** ~ soudure *f* à l'étain; **brazing** *ou* **hard** ~ brasure *f*; **2** (join) soudure *f*, cordon *m* de soudure

B *vtr* souder (**onto, to** à)

C *vi* souder

(Phrasal verb) ■ **solder on**: ▸ ~ **[sth] on**, ~ **on [sth]** souder

soldering iron *n* fer *m* à souder

soldier /'səʊldʒə(r)/ ▸ **p. 1683**

A *n* soldat *m*/femme soldat *f*, militaire *m*; **to be**

S

a ~ être soldat; **to play at ~s** jouer aux soldats; **old ~** ancien combattant *m*; **~ of fortune**† mercenaire *m*; **regular ~** militaire *m* de carrière; **woman ~** femme *f* soldat
B *vi* être militaire *or* dans l'armée
(Idioms) **to come the old ~ with sb** GB prendre des airs supérieurs avec qn; **old ~s never die** la vieille garde reste fidèle au poste
(Phrasal verb) ■ **soldier on** persévérer malgré tout; **to ~ on with doing** persévérer à faire

soldier: **~ ant** *n* fourmi *f* soldat; **~ boy** *n* Hist, Mil enfant *m* soldat

soldiering /ˈsəʊldʒərɪŋ/ *n* **1** (army) armée *f*; **2** (army life) vie *f* militaire

soldierly /ˈsəʊldʒəlɪ/ *adj* [*person*] à l'allure militaire; [*appearance, bearing*] militaire

soldiery† /ˈsəʊldʒərɪ/ *n* (*pl* ~) soldatesque† *f* also pej

sole /səʊl/
A *n* **1** Zool sole *f*; **2** (of shoe, sock, iron) semelle *f*; **3** Anat plante *f*; **the ~ of the foot** la plante du pied
B *adj* **1** (single) [*aim, concern, duty, reason, source, supporter, survivor*] seul, unique; **for the ~ purpose of doing** uniquement pour faire; **2** (exclusive) [*agent, distributor, importer, right*] exclusif/-ive; [*trader*] indépendant; **for the ~ use of** pour l'usage exclusif de; **to have the ~ agency for** Comm être le concessionnaire exclusif de; **to be in ~ charge of sth** être seul responsable de qch
C *vtr* ressemeler [*shoe*]
D -soled (*dans composés*) **rubber/leather ~d shoes** chaussures à semelle de caoutchouc /cuir

sole beneficiary *n* Jur légataire *m* universel

solecism /ˈsɒlɪsɪzəm/ *n* **1** Ling solécisme *m*; **2** (social) bévue *f*

solely /ˈsəʊlɪ/ *adv* **1** (wholly) entièrement; **you are ~ responsible** vous êtes entièrement responsable; **2** (exclusively) uniquement; **I'm saying this ~ for your benefit** je dis ça uniquement dans votre intérêt

solemn /ˈsɒləm/ *adj* **1** (serious) [*face, occasion, person, statement, voice*] solennel/-elle; [*duty, warning*] formel/-elle; **2** (reverent) [*celebration, procession, tribute*] solennel/-elle

solemnity /səˈlemnətɪ/
A *n* solennité *f*; **with all due ~** dans la plus grande solennité
B solemnities *npl* cérémonial *m* ₵

solemnization /ˌsɒləmnaɪˈzeɪʃn, US -nɪˈz-/ *n* sout célébration *f* solennelle

solemnize /ˈsɒləmnaɪz/ *vtr* célébrer [*marriage*]; ratifier [*treaty*]

solemnly /ˈsɒləmlɪ/ *adv* **1** [*bless, move, speak*] solennellement; [*look*] d'un air solennel; **2** (sincerely) [*promise*] solennellement; **I do ~ swear to tell the truth** Jur je jure de dire toute la vérité

solenoid /ˈsəʊlənɔɪd/ *n* solénoïde *m*

soleus /ˈsəʊlɪəs/ *n* (*pl* **-lei**) muscle *m* soléaire

sol-fa /ˌsɒlˈfɑː, US ˌsəʊl-/ *n* solfège *m*

solicit /səˈlɪsɪt/
A *vtr* **1** (request) solliciter [*attention, information, money, help, opinion, vote*]; rechercher [*business, investment, orders*]; **2** Jur [*prostitute*] racoler [*client*]
B *vi* **1** Jur [*prostitute*] racoler; **2** (request) **to ~ for** solliciter [*votes, support*]; Comm rechercher [*orders*]

solicitation /ˌsəlɪsɪˈteɪʃn/ *n* **1** Jur racolage *m*; **2** liter (request) sollicitations *fpl*

soliciting /səˈlɪsɪtɪŋ/ *n* Jur racolage *m*

solicitor /səˈlɪsɪtə(r)/ ▸ **p. 1683** *n* **1** GB Jur (for documents, oaths) ≈ notaire *m*; (for court and police work) ≈ avocat/-e *m/f*; **the family ~** le notaire de famille; **the company ~** l'avocat de la société; **a firm of ~s** ≈ un cabinet d'avocats; **you'll be hearing from my ~** (menacingly) vous aurez affaire à mon avocat; **2** US Jur (chief law officer) *chargé des affaires juridiques auprès de la municipalité (or du département d'État)*; **3** US Comm démarcheur/-euse *m/f*; **telephone ~** télévendeur/-euse *m/f*

solicitor: **Solicitor General** *n* GB adjoint *m* du Procureur général; US *conseiller auprès du Ministre de la Justice*; **~'s fees** *npl* GB Jur frais *mpl* notariés

solicitous /səˈlɪsɪtəs/ *adj* sout [*expression, person*] plein de sollicitude; [*enquiry, letter, response*] attentionné (**about** sur); **~ about** soucieux/-ieuse de; **to be ~ for** *ou* **of sth** se soucier de qch

solicitously /səˈlɪsɪtəslɪ/ *adv* avec sollicitude

solicitude /səˈlɪsɪtjuːd, US -tuːd/ *n* **1** (concern) sollicitude *f*; **to show ~ for sb/sth** faire preuve de sollicitude envers qn/pour qch; **2** sout (worry) souci *m*

solid /ˈsɒlɪd/
A *n* Chem, Math solide *m*
B solids *npl* (food) aliments *mpl* solides; **to be on ~s** [*baby*] manger des aliments solides
C *adj* **1** (not liquid or gaseous) solide; **to go** *ou* **become ~** se solidifier; **2** (of one substance) [*teak, gold, marble, granite*] massif/-ive; [*tyre*] plein; **the gate was made of ~ steel** le portail était tout en acier; **a tunnel cut through ~ rock** un tunnel taillé dans la masse rocheuse; **3** (dense, compact) [*crowd*] compact, dense; [*earth*] compact; **a ~ bank of cloud** une masse nuageuse dense; **4** (unbroken) [*line, expanse*] continu; **a ~ area of red** une surface rouge unie; **5** (uninterrupted) **five ~ days, five days ~** cinq jours entiers; **I worked for three ~ hours** j'ai travaillé pendant trois heures entières; **a ~ day's work** un jour entier de travail; **6** (strong) [*structure, foundation, basis*] solide; [*building*] massif/-ive; [*relationship, argument*] solide; **a ~ grounding in grammar** une base solide de grammaire; **to be on ~ ground** fig être en terrain sûr; **7** (reliable) [*evidence, information*] solide; [*advice*] sérieux/-ieuse; [*investment*] sûr; [*worker*] sérieux/-ieuse; **I have ~ grounds for** j'ai de solides raisons pour; **she's a very ~ person** c'est quelqu'un de très solide; **a ~ piece of work** un travail sérieux; **8** (firm) [*grip*] ferme; [*punch*] fort; **to have the ~ support of** avoir le soutien massif de; **the strike has remained ~** la grève n'a pas fléchi; **a ~ Republican area** (uniformly) une zone entièrement républicaine; (staunchly) un bastion du républicanisme; **9** (respectable) [*citizen, family, tax payer*] modèle
D *adv* [*freeze*] complètement; fig [*vote*] massivement; **the lake was frozen ~** le lac était complètement gelé; **the play is booked ~** la pièce affiche complet

solid angle *n* angle *m* solide

solidarity /ˌsɒlɪˈdærətɪ/ *n* solidarité *f*; **to feel ~ with sb** se sentir solidaire de qn; **to do sth out of ~ with sb** faire qch par solidarité envers qn; **to show ~ with** *ou* **towards sb** manifester sa solidarité envers qn

solidarity fund *n* caisse *f* de solidarité

solid compound *n* Ling composé *m* en un seul mot

solid fuel
A *n* combustible *m* solide
B solid-fuel *modif* [*central heating*] à combustibles solides

solid geometry *n* géométrie *f* dans l'espace

solidification /ˌsəlɪdɪfɪˈkeɪʃn/ *n* solidification *f* (**of** de)

solidify /səˈlɪdɪfaɪ/
A *vtr* solidifier
B *vi* [*liquid, semiliquid*] se solidifier; [*honey, oil*] se figer; **to ~ into a jelly** se transformer en gelée

solidity /səˈlɪdətɪ/ *n* (of construction, relationship, currency) solidité *f* (**of** de); (of research, arguments) sérieux *m* (**of** de)

solidly /ˈsɒlɪdlɪ/ *adv* **1** (strongly) [*built*] solidement; **2** (densely) **~ packed** [*crowd*] compact; [*earth*] très tassé; **3** (continuously) [*work, rain*] sans interruption; **4** (staunchly) [*conservative, socialist*] à cent pour cent; [*respectable*] parfaitement; **they are ~ behind him** ils le soutiennent massivement; **it's a ~ working-class area** c'est une zone essentiellement ouvrière

solid-state /ˌsɒlɪdˈsteɪt/ *adj* [*stereo, microelectronics*] à semi-conducteur(s); **~ physics** physique *f* des solides

solidus /ˈsɒlɪdəs/ *n* (*pl* **-di**) barre *f* oblique

solid word *n* Ling mot *m* simple

soliloquize /səˈlɪləkwaɪz/ *vi* littér soliloquer

soliloquy /səˈlɪləkwɪ/ *n* soliloque *m*

solipsism /ˈsɒlɪpsɪzəm/ *n* solipsisme *m*

solitaire /ˌsɒlɪˈteə(r), US ˈsɒlɪteər/ ▸ **p. 1253** *n* **1** (ring) solitaire *m*; **2** US (with cards) réussite *f*; **to play ~** faire une réussite; **3** (board game) solitaire *m*

solitary /ˈsɒlɪtrɪ, US -terɪ/
A *n* **1** (loner) solitaire *mf*; **2** °(isolation) mitard° *m* prisoners' slang, isolement *m* cellulaire; **to be in ~** être au mitard°, être en isolement cellulaire
B *adj* **1** (unaccompanied) [*drinking, occupation, walk, walker*] solitaire; **2** (lonely) [*person*] très seul, esseulé; **3** (isolated) [*farm, village*] isolé; **4** (single) [*example, incident, person, question*] seul; **with the ~ exception of** à la seule exception de; **a ~ case of** un cas unique de

solitary confinement *n* Jur, Mil isolement *m* cellulaire; **to put** *ou* **place sb in ~** placer qn en isolement cellulaire

solitude /ˈsɒlɪtjuːd, US -tuːd/ *n* solitude *f*; **to eat/work in ~** manger/travailler seul

solmization /ˌsɒlmɪˈzeɪʃn/ *n* solmisation *f*

solo /ˈsəʊləʊ/
A *n* gen, Mus solo *m*; **to play a ~** faire un solo; **trumpet ~** solo de trompette
B *adj* **1** Mus (unaccompanied) **for ~ piano** pour piano solo; **for ~ voice** pour voix seule; **for ~ violin** (with orchestra) pour violon et orchestre; **a ~ piece** un solo; **2** (single-handed) [*album, appearance, flight, pilot*] en solo
C *adv* [*dance, fly, perform, play*] en solo; **to go ~** faire cavalier seul

soloist /ˈsəʊləʊɪst/ *n* soliste *mf*; **a soprano/trumpet ~** un/-e soprano/trompettiste soliste

Solomon /ˈsɒləmən/ *pr n* Salomon; **as wise as ~** sage comme Salomon

Solomon Islands ▸ **p. 1355** *pr npl* Îles *fpl* Salomon

solon /ˈsəʊlɒn/ *n* surtout US législateur/-trice *m/f*

Solothurn ▸ **p. 1815, p. 1771** *pr n* Soleune; **the canton of ~** le canton de Soleune

solstice /ˈsɒlstɪs/ *n* solstice *m*; **the summer/winter ~** le solstice d'été/d'hiver

solubility /ˌsɒljʊˈbɪlətɪ/ *n* Chem solubilité *f*

soluble /ˈsɒljʊbl/ *adj* **1** (dissolving) soluble; **water-~** soluble dans l'eau; **2** (having an answer) soluble

solution /səˈluːʃn/ *n* **1** (answer) solution *f* (**to** de); **2** Chem, Pharm (act of dissolving) dissolution *f*; (mixture) solution *f* (**of** de); **in ~** en solution

solvable /ˈsɒlvəbl/ *adj* soluble; **the problem is ~** ce problème peut être résolu

solve /sɒlv/ *vtr* (resolve) résoudre [*equation, problem*]; élucider [*crime*]; trouver la solution de [*mystery*]; trouver la solution à [*clue, crossword*]; trouver une solution à [*crisis, poverty, unemployment*]

solvency /ˈsɒlvənsɪ/ *n* Fin solvabilité *f*

solvent /ˈsɒlvənt/
A *n* Chem solvant *m*; **water is a ~ for** *ou* **of salt** l'eau dissout le sel
B *adj* **1** Chem [*cleaner, liquid*] dissolvant; **2** Fin solvable

solvent abuse *n* usage *m* de solvants hallucinogènes

soma /ˈsəʊmə/ *n* (*pl* **~s, -ata**) soma *m*

soma cell *n* cellule *f* somatique

S

Somali /sə'mɑːlɪ/ ▸ p. 1467, p. 1378
A *n* [1] (person) Somalien/-ienne *m/f*; [2] (language) somali *m*
B *adj* [*person, word*] somali/-e; [*currency, custom, politics*] somalien/-ienne

Somalia /sə'mɑːlɪə/ ▸ p. 1096 *pr n* Somalie *f*

somatic /sə'mætɪk/ *adj* somatique

sombre GB, **somber** US /'sɒmbə(r)/ *adj* (all contexts) sombre; **to be in ~ mood** être d'humeur sombre

sombrely GB, **somberly** US /'sɒmbəlɪ/ *adv* [*stare*] d'un air sombre; [*dress, paint*] de manière sombre; [*speak*] d'une voix lugubre

sombreness GB, **somberness** US /'sɒmbənɪs/ *n* [1] (of clothes, room) aspect *m* sombre; [2] fig (of events, news, prediction) côté *m* sombre

sombrero /sɒm'breərəʊ/ *n* sombrero *m*

some /sʌm/

> ⚠ When *some* is used as a quantifier to mean an unspecified amount of something, it is translated by *du, de l'* before vowel or mute h, *de la* or *des* according to the gender and number of the noun that follows: *I'd like some bread* = je voudrais du pain; *have some water* = prenez de l'eau; *we've bought some beer* = nous avons acheté de la bière; *they've bought some peaches* = ils ont acheté des pêches.
> But note that where *some* is followed by an adjective preceding a plural noun, *de* alone is used in all cases: *some pretty dresses* = de jolies robes.
> For particular usages see **A** below.
> When *some* is used as a pronoun it is translated by *en* which is placed before the verb in French: *would you like some?* = est-ce que vous en voulez?; *I've got some* = j'en ai.
> For particular usages see **B** below.

A *det, quantif* [1] (an unspecified amount or number) **~ cheese** du fromage; **~ money** de l'argent; **~ apples** des pommes; **~ old/new socks** de vieilles/nouvelles chaussettes; **~ red/expensive socks** des chaussettes rouges/chères; **we need ~ help/support/money** nous avons besoin d'aide/de soutien/d'argent
[2] (certain: in contrast to others) certains; **~ shops won't sell this product** certains magasins ne vendent pas ce produit; **~ children like it** certains enfants aiment ça; **~ tulips are black** certaines tulipes sont noires; **~ people work, others don't** certaines personnes travaillent, d'autres non; **in ~ ways, I agree** d'une certaine façon, je suis d'accord; **in ~ cases, people have to wait 10 years** dans certains cas les gens doivent attendre 10 ans; **~ people say that** certaines personnes disent que; **in ~ parts of Europe** dans certaines parties de l'Europe
[3] (a considerable amount or number) **he has ~ cause for complaint/disappointment** il a des raisons de se plaindre/d'être déçu; **she managed it with ~ ease/difficulty** elle a réussi sans problèmes/avec difficulté; **his suggestion was greeted with ~ indifference/hostility** sa suggestion a été accueillie avec indifférence/hostilité; **it will take ~ doing** ça ne va pas être facile à faire; **we stayed there for ~ time** nous sommes restés là assez longtemps; **we waited for ~ years/months/hours** nous avons attendu plusieurs années/mois/heures; **he hadn't seen her for ~ years** ça faisait plusieurs années qu'il ne l'avait pas vue
[4] (a little, a slight) **the meeting did have ~ effect/~ value** la réunion a eu un certain effet/une certaine importance; **the candidate needs to have ~ knowledge of computers** le candidat doit avoir certaines *or* un minimum de connaissances en informatique; **there must be ~ reason for it** il doit y avoir une raison; **you must have ~ idea where the house is** tu dois avoir une idée de l'endroit où la maison se trouve; **this money will go ~ way towards compensating her for her injuries** cet argent compensera un peu ses blessures; **the agreement will go ~ way towards solving the difficulties between the two countries** cet accord aidera à résoudre les difficultés entre les deux pays; **to ~ extent** dans une certaine mesure; **well that's ~ consolation anyway!** c'est toujours ça○!
[5] péj (an unspecified, unknown) **~ man came to the house** un homme est venu à la maison; **he' s doing ~ course** il suit des cours; **she's bought ~ cottage in Spain** elle a acheté une maison en Espagne; **a car/computer of ~ sort, ~ sort of car/computer** une sorte de voiture/d'ordinateur
[6] ○(a remarkable) **that was ~ film/car!** ça c'était un film/une voiture!; **that's ~ woman/man!** c'est quelqu'un!
[7] ○(not much) **~ help you are/he is!** iron c'est ça que tu appelles/qu'il appelle aider!; **~ mechanic/doctor he is!** tu parles d'un mécanicien/d'un médecin!; **~ dictionary/pen that is!** tu parles d'un dictionnaire/d'un stylo!; **'I'd like the work to be finished by Monday'—'~ hope!'** 'j'aimerais que le travail soit fini avant lundi'—'tu rêves○!'
B *pron* [1] (an unspecified amount or number) **I'd like ~ of those** j'en voudrais quelques-uns comme ça; **(do) have ~!** servez-vous!; **(do) have ~ more!** reprenez-en!
[2] (certain ones: in contrast to others) **~ (of them) are blue** certains sont bleus; **~ (of them) are French, others Spanish** (people) certains d'entre eux sont des Français, d'autres des Espagnols; **~ say that** certaines personnes disent que; **I agree with ~ of what you say** je suis d'accord avec une partie de ce que tu dis; **~ (of them) arrived early** certains d'entre eux sont arrivés tôt
C *adv* [1] (approximately) environ; **~ 20 people/buses** environ 20 personnes/autobus; **~ 20 years ago** il y a environ 20 ans; **~ £50** autour de 50 livres (sterling); **~ 70% of the population** environ 70% de la population
[2] ○US (somewhat , a lot) un peu; **to wait/work ~** attendre/travailler un peu; **from here to the town center in 5 minutes, that's going ~**○ aller d'ici au centre ville en 5 minutes, il faut le faire
(Idioms) **and then ~**○! et pas qu'un peu○!; **~ people!** ah vraiment, il y a des gens!

somebody /'sʌmbədɪ/ *pron* [1] (unspecified person) quelqu'un; **~ famous/important** quelqu'un de célèbre/d'important; **~ came to see me** quelqu'un est venu me voir; **we need ~ who speaks Japanese/who can repair cars** on a besoin de quelqu'un qui parle (*subj*) japonais/qui sache réparer les voitures; **Mr Somebody(-or-other)** M. Machin; **ask John or Henry or ~** demande à John, à Henry ou à n'importe qui d'autre; [2] (important person) **he (really) thinks he's ~** il ne se prend pas pour n'importe qui; **they think they're ~** ils se prennent pour des gens importants, ils se croient importants; **she's really ~ in the film industry** c'est vraiment quelqu'un d'important dans le monde du cinéma
(Idioms) **~ up there likes me** il y a quelqu'un là-haut qui veille sur moi; **~ up there doesn't like me** je n'ai jamais eu de chance

somehow /'sʌmhaʊ/ *adv* [1] (by some means) (*also* **~ or other**) (of future action) d'une manière ou d'une autre; (of past action) je ne sais comment; **we'll get there ~** on y arrivera d'une manière ou d'une autre; **we managed it ~** nous avons réussi je ne sais comment; **he ~ broke his leg** il s'est cassé la jambe, je ne sais comment; **it has ~ disappeared** ça a disparu, sans qu'on sache comment; [2] (for some reason) **~ it doesn't seem very important** en fait, ça ne semble pas très important; **~ he never seems to get it right** il semble que rien ne lui réussisse jamais; **it was ~ shocking/amusing to see...** c'était un peu choquant/amusant de voir...

someone /'sʌmwʌn/ *pron* = **somebody**

someplace /'sʌmpleɪs/ *adv* = **somewhere**

somersault /'sʌməsɒlt/
A *n* [1] (of gymnast) roulade *f*; (of child) galipette *f*; (of diver) saut *m* périlleux; (accidental) culbute *f*; **to turn ~s** [*gymnast*] faire des roulades; [*child*] faire des galipettes; [2] (of vehicle) tonneau *m*; **to do** *ou* **turn a ~** faire un tonneau
B *vi* [*gymnast*] faire une roulade; [*diver*] faire un saut périlleux; [*vehicle*] faire un tonneau; **the car ~ed into the ravine** la voiture a fait des tonneaux jusqu'au fond du ravin

Somerset /'sʌməsət/ ▸ p. 1612 *pr n* Somerset *m*

something /'sʌmθɪŋ/
A *pron* [1] (unspecified thing) quelque chose; **~ to do/eat** quelque chose à faire/manger; **to say ~** dire quelque chose; **~ made him laugh** quelque chose l'a fait rire; **~ new/interesting** quelque chose de nouveau/d'intéressant; **he's always trying to get ~ for nothing** il est radin○; **there's ~ wrong** il y a un problème; **there's ~ odd about her** elle a quelque chose de bizarre; **there's ~ funny going on** il se passe quelque chose (de bizarre); **~ or other** quelque chose; **she's ~ (or other) in the army/motor trade** elle est je ne sais quoi dans l'armée/l'industrie automobile; [2] (thing of importance, value etc) **it proves ~** ça prouve quelque chose; **to make ~ of oneself** *ou* **one's life** réussir sa vie; **he got ~ out of it** il en a tiré quelque chose; **he is quite** *ou* **really ~!** c'est vraiment un numéro!; **do you want to make ~ out of it?** tu veux te battre?; **that house/car is quite** *ou* **really ~!** cette maison/voiture c'est quelque chose!; **there's ~ in what he says** il y a du vrai dans ce qu'il dit; **you've got ~ there!** là, tu n'as pas tort!; **he has a certain ~** il a un petit quelque chose; **'I've found the key'—'well that's ~ anyway'** 'j'ai trouvé la clé'—'c'est déjà ça *or* quelque chose'; **we gave him ~ for his trouble** (a tip) nous lui avons donné un petit quelque chose pour le dérangement; [3] (forgotten, unknown name, amount etc) **his name's Andy ~** il s'appelle Andy quelque chose; **in nineteen-sixty-~** en mille neuf cent soixante et quelques; **he's six foot ~** ≈ il fait à peu près 2 mètres; **she's gone shopping/swimming or ~** elle est allée faire les courses/nager ou quelque chose comme ça; **are you deaf/stupid or ~?** tu es sourd/bête ou quoi○?
B *adv* [1] (a bit) un peu; **~ over/under £20/50 people** un peu plus de/en dessous-de 20 livres sterling/50 personnes; **~ around £50/100 kilos** environ 50 livres sterling/100 kilos; [2] ○(a lot) **he was howling ~ awful** *ou* **terrible** *ou* **shocking** il n'arrêtait pas de hurler. ▸ **else, nothing**
C **something of** *adv phr* (rather, quite) **he is (also) ~ of an actor/writer** il est aussi un assez bon acteur/écrivain; **she is ~ of an expert on...** elle est assez experte en...; **it was ~ of a surprise/mystery** c'était assez étonnant/mystérieux; **it was ~ of a disaster/disappointment** c'était plutôt désastreux/décevant

sometime /'sʌmtaɪm/
A *adv* (at unspecified time) **we'll have to do it ~** il va falloir qu'on le fasse un jour ou l'autre; **I'll pay you ~** je te paierai plus tard; **all holidays have to end ~** toutes les vacances ont une fin; **I'll tell you about it ~** je te raconterai ça un de ces jours; **I'll phone you ~ tomorrow/next week/next month** je te téléphonerai demain dans la journée/dans le courant de la semaine prochaine/dans le courant du mois prochain
B *adj* [1] (former) [*president, chairman, captain etc*] ancien/-ienne (*before n*); [2] US (occasional) [*employee, event*] occasionnel/-elle

sometimes /'sʌmtaɪmz/ *adv* parfois, quelquefois, de temps en temps; (in contrast) **~ angry, ~ depressed** tantôt en colère, tantôt déprimé

somewhat /'sʌmwɒt/ *adv* (with adj) plutôt; (with verb) un peu; (with adverb) un peu, quelque peu; **~ disturbed/discouraging** plutôt dérangé/décourageant; **~ faster/happier** un peu plus vite/plus heureux; **things have changed ~** les choses ont un peu changé; **~ differently/reluctantly/defensively** un peu différemment/à contrecœur/sur la défensive; **~ ironically/improbably/surprisingly** de façon quelque peu ironique/improbable/surprenante; **~ to her disappointment/surprise** à sa grande déception/surprise; **they were more than ~ surprised/disappointed to hear that** ils étaient plus que surpris/déçus d'apprendre que

somewhere /'sʌmweə(r)/ *adv* 1 (some place) quelque part; **she's ~ about** *ou* **around** elle est quelque part par là; **it's ~ in this chapter** c'est quelque part dans ce chapitre; **I read ~ that** j'ai lu quelque part que; **~ hot/special** un endroit chaud/spécial; **he needs ~ to sleep/stay** il a besoin d'un endroit pour dormir/passer la nuit; **~ or other** je ne sais où; **~ (or other) in Asia** quelque part en Asie; **he's often in the pub or ~**○ on le trouve souvent au pub; **they live in Manchester or ~**○ ils habitent à Manchester ou quelque chose comme ça; 2 (at an unspecified point in range) **~ between 50 and 100 people** entre 50 et 100 personnes; **~ around 10 o'clock/£50** autour de 10 heures/cinquante livres sterling; **they paid ~ around £20,000** ils ont payé à peu près 20 000 livres sterling

(Idiom) **now we're getting ~!** (in questioning) voilà enfin des informations utiles!; (making progress) on arrive enfin à quelque chose!

Somme /sɒm/ ▸ p. 1129, p. 1633 *pr n* 1 (river) Somme *f*; **the (battle of the) ~** la bataille de la Somme; 2 (department) Somme *f*; **in/to the ~** dans la Somme

somnambulism /sɒm'næmbjʊlɪzəm/ *n* sout somnambulisme *m*

somnambulist /sɒm'næmbjʊlɪst/ *n* sout somnambule *mf*

somniferous /sɒm'nɪfərəs/ *adj* sout soporifique

somnolence /'sɒmnələns/ *n* sout somnolence *f*

somnolent /'sɒmnələnt/ *adj* sout somnolent; **to feel ~** avoir envie de dormir

son /sʌn/ *n* 1 (male child) fils *m* (**of** de); **an only ~** un fils unique; **he's like a ~ to me** il est comme un fils pour moi; **my ~ and heir** mon héritier; **he's his father's ~** c'est bien le fils de son père; 2 littér (descendant) fils *m*; **the ~s of the revolution** les fils de la révolution; **Scotland's favourite ~** l'un des enfants chéris de l'Écosse; 3 ○(as form of address) (kindly) fiston○ *m*; (patronizingly) mon gars *m*

(Idiom) **every mother's ~ (of them)** tous autant qu'ils sont

sonar /'səʊnɑ:(r)/ *n* sonar *m*

sonata /sə'nɑ:tə/ *n* sonate *f*; **violin ~** sonate pour violon

sonata form *n* forme *f* sonate

sonatina /,sɒnə'ti:nə/ *n* Mus sonatine *f*

sonde /sɒnd/ *n* Meteorol sonde *f*

sone /səʊn/ *n* sone *m*

son et lumière /,sɒneɪlu:'mjeə(r)/ *n* (spectacle *m*) son et lumière *m*

song /sɒŋ/ *n* 1 Mus chanson *f*; **to sing/write a ~** chanter/écrire une chanson; **give us a ~** chante-nous quelque chose; **to burst into ~** se mettre à chanter; 2 (of bird) chant *m* (**of** de); 3 Literat poème *m*

(Idioms) **for a ~**○ pour rien; **they're going for a ~** ils se vendent pour rien; **on ~**○ GB en forme

song and dance *n* Theat chanson *f* dansée; **~ routine**, **~ act** numéro *m* de chansons dansées

(Idioms) **to give sb the same old ~**○ US resservir les mêmes excuses à qn; **to make a ~ about sth**○ GB faire toute une histoire de qch

song: **~bird** *n* oiseau *m* chanteur; **~book** *n* recueil *m* de chansons; **~ cycle** *n* cycle *m* de chansons; **~fest** *n* US festival *m* de chansons; **Song of Solomon** *n* Cantique *m* des Cantiques; **Song of Songs** *n* Cantique *m* des Cantiques; **~smith**† *n* parolier compositeur *m*

songster† /'sɒŋstə(r)/ *n* chanteur *m*

songstress† /'sɒŋstrɪs/ *n* cantatrice *f*

song thrush /'sɒŋθrʌʃ/ *n* grive *f* musicienne

songwriter /'sɒŋraɪtə(r)/ ▸ p. 1683 *n* (of words) parolier/-ière *m/f*; (of music) compositeur *m* de chansons; (of both) auteur-compositeur *m* de chansons

songwriting /'sɒŋraɪtɪŋ/ *n* composition *f* de chansons

sonic /'sɒnɪk/ *adj* [*vibration*] sonore; **~ interference** parasites *mpl*

sonic: **~ bang** *n* GB bang *m*; **~ barrier** *n* mur *m* du son; **~ boom** *n* US bang *m*; **~ depth finder** *n* sondeur *m* à ultrasons; **~ mine** *n* Mil mine *f* acoustique

sonics /'sɒnɪks/ *n* (+ *v sg*) acoustique *f*

son-in-law /'sʌnɪnlɔ:/ *n* gendre *m*

sonnet /'sɒnɪt/ *n* sonnet *m*

sonny○ /'sʌnɪ/ *n* (kindly) fiston *m*; (patronizing) mon gars○ *m*

sonny boy, **sonny Jim** *n* **look here, ~** écoute, mon gars○

son-of-a-bitch◑ /,sʌnəvə'bɪtʃ/

A *n* US 1 péj salaud◑ *m*; 2 (jocular) vieille branche○ *f*; **how are you, you old ~**◑**?** comment vas-tu vieille branche○?; 3 (difficult task) vacherie○ *f*, saleté○ *f*

B *excl* merde◑!

son-of-a-gun○† /,sʌnəvə'gʌn/ *n* US **you old ~!** espèce de vieux filou○!

sonority /sə'nɒrətɪ, US -'nɔ:r-/ *n* sonorité *f*

sonorous /'sɒnərəs, sə'nɔ:rəs/ *adj* [*language, note, tone, voice*] sonore; [*name*] ronflant; [*chime*] éclatant

sonorously /'sɒnərəslɪ, sə'nɔ:rəslɪ/ *adv* [*speak, sing*] d'une voix sonore; [*chime, toll*] de façon éclatante

sonorousness /'sɒnərəsnɪs, sə'nɔ:rəsnɪs/ *n* sonorité *f*

soon /su:n/ *adv* 1 (in a short time) bientôt; **the book will be published ~** le livre sera bientôt publié; **~ there will be no snow left** il n'y aura bientôt plus de neige; **I'll see you very ~** je te verrai très bientôt; **it will ~ be three years since we met** voici bientôt trois ans que nous nous sommes rencontrés; **see you ~!** à bientôt!; 2 (quickly) vite; **write ~** écris-moi vite; **the plan was ~ abandoned** le projet fut vite abandonné; **it ~ became clear that** il est vite devenu évident que; 3 (early) tôt; **we arrived too ~** nous sommes arrivés trop tôt; **~ enough** assez tôt; **the ~er the better** le plus tôt sera le mieux; **the ~er we leave, the ~er we'll get there** plus nous partirons tôt et plus nous y serons vite; **as ~ as possible** dès que possible; **I spoke too ~!** j'ai parlé trop vite!; **as ~ as you can** dès que tu pourras; **as ~ as he arrives** dès qu'il arrivera; **she didn't arrive as ~ as we had hoped** elle n'est pas arrivée aussi vite que nous l'espérions; **~er or later** tôt ou tard; **all too ~ the summer was over** l'été est passé bien trop vite; **tomorrow at the ~est** demain au plus tôt; **and not a moment too ~!** il était temps!; 4 (not long) **they left ~ after us** ils sont partis peu après nous; **~ after breakfast** peu après le petit déjeuner; **~ afterwards** peu après; **no ~er had I done sth than...** j'avais à peine fait qch que...; 5 (rather) **he would just as ~ do** il aime autant faire; **I would just as ~ do X as do Y** j'aime autant faire X que faire Y; **I would ~er not do** j'aime autant ne pas faire; **~er him than me!** plutôt lui que moi!; **he would ~er die than do** il préférerait mourir que de faire

(Idioms) **least said ~est mended** Prov moins on en dit, mieux ça vaut; **no ~er said than done** aussitôt dit aussitôt fait

soot /sʊt/ *n* suie *f*

(Phrasal verb) ■ **soot up**: ▸ **~ [sth] up**, **~ up [sth]** [*coal*] couvrir de suie [*chimney, hearth*]

sooth‡ /su:θ/ *n* **in ~** en vérité

soothe /su:ð/

A *vtr* calmer [*anger, crowd, fear, nerves, pain, person*]; apaiser [*sunburn*]; détendre [*muscles*]

B *vtr* **'don't worry,' she ~d** 'ne t'en fais pas,' dit-elle d'un ton rassurant

C *vi* [*voice*] rassurer; [*lotion, massage*] faire du bien

(Phrasal verb) ■ **soothe away**: ▸ **~ away [sth]**, **~ [sth] away** calmer [*anger, anxiety, fear, pain*]

soothing /'su:ðɪŋ/ *adj* [*cream, music, person, presence, voice*] apaisant; [*effect*] calmant; [*word*] rassurant

soothingly /'su:ðɪŋlɪ/ *adv* [*stroke*] de façon apaisante; [*speak*] de façon rassurante

soothsayer‡ /'su:θseɪə(r)/ *n* devin/-eresse *m/f*

soothsaying /'su:θseɪɪŋ/ *n* divination *f*

sooty /'sʊtɪ/ *adj* 1 (covered in soot) [*face, hands, room*] couvert de suie; [*air*] chargé de suie; 2 (black) [*cat, fur*] tout noir; **~ black** noir comme du charbon

sop /sɒp/

A *n* 1 (of bread) morceau *m* de pain trempé; **he lives off ~s** il ne mange plus que de la bouillie; 2 (concession) concession *f* symbolique; **as a ~ to public opinion** en guise de concession à l'opinion publique; **as a ~ to her pride** pour flatter son orgueil; **to offer sth as a ~ to sb** offrir qch pour amadouer qn; **to throw a ~ to sb** essayer d'amadouer qn; 3 ○(sissy) mauviette○ *f*

B *vtr* (*p prés etc* **-pp-**) tremper [*bread, cake*] (**in** dans)

(Phrasal verb) ■ **sop up**: ▸ **~ up [sth]**, **~ [sth] up** éponger, absorber [*spillage, water*]; **he ~ped up his soup with some bread** il a essuyé son assiette de soupe avec du pain

sophism /'sɒfɪzəm/ *n* sophisme *m*

sophist /'sɒfɪst/ *n* lit, fig sophiste *mf*

sophistic(al) /sə'fɪstɪk(l)/ *adj* 1 Philos sophistique; 2 fig (specious) [*argument, reasoning*] fallacieux/-ieuse

sophisticate /sə'fɪstɪkət/ *n* raffiné/-e *m/f*

sophisticated /sə'fɪstɪkeɪtɪd/ *adj* 1 (smart) [*person*] (worldly, cultured) raffiné, sophistiqué pej; (elegant) chic *inv*; [*clothes, fashion*] recherché; [*restaurant, resort*] chic *inv*; [*magazine*] sophistiqué; **she thinks it's ~ to smoke** elle pense que ça fait chic de fumer; **she was looking very ~ in black** elle était très chic en noir; 2 (discriminating) [*mind, taste*] raffiné; [*audience, public*] averti; **a book for the more ~ student** un livre pour les étudiants plus avancés; 3 (advanced) [*civilization*] évolué; 4 (elaborate, complex) [*equipment, machinery, technology*] sophistiqué; [*argument, discussion, joke*] subtil; [*style*] recherché

sophistication /sə,fɪstɪ'keɪʃn/ *n* 1 (smartness) (of person) (in lifestyle, habits) raffinement *m*, sophistication *f* pej; (in judgment, intellect) finesse *f*; (in appearance) chic *m*; (of clothes, fashion) recherche *f*; (of restaurant, resort, magazine) chic *m*; (finesse) (of mind, tastes) raffinement *m*; **lack of ~** simplicité *f*; 2 (of audience, public) caractère *m* averti; 3 (of civilization) raffinement *m*; 4 (complexity) (of equipment, machinery, technology) sophistication *f*; (of argument, discussion, joke) subtilité *f*

sophistry /'sɒfɪstrɪ/ *n* (all contexts) sophisme *m*

Sophocles /'sɒfəkli:z/ *pr n* Sophocle

sophomore /'sɒfəmɔ:(r)/ *n* US Univ *étudiant/-e en deuxième année d'université*, Sch *étudiant/-e en deuxième année de lycée*

soporific /ˌsɒpəˈrɪfɪk/
A *n* somnifère *m*
B *adj* **1** (sleep-inducing) soporifique; **2** (sleepy) somnolent

soppiness /ˈsɒpɪnəs/ *n* mièvrerie *f*

sopping /ˈsɒpɪŋ/ *adj* (*also* **~ wet**) trempé

soppy○ /ˈsɒpɪ/ *adj* péj sentimental

sopranino /ˌsɒprəˈniːnəʊ/ *n, adj* sopranino (*m*)

soprano /səˈprɑːnəʊ, US -ˈpræn-/ ► **p. 1868**
A *n* (*pl* **~s**) **1** (person) soprano *mf*; **2** (voice, instrument) soprano *m*
B *adj* [*voice, register, singer*] de soprano; [*part, aria*] pour soprano

sorb /sɔːb/ *n* **1** (tree) sorbier *m*; **2** (fruit) sorbe *f*

Sorb /sɔːb/ ► **p. 1467, p. 1378** *n* Sorabe *mf*

sorbet /ˈsɔːbeɪ, ˈsɔːbet/ *n* sorbet *m*; **lemon ~** sorbet au citron

Sorbian /ˈsɔːbɪən/ ► **p. 1467, p. 1378**
A *n* **1** (person) Sorabe *mf*; **2** (language) sorabe *m*
B *adj* sorabe

sorbic acid /ˌsɔːbɪkˈæsɪd/ *n* acide *m* sorbique

sorbitol /ˈsɔːbɪtɒl/ *n* sorbitol *m*

sorcerer /ˈsɔːsərə(r)/ *n* sorcier *m*

sorceress /ˈsɔːsərɪs/ *n* sorcière *f*

sorcery /ˈsɔːsərɪ/ *n* **1** (witchcraft) sorcellerie *f*; **2** fig magie *f*

sordid /ˈsɔːdɪd/ *adj* [*affair, conditions, life, motive, subject*] sordide; **to go into all the ~ details of sth** hum raconter qch dans tous ses détails

sordidly /ˈsɔːdɪdlɪ/ *adv* [*live, behave*] de façon sordide

sordidness /ˈsɔːdɪdnɪs/ *n* **1** (of room, film) saleté *f*; **2** (of motive, behaviour) bassesse *f*

sore /sɔː(r)/
A *n* plaie *f*
B *adj* **1** (sensitive) [*eyes, throat, nose, gums*] irrité; [*muscle, tendon, arm, foot*] endolori; **to have a ~ throat/head** avoir mal à la gorge/à la tête; **to be** *ou* **feel ~ (all over)** avoir mal (partout); **my leg is still a bit ~** ma jambe me fait encore un peu mal; **to be ~ from exercise/running** être endolori d'avoir fait de l'exercice/de la course; **you'll only make it ~ by scratching** tu vas t'irriter encore plus si tu te grattes; **2** ○surtout US (peeved) vexé; **to be ~ about** *ou* **over sth** être vexé par qch; **to be ~ at sb** en vouloir à qn; **to get ~** se vexer; **3** littér (extreme) **to be in ~ need of sth** avoir grand besoin de qch; **4** (delicate) (*épith*) [*subject, point*] délicat

(Idioms) **to be like a bear with a ~ head** être d'une humeur massacrante○; **she/it is a sight for ~ eyes** ça réjouit le cœur de la voir/de voir cela

sorely /ˈsɔːlɪ/ *adv* [*tempted*] fortement; **~ tried, ~ tested** [*patience, friendship*] mis à rude épreuve; [*person*] soumis à rude épreuve; **volunteers are/medical aid is ~ needed** on a grandement besoin de volontaires/d'aide médicale; **~ needed funds** des fonds bien nécessaires

soreness /ˈsɔːnɪs/ *n* douleur *f*

sorghum /ˈsɔːgəm/ *n* **1** (plant, foodstuff) sorgho *m*; **2** (syrup) sirop *m* de sorgho

sorority /səˈrɒrətɪ, US -ˈrɔːr-/ *n* **1** US Univ (club) association *f* d'étudiantes; **2** (sisterhood) confrérie *f* féminine

sorrel /ˈsɒrəl, US ˈsɔːrəl/ ► **p. 1067**
A *n* **1** Bot, Culin (edible plant) oseille *f*; **2** (*also* **wood ~**) Bot oxalis *m*, petite oseille *f*; **3** Equit (horse, colour of horse) alezan *m*; **4** (colour) brun *m* roux
B *adj* [*horse*] alezan

sorrow /ˈsɒrəʊ/
A *n* **1** (grief) chagrin *m*; **to feel ~** éprouver du chagrin; **to my ~** à mon grand chagrin; **it was said more in ~ than in anger** cela a été dit avec plus de tristesse que de colère; **I am writing to express my ~ at your sad loss** c'est avec beaucoup de peine que j'ai appris le deuil qui vient de vous frapper; **2** (misfortune) chagrin *m*, peine *f*; **we share each other's joys and ~s** nous partageons nos joies et nos peines
B *vi* littér se lamenter
C **sorrowing** *pres p adj* [*widow, mourner*] accablé de douleur *or* de chagrin

(Idiom) **one for ~, two for joy** (of magpies) une pie tant pis, deux pies tant mieux

sorrowful /ˈsɒrəʊfl/ *adj* [*occasion, look*] douloureux/-euse; [*voice*] triste; **to be in ~ mood** hum être d'humeur chagrine

sorrowfully /ˈsɒrəʊfəlɪ/ *adv* [*say*] avec tristesse, tristement

sorry /ˈsɒrɪ/
A *adj* **1** (apologetic) désolé; (for emphasis) navré; **I'm terribly ~** je suis vraiment désolé, je suis navré; **(I'm) ~, I haven't a clue**○ *ou* **I've no idea** je suis désolé mais je n'en ai pas la moindre idée; **to be ~ that** être désolé que (+ *subj*); **to be ~ if** être désolé si; **I'm ~ that things didn't work out/if I was rude** je suis désolé que ça n'ait pas marché/si j'ai été grossier; **I'm ~ I'm late** je suis désolé d'être en retard; **I'm ~ for the delay** je suis désolé du retard, je m'excuse pour le retard; **to be ~ for doing/to do** être désolé d'avoir fait/de faire; **I'm ~ for keeping you waiting** excusez-moi de vous avoir fait attendre; **I'm ~ to be a nuisance but...** excusez-moi de vous embêter, mais...; **to be ~ about** s'excuser de [*behaviour, mistake, change*]; **I'm ~ about this!** je suis désolé!, excusez-moi!; **~ about that!** (je suis) désolé!; **to say ~** s'excuser; **he didn't look the slightest bit ~!** il n'avait pas du tout l'air désolé!; **2** (sympathetic) **to be ~ to hear of sth/to hear that** être désolé d'apprendre qch/d'apprendre que; **I'm very ~ about your uncle** j'ai été désolé d'apprendre pour ton oncle; **3** (regretful) **to be ~ to do** regretter de faire; **we are ~ to inform you that** nous regrettons *or* nous avons le regret de vous informer que; **will you be ~ to go back?** est-ce que tu auras des regrets en rentrant?; **no-one will be ~ to see him go!** personne ne regrettera son départ!; **and, I'm ~ to say** et malheureusement; **I'm ~ that I didn't come/that you didn't come** je regrette de ne pas être venu/que tu ne sois pas venu; **she was ~ (that) she'd raised the subject** elle regrettait d'avoir abordé le sujet; **I felt ~ about it afterwards** j'ai eu des remords par la suite; **do it now or you'll be ~!** fais-le maintenant ou tu t'en repentiras!; **4** (pitying) **to be** *ou* **feel ~ for sb** plaindre qn also iron; **5** péj (self-pitying) **to feel ~ for oneself** s'apitoyer sur soi-même *or* sur son sort; **6** (pathetic, deplorable) [*state, sight, business*] triste; [*person*] minable; **they're a ~ lot!** ils sont minables!; **to be in a ~ state** être dans un triste état *or* en piteux état; **this is a ~ state of affairs!** c'est vraiment lamentable!
B *excl* **1** (apologizing) désolé!; **2** (failing to hear) **~?** pardon?; **3** (contradicting) **~, Sarah, that isn't true!** désolé, Sarah, mais cela est faux!; **4** (interrupting others) **~, time is running out** je suis désolé, mais nous n'avons plus beaucoup de temps; **5** (adding a comment) **~, may I just say that** excusez-moi, je voudrais simplement ajouter que; **6** (requesting clarification) **~, I'm not with you** pardon, mais je ne vous suis pas; **7** (correcting self) **so we have two, ~, three options** nous avons donc deux, pardon, trois options; **8** (being adamant) **~, but that's the way it is!** désolé, mais c'est comme ça!

sort /sɔːt/
A *n* **1** (kind, type) sorte *f*, genre *m*; **this ~ of novel/fabric** ce genre de roman/tissu; **this ~ of rabbit/person** ce genre de lapin/personne; **all ~s of reasons/people/colours** toutes sortes de raisons/gens/couleurs; **machines of all ~s** des machines de toutes sortes; **different ~s of cakes** différentes sortes de gâteaux; **I like board games, backgammon, that ~ of thing** j'aime les jeux de société, le jaquet, ce genre de jeu; **books, records—that ~ of thing** des livres, des disques, ce genre de choses; **that's my ~ of holiday** GB *ou* **vacation** US c'est le genre de vacances que j'aime; **I'm not that ~ of person** ce n'est pas mon genre; **it's some ~ of computer** c'est une sorte d'ordinateur; **there must by some ~ of mistake** il doit y avoir une erreur; **this must be some ~ of joke** ça doit être une plaisanterie; **he must be some ~ of madman** ce doit être un fou; **I need a bag of some ~** j'ai besoin d'un sac quelconque; **you must have some ~ of idea** tu dois avoir une idée; **an odd** *ou* **strange ~ of chap** un drôle de type; **radiation of any ~ is harmful** toutes les sortes de radiation sont dangereuses; **any ~ of knife will do** n'importe quel couteau fera l'affaire; **what ~ of person would do such a thing?** qui pourrait faire une chose pareille?; **what ~ of person does she think I am?** pour qui me prend-elle?; **what ~ of thing does she like/read?** qu'est-ce qu'elle aime/lit?; **what ~ of a reply/an excuse is that?** qu'est-ce que c'est que cette réponse/excuse?; **you know the ~ of thing (I mean)** tu vois ce que je veux dire; **the same ~ of thing** la même chose; **a liar of the worst ~** un menteur de la pire *or* de la plus belle espèce; **in an embarrassed ~ of way** d'une façon plutôt embarrassée; **something of that** *ou* **the ~** quelque chose comme ça; **I didn't say anything of the ~!** je n'ai jamais dit une chose pareille!; **nothing of the ~** (not in the least) pas du tout; **'this milk is off'—'it's nothing of the ~!'** 'ce lait est tourné'—'mais non, pas du tout!'; **'I'll pay'—'you'll do nothing of the ~!'** 'je vais payer'—'il n'en est pas question!'; **'you're being awkward'—'I'm being nothing of the ~'** 'tu es vraiment exigeant'—'ce n'est pas vrai du tout!'
2 (in vague description) espèce *f*, sorte *f*; **some ~ of bird** une sorte *or* espèce d'oiseau; **a ~ of blue uniform** une sorte *or* espèce d'uniforme bleu; **a ~ of elephant without a trunk** une sorte *or* espèce d'éléphant sans trompe
3 (type of person) **I know your/his ~** je connais les gens de votre/son espèce; **people of her ~** les gens de son espèce; **he's not the ~ to betray his friends** ce n'est pas le genre à trahir ses amis; **she's the ~ who would cheat** c'est le genre *or* elle est du genre à tricher; **we see all ~s here** on voit toutes sortes de gens ici; **he's a good ~** c'est un brave type; **she's a good ~** c'est une brave fille
4 Comput tri *m*
B **of sorts, of a sort** *adv phr* **a duck of ~s** *ou* **of a ~** une sorte de canard; **a hero of ~s** une sorte de héros; **progress of ~s** un semblant de progrès; **an answer of ~s** un semblant de réponse
C **sort of** *adv phr* **1** (a bit) **~ of cute/eccentric/embarrassed** plutôt mignon/excentrique/gêné; **to ~ of understand/sympathize** comprendre/compatir plus ou moins; **'is it hard?'—'~ of'** 'est-ce que c'est difficile?'—'plutôt, oui'; **'did you enjoy the film?'—'~ of'** 'est-ce que le film t'a plu?'—'oui, c'était pas mal'
2 (approximately) **~ of blue-green** dans les bleu-vert; **it just ~ of happened** c'est arrivé comme ça; **he was just ~ of lying there** il était étendu par terre comme ça
D *vtr* **1** (classify, arrange) classer [*data, files, stamps*]; trier [*letters, apples, potatoes*]; **to ~ books into piles** ranger des livres en piles; **to ~ buttons by colour** ranger des boutons par couleur; **to ~ the apples according to size** classer les pommes selon leur taille
2 (separate) séparer; **to ~ the good potatoes from the bad** séparer les bonnes pommes de terre des mauvaises; **to ~ the old stock from the new** séparer les vieux stocks des nouveaux

(Idioms) **to be** *ou* **feel out of ~s** (ill) ne pas être dans son assiette; (grumpy) être de mauvais

S

poil○; **it takes all ~s (to make a world)** Prov il faut de tout pour faire un monde Prov

(Phrasal verbs) ■ **sort out**: ▸ **~ [sth] out, ~ out [sth]** [1] (resolve) régler *[problem, matter]*; **to ~ out the confusion** dissiper un malentendu; **it will take me hours to ~ this mess out** il va me falloir des heures pour remettre de l'ordre dans tout ça; **I'll ~ it out** je m' en occuperai; **they have ~ed out their differences** ils ont réglé leurs différends; **go and ~ it out elsewhere** allez vous expliquer ailleurs; **it's time to ~ this thing out** il est temps de tirer cette affaire au clair; [2] (organize) s'occuper de *[details, arrangements]*; clarifier *[ideas]*; **I'll ~ something out with Tim** j'arrangerai quelque chose avec Tim; **Rex will ~ something out for you** Rex arrangera quelque chose pour vous; **I'll ~ out with him what I have to do** je verrai avec lui ce que j'ai à faire; [3] (tidy up, put in order) ranger *[cupboard, desk]*; classer *[files, documents]*; mettre de l'ordre dans *[finances, affairs]*; **to ~ out one's life** mettre de l'ordre dans sa vie; [4] (select) trier *[photos, clothes]*; [5] (find) trouver *[replacement, stand-in]*; [6] (mend) réparer *[clutch, fault]*; ▸ **~ out [sth]** [1] (separate) **to ~ out the clean socks from the dirty** séparer les chaussettes propres des chaussettes sales; **to ~ out the truth from the lies** démêler le vrai du faux; [2] (establish) **to ~ out who is responsible** établir qui est responsable; **we're still trying to ~ out what happened** nous essayons toujours de comprendre ce qui s'est passé; ▸ **~ [sb] out**○ [1] (punish) régler son compte à qn○; [2] (help) *[representative, receptionist, organizer]* aider *[person]*; **the doctor will soon ~ you out** le médecin te remettra sur pied; ▸ **~ [oneself] out** (get organized) s'organiser; (in one's personal life) résoudre ses problèmes; **to get oneself ~ed out** s'organiser; **things will ~ themselves out** les choses vont s'arranger d'elles-mêmes; **the problem ~ed itself out** le problème s'est résolu de lui-même

■ **sort through**: ▸ **~ through [sth]** regarder, passer [qch] en revue *[files, invoices]*; **~ through the cards until you find the ace of clubs** regarde toutes les cartes une par une pour trouver l'as de trèfle

sort code *n* code *m* d'agence

sorted○ /'sɔːtɪd/

[A] *adj* [1] (supplied with drugs) approvisionné (**for** en); [2] (well-balanced) équilibré; [3] (arranged, organized) organisé

[B] *excl* (yes, OK) ça baigne○

sorter /'sɔːtə(r)/ ▸ p. 1683 *n* [1] (person) trieur/-euse *m/f*; [2] (machine) Agric trieur *m*; Mining, Post, Tex trieuse *f*

sortie /'sɔːtɪ/ *n* [1] Mil sortie *f*; [2] fig, hum **to make a ~ to** faire un saut○ à *[shops, beach]*

sorting /'sɔːtɪŋ/ *n* [1] gen triage *m*, tri *m*; [2] Post tri *m* postal

sorting: **~ machine** *n* = **sorter 2**; **~ office** *n* Post centre *m* de tri

sort-out○ /'sɔːtaʊt/ *n* GB **to have a ~** faire du rangement; **to give sth a ~** ranger qch *[bedroom, cupboard]*

SOS *n* [1] Naut, Aviat SOS *m*; [2] fig appel *m* (au secours)

so-so○ /ˌsəʊ'səʊ/

[A] *adj* moyen/-enne

[B] *adv* comme ci comme ça○

sot /sɒt/ *n* GB péj poivrot○ *m*

sotto voce /ˌsɒtəʊ 'vəʊtʃɪ/ *adv* *[say, add]* à mi-voix

sou' /suː/ *adj* Naut = **south**

soubriquet /'suːbrɪkeɪ/ *n* sout sobriquet *m*

souchong /ˌsuː'tʃɒŋ/ *n* souchong *m*

soufflé /'suːfleɪ, US suː'fleɪ/ *n* soufflé *m*

sough /saʊ/ littér

[A] *n* murmure *m*

[B] *vi* *[wind]* murmurer

soughing /'sʌfɪŋ, US saʊɪŋ/ *n* littér (of wind in trees) bruissement *m*; (of sea) murmure *m*

sought /sɔːt/ *pp* ▸ **seek**

sought-after /'sɔːtɑːftə(r), US -æf-/ *adj* *[expert, type of employee, guest, skill]* demandé, recherché; *[job, role, brand, garment, village, area]* prisé; **thatched cottages are much ~** les chaumières sont très recherchées; **the most ~ item was the portrait of Napoleon** l'article le plus convoité était le portrait de Napoléon

soul /səʊl/ *n* [1] Relig (immortal) âme *f*; **to sell one's ~ (to the devil)** vendre son âme (au diable); **to sell one's ~** fig donner n'importe quoi (**for** pour; **to do** pour faire); **bless my ~!†, upon my ~!†** grand Dieu!; [2] (innermost nature) âme *f*; **a ~ in torment** littér une âme en peine; **to have the ~ of a poet** avoir l'âme d'un poète, être poète dans l'âme; [3] (essence) âme *f*; **the ~ of the British middle classes** l'âme de la bourgeoisie britannique; **to be the ~ of kindness/discretion** être la gentillesse/discrétion même; [4] ¢ (emotional appeal or depth) **to lack ~** *[performance, rendition]* être plat; *[building, city]* ne pas avoir d'âme; **he has no ~!** hum il est trop terre à terre!; [5] (character type) **a sensitive ~** une âme sensible; **she's a motherly ~** elle est très maternelle; [6] (person) **you mustn't tell a ~!** ne le dis à personne!; **you can drive miles without seeing a ~** on peut faire des kilomètres sans voir personne *or* sans voir âme qui vive; **'many people there?'—'not a ~'** 'il y avait du monde?'—'personne, pas un chat○'; **she's too old, poor ~!** elle est trop vieille, la pauvre!; **some poor ~ will have to pay** hum quelque malheureux devra payer!; [7] sout *ou* hum (inhabitant) habitant *m*; [8] ¢ US (black solidarity) soul *m*; [9] Mus (*also* **~ music**) (musique *f*) soul *m*

(Idioms) **it's good for the ~** hum ça forme le caractère; **to be the life and ~ of the party** être un *or* une boute-en-train; **to throw oneself into sth heart and ~** se donner corps et âme à qch; **you can't call your ~ your own here** on n'est pas libre de faire ce qu'on veut ici

soul. **~ brother** *n* US frère *m* (*terme que les Afro-Américains utilisent entre eux*); **~-destroying** *adj* *[occupation, role]* abrutissant; **~ food** *n* US *cuisine traditionnelle des Afro-Américains*

soulful /'səʊlfl/ *adj* (all contexts) mélancolique

soulfully /'səʊlfəlɪ/ *adv* *[look]* d'un air mélancolique; *[speak]* avec mélancolie

soulless /'səʊllɪs/ *adj* *[building, office block]* sans âme; *[job]* abrutissant; *[interpretation]* plat

soul mate *n* âme *f* sœur

soul-searching /'səʊlsɜːtʃɪŋ/ *n* débat *m* intérieur; **to do some ~** se poser des questions

soul: **~ sister** *n* US sœur *f* (*terme que les Afro-Américaines utilisent entre elles*); **~-stirring** *adj* *[music]* très émouvant

sound /saʊnd/

[A] *n* [1] Phys son *m*; **to fly at the speed of ~** voler à la vitesse du son

[2] TV, Radio, Video son *m*; **he works in ~** il est ingénieur du son

[3] (noise) (of storm, sea, wind, car, machinery, footsteps) bruit *m* (**of** de); (of bell, instrument, voice) son *m* (**of** de); **a grating** *ou* **rasping ~** un grincement; **the ~ of voices/footsteps** un bruit de voix/pas; **without a ~** sans bruit

[4] (volume) son *m*; **to turn the ~ up/down** monter/baisser le son *or* le volume; **her television has very good ~** le son de sa télévision est très bon

[5] Mus (distinctive style) **the Motown ~** le style de Motown

[6] fig (impression from hearsay) **a 24 hour flight? I don't like the ~ of that!** un vol de 24 heures? cela ne me tente pas! *or* ça ne me dit rien; (when situation is threatening) **a reorganization? I don't like the ~ of that** une restructuration? ça m'inquiète *or* ça ne me dit rien qui vaille; **by the ~ of it, we're in for a rough crossing** d'après ce qu'on a dit, la traversée va être mauvaise; **he was in a bad temper that day, by the ~ of it** il semble que ce jour-là il ait été de mauvaise humeur

[7] Med sonde *f*

[8] Geog détroit *m*; **Plymouth Sound** le détroit de Plymouth

[B] *modif* TV, Radio *[engineer, technician]* du son

[C] *adj* [1] (in good condition) *[roof, foundations, building, heart, constitution]* solide; *[lungs, physique]* sain; *[health]* bon/bonne; **to be of ~ mind** être sain d'esprit

[2] (solid, well-founded) *[argument, basis, education, knowledge]* solide; *[judgment]* sain; **let me give you some ~ advice** permettez-moi de vous donner un bon conseil; **he has a ~ grasp of the basic grammar** il a une bonne compréhension des bases grammaticales; **a ~ move** une décision *or* démarche avisée

[3] (of good character) **he's very ~** on peut avoir confiance en lui

[4] Fin, Comm *[investment]* bon/bonne, sûr; *[management]* sain

[5] (thorough) **to give sb a ~ thrashing** donner une bonne râclée○ à qn

[6] (deep) *[sleep]* profond

[7] (correct, acceptable) **that is ~ economics, that makes ~ economic sense** du point de vue économique, c'est très sensé; **our products are ecologically ~** nos produits ne nuisent pas à l'environnement; **she's politically ~, her ideas are politically ~** elle a des idées politiques de bon ton

[D] *vtr* [1] (use) *[person, ship]* faire retentir *[siren, foghorn]*; **to ~ one's horn** klaxonner; lit, fig **to ~ the alarm** sonner *or* donner l'alarme

[2] Mus, Mil sonner *[trumpet, bugle, reveille, the retreat]*; frapper *[gong]*

[3] Ling prononcer *[letter]* (**in** de)

[4] Med ausculter *[chest]*; sonder *[body cavity]*

[5] †Rail sonder *[wheels]*

[6] Naut sonder *[depth]*

[7] (give, express) donner *[warning]* (**about** au sujet de); **to ~ a note of caution** lancer un appel à la prudence

[E] *vi* [1] (seem) sembler; **the salary certainly ~s good** le salaire semble vraiment intéressant; **it ~s as if he's really in trouble** il semble qu'il ait vraiment des ennuis; **it ~s to me as though the best plan would be to cancel** il me semble que le mieux serait d'annuler; **it ~s like she's had enough of him** il semble qu'elle en ait assez de lui; **it ~s like it might be dangerous** ça a l'air dangereux; **it ~s like it should be fun!** ça promet d'être amusant!; **it doesn't ~ to me as if she's interested** je ne pense pas qu'elle soit intéressée; **that ~s like a good idea!** ça m'a l'air d'une bonne idée; **a stream in the garden—that ~s nice!** un ruisseau dans le jardin! ça doit être agréable!

[2] (give impression by voice or tone) **to ~ banal/boring** *[comment, idea]* paraître banal/ennuyeux; **Anne phoned—she ~ed in good form** Anne a téléphoné—elle avait l'air en forme; **you make it ~ interesting** à t'écouter ça a l'air intéressant; **you ~ fed up/as if you've got a cold** on dirait que tu en as marre○/que tu es enrhumé; **it ~s as if he's choking/crying** on dirait qu'il étouffe/pleure; **he ~s like an American** on dirait un américain, il a un accent américain; **that ~s like a flute** on dirait une flûte; **you ~ like my mother!** on dirait ma mère qui parle!; **I don't want to ~ pessimistic** je ne voudrais pas avoir l'air pessimiste; **spell it as it ~s** écris-le comme ça se prononce; **the dawn chorus ~ed wonderful** le chant matinal des oiseaux était merveilleux; **the singer did not ~ in top form** le chanteur n'était pas au mieux de sa forme; **in foggy weather, everything ~s closer** quand il y a du brouillard, tous les bruits paraissent plus proches

[3] (convey impression) faire; **she calls herself Geraldine—it ~s more sophisticated** elle se fait appeler Géraldine—ça fait plus sophistiqué; **it may ~ silly, but...** ça a peut-être l'air idiot, mais...

[4] (make a noise) *[trumpet, bugle, horn, alarm,*

buzzer] sonner; [siren, foghorn] hurler
5 Zool [whale] plonger en profondeur
F adv **to be ~ asleep** dormir à poings fermés
(Phrasal verbs) ■ **sound off**○: ▸ **~ off** rebattre les oreilles aux gens○ (**about** au sujet de)
■ **sound out**: ▸ **~ out [sb]**, **~ [sb] out** sonder, interroger [colleague, partner, investor]
sound: **~-absorbent** adj antibruit; **~ archives** npl archives fpl sonores
sound barrier n mur m du son; **to break the ~** dépasser le mur du son
sound: **~ bite** n: bref extrait d'une interview enregistrée; **~ box** n caisse f de résonance; **~ card** n Comput carte f son, carte f audio; **~ change** n modification f du son; **~ effect** n effet m sonore
sound head n 1 Cin lecteur m de son, tête f d'enregistrement du son; 2 (on tape recorder) tête f de lecture du son
sound hole n (of violin) ouïe f; (of zither, lute) rosace f; (of guitar) bouche f
sounding /'saʊndɪŋ/
A n 1 Sci, Naut (measurement of depth) sondage m; **to take ~s** faire des sondages; 2 fig (questioning, probing) sondage m; 3 Mus, Mil **the ~ of the retreat** le signal de la retraite; **the ~ of the trumpets announced the Queen's arrival** les trompettes annoncèrent l'arrivée de la reine
B **-sounding** (dans composés) **a grand-~/English-~ name** un nom qui fait bien/qui fait anglais; **unlikely-~** bizarre
sounding-board /'saʊndɪŋbɔːd/ n 1 (above stage) abat-voix m inv; (on instrument) table f d'harmonie; 2 fig (person) personne f sur qui on peut tester ses idées; **can I use you as a ~?** est-ce que je peux tester mes idées sur toi?
sounding: **~ lead** n plomb m de sonde; **~ line** n ligne f de sonde
sound insulation n isolation f acoustique
soundless /'saʊndlɪs/ adj silencieux/-ieuse
soundlessly /'saʊndlɪslɪ/ adv [move, signal, open, shut] sans bruit, sans faire de bruit
sound: **~ level** n niveau m sonore; **~ library** n sonothèque f
soundly /'saʊndlɪ/ adv 1 (deeply) [sleep] à poings fermés; **we can sleep ~ in our beds, now that...** nous pouvons dormir tranquilles, maintenant que...; 2 (thoroughly) [beat, defeat] à plates coutures; 3 (firmly) [built, based] solidement
soundness /'saʊndnɪs/ n 1 (correctness) sûreté f; **I would question the ~ of his judgment** je mets en doute la sûreté de son jugement; 2 (of horse) bonne condition f
sound post n âme f (d'un violon, violoncelle)
sound-proof /'saʊndpruːf/
A adj [wall, room] insonorisé; [material] insonorisant
B vtr insonoriser [room]
sound-proofing /'saʊndpruːfɪŋ/ n insonorisation f
sound recording n 1 gen enregistrement m du son; 2 Cin prise f de son
sound: **~ shift** n mutation f phonétique; **~ system** n (hi-fi) stéréo○ f; (bigger: for disco etc) sono○ f
sound-track /'saʊndtræk/ n Mus, TV, Cin 1 (of film) bande f sonore; (on record etc) bande f originale; 2 (on spool of film) piste f son
sound: **~ truck** n US camionnette f munie d'un haut-parleur; **~ wave** n onde f sonore
soup /suːp/ n 1 Culin soupe f, potage m; **fish ~** soupe f de poisson; **mushroom ~** soupe f aux champignons; **creamy tomato ~** velouté m de tomates; 2 (messy mixture) bouillie f (**of** de)
(Idiom) **to land sb/be in the ~** mettre qn/être dans le pétrin○
(Phrasal verb) ■ **soup up**: ▸ **~ up [sth]**, **~ [sth] up** gonfler [car, engine]
soupçon /'suːpsɒn, US suː'psɒn/ n sout soupçon m
soup: **~ed-up** adj [car, engine, version] gonflé; **~ kitchen** n soupe f populaire; **~ plate** n assiette f creuse or à soupe; **~spoon** n cuillère f à soupe; **~ tureen** n soupière f
soupy /'suːpɪ/ adj 1 (dense) [fog] dense; 2 ○US péj (sentimental) sentimental, mélo○ pej
sour /'saʊə(r)/
A n (cocktail) sour m
B adj 1 (bitter) [wine, taste] acide, aigre; [unripe fruit] aigre, âpre; [cherry] aigre; **to taste ~** avoir un goût aigre; 2 (off) [milk] aigre; [smell] aigre, âpre; **to go ~** lit tourner; **to go** ou **turn ~** fig se dégrader; 3 (bad-tempered) [person, look] revêche; **to have a ~ look on one's face** avoir un air revêche
C vtr gâter [relations, atmosphere]
D vi [attitude, outlook] s'aigrir; [friendship, relationship] se dégrader
source /sɔːs/
A n 1 (origin) source f (**of** de); **~ of income**, **~ of revenue** source de revenu; **~s of supply** sources d'approvisionnement; **energy/food ~s** ressources fpl énergétiques/alimentaires; **at ~** [affect, cut off, deduct] à la source; 2 (cause) **~ of** source f de [anxiety, resentment, satisfaction]; cause f de, origine f de [problem, error, infection, pollution]; origine f de [rumour]; 3 Journ (informant) source f (**close to** proche de); **to hear sth from a reliable ~** tenir qch de source sûre; **one ~ said the king had always known that** le roi aurait toujours su que; 4 Geog (of river) source f; 5 Literat (of writer, work) source f
B **sources** npl Univ (reference materials) sources fpl
C vtr Ind se procurer [products, energy]; **to be ~d from** provenir de [region, country]
source: **~ book** n livre m source; **~ code** n Comput code m source; **~ language** n langue f source; **~ material** n ¢ sources fpl; **~ program** n programme m source
sour cream n crème f aigre
sourdine /ˌsʊə'diːn/ n sourdine f
sour: **~dough** n US levain m; **~ dough bread** n US ≈ pain m au levain; **~-faced** adj [person] à la mine revêche
sour grapes npl dépit m; **it's (a touch of) ~!** c'est du dépit!
sourish /'saʊərɪʃ/ adj (all contexts) aigrelet/-ette
sourly /'saʊəlɪ/ adv [say, answer] aigrement
sourness /'saʊənɪs/ n lit, fig aigreur f
sourpuss○ /'saʊəpʊs/ n hum grincheux/-euse○ m/f
sousaphone /'suːzəfəʊn/ ▸ **p. 1462** n hélicon m
souse /saʊs/
A vtr 1 (soak) tremper [person, object]; 2 Culin faire mariner [herring]
B **soused** pp adj 1 Culin mariné; 2 ○(drunk) cuité○, pinté○
south /saʊθ/ ▸ **p. 1552**
A n sud m; **the ~ of France** le sud de la France, le Midi
B **South** pr n 1 Pol, Geog, US Hist **the South** le Sud; 2 (in cards) sud
C adj [side, face, wall] sud inv; [wind] gen du sud; Meteorol de sud; [coast] sud inv
D adv [move] vers le sud; [lie, live] au sud (**of** de); **to go ~ of sth** passer au sud de qch
South Africa ▸ **p. 1096** pr n Afrique f du Sud
South African ▸ **p. 1467**
A n Sud-Africain/-e m/f
B adj sud-africain, d'Afrique du Sud
South America ▸ **p. 1096** pr n Amérique f du Sud
South American
A n Sud-Américain/-e m/f
B adj sud-américain, d'Amérique du Sud
South Australia pr n Australie-Méridionale f
southbound /'saʊθbaʊnd/ adj [carriageway, traffic] en direction du sud; **the ~ platform/train** GB (in underground) le quai/la rame direction sud
south: **South Carolina** ▸ **p. 1737** pr n Caroline f du Sud; **South China Sea** ▸ **p. 1493** pr n mer f de Chine méridionale; **South Dakota** ▸ **p. 1737** pr n Dakota m du Sud
southeast /ˌsaʊθ'iːst/ ▸ **p. 1552**
A n sud-est m
B adj [coast, side] sud-est inv; [wind] de sud-est
C adv [move] vers le sud-est; [lie, live] au sud-est (**of** de)
South East Asia pr n le Sud-Est asiatique
southeaster /ˌsaʊθ'iːstə(r)/ n vent m de sud-est
southeasterly /ˌsaʊθ'iːstəlɪ/
A n vent m de sud-est
B ▸ **p. 1552** adj [wind] de sud-est; [point] au sud-est; **in a ~ direction** en direction du sud-est
southeastern /ˌsaʊθ'iːstən/ ▸ **p. 1552** adj [coast, boundary] sud-est inv; [town, accent, custom] du sud-est; **~ England** le Sud-est de l'Angleterre
southerly /'sʌðəlɪ/
A n vent m du sud
B ▸ **p. 1552** adj [wind] de sud; [point] au sud; [area] du sud; [breeze] venant du sud; **in a ~ direction** en direction du sud
southern /'sʌðən/ ▸ **p. 1552** adj 1 [coast, boundary] sud inv; [state, region, town, accent] du sud; **~ France** le sud de la France, le Midi; **~ English** [landscape etc] du Sud de l'Angleterre; **~ French** [landscape etc] du Midi, méridional; 2 US Hist (also **Southern**) sudiste
southern: **Southern Alps** pr npl Alpes fpl néo-zélandaises; **Southern Belle** n belle femme f du Sud des États-Unis; **Southern Comfort**® n: variété de bourbon; **Southern Cross** n Astron Croix f du Sud
southerner /'sʌðənə(r)/ n 1 **~s** les gens mpl du Sud; **to be a ~** être du Sud; 2 US Hist (also **Southerner**) sudiste mf
southern: **~-fried chicken** n US Culin poulet frit servi avec une sauce épicée; **~ hemisphere** n hémisphère m Sud inv or austral; **Southern Lights** npl aurore f australe; **~most** adj à l'extrême sud, le/la plus au sud
south: **~-facing** adj exposé au sud; **South Georgia** ▸ **p. 1355** pr n Géorgie f du Sud
South Glamorgan /ˌsaʊθ glə'mɔːgən/ ▸ **p. 1612** pr n South Glamorgan m
south: **South Island** ▸ **p. 1355** pr n île f du Sud; **South Korea** ▸ **p. 1096** pr n Corée f du Sud
South Korean ▸ **p. 1467**
A n Sud-Coréen/-éenne m/f
B adj sud-coréen/-éenne
south: **~paw**○ n gen (left-handed person) gaucher/-ère m/f; (in boxing) fausse-garde f; **South Pole** pr n pôle m Sud; **South Sea Islands** ▸ **p. 1355** pr npl Océanie f; **South Seas** ▸ **p. 1493** pr npl mers fpl du Sud; **South Vietnam** ▸ **p. 1096** pr n Viêt Nam m du Sud
southward /'saʊθwəd/ ▸ **p. 1552**
A adj [side] sud inv; [wall, slope] du côté sud; [journey, route, movement] vers le sud; **in a ~ direction** en direction du sud, vers le sud
B adv (also **~s**) vers le sud
southwest /ˌsaʊθ'west/ ▸ **p. 1552**
A n sud-ouest m
B adj [coast, side] sud-ouest inv; [wind] de sud-ouest
C adv [move] vers le sud-ouest; [lie, live] au sud-ouest (**of** de)
South West Africa pr n Afrique f du Sud-Ouest

S

southwester /ˌsaʊθ'westə(r)/ *n* vent *m* de sud-ouest, suroît *m*

southwesterly /ˌsaʊθ'westəlɪ/
A *n* vent *m* de sud-ouest, suroît *m*
B ▸ p. 1552 *adj* [*wind*] de sud-ouest; [*point*] au sud-ouest; **in a ~ direction** en direction du sud-ouest

southwestern /ˌsaʊθ'westən/ ▸ **p. 1552** *adj* [*coast, boundary*] sud-ouest *inv*; [*town, accent, custom*] du sud-ouest; **~ England** le Sud-ouest de l'Angleterre

South Yorkshire /ˌsaʊθ 'jɔːkʃə(r)/ ▸ **p. 1612** *pr n* South Yorkshire *m*

souvenir /ˌsuːvə'nɪə(r), US 'suːvənɪər/ *n* (object) souvenir *m* (**of, from** de)

souvenir: **~ hunter** *n* amateur *m* de souvenirs; **~ shop** *n* magasin *m* de souvenirs

sou'wester /ˌsaʊ'westə(r)/ *n* (hat) suroît *m*

sovereign /'sɒvrɪn/
A *n* **1** (monarch) souverain/-e *m/f*; **2** Hist (coin) souverain *m*
B *adj* **1** (absolute) [*power, authority, state*] souverain (*after n*); [*rights*] de souveraineté; **2** (utmost) [*contempt, indifference*] souverain (*before n*)

sovereignty /'sɒvrəntɪ/ *n* souveraineté *f*; **to claim ~ over** revendiquer la souveraineté de [*region, country*]

soviet /'səʊvɪət, 'sɒ-/ *n* Pol soviet *m*

Soviet /'səʊvɪət, 'sɒ-/ ▸ **p. 1467** Hist
A Soviets *npl* (people) Soviétiques *mpl*
B *adj* [*Russia, system, history, bloc*] soviétique

sovietize /'səʊvɪətaɪz/ *vtr* soviétiser

Soviet Union /ˌsəʊvɪət 'juːnɪən/ ▸ **p. 1096** *pr n* Hist Union *f* soviétique

sow¹ /saʊ/ *n* truie *f*
(Idiom) **you can't make a silk purse out of a ~'s ear** Prov la caque sent toujours le hareng Prov

sow² /səʊ/ *vtr* (*prét* **sowed**, *pp* **sowed**, **sown**) **1** semer [*seeds, corn*]; **2** ensemencer [*field, garden*] (**with** de); **3** fig (stir up) semer [*discontent, discord*]; **to ~ the seeds of doubt** faire germer le doute (**in sb** dans l'esprit de qn)

sower /'səʊə(r)/ *n* semeur/-euse *m/f* (**of** de)

sowing /'səʊɪŋ/ *n* ¢ semailles *fpl*

sowing machine /'səʊɪŋ/ *n* semoir *m*

sown /səʊn/ *pp* ▸ **sow²**

sox○ /sɒks/ *npl* US chaussettes *fpl*

soya /'sɔɪə/
A *n* soja *m*
B *modif* [*bean, burger, flour, milk*] de soja

soya sauce, **soy sauce** *n* sauce *f* soja

sozzled○ /'sɒzld/ *adj* pinté○, cuité○

spa /spɑː/ *n* **1** (town) station *f* thermale; **2** US (health club) club *m* de remise en forme

space /speɪs/
A *n* **1** ¢ (room) place *f*, espace *m*; **to take up a lot of ~** prendre *or* occuper beaucoup de place; **to make ~ for sb/sth** faire de la place pour qn/qch; **a car with plenty of luggage ~** une voiture avec beaucoup de place *or* d'espace pour les bagages; **there is ample ~ for parking** il n'y a aucun problème de stationnement; **to buy/sell (advertising) ~ in a newspaper** acheter/vendre des espaces publicitaires dans un journal; **to give sb ~** fig laisser de la liberté à qn; **to need (one's own) ~** avoir besoin de liberté; **to invade sb's (personal) ~** empiéter sur l'espace vital de qn; **2** C (gap, blank area) gen espace *m* (**between** entre); Mus interligne *m*; Print (between letters, words) espace *f*; (between lines) interligne *m*, espace *m*; **there is a ~ of ten centimetres between...** il y a un espace de dix centimètres entre...; **enclosed ~s** les espaces fermés; **in the ~ provided** (on application form etc) dans l'espace prévu à cet effet, dans la case prévue à cet effet; **'watch this ~!'** 'à suivre'; **3** C (area of land) espace *m*; **open ~s** espaces *mpl* libres; **the freedom of the wide open ~s** la liberté des grands espaces; **4** (interval of time) intervalle *m*; **after a ~ of fifteen minutes/two weeks** après un intervalle de quinze minutes/deux semaines; **in** *ou* **within the ~ of five minutes/a week** en l'espace de cinq minutes/d'une semaine; **in a short ~ of time** en très peu de temps; **5** Aerosp, Phys espace *m*; **the exploration of ~, ~ exploration** l'exploration de l'espace *or* du cosmos
B *modif* Aerosp, Phys [*research, programme, exploration, vehicle, rocket*] spatial
C *vtr* espacer; **the pylons were ~d 100 metres apart** les pylônes étaient espacés de 100 mètres
(Idiom) **to stare into ~** regarder dans le vide *or* l'espace
(Phrasal verb) ■ **space out**: ▸ **to ~ out [sth], ~ [sth] out** espacer [*objects, rows, words, visits, events*]; échelonner [*payments*]; **to ~ out one's days off throughout the year** répartir ses jours de congé sur toute l'année

space age
A *n* ère *f* spatiale
B space-age *modif* [*design*] de l'ère spatiale

space: **Space Agency** *n* Agence *f* spatiale; **~-bar** *n* barre *f* d'espacement; **~ blanket** *n* couverture *f* de survie; **~ cadet**○ *n* US hum cinglé/-e○ *m/f*; **~ capsule** *n* Aerosp capsule *f* spatiale; **~craft** *n* Aerosp (*pl* **~**) vaisseau *m* spatial

spaced out○ *adj* **he's completely ~**○ il plane○ complètement

space flight *n* Aerosp **1** (activity) voyages *mpl* interplanétaires; **2** (single journey) vol *m* spatial

space: **~ heating** *n* chauffage *m*; **~ helmet** *n* Aerosp casque *m* de cosmonaute; **Space Invaders®** *n* (+ *v sg*) *jeu électronique de combats dans l'espace*; **~ lab** *n* Aerosp laboratoire *m* spatial; **~man** *n* Aerosp cosmonaute *m*, spationaute *m*; **~ opera** *n* Cin space opéra *m* (*œuvre ou genre de science-fiction sur le thème des voyages interplanétaires*); **~plane** *n* Aerosp navette *f* spatiale; **~ platform** *n* Aerosp station *f* spatiale; **~port** *n* Aerosp base *f* de lancement; **~ probe** *n* Aerosp sonde *f* spatiale; **~ race** *n* Aerosp, Pol course *f* pour la conquête de l'espace; **~-saving** *adj* qui gagne de la place, compact; **~ science** *n* Aerosp science *f* de l'espace, spatiologie *f*; **~ scientist** ▸ **p. 1683** *n* Aerosp spécialiste *mf* en spatiologie; **~ship** *n* Aerosp vaisseau *m* spatial; **~ shuttle** *n* Aerosp navette *f* spatiale; **~ sickness** *n* Aerosp, Med mal *m* de l'espace; **~ station** *n* Aerosp station *f* orbitale *or* spatiale; **~-suit** *n* Aerosp combinaison *f* spatiale; **~-time (continuum)** *n* Phys Espace-Temps *m*; **~ travel** *n* Aerosp voyages *mpl* dans l'espace

spacewalk /'speɪswɔːk/ Aerosp
A *n* sortie *f* dans l'espace
B *vi* sortir dans l'espace

spacewoman /'speɪswʊmən/ *n* Aerosp cosmonaute *f*

spacey○ /'speɪsɪ/ *adj* US **1** (bewildered or on drugs) **he's ~** il plane○ complètement; **2** (odd) farfelu○

spacing /'speɪsɪŋ/ *n* **1** Print espacement *m*; **in single/double ~** en simple/double interligne; **2** (*also* **~ out**) (of objects, buildings, rows, visits, events) espacement *m*; (of payments) échelonnement *m*

spacious /'speɪʃəs/ *adj* spacieux/-ieuse

spaciousness /'speɪʃəsnɪs/ *n* ¢ grandeur *f*, grandes dimensions *fpl*

spade /speɪd/ ▸ **p. 1253** *n* **1** (tool) bêche *f*, pelle *f*; (toy) pelle *f*; **2** (in cards) pique *m*; **the four of ~s** le quatre de pique; **3** ◑(black person) injur nègre *m*, négresse *f* offensive
(Idioms) **to call a ~ a ~** appeler un chat un chat; **to have energy/charm in ~s** avoir de l'énergie/du charme à revendre

spadeful /'speɪdfʊl/ *n* pelletée *f*; **by the ~** en grande quantité, à la pelle

spadework /'speɪdwɜːk/ *n* fig travail *m* de base

spaghetti /spə'getɪ/ *n* ¢ spaghetti *mpl inv*

spaghetti: **~ junction**○ *n* GB Transp échangeur *m* à niveaux multiples; **~ western**○ *n* western *m* spaghetti

Spain /speɪn/ ▸ **p. 1096** *pr n* Espagne *f*

spake‡ /speɪk/ = **spoke A**

spam /spæm/
A *n* **1** (in emails) spam *m*; **2** ®(food) viande *f* de porc en conserve
B *vtr* (*p prés etc* **-mm-**) (on the Internet) inonder [qn] de spam

spammer /'spæmə(r)/ *n* expéditeur/-trice *m/f* de courrier rebut (par courrier électronique)

spamming /'spæmɪŋ/ *n* envoi *m* de courrier rebut (par courrier électronique)

span /spæn/
A *n* **1** (period of time) durée *f*; **the ~ of sb's life/career** la durée de la vie/la carrière de qn; **a short ~ of time** une courte période; **time ~** espace *m* de temps; **over a ~ of several years** sur une période de plusieurs années; **to have a short concentration ~** avoir une capacité de concentration de courte durée; **2** (width) (across hand, arms, wings) envergure *f*; (of bridge) travée *f*; (of arch) portée *f*; **the bridge crosses the river in a single ~** le pont enjambe la rivière d'une seule travée; **3** fig (extent) **the whole ~ of human history** la totalité *or* l'ensemble de l'histoire de l'humanité; **4** †Meas ≈ empan† *m*; ▸ **wingspan**
B *vtr* (*p prés etc* **-nn-**) **1** [*bridge, arch*] enjamber; Constr [*person*] construire un pont sur [*river*]; **2** fig (encompass) s'étendre sur; **her life ~ned most of the nineteenth century** sa vie s'est étendue sur la presque totalité du dix-neuvième siècle; **his career ~ned several decades** sa carrière s'est étendue sur *or* a couvert plusieurs décennies; **a group ~ning the age range 10 to 14** un groupe comprenant les enfants âgés de 10 à 14 ans
C ‡*pp* ▸ **spin**

Spandex® /'spændeks/ *n* tissu *m* extensible

spangle /'spæŋgl/ *n* paillette *f*

spangled /'spæŋgld/ *adj* pailletté (**with** de)

Spaniard /'spænjəd/ ▸ **p. 1467** *n* Espagnol/-e *m/f*

spaniel /'spænjəl/ *n* épagneul *m*

Spanish /'spænɪʃ/ ▸ **p. 1467, p. 1378**
A *n* **1** (people) **the ~** (+ *v pl*) les Espagnols *mpl*; **2** Ling espagnol *m*
B *adj* [*custom, people, landscape, literature*] espagnol; [*king, embassy, army*] d'Espagne

Spanish America *pr n* Amérique *f* espagnole

Spanish American
A *n* Hispano-américain/-e *m/f*
B *adj* hispano-américain

Spanish Armada /ˌspænɪʃɑː'mɑːdə/ *n* **the ~** l'Invincible Armada *f*

Spanish chestnut *n* **1** (nut) châtaigne *f*; **2** (tree) châtaîgnier *m*

Spanish: **~ Civil War** *n* Hist guerre *f* civile d'Espagne; **~ fly** *n* cantharide *f*; **~ guitar** ▸ **p. 1462** *n* guitare *f* classique; **~ Main‡** *pr n* mer *f* des Antilles; **~ moss** *n* Bot tillandsie *f*; **~ omelette** *n* omelette *f* espagnole; **~ onion** *n* oignon *m* espagnol; **~ rice** *n* riz *m* à l'espagnole; **~-speaking** *adj* hispanophone

spank /spæŋk/
A *n* fessée *f*; **to give sb a ~** donner une fessée à qn
B *vtr* donner une fessée à, fesser [*person*]

spanking /'spæŋkɪŋ/
A *n* fessée *f*; **to give sb a ~** donner une fessée à qn
B ○*adj* **at a ~ pace** à une belle allure
C ○*adv* **a ~ new car/kitchen** une voiture/une cuisine flambant neuve

spanner /'spænə(r)/ *n* GB clé *f* (*de serrage*); **adjustable ~** clé à molette
(Idiom) **to put** *ou* **throw a ~ in the works** mettre

S

du sable dans l'engrenage

spar /spɑː(r)/
A *n* 1 Naut espar *m*; 2 Geol, Miner spath *m*
B *vi* (*p prés etc* **-rr-**) [*boxers*] échanger des coups; fig [*debaters*] se livrer à des joutes oratoires; **to ~ with** s'entraîner à la boxe avec [*partner*]; fig se bagarrer pour rire avec [*child, boyfriend etc*]; gen [*politician*] s'affronter à [*opponent*]

spare /speə(r)/
A *n* Tech, gen (part) pièce *f* de rechange; (wheel) roue *f* de secours; **a set of ~s** un jeu de pièces de rechange; **use my pen, I've got a ~** prends mon stylo, j'en ai un autre
B *adj* 1 (surplus) [*cash, capacity*] restant; [*capital, land, chair, seat*] disponible; [*copy*] en plus; **I've got a ~ ticket** j'ai un ticket en trop; **a ~ moment** un moment de libre; 2 (in reserve) [*component, fuse, bulb*] de rechange; [*wheel*] de secours; 3 (lean) [*person, build*] élancé; [*design, building, style*] simple; 4 (meagre) [*diet, meal*] frugal; 5 ○GB (mad) dingue○; **to go ~** devenir dingue○
C *vtr* 1 **to have sth to ~** avoir qch de disponible; **have my pen, I've got one to ~** prends mon stylo, j'en ai un autre; **to catch the train with five minutes to ~** prendre le train avec cinq minutes d'avance; **to have time to ~ at the airport** avoir du temps d'attente à l'aéroport; **I have no time to ~ for doing** je n'ai pas de temps à perdre à faire; **the project was finished with only days to ~** le projet a été terminé seulement quelques jours avant la date limite; **I have no energy to ~ for the housework** je n'ai plus d'énergie pour les travaux domestiques; **enough and to ~** bien assez et plus qu'il n'en faut; 2 (treat leniently) épargner [*person, animal*]; **to ~ sb sth** épargner qch à qn; **to ~ sb's life** épargner la vie de qn; **~ my life!** ne me tuez pas!; **I will ~ you the details** je vous épargnerai les détails; **we were ~d the full story** hum on a été dispensé du récit complet; **see you next year if I'm ~d** hum à l'année prochaine, si Dieu me prête vie; 3 (be able to afford) avoir [*money, time*]; **can you ~ a minute/a pound/a cigarette?** as-tu un moment/une livre/une cigarette?; **to ~ a thought for** penser à; 4 (manage without) se passer de [*person*]; **I can't ~ him today** je ne peux pas me passer de lui aujourd'hui; **to ~ sb for** se passer de qn pour [*job, task*]
D *v refl* **to ~ oneself sth** s'épargner qch; **to ~ oneself the trouble of doing** s'épargner l'ennui de faire; **to ~ oneself the expense of** faire l'économie de
(Idioms) **to ~ no effort** faire tout son possible; **to ~ no pains** se donner du mal

spare part *n* Aut, Tech pièce *f* de rechange
(Idiom) **to feel like a ~** se sentir de trop

spare: **~ part surgery** *n* chirurgie *f* de remplacement; **~ rib** *n* Culin travers *m* de porc; **~ room** *n* chambre *f* d'amis

spare time *n* ¢ loisirs *mpl*; **to do sth in one's ~** faire qch pendant ses loisirs

spare tyre GB, **spare tire** US *n* 1 Aut pneu *m* de rechange; 2 ○(fat) bourrelet *m*

spare wheel *n* Aut roue *f* de secours

sparing /ˈspeərɪŋ/ *adj* [*person, use*] parcimonieux/-ieuse; **to be ~ with** (economical) économiser [*food, rations, medicine*]; (mean) être avare de [*advice, help*]; (careful) utiliser [qch] avec parsimonie [*flavouring, colour*]

sparingly /ˈspeərɪŋlɪ/ *adv* [*use, add*] en petite quantité

spark /spɑːk/
A *n* 1 gen, Elec étincelle *f*; 2 fig (hint) (of originality) éclair *m*; (of enthusiasm) étincelle *f*; (of intelligence) lueur *f*; **the ~ of interest/mischief in her eyes** la lueur d'intérêt/de malice dans ses yeux; **the ~ has gone out of their relationship** leur relation a perdu tout son piment
B *vtr* = **spark off**
C *vi* [*fire*] jeter des étincelles; [*wire, switch*] faire des étincelles
(Idiom) **~s will fly!** ça va faire des étincelles!
(Phrasal verb) ■ **spark off**: ▸ **~ off [sth]** susciter [*interest, anger, fear*]; provoquer [*controversy, speculation, reaction, panic*]; être à l'origine de [*friendship, affair*]; déclencher [*war, riot*]; entraîner [*growth, change*]; lancer [*movement*]

spark gap *n* Elec, Aut écartement *m* des électrodes

sparkle /ˈspɑːkl/
A *n* (of light, star, tinsel) scintillement *m*; (of jewel) éclat *m*; (in eye) éclair *m*; fig (of performance) éclat *m*; **she's lost her ~** elle a perdu sa joie de vivre; **there was a ~ in his eye** ses yeux brillaient; **to add ~ to sth** [*product*] donner du brillant à [*glasses etc*]
B *vi* 1 (flash) [*flame, light*] étinceler; [*jewel, frost, metal, water*] scintiller; [*eyes*] briller; **to ~ with** [*eyes*] briller de [*excitement, fun*]; fig [*conversation*] être émaillé de [*wit, anecdotes*]; [*person*] rayonner de [*happiness*]; 2 (fizz) [*drink*] pétiller

sparkler /ˈspɑːklə(r)/ *n* 1 (firework) cierge *m* magique; 2 ○(jewel) caillou○ *m*

sparkling /ˈspɑːklɪŋ/
A *adj* 1 (twinkling) [*light, flame*] étincelant; [*jewel, metal, water*] scintillant; [*eyes*] brillant (**with** de); 2 (witty) [*conversation, wit*] plein de brio; **~ with wit/humour** étincelant d'esprit/d'humour; 3 [*drink*] pétillant
B *adv* (for emphasis) **~ clean** étincelant de propreté; **~ white** d'un blanc étincelant

spark plug *n* Elec, Aut bougie *f*

sparks○ /spɑːks/ *n* 1 GB (electrician) électricien/-ienne *m/f*; 2 Naut (radio operator) radio○ *m*

sparky /ˈspɑːkɪ/
A ○*n* GB (electrician) électricien/-ienne *m/f*
B *adj* [*person, performance, humour*] vivace

spar: **~ring match** *n* (in boxing) combat *m* d'entraînement; fig prise *f* de bec○; **~ring partner** *n* (in boxing) sparring-partner *m*; fig adversaire *mf*

sparrow /ˈspærəʊ/ *n* moineau *m*

sparrowhawk /ˈspærəʊhɔːk/ *n* épervier *m*

sparse /spɑːs/ *adj* [*population, vegetation, hair*] clairsemé; [*furnishings*] rare; [*resources, supplies*] maigre (*before n*); [*information*] épars; [*use*] modéré; **trading was ~** la Bourse était calme

sparsely /ˈspɑːslɪ/ *adv* peu; **~ wooded/attended** peu boisé/fréquenté; **~ populated** (permanently) à faible population; (temporarily) peu fréquenté

sparseness /ˈspɑːsnɪs/ *n* rareté *f*

Sparta /ˈspɑːtə/ ▸ **p. 1815** *pr n* Sparte

Spartan /ˈspɑːtən/
A *n* Spartiate *mf*
B *adj* 1 (from Sparta) [*tradition, soldier*] spartiate; 2 fig (*also* **spartan**) [*life, regime*] spartiate

spasm /ˈspæzəm/ *n* 1 Med spasme *m*; **muscular ~** spasme musculaire; 2 (of pain) spasme *m* (**of** de); (of anxiety, panic, activity, rage, coughing) accès *m* (**of** de)

spasmodic /spæzˈmɒdɪk/ *adj* 1 (intermittent) [*activity*] intermittent; 2 (occurring in spasms) [*coughing, cramp*] spasmodique

spasmodically /spæzˈmɒdɪklɪ/ *adv* [*work, operate*] par à-coups

spastic /ˈspæstɪk/
A *n* 1 Med handicapé/-e *m/f* moteur; 2 ○injur empoté/-e○ *m/f*
B *adj* 1 Med handicapé moteur; 2 ○injur empoté○

spastic colon *n* côlon *m* spasmodique

spasticity /ˌspæsˈtɪsətɪ/ *n* paralysie *f* spasmodique

Spastics Society *n Société britannique pour les handicapés moteurs*

spat /spæt/
A *pp, prét* ▸ **spit**
B *n* 1 ○(quarrel) prise *f* de bec○ (**with** avec); 2 (on shoe) demi-guêtre *f*; 3 Zool naissain *m*

spatchcock /ˈspætʃkɒk/
A *n* volaille *f* grillée à la crapaudine
B *vtr* 1 Culin griller [qch] à la crapaudine [*fowl*]; 2 (interpolate) interpoler

spate /speɪt/ *n* 1 **in full ~** GB (river) en pleine crue; (person) en plein discours; 2 **a ~ of** une série de [*incidents*]

spatial /ˈspeɪʃl/ *adj* spatial

spatial awareness, **spatial intelligence** *n* perception *f* spatiale

spatiotemporal /ˌspeɪʃəʊˈtempərəl/ *adj* spatio-temporel/-elle

spatter /ˈspætə(r)/
A *n* 1 (of liquid) éclaboussure *f*; **a ~ of rain** une petite pluie; 2 (sound) crépitement *m*; 3 US (small amount) un petit peu (**of** de)
B *vtr* **to ~ sb/sth with sth, to ~ sth over sb/sth** (splash) éclabousser qn/qch de qch; (deliberately sprinkle) asperger qn/qch de qch
C *vi* crépiter (**on** sur; **against** contre)
D spattered *pp adj* éclaboussé; **blood-/paint-~ed** éclaboussé de sang/de peinture

spatula /ˈspætʃʊlə/ *n* 1 gen spatule *f*; 2 (doctor's) abaisse-langue *m inv*

spavin /ˈspævɪn/ *n* Vet éparvin *m*

spawn /spɔːn/
A *n* 1 (of frog, fish) frai *m*; 2 (of fungi) mycélium *m*
B *vtr* souvent péj engendrer [*product, imitation etc*]
C *vi* 1 Zool frayer; 2 (multiply) se multiplier

spawning /ˈspɔːnɪŋ/ *n* 1 Zool frai *m*; 2 souvent péj prolifération *f* (**of** de)

spawning ground *n* frayère *f*

spay /speɪ/ *vtr* enlever les ovaires de; **to have one's cat ~ed** faire opérer sa chatte

SPCA *n* US (*abrév* = **Society for the Prevention of Cruelty to Animals**) société *f* américaine pour la protection des animaux; *cf* SPA *f*

SPCC *n* US (*abrév* = **Society for the Prevention of Cruelty to Children**) *société pour la protection de l'enfance*

speak /spiːk/
A **-speak** (*dans composés*) jargon *m*; **computer-/management-~** jargon informatique/de gestion
B *vtr* (*prét* **spoke**, *pp* **spoken**) 1 parler [*language*]; **can you ~ English?** parlez-vous (l')anglais?; **'French spoken'** (sign) 'on parle français'; **English as it is spoken** l'anglais tel qu'on le parle; **people who ~ the same language** lit, fig des gens qui parlent le même langage
2 (tell, utter) dire [*truth, poetry*]; prononcer [*word, name*]; **to ~ one's mind** dire ce qu'on pense
C *vi* (*prét* **spoke**; *pp* **spoken**) 1 (talk) parler (**to** à; **about, of** de); **to ~ in a soft/deep voice** parler bas/d'une voix profonde; **to ~ in German/Russian** parler (en) allemand/russe; **to ~ in a whisper** parler tout bas, chuchoter; **to ~ ill/well of sb** dire du mal/du bien de qn; **to ~ through** parler par l'intermédiaire de [*medium, interpreter*]; **to ~ with one's mouth full** parler la bouche pleine; **~ when you're spoken to!** réponds quand on te parle!; **I've spoken to them severely and they've apologized** je leur ai parlé sévèrement et ils se sont excusés; **who's ~ing please?** (on phone) qui est à l'appareil s'il vous plaît?; **(this is) Camilla ~ing** c'est Camilla, Camilla à l'appareil; **'is that Miss Durham?'—'~ing!'** 'Mademoiselle Durham?'—'c'est moi!'; **I'm ~ing from a phone box** j'appelle d'une cabine téléphonique; **this is your captain ~ing** Aviat ici le commandant de bord; **~ing of which, have you booked a table?** tiens, ça m'a fait penser, as-tu réservé une table?; **~ing of lunch, Nancy...** à propos du déjeuner, Nancy...; **she is well spoken of in academic circles** elle est bien considérée dans le milieu universitaire; **he spoke very highly of her/her talents** il a parlé d'elle/de ses talents en termes très élogieux; **he spoke of selling the house/leaving**

S

the country il a parlé de vendre la maison/de quitter le pays; **to ~ as sth** (parler) en tant que qch; **~ing as a layman...** en tant que non-spécialiste...; **~ing personally, I hate him** personnellement, je le déteste; **~ing personally and not for the company** parlant en mon nom et pas en celui de l'entreprise; **generally ~ing** en règle générale; **roughly ~ing** en gros; **strictly ~ing** à proprement parler; **relatively ~ing** relativement parlant; **ecologically/politically ~ing** écologiquement/politiquement parlant, sur le plan écologique/politique; **metaphorically ~ing** pour employer une métaphore; **we've had no trouble to ~ of** nous n'avons pas eu de problème spécial; **they've got no money to ~ of** ils n'ont pour ainsi dire pas d'argent; **'what did you see?'—'nothing to ~ of'** 'qu'est-ce que vous avez vu?'—'rien de spécial'; **not to ~ of his poor mother/the expense** sans parler de sa pauvre mère/du coût; **so to ~** pour ainsi dire

2 (converse) parler (**about, of** de; **to, with** à); **they're not ~ing (to each other)** ils ne se parlent pas; **I can't remember when we last spoke** je ne me rappelle plus quand nous nous sommes parlé pour la dernière fois; **I know her by sight but not to ~ to** je la connais de vue mais je ne lui ai jamais parlé

3 (make a speech) parler; (more formal) prendre la parole; **to ~ from the floor** Pol parler *or* prendre la parole de sa place; **to ~ about** *ou* **on** parler de [*topic*]; **to ~ for** parler en faveur de [*view, opinion, party*]

4 (express) littér **to ~ of** témoigner de [*suffering, effort, emotion*]; **all creation spoke to me of love** toute la création me parlait d'amour; **that look spoke louder than words** ce regard était plus expressif que des mots; **the poem/music ~s to me in a special way** le poème/la musique me touche profondément

5 fig (make noise) [*gun*] parler; **this clarinet ~s/does not ~ easily** il est facile/difficile de faire sortir un son de cette clarinette

(Phrasal verbs) ■ **speak for**: ▸ **~ for [sth/sb]**
1 (on behalf of) parler pour lit; parler de fig; **it ~s well for their efficiency that they answered so promptly** leur réponse rapide montre bien *or* prouve bien leur efficacité; **to ~ for oneself** s'exprimer; **let him ~ for himself** laissez-le s'exprimer; **~ing for myself...** pour ma part...; **~ for yourself!** parle pour toi!; **the facts ~ for themselves** les faits parlent d'eux-mêmes; 2 (reserve) **to be spoken for** [*object*] être réservé *or* retenu; [*person*] ne pas être libre; **that picture's already spoken for** ce tableau est déjà réservé *or* retenu

■ **speak out** se prononcer (**against** contre; **in favour of** en faveur de); **don't be afraid! ~ out!** n'aie pas peur! exprime-toi!

■ **speak to**: ▸ **~ to [sth]** Admin commenter [*item, motion*]; **please ~ to the point** tenez-vous en au sujet s'il vous plaît

■ **speak up** 1 (louder) parler plus fort; 2 (dare to speak) intervenir; **to ~ up for sb/sth** intervenir *or* parler en faveur de qn/qch

speakeasy /'spi:ki:zɪ/ *n* US Hist bar *m* clandestin

speaker /'spi:kə(r)/ *n* 1 (person talking) personne *f* qui parle; (orator, public speaker) orateur/-trice *m/f*; (invited lecturer) conférencier/-ière *m/f*; (one of several conference lecturers) intervenant/-e *m/f*; **a ~ from the floor** un intervenant dans le public; **the crowd was too big to identify the ~** la foule était trop importante pour pouvoir identifier celui qui parlait; 2 (of foreign language) **an Italian/an English/a French ~** un/-e italophone/anglophone/francophone *mf*, quelqu'un qui parle l'italien/l'anglais/le français; **a Japanese/Russian ~** quelqu'un qui parle le japonais/le russe; 3 (*also* **Speaker**) Pol président/-e *m/f* des Communes; **Mr Speaker** monsieur le Président; **Madame Speaker** Madame la Présidente; 4 Elec, Mus haut-parleur *m*

> **Speaker**
>
> Le *Speaker* est la personnalité qui préside une assemblée législative. Au Royaume-Uni, le *Speaker* est le président de la Chambre des communes, élu à ce poste par les autres députés. Il veille au bon déroulement des débats et, à l'issue des discussions, il demande aux députés d'approuver ou de rejeter une motion. Le *Speaker* prend rarement part au vote, mais si une motion reçoit autant de *Ayes* (oui) que de *Noes* (non), sa voix est prépondérante. Le *Speaker* représente aussi la Chambre des communes auprès du souverain et de la Chambre des Lords.
>
> Aux États-Unis, le *Speaker of the House* est le président de la Chambre des représentants. Issu du parti majoritaire, il est élu à ce poste par ses pairs. C'est un personnage très influent car il vient en deuxième position dans l'ordre de succession à la présidence. ▸ **Congress, Division**

Speakers' Corner *n* GB Speakers' corner

> **Speakers' Corner**
>
> Coin nord-est de Hyde Park, à Londres, qui sert depuis le XIXe siècle de tribune à tous ceux qui veulent faire un discours ou donner leur avis en public sur le sujet de leur choix. Généralement, les orateurs montent sur une caisse en bois qui leur sert d'estrade, et parfois des débats s'engagent avec le public.

speaking /'spi:kɪŋ/
A *n* (elocution) élocution *f*; (pronunciation) prononciation *f*
B **-speaking** (*dans composés*) **English-/French-~** [*person*] anglophone/francophone, parlant anglais/français; [*area, country*] anglophone/francophone, de langue anglaise/française

speaking clock *n* horloge *f* parlante

speaking engagement *n* **to have a ~** devoir prononcer un discours; **I must cancel all my ~s** je dois annuler tous les discours que je devais prononcer

speaking part, **speaking role** *n* rôle *m*

speaking terms *npl* **we're not on ~** nous ne nous adressons pas la parole; **he's on ~ with Anne again** il adresse de nouveau la parole à Anne

speaking tour *n* tournée *f* de conférences; **to be on a ~ of the USA** être en tournée de conférences aux États-Unis

speaking tube *n* tube *m* acoustique

speak-your-weight machine *n* pèse-personne *m* parlant

spear /spɪə(r)/
A *n* 1 (weapon) lance *f*; 2 (of plant) tige *f*; (of asparagus) pointe *f*; (of broccoli) branche *f*
B *vtr* 1 harponner [*fish*]; transpercer (d'un coup de lance) [*person, part of body*]; 2 (with fork etc) piquer [*food*] (**with** avec)

spear carrier *n* figurant/-e *m/f*

spearfish /'spɪəfɪʃ/ *n*
A *n* marlin *m*
B *vi* pêcher au harpon

speargun /'spɪəgʌn/ *n* fusil *m* à harpon

spearhead /'spɪəhed/
A *n* lit, fig fer *m* de lance (**of** de)
B *vtr* mener [*campaign, offensive, revolt, reform*]

Spearhead Battalion *n* GB Mil *bataillon d'intervention immédiate*

spear: **~mint** *n* menthe *f* verte; **~ side** *n* branche *f* mâle

spec○ /spek/
A *n* 1 (*abrév* = **specification**) spécification *f*; **to ~** selon les spécifications fournies; 2 (*abrév* = **speculation**) **on ~** à tout hasard
B **specs**○ *npl* (*abrév* = **spectacles**) binocles○ *mpl*

special /'speʃl/
A *n* 1 (in restaurant) plat *m* du jour; **the chef's ~** la spécialité du chef; 2 ○(discount offer) promotion *f*; **to be on ~** être en promotion; 3 (extra broadcast) émission *f* spéciale; **an election ~** une émission spéciale élections; 4 (additional transport) (bus) car *m* spécial; (train) train *m* spécial; **holiday/football ~** train spécial vacances/pour les supporters; 5 GB = **special constable**
B *adj* 1 (for a specific purpose) [*equipment, procedure, paint, clothing, correspondent*] spécial; 2 (marked) [*criticism, affection, interest*] tout/-e particulier/-ière; 3 (official) [*commission, edition, envoy, meeting, power*] spécial; 4 (particular) [*reason, motive, significance, treatment*] particulier/-ière; **'why?'—'no ~ reason'** 'pourquoi?'—'pas de raison spéciale'; **I've nothing ~ to report** je n'ai rien de particulier à signaler; **to make a ~ effort** faire un effort; **to pay ~ attention to** prêter une attention toute particulière à; 5 (unique) [*offer, deal, package, skill*] spécial; [*case, quality*] particulier/-ière; **to be ~ to a region** être particulier/-ière à une région; **what is so ~ about this computer?** qu'est-ce que cet ordinateur a de particulier?; **she has a ~ way with animals** elle sait s'y prendre avec les animaux; **I want to make this Christmas really ~** je voudrais que ce Noël sorte de l'ordinaire; 6 (out of the ordinary) [*announcement, guest, occasion*] spécial; **as a ~ treat you can do** à titre de faveur spéciale tu peux faire; **going anywhere ~?** est-ce que tu sors quelque part?; **you're ~ to me** tu m'es très cher/chère; **the wine is something ~** le vin est exceptionnel; **the wine is nothing ~** le vin n'a rien d'extraordinaire; **what's so ~ about him/that?** qu'est-ce qu'il a/qu'est-ce que cela a de si extraordinaire?; **by ~ request, Julie will sing** à titre exceptionnel, Julie accepte de chanter; 7 (personal) [*chair, recipe*] personnel/-elle; [*friend*] très cher/chère

special: **~ agent** *n* agent *m* secret; **Special Branch** *n* GB service *m* de contre-espionnage et de lutte contre la subversion interne; **~ constable** *n* GB civil/-e *m/f* habilité/-e à remplir les fonctions d'un officier de police en cas d'urgence

special delivery *n* Post service *m* exprès; **to send sth (by) ~** envoyer qch en exprès

special: **~ drawing rights** *n* Fin droits *mpl* de tirage spéciaux; **~ education** *n* enseignement *m* pour les élèves souffrant de difficultés d'apprentissage

special effect
A *n* Cin, TV effet *m* spécial
B **special effects** *modif* [*specialist, team*] des effets spéciaux; [*department*] effets spéciaux

special hospital *n* GB hôpital *m* psychiatrique (*pour malades dangereux*)

special interest group *n* 1 Pol groupe *m* défendant des intérêts particuliers; 2 gen groupe *m* d'intérêt commun

special interest holiday *n* vacances *fpl* à thème

specialism /'speʃəlɪzəm/ *n* spécialité *f*

special issue *n* numéro *m* hors-série; **a ~ on Indian cinema** un numéro hors-série sur le cinéma indien

specialist /'speʃəlɪst/
A *n* 1 ▸ p. 1683 Med spécialiste *mf*; **heart ~** cardiologue *m*; **cancer ~** cancérologue *m*; 2 (expert) spécialiste *mf* (**in** de); **she's our Nietzsche ~** c'est notre spécialiste de Nietzsche
B *adj* [*area, shop, knowledge, care, equipment, service, staff*] spécialisé; [*advice, advisor, help*] d'un spécialiste; [*work*] de spécialiste

speciality GB /ˌspeʃɪ'ælətɪ/, **specialty** US /'speʃəltɪ/
A *n* 1 (special service, product, food) spécialité *f*; **a local ~** une spécialité de la région; **pizza's his ~** la pizza est sa spécialité; 2 (special skill, interest) spécialité *f*; **his ~ is telling bad jokes**

S

il a la manie de raconter de mauvaises plaisanteries; **3** Jur contrat *m* formel sous seing privé
B *modif* [*product, chemical*] spécialisé; **a ~ recipe** *ou* **dish** une spécialité *f*

speciality: **~ act** GB, **specialty number** US *n* Theat numéro *m* spécial; **~ holiday** GB, **specialty vacation** US *n* Tourism vacances *fpl* à thème

specialization /ˌspeʃəlaɪˈzeɪʃn, US -lɪˈz-/ *n* spécialisation *f*

specialize /ˈspeʃəlaɪz/
A *vi* se spécialiser; **to ~ in** se spécialiser en [*subject, field*]; **to ~ in maintenance/construction** se spécialiser dans l'entretien/la construction; **we ~ in repairing computers/training staff** notre spécialité consiste à réparer les ordinateurs/former le personnel; **a company specializing in machinery/chemicals** une entreprise spécialisée dans les machines/les produits chimiques
B **specialized** *pp adj* spécialisé

special licence *n* GB Jur dispense *f* de bans

specially /ˈspeʃəlɪ/ *adv* **1** (specifically) [*come, make, wait*] spécialement, exprès; [*designed, trained, chosen, created*] spécialement; **I made it ~ for you** je l'ai fait exprès pour toi; **2** (particularly) [*interesting, kind, useful*] particulièrement; [*like, enjoy*] surtout; **I like animals, ~ dogs** j'aime les animaux, surtout les chiens; **why do you want that one ~?** pourquoi veux-tu celui-là en particulier?

special needs *npl* **1** Sociol problèmes *mpl*; **2** Sch difficultés *fpl* d'apprentissage scolaire; **children with ~** enfants *mpl* souffrant de difficultés d'apprentissage scolaire

special needs group *n* catégorie *f* sociale spécifique

special: **~ pleading** *n* argumentation *f* spéciale; **~ relationship** *n* Pol lien *m* privilégié; **~ school** *n* GB établissement *m* médico-éducatif pour enfants handicapés

specialty /ˈspeʃəltɪ/ *n* US = **speciality**

specie /ˈspiːʃiː/ *n* Fin espèces *fpl*; **in ~** en espèces

species /ˈspiːʃiːz/ *n* (*pl* **~**) (all contexts) espèce *f*

specific /spəˈsɪfɪk/
A *n* Med médicament *m* or remède *m* spécifique (**for** contre)
B **specifics** *npl* éléments *mpl* spécifiques; **to get down to (the) ~s** entrer dans les détails
C *adj* **1** (particular) [*instruction, information, charge, case, example*] précis; **2** (unique) **~ to sb/sth** spécifique de qn/qch

specifically /spəˈsɪfɪklɪ/ *adv* **1** (specially) [*designed, written*] spécialement (**for** pour); **2** (explicitly) [*ask, demand, forbid, tell, state*] explicitement; **3** (in particular) [*mention, criticize, address*] en particulier; **more ~** plus particulièrement

specification /ˌspesɪfɪˈkeɪʃn/
A *n* **1** (*also* **specifications**) (of design, building) spécification *f* (**for, of** de); **standard ~** la norme; **built to sb's ~s** fabriqué selon les spécifications *or* le cahier des charges de qn; **to comply with ~s** être conforme aux spécifications *or* au cahier des charges; **2** gen, Jur (stipulation) stipulation *f* (**that** que); **~ of the invention** (for patent) description *f* de l'invention
B **specifications** *npl* (features of job, car, computer) caractéristiques *fpl*

specification sheet *n* fiche *f* technique

specific: **~ code** *n* Comput langage *m* machine; **~ duty** *n* droit *m* spécifique; **~ gravity**† *n* densité *f* relative; **~ heat capacity** *n* capacité *f* thermique

specificity /spəˈfɪsətɪ/ *n* **1** (of symptom, disease, phenomenon) spécificité *f* (**to** à); **2** (of detail, allegation, report) précision *f*

specific: **~ performance** *n* Jur exécution *f* en nature; **~ volume** *n* volume *m* massique *or* spécifique

specify /ˈspesɪfaɪ/
A *vtr* **1** [*law, contract, rule, will*] stipuler (**that** que; **where** où; **who** qui); **as specified above** comme stipulé ci-dessus; **unless otherwise specified** sauf indication contraire; **not elsewhere specified** non dénommé ailleurs; **2** [*person*] préciser (**that** que)
B **specified** *pp adj* [*amount, date, day, value, way*] spécifié

specimen /ˈspesɪmən/
A *n* (of rock, urine, handwriting) échantillon *m* (**of** de); (of blood, tissue) prélèvement (**of** de); (of species, plant) spécimen *m* (**of** de); **a fine ~ of manhood** hum un beau spécimen masculin
B *modif* [*page, copy, signature*] spécimen *inv*

specimen charge, **specimen count** *n* Jur chef *m* d'accusation typique

specimen jar *n* **1** (for urine) récipient *m*; **2** (on field trip) pot *m* à échantillon

specious /ˈspiːʃəs/ *adj* sout **1** [*argument, reasoning*] spécieux/-ieuse; **2** [*glamour, appearance*] trompeur/-euse

speciously /ˈspiːʃəslɪ/ *adv* sout **1** [*argue, reason*] de manière spécieuse; **2** [*convincing, attractive*] faussement

speciousness /ˈspiːʃəsnɪs/ sout *n* **1** (of argument, logic) caractère *m* spécieux; **2** (of attractiveness) caractère *m* trompeur

speck /spek/
A *n* **1** (small piece) (of dust, soot) grain *m* (**of** de); (of metal) éclat *m* (**of** de); **2** (small shape, mark) (of dirt, mud) petite tache *f* (**of** de); (of blood, ink, light) point *m* (**of** de); **a ~ on the horizon** un petit point à l'horizon
B *vtr* moucheter [*cloth, surface*] (**with** de)

speckle /ˈspekl/
A *n* (on person's skin, egg) petite tache *f*; (on bird, animal, fabric) moucheture *f*
B *vtr* **1** [*rain*] tacheter [*surface*]; **2** [*sun*] marquer [qch] de petites taches [*skin*]; **3** [*spots, flecks*] moucheter [*fabric, feathers*]

speckled /ˈspekld/ *adj* [*hen, animal, feather, skin*] tacheté (**with** de); [*egg*] moucheté

spec sheet /ˈspek ʃiːt/ *n* fiche *f* technique

spectacle /ˈspektəkl/
A *n* spectacle *m*; **to make a ~ of oneself** se donner en spectacle
B *modif* [*case*] à lunettes; [*frame, lens*] de lunettes
C **spectacles**† *npl* lunettes *fpl*; **a pair of ~s** une paire de lunettes

spectacled /ˈspektəkld/ *adj* [*person*] portant des lunettes; [*animal*] à lunettes

spectacular /spekˈtækjʊlə(r)/
A *n* superproduction *f*
B *adj* spectaculaire

spectacularly /spekˈtækjʊləlɪ/ *adv* [*win, collapse, rise, fail*] de façon spectaculaire; **it was ~ successful** cela a été une réussite spectaculaire

spectate /spekˈteɪt/ *vi* être spectateur/-trice

spectator /spekˈteɪtə(r)/ *n* spectateur/-trice *m/f*; **to be present as a ~** assister en tant que spectateur/-trice

spectator sport *n* sport *m* qui attire beaucoup de spectateurs

specter *n* US = **spectre**

spectra /ˈspektrə/ *pl* ▸ **spectrum**

spectral /ˈspektrəl/ *adj* spectral; **~ analysis** analyse *f* spectrale

spectre GB, **specter** US /ˈspektə(r)/ *n* spectre *m*

spectrogram /ˈspektrəgræm/ *n* spectrogramme *m*

spectrograph /ˈspektrəgrɑːf, US -græf/ *n* spectrographe *m*

spectrometer /spekˈtrɒmɪtə(r)/ *n* spectromètre *m*

spectroscope /ˈspektrəskəʊp/ *n* spectroscope *m*

spectroscopic /ˌspektrəˈskɒpɪk/ *adj* spectroscopique

spectroscopy /spekˈtrɒskəpɪ/ *n* spectroscopie *f*

spectrum /ˈspektrəm/ (*pl* **-tra, -trums**) *n* **1** Phys spectre *m*; **2** (range) gamme *f*; **at the other end of the ~** à l'autre bout de la gamme; **a broad ~ of views** une large gamme d'opinions; **people across the political ~** des gens de toutes les tendances politiques

speculate /ˈspekjʊleɪt/
A *vtr* **to ~ that** supposer que (+ *indic*); **it has been widely ~d that** on a beaucoup spéculé sur le fait que
B *vi* **1** gen spéculer, faire des spéculations (**on** sur; **about** à propos de); **to ~ as to why** spéculer sur les raisons pour lesquelles; **2** Fin spéculer (**in, on** sur); **to ~ on the Stock Exchange** spéculer à la Bourse; **to ~ for** *ou* **on a rise/fall** spéculer à hausse/baisse

(Idiom) **one must ~ to accumulate** qui ne risque rien n'a rien

speculation /ˌspekjʊˈleɪʃn/
A *n* **1** ¢ gen spéculations *fpl*, conjectures *fpl*; **~ about** *ou* **over who will win** spéculations sur le gagnant probable; **~ about his future** spéculations sur son avenir; **~ that sth will happen** spéculations sur la possibilité que qch se produise; **~ as to why** spéculations sur les raisons pour lesquelles; **to give rise to** *ou* **be the subject of ~** donner lieu à des spéculations *or* conjectures; **2** Fin spéculation *f* (**in** sur)
B **speculations** *npl* spéculations *fpl* (**about** sur)

speculative /ˈspekjʊlətɪv, US *also* ˈspekjəleɪtɪv/ *adj* (all contexts) spéculatif/-ive

speculatively /ˈspekjʊlətɪvlɪ, US *also* ˈspekjəleɪtɪvlɪ/ *adv* [*ask, think, build, invest*] de façon spéculative

speculator /ˈspekjʊleɪtə(r)/ *n* Fin spéculateur/-trice *m/f* (**in** en)

speculum /ˈspekjʊləm/ *n* (*pl* **-la** *ou* **-lums**) spéculum *m*

sped /sped/ *prét, pp* ▸ **speed B, C**

speech /spiːtʃ/ *n* **1** (oration) discours *m* (**on** sur; **about** à propos de); Theat tirade *f*; **farewell/opening ~** discours d'adieu/d'ouverture; **in a ~** dans un discours; **to give/make/deliver a ~** tenir/faire/prononcer un discours; **the Speech from the Throne** GB Pol le Discours du Trône; **2** (faculty) parole *f*; (spoken form) langage *m*; **direct/indirect ~** Ling discours *m* or style *m* direct/indirect; **in ~** par le langage; **to express oneself in ~ rather than writing** s'exprimer oralement plutôt que par écrit; **the power of ~** le pouvoir de la parole; **3** (language) langage *m*; **everyday ~** le langage de tous les jours; **4** US Sch, Univ (subject) expression *f* orale; **to teach ~** enseigner l'expression orale

speech: **~ act** *n* Philos acte *m* de parole; **~ and drama** *n* Sch, Univ art *m* dramatique; **~ clinic** *n* centre *m* d'orthophonie; **~ community** *n* Ling communauté *f* linguistique; **~ day** *n* GB Sch (jour *m* de la) distribution *f* des prix; **~ defect** *n* = **speech impediment**; **~ difficulty** *n* difficulté *f* d'élocution; **~ disorder** *n* trouble *m* d'élocution

speechify /ˈspiːtʃɪfaɪ/ *vi* péj pérorer

speechifying /ˈspiːtʃɪfaɪɪŋ/ *n* péj belles paroles *fpl*

speech: **~ impaired** *adj* (not having speech) muet/-ette; (having a speech impediment) qui a un défaut d'élocution; **~ impediment** *n* défaut *m* d'élocution

speechless /ˈspiːtʃlɪs/ *adj* [*person, emotion*] muet/-ette; **to be ~ with** rester muet de [*joy, horror, rage*]; **I was ~ at the sight/the news** le spectacle/la nouvelle m'a laissé sans voix;

S

Speed

Speed of road, rail, air etc. travel

■ *In French, speed is measured in kilometres per hour:*

100 kph = approximately 63 mph
100 mph = approximately 160 kph
50 mph = approximately 80 kph

X miles per hour
= X miles à l'heure

X kilometres per hour
= X kilomètres à l'heure
or X kilomètres-heure

100 kph
= 100 km/h

what speed was the car going at?
= à quelle vitesse la voiture roulait-elle?

it was going at 150 kph
= elle roulait à 150 km/h (*cent cinquante kilomètres-heure*)

it was going at fifty (mph)
= elle roulait à quatre-vingts à l'heure (*i.e. at 80 kph*)

the speed of the car was 200 kph
= la vitesse de la voiture était de 200 km/h
(*the* de *must not be omitted here*)

what was the car doing?
= la voiture faisait du combien?

it was doing ninety (mph)
= elle faisait du 150 (*du cent cinquante: i.e. 150 kph*)

it was going at more than 200 kph
= elle roulait à plus de 200 km/h

it was going at less than 40 kph
= elle roulait à moins de 40 km/h

A was going at the same speed as B
= A roulait à la même vitesse que B

A was going faster than B
= A roulait plus vite que B

B was going slower than A
= B roulait moins vite que A
or B roulait plus lentement que A

Speed of light and sound

sound travels at 330 metres per second
= le son se déplace à 330 m/s (*trois cent trente mètres-seconde* or *mètres à la seconde*)

the speed of light is 186,300 miles per second
= la vitesse de la lumière est de 300 000 km/s (*trois cent mille kilomètres-seconde* or *kilomètres à la seconde*) (*note that the* de *must not be omitted here*)

I'm ~○**!** je suis soufflé○!

speech: **~ maker** *n* orateur/-trice *m/f*; **~ organ** *n* organe *m* de la parole; **~ pattern** *n* Ling schéma *m* linguistique; **~ recognition** *n* Comput reconnaissance *f* de la parole; **~ sound** *n* Ling phonème *m*; **~ synthesis** *n* Comput synthèse *f* de la parole; **~ synthesizer** *n* Comput synthétiseur *m* de parole; **~ therapist** ▸ **p. 1683** *n* orthophoniste *mf*; **~ therapy** *n* orthophonie *f*; **~ training** *n* cours *m* de diction; **~writer** ▸ **p. 1683** *n* personne *f* qui écrit des discours

speed /spi:d/
A *n* **1** (velocity of vehicle, wind, record) vitesse *f*; (rapidity of response, reaction) rapidité *f*; **at (a) great ~** à toute vitesse; **at a ~ of 100 km per hour** à une vitesse de 100 km à l'heure; **winds reaching ~s of** des vents atteignant une vitesse de; **car with a maximum ~ of** voiture avec une vitesse maximale de; **at ~** [*go, run*] à toute vitesse; [*work, read*] en quatrième vitesse; **to pick up/lose ~** prendre/perdre de la vitesse; **at the ~ of light** à la vitesse de la lumière; **'full ~ ahead!'** Naut 'en avant toute!'; **what ~ were you doing?** à quelle vitesse est-ce que tu roulais *or* étais-tu?; **reading/typing ~** vitesse de lecture/frappe; **to make all ~** littér faire diligence liter; **2** (gear) vitesse *f*; **three-~ bicycle** vélo *m* à trois vitesses; **3** Phot (of film) sensibilité *f*; (of shutter) vitesse *f* d'obturation; **4** ○(drug) speed○ *m*, amphétamines *fpl*
B *vtr* (*prét, pp* **sped** *ou* **speeded**) hâter [*process, recovery*]; rendre [qch] plus fluide [*traffic*]; **to ~ sb on his/her way** souhaiter bon voyage à qn
C *vi* **1** (*prét, pp* **sped**) (move swiftly) **to ~ along** aller à toute allure *or* à toute vitesse, foncer○; **to ~ away** partir à toute vitesse; **the train sped past** le train est passé à toute vitesse; **2** (*prét, pp* **speeded**) (drive too fast) conduire trop vite; **he was caught ~ing** il a eu une contravention (pour excès) de vitesse; **3** ○(on drugs) **to be ~ing** être speedé○
(Idioms) **that's about my ~** US c'est à peu près de mon niveau; **to be up to ~** être au niveau

(Phrasal verb) ■ **speed up**: ▸ **~ up** [*walker, train*] aller plus vite; [*athlete, car*] accélérer; [*worker*] accélérer l'allure, travailler plus vite; ▸ **~ up [sth]**, **~ [sth] up** accélérer [*work, process, production*]; rendre [qch] plus fluide [*traffic*]

speed: **~ball**○ *n* argot des drogués mélange *m* d'héroïne et de cocaïne; **~boat** *n* hors-bord *m*; **~ bump** *n* = **speed hump**; **~ camera** *n* ≈ radar *m* automatique

speeder /'spi:də(r)/ *n* Aut fou *m* du volant

speed: **~ freak**○ *n* accro○ *mf* au speed; **~ hump** *n* ralentisseur *m*

speedily /'spi:dɪlɪ/ *adv* rapidement

speediness /'spi:dɪnɪs/ *n* rapidité *f*

speeding /'spi:dɪŋ/ *n* Aut excès *m* de vitesse

speeding offence *n* excès *m* de vitesse

speed limit *n* limitation *f* de vitesse; **to drive within the ~** conduire en respectant la limitation de vitesse; **to exceed** *ou* **break the ~** dépasser la limitation de vitesse; **the ~ is 80 km/h** la vitesse est limitée à 80 km/h

speed merchant○ *n* péj fou *m* du volant

speedo○ /'spi:dəʊ/ *n* = **speedometer**

speedometer /spɪ'dɒmɪtə(r)/ *n* compteur *m* (de vitesse), indicateur *m* de vitesse

speed: **~ reading** *n* lecture *f* rapide; **~ restriction** *n* limitation *f* de vitesse; **~ skating** ▸ **p. 1253** *n* patinage *m* de vitesse

speedster○ /'spi:dstə(r)/ *n* (fast driver) fou *m* du volant

speed: **~ trap** *n* Aut contrôle *m* de vitesse; **~-up** *n* accélération *f*; **~way** *n* (course) piste *f* de vitesse; **~way racing** ▸ **p. 1253** *n* course *f* de vitesse à moto

speedwell /'spi:dwel/ *n* Bot véronique *f*

Speedwriting® /'spi:draɪtɪŋ/ *n*: *méthode de sténographie*

speedy /'spi:dɪ/ *adj* rapide; **to wish sb a ~ recovery** souhaiter à qn un prompt rétablissement

speed zone *n* US zone *f* à vitesse limitée

speleologist /ˌspi:lɪ'ɒlədʒɪst/ *n* spéléologue *mf*

speleology /ˌspi:lɪ'ɒlədʒɪ/ ▸ **p. 1253** *n* spéléologie *f*

spell /spel/
A *n* **1** (period) moment *m*, période *f*; **a ~ of sth** une période de qch; **for a ~** pendant un certain temps; **for a long/short ~** pendant une longue/courte période; **a ~ as director/as minister** une brève période comme directeur/ministre; **she had a ~ at the wheel/on the computer** elle a passé un certain temps au volant/à l'ordinateur; **a ~ in hospital/in prison** un séjour à l'hôpital/en prison; **a warm/cold ~** une période de beau temps/de froid; **rainy ~** ondée *f*; **sunny ~** éclaircie *f*; **to go through a bad ~** traverser une mauvaise passe; **2** (magic words) formule *f* magique; **evil ~** maléfice *m*; **to be under a ~** être envoûté; **to cast** *ou* **put a ~ on sb** lit, fig jeter *or* lancer un sort à qn; **to break a ~** rompre un sortilège; **to break the ~** fig rompre le charme; **to be/fall under sb's ~** fig être/tomber sous le charme de qn
B *vtr* (*pp, prét* **spelled** *ou* **spelt**) **1** (aloud) épeler; (on paper) écrire; **the word is spelt like this** le mot s'écrit comme ça; **she ~s her name with/without an e** son nom s'écrit avec/sans e; **to ~ sth correctly** *ou* **properly** orthographier qch correctement; **the word is correctly/wrongly spelt** le mot est bien/mal orthographié; **C-A-T ~s cat** les lettres C-A-T forment le mot cat; **will you ~ that please?** (on phone) pouvez-vous l'épeler, s'il vous plaît?; **2** (imply) représenter [*danger, disaster, ruin*]; sonner [*end*]; annoncer [*fame*]; **her letter spelt happiness** sa lettre était une perspective de bonheur; **the defeat spelt the end of a civilization/for our team** la défaite a sonné la fin d'une civilisation/pour notre équipe
C *vi* (*pp, prét* **spelled** *ou* **spelt**) [*person*] connaître l'orthographe; **he can't ~** il ne connaît pas l'orthographe; **he ~s badly/well** il a une mauvaise/bonne orthographe; **to learn (how) to ~** apprendre l'orthographe

(Phrasal verb) ■ **spell out**: ▸ **~ out [sth]**, **~ [sth] out** **1** lit épeler [*word*]; **2** fig expliquer [qch] clairement [*consequences, demands, details, implications, policy*]; **I had to ~ it out to him** j'ai dû le lui expliquer clairement; **do I have to ~ it out (to you)?** est-ce qu'il faut que je te fasse un dessin?

spell: **~binder** *n* (person) orateur/-trice *m/f* charismatique; (book, film) œuvre *f* envoûtante; **~binding** *adj* envoûtant

spellbound /'spelbaʊnd/ *adj* envoûté (**by** par); **to hold sb ~** tenir qn sous le charme

spellcheck(er) /'speltʃek(ə(r))/ *n* Comput correcteur *m* orthographique

speller /'spelə(r)/ *n* **1** (person) **a good/bad ~** une personne bonne/mauvaise en orthographe; **2** (book) manuel *m* d'orthographe

spelling /'spelɪŋ/
A *n* orthographe *f*
B *modif* [*lesson, book, mistake, test*] d'orthographe

spelling: **~ bee** *n* concours *m* d'orthographe; **~ out** *n* fig explication *f* détaillée; **~ pronunciation** *n* Ling prononciation *f* orthographique

spelt /spelt/
A *pp, prét* ▸ **spell B, C**
B *n* Bot épeautre *m*

spelunker /spɪ'lʌŋkə(r)/ *n* spéléologue *mf*

spelunking /spɪ'lʌŋkɪŋ/ ▸ **p. 1253** *n* spéléologie *f*

spencer /'spensə(r)/ *n* **1** (short jacket) spencer *m*; **2** †GB (vest) tricot *m* de corps

spend /spend/
A *n* Accts frais *mpl*
B *vtr* (*prét, pp* **spent**) **1** (pay out) dépenser [*money, salary*]; **to ~ money on clothes/food/rent** dépenser son argent en vêtements/en nourriture/en loyer; **how much do you ~ on food?** combien est-ce que tu dépenses en nourriture?; **to ~ money on one's house/children/hobbies** dépenser de l'argent pour

S

Spelling and punctuation

The alphabet and accents

■ *The names of the letters are given below with their pronunciation in French and, in the right-hand column, a useful way of clarifying difficulties when you are spelling names etc.* A comme Anatole *means* A for Anatole, *and so on.*

		When spelling aloud ...
A	[ɑ]	A comme Anatole
B	[be]	B comme Berthe
C	[se]	C comme Célestin
ç	[sesedij]	c cédille
D	[de]	D comme Désiré
E	[ə]	E comme Eugène
é	[eaksɑ̃tegy] *or* [əaksɑ̃tegy]	e accent aigu
è	[eaksɑ̃gʀav] *or* [əaksɑ̃gʀav]	e accent grave
ê	[ɛaksɑ̃siʀkɔ̃flɛks] *or* [əaksɑ̃siʀkɔ̃flɛks]	e accent circonflexe
ë	[ətʀema]	e tréma
F	[ɛf]	F comme François
G*	[ʒe]	G comme Gaston
H	[aʃ]	H comme Henri
I	[i]	I comme Irma
J*	[ʒi]	J comme Joseph
K	[ka]	K comme Kléber
L	[ɛl]	L comme Louis
M	[ɛm]	M comme Marcel
N	[ɛn]	N comme Nicolas
O	[o]	O comme Oscar
P	[pe]	P comme Pierre
Q	[ky]	Q comme Quintal
R	[ɛʀ]	R comme Raoul
S	[ɛs]	S comme Suzanne
T	[te]	T comme Thérèse
U	[y]	U comme Ursule
V	[ve]	V comme Victor
W	[dubləve]	W comme William
X	[iks]	X comme Xavier
Y	[igʀɛk]	Y comme Yvonne
Z	[zɛd]	Z comme Zoé

Spelling

capital B
= B majuscule

small b
= b minuscule

it has got a capital B
= cela s'écrit avec un B majuscule

in small letters
= en minuscules

double t
= deux t [døte]

double n
= deux n [døzɛn] (*note the liaison which would also be used in* deux l, deux r *etc.*)

apostrophe
= apostrophe [apɔstʀɔf]

d apostrophe
= d apostrophe [deapɔstʀɔf]

hyphen
= trait d'union

rase-mottes has got a hyphen
= rase-mottes s'écrit avec un trait d'union

Dictating punctuation

.	point *or* un point (*full stop*)
,	virgule (*comma*)
:	deux points (*colon*)
;	point-virgule (*semicolon*)
!	point d'exclamation† (*exclamation mark*)
?	point d'interrogation† (*interrogation mark*)
	à la ligne (*new paragraph*)
(	ouvrez la parenthèse (*open brackets*)
)	fermez la parenthèse (*close brackets*)
()	entre parenthèses (*in brackets*)
[]	entre crochets (*in square brackets*)
—	tiret (*dash*)
...	points de suspension (*three dots*)
« ou "	ouvrez les guillemets (*open inverted commas*)
» ou "	fermez les guillemets (*close inverted commas*)
«» ou ""	entre guillemets (*in inverted commas*)

The use of inverted commas in French

■ *In novels and short stories, direct speech is punctuated differently from English:*

The inverted commas lie on the line, e.g.

«Tiens, dit-elle, en ouvrant les rideaux, les voilà!»‡

■ *This example also shows that the inverted commas are not closed after each stretch of direct speech. In modern texts they are often omitted altogether (though this is still sometimes frowned on):*

Il l'interrogea:
– Vous êtes arrivé quand?
– Pourquoi cette question? Je n'ai rien fait de mal.
– C'est ce que nous allons voir.

■ *Note the short dash in this case that introduces each new speaker. Even if inverted commas had been used in the above dialogue, they would have been opened before* vous *and closed after* voir, *and not used at other points.*

■ *English-style inverted commas are used in French to highlight words in a text:*

Le ministre a voulu "tout savoir" sur la question.

* *Note the difference between English and French pronunciation of* g *and* j.

† *Note that, unlike English, French has a space before* ! *and* ? *and* : *and* ;, *e.g.* Jamais !, Pourquoi ? *etc. This is not usual, however, in dictionaries, where it would take up too much room.*

‡ *Single inverted commas are not much used in French.*

■ For a summary of the French spelling reforms and a list of words with alternative revised spellings ▸ **p. xii**

S

la maison/les enfants/les loisirs; **to ~ a fortune on books** dépenser une fortune en livres; **he didn't ~ a penny on his son's education** il n'a pas dépensé un sou pour l'éducation de son fils; **2** passer [*time*]; **I spent three weeks in China** j'ai passé trois semaines en Chine; **they will ~ a day in Rome** ils passeront une journée à Rome; **he spent the night with me** il a passé la nuit avec moi; **I spent two hours on my essay** j'ai passé deux heures sur ma dissertation; **to ~ hours/one's life doing** passer des heures/sa vie à faire; **I want to ~ some time with my family** je veux passer un peu de temps avec ma famille; **3** (exhaust) épuiser [*ammunition, energy, resources*]
C *vi* (*prét, pp* **spent**) dépenser
D *v refl* (*prét, pp* **spent**) **to ~ itself** [*storm*] s'apaiser

spender /ˈspendə(r)/ *n* **to be a big ~** être dépensier/-ière; **he's the last of the big ~s** iron il est d'une avarice princière

spending /ˈspendɪŋ/ *n* ¢ dépenses *fpl*; **~ on education/defence** dépenses d'éducation/militaires *or* de défense; **credit-card ~** achats *mpl* sur carte de crédit; **defence ~** dépense *f* en matière de défense; **government ~, public ~** dépense *f* publique

spending: **~ cut** *n* gen réduction *f* des dépenses; Pol restriction *f* budgétaire; **~ money** *n* argent *m* de poche; **~ power** *n* Fin pouvoir *m* d'achat

spending spree *n* folie○ *f* (de dépense); **to go on a ~** faire des folies

spendthrift /ˈspendθrɪft/
A *n* **to be a ~** être dépensier/-ière
B *adj* [*person*] dépensier/-ière; [*habit, policy*] dispendieux/-ieuse

spent /spent/
A *prét, pp* ▸ **spend**
B *adj* **1** (used up) [*bullet*] perdu; [*battery*] déchargé; [*match*] utilisé; [*fuel rod*] épuisé; **2** (exhausted) [*person, athlete*] fourbu; [*passion, emotion*] éteint; **their passions/emotions were ~** leurs passions/émotions s'étaient éteintes; **to be a ~ force** fig avoir perdu toute force; **3** Jur [*conviction*] effacé

sperm /spɜːm/ *n* **1** (cell) spermatozoïde *m*; **2** (semen) sperme *m*

spermaceti /ˌspɜːməˈsetɪ/ *n* blanc *m* de baleine, spermaceti *m* spec

spermatic /spɜːˈmætɪk/ *adj* spermatique

spermatozoa /ˌspɜːmətəˈzəʊə/ *pl* ▸ **spermatozoon**

spermatozoon /ˌspɜːmətəˈzəʊɒn/ *n* (*pl* **-zoa**) spermatozoïde *m*

sperm: **~ bank** *n* banque *f* de sperme; **~ count** *n* taux *m* de spermatozoïdes; **~ donation** *n* don *m* de sperme; **~ donor** *n* donneur *m* de sperme

spermicidal /ˌspɜːmɪˈsaɪdl/ *adj* spermicide

spermicide /ˈspɜːmɪsaɪd/ *n* spermicide *m*

sperm: **~ oil** *n* huile *f* de baleine; **~ whale** *n* cachalot *m*

spew /spjuː/
A *vtr* **1** (*also* **~ out**) vomir [*smoke, lava, propaganda*]; cracher [*insults, coins, paper*]; **2** ○(*also* **~ up**) dégobiller○ [*food, drink*]
B *vi* **1** (*also* **~ out**, **~ forth**) [*lava, smoke, insults*] jaillir; **2** ○(*also* **~ up**) dégobiller○

SPF *n*: *abrév* ▸ **sun protection factor**

sphagnum /ˈsfægnəm/ *n* (*also* **~ moss**) sphaigne *f*

sphere /sfɪə(r)/ *n* **1** (shape) sphère *f*; **2** Astron sphère *f* céleste; **the music of the ~s** la musique des sphères célestes; **3** (field) domaine *m* (**of** de); **~ of influence** sphère d'influence; **4** (social circle) milieu *m*

spherical /ˈsferɪkl/ *adj* sphérique

spherical: **~ aberration** *n* aberration *f* sphérique; **~ angle** *n* angle *m* sphérique; **~ coordinate** *n* coordonnée *f* sphérique; **~ geometry** *n* géométrie *f* sphérique; **~ triangle** *n* triangle *m* sphérique

spheroid /ˈsfɪərɔɪd/ *n, adj* sphéroïde (*m*)

sphincter /ˈsfɪŋktə(r)/ *n* sphincter *m*

sphinx /sfɪŋks/ *n* (*pl* **~es** *ou* **sphinges**) **1** (statue) sphinx *m*; **2** Mythol **the Sphinx** le Sphinx; **3** (enigma) sphinx *m*

sphinx: **~like** *adj* énigmatique; **~ moth** *n* Zool sphinx *m*

sphygmomanometer /ˌsfɪgməʊmə'nɒmɪtə(r)/ *n* Med tensiomètre *m*, sphygmomanomètre *m*

spic◑, spick◑ /spɪk/ *n* US injur hispano○ *mf*

spice /spaɪs/
A *n* 1 Culin épice *f*; **herbs and ~s** herbes et épices; **mixed ~** épices mélangées; 2 fig piment *m*; **to add/lack ~** ajouter du/manquer de piment
B *modif* [*jar, rack*] à épices; [*trade, route*] des épices
C *vtr* 1 Culin épicer [*food*]; 2 (*also* **~ up**) pimenter [*life, story*] (**with** de); **to ~ up one's sex life** mettre du piment dans sa vie sexuelle
D spiced *pp adj* 1 Culin épicé (**with** de); 2 fig pimenté (**with** de)
(Idiom) **variety is the ~ of life** la diversité est le sel de la vie

Spice Islands ▸ **p. 1355** *pr npl* Hist **the ~** les Moluques *fpl*

spiciness /'spaɪsɪnɪs/ *n* 1 (of food) goût *m* épicé; 2 (of story) piquant *m*

spick◑ /spɪk/ *n* ▸ **spic**

spick-and-span *adj* impeccable

spicy /'spaɪsɪ/ *adj* 1 [*food*] épicé; 2 [*story*] croustillant

spider /'spaɪdə(r)/ *n* 1 Zool araignée *f*; 2 GB (elastic straps) fixe-bagages *m inv*; 3 US poêle *f* (munie de pieds); 4 (snooker rest) râteau *m*; 5 Comput robot *m* de recherche

spider: **~ crab** *n* araignée *f* de mer; **~ monkey** *n* singe-araignée *m*, atèle *m* spéc; **~ plant** *n* chlorophytum *m*; **~'s web**, **~web** US *n* toile *f* d'araignée

spidery /'spaɪdərɪ/ *adj* [*shape, form*] d'araignée, arachnéen/-éenne liter; [*writing*] en pattes de mouche

spiel○ /ʃpi:l, US spi:l/
A *n* souvent péj baratin○ *m*; **to give sb a ~** faire du baratin à qn (**about** sur)
B *vi* baratiner○
(Phrasal verb) ■ **spiel off** US: ▸ **~ off [sth]** débiter [*facts etc*]

spieler○ /'ʃpi:lə(r)/ *n* US baratineur/-euse○ *m/f*

spiffing○† /'spɪfɪŋ/ GB, **spiffy○** /'spɪfɪ/ US *adj* épatant○

spigot /'spɪgət/ *n* 1 (of barrel) fausset *m*; 2 US (faucet) robinet *m*

spike /spaɪk/
A *n* 1 (pointed object) pointe *f*; 2 Sport (on shoe) pointe *f*; **a set of ~s** un jeu de pointes; 3 Bot (of flower) hampe *f*; (of corn) épi *m*; 4 Phys (variation) pointe *f* de courant; (on graph) pointe *f*; 5 Sport (in volleyball) smash *m*; 6 Zool (antler) dague *f*
B spikes *npl* Sport chaussures *fpl* à pointes
C *vtr* 1 (pierce) embrocher [*person, meat*]; 2 ○(add alcohol to) corser [*drink*] (**with** de); 3 Journ (reject) mettre [qch] au panier [*story*]; 4 Sport (in volleyball) **to ~ the ball** faire un smash; 5 (thwart) contrecarrer [*scheme*]; étouffer [*rumour*]
D *vi* Sport (in volleyball) smasher
(Idioms) **to ~ sb's guns** déjouer les plans de qn; **to hang up one's ~s○** [*sportsman*] se retirer

spike: **~ heel** *n* talon *m* aiguille; **~ lavender** *n* lavande *f* aspic

spikenard /'spaɪknɑ:d/ *n* nard *m*

spiky /'spaɪkɪ/ *adj* 1 (having spikes) [*hair*] en brosse *inv*; [*branch*] piquant; [*object*] acéré; 2 ○GB (short-tempered) [*person, temperament*] revêche

spill /spɪl/
A *n* 1 (accidental) (of oil, etc) déversement *m* accidentel; 2 (fall) (from bike, motorcycle) accrochage *m*; (from horse) chute *f*; **to have** *ou* **take a ~** [*cyclist*] avoir un accrochage; [*horse-rider*] faire une chute; 3 (for lighting candles) allume-feu *m inv*
B *vtr* (*prét, pp* **spilt** *ou* **~ed**) 1 (pour) (overturn) renverser [*liquid*]; (drip) laisser tomber [*liquid*]; **to ~ sth from** *ou* **out of a bottle/cup** renverser une bouteille/tasse; **to ~ sth on(to)** *ou* **over** renverser qch sur [*surface, object, person*]; 2 (disgorge) déverser [*oil, rubbish, chemical*] (**into** dans; **on(to)** sur); **to ~ wind from a sail** Naut étouffer une voile
C *vi* (*prét, pp* **spilt** *ou* **~ed**) (empty out) [*contents, liquid, light, chemicals*] se répandre (**onto** sur; **into** dans); **to ~ from** *ou* **out of** couler de [*container*]; **tears ~ed down her cheeks** les larmes coulaient sur ses joues; **to ~ (out) into** *ou* **onto the street** fig [*crowds, people*] se répandre dans la rue; **the wind ~ed from the sail** Naut la voile s'est déventée
(Idioms) **(it's) no use crying over spilt milk** ça ne sert à rien de pleurer sur ce qui est fait; **to ~ the beans○** vendre la mèche○; **to ~ blood** verser le sang; ▸ **thrill**
(Phrasal verbs) ■ **spill down** [*rain*] tomber à grosses gouttes
■ **spill out**: ▸ **~ out** [*liquid, lava, contents*] se répandre; **all their secrets came ~ing out** fig tous leurs secrets ont été étalés au grand jour; ▸ **~ out [sth]**, **~ [sth] out** laisser échapper [*contents*]; fig révéler [*secrets*]; débiter [*story*]
■ **spill over** lit déborder (**onto** sur); **to ~ over into** fig s'étendre à [*area of activity, relationship, street, region*]; dégénérer en [*looting, hostility*]

spillage /'spɪlɪdʒ/ *n* 1 (spill) (of oil, chemical, effluent) déversement *m* accidentel; **oil ~** déversement *m* accidentel d'hydrocarbures; 2 (spilling) ¢ déversement *m*

spillikins /'spɪlɪkɪnz/ ▸ **p. 1253** *n* (jeu *m* de) jonchets *mpl*

spillover /'spɪləʊvə(r)/ *n* 1 US, Can (overflow) (of traffic) excédent *m*; (of liquid) débordement *m*; 2 Econ (consequence) retombée *f*

spillway /'spɪlweɪ/ *n* déversoir *m*

spilt /spɪlt/ *prét, pp* ▸ **spill B, C**

spin /spɪn/
A *n* 1 (turn) (of wheel) tour *m*; (of dancer, skate) pirouette *f*; **to give sth a ~** faire tourner qch; **to do a ~ on the ice** exécuter une pirouette sur la glace; 2 Sport effet *m*; **to put ~ on a ball** donner de l'effet à une balle; 3 (in spin-drier) **to give the washing a ~** donner un coup d'essorage au linge; 4 Aviat (descente *f* en) vrille *f*; **to go into a ~** descendre en vrille; 5 (pleasure trip) tour *m*; **to go for a ~** aller faire un tour; 6 US (interpretation) **to put a new ~ on sth** aborder qch sous un nouvel angle
B *vtr* (*p prés* **-nn-**; *prét, pp* **spun**) 1 (rotate) lancer [*top*]; faire tourner [*globe, wheel*]; [*bowler*] donner de l'effet à [*ball*]; 2 (flip) **to ~ a coin** tirer à pile ou face; **to ~ a coin for sth** tirer qch à pile ou face; 3 Tex filer [*wool, thread*]; **to ~ cotton into thread** filer le coton; 4 Zool [*spider*] tisser [*web*]; 5 (wring out) essorer qch à la machine [*clothes*]; 6 (tell) raconter [*tale*]; **to ~ sb a yarn** raconter des salades à qn; **he spun me some tale about missing his train** il a prétendu qu'il avait raté son train
C *vi* (*p prés* **-nn-**; *prét, pp* **spun**) 1 (rotate) [*wheel*] tourner; [*weathercock, top*] tournoyer; [*dancer*] pirouetter; **to go ~ning through the air** [*ball, plate*] aller valser○; **the car spun off the road** la voiture est allée valser○ dans la nature; 2 fig tourner; **my head is ~ning** j'ai la tête qui tourne; **the room was ~ning** les murs de la pièce tournaient; 3 (turn wildly) [*wheels*] patiner; [*compass*] s'affoler; 4 (nose dive) [*plane*] descendre en vrille; 5 Tex filer; 6 Fishg pêcher à la cuillère
(Idioms) **to be in a ~** être dans tous ses états; **to ~ one's wheels** US fig ne pas avancer fig
(Phrasal verbs) ■ **spin along** [*car*] filer
■ **spin around = spin round**
■ **spin off** US Fin: ▸ **~ off [sth]** 1 créer [*new company*]; 2 convertir [*company, business*]
■ **spin out**: ▸ **~ [sth] out**, **~ out [sth]** prolonger, faire durer [*visit*]; faire traîner [qch] en longueur [*speech*]; ménager *or* faire durer [*money*]; **he spun the whole business out** il a fait traîner l'affaire
■ **spin round**: ▸ **~ round** [*person*] se retourner rapidement; [*dancer, skater*] pirouetter; **she spun round in her chair** elle a pivoté sur sa chaise; [*car*] faire un tête-à-queue; ▸ **~ [sb/sth] round** faire tourner [*wheel*]; faire tournoyer [*dancer, weathercock, top*]

spina bifida /ˌspaɪnə 'bɪfɪdə/ ▸ **p. 1327**
A *n* spina-bifida *m inv*
B *modif* [*baby, sufferer*] atteint de spina-bifida

spinach /'spɪnɪdʒ, US -ɪtʃ/ *n* 1 (plant) épinard *m*; 2 ¢ (vegetable) épinards *mpl*

spinal /'spaɪnl/ *adj* [*injury, damage*] de la colonne vertébrale; [*nerve, muscle*] spinal; [*disc, ligament*] vertébral

spinal: **~ anaesthesia** *n* rachianesthésie *f*; **~ canal** *n* canal *m* rachidien; **~ column** *n* colonne *f* vertébrale; **~ cord** *n* moelle *f* épinière; **~ fluid** *n* liquide *m* céphalo-rachidien; **~ meningitis** ▸ **p. 1327** *n* méningite *f* cérébro-spinale; **~ tap** *n* ponction *f* lombaire

spin bowler *n* Sport (in cricket) *lanceur qui donne de l'effet à la balle*

spindle /'spɪndl/ *n* 1 (on spinning wheel) fuseau *m*; 2 (on spinning machine, machine tool) broche *f*

spindle: **~-legged**, **~-shanked** *adj* aux jambes grêles; **~ tree** *n* fusain *m*

spindly /'spɪndlɪ/ *adj* [*tree, plant*] haut et dégarni; [*legs*] grêle

spin: **~ doctor** *n* Pol *consultant en communication attaché à un parti politique*; **~-drier**, **~ dryer** *n* essoreuse *f*

spindrift /'spɪndrɪft/ *n* 1 ¢ (sea spray) embruns *mpl*; 2 (snow) *chute de neige poudreuse et fine*

spin-dry /ˌspɪn'draɪ/ *vtr* essorer [qch] (à la machine)

spine /spaɪn/ *n* 1 (spinal column) colonne *f* vertébrale; **it sent shivers up and down my ~** (of fear) cela m'a donné des frissons dans le dos; (of pleasure) cela m'a fait frissonner; 2 fig (backbone) nerf *m*; 3 (prickle) (of plant) épine *f*; (of animal) piquant *m*; 4 (of book) dos *m*; 5 (of hill) arête *f*

spine: **~-chiller** *n* (film) film *m* qui donne la chair de poule; (book) livre *m* qui donne la chair de poule; **~-chilling** *adj* qui donne la chair de poule

spineless /'spaɪnlɪs/ *adj* 1 Zool invertébré; 2 péj (weak) mou/molle

spinelessly /'spaɪnlɪsnɪs/ *adv* péj lâchement

spinelessness /'spaɪnlɪsnɪs/ *n* péj lâcheté *f*

spinet /spɪ'net, US 'spɪnɪt/ ▸ **p. 1462** *n* épinette *f*

spine-tingling *adj* [*song, voice, atmosphere*] saisissant

spinnaker /'spɪnəkə(r)/ *n* spinnaker *m*, spi *m*

spinner /'spɪnə(r)/ *n* 1 ▸ **p. 1683** Tex fileur/-euse *m/f*; 2 (in cricket) (bowler) lanceur *m* qui donne de l'effet à la balle; (ball) balle *f* avec de l'effet; 3 ○= **spin-drier**; 4 Fishg cuillère *f*

spinneret /'spɪnəret/ *n* Ind, Zool filière *f*

spinney /'spɪnɪ/ *n* GB bosquet *m*

spinning /'spɪnɪŋ/
A *n* 1 Tex filage *m*; 2 Fishg pêche *f* à la cuillère
B *modif* Tex [*thread, wool*] à filer

spinning jenny *n* Hist Tex jenny *f*

spinning: **~ machine** *n* métier *m* à filer; **~ mill** *n* filature *f*; **~ top** *n* toupie *f*; **~ wheel** *n* rouet *m*

spin-off /'spɪnɒf/
A *n* 1 (incidental benefit) retombée *f* favorable; **the new plant will have ~s for the area** la nouvelle usine aura des retombées favorables pour la région; 2 (by-product) sous-produit *m* (**of, from** de); **a ~ from space research** un sous-produit de la recherche spatiale; 3 TV,

Cin adaptation *f*; **TV ~ from the film** adaptation télévisée du film
B *modif* [*effect, profit*] secondaire; [*technology, product*] dérivé; **~ series** TV feuilleton télévisé adapté d'un film

spin setting *n* touche *f* essorage

spinster /'spɪnstə(r)/ *n* Jur célibataire *f*; péj vieille fille *f*

spinsterish /'spɪnstərɪʃ/ *adj* péj [*habit, life*] de vieille fille péj

spiny /'spaɪnɪ/ *adj* [*plant*] épineux; [*animal*] couvert de piquants

spiny: **~ anteater** *n* échidné *m*; **~-finned** *adj* à nageoires soutenues par des rayons épineux; **~ lobster** *n* langouste *f*

spiracle /'spaɪərəkl/ *n* 1 (vent, blowhole) évent *m*; 2 (of insect) stigmate *m*

spiraea /ˌspaɪə'riːə/ *n* spirée *f*

spiral /'spaɪərəl/
A *n* 1 (shape) gen, Math, Aviat spirale *f*; **in a ~** [*object, spring, curl*] en forme de spirale; 2 (trend) spirale *f*; **inflationary ~** spirale inflationniste; **the wage-price ~** la spirale des prix et des salaires; **a ~ of violence** une escalade de violence; **a downward/upward ~** une descente/montée en spirale
B *modif* [*motif, spring, structure*] en spirale
C *vi* (*p prés etc* **-ll-** GB, **-l-** US) 1 Econ [*costs, interest rates etc*] monter en flèche; **to ~ downwards** tomber en flèche; 2 (of movement) **to ~ up(wards)/down(wards)** (gently) monter/descendre en spirale *or* en tournoyant; (rapidly) monter/descendre en vrille
D **spiralling** GB, **spiraling** US *pres p adj* [*costs, interest rates, rents*] qui montent en flèche

spiral: **~ binding** *n* (reliure *f* à) spirales *fpl*; **~ galaxy** *n* galaxie *f* spirale; **~ notebook** *n* cahier *m* à spirales; **~ staircase** *n* escalier *m* en colimaçon

spire /'spaɪə(r)/ *n* 1 Archit flèche *f*; **a church ~** la flèche d'une église; **the church ~** la flèche de l'église; 2 (of plant) pointe *f*

spirit /'spɪrɪt/
A *n* 1 (essential nature) (of law, game, era) esprit *m*; **the ~ of the original** l'esprit de l'original; **it's not in the ~ of the agreement** ce n'est pas conforme à l'esprit de l'accord; 2 (mood, attitude) esprit *m* (**of** de); **community/team ~** esprit communautaire/d'équipe; **in a ~ of friendship** dans un esprit amical; **a ~ of forgiveness/of reconciliation** une intention d'indulgence/de réconciliation; **a ~ of optimism** une tendance à l'optimisme; **I am in a party ~** je me sens prêt à faire la fête; **there is a party ~ about** il y a une atmosphère de fête; **to do sth in the right/wrong ~** faire qch de façon positive/négative; **to take a remark in the right/wrong ~** bien/mal prendre une remarque; **to enter into the ~ of sth** se conformer à l'esprit de qch; **there was a great** *ou* **good ~ among the men** il y avait un excellent état d'esprit entre les hommes; **that's the ~**○**!** c'est ça!; 3 (courage, determination) courage *m*, énergie *f*; **to show ~** se montrer courageux/-euse; **to break sb's ~** briser la résistance *or* la volonté de qn; **a performance full of ~** une interprétation pleine de brio; **with ~** [*play, defend*] avec détermination; 4 (soul) gen, Mythol, Relig esprit *m*; **the life of the ~** la vie spirituelle; **evil ~** esprit du mal; **the Holy Spirit** le Saint-Esprit; 5 (person) esprit *m*; **he was a courageous ~** c'était un esprit courageux; **a leading ~ in the movement** l'âme *f* du mouvement; 6 (drink) alcool *m* fort; **wines and ~s** Comm vins et spiritueux *mpl*; 7 Chem, Pharm alcool *m*
B **spirits** *npl* **to be in good/poor ~s** être de bonne/mauvaise humeur; **to be in high ~s** être d'excellente humeur; **to keep one's ~s up** garder le moral; **to raise sb's ~s** remonter le moral de qn; **my ~s rose/sank** j'ai repris/perdu courage
C *modif* [*lamp, stove*] à alcool
D *vtr* **to ~ sth/sb away** faire disparaître qch/qn; **to ~ sth in/out** introduire/sortir discrètement qch

spirited /'spɪrɪtɪd/
A *adj* [*horse, debate, reply*] fougueux/-euse; [*music, performance*] plein d'entrain; [*attack, defence*] vif/vive
B **-spirited** (*dans composés*) **free-~** indépendant; **high-~** excité

spirit: **~ guide** *n* guide *m* des esprits; **~ gum** *n* colle *f* à postiche

spiritless /'spɪrɪtləs/ *adj* [*person*] qui manque d'entrain

spirit level *n* niveau *m* à bulle

spiritual /'spɪrɪtʃʊəl/
A *n* Mus spiritual *m*
B *adj* (all contexts) spirituel/-elle; **~ adviser** *ou* **director** directeur *m* de conscience

spiritualism /'spɪrɪtʃʊəlɪzəm/ *n* 1 (occult) spiritisme *m*; 2 Philos spiritualisme *m*

spiritualist /'spɪrɪtʃʊəlɪst/ *n, adj* 1 (occult) spiritiste (*mf*); 2 Philos spiritualiste (*mf*)

spirituality /ˌspɪrɪtʃʊ'ælətɪ/ *n* spiritualité *f*

spiritually /'spɪrɪtʃʊəlɪ/ *adv* [*impoverished, uplifting*] sur le plan spirituel; **to be ~ inclined** avoir une inclination pour les choses spirituelles

spirituous /'spɪrɪtʃʊəs/ *adj* spiritueux/-euse; **~ liquors** spiritueux *mpl*

spirit world *n* monde *m* des esprits

spirograph /'spaɪərəɡrɑːf, US -ɡræf/ *n* Med spiromètre *m*

spiroid /'spaɪərɔɪd/ *adj* spiroïdal

spirometer /spaɪ'rɒmɪtə(r)/ *n* Med spiromètre *m*

spit /spɪt/
A *n* 1 (saliva) (in mouth) salive *f*; (on ground) crachat *m*; 2 (expectoration) **'I hate you' he said with a ~** 'je te déteste' dit-il en crachant; **to give a ~** cracher; 3 Culin broche *f*; **cooked on a ~** rôti à la broche; **rotating ~** tournebroche *m*; 4 Geol flèche *f*; 5 GB (spade depth) **two ~s deep** à deux fers de profondeur
B *vtr* (*p prés* **-tt-**, *prét, pp* **spat**) 1 lit [*person*] cracher [*blood, food*] (**into** dans; **onto** sur); 2 fig [*volcano*] cracher [*lava*]; [*pan*] projeter [*oil*]; 3 (utter) proférer [*oath, venom*] (**at** en direction de)
C *vi* (*p prés* **-tt-**, *prét, pp* **spat**) 1 lit [*cat, person*] cracher (**at, on** sur; **into** dans; **out of** de); **to ~ in sb's face** lit, fig cracher à la figure de qn; 2 (be angry) **to ~ with** écumer de [*rage, anger*]; 3 (crackle) [*oil, sausage*] grésiller; [*logs, fire*] crépiter
D *v impers* (*p prés* **-tt-**, *prét, pp* **spat**) **it's ~ting (with rain)** il bruine
(Idioms) **~ and polish** huile *f* de coude; **to be the (dead) ~ of sb** être le portrait tout craché de qn
(Phrasal verbs) ■ **spit out**: ▸ **~ [sth] out, ~ out [sth]** lit cracher [*blood, drink*] (**into** dans; **onto** sur); fig proférer [*phrase, word*]; **~ it out**○**!** crache le morceau○!
■ **spit up**: ▸ **~ [sth] up, ~ up [sth]** [*patient*] cracher [*blood*]; US [*baby*] vomir [*milk, food*]

spite /spaɪt/
A *n* (malice) méchanceté *f*, malveillance *f*; (vindictiveness) rancune *f*; **out of (pure) ~** (malice) par (pure) méchanceté; (vindictiveness) par (pure) rancune
B **in spite of** *prep phr* malgré [*circumstances, event*]; malgré, en dépit de [*advice, warning*]; **in ~ of the fact that** bien que (+ *subj*), malgré le fait que (+ *subj*)
C *vtr* faire du mal à, blesser; (less strong) ennuyer
(Idiom) **to cut off one's nose to ~ one's face** se punir soi-même

spiteful /'spaɪtfl/ *adj* [*person*] (malicious) malveillant, méchant; (vindictive) rancunier/-ière; [*remark*] méchant, malveillant; [*article*] fielleux/-euse; **~ gossip** commérages *mpl*

spitefully /'spaɪtfəlɪ/ *adv* méchamment

spitefulness /'spaɪtflnɪs/ *n* (malice) méchanceté *f*, malveillance *f*; (vindictiveness) rancune *f*

spit: **~fire**○ *n* soupe au lait○ *mf*; **~roast** *vtr* faire rôtir [qch] à la broche

spitting /'spɪtɪŋ/ *n* **~ is a dirty habit** cracher est une habitude dégoûtante; **'~ prohibited'** 'interdiction de cracher'
(Idioms) **to be the ~ image of sb** être le portrait tout craché de qn; **to be within ~ distance of** être à deux pas de

spitting snake *n* serpent *m* cracheur

spittle /'spɪtl/ *n* 1 (of person) (in mouth) salive *f*; (on surface) crachat *m*; 2 (of animal) bave *f*

spittoon /spɪ'tuːn/ *n* crachoir *m*

spitz /spɪts/ *n* loulou *m* (de Poméranie)

spiv○ /spɪv/ *n* GB péj petit truand *m*

spivvy○ /'spɪvɪ/ *adj* GB péj [*appearance, clothes*] tape-à-l'œil *inv*; **to be** *ou* **look ~** [*person*] avoir une allure tapageuse

splash /splæʃ/
A *n* 1 (sound) plouf *m*; **with a ~** avec un plouf; **to make a big ~** lit faire un grand plouf; fig faire sensation; 2 (drop, patch) (of mud) tache *f*; (of water, oil) éclaboussure *f*; (of colour) touche *f*; (of tonic, soda: in drink) goutte *f*
B *vtr* 1 (spatter, spray) éclabousser [*person, surface*]; **to ~ sth over sb/sth** éclabousser qn/qch de qch; **to ~ one's way through sth** traverser qch en pataugeant; 2 (sprinkle) **to ~ water on to one's face** s'asperger de l'eau sur le visage; **to ~ one's face with water** s'asperger le visage d'eau; 3 (maliciously) **to ~ water/acid onto** envoyer de l'eau/de l'acide sur; 4 Journ mettre [qch] à la une [*story, picture*]; **the news was ~ed across the front page** la nouvelle a fait la une des journaux
C *vi* 1 (spatter) [*coffee, paint, wine*] faire des éclaboussures (**onto, over** sur); **water was ~ing from the tap** l'eau giclait du robinet; 2 (move) **to ~ through sth** [*person*] traverser qch en pataugeant; [*car*] traverser qch en faisant des éclaboussures; 3 (in sea, pool) faire des éclaboussures (**in** dans)
(Phrasal verbs) ■ **splash around**: ▸ **~ around** barboter (**in** dans); ▸ **~ [sth] around** envoyer [qch] partout [*water, paint*]; **to ~ money around**○ claquer○ son argent
■ **splash down** amerrir
■ **splash out**○ (spend money) faire des folies; **~ out on** faire la folie de s'offrir [*dress, hat, book*]

splash: **~back** *n* revêtement *m* (*autour d'un évier, d'une baignoire*); **~board** *n* Aut gardeboue *m inv*; **~down** *n* amerrissage *m*; **~guard** *n* = **splashboard**

splashing /'splæʃɪŋ/ *n* (of sea, waves) clapotis *m*; **a sound of ~** un bruit de clapotis; **the ~ of the shower** le bruit de l'eau dans la douche

splat /splæt/
A *n* **there was a ~** il y a eu un splash○; **he landed with a ~** il a atterri en faisant splash
B *excl* splash!

splatter /'splætə(r)/
A *n* (of rain, bullets) crépitement *m*
B *vtr* **to ~ sb/sth with sth, to ~ sth over sb/sth** éclabousser qn/qch de qch; **the car ~ed mud everywhere** la voiture a fait gicler de la boue partout
C *vi* 1 [*ink, paint, mud*] **to ~ onto** *ou* **over sth** gicler sur qch; 2 [*body, fruit etc*] s'écraser (**on, against** sur)
D **splattered** *pp adj* 1 **~ed with** éclaboussé de; **blood-/mud-~ed** éclaboussé de sang/de boue; 2 (squashed) écrasé

splay /spleɪ/
A *n* Archit ébrasement *m*
B *vtr* évaser [*end of pipe etc*]; ébraser [*side of window, door*]; écarter [*legs, feet, fingers*]
C *vi* (*also* **~ out**) [*end of pipe*] être évasé; [*window*] être ébrasé
D **splayed** *pp adj* [*feet, fingers, legs*] écarté

splay: **~foot** *npl* pieds *mpl* plats; **~footed** *adj* [*person*] qui a les pieds plats; [*horse*] panard

spleen /spliːn/ *n* **1** Anat rate *f*; **2** fig (bad temper) mauvaise humeur *f*; **to vent one's ~ on sb** décharger sa mauvaise humeur *or* sa bile sur qn; **3** ‡(melancholy) spleen *m*

splendid /ˈsplendɪd/ *adj* [*building, scenery, view, collection, ceremony*] splendide; [*idea, achievement, holiday, performance, victory*] formidable○, merveilleux/-euse; [*opportunity*] fantastique○; **we had a ~ time!** on s'est vraiment bien amusé!; **she did a ~ job** elle a fait un travail remarquable *or* formidable○; **~!** (c'est) formidable○!

splendidly /ˈsplendɪdlɪ/ *adv* magnifiquement, merveilleusement; **everything is going ~** tout marche merveilleusement bien

splendiferous /splenˈdɪfərəs/ *adj* hum magnifique, somptueux/-euse

splendour GB, **splendor** US /ˈsplendə(r)/ *n* splendeur *f*; **to live/dine in ~** vivre/dîner fastueusement; **the ~s of** les splendeurs de

splenetic /splɪˈnetɪk/ *adj* [*person, temperament*] acariâtre; [*letter*] plein de fiel

splice /splaɪs/
A *n* (in rope) épissure *f*; (in tape, film) raccord *m*; (in carpentry) enture *f*
B *vtr* gen coller [*tape, film*]; Naut épisser [*ends of rope*]; fig amalgamer, réunir [*styles, images*]
(Idioms) **to get ~d**○ hum se marier, convoler en justes noces hum; **to ~ the mainbrace** Naut hum (have a drink) boire un coup○

splicer /ˈsplaɪsə(r)/ *n* colleuse *f*

spliff○ /splɪf/ *n* joint○ *m*

spline /splaɪn/ *n* clavette *f* (linguiforme)

splint /splɪnt/
A *n* **1** Med attelle *f*, éclisse *f*; **to put sb's leg in a ~** éclisser la jambe de qn; **2** (sliver of wood) allume-feu *m inv*
B *vtr* éclisser, poser une attelle à [*arm, leg*]

splinter /ˈsplɪntə(r)/
A *n* (of glass, metal) éclat *m*; (of wood) éclat *m*, écharde *f*; (of bone) esquille *f*; **to get a ~ in one's finger** s'enfoncer une écharde dans le doigt
B *vtr* lit faire voler [qch] en éclats [*glass, windscreen etc*]; fendre [*wood*]; fig scinder [*party, group*]
C *vi* lit [*glass, windscreen*] se briser, voler en éclats; [*wood*] se fendre; fig [*party, alliance etc*] se scinder, se fragmenter

splinter: **~ group** *n* groupe *m* dissident; **~proof glass** *n* verre *m* sécurit® *inv*

split /splɪt/
A *n* **1** lit (in fabric, garment) déchirure *f*; (in rock, wood) fissure *f*, crevasse *f*; (in skin) crevasse *f*
2 (in party, movement, alliance) scission *f* (**in** de); (stronger) rupture *f* (**between** entre; **in** dans; **into** dans), **a three-way ~ in the party executive** une scission en trois groupes de la direction du parti
3 (share-out) (of money, profits, jobs) partage *m*; **a (four-way) ~ of the profits** un partage (en quatre) des bénéfices
4 US (small bottle) (of soft drink) petite bouteille *f*; (of wine) demi-bouteille *f*
5 Culin (dessert) ≈ coupe *f* glacée
6 Fin surtout US marge *f* différentielle, différence *f*; **income/wage ~** éventail *m* des revenus/salaires
B **splits** *npl* grand écart *m*; **to do the ~s** faire le grand écart
C *adj* [*fabric, garment*] déchiré; [*seam*] défait; [*log, pole, hide, lip*] fendu
D *vtr* (*p prés* **-tt-**; *prét, pp* **split**) **1** (cut, slit) fendre [*wood, log, rock, slate, seam*] (**in, into** en); déchirer [*fabric, garment*]; **to ~ one's lip** se fendre la lèvre; **to ~ the atom** fissionner l'atome; [*lightning, thunder, noise*] déchirer [*sky, silence*]
2 (cause dissent) diviser, provoquer une scission dans [*party, movement, alliance*]; **to ~ the vote** diviser l'électorat; **the dispute has split the alliance in two/into two factions** le conflit a divisé l'alliance en deux/en deux factions; **the committee was (deeply) split on** *or* **over this issue** la commission était (extrêmement) divisée *or* partagée sur cette question
3 (divide) ▸ **split up**
4 (share) partager [*cost, payment*] (**between** entre); **shall we ~ a bottle of wine (between us)?** si on partageait une bouteille de vin?; **to ~ sth three/four ways** partager qch en trois/en quatre [*profits, cost*]
5 Ling **to ~ an infinitive** *introduire un adverbe au milieu d'un infinitif, entre 'to' et le verbe*
6 Comput fractionner [*window*]
E *vi* (*p prés* **-tt-**; *prét, pp* **split**) **1** [*wood, log, rock, slate*] se fendre (**in, into** en); [*fabric, garment*] se déchirer; [*seam*] se défaire; **to ~ in(to) two** [*stream, road*] se diviser en deux; **my head's ~ting** fig j'ai horriblement mal à la tête
2 gen, Pol [*party, movement, alliance*] se diviser; (stronger) se scinder; **the leadership split on** *ou* **over (the question of) the voting system** la direction était divisée à propos du système électoral; **to ~ along party lines** se séparer en fonction des différents partis
3 (divide) ▸ **split up**
4 ○GB (tell tales) cafarder○; **to ~ on sb** rapporter○ sur qn (**to** à)
5 ○(leave) filer○
(Idioms) **to ~ the difference** couper la poire en deux; **to ~ one's sides**○ **(laughing)** se tordre de rire
(Phrasal verbs) ■ **split off**: ▸ **~ off** [*branch, piece, end*] se détacher (**from** de); [*path*] bifurquer; [*political group*] faire scission; [*company*] se séparer (**from** de); ▸ **~ [sth] off** détacher [*branch, piece*]; **to ~ sth off from** détacher qch de [*branch, piece*]; séparer qch de [*company, section, department*]
■ **split open**: ▸ **~ open** [*bag, fabric*] se déchirer; [*seam*] se défaire; ▸ **~ [sth] open** fendre [*box, coconut*]; **to ~ one's head open** se fendre le crâne
■ **split up**: ▸ **~ up** [*band, couple, members, parents*] se séparer; [*crowd, demonstrators*] se disperser; [*alliance, consortium*] éclater; [*federation*] se scinder (**into** en); **to ~ up with** quitter, se séparer de [*partner, husband, girlfriend*]; **to ~ up into groups of five** se mettre en groupes de cinq; ▸ **~ [sb] up** séparer [*friends, partners, group members*] (**from** de); **everyone tried to ~ the couple up** tout le monde a essayé de les écarter l'un de l'autre; **to ~ the children up into groups** répartir les enfants en petits groupes; ▸ **~ [sth] up, ~ up [sth]** partager, répartir [*money, profits, work*] (**into** en); diviser [*area, group*] (**into** en); **to ~ a novel up into chapters** diviser un roman en chapitres; **to ~ sth up into its component parts** séparer les différentes parties qui composent qch

split cane
A *n* osier *m*
B *modif* [*basket, furniture*] en osier

split: **~ decision** *n* Sport décision *f* partagée; **~ ends** *npl* cheveux *mpl* fourchus; **~ infinitive** *n*: *erreur de grammaire consistant à introduire un adverbe au milieu d'un infinitif, entre 'to' et le verbe*

split level
A *n* **the flat is on ~s** l'appartement a des demi-étages
B **split-level** *adj* [*cooker*] à plaques de cuisson et four indépendants; [*room, apartment*] sur deux niveaux

split: **~ peas** *npl* pois *mpl* cassés; **~ personality** *n* double personnalité *f*; **~ pin** *n* goupille *f* fendue; **~ ring** *n* anneau *m* brisé

split screen
A *n* écran *m* divisé, split screen *m*
B **split-screen** *adj* [*technique, sequence, film*] (projeté) sur écran divisé; [*facility*] écran divisé

split second
A *n* fraction *f* de seconde; **in/for a ~** en/pendant une fraction de seconde
B **split-second** *modif* [*decision*] éclair *inv*; [*reflex*] extrêmement rapide; **the success of the mission depends on ~ timing** pour réussir il faut que la mission suive un programme fixé à la seconde près; **the jokes require ~ timing** il faut que les blagues soient minutées à la seconde près

split shift *n* poste *m* fractionné; **to work ~s** travailler en postes fractionnés

split: **~-site** *adj* [*factory, school*] dont les locaux sont dispersés; **~ ticket** *n* US Pol vote *m* pour une liste panachée; **~ tin (loaf)** *n* GB ≈ pain *m* moulé

splitting /ˈsplɪtɪŋ/
A *n* (division) (of wood, stone) fendage *m*; (of profits, proceeds) partage *m*, répartition *f*; (of group) répartition *f*
B *adj* **to have a ~ headache** avoir horriblement mal à la tête

splodge○ /splɒdʒ/ GB
A *n* (of ink, paint, grease, mud etc) éclaboussure *f*, (grosse) tache *f*
B *vtr* **to ~ sth with paint, to ~ paint on sth** éclabousser qch de peinture

splotch○ /splɒtʃ/ *n, vtr* US = **splodge**

splurge○ /splɜːdʒ/
A *n* folie○ *f*; **I went on** *ou* **had a ~ and bought a stereo** j'ai fait une folie○ et je me suis payé une chaîne stéreo
B *vtr* claquer○ [*money*] (**on** pour)
C *vi* (*also* **~ out**) claquer○ (**on** pour)

splutter /ˈsplʌtə(r)/
A *n* (of person) (spitting) crachotement *m*; (stutter) bafouillement *m*; (of engine) crachotement *m*; (of fire, sparks) grésillement *m*
B *vtr* (*also* **~ out**) bafouiller, bredouiller [*excuse, apology, words*]
C *vi* [*person*] (stutter) bafouiller, bredouiller, (spit) crachoter, postillonner; [*fire, fat, candle, match, sparks*] grésiller, crépiter; **the engine ~ed to a stop** le moteur s'est arrêté dans un crachotement

spode /spəʊd/ *n* porcelaine *f* de spode

spoil /spɔɪl/
A *n* ₵ (from excavation) déblais *mpl*
B **spoils** *npl* **1** (of war, victory) butin *m* (**of** de), **to get a share of the ~s** Mil avoir sa part de butin; fig avoir sa part de gâteau○; **2** (political, commercial) profits *mpl* (**of** de); (sporting) gains *mpl*
C *vtr* (*pp* **~ed** *ou* **~t** GB) **1** (mar) gâcher [*event, evening, view, game*] (**by doing** en faisant); gâter [*place, taste, effect*]; **it will ~ your appetite** ça va te couper l'appétit; **to ~ sth for sb** gâcher qch à qn; **it'll ~ the film for us** ça nous gâchera tout le plaisir du film; **they ~ it** *ou* **things for other people** ils gâchent le plaisir des autres; **to ~ sb's enjoyment of sth** empêcher qn de profiter de qch; **why did you go and ~ everything?** pourquoi as-tu tout gâché?; **to ~ sb's fun** (thwart) contrarier qn; **2** (ruin) abîmer [*garment, toy, crop, food*] (**by doing** en faisant); **to ~ one's chances of doing** gâcher ses chances de faire (**by doing** en faisant); **to ~ sb's plans** gâcher les projets *or* les plans de qn; **3** (pamper, indulge) gâter [*person, pet*] (**by doing** en faisant); **to ~ sb rotten**○ pourrir qn; **to ~ sb with** gâter qn en lui offrant [*gift, trip*]; **we've been ~ed living so close to the sea** nous avons été privilégiés de vivre si près de la mer; **4** Pol rendre [qch] nul/nulle [*vote, ballot paper*]
D *vi* (*pp* **~ed** *ou* **~t** GB) [*product, foodstuff*] s'abîmer; [*meat*] se gâter; **your dinner will ~!** ça ne va plus être bon!
E *v refl* (*pp* **~ed** *ou* **~t** GB) **to ~ oneself** se faire un petit plaisir; **let's ~ ourselves and eat out!** faisons-nous plaisir en allant au restaurant!
(Idiom) **to be ~ing for a fight** chercher la bagarre○

spoilage /ˈspɔɪlɪdʒ/ *n* **1** (decay) détérioration *f*; **2** ₵ (wastage) déchets *mpl*

spoiled, spoilt GB /spɔɪlt/
A *prét, pp* ▸ **spoil**
B *adj* **1** péj [*child, dog*] gâté; **he's terribly ~** il est horriblement gâté; **to be ~ rotten**○ être

S

pourri; a ~ **brat**○ un gamin pourri○; **2** Pol [*ballot paper, vote*] nul/nulle

(Idiom) **to be ~ for choice** avoir l'embarras du choix

spoiler /'spɔɪlə(r)/ *n* **1** Aut becquet *m*; **rear ~** becquet arrière; **2** Aviat aérofrein *m*; **3** Journ article *m* destiné à couper les effets de la concurrence

spoil heap *n* monceau *m* de déblais

spoilsport○ /'spɔɪlspɔ:t/ *n* péj rabat-joie *mf inv* pej; **to be a ~** faire son rabat-joie

spoils system *n* US Pol système *m* des dépouilles

> **Spoils system**
>
> Aux États-Unis, quand un parti gagne les élections, on nomme des membres actifs de ce parti à tous les postes administratifs du gouvernement, soit environ 4000 personnes. C'est ce que l'on appelle le 'système des dépouilles'.

spoilt /spɔɪlt/ GB
A *prét, pp* ▸ **spoil**
B *adj* = **spoiled**

spoke /spəʊk/
A *pret* ▸ **speak**
B *n* (in wheel) rayon *m*; (on ladder) barreau *m*

(Idiom) **to put a ~ in sb's wheel** mettre des bâtons dans les roues à qn

spoken /'spəʊkən/
A *pp* ▸ **speak**
B *adj* [*word, dialogue, language*] parlé

spoke: **~shave** *n* wastringue *f*; **~sman** *n* porte-parole *m inv*; **~sperson** *n* porte-parole *m inv*; **~swoman** *n* porte-parole *m inv*

spoliation /ˌspəʊlɪ'eɪʃn/ *n* spoliation *f*

spondaic /spɒn'deɪɪk/ *adj* spondaïque

spondee /'spɒndi:/ *n* spondée *m*

spondulix○, **spondulicks**○ /spɒn'dju:lɪks/ *n* hum fric○ *m*, argent *m*

sponge /spʌndʒ/
A *n* **1** (for cleaning) éponge *f*; **bath ~** éponge *f* de bain; **to soak up water like a ~** absorber l'eau comme une éponge; **at that age, a child's mind is like a ~** à cet âge, le cerveau d'un enfant assimile tout; **2** ¢ (material) éponge *f*; **3** Zool éponge *f*; **to dive for ~s** pêcher les éponges; **4** (wipe) coup *m* d'éponge; **to give sth a ~** donner un coup d'éponge à qch; **5** (*also* **~ cake**) génoise *f*; **jam/cream ~** génoise *f* fourrée à la confiture/à la crème; **6** Med (pad) compresse *f*
B *vtr* **1** (wipe) frotter [qch] avec une éponge [*material, garment, stain*]; éponger [*wound, excess liquid*]; laver [qch] avec une éponge [*surface*]; **to ~ one's face** s'essuyer le visage avec une éponge; **2** ○péj (scrounge) **to ~ sth off** *ou* **from sb** taper○ qch à qn
C *vi*○ péj **to ~ off** *ou* **on** vivre sur le dos de [*family, friend, State*]

(Phrasal verbs) ■ **sponge down**: ▸ **~ [sth] down, ~ down [sth]** laver [qch] avec une éponge [*car, surface*]; **to ~ oneself down** se laver avec une éponge
■ **sponge off**: ▸ **~ [sth] off, ~ off [sth]** faire partir [qch] avec une éponge [*mark, stain*]

sponge: **~ bag** *n* GB trousse *f* de toilette; **~ bath** *n* toilette *f* (à l'éponge); **~ cloth** *n* tissu *m* éponge; **~ diver** ▸ p. 1683 *n* pêcheur/-euse *m/f* d'éponges; **~ diving** *n* pêche *f* aux éponges

sponge-down *n* **to have a ~** faire une toilette rapide; **to give sth/sb a ~** donner un coup d'éponge à qch/qn

sponge: **~ finger** *n* GB biscuit *m* à la cuiller; **~ mop** *n* balai-éponge *m*; **~ pudding** *n* GB *gâteau cuit au bain-marie et servi chaud*

sponger○ /'spʌndʒə(r)/ *n* péj parasite *m* pej

sponge: **~ roll** *n* GB biscuit *m* roulé; **~ rubber** *n* caoutchouc *m* mousse

sponginess /'spʌndʒɪnɪs/ *n* (of terrain, ground) caractère *m* spongieux; (of texture, material) caractère *m* moelleux

spongy /'spʌndʒɪ/ *adj* [*terrain, ground, moss, rotten wood*] spongieux/-ieuse; [*material, texture, mixture*] moelleux/-euse; [*flesh*] mou/molle

sponson /'spɒnsən/ *n* **1** Naut (for gun) encorbellement *m*; **2** Aviat (on fuselage) flotteur *m*

sponsor /'spɒnsə(r)/
A *n* **1** Advertg, Fin (advertiser, backer) sponsor *m*; **2** (patron) mécène *m*; **3** (guarantor) garant/-e *m/f*; **to act as ~ for sb** être le garant de qn; **4** Relig (godparent) parrain/marraine *m/f*; **5** (for charity) *personne qui parraine un participant à une épreuve sportive organisée dans un but caritatif*; **6** Pol (of bill, motion, law) initiateur/-trice *m/f*
B *vtr* **1** Advertg, Fin (fund) sponsoriser [*sporting event, team, TV programme*]; financer [*student, study, course, conference, enterprise*]; **government-~ed** financé par le gouvernement; **2** (support) soutenir [*violence, invasion*]; **UN-~ed** soutenu par l'ONU; **3** Pol (advocate) présenter [*bill, motion*]; **4** (for charity) parrainer [*person*] (*pour une épreuve sportive organisée dans un but caritatif*)
C **sponsored** *pp adj* **1** (for charity) **~ed swim** épreuve *f* de natation parrainée; **2** Advertg, Radio, TV [*programme*] sponsorisé

sponsorship /'spɒnsəʃɪp/ *n* **1** Advertg, Fin (corporate funding) parrainage *m*, sponsorat *m* (**from** de); **to seek/raise ~ for sth** chercher/trouver des sponsors pour qch; **2** (backing) (financial) sponsorat *m*; (cultural) patronage *m*; (moral, political) parrainage *m*; **3** **C** (*also* **~ deal**) contrat *m* de parrainage; **4** Pol (of bill, motion) soutien *m*; **5** (by guarantor) caution *f* morale

spontaneity /ˌspɒntə'neɪətɪ/ *n* spontanéité *f*

spontaneous /spɒn'teɪnɪəs/ *adj* spontané

spontaneous: **~ combustion** *n* combustion *f* spontanée; **~ generation** *n* génération *f* spontanée

spontaneously /spɒn'teɪnɪəslɪ/ *adv* spontanément

spontaneous recovery *n* Psych guérison *f* spontanée

spoof○ /spu:f/
A *n* **1** (parody) parodie *f* (**on** de); **2** (hoax, trick) blague○ *f*, canular *m*
B *modif* (parody) **a ~ horror film/crime novel** une parodie de film d'horreur/de roman policier
C *vtr* **1** (parody) parodier [*book, film*]; **2** (trick) faire marcher, mettre [qn] en boîte○ [*person*]

spook○ /spu:k/
A *n* **1** (ghost) fantôme *m*; **2** US (spy) barbouze○ *m*, espion/-ionne *m/f*; **3** ◑US injur (black person) nègre/négresse *m/f* offensive
B *vtr* surtout US **1** (frighten) effrayer, donner la trouille○ *or* la frousse○ à [*person*]; **2** (haunt) hanter

spookiness○ /'spu:kɪnɪs/ *n* caractère *m* sinistre

spooky○ /'spu:kɪ/ *adj* [*house, atmosphere*] sinistre; [*story*] qui fait froid dans le dos

spool /spu:l/
A *n* (reel: of thread, tape, film) bobine *f*; (for fishing line) bobine *f*, tambour *m*
B *vtr* **1** dévider [*thread*]; **2** Comput traiter [qch] en différé

spoon /spu:n/
A *n* **1** (utensil) cuiller *f*, cuillère *f*; (for tea, coffee) petite cuiller *f*; **soup-/dessert spoon** cuillère à soupe/à dessert; **2** (measure) cuillerée *f*, cuillère *f*; **two ~s of sugar** deux cuillères de sucre; **3** (golf club) spoon *m*, bois trois *m*; **4** Mus (as instrument) **to play the ~s** jouer des cuillers
B *vtr* **1** (in cooking, serving) **to ~ sth into a dish/bowl** mettre qch dans un plat/bol avec une cuillère; **to ~ sauce over sth** arroser qch de sauce à la cuillère; **to ~ sth up/out** ramasser/servir qch à la cuillère; **2** Sport (in golf) prendre [qch] en cuiller [*ball*]
C ○†*vi* (kiss) se faire des mamours†, flirter

(Idiom) **to be born with a silver ~ in one's mouth** naître dans la soie

spoonbill /'spu:nbɪl/ *n* spatule *f*; **common/roseate ~** spatule blanche/rose

spoonerism /'spu:nərɪzəm/ *n* contrepèterie *f* (involontaire)

spoon-feed /'spu:nfi:d/ *vtr* **1** nourrir [qn] à la petite cuillère [*baby, invalid*]; **2** fig péj [*teacher*] mâcher le travail à [*students*]; **to ~ the public with sth** faire ingurgiter qch au public

spoonful /'spu:nfʊl/ *n* (*pl* **~fuls** *ou* **~sful**) cuillerée *f*, cuiller *f*

spoor /spɔ:(r), US spʊər/ *n* Hunt piste *f*, trace *f*

sporadic /spə'rædɪk/ *adj* sporadique

sporadically /spə'rædɪklɪ/ *adv* sporadiquement

spore /spɔ:(r)/ *n* spore *f*

sporran /'spɒrən/ *n* sporran *m* (*bourse en cuir ou en fourrure portée sur le devant du kilt*)

sport /spɔ:t/ ▸ **p. 1253**
A *n* **1** (physical activity) sport *m*; **to be good/bad at ~** être bon/mauvais en sport; **to do a lot of ~** faire beaucoup de sport; **to play a lot of ~s** pratiquer plusieurs sports; **team ~s** sports *mpl* d'équipe; **indoor/outdoor ~s** sports *mpl* en salle/de plein air; **2** Sch (subject) activités *fpl* sportives; **3** sout (fun) **to have great ~** s'amuser beaucoup; **to do sth for ~** faire qch pour s'amuser; **to make ~ of sb** taquiner qn; **4** ○(person) **to be a good/bad ~** (in games) être beau/mauvais joueur; (when teased) bien/mal prendre les plaisanteries; **5** ○Austral (term of address) **how's it going, ~?** comment ça va, mon pote○?; **6** Biol variant *m*
B *vtr* arborer [*hat, rose, moustache*]
C *vi* littér (frolic) batifoler

sport coat *n* US = **sports jacket**

sportiness /'spɔ:tɪnɪs/ *n* amour *m* du sport

sporting /'spɔ:tɪŋ/ *adj* **1** [*fixture, event*] sportif/-ive; **~ contacts** relations *fpl* dans le milieu sportif; **the ~ year** la saison sportive; **2** (fair, generous) [*offer*] généreux/-euse; **it's very ~ of you/him to do** c'est très généreux de votre/sa part de faire; **a ~ gesture** un geste généreux; **to give sb/have a ~ chance of winning** donner à qn/avoir de bonnes chances de gagner; **there is a ~ chance that they'll win** ils ont une bonne chance de gagner

sporting house† *n* US **1** (brothel) maison *f* de passe; **2** (for gambling) maison *f* de jeu

sportingly /'spɔ:tɪŋlɪ/ *adv* sportivement, généreusement

sportive† /'spɔ:tɪv/ *adj* littér allègre

sport: **~s bar** *n* US bar *m* (*où l'on peut regarder les chaînes de sport à la télévision*); **~s car** *n* voiture *f* de sport; **~scast** *n* US émission *f* sportive; **~scaster** ▸ p. 1683 *n* US journaliste *mf* sportif/-ive; **~s centre** GB, **~s center** US *n* centre *m* sportif; **~s channel** *n* chaîne *f* consacrée au sport; **~s club** *n* club *m* sportif; **~s day** *n* GB fête *f* des sports; **~s desk** *n* service *m* des sports; **~s ground** *n* (large) stade *m*; (in school, club etc) terrain *m* de sports; **~s hall** *n* salle *f* omnisports; **~s jacket** *n* GB veste *f* en tweed; **~sman** *n* sportif *m*; **~smanship** *n* (skill in sports) sportivité *f*; (generous behaviour) sout fair-play *m*; **~s page** *n* page *f* sport; **~s shirt** *n* maillot *m* de sport; **~swear** *n* sportswear *m*; **~swoman** *n* sportive *f*; **~s writer** ▸ p. 1683 *n* journaliste *mf* sportif/-ive (de la presse écrite)

sporty○ /'spɔ:tɪ/ *adj* **1** (fond of sport) sportif/-ive; **I'm not the ~ type** je ne suis pas du genre sportif; **2** [*trousers, shirt*] pimpant

spot /spɒt/
A *n* **1** (dot) (on animal) tache *f*; (on fabric, wallpaper) pois *m*; (on dice, domino, card) point *m*; **a red dress with white ~s** une robe rouge à pois blancs; **to see ~s before one's eyes** voir trouble; **2** (stain) tache *f*; **a grease/rust ~** une tache de graisse/rouille; **3** (pimple) bouton *m*; **to have ~s** avoir des boutons; **to come out in ~s** être couvert de boutons; **chocolate brings me out in ~s** le chocolat me donne des boutons; **4** (place) endroit *m*; **to be on the ~** gen être en place; (of police) être sur les lieux; **our correspondent on the ~, Paula Cox** notre correspondant sur place, Paula Cox; **to decide/agree on the ~** décider/donner son accord sur-le-champ; **that whisky hit the ~ nicely**○ ce whisky a été le bienvenu; **5** ○(small amount) **a ~ of cream/whisky/exercise/sightseeing** un peu de crème/de whisky/d'exercice/de tourisme; **would you like a ~ of lunch?** et si on mangeait un petit quelque chose?; **to have** *ou* **be in a ~ of bother (with)** avoir quelques petits ennuis (avec); **6** (drop) goutte *f*; **7** ○(difficulty) situation *f* embêtante; **to be in a (tight) ~** être dans une situation embêtante; **to put sb on the ~** (in an awkward situation) mettre qn en mauvaise posture; (by asking a difficult question) mettre qn dans l'embarras; **8** Advertg spot *m* publicitaire; **9** TV, Radio (regular slot) temps *m* d'antenne; **10** (position) **this record has been on the top ~ for two weeks** ce disque a été numéro un pendant deux semaines; **this book has the number one ~ on the bestseller list** ce livre est en tête de la liste des bestsellers; **11** (moral blemish) tache *f*; **the scandal is a ~ on his reputation** le scandale a entaché sa réputation; **12** (light) Cin, Theat projecteur *m*; (in home, display) spot *m*; **13** Sport (for penalty kick) point *m* de pénalty; (for snooker ball) mouche *f*; **14** ○US (nightclub) boîte *f* de nuit○
B *vtr* (*p prés etc* **-tt**) **1** (see) apercevoir [*person*]; voir [*car, roadsign, book*]; **to ~ sb doing** apercevoir qn en train de faire; **to ~ that...** s'apercevoir que ...; **he was ~ted boarding a plane to Japan** il a été vu en train de prendre l'avion pour le Japon; **well ~ted!** bien vu!; **2** (recognize) reconnaître [*car, person, symptoms, opportunity*]; repérer [*defect, difference, bargain, talent*]; observer [*birds, trains*]; **you'll ~ him by his black beard** tu le reconnaîtras à sa barbe noire; **3** ○US (concede an advantage) **to ~ sb sth** concéder qch à qn [*points*]; **he ~ted me 20 metres** il m'a concédé 20 mètres d'avance; **4** (stain) tacher [*carpet, shirt*]; **the cloth is ~ted with grease** la nappe est couverte de taches de graisse
C *v impers* (*p prés etc* **-tt-**) (rain) **it's ~ting** il tombe quelques gouttes
D -spot (*dans composés*) **1** US (banknote) **a ten/five-~** un billet de dix/cinq dollars; **2** (billiard ball) **the three/five-~** la boule numéro trois/cinq
(Idioms) **to change one's ~s** changer son caractère; **to knock ~s off sth/sb** être bien meilleur que qch/qn; **this car knocks ~s off other models**○ cette voiture est bien meilleure que les autres modèles; **she knocked ~s off the champion**○ elle a battu la championne à plates coutures○; **to hit the high ~s** US n'évoquer que les grandes lignes

spot cash *n* Fin argent *m* comptant *or* spot

spot check
A *n* (unannounced) contrôle *m* surprise (**on** sur); (random) contrôle *m* fait au hasard (**on** sur); **to carry out a ~** effectuer un contrôle au hasard *or* un contrôle surprise
B spot-check *vtr* (randomly) effectuer un contrôle sur [*goods*]; (without warning) effectuer un contrôle surprise sur [*passengers*]

spot: **~ delivery** *n* Fin livraison *f* immédiate; **~ fine** *n* amende *f* à régler sur le lieu de l'infraction; **~ goods** *npl* Fin marchandises *fpl* disponibles immédiatement; **~ height** *n* Geog point *m* coté

spotless /ˈspɒtlɪs/ *adj* **1** (clean) impeccable; **2** (beyond reproach) [*name, reputation*] irréprochable

spotlessly /ˈspɒtlɪslɪ/ *adv* **~ clean** d'une propreté impeccable

spotlessness /ˈspɒtlɪsnɪs/ *n* propreté *f* impeccable

spotlight /ˈspɒtlaɪt/
A *n* **1** (light) Cin, Theat projecteur *m*; (in home) spot *m*; **2** fig (focus of attention) **to be in** *ou* **under the ~** [*person*] être sur la sellette; [*topic, issue*] faire la une; **the ~ is on Aids** le sida fait la une; **to turn** *ou* **put the ~ on sb/sth** attirer l'attention sur qn/qch; **the media ~ has fallen on her** l'attention des médias s'est focalisée sur elle
B *vtr* (*prét, pp* **-lit** *ou* **-lighted**) **1** Cin, Theat diriger les projecteurs sur [*actor, area*]; **2** fig (highlight) mettre [qch] en lumière [*problem, corruption*]

spot market *n* Fin marché *m* au comptant

spot-on /ˌspɒtˈɒn/ GB
A *adj* exact; **he was absolutely ~** il a mis dans le mille
B *adv* [*guess*] sans se tromper; **he hit the target ~** il a touché la cible en plein dans le mille

spot: **~ price** *n* Fin prix *m* sur place; **~ rate** *n* Fin cours *m* au comptant; **~ remover** *n* détachant *m*; **~ sale** *n* Fin vente *f* en disponible

spotted /ˈspɒtɪd/ *adj* [*tie, fabric*] à pois (*after n*); [*plumage, dog*] tacheté

spot: **~ted dick** *n* GB Culin pudding *m* aux raisins secs; **~ted fever** ▸ p. 1327 *n* méningite *f* cérébrospinale; **~ted flycatcher** *n* gobe-mouches *m* gris

spotter /ˈspɒtə(r)/ *n* Mil (for artillery fire) observateur/-trice *m/f*; (for aircraft) guetteur *m*. ▸ **planespotter**, **trainspotter**

spotter plane *n* Mil Aviat avion *m* d'observation

spot test *n* interrogation *f* surprise

spotting /ˈspɒtɪŋ/ *n* ¢ Med pertes *fpl* de sang

spot: **~ trader** *n* Fin opérateur *m* au comptant; **~ transaction** *n* Fin opération *f* au comptant

spotty /ˈspɒtɪ/ *adj* **1** (pimply) [*adolescent, skin*] boutonneux/-euse; **he's very ~** il est plein de boutons; **2** (patterned) [*dress, fabric*] à pois (*after n*); [*dog*] tacheté

spot-weld /ˈspɒtweld/
A *n* (action) soudage *m* par points; (result) soudure *f* par points
B *vtr* souder [qch] par points

spot welding /ˈspɒtweldɪŋ/ *n* soudage *m* par points

spouse /spaʊz, US spaʊs/ *n* époux/épouse *m/f*

spout /spaʊt/
A *n* **1** (of kettle, teapot) bec *m* verseur; (of tap) brise-jet *m*; (of hose) orifice *m*; (of fountain) jet *m*; (of gutter) gargouille *f*; **2** (spurt) (of liquid) jet *m*
B *vtr* **1** (spurt) [*pipe, fountain, geyser*] faire jaillir; **2** péj (recite) débiter [*poetry, statistics, theories, advice*] (**at** à); **he's always ~ing rubbish about the economy** il est toujours en train de débiter des âneries sur l'économie
C *vi* **1** (spurt) [*liquid*] jaillir (**from, out of** de); **2** ○GB péj (*also* **~ forth**) (talk) discourir (**about** sur); **stop ~ing at me!** arrête de me casser les oreilles○!; **3** [*whale*] souffler
(Idiom) **to be up the ~**○ GB [*plan, scheme, life*] être fichu○; [*woman*] être enceinte, être en cloque◐
(Phrasal verb) ■ **spout out** jaillir (**of, from** de)

sprain /spreɪn/
A *n* entorse *f*; (less severe) foulure *f*
B *vtr* **to ~ one's ankle/wrist** se faire une entorse à la cheville/au poignet; (less severely) se fouler la cheville/le poignet; **to have a ~ed ankle** avoir une entorse à la cheville

sprang /spræŋ/ *prét* ▸ **spring**

sprat /spræt/ *n* sprat *m*
(Idiom) **to use a ~ to catch a mackerel** se servir de quelqu'un (*or* de quelque chose) comme appât

sprawl /sprɔːl/
A *n* (of suburbs, buildings etc) étendue *f*; **the ~ of Paris** l'agglomération parisienne; **suburban ~** banlieues *fpl* tentaculaires
B *vi* [*person*] (casually) s'étaler, se vautrer pej; (exhaustedly) s'affaler; [*town, suburb, forest, handwriting*] s'étaler; **she lay ~ed across the sofa** elle était étalée *or* vautrée pej sur le canapé; **they sent him ~ing into the mud** ils l'ont envoyé s'étaler dans la boue

sprawling /ˈsprɔːlɪŋ/ *adj* [*suburb, city*] tentaculaire; [*handwriting*] qui s'étale dans tous les sens; [*sentence*] interminable; [*position*] avachi

spray /spreɪ/
A *n* **1** ¢ (seawater) embruns *mpl*; **clouds of ~** nuages *mpl* d'embruns; (other liquid) nuages de (fines) gouttelettes; **2** (container) (for perfume) vaporisateur *m*; (for antifreeze, deodorant, paint etc) bombe *f*; (for inhalant, throat, nose) pulvérisateur *m*; **garden ~** pulvérisateur de jardin; **3** (shower) (of sparks) gerbe *f*; (of bullets) pluie *f*; **4** (of flowers) (bunch) gerbe *f*; (single branch) rameau *m*; (single flowering stem) branche *f*
B *modif* [*deodorant*] en spray; [*polish, starch*] en atomiseur
C *vtr* **1** vaporiser [*water, liquid*]; asperger [*person*] (**with** de); arroser [*demonstrator, oilslick*] (**with** de); **to ~ sth onto sth** (onto fire) projeter qch sur qch [*foam, water*]; (onto surface, flowers etc) vaporiser qch sur qch [*paint, insecticide, water*]; **to ~ sth over sb/sth** asperger qn/qch de qch [*champagne, water*]; **to ~ on perfume** se parfumer; **2** fig **to ~ sb/sth with** arroser qn/qch de [*bullets*]
D *vi* gicler; (more violently) jaillir; **to ~ over/out of sth** gicler sur/de qch

spray: **~ attachment** *n* buse *f*; **~ can** *n* bombe *f*, aérosol *m*; **~ compressor** *n* compresseur *m* à injection d'eau

sprayer /ˈspreɪə(r)/ *n* pulvérisateur *m*

spray: **~ gun** *n* pistolet *m* à peinture; **~-on** *adj* [*conditioner, glitter*] en vaporisateur

spray paint
A *n* peinture *f* en aérosol
B spray-paint *vtr* peindre [qch] à l'aérosol [*car*]; [*graffiti artist*] bomber [*slogan*]

spread /spred/
A *n* **1** (dissemination) (of disease, drugs) propagation *f*; (of news, information) diffusion *f*; (of democracy, infection, weapons) progression *f*; (of education) généralisation *f*; **the ~ of sth to** l'extension *f* de qch à [*group, area, place*]
2 (extent, range) (of wings, branches) envergure *f*; (of arch) ouverture *f*, portée *f*; (of products, services) éventail *m*; **the ~ in terms of age in the class is quite wide** les membres de la classe sont d'âge varié; **the ~ of the festival is enormous** le programme du festival est très étendu; **~ of sail** *ou* **canvas** Naut déploiement *m* de voile
3 Journ **a three-column ~** trois colonnes *fpl*; **double-page ~** page *f* double
4 Culin pâte *f* à tartiner; **chocolate ~** pâte *f* à tartiner au chocolat; **salmon/shrimp ~** beurre *m* de saumon/crevette; **low-fat ~** (margarine) margarine *f* allégée; **fruit ~** confiture *f* à teneur en sucre réduite
5 (assortment of dishes) festin *m*; **they laid on a magnificent ~** ils ont servi un véritable festin
6 US Agric grand ranch *m*
B *adj* Ling [*lips*] rétracté
C *vtr* (*prét, pp* **spread**) **1** (open out, unfold) étendre [*cloth, map, rug, newspaper*] (**on, over** sur); (lay out) étaler [*cloth, newspaper, map*] (**on, over** sur); (put) mettre [*cloth, sheet, newspaper*]; **we spread dust sheets over the furniture** nous avons mis des housses sur les meubles; **to ~ a cloth on the table** mettre une nappe sur la table; **she spread her arms wide in greeting** elle a ouvert grand les bras en signe de

S

bienvenue; **the peacock spread its tail/its wings** le paon a fait la roue/a déployé ses ailes; **~ 'em**○**!** (police command) écartez les bras et les jambes!; ▸ **wing**
2 (apply in layer) étaler [*butter, jam, paste, glue*] (**on, over** sur); **~ the butter thinly on the bread** étaler une mince couche de beurre sur le pain
3 (cover with layer) **to ~ some bread with jam** tartiner du pain avec de la confiture; **to ~ a surface with glue** enduire une surface de colle; **a biscuit spread with honey** un biscuit recouvert de miel; **the table was spread for lunch** la table était mise pour le déjeuner; **the path had been spread with gravel** le chemin avait été recouvert de gravillons
4 (distribute over area) disperser [*forces, troops*]; étaler [*cards, documents*]; épandre [*fertilizer*]; répartir, partager [*workload, responsibility*]; **to ~ grit** *ou* **sand** sabler; **to ~ mud everywhere** mettre de la boue partout; **the resources must be evenly spread between the two projects** les ressources doivent être réparties *or* partagées de façon égale entre les deux projets; **we have to ~ our resources very thin(ly)** nous devons ménager nos ressources; **my interests are spread over several historical periods** je m'intéresse à plusieurs périodes historiques
5 (*also* **~ out**) (distribute in time, space out) étaler, échelonner [*payments, meetings, visits, cost*] (**over** sur); **I'd like to ~ the course (out) over two years** j'aimerais étaler les cours sur deux ans
6 (diffuse, cause to proliferate) propager [*disease, infection, germs, fire*]; propager [*religion*]; répandre, semer [*fear, confusion, panic*]; faire courir, faire circuler [*rumour, story, lie, scandal*]; **a strong wind helped to ~ the blaze** un vent fort a contribué à propager l'incendie; **to ~ sth to sb** transmettre [qch] à qn [*infection, news*]; **wind spread the fire to neighbouring buildings** le vent a poussé l'incendie vers les bâtiments voisins; **can you ~ the word?** tu peux faire passer?; **to ~ the word that** annoncer que; **word had been spread among the staff that** le bruit courait parmi les membres du personnel que; **to ~ the Word** Relig prêcher la bonne parole
D *vi* (*prét, pp* **spread**) **1** [*butter, margarine, jam, glue*] s'étaler; **'~s straight from the fridge'** 's'étale facilement même au sortir du réfrigérateur'
2 (cover area or time, extend) [*forest, desert, drought, network*] s'étendre (**over** sur); [*experience*] s'étendre (**over sur**); **training can ~ over several months** la formation peut s'étendre sur plusieurs mois
3 (proliferate, become more widespread) [*disease, infection, germs*] se propager, gagner du terrain; [*fire*] s'étendre, gagner du terrain; [*fear, confusion, panic*] se propager; [*rumour, story, scandal*] circuler, se répandre; [*stain*] s'étaler; [*pain*] se propager; **the rumour was ~ing that** le bruit courait que; **to ~ over sth** [*epidemic, disease*] se propager dans, s'étendre à [*area*]; **the news spread rapidly over the whole town** la nouvelle s'est vite répandue dans toute la ville; **the stain/the damp has spread over the whole wall** la tache/l'humidité s'est étalée sur tout le mur; **to ~ to** [*fire, disease, rioting, strike*] s'étendre à, gagner [*building, region*]; **the panic spread to the people in the street** la panique a gagné les gens qui se trouvaient dans la rue; **the fire spread from one room to another** l'incendie s'est propagé d'une pièce à l'autre; **the disease spread from the liver to the kidney** la maladie s'est propagée du foie aux reins; **the weeds spread from the garden to the path** les mauvaises herbes du jardin ont gagné le chemin; **rain will ~ to the north/to most regions during the night** la pluie va s'étendre vers le nord/à la plupart des régions pendant la nuit
E *v refl* (*prét, pp* **spread**) **to ~ oneself** (take up space) prendre ses aises; (talk, write at length) s'étendre; **he spread himself over the sofa** il s'est étalé sur le canapé; **to ~ oneself too thin** fig faire trop de choses à la fois

(Phrasal verbs) ■ **spread around, spread about:** ▸ **~ [sth] around** faire circuler [*rumour*]; **he's been ~ing it around that** il a fait courir le bruit que
■ **spread out:** ▸ **~ out** [*group*] se disperser (**over** sur); [*wings, tail*] se déployer; [*landscape, town, woods*] s'étendre; **~ out!** dispersez-vous!; ▸ **~ [sth] out, ~ out [sth]** **1** (open out, unfold) étendre [*cloth, map, rug, newspaper*] (**on, over** sur); (lay, flatten out) étaler [*cloth, newspaper, map*] (**on, over** sur); **she lay spread out on the carpet** elle était étendue (de tout son long) sur la moquette; **the whole town was spread out below them** la ville tout entière s'étendait à leurs pieds; **2** (distribute over area) étaler [*cards, maps, trinkets*]; disperser [*forces, troops*]; **the houses were spread out all over the valley** les maisons étaient dispersées *or* disséminées dans toute la vallée; **you're too spread out, I can't get you all in the photo** vous êtes trop éloignés les uns des autres, vous n'êtes pas tous dans le cadre

spread: ~ eagle *n* Herald aigle *f* éployée; **~-eagled** *adj* étendu de tout son long

spreader /ˈspredə(r)/ *n* Agric épandeur *m*, épandeuse *f*

spreadsheet /ˈspredʃiːt/ *n* Comput tableur *m*

spree /spriː/ *n* **to go on a ~** (drinking) faire la bringue○; **to go on a shopping ~** aller faire des folies dans les magasins; **to go on a spending ~** dépenser des sommes folles; **a drinking ~** une beuverie○; **crime ~** série *f* de délits (perpétrés par les mêmes personnes); **to go on a killing ~** être pris d'une folie meurtrière

spree killer *n* tueur *m* fou

sprig /sprɪg/ *n* (of thyme, parsley, lavender etc) brin *m*; (of holly, mistletoe) petite branche *f*

sprigged /sprɪgd/ *adj* [*fabric, curtains*] à fleurs

sprightliness /ˈspraɪtlɪnɪs/ *n* vivacité *f*

sprightly /ˈspraɪtlɪ/ *adj* alerte, gaillard

spring /sprɪŋ/
A *n* ▸ p. 1661 **1** (season) printemps *m*; **in the ~** au printemps; **~ is in the air** ça sent le printemps; **~ has sprung** le printemps est arrivé;
2 Tech (coil) ressort *m*; **to be like a coiled ~** fig (ready to pounce) être prêt à bondir; (tense) être tendu; **3** (leap) bond *m*; **with a ~** d'un bond; **4** (elasticity) élasticité *f*; **there's not much ~ in this mattress** ce matelas manque d'élasticité; **to have a ~ in one's step** marcher d'un pas allègre; **the good news put a ~ in his step** la bonne nouvelle lui donnait une démarche dynamique; **5** (water source) source *f*
B *modif* [*weather, flowers, shower, sunshine*] printanier/-ière; [*day, equinox*] de printemps; [*election*] du printemps
C *vtr* (*prét* **sprang**; *pp* **sprung**) **1** (set off) déclencher [*trap, lock*]; faire sauter [*mine*]; **2** (develop) **to ~ a leak** [*tank, barrel*] commencer à fuir; **the boat has sprung a leak** une voie d'eau s'est déclarée sur le bateau; **3** (cause to happen unexpectedly) **to ~ sth on sb** annoncer qch de but en blanc à qn [*news, plan*]; **to ~ a surprise** faire une surprise (**on** à); **I hope they don't ~ anything on us at the meeting** j'espère qu'ils ne vont pas nous faire de surprises au cours de la réunion; **4** ○(liberate) aider [qn] à faire la belle○, libérer [*prisoner*]; **5** Hunt lever [*bird, game*]
D *vi* (*prét* **sprang**; *pp* **sprung**) **1** (jump) bondir; **to ~ across sth** traverser qch d'un bond; **to ~ at sb** [*dog, tiger*] sauter à la gorge de qn; [*person*] se jeter sur qn; **to ~ from/over sth** sauter de/par-dessus de qch; **she sprang onto the stage/up the steps** d'un bond léger elle est montée sur scène/a gravi les marches; **to ~ to one's feet** se lever d'un bond; **to ~ to fame** devenir célèbre du jour au lendemain; **2** (move suddenly) **to ~ open/shut** [*door, panel*] s'ouvrir/se fermer brusquement; **to ~ into action** [*team, troops*] passer à l'action; **to ~ to attention** [*guards*] se mettre brusquement au garde-à-vous; **to ~ to sb's defence/aid** se précipiter pour défendre/aider qn; **to ~ to sb's rescue** se précipiter au secours de qn; **tears sprang to his eyes** les larmes lui sont montées aux yeux; **the first name that sprang to mind was Rosie** le premier prénom qui m'est venu à l'esprit a été (celui de) Rosie; **to ~ into** *ou* **to life** [*machine, motor*] se mettre en marche *or* route; **3** (originate) **to ~ from** naître de [*jealousy, fear, idea, suggestion, prejudice*]; **where did these people ~ from?** d'où sortent ces gens?; **where do these files/boxes ~ from?** d'où viennent ces dossiers/cartons?

(Phrasal verbs) ■ **spring back** **1** (step back) [*person*] reculer d'un bond; **he sprang back in surprise** il a reculé de surprise; **2** (return to its position) [*lever, panel*] reprendre sa place
■ **spring for** US: ▸ **~ for [sth]** payer qch
■ **spring up** **1** (get up) [*person*] se lever d'un bond; **2** (appear) [*problem*] surgir; [*weeds, flowers*] sortir de terre; [*building*] apparaître; [*wind, storm*] se lever; [*craze, trend*] apparaître; **to ~ up out of nowhere** [*celebrity, building*] surgir de nulle part

spring: ~ balance *n* balance *f* à ressort; **~ binder** *n* classeur *m* à anneaux; **~board** *n* Sport, fig tremplin *m* (**to, for** vers); **~bok** *n* Zool springbok *m*

spring chicken *n* Culin jeune poulet *m*, poulette *f*
(Idiom) **he's no ~** il n'est plus tout jeune

spring: ~-clean *vtr* nettoyer [qch] de fond en comble [*house*]; **~-cleaning** *n* grand nettoyage *m* de printemps

springe /sprɪndʒ/ *n* Hunt collet *m*

spring: ~ fever *n* fièvre *f* printanière; **~ greens** *npl* GB Culin chou *m* de printemps; **~ gun** *n* fusil *m* piégé

springiness /ˈsprɪŋɪnɪs/ *n* souplesse *f*

spring: ~-like *adj* printanier/-ière; **~-loaded** *adj* tendu par un ressort; **~ lock** *n* serrure *f* demi-tour; **~ onion** *n* GB Culin ciboule *f*; **~ roll** *n* Culin rouleau *m* de printemps; **~tide**† *n* littér printemps *m*; **~ tide** *n* Naut, Meteorol grande marée *f*, marée *f* de vive eau

springtime /ˈsprɪŋtaɪm/ *n* lit, fig printemps *m*; **in the ~** au printemps

spring: ~ vegetable *n* légume *m* primeur; **~ water** *n* eau *f* de source

springy /ˈsprɪŋɪ/ *adj* [*mattress, seat*] élastique; [*floorboards, ground, curls*] souple

sprinkle /ˈsprɪŋkl/
A *n* (of salt, herb, flour) pincée *f* (**of** de); **a ~ of rain** une petite averse *f*
B **sprinkles** *npl* Culin (decoration) nonpareilles *fpl*
C *vtr* **1** **to ~ sth with sth, to ~ sth on** *ou* **over sth** saupoudrer qch de [*salt, sugar*]; parsemer qch de [*herbs*]; **to ~ sth with water** humecter qch; **to ~ a cake with brandy** humecter un gâteau de cognac; **to ~ oneself with talc** se saupoudrer de talc; **to ~ a speech with quotations** parsemer un discours de citations; **2** (water) arroser [*lawn*]
D **sprinkled** *pp adj* **~d with** saupoudré de [*salt, sugar*]; parsemé de [*herbs, flowers, quotations, mistakes*]

sprinkler /ˈsprɪŋklə(r)/ *n* **1** (for lawn) arroseur *m*; **2** (for field) (large, rotating) canon *m* arroseur; (smaller) asperseur *m*; **3** (to extinguish fires) diffuseur *m*

sprinkler: ~ ban *n* interdiction *f* d'arroser dans les champs; **~ system** *n* (of building) système *m* d'extinction automatique

sprinkling /ˈsprɪŋklɪŋ/ *n* **1** (of salt, sugar, powder) petite pincée *f* (**of** de); (of snow) fine couche *f*; **a ~ of rain** une petite averse; **a ~ of an audience** fig une petite assistance; **2** (of lawn) arrosage *m*; **to need a ~** avoir besoin d'être arrosé

sprint /sprɪnt/
A n (race) sprint m, course f de vitesse; **the final ∼** lit, fig la dernière ligne droite (avant l'arrivée)
B vi Sport sprinter; gen piquer un sprint, faire une pointe de vitesse; **he ∼ed past them** il les a dépassés en courant à toute vitesse

sprinter /'sprɪntə(r)/ n sprinter m
sprit /sprɪt/ n livarde f, baleston f
sprite /spraɪt/ n lutin m, elfe m
spritzer /'sprɪtsə(r)/ n: *vin blanc additionné d'eau gazeuse*
sprocket /'sprɒkɪt/ n **1** (also **∼ wheel**) gen pignon m; (of cinema projector) débiteur m; **2** (cog) dent f (d'engrenage)
sprog○ /sprɒg/ n GB **1** (child) bambin○ m, enfant m; **2** argot des militaires (new recruit) nouvelle recrue f, bleu○ m

sprout /spraʊt/
A n **1** Bot (on plant, tree) pousse f; (on potato) germe m; **2** (also **Brussels ∼**) chou m de Bruxelles
B vtr se laisser pousser [*beard, moustache*]; **to ∼ shoots** germer; **the trees are ∼ing new growth** les arbres bourgeonnent; **the city has ∼ed several small cinemas** plusieurs petits cinémas sont apparus dans la ville du jour au lendemain
C vi **1** Bot, Hort [*bulb, tuber, onion, seed, shoot*] germer; [*grass, weeds*] pousser; **buds are ∼ing on the trees** les arbres bourgeonnent; **grass was ∼ing out of cracks in the path** l'herbe poussait dans les fissures de l'allée; **2** (develop) [*antlers, horns*] pousser; fig [*child*] pousser vite; **he has hair ∼ing from his ears** il a des poils qui lui sortent des oreilles; **3** fig (appear) = **sprout up**
(Phrasal verb) ■ **sprout up** [*plants*] surgir de terre; fig [*buildings, suburbs*] pousser comme des champignons

spruce /spru:s/
A n **1** (also **∼ tree**) épicéa m; **white/black ∼** épinette f blanche/noire; **2** (wood) bois m d'épicéa
B adj [*person*] bien soigné, pimpant; [*clothes*] impeccable, soigné; [*house, garden*] coquet/-ette, bien tenu
(Phrasal verb) ■ **spruce up**: ▸ **∼ up [sth/sb]**, **∼ [sth/sb] up** faire beau/belle [*person*]; astiquer [*house*]; nettoyer [*garden*]; **to ∼ oneself up** se mettre sur son trente et un○, se faire beau/belle; **you need to ∼ yourself up a bit!** tu as besoin de t'arranger un peu!; **all ∼d up** [*person*] tiré à quatre épingles; [*house, garden*] impeccable

spruce beer n sapinette f, bière f d'épinette
sprucely /'spru:slɪ/ adv **∼ dressed** pimpant, tiré à quatre épingles
spruceness /'spru:snɪs/ n (of person, clothes) élégance f; (of house, garden) propreté f
spruce pine n sapinette f
sprue /spru:/ n **1** Tech (part of mould) trou m de coulée; (metal or plastic residue) carotte f; **2** Med sprue f, psilosis m

sprung /sprʌŋ/
A pp ▸ **spring C, D**
B adj [*chair, mattress*] à ressorts; **a well-∼ chair/bed** un fauteuil/lit souple

sprung rhythm n Literat *type de versification à la rythmique irrégulière*
spry /spraɪ/ adj alerte, gaillard
SPUC n GB (abrév = **Society for the Protection of the Unborn Child**) *société contre l'avortement*
spud○ /spʌd/ n patate○ f, pomme f de terre
spud bashing○ n GB argot des militaires corvée f de patates○
spume /spju:m/ n écume f

spun /spʌn/
A pret, pp ▸ **spin B, C**
B adj [*glass, gold, sugar*] filé; **hair like ∼ gold** littér des cheveux d'or

spunk /spʌŋk/ n **1** ○(courage, spirit) cran○ m, courage m; **2** ●GB (semen) foutre● m
spunky○ /'spʌŋkɪ/ adj plein de cran○ or d'audace
spun: **∼ silk** n schappe f; **∼ yarn** n bitord m

spur /spɜ:(r)/
A n **1** fig (stimulus) motif m; **to be the ∼ for** ou **of sth** être la raison de qch; **to act as a ∼ to** être une incitation à [*crime, action*]; **2** (for horse, on dog's or cock's leg) éperon m; **to wear ∼s** porter des éperons; **to dig in one's ∼s** donner de l'éperon; **3** Geol contrefort m; **4** Rail (also **∼ track**) embranchement m
B vtr (p prés etc **-rr-**) **1** (stimulate) encourager [*economic growth, increase, advance*]; inciter [*action, reaction, response*]; **to ∼ sb to sth/to do** inciter qn à qch/à faire; **to ∼ sb into action** inciter qn à agir; **∼red by this event,...** encouragé par cet événement ,...; **2** [*rider*] éperonner [*horse*]; **to ∼ one's horse into a gallop** éperonner son cheval et partir au galop
C vi littér (p prés etc **-rr-**) (ride hard) **to ∼ towards sth** piquer des éperons en direction de qch
(Idioms) **on the ∼ of the moment** sur l'impulsion du moment; **a ∼-of-the-moment decision** une décision du moment; **to win one's ∼s** faire ses preuves
(Phrasal verbs) ■ **spur forward** = **spur on**
■ **spur on**: ▸ **∼ on†** [*rider*] piquer des éperons; ▸ **∼ [sth] on**, **∼ on [sth]** [*rider*] lancer [qch] d'un coup d'éperon [*horse*] (**towards** vers); ▸ **∼ on [sb]**, **∼ [sb] on** [*success, good sign, legislation, government*] encourager; [*fear, threat, example, hero*] stimuler; **to ∼ sb on to greater efforts** inciter qn à redoubler d'efforts; **∼red on by their success** encouragés par leur réussite

spurge /spɜ:dʒ/ n euphorbe f
spur gear n engrenage m droit
spurge laurel n daphné m lauréolé, bois m gentil
spurious /'spjʊərɪəs/ péj adj [*argument, notion, allegation, claim*] fallacieux/-ieuse; [*excuse*] inventé; [*evidence, documents, credentials*] faux/fausse; [*sentiment*] feint; [*glamour, appeal*] faux/fausse, superficiel/-ielle
spuriously /'spjʊərɪəslɪ/ adv péj de façon fausse or douteuse
spuriousness /'spjʊərɪəsnɪs/ n péj caractère m faux or douteux
spurn /spɜ:n/ vtr refuser [qch] (avec mépris) [*advice, offer, help, gift*]; éconduire [*suitor*]
spur road n GB embranchement m

spurt /spɜ:t/
A n **1** (gush) (of water, oil, blood) giclée f; (of flame) jaillissement m, (of steam) jet m; **to come out in ∼s** [*liquid*] sortir en giclant; **2** (burst) (of energy) sursaut m; (of activity, enthusiasm) regain m; (in growth) poussée f; **to put on a ∼** [*runner, cyclist*] pousser une pointe de vitesse; [*worker*] donner un coup de collier○; **to do sth in ∼s** faire qch par à-coups
B vtr **to ∼ flames** cracher or vomir du feu; **the wound was ∼ing blood** le sang giclait de la blessure; **the pipes are ∼ing water** l'eau jaillit des tuyaux
C vi **1** (gush) [*liquid*] jaillir, gicler (**from, out of** de); [*flames*] jaillir (**from, out of** de); **2** (speed up) [*runner, cyclist*] pousser une pointe de vitesse
(Phrasal verb) ■ **spurt out**: ▸ **∼ out** [*flames, liquid*] jaillir; ▸ **∼ out [sth]**, **∼ [sth] out** = **spurt B**

spur: **∼ track** n Rail embranchement m; **∼ wheel** n roue f droite
sputnik /'spʊtnɪk/ n spoutnik m
sputter /'spʌtə(r)/ n, vtr, vi = **splutter**
sputum /'spju:təm/ n ₵ crachat m, expectorations fpl

spy /spaɪ/
A n (political, industrial) espion/-ionne m/f; (for police) indicateur/-trice m/f, indic○ mf; **to work as a ∼ for sb** être un espion à la solde de qn
B modif [*film, novel, network, scandal*] d'espionnage; [*trial*] pour espionnage
C vtr remarquer, discerner [*figure, object*]; **she spied them approaching the window** elle les a remarqués qui s'approchaient de la fenêtre
D vi **1** Pol **to ∼ on** [*army, military, manoeuvres, weapons*] espionner; **to ∼ for sb** faire de l'espionnage pour le compte de qn; **2** fig (observe) **to ∼ on** espionner [*person*]; épier [*movements*]
(Idiom) **I ∼ with my little eye...** (game) *jeu de devinette*
(Phrasal verb) ■ **spy out**: ▸ **∼ out [sth]**, **∼ [sth] out** découvrir [*plan, activity*]; **to ∼ out the land** s'enquérir de la situation

spy: **∼ glass** n longue-vue f; **∼hole** n judas m
spying /'spaɪɪŋ/ n espionnage m
spy: **∼-in-the-cab**○ n tachygraphe m; **∼-in-the-sky**○ n satellite-espion m; **∼master** n maître-espion m; **∼ ring** n réseau m d'espionnage; **∼ satellite** n satellite-espion m; **∼ ship** n navire m espion; **∼ story** n Literat roman m d'espionnage; **∼ware** n Comput logiciel m espion, espiogiciel m
sq. (abrév écrite = **square**) Math carré; **10 ∼ m** $10\ m^2$
Sq abrév écrite = **Square**
Sqn Ldr n GB abrév écrite = **squadron leader**
squab /skwɒb/ n **1** Zool pigeonneau m; **2** ○hum ou péj (fat person) pot m à tabac○; **3** GB (cushion) coussin m

squabble /'skwɒbl/
A n dispute f, prise f de bec○
B vi se disputer, se chamailler○ (**over, about** à propos de)

squabbler /'skwɒblə(r)/ n chamailleur/-euse○ m/f, querelleur/-euse m/f
squabbling /'skwɒblɪŋ/ n ₵ chamailleries○ fpl, disputes fpl
squad /skwɒd/ n gen, Mil escouade f; Sport (from which team is selected) sélection f; **the Olympics ∼** les athlètes sélectionnés pour les Jeux olympiques; **the England/Germany ∼** (in football etc) la sélection britannique/allemande
squad car n voiture f de police
squaddie○ /'skwɒdɪ/ n GB bidasse○ m, soldat m
squadron /'skwɒdrən/ n GB Mil (of armoured regiment) escadron m; Aviat, Naut escadrille f
squadron leader ▸ **p. 1599** n GB Aviat, Mil commandant m (*de l'armée de l'air*)
squadroom /'skwɒdru:m, -rʊm/ n US salle f d'un poste de police
squalid /'skwɒlɪd/ adj [*house, street, surroundings*] sordide, misérable; [*furnishings, clothes*] crasseux/-euse; [*business, affair, story*] sordide

squall /skwɔ:l/
A n **1** Meteorol bourrasque f, rafale f (**of** de); (at sea) grain m; **2** fig (quarrel) dispute f (violente); **3** (cry) hurlement m
B vi [*baby*] hurler, brailler

squall line n Meteorol ligne f de grains
squally /'skwɔ:lɪ/ adj [*wind*] qui souffle en rafales; [*day*] avec des bourrasques fréquentes
squalor /'skwɒlə(r)/ n (of house, street, conditions, surroundings, life) caractère m sordide, misère f (noire); **to live in ∼** (great poverty) vivre dans la misère (noire)
squander /'skwɒndə(r)/ vtr dilapider [*money, fortune, inheritance*] (**on** en); gaspiller [*opportunities, talents, resources, time*]; gâcher, dissiper liter [*youth, health*]
squanderer /'skwɒndərə(r)/ n gaspilleur/-euse m/f

square /skweə(r)/
A n **1** (in town) place f; (in barracks) cour f; **main ∼** grand-place f; **town ∼** place f (de la ville); **village ∼** place f du village

S

2 (four-sided shape) carré *m*; (in board game, crossword) case *f*; (of glass, linoleum) carreau *m*; **to arrange/fold sth into a ~** disposer/plier qch en carré; **to divide a page up into ~s** quadriller une feuille; **a pattern of blue and white ~s** un motif à carreaux bleus et blancs
3 Math (self-multiplied) carré *m*; **9 is the ~ of 3** 9 est le carré de 3
4 Math, Tech (for right angles) équerre *f*
5 ○(old-fashioned) ringard/-e *m/f*
B **on the square** *adv phr* **1** (at 90°) au carré, à angle droit; **to cut sth on the ~** couper qch au carré *or* à angle droit
2 ○(honest) honnête, réglo○ *inv*; **is the business on the ~○?** l'affaire est réglo?; **to do things on the ~** faire les choses dans les règles
C *adj* **1** (right-angled) [*shape, hole, building, box, jaw, face, shoulders*] carré; (correctly aligned) bien droit; **the photo should be ~ with the frame** il faut mettre la photo bien droit dans le cadre; **the shelf isn't ~ with the sideboard** l'étagère est de travers par rapport au buffet; **a man of ~ build** un homme trapu
2 ▸ p. 1765 Math, Meas [*metre, mile, kilometre, centimetre*] carré; **four ~ metres** quatre mètres carrés ; **an area four metres/kilometres ~** une surface de quatre mètres/kilomètres sur quatre; **the Square Mile** GB Econ la City (*cœur financier de Londres*)
3 fig (balanced, level, quits) **to be (all) ~** [*books, accounts*] être équilibré; [*people*] être quitte; [*teams, players*] être à égalité; **I'll give you £5 and we'll be ~** je te donnerai cinq livres et nous serons quittes; **they're all ~ at two all, it's all ~ at two all** ils sont à égalité *or* il y a égalité à deux partout; **to get the accounts ~** balancer les comptes
4 (honest) [*person, transaction*] honnête (**with** avec); **a ~ deal** une proposition honnête; **to give sb a ~ deal** traiter qn de façon honnête
5 ○(boring) vieux jeux *inv* (*after v*), ringard
D *adv* (directly) [*fall, hit, strike*] en plein milieu; **he hit me ~ on the jaw** il m'a frappé en plein dans la mâchoire; **she looked me ~ in the eye** elle m'a regardé droit dans les yeux
E *vtr* **1** lit (make right-angled) équarrir [*stone, timber*]; couper [qch] au carré *or* à angle droit [*corner, end, section*]; **to ~ one's shoulders** redresser les épaules
2 (settle) régler [*account, debt, creditor*]; **to ~ one's account(s) with sb** lit, fig régler ses comptes avec qn
3 Sport (equalize) égaliser [*score, series*]
4 (win over) (by persuasion) s 'occuper de [*person*]; (by bribery) graisser la patte à○ [*person*]; **I'll ~ him** je m'occuperai de lui; **go home early; I'll ~ it with the boss** pars avant l'heure, j'arrangerai ça avec le patron; **I have problems ~ing this with my conscience/my beliefs** j'ai du mal à concilier cette action avec ma conscience/mes croyances
F **squared** *pp adj* **1** [*paper*] quadrillé
2 Math [*number*] au carré; **6 ~d is 36** 6 au carré égale 36
(Idioms) **to go back to ~ one** retourner à la case départ, recommencer; **to be back at ~ one** se retrouver au point de départ; **to be on the ~○** GB être franc-maçon; **to be out of ~** ne pas être d'équerre; ▸ **circle**
(Phrasal verbs) ■ **square off**: ▸ **~ off [sth], ~ [sth] off** équarrir [*end, edge, section*]
■ **square up**: ▸ **~ up** **1** (prepare to fight) lit se mettre en garde (**to face** à); fig faire face (**to** à); **to ~ up for** se préparer pour [*fight, row*]; **2** (settle accounts) régler ses comptes; **I'll ~ up with you tomorrow** nous règlerons nos comptes demain; ▸ **~ up [sth], ~ [sth] up** **1** (cut straight) couper [qch] au carré [*paper, wood, corner*]; **2** (align correctly) mettre [qch] bien droit; **~ the picture up with the mirror** mets le tableau bien droit par rapport au miroir
■ **square with**: ▸ **~ with [sth]** (be consistent with) correspondre à, cadrer avec [*evidence, fact, statement, theory*]

square-bashing○ *n* GB Mil exercices *mpl*
square bracket *n* crochet *m*; **in ~s** entre crochets
square: **~ dance** *n* quadrille *m*; **~ dancing** *n* ¢ quadrille *m* américain; **~-faced** *adj* au visage carré; **~-jawed** *adj* à la mâchoire carrée; **~ knot** *n* US nœud *m* plat
squarely /ˈskweəlɪ/ *adv* **1** (directly) [*strike, hit, land*] lit en plein milieu; **to look ~ at** regarder [qch] bien en face [*problem, situation*]; **to look at sb ~** regarder qn droit dans les yeux; **to position oneself ~ behind sth** se mettre directement derrière qch; **2** (honestly) honnêtement; **3** (fully) **the blame rests ~ on his shoulders** la responsabilité repose entièrement sur lui; **to knock sth ~ on the head** se débarrasser définitivement de [*racism, prejudice*]; **to fit ~ into the liberal mould** *ou* **tradition** s'inscrire parfaitement dans la tradition libérale
square meal *n* bon repas *m*, vrai repas *m*; **three ~s a day** trois bons repas par jour; **she hasn't had a ~ for weeks** elle n'a pas fait un vrai repas depuis des semaines
square: **~ measure** *n* mesure *f* de superficie; **~-rigged** *adj* gréé (en) carré; **~ root** *n* racine *f* carrée; **~-shouldered** *adj* aux épaules carrées; **~-toed** *adj* [*shoes*] à bout carré
squash /skwɒʃ/
A *n* **1** Sport ▸ p. 1253 (*also* **~ rackets**) squash *m*; **2** (drink) sirop *m*; **3** (vegetable) courge *f*; **4** (crush) cohue *f*; **it will be a bit of a ~** on va être un peu entassé
B *modif* Sport [*club, court, player, racket*] de squash
C *vtr* **1** (crush) écraser [*fruit, insect, person*] (**against** contre; **between** entre); aplatir [*hat*]; **to be ~ed out of shape** [*car, toy*] être complètement écrasé; [*box*] être complètement déformé; **2** (force) **to ~ sth/sb into** entasser qch/qn dans [*box, car*]; **3** (put down) rabattre le caquet à○ [*person*]; écraser [*revolt, rebellion*]; stopper [*rumour*]; **to feel ~ed** se sentir humilié; **4** (reject) rejeter [*idea, proposal*]
D *vi* **1** (become crushed) s'écraser; **to ~ easily** s'écraser facilement; **2** (pack tightly) [*people*] s'entasser (**into** dans); **to ~ through a gap** réussir à se glisser par une ouverture
(Phrasal verbs) ■ **squash in○**: ▸ **~ in** se faire de la place; ▸ **~ in [sth/sb], ~ [sth/sb] in** trouver de la place pour
■ **squash up○**: ▸ **~ up** [*person*] se tasser (**against** contre); [*crowd*] se serrer (**against** contre); **if I ~ up you can fit in** si je me serre ça te fera de la place; **to ~ sb up against** écraser qn contre; **to ~ oneself up against** s'aplatir contre
squashy○ /ˈskwɒʃɪ/ *adj* mou/molle
squat /skwɒt/
A *n* **1** (position) position *f* accroupie; **2** ○(home) squat○ *m*
B *adj* [*person, structure, object*] trapu
C ○*vtr* (*p prés etc* **-tt-**) squattériser○, squatter○ [*house, building*]
D *vi* (*p prés etc* **-tt-**) **1** (crouch) être accroupi; **2** (*also* **~ down**) s'accroupir; **3** (inhabit) **to ~ in** squattériser○, squatter○ [*building*]
squatter /ˈskwɒtə(r)/ *n* **1** squatter○ *m*; **2** Austral squatter *m* (*éleveur de moutons utilisant des terrains loués au gouvernement*)
squatter's rights *npl*: *possibilité de devenir propriétaire d'un terrain après l'avoir occupé un certain nombre d'années*
squatting /ˈskwɒtɪŋ/
A *n* squat○ *m*
B *adj* **1** [*position, person*] accroupi; **2** ○[*homeless person, teenager*] qui squattérise○ *or* squatte○
squaw /skwɔː/ *n* **1** injur (North American Indian woman) squaw *f*, Indienne *f* d'Amérique du Nord; **2** ○(woman) péj femme *f*
squawk /skwɔːk/
A *n* (of hen) gloussement *m*; (of duck, parrot, crow etc) cri *m* rauque; fig péj (of person) cri *m* aigu
B *vtr* péj [*person*] crier; **'what?' he ~ed** 'quoi?' cria-t-il
C *vi* [*hen*] pousser des gloussements; [*duck, parrot, crow etc*] pousser des cris rauques; [*baby*] brailler; [*person*] crier d'une voix hystérique
squawk box○ *n* (loudspeaker) haut-parleur *m*
squaw man *n* US péj *mari nonindien d'une Indienne d'Amérique du Nord*
squeak /skwiːk/
A *n* **1** (noise) (of door, wheel, mechanism, chalk) grincement *m*; (of mouse, soft toy) couinement *m*; (of furniture, shoes) craquement *m*; (of infant) vagissement *m*; **to let out** *ou* **give a ~ (of surprise)** pousser un petit cri (d'étonnement); **without a ~○** [*accept, give in*] sans broncher; **there wasn't a ~ from her○** elle n'a pas émis le moindre mot; **2** ○(escape) **that was a narrow ~** on l'a échappé belle○
B *vtr* **to ~ (out)** glapir; **'No!,' he ~ed** 'Non!,' glapit-il
C *vi* **1** (make noise) [*child*] glapir; [*door, wheel, mechanism, chalk*] grincer; [*mouse, bat, soft toy*] couiner; [*shoes, furniture*] craquer (**on** sur); **2** ○(with minimal success) **to ~ through** réussir de justesse [*selection, process, trial*]
squeaky /ˈskwiːkɪ/ *adj* [*voice*] aigu/-uë; [*gate, hinge, wheel*] grinçant; **~ shoes** des chaussures qui craquent
squeaky-clean○ *adj* **1** [*hair, dishes, house*] propre et net; **2** fig péj [*person*] trop parfait; [*company*] à l'image trop soignée; **a ~ (public) image** une image de marque trop soignée
squeal /skwiːl/
A *n* (of animal, person) cri *m* aigu; (of brakes) grincement *m*; (of tyres) crissement *m*; **a ~ of pain/excitement** un cri aigu de douleur/d'excitation; **~s of laughter** des rires perçants; **to give** *ou* **let out a ~** pousser un cri aigu
B *vtr* **'let go!' she ~ed** 'lâche-moi!' cria-t-elle d'une voix perçante
C *vi* **1** [*person, animal*] pousser des cris aigus (**in, with** de); **to ~ with delight** pousser des cris de joie; **to ~ with laughter** rire d'une voix aiguë; **2** ○(inform) cafarder○, vendre la mèche○; **to ~ on sb** balancer○ qn; **someone ~ed to the police!** quelqu'un nous a balancés○ à la police!
squealer○ /ˈskwiːlə(r)/ *n* péj mouchard/-e *m/f*
squeamish /ˈskwiːmɪʃ/ *adj* **1** (easily sickened) qui a l'estomac délicat; (by screen violence etc) impressionnable; **don't be so ~!** ne fais pas le délicat!; **he's too ~ to be a surgeon** il est trop émotif pour devenir chirurgien; **he's ~ about snakes** les serpents le dégoûtent; **this film is not for the ~** ce film n'est pas pour les âmes sensibles; **2** (prudish) prude
squeamishness /ˈskwiːmɪʃnɪs/ *n* **1** (quality of being easily sickened) (about unpleasant sights, topics etc) trop grande délicatesse *f*; (about violence, bloodshed) émotivité *f*; **2** (prudishness) pruderie *f*
squeegee /ˈskwiːdʒiː/ *n* **1** Phot raclette *f*; **2** (cleaning device) (for windows) raclette *f*; (for floor) balai-éponge *m*
squeeze /skwiːz/
A *n* **1** (application of pressure) **to give sth a ~** presser qch [*hand, tube*]; **to give sb a ~** serrer qn dans ses bras; **2** (small amount) **a ~ of lemon** quelques gouttes de citron; **a ~ of glue/toothpaste** un peu de colle/dentifrice; **3** Econ, Fin resserrement *m* (**on** de); **wage ~** resserrement *m* des salaires; **to feel the ~** [*person, company, family*] se sentir coincé financièrement; **to put the ~ on○** [*lenders*] faire pression sur [*debtors*]; **4** ○(crush) **we can all get in the car but it will be a (tight) ~** on peut tous monter dans la voiture mais on sera serré; **I can get past, but it will be a tight ~** je peux passer mais ce sera un peu juste; **5** Games squeeze *m*
B *vtr* **1** (press) presser [*lemon, bottle, tube*]; serrer [*arm, hand*]; appuyer sur [*bag, parcel, trigger*];

S

percer [*spot*]; **to ~ glue/toothpaste onto sth** mettre de la colle/du dentifrice sur qch; **to ~ juice out of a lemon** extraire le jus d'un citron; **to ~ water out of** faire sortir de l'eau de [*cloth*]; **2** fig (manage to get) **he ~d three meals out of one chicken** fig il a tiré trois repas d'un seul poulet; **I ~d £10/a loan out of dad** j'ai réussi à obtenir 10 livres/un prêt de papa; **to ~ the truth/a confession out of sb** arracher la vérité/un aveu à qn; **3** (fit) **we can ~ a few more people into the room/van** on a encore de la place pour quelques personnes dans la salle /la camionnette; **I ~d a couple more lines onto the page** j'ai fait tenir quelques lignes en plus sur la page; **I managed to ~ the car through the gap** j'ai tout juste réussi à faire passer la voiture par l'ouverture; **I can just ~ into that dress** je tiens tout juste dans cette robe; **to ~ behind/between/under sth** se glisser derrière/entre/sous qch; **4** Econ, Fin resserrer [*profit, margins*]; **small businesses are being ~d by high interest rates** les petites sociétés sont asphyxiées par des taux d'intérêt élevés

(Phrasal verbs) ■ **squeeze in**: ▸ **~ in** [*person*] se glisser; **if you make room I can ~ in** si vous faites de la place je pourrai tenir; **she ~d in between her brothers** elle s'est glissée entre ses frères; ▸ **~ [sb] in** (give appointment to) [*doctor etc*] faire passer [qn] entre deux rendez-vous

■ **squeeze out**: ▸ **~ out** [*person*] arriver à sortir; ▸ **~ [sth] out** extraire [*juice, water*]; **to ~ water out of** essorer [*cloth, sponge*]; ▸ **~ [sb] out (of the market)** Comm pousser qn hors du marché

■ **squeeze past**: ▸ **~ past** [*car, person*] passer; ▸ **~ past [sth/sb]** passer à côté de [*obstacle, person*]

■ **squeeze up** [*people*] se serrer

squeeze: **~ bottle** *n* US bouteille *f* en plastique souple; **~ box**○ *n* Mus accordéon *m*

squelch /skweltʃ/

A *n* (noise) bruit *m* de succion; **to fall to the ground with a ~** tomber par terre avec un grand floc; **the ~ of water in their boots** le flic flac de l'eau dans leurs bottes

B *vi* [*water, mud*] glouglouter, faire un bruit de succion; **to ~ along/in/out** avancer/entrer/sortir en pataugeant; **they ~ed through the swamp** ils pataugaient dans le marécage

squelchy /ˈskweltʃɪ/ *adj* [*ground, mud*] boueux/-euse; [*fruit, tomato*] mou/molle, ramolli; [*noise*] de succion

squib /skwɪb/ *n* pétard *m*

(Idiom) **to be a damp ~**○ GB [*event*] tomber à plat, être décevant; [*venture, revelation*] être un pétard mouillé○

squid /skwɪd/ *n* calmar *m*, encornet *m*

squidgy○ /ˈskwɪdʒɪ/ *adj* GB moelleux/-euse

squiffy○ /ˈskwɪfɪ/ *adj* GB pompette○, éméché○

squiggle /ˈskwɪgl/

A *n* (wavy line) gen ligne *f* ondulée; (written) gribouillis *m*

B *vi* gribouiller, faire des gribouillis

squint /skwɪnt/

A *n* **1** Med (strabismus) strabisme *m*; **to have a ~** loucher, être affecté de strabisme spec; **2** ○(look) **to have a/take a ~ at sth** jeter un coup d'œil sur qch, zieuter◑ qch

B *vi* **1** gen (look narrowly) **to ~** plisser les yeux; **to ~ at sb/sth** regarder qn/qch en plissant les yeux; **to ~ through** lorgner par [*window, peephole*]; lorgner dans [*viewfinder*]; **2** Med loucher

squirarchy *n* = **squirearchy**

squire /ˈskwaɪə(r)/

A *n* **1** (country gentleman) ≈ châtelain *m*; **2** Hist (knight's retainer) écuyer *m*; **3** ○GB (form of address) **cheerio ~○!** GB hum salut, chef○ *m*!; **4** US (judge) juge *m* (de paix), magistrat *m*; (lawyer) avocat *m*

B †*vtr* accompagner, escorter [*woman*]

squirearchy /ˈskwaɪərɑːkɪ/ *n* aristocratie *f* terrienne, hobereaux *mpl* pej

squirm /skwɜːm/ *vi* (wriggle) [*snake, worm etc*] se tortiller; [*fish*] frétiller; [*kitten, puppy*] remuer; [*person*] (in pain, agony) se tordre; fig (with embarrassment) [[*person*]] être très mal à l'aise, être au supplice; (with revulsion) être écœuré, avoir la nausée; **to make sb ~** (with embarrassment) rendre qn mal à l'aise; (with revulsion) écœurer qn; **he ~ed on his chair** il se tortillait sur sa chaise tellement il était gêné

squirrel /ˈskwɪrəl, US ˈskwɜːrəl/

A *n* écureuil *m*

B *modif* [*garment*] en petit-gris

(Phrasal verb) ■ **squirrel away**○: ▸ **~ [sth] away, ~ away [sth]** mettre [qch] de côté

squirrel: **~-cage** *adj* [*motor, rotor*] à cage d'écureuil; **~ monkey** *n* saïmiri *m*

squirrel(l)y○ /ˈskwɪrəlɪ, US ˈskwɜːrəlɪ/ *adj* US bizarre

squirt /skwɜːt/

A *n* **1** (jet) (of water, oil) jet *m*, giclée *f*; (of paint) jet *m*; **2** (small amount) goutte *f*; **3** ○pej (person) **a little ~** un petit morveux○

B *vtr* faire gicler [*liquid*] (**from, out of** de); **he ~ed some soda water into the glass** il a versé une giclée d'eau de Seltz dans le verre; **she ~ed some oil into the lock** elle a injecté de l'huile dans la serrure; **to ~ water/ink at sb, ~ sb with water/ink** asperger qn d'eau/d'encre; **she ~ed some perfume onto her wrist** elle s'est vaporisé du parfum sur le poignet

C *vi* [*liquid*] jaillir (**from, out of** de)

(Phrasal verbs) ■ **squirt out**: ▸ **~ out** [*water, oil*] jaillir (**of, from** de), ▸ **~ [sth] out, ~ out [sth]** faire gicler [*liquid, paste, paint*] (**of** de)

■ **squirt up** [*liquid*] jaillir

squirt: **~ gun** *n* US, Can pistolet *m* à eau; **~ing cucumber** *n* concombre *m* d'âne

Sr **1** *abrév écrite* = **Senior**; **2** *abrév écrite* = **Sister**

Sri Lanka /ˌsriː ˈlæŋkə/ ▸ p. 1096 *pr n* Sri Lanka *m*

Sri Lankan /ˌsriː ˈlæŋkən/ ▸ p. 1467

A *n* Sri-Lankais/-e *m/f*

B *adj* sri-lankais

SRN *n* GB *abrév* ▸ **State Registered Nurse**

SS **1** Naut (*abrév* = **steamship**) **the ~ Titanic** le Titanic; **2** Mil Hist **the ~** les SS *mpl*; **3** Relig *abrév écrite* = **Saints**

SSA *n* US *abrév* ▸ **Social Security Administration**

SSRI *n* (*abrév* = **selective seratonin reuptake inhibitor**) ISRS *m*, inhibiteur *m* séléctif de la recapture de la sératonine

SSSI *n* GB (*abrév* = **Site of Special Scientific Interest**) site *m* d'intérêt scientifique

st *n* GB *abrév écrite* = **stone**

St *n* **1** *abrév écrite* = **Saint**; **2** *abrév écrite* = **Street**

stab /stæb/

A *n* **1** (act) coup *m* de couteau; **a ~ in the back** fig un coup en traître; **2** fig (of pain) élancement *m* (**of** de); (of anger, jealousy, guilt) accès *m* (**of** de); **a ~ of fear** une peur soudaine; **3** ○(attempt) essai *m*, tentative *f*; **to make** *ou* **take a ~ at sth/at doing** s'essayer à qch/à faire; **go on, have a ~ at it!** vas-y, essaye!

B *vtr* (*p prés etc* **-bb-**) **1** (pierce) donner un coup de couteau à, poignarder [*person*]; piquer dans [*meat, piece of food*]; **to ~ sb to death** poignarder qn à mort, tuer qn à coups de couteau; **to ~ sb in the heart** plonger *or* planter un poignard dans le cœur de qn; **to ~ sb in the back** lit, fig poignarder qn dans le dos; **2** (poke hard) frapper [*person, object*]; **to ~ at sth with one's finger** frapper qch du doigt

C *v refl* (*p prés etc* **-bb-**) **to ~ oneself** (accidentally) se blesser avec un couteau; (deliberately) se donner un coup de couteau; **to ~ oneself in the arm** se blesser le bras avec un couteau

stabbing /ˈstæbɪŋ/

A *n* agression *f* au couteau

B *adj* [*pain*] lancinant

stabile /ˈsteɪbaɪl, -bɪl/

A *n* stabile *m*

B *adj* gen, Chem stable

stability /stəˈbɪlətɪ/ *n* **1** (steadiness) gen stabilité *f*; (of character) constance *f*; **to give** *ou* **lend ~ to** apporter une stabilité à; **2** Chem stabilité *f*

Stability and Growth Pact *n* EU Pacte *m* de stabilité et de croissance, PSC *m*

stabilization /ˌsteɪbəlaɪˈzeɪʃn, US -lɪˈz-/

A *n* stabilisation *f*

B *modif* [*measure, policy, programme*] de stabilisation

stabilize /ˈsteɪbəlaɪz/

A *vtr* gen stabiliser; Med rendre [qch] plus stable [*medical condition*]

B *vi* (all contexts) se stabiliser

C **stabilizing** *pres p adj* [*effect, influence*] stabilisateur/-trice

stabilizer /ˈsteɪbəlaɪzə(r)/ *n* **1** Aviat, Naut, Tech (device) stabilisateur *m*; **horizontal/vertical ~** US Aviat empennage *m* horizontal/vertical; **2** (substance) stabilisant *m*

stabilizer bar *n* US barre *f* stabilisatrice (antiroulis)

stable /ˈsteɪbl/

A *n* **1** (building) écurie *f*; **2** Turf (of racehorses) écurie *f* (de courses); **3** fig (of companies, publications) empire *m*; (of people) équipe *f*; (of racing cars) écurie *f*

B **stables** *npl* écurie *f*; **riding ~s** manège *m*

C *adj* **1** (steady) [*economy, situation, background, relationship, construction, job*] stable; [*medical condition*] stable, stationnaire; **his condition is said to be ~** son état a été déclaré stationnaire; **2** (psychologically) [*person, temperament, character*] équilibré, stable; **3** Chem, Phys [*substance, compound*] stable

D *vtr* mettre [qch] à l'écurie [*horse*]

stable: **~ block** *n* écuries *fpl*; **~ boy** ▸ p. 1683 *n* gen garçon *m* d'étable, palefrenier/-ière *m/f*; Turf lad *m*; **~ companion** *n* cheval *m* de la même écurie

stable door *n* porte *f* d'écurie

(Idiom) **to close** *ou* **lock the ~ after the horse has bolted** fermer la cage quand les oiseaux se sont envolés

stable: **~ fly** *n* mouche *f* des étables; **~ girl** ▸ p. 1683 *n* palefrenière *f*; **~ lad** = **stable boy**; **~man** ▸ p. 1683 *n* palefrenier *m*; **~mate** *n* cheval *m* de la même écurie; fig membre *m* de la même organisation; **~ yard** *n* cour *f* de l'écurie

stabling /ˈsteɪblɪŋ/ *n* ¢ écuries *fpl*

stab wound *n* coup *m* de couteau (*blessure*)

staccato /stəˈkɑːtəʊ/

A *adj* **1** Mus [*notes, vocals*] staccato *inv*; **2** gen [*gasps, shots*] saccadé

B *adv* [*play*] staccato

stack /stæk/

A *n* **1** (pile) (of hay, straw) meule *f*; (of books, papers, plates, wood) tas *m*, pile *f*; (of chairs) pile *f*; (of rifles) faisceau *m*; **2** (chimney) cheminée *f*; **3** Geol (in sea) cheminée *f*; **4** Comput pile *f*

B **stacks** *npl* **1** (in library) rayons *mpl*; **2** ○**~s of** des tas de○, plein de○; **~s○ of food** des tas○ de *or* plein○ de choses à manger; **I've got ~s○ of work to do** j'ai plein○ de travail à faire; **we've got ~s○ of time** nous avons tout notre temps; **he has ~s○ of money** il est bourré de fric○

C *vtr* **1** Agric mettre [qch] en meule [*hay, straw*]; **2** (*also* **~ up**) (pile) empiler [*boxes, books, plates, chairs*]; **~ing chairs** chaises *fpl* superposables; **3** (fill) remplir [*shelves*]; **4** Aviat, Telecom mettre [qch] en attente [*planes, calls*]; **5** (in cards) piper; **6** ○US péj sélectionner [qch] de manière partiale [*jury, committee*] (**against** afin de défavoriser; **for** afin de favoriser)

(Idioms) **to blow one's ~**○ se mettre en boule○; **to be well-~ed**○ US être bien roulé○; **to have the odds** *ou* **cards ~ed against one**

S

ne pas avoir tous les atouts dans son jeu, être défavorisé

(Phrasal verb) ■ **stack up**: ► **~ up**○ US (compare) se comparer (**against**, **with** avec); ► **~ up [sth]**, **~ [sth] up** empiler [*objects*]

stacker /ˈstækə(r)/ *n* (person, device) chargeur *m*

stacking /ˈstækɪŋ/ *n* Aviat mise *f* en attente (*en altitude*)

stadium /ˈsteɪdɪəm/ *n* (*pl* **-iums** *ou* **-ia**) stade *m*

staff /stɑːf, US stæf/

A *n* **1** (*pl* **staves** /steɪvz/ *ou* **~s**) (stick) (for walking) canne *f*; (crozier) crosse *f*; (as weapon) bâton *m*; **to lean on one's ~** prendre appui sur sa canne; **2** (*pl* **~s**) (employees) personnel *m*; **clerical/kitchen ~** personnel de bureau/de cuisine; **to be on the ~ of a company** faire partie du personnel d'une entreprise; **a small business with a ~ of ten** une petite entreprise de dix employés; **to join/leave the ~** (of a company) entrer dans/quitter l'entreprise; **3** ₵ (*also* **teaching ~**) Sch, Univ personnel *m* enseignant; **member of ~** enseignant/-e *m/f*; **to join the ~** prendre un poste de professeur; **to be on the ~** faire partie du corps enseignant; **a ~ of 50** un effectif de 50 enseignants; **4** ₵ Mil état-major *m*; **5** (*pl* **staves** /steɪvz/ *ou* **~s**) Mus portée *f*

B *vtr* [*owner*] trouver du personnel pour [*company, business*]; **to ~ a company** [*recruitment agency*] pourvoir une société en personnel; **how are we going to ~ our school?** où allons-nous trouver du personnel enseignant?; **the restaurant is entirely ~ed by Italians** tout le personnel du restaurant est italien; **the school is under-~ed** l'école manque d'enseignants

staff: **~ association** *n* association *f* du personnel; **~ college** *n* Mil ≈ école *f* supérieure de guerre; **~ discount** *n* rabais *m* accordé au personnel

staffing /ˈstɑːfɪŋ, US ˈstæf-/ *n* **the company is having ~ problems** la société a des problèmes de recrutement

staffing levels *npl* nombre *m* d'employés

staff: **~ meeting** *n* Sch réunion *f* du personnel enseignant; **~ nurse** *n* infirmier/-ière *m/f*; **~ officer** ► **p. 1599** *n* officier *m* d'état-major; **~ of life** *n* littér aliment *m* de la vie; **~ of office** *n* bâton *m* de commandement

Staffordshire /ˈstæfədʃə(r)/ ► **p. 1612** *pr n* Staffordshire *m*

staff: **~-pupil ratio** *n* rapport *m* élève-enseignant; **~ room** *n* Sch salle *f* des professeurs

Staffs *n* GB Post *abrév écrite* = **Staffordshire**

staff: **~ sergeant** ► **p. 1599** *n* GB, US Mil (in army) sergent-chef *m*; (in US air force) sergent *m*; **~-student ratio** *n* rapport *m* étudiant-enseignant; **~ training** *n* formation *f* du personnel

stag /stæg/

A *n* **1** Zool cerf *m*; **2** GB Fin loup *m* de la finance

B *adj* (all male) réservé aux hommes

stag beetle *n* cerf-volant *m*, lucane *m*

stage /steɪdʒ/

A *n* **1** (phase) (of illness, career, life, development, match) stade *m* (**of**, **in** de); (of project, process, plan) phase *f* (**of**, **in** de); (of journey, negotiations) étape *f* (**of**, **in** de); **the first ~ of our journey** la première étape de notre voyage; **the first ~ in the process** la première phase *or* le premier stade du procédé; **the next ~ in the project/his research** la prochaine phase du projet/de ses recherches; **a difficult ~ in the negotiations** une étape difficile des négociations; **the next ~ of a baby's development** le prochain stade du développement d'un bébé; **the baby has reached the talking/walking ~** le bébé commence à parler/marcher; **what ~ has he reached in his education?** il en est à quel stade dans ses études?; **a/the ~ where** un/le stade où; **I've reached the ~ where I have to decide** je suis arrivé au stade où il faut que je décide; **we're at a ~ where anything could happen** nous sommes arrivés à un stade où tout est possible; **at this ~** (at this point) à ce stade; (yet, for the time being) pour l'instant; **I can't say at this ~** pour l'instant je ne peux rien dire; **that's all I can say at this ~** c'est tout ce que je peux dire pour l'instant; **at this ~ in** *ou* **of your career** à ce stade de votre carrière; **at a late ~** à un stade avancé; **at an earlier/later ~** à un stade antérieur/ultérieur; **at an early ~ in our history** vers le début de notre histoire; **at every ~** à chaque étape; **she ought to know that by this ~** ça fait longtemps qu'elle devrait le savoir; **by ~s** par étapes; **~ by ~** étape par étape; **in ~s** en plusieurs étapes; **in easy ~s** par petites étapes; **the project is still in its early ~s** le projet en est encore à ses débuts; **we're in the late ~s of our research** nous arrivons à la fin de nos recherches; **the project is at the halfway ~** le projet est à mi-chemin; **the project is entering its final ~** le projet touche à sa fin *or* entre dans sa phase finale; **she's going through a difficult ~** elle traverse une période difficile; **it's just a ~!** (in babyhood, adolescence) ça passera!

2 (raised platform) gen estrade *f*; Theat scène *f*; **he was on ~ for three hours** il a été en *or* sur scène pendant trois heures; **to go on ~** monter sur *or* entrer en scène; **I've seen her on the ~** je l'ai vue jouer; **live from the ~ of La Scala** en direct de La Scala; **a long career on ~ and screen** une longue carrière à la scène et à l'écran; **to hold the ~** lit, fig être le point de mire; **to set the ~** Theat monter le décor; **to set the ~ for sth** fig préparer qch; **the ~ is set for the contest** tout est prêt pour le combat

3 Theat **the ~** le théâtre; **to go on the ~** faire du théâtre; **to write for the ~** écrire des pièces de théâtre; **after 40 years on the ~** après 40 ans de théâtre *or* sur les planches; **the decline of the English ~** le déclin du théâtre anglais; **the play never reached the ~** la pièce n'a jamais été jouée

4 fig (setting) (actual place) théâtre *m*; (backdrop) scène *f*; **Geneva has become the ~ for many international conferences** Genève est devenue le théâtre de nombreuses conférences internationales; **her appearance on the ~ of world politics** son apparition sur la scène politique internationale

5 Aerosp étage *m*

6 GB Transp (on bus route) section *f*

7 (on scaffolding) plate-forme *f* d'échafaudage

8 (on microscope) platine *f*

9 Hist Transp = **stagecoach**

B *modif* Theat [*play, equipment, furniture, lighting, equipment*] de théâtre; [*production*] théâtral; [*appearance, career, performance*] au théâtre

C *vtr* **1** (organize) organiser [*ceremony, competition, demonstration, event, festival, rebellion, reconstruction, strike*]; fomenter [*coup*]

2 (fake) simuler [*quarrel, scene*]; **the whole thing was ~d** ce n'était qu'une mise en scène

3 Theat monter, mettre [qch] en scène [*play, performance*]

stage: **~coach** *n* diligence *f*; **~craft** *n* technique *f* scénique; **~ designer** ► **p. 1683** *n* décorateur/-trice *m/f* de théâtre; **~ direction** *n* indication *f* scénique; **~ door** *n* entrée *f* des artistes; **~ fright** *n* trac *m*; **~hand** ► **p. 1683** *n* machiniste *m*; **~ left** *adv* côté *m* cour; **~-manage** *vtr* fig orchestrer

stage-management *n* Theat régie *f*; fig orchestration *f*

stage: **~-manager** ► **p. 1683** *n* régisseur/-euse *m/f*; **~ name** *n* nom *m* de théâtre

stager /ˈsteɪdʒə(r)/ *n* **old ~** vétéran *m*

stage: **~ right** *adv* côté *m* jardin; **~ show** *n* ► **stage production**; **~-struck** *adj* passionné de théâtre; **~ whisper** *n* Theat, fig aparté *m*

stagey *adj* = **stagy**

stagflation /ˌstægˈfleɪʃn/ *n* stagflation *f*

stagger /ˈstægə(r)/

A *n* (movement) **with a ~** (weakly) d'un pas chancelant; (drunkenly) en titubant

B **staggers** *npl* Vet (disease) (in horses) vertigo *m*; (in sheep) tournis *m*

C *vtr* **1** (astonish) stupéfier, bouleverser; **2** (spread out) échelonner [*holidays, journeys, timetable, payments, strikes*]; **the closure will be ~ed over five years** la fermeture s'échelonnera sur cinq ans; **3** Tech disposer [qch] en quinconce [*bolts, rivets, spokes*]; **4** Aviat décaler [*wings*]

D *vi* [*person*] (from weakness, illness) chanceler; (drunkenly) tituber; (under load) chanceler; [*animal*] vaciller ; **to ~ in/out/off** entrer/sortir/s'en aller en chancelant *or* d'un pas chancelant; **to ~ to the door/car** aller vers la porte/la voiture en chancelant; **she ~ed back and fell** elle a reculé en chancelant et elle est tombée; **to ~ to one's feet** se relever en chancelant

E **staggered** *pp adj* **1** (astonished) bouleversé, renversé; **to be ~ed to hear that** être bouleversé *or* renversé d'apprendre que; **we were ~ed by the news** nous avons été renversé par la nouvelle; **2** (carefully timed) **~ed holidays** vacances *fpl* échelonnées; **~ed hours** horaires *mpl* décalés; **~ed start** Sport départ *m* décalé; **3** Transp **~ed junction** croisement *m* en quinconce

staggering /ˈstægərɪŋ/ *adj* [*amount, increase, loss*] prodigieux/-ieuse; [*news, revelation*] renversant; [*event*] bouleversant; [*achievement, contrast, transformation*] stupéfiant; [*success*] étourdissant; **it was a ~ blow to his self-esteem** son amour-propre en a pris un coup

staggeringly /ˈstægərɪŋlɪ/ *adv* incroyablement

stag: **~horn** *n* Bot lycopode *m*; **~ hunt** *n* chasse *f* au cerf; **~ hunting** *n* chasse *f* au cerf

staging /ˈsteɪdʒɪŋ/ *n* **1** Theat mise *f* en scène; **2** Constr échafaudage *m*; (for spectators) gradins *mpl* provisoires

staging area *n* Mil zone *f* de transit

staging post *n* Mil poste *m* de ravitaillement; fig point *m* de transition

stagnancy /ˈstægnənsɪ/ *n* stagnation *f*

stagnant /ˈstægnənt/ *adj* (all contexts) stagnant

stagnate /stægˈneɪt, US ˈstægneɪt/ *vi* **1** fig [*economy, sales, party*] être en stagnation; [*person, mind, society*] stagner; **2** lit [*water, pond*] stagner, croupir

stagnation /stægˈneɪʃn/ *n* stagnation *f*

stag: **~ night**, **~ party** *n* soirée *f* pour enterrer une vie de garçon; **~ show**○ *n* US spectacle *m* porno○

stagy /ˈsteɪdʒɪ/ *adj* péj [*person*] prétentieux/-ieuse; [*behaviour, manner*] théâtral

staid /steɪd/ *adj* [*person, character*] posé, guindé pej; [*place*] solennel/-elle; [*appearance, image, society, attitude*] guindé pej

staidness /ˈsteɪdnɪs/ *n* (of character, person) gravité *f*; (of society, attitudes) austérité *f*

stain /steɪn/

A *n* **1** (mark) lit, fig tache *f*; **blood/coffee ~** tache de sang/de café; **stubborn ~** tache rebelle; **to remove a ~ from sth** enlever une tache sur *or* de qch; **it will leave a ~** ça fera une tache; **without a ~ on one's character** sans tache pour sa réputation; **2** (dye) (for wood, fabric etc) teinture *f*

B *vtr* **1** (soil) tacher [*clothes, carpet, table etc*]; **the cherries had ~ed his hands red** les cerises avaient fait des taches rouges sur ses mains; **2** Biol, Tech teindre [*wood, fabric, specimen*]

C *vi* [*fabric*] se tacher

D -stained (*dans composés*) **oil/ink-~ed** taché d'huile/d'encre; **tear-~ed** trempé de larmes

stain: **~ed glass** *n* (glass) verre *m* coloré; (windows collectively) vitraux *mpl*; **~ed glass window** *n* vitrail *m*

stainless /ˈsteɪnlɪs/ *adj* [*reputation, past etc*] sans tache

stainless steel
A *n* acier *m* inoxydable
B *modif* [*cutlery, sink*] en acier inoxydable

stain: **~ remover** *n* détachant *m*; **~-resistant** *adj* antitaches *inv*

stair /steə(r)/
A *n* **1** (step) marche *f* (d'escalier); **the top/bottom ~** la marche du haut/du bas; **2** (staircase) sout escalier *m*, escaliers *mpl* fml
B stairs *npl* (staircase) **the ~** l'escalier *m*; **a flight of ~** un escalier, une volée *f* d'escalier; **to climb** *ou* **go up the ~** monter l'escalier; **to come** *ou* **go down the ~** descendre l'escalier; **to run up the ~** monter l'escalier en courant; **to fall down the ~** tomber dans l'escalier

stair: **~ carpet** *n* tapis *m* d'escalier; **~case** *n* escalier *m*; **~gate** *n* barrière *f* d'escalier; **~head** *n* haut *m* d'escalier; **~ rod** *n* tringle *f* d'escalier; **~way** *n* escalier *m*; **~well** *n* cage *f* d'escalier

stake /steɪk/
A *n* **1** Games, Turf, fig (amount risked) enjeu *m*; **to put a ~ on** miser sur [*horse*]; **high/low ~s** enjeux élevés/faibles; **to play for high ~s** lit, fig jouer gros; **to raise the ~s** lit augmenter l'enjeu; fig monter la mise; **to be at ~** fig être en jeu; **there is a lot at ~** fig ce n'est pas à prendre à la légère; **he has a lot at ~** fig il a gros à perdre; **to put sth at ~** lit, fig mettre qch en jeu; **2** (investment) participation *f* (**in** dans); **a large/small ~** une forte/faible participation; **to have a 30% ~ in** avoir une participation de 30% dans [*company*]; **3** (pole) (support) pieu *m*; (thicker) poteau *m*; (marker) piquet *m*; **4** Hist (for execution) bûcher *m*; **to go to the ~** monter au bûcher; **to be burnt at the ~** être brûlé sur le bûcher
B stakes *npl* Turf montant *m* du prix; **the Diamond Stakes** la course des Diamond Stakes; **'France top in pay ~s'** fig journ 'la France en tête dans la compétition salariale'
C *vtr* **1** (gamble) miser [*money, property*]; risquer [*reputation*]; **to ~ one's all on** tout miser sur; **I would ~ my life on it** j'en mettrais ma tête à couper○; **2** Hort mettre un tuteur à [*plant, tree*]; **3** US (back) financer [*person*]
(Idioms) **to ~ one's claim to** fig exposer ses revendications sur; **to (pull) up ~s** larguer les amarres○
(Phrasal verb) ■ **stake out**: ▸ **~ out [sth], ~ [sth] out** **1** [*police*] surveiller [*hide-out*]; **2** lit délimiter [qch] avec des pieux [*land*]; **3** fig (claim) revendiquer [*interest, area of study*]

stakeholder /ˈsteɪkhəʊldə(r)/*n* **1** Turf parieur/-ieuse *m/f*; **2** (interested party) intéressé/-e *m/f*

stakeholder pension *n* GB Fin plan *m* de retraite personnel

stakeout○ /ˈsteɪkaʊt/*n* planque○ *f*

stalactite /ˈstæləktaɪt, US stəˈlæk-/ *n* stalactite *f*

stalagmite /ˈstæləgmaɪt, US stəˈlæg-/ *n* stalagmite *f*

stale /steɪl/
A *adj* **1** (old) [*bread, cake, biscuit*] rassis; [*beer*] éventé; [*cheese*] desséché; [*air, odour*] vicié; **the smell of ~ cigarette smoke** l'odeur de cigarette refroidie; **the food is ~** la nourriture n'est pas fraîche; **to go ~** [*bread*] se rassir; **the loaf has gone ~** le pain est rassis; **to taste ~** [*beer*] être éventé; [*cheese*] être desséché; **to smell ~** [*room, house*] sentir le renfermé; **2** (hackneyed) [*jokes, ideas, vocabulary*] éculé; [*style, ideal, convention*] usé; **~ news** des nouvelles qui n'en sont pas; **3** (tired) [*player, performer*] usé; **to feel ~** se sentir usé; **to get ~ in a job** s'user dans un travail; **their marriage had gone ~** leur mariage avait perdu de son charme; **4** Fin [*cheque*] périmé; [*market*] inactif/-ive
B *vi* [*pleasure, delight*] s'affadir; [*pastime*] perdre son charme

stalemate /ˈsteɪlmeɪt/
A *n* **1** (in chess) pat *m*; **2** (deadlock) impasse *f* (**in** dans); **military/political ~** impasse militaire/politique; **industrial ~** impasse entre les partenaires sociaux; **to break a/reach (a) ~** sortir de/être dans l'impasse
B *vtr* **1** (in chess) faire pat [*opponent*]; **2** (block) bloquer [*negotiations, progress*]; neutraliser [*person*]

staleness /ˈsteɪlnɪs/ *n* **1** (of food) manque *m* de fraîcheur; (of air) caractère *m* vicié; fig (of ideas) banalité *f*; **2** (of performer, athlete) usure *f*; **feeling of ~** sensation d'usure

Stalin /ˈstɑːlɪn/ *pr n* Staline

Stalinism /ˈstɑːlɪnɪzəm/ *n* stalinisme *m*

Stalinist /ˈstɑːlɪnɪst/ *n, adj* stalinien/-ienne (*m/f*)

stalk /stɔːk/
A *n* **1** Bot, Culin (of grass, rose, broccoli) tige *f*; (of leaf, apple, pepper) queue *f*; (of mushroom) pied *m*; (of cabbage) trognon *m*; **2** Zool (organ) pédicule *m*
B *vtr* **1** (hunt) [*hunter*] chasser [qch] à l'approche; [*animal*] chasser; [*murderer, rapist*] suivre; **2** (affect, haunt) [*fear, danger*] régner sur; [*disease, famine*] sévir; [*killer*] rôder dans [*place*]; **3** Comm, Fin (in takeover bid) essayer de prendre le contrôle de [*company*]; **4** (harass) harceler [qn] (en le suivant et parfois en le menaçant), se livrer à des violences psychologiques en harcelant [*person*]
C *vi* **1** (walk) **to ~ up/down the corridor** (stiffly) marcher avec raideur dans le couloir; **to ~ out of the room** (angry) quitter la pièce d'un air digne; **2** (prowl) **to ~ through** rôder dans [*countryside, streets*]
(Idiom) **my eyes were out on ~s**○ j'avais les yeux qui sortaient des orbites

stalker /ˈstɔːkə(r)/ *n personne malfaisante qui harcèle ses victimes en les suivant*

stalking horse *n* Pol homme *m* de paille

stall /stɔːl/
A *n* **1** (at market, fair) stand *m*; (newspaper stand) kiosque *m*; **cake ~** stand des pâtisseries; **to run a ~** tenir un stand; **to set up/take down a ~** installer/démonter un stand; **to buy sth from a ~** acheter qch à un stand; **2** (in stable) stalle *f*; **3** Equit starting-gate *m*, barrière *f* de départ; **4** Aviat décrochage *m*; **5** Archit (in church) stalle *f*; **6** (cubicle) (for shower) compartiment *m*; US (for toilet) cabinet *m*; **7** US (parking space) stalle *f*, place *f* de parking
B stalls *npl* GB Theat orchestre *m*; **in the ~s** à l'orchestre
C *vtr* **1** Aut caler [*engine, car*]; **2** (hold up) bloquer [*talks, negotiations, action, process*]; faire patienter [*person*]; **I managed to ~ him** j'ai réussi à le faire patienter
D *vi* **1** [*car, driver, engine*] caler; **2** [*plane, pilot*] décrocher; **3** (play for time) temporiser; **to ~ for time** chercher à gagner du temps; **stop** *ou* **quit** US **~ing!** arrête de temporiser!; **4** (stop, stagnate) [*market, industry*] stagner; [*talks, diplomacy*] se bloquer
E stalled *pp adj* [*negotiations*] bloqué; [*market, industry*] stagnant
(Phrasal verb) ■ **stall off**: ▸ **~ off [sb]** tenir [qn] à distance [*creditors*]

stall: **~-fed** *adj* Agric de batterie; **~ feed** *vtr* Agric engraisser [qch] en batterie; **~holder** *n* marchand/-e *m/f*; **~ing angle** *n* incidence *f* de décrochage; **~ing tactic** *n* tactique *f* pour gagner du temps

stallion /ˈstælɪən/ *n* étalon *m*

stalwart /ˈstɔːlwət/
A *n* fidèle *mf*; **a party ~** un/une fidèle du parti
B *adj* (loyal) [*defender, member, supporter*] loyal; [*support*] inconditionnel/-elle; [*defence, resistance*] vaillant; **to do ~ work** fournir un travail solide

stamen /ˈsteɪmən/ *n* (*pl* **~s** *ou* **-mina**) étamine *f*

stamina /ˈstæmɪnə/ *n* résistance *f*, endurance *f*; **to have ~** avoir de l'endurance, être résistant; **to lack ~** manquer d'endurance; **to have the ~ for/to do** avoir la résistance pour/de faire

stammer /ˈstæmə(r)/
A *n* bégaiement *m*; **to have a ~** avoir un bégaiement; **to speak with a ~** bégayer
B *vtr* bégayer [*apology, excuse*]; **to ~ that** bégayer que; **'n-no,' he ~ed** 'n-non,' a-t-il bégayé
C *vi* bégayer

stammerer /ˈstæmərə(r)/ *n* bègue *mf*

stammering /ˈstæmərɪŋ/
A *n* bégaiement *m*
B *adj* bégayant

stamp /stæmp/
A *n* **1** Post timbre *m*; **a 3 euro ~** un timbre à 3 euros; **first/second-class ~** timbre tarif rapide/lent; **postage ~** timbre-poste *m*; **'no ~ needed'** 'ne pas affranchir'; **2** (token) (for free gift) vignette *f*, timbre *m*; (towards bill, TV licence) bon *m*; **3** (marking device) (made of rubber) tampon *m*; (made of metal) cachet *m*; (for marking metals) étampe *f*; (for marking gold) poinçon *m*; **date ~** timbre *m* dateur; **to give sth one's ~ of approval** fig donner son accord à qch; **4** fig (hallmark) marque *f*; **to bear the ~ of** avoir la marque de [*person, artist*]; **to set one's ~ on** imposer sa marque sur [*play, company, era*]; **5** (calibre) trempe *f*; **men of his ~** des hommes de sa trempe; **6** (sound of feet) piétinement *m*; **the ~ of the horse's hooves** le bruit des sabots des chevaux; **with a ~ of her foot** en tapant du pied; **7** †GB (contribution) cotisation *f* à la sécurité sociale
B *modif* [*album, collection*] de timbres
C *vtr* **1** (mark) apposer [qch] au tampon [*date, name, number*] (**on** sur); tamponner [*card, ticket, library book*]; marquer [*goods, boxes*]; viser [*document, ledger, passport*]; **to be ~ed with the official seal** être visé avec le sceau officiel; **to be ~ed 'confidential'** porter la mention 'confidentiel'; **to ~ a book with the date** marquer la date dans un livre; **to ~ one's authority/personality on** imprimer son autorité/sa personnalité sur [*project, enterprise, match*]; **2** (with foot) **to ~ one's foot** (in anger) frapper *ou* taper du pied; **to ~ one's feet** (rhythmically) taper des pieds; (for warmth) battre la semelle; **to ~ sth flat** tasser qch; **to ~ sth into the ground** enfoncer qch dans le sol du pied; **3** Post affranchir [*envelope*]
D *vi* **1** (thump foot) [*person*] taper du pied; [*horse*] piaffer; **to ~ on** écraser (du pied) [*toy, foot*]; écraser [*brakes*]; **to ~ the mud off one's boots** ôter la boue de ses bottes en tapant des pieds; **2** (walk heavily) marcher en tapant des pieds; **to ~ into/out of sth** entrer dans/sortir de qch en tapant des pieds; **3** (crush) **to ~ on** lit piétiner [*soil, ground*]; fig écarter [*idea, suggestion*]
(Phrasal verb) ■ **stamp out**: ▸ **~ out [sth], ~ [sth] out** **1** (put out) éteindre [qch] en piétinant [*fire, flames*]; **2** (crush) éradiquer [*cholera, disease*]; réprimer [*terrorism, fraud*]; écraser [*uprising*]; supprimer [*crime*]; **3** (cut out) découper [qch] à la presse [*component*]

stamp: **~-collecting** *n* philatélie *f*; **~-collector** *n* philatéliste *mf*; **~-dealer** ▸ p. 1683 *n* marchand/-e *m/f* philatéliste; **~ duty** *n* Jur droit *m* de timbre; **~ed addressed envelope, sae** *n* enveloppe *f* timbrée à votre/son etc adresse

stampede /stæmˈpiːd/
A *n* **1** (rush) (of animals) débandade *f*; (of humans) ruée *f*; **there was a ~ for the exit** on s'est rué vers la sortie; **2** (rodeo) rodéo *m*
B *vtr* **1** lit jeter la panique parmi [*animals, spectators*]; semer la panique dans [*crowd*]; **2** fig

(force sb's hand) brusquer [*person*]; **to ~ sb into doing** forcer qn à faire
C *vi* [*animals*] courir en troupeau; [*people, crowd*] se précipiter; **to ~ towards** se ruer *or* se précipiter vers [*doors, exit*]; **a stampeding elephant** un éléphant qui se déchaîne

stamp: **~ing ground**○ *n* GB lit, fig domaine *m*; **~ing mill** *n* Mining bocard *m*; **~ing press** *n* Ind presse *f* à emboutir; **~ machine** *n* Post distributeur *m* de timbres-poste

stance /stɑːns, stæns/ *n* **1** (attitude) position *f*; **to take** *ou* **adopt a ~** adopter une position; **her ~ on** sa position sur [*defence, inflation, issue*]; **2** (way of standing) position *f*; **to adopt a ~** prendre une position; **3** (in mountaineering) relais *m*

stanch *vtr* US = **staunch**

stanchion /'stænʃən, US 'stæntʃən/ *n* poteau *m* métallique

stand /stænd/
A *n* **1** (piece of furniture) (for coats) portemanteau *m*; (for hats) porte-chapeau *m*; (for plant, trophy) guéridon *m*; (for sheet music) pupitre *m* à musique
2 Comm (stall) (on market) éventaire *m*; (kiosk) kiosque *m*; (at exhibition, trade fair) stand *m*; **news(paper) ~** kiosque à journaux
3 Sport (in stadium) tribunes *fpl*
4 Jur (witness box) barre *f*; **to take the ~** aller à la barre
5 (stance) position *f*; **to take** *ou* **make a ~ on sth** prendre position sur qch
6 (resistance to attack) résistance *f*; **(to make) a last ~** (livrer) une dernière bataille
7 (in cricket) **a ~ of 120 runs** une série ininterrompue de 120 runs
8 (standstill) **to come to a ~** s'arrêter; **the traffic was brought to a ~** la circulation a été paralysée
9 (area) (of corn) champ *m*; (of trees) groupe *m*
B *vtr* (*prét, pp* **stood**) **1** (place) mettre [*person, object*]; **~ it over there** mets-le là-bas; **to ~ sb on/in etc** mettre qn sur/dans etc; **to ~ sth on/in/against etc** mettre qch sur/dans/contre etc
2 (bear) supporter [*person, insects, certain foods*]; **I can't ~ liars** je ne supporte pas les menteurs; **he can't ~ to do** *ou* **doing** il ne supporte pas de faire; **I can't ~ him doing** je ne supporte pas qu'il fasse; **she won't ~ any nonsense/bad behaviour** elle ne tolère pas qu'on fasse des bêtises/qu'on se conduise mal; **it won't ~ close scrutiny** il ne faut pas le regarder en détail
3 ○(pay for) **to ~ sb sth** payer qch à qn; **to ~ sb a meal/a drink** payer un repas/à boire à qn
4 Jur **to ~ trial** passer en jugement; **to ~ security for sb, to ~ bail for sb** se porter garant de qn
5 (be liable) **to ~ to lose sth** risquer de perdre qch; **she ~s to gain a million pounds if the deal goes through** elle peut gagner un million de livres si l'affaire marche
C *vi* (*prét, pp* **stood**) **1** (*also* **~ up**) se lever; **let's ~, we'll see better** mettons-nous debout, nous verrons mieux
2 (be upright) [*person*] se tenir debout; [*object*] tenir debout; **they were ~ing at the bar/in the doorway** ils se tenaient debout au bar/dans l'embrasure de la porte; **they were ~ing talking near the car** ils étaient en train de parler près de la voiture; **to remain ~ing** rester debout; **only a few houses were left ~ing** seules quelques maisons sont restées debout; **there's not much of the cathedral still ~ing** il ne reste que des ruines de la cathédrale; **don't just ~ there, do something!** ne reste pas planté○ là! fais quelque chose!
3 (be positioned) [*building, village etc*] être; (clearly delineated) se dresser; **the house/tree stood on top of the hill** la maison/l'arbre était *or* se dressait au sommet de la colline; **'the train now ~ing at platform one...'** 'le train au départ du quai numéro un...'; **the train was ~ing at the platform for half an hour** le train est resté une demi-heure à quai
4 (step) **to ~ on** marcher sur [*insect, foot*]
5 (be) **to ~ empty** [*house*] rester vide; **to ~ accused of sth** être accusé de qch; **to ~ ready** être prêt; **as things ~...** étant donné l'état actuel des choses...; **I want to know where I ~** fig je voudrais savoir où j'en suis; **where do you ~ on abortion/capital punishment?** quelle est votre position sur l'avortement/la peine de mort?; **nothing ~s between me and getting the job** rien ne s'oppose à ce que j'obtienne ce poste; **my savings are all that ~ between us and poverty** la seule chose qui nous préserve de la misère ce sont mes économies; **to ~ in sb's way** lit bloquer le passage à qn; fig faire obstacle à qn; **to ~ in the way of progress** fig faire obstacle au progrès
6 (remain valid) [*offer, agreement, statement*] rester valable; **the record still ~s** le record n'est toujours pas battu
7 (measure in height) **he ~s six feet** il mesure *or* fait six pieds de haut; **the tower/hill ~s 500 metres high** la tour/colline fait 500 mètres de haut
8 (be at certain level) **the record/total ~s at 300** le record/total est de 300; **the score ~s at 3-0** le score est 3-0
9 (be a candidate) se présenter; **to ~ as** se présenter comme [*candidate*]; **to ~ for parliament/president** se présenter aux élections législatives/présidentielles
10 (act as) **to ~ as godfather for sb** être parrain de qn; **to ~ as guarantor for sb** se porter garant de qn
11 (not move) [*water, mixture*] reposer; **to let sth ~** laisser reposer qch; **let the tea ~** laissez infuser le thé
12 Naut **to ~ for** mettre le cap sur [*port, Dover etc*]
(Idioms) **to leave sb ~ing** [*athlete, student, company*] devancer qn; **as a cook, she leaves me ~ing** elle est beaucoup plus douée que moi en cuisine; **to ~ up and be counted** se faire entendre
(Phrasal verbs) ■ **stand about, stand around** rester là (**doing** à faire)
■ **stand aside** s'écarter (**to do** pour faire)
■ **stand back**: ► **1** (move back) [*person, crowd*] reculer (**from** de); fig prendre du recul (**from** par rapport à); **2** (be situated) [*house*] être en retrait (**from** par rapport à)
■ **stand by**: ► **~ by** **1** (be prepared) se tenir prêt; [*doctor, army, emergency services*] être prêt à intervenir; **to be ~ing by to do** [*services*] être prêt à faire; **'~ by for take-off!'** Aviat 'prêt pour le décollage!'; **2** (refuse to act) rester là; **he stood by and did nothing** il est resté là sans intervenir; **how can you ~ by and let that happen?** comment est-ce que tu peux laisser faire ça sans rien dire?; ► **~ by [sb/sth]** (be loyal to) soutenir [*person*]; s'en tenir à [*principles, offer, decision*]; assumer [*actions*]
■ **stand down** **1** (resign) [*president, chairman, candidate*] démissionner (**in favour of** en faveur de); **2** Jur quitter la barre
■ **stand for**: ► **~ for [sth]** **1** (represent) [*party, person*] représenter [*ideal*]; **2** (denote) [*initials*] vouloir dire [qch]; [*company, name*] être un gage de [*quality etc*]; **3** (tolerate) [*person*] tolérer [*cut, reduction, insubordination*]; **I wouldn't ~ for that** je ne le tolérerais pas; **don't ~ for him being so rude to you!** ne le laisse pas te parler comme ça!
■ **stand in**: **to ~ in for sb** remplacer qn
■ **stand off**: ► **~ off** **1** (reach a stalemate) aboutir à une impasse; **2** Naut courir au large; ► **~ [sb] off**○, **~ off [sb]**○ (lay off) licencier [*workers*]
■ **stand out** **1** (be noticeable) [*person*] sortir de l'ordinaire; [*building, design*] se détacher, ressortir (**against** sur); [*work, ability, achievement, person*] être remarquable; **to ~ out from** [*person*] se distinguer de [*group*]; **2** (protrude) [*veins*] saillir; **3** (take a stance) résister; [*person*] **to ~ out for** revendiquer [*right, principle*]; **to ~ out against** se prononcer contre [*change, decision*]
■ **stand over**: ► **~ over** (be postponed) être remis à plus tard; ► **~ over [sb]** **1** (supervise) être sur le dos de○ [*employee etc*]; **2** (watch) **don't ~ over me!** ne reste pas dans mes pattes○!
■ **stand to** Mil: ► **~ to** être en état d'alerte; **to ~ to to do** se tenir prêt à faire; ► **~ [sb] to** mettre [qn] en état d'alerte
■ **stand up**: ► **~ up** **1** (rise) se lever (**to do** pour faire); **2** (stay upright) se tenir debout; **3** (withstand investigation) [*argument, theory, story*] tenir debout; **to ~ up to** résister à [*scrutiny, investigation*]; **4** (resist) **to ~ up to** tenir tête à [*person*]; **5** (defend) **to ~ up for** défendre [*person, rights*]; **to ~ up for oneself** se défendre; ► **~ [sb/sth] up** **1** (place upright) mettre [qn] debout [*person*]; redresser [*object*]; **to ~ sth up against/on** mettre qch contre/sur; **2** ○(fail to meet) poser un lapin à○ [*girlfriend, boyfriend*]

stand-alone /'stændələʊn/ *adj* Comput autonome

standard /'stændəd/
A *n* **1** (level of quality) niveau *m*; **the ~ of education/hygiene/candidates is good** le niveau d'éducation/d'hygiène/des candidats est bon; **~s of service have declined** la qualité du service a baissé; **our drinking water is of a very high ~** notre eau potable est d'excellente qualité; **the candidates were of a very high ~** les candidats étaient de très haut niveau; **this wine is excellent by any ~s** ce vin est excellent à tout point de vue; **to have high/low ~s** [*person*] être très/peu consciencieux; [*school, institution*] être d'un bon/mauvais niveau; **to have double ~s** faire deux poids deux mesures; **2** (official specification) norme *f* (**for** de); **products must comply with EU ~s** les produits doivent être conformes aux normes de la UE; **3** (requirement) (of student, work) niveau *m* requis (**for** pour); (of hygiene, safety) critères *mpl*; **this work/student is not up to ~** ce travail/cet étudiant n'a pas le niveau requis; **above/below ~** au-dessus du/en dessous du niveau requis; **to set the ~ for others to follow** imposer un modèle à suivre; **by today's ~s** selon les critères actuels; **4** (banner) étendard *m*; **5** (classic song) standard *m*; **a rock/blues ~** un standard du rock/du blues
B *adj* **1** (normal) [*size, equipment, rate, pay*] standard; [*plan, style*] habituel/-uelle; [*image*] traditionnel/-elle; [*procedure*] habituel/-uelle, normal; [*ton, measurement*] standard; **it's ~ practice to do** il est d'usage de faire; **~ English/French** l'anglais/le français standard; **this model includes a car radio as ~** ce modèle est équipé en série d'une autoradio; **2** (authoritative) [*work, manual*] de référence; **3** (*also* **~ class**) GB Rail [*ticket*] de seconde classe; [*single, return*] en seconde classe; **4** Bot [*cherry, rose*] (greffé) sur tige

standard amenities *npl* confort *m* minimum

Standard Assessment Task *n* GB Sch test *m* d'aptitude scolaire

> **Standard Assessment Task, SAT**
>
> Tests d'évaluation que tous les élèves scolarisés en Angleterre et au pays de Galles passent à 7 ans, 11 ans et 14 ans. Ces examens sanctionnent leurs connaissances en fonction d'objectifs fixés par le programme national et permettent aux enseignants de suivre leur progrès.

standard: **~-bearer** *n* Mil, fig porte-drapeau *m*; **~-bred** *n* US Equit trotteur *m* américain; **~ cost** *n* Accts prix *m* standard; **~ deviation** *n* Stat écart-type *m*; **~ gauge** *n* Rail écartement *m* de voie normal (1,435 m); **~ gauge railway** *n* Rail voie *f* à écartement normal (1,435 m)

S

Standard Grades

Les Standard Grades en Écosse sont généralement suivis en troisième et quatrième année du secondaire, avec un examen à la fin de la quatrième année (à environ 16 ans). Les élèves prennent souvent sept ou huit matières dont les mathématiques et l'anglais. Il y a trois niveaux d'étude : *Credit*, *General*, et *Foundation*; les élèves passent normalement des examens à deux niveaux – *Credit* et *General*, ou *General* et *Foundation*. Ils se préparent ensuite pour les *Highers* et *Advanced Highers*.

standard-issue *adj* réglementaire

standardization /ˌstændədaɪˈzeɪʃn, US -dɪˈz-/ *n* normalisation *f*, standardisation *f*

standardize /ˈstændədaɪz/
A *vtr* normaliser, standardiser [*component, laws, procedures, spelling, size, tests*]
B standardized *pp adj* normalisé, standardisé

standard: **~ lamp** *n* GB lampadaire *m*; **~ normal distribution** *n* Stat loi *f* normale centrée réduite; **~ of living** *n* niveau *m* de vie; **~ time** *n* heure *f* légale

standby /ˈstændbaɪ/
A *n* **1** gen (for use in emergencies) (person) remplaçant/-e *m/f*; (food, ingredient) remplacement *m*; **to be on ~** [*army, emergency services*] être prêt à intervenir; (for airline ticket) être sur la liste d'attente, être en stand-by; **to be put on ~** [*army, emergency services*] être mis en état d'alerte; **2** Telecom veille *f*
B *modif* **1** (emergency) [*system, circuit, battery*] de secours; **2** Tourism [*ticket*] en stand-by; [*passenger*] sur la liste d'attente, en stand-by

standee /stænˈdiː/ *n* (spectator) spectateur/-trice *m/f* debout; (passenger) voyageur/-euse *m/f* debout

stand-in /ˈstændɪn/
A *n* gen remplaçant/-e *m/f*; Cin, Theat doublure *f*
B *adj* remplaçant

standing /ˈstændɪŋ/
A *n* **1** (reputation) réputation *f*, rang *m* (**among** parmi; **with** chez); **academic/professional ~** réputation *f* académique/professionnelle; **social ~** position *f* sociale; **financial ~** situation *f* financière; **of high** *ou* **considerable ~** très réputé; **2** (length of time) **of long ~** de longue date; **of ten years' ~** vieux/vieille de dix ans
B *adj* **1** (permanent) [*army, committee, force*] actif/-ive; **2** (continuing) [*rule, invitation*] permanent; **his absent-mindedness is a ~ joke among his friends** sa distraction est un constant sujet de plaisanterie pour ses amis; **it's a ~ joke that she always forgets her key** tout le monde sait qu'elle oublie toujours sa clé; **3** Sport (from standing position) [*jump*] sans élan; **to make a jump from a ~ start** sauter sans élan

standing: **~ charge** *n* frais *mpl* d'abonnement *m*; **~ order** *n* Fin virement *m* automatique; **~ ovation** *n* ovation *f* debout, standing ovation *f*; **~ room** *n* **¢** places *fpl* debout; **~ stone** *n* pierre *f* levée

stand-off /ˈstændɒf/ *n* **1** (stalemate) impasse *f*; **2** (counterbalancing of forces) contrepartie *f*; **3** Sport = **stand-off half**

stand: **~-off half** *n* Sport demi *m* d'ouverture; **~-offish**○ *adj* [*person, manner, attitude*] distant; **~-offishly**○ *adv* [*act, behave*] de manière distante; [*say, reply*] d'un ton distant; **~-offishness**○ *n* froideur *f*; **~-off missile** *n* Mil, Tech missile *m* tiré à distance de sécurité; **~pipe** *n* colonne *f* d'alimentation; **~point** *n* point *m* de vue

standstill /ˈstændstɪl/ *n* **1** (stop) (of traffic, production) arrêt *m*; (of economy, growth) point *m* mort; **to be at a ~** [*traffic*] être à l'arrêt; [*factory, port, rail services*] être au point mort; **to come to a ~** [*person, car*] s'arrêter; [*work, production*] être arrêté; [*negotiations, talks*] arriver à une impasse; **to bring sth to a ~** paralyser qch [*traffic, factory, service, city*]; **2** (on wages, taxes etc) gel *m*

standstill agreement *n* statu quo *m*

stand-to /ˈstændtuː/ *n* Mil alerte *f*

stand-up /ˈstændʌp/
A *n* (*also* **~ comedy**) one man show *m* comique
B *adj* **1** Theat, TV **~ comedian** comique *mf*; **2** (eaten standing) [*buffet, meal*] debout *inv*; **3** (aggressive) [*fight, argument*] en règle

stank /stæŋk/ *prét* ► **stink**

Stanley knife® /ˈstænlɪnaɪf/ *n* cutter *m*

stannic /ˈstænɪk/ *adj* stannique

stannous /ˈstænəs/ *adj* stanneux/-euse

stanza /ˈstænzə/ *n* strophe *f*

stapes /ˈsteɪpiːz/ *n* Anat (*pl* **~** *ou* **-pedes**) étrier *m*

staphylococcus /ˌstæfɪləˈkɒkəs/ *n* (*pl* **-cocci**) staphylocoque *m*

staple /ˈsteɪpl/
A *n* **1** (for paper) agrafe *f*; **2** Constr (U-shaped) clou *m* cavalier; **3** (basic food) aliment *m* de base; **4** Econ (crop) culture *f* principale; (product) principale fabrication *f*; (industry) industrie *f* de base; **5** fig (topic, theme) sujet *m* principal; **6** Tex (fibre) fibre *f*
B *adj* (*épith*) [*product, industry, food, diet*] de base; [*crop, meal*] principal
C *vtr* **1** gen (attach) agrafer (**to** à; **onto** sur); **to ~ sheets together** agrafer des feuilles; **2** Med **to have one's stomach ~d** se faire rétrécir l'estomac chirurgicalement

staple gun *n* agrafeuse *f*

stapler /ˈsteɪplə(r)/ *n* agrafeuse *f*

staple remover *n* otagraf® *m*

star /stɑː(r)/
A *n* **1** Astron, Astrol étoile *f*; **the ~s are out** les étoiles brillent; **to navigate by the ~s** naviguer aux étoiles; **born under a lucky ~** né sous une bonne étoile; **2** (person) vedette *f*, star *f*; **a ~ of stage and screen** une vedette de la scène et de l'écran; **a tennis/soccer ~** une vedette du tennis/du football; **to make sb a ~** faire une star de qn; **3** (asterisk) astérisque *m*; **4** (award) (to hotel, restaurant) étoile *f*; (to pupil) bon point *m*; **5** Mil (mark of rank) étoile *f*
B stars *npl* Astrol horoscope *m*; **what do the ~s foretell?** qu'est-ce que l'horoscope prédit?; **it's written in the ~s** c'est le destin
C *modif* [*billing, quality*] de vedette
D -star (*dans composés*) **1** Tourism **three-/four-~ hotel/restaurant** restaurant/hôtel (à) trois/quatre étoiles; **2** Mil **four-/five-~ general** général à quatre/cinq étoiles
E *vtr* (*p prés etc* **-rr-**) **1** [*film, play*] avoir [qn] pour vedette [*actor*]; **the play ~s Alan Bates and Maggie Smith as the uncle and aunt** la pièce a pour vedettes Alan Bates dans le rôle de l'oncle et Maggie Smith dans le rôle de la tante; **a comedy ~ring Lenny Henry** une comédie avec Lenny Henry en vedette; **2** (mark with star) (*gén au passif*) marquer [qch] d'un astérisque; **the ~red items/dishes are...** les articles/plats marqués d'un astérisque sont...; **3** (decorate) parsemer; **~red with** parsemé de [*flowers, dots*]
F *vi* (*p prés etc* **-rr-**) [*actor*] jouer le rôle principal (**in** dans); **Bela Lugosi ~s as Dracula** *ou* **in the role of Dracula** Bela Lugosi joue (le rôle de) Dracula; **Meryl Streep also ~s** Meryl Streep est également à l'affiche

(Idioms) **to reach for the ~s** vouloir décrocher la lune; **to see ~s** voir trente-six chandelles.
► **all-star**, **ill-starred**

star anise /ˌstɑːrəˈniːz/ *n* anis *m* étoilé

starboard /ˈstɑːbəd/
A *n* **1** Naut tribord *m*; **to turn to ~** virer sur la droite; **hard a-~!** la barre à droite toute!; **2** Aviat droite *f*; **to bank to ~** virer à droite
B *modif* [*engine, gun, wing*] tribord; **on the ~ side** à tribord

starch /stɑːtʃ/
A *n* **1** **¢** (carbohydrate) féculents *mpl*; **wheat ~** amidon *m* de blé; **potato ~** fécule *f* de pomme de terre; **corn ~** US fécule *f* de maïs; **2** (for clothes) amidon *m*; **to put ~ on sth** amidonner qch
B *vtr* amidonner, empeser
C starched *pp adj* [*sheet, collar*] amidonné, empesé

Star Chamber *n* **1** GB Hist Jur Chambre *f* étoilée (*conseil qui siégeait comme cour de justice, aboli en 1641*; **2** péj (*also* **star chamber**) cour *f* de justice arbitraire; **3** GB Pol *conseil des ministres réglant les différends en matière de dépenses gouvernementales*

star chart *n* carte *f* du ciel

starch-reduced *adj* [*product, food*] appauvri en féculents

starchy /ˈstɑːtʃɪ/ *adj* **1** [*food, diet*] riche en féculents; **2** [*substance*] amylacé; **3** ○péj [*person, tone*] guindé

star: **~ connection** *n* Elec montage *m* en étoile; **~-crossed** *adj* littér maudit

stardom /ˈstɑːdəm/ *n* vedettariat *m*, célébrité *f*; **to rise to ~** devenir une vedette

stardust /ˈstɑːdʌst/ *n* fig sensation *f* de rêve

stare /steə(r)/
A *n* regard *m* fixe; **an insolent/a hard ~** un regard insolent/sévère; **she gave me a ~** son regard s'est posé *or* ses yeux se sont posés sur moi
B *vtr* **to ~ sb into silence/submission** faire taire/obéir qn du regard; **the truth/solution was staring us in the face** fig la vérité/solution nous crevait les yeux○; **the book I'd been looking for was there all the time, staring me in the face** le livre que je cherchais n'avait pas bougé, il était là juste sous mes yeux; **disaster was staring me in the face** j'étais au bord de la catastrophe
C *vi* regarder fixement; **to ~ at sb** dévisager qn, regarder qn fixement; **to ~ at sth** regarder qch fixement; **to ~ at sb in surprise/disbelief** regarder qn d'un air surpris/incrédule; **to ~ into space** regarder dans le vide; **to ~ straight ahead** regarder droit devant soi; **to ~ up at sb/sth** lever les yeux pour regarder qn/qch; **to ~ down at sb/sth** baisser les yeux sur qn/qch; **to ~ back at sb** rendre son regard à qn; **to stop and ~** s'arrêter pour regarder; **what are you staring at?** qu'est-ce que tu regardes comme ça?; **to ~ out of the window** regarder par la fenêtre

(Phrasal verbs) ■ **stare down** = **stare out**
■ **stare out**: ► **~ [sb] out, ~ out [sb]** faire baisser les yeux à [*enemy, rival*]

star: **~fish** *n* étoile *f* de mer; **~flower** *n* ornithogale *m*; **~ fruit** *n* carambole *f*

stargazer /ˈstɑːgeɪzə(r)/ *n* **1** (astrologer) astrologue *mf*; **2** (astronomer) astronome *mf*

staring /ˈsteərɪŋ/ *adj* [*eyes*] fixe; [*people, crowd*] curieux/-ieuse; **to look at sb with ~ eyes** regarder qn fixement

stark /stɑːk/ *adj* **1** (bare) [*landscape, building, appearance*] désolé; [*room, decor*] nu; [*lighting*] cru; [*beauty*] âpre; **2** (unadorned) [*statement, fact*] brut; [*warning, reminder*] sévère; **a ~ choice** un dilemme; **the ~ reality** la réalité pure et simple; **3** (total) [*contrast*] saisissant; **~ terror** terreur *f* folle; **in ~ contrast to** en opposition totale avec

(Idioms) **to be ~ naked** être complètement nu; **~ raving mad**○, **~ staring mad**○ GB complètement dingue○ *or* cinglé○

starkers○ /ˈstɑːkəz/ *adj* GB hum à poil○, nu comme un ver

starkly /ˈstɑːklɪ/ *adv* **1** (bluntly) [*simple, clear, demonstrated*] carrément; **to contrast ~ with** former un contraste saisissant avec; **2** (barely) [*decorated*] de manière dépouillée; [*lit*] de manière crue

starkness /ˈstɑːknɪs/ *n* (of landscape) aspect *m* désolé; (of decor, room) nudité *f*

starless /ˈstɑːlɪs/ *adj* sans étoiles

S

starlet /ˈstɑːlɪt/ *n* starlette *f*

starlight /ˈstɑːlaɪt/ *n* lumière *f* des étoiles

starling /ˈstɑːlɪŋ/ *n* étourneau *m*

star: **~lit** *adj* [*night*] étoilé; **~-of-Bethlehem** *n* Bot (*also* **starflower**) étoile *f* de Bethléem, ornithogale *m*; **Star of Bethlehem** *n* Relig étoile *f* des rois mages; **Star of David** *n* Étoile *f* de David

starry /ˈstɑːrɪ/ *adj* 1 (with stars) [*night, sky*] étoilé; 2 (shining) [*eyes*] brillant; 3 (in shape of star) [*flower, leaf, design*] en forme d'étoile; 4 [*cast, occasion*] rassemblant des stars

starry-eyed *adj* [*person*] qui s'émerveille de tout; **~ about sb/sth** ébloui par qn/qch; **with ~ affection** avec une affection débordante

Stars and Bars *n* US (+ *v sg*) *drapeau des sept États confédérés durant la guerre de Sécession*

Stars and Stripes *n* (+ *v sg*) bannière *f* étoilée

> **The Stars and Stripes**
>
> On appelle ainsi le drapeau américain en raison des 50 étoiles (les 50 États) et des 13 rayures (les 13 colonies qui luttèrent pour l'indépendance) qui le composent. Le drapeau est aussi surnommé *Old Glory* ou *the Star-spangled Banner*.
>
> ▸ **Thirteen Colonies**

star: **~ shell** *n* fusée *f* éclairante; **~ sign** *n* signe *m* astrologique

Star-spangled Banner *n* bannière *f* étoilée

> **The Star-spangled Banner**
>
> L'un des noms du drapeau américain. C'est aussi le titre de l'hymne national américain qui affirme la volonté d'indépendance et de liberté des États-Unis :
>
> *And the Star-spangled banner in triumph shall wave*
> *O'er the land of the free and the home of the brave.*

starstruck /ˈstɑːstrʌk/ *adj* impressionné par la célébrité

star-studded *adj* [*cast, line-up*] avec de nombreuses vedettes

star system *n* 1 Astron système *m* stellaire; 2 (in films) star-system *m*

start /stɑːt/

A *n* 1 (beginning) début *m*; **at the ~ of the war/season** au début de la guerre/saison; **(right) from the start** dès le début; **it would be a ~** ce serait déjà un début; **to make a ~ on doing** se mettre à faire; **to make a ~ on the gardening/one's homework/the dinner** aller faire le jardinage/faire ses devoirs/préparer le dîner; **to make an early ~** (on journey) partir tôt; (on work) commencer tôt; **that's a good ~** lit c'est un bon début; iron ça commence bien; **it was a bad ~ to the day** la journée commençait mal; **to make a fresh** *ou* **new ~** prendre un nouveau départ; **from ~ to finish** d'un bout à l'autre; **for a ~** pour commencer; **the ~ of a new school year** la rentrée scolaire; **the 'Start' button** le bouton 'Marche'

2 Sport, gen (advantage) avantage *m*; (in time, distance) avance *f*; **you have a 20 metre/five minute ~** vous bénéficiez d'une avance de 20 mètres/de cinq minutes d'avance; **to give sb a ~ in business** aider qn à démarrer dans les affaires

3 Sport (departure line) ligne *f* de départ; **lined up at the ~** sur la ligne de départ

4 (movement) (of surprise, fear) **to give a ~ of surprise** sursauter; **to give sb a ~** faire sursauter qn; **with a ~** en sursaut

B *vtr* 1 (begin) commencer [*day, exercise, activity*]; entamer [*bottle, packet*]; **to ~ doing** *ou* **to do** commencer à faire, se mettre à faire; **he's just ~ed a new job** il vient juste de changer de travail; **the butterfly ~s life as a caterpillar** le papillon est d'abord une chenille; **to ~ a new page** prendre une nouvelle page; **don't ~ that again!** ne recommence pas!

2 (put to work) mettre [qn] au travail [*person*]; **to ~ sb on, to get sb ~ed on** mettre qn à [*typing, cleaning etc*]

3 (cause, initiate) déclencher [*quarrel, war*]; instaurer [*custom*]; mettre [*fire*]; être à l'origine de [*trouble, rumour*]; lancer [*fashion, enterprise*]; **to ~ a family** avoir des enfants

4 Mech (activate) faire démarrer [*car*]; mettre [qch] en marche [*machine*]

5 Tech (cause to loosen) faire jouer [*rivet, screw*]

6 Hunt lever [*game*]; **to ~ a hare** lit, fig lever un lièvre

C **to start with** *adv phr* 1 (firstly) d'abord, premièrement

2 (at first) au début; **I didn't understand to ~ with** au début je n'ai pas compris

3 (at all) **I should never have told her to ~ with** pour commencer, je n'aurais jamais dû lui en parler

D *vi* 1 (begin) gen commencer; (in job) débuter (**as** comme); **to ~ at 8 o'clock/with the living room** commencer à huit heures/avec le salon; **to ~ again** *ou* **afresh** recommencer; **to ~ with smoked salmon** commencer par du saumon fumé; **it all ~ed when...** tout a commencé quand...; **prices ~ at around 50 dollars** les prix commencent autour de 50 dollars; **she ~ed up the stairs/down the corridor** elle s'est mise à monter l'escalier/longer le couloir; **to ~ by doing** commencer par faire; **to ~ on** commencer [*memoirs, journey*]; **to ~ on a high salary** commencer avec un salaire élevé; **let's get ~ed** (on work) allez, on commence; (on journey) allez, on y va; **let's get ~ed on the washing-up** allez! on fait la vaisselle; **he got ~ed in the clothes trade** il a débuté dans la vente de vêtements; **don't ~ on me** (in argument) ne recommence pas avec moi; **the day will ~ cloudy** il fera nuageux en début de journée; **~ing Wednesday...** à compter de mercredi...

2 (depart) partir; **to ~ in good time** partir de bonne heure

3 (jump nervously) sursauter (**in** de); **she ~ed at the sudden noise** le bruit soudain l'a fait sursauter

4 (bulge) **her eyes almost ~ed out of her head** les yeux lui sont presque sortis de la tête

5 Aut, Mech (be activated) [*car, engine, machine*] démarrer

6 Tech (work loose) jouer

(Idioms) **~ as you mean to go on** prenez tout de suite les choses en main; **the ~ of something big** un début prometteur; **to ~ something**° semer la zizanie°

(Phrasal verbs) ■ **start back** 1 (begin to return) prendre le chemin du retour; 2 (step back) faire un bond en arrière

■ **start off**: ▸ **~ off** 1 (set off) [*train, bus*] démarrer; [*person*] partir; 2 (begin) [*person*] commencer (**by doing** par faire; **with** par); [*matter, business, employee*] débuter (**as** comme; **in** dans); **he ~ed off thinking he could convince them** à l'origine il croyait pouvoir les convaincre; ▸ **~ off for** se mettre en route pour [*place*]; ▸ **~ [sb/sth] off, ~ off [sb/sth]** 1 (begin) commencer [*visit, talk*] (**with** par); mettre [qch] en route [*programme*]; 2 °GB (cause to do) **don't ~ her off laughing/crying** ne la fais pas rire/pleurer; **don't let anybody ~ you (off) smoking** ne laisse personne t'entraîner à fumer; **don't ~ him off** ne le provoque pas; 3 (put to work) mettre [qn] au travail [*worker*]; mettre [qch] en marche [*machine*]; **~ them off in the factory** mettez-les au travail à l'usine; **we'll ~ you off on simple equations** on va commencer avec les équations simples; 4 Sport faire partir [*competitors*]

■ **start out** 1 (set off) (on journey) partir; **he ~ed out with the aim of...** fig il avait d'abord pour but de...; 2 (begin) [*matter, business, employee*] débuter (**as** comme; **in** dans)

■ **start over** recommencer (à zéro)

■ **start up**: ▸ **~ up** [*engine*] démarrer; [*noise*] retentir; [*person*] débuter; **he's ~ed up on his own** il a débuté tout seul; ▸ **~ [sth] up, ~ up [sth]** faire démarrer [*car*]; ouvrir [*shop*]; créer [*business*]

start button *n* Comput bouton *m* démarrer

starter /ˈstɑːtə(r)/ *n* 1 Sport (participant) partant/-e *m/f*; **to be a fast ~** être rapide au départ; 2 Sport (official) starter *m*; **to be under ~'s orders** [*horse*] être sous les ordres du starter; [*competitor*] être aux ordres du starter; 3 Aut, Tech démarreur *m*; 4 Culin hors d'œuvre *m inv*; 5 (in quiz) première question *f*

(Idiom) **for ~s**° pour commencer

starter home *n* petite maison *f* (pour acheteurs débutants)

start: **~ing block** *n* Sport bloc *m* de départ, starting-block *m*; **~ing gate** *n* Sport starting-gate *m*; **~ing grid** *n* (in motor racing) grille *f* de départ; **~ing handle** *n* Aut manivelle *f* (de démarrage); **~ing line** *n* Sport ligne *f* de départ; **~ing pistol** *n* Sport pistolet *m* de starter; **~ing point** *n* point *m* de départ; **~ing price** *n* Turf cote *f* au départ; **~ing salary** *n* salaire *m* de départ

startle /ˈstɑːtl/ *vtr* 1 (take aback) [*reaction, tone, event, discovery*] surprendre; 2 (alarm) [*sight, sound, person*] effrayer; **you ~d me!** tu m'as fait sursauter!

startled /ˈstɑːtld/ *adj* 1 (taken aback) surpris (**at** de; **to do** de faire); 2 (alarmed) [*person, animal, voice, expression*] effrayé; **a ~ cry** un cri d'effroi

startling /ˈstɑːtlɪŋ/ *adj* [*resemblance, contrast*] saisissant; **a ~ white** un blanc éclatant

startlingly /ˈstɑːtlɪŋlɪ/ *adv* [*different*] étonnamment; **to be ~ beautiful** être d'une beauté saisissante; **to be ~ similar** se ressembler d'une manière saisissante

start-up /ˈstɑːtʌp/ *n* Comm, Econ jeune pousse *f*, start-up *f*

start: **~-up costs** *npl* Comm frais *mpl* de mise en route; **Start-Up scheme** *n* GB *programme gouvernemental d'aide à la création de petites entreprises*

star turn *n* 1 (act) clou *m* fig; 2 (person) vedette *f*

starvation /ˌstɑːˈveɪʃn/

A *n* famine *f*; **to face ~** être menacé de famine; **to die of ~** mourir de faim

B *modif* [*rations*] de survie; [*wages*] de misère

starvation diet *n* **to go on a ~** suivre un régime draconien; **the soldiers were on a ~** les soldats n'avaient presque rien à manger

starve /stɑːv/

A *vtr* 1 (deliberately) priver [qn] de nourriture [*population, prisoners*]; **it's pointless starving yourself** ça ne sert à rien de ne pas t'alimenter; **to ~ oneself/sb to death** se laisser mourir/laisser qn mourir de faim; **to ~ sb into doing** affamer qn pour l'obliger à faire; **to ~ a city into submission** faire la siège d'une ville en affamant la population; 2 (deprive) **to ~ sb/sth of** priver qn/qch de [*investment, cash, oxygen, light, affection*]; **to be ~d for** être en mal de [*choice, company, conversation*]

B *vi* Med (be malnourished) être gravement sous-alimenté, souffrir de malnutrition; **to ~ (to death)** mourir de faim; **to let sb ~** laisser qn mourir de faim

(Phrasal verb) ■ **starve out**: ▸ **~ [sb] out, ~ out [sb]** affamer [*enemy, inhabitants*]

starveling /ˈstɑːvlɪŋ/ *n* littér (person) affamé/-e *m/f*; (animal) animal *m* affamé

starving /ˈstɑːvɪŋ/ *adj* 1 °(hungry) **to be ~** mourir *or* crever° de faim; **I'm ~!** je suis

ℹ US states

■ *In some cases, there is a French form of the name, but not always (if in doubt, check in the dictionary). Each state has a gender in French and is used with the definite article, except after the preposition* en, *e.g.:*

Arkansas
= l'Arkansas *m*

California
= la Californie

Texas
= le Texas

So:

Arkansas is beautiful
= l'Arkansas est beau

I like California
= j'aime la Californie

do you know Texas?
= connaissez-vous le Texas?

In, to and from somewhere

■ *For* in *and* to, *use* en *for feminine states and for masculine ones beginning with a vowel, e.g.:*

in Alaska
= en Alaska

to Alaska
= en Alaska

in California
= en Californie

to California
= en Californie

■ *For* in *and* to, *use* au *for masculine states beginning with a consonant, e.g.:*

in Texas
= au Texas

to Texas
= au Texas

■ *For* from *use* de *for feminine states and for masculine ones beginning with a vowel, e.g.:*

from California
= de Californie

from Alaska
= d'Alaska

■ *For* from *use* du *for masculine states beginning with a consonant, e.g.:*

from Texas
= du Texas

Coming from somewhere: Uses with another noun

■ *There are a few words e.g.* californien, new-yorkais, texan *used as adjectives and as nouns (with a capital letter) referring to the inhabitants. In other cases it is usually safe to use* de *for feminine states, and to use* de l' *or* du *for masculine states, e.g.:*

the Florida countryside
= les paysages de Floride

Illinois representatives
= les représentants de l'Illinois

but

a Louisiana accent
= l'accent de la Louisiane

New-Mexico roads
= les routes du Nouveau-Mexique

mort de faim○!, j'ai l'estomac dans les talons○!; **2▸** (hunger-stricken) [*person, animal*] affamé; **the ~ people of the Third World** les affamés du tiers-monde

Star Wars, star wars○ *n* US Mil (+ *v sg*) guerre *f* des étoiles

stash○ /stæʃ/

A *n* **1▸** (hiding place) cachette *f*, planque○ *f*; **2▸** (hidden supply) provision *f*

B *vtr* planquer○ [*money, drugs*] (**in** dans; **under** sous)

(Phrasal verb) ■ **stash away**○: ▸ **~ [sth] away, ~ away [sth]** mettre [qch] de côté, planquer○ [*money, drugs*]; **to have money ~ed away** avoir de l'argent mis de côté

stasis /ˈsteɪsɪs, ˈstæsɪs/ *n* **1▸** (stagnation) stagnation *f*; **2▸** (*pl* **-es**) Med stase *f*

state /steɪt/

A *n* **1▸** (condition) état *m*; **~ of health/mind** état de santé/d'esprit; **look at the ~ of the kitchen!** regarde un peu l'état de la cuisine!; **what ~ is the car in?** dans quel état est la voiture?; **she left the house in a terrible ~** (untidy, dirty) elle a laissé la maison dans un état épouvantable; **the present ~ of affairs** l'état actuel des choses; **my financial ~** ma situation financière; **a shocking/odd ~ of affairs** une situation scandaleuse/très étrange; **to be in a good/bad ~** être en bon/mauvais état; **in a good/bad ~ of repair** bien/mal entretenu; **in a poor ~ of health** en mauvaise santé; **he's in a confused ~ of mind** il ne sait plus où il en est; **to be in no ~ to do** ne pas être en état de faire; **he's not in a fit ~ to drive** il n'est pas en état de conduire; **in a liquid/solid ~** à l'état liquide/solide; **a ~ of alert/emergency/siege/war** un état d'alerte/d'urgence/de siège/de guerre; **a ~ of chaos/crisis/shock** un état chaotique/de crise/de choc; **to be in a ~ of despair** être au désespoir; **what's the ~ of play?** gen où en êtes-vous?; (in match) où en est le match?; (in negotiations) où en sont les négociations?

2▸ Pol (nation) (*also* **State**) État *m*; **the State of Israel** l'État d'Israël; **the Baltic States** les États baltes; **to be a ~ within a ~** former un État dans l'État

3▸ Admin, Geog (region, area) État *m*; **the ~ of Kansas** l'État du Kansas, le Kansas

4▸ Pol (government) État *m*; **the State** l'État; **matters** *ou* **affairs of ~** les affaires de l'État; **Church and State** l'Église et l'État

5▸ (ceremonial) pompe *f*; **in ~** en grande pompe, en grand apparat; **to live in ~** mener grand train; **she will lie in ~** sa dépouille sera exposée au public; **robes of ~** tenue *f* d'apparat

6▸ ‡(social class) rang *m*

B **States** *npl* **the States** les États-Unis *mpl*; **to go to the States** aller aux États-Unis; **to live in the States** vivre aux États-Unis

C *modif* **1▸** (government) [*school, sector*] public/-ique; [*enterprise, pension, radio, TV, university, railways, secret*] d'État; [*budget, spending, subsidy*] de l'État; [*army, tax*] national; **~ aid** aide *f* de l'État *or* étatique; **~ election** (at a national level) élection *f* nationale; US élection *f* au niveau d'un État

2▸ (ceremonial) [*coach, occasion, opening*] d'apparat; [*banquet*] de gala; [*funeral*] national; [*visit*] officiel/-ielle; **to go on a ~ visit to Tokyo** se rendre en visite officielle à Tokyo

D *vtr* **1▸** (express, say) exposer [*fact , opinion, position, truth, view*]; (provide information) indiquer [*age, income*]; **to ~ that** [*person*] déclarer que; **'I have no intention of resigning' he ~d** 'je n'ai pas l'intention de démissionner' a-t-il déclaré; **applicants must ~ where they live** les candidats doivent indiquer où ils habitent; **the document ~s clearly the conditions necessary for acceptance** le document présente *or* indique clairement les conditions requises pour l'acceptation; **to ~ the obvious** énoncer une évidence; **to ~ one's case** gen exposer son cas; Jur présenter son dossier; **as ~d above/below** comme mentionné ci-dessus/ci-dessous

2▸ (specify) spécifier [*amount, conditions, place, time, terms*]; exprimer [*preference*]; **the ~d time/amount ~d** l'heure/la somme spécifiée; **at ~d times/intervals** à dates/intervalles fixes; **on ~d days** à jours fixes

(Idiom) **to be in/get oneself into a ~** être/se mettre dans tous ses états

state: ~ bank *n* US banque *f* d'État; **State capital** *n* US capitale *f* d'État; **~ capitalism** *n* capitalisme *m* d'État; **State Capitol** *n* US Pol assemblée *f* législative d'État; **State Certified Midwife, SCM** ▸ p. 1683 *n* sage-femme *f* diplômée

state control *n* étatisation *f* (**of** de); **to bring sth under ~** étatiser qch

state: ~-controlled *adj* contrôlé par l'État; **~craft** *n* capacité *f* à gérer les affaires publiques; **State Department** *n* US, Pol ministère *m* américain des affaires étrangères; **State Enrolled Nurse, SEN** ▸ p. 1683 *n* GB Med ≈ infirmier/-ière *m/f* diplômé/-e d'État; **~-funded** *adj* subventionné par l'État

statehood /ˈsteɪthʊd/ *n* **our aim is ~** notre objectif est de devenir un État; **to achieve ~** devenir un État

State house *n* US (for legislature) siège *m* du Parlement; (for public events) édifice *m* public

stateless /ˈsteɪtlɪs/ *adj* apatride; **~ persons** les apatrides

statelessness /ˈsteɪtlɪsnɪs/ *n* condition *f* d'apatride

Stateline /ˈsteɪtlaɪn/ *n* US frontière *f* (entre États)

stateliness /ˈsteɪtlɪnɪs/ *n* aspect *m* imposant

stately /ˈsteɪtlɪ/ *adj* imposant

stately home *n* GB demeure *f* ancestrale, château *m*

statement /ˈsteɪtmənt/ *n* **1▸** (expression of view) déclaration *f* (**by** de; **on, about** à propos de; **to** à; **of** de); **official ~** communiqué *m* officiel; **~ of belief** profession *f* de foi; **~ of intent/principle** déclaration d'intention/de principe; **~ of fact** exposé *m* des faits; **to make/issue a ~** faire/publier une déclaration; **to release a ~** faire une déclaration; **the Minister's ~ said...** dans son communiqué le Ministre a fait savoir que...; **in a ~ the Minister said...** dans un communiqué *or* une déclaration le Ministre a fait savoir...; **2▸** Fin (of bank account) relevé *m* de compte; **a financial ~** un état de la situation financière; **3▸** Jur déclaration *f*; **to make a false ~** faire une fausse déclaration; **to take a ~** [*police officer*] prendre une déclaration

statement of claim *n* GB Jur exposé *m* détaillé du demandeur

state of the art *adj* [*equipment, tool, device, laboratory*] ultramoderne; [*technology*] de pointe

State of the Union Address *n* US Pol discours *m* annuel du Président des États-Unis

State of the Union Address

La Constitution stipule que le président des États-Unis doit prononcer un discours sur l'état de l'Union tous les ans devant le Congrès, au mois de janvier. Il y fait le bilan de la politique de l'année écoulée et annonce les intentions du gouvernement pour l'année à venir.

State Opening of Parliament *n* GB *cérémonie d'ouverture de la session parlementaire*

> **State Opening of Parliament**
>
> Événement solennel qui marque l'ouverture officielle par le souverain de la session parlementaire britannique. Cette cérémonie a lieu tous les ans, en octobre ou novembre, ou après un changement de gouvernement. Le monarque se rend au Palais de Westminster où il prononce un discours qui annonce le programme du gouvernement (*Queen's/King's Speech*). Son discours est écrit par le Premier ministre. ▸ **Parliament**

state: **~-owned** *adj* [*company*] étatique; **State police** *n* US police *f* d'État; **~ prison** *n* US prison *f* d'État (*pour les peines de longue durée*); **State Registered Nurse, SRN** ▸ p. 1683 *n* GB Med ≈ infirmier/-ière *m/f* diplômé/-e d'État; **State representative** *n* député/-e *m/f* d'État; **~room** *n* Naut cabine *f* particulière; **~ room** *n* salle *f* de réceptions officielles; **~-run** *adj* [*newspaper, radio, television*] contrôlé par l'État; [*company, factory*] géré par l'État; **State's attorney** *n* US Jur avocat/-e *m/f* représentant l'État; **State senator** *n* US Pol sénateur/-trice *m/f* d'État

State's evidence *n* US Jur **to turn ~** dénoncer ses complices

States General *npl* **1** Pol Parlement *m* des Pays-Bas; **2** Hist États *mpl* généraux

stateside /ˈsteɪtsaɪd/
A *adj* des États-Unis
B *adv* aux États-Unis

statesman /ˈsteɪtsmən/ *n* (*pl* **-men**) homme *m* d'État

statesmanlike /ˈsteɪtsmənlaɪk/ *adj* digne d'un homme d'État

statesmanship /ˈsteɪtsmənʃɪp/ *n* ¢ qualités *fpl* d'homme d'État

state: **~ socialism** *n* socialisme *m* d'État; **~-sponsored terrorism** *n* terrorisme *m* d'État; **~ trooper** *n* US policier *m* d'État; **State university** *n* US université *f* d'État; **~wide** *adj, adv* US dans tout l'État

static /ˈstætɪk/
A *n* **1** (*also* **~ electricity**) électricité *f* statique; **2** Radio, TV (interference) (bruit *m* de) friture *f*, parasites *mpl*; **3** ○US ¢ (trouble) embêtements *mpl*
B *adj* **1** (stationary) [*scene, actor, display*] statique; [*image*] fixe; [*traffic*] bloqué; **2** (unchanging) [*society, way of life, values*] immuable; [*style, ideas*] statique; **3** (stable) [*population, prices, demand*] stationnaire; **4** Phys [*force, pressure*] statique; **5** Comput [*memory*] statique; [*data*] fixe

statics /ˈstætɪks/ *n* (+ *v sg*) statique *f*

station /ˈsteɪʃn/
A *n* **1** Rail gare *f*; **in** *ou* **at the ~** à la gare; **the train came into the ~** le train est entré en gare; **2** Radio, TV (service) Radio station *f* de radio; TV station *f* de télévision; (frequency) station *f*; **jazz ~** station *f* de jazz; **local/national radio ~** radio *f* locale/nationale; **television ~, TV ~** station *f* de télévision; **3** Mil, Naut (base) base *f*; **air ~** base *f* aérienne; **naval/RAF ~** base *f* navale/de la RAF; **4** Mil, Naut, gen (post) poste *m*; **at one's ~** à son poste; **5** (*also* **police ~**) commissariat *m*; (small) poste *m* de police; **6** Agric élevage *m*; **cattle/sheep ~** élevage *m* bovin/de moutons; **7** †(rank) condition *f*; **one's ~ in life** sa condition dans la société; **to get ideas above one's ~** ne pas avoir les moyens de ses ambitions; **8** Relig **the Stations of the Cross** les Stations *fpl* de la croix; **to do the Stations of the Cross** faire le chemin de la croix
B *modif* [*facilities, hotel, platform, staff*] de la gare
C *vtr* gen, Mil poster [*officer, guard, steward*]; stationner [*troops*]; déployer [*ship, tank*]; **to be ~ed in Germany/at Essen** être en garnison en Allemagne/à Essen
D *v refl* **to ~ oneself** se poster

stationary /ˈsteɪʃənrɪ, US -nerɪ/ *adj* **1** gen [*queue, vehicule*] à l'arrêt; [*traffic*] bloqué; [*prices*] stable; **2** Meteorol [*front*] stationnaire

station break *n* US Radio, TV pubs○ *fpl*; **'we're going to take a ~'** 'et tout de suite quelques pages de publicité'

stationer /ˈsteɪʃnə(r)/ ▸ p. 1683 *n* **1** (person) papetier/-ière *m/f*; **2** (*also* **~'s**) (shop) papeterie *f*

stationery /ˈsteɪʃnərɪ, US -nerɪ/
A *n* **1** (writing materials) papeterie *f*; (for office) fournitures *fpl* (de bureau); **2** (writing paper) papier *m* à lettres
B *modif* [*cupboard*] à fournitures; [*department*] des fournitures

stationery shop GB, **stationery store** US ▸ p. 1683 *n* papeterie *f*

station: **~master** ▸ p. 1683 *n* chef *m* de gare; **~ wagon** *n* US break *m*

statistic /stəˈtɪstɪk/ *n* statistique *f*; **official** *ou* **government ~s** statistiques officielles; **unemployment ~s** chiffres *mpl* du chômage; **the ~s on** les statistiques de [*prices, crime*]; **~s show that...** d'après les statistiques,...

statistical /stəˈtɪstɪkl/ *adj* statistique

statistically /stəˈtɪstɪklɪ/ *adv* [*reliable, representative, random*] statistiquement

statistician /ˌstætɪˈstɪʃn/ ▸ p. 1683 *n* statisticien/-ienne *m/f*

statistics /stəˈtɪstɪks/ *n* **1** (subject) (+ *v sg*) statistique *f*; **2** (facts) (+ *v pl*) statistiques *fpl*

stative /ˈsteɪtɪv/ *adj* Ling [*verb*] d'état

stats○ /stæts/ *npl* = **statistics**

statuary /ˈstætʃʊərɪ/ *n* **1** ¢ (collection) statues *fpl*; **2** (art) statuaire *f*

statue /ˈstætʃuː/ *n* statue *f*

statuesque /ˌstætʃʊˈesk/ *adj* sculptural

statuette /ˌstætʃʊˈet/ *n* statuette *f*

stature /ˈstætʃə(r)/ *n* **1** (height) stature *f*, taille *f*; **small/tall of** *ou* **in ~** de petite/grande taille *or* stature; **2** (status) stature *f*, envergure *f*; **his/her ~ as sth** sa réputation de qch; **to give sb ~** donner de l'envergure à qn; **intellectual ~** stature intellectuelle

status /ˈsteɪtəs/ *n* (*pl* **-uses**) **1** (position) position *f*; **cult ~** qualité *f* de personnage culte; **social ~** position *f* sociale; **her (official) ~ as manager** sa position (officielle) de manager; **2** ¢ (prestige) prestige *m*; **to have ~** avoir du prestige; **3** Admin, Jur statut *m* (**as** de); **to be given equal ~** bénéficier du même statut; **charitable ~** statut d'œuvre charitable; **employment ~** situation *f* professionnelle; **financial ~** état *m* financier; **legal ~** statut légal; **professional ~** statut professionnel; **refugee ~** statut de réfugié

status: **~ bar** *n* Comput barre *f* d'état; **~ inquiry** *n* Fin enquête *f* sur la situation financière; **~ meeting** *n* réunion *f* de bilan; **~ quo** *n* statu quo *m*; **~ symbol** *n* signe *m* de prestige

statute /ˈstætʃuːt/ *n* **1** Jur, Pol texte *m* de loi; **by ~** par la loi; **2** Admin règlement *m* (interne); **the University ~s** les statuts *mpl* de l'université

statute book *n* lois *fpl* en vigueur; **to be on the ~** être en vigueur; **to reach the ~** devenir texte de loi, entrer en vigueur

statute: **~ law** *n* législation *f*; **~ of limitations** *n* Jur ≈ prescription *f*

statutory /ˈstatʃʊtərɪ, US -tɔːrɪ/ *adj* [*duty, powers, requirements, sick pay*] légal; [*authority, agency, body*] officiel/-ielle; **~ offence** GB, **~ offense** US infraction *f* à la loi

statutory: **~ instrument** *n* instrument *m* législatif; **~ rape** *n* US détournement *m* de mineure

staunch /stɔːntʃ/
A *adj* [*supporter, ally, defence*] loyal; [*defender*] ardent
B *vtr* **staunch, stanch** US /stɔːntʃ, stɔːntʃ/ **1** lit étancher [*wound, flow, bleeding*]; **2** fig arrêter [*decline*]

staunchly /ˈstɔːntʃlɪ/ *adv* [*defend, oppose*] fermement; [*Catholic, Communist*] résolument

stave /steɪv/ *n* **1** Mus (staff) portée *f*; **2** (of barrel) douve *f*; **3** (stick) bâton *m*; **4** (stanza) strophe *f*

Phrasal verbs ■ **stave in** (*prét, pp* **staved** *ou* **stove**): ▸ **~ in [sth], ~ [sth] in** défoncer
■ **stave off** (*prét, pp* **staved**): ▸ **~ off [sth]** tromper [*hunger, thirst, fatigue*]; empêcher [*bankruptcy, defeat, crisis*]; écarter [*attack, threat*]

staves /steɪvz/ *pl* ▸ **staff A 1, 5**

stay /steɪ/
A *n* **1** (visit, period) séjour *m*; **a ~ in hospital** un séjour à l'hôpital; **a two-week ~** un séjour de deux semaines; **to have an overnight ~ in Athens** passer la nuit à Athènes; **the bad weather ruined our ~** le mauvais temps a gâché notre séjour; **'enjoy your ~!'** 'bon séjour!'
2 Naut hauban *m*
3 Jur sursis *m*; **~ of execution** (of death penalty) sursis (à l'exécution de la peine capitale); (of other sentence) sursis *m*; fig (delay, reprieve) répit *m*
B **stays** *npl* corset *m*
C *vtr* **1** Jur surseoir à [*proceedings*]
2 Turf [*horse*] tenir [*distance*]
D *vi* **1** (remain) rester; **~ a few days** restez quelques jours; **to ~ for lunch** rester (à) déjeuner; **to ~ in bed/at home** rester au lit/à la maison; **to ~ calm/faithful** rester calme/fidèle; **I'm not ~ing another minute** je ne resterai pas une minute de plus; **to ~ in Britain** rester en Grande-Bretagne; **to ~ in teaching** rester dans l'enseignement; **to ~ in nursing** continuer comme infirmier/-ière; **to ~ in farming** continuer à travailler dans l'agriculture; **to ~ in business** (not go under) rester à flot; **to ~ put** ne pas bouger; **'~ tuned!'** (on radio) 'restez avec nous!'; **computers are here to ~** les ordinateurs font maintenant partie de la vie
2 (have accommodation) loger; **where are you ~ing?** où loges-tu?; **to ~ in a hotel/at a friend's house/with Gill** loger à l'hôtel/chez un ami/chez Gill
3 (spend the night) passer la nuit; **it's very late, why don't you ~?** il est très tard, tu pourrais passer la nuit ici; **I had to ~ in a hotel** j'ai dû passer la nuit à l'hôtel; **to ~ overnight in Philadelphia** passer la nuit à Philadelphie
4 (visit for unspecified time) **to come to ~** (for a few days) venir passer quelques jours (**with** chez); (for a few weeks) venir passer quelques semaines (**with** chez); **do you like having people to ~?** tu aimes avoir des gens chez toi?
5 Scot (live) habiter

Phrasal verbs ■ **stay away** **1** (not come) ne plus venir; **when hotels are too dear, tourists ~ away** quand les hôtels sont trop chers, les touristes ne viennent plus; **go away and ~ away!** va-t-en et ne reviens plus!; **to ~ away from** éviter [*town centre, house*]; ne pas s'approcher de [*cliff edge, window, strangers*]; **~ away from my sister/husband!** laisse ma sœur/mon mari tranquille!; **2** (not attend) **to ~ away from school/work** s'absenter de l'école/de son travail
■ **stay behind** rester; **she ~ed behind after the concert** elle est restée à la fin du concert
■ **stay in** **1** (not go out) rester à la maison, ne pas sortir; **2** (remain in cavity) [*hook, nail*] tenir
■ **stay on** **1** GB Sch rester à l'école; **2** (not leave) rester; **3** (continue in post) rester; **to ~ on as** garder son poste de [*chief accountant, head chef*]; **4** (not fall off) [*handle, label*] tenir
■ **stay out** **1** (remain away) **to ~ out late/all night** rentrer tard/ne pas rentrer de la nuit; **to ~ out of** ne pas entrer dans [*room, house*]; **to ~ out of sight** rester caché; **to ~ out of trouble** éviter les ennuis; **to ~ out of sb's**

way éviter qn; ~ out of this! ne t'en mêle pas!; 2 (continue strike) continuer la grève
■ **stay over** rester
■ **stay up** 1 (as treat, waiting for sb) veiller (**to do** pour faire; **until** jusqu'à); 2 (as habit) se coucher tard; **he likes to ~ up late** il aime se coucher tard; 3 (not fall down) tenir

stay-at-home *n, adj* GB casanier/-ière (*m/f*)

stayer /'steɪə(r)/ *n* 1 Sport (athlete, horse) qui a du fond; 2 fig (worker) **to be a ~** ne pas abandonner facilement, avoir de la persévérance

staying-power *n* endurance *f*; Sport **to have ~** avoir du fond

stay stitching *n* couture *f* de maintien

St Bernard /sənt'bɜːnəd/ *n* saint-bernard *m*

St Christopher-Nevis /sənt,krɪstəfə 'niːvɪs/ *pr n* Saint-Christophe-et-Niévès *m*

STD *n* 1 Med (*abrév* = **sexually transmitted disease**) MST *f*; 2 GB Telecom (*abrév* = **subscriber trunk dialling**) automatique *m*

St David's Day /snt'deɪvɪdz deɪ/ *n* la Saint-David

St David's Day

La Saint David (1er mars) est la fête nationale galloise. Traditionnellement, les Gallois portent un poireau ou une jonquille à la boutonnière ce jour-là, car ces plantes sont les emblèmes du pays de Galles. Ils dansent et chantent des chants traditionnels et prennent le *Te Bach* (thé accompagné de pâtisseries galloises).

STD (area) code *n* GB indicatif *m*

stead /sted/ *n* **in sb's ~** à la place de qn; **she went in my ~** elle est allée à ma place

(Idiom) **to stand sb in good ~** s'avérer utile pour qn, être utile à qn

steadfast /'stedfɑːst, US -fæst/ *adj* [*friend*] dévoué; [*supporter*] résolu; [*determination, belief, refusal*] tenace; [*gaze*] franc/franche; **to be ~ in adversity/in one's belief** être ferme dans l'adversité/dans sa croyance

steadfastly /'stedfɑːstlɪ, US -fæstlɪ/ *adv* fermement

steadfastness /'stedfɑːstnɪs, US -fæst-/ *n* ténacité *f*

steadily /'stedɪlɪ/ *adv* 1 (gradually) [*deteriorate, increase, rise*] progressivement; 2 (regularly) [*bang, pump*] régulièrement; 3 (without interruption) [*work, rain*] sans interruption; 4 [*look, gaze*] sans détourner le regard; **to look ~ at sb** regarder qn sans détourner le regard

steadiness /'stedɪnɪs/ *n* 1 (of table, chair) stabilité *f*; (of hand) fermeté *f*; 2 (of voice) fermeté *f*; (of gaze) calme *m*; 3 (in temperament) fermeté *f*; **I admire his ~** j'admire la fermeté de son caractère

steady /'stedɪ/

A *adj* 1 (gradual) [*increase, accumulation, decline*] progressif/-ive; 2 (even, continual) [*pace, progress, stream*] régulier/-ière, constant; [*rain*] incessant; [*breathing, drip, thud*] régulier/-ière; **a ~ stream of cars/callers** un flot constant de voitures/visiteurs; **to drive at a ~ 80 kmh** rouler à une vitesse régulière de 80 kmh; **progress has been ~** les progrès ont été réguliers; 3 (firm, unwavering) [*hand*] ferme; fig [*trust, faith*] immuable; **is the ladder/the chair ~?** est-ce que l'échelle/la chaise est stable?; **to keep** *ou* **hold sth ~** tenir fermement qch; **he isn't very ~ on his feet** (from age) il n'est plus très ferme sur ses jambes; (from drunkenness) il titube; **to hold ~** Fin [*share prices, interest rates*] se maintenir; **to hold ~ at 270 euros** Fin se maintenir à 270 euros; 4 (calm) [*voice*] ferme; [*look, gaze*] calme; **to have ~ nerves** avoir les nerfs solides; 5 (reliable) [*job, income*] fixe; [*boyfriend, relationship*] régulier/-ière; [*company, worker*] fiable

B ○*excl* GB **~!** doucement!; **~ on!** (reprovingly) ça suffit!

C *vtr* 1 (keep still) tenir [*ladder, camera*]; **she tried to ~ her hand** elle a essayé d'empêcher sa main de trembler; 2 (control) **to ~ one's nerves** se calmer les nerfs; **to ~ one's voice** maîtriser le tremblement de sa voix

D *vi* 1 [*hand*] cesser de trembler; [*boat*] cesser de bouger; [*voice, nerves*] se calmer; 2 [*prices, interest rates*] se stabiliser

E *v refl* **to ~ oneself** (physically) rétablir son équilibre; (mentally) se calmer

(Idioms) **~ as she goes** Naut en avant toute; **to go ~ with sb**○† sortir avec qn

steady state theory *n* théorie *f* de la création continue

steak /steɪk/ *n* Culin (of beef) steak *m*; **~ and chips** steak frites; **cod ~** escalope *f* de colin; **salmon/tuna ~** darne *f* de saumon/thon

steak: **~ and kidney pie**, **~ and kidney pudding** *n* GB tourte *f* au bœuf et aux rognons; **~house** *n* (restaurant *m*) grill *m*; **~ knife** *n* couteau *m* à steak; **~ sandwich** *n* steak *m* dans un sandwich

steal /stiːl/

A ○*n* (bargain) **the watch was a ~!** cette montre était une super affaire○!; **5 dollars, that's a ~!** 5 dollars, c'est donné!

B *vtr* (*prét* **stole**; *pp* **stolen**) 1 (thieve) voler (**from sb** à qn); 2 fig (take surreptitiously) **to ~ a few minutes sleep/peace** s'offrir en douce quelque minutes de sommeil/de paix; **to ~ the credit for sth** s'attribuer le mérite de qch; **to ~ a glance at sth** jeter un coup d'œil à qch; **to ~ a kiss** voler un baiser; **to ~ a scene from sb** Theat, Cin voler la vedette à qn

C *vi* (*prét* **stole**; *pp* **stolen**) 1 (thieve) voler; **to ~ from sb** voler qn; **to ~ from a car/house** cambrioler une voiture/maison; **our luggage was stolen from the car** on nous a volé nos bagages dans la voiture; 2 (creep) lit **to ~ into/out of the room** entrer dans/quitter la pièce subrepticement; **to ~ up on sb** s'approcher de qn subrepticement; fig **a sad expression stole across her face** une expression triste passa furtivement sur son visage; **the light stole through the curtains** la lumière filtrait à travers les rideaux

(Idioms) **to ~ a march on sb** prendre qn de vitesse; **to ~ the show** Theat éclipser tout le monde; **she stole the show** on n'a eu d'yeux que pour elle

(Phrasal verb) ■ **steal away** [*person*] s'esquiver (**from** de)

stealing /'stiːlɪŋ/ *n* vol *m*

stealth /stelθ/ *n* (of cat, prowler) discrétion *f*; **by ~** furtivement

Stealth bomber *n* avion *m* furtif

stealthily /'stelθɪlɪ/ *adv* furtivement

stealthy /'stelθɪ/ *adj* [*step, glance*] furtif/-ive; [*cat*] silencieux/-ieuse

steam /stiːm/

A *n* 1 (vapour) vapeur *f*; (in room, on window) buée *f*; **vegetables cooked in ~** légumes cuits à la vapeur; **machines/trains powered by ~** machines/trains à vapeur; **~ rose from the ground** la vapeur montait du sol; **my breath turned to ~ in the cold** je faisais de la buée en respirant dans le froid; 2 Mech (from pressure) pression *f*; **to get up** *ou* **raise ~** mettre la chaudière sous pression; **the locomotive is under ~** la locomotive est sous pression; **full ~ ahead!** Naut, fig en avant toute!

B *modif* [*bath, cloud*] de vapeur; [*cooking*] à la vapeur; [*boiler, iron, railway*] à vapeur

C *vtr* Culin faire cuire [qch] à la vapeur [*vegetables*]; **~ed carrots** carottes à la vapeur; **~ed pudding** GB pudding cuit à la vapeur

D *vi* 1 (give off vapour) [*kettle, pan, soup*] fumer; [*water*] bouillir; [*engine, machine*] fumer; [*horse, ground, volcano*] fumer; 2 Rail **the trains used to ~ across** *ou* **through the countryside** autrefois les trains traversaient la campagne en crachant des nuages de fumée; 3 ○(move fast) se précipiter

(Idioms) **to get up** *ou* **pick up ~** [*machine, vehicle*] prendre de la vitesse; [*campaign*] prendre de l'importance; **to run out of ~** [*athlete, orator, economy*] s'essouffler; [*worker*] peiner; **to let** *ou* **blow off ~** (use excess energy) se défouler○; (lose one's temper) se mettre en colère; **to get somewhere under one's own ~** se rendre *or* aller quelque part par ses propres moyens

(Phrasal verbs) ■ **steam ahead** fig **to ~ ahead in the polls** progresser dans les sondages; **she's ~ing ahead with her thesis** sa thèse avance bien
■ **steam off**: ▸ **~ off** [*train*] s'éloigner dans un nuage de vapeur; [*person*] (in anger) partir furieux/-ieuse; ▸ **~ [sth] off, ~ off [sth]** décoller [qch] à la vapeur [*stamp, wallpaper*]
■ **steam open**: ▸ **~ [sth] open, ~ open [sth]** décacheter [qch] à la vapeur [*envelope, letter*]
■ **steam up**: ▸ **~ up** [*window, glasses*] s'embuer; ▸ **~ [sth] up** embuer [*window*]; **to get ~ed up** fig [*person*] se mettre dans tous ses états (**over** à propos de)

steam: **~boat** *n* bateau *m* à vapeur; **~ cleaner** *n* Tech dispositif *m* de nettoyage à vapeur; **~ engine** *n* locomotive *f* à vapeur

steamer /'stiːmə(r)/ *n* 1 (boat) vapeur *m*; 2 Culin (pan) cuiseur-vapeur *m*; (trivet) panier *m* pour cuisson à la vapeur

steaming /'stiːmɪŋ/ *adj* 1 (hot) [*bath*] très chaud; [*soup, tea*] brûlant; [*spring*] bouillant; 2 ○(furious) furax○ (*inv*); 3 ○(drunk) bourré○, ivre

steam: **~ locomotive** *n* = **steam engine**; **~ museum** *n* Hist, Rail musée *m* du chemin de fer à vapeur; **~ power** *n* vapeur *f*

steamroller /'stiːmrəʊlə(r)/

A *n* Constr rouleau *m* compresseur

B *vtr* briser [*opposition, rival*]; **to ~ a bill/a plan through** imposer un projet de loi/un projet à [*Parliament, committee*]

steam: **~ room** *n* bain *m* de vapeur; **~ship** *n* gen navire *m* à vapeur; (for passengers) paquebot *m*; **~ship company** *n* compagnie *f* maritime; **~ shovel** *n* pelleteuse *f*; **~ stripper** *n* décolleuse *f* (de papier peint)

steamy /'stiːmɪ/ *adj* 1 (full of vapour) [*bathroom, window*] embué; 2 (humid) [*jungle, day, climate*] chaud et humide; [*heat*] humide; 3 ○(erotic) [*affair, film, scene*] torride

steed /stiːd/ *n*‡ destrier *m*

steel /stiːl/

A *n* 1 (metal) acier *m*; **made of ~** en acier; 2 (knife sharpener) aiguisoir *m*; 3 fig (in character) acier *m*; **nerves of ~** nerfs *mpl* d'acier

B *modif* 1 [*bodywork, girder, cutlery, pan*] en acier; [*sheet, plate, pipe*] d'acier; 2 [*city, strike*] de l'acier; [*production, manufacturer*] d'acier

C *v refl* **to ~ oneself** s'armer de courage (**to do** pour faire; **for** contre)

steel: **~ band** *n* steel band *m* (*ensemble musical dont les instruments sont des bidons et des récipients de récupération*); **~ blue** ▸ p. 1067 *n, adj* bleu (*m*) acier (*inv*); **~ engraving** *n* gravure *f* sur acier; **~ grey** ▸ p. 1067 *n, adj* gris (*m*) plombé (*inv*); **~ guitar** ▸ p. 1462 *n* guitare *f* hawaïenne; **~ industry** *n* sidérurgie *f*; **~ mill** *n* aciérie *f*; **~-stringed guitar** ▸ p. 1462 *n* guitare *f* à cordes d'acier; **~ tape** *n* mètre *m* à ruban; **~ wool** *n* (all contexts) paille *f* de fer; **~worker** ▸ p. 1683 *n* sidérurgiste *mf*; **~works**, **~yard** *n* installations *fpl* sidérurgiques

steely /'stiːlɪ/ *adj* 1 [*determination, willpower, nerves*] inébranlable; **with ~ eyes, ~-eyed** au regard d'acier; 2 ▸ p. 1067 [*sky, clouds*] gris plombé *inv*; [*blue, grey*] acier *inv*

steep /stiːp/

A *adj* 1 (sloping) [*path, street, stairs*] raide; [*slope, cliff*] à pic; [*roof, hill*] pentu; [*ascent, climb*] abrupt; **a ~ drop** un à-pic; 2 (sharp) [*increase, rise, fall*] fort (*before n*); [*recession, decline*] profond; 3 ○(excessive) [*price, fees*] exorbitant; [*bill*] salé○

B *vtr* (soak) **to ~ sth in** faire tremper qch dans

C *vi* tremper (**in** dans)

S

(Idiom) **that's a bit ~!**○ GB c'est un peu raide○ or fort○!

steeped /stiːpt/ *adj* **to be ~ in** être imprégné de [*history, tradition, lore*]; être nourri de [*prejudice*]; être pénétré de [*nostalgia*]; **a history ~ in violence** une histoire baignant dans la violence

steeple /ˈstiːpl/ *n* (tower) clocher *m*; (spire) flèche *f*

steeplechase /ˈstiːpltʃeɪs/ *n* Turf steeple-chase *m* (*course d'obstacles*); (in athletics) 3 000m steeple *m* (*course d'obstacles*)

steeplechasing /ˈstiːpltʃeɪsɪŋ/ ▸ **p. 1253** *n* Turf steeple-chase *m*; (in athletics) steeple *m*

steeplejack /ˈstiːpldʒæk/ *n* réparateur/-trice *m/f* de clochers (et de hautes cheminées)

steeply /ˈstiːplɪ/ *adv* **1** [*rise, climb, descend*] à pic, abruptement; [*drop, slope*] abruptement; **2** Econ, Fin [*rise*] en flèche; [*fall*] fortement

steepness /ˈstiːpnɪs/ *n* (of slope, climb) raideur *f*

steer /stɪə(r)/

A *n* **1** Agric, Zool bouvillon *m*; **2** ○US (tip) tuyau○ *m*; **a bum ~** un mauvais tuyau○

B *vtr* **1** (control direction of) piloter, conduire [*car*]; piloter, gouverner [*boat, ship*]; **2** (guide) lit diriger, guider [*person*]; fig orienter [*person, conversation*]; conduire [*team, country*]; **to ~ one's way through/towards** lit, fig se frayer un passage à travers/vers; **to ~ a course through/between** fig manœuvrer délicatement à travers/entre; **to ~ a company out of its difficulties** sortir une société de ses difficultés; **to ~ a bill through parliament** faire aboutir un projet de loi

C *vi* **1** gen **to ~ towards sth** se diriger vers qch; **to ~ away from sth** s'écarter de qch; **the car ~s well/badly** la direction (de la voiture) répond bien/mal; **2** Naut gouverner; **to ~ towards** *ou* **for** mettre le cap sur; **to ~ by the stars** se guider sur les étoiles

(Idioms) **to ~ clear of sth/sb** se tenir à l'écart de qch/qn; **to ~ a middle course** adopter une position médiane

steerage /ˈstɪərɪdʒ/ *n* Naut **1** (accommodation) entrepont *m*; **to travel ~** voyager dans l'entrepont; **2** (steering) pilotage *m*

steerageway /ˈstɪərɪdʒweɪ/ *n* Naut erre *f* suffisante pour gouverner

steering /ˈstɪərɪŋ/ *n* **1** (mechanism) direction *f*; **2** (action) conduite *f*

steering: **~ column** *n* Aut colonne *f* de direction; **~ committee** *n* Admin comité *m* directeur; **~ gear** *n* Aut, Aviat, Naut direction *f*; **~ lock** *n* Aut Neiman® *m*, blocage *m* de direction; **~ system** *n* Aut système *m* de direction; **~ wheel** *n* Aut volant *m*

steersman /ˈstɪəzmən/ *n* Naut timonier *m*

stellar /ˈstelə(r)/ *adj* Astron stellaire; fig [*talent, cast*] brillant

St Elmo's Fire /snt,elməʊz ˈfaɪə(r)/ *n* feu *m* de Saint-Elme

stem /stem/

A *n* **1** (of flower, leaf) tige *f*; (of fruit) queue *f*; **2** (of glass, vase) pied *m*; (of feather, pipe) tuyau *m*; (of letter, note) queue *f*; **3** Ling radical *m*; **4** (of ship) étrave *f*; **from ~ to stern** de la poupe à la proue

B *vtr* (*p prés etc* **-mm-**) **1** (restrain) arrêter [*bleeding, flow*]; fig enrayer [*advance, tide, increase, inflation*]; contenir [*protest*]; **2** Naut [*ship*] avancer contre [*tide*]; **3** Culin équeuter [*fruit*]

C *vi* (*p prés etc* **-mm-**) **1** (originate) **to ~ from** provenir de; **2** (in skiing) faire un (virage) stem

stem: **~ cell** *n* Biol cellule *f* mère, cellule *f* souche; **~ ginger** *n* Culin gingembre *m* confit

stemmed /stemd/ *adj* [*plant*] à tige; [*glass*] à pied; **long-/short-~** à longue/courte tige

stem: **~ stitch** *n* point *m* de tige; **~ turn** *n* (in skiing) (virage *m*) stem *m*; **~ware** *n* ₵ US verres *mpl* à pied; **~ winder** *n* montre *f* à remontoir

stench /stentʃ/ *n* puanteur *f*; fig odeur *f* nauséabonde

stencil /ˈstensɪl/

A *n* **1** (card) pochoir *m*; **2** (pattern) dessin *m* au pochoir; **3** (in typing) stencil *m*

B *vtr* (paint) peindre [qch] au pochoir; (draw) dessiner [qch] au pochoir [*motif, flowers*]; décorer [qch] au pochoir [*fabric, surface*]

stencilling, **stenciling** US /ˈstensɪlɪŋ/ *n* (technique) technique *f* du pochoir; **to do (some) ~** faire du pochoir

steno○ /ˈstenəʊ/ US = **stenographer**, **stenography**

stenographer /stenˈɒgrəfə(r)/ ▸ **p. 1683** *n* US sténographe *mf*

stenography /steˈnɒgrəfɪ/ *n* US sténographie *f*

stentorian /stenˈtɔːrɪən/ *adj* sout [*voice*] de stentor

step /step/

A *n* **1** (pace) pas *m*; **to take a ~** faire un pas; **to walk** *ou* **keep in ~** marcher au pas *or* en cadence; **to change ~** changer le pas; **I was a few ~s behind her** je la suivais de près *or* à quelques pas; **to fall into ~ with sb** se mettre au même pas que qn; **to break ~** rompre le pas; **one ~ out of line and you're finished**○! fig un pas de travers et t'es cuit○!; **to be out of ~ with the times/the rest of the world** fig être déphasé par rapport à l'époque actuelle/au reste du monde; **to be in ~ with sth** fig être en phase avec qch; **to watch one's ~** lit faire attention où on met les pieds; **you'd better watch your ~**○! fig tu ferais mieux de faire attention!; **to be two ~s away from victory** fig être à deux doigts de la victoire; **to be one ~ ahead of the competition** fig avoir une longueur d'avance sur ses concurrents; **I'm with you every ~ of the way** fig je ne te laisserai pas tomber

2 (sound of footsteps) pas *m*; **I can hear the sound of his ~ on the stair** j'entends ses pas dans l'escalier; **to hear the sound of ~s** entendre des pas

3 fig (move) pas *m* (**towards** vers); **a ~ forwards/backwards** un pas en avant/en arrière; **it's a ~ in the right direction** c'est un pas dans la bonne voie; **to be a ~ towards doing** être un premier pas pour faire; **the first ~ is the hardest** il n'y a que le premier pas qui coûte; **to be one ~ closer to winning/finishing** approcher de la victoire/de la fin; **the first ~ is to...** la première chose à faire c'est de...; **promotion to headteacher would be a ~ up for him** être nommé directeur lui permettrait de gravir un échelon

4 fig (measure) mesure *f*; (course of action) démarche *f*; **to take ~s** prendre des mesures; **a positive ~** une mesure positive; **a serious ~** une démarche sérieuse; **to take the ~ of doing** prendre l'initiative de faire; **to take ~s to do** prendre des mesures pour faire; **it's an unusual ~ to take** c'est une initiative surprenante; **to take legal ~s** avoir recours à la justice

5 fig (stage) étape *f* (**in** dans); **to go one ~ further** aller plus loin

6 (way of walking) pas *m*; **to have a jaunty ~** marcher d'un pas vif

7 Dance pas *m*; **to know the ~s to the tango** savoir danser le tango

8 (stair) marche *f*; **a flight of ~s** (to upper floor) un escalier *m*; (outside building) des marches *fpl*

B steps *npl* **1** (small ladder) escabeau *m*

2 (stairs) (to upper floor) escalier *m*; (in front of building) marches *fpl*

C *vtr* (*p prés etc* **-pp-**) échelonner

D *vi* (*p prés etc* **-pp-**) marcher (**in** dans; **on** sur); **to ~ into** entrer dans [*house, lift, room*]; monter dans [*car, dinghy*]; **to ~ into sb's office** entrer dans le bureau de qn; **if you would just like to ~ this way** si vous voulez bien me suivre; **it's like ~ping into another world/century** on a l'impression de se retrouver dans un autre monde/siècle; **to ~ off** descendre de [*bus, plane, pavement*]; **to ~ onto** monter sur [*scales, log, pavement*]; **to ~ over** enjamber [*fence, log, hole*]; **to ~ through** passer sous [*arch*]; passer derrière [*curtains*]; **to ~ through the door** passer la porte; **to ~ out of** sortir de [*house, room*]; **to ~ out of line** lit [*soldier*] sortir des rangs; fig faire un pas de travers; **to ~ up to** s'approcher de [*microphone, lectern*]

(Idioms) **to ~ on it**○ se grouiller○, se dépêcher; **to ~ on the gas**○ appuyer sur le champignon○, se dépêcher; **one ~ at a time** chaque chose en son temps

(Phrasal verbs) ■ **step aside** **1** (physically) s'écarter (**in order to** pour); **2** (in job transfer) céder sa place; **to ~ aside in favour of sb** *ou* **for sb** céder la place à qn

■ **step back** **1** lit reculer; **to ~ back from** s'écarter de [*microphone*]; **2** fig prendre du recul (**from** par rapport à)

■ **step down**: ▸ **~ down** gen se retirer; (as electoral candidate) se désister; ▸ **~ down [sth]** reduire [qch] petit à petit [*production, imports*]

■ **step forward** s'avancer

■ **step in** intervenir; **to ~ in to do, to ~ in and do** intervenir pour faire

■ **step out** **1** (show talent) montrer son talent; **2** †US **to ~ out with sb** sortir avec

■ **step outside**: ▸ **~ outside** sortir; **would you like to ~ outside** (as threat) est-ce que vous voulez régler ça dehors?; ▸ **~ outside [sth]** sortir de [*house, room*]

■ **step up**: ▸ **~ up [sth]** augmenter, accroître [*production*]; intensifier [*fighting, campaign, action, efforts*]; augmenter [*spending, voltage*]; renforcer [*surveillance*]

step: **~ aerobics** ▸ **p. 1253** *n* (+ *v sg*) step *m*; **~brother** *n* demi-frère *m*

step-by-step

A *adj* [*description*] détaillé; [*guide*] complet/-ète; [*policy, programme, reduction*] progressif/-ive

B step by step *adv* [*analyse*] point par point; [*explain*] étape par étape; **to take sb through sth ~** expliquer qch à qn étape par étape; **to take things step by step** procéder méthodiquement

step: **~child** *n* beau-fils/belle-fille *m/f*; **~daughter** *n* belle-fille *f*; **~-down transformer** *n* Tech transformateur *m* dévolteur; **~father** *n* beau-père *m*

Stephen /ˈstiːvn/ *pr n* Stéphane, Étienne

step: **~ladder** *n* escabeau *m*; **~mother** *n* belle-mère *f*; **~parent** *n* beau-père/belle-mère *m/f*

steppe /step/ *n* steppe *f*

stepped-up /ˌsteptˈʌp/ *adj* [*production*] accru; [*pace*] accéléré

stepping stone *n* lit pierre *f* de gué; fig tremplin *m*; **a ~ to the Presidency** un tremplin pour parvenir à la Présidence

step: **~sister** *n* demi-sœur *f*; **~son** *n* beau-fils *m*

stereo /ˈsterɪəʊ/

A *n* **1** (technique) stéréo *f*; **broadcast in ~** transmis en stéréo; **2** (set) chaîne *f* stéréo; **car ~** autoradio *m* stéréo; **personal ~** baladeur *m*

B *modif* [*disc, cassette, effect*] stéréo *inv*; [*recording, broadcast*] en stéréo

stereochemistry /ˌsterɪəʊˈkemɪstrɪ/ *n* stéréochimie *f*

stereogram /ˈsterɪəgræm/, **stereograph** /ˈsterɪəgrɑːf, US -græf/ *n* stéréogramme *m*

stereophonic /ˌsterɪəˈfɒnɪk/ *adj* stéréophonique

stereo radio-cassette player *n* radiocassette *m or f* stéréo

stereoscope /ˈsterɪəskəʊp/ *n* stéréoscope *m*

stereoscopic /ˌsterɪəˈskɒpɪk/ *adj* (all contexts) stéréoscopique

S

stereoscopy /ˌsterɪˈɒskəpɪ/ *n* (all contexts) stéréoscopie *f*

stereo system *n* chaîne *f* stéréo

stereotype /ˈsterɪətaɪp/
A *n* **1** (person, idea) stéréotype *m*; **2** Print (plate) stéréotype *m*; (process) clichage *m*
B *vtr* gen stéréotyper [*image, person*]; Print clicher [*document*]

stereotyping /ˈsterɪətaɪpɪŋ/ *n* ¢ formules *fpl* stéréotypées

stereovision /ˈsterɪəvɪʒn/ *n* vision *f* stéréoscopique

sterile /ˈsteraɪl, US ˈsterəl/ *adj* (all contexts) stérile

sterility /stəˈrɪlətɪ/ *n* (all contexts) stérilité *f*

sterilization /ˌsterəlaɪˈzeɪʃn, US -lɪˈz-/ *n* (all contexts) stérilisation *f*

sterilize /ˈsterəlaɪz/ *vtr* stériliser [*instrument, utensil, container*]; stériliser [*person, animal*]; rendre [qch] stérile [*land*]

sterling /ˈstɜːlɪŋ/
A *n* ▸ p. 1108 Fin livre *f* sterling *inv*; **~ rose/fell** la livre sterling a monté/a baissé; **~ was up/down** la livre sterling était en hausse/en baisse; **to quote ~ prices** annoncer des prix en livres sterling; **payable in ~** payable en livres sterling; **£100 ~** 100 livres sterling
B *modif* Fin [*payment, cheque*] en livres sterling; **~ crisis** crise *f* de la livre sterling
C *adj* (*épith*) (excellent) [*effort, quality*] remarquable; **to do ~ service** rendre de bons et loyaux services also fig

sterling: ~ area *n* zone *f* sterling; **~ silver** *n* argent *m* fin

stern /stɜːn/
A *n* Naut poupe *f*
B *adj* [*face, look, parent, measure, warning*] sévère; [*message*] grave; [*challenge, opposition*] sérieux/-ieuse; [*choice*] difficile
(Idiom) **to be made of ~er stuff** être plus solide qu'on ne pense

sternly /ˈstɜːnlɪ/ *adv* [*say, speak*] sévèrement; [*gaze, look*] d'un air sévère; [*opposed*] sérieusement

sternness /ˈstɜːnnɪs/ *n* sévérité *f*

sternum /ˈstɜːnəm/ *n* sternum *m*

steroid /ˈstɪərɔɪd, ˈste-/ *n* (*gén pl*) Pharm, Med stéroïde *m*; **to be on ~s** prendre des stéroïdes; **anabolic ~** anabolisant *m*

stertorous /ˈstɜːtərəs/ *adj* sout [*breathing*] ronflant; [*snoring*] sonore

stet /stet/ Print bon

stethoscope /ˈsteθəskəʊp/ *n* stéthoscope *m*

stetson /ˈstetsn/ *n* chapeau *m* de cow-boy

stevedore /ˈstiːvədɔː(r)/ ▸ p. 1683 *n* docker *m*

stew /stjuː, US stuː/
A *n* Culin gen ragoût *m*; (with game) civet *m*; (with veal, chicken) blanquette *f*
B *vtr* gen cuire [qch] en ragoût; cuire [qch] en civet [*game*]; faire cuire [*fruit, vegetables*]; **~ed apples** compote *f* de pommes; **~ed lamb** ragoût *m* d'agneau
C *vi* **1** Culin [*meat*] cuire à l'étouffée; [*fruit*] cuire (dans son jus); [*tea*] infuser trop longtemps; **2** ○[*person*] (in heat) crever de chaud○
(Idioms) **to be/get in a ~**○ (worry) être/se mettre dans tous ses états, (trouble) être/se mettre dans le pétrin○; **to ~ in one's own juice**○ mijoter dans son jus○

steward /stjʊəd, US ˈstuːərd/ ▸ p. 1683 *n* (on plane, ship) steward *m*; (of estate, club) intendant/-e *m/f*; (at races) organisateur/-trice *m/f*; (in a stadium) stadier/-ière *m/f*

stewardess /ˈstjʊədes, US ˈstuːərdəs/ ▸ p. 1683 *n* (on plane) hôtesse *f* (de l'air); (on ship) hôtesse *f*

stewardship /ˈstjʊədʃɪp, US ˈstuːərdʃɪp/ *n* (management) gestion *f*; (leadership) direction *f*

stg *n*: *abrév écrite* = **sterling A**

St Helena /ˌsntˈhelənə/ ▸ p. 1355 *pr n* Sainte-Hélène *f*

stich /stɪk/ *n* Literat vers *m*

stick /stɪk/
A *n* **1** (piece of wood) bâton *m*; (for kindling) bout *m* de bois; (for ice cream, lollipop) bâton *m*; Mil bâton *m*
2 (*also* **walking ~**) canne *f*
3 (rod-shaped piece) **a ~ of rock** *ou* **candy/chalk/dynamite** un bâton de sucre d'orge/craie/dynamite; **a ~ of celery** une branche de céléri; **a ~ of rhubarb** une tige de rhubarbe; **a ~ of (French) bread** une baguette
4 Sport (in hockey) crosse *f*; (in polo) maillet *m*
5 (conductor's baton) baguette *f*
6 Mil **a ~ of bombs** un chapelet de bombes
7 ○(piece of furniture) meuble *m*; **a few ~s (of furniture)** quelques meubles; **we haven't got a ~ of furniture** nous n'avons pas un seul meuble
8 ○GB (person) **a funny old ~** un drôle de bonhomme/une drôle de bonne femme *m/f*; **he's a dry old ~** il manque d'humour
9 ○(criticism) critique *f*; **to get** *ou* **take (some) ~** se faire critiquer; **to give sb (some) ~** critiquer qn violemment
10 Aviat manche *m* à balai
11 US Aut levier *m* (de changement) de vitesse
B ○**sticks** *npl* **in the ~s** en pleine cambrousse○, dans la campagne; **to be from the ~s** être de la campagne
C *vtr* (*prét, pp* **stuck**) **1** (stab) égorger [*pig*]; **to ~ a pin/spade/knife into sth** planter une épingle/une pelle/un couteau dans qch; **he stuck a knife into the man's back** il a planté un couteau dans le dos de l'homme; **she stuck her fork into the meat** elle a piqué sa fourchette dans la viande; **to ~ a pin/knife through sth** faire un trou dans qch avec une épingle/un couteau; **a board stuck with pins** un tableau hérissé d'épingles
2 (put) **he stuck his head round the door/through the window** il a passé sa tête par la porte/la fenêtre; **she stuck her hands in her pockets** elle a enfoncé ses mains dans ses poches; **~ your coat on the chair/the money in the drawer**○ mets ton manteau sur la chaise/l'argent dans le tiroir; **to ~ an advert in the paper**○ mettre une annonce dans le journal; **to ~ sb in a home**○ mettre qn dans une maison de retraite; **you know where you can ~ it** *ou* **that**◑**!** tu sais où tu peux te le mettre◑!; **~ it up your ass**●**!** va te faire foutre●!
3 (fix in place) coller [*label, stamp*] (**in** dans; **on** sur; **to** à); coller [*poster, notice*] (**in** dans; **on** à); **'~ no bills'** 'défense d'afficher'
4 ○GB (bear) supporter [*person, situation*]; **I can't ~ him** je ne peux pas le supporter; **I don't know how he ~s it** je ne sais pas comment il tient le coup○; **I can't ~ it any longer** je n'en peux plus
5 ○(impose) **he stuck me with the bill** il m'a fait payer la note; **to ~ an extra £10 on the price** augmenter le prix de 10 livres; **I was stuck with Frank** je me suis retrouvé avec Frank
6 ○(accuse falsely of) **to ~ a murder/a robbery on sb** mettre un meurtre/un cambriolage sur le dos de qn○
D *vi* (*prét, pp* **stuck**) **1** (be pushed) **the nail stuck in my finger/foot** je me suis planté un clou dans le doigt/le pied; **there was a dagger ~ing in his back** il avait un poignard planté dans le dos
2 (be fixed) [*stamp, glue*] coller; **this glue/stamp doesn't ~** cette colle/ce timbre ne colle pas; **to ~ to** se coller à [*page, wall, skin, surface*]; **to ~ to the pan** [*sauce, rice*] coller au fond de la casserole, attacher○
3 (jam) [*drawer, door, lift*] se coincer; [*key, valve, catch*] se bloquer, se coincer; fig [*price*] être bloqué
4 (remain) [*name, habit*] rester; **to ~ in sb's memory** *ou* **mind** rester gravé dans la mémoire de qn; **we've caught the murderer, but now we have to make the charges ~** nous avons attrapé le meurtrier, maintenant nous devons prouver sa culpabilité; **to ~**○ **in the house/one's room** rester dans la maison/sa chambre
5 (in cards) garder la main
(Idioms) **to be on the ~**○ US être compétent; **to get on the ~**○ US s'y mettre; **to have** *ou* **get hold of the wrong end of the ~** mal comprendre; **to up ~s**○ **and leave** plier bagages et partir
(Phrasal verbs) ■ **stick around**○ **1** (stay) rester; **~ around!** reste là!; **2** (wait) attendre
■ **stick at**: ▸ **~ at [sth]** persévérer dans [*task*]; **~ at it!** persévère!
■ **stick by**: ▸ **~ by [sb]** soutenir
■ **stick down**: ▸ **~ [sth] down, ~ down [sth]** **1** (fasten) coller [*stamp*]; **2** ○(write down) écrire [*answer, name, item*]
■ **stick on**: ▸ **~ [sth] on, ~ on [sth]** coller [*label, stamp*]
■ **stick out**: ▸ **~ out** [*nail, sharp object*] dépasser; **his ears ~ out** il a les oreilles décollées; **his stomach ~s out** il a un gros ventre; **her teeth ~ out** elle a les dents qui avancent; **to ~ out of sth** [*screw, nail, feet*] dépasser de qch; **to ~ out for** revendiquer [*pay-rise, shorter hours*]; ▸ **~ [sth] out, ~ out [sth]** **1** (cause to protrude) **to ~ out one's hand/foot** tendre la main/le pied; **to ~ out one's chest** bomber le torse; **to ~ one's tongue out** tirer la langue; **2** (cope with) **to ~ it out**○ tenir bon○
■ **stick to**: ▸ **~ to [sth/sb]** **1** (keep to) s'en tenir à [*facts, point, plan, diet*]; **he stuck to his version of events** il n'a pas changé sa version des faits; **~ to what you know** tiens-toi en à ce que tu sais; **'no whisky for me, I'll ~ to orange juice'** 'pas de whisky pour moi, je m'en tiens au jus d'orange'; **2** (stay close to) rester près de [*person*]; **3** (stay faithful to) rester fidèle à [*brand, shop, principles*]
■ **stick together**: ▸ **~ together** **1** (become fixed to each other) [*pages*] se coller; **2** ○(remain loyal) se serrer les coudes○, être solidaire; **3** ○(not separate) rester ensemble; ▸ **~ [sth] together, ~ together [sth]** coller [*objects, pieces*]
■ **stick up**: ▸ **~ up** (project) [*pole, mast*] se dresser; **his hair ~s up** ses cheveux se dressent sur sa tête; **to ~ up from sth** dépasser de qch; **to ~ up for sb** (defend) défendre qn; (side with) prendre le parti de qn; **to ~ up for oneself** défendre ses intérêts; ▸ **~ [sth] up, ~ up [sth]** (put up) mettre [*poster, notice*]; **to ~ up one's hand** lever la main; **to ~ one's legs up in the air** lever les jambes en l'air; **~ 'em up**○! haut les mains!
■ **stick with**○: ▸ **~ with [sb]** rester avec [*person*]; ▸ **~ with [sth]** rester dans [*job*]; s'en tenir à [*plan*]; rester fidèle à [*brand*]; **I'm ~ing with my current car for now** je garde la voiture que j'ai pour l'instant

stickball /ˈstɪkbɔːl/ *n* US *sorte de base-ball joué dans les rues*

sticker /ˈstɪkə(r)/ *n* autocollant *m*

sticker price *n* Comm Aut prix *m* affiché

stick float *n* Fishg flotteur *m* (*long et réglable*)

stickiness /ˈstɪkɪnɪs/ *n* **1** (state of being adhesive) (of tape, plaster) adhésivité *f*; (of substance) viscosité *f*; **2** (of weather) chaleur *m* moite; **3** (awkwardness) (of situation) difficulté *f*; **4** (on a website) *pouvoir de rétention d'un site sur ses visiteurs*

stick: **~ing plaster** *n* sparadrap *m*; **~ing point** *n* point *m* de désaccord *or* de friction; **~ insect** *n* phasme *m*; **~-in-the-mud**○ *n* routinier/-ière○ *m/f*

stickleback /ˈstɪklbæk/ *n* épinoche *f*

stickler /ˈstɪklə(r)/ *n* **1** (person) **to be a ~ for sth** être à cheval sur qch; **2** (problem, puzzle) casse-tête *m inv*

stick-on /ˈstɪkɒn/ *adj* [*label*] adhésif/-ive

S

stick pin *n* 1 US (tie-pin) épingle *f* de cravate; 2 (brooch) broche *f*

stick: **~seed** *n* lappula *m*; **~ shift** *n* US Aut levier *m* de (changement de) vitesse; **~ sulphur** *n* soufre *m* en canon; **~tight** *n* Bot bidens *m*; **~-up**° *n* braquage° *m*, hold-up *m*; **~weed** *n* Bot ambroisie *f*

sticky /ˈstɪkɪ/
A *adj* 1 (tending to adhere) [*hand, floor, substance*] collant; [*label*] adhésif/-ive; 2 (hot and humid) [*weather, day*] lourd; 3 (sweaty) [*hand, palm*] moite; **to feel** *ou* **be hot and ~** transpirer; 4 (difficult) [*situation, problem, period*] difficile; **to be ~ about sth/doing** ne pas être très conciliant pour qch/faire
B °*n* feuillet *m* adhésif repositionnable
(Idioms) **to have ~ fingers** avoir tendance à voler; **to come to a ~ end** mal finir. ▸ **wicket**

sticky: **~ bun**° *n* GB *petit pain enrobé de sucre*; **~ tape**° *n* GB Scotch® *m*, ruban *m* adhésif

stiff /stɪf/
A °*n* 1 (corpse) macchabée° *m*; 2 US (humourless person) rabat-joie *mf inv*; 3 US (man) **a working ~** un travailleur; 4 US (drunk) poivrot° *m*; 5 US (hobo) clochard *m*
B *adj* 1 (restricted in movement) gen raide; (after sport, sleeping badly) courbaturé; **to feel ~ after riding/sleeping on the floor** se sentir courbaturé après avoir fait du cheval/dormi par terre; **to have a ~ neck** avoir un torticolis; **to have ~ legs** (after sport) avoir des courbatures dans les jambes; (from old age etc) avoir les jambes ankylosées; 2 (hard to move) [*drawer, door*] dur à ouvrir; [*lever*] dur à manier; [*gear*] dur à passer; 3 (rigid) [*cardboard, fabric, collar*] raide; 4 Culin [*mixture*] consistant, ferme; **beat the egg whites until ~** battre les œufs en neige ferme; 5 (not relaxed) [*manner, person, style*] compassé; 6 (harsh) [*letter, warning, penalty, sentence*] sévère; 7 (difficult) [*exam, climb*] difficile; [*competition*] rude; [*opposition*] fort; 8 (high) [*charge, fine*] élevé; 9 (strong) [*breeze*] fort; **I need a ~ drink** j'ai besoin d'un verre bien tassé°; 10 °US (drunk) bourré
C °*vtr* US 1 (cheat) arnaquer [*person*]; 2 (fail to tip) ne pas laisser de pourboire à [*person*]
D *adv*° **to be bored ~** s'ennuyer à mourir; **to bore sb ~** ennuyer qn mortellement; **to be frozen ~** être frigorifié°; **to be scared ~** avoir une peur bleue; **to scare sb ~** faire une peur terrible à qn
(Idiom) **to keep a ~ upper lip** encaisser° sans broncher

stiff-arm /ˈstɪfɑːm/ *vtr* US écarter [qn] avec les bras

stiffen /ˈstɪfn/
A *vtr* 1 renforcer [*card*]; raidir [*structure*]; empeser [*fabric*]; donner de la consistance à [*mixture*]; 2 fig affermir [*resolve, determination*]
B *vi* 1 (grow tense) [*person*] se raidir; 2 Culin [*egg whites*] devenir ferme; [*mixture*] prendre de la consistance; 3 [*joint*] s'ankyloser; [*limbs*] se raidir

stiffener /ˈstɪfnə(r)/ *n* (in collar) baleine *f* (de col); (in waistband) gros-grain *m*

stiffly /ˈstɪflɪ/ *adv* 1 [*say*] avec froideur; 2 [*walk, move*] avec raideur; 3 **~ conventional/polite** d'un conformisme/d'une politesse rigide

stiff-necked /ˈstɪfnekt/ *adj* péj guindé

stiffness /ˈstɪfnɪs/ *n* 1 (physical) raideur *f*, ankylose *f*; 2 (of manner) froideur *f*; 3 (of fabric, substance) raideur *f*; 4 Culin consistance *f*

stifle /ˈstaɪfl/
A *n* Anat grasset *m*
B *vtr* étouffer [*person, debate, yawn, opposition, revolt, impulse*]; briser [*business*]
C stifled *pp adj* [*laughter, sigh*] étouffé; **to feel ~d** fig se sentir étouffé (**by** par)

stifling /ˈstaɪflɪŋ/ *adj* étouffant also fig; **it's ~!** on étouffe!

stigma /ˈstɪgmə/ *n* (*pl* **-mas** *ou* **-mata**) 1 Bot stigmate *m*; 2 (disgrace) stigmate *m* (**of** de)

stigmata /stɪgˈmɑːtə, ˈstɪgmətə/ *npl* stigmates *mpl* also fig

stigmatic /stɪgˈmætɪk/ *n, adj* Relig stigmatisé/-e (*m/f*)

stigmatize /ˈstɪgmətaɪz/ *vtr* stigmatiser; **to be ~d as sth** être stigmatisé en tant que qch

stile /staɪl/ *n* 1 (in wall, hedge) échalier *m*; 2 Constr montant *m*

stiletto /stɪˈletəʊ/ *n* (*pl* **-tos**) 1 (shoe, heel) talon *m* aiguille; 2 (dagger) stylet *m*

stiletto heel *n* (shoe, heel) talon *m* aiguille

still¹ /stɪl/ *adv* 1 (up to and including a point in time) toujours, encore; **she ~ doesn't like eggs** elle n'aime toujours pas les œufs; **he's ~ as crazy as ever!** il est toujours aussi fou!; **that's ~ not good enough for you!** tu n'es toujours pas content!; **we're ~ waiting for a reply** nous attendons toujours une réponse; **they're ~ in town** ils sont encore en ville; **you have to eat this bread while it's ~ fresh** il faut manger ce pain pendant qu'il est encore frais; **you're ~ too young** tu es encore trop jeune; **the ruins are ~ to be seen** on peut encore voir les ruines; **I ~ have some money left** il me reste encore de l'argent; 2 (expressing surprise) toujours, encore; **he ~ hasn't come back** il n'est toujours pas revenu; **I ~ can't believe it!** je n'arrive toujours pas à le croire!; **are you ~ here?** tu es toujours *or* encore là?; 3 (referring to something yet to happen) encore; **it has ~ to be decided** c'est encore à décider; **I have four exams ~ to go** j'ai encore quatre examens à passer; **~ to come, a report on...** Radio, TV dans quelques instants, un reportage sur...; 4 (expressing probability) encore; **you could ~ be a winner** vous pouvez encore gagner; **there is ~ a chance that** il est encore possible que (+ *subj*); **prices are ~ expected to rise** on prévoit encore une augmentation des prix; **if I'm ~ alive** si je suis encore en vie; 5 (nevertheless) quand même; **he's unarmed but he's ~ dangerous** il n'est pas armé mais il est quand même *or* toujours dangereux; **it ~ doesn't explain why** cela n'explique quand même *or* toujours pas pourquoi; **it was very dear, ~ it was worth it** c'était très cher, ça valait quand même le coup°; **~, it's the thought that counts** enfin, c'est l'intention qui compte; **~ and all**° quand même; 6 (with comparatives: even) encore; **faster ~, ~ faster** encore plus rapide; **stranger ~ was the fact that** ce qui était encore plus étrange c'était que; **~ more surprising** encore plus étonnant; **~ more money was spent** on a dépensé encore plus d'argent; **~ less** encore moins; **there is little sense of an objective, ~ less how to achieve it** on n'a pas une idée très précise de l'objectif et encore moins de la manière d'y arriver; **better/worse ~** encore mieux/pire; 7 (emphasizing quantity, numbers: yet) encore; **~ another way to do** encore une autre façon de faire; **many died, ~ more/~ others emigrated** beaucoup sont morts mais beaucoup plus encore/beaucoup d'autres encore ont émigré

still² /stɪl/
A *n* 1 (for making alcohol) (apparatus) alambic *m*; (distillery) distillerie *f*; 2 Cin, Phot photographie *f or* photo *f* de plateau; **a ~ from a film** une photo extraite d'un film; 3 (calmness) (lack of motion) calme *m*; (lack of noise) tranquillité *f*; **the ~ of the night/forest** le silence de la nuit/forêt
B *adj* 1 (motionless) [*air, day, water*] calme; [*hand, person*] immobile; **absolutely** *ou* **totally ~** immobile; 2 (peaceful) [*countryside, house, streets*] tranquille; 3 Culin, Wine [*drink, fruit juice*] non gazeux/-euse; [*water*] plat; [*wine*] tranquille
C *adv* 1 (immobile) [*lie, stay*] immobile; **to hold [sth] ~** ne pas bouger [*camera, mirror, plate*]; 2 (calmly) **to sit ~** se tenir tranquille; **to keep** *ou* **stand ~** ne pas bouger
D *vtr* 1 (silence) faire taire [*critic, voice*]; 2 (calm) calmer [*crowd, doubt, fear*]
(Idiom) **~ waters run deep** il faut se méfier de l'eau qui dort

stillbirth /ˈstɪlbɜːθ/ *n* Med 1 (event) mort *f* à la naissance; 2 (foetus) mort-né/-e *m/f*

stillborn *adj* lit, fig mort-né/-e

still life *n* (*pl* **-lifes**) nature *f* morte; **a ~ painting** *ou* **drawing** une nature morte

stillness /ˈstɪlnɪs/ *n* (of lake, evening) calme *m*

still stɪl: **~(s) photographer**, **~ man** ▸ **p. 1683** *n* Cin photographe *m* de plateau; **~(s) photography** *n* Cin photographie *f* de tournage *or* de plateau; **~ video camera** *n* appareil *m* photo magnétique

stilt /stɪlt/ *n* 1 (pole) échasse *f*; **on ~s** monté sur des échasses; 2 Constr pilotis *m*

stilted /ˈstɪltɪd/ *adj* guindé

Stilton /ˈstɪltən/ *n* stilton *m* (*fromage*)

stimulant /ˈstɪmjʊlənt/ *n* (all contexts) stimulant *m* (**to** de)

stimulate /ˈstɪmjʊleɪt/ *vtr* 1 gen stimuler [*appetite, creativity, person*]; encourager [*demand*]; 2 Med stimuler

stimulating /ˈstɪmjʊleɪtɪŋ/ *adj* (all contexts) stimulant

stimulation /ˌstɪmjʊˈleɪʃn/ *n* (all contexts) stimulation *f* (**of** de); **to need intellectual ~** avoir besoin d'être stimulé intellectuellement

stimulus /ˈstɪmjʊləs/ (*pl* **-li**) *n* 1 Physiol stimulus *m*; 2 fig (boost) impulsion *f*; **the ~ given to the economy** l'impulsion donnée à l'économie; 3 fig (incentive) stimulant *m*; **the ~ of competition** le stimulant de la concurrence

sting /stɪŋ/
A *n* 1 Zool (organ) (of insect) dard *m*, aiguillon *m*; (of scorpion) aiguillon *m*; 2 (wound) (of insect, plant) piqûre *f*; **bee/wasp/nettle ~** piqûre d'abeille/de guêpe/d'orties; 3 (pain) sensation *f* de brûlure; 4 US (in law enforcement) coup *m* monté; 5 °US (rip-off) arnaque *f*
B *vtr* (*prét, pp* **stung**) 1 [*insect, antiseptic, plant*] piquer; 2 [*wind, hail*] cingler; 3 fig [*criticism, rebuke*] blesser, piquer [qn] au vif; 4 °(rip off) arnaquer°; **they really ~ you in that place** on se fait arnaquer là-bas; 5 °(get money from) **to ~ sb for £10** taper° dix livres à qn
C *vi* (*prét, pp* **stung**) [*eyes*] piquer; [*cut*] cuire; [*antiseptic*] piquer; **it ~s!** ça pique!; **my knee ~s** mon genou me cuit
(Idioms) **a ~ in the tail** une mauvaise surprise; **to ~ sb into action** pousser qn à agir en le piquant au vif; **to take the ~ out of** rendre [qch] moins blessant [*remark, criticism*]; atténuer l'effet de [*measure, action*]

stinger° /ˈstɪŋə(r)/ *n* US (remark) pique° *f*

stingily /ˈstɪndʒɪlɪ/ *adv* chichement

stinginess /ˈstɪndʒɪnɪs/ *n* radinerie° *f*

stinging /ˈstɪŋɪŋ/ *adj* 1 [*criticism, attack, remark*] blessant; 2 [*sensation*] de brûlure; [*pain*] cuisant

stinging nettle *n* ortie *f*

stingray /ˈstɪŋreɪ/ *n* (raie *f*) pastenague *f*

stingy /ˈstɪndʒɪ/ *adj* péj [*person*] radin°; [*firm*] près de ses sous°; [*amount, allowance*] mesquin; **to be ~ with** être radin° avec [*grant, allowance*]; lésiner sur [*food, paint*]

stink /stɪŋk/
A *n* 1 (stench) (mauvaise) odeur *f*; **the ~ of death/of rotten fish** l'odeur de mort/de poisson pourri; **there's an awful ~ in here!** ça pue ici!; 2 °(row) esclandre *m*; **there'll be a (hell of a) ~ over this!** ça va faire un esclandre *or* du grabuge°!; **to kick up** *ou* **cause a ~ about sth** causer un esclandre à propos de qch
B *vi* (*prét* **stank**, *pp* **stunk**) 1 (smell) puer; **to ~ of petrol/garlic** puer l'essence/l'ail; **the room is filthy—it ~s** la pièce est sale—ça pue (là-dedans); 2 °fig (reek) **to ~ of corruption/injustice** sentir la corruption/l'injustice à

S

plein nez; **the city stank of war/death** la ville puait la guerre/la mort; **the contract ~s!** le contrat pue○!; **we don't want your justice—it ~s!** on s'en fout○ de votre justice—elle pue○!

(Phrasal verbs) ■ **stink out**: ▸ **~ [sth] out, ~ out [sth]** empester [*room, house*]
■ **stink up** US: ▸ **~ [sth] up, ~ up [sth]** empuantir

stink: **~-bomb** *n* boule *f* puante; **~ bug** *n* US punaise *f* des bois

stinker○ /ˈstɪŋkə(r)/ *n* 1 (difficult problem) casse-tête *m inv*; **the test was a real ~** l'interrogation était vachement○ dure; 2 péj (person) (male) sale type○ *m*; (female) sale bonne femme○ *f*; **he's been a real little ~ today** (child) il est vraiment enquiquinant○ aujourd'hui!; 3 GB (bad cold) rhume *m* carabiné

stink horn *n* Bot phallus *m* impudique

stinking /ˈstɪŋkɪŋ/ *adj* 1 (foul-smelling) [*place, person, clothes, water, sewage*] puant; 2 ○péj (emphatic) (*épith*) [*town, place, car, house*] infect; **a ~ cold** un rhume carabiné

(Idiom) **to be ~ rich** être bourré de fric○

stink: **~pot**○† *n* galeux/-euse○† *m/f*; **~weed** *n* diplotaxis *m*

stint /stɪnt/
A *n* 1 (period of work) **to do a three-year ~ in Africa/with a company** travailler trois ans en Afrique/pour une entreprise; **to do a six-month ~ as president/as a teacher** être président/professeur pendant six mois; **to do one's ~ at the wheel** conduire à son tour; **during my three-day ~ as a secretary** pendant la période de trois jours où j'étais secrétaire; **I've done my ~ for today** j'en ai assez fait pour aujourd'hui; 2 (limitation) **without ~** généreusement
B *vtr* priver [*person*] (**of** de)
C *vi* lésiner; **to ~ on** lésiner sur [*drink, presents*]
D *v refl* **to ~ oneself** se priver (**of** de)

stipend /ˈstaɪpend/ *n* gen, Relig traitement *m* (*salaire*)

stipendiary /staɪˈpendɪərɪ, US -dɪerɪ/
A *n* personne *f* recevant un traitement
B *adj* rémunéré

stipendiary magistrate *n* GB Jur magistrat *m* professionnel

stipple /ˈstɪpl/ *vtr* Tech pointiller; **a ~d effect** un effet granité

stipulate /ˈstɪpjʊleɪt/ *vtr* stipuler (**that** que)

stipulation /ˌstɪpjʊˈleɪʃn/ *n* gen condition *f*; Jur stipulation *f*; **X's ~ that** la condition posée par X que

stir /stɜː(r)/
A *n* 1 (act of mixing) **to give the tea/sauce a ~** remuer le thé/la sauce; 2 (commotion) agitation *f*; **to cause** *ou* **make a ~** faire du bruit; **to cause quite a ~** faire sensation; 3 ○argot des prisonniers (prison) **in ~** en taule○
B *vtr* (*p prés etc* **-rr-**) 1 (mix) remuer [*liquid, sauce*]; mélanger [*paint, powder*]; **have you ~red it?** est-ce que tu as bien remué?; **to ~ sth into sth** incorporer qch à qch; 2 (move slightly) [*breeze*] agiter, faire bouger [*leaves, papers*]; 3 (move, arouse) [*music, sight, story*] émouvoir [*person*]; exciter [*curiosity, passions*]; stimuler [*imagination*]; éveiller [*emotions*]; **to ~ sb to pity/compassion** inspirer de la pitié/compassion à qn; **I was ~red by her story** son histoire m'a ému; **a speech which ~s the blood** un discours qui fouette le sang; 4 (incite) **to ~ sb into doing** inciter qn à faire; **to ~ sb to action/revolt** inciter qn à agir/à la révolte
C *vi* (*p prés etc* **-rr-**) 1 (move gently) [*leaves, papers*] trembler; [*curtains*] remuer; [*person*] bouger; **to ~ in one's sleep** bouger en dormant; **the audience were ~ring in their seats** le public s'agitait dans la salle; 2 (awaken) bouger; 3 (budge) bouger; **do not ~ from that spot** ne bouge pas de l'endroit où tu es; 4 littér (awake) [*love, hope*] naître; [*memories*] se réveiller; 5 ○(cause trouble) [*person*] faire des histoires
D *v refl* (*p prés etc* **-rr-**) **to ~ oneself** se secouer○

(Idiom) **he's always ~ring it**○ c'est un emmerdeur○

(Phrasal verbs) ■ **stir in**: ▸ **~ [sth] in, ~ in [sth]** incorporer [*flour, powder*]; ajouter [*eggs, milk*].
■ **stir up**: ▸ **~ [sth] up, ~ up [sth]** 1 (whip up) [*wind*] faire voler [*dust, leaves*]; [*propeller*] aspirer [*mud*]; 2 fig provoquer [*trouble*]; attiser [*hatred, unrest*]; éveiller [*feelings*]; susciter [*emotions*]; remuer [*past*]; réveiller [*memories*]; rassembler [*support*]; **to ~ things up**○ envenimer les choses; ▸ **~ [sb] up, ~ up [sb]** travailler [*workers*]; exciter [*person, crowd*]

stir crazy○ US *adj* rendu fou/folle par la réclusion

stir-fry /ˈstɜːfraɪ/
A *n* Culin sauté *m*; **a beef/vegetable ~** un sauté de bœuf/de légumes
B *modif* [*beef, chicken*] sauté
C *vtr* (*prét, pp* **-fried**) faire sauter [*beef, vegetable*]

stirrer○ /ˈstɪrə(r)/ *n* semeur/-euse *m/f* de zizanie

stirring /ˈstɜːrɪŋ/
A *n* 1 (feeling) **to feel a ~ of hope/desire** avoir une lueur d'espoir/une bouffée de désir; 2 (sign) **the first ~s of revolt/of nationalism** les premières manifestations de la révolte/du nationalisme
B *adj* [*era, story*] passionnant; [*music, performance, speech*] enthousiasmant; [*victory*] grisant; **the opera was ~ stuff**○ l'opéra était passionnant

stirrup /ˈstɪrəp/ *n* (all contexts) étrier *m*; **to lose one's ~s** perdre les étriers; **to stand up in the ~s** se dresser sur ses étriers

stirrup: **~ cup** *n* coup *m* de l'étrier; **~ leather** *n* étrivière *f*; **~ pump** *n* pompe *f* à main portative

stitch /stɪtʃ/
A *n* 1 (in sewing, embroidery) point *m*; (single loop in knitting, crochet) maille *f*; (style of knitting, crochet) point *m*; **to drop a ~** lâcher une maille; **embroidery/knitting ~** point de broderie/tricot; **30 different ~es** 30 sortes de points différents; 2 Med point *m* de suture; **to have ~es** se faire recoudre; **I had ~es** on m'a recousu; **she had 10 ~es** on lui a fait 10 points de suture (**in, to** à); **he needs ~es (in his head)** il faut lui faire des points de suture (à la tête); **to have one's ~es out** se faire retirer les fils; 3 (pain) point *m* de côté; **to have/get a ~** avoir/attraper un point de côté; 4 ○US **to be a ~** [*person, film etc*] être tordant○
B *vtr* 1 coudre (**to, onto** à); **hand-~ed** cousu à la main; **machine-~ed** piqué à la machine; 2 Med recoudre [*wound, face*]; **to have a cut ~ed** se faire recoudre une coupure

(Idioms) **a ~ in time saves nine** un point à temps en vaut cent; **to be in ~es**○ rire aux larmes; **to have sb in ~es**○ faire rire aux larmes qn; **to not have a ~ on** être tout nu/toute nue; **I haven't got a ~ to wear** je n'ai rien à me mettre

(Phrasal verbs) ■ **stitch down**: ▸ **~ [sth] down, ~ down [sth]** fixer [qch] avec des points de couture
■ **stitch together**: ▸ **~ [sth] together** lit assembler [*garment*]; fig assembler rapidement [*coalition, package*]; concocter rapidement [*compromise, proposal*]
■ **stitch up**: ▸ **~ up [sth], ~ [sth] up** lit recoudre [*hem, seam, wound, hand*]; ▸ **~ up [sb], ~ [sb] up**○ GB fig monter un coup contre qn○

stitching /ˈstɪtʃɪŋ/ *n* couture *f*

St: **~ John Ambulance** *n* GB *organisation bénévole qui assure les premiers soins dans les manifestations publiques*; **~ John's wort** *n* millepertuis *m*; **~ Lawrence Seaway** *pr n* voie *f* maritime du Saint-Laurent; **~ Lucia** ▸ p. 1096, p. 1355 *pr n* Sainte-Lucie *f*

stoat /stəʊt/ *n* Zool hermine *f*

stochastic /stəˈkæstɪk/ *adj* Stat stochastique

stock /stɒk/
A *n* 1 ₵ (in shop, warehouse) stock *m*; **to have sth in ~** (in shop) avoir qch en magasin; (in warehouse) avoir qch en stock; **to be out of ~** [*product, model*] être épuisé; [*shop, warehouse*] être en rupture de stock; **the smaller size is out of ~** il n'y a plus de petites tailles; 2 (supply, store, accumulation) (on large scale) stock *m* (**of** de); (on domestic scale) provisions *fpl*; **a massive ~ of unsold homes** un grand stock de maisons invendues; **~s of coal/fish** des stocks de charbon/poisson; **~s are running low** les stocks sont presque épuisés; **we need to replenish our ~s** il faut renouveler les stocks; **to get in** *ou* **lay in a ~ of provisions** s'approvisionner *or* faire des provisions; **while ~s last** jusqu'à épuisement des stocks; **a ~ of knowledge** un réservoir de connaissances; 3 Fin (capital) ensemble *m* du capital *or* des actions d'une société; 4 (descent) souche *f*, origine *f*; **to be of/from peasant/immigrant ~** être de souche *or* d'origine paysanne/immigrée; **to come from farming ~** venir d'une famille d'agriculteurs; **only the paternal ~ concerns us** seule la branche *or* lignée paternelle nous intéresse; 5 (personal standing) cote *f*; **his ~ has risen since...** sa cote a monté depuis...; 6 Culin bouillon *m*; **beef ~** bouillon *m* de bœuf; 7 (of gun) fût *m*; 8 Bot giroflée *f* d'hiver; 9 Games (in cards) talon *m*; 10 Fashn (huntsman's cravat) lavallière *f*; (part of clerical robes) étole *f*; 11 Agric, Zool, Bot (+ *v pl*) (cattle) bétail *m*, cheptel *m* bovin; (bloodstock) chevaux *mpl* de race; (young plants) porte-greffe(s) *m*; **~ rearing** élevage du bétail
B **stocks** *npl* 1 Hist, Jur **the ~s** le pilori; 2 Fin valeurs *fpl*, titres *mpl*; **short/medium/long-dated ~** titres à courte/moyenne/longue échéance; **government ~** fonds *mpl* d'État; **~s closed higher/lower** la Bourse a clôturé en hausse/en baisse; **~s and shares** valeurs *fpl* mobilières; 3 Naut **to be on the ~s** [*boat*] être sur cale; fig [*project, product, book*] être en cours
C *adj* [*size*] courant; [*answer*] classique, banal; [*character, figure*] stéréotypé
D *vtr* 1 Comm (sell) avoir, vendre; **I'm sorry, we don't ~ it** je suis désolé, mais nous n'en faisons pas *or* nous ne vendons pas cela; 2 (fill with supplies) remplir [*larder, fridge*]; garnir [*shelves*]; approvisionner [*shop*]; **to ~ a lake with fish** peupler un lac de poissons; **well-~ed** [*garden, library*] bien fourni

(Idiom) fig **to take ~** faire le point (**of** sur)

(Phrasal verb) ■ **stock up** s'approvisionner (**with, on** en)

stockade /stɒˈkeɪd/
A *n* 1 (fence, enclosure) palissade *f*; 2 US Mil prison *f* militaire
B *vtr* entourer [qch] d'une palissade

stock: **~-breeder** ▸ p. 1683 *n* éleveur/-euse *m/f*; **~-breeding** *n* élevage *m*; **~broker** ▸ p. 1683 *n* agent *m* de change; **~broker belt** *n* GB banlieue *f* cossue; **~broker Tudor** *adj* GB [*style*] faux Tudor des banlieues cossues

stockbroking /ˈstɒkbrəʊkɪŋ/
A *n* commerce *m* de titres en Bourse
B *modif* [*firm, group*] spécialisé dans le commerce de titres en Bourse

stock car *n* 1 Aut stock-car *m*; 2 US, Rail wagon *m* à bestiaux

stock: **~-car racing** ▸ p. 1253 *n* course *f* de stock-cars; **~ clearance** *n* Comm liquidation *f* de stock; **~ company** *n* Fin société *f* par actions; **~ control** *n* Comm gestion *f* des stocks; **~-cube** *n* bouillon cube® *m*; **~ dividend** *n* dividende *m* (en) actions

S

stock exchange *n* (*also* **Stock Exchange**) **the ~** la Bourse; **on the Hong Kong Stock Exchange** à la Bourse de Hongkong; **to work on the ~** travailler à la Bourse; **to be listed on the ~** être coté en Bourse

stock: **~ exchange listing** *n* Fin entrée *f or* admission *f* à la cote; **~fish** *n* stockfisch *m*

stockholder /ˈstɒkhəʊldə(r)/ *n* actionnaire *mf*

stock: **~holders' equity** *n* US capital *m* propre, fonds *mpl* propres; **~holders' report** *n* rapport *m* aux actionnaires

Stockholm /ˈʃtɒkhəʊm/ ▸ **p. 1815** *pr n* Stockholm

stockily built *adj* [*person*] trapu

stockiness /ˈstɒkɪnɪs/ *n* (of person) aspect *m* trapu; (of animal) aspect *m* râblé

stockinet(te) /ˌstɒkɪˈnet/ *n* Tex jersey *m*

stocking /ˈstɒkɪŋ/ ▸ **p. 1694** *n* **1** Fashn bas *m*; **a pair of ~s** une paire de bas; **silk/woollen ~** bas de soie/de laine; **in one's ~(ed) feet** en chaussettes; **2** (*also* **Christmas ~**) ≈ soulier *m* de Noël; **what do you want in your ~?** qu'est-ce que tu veux pour Noël?

stocking: **~ cap** *n* bonnet *m* de laine; **~ filler** *n* petit cadeau *m* de Noël

stocking mask *n* **terrorists wearing ~s** des terroristes le visage masqué d'un bas

stocking stitch *n* point *m* de jersey

stock-in-trade *n* spécialité *f*; **irony is part of the ~ of any teacher** l'ironie fait partie de la panoplie de tout professeur

stock issue *n* Fin émission *f* d'actions

stockist /ˈstɒkɪst/ *n* Comm, Fashn dépositaire *mf*; **'sole ~s'** 'dépositaire exclusif'

stock: **~ jobber** ▸ **p. 1683** *n* marchand *m* de titres, négociant *m* en valeurs; **~ list** *n* Comm liste *f* des marchandises en stock

stockman /ˈstɒkmən/ ▸ **p. 1683** *n* **1** Agric (for cattle) gardien *m* de bétail; (for sheep and cattle) gardien *m* de bestiaux; **2** US (warehouseman) magasinier *m*

stock market /ˈstɒkmɑːkɪt/
A *n* **1** (stock exchange) Bourse *f* des valeurs; **to be quoted** *ou* **listed on the ~** être coté en Bourse; **2** (prices, trading activity) marché *m* des valeurs
B *modif* [*analyst*] boursier/-ière de marché; [*crash, rumours, trading, slump, raid*] boursier/-ière; [*quotation, flotation*] en Bourse; **in ~ circles** dans les milieux boursiers; **~ price** *ou* **value** cote *f*

stock option *n* option *f* d'achat de titres

stockpile /ˈstɒkpaɪl/
A *n* réserves *fpl*
B *vtr* stocker [*weapons*]; faire des stocks *or* des réserves de [*food, goods*]

stock: **~piling** *n* stockage *m*; **~pot** *n* marmite *f*; **~ room** *n* Comm magasin *m*; **~ sheet** *n* fiche *f* d'inventaire; **~ shortage** *n* rupture *f* de stock; **~ split** *n* division *f* des actions (*avec réduction de leur valeur unitaire*)

stock-still /ˌstɒkˈstɪl/ *adv* **to stand ~** rester cloué sur place

stocktake /ˈstɒkteɪk/ *n* inventaire *m*; **to do a ~** faire l'inventaire

stocktaking /ˈstɒkteɪkɪŋ/ *n* **1** Comm inventaire *m*; **'closed for ~'** 'fermé pour inventaire'; **to do ~** faire l'inventaire; **2** fig faire le point

stock: **~ warrant** *n* Fin bon *m* de souscription de titres; **~whip** *n* fouet *m* (pour le bétail)

stocky /ˈstɒkɪ/ *adj* [*person*] trapu; [*animal*] râblé; **of ~ build** de forte carrure

stockyard /ˈstɒkjɑːd/ *n* parc *m* à bestiaux

stodge○ /stɒdʒ/ *n* ¢ GB (food) aliments *mpl* bourratifs; (writing) littérature *f* indigeste; (speech) discours *m* indigeste

stodginess /ˈstɒdʒɪnɪs/ *n* (of food) lourdeur *f*; (of book, style) lourdeur *f*; (of speech) ennui *m*

stodgy /ˈstɒdʒɪ/ *adj* [*food*] bourratif/-ive; [*person, speech*] ennuyeux/-euse; [*book*] indigeste; [*style*] lourd

stogie /ˈstəʊgɪ/ *n* US cigare *m*

stoic /ˈstəʊɪk/ *n, adj* stoïque (*mf*)

Stoic /ˈstəʊɪk/
A *n* stoïcien *m*
B *adj* stoïcien/-ienne

stoical /ˈstəʊɪkl/ *adj* stoïque

stoically /ˈstəʊɪklɪ/ *adv* stoïquement

stoicism /ˈstəʊɪsɪzəm/ *n* stoïcisme *m*

stoke /stəʊk/ *vtr* (*also* **~ up**) alimenter [*fire, furnace, engine*]; fig entretenir [*enthusiasm, interest, anger*]

stokehole /ˈstəʊkhəʊl/ *n* **1** (*also* **stokehold**) Naut chaufferie *f*; **2** Ind porte *f* de chauffe

stoker /ˈstəʊkə(r)/ ▸ **p. 1683** *n* Naut, Ind, Rail chauffeur *m*

STOL (*abrév* = **short take off and landing**) avion *m* à décollage et atterrissage courts, ADAC

stole /stəʊl/
A *prét* ▸ **steal B, C**
B *n* étole *f*

stolen /ˈstəʊlən/ *pp* ▸ **steal B, C**

stolid /ˈstɒlɪd/ *adj* [*person, character*] flegmatique; [*book, style*] sans relief

stolidity /ˌstɒˈlɪdətɪ/ *n* = **stolidness**

stolidly /ˈstɒlɪdlɪ/ *adv* imperturbablement

stolidness /ˈstɒlɪdnɪs/, **stolidity** /stəˈlɪdətɪ/ *n* (of person, speech, behaviour) impassibilité *f*; (of nation) flegme *m*

stollen /ˈstɒlən/ *n* US pain *m* brioché aux fruits

stoma /ˈstəʊmə/ *n* Med stomie *f*

stomach /ˈstʌmək/
A *n* estomac *m*; (belly) ventre *m*; **to have a pain in one's ~** avoir mal au ventre *or* à l'estomac; **to lie on one's ~** être à plat ventre; **to do sth on a full/empty ~** faire qch le ventre plein/vide; **the pit of one's ~** le creux de l'estomac; **to be sick to one's ~** être profondément dégoûté; **I'm sick to my ~ of politics** la politique me dégoûte *or* me donne la nausée; **to have a strong ~** lit avoir un estomac d'autruche○; fig avoir l'estomac bien accroché○; **to turn sb's ~** écœurer qn
B *modif* [*ulcer, operation*] à l'estomac; [*cancer, disease*] de l'estomac; **to have (a) ~ ache** avoir mal au ventre; **to have ~ trouble** avoir des troubles gastriques
C *vtr* digérer [*food*]; fig encaisser○, supporter [*person, attitude, behaviour, violence*]; **I can't ~ oysters** je ne digère pas les huîtres; **I can't ~ that guy!** je ne peux pas encaisser○ ce type○!

(Idioms) **an army marches on its ~** il faut nourrir son homme; **to have no ~ for a fight** n'avoir aucune envie de se battre; **your eyes are bigger than your ~** tu as les yeux plus grands que le ventre

stomach: **~ powder** *n* médicament *m* contre les lourdeurs d'estomac; **~ pump** *n* pompe *f* stomacale; **~ stapling** *n* cerclage *m* gastrique

stoma patient *n* stomisé/-e *m/f*

stomatologist /ˌstəʊməˈtɒlədʒɪst/ ▸ **p. 1683** *n* stomatologue *mf*

stomatology /ˌstəʊməˈtɒlədʒɪ/ *n* stomatologie *f*

stomp /stɒmp/
A *n* **1** (of feet) bruit *m* de pas lourds; **2** US (dance) danse *f* très rythmée
B *vi* **1** (walk heavily) **to ~ in/out** entrer/sortir d'un pas lourd; **he ~ed off in a rage** il est parti à grands pas furieux

stomper○ /ˈstɒmpə(r)/ *n* US écrase-merde◑ *m*

stomping ground *n* endroit *m* préféré; (bar) bar *m* favori; (neighbourhood) quartier *m* favori

stone /stəʊn/ ▸ **p. 1883**
A *n* **1** ¢ (material) pierre *f*; **(made) of ~** en pierre; **to turn into ~** se changer en pierre; **to have a heart of ~** fig avoir un cœur de pierre; **to be as hard as ~** lit être dur comme de la pierre; fig avoir un cœur de pierre; **2** (small rock) pierre *f*, caillou *m*; **3** (for particular purpose) gen pierre *f*; (standing vertically) menhir *m*; (engraved) stèle *f*; **to lay a ~** poser une pierre; **to erect a ~** ériger une stèle; **they totally destroyed the town, not a ~ was left standing** ils ont complètement détruit la ville, tout était dévasté; **4** (*also* **precious ~**) (gem) pierre *f*; **5** Bot (in fruit) noyau *m*; **to take the ~ out of a peach** dénoyauter une pêche; **6** Med calcul *m*; **kidney ~** calcul *m* rénal; **7** GB Meas = *6,35 kg*
B *modif* [*wall, statue, floor, building, step*] en pierre; [*jar, pot, pottery*] en grès; **~ cladding** revêtement *m* de pierre
C *vtr* **1** (throw stones at) lapider [*person*]; **to ~ sb to death** lapider qn; **2** (remove stone from) dénoyauter [*peach, cherry*]

(Idioms) **~ me†!** GB ça alors!; **to leave no ~ unturned** ne négliger aucun détail; **it's a ~'s throw from here** c'est à deux pas d'ici; **to be set in (tablets of) ~** être gravé dans le marbre; **to cast the first ~** jeter la première pierre (**at** à); **to sink like a ~** couler à pic; ▸ **glasshouse**

Stone Age
A *n* Âge *m* de pierre
B *modif* (*also* **stone age**) [*tool, village, society, man*] (datant) de l'Âge de pierre

stone: **~chat** *n* traquet *m* pâtre; **~ circle** *n* enceinte *f* de monolithes, cromlech *m*

stone-cold /ˌstəʊnˈkəʊld/
A *adj* glacé
B *adv* **~ sober** parfaitement sobre

stone: **~crop** *n* Bot orpin *m*; **~ curlew** *n* œdicnème *m* criard

stoned○ /stəʊnd/ *adj* défoncé; **to get ~** se défoncer○ (**on** à)

stone: **~-dead** *adj* mort et bien mort; **~-deaf** *adj* sourd comme un pot○; **~ fruit** *n* fruit *m* à noyau; **~ground** *adj* moulu à la meule; **~ mason** ▸ **p. 1683** *n* tailleur/-euse *m/f* de pierre; **~ saw** *n* scie *f* de tailleur de pierre

stonewall /ˌstəʊnˈwɔːl/
A *vtr* éluder les questions de [*person*]
B *vi* **1** Sport jouer un jeu défensif; **2** (filibuster) faire de l'obstruction

stonewalling /ˌstəʊnˈwɔːlɪŋ/ *n* obstructionnisme *m*

stoneware /ˈstəʊnweə(r)/
A *n* poterie *f* en grès
B *modif* [*jar, pot*] en grès

stone: **~washed** *adj* Fashn délavé, stonewashed; **~work** *n* maçonnerie *f*

stonily /ˈstəʊnɪlɪ/ *adv* [*look at, stare*] d'un air glacial; [*say, answer*] d'un ton glacial

stonking○ /ˈstɒŋkɪŋ/ *adj* (*also* **~ great**) monstre○

stony /ˈstəʊnɪ/ *adj* **1** (rocky) [*ground, path, riverbed, beach*] pierreux/-euse; **2** (of or resembling stone) [*colour, texture, appearance*] de (la) pierre; **3** fig (cold) [*look, silence*] glacial

(Idiom) **to fall on ~ ground** tomber dans le vide

stony: **~-broke**○ /ˌstəʊnɪˈbrəʊk/ *adj* GB fauché○, à sec○; **~-faced** *adj* impassible

stood /stʊd/ *prét, pp* ▸ **stand B, C**

stooge /stuːdʒ/
A *n* **1** ○péj (subordinate) larbin *m*; **2** Theat faire-valoir *m inv*
B *vi* **1** ○péj faire le larbin; **to ~ for sb** être le larbin de qn; **2** Theat servir de faire-valoir à qn

(Phrasal verb) ■ **stooge about, stooge around** aller au hasard

stook /stuːk, stʊk/ GB
A *n* moyette *f*

B *vtr* gerber; **to ~ the sheaves** gerber les moyettes

stool /stu:l/

A *n* **1** (furniture) tabouret *m*; **high/bar/piano ~** tabouret haut/de bar/de piano; **2** (faeces) selle *f*; **3** Bot pied *m* (de plante); **4** US (toilet) toilettes *fpl*

B ○*vi* moucharder○

(Idiom) **to fall between two ~s** être ni chair ni poisson

stoolie○ /'stu:lɪ/ *n* = **stool pigeon**

stool pigeon○ *n* mouchard/-e *m/f*

stoop /stu:p/

A *n* **1** (curvature) **to have a ~** avoir le dos voûté; **to walk with a ~** marcher courbé; **2** US (veranda) perron *m*; **3** (of hawk) descente *f* en piqué

B *vi* **1** (be bent over) être voûté; **2** (lean forward) se pencher; **to ~ down** se baisser; **to ~ over sth** se pencher sur qch; **3** (debase oneself) **to ~ to** s'abaisser à [*blackmail, lies*]; **to ~ so low as to do sth** s'abaisser jusqu'à faire qch; **4** (plunge) [*bird*] piquer

C **stooping** *pres p adj* [*person*] courbé; **~ing shoulders** épaules voûtées

stoop labour *n* US *travail agricole au ras du sol*

stop /stɒp/

A *n* **1** (halt, pause) arrêt *m*; (short stay) gen halte *f*; Aviat, Naut escale *f*; **to have** *ou* **make a ten-minute ~ for coffee** faire un arrêt de dix minutes pour prendre un café; **to make an overnight ~** gen faire une halte d'une nuit; Aviat, Naut faire une escale d'une nuit; **the train makes three ~s before London** le train fait trois arrêts *or* s'arrête trois fois avant Londres; **our next ~ will be (in) Paris** (on tour, trip) notre prochaine halte sera Paris; **there are ~s in Bruges and Mons** on fait halte à Bruges et à Mons; **next ~ Dover/home** le prochain arrêt à Douvres/à la maison; **we've had too many ~s and starts on this project** nous avons dû arrêter et reprendre ce projet trop souvent; **to be at a ~** [*traffic, production*] être arrêté; **to bring sth to a ~** arrêter qch; **to come to a ~** [*vehicle, work, progress*] s'arrêter; **to put a ~ to** mettre fin à; **I'll soon put a ~ to that!** je vais bientôt mettre fin à ça!
2 (stopping place) (for bus) arrêt *m*; (for train) gare *f*; (for tube, subway) station *f*; **from X to Y is three ~s on the bus** de X à Y il y a trois arrêts (de bus); **I've missed my ~** (on bus) j'ai loupé mon arrêt; (on train) j'ai loupé ma gare
3 (punctuation mark) (in telegram) stop *m*; (in dictation) point *m*
4 (device) (for door) butoir *m*; (on window, typewriter) taquet *m*; (for drawer) butée *f*
5 Mus (on organ) (pipes) jeu *m* d'orgues; (knob) registre *m* d'orgues
6 Phot (aperture) diaphragme *m*
7 Phon occlusive *f*

B *modif* [*button, lever, signal*] d'arrêt

C *vtr* (*p prés etc* **-pp-**) **1** (cease) [*person*] arrêter, cesser [*work, activity*]; **~ what you're doing/that noise** arrêtez *or* cessez ce que vous faites/ce bruit; **~ it!** arrête!; (that's enough) ça suffit!; **to ~ doing** arrêter *or* cesser de faire; **to ~ smoking** arrêter *or* cesser de fumer; **he never ~s talking** il n'arrête pas de parler; **I can't ~ thinking about her** je n'arrête pas de penser à elle, je ne cesse de penser à elle; **he couldn't ~ laughing** il ne pouvait pas s'arrêter de rire; **it's ~ped raining** il a arrêté *ou* cessé de pleuvoir; **~ writing please** (in exam) veuillez poser vos stylos s'il vous plaît
2 (bring to a halt) (completely) [*person, mechanism*] arrêter [*person, vehicle, process, match, trial*]; [*strike, power cut*] entraîner l'arrêt de [*activity, production*]; (temporarily) [*person, rain*] interrompre [*process, match, trial*]; [*strike, power cut*] provoquer une interruption de [*activity, production*]; **rain ~ped play** la pluie a interrompu la partie; **~ the clock!** arrêtez le chronomètre!; **something to ~ the bleeding** quelque chose pour arrêter le sang de couler; **to ~ a bullet, to ~ one**○ recevoir *or* choper○ une balle; **the pistol will ~ a man at 30 metres** le pistolet étendra un homme à 30 mètres
3 (prevent) empêcher [*war, publication*]; empêcher [qch] d'avoir lieu [*event, ceremony*]; arrêter [*person*]; **I'm leaving and you can't ~ me!** je pars et tu ne pourras pas m'en empêcher *or* m'arrêter!; **what's to ~ you?, what's ~ping you?** qu'est-ce qui t'en empêche *or* t'arrête?; **to ~ sb (from) doing** empêcher qn de faire; **she ~ped me (from) making a fool of myself** elle m'a empêché de me rendre idiot; **you won't be able to ~ the marriage (from taking place)** tu ne pourras pas empêcher le mariage *or* empêcher que le mariage ait lieu; **there's nothing to ~ you (from) doing** rien ne t'empêche de faire
4 (refuse to provide) (definitively) supprimer [*grant, allowance*]; arrêter [*payments, deliveries, subscription*]; couper [*gas, electricity, water*]; (suspend) suspendre [*grant, payment, subscription, gas*]; **to ~ a cheque** faire opposition à un chèque; **to ~ £50 out of sb's pay** GB retenir 50 livres sur le salaire de qn; **all leave has been ~ped** toutes les permissions ont été suspendues
5 (plug) boucher [*gap, hole, bottle*]; **to ~ a leak** arrêter une fuite; **to ~ one's ears** se boucher les oreilles
6 Mus bloquer [*string*]; boucher [*hole*]

D *vi* (*p prés etc* **-pp-**) **1** (come to a standstill, halt) [*person, vehicle, clock, machine, heart*] s'arrêter; **to ~ somewhere for lunch** s'arrêter quelque part pour déjeuner; **everything ~ped** tout s'est arrêté
2 (cease) [*person, discussion, bleeding, breathing*] s'arrêter ; [*pain, worry, enjoyment, battle*] cesser; [*noise, music, rain*] s'arrêter, cesser; **to ~ for questions** s'arrêter pour répondre aux questions; **not to know when to ~** ne pas savoir s'arrêter; **this is going to have to ~** il va falloir que cela cesse; **without ~ping** sans arrêt; **to ~ to do** s'arrêter pour faire; **you didn't ~ to think** tu n'as pas pris le temps de réfléchir
3 ○GB (stay) rester; **to ~ for dinner** rester dîner; **to ~ the night with sb** passer la nuit chez qn

E *v refl* (*p prés etc* **-pp-**) **to ~ oneself** (restrain oneself) se retenir; **I nearly fell but I ~ped myself** j'ai failli tomber mais je me suis rattrapé; **to ~ oneself (from) doing** s'empêcher de faire; **he tried to ~ himself (from) telling her** il a essayé de ne rien lui dire

(Idiom) **to pull out all the ~s** frapper un grand coup (**to do** pour faire)

(Phrasal verbs) ■ **stop away**○ GB: ► **~ away** (not go) ne pas aller (**from** à); (not come) ne pas venir (**from** à)
■ **stop behind**○ GB rester
■ **stop by**○: ► **~ by** passer; **to ~ by at Eric's place** passer chez Éric; ► **~ by [sth]** passer à [*bookshop, café*]
■ **stop down** Phot fermer le diaphragme
■ **stop in**○ GB (stay in) rester chez soi; **I'm ~ping in** je vais rester chez moi
■ **stop off** faire un arrêt; **to ~ off in Bristol** faire un arrêt à Bristol; **to ~ off at Paul's house** passer chez Paul
■ **stop on**○ GB rester; **to ~ on at school** rester à l'école
■ **stop out**○ GB **to ~ out late** rentrer tard; **to ~ out all night** ne pas rentrer de la nuit
■ **stop over** (at sb's house) rester; **to ~ over in Athens** gen faire une halte à Athènes; Aviat, Naut faire escale à Athènes
■ **stop up**: ► **~ up**○ GB veiller; ► **~ [sth] up, ~ up [sth]** boucher [*hole, gap*]; **to be ~ped up with** être bouché par

stop: **~ bath** *n* Phot bain *m* de rinçage; **~cock** *n* robinet *m* d'arrêt; **~ consonant** *n* occlusive *f*

stopgap /'stɒpgæp/

A *n* bouche-trou *m*

B *modif* [*leader*] bouche-trou; [*measure*] provisoire

stop: **~-go** *adj* Econ [*policy*] d'oscillation; **~ lamp** *n* US = **stop light**; **~ light** *n* (on vehicle) feu *m* stop; (traffic light) feu *m* rouge; **~-off** *n* (quick break) arrêt *m*; (longer) halte *f*; **~ order** *n* Fin ordre *m* stop; **~over** *n* gen halte *f*; Aviat, Naut escale *f*

stoppage /'stɒpɪdʒ/ *n* **1** Ind (strike) interruption *f* (de travail); **a 24-hour ~** une interruption de 24 heures du travail; **2** GB (deduction from wages) retenue *f* (sur salaire)

stoppage time *n* Sport arrêts *mpl* de jeu

stop: **~ payment** *n* Fin opposition *f* (à un chèque); **~ payment order** *n* contre-ordre *m*

stopper /'stɒpə(r)/

A *n* (for bottle, jar) bouchon *m*; (for bath, basin) bonde *f*

B *vtr* boucher [*bottle*]

stopping /'stɒpɪŋ/

A *n* **'no ~'** 'arrêt *m* interdit'; **all this ~ and starting is stupid** tous ces arrêts et ces redémarrages sont stupides

B *modif* Aut [*distance, time*] d'arrêt

stopping: **~ place** *n* endroit *m* pour s'arrêter; **~ train** *n* omnibus *m*

stop-press /ˌstɒp'pres/

A *n* dernières nouvelles *fpl*

B *modif* [*news, item*] de dernière heure *or* minute

stop: **~ sign** *n* (panneau *m* de) stop *m*; **~watch** *n* chronomètre *m*

storage /'stɔ:rɪdʒ/

A *n* **1** (keeping) (of food, fuel, goods) stockage *m* (**of** de); (of furniture) entreposage *m* (**of** de); (of document, file) classement *m* (**of** de); (of heat, energy, electricity) accumulation *f* (**of** de); **to be in ~** [*food, fuel, goods*] être entreposé; [*furniture*] être au garde-meuble; **to put sth in(to) ~** entreposer [*goods*]; mettre qch au garde-meuble [*furniture*]; **2** (space) Comm entrepôt *m*; gen espace *m* de rangement; **3** Comput (facility) mémoire *f*; (process) mise *f* en mémoire

B *modif* [*container*] Comm de stockage; [*compartment, space*] de rangement; **~ area** Comm entrepôt *m*; **~ costs** gen frais *mpl* de stockage; (for furniture) frais *mpl* de garde-meuble.

storage: **~ battery** *n* accumulateur *m*; **~ capacity** *n* Comput capacité *f* de mémoire; **~ device** *n* Comput mémoire *f*; **~ heater** *n* Elec radiateur *m* électrique à accumulation; **~ jar** *n* (glass) bocal *m* (de rangement); (ceramic) pot *m* de rangement; **~ tank** *n* (for oil, chemicals) réservoir *m*, tank *m*; (for rainwater) citerne *f*

storage unit *n* **1** (cupboard) meuble *m* de rangement; **2** Comm (area of storage space) unité *f* de stockage

store /stɔ:(r)/

A *n* **1** ► **p. 1683** (shop) magasin *m*; (smaller) boutique *f*; **the big ~s** les grands magasins; **2** (supply) (of food, fuel, paper) réserve *f*, provision *f* (**of** de); (of knowledge, information) fonds *mpl* (**of** de); **to keep/lay in a ~ of sth** avoir/constituer une réserve *or* provision de qch; **3** (place of storage) (for food, fuel) réserve *f*; (for furniture) garde-meuble *m*; Comm entrepôt *m*, magasin *m*; Mil magasin *m*; (for nuclear waste) réservoir *m* de stockage; **4** (storage) **to put sth in(to) ~** mettre qch au garde-meuble [*furniture*]; mettre qch en magasin, entreposer [*goods*]; fig **there' s a surprise/a nasty shock in ~ for him** une surprise/une mauvaise surprise l'attend; **I wonder what the future has in ~ (for us)** je me demande ce que l'avenir nous réserve

B **stores** *npl* **1** (supplies) provisions *fpl*; **to take on ~s** Naut ravitailler; **2** (storage area) magasin *m*

C *vtr* **1** (put away) conserver [*food*]; ranger [*objects, furniture*]; stocker [*nuclear waste, chemicals*]; conserver [*information*]; Agric engranger [*crops, grain*]; **2** (accumulate) faire des provisions de [*food, supplies, fuel*]; accumuler [*energy, heat, water*]; **3** (hold) [*cupboard, fridge, freezer*] contenir [*food, objects*]; **4** Comput

S

mettre [qch] en mémoire, mémoriser [*data, records*] (**on** sur)

D **stored** *pp adj* [*food, wine, supplies*] gen mis de côté; Comm stocké; fig [*troubles, unhappiness*] accumulé

(Idioms) **to set great ~ by sth** attacher beaucoup d'importance à qch; **not to set great ~ by sth, to set little ~ by sth** ne pas attacher beaucoup d'importance à qch

(Phrasal verbs) ■ **store away**: ▸ **~ [sth] away, ~ away [sth]** mettre de côté, ranger [*clothes, furniture, objects*]

■ **store up**: ▸ **~ up [sth]** accumuler [*food, supplies, energy, heat*]; fig accumuler [*hatred, resentment, unhappiness*]; **you're storing up trouble/problems for yourself** tu ne fais qu'accumuler les ennuis/les problèmes

store: **~ card** *n* Comm Fin carte *f* de crédit (*d'un grand magasin*); **~ cupboard** *n* armoire *f* de rangement; **~ detective** ▸ **p. 1683** *n* surveillant/-e *m/f* (*dans un magasin*); **~front** *n* US Comm vitrine *f* (*d'un magasin*); **~house** *n* entrepôt *m*; **~keeper** ▸ **p. 1683** *n* US commerçant/-e *m/f*; **~man** *n* Comm magasinier *m*; **~ manager** ▸ **p. 1683** *n* Comm directeur/-trice *m/f* de (grand) magasin; **~room** *n* (in house, school, office) réserve *f*; (in factory, shop) magasin *m*

storey GB, **story** US /'stɔːrɪ/ *n* (*pl* **-reys** GB, **-ries** US) étage *m*; **on the top ~** au dernier étage; **on the third ~** GB au troisième étage; US au quatrième étage; **a three-storeyed building** GB, **a three storied building** US un bâtiment à *or* de trois étages; **single-~ building** bâtiment *m* de plain-pied

(Idiom) **to be a bit weak in the top ~**○ être bête comme ses pieds○

stork /stɔːk/ *n* cigogne *f*

storksbill /'stɔːksbɪl/ *n* érodium *m*

storm /stɔːm/

A *n* **1** (violent weather) tempête *f*; (thunderstorm) orage *m*; **to get caught in a ~** se faire prendre dans une tempête; **the ~ broke** la tempête a éclaté; **to weather a ~** lit résister à la tempête; fig surmonter une mauvaise passe; **2** Meteorol (gale) vent *m* de tempête; **3** (irresistible attack) **to take a town by ~** Mil prendre une ville d'assaut; **she took Broadway by ~** fig elle a remporté un succès foudroyant à Broadway; **4** (outburst) tempête *f*; **a ~ of criticism/protest** une tempête de critiques/protestations; **a ~ of applause/laughter** un tonnerre d'applaudissements/d'éclats de rire; **a ~ of violence** une vague de violence; **to bring a ~ down about one's ears** s'attirer de violentes critiques

B *vtr* **1** (invade) prendre [qch] d'assaut [*citadel, prison*]; **looters ~ed the shops** les pillards ont pris les magasins d'assaut; **2** (roar) **'get out!' he ~ed** 'sortez!' cria-t-il dans un accès de colère

C *vi* **1** [*wind, rain*] faire rage; **2** (move angrily) **to ~ into a room** entrer avec fracas dans une pièce; **to ~ off** partir avec fracas; **he ~ed off in a temper** il est parti furibond; **3** (get angry) tempêter; **to ~ at sb** tempêter contre qn

storm: **~ belt** *n* zone *f* de tempêtes; **~bound** *adj* retenu par la tempête; **~ cellar** *n* cave-refuge *f*; **~ centre** GB, **~ center** US *n* Meteorol œil *m* du cyclone; fig cœur *m* des problèmes; **~cloud** *n* lit nuage *m* orageux; fig nuage *m* noir; **~ damage** *n* dégâts *mpl* causés par la tempête; **~ door** *n* double porte *f*; **~ drain** *n* collecteur *m* d'eaux pluviales; **~ force wind** *n* vent *m* de tempête

storming /'stɔːmɪŋ/

A *n* prise *f*; **the ~ of the palace** la prise du palais

B ○*adj* décoiffant○, super○

storm: **~ lantern** *n* lampe-tempête *f*; **~-lashed** *adj* battu par les tempêtes; **~ petrel** *n* pétrel-tempête *m*

storm-tossed *adj* [*waters*] agité par la tempête; [*ship*] ballotté par la tempête

storm: **~ trooper** *n* membre *m* de section d'assaut; **~ warning** *n* avis *m* de tempête; **~ window** *n* double fenêtre *f*

stormy /'stɔːmɪ/ *adj* **1** [*weather, sky, night*] orageux/-euse; [*sea, waves*] houleux/-euse; **2** (turbulent) [*meeting, debate, period*] houleux/-euse; [*relationship*] orageux/-euse; **~ scenes** éclats *mpl*; **there was a ~ scene when he came back late** il y a eu un éclat lorsqu'il est rentré tard

stormy petrel = **storm petrel**

story /'stɔːrɪ/ *n* **1** (account) histoire *f* (**of** de); **to tell a ~** raconter une histoire; **the ~ of Elvis Presley** l'histoire d'Elvis Presley; **it's a true ~** c'est une histoire vécue; **based on a true ~** inspiré par une histoire vécue; **to stick to/change one's ~** maintenir/changer sa version des faits; **what is the real ~?** où est la vérité?; **they all have similar stories, they all tell the same ~** ils sont tous passés par là; **2** (tale) gen histoire *f* (**about, of** de); Literat conte *m* (**of** de); **to tell an entertaining ~** raconter une histoire divertissante; **a detective/ghost ~** une histoire policière/de fantômes; **tell us a ~ about when you lived in London during the war** racontez-nous comment c'était pendant la guerre à Londres; **read us a (bedtime) ~!** tu nous lis une histoire?; **3** Journ article *m* (**on, about** sur); **exclusive ~** reportage *m* exclusif; **to carry** *ou* **run a ~** publier un article; **to kill a ~** ne pas publier un article; **a front-page ~** un article à la une; **the inside ~** les dessous de l'affaire; **4** (lie) histoire *f*; **to make up a ~** inventer une histoire (**about** à propos de); **she made up some ~ about her train being late** elle a inventé une histoire de train en retard; **5** (rumour) rumeur *f* (**about** sur); **all sorts of stories are going round the office** toutes sortes de rumeurs circulent dans le bureau; **6** (*also* **~ line**) (of novel, play) intrigue *f*; (of film) scénario *m*; **the ~ was taken from a Russian novel** l'histoire est tirée d'un roman russe; **there was no ~!** il n'y avait pas d'histoire!; **7** (unfolding of plot) action *f*; **the ~ is set in Normandy** l'action *or* l'histoire se passe en Normandie; **8** US (floor) étage *m*; **first ~** rez-de-chaussée *m*; **second ~** premier étage *m*; ▸ **storey**

(Idioms) **but that's another ~** mais ça c'est une autre histoire; **to cut a long ~ short** bref; **that's not the whole ~, that's only half the ~** ce n'est qu'une partie de l'histoire, ce n'est pas tout; **that's the ~ of my life!** c'est toujours la même chose, avec moi!; **it's always the same ~, it's the same old ~** c'est toujours la même chose; **every picture tells a ~** ça se passe de commentaires; **a likely ~!** elle est bien bonne, celle-là○!; **the ~ goes/has it that** on raconte/dit que; **or so the ~ goes** du moins c'est ce qu'on dit; **what's the ~**○**?** qu'est-ce qui se passe?; ▸ **two**

storyboard /'stɔːrɪbɔːd/ *n* maquette *f* préparatoire

storybook /'stɔːrɪbʊk/ *n* livre *m* de contes

(Idiom) **it's a ~ ending** ça finit comme dans les romans

storyteller /'stɔːrɪtelə(r)/ *n* **1** (writer) conteur/-euse *m/f*; **2** (liar) menteur/-euse *m/f*

stoup /stuːp/ *n* **1** Relig bénitier *m*; **2** †(drinking vessel) gobelet *m*

stout /staʊt/

A *n* (drink) stout *f*

B *adj* **1** (fat) [*person*] corpulent; [*animal*] gros/grosse; **to grow ~** avoir tendance à l'embonpoint; **2** (strong) [*fence, wall*] épais/-aisse; [*branch, shoe, stick*] gros/grosse (*before n*); **3** (valiant) [*defence, resistance, supporter*] acharné; [*support*] inconditionnel/-elle

stout-hearted /ˌstaʊt'hɑːtɪd/ *adj* littér au courage valeureux liter

stoutly /'staʊtlɪ/ *adv* **1** (strongly) **~ made** solide; **~ constructed, ~ built** de construction *f* solide; **2** (valiantly) [*defend, fight*] résolument; [*deny, resist*] avec acharnement; **~ held beliefs** des croyances tenaces

stoutness /'staʊtnɪs/ *n* **1** (of person, animal) corpulence *f*; **2** (of shoe, stick) solidité *f*; **3** (of defence, resistance) acharnement *m*; **4** (of intention, purpose) fermeté *f*

stove /stəʊv/

A *prét, pp* ▸ **stave**

B *n* **1** (cooker) cuisinière *f*; **electric/gas ~** cuisinière électrique/à gaz; **2** (heater) poêle *m*; **3** Ind (kiln) four *m*

C *vtr* Ind cuire

(Idiom) **to slave over a hot ~** hum trimer à ses fourneaux

stove: **~d moulding** GB, **~ molding** US *n* moulage *m* cuit; **~ enamel** *n* émail *m* au four; **~-enamelled** *adj* émaillé au four

stovepipe /'stəʊvpaɪp/

A *n* **1** (flue) tuyau *m* de poêle; **2** (*also* **~ hat**) (chapeau *m* en) tuyau *m* de poêle

B **stovepipes**○ *npl* GB pantalon *m* moulant; US pantalon *m* droit

stoving /'stəʊvɪŋ/ *n* Ind cuisson *f*

stow /stəʊ/ *vtr* **1** (pack) ranger [*baggage, ropes, tarpaulin*]; plier [*sail*]; **to ~ cargo in the hold** Naut arrimer la cargaison dans la cale; **2** ○GB (shut) **~ it**○**!** ferme-la○!

(Phrasal verb) ■ **stow away**: ▸ **~ away** [*passenger, escapee*] voyager clandestinement; ▸ **~ [sth] away, ~ away [sth]** ranger [*provisions, ropes, baggage*]; plier [*sail*]

stowage /'stəʊɪdʒ/ *n* **1** gen (of baggage, load) rangement *m*; Naut (of cargo, equipment) arrimage *m*; **2** (space) place *f* pour le rangement. **3** Comm (cost) frais *mpl* d'arrimage

stowaway /'stəʊəweɪ/ *n* passager/-ère *m/f* clandestin/-e

St Patrick's Day /snt'pætrɪks deɪ/ *n* la Saint-Patrick

> **St Patrick's Day**
>
> La Saint Patrick (17 mars) est la fête nationale de la République d'Irlande et un jour férié en Irlande du Nord. Aux États-Unis, des défilés sont organisés dans toutes les villes où la communauté irlandaise est importante (Boston, Chicago, New York).

str *n* GB (*abrév écrite* = **street**) rue *f*

Str *n* (*abrév écrite* = **Strait**) détroit *m*

strabismus /strə'bɪzməs/ *n* Med strabisme *m*

straddle /'strædl/

A *n* (*also* **~ jump**) Sport rouleau *m* (ventral)

B *vtr* **1** (in position) [*person*] enfourcher [*horse, bike*]; s'asseoir à califourchon sur [*chair, person*]; enjamber [*ditch, stream*]; **he was straddling his bike** il chevauchait son vélo; **he was straddling the ditch** il se tenait les jambes écartées au-dessus du fossé; **2** (in location) [*bridge*] enjamber [*road, river*]; [*town, country*] être à cheval sur [*counties, continents*]; [*village, town*] être traversé par [*road, border*]; **3** fig (in debate) **to ~ the line between two things** être à mi-chemin entre deux choses; **to ~ (both sides of) an issue** péj essayer de ménager les deux parties

strafe /strɑːf, streɪf/ *vtr* **1** Mil Aviat mitrailler [qn] en rase-mottes; **2** ○fig passer un savon à

strafing /'strɑːfɪŋ, streɪf-/ *n* **1** Mil Aviat mitraillage *m* en rase-mottes; **2** ○fig savon○ *m*; **I got a real ~!** quel savon on m'a passé○!

straggle /'strægl/

A *n* (loose group) (of buildings) rangée *f* irrégulière; (of people) groupe *m* désordonné

B *vi* **1** (spread untidily) **to ~ along** s'étendre au hasard le long de [*road, beach, railtrack*]; **huts ~d down the mountainside** des refuges étaient disséminés sur le flanc de la montagne; **his hair was ~d over his eyes** des mèches folles tombaient sur ses yeux; **2** (dawdle) traîner; **they were straggling behind the other walkers** ils étaient à la traîne derrière les autres promeneurs

C straggling *pres p adj* [*hedge*] broussailleux/-euse; [*hair, moustache*] en désordre; [*plant*] qui pousse dans tous les sens; **a ~ village/suburb** un village/une banlieue s'étendant au hasard

(Phrasal verbs) ■ **straggle in** [*latecomers, runners*] arriver petit à petit

■ **straggle off** [*crowd, group*] se disperser peu à peu

straggler /'strægla(r)/ *n* traînard/-e *m/f*

straggly /'strægli/ *adj* [*hair, beard*] en désordre; [*bush, hedge*] broussailleux/-euse; [*plant*] qui pousse dans tous les sens

straight /streɪt/

A *n* **1** Sport ligne *f* droite; **back ~** côté *m* opposé de la piste; **home ~** dernière ligne droite; **into the ~** dans la ligne droite

2 Games suite *f*

3 ○(heterosexual) hétéro○ *mf*

B *adj* **1** (not bent or curved) [*line, cut, edge, road, stretch*] droit; [*chair*] à dossier droit; [*hair*] raide; **dead ~** gen tout droit; [*hair*] très raide; **in a ~ line** en ligne droite

2 (level, upright) [*fixture, post, shelf, hem, edge, wall*] bien droit; [*garment, bedclothes, rug, tablecloth*] bien mis; **is the picture ~ now?** est-ce que le tableau est droit maintenant?; **the picture/your tie isn't ~** le tableau/ta cravate est de travers; **to put** *ou* **set sth ~** mettre qch (bien) droit [*furniture, picture, mirror*]; ajuster [*tie, hat*]; **to have a ~ back** avoir le dos droit; **a ~(-sided) glass** un verre droit

3 (tidy, in order) en ordre; **to get** *ou* **put sth ~** lit, fig mettre qch en ordre; **I must get the house ~ before Sunday** il faut que je mette la maison en ordre avant dimanche; **the lawyer will put things ~** l'avocat va mettre les choses en ordre

4 (clear) **to get sth ~** comprendre qch; **have you got that ~?** c'est compris?; **let's get this ~, you're paying half** entendons-nous bien, tu paies la moitié; **now let's get one thing ~** que ce soit bien clair; **to put** *ou* **set sb ~ about sth** éclairer qn sur qch; **to set matters ~** mettre les choses en clair; **to put** *ou* **set the record ~** établir la vérité

5 (honest, direct) [*person*] honnête, loyal; [*answer, question*] clair; [*advice, tip*] sûr; **to be ~ with sb** jouer franc jeu avec qn; **I want a ~ answer to a ~ question** je veux une réponse claire à une question claire; **it's time for ~ talking** il est temps de parler franchement

6 (unconditional) [*contradiction, majority, profit*] net/nette; [*choice*] simple; [*denial, refusal, rejection*] catégorique; **to do a ~ swap** faire simplement l'échange; **a ~ fight** GB Pol une élection à deux candidats; **that's ~ dishonesty** c'est de la malhonnêteté pure et simple

7 (undiluted) [*spirits, drink*] sec, sans eau

8 (consecutive) [*wins, defeats*] consécutif/-ive; **she got ~ 'A's** Sch elle a eu A partout; **to win/lose in ~ sets** Sport gagner/perdre en plusieurs sets consécutifs; **to vote a ~ ticket** US Pol voter pour la liste d'un parti

9 Theat [*actor, play, role*] classique

10 (quits) **to be ~** être quitte; **to get oneself ~** régler ses dettes

11 ○[*person*] (conventional) conventionnel/-elle; (not on drugs) qui ne se drogue pas; (heterosexual) hétéro○ *inv*

C *adv* **1** (not obliquely or crookedly) [*walk, stand up, grow, fly, steer, hang, cut, throw, hit*] droit; [*shoot*] juste; **stand up ~!** tenez-vous droit!; **sit up ~!** asseyez-vous convenablement!; **she held her arm out ~** elle a tendu son bras tout droit; **she was stretched ~ out on the floor** elle était étendue toute raide sur le sol; **to go ~ ahead** aller tout droit; **to look ~ ahead** regarder droit devant soi; **to look sb ~ in the eye** *ou* **face** regarder qn droit dans les yeux; **can you see ~?** est-ce-que tu vois bien?; **he headed ~ for the bar** il s'est dirigé droit vers le bar; **he went ~ for me** il s'est jeté sur moi; **he walked ~ across the road** il a traversé la route tout droit; **the car was coming ~ at** *ou* **towards me** la voiture se dirigeait droit sur moi; **she was looking ~ at me** elle regardait droit dans ma direction; **~ above our heads** juste au-dessus de nos têtes; **~ down into the ground** droit dans le sol; **~ up in the air** droit en l'air; **the bullet went ~ through his body** la balle lui a traversé le corps de part en part; **we went ~ through the book** nous avons lu le livre de bout en bout; **he fired ~ into** *ou* **through the crowd** il a tiré en plein dans la foule; **they drove ~ through the red light** ils ont brûlé le feu rouge; **they drove ~ past me** ils sont passés droit devant moi; **she drove ~ into a tree** elle est rentrée droit dans un arbre; **keep ~ on, it's on the left** continuez tout droit, c'est sur la gauche; **his poems speak ~ to our hearts** ses poèmes nous vont droit au cœur

2 (without delay) directement; **to go ~ home** rentrer directement à la maison; **to go ~ to bed** aller directement au lit; **she went ~ back to Paris** elle est rentrée directement à Paris; **shall we go ~ there?** nous y allons directement?; **she wrote ~ back** elle a répondu immédiatement; **to come ~ to the point** aller droit au fait; **he went ~ to the heart of the matter** il est rentré directement dans le vif du sujet; **~ after** tout de suite après; **I went out ~ after phoning you** je suis sorti tout de suite après t'avoir téléphoné; **~ away, ~ off** tout de suite; **I saw ~ away** *ou* **off that it was impossible** j'ai vu tout de suite que c'était impossible; **he sat down and read/played it ~ off** il s'est assis et l'a lu/joué d'une seule traite; **I can tell you the dates/prices ~ off** je peux vous donner les dates/prix de mémoire; **she told him ~ out that...** elle lui a dit carrément *or* sans ambages que...; **it seemed like something ~ out of a horror film/the Middle Ages** cela semblait sortir tout droit d'un film d'horreur/du Moyen Âge

3 (frankly) tout net; **I'll tell you ~, I'll give it to you ~**○ je vous le dirai tout net; **give it to me ~**○ dis-moi la vérité; **~ out** carrément; **I told him ~ out that he was wrong** je lui ai dit carrément qu'il se trompait; **to play ~ with sb** fig jouer franc jeu avec qn

4 Theat (conventionally) [*act, produce*] de manière classique

5 (neat) **to drink one's whisky ~** boire son whisky sec *or* sans eau

(Idioms) **to keep a ~ face** garder son sérieux; **to keep to the ~ and narrow** suivre le droit chemin; **to stray from the ~ and narrow** s'écarter du droit chemin; **to go ~**○ [*criminal*] se ranger; **~ up**○**?** GB sans blague○?

straight arrow *n* US personne *f* réglo○

straightaway /'streɪtəweɪ/

A *n* US (part of racetrack, highway) ligne *f* droite

B *adv* tout de suite

straightedge /'streɪtedʒ/ *n* règle *f* plate graduée

straighten /'streɪtn/

A *vtr* **1** tendre [*arm, leg*]; redresser [*picture, teeth*]; ajuster [*tie, hat*]; refaire (en ligne droite) [*road*]; défriser [*hair*]; arrondir [*hem*]; **to ~ one's back** *ou* **shoulders** se redresser; **to have one's nose ~ed** se faire refaire le nez; **to have one's teeth ~ed** se faire redresser les dents; **2** (*also* **~ up**) (tidy) mettre [qch] en ordre [*room*]; mettre de l'ordre sur [*desk*]

B *vi* **1** = **straighten out**; **2** [*person*] se redresser

(Idiom) **to ~ up and fly right** US marcher droit

(Phrasal verbs) ■ **straighten out**: ▸ **~ out** [*road*] devenir droit; ▸ **~ out [sth], ~ [sth] out** **1** lit redresser [*sth crooked*]; refaire (en ligne droite) [*road*]; **2** fig (clarify) tirer [qch] au clair [*misunderstanding, problem*]; organiser [*life*]; **to ~ things out** organiser *or* arranger les choses

■ **straighten up**: ▸ **~ up** **1** lit [*person*] se redresser; **2** fig (tidy up) mettre de l'ordre; ▸ **~ up [sb/sth], ~ [sb/sth] up** **1** lit mettre droit [*leaning object*]; redresser [*crooked object*]; **2** (tidy) ranger [*objects, room*]; **to ~ oneself up** s'arranger; **go and ~ yourself up**○**!** va t'arranger un peu!

straight: **~-faced** *adj* à l'air sérieux; **~ flush** *n* quinte *f* floche

straightforward /ˌstreɪt'fɔːwəd/ *adj* **1** (honest) [*answer, person*] franc/franche; [*business*] honnête; **2** (simple) [*account, explanation, case, question*] simple; [*rudeness, abuse*] pur et simple (*after n*); [*performance, production*] simple et direct; [*version*] fidèle

straightforwardly /ˌstreɪt'fɔːwədlɪ/ *adv* **1** (honestly) [*reply, speak*] franchement; [*deal*] honnêtement; **2** (simply) [*describe, explain*] simplement; Mus, Theat [*play, perform, produce*] de façon simple et directe

straightforwardness /ˌstreɪt'fɔːwədnɪs/ *n* **1** (frankness) (of reply) franchise *f*; (of character) droiture *f*; **2** (simplicity) simplicité *f*

straight: **~-laced** *adj* collet-monté *inv*; **~ left** *n* Sport direct *m* du gauche; **~-line depreciation** *n* amortissement *m* constant; **~ man** *n* Theat faire-valoir *m inv*

straightness /'streɪtnɪs/ *n* **1** (honesty) (of reply) franchise *f*; (of character) droiture *f*; **2** (of hair, shoulders) raideur *f*

straight: **~-out** *adj* (frank) franc/franche; **~ right** *n* Sport direct *m* du droit; **~way**† *adv* littér tout de suite

strain /streɪn/

A *n* **1** Phys (weight) effort *m*, contrainte *f* (**on** sur); (from pulling) tensions *fpl* (**on** de); **to put a ~ on** soumettre [qch] à des efforts *or* à des sollicitations [*beam, bridge, rope*]; fatiguer [*heart, lungs*]; faire travailler [*muscles*]; **to be under ~** [*bridge, structure*] être soumis à des efforts *or* des sollicitations; **to grimace/sweat under the ~** grimacer/suer sous l'effort; **to take the ~** [*beam, bracket, rope*] être soumis à des efforts *or* des sollicitations; **the rope/shelf can't take the ~** la corde/l'étagère ne résistera pas

2 (pressure) (on person) stress *m*; (in relations) tension *f*; **mental** *ou* **nervous ~** tension *f* nerveuse; **to put a ~ on** avoir un effet néfaste sur [*relationship*]; créer des tensions au sein de [*group, alliance*]; surcharger [*system, network*]; provoquer une crise dans [*sector, prison system*]; grever [*economy, finances*]; mettre [qch] à rude épreuve [*patience, goodwill*]; **to be under ~** [*person*] être stressé; [*relations*] être tendu; [*network, system*] être surchargé; **to take the ~** [*person*] supporter la pression; **he can't take the ~** il supporte mal le stress *or* la pression; **to crack under the ~** [*person*] craquer sous la pression; **to take the ~ out of** faciliter [*climb, management, organization*]; **to show signs of ~** [*person*] montrer des signes de fatigue; **the ~ (on him) was beginning to tell** il montrait des signes de fatigue; **the ~s within the coalition** les tensions au sein de la coalition; **it's a ~ talking to him** c'est pénible de lui parler; **it's getting to be a ~** ça commence à devenir pénible

3 (injury) muscle *m* froissé; **a calf/thigh ~** un muscle du mollet/de la cuisse froissé

4 (breed) (of animal) race *f*; (of plant, seed) variété *f*; (of virus, bacteria) souche *f*

5 (recurring theme) (of melancholy, etc) courant *m* (**of de**)

6 (tendency) (in family, nation, group) tendance *f* (**of** à)

7 (style) veine *f*, ton *m*; **the rest of the speech was in the same ~** le reste du discours était dans la même veine

B strains *npl* (tune) littér (of piece of music, song) air *m*; **to the ~s of...** aux accents de...

C *vtr* **1** (stretch) tendre [*rope, cable*]; **to ~ one's eyes** (to see) plisser les yeux; **to ~ one's ears** tendre l'oreille; **to ~ one's muscles/every**

S

muscle tendre ses muscles/tous ses muscles (**to do** pour faire); ▸ **nerve**
2 fig grever [*resources, finances, economy*]; compromettre [*relationship, alliance*]; surcharger [*network, system*]; mettre [qch] à rude épreuve [*patience, credulity, understanding*]; **it would be ~ing the truth to say...** ce serait exagéré de dire...; **the writer has ~ed the possibilities of conventional language** l'écrivain a dépassé *or* sublimé les possibilités du langage conventionnel
3 (injure) **to ~ a muscle** se froisser un muscle; **to ~ one's thigh/groin/shoulder** se froisser un muscle de la cuisse/l'aine/l'épaule; **to ~ one's eyes/heart** se fatiguer les yeux/le cœur; **to ~ one's voice** forcer sa voix; **to ~ one's back** se faire un tour de reins
4 (sieve) passer [*tea, sauce*]; égoutter [*vegetables, pasta, rice*]
D *vi* **to ~ against sth** pousser de toutes ses forces contre qch; **to ~ at** tirer sur [*leash, rope*]; **to ~ to see/hear** faire un gros effort pour voir/entendre; **to ~ forward** se pencher en avant
E *v refl* **to ~ oneself** **1** (injure) se blesser **2** (tire) se fatiguer; **don't ~ yourself!** iron ne te fatigue surtout pas!
(Phrasal verb) ■ **strain off**: ▸ **~ [sth] off, ~ off [sth]** faire égoutter [*water, liquid, fat*]

strained /streɪnd/ *adj* **1** (tense) [*atmosphere, expression, silence, relations, voice*] tendu; [*smile*] forcé; **to look ~** avoir l'air tendu; **2** (injured) [*muscle*] froissé; **to have a ~ thigh/shoulder** s'être froissé un muscle à la cuisse/à l'épaule; **3** (sieved) [*baby food*] en purée; [*soup, sauce*] passé
strainer /'streɪnə(r)/ *n* passoire *f*
strait /streɪt/
A *n* Geog détroit *m*; **the Straits of Gibraltar** le détroit de Gibraltar
B **straits** *npl* difficultés *fpl*; **to be in difficult ~s** connaître de graves difficultés; **to be in dire ~s** être aux abois
C ‡*adj* étroit
straitened /'streɪtnd/ *adj* **in ~ circumstances** dans la gêne
straitjacket /'streɪtdʒækɪt/
A *n* **1** lit camisole *f* de force; **2** fig carcan *m*
B *vtr* **1** lit mettre la camisole à; **2** fig entraver
strait-laced /ˌstreɪt'leɪst/ *adj* collet monté *inv* (**about** en ce qui concerne)
strand /strænd/
A *n* **1** (of hair) mèche *f*; (of fibre, web, wire) fil *m*; (of beads) rangée *f*; **2** fig (of argument, thought, plot) fil *m*; (of activity, life) aspect *m*; **3** littér (beach) grève *f*
B *vtr* **to be ~ed** être bloqué; **to leave sb ~ed** laisser qn en rade○
C **stranded** *pp adj* [*climber, traveller*] bloqué
strange /streɪndʒ/ *adj* **1** (unfamiliar) inconnu; **you shouldn't talk to ~ men** il ne faut pas parler à des inconnus; **he can't sleep in a ~ bed** il ne peut pas dormir dans un lit qu'il ne connaît pas; **2** (odd) bizarre; **it's ~ to do** *ou* **be doing** c'est bizarre de faire; **it is ~ (that)...** c'est bizarre que... (+ *subj*); **it feels ~ to be back again** cela fait une drôle d'impression d'être de retour; **there's something ~ about her/this place** elle/cet endroit a quelque chose de bizarre; **in a ~ way...** curieusement...; **~ as that might seem** aussi bizarre que cela puisse paraître; **~ but true** incroyable mais vrai; **~ to say, we never met again** c'est curieux à dire, mais nous ne nous sommes plus jamais rencontrés; **3** (unwell) **to look/feel ~** avoir l'air/se sentir drôle *or* bizarre; **4** sout (new) **to be ~ to** être étranger/-ère à [*place, customs, work*]
strangely /'streɪndʒlɪ/ *adj* [*behave, act, react, smile*] d'une façon étrange; [*quiet, calm, empty, beautiful*] étrangement; **~ shaped** d'une forme étrange; **she looks ~ familiar** c'est curieux, son visage ne m'est pas étranger; **~ enough,...** chose étrange,...
strangeness /'streɪndʒnɪs/ *n* (of place, routine, thought, feeling) étrangeté *f*; **I like both its familiar aspects and its ~** j'aime son caractère à la fois étrange et familier
stranger /'streɪndʒə(r)/ *n* **1** (unknown person) étranger/-ère *m/f*; **a complete** *ou* **total ~** un parfait étranger; **he's a complete ~ to us** c'est pour nous un parfait étranger; **I'm a ~ in my own home** je suis comme un étranger chez moi; **don't take lifts from ~s** ne monte jamais en voiture avec un inconnu; **'hello, ~○!'** 'tiens, voilà un revenant○!'; **2** (newcomer) étranger/-ère *m/f*; **she's a ~ to the town** elle ne connaît pas la ville; **to be no ~ to** avoir l'habitude de [*success, controversy, adversity*]; **they're no ~s to Thailand** ils connaissent bien la Thaïlande
strangers' gallery *n* GB tribune *f* réservée au public
strangle /'stræŋgl/ *vtr* **1** (throttle) [*person*] étrangler; **to ~ sb to death** tuer qn par strangulation; **to ~ an idea at birth** étouffer une idée dans l'œuf; **I could cheerfully have ~d him** hum je l'aurais étranglé de bon cœur; **2** (choke) [*collar*] étrangler [*person*]; [*weed*] envahir [*plant*]; **in a ~d voice** d'une voix étranglée; **3** (curb) étouffer [*creativity, project*]; entraver [*development, growth*]; étrangler [*economy*]; **4** (repress) réprimer [*cry, protest, sob*]
stranglehold /'stræŋglhəʊld/ *n* **1** (in combat) étranglement *m*; **to have sb in a ~** tenir qn avec un étranglement; **2** fig (control) mainmise *f*; **to have a ~ on** avoir la mainmise sur; **3** fig (curb) **to put a ~ on** étrangler [*growth, inflation*]
strangler /'stræŋglə(r)/ *n* étrangleur/-euse *m/f*
strangles /'stræŋglz/ *n* (+ *v sg*) Vet gourme *f*
strangling /'stræŋglɪŋ/ *n* strangulation *f*
strangulate /'stræŋgjʊleɪt/ *vtr* gen, Med étrangler
strangulation /ˌstræŋgjʊ'leɪʃn/ *n* **1** (of person) strangulation *f*; **2** Med étranglement *m*; **3** fig (of activity, economy) étranglement *m*
strap /stræp/
A *n* **1** gen (band of cloth, leather) (on shoe, cap) bride *f*; (on bag, case, container, harness) courroie *f*; (on watch) bracelet *m*; (on handbag) bandoulière *f*; (on bus, train) poignée *f*; **2** Fashn (on dress, bra, overalls, lifejacket) bretelle *f*; **the ~ has broken** la bretelle a lâché; **3** Tech courroie *f*; **to tighten a ~** resserrer une courroie; **4** Med (on ankle) chevillère *f*; (on wrist) poignet *m* de contention; **5** †(punishment) **the ~** le fouet; **to get the ~** avoir le fouet
B *vtr* (*p prés etc* **-pp-**) **1** (secure) **to ~ sth to** attacher qch à [*surface, roof, seat, wing*]; **to have a pistol ~ped to one's waist** avoir un pistolet attaché à la ceinture; **to ~ sb into** attacher qn dans [*seat, cockpit, pram*]; **2** Med, Sport (bandage) bander; **to ~ sb's ankle (up)** bander la cheville à qn; **to have one's thigh ~ped (up)** se faire bander la cuisse; **3** †(punish) fouetter
(Phrasal verbs) ■ **strap down**: ▸ **~ [sth/sb] down, ~ down [sth/sb]** attacher [*prisoner, patient, equipment*]
■ **strap in**: ▸ **~ [sb] in, ~ in [sb]** attacher [*passenger, child*]; **to ~ oneself in** s'attacher
■ **strap on**: ▸ **~ [sth] on, ~ on [sth]** attacher [*watch, goggles, skis*]
strap: **~ fastening** *n* fermeture *f* à lanière; **~hang**○ *vi* voyager debout (en se tenant aux poignées); **~hanger**○ *n* voyageur/-euse *m/f* debout (*inv*); **~ hinge** *n* gond *m* à penture
strapless /'stræplɪs/ *adj* [*bra, dress*] sans bretelles
strapped○ /stræpt/ *adj* **to be ~ for** être à court de [*cash, staff*]
strapping /'stræpɪŋ/
A *n* ¢ gen sangles *fpl*; Ind cerclage *m*
B *adj* parfois hum **a ~ fellow** un costaud; **a big ~ girl** une fille bien balancée○
strapwork /'stræpwɜːk/ *n* entrelacs *m*
Strasbourg /'stræzbɜːg/ ▸ **p. 1815** *pr n* Strasbourg
strata /'strɑːtə, US 'streɪtə/ *pl* ▸ **stratum**
stratagem /'strætədʒəm/ *n* stratagème *m*
strategic /strə'tiːdʒɪk/, **strategical** /strə'tiːdʒɪkl/ *adj* (all contexts) stratégique
Strategic Air Command *n* US Mil Aviat Commandement *m* des Forces Aériennes Stratégiques
strategically /strə'tiːdʒɪklɪ/ *adv* [*plan, develop*] stratégiquement; [*important, placed, relevant*] du point de vue stratégique
strategics /strə'tiːdʒɪks/ *n* (+ *v sg*) stratégie *f*
strategist /'strætədʒɪst/ *n* gen, Mil, Pol stratège *m*; **armchair ~** péj stratège *m* en chambre pej
strategy /'strætədʒɪ/ *n* stratégie *f*; **business/company ~** stratégie des affaires/de l'entreprise; **financial/marketing ~** stratégie financière/commerciale
Strathclyde /stræθ'klaɪd/ ▸ **p. 1612** *pr n* (*also* **~ Region**) Strathclyde *m*
stratification /ˌstrætɪfɪ'keɪʃn/ *n* gen, Geol stratification *f*
stratificational /ˌstrætɪfɪ'keɪʃənl/ *adj* Ling stratificationnel/-elle
stratify /'strætɪfaɪ/
A *vtr* stratifier
B *vi* [*rock*] se stratifier; [*society*] se cliver; **a stratified society** une société pleine de clivages
stratocumulus /ˌstrætəʊ'kjuːmjʊləs/ *n* strato-cumulus *m*
stratosphere /'strætəsfɪə(r)/ *n* stratosphère *f*
stratospheric /ˌstrætə'sferɪk/ *adj* stratosphérique
stratum /'strɑːtəm, US 'streɪtəm/ *n* (*pl* **-ta**) **1** Geol strate *f*; **rock ~** strate *f* rocheuse; **2** Biol couche *f*; **3** (social) couche *f*
straw /strɔː/
A *n* **1** gen (substance) paille *f*; (single stem) fétu *m* or brin *m* de paille; **bedding ~** paille *f* à litière; **2** (for thatching) chaume *m*; **3** (for drinking) paille *f*; **to drink sth with a ~** boire qch avec une paille or à la paille
B *modif* [*bag, hat*] de paille
(Idioms) **to draw ~s** tirer à la courte paille; **to draw the short ~** tirer le mauvais numéro; **to grasp** *ou* **clutch at ~s** se raccrocher à une chimère; **it's not worth a ~** cela ne vaut pas un clou○; **I don't care a ~**○ je m'en moque éperdument; **the last** *ou* **final ~** la goutte qui fait déborder le vase; **a man of ~** un homme de paille; **a ~ in the wind** un indice; **to make bricks without ~** faire avec ce que l'on a
strawberry /'strɔːbrɪ, US -berɪ/
A *n* Bot, Culin **1** (plant) fraisier *m*; **2** (berry) fraise *f*; **wild ~** fraise des bois; **strawberries and cream** fraises à la crème; **3** ▸ **p. 1067** (colour) fraise *f*
B *modif* [*flan, tart*] aux fraises; [*ice cream*] à la fraise; [*liqueur*] de fraise; [*jam*] de fraises; [*crop, field*] de fraises
strawberry bed *n* carré *m* de fraises
strawberry blonde
A *n* femme *f* aux cheveux blond vénitien
B ▸ **p. 1067** *adj* [*hair*] blond vénitien *inv*
strawberry: **~ bush** *n* Bot fusain *m*; **~ mark** *n* tache *f* de vin; **~ roan** *n, adj* Equit aubère (*mf*)
straw: **~board** *n* carton-paille *m*; **~-coloured** ▸ **p. 1067** *adj* paille *inv*; **~ man** *n* US homme *m* de paille fig; **~ mat** *n* natte *f* (de paille); **~ poll** *n* Pol sondage *m* nonofficiel; **~ wine** *n* vin *m* de paille
stray /streɪ/
A *n* **1** (animal) animal *m* égaré; (dog) chien *m* errant; (cat) chat *m* vagabond; **2** (bullet) balle *f* perdue
B **strays** *npl* Electron parasites *mpl*
C *adj* **1** (lost) [*dog*] errant; [*cat*] vagabond; [*child*]

perdu; [*sheep, goat*] égaré; **2)** (isolated) [*bullet*] perdu; [*car, tourist*] isolé; [*coin, crumb, pencil*] qui traîne○

D *vi* **1)** lit (wander) [*animal, person, hand*] s'égarer; **to ~ from the road** s'écarter de la route; **to ~ from sb/from the house** s'éloigner de qn/de la maison; **to ~ onto the road** [*animal*] divaguer sur la route; **to ~ into a shop** entrer par hasard dans un magasin; **2)** fig [*eyes, mind*] errer; [*thoughts*] vagabonder; **to ~ from the point** [*person*] s'écarter du sujet; **to ~ onto sth** (in telling) en venir par hasard à parler de qch; **to let one's thoughts ~** laisser errer ses pensées; **to let one's thoughts ~ to sth** en venir à penser à qch; **3)** Relig pécher; **to ~ from the path of righteousness** s'écarter du droit chemin; **4)** euph (commit adultery) avoir une aventure

streak /stri:k/

A *n* **1)** (in character) côté *m*; **a cruel/mean ~, a ~ of cruelty/meanness** un côté cruel/mesquin; **2)** (period) passe *f*; **to be on a winning/losing ~** être dans une bonne/mauvaise passe; **3)** (mark) (of paint, substance, water) traînée *f*; (of light) rai *m*; **~ of lightning** lit, fig éclair *m*; **4)** Cosmet mèche *f*; **to have ~s done** se faire faire des mèches

B *vtr* **1)** [*light, red*] strier [*sea, sky*]; **2)** Cosmet **to ~ sb's hair** faire des mèches à qn; **to get one's hair ~ed** se faire faire des mèches

C *vi* **1)** (move fast) **to ~ past** passer comme une flèche; **to ~ across** *ou* **through sth** traverser qch comme une flèche; **2)** ○(run naked) courir nu, courir à poil○

D streaked *pp adj* (with tears) sillonné (**with** de); (with dirt) maculé (**with** de); (with colour, light) strié (**with** de); **tear-~ed** sillonné de larmes; **sweat-~ed** dégoulinant de sueur

streaker○ /'stri:kə(r)/ *n* streaker○ *m* (*personne qui court nue*)

streak lightning *n* traînée *f* d'éclairs

streaky /'stri:kɪ/ *adj* [*surface*] couvert de traînées; [*paint*] avec des traînées; [*pattern*] en forme de traînées; **~ mark** traînée *f*

streaky bacon *n* GB bacon *m* entrelardé

stream /stri:m/

A *n* **1)** (small river) ruisseau *m*; **underground/trout ~** ruisseau souterrain/à truites; **2)** (flow) **a ~ of** un flot de [*traffic, customers, questions, jokes*]; un torrent de [*insults, invective*]; un jet de [*light, flames*]; une coulée de [*lava*]; un écoulement de [*water*]; **a ~ of abuse** un torrent d'insultes; **3)** (current) courant *m*; **to drift with the ~** [*leaves, particles*] flotter au gré du courant; **4)** GB, Sch groupe *m* de niveau; **the top/middle/bottom ~** le groupe des élèves forts/moyens/faibles; **the A ~** ≈ le groupe des élèves forts; **to divide a class into ~s** répartir une classe en groupes de niveau

B *vtr* GB, Sch répartir [qch/qn] en groupes de niveau [*class, children*]

C *vi* **1)** (flow) [*tears, blood, water*] ruisseler; **blood was ~ing from the wound** le sang ruisselait de la blessure; **water was ~ing down the walls** l'eau ruisselait sur les murs; **sunlight was ~ing into the room** le soleil entrait à flots dans la pièce; **tears were ~ing down his face** ses larmes coulaient à flots; **2)** (move) [*traffic, cars, people*] (into a place) affluer; (out of a place) [*traffic, cars*] sortir à flots; [*people*] sortir en foule; **they ~ed through the gates** ils ont franchi le portail en foule; **3)** (flutter, blow) [*banners, hair*] flotter; **to ~ in the wind** flotter au vent; **4)** [*eyes, nose*] couler; **my eyes were ~ing** j'avais les yeux qui coulaient; **pollen makes his nose ~** le pollen lui fait couler le nez

(Idiom) **to come on ~** [*factory, oil field*] entrer en activité

streamer /'stri:mə(r)/

A *n* **1)** (flag, ribbon of paper) banderole *f*; **2)** Journ (headline) manchette *f*; **3)** Astron (corona) couronne *f* solaire

B streamers *npl* Astron aurore *f* boréale

streaming /'stri:mɪŋ/

A *n* GB, Sch répartition *f* par groupes de niveau

B ○*adj* **a ~ cold** un très gros rhume

streamline /'stri:mlaɪn/ *vtr* **1)** Aut, Aviat, Naut caréner; **2)** (make more efficient) rationaliser [*distribution, production, procedures*]; euph (cut back) dégraisser [*company*]

streamlined /'stri:mlaɪnd/ *adj* **1)** gen [*cooker, bathroom, furniture*] aux lignes modernes; Aut, Aviat, Naut [*hull, body*] caréné; **2)** fig [*procedures, production, system*] simplifié

streamlining /'stri:mlaɪnɪŋ/ *n* **1)** (of cars, boats) carénage *m*; **2)** (of procedures, production, work methods) rationalisation *f*; (of company) euph dégraissage

stream of consciousness *n* courant *m* de conscience

street /stri:t/

A *n* rue *f*; **in** *ou* **on the ~** dans la rue; **across** *ou* **over** GB **the ~** de l'autre côté de la rue; **to go down/go across the ~** descendre/traverser la rue; **to put** *ou* **turn sb out on the ~** mettre *or* jeter qn à la rue; **to be on the** *ou* **walk the ~s** [*homeless person*] être à la rue; [*prostitute*] faire le trottoir; **to keep people off the ~s** éviter que les gens ne se retrouvent à la rue; **to keep trouble off the ~s** maintenir l'ordre dans la rue; **to take to the ~s** [*population, rioters*] descendre dans la rue; [*prostitute*] faire le trottoir; **the man in the ~** l'homme de la rue

B *modif* **1)** [*accident*] de la circulation; [*directory, plan, musician*] des rues; **2)** [*style, drug, culture*] de la rue

(Idioms) **it's right up my/your ~**○ c'est exactement ce qu'il me/vous faut; **they are ~s apart** GB un abîme les sépare; **to be in Queer Street**○† GB être dans la panade◑; **to be ~s ahead of**○ GB être bien meilleur que

street: **~ arab**○† *n* petit/-e va-nu-pieds *m/f*; **~car** *n* US tramway *m*; **~ cleaner** ▸ p. 1683 *n* (person) balayeur *m*; (machine) balayeuse *f*; **~ cleaning**, **~ cleansing** GB *n* nettoyage *m or* balayage *m* des rues; **~ clothes** *npl* US habits *mpl* de tous les jours

street cred○ /ˌstri:t 'kred/ *n* **to do sth to gain ~** faire qch pour montrer qu'on est dans le coup○; **it gives him ~** cela montre qu'il est dans le coup○

street: **~ credibility** *n* = **street cred**; **~ door** *n* porte *f* d'entrée; **~ fighting** *n* ¢ combats *mpl* de rue; **~ furniture** *n* mobilier *m* urbain; **~ guide** *n* indicateur *m* des rues; **~lamp** *n* (old gas-lamp) réverbère *m*; (modern) lampadaire *m*

street level

A *n* rez-de-chaussée *m*; **at ~** au rez-de-chaussée

B street-level *adj* [*exit*] au rez-de-chaussée; [*parking*] au niveau de la rue

street: **~light** *n* réverbère *m*; **~ lighting** *n* éclairage *m* des rues; **~ market** *n* marché *m* en plein air; **~ newspaper** *n* journal *m* de rue; **~ plan** *n* ▸ **street guide**; **~ sweeper** ▸ p. 1683 *n* = **street cleaner**; **~ theatre** GB, **~ theater** US *n* théâtre *m* de rue; **~ value** *n* valeur *f* à la revente; **~walker** *n* prostituée *f*; **~wise**○ *adj* [*person*] dégourdi○; [*image*] déluré

strength /streŋθ/ *n* **1)** (power) (of person, wind) force *f*; (of lens, magnet, voice) puissance *f*; **to summon up/save one's ~** rassembler/ménager ses forces; **his ~ failed him** ses forces l'ont trahi; **with all one's ~** de toutes ses forces; **to find/have the ~ to do** avoir/trouver la force de faire; **to have great ~** être très fort; **to build up one's ~** lit développer ses muscles; (after illness) reprendre des forces; **2)** (toughness) (of structure, equipment) solidité *f*; (of material, substance) résistance *f*; **3)** (concentration) (of solution) titre *m*; (of dose, medicine) concentration *f*; **taste the ~ of the mixture/coffee** goûtes le mélange/café pour voir s'il est fort; **the alcoholic ~ of a drink** la teneur en alcool d'une boisson; **4)** (capability) force *f*; **to test the ~ of the government/team** mettre la force du gouvernement/de l'équipe à l'épreuve; **to be in a position of ~** être en position de force; **economic/military ~** puissance *f* économique/militaire; **5)** (intensity) (of bond) force *f*; (of feeling, reaction) intensité; (of bulb) puissance *f*; (of current) intensité *f*; **6)** Fin fermeté *f*; **the ~ of the dollar against the pound** la fermeté du dollar par rapport à la livre; **to gain ~** se raffermir; **7)** (resolution) force *f*; **~ of character** force de caractère; **inner/moral ~** force intérieure/morale; **~ of will** volonté *f*; **~ of purpose** détermination *f*; **8)** (credibility) (of argument) force *f*; (of case, claim) solidité *f*; **to give** *ou* **lend ~ to** [*evidence*] renforcer [*argument, theory*]; **he was convicted on the ~ of the evidence** on l'a condamné sur la base des témoignages; **I got the job on the ~ of my research/his recommendation** j'ai obtenu le poste grâce à mes recherches/sa recommandation; **9)** (asset) (of person, team) qualité *f*; (of novel, play) qualité *f*; **his patience is his greatest ~** sa patience est sa meilleure qualité; **10)** (total size) **the team is below ~** l'équipe n'est pas au complet; **the workforce is at full ~** la main-d'œuvre est au complet; **to bring the team up to ~** compléter l'équipe; **his fans were present in ~** ses fans étaient là en foule

(Idioms) **to go from ~ to ~** se porter de mieux en mieux; **give me ~**○! c'est pas possible○!

strengthen /'streŋθn/

A *vtr* **1)** (reinforce) renforcer [*building, material, wall*]; consolider [*equipment, machine*]; **2)** (increase the power of) renforcer [*government, party, team*]; renforcer [*argument, claim, position*]; consolider [*bond, links*]; **3)** (increase) renforcer [*belief, determination, love*]; affirmer [*power, role*]; **to ~ sb's hand** fig consolider la position de qn; **to ~ one's lead** renforcer sa position de leader; **4)** (build up) fortifier [*muscles*]; raffermir [*dollar, economy*]

B *vi* [*muscles*] se fortifier; [*current, wind*] augmenter (de force); [*economy, yen*] se raffermir (**against** par rapport à)

strengthening /'streŋθnɪŋ/

A *n* (of building, equipment) consolidation *f*; (of solution) concentration *f*; (of numbers of people) renforcement *m*; **the rioting called for a ~ of the police presence** l'émeute a nécessité un renforcement des forces de police

B *adj* [*current, wind*] qui augmente de forces (*after n*); [*currency, pound*] qui se consolide (*after n*); **the dollar fell today against a ~ pound** le dollar a chuté aujourd'hui alors que la livre s'est consolidée; **the news had a ~ effect on the market** la nouvelle a raffermi le marché

strenuous /'strenjʊəs/ *adj* **1)** (demanding) [*exercise*] énergique; [*walk*] difficile; [*day, schedule*] chargé; [*work, activity, job*] ardu; **2)** (determined) [*protest, disagreement*] vigoureux/-euse; **to put up ~ opposition to sth** s'opposer vigoureusement à qch; **to make ~ efforts to do** faire des efforts acharnés pour faire

strenuously /'strenjʊəslɪ/ *adv* [*deny, protest, oppose*] vigoureusement; [*try, work*] avec acharnement

strenuousness /'strenjʊəsnɪs/ *n* (of work, activity) caractère *m* épuisant; (of protest, resistance) vigueur *f*

streptococcal /ˌstreptə'kɒkl/ *adj* Med streptococcique

streptococcus /ˌstreptə'kɒkəs/ *n* (*pl* **-cci**) streptocoque *m*

streptomycin /ˌstreptəʊ'maɪsɪn/ *n* streptomycine *f*

stress /stres/

A *n* **1)** (nervous) tension *f*, stress *m*; **emotional/mental ~** tension émotionnelle/nerveuse; **signs of ~** signes *mpl* de tension; **to suffer from ~** être stressé; **to be under ~** être stressé; **to put sb under ~, to put ~ on sb**

S

soumettre qn au stress; **in times of ~** en période de stress; **the ~es and strains of modern life** les agressions *fpl* de la vie moderne; **2** (emphasis) **~ on** insistance *f* sur [*aspect, point*]; **to lay** *ou* **put ~ on** mettre l'accent *m* sur, insister sur [*fact, problem, feature*]; **there is not enough ~ (laid) on vocational skills** on ne met pas assez l'accent sur les aptitudes pratiques; **3** Civ Eng, Phys effort *m*; **subject to high ~es** soumis à des efforts importants; **a ~ of 500 kg** une charge de 500 kg; **to put** *ou* **impose ~ on sth** soumettre qch à un effort; **the ~ on the fuselage** l'effort subi par le fuselage; **to be in ~** travailler; **the ~ produced in a structure** le travail d'une structure; **4** Ling, Phon (phenomenon) accentuation *f*; (instance) accent *m*; **the ~ falls on...** l'accent tombe sur...; **to put** *ou* **place the ~ on sth** mettre *or* placer l'accent sur qch; **5** Mus accent *m*

B *vtr* **1** (emphasize) mettre l'accent *m or* insister sur [*commitment, issue, difficulty, advantage*]; **to ~ the importance of sth** souligner l'importance *f* de qch; **to ~ the need for sth/to do** souligner la nécessité de qch/de faire; **to ~ the point that** insister sur le fait que; **to ~ (that)** souligner que; **2** Ling, Mus accentuer [*note, syllable*]; **3** Civ Eng, Tech (experimentally) soumettre [qch] à des efforts *mpl* [*structure, component*]; (in practice) faire travailler [*structure, metal*]

(Phrasal verb) ■ **stress out**○: ▸ **~ [sb] out** stresser [qn]

stressed /strest/ *adj* **1** (*also* **~ out**) (emotionally) stressé; **to feel ~** se sentir stressé; **2** Mech, Phys, Tech (*épith*) [*components, covering, structure*] travaillant; **3** Ling, Phon accentué

stress: **~ factor** *n* Med facteur *m* de stress; **~ fracture** *n* Med fracture *f* de fatigue; Civ Eng crique *f* de fatigue; **~-free** *adj* anti-stress *inv*

stressful /ˈstresfl/ *adj* [*lifestyle, situation, circumstances, work*] stressant; **it's very ~ living with them** c'est très stressant de vivre avec eux

stress: **~ limit** *n* limite *f* de fatigue; **~ mark** *n* accent *m*; **~-related** *adj* [*illness*] dû au stress; **~ relief** *n* détente *f*; **~ unit** *n* unité *f* de charge

stretch /stretʃ/

A *n* **1** (extending movement) (in gymnastics) extension *f*; **to have a ~** s'étirer; **to give sth a ~** étirer [*arm, leg*]; tirer sur [*elastic*]; **to be at full ~** lit (taut) [*rope, elastic*] être tendu au maximum; fig (flat out) [*factory, office*] être à plein régime; **to work at full ~** [*factory, machine*] travailler à plein régime; [*person*] travailler au maximum de ses capacités; **at a ~** à la rigueur

2 (elasticity) élasticité *f*

3 (section) (of road, track) tronçon *m*; (of coastline, river) partie *f*; **a clear/dangerous ~ of road** un tronçon de route dégagé/dangereux; **the ~ of track/road between Oxford and Banbury** le tronçon de voie/route entre Oxford et Banbury; **to be on the home** *ou* **finishing ~** [*athlete, racehorse*] être sur la ligne d'arrivée

4 (expanse) (of water, countryside) étendue *f*; **a ~ of land** une étendue de terre

5 (period) période *f*; **a short/long ~** une longue/courte période; **he was often left alone for long ~es** on le laissait souvent seul des heures durant; **a three-hour ~** trois heures; **I did an 18-month ~ in Tokyo** j'ai travaillé 18 mois à Tokyo; **to work for 12 hours at a ~** travailler 12 heures d'affilée

6 ○(prison sentence) peine *f*; **a five-year ~** une peine de cinq ans; **to do a long ~** servir une longue peine

B *adj* (*épith*) [*cover, fabric, waist*] extensible; [*limousine*] à carrosserie allongée, longue

C *vtr* **1** (extend) tendre [*rope, net*] (**between** entre); **to ~ one's neck/arms/legs** lit s'étirer le cou/les bras/les jambes; **to ~ one's legs** fig se dégourdir *or* se dérouiller les jambes; **to ~ one's wings** lit, fig déployer ses ailes; **the fabric was ~ed tight across his shoulders/buttocks** le tissu lui moulait les épaules/les fesses

2 (increase the size) lit tendre [*spring*]; étirer [*elastic*]; tirer sur [*fabric*]; (deliberately) élargir [*shoe*]; (distort) déformer [*garment, shoe*]; fig **they ~ed their lead to 5-0** ils ont conforté leur position de leader en menant 5-0

3 (bend) déformer [*truth*]; contourner [*rules, regulations*]; **to ~ a point** (make concession) faire une exception; (exaggerate) aller trop loin

4 (push to the limit) abuser de [*patience, tolerance*]; utiliser [qch] au maximum [*budget, resources*]; pousser [qn] au maximum de ses possibilités [*pupil, employee, competitor*]; **to be fully ~ed** [*person, company*] être à son maximum; **the system is ~ed to the limit** le système est exploité au maximum de ses possibilités; **you're ~ing my credulity to the limit** n'abuse pas trop de ma crédulité; **I need a job that ~es me** j'ai besoin d'un travail qui me motive à fond; **she isn't ~ed at school** l'école ne la pousse pas assez; **isn't that ~ing it a bit**○**?** vous ne poussez pas un peu○?

5 (eke out) économiser [*budget*]; faire durer [*supplies*]

D *vi* **1** (extend one's limbs) s'étirer

2 (spread) [*road, track*] s'étaler (**for** sur); [*forest, water, beach, moor*] s'étendre (**for** sur); **the road ~es for 200 km** la route s'étale sur 200 km; **to ~ over** [*empire*] couvrir [*Europe*]; [*festivities, course*] s'étaler sur [*fortnight, month*]; **to ~ to** *ou* **as far as sth** [*flex, string*] aller jusqu'à qch; **how far does the queue/traffic jam ~?** jusqu'où va la queue/l'embouteillage?; **the weeks ~ed into months** les semaines devenaient des mois

3 (become larger) [*elastic*] s'étendre; [*shoe*] s'élargir; [*fabric, garment*] se déformer; **this fabric ~es** ce tissu se déforme

4 ○(afford) **I think I can ~ to a bottle of wine** je pense que je peux me permettre une bouteille de vin; **the budget won't ~ to a new computer** le budget ne peut pas supporter l'achat d'un nouvel ordinateur

E *v refl* **to ~ oneself** s'étirer; fig faire un effort

(Phrasal verbs) ■ **stretch back**: **the queue ~es back for 100 metres** la queue s'étend sur 100 mètres; **to ~ back for centuries** [*tradition*] remonter à plusieurs siècles; **to ~ back to** [*problem, tradition*] remonter à [*1970, last year*]; [*traffic jam, queue*] remonter à [*place, corner*]

■ **stretch out**: ▸ **~ out** **1** (lie down) s'étendre, s'allonger; **2** (extend) [*plain, countryside, road*] s'étaler, s'étendre; ▸ **~ out [sth], ~ [sth] out** (extend) tendre [*hand, foot*] (**towards** vers); étendre [*arm, leg*]; étaler [*nets, sheet*]; **I ~ed my speech out to an hour** j'ai fait durer mon discours pendant une heure

stretcher /ˈstretʃə(r)/ *n* **1** Med civière *f*, brancard *m*; **2** (for hat) conformateur *m*; (for shoes) forme *f*; (for canvas) châssis *m*; **3** (strut) (on chair) barreau *m*; (on umbrella) baleine *f*; **4** Constr (wooden) traverse *f*

(Phrasal verb) ■ **stretcher off**: ▸ **~ [sb] off** Sport emmener [qn] sur une civière [*injured player*]

stretcher: **~-bearer** ▸ **p. 1683** *n* brancardier/-ière *m/f*; **~ case** *n* blessé/-e *m/f* grave (*incapable de se déplacer*)

stretch mark *n* vergeture *f*

stretchy /ˈstretʃɪ/ *adj* extensible

strew /struː/ *vtr* (*prét* **strewed**; *pp* **strewed** *ou* **strewn**) éparpiller [*clothes, litter, paper*] (**on, over** sur); répandre [*sand, straw, wreckage*] (**on, over** sur); semer [*flowers*] (**on, over** sur); **to ~ the floor with clothes** éparpiller des vêtements par terre; **strewn with** parsemé de; **leaf-strewn** parsemé de feuilles; **rock-strewn** caillouteux/-euse

strewth◑ /struːθ/ *excl* GB bon sang○

stria /ˈstraɪə/ *n* (*pl* **-ae**) **1** Biol, Geol strie *f*; **2** Archit cannelure *f*

striate /straɪˈeɪt, US ˈstraɪeɪt/ *vtr* strier

striation /straɪˈeɪʃn/ *n* striation *f*

stricken /ˈstrɪkən/ *adj* **1** (afflicted) [*face, look, voice*] affligé; **2** (affected) [*area*] sinistré; **~ with, ~ by** frappé par [*fear, illness, poverty*]; accablé par [*doubt, guilt*]; atteint de [*chronic illness*]; **guilt-~** accablé par la culpabilité; **drought-/famine-~** frappé par la sécheresse/la famine; **3** (incapacitated) [*plane, ship*] en détresse

strict /strɪkt/ *adj* **1** (not lenient) [*person, rule, upbringing, discipline, school*] strict, sévère; [*view, principle*] rigide; [*Methodist, Catholic*] de stricte observance; **to be ~ with sb** être strict *or* sévère avec qn; **he is very ~ about discipline** il est très strict sur la discipline; **2** (stringent) [*law, order, instructions*] formel/-elle, strict; [*meaning, criterion*] strict (*after n*); [*interpretation, observance, limit*] strict (*before n*); (absolute) [*truth, accuracy*] strict (*before n*), absolu; [*silence, privacy*] absolu; **in the ~ sense of the word** au sens strict du terme; **they have to work to ~ deadlines** ils doivent respecter des délais très stricts; **in ~ confidence** à titre strictement confidentiel; **in ~ secrecy** dans le plus grand secret; **on the ~ understanding that** à la condition expresse que (+ *subj*)

strict liability *n* Jur responsabilité *f* sans faute intentionnelle

strictly /ˈstrɪktlɪ/ *adv* **1** (not leniently) [*deal with, treat*] avec sévérité, sévèrement; **2** (absolutely) [*confidential, private, functional*] strictement; **'camping is ~ prohibited'** 'camping strictement interdit'; **~ speaking** à proprement parler; **~ between ourselves...** que ceci reste entre nous...; **that is not ~ true** ceci n'est pas tout à fait vrai

strictness /ˈstrɪktnɪs/ *n* (of person, upbringing, regime) sévérité *f*; (of rule, law) sévérité *f*, rigueur *f*; (of views, principles) rigueur *f*, rigidité *f*

stricture /ˈstrɪktʃə(r)/ *n* **1** (censure) condamnation *f* (**against, on** de); **to pass ~s on sb/sth** critiquer qn/qch sévèrement, condamner qn/qch; **2** (restriction) contrainte *f*; **3** Med rétrécissement *m*, sténose *f* spec

stridden /ˈstrɪdn/ *pp* (rare) ▸ **stride C, D**

stride /straɪd/

A *n* **1** (long step) enjambée *f*; **to cross a room in two ~s** traverser une pièce en deux enjambées; **a few ~s from sth** à quelques pas de qch; **2** (gait) démarche *f*; **to have a confident/elegant ~** avoir une démarche assurée/élégante; **to have a long ~** marcher à grandes enjambées; **to lengthen one's ~** allonger le pas

B **strides**○ *npl* Austral pantalon *m*

C *vtr* (*prét* **strode**, *pp* rare **stridden**) (cover) parcourir [qch] à grands pas [*distance*]

D *vi* (*prét* **strode**, *pp* rare **stridden**) **1** **to ~ across/out/in** traverser/sortir/ entrer à grands pas ; **to ~ off** *ou* **away** s'éloigner à grands pas; **to ~ up and down sth** arpenter qch; **2** (cross in a stride) **to ~ over** *ou* **across sth** enjamber qch

(Idioms) **to get into one's ~** trouver son rythme; **to make great ~s** faire de grands progrès; **to put sb off his/her ~** faire perdre le rythme à qn; **to take sth in one's ~** (cope practically) prendre qch calmement; (cope emotionally) accepter qch avec sérénité

stridency /ˈstraɪdnsɪ/ *n* **1** (of sound, voice) stridence *f*; **2** (of claim, protest) véhémence *f*

strident /ˈstraɪdnt/ *adj* **1** (harsh) [*sound, voice*] strident; **~ with anger** vibrant de colère; **2** (vociferous) [*statement, group*] véhément

stridently /ˈstraɪdntlɪ/ *adv* **1** (harshly) [*speak, play*] de façon stridente; **2** (vociferously) [*protest, shout*] avec véhémence

stridulate /ˈstrɪdjʊleɪt, US ˈstrɪdʒʊleɪt/ *vi* Zool striduler

strife /straɪf/ *n* **1** (conflict) conflits *mpl* (**among** au sein de; **in** dans); **ethnic/industrial ~** conflits ethniques/industriels; **in a state of ~** en conflit; **2** (dissent) querelles *fpl*; **domestic ~** querelles domestiques

(Idiom) **my trouble and ~**○ GB argot des Cockney ma bourgeoise○

strife-torn, **strife-ridden** *adj* déchiré par les conflits

strike /straɪk/

A *n* 1▸ Ind, Comm grève *f*; **to be/come out on ~** être/se mettre en grève
2▸ gen, Mil (attack) attaque *f* (**on, against** contre); **air/pre-emptive ~** attaque aérienne/préventive
3▸ Mining (discovery) découverte *f* (d'un gisement); **to make a ~** trouver *or* découvrir un gisement; **diamond ~** découverte d'un gisement de diamants; **lucky ~** fig coup *m* de chance
4▸ (clock mechanism) sonnerie *f*
5▸ Sport (in baseball) bonne balle *f*, strike *m*; (in ten-pin bowling) double honneur *m*
6▸ Fishg touche *f*

B *modif* Ind, Comm [*committee, notice*] de grève; [*leader*] des grévistes

C *vtr* (*prét, pp* **struck**) 1▸ (hit) [*person, stick, bat*] frapper [*person, object, ball*]; [*torpedo, missile*] frapper, toucher [*target, vessel*]; [*ship, car, person*] heurter [*rock, tree, pedestrian*]; **to ~ sb on the head/in the face** [*person*] frapper qn à la tête/au visage; [*object*] heurter qn à la tête/au visage; **to ~ sth with** taper qch avec [*stick, hammer*]; **she struck the table with her fist** (deliberately) elle a frappé du poing sur la table; **he struck his head on the table** il s'est cogné la tête contre la table; **his head struck the table** sa tête a heurté la table; **lightning struck the house/struck him** la foudre est tombée sur la maison/l'a frappé; **to be struck by lightning** [*tree, house, person*] être touché par la foudre; **to ~ sb to the ground** (with fist) faire tomber qn d'un coup de poing; (with stick) faire tomber qn d'un coup de bâton; **to ~ sb a blow** lit, fig porter un coup à qn; **to ~ the first blow** lit, fig porter le premier coup; **to ~ sb dead** [*lightning, God*] foudroyer qn; [*person*] porter un coup mortel à qn; **to be struck blind/dumb** litér être frappé de cécité/de mutisme; **to be struck dumb with amazement** être frappé d'étonnement
2▸ (afflict) [*quake, famine, disease, storm, disaster*] frapper [*area, people*]; **'earthquake ~s San Francisco'** journ 'San Francisco secoué par un tremblement de terre'; **the pain ~s when I bend down** je ressens cette douleur lorsque je me baisse; **to ~ terror into sb** *ou* **sb's heart** frapper qn de terreur
3▸ (make impression on) [*idea, thought*] venir à l'esprit de [*person*]; [*resemblance*] frapper [*person*]; **to be struck by** être frappé par; **an awful thought struck me** une horrible pensée m'est venue à l'esprit; **a terrible sight struck my eyes** un horrible spectacle s'est présenté à mes yeux; **it ~s me as funny/stupid that** je trouve drôle/bête que (+ subj); **it ~s me as mean of them to do** je trouve que c'est méchant de leur part de faire; **to ~ sb as odd/absurd** paraître *or* sembler étrange/absurde à qn; **he ~s me as an intelligent man** il me paraît intelligent; **it ~s me as a good idea to do** cela me paraît *or* me semble une bonne idée de faire; **did anything ~ you as odd?** as-tu remarqué quelque chose de bizarre?; **how does the idea ~ you?** qu'est-ce que vous pensez de cette idée?; **how did he ~ you?** quelle impression vous a-t-il faite?; **it ~s me (that)** à mon avis; **it struck him that here was the opportunity** il s'est dit soudain que c'était l'occasion; **I was struck○ with him/it** il/ça m'a plu; **she wasn't very struck○ with it** ça ne lui a pas beaucoup plu; **to be struck on○** GB être entiché○ de
4▸ (discover, come upon) découvrir, tomber sur○ [*oil, gold*]; trouver, tomber sur○ [*road*]; rencontrer, tomber sur○ [*rock, concrete, obstacle*]; **to ~ a rich vein of humour** trouver une riche source d'humour
5▸ (achieve) conclure [*accord, bargain*]; **to ~ a balance** trouver le juste milieu (**between** entre)
6▸ (ignite) frotter [*match*]; **to ~ a spark from a flint** produire une étincelle en frottant un silex
7▸ [*clock*] sonner [*time*]; **the clock struck six** la pendule a sonné six heures; **it had just struck two** deux heures venaient de sonner
8▸ (delete) supprimer, rayer [*word, sentence, comment*]; **to order sth to be struck from the record** ordonner que qch soit supprimé *or* rayé du procès-verbal
9▸ (dismantle) démonter [*tent, scaffolding*]; **to ~ camp** lever le camp; **to ~ one's colours** Mil abaisser les couleurs; **to ~ the set** Theat démonter le décor
10▸ Fin (mint) frapper [*coin*]
11▸ Hort planter [*cutting*]; **to ~ root** prendre racine
12▸ Fishg [*fisherman*] ferrer [*fish*]; [*fish*] mordre [*bait*]

D *vi* (*prét, pp* **struck**) 1▸ (deliver blow) [*person*] frapper; (collide) [*bomb, shell*] tomber; **to ~ short of the target** tomber à côté de la cible; **my head struck against a beam** ma tête a heurté une poutre, je me suis cogné la tête contre une poutre; **to ~ at** attaquer
2▸ (attack) [*killer, rapist, disease, storm*] frapper; [*army, animal, snake*] attaquer; **the terrorists have struck again** les terroristes ont encore frappé; **disaster struck** la catastrophe s'est produite; **'when pain ~s, take Calmaways'** 'en cas de douleur, prenez des Calmaways'; **to ~ at** attaquer [*target*]; **this ~s at the heart of the democratic system** cela frappe au cœur du système démocratique; **to ~ at the root of the problem** s'attaquer à la racine du problème; **Henry ~s again○!** hum Henry nous en a fait encore une○
3▸ Ind, Comm faire (la) grève; **to ~ for/against** faire (la) grève pour obtenir/pour protester contre
4▸ [*match*] s'allumer
5▸ [*clock, time*] sonner; **six o'clock struck** six heures ont sonné
6▸ (proceed) **to ~ north/inland** prendre au nord/vers l'intérieur des terres; **to ~ across** prendre à travers [*field, country*]
7▸ Hort [*cutting, plant*] prendre (racine)
8▸ Fishg [*fish*] mordre

(Idiom) **to have two ~s against one** US être désavantagé

(Phrasal verbs) ■ **strike back** (retaliate) riposter (**at** à)

■ **strike down**: ► **~ [sb] down, ~ down [sb]** [*person*] faire tomber, terrasser; **to be struck down by** (affected) être frappé par [*illness*]; (incapacitated) être terrassé par [*illness*]; être abattu de [*bullet*]

■ **strike off**: ► **~ off** (go off) prendre (**across** à travers; **towards** vers); ► **~ [sth] off, ~ off [sth]** 1▸ (delete) rayer [*item on list, name*]; 2▸ Print tirer [*copy*]; 3▸ sout (cut off) couper [*branch, flowerhead*]; ► **~ [sb] off** radier [*doctor*]; **he's been struck off** il a été radié; ► **~ [sb/sth] off** rayer [qn/qch] de [*list*]; **to be struck off the roll** [*doctor*] être radié de l'ordre des médecins; [*barrister*] être rayé du barreau

■ **strike out**: ► **~ out** 1▸ (hit out) frapper; **he struck out blindly** il a frappé à l'aveuglette; **to ~ out at** lit attaquer [*adversary*]; fig s'en prendre à [*critics, rival*]; 2▸ (proceed) **to ~ out towards** s'élancer vers; fig **to ~ out in new directions** adopter de nouvelles orientations; **to ~ out on one's own** gen voler de ses propres ailes; (in business) s'établir à son compte; 3▸ US (in baseball) être éliminé; 4▸ ○US (fail) ne pas parvenir à ses fins; ► **~ [sth] out, ~ out [sth]** (delete) rayer, supprimer [*name, mention, paragraph*]

■ **strike up**: ► **~ up** [*band, orchestra*] commencer à jouer; [*singer, choir*] commencer à chanter; **the band struck up with a waltz** l'orchestre a attaqué une valse; ► **~ up [sth]** (start) [*band, orchestra*] attaquer [*tune, piece*]; [*singer, choir*] entamer [*song, tune*]; **to ~ up an acquaintance with** faire connaissance avec; **to ~ up a conversation with** engager la conversation avec; **to ~ up a friendship with** se lier d'amitié avec; **they struck up a friendship** ils sont devenus amis; **to ~ up a relationship with** établir des rapports avec

strike: **~ ballot** *n* vote *m* au sujet de la grève; **~bound** *adj* [*factory, area*] victime d'une grève, paralysé par la grève; **~breaker** *n* briseur/-euse *m/f* de grève; **~breaking** *n* (refusal to strike) refus *m* de faire grève; (work during strike) retour *m* au travail; **~ force** *n* Mil détachement *m* d'intervention; **~ fund** *n* caisse *f* de grève; **~ pay** *n* indemnité *f* de grève

striker /ˈstraɪkə(r)/ *n* 1▸ Ind, Comm gréviste *mf*; 2▸ Sport (in football) attaquant/-e *m/f*; 3▸ Mech (in clock) marteau *m*; (in gun) percuteur *m*

striking /ˈstraɪkɪŋ/

A *n* 1▸ (of clock) sonnerie *f*; 2▸ (of coin) frappe *f*

B *adj* 1▸ [*person, clothes, pictures*] que l'on remarque (*after n*); [*pattern, design*] qui se remarque (*after n*); [*similarity, contrast*] frappant; 2▸ [*clock*] qui sonne les heures (*after n*); 3▸ Ind, Comm [*worker*] gréviste, en grève

striking distance *n* **to be within ~** [*army, troops*] être à portée de canon (**of** de); **to be within ~ for sb** [*agreement, success*] être à la portée de qn; **we are within ~ of winning** la victoire est à notre portée

strikingly /ˈstraɪkɪŋlɪ/ *adv* [*beautiful, different, similar*] remarquablement; [*stand out, differ*] de manière frappante

string /strɪŋ/

A *n* 1▸ ₵ (twine) ficelle *f*; **a ball/a piece of ~** une pelote/un bout de ficelle; **to tie sth up with ~** attacher qch avec de la ficelle; **tied up with ~** ficelé; 2▸ (length of cord) (for packaging) ficelle *f*; (on garment, medal) cordon *m*; (on bow, racket) corde *f*; (on puppet) fil *m*; **hanging on a ~** suspendu à une ficelle; **to tie a ~ round sth** attacher *or* mettre une ficelle autour de qch; **to pull the ~s** lit, fig tirer les ficelles; 3▸ (series) **a ~ of** un défilé de [*visitors, ministers, boyfriends*]; une série de [*crimes, convictions, scandals, takeovers, novels*]; une succession de [*victories, successes, awards*]; une chaîne de [*shops, businesses*]; une kyrielle de [*complaints, insults*]; 4▸ (set) **~ of garlic** tresse *f* d'ail; **~ of onions** chapelet *m* d'oignons; **~ of pearls** collier *m* de perles; **~ of beads** collier *m* de perles (fantaisie); **~ of islands** chapelet *m* d'îles; **~ of light bulbs** guirlande *f* d'ampoules; 5▸ Equit, Turf **a ~ of racehorses** une écurie (de courses); 6▸ Mus (on instrument) corde *f*; **C-~** la corde de do; **to tighten/break a ~** tendre/casser une corde; 7▸ Comput chaîne *f*; **numeric/character ~** chaîne numérique/de caractères; 8▸ Bot, Culin (in bean) fil *m*; **to remove the ~s from the beans** effiler les haricots; 9▸ Ling suite *f*; 10▸ (*also* **~board**) Constr limon *m* (d'escalier)

B **strings** *npl* Mus **the ~s** les cordes *fpl*

C *vtr* (*prét, pp* **strung**) 1▸ Mus, Sport corder [*racket*]; monter [*guitar, violin*]; garnir [qch] d'une corde [*bow*]; **to ~ [sth] tightly** faire un cordage tendu à [*racket*]; 2▸ (thread) enfiler [*beads, pearls*] (**on** sur); 3▸ (hang) **to ~ sth (up) above/across** suspendre qch au-dessus de/en travers de [*street*]; **to ~ sth up on** accrocher qch à [*lamppost, pole*]; **to ~ sth between** suspendre qch entre [*trees, supports*]

D *vi* (*prét, pp* **strung**) Journ **to ~ for a newspaper** travailler comme correspondant free-lance pour un journal

E **-stringed** (*dans composés*) **a six-~ed instrument** un instrument à six cordes

(Idioms) **to have sb on a ~** mener qn à la baguette; **to pull ~s○** faire jouer le piston○; **to pull ~s for sb○** pistonner○ qn; **without ~s** *ou* **with no ~s attached** sans conditions. ▸ **bow¹**

(Phrasal verbs) ■ **string along○** GB: ► **~ along** suivre; **to ~ along with sb** suivre qn; ► **~ [sb] along** péj mener qn en bateau péj

■ **string out**: ► **~ out** s'échelonner; ► **~ [sth] out, ~ out [sth]** échelonner; **to be strung out along** [*vehicles, groups*] s'échelonner le long de [*road*]; **to be strung out across** [*people*] se déployer dans [*field, zone*]

S

■ **string together**: ▸ ~ **[sth] together**, ~ **together [sth]** aligner *[sentences, words]*; enchaîner *[songs, rhymes]*; **unable to ~ two sentences together** péj incapable de mettre deux phrases bout à bout

■ **string up**○: ▸ ~ **[sb] up** pendre [qn] haut et court; **he was strung up by the heels** il a été pendu par les pieds

string: ~ **bag** *n* filet *m* à provisions; ~ **band** *n* orchestre *m* à cordes; ~ **bass** ▸ p. 1462 *n* contrebasse *f*; ~ **bean** *n* haricot *m* à écosser; ~**course** *n* bandeau *m*, cordon *m*

stringency /ˈstrɪndʒənsɪ/ *n* **1** (of criticism, law, measure) sévérité *f*; **2** (of control, regulation, test) rigueur *f*; **economic ~**, **financial ~** austérité *f*

stringent /ˈstrɪndʒənt/ *adj [measure, standard]* rigoureux/-euse; *[ban, order]* formel/-elle

stringently /ˈstrɪndʒəntlɪ/ *adv [observe, respect]* scrupuleusement; *[apply, treat]* avec rigueur; *[examine, test]* rigoureusement; *[critical]* rigoureusement

stringer /ˈstrɪŋə(r)/ ▸ p. 1683 *n* **1** Journ correspondant/-e *m/f* free-lance; **2** Archit longeron *m*

string: ~ **instrument**, ~**ed instrument** ▸ p. 1462 *n* instrument *m* à cordes; ~ **orchestra** *n* orchestre *m* à cordes; ~ **player** *n* musicien/-ienne *m/f* qui joue d'un instrument à cordes; ~**-pulling**○ *n* piston○ *m*; ~ **puppet** *n* marionnette *f* à fils; ~ **quartet** *n* quatuor *m* à cordes; ~ **variable** *n* variable *f* alpha-numérique; ~ **vest** *n* tricot *m* de corps à larges mailles

stringy /ˈstrɪŋɪ/ *adj* **1** péj Culin *[meat, beans, celery]* filandreux/-euse; **2** péj (thin) *[hair]* plat et sec; **3** (wiry) littér *[person, build]* filiforme

strip /strɪp/

A *n* **1** (narrow piece) (of material, paper, carpet) bande *f* (**of** de); (of land, sand) bande *f*, langue *f* (**of** de); (of bacon) tranche *f* (**of** de); **a ~ of garden/beach** un jardin/une plage tout/-e en longueur; **metal/paper ~** bande de métal/de papier; **centre** GB *ou* **median** US **~** (on motorway) terre-plein *m* central; **2** (striptease) strip-tease *m*; **3** Sport (clothes) tenue *f*; **the Germany ~** la tenue de l'équipe allemande *or* d'Allemagne

B *vtr* (*p prés etc* **-pp-**) **1** (*also* ~ **off**) (remove) enlever *[clothes, paint]*; **to ~ sth from** *ou* **off sth** enlever *or* arracher qch de qch; **the storm had ~ped all the leaves from** *ou* **off the tree** la tempête avait dépouillé l'arbre de toutes ses feuilles; **2** (remove everything from) déshabiller *[person]*; *[person]* vider *[house, room]*; *[thief]* vider, dévaliser *[house]*; *[wind, animal]* dépouiller *[tree, plant]*; *[person]* défaire *[bed]*; (remove paint or varnish from) décaper *[window, door, table]*; (dismantle) démonter *[gun, engine]*; **to ~ a room of furniture** vider une pièce de ses meubles; **to ~ sb of** dépouiller qn de *[belongings, rights]*; **to ~ sb of his** *ou* **her rank** dégrader *[soldier, civil servant]*; **he was ~ped of his medal/his title** on lui a retiré sa médaille/son titre; **3** (damage) faire foirer *[nut, screw]*; **to ~ the gears** Aut arracher les dents de l'engrenage

C *vi* (*p prés etc* **-pp-**) (take off one's clothes) se déshabiller, enlever ses vêtements (**for** pour); **to ~ to the waist** se déshabiller jusqu'à la ceinture; **to ~ naked** se mettre tout nu

D **stripped** *pp adj [pine, wood]* décapé

(Idioms) **to tear sb off a ~**, **to tear a ~ off sb**○ enguirlander○ qn

(Phrasal verbs) ■ **strip down**: ▸ ~ **down** se déshabiller; **to ~ down to one's underwear** se déshabiller en ne gardant que ses sous-vêtements; ▸ ~ **[sth] down**, ~ **down [sth]** (dismantle) démonter *[gun, engine]*; (remove linen from) défaire *[bed]*; (remove paint or varnish from) décaper *[door, window, woodwork]*

■ **strip off**: ▸ ~ **off** *[person]* se déshabiller; ▸ ~ **[sth] off**, ~ **off [sth]** (remove) enlever *[paint, wallpaper, clothes]*; arracher *[leaves]*

■ **strip out**: ▸ ~ **[sth] out**, ~ **out [sth]** **1** Fin, Stat (disregard) décompter; **2** (remove everything from) extirper *[plants, vegetation]*; retirer *[fixtures, fittings etc]*; **3** Comput supprimer *[tags, data]*

strip: ~ **cartoon** *n* bande *f* dessinée; ~ **club** *n* boîte○ *f* de strip-tease

stripe /straɪp/

A *n* **1** (on fabric, wallpaper) rayure *f*; **with blue and white ~s** à rayures bleues et blanches; **2** (on crockery) filet *m*; **3** (on animal) (isolated) rayure *f*; (one of many) zébrure *f*; **4** Mil galon *m*; **to win one's ~s** gagner ses galons; **to lose one's ~s** être dégradé

B **striped** *pp adj* rayé; **blue ~d** rayé de bleu, à rayures bleues

strip: ~ **joint**○ *n* = **strip club**; ~ **light** *n* lampe *f* au néon; ~ **lighting** *n* éclairage *m* au néon *m*

stripling /ˈstrɪplɪŋ/ *n* littér, péj jouvenceau *m*

strip mining /ˈstrɪpmaɪnɪŋ/ *n* exploitation *f* (minière) à ciel ouvert

stripped-down /ˌstrɪptˈdaʊn/ *adj [décor, style]* dépouillé

stripper /ˈstrɪpə(r)/ ▸ p. 1683 *n* strip-teaseur/-euse *m/f*; **male ~** strip-teaseur *m*

stripping /ˈstrɪpɪŋ/ *n* **1** (strip-tease) strip-tease *m*; **2** Med (of veins) éveinage *m*, stripping *m*

strip poker /ˌstrɪpˈpəʊkə(r)/ ▸ p. 1253 *n* Games strip-poker *m*

strip-search /ˈstrɪpsɜːtʃ/

A *n* fouille *f* corporelle

B *vtr* faire subir une fouille corporelle à

strip: ~ **show** *n* strip-tease *m*; ~**tease** *n* strip-tease *m*; ~**tease artist** ▸ p. 1683 *n* strip-teaseur/-euse *m/f*

strip-wash /ˈstrɪpwɒʃ/

A *n* toilette *f* complète

B *vtr* faire une toilette complète à *[patient]*

stripy /ˈstraɪpɪ/ *adj* rayé, à rayures

strive /straɪv/ *vi* (*prét* **strove**; *pp* **striven**) **1** (try) s'efforcer; **to ~ to do** s'efforcer de faire; **to ~ for** *ou* **after sth** rechercher qch; **2** (fight) lit se battre (**against** contre); fig lutter (**against** contre)

strobe /strəʊb/ *n* (*also* ~ **light**) lumière *f* stroboscopique

strobe lighting *n* éclairage *m* stroboscopique

stroboscope /ˈstrəʊbəskəʊp/ *n* stroboscope *m*

strode /strəʊd/ *prét* ▸ **stride C, D**

stroke /strəʊk/

A *n* **1** (blow) gen coup *m*; (in tennis, golf) coup *m*; **to have a 3-~ lead** avoir 3 coups d'avance; **to win by 2 ~s** gagner avec 2 coups d'avance; **to be 4 ~s behind** avoir 4 coups de retard; **20 ~s of the cane** 20 coups de trique; **2** fig (touch) coup *m*; **it was a brilliant/master ~** c'était un coup brillant/de maître; **at one** *ou* **at a single ~** d'un seul coup; **a ~ of luck** un coup de chance; **a ~ of bad luck** une malchance; **a ~ of genius** un trait de génie; **3** Sport (swimming, movement) mouvement *m* des bras; (style) nage *f*; ▸ **breast stroke etc**; **Tim can swim a few ~s** Tim sait un peu nager; **4** Sport (in rowing) (movement) coup *m* d'aviron; (person) chef *m* de nage; **5** Art (mark of pen) trait *m*; (mark of brush) touche *f*; (stroking action) coup *m* de pinceau/crayon etc; **6** (in punctuation) barre *f* oblique; **7** (of clock) coup *m*; **on the ~ of four** à quatre heures sonnantes; **at the ~ of midnight** à minuit sonnant; **at the third ~ the time will be...** au troisième top il sera exactement...; **8** Med congestion *f* cérébrale, attaque *f*; **9** Tech (in engine, pump) course *f*; **a 2 ~ engine** un moteur à 2 temps; **10** (caress) caresse *f*; **to give sb/sth a ~** caresser qn/qch

B *modif* Med **~ victim**, **~ patient** malade *mf* atteint/-e de congestion cérébrale

C *vtr* **1** (caress) caresser *[person, animal]*; **to ~ sb's back** caresser le dos de qn; **to ~ one's beard** se caresser la barbe; **2** Sport (in rowing) **to ~ an eight** être le chef de nage d'un huit

D *vi* Sport (in rowing) être chef de nage

(Idioms) **not to do a ~ of work** ne rien faire, ne pas en ficher une rame○; **to put sb off their ~** (upset timing) faire perdre le rythme à qn; fig (disconcert) faire perdre les pédales○ à qn

strokeplay /ˈstrəʊkpleɪ/

A *n* Sport concours *m* par coups

B *modif [title]* en concours par coups; *[championship]* par coups

stroll /strəʊl/

A *n* promenade *f*; **to go for** *ou* **take a ~** (aller) faire un tour; **to take sb for a ~** emmener qn faire un tour

B *vi* **1** (*also* ~ **about**, ~ **around**) (walk) se promener; (more aimlessly) flâner; **to ~ along the beach** se promener le long de la plage; **to ~ in/out** entrer/sortir sans se presser; **2** ○(*also* ~ **home**) (win easily) gagner facilement

stroller /ˈstrəʊlə(r)/ *n* **1** (walker) promeneur/-euse *m/f*; (more aimless) flâneur/-euse *m/f*; **2** US (pushchair) poussette *f*

strolling /ˈstrəʊlɪŋ/ *adj [shopper, tourist]* en promenade

strolling: ~ **minstrel** *n* ménestrel *m*; ~ **player** ▸ p. 1683 *n* comédien/-ienne *m/f* ambulant/-e

stroma /ˈstrəʊmə/ *n* (*pl* **-mata**) Biol stroma *m*

strong /strɒŋ, US strɔːŋ/ *adj* **1** (powerful) *[arm, person]* fort; *[army, country, state, lens, magnet]* puissant; *[runner, swimmer]* puissant; *[current, wind]* fort; **2** (sturdy) lit *[fabric, rope, shoe, table]* solide; *[heart, constitution, nerves]* solide; fig *[bond]* puissant; *[relationship]* solide; *[alibi, argument]* bon/bonne; *[evidence]* solide; *[cast, candidate, team]* bon/bonne; *[industry]* solide; *[currency, market]* ferme; **the pound remained ~ against the dollar** Fin la livre est restée ferme face au dollar; **to have a ~ stomach**○ fig avoir l'estomac bien accroché○; **3** (concentrated) *[bleach, glue]* fort; *[medicine, pain-killer]* fort; *[coffee]* serré; *[tea]* fort; **4** (alcoholic) *[drink]* alcoolisé; **would you like tea or something ~er?** voulez-vous un thé ou un apéritif?; **5** (noticeable) *[smell]* fort (*before n*); *[taste, light]* fort; *[colour]* vif/vive; **6** (heartfelt) *[conviction]* intime (*before n*); *[desire, feeling]* profond; *[believer, supporter]* acharné; *[opinion]* arrêté; *[criticism, opposition, reaction]* vif/vive; **to have a ~ belief in sth** croire fermement en qch; **the article aroused ~ feelings** l'article a provoqué de vives réactions; **I have a ~ feeling that she won't come** je suis pratiquement sûr qu'elle ne viendra pas; **I told him so in the ~est possible terms** je le lui ai dit sans détours; **7** (resolute) *[ruler, leadership]* à poigne (*after n*); *[action, measure, sanction]* sévère; **8** (pronounced) *[resemblance]* fort (*before n*); *[accent]* fort (*before n*); *[rhythm]* cadencé; **9** (brave) *[person]* fort (*after n, after v*); **try to be ~** essaie d'être fort; **10** (definite) *[chance, possibility]* fort (*before n*); **there's a ~ possibility that it's true** il y a de fortes chances que ce soit vrai; **11** (good) **to be ~ on military history/physics** être fort en histoire militaire/en physique; **he finished the race a ~ second** il a fini la course juste derrière le premier; **tact/spelling is not my ~ point** *ou* **suit** le tact/l'orthographe n'est pas mon fort; **what are your ~ points?** quels sont vos points forts?; **maths is my ~ subject** les maths sont la matière où je suis le plus fort; **12** (immoderate) **~ language** mots *mpl* grossiers; **13** Ling *[verb]* fort; *[syllable]* accentué; **14** (in number) **the workforce is 500 ~** la main-d'œuvre est forte de 500 personnes; **a 2,000-~ crowd** une foule (forte) de 2 000 personnes

(Idioms) **to be still going ~** *[person, company]* se porter toujours très bien *or* à merveille; **to come on ~**○ (make sexual advances) faire des avances; (be severe) être sévère

strong-arm /'strɒŋɑːm, US 'strɔːŋ-/
A *adj* [*measure, method*] brutal; ~ **tactics** la manière forte
B *vtr* **to ~ sb into doing** forcer qn à faire

strongbox /'strɒŋbɒks, US 'strɔːŋ-/ *n* coffre-fort *m*

stronghold /'strɒŋhəʊld, US 'strɔːŋ-/ *n* (bastion) lit forteresse *f*; fig fief *m*; **a nationalist/socialist ~** un fief nationaliste/socialiste

strongly /'strɒŋlɪ, US 'strɔːŋlɪ/ *adv* **1** (with force) lit [*blow*] fort; [*defend oneself*] vigoureusement; fig [*criticize, attack, object, oppose, advise*] vivement; [*protest, deny*] énergiquement; [*suggest, suspect*] fortement; [*believe*] fermement; **to feel ~ about sth** avoir des idées arrêtées sur qch; **I feel ~ that...** je crois fermement que...; **~ held beliefs** des croyances fortement ancrées; **to be ~ in favour of/against sth** être absolument pour/contre qch; **2** (solidly) [*fixed, made, reinforced*] solidement; **3** (in large numbers) [*supported, represented, defended*] fortement; **4** (powerfully) **to smell ~** dégager une forte odeur; **~ flavoured** très relevé

strongly-worded *adj* virulent

strongman /'strɒŋmæn, US 'strɔːŋ-/ ▸ **p. 1683** *n* (in circus) hercule *m* de foire; fig (leader) homme *m* fort

strong: **~-minded** *adj* obstiné; **~-mindedness** *n* obstination *f*; **~room** *n* chambre *f* forte; **~-willed** *adj* obstiné

strontium /'strɒntɪəm/ *n* strontium *m*; **~ 90** strontium *m* 90

strop /strɒp/
A *n* cuir *m* (à rasoir)
B *vtr* (*p prés etc* **-pp-**) repasser [qch] sur le cuir [*razor*]
(Idiom) **to be in a ~** bouder

strophe /'strəʊfɪ/ *n* strophe *f*

strophic /'strəʊfɪk/ *adj* strophique

stroppy○ /'strɒpɪ/ *adj* GB ronchon/-onne○; **to be** *ou* **get ~** se mettre en pétard○ (**about** à propos de; **with** contre)

strove /strəʊv/ *prét* ▸ **strive**

struck /strʌk/ *prét, pp* ▸ **strike B, C**

structural /'strʌktʃərəl/ *adj* **1** (fundamental) [*problem, change, reform*] structurel/-elle; **2** Anat, Bot, Geol, Phys structural; **3** Ling structurel/-elle, structural; **4** Econ structurel/-elle; **5** Constr [*defect*] de construction; **~ alterations** transformations *fpl*; **~ damage** dégâts *mpl* matériels

structural: **~ analysis** *n* Ling analyse *f* structurale *or* structurelle; **~ engineer** ▸ **p. 1683** *n* ingénieur *m* des ponts et chaussées; **~ engineering** *n* génie *m* civil; **~ formula** *n* formule *f* développée; **~ funds** *npl* EU fonds *m* structurels

structuralism /'strʌktʃərəlɪzəm/ *n* structuralisme *m*

structuralist /'strʌktʃərəlɪst/ *n, adj* structuraliste (*mf*)

structural linguistics *n* (+ *v sg*) linguistique *f* structurale *or* structurelle

structurally /'strʌktʃərəlɪ/ *adv* gen, Anat, Bot, Geol, Phys structurellement, du point de vue de la structure; Constr du point de vue de la construction; **~ sound** de construction solide

structural: **~ psychology** *n* psychologie *f* structurale; **~ steel** *n* acier *m* de construction; **~ survey** *n* GB inspection *f* d'expert-immobilier (*pour déterminer la solidité de la construction d'un bâtiment, lors d'une vente*); **~ unemployment** *n* chômage *m* structurel

structure /'strʌktʃə(r)/
A *n* **1** (overall shape, organization) structure *f*; **political/social ~** structure politique/sociale; **wage ~** échelle *f* des salaires; **price ~** Econ échelle *f* des prix; **career ~** plan *m* de carrière; ▸ **power structure**; **2** Constr (building) construction *f*, édifice *m*; (manner of construction) construction *f*
B *vtr* **1** (organize) structurer [*argument, essay, novel*]; organiser [*day, life, timetable*]; **2** Constr construire

structured /'strʌktʃəd/ *adj* structuré

structuring /'strʌktʃərɪŋ/ *n* structuration *f*

struggle /'strʌgl/
A *n* **1** (battle, fight) lit, fig lutte *f* (**against** contre; **between** entre; **for** pour; **over** au sujet de; **to do** pour faire); **the ~ for democracy/for survival** la lutte pour la démocratie/pour survivre; **armed/non-violent ~** lutte *f* armée/non violente; **class ~** lutte *f* des classes; **power ~** lutte *f* pour le pouvoir; **to give up** *ou* **abandon the ~** abandonner la lutte *or* la partie; **to put up a (fierce) ~** se défendre (avec acharnement); **they gave up without a ~** lit, Mil ils ont abandonné sans opposer de résistance; fig ils ont abandonné sans lutter; **2** (scuffle) rixe *f*, bagarre○ *f*; **two people were injured in** *ou* **during the ~** deux personnes ont été blessées pendant la rixe *or* la bagarre○; **3** (difficult task, effort) **it was a ~ but it was worth it** on a eu du mal *or* cela a été dur mais cela en valait la peine; **learning to read was a great ~ for him** apprendre à lire lui a coûté de gros efforts; **he finds everything a real ~** il trouve que tout est très dur; **I find it a real ~ to do** *ou* **doing** il m'est très difficile de faire; **they had a ~ to do** *ou* **doing** ils ont eu du mal à faire; **to succeed after years of ~** réussir après des années d'efforts; **after a long ~ he managed to contact her** après s'être donné beaucoup de mal il est parvenu à la joindre; **she managed it but not without a ~** elle a réussi mais non sans mal
B *vi* **1** lit (put up a fight) [*person, animal*] se débattre (**to do** pour faire); (tussle, scuffle) [*people, animals*] lutter, se battre; [*armies, forces*] se battre; **he ~d with his attacker** il s'est débattu pour se dégager de l'emprise de son agresseur; **they ~d with each other** ils ont lutté *or* se sont battus (**for** pour); **they ~d for the gun** ils se sont battus pour le revolver; **to ~ free** se dégager; **2** fig (try hard) se battre, lutter; (stronger) se démener; **a young artist struggling for recognition** un jeune artiste qui lutte *or* se démène pour faire reconnaître son talent; **to ~ to do sth** lutter *or* se battre pour faire; **the firm has had to ~ to survive** (try hard) la société a dû lutter *or* se battre pour survivre; **to ~ with a problem/one's conscience** être aux prises avec un problème/sa conscience; **3** (have difficulty) (at school, with job, in market) [*person, company*] éprouver des difficultés; **to ~ to keep up/to survive/with one's homework** avoir du mal à suivre/à survivre/à faire ses devoirs; **4** (move with difficulty) **he ~d into/out of his jeans** il a enfilé/enlevé péniblement son jean; **to ~ to one's feet** se lever avec peine; **we ~d up the steep path** nous avons monté péniblement la côte raide
(Phrasal verbs) ■ **struggle along** lit avancer à grand-peine; fig persévérer
■ **struggle back** revenir à grand-peine *or* avec peine
■ **struggle on** lit continuer à grand-peine; fig persévérer
■ **struggle through**: ▸ **~ through** s'en sortir tant bien que mal; ▸ **~ through [sth]** se frayer péniblement un chemin dans [*snow, jungle, crowd*]; se débattre avec [*book, task*]; **the bill ~d through Parliament** le projet de loi a été adopté non sans peine par le Parlement

struggling /'strʌglɪŋ/ *adj* [*writer, artist*] qui essaie de percer

strum /strʌm/ (*p prés etc* **-mm-**)
A *vtr* **1** (carelessly) gratter [*guitar, tune*]; **2** (gently) jouer doucement de [*guitar*]; **to ~ a tune** jouer doucement un air
B *vi* **1** (carelessly) gratter (**on** sur); **2** (gently) jouer doucement (**on** de)

strumming /'strʌmɪŋ/ *n* accords *mpl* légers

strumpet‡ /'strʌmpɪt/ *n* péj catin‡ *f*

strung /strʌŋ/ *pret, pp* ▸ **string C, D**

strung out○ /ˌstrʌŋ'aʊt/ *adj* **1** (addicted) **to be ~ on** être accro○ *or* accroché à [*drug*]; **2** (physically wasted) **to be ~** (from drugs) être en état de manque; (generally) être au bout du rouleau○

strung up○ /ˌstrʌŋ'ʌp/ *adj* nerveux/-euse; **to get (all) ~ about sth** être dans tous ses états à l'idée de qch

strut /strʌt/
A *n* **1** (support) montant *m*; **2** (swagger) démarche *f* orgueilleuse
B *vi* (*also* **~ about, ~ around**) (*p prés etc* **-tt-**) se pavaner; **to ~ along** marcher en se pavanant
(Idiom) **to ~ one's stuff**○ s'exhiber

strychnine /'strɪkniːn/ *n* strychnine *f*

stub /stʌb/
A *n* **1** (end, stump) (of pencil, stick, lipstick) bout *m*; (of cigarette) mégot *m*, bout *m*; (of tail) moignon *m*; **2** (counterfoil) (of cheque, ticket) talon *m*
B *vtr* (*p prés etc* **-bb-**) **to ~ one's toe** se cogner l'orteil
(Phrasal verb) ■ **stub out**: ▸ **~ [sth] out, ~ out [sth]** écraser [*cigarette*]

stubble /'stʌbl/ *n* **1** (straw) chaume *m*; **2** (beard) barbe *f* de plusieurs jours.

stubbly /'stʌblɪ/ *adj* [*chin*] non rasé

stubborn /'stʌbən/ *adj* [*person, animal, government*] entêté, têtu; [*attitude, behaviour*] obstiné; [*affection, independence*] tenace; [*resistance, refusal*] opiniâtre; [*stain, lock, illness*] rebelle; **to be ~ about** *ou* **over sth/doing sth** s'entêter sur qch/à faire qch

stubbornly /'stʌbənlɪ/ *adv* [*refuse, deny, resist*] obstinément; [*behave, act*] de manière têtue

stubbornness /'stʌbənnɪs/ *n* entêtement *m*

stubby /'stʌbɪ/ *adj* [*finger, pencil, tail*] court; [*person*] trapu

stucco /'stʌkəʊ/
A *n* (*pl* **~s** *ou* **~es**) (outside plasterwork) enduit *m*; (decorative work) stuc *m*
B *vtr* stuquer

stuck /stʌk/
A *prét, pp* ▸ **stick C, D**
B *adj* **1** (unable to move) bloqué, coincé; **to get ~ in** s'enliser dans [*mud, sand*]; **to be ~ at home** être bloqué *or* coincé chez soi; **to be ~ with**○ se farcir [*task*]; ne pas pouvoir se débarrasser de [*possession, person*]; **2** ○(stumped) **to be ~** sécher○; **3** (in a fix) **to be ~** être coincé; **to be ~ for a babysitter/cash** ne pas avoir de babysitter/d'argent; **to be ~ for something to say/do** ne pas savoir quoi dire/faire
(Idioms) **to be ~ on sb**○ avoir qn dans la peau○; **to squeal like a ~ pig** crier comme un cochon égorgé; **to get ~ into sb**○ engueuler qn◑

stuck-up○ /ˌstʌk'ʌp/ *adj* bêcheur/-euse○

stud /stʌd/
A *n* **1** (metal) (on jacket) clou *m*; (on door) clou *m* à grosse tête; **2** (earring) clou *m* d'oreilles; **3** (for grip) (on shoe) clou *m*; (on football boot) crampon *m*; **4** (fastener) **collar ~** bouton *m* de col; **press-~** GB bouton-pression *m*; **5** Transp (in road) clou *m* à catadioptre; **6** (*also* **~ farm**) haras *m*; **7** (for breeding) **he's now at ~** il est devenu reproducteur; **to put a horse out to ~** mettre un cheval au haras *or* à la reproduction; **8** ○(man) mâle *m*; **he's a real ~** il se défend bien au lit○; **9** Aut (wheel bolt) goujon *m* de roue; (in tyre) clou *m*; **10** Constr (for wall) montant *m*; **11** Tech (bolt) goujon *m*; **12** = **stud poker**
B **studded** *pp adj* **1** lit [*jacket*] garni de clous; [*door, beam*] clouté; **~ded boots, ~ded shoes** Sport chaussures *fpl* à crampons; **~ded tyres** Aut pneus *mpl* cloutés; **2** (sprinkled) **~ded with** parsemé de [*stars, flowers, islands*]; constellé de [*diamonds, jewels*]

studbook /'stʌdbʊk/ *n* stud book *m*, registre *m* des pur-sang

S

student /'stju:dnt, US 'stu:-/
A *n* **1** gen, US, Sch élève *mf*; Univ étudiant/-e *m/f*; **medical/art ~** étudiant/-e *m/f* en médecine/d'art; **he's a very good ~** c'est un excellent élève; **2** (person interested in a subject) **a ~ of** une personne qui étudie *or* s'intéresse à [*literature, history*]
B *modif* Univ [*life, unrest*] étudiant; [*population*] d'étudiants

student: **~ driver** *n* US *personne qui apprend à conduire*; **~ grant** *n* Univ bourse *f* d'études; **~ ID card** *n* US Univ carte *f* d'étudiant; **~ loan** *n* Univ *prêt bancaire pour étudiants*; **~ nurse** *n* élève *mf* infirmier/-ière

studentship /'stju:dntʃɪp, US 'stu:-/ *n* Univ bourse *f* universitaire

student teacher *n* enseignant/-e *m/f* stagiaire

student union *n* **1** (union) syndicat *m* étudiant; **2** (*also* **~ building**) maison *f* des étudiants

stud: **~ fee** *n* prix *m* de la saillie; **~horse** *n* étalon *m*

studied /'stʌdɪd/ *adj* [*negligence*] faux/fausse (*before n*); [*elegance, simplicity*] artificiel/-ielle

studio /'stju:dɪəʊ, US 'stu:-/ *n* (*pl* **~s**) **1** (of photographer, dancer, film or record company) studio *m*; (of painter) atelier *m*; **2** (*also* **~ apartment**, **~ flat** GB) studio *m*; **3** (film company) compagnie *f* de cinéma

studio audience *n* public *m* du studio; **recorded in front of a ~** enregistré publiquement en studio

studio: **~ couch** *n* canapé-lit *m*; **~ portrait** *n* Phot portrait *m* d'art; **~ recording** *n* enregistrement *m* en studio; **~ set** *n* décor *m* de studio; **~ theatre** GB, **~ theater** US *n* théâtre *m* de poche

studious /'stju:dɪəs, US 'stu:-/ *adj* **1** (hardworking) [*person*] studieux/-ieuse; **2** (deliberate) [*calm, indifference*] étudié, délibéré

studiously /'stju:dɪəslɪ, US 'stu:-/ *adv* (deliberately) [*avoid, ignore*] délibérément; **~ calm/~ indifferent** d'un calme étudié/d'une indifférence étudiée

studiousness /'stju:dɪəsnɪs, US 'stu:-/ *n* assiduité *f* (à l'étude)

stud: **~ mare** *n* (jument *f*) poulinière *f*; **~ poker** ► p. 1253 *n* poker *m* ouvert, stud poker *m*

study /'stʌdɪ/
A *n* **1** (gaining of knowledge) étude *f*; **2** (piece of research) étude *f* (**of, on** de); **to make a ~ of sth** faire une étude de qch, étudier qch; **3** (room) bureau *m*, cabinet *m* de travail; **4** Art, Mus étude *f*; **5** (model) **a ~ in incompetence/in bigotry** un modèle d'incompétence/de bigoterie
B **studies** *npl* études *fpl*; **computer studies** informatique *f*; **social studies** sciences *fpl* humaines
C *modif* [*group, visit*] d'étude; **~ leave** congé *m* d'étude; **~ period** heure *f* d'étude; **~ tour** *ou* **trip** voyage *m* d'études
D *vtr* (all contexts) étudier; Univ *also* faire des études de [*French, Law, Physics*]; **to ~ to be a teacher/lawyer/nurse** faire des études pour être enseignant/juriste/infirmière; **she's ~ing to be a doctor** elle fait des études de médecine
E *vi* **1** (revise) réviser; **to ~ for an exam** réviser pour un examen; **2** (get one's education) faire ses études (**under sb** avec qn)
(Idiom) **his face was a ~!** il fallait voir sa tête!

study aid *n* outil *m* pédagogique (destiné à l'élève)

study hall *n* US **1** (room) salle *f* d'étude; **2** (period) heure *f* d'étude

study hall teacher *n* US enseignant/-e *m/f* chargé/-e de l'étude

stuff /stʌf/
A *n* **¢** **1** (unnamed substance) truc○ *m*, chose *f*; **what's that ~ in the box/on the table?** qu'est-ce que c'est que ce truc○ dans la boîte/sur la table?; **what's that ~ in the bottle?** qu'est-ce que c'est dans la bouteille?; **there's some black ~ stuck to my shoe** il y a un truc○ noir collé à ma chaussure; **I don't eat prepackaged ~ if I can help it** j'évite autant que possible de manger des trucs○ pré-emballés; **this ~ stinks!** ça pue ce truc!○; **have we got any more of that cement ~?** est-ce qu'on a encore de cette espèce de ciment?; **she loves the ~** elle adore ça; **acid is dangerous ~** l'acide est (un truc○) dangereux; **gin? never touch the ~○** le gin? je n'y touche jamais; **expensive ~, caviar** ça coute cher, le caviar; **we've sold lots of the ~** nous en avons vendu beaucoup; **it's strong ~** (of drink, drug, detergent) c'est costaud○
2 ○(unnamed objects) trucs○ *mpl*; (implying disorder) bazar○ *m*; (personal belongings) affaires *fpl*; **what's all this ~ in the hall?** qu'est-ce que c'est que ces trucs○ *or* ce bazar○ dans l'entrée?; **she brought down a load of ~ from the attic** elle a descendu un tas de trucs○ du grenier; **don't leave your ~ all over the floor** ne laisse pas traîner les affaires *or* ton bazar○ par terre
3 ○(content of speech, book, film, etc) **the sort of ~ you read in the newspapers** le genre de chose *or* de truc○ qu'on lit dans les journaux; **who wrote this ~?** gen qui a écrit ça?; pej qui a écrit cette chose?; **there's some good ~ in this article** il y a de bonnes choses dans cet article; **this poem is good ~** c'est un bon poème; **have you read much of her ~?** as-tu lu beaucoup de ce qu'elle a écrit?; **this ~ is excellent/absolute rubbish** c'est excellent/complètement nul○; **it's not my kind of ~** ce n'est pas mon truc○; **it's romantic/terrifying ~** c'est romantique/terrifiant; **I sent him a tape of my ~** je lui ai envoyé une cassette de ce que je fais; **do you believe all that ~ about his private life?** tu crois à tout ce qu'on dit sur sa vie privée?; **there was a lot of ~ about the new legislation in his speech** il a beaucoup parlé de la nouvelle législation dans son discours; **he likes painting and drawing and ~ like that○** il aime la peinture et le dessin et tout ce genre de trucs○; **the book's all about music and ~** le livre parle de la musique et tout ça
4 (fabric) lit étoffe *f*; fig essence *f*; **such conflicts are the very ~ of drama** de tels conflits sont l'essence même du drame; **this is the ~ that heroes/traitors are made of** c'est l'étoffe dont on fait les héros/les traîtres; **the ~ that dreams are made of** la substance (même) des rêves; **her husband was made of somewhat coarser/finer ~** son mari était plus grossier/plus raffiné de nature
5 ○(drugs) came○ *f*, drogue *f*
6 ○(stolen goods) marchandise○ *f*
B *vtr* **1** (fill, pack) garnir, rembourrer [*cushion, pillow, furniture*] (**with** de); (implying haste, carelessness) bourrer [*pocket, cupboard, suitcase*] (**with** de); (block up) boucher [*hole, crack*] (**with** avec); **a book ~ed with useful information** un livre bourré d'informations utiles; **they ~ed his head with useless information** ils lui ont bourré la tête de faits inutiles; **to ~ one's face○** bâfrer, s'empiffrer◑; **get ~ed◑!** va te faire voir◑!; **~ the system◑!** au diable○ le système!; **~ you◑!** va te faire voir◑!
2 (pack in) fourrer○ [*objects, clothes, paper*] (**in, into** dans); **we ~ed paper into the cracks** nous avons fourré du papier dans les fissures; **she ~ed the papers/some clothes into a bag** elle a fourré les papiers/des vêtements dans un sac; **to ~ one's hands in one's pockets** se fourrer les mains dans les poches; **to ~ sth up one's jumper** cacher qch sous son pull; **to ~ sth under the bed** fourrer qch sous le lit; **to ~ food into one's mouth** se bâfrer○; **you know where you can ~ it◑!** tu sais où tu peux te le mettre●; **tell him he can take his precious plan and ~ it◑!** dis-lui que son projet il peut se le mettre où je pense●!
3 Culin farcir [*turkey, tomato, olive*]
4 [*taxidermist*] empailler [*animal, bird*]
C **stuffed** *pp adj* [*tomato, vine leaf, olive*] farci; [*toy animal*] en peluche; [*bird, fox*] empaillé
D ○*v refl* **to ~ oneself** bâfrer○, s'empiffrer◑
(Idioms) **a bit of ~○** péj une gonzesse○ pej, une nana○; **to do one's ~○** faire ce qu'on a à faire; **go on—do your ~○!** vas-y—fais ce que tu as à faire, vas-y–à toi de jouer; **to know one's ~○** connaître son affaire○; **that's the ~○!** c'est bon!, c'est ça!; **that's the ~ to give them** *ou* **to give the troops○!** c'est ce que demande le peuple!; **I don't give a ~○!** je m'en fiche○!, je m'en fous◑!
(Phrasal verb) ■ **stuff up**; ► **~ [sth] up, ~ up [sth]** boucher [*crack, hole*] (**with** avec); **I'm all ~ed up, my nose is ~ed up** j'ai le nez bouché

stuffed shirt○ *n* péj **to be a ~** être pompeux et suffisant

stuffily /'stʌfɪlɪ/ *adv* péj [*say, speak*] d'un ton pincé; [*behave, refuse*] d'un air pincé

stuffiness /'stʌfɪnɪs/ *n* **1** (airlessness) atmosphère *f* étouffante; **2** (staidness) (of person, institution, attitude) raideur *f*

stuffing /'stʌfɪŋ/ *n* **1** Culin farce *f*; **chestnut ~** farce aux marrons; **2** (of furniture, pillow) rembourrage *m*; (of stuffed animal) paille *f*
(Idiom) **to knock the ~ out of sb○** [*punch*] désarçonner qn; [*illness*] mettre qn à plat○; [*defeat, loss, event*] démoraliser qn

stuffy /'stʌfɪ/ *adj* **1** [*room, atmosphere*] étouffant; **it's very ~ in here** on étouffe ici; **2** (staid) [*person, institution, remark*] guindé; **3** (blocked) [*nose*] bouché

stultify /'stʌltɪfaɪ/ *vtr* abrutir [*person, mind, senses*]

stultifying /'stʌltɪfaɪɪŋ/ *adj* abrutissant

stumble /'stʌmbl/
A *n* faux pas *m*; **without a ~** sans trébucher
B *vi* **1** (trip) trébucher (**against** contre; **on, over** sur); **2** (stagger) **to ~ in/out/off** entrer/sortir/s'en aller en chancelant; **he ~d around the room** il a fait le tour de la pièce en chancelant; **3** (in speech) hésiter; **to ~ over** [*phrase, word*] buter sur; **he ~d through his farewell speech** il a prononcé son discours d'adieu en bafouillant
(Phrasal verbs) ■ **stumble across**: ► **~ across [sth]** tomber par hasard sur [*person, information, fact*]
■ **stumble on**: ► **~ on** [*walkers, travellers*] avancer en trébuchant; fig [*undertaking, leadership*] continuer tant bien que mal; ► **~ on [sth], ~ upon [sth]** tomber par hasard sur [*person, place, date, event, item*]

stumblebum○ /'stʌmblbʌm/ *n* US abruti/-e○ *m/f*

stumbling block /'stʌmblɪŋblɒk/ *n* obstacle *m*; **the main ~ is...** le principal obstacle est... ; **that's the main ~** c'est ça la pierre d'achoppement; **to be** *ou* **prove a ~ to** faire obstacle à

stump /stʌmp/
A *n* **1** (of tree) souche *f*; **the ~ of a tree** une souche; **2** (of candle, pencil, cigar, tail, tooth) bout *m*; **3** (of limb) moignon *m*; **4** (in cricket) piquet *m*; **5** US Pol (rostrum) tribunal *m*
B *vtr* **1** ○(perplex) déconcerter [*person, expert*]; **to be ~ed by sth** être en peine d'expliquer qch; **to be ~ed for an answer/a solution** ne pas trouver de réponse/de solution; **the question had me ~ed** je n'ai pas su répondre à la question; **I'm ~ed** (in quiz) je sèche○; (nonplussed) aucune idée; **2** Sport (in cricket) éliminer, mettre [qn] hors jeu [*batsman*]; **3** US Pol faire une tournée électorale dans [*state, region*]
C *vi* **1** (stamp) **to ~ in/out** entrer/sortir d'un air mécontent; **to ~ up the stairs** monter lourdement l'escalier; **to ~ off** partir d'un air mécontent; **2** US Pol faire une tournée électorale; **to ~ for sb/sth** faire campagne pour qn/qch

(Idioms) **to be on the ~** US être en tournée électorale; **to be up a ~**○ US être troublé; **to stir one's ~s**○ se remuer un peu○

(Phrasal verb) ■ **stump up**○ GB: ▸ **~ up** débourser (**for** pour); ▸ **~ up [sth]**, **~ [sth] up** débourser *[money, amount]*

stumpy /ˈstʌmpɪ/ *adj [person, legs]* courtaud

stun /stʌn/ *vtr (p prés etc* **-nn-***)* **1** (physically) assommer; **2** (shock, amaze) stupéfier.

stung /stʌŋ/ *prét, pp* ▸ **sting B, C**

stun: **~ grenade** *n* grenade *f* cataplexiante; **~ gun** *n* fusil *m* hypodermique

stunk /stʌŋk/ *pp* ▸ **stink B**

stunned /stʌnd/ *adj* **1** (dazed) assommé; **2** (amazed, shocked) *[person]* stupéfait, sidéré○; *[silence]* figé

stunner○ /ˈstʌnə(r)/ *n* (person) **to be a ~** être fantastique

stunning /ˈstʌnɪŋ/ *adj* **1** (beautiful) sensationnel/-elle; **2** (amazing) stupéfiant; **3** *[blow]* étourdissant

stunningly /ˈstʌnɪŋlɪ/ *adv* extrêmement; **~ attractive** éblouissant

stunt /stʌnt/

A *n* **1** parfois péj (for attention) coup *m* organisé, truc○ *m*; **publicity ~** coup *m* de publicité, truc○ *m* publicitaire; **2** Cin, TV (with risk) cascade *f*; **to do a ~** exécuter une cascade; **aerial ~s** acrobaties *fpl* aériennes; **3** ○US numéro○ *m*

B *vtr* empêcher *[economic growth, progress, development]*; rabougrir *[plant growth, crops]*; empêcher *[personal growth, development]*

(Idioms) **to pull a ~**○ faire le malin○; **if you pull a ~ like that again**○ si tu (me) refais ce coup-là○

stunted /ˈstʌntɪd/ *adj* **1** (deformed) *[tree, plant]* rabougri; *[body]* chétif/-ive; **2** (blighted) *[mentality, personality, growth]* retardé; *[life]* appauvri

stunt: **~man** ▸ **p. 1683** *n* cascadeur *m*; **~ pilot** ▸ **p. 1683** *n* pilote *m* de voltige; **~ rider** ▸ **p. 1683** *n* cascadeur/-euse *m/f* à moto; **~woman** ▸ **p. 1683** *n* cascadeuse *f*

stupefaction /ˌstjuːpɪˈfækʃn/ *n* (all contexts) stupeur *f*

stupefy /ˈstjuːpɪfaɪ, US ˈstuː-/ *vtr* **1** (astonish) stupéfier; **2** (make torpid) abrutir

stupefying /ˈstjuːpɪfaɪɪŋ, US ˈstuː-/ *adj* (all contexts) stupéfiant

stupendous /stjuːˈpendəs, US stuː-/ *adj [achievement, idea, film, size, amount]* prodigieux/-ieuse; *[building, view]* fantastique; *[loss, stupidity, folly]* incroyable

stupendously /stjuːˈpendəslɪ, US stuː-/ *adv [rich]* prodigieusement; **to be ~ successful/powerful** avoir un succès/pouvoir prodigieux

stupid /ˈstjuːpɪd, US ˈstuː-/

A ○*n* imbécile *mf*; **don't do that, ~!** ne fais pas ça, imbécile!

B *adj* **1** (unintelligent) *[person, animal]* stupide, bête; **2** (foolish) *[person]* idiot; *[idea, remark, behaviour, clothes, mistake]* stupide; **it is ~ of sb to do** c'est idiot de la part de qn de faire; **I've done something ~** j'ai fait une bêtise; **don't be ~!** arrête tes bêtises!; **the ~ car won't start!** cette idiote de voiture ne veut pas démarrer!; **you ~ idiot!** espèce d'imbécile!; **3** (in a stupor) abruti (**with** de); **to drink oneself ~** s'abrutir d'alcool; **to be knocked ~ by sth** être abruti par qch

stupidity /stjuːˈpɪdətɪ, US stuː-/ *n* **1** (foolishness) (of person, idea, remark, action) bêtise *f*; **2** (lack of intelligence) stupidité *f*

stupidly /ˈstjuːpɪdlɪ, US stuː-/ *adv* bêtement

stupor /ˈstjuːpə(r), US ˈstuː-/ *n* stupeur *f*; **to be in a ~** être à moitié hébété; **in a drunken ~** hébété par l'alcool

sturdily /ˈstɜːdɪlɪ/ *adv* solidement

sturdiness /ˈstɜːdɪnɪs/ *n* (of object, plant, animal) robustesse *f*; (of character) solidité *f*

sturdy /ˈstɜːdɪ/ *adj [person, animal, plant, object]* robuste; *[independence, intelligence, loyalty]* solide *(before n)*

sturgeon /ˈstɜːdʒən/ *n* esturgeon *m*

stutter /ˈstʌtə(r)/

A *n* bégaiement *m*; **to have a ~** bégayer

B *vtr, vi* bégayer

stuttering /ˈstʌtərɪŋ/

A *n* bégaiement *m*

B *adj* bégayant

STV *n: abrév* ▸ **single transferable vote**

St Valentine's Day *n* la Saint-Valentin

St Vincent and the Grenadines /sənt ˌvɪnsnt ən ðə ˈgrenədiːnz/ ▸ **p. 1096** *pr n* Saint-Vincent-et-les-Grenadines *m*

St Vitus's dance /sənt ˈvaɪtəsəʒ ˌdɑːns/ *n* ▸ **p. 1327** danse *f* de Saint-Guy

sty /staɪ/ *n* **1** (for pigs) porcherie *f*; **2** (*also* **stye**) Med orgelet *m*

Stygian /ˈstɪdʒɪən/ *adj* **1** Mythol du Styx; **2** *[gloom, darkness]* profond

style /staɪl/

A *n* **1** (manner) style *m*; **a building in the neo-classical ~** un bâtiment de style néoclassique; **built/decorated in the neo-classical ~** bâti/aménagé dans le *or* en style néoclassique; **in the ~ of Van Gogh** dans le style de Van Gogh; **an opera in the Italian ~** un opéra dans le style italien; **his paintings are very individual in ~** ses tableaux ont un style très personnel; **a ~ of teaching/living** un style d'enseignement/de vie; **my writing/driving ~** ma façon d'écrire/de conduire; **that's the ~!** bravo!, c'est bien; **2** Literat style *m*; **he has a very good ~** il a un très bon style; **3** (elegance) classe *f*, chic *m*; **to have ~** avoir de la classe; **to bring a touch of ~ to** ajouter de la classe à; **the performance had great ~** c'était une représentation de grande classe; **to marry in ~** se marier en grande pompe; **to live in ~** mener grand train; **to travel in ~** voyager princièrement; **to win in ~** gagner haut la main; **she likes to do things in ~** elle aime faire les choses en grand; **4** (design) (of car, clothing) modèle *m*; (of house) type *m*; **to come in several ~s** exister en plusieurs modèles; **5** (fashion) mode *f*; **minis are the latest ~ in skirts** la minijupe est la toute dernière mode; **to wear the newest ~s** s'habiller à la toute dernière mode; **to have no sense of ~** n'avoir aucun sens de la mode; **6** (approach) genre *m*, style *m*; **I don't like your ~** je n'aime pas ton genre; **that's not my ~** ce n'est pas mon genre; **7** (hairstyle) coupe *f*; **8** Publg, Journ style *m*; **9** Bot style *m*

B **-style** *(dans composés)* **alpine/Californian-~** de style alpin/californien; **Chinese/Italian-~** à la chinoise/l'italienne; **leather-~ case** valise imitation cuir

C *vtr* **1** (design) concevoir *[car, kitchen, building]*; créer *[collection, dress]*; **a superbly ~d car** une voiture superbement conçue; **2** (cut) couper *[hair]*; **her hair is ~d by Giorgio** elle est coiffée par Giorgio

D *v refl* **to ~ oneself sth** se donner le titre de qch

style: **~ book**, **~ guide**, **~ manual** *n* Publg manuel *m* de rédaction; **~ sheet** *n* Comput feuille *f* de style

styling /ˈstaɪlɪŋ/

A *n* **1** (design) conception *f*; **2** (contours) ligne *f*; **3** (in hairdressing) coupe *f*

B *modif [gel, mousse, product]* fixant; *[equipment]* de coiffure

styling: **~ brush** *n* brosse *f* ronde; **~ tongs** *n* US fer *m* à friser

stylish /ˈstaɪlɪʃ/ *adj* **1** (smart) *[car, coat, flat]* beau/belle *(before n)*; *[person]* élégant; *[resort, restaurant]* chic *inv*; **2** (accomplished) *[director, performance, player]* de grande classe *(after n)*; *[thriller, writer]* de grand style

stylishly /ˈstaɪlɪʃlɪ/ *adv* **1** (fashionably) *[designed, dressed]* avec élégance; **2** (with panache) *[perform, write]* avec panache

stylishness /ˈstaɪlɪʃnɪs/ *n* (of dress, person) élégance *f*; (of performance) style *m*

stylist /ˈstaɪlɪst/ ▸ **p. 1683** *n* **1** (hairdresser) coiffeur/-euse *m/f*; **2** (writer) maître/-esse *m/f* du style; **3** Fashn styliste *mf*; **4** Advertg, Ind concepteur/-trice *m/f*

stylistic /staɪˈlɪstɪk/ *adj* **1** Literat *[detail, variety]* stylistique; *[question]* de style *(after n)*; **2** Archit, Art *[quality, similarity]* de style; *[detail, development]* stylistique

stylistically /ˌstaɪˈlɪstɪklɪ/ *adv* stylistiquement; (sentence adverb) **~ (speaking),...** du point de vue stylistique,...

stylistic: **~ device** *n* Literat procédé *m* stylistique; **~ marker** *n* Ling indicateur *m* de niveau de langue

stylistics /staɪˈlɪstɪks/ *n (+ v sg)* Literat stylistique *f*

stylized /ˈstaɪlaɪzd/ *adj* **1** (non-realist) stylisé; **2** (sober) simple

stylus /ˈstaɪləs/ *n (pl* **-li** *ou* **-luses***)* **1** Audio pointe *f* de lecture; **2** (for writing) style *m*

stymie /ˈstaɪmɪ/

A *n* (in golf) trou *m* barré

B *vtr* **1** ○contrecarrer *[plan, attempt]*; contrecarrer les desseins de *[person]*; **2** (in golf) barrer le trou à *[opponent]*

stymied○ /ˈstaɪmɪd/ *adj* (thwarted) coincé

styptic /ˈstɪptɪk/ *n, adj* styptique *(m)*

styptic pencil *n* crayon *m* hémostatique

Styrofoam® /ˈstaɪrəfəʊm/ *n* polystyrène *m* expansé

suave /swɑːv/ *adj [person]* mielleux/-euse; *[words, manner, smile]* onctueux/-euse

suavely /ˈswɑːvlɪ/ *adv [talk, smile]* avec onctuosité; *[dress]* avec une élégance apprêtée

suaveness /ˈswɑːvnɪs/ *n* (of manner) onctuosité *f*

sub /sʌb/

A *n* **1** Sport *abrév* = **substitute**; **2** Naut *abrév* = **submarine**; **3** *abrév* = **subscription**; **4** US *abrév* = **substitute teacher**

B ○*vi (p prés etc* **-bb-***)* (as teacher) faire des remplacements; **to ~ for sb** remplacer qn

subagent /ˈsʌbeɪdʒənt/ *n* sous-agent *m*

subalpine /ˌsʌbˈælpaɪn/ *adj* subalpin

subaltern /ˈsʌbltən, US səˈbɔːltərn/ ▸ **p. 1599**

A *n* **1** GB Mil ≈ officier *m* subalterne; **2** (subordinate) subalterne *m*

B *adj* (all contexts) subalterne

subaqua /ˌsʌbˈækwə/ *adj [club]* de plongée

subaqueous /ˌsʌbˈeɪkwɪəs/ *adj* subaquatique

subarctic /ˌsʌbˈɑːktɪk/ *adj* subarctique

subassembly /ˌsʌbəˈsemblɪ/ *n* Mech sous-ensemble *m*

subatomic /ˌsʌbəˈtɒmɪk/ *adj* subatomique

subclass /ˈsʌbklɑːs/ *n* sous-classe *f*

subcommittee /ˈsʌbkəmɪtɪ/ *n* sous-comité *m*

subconscious /ˌsʌbˈkɒnʃəs/

A *n* **the ~** le subconscient

B *adj* gen inconscient; Psych subconscient

subconsciously /ˌsʌbˈkɒnʃəslɪ/ *adv* gen inconsciemment; Psych de façon subconsciente

subcontinent /ˌsʌbˈkɒntɪnənt/ *n* sous-continent *m*

subcontract

A /ˈsʌbkɒntrækt/ *n* contrat *m* de sous-traitance

B /ˌsʌbkənˈtrækt/ *vtr* sous-traiter (**to, out to** à)

subcontracting /ˌsʌbkənˈtræktɪŋ/ *n* sous-traitance *f*

subcontractor /ˌsʌbkənˈtræktə(r)/ ▸ **p. 1683** *n* sous-traitant *m*

subculture /ˈsʌbkʌltʃə(r)/ *n* **1** Sociol subculture *f*; **2** Biol repiquage *m*

subcutaneous /ˌsʌbkjuːˈteɪnɪəs/ *adj* sous-cutané

subdeacon /ˌsʌbˈdiːkən/ *n* sous-diacre *m*

subdivide /ˌsʌbdɪˈvaɪd/
[A] *vtr* subdiviser [*house, site*]
[B] *vi* se subdiviser

subdivision /ˌsʌbdɪˈvɪʒn/ *n* [1] (process, part) subdivision *f*; [2] US (housing development) lotissement *m*

subdominant /ˌsʌbˈdɒmɪnənt/ *n* [1] Mus sous-dominante *f*; [2] Ecol subdominant *m*, espèce *f* subdominante

subdue /səbˈdjuː, US -ˈduː/ *vtr* [1] (conquer) soumettre [*people, nation*]; mater [*rebellion*]; [2] (hold in check) contenir [*anger, fear, delight*]

subdued /səbˈdjuːd, US -ˈduːd/ *adj* [1] (downcast) [*person*] maussade; [*mood*] morose; [*voice*] terne; [2] (muted) [*excitement, enthusiasm, reaction*] contenu; [*voices, conversation*] bas/basse; [*lighting*] tamisé; [*colour*] atténué

subedit /ˌsʌbˈedɪt/ *vtr* GB corriger [*text*]

subeditor /ˌsʌbˈedɪtə(r)/ ▸ **p. 1683** *n* GB Publg, Journ correcteur/-trice *m/f*

subentry /ˈsʌbentrɪ/ *n* [1] (in account) subdivision *f* de compte; [2] Comput sous-rubrique *f*

subfamily /ˈsʌbfæmɪlɪ/ *n* (all contexts) sous-famille *f*

subfield /ˈsʌbfiːld/ *n* sous-zone *f*

subgroup /ˈsʌbgruːp/ *n* sous-groupe *m*

subheading /ˈsʌbhedɪŋ/ *n* (in text) sous-titre *m*

subhuman /ˌsʌbˈhjuːmən/ *adj* [*behaviour*] monstrueux/-euse

subject
[A] /ˈsʌbdʒɪkt/ *n* [1] (topic) sujet *m*; **let's get back to the ~** revenons au sujet *or* à nos moutons○; **to change** *ou* **drop the ~** parler d'autre chose, changer de sujet; **to raise a ~** soulever une question; **while we're on the ~ of bonuses...** pendant que nous en sommes aux primes...; [2] (branch of knowledge) (at school, college) matière *f*; (for research, study) sujet *m*; **my favourite ~ is English** l'anglais est ma matière préférée; **her ~ is genetics** elle est spécialisée en génétique; [3] Art, Phot sujet *m*; [4] Sci (in experiment) sujet *m*; [5] (focus) objet *m*; **to be the ~ of an inquiry** faire l'objet d'une enquête; **it has become a ~ for complaints** cela fait l'objet de beaucoup de plaintes; [6] Ling sujet *m*; [7] (citizen) sujet/-ette *m/f*; **British ~s** les sujets britanniques
[B] /ˈsʌbdʒɪkt/ *adj* [1] (subservient) [*people, race*] asservi; [2] (obliged to obey) **to be ~ to** être soumis à [*law, rule*]; [3] (liable) **to be ~ to** être sujet/-ette à [*flooding, fits*]; être passible de [*tax*]; **prices are ~ to increases** les prix peuvent subir des augmentations; **flights are ~ to delay** les vols sont susceptibles d'être en retard; [4] (dependent) **to be ~ to** dépendre de [*approval*]; **you will be admitted ~ to producing a visa** vous serez admis à condition de présenter un visa; **'~ to alteration'** 'sous réserve de modification'; **'~ to availability'** (of flights, tickets) 'dans la limite des places disponibles'; (of goods) 'dans la limite des stocks disponibles'
[C] /səbˈdʒekt/ *vtr* [1] (expose) **to ~ sb to sth** faire subir qch à qn [*stress, insults, torture*]; **to be ~ed to** devoir supporter [*noise*]; faire l'objet de [*attacks*]; être soumis à [*torture*]; **to ~ sth to heat/light** exposer qch à la chaleur/lumière; [2] (subjugate) littér assujettir [*race, country*]

subject: **~ heading** *n* sujet *m*; **~ index** *n* (in book) index *m* des sujets traités; (in library) fichier *m* par sujets

subjection /səbˈdʒekʃn/ *n* sujétion *f* (**to** à); **to keep sb in a state of ~** maintenir qn dans la sujétion

subjective /səbˈdʒektɪv/
[A] *n* Ling cas *m* sujet, nominatif *m*
[B] *adj* [1] (personal or biased) subjectif/-ive; [2] Ling [*case, pronoun*] sujet/-ette; [*genitive*] subjectif/-ive

subjectively /səbˈdʒektɪvlɪ/ *adv* [*perceive, exist*] subjectivement; [*assess, talk, view*] de façon subjective

subjectivism /səbˈdʒektɪvɪzəm/ *n* subjectivisme *m*

subjectivity /ˌsʌbdʒekˈtɪvətɪ/ *n* subjectivité *f*

subject: **~ matter** *n* sujet *m*; **~ pronoun** *n* Ling pronom *m* sujet

sub judice /ˌsʌb ˈdʒuːdɪsɪ, sʊb ˈjuːdɪkeɪ/ *adj* [*case*] devant les tribunaux

subjugate /ˈsʌbdʒʊgeɪt/ *vtr* [1] (oppress) subjuguer [*country, people*]; [2] (suppress) dompter [*desire*]; soumettre [*will*]

subjugation /ˌsʌbdʒʊˈgeɪʃn/ *n* assujettissement *m*

subjunctive /səbˈdʒʌŋktɪv/
[A] *n* subjonctif *m*; **in the ~** au subjonctif
[B] *adj* [*form, tense*] du subjonctif; [*mood*] subjonctif/-ive

subkingdom /ˌsʌbˈkɪŋdəm/ *n* Biol embranchement *m*

sublease /ˈsʌbliːs/ = **sublet**

sublet /ˈsʌblet/
[A] *n* sous-location *f*
[B] /ˌsʌbˈlet/ *vtr, vi* (*p prés* **-tt-**; *prét, pp* **-let**) [*owner, tenant*] sous-louer

sublibrarian /ˌsʌblaɪˈbreərɪən/ ▸ **p. 1683** *n* bibliothécaire *mf* adjoint/-e

sublieutenant /ˌsʌblefˈtenənt, US -luːt-/ ▸ **p. 1599** *n* GB enseigne *m* de vaisseau

sublimate /ˈsʌblɪmeɪt/
[A] *n* Chem sublimé *m*
[B] *vtr* Chem, Psych sublimer

sublimation /ˌsʌblɪˈmeɪʃn/ *n* Chem, Psych sublimation *f*

sublime /səˈblaɪm/
[A] *n* **the ~** le sublime
[B] *adj* [1] [*genius, beauty, heroism, art*] sublime; [2] ○[*food, clothes, person*] fantastique; [3] [*indifference, contempt, egoism*] suprême
[C] *vtr* Chem sublimer

(Idiom) **to go from the ~ to the ridiculous** passer du sublime au grotesque

sublimely /səˈblaɪmlɪ/ *adv* [1] [*play, perform, sing*] d'une façon sublime; **~ beautiful/heroic** d'une beauté/d'un héroïsme sublime; [2] [*indifferent, contemptuous, confident*] suprêmement

subliminal /səbˈlɪmɪnl/ *adj* [*advertising, message, level*] subliminal

subliminally /səbˈlɪmɪnəlɪ/ *adv* à un niveau subliminal

sublimity /səbˈlɪmətɪ/ *n* sublimité *f*

sublingual /ˌsʌbˈlɪŋgwəl/ *adj* sublingual

submachine gun /ˌsʌbməˈʃiːn/ *n* mitraillette *f*

submarine /ˌsʌbməˈriːn, US ˈsʌb-/
[A] *n* [1] Naut sous-marin *m*; [2] (*also* **~ sandwich**) US sandwich *m*
[B] *modif* Mil [*base, warfare, detection, accident*] de sous-marins; [*captain, commander*] de sous-marin
[C] *adj* [*plant, life, cable*] sous-marin

submarine: **~ chaser** *n* chasseur *m* de sous-marins; **~ pen** *n* abri *m* pour sous-marins

submariner /ˌsʌbˈmærɪnə(r), US ˈsʌb-/ ▸ **p. 1599** *n* sous-marinier *m*

submaxillary /ˌsʌbmækˈsɪlərɪ/ *adj* sous-maxillaire

submediant /ˌsʌbˈmiːdɪənt/ *n* Mus sus-dominante *f*

submenu /ˈsʌbmenjuː/ *n* Comput sous-menu *m*

submerge /səbˈmɜːdʒ/
[A] *vtr* [*sea, flood, tide*] submerger; [*person*] immerger (**in** dans); **to remain ~d for several days** [*submarine*] rester en plongée pendant plusieurs jours
[B] **submerged** *pp adj* lit, fig [*wreck, person*] submergé
[C] *v refl* **to ~ oneself in** se plonger dans [*work*]

submergence /səbˈmɜːdʒəns/ *n* submersion *f*

submersible /səbˈmɜːsəbl/ *n, adj* submersible (*m*)

submersion /səbˈmɜːʃn, US -mɜːrʒn/ *n* (action) immersion *f*; (fact of being submerged) submersion *f*

submission /səbˈmɪʃn/ *n* [1] (obedience, subjection) soumission *f* (**to** à) also Sport; **to beat/frighten/starve sb into ~** réduire qn par la force/la peur/la famine; [2] (of application, document, proposal, report) soumission *f* (**to** à); [3] (report) rapport *m*; [4] Jur (closing argument) conclusions *fpl*; **the ~ that** les suggestions selon lesquelles; **to make a ~ that** suggérer que; [5] sout (opinion) thèse *f*

submissive /səbˈmɪsɪv/ *adj* [*person, attitude*] soumis; [*behaviour*] docile

submissively /səbˈmɪsɪvlɪ/ *adv* [*behave*] avec docilité; [*react, accept, say*] docilement

submissiveness /səbˈmɪsɪvnɪs/ *n* docilité *f*

submit /səbˈmɪt/ (*p prés etc* **-tt-**)
[A] *vtr* [1] (send, present) soumettre [*report, proposal, budget, accounts, plan*] (**to** à); présenter [*bill, application, resignation, nomination*] (**to** à); déposer [*claim, estimate*] (**to** à); soumettre [*entry, script, sample*] (**to** à); [2] sout gen, Jur (propose) **to ~ that** suggérer que; **I would ~ that** je me permets de suggérer que fml
[B] *vi* se soumettre; **to ~ to** subir [*humiliation, injustice, pain*]; céder à [*will, demand, discipline*]; subir [*medical examination, treatment*]; Jur se soumettre à [*jurisdiction, decision*]
[C] *v refl* **to ~ oneself to** Jur se soumettre à [*jurisdiction, decision*]; subir [*medical examination*]

subnormal /sʌbˈnɔːml/ *adj* [1] pej [*person*] arriéré; [2] [*temperature*] au-dessous de la normale

suborder /ˈsʌbɔːdə(r)/ *n* Biol sous-ordre *m*

subordinate
[A] /səˈbɔːdɪnət, US -dənət/ *n* subalterne *mf*
[B] /səˈbɔːdɪnət/ *adj* [*officer, rank, position*] subalterne; [*issue, matter, question*] secondaire (**to** par rapport à); **to be ~ to sb** être le subalterne de qn
[C] /səˈbɔːdɪneɪt/ *vtr* gen, Ling subordonner (**to** à); **subordinating conjunction** Ling conjonction *f* de subordination

subordinate clause *n* Ling proposition *f* subordonnée

subordination /səˌbɔːdɪˈneɪʃn/ *n* subordination *f*

suborn /səˈbɔːn/ *vtr* suborner

subparagraph /ˈsʌbpærəgrɑːf/ *n* sous-paragraphe *m*

subplot /ˈsʌbplɒt/ *n* intrigue *f* secondaire

subpoena /səˈpiːnə/
[A] *n* assignation *f* à comparaître; **to serve a ~ on sb** assigner qn à comparaître
[B] *vtr* (3e *pers sg prés* **~s**; *prét, pp* **~ed**) assigner [qn] à comparaître

subpopulation /ˌsʌbpɒpjʊˈleɪʃn/ *n* Stat échantillon *m*

sub-post office *n* GB bureau *m* de poste (*de quartier ou de village*)

subregion /ˈsʌbriːdʒən/ *n* sous-région *f*

subrogation /ˌsʌbrəˈgeɪʃn/ *n* subrogation *f*

sub rosa /ˌsʌb ˈrəʊzə/ *adv* en secret

subroutine /ˈsʌbruːtiːn/ *n* Comput sous-programme *m*

subscribe /səbˈskraɪb/
[A] *vtr* [1] (pay) souscrire [*sum, amount*] (**to** à); [2] sout (sign) signer; **to ~ one's name to sth** apposer sa signature sur qch fml
[B] *vi* [1] (agree with) **to ~ to** partager [*view, values*]; souscrire à [*opinion, principle, theory, doctrine, belief*]; [2] (buy) s'abonner; **to ~ to** être abonné à [*magazine, TV, channel*]; [3] Fin (apply) **to ~ for** souscrire à [*shares*]; [4] (contribute) **to ~ to** donner (de l'argent) à [*charity, fund*]

subscriber /səbˈskraɪbə(r)/ *n* [1] Comm, Journ (to periodical etc) abonné/-e *m/f* (**to** de); [2] Telecom abonné/-e *m/f* (du téléphone); [3] (to fund) souscripteur *m* (**to** à); [4] Fin (to shares) souscripteur *m*; [5] (to doctrine) partisan/-e *m/f* (**to** de)

subscript /ˈsʌbskrɪpt/ *adj* souscrit

S

subscription /səbˈskrɪpʃn/ *n* 1 (magazine) abonnement *m* (**to** à); **to take out/cancel/renew a ~** prendre/annuler/renouveler un abonnement; 2 GB (fee) (to association, scheme) cotisation *f* (**to** à); (TV) abonnement *m* (**to** à); **annual ~** cotisation annuelle; 3 (to fund) don *m* (**to** à); 4 (system) souscription *f*; **by ~** par souscription; **available on ~** disponible par souscription; 5 Fin (to share issue) souscription *f* (**to** à)

subscription: **~ concert** *n* concert *m* pour abonnés; **~ fee**, **~ rate** *n* tarif *m* d'abonnement; **~ magazine** *n* magazine *m* vendu par abonnement; **~ service** *n* service *m* d'abonnement

subsection /ˈsʌbsekʃn/ *n* Jur alinéa *m*; gen paragraphe *m*

subsequent /ˈsʌbsɪkwənt/ *adj* [*event, problem, success, work*] (in past) ultérieur; (in future) à venir

subsequently /ˈsʌbsɪkwəntlɪ/ *adv* par la suite

subserve /səbˈsɜːv/ *vtr* sout favoriser

subservience /səbˈsɜːvɪəns/ *n* servilité *f* (**to** envers)

subservient /səbˈsɜːvɪənt/ *adj* 1 péj servile pej (**to** envers); 2 (subordinate) subordonné (**to** à); 3 sout (useful) profitable (**to** à)

subset /ˈsʌbset/ *n* Math sous-ensemble *m*

subside /səbˈsaɪd/ *vi* 1 (die down) [*storm, wind, applause, noise*] s'apaiser; [*anger, pain, fear*] se calmer; [*laughter, fever, excitement*] retomber; [*threat*] diminuer; [*flames*] reculer; 2 (sink) [*water, river, flood*] se retirer; [*building, road, land*] s'affaisser; 3 (sink down) [*person*] s'effondrer (**into, onto** sur)

subsidence /səbˈsaɪdns, ˈsʌbsɪdns/ *n* affaissement *m*

subsidiarity /səbˌsɪdɪˈærətɪ/ *n* EU subsidiarité *f*

subsidiary /səbˈsɪdɪərɪ, US -dɪerɪ/
A *n* (*also* **~ company**) filiale *f* (**of** de); **banking/insurance ~** filiale d'une banque/compagnie d'assurances
B *adj* [*reason, character, question*] secondaire (**to** par rapport à)

subsidize /ˈsʌbsɪdaɪz/ *vtr* subventionner

subsidy /ˈsʌbsɪdɪ/ *n* subvention *f* (**to, for** à)

subsist /səbˈsɪst/ *vi* subsister

subsistence /səbˈsɪstəns/ *n* subsistance *f*

subsistence: **~ allowance** *n* GB Admin ≈ indemnité *f* de subsistance; **~ farming** *n* agriculture *f* de subsistance; **~ level** *n* niveau *m* minimum pour vivre; **~ wage** *n* minimum *m* vital

subsoil /ˈsʌbsɔɪl/ *n* sous-sol *m*

subsonic /ˌsʌbˈsɒnɪk/ *adj* subsonique

subspecies /ˈsʌbspiːʃiːz/ *n* sous-espèce *f*

substance /ˈsʌbstəns/ *n* 1 Chem (matter) substance *f*; **illegal ~s** substances illicites; 2 (essence) (of argument, talks, protest) essentiel *m* (**of** de); (of book, plot) substance *f* (**of** de); **the ~ of what he says** l'essentiel de ce qu'il dit; **in ~** en substance; 3 (solidity, reality) (of argument, point) poids *m*; (of claim, accusation) fondement *m*; (of play, book) fond *m*; **to lack ~** [*argument*] manquer de poids; [*book*] manquer de fond; **there is no ~ to the allegations** les allégations sont dénuées de fondement; **is there any ~ to these claims?** est-ce que ces réclamations sont bien fondées?; **to lend ~ to** donner du poids à [*claim, allegation*]; 4 sout (significance) **something of ~** quelque chose d'important; **talks/matters of ~** des entretiens importants/affaires importantes; **the meeting yielded little of ~** la réunion n'a pas donné grand-chose; 5 (tangible quality) substance *f*; 6 sout †(wealth) **a person of ~** un nanti/une nantie *m/f*

substance abuse *n* abus *m* de substances toxiques

substandard /ˌsʌbˈstændəd/ *adj* 1 [*goods, housing*] de qualité inférieure; [*essay, performance*] insuffisant; [*workmanship*] défectueux/-euse; 2 Ling [*language, usage*] incorrect

substantial /səbˈstænʃl/ *adj* 1 (in amount) [*sum, payment, fee, income, quantity*] important; [*imports, loss*] considérable; [*majority, number, proportion*] appréciable; [*meal*] substantiel/-ielle; **~ damages** Jur dommages et intérêts substantiels; 2 (in degree) [*change, improvement, difference, increase, fall, impact, risk, damage*] considérable; [*role*] important; **to be in ~ agreement (over sth)** être largement d'accord (sur qch); 3 (solid) [*chair, lock, wall*] solide; [*evidence, proof*] solide; 4 (wealthy) [*business, company*] financièrement solide; [*businessman, landowner*] riche, aisé; 5 sout (tangible) [*being*] réel/réelle

substantially /səbˈstænʃəlɪ/ *adv* 1 (considerably) [*increase, change, fall, reduce*] considérablement; [*higher, lower, better, less*] nettement; 2 (mainly) [*true, correct, unchanged*] en grande partie, en gros; **the team will not be ~ different from last week's** l'équipe ne différera pas de beaucoup de celle de la semaine dernière

substantiate /səbˈstænʃɪeɪt/ *vtr* sout justifier, prouver [*allegation, complaint*]; établir [*charge*]; appuyer [qch] par des preuves, justifier [*statement, view*]

substantiation /səbˌstænʃɪˈeɪʃn/ *n* sout justification *f*

substantival /ˌsəbstænˈtaɪvl/ *adj* Ling substantif/-ive

substantive /ˈsʌbstəntɪv/
A *n* Ling substantif *m*
B *adj* 1 sout (significant) [*discussion*] positif/-ive; [*change, decision*] important; [*progress*] considérable; [*issues*] d'importance; 2 Ling substantif/-ive

substantive law *n* Jur droit *m* positif

substation /ˈsʌbsteɪʃn/ *n* Elec sous-station *f*

substitute /ˈsʌbstɪtjuːt, US -tuːt/
A *n* 1 (person) gen, Sport remplaçant/-e *m/f*; **to come on as a ~** Sport jouer comme remplaçant; **their dog is a child ~** leur chien remplace l'enfant qu'ils n'ont pas eu; 2 (product, substance) produit *m* de substitution, succédané *m*, ersatz *m* pej; **chocolate/coffee ~** succédané de chocolat/de café, produit de substitution pour le chocolat/le café; **sugar ~** édulcorant *m* de synthèse; **there is no ~ for analysis/a good education** rien ne remplace l'analyse/une bonne éducation; **there is no ~ for real leather** rien ne vaut le cuir véritable; **it's a poor ~ for a glass of wine!** ça ne vaut pas un verre de vin!; 3 Ling substitut *m*
B *modif* [*machine, device*] de remplacement; [*family, parent*] adoptif/-ive; Sport [*player*] de remplacement; **~ teacher** US remplaçant/-e *m/f*, suppléant/-e *m/f*; **to work as a ~ teacher** US faire des remplacements
C *vtr* substituer (**for** à); **to ~ X for Y** substituer X à Y, remplacer X par Y; **honey can be ~d for sugar in this recipe** on peut remplacer le sucre par du miel dans cette recette
D *vi* **to ~ for sb/sth** remplacer qn/qch

substitute: **~'s bench** *n* Sport banc *m* de touche; **~ teacher** *n* Sch remplaçant/-e *m/f*, suppléant/-e *m/f*

substitution /ˌsʌbstɪˈtjuːʃn, US -ˈtuː-/ *n* gen substitution *f*, remplacement *m*; Chem, Math, Ling, Psych substitution *f*; **the ~ of X for Y** la substitution de X à Y

substratum /ˌsʌbˈstrɑːtəm, US ˈsʌbstreɪtəm/ *n* (*pl* **-strata**) 1 gen (basis) fond *m*; 2 Geol (subsoil) sous-sol *m*; (bedrock) substratum *m*; 3 Sociol couche *f*; 4 Ling, Philos substrat *m*

substructure /ˈsʌbstrʌktʃə(r)/ *n* substructure *f*

subsume /səbˈsjuːm, US -ˈsuːm/ *vtr* subsumer (**into, under** sous)

subsystem /ˈsʌbsɪstəm/ *n* Comput sous-système *m*

subteen /ˈsʌbtiːn/ *n* US jeune *mf* de moins de treize ans

subtemperate /ˌsʌbˈtempərət/ *adj* tempéré froid

subtenancy /ˈsʌbtenənsɪ/ *n* sous-location *f*

subtenant /ˈsʌbtenənt/ *n* sous-locataire *mf*

subtend /səbˈtend/ *vtr* (all contexts) sous-tendre

subterfuge /ˈsʌbtəfjuːdʒ/ *n* subterfuge *m* (**of doing** de faire)

subterranean /ˌsʌbtəˈreɪnɪən/ *adj* souterrain

subtext /ˈsʌbtekst/ *n* Literat thème *m* sous-jacent; fig message *m* sous-jacent

subtilize /ˈsʌtɪlaɪz/ sout
A *vtr* purifier
B *vi* Literat raffiner

subtitle /ˈsʌbtaɪtl/
A *n* sous-titre *m*
B *vtr* sous-titrer

subtitling /ˈsʌbtaɪtlɪŋ/ *n* sous-titrage *m*

subtle /ˈsʌtl/ *adj* 1 (barely perceptible) [*distinction, pressure*] subtil; [*change, shift, form*] imperceptible; 2 (finely tuned) [*argument, analysis, allusion, decision*] subtil; [*strategy, tactic, idea*] astucieux/-ieuse, habile; [*humour, irony*] très fin; [*performance, plot, characterization*] habile; [*hint*] voilé; **in a ~ way** d'une façon subtile; **you weren't very ~ about it!** tu n'as pas été très subtil!; 3 (perceptive) [*observer, analyst*] perspicace; [*person, mind*] subtil; 4 (delicate) [*blend, colour, fragrance*] subtil; [*lighting*] nuancé

subtlety /ˈsʌtltɪ/ *n* 1 (of film, book, music, style) complexité *f*; (of expression, feeling, tone, idea) subtilité *f*; 2 (fine point) subtilité *f*; 3 (of actions, reaction, approach, manner) subtilité *f*; 4 (of flavour) délicatesse *f*; (of lighting) caractère *m* nuancé

subtly /ˈsʌtlɪ/ *adv* 1 (imperceptibly) [*change, alter, shift, influence*] imperceptiblement; [*different, humorous*] légèrement; 2 (in a complex way) [*argue, mock, evoke*] avec subtilité; [*analyse, act*] avec finesse; 3 (delicately) [*flavoured, coloured*] délicatement; [*lit*] de manière nuancée

subtonic /ˌsʌbˈtɒnɪk/ *n* (note *f*) sensible *f*

subtopic /ˈsʌbtɒpɪk/ *n* sous-rubrique *f*

subtotal /ˈsʌbtəʊtl/ *n* sous-total *m*

subtract /səbˈtrækt/
A *vtr* Math soustraire (**from** de)
B *vi* faire des soustractions

subtraction /səbˈtrækʃn/ *n* soustraction *f*

subtropical /ˌsʌbˈtrɒpɪkl/ *adj* subtropical

subtropics /ˌsʌbˈtrɒpɪks/ *npl* zones *fpl* subtropicales

suburb /ˈsʌbɜːb/
A *n* gen banlieue *f*; **inner ~** faubourg *m*; **an expensive ~** une banlieue chère
B **suburbs** *npl* **the ~s** la banlieue; **the outer ~s** la grande banlieue; **the ~s of London** la banlieue de Londres *or* londonienne

suburban /səˈbɜːbən/ *adj* 1 [*street, shop, train*] de banlieue; [*development*] suburbain; US [*shopping mall*] à l'extérieur de la ville; **~ sprawl** (phenomenon) développement *m* des banlieues; (one suburb) banlieue *f* gigantesque *or* tentaculaire; 2 péj [*outlook*] étroit; [*values*] de petit-bourgeois

suburbanite /səˈbɜːbənaɪt/ *n* souvent péj banlieusard/-e *m/f*

suburbanize /səˈbɜːbənaɪz/ *vtr* transformer [qch] en banlieue

suburbia /səˈbɜːbɪə/ *n* ¢ la banlieue; **to live in ~** habiter en banlieue

subvention /səbˈvenʃn/ *n* 1 **C** (subsidy) subvention *f*; 2 ¢ (financing) subventions *fpl*

subversion /səˈbvɜːʃn, US -ˈvɜːrʒn/ *n* subversion *f*

subversive /səbˈvɜːsɪv/
A *n* (person) élément *m* subversif
B *adj* (all contexts) subversif/-ive

subvert /səbˈvɜːt/ *vtr* déstabiliser [*government, establishment*]; ébranler [*belief, idea, ideology*]; corrompre [*diplomat, agent*]; faire échouer [*negotiations, talks*]

S

subway /'sʌbweɪ/
A *n* **1** GB (for pedestrians) passage *m* souterrain; **2** US (underground railway) métro *m*
B *modif* US [*station*] de métro; [*train*] souterrain

sub-zero /,sʌb'zɪərəʊ/ *adj* [*temperature*] inférieur à zéro

succeed /sək'si:d/
A *vtr* succéder à [*person*]; succéder à, suivre [*event*]; **to ~ sb as king** succéder à qn sur le trône; **she ~ed him as president** elle lui a succédé à la présidence
B *vi* **1** (achieve success) [*person, plan, technique*] réussir; **to ~ in doing** réussir *or* parvenir à faire; **to ~ in business** réussir *or* avoir du succès en affaires; **to ~ in life/in one's exams** réussir dans la vie/aux examens; **2** (accede) succéder; **to ~ to** succéder à [*throne, presidency*]
(Idiom) **nothing ~s like success** un succès en appelle un autre

succeeding /sək'si:dɪŋ/ *adj* (in past) suivant; (in future) à venir; **~ generations have done** les générations suivantes ont fait; **~ generations will do** les générations à venir feront; **with each ~ year** d'année en année

success /sək'ses/ *n* **1** succès *m*, réussite *f*; **without ~** sans succès; **to meet with ~** avoir du succès; **to stand the best chance of ~** [*candidate, applicant*] avoir la meilleure chance de réussir; **to make a ~ of** réussir [*dish, life, career*]; faire un succès de [*business, venture*]; **sb's ~ in** le succès de qn à [*exam, election*]; **despite her ~ in doing** bien qu'elle ait réussi à faire; **he never had much ~ with women** il n'a jamais eu beaucoup de succès auprès des femmes; **wishing you every ~** avec tous mes vœux de succès *or* de réussite; **2** (person, thing that succeeds) succès *m*, réussite *f*; **to be a huge ~** [*party, film*] être un grand succès, avoir un succès retentissant; **to be a ~ with** avoir du succès auprès de [*critics, children*]; **to be a ~ as** avoir du succès comme [*teacher, actor*]
(Idioms) **to enjoy the sweet smell of ~** savourer son succès; **to scent the sweet smell of ~** sentir que l'on va réussir

successful /sək'sesfl/ *adj* **1** (that achieves its aim) [*attempt, operation*] réussi; [*plan, campaign, summit*] couronné de succès; [*treatment, policy*] efficace; **the operation was not entirely ~** l'opération n'a pas complètement réussi; **to be ~ in** *ou* **at doing** réussir à faire; **2** (that does well) [*film, book, writer*] (profitable) à succès; (well regarded) apprécié; [*businessman, company*] prospère; [*career*] brillant; **to be ~** réussir; **to be ~ in business/in a profession** réussir en affaires/dans une profession; **the film was less ~** le film a eu moins de succès; **3** (that wins, passes) [*candidate*] heureux/-euse (*before n*); [*applicant*] retenu; [*team, contestant*] victorieux/-ieuse; **to be ~ in an exam** réussir à un examen; **her application was not ~** sa candidature n'a pas été retenue; **4** (happy) [*marriage, partnership*] réussi; [*outcome*] heureux/-euse

successfully /sək'sesfəlɪ/ *adv* [*try, campaign, argue*] avec succès

succession /sək'seʃn/ *n* **1** (sequence) (of attempts, events, people) série *f*, succession *f* (**of** de); **in ~** de suite; **for five years in ~** pendant cinq années de suite; **in close** *ou* **quick** *ou* **swift ~** coup sur coup; **three explosions in rapid ~** trois explosions coup sur coup; **the days followed each other in quick ~** les jours s'enchaînaient rapidement; **2** (act, right of inheriting) succession *f* (**to** à); (line of descent) héritiers *mpl*; **to be fifth in ~ to the throne** être le cinquième dans la succession au trône

successive /sək'sesɪv/ *adj* [*attempt, victory, generation, government*] successif/-ive; [*day, week, year*] consécutif/-ive; **for five ~ years** pendant cinq années consécutives *or* de suite; **with each ~ season/disaster...** à chaque nouvelle saison/catastrophe...

successively /sək'sesɪvlɪ/ *adv* successivement, tour à tour

successor /sək'sesə(r)/ *n* **1** (person) successeur *m* (**of sb, to sb** de qn; **to sth** à qch); **to be sb's ~** être le successeur de qn; **to be sb's ~ as** succéder à qn en tant que [*monarch, minister*]; **a worthy ~ to sb** un successeur digne de qn; **2** (invention, concept) remplaçant/-e *m/f*; **it is a possible ~ to silicon** cela pourrait succéder à *or* remplacer le silicum

success: **~ rate** *n* taux *m* de réussite; **~ story** *n* réussite *f*

succinct /sək'sɪŋkt/ *adj* [*statement, phrase*] succinct; [*person*] concis

succinctly /sək'sɪŋktlɪ/ *adv* succinctement

succinctness /sək'sɪŋktnɪs/ *n* concision *f*

succor *n* US ▸ **succour**

succotash /'sʌkətæʃ/ *n* US plat *m* de maïs et de fèves

succour GB, **succor** US /'sʌkə(r)/ sout
A *n* secours *m*
B *vtr* secourir

succulence /'sʌkjʊləns/ *n* succulence *f*

succulent /'sʌkjʊlənt/
A *n* plante *f* grasse
B *adj* gen, Bot succulent

succumb /sə'kʌm/ *vi* (all contexts) succomber (**to** à)

such /sʌtʃ/
A *pron* **1** (this) **~ is life** c'est la vie; **she's a good singer and recognized as ~** c'est une bonne chanteuse et elle est reconnue comme telle; **she's talented and recognized as ~** elle a du talent et son talent est reconnu; ▸ **as**
2 = **suchlike**
B *det* **1** (of kind previously mentioned) (replicated) tel/telle; (similar) pareil/-eille; (of similar sort) de ce type (*after n*); **~ a situation** une telle situation; **~ individuals** de tels individus; **in ~ a situation** dans une situation pareille; **at ~ a time** dans un moment pareil; **many ~ proposals** de nombreuses propositions de ce type; **and other ~ arguments** et autres arguments de ce type; **all ~ basic foods** tous les aliments de base de ce type; **potatoes, bread and all ~ basic foods** les pommes de terre, le pain et tous les autres aliments de base; **doctors, dentists and all ~ people** les docteurs, les dentistes et toutes les personnes qui exercent ce type de métier; **a mouse or some ~ animal** une souris ou un animal semblable; **he said 'so what!' or some ~ remark** il a dit 'et alors!' ou quelque chose comme ça; **there was some ~ case last year** il s'est produit la même chose l'année dernière; **there's no ~ person** il/elle n'existe pas; **there was ~ a man I believe** je crois que cet homme a existé; **there's no ~ thing** ça n'existe pas; **I've never heard of ~ a thing** je n'ai jamais entendu parler d'une chose pareille; **I didn't say any ~ thing** je n'ai jamais dit une chose pareille; **you'll do no ~ thing!** il n'en est pas question! ; **I 've been waiting for just ~ an opportunity** j'attendais justement que l'occasion se présente
2 (of specific kind) **to be ~ that** être tel/telle que; **my hours are ~ that I usually miss the last train** mes horaires sont tels que je rate habituellement le dernier train; **his movements were ~ as to arouse suspicion** il se conduisait de telle façon qu'il éveillait les soupçons; **in ~ a way that** d'une telle façon que
3 (any possible) **~ money as I have** le peu d'argent *or* tout l'argent que j'ai; **until ~ time as** jusqu'à ce que (+ *subj*)
4 (so great) tel/telle; **there was ~ carnage!** il y avait un tel carnage!; **to be having ~ problems** avoir de tels problèmes; **~ was his admiration/anger that** son admiration/sa colère était telle que; **his fear was ~ that** il avait tellement peur que; **to be in ~ despair/in ~ a rage** être tellement désespéré/dans une telle colère
5 iron (of such small worth, quantity) **you can borrow my boots ~ as they are** ces bottes ne sont pas géniales○ mais tu peux les emprunter; **we picked up the apples ~ as there were** nous avons ramassé les rares pommes qu'il y avait par terre
C **such as** *det phr, conj phr* comme, tel/telle que; **~ a house as this, a house ~ as this** une maison comme celle-ci; **it was on just ~ a night as this that** c'est par une nuit exactement comme celle-ci que; **~ cities as** *or* **cities ~ as Manchester and Birmingham** des villes telles que *or* comme Manchester et Birmingham; **a person ~ as her** une personne comme elle; **~ as?** (as response) gen quoi par exemple?; (referring to person) qui par exemple?; **there are no ~ things as giants** les géants n'existent pas; **have you ~ a thing as a screwdriver?** auriez-vous un tournevis par hasard?; **inflation ~ as occurred last year** l'inflation telle qu'elle s'est manifestée l'année dernière
D *adv* **1** (to a great degree) (with adjectives) si, tellement; (with nouns) tel/telle; **in ~ a persuasive way** d'une façon si convaincante; **~ a nice boy!** un garçon si gentil!, un si gentil garçon!; **~ excellent meals** de si bons plats; **~ good quality as this** une telle qualité; **I hadn't seen ~ a good film for years** je n'avais pas vu un aussi bon film depuis des années; **don't be ~ an idiot** ne sois pas si stupide; **she's not ~ an idiot as she seems** elle n'est pas aussi stupide que l'on croit; **only ~ an idiot (as him) would do** il n'y a qu' un imbécile (comme lui) qui ferait; **it was ~ (a lot of) fun** on s'est tellement amusé; **~ a lot of problems** tant de problèmes; **(ever○) ~ a lot of people** beaucoup de gens; **thanks ever ~ a lot○** merci mille fois

such and such *det* tel/telle; **on ~ a topic** sur tel sujet; **at ~ a time** à telle heure

suchlike○ /'sʌtʃlaɪk/
A *pron* **and ~** (of people) et autres; **lions, tigers and ~** les lions, les tigres et autres fauves
B *adj* de ce type; **caviar, smoked salmon and ~ delicacies** le caviar, le saumon fumé et autres mets raffinés de ce type

suck /sʌk/
A *n* **to give sth a ~** sucer qch; **to have a ~ of sth** goûter à qch (en suçant); **to give ~†** donner la tétée
B *vtr* **1** (drink in) [*person, animal, machine*] aspirer [*liquid, air*] (**from** de; **through** avec); (extract) sucer (**from** de); **to ~ milk through a straw** aspirer du lait avec une paille; **to ~ poison from a wound** sucer le poison d'une plaie; **to ~ blood** sucer le sang; **to ~ sb dry** fig (of affection) vampiriser qn; (of money) pomper○ qn jusqu'au dernier sou; **2** (lick) sucer, suçoter [*bottle, fruit, pencil, pipe, thumb, cut*]; [*baby*] téter [*breast*]; **to ~ one's teeth** claquer des lèvres (en signe de désapprobation); **3** (pull) [*current, wind, mud*] entraîner [*person*]; **to be ~ed down** *ou* **under** être entraîné au fond; **to get ~ed into** fig être entraîné dans
C *vi* **1** [*baby*] téter; **to ~ at** sucer [*bottle, ice*]; **to ~ on** tirer sur [*pipe, cigar, tube*]; **2** ◑US **it ~s!** c'est nul○!, c'est de la foutaise◑!
D **sucking** *pres p adj* [*noise*] de succion
(Idioms) **~s to you○!** GB tu l'as dans le baba○!; **to ~ it up○** US affronter une situation difficile
(Phrasal verbs) ■ **suck in**: ▸ **~ in [sth], ~ [sth] in** [*sea, wind*] engloutir; [*person, machine*] aspirer [*air, dirt, liquid*]; **to ~ in one's cheeks** creuser les joues; **to ~ in one's stomach** rentrer l'estomac
■ **suck off◑**: ▸ **~ [sb] off, ~ off [sb]** tailler une pipe◑ à [*man*]; faire minette◑ à [*woman*]
■ **suck out**: ▸ **~ [sth] out, ~ out [sth]** aspirer [*air, liquid, dirt*] (**from** de); sucer [*poison, blood*] (**from** de); **to be ~ed out of a plane** être aspiré hors d'un avion
■ **suck up**: ▸ **~ up○** faire de la lèche○; **to ~ up to sb** cirer les pompes à qn○; ▸ **~ [sth] up, ~ up [sth]** pomper [*liquid*]; aspirer [*dirt*]

sucker /'sʌkə(r)/
A *n* **1** ○(dupe) bonne poire○ *f*; **he's a ~ for**

S

compliments les compliments le font craquer○; 2 Bot, Hort surgeon *m*, drageon *m*; 3 (animal's pad, rubber pad) ventouse *f*
B ○*vtr* (dupe) entuber○
C *vi* Bot, Hort surgeonner

sucking pig *n* cochon *m* de lait

suckle /'sʌkl/
A *vtr* allaiter [*baby*]
B *vi* téter

suckling /'sʌklɪŋ/
A *n* 1 †[*child*] enfant *mf* au sein; 2 [*act*] allaitement *m*
B *adj* [*animal*] à la mamelle
(Idiom) **out of the mouths of babes and ~s** la vérité sort de la bouche des enfants

suckling pig *n* cochon *m* de lait

sucrase /'su:kreɪz/ *n* sucrase *f*

sucrose /'su:krəʊz, -rəʊs/ *n* saccharose *f*

suction /'sʌkʃn/ *n* succion *f*; **by ~** par succion

suction: **~ pad** *n* ventouse *f*; **~ pump** *n* pompe *f* aspirante; **~ valve** *n* clapet *m* d'aspiration

Sudan /su:'dɑ:n/ ▸ p. 1096 *pr n* (*also* **the ~**) Soudan *m*

Sudanese /ˌsu:də'ni:z/ ▸ p. 1467, p. 1378
A *n* (person) Soudanais/-e *m/f*
B *adj* soudanais

Sudanic /su:'dænɪk/ ▸ p. 1378
A *n* Ling soudanais *m*
B *adj* soudanais

sudden /'sʌdn/ *adj* [*impulse, death*] soudain, subit; [*movement*] brusque; **all of a ~** tout à coup, tout d'un coup; **it's all a bit ~** c'est un peu trop soudain; **it was all very ~** ça s'est passé très vite

sudden: **~ death overtime** *n* US Sport *prolongation d'un match pour départager deux équipes*; **~ death play-off** *n* GB Sport *penalties pour départager deux équipes*; **~ infant death syndrome, SIDS** *n* Med mort *f* subite du nourrisson

suddenly /'sʌdnlɪ/ *adv* gen subitement; (all of a sudden) tout à coup, tout d'un coup

suddenness /'sʌdnnɪs/ *n* gen soudaineté *f*; (of death, illness) caractère *m* subit

sudoku /su:'dɒku:/ *n* sudoku *m*

suds /sʌdz/ *npl* 1 (*also* **soap ~**) (foam) mousse *f* (de savon); (soapy water) eau *f* savonneuse; 2 ○ US (beer) bière *f*; (foam) mousse *f*

sudsy /'sʌdzɪ/ *adj* [*water*] savonneux/-euse

sue /su:, sju:/
A *vtr* Jur intenter un procès à; **to ~ sb for divorce/libel** intenter un procès en divorce/en diffamation à qn; **to ~ sb for damages** poursuivre qn en dommages-intérêts
B *vi* 1 Jur intenter un procès; **to ~ for divorce/damages** intenter un procès pour obtenir le divorce/des dommages-intérêts; 2 littér **to ~ for pardon/peace** solliciter le pardon/la paix

suede /sweɪd/
A *n* daim *m*; **imitation ~** suédine *f*
B *modif* [*shoe, glove*] en daim

suet /'su:ɪt, 'sju:ɪt/ *n* graisse *f* de rognon de bœuf; **~ pudding** GB gâteau *m* à la graisse de rognon

Suez /'sʊɪz/ *n* 1 Geog Suez *m*; **the ~ Canal** le Canal de Suez; 2 Pol Hist (*also* **the ~ crisis**) l'affaire *f* de Suez

suffer /'sʌfə(r)/
A *vtr* 1 (undergo) subir [*punishment, defeat, loss, delay, consequences*]; souffrir de [*hunger*]; **she ~ed a great deal of pain** elle a beaucoup souffert; **he ~ed a severe neck injury** il a été gravement blessé au cou; **to ~ a heart attack/a stroke** avoir une crise cardiaque/une attaque; **the roof ~ed storm damage** le toit a été endommagé par la tempête; **ports have ~ed a drop in trade** les ports ont enregistré un ralentissement de l'activité commerciale; **the region has ~ed severe job losses** la région a enregistré d'importantes pertes d'emplois; 2 sout (tolerate) supporter; **I won't ~ this a moment more** je ne supporterai pas cela plus longtemps
B *vi* 1 (with illness) **to ~ from** souffrir de [*malnutrition, rheumatism, heat, cold*]; avoir [*headache, blood pressure*]; **she was ~ing from a cold** elle avait un rhume; **to ~ from agoraphobia/depression** être agoraphobique/dépressif/-ive; 2 (experience pain) souffrir; **I hate to see him ~ like that** j'ai horreur de le voir souffrir comme cela; **they ~ed a lot in the war** ils ont beaucoup souffert pendant la guerre; **to ~ for one's beliefs** souffrir à cause de ses convictions; **to ~ for one's sins** expier ses péchés; **you'll ~ for it later** vous le regretterez plus tard; **you'll ~ for this!** tu t'en repentiras!; 3 (do badly) [*company, profits, popularity*] souffrir; [*health, quality, work*] s'en ressentir; **the country ~s from its isolation** le pays souffre de son isolement; **she keeps late hours and her work is beginning to ~** elle veille tard la nuit et son travail s'en ressent *or* en pâtit; **the project ~s from a lack of funds** le problème du projet, c'est qu'il est insuffisamment financé

sufferance /'sʌfərəns/ *n* **I'm only here on ~** je suis tout juste toléré ici

sufferer /'sʌfərə(r)/ *n* victime *f*; **the families are the worst ~s** les familles sont les véritables victimes; **leukemia ~s, ~s from leukemia** les leucémiques, les personnes atteintes de leucémie

suffering /'sʌfərɪŋ/
A *n* ¢ souffrances *fpl* (**of** de)
B *adj* souffrant

suffice /sə'faɪs/ sout
A *vtr* suffire à
B *vi* suffire, être suffisant (**to do** à faire); **~ it to say (that)** qu'il suffise de dire (que)

sufficiency /sə'fɪʃnsɪ/ *n* (adequate quantity) quantité *f* suffisante

sufficient /sə'fɪʃnt/ *adj* suffisamment de, assez de; **~ money/time/books** suffisamment d'argent/de temps/de livres; **a ~ amount** une quantité suffisante; **a ~ number** un nombre suffisant; **to be ~** suffire, être suffisant; **this food/an hour will be ~** cette nourriture/une heure suffira *or* sera suffisante; **to be more than ~** être plus que suffisant; **to be quite ~** suffire largement; **to be ~ to do** suffire pour faire; **one match was ~ to show her talent** un match a suffi pour démontrer son talent; **to have ~ to drink/to live on** avoir suffisamment à boire/pour vivre; **to be ~ for sb to do** suffire à qn pour faire; **this salary is ~ for me to live on** ce salaire me suffit pour vivre; **to be ~ unto oneself** se suffire à soi-même
(Idiom) **~ unto the day (is the evil thereof)** Prov à chaque jour suffit sa peine

sufficiently /sə'fɪʃntlɪ/ *adv* suffisamment, assez (**to do** pour faire); **~ for sb to do** suffisamment pour que qn fasse

suffix
A /'sʌfɪks/ *n* suffixe *m*
B /sə'fɪks/ *vtr* pourvoir [qch] d'un suffixe

suffocate /'sʌfəkeɪt/
A *vtr* 1 lit [*smoke, fumes*] asphyxier; [*person, pillow*] étouffer; 2 fig [*rage, anger*] étouffer; [*fright*] paralyser; **she felt ~d by her family** elle se sentait étouffée par sa famille
B *vi* 1 lit (by smoke, fumes) (in enclosed space, crowd) être asphyxié; (by pillow) être étouffé; 2 fig suffoquer (**with** de)

suffocating /'sʌfəkeɪtɪŋ/ *adj* [*smoke, fumes*] asphyxiant; [*atmosphere*] étouffant; [*heat*] suffocant; **a ~ rage** une fureur noire; **it's ~** on étouffe

suffocation /ˌsʌfə'keɪʃn/ *n* (by smoke, fumes, enclosed space, crowd) asphyxie *f*; (by pillow) étouffement *m*

Suffolk /'sʌfək/ ▸ p. 1612 *pr n* Suffolk *m*

suffragan /'sʌfrəgən/ *n, adj* suffragant (*m*)

suffrage /'sʌfrɪdʒ/ *n* 1 (right) droit *m* de vote; **women's ~** droit *m* de vote pour les femmes; 2 (system) suffrage *m*; **universal ~** suffrage *m* universel

suffragette /ˌsʌfrə'dʒet/
A *n* suffragette *f*
B *modif* [*movement*] des suffragettes

suffragist /'sʌfrədʒɪst/ *n* partisan *m* du droit de vote pour les femmes

suffuse /sə'fju:z/ sout
A *vtr* se répandre sur
B **suffused** *pp adj* **~d with** [*style, writing*] imprégné de; [*person*] envahi de [*joy, melancholy*]; inondé de [*light*]; teint de liter [*colour*]

sugar /'ʃʊgə(r)/
A *n* 1 Culin sucre *m*; **to take ~** prendre du sucre; **'how many ~s?'** 'combien de sucres?'; **brown/white ~** sucre *m* roux/blanc; **no ~, thanks** sans sucre, merci; 2 ○(as endearment) chéri/-e *m/f*
B *modif* [*industry, prices*] du sucre; [*production, refinery*] de sucre; [*spoon, canister*] à sucre
C ○*excl* zut○!
D *vtr* sucrer [*tea, coffee*]
(Idiom) **to ~ the pill (for sb)** dorer la pilule (à qn)

sugar: **~ beet** *n* betterave *f* à sucre; **~ bowl** *n* sucrier *m*; **~ cane** *n* canne *f* à sucre; **~-coated** *adj* lit enrobé de sucre, fig édulcoré; **~ content** *n* teneur *f* en sucre; **~ cube** *n* morceau *m* de sucre; **~ daddy** *n* vieux protecteur *m* (d'une jeune fille); **~ diabetes** ▸ p. 1327 *n* Med diabète *m* sucré; **~ed almond** *n* dragée *f*; **~-free** *n* sans sucre

sugariness /'ʃʊgərɪnɪs/ *n* fig douceur *f* mielleuse

sugarless /'ʃʊgəlɪs/ *adj* sans sucre

sugar: **~ loaf** *n* pain *m* de sucre; **~ lump** *n* morceau *m* de sucre; **~ maple** *n* Bot érable *m* à sucre; **~ mouse** *n* souris *f* en sucre; **~ pea** *n* mange-tout *m inv*; **~ plantation** *n* plantation *f* de canne à sucre

sugarplum /'ʃʊgəplʌm/ *n* 1 (piece of candy) bonbon *m*; 2 (as endearment) mon chou

sugar: **~plum fairy** *n* fée *f* Dragée; **~ sifter** *n* saupoudreuse *f*; **~ soap** *n* décapant *m* alcalin pour peinture; **~ sprinkler** *n* = **sugar sifter**; **~ tongs** *n* pince *f* à sucre

sugary /'ʃʊgərɪ/ *adj* 1 lit [*food, taste*] sucré; 2 fig [*person, image, smile*] mielleux/-euse; [*sentimentality*] mièvre

suggest /sə'dʒest, US səg'dʒ-/ *vtr* 1 (put forward for consideration) suggérer [*solution, possibility*]; **to ~ that** suggérer que; **I ~ to you that** je vous suggère que; **can you ~ how/why/where...?** comment/pourquoi/où, selon vous...?; **why, do you ~, did he do it?** pourquoi, selon vous, l'a-t-il fait? **he did it, I ~, because...** je pense qu'il l'a fait parce que...; **it would be wrong to ~ that** il serait faux de prétendre que; **to ~ otherwise is ludicrous** prétendre qu'il en est autrement serait ridicule; **what are you ~ing?** qu'est-ce que vous insinuez?; **I venture to ~ that** je me risquerais à dire que; 2 (recommend, advise) suggérer; **can you ~ a place to meet/eat?** peux-tu suggérer un endroit où nous retrouver/où manger? ; **where do you ~ we go?** où nous suggères-tu d'aller?; **to ~ sb/sth for sth** suggérer qn/qch pour qch; **they ~ed that I (should) leave** ils m'ont suggéré de partir; **I ~ that you leave at once** je suggère que vous partiez tout de suite; **the committee ~s that steps be taken** le comité suggère que des mesures soient prises; **I ~ waiting** je suggère d'attendre; **an idea ~ed itself (to me)** une idée m'est venue à l'esprit; 3 (indicate) [*evidence, test, result, poll, calculation*] sembler indiquer (**that** que); **there is nothing to ~ that** rien ne semble indiquer que; **it was more difficult than the result might** *ou* **would ~** ce fut plus difficile que le résultat ne semble l'indiquer; 4 (evoke) [*painting, image, sound*] évoquer; **what does it ~ to you?** qu'est-ce que cela évoque pour vous?

S

suggestible /sə'dʒestəbl, US səg'dʒ-/ *adj* influençable

suggestion /sə'dʒestʃn, US səg'dʒ-/ *n* 1 (proposal) suggestion *f* (**about** à propos de; **as to** en ce qui concerne; **that** que); **to make** *ou* **put forward a ~** faire une suggestion; **if I may make a ~** si je peux me permettre de faire une suggestion; **any ~s?** y-a-t-il des suggestions? **my ~ is that...** je suggère que... (+ *subj*); **there is no ~ that** on n'a jamais dit que (+ *subj*); **there is no ~ of fraud** rien ne laisse suggérer qu'il y a eu fraude; **at** *ou* **on sb's ~** sur *or* suivant le conseil de qn; **there was some ~ that** il a été suggéré que; 2 (hint) (of cruelty, racism, pathos) soupçon *m* (**of** de); (of smile) pointe *f* (**of** de); 3 Psych suggestion *f*; **the power of ~** la force de suggestion

suggestions box *n* boîte *f* à idées

suggestive /sə'dʒestɪv, US səg'dʒ-/ *adj* (all contexts) suggestif/-ive; **to be ~ of sth** évoquer qch

suggestively /sə'dʒestɪvlɪ, US səg'dʒ-/ *adv* de façon suggestive

suggestiveness /sə'dʒestɪvnɪs, US səg'dʒ-/ *n* caractère *m* suggestif

suicidal /ˌsuːɪ'saɪdl, ˌsjuː-/ *adj* lit, fig suicidaire; **to feel ~** être suicidaire; **that would be ~!** fig ce serait un véritable suicide!

suicidally /ˌsuːɪ'saɪdəlɪ, sjuː-/ *adv* [*depressed*] jusqu'au suicide; [*behave, decide, drive*] de manière suicidaire

suicide /'suːɪsaɪd, 'sjuː-/
A *n* (action) lit, fig suicide *m*; (person) suicidé/-e *m/f*; **it would be political ~ to do that** faire cela serait un véritable suicide politique; **to attempt ~** tenter de se suicider; **to commit ~** se suicider
B *modif* [*attempt, bid, rate*] de suicide

suicide: **~ bomber** *n* (person) kamikaze *m*, bombardier *m* suicide; **~ mission** *n* mission *f* suicide; **~ note** *n* lettre *f* de suicide; **~ pact** *n* engagement *m* de se suicider ensemble; **~ sale** *n* GB, Comm soldes *fpl* monstres○

suit /suːt, sjuːt/
A *n* 1 Fashn (man's) costume *m*; (woman's) tailleur *m*; **two-/three-piece ~** costume deux/trois pièces; **to be wearing a ~ and tie** être en costume cravate; **a ~ of clothes** une tenue; **a ~ of armour** une armure complète; ▸ **bathing suit**, **diving suit etc**; 2 Jur (lawsuit) procès *m*; **civil/libel ~** procès civil/en diffamation; **to file a ~ against** intenter *or* faire un procès à; **to file a ~ for damages** intenter un procès pour dommages et intérêts; 3 (in cards) couleur *f*; **short ~** couleur courte; **long** *ou* **strong ~** couleur longue; **to be sb's strong ~** fig être le point fort de qn; **to follow ~** lit fournir de la couleur; fig faire de même
B *vtr* 1 (flatter) [*colour, outfit*] aller à [*person*]; **does it ~ me?** est-ce que cela me va?; **red doesn't ~ your complexion** le rouge ne te va pas (au teint); **short hair really ~ed her** les cheveux courts lui allaient très bien; **to ~ sb down to the ground**○ [*garment, arrangement, job*] aller à qn comme un gant; 2 (be convenient) [*date, arrangement*] convenir à [*person*]; **does Sunday ~ you?** est-ce que dimanche te convient?; **it ~s me fine** ça me convient *or* me va très bien; **~s me**○**!** ça me va!; **she's liberal when it ~s her** elle est libérale quand ça l'arrange; **we'll go when it ~s us!** on partira quand cela nous arrangera!; **we stay here because it ~s us** on reste parce qu'on est bien ici; **it ~s us to do** cela nous convient de faire; **it ~s him to live alone** ça lui plaît de vivre seul; **it ~s me that** cela me convient que (+ *subj*); 3 (be appropriate) [*part, job*] convenir à [*person*]; **the role didn't ~ me** le rôle ne me convenait pas *or* n'était pas fait pour moi; **a loan that ~s your needs** un prêt qui répond parfaitement à vos besoins; **you should find something to ~ you** tu devrais trouver quelque chose qui te convienne; **the house ~ed me fine** la maison me convenait parfaitement; 4 (be beneficial) [*sea air, change*] convenir à [*person*]; 5 (adapt) **to ~ sth to** adapter qch à [*need, occasion*]; **to ~ the action to the word** joindre le geste à la parole
C *vi* convenir ; **does that ~?** est-ce que ça (vous) convient?
D *v refl* **to ~ oneself** faire comme on veut; **~ yourself!** fais comme tu veux!; **they twist the facts to ~ themselves** ils manipulent les faits à leur convenance

suitability /ˌsuːtə'bɪlətɪ, ˌsjuːt-/ *n* (of person) (professional) aptitude *f* (**for** pour); (personal) capacité *f* (**for** pour); (of place, route) commodité *f*; **the ~ of a plant to** *ou* **for a climate** l'adéquation *f* d'une plante à un climat

suitable /'suːtəbl, 'sjuː-/ *adj* [*accommodation, clothing, employment, qualification, venue*] adéquat; [*candidate*] apte; [*treatment, gift, gesture*] approprié; **did you see anything ~?** as-tu vu quelque chose qui (te) convienne? **to be ~ for** convenir à [*person*]; se prêter bien à [*climate, activity, occasion*]; être fait pour [*role*]; être apte à [*job, position*]; **not ~ for human consumption** impropre à la consommation; **to be a ~ model for sb** être un exemple convenable pour qn; **is it a ~ setting for the film?** est-ce que le lieu convient bien pour le film?; **to be ~ to** convenir à [*person, age-group, culture*]; **the book isn't ~ to use with beginners** le livre ne convient pas à des débutants; **now seems a ~ time to discuss it** il semble que ce soit le moment opportun pour en discuter

suitably /'suːtəblɪ, 'sjuː-/ *adv* 1 (appropriately) [*dressed, equipped, qualified*] convenablement; 2 (to the right degree) aussi hum [*austere, futuristic*] suffisamment; [*chastened, impressed*] dûment

suitcase /'suːtkeɪs, 'sjuː-/ *n* valise *f*
(Idiom) **to be living out of a ~** passer sa vie à se déplacer

suite /swiːt/ *n* 1 (furniture) mobilier *m*; **dining-room/bathroom ~** mobilier *m* de salle à manger/de salle de bains; 2 (rooms) suite *f*; **a ~ of rooms** une suite; 3 Mus suite *f*; 4 (retinue) littér suite *f*

suited /'suːtɪd, 'sjuː-/ *adj* **to be ~ to** [*place, vehicle, clothes*] être commode pour; [*class, game, format, style*] convenir à; [*person, personality*] être fait pour; **they are ideally ~ (to each other)** ils sont faits l'un pour l'autre; **to be ideally ~ for a post** être fait pour un emploi

suiting /'suːtɪŋ, 'sjuː-/ *n* tissu *m* pour tailleurs

suitor /'suːtə(r), 'sjuː-/ *n* 1 †(admirer) prétendant *m*, soupirant† *m*; 2 Fin (company) prétendant *m*

sulcus /'sʌlkəs/ *n* (*pl* **-ci**) Anat scissure *f*

sulfa *n* US ▸ **sulpha**

sulfate *n* US ▸ **sulphate**

sulfide *n* US ▸ **sulphide**

sulfonamide *n* US ▸ **sulphonamide**

sulfur *n* US ▸ **sulphur**

sulfureous *adj* US ▸ **sulphureous**

sulfuric *adj* US ▸ **sulphuric**

sulfurous *adj* US ▸ **sulphurous**

sulk /sʌlk/
A *n* **to be in a ~** bouder; **to go into a ~** se mettre à bouder
B **sulks** *npl* **to have (a fit of) the ~s** bouder
C *vi* bouder (**about, over** à cause de)

sulkily /'sʌlkɪlɪ/ *adv* [*say, reply*] d'un ton boudeur

sulkiness /'sʌlkɪnɪs/ *n* 1 (characteristic) caractère *m* maussade; 2 (behaviour) bouderies *fpl*

sulky /'sʌlkɪ/ *adj* (all contexts) boudeur/-euse; **to look ~** faire la tête

sullen /'sʌlən/ *adj* [*person, expression*] renfrogné; [*resentment*] morne; [*day, sky, indifference, mood*] maussade; [*silence*] obstiné

sullenly /'sʌlənlɪ/ *adv* [*watch, stare*] d'un air renfrogné; [*reply*] d'un ton maussade

sullenness /'sʌlənnɪs/ *n* [*of look*] air *m* maussade; [*of mood*] humeur *f* maussade

sully /'sʌlɪ/ *vtr* littér souiller fml

sulpha drug GB, **sulfa drug** US /'sʌlfə/ *n* sulfamide *m*

sulphate GB, **sulfate** US /'sʌlfeɪt/ *n* sulfate *m* (**of** de); **copper ~** sulfate *m* de cuivre

sulphide GB, **sulfide** US /'sʌlfaɪd/ *n* sulphure *m*; **hydrogen/silver ~** sulphure *m* d'hydrogène/d'argent

sulphonamide GB, **sulfonamide** US /sʌl'fɒnəmaɪd/ *n* sulfamide *m*

sulphur GB, **sulfur** US /'sʌlfə(r)/ *n* soufre *m*

sulphur dioxide /ˌsʌlfə daɪ'ɒksaɪd/ *n* anhydride *m* sulfureux

sulphureous GB, **sulfureous** US /sʌl'fjʊərɪəs/ *adj* sulfureux/-euse

sulphuric GB, **sulfuric** US /sʌl'fjʊərɪk/ *adj* sulfurique

sulphuric acid *n* acide *m* sulfurique

sulphurous GB, **sulfurous** US /'sʌlfərəs/ *adj* sulfureux/-euse

sulphur spring *n* source *f* sulfureuse

sultan /'sʌltən/ *n* sultan *m*

sultana /sʌl'tɑːnə, US -'tænə/ *n* 1 Culin raisin *m* de Smyrne; 2 (wife of sultan) sultane *f*

sultanate /'sʌltəneɪt/ *n* sultanat *m*

sultriness /'sʌltrɪnɪs/ *n* (of atmosphere) lourdeur *f*; (of woman) sensualité *f*

sultry /'sʌltrɪ/ *adj* 1 [*day, place*] étouffant; [*weather*] lourd; 2 [*voice*] voluptueux/-euse; [*woman, look*] sensuel/-elle

sum /sʌm/ *n* 1 (amount of money) somme *f*; **a considerable/paltry ~** une somme considérable/dérisoire; **a large/small ~ of money** une grosse/petite somme; 2 (calculation) calcul *m*; **to be good at ~s** être bon en calcul *or* en arithmétique; **to do one's ~s** fig faire ses comptes; 3 (total) lit somme *f*, total *m*; **the ~ of** fig la somme de [*experience, happiness*]; l'ensemble *m* de [*achievements*]; **the whole is greater than the ~ of its parts** l'ensemble est plus grand que la somme de ses parties; 4 (summary) **in ~** en somme
(Idiom) **the ~ and substance of sth** l'essentiel de qch
(Phrasal verb) ■ **sum up**: ▸ **~ up** 1 gen [*person*] récapituler; **to ~ up, I'd like to say...** pour récapituler *or* en résumé, je voudrais dire...; 2 Jur [*judge*] résumer; ▸ **~ up [sth]** 1 (summarize) résumer [*argument, point of view*]; **that ~s it up exactly** ça résume parfaitement la situation; 2 (judge accurately) apprécier [*situation*]; se faire une idée de [*person*]

sumac(h) /'ʃuːmæk, suː-, sjuː-/ *n* sumac *m*

Sumatra /sʊ'mɑːtrə/ ▸ p. 1355 *pr n* Sumatra

summa cum laude /ˌsʊmə kʊm 'laʊdeɪ/ *n* US Univ ≈ mention *f* très bien

summarily /'sʌmərəlɪ, US sə'merəlɪ/ *adj* sommairement

summarize /'sʌməraɪz/ *vtr* résumer [*book, problem, argument, speech*]; récapituler [*argument, speech*]

summary /'sʌmərɪ/
A *n* résumé *m*; **news ~** résumé des informations; **in ~** en résumé
B *adj* gen, Jur [*statement, judgment, justice*] sommaire

summary: **~ jurisdiction** *n* Jur juridiction *f* sommaire; **~ offence** GB, **~ offense** US *n* Jur infraction *f* (punissable par procédure) sommaire

summat○ /'sʌmət/ *n* GB dial = **something**

summation /sə'meɪʃn/ *n* sout 1 (summary) (of facts) résumé *m*; (of work, ideas) récapitulation *f*; 2 (addition) total *m*; 3 US Jur conclusions *fpl*

summer /'sʌmə(r)/
A ▸ p. 1661 *n* été *m*; **in ~** en été; **in the ~ of 1991** pendant l'été de 1991; **a lovely ~('s) day** une belle journée d'été; **a youth of sixteen ~s** littér un jeune de seize printemps

B *modif* [*weather, evening, resort, clothes, vacation*] d'été; ~ **tourist** *ou* **visitor** estivant/-e *m/f*
C *vtr* US Agric estiver [*cattle*]
D *vi* passer l'été
summer camp *n* US colonie *f* de vacances

> **Summer camps**
> Les camps de vacances représentent une part importante des vacances d'été des jeunes Américains. Souvent situés dans des parcs nationaux, ces camps proposent de multiples activités de plein air (canoë, escalade, équitation, natation, ski nautique, tennis, randonnée, etc.). Des milliers d'étudiants y sont recrutés chaque année en tant que moniteurs.

summer: ~ **holiday** GB, ~ **vacation** US gen vacances *fpl* (d'été); Sch, Univ grandes vacances *fpl*; ~**house** *n* pavillon *m* d'été; ~ **lightning** *n* ⊄ (one flash) éclair *m* de chaleur; (storm) éclairs *mpl* de chaleur; ~ **pudding** *n* GB gâteau *m* aux fruits rouges; ~ **resort** *n* station *f* estivale; ~ **sausage** *n* US saucisse *f* sèche fumée; ~ **school** *n* université *f* d'été; ~ **solstice** *n* solstice *m* d'été; ~ **squash** *n* US petite courge *f* d'été; ~ **term** *n* Sch, Univ troisième trimestre *m*
summertime /ˈsʌmətaɪm/
A *n* **1** (period) été *m*; **2** GB **summer time** (by clock) heure *f* d'été
B *modif* d'été
summery /ˈsʌmərɪ/ *adj* estival; **it's quite ~** on se croirait en été
summing-up /ˌsʌmɪŋˈʌp/ *n* gen récapitulation *f*; Jur résumé *m*
summit /ˈsʌmɪt/
A *n* **1** Pol sommet *m* (**on** sur); **Paris/Nato ~** sommet de Paris/de l'OTAN; **economic/peace ~** sommet *m* économique/pour la paix; **2** (of mountain) sommet *m*, cime *f*; **3** fig (of career, influence) sommet *m*, apogée *m*
B *modif* Pol [*meeting, talks, conference, nation*] au sommet
summiteer /ˌsʌmɪˈtɪə(r)/ *n* Pol participant *m* d'un sommet
summitry /ˈsʌmɪtrɪ/ *n* US politique *f* diplomatique basée sur les rencontres au sommet
summon /ˈsʌmən/ *vtr* **1** (call for) faire venir [*doctor, employee, servant, police, waiter*]; convoquer [*ambassador*]; **to ~ sb to sb's office/to a meeting** convoquer qn dans le bureau de qn/à une réunion; **to ~ sb in** faire entrer qn; **to ~ sb to do sth** sommer qn de faire qch; **to ~ help** chercher de l'aide; **to ~ reinforcements/a taxi** appeler des renforts/un taxi; **2** (summons) citer; **to be ~ed (to appear) before the court** être cité à comparaître devant la cour (**for** pour; **for doing** pour avoir fait); **3** (convene) convoquer [*parliament, meeting, conference*] (**to do** pour faire); **4** Mil sommer [*troops*] (**to do** de faire); **5** = **summon up**
(Phrasal verb) ■ **summon up**: ▸ **~ up [sth]** (gather) rassembler [*energy, courage, support, resources*] (**to do** pour faire); (evoke) évoquer [*memory, thought, image, scenario*]; **to ~ up spirits** appeler les esprits
summons /ˈsʌmənz/
A *n* **1** Jur citation *f* (**to do** à faire; **for** pour); **a ~ to appear** une citation à comparaître; **to serve a ~** signifier *or* notifier une citation; **to serve sb with a ~** citer qn à comparaître; **2** gen (order) injonction *f* (**from** de; **to** à); **to answer sb's ~** obéir à l'injonction de qn
B *vtr* citer (**to** à; **to do** à faire; **for** pour)
sumo /ˈsuːməʊ/ ▸ **p. 1253** *n* (*also* ~ **wrestling**) sumo *m*; ~ **wrestler** lutteur *m* de sumo
sump /sʌmp/ *n* **1** (for draining water) puisard *m*; **2** Aut carter *m*
sump oil *n* huile *f* de carter
sumptuary /ˈsʌmptʃʊərɪ/ *adj* sout somptuaire
sumptuous /ˈsʌmptʃʊəs/ *adj* (all contexts) somptueux/-euse
sumptuously /ˈsʌmptʃʊəslɪ/ *adv* [*decorate, design*] somptueusement; [*attired, arrayed*] de manière somptueuse
sumptuousness /ˈsʌmptʃʊəsnɪs/ *n* somptuosité *f*
sum total *n* (of money) montant *m* total; (of achievements) ensemble *m*; **is that the ~ of your achievements?** iron c'est tout ce que tu as fait?
sun /sʌn/
A *n* gen, Astron soleil *m*; **the midday/August ~** le soleil de midi/d'août; **the ~ is shining** le soleil brille; **to have the ~ in one's eyes** avoir le soleil dans les yeux; **in the ~** au soleil; **don't lie right in the ~** ne vous allongez pas en plein soleil; **you should come out of the ~** vous devriez vous mettre à l'ombre; **a place in the ~** (position) un endroit ensoleillé; (house) une maison dans le sud; fig une place au soleil; **it's the most beautiful place under the ~** c'est l'endroit le plus beau du monde; **they sell everything under the ~** ils vendent de tout; **to be up before the ~** être levé avant l'aube
B US *vi* (*p prés etc* **-nn-**) [*person*] prendre le soleil; [*animal*] se chauffer au soleil
C *v refl* (*p prés etc* **-nn-**) **to ~ oneself** [*person*] prendre le soleil; [*animal*] se chauffer au soleil
(Idiom) **there's nothing new under the ~** il n'y a rien de nouveau sous le soleil
Sun *abrév écrite* = **Sunday**
sun: **~baked** *adj* brûlé par le soleil; **~bath** *n* bain *m* de soleil
sunbathe /ˈsʌnbeɪð/
A GB *n* = **sunbath**
B *vi* se faire bronzer
sun: **~bather** *n* personne *f* qui prend un *or* des bain(s) de soleil; **~bathing** *n* bains *mpl* de soleil; **~beam** *n* lit, fig rayon *m* de soleil; **~bed** *n* (lounger) chaise *f* longue; (with sunlamp) lit *m* solaire; **Sunbelt** *n* US *les États du Sud et de l'Ouest des États-Unis*; **~ blind** *n* GB store *m*; **~ block** *n* crème *f* écran total; **~bonnet** *n* bonnet *m* (de coton); **~burn** *n* coup *m* de soleil
sunburned, **sunburnt** /ˈsʌnbɜːnt/ *adj* (burnt) brûlé par le soleil; (tanned) GB bronzé; **to get ~** (burn) attraper un coup de soleil; (tan) GB bronzer
sun: **~burst** *n* éclaircie *f*; **~burst clock** *n* pendule *f* soleil; **~ cream** *n* = **suntan cream**
sundae /ˈsʌndeɪ, US -diː/ *n* sundae *m*, coupe *f* glacée
sun dance *n* danse *f* du soleil
Sunday /ˈsʌndeɪ, -dɪ/ ▸ **p. 1882**
A *pr n* dimanche *m*
B **Sundays** *pr npl* **the ~s** les journaux *mpl* du dimanche. ▸ **Newspapers**
C *modif* [*service, Mass, newspaper, painter, walk, lunch*] du dimanche; **a ~ driver** péj un chauffeur du dimanche
(Idiom) **he'll never do it, not in a month of ~s** il ne le fera jamais
Sunday best *n* (**dressed**) **in one's ~** endimanché
Sunday: ~ **driver** *n* chauffeur *m* du dimanche; **~-go-to-meeting**° *adj* US hum [*dress, suit*] du dimanche; ~ **observance** *n* observance *f* du repos dominical; ~ **opening** *n* ouverture *f* dominicale (*des commerces et des bars*); ~ **school** *n* école *f* du dimanche; ~ **school teacher** *n* catéchiste *mf* à l'école du dimanche; ~ **trading** *n* commerce *m* dominical; ~ **trading laws** *npl* réglementation *f* du commerce dominical
sundeck /ˈsʌndek/ *n* (on ship) pont *m* supérieur; (in house) terrasse *f*
sunder /ˈsʌndə(r)/ littér
A *n* **in ~** en morceaux
B *vtr* séparer
sun: **~dial** *n* cadran *m* solaire; **~down** *n* = **sunset**
sundowner /ˈsʌndaʊnə(r)/ *n* **1** GB (drink) cocktail *m*; **2** Austral (tramp) clochard *m*
sun: **~drenched** *adj* inondé de soleil; **~dress** *n* robe *f* bain de soleil; **~-dried** *adj* séché au soleil
sundry /ˈsʌndrɪ/
A **sundries** *npl* articles *mpl* divers
B *adj* [*items, objects, occasions*] divers; (**to**) **all and ~** gen (à) tout le monde; (critical) (à) n'importe qui
sun: **~-filled** *adj* ensoleillé; **~fish** *n* (saltwater) poisson *m* lune; (freshwater) centrarchidé *m*
sunflower /ˈsʌnflaʊə(r)/
A *n* tournesol *m*
B *modif* [*oil, seed*] de tournesol; [*margarine*] au tournesol
sung /sʌŋ/ *pp* ▸ **sing**
sun: **~glasses** *npl* lunettes *fpl* de soleil; **~-god** *n* dieu *m* soleil; **~-goddess** *n* déesse *f* du soleil; ~ **hat** *n* chapeau *m* de soleil
sunk /sʌŋk/ *pp* ▸ **sink B, C**
sunken /ˈsʌŋkən/ *adj* **1** (under water) [*treasure, wreck*] immergé; [*vessel*] englouti; **2** (recessed) [*cheek*] creux/creuse; [*eye*] cave; **3** (low) [*bath*] encastré; [*garden, living area*] en contrebas
Sun King *n* **the ~** le Roi Soleil
sun: **~-kissed** *adj* littér [*beach, water, mountain*] baigné par le soleil; [*face, limbs*] hâlé par le soleil; [*hair*] éclairci par le soleil; **~lamp** *n* (for tanning) lampe *f* à bronzer; Med lampe *f* à rayons ultraviolets
sunless /ˈsʌnlɪs/ *adj* sans soleil
sunlight /ˈsʌnlaɪt/ *n* lumière *f* du soleil; **in the ~** au soleil; **in direct ~** en plein soleil
sun: **~lit** *adj* ensoleillé; ~ **lotion** *n* = **suntan lotion**; ~ **lounge** GB, ~ **parlor** US, ~ **room** US *n* gen verrière *f*; (in hospital, rest home) solarium *m*; **~lounger** *n* chaise *f* longue
Sunni /ˈsʌnɪ/ *n* Relig **1** (branch of Islam) sunnisme *m*; **2** (adherent) (*also* ~ **Muslim**) sunnite *mf*
sunny /ˈsʌnɪ/ *adj* **1** lit [*weather, morning, period*] ensoleillé; [*place, side, garden, room*] (facing the sun) exposé au soleil; (sunlit) ensoleillé; ~ **interval** période *f* ensoleillée; **it's going to be ~** il va faire (du) soleil; **the outlook is ~** on prévoit du soleil; **2** fig [*person, disposition, temperament*] joyeux/-euse; **to look on the ~ side (of things)** regarder *or* voir le bon côté des choses; ~ **side up** [*egg*] sur le plat
sun: ~ **oil** *n* = **suntan oil**; ~ **parlor** *n* US = **sun lounge**; ~ **porch** *n* petite véranda *f*; ~ **protection factor**, **SPF** *n* indice *m* de protection, IP *m*; **~ray lamp** *n* = **sunlamp** Med; **~ray treatment** *n* héliothérapie *f*; **~rise** *n* lever *m* du soleil; **~rise industry** *n* US industrie *f* en pleine expansion; **~roof** *n* toit *m* ouvrant; **~screen** *n* filtre *m* solaire; **~seeker** *n* fanatique *mf* du soleil
sunset /ˈsʌnset/
A *n* lit coucher *m* du soleil; fig crépuscule *m*
B *adj* **1** US Admin, Jur [*law, bill, clause*] de durée d'application limitée; **2** fig **in her ~ years** dans son grand âge
sunset industry *n* US industrie *f* en déclin
sun: **~shade** *n* (parasol) parasol *m*; (awning) auvent *m*; (in car) pare-soleil *m inv*; (eyeshade) visière *f*; **~shield** *n* pare-soleil *m inv*
sunshine /ˈsʌnʃaɪn/
A *n* **1** gen soleil *m*; Meteorol ensoleillement *m*; **in the morning/summer ~** au soleil du matin/d'été; **12 hours of ~** 12 heures d'ensoleillement; **you're a real ray of ~!** tu respires la joie de vivre! also iron; **2** °(addressing someone) coco/cocotte° *m/f*; **hi, ~!** salut, coco°!

S

B *adj* US Admin, Jur [*law, bill, clause*] sur la transparence
(Idiom) **life's not all ∼ and roses** la vie n'est pas toujours rose
sunshine roof *n* = **sunroof**
sun: ∼specs○ *npl* = **sunglasses**; **∼spot** *n* Astron tache *f* solaire
sunstroke /ˈsʌnstrəʊk/ *n* insolation *f*; **to get ∼** attraper une insolation
sunsuit /ˈsʌnsu:t, -sju:t/ *n* barboteuse *f*
suntan /ˈsʌntæn/ *n* bronzage *m*; **to get a ∼** bronzer; **to have a good** *ou* **nice ∼** être bien bronzé
sun: ∼tan cream, **∼ cream** *n* crème *f* solaire; **∼tan lotion**, **∼ lotion** *n* lotion *f* solaire; **∼tanned** *adj* bronzé; **∼tan oil**, **∼ oil** *n* huile *f* solaire; **∼trap** *n* coin *m* ensoleillé; **∼ umbrella** *n* parasol *m*; **∼up**○ *n* US = **sunrise**; **∼ visor** *n* (in car) pare-soleil *m inv*; (for eyes) visière *f*; **∼ worship** *n* gen, Relig culte *m* du soleil; **∼ worshipper** *n* gen fanatique *mf* du soleil; Relig adorateur/-trice *m/f* du soleil
sup /sʌp/
A *n* petite gorgée *f*
B *vtr* (*p prés etc* **-pp-**) **1** (drink slowly) boire [qch] à petites gorgées; **2** ○ GB dial (drink) boire [*drink*]
C *vi* (*p prés etc* **-pp-**) (have supper) US souper
(Phrasal verb) ■ **sup up**○ GB dial: ▸ **∼ up [sth]** finir [qch]; **∼ up!** finis de boire!
super /ˈsu:pə(r), ˈsju:-/
A *n* **1** US (petrol) super (carburant) *m*; **2** argot des policiers *abrév* = **superintendent**
B ○ *adj, excl* formidable; **it's ∼ to...** c'est formidable de...
C **super+** (*dans composés*) super-
superabundance /ˌsu:pərəˈbʌndəns, ˌsju:-/ *n* surabondance *f*
superabundant /ˌsu:pərəˈbʌndənt, ˌsju:-/ *adj* surabondant
superannuate /ˌsu:pərˈænjʊeɪt, ˌsju:-/
A *vtr* mettre [qn] à la retraite
B **superannuated** *pp adj* lit mis à la retraite; fig suranné
superannuation /ˌsu:pərˌænjʊˈeɪʃn, ˌsju:-/
A *n* (pension) retraite *f* complémentaire
B *modif* **∼ fund** caisse *f* de retraite; **∼ plan**, **∼ scheme** régime *m* de retraite
superb /su:ˈpɜ:b, sju:-/ *adj* superbe
superbly /su:ˈpɜ:blɪ, sju:-/ *adv* superbement
Super Bowl *n* US Sport *championnat de football américain*. ▸ **Bowl games**
superbug /ˈsu:pəbʌg, ˈsju:-/ *n* Med bactérie *f* résistante aux antibiotiques
supercargo /ˈsu:pəkɑ:gəʊ, ˈsju:-/ *n* subrécargue *m*
supercharged /ˈsu:pətʃɑ:dʒd, ˈsju:-/ *adj* Tech, Aut surcomprimé
supercharger /ˈsu:pətʃɑ:dʒə(r), ˈsju:-/ *n* compresseur *m*
supercilious /ˌsu:pəˈsɪlɪəs, ˌsju:-/ *adj* dédaigneux/-euse
superciliously /ˌsu:pəˈsɪlɪəslɪ, ˌsju:-/ *adv* dédaigneusement
superciliousness /ˌsu:pəˈsɪlɪəsnɪs, sju:-/ *n* caractère *m* dédaigneux
superclass /ˈsu:pəklɑ:s, ˈsju:-, US -klæs/ *n* superclasse *f*
supercomputer /ˈsu:pəkəmˌpju:tə(r), ˈsju:-/ *n* superordinateur *m*
superconducting /ˌsu:pəkənˈdʌktɪŋ, ˌsju:-/, **superconductive** /ˌsu:pəkənˈdʌktɪv, ˌsju:-/ *adj* supraconducteur/-trice
superconductivity /ˌsu:pəˌkɒndʌkˈtɪvətɪ, ˌsju:-/ *n* supraconductivité *f*
super-duper○ /ˌsu:pəˈdu:pə(r), ˌsju:-/ *adj, excl* sensass○
superego /ˈsu:pəregəʊ, ˈsju:-, US -i:gəʊ/ *n* sur-moi *m*
supererogation /ˌsu:pərˌerəˈgeɪʃn, ˌsju:-/ *n* sout surérogation *f*

superficial /ˌsu:pəˈfɪʃl, ˌsju:-/ *adj* (all contexts) superficiel/-ielle
superficiality /ˌsu:pəˌfɪʃɪˈælətɪ, ˌsju:-/ *n* gen caractère *m* superficiel; pej manque *m* de profondeur
superficially /ˌsu:pəˈfɪʃəlɪ, ˌsju:-/ *adv* superficiellement
superficies /ˌsu:pəˈfɪʃi:z, ˌsju:-/ *n* (*pl* **∼**) superficie *f*
superfine /ˈsu:pəfaɪn, ˈsju:-/ *adj* **1** [*flour, chocolate, needle*] extra-fin; [*quality*] surfin; **∼ sugar** US sucre *m* en poudre; **2** [*distinction*] très subtil
superfluity /ˌsu:pəˈflu:ətɪ, ˌsju:-/ *n* **1** (overabundance) surabondance *f*; **2** = **superfluousness**
superfluous /su:ˈpɜ:flʊəs, sju:-/ *adj* superflu (**to** pour; **to do** de faire); **∼ hair(s)** poils *mpl* superflus; **to feel (rather) ∼** se sentir de trop
superfluously /su:ˈpɜ:flʊəslɪ, sju:-/ *adv* de manière superflue
superfluousness /su:ˈpɜ:flʊəsnɪs, sju:-/ *n* caractère *m* superflu
supergiant /ˈsu:pədʒaɪənt, ˈsju:-/ *n* supergéante *f*
superglue® /ˈsu:pəglu:, ˈsju:-/
A *n* super-glue® *f*
B *vtr* coller [qch] avec de la super-glue®
supergrass○ /ˈsu:pəgrɑ:s, ˈsju:-/ *n* indicateur/-trice *m/f* de police
superhighway /ˈsu:pəhaɪweɪ, ˈsju:-/ *n* US autoroute *f*
superhuman /ˌsu:pəˈhju:mən, ˌsju:-/ *adj* surhumain
superimpose /ˌsu:pərɪmˈpəʊz, ˌsju:-/ *vtr* superposer [*picture, soundtrack*] (**on** à); **∼d images** images en surimpression
superintend /ˌsu:pərɪnˈtend, ˌsju:-/ *vtr* surveiller [*person, work*]; diriger [*organization, research*]
superintendent /ˌsu:pərɪnˈtendənt, ˌsju:-/ *n* **1** (supervisor) responsable *mf*; **2** (*also* **police ∼**) *cf* commissaire *m* de police; **3** US (in apartment house) concierge *mf*; **4** US (*also* **school ∼**) inspecteur/-trice *m/f*
superior /su:ˈpɪərɪə(r), sju:-, sʊ-/
A *n* gen, Relig supérieur/-e *m/f*; **as an actor he has few ∼s** il y a peu d'acteurs qui lui soient supérieurs
B *adj* **1** (better than average) [*intelligence, power, knowledge, person, team*] supérieur (**to** à; **in** en); [*product*] de qualité supérieure; (better than another) meilleur; **their forces attacked in ∼ numbers** leurs forces ont attaqué en plus grand nombre; **2** (higher in rank) [*officer*] supérieur; **3** (condescending) [*person, look, smile, air*] condescendant, suffisant; **4** Biol, Bot, Print supérieur
superior court *n* US *cour subalterne or cour d'appel inférieure à la cour d'appel suprême*
superiority /su:ˌpɪərɪˈɒrətɪ, sju:-, US -ˈɔ:r-/ *n* (all contexts) supériorité *f* (**over, to** sur; **in** en)
superiority complex *n* complexe *m* de supériorité
superjacent /ˌsu:pəˈdʒeɪsnt, ˌsju:-/ *adj* susjacent
superlative /su:ˈpɜ:lətɪv, sju:-/
A *n* Ling superlatif *m*; **in the ∼** au superlatif; **a review full of ∼s** une critique pleine de superlatifs
B *adj* [*performance, service*] superbe; [*physical condition*] exceptionnel/-elle; [*match, player*] de toute première classe
superlatively /su:ˈpɜ:lətɪvlɪ, sju:-/ *adv* parfaitement; **a ∼ polished performance** une représentation absolument impeccable; **a ∼ fit athlete** un athlète au summum de sa forme
superman /ˈsu:pəmæn, ˈsju:-/ *n* (*pl* **-men**) surhomme *m*
supermarket /ˈsu:pəmɑ:kɪt, ˈsju:-/ *n* supermarché *m*

supermodel /ˈsu:pəmɒdl, ˈsju:-/ *n* top model *m*
supernal /su:ˈpɜ:nl, sju:-/ *adj* littér céleste, divin
supernatural /ˌsu:pəˈnætʃrəl, ˌsju:-/
A *n* surnaturel *m*
B *adj* surnaturel/-elle
supernaturally /ˌsu:pəˈnætʃrəlɪ, ˌsju:-/ *adv* de manière surnaturelle
supernormal /ˌsu:pəˈnɔ:ml, ˌsju:-/ *adj* audessus de la normale
supernova /ˌsu:pəˈnəʊvə, ˌsju:-/ *n* (*pl* **-vae** *ou* **-vas**) supernova *f*
supernumerary /ˌsu:pəˈnju:mərərɪ, ˌsju:-, US -ˈnu:mərerɪ/
A *n* **1** Admin surnuméraire *mf*; **2** Cin, Theat (extra) figurant/-e *m/f*
B *adj* (all contexts) surnuméraire
superorder /ˈsu:pərɔ:də(r), ˈsju:-/ *n* superordre *m*
superordinate /ˌsu:pərˈɔ:dɪnət, ˌsju:-/
A *n* **1** sout (in rank) supérieur/-e *m/f*; **2** Ling hyperonyme *m*
B *adj* **1** sout [*person*] supérieur (**to** à); **2** Ling hyperonymique (**to** par rapport à)
superphosphate /ˌsu:pəˈfɒsfeɪt, ˌsju:-/ *n* superphosphate *m*
superpose /ˌsu:pəˈpəʊz, ˌsju:-/ *vtr* superposer (**on** à)
superpower /ˈsu:pəpaʊə(r), ˈsju:-/
A *n* superpuissance *f*
B *modif* [*talks, summit*] des superpuissances
supersaturated /ˌsu:pəˈsætʃəreɪtɪd, ˌsju:-/ *adj* sursaturé
superscript /ˈsu:pəskrɪpt, ˈsju:-/ *adj* [*number, letter*] en exposant
supersede /ˌsu:pəˈsi:d, ˌsju:-/ *vtr* remplacer [*model, service, arrangement, agreement*]; supplanter [*belief, theory*]
supersensitive /ˌsu:pəˈsensətɪv, ˌsju:-/ *adj* hypersensible
supersonic /ˌsu:pəˈsɒnɪk, ˌsju:-/ *adj* supersonique
supersonically /ˌsu:pəˈsɒnɪklɪ, ˌsju:-/ *adv* [*fly, travel*] à une vitesse *f* supersonique
superstar /ˈsu:pəstɑ:(r), ˈsju:-/
A *n* superstar *f*; **a pop/football ∼** une superstar de la pop/du football
B *modif* **a ∼ designer/footballer** GB un grand de la mode/du football; **to achieve ∼ status** devenir une grande vedette
superstition /ˌsu:pəˈstɪʃn, ˌsju:-/ *n* superstition *f*
superstitious /ˌsu:pəˈstɪʃəs, ˌsju:-/ *adj* superstitieux/-ieuse
superstitiously /ˌsu:pəˈstɪʃəslɪ, ˌsju:-/ *adv* [*believe, repeat*] par superstition
superstore /ˈsu:pəstɔ:(r), ˈsju:-/ *n* **1** (large supermarket) hypermarché *m*; **2** (specialist shop) grande surface *f*; **a furniture/electrical ∼** une grande surface de l'ameublement/l'électroménager
superstratum /ˈsu:pəstrɑ:təm, ˈsju:-/ *n* (*pl* **-ta**) **1** Geol couche *f* supérieure; **2** Ling superstrat *m*
superstructure /ˈsu:pəstrʌktʃə(r), ˈsju:-/ *n* Constr, Naut superstructure *f*
supertanker /ˈsu:pətæŋkə(r), ˈsju:-/ *n* Naut supertanker *m*
supertax /ˈsu:pətæks, ˈsju:-/ *n* Fin *impôt supplémentaire sur les très hauts revenus*
supervene /ˌsu:pəˈvi:n, ˌsju:-/ *vi* sout [*change, election, decision, illness*] survenir; [*cut, reduction*] intervenir
supervention /ˌsu:pəˈvenʃn, ˌsju:-/ *n* (of illness) apparition *f*; (of disaster) arrivée *f*; (of event) survenue *f* sout
supervise /ˈsu:pəvaɪz, ˈsju:-/
A *vtr* **1** (watch over) superviser [*activity, area, staff, student, work*]; surveiller [*child, patient*]; diriger [*thesis*]; **2** (control) diriger [*department, investigation, project*]
B *vi* [*supervisor*] superviser; [*doctor, parent*] sur-

veiller; [*manager*] diriger
C supervised *pp adj* [*facility, playground*] surveillé

supervision /ˌsuːpəˈvɪʒn, ˌsjuː-/ *n* **1** (of staff, work) supervision *f*; **to work under sb's ~** travailler sous la supervision de qn; **with/without the ~ of** sous/sans la supervision de qn; **she is responsible for the ~ of two students** Univ elle dirige les recherches de deux étudiants; **2** (of child, patient, prisoner) surveillance *f*; **to be under 24 hour ~** être sous surveillance 24 heures sur 24

supervisor /ˈsuːpəvaɪzə(r), ˈsjuː-/ ▸ **p. 1683** *n* **1** Admin, Comm responsable *m*; **canteen ~** gérant/-e *m/f* de cantine; **factory ~** ≈ contremaître *m*; **shop ~** chef *m* de rayon; **2** Civ Eng, Constr contremaître *m*; **site ~** chef *m* de chantier; **3** GB Univ (for thesis) directeur/-trice *m/f* de thèse; **4** US Sch directeur/-trice *m/f* d'études

supervisory /ˈsuːpəvaɪzərɪ, ˈsjuː-, US ˌsuːpəˈvaɪzərɪ/ *adj* [*body, board, duty, role, work*] de supervision; **she's a ~ officer** elle fait partie du personnel d'encadrement; **the work is mainly ~** c'est essentiellement un travail de supervision; **in a ~ capacity** en qualité de superviseur

superwoman /ˈsuːpəwʊmən, ˈsjuː-/ *n* (*pl* **-women**) superwoman○ *f*

supine /ˈsuːpaɪn, ˈsjuː-/
A *n* Ling supin *m*
B *adj* **1** lit [*person*] étendu sur le dos; **to be ~** être allongé sur le dos; **2** [*complacency, submission*] mou/molle
C *adv* [*lie*] sur le dos

supper /ˈsʌpə(r)/ *n* **1** (evening meal) dîner *m*; **we had beef for ~** nous avons eu du bœuf au dîner; **what's for ~?** qu'est-ce qu'on mange ce soir?; **to have** *ou* **eat ~** dîner; **2** (late snack) collation *f* (*du soir*); **do you fancy a bite of ~** tu veux manger un petit quelque chose avant de te coucher?; **3** (after a show) souper *m*; **to have** *ou* **eat ~** souper; **4** Relig **the Last Supper** la Cène *f*

(Idioms) **to sing for one's ~** se donner du mal pour mériter des avantages; **you'll have to sing for your ~** on n'a rien pour rien

supper: **~ club** *n* US restaurant *m* (*souvent avec bar*); **~ licence** *n* GB Jur *autorisation de vendre de l'alcool après l'heure légale avec un repas*; **~ time** *n* heure *f* du dîner

supplant /səˈplɑːnt/ *vtr* évincer [*lover, rival*]; supplanter [*doctrine, method, person, product, system, trend*]

supple /ˈsʌpl/ *adj* [*body, leather, person*] souple; [*mind*] délié; **the ~ grace of the dancer** la souplesse gracieuse de la danseuse

supplement
A /ˈsʌplɪmənt/ *n* **1** (to diet, income) complément *m* (**to** à); **vitamin ~** complément *m* en vitamines; **2** Tourism supplément *m* (**of** de); **a first class/single room ~** un supplément de première classe/pour chambre à un lit; **balcony available for** *ou* **at a ~** balcon avec supplément; **flight ~** supplément *m* de vol; **3** Journ supplément *m*; **business/job ~** supplément des affaires/de l'emploi
B *vtr* augmenter [*income, staff*] (**with** de); compléter [*diet, knowledge, resources, service, training*] (**with** de)

supplementary /ˌsʌplɪˈmentrɪ, US -terɪ/
A *n* GB Pol question *f* annexe
B *adj* [*heating, income, pension*] d'appoint; [*charge, payment*] additionnel/-elle; [*angle, comment, evidence, question, staff, vitamins*] supplémentaire

supplementary benefit *n* GB Soc Admin *autrefois allocation versée aux personnes n'ayant pas droit au chômage*

supplementation /sʌplɪmenˈteɪʃn/ *n* supplémentation *f*; **vitamin ~** supplémentation en vitamines

suppleness /ˈsʌplnɪs/ *n* (all contexts) souplesse *f*; **to improve the ~ of** assouplir [*joint, leather*]

suppletion /səˈpliːʃn/ *n* Ling suppléance *f*

suppletive /səˈpliːtɪv/ *adj* Ling supplétif/-ive

supplicant /ˈsʌplɪkənt/, **suppliant** /ˈsʌplɪənt/ sout
A *n* suppliant/-e *m/f*
B *adj* [*attitude*] de supplication; [*person*] suppliant

supplicate /ˈsʌplɪkeɪt/ sout
A *vtr* supplier; **to ~ sb for sth** implorer qch de qn
B *vi* implorer; **to ~ for pardon** implorer le pardon

supplication /ˌsʌplɪˈkeɪʃn/ *n* supplication *f*; **in ~** en signe de supplication

supplier /səˈplaɪə(r)/ *n* (all contexts) fournisseur *m* (**of, to** de)

supply /səˈplaɪ/
A *n* **1** (stock) réserves *fpl*; **a plentiful ~ of bullets/money** des réserves abondantes de balles/d'argent; **in short/plentiful ~** difficile/facile à obtenir *or* se procurer; **a plentiful ~ of workers** un grand nombre de travailleurs; **to get in a ~ of sth** s'approvisionner en qch; **win a year's ~ of wine!** gagnez du vin pour toute une année!; **2** (source) (of fuel, gas, water, blood, oxygen) alimentation *f* (**of** en); (of food) approvisionnement *m*; **the ~ has been cut off** l'alimentation a été coupée; **the ~ of oxygen to the tissues** l'alimentation des tissus en oxygène; **the blood ~ to the legs/the heart** le sang qui alimente les jambes/le cœur; **the blood ~ to the baby** le sang transfusé au bébé; **3** (action of providing) fourniture *f*, approvisionnement *m* (**to** à); **to control the ~ of alcoholic drinks** contrôler la fourniture de boissons alcoolisées; **4** GB Sch = **supply teacher**
B supplies *npl* **1** (food, equipment) réserves *fpl*; **food supplies** ravitaillement *m*; **to cut off sb's supplies** couper les vivres à qn; **2** (for office, household) (machines, electrical goods) matériel *m*; (stationery, small items) fournitures *fpl*; **3** GB Pol, Admin crédits *mpl*
C *modif* [*ship, train, truck*] ravitailleur/-euse; [*problem, route*] (for industry) d'approvisionnement; (for population) de ravitaillement; **~ company** fournisseur *m*
D *vtr* **1** (provide) fournir [*goods, arms, fuel, water, oxygen, calories, drugs, word, phrase, information, recipe*] (**to, for** à); apporter [*love, companionship, affection*] (**to** à); **to ~ arms/details to sb, to ~ sb with arms/details** fournir des armes/des détails à qn; **to ~ a name to the police, to ~ the police with a name** donner un nom à la police; **to keep sb supplied with** approvisionner régulièrement qn en [*parts, equipment*]; **to keep a machine supplied with fuel** assurer l'alimentation d'un appareil en combustible; **to keep sb supplied with information/gossip** tenir qn au courant de ce qui se passe/des potins; **2** (provide food, fuel for) ravitailler [*area, town*] (**with** en); **3** (provide raw materials for) approvisionner [*factory, company*] (**with** en); **4** (satisfy, fulfil) subvenir à [*needs, wants, requirements*]; répondre à [*demand, need*]

supply: **~ and demand** *n* l'offre *f* et la demande; **~ line** *n* voie *f* de ravitaillement; **~-side economics** *n* (+ *v sg*) économie *f* de l'offre; **~ teacher** *n* GB suppléant/-e *m/f*, remplaçant/-e *m/f*

support /səˈpɔːt/
A *n* **1** (moral, financial, political) soutien *m* (**for sth** en faveur de qch; **for sb** à qn); **financial/state ~** soutien financier/de l'État; **there is considerable public ~ for the strikers** les grévistes bénéficient du soutien d'une grande partie de la population; **there is little public ~ for this measure** il y a peu de gens favorables à cette mesure; **socialist/Green party ~** soutien en faveur des socialistes/verts; **~ for the party is increasing** le parti a de plus en plus de partisans; **air/land/sea ~** Mil appui *m* aérien/terrestre/maritime; **to give sb/sth (one's) ~** apporter son soutien à qn/qch; **to get ~ from sb/sth** obtenir le soutien de qn/qch; **to have the ~ of sb/sth** avoir le soutien de qn/qch; **in ~ of sb/sth** [*campaign, intervene*] en faveur de qn/qch; **he spoke in ~ of the motion** il a parlé en faveur de la motion; **the workers went on strike in ~ of their demands** les ouvriers se sont mis en grève pour soutenir leurs revendications; **the students demonstrated in ~ of the strikers** les étudiants ont manifesté pour montrer leur solidarité avec les grévistes; **in ~ of this point of view/theory** pour appuyer ce point de vue/cette théorie; **a collection in ~ of war victims** une collecte au profit des victimes de guerre; **with ~ from sb** avec l'appui *or* le soutien de qn; **to win** *ou* **gain ~ from sb** trouver du soutien auprès de qn; **they need ~ to raise enough money** ils ont besoin d'aide pour rassembler des fonds suffisants; **the theatre**[GB] **closed for lack of ~** le théâtre a fermé faute de public; **strong ~** fig ferme soutien; **means of ~** (financial) moyens *mpl* de subsistance; **2** (physical, for weight) gen, Constr support *m*; Med (for limb) appareil *m* de maintien; **athletic ~** coquille *f*; **neck ~** Med minerve *f*; **he used his stick as a ~** il s'appuyait sur sa canne; **he had to lean on a chair for ~** il a dû s'appuyer sur une chaise; **3** (person) soutien *m* (**to** de); **Paul was a great ~ when she died** Paul a été (d')un soutien précieux quand elle est morte; **4** (singer etc not topping the bill) (individual) artiste *mf* qui assure la première partie; (band) groupe *m* de la première partie
B *vtr* **1** (provide moral, financial backing) soutenir [*person, cause, campaign, party, reform, team, venture, price, currency*]; donner à [*charity*]; **to ~ sb/sth by doing** aider *or* soutenir qn/qch en faisant; **the museum is ~ed by public funds** le musée est subventionné par l'État; **2** (physically) supporter [*weight*]; soutenir [*person*]; **3** (validate) confirmer, corroborer fml [*argument, case, claim, story, theory*]; **4** (maintain) [*breadwinner*] faire vivre, avoir [qn] à charge [*family*]; [*land, farm*] faire vivre [*inhabitants*]; [*charity*] aider [*underprivileged*]; **he has a wife and children to ~** il a une femme et des enfants à charge; **she ~ed her son through college** elle a payé les études de son fils; **5** (put up with) sout endurer [*adverse conditions, bad behaviour*]; **6** Comput prendre en charge
C *v refl* **to ~ oneself** subvenir à ses propres besoins

supportable /səˈpɔːtəbl/ *adj* supportable

support: **~ act** *n* ▸ **support A 4**; **~ area** *n* Mil zone *f* de soutien logistique; **~ band** *n* Mus groupe *m* de la première partie

supported /səˈpɔːtɪd/ *adj* Comput (with maintenance) dont la maintenance est assurée; (with IT backup) pris en charge par le service informatique

supporter /səˈpɔːtə(r)/ *n* gen partisan *m*; Pol sympathisant/-e *m/f*; Sport supporter *m*; **football ~** supporter de foot○

support: **~ group** *n* Soc Admin groupe *m* de soutien; **~ hose** = **support stockings**

supporting /səˈpɔːtɪŋ/ *adj* **1** Cin, Theat [*actor, role*] de second plan also fig; **'best ~ actor/actress'** 'meilleur second rôle masculin/féminin'; **~ cast** les seconds rôles; **'with full ~ cast'** Cin (in publicity) 'avec de prestigieux seconds rôles'; **~ programme** Cin avant-programme *m*; **2** Constr [*wall, beam*] de soutènement; **3** **~ evidence** Jur preuves *fpl* à l'appui; **~ document** document *m* annexe

supportive /səˈpɔːtɪv/ *adj* [*person, organization*] d'un grand secours; [*role, network*] de soutien; **she was very ~ when I had health problems** elle m'a beaucoup soutenu quand j'ai eu des problèmes de santé

support: **~ personnel** *n* Mil (personnel *m* de) soutien *m* logistique; **~ scheme** *n* GB Soc Admin système *m* de soutien mutuel; **~ services** *n* services *mpl* d'assistance technique; **~ slot** *n* Mus avant-programme

S

m; ~ **staff** *n* personnel *m* d'assistance technique; ~ **stockings** *npl* bas *mpl* de maintien *or* de contention spec; ~ **system** *n* gen réseau *m* de soutien; Comput programme *m* de soutien; ~ **team** *n* équipe *f* de renfort; ~ **tights** *npl* collant *m* anti-fatigue *or* de contention spec; ~ **troops** *npl* renforts *mpl*; ~ **vessel** *n* bâtiment *m* de soutien

suppose /sə'pəʊz/
A *vtr* 1 (think) **to ~ (that)** penser *or* croire que; **I ~ (that) she knows** je pense qu'elle est au courant; **I don't ~ (that) she knows** je ne pense pas qu'elle soit au courant; **do you ~ (that) he's guilty?** est-ce que tu crois qu'il est coupable? **to ~ sb to be sth** croire qn qch; **I ~d him to be a friend** je le croyais un ami; 2 (assume) supposer [*existence, possibility*]; **to ~ (that)** supposer que; **I ~ (that) you've checked** je suppose que tu as vérifié; **let us ~ that it's true** supposons que ce soit vrai; **I ~ it's too late now?** je suppose qu'il est trop tard maintenant?; **it is generally ~d that** tout le monde croit que; **I ~ so/not** je suppose que oui/non; **even supposing he's there** même en supposant qu'il soit là; 3 (admit) **to ~ (that)** supposer que; **I ~ you're right** je suppose que tu as raison; **I ~ that if I'm honest...** si je veux être honnête je dois avouer que...; 4 (imagine) **when do you ~ (that) he'll arrive?** quand penses-tu qu'il arrivera? **who do you ~ I saw yesterday?** devine un peu qui j'ai vu hier; **~ (that) it's true, what will you do?** imagine que ça soit vrai, qu'est-ce que tu feras?; **~ (that) he doesn't come?** et s'il ne vient pas?; **I don't ~ you can do it?** je suppose que tu ne peux pas le faire?; 5 (making a suggestion) **~ we go to a restaurant?** et si on allait au restaurant? **~ we take the car?** et si on prenait la voiture?
B supposed *pp adj* 1 (putative) [*father, owner, witness*] présumé (*before n*), putatif/-ive; [*advantage, benefit*] prétendu (*before n*); 2 (expected, required) **to be ~d to do** être censé faire; **to be ~d to be at work** être censé être au travail; **there was ~d to be a room for us** nous étions censés avoir une chambre; **you're not ~d to do** tu n'es pas censé faire; 3 (alleged) **this machine is ~d to do** il paraît que cette machine fait; **it's ~d to be a good hotel** il paraît que c'est un bon hôtel

supposedly /sə'pəʊzɪdlɪ/ *adv* **to be ~ rich/intelligent** être censé être riche/intelligent; **the ~ developed nations** les pays soi-disant développés; **a ~ wealthy widow** une veuve réputée riche; **~ she's very shy** il paraît qu'elle est très timide

supposing /sə'pəʊzɪŋ/ *conj* **~ (that) he says no?** et s'il dit non?; **~ your income is X, you pay Y** supposons que ton revenu soit de X, tu paieras Y

supposition /ˌsʌpə'zɪʃn/ *n* 1 (guess, guesswork) supposition *f*; 2 (assumption) hypothèse *f*; **to be based on the ~ that sth is available** reposer sur l'hypothèse de la disponibilité de qch

suppositious /ˌsʌpə'zɪʃəs/ *adj* (hypothetical) hypothétique; (false) fallacieux/-ieuse

suppository /sə'pɒzɪtrɪ, US -tɔ:rɪ/ *n* suppositoire *m*

suppress /sə'pres/ *vtr* 1 (prevent) réprimer [*smile, urge, doubt*]; étouffer [*yawn*]; contenir [*anger, excitement*]; refouler [*sexuality*]; supprimer [*report, evidence, information, fact*]; interdire [*newspaper*]; abolir [*party, group*]; réprimer [*opposition, riot, rebellion*]; étouffer [*criticism, scandal*]; dissimuler [*truth*]; mettre fin à [*activity*]; retenir [*tears*]; **to ~ a cough/sneeze** se retenir de tousser/d'éternuer; 2 (reduce, weaken) empêcher [*growth*]; affaiblir [*immune system*]; tuer [*weeds*]; 3 Med inhiber [*symptom, reaction*]; 4 Radio, Electron antiparasiter

suppressant /sə'presənt/ *n* (drug etc) inhibiteur *m*

suppression /sə'preʃn/ *n* 1 (of party) abolition *f*; (of truth) dissimulation *f*; (of newspaper) interdiction *f*; (of activity, demonstration, evidence, information, report, facts) suppression *f*; (of revolt) répression *f*; (of scandal) étouffement *m*; Psych (of feeling) (deliberate) répression *f*; (involuntary) refoulement *m*; 2 (retardation) (of growth, development) retard *m*; 3 Radio, Electron antiparasitage *m*

suppressive /sə'presɪv/ *adj* répressif/-ive

suppressor /sə'presə(r)/ *n* Radio, Electron antiparasite *m*

suppurate /'sʌpjʊreɪt/ *vi* suppurer

suppuration /ˌsʌpjʊ'reɪʃn/ *n* suppuration *f*

supranational /ˌsu:prə'næʃənl/ *adj* supranational

suprarenal /ˌsu:prə'ri:nl/ *adj* surrénal

suprasegmental /ˌsu:prəseg'mentl/ *adj* suprasegmental

supremacist /su:'preməsɪst, sju:-/ *n* Pol *personne qui croit à la supériorité d'un groupe ou d'une race*

supremacy /su:'preməsɪ, sju:-/ *n* 1 (power) suprématie *f*; 2 (greater ability) supériorité *f*

supreme /su:'pri:m, sju:-/ *adj* [*ruler, power, achievement, courage*] suprême; [*importance*] capital; [*stupidity, arrogance*] extrême; **to reign ~** fig régner; **to make the ~ sacrifice** mourir pour la patrie

supreme: **Supreme Being** *n* Relig Être *m* suprême; **Supreme Commander** *n* Mil Commandant *m* en chef

Supreme Court *n* US, Can, Jur Cour *f* suprême

> **Supreme Court**
>
> Juridiction suprême des États-Unis, formée de 9 juges inamovibles (*Justices*) nommés par le président avec l'accord du Sénat. C'est la Cour suprême qui vérifie la constitutionnalité des lois, qui régit les rapports entre les États, entre les États et le gouvernement fédéral, mais aussi entre le citoyen et les instances constitutionnelles. Elle joue aussi le rôle de cour d'appel de dernière instance, ses décisions dans ce domaine faisant jurisprudence.
>
> ▸ **Checks and balances**

supremely /su:'pri:mlɪ, sju:-/ *adv* [*difficult*] extrêmement; [*happy, important*] suprêmement; [*confident*] absolument

Supreme Soviet *n* Pol Hist Soviet *m* suprême

supremo /su:'pri:məʊ, sju:-/ *n* (*pl* **-mos**) leader *m*

Supt *abrév écrite* = **Superintendent**

sura /'sʊərə/ *n* surate *f*

surcharge /'sɜ:tʃɑ:dʒ/
A *n* 1 gen supplément *m*; 2 Elec, Post surcharge *f*
B *vtr* faire payer un supplément à [*person*]

surd /sɜ:d/
A *n* 1 Math nombre *m* irrationnel; 2 Ling (consonne *f*) sourde *f*
B *adj* 1 Math irrationnel/-elle; 2 Ling sourd

sure /ʃɔ:(r), US ʃʊər/
A *adj* 1 (certain) sûr (**about, of** de); **I feel ~ that...** je suis sûr que...; **I'm quite ~ (that) I'm right** je suis tout à fait sûr que j'ai raison *or* d'avoir raison; **'are you ~?'—'yes, I'm ~'** 'en es-tu sûr?'—'oui, j'en suis sûr'; **I'm not ~ when he's coming/how old he is** je ne sais pas trop quand il viendra/quel âge il a; **I'm not ~ if** *ou* **whether he's coming or not** je ne sais pas trop s'il va venir ou pas; **I'm not ~ that he'll be able to do it** je ne suis pas sûr qu'il puisse le faire; **(are you) ~ you're all right?** t'es sûr que ça va?; **to be ~ of one's facts** être sûr de son fait; **you can be ~ of a warm welcome/of succeeding** vous pouvez être sûr d'être bien accueilli/de réussir; **she'll be on time, of that you can be ~** elle sera à l'heure, tu peux en être sûr; **one thing you can be ~ of...** une chose est sûre...; **I couldn't be ~ I had locked the door** je n'étais pas vraiment sûr d'avoir fermé la porte; **'did you lock it?'—'I'm not ~ I did'** 'tu l'as fermé?'—'je n'en suis pas sûr'; **I'm ~ I don't know, I don't know I'm ~** je n'en ai pas la moindre idée; **we can never be ~** on n'est jamais sûr de rien; **I wouldn't be so ~ about that!** ça m'étonnerait!; **I won't invite them again, and that's for ~**°! une chose est sûre, je ne les inviterai plus!; **we 'll be there next week for ~!** on y sera la semaine prochaine sans faute!; **we can't say for ~** nous n'en sommes pas vraiment sûrs; **nobody knows for ~** personne ne (le) sait au juste; **there' s only one way of finding out for ~** il n'y a qu'une seule façon de s'en assurer *or* d'en avoir la certitude; **he is, to be ~, a very charming man** c'est certes un homme très charmant; **to make ~ that** (ascertain) s'assurer que (+ *indic*); (ensure) faire en sorte que (+ *subj*); **make ~ all goes well** fais en sorte que tout se passe bien; **make ~ you phone me** n'oublie pas de m'appeler; **be** *ou* **make ~ to tell him that...** surtout n'oublie pas de lui dire que...; **she made ~ to lock the door behind her** elle a fait bien attention de fermer la porte derrière elle; **in the ~ and certain knowledge of/that** avec la profonde conviction de/que; **he's a ~ favourite (to win)** Sport c'est le grand favori
2 (bound) **he's ~ to fail** il va sûrement échouer; **she' s ~ to be there** elle y sera sûrement; **if I am in the shower, the phone is ~ to ring** si je suis sous la douche, le téléphone va sûrement se mettre à sonner
3 (confident) sûr; **to be/feel ~ of oneself** être/se sentir sûr de soi; **I never feel quite ~ of her** je me méfie toujours un peu d'elle
4 (reliable) [*friend*] sûr; [*method, remedy*] infaillible; **the ~st route to success** le moyen le plus sûr de réussir; **the ~st way to do** le moyen le plus efficace de faire; **she was chain -smoking, a ~ sign of agitation** elle fumait sans arrêt, ce qui montrait bien qu'elle était agitée; **to have a ~ eye for detail/colour** avoir l'œil pour les détails/la couleur
5 (steady) [*hand, footing*] sûr; **with a ~ hand** d'une main sûre; **to have a ~ aim** bien viser
B *adv* 1 °(yes) bien sûr; **'you're coming?'—'~!'** 'tu viens?'—'bien sûr!'
2 °(certainly) **it ~ is cold** ça oui, il fait froid; **'is it cold?'—'it ~ is!'** 'fait-il froid?'—'ça oui°!'; **that ~ smells good°!** US qu'est-ce que ça sent bon°!
3 **~ enough** effectivement; **I said he'd be late and ~ enough he was!** j'ai dit qu'il serait en retard et effectivement il l'était!
(Idioms) **as ~ as eggs is eggs°, as ~ as fate, as ~ as I'm standing here** aussi sûr que deux et deux font quatre; **~ thing°!** US d'accord!; **to be ~!** certes!

sure: **~-fire**° *adj* [*success, method*] garanti; **~-footed** *adj* agile; **~-footedness** *n* agilité *f*; **~-handed** *adj* habile

surely /'ʃɔ:lɪ, US 'ʃʊərlɪ/ *adv* 1 (expressing certainty) sûrement, certainement; **I am ~ correct** j'ai sûrement raison; **~ we've met before?** nous nous sommes déjà rencontrés, n'est-ce pas?, il me semble que nous nous sommes déjà rencontrés?; **you noted his phone number, ~?** tu as noté son numéro de téléphone, j'imagine?; **~ you can understand that?** c'est quelque chose que tu peux comprendre, n'est-ce pas?; 2 (expressing surprise) tout de même, quand même; **you're ~ not going to eat that!** tu ne vas tout de même pas manger ça!; **that ~ can't be right!** ça ne peut tout de même pas être vrai!; **~ you don't think that's true!** tu ne penses quand même pas que c'est vrai!; **~ not!** pas possible!; **~ to God** *ou* **goodness you've written that letter by now!** ne me dis pas que tu n'as pas encore écrit cette lettre!; 3 (expressing disagreement) **'it was in 1991'—'1992, ~'** 'c'était en 1991'—'1992, tu veux dire';

S

ⓘ Surface area measurements

■ *Note that French has a comma where English has a decimal point.*

1 sq in = 6,45 cm² (*centimètres carrés*)*
1 sq ft = 929,03 cm²
1 sq yd = 0,84 m² (*mètres carrés*)
1 acre = 40,47 ares
= 0,4 ha (*hectares*)
1 sq ml = 2,59 km² (*kilomètres carrés*)

* *There are three ways of saying 6,45 cm², and other measurements like it:*

six virgule quarante-cinq centimètres carrés,
or (*less formally*) six centimètres carrés virgule quarante-cinq,
or six centimètres carrés quarante-cinq.

■ *For more details on how to say numbers* ▸ p. 1487.

how big is your garden?
= quelle est la superficie de votre jardin?

what's its area?
= il a quelle superficie?

it's 200 square metres
= il mesure 200 mètres carrés

its surface area is 200 square metres
= il mesure 200 mètres carrés de superficie

it's 20 metres by 10 metres
= il mesure 20 mètres sur 10 mètres
or il fait 20 mètres sur 10 mètres

sold by the square metre
= vendu au mètre carré

there are 10,000 square centimetres in a square metre
= il y a 10 000 centimètres carrés dans un mètre carré

10,000 square centimetres make one square metre
= 10 000 centimètres carrés font un mètre carré

A is the same area as B
= A a la même superficie que B

A and B are the same area
= A et B ont la même superficie

■ *Note the French construction with* de, *coming after the noun it describes:*

a 200-square-metre plot
= un terrain de 200 mètres carrés

---

4 (yes) bien sûr; **'will you meet me?'—'~'** 'tu viendras me chercher?'—'bien sûr'

sureness /'ʃɔːnɪs, US 'ʃʊərnɪs/ *n* (of technique) précision *f*; (of intent) certitude *f*; **~ of touch** précision

surety /'ʃɔːrəti, US 'ʃʊərti/ *n* Fin Jur 1 (money) dépôt *m* de garantie, caution *f*; 2 (guarantor) garant/-e *m/f*; **to stand ~ for sb** se porter garant de qn

surf /sɜːf/
A *n* 1 (waves) vagues *fpl* (déferlantes); 2 (foam) écume *f*
B *vtr* Comput **to ~ the Web/Net** surfer sur le web/la Toile; **to ~ the Internet** surfer sur Internet
C *vi* 1 Sport faire du surf; 2 Comput surfer sur Internet

surface /'sɜːfɪs/
A *n* 1 lit (of water, land, object) surface *f*; **on** *ou* **at the ~** (of liquid) à la surface; **on the ~** (of solid) sur la surface; **to work at the ~** Mining travailler en surface *or* au jour; 2 fig apparence *f*; **to skim the ~ of** effleurer [*problem, issue*]; **on the ~ it was a simple problem** en apparence le problème était simple; **beneath the ~ he's very shy** au fond il est très timide; **violence is never far below the ~** la violence est toujours latente; **to come** *ou* **rise to the ~** [*tensions, feelings, emotions*] se manifester; 3 Math (of solid, cube) côté *m*, face *f*; 4 (worktop) plan *m* de travail
B *modif* 1 lit [*vessel, fleet, transport*] de surface; [*work, worker*] en surface, au jour; [*wound*] superficiel/-ielle; **~ measurements** superficie *f*; 2 fig [*problem, resemblance*] superficiel/-ielle; 3 Ling [*structure, grammar, analysis*] de surface
C *vtr* faire le revêtement de [*road, ground*]; **to ~ sth with** revêtir qch de
D *vi* 1 lit [*object, animal, person*] remonter à la surface; [*submarine*] faire surface; 2 fig (come to surface) [*tension, anxiety, racism*] se manifester; [*problem, evidence, scandal*] apparaître; 3 (reappear) [*person*] (after absence) refaire surface○, réapparaître; (from bed) se lever; [*object*] réapparaître

surface: **~ air missile, SAM** *n* missile *m* S.A.; **~ area** *n* superficie *f*, surface *f*; **~ mail** *n* courrier *m* par voie de surface; **~ noise** *n* bruit *m* de surface; **~ tension** *n* Phys tension *f* superficielle; **~-to-air** *adj* sol-air; **~-to-surface** *adj* sol-sol

surfactant /sɜː'fæktənt/ *n* tensioactif *m*

surf: **~board** *n* planche *f* de surf; **~boarder** *n* surfeur/-euse *m/f*; **~boarding** ▸ p. 1253 *n* surf *m*; **~boat** *n* surf-boat *m*; **~casting** ▸ p. 1253 *n* pêche *f* au lancer sur une plage

surfeit /'sɜːfɪt/
A *n* excès *m* (**of** de)
B *vtr* **to be ~ed with** être repu de [*food, pleasure*]
C *v refl* **to ~ oneself with** faire des excès de [*food, wine*]; se repaître de [*pleasure*]

surfer /'sɜːfə(r)/ *n* surfeur/-euse *m/f*

surfing /'sɜːfɪŋ/ ▸ p. 1253 *n* surf *m*; **to go ~** aller faire du surf

surf 'n' turf *n* Culin plat *m* composé viande-poisson

surf: **~ride** *vi* faire du surf; **~rider** *n* surfeur/-euse *m/f*; **~riding** ▸ p. 1253 *n* surf *m*

surge /sɜːdʒ/
A *n* 1 (rush) (of water) brusque montée *f*; (of blood, energy, adrenalin) montée *f* (**of** de); fig (of anger, desire) accès *m* (**of** de); (of optimism, enthusiasm) élan *m* (**of** de); (of pity, relief, happiness, resentment) sentiment *m* (**of** de); 2 Fin, Pol (increase) (in prices, unemployment, inflation, immigration) hausse *f* (**in** de); (in borrowing, demand, imports) accroissement *m* (**in** de); 3 Elec (*also* **power ~**) surtension *f*; 4 (increase in speed) Sport remontée *f*
B *vi* 1 (rise) [*water, waves*] déferler; [*blood, energy*] monter; fig [*emotion*] monter (**in sb** en qn); **the crowd ~d into the stadium/theatre** la foule s'est engouffrée dans le stade/le théâtre; **the crowd ~d (out) onto the streets/the square** la foule a déferlé dans les rues/sur la place; **to ~ forward** [*crowd*] avancer en masse; [*car*] démarrer en trombe○; 2 Fin (increase) [*prices, profits, shares, demand*] monter en flèche; 3 Sport (increase speed) [*runner, swimmer, team*] s'élancer; **to ~ through (to win)** remonter (pour gagner)
C **surging** *pres p adj* Fin [*market, rates, prices*] en hausse

surgeon /'sɜːdʒən/ ▸ p. 1683 *n* chirurgien *m*

surgeon general *n* 1 ▸ p. 1599 Med Mil médecin-chef *m*; 2 US ≈ ministre *m* de la Santé

surgery /'sɜːdʒəri/ *n* 1 Med (operations) chirurgie *f*; **to have ~, to undergo ~** se faire opérer; **to need ~** avoir besoin d'une opération; 2 GB Med (building) cabinet *m*; **doctor's/dentist's ~** cabinet médical/dentaire; 3 GB (consultation time) (of doctor) (heures *fpl* de) consultation *f*; (of MP) permanence *f*; **to take ~** assurer la consultation; 4 US (operating room) salle *f* d'opération

surgical /'sɜːdʒɪkl/ *adj* [*mask, instrument, treatment*] chirurgical; [*boot, stocking*] orthopédique; **with ~ precision** fig avec une précision scientifique

surgical: **~ appliance** *n* appareil *m* orthopédique; **~ clamp** *n* clamp *m*; **~ dressing** *n* pansement *m*

surgically /'sɜːdʒɪklɪ/ *adv* [*treat*] par opération; **to remove sth ~** opérer qch

surgical: **~ shock** *n* Med choc *m* opératoire; **~ spirit** *n* alcool *m* (à 90 degrés); **~ strike** *n* Mil frappe *f* chirurgicale; **~ ward** *n* service *m* de chirurgie

Surinam /ˌsʊərɪ'næm/ ▸ p. 1096 *pr n* Suriname *m*

Surinamese /ˌsʊərɪnə'miːz/ ▸ p. 1467
A *n* Surinamais/-e *m/f*
B *adj* surinamais

surliness /'sɜːlɪnɪs/ *n* caractère *m* revêche

surly /'sɜːlɪ/ *adj* revêche

surmise /sə'maɪz/ sout
A *n* conjecture *f*
B *vtr* conjecturer (**that** que)

surmount /sə'maʊnt/ *vtr* 1 lit (be on top of) surmonter; **to be ~ed by** être surmonté de [*statue, tower*]; 2 fig (overcome) surmonter [*difficulty, challenge*]; résoudre [*problem*]

surmountable /sə'maʊntəbl/ *adj* surmontable

surname /'sɜːneɪm/ *n* nom *m* de famille

surpass /sə'pɑːs, US -pæs/
A *vtr* (be better or greater than) surpasser; (go beyond) dépasser [*expectations*]; **to ~ sb/sth in sth** surpasser qn/qch en qch; **to ~ sth in size/height** être plus grand/haut que qch; **to ~ sth/sb in numbers** être plus nombreux que qch/qn
B *v refl* **to ~ oneself** se surpasser

surpassing /sə'pɑːsɪŋ, US -'pæs-/ *adj* sout exceptionnel/-elle

surplice /'sɜːplɪs/ *n* surplis *m*

surplus /'sɜːpləs/
A *n* (*pl* **~es**) gen surplus *m*; Econ, Comm excédent *m*; **to be in ~** être excédentaire; **oil/food ~** excédent de pétrole/de produits agricoles; **trade/budget ~** excédent commercial/budgétaire
B *adj* (*tjrs épith*) gen [*milk, bread, clothes*] en trop (*after n*); **~ to requirements** de trop; Econ, Comm [*money, food, labour*] excédentaire

surplus value *n* 1 Comm valeur *f* additionnelle *or* de boni; 2 (in Marxism) plus-value *f*

surprise /sə'praɪz/
A *n* 1 (unexpected event) surprise *f*; **there are more ~s in store** *ou* **to come** il y a d'autres surprises en réserve; **the result came as** *ou* **was no ~** le résultat n'a surpris personne; **that's a bit of a ~** c'est surprenant; **it comes as** *ou* **is no ~ that** ce n'est pas surprenant que (+ *subj*); **it came as something of a ~ that people were so pleased** c'était surprenant de voir combien les gens étaient contents; **it would come as no ~ if** ce ne serait pas surprenant que (+ *subj*) *or* si (+ *indic*); **it comes as** *ou* **is a ~ to hear/to see that** c'est une surprise d'apprendre/de voir que; **it came as no ~ to us to hear that** nous n'avons pas été surpris d'apprendre que; **it came as** *ou* **was a complete ~ to me** cela m'a vraiment étonné; **to spring a ~ on sb** préparer une surprise à qn; **~, ~!** ô surprise!; **is he in for a ~!** ça va être la surprise!; **and, ~, ~, they agreed** iron et, surprise, ils étaient d'accord; 2 (experience, gift) surprise *f*; **what a nice ~!** quelle bonne surprise!; **she wants it to be a ~** elle veut que ce soit une surprise; 3 (astonishment) surprise *f*, étonnement *m*; **there was some ~ at the news** la nouvelle a provoqué une certaine surprise; **to express ~ at sth** se déclarer surpris par qch; **to express ~ that** se déclarer surpris que (+ *subj*); **to my (great)**

~ à ma (grande) surprise; **much to my ~** à ma grande surprise; **with ~** avec étonnement; **'are you sure?' she said in ~** 'en es-tu sûr?' dit-elle, surprise; 4) Mil, Pol, gen (as tactic) surprise *f*; **the element of ~** l'effet de surprise; **to take sb by ~** gen prendre qn au dépourvu; Mil surprendre qn

B *modif* 1) (unexpected) [*announcement, closure, result*] inattendu; [*visit, guest, holiday, party*] surprise (*after n*); [*attack, invasion*] surprise (*after n*); **~ tactics** lit, fig tactique *f* fondée sur l'effet de la surprise; **to pay sb a ~ visit** aller voir qn sans le prévenir

C *vtr* 1) (astonish) surprendre; **he ~d everyone by winning** il a surpris tout le monde par sa victoire; **to be ~d by sth** être surpris par qch; **what ~s me most is...** ce qui me surprend le plus c'est...; **it ~d them that** ils étaient surpris que (+ *subj*); **it wouldn't ~ me if** cela ne me surprendrait pas que (+ *subj*) *or* si (+ *indic*); **it might ~ you to know that** tu seras peut-être surpris d'apprendre que; **would it ~ you to learn that he's 60?** ça te surprendrait d'apprendre qu'il a 60 ans?; **nothing ~s me any more!** je ne m'étonne plus de rien!; **you (do) ~ me!** iron tu m'étonnes! **go on, ~ me** allez, dis toujours!; 2) (come upon) surprendre [*intruder, thief*]; attaquer [qch] par surprise [*garrison*]

surprised /sə'praɪzd/ *adj* [*person*] surpris, étonné; [*expression, look*] étonné; **I was really ~** j'étais vraiment étonné *or* surpris; **I'm not ~** ça ne m'étonne pas; **don't look so ~** ne prends pas cet air surpris; **to be ~ to hear/to see** être surpris d'apprendre/de voir; **to be ~ at sth** être étonné par qch; **I would/wouldn't be ~ if** cela m'étonnerait/ne m'étonnerait pas que (+ *subj*) *or* si (+ *indic*); **don't be ~ if he's late** ne t'étonne pas s'il est en retard; **you'd be ~ (at) how many cars there are/how expensive they are** tu serais étonné par le nombre de voitures/par leur prix élevé; **'there'll be no-one'—'oh, you'd be ~'** 'il n'y aura personne'—'détrompe-toi'; **I'm ~ at him!** je ne m'attendais pas à cela de sa part!

surprising /sə'praɪzɪŋ/ *adj* étonnant, surprenant; **it would be ~ if** ce serait étonnant que (+ *subj*) *or* si (+ *indic*); **it is ~ (that)** c'est étonnant que (+ *subj*); **I find it ~ that** je trouve étonnant que (+ *subj*); **it's hardly ~ they didn't come** ce n'est pas étonnant qu'ils ne soient pas venus; **it is ~ to see/find** c'est étonnant de voir/trouver; **what is even more ~ is that he...** plus surprenant encore, il...

surprisingly /sə'praɪzɪŋlɪ/ *adv* [*accurate, calm, cheap, dense, high, realistic, strong*] incroyablement; [*bad*] très; [*well, quickly*] étonnamment; **~ beautiful/frank** d'une beauté/franchise étonnante; **~ few people know about it** c'est étonnant que si peu de gens le sachent; **~, ...** cela peut paraître étonnant, mais...; **they didn't know her, ~ enough** chose étonnante, ils ne la connaissaient pas; **not ~, ...** (ce n'est) pas étonnant que... (+ *subj*); **more ~, ...** ce qui est plus étonnant, c'est que...

surreal /sə'rɪəl/ *adj* surréaliste

surrealism, Surrealism /sə'rɪəlɪzəm/ *n* surréalisme *m*

surrealist /sə'rɪəlɪst/ *n, adj* surréaliste (*mf*)

surrealistic /ˌsərɪə'lɪstɪk/ *adj* surréaliste

surrender /sə'rendə(r)/

A *n* 1) Mil (of army) capitulation *f* (**to** devant); (of soldier, town, garrison) reddition *f* (**to** à); **no ~!** nous ne nous rendrons pas!; 2) (renouncing, giving up) (of territory) abandon *m*, cession *f* (**to** à); (of liberties, rights, power) abandon *m* (**to** à); (of insurance policy) rachat *m*; 3) (handing over) (of weapons, ticket, document) remise *f* (**to** à); 4) fig (of self) (to joy, despair) abandon *m* (**to** à)

B *vtr* 1) Mil livrer [*town, garrison*] (**to** à); 2) (give up) céder, abandonner [*liberty, rights, power*] (**to** à); racheter [*insurance policy*]; céder [*lease*]; 3) (hand over) remettre [*firearm*] (**to** à); donner, remettre [*ticket*] (**to** à); rendre [*passport*] (**to** à)

C *vi* 1) (give up) [*army, soldier*] se rendre (**to** à); [*country*] capituler (**to** devant); **I ~** Mil je me rends; fig je cède; 2) (give way) **to ~ to** se livrer à [*passion, despair*]

D *v refl* **to ~ oneself to** se livrer à [*emotion*]; (sexually) se donner à [*person*]

surrender value *n* valeur *f* de rachat

surreptitious /ˌsʌrəp'tɪʃəs/ *adj* [*glance, gesture*] furtif/-ive; [*search, exit*] discret/-ète

surreptitiously /ˌsʌrəp'tɪʃəslɪ/ *adv* [*look, examine*] furtivement; [*take, put*] subrepticement

Surrey /'sʌrɪ/ ▸ p. 1612 *pr n* Surrey *m*

surrogacy /'sʌrəgəsɪ/ *n* pratique *f* des mères porteuses

surrogate /'sʌrəgeɪt/

A *n* 1) (substitute) substitut *m* (**for** de); 2) GB Relig official *m*; 3) US Jur *juge chargé d'homologuer les testaments*; 4) (*also* **~ mother**) mère *f* porteuse

B *adj* [*sibling, father, religion*] de substitution, de remplacement

surrogate motherhood *n* pratique *f* des mères porteuses

surround /sə'raʊnd/

A *n* GB 1) (for fireplace) encadrement *m*; 2) (border) bordure *f*; (between carpet and wall) *la partie du sol comprise entre le tapis et les murs*

B *vtr* lit [*fence, trees*] entourer [*village, garden*]; [*police*] encercler [*building*]; cerner [*person*]; fig [*secrecy, confusion*] entourer [*plan, event*]; **~ed by, ~ed with** lit, fig entouré de

C *v refl* **to ~ oneself with** s'entourer de

surrounding /sə'raʊndɪŋ/ *adj* [*countryside, hills, villages*] environnant; **the ~ area** *ou* **region** les environs *mpl*

surroundings /sə'raʊndɪŋz/ *npl* gen cadre *m*; (of town) environs *mpl*; **in their natural ~** dans leur milieu naturel

surround sound *n* son *m* surround

surtax /'sɜːtæks/ *n* (on income) impôt *m* supplémentaire; (additional tax) surtaxe *f*

surveillance /sɜː'veɪləns/

A *n* surveillance *f*; **to keep sb under ~** garder qn sous surveillance

B *modif* [*officer, team*] chargé de la surveillance des suspects; [*equipment, device*] de surveillance; [*camera, photograph, film*] de surveillance vidéo

survey

A /'sɜːveɪ/ *n* 1) (of trends, prices, reasons) gen enquête *f* (**of** sur); (by questioning people) sondage *m*; (study, overview of work) étude *f* (**of** de); **to carry out** *ou* **conduct** *ou* **do a ~** gen effectuer *or* faire une enquête; (by questioning people) effectuer *or* faire un sondage; **a ~ of five products** une enquête sur cinq produits; **a ~ of intentions/of 500 young people** un sondage sur les intentions/effectué parmi 500 jeunes gens; 2) GB (in housebuying) (inspection) expertise *f* (**on** de); (report) rapport *m* d'expertise; **to do** *ou* **carry out a ~** effectuer *or* faire une expertise; **to get a ~ done** faire faire une expertise; 3) Geog, Geol (action) (of land) étude *f* topographique; (of sea) étude *f* hydrographique; 4) Geog, Geol (map) (of land) levé *m* topographique; (of sea) levé *m* hydrographique; 5) (rapid examination) (of crowd, faces, town, room) rapide examen *m*

B /sə'veɪ/ *vtr* 1) (investigate) gen faire une étude de [*market, prices, trends*]; (by questioning people) faire un sondage parmi [*people*]; faire un sondage sur [*opinions, intentions*]; 2) GB (in housebuying) faire une expertise de [*property, house*]; 3) Geog, Geol (inspect) faire l'étude topographique de [*area*]; faire l'étude hydrographique de [*sea*]; 4) gen (look at) contempler [*scene, picture, audience*]

survey course *n* US Univ cours *m* d'introduction

surveying /sə'veɪɪŋ/

A *n* 1) GB (in housebuying) expertise *f* (immobilière); 2) Geog, Geol (science) (for land) topographie *f*; (for sea) hydrographie *f*

B *modif* [*instrument*] (for land) d'arpentage; (for sea) d'hydrographie

surveyor /sə'veɪə(r)/ ▸ p. 1683 *n* 1) GB (in housebuying) expert *m* (en immobilier); 2) Geog, Geol (for map-making) topographe *mf*; (for industry, oil) ingénieur *m* topographique

survey ship *n* Naut bateau *m* de recherche hydrographique

survival /sə'vaɪvl/

A *n* 1) (act, condition) (of person, animal, plant) survie *f* (**of** de); (of custom, belief) survivance *f* (**of** de); **the ~ of the fittest** la survie des plus forts; 2) (remaining person, belief etc) vestige *m*

B *modif* [*kit, equipment, course, bag*] de survie

survive /sə'vaɪv/

A *vtr* 1) (live through) lit survivre à [*winter, operation, heart attack*]; réchapper de [*accident, fire, explosion*]; fig surmonter [*recession, crisis, divorce*]; [*government, politician*] survivre à [*vote*]; 2) (live longer than) survivre à [*person*]; **he is ~d by a son and a daughter** son fils et sa fille lui survivent; **to ~ sb by 10 years** survivre à qn de 10 ans

B *vi* lit, fig survivre; **to ~ on sth** vivre de qch; **to ~ on £20 a week** survivre avec 20 livres sterling par semaine; **I'll ~** je m'en tirerai

surviving /sə'vaɪvɪŋ/ *adj* survivant; **the longest ~ patient** le patient qui a vécu le plus longtemps

survivor /sə'vaɪvə(r)/ *n* 1) (of accident, attack etc) rescapé/-e *m/f*; 2) Jur survivant/-e *m/f*; 3) (resilient person) **to be a ~** avoir de la ressource

susceptibility /səˌseptə'bɪlətɪ/

A *n* 1) (vulnerability) (to flattery, pressure) sensibilité *f* (**to** à); (to disease) prédisposition *f* (**to** à); 2) (impressionability) impressionnabilité *f*

B **susceptibilities** *npl* susceptibilité *f*

susceptible /sə'septəbl/ *adj* 1) (vulnerable) (to cold, heat, flattery, pressure, persuasion) sensible (**to** à); (to disease) prédisposé (**to** à); 2) (impressionable) impressionnable; 3) sout **~ of** (amenable to) susceptible de

sushi /'suːʃɪ/ *n* Culin (+ *v sg*) sushi *m*

sus law○ /'sʌslɔː/ *n* GB *loi permettant d'appréhender tout vagabond suspecté de vouloir commettre un délit*

suspect

A /'sʌspekt/ *n* suspect/-e *m/f*

B /'sʌspekt/ *adj* [*claim, person, notion, vehicle*] suspect; [*practice*] douteux/-euse; [*item, valuable*] d'authenticité douteuse; [*foodstuff, ingredient, water, smell*] douteux/-euse

C /sə'spekt/ *vtr* 1) (believe) soupçonner [*murder, plot, sabotage, fraud*]; **to ~ that** penser que; **there is reason to ~ that...** il y a des raisons de penser que...; **we strongly ~ that...** nous avons de bonnes raisons de croire que...; **I ~ she didn't want to leave** je pense *or* j'ai le sentiment qu'elle ne voulait pas partir; **it isn't, I ~, a very difficult task** ce n'est pas, à mon avis, une tâche très difficile; 2) (doubt) douter de [*truth, validity, sincerity, motives*]; **she ~s nothing** elle ne se doute de rien; 3) (have under suspicion) soupçonner [*person, organization*] (**of** de); **she was ~ed of stealing money** elle était soupçonnée d'avoir volé de l'argent

D **suspected** *pp adj* (épith) [*sabotage, food-poisoning, pneumonia*] présumé; **a ~ed war criminal/terrorist** une personne soupçonnée de crimes de guerre/de terrorisme

suspend /sə'spend/ *vtr* 1) (hang) suspendre (**from** à); **to be ~ed in midair/time** être suspendu dans le vide/le temps; 2) (float) **to be ~ed in** [*balloon, feather*] flotter dans [*air*]; [*particles*] être en suspension dans [*gel*]; 3) (call off) suspendre [*talks, hostilities, aid, trade, trial*]; interrompre [*transport services, meeting*]; **to ~ play** Sport interrompre le match; 4) (reserve) réserver [*comment, judgment*]; **to ~ disbelief** accepter les invraisemblances; **to ~ (one's) judgment** réserver son jugement; 5) (remove from activities) suspendre [*employee, official*] (**from** de); suspendre [*footballer, athlete*] (**from** de); exclure [qn] temporairement [*pupil*] (**from** de); **to be ~ed from duty** être suspendu de ses fonctions; 6 Fin **to ~ shares** suspendre la cotation d'un titre; 7 Jur **her sentence was ~ed** elle a été condamnée avec sursis; **he was given an 18 month sentence ~ed for 12 months** il a été condamné à 18 mois de prison avec un an de sursis

suspended animation *n* lit engourdissement *m*; **to be in a state of ~** fig [*service, business*] végéter

suspended sentence *n* condamnation *f* avec sursis; **to give sb a two-year ~** condamner qn à deux ans de prison avec sursis

suspender belt *n* GB porte-jarretelles *m inv*

suspenders /səˈspendəz/ *npl* 1 GB (for stockings) jarretelles *fpl*; (for socks) fixe-chaussettes *mpl*; 2 US (for pants) bretelles *fpl*

suspense /səˈspens/ *n* 1 (tension) suspense *m*; **to wait in ~ for sth** attendre qch avec une vive impatience; **to break the ~** mettre fin au suspense; **to keep** *ou* **leave sb in ~** laisser qn dans l'expectative; **I'd prefer to keep them in ~** je préfère ménager mes effets; **the ~ is killing me!** je n'en peux plus d'attendre!; 2 Comm, Fin **to be/remain in ~** être/rester en suspens

suspense: **~ account** *n* compte *m* d'ordre; **~ drama**, **~ thriller** *n* film *m* à suspense

suspenseful /səˈspensfl/ *adj* plein de suspense

suspension /səˈspenʃn/ *n* 1 (postponement) (of meeting, trial, services) interruption *f*; (of talks, hostilities, payments, quotas) suspension *f*; **~ of play** Sport interruption *f*; 2 (temporary dismissal) (of employee) suspension *f* (**from** de); (of footballer, athlete) suspension *f* (**from** de); (of pupil) exclusion *f* temporaire (**from** de); **~ from duty** suspension de fonctions; **after her ~ from duty, she...** après avoir été suspendue de ses fonctions, elle...; **she wants to appeal against her ~** elle veut faire appel contre la mesure de suspension prise contre elle; 3 Aut suspension *f*; 4 Chem suspension *f*; **in ~** en suspension

suspension: **~ bridge** *n* pont *m* suspendu; **~ cable** *n* suspente *f*; **~ points** *npl* points *mpl* de suspension

suspensory /səˈspensərɪ/ *adj* [*muscle, ligament*] suspenseur; **~ bandage** suspensoir *m*

suspicion /səˈspɪʃn/ *n* 1 (mistrust) méfiance *f* (**of** de); **to view sb/sth with ~** se méfier de qn/qch; **to arouse ~** éveiller des soupçons; 2 (of guilt) **to be arrested on ~ of murder/theft** être arrêté sur présomption de meurtre/de vol; **he is under ~** il est considéré comme suspect; **to fall under ~** devenir l'objet de soupçons; **to be above ~** être à l'abri de tout soupçon; 3 (idea, feeling) **to have a ~ that** soupçonner que; **I have a strong ~ that she is lying** je suis presque sûr qu'elle ment; **to have ~s about sb/sth** avoir des doutes quant à qn/qch; **to share sb's ~s** partager les doutes de qn; **nobody knows who did it, although I have my ~s** personne ne sait qui l'a fait, bien que j'aie ma théorie *or* ma petite idée là-dessus; **his ~s that all was not well were confirmed** son pressentiment que tout n'allait pas pour le mieux s'est avéré juste; 4 fig (hint) soupçon *m*; **a ~ of garlic** un soupçon d'ail

suspicious /səˈspɪʃəs/ *adj* 1 (wary) méfiant; **to be ~ of** se méfier de [*person, motive, scheme*]; **to be ~ that...** soupçonner que...; **we became ~ when...** on a commencé à se douter que quelque chose n'allait pas *or* on a commencé à se poser des questions quand...; 2 (suspect) [*person, character, object, vehicle, incident, death, circumstances*] suspect; [*behaviour, activity*] louche; **it is/I find it ~ that...** c'est/je trouve suspect que (+ *subj*); **a ~-looking individual** un individu à l'air louche; **you should report anything ~** il faut signaler la moindre chose suspecte

suspiciously /səˈspɪʃəslɪ/ *adv* 1 (warily) [*say, ask, watch, stare, approach*] d'un air soupçonneux; 2 (oddly) [*behave, act*] de façon suspecte; [*quiet, heavy, keen*] étrangement; [*clean, tidy*] iron étonnamment; **it looks ~ like a plot** cela ressemble étrangement à un complot; **it sounded ~ like a heart attack to me** cela m'avait tout l'air d'être une crise cardiaque

suspiciousness /səˈspɪʃəsnɪs/ *n* méfiance (of à l'égard de)

suss○ /sʌs/ GB

A *vtr* résoudre; **to have it ~ed** avoir tout compris; **to have sb ~ed** avoir percé qn à jour

B **sussed** *pp adj* astucieux/-ieuse

(Phrasal verb) ■ **suss out**○: ▸ **~ [sth/sb] out, ~ out [sth/sb]** comprendre

sustain /səˈsteɪn/

A *vtr* 1 (maintain) maintenir [*interest, mood, growth, success, quality*]; poursuivre [*campaign, war, policy*]; 2 Mus soutenir, tenir [*note*]; 3 (provide strength) (physically) donner des forces à; (morally) soutenir; 4 (support) soutenir [*regime, economy, market, system*]; **to ~ life** rendre la vie possible; 5 (suffer) recevoir [*injury, blow, burn*]; éprouver [*loss*]; subir, essuyer [*defeat*]; **to ~ severe damage** subir d'importants dégâts; 6 (bear) supporter [*weight*]; 7 Jur (uphold) faire droit à [*claim*]; admettre [*objection*]; **objection ~ed!** objection accordée!

B **sustained** *pp adj* [*attack, criticism, development, effort*] soutenu; [*applause, period*] prolongé; [*note*] tenu

C **sustaining** *pres p adj* [*drink, meal*] nourrissant

sustainable /səˈsteɪnəbl/ *adj* 1 Ecol [*development, forestry*] durable; [*resource*] renouvelable; 2 Econ [*growth*] viable

sustained-release *adj* [*drug, vitamin*] à libération prolongée

sustaining pedal *n* Mus pédale *f* forte

sustenance /ˈsʌstɪnəns/ *n* 1 (nourishment) valeur *f* nutritive; **there isn't much ~ in those meals** ces repas ne sont pas très nutritifs; 2 (food) nourriture *f*; **to provide ~ for sb** [*foodstuff*] être une nourriture pour qn; **the slaughter of animals for ~** l'abattage des bêtes pour l'alimentation; **I need some ~!** hum j'ai besoin de me sustenter! hum; **spiritual ~** fig nourriture *f* spirituelle

suttee /sʌˈtiː, ˈsʌtɪ/ *n* Relig, Hist 1 (custom) sati *m*; 2 (widow) (veuve *f*) sati *f*

suture /ˈsuːtʃə(r)/ *n* suture *f*

SUV *n* Aut (*abrév* = **Sports Utility Vehicle**) SUV *m*

suzerain /ˈsuːzərən/ *n* suzerain/-e *m/f*

svelte /svelt/ *adj* svelte

SW *n* 1 ▸ **p. 1552** Geog (*abrév* = **southwest**) SO *m*; 2 Radio (*abrév* = **short wave**) OC *fpl*

swab /swɒb/

A *n* 1 Med (for cleaning) tampon *m*; 2 Med (specimen) prélèvement *m*; **to take a ~** faire un prélèvement; 3 (mop) serpillière *f*; Naut faubert *m*

B *vtr* (*p prés etc* **-bb-**) 1 Med nettoyer [qch] avec un tampon, tamponner [*wound*]; 2 Naut, gen (*also* **~ down**) laver [*deck, floor*]

swaddle /ˈswɒdl/ *vtr* 1 (in swaddling bands) emmailloter [*baby*]; 2 (wrap up) emmitoufler [*person, baby*] (**in** dans)

swaddling bands, **swaddling clothes** *npl* langes *mpl*

swag /swæg/

A *n* 1 †○(stolen property) butin *m*; 2 ○Austral baluchon *m*; 3 (on curtains) fronce *f*; 4 US = **swag lamp**

B *vtr* (*p prés etc* **-gg-**) froncer [*curtain*]

C **swagged** *pp adj* [*curtain*] à fronces

swagger /ˈswægə(r)/

A *n* démarche *f* arrogante; **with a ~** en se pavanant

B *vi* 1 (walk) se pavaner; **to ~ in/out** entrer/sortir en se pavanant; 2 (boast) fanfaronner (**about** à propos de)

C **swaggering** *pres p adj* arrogant

swagger: **~ cane** *n* GB Mil badine *f*; **~ coat** *n* manteau *m* court; **~ stick** *n* badine *f*

swag: **~ lamp** *n* US suspension *f*; **~man**○ *n* Austral vagabond *m*

Swahili /swəˈhiːlɪ/ ▸ **p. 1467, p. 1378** *n* 1 Ling swahili *m*; 2 (people) **the ~s** les Swahilis *mpl*

swain /sweɪn/ *n*‡ *ou* hum (admirer) soupirant *m*

swallow /ˈswɒləʊ/

A *n* 1 Zool hirondelle *f*; 2 (gulp) gorgée *f*; **in one ~** [*drink*] d'un trait, d'une seule gorgée; [*eat*] d'une seule bouchée

B *vtr* 1 (eat) avaler [*food, drink, pill*]; gober [*oyster*]; 2 (believe) avaler○ [*story, explanation*]; **I find that hard to ~** je trouve cela dur à avaler○; 3 (suffer) encaisser○ [*insult, sarcasm*]; ravaler [*pride, anger, disappointment*]; 4 fig (consume) = **swallow up**

C *vi* avaler; (nervously) avaler sa salive; **to ~ hard** avaler sa salive avec difficulté

(Idiom) **one ~ doesn't make a summer** Prov une hirondelle ne fait pas le printemps.

(Phrasal verbs) ■ **swallow back**: ▸ **~ back [sth], ~ [sth] back** ravaler [*bile, anger, vomit*]. ■ **swallow down**: ▸ **~ down [sth], ~ [sth] down** avaler [*drink, medicine, meal*]. ■ **swallow up**: ▸ **~ up [sth], ~ [sth] up** lit, fig engloutir [qch]; **to be ~ed up in the crowd** se noyer dans la foule; **I wanted the ground to ~ me up** j'avais envie de disparaître sous terre

swallow: **~ dive** *n* GB Sport saut *m* de l'ange; **~tail (butterfly)** *n* machaon *m*; **~tailed coat** *n* queue-de-pie *f*, habit *m* de soirée

swam /swæm/ *prét* ▸ **swim B, C**

swami /ˈswɑːmɪ/ *n* swami *mf*

swamp /swɒmp/

A *n* marais *m*, marécage *m*

B *vtr* inonder; **to be ~ed with** *ou* **by** être inondé de [*applications, mail*]; être débordé de [*work*]; être envahi par [*tourists*]

swamp buggy *n* voiture *f* amphibie

swampy /ˈswɒmpɪ/ *adj* marécageux/-euse

swan /swɒn/

A *n* cygne *m*

B ○*vi* (*p prés etc* **-nn-**) GB **to ~ around** *ou* **about** se pavaner; **to ~ in** arriver comme une fleur○; **she's ~ned off to a conference** elle est partie se la couler douce○ à un congrès

swan dive *n* saut *m* de l'ange

swank○ /swæŋk/

A *n* 1 (boastful behaviour) frime○ *f*; 2 GB (boastful person) frimeur/-euse○ *m/f*; 3 US (style) classe *f*

B *adj* US ▸ **swanky**

C *vi* frimer○

swanky○ /ˈswæŋkɪ/ *adj* 1 (posh) [*car, hotel*] rupin○, luxueux/-euse; 2 (boastful) [*person*] frimeur/-euse○, fanfaron/-onne

Swan Lake *n* le Lac *m* des cygnes

swan neck *n* Tech **with a ~** [*pipe*] en S

swan-necked *adj* [*person*] au cou de cygne

swannery /ˈswɒnərɪ/ *n* colonie *f* de cygnes

swan: **~sdown** *n* (feathers) duvet *m* de cygne; (fabric) molleton *m*; **~song** fig *n* chant *m* du cygne; **~-upping** *n* GB *recensement annuel des cygnes de la Tamise par marquage du bec*

swap○ /swɒp/

A *n* échange *m*

B *vtr* (*p prés etc* **-pp-**) échanger [*object, stories, news*]; **to ~ sth for sth/with sb** échanger qch contre qch/avec qn; **to ~ places (with sb)** changer de place (avec qn); **they have ~ped jobs/cars** ils ont échangé leurs postes/leurs voitures; **I'll ~ you A for B** je te donne A en échange de B

(Phrasal verbs) ■ **swap around**: ▸ **~ [sth] around, ~ around [sth]** permuter ■ **swap over** GB: ▸ **~ over** échanger;

S

▸ ~ [sth] over, ~ over [sth] permuter [*players, objects*]; échanger [*jobs*]

SWAPO /'swɒpəʊ/ *n* Pol (*abrév* = **South-West Africa People's Organization**) SWAPO *f*

sward /swɔ:d/ *n* Agric, liter gazon *m*

swarm /swɔ:m/

A *n* (of bees) essaim *m*; (of flies, locusts) nuée *f*; **a ~ of people, ~s of people** une masse de personnes

B *vi* **1** (move in swarm) [*bees*] essaimer; **2** [*people*] **to ~ into/out of** entrer/sortir en masse; **to ~ around sb/sth** se presser autour de qn/qch; **to be ~ing with** grouiller de [*ants, tourists*]; **3** (climb) **to ~ up** monter [qch] en vitesse [*cliff, hill*]

swarthy /'swɔ:ðɪ/ *adj* basané

swashbuckling /'swɒʃbʌklɪŋ/ *adj* [*adventure, tale*] de cape et d'épée; [*hero, appearance*] bravache

swastika /'swɒstɪkə/ *n* svastika *m*

swat /swɒt/

A *n* **1** (object) tapette *f* à mouches; **2** (action) tape *f*

B *vtr* (*p prés etc* **-tt-**) écraser [*fly, wasp*] (**with** avec)

SWAT /swɒt/ *n* (*also* **~ team**) (*abrév* = **Special Weapons and Tactics**) forces *fpl* de l'ordre, *cf* CRS *f*

swatch /swɒtʃ/ *n* (sample) échantillon *m*

swath(e) /swɔ:θ, sweɪð/ *n* **1** (band) (of grass, corn) andain *m*; (of land) bande *f*; **2** (cloth) drapé *m*

(Idiom) **to cut a ~ through** se frayer un chemin au milieu de [*obstacles, difficulties*]

swathe /sweɪð/ *vtr* envelopper (**in** dans); **~d in** enveloppé de [*bandages*]; emmitouflé dans [*blankets, clothes*]

sway /sweɪ/

A *n* **1** (of tower, bridge, train) oscillation *f*; (of boat) balancement *m*; **2** (power) **under the ~ of** sous la domination de; **to hold ~** avoir une grande influence; **to hold ~ over** dominer [*person, country*]

B *vtr* **1** (influence) influencer [*person, jury, voters*]; **to ~ sb in favour of doing** déterminer qn à faire; **to ~ the outcome in sb's favour** faire pencher la balance en faveur de qn; **she would not be ~ed** elle ne se laissait pas influencer; **I was almost ~ed by** j'ai failli être emporté par; **2** (rock) osciller [*trees, building*]; **to ~ one's hips** se déhancher; **to ~ one's body** se balancer

C *vi* [*tree, building, bridge*] osciller; [*vessel, carriage*] tanguer; [*robes*] flotter; [*person, body*] (from weakness, inebriation) chanceler; (to music) se balancer; **to ~ from side to side** [*person*] se balancer de droite à gauche; **to ~ along the path** avancer le long du chemin en chancelant

D swaying *pres p adj* [*building, train*] oscillant; **the ~ing palms/dancers** les palmiers/danseurs qui se balancent

swayback /'sweɪbæk/ *n* Equit dos *m* ensellé

Swazi /'swɑ:zɪ/ ▸ **p. 1467, p. 1378** *n* **1** Ling swazi *m*; **2** (people) **the ~s** les Swazis *mpl*

Swaziland /'swɑ:zɪlænd/ ▸ **p. 1096** *pr n* Swaziland *m*

swear /sweə(r)/ (*prét* **swore**, *pp* **sworn**)

A *vtr* **1** gen, Jur (promise) jurer [*loyalty, allegiance, revenge*]; **to ~ (an oath of) allegiance to** faire serment d'allégeance à; **I ~!, I ~ it!** fml je le jure!; **I ~ to God, I didn't know** je ne le savais pas, je le jure; **to ~ to do** jurer de faire; **to ~ (that)** jurer que; **he swore he'd never write again/never to write again** il a juré qu'il n'écrirait plus jamais/de ne plus jamais écrire; **I could have sworn she was there** j'aurais juré qu'elle y était; **to ~ to sb that** jurer à qn que; **I ~ by all that I hold dear that** je jure sur la tête de tous ceux que j'aime que; **to ~ blind (that)**○ jurer sur sa tête que; **2** (by solemn oath) **to ~ sb to secrecy** faire jurer le secret à qn; **she had been sworn to secrecy** on lui avait fait jurer le secret; **to be sworn to do** avoir prêté serment de faire; **to be sworn into office** prêter serment; **3** (curse) **'damn!' he swore** 'bon Dieu!' jura-t-il; **to ~ at** pester contre; **to be** *ou* **get sworn at** se faire injurier

B *vi* **1** (curse) jurer; **she swore loudly** elle a lâché un juron; **he never ~s** il ne dit jamais de gros mots; **to ~ in front of** dire de gros mots devant; **stop ~ing!** arrête de jurer!, ne sois pas si grossier!; **2** (attest) **to ~ to having done** jurer d'avoir fait; **would he ~ to having seen them?** est-ce qu'il pourrait jurer de les avoir vus?; **I wouldn't** *ou* **couldn't ~ to it** je n'en jurerais pas; **to ~ on** jurer sur [*Bible, honour*]

(Phrasal verbs) ■ **swear by**○: ▸ **~ by [sth/sb]** ne jurer que par [*remedy, electrician*]

■ **swear in**: ▸ **~ in [sb], ~ [sb] in** faire prêter serment à [*jury, witness*]; **to be sworn in** prêter serment

■ **swear off**: ▸ **~ off [sth]** renoncer à [*alcohol, smoking*]

■ **swear out** US Jur **to ~ out a warrant for sb's arrest** accuser qn sous serment pour obtenir un mandat d'arrêt

swearing /'sweərɪŋ/ *n* (words, curses) jurons *mpl*; **I'm sick of his ~** j'en ai marre○ de ses grossièretés *fpl*

swearing-in ceremony *n* cérémonie *f* d'investiture

swearword /'sweəwɜ:d/ *n* juron *m*, gros mot *m*

sweat /swet/

A *n* **1** (perspiration) sueur *f*; **to be in a ~** être en sueur; **to be covered in ~** être couvert de sueur; **to be dripping** *ou* **pouring with ~** être en nage; **to break out into a ~** se mettre à suer; **to work up a (good) ~** se prendre une bonne suée; **in a cold ~** lit dans une sueur froide; **to be in a cold ~ about sth** fig avoir des sueurs froides à l'idée de qch; **beads** *ou* **drops of ~** gouttes *fpl* de sueur; **night ~s** Med suées *fpl* nocturnes; **2** littér (hard work) labeur *m*; **by the ~ of his brow** à la sueur de son front; **3** ○(old soldier) vieux *m* de la vieille○

B sweats *npl* US survêtement *m*

C *vtr* **1** Culin faire suer [*vegetables*]; **2** ○(interrogate) cuisiner○ [*suspect*]

D *vi* **1** lit [*person, animal*] suer; [*hands, feet*] transpirer; [*cheese*] transpirer; **the ~ing horses/runners** les chevaux/coureurs en sueur; **2** ○fig (wait anxiously) **to let** *ou* **make sb ~** laisser mariner○ qn

(Idioms) **no ~**○**!** pas de problème!; **to be/get in a ~**○ être/se mettre dans tous ses états; **to ~ blood over sth** suer sang et eau sur qch

(Phrasal verbs) ■ **sweat off**: ▸ **~ [sth] off, ~ off [sth]** perdre [qch] à force de transpirer [*calories, weight*]

■ **sweat out**: **to ~ it out** **1** lit, Med se faire transpirer beaucoup pour faire tomber la fièvre; **2** ○fig s'armer de patience

■ **sweat over**○: **~ over [sth]** en suer○ pour faire [*homework, task*]; en suer○ pour écrire [*letter, essay*]

sweat: **~band** *n* Sport bandeau *m*; (on hat) cuir *m* intérieur; **~ bath** *n* bain *m* de sueur; **~ duct** *n* conduit *m* sudorifère; **~ed goods** *npl* produits *mpl* fabriqués par une main-d'œuvre exploitée; **~ed labour** *n* main-d'œuvre *f* exploitée

sweater /'swetə(r)/ ▸ **p. 1694** *n* (pullover) pull *m*; (any knitted top) lainage *m*

sweat: **~ gland** *n* glande *f* sudoripare; **~ pants** *npl* pantalon *m* de survêtement; **~shirt** *n* sweatshirt *m*; **~shop** *n* atelier *m* où on exploite le personnel; **~-soaked** *adj* trempé de sueur; **~-stained** *adj* maculé de sueur; **~suit** *n* survêtement *m*

sweaty /'swetɪ/ *adj* **1** (sweat-stained) [*person*] en sueur; [*hand, palm*] moite; [*foot*] qui transpire; [*clothing*] couvert de sueur; [*cheese*] qui transpire; **2** (hot) [*atmosphere*] étouffant; [*place, climate*] moite; [*clothing*] qui fait transpirer; [*climb, work*] laborieux/-ieuse

swede /swi:d/ *n* GB rutabaga *m*

Swede /swi:d/ ▸ **p. 1467** *n* Suédois/-e *m/f*

Sweden /'swi:dn/ ▸ **p. 1096** *pr n* Suède *f*

Swedish /'swi:dɪʃ/ ▸ **p. 1467, p. 1378**

A *n* **1** Ling suédois *m*; **2** (people) **the ~** les Suédois *mpl*

B *adj* suédois

sweep /swi:p/

A *n* **1** (*also* **~ out**) coup *m* de balai; **to give sth a (good/quick) ~** donner un (bon/petit) coup de balai à qch

2 (movement) **with a ~ of the scythe/the paintbrush** d'un coup de faux/de pinceau; **with a ~ of his arm** d'un grand geste du bras; **to make a wide ~ south to avoid the mountains** faire un grand crochet vers le sud pour éviter les montagnes

3 (tract, stretch) (of land, woods, hills, cliffs) étendue *f*; (of lawn) surface *f*; (of fabric) drapé *m*

4 (scope, range) (of events, history, novel, country) ampleur *f*; (of opinion) éventail *m*; (of telescope, gun) champ *m*; **the broad ~ of left-wing opinion** le large éventail d'opinions qui composent la gauche

5 (search) (on land) exploration *f*, fouille *f*; (by air) survol *m*; (attack) sortie *f*; (to capture) ratissage *m*; **to make a ~ of** (search) (on land) explorer, fouiller; (by air) survoler; (to capture) ratisser; **a ~ for bugs** une fouille à la recherche de micros; **a ~ for mines** un dragage des mines

6 (*also* **chimney ~**) ramoneur *m*

7 (of electron beam) balayage *m*

8 = **sweepstake**

B *vtr* (*prét, pp* **swept**) **1** (clean) balayer [*floor, room, path*]; ramoner [*chimney*]; **to ~ the carpet** (with vacuum cleaner) passer l'aspirateur (sur le tapis); **to ~ a channel clear** dégager un chenal; **to ~ sth free of mines** déminer qch

2 (clear away, remove with brush) **to ~ sth up** *ou* **away** balayer [*dust, leaves, glass*]; **to ~ leaves into a corner/a heap** balayer des feuilles et les pousser dans un coin/et en faire un tas; **to ~ the crumbs onto the floor** balayer les miettes sur le sol; **to ~ the crumbs off a table** ramasser les miettes d'une table

3 (move, push) **to ~ sth off the table** faire tomber qch de la table (d'un grand geste de la main); **to ~ sb into one's arms** prendre qn dans ses bras; **to ~ sb off his/her feet** [*sea, wave*] emporter qn, faire perdre pied à qn; fig (romantically) faire perdre la tête à qn; **to ~ sb overboard/out to sea** entraîner qn par-dessus bord/vers le large; **to be swept over a waterfall** être entraîné dans une chute d'eau; **a wave of nationalism which ~s all before it** une vague de nationalisme qui balaye tout devant elle; **a wave of public euphoria swept him into office** une vague d'euphorie générale l'a amené à ses fonctions; **to be swept into power** être porté au pouvoir avec une majorité écrasante

4 (spread through) [*disease, crime, panic, fashion, craze*] déferler sur; [*storm, fire*] ravager; [*rumour*] se répandre dans; **cold winds are ~ing the country** des vents froids balayent le pays; **the party swept the country** Pol le parti a remporté un immense succès dans le pays

5 (search, survey) [*beam, searchlight*] balayer; [*person*] parcourir [qch] des yeux; Mil [*vessel, submarine*] sillonner; [*police*] ratisser (**for** à la recherche de); **to ~ sth for mines** déminer qch; **to ~ sth for bugs** fouiller qch à la recherche de micros

C *vi* (*prét, pp* **swept**) **1** (clean) = **sweep up**

2 lit, fig (move with sweeping motion) **to ~ in/out** (quickly) entrer/sortir rapidement; (majestically) entrer/sortir majestueusement; **the plane swept (down) low over the fields** l'avion survolait les champs à basse altitude; **the wind swept in from the east** le vent soufflait de l'est; **to ~ into** [*person*] entrer majestueusement dans [*room*]; [*invaders, enemy*] envahir [*region*]; **to ~ (in)to power** Pol être porté au pouvoir (avec une majorité écrasante); **to**

~ **to victory** remporter une victoire écrasante; **to ~ through** [*disease, crime, panic, fashion, craze, change, democracy*] déferler sur; [*fire, storm*] ravager; [*rumour*] se répandre dans; **to ~ over** [*beam, searchlight*] balayer; [*gaze*] parcourir; **fear/pain swept over him** la peur/la douleur l'a envahi; **the feeling swept over me that** j'ai été pris de la sensation que
3 (extend) **the road ~s north/around the lake** la route décrit une large courbe vers le nord/autour du lac; **the river ~s north/around the town** la rivière continue vers le nord/contourne la ville en décrivant une large boucle; **the mountains ~ down to the sea** les montagnes descendent majestueusement jusqu'à la mer; **a flight of steps ~s up to the entrance** un perron majestueux mène à l'entrée

(Idiom) **to ~ sth under the carpet** GB *ou* **rug** US escamoter qch, occulter qch

(Phrasal verbs) ■ **sweep along**: ▸ ~ **[sb/sth] along** [*current, water*] entraîner ; **to be swept along by** être emporté par [*crowd*]; être entraîné par [*public opinion*]
■ **sweep aside**: ▸ ~ **[sb/sth] aside,** ~ **aside [sb/sth]** lit, fig écarter [*person, objection, protest*]; repousser [*offer*]; balayer [*inhibition*]
■ **sweep away**: ▸ ~ **[sb/sth] away,** ~ **away [sb/sth]** 1 lit [*river, flood*] emporter [*person, bridge*]; 2 fig éliminer, faire disparaître [*restrictions, limits*]; balayer [*obstacle, difficulty*]; **to be swept away by** se laisser entraîner par [*enthusiasm, optimism*]; être emporté par [*passion*]
■ **sweep out**: ▸ ~ **[sth] out,** ~ **out [sth]** balayer [*room, garage*]
■ **sweep up**: ▸ ~ **up** balayer; ▸ ~ **up [sth],** ~ **[sth] up** 1 (with broom) balayer [*leaves, litter*]; 2 (with arms) ramasser [qch] d'un geste large; 3 fig **to be swept up in** être entraîné dans [*revolution*]; être entraîné par [*wave of nationalism, of enthusiasm*]

sweepback /'swi:pbæk/ *n* Aviat flèche *f*

sweeper /'swi:pə(r)/ *n* 1 (cleaner) (person) balayeur/-euse *m/f*; (machine) balayeuse *f*; 2 Sport libero *m*

sweeper system *n* Sport tactique *f* 1-4-2-3

sweep hand *n* (on clock) trotteuse *f*

sweeping /'swi:pɪŋ/
A **sweepings** *npl* balayures *fpl*
B *adj* 1 (wide, far reaching) [*change, reform, review*] radical; [*legislation, power*] d'une portée considérable; [*cut, reduction*] considérable; [*victory*] éclatant; ~ **gains/losses** Pol une progression/un recul considérable; 2 (overgeneral) [*assertion*] péremptoire; [*statement*] trop général; ~ **generalization** généralisation *f* à l'emporte-pièce; 3 [*movement, gesture, curve*] large; [*bow, curtsy*] profond; [*glance*] circulaire; [*skirt*] qui balaie le sol

sweepstake /'swi:psteɪk/ *n* sweepstake *m*

sweet /swi:t/
A *n* 1 GB (candy) bonbon *m*; (dessert) dessert *m*; 2 ○ (term of endearment) chou *m*, ange *m*
B *adj* 1 lit [*food, tea*] sucré; [*fruit*] (not bitter) doux/douce; (sugary) sucré; [*wine, cider*] (not dry) doux/douce; (sugary) sucré; [*taste*] sucré; [*scent, perfume*] (pleasant) doux/douce; (sickly) écœurant; **to like ~ things** aimer tout ce qui est sucré; **to have a ~ tooth** aimer les sucreries; 2 (kind, agreeable) [*person*] gentil/-ille; [*nature*] sympathique; [*face, smile, voice*] doux/douce; **to be ~ to** être gentil avec; **it was ~ of him/you to do** c'était gentil de sa/ta part de faire; 3 (pure, fresh) [*water, breath, smell*] bon/bonne; [*sound, song, note*] mélodieux/-ieuse; 4 (pretty, cute) [*baby, animal, cottage*] mignon/-onne; [*old person*] adorable; 5 (pleasurable) [*certainty, hope, solace*] doux/douce; 6 iron (for emphasis) **to go one's own ~ way** agir comme ça lui/leur plaît; **he'll do it in his own ~ time** il le fera quand ça lui plaira; **all he cares about is his own ~ self** tout ce qui le préoccupe c'est sa petite personne
C *adv* **to taste ~** avoir un goût sucré; **to smell ~** sentir bon

(Idioms) ~ **f. a.**◐, ~ **Fanny Adams**◐ que dalle◐, rien; **to be ~ on sb†** avoir le béguin○ pour qn; **to keep sb ~** amadouer qn; **to whisper ~ nothings into sb's ear** susurrer des douceurs à l'oreille de qn

sweet: **~-and-sour** *adj* aigre-doux/-douce; **~ basil** *n* basilic *m*; **~bread** *n* (of veal) ris *m* de veau; (of lamb) ris *m* d'agneau; **~briar, ~brier** *n* églantier *m*

sweet chestnut *n* 1 (nut) châtaigne *f*, marron *m*; 2 (tree) châtaignier *m*

sweet: **~corn** *n* maïs *m*; **~ course** *n* GB dessert *m*

sweeten /'swi:tn/ *vtr* 1 sucrer [*food, drink*] (**with** avec); **~ed with** sucré à; 2 parfumer [*air, room*]; 3 Comm rendre [qch] plus tentant [*offer, deal*]; 4 = **sweeten up**

(Phrasal verb) ■ **sweeten up**: ▸ ~ **[sb] up,** ~ **up [sb]** amadouer [*person*]

sweetener /'swi:tnə(r)/ *n* 1 lit édulcorant *m*; 2 Comm, Fin (legal) incitation *f*; (illegal) pot-de-vin○ *m*

sweetening /'swi:tnɪŋ/ *n, modif* édulcorant (*m*)

sweet factory *n* GB confiserie *f*

sweetheart /'swi:thɑ:t/ *n* (boyfriend) petit ami *m*; (girlfriend) petite amie *f*; **to be a real ~** être un ange; **hello ~** bonjour mon ange; **childhood ~** amour *m* d'enfance

sweetie○ /'swi:tɪ/ *n* 1 GB (to eat) bonbon *m*; 2 (person) ange *m*; **hello ~** bonjour mon ange

sweetly /'swi:tlɪ/ *adv* [*say, smile*] gentiment; [*sing*] d'une voix mélodieuse; [*dressed, decorated*] joliment; **the engine's running ~** le moteur tourne rond○

sweet: **~ marjoram** *n* marjolaine *f*; **~meal** *adj* GB [*biscuit*] ≈ à la farine non blutée; **~meat†** *n* sucrerie *f*; **~-natured** *adj* ▸ **sweet-tempered**

sweetness /'swi:tnɪs/ *n* 1 (sugary taste) (of food, drink) goût *m* sucré; 2 (pleasantness, charm) (of air, perfume, smile) douceur *f*; (of sound) harmonie *f*; (of music, voice) son *m* mélodieux; (of person, character) gentillesse *f*

(Idioms) **to be all ~ and light** [*person*] être tout conciliant; **it hasn't been all ~ and light recently** tout n'a pas été rose récemment

sweet: **~ pea** *n* pois *m* de senteur; **~ potato** *n* patate *f* douce; **~ shop** ▸ **p. 1683** *n* GB confiserie *f*; **~-smelling** *adj* parfumé

sweet-talk○ /'swi:ttɔ:k/
A *n* baratin○ *m*
B *vtr* baratiner○; **to ~ sb into doing** baratiner○ qn pour lui faire faire

sweet: **~-tempered** *adj* [*person*] doux/douce; **~ trolley** *n* GB chariot *m* des desserts; **~ william** *n* œillet *m* de poète

swell /swel/
A *n* 1 (of waves) houle *f*; **a heavy ~** une forte houle; 2 Mus crescendo *m* et diminuendo *m*; 3 (of organ) boîte *f* expressive; 4 †○ (fashionable person) personne *f* huppée○; **the ~s** (+ *v pl*) le grand monde; 5 (bulge) (of belly) rondeur *f*; (of chest) largeur *f*; (of muscles) grosseur *f*
B ○*adj* US 1 (smart) [*car, outfit*] classe○ (*inv*); [*restaurant*] chic (*inv*); **to look ~** faire chic (*inv*); 2 (great) formidable; **he's a ~ guy** c'est un type formidable; **we had a ~ time** on s'est bien amusés
C *vtr* (*prét* **swelled**; *pp* **swollen** *ou* **swelled**) 1 (increase) gonfler [*population, crowd*]; augmenter [*membership, number*]; gonfler [*bank balance, figures, funds, total*]; **students ~ed the ranks of the demonstrators** les étudiants ont gonflé les rangs des manifestants; 2 (fill) [*wind*] gonfler [*sail*]; [*floodwater*] grossir [*river*]
D *vi* (*prét* **swelled**; *pp* **swollen** *ou* **swelled**) 1 (expand) [*balloon, bud, fruit, tyre, sail, stomach*] se gonfler; [*dried fruit, wood*] gonfler; [*ankle, gland*] enfler; [*river*] grossir; **her heart ~ed with pride** elle était gonflée d'orgueil; 2 (increase) [*crowd, population, membership*] s'accroître; [*demand, prices*] augmenter (**to** jusqu'à); **to ~ to 20,000** [*total*] atteindre 20 000; [*crowd, number of people*] atteindre 20000 personnes; 3 (grow louder) [*music*] devenir plus fort; [*note, sound*] monter; **the cheers ~ed to a roar** les applaudissements sont devenus des clameurs; 4 (ooze) [*blood, liquid*] s'écouler (**from, out of** de)

(Idioms) **to have a swollen head**○ avoir la grosse tête○; **you'll make his head ~** il va avoir la grosse tête

(Phrasal verbs) ■ **swell out**: ▸ ~ **[sth] out,** ~ **out [sth]** [*wind*] gonfler [*sails*]
■ **swell up** [*ankle, finger*] enfler

swell: **~ box** *n* Mus boîte *f* expressive; **~head**○ *n* US prétentieux/-ieuse *m/f*; **~ headed**○ *adj* US prétentieux/-ieuse

swelling /'swelɪŋ/
A *n* 1 ₵ (bump) gen enflure *f*; (on head) bosse *f*; **I have a ~ on my ankle** j'ai la cheville enflée; 2 ₵ (enlarging) (of limb, skin) enflure *f*; (of fruit) grossissement *m*; (of sails) gonflement *m*; (of crowd, population) accroissement *m*
B *adj* [*river*] en crue; [*crowd, minority, number*] croissant; **a ~ tide** fig une poussée; **the ~ sound** *ou* **note of the horns** le crescendo des cors

swelter○ /'sweltə(r)/ *vi* étouffer de chaleur

sweltering○ /'sweltərɪŋ/ *adj* [*conditions*] accablant; [*day, heat, climate*] torride; **it's ~ in here** on étouffe ici

swept /swept/ *prét, pp* ▸ **sweep B, C**

swept: **~-back** *adj* [*hair*] coiffé en arrière; Aviat [*wing*] en flèche; **~-wing** *adj* [*aircraft*] à aile en flèche

swerve /swɜ:v/
A *n* écart *m*
B *vtr* [*driver*] faire faire un écart à [*vehicle*]
C *vi* 1 lit [*person, vehicle*] faire un écart; **to ~ around sb/sth** faire un écart pour éviter qn/qch; **to ~ into sth** aller s'écraser contre qch; **to ~ off the road** sortir de la route; 2 fig **to ~ from** s'écarter de [*plan, course of action*]

swift /swɪft/
A *n* Zool martinet *m*
B *adj* 1 rapide, prompt; **to be ~ to do/in doing** être prompt à faire; **to have a ~ half**○ GB boire un verre en vitesse; 2 ○US (shrewd) malin/-igne

swiftly /'swɪftlɪ/ *adv* rapidement, vite

swiftness /'swɪftnɪs/ *n* (of change, movement) rapidité *f*; (of answer, response) promptitude *f*

swig○ /swɪg/
A *n* gorgée *f* (**of** de)
B *vtr* (*p prés etc* **-gg-**) descendre○, boire à grands traits

(Phrasal verb) ■ **swig down, swig back**: ▸ ~ **[sth] down,** ~ **down [sth]** avaler [qch] d'un trait, descendre○

swill /swɪl/
A *n* 1 (food) pâtée *f* (des porcs); 2 (act of swilling) lavage *m*
B ○*vtr* (drink) écluser○, boire

(Phrasal verbs) ■ **swill around, swill about** [*liquid*] se répandre
■ **swill down**: ▸ ~ **[sth] down,** ~ **down [sth]** 1 ○(drink) descendre○, avaler; 2 (wash) laver [qch] à grande eau

swim /swɪm/
A *n* baignade *f*; **to go for a ~** aller se baigner; **we had a lovely ~** nous nous sommes bien baignés; **to have another ~** retourner se baigner; **a good ~ by Evans** Sport une bonne performance de la part d'Evans
B *vtr* (*p prés* **-mm-**; *prét* **swam**; *pp* **swum**) nager [*mile, length, stroke*]; traverser [qch] à la nage [*Channel, river*]; faire [qch] à la nage [*race*]; **the race is swum over 10 lengths** la course se fait sur 10 longueurs
C *vi* (*p prés* **-mm-**; *prét* **swam**; *pp* **swum**) 1 [*person, fish, animal*] nager (**in** dans; **out to**

vers, jusqu'à); **she can ~** elle sait nager; **to ~ on one's back** nager sur le dos; **to ~ across sth** traverser qch à la nage; **to ~ away** s'éloigner à la nage; **to ~ in the team** faire partie de l'équipe de natation; **2** (be floating, bathed) **to be ~ming in** nager *or* baigner dans [*cream, syrup, sauce*]; **the kitchen was ~ming in water** la cuisine était inondée; **her eyes were ~ming in** *ou* **with tears** ses yeux étaient baignés de larmes; **3** (wobble) [*scene, room, head*] tourner; [*mirage*] flotter; **my head is ~ming** j'ai la tête qui tourne

(Idioms) **to be in the ~** être dans le coup○; **sink or ~** marche ou crève○; **to leave sb to sink or ~** laisser qn se débrouiller tout seul

swim bladder *n* vessie *f* natatoire

swimmer /'swɪmə(r)/ *n* nageur/-euse *m/f*; **a strong ~** un bon nageur/une bonne nageuse; **a poor ~** un nageur inexpérimenté

swimming /'swɪmɪŋ/ ▸ p. 1253

A *n* natation *f*; **I love ~** j'adore la natation; **to go ~** (in sea, river) aller se baigner; (in pool) aller à la piscine

B *modif* [*contest, gala, lessons, course*] de natation

swimming: **~ baths** *npl* piscine *f*; **~ cap** *n* GB bonnet *m* de bain; **~ costume** *n* GB maillot *m* de bain; **~ instructor** ▸ p. 1683 *n* maître-nageur *m*

swimmingly† /'swɪmɪŋlɪ/ *adv* à merveille

swimming pool *n* piscine *f*

swimming trunks *npl* slip *m* de bain; **a pair of ~** un slip de bain

swimsuit /'swɪmsu:t, -sju:t/ *n* maillot *m* de bain

swindle /'swɪndl/

A *n* escroquerie *f*; **a tax ~** une fraude fiscale

B *vtr* escroquer; **to ~ sb out of sth** soutirer *or* escroquer qch à qn

swindler /'swɪndlə(r)/ *n* escroc *m*

swine /swaɪn/ *n* **1** (pig) (*pl* **~**) porc *m*; **2** ◑péj (*pl* **~s**) salaud◑ *m*

(Idiom) **to cast pearls before ~** jeter des perles aux pourceaux, donner de la confiture aux cochons○

swineherd /'swaɪnhɜ:d/ *n* porcher/-ère *m/f*

swing /swɪŋ/

A *n* **1** (action, movement) (of pendulum, pointer, needle) oscillation *f*; (of hips, body) balancement *m*; (in golf) swing *m*; (in boxing) swing *m*, coup *m* de poing; **to aim** *ou* **take a ~ at** (with fist) essayer de donner un coup de poing à [*person, head, stomach*]; **to take a ~ at sb with an iron bar** essayer de frapper qn avec une barre de fer; **to take a wild ~ at the ball** faire un mouvement désespéré pour frapper la balle

2 (fluctuation, change) (in voting, public opinion) revirement *m* (**in** de); (in prices, values, economy) fluctuation *f* (**in** de); (in business activity) variation *f* (**in** de) ; (in mood) saute *f* (**in** de); **a ~ to the left/right** Pol un revirement vers la gauche/la droite; **a 10% ~** Pol une variation de 10% (**to** en faveur de); **market ~s** les fluctuations du marché; **a ~ away from/towards** (in opinions) un mouvement contre/vers; (in behaviour, buying habits) un rejet de/retour vers [*method, product*]; **there has been a ~ to the left in the party** on a observé un mouvement vers la gauche chez les membres du parti; **a ~ away from/towards religion** un rejet de/un retour vers la religion; **to get a far bigger ~ than the polls predicted** avoir un nombre de voix nettement supérieur à celui prédit par les sondages

3 (in playground, garden) balançoire *f*; **to give sb a ~** pousser qn sur une balançoire *f*

4 Mus swing *m*

5 (drive, rhythm) (of music, dance) rythme *m*

B *modif* Mus [*band*] de swing; [*era*] du swing

C *vtr* (*prét, pp* **swung**) **1** (move to and fro) balancer [*object*]; **to ~ one's arms/legs** balancer les bras/les jambes; **to ~ a bucket from the end of a rope** balancer un seau au bout d'une corde

2 (move around, up, away) **to ~ sb onto the ground** poser qn sur le sol (d'un geste vif); **to ~ a bag onto one's back** mettre un sac sur son dos (d'un geste vif); **he swung the child into the saddle** d'un geste vif il a mis l'enfant en selle; **to ~ a child around and around** faire tournoyer un enfant; **he swung the car around** il a fait demi-tour; **to ~ a car around a corner** tourner brusquement à un coin de rue; **she swung him around to face her** elle l'a fait se retourner pour qu'il lui fasse face; **he swung his chair around** il a retourné sa chaise; **she swung the telescope through 180°** elle a fait pivoter le télescope de 180°; **to ~ one's bat at the ball** faire un mouvement de sa batte pour frapper la balle

3 (cause to change) **to ~ a match/a trial sb's way** *ou* **in sb's favour** faire basculer un match/un procès en faveur de qn; **to ~ the voters** [*speech, incident*] faire changer les électeurs d'opinion (**towards** en faveur de; **away from** contre)

4 ○(cause to succeed) remporter [*election, match*]; **to ~ a deal** emporter une affaire; **can you ~ it for me?** tu peux arranger ça pour moi?; **to ~ it for sb to do** s'arranger pour que qn fasse

D *vi* (*prét, pp* **swung**) **1** (move to and fro) [*object, rope*] se balancer; [*pendulum*] osciller; **she sat on the branch with her legs ~ing** elle était assise sur la branche et balançait ses jambes; **to ~ on the gate** se balancer sur le portillon; **to ~ by one's hands from** se suspendre *or* se balancer à; **to leave sth ~ing from** laisser qch suspendu à; Naut **to ~ at anchor** se balancer sur son ancre

2 (move along, around) **to ~ from branch to branch** se balancer de branche en branche; **to ~ onto the ground** (with rope) s'élancer sur le sol; **to ~ along a rope (hand over hand)** avancer en se suspendant à la corde; **to ~ up into the saddle** se mettre en selle d'un geste vif; **to ~ back to zero** [*needle*] revenir brusquement vers le zéro; **to ~ open/shut** s'ouvrir/se fermer; **the car swung into the drive** la voiture s'est engagée dans l'allée; **the camera swung to the actor's face** la caméra s'est tournée brusquement vers le visage de l'acteur; **to ~ around** [*person*] se retourner (brusquement); **to ~ around in one's chair** pivoter sur sa chaise; **the road ~s around the mountain/towards the east** la route contourne la montagne/continue vers l'est; **the army swung towards the east** l'armée a dévié vers l'est; **the regiment swung along the street** le régiment s'avançait dans la rue d'un pas rythmé

3 **to ~ at** (with fist) lancer un coup de poing à; **to ~ at the ball** faire un grand mouvement pour frapper la balle

4 fig (change) **to ~ from optimism to despair** passer de l'optimisme au désespoir; **the party swung towards the left** le parti basculait vers la gauche; **the mood of the voters has swung towards** l'état d'esprit des électeurs a connu un revirement en faveur de; **opinion swung between indifference and condemnation** l'opinion hésitait entre l'indifférence et le blâme

5 [*music, musician*] avoir du rythme

6 ○(be lively) **a club which really ~s** une boîte qui est vraiment branchée○; **the party was ~ing** la soirée marchait du tonnerre○

7 ○ *ou* † **to ~ for** lit (be hanged) être pendu pour; **the boss will make sure I ~ for that!** fig le patron va me le faire payer!

(Idioms) **to go with a ~**○ [*party*] marcher du tonnerre○; **to get into the ~ of things**○ se mettre dans le bain○; **they soon got into the ~ of the competition**○ ils sont vite entrés dans l'esprit de la compétition; **to be in full ~** [*party, meeting, strike, inquiry*] battre son plein○

swing: **~bin** *n* poubelle *f* à couvercle basculant; **~boat** *n* balançoire *f* (*en forme de bateau*); **~bridge** *n* pont *m* tournant; **~ door** GB, **~ing door** US *n* porte *f* battante

swingeing /'swɪndʒɪŋ/ *adj* [*cuts, increases, sanctions*] drastique; [*attack*] violent

swinger†○ /'swɪŋə(r)/ *n* **to be a ~** (trendy) être branché○; **an ageing ~** péj un ringard○

swinging /'swɪŋɪŋ/ *adj* [*music, step*] rythmé; [*band, musician*] qui swingue (*after n*); [*rhythm*] entraînant; [*place, nightlife*] branché○; **the ~ sixties** les années soixante

swingometer /,swɪŋ'ɒmɪtə(r)/ *n* indicateur *m* de tendances

swing: **~ shift** *n* US roulement *m* d'une équipe de travailleurs (*entre 16 h et minuit*); **~ wing** *n* Aviat aile *f* à flèche variable

swipe /swaɪp/

A *n* **to take a ~ at** (try to hit) essayer de frapper [*ball, person*]; (criticize) attaquer [*person, government*]

B *vtr* **1** ○(steal) piquer○, voler; **2** (validate) passer [qch] dans un lecteur de carte magnétique [*credit card, ID card*]

C *vi* **to ~ at** **1** (try to hit) essayer de frapper [*person, object*]; **2** (criticize) attaquer [*person, government*]

swirl /swɜ:l/

A *n* **1** (shape) tourbillon *m* (**of** de); **2** (action) tournoiement *m*

B *vi* [*water*] tourbillonner; [*skirt, snow, fog*] tournoyer, tourbillonner

C **swirling** *pres p adj* [*skirt, snow, fog*] tournoyant, tourbillonnant; [*water*] tourbillonnant; [*pattern*] ondoyant

swish /swɪʃ/

A *n* onomat (of water, skirt, grass) bruissement *m*; (of whip, golf club, racket) sifflement *m*

B ○*adj* chic

C *vtr* **1** [*person*] faire siffler [*whip, cane, golf club*]; **2** [*person, wind*] faire bruire [*skirt, branch, long grass*]

D *vi* **1** [*skirt, curtain, fabric*] bruire; **2** [*sword, whip, racket*] siffler; **to ~ through the air** siffler dans l'air

swishy○ /'swɪʃɪ/ *adj* = **swish B**

Swiss ➡ /swɪs/ ▸ **p. 1467**

A *n* Suisse/-esse *m/f*

B *adj* suisse

Swiss: **~ Alps** *n* Alpes *fpl* suisses; **~ Army knife** *n* couteau *m* suisse; **~ bank account** *n* compte *m* en Suisse; **~ chard** *n* bette *f*; **~ cheese** *n* gruyère *m*, emmenthal *m*; **~ French** ▸ **p. 1467**, ▸ **p. 1378** *adj* suisse français, suisse romand

Swiss German ▸ **p. 1467, p. 1378**

A *n* **1** (person) Suisse allemand/-e *m/f*; **2** (language) suisse *m* allemand

B *adj* suisse allemand

Swiss: **~ Guard** *n* (corps) garde *f* suisse; (person) garde *m* suisse; **~ Italian** ▸ **p. 1467, p. 1378** *adj* suisse italien/-ienne; **~ roll** *n* GB gâteau *m* roulé; **~ steak** *n* US *steak, bifteck fariné et braisé*

switch /swɪtʃ/

A *n* **1** (change) (in weather, policy, behaviour, method, practice, allegiance) changement *m* (**in** de); **the ~ (away) from gas to electricity** le passage du gaz à l'électricité; **a ~ to the Conservatives** un glissement en faveur des conservateurs

2 Elec (for light) interrupteur *m*; (on radio, appliance) bouton *m*; **on/off ~** interrupteur *m* marche-arrêt; **ignition ~** Aut démarreur *m*; **the ~ is on/off** c'est allumé/éteint

3 US Rail (points) aiguillage *m*; (siding) voie *f* de garage

4 (stick, whip) badine *f*; **(riding) ~** cravache *f*

5 (hairpiece) postiche *m*

B *vtr* **1** (change) reporter [*support, attention*] (**to** sur); transférer [*bank account*] (**to** dans); **to ~ brands/parties/flights** changer de marque/parti/vol; **to ~ lanes** Aut changer de voie; **to ~ the conversation to another topic** changer de sujet de conversation; **the organization has ~ed its support from amateurs to professionals** l'organisation a reporté son soutien des amateurs aux professionnels;

➡ *see* Varieties of French

S

🛈 Swiss cantons

■ *All names of cantons are masculine, and the definite article is normally used:*

Ticino
= le Tessin

Valais
= le Valais

Graubünden
= les Grisons

So:

I like Ticino
= j'aime le Tessin

the Valais is beautiful
= le Valais est beau

do you know Graubünden?
= connaissez-vous les Grisons?

■ *Many cantons have names which are also names of towns. If you are not sure of the name in French,* le canton de X *is usually safe, and in some cases this is the only form available, as, for instance,* le canton de Vaud *(because* le Vaud *sounds like* le veau *= the calf). Similarly it is usual to say* le canton de Lucerne, le canton de Berne, le canton de Fribourg *to distinguish them from the towns bearing those names).*

In, to and from somewhere

■ *For* in *and* to, *use* dans le *or* dans les, *and for* from *use* du *or* des:

to live in the Valais
= vivre dans le Valais

to go to the Valais
= aller dans le Valais

to come from the Valais
= venir du Valais

to live in Graubünden
= vivre dans les Grisons

to go to Graubünden
= aller dans les Grisons

to come from Graubünden
= venir des Grisons

to live in the Vaud
= vivre dans le canton de Vaud

to go to the Vaud
= aller dans le canton de Vaud

to come from the Vaud
= venir du canton de Vaud

Uses with other nouns

■ *There are a number of words used as adjectives and as nouns referring to the people of the canton, e.g.:* bernois, valaisan, vaudois. *When nouns, these start with a capital letter.*

■ *However, it is always safe to make a phrase with* du, de l' *or* des:

a Valais accent
= un accent du Valais

the Graubünden area
= la région des Grisons

the Vaud countryside
= les paysages du canton de Vaud

she ~ed her support to the other party elle a reporté son soutien sur l'autre parti; **she ~ed from the violin to the viola** elle est passée du violon à l'alto; **to ~ the emphasis to** remettre l'accent sur; **he ~ed his allegiance back to Labour** il est revenu au parti travailliste; **could you ~ the TV over?** est-ce que tu pourrais changer de chaîne?
2▸ (*also* **~ round**) (change position or order of) intervertir [*objects, roles, jobs*]; **I've ~ed the furniture round** j'ai changé la disposition des meubles; **~ the players round at half-time** permutez les joueurs à la mi-temps
3▸ (whip) donner un coup de badine à [*horse*]
4▸ Rail aiguiller [*train*]
C *vi* 1▸ (change) lit, fig changer; **to ~ between two languages/brands** alterner entre deux langues/marques; **I can't ~ from German to French** je n'arrive pas à passer de l'allemand au français; **we have ~ed (over) from oil to gas** nous sommes passés du mazout au gaz; **he has ~ed (over) from Labour to the Green party** il est passé du parti travailliste au parti écologiste; **in the end she ~ed back to teaching/to her original brand** finalement elle est revenue à l'enseignement/à sa marque d'avant; **can we ~ back to BBC 2?** est-ce qu'on peut remettre BBC 2?; **I ~ed from shopping on Saturdays to shopping on Mondays** j'ai cessé de faire mes courses le samedi pour les faire le lundi
2▸ (*also* **~ over** *ou* **round**) [*people*] (change positions) changer, alterner; (change scheduling) (in work rota) permuter (**with** avec); **I'm tired, can we ~ (over** *ou* **round)?** je suis fatigué, on peut changer *or* alterner?
3▸ Comput **to ~ to sth** basculer vers qch
(Phrasal verbs) ■ **switch off**: ▸ **~ off** 1▸ Elec [*appliance, light, supply*] s'éteindre; [*person*] éteindre; 2▸ ○(stop listening) décrocher○; ▸ **~ off [sth]**, **~ [sth] off** 1▸ Aut, Elec éteindre [*appliance, light*]; couper [*supply*]; éteindre, couper [*car engine*]; **the kettle ~es itself off** la bouilloire s'éteint tout seul *or* automatiquement; 2▸ fig **to ~ off the charm** cesser de faire du charme
■ **switch on**: ▸ **~ on** Elec [*appliance, light, supply*] s'allumer; [*person*] allumer; ▸ **~ on [sth]**, **~ [sth] on** 1▸ Aut, Elec allumer [*appliance, light, supply*]; allumer, mettre [qch] en marche [*car engine*]; 2▸ fig **to ~ on the charm** faire du charme; 3▸ ○**to be ~ed on** gen (excited) être émoustillé○; (on drugs) planer○
■ **switch over** TV, Radio changer de programme

switchback /ˈswɪtʃbæk/
A *n* 1▸ GB (rollercoaster) montagnes *fpl* russes; fig (in road) alternance *f* vertigineuse; 2▸ (twisty) (road) route *f* en lacet; (railway track) voie *f* ferrée en lacet; (bend) virage *m* en épingle à cheveux
B *modif* [*road, track*] en lacet

switchblade /ˈswɪtʃbleɪd/ *n* US (couteau *m* à) cran *m* d'arrêt

switchboard /ˈswɪtʃbɔːd/ *n* (installation) standard *m*; (staff) standardistes *mfpl*; **you have to go through the ~** vous devez passer par le standard

switchboard operator ▸ p. 1683 *n* standardiste *mf*

switcheroo○ /ˈswɪtʃəruː/ *n* US tromperie *f* sur la marchandise

switch-hitter○ /ˈswɪtʃhɪtə(r)/ *n* US (in baseball) joueur *m* ambidextre; fig (bisexual) bisexuel/-elle *m/f*; **he's a ~** fig il marche à voile et à vapeur○

switchover /ˈswɪtʃəʊvə(r)/ *n* passage *m* (**from** de; **to** à); **the ~ to computers** le passage à l'informatique

switch-yard /ˈswɪtʃjɑːd/ *n* US Rail gare *f* de triage

Switzerland /ˈswɪtzəlænd/ ▸ p. 1096 *pr n* Suisse *f*; **French/German/Italian speaking ~** la Suisse romande/allemande/italienne

swivel /ˈswɪvl/
A *n* 1▸ Fishg émerillon *m*; 2▸ (movement) pivotement *m*
B *modif* [*arm, lamp, tap*] pivotant, orientable
C *vtr* (*p prés etc* **-ll-** GB, **-l-** US) faire pivoter [*chair, camera, telescope*]; tourner [*eyes, head, body*]; **to ~ one's hips** se déhancher
D *vi* (*p prés etc* **-ll-** GB, **-l-** US) [*person, head, chair, gun*] pivoter (**on** sur); [*eyes*] tourner
(Phrasal verb) ■ **swivel round**: ▸ **~ round** pivoter; ▸ **~ [sth] round**, **~ round [sth]** faire pivoter [qch]

swivel chair, **swivel seat** *n* fauteuil *m* tournant, chaise *f* tournante

swiz(z)○ /swɪz/ *n* GB arnaque○ *f*

swizzle○ /ˈswɪzl/ *n* GB = **swiz(z)**

swizzle stick *n* cuillère *f* à cocktail *or* à soda

swollen /ˈswəʊlən/
A *pp* ▸ **swell C, D**
B *adj* [*ankle, gland*] enflé; [*eyes*] gonflé; [*river*] en crue; **my eyes are ~ with crying** j'ai les yeux gonflés d'avoir pleuré
(Idioms) **to have a ~ head**○, **to be ~headed**○ avoir la grosse tête○

swoon /swuːn/
A *n* littér pâmoison *f*; **in a ~** en pâmoison
B *vi* lit défaillir (**with** de; **at** à); fig se pâmer (**with** de; **at** à); **to ~ over sb** se pâmer d'admiration devant qn

swoop /swuːp/
A *n* 1▸ (of bird, plane) descente *f* en piqué; 2▸ (police raid) rafle *f*; **arrested in a ~** arrêté lors d'une rafle
B *vi* 1▸ [*bird, bat, plane*] plonger; **to ~ above the crowd** plonger vers la foule; **to ~ down** descendre en piqué; **to ~ down on** fondre sur; 2▸ [*police, raider*] faire une descente; **to ~ on** fondre *or* s'abattre sur

swoosh /swʊʃ/ onomat
A *n* bruissement *m*
B *vi* [*tall grass, leaves*] bruire

swop /swɒp/ *n, vtr* = **swap**

sword /sɔːd/
A *n* épée *f*; **to put sb to the ~** passer qn au fil de l'épée; **to put up one's ~** remettre l'épée au fourreau
B *modif* [*blade, hilt*] d'épée
(Idioms) **to be a double-edged** *ou* **two-edged ~** être une arme à double tranchant; **he who lives by the ~ will die by the ~** qui se sert de l'épée périra par l'épée; **to cross ~s with sb** croiser le fer avec qn

sword: **~ belt** *n* baudrier *m*; **~ dance** *n* danse *f* du sabre; **~fish** *n* espadon *m*; **~play** *n* maniement *m* de l'épée; **~sman** *n* épéiste *m*; **~smanship** *n* art *m* de manier l'épée; **~stick** *n* canne-épée *f*; **~ swallower** *n* avaleur/-euse *m/f* de sabres

swore /swɔː(r)/ *prét* ▸ **swear**

sworn /swɔːn/
A *pp* ▸ **swear**
B *adj* 1▸ Jur (under oath) [*statement*] fait sous serment; **he said in ~ evidence** *ou* **testimony that** il a témoigné sous serment que; 2▸ (avowed) [*enemy*] juré; [*ally*] pour la vie; **we are ~ enemies** on s'est juré une haine éternelle

swot○ /swɒt/
A *n* bûcheur/-euse○ *m/f*
B *vi* (*p prés etc* **-tt-**) bûcher○; **to ~ for an exam** potasser○ un examen
(Phrasal verb) ■ **swot up**: ▸ **~ [sth] up**, **~ up [sth]** potasser qch; ▸ **~ up on [sth]** potasser qch

swum /swʌm/ *pp* ▸ **swim B, C**

swung /swʌŋ/ *prét, pp* ▸ **swing C, D**

swung dash *n* tilde *m*

sybarite /ˈsɪbəraɪt/ *n* sout sybarite *mf*

sybaritic /ˌsɪbəˈrɪtɪk/ *adj* sout sybarite

sycamore /ˈsɪkəmɔː(r)/ *n* sycomore *m*

sycophancy /'sɪkəfənsɪ/ *n* flagornerie *f*

sycophant /'sɪkəfænt/ *n* flagorneur/-euse *m/f*

sycophantic /ˌsɪkə'fæntɪk/ *adj* flagorneur/-euse

Sydney /'sɪdnɪ/ ▸ **p. 1815** *pr n* Sydney

syllabary /'sɪləbərɪ, US -berɪ/ *n* syllabaire *m*

syllabic /sɪ'læbɪk/ *adj* syllabique

syllabification /sɪˌlæbɪfɪ'keɪʃn/ *n* syllabation *f*

syllabify /sɪ'læbɪfaɪ/ *vtr* diviser [qch] en syllabes

syllable /'sɪləbl/ *n* syllabe *f*; **in words of one ~** en termes simples; **not one ~** pas un seul mot

syllabub /'sɪləbʌb/ *n* crème *f* fouettée (*parfumée au cognac et au citron*)

syllabus /'sɪləbəs/ *n* (*pl* **-buses** *ou* **-bi**) programme *m*; **on the ~** au programme

syllogism /'sɪlədʒɪzəm/ *n* syllogisme *m*

syllogistic /ˌsɪlə'dʒɪstɪk/ *adj* syllogistique

syllogize /'sɪlədʒaɪz/ *vi* raisonner par syllogismes

sylph /sɪlf/ *n* (fairy) sylphe/sylphide *m/f*; fig (slender woman) sylphide *f*

sylphlike /'sɪlflaɪk/ *adj* [*woman, movements*] d'une grâce ethérée; **~ figure** souvent hum silhouette de sylphide

sylvan /'sɪlvən/ *adj* littér sylvestre liter

sylviculture /'sɪlvɪkʌltʃə(r)/ *n* sylviculture *f*

symbiosis /ˌsɪmbaɪ'əʊsɪs, ˌsɪmbɪ-/ *n* symbiose *f*; **in ~** en symbiose

symbiotic /ˌsɪmbaɪ'ɒtɪk, ˌsɪmbɪ-/ *adj* symbiotique

symbol /'sɪmbl/ *n* (all contexts) symbole *m* (**of, for** de); **chemical/phallic ~** symbole chimique/phallique

symbolic(al) /sɪm'bɒlɪk(l)/ *adj* symbolique (**of** de)

symbolically /sɪm'bɒlɪklɪ/ *adv* symboliquement

symbolism /'sɪmbəlɪzəm/ *n* (all contexts) symbolisme *m*

symbolist /'sɪmbəlɪst/ *n, adj* symboliste (*mf*)

symbolization /ˌsɪmbəlaɪ'zeɪʃn/ *n* symbolisation *f* (**of** de; **by** par)

symbolize /'sɪmbəlaɪz/ *vtr* symboliser (**by** par)

symmetric(al) /sɪ'metrɪk(l)/ *adj* symétrique

symmetrically /sɪ'metrɪklɪ/ *adv* symétriquement

symmetry /'sɪmətrɪ/ *n* symétrie *f*

sympathetic /ˌsɪmpə'θetɪk/ *adj* 1 (compassionate) [*person*] compatissant (**to, towards** envers); [*smile, remark, words, gesture*] compatissant; (understanding) [*person*] compréhensif/-ive; (kindly) gentil/-ille, bienveillant; (well-disposed) [*person, government, organization*] bien disposé (**to, towards** à l'égard de), favorable (**to, towards** à); **he is ~ to their cause** il est solidaire de leur cause, il est de leur côté; 2 (pleasant, friendly) [*person, manner*] sympathique; 3 (environmentally) [*building, development*] qui s'harmonise bien avec l'environnement; 4 Med (ortho)sympathique; **~ nervous system** système *m* sympathique; **~ pregnancy** grossesse *f* nerveuse

sympathetically /ˌsɪmpə'θetɪklɪ/ *adv* 1 (compassionately) avec compassion; 2 (kindly) avec bienveillance; 3 (favourably) favorablement

sympathize /'sɪmpəθaɪz/ *vi* 1 (feel compassion) témoigner de la sympathie (**with** à); **they called to ~ with the widow** ils sont allés présenter leurs condoléances *or* témoigner de leur sympathie à la veuve; **I ~ with you in your grief** je compatis *or* m'associe à votre douleur; **we ~ with your feelings, but...** nous comprenons vos sentiments, mais...; **I ~, I used to be a teacher** je comprends, moi aussi j'ai été professeur; 2 (support) **to ~ with** être solidaire de [*cause, organization*]; souscrire à, être d'accord avec [*aims, views*]

sympathizer /'sɪmpəθaɪzə(r)/ *n* 1 gen, Pol (supporter) sympathisant/-e *m/f* (**of** de); **they are Communist ~s** ce sont des sympathisants communistes; 2 (at funeral etc) personne *f* qui témoigne de la compassion

sympathy /'sɪmpəθɪ/

A *n* 1 (compassion) compassion *f*; **to feel ~ for sb** éprouver de la compassion pour qn; **to do sth out of ~ for sb** faire qch par compassion pour qn; **he pressed my hand in ~** il m'a serré la main en signe de compassion; **she could show a bit more ~!** elle pourrait se montrer un peu plus compatissante!; **'with deepest ~'** 'avec notre *or* ma profonde sympathie', 'avec nos *or* mes sincères condoléances'; 2 (solidarity) solidarité *f*; **to be in ~ with sb** être d'accord avec qn, être du côté de qn; **I am in ~ with their aims** je suis d'accord avec leurs objectifs; **I have little ~ for their cause** j'ai peu de sympathie pour leur cause; **the workers have come out on strike in ~ with the students** les ouvriers se sont mis en grève par solidarité avec les étudiants; **the programme aroused public ~ for victims of the famine** le public a été profondément ému par cette émission sur les victimes de la famine; 3 (affinity, empathy) affinité *f*; **there is a deep ~ between them** il y a une grande affinité entre eux

B **sympathies** *npl* gen, Pol **what are her political ~s?** quelles sont ses tendances *fpl* politiques?; **to have left-wing/right-wing ~s** être de gauche/de droite; **my ~s lie entirely with the workers** je suis entièrement du côté des ouvriers

sympathy strike *n* grève *f* de solidarité

symphonic /sɪm'fɒnɪk/ *adj* symphonique

symphonic poem *n* poème *m* symphonique

symphonist /'sɪmfənɪst/ *n* symphoniste *mf*

symphony /'sɪmfənɪ/ *n* lit, fig symphonie *f*

symphony orchestra *n* orchestre *m* symphonique

symposium /sɪm'pəʊzɪəm/ *n* (*pl* **-sia**) 1 (conference) symposium *m*; 2 (collection) recueil *m*

symptom /'sɪmptəm/ *n* (all contexts) symptôme *m*; **to show ~s of sth** présenter des symptômes de qch

symptomatic /ˌsɪmptə'mætɪk/ *adj* symptomatique (**of** de)

synagogue /'sɪnəgɒg/ *n* synagogue *f*

sync(h) /sɪŋk/ *n* (*abrév* = **synchronization**) synchronisation *f*; **in/out of ~** [*watch, system, machine*] bien/mal synchronisé; **to be in/out of ~ with** [*person, government*] être en phase/déphasé par rapport à [*public opinion*]; **the soundtrack is out of ~ with the picture** la bande sonore et l'image ne sont pas synchronisées

synchromesh /ˌsɪŋkrəʊ'meʃ/ *adj* **a ~ gearbox** une boîte de vitesses synchronisées

synchronic /sɪŋ'krɒnɪk/ *adj* 1 Ling synchronique; 2 = **synchronous**

synchronicity /ˌsɪŋkrɒn'ɪsətɪ/ *n* synchronisme *m*

synchronism /'sɪŋkrənɪzəm/ *n* synchronisme *m*

synchronization /ˌsɪŋkrənaɪ'zeɪʃn/ *n* synchronisation *f*; **in/out of ~** bien/mal synchronisé

synchronize /'sɪŋkrənaɪz/

A *vtr* synchroniser

B *vi* être synchrone

C **synchronized** *pp adj* synchronisé

synchronized swimming ▸ **p. 1253** *n* natation *f* synchronisée

synchronous /'sɪŋkrənəs/ *adj* synchrone

synchronous: **~ converter** *n* convertisseur *m* synchrone; **~ motor** *n* moteur *m* synchrone; **~ orbit** *n* orbite *f* synchrone

syncline /'sɪŋklaɪn/ *n* synclinal *m*

syncopate /'sɪŋkəpeɪt/ *vtr* syncoper

syncopation /ˌsɪŋkə'peɪʃn/ *n* syncope *f*

syncope /'sɪŋkəpɪ/ *n* Med, Ling syncope *f*

syncretism /'sɪŋkrətɪzəm/ *n* syncrétisme *m*

syncretize /'sɪŋkrətaɪz/ *vtr* opérer le syncrétisme de

syndeton /sɪn'di:tən/ *n* syndète *f*

syndic /'sɪndɪk/ *n* GB Univ contrôleur *m* de gestion

syndicalism /'sɪndɪkəlɪzəm/ *n* syndicalisme *m*

syndicalist /'sɪndɪkəlɪst/ *n* syndicaliste *mf*

syndicate

A /'sɪndɪkət/ *n* 1 Comm, Fin (of people) syndicat *m*; (of companies) consortium *m*; **to form a ~** [*investors*] se constituer en syndicat; **financial ~** syndicat financier; **banking ~** consortium bancaire; **to be a member of a ~** [*industrialist*] être syndicataire; [*banker*] faire partie d'un consortium; 2 Journ (agency) syndicat *m* de distribution; (for cartoons) syndicat *m*; 3 surtout US (association) (of criminals) association *f* de malfaiteurs; (for lottery) association *f* de joueurs (*de loterie*); **crime ~** syndicat du crime; **drug(s) ~** cartel de la drogue

B /'sɪndɪkeɪt/ *vtr* 1 Journ [*agency, person*] vendre [qch] par l'intermédiaire d'un syndicat de distribution [*column, photograph, comic strip*]; **~d in over 50 newspapers** publié simultanément dans plus de 50 journaux; 2 US Radio, TV (sell) distribuer [qch] sous licence [*programme*]; 3 (assemble) syndiquer [*workers*]; regrouper [qn] au sein d'un consortium [*bankers*]

C **syndicated** *pp adj* 1 Journ [*columnist*] d'agence; 2 Fin [*loan*] participatif, en participation; [*shares*] syndiqué

syndrome /'sɪndrəʊm/ *n* (all contexts) syndrome *m*

synecdoche /sɪ'nekdəkɪ/ *n* synecdoque *f*

synergy /'sɪnədʒɪ/ *n* synergie *f*

synod /'sɪnəd/ *n* synode *m*; **the General Synod** le Synode Général (*corps exécutif de l'Église anglicane*)

synonym /'sɪnənɪm/ *n* synonyme *m* (**of, for** de)

synonymous /sɪ'nɒnɪməs/ *adj* synonyme (**with** de)

synonymy /sɪ'nɒnəmɪ/ *n* synonymie *f*

synopsis /sɪ'nɒpsɪs/ *n* (*pl* **-ses**) (of play, film) synopsis *m*; (of book) résumé *m*

synoptic /sɪ'nɒptɪk/ *adj* synoptique

synovia /saɪ'nəʊvɪə/ *n* synovie *f*

synovial /saɪ'nəʊvɪəl/ *adj* synovial

syntactic(al) /sɪn'tæktɪk(l)/ *adj* [*accuracy, analysis, link*] syntaxique; **~ errors** erreurs de syntaxe

syntactically /sɪn'tæktɪklɪ/ *adv* syntaxiquement

syntactics /sɪn'tæktɪks/ *n* (+ *v sg*) syntactique *f*

syntagm(a) /sɪn'tægm(ə)/ *n* syntagme *m*

syntagmatic /ˌsɪntæg'mætɪk/ *adj* syntagmatique

syntax /'sɪntæks/ *n* syntaxe *f*

synth /sɪnθ/ *n* Mus (*abrév* = **synthesizer**) synthé○ *m*

synthesis /'sɪnθəsɪs/ *n* (*pl* **-ses**) (all contexts) synthèse *f*

synthesize /'sɪnθəsaɪz/ *vtr* 1 Chem, Ind produire [qch] par synthèse; 2 Literat, Philos (fuse) synthétiser; 3 Electron, Mus synthétiser

synthesizer /'sɪnθəsaɪzə(r)/ *n* synthétiseur *m*

synthetic /sɪn'θetɪk/

A *n* (textile) (fibre *f*) synthétique *m*; (substance) produit *m* synthétique

B *adj* 1 (man-made) synthétique; 2 péj (false)

[*smile, emotion*] factice; [*smell, taste*] synthétique pej

synthetically /sɪnˈθetɪklɪ/ *adv* synthétiquement

S Yorkshire *n* GB Post *abrév écrite* = **South Yorkshire**

syphilis /ˈsɪfɪlɪs/ ▸ **p. 1327** *n* syphilis *f*

syphilitic /ˌsɪfɪˈlɪtɪk/ *n, adj* syphilitique (*mf*)

syphon *n* = **siphon**

Syria /ˈsɪrɪə/ ▸ **p. 1096** *pr n* Syrie *f*

Syrian /ˈsɪrɪən/

A *n* Syrien/-ienne *m/f*

B *adj* syrien/-ienne

syringa /sɪˈrɪŋgə/ *n* seringa(t) *m*

syringe /sɪˈrɪndʒ/

A *n* seringue *f*

B *vtr* **1** Med seringuer [*wound*]; **to have one's ears ~d** se faire déboucher les oreilles (avec une seringue); **2** Hort seringuer (**with** de)

syrup /ˈsɪrəp/ *n* (all contexts) sirop *m*; **cough ~** sirop *m* contre la toux

syrup of figs *n* sirop *m* de figues

syrupy /ˈsɪrəpɪ/ *adj* sirupeux/-euse also fig, pej

system /ˈsɪstəm/ *n* **1** Admin (way of organizing) système *m* (**for doing, to do** pour faire); **filing ~** système de classement; **we need a ~** il faut organiser ça de manière systématique; **to lack ~** manquer d'organisation; **2** Comput système *m* (**for doing, to do** pour faire); **to store sth in the ~** mettre qch en mémoire; **3** Econ, Jur, Ling, Philos, Pol (set of principles) système *m*; **banking/educational ~** système bancaire/éducatif; **a gambling ~** un système de probabilités; **4** (electrical, mechanical) système *m*; **public address ~** système de sonorisation; **stereo ~** chaîne *f* stéréo; **braking ~** dispositif *m* de freinage; **5** Pol (established structures) **the ~** le système *m*; **to work within the ~** agir de l'intérieur du système; **to beat the ~** contourner le système; **6** (network) réseau *m*; **telephone/road ~** réseau téléphonique/routier; **traffic ~** système *m* de circulation; **7** Anat, Med (digestive, nervous, respiratory) système *m*; **reproductive ~** appareil *m* reproducteur; **8** Physiol (human, animal) organisme *m*; **to damage/get into the ~** nuire à/s'introduire dans l'organisme; **to get sth out of one's ~** lit rendre qch; fig○ oublier qch; **9** Geog, Geol, Meteorol (of features) système *m*; **high-pressure ~** roue *f* de hautes pressions (atmosphériques); **river ~** réseau *m* fluvial; **10** Chem, Math, Meas (for classification, measurement) système *m*

systematic /ˌsɪstəˈmætɪk/ *adj* **1** (efficient) [*person, approach, training, planning*] méthodique; [*method, way*] rationnel/-elle; **to be ~ in** être méthodique dans; **2** (deliberate) [*attempt, abuse, torture, destruction*] systématique; **3** Biol, Bot, Zool systématique

systematically /ˌsɪstəˈmætɪklɪ/ *adv* **1** (in ordered way) [*list, work, process, study*] méthodiquement; [*arrange, construct*] systématiquement; **2** (deliberately) [*destroy, undermine, spoil, cut*] systématiquement

systematize /ˈsɪstəmətaɪz/ *vtr* systématiser

systemic /sɪˈstemɪk/

A *n* insecticide *m* systémique

B *adj* **1** gen, Econ, Pol [*change, collapse*] du système; **2** Physiol [*poison, disease*] de l'organisme; **3** Agric, Hort [*pesticide, insecticide*] systémique; **4** Ling systémique

systemic: **~ circulation** *n* circulation *f* générale; **~ grammar** *n* grammaire *f* systémique; **~ infection** *n* infection *f* généralisée

system: **~s analysis** *n* analyse *f* de systèmes; **~s analyst** ▸ **p. 1683** *n* analyste *mf* de systèmes; **~s design** *n* conception *f* de systèmes; **~s disk** *n* disque *m* système; **~s diskette** *n* disquette *f* système; **~s engineer** ▸ **p. 1683** *n* ingénieur *m* système; **~s engineering** *n* architecture *f* des systèmes; **~(s) software** *n* logiciel *m* de base; **~s programmer** ▸ **p. 1683** *n* programmeur *m* d'étude; **~s theory** *n* théorie *f* des systèmes

systole /ˈsɪstəlɪ/ *n* systole *f*

Tt

t, **T** /tiː/ *n* (letter) t, T *m*

(Idiom) **it suits me to a T** [*job, situation*] ça me convient à la perfection; [*garment, role*] ça me va comme un gant; **that's Robert to a T** c'est signé Robert

t. *abrév écrite* = **tempo**

ta○ /tɑː/ *excl* GB merci

TA *n* 1 GB (*abrév* = **Territorial Army**) armée *f* territoriale; 2 *abrév* ▸ **transactional analysis**; 3 US Univ *abrév* ▸ **teaching assistant**

tab /tæb/
A *n* 1 (on garment) (decorative) patte *f*; (loop) attache *f*; GB (on military uniform) écusson *m*; GB (on shoelace) ferret *m*; 2 (on can) languette *f*; 3 (on files) onglet *m*; 4 (for identification) étiquette *f*; 5 Aviat (on wing etc) compensateur *m*; 6 US (bill) note *f*, addition *f*; **to pick up the ~** lit, fig payer la note; 7 ○(tablet) comprimé *m*; 8 Comput (tabulator) tabulatrice *f*; 9 (of word processor, typewriter) (device) tabulateur *m*; (setting) marque *f* de tabulation; **to set ~s** placer des marques de tabulation; 10 Theat rideau *m* à l'italienne; 11 ○(cigarette) clope○ *mf*
B *modif* [*character, key, stop*] de tabulation
C *vtr* (*p prés etc* **-bb-**) 1 (label) marquer [*garment, file*]; 2 US (single out) désigner
(Idioms) **to keep ~s on sb**○ tenir qn à l'œil○; **to keep ~s on sth**○ avoir l'œil sur qch

TAB (*abrév* = **typhoid-paratyphoid A and B (vaccine)**) vaccin *m* TAB

tabard /ˈtæbəd/ *n* tabar(d) *m*

Tabasco® /təˈbæskəʊ/ *n* Tabasco® *m*

tabbouleh /təˈbuːleɪ, ˈtæbuːleɪ/ *n* Culin taboulé *m*

tabby (cat) /ˈtæbɪ/ *n* chat/chatte *m/f* tigré/-e

tabernacle /ˈtæbənækl/ *n* 1 Bible, Relig tabernacle *m*; 2 US (church) grande église *f*

table /ˈteɪbl/
A *n* 1 (piece of furniture) table *f*; **garden/kitchen ~** table de jardin/de cuisine; **at ~** à table; **to lay** *ou* **set the ~** mettre le couvert *or* la table; **to put sth on the ~** fig GB (propose) avancer [*proposal, offer*]; US (postpone) ajourner [*proposal, offer*]; **the proposal is now on the ~** GB la proposition est à présent déposée; **the offer is still on the ~** l'offre tient toujours; **the UN is trying to get the warring parties round the ~** l'ONU tente de réunir les parties en conflit autour de la table de négociations; **he keeps a good ~** fig on mange bien chez lui; 2 (list) table *f*, tableau *m*; **to present sth in ~ form** présenter qch sous forme de table; 3 Math table *f*; **the six-times ~** Math la table de six; **to learn one's ~s** Math apprendre ses tables de multiplication; **conversion ~** table de conversion; **multiplication ~** table de multiplication; 4 Sport (*also* **league ~**) classement *m*; **to be at the top/bottom of the ~** être en tête/en bas du classement; 5 Geog plateau *m*; 6 Hist (tablet) table *f*; **the Tables of the Law** les Tables de la Loi
B *vtr* 1 GB (present) présenter [*bill, amendment, proposal*]; **to ~ sth for discussion** soumettre qch au débat; 2 US (postpone) ajourner [*motion, bill, amendment*]
(Idioms) **I can drink you under the ~** je tiens mieux l'alcool que toi; **she drank everyone under the ~** quand tous les autres étaient soûls, elle se tenait toujours debout; **to do sth under the ~** faire qch sous le manteau; **to turn the ~s on sb** renverser les rôles aux dépens de qn; **to lay** *ou* **put one's cards on the ~** jouer cartes sur table

tableau /ˈtæbləʊ/ *n* (*pl* **~x** *ou* **~s**) 1 Theat (*also* **~ vivant**) tableau *m* vivant; 2 gen (scene) tableau *m*

table: **~cloth** *n* nappe *f*; **~ d'hôte** *adj* à prix fixe; **~ football** ▸ p. 1253 *n* baby-foot *m*; **~-hop** *vi* US faire le tour des tables; **~ lamp** *n* lampe *f* de table; **~land** *n* Geog haut plateau *m*; **~ leg** *n* pied *m* de table; **~ linen** *n* linge *m* de table

table manners *npl* **to have good/bad ~** savoir/ne pas savoir se tenir à table

table: **~ mat** *n* (under plate) set *m* de table; (under serving-dish) dessous-de-plat *m inv*; **Table Mountain** *pr n* la montagne de la Table; **~ napkin** *n* serviette *f* (de table); **~ salt** *n* sel *m* fin *or* de table

tablespoon /ˈteɪblspuːn/ *n* 1 (object) cuillère *f* de service; 2 Meas, Culin (*also* **~ful**) cuillerée *f* à soupe (GB = *18 ml*, US = *15 ml*)

tablet /ˈtæblɪt/ *n* 1 (medicine) comprimé *m* (**for** pour); **sleeping ~s** somnifères *mpl*; 2 (commemorative) plaque *f* (commémorative); 3 Archeol (for writing) tablette *f*; 4 (bar) (of chocolate) tablette *f*; **a ~ of soap** une savonnette; 5 Comput (pad) tablette *f*; 6 US (writing pad) bloc-notes *m*; 7 (detergent block) tablette *f*; **dishwasher/laundry ~** tablette de détergent pour lave-vaisselle/pour la lessive
(Idiom) **engraved in ~s of stone** gravé dans la pierre

table talk *n* propos *mpl* de table

table tennis
A *n* tennis *m* de table, ping-pong® *m*
B **table-tennis** *modif* [*bat, player, table*] de ping-pong®

table: **~ top** *n* dessus *m* de table; **~-turning** *n* spiritisme *m* par les tables tournantes; **~ware** *n* vaisselle *f*; **~ wine** *n* vin *m* de table

tabloid /ˈtæblɔɪd/
A *n* 1 (*also* **~ newspaper**) quotidien *m* populaire, tabloïde *m* pej; **the ~s** la presse populaire; 2 (format) tabloïd(e) *m*
B *modif* 1 péj [*journalism, journalist, press*] populaire; 2 [*format, size*] tabloïd(e). ▸ **Newspapers**

taboo /təˈbuː/
A *n* 1 gen tabou *m*; **there's a ~ on discussing sex** parler de sexe est tabou; 2 Anthrop tabou *m* (**on** de)
B *adj* [*word, subject, function*] tabou

tabour /ˈteɪbɔː(r)/ ▸ p. 1462 *n* tambourin *m*

tabular /ˈtæbjʊlə(r)/ *adj* tabulaire

tabulate /ˈtæbjʊleɪt/ *vtr* 1 (present) présenter [qch] sous forme de tableau [*figures, data, results*]; 2 (in typing) tabuler

tabulation /ˌtæbjʊˈleɪʃn/ *n* 1 (of data, results) disposition *f* en tableaux; 2 (in typing) tabulation *f*

tabulator /ˈtæbjʊleɪtə(r)/ *n* 1 (device) (on typewriter) tabulateur *m*; (on computer) tabulatrice *f*; 2 (person) tableautier *m*

tache○ /tæʃ, tɑːʃ/ *n* GB moustache *f*, bacchantes○ *fpl*

tacheometer /ˌtækeɪˈɒmɪtə(r)/ *n* tachéomètre *m*

tachograph /ˈtækəgrɑːf, US -græf/ *n* tachygraphe *m*

tachometer /təˈkɒmɪtə(r)/ *n* tachymètre *m*

tachycardia /ˌtækɪˈkɑːdɪə/ *n* tachycardie *f*

tachycardiac /ˌtækɪˈkɑːdɪæk/ *adj* tachycardiaque

tachymeter /təˈkɪmɪtə(r)/ *n* tachéomètre *m*

tacit /ˈtæsɪt/ *adj* 1 gen tacite; **by ~ agreement** par consentement tacite; 2 Ling **~ knowledge** connaissance implicite du langage

tacitly /ˈtæsɪtlɪ/ *adv* tacitement

taciturn /ˈtæsɪtɜːn/ *adj* taciturne

taciturnity /ˌtæsɪˈtɜːnətɪ/ *n* taciturnité *f*

taciturnly /ˈtæsɪtɜːnlɪ/ *adv* d'une manière taciturne

Tacitus /ˈtæsɪtəs/ *pr n* Tacite

tack /tæk/
A *n* 1 (nail) clou *m*, semence *f* (de tapissier); 2 US (drawing pin) punaise *f*; 3 (approach) tactique *f*; **to take** *ou* **try another ~** opter pour une autre tactique; **to change ~** changer de tactique; 4 Naut bordée *f*; **a ~ to port/starboard** une bordée de bâbord/tribord; **on the port/starboard ~** bâbord/tribord amures; 5 Equit sellerie *f*; 6 Sewing (stitch) point *m* de bâti
B *vtr* 1 (nail) **to ~ sth to** clouer qch à [*wall, door*]; **to ~ sth down** clouer qch avec des semences; 2 Sewing bâtir, faufiler
C *vi* [*sailor*] faire *or* tirer une bordée; [*yacht*] louvoyer; **to ~ to port/starboard** [*sailor*] faire *or* tirer une bordée de bâbord/tribord; [*yacht*] virer sur bâbord/tribord; **they ~ed towards the mainland** ils sont rentrés vers la terre en louvoyant
(Phrasal verbs) ■ **tack on**: ▸ **~ [sth] on, ~ on [sth]** Sewing fixer [qch] à points de bâti; fig ajouter [qch] après coup [*clause, ending, building*] (**to** à)
■ **tack up**: ▸ **~ [sth] up, ~ up [sth]** fixer [*poster*]

tack hammer *n* marteau *m* de tapissier

tacking /ˈtækɪŋ/ *n* Sewing bâti *m*, faufil *m*

tacking: **~ stitch** *n* point *m* de bâti; **~ thread** *n* fil *m* à bâtir

tackle /ˈtækl/
A *n* 1 Sport (in soccer, hockey) tacle *m* (**on** sur); (in rugby, American football) plaquage *m* (**on** sur); 2 gen (equipment) équipement *m*; (for fishing) articles *mpl or* matériel *m* de pêche; 3 Naut, Tech ¢ (on ship) gréement *m*; (for lifting) palan *m*
B *vtr* 1 (handle) s'attaquer à [*task, problem, subject, challenge*]; essayer de maîtriser [*fire*]; attaquer○ [*food*]; **to ~ sth head-on** s'attaquer de front à qch; 2 (confront) **to ~ sb** prendre qn de front; **to ~ sb about** parler à qn de [*subject, grievance, problem*]; 3 Sport (intercept) (in

t

soccer, hockey) tacler; (in rugby, American football) plaquer; **4** (take on) [*person*] maîtriser [*intruder, criminal*]
C *vi* (in soccer, hockey) tacler; (in rugby, American football) plaquer

tackle block *n* moufle *f*

tackler /'tæklə(r)/ *n* tacleur *m*

tackling /'tæklɪŋ/ *n* (in rugby) plaquage *m*; (in soccer) tacle *m*

tack room *n* sellerie *f*

tack weld
A *n* point *m*
B *vtr* pointer

tack welding *n* pointage *m*

tacky /'tækɪ/ *adj* **1** (sticky) [*surface, putty*] collant; **the paint is still ~** la peinture n'est pas encore tout à fait sèche; **2** ○péj [*place, garment, object*] tocard○ pej; [*person*] rustaud○ pej; [*remark*] de mauvais goût

taco /'tɑːkəʊ/ *n*: *crêpe de maïs farcie et frite*

tact /tækt/ *n* tact *m*; **to have ~** avoir du tact; **to have the ~ to do** avoir le tact de faire

tactful /'tæktfl/ *adj* [*person, suggestion*] plein de tact, délicat; [*reply, words, letter, intervention*] plein de tact, diplomatique; [*enquiry*] discret/-ète; [*attitude, approach*] diplomatique; **be a bit more ~** sois un peu plus diplomate; **to be ~ with sb** user de tact avec qn; **it wasn't very ~ to laugh** ce n'était pas très délicat de rire

tactfully /'tæktfəlɪ/ *adv* [*say, behave, reply, refuse*] avec tact; [*ask, enquire*] avec diplomatie; [*decide, refuse, refrain*] par tact; [*worded, phrased, called*] avec diplomatie

tactfulness /'tæktfʊlnɪs/ *n* tact *m*

tactic /'tæktɪk/ *n* (stratagem) tactique *f*; **~s** tactique *f*; **a delaying/scare ~** une tactique dilatoire/alarmiste; **bullying/questionable ~s** méthodes brutales/douteuses; **to change ~s** changer de tactique; **his ~ of doing, his ~s of doing** sa tactique de faire; **strong-arm ~s** pej la manière forte

tactical /'tæktɪkl/ *adj* (all contexts) tactique

tactically /'tæktɪklɪ/ *adv* [*astute, sound, unwise, successful*] tactiquement; [*vote, proceed*] en fonction de considérations tactiques; **~ the plan was perfect** du point de vue tactique le plan était parfait

tactical voting *n* vote *m* utile

tactician /tæk'tɪʃn/ *n* tacticien/-ienne *m/f*

tactile /'tæktaɪl, US -tl/ *adj* tactile

tactile: **~ feedback** *n* sensation *f* de déclic; **~ keyboard** *n* clavier *m* tactile

tactless /'tæktlɪs/ *adj* [*person, suggestion, attitude, behaviour*] peu délicat; [*question, enquiry*] indiscret/-ète; [*reply, words*] peu diplomatique; **it was ~ of him/her to do** c'était indélicat de sa part de faire

tactlessly /'tæktlɪslɪ/ *adv* [*say, behave, ask*] sans tact; [*worded, phrased, expressed*] indélicatement

tactlessness /'tæktlɪsnɪs/ *n* manque *m* de tact

tad○ /tæd/ *n* US **1** (quantity) **a ~** un peu; **2** (child) bambin○ *m*

tadpole /'tædpəʊl/ *n* têtard *m*

Tadzhik /tɑː'dʒɪk/ ▸ **p. 1467**
A *n* Tadjik *m*
B *adj* tadjik

Tadzhiki /tɑː'dʒɪkɪ:/ ▸ **p. 1378** *n* tadjik *m*

Tadzhikistan /tɑː,dʒɪkɪ'stɑːn/ ▸ **p. 1096** *pr n* Tadjikistan *m*

tae kwon do /'taɪ'kwɒn'dəʊ/ *n* taekwondo *m*

taffeta /'tæfɪtə/
A *n* taffetas *m*
B *modif* [*dress, gown, curtains*] en *or* de taffetas

taffrail /'tæfreɪl/ *n* lisse *f* de couronnement

taffy /'tæfɪ/ *n* US ≈ barbe *f* à papa

Taffy○ /'tæfɪ/ *n* GB injur Gallois/-e *m/f*

tag /tæg/
A *n* **1** (label) (on goods) étiquette *f*; (on luggage) étiquette *f*; (on cat, dog) plaque *f*; (on file) onglet *m*; **luggage ~** étiquette à bagages; **name ~** étiquette; **price ~** étiquette; **to put a ~ on sth** attacher une étiquette à [*suitcase*]; mettre une étiquette sur [*coat*]; **2** (for hanging) bride *f*; **hang the coat up by the ~** accroche le manteau par la bride; **3** Games (jeu *m* de) chat *m*; **to play ~** jouer à chat; **4** Ling tag *m*; **5** (quotation) gen citation *f*; (hackneyed) lieu *m* commun; **a Latin ~** une citation latine; **6** (signature) argot des graffistes tag○ *m*, griffe *f*; **7** Jur marqueur *m*; **electronic ~** marqueur *m* électronique; **8** ○US (registration plate) plaque *f* d'immatriculation; **9** (name) étiquette *f* also pej; **his work earned him the ~ 'subversive'** son œuvre lui a valu l'étiquette d'auteur subversif; **10** (on shoelace) ferret *m*; **11** Comput balise *f*, étiquette *f*
B *vtr* (*p prés etc* **-gg-**) **1** (label) étiqueter [*goods*]; marquer [*clothing*]; apposer un onglet sur [*file*]; **2** Jur marquer [*criminal*]; **3** (name) étiqueter; **the film/novel was ~ged 'surreal'** le film a été qualifié de 'surréaliste'; **4** ○US Aut coller un papillon○ *or* une contravention sur [*car*]; **he was ~ged for speeding** il a eu une contravention pour excès de vitesse; **5** Comput baliser, étiqueter [*data item*]; **6** Games crier 'chat' en touchant [*player*]; **7** US (in baseball) = **tag out**
C *vi* (*p prés etc* **-gg-**) **1** (follow) **to ~ after** gen suivre [*person*]; [*detective*] filer [*suspect*]
(Phrasal verbs) ■ **tag along** venir aussi; **to ~ along behind** *ou* **after sb** suivre qn
■ **tag on**: ▸ **~ on** [*person*] venir aussi; **whenever I go out, he ~s on** chaque fois que je sors il vient aussi; ▸ **~ [sth] on** rajouter [*paragraph, phrase*]; **to ~ sth onto sth** attacher qch à qch [*label, note*]
■ **tag out** US: ▸ **~ [sb] out** (in baseball) mettre qn hors jeu

tag: **~ board** *n* papier *m* cartonné (*de bonne qualité*); **~ day** *n* US jour *m* de collecte (*au profit d'une œuvre caritative*); **~ end** *n* US restes *mpl*

tagging /'tægɪŋ/ *n* **1** Jur marquage *m*; **electronic ~ of criminals** marquage *m* électronique des criminels; **2** Comput balisage *m*, étiquetage *m*

tagine /tə'ʒiːn, tə'dʒiːn/ *n* Culin tajine *m*, tagine *m*

tagliatelle /,tæljə'telɪ, ,tæglɪə'telɪ/ *n* tagliatelles *fpl*

tag line *n* (of entertainer) slogan *m*; (in play) mot *m* de la fin; (of poem) dernier vers *m*

tagmeme /'tægmiːm/ *n* tagmème *m*

tagmemics /tæg'miːmɪks/ *n* (+ *v sg*) tagmémique *f*

tag question *n* Ling queue *f* de phrase interrogative, tag○ *m*

Tagus /'teɪgəs/ ▸ **p. 1633** *pr n* **the ~** le Tage

tag: **~ wrestler** *n* catcheur *m* (de catch à quatre); **~ wrestling** ▸ **p. 1253** *n* Sport catch *m* à quatre

tahini /tə'hiːniː/, **tahina** /tə'hiːnə/ *n* tahina *m*

Tahiti /tɑː'hiːtɪ/ ▸ **p. 1355** *pr n* Tahiti *m*; **in/to ~** à Tahiti

Tahitian /tə'hiːʃn/ ▸ **p. 1467**
A *n* Tahitien/-ienne *m/f*
B *adj* tahitien/-ienne

t'ai chi (ch'uan) /'taɪdʒiː('tʃwɑːn)/ *n* tai-chi(-chuan) *m*

tail /teɪl/
A *n* **1** Zool (of mammal, bird, fish) queue *f*; **2** (end piece) (of aircraft, comet, kite) queue *f*; **at the ~ of the procession** à la queue du cortège; **3** ○(police observer) **to put a ~ on sb** faire filer qn, prendre qn en filature; **4** ○(buttocks) postérieur○ *m*
B tails *npl* **1** (tailcoat) habit *m*; **wearing ~s** en habit; **white tie and ~s** queue-de-pie *f*; **2** (of coin) pile *f*; **heads or ~s?** pile ou face?; **~s you win** pile tu gagnes
C ○*vtr* filer○, suivre [*suspect, car*] (**to** jusqu'à); **we're being ~ed** on est pris en filature
(Idioms) **I can't make head (n)or ~ of this** je ne comprends rien du tout à cela; **we couldn't make head or ~ of his reply** sa réponse n'avait ni queue ni tête; **to be on sb's ~** suivre qn de près, talonner○ qn; **to go off with one's ~ between one's legs** partir la queue basse; **to turn ~** péj tourner les talons pej
(Phrasal verbs) ■ **tail away** (fade) [*voice, noise*] s'éteindre; **her voice ~ed away to a whisper** elle a baissé la voix et s'est mise à chuchoter
■ **tail back** GB **to ~ back from** [*traffic jam*] remonter de; **to ~ back to** [*traffic jam*] s'étirer jusqu'à; **the traffic ~s back for miles** le bouchon s'étire sur des kilomètres
■ **tail off** **1** (reduce) [*percentage, figures, demand*] diminuer; [*acceleration*] baisser; **2** (fade) [*remarks*] cesser; [*voice*] s'éteindre; **he ~ed off into silence** sa voix s'est éteinte

tail: **~ assembly** *n* empennage *m* (*de queue*); **~back** *n* GB bouchon *m*, ralentissement *m*; **~board** *n* hayon *m*; **~bone** *n* coccyx *m*; **~coat** *n* habit *m*

tail end *n* **1** (last piece) (of joint, roast) dernier morceau *m*; (of film, conversation) fin *f*; **to catch the ~ of the film** voir les toutes dernières minutes du film; **2** ○(buttocks) derrière○ *m*

tail: **~ feather** *n* penne *f* rectrice; **~ fin** *n* Zool nageoire *f* caudale

tailgate /'teɪlgeɪt/
A *n* hayon *m*
B ○ *vtr* coller○ au pare-chocs de [*car*]
C ○ *vi* US **do not ~** ne suivez pas de trop près la voiture de devant

tail: **~gate party** *n* US pique-nique *m* improvisé près des voitures; **~-heavy** *adj* [*aircraft*] centré à l'arrière; **~light** *n* feu *m* arrière; **~-off** *n* diminution *f* (**in** de)

tailor /'teɪlə(r)/ ▸ **p. 1683**
A *n* tailleur *m*
B *vtr* **1** (adapt) (*souvent au passif*) **to ~ sth to** adapter qch à [*needs, requirements, circumstances, person*]; **to ~ sth for** concevoir qch pour [*user, market*]; **a programme ~ed to meet specific needs** un programme adapté à des besoins spécifiques; **2** (make) confectionner
C tailored *pp adj* [*garment*] ajusté

tailorbird /'teɪləbɜːd/ *n* fauvette *f* couturière

tailoring /'teɪlərɪŋ/ *n* **1** (workmanship) ouvrage *m* de tailleur; **2** (occupation) métier *m* de tailleur; **3** (sewing) confection *f*; **4** (cut, style) coupe *f*

tailor-made /,teɪlə'meɪd/ *adj* **1** (perfectly suited) [*scheme, solution, system, mortgage, training*] fait sur mesure; **to be ~ for sth/sb** [*machine, system, building, course*] être conçu spécialement pour qch/qn; **the part is ~ for her** le rôle est fait pour elle; **2** (made to measure) [*suit, jacket*] fait sur mesure

tailor: **~'s chalk** *n* craie *f* de tailleur; **~'s dummy** *n* mannequin *m*; **~'s tack** *n* point *m* de bâti

tailpiece /'teɪlpiːs/ *n* **1** (in book) cul-de-lampe *m*; **2** Mus (on viola, violin) cordier *m*; **3** (extension) extrémité *f*

tail: **~pipe** *n* tuyau *m* d'échappement; **~plane** *n* empennage *m* arrière; **~race** *n* galerie *f* d'évacuation; **~ rotor** *n* rotor *m* anticouple; **~ section** *n* Aviat partie *f* arrière; **~skid** *n* patin *m* arrière

tailspin /'teɪlspɪn/ *n* **1** Aviat vrille *f*; **to go into a ~** descendre en vrille; **2** fig (recession) dégringolade○ *f*; **to be in a ~** être en dégringolade○

tail: **~ wheel** *n* roulette *f* de queue; **~ wind** *n* vent *m* arrière

tain /teɪn/ *n* tain *m*

taint /teɪnt/
A *n* **1** (defect) (of crime, corruption, cowardice) souillure *f*; (of insanity, heresy) tare *f*; **2** (trace) (of contamination, infection, bias) trace *f*

t

B *vtr* **1** (sully) souiller [*public figure, organization, reputation*]; entacher [*lineage*]; altérer [*motive*]; entacher [*opinion*]; **2** (poison) polluer [*air, water*]; gâter [*meat, food*]

tainted /ˈteɪntɪd/ *adj* **1** (poisoned) [*meat*] avarié; [*foodstuffs*] gâté; [*water, air*] infecté, pollué (**with** par); **2** (sullied) [*reputation, organization, opinions*] entaché (**with** de); [*motives*] impur; [*money*] mal acquis

Taiwan /taɪˈwɑːn/ ▸ **p. 1355** *pr n* Taiwan *m*

Taiwanese /ˌtaɪwəˈniːz/ ▸ **p. 1467, p. 1378**
A *n* Taiwanais/-e *m/f*
B *adj* taiwanais

Tajik /ˈtɑːdʒɪk/ *n, adj* ▸ **Tadzhik**

Tajiki /tɑːˈdʒiki:/ *n* ▸ **Tadzhiki**

Tajikistan /tɑːˌdʒɪkɪˈstɑːn/ *pr n* ▸ **Tadzhikistan**

take /teɪk/ ▸ **p. 1694**
A *n* **1** Cin prise *f* (de vues); **'it's a ~!'** 'elle est bonne!'
2 Fishg, Hunt (of fish) prise *f*; (of game) tableau *m* de chasse
3 °Comm (amount received) recette *f*
B *vtr* (*prét* **took**; *pp* **taken**) **1** (take hold of) prendre [*object, money*]; **to ~ sb by the arm/hand/throat** prendre qn par le bras/par la main/à la gorge; **to ~ sb's arm/hand** prendre le bras/la main de qn; **to ~ sth from** prendre qch sur [*shelf, table*]; prendre qch dans [*drawer, box*]; **to ~ sth out of sth** sortir qch de qch; **the passage is taken from his latest book** le passage est tiré de son dernier livre
2 (use violently) **to ~ a knife/an axe to sb** attaquer qn avec un couteau/une hache
3 (have by choice) prendre [*bath, shower, holiday*]; **to ~ lessons** prendre des leçons (**in** de); **we ~ a newspaper/three pints of milk every day** nous prenons le journal/trois pintes de lait tous les jours; **we ~ the Gazette** nous recevons la Gazette; **I'll ~ a pound of apples, please** donnez-moi une livre de pommes, s'il vous plaît; **~ a seat!** asseyez-vous!; **to ~ a wife/a husband**† prendre femme/un mari†
4 (carry along) emporter, prendre [*object*]; emmener [*person*]; **to ~ sb to school/to work/to the hospital** emmener qn à l'école/au travail/à l'hôpital; **to ~ a letter/a cheque to the post office** porter une lettre/un chèque à la poste; **to ~ chairs into the garden** porter des chaises dans le jardin; **to ~ the car to the garage** emmener la voiture au garage; **the book? he's taken it with him** le livre? il l'a emporté; **to ~ sb sth, to ~ sth to sb** apporter qch à qn; **to ~ sb dancing/swimming** emmener qn danser/se baigner; **to ~ sth upstairs/downstairs** monter/descendre qch; **you can't ~ him anywhere!** hum il n'est pas sortable!
5 (lead, guide) **I'll ~ you through the procedure** je vous montrerai comment on procède; **to ~ the actors through the scene** faire travailler la scène aux acteurs; **I'll ~ you up to the second floor/to your room** je vais vous conduire au deuxième étage/à votre chambre
6 (transport) **to ~ sb to** [*bus*] conduire *or* emmener qn à [*place*]; [*road, path*] conduire *or* mener qn à [*place*]; **his work ~s him to many different countries** son travail l'appelle à se déplacer dans beaucoup de pays différents; **what took you to Brussels?** qu'est-ce que vous êtes allé faire à Bruxelles?
7 (use to get somewhere) prendre [*bus, taxi, plane etc*]; prendre [*road, path*]; **~ the first turn on the right/left** prenez la première à droite/à gauche
8 (negotiate) [*driver, car*] prendre [*corner, bend*]; [*horse*] sauter [*fence*]
9 (accept) accepter, recevoir [*bribe, money*]; prendre [*patients, pupils*]; accepter [*job*]; prendre [*phone call*]; [*machine*] accepter [*coin*]; [*shop, restaurant etc*] accepter [*credit card, cheque*]; [*union, employee*] accepter [*reduction, cut*]; **will you ~ £10 for the radio?** je vous offre 10 livres sterling en échange de votre radio; **that's my last offer, ~ it or leave it !** c'est ma dernière proposition, c'est à prendre ou à laisser!; **whisky? I can ~ it or leave it!** le whisky? je peux très bien m'en passer
10 (require) [*activity, course of action*] demander, exiger [*patience, skill, courage*]; **it ~s patience/courage to do** il faut de la patience/du courage pour faire; **it ~s three hours/years etc to do** il faut trois heures/ans etc pour faire; **it won't ~ long** ça ne prendra pas longtemps; **it took her 10 minutes to repair it** elle a mis 10 minutes pour le réparer; **the wall won't ~ long to build** le mur sera vite construit; **it won't ~ long to do the washing-up** la vaisselle sera vite faite; **it would ~ a genius/a strong person to do that** il faudrait un génie/quelqu'un de robuste pour faire ça; **to have what it ~s** avoir tout ce qu'il faut (**to do** pour faire); **typing all those letters in two hours will ~ some doing!** ce ne sera pas facile de taper toutes ces lettres en deux heures!; **she'll ~ some persuading** ce sera dur de la convaincre
11 Ling [*verb*] prendre [*object*]; [*preposition*] être suivi de [*case*]
12 (endure) supporter [*pain, criticism*]; accepter [*punishment, opinions*]; **I find their attitude hard to ~** je trouve leur attitude difficile à accepter; **he can't ~ being criticized** il ne supporte pas qu'on le critique; **she just sat there and took it!** elle est restée là et ne s'est pas défendue; **he can't ~ a joke** il ne sait pas prendre une plaisanterie; **go on, tell me, I can ~ it!** vas-y, dis-le, je n'en mourrai pas°!; **I can't ~ any more!** je suis vraiment à bout!
13 (react to) prendre [*news, matter, criticism, comments*]; **to ~ sth well/badly** bien/mal prendre qch; **to ~ sth seriously/lightly** prendre qch au sérieux/à la légère; **to ~ things one** *ou* **a step at a time** prendre les choses une par une
14 (assume) **I ~ it that** je suppose que; **to ~ sb for** *ou* **to be sth** prendre qn pour qch; **what do you ~ me for?** pour qui est-ce que tu me prends?; **what do you ~ this poem to mean?** comment est-ce que vous interprétez ce poème?
15 (consider as example) prendre [*person, example, case*]; **~ John (for example), he has brought up a family by himself** prends John, il a élevé une famille tout seul; **let us** *ou* **if we ~ the situation in France** prenons la situation en France; **~ Stella, she never complains!** regarde Stella, elle ne se plaint jamais!
16 (adopt) adopter [*view, attitude, measures, steps*]; **to ~ a soft/tough line on sb/sth** adopter une attitude indulgente/sévère à l'égard de qn/qch; **to ~ the view** *ou* **attitude that** être d'avis que, considérer que
17 (record) prendre [*notes, statement*]; [*doctor, nurse*] prendre [*pulse, temperature, blood pressure*]; [*secretary*] prendre [*letter*]; **to ~ sb's measurements** (for clothes) prendre les mesures de qn; **to ~ a reading** lire les indications
18 (hold) [*hall, bus*] avoir une capacité de, pouvoir contenir [*50 people, passengers etc*]; [*tank, container*] pouvoir contenir [*quantity*]; **the tank/bus will ~...** le réservoir/bus peut contenir...; **the cupboard/the suitcase won't ~ any more clothes** il est impossible de mettre plus de vêtements dans ce placard/cette valise
19 (consume) prendre [*sugar, milk, pills, remedy*]; **to ~ tea/lunch with sb** GB sout prendre le thé/déjeuner avec qn; ▸ **drug**
20 (wear) (in clothes) faire [*size*]; **to ~ a size 4** (in shoes) ≈ faire° *or* chausser du 37
21 Phot prendre [*photograph*]
22 Math (subtract) soustraire [*number, quantity*] (**from** de)
23 (study) prendre, faire [*subject*]; suivre [*course*]
24 Sch, Univ (sit) passer [*exam, test*]
25 (teach) [*teacher, lecturer*] faire cours à [*students, pupils*]; **to ~ sb for Geography/French** faire cours de géographie/de français à qn
26 (officiate at) [*priest*] célébrer [*service, prayer, wedding*]; dire [*mass*]
27 (capture) [*army, enemy*] prendre [*fortress, city*]; (in chess) [*player*] prendre [*piece*]; (in cards) faire [*trick*]; [*person*] remporter [*prize*]; ▸ **hostage, prisoner**
28 °(have sex with) prendre [*woman*]
C *vi* (*prét* **took**; *pp* **taken**) **1** (have desired effect) [*drug*] faire effet; [*dye*] prendre; (grow successfully) [*plant*] prendre
2 Fishg [*fish*] mordre

(Idioms) **I'll ~ it from here** fig je prendrai la suite; **to be on the ~**° toucher des pots-de-vin; **to ~ it** *ou* **a lot out of sb** fatiguer beaucoup qn; **to ~ it upon oneself to do** prendre sur soi de faire; **to ~ sb out of himself** changer les idées à qn; **you can ~ it from me,...** croyez-moi,...

(Phrasal verbs) ■ **take aback**: ▸ **~ [sb] aback** interloquer [*person*]
■ **take after**: ▸ **~ after [sb]** tenir de [*father, mother etc*]
■ **take against**: ▸ **~ against [sb]** prendre [qn] en grippe
■ **take along**: ▸ **~ [sb/sth] along, ~ along [sb/sth]** emporter [*object*]; emmener [*person*]
■ **take apart**: ▸ **~ apart** se démonter; **does it ~ apart?** est-ce que ça se démonte?; ▸ **~ [sb/sth] apart** **1** (separate into parts) démonter [*car, machine*]; **2** °fig (defeat) [*player, team*] massacrer° [*opponent, team*]; **3** °(criticize) [*person, critic, teacher*] descendre [qch] en flammes° [*essay, film, book*]
■ **take aside**: ▸ **~ [sb] aside** prendre [qn] à part
■ **take away**: ▸ **~ [sb/sth] away, ~ away [sb/sth]** **1** (remove) enlever, emporter [*object*] (**from** de); emmener [*person*] (**from** de); supprimer [*pain, fear, grief*] (**from** de); **'two hamburgers to ~ away, please'** GB 'deux hamburgers à emporter, s'il vous plaît'; **to ~ away sb's appetite** faire perdre l'appétit à qn; **2** fig (diminish) **that doesn't ~ anything away from his achievement** ça n'enlève rien à ce qu'il a accompli; **3** (subtract) soustraire [*number*] (**from** à, de); **ten ~ away seven is three** dix moins sept égalent trois
■ **take back**: ▸ **~ [sth] back, ~ back [sth]** **1** (return to shop) [*person, customer*] rapporter [*goods*] (**to** à); **2** (retract) retirer [*statement, words*]; **I ~ it back** je retire ce que j'ai dit; ▸ **~ [sb] back** (cause to remember) rappeler des souvenirs à [*person*]; **this song ~s me back to my childhood** cette chanson me rappelle mon enfance; ▸ **~ [sb/sth] back, ~ back [sb/sth]** (accept again) reprendre [*partner, employee*]; reprendre [*gift, ring*]; [*shop*] reprendre [*goods*]
■ **take down**: ▸ **~ [sth] down, ~ down [sth]** **1** (remove) descendre [*book, vase, box*]; enlever [*picture, curtains*]; **2** (lower) baisser [*skirt, pants*]; **3** (dismantle) démonter [*tent, scaffolding*]; **4** (write down) noter [*name, statement, details*]
■ **take hold**: ▸ **~ hold** [*disease, epidemic*] s'installer; [*idea, ideology*] se répandre; [*influence*] s'accroître; **to ~ hold of** (grasp) prendre [*object, hand*]; fig (overwhelm) [*feeling, anger*] envahir [*person*]; [*idea*] prendre [*person*]
■ **take in**: ▸ **~ [sb] in, ~ in [sb]** **1** (deceive) tromper, abuser [*person*]; **he was taken in** il s'est laissé abuser; **don't be taken in by appearances!** ne te fie pas aux apparences!; **I wasn't taken in by him** je ne me suis pas laissé prendre à son jeu; **2** (allow to stay) recueillir [*person, refugee*]; prendre [*lodger*]; ▸ **~ in [sth]** **1** (understand) saisir, comprendre [*situation*]; **I can't ~ it in!** je n'arrive pas à le croire!; **2** (observe) noter [*detail*]; embrasser [*scene*]; **3** (encompass) inclure [*place, developments*]; **4** (absorb) [*root*] absorber [*nutrients*]; [*person, animal*] absorber [*oxygen*]; fig s'imprégner de [*atmosphere*]; **5** Naut [*boat*] prendre [*water*]; **6** Sewing reprendre [*dress, skirt etc*]; **7** (accept for payment) faire [qch] à domicile [*washing, mending*]; **8** °(visit) aller à [*play, exhibition*]

■ **take off**: ▸ **~ off** 1 (leave the ground) [*plane*] décoller; 2 fig [*idea, fashion*] prendre; [*product*] marcher; [*sales*] décoller; 3 ○(leave hurriedly) filer○; ▸ **~ [sth] off** 1 (deduct) **to ~ £10 off (the price)** réduire le prix de 10 livres, faire une remise de 10 livres; 2 (have as holiday) **to ~ two days off** prendre deux jours de congé; **I'm taking next week off** je suis en congé la semaine prochaine; 3 (make look younger) **that hairstyle ~s 15 years off you!** cette coiffure te rajeunit de 15 ans!; ▸ **~ [sth] off, ~ off [sth]** 1 (remove) enlever, ôter [*clothing, shoes*]; enlever [*lid, feet, hands*] (**from** de); supprimer [*dish, train*]; **to ~ sth off the market** retirer qch du marché; 2 (amputate) amputer, couper [*limb*]; 3 (withdraw) annuler [*show, play*]; ▸ **~ [sb] off, ~ off [sb]** 1 ○(imitate) imiter [*person*]; 2 (remove) **to ~ sb off the case** [*police*] retirer l'affaire à qn; **to ~ oneself off** partir, s'en aller (**to** à)

■ **take on**: ▸ **~ on** (get upset) **don't ~ on so** (stay calm) ne t'énerve pas; (don't worry) ne t'en fais pas; ▸ **~ [sb/sth] on, ~ on [sb/sth]** 1 (employ) embaucher, prendre [*staff, worker*]; 2 (compete against) [*team, player*] jouer contre [*team, player*]; (fight) se battre contre [*person, opponent*]; **to ~ sb on at chess/at tennis** jouer aux échecs/au tennis contre qn; 3 (accept) accepter, prendre [*work, task*]; prendre [*responsibilities*]; 4 (acquire) prendre [*look, significance, colour, meaning*]

■ **take out**: ▸ **~ out** s'enlever; **does this ~ out?** est-ce que ça s'enlève?; ▸ **~ [sb/sth] out, ~ out [sb/sth]** 1 (remove) sortir [*object*] (**from, of** de); [*dentist*] extraire, arracher○ [*tooth*]; [*doctor*] enlever [*appendix*]; (from bank) retirer [*money*] (**of** de); **~ your hands out of your pockets!** enlève tes mains de tes poches!; 2 (go out with) sortir avec [*person*]; **to ~ sb out to dinner/for a walk** emmener qn dîner/se promener; 3 (eat elsewhere) emporter [*fast food*]; **'two hamburgers to ~ out, please!'** 'deux hamburgers à emporter, s'il vous plaît!'; 4 (deduct) déduire [*contributions, tax*] (**of** de); 5 ○(kill, destroy) éliminer [*person*]; détruire [*installation, target*]; 6 **to ~ sth out on sb** passer qch sur qn [*anger, frustration*]; **to ~ it out on sb** s'en prendre à qn

■ **take over**: ▸ **~ over** 1 (take control) (of town, country, party) [*army, faction*] prendre le pouvoir; **he's always trying to ~ over** il veut toujours tout commander; 2 (be successor) [*person*] prendre la suite (**as** comme); **to ~ over from** remplacer, succéder à [*predecessor*]; ▸ **~ over [sth]** 1 (take control of) prendre le contrôle de [*town, country*]; reprendre [*business*]; **shall I ~ over the driving for a while?** veux-tu que je prenne un peu le volant?; 2 Fin racheter, prendre le contrôle de [*company*]

■ **take part** prendre part; **to ~ part in** participer à [*production, activity*]

■ **take place** avoir lieu

■ **take to**: ▸ **~ to [sb/sth]** 1 (develop liking for) **he has really taken to her/to his new job** elle/son nouvel emploi lui plaît vraiment beaucoup; 2 (begin) **to ~ to doing**○ se mettre à faire; **he's taken to smoking/wearing a hat** il s'est mis à fumer/porter un chapeau; 3 (go) se réfugier dans [*forest, hills*]; **to ~ to one's bed** se mettre au lit; **to ~ to the streets** descendre dans la rue

■ **take up**: ▸ **~ up** (continue story etc) reprendre; **to ~ up where sb/sth left off** reprendre là où qn/qch s'était arrêté; **to ~ up with** s'attacher à [*person, group*]; ▸ **~ up [sth]** 1 (lift up) enlever [*carpet, pavement, track*]; prendre [*pen*]; 2 (start) se mettre à [*golf, guitar*]; prendre [*job*]; **to ~ up a career as an actor** se lancer dans le métier d'acteur; **to ~ up one's duties** *ou* **responsibilities** entrer dans ses fonctions; 3 (continue) reprendre [*story, discussion*]; reprendre [*cry, refrain*]; 4 (accept) accepter [*offer, invitation*] relever [*challenge*]; **to ~ up sb's case** Jur accepter de défendre qn; 5 **to ~ sth up with sb** soulever [qch] avec qn [*matter*]; 6 (occupy) prendre, occuper [*space*]; prendre, demander [*time, energy*]; 7 (adopt) prendre [*position, stance*]; 8 Sewing (shorten) raccourcir [*skirt, curtains etc*]; 9 (absorb) [*sponge, material, paper*] absorber [*liquid*]; ▸ **~ [sb] up** 1 (adopt) fig **she was taken up by the surrealists** elle a été adoptée par les surréalistes; 2 **to ~ sb up on** (challenge) reprendre qn sur [*point, assertion*]; (accept) **to ~ sb up on an invitation/an offer** accepter l'invitation/l'offre de qn

take-away /ˈteɪkəweɪ/
A *n* GB 1 (meal) repas *m* à emporter; 2 (restaurant) restaurant *m* qui fait des plats à emporter
B *modif* [*food*] à emporter

takedown /ˈteɪkdaʊn/ *adj* US démontable

take-home pay *n* salaire *m* net

taken /ˈteɪkən/
A *pp* ▸ **take**
B *adj* 1 (occupied) **to be ~** [*seat, room*] être occupé; 2 (impressed) **to be ~ with** être emballé par [*idea, person*]; **she's quite/very ~ with him** il lui plaît assez/beaucoup

take-off /ˈteɪkɒf/ *n* 1 Aviat décollage *m*; 2 ○(imitation) imitation *f*

take-out /ˈteɪkaʊt/
A ○*n* GB (from pub) boisson *f* à emporter
B *adj* 1 US [*food, meal, pizza*] à emporter; 2 (in bridge) **~ bid** réponse *f* de faiblesse

takeover /ˈteɪkəʊvə(r)/ *n* 1 Fin rachat *m*, prise *f* de contrôle; 2 Pol (of country) prise *f* de pouvoir

takeover bid *n* Fin offre *f* publique d'achat, OPA *f*; **to make a ~** lancer une OPA (**for** sur)

taker /ˈteɪkə(r)/ *n* preneur/-euse *m/f*; **any ~s?** il y a des preneurs?

take-up /ˈteɪkʌp/ *n* 1 (claiming) (of benefit, rebate, shares) demande *f* (**of** de); 2 (number of claimants) (*also* **~ rate**) **an increase in ~ of shares/unemployment benefit** une augmentation du pourcentage d'actions vendues/de personnes qui reçoivent effectivement l'allocation chômage

take-up spool *n* GB bobine *f* réceptrice

taking /ˈteɪkɪŋ/
A *n* (act) prise *f*; **it was his for the ~** il n'avait qu'à se donner la peine de le prendre; **the money was there for the ~** il n'y avait plus qu'à encaisser l'argent
B **takings** *npl* recette *f*

talc /tælk/, **talcum (powder)** /ˈtælkəm (ˌpaʊdə(r))/ *n* (all contexts) talc *m*

tale /teɪl/ *n* 1 (story) histoire *f* (**about** sur); (fantasy story) conte *m* (**about** sur); (narrative, account) récit *m* (**about** sur); (legend) légende *f* (**about** de); **to tell a ~** raconter une histoire; **to tell a ~ of woe** (about oneself) raconter ses malheurs; (about others) raconter une histoire pathétique; **the figures tell the same/another ~** les chiffres disent la même chose/tout autre chose; **the recent events tell their own ~** les événements récents parlent d'eux-mêmes; 2 (hearsay) histoire *f*; (gossip) cancan *m*; **to spread** *ou* **tell ~s** raconter des histoires (**about sb** sur qn)

(Idioms) **a likely ~!** et puis quoi encore!; **dead men tell no ~s** les morts ne parlent pas; **to live to tell the ~** être encore là pour en parler; **to tell ~s out of school** révéler des choses indiscrètes

tale: **~bearer** *n* rapporteur/-euse *m/f*, cafardeur/-euse○ *m/f*; **~bearing** *n* rapportage *m*, cafardage○ *m*

talent /ˈtælənt/ *n* 1 (gift) don *m*, talent *m*; **her ~(s) as a speaker/teacher** ses talents d'oratrice/de professeur; **she has a remarkable ~ for music** elle est remarquablement douée pour la musique; **a man of many ~s** un homme très doué; 2 (ability) talent *m* (**for doing** pour faire); **to have ~** avoir du talent, être doué; **a musician/painter of ~** un musicien/un peintre de talent; **there's a lot of ~ in that team** il y a beaucoup de gens de talent dans cette équipe; **employers on the look-out for new ~** des employeurs qui sont à l'affût de gens de talent *or* de nouveaux talents; **a scheme to encourage young ~** un projet pour encourager les talents *or* les jeunes espoirs; 3 ○GB (sexually attractive people) (boys) beaux mecs○ *mpl*; (girls) belles nanas○ *fpl*; **to eye up the (local) ~**○ (male) reluquer○ les beaux mecs○ (du coin); (female) reluquer○ les belles nanas○ (du coin); 4 Hist (unit of money) talent *m*

talent contest *n* concours *m* de jeunes talents *or* d'amateurs (*pour découvrir de futures vedettes*)

talented /ˈtæləntɪd/ *adj* [*person*] doué, talentueux/-ueuse

talentless /ˈtæləntlɪs/ *adj* sans talent, dépourvu de talent

talent: **~ scout** *n* découvreur/-euse *m/f* de nouveaux talents; **~ show** *n* = **talent contest**; **~ spotter** *n* = **talent scout**; **~-spotting** *n* recherche *f* de nouveaux talents

tale: **~teller** = **talebearer**; **~telling** = **talebearing**

tali /ˈteɪlaɪ/ *pl* ▸ **talus**

talisman /ˈtælɪzmən, ˈtælɪs-/ *n* talisman *m*

talismanic /ˌtælɪzˈmænɪk, ˌtælɪs-/ *adj* talismanique

talk /tɔːk/
A *n* 1 (talking, gossip) ¢ propos *mpl*; **there is ~ of sth/of doing** il est question de qch/de faire, on parle de qch/de faire; **there is ~ of me doing** il est question que je fasse; **there is ~ that** on dit que, le bruit court que; **there is (a lot of) ~ about sth** il est (beaucoup) question de qch; **he's all ~** il parle beaucoup mais agit peu; **it's nothing but** *ou* **a lot of ~** ce ne sont que de belles paroles; **it's just ~** ce ne sont que des paroles en l'air; **such ~ is dangerous/ridiculous** de tels propos sont dangereux/ridicules; **he dismissed ~ of problems/defeat** il a refusé de parler des problèmes/de la défaite; **they are the ~ of the town** on ne parle que d'eux
2 (conversation) conversation *f*, discussion *f*; **to have a ~ with sb** parler à qn; **to have a ~ about sth/sb** parler de qch (**with** avec), avoir une discussion à propos de qch (**with** avec)
3 (speech) exposé *m* (**about, on** sur); (more informal) causerie *f*; **to give a ~** faire un exposé; **radio ~** exposé *m* à la radio
B **talks** *npl* (formal discussions) (between governments) discussions *fpl* (**between** entre); (between several groups, countries) conférence *f*; (between management and unions) négociations *fpl*, discussions *fpl* (**beween** entre); **to hold ~s** tenir une conférence; **arms ~s** conférence sur le désarmement; **pay ~s** négociations salariales; **trade ~s** négociations commerciales; **~s about ~s** négociations pour mettre sur pied une conférence
C *vtr* 1 (discuss) **to ~ business/sport** parler affaires/de sport
2 (speak) parler [*French, Spanish etc*]; **to ~ nonsense** raconter n'importe quoi; **she's ~ing sense** ce qu'elle dit est plein de bon sens; **we're ~ing £2 million/three years**○ il faut compter deux millions de livres sterling/trois ans; **we're ~ing a huge investment/a major project**○ il s'agit d'un investissement énorme/d'un projet important
3 (persuade) **to ~ sb into doing** persuader qn de faire; **to ~ sb out of doing** dissuader qn de faire; **you've ~ed me into it!** vous m'avez convaincu!; **to ~ one's way out of doing** s'en tirer sans avoir à faire
D *vi* 1 (converse) parler , discuter; **to ~ to** *ou* **with sb** parler à *or* avec qn; **to ~ to oneself** parler tout seul; **to ~ about sth/about doing** parler de qch/de faire; **to ~ at sb** parler à qn sans l'écouter; **to keep sb ~ing** faire parler qn aussi longtemps que possible; **I'm not ~ing to him** (out of pique) je ne lui parle plus; **~ing of films/tennis...** à propos de films/tennis...; **he knows/he doesn't know what**

t

he's ~ing about il sait/il ne sait pas de quoi il parle; **it's easy** *ou* **all right for you to ~, but you don't have to do it!** tu peux parler, mais ce n'est pas toi qui dois le faire!; **who am I to ~?** remarque, je peux parler!; **look** *ou* **listen who's ~ing!, you're a fine one to ~!, you can ~!** tu peux parler!; **now you're ~ing!** eh bien voilà!; **~ about stupid/expensive○!** comme idiotie/comme prix élevé, ça se pose un peu là○!; **~ about laugh/work○!** qu'est-ce qu'on a ri/travaillé!

2▸ (gossip) parler, bavarder; péj jaser; **to give people sth to ~ about** donner aux gens matière à jaser

3▸ (give information) [*person, prisoner, suspect*] parler

(Phrasal verbs) ■ **talk back** répondre (insolemment) (**to** à)

■ **talk down**: ▸ **~ down to sb** parler à qn avec condescendance; ▸ **~ [sb/sth] down** **1▸** Aviat aider [qn/qch] à atterrir en le guidant par radio [*pilot, plane*]; **2▸** (denigrate) dénigrer

■ **talk out**: ▸ **~ [sth] out, ~ out [sth]** **1▸** (discuss) discuter *or* parler de [qch] à fond; **2▸** GB Pol (prevent passing of) **to ~ out a bill** prolonger la discussion d'un projet de loi (*de manière à ce que le vote n'ait pas lieu*)

■ **talk over**: ▸ **~ [sth] over** (discuss) discuter de, parler de [*matter, issue*]; ▸ **~ [sb] over** (persuade) faire changer [qn] d'avis

■ **talk round**: ▸ **~ round [sth]** tourner autour de [*subject*]; ▸ **~ [sb] round** faire changer [qn] d'avis

■ **talk through**: ▸ **~ [sth] through** discuter de [qch] tranquillement; **to ~ it through** en discuter tranquillement

■ **talk up**: ▸ **~ [sb/sth] up, ~ up [sb/sth]** vanter (les mérites de) [*candidate, product*]

talkathon /'tɔːkəθɒn/ *n* US débat-marathon *m*

talkative /'tɔːkətɪv/ *adj* [*person*] bavard, volubile

talkativeness /'tɔːkətɪvnɪs/ *n* loquacité *f*

talk: **~back** *n* TV, Radio intercommunication *f*; **~box** *n* larynx *m*

talked-about /'tɔːktəbaʊt/ *adj* **the much ~ love affair/resignation** (recently) la liaison/la démission dont on a beaucoup parlé dernièrement; (in the past) la liaison/la démission dont on a beaucoup parlé à l'époque

talker /'tɔːkə(r)/ *n* **to be a good ~** avoir de la conversation; **he's not a great ~** il n'est pas bavard; **to be a slow/fluent ~** parler lentement/avec aisance

talkie○† /'tɔːkɪ/ *n* Cin film *m* parlant

talking /'tɔːkɪŋ/

A *n* **there's been enough ~** assez de paroles!; **I'll do the ~** c'est moi qui parlerai; **'no ~!'** 'silence!'

B *adj* [*bird, doll*] qui parle

talking: **~ book** *n* livre *m* enregistré (*à l'usage des non-voyants*); **~ heads** *npl* interlocuteurs/-trices *mpl/fpl*; **~ point** *n* sujet *m* de conversation; **~ shop** *n* (lieu *m* de) parlotte *f*○

talking-to /'tɔːkɪŋtuː/ *n* savon○ *m*, réprimande *f*; **to give sb a ~** passer un savon○ à qn, réprimander qn

talk radio *n* radio *f* avec intervention des auditeurs

talk show *n* TV talk-show *m* (*émission où un présentateur s'entretient avec des invités*)

tall /tɔːl/ *adj* [*person*] grand; [*building, tree, grass, chimney, mast*] haut; **how ~ are you?** tu mesures combien?; **he's six feet ~** ≈ il mesure un mètre quatre-vingts; **she's four inches ~er than me** ≈ elle fait dix centimètres de plus que moi; **to get** *ou* **grow ~(er)** grandir; **he was ~ dark and handsome** c'était un beau ténébreux

(Idioms) **it's a ~ order** c'est une tâche difficile; **that's a bit of a ~ order!** c'est beaucoup demander!; **a ~ story** *ou* **tale** une histoire à dormir debout; **to stand ~** être résolu; **to walk ~** marcher la tête haute; **to feel (about) ten feet ~** se sentir tout fier

tallboy /'tɔːlbɔɪ/ *n* commode *f* (haute)

tall drink *n* long drink *m*

tallness /'tɔːlnɪs/ *n* (of person) grande taille *f*; (of building, tree, chimney, mast) hauteur *f*

tallow /'tæləʊ/ *n* suif *m*

tallow candle *n* chandelle *f*

tall ship *n* grand voilier *m*

tally /'tælɪ/

A *n* **1▸** (record) compte *m*; **to keep a ~** tenir le compte (**of** de); **to make a ~** faire le compte; **2▸** (amount accumulated) gen nombre *m* total; Sport (score) score *m*; **3▸** (identification ticket) contremarque *f*; **4▸** (counterfoil) souche *f*; **5▸** Hist (stick) taille *f*

B *vtr* (*also* **~ up**) tenir le compte de [*expenses*]; compter [*points*]

C *vi* **1▸** (correspond) correspondre (**with** à); **2▸** (be the same) concorder (**with** avec); **his view tallies with mine** nos vues concordent

tally clerk, tally keeper *n* pointeur/-euse *m/f* de marchandises

tally-ho /ˌtælɪ'həʊ/ *excl* taïaut!

Talmud /'tælmʊd, US 'tɑːl-/ *pr n* Talmud *m*

talmudic /tæl'mʊdɪk, US tɑːl-/ *adj* talmudique

talon /'tælən/ *n* **1▸** Zool serre *f*; **2▸** Games, Archit talon *m*

talus /'teɪləs/ *n* (*pl* **tali**) astragale *m*

tamarin /'tæmərɪn/ *n* tamarin *m*

tamarind /'tæmərɪnd/ *n* **1▸** (fruit) tamarin *m*; **2▸** (tree) tamarinier *m*

tamarisk /'tæmərɪsk/ *n* tamaris *m*

tambour /'tæmbʊə(r)/ *n* (all contexts) tambour *m*

tambourine /ˌtæmbə'riːn/ ▸ p. 1462 *n* tambourin *m*

tame /teɪm/

A *adj* **1▸** [*animal*] apprivoisé; [*person*] hum complaisant; **to become** *ou* **grow ~** [*animal*] s'apprivoiser; **2▸** (unadventurous) [*story, party, contest*] sans relief; [*reform, decision*] timide; [*reply, remark, ending of book, film*] plat; [*ending of match*] décevant; [*cooperation, acquiescence*] docile

B *vtr* **1▸** (domesticate) apprivoiser [*animal*]; **2▸** (train) dompter [*lion, tiger*]; dresser [*horse, dog*]; **3▸** fig (curb) maîtriser [*river, land, nature*]; soumettre [*person, country, opposition*]; contenir [*interest rates*]; juguler [*inflation*]; dompter [*hair*]

tamely /'teɪmlɪ/ *adv* [*abandon, accept, submit, decide*] docilement; [*reply, end, worded, phrased*] platement

tameness /'teɪmnɪs/ *n* **1▸** (domestication) (of animal) docilité *f*; **2▸** (lack of initiative) (of story, party, contest) médiocrité *f*; (of reform, decision) timidité *f*; (of reply, remark, ending) platitude *f*; (of co-operation, acquiescence) docilité *f*

tamer /'teɪmə(r)/ *n* (of lions, tigers) dompteur/-euse *m/f*

Tamil /'tæmɪl/ ▸ p. 1467, p. 1378

A *n* **1▸** (person) Tamoul/-e *m/f*; **2▸** Ling tamoul *m*, tamil *m*

B *adj* tamoul, tamil

taming /'teɪmɪŋ/ *n* **1▸** (making less wild) (of animal, person) apprivoisement *m*; **2▸** (training) (of lion, tiger) domptage *m*; (of horse, dog) dressage *m*; **3▸** fig (of river, land, nature) maîtrise *f*; (of people, country, opposition) soumission *f*; (of inflation, interest rates) maîtrise *f*

Tammany /'tæmənɪ/ *adj* US Pol corrompu

tam-o'-shanter /ˌtæmə'ʃæntə(r)/ *n* béret *m* écossais

tamp /tæmp/ *vtr* bourrer (**with** à)

(Phrasal verb) ■ **tamp down**: ▸ **~ [sth] down, ~ down [sth]** (over explosive) damer [*earth*] (**in, into** dans); tasser [*tobacco*] (**in, into** dans)

tamper /'tæmpə(r)/ *vi* **to ~ with** tripoter, manipuler [qch] en douce [*car, safe, machinery, lock*]; altérer [*text*]; trafiquer [*accounts, records, evidence, food*]; altérer [*nature*]

tampering /'tæmpərɪŋ/ *n* **food/product ~** altération *f* de nourriture/de produits

tamper-proof /'tæmpəpruːf/ *adj* [*lock, machine, jar, ballot box*] de sécurité

tampon /'tæmpɒn/ *n* tampon *m*

tan /tæn/

A *n* **1▸** (*also* **sun~**) gen bronzage *m*; (weather-beaten) hâle *m*; **to get a ~** bronzer; **2▸** (colour) (of leather) fauve *m*; (of fabric, paper) terre *f* de sienne; **3▸** Math (*abrév* = **tangent**) tan

B *adj* [*leather*] fauve; [*fabric, paper*] terre de sienne *inv*

C *vtr* (*p prés etc* **-nn-**) **1▸** [*sun*] gen bronzer; [*sun, wind*] (make weather-beaten) tanner; **to ~ one's back/face** se bronzer le dos/le visage; **2▸** tanner [*animal hide*]; **3▸** ○(beat) rosser○ [*personne*]; **I'll ~ your hide○ (for you)!** je vais te flanquer une raclée○!

D *vi* (*p prés etc* **-nn-**) bronzer

tandem /'tændəm/ *n* tandem *m*; **in ~** en tandem

tandoori /tæn'dʊərɪ/ *n, modif* tandoori (*m*)

tang /tæŋ/ *n* **1▸** (taste) goût *m* acidulé; (smell) odeur *f* piquante; **the salty ~ of the sea** la saveur vivifiante de l'air marin; **with a ~ of lemon** avec une pointe de citron; **2▸** (of knife, chisel) soie *f*

tanga /'tæŋgə/ *n* Fashn slip *m* tanga

Tanganyika /ˌtæŋgə'niːkə/ ▸ p. 1096, p. 1376 *pr n* Hist Tanganyika *m*; **Lake ~** le lac Tanganyika

tangent /'tændʒənt/

A *n* (all contexts) tangente *f*; **to fly off at a ~** [*object, ball*] dévier; **to go off at** *ou* **on a ~** (in speech) partir dans une digression

B *adj* tangent (**to** à)

tangential /tæn'dʒenʃl/ *adj* **1▸** Math tangentiel/-ielle; **2▸** fig secondaire (**to** par rapport à)

tangerine /'tændʒəriːn/

A *n* (fruit, colour) mandarine *f*

B *adj* mandarine *inv*

tangibility /ˌtændʒə'bɪlətɪ/ *n* tangibilité *f*

tangible /'tændʒəbl/ *adj* tangible

tangible assets *npl* valeurs *fpl* matérielles

tangibly /'tændʒəblɪ/ *adv* (clearly) manifestement

Tangier /tæn'dʒɪə/ ▸ p. 1815 *pr n* Tanger *m*

tangle /'tæŋgl/

A *n* **1▸** (of hair, string, wires, weeds) enchevêtrement *m*; (of clothes, sheets) fouillis *m*; **in a ~** tout embrouillé; **to get in** *ou* **into a ~** s'embrouiller; **2▸** fig (political, legal, emotional) imbroglio *m*; **a ~ of problems/motives** un embrouillamini de problèmes/motifs; **in a ~** très embrouillé; **to get in** *ou* **into a ~** [*person*] s'empêtrer (**with** avec); **3▸** (quarrel) prise *f* de bec

B *vtr* = **tangle up**

C *vi* **1▸** [*hair, string, cable*] s'emmêler (**around** autour de); **2▸** = **tangle up**

(Phrasal verbs) ■ **tangle up**: ▸ **~ up** s'embrouiller; ▸ **~ up [sth], ~ [sth] up** embrouiller, emmêler; **to get ~d up** [*hair, string, wires*] s'emmêler (**in** dans); [*clothes*] s'entortiller (**in** dans); [*person*] fig s'empêtrer (**in** dans)

■ **tangle with**: ▸ **~ with [sb/sth]** se frotter à

tangled /'tæŋgld/ *adj* **1▸** [*hair, wool, wire*] emmêlé; [*brambles, wires, wreckage*] enchevêtré; **2▸** [*situation*] embrouillé

(Idiom) **what a ~ web we weave (when first we practise to deceive)** la vie devient compliquée lorsque l'on commence à mentir

tangly /'tæŋglɪ/ *adj* enchevêtré

tango /'tæŋgəʊ/

A *n* tango *m*

B *vi* danser le tango

t

(Idiom) **it takes two to ~** tous les torts ne peuvent pas être du même côté

tangy /'tæŋɪ/ *adj* acidulé

tank /tæŋk/

A *n* **1** (container) (for storage) réservoir *m*; (for heating oil) cuve *f*; (for water) citerne *f*; (for hot water) ballon *m*; (for processing) cuve *f*; (small) bac *m*; (for fish) aquarium *m*; (in fish-farming) vivier *m*; Aut réservoir *m*; **gas/oxygen ~** réservoir *m* à gas/oxygène; **fuel ~** GB, **petrol ~** GB, **gas ~** US réservoir *m* à essence; **fill the ~!** faites le plein!; **2** (contents) (of water) citerne *f* pleine (**of** de); (of petrol) réservoir *m* plein; **3** Mil char *m* (de combat)

B *modif* Mil [*battle, column, tracks*] de chars; [*regiment, warfare*] de chars, de blindés

(Phrasal verb) ■ **tank up 1** US Aut faire le plein; **2** ○**to get ~ed up**○ se bourrer○, se soûler

tankard /'tæŋkəd/ *n* chope *f* (*souvent en métal*)

tank: **~ car** *n* wagon-citerne *m*; **~ engine**, **~ locomotive** *n* locomotive *f* à vapeur

tanker /'tæŋkə(r)/ *n* **1** Naut navire-citerne *m*; **oil ~**, **petrol ~** pétrolier *m*; **2** (lorry) camion-citerne *m*; **water ~** camion-citerne *m*

tanker: **~ aircraft** *n* avion *m* ravitailleur, avion-citerne *m*; **~ lorry** GB *n* camion-citerne *m*

tank farming *n* Agric culture *f* hydroponique

tankful /'tæŋkfʊl/ *n* **1** (of petrol) réservoir *m* plein, plein *m* (**of** de); **this car does 100 km on a ~ of petrol** cette voiture fait 100 km avec un plein d'essence; **2** (of water) citerne *f* pleine (**of** de)

tank: **~ top** *n* débardeur *m*, pull *m* sans manches; **~ trap** *n* Mil fossé *m* antichar; **~ truck** *n* US camion-citerne *m*

tanned /tænd/ *adj* (also **sun~**) bronzé; (weather-beaten) tanné

tanner /'tænə(r)/ *n* **1** (person) tanneur *m*; **2** ○GB Hist (sixpence) *ancienne pièce de six pence*

tannery /'tænərɪ/ *n* tannerie *f*

tannic /'tænɪk/ *adj* tannique

tannic acid *n* acide *m* tannique

tannin /'tænɪn/ *n* tanin *m*

tanning /'tænɪŋ/

A *n* **1** (by sun) bronzage *m*; **2** (of hides) tannage *m*; **3** ○(beating) raclée○ *f*; **to give sb a (good) ~** flanquer une (bonne) raclée à qn

B *modif* [*lotion, product*] de bronzage; **~ center** US, **~ salon** GB salon *m* de beauté (avec équipement UV)

Tannoy® /'tænɔɪ/ *n* GB **the ~** système *m* de haut-parleurs; **over the ~** par les haut-parleurs

tansy /'tænzɪ/ *n* tanaisie *f*

tantalite /'tæntəlaɪt/ *n* tantalite *f*

tantalize /'tæntəlaɪz/ *vtr* allécher

tantalizing /'tæntəlaɪzɪŋ/ *adj* [*suggestion*] tentant; [*possibility*] séduisant; [*glimpse*] excitant, qui fait envie; [*smell*] alléchant; [*smile*] énigmatique

tantalizingly /'tæntəlaɪzɪŋlɪ/ *adv* **to be ~ close to victory** être à deux doigts de la victoire; **the truth was ~ elusive** la vérité était cruellement insaisissable

tantalum /'tæntələm/ *n* tantale *m*

tantalus /'tæntələs/

A *n* GB coffret *m* à bouteilles

B Tantalus *pr n* Mythol Tantale

tantamount /'tæntəmaʊnt/ *adj* **to be ~ to** équivaloir à, être équivalent à

tantrum /'tæntrəm/ *n* crise *f*; **to throw** *ou* **have a ~** [*child*] faire un caprice; [*adult*] piquer une colère○

Tanzania /ˌtænzə'nɪə/ ► **p. 1096** *pr n* Tanzanie *f*

Tanzanian /ˌtænzə'nɪən/ ► **p. 1467, p. 1378**

A *n* (person) Tanzanien/-ienne *m/f*

B *adj* tanzanien/-ienne

Tao /taʊ, tɑːəʊ/ *pr n* Tao *m*

Taoiseach /'tiːʃəx/ *pr n* premier ministre *m* de la République d'Irlande

Taoism /'taʊɪzəm, 'tɑːəʊ-/ *n* taoïsme *m*

Taoist /'taʊɪst/ *n, adj* taoïste (*mf*)

tap /tæp/

A *n* **1** (device to control flow) (for water, gas) robinet *m*; (on barrel) robinet *m*, bonde *f*; **the cold/hot ~** le robinet d'eau froide/chaude; **to run one's hands under the ~** se passer les mains sous le robinet; **to turn the ~ on/off** ouvrir/fermer le robinet; **on ~** [*beer*] pression *inv*; [*wine*] en fût; fig disponible; **2** (blow) petit coup *m*, petite tape *f*; **he felt a ~ on his shoulder** il a senti une tape sur son épaule; **she heard a ~ at the door** elle a entendu frapper à la porte; **a soft ~** un léger coup; **a sharp ~** un coup sec; **to give sth a ~** donner un petit coup *or* une tape à qch; **3** (listening device) **to put a ~ on a phone** mettre un téléphone sur écoute; **4** Dance (*also* **~ dancing**) claquettes *fpl*; **5** US Elec connexion *f*; **6** Tech (*also* **screw ~**) taraud *m*

B taps *npl* (+ *v sg*) (bugle call) (for lights out) sonnerie *f* d'extinction des feux; (at funeral) sonnerie *f* aux morts

C *vtr* (*p prés etc* **-pp-**) **1** (knock) [*person*] taper, tapoter (**on** sur; **against** contre); **to ~ sth with sth** taper *or* frapper qch de qch; **to ~ sb on the shoulder/the arm** taper qn sur l'épaule/le bras; **to ~ one's feet (to the music)** taper du pied (en rythme); **to ~ a rhythm** battre la mesure (**with sth** de qch); **to ~ one's fingers on the table** pianoter sur la table; **to ~ data into the computer** introduire des données dans l'ordinateur; **2** (extract) exploiter [*talent, resources, market, energy*]; **to ~ sb for money**○ demander de l'argent à qn, taper qn○; **3** (install listening device) mettre [qch] sur écoute [*telephone*]; mettre les téléphones de [qch] sur écoute [*house, embassy*]; **4** (breach) mettre une cannelle à [*barrel*]; percer [*furnace*]; **5** (for sap) gemmer, inciser [*tree*] (**for** pour en extraire); **6** (collect resin) recueillir [qch] par incision [*rubber*]; **7** Tech (cut thread of) tarauder; **8** US (designate) désigner (**as** comme; **for** pour; **to do** pour faire)

D *vi* (*p prés etc* **- pp-**) [*person, finger, foot*] taper; **to ~ on** *ou* **at the window/door** taper à la fenêtre/porte; **to ~ against sth** taper *or* battre contre qch

(Phrasal verbs) ■ **tap in**: ► **~ [sth] in, ~ in [sth]** enfoncer [*nail, peg*]; Comput taper [*information, number*]

■ **tap out**: ► **~ [sth] out, ~ out [sth]** transmettre [*message*]

tap dance

A *n* claquettes *fpl*

B *vi* faire des claquettes

tap: **~ dancer** *n* danseur/-euse *m/f* de claquettes; **~ dancing** *n* claquettes *fpl*

tape /teɪp/

A *n* **1** (substance) (for recording) bande *f*; **to put sth on ~** enregistrer qch sur bande; **2** (item) (cassette) cassette *f*; (reel) bande *f* magnétique; (for computer) bande *f*; (for video) cassette *f* vidéo; **to play a ~** mettre une cassette; **on ~** en cassette; **3** (recording) enregistrement *m*; **to make a ~ of** faire un enregistrement de; **to edit a ~** mettre au point un enregistrement; **4** (strip of material) ruban *m*; **tied with ~** attaché avec du ruban; **5** (for sticking) (*also* **adhesive ~**, **sticky ~**) scotch® *m*, ruban *m* adhésif; **a roll of ~** un rouleau de scotch®; **6** (marking off something) (in race) fil *m* d'arrivée; (in ceremony) ruban *m*; (put by police) cordon *m*; **to cut the ~** couper le ruban; **7** (for teleprinter) bande *f* de téléscripteur; **8** gen (for measuring) mètre *m* ruban; Sewing mètre *m* de couturière; (retractable) mètre *m* enrouleur

B *vtr* **1** (on cassette, video) enregistrer; **to ~ sth from** enregistrer qch transmis à [*radio, TV*]; **2** (stick) attacher [*parcel, article*]; **to ~ sb's hands together** attacher les mains de qn avec du scotch®; **to ~ sb's mouth shut** fermer la bouche de qn avec du scotch®; **to ~ sth to** coller qch à [*surface, door*]

C taped *pp adj* [*message, conversation*] enregistré

(Idiom) **to have sb ~d**○ savoir ce que vaut qn; **to have sth ~d**○ connaître qch comme sa poche

(Phrasal verb) ■ **tape up**: ► **~ [sth] up, ~ up [sth]** recoller [qch] avec du scotch® [*parcel, box*]; **to ~ sth up with** recoller qch avec

tape: **~ cassette** *n* cassette *f*; **~ deck** *n* platine *f* cassette; **~ drive** *n* dérouleur *m* de bande magnétique; **~-edit** *n* montage *m* (d'un enregistrement); **~-editing** *n* montage *m*; **~ head** *n* tête *f* de lecture; **~ machine** *n* téléscripteur *m*

tape measure *n* gen mètre *m* ruban; Sewing mètre *m* de couturière; (retractable) mètre *m* enrouleur

tapenade /'tæpənɑːd/ *n* Culin tapenade *f*

taper /'teɪpə(r)/

A *n* **1** (spill) longue allumette *f*, mèche *f* (*pour allumer les bougies*); **2** (candle) cierge *m*; **3** (narrow part) **to have a ~** [*trousers*] être en forme de fuseau; [*column, spire*] être effilé; [*blade*] se terminer en pointe

B *vtr* tailler [qch] en pointe [*stick, fabric*]

C *vi* [*sleeve, trouser leg*] se resserer; [*column, spire*] s'effiler; **to ~ to a point** se terminer en pointe; **a loan of £400 ~ing to £200 in the final year** un prêt de 400 livres sterling qui diminue progressivement pour atteindre 200 livres la dernière année

(Phrasal verb) ■ **taper off**: ► **~ off** diminuer, aller en s'amenuisant; ► **~ off [sth], ~ [sth] off** diminuer *or* réduire [qch] progressivement

tape: **~-record** *vtr* enregistrer; **~ recorder** *n* magnétophone *m*; **~ recording** *n* enregistrement *m*

tapered /'teɪpəd/ *adj* = **tapering**

tapering /'teɪpərɪŋ/ *adj* [*trousers*] en forme de fuseau; [*sleeves*] aux poignets étroits; [*column, leg, wing*] fuselé; [*flame*] qui file; [*finger*] effilé, fuselé

taper pin *n* goupille *f* conique

tapestry /'tæpəstrɪ/ *n* tapisserie *f*

(Idiom) **it's all part of life's rich ~** c'est la vie

tapeworm /'teɪpwɜːm/ *n* ver *m* solitaire, ténia *m*

taphole /'tæphəʊl/ *n* Ind trou *m* de coulée

tapioca /ˌtæpɪ'əʊkə/ *n* **1** (cereal) tapioca *m*; **2** (*also* **~ pudding**) gâteau *m* de tapioca

tapir /'teɪpə(r)/ *n* tapir *m*

tappet /'tæpɪt/ *n* poussoir *m* de soupape

tapping /'tæpɪŋ/ *n* **1** (knocking) battement *m*; **2** Telecom (*also* **telephone ~**) mise *f* sur écoute; **3** GB Elec connexion *f*

tap: **~room**† *n* bar *m*; **~root** *n* Bot racine *f* pivotante; **~ water** *n* eau *f* du robinet

tar /tɑː(r)/

A *n* **1** gen goudron *m*; (on roads) bitume *m*; **2** ○‡(sailor) matelot *m*

B *modif* [*road*] goudronné; **~ paper** papier *m* goudronné; **~ content** (of cigarette) taux *m* de goudron; **low-/high-~ cigarette** cigarette *f* à faible/forte teneur en goudrons

C *vtr* (*p prés etc* **-rr-**) goudronner [*road, roof, fence, timber*]

(Idioms) **to ~ and feather sb** enduire qn de goudron et de plumes; **to ~ everyone with the same brush** mettre tout le monde dans le même sac; **they're ~red with the same brush** ils sont à mettre dans le même sac; **to spoil the ship for a ha'p'orth of ~** tout gâcher pour s'économiser quelques sous

taramasalata /ˌtærəməsə'lɑːtə/ *n* tarama *m*

tarantella /ˌtærən'telə/ *n* tarentelle *f*

tarantula /tə'ræntjʊlə, US -tʃələ/ *n* tarentule *f*

tarboosh, tarbush /tɑ:'bu:ʃ/ *n* tarbouch *m*

tardily /'tɑ:dɪlɪ/ *adv* littér tardivement

tardiness /'tɑ:dɪnɪs/ *n* 1 (slowness) manque *m* d'empressement (**in doing** à faire); 2 (lateness) retard *m*

tardy /'tɑ:dɪ/ *adj* littér 1 (slow) lent (**in doing** à faire); 2 (late) tardif/-ive

tardy slip *n* US Sch billet *m* de retard

tare /teə(r)/ *n* 1 Bot ivraie *f*; 2 Meas tare *f*

target /'tɑ:gɪt/

A *n* 1 (in archery, shooting practice) cible *f*; 2 Mil (of bomb, missile) objectif *m*; **to be a soft ~** être une cible facile; **to be right on ~** être en plein dans la cible; 3 (goal, objective) objectif *m*, but *m*; **production ~** cible *f* de production; **to meet one's ~** atteindre son but; **to be on ~** réaliser ses objectifs; **the figures are way off** *ou* **below ~** les chiffres sont très insuffisants; 4 (butt) cible *f*; **to be the ~ of** être objet de [*abuse, ridicule*]; **an easy** *ou* **soft ~** une cible facile; **to be right on ~** [*jibe, criticism*] mettre en plein dans le mille○

B *modif* [*date, figure*] prévu; [*audience, group*] visé, ciblé

C *vtr* 1 Mil (aim) diriger [*weapon, missile*] (**at, on** sur); (choose as objective) prendre [qch] pour cible [*city, site, factory*]; 2 fig (in marketing) viser, cibler [*group, sector*]; **to be ~ed at** [*product, publication*] viser, cibler [*group*]

target group *n* groupe *m* cible

targeting /'tɑ:gɪtɪŋ/ *n* 1 Comm ciblage *m* (**of** de); 2 Mil **the ~ of enemy bases** la prise de bases ennemies comme objectif

target: **~ language** *n* langue *f* cible, langue *f* d'arrivée; **~ man** *n* GB Sport grand avant-centre *m*; **~ practice** *n* ¢ exercices *mpl* de tir sur cible; **~ price** *n* prix *m* indicatif *or* de référence

tariff /'tærɪf/

A *n* 1 (price list) tarif *m*; 2 (customs duty) droit *m* de douane; 3 Jur tarif *m* des peines

B *modif* [*agreement, barrier, cut, exemption, heading, union*] tarifaire; [*reform*] des tarifs douaniers

tarmac /'tɑ:mæk/

A *n* 1 (*also* **Tarmac**®) macadam *m*; 2 GB (of airfield) piste *f*

B *modif* [*road, footpath*] goudronné

C *vtr* (*p prés etc* **-ck-**) goudronner

tarn /tɑ:n/ *n* petit lac *m* de montagne

Tarn ▸ **p. 1129** *pr n* Tarn *m*; **in/to the ~** dans le Tarn

tarnation○ /tɑ:'neɪʃn/ *n* US **what in ~ is that?** qu'est-ce que c'est que ça?; **what in ~ are you doing?** qu'est-ce que tu fabriques○?

Tarn-et-Garonne ▸ **p. 1129** *pr n* Tarn-et-Garonne *m*; **in/to the ~** dans le Tarn-et-Garonne

tarnish /'tɑ:nɪʃ/ lit, fig

A *n* ternissure *f*

B *vtr* ternir also fig

C *vi* se ternir also fig

taro /'tɑ:rəʊ/ *n* taro *m*

tar oil *n* huile *f* de goudron

tarot /'tærəʊ/ ▸ **p. 1253** *n* tarot *m*

tarpaulin /tɑ:'pɔ:lɪn/ *n* 1 (material) toile *f* de bâche; 2 (sheet) bâche *f*

tarpon /'tɑ:pɒn/ *n* tarpon *m*

tarragon /'tærəgən/

A *n* estragon *m*

B *modif* [*vinegar, sauce*] à l'estragon; [*leaf*] d'estragon

tarring /'tɑ:rɪŋ/ *n* goudronnage *m*

tarry

A /'tɑ:rɪ/ *adj* [*substance*] goudronneux/-euse; [*beach, feet, rock*] plein de goudron

B /'tærɪ/ ‡ *ou* littér *vi* 1 (delay) s'attarder; 2 (stay) demeurer

tarsal /'tɑ:sl/

A *n* os *m* tarsien

B *adj* tarsien/-ienne

tarsus /'tɑ:səs/ *n* (*pl* **tarsi**) tarse *m*

Tarsus /'tɑ:səs/ *pr n* Tarse *f*

tart /tɑ:t/

A *n* 1 (individual pie) tartelette *f*; 2 GB (large pie) tarte *f*; 3 ◑péj pute◑ *f*

B *adj* [*flavour*] acide; [*remark*] acerbe

(Phrasal verb) ■ **tart up**○ GB: ▸ **~ [sth] up, ~ up [sth]** retaper○ [*house, room*]; arranger [*garden, brochure*]; **to be ~ed up** [*person*] être pomponné○; ▸ **~ oneself up** se pomponner○

tartan /'tɑ:tn/

A *n* (pattern, cloth) écossais *m*; **to wear the ~** porter le kilt

B *adj* [*fabric, jacket*] écossais, à carreaux

tartar /'tɑ:tə(r)/ *n* 1 Dent, Wine tartre *m*; 2 (formidable person) (man) croque-mitaine *m*; (woman) virago *f*

Tartar /'tɑ:tə(r)/ ▸ **p. 1467, p. 1378**

A *n* 1 (person) Tatare *mf*; 2 (language) tatar *m*

B *adj* tatar

tartaric /tɑ:'tærɪk/ *adj* tartrique

tartaric acid *n* acide *m* tartrique

tartar sauce *n* sauce *f* tartare

tartly /'tɑ:tlɪ/ *adv* [*say*] d'un ton acerbe

tartness /'tɑ:tnɪs/ *n* lit, fig aigreur *f*

Tashkent /tæʃ'kent/ ▸ **p. 1815** *pr n* Tachkent

task /tɑ:sk, US tæsk/

A *n* 1 (piece of work) travail *m*; 2 (unpleasant duty) tâche *f* (**of doing** de faire); **a hard ~** une lourde tâche; **to have the ~ of doing** avoir pour tâche de faire; **he finds writing reports a hard ~** écrire des rapports est une tâche qu'il trouve difficile; **painting the ceiling will be no easy ~** ce ne sera pas facile de peindre le plafond

B ○*vtr* charger; **to ~ sb with sth** charger qn de qch; **to ~ sb to do sth** charger qn de faire qch

(Idiom) **to take sb to ~** réprimander qn (**about, for, over** pour)

taskbar *n* barre *f* des tâches

task-based learning *n* apprentissage *m* pratique

task force *n* 1 Mil corps *m* expéditionnaire; 2 (of police) détachement *m* spécial; 3 (committee) groupe *m* de travail

taskmaster /'tɑ:skmɑ:stə(r), US 'tæsk-/ *n* tyran *m*; **to be a hard ~** être très exigeant

Tasmania /tæz'meɪnɪə/ ▸ **p. 1355** *pr n* Tasmanie *f*

Tasmanian /tæz'meɪnɪən/

A *n* Tasmanien/-ienne *m/f*

B *adj* tasmanien/-ienne

Tasmanian devil *n* Zool diable *m* de Tasmanie

Tasman Sea /ˌtæzmən 'si:/ ▸ **p. 1493** *pr n* mer *f* de Tasman

Tass /tæs/ *pr n* Tass; **the ~ news agency** l'agence *f* Tass

tassel /'tæsl/ *n* (ornamental) gland *m*; (on corn etc) barbe *f*

tasselled /'tæsld/ *adj* à gland(s)

Tasso /'tæsəʊ/ *pr n* le Tasse

taste /teɪst/

A *n* 1 (flavour) gen goût *m*; (pleasant) saveur *f*; **a strong ~ of garlic** un fort goût d'ail; **a delicate ~** une saveur délicate; **to leave a bad** *ou* **nasty ~ in the mouth** lit laisser un goût déplaisant dans la bouche; fig laisser un arrière-goût d'amertume; **it leaves a nasty ~ in the mouth** fig cela laisse de l'amertume *or* du degoût; **I was left with a nasty ~ in the mouth** fig j'en ai gardé de l'amertume

2 (sense) le goût *m*; **the sense of ~** le sens du goût; **to be bitter/sweet to the ~** avoir un goût amer/sucré; **this cold has taken my (sense of) ~ away** avec ce rhume je ne sens plus le goût de rien

3 (small quantity) petit peu *m*; **have a ~ of this** goûtes-en un peu; **add just a ~ of brandy** ajoutez une goutte de cognac

4 fig (brief experience) gen expérience *f*, aperçu *m*; (foretaste) avant-goût *m*; **a ~ of life in a big city** un aperçu de la vie dans une grande ville; **they were experiencing their first ~ of sth** c'était leur première expérience de qch; **this was just a ~ of the violence to come** ce n'était qu'un avant-goût de la violence qui allait suivre; **a ~ of things to come** un avant-goût de l'avenir; **the ~ of freedom** le goût de la liberté; **she's not used to the ~ of defeat/success** elle n'est pas habituée à (l'idée de) l'échec/la réussite

5 (liking, preference) goût *m*; **to acquire** *ou* **develop a ~ for sth** prendre goût à qch; **he has strange ~s** *ou* **a strange ~ in music/clothes etc** il a des goûts bizarres en matière de musique/de vêtements etc; **it wasn't to her ~** ce n'était pas à son goût; **is this to your ~?** est-ce que ceci vous convient?; **it was too violent for my ~(s)** c'était trop violent pour mon goût; **the resort has something to suit all ~s** la station convient à tous les goûts; **sweeten/add salt to ~** sucrer/saler à volonté

6 (sense of beauty, appropriateness, etc) goût *m*; **she has exquisite/awful ~ in clothes** elle s'habille avec un goût exquis/épouvantable; **to have good ~ in sth** avoir (bon) goût en matière de qch; **the room had been furnished in** *ou* **with excellent ~** la pièce avait été meublée avec beaucoup de goût; **the joke was in poor ~** la plaisanterie était de mauvais goût; **that's a matter of ~** ça dépend des goûts; **it would be in bad** *ou* **poor ~ to do** ce serait de mauvais goût de faire

B *vtr* 1 (perceive flavour) sentir (le goût de); **I can ~ the brandy in this coffee** je sens le (goût du) cognac dans ce café; **I can't ~ a thing with this cold** je trouve que rien n'a de goût avec ce rhume

2 (eat or drink) (to test flavour) goûter; **would you like to ~ the wine?** voulez-vous goûter le vin?; **that's the best stew/coffee I've ever ~d** c'est le meilleur ragoût que j'ai jamais mangé/le meilleur café que j'ai jamais bu; **he's never ~d meat** il n'a jamais mangé de viande

3 fig (experience) goûter à, connaître [*freedom, success, power*]; connaître [*failure, defeat, hardship*]

C *vi* 1 (have flavour) **to ~ sweet/salty** avoir un goût sucré/salé; **to ~ good/horrible** avoir bon/mauvais goût; **the milk ~s off to me** je crois que ce lait est tourné; **to ~ like sth** avoir le goût de qch; **what does it ~ like?** quel goût cela a-t-il?; **to ~ of sth** avoir un goût de qch; **it ~s of pineapple** cela a un goût d'ananas

2 (perceive flavour) avoir du goût; **I can't ~** j'ai perdu le goût

(Idiom) **there's no accounting for ~s!** chacun ses goûts. ▸ **medicine**

taste bud *n* papille *f* gustative; **a menu/meal to tempt the ~s** un menu/un repas qui vous met l'eau à la bouche

tasteful /'teɪstfl/ *adj* [*clothes, choice, design*] de bon goût; **a ~ room** une pièce meublée avec goût

tastefully /'teɪstfəlɪ/ *adv* [*furnish, dress, decorated*] avec goût

tastefulness /'teɪstflnɪs/ *n* bon goût *m* (**of** de)

tasteless /'teɪstlɪs/ *adj* 1 [*remark, joke, garment, furnishings*] de mauvais goût; **a delightfully ~ black comedy** une comédie noire d'un mauvais goût achevé; 2 (without flavour) [*food, drink*] insipide; [*medicine, powder*] qui n'a aucun goût

tastelessly /'teɪstlɪslɪ/ *adv* avec mauvais goût

tastelessness /'teɪstlɪsnɪs/ *n* 1 (of joke, remark, behaviour) mauvais goût *m*; 2 (of food, drink) manque *m* de saveur

taster /'teɪstə(r)/ *n* 1 (person) (to check quality) dégustateur/-trice *m/f*; (to check for poison) goûteur/-euse *m/f*; 2 (foretaste) avant-goût *m* (of, for de)

tastiness /'teɪstɪnɪs/ *n* goût *m* (délicieux), saveur *f* (agréable)

tasting /'teɪstɪŋ/
A *n* dégustation *f*; **cheese/wine ~** dégustation *f* de fromages/de vins
B -tasting (*dans composés*) **sweet-~** (au goût) sucré; **pleasant-~** (au goût) agréable

tasty /'teɪstɪ/ *adj* 1 (full of flavour) [*food*] savoureux/-euse, succulent; **a ~ morsel/dish** un morceau/un plat succulent; 2 ○(attractive) [*price, discount*] intéressant; [*garment*] attrayant; **he's ~** il est beau gosse○

tat /tæt/
A ○*n* GB 1 (junk) camelote○ *f*; 2 (clothing) fripes *fpl*
B *vtr* (*p prés etc* **-tt-**) **to ~ lace** faire de la dentelle
C *vi* (*p prés etc* **-tt-**) faire de la frivolité, faire de la dentelle à la navette

ta-ta /tə'tɑ:/ *excl* lang enfantin au revoir!

Tatar *n, adj* = **Tartar**

tattered /'tætəd/ *adj* lit [*coat, clothing*] dépenaillé; [*book, document*] en lambeaux; [*person*] déguenillé; [*reputation*] en miettes; **my hopes are ~** mes espoirs sont presque réduits à néant; **~ and torn** en loques

tatters /'tætəz/ *npl* lambeaux *mpl*; **to be in ~** [*clothing*] être en lambeaux; [*career, life, reputation*] être en ruines; [*hopes*] réduit à néant

tattersall /'tætəsɔ:l/ *n* tissu *m* à grands carreaux

tatting /'tætɪŋ/ *n* frivolité *f*, dentelle *f* à la navette

tattle /'tætl/
A *n* (also **tittle-tattle**) ₵ commérages *mpl*
B *vi* jaser (**about** sur); **to ~ on sb** cafarder○ sur qn

tattler /'tætlə(r)/ *n* commère *f*

tattletale /'tætlteɪl/ *n* rapporteur/-euse *m/f*

tattoo /tə'tu:, US tæ'tu:/
A *n* 1 (on skin) tatouage *m*; 2 Mil (on drum, bugle) *signal qui rappelle les soldats vers leurs quartiers*; **to beat/sound the ~** Mil battre le tambour/sonner le clairon (*pour rappeler les soldats vers leurs quartiers*); 3 (parade) parade *f* militaire; 4 fig (drumming noise) roulement *m*, tambourinement *m*; **the rain beat a ~ on the roof** la pluie tambourinait sur le toit; **he was beating a ~ on the table with his fingers** il pianotait *or* tambourinait sur la table
B *vtr* tatouer (**on** sur)

tattoo artist ▸ **p. 1683** *n* tatoueur/-euse *m/f*

tattooist /tə'tu:ɪst, US tæ'tu:ɪst/ ▸ **p. 1683** *n* tatoueur/-euse *m/f*

tatty○ /'tætɪ/
A *n* Culin, Scot patate○ *f*, pomme *f* de terre
B *adj* GB [*appearance*] négligé; [*carpet, garment, curtain*] miteux/-euse; [*book, shoes*] en mauvais état; [*area, building, furniture*] délabré; **a ~ piece of paper** un bout de papier

taught /tɔ:t/ *prét, pp* ▸ **teach**

taunt /tɔ:nt/
A *n* raillerie *f*
B *vtr* railler [*person*] (**about, over** à propos de); **to ~ sb into doing sth** provoquer qn pour lui faire faire qch

taunting /'tɔ:ntɪŋ/
A *n* ₵ railleries *fpl*
B *adj* railleur/-euse, moqueur/-euse

tauntingly /'tɔ:ntɪŋlɪ/ *adv* [*speak, criticize*] d'un ton railleur; [*stare, smile*] d'un air railleur

Taurean /'tɔ:rɪən/ ▸ **p. 1917**
A *n* Taureau *m*
B *modif* [*trait*] du Taureau

taurine /'tɔ:ri:n, -raɪn/ *adj* sout taurin

tauromachy /tɔ:'rɒməkɪ/ *n* sout tauromachie *f*

Taurus /'tɔ:rəs/ ▸ **p. 1917** *n* Taureau *m*

taut /tɔ:t/ *adj* (all contexts) tendu

tauten /'tɔ:tn/
A *vtr* tendre
B *vi* se tendre

tautly /'tɔ:tlɪ/ *adv* 1 **a ~-strung racket** une raquette aux cordes tendues; 2 [*say, reply*] d'un air tendu

tautness /'tɔ:tnɪs/ *n* tension *f*

tautological /,tɔ:tə'lɒdʒɪkl/ *adj* tautologique

tautology /tɔ:'tɒlədʒɪ/ *n* tautologie *f*

tavern /'tævən/ *n* taverne *f*

taverna /tə'vɜ:nə/ *n* taverne *f* (grecque)

TAVR *n* GB (*abrév* = **Territorial and Army Volunteer Reserve**) armée *f* de réservistes volontaires

tawdriness /'tɔ:drɪnɪs/ *n* (of clothes) caractère *m* criard; (of jewellery) clinquant *m*; (of furnishings, house, pub) mauvais goût *m*; fig (of motives, method) petitesse *f*; (of affair) médiocrité *f*

tawdry /'tɔ:drɪ/ *adj* [*clothes*] voyant; [*jewellery*] clinquant; [*furnishings, house*] de mauvais goût; fig [*motives, methods*] bas/basse; [*affair*] minable

tawny /'tɔ:nɪ/ *adj* fauve

tawny owl *n* 1 Zool chouette *f* hulotte; 2 (Brownie leader) assistante *f* (de la cheftaine)

tawse /tɔ:z/ *n* Scot martinet *m*, fouet *m*

tax ➡▯ /tæks/
A *n* gen taxe *f* (**on** sur); (on individual) impôt *m*; **sales ~** taxe à l'achat; **to collect/levy a ~** percevoir un impôt; **to increase** *ou* **raise ~es** augmenter les impôts; **to cut ~es** diminuer les impôts; **before ~** brut; **after ~** après déduction des impôts; **~ is deducted at source** les impôts sont retenus à la source; **to pay ~, be liable for ~** être imposable; **to pay £1,000 in ~** verser 1 000 livres sterling d'impôts; **to pay a substantial sum in ~** verser une grosse somme au fisc; **to pay ~ on one's earnings** être imposé sur ce qu'on gagne
B *vtr* 1 taxer [*profits, earnings*]; imposer [*person*]; **to be ~ed at a rate of 18%** [*person*] être imposé au taux de 18%; [*sum, income, profit*] être taxé à 18%; **luxury goods are heavily ~ed** les articles de luxe sont lourdement taxés; **to be ~ed at a higher/lower rate** être soumis à un taux d'imposition plus élevé/moins élevé; 2 Aut **to ~ a vehicle** payer la vignette (de l'impôt sur les automobiles); **the car is ~ed till November** la vignette est valable jusqu'en novembre; 3 fig (strain, stretch) mettre [qch] à l'épreuve [*patience, goodwill, wits*]; **this will ~ your wits!** ceci mettra tes méninges à l'épreuve!

(Phrasal verb) ■ **tax with:** ▸ **~ [sb] with** accuser qn de [*misdeed*]

taxable /'tæksəbl/ *adj* [*earnings, profit*] imposable

tax: ~ accountant *n* conseiller *m* fiscal; **~ adjustment** *n* redressement *m*; **~ advantage** *n* avantage *m* fiscal; **~ allowance** *n* abattement *m*; **~ arrears** *npl* arriérés *mpl* fiscaux

taxation /tæk'seɪʃn/ *n* 1 (imposition of taxes) taxation *f*, imposition *f*; 2 (revenue from taxes) impôts *mpl*, contributions *fpl*

tax: ~ avoidance *n* évasion *f* fiscale; **~ band** *n* = **tax bracket**; **~ base** *n* assiette *f* de l'impôt; **~ bite** *n* ponction *f* fiscale; **~ bracket** *n* tranche *f* d'imposition du revenu; **~ break** *n* réduction *f* d'impôt, avantage *m* fiscal; **~ burden** *n* charge *f* fiscale; **~ code** *n* code *m* d'imposition; **~ collection** *n* perception *f* des impôts; **~ collector** *n* percepteur *m*; **~ credit** *n* crédit *m* d'impôt; **~ cut** *n* réduction *f* d'impôt; **~-deductible** *adj* déductible des impôts; **~ demand** *n* avis *m* d'imposition; **~ disc** *n* vignette *f* (automobile); **~ dodge**○ *n* combine○ *f* pour éviter l'impôt; **~ dodger** *n* fraudeur/-euse *m/f* fiscal/-e

taxeme /'tæksi:m/ *n* taxème *m*

tax: ~ evader *n* fraudeur/-euse *m/f* fiscal/-e; **~ evasion** *n* fraude *f* fiscale; **~-exempt** *adj* exonéré d'impôt; **~ exemption** *n* exonération *f* d'impôt; **~ exile** *n*: *personne qui s'est expatriée pour raisons fiscales*; **~ form** *n* feuille *f* d'impôts; **~ fraud** *n* fraude *f* fiscale; **~-free** *adj* [*income*] exempt d'impôt; **~ haven** *n* paradis *m* fiscal

taxi /'tæksɪ/
A *n* taxi *m*; **by ~** en taxi; **we took a ~ to the station** nous avons pris un taxi pour aller à la gare
B *vi* [*airplane*] rouler doucement; **the plane was ~ing along the runway** l'avion avançait doucement sur la piste

taxi: ~cab *n* = **taxi**; **~ dancer** *n* taxi-girl *f*, entraîneuse *f*

taxidermist /'tæksɪdɜ:mɪst/ ▸ **p. 1683** *n* taxidermiste *mf*

taxidermy /'tæksɪdɜ:mɪ/ *n* taxidermie *f*

taxi: ~ driver ▸ **p. 1683** *n* chauffeur *m* de taxi; **~ fare** *n* prix *m* de la course (*de taxi*); **~ man**○ *n* = **taxi driver**; **~meter** *n* taximètre *m*, compteur *m* (de taxi)

tax: ~ immunity *n* immunité *f* fiscale; **~ incentive** *n* incitation *f* fiscale

taxing /'tæksɪŋ/ *adj* [*job, role*] épuisant, fatigant

tax inspector ▸ **p. 1683** *n* inspecteur/-trice *m/f* des impôts

taxi: ~plane *n* US avion-taxi *m*; **~ rank** GB, **~ stand** *n* station *f* de taxis; **~way** *n* taxiway *m*

tax: ~ levy *n* prélèvement *m* d'impôt; **~ liability** *n* (personal position) assujetissement *m* à l'impôt; (amount payable) montant *m* dû au fisc; **~ loophole** *n* faille *f* dans la législation fiscale

taxman○ /'tæksmæn/ *n* **the ~** le fisc; **to owe the ~ £500** devoir 500 livres sterling au fisc

tax office *n* perception *f*

taxonomist /tæk'sɒnəmɪst/ *n* taxinomiste *mf*

taxonomy /tæk'sɒnəmɪ/ *n* taxinomie *f*

taxpayer /'tækspeɪə(r)/ *n* contribuable *mf*

tax purposes *npl* **to declare a sum for ~** déclarer une somme au fisc; **his income for ~ is £20,000** son revenu imposable est de 20 000 livres sterling

tax: ~ rate *n* taux *m* d'imposition; **~ rebate** *n* remboursement *m* d'impôt; **~ relief** *n* dégrèvement *m*

tax return *n* 1 (form) feuille *f* d'impôts; 2 (declaration) déclaration *f* de revenus; **to file a ~** faire sa déclaration d'impôts

tax: ~ shelter *n* (place) paradis *m* fiscal; (stratagem) moyen *m* d'échapper au fisc; **~ year** *n* année *f* fiscale

Tayside /'teɪsaɪd/ ▸ **p. 1612** *pr n* (also **~ Region**) Tayside *m*

TB *n*: *abrév* ▸ **tuberculosis**

t: T-bar *n* (for skiers) remonte-pente *m*, tire-fesses○ *m inv*; **T-bone steak** *n* steak *m* américain

tbsp *n*: *abrév écrite* = **tablespoon**

TCE *n* (*abrév* = **ton coal equivalent**) TEC *f*

Tchaikovsky /tʃaɪ'kɒfskɪ/ *pr n* Tchaïkovski

TCP® *n* désinfectant *m*

➡▯ *see* Life in France

t

TD *n* **1** US *abrév* = **touchdown**; **2** US *abrév* ▸ **Treasury Department**; **3** *abrév* ▸ **technical drawing**

te /ti:/ *n* Mus (*also* **ti**) si *m*

tea /ti:/ *n* **1** (drink, substance, shrub) thé *m*; **jasmine ~** thé au jasmin; **I'll make a pot of ~** je vais faire du thé; **2** (cup of tea) thé *m*; **two ~s please** deux thés s'il vous plaît; **3** GB (in the afternoon) thé *m*; (for children) goûter *m*; (evening meal) repas *m* du soir, dîner *m*; **they had ~ in the garden** ils ont pris le thé au jardin; **4** °US (marijuana) marijuana *f*

(Idioms) **it's not my cup of ~** ce n'est pas mon truc°; **he's not my cup of ~** il ne me plaît pas tellement; **that's just his cup of ~** c'est tout à fait son truc°; **to give sb ~ and sympathy** hum réconforter qn

tea: **~ bag** *n* sachet *m* de thé; **~ ball** *n* boule *f* à thé; **~ break** *n* GB ≈ pause-café *f*; **~ caddy** *n* boîte *f* à thé; **~ cake** *n* GB brioche *f* aux raisins; **~ cart** *n* US = **tea-trolley**

teach /ti:tʃ/ (*prét, pp* **taught**)

A *vtr* **1** (instruct) enseigner à [*children, adults*]; **to ~ sb about sth** enseigner qch à qn; **to ~ a dog obedience** apprendre à un chien à obéir; **to ~ sb (how) to do** apprendre à qn à faire; **he taught me (how) to drive** il m'a appris à conduire; **to ~ sb what to do** apprendre à qn ce qu'il faut faire; **2** (impart) enseigner [*subject, skill*]; **to ~ Russian/biology** enseigner le russe/la biologie; **to ~ sth to sb, to ~ sb sth** enseigner qch à qn; **to ~ adults French** enseigner le français aux adultes; **to ~ sb the basics of** apprendre à qn les rudiments de; **she could ~ us a thing or two about** elle pourrait nous donner des leçons en matière de; **3** (as career) enseigner [*subject, skill*]; **she ~es swimming** elle est professeur de natation; **to ~ school** US être instituteur/-trice; **4** °(as correction) **to ~ sb a lesson** [*person*] donner une bonne leçon à qn; [*experience*] servir de leçon à qn; **he needs to be taught a lesson** il a besoin qu'on lui donne une bonne leçon; **to ~ sb to do** apprendre à qn à faire; **I'll/that will ~ you to lie!** je vais t'apprendre/ça t'apprendra à mentir!; **5** (advocate) enseigner [*doctrine, creed, virtue*]; **to ~ that** enseigner que; **to ~ sb to do** enseigner à qn à faire

B *vi* enseigner

C *v refl* **to ~ oneself to do** s'apprendre à faire; **to ~ oneself Spanish** apprendre l'espagnol tout seul

(Idiom) **you can't ~ an old dog new tricks** il est difficile de déranger les vieilles habitudes

Teach For America

Programme destiné à ce que les jeunes des zones urbaines défavorisées ou des zones rurales aient accès à un enseignement scolaire de haute qualité. Ce sont en effet des jeunes universitaires brillants qui se portent volontaires pour dispenser des cours pendant deux ans dans le cadre de ce programme.

teacher /'ti:tʃə(r)/ ▸ p. 1683

A *n* (in general) enseignant/-e *m/f*; (secondary) professeur *m*; (primary) instituteur/-trice *m/f*; (special needs) éducateur/-trice *m/f*; **women ~s** femmes *fpl* enseignantes; **French/music ~** professeur de français/de musique; **to be a qualified** *ou* **certified** US **~** être professeur certifié; **to be a ~ of English** enseigner l'anglais

B *modif* [*morale, recruitment*] des enseignants; [*numbers, shortage*] d'enseignants

teacher: **~ certification** *n* US diplôme *m* d'enseignement; **~ education** *n* US formation *f* pédagogique; **~ evaluation** *n* évaluation *f* des enseignants; **~-pupil ratio** *n* taux *m* d'encadrement; **~'s aide** *n* US assistant/-e *m/f* d'instituteur; **~s' centre** GB, **~s' center** US *n* centre *m* de documentation pédagogique; **~'s pet**° *n* péj chouchou/-te° *m/f* du professeur pej; **~ training** *n* formation *f* pédagogique; **~-training college** *n* centre *m* de formation pédagogique

tea chest *n* caisse *f* à thé

teach-in /'ti:tʃɪn/ *n* groupe *m* de discussion

teaching /'ti:tʃɪŋ/

A *n* **1** (instruction) enseignement *m*; **the ~ of history, history ~** l'enseignement de l'histoire; **to go into** *ou* **enter ~** entrer dans l'enseignement; **to have 22 hours ~ per week** avoir 22 heures de cours par semaine; **to do some ~ in the evenings** donner quelques cours le soir; **2** (doctrine) enseignement *m*; **the ~s of Gandhi** les enseignements de Gandhi

B *modif* [*career, post, union*] d'enseignant; [*ability, materials, method, qualification, strategy, skill*] pédagogique; [*staff*] enseignant

teaching aid *n* support *m* pédagogique

teaching assistant, TA ▸ p. 1683 *n* **1** US Univ chargé/-e *m/f* d'enseignement; **2** GB Sch *personne sans diplôme d'enseignement qui aide l'instituteur*

teaching: **~ fellow** *n* attaché/-e *m/f* d'enseignement; **~ fellowship** *n* poste *m* d'attaché d'enseignement; **~ hospital** *n* centre *m* hospitalo-universitaire, CHU

teaching practice *n* GB stage *m* de formation pédagogique; **to be on** *ou* **be doing ~** être en stage

teaching profession *n* **1** (teaching body) **the ~** les enseignants *mpl*; **2** (career) **the ~** l'enseignement *m*

teachware /'ti:tʃweə(r)/ *n* Comput didacticiel *m*

tea: **~ cloth** *n* GB (for drying) torchon *m* (à vaisselle); (for table) nappe *f*; (for tray) napperon *m*; **~ cosy** GB, **~ cozy** US *n* couvre-théière *m inv*

teacup /'ti:kʌp/ *n* tasse *f* à thé

(Idiom) **a storm in a ~** une tempête dans un verre d'eau

tea dance *n* thé *m* dansant

tea garden *n* **1** (café) salon *m* de thé en plein air; **2** (plantation) plantation *f* de thé

tea: **~ gown** *n* robe *f* d'après-midi (*portée dans les années 1920 et 1930*); **~house** *n* salon *m* de thé (*au Japon ou en Chine*); **~ infuser** *n* boule *f* or infuseur *m* à thé

teak /ti:k/

A *n* **1** (wood) teck *m*; **2** (tree) teck *m*

B *modif* [*furniture, construction*] en teck

tea kettle *n* bouilloire *f*

teal /ti:l/ *n* sarcelle *f*

tea lady ▸ p. 1683 *n* GB *employée qui distribue du thé dans les bureaux*

tea leaf *n* feuille *f* de thé; **to read the tea-leaves** ≈ lire dans le marc de café; **to read sb's tea-leaves** ≈ lire l'avenir de qn dans le marc de café

team /ti:m/

A *n* **1** Mgmt, Sport (of people) équipe *f*; **rugby/management ~** équipe de rugby/de direction; **a ~ of advisers/doctors** une équipe de conseillers/de médecins; **to work well as a ~** faire un bon travail d'équipe; **2** (of horses, oxen, huskies) attelage *m*

B *modif* [*captain, competition, effort, event, games, leader, sport*] d'équipe; [*colours, performance*] d'une équipe

C *vtr* **1** (coordinate) associer [*garment*] (**with** à); **2** (bring together) ▸ **team up**

(Phrasal verb) ■ **team up**: ▸ **~ up** [*people*] faire équipe (**against** contre; **with** avec); [*organizations*] s'associer (**with** avec); ▸ **~ [sb] up** associer; **to ~ sb up with sb** associer qn avec qn

team: **~ manager** *n* directeur/-trice *m/f* d'une équipe; **~-mate** *n* coéquipier/-ière *m/f*; **~ member** *n* équipier/-ière *m/f*; **~ spirit** *n* esprit *m* d'équipe

teamster /'ti:mstə(r)/ *n* US routier *m*

The Teamsters Union

Puissant syndicat des camionneurs américains qui compte environ un million et demi de membres. Il fait partie de la centrale syndicale de l'AFL-CIO. ▸ **AFL-CIO**

team: **~ teaching** *n* enseignement *m* en équipe; **~work** *n* collaboration *f*

tea: **~ party** *n* thé *m*; (for children) goûter *m*; **~ plant** *n* arbre *m* à thé, théier *m*; **~ plantation** *n* plantation *f* de thé; **~ planter** *n* planteur *m* de thé; **~ plate** *n* petite assiette *f*

teapot /'ti:pɒt/ *n* théière *f*

(Idiom) **a tempest in a ~** US une tempête dans un verre d'eau

tear¹ /teə(r)/

A *n* **1** gen (from strain) déchirure *f* (**in** dans); (done on nail, hook etc) accroc *m* (**in** à *or* dans) **2** Med (**perineal**) **~** déchirure *f* (du périnée)

B *vtr* (*prét* **tore**, *pp* **torn**) **1** (rip) déchirer [*garment, paper*] (**on** sur); mettre [qch] en pièces [*flesh, prey*]; **to ~ sth from** *ou* **out of** arracher qch de [*book, notepad*]; **to ~ a hole in sth** faire un trou dans qch; **I've torn a hole in my coat** j'ai fait un accroc à mon manteau; **to ~ sth in half** *ou* **in two** déchirer qch en deux; **to ~ sth in(to) pieces/strips** déchirer qch en morceaux/lambeaux; **to ~ sth to pieces** *ou* **bits** *ou* **shreds** fig démolir [*proposal, argument, book, film*]; lit déchirer [*fabric*]; démolir [*objet*]; **to ~ sb to pieces** fig descendre qn en flammes; lit écharper qn; **to ~ one's hair (out)** lit, fig s'arracher les cheveux; **to ~ a muscle/ligament** se claquer° *or* se déchirer un muscle/ligament; **'~ along the dotted line'** 'déchirer en suivant le pointillé'

2 (remove by force) **to ~ sth from** *ou* **off** arracher qch de [*roof, surface, object*]; **to ~ sth from sb's hands** *ou* **grasp** arracher qch des mains de qn; **he was torn from his mother's arms** il a été arraché des bras de sa mère; **to ~ sth out of** arracher qch de [*ground*]; **you nearly tore my arm out of its socket!** tu as failli m'arracher le bras!

3 (emotionally) (*tjrs au passif*) **to be torn between** être tiraillé entre [*options, persons*]; **she's torn between keeping on her job and going to college** elle hésite entre garder son emploi et faire des études

4 (divided) **to be torn by war/racism** être déchiré par la guerre/le racisme

C *vi* (*prét* **tore**, *pp* **torn**) **1** (rip) se déchirer; **to ~ into** déchirer [*flesh, cloth*]

2 (rush) **to ~ out/off/past** sortir/partir/passer en trombe; **to ~ up/down the stairs** monter/descendre les escaliers quatre à quatre; **she came ~ing into the yard/house** elle est entrée en trombe dans la cour/maison; **she went ~ing (off) down the road** elle a filé à toute allure; **they were ~ing along at 150 km/h** ils filaient à 150 km/h; **the car came ~ing around the corner** la voiture a pris le tournant à toute allure; **they're ~ing around the streets** ils passent en trombe dans les rues; **I tore through the book in two days** j'ai dévoré le livre en deux jours

3 (pull forcefully) **to ~ at** [*animal*] déchiqueter [*flesh, prey*]; [*person*] s'attaquer à [*rubble*]

4 °(criticize) **to ~ into** engueuler◑ [*person*] (**about** à cause de); démolir° [*play, film, book*]

D **tearing** *pres p adj* **1** **a ~ing sound** un craquement

2 °**to be in a ~ing hurry** GB être terriblement pressé (**to do** de faire); **she was in a ~ing hurry** elle avait le feu aux trousses°

(Idiom) **that's torn it**°! GB il ne manquait plus que ça!

(Phrasal verbs) ■ **tear apart**: ▸ **~ [sth] apart, ~ apart [sth]** **1** (destroy) lit mettre [qch] en pièces [*prey, game*]; démolir [*building*]; fig déchirer [*relationship, organization, country*]; démolir [*film, novel, essay*]; **2** (separate) séparer [*connected items*]; ▸ **~ [sb] apart** **1** fig (torment) déchirer; **2** °(criticize) descendre [qn] en

flammes; 3 lit (dismember) mettre [qn] en pièces; (separate) séparer [*two people*]
■ **tear away**: ▸ ~ **away** [*paper, tape*] se déchirer; ▸ ~ **away [sth]** arracher [*wrapping, bandage*]; ▸ ~ **[sb] away** arracher [*person*] **(from** à); **to ~ one's gaze away** détacher ses yeux; **to ~ oneself away from sth/sb** s'arracher à qch/qn (**to do** pour faire) also iron
■ **tear down**: ▸ ~ **[sth] down**, ~ **down [sth]** démolir [*building, wall, statue*]; **to ~ sth down from** arracher qch de [*wall, lamppost*]
■ **tear off**: ▸ ~ **[sth] off**, ~ **off [sth]** 1 (remove) (carefully) détacher [*coupon, strip, petal*]; (violently) arracher [*aerial, wiper*]; déchirer [*wrapping paper*]; **to ~ sb's clothes off** arracher les vêtements de qn; 2 ○(write)○ torcher [*letter, memo*]
■ **tear open**: ▸ ~ **open [sth]**, ~ **[sth] open** ouvrir [qch] en le/la déchirant
■ **tear out**: ▸ ~ **[sth] out**, ~ **out [sth]** détacher [*coupon, cheque*]; arracher [*page, picture*]
■ **tear up**: ▸ ~ **[sth] up**, ~ **up [sth]** 1 (destroy) déchirer [*page, letter, document*] **(into, in** en); 2 (remove) déraciner [*tree*]; arracher [*tracks, tramlines*]; défoncer [*street, pavement*]; 3 fig (reject) dénoncer [*treaty, legislation, contract*]

tear² /tɪə(r)/ *n* (*gén pl*) larme *f*; **close to ~s** au bord des larmes; **in ~s** en larmes; **to burst/dissolve into ~s** éclater/fondre en larmes; **to reduce sb to ~s** réduire qn aux larmes; **to shed ~s of rage/laughter** verser des larmes de rage/de rire; **it brings ~s to the eyes** cela fait venir les larmes aux yeux; **it brought ~s to her eyes, it moved her to ~s** elle en avait les larmes aux yeux; **there were ~s in his eyes** il avait les larmes aux yeux; **French/gardening without ~s** le français/le jardinage sans peine
(Idiom) **to end in ~s** [*game, party*] finir par des pleurs; [*campaign, experiment*] mal se terminer

tearaway /ˈteərəweɪ/ *n* casse-cou *m inv*

tear tɪə(r): **~drop** *n* larme *f*; **~ duct** *n* conduit *m* lacrymal

tearful /ˈtɪəfl/ *adj* 1 (weepy) [*person, face*] en larmes; [*voice*] larmoyant; **to feel ~** avoir envie de pleurer; 2 (marked by tears) [*speech, conversation*] ému, larmoyant péj; **a ~ reunion** des retrouvailles émues; **a ~ farewell** des adieux éplorés

tearfully /ˈtɪəfəlɪ/ *adv* [*say, tell*] les larmes aux yeux

tear gas *n* gaz *m* lacrymogène

tear-jerker /ˈtɪədʒɜːkə(r)/ *n* hum, péj **this film is a real ~** ce film est un vrai mélo○

tear-off /ˈteərɒf/ *adj* [*coupon, slip*] détachable; **~ perforations** Comput pointillés *mpl* de séparation

tear-off calendar *n* éphéméride *f*

tea: **~room** *n* salon *m* de thé; **~ rose** *n* rose-thé *f*

tear-stained /ˈtɪəsteɪnd/ *adj* [*face*] barbouillé de larmes; [*pillow, letter*] mouillé de larmes

teary /ˈtɪərɪ/ *adj* US = **tearful**

tease /tiːz/
A *n* 1 (joker) taquin/-e *m/f*; 2 (woman) péj allumeuse *f* pej
B *vtr* 1 (provoke) taquiner [*person*] **(about** à propos de); tourmenter [*animal*]; 2 Tex (separate) carder; (brush) peigner; 3 (backcomb) crêper [*hair*]
C *vi* taquiner.
(Phrasal verb) ■ **tease out**: ▸ ~ **out [sth]**, ~ **[sth] out** 1 démêler [*knots, strands*]; 2 fig clarifier [*information*]; démêler [*significance*]

teasel /ˈtiːzl/ *n* 1 Bot cardère *f*; 2 Tex carde *f*

teaser /ˈtiːzə(r)/ *n* 1 ○(puzzle) colle○ *f*; 2 (person) taquin/-e *m/f*; 3 Comm, TV (ad) aguiche *f*

tea: **~ service**, **~ set** *n* service *m* à thé, **~ shop** *n* GB salon *m* de thé

teasing /ˈtiːzɪŋ/
A *n* 1 gen taquineries *fpl*; 2 (in advertising) aguichage *m*
B *adj* taquin, moqueur/-euse

teasingly /ˈtiːzɪŋlɪ/ *adv* [*say*] d'un air taquin; [*name*] par taquinerie

Teasmade®, **Teasmaid®** /ˈtiːzmeɪd/ *n* machine *f* à faire le thé

tea: **~spoon** *n* petite cuillère *f*, cuillère *f* à café; **~spoonful** *n* cuillerée *f* à café; **~ strainer** *n* passe-thé *m inv*, passoire *f* (à thé)

teat /tiːt/ *n* 1 (of cow, goat, ewe) trayon *m*, tette *f* spec; 2 GB (on baby's bottle) tétine *f*

tea table *n* (in the afternoon) table *f* mise pour le thé; (for evening meal) table *f* mise pour le dîner; **they were sitting around the ~** ils étaient assis autour de la table

tea: **~time** *n* (in the afternoon) l'heure *f* du thé; (in the evening) l'heure *f* du dîner; **~ towel** *n* GB torchon *m* (à vaisselle); **~ tray** *n* plateau *m* (à thé); **~-trolley** *n* GB table *f* roulante; **~ urn** *n* grande bouilloire *f* (*pour faire le thé*)

tea tree *n* leptospermum *m*

TEC *n* GB (*abrév* = **Training and Enterprise Council**) *organisme local de formation professionnelle établi par le gouvernement et géré par le secteur privé*

tech○ /tek/ *n* GB *abrév* ▸ **technical college**

techie○ /ˈtekɪ/ *n* technicien/-ienne *m/f* pur/-e et dur/-e

technetium /tekˈniːʃm/ *n* technétium *m*

technical /ˈteknɪkl/ *adj* 1 (mechanical, technological) technique; **a ~ hitch** un incident technique; **the ~ staff** les techniciens; 2 (specialist) technique; **~ terms** mots *mpl* techniques; 3 Jur (in law) [*point, detail, defect*] de procédure; **~ offence** quasi-délit *m*; 4 Mus, Sport technique

technical: **~ college** *n* institut *m* d'enseignement technique. ▸ **Colleges**; **~ drawing** *n* dessin *m* industriel

technicality /ˌteknɪˈkælətɪ/ *n* 1 gen (technical detail) détail *m* technique **(of** de); 2 gen, Admin point *m* de détail; **a mere ~** un détail sans importance; Jur formalité *f*; **the case was dismissed on a ~** l'affaire a été renvoyée pour vice de forme; 3 (technical nature) technicité *f*

technical knock-out *n* Sport knock-out *m* technique

technically /ˈteknɪklɪ/ *adv* 1 (strictly speaking) théoriquement, en principe; **~ speaking** théoriquement parlant; 2 (technologically) [*advanced, backward, difficult, possible*] techniquement; 3 (in technique) [*good, bad*] sur le plan technique

technical sergeant *n* US sergent-chef *m*

technician /tekˈnɪʃn/ ▸ **p. 1683** *n* 1 Ind, Tech (worker) technicien/-ienne *m/f*; **laboratory ~** technicien/-ienne *m/f* de laboratoire; 2 (performer) technicien/-ienne *m/f*

Technicolor® /ˈteknɪkʌlə(r)/ *n* technicolor® *m*

technicolour GB, **technicolor** US /ˈteknɪkʌlə(r)/ *adj* hum en technicolor

technique /tekˈniːk/ *n* 1 (method) technique *f* (**for doing** pour faire); **marketing/printing ~s** techniques de marketing/d'impression; 2 (skill) technique *f*

techno /ˈteknəʊ/ Mus
A *n* techno *f*
B *adj* techno *inv*

technobabble /ˈteknəʊˌbæbl/ *n* jargon *m* technologique

technocracy /tekˈnɒkrəsɪ/ *n* technocratie *f*

technocrat /ˈteknəkræt/ *n* technocrate *mf*

technocratic /ˌteknəˈkrætɪk/ *adj* technocratique

technological /ˌteknəˈlɒdʒɪkl/ *adj* technologique

technologically /ˌteknəˈlɒdʒɪklɪ/ *adv* [*advanced, backward, refined*] sur le plan technologique

technologist /tekˈnɒlədʒɪst/ ▸ **p. 1683** *n* technologue *mf*

technology /tekˈnɒlədʒɪ/ *n* 1 (applied science) technologie *f*; **information ~** informatique *f*; 2 (method) technologie *f*; **new technologies** les nouvelles technologies

technology park *n* parc *m* technologique

technophile /ˈteknəʊfaɪl/ *n* technophile *mf*

technophobe /ˈteknəʊfəʊb/ *n* technophobe *mf*

tectonic /tekˈtɒnɪk/ *adj* tectonique

tectonics /tekˈtɒnɪks/ *n* (+ *v sg*) tectonique *f*

ted /ted/
A ○*n* GB = **teddy boy**
B *vtr* Agric (*p prés etc* **-dd-**) faner

tedder /ˈtedə(r)/ *n* Agric faneuse *f*

teddy /ˈtedɪ/ *n* 1 (*also* **~ bear**) lang enfantin ours *m* en peluche, nounours *m* baby talk; 2 (garment) teddy *m*

teddy boy /ˈtedɪ bɔɪ/ *n* GB *adolescent rebelle des années 50 imitant les idoles du rock and roll*

tedious /ˈtiːdɪəs/ *adj* [*lecture, conversation, person*] ennuyeux/-euse; [*job, task*] fastidieux/-ieuse

tediously /ˈtiːdɪəslɪ/ *adv* [*say, play, repeat*] d'une façon ennuyeuse; **a ~ repetitive task** une tâche fastidieuse et répétitive; **~ familiar** d'une banalité ennuyeuse

tediousness /ˈtiːdɪəsnɪs/ *n* manque *m* d'intérêt

tedium /ˈtiːdɪəm/ *n* 1 (boredom) ennui *m*; 2 (tediousness) manque *m* d'intérêt

tee /tiː/
A *n* 1 (peg) tee *m*; 2 (on golf course) tee *m*, départ *m*; **on the sixth ~** au sixième tee, au départ du six
B *vtr* = **tee up**
(Phrasal verbs) ■ **tee off**: ▸ ~ **off** Sport partir du tee, jouer le départ; fig commencer; ▸ ~ **[sb] off**○ US casser les pieds à○; **to look ~d off** avoir l'air d'en avoir marre○
■ **tee up** placer la balle sur le tee

tee-hee /tiːˈhiː/
A *excl* hi-hi!
B *vi* ricaner

teem /tiːm/
A *vi* **to ~ with, to be ~ing with** regorger de [*people*]; abonder en [*wildlife*]; fourmiller de [*ideas*]
B *v impers*: **it was ~ing (with rain)** il pleuvait des cordes
C **teeming** *pres p adj* 1 (swarming) [*city, continent, ocean*] grouillant (**with** de), fourmillant (**with** de) liter; [*masses, crowds*] grouillant, pullulant pej; 2 (pouring) [*rain*] battant, diluvien/-ienne
(Phrasal verb) ■ **teem down**: **the rain was ~ing down** il pleuvait des cordes

teen○ /tiːn/ *adj* [*fashion, magazine*] pour les jeunes *or* adolescents; [*idol, problem*] des jeunes *or* adolescents; **pre-~** des enfants en-dessous de treize ans; **the ~ years** l'adolescence

teenage /ˈtiːneɪdʒ/ *adj* [*daughter, son, sister*] qui est adolescent/-e; [*actor, singer, player*] jeune (*before n*); [*illiteracy, drug-taking*] chez les adolescents; [*pregnancy*] précoce; [*life, fashion, problem*] des adolescents, des jeunes; **~ boy** adolescent *m*; **~ child** adolescent/-e *m/f*; **~ girl** adolescente *f*; **the ~ years** l'adolescence

teenager /ˈtiːneɪdʒə(r)/ *n* jeune *mf*, adolescent/-e *m/f*

teens /tiːnz/ *npl* adolescence *f*; **to be in one's ~** être adolescent/-e; **to be in one's early/late ~** être au début/à la fin de l'adolescence; **a**

girl barely out of her ~ une fille à peine sortie de l'adolescence; **children in their mid-~** des jeunes de quinze ans

teensy (weensy)○ /ˌtiːnzɪ (ˈwiːnzɪ)/ *adj* = **teeny (weeny)**

teeny (weeny)○ /ˌtiːnɪ (ˈwiːnɪ)/ *adj* minuscule; **a ~ bit** un tout petit morceau○

teeny-bopper○ /ˈtiːnɪbɒpə(r)/ *n* souvent péj petit minet○/petite minette○ *m/f*

teepee /ˈtiːpiː/ *n* tipi *m*

tee-shirt /ˈtiːʃɜːt/ *n* tee-shirt, T-shirt *m*

teeter /ˈtiːtə(r)/ *vi* vaciller; **to ~ on the edge** *ou* **brink of sth** fig être au bord de qch

teeter-totter /ˈtiːtətɒtə(r)/ *n* US bascule *f*

teeth /tiːθ/ *npl* ▸ **tooth**

teethe /tiːð/ *vi* faire ses dents

teething /ˈtiːðɪŋ/ *n* poussée *f* des dents

teething: **~ ring** *n* anneau *m* de dentition; **~ troubles** *npl* fig difficultés *fpl* initiales

teetotal /tiːˈtəʊtl, US ˈtiːtəʊtl/ *adj* [*person*] qui ne boit pas d'alcool; **I'm ~** je ne bois jamais d'alcool

teetotaler *n* US = **teetotaller**

teetotalism /tiːˈtəʊtəlɪzəm/ *n* abstention *f* de toute boisson alcoolique

teetotaller /tiːˈtəʊtələ(r)/ *n* GB personne *f* qui ne boit jamais d'alcool

TEFL /ˈtefl/ *n* (*abrév* = **Teaching of English as a Foreign Language**) enseignement *m* de l'anglais langue étrangère

Teflon® /ˈteflɒn/ *n* téflon® *m*

Teheran /ˌteəˈrɑːn/ ▸ **p. 1815** *pr n* Téhéran

tel *n* (*abrév écrite* = **telephone**) tél

Tel Aviv /ˌtel əˈviːv/ ▸ **p. 1815** *pr n* Tel-Aviv

tele+ /ˈtelɪ-/ (*dans composés*) télé-

tele-ad /ˈtelɪæd/ *n* petite annonce *f* placée par téléphone

telebanking /ˈtelɪˌbæŋkɪŋ/ *n* services *mpl* bancaires par téléphone

telecamera /ˈtelɪkæmrə, -mərə/ *n* caméra *f* de télévision

telecast /ˈtelɪkɑːst, US -kæst/
A *n* émission *f* de télévision
B *vtr* (*prét, pp* **telecast(ed)**) diffuser [qch] à la télévision

telecommunications /ˌtelɪkəˌmjuːnɪˈkeɪʃnz/
A *n* (+ *v sg ou pl*) télécommunications *fpl*
B *modif* [*expert*] en télécommunications; [*firm, satellite*] de télécommunications; [*industry*] des télécommunications

telecommute /ˌtelɪkəˈmjuːt/ *vi* faire du télétravail

telecommuter /ˌtelɪkəˈmjuːtə(r)/ *n* télétravailleur/-euse *m/f*

telecommuting /ˌtelɪkəˈmjuːtɪŋ/ *n* télétravail *m*

telecoms /ˈtelɪkɒmz/ *n* = **telecommunications**

teleconference /ˈtelɪkɒnfərəns/ *n* téléconférence *f*

teleconferencing /ˌtelɪˈkɒnfərənsɪŋ/ *n* téléconférence *f*

telecottage /ˈtelɪˌkɒtɪdʒ/ *n* cybercentre *m*

telefax /ˈtelɪfæks/ *n* télécopie *f*, fax *m*; **by ~** par fax

telefilm /ˈtelɪfɪlm/ *n* téléfilm *m*

telegenic /ˌtelɪˈdʒenɪk/ *adj* télégénique

telegram /ˈtelɪɡræm/ *n* télégramme *m*

telegraph /ˈtelɪɡrɑːf, US -ɡræf/
A *n* **1** Telecom télégraphe *m*; **2** Naut transmetteur *m* d'ordres
B *modif* [*pole, post, wire*] télégraphique; [*office*] du télégraphe
C *vtr* télégraphier

telegrapher /tɪˈleɡrəfə(r)/ ▸ **p. 1683** *n* télégraphiste *mf*

telegraphese /ˌtelɪɡrəˈfiːz/ *n* style *m* télégraphique

telegraphic /ˌtelɪˈɡræfɪk/ *adj* télégraphique

telegraphically /ˌtelɪˈɡræfɪklɪ/ *adv* télégraphiquement

telegraphist /tɪˈleɡrəfɪst/ ▸ **p. 1683** *n* télégraphiste *mf*

telegraphy /tɪˈleɡrəfɪ/ *n* télégraphie *f*

telekinesis /ˌtelɪkaɪˈniːsɪs, -kɪˈniːsɪs/ *n* psychokinésie *f*

telekinetic /ˌtelɪkaɪˈnetɪk, -kɪˈnetɪk/ *adj* psychokinétique

telemarketer /telɪˈmɑːkɪtə(r)/ *n* téléprospecteur/-trice *m/f*

telemarketing /ˈtelɪmɑːkɪtɪŋ/ *n* télémarketing *m*

telematics /ˌtelɪˈmætɪks/ *n* (+ *v sg*) télématique *f*

telemessage /ˈtelɪmesɪdʒ/ *n* GB télégramme *m*

telemeter /ˈtelɪmiːtə(r), tɪˈlemɪtə(r)/ *n* télémètre *m*

telemetric /ˌtelɪˈmetrɪk/ *adj* télémétrique

telemetry /tɪˈlemətrɪ/ *n* télémétrie *f*

teleological /ˌtelɪəˈlɒdʒɪkl, ˌtiː-/ *adj* téléologique

teleology /ˌtelɪˈɒlədʒɪ, ˌtiː-/ *n* téléologie *f*

telepath /ˈtelɪpæθ/ *n* télépathe *mf*

telepathic /ˌtelɪˈpæθɪk/ *adj* [*communication*] télépathique; [*person*] télépathe

telepathist /tɪˈlepəθɪst/ *n* télépathe *mf*

telepathy /tɪˈlepəθɪ/ *n* télépathie *f*

telephone ➡📖 /ˈtelɪfəʊn/
A *n* téléphone *m*; **on** *ou* **over the ~** au téléphone; **to be on the ~** (connected) avoir le téléphone; (talking) être au téléphone; **to book by ~** réserver par téléphone; **an interview conducted by ~** une interview au téléphone; **to answer the ~** répondre au téléphone; **to reach sb on the ~** joindre qn au téléphone; **'Get Mr Smith on the ~ for me, would you'** 'Appelez-moi M. Smith au téléphone, s'il vous plaît'
B *modif* [*conversation, equipment, message, survey*] téléphonique; [*engineer*] du téléphone
C *vtr* téléphoner à, appeler [*person, organization*]; téléphoner [*instructions, message*]; **to ~ France** téléphoner en France, appeler la France; **to ~ sb to do** US téléphoner à qn de faire; **to ~ sb that** appeler qn pour dire que
D *vi* appeler, téléphoner

telephone: **~ answering machine** *n* répondeur *m* téléphonique; **~ banking** *n* Fin transactions *fpl* bancaires télématiques; **~ book** *n* = **telephone directory**; **~ booth**, **~ box** GB *n* cabine *f* téléphonique; **~ call** *n* appel *m* téléphonique; **~ directory** *n* annuaire *m* (du téléphone); **~ exchange** *n* centrale *f* téléphonique; **~ kiosk** *n* GB = **telephone booth**; **~ line** *n* ligne *f* de téléphone; **~ number** *n* numéro *m* de téléphone; **~ operator** ▸ **p. 1683** *n* standardiste *mf*; **~ service** *n* service *m* des téléphones; **~ subscriber** *n* abonné/-e *m/f* au téléphone; **~-tapping** *n* mise *f* sur écoute téléphonique

telephonic /ˌtelɪˈfɒnɪk/ *adj* téléphonique

telephonist /tɪˈlefənɪst/ ▸ **p. 1683** *n* GB standardiste *mf*

telephony /tɪˈlefənɪ/ *n* téléphonie *f*

telephotographic /ˌtelɪˌfəʊtəˈɡræfɪk/ *adj* téléphotographique

telephotography /ˌtelɪfəˈtɒɡrəfɪ/ *n* téléphotographie *f*

telephoto lens /ˈtelɪfəʊtəʊ lenz/ *n* téléobjectif *m*

teleplay /ˈtelɪpleɪ/ *n* télépièce *f*

Telepoint /telɪpɔɪnt/ *n* Telecom Pointel *m*

teleprint /ˈtelɪprɪnt/ *vtr* transmettre [qch] par téléscripteur

teleprinter /ˈtelɪprɪntə(r)/ *n* téléscripteur *m*

teleprocessing /ˌtelɪˈprəʊsesɪŋ/ *n* télétraitement *m*

teleprompter /ˈtelɪprɒmptə(r)/ *n* télésouffleur *m*

telerecording /ˈtelɪrɪkɔːdɪŋ/ *n* télé-enregistrement *m*

telesales /ˈtelɪseɪlz/ *n* (+ *v sg*) télévente *f*

telesales operator *n* télévendeur/-euse *m/f*

telescope /ˈtelɪskəʊp/
A *n* (for astronomy) télescope *m*; (hand-held) lunette *f* d'approche; **visible through a ~** visible au moyen d'un télescope
B *vtr* lit replier [*stand, umbrella*]; fig condenser [*content, series*] (**into** en)
C *vi* [*stand, umbrella*] être télescopique; [*car, train*] se télescoper

telescopic /ˌtelɪˈskɒpɪk/ *adj* [*aerial, stand, umbrella*] télescopique; **~ lens** Phot téléobjectif *m*; **~ sight** (on gun) lunette *f* de visée

teleshopping /ˈtelɪʃɒpɪŋ/ *n* téléachat *m*

Teletex® /ˈtelɪteks/ *n* Télétex® *m*

teletext /ˈtelɪtekst/
A *n* télétexte *m*
B *modif* [*service, equipment*] de télétexte

telethon /ˈtelɪθɒn/ *n* téléthon *m*

Teletype® /ˈtelɪtaɪp/
A *n* télétype® *m*
B *vtr* transmettre [qch] par téléscripteur

teletypewriter /ˌtelɪˈtaɪpraɪtə(r)/ *n* téléscripteur *m*

televangelism /ˌtelɪˈvændʒəlɪzəm/ *n* télévangélisation *f*

televangelist /ˌtelɪˈvændʒəlɪst/ ▸ **p. 1683** *n* télévangéliste *mf*

televise /ˈtelɪvaɪz/
A *vtr* téléviser
B **televised** *pp adj* télévisé

television /ˈtelɪvɪʒn, -ˈvɪʒn/
A *n* **1** (medium) télévision *f*; **on ~** à la télévision; **for ~** pour la télévision; **a job in ~** un travail à la télévision; **to watch ~** regarder la télévision; **live on ~** en direct à la télévision; **it makes good ~** ça marche à la télévision; **2** (set) téléviseur *m*, poste *m* de télévision
B *modif* [*actor, broadcast, camera, channel, equipment, producer, studio*] de télévision; [*documentary, news, play*] télévisé; [*film, script*] pour la télévision; [*interview*] à la télévision

television: **~ cabinet** *n* meuble-télévision *m*; **~ dinner** *n* plateau-télévision *m*; **~ licence** *n* redevance *f* télévision; **~ listings** *npl* grille *f* (de programmes) TV; **~ lounge** *n* salle *f* de télévision; **~ picture** *n* image *f*; **~ programme** *n* émission *f* de télévision; **~ room** *n* = **television lounge**; **~ schedule** *n* (in newspaper) grille *f* (de programmes) TV; **~ screen** *n* écran *m* de télévision; **~ set** *n* téléviseur *m*, poste *m* de télévision

televisual /ˌtelɪˈvɪʒʊəl/ *adj* télévisuel/-elle

teleworker /ˈtelɪwɜːkə(r)/ *n* télétravailleur/-euse *m/f*

telex /ˈteleks/ ▸ **p. 1683**
A *n* télex *m*; **by ~** par télex
B *modif* [*number*] de télex; **~ machine** télex *m*; **~ operator** télexiste *mf*
C *vtr* télexer

tell /tel/ (*prét, pp* **told**)
A *vtr* **1** gen (give information to) [*person*] dire; [*manual, instruction, gauge etc*] indiquer, dire; **to ~ sb sth, to ~ sth to sb** [*person*] dire qch à qn; [*map, instructions*] indiquer qch à qn; **to ~ sb how to do/what to do** expliquer à qn comment faire/ce qu'il faut faire; **she told him what had happened/where to go** elle lui a dit *or* expliqué ce qui était arrivé/où il fallait aller; **he told me how unhappy he was** il m'a dit *or* il m'a confié combien il était malheureux; **to ~ the time** [*clock*] indiquer *or* marquer l'heure; [*person*] lire l'heure; **can**

➡📖 *see* Using the telephone

you ~ me the time please? peux-tu me dire l'heure (qu'il est), s'il te plaît?; **something ~s me he won't come** quelque chose me dit qu'il ne viendra pas, j'ai le pressentiment qu'il ne viendra pas; **his behaviour ~s us a lot about his character** son comportement nous en dit long sur sa personnalité; **I can't ~ you how happy I am to...** je ne saurais vous dire combien je suis heureux de...; **I am pleased to ~ you that** je suis heureux de pouvoir vous dire *or* annoncer que; **(I'll) ~ you what**○**, let's get a video out!** tiens, si on louait une vidéo?; **I told you so!, what did I ~ you!** je te l'avais bien dit!; **you're ~ing me!** à qui le dis-tu!; **don't ~ me you've changed your mind!** tu ne vas pas me dire que tu as changé d'avis!; **you'll regret this, I can ~ you!** permets-moi de te dire que tu vas le regretter!; **it's true, I ~ you!** puisque je te dis que c'est vrai!; **I won't stand for it, I ~ you!** je ne le permettrai pas, je te préviens!; **stress? ~ me about it!** le stress? j'en sais quelque chose!

2 (narrate, recount) dire, raconter [*joke, story*]; **to ~ sb sth, to ~ sth to sb** dire *or* raconter qch à qn; **to ~ sb about** *ou* **of sth** parler de qch à qn, raconter qch à qn; **from what the newspapers ~ us, they're likely to lose the election** d'après ce que disent les journaux, ils risquent de perdre les élections; **~ me all about it!** racontez-moi tout!; **~ me about it!** iron ne m'en parle pas!; **~ me more about yourself** parlez-moi encore un peu de vous; **I told her the news** je lui ai dit *or* annoncé la nouvelle; **their victims ~ a different story** leurs victimes ont une autre version de l'histoire; **he's very handsome—or so I've been told** il est très beau—du moins c'est ce qu'on m'a dit; **'my life as a slave girl,' as told to Celia Irving** Journ 'ma vie d'esclave,' propos recueillis par Celia Irving; **I could ~ you a thing or two about her!** je pourrais vous en dire long sur elle!

3 (ascertain, deduce) **you can/could ~ (that)** ça se voit/se voyait que; **I/he can ~ (that)** je sais/il sait que; **who can ~ what will happen next?** qui peut dire *or* savoir ce qui va se passer ensuite?; **you can ~ a lot from the clothes people wear** la façon dont les gens s'habillent est très révélatrice; **I could ~ that he was in love from the look in his eyes** je lisais dans ses yeux qu'il était amoureux

4 (distinguish) distinguer; **to ~ sb from sb** distinguer qn de qn; **to ~ sth from sth** sentir *or* voir la différence entre qch et qch; **he can't ~ right from wrong** il ne sait pas distinguer le bien du mal; **can you ~ the difference?** est-ce-que vous voyez *or* sentez la différence?; **how can you ~ which is which?, how can you ~ them apart?** comment peut-on les distinguer l'un de l'autre?; **the dog can ~ him from his footsteps** le chien le reconnaît à ses pas

5 (order) dire, ordonner; **to ~ sb to do** dire à qn de faire; **to ~ sb not to do** défendre à qn de faire; **do as you are told!** fais ce qu'on te dit!; **she just won't be told!** elle refuse d'obéir!; **you can't ~ me what to do!** ce n'est pas toi qui vas me dire ce que je dois faire!; **he didn't need ~ing twice!** GB, **he didn't need to be told twice!** il n'y a pas eu besoin de le lui dire deux fois!

6 †(count, enumerate) compter, dénombrer [*votes*]; **to ~ one's beads** Relig dire *or* réciter son chapelet

B *vi* 1 (reveal secret) **promise me you won't ~!** promets-moi de ne pas le répéter; **that would be ~ing!** ce serait rapporter *or* cafarder○!

2 (be evidence of) **to ~ of** témoigner de; **the lines on his face told of years of hardship** son visage buriné témoignait d'années de misère

3 (know for certain) savoir, dire; **as** *ou* **so far as I can ~** pour autant que je sache; **how can you ~?** comment le sais-tu?; **it's very hard to ~** c'est très difficile à dire *or* de savoir; **you never can ~** on ne sait jamais

4 (produce an effect) **her age is beginning to ~** elle commence à sentir *or* à accuser son âge; **every blow told** tous les coups se faisaient sentir *or* portaient; **her inexperience told against her at the interview** son inexpérience a joué contre elle lors de son entretien

C *v refl* **to ~ oneself** se dire (**that** que)

(Idioms) **~ me another**○**!** à d'autres○!; **to ~ sb where to get off** *ou* **where he gets off**○ envoyer promener qn, envoyer qn sur les roses○; **you ~ me!** je n'en sais rien!, à ton avis?; **to ~ it like it is** parler net; **to ~ the world about sth** raconter qch à tout le monde; **don't ~ the world about it!** ne le crie pas sur les toits!; **more than words can ~** plus qu'on ne peut dire; **time (alone) will ~** Prov (seul) l'avenir le dira, qui vivra verra; **time will ~ which of us is right** l'avenir dira qui de nous a raison; **to ~ one's love†** littér déclarer sa flamme† liter

(Phrasal verbs) ■ **tell off**: ▶ **~ [sb] off** (scold) disputer○, passer un savon○ à [*person*]; **she got told off for leaving early/arriving late** elle s'est fait disputer○ *or* passer un savon○ parce qu'elle était partie tôt/arrivée en retard

■ **tell on**: ▶ **~ on [sb]** 1 (reveal information about) dénoncer [*person*] (**to** à); **he's always ~ing on people!** il est toujours en train de rapporter *or* cafarder○!; 2 (have visible effect on) **the strain is beginning to ~ on him** on commence à voir sur lui les effets de la fatigue; **her age is beginning to ~ on her** elle commence à sentir *or* accuser son âge

teller /ˈtelə(r)/ ▸ p. 1683 *n* 1 (in bank) caissier/-ière *m/f*; 2 (in election) scrutateur/-trice *m/f*; 3 (*also* **story-teller**) conteur/-euse *m/f*

telling /ˈtelɪŋ/

A *n* récit *m*, narration *f*; **a funny story that lost nothing in the ~** une histoire drôle qui ne perdait rien à être racontée; **her adventures grew more and more fantastic in the ~** ses aventures devenaient de plus en plus fantastiques à mesure qu'elle les racontait

B *adj* 1 (effective) [*blow*] bien porté; [*argument, speech, statement*] efficace; 2 (revealing) [*remark, detail, omission*] révélateur/-trice, éloquent

(Idiom) **there's no ~ what will happen next** personne ne peut dire ce qui va se passer maintenant

tellingly /ˈtelɪŋlɪ/ *adv* 1 (effectively) [*argue, speak etc*] efficacement, avec efficacité; 2 (revealingly) **~, he did not allude to this** fait révélateur, il n'y a pas fait allusion; **most ~ of all, no money had been taken** on n'avait pas volé d'argent, ce qui était très révélateur

telling-off /ˌtelɪŋˈɒf/ *n* réprimande *f*, engueulade○ *f*; **to give sb a (good) ~** engueuler○ qn

telltale /ˈtelteɪl/

A *n* péj rapporteur/-euse *m/f*

B *adj* [*sign, stain, blush*] révélateur/-trice

telly○ /ˈtelɪ/ *n* GB télé○ *f*

temerity /tɪˈmerətɪ/ *n* audace *f*; **to have the ~ to do** avoir l'audace de faire

temp○ /temp/ GB

A *n* intérimaire *mf*

B *modif* [*agency*] d'intérimaires

C *vi* travailler comme intérimaire

temper /ˈtempə(r)/

A *n* 1 (mood) humeur *f*; **to be in a good/bad ~** être de bonne/mauvaise humeur; **to be in a ~** piquer une crise○; **to have a ~** se mettre facilement en colère; **to keep** *ou* **control one's ~** se contrôler; **to lose one's ~** se mettre en colère (**with** contre); **to fly into a ~** exploser; **~s flared** *ou* **frayed** les esprits se sont emportés (**over** sur); **in a fit of ~** dans un accès de colère; **you'll only put him into a worse ~** tu vas le mettre encore plus en colère; **~! ~!** on se calme!; 2 (nature) caractère *m*; **to have an even/sweet ~** être d'un caractère égal/doux; **to have a hot** *ou* **quick ~** être irascible; **to have a nasty ~** avoir un sale caractère; 3 Ind trempe *f*

B *vtr* 1 (moderate) tempérer; 2 Ind tremper [*steel*]; **~ed steel** acier trempé

tempera /ˈtempərə/ *n* détrempe *f*

temperament /ˈtemprəmənt/ *n* 1 (nature) tempérament *m*; **calm by ~** de tempérament calme; **the artistic ~** le tempérament artiste; 2 (excitability) humeur *f*; **an outburst** *ou* **display of ~** une saute d'humeur; 3 Mus tempérament *m*; **equal ~** tempérament égal

temperamental /ˌtemprəˈmentl/ *adj* 1 (volatile) [*person, animal, machine*] capricieux/-ieuse; 2 (natural) [*aversion*] viscéral; [*affinity, inclination*] naturel/-elle; [*differences*] de tempérament; [*inability*] physique

temperamentally /ˌtemprəˈmentəlɪ/ *adv* 1 (by nature) psychologiquement; **they were ~ unsuited** il y avait entre eux incompatibilité de caractère; **he was ~ unsuited to teaching** il n'était pas fait pour l'enseignement; 2 (in volatile manner) [*behave*] de façon capricieuse

temperance /ˈtempərəns/

A *n* 1 (moderation) modération *f*; 2 (teetotalism) sobriété *f*, tempérance *f*

B *modif* [*league*] antialcoolique; [*society*] de tempérance; [*restaurant*] où l'on ne sert pas de boissons alcoolisées

temperate /ˈtempərət/ *adj* [*climate, zone*] tempéré; [*person, habit*] modéré

temperature /ˈtemprətʃə(r), US ˈtempərtʃʊər/

A *n* 1 Meteorol, Phys température *f*; **high/low ~** température *f* haute/basse; **storage ~** température *f* de stockage; **at a ~ of 100°C** à une température de 100°C; **at room ~** à température ambiante; 2 Med température *f*; **to be running** *ou* **have a ~** avoir de la température *or* de la fièvre; **to have a ~ of 39°** avoir 39° de fièvre; **to take sb's ~** prendre la température de qn; **to have a high/slight ~** avoir beaucoup/un peu de température *or* fièvre; 3 fig température *f*; **to raise/lower the political ~** faire monter/baisser la température politique

B *modif* [*change, graph, gauge*] de température; **~ chart** Med feuille *f* de température; **~ level** température *f*

temperature-controlled *adj* à température constante

temper tantrum *n* caprice *m*; **to throw** *ou* **have a ~** faire un caprice

tempest /ˈtempɪst/ *n* littér lit, fig tempête *f*

tempestuous /temˈpestʃʊəs/ *adj* [*quarrel, relationship*] tempétueux/-euse; [*music, person*] impétueux/-euse; [*sea, wind*] tempétueux/-euse

tempestuously /temˈpestʃʊəslɪ/ *adv* 1 lit (of wind, sea) littér tempétueusement; 2 fig (of person) impétueusement

tempi /ˈtempiː/ *npl* ▸ **tempo**

temping /ˈtempɪŋ/ *n* intérim *m*

temping job *n* intérim *m*

Templar /ˈtemplə(r)/ *n* (*also* **Knight ~**) Hist Templier *m*

template /ˈtempleɪt/ *n* 1 Sewing, Tech gabarit *m*; 2 Comput modèle *m*; 3 Constr traverse *f*

temple /ˈtempl/

A *n* 1 Archit temple *m*; 2 Anat tempe *f*

B **Temple** *pr n* GB Jur *bâtiment à Londres qui abrite deux des instituts judiciaires d'études*

tempo /ˈtempəʊ/ *n* (*pl* **~s** *ou* **tempi**) 1 Mus tempo *m*; **at a fast ~** sur un tempo rapide; 2 fig rythme *m*

tempo marking *n* indication *f* de tempo

temporal /ˈtempərəl/ *adj* 1 (secular) temporel/-elle; 2 (concerning time) temporel/-elle; 3 Anat temporal

temporarily /ˈtempərəlɪ, US -pərerɪlɪ/ *adv* (for a limited time) temporairement; (provisionally) provisoirement

temporary /ˈtemprərɪ, US -pərerɪ/ *adj* [*job, worker, contract, visa*] temporaire; [*manager, teacher, secretary*] intérimaire; [*arrangement,*

ℹ Temperature

■ *Temperatures in French are written as in the tables below. Note the space in French between the figure and the degree sign and letter indicating the scale. When the scale letter is omitted, temperatures are written thus: 20°; 98,4° etc. (French has a comma, where English has a decimal point).*

■ *Note also that there is no capital on* centigrade *in French; capital C is however used as the abbreviation for* Celsius *and* centigrade *as in* 60 °C.

■ *For how to say numbers in French* ▸ **p. 1487**.

Celsius or centigrade (C)	Fahrenheit (F)	
100 °C	212 °F	température d'ébullition de l'eau (boiling point)
90 °C	194 °F	
80 °C	176 °F	
70 °C	158 °F	
60 °C	140 °F	
50 °C	122 °F	
40 °C	104 °F	
37 °C	98,4 °F	
30 °C	86 °F	
20 °C	68 °F	
10 °C	50 °F	
0 °C	32 °F	température de congélation de l'eau (freezing point)
–10 °C	14 °F	
–17,8 °C	0 °F	
–273,15 °C	–459,67 °F	le zéro absolu (absolute zero)

–15°C
= –15 °C (moins quinze degrés Celsius)

the thermometer says 40°
= le thermomètre indique quarante degrés

above 30°C
= plus de trente degrés Celsius

over 30° Celsius
= plus de trente degrés Celsius

below 30°
= en dessous de trente degrés

People

body temperature is 37°C
= la température du corps est de* 37 °C (trente-sept degrés Celsius)

what is his temperature?
= quelle est sa température?

his temperature is 38°
= il a trente-huit (de* température)

* *The* de *is obligatory here.*

Things

how hot is the milk? *or* ***what temperature is the milk?***
= à quelle température est le lait?

it's 40°C
= il est à 40 °C

what temperature does water boil at?
= à quelle température l'eau bout-elle?

it boils at 100°C
= elle bout à 100 °C

at a temperature of 200°
= à une température de deux cents degrés

A is hotter than B
= A est plus chaud que B

B is cooler than A
= B est moins chaud que A

B is colder than A
= B est plus froid que A

A is the same temperature as B
= A est à la même température que B

A and B are the same temperature
= A et B sont à la même température

Weather

what's the temperature today?
= quelle température fait-il aujourd'hui? (*this French phrase is also the equivalent of both* how hot is it? *and* how cold is it?)

it's 65°F
= il fait 65 °F (soixante-cinq degrés Fahrenheit)

it's 40 degrees
= il fait 40 degrés

Nice is warmer (or hotter) than London
= il fait plus chaud à Nice qu'à Londres

it's the same temperature in Paris as in London
= il fait la même température à Paris qu'à Londres

solution, accommodation, respite] provisoire; [*improvement*] passager/-ère; **on a ~ basis** à titre provisoire

temporize /ˈtempəraɪz/ *vi* atermoyer

tempt /tempt/ *vtr* tenter **(to do** de faire); **to be ~ed** être tenté **(to do** de faire; **by sth** par qch); **to ~ sb with sth** attirer qn avec qch; **to ~ sb into doing sth** inciter qn à faire qch; **to ~ sb back to work** inciter qn à retourner au travail; **can I ~ you to a whisky?** puis-je vous offrir un whisky?; **don't ~ me!** n'essayez pas de me tenter!; **half/sorely ~ed** à moitié/fortement tenté

(Idiom) **to ~ fate** *ou* **providence** tenter le destin *or* sort

temptation /tempˈteɪʃn/ *n* tentation *f* **(to do** de faire); **to give in to/to resist ~** céder à/résister à la tentation; **to feel a ~ to do** être tenté de faire; **to put ~ in sb's way** exposer qn à la tentation

tempter /ˈtemptə(r)/ *n* tentateur *m*

tempting /ˈtemptɪŋ/ *adj* [*offer, discount, suggestion*] alléchant; [*food, smell*] appétissant; [*idea*] tentant; **it is ~ to conclude/think that** il est tentant de conclure/penser que

temptingly /ˈtemptɪŋlɪ/ *adv* [*describe, speak*] d'une manière tentante; **~ cheap** à un prix attrayant; **~ cool** d'une fraîcheur attrayante

temptress /ˈtemptrɪs/ *n* tentatrice *f*

tempura /ˈtempʊrə/ *n* Culin tempura *m*

ten /ten/ ▸ **p. 1487, p. 927, p. 1059**
A *n* **1** (number) dix *m inv*; **in ~s** [*sell*] par dizaines; [*count*] de dix en dix; **~s of thousands** des dizaines de milliers; **2** ○US (*also* **~-dollar bill**) billet *m* de dix dollars
B *adj* dix *inv*

(Idiom) **~ to one (it'll rain/he'll forget)** dix contre un○ (qu'il va pleuvoir/qu'il va oublier)

tenable /ˈtenəbl/ *adj* **1** (valid) [*theory, suggestion*] défendable; **2** (available) **the job/scholarship is ~ for a year** le poste/la bourse est accordé/-e pour un an

tenacious /tɪˈneɪʃəs/ *adj* [*person*] tenace, obstiné pej; [*memory*] tenace

tenaciously /tɪˈneɪʃəslɪ/ *adv* avec ténacité

tenacity /tɪˈnæsətɪ/ *n* ténacité *f*

tenancy /ˈtenənsɪ/ *n* location *f*; **six-month/life ~** bail *m* de six mois/à vie; **to take on** *ou* **over/give up a ~** prendre/résilier un bail; **terms of ~** conditions de bail

tenancy agreement *n* bail *m*

tenant [➡ Life in France] /ˈtenənt/ *n* locataire *mf*

tenant: **~ farmer** ▸ **p. 1683** *n* métayer/-ère *m/f*; **~ farming** *n* métayage *m*

tenantry /ˈtenəntrɪ/ *n* ₵ ensemble *m* des métayers

ten-cent store /ˌtensent ˈstɔː(r)/ *n* US bazar *m*, magasin *m* à prix unique

tench /tentʃ/ *n* tanche *f*

tend /tend/
A *vtr* soigner [*patient*]; garder [*animals*]; entretenir [*garden*]; surveiller [*fire*]; s'occuper de [*stall, store*]
B *vi* **1** (incline) **to ~ to do** [*person, event*] avoir tendance à faire; **to ~ upwards/downwards** avoir tendance à monter/baisser; **to ~ towards sth** [*tastes, views*] pencher vers qch; **I ~ to think that** j'inclinerais à penser que; **it ~s to be the case** c'est en général le cas; **things are ~ing in that direction** les choses vont dans cette direction; **to ~ the other way** prendre le contrepied; **2** (look after) **to ~ to** soigner [*patient*]; s'occuper de [*guests*]; **to ~ to sb's needs** veiller aux besoins de qn
C **-tended** (*dans composés*) **well-~ed** bien soigné; **carefully-~ed** bien entretenu

tendency /ˈtendənsɪ/ *n* tendance *f* **(to, towards** à; **to do** à faire); **to have** *ou* **show a ~ to do** avoir tendance à faire; **there is a ~ for people to arrive late** les gens ont tendance à arriver en retard; **upward/downward ~** tendance à la hausse/à la baisse

tendentious /tenˈdenʃəs/ *adj* tendancieux/-ieuse

tendentiously /tenˈdenʃəslɪ/ *adv* tendancieusement

tender /ˈtendə(r)/
A *n* **1** (currency) ▸ **legal tender**; **2** Rail tender *m*; **3** Naut (for people) embarcation *f*; (for supplies) ravitailleur *m*; **4** (fire engine) camion *m* de pompiers; **5** Econ, Fin offre *f*, soumission *f* **(for** pour); **to put work/a contract out to tender** mettre un ouvrage/contrat en adjudication; **to put in** *ou* **make a ~ for a contract** soumissionner à une adjudication; **to invite ~s** faire un appel d'offres; **to sell by ~** vendre par adjudication
B *adj* **1** (soft) [*food*] tendre; [*bud, shoot*] fragile; **2** (loving) [*kiss, love, smile*] tendre; **~ care** sollicitude *f*; **she needs ~ loving care** elle a besoin d'être dorlotée; **to leave sb to the ~ mercies of the jury** iron abandonner qn aux mains sévères du jury; **3** (sensitive) [*bruise, skin*] sensible; **4** littér (young) **at the ~ age of two** à l'âge tendre de deux ans; **a child of ~ years** un enfant dans la tendresse de l'âge
C *vtr* offrir [*money*]; présenter [*apology, fare, thanks*]; donner [*resignation*]
D *vi* soumissionner, faire une soumission; **to ~ for a contract** soumissionner à une adjudication; **an invitation to ~** un appel d'offres; **to offer a contract for ~** faire un appel d'offres pour un contrat

tenderer /ˈtendərə(r)/ *n* Fin soumissionnaire *mf*; **successful ~** adjudicataire *mf*

tenderfoot /ˈtendəfʊt/ *n* (*pl* **-foots** *ou* **-feet**) US **1** (beginner) novice *mf*; **2** (newcomer) nouveau/-elle *m/f*

➡ *see* Life in France

t

tenderhearted /ˌtendəˈhɑːtɪd/ *adj* sensible

tenderheartedness /ˌtendəˈhɑːtɪdnɪs/ *n* sensibilité *f*

tendering /ˈtendərɪŋ/ *n* Fin soumission *f*; **the contract was awarded by ~ procedure** le contrat a été accordé par voie d'adjudication

tenderize /ˈtendəraɪz/ *vtr* attendrir

tenderizer /ˈtendəraɪzə(r)/ *n* (all contexts) attendrisseur *m*

tender: **~loin** *n* Culin milieu *m* de filet de porc; **~loin district** *n* US quartier *m* malfamé

tenderly /ˈtendəlɪ/ *adv* tendrement

tenderness /ˈtendənɪs/ *n* 1 (gentleness) tendresse *f*; 2 (soreness) sensibilité *f*; 3 (texture) (of shoot) fragilité *f*; (of meat) tendreté *f*

tender offer *n* US Fin émission *f* par soumission

tendon /ˈtendən/
A *n* tendon *m*
B *modif* [*injury, operation*] du tendon; [*problem*] de tendon

tendril /ˈtendrəl/ *n* 1 (of plant) vrille *f*; 2 (of hair) mèche *f* folle

tenebrous /ˈtenɪbrəs/ *adj* littér ténébreux/-euse

tenement /ˈtenəmənt/ *n* (*also* **~ block** *ou* **~ building** GB, **~ house** US) immeuble *m* ancien (*souvent délabré et insalubre*)

tenement flat *n* GB appartement *m* dans un immeuble ancien

Tenerife /ˌtenəˈriːf/ ▸ **p. 1355** *pr n* Tenerife *f*

tenet /ˈtenɪt/ *n* 1 Philos, Pol, Relig dogme *m*; 2 gen principe *m*

tenfold /ˈtenfəʊld/
A *adj* décuple; **a ~ increase** un décuplement
B *adv* **to increase** *ou* **multiply ~** décupler

ten four /ˌten ˈfɔː(r)/ US
A *n* **that's a ~** c'est exact
B *excl* message reçu!

ten: **~-gallon hat** *n* chapeau *m* de cowboy à haute forme; **~-metre line** GB, **~-meter line** US *n* ligne *f* des dix mètres

tenner○ /ˈtenə(r)/ *n* GB (note) billet *m* de dix livres; **I got it for a ~** je l'ai payé dix livres

Tennessee /ˌtenəˈsiː/ ▸ **p. 1737** *pr n* Tennessee *m*

tennis /ˈtenɪs/ ▸ **p. 1253**
A *n* tennis *m*; **a game of ~** une partie de tennis; **men's ~** tennis *m* masculin
B *modif* [*ball, match, player, racket, skirt*] de tennis

tennis: **~ court** *n* court *m or* terrain *m* de tennis, tennis *m inv*; **~ elbow** *n* tennis-elbow *m*, épicondylite *f* spec

tennis shoe *n* chaussure *f* de tennis; **a pair of ~s** une paire de tennis

tennis whites *npl* tenue *f* de tennis blanche

tenon /ˈtenən/ *n* Tech tenon *m*

tenon saw *n* scie *f* à onglets

tenor /ˈtenə(r)/ ▸ **p. 1868**
A *n* 1 Mus (singer) ténor *m*; (voice) voix *f* de ténor; 2 (tone) ton *m*; 3 (course) cours *m*; 4 Jur (exact wording) teneur *f*; (copy) copie *f* conforme; 5 Fin échéance *f*
B *modif* Mus [*part, voice*] de ténor; [*aria, solo*] pour ténor; [*horn, recorder, saxophone*] ténor

tenpin bowling /ˌtenpɪn ˈbəʊlɪŋ/ GB, **tenpins** US ▸ **p. 1253** *n* bowling *m* (à dix quilles)

TENS *n* (*abrév* = **transcutaneous electrical nerve stimulation**) neurostimulation *f* cutanée

tense /tens/
A *n* Ling temps *m*; **the present ~** le présent (**of** de); **in the past ~** au passé
B *adj* 1 (strained) [*atmosphere, conversation, person, relationship, silence*] tendu; [*moment, hours*] de tension; **I get ~ easily** un rien me rend nerveux; **it makes me ~** ça me rend nerveux; **~ with fear** paralysé par la peur; 2 (exciting) tendu; 3 (taut) tendu
C *vtr* tendre [*muscle*]; raidir [*body*]; **to ~ oneself** se raidir
D *vi* se raidir

(Phrasal verb) ■ **tense up**: ▸ 1 (stiffen) [*muscle*] se tendre; [*body*] se raidir; 2 (become nervous) [*person*] se crisper; **you're all ~d up!** tu es tout tendu!

tensely /ˈtenslɪ/ *adv* [*listen, sit, wait, watch*] (avec) les nerfs tendus; **to smile ~** avoir un sourire crispé

tenseness /ˈtensnɪs/ *n* tension *f*

tensile /ˈtensaɪl, US ˈtensl/ *adj* [*material, plastic, rubber*] extensible; [*metal*] ductile

tensile strength *n* Phys résistance *f* à la traction

tension /ˈtenʃn/ *n* 1 (unease) tension *f* (**within** au sein de; **over** au sujet de); 2 Civ Eng, Mech tension *f*; 3 Electron tension *f*; **high ~ wires** fils *mpl* à haute tension; 4 (suspense) suspense *m*

tension headache *n* mal *m* de tête (à la tension nerveuse), céphalée *f* hypertensive spec

tent /tent/ *n* tente *f*; **a four-man ~** une tente quatre places

tentacle /ˈtentəkl/ *n* 1 Bot, Zool tentacule *m*; 2 (influence) ramification *f*

tentative /ˈtentətɪv/ *adj* 1 (hesitant) [*inquiry, smile, start, stroke, suggestion*] timide; [*movement, person*] hésitant; 2 (provisional) [*booking, conclusion, offer, plan*] provisoire; [*scheme*] expérimental

tentatively /ˈtentətɪvlɪ/ *adv* 1 (provisionally) [*agree, conclude, plan*] provisoirement; 2 (cautiously) [*smile, speak, step*] timidement; [*decide, suggest, taste*] prudemment

tentativeness /ˈtentətɪvnɪs/ *n* 1 (hesitancy) hésitation *f*; 2 (provisional nature) caractère *m* provisoire

tenterhooks /ˈtentəhʊks/ *npl*
(Idioms) **to be on ~** être sur des charbons ardents; **to keep sb on ~** faire languir qn

tenth /tenθ/ ▸ **p. 1487, p. 1116**
A *n* 1 (in order) dixième *mf*; 2 (of month) dix *m inv*; 3 (fraction) dixième *m*; **a ~ of a second** un dixième de seconde; **nine-~s of** les neuf dixièmes de [*work, information*]; **it's nine-~s finished** c'est pratiquement terminé; 4 Mus dixième *f*
B *adj* dixième
C *adv* [*come, finish*] dixième, en dixième position

tenth-rate○ /ˌtenθˈreɪt/ *adj* minable○

tent: **~ peg** *n* piquet *m* de tente; **~ pole** GB, **~ stake** US *n* mât *m* de tente

tenuous /ˈtenjʊəs/ *adj* 1 lit, fig (thin) [*bond, thread*] ténu; 2 (unconvincing) [*argument, logic*] faible; [*distinction, evidence, plot, theory*] mince; [*connection*] fragile; 3 (precarious) [*position, situation*] précaire

tenuously /ˈtenjʊəslɪ/ *adv* [*connect*] de manière fragile

tenuousness /ˈtenjʊəsnɪs/ *n* (of thread, connection) fragilité *f*; (of plot) minceur *f*; (of position, situation) précarité *f*; (of argument, evidence) faiblesse *f*

tenure /ˈtenjʊə(r), US tenjər/
A *n* 1 (right of occupancy) **~ of land/property** jouissance *f* d'un droit à un terrain/une propriété; **to grant security of ~** accorder le maintien dans les lieux; **tenants do not have security of ~** les locataires n'ont pas de bail assuré; 2 Univ (job security) titularisation *f* d'emploi; **to have ~** être titulaire; **to get ~** être titularisé; 3 (period of office) fonction *f*; **a four-year ~** une fonction de quatre ans
B **tenured** *pp adj* [*professor*] titulaire; [*job*] de titulaire

tenure-track position *n* US Univ poste *m* avec possibilité de titularisation

tepee *n* = **teepee**

tepid /ˈtepɪd/ *adj* tiède

tepidity /tɪˈpɪdətɪ/, **tepidness** /ˈtepɪdnɪs/ *n* lit, fig tiédeur *f*

tepidly /ˈtepɪdlɪ/ *adv* tièdement

tequila /təˈkiːlə/ *n* tequila *f*

tequila slammer /ˌtəkiːlə ˈslæmə(r)/ *n* tequila *f* frappée

Ter *n*: *abrév écrite* = **Terrace**

tercentenary /ˌtɜːsenˈtiːnərɪ, tɜːˈsentənerɪ/ *n* tricentenaire *m*

tercet /ˈtɜːsɪt/ *n* tercet *m*

Teresa /təˈriːzə/ *pr n* Thérèse

term /tɜːm/
A *n* 1 (period of time) gen période *f*, terme *m*; Sch, Univ trimestre *m*; Jur (period when courts are in session) session *f*; (duration of lease) durée *f* (de bail); **he was elected for a four-year ~** il a été élu pour une période *or* durée de quatre ans; **during the president's first ~ of office** pendant le premier mandat du président; **~ of imprisonment** peine *f* de prison; **to have reached (full) ~** (of pregnancy) être à terme; **a ~ baby, a baby born at ~** un enfant né à terme; **in** *ou* **during ~(-time)** Sch, Univ pendant le trimestre; **autumn/spring/summer ~** Sch, Univ premier/deuxième/troisième trimestre
2 (word, phrase) terme *m*; **legal/technical ~** terme *m* juridique/technique; **~ of abuse** injure *f*; **she condemned their action in the strongest possible ~s** elle a condamné leur action très fermement
3 Math terme *m*
4 (limit) terme *m*, limite *f*; **to set** *ou* **put a ~ to sth** fixer *or* mettre un terme à qch
B **terms** *npl* 1 (conditions) (of agreement, treaty, contract) termes *mpl*, conditions *fpl*; (of will) dispositions *fpl*; Comm conditions de paiement; **under** *ou* **by the ~s of the agreement/of the contract** aux termes de l'accord/du contrat; **under the ~s of the will** Jur selon les dispositions testamentaires (du défunt); **name your own ~s** fixez vos conditions; **~s and conditions** Jur modalités *fpl*; **~s of sale/payment** conditions de vente/paiement; **~s of trade** Comm, Econ termes de l'échange international; **credit ~s** conditions de crédit; **on easy ~s** Comm avec facilités *fpl* de paiement; **peace ~s** Pol conditions de paix; **~s of surrender** Pol conditions de la reddition; **~s of reference** attributions *fpl*; **that question is not within our ~s of reference** cette question n'est pas dans nos attributions
2 **to come to ~s with** (accept) assumer [*identity, past, condition, disability*]; accepter [*death, defeat, failure*]; (confront) affronter [*issue*]; **to come to ~s with the idea that** se faire à l'idée que, accepter l'idée que; **she is still trying to come to ~s with what happened** elle essaie toujours de comprendre ce qui s'est passé
3 (relations) termes *mpl*; **to be on good/bad ~s with sb** être en bons/mauvais termes avec qn; **they are on friendly ~s** ils sont en bons termes, ils ont des relations *fpl* amicales; **they are on first-name ~s** ils s'appellent par leurs prénoms
4 (point of view) **in his/their etc ~s** selon ses/leurs etc critères
C **in terms of** *prep phr* 1 gen, Math (as expressed by) en fonction de; **to express sth in ~s of cost/of colour** exprimer qch en fonction du prix/de la couleur
2 (from the point of view of) du point de vue de, sur le plan de; **they are equals in ~s of age and experience** ils sont égaux du point de vue de l'âge et de l'expérience; **the novel is weak in ~s of plot/of style** ce roman est

t

faible sur le plan de l'intrigue/du style; **they own very little in ~s of real property** ils ne possèdent pas grand-chose en fait de biens immobiliers; **I was thinking in ~s of how much it would cost/how long it would take** j'essayais de calculer combien cela coûterait/combien de temps cela prendrait
D *vtr* appeler, nommer; **to ~ sth sth** appeler *ou* nommer qch qch

termagant /ˈtɜːməgənt/ *n* littér mégère *f*

term deposit *n* dépôt *m* à terme

terminal /ˈtɜːmɪnl/
A *n* **1** (at bus or railway station) terminus *m*; Aviat aérogare *f*, terminal *m*; **rail ~** terminus *m*; **oil ~** terminal *m* pétrolier; **ferry ~** gare *f* maritime; **container** *ou* **freight ~** terminal *m* à container; **2** Comput terminal *m*; **3** Elec borne *f*
B *adj* **1** (last) [*stage, point*] terminal; Bot [*bud*] terminal; Med [*illness, patient*] (incurable) incurable; (at final stage) en phase terminale; fig [*boredom*] mortel/-elle°; **she is suffering from ~ cancer** elle est atteinte d'un cancer incurable; **to be in ~ decline** subir un déclin irréversible; **the ~ crisis of capitalism/communism** les derniers soubresauts *or* la crise finale du capitalisme/communisme; **2** Comm, Sch (occurring each term) trimestriel/-ielle; **3** Ling [*element, symbol*] terminal

terminally /ˈtɜːmɪnəlɪ/ *adv* **the ~ ill** les mourants *mpl*, les malades *mpl* condamnés

terminal: ~ point, ~ station *n* Rail terminus *m*; **~ ward** *n* Med ≈ unité *f* de soins palliatifs

terminate /ˈtɜːmɪneɪt/
A *vtr* **1** (put an end to) terminer, mettre fin à [*arrangement, discussion, meeting, phase*]; mettre fin à [*relationship*]; résilier [*contract*]; interrompre [*pregnancy*]; annuler [*agreement*]; arrêter [*treatment*]; **2** US (make redundant) renvoyer [*employee*]; **3** °US argot des espions liquider°
B *vi* **1** (end) [*agreement, meeting, commercial contract*] se terminer; [*employment, offer, work contract*] prendre fin; [*speaker, programme*] terminer; [*path, road*] s'arrêter; **2** (end route) s'arrêter; **'this train ~s in Oxford'** 'Oxford, terminus du train'

termination /ˌtɜːmɪˈneɪʃn/ *n* **1** (ending) (of contract) résiliation *f*; (of service) interruption *f*; (of discussion, relations, scheme) fin *f*; **2** Med interruption *f* de grossesse; **3** Ling terminaison *f*

termini /ˈtɜːmɪnaɪ/ *pl* ▸ **terminus**

terminological /ˌtɜːmɪnəˈlɒdʒɪkl/ *adj* terminologique

terminologist /ˌtɜːmɪˈnɒlədʒɪst/ *n* terminologue *mf*

terminology /ˌtɜːmɪˈnɒlədʒɪ/ *n* terminologie *f*

term insurance *n* ≈ assurance-vie *f* à durée limitée

terminus /ˈtɜːmɪnəs/ *n* (*pl* **-ni** *ou* **-nuses**) GB Transp terminus *m*

termite /ˈtɜːmaɪt/ *n* termite *m*

term loan *n* prêt *m* à terme

termly /ˈtɜːmlɪ/ *adj* Sch, Univ trimestriel/-ielle

term paper *n* US Sch, Univ dissertation *f* trimestrielle

termtime /ˈtɜːmtaɪm/ *n* **during** *ou* **in ~** durant le trimestre

tern /tɜːn/ *n* sterne *f*, hirondelle *f* de mer

ternary /ˈtɜːnərɪ/ *adj* Chem, Math, Mus ternaire

terrace /ˈterəs/
A *n* **1** (of café, house) terrasse *f*; **2** (on hillside) terrasse *f*; **3** Archit alignement *m* de maisons (*identiques et contiguës*)
B terraces *npl* (in stadium) gradins *mpl*
C *vtr* arranger [qch] en terrasses [*garden, hillside*]
D terraced [*garden, hillside*] en terrasses

terrace: ~ cultivation *n* culture *f* en terrasses; **~ garden** *n* jardin *m* en terrasses

terrace(d) house *n* Archit maison *f* (*située dans un alignement de maisons identiques et contiguës*)

terracotta /ˌterəˈkɒtə/
A *n* **1** (earthenware) terre *f* cuite; **2** (colour) ocre brun *m*
B *modif* [*pot, tile*] en terre cuite; [*hue, paint*] ocre brun *inv*

terra firma /ˌterə ˈfɜːmə/ *n* terre *f* ferme

terrain /ˈtereɪn/ *n* gen, Mil terrain *m*; **all-~ vehicle/tyre** véhicule *m*/pneu *m* tout terrain *or* tous terrains

terrapin /ˈterəpɪn/ *n* **1** Zool tortue *f* peinte; **2** (building) baraquement *m* préfabriqué

terrarium /təˈreərɪəm/ *n* (*pl* **~s** *ou* **-ia**) **1** (for plants) serre *f* miniature; **2** (for animals) terrarium *m*

terrazzo /təˈrætsəʊ/ *n* granito *m*

terrestrial /təˈrestrɪəl/ *adj* terrestre

terrible /ˈterəbl/ *adj* **1** (awful) épouvantable; **to be ~ at** être nul en [*rugby, maths*]; **to be ~ at writing/driving** écrire/conduire très mal; **to have a ~ time doing** avoir un mal de chien° à faire; **2** (guilty) **I feel terrible** je suis ennuyé; **to feel ~ about** culpabiliser à cause de [*accident, mistake*]; **3** (ill) **I feel ~** je ne me sens pas bien du tout; **4** (ugly) **you look ~ in that hat** ce chapeau ne te va absolument pas; **5** (for emphasis) [*liar, optimist*] invétéré; **to be a ~ fool** se conduire comme le dernier des imbéciles; **it was/it would be a ~ shame** c'était/ce serait vraiment dommage

terribly /ˈterəblɪ/ *adv* **1** (very) [*flattered, pleased, obvious*] très; [*clever, easy, hot, polite*] extrêmement; **~ well/badly** fort bien/mal; **I'm ~ sorry** je suis navré; **2** (badly) [*limp, suffer*] horriblement; [*worry*] terriblement; [*sing, drive, write*] affreusement mal; [*deformed, injured*] horriblement

terrier /ˈterɪə(r)/ *n* Zool terrier *m*

terrific /təˈrɪfɪk/ *adj* **1** (huge) [*amount, incentive, pleasure, size*] énorme; [*pain, heat, noise*] épouvantable; [*argument*] violent; [*speed*] fou/folle; [*accident, problem, shock, worry*] terrible; [*struggle*] acharné; **2** °(wonderful) formidable; **to feel ~** se sentir en pleine forme°; **to look ~** (healthy) avoir l'air en pleine forme°; (attractive) être superbe; **we had a ~ time** on s'est vraiment bien amusé

terrifically /təˈrɪfɪklɪ/ *adv* **1** (extremely) [*difficult, gifted, kind, large*] extrêmement; [*expensive, hot, noisy*] épouvantablement; **2** °[*sing, write*] formidablement bien°

terrified /ˈterɪfaɪd/ *adj* [*animal, face, person*] terrifié; [*scream*] de terreur; **to be ~ of** avoir une terreur folle de [*heights, spiders*]; **he's ~ of what might happen** il a une terreur folle de ce qui pourrait se passer; **to be ~ that/to do** être terrifié à l'idée que/à l'idée de faire; **to be too ~ to do** être trop terrifié pour faire

terrify /ˈterɪfaɪ/ *vtr* terrifier; **guns/threats do not ~ me** les armes/menaces ne me font pas peur
(Idiom) **to ~ the life out of sb**° donner une peur bleue à qn°

terrifying /ˈterɪfaɪɪŋ/ *adj* **1** (frightening) terrifiant; **2** (alarming) effroyable

terrifyingly /ˈterɪfaɪɪŋlɪ/ *adv* [*fast, normal, real*] effroyablement; [*addictive, dangerous, large, pragmatic*] terriblement; [*shake, tilt*] de façon terrifiante; [*drop, plunge*] terriblement; **to come ~ close to death** friser la mort

Territoire de Belfort ▸ p. 1129 *pr n* Territoire *m* de Belfort; **in/to ~** dans le Territoire de Belfort

territorial /ˌterəˈtɔːrɪəl/ *adj* **1** Geog, Pol territorial; **2** Zool [*behaviour, instinct*] territorial; **to be very ~** avoir un instinct territorial très développé

Territorial /ˌterəˈtɔːrɪəl/ *pr n* GB Mil membre *m* de l'armée de réservistes volontaires

territorial: Territorial Army *pr n* GB armée *f* de réservistes volontaires; **~ waters** *npl* Jur Naut eaux *fpl* territoriales

territory /ˈterətrɪ, US ˈterɪtɔːrɪ/ *n* **1** (land owned) territoire *m*; **2** Pol (dependency) territoire *m*; **3** (of animal, inhabitant, team) territoire *m*; **her home ~** son territoire; **4** (of salesperson) secteur *m*; **5** (area of influence, knowledge) domaine *m*; **I'm on familiar ~** je suis sur mon terrain; **6** US Sport (of pitch) camp *m*
(Idiom) **to go with the ~** faire partie du boulot°

terror /ˈterə(r)/
A *n* **1** (fear) terreur *f*; **to scream with ~** crier de terreur; **to flee in ~** s'enfuir terrifié; **frozen by** *ou* **with ~** paralysé par la terreur; **to live** *ou* **go in ~ of** vivre dans la terreur de [*muggers, blackmail*]; **to have a ~ of** être terrifié par; **to strike ~ into (the heart of) sb** semer la terreur chez qn; **2** (unruly person) terreur *f*; **a little/holy ~**° une petite/vraie terreur; **3** Hist **the Terror** la Terreur
B *modif* [*bombing*] à la bombe; [*gang*] de terroristes; [*tactic*] d'intimidation; **a ~ campaign** une vague terroriste

terrorism /ˈterərɪzəm/ *n* terrorisme *m*; **an act of ~** un acte de terrorisme

terrorist /ˈterərɪst/
A *n* terroriste *mf*
B *modif* [*attack, bomb, group, plot*] terroriste; [*bombing*] à la bombe

terrorize /ˈterəraɪz/ *vtr* terroriser [*person, rival, town*]; **to ~ sb into doing** terroriser qn jusqu'à ce qu'il/qu'elle fasse

terror-stricken /ˈterəstrɪkən/ *adj* frappé de terreur

terry /ˈterɪ/
A *n* (*also* **~ towelling** GB, **~ cloth** US) tissu *m* éponge
B *modif* [*nappy, bathrobe*] en tissu éponge

terse /tɜːs/ *adj* [*novel, style*] succinct; [*person, report, statement*] laconique

tersely /ˈtɜːslɪ/ *adv* laconiquement

terseness /ˈtɜːsnɪs/ *n* laconisme *m*

tertiary /ˈtɜːʃərɪ, US -ʃɪerɪ/ *adj* [*era, industry, sector*] tertiaire; [*education, college*] supérieur; [*burn*] au troisième degré; [*syphilis*] au stade tertiaire

Tertiary /ˈtɜːʃərɪ, US -ʃɪerɪ/ *n* Geol **the ~** le tertiaire *m*

Terylene® /ˈterəliːn/
A *n* tergal® *m*
B *modif* [*dress, sheet*] en tergal®

TESL /ˈtesl/ *n* (*abrév* = **Teaching English as a Second Language**) enseignement *m* de l'anglais à des non-anglophones

Tessa *n* GB Fin (*abrév* = **Tax Exempt Special Savings Account**) *compte d'épargne bloqué net d'impôt*

tessellated /ˈtesəleɪtɪd/ *adj* Constr [*floor, pavement*] en mosaïque

tessellation /ˌtesəˈleɪʃn/ *n* Constr mosaïque *f*

test /test/
A *n* **1** (of person, ability, resources) gen épreuve *f*, Psych test *m*; Sch, Univ (written) contrôle *m*, interrogation *f* écrite; (oral) interrogation *f* orale, épreuve *f* orale; **to put sb/sth to the ~** mettre qn/qch à l'épreuve; **a ~ of strength** une épreuve de force; **to stand the ~ (of time)** résister à l'épreuve (du temps); **a method that has stood the ~ of time** une méthode éprouvée; **intelligence/personality ~** test d'aptitude intellectuelle/de personnalité; **it was a severe ~ of his patience/physical strength** cela mettait sa patience/force physique à rude épreuve; **the crisis was a real ~ of their relationship** cette crise a vraiment mis leurs rapports à l'épreuve; **tomorrow's match**

should be a good ~ of the team's capabilities le match de demain devrait permettre de savoir de quoi l'équipe est capable; **Tuesday's poll should be a good ~ of popular opinion** le scrutin de mardi devrait permettre de se faire une idée de l'état de l'opinion publique; **the best ~ of a good novel/car is...** le meilleur critère pour juger de la valeur d'un roman/d'une voiture est...
2 Comm, Ind, Tech (of equipment, machine, new model) essai *m*; (of new product) contrôle *m*, essai *m*
3 Med (of blood, urine) analyse *f*; (of organ) examen *m*; (to detect virus, cancer) test *m* de dépistage; Chem, Pharm analyse *f*; **eye/hearing ~** examen des yeux/de l'ouïe; **blood ~** analyse de sang; **Aids ~** test de dépistage du sida; **to have a blood ~** se faire faire une analyse de sang; **the iodine ~ for starch** le test à l'iode pour détecter la présence d'amidon
4 Aut (*also* **driving ~**) examen *m* du permis de conduire; **to pass/fail one's ~** être reçu à/échouer son (examen du) permis de conduire
5 GB Sport = **test match**
B *vtr* **1** (assess, examine) gen évaluer [*intelligence, efficiency*]; Sch (in classroom) interroger [*student*] (**on** en), (at exam time) contrôler [*student*]; Psych tester; **during the interview they ~ed him on his knowledge of French/current affairs** au cours de l'entretien ils lui ont posé des questions pour évaluer ses connaissances en français/sur les problèmes d'actualité; **to ~ sb's intelligence** gen évaluer l'intelligence de qn, (formally) faire subir un test d'aptitude intellectuelle à qn
2 Comm, Tech essayer, tester [*vehicle, product*]; Med, Pharm analyser, faire une analyse (*or* des analyses) de [*blood, urine, sample*]; expérimenter [*new drug, vaccine*]; Chem analyser; **to have one's eyes ~ed** se faire faire un examen des yeux; **to ~ sb for steroids** faire subir une analyse à qn pour déterminer la présence de stéroïdes; **he was ~ed for Aids/leukemia** on lui a fait subir un test de dépistage du sida/de la leucémie; **the water was ~ed for pollution** on a analysé l'eau pour voir si elle était polluée; **to ~ drugs on animals** expérimenter des médicaments sur les animaux; **all the new equipment has been ~ed for faults** le nouveau matériel a été entièrement testé et essayé; **to ~ the water** lit [*swimmer*] prendre la température de l'eau, Chem analyser l'eau, fig tâter le terrain, se faire une idée de la situation; **well-~ed** [*method, formula, model*] éprouvé, qui a fait ses preuves
3 (tax, strain) mettre [qch] à l'épreuve [*endurance, strength, patience, courage, effectiveness*]; **her patience was severely ~ed** sa patience a été mise à rude épreuve
C *vi* **to ~ for starch/for alcohol** (in laboratory) faire une recherche d'amidon/d'alcool; **to ~ for an infection/allergy** faire des analyses pour trouver la cause d'une infection/allergie; **his blood ~ed negative** son analyse de sang a été négative; **'one, two, three, ~ing'** (when trying out microphone) ≈ 'un, deux, trois, un, deux, trois'

testament /ˈtestəmənt/ *n* **1** Jur testament *m*; **last will and ~** dernières volontés et testament; **2** (proof) témoignage *m* (**to sth** de qch); **3** (tribute) hommage *m*; **4** littér (legacy) testament *m*; **5** **Testament** Testament *m*; **the Old/the New Testament** l'Ancien/le Nouveau Testament

testamentary /ˌtestəˈmentrɪ, US -terɪ/ *adj* Jur [*bequest, disposition*] testamentaire

testamentary capacity *n* capacité *f* de disposer par testament

testator /teˈsteɪtə(r), US ˈtesteɪtər/ *n* Jur testateur *m*

testatrix /teˈsteɪtrɪks/ *n* Jur (*pl* **-es**) testatrice *f*

test: **~ ban** *n* interdiction *f* d'essais nucléaires; **~ bay** *n* zone *f* d'essais; **~-bed**, **~-bench** *n* banc *m* d'essai; **~ bore** *n* prospection *f* pétrolière (*par sondage*); **~ card** *n* GB TV mire *f*; **~ case** *n* Jur procès *m* qui fait jurisprudence; **~ data** *n* données *fpl* d'essai; **~ drill** *vi* faire des sondages (pour trouver du pétrole)

test-drive /ˈtestdraɪv/
A *n* essai *m* de route
B *vtr* faire faire un essai de route à, essayer [*car*]

tester /ˈtestə(r)/ *n* **1** (person) contrôleur/-euse *m/f*; (device) testeur *m*, appareil *m* de contrôle; **2** Cosmet (sample) échantillon *m*; **3** (bed canopy) baldaquin *m*

testes /ˈtestiːz/ *pl* ▸ **testis**

test: **~ flight** *n* vol *m* d'essai; **~-fly** *vtr* essayer [*plane*]

testicle /ˈtestɪkl/ *n* testicule *m*

testify /ˈtestɪfaɪ/ *vi* **1** (state solemnly) témoigner; **to ~ in court/under oath** témoigner au tribunal/sous serment; **to ~ against/for** témoigner contre/en faveur de; **to ~ that** attester que; **to ~ to** attester [*fact, hostility, presence*]; **2** (prove) **to ~ to sth** témoigner de qch

testily /ˈtestɪlɪ/ *adv* [*say, reply*] avec irritation

testimonial /ˌtestɪˈməʊnɪəl/ *n* **1** †(reference) lettre *f* de recommandation; **2** (tribute) témoignage *m*; **as a ~ to** en témoignage de [*courage, loyalty*]; **3** GB Sport (*also* **~ match** *ou* **game**) jubilé *m*

testimony /ˈtestɪmənɪ, US -məʊnɪ/ *n* **1** (true statement) gen témoignage *m*; Jur déposition *f*; **to give ~** faire une déposition; **2** (evidence) témoignage *m*; **to be a ~ to sb's talent/courage** témoigner du talent/courage de qn; **to bear ~ to sth** être la preuve de qch

testing /ˈtestɪŋ/
A *n* ₵ (of equipment, vehicle, machine, system) essai *m*, mise *f* à l'essai; (of drug, cosmetic) expérimentation *f*; Chem, Med, Pharm (of blood, water etc) analyse *f*; (of person) gen mise *f* à l'épreuve; Med examen *m*; Psych tests *mpl*; Sch contrôles *mpl* (des connaissances); **nuclear (bomb) ~** essais *mpl* nucléaires
B *adj* [*question, situation, work, period*] éprouvant; **a ~ time** une période éprouvante

testing: **~-bench** *n* banc *m* d'essai; **~ ground** *n* Mil site *m* d'essais (nucléaires); Ind, Tech banc *m* d'essai; fig terrain *m* d'essai

testis /ˈtestɪs/ *n* (*pl* **-tes**) testicule *m*

test market /testˈmɑːkɪt/
A *n* marché *m* test
B *vtr* commercialiser [qch] à titre expérimental [*product*]

test: **~ marketing** *n* test *m* de marché, marketing *m* à titre expérimental; **~ match** *n* match *m* international (*de cricket*)

testosterone /teˈstɒstərəʊn/ *n* testostérone *f*

test paper *n* **1** Chem (papier *m*) réactif *m*; **2** GB Sch, Univ interrogation *f* écrite

test: **~ pattern** *n* US TV mire *f*; **~ piece** *n* Mus morceau *m* de concours; **~ pilot** *n* pilote *m* d'essai; **~ run** *n* essai *m*; **~ strip** *n* Phot bande *f* d'essai; **~ tube** *n* éprouvette *f*; **~-tube baby** *n* bébé-éprouvette *m*

testy /ˈtestɪ/ *adj* [*person*] irritable; [*comment, reply*] irrité

tetanus /ˈtetənəs/ ▸ **p. 1327**
A *n* tétanos *m*
B *modif* [*injection, vaccine*] antitétanique; [*symptoms*] du tétanos; [*spasm*] tétanique

tetchily /ˈtetʃɪlɪ/ *adv* [*insist, refuse, speak*] avec emportement

tetchiness /ˈtetʃɪnɪs/ *n* irritabilité *f*

tetchy /ˈtetʃɪ/ *adj* [*comment, mood, person, voice*] grincheux/-euse; [*behaviour*] emporté

tête-à-tête /ˌteɪtɑːˈteɪt/
A *n* (*pl* **-têtes** *ou* **-tête**) tête-à-tête *m inv*
B *adv* [*dine, meet, talk*] en tête à tête

tether /ˈteðə(r)/
A *n* longe *f*
B *vtr* attacher (**to** à)
(Idiom) **to be at the end of one's ~** être au bout du rouleau○

tetherball /ˈteðəbɔːl/ *n* US Sport ballon *m* captif

tetragon /ˈtetrəgən, US -gɒn/ *n* quadrilatère *m*

tetrahedron /ˌtetrəˈhiːdrən, -ˈhedrən/ *n* tétraèdre *m*

tetrameter /təˈtræmɪtə(r)/ *n* tétramètre *m*

Teutonic /tjuːˈtɒnɪk, US tuː-/ *adj* germanique

Texan /ˈteksn/
A *n* Texan/-e *m/f*
B *adj* texan

Texas /ˈteksəs/ ▸ **p. 1737** *pr n* Texas *m*

Tex Mex○ *adj* Tex-Mex *inv* (*mélange des styles mexicain et texan*)

text /tekst/
A *n* **1** (printed) texte *m* (**by** de); **2** Telecom SMS *m*, texto® *m*
B *vtr* envoyer un texto® à [*person*]

textbook /ˈtekstbʊk/
A *n* manuel *m* (**about, on** sur); **a German ~** un manuel d'allemand
B *adj* [*case, landing, pregnancy*] exemplaire; [*example*] parfait

text editor *n* Comput éditeur *m* de texte

textile /ˈtekstaɪl/
A *n* textile *m*
B **textiles** *npl* textile *m*; **to work in ~s** travailler dans le textile
C *modif* [*prices, sector, technician*] du textile; [*exporter, manufacturer*] de textile; [*worker*] dans le textile; [*fibre, group, industry*] textile

text message ➔▯
n (on mobile) message *m* SMS, texto® *m*

text processing *n* Comput traitement *m* de texte

textual /ˈtekstʃʊəl/ *adj* [*analysis, criticism, study*] de texte

textually /ˈtekstʃʊəlɪ/ *adv* [*alter, analyse*] au niveau du texte

texture /ˈtekstʃə(r)/ *n* **1** lit (of cream, paint, soil, surface, cloth) texture *f*; **2** fig (of life, writing) texture *f*; (of music) caractère *m*

textured /ˈtekstʃəd/ *adj* [*fabric, paint, wall paper*] texturé; **rough-~** de texture grossière

textured vegetable protein, **TVP** *n* Culin protéines *fpl* végétales texturées

TGWU *n* GB (*abrév* = **Transport and General Workers' Union**) *un des principaux syndicats britanniques*

Thai /taɪ/ ▸ **p. 1467**
A *n* **1** (person) Thaïlandais/-e *m/f*; **2** (language) Thaï *m*
B *adj* thaïlandais/-e

Thailand /ˈtaɪlænd/ ▸ **p. 1096** *pr n* Thaïlande *f*

thalamus /ˈθæləməs/ *n* Anat thalamus *m*

thalassemia /θæləˈsiːmiə/ ▸ **p. 1327** *n* thalassémie *f*

thalidomide /θəˈlɪdəmaɪd/
A *n* thalidomide *f*
B *modif* [*scandal, victim*] de la thalidomide; [*baby*] victime de la thalidomide

Thames /temz/ ▸ **p. 1633**
A *pr n* **the (river) ~** la Tamise
B *modif* [*estuary, docks*] de la Tamise
(Idiom) **he'll never set the ~ on fire** GB il ne

➔▯ *see* SMS

i that

As a determiner

In French, determiners agree in gender and number with the noun they precede; *that* is translated by *ce* + masculine singular noun (*ce monsieur*), *cet* + masculine singular noun beginning with a vowel or mute 'h' (*cet homme*) and *cette* + feminine singular noun (*cette femme*); *those* is translated by *ces*.

Note, however, that the above translations are also used for the English *this* (plural *these*). So when it is necessary to insist on *that* as opposed to another or others of the same sort, the adverbial tag *-là* is added to the noun:

I prefer THAT version
= je préfère cette version-là

For particular usages, see the entry **that**.

As a pronoun meaning *that one, those ones*

In French, pronouns reflect the gender and number of the noun they are referring to. So *that* is translated by *celui-là* for a masculine noun, *celle-là* for a feminine noun and *those* is translated by *ceux-là* for a masculine noun and *celles-là* for a feminine noun:

I think I like that one (dress) best
= je crois que je préfère celle-là

For other uses of *that*, *those* as pronouns (*e.g. who's that?*) and for adverbial use (*e.g. that much, that many*) there is no straightforward translation, so see the entry **that** for examples of usage.

When used as a relative pronoun, *that* is translated by *qui* when it is the subject of the verb and by *que* when it is the object:

the man that stole the car
= l'homme qui a volé la voiture

the film that I saw
= le film que j'ai vu

Remember that in the present perfect and past perfect tenses, the past participle will agree with the noun to which *que* as object refers:

the apples that I bought
= les pommes que j'ai achetées

When *that* is used as a relative pronoun with a preposition, it is translated by *lequel* when standing for a masculine singular noun, by *laquelle* when standing for a feminine singular noun, by *lesquels* when standing for a masculine plural noun and by *lesquelles* when standing for a feminine plural noun:

the chair that I was sitting on
= la chaise sur laquelle j'étais assise

the children that I bought the books for
= les enfants pour lesquels j'ai acheté les livres

Remember that in cases where the English preposition used would normally be translated by *à* in French (*e.g. to, at*), the translation of the whole (prep + rel pron) will be *auquel, à laquelle, auxquels, auxquelles*:

the girls that I was talking to
= les filles auxquelles je parlais

Similarly, where the English preposition used would normally be translated by *de* in French (*e.g. of, from*), the translation of the whole (prep + rel pron) will be *dont* in all cases:

the Frenchman that I received a letter from
= le Français dont j'ai reçu une lettre

When used as a conjunction, *that* can almost always be translated by *que* (*qu'* before a vowel or mute 'h'):

she said that she would do it
= elle a dit qu'elle le ferait

In certain verbal constructions, *que* is followed by a subjunctive in French. If you are in doubt about the construction to use, consult the appropriate verb entry. For particular usages see the entry **that**.

---

fera jamais d'étincelles

than /ðæn, ðən/

> ⚠ When *than* is used as a preposition in expressions of comparison, it is translated by *que* (or *qu'* before a vowel or mute 'h'): *he's taller than me* = il est plus grand que moi; *London is bigger than Oxford* = Londres est plus grand qu'Oxford.
> For expressions with numbers, temperatures etc see the entry below.
> See also the entries **more, less, hardly, soon, rather, other.**
> When *than* is used as a conjunction, it is translated by *que* and the verb following it is preceded by *ne*: *it was farther than I thought* = c'était plus loin que je ne pensais. However, French speakers often try to phrase the comparison differently: *it was more difficult than we expected* = c'était plus difficile que prévu. For other uses see the entry below.
> See also the entries **hardly, rather, soon.**

A *prep* **1** (in comparisons) que; **thinner ~ him** plus mince que lui; **he has more ~ me** il a plus que moi; **faster by plane ~ by boat** plus rapide en avion qu'en bateau; **I was more surprised ~ annoyed** j'étais plus étonné qu'ennuyé; **it's more difficult for us ~ for them** c'est plus difficile pour nous que pour eux; **2** (expressing quantity, degree, value) de; **more/less ~ 100** plus/moins de 100; **more ~ half** plus de la moitié; **temperatures lower ~ 30 degrees** des températures de moins de 30 degrés
B *conj* **1** (in comparisons) que; **he's older ~ I am** il est plus âgé que moi; **it took us longer ~ we thought it would** ça nous a pris plus de temps que prévu; **it was further away ~ I remembered** c'était plus loin que dans mon souvenir; **there's nothing better/worse ~ doing** il n'y a rien de mieux/de pire que de faire; **2** (expressing preferences) **I'd sooner** *ou* **rather do X ~ do Y** je préférerais faire X que (de) faire Y; **3** (when) **hardly** *ou* **no sooner had he left ~ the phone rang** à peine était-il parti que le téléphone a sonné; **4** US (from) **to be different ~ sth** être différent de qch

thank /θæŋk/ *vtr* remercier [*person*] (**for** de, pour; **for doing** d'avoir fait); **we've got Cath to ~ for that** c'est à Cath que nous devons cela also iron; **you've only got yourself to ~ for that!** tu ne peux t'en prendre qu'à toi-même!; **I'll ~ you to do** je te serais reconnaissant de faire; **he won't ~ you for doing** il ne va pas apprécier que tu fasses; **~ God!, ~ goodness** *ou* **heavens!** Dieu merci!; **~ God you're here!** Dieu merci tu es là!; **there's the bus, ~ goodness** heureusement, voilà le bus

thankful /ˈθæŋkfl/ *adj* (grateful) reconnaissant (**to** envers; **for** de); (relieved) soulagé (**to do** de faire; **for** de); **to be ~ (that)** être soulagé que (+ *subj*); **that's something to be ~ for!** c'est déjà un soulagement!

thankfully /ˈθæŋkfəlɪ/ *adv* **1** (luckily) heureusement; **2** (with relief) [*sit down, eat*] avec soulagement; (with gratitude) [*smile*] avec gratitude

thankfulness /ˈθæŋkflnɪs/ *n* reconnaissance *f*

thankless /ˈθæŋklɪs/ *adj* [*task, person*] ingrat

thanks /θæŋks/
A *npl* remerciements *mpl* (**for** pour; **to** à); **with ~** avec mes/nos etc remerciements; **'received with ~'** Comm 'avec nos remerciements'; **~ be to God** Dieu soit loué; **this is the ~ I get!** voilà les remerciements que j'en ai!; **a letter of ~** une lettre de remerciement
B thanks to *prep phr* grâce à; **we did it, no ~ to you!**○ on a réussi, mais tu n'y es pour rien○!
C ○*excl* merci!; **~ for that/for doing** merci pour ça○/d'avoir fait; **~ a lot** merci beaucoup; **~ a lot** *ou* **a bunch** *ou* **a bundle!** iron merci beaucoup!, grand merci!; **no ~** non merci

thanksgiving *n* Relig action *f* de grâces

Thanksgiving (Day) *n* US jour *m* d'Action de Grâces

> **Thanksgiving**
> La moitié de la colonie des Pères Pélerins fut décimée par la maladie au cours de son premier hiver passé au Nouveau Monde. À l'automne 1621, leur récolte fut bonne et leur permit de survivre. ▸▸▸
> Ils decidèrent de la célébrer en organisant un repas auquel ils convièrent des Indiens, qui leur avaient notamment appris à chasser et à cultiver le maïs. Aujourd'hui, la fête d'Action de Grâces (*Thanksgiving*) est célébrée dans tous les États-Unis le quatrième jeudi de novembre. Les Américains font un repas traditionnel composé de dinde farcie accompagnée de patates douces et d'une sauce à la canneberge (*cranberry sauce*), et d'une tarte au potiron pour le dessert. Cette fête est également célébrée au Canada, le deuxième lundi d'octobre.
> ▸ The **Pilgrim Fathers**

thanks offering *n* action *f* de grâces

thank you /ˈθæŋkju:/
A *n* (also **thank-you, thankyou**) merci *m*; **to say ~ to sb, to say one's ~s to sb** dire merci à qn
B *modif* (also **thank-you, thankyou**) [*letter, gift*] de remerciement
C *adv* merci; **~ for that/for doing** merci pour cela/d'avoir fait; **~ very much** aussi iron merci beaucoup also iron; **no ~** non merci

that
A /ðæt, ðət/ *dem adj* (*pl* **those**) ce/cet/cette/ces; **~ chair/~ man over there** cette chaise/cet homme là-bas; **I said THAT dress!** j'ai dit cette robe-là!; **I prefer ~ colour to this one** je préfère cette couleur-là à celle-ci; **not ~ one!** pas celui-là!; **~ same day** ce même jour; **you can't do it ~ way** tu ne peux pas le faire comme ça; **he went ~ way** il est allé par là; **those patients (who are) able to walk** les patients qui sont capables de marcher; **~ train crash last year** la collision ferroviaire qui a eu lieu l'an dernier; **~ lazy son of yours/theirs** ton/leur paresseux de fils; **~ car of his is always breaking down** sa fichue○ voiture n'arrête pas de tomber en panne; **it's ~ Mr Jones from down the road** c'est M. Jones qui habite en bas de la rue; **at ~ moment** à ce moment-là; **at ~ time** à cette époque-là
B /ðæt/ *dem pron* (*pl* **those**) **1** (that one) celui-/celle-/ceux-/celles-là; **we prefer this to ~** nous préférons celui-ci à celui-là; **'which boys?'—'those over there'** 'quels garçons?'

t

—'ceux qui sont là-bas'; **not this,** THAT! pas celui-ci, celui-là!; **it's a more expensive wine than ~ produced by X** c'est un vin plus cher que celui produit par X
2 (the thing or person observed or mentioned) cela, ça, ce; **what's ~?** qu'est-ce que c'est que ça?; **who's ~?** gen qui est-ce?; (on phone) qui est à l'appareil?; **is ~ John?** c'est John?; **is ~ you John?** c'est toi John?; **who told you ~?** qui t'a dit ça?; **~' s not true/fair** ce n'est pas vrai/juste; **~'s what he said** c'est ce qu'il a dit; **~'s how/why he did it** c'est comme ça/pour ça qu'il l'a fait; **what did he mean by ~?** qu'est-ce qu'il entendait par là?; **~'s bureaucrats for you!** c'est ça les bureaucrates!; **~'s the man I was talking about/to** voilà *or* c'est l'homme dont/auquel je parlais; **~'s the house we used to live in** voilà *or* c'est la maison dans laquelle on vivait; **those are the books I wanted** voilà *or* ce sont les livres que je voulais; **before ~, he had always lived in London** avant cela, il avait toujours vécu à Londres; **he never went there again after ~** il n'y est jamais retourné après cela; **after ~ we had lunch** après cela *or* ensuite, nous avons déjeuné; **I might just do ~!** c'est peut-être ce que je vais faire!; **he 's not as greedy as (all) ~!** il n'est pas si avare que ça!
3 (before relative pronoun) **those who...** ceux qui...

C /ðət/ *rel pron* (subject) qui; (object) que; (with preposition) lequel/laquelle/lesquels/lesquelles; **the woman ~ won** la femme qui a gagné; **the book ~ I bought** le livre que j'ai acheté; **the house ~ they live in** la maison dans laquelle ils vivent; **the reason ~ I phoned** la raison pour laquelle j'ai téléphoné; **the man ~ I received the letter from** l'homme dont j'ai reçu la lettre; **the way ~ she works** la façon dont elle travaille; **the day ~ she arrived** le jour où elle est arrivée; **and fool ~ I am, I believed him** et bête comme je suis, je l'ai cru

D /ðət/ *conj* **1** gen que; **he said ~ he had finished** il a dit qu'il avait fini; **it's likely ~ they are out** il est probable qu'ils sont sortis; **it's important ~ they should realize** il est important qu'ils se rendent compte que; **it's just ~ I'm a bit scared** c'est simplement que j'ai un peu peur
2 (expressing wish) **oh ~ I could fly!** si je pouvais voler!; **oh ~ he would come** s'il pouvait venir; (expressing surprise) **~ she should treat me so badly!** comment peut-elle me traiter comme ça!; **~ it should come to this!** comment peut-on en arriver là!

E /ðæt/ *adv* **1** (to the extent shown) **it's about ~ thick** c'est à peu près épais comme ça; **he's ~ tall** il est grand comme ça; **she's ~ much smaller than me** elle est plus petite que moi de ça; **I can't do ~ much work in one day** je ne peux pas faire autant de travail dans une journée; **he can't swim ~ far** il ne peut pas nager aussi loin; **you're not ~ stupid** tu n'es pas aussi bête que ça
2 GB dial (so very) tellement; **he was ~ ill that he had to go into hospital** il était tellement malade qu'il a dû aller à l'hôpital

(Idioms) **...and (all) ~** ...et tout ça; **...and he's very nice at ~!** ...et en plus il est très gentil!; **I might well go at ~!** en fait, je pourrais bien y aller!; **at ~, he got up and left** en entendant cela, il s'est levé et est parti; **with ~ he got up and left** sur ce il s'est levé et est parti; **~ is (to say)...** c'est-à-dire...; **~'s it!** (that's right) c'est ça!; (that's enough) ça suffit!; **I'll give you £10 but ~'s it!** je te donnerai 10 livres sterling mais pas plus!; **I don't want to see you again and ~'s ~!** je ne veux pas te revoir point final *or* et il n'y a pas à discuter!; **well, ~'s it then!** il n'y a rien de plus à faire!

thatch /θætʃ/
A *n* **1** Constr chaume *m*; **2** fig (of hair) tignasse *f*
B *vtr* couvrir [qch] de chaume [*cottage, roof*]; **a roof ~ed with reeds** un toit couvert de chaume

> ## ℹ the
>
> In French, determiners agree in gender and number with the noun they precede; *the* is translated by *le* + masculine singular noun (*le chien*), by *la* + feminine singular noun (*la chaise*), by *l'* + masculine or feminine singular noun beginning with a vowel or mute 'h' (*l'auteur, l'homme, l'absence, l'histoire*) and by *les* + plural noun (*les hommes, les femmes*).
>
> When *the* is used after a preposition in English, the two words (prep + *the*) are often translated by one word in French. If the preposition would normally be translated by *de* in French (*of, about, from* etc.) the prep + *the* is translated by *du* + masculine noun (*du chien*), by *de la* + feminine noun (*de la femme*), by *de l'* + singular noun beginning with a vowel or mute 'h' (*de l'auteur, de l'histoire*) and by *des* + plural noun (*des hommes, des femmes*). If the preposition would usually be translated by *à* (*at, to* etc.) the prep + *the* is translated according to the number and gender of the noun, by *au* (*au chien*), *à la* (*à la femme*), *à l'* (*à l'enfant*), *aux* (*aux hommes, aux femmes*).
>
> Other than this, there are few problems in translating *the* into French.
>
> The following cases are, however, worth remembering as not following exactly the pattern of the English:
>
> ***the good, the poor etc.***
> = les bons, les pauvres etc.
>
> ***Charles the First, Elizabeth the Second etc.***
> = Charles Premier, Elizabeth Deux etc.
>
> ***she's THE violinist of the century***
> = c'est LA violoniste du siècle *or* c'est la plus grande violoniste du siècle
>
> ***the Tudors, the Batemans etc.***
> = les Tudor, les Bateman etc.
>
> For expressions such as *the more, the better*, see the entry **the.**
>
> This dictionary contains usage notes on such topics as **weight measurement, days of the week, rivers, illnesses, aches and pains, the human body,** and **musical instruments**, many of which use *the*; for the index to these notes ▸ **p. 1948.**
>
> For other particular usages of *the* see the entry **the.**

C *vi* faire des toitures en chaume
D **thatched** *pp adj* couvert de chaume

thatch: **~ed cottage** *n* chaumière *f*; **~ed roof** *n* toit *m* de chaume

thatcher /ˈθætʃə(r)/ *n* couvreur *m* spécialiste des toitures en chaume

Thatcherism /ˈθætʃərɪzəm/ *n* Pol thatchérisme *m*

thaw /θɔː/
A *n* **1** Meteorol dégel *m*; **the ~ had set in** le dégel avait commencé; **2** fig (detente) (political) détente *f*; **a ~ in her attitude towards me** (social) une amélioration *f* dans son attitude envers moi
B *vtr* **1** [*heat, sun*] faire fondre [*ice, snow*]; **2** [*person*] décongeler [*frozen food*]
C *vi* **1** lit [*snow*] fondre; [*ground, frozen food*] se décongeler; **2** fig [*person, relations*] se détendre
D *v impers* dégeler; **it's ~ing today** ça dégèle aujourd'hui

(Phrasal verb) ■ **thaw out**: ▸ **~ out** [*frozen food, ground*] dégeler; [*person, fingers*] se réchauffer; ▸ **~ [sth] out, ~ out [sth]** [*person*] décongeler [*frozen food*]; [*sun*] dégeler [*ground*]

the /ðiː, ðɪ, ðə/ *det* **1** (specifying, identifying etc) le/la/l'/les; **two chapters of ~ book** deux chapitres du livre; **I met them at ~ supermarket** je les ai rencontrés au supermarché; **2** (best etc) **she's** THE **violinist of the century** c'est LA violoniste du siècle, c'est la plus grande violoniste du siècle; **~ book of the year** le meilleur livre de l'année; THE **French restaurant** le meilleur restaurant français; THE **way of losing weight** la façon la plus efficace de perdre des kilos; **do you mean** THE **William Blake?** tu veux dire LE William Blake?; **3** (with family names) **~ Hapsburgs/the Buntings** les Habsbourg/les Bunting; **4** (with genre) **~ opera** l'opéra; **~ ballet** le ballet; **5** (enough) **he hadn' t ~ courage to refuse** il n'a pas eu le courage de refuser; **we don't have ~ money for a holiday** nous n'avons pas les moyens de partir en vacances; **can you spare ~ time to help me?** est-ce que tu as du temps pour m'aider?; **6** (with era) **~ fifties** les années cinquante; **7** (with adj) **~ impossible** l'impossible; **she buys only ~ best** elle n'achète que ce qu'il y a de mieux; **8** (with adj forming group) **~ French** les Français; **~ wounded** les blessés ; **~ handicapped** les handicapés; **9** (with comparative adj) **the news made her all ~ sadder** la nouvelle n'a fait que la rendre triste; ▸ **all, better, more, none, wise, worse etc**; **10** (in double comparatives) **~ more I learn ~ less I understand** plus j'apprends moins je comprends; **~ longer I do it ~ more difficult it becomes** plus je le fais plus ça devient difficile; **~ sooner ~ better** le plus tôt sera le mieux; **~ longer he waits ~ harder it will be** plus il attendra plus ce sera difficile; **11** (with superlatives) **~ fastest train** le train le plus rapide; **~ prettiest house in the village** la maison la plus jolie du village

theatre, theater US /ˈθɪətə(r)/
A *n* **1** (place) théâtre *m*; **to go to the ~** aller au théâtre; **2** (art form) théâtre *m*; **the ~ of cruelty/the absurd** le théâtre de la cruauté/l'absurde; **he works in ~** il travaille dans le théâtre; **3** US (cinema) cinéma *m*; **4** (*also* **lecture ~**) amphithéâtre *m*; **5** GB Med (*also* **operating ~**) salle *f* d'opération, **the patient is in ~** le malade est en salle d'opération; **6** Mil théatre *m*; **a ~ of war** le théâtre d'une guerre; **~ of operations** théâtre *m* d'opérations
B *modif* **1** Theat [*audience, lover, owner, seat, ticket*] de théâtre; [*company, production, programme, stage, workshop*] théâtral; [*manager, staff*] du théâtre; [*visit*] au théâtre; **2** GB Med [*nurse*] au bloc *m* opératoire; [*equipment*] du bloc *m* opératoire; **3** US (cinema) [*owner, seat*] de cinéma; [*manager*] du cinéma

theatre: **~goer** *n* amateur/-trice *m/f* de théâtre; **~ group** *n* troupe *m* de théâtre; **~-in-the-round** *n* théâtre *m* en rond; **~land** *n* quartier *m* des théâtres; **~ weapon** *n* Mil arme *f* de moyenne portée

theatrical /θɪˈætrɪkl/ *adj* [*figure, star*] du théâtre; [*group, photographer*] de théâtre; [*agency, family, gesture, production, technique*] théâtral

theatrically /θɪˈætrɪklɪ/ *adv* **1** Theat [*gifted*] pour le théâtre; [*effective, striking*] du point de vue théâtral; **2** (dramatically) [*cry, enter, laugh, wave*] de façon théâtrale

theatricals /θɪˈætrɪklz/ *npl* théâtre *m*; **amateur ~** théâtre *m* d'amateurs

Thebes /θiːbz/ ▸ **p. 1815** *pr n* Thèbes

thee‡ /ðiː/ *pron* = **you**

theft /θeft/ *n* vol *m* (**of** de); **art/car ~** vol *m* d'œuvres d'art/de voitures; **~s from tourists/cars/shops** des vols commis sur des touristes/sur des voitures/dans les magasins

their /ðeə(r)/

> ⚠ In French, determiners agree in gender and number with the noun they precede. So *their* is translated by *leur* + masculine or feminine singular ▸▸▸

t

ℹ them

When used as a direct object pronoun, referring to people, animals or things, *them* is translated by *les*:

I know them
= je les connais

Note that the object pronoun normally comes before the verb in French and that in compound tenses like the present perfect and past perfect, the past participle agrees in gender and number with the direct object pronoun:

He's seen them
(*them* being masculine or of mixed gender)
= il les a vus
(*them* being all feminine gender)
= il les a vues

In imperatives, the direct object pronoun is translated by *les* and comes after the verb:

catch them!
= attrape-les! (note the hyphen)

When used as an indirect object pronoun, *them* is translated by *leur*:

I gave them it *or* ***I gave it to them***
= je le leur ai donné

In imperatives, the indirect object pronoun is translated by *leur* and comes after the verb:

phone them!
= téléphone-leur! (note the hyphen)

After prepositions and the verb *to be*, the translation is *eux* for masculine or mixed gender and *elles* for feminine gender:

he did it for them
= il l'a fait pour eux *or* pour elles

it's them
= ce sont eux *or* ce sont elles

For particular usages see the entry **them**.

---

noun (*leur chien, leur maison*) and by *leurs* + plural noun (*leurs enfants*).
When *their* is stressed *à eux* is added after the noun: THEIR house = leur maison à eux.
For *their* used with parts of the body ▸ p. 997.

---

det leur/leurs

theirs /ðeəz/

> ⚠ In French, possessive pronouns reflect the gender and number of the noun they are standing for; *theirs* is translated by *le leur, la leur, les leurs*, according to what is being referred to.
> For examples and particular usages see below.

pron **my car is red but ~ is blue** ma voiture est rouge mais la leur est bleue; **the green hats are ~** les chapeaux verts sont à eux *or* elles; **which house is ~?** c'est laquelle leur maison?; **I'm a friend of ~** je suis un ami à eux; **it's not ~** il *or* elle n'est pas à eux; **the money wasn't ~ to give away** ils *or* elles n'avaient pas à donner cet argent; **~ was not an easy task** leur tâche n'était pas facile; **I saw them with that dog of ~** péj je les ai vus avec leur sale chien○

theism /ˈθiːɪzəm/ *n* théisme *m*

theist /ˈθiːɪst/ *n* théiste *mf*

theistic /θiːˈɪstɪk/ *adj* théiste

them /ðem, ðəm/ *pron* **both of ~** tous/toutes les deux; **both of ~ work in London** ils/elles travaillent à Londres tous/toutes les deux, tous/toutes les deux travaillent à Londres; **some of ~** quelques-uns d'entre eux *or* quelques-unes d'entre elles; **take ~ all** prenez-les tous/toutes; **none of ~ wants it** aucun d'entre eux *or* aucune d'entre elles ne le veut; **every single one of ~** chacun/-e d'entre eux/elles

thematic /θɪˈmætɪk/ *adj* thématique

theme /θiːm/ *n* 1 (topic, motif) thème *m*; **on the ~ of** sur le thème de; 2 Mus (melodic unit) thème *m*; 3 Radio, TV (*also* **~ song, ~ tune**) indicatif *m*; 4 Ling thème *m*; 5 US (essay) rédaction *f*

theme: **~ park** *n* parc *m* de loisirs (à thème); **~ restaurant** *n* restaurant *m* à thème; **~ song ~ tune** *n* Cin musique *f*; Radio, TV indicatif *m*; fig rengaine *f*

themselves /ðəmˈselvz/

> ⚠ When used as a reflexive pronoun, direct and indirect, *themselves* is translated by *se* (or *s'* before a vowel or mute h).
> When used as an emphatic the translation is *eux-mêmes* in the masculine and *elles-mêmes* in the feminine: *they did it themselves* = ils l'ont fait eux-mêmes or elles l'ont fait elles-mêmes.
> After a preposition the translation is *eux* or *elles* or *eux-mêmes* or *elles-mêmes*: *they bought the painting for themselves* = (*masculine or mixed gender*) ils ont acheté le tableau pour eux *or* pour eux-mêmes; (*feminine gender*) elles ont acheté le tableau pour elles *or* pour elles-mêmes.

pron 1 (refl) se/s'; 2 (emphatic) eux-mêmes/elles-mêmes; 3 (after prep) eux/elles, eux-mêmes/elles-mêmes; **(all) by ~** tous seuls/toutes seules

then /ðen/

> ⚠ When *then* is used to mean *at that time*, it is translated by *alors* or *à ce moment-là*: *I was working in Oxford then* = je travaillais alors à Oxford *or* je travaillais à Oxford à ce moment-là. Note that *alors* always comes immediately after the verb in French.
> For particular usages see **A 1** in the entry below.
> For translations of *by then, since then, from then, until then* see the entries **by, since, from, until.**
> When *then* is used to mean *next* it can be translated by either *puis* or *ensuite*: *a man, a horse and then a dog* = un homme, un cheval puis *or* et ensuite un chien.
> For particular usages see **A 2** in the entry below.
> When *then* is used to mean *in that case* it is translated by *alors*: *then why worry?* = alors pourquoi s'inquiéter?
> For all other uses see the entry below.

A *adv* 1 (at that point in time) alors, à ce moment-là; (implying more distant past) en ce temps-là; **we were living in Dublin ~** nous habitions alors à Dublin; **her books were ~ enjoying a lot of success** ses livres se vendaient alors très bien; **X, ~ leader of the party** X, alors chef du parti; **I thought so ~ and I still think so** c'est ce que je pensais alors et je le pense encore; **the company will ~ receive funding** l'entreprise recevra alors une aide financière; **what ~?** et alors?, que feront-ils/ferons-nous etc alors?; **just ~ she heard a noise** à ce moment-là elle a entendu un bruit; **a large sum of money even ~** une grosse somme d'argent même à cette époque; **people were idealistic ~** en ce temps-là les gens étaient idéalistes; **from ~ on, life became easier** à partir de ce moment-là la vie est devenue plus facile; **since ~ there has been little news** depuis on a eu peu de nouvelles; **by ~ the damage had been done** le mal était déjà fait; **he was by ~ running his own company** à ce moment-là il dirigeait déjà sa propre entreprise; **they will let us know by ~** nous aurons la réponse à ce moment-là; **if things haven't changed by ~** si d'ici là les choses n'ont pas changé; **we won't be in contact until ~** nous ne serons pas en contact avant (ce moment-là); ▸ **there**
2 (in sequences: afterwards, next) puis, ensuite; **~ came the big news** puis *or* ensuite on nous a annoncé la grande nouvelle; **she was an editor ~ a teacher** elle a été rédactrice puis *or* ensuite professeur; **wash ~ slice finely** laver puis couper finement; **we will ~ start the next project** ensuite nous commencerons le projet suivant; **~ after that...** ensuite...; **and ~ what?** (with bated breath) et ensuite?
3 (in that case) alors; **I saw them if not yesterday ~ the day before** je les ai vus hier ou avant-hier; **if it's a problem for you ~ say so** si ça te pose un problème dis-le; **if they're so nice ~ why not stay with them?** s'ils sont si agréables pourquoi ne pas rester avec eux?; **if x = 3, ~ 6x = 18** si x = 3 alors 6x = 18; **when we know what the problem is ~ we can find a solution** quand nous saurons quel est le problème alors nous pourrons trouver une solution; **~ why did you tell her?** mais alors pourquoi est- ce que tu le lui as dit?; **how about tomorrow ~?** et demain ça irait?; **well try this ~** et bien alors essaie ça; **well ~ we'll have to start again** et bien alors il faudra recommencer; **~ what DO they want?** mais alors qu'est-ce qu'ils veulent?
4 (summarizing statement: therefore) donc; **these ~ are the results of the policy** voici donc les résultats de cette politique; **overall ~ it would seem that** en résumé il semble donc que
5 (in addition, besides) puis...aussi; **and ~ there's the fare to consider** et puis il faut aussi tenir compte du prix de billet
6 (modifying previous statement: on the other hand) d'un autre côté; **she's good but ~ so is he** elle est bonne mais lui aussi; **they said it would rain but ~ they're often wrong** ils ont prévu de la pluie mais ils se trompent souvent; **but ~ again if you're too quiet, no-one will notice you** mais d'un autre côté si tu es trop discret personne ne te remarquera; **he looks anxious but ~ he always does** il a l'air inquiet mais de toute façon il a toujours cet air-là
7 (rounding off a topic: so) alors; **it's all arranged ~?** tout est arrangé alors?; **that's all right ~** ça va alors; **till Tuesday ~** à mardi alors; **do you think they'll stay here ~?** tu crois qu'ils vont rester ici alors?; **someone told him already ~** quelqu'un le lui a déjà dit alors
8 (focusing on topic) bon; **now ~ what's all this?** bon, qu'est-ce qui se passe?; **all right ~ who'd like some coffee?** bon, qui veut du café alors?; **what's the problem ~?** alors quel est le problème?

B *adj* (*épith*) **the ~ prime minister** le premier ministre de l'époque; **the ~ mayor of New York, Mr X** M. X, qui était alors maire de New York; **they took over the ~ state-owned sugar factory** ils ont racheté la sucrerie qui était alors une propriété de l'État

thence /ðens/ *adv* 1 (from there) de là; 2 (therefore) de cela

thenceforth /ðensˈfɔːθ/, **thenceforward** /ðensˈfɔːwəd/ à dater de ce moment

theocracy /θɪˈɒkrəsɪ/ *n* théocratie *f*

theocratic /θɪəˈkrætɪk/ *adj* théocratique

theodolite /θɪˈɒdəlaɪt/ *n* Civ Eng théodolite *m*

theologian /ˌθɪəˈləʊdʒən/ *n* théologien/-ienne *m/f*

theological /ˌθɪəˈlɒdʒɪkl/ *adj* [*debate, issue, thought, writing*] théologique; [*book, college, faculty, study*] de théologie; [*student*] en théologie

theology /θɪˈɒlədʒɪ/

A *n* théologie *f*

B *modif* [*faculty, lecture, lecturer*] de théologie

theorem /ˈθɪərəm/ *n* théorème *m*

theoretical /ˌθɪəˈretɪkl/ *adj* théorique
theoretically /ˌθɪəˈretɪklɪ/ *adv* [*propound, prove, speak*] théoriquement; [*new, possible, sound*] théoriquement, en théorie (*after adj*); **you are, ~, responsible** théoriquement, vous êtes responsable; **~ speaking** en théorie
theoretician /ˌθɪərɪˈtɪʃn/, **theorist** /ˈθɪərɪst/ *n* théoricien/-ienne *m/f*
theorize /ˈθɪəraɪz/ *vi* théoriser, émettre des théories (**about** sur)
theory /ˈθɪərɪ/ *n* 1 (general principles) théorie *f*; **political/music ~** la théorie politique/de la musique; **in ~** en théorie; 2 (hypothesis) théorie *f*; **I have a ~ that** ma théorie est que
theosophical /ˌθiːəˈsɒfɪkl/ *adj* théosophique
theosophist /θiːˈɒsəfɪst/ *n* théosophe *mf*
theosophy /θiːˈɒsəfɪ/ *n* théosophie *f*
therapeutic /ˌθerəˈpjuːtɪk/ *adj* thérapeutique
therapeutics /ˌθerəˈpjuːtɪks/ *n* (+ *v sg*) thérapeutique *f*
therapist /ˈθerəpɪst/ *n* thérapeute *mf*; **dance/music ~** spécialiste *mf* de la thérapie par la danse/la musique
therapy /ˈθerəpɪ/
A *n* Med, Psych thérapie *f*; **to have** *ou* **be in ~** suivre une thérapie; **to write as a form of ~** écrire en guise de thérapie; **music/relaxation ~** thérapie *f* par la musique/la relaxation
B *modif* [*group, session*] de thérapie
there /ðeə(r)/

> ⚠ *There* is generally translated by *là* after prepositions: *near there* = près de là etc and when emphasizing the location of an object/point etc visible to the speaker: *put them there* = mettez-les là.
> Remember that *voilà* is used to draw attention to a visible place/object/person: *there's my watch* = voilà ma montre, whereas *il y a* is used for generalizations: *there's a village nearby* = il y a un village tout près.
> *there* when unstressed with verbs such as *aller* and *être* is translated by *y*: *we went there last year* = nous y sommes allés l'année dernière, but not where emphasis is made: *it was there that we went last year* = c'est là que nous sommes allés l'année dernière.
> For examples of the above and further uses of *there* see the entry below.

A *pron* (as impersonal subject) il; **~ seems** *ou* **appears to be** il semble y avoir; **~ is/are** il y a; **~ are many reasons** il y a beaucoup de raisons; **~ is some left** il en reste; **once upon a time ~ was** il était une fois; **~'ll be a sing-song later** on va chanter plus tard; **~'s no denying that** personne ne peut nier que; **suddenly ~ appeared a fairy** littér soudain est apparue une fée; **~ arose cries from the audience** littér des cris sont montés de la salle
B *adv* 1 (that place or point) là; **far from/near/two kilometres from ~** loin de/près de/à deux kilomètres de là; **up to ~, down to ~** jusque là; **put it in ~** mettez-le là-dedans; **in ~ please** (ushering sb) par là s'il vous plaît; **we left ~ on Thursday** nous sommes partis de là jeudi
2 (at or to that place) là; **stop ~** arrêtez-vous là; **sign ~ please** veuillez signer là s'il vous plaît; **stand ~** mettez-vous là; **go over ~** va là-bas; **are you still ~?** (on phone) est-ce que tu es toujours là?; **since we were last ~** depuis la dernière fois que nous y sommes allés; **it's ~ that** gen c'est là que; (when indicating) c'est là où; **to go ~ and back in an hour** faire l'aller et retour en une heure; **take the offer while it's ~** fig profite de l'occasion pendant que c'est possible
3 (to draw attention) (to person, activity etc) voilà; (to place) là; **what have you got ~?** qu'est-ce que tu as là?; **~ they go** les voilà qui s'en vont; **~ goes the coach** voilà le car qui s'en va; **~ you go again** fig ça y est c'est reparti; **~ you are** (seeing sb arrive) vous voilà; (giving object) tenez, voilà; (that's done) et voilà; **~ is a hammer/are some nails** voilà un marteau/des clous; **~'s a bus coming** voilà un bus; **listen, ~'s my sister calling** tiens, voilà ma sœur qui appelle; **that paragraph/sales assistant ~** ce paragraphe/vendeur; **my colleague ~ will show you** mon collègue va vous montrer; **which one? this one or that one ~?** lequel? celui-ci ou celui-là?; **what does it say ~?** qu'est-ce qui est marqué là?; **~'s why!** ça explique tout!
4 (indicating arrival) là; **will she be ~ now?** est-ce qu'elle y est maintenant?; **when do they get ~?** quand est-ce qu'ils arrivent là-bas?; **~ I was at last** j'étais enfin là-bas; **the train won't be ~ yet** le train ne sera pas encore là; **we get off ~** c'est là qu'on descend
5 (indicating juncture) là; **~ we must finish** nous devons nous arrêter là; **I'd like to interrupt you ~** là je me permets de vous interrompre; **~ was our chance** c'était notre chance; **I think you're wrong ~** je crois que là tu te trompes; **so ~ we were in the same cell** et comme ça on s'est retrouvés dans la même cellule
6 ○(emphatic) **that ~ contraption** ce truc-là○; **hello ~!** salut!; **hey you ~!** eh toi là-bas!
C **there and then** *adv phr* directement
D **there again** *adv phr* (on the other hand) d'un autre côté
E *excl* **~ ~!** (soothingly) allez! allez!; **~!** (triumphantly) voilà!; **~, I told you!** voilà, je te l'avais bien dit!; **~, you've woken the baby!** c'est malin, tu as réveillé le bébé!; ▸ **so**
thereabouts /ðeərəbaʊts/ GB, **thereabout** /ˈðeərəbaʊt/ US *adv* 1 (in the vicinity) par là; 2 (roughly) **100 dollars or ~** 100 dollars environ
thereafter /ðeərˈɑːftə(r)/ *adv* par la suite
thereat‡ /ðeərˈæt/ *adv* là-dessus
thereby /ðeəˈbaɪ, ˈðeə-/ *conj* ainsi; **~ compromising further negotiations** compromettant ainsi de futures négociations; **the patient is ignored ~ adding to his distress** le patient est tenu à l'écart ce qui ne fait qu'ajouter à son désarroi
(Idiom) **~ hangs a tale** c'est toute une histoire
there'd /ðeəd/ = **there had, there would**
therefore /ˈðeəfɔː(r)/ *adv* donc, par conséquent
therein /ðeərˈɪn/ *adv* 1 (in that) **~ lies...** c'est en cela que réside...; **the aircraft and the persons ~** l'avion et les personnes qui sont/étaient à l'intérieur; 2 Jur (in contract) **contained ~** ci-inclus
there'll /ðeəl/ = **there will**
thereof /ðeərˈɒv/ *adv* 1 Jur de cela; 2 ‡**the partook ~** il en mangea
thereon‡ /ðeərˈɒn/ *adv* = **thereupon**
there's /ðez/ = **there is, there has**
thereto /ðeəˈtuː/ *adv* Jur y; **the matters pertaining ~** les questions qui s'y rattachent
theretofore /ˌðeətʊˈfɔː(r)/ *adv* jusque là
thereunder /ðeərˈʌndə(r)/ *adv* sout en-dessous
thereupon /ˌðeərəˈpɒn/ *adv* sout sur ce
therewith /ðeəˈwɪð/ *adv* 1 sout (attached) avec cela; 2 littér (at once) sur ce
therm /θɜːm/ *n* thermie *f*
thermal /ˈθɜːml/
A *n* courant *m* ascendant
B *adj* [*spring, treatment*] thermal; [*garment*] thermique; [*analysis, barrier, energy, insulation, printing, reactor, unit*] thermique
thermal: ~ baths *npl* thermes *mpl*; **~ efficiency** *n* rendement *m* thermique; **~ imaging** *n* Sci thermographie *f*
thermic /ˈθɜːmɪk/ *adj* Sci, Tech thermique
thermionic /ˌθɜːmɪˈɒnɪk/ *adj* thermoélectrique, thermoïonique
thermionics /ˌθɜːmɪˈɒnɪks/ *n* (+ *v sg*) thermoélectronique *f*
thermionic valve GB, **~ tube** US tube *m* thermoïonique
thermocouple /ˈθɜːməʊkʌpl/ *n* thermocouple *m*, couple *m* thermoélectrique
thermodynamic /ˌθɜːməʊdaɪˈnæmɪk/ *adj* thermodynamique
thermodynamics /ˌθɜːməʊdaɪˈnæmɪks/ *n* (+ *v sg*) thermodynamique *f*
thermoelectric /ˌθɜːməʊɪˈlektrɪk/ *adj* thermoélectrique
thermograph /ˈθɜːməgrɑːf, US -græf/ *n* thermographe *m*
thermography /θɜːˈmɒgrəfɪ/ *n* thermographie *f*
thermoluminescence /ˌθɜːməʊˌluːmɪˈnesns/ *n* thermoluminescence *f*
thermoluminescence dating *n* datation *f* par thermoluminescence
thermometer /θəˈmɒmɪtə(r)/ *n* thermomètre *m*
thermonuclear /ˌθɜːməʊˈnjuːklɪə(r), US ˈnuː-/ *adj* thermonucléaire
thermopile /ˈθɜːməʊpaɪl/ *n* thermopile *f*
thermoplastic /ˌθɜːməʊˈplæstɪk/ *n, adj* thermoplastique (*m*)
Thermopylae /θɜːˈmɒpɪliː/ *pr n* Thermopyles *fpl*
Thermos® /ˈθɜːməs/ *n* thermos® *m or f inv*
thermosetting /ˌθɜːməʊˈsetɪŋ/ *adj* thermodurcissable
thermos flask *n* bouteille *f* thermos®
thermosiphon /ˌθɜːməʊˈsaɪfən/ *n* thermosiphon *m*
thermostat /ˈθɜːməstæt/ *n* thermostat *m*
thermostatic /ˌθɜːməˈstætɪk/ *adj* thermostatique
thesaurus /θɪˈsɔːrəs/ *n* (*pl* **-ri** *ou* **-ruses**) 1 (of synonyms etc) dictionnaire *m* analogique *or* des synonymes; 2 (of particular field) lexique *m*
these /ðiːz/ *pl* ▸ **this**
Theseus /ˈθiːsjuːs, ˈθiːsjəs/ *pr n* Thésée
thesis /ˈθiːsɪs/ *n* (*pl* **theses**) 1 Univ (doctoral) thèse *f* (**on** sur); (master's) mémoire *m* (**on** sur); 2 (theory) thèse *f*
thespian /ˈθespɪən/† *ou* hum
A *n* homme/femme *m/f* de théâtre
B **Thespian** *adj* dramatique, du théâtre
Thessalonians /ˌθesəˈləʊnɪənz/ *n* (+ *v sg*) Bible Epître *f* aux Thessaloniciens
they /ðeɪ/

> ⚠ *They* is translated by *ils* (masculine) or *elles* (feminine). For a group of people or things of mixed gender *ils* is always used. The emphatic form is *eux* (masculine) or *elles* (feminine). For examples and exceptions, see below

pron **~ have already gone** (masculine or mixed) ils sont déjà partis; (feminine) elles sont déjà parties; **here ~ are!** les voici!; **there ~ are!** les voilà!; **THEY won't be there** eux, ils ne seront pas là, eux *or* elles ne seront pas là, elles; **she bought one but ~ didn't** elle en a acheté un mais eux pas
they'd /ðeɪd/ = **they had, they would**
they'll /ðeɪl/ = **they will**
they're /ðeə(r)/ = **they are**
they've /ðeɪv/ = **they have**
thiamine /ˈθaɪəmɪn, -miːn/ *n* thiamine *f*
thick /θɪk/
A *adj* 1 [*piece, layer, material, garment, liquid, paste, snow, hair, eyebrows, lips, features, make-up*] épais/épaisse; [*forest, vegetation, fog*] dense, épais/épaisse; [*beard*] touffu; [*accent*] fort (*before n*); [*voice*] (from sore throat, cold) voilé, enroué; (from alcohol) pâteux/-euse; **to be 6 cm**

t

~ faire 6 cm d'épaisseur; **how ~ is the wall/this piece of steel?** quelle est l'épaisseur du mur/de ce morceau d'acier?; **a 6 cm-~ piece of wood** un morceau de bois de 6 cm d'épaisseur; **to make [sth] ~er** épaissir [*soup, sauce*]; **to be ~ with** être plein de [*smoke, noise*]; être chargé de [*emotion*]; **a river ~ with rubbish** une rivière pleine de détritus; **fields ~ with poppies** des champs couverts de coquelicots; **the air was ~ with insults** les insultes fusaient; **the table was ~ with dust** la table était couverte d'une épaisse couche de poussière; **the ground was ~ with ants** le sol grouillait de fourmis; **to have a ~ head** (from hangover) avoir la gueule de bois; (from cold, flu) avoir le cerveau embrumé; **a fog so ~ you could cut it with a knife** un brouillard à couper au couteau; **2** ○(stupid) bête; **I can't get it into his ~ head** *ou* **skull**○ **that** je n'arrive pas à lui enfoncer dans la tête *or* le crâne que; **3** ○(friendly) **they're very ~ (with each other)** ils sont très liés; **Tom is very ~ with Anne** Tom et Anne sont très liés; **4** ○(unreasonable) **it's a bit ~ expecting me to do that!** c'est un peu fort *or* raide○ d'espérer que je ferai ça!

B *adv* **don't spread the butter on too ~** ne mets pas trop de beurre; **the bread was sliced ~** le pain était coupé en tranches épaisses; **her hair fell ~ and straight to her shoulders** ses cheveux épais et raides tombaient sur ses épaules; **the snow lay ~ on the ground** il y avait une épaisse couche de neige sur le sol

(Idioms) **to lay it on ~**○ forcer la dose○; **offers of help are coming in ~ and fast** des propositions d'aide affluent de toutes parts; **his tears fell ~ and fast** de grosses larmes lui coulaient sur les joues; **through ~ and thin** contre vents et marées; **to be in the ~ of** être au plus fort *or* au beau milieu de [*battle, fighting*]; être au beau milieu de [*crowd*]; **when the riots broke out I found myself in the ~ of things** quand les émeutes ont éclaté je me suis retrouvé pris au milieu. ▸ **blood, brick, ground, plank, thief**

thicken /ˈθɪkən/
A *vtr* (all contexts) épaissir
B *vi* [*sauce, soup, fog, snow, cloud, waistline*] s'épaissir; [*accent*] devenir plus fort; [*voice*] s'enrouer; [*traffic*] devenir plus dense

(Idiom) **the plot ~s!** l'affaire se corse!

thickening /ˈθɪkənɪŋ/ *n* gen, Culin épaississant *m*

thicket /ˈθɪkɪt/ *n* fourré *m*

thick: **~head**○ *n* idiot/-e *m/f*; **~-headed**○ *adj* bête

thickie○, **thicky**○ /ˈθɪkɪ/ *n* idiot/-e *m/f*

thickly /ˈθɪklɪ/ *adv* [*spread*] en une couche épaisse; [*cut*] en morceaux épais; [*say, speak*] d'une voix enrouée; **the snow was falling ~** la neige tombait dru; **the grass grew ~** l'herbe poussait dru; **the books were ~ covered in** *ou* **with dust** les livres étaient couverts d'une épaisse couche de poussière; **bread ~ spread with jam** du pain avec une épaisse couche de confiture; **a ~-wooded landscape** un paysage très boisé

thickness /ˈθɪknɪs/ *n* **1** (of piece, material, liquid, snow, hair, features, make-up) épaisseur *f*; (of fog, vegetation) épaisseur *f*, densité *f*; **6 cm in ~** de 6 cm d'épaisseur; **the ~ of his accent makes him hard to understand** son accent est si fort qu'on a de la peine à le comprendre; **2** (layer) épaisseur *f*

thicko○ /ˈθɪkəʊ/ *n* idiot/-e *m/f*

thick: **~set** *adj* [*person*] trapu; [*hedge*] touffu; **~-skinned** *adj* blindé○, endurci; **~-witted**○, **~-skulled**○ *adj* bête

thief /θiːf/ *n* (*pl* **thieves**) voleur/-euse *m/f*; **car/jewel ~** voleur de voitures/de bijoux; **stop ~!** au voleur!

(Idioms) **set a ~ to catch a ~** seul un voleur peut en attraper un autre; **to be as thick as thieves** s'entendre comme larrons en foire; **like a ~ in the night** comme un voleur; **a den of thieves, a thieves' kitchen** un repaire de brigands

thieve /θiːv/ *vtr, vi* voler

thievery /ˈθiːvərɪ/ *n* vol *m*

thieves /θiːvz/ *pl* ▸ **thief**

thieving /ˈθiːvɪŋ/
A *n* vol *m*
B *adj* **~ children** enfants qui volent; **get your ~ hands out!** enlève tes mains de là, voleur!

thigh /θaɪ/
A *n* cuisse *f*
B *modif* [*injury*] à la cuisse; [*muscle*] de la cuisse

thigh: **~bone** *n* fémur *m*; **~boot** *n* cuissarde *f*

thimble /ˈθɪmbl/ *n* dé *m* à coudre; ▸ **hunt the thimble**

thimbleful /ˈθɪmblfʊl/ *n* (of liquor) doigt *m*

thin /θɪn/
A *adj* **1** (in width) [*nose, lips, stick, wall*] mince; [*line, stripe, string, wire*] fin; [*strip*] étroit; **2** (in depth) [*slice, layer*] fin, mince; **the ice is ~** la couche de glace n'est pas très épaisse; **3** (in consistency) [*mud, mixture*] liquide; [*soup, liquid, sauce*] clair; [*oil*] fluide; **4** (lean) [*person, face, arm, leg*] maigre; **he looks ~ and haggard** il est hâve et maigre; **to get ~** maigrir; **5** (fine) [*card, paper*] fin; [*fabric, garment*] léger/-ère; [*mist, smoke*] léger/-ère; **the mist is getting ~ner** la brume se dissipe; **6** (in tone) (high-pitched) aigre; (weak) fluet/fluette; **7** Fin **~ trading** marché *m* calme; **8** (sparse) [*population, crowd, hair, beard*] clairsemé; **9** fig (unconvincing) [*excuse*] peu convaincant; [*evidence*] insuffisant; [*plot*] squelettique; **to wear ~** [*joke, excuse*] être usé; **my patience is wearing ~** je commence à perdre patience; **10** [*air*] (at altitude) raréfié
B ○*adv* [*slice*] en tranches *fpl* fines; [*spread*] en couche mince
C *vtr* (*p prés etc* **-nn-**) **1** (*also* **~ down**) (dilute) diluer [*paint*]; allonger [*sauce, soup*]; **2** (disperse) = **thin out**
D *vi* (*p prés etc* **-nn-**) (*also* **~ out**) [*fog, mist*] se dissiper; [*crowd*] se disperser; [*hair*] se raréfier
E **thinning** *pres p adj* [*hair, crowd*] clairsemé

(Idioms) **as ~ as a rake** *ou* **lath** maigre comme un clou; **to be ~ on the ground** être rare; **to get ~ on top** (bald) se dégarnir; **to have a ~ time of it** traverser une période difficile

(Phrasal verbs) ■ **thin down** US maigrir
■ **thin out**: ▸ **~ [sth] out, ~ out [sth]** éclaircir [*seedlings, hedge*]; réduire [*population*]

thine‡ /ðaɪn/
A *pron* = **yours**
B *det* = **your**

thing /θɪŋ/
A *n* **1** (object) chose *f*, truc○ *m*; **she likes beautiful ~s** elle aime les belles choses; **he was wearing an old yellow ~** il portait un vieux truc○ jaune; **it's a ~ you use for opening envelopes** c'est un truc○ pour ouvrir les enveloppes, ça sert à ouvrir les enveloppes; **any old ~ will do** n'importe quel vieux truc○ fera l'affaire; **what's that ~?** qu'est-ce que c'est que ce truc○?; **what's that ~ on the table?** qu'est-ce c'est que ce truc○ sur la table?; **what's this ~ for?** à quoi sert ce truc○?; **there isn't a ~ to eat in the house!** il n'y a rien à manger dans cette maison!; **I haven't got a ~ to wear!** je n'ai rien à me mettre!; **the one ~ he wants for his birthday is a bike** tout ce qu'il veut pour son anniversaire, c'est un vélo; **it was a big box ~** c'était une espèce de grosse boîte
2 (action, task, event) chose *f*; **I've got ~s to do** j'ai des choses à faire; **she'll do great ~s in life** elle ira loin dans la vie; **I wouldn't dream of such a ~** une telle chose ne me viendrait jamais à l'esprit; **who would do such a ~?** qui ferait une telle chose?; **how could you do such a ~?** comment as-tu pu faire une chose pareille?; **an awful ~ happened to me** il m'est arrivé une chose épouvantable; **that's the worst ~ you could have said/done** c'était (vraiment) la chose à ne pas dire/faire; **the best ~ (to do) would be to go and see her** le mieux serait d'aller la voir; **that was a silly/dangerous ~ to do** c'était stupide/dangereux d'avoir fait cela; **that was a lovely/horrible ~ to do** c'était gentil/horrible d'avoir fait cela; **it was a difficult ~ to do** cela n'a pas été facile à faire, cela a été difficile à faire; **there wasn't a ~ I could do** je ne pouvais rien y faire; **it's a good ~ you came** heureusement que tu es venu, c'est une bonne chose que tu sois venu; **the ~ to do is to listen carefully to him** ce qu'il faut faire c'est l'écouter attentivement; **I'm sorry, but I haven't done a ~ about it yet** je suis désolé, mais je ne m'en suis pas encore occupé; **the heat does funny ~s to people** la chaleur a de drôles d'effets sur les gens
3 (matter, fact) chose *f*; **we talked about lots of ~s** nous avons discuté de beaucoup de choses; **we talked about politics and ~s (like that)** nous avons discuté de la politique et de choses comme ça; **the ~ to remember is...** ce dont il faut se souvenir c'est...; **I couldn't hear a ~ (that) he said** je n'ai rien entendu de ce qu'il a dit; **I said/did no such ~!** je n'ai rien dit/fait de tel!; **I couldn't think of a ~ to say** je n'ai rien trouvé à dire; **one ~ is obvious/certain** une chose est évidente/certaine; **the first ~ we must consider is...** la première chose à considérer, c'est...; **if there's one ~ I hate it's...** s'il y a une chose que je déteste c'est...; **I found the whole ~ a bore** j'ai trouvé tout cela très ennuyeux; **the whole ~ is crazy!** c'est idiot tout cela!; **the ~ is, (that)...** ce qu'il y a, c'est que...; **the only ~ is,...** la seule chose, c'est que...; **the funny/amazing/dreadful ~ is...** le plus drôle/étonnant/épouvantable c'est que...; **the good ~ (about it) is...** ce qu'il y a de bien, c'est que...; **the best/worst ~ (about it) is...** le mieux/le pire c'est que...; **the ~ about him is that he's very honest** ce qu'il faut lui reconnaître, c'est qu'il est très honnête; **the ~ about him is that he can't be trusted** le problème avec lui c'est qu'on ne peut pas lui faire confiance; **the good/best/worst ~ about her is (that)** ce qu'il y a de bien/de mieux/de pire avec *or* chez elle c'est (que)
4 (person, animal) **she's a pretty little ~** c'est une jolie petite fille; **he's a funny little ~** c'est un drôle de petit gamin○; **how are you, old ~**○**?** comment ça va, mon vieux○?; **you lucky ~**○**!** veinard/-e○!; **you stupid ~**○**!** espèce d'idiot○!; **(the) stupid ~**○ (of object) sale truc○!; **there wasn't a living ~ to be seen** il n'y avait pas âme qui vive
B **things** *npl* **1** (personal belongings, equipment) affaires *fpl*; **have you tidied your ~s?** as-tu rangé tes affaires?; **~s to be washed/ironed** des affaires à laver/repasser; **to wash up the breakfast ~s** faire la vaisselle du petit déjeuner
2 (situation, circumstances, matters) les choses *fpl*; **to take ~s too seriously/too lightly** prendre les choses trop au sérieux/trop à la légère; **to see ~s as they really are** voir les choses en face; **to take ~s as they come** prendre les choses comme elles viennent; **~s don't look too good** les choses ne se présentent pas trop bien; **~s are getting better/worse** cela s'améliore/empire; **how are ~s with you?, how are ~s going?** comment ça va?; **why do you want to change ~s?** pourquoi est-ce que tu veux tout changer?; **to spoil ~s** tout gâcher; **to worry about ~s** se faire du souci; **as ~s are** *ou* **stand** dans l'état actuel des choses; **as ~s turned out** en fin de compte; **all ~s considered** tout compte fait; **in all ~s** en toute chose; **she's fascinated by ~s Chinese** elle est fascinée par tout ce qui est chinois; **~s eternal and ~s temporal** l'éternel et le temporel
3 Jur biens *mpl* (immobiliers et mobiliers)

(Idioms) **it's not the done ~ (to do)** ça ne se fait

pas (de faire); **it's the in** ~○ c'est à la mode; **she was wearing the latest** ~ **in hats** elle portait un chapeau dernier cri; **she's got the latest** ~ **in stereos** elle a une chaîne stéréo dernier cri; **it's all right if you like that sort of** ~ c'est pas mal quand on aime ça; **that's just the** ~ *ou* **the very** ~! c'est tout à fait *or* exactement ce qu'il me/te/lui etc faut; **it's become quite the** ~ **(to do)** c'est devenu à la mode (de faire); **it was a close** *ou* **near** ~ c'était juste; **he's on to a good** ~ il a trouvé le bon filon○; **he likes to do his own** ~○ il aime faire ce qui lui plaît; **for one** ~**...(and) for another** ~**...** premièrement...et deuxièmement...; **to have a** ~ **about**○ (like) craquer pour○ [*blondes, bearded men*]; adorer, avoir la folie de [*emeralds, old cars*]; (hate) ne pas aimer [*dogs*]; **he's got a** ~ **about flying**○ il n'aime pas l'avion; **it's a girl/guy** ~○ c'est un truc de filles/de mecs○; **to make a big** ~ **(out) of it**○ en faire toute une histoire *or* tout un plat○; **to know a** ~ **or two about sth**○ s'y connaître en qch; **we certainly showed them a** ~ **or two**○ nous leur avons certainement appris une ou deux choses!; **she can tell you a** ~ **or two about car engines**○! elle s'y connaît en mécanique; **I could tell you a** ~ **or two about him**○! je pourrais vous en raconter sur son compte!; **he gave her a snake of all** ~**s!** il n'a rien trouvé de mieux à lui donner qu'un serpent!; **and then, of all** ~**s, she...** et alors, allez savoir pourquoi○, elle...; **I must be seeing/hearing** ~**s!** je dois avoir des visions/entendre des voix!; **it's** *ou* **it was (just) one of those** ~**s** ce sont des choses qui arrivent, c'est la vie; **it's one (damned)** ~ **after another**○! les embêtements○ n'en finissent plus!; **one** ~ **led to another and...** et, de fil en aiguille...; **taking one** ~ **with another** tout bien considéré; **what with one** ~ **and another, I haven't had time to read it** avec tout ce que j'ai eu à faire je n'ai pas eu le temps de le lire; ~**s aren't what they used to be** les choses ne sont plus ce qu'elles étaient; **(to try) to be all** ~**s to all men** (essayer de) faire plaisir à tout le monde

thingumabob○ /ˈθɪŋəməbɒb/, **thingumajig**○ /ˈθɪŋəmədʒɪg/ *n* truc○ *m*, machin○ *m*; **Mr** ~ M. Machin○

thingummy○ /ˈθɪŋəmɪ/, **thingy**○ /ˈθɪŋɪ/ *n* = **thingumabob**

think /θɪŋk/

A *n* **to have a** ~ **about sth** GB réfléchir à qch; **I'll have another** ~ **and let you know** j'y réfléchirai encore et je vous le ferai savoir

B *vtr* (*prét, pp* **thought**) **1** (hold view, believe) croire (**that** que); **I** ~ **this is their house** je crois que c'est leur maison; **when do you** ~ **he will come?** quand crois-tu qu'il viendra?; **we'd better be going, don't you** ~**?** il vaudrait mieux que nous partions, tu ne crois pas?; **I** ~ **so** je crois; **I don't** ~ **so, I** ~ **not** sout je ne crois pas; **'the wine is free, isn't it?'—'I don't** ~ **so!'** 'le vin est gratuit, n'est-ce pas?'—'ça m'étonnerait!'; **'can I stay out till midnight?'—'no, I** ~ **not!'** 'je peux sortir jusqu'à minuit?'—'non, sûrement pas!'; **'is he reliable?'—'I'd like to** ~ **so but...'** 'peut-on lui faire confiance?'—'j'espère bien mais...'; **to** ~ **it best to do/that** penser qu'il serait préférable de faire/que (+ *subj*); **to** ~ **it better to do/that...** penser qu'il vaudrait mieux faire/que... (+ *subj*); **I** ~ **it better to wait, what do you** ~**?** je pense qu'il vaudrait mieux attendre, qu'est-ce que tu en penses?; **I** ~ **it's going to rain** j'ai l'impression qu'il va pleuvoir; **what do you** ~ **it will cost?** combien ça va coûter à ton avis?; **him, a millionnaire? I don't** ~**!** iron lui un millionnaire? sans blague!

2 (imagine) imaginer, croire; **just** ~**! yesterday we were slaving away**○ **in the office and today...** imagine! hier encore on bossait○ au bureau et aujourd'hui...; **just** ~ **what might happen!** imagine ce qui pourrait arriver!; **who'd have thought it!** qui l'aurait cru?, qui l'eût cru? hum; **I'd never have thought it!** je n'aurais jamais cru ça!; **I never thought you meant it!** je ne t'ai jamais pris au sérieux!; **I can't** ~ **how/why etc** je n'ai aucune idée comment/pourquoi etc; **I can't** ~ **who did it/what it's about** je n'ai aucune idée qui a pu faire ça/de quoi il s'agit; **I can't** ~ **where I've put my keys** je ne sais pas du tout où j'ai mis mes clés; **I really don't know what to** ~ je ne sais vraiment pas quoi penser; **who do you** ~ **you are?** injur pour qui vous prenez-vous?; **what on earth do you** ~ **you're doing?** mais qu'est-ce que tu fais?; **I thought as much!** je m'en doutais!; **six weeks' holiday! that's what you** ~**!** six semaines de vacances! tu te fais des idées!; **and to** ~ **that I believed him/that I once thought him charming!** GB et dire que je le croyais/que je lui trouvais du charme!

3 (have thought, idea) penser (**that** que; **to do** à faire); **I didn't** ~ **to phone/check** je n'ai pas pensé à appeler/vérifier; **did you** ~ **to bring a corkscrew/to ring him to confirm?** as-tu pensé à apporter un tire-bouchon/à l'appeler pour confirmer?; **I** ~ **I'll take the car/go for a swim** je pense que je vais prendre la voiture/me baigner; **to** ~ **beautiful thoughts** penser à de belles choses; **to** ~ **deep thoughts** avoir des pensées profondes; **I was just** ~**ing: suppose we sold the car?** je me posais la question: si nous vendions la voiture?; **we're** ~**ing money/sex here**○ c'est de fric○/sexe qu'il s'agit; **let's** ~ **thin/Green**○**!** pensons minceur/écolo○!; **'what a horrible man,' she thought** 'quel horrible individu,' s'est-elle dit; **'oh do come in!' (**~**s) 'oh God not him again**○**!'** 'oh entrez donc!' (à part) 'bon dieu encore lui!'

4 (rate, assess) **to** ~ **a lot/not much of** penser/ne pas penser beaucoup de bien de [*person, work*]; **what do you** ~ **of him/his work?** que penses-tu de lui/son œuvre?

5 (remember) penser (**to do** à faire); **to** ~ **where/how** se rappeler où/comment; **I'm trying to** ~ **just where the house was/what her husband's called** j'essaie de me rappeler où était la maison/le nom de son mari

C *vi* (*prét, pp* **thought**) **1** (engage in thought) gen penser (**about, of** à); (before acting or speaking) réfléchir (**about** à); **animals cannot** ~ les animaux ne pensent pas; **I'll have to** ~ **about it** il faudra que j'y réfléchisse; **to** ~ **constructively** penser positivement; ~ **before you act** réfléchis avant d'agir; **what are you** ~**ing about?** à quoi penses-tu?; **I was** ~**ing of you** je pensais à toi; **let me** ~ **a moment** laissez-moi réfléchir un instant; **his remarks made us all** ~ ses remarques nous ont tous fait réfléchir; **to** ~ **hard** bien réfléchir; **to** ~ **clearly** *ou* **straight** avoir les idées claires; **to** ~ **for oneself** avoir des opinions personnelles; **I'm sorry, I wasn't** ~**ing** je m'excuse, je ne sais pas où j'avais la tête; **we are** ~**ing in terms of economics** nous voyons les choses du point de vue économique; **let's** ~**: three people at £170 each, plus the plane fare** voyons: trois personnes à 170 livres chacune, plus le billet d'avion; **come to** ~ **of it...** maintenant que j'y pense...

2 (take into account) **to** ~ **about** *ou* **of sb/sth** penser à qn/qch; **I can't** ~ **of everything!** je ne peux pas penser à tout!; ~ **of your family/about the future** pense à ta famille/à l'avenir; **she only** ~**s of herself** elle ne pense qu'à elle

3 (consider) **to** ~ **of sb as** considérer qn comme [*brother, friend, ally*]; **he** ~**s of himself as an expert** il se prend pour un spécialiste

4 (have in mind) **to** ~ **of doing** envisager de faire; **he's** ~**ing of resigning** il envisage de démissionner; **she's** ~**ing of computing as a career** elle envisage de faire carrière dans l'informatique; **to** ~ **about doing** penser à faire; **he's** ~**ing about a career in the Navy** il pense faire carri ère dans la marine; **whatever were you** ~**ing of?** qu'est-ce qui t'a pris?

5 (imagine) **to** ~ **of** penser à; **just** ~ **of the expense!** pense seulement à ce que cela va coûter!; **a million pounds,** ~ **of that!** un million de livres, t'imagines○!; **and to** ~ **of her dying just like that!** quand on pense qu'elle est morte, là, comme ça!

6 (tolerate idea) (*tjrs nég*) **not to** ~ **of doing** ne pas penser à faire; **I couldn't** ~ **of letting you pay/of making an exception for her** il n'est pas question que je te laisse payer/que je fasse une exception pour elle

7 (remember) **to** ~ **of** se rappeler; **I just can't** ~ **of his name** je n'arrive pas à me rappeler son nom; **if you** ~ **of anything else** si autre chose vous vient à l'esprit

(Idioms) **he thought better of it** il est revenu sur sa décision; **to have another** ~ **coming**○ GB se tromper lourdement; **to** ~ **on one's feet** réfléchir vite et bien; **to** ~ **well of sb** penser du bien de qn

(Phrasal verbs) ■ **think again** (reflect more) se repencher sur la question; (change mind) changer d'avis; **if that's what you** ~**, you can** ~ **again** si c'est ça que tu penses, tu te trompes

■ **think ahead** bien réfléchir (à l'avance); **you need to** ~ **ahead and plan what you're going to do** il faut que tu réfléchisses bien à ce que tu vas faire; ~**ing ahead to our retirement,...** quand nous serons à la retraite,...; **in tennis it is essential to** ~ **ahead** au tennis il est essentiel d'anticiper

■ **think back** se reporter en arrière (**to** à)

■ **think out**: ▶ ~ **out [sth],** ~ **[sth] out** bien réfléchir à; **you must** ~ **out what you're going to do** il faut que tu réfléchisses bien à ce que tu vas faire; **well/badly thought out** bien/mal conçu

■ **think over**: ▶ ~ **over [sth],** ~ **[sth] over** réfléchir à [*proposal*]; **I'd like time to** ~ **it over** j'ai besoin de temps pour y réfléchir

■ **think through**: ▶ ~ **through [sth],** ~ **[sth] through** bien réfléchir à [*proposal, action*]; faire le tour de [*problem, question*]

■ **think up**: ▶ ~ **up [sth]** inventer [*plan*]; **what can we** ~ **up for her 21st birthday?** qu'est-ce qu'on pourrait faire d'original pour ses vingt-et-un ans?

thinkable /ˈθɪŋkəbl/ *adj* pensable, imaginable; **it is hardly/not** ~ **that** il est à peine/n'est pas pensable que (+ *subj*)

thinker /ˈθɪŋkə(r)/ *n* penseur/-euse *m/f*; **a great** ~ un grand penseur

thinking /ˈθɪŋkɪŋ/

A *n* **1** (thought, reflection) réflexion *f*; **this is going to need some** ~ cela demande réflexion; **to do some (hard)** ~ (beaucoup) réfléchir; **2** (way one thinks) pensée *f*; **to influence sb's** ~ GB influencer la pensée de qn; **what's your** ~ **on immigration?** GB quelle est votre opinion sur l'immigration?; **current** ~ **is that** GB la tendance actuelle de l'opinion est que; **to my way of** ~ à mon avis

B *adj* [*person*] réfléchi; **the** ~ **person's pin-up/sports car** le sex symbol/la voiture de sport des intellectuels

(Idiom) **to put on one's** ~ **cap** hum cogiter sout *or* hum

think-tank /ˈθɪŋktæŋk/ *n* groupe *m* de réflexion

thin-lipped /ˌθɪnˈlɪpt/ *adj* [*person*] aux lèvres minces; [*smile*] pincé; **she watched in** ~ **disapproval** elle regardait, les lèvres pincées

thinly /ˈθɪnlɪ/ *adv* **1** (sparingly) [*slice*] en tranches fines; [*spread*] en couche mince; [*butter*] légèrement; **'apply paint** ~**'** 'appliquez la peinture en couches minces'; **2** (weakly) **to smile** ~ avoir un sourire pincé; **3** (sparsely) **a** ~ **inhabited/wooded area** une région à la population clairsemée/aux arbres clairsemés; **4** fig (scarcely) ~ **disguised/veiled** à peine déguisé/voilé

thinner /ˈθɪnə(r)/

A *comp adj* ▸ **thin**

B *n* (*also* **thinners** + *v sg*) diluant *m*

thinness /ˈθɪnnɪs/ *n* (all contexts) minceur *f*

t

thin-skinned /,θɪn'skɪnd/ *adj* susceptible

third /θɜ:d/ ▸ **p. 1487, p. 1116**

A *n* **1** (in order) troisième *mf*; **2** (of month) trois *m inv*; **3** (fraction) tiers *m*; **4** (*also* **~-class degree**) GB Univ ≈ *licence avec mention passable*; **5** Mus tierce *f*; **6** (*also* **~ gear**) Aut troisième *f*

B *adj* troisième

C *adv* **1** (in sequence) [*come, finish*] troisième, en troisième position; **2** (in list) troisièmement

(Idiom) **never mind—~ time lucky!** ne t'en fais pas, la troisième fois sera la bonne!

third-class /,θɜ:d'klɑ:s/

A *adj* **1** [*carriage, ticket*] de troisième classe; **~ mail** Post ≈ plis *mpl* non urgents; **2** GB Univ **~ degree = third A 4**

B **third class** *adv* [*travel*] en troisième classe; **to send sth ~** envoyer qch en pli non urgent

third degree○ /,θɜ:də'gri:/ *n* interrogatoire *m* musclé; **to give sb the ~** lit [*interrogator, captor*] soumettre qn à un interrogatoire musclé; fig [*father, headteacher*] soumettre qn à une interrogation

third: **~-degree burns** *npl* Med brûlures *fpl* au troisième degré; **Third Estate** *n* Tiers État *m*

thirdhand /,θɜ:d'hænd/

A *adj* **1** (not new) [*vehicle, garment*] d'occasion; **2** (indirect) [*report, evidence*] indirect

B *adv* [*hear, learn*] de manière indirecte

thirdly /'θɜ:dlɪ/ *adv* troisièmement

third party /,θɜ:d'pɑ:tɪ/

A *n* Insur, Jur tiers *m*

B **third-party** *modif* Insur **~ insurance** assurance *f* au tiers; **~ liability** responsabilité *f* civile; **cover for ~, fire and theft** assurance au tiers, contre le feu et le vol

third person /,θɜ:d'pɜ:sən/ *n* troisième personne *f*; **in the ~ singular/plural** à la troisième personne du singulier/pluriel

third-rate /,θɜ:d'reɪt/ *adj* péj [*actor, hotel, book*] de troisième ordre pej; [*work*] médiocre

Third Way *n* Pol troisième voie *f*

Third World /,θɜ:d 'wɜ:ld/

A *n* tiers-monde *m*

B *modif* [*country, debt, economy*] du tiers-monde

thirst /θɜ:st/

A *n* lit, fig soif *f* (**for** de); **it's given me a ~** ça m'a donné soif; **to quench one's ~** se désaltérer

B *vi*† *ou* littér avoir soif (**after, for** de)

thirstily /'θɜ:stɪlɪ/ *adv* [*drink*] à grands traits

thirst quencher *n* boisson *f* désaltérante

thirsty /'θɜ:stɪ/ *adj* lit, fig assoiffé; **to be ~** lit, fig avoir soif (**for** de); **to make sb ~** donner soif à qn; **oh, I'm so ~!** oh, que j'ai soif!; **it's ~ work!** c'est un travail qui donne soif!

thirteen /,θɜ:'ti:n/ ▸ **p. 1487, p. 1116, p. 927**

A *n* treize *m inv*

B *adj* treize *inv*

Thirteen Colonies *n* US Hist *les treize colonies*

The Thirteen Colonies

Ce sont les 13 colonies britanniques de la côte est de l'Amérique qui se sont alliées pour mener la guerre d'Indépendance et sont devenues les 13 premiers États américains : *New Hampshire, Massachusetts, Rhode Island, Connecticut, New York, New Jersey, Pennsylvania, Delaware, Maryland, Virginia, North Carolina, South Carolina, Georgia*. ▸ **Declaration of Independence, Stars and Stripes**

thirteenth /,θɜ:'ti:nθ/ ▸ **p. 1487, p. 1116**

A *n* **1** (in order) treizième *mf*; **2** (of month) treize *m inv*; **3** (fraction) treizième *m*

B *adj* treizième

C *adv* [*come, finish*] treizième, en treizième position

thirtieth /'θɜ:tɪəθ/ ▸ **p. 1487, p. 1116**

A *n* **1** (in order) trentième *mf*; **2** (of month) trente *m inv*; **3** (fraction) trentième *m*

this

As a determiner

In French, determiners agree in gender and number with the noun they precede; *this* (plural *these*) is translated by *ce* + masculine singular noun (*ce monsieur*) BUT by *cet* + masculine singular noun beginning with a vowel or mute 'h' (*cet arbre, cet homme*), by *cette* + feminine singular noun (*cette femme*) and by *ces* + plural noun (*ces livres, ces histoires*).

Note, however, that the above translations are also used for the English *that* (plural *those*). So when it is necessary to insist on *this* as opposed to another or others of the same sort, the adverbial tag *-ci*, giving the idea of *this one here*, is added to the noun:

I prefer THIS version
= je préfère cette version-ci

For particular usages see the entry **this**.

This dictionary contains usage notes on such topics as **time units, days of the week** and **months of the year**. For the index to these notes ▸ **p. 1948**.

As a pronoun meaning *this one*

In French, pronouns reflect the gender and number of the noun they are referring to. So *this* is translated by *celui-ci* for a masculine noun, *celle-ci* for a feminine noun; *those* is translated by *ceux-ci* for a masculine plural noun, *celles-ci* for a feminine plural noun:

of all the dresses this is the prettiest one
= de toutes les robes celle-ci est la plus jolie

For other uses of *this* used as a pronoun (*who's this?, this is my brother, this is wrong* etc.) and for *this* used as an adverb (*it was this big* etc.), see the entry **this**.

B *adj* trentième

thirty /'θɜ:tɪ/ ▸ **p. 1487, p. 927, p. 1059**

A *n* trente *m inv*; **at seven-thirty** à sept heures trente

B *adj* trente; **the Thirty Years' War** Hist la guerre de Trente Ans

thirty: **~-second note** *n* US Mus triple croche *f*; **~ something** *n* yuppie *mf* vieillissant/-e

this /ðɪs/ (*pl* **these**)

A *det* **~ paper is too thin** ce papier est trop mince; **~ man is dangerous** cet homme est dangereux; **~ lamp doesn't work** cette lampe ne marche pas; **all these books belong to Josephine** tous ces livres appartiennent à Josephine; **do it ~ way not that way** fais-le comme ça et pas comme ça; **~ woman came up to me**○ une femme est venue vers moi○

B *pron* **what's ~?** qu'est-ce que c'est?; **who's ~?** gen qui est-ce?, c'est qui?; (on telephone) qui est à l'appareil?; **whose is ~?** à qui appartient ceci?, ceci est à qui?; **~ is the dining room** voici la salle à manger; **where's ~?** (on photo) c'est où?; **after ~ we'll have lunch** après ceci nous allons déjeuner; **perhaps he'll be more careful after ~** peut-être qu'il fera plus attention maintenant; **before ~ he'd never been out of France** avant cela il n'était jamais sorti de France; **you should have told me before ~** tu aurais dû me le dire avant; **~ is my sister Pauline** (introduction) voici ma sœur Pauline; (on photo) c'est ma sœur, Pauline; **~ is the book I was talking about** c'est *or* voici le livre dont je parlais; **~ is not the right one** ce n'est pas le bon; **what did you mean by ~?** qu'est-ce que tu voulais dire par là?; **~ was not what she had intended** ce n'était pas ce qu'elle avait prévu; **who did ~?** qui a fait ça?; **we'll need more than ~** il nous en faudra plus (que ça); **it happened like ~** ça s'est passé comme ça; **what's all ~ about?** qu'est-ce que c'est que cette histoire?; **what's all ~ about Frank resigning?** qu'est-ce que c'est que cette histoire, il paraît que Frank démissionne; **at ~ he got up and left** en entendant cela il s'est levé et il est parti; **hold it like ~** tiens-le comme ça; **I never thought it would come to ~** je ne pensais pas qu'on en arriverait là; **~ is what happens when you press the red button** voilà ce qui se passe quand on appuie sur le bouton rouge; **~ is what happens when you disobey your parents!** voilà ce qui arrive quand on désobéit à ses parents!

C *adv* **it's ~ big** c'est grand comme ça; **when she was only ~ high** quand elle était haute comme ça; **having got ~ far it would be a pity to stop now** lit, fig maintenant qu'on est arrivé jusque-là ce serait dommage de s'arrêter; **I can't eat ~ much** je ne peux pas manger tout ça; **I didn't realize it was ~ serious/difficult** je ne m'étais pas rendu compte que c'était sérieux/difficile à ce point-là; ▸ **much**

(Idioms) **we talked about ~, that and the other** on a parlé de choses et d'autres; **we sat around talking about ~ and that** nous avons parlé de tout et de rien; **'what have you been up to?'—'oh, ~ and that'** 'qu'est-ce que tu as fait?'—'pas grand-chose'; **to run ~ way and that** courir dans tous les sens

thistle /'θɪsl/ *n* chardon *m*

thistledown /'θɪsldaʊn/ *n* duvet *m* de chardon

thistly /'θɪslɪ/ *adj* [*ground*] couvert de chardons

thither† /'ðɪðə(r)/ *adv* par là

tho' *abrév écrite* = **though**

tholepin /'θəʊlpɪn/ *n* tolet *m*

Thomas /'tɒməs/ *pr n* Thomas

thong /θɒŋ/

A *n* **1** (on whip) lanière *f*; **2** (on shoe, garment) lacet *m*; **3** (underwear) string *m* ficelle

B **thongs** *npl* US (sandals) tongs *fpl*

thoracic /θɔ:'ræsɪk/ *adj* thoracique

thorax /'θɔ:ræks/ *n* (*pl* **-axes** *ou* **-aces**) thorax *m*

thorium /'θɔ:rɪəm/ *n* thorium *m*

thorn /θɔ:n/ *n* **1** (on flower, shrub) épine *f*; **crown of ~s** Relig couronne *f* d'épines; **2** (bush) buisson *m* épineux; (hawthorn) aubépine *f*

(Idiom) **to be a ~ in sb's flesh** *ou* **side** être une source d'irritation pour qn

thorn: **~ apple** *n* stramoine *f*; **~bush** *n* (hawthorn) aubépine *f*; (other) buisson *m* épineux; **~ hedge** *n* haie *f* d'épines

thornless /'θɔ:nlɪs/ *adj* sans épines

thornproof /'θɔ:npru:f/ *adj* résistant aux épines

thorny /'θɔ:nɪ/ *adj* lit, fig épineux/-euse

thorough /'θʌrə, US 'θʌrəʊ/ *adj* **1** (detailed) [*analysis, examination, investigation, knowledge, research*] approfondi; [*preparation, search, work*] minutieux/-ieuse; **to give sth a ~ cleaning** nettoyer qch à fond; **he did a ~ job on the repair work** il a fait toutes les réparations nécessaires; **to have a ~ grasp of sth** maîtriser parfaitement qch; **2** (meticulous) [*person*] minutieux/-ieuse; **3** (utter) **to make a ~ nuisance of oneself** se rendre totalement insupportable

thoroughbred /'θʌrəbred/

A *n* pur-sang *m*

B *adj* de pure race

thoroughfare /'θʌrəfeə(r)/ *n* rue *f*; **main ~** voie *f* principale; **public ~** voie *f* publique; **'no ~'** 'passage interdit'

thoroughgoing /ˈθʌrəgəʊɪŋ/ *adj* [*analysis, conviction*] profond

thoroughly /ˈθʌrəlɪ, US ˈθʌrəʊlɪ/ *adv* **1** (meticulously) [*clean, cook, discuss, examine, read*] à fond; [*check, prepare, search, test*] minutieusement; **2** (completely) [*convincing, dangerous, clean, reliable*] tout à fait; [*depressing, confusing, unpleasant*] profondément; [*beaten*] complètement; [*deserved*] tout à fait; **to ~ enjoy sth/doing** être tout à fait ravi de qch/de faire; **3** (without reservation) [*agree, approve, understand*] parfaitement; [*recommend*] chaleureusement; **to be ~ in favour of** être tout à fait favorable à

thoroughness /ˈθʌrənɪs, US ˈθʌrəʊnɪs/ *n* (all contexts) minutie *f*

those /ðəʊs/ *pl* ▸ **that**

thou

A ○/θaʊ/ *n* US *abrév* = **thousand**

B /ðaʊ/ *pron* ‡ou dial tu

though /ðəʊ/

A *conj* **1** (emphasizing contrast: although) bien que (+ *subj*); **we enjoyed the trip (even) ~ it was very hot** nous avons apprécié le voyage bien qu'il ait fait très chaud *or* malgré la chaleur; **~ she's clever** *ou* **clever ~ she is, she's not what we're looking for** bien qu'elle soit intelligente *or* aussi intelligente soit-elle, elle n'est pas ce que nous cherchons; **strange ~ it may seem** si bizarre que ça puisse paraître; **talented ~ he is, I don't like him** il a beau être doué, je ne l'aime pas; **2** (modifying information: but) bien que (+ *subj*), mais; **I think she knows ~ I can't be sure** je pense qu'elle le sait, mais je n'en suis pas sûr; **you can still cancel ~ you'll be charged £10** vous pouvez toujours annuler mais vous devrez payer 10 livres; **the house was small ~ well-designed** la maison était petite mais elle était bien conçue *or* quoique bien conçue; **a foolish ~ courageous act** un acte stupide quoique courageux; **that was delicious ~ I say so myself!** sans me vanter, c'était délicieux!; ▸ **even**[1]

B *adv* quand même, toutefois; **fortunately, ~, they survived** heureusement ils s'en sont sortis; **in all, ~, we had a good time** tout compte fait, nous nous sommes quand même amusés; **she's probably not home, I'll keep trying ~** elle n'est sûrement pas chez elle mais j'essaie quand même de la joindre; **'travelling abroad's expensive'—'it's worth it, ~'** 'le voyage à l'étranger revient cher'—'ça vaut quand même la dépense', 'n'empêche que ça vaut la dépense○'

thought /θɔːt/

A *prét, pp* ▸ **think B, C**

B *n* **1** (idea) idée *f*, pensée *f*; **the ~ of doing** l'idée de faire; **at the ~ of doing** à l'idée de faire; **the mere ~ of doing** la seule idée de faire; **the ~ has just occurred to me** cette pensée vient juste de me venir à l'esprit; **the ~ that** l'idée que; **what a ~!** quelle idée!; **that's a ~!** ça c'est une idée!; **it was just a ~** ce n'était qu'une idée comme ça; **what a kind ~!** comme c'est gentil!; **2** ₵ (reflexion) pensée *f*; **deep in ~** plongé dans ses pensées; **after much ~** après mûre réflexion; **3** (consideration) considération *f*; **with little ~** sans beaucoup de considération pour; **without ~ of the consequences** sans considérer les conséquences; **with no ~ for her own life** sans considération pour sa propre vie; **to give ~ to sth** considérer qch; **little ~ has been given to how/why** on n'a pas assez considéré comment/pourquoi; **more ~ should have been given to it** il aurait fallu l'examiner de plus près; **we never gave it much ~** nous n'y avons pas beaucoup réfléchi; **don't give it another ~** n'y pense plus; **to put a lot of ~ into a gift** choisir un cadeau avec beaucoup de soin; **4** (intention) **to have no ~ of doing** n'avoir aucune intention de faire; **I've given up all ~s of moving** j'ai abandonné toute idée de déménagement; **it's the ~ that counts** c'est l'intention qui compte; **5** Philos (thinking) pensée *f*; **freedom of ~** liberté de pensée

C **thoughts** *npl* **1** (mind) pensées *fpl* (**about** au sujet de); **to read sb's ~s** lire (dans) les pensées de qn; **to collect** *ou* **gather one's ~s** rassembler ses esprits; **alone with one's ~s** seul avec ses pensées; **our ~s turn to the future** nos pensées se tournent vers l'avenir; **my ~s were elsewhere/still on the film** je pensais à autre chose/encore au film; **2** (opinions) opinion *f* (**about, on** sur); **I'd like to hear your ~s** j'aimerais bien connaître votre opinion; **to have some ~s on how sth could be improved** avoir des idées sur la façon d'améliorer qch

thoughtful /ˈθɔːtfl/ *adj* **1** (reflective) [*expression, mood, smile*] pensif/-ive; [*silence*] profond (*before n*); **to look ~** avoir l'air pensif; **2** (considerate) [*person, gesture*] prévenant; [*letter, gift*] gentil/-ille; **it was ~ of her to do** c'était gentil de sa part de faire; **3** (well thought-out) [*analysis, study*] riche en réflexion

thoughtfully /ˈθɔːtfəlɪ/ *adv* **1** (considerately) [*behave, treat*] avec prévenance; [*chosen, worded*] avec attention; **tea was ~ provided** on a eu la prévenance de servir le thé; **2** (pensively) [*stare, smile*] d'un air pensif; **3** (reflectively) [*write, describe*] de façon réfléchie

thoughtfulness /ˈθɔːtflnɪs/ *n* **1** (kindness) prévenance *f* (**towards** à l'égard de); **2** (of expression, character) sérieux *m*

thoughtless /ˈθɔːtlɪs/ *adj* [*person, remark, act*] irréfléchi; **it was ~ of him to do** c'était irréfléchi de sa part de faire; **to be ~ towards** manquer de considération pour; **how can you be so ~?** comment peux-tu avoir si peu d'égards?

thoughtlessly /ˈθɔːtlɪslɪ/ *adv* (insensitively) sans considération; (unthinkingly) sans réfléchir

thoughtlessness /ˈθɔːtlɪsnɪs/ *n* manque *m* de considération

thought-out /ˌθɔːtˈaʊt/ *adj* **well/badly ~** bien/mal conçu

thought process *n* mécanismes *mpl* de la pensée

thought-provoking /ˌθɔːtprəˈvəʊkɪŋ/ *adj* [*essay, film*] qui fait réfléchir; **it was very ~** cela m'a fait beaucoup réfléchir

thought transference *n* transmission *f* de pensée

thousand /ˈθaʊznd/ ▸ **p. 1487**

A *n* (figure) mille *m inv*; **a ~ and two** mille deux; **three ~** trois mille; **about a ~** un millier; **by the ~** (exactly) par mille; (roughly) par milliers

B **thousands** *npl* (large numbers, amounts) milliers *mpl* (**of** de); **in their ~s** par milliers; **to earn/lose ~s** gagner/perdre une fortune; **a cast of ~s** des milliers de figurants

C *adj* mille *inv*; **four ~ pounds** quatre mille livres; **about a ~ people** un millier de personnes; **a ~ times** mille fois; **a ~ times better** mille fois mieux

(Idiom) **to die a ~ deaths** mourir de honte

thousandfold /ˈθaʊzndfəʊld/ *adv* **a ~** un millier de fois

Thousand Island dressing *n* sauce *f* salade (*à base de mayonnaise avec des tomates, poivrons et piments*)

thousandth /ˈθaʊzndθ/ ▸ **p. 1487**

A *n* **1** (fraction) millième *m*; **2** (in order) millième *mf*

B *adj* millième

Thrace /θreɪs/ *pr n* Thrace *f*

Thracian /ˈθreɪʃn/ ▸ **p. 1378**

A *n* (person) Thrace *mf*; (language) thrace *m*

B *adj* thrace

thraldom GB, **thralldom** US /ˈθrɔːldəm/ *n* littér servitude *f*

thrall /θrɔːl/ *n* littér **to hold sb in ~** fasciner qn; **to be in ~ to sth** être sous l'emprise de qch

thrash /θræʃ/

A *n* **1** ○GB (party) grande fête *f*; **2** Mus thrash *m*

B *vtr* **1** (whip) rouer [qn] de coups; **2** ○Mil, Sport écraser, piler○ [*enemy, opposition*]

(Idiom) **to ~ the living daylights out of sb** donner une bonne correction à qn

(Phrasal verbs) ■ **thrash about, thrash around**: ▸ **~ about, ~ around** se débattre; ▸ **~ [sth] around** agiter; **to ~ one's arms/legs around** agiter les bras/jambes

■ **thrash out**: ▸ **~ out [sth]** venir à bout de [*difficulties, problem*]; réussir à élaborer [*plan, compromise*]

thrashing /ˈθræʃɪŋ/ *n* lit, fig raclée *f*; **to give sb a good ~** donner une bonne raclée à qn

thread /θred/

A *n* **1** Sewing fil *m*; **gold/silver ~** fil *m* d'or/d'argent; **cotton/silk ~** fil *m* de coton/soie; **to be hanging by a ~** lit, fig ne tenir qu'à un fil; **2** fig (of argument, story) fil *m*; **to follow/lose the ~** suivre/perdre le fil; **central ~** fil *m* conducteur; **common ~** point *m* commun; **to pull all the ~s together** faire la synthèse; **to pick up the ~ of** reprendre le fil de [*conversation, story*]; **to pick up the ~s of** reprendre le cours de [*career, life*]; **to pick up the ~ of a relationship with sb** renouer avec qn; **3** Tech (of screw) filetage *m*; **4** (on Internet) fil *m* de discussion

B **threads**○ *npl* US (clothes) fringues○ *fpl*

C *vtr* **1** lit enfiler [*bead, needle*]; introduire [*film, tape*] (**into** dans); **2** fig (move) **to ~ one's way through** se faufiler entre [*tables, obstacles*]

D *vi* [*beads, needle*] s'enfiler; [*film, tape*] passer

(Phrasal verb) ■ **thread up**: ▸ **~ up [sth]** enfiler le fil de [*sewing machine*]

thread: **~bare** *adj* lit, fig usé jusqu'à la corde; **~like** *adj* filiforme; **~worm** *n* oxyure *m*

threat /θret/ *n* **1** (verbal abuse) menace *f*; **to make ~s against sb** lancer des menaces contre qn; **to give in to ~s** céder à la menace; **2** (danger) menace *f* (**to** pour); **to pose a ~ to** être une menace pour; **to be under ~** être menacé (**from** par); **under ~ of** sous la menace de [*death, injury, punishment*]; **3** (risk, possibility) menace *f*, risque *m* (**of** de); **because of the ~ of more rain** à cause du risque qu'il pleuve encore plus

threaten /ˈθretn/

A *vtr* **1** (warn) menacer (**to do** de faire); **to be ~ed with death/prison** être menacé d'être tué/emprisonné; **2** (endanger) menacer [*planet, wildlife, peace, stability*]; **to be ~ed with starvation/extinction** risquer de mourir de faim/de disparaître

B *vi* [*danger, bad weather*] menacer; **to ~ to do** risquer de faire

C **threatened** *pp adj* menacé; **to feel ~ed** se sentir menacé

threatening /ˈθretnɪŋ/ *adj* [*gesture, expression, atmosphere*] menaçant; [*letter, phone call*] de menaces

threateningly /ˈθretnɪŋlɪ/ *adv* [*gesture, look, speak, approach*] de façon menaçante

three /θriː/ ▸ **p. 1487, p. 927, p. 1059**

A *n* trois *m inv*; **to play the best of ~** Sport jouer la revanche et la belle

B *adj* trois *inv*

three: **~-card monte** *n* bonneteau *m*; **~ card trick** *n* tour *m* de passe-passe; **~-colour** GB, **~-color** US *adj* trichrome

three-cornered /ˌθriːˈkɔːnəd/ *adj* [*object*] triangulaire; [*discussion*] tripartite; **~ hat** tricorne *m*

three-D /ˌθriːˈdiː/

A *n* **in ~** en trois dimensions

B *adj* en trois dimensions

three: **~-day event** *n* concours *m* complet; **~-day eventing** *n* concours *m* complet; **~-decker** *n* (boat) bateau *m* à trois ponts, trois-ponts *m*; **~-dimensional** *adj* en trois dimensions

threefold /ˈθriːfəʊld/

A *adj* triple; **a ~ increase** un triplement

B *adv* triplement; **to increase ~** tripler

three-four time *n* Mus mesure *f* à trois quatre; **in ~** à trois-quatre

three: **~-legged** *adj* [*object*] à trois pieds; [*animal*] à trois pattes; [*race*] à trois jambes; **~pence** *n* GB trois pence

threepenny /'θrəpənɪ, 'θrʌpənɪ/ *adj* GB à trois pence; **the Threepenny Opera** l'Opéra de quat' sous

three: **~penny bit**† *n* GB (ancienne) pièce *f* de trois pence; **~-phase** *adj* triphasé; **~-piece suit** *n* (costume *m*) trois-pièces *m inv*; **~-piece suite** *n* salon *m* trois pièces; **~-ply**, **~-ply wool** *n* laine *f* triple; **~-point landing** *n* atterrissage *m* trois points; **~-point turn** *n* demi-tour *m* en trois manœuvres

three-quarter /ˌθriː'kwɔːtə(r)/
A *n* Sport trois-quarts *m*
B *adj* [*portrait*] de trois-quarts; [*sleeve*] trois-quarts

three-quarter-length /ˌθriː'kwɔːtəlenθ/ *adj* **~ coat** trois-quarts *m*

three-quarter line *n* Sport ligne *f* de trois-quarts

three-quarters /ˌθriː'kwɔːtəz/ ▸ p. 1804
A *n* trois-quarts *mpl*; **~ of an hour** trois-quarts d'heure; **~ of all those who...** (les) trois-quarts de ceux qui...
B *adv* [*empty, full, done*] aux trois-quarts

three-ring circus *n* US lit cirque *m* à trois pistes; fig péj cirque *m*

three R's *n* Sch les trois disciplines *fpl* fondamentales (*lecture, écriture, calcul*)

> **The Three R's**
>
> Il s'agit des disciplines fondamentales dans lesquelles les élèves doivent avoir acquis un niveau minimal à la fin de l'école primaire : *Reading, Writing, Arithmetic*. Quand on entend ces mots, on a l'impression qu'ils commencent tous par un 'r'.

three: **~score**‡ *n, adj* soixante (*m*); **~-sided** *adj* [*object*] à trois côtés; [*discussion*] tripartite; **~some** *n* gen groupe *m* de trois; (for sex) partouze○ *f* à trois; **~-star** *adj* Tourism à trois étoiles; **~-way** *adj* [*junction*] à trois voies; [*split*] en trois; [*discussion, battle*] tripartite; **~-wheeler** *n* (car) voiture *f* à trois roues; (bicycle) tricycle *m*; (motorcycle) moto *f* à trois roues; **~-year-old** *n* enfant *mf* de trois ans

threnody /'θrenədɪ/ *n* mélopée *f*

thresh /θreʃ/
A *vtr* battre
B *vi* battre le blé

thresher /'θreʃə(r)/ *n* 1 (machine) batteuse *f*; 2 (person) batteur/-euse *m/f*

threshing /'θreʃɪŋ/ *n* battage *m*

threshing: **~ floor** *n* aire *f* de battage; **~ machine** *n* batteuse *f*

threshold /'θreʃəʊld, -həʊld/ *n* 1 lit seuil *m*; **to cross the ~** franchir le seuil; 2 fig seuil *m*; **pain ~** seuil de tolérance à la douleur; **on the ~ of** au seuil de [*discovery, career, new era*]; 3 Fin, Tax seuil *m*; **tax ~** seuil d'imposition, minimum *m* imposable; **wage ~** GB *seuil à partir duquel les salaires indexés sur le coût de la vie sont augmentés*

threshold price *n* Agric, EU prix *m* de seuil

threw /θruː/ *prét* ▸ **throw B, C, D**

thrice‡ /θraɪs/ *adv* trois fois

thrift /θrɪft/
A *n* 1 (frugality) économie *f*; 2 Bot armeria *f*
B **thrifts** *npl* US Fin (*also* **~ institutions**) établissements *mpl* de crédit

thriftiness /'θrɪftɪnɪs/ *n* esprit *m* économe

thriftless /'θrɪftlɪs/ *adj* dépensier/-ière

thrift shop *n* boutique *f* d'articles d'occasion (*dont les bénéfices sont versés à des œuvres*)

thrifty /'θrɪftɪ/ *adj* [*person*] économe (**in** dans); [*life, meal*] économique

thrill /θrɪl/
A *n* 1 (sensation) frisson *m*, frémissement *m*; **a ~ of pleasure** un frisson de plaisir; **to feel** *ou* **experience a ~ (of joy)** frissonner (de joie); 2 (pleasure) plaisir *m* (**of doing** de faire); **it was a ~ to meet her** cela a été un grand plaisir de la rencontrer; **to get a ~** *ou* **one's ~s** se donner des sensations fortes (**from** *ou* **out of doing** en faisant); **his victory gave me a ~** sa victoire m'a vraiment fait plaisir; **what a ~!** quelle émotion!
B *vtr* (with joy) transporter [qn] de joie; (with admiration) transporter [qn] d'admiration [*person, audience*]; passionner [*readers, viewers*]
C *vi* frissonner (**at, to** à)
D **thrilled** *pp adj* ravi, enchanté (**with** de; **to do** de faire; **that** que (+ *subj*)); **~ed to do** ravi de faire; **~ed that** ravi que (+ *subj*); **~ed with** enchanté de
(Idioms) **the ~s and spills of sth** les sensations fortes que procure qch; **to be ~ed to bits**○ être absolument ravi, être aux anges; **~ed to bits**○ **with sth** absolument enchanté de qch

thriller /'θrɪlə(r)/ *n* 1 Cin, Literat, TV thriller *m*; **comedy/political ~** thriller *m* comique/politique; **spy ~** (book) roman *m* d'espionnage; (film) film *m* d'espionnage; **crime ~** (book) roman *m* noir; (film) film *m* noir; 2 (exciting event) **the match was a ~** le match était palpitant

thrilling /'θrɪlɪŋ/ *adj* [*adventure, match, story, victory*] palpitant; [*concert, moment, sensation*] exaltant

thrive /θraɪv/ *vi* (*prét* **throve** *ou* **thrived**; *pp* **thriven** *ou* **thrived**) 1 lit [*person, animal, virus*] se développer; [*plant*] pousser; **failure to ~** atrophie *f*; 2 fig [*market, business, community*] prospérer; **to ~ on sth/on doing** [*person*] se complaire dans qch/à faire; **to ~ on** [*idea, thing*] se nourrir de

thriving /'θraɪvɪŋ/ *adj* [*business, industry, town, community*] florissant; [*person*] prospère; [*plant, animal*] en pleine santé

throat /θrəʊt/
A *n* 1 Anat gorge *f*; **sore ~** mal *m* de gorge; **to clear one's ~** s'éclaircir la gorge; **to cut/slit sb's ~** couper/entailler la gorge de qn; **to have a lump in one's ~** avoir la gorge nouée; **to stick in sb's ~** lit se coincer dans la gorge de qn; **it sticks in my ~ that...** le fait que... me reste en travers de la gorge; 2 Tech étranglement *m*
B *modif* [*infection, injury, disease*] de la gorge; [*medicine*] pour la gorge
(Idioms) **my belly** *ou* **stomach thinks my ~'s cut**○ j'ai l'estomac dans les talons; **to be at each other's** *ou* **one another's ~s**○ se disputer; **to cut one's own ~** travailler à sa propre ruine; **to jump down sb's ~**○ s'en prendre à qn; **to ram**○ *ou* **thrust sth down sb's ~** casser les oreilles○ de qn avec qch

throaty /'θrəʊtɪ/ *adj* 1 (husky) guttural; 2 ○(with sore throat) enroué

throb /θrɒb/
A *n* 1 (of engine, machine) vibration *f*; (of music) rythme *m*; 2 (of heart, pulse) battement *m*; (of pain) élancement *m*
B *vi* (*p prés etc* **-bb-**) 1 [*heart, pulse*] battre; **my head is ~bing** j'ai des élancements dans la tête; 2 [*motor*] vibrer; [*music, drum, building*] résonner; **~bing with life** fourmillant d'activité

throbbing /'θrɒbɪŋ/
A *n* 1 (of heart, pulse, blood) battement *m*; (of pain) élancement *m*; 2 (of motor) vibration *f*; (of music, drum) rythme *m*
B *adj* 1 [*pain, ache, sound, music*] lancinant; [*head, finger*] souffrant de douleurs lancinantes; 2 [*engine, motor*] qui vibre

throes /θrəʊz/ *npl* 1 **death ~** agonie *f* also fig; **to be in one's/its death ~** être à l'agonie; 2 **to be in the ~ of sth/of doing** être au beau milieu de qch/de faire

thrombocyte /'θrɒmbəsaɪt/ *n* thrombocyte *m*

thrombosis /θrɒm'bəʊsɪs/ ▸ p. 1327 *n* thrombose *f*

throne /θrəʊn/ *n* trône *m*; **on the ~** sur le trône
(Idiom) **the power behind the ~** l'éminence grise

throne room *n* salle *f* du trône

throng /θrɒŋ, US θrɔːŋ/
A *n* foule *f* (**of** de)
B *vtr* envahir [*street, square, town*]
C *vi* **to ~ to** *ou* **towards** converger vers; **to ~ around** se masser autour de; **to ~ to do** se rassembler pour faire
D **thronged** *pp adj* bondé; **~ed with** envahi de
E **thronging** *pres p adj* [*people, crowd*] qui se rassemble; [*street, town*] bondé; **~ing with** envahi de

throttle /'θrɒtl/
A *n* 1 (*also* **~ valve**) pointeau *m*; 2 (accelerator) accélérateur *m*; **at full ~** à toute vitesse
B *vtr* lit étrangler (**with** avec); fig asphyxier [*growth, project*]

through /θruː/
A *prep* 1 (from one side to the other) à travers; **to see ~ the curtain/mist** voir à travers le rideau/la brume; **to feel the stones ~ one's shoes** sentir les cailloux à travers ses chaussures; **to cut ~ the fields** couper à travers champs; **the nail went right ~ the wall** le clou a traversé le mur; **to drive ~ the forest/desert** traverser la forêt/le désert (en voiture); **to stick one's finger ~ the slit** passer son doigt dans la fente; **to poke sth ~ a hole** enfoncer qch dans un trou; **to drill ~ a cable** toucher un fil électrique avec une perceuse; **he was shot ~ the head** on lui a tiré une balle dans la tête; **it has a crack running ~ it** il est fêlé
2 (via, by way of) **to go ~ a tunnel** passer par un tunnel; **to go ~ London/the town centre** passer par Londres/le centre-ville; **to travel ~ Germany to Poland** aller en Pologne en passant par l'Allemagne; **the path goes ~ the woods** le chemin passe par le bois; **to come in ~ the hole/door** entrer par le trou/la porte; **go straight ~ that door** passez cette porte; **to jump ~ the window** sauter par la fenêtre; **to look ~** regarder avec [*binoculars, telescope*]; regarder par [*hole, window, keyhole*]; **to hear sth ~ the wall** entendre qch à travers le mur; **you have to go ~ her secretary** il faut passer par sa secrétaire
3 (past) **to go ~** brûler [*red light*]; **to get** *ou* **go ~** passer à travers [*barricade*]; passer [*customs*]; **to push one's way ~** se frayer un chemin à travers [*crowd, undergrowth*]; **the water poured ~ the roof** l'eau passait à travers le toit
4 (among) **to fly ~ the clouds** voler au milieu des nuages; **to leap ~ the trees** sauter de branche en branche; **to fly ~ the air** [*acrobat*] voler dans les airs; [*arrow, bullet*] fendre l'air; ▸ **go, search, sort**
5 (expressing source or agency) **I heard ~ a friend** j'ai appris par un ami; **I met my husband ~ her** c'est par elle que j'ai rencontré mon mari; **it was ~ her that I got this job** c'est par son intermédiaire que j'ai eu ce travail; **to speak ~ an interpreter** parler par l'intermédiaire d'un interprète; **to send sth ~ the post** envoyer qch par la poste; **to book sth ~ a travel agent** réserver qch dans une agence de voyage; **to order sth ~ a mail order firm** commander qch à une société de vente par correspondance; **I only know her ~ her writings** je ne la connais qu'à travers ses écrits
6 (because of) **~ carelessness/inexperience** par négligence/manque d'expérience; **~ illness** pour cause de maladie; **~ no fault of mine, we were late** ce n'était pas à cause de moi que nous étions en retard
7 (until the end of) **to work ~ the night** travailler toute la nuit; **all** *ou* **right ~ the day** toute la journée; **he talked right ~ the film** il a parlé pendant tout le film; **to stay ~ until**

Sunday rester jusqu'à dimanche; **to work ~ the lunch-hour** travailler pendant l'heure du déjeuner; ▸ **live**, **see**, **sleep**
8 (up to and including) jusqu'à; **from Friday ~ to Sunday** de vendredi jusqu'à dimanche; **1939 ~ 1945** US de 1939 jusqu'à 1945; **open April ~ September** US ouvert d'avril à fin septembre
B *adj* **1** ○(finished) fini; **I'm ~** j'ai fini; **I'm not ~ with you yet!** je n'en ai pas encore fini avec toi!; **are you ~ with the paper?** as-tu fini de lire le journal?; **I'm ~ with men!** les hommes—c'est fini!; **we're ~** (of a couple) c'est fini entre nous; **Claire and I are ~** c'est fini entre Claire et moi
2 (direct) [*train, ticket*] direct; [*freight*] à forfait; [*bill of lading*] direct; **a ~ route to the station** un chemin direct pour aller à la gare; **'no ~ road'** 'voie sans issue'; **'~ traffic'** (on road-sign) 'autres directions'; **~ traffic uses the bypass** pour contourner la ville on prend la rocade
3 (successful) **to be ~ to the next round** être sélectionné pour le deuxième tour; ▸ **get**, **go**
4 GB (worn) **your trousers are ~ at the knee** ton pantalon est troué au genou
C *adv* **1** (from one side to the other) **the water went right ~** l'eau est passée à travers; **to let sb ~** laisser passer qn; **can you fit** *ou* **squeeze** *ou* **get ~?** est-ce que tu peux passer?; ▸ **pass**
2 (completely) **wet** *ou* **soaked ~** [*coat, cloth*] trempé; [*person*] trempé jusqu'aux os; **mouldy right ~** complètement pourri; **cooked right ~** bien cuit
3 (from beginning to end) **to read/play sth right ~** lire/jouer qch jusqu'au bout; **I'm halfway ~ the article** j'ai lu la moitié de l'article; ▸ **carry**, **get**, **go**, **run**, **see**
4 Telecom **you're ~** je vous passe votre correspondant; **you're ~ to Ms Wilkins** je vous passe Madame Wilkins; ▸ **get**, **go**, **put**
D **through and through** *adv phr* **to know sth ~ and ~** connaître qch comme sa poche [*area, city*]; **I know him ~ and ~** je le connais comme si je l'avais fait○; **rotten ~ and ~** pourri jusqu'à l'os; **English ~ and ~** anglais jusqu'au bout des ongles; **selfish ~ and ~** d'un égoïsme foncier
(Idioms) **to have been ~ a lot** en avoir vu des vertes et des pas mûres○; **you really put her ~ it** tu lui en as vraiment fait voir de toutes les couleurs○; ▸ **hell**

throughout /θruːˈaʊt/
A *prep* **1** (all over) **~ Europe/France** dans toute l'Europe/la France; **~ the country** dans tout le pays; **~ the world** dans le monde entier; **scattered ~ the house** éparpillés partout dans la maison; **2** (for the duration of) tout au long de; **~ the interview** tout au long de l'entretien; **~ her career** tout au long de sa carrière; **~ his life** toute sa vie; **~ the year** tout au long de l'année; **~ the winter/April** pendant tout l'hiver/le mois d'avril; **~ history** à travers l'histoire
B *adv* **printed in italics ~** entièrement imprimé en italique(s); **lined/repainted ~** entièrement doublé/repeint; **the offices are carpeted ~** il y a de la moquette dans tous les bureaux

throughput /ˈθruːpʊt/ *n* **1** Comput débit *m*, capacité *f* de traitement; **2** Ind (of machinery) débit *m*; **the plant has a ~ of 10 tonnes per day** l'usine peut traiter 10 tonnes par jour

through-ticketing /ˈθruːtɪkɪtɪŋ/ *n* Transp billeterie *f* intégrée

throughway /ˈθruːweɪ/ *n* US Transp voie *f* rapide *or* express

throve /θrəʊv/ *prét* ▸ **thrive**

throw /θrəʊ/
A *n* **1** Sport, Games (in football) touche *f*, remise *f* en jeu; (of javelin, discus etc) lancer *m*; (in judo, wrestling etc) jeté *m*; (of dice) coup *m*; **a ~ of 70 m** un lancer de 70 m; **he won with a ~ of six** il a gagné avec un six; **whose ~ is it?** (in ball game) c'est à qui de lancer?; (with dice) c'est à qui le tour?
2 ○(each) **CDs £5 a ~!** les compacts à cinq livres pièce!
3 US (blanket) jeté *m* (de lit *or* de canapé)
4 US (rug) carpette *f*
B *vtr* (*prét* **threw**; *pp* **thrown**) **1** gen, Games, Sport (project) (with careful aim) lancer (**at** sur); (downwards) jeter; (with violence) [*explosion, impact*] projeter; **she threw the ball in(to) the air/across the pitch/over the wall** elle a lancé la balle en l'air/de l'autre côté du terrain/par-dessus le mur; **he threw the javelin 80m** il a lancé le javelot à 80m; **~ the ball up high** lance la balle en hauteur; **~ the ball back to me!** relance-moi la balle!; **he was thrown across the street/to the floor by the explosion** l'explosion l'a projeté de l'autre côté de la rue/à terre; **he threw a log on the fire/his coat on a chair** il a jeté une bûche sur le feu/son manteau sur une chaise; **she threw her apron over her head** elle s'est couvert la tête avec son tablier; **she threw her arms around my neck** elle s'est jetée à mon cou; **the police threw a cordon around the house** fig la police a encerclé la maison; **he was thrown clear and survived** il a été éjecté et a survécu; **two jockeys were thrown** deux jockeys ont été désarçonnés; **he threw his opponent in the third round** à la troisième reprise il a envoyé son adversaire au tapis; **to ~ a six** (in dice) faire un six
2 fig (direct) lancer [*punch, question*] (**at** à); jeter [*glance, look*] (**at** à); envoyer [*kiss*]; projeter [*image, light, shadow*] (**on** sur); faire [*shadow*] (**on** sur); **we are ready for all the challenges/problems that Europe can ~ at us** fig nous somme prêts à affronter tous les défis que l'Europe nous lance/tous les problèmes que l'Europe nous pose; **to ~ money at a project/problem** claquer○ de l'argent dans un projet/problème; **there's no point in just ~ing money at it** ce n'est pas l'argent qui résoudra le problème; **to ~ suspicion on sb/sth** faire naître des soupçons sur qn/qch; **to ~ doubt on sb/sth** jeter un doute sur qn/qch; **the company has thrown the full weight of its publicity machine behind the case** la société a investi tout le poids de sa machine publicitaire dans l'affaire
3 fig (disconcert) désarçonner; **the question completely threw me** la question m'a complètement désarçonné; **I was thrown by the news** j'ai été désarçonné par la nouvelle; **to ~ [sth/sb] into confusion** *ou* **disarray** semer la confusion dans [*meeting, group*]; semer la confusion parmi [*people*]
4 Tech (activate) actionner [*switch, lever*]; **the operator threw the machine into gear/reverse** l'opérateur a embrayé l'engin/passé la marche arrière
5 ○(indulge in, succumb to) **to ~ a fit/tantrum** fig piquer une crise○/colère○
6 ○(organize) **to ~ a party** faire une fête○
7 (in pottery) **to ~ a pot** tourner un pot
8 Archit, Constr jeter [*bridge*] (**over** sur)
9 Vet (give birth to) mettre bas [*calf*]
C *vi* (*prét* **threw**; *pp* **thrown**) lancer
D *v refl* (*prét* **threw**; *pp* **thrown**) **to ~ oneself** (onto floor, bed, chair) se jeter (**onto** sur); **to ~ oneself to the ground** se jeter à plat ventre; **to ~ oneself off a building/in front of a train** se jeter du haut d'un immeuble/sous un train; **to ~ oneself at sb's feet** se jeter aux pieds de qn; **to ~ oneself at sb** lit, fig se jeter dans les bras de qn; **to ~ oneself into** lit se jeter dans [*river, sea*]; fig se plonger dans [*work, project*]
(Idioms) **it's ~ing it down**○**!** GB ça dégringole○!; **to ~ in one's lot with sb** rejoindre qn; **to ~ in the sponge** *ou* **towel** jeter l'éponge
(Phrasal verbs) ■ **throw around, throw about**: ▸ **~ [sth] around** **1** **to ~ a ball around** s'envoyer un ballon; **2** fig lancer au hasard [*ideas, names, references*]; **to ~ money around** jeter l'argent par les fenêtres; ▸ **~ oneself around** se débattre
■ **throw aside**: ▸ **~ aside [sth]**, **~ [sth] aside** **1** lit lancer [qch] sur le côté [*books, documents*]; **2** fig rejeter [*moral standards, principles*]; ▸ **~ [sb] aside** laisser tomber
■ **throw away**: ▸ Games jeter une carte; ▸ **~ [sth] away**, **~ away [sth]** **1** lit jeter [*rubbish, unwanted article*]; **2** fig (waste) gâcher [*chance, opportunity, life*]; gaspiller [*money*]; **he threw away any advantage he might have had** il n'a pas su profiter de son avantage; **she's really thrown herself away on him** c'est vraiment du gâchis qu'elle l'ait épousé; **3** fig (utter casually) lancer [qch] négligemment [*remark, information*]
■ **throw back**: ▸ **~ back [sth]**, **~ [sth] back** rejeter [*fish*]; relancer [*ball*]; **we have been thrown back on our own resources** fig nous avons dû recourir à nos propres ressources; **~ your shoulders back** rejetez les épaules
■ **throw in**: ▸ **~ in [sth]**, **~ [sth] in** **1** Comm (give free) faire cadeau de [*extra product*]; **a vacuum cleaner with the attachments thrown in** un aspirateur avec les accessoires en cadeau; **2** (add) ajouter; **~ in a few herbs** Culin ajoutez quelques herbes; **thrown in for good measure** (ajouté) pour faire bonne mesure; **3** (contribute) faire [*remark, suggestion*]
■ **throw off**: ▸ **~ off [sth]**, **~ [sth] off** **1** (take off) ôter [qch] en vitesse [*clothes*]; écarter [*bedclothes*]; **2** fig (cast aside) se débarrasser de [*cold, handicap, pursuers*]; se soulager de [*burden*]; se libérer de [*tradition*]; sortir de [*depression*]; **3** fig (compose quickly) faire [qch] en cinq minutes [*poem, music*]; ▸ **~ off [sb]**, **~ [sb] off** (eject from train, bus, plane) expulser [*person*]
■ **throw on**: ▸ **~ on [sth]**, **~ [sth] on** (put on) enfiler [qch] en vitesse [*clothing*]
■ **throw open**: ▸ **~ open [sth]**, **~ [sth] open** **1** ouvrir grand [*door, window*]; **2** fig (to public) ouvrir [*facility, tourist attraction*]; **to ~ a discussion open** déclarer une discussion ouverte
■ **throw out**: ▸ **~ out [sb/sth]**, **~ [sb/sth] out** (eject) jeter [*rubbish*]; (from bar etc) jeter dehors [*person*] (**of** de); (from membership) renvoyer [*person*] (**of** de); **to be thrown out of work** être licencié; ▸ **~ out [sth]**, **~ [sth] out** **1** (extend) **~ your arms out in front of you** lancez les bras devant vous; **~ your chest out** sortez la poitrine; **2** (reject) gen Jur rejeter [*application, case, decision, plan*]; Pol repousser [*bill*]; **3** (utter peremptorily) lancer [*comment*]; (casually) **he just threw out some comment about wanting...** il a juste dit qu'il voulait...; ▸ **~ [sb] out** (mislead) déconcerter; **that's what threw me out** c'est ce qui m'a fait me tromper
■ **throw over**○ GB: ▸ **~ over [sb]**, **~ [sb] over** laisser tomber○, plaquer○; **she's thrown him over for another man** elle l'a laissé tomber○ *or* l'a plaqué○ pour un autre
■ **throw together**: ▸ **~ [sb] together** [*fate, circumstances*] réunir [*people*]; ▸ **~ [sth] together** improviser [*artefact, meal, entertainment*]; mélanger [*ingredients*]
■ **throw up**: ▸ **~ up**○ vomir; ▸ **~ up [sth]**, **~ [sth] up** **1** ○(abandon) laisser tomber [*job, post*]; **2** (reveal) faire apparaître [*fact*]; créer [*idea, problem, obstacle*]; engendrer [*findings, question, statistic*]; **3** (emit) cracher [*smoke*]; émettre [*spray*]; vomir [*lava*]; **4** (toss into air) [*car*] projeter [*stone*]; [*person*] lever [*arms*]; lancer [*ball*]; **to ~ up one's hands in horror** lever les bras d'horreur; **5** (open) ouvrir grand [*window*]; **6** (vomit) vomir [*meal*]

throwaway /ˈθrəʊəweɪ/ *adj* **1** (discardable) [*goods, object, packaging*] jetable; **2** (wasteful) [*society*] de consommation; **3** (casual) [*remark*] désinvolte; [*entertainment, style*] à l'emporte-pièce

throw-back /ˈθrəʊbæk/ *n* **1** Anthrop, Zool survivant/-e *m/f*; **2** fig survivance *f* (**to** de)

thrower /ˈθrəʊə(r)/ *n* Sport, gen lanceur/-euse *m/f*; **javelin/stone ~** lanceur/-euse de javelot/de pierres

throw-in /ˈθrəʊɪn/ *n* Sport touche *f*, remise *f* en jeu

t

throwing /ˈθrəʊɪŋ/ *n* 1▶ gen, Sport (of javelin, knives) lancer *m*; (of stones) jet *m*; 2▶ gen **the ~ of litter is forbidden** il est interdit de jeter des détritus

thrown /θrəʊn/ *pp* ▸ **throw B, C, D**

thru *prep* US = **through**

thrum /θrʌm/

A *n* (sound) bourdonnement *m*; (louder) vrombissement *m*

B *vtr, vi* = **strum**

thrush /θrʌʃ/ *n* 1▶ Zool grive *f*; 2▶ ▸ **p. 1327** Med (oral) muguet *m* (buccal); (vaginal) mycose *f* vaginale, mycose *f* à candida albicans spec

thrust /θrʌst/

A *n* 1▶ lit, gen, Mil, Tech, Archit poussée *f*; **sword/dagger ~** coup *m* d'épée/de poignard; 2▶ (main aim) (of argument, essay, narrative) portée *f*; 3▶ (attack) pointe *f* (**at** dirigé contre)

B *vtr* (*prét, pp* **thrust**) **to ~ sth towards** *ou* **at sb** mettre brusquement qch sous le nez de qn; **to ~ sth into sth** enfoncer qch dans qch; **he thrust the letter/a glass into my hands** il m'a brusquement mis la lettre/un verre dans les mains; **to ~ one's head through the window/round the door** passer brusquement la tête par la fenêtre/dans l'entrebâillement de la porte; **to ~ sb/sth away** *ou* **out of the way** pousser violemment qn/qch; **to ~ sb out of the room/towards the door** pousser qn violemment hors de la salle/vers la porte; **to ~ one's way to the front of the queue** se frayer un passage jusqu'au début de la file d'attente

C *v refl* (*prét, pp* **thrust**) **he thrust himself to the front of the crowd** il s'est frayé un passage jusqu'au premier rang de la foule; **to ~ oneself forward** lit se lancer en avant; fig se mettre en avant; **to ~ oneself on** *ou* **onto sb** (impose oneself) imposer sa présence à qn; (pounce on) se jeter sur qn

(Phrasal verbs) ■ **thrust aside**: ▸ **~ [sth/sb] aside, ~ aside [sth/sb]** lit repousser [*object, person*]; fig rejeter [*protest, argument*]

■ **thrust back**: ▸ **~ [sth] back, ~ back [sth]** repousser [*object, person, enemy*]

■ **thrust forward**: ▸ **~ forward** [*crowd*] se précipiter en avant; ▸ **~ [sth] forward, ~ forward [sth]** pousser [qch] en avant [*person, object*]

■ **thrust on, thrust onto** = **thrust upon**

■ **thrust out**: ▸ **~ [sth] out, ~ out [sth]** tendre brusquement [*hand*]; lancer [*leg*]; projeter [qch] en avant [*jaw, chin*]; sortir [qch] (d'un geste brusque) [*implement*]; **to ~ sb out** pousser qn brusquement dehors; **she opened the door and thrust her head out** elle a ouvert la porte et a passé brusquement sa tête à l'extérieur; **to ~ sb/sth out of the way** pousser (violemment) qn/qch

■ **thrust upon**: ▸ **~ [sth] upon sb** imposer [qch] sur qn [*idea, job, responsibility*]; **the job was thrust upon him** il s'est retrouvé avec le travail sur les bras, on lui a imposé le travail; **some have greatness thrust upon them** parfois ce sont les circonstances qui font les grands hommes

■ **thrust up** [*seedlings, plant*] pousser vigoureusement

thrust bearing, thrust block *n* palier *m* de butée

thruster /ˈθrʌstə(r)/ *n* 1▶ Aerosp propulseur *m*; 2▶ péj arriviste *mf*

thrust fault *n* faille *f* de compression, faille *f* inverse

thrusting /ˈθrʌstɪŋ/ *adj* gen, péj [*person, campaign*] agressif/-ive; [*ambition*] puissant

thrust stage *n* scène *f* ouverte (*entourée de trois côtés par le public*)

thruway /ˈθruːweɪ/ *n* US voie *f* rapide *or* express

thud /θʌd/

A *n* bruit *m* sourd

B *vi* (*p prés etc* **-dd-**) faire un bruit sourd; **the body ~ded to the floor** le corps est tombé lourdement sur le sol; **she ~ded on the door** elle a frappé à la porte à coups sourds; **they ~ded up the stairs** ils ont monté l'escalier à pas lourds; **her heart was ~ding** son cœur battait à tout rompre

thug /θʌg/ *n* (hooligan) voyou *m*; (wrecker, paid muscle) casseur *m*

thuggery /ˈθʌgərɪ/ *n* pej sauvagerie *f*

thuja /ˈθuːjə/ *n* thuya *m*

Thule /ˈθjuːliː/ *pr n* Geog, Hist Thulé *m*

thumb /θʌm/

A *n* pouce *m*

B *vtr* 1▶ feuilleter [*book, magazine*]; **a well-~ed book** un livre fatigué; 2▶ ○(hitchhiking) **to ~ a lift** *ou* **a ride** faire du stop○ *or* de l'autostop; **I ~ed a lift from a truck driver** je me suis fait prendre en stop○ par un routier; **they ~ed a lift home** ils sont rentrés en stop○

C *vi* **to ~ at** *ou* **towards sth** indiquer qch du pouce

(Idioms) **to be all ~s** être très maladroit; **to be under sb's ~** être sous la domination de qn; **she's got him under her ~** elle le mène à la baguette○; **to ~ one's nose at sb** lit faire un pied de nez à qn; **to ~ one's nose at sb/sth** fig faire la nique○ à qn/qch; **to stick out like a sore ~** faire tache pej, détonner

(Phrasal verb) ■ **thumb through**: ▸ **~ through [sth]** feuilleter [*book, magazine*]

thumb: **~ index** *n* répertoire *m* à onglets; **~-indexed** *adj* avec onglets; **~nail** *n* ongle *m* du pouce; **~nail sketch** *n* lit (drawing) croquis *m* sur le vif; fig (description) (of person) esquisse *f* (de caractère); (of scene, event) aperçu *m* (**of** de)

thumbscrew /ˈθʌmskruː/ *n* 1▶ Hist (for torture) coins *mpl*; 2▶ Tech vis *f* à oreilles

thumbs down○ /ˌθʌmzˈdaʊn/ *n* (signal) **to give sb/sth the ~** fig rejeter [*candidate, proposal, idea*]; **to get the ~** [*candidate, proposal, idea*] être rejeté; [*new product, experiment*] être mal accueilli; **his pizza got the ~ from his guests** ses invités n'ont pas apprécié sa pizza; **as soon as I give you the ~, stop the machine** arrête la machine dès que je te fais signe

thumbstall /ˈθʌmstɔːl/ *n* poucier *m*

thumbs up○ /ˌθʌmzˈʌp/ *n* **to give sb/sth the ~** (approve) approuver [*candidate, plan, suggestion*]; **to get the ~** [*plan, person, idea*] être approuvé; **start the car when I give you the ~** démarre quand je te fais signe; **she gave me the ~ as she came out of the interview** elle m'a fait signe que l'entretien s'était bien passé

thumbtack /ˈθʌmtæk/

A *n* punaise *f*

B *vtr* fixer [qch] avec des punaises

thump /θʌmp/

A *n* 1▶ (blow) (grand) coup *m*; **to give sb a ~** donner un (grand) coup de poing à qn (**in** dans); 2▶ (sound) bruit *m* sourd; **~!—the body hit the floor** boum! le corps est tombé par terre

B *vtr* donner un coup de poing à [*person*]; donner un coup de poing sur [*table*]; **he ~ed the ball into the net** il a envoyé le ballon dans le filet de toutes ses forces; **to ~ sb in the jaw/stomach** envoyer un coup dans la mâchoire/l'estomac de qn; **do that again and I'll ~ you!** ne recommence pas ou je te frappe!

C *vi* 1▶ (pound) [*heart*] battre violemment; [*music, rhythm*] résonner; **my head is ~ing** j'ai la tête qui m'élance; **to ~ on** marteler [*door, piano, floor*]; 2▶ (clump) **to ~ upstairs/along the landing** monter l'escalier/marcher dans le couloir à pas lourds

(Phrasal verb) ■ **thump out**: ▸ **~ out [sth]** marteler [*tune, rhythm*]

thumping /ˈθʌmpɪŋ/

A *n* 1▶ (of drums, percussion) battement *m*; 2▶ ○(beating) raclée○ *f*; **to get a ~** prendre une raclée○

B *adj* 1▶ ○(emphatic) **~ big, ~ great** énorme; 2▶ (loud) [*noise*] sourd; [*rhythm, sound*] lancinant; [*headache*] lancinant

thunder /ˈθʌndə(r)/

A *n* 1▶ Meteorol tonnerre *m*; **a clap** *ou* **peal of ~** un coup de tonnerre; **there's ~ in the air** il y a de l'orage dans l'air; 2▶ (noise) (of hooves) fracas *m* (**of** de); (of traffic) grondement *m* (**of** de); (of cannons, applause) tonnerre *m* (**of** de)

B *vtr* (shout) (*also* **~ out**) hurler [*command, order*]; **'silence!,' he ~ed** 'silence!,' dit-il d'une voix tonnante; **the crowd ~ed their applause** la foule a fait éclater un tonnerre d'applaudissements

C *vi* 1▶ (roar) [*person, cannon*] tonner; [*hooves*] faire un bruit de tonnerre (**on** sur); **to ~ at** *ou* **against sb/sth** tempêter contre qn/qch; 2▶ (rush) **to ~ along** *ou* **past** passer dans un vacarme assourdissant *or* un bruit de tonnerre; **he came ~ing down the stairs** il a descendu l'escalier dans un vacarme assourdissant

D *v impers* tonner

(Idioms) **to steal sb's ~** couper l'herbe sous le pied de qn; **with a face like ~, with a face as black as ~** l'air furieux

thunder: **~bolt** *n* Meteorol foudre *f*; fig coup *m* de tonnerre; **~box**○ *n* GB WC *m* chimique portable; **~clap** *n* coup *m* de tonnerre; **~cloud** *n* nuage *m* porteur d'orage

thundering /ˈθʌndərɪŋ/

A *adj* 1▶ (angry) [*rage, temper*] noir; 2▶ (huge) [*success*] énorme; [*nuisance*] véritable (*before n*); [*noise, shout*] assourdissant

B ○*adv* GB (intensifier) **a ~ great skyscraper** un gratte-ciel gigantesque; **a ~ good book/film** un livre/film excellent

thunderous /ˈθʌndərəs/ *adj* 1▶ (loud) [*welcome*] tonitruant; [*crash, music, noise*] assourdissant; **~ applause** tonnerre *m* d'applaudissements; 2▶ (angry) [*face, expression*] orageux/-euse; [*look*] furieux/-ieuse; [*tone*] grondeur/-euse; 3▶ (powerful) [*kick, punch*] fulgurant

thunder: **~storm** *n* orage *m*; **~struck** *adj* abasourdi

thundery /ˈθʌndərɪ/ *adj* [*weather, shower*] orageux/-euse; **it's ~** le temps est à l'orage

Thur (*abrév écrite* ▸ **Thursday**) jeudi *m*

Thurgau ▸ **p. 1771** *pr n* **the canton of ~** le canton de Thurgovie

thurible /ˈθjʊərəbl/ *n* encensoir *m*

thurifer /ˈθjʊərɪfə(r)/ *n* thuriféraire *m*

Thurs *abrév écrite* = **Thursday**

Thursday /ˈθɜːzdeɪ, -dɪ/ ▸ **p. 1882** *pr n* jeudi *m*

thus /ðʌs/ *adv* (in this way) ainsi; (consequently) ainsi, par conséquent; **she summed it up ~** elle l'a résumé ainsi; **it was ever ~** il en a toujours été ainsi; **~ far** jusqu'à présent

thwack /θwæk/

A *n* (blow) coup *m*; (with hand) claque *f*; (sound) coup sec; **~!** paf!

B *vtr* frapper (vigoureusement) [*ball, person, animal*]

thwart /θwɔːt/

A *n* Naut banc *m* de nage

B *vtr* contrecarrer, contrarier [*plan, bid*]; contrecarrer les desseins de [*person*]; contrer [*candidature, nomination*]; **to ~ sb in sth** contrarier qn dans qch

C thwarted *pp adj* [*ambition, love, person, plan*] contrarié (**in** dans)

thy‡ /ðaɪ/ *det* = **your**

thyme /taɪm/

A *n* Bot, Culin thym *m*; **sprig of ~** branche *f* de thym; **wild ~** thym sauvage

B *modif* [*dressing, sauce, stuffing*] au thym; [*leaf, flower*] de thym

thymus /ˈθaɪməs/ *n* (*pl* **~es** *ou* **thymi**) (*also* **~ gland**) thymus *m*

thyroid /ˈθaɪrɔɪd/

A *n* (*also* **~ gland**) thyroïde *f*

B *modif* [*artery, cartilage, disorder*] thyroïdien/

-ienne; [cancer] de la glande thyroïde
thyroxin /,θaɪˈrɒksɪn/ *n* thyroxine *f*
thyself‡ /ðaɪˈself/ *pron* = **yourself**
ti /tiː/ *n* Mus si *m*
tiara /tɪˈɑːrə/ *n* (woman's) diadème *m*; (Pope's) tiare *f*
Tiber /ˈtaɪbə(r)/ ▸ **p. 1633** *pr n* Tibre *m*
Tiberias /taɪˈbɪərɪəs/ ▸ **p. 1376** *pr n* **Lake ~** le lac *m* de Tibériade
Tiberius /taɪˈbɪərɪəs/ *pr n* Tibère
Tibet /tɪˈbet/ ▸ **p. 1096** *pr n* Tibet *m*
Tibetan /tɪˈbetn/ ▸ **p. 1467, p. 1378**
A *n* **1** (person) Tibétain/-e *m/f*; **2** Ling tibétain *m*
B *adj* tibétain
tibia /ˈtɪbɪə/ ▸ **p. 997** *n* (*pl* **~e** *ou* **~s**) tibia *m*
tic /tɪk/ *n* tic *m*
tichy *adj* GB = **titchy**
Ticino ▸ **p. 1771** *pr n* **the (canton of) ~** le canton du Tessin, le Tessin
tick /tɪk/
A *n* **1** (of clock) tic-tac *m*; **2** (mark on paper) coche *f*; **to put a ~ against sth** cocher qch; **3** Vet, Zool tique *f*; **4** ○GB (short time) minute *f* fig, seconde *f* fig; **I'll be with you in a ~/two ~s** je suis à toi dans une seconde/deux secondes; **I won't be a ~** j'en ai (juste) pour une seconde; **it won't take a ~/two ~s** ça ne prendra qu'une seconde/que deux secondes; **5** ○GB (credit) **on ~** à crédit
B *vtr* (make mark) cocher [*box, name, answer*]
C *vi* lit [*bomb, clock, watch*] faire tic-tac; **I know what makes him ~** je sais ce qui le motive
(Phrasal verbs) ■ **tick away** [*hours, minutes, time*] passer; [*clock, meter*] tourner
■ **tick by** [*hours, minutes*] passer
■ **tick off**: ▸ **~ [sth/sb] off, ~ off [sth/sb]** **1** (mark) cocher [*name, item*]; **2** ○GB (reprimand) passer un savon à○, réprimander [*person*]; **3** ○US (annoy) embêter [*person*]
■ **tick over** GB **1** Aut [*car, engine, meter*] tourner; **2** fig [*company, business*] tourner; (not doing really well) tourner au ralenti; [*mind, brain*] travailler
ticker /ˈtɪkə(r)/ *n* **1** US (on stock exchange) téléscripteur *m*; **2** ○(heart) palpitant○ *m*, cœur *m*; **3** ○(watch) toquante○ *f*, montre *f*
ticker tape /ˈtɪkəteɪp/ *n* bande *f* de téléscripteur; **to give sb a ~ welcome** *ou* **reception** accueillir qn par une pluie de serpentins
ticker tape parade *n* défilé *m* sous une pluie de serpentins
ticket /ˈtɪkɪt/
A *n* **1** (as proof of entitlement) (for bus, underground) ticket *m*; (for plane, train, coach) billet *m*; (for cinema, theatre, game, exhibition) billet *m* (**for** pour); (for cloakroom, laundry, left-luggage) ticket *m*; (for library) carte *f*; (for pawn shop) reconnaissance *f* (du mont-de-piété); **a bus/left-luggage ~** un ticket de bus/de consigne; **admission by ~ only** entrée sur présentation d'un billet; **for him, football was a ~ to a better life** fig le football lui a permis d'accéder à une vie meilleure; **2** (tag, label) étiquette *f*; **3** ○Aut (for fine) PV○ *m*; **a speeding ~** un PV○ pour excès de vitesse; **4** US, Pol (of political party) liste *f* (électorale); (platform) programme *m*; **to run on the Republican ~** se présenter sur la liste des Républicains; **to be elected on an environmental ~** être élu grâce à un programme écologiste. ▸ **Primaries**; **5** Aviat, Naut (licence) brevet *m*; **to get one's ~** passer capitaine
B *modif* [*prices, sales*] de billets
C *vtr* **1** (label) étiqueter [*goods, baggage*]; **2** US (fine) **to be ~ed** avoir un PV○; **he was ~ed for illegal parking** il a eu un PV○ pour stationnement illégal
(Idiom) **that's (just) the ~**○! voilà (exactement) ce qu'il nous faut!
ticket: **~ agency** *n* agence *f* de spectacles; **~ agent** ▸ **p. 1683** *n* responsable *mf* d'une agence de spectacles; **~ booth** *n* billetterie *f*; **~ clerk** *n* GB Rail guichetier/-ière *m/f*; **~ collector** *n* GB contrôleur *m*
ticket holder *n* (customer) personne *f* munie d'un billet; **'~s only'** 'réservé aux personnes munies d'un billet'
ticket: **~ inspector** ▸ **p. 1683** *n* contrôleur *m*; **~ machine** *n* distributeur *m* de billets; **~ office** *n* (office) bureau *m* de vente (des billets); (booth) guichet *m*; **~ punch** *n* poinçonneuse *f*; **~ tout** *n* GB revendeur/-euse *m/f* de billets au marché noir
tickety-boo○ /,tɪkətɪˈbuː/ *adj* GB †*ou* hum **everything is ~** tout va bien
tick fever *n* Vet fièvre *f* des montagnes rocheuses
ticking /ˈtɪkɪŋ/
A *n* **1** (of clock) tic-tac *m*; **2** Tex (material) toile *f* à matelas; (cover) housse *f*; **mattress ~** housse *f* à matelas; **pillow ~** taie *f* d'oreiller
B *adj* [*clock, meter*] qui fait tic-tac; **a ~ sound** *ou* **noise** un tic-tac
ticking-off○ /,tɪkɪŋˈɒf/ *n* **to give sb a ~** GB passer un savon à qn○, réprimander qn
tickle /ˈtɪkl/
A *n* chatouillement *m*; **to give sb a ~** faire des chatouilles à qn; **I've got a ~ in my throat** j'ai la gorge qui me chatouille
B *vtr* **1** [*person, feather*] chatouiller; **to ~ sb in the ribs/on the tummy** chatouiller les côtes/le ventre de qn; **to ~ sb under the chin** chatouiller qn sous le menton; **2** [*wool, garment*] gratter; **3** ○fig (gratify) chatouiller [*palate, vanity*]; exciter [*senses*]; (amuse) amuser [*person*]; **to ~ sb's fancy** (amuse sb) amuser qn; (appeal to sb) faire envie à qn
C *vi* [*blanket, garment*] gratter; [*feather*] chatouiller
(Idioms) **~d pink** *ou* **to death** ravi; **to have a (bit of) slap and ~**○† GB se bécoter○
tickling /ˈtɪklɪŋ/
A *n* **1** (act) chatouillement *m*; **2** (feeling) (sensation *f* de) chatouillement *m*
B *adj* [*feeling*] de chatouillement
ticklish /ˈtɪklɪʃ/ *adj* **1** [*person*] chatouilleux/-euse; **to have ~ feet** être chatouilleux des pieds; **2** (tricky) [*situation, problem*] épineux/-euse
tickly /ˈtɪklɪ/ *adj* **1** [*cough*] irritatif/-ive, irritant; **2** [*garment, cloth*] qui gratte
tick: **~-over** *n* Aut GB ralenti *m*; **~tack** *n* GB *langage gestuel des bookmakers*; **~tack man** *n* assistant *m* de bookmaker; **~-tack-toe** *n* US (jeu *m* de) morpion *m*; **~tock** *n* tic-tac *m*
ticky-tacky○ /ˈtɪkɪtækɪ/ US péj
A *n* pacotille *f*
B *adj* de pacotille
tidal /ˈtaɪdl/ *adj* [*river*] à marée (*after n*); [*current, flow*] de marée; [*energy, power*] marémoteur/-trice; **the Thames is ~** la Tamise a des marées
tidal: **~ basin** *n* bassin *m* de marée; **~ power station** *n* usine *f* marémotrice; **~ waters** *npl* eaux *fpl* de marée; **~ wave** *n* lit, fig raz-de-marée *m inv*
tidbit /ˈtɪdbɪt/ *n* US (of food) gâterie *f*; (of gossip) cancan○ *m*
tiddler /ˈtɪdlə(r)/ *n* GB **1** (stickleback) épinoche *f*; (any small fish) petit poisson *m*; **2** ○hum (person) petit mioche○ *m*, petite mioche○ *f*
tiddly○ /ˈtɪdlɪ/ *adj* GB **1** (drunk) pompette○; **2** (tiny) minuscule
tiddlywinks /ˈtɪdlɪwɪŋks/ ▸ **p. 1253** *n* (+ *v sg*) jeu *m* de puce
tide /taɪd/ *n* **1** Naut marée *f*; **the ~ is in/out** c'est la marée haute/basse; **the ~ is turning** la marée change; **the ~ is going out/coming in** la marée monte/descend; **at high/low ~** à marée haute/basse; **2** fig (trend) (of emotion) vague *f*; (of events) cours *m*; **a rising ~ of sympathy/nationalism** une vague montante de sympathie/nationalisme; **the ~ of history/events** le cours de l'histoire/des événements; **to go/swim with the ~** fig aller/nager dans le sens du courant; **to go/swim against the ~** fig aller/nager à contre-courant; **the ~ has turned** la chance a tourné (du bon côté); **to turn the ~ of history** renverser le cours de l'histoire; **the ~ has turned against him/in his favour** la chance s'est retournée contre lui/a tourné en sa faveur; **to stem the ~ of pessimism/anarchy** endiguer la vague de pessimisme/d'anarchie; **3** fig (of complaints, letters, refugees) afflux *m*
(Idiom) **time and ~ wait for no man** on ne peut pas arrêter le temps
(Phrasal verb) ■ **tide over**: ▸ **~ [sb] over** dépanner
tide: **~ gate** *n* écluse *f* de marée; **~ gauge** *n* marégraphe *m*; **~land** *n* laisse *f*, terre *f* inondée à marée haute; **~less** *adj* sans marée (*after n*); **~ line** *n* ligne *f* de marée; **~ lock** *n* écluse *f* de bassin; **~mark** *n* lit ligne *f* de marée haute; GB fig (line of dirt) marque *f* de crasse○, marque *f* de saleté; **~ race** *n* mascaret *m*; **~ table** *n* annuaire *m* des marées; **~water** *n* (eaux *fpl* de) marée *f*; **~way** *n* Geog, Naut chenal *m* de marée
tidily /ˈtaɪdɪlɪ/ *adv* [*arrange, fold, write*] soigneusement; [*dress*] de façon soignée; [*fit*] impeccablement
tidiness /ˈtaɪdɪnɪs/ *n* (of house, room, desk) ordre *m*; (of person, appearance) aspect *m* soigné; (of habits) sens *m* de l'ordre
tidings /ˈtaɪdɪŋz/ *npl* littér nouvelles *fpl*; **good/bad ~** de bonnes/de mauvaises nouvelles
tidy /ˈtaɪdɪ/
A *n* GB = **tidy-up**
B *adj* **1** [*house, room, desk*] bien rangé; [*garden, writing, work, person, appearance*] soigné; [*habits, nature*] ordonné; [*hair*] bien coiffé; [*division, category*] net/nette, bien défini; **to get a room ~** ranger une pièce; **to make oneself ~** s'arranger, ajuster sa toilette; **to have a ~ mind** avoir l'esprit méthodique; **2** ○ [*amount, salary, portion*] beau/belle
C *vtr* = **tidy up**
D *vi* = **tidy up**
(Phrasal verbs) ■ **tidy away**: ▸ **~ [sth] away, ~ away [sth]** ranger [*toys, plates*]
■ **tidy out**: ▸ **~ [sth] out, ~ out [sth]** vider [qch] pour ranger [*cupboard, drawer*]
■ **tidy up**: ▸ **~ up** faire du rangement; **to ~ up after** ranger derrière [*person*]; ▸ **~ up [sth], ~ [sth] up** **1** lit ranger [*house, room, objects*]; mettre de l'ordre dans [*garden, area, town*]; arranger [*appearance, hair*]; soigner [*handwriting*]; **2** fig résoudre [*problem*]; mettre de l'ordre dans [*finances*]; ▸ **~ oneself up** s'arranger, ajuster sa toilette
tidy-minded /,taɪdɪˈmaɪndɪd/ *adj* à *or* ayant l'esprit méthodique
tidy-out /ˈtaɪdɪaʊt/, **tidy-up** /ˈtaɪdɪʌp/ *n* GB rangement *m*; **to have a ~** faire du rangement
tie /taɪ/
A *n* **1** (piece of clothing) (*also* **neck ~**) cravate *f*; **regimental/school ~** GB cravate d'un régiment/d'une école; ▸ **old school tie**
2 (fastener) (for bags, plants) attache *f*; Constr entretoise *f*; Rail traverse *f*
3 (bond) (*gén pl*) lien *m*; **family ~s** liens *mpl* familiaux; **to strengthen/sever ~s with** resserrer/rompre les liens avec
4 (constraint) contrainte *f*; **pets can be a ~** les animaux familiers peuvent être une contrainte
5 (draw) Sport match *m* nul; **to end in a ~** [*game*] se terminer sur un score nul; **there was a ~ for second place** il y a eu ex-aequo pour la deuxième place; **there was a ~ between the candidates** les candidats ont obtenu le même nombre de voix

t

6 Sport (arranged match) match *m*; **cup/first round ~** match *m* de coupe/de premier tour
7 Mus liaison *f*
B *vtr* (*p prés* **tying**) 1 (attach, fasten closely) attacher [*label, animal, prisoner*] (**to** à); ligoter [*hands, ankles*] (**with** avec); ficeler [*parcel, chicken*] (**with** avec); **~ the apron round your waist** attache-toi le tablier autour de la taille
2 (join in knot) nouer [*scarf, cravate*]; attacher [*laces*]; **~ a bow in the ribbon** fais un nœud avec le ruban; **~ a knot in the string** fais un nœud à la ficelle
3 fig (link) associer; **to ~ sb/sth to sth** associer qn/qch à qch; **to be ~d to** (linked to) être lié à [*belief, growth, activity*]; Fin être indexé sur [*inflation, interest rate*]; (constrained by) [*person*] être lié par des obligations à [*party, group*]; [*person*] être sous contrat à [*company*]; être rivé à [*job*]; être cloué à [*house*]; [*person, business*] être soumis à [*limitations, market forces*]
4 Mus lier [*notes*]
C *vi* (*p prés* **tying**) 1 (fasten) s'attacher; **the ribbons ~ at the back** les rubans s'attachent derrière; **the laces/rope won't ~** il n'y a pas moyen d'attacher les lacets/la corde
2 Sport, gen (draw) (in match) faire match nul (**with** avec); (in race) être ex aequo (**with** avec); (in vote) [*candidates*] obtenir le même nombre de voix; **to ~ for second/third place** être deuxième/troisième ex aequo; **to ~ on 20 points** être ex aequo 20 à 20
D *v refl* (*p prés* **tying**) **to ~ oneself to** lit s'attacher à [*railings, etc*]; fig s'astreindre à [*job, commitment*]

(Idiom) **my hands are ~d** j'ai les mains liées

(Phrasal verbs) ■ **tie back**: ► **~ [sth] back, ~ back [sth]** nouer [qch] derrière [*hair*]; attacher [qch] sur le côté [*curtain*]
■ **tie down**: ► **~ [sb/sth] down, ~ down [sb/sth]** (hold fast) amarrer [*hot air balloon*]; immobiliser [*hostage*]; **she feels ~d down** fig elle a l'impression d'être clouée; **to ~ sb down to sth** (limit) imposer qch à qn; **to ~ sb down to an exact date/price** arriver à soutirer une date/une prix exacte à qn; **to ~ oneself down** s'astreindre (**to** à)
■ **tie in with**: ► **~ in with [sth]** 1 (tally) concorder avec [*fact, event*]; **it all ~s in with what we've been saying** tout cela concorde avec ce que nous venons de dire; 2 (have link) être en rapport avec; **does this fact ~ in with the murder?** est-ce que cet élément est en rapport avec le meurtre?; ► **~ [sth] in with sth, ~ in [sth] with sth** 1 (combine) combiner [qch] avec qch; 2 (connect) relier [qch] avec qch [*fact, information*]
■ **tie on**: ► **~ [sth] on, ~ on [sth]** attacher [*label, ribbon, bauble*]
■ **tie together**: ► **~ together** [*facts, information*] s'enchaîner; ► **~ [sth] together, ~ together [sth]** attacher [*bundles, objects*]; **we ~d his hands together** on lui a attaché les mains
■ **tie up**: ► **~ [sb/sth] up, ~ up [sb/sth]** 1 (secure) ligoter [*prisoner*]; ficeler [*parcel*]; fermer [*sack*]; attacher [*animal*]; amarrer [*boat*]; 2 Fin (freeze) immobiliser [*capital*] (**in** dans); bloquer [*shares*]; 3 (finalize) régler [*details, matters*]; conclure [*deal*]; **to ~ up the loose ends** régler les derniers détails; 4 (hinder) bloquer [*procedure*]; US bloquer [*traffic, route*]; US suspendre [*production*]; **to get ~d up** [*traffic, route*] se bloquer; [*production*] être suspendu; [*person*] être pris; ► **to be ~d up** (be busy) être pris; **he's ~d up in a meeting/with a client** il est pris par une réunion/avec un client; **I'm a bit ~d up right now** je suis assez pris

tie: **~back** *n* (for curtain) embrasse *f*; **~ break(er)** *n* (in tennis) tie-break *m*; jeu *m* décisif; (in quiz) question *f* subsidiaire; **~ clasp**, **~ clip** *n* pince *f* à cravate

tied /taɪd/ *adj* [*accommodation*] fourni par l'employeur

tied: **~ agent** *n* Insur courtier *m* agréé; Aut concessionnaire *mf*; **~ house** *n* GB (pub) pub *m* qui appartient à une brasserie

tie-dye /'taɪdaɪ/
A *n* chinage *m* par teinture
B *vtr* chiner par teinture

tie in /'taɪɪn/ *n* 1 gen (link) lien *m*; 2 US Comm (sale) vente *f* conditionnée par une autre; (item) article *m* dont l'achat conditionne une vente

tie: **~ line** *n* Telecom ligne *f* directe; **~ pin** *n* épingle *f* de cravate

tier /tɪə(r)/
A *n* (of cake, sandwich) étage *m*; (of organization, system) niveau *m*; (of seating) gradin *m*; **to rise in ~s** s'étager; ► **two-tier**
B *vtr* disposer [qch] en étages [*cake*]; constituer [qch] en niveaux [*organization, system*]; disposer [qch] en gradins [*seating*]
C **tiered** *pp adj* [*seating*] en gradins; [*system*] à plusieurs niveaux

tie: **~ rack** *n* porte-cravates *m*; **~ rod** *n* Aut barre *f* d'accouplement (de la direction); Archit tirant *m*

Tierra del Fuego /tɪˌerə del 'fweɪgəʊ/ *pr n* Terre *f* de Feu

tie tack *n* US = **tie pin**

tie-up /'taɪʌp/ *n* 1 gen (link) lien *m*; 2 US (stoppage) (of work) suspension *f*; (of traffic) bouchon *m*; 3 ○US (mooring) point *m* d'amarrage

tiff /tɪf/ *n* (petite) querelle *f*; **a lovers' ~** une querelle d'amoureux; **to have a ~** se chamailler○

tig /tɪg/ ► **p. 1253** *n* Games jeu *m* de chat

tiger /'taɪgə(r)/ *n* tigre *m*

(Idiom) **to fight like a ~** [*man*] se battre comme un lion; [*woman*] se battre comme une tigresse

tiger: **~ cub** *n* bébé tigre *m*; **~ economy** *n* Econ économie *f* des tigres asiatiques; **~ lily** *n* lis *m* tigré; **~ moth** *n* Zool écaille *f* martre; **~'s eye** *n* Miner œil-de-tigre *m*; **~ shark** *n* requin *m* tigre

tight /taɪt/ ► **p. 1694**
A **tights** *npl* GB collant(s) *m(pl)*
B *adj* 1 (firm) [*lid, screw*] serré; [*grip*] ferme; [*knot*] serré; **to hold sb in a ~ embrace** tenir qn serré dans ses bras; 2 (taut) [*rope, string, strap*] tendu; [*voice*] tendu; 3 (constrictive) [*space*] étroit, étriqué; [*clothing*] serré; (close-fitting) [*jacket, shirt*] ajusté; **my shoes are too ~** mes chaussures sont trop étroites, mes chaussures me serrent; **a pair of ~ jeans** un jean moulant; **there were six of us in the car—it was a ~ squeeze** on était six dans la voiture—c'était très serré; 4 (strict) [*security, deadline*] strict; [*discipline*] rigoureux/-euse; [*budget, credit*] serré; **to exercise ~ control over sth/sb** contrôler strictement qch/qn; **to be ~ (with one's money)** être près de ses sous, être radin○; **money is a bit ~ these days** (one's own) je suis (*or* on est) un peu juste ces temps-ci; Econ l'argent se fait rare ces temps-ci; **~ money** Econ argent rare *or* cher; 5 (packed) [*schedule, timetable*] serré; 6 Sport (close) [*finish, match*] serré; 7 (compact) [*group, bunch*] serré; **they were sitting in a ~ circle around her** ils étaient assis en cercle serré autour d'elle; 8 ○GB (drunk) pompette○, ivre; **to get ~** se soûler; 9 (sharp, oblique) [*angle, turn*] aigu/-uë
C *adv* 1 (firmly) [*hold, grip*] fermement; **to fasten/close sth ~** bien attacher/fermer qch; **you've screwed the lid too ~** tu as trop serré le couvercle; **to hold sth ~ against one's chest** tenir qch serré contre sa poitrine; **he shut his eyes ~** il a fermé les yeux en plissant les paupières; 2 (closely) **she pulled the collar ~ about her throat** elle a resserré le col autour de son cou; **stand ~ against the wall** appuyez-vous contre le mur; 3 (fast) **hold ~!** cramponne-toi!; **sit ~!** ne bouge pas!; **I just sat ~ and waited for the scandal to pass** fig je suis resté tranquillement dans mon coin en attendant que le scandale passe

(Idioms) **to be in a ~ spot** *ou* **situation** *ou* **corner** être dans une situation difficile; **to run a ~ ship** tout avoir à l'œil

tight-arsed◑ GB, **tight-assed**◑ US /'taɪtɑːst, 'taɪtæst/ *adj* péj [*person, behaviour*] coincé○

tighten /'taɪtn/
A *vtr* serrer [*lid, screw, strap*]; resserrer [*grip*]; tendre [*spring, bicycle chain*]; fig renforcer [*security, restrictions*]; durcir [*legislation, policy*]; **they ~ed their grip on the land** ils ont renforcé leur emprise sur la terre; **to ~ the tension** (in sewing, knitting) augmenter la tension
B *vi* 1 (contract) [*lips*] se serrer; [*muscle*] se contracter; **her mouth ~ed** elle serrait les lèvres; **she felt her throat ~** elle sentait sa gorge se serrer; 2 [*screw, nut*] se resserrer; 3 (become strict) [*laws, credit controls*] se durcir

(Idiom) **to ~ one's belt** fig se serrer la ceinture

(Phrasal verb) ■ **tighten up**: ► **~ up [sth], ~ [sth] up** resserrer [*screw, hinge*]; renforcer [*security*]; durcir [*legislation*]; **to ~ up on** durcir la réglementation en matière de [*immigration, fiscal policy etc*]

tight end US ailier *m*

tightening /'taɪtnɪŋ/ *n* (of screw, lid) resserrement *m*; fig (*also* **~ up**) (of legislation, security) renforcement *m*, durcissement *m*; **to feel a ~ of one's jaw/stomach muscles** sentir sa mâchoire/les muscles de son estomac se contracter

tight: **~-fisted**○ *adj* péj radin○; **~-fitting** *adj* Fashn ajusté; **~-knit** *adj* fig uni

tight-lipped /ˌtaɪt'lɪpt/ *adj* **they are remaining ~ about the events** ils se refusent à tout commentaire sur les événements; **he watched, ~** il a regardé d'un air pincé *or* d'un air réprobateur

tightly /'taɪtlɪ/ *adv* 1 (firmly) [*grasp, grip, hold*] fermement; [*embrace*] bien fort; [*tied, fastened, bound*] bien; **her hair was drawn back ~ in a bun** ses cheveux étaient attachés en chignon serré; 2 (closely) **the ~ packed crowd** la foule dense et serrée; **the sweets are packed ~ in the box** les bonbons sont serrés dans la boîte; 3 (taut) **a ~ stretched rope** une corde très tendue; 4 (precisely) [*scheduled, coordinated*] bien; [*controlled*] bien, strictement

tightness /'taɪtnɪs/ *n* 1 (contraction) (of muscles, jaw) contraction *f*; **there was a sudden ~ in her chest** elle ressentit soudain un serrement dans sa poitrine; 2 (strictness) (of restrictions, security) rigueur *f* (**of** de); 3 (smallness) (of space, garment) étroitesse *f*; **because of the ~ of his shoes** parce que ses souliers lui serraient

tightrope /'taɪtrəʊp/ *n* corde *f* raide; **to walk the ~** marcher sur une corde raide; **to be on a ~** fig marcher sur la corde raide; **I'm walking the ~ between my family and my job** je suis tiraillé entre ma famille et mon travail

tight: **~rope walker** *n* funambule *mf*; **~wad**○ *n* US péj radin/-e○ *m/f*

tigress /'taɪgrɪs/ *n* tigresse *f*

Tigris /'taɪgrɪs/ ► **p. 1633** *pr n* Tigre *m*

tilde /'tɪldə/ *n* tilde *m*

tile /taɪl/
A *n* (for roof) tuile *f*; (for floor, wall) carreau *m*
B *vtr* poser des tuiles sur [*roof*]; carreler [*floor, wall*]
C **tiled** *pp adj* [*roof*] couvert de tuiles; [*floor, wall*] carrelé

(Idiom) **to go out** *ou* **have a night on the ~s**○ GB faire la noce○

tiler /'taɪlə(r)/ *n* (of roofs) couvreur *m*; (of floors, walls) carreleur *m*

tiling /'taɪlɪŋ/ *n* 1 ¢ (covering of tiles) (of roof) tuiles *fpl*; (of floor, wall) carrelage *m*; 2 (process) (for roof) pose *f* des tuiles; (for floor, wall) pose *f* du carrelage

till¹ /tɪl/ ▸ **until**

till² /tɪl/

A *n* caisse *f*

B *vtr* labourer

(Idiom) **to have one's hand in the ~** piocher dans la caisse

tillage† /ˈtɪlɪdʒ/ *n* (process) labourage *m*; (land) labour *m*

tiller /ˈtɪlə(r)/ *n* 1 Naut barre *f*; 2 Hort (machine) motoculteur *m*

till receipt *n* ticket *m* (de caisse)

tilt /tɪlt/

A *n* 1 (incline) inclinaison *f*; **to have a (slight) ~** pencher (un peu); 2 fig (attack) attaque *f* (at de); **to have** *ou* **take a ~ at** attaquer, critiquer [*person, trend, organization*]; s'essayer à [*championship, event*]; se mesurer à [*champion*]; 3 Hist (in jousting) (contest) joute *f*; (thrust) coup *m* (de lance), lancer *m*; **to take a ~ at** porter un coup à [*opponent, competitor*]; 4 Aut, Naut (cover) bâche *f*

B *vtr* 1 (slant) pencher [*table, chair, sunshade*]; incliner [*head, face, container*]; pencher [qch] sur le côté [*hat, cap*]; **to ~ one's head to the left/back/forward** incliner la tête sur la gauche/en arrière/en avant; **he ~ed his cap over his eyes** il a rabattu sa casquette sur les yeux; 2 fig (influence) **to ~ the balance in favour of/away from** faire pencher la balance en faveur de/contre [*politician, party, measure*]

C *vi* 1 (slant) [*building, spire, tree, table*] pencher; [*floor, ground*] bouger; **to ~ to the left/forward/to one side** pencher vers la gauche/en avant/sur le côté; 2 Hist (joust) jouter; **to ~ at** Hist jouter contre [*opponent*]; fig porter un coup à [*person, organization*]

tilt: **~-and-turn window** *n* fenêtre *f* basculante; **~ angle** *n* angle *m* d'inclinaison

tilted /ˈtɪltɪd/ *adj* [*spire, head*] penché; **~ to the right/to one side** penché vers la droite/sur le côté; **his head was ~ back/forward** il avait la tête penchée en arrière/en avant

tilt: **~ hammer** *n* marteau *m* pilon; **~head** *n* Phot (mechanical) rotule *f*; (hydraulic) tête *f* fluide; **~-top table** *n* table *f* à plateau inclinable

timbal, **tymbal** /ˈtɪmbl/ *n* timbale *f*

timber /ˈtɪmbə(r)/

A *n* 1 (for building) bois *m* (de construction); (for furniture) bois *m* (d'œuvre); **seasoned/green ~** bois séché/vert; **roof ~s** bois de charpente; 2 (lumber) troncs *mpl* d'arbre; **to fell ~** abattre des arbres; **'Timber!'** 'Attention (à l'arbre qui tombe)!'; 3 (forest) bois *mpl*; **land under ~** futaie *f*; 4 (beam) poutre *f*, madrier *m* spec

B *modif* [*importer, exporter*] de bois; [*treatment, preservative, trade*] du bois; [*building, frame*] en bois; **~ plantation** futaie *f*

C **timbered** *pp adj* [*slopes*] boisé; [*house*] en bois; **~ed ceiling** plafond à poutres apparentes; **half-~ed house** maison *f* à colombage

timber: **~-clad** *adj* revêtu de bois; **~ cladding** *n* revêtement *m* en bois; **~-framed** *adj* [*building*] à colombage

timbering /ˈtɪmbərɪŋ/ *n* revêtement *m* en bois

timber: **~land** *n* US terrain *m* forestier exploitable; **~ line** *n* limite *f* des arbres; **~ merchant** *n* GB négociant *m* en bois, marchand *m* de bois; **~ wolf** *n* loup *m* gris; **~ yard** *n* scierie *f*

timbre /ˈtɪmbə(r), ˈtæmbrə/ *n* timbre *m*

Timbuktu /ˌtɪmbʌkˈtuː/ ▸ **p. 1815** *n* Tombouctou *m*

time /taɪm/ ▸ **p. 1804, p. 1059**

A *n* 1 (continuum) temps *m*; **~ and space** le temps et l'espace; **in** *ou* **with ~, in the course of ~** avec le temps; **as ~ goes/went by** avec le temps; **at this point in ~** à l'heure qu'il est; **for all ~** à jamais; **the biggest drugs haul of all ~** la plus importante saisie de drogue de tous les temps

2 (specific duration) temps *m*; **most of the ~** la plupart du temps; **he was ill for some of the ~** il a été malade pendant une partie du temps; **she talked (for) some of the ~, but most of the ~ she was silent** elle a parlé par moments, mais pendant la plupart du temps elle a gardé le silence; **all the ~** tout le temps; **I was waiting for you here all the ~** je t'attendais ici pendant tout ce temps-là; **she was lying all the ~** elle mentait depuis le début; **you've got all the ~ in the world, you've got plenty of ~** tu as tout ton temps; **to find/have/take the ~ to do** trouver/avoir/prendre le temps de faire; **to spend one's ~ doing** passer son temps à faire; **to take one's ~** prendre son temps; **take your ~ over it!** prends ton temps!; **writing a novel takes ~, it takes ~ to write a novel** il faut du temps pour écrire un roman; **do I have (enough) ~ to go to the shops?** est-ce que j'ai le temps d'aller aux magasins?; **half the ~ he isn't even listening** la moitié du temps il n'écoute même pas; **some ~ before/after** quelque temps avant/après; **that's the best film I've seen for a long ~** c'est le meilleur film que j'aie vu depuis longtemps; **he has been gone for a long ~** cela fait longtemps *or* un bon moment qu'il est parti; **it'll be a long ~ before I go back there!** je n'y retournerai pas de sitôt!; **you took a long ~!, what a (long) ~ you've been!** tu en a mis du temps!; **we had to wait for a long ~** nous avons dû attendre longtemps; **I've been living in this country for a long ~** j'habite dans ce pays depuis longtemps, cela fait longtemps que j'habite dans ce pays; **it takes a long ~ for the car to start** la voiture met du temps à démarrer; **she would regret this for a long ~ to come** elle allait le regretter pendant longtemps; **a long ~ ago** il y a longtemps; **a short ~ ago** il y a peu de temps; **some ~ ago** il y a un moment, il y a quelque temps; **we haven't heard from her for some ~** ça fait un moment qu'on n'a pas eu de ses nouvelles; **it continued for some (considerable) ~** ça a continué pendant un bon moment *or* pendant pas mal de temps; **it won't happen for some ~ yet** ça ne se produira pas de sitôt *or* avant longtemps; **she did it in half the ~ it had taken her colleagues** elle l'a fait en deux fois moins de temps que ses collègues; **in no ~ at all, in next to no ~** en moins de deux; **in five days'/weeks' ~** dans cinq jours/semaines; **within the agreed ~** dans les délais convenus; **in your own ~** (at your own pace) à ton rythme; (outside working hours) en dehors des heures de travail; **on company ~** pendant les heures de bureau; **my ~ isn't my own** je n'ai plus une minute à moi; **my ~ is my own** je suis maître de mon temps

3 (hour of the day, night) heure *f*; **what ~ is it?, what's the ~?** quelle heure est-il?; **she looked at the ~** elle a regardé l'heure; **the ~ is 11 o'clock** il est 11 heures; **10 am French ~** 10 heures, heure française; **tomorrow, at the same ~** demain, à la même heure; **this ~ next week** la semaine prochaine à la même heure; **this ~ next year** l'année prochaine à la même date *or* époque; **this ~ last week/year** il y a exactement huit jours/un an; **by this ~ next week/year** d'ici huit jours/un an; **on ~** à l'heure; **the trains are running on** *ou* **to ~** les trains sont à l'heure; **the bus/train ~s** les horaires *mpl or* les heures des bus/des trains; **the ~s of trains to Montreal** les heures *or* les horaires des trains pour Montréal; **it's ~ to go!** c'est l'heure de partir!; **it's ~ for school/bed** c'est l'heure d'aller à l'école/au lit; **it's ~ for breakfast** c'est l'heure du petit déjeuner; **it's ~, your ~ is up** c'est l'heure; **it's ~ we started/left** il est temps de commencer/partir; **to lose ~** [*clock*] retarder; **that clock keeps good ~** cette horloge est toujours à l'heure; **about ~ too!** ce n'est pas trop tôt!; **not before ~!** il était (*or* il est) grand temps!; **you're just in ~ for lunch/a drink** tu arrives juste à temps pour déjeuner/boire quelque chose; **to arrive in good ~** arriver en avance; **to be in plenty of ~** *ou* **in good ~ for the train** être en avance pour prendre le train; **I want to have everything ready in ~ for Christmas** je veux que tout soit prêt à temps pour Noël; **to be behind ~** avoir du retard; **twenty minutes ahead of ~** vingt minutes avant l'heure prévue; **six months ahead of ~** six mois avant la date prévue

4 (era, epoch) époque *f*; **in Victorian/Roman ~s** à l'époque victorienne/romaine; **in Dickens' ~s** du temps de Dickens; **at the ~** à l'époque; **at that ~** à cette époque, en ce temps-là; **~ was** *ou* **there was a ~ when one could...** à une certaine époque on pouvait...; **to be ahead of** *ou* **in advance of the ~s** [*person, invention*] être en avance sur son époque; **to be behind the ~s** être en retard sur son époque; **to keep up** *ou* **move with the ~s** être à la page; **~s are hard** les temps sont durs; **those were difficult ~s** c'étaient des temps difficiles; **in ~s past, in former ~s** autrefois; **in happier ~s** en un temps plus heureux, à une époque plus heureuse; **it's just like old ~s** c'est comme au bon vieux temps; **in ~s of war/peace** en temps de guerre/paix; **peace in our ~** la paix de notre vivant; **at my ~ of life** à mon âge; **I've seen a few tragedies in my ~** j'en ai vu des drames dans ma vie; **she was a beautiful woman in her ~** c'était une très belle femme dans son temps; **it was before my ~** (before my birth) je n'étais pas encore né; (before I came here) je n'étais pas encore ici; **if I had my ~ over again** si je pouvais recommencer ma vie; **to die before one's ~** mourir prématurément; **to be nearing one's ~**† (pregnant woman) approcher de son terme

5 (moment) moment *m*; **at ~s** par moments; **it's a good/bad ~ to do** c'est le bon/mauvais moment pour faire; **the house was empty at the ~** la maison était vide à ce moment-là; **at the ~ I didn't notice** à ce moment-là je ne l'avais pas remarqué; **at the right ~** au bon moment; **this is no ~ for jokes** ce n'est pas le moment de plaisanter; **at all ~s** à tout moment; **at any ~** à n'importe quel moment; **at any ~ of the day or night** à n'importe quelle heure du jour ou de la nuit; **we're expecting him any ~ now** il doit arriver d'un moment à l'autre; **at no ~ did I agree** à aucun moment je n'ai accepté; **come any ~ you want** viens quand tu veux; **the ~ has come for change/action** l'heure est venue de changer/d'agir; **at ~s like these you need your friends** dans ces moments-là on a besoin de ses amis; **by the ~ I finished the letter the post had gone** le temps de finir ma lettre et le courrier était parti; **by the ~ she had got downstairs he had gone** avant qu'elle n'arrive en bas il était déjà parti; **by this ~ most of them were dead** la plupart d'entre eux étaient déjà morts; **some ~ this week** dans la semaine; **some ~ next month** dans le courant du mois prochain; **for the ~ being** pour l'instant, pour le moment; **from that** *ou* **this ~ on** à partir de ce moment; **from the ~ (that) I was 15** depuis l'âge de 15 ans; **there are ~s when** il y a des moments où; **when the ~ comes** le moment venu; **in ~s of danger** dans les moments de danger; **in ~s of crisis/high inflation** dans les périodes de crise/forte inflation; **no more than 12 people at any one ~** pas plus de 12 personnes à la fois; **until such ~ as he does the work** jusqu'à ce qu'il fasse le travail; **at the same ~** en même temps; **I can't be in two places at the same ~** je ne peux pas être partout à la fois; **now's our ~ to act!** c'est maintenant qu'il faut agir!

6 (occasion) fois *f*; **nine ~s out of ten** neuf fois sur dix; **three ~s a month** trois fois par mois; **hundreds of ~s** des centaines de fois; **the first/last/next ~** la première/dernière/

ℹ Time units

Lengths of time

a second
= une seconde

a minute
= une minute

an hour
= une heure

a day
= un jour

a week
= une semaine

a month
= un mois

a year
= un an/une année

a century
= un siècle

■ *For time by the clock* ▸ **p. 1059**; *for days of the week* ▸ **p. 1882**; *for months* ▸ **p. 1452**; *for dates* ▸ **p. 1116**.

How long?

■ *Note the various ways of translating* take *into French.*

how long does it take?
= combien de temps faut-il?

it took me a week
= cela m'a pris une semaine
or il m'a fallu une semaine

I took an hour to finish it
= j'ai mis une heure pour le terminer

it'll only take a moment
= c'est l'affaire de quelques instants

■ *Translate both* spend *and* have *as* passer:

to have a wonderful evening
= passer une soirée merveilleuse

to spend two days in Paris
= passer deux jours à Paris

■ *Use* dans *for* in *when something is seen as happening in the future:*

I'll be there in an hour
= je serai là dans une heure

in three weeks' time
= dans trois semaines

■ *Use* en *for* in *when expressing the time something took or will take:*

he did it in an hour
= il l'a fait en une heure

■ *The commonest translation of* for *in the 'how long' sense is* pendant:

I worked in the factory for a year
= j'ai travaillé à l'usine pendant un an

■ *But use* pour *for* for *when the length of time is seen as being still to come:*

we're here for a month
= nous sommes là pour un mois

■ *And use* depuis *for* for *when the action began in the past and is or was still going on:*

she has been here for a week
= elle est ici depuis huit jours

she had been there for a year
= elle était là depuis un an

I haven't seen her for years
= je ne l'ai pas vue depuis des années

■ *Note the use of* de *when expressing how long something lasted or will last:*

a two-minute delay
= un retard de deux minutes

an eight-hour day
= une journée de huit heures

five weeks' pay
= cinq semaines de salaire

When?

In the past

when did it happen?
= quand est-ce que c'est arrivé?

two minutes ago
= il y a deux minutes

a month ago
= il y a un mois

years ago
= il y a des années

it'll be a month ago on Tuesday
= ça fera un mois mardi

it's years since he died
= il y a des années qu'il est mort

a month earlier
= un mois plus tôt

a month before
= un mois avant *or* un mois auparavant

the year before
= l'année d'avant *or* l'année précédente

the year after
= l'année d'après *or* l'année suivante

a few years later
= quelques années plus tard

after four days
= au bout de quatre jours

last week
= la semaine dernière

last month
= le mois dernier

last year
= l'année dernière

a week ago yesterday
= il y a eu huit jours hier

a week ago tomorrow
= il y aura huit jours demain

the week before last
= il y a quinze jours

over the past few months
= au cours des derniers mois

In the future

when will you see him?
= quand est-ce que tu le verras?

in a few days
= dans quelques jours (*see also above, the phrases with* in *translated by* dans)

any day now
= d'un jour à l'autre

next week
= la semaine prochaine

next month
= le mois prochain

next year
= l'année prochaine

this coming week
= la semaine qui vient
or (*more formally*) au cours de la semaine à venir

over the coming months
= au cours des mois à venir

a month from tomorrow
= dans un mois demain

How often?

how often does it happen?
= cela arrive tous les combien?

every Thursday
= tous les jeudis

every week
= toutes les semaines

every year
= tous les ans

every second day
= tous les deux jours

every third month
= tous les trois mois

day after day
= jour après jour

year after year
= année après année

the last Thursday of the month
= le dernier jeudi du mois

twice a month
= deux fois par mois

once every three months
= une fois tous les trois mois

How much an hour (etc)?

how much do you get an hour?
= combien gagnez-vous de l'heure?

I get $20
= je gagne 20 dollars de l'heure

to be paid $20 an hour
= être payé 20 dollars de l'heure

but note:

to be paid by the hour
= être payé à l'heure

how much do you earn a month?
= combien gagnez-vous par mois?

$3,000 a month
= 3 000 dollars par mois

Forms in -ée: an/année, matin/matinée etc.

■ *The* -ée *forms are often used to express a rather vague amount of time passing or spent in something, and so tend to give a subjective slant to what is being said, as in:*

a long day/evening/year
= une longue journée/soirée/année

a whole day
= toute une journée *or* une journée entière

we spent a lovely day there
= nous y avons passé une journée merveilleuse

■ *When an exact number is specified, the shorter forms are generally used, as in:*

it lasted six days
= cela a duré six jours

two years' military service
= deux ans de service militaire

■ *However there is no strict rule that applies to all of these words. If in doubt, check in the dictionary.*

prochaine fois; ~ **after** ~, ~ **and** ~ **again** maintes fois; **each** *ou* **every** ~ **that** chaque fois que; **some other** ~ **perhaps** une autre fois peut-être; **three at a** ~ trois à la fois; **there were** ~**s when** il y avait des fois où; **many's the** ~ **when I refused** bien des fois j'ai refusé; **she passed her driving test first** ~ **round/third** ~ **round** elle a eu son permis du premier coup/à la troisième fois; **do you remember the** ~ **when...?** tu te rappelles quand...?, tu te rappelles la fois où...?; **from** ~ **to** ~ de temps en temps; **10 dollars a** ~ 10 dollars le coup; **for months at a** ~ pendant des mois entiers; **(in) between** ~**s** entre-temps

[7] (experience) **to have a tough** *ou* **hard** ~ **doing** avoir du mal à faire; **they gave him a rough** *ou* **hard** *ou* **tough** ~ **of it** ils lui en ont fait voir (de toutes les couleurs○); **he's having a rough** *ou* **hard** *ou* **tough** ~ il traverse une période difficile; **I'm having a bad** ~ **at work** en ce moment j'ai des problèmes au travail; **we had a good** ~ on s'est bien amusé; **have a good** ~! amusez-vous bien!; **to have an easy** ~ **(of it)** se la couler douce○; **the good/bad** ~**s** les moments heureux/difficiles; **she enjoyed her** ~ **in Canada** elle a beaucoup aimé son séjour au Canada; **during her** ~ **as ambassador** pendant qu'elle était ambassadeur

[8] Admin, Ind (hourly rate) **to work/be paid** ~ travailler/être payé à l'heure; **to be paid** ~ **and a half** être payé une fois et demie le tarif normal; **on Sundays we get paid double** ~ le dimanche on est payé double

[9] (length of period) **cooking** ~ temps *m* de cuisson; **flight/journey** ~ durée du vol/voyage

[10] Mus mesure *f*; **to beat** *ou* **mark** ~ battre la mesure; **to stay in** *ou* **keep** ~ rester en mesure; **to be in/out of** ~ être/ne pas être en mesure; **in waltz/march** ~ sur un rythme de valse/marche

[11] Sport temps *m*; **a fast** ~ un bon temps; **in record** ~ en (un) temps record; **to keep** ~ chronométrer

[12] Math, fig **one** ~**s two is two** une fois deux, deux; **three** ~**s four** trois fois quatre; **ten** ~**s longer/stronger** dix fois plus long/plus fort; **eight** ~**s as much** huit fois autant

B *vtr* [1] (schedule) prévoir [*attack*] (**for** pour); prévoir, fixer [*holiday, visit*] (**for** pour); fixer [*appointment, meeting*]; **the demonstration is** ~**d to coincide with the ceremony** l'heure de la manifestation est prévue pour coïncider avec la cérémonie; **we** ~ **our trips to fit in with school holidays** nous faisons coïncider nos voyages avec les vacances scolaires; **the bomb is** ~**d to go off at midday** la bombe est réglée pour exploser à midi; **to be well-/badly-timed** être opportun/inopportun; **the announcement was perfectly** ~**d** la déclaration est tombée à point nommé

[2] (judge) calculer [*blow, stroke, shot*]; **to** ~ **a remark/joke** choisir le moment pour faire une remarque/plaisanterie

[3] (measure speed, duration) chronométrer [*athlete, cyclist*]; mesurer la durée de [*journey, speech*]; minuter la cuisson de [*egg*]; **to** ~ **sb over 100 metres** chronométrer qn sur 100 mètres

C *v refl* **to** ~ **oneself** se chronométrer

(Idioms) **from** ~ **out of mind** depuis la nuit des temps; **there is a** ~ **and place for everything** il y a un temps pour tout; **there's always a first** ~ il y a un début à tout; **there's a first** ~ **for everything** il y a une première fois pour tout; **he'll tell you in his own good** ~ il te le dira quand il en aura envie; **all in good** ~ chaque chose en son temps; **only** ~ **will tell** seul l'avenir nous le dira; **to pass the** ~ **of day with sb** échanger quelques mots avec qn; **I wouldn't give him the** ~ **of day** je ne lui dirais même pas bonjour; **to have** ~ **on one's hands** (for brief period) avoir du temps devant soi; (longer) avoir beaucoup de temps libre; ~ **hung heavy on his hands** il trouvait le temps long; **to have a lot of** ~ **for sb** apprécier beaucoup qn; **I've got a lot of** ~ **for people who work with the sick** j'admire beaucoup les personnes qui soignent les malades; **I've got no** ~ **for pessimists/that sort of attitude** je ne supporte pas les pessimistes/ce genre d'attitude; **to do** ~○ (prison) faire de la taule○; **to make** ~ **with sb**○ US (chat up) draguer○ qn; (have sex with) s'envoyer○ qn; **give me France/Lauren Bacall every** ~! rien ne vaut la France/Lauren Bacall!; **long** ~ **no see**○! ça fait un bail○ (qu'on ne s'est pas vu)!; ~ **please!** GB (in pub) on ferme!

time: ~**-and-motion expert** ▸ p. 1683 *n* spécialiste *mf* de l'organisation scientifique du travail; ~**-and-motion study** *n* étude *f* scientifique de l'organisation du travail; ~ **bomb** *n* lit, fig bombe *f* à retardement; ~ **capsule** *n* capsule *f* témoin (*contenant des documents représentatifs d'une époque*); ~**-card** *n* carte *f* de pointage; ~ **check** *n* Radio annonce *f* de l'heure; ~ **clause** *n* Ling proposition *f* temporelle; ~ **clock** *n* pendule *f* de pointage; ~ **code** *n* Audio, TV, Video code *m* temporel; ~ **constant** *n* Electron constante *f* de temps

time-consuming /ˌtaɪmkən'sjuːmɪŋ, US -'suː-/ *adj* qui prend du temps (*after n*); **to be** ~ prendre du temps

time: ~ **delay** *n* délai *m*; ~ **deposit** *n* US Fin dépôt *m* à terme; ~ **difference** *n* décalage *m* horaire; ~ **dilatation**, ~ **dilation** *n* Sci dilatation *f* des temps; ~ **draft** *n* US Fin effet *m* à terme; ~ **exposure** *n* Phot (temps de) pose *f*; ~**-frame** *n* (period envisaged) calendrier *m*; (period allocated) délai *m*; ~ **fuse** *n* détonateur *m* à retardement; ~**-honoured** *adj* consacré par l'usage

timekeeper /'taɪmkiːpə(r)/ *n* [1] Sport chronométreur *m*; [2] (punctual person) **he's a good** ~ il est toujours à l'heure; [3] (watch, clock) **this watch is a good** ~ cette montre est toujours à l'heure

time-keeping /'taɪmkiːpɪŋ/ *n* [1] (punctuality) ponctualité *f*; [2] Sport chronométrage *m*

time: ~**-lag** *n* décalage *m*; ~ **lapse photography** *n* prise *f* de vue image par image

timeless /'taɪmlɪs/ *adj* éternel/-elle

time-limit /'taɪmlɪmɪt/ *n* [1] (deadline) date *f* limite; **to put a** ~ **on** fixer une date limite pour [*work, delivery, improvements*]; **to set a** ~ **for** fixer une date limite pour [*work, completion*]; **within the** ~ dans les délais; [2] (maximum duration) durée *f* maximum; **there's a 20 minute** ~ **on speeches** les discours ne doivent pas dépasser 20 minutes

timeliness /'taɪmlɪnɪs/ *n* opportunité *f*

time: ~ **loan** *n* Fin emprunt *m* à terme; ~ **lock** *n* fermeture *f* commandée par une minuterie

timely /'taɪmlɪ/ *adj* opportun

time machine *n* machine *f* à explorer le temps

time off /ˌtaɪm 'ɒf/ *n* [1] (leave) **ask your boss for** ~ demande un congé à ton patron; **to take** ~ prendre un congé; **to take** ~ **from work to go to the dentist's** prendre du temps sur son travail pour aller chez le dentiste; **to take** ~ **from teaching** se mettre en disponibilité; [2] (free time) temps *m* libre; **how much** ~ **do you get a week?** combien de temps libre avez-vous par semaine?; **what do you do in your** ~? que fais-tu quand tu ne travailles pas?; [3] Jur **to get** ~ **for good behaviour** avoir sa peine réduite pour bonne conduite

time: ~**out** *n* Comput dépassement *m* du temps imparti, timeout *m*; ~**-out** *n* Sport temps *m* mort; (break) temps *m* de repos; ~**piece** *n* (watch) montre *f*; (clock) horloge *f*; ~ **policy** *n* Insur police *f* à terme

timer /'taɪmə(r)/ *n* (for cooking) minuteur *m*; (on bomb) minuterie; (for controlling equipment) minuterie *f*; programmateur *m*

timesaver /'taɪmseɪvə(r)/ *n* **a dishwasher is a real** ~ un lave-vaisselle fait vraiment gagner du temps

time-saving /'taɪmseɪvɪŋ/ *adj* qui fait gagner du temps

time-scale /'taɪmskeɪl/ *n* période *f* (de temps); **within a 6 month** ~ dans une période de 6 mois; **over a 2 year** ~ sur une période de 2 ans

time: ~ **series** *n* Stat série *f* chronologique; ~**-served** *adj* qualifié; ~**-server** *n* péj opportuniste *mf*; ~**-serving** *n* péj opportunisme *m*

timeshare /'taɪmʃeə(r)/

A *n* (house) maison *f* en multipropriété; (apartment) appartement *m* en multipropriété

B *modif* [*apartment, complex, studio*] en multipropriété

time-sharing /'taɪmʃeərɪŋ/ *n* [1] Comput travail *m* en temps partagé; [2] Tourism multipropriété *f*

time: ~**-sheet** *n* feuille *f* de présence; ~**-signal** *n* signal *m* horaire; ~ **signature** *n* indication *f* de la mesure; ~**-slice** *n* Comput tranche *f* de temps; ~ **slot** *n* Telecom créneau *m* temporel

timespan /'taɪmspæn/ *n* durée *f*; **over a 600 year** ~ sur une durée de 600 ans

time-switch /'taɪmswɪtʃ/ *n* minuterie *f*

timetable /'taɪmteɪbl/

A *n* [1] (agenda, schedule) Sch, Univ, Admin emploi *m* du temps; (for plans, negotiations) calendrier *m*; **to set up a** ~ **of meetings/negotiations** établir un calendrier des réunions/négociations; **a** ~ **for monetary union/reform** un calendrier de l'union monétaire/de réformes; **to work to a strict** ~ suivre un programme de travail très stricte; [2] Transp horaire *m*; **bus/train** ~ horaires des autobus/des trains

B *vtr* fixer l'heure de [*class, lecture*]; fixer la date de [*meeting, negotiations*]; ~ **the meeting for 9 am** fixez la réunion pour 9 heures; **the meeting is** ~**d for Friday** la réunion est fixée à vendredi; **the bus is** ~**d to leave at 11.30 am** le bus doit partir à 11 h 30

time: ~ **travel** *n* voyage *m* dans le temps; ~ **trial** *n* Sport (in cycling) épreuve de sélection contre la montre; (in athletics) épreuve *f* de sélection; ~ **value** *n* valeur *f*

time warp /'taɪm wɔːp/ *n* (in science fiction) faille *f* spatio-temporelle; **the village seems to be caught in a 1950s** ~ le village semble ne pas avoir évolué depuis les années 50

time-waster /'taɪmweɪstə(r)/ *n* [1] (idle person) fainéant/-e *m/f*, flemmard/-e○ *m/f*; [2] (casual inquirer) **'no** ~**s'** (in advert) 'pas sérieux s'abstenir'

time-wasting /'taɪmweɪstɪŋ/

A *n* perte *f* de temps

B *modif* [*practice, tactic*] qui fait perdre du temps

time: ~ **work** *n* travail *m* (rémunéré) à l'heure; ~**-worn** *adj* consacré par l'usage; ~ **zone** *n* fuseau *m* horaire

timid /'tɪmɪd/ *adj* [*animal*] craintif/-ive; [*person, smile, decision, reform*] timide

timidity /tɪ'mɪdətɪ/ *n* timidité *f*

timidly /'tɪmɪdlɪ/ *adv* timidement

timing /'taɪmɪŋ/ *n* [1] (scheduling) **the** ~ **of the announcement was unfortunate** le moment choisi pour la déclaration était inopportun; **there is speculation about the** ~ **of the election** la date choisie pour l'élection donne lieu à bien des conjectures; **to get one's** ~ **right/wrong** bien/mal choisir son moment; [2] Theat débit *m*; **to have a good sense of** ~ avoir un bon débit; [3] Aut réglage *m* de l'allumage; [4] Mus sens *m* du rythme

t

Timorese /ˌtɪmɔˈriːz/ ▸ **p. 1467**
A *n* Timorais/-aise *m/f*
B *adj* timorais/aise

timorous /ˈtɪmərəs/ *adj* timoré

Timothy /ˈtɪməθɪ/ *pr n* Timothée

timothy grass *n* fléole *f* des prés

timpani /ˈtɪmpənɪ/ ▸ **p. 1462** *npl* timbales *fpl*

timpanist /ˈtɪmpənɪst/ ▸ **p. 1683, p. 1462** *n* timbalier/-ière *m/f*

tin /tɪn/
A *n* 1 Miner (metal) étain *m*; 2 GB (can) boîte *f* (de conserve); **a ~ of soup** une boîte de soupe; **to eat out of ~s** se nourrir de conserves; **to come out of a ~** être de la conserve; 3 (container) (for biscuits, cake) boîte *f*; (for paint) pot *m*; **a biscuit ~** une boîte à biscuits; **a ~ of biscuits** une boîte de biscuits; 4 Culin (for baking) moule *m*; (for roasting) plat *m* (à rôtir); 5 GB (for donations) tirelire *f* (*pour faire la quête*)
B *modif* [*mug, bath*] en étain
C *vtr* GB (*p prés etc* **-nn-**) mettre [qch] en boîte *or* en conserve
D **tinned** *pp adj* GB [*meat, fruit*] en boîte, de conserve
(Idiom) **to have a ~ ear** ne pas avoir d'oreille

tin can *n* boîte *f* en fer-blanc

tincture /ˈtɪŋktʃə(r)/
A *n* 1 Pharm teinture *f*; **~ of iodine** teinture d'iode; 2 (tinge) trace *f*; 3 Herald émail *m*
B *vtr* teinter (**with** de)

tinder /ˈtɪndə(r)/ *n* amadou *m*, petit bois *m*; **to be the ~ for** fig être le ferment de
(Idiom) **as dry as ~** sec comme une allumette

tinderbox /ˈtɪndəbɒks/ *n* 1 lit boîte *f* d'amadou; **the barn was a (real) ~** fig la grange était sèche comme une allumette; 2 (tense situation, area) poudrière *f* fig

tine /taɪn/ *n* (of rake, fork) fourchon *m*; (of antler) andouiller *m*

tin foil /ˈtɪnfɔɪl/ *n* papier *m* (d')aluminium, papier *m* alu○

ting /tɪŋ/
A *n* tintement *m*
B *vtr* faire tinter [*bell*]
C *vi* tinter

ting-a-ling /ˌtɪŋəˈlɪŋ/ *n* onomat ding ding *m*

tinge /tɪndʒ/
A *n* (all contexts) nuance *f*
B *vtr* teinter (**with** de)

tingle /ˈtɪŋgl/
A *n* (physical) picotement *m*; (psychological) frisson *m*
B *vi* 1 (physically) [*fingers, toes, body, neck*] picoter; **a cold shower leaves you tingling all over** une douche froide fait circuler le sang; 2 (psychologically) frissonner; **to ~ with** vibrer de [*excitement*]

tingling /ˈtɪŋglɪŋ/ *n* picotements *mpl*

tingly /ˈtɪŋglɪ/ *adj* **my fingers/legs have gone all ~** j'ai des picotements dans les doigts/jambes

tin: ~ god *n* péj petit chef *m*; **~ hat** *n* casque *m*

tinker /ˈtɪŋkə(r)/
A *n* 1 †(odd-job man) rétameur *m* (itinérant); GB dial (traveller) mendiant *m* itinérant; 2 ○GB fig (child) coquin/-e *m/f*; 3 (attempt to mend) **to have a ~ with sth** bricoler qch
B *vi* 1 (*also* **to ~ about** *ou* **around**) bricoler; **to ~ with** (try and repair) bricoler [*car, machine*]; (fiddle with) tripoter [*watch, pen, keys*]; **who's been ~ing with the computer?** qui a touché à l'ordinateur?; 2 fig (tamper) **to ~ with** faire des retouches à [*wording, document*]; (illegally) falsifier, truquer
(Idioms) **I don't give a ~'s curse** *ou* **damn○!** je m'en fiche○ éperdument! ; **it's not worth a ~'s curse** *ou* **damn○!** ça ne vaut pas un clou○!

tinkle /ˈtɪŋkl/
A *n* 1 (of glass, bell, ice) tintement *m*; (of water) murmure *m*; (of telephone) sonnerie *f*; (of piano) bruit *m* léger; **give us a ~ (on the piano)** hum joue-nous un petit air au piano; **to give sb a ~○** GB passer un coup de fil à qn○; 2 ○lang enfantin pipi○ *m*
B *vtr* faire tinter [*glass, bell, ice*]
C *vi* [*glass, bell, ice*] tinter; [*water*] murmurer; [*telephone*] sonner
(Idiom) **to ~ the ivories†** hum pianoter○, jouer du piano

tinkling /ˈtɪŋklɪŋ/ *n* (of glass, bell, ice) tintement *m*; (of water) murmure *m*; (of telephone) sonnerie *f*; (of piano) notes *fpl* légères

tin: ~ mine *n* mine *f* d'étain; **~ned food** *n* GB ¢ conserves *fpl*

tinnitus /tɪˈnaɪtəs/ ▸ **p. 1327** *n* bourdonnements *mpl* d'oreilles, acouphène *m* spec

tinny /ˈtɪnɪ/ *adj* 1 [*sound, music*] grêle; [*piano*] qui fait un bruit de casserole○; 2 (badly made) [*radio, car*] de camelote

tin: ~ opener *n* GB ouvre-boîte *m*; **Tin Pan Alley○†** *n* le monde *m* du music-hall; **~ plate** *n* Miner fer-blanc *m*; **~ plated** *adj* étamé; **~pot○** *adj* GB péj [*dictatorship, organization*] de pacotille

tinsel /ˈtɪnsl/
A *n* 1 ¢ (decoration) guirlandes *fpl*; 2 (sham brilliance) clinquant *m*
B *modif* [*material, costume*] clinquant

Tinseltown○ /ˈtɪnsltaʊn/ *n* Hollywood *m*

tin: ~smith *n* étameur *m*; **~ soldier** *n* soldat *m* de plomb

tint /tɪnt/
A *n* 1 (trace) nuance *f*; (pale colour) teinte *f*; **blue with a purple ~** bleu tirant légèrement sur le pourpre *or* avec une nuance de pourpre; 2 (hair colour) shampooing *m* colorant
B *vtr* 1 gen teinter [*paint, colour, glass*]; **to ~ sth blue/pink** teinter qch en bleu/rose; 2 Cosmet teinter [*hair*]; **to ~ one's hair brown/blonde** se brunir/blondir les cheveux; **to get one's hair ~ed** se faire faire un shampooing colorant
C **tinted** *pp adj* 1 [*paint, colour*] teinté; [*glass, window, spectacles*] fumé; **blue-~ed glass, glass ~ed with blue** verre teinté en bleu; 2 [*hair*] teint

Tintoretto /ˌtɪntəˈretəʊ/ *pr n* le Tintoret

tin whistle *n* Mus flageolet *m* (*en métal*)

tiny /ˈtaɪnɪ/ *adj* [*person, object, house*] tout petit; [*budget, improvement*] très faible

tip /tɪp/
A *n* 1 (end) (of stick, branch, shoot, leaf, sword, pen, shoe, nose, tongue, finger, wing) bout *m*, pointe *f*; (of tail, feather, cue) bout *m*; (of ski, spire, island, landmass) pointe *f*; **to stand on the ~s of one's toes** être sur la pointe des pieds; **at the southernmost ~ of Italy** à la pointe la plus au sud de l'Italie
2 (protective cover on end) (of cane, umbrella) pointe *f*; (of shoe heel) bout *m* (ferré)
3 GB (waste dump) (for rubbish) décharge *f*; (at mine) crassier *m*
4 ○GB (mess) fouillis *m*; **his office is a ~** son bureau est un vrai fouillis
5 (gratuity) pourboire *m*; **to give/leave a ~** donner/laisser un pourboire; **a £5 ~** 5 livres de pourboire
6 (hint) truc○ *m*, conseil *m*; **sewing/safety ~s** conseils pour la couture/de sécurité; **a ~ for doing** *ou* **on how to do** un conseil pour faire; **I'll give you a ~, let me give you a ~** un conseil d'ami; **take a ~ from me, take my ~** suis mon conseil; **take a ~ from your sister** prends exemple sur ta sœur
7 (in betting) tuyau○ *m*; **to have a hot ~ for sth** avoir un bon tuyau pour qch○
B **-tipped** (*dans composés*) **silver-/pink-/spiky-~ed** à bout argenté/rose/pointu
C *vtr* (*p prés etc* **-pp-**) 1 (tilt, incline) incliner [*object, bowl, seat*]; **to ~ sth forward/back/to one side** incliner qch vers l'avant/vers l'arrière/sur le côté; **to ~ sth onto its side** mettre qch sur le côté; **to ~ one's chair back** se balancer sur sa chaise; **to ~ sb off his** *ou* **her chair** faire tomber qn de sa chaise; **to ~ one's hat** soulever son chapeau (**to sb** pour saluer qn); **to ~ the scales at 60 kg** peser 60 kilos
2 (pour, empty) **to ~ sth into/onto/out of sth** verser qch dans/sur/de qch; **to ~ sth upside down** retourner qch; **to ~ sth down the sink** verser qch dans l'évier; **to ~ sth away** jeter qch
3 fig (push, overbalance) **to ~ sth over 50%** faire passer à qch la barre des 50%; **to ~ the economy into recession** faire basculer l'économie dans la récession; **to ~ sb over the edge** (mentally) faire basculer qn; **to ~ the balance** *ou* **scales** faire pencher la balance (**in favour of** en faveur de); **to ~ the result the other way** inverser les résultats
4 (throw away, dump) [*person, lorry*] déverser [*waste*]; **to ~ sth by the roadside/in the countryside** déverser qch le long de la route/dans la campagne; **to ~ sth into a pit** verser qch dans un trou
5 (forecast, predict) **to ~ sb/sth to win** prédire que qn/qch va gagner; **to ~ sb as the next president** prédire que qn sera le prochain président; **to ~ sb for a job** prédire que qn aura un poste; **to be ~ped as a future champion/for promotion** être donné comme futur champion/candidat à une promotion; **to be ~ped for the top** se voir prédire un avenir brillant
6 (give money to) donner un pourboire à [*waiter, driver*]; **to ~ sb £5** donner 5 livres de pourboire à qn; **how much should I ~ (the porter)?** combien dois-je laisser de pourboire (au porteur)?
7 (put something on the end of) recouvrir le bout de [*sword, cane, heel*] (**with** avec); **to ~ sth with red paint** peindre le bout de qch en rouge; **to be ~ped with red paint** avoir le bout peint en rouge; **to ~ an arrow with poison** empoisonner la pointe d'une flèche
8 Sport (touch, gently push) **to ~ the ball over the net/past the goalkeeper** frapper la balle délicatement pour l'envoyer de l'autre côté du filet/dans le but
D *vi* (*p prés etc* **-pp-**) 1 (tilt) [*seat, object*] s'incliner; **to ~ forward/back/onto one side** pencher vers l'avant/vers l'arrière/sur le côté
2 fig [*balance, scales*] pencher (**in favour of sb, in sb's favour** en faveur de qn)
(Phrasal verbs) ■ **tip down○** GB dial: ▸ **it** *ou* **the rain is tipping (it) down** il tombe des cordes○
■ **tip off**: ▸ **~ off [sb], ~ [sb] off** avertir, donner un tuyau○ à [*person, police*]; **to ~ sb off about sth** avertir qn de qch; **to be ~ped off** être averti
■ **tip out**: ▸ **~ out [sth], ~ [sth] out** vider [*drawer, contents*]
■ **tip over**: ▸ **~ over** [*chair, cupboard*] basculer; [*cup, bucket, stack, pile*] se renverser; ▸ **~ over [sth], ~ [sth] over** faire basculer [*chair, cupboard*]; renverser [*bucket, cup, stack, pile*]
■ **tip up**: ▸ **~ up** s'incliner, se pencher; ▸ **~ up [sth], ~ [sth] up** incliner [*cup, bottle*]; pencher [*chair, wardrobe*]

tip cart *n* remorque *f* à benne basculante

tip-off /ˈtɪpɒf/ *n* dénonciation *f*; **to act on a/receive a ~** agir à la suite d'une/recevoir une dénonciation

tipper /ˈtɪpə(r)/ *n* 1 Transp = **tipper lorry**; 2 (person leaving a tip) **to be a generous/mean ~** laisser des pourboires généreux/peu généreux

tipper lorry GB, **tipper truck** *n* camion *m* à benne basculante

tippet /ˈtɪpɪt/ *n* (of garment) étole *f*; (of judge) collet *m*; (of clergyman) étole *f*

Tipp-Ex® /ˈtɪpeks/ GB
A *n* Tipp-Ex® *m*

B vtr (also ~ **out**, ~ **over**) effacer [qch] au Tipp-Ex®

tipple /ˈtɪpl/
A n **1** ○(drink) boisson f alcoolisée; **to have a quiet** ~ siroter tranquillement; **sb's favourite** ~ la boisson préférée de qn; **2** US Mining culbuteur m
B ○vi siroter

tippler○† /ˈtɪplə(r)/ n **to be a bit of a** ~ être un peu porté sur la boisson

tipsily /ˈtɪpsɪlɪ/ adv [walk] en chancelant; [speak, laugh] en vasouillant○

tipstaff /ˈtɪpstɑːf, US -stæf/ n huissier m

tipster /ˈtɪpstə(r)/ n pronostiqueur/-euse m/f

tipsy /ˈtɪpsɪ/ adj pompette○

tipsy cake n GB dessert au biscuit imprégné de sherry et aux fruits confits

tiptoe /ˈtɪptəʊ/
A n **on** ~ sur la pointe des pieds
B vi marcher sur la pointe des pieds; **to** ~ **in/out** entrer/sortir sur la pointe des pieds

tip-top○ /ˌtɪpˈtɒp/ adj excellent; **to be in** ~ **condition** [horse] être en excellente forme; [athlete] être en excellente condition physique

tip-up seat n (at cinema, theatre) siège m rabattable; (in taxi, on bus, train) strapontin m

tip-up truck n camion m à benne basculante

tirade /taɪˈreɪd, US ˈtaɪreɪd/ n tirade f

tire /ˈtaɪə(r)/
A n US pneu m
B vtr (make tired) fatiguer
C vi **1** (get tired) se fatiguer; **2** (get bored) **to** ~ **of** se lasser de [person, place, activity]; **as they never** ~ **of telling us** comme ils ne se lassent pas de nous le dire

(Phrasal verb) ■ **tire out**: ▸ ~ **[sb] out** épuiser; **to be** ~**d out** être éreinté; **I'm** ~**d out!** je n'en peux plus!; **to** ~ **oneself out** se fatiguer (doing à faire)

tired /ˈtaɪəd/ adj **1** (weary) [person, animal] fatigué; [face, eyes, legs] fatigué; [voice] las/lasse; **it makes me** ~ ça me fatigue; ~ **of protesting, she agreed** elle a donné son accord de guerre lasse; ~ **and emotional**○ euph hum ivre; **2** (bored) **to be** ~ **of sth/of doing** en avoir assez de qch/de faire; **to grow** ou **get** ~ se lasser (**of** de; **of doing** de faire); **3** (hackneyed) [cliché, formula, idea, image] rebattu; **4** (worn out) [machine] usé; [clothes, curtains, sofa] défraîchi; **5** (wilted) [lettuce, flower] fané

tiredly /ˈtaɪədlɪ/ adv [say, reply, gaze] d'un air las, avec lassitude

tiredness /ˈtaɪədnɪs/ n fatigue f

tireless /ˈtaɪəlɪs/ adj [advocate, campaigner, worker] inlassable, infatigable; [dedication, efforts, quest] constant

tirelessly /ˈtaɪəlɪslɪ/ adv [campaign, work] sans relâche

tiresome /ˈtaɪəsəm/ adj [person, habit] agaçant; [problem, task, duty] fastidieux/-ieuse; **it's a** ~ **business!** c'est une affaire fâcheuse!

tiresomely /ˈtaɪəsəmlɪ/ adv [behave] de façon agaçante

tiring /ˈtaɪərɪŋ/ adj fatigant (**to do** de faire)

tiro = **tyro**

Tirol pr n = **Tyrol**

tisane /tɪˈzæn/ n tisane f

tissue /ˈtɪʃuː/ n **1** Anat, Bot tissu m; **2** (handkerchief) mouchoir m en papier, kleenex® m; **3** (also ~ **paper**) papier m de soie; **4** fig tissu m; **a** ~ **of lies** un tissu de mensonges

tissue: ~ **culture** n Biol, Med culture f de tissus; ~ **sample** n prélèvement m de tissu

tit /tɪt/ n **1** Zool mésange f; **2** ◑(breast) néné◑ m; **3** ◑(idiot) enfoiré◑ m

(Idiom) ~ **for tat** un prêté pour un rendu; ~ **for tat killings** meurtres en représailles (d'autres meurtres)

Titan /ˈtaɪtn/ n Mythol, Astron Titan m also fig

titanic /taɪˈtænɪk/ adj **1** gen titanesque; **2** Chem de titane

titanium /tɪˈteɪnɪəm/ n titane m

titbit /ˈtɪtbɪt/ n GB (of food) gâterie f; (of gossip) cancan○ m

titch○ /tɪtʃ/ n petit bonhomme○ m

titchy○ /ˈtɪtʃɪ/ adj GB minuscule

titfer†○ /ˈtɪtfə(r)/ n GB galurin○ m

tithe /taɪð/ n dîme f

tithe barn n grange f aux dîmes

titian /ˈtɪʃn/ adj littér [hair] d'un blond vénitien

titillate /ˈtɪtɪleɪt/ vtr titiller

titillating /ˈtɪtɪleɪtɪŋ/ adj affriolant

titillation /ˌtɪtɪˈleɪʃn/ n titillation f

titivate /ˈtɪtɪveɪt/ vtr bichonner; **to** ~ **oneself** se pomponner

title /ˈtaɪtl/
A n **1** (of book, film, play) titre m; **a book/film with the** ~ **'Rebecca'** un livre/film intitulé 'Rebecca'; **the film appeared under the** ~ **of 'Rebecca'** le film est sorti sous le titre de 'Rebecca'; **2** Sport titre m; **to win/hold the** ~ remporter/détenir le titre; **women's/men's** ~ Sport titre m féminin/masculin; **world** ~ titre m mondial; **1500m** ~ titre m sur 1500m; **3** (rank) titre m; **a man with a** ~ un homme titré; **to have a** ~ être titré; **to be given a** ~ être anobli; **to take a** ~ se voir conférer un titre de noblesse; **4** (name) gen, Jur titre m; **it earned him the** ~ **'King of Rock'** cela lui a valu le titre 'le roi du rock'
B **titles** npl Cin générique m
C modif [song, track] titre
D vtr intituler [book, play]

titled /ˈtaɪtld/ adj titré

title: ~ **deed** n titre m constitutif de propriété; ~ **fight** n combat m pour le titre; ~**holder** n tenant/-e m/f du titre; ~ **page** n page f de titre; ~ **role** n rôle m titre

titmouse /ˈtɪtmaʊs/ n (pl **-mice**) mésange f

titrate /ˈtaɪtreɪt, ˈtɪ-/ vtr titrer

titter /ˈtɪtə(r)/
A n ricanement m; **a nervous** ~ un petit rire nerveux
B vtr **'oh!' she** ~**ed** 'oh!' gloussa-t-elle
C vi ricaner

tittle /ˈtɪtl/ n **1** Print (sign) signe m diacritique; **2** (small amount) iota m

(Idiom) **to change sth not one jot or** ~ ne pas changer qch d'un iota

tittle-tattle /ˈtɪtltætl/
A n potins mpl (**about** sur)
B vi jaser (**about** sur)

titular /ˈtɪtjʊlə(r), US -tʃʊ-/ adj [president, head] nominal; [professor, status] titulaire

tizzy○ /ˈtɪzɪ/ n **to be in/get into a** ~ être dans/se mettre dans tous ses états; **don't get into a** ~ ne t'affole pas

T-junction /ˈtiːdʒʌŋkʃn/ n intersection f en T

TM n **1** (abrév = **trademark**) marque f de fabrique; **2** abrév ▸ **transcendental meditation**

TN n US Post abrév écrite = **Tennessee**

TNT n (abrév = **trinitrotoluene**) TNT m

to /tə, before a vowel tʊ, tuː, emphat. tuː/ ▸ p. 1059
A infinitive particle **1** (expressing purpose) pour; **to do sth** ~ **impress one's friends** faire qch pour impressionner ses amis
2 (expressing wish) **oh** ~ **be in England!** littér ô être en Angleterre!; **oh** ~ **be able to stay in bed!** hum ô pouvoir rester au lit!
3 (linking consecutive acts) **he looked up** ~ **see...** en levant les yeux, il a vu...; **he woke up (only)** ~ **find** en se réveillant il a découvert
4 (after superlatives) à; **the youngest** ~ **do** le or la plus jeune à faire
5 (avoiding repetition of verb) **'did you go?'—'no I promised not** ~**'** 'tu y es allé?'—'non j'avais promis de ne pas le faire'; **'are you staying?'—'I want** ~ **but...'** 'tu restes?'—'j'aimerais bien mais...'
6 (following impersonal verb) **it is interesting/difficult etc** ~ **do sth** il est intéressant/difficile etc de faire qch; **it's hard** ~ **understand why he did it** il est difficile de comprendre pourquoi il l'a fait
B prep **1** (in direction of) à [shops, school etc]; (with purpose of visiting) chez [doctor's, dentist's etc]; **she's gone** ~ **Mary's** elle est partie chez Mary; **to Paris** à Paris; **to Spain** en Espagne; ~ **the country** à la campagne; ~ **town** en ville; **the road** ~ **the village** la route qui mène au village; **trains** ~ **and from** les trains à destination et en provenance de [place]; ~ **your positions!** à vos positions!; **children** ~ **the front, adults** ~ **the back** les enfants devant, les adultes derrière
2 (facing towards) vers; **turned** ~ **the wall** tourné vers le mur; **with his back** ~ **them** en leur tournant le dos
3 (against) contre; **holding the letter** ~ **his chest** tenant la lettre contre sa poitrine; **back** ~ **back** dos à dos
4 (up to) jusqu'à; **to count** ~ **100** compter

ℹ to

This dictionary contains usage notes on such topics as **the clock, weight measurement, games and sports** etc. Many of these use the preposition *to*. For the index to these notes ▸ **p. 1948**.

When *to* is used as a preposition with movement verbs (*go, travel* etc.) it is often translated by *à* but remember to use *en* with feminine countries (*en France*) and *au* with masculine countries (*au Portugal*); ▸ **p. 1096**.

Remember when using *à* in French that *à* + *le* always becomes *au* and *à* + *les* always becomes *aux*.

When *to* forms the infinitive of a verb taken alone (by a teacher, for example) it needs no translation:

to go
= aller

to find
= trouver *etc.*

However, when *to* is used as part of an infinitive giving the meaning *in order to*, it is translated by *pour*:

he's gone into town to buy a shirt
= il est parti en ville pour acheter une chemise

to is also used as part of an infinitive after certain adjectives: *difficult to understand, easy to read* etc. Here *to* is usually translated by *à*: *difficile à comprendre, facile à lire*:

it's easy to read
– c'est facile à lire

However, when the infinitive has an object, *to* is usually translated by *de*:

it's easy to lose one's way
= il est facile de perdre son chemin

To check translations, consult the appropriate adjective entry: **difficult, easy** etc.

to is also used as part of an infinitive after certain verbs: *she told me to wash my hands, I'll help him to tidy the room* etc. Here the translation, usually either *à* or *de*, depends on the verb used in French. To find the correct translation, consult the appropriate verb entry: **tell, help** etc. For all other uses see the entry **to**.

jusqu'à 100; ~ **the end/this day** jusqu'à la fin/ce jour; **from this post ~ that tree it's 100 metres** de ce poteau à cet arbre il y a 100 mètres; **50 ~ 60 people** entre 50 et 60 personnes; **in five ~ ten minutes** d'ici cinq à dix minutes; ~ **Manchester, it takes 20 minutes** pour aller à Manchester ça prend 20 minutes; **cheque ~ the value of** chèque d'un montant de
5▸ (used as dative) *[give, offer, hand]* à; **give the book ~ Sophie** donne le livre à Sophie; **she 's given the meat ~ the dog/dogs** elle a donné la viande au chien/aux chiens; **'give the letter ~ her'—'~ who?'—'~ her over there!'** 'donne-lui la lettre'—'à qui?'—'à elle là-bas!'
6▸ (with respect to) **personal assistant ~ the director** assistant du directeur; **ambassador ~ Japan** ambassadeur au Japon
7▸ (in attitude to) **be nice ~ your brother** sois gentil avec ton frère
8▸ (in the opinion of) ~ **me/my daughter it's just a minor problem** pour moi/ma fille ce n'est qu'un problème mineur; **it looks ~ me like rain** à mon avis il va pleuvoir
9▸ (in toasts, dedications) à; ~ **Steve/prosperity** à Steve/la prospérité; (on tombstone) ~ **our dear son** à notre cher fils
10▸ (in accordance with) **is it ~ your taste?** c'est à ton goût?; **to dance ~ the music** danser sur la musique
11▸ (in relationships, comparisons) **to win by three goals ~ two** gagner par trois buts à deux; **five ~ the square metre/~ the dollar** cinq par mètre carré/pour un dollar; **perpendicular ~ the ground** perpendiculaire au sol; **next door ~ the school** à côté de l'école; **X is ~ Y as A is ~ B** Math X est à Y ce que A est à B
12▸ (showing accuracy) **three weeks ~ the day** trois semaines jour pour jour; ~ **scale** à l'échelle; ~ **time** à l'heure
13▸ (showing reason) **to invite sb ~ dinner** inviter qn à dîner; ~ **this end** à cette fin, dans ce but
14▸ (belonging to) de; **the key ~ the safe** la clé du coffre; **a room ~ myself** une chambre pour moi tout seul; **there's no sense ~ it** ça n'a aucun sens
15▸ (on to) *[tied]* à; *[pinned]* à *[noticeboard etc]*; sur *[lapel, dress etc]*
16▸ (showing reaction) à; ~ **his surprise/dismay** à sa grande surprise/consternation; ~ **the sound of the drums** au son du tambour
17▸ Comm ~ **repairing/delivering etc** à réparer/livrer etc

C /tuː/ *adv* 1▸ ○(closed) **to push the door ~** fermer la porte; **when the curtains are ~** quand les rideaux sont fermés

(Idioms) **that's all there is ~ it** (it's easy) c'est aussi simple que ça; (not for further discussion) un point c'est tout; **there's nothing ~ it** ce n'est pas compliqué; **what a ~-do○!** quelle histoire○! ; **they made such a ~-do○** ils en ont fait toute une histoire○; **what's it ~ you○?** qu'est-ce que ça peut te faire?

toad /təʊd/ *n* 1▸ (animal) crapaud *m*; 2▸ ○(term of insult) salaud◑ *m*

toad: **~-in-the-hole** *n* GB *morceaux de saucisse cuits au four dans de la pâte à crêpes*; **~stool** *n* champignon *m* vénéneux

toady /ˈtəʊdɪ/ péj
A *n* flagorneur/-euse *m/f*
B *vi* péj **to ~ to** flagorner *[teacher, boss]* pej

toadying /ˈtəʊdɪɪŋ/ *n* flagornerie *f*

to and fro /ˌtuː ən ˈfrəʊ/ *adv [swing]* d'avant en arrière; **to go ~** *[person]* ne pas arrêter d'aller et venir

toast /təʊst/
A *n* 1▸ (grilled bread) toast *m*, pain *m* grillé; **a piece** *ou* **slice of ~** un toast, une tranche de pain grillé; **cheese/mushrooms on ~** toast *m* au fromage/aux champignons; **to make (some) ~** faire des toasts; 2▸ (tribute) toast *m*; **to drink a ~** lever son verre (**to sth** à qch); **to drink a ~ to sb** porter un toast à qn; **to propose a ~** proposer un toast (**to sb** en l'honneur de qn; **to sth** à qch); **'join me in a ~ to the bride and groom'** 'buvons à la santé des nouveaux mariés'; 3▸ (popular person) **the ~ of** l'idole de *[group]*; **she's the ~ of the town** on ne parle que d'elle
B *vtr* 1▸ Culin toaster, faire griller *[bread, roll]*; faire griller *[sandwich]*; faire dorer *[cheese, topping]*; (faire) griller *[sesame seeds, nuts]*; **to ~ one's toes in front of the fire** se chauffer les orteils devant le feu; 2▸ (propose a toast to) porter un toast à *[person, success, victory]*; (drink a toast to) *[guests]* boire à la santé de *[person]*; lever son verre à *[success, freedom]*
C *v refl* **to ~ oneself in front of the fire** se chauffer devant le feu
D **toasted** *pp adj [sandwich, chestnuts, sesame seeds, marshmallows]* grillé

(Idioms) **to be as warm as ~** *[person]* être bien au chaud; *[bed, room]* être bien chaud; **to be ~○** être foutu○

toaster /ˈtəʊstə(r)/ *n* grille-pain *m inv*

toastie /ˈtəʊstɪ/ *n* GB sandwich *m* grillé

toast: **~ing fork** *n* fourchette *f* à griller; **~master** *n (personne chargée du protocole dans les banquets officiels)*; **~ rack** *n* porte-toasts *m inv*

tobacco /təˈbækəʊ/
A *n* (*pl* **~s**) (product, plant) tabac *m*
B *modif [company, farm, leaf, plantation, smoke]* de tabac; *[industry]* du tabac; **~ advertising** publicité *f* pour le tabac; **~ tin** GB, **~ can** US boîte *f* à tabac; **~ plant** tabac *m*

tobacco brown ▸ p. 1067 *n, adj* tabac *(m) inv*

tobacconist /təˈbækənɪst/ ▸ p. 1683 *n* GB (person) buraliste *mf*; **~'s (shop)** bureau *m* de tabac

Tobago /təˈbeɪgəʊ/ ▸ p. 1355 *pr n* Tobago *f*

toboggan /təˈbɒgən/
A *n* luge *f*, toboggan *m*
B *vi* **to ~ down a hill** descendre une pente en luge

tobogganning /təˈbɒgənɪŋ/ ▸ p. 1253 *n* luge *f*; **to go ~** faire de la luge

toboggan: **~ race** *n* course *f* de luge; **~ run** *n* piste *f* de luge

toby jug /ˈtəʊbɪ dʒʌg/ *n* chope *f (en forme de bonhomme à tricorne)*

toccata /təˈkɑːtə/ *n* toccata *f*

tocsin /ˈtɒksɪn/ *n* lit, fig tocsin *m*

tod○ /tɒd/ *n* GB

(Idiom) **(all) on one's ~** tout seul

today /təˈdeɪ/ ▸ p. 1116, p. 1882
A *n* 1▸ lit aujourd'hui *m*; **what's ~'s date?** on est le combien aujourd'hui○?, quel jour sommes-nous aujourd'hui?; **~ is Monday** (aujourd'hui) nous sommes lundi; **~ is my birthday** c'est mon anniversaire aujourd'hui; **~'s newspaper** le journal d'aujourd'hui; 2▸ fig aujourd'hui *m*; **the computers/teenagers of ~** les ordinateurs/adolescents d'aujourd'hui
B *adv* 1▸ lit aujourd'hui; **he's arriving ~** il arrive aujourd'hui; **~ week, a week from ~** dans une semaine aujourd'hui, aujourd'hui en huit; **a month ago ~** il y a un mois aujourd'hui; **30 years ago ~** voici 30 ans aujourd'hui; **it's the fifth of April ~** aujourd'hui nous sommes le cinq avril; **all day ~** toute la journée d'aujourd'hui; **earlier/later ~** plus tôt/tard dans la journée; 2▸ fig (nowadays) de nos jours

(Idioms) **he's here ~, gone tomorrow** il va et il vient; **these fashions are here ~ gone tomorrow** ces modes sont éphémères

toddle /ˈtɒdl/ *vi* 1▸ (walk) *[child]* faire ses premiers pas; **to ~ to the door** aller d'un pas chancelant vers la porte; **to ~ off** partir d'un pas chancelant; 2▸ ○(go) **to ~ into town** faire un tour en ville; **to ~ over to Bob's house** aller chez Bob; **to ~ down to the shop** aller au magasin.

(Phrasal verbs) ■ **toddle about, toddle around** *[child]* trottiner
■ **toddle off○** s'en aller, partir; **I've got to ~ off now** il faut que j'y aille○

toddler /ˈtɒdlə(r)/ *n* bébé *m (qui fait ses premiers pas)*

toddy /ˈtɒdɪ/ *n* grog *m*; **hot ~** grog *m* au whisky

toe /təʊ/ ▸ p. 997 *n* 1▸ Anat (human) orteil *m*, doigt *m* de pied; (animal) orteil *m*; **big/little ~** gros/petit orteil; **to stand** *ou* **tread** *ou* **step on sb's ~s** lit marcher sur les pieds de qn; **to tread on sb's ~s** fig marcher sur *or* piétiner les plates-bandes de qn○; **the ~ of Italy** Geog la Calabre; 2▸ (of sock, shoe) bout *m*

(Idioms) **to keep sb on their ~s** forcer qn à être vigilant; **to ~ the line** marcher droit; **to ~ the party/management line** suivre exactement la ligne du parti/de la direction; **from top to ~** de la tête aux pieds; **from the top of one's head to the tip of one's ~s** de la racine des cheveux à la pointe des pieds

TOE *n (abrév =* **ton oil equivalent***)* TEP *f*

toe: **~ cap** *n* bout *m* renforcé *or* rapporté *(de chaussure)*; **~ clip** *n* cale-pied *m inv*

TOEFL *n (abrév =* **Test Of English as a Foreign Language***)* TOEFL *m*

> **TOEFL**
> Test d'aptitude à la communication en anglais. Les universités anglo-saxonnes acceptent les candidatures des étrangers qui ont réussi cet examen.

toehold /ˈtəʊhəʊld/ *n* 1▸ (in climbing) prise *f*; 2▸ fig (access) **to get** *ou* **gain a ~ in** s'introduire dans *[market, organization]*

toe: **~nail** *n* ongle *m* des orteils *or* de pied; **~ piece** *n* butée *f*; **~rag○** *n* GB injur minable○ *mf* offensive

toff○† /tɒf/ *n* GB aristo○† *m*; **they're ~s** ce sont des gens de la haute○

toffee /ˈtɒfɪ, US ˈtɔːfɪ/ *n* (mixture, sweet) caramel *m* (au beurre)

(Idiom) **he can't sing/write for ~○** GB il est incapable de chanter/d'écrire

toffee: **~ apple** *n* pomme *f* d'amour *(caramélisée)*; **~-nosed○** *adj* GB péj snobinard○ pej

tofu /ˈtəʊfuː/ *n* tofu *m*

tog /tɒg/
A *n* (*also* **~ rating**) GB Tex ≈ indice *m* d'isolation du garnissage *(d'une couette)*
B ○**togs** *npl* GB fringues○ *fpl*, vêtements *mpl*; **swimming ~s** maillot *m* de bain.

(Phrasal verb) ■ **tog out○** GB (*p prés etc* **-gg-**): ▸ **~ [sb] out** habiller; **they were (all) ~ged out in tennis gear** ils étaient tous en tenue de tennis; **to ~ oneself out** se saper○

toga /ˈtəʊgə/ *n* toge *f*

together /təˈgeðə(r)/

> ⚠ *Together* in its main adverbial senses is almost always translated by *ensemble*.
> *together* frequently occurs as the second element in certain verb combinations (*get together, pull together, put together, tie together etc*). For translations for these, see the appropriate verb entry (**get, pull, tie** etc).
> For examples and further uses, see the entry below.

A *adv* 1▸ (as a pair or group) ensemble; **they're always ~** ils sont toujours ensemble; **we were in school ~** nous étions à l'école ensemble; **let's go there ~** allons-y ensemble; **they're not married but they're living ~** ils ne sont pas mariés mais ils vivent ensemble; **to get back ~ again** se remettre ensemble; **to be close ~** *[objects , trees, plants etc]* être rapprochés; **his eyes are too close ~** ses yeux sont trop rapprochés; **she's cleverer than all the rest of them put ~** elle est plus intelligente que tous les autres réunis; **acting ~, they could have prevented the invasion** en agissant conjointement, ils auraient pu empêcher l'invasion; **she kept the family ~ during the war** c'est grâce à elle que la famille s'en est sortie pendant la guerre; **we're all in this ~** nous sommes tous impliqués dans cette affaire; **they belong ~** (objects) ils vont ensemble; (people) ils sont faits l'un pour l'autre; **these two documents, taken ~, provide crucial evidence** à eux deux, ces documents fournissent des preuves décisives; **these findings, taken ~, indicate that** ces conclusions, considérées dans leur ensemble, indiquent que; **2** (so as to be joined) ensemble; **he nailed the two planks ~** il a cloué les deux planches ensemble; **his argument doesn't hold ~ very well** son argument ne tient pas vraiment debout; **3** (in harmony) **those colours don't go ~** ces couleurs ne vont pas ensemble; **the talks brought the two sides closer ~** les négociations ont rapproché les deux parties; **the soprano and the orchestra weren't quite ~** la soprano et l'orchestre n'étaient pas à l'unisson; **4** (at the same time) à la fois, en même temps; **they were all talking ~** ils parlaient tous à la fois *or* tous en même temps; **all my troubles seem to come ~** tous mes ennuis semblent arriver en même temps; **all ~ now!** tous ensemble maintenant!; **5** (without interruption) d'affilée; **for four days/three weeks ~** pendant quatre jours/trois semaines d'affilée

B ○*adj* équilibré; **he's a very ~ guy** c'est un mec○ très équilibré, c'est un mec○ qui est bien dans sa peau○

C together with *prep phr* (as well as) ainsi que, avec; (in the company of) avec; **he put his wallet, ~ with his passport, in his pocket** il a mis son portefeuille, ainsi que son passeport, dans sa poche; **I went there ~ with George** j'y suis allé avec George; **taken ~ with the rest of the evidence, this proves that he is guilty** si on ajoute ça aux autres preuves, cela prouve qu'il est coupable

(Idioms) **to get one's act ~, to get it ~**○ s'organiser

togetherness /tə'geðənɪs/ *n* (in team, friendship) camaraderie *f*; (in family, couple) intimité *f*

toggle /'tɒgl/ *n* **1** (fastening) bouton *m* de duffel-coat; **2** Naut (pin) cabillot *m*

toggle: **~ joint** *n* genouillère *f*, levier *m* articulé; **~ switch** *n* Comput, Elec interrupteur *m* à bascule

Togo /'təʊgəʊ/ ▸ p. 1096 *pr n* Togo *m*

toil /tɔɪl/

A *n* labeur *m*; **years of ~** des années de labeur

B toils *npl* fig littér rets *mpl* liter; **to be caught in the ~ of the law** être pris dans les rets des hommes de loi

C *vi* **1** (*also* **toil away**) (work) peiner (**at** sur; **to do** pour faire); **2** (struggle)[*person, horse*] **to ~ up the hill** monter péniblement la côte

toilet /'tɔɪlɪt/

A *n* **1** (lavatory) toilettes *fpl*, cabinets *mpl*; **to go to the ~** aller aux toilettes *ou* aux cabinets; **to sit on the ~** s'asseoir sur le siège des cabinets; **2** (room) toilettes *fpl*, cabinets *mpl*; **in the ~** aux toilettes *or* cabinets; **public ~(s)** toilettes publiques; **men's/women's ~(s)** toilettes *fpl* pour hommes/pour dames; **3** ‡(washing and dressing) toilette *f*

B *modif* [*bowl, cistern*] de la toilette

toilet: **~ bag** *n* trousse *f* de toilette; **~ paper, ~ tissue** *n* papier *m* toilette, papier *m* hygiénique

toiletries /'tɔɪlɪtrɪz/ *npl* articles *mpl* de toilette

toilet roll *n* **1** (roll) rouleau *m* de papier toilette *or* hygiénique; **2** (tissue) papier *m* toilette, papier *m* hygiénique

toilet: **~ seat** *n* lunette *f* de WC; **~ soap** *n* savon *m* de toilette

toilette‡ /twɑː'let/ *n* toilette *f*

toilet-train /'tɔɪlɪttreɪn/ *vtr* **to ~ a child** apprendre à un enfant à être propre; **he's not yet ~ed** il n'est pas encore propre

toilet: **~ training** *n* apprentissage *m* de la propreté; **~ water** *n* eau *f* de toilette

toing and froing /ˌtuːɪŋ ən 'frəʊɪŋ/ *n* **all this ~** toutes ces allées et venues

toke○ /təʊk/

A *n* bouffée *f* (d'une cigarette de marijuana)

B *vi* **to ~ on** tirer une bouffée de [*joint*]

token /'təʊkən/

A *n* **1** (for machine, phone) jeton *m*; **2** (product) point *m*; **'collect 12 Luxa ~s'**; 'collectionnez 12 points Luxa'; **book/record ~** chèque-cadeau *m* pour livre/pour disque; **3** (symbol) témoignage *m*; **a ~ of** un signe de [*esteem, gratitude, affection*]; **as a ~ of our esteem** en signe de notre estime; **but by the same ~...** mais de la même façon...; **and by the same ~...** et donc...; **4** Ling occurrence *f*

B *adj* gén péj [*army, payment, punishment, strike*] symbolique; **to make a ~ effort/gesture** faire un effort/un geste pour la forme; **she's the ~ woman/Left winger** c'est la femme/gauchiste de service

tokenism /'təʊkənɪzəm/ *n* péj **policy of ~** politique *f* de coopération symbolique; **he has been accused of ~** (performer) on l'a accusé de faire cela pour la forme

token money *n* Fin monnaie *f* fiduciaire

Tokyo /'təʊkjəʊ/ ▸ p. 1815 *pr n* Tokyo

told /təʊld/ *prét, pp* ▸ **tell**

Toledo /tə'leɪdəʊ, tə'liːdəʊ/ ▸ p. 1815 *pr n* Tolède

tolerable /'tɒlərəbl/ *adj* **1** (bearable) tolérable; **2** (adequate) acceptable

tolerably /'tɒlərəblɪ/ *adv* [*well*] plutôt, assez; [*certain, confident, content, comfortable*] assez, relativement

tolerance /'tɒlərəns/ *n* **1** (broad-mindedness) tolérance *f* (**of, for** de; **towards** à l'égard de); (understanding, patience) indulgence *f* (**towards** pour, envers); **to show ~** faire preuve de tolérance *or* d'indulgence; **2** (resistance) tolérance *f* (**of** de); **~ to** tolérance à [*alcohol, cold*]; **3** Med (of body) tolérance *f* (**to** à); **drug ~** accoutumance *f* à une drogue; **4** Phys, Tech (endurance) résistance *f*; **5** Math, Stat (variation) (marge *f* de) tolérance *f*

tolerant /'tɒlərənt/ *adj* **1** (in attitude) tolérant (**of** vis-à-vis de; **towards** à l'égard de); **a racially ~ society** une société sans préjugés racistes; **2** (resilient) [*plant, substance*] résistant (**of** à)

tolerantly /'tɒlərəntlɪ/ *adv* [*accept, treat*] avec tolérance; [*smile*] avec indulgence

tolerate /'tɒləreɪt/ *vtr* **1** (permit) tolérer [*attitude, difference, person, action*]; **2** (put up with) supporter [*temperature, isolation, trait, treatment*]); **to ~ doing** supporter de faire; **3** Med tolérer, supporter [*drug, treatment*]; **4** Hort (withstand) résister à [*frost etc*]

toleration /ˌtɒlə'reɪʃn/ *n* tolérance *f*

toll /təʊl/

A *n* **1** (number) **the ~ of** le nombre de [*victims, incidents, cases*]; **death ~** nombre *m* de victimes (**from** de); **accident ~** nombre *m* d'accidentés; **2** (levy) (on road, bridge) gen, Transp péage *m*; **to pay a ~** acquitter un péage; **to collect ~s** percevoir le péage; **3** (of bell) gen son *m*; (for funeral) glas *m*; **4** US Telecom taxe *f* d'appel

B *vtr* sonner [*bell*]

C *vi* sonner; **the bell ~ed for the dead** le glas sonnait pour les morts

(Idioms) **to take a heavy ~** (on lives) faire beaucoup de victimes; (on industry, environment) causer beaucoup de dégâts; **to take its** *ou* **their ~** [*earthquake, disease, economic factors*] faire des ravages; **the trip/the experience took its ~ on them** le voyage/l'expérience les a rudement mis à l'épreuve

toll: **~booth** *n* poste *m* de péage; **~ bridge** *n* pont *m* à péage; **~ call** *n* US communication *f* interurbaine

toll-free /ˌtəʊl'friː/ US

A *adj* [*call, number*] gratuit; [*journey, crossing*] gratuit

B toll free *adv* [*phone*] gratuitement

toll: **~ gate** *n* barrière *f* de péage; **~house** *n* péage *m*; **~ keeper** *n* Hist péager/-ère *m/f*; **~ road** GB, **~way** US *n* route *f* à péage

tom /tɒm/ *n* **1** Zool matou *m*; **2** ○US injur (black person) bon nègre○ *m* offensive

Tom /tɒm/ *pr n*

(Idioms) **every ~, Dick and Harry**○ n'importe qui; **to go out with every ~, Dick and Harry**○ frayer avec Pierre, Paul et Jacques○

tomahawk /'tɒməhɔːk/ *n* tomahawk *m*, hache *f* de guerre

tomato /tə'mɑːtəʊ, US tə'meɪtəʊ/

A *n* (*pl* **~es**) **1** (fruit) tomate *f*; **2** (*also* **~ plant**) tomate *f*

B *modif* [*puree, skins*] de tomate; [*juice, salad*] de tomates; [*sandwich, soup*] à la tomate; **~ ketchup** ketchup *m*; **~ sauce** sauce *f* tomate

tomb /tuːm/ *n* tombeau *m*

tombac /'tɒmbæk/ *n* tombac *m*, laiton *m*

tombola /tɒm'bəʊlə/ *n* tombola *f*

tomboy /'tɒmbɔɪ/ *n* garçon *m* manqué; **to be something of a ~** être un peu garçon manqué

tomboyish /'tɒmbɔɪɪʃ/ *adj* [*behaviour*] garçonnier/-ière; [*clothes*] de garçon manqué; [*haircut*] à la garçonne; **to be ~** être garçon manqué

tombstone /'tuːmstəʊn/ *n* pierre *f* tombale

tomcat /'tɒmkæt/

A *n* **1** Zool matou *m*; **2** ○US (promiscuous man) cavaleur○ *m*

B ○*vi* US (*p prés etc* **-tt-**) courir les filles

tome /təʊm/ *n* gros volume *m*

tomfool /tɒm'fuːl/ *adj* [*idea, plan*] absurde

tomfoolery /tɒm'fuːlərɪ/ *n* pitreries *fpl*, âneries *fpl*

Tommy○† /'tɒmɪ/ *n* GB simple soldat *m* (de l'armée britannique)

Tommy gun○† *n* mitraillette *f*

tommyrot○† /'tɒmɪrɒt/ *n* balivernes *fpl*, inepties *fpl*

tomodensitometry /ˌtəʊməʊdensɪ'tɒmɪtrɪ, ˌtɒm-/ *n* Med tomodensitométrie *f*

tomography /tə'mɒgrəfɪ/ *n* tomographie *f*

tomorrow /tə'mɒrəʊ/ ▸ p. 1116, p. 1882

A *n* **1** lit demain *m*; **~'s Monday** demain c'est lundi; **~'s newspaper** le journal de demain; **what's ~'s date?** on sera le combien demain○?, quel jour serons-nous demain?; **~ will be a difficult day** la journée de demain sera difficile; **who knows what ~ may bring?** de quoi demain sera-t-il fait?; **I'll do it by ~** je le ferai d'ici demain; **2** fig **~'s world/citizens** le monde/les citoyens de demain

B *adv* **1** lit demain; **see you ~!** à demain!; **~ week, a week ~** demain en huit, dans une semaine demain; **he came a month ago ~** il est venu cela fera un mois demain; **all day ~** toute la journée demain; **early/late ~** tôt/tard dans la journée de demain; **as from ~** à partir de demain, dès demain; **first thing ~** dès demain; **2** fig demain

(Idioms) **~ is another day** demain il fera jour; **never put off till ~ what can be done today** Prov il ne faut jamais remettre au lendemain ce qu'on peut faire le jour même Prov; **to live like there was no ~** vivre comme si demain on devait mourir

tomorrow: **~ afternoon** *n, adv* demain après-midi; **~ evening** *n, adv* demain soir;

t

~ **morning** *n, adv* demain matin

Tom Thumb /ˌtɒm ˈθʌm/ *n* Tom Pouce *m*

tomtit /ˈtɒmtɪt/ *n* GB mésange *f*

tom-tom /ˈtɒmtɒm/ *n* tam-tam *m*

ton /tʌn/ ► p. 1883, p. 1029 *n* 1 (in weight) GB (*also* **gross** *ou* **long** ~) ≈ *1 016 kg*; US (*also* **net** *ou* **short** ~) ≈ *907 kg*; **metric** ~ tonne *f*, 1000 kg; **a three-~ truck** un camion de trois tonnes; **to weigh a** ~ *ou* **be a** ~ **weight** GB fig peser une tonne; 2 Naut (in volume) tonneau *m*; **freight/register** ~ tonneau *m* d'affrètement/de jauge; **displacement** ~ tonne *f* de déplacement; 3 ○(a lot) **a** ~ **of** plein de○, un tas de○ [*books, papers etc*]; **~s of** des tas de○, plein de○ [*food, paper, bands*]; **we've ~s left** il nous en reste plein○; **her new car is ~s better than the other one** sa nouvelle voiture est mille fois mieux que l'autre

(Idioms) **they'll come down on us like a** ~ **of bricks** ils vont nous tomber dessus○; **to do a** ~○ GB faire du cent soixante à l'heure○

tonal /ˈtəʊnl/ *adj* tonal

tonality /təˈnælətɪ/ *n* tonalité *f*

tonally /ˈtəʊnəlɪ/ *adv* tonalement

tondo /ˈtɒndəʊ/ *n* (*pl* **-di**) (painting) tondo *m*; (carving) médaillon *m*

tone /təʊn/

A *n* 1 Mus, gen (quality of sound) timbre *m*; (of radio, TV) son *m*; 2 (character of voice) ton *m*; **his** ~ **of voice** son ton; **in a defiant** ~ d'un ton provocant; **don't speak to me in that** ~ **(of voice)** ne me parle pas sur ce ton; **in angry/serious ~s** avec colère/avec sérieux; 3 (character) (of letter, speech, meeting) ton *m*; **to set the** ~ donner le ton à (**for** à); **to lower the** ~ **of** rabaisser le niveau de [*conversation*]; dégrader l'image de [*area*]; 4 (colour) ton *m*, couleur *f*; 5 Telecom tonalité *f*; 6 Physiol tonus *m*; 7 Mus (interval) ton *m*; 8 Ling ton *m*

B *vtr* 1 Physiol (*also* ~ **up**) donner du tonus à, tonifier [*body, muscle, thigh*]; 2 Cosmet tonifier [*skin*]

C *vi* (*also* **~in**) (blend) [*colours*] s'harmoniser (**with** avec)

(Phrasal verb) ■ **tone down**: ► ~ **[sth] down**, ~ **down [sth]** lit atténuer [*colours*]; fig atténuer [*criticism, remark*] adoucir le ton de [*letter, statement*]; adoucir [*policy, attitude*]

tone: ~ **arm** *n* Audio bras *m* de lecture; ~ **colour** GB, ~ **color** US *n* Mus timbre *m*; ~ **control (button)** *n* Audio bouton *m* de réglage de la tonalité

toned-down /ˌtəʊndˈdaʊn/ *adj* lit, fig atténué

tone-deaf /ˌtəʊnˈdef/ *adj* Mus **to be** ~ ne pas avoir l'oreille musicale

tone language *n* langue *f* à tons

toneless /ˈtəʊnlɪs/ *adj* atone

tonelessly /ˈtəʊnlɪslɪ/ *adv* [*say*] d'une voix atone

tone poem *n* Mus poème *m* symphonique

toner /ˈtəʊnə(r)/ *n* 1 (for photocopier) encre *m*; 2 Cosmet lotion *f* tonique

Tonga /ˈtɒŋgə/ ► p. 1096, p. 1355 *pr n* Tonga *fpl*; **the** ~ **islands** les îles Tonga

Tongan /ˈtɒŋgən/ ► p. 1467, p. 1378

A *n* 1 (native) tonguien/-ienne *m/f*; 2 (language) tongan *m*

B *adj* Tonguien/-ienne

tongs /tɒŋz/ *npl* (for coal) pincettes *fpl*; (in laboratory) pince *f*; (for hair) fer *m* à friser; (for salad) pinces *fpl* à salade; (for sugar) pince *f* (à sucre); **a pair of (coal)** ~ des pincettes

(Idiom) **to go at it hammer and** ~ se disputer violemment

tongue /tʌŋ/

A *n* 1 Anat, fig langue *f*; **to poke** *ou* **stick out one's** ~ **at sb** tirer la langue à qn; **his** ~ **was hanging out** il tirait la langue; **to click one's** ~ faire claquer sa langue; **to lose/find one's** ~ avaler/retrouver sa langue; **the tip of the** ~ le bout de la langue; 2 (language) langue *f*; **mother** ~ langue *f* maternelle; **native** ~ langue *f* d'origine; **to speak in ~s** Relig parler en langues; **to speak in a foreign** ~ parler une langue étrangère; 3 Culin langue *f*; **ox** ~ langue *f* de bœuf; 4 (flap) (on shoe) languette *f*; 5 (of flame, land) langue *f*

B *vtr* Mus détacher [*note, passage*]

(Idioms) **to bite one's** ~ se mordre la langue; **has the cat got your** ~○**?** tu as avalé ta langue?; **to get the rough side** *ou* **edge of sb's** ~ subir les paroles désobligeantes de qn; **to give sb a ~-lashing** faire des remarques cinglantes à qn; **I have his name on the tip of my** ~ j'ai son nom sur le bout de la langue; **to trip off the** ~ [*name, lie*] venir tout seul; **to loosen sb's** ~ délier la langue de qn; **I can't get my** ~ **round it** je n'arrive pas à le prononcer; **a slip of the** ~ un lapsus; **hold your** ~○**!** tiens ta langue!; **watch your ~!** surveille tes paroles!; **keep a civil** ~ **in your head** sois poli

tongue-and-groove /ˌtʌŋənˈgruːv/ *adj* à rainure et languette

tongue-in-cheek /ˌtʌŋɪnˈtʃiːk/ *adj, adv* au deuxième degré

tongue: ~ **stud** *n* clou *m* de langue; **~-tied** *adj* muet/-ette; **~-twister** *n*: *phrase amusante pour exercice de diction*; **~-twisting** *adj* difficile à articuler

tonic /ˈtɒnɪk/

A *n* 1 (drink) Schweppes® *m*; **a gin and** ~ un gin tonic; 2 Med, fig remontant *m*, tonique *m*; **he's a real** ~ il est plein d'entrain; **to be a** ~ **for sb** [*news, praise*] remonter le moral de qn; 3 Mus tonique *f*; 4 Ling (syllabe *f*) tonique *f*

B *adj* tonique; ~ **wine** vin *m* tonique

tonicity /təˈnɪsətɪ/ *n* tonicité *f*

tonic: ~ **sol-fa** *n* Mus *méthode de solfège chanté*; ~ **water** *n* eau *f* tonique, tonic *m*, Schweppes® *m*

tonight /təˈnaɪt/

A *n* **~'s concert/events/programme** le concert/les événements/le programme de ce soir

B (this evening) *adv* ce soir; (after bedtime) cette nuit; **you'll sleep well ~!** tu vas bien dormir cette nuit!

toning /ˈtəʊnɪŋ/

A *adj* [*colours, furniture, clothes*] harmonisé

B *modif* [*gel, cream*] tonifiant

toning-down /ˌtəʊnɪŋˈdaʊn/ *n* atténuation *f*

tonnage /ˈtʌnɪdʒ/ *n* 1 (ship's capacity) tonnage *m* (**of** de); **gross (register)** ~ jauge *f* brute; **register** ~ tonnage *m* de jauge; 2 (amount of shipping) tonnage *m*; 3 (total weight) volume *m*

tonnage dues *npl* droits *mpl* de tonnage

tonne /tʌn/ ► p. 1883 *n* tonne *f*

tonneau /ˈtɒnəʊ/ *n* (*pl* **~s** *ou* **~x**) (*also* **~cover**) capote *f*, bâche *f*

tonner /ˈtʌnə(r)/ *n* (*dans composés*) 1 Naut **a one-~** un yacht d'un tonneau; **a 1,000-~** un navire de 1 000 tonneaux; 2 Transp **a 40-~** un camion de 40 tonnes

tonometer /təˈnɒmɪtə(r)/ *n* 1 Mus diapason *m* chromatique; 2 Med tonomètre *m*

tonsil /ˈtɒnsl/ *n* amygdale *f*; **to have one's ~s out** se faire opérer des amygdales

tonsillectomy /ˌtɒnsɪˈlektəmɪ/ *n* amygdalectomie *f*

tonsillitis /ˌtɒnsɪˈlaɪtɪs/ ► p. 1327 *n* amygdalite *f*; **to have** ~ avoir une amygdalite

tonsure /ˈtɒnʃə(r)/ *n* tonsure *f*

tonsured /ˈtɒnʃəd/ *adj* tonsuré

tontine /tɒnˈtiːn/ *n* tontine *f*

Tony /ˈtəʊnɪ/ *n* US Tony *m* (*palmarès de théâtre décerné à Broadway*)

too /tuː, tʊ, tə/ *adv*

> ⚠ When *too* means *also* it is generally translated by *aussi*: *me too* = moi aussi; *can I have some too?* = est-ce que je peux en avoir aussi?
>
> When *too* means *to an excessive degree* (*too high, too dangerous*) it is translated by *trop*: trop haut, trop dangereux.
>
> For examples of the above and further usages, see the entry below.

1 (also, as well) aussi; **you** ~ **could be a winner!** vous aussi, vous pourriez réussir!; **'I love you'—'I love you** ~**'** 'je t'aime'—'moi aussi, je t'aime'; **have you been to India ~?** (like me) est-ce que toi aussi tu es allé en Inde?; (as well as other countries) est-ce que tu es allé en Inde aussi?; **he speaks French, German** ~ il parle français et allemand aussi; **the town has changed, so** ~ **have the inhabitants** la ville a changé, les habitants aussi; **'have a nice evening'—'you ~!'** 'bonne soirée'—'toi aussi!'; **she's kind but she's strict** ~ elle est gentille mais elle est stricte

2 (reinforcing an opinion) **you should talk to someone—and soon** ~ il faudrait que tu en parles à quelqu'un et sans tarder; **Marie cooked the meal—and very tasty it is ~!** Marie a préparé le repas—c'est vraiment très bon!; **'she was very annoyed and quite right ~!'** 'elle était vraiment agacée et il y avait de quoi!'; **they sacked him and quite right ~!** ils l'ont viré et ils ont bien fait!

3 (expressing indignation, annoyance) **'they're here'—'about time ~!'** 'ils sont là'—'il est bien temps! '; **'I'm sorry'—'I should think so ~!'** 'je m'excuse'—'j'espère bien!'; **it was such a smart jacket, expensive** ~ c'était une si belle veste, et chère en plus; **...and in front of your mother ~!** ...et devant ta mère en plus *or* par-dessus le marché!

4 (excessively) trop; **the coat is** ~ **big for him** le manteau est trop grand pour lui; **just** ~ **big/nosy** bien trop grand/curieux; **it's** ~ **early to leave** il est trop tôt pour partir; **it's** ~ **early for them to leave** il est trop tôt pour qu'ils partent (*subj*); **the tray was** ~ **heavy for me to carry** le plateau était trop lourd pour moi; **it's** ~ **easy (for them) to criticize** c'est trop facile (pour eux) de critiquer; **I was** ~ **shocked to speak** j'étais trop choqué pour parler; **it's** ~ **hot a day for walking** il fait trop chaud pour marcher aujourd'hui; **it's** ~ **fast a game for me** c'est un jeu trop rapide pour moi; ~ **many/~ few people** trop de/trop peu de gens; ~ **much traffic** trop de circulation; **I ate** ~ **much** j'ai trop mangé; **it's** ~ **much of a strain** c'est trop stressant; **she's** ~ **much of a feminist/a diplomat to do** elle est trop féministe/diplomate pour faire; **he was in** ~ **much of a hurry to talk** il était trop pressé pour parler; ~ **silly for words** d'une bêtise sans nom; **it was** ~ **little** ~ **late** c'était trop peu trop tard; **the measures were** ~ **little** ~ **late** les mesures étaient insuffisantes et avaient été prises trop tard

5 (emphatic: very) trop; **you're** ~ **kind!** aussi hum, iron vous êtes trop aimable!; **they'll be only** ~ **pleased to help** ils seront trop contents *or* ils seront ravis de rendre service; **he's only** ~ **ready to criticize** il ne rate pas une occasion de critiquer; **she hasn't been** ~ **well recently** elle n'est pas vraiment en forme ces temps-ci; **that's** ~ **bad!** (a pity) c'est tellement dommage!; (tough) tant pis!; **'so you're annoyed'—'~ right (I am)!'** 'alors tu es fâché'—'et comment!'; ► **all**, **only**

6 (in negatives) trop; **he's not** ~ **mad about jazz** il n'aime pas trop le jazz; **he didn't do** ~ **bad a job** il ne s'est pas trop mal débrouillé; **it wasn't** ~ **bad** [*film, trip*] ce n'était pas trop mal; **you weren't** ~ **bad at all!** tu n'étais pas mal du tout!; **he wasn't** ~ **bad** (in health) il n'allait pas trop mal; (in

appearance) il n'était pas trop mal; (in his reactions) il n'était pas trop désagréable; **we're not ~ thrilled** on ne peut pas dire que nous soyons ravis; **I'm not ~ sure about that** je n'en suis pas si sûr; **it's not ~ far removed from blackmail** c'est presque du chantage; **'they've arrived'—'none ~ soon!'** 'ils sont arrivés'—'ce n'est pas trop tôt'
7 ○(contradicting: so) **'you don't know how to swim'—'I do ~!'** 'tu ne sais pas nager'—'bien sûr que si je sais!'; **'he didn't pinch you'—'he did ~!'** 'il ne t'a pas pincé'—'si d'abord○!'

took /tʊk/ *prét* ▸ **take**

tool /tu:l/
A *n* 1 gen, Comput outil *m*; **a set of ~s** un outillage, un jeu d'outils; **garden ~s** outils de jardinage; 2 (aid) outil *m*, instrument *m*; **an essential ~ in the classroom** un outil essentiel pour la classe; **management ~s** instruments *mpl* de gestion; 3 péj (puppet) instrument *m*; **to be a mere ~ in the hands of** être un simple instrument au service *or* entre les mains de; 4 ◑(penis) engin◑ *m*, pénis *m*
B *vtr* travailler, repousser [*leather*]
C *vi*○† (*also* **~ along**) rouler tranquillement
D tooled *pp adj* [*leather, metal*] travaillé, repoussé
(Idioms) **the ~s of the trade** les outils du métier; **to down ~s** GB (go on strike) se mettre en grève; (take break from work) arrêter de travailler
(Phrasal verb) ■ **tool up**: ▸ **~ up** s'équiper (**to do** pour faire); ▸ **~ up [sth], ~ [sth] up** équiper [*plant, factory*]

tool: **~ bag** *n* trousse *f* à outils; **~box** *n* boîte *f* à outils; **~ case** *n* petite boîte *f* à outils; **~ chest** *n* caisse *f* à outils; **~ house** *n* US = **tool shed**

tooling /'tu:lɪŋ/ *n* ¢ (on leather) repoussage *m*; (on book cover) dorure *f*

tool: **~ kit** *n* trousse *f* à outils; **~maker** *n* outilleur *m*; **~ making** *n* outillage *m*; **~room** *n* atelier *m* d'outillage; **~ shed** *n* cabane *f* à outils

tooltip /'tu:ltɪp/ *n* Comput infobulle *f*

toonie○ /'tu:nɪ/ *n* Can *pièce f de deux dollars*

toot /tu:t/
A *n* 1 (sound) (of car-horn) coup *m* de klaxon®; (of train whistle) coup *m* de sifflet; 2 onomat **~! ~!** tut! tut! tut!; 3 ○US (snort of cocaine) sniff○ *m*, prise *f* de cocaïne; 4 ○US (drinking spree) beuverie *f*; **to go on a ~**○ se prendre une cuite○
B *vtr* **to ~ one's horn** donner un coup de klaxon® (**at** à)
C *vi* [*car horn*] klaxonner; [*train*] donner un coup de sifflet

tooth /tu:θ/
A *n* (*pl* **teeth**) (of person, animal, comb, zip, saw) dent *f*; **set of teeth** (one's own) denture *f*, dentition *f*; (false) dentier *m*; **to bare** *ou* **show one's teeth** lit, fig montrer les dents; **to mutter between one's teeth** murmurer entre ses dents; **to flash one's teeth at sb** sourire à qn de toutes ses dents; **to cut one's teeth** lit faire *or* percer ses dents; **to cut one's teeth on** fig se faire les dents sur
B -toothed (*dans composés*) **fine-/wide-~ed comb** peigne *m* fin/à dents larges
(Idioms) **to be a bit long in the ~** ○ n'être plus tout jeune; **to be fed up to the back teeth** en avoir marre○ *or* ras le bol○ (**of, with de**); **to do sth in the teeth of** faire qch malgré *or* en dépit de; **to have teeth** avoir du pouvoir; **to give sth teeth** donner plus de poids à qch; **to get one's teeth into sth** s'investir (à fond) dans qch; **it's a job she can get her teeth into** c'est un travail dans lequel elle peut s'investir; **to lie through one's teeth** mentir effrontément *or* comme un arracheur de dents○; **to set sb's teeth on edge** taper sur les nerfs○ de qn, agacer qn; **to throw sth in sb's teeth** reprocher qch à qn

toothache /'tu:θeɪk/ *n* mal *m* de dents; (severe) rage *f* de dents; **to have (a) ~** avoir mal aux dents

tooth: **~brush** *n* brosse *f* à dents; **~ decay** *n* carie *f* dentaire; **~ fairy** *n* petite souris *f*; **~ glass** *n* verre *m* à dents

toothless /'tu:θlɪs/ *adj* 1 [*grin, person*] édenté; 2 fig (ineffectual) [*law, organisation*] inefficace

tooth: **~ mug** *n* = **tooth glass**; **~paste** *n* dentifrice *m*; **~pick** *n* cure-dents *m*; **~powder** *n* poudre *f* dentifrice

toothsome /'tu:θsəm/ *adj* hum [*dish, food*] savoureux/-euse, succulent; [*person*] beau/belle à croquer○

toothy /'tu:θɪ/ *adj* **to give a ~ grin** sourire de toutes ses dents

tootle○ /'tu:tl/ *vi* 1 GB (go) faire un petit tour; **I'll just ~ into town/down to the shops** je vais faire un petit tour en ville/jusqu'aux magasins; 2 (on musical instrument) gen jouer un petit air (**on sur**)

toots○ /tʊts/ *n* ma belle

tootsy○, **tootsie**○ /'tʊtsɪ/ *n* 1 lang enfantin (toe) doigt *m* de pied; (foot) peton○ *m*, pied *m*; 2 = **toots**

top /tɒp/
A *n* 1 (highest or furthest part) (of page, ladder, stairs, wall) haut *m*; (of list) tête *f*; (of mountain, hill) sommet *m*; (of garden, field) (autre) bout *m*; **eight lines from the ~** à la huitième ligne à partir du haut de la page; **at the ~ of** en haut de [*page, stairs, street, scale*]; au sommet de [*hill*]; en tête de [*list*]; **at the ~ of the building** au dernier étage de l'immeuble; **at the ~ of the table** à la place d'honneur; **to be at the ~ of one's list** fig venir en tête de sa liste; **to be at the ~ of the agenda** fig être une priorité
2 fig (highest echelon, position) **to aim for the ~** viser haut; **to be at the ~ of one's profession** être tout en haut de l'échelle fig; **life can be tough at the ~** il n'est pas toujours facile d'être en haut de l'échelle; **to get to** *ou* **make it to the ~** réussir; **to be ~ of the class** être le premier/la première de la classe; **to be ~ of the bill** Theat être la tête d'affiche
3 (surface) (of table, water) surface *f*; (of box, cake) dessus *m*; **to float to the ~** flotter à la surface
4 (upper part) partie *f* supérieure; **the ~ of the façade/of the building** la partie supérieure de la façade/du bâtiment; **the ~ of the milk** la crème du lait
5 (cap, lid) (of pen) capuchon *m*; (of bottle) gen bouchon *m*; (with serrated edge) capsule *f*; (of paint-tin, saucepan) couvercle *m*;
6 Fashn haut *m*; **a sleeveless summer ~** un haut sans manches pour l'été
7 Aut (*also* **~ gear**) (fourth) quatrième (vitesse) *f*; (fifth) cinquième (vitesse) *f*; **to be in ~** être en quatrième *or* cinquième
8 Bot (of vegetable) fane *f*; **carrot ~s** fanes de carottes
9 (toy) toupie *f*
B *adj* 1 (highest) [*step, storey*] dernier/-ière; [*bunk*] de haut; [*button, shelf*] du haut; [*division*] Sport premier/-ière; [*layer*] supérieur; [*concern, priority*] fig majeur; **in the ~ left-hand corner** en haut à gauche; **the ~ corridor** le couloir du dernier étage; **the ~ notes** Mus les notes les plus hautes; **the ~ tax band** la catégorie des plus imposables; **to pay the ~ price for sth** [*buyer*] acheter qch au prix fort; **'we pay the ~ prices'** 'nous achetons aux meilleurs prix'; **to be in the ~ class at primary school** être en cours moyen 2ème année; **to get ~ marks** Sch avoir dix sur dix *ou* vingt sur vingt; fig **~ marks to the company for its initiative** vingt sur vingt à l'entreprise pour son initiative
2 (furthest away) [*field, house*] du bout
3 (leading) [*adviser, authority, agency*] plus grand; [*job*] élevé; **one of their ~ chefs/soloists** l'un de leurs plus grands chefs/solistes; **it's one of the ~ jobs** c'est un des postes les plus élevés; **~ people** les gens importants; (bureaucrats) les hauts fonctionnaires; **to be in the ~ three** être dans les trois premiers
4 (best) [*wine, choice, buy, restaurant*] meilleur
5 (upper) [*lip*] supérieur; **the ~ half of the body** le haut du corps; **on her ~ half, she wore...** comme haut elle avait mis...
6 (maximum) [*speed*] maximum; **we'll have to work at ~ speed** nous allons devoir travailler le plus vite possible
C on top of *prep phr* 1 lit sur [*cupboard, fridge, layer*]
2 fig (close to) **the car was suddenly right on ~ of me**○ soudain la voiture était sur moi; **to live on ~ of each other** vivre les uns sur les autres
3 fig (in addition to) en plus de [*salary, workload*]; **on ~ of everything else I have to do** en plus de tout ce que j'ai à faire
4 fig (in control of) **to be on ~ of a situation** contrôler la situation; **to get on ~ of inflation** maîtriser l'inflation; **you can never really feel on ~ of this job** dans ce métier on se sent toujours un peu dépassé; **things are getting on ~ of her** (she's depressed) elle est déprimée; (she can't cope) elle ne s'en sort plus
D *vtr* (*p prés etc* **-pp-**) 1 (head) être en tête de [*charts, polls*]
2 (exceed) dépasser [*sum, figure, contribution*]
3 (cap) renchérir sur [*story, anecdote*]
4 (finish off) gen compléter [*building, creation*] (**with** par); Culin recouvrir [*cake, dish, layer*] (**with** de); **cake ~ped with frosting** gâteau recouvert d'un glaçage; **each cake was ~ped with a cherry** chaque petit gâteau avait une cerise dessus; **a mosque ~ped with three domes** une mosquée surmontée de trois coupoles
5 ○(kill) dégommer○, tuer [*person*]
E ○*v refl* (*p prés etc* **-pp-**) **to ~ oneself** se suicider
(Idioms) **on ~ of all this, to ~ it all** (after misfortune) par-dessus le marché○; **from ~ to bottom** de fond en comble; **not to have very much up ~**○ n'avoir rien dans le ciboulot○; **to be over the ~** *ou* **OTT**○ (in behaviour, reaction) être exagéré; **he's really over the ~**○**!** il exagère! il pousse○!; **to be the ~s**○† être formidable; **to be/stay on ~** avoir/garder le dessus; **to be ~ dog** être le chef; **to come out on ~** (win) l'emporter; (survive, triumph) s'en sortir; **to feel on ~ of the world** être aux anges; Mil **to go over the ~** monter à l'assaut; **to say things off the ~ of one's head** (without thinking) dire n'importe quoi; **I'd say £5,000, but that's just off the ~ of my head** (without checking) moi, je dirais £5000, mais c'est approximatif; **to shout at the ~ of one's voice** crier à tue-tête; **to sleep like a ~** dormir comme un loir
(Phrasal verbs) ■ **top out**: ▸ **~ out [sth]** mettre la dernière pierre à [*building*]
■ **top off**: ▸ **~ off [sth], ~ [sth] off** compléter [*meal, weekend, outing, creation*] (**with** par); **shall we ~ off our evening with a glass of champagne?** si on complétait la soirée par un verre de champagne?
■ **top up** to **~ up with petrol** faire le plein; ▸ **~ up [sth], ~ [sth] up** remplir (à nouveau) [*tank, glass*]; recharger [*mobile phone*]; ajouter de l'eau à [*battery*]; **may I ~ you up**○**?** je vous en remets?

top-and-tail /ˌtɒpən'teɪl/ *vtr* équeuter [*currants, gooseberries*]; effiler [*beans*]

topaz /'təʊpæz/ *n, adj* topaze (*f*) *inv*

top: **~ banana**○ *n* US gros bonnet *m*; **~-boot** *n* botte *f*; **~-box** *n* (on motorbike) top-case *m*; **~ brass**○ *n* (+ *v pl*) huiles○ *fpl*; **~ class** *adj* [*race, athletics, professional*] de premier ordre; **~coat** *n* pardessus *m*; **~ copy** *n* original *m*; **~ dollar** *adv phr* **to pay ~ dollar** payer le prix fort; **to sell at ~ dollar** vendre au prix fort

t

top-down /ˈtɒpdaʊn/ *adj* **1** Comput [*design*] de haut en bas; **2** fig [*management*] directif/-ive

top-drawer○† /ˌtɒpˈdrɔː(r)/ *adj* [*family*] très bourgeois; **to be ~** faire partie de la haute

top: **~-dress** *vtr* fumer [qch] en surface [*soil*]; **~dressing** *n* (substance) engrais *m* de surface; (process) fumure *f* en surface

toper○† /ˈtəʊpə(r)/ *n* soiffard/-e○† *m/f*

top: **~-flight** *adj* de premier ordre; **~ hat** *n* haut-de-forme *m*

top-heavy /ˌtɒpˈhevɪ/ *adj* **1** [*structure, object*] lourd du haut, déséquilibré; **2** fig [*firm, bureaucracy*] mal équilibré (*ayant trop de cadres par rapport aux employés subalternes*)

top-hole○† /ˈtɒphəʊl/ *adj* GB formidable

topiary /ˈtəʊpɪərɪ, US -ɪerɪ/
A *n* topiaire *f*
B *modif* [*bush, conifer*] taillé; [*garden*] d'arbustes taillés

topic /ˈtɒpɪk/ *n* **1** (subject) (of conversation, discussion, conference) sujet *m*; (of essay, research, project) thème *m*; **2** Sch (project) projet *m*

topical /ˈtɒpɪkl/ *adj* d'actualité; **she made a ~ allusion to the problem** elle a fait référence à l'actualité en parlant du problème; **of ~ interest** d'actualité

topicality /ˌtɒpɪˈkælətɪ/ *n* actualité *f*

topic sentence *n* US phrase *f* d'introduction

topknot /ˈtɒpnɒt/ *n* chignon *m* (haut sur la tête)

topless /ˈtɒplɪs/ *adj* [*model*] aux seins nus; [*bar*] où les serveuses ont les seins nus; **'~ bathing forbidden'** 'le topless est interdit'; **~ swimsuit** monokini *m*

top: **~-level** *adj* [*talks, negotiations*] au plus haut niveau; **~-loader** *n* machine *f* à laver à charger par le dessus; **~ management** *n* (haute) direction *f*; **~ mast** *n* mât *m* de hune; **~most** *adj* [*branch, fruit*] le/la plus haut/-e; **~-notch** *adj* [*business, executive*] de premier ordre; **~-of-the-range** *adj* [*model*] haut de gamme *inv*

topographer /təˈpɒgrəfə(r)/ *n* topographe *mf*

topographic(al) /ˌtɒpəˈgræfɪk(l)/ *adj* topographique

topography /təˈpɒgrəfɪ/ *n* topographie *f*

topper○ /ˈtɒpə(r)/ *n* **1** (hat) chapeau *m* haut-de-forme; **2** (success) **chart ~** premier *m* au hit-parade; **3** US (joke etc) **that's a ~!** c'est le comble!

topping /ˈtɒpɪŋ/
A *n* (of jam, cream) nappage *m*; (for pizza) garniture *f*; **with a ~ of bread crumbs** recouvert d'une couche de chapelure
B ○†GB *adj* chouette○

topple /ˈtɒpl/
A *vtr* renverser, faire tomber [*object*]; détruire [*building*]; fig renverser [*leader, government*]
B *vi* (sway) [*vase, pile of books*] vaciller; (fall) (*also* **~ over**) [*vase*] basculer, se renverser; [*pile of books*] s'effondrer; [*person*] basculer, tomber; fig [*government, regime*] tomber; **he ~d over the edge** il a basculé dans le vide; **to ~ over the edge of** tomber de [*cliff, table*]

top: **~-ranking** *adj* important; **~sail** *n* hunier *m*; **~ secret** *adj* ultrasecret; **~ security** *adj* [*prison, wing, building*] de haute sécurité; **~side** *n* Culin gîte *m* à la noix; **~soil** *n* couche *f* arable; **~ spin** *n* lift *m*

topsy-turvy○ /ˌtɒpsɪˈtɜːvɪ/ *adj, adv* sens dessus dessous; **our plans have been thrown ~** nos projets ont été chamboulés○; **it's a ~ world** on vit vraiment dans un drôle de monde

top ten /ˌtɒpˈten/ *n* les dix premiers au hit-parade

top-up○ /ˈtɒpʌp/ *n* **who's ready for a ~?** qui en veut encore?

top-up: **~ card** *n* Telecom carte *f* de recharge; **~ loan** *n* prêt *m* complémentaire

toque /təʊk/ *n* **1** gen toque *f*; **2** Can (knitted hat) bonnet *m*

tor /tɔː(r)/ *n* tor *m*

torch /tɔːtʃ/
A *n* (burning) flambeau *m*, torche *f*; GB (flashlight) torche *f* *or* lampe *f* (électrique), lampe *f* de poche; **she shone the ~ into the room** elle a éclairé la pièce de sa torche; **to be turned into a human ~** être transformé en torche vivante
B *vtr* mettre le feu à [*building*]

(Idioms) **to carry a ~ for sb** avoir un faible pour qn; **to carry the ~ for democracy/freedom** porter le flambeau de la démocratie/la liberté; **to put sth to the ~** incendier [*castle, city*]

torchbearer /ˈtɔːtʃbeərə(r)/ *n* porteur/-euse *m/f* de flambeau

torchlight /ˈtɔːtʃlaɪt/
A *n* **by ~** (burning torches) à la lueur des flambeaux; GB (electric) à la lueur d'une lampe électrique *or* de poche
B *modif* (*also* **torchlit**) [*vigil, walk*] aux flambeaux; **~ procession** retraite *f* aux flambeaux

torch song *n* US chanson *f* d'amour triste

tore /tɔː(r)/ *prét* ▸ **tear¹ B, C**

toreador /ˈtɒrɪədɔː(r), US ˈtɔːr-/ *n* toréador *m*

torero /tɒˈreərəʊ/ *n* torero *m*

torment
A /ˈtɔːment/ *n* tourment *m* liter, supplice *m*; **to suffer ~s of jealousy/remorse** endurer les tourments de la jalousie/du remords; **to be in ~** être au supplice; **to suffer ~(s)** souffrir le martyre
B /tɔːˈment/ *vtr* (cause suffering to) tourmenter; (tease, annoy) tourmenter, harceler; **to be ~ed by jealousy/remorse** être rongé par la jalousie/les remords
C /tɔːˈment/ *v refl* **to ~ oneself** se tourmenter

tormentor /tɔːˈmentə(r)/ *n* persécuteur/-trice *m/f*, bourreau *m*

torn /tɔːn/
A *pp* ▸ **tear¹ B, C**
B *adj* (all contexts) déchiré

tornado /tɔːˈneɪdəʊ/ *n* (*pl* **~es** *ou* **~s**) **1** Meteorol tornade *f*; **2** (*also* **Tornado**) Mil Aviat avion *m* de combat Tornado

Toronto /təˈrɒntəʊ/ ▸ **p. 1815** *pr n* Toronto

torpedo /tɔːˈpiːdəʊ/
A *n* **1** Mil torpille *f*; **2** Zool (poisson *m*) torpille *f*; **3** ○US (gunman) tueur *m* à gages; **4** US Culin gros sandwich *m*
B *modif* [*attack*] à la torpille
C *vtr* lit, fig torpiller

torpedo: **~ boat** *n* torpilleur *m*, vedette *f* lance-torpilles; **~ tube** *n* tube *m* lance-torpilles *m inv*

torpid /ˈtɔːpɪd/ *adj* sout torpide fml

torpor /ˈtɔːpə(r)/ *n* torpeur *f*

torque /tɔːk/
A *n* **1** Phys moment *m* de torsion; **2** Aut couple *m* moteur; **3** Hist torque *m*
B *vtr* Tech serrer

torque: **~ converter** *n* Aut, Mech convertisseur *m* de couple; **~ wrench** *n* clé *f* dynamométrique

torrent /ˈtɒrənt, US ˈtɔːr-/ *n* **1** (of water, rain) torrent *m*; **the rain is falling in ~s** il pleut à torrents; **2** fig flot *m*

torrential /təˈrenʃl/ *adj* torrentiel/-ielle

torrid /ˈtɒrɪd, US ˈtɔːr-/ *adj* torride

torsion /ˈtɔːʃn/ *n* torsion *f*

torsion: **~ balance** *n* balance *f* de torsion; **~ bar** *n* barre *f* de torsion; **~ test** *n* essai *m* de torsion

torso /ˈtɔːsəʊ/ *n* (*pl* **~s**) torse *m*

tort /tɔːt/ *n* préjudice *m*

tortilla /tɔːˈtiːjə/ *n* tortilla *f*, crêpe *f* mexicaine

tortoise /ˈtɔːtəs/ *n* tortue *f*

tortoiseshell /ˈtɔːtəsʃel/
A *n* **1** (shell) écaille *f*; **2** (butterfly) vanesse *f*; **3** (cat) chatte *f* écaille de tortue
B *modif* [*clip, comb*] en écaille; **glasses with ~ frames** des lunettes à monture d'écaille

tortuous /ˈtɔːtʃʊəs/ *adj* **1** [*path, road*] tortueux/-euse, sinueux/-euse; **2** fig [*argument, explanation*] tortueux/-euse; [*essay*] alambiqué

tortuously /ˈtɔːtʃʊəslɪ/ *adv* tortueusement

torture /ˈtɔːtʃə(r)/
A *n* lit torture *f*; fig supplice *m*; **under ~** sous la torture; **the long wait was absolute ~!** cette longue attente a été un véritable supplice!
B *vtr* lit torturer; fig tourmenter; **to be ~d by** être travaillé par [*guilt, jealousy*]
C **tortured** *pp adj* fig [*mind, existence, country*] tourmenté

torture chamber *n* chambre *f* de torture

torturer /ˈtɔːtʃərə(r)/ *n* lit tortionnaire *m*; fig bourreau *m*

Tory /ˈtɔːrɪ/
A *n* GB Tory *mf*, conservateur/-trice *m/f*
B *modif* [*government, party, MP*] tory *inv*; [*attempts, attack*] des Tories

Toryism /ˈtɔːrɪɪzəm/ *n* GB torysme *m*

tosh○ /tɒʃ/ GB
A *n* fadaises *fpl*
B *excl* allons donc!

toss /tɒs/
A *n* (*pl* **~es**) **1** (turn) **to give sth a ~** tourner qch [*salad*]; faire sauter qch [*pancake*]; **2** (of coin) **to win/lose the ~** remporter/perdre le tirage au sort (à pile ou face); **to decide sth on the ~ of a coin** décider qch à pile ou face; **3** (throw) jet *m*; **4** (jerky movement) **a ~ of the head** un mouvement brusque de la tête; **5** ○(fall) **to take a ~**○ faire une chute (de cheval)
B *vtr* **1** (throw) lancer [*ball, stick*]; **to ~ sth into the air** lancer qch en l'air; **to ~ sb sth** lancer qch à qn; **to ~ sth towards/into/over sth** lancer qch en direction de/dans/par-dessus qch; **2** ○(chuck) **~ me the newspaper** balance-moi○ le journal; **3** (flip) faire sauter [*pancake*]; lancer [*dice*]; **to ~ a coin** tirer à pile ou face; **I'll ~ you for the last piece of cake** tirons le dernier morceau de gâteau à pile ou face; **4** Culin (stir) tourner [*salad*]; faire sauter [*vegetables, meat*] (**in** dans); **~ed in olive oil** sauté dans l'huile d'olive; **5** (throw back) [*animal*] secouer [*head, mane*]; **to ~ one's head** [*person*] rejeter la tête en arrière; **to ~ one's hair back** rejeter les cheveux en arrière; **6** (unseat) [*horse*] désarçonner [*rider*]; **7** (move violently) [*wind*] agiter [*branches, leaves*]; [*waves*] ballotter [*boat*]; **to be ~ed about** *ou* **to and fro** [*person, boat*] être ballotté; **a storm-~ed sea** littér une mer agitée par la tempête
C *vi* **1** (turn restlessly) [*person*] se retourner; **I ~ed and turned all night** je me suis tourné et retourné toute la nuit; **2** (flip a coin) [*referee*] tirer à pile ou face; **to ~ for first turn/service** tirer le premier tour/service à pile ou face

(Idioms) **I'm not prepared to argue the ~** je n'ai pas envie d'en discuter; **I don't** *ou* **couldn't give a ~**○ je m'en fiche pas mal○; **he couldn't give a ~**○ **if you're tired/about his kids**○ il se fiche pas mal○ que tu sois fatigué/de ses gosses○; **who gives a ~**○**?** on n'en a rien à fiche○!

(Phrasal verbs) ■ **toss about, toss around** [*boat, person*] être ballotté; ▸ **~ [sth] around** lit [*people*] se faire des passes avec [*ball*]; fig retourner [*ideas*]; **to get ~ed around** (in vehicle) se faire brinquebaler
■ **toss away**: ▸ **~ [sth] away, ~ away [sth]** jeter [*rubbish*]; fig rater [*opportunity*]
■ **toss back**: ▸ **~ [sth] back, ~ back [sth]** renvoyer [*ball, object*]
■ **toss off**○: ▸ **~ off**● se branler●; ▸ **~ [sth] off, ~ off [sth]** expédier [*article,*

letter]; lamper○ [*drink*]; ▶ ~ **oneself off**● GB se branler●

■ **toss out**: ▶ ~ **[sth] out**, ~ **out [sth]** jeter [*newspaper, empty bottles*]; ▶ ~ **sb out** éjecter qn (**from** de)

■ **toss up** (flip a coin) tirer à pile ou face; **to ~ up**○ **whether to do sth** se tâter○ pour faire qch; **to ~ up**○ **when/where...** se tâter○ pour savoir quand/où...

tosser◑ /ˈtɒsə(r)/ *n* connard◑ *m*

toss-up○ /ˈtɒsʌp/ *n* [1] (flip of a coin) **let's have a ~ to decide** décidons à pile ou face; [2] (two-way choice) **it's/it was a ~ between a pizza and a sandwich** il faut/il a fallu choisir entre une pizza et un sandwich; [3] (even chance) **who'll win?—it's a ~!** qui va gagner?—ça sera pile ou face!; **it was a ~ who would be chosen** les chances étaient partagées pour la sélection

tot /tɒt/ *n* [1] ○(toddler) tout/-e petit/-e enfant *m/f*; [2] GB (of whisky, rum) petite dose *f*, doigt *m*

(Phrasal verb) ■ **tot up** GB: ▶ ~ **up** [*person*] additionner; ~ **up to** [*bill, expenses*] s'élever à; ▶ ~ **up [sth]**, ~ **[sth] up** faire le total de [qch]

total /ˈtəʊtl/

[A] *n* total *m*; **£200 in ~** £200 au total; **a ~ of £200** un total de £200; **it comes to a ~ of £200** cela fait £200 en tout

[B] *adj* [1] (added together) [*number, cost, amount, loss, profit*] total; [2] (complete) [*effect*] global; [*attention, disaster, eclipse, failure, war*] total; [*ignorance*] complet/-ète; **the ~ debts come to £3,000** le montant total des dettes s'élève à 3 000 livres sterling

[C] *vtr* (*p prés etc* **-ll-** GB, **-l-** US) [1] (add up) additionner [*amounts, figures*]; [2] (reach) [*debts, costs, sales, income*] se monter à [*sum*]; **their votes ~led two million** ils ont eu deux millions de voix; [3] ○US (destroy) bousiller○ [*car*]

total allergy syndrome *n* Med absence *f* totale des défenses immunitaires

totalitarian /ˌtəʊtælɪˈteərɪən/ *n, adj* totalitaire (*mf*)

totalitarianism /ˌtəʊtælɪˈteərɪənɪzəm/ *n* totalitarisme *m*

totality /təʊˈtælətɪ/ *n* totalité *f*

totalizator /ˈtəʊtəlaɪzeɪtə(r), US -lɪz-/ *n* Turf totalisateur *m* de paris

totalize /ˈtəʊtəlaɪz/ *vtr* totaliser

totalizer *n* = **totalizator**

totally /ˈtəʊtəlɪ/ *adv* [*blind, deaf, paralysed, at ease*] complètement; [*stupid, unacceptable, opposed, convinced*] totalement; [*agree, change, new, different*] entièrement

total quality management *n* qualité *f* totale

total recall *n* (Psych) ecmnésie *f*

tote○ /təʊt/

[A] *n* Turf = **totalizator**

[B] *vtr* trimballer○ [*bag, gun*]; **gun-toting hooligans** des voyous armés

tote: ~ **bag** *n* US sac *m* fourre-tout; ~ **board** *n* Turf tableau *m* d'affichage

totem /ˈtəʊtəm/ *n* [1] (pole) totem *m*; [2] (symbol) symbole *m*

totemic /təʊˈtemɪk/ *adj* totémique

totem pole *n* totem *m*; mât *m* totémique

totter /ˈtɒtə(r)/ *vi* [*person*] chanceler, vaciller; (drunkenly) tituber; [*baby*] trébucher; [*pile of books, building*] chanceler, vaciller; fig [*regime, government*] chanceler; **to ~ in/out** entrer/sortir en vacillant; **a country ~ing on the brink of civil war** un pays qui bascule dans la guerre civile

tottering /ˈtɒtərɪŋ/ *adj* [*step, movement*] mal assuré; [*person*] chancelant; [*pile of books, building*] chancelant; fig [*regime, government*] chancelant

toucan /ˈtuːkæn, -kən, US *also* tʊˈkɑːn/ *n* toucan *m*

touch /tʌtʃ/

[A] *n* [1] (physical contact) contact *m* (physique); **the ~ of her hand** le contact de sa main; **at the slightest ~** (of hand) au plus petit contact; (of button) à la simple pression; **to long for/dread sb's ~** désirer/appréhender le contact physique de qn; **I felt a ~ on my shoulder** j'ai senti qu'on me touchait l'épaule; **he managed to get a ~ on the ball** (in football) il a réussi à toucher le ballon

[2] (sense) toucher *m*; **a highly-developed sense of ~** un sens très développé du toucher; **soft to the ~** doux au toucher; **by ~** au simple toucher

[3] (style, skill) main *f*; **the ~ of a master** la main d'un maître; **to lose one's ~** perdre la main; **a fine ~ at the net** (in tennis) un toucher délicat au filet; **he handles the children with a firm ~** il s'y prend avec les enfants avec fermeté; **the Spielberg ~** le style Spielberg

[4] (element) gen touche *f*; (underlying tone) note *f*; (tiny amount) pointe *f*; **this room needs the feminine ~** cette pièce aurait besoin d'une note féminine; **he lacks the human ~** il manque de chaleur humaine; **with a ~ of sadness in her voice** avec une note de tristesse dans sa voix; **a ~ of colour/of sarcasm/of garlic** une pointe de couleur/de raillerie/d'ail; **to add** *ou* **put the finishing ~es to sth** mettre la touche finale à qch; **a clever ~** un trait spirituel; **her gift was a nice ~** son cadeau était un geste délicat; **there's a ~ of class/of genius about her** elle a quelque chose d'élégant/de génial; **he's got a ~ of flu** il est un peu grippé; **there's a ~ of frost in the air** il y a du gel dans l'air○

[5] (little) **a ~** un petit peu; **a ~ colder/heavier** un petit peu plus froid/plus lourd; **just a ~ (more)** un tout petit peu (plus)

[6] (communication) contact *m*; **to get/stay in ~ with** se mettre/rester en contact avec; **to lose ~ with** perdre contact avec; **to put sb in ~ with** mettre qn en contact avec; **he's out of ~ with reality** il est déconnecté de la réalité; **she's out of ~ with the times** elle n'est plus dans la course○ *or* dans le coup○

[7] Sport (area) touche *f*; **in(to) ~** en touche

[B] *vtr* [1] (come into contact with) toucher; **he ~ed her hand/the paint** il a touché sa main/la peinture; **to ~ sb on the arm/the shoulder etc** toucher le bras/l'épaule etc de qn; **we ~ed ground at 8 o'clock** on a atterri à 8 heures; **he ~ed his hat politely** il a porté poliment la main à son chapeau; **did you ~ the other car?** (in accident) tu as accroché l'autre voiture?

[2] (interfere with) toucher à; **don't ~ that/my things** ne touchez pas à ça/à mes affaires; **I never ~ed him** je ne lui ai rien fait; **the police can't ~ me** la police ne peut rien contre moi; **she wouldn't let him ~ her** elle ne lui permettait pas de s'approcher d'elle

[3] (affect) gen toucher; (with pleasure) toucher; (with sadness) bouleverser; (adversely) affecter; (as matter of concern) concerner; **matters which ~ us all** des questions qui nous concernent tous; **inflation has not ~ed the well-off** l'inflation n'a pas affecté les gens aisés; **the paintings were not ~ed by the fire** les tableaux n'ont pas été touchés par les flammes; **to ~ the hearts of** toucher les cœurs de; **we were most ~ed** nous avons été très touchés; **this product won't ~ the stains** ce produit n'agit pas sur les taches

[4] (consume) manger [*meat, vegetables*]; prendre [*drink, drugs*]; fumer [*cigarettes*]; **I never ~ alcohol** je ne prends jamais d'alcool; **you've hardly ~ed your meal** tu as à peine touché à ton repas

[5] (deal in) toucher à; **he'll sell most things but won't ~ drugs** il vend de tout mais ne touche pas à la drogue

[6] ○(ask for) **to ~ sb for sth** taper qch à qn○

[7] (equal) égaler; **when it comes to cooking, no-one can ~ him** pour la cuisine, personne ne peut l'égaler

[8] (reach) [*price, temperature*] atteindre [*level*]

[C] *vi* [1] (come together) [*wires, hands*] se toucher

[2] (with hand) toucher; **'do not ~'** 'ne pas toucher'

(Idioms) **to be an easy** *ou* **soft ~**○ être un pigeon○; **to lose one's ~** perdre la main

(Phrasal verbs) ■ **touch down**: ▶ ~ **down** [1] Aviat, Aerosp atterrir; [2] Sport (in rugby) marquer un essai; ▶ ~ **[sth] down**, ~ **down [sth]** Sport **he ~ed the ball down** il a marqué un essai

■ **touch off**: ▶ ~ **[sth] off**, ~ **off [sth]** faire partir [*firework*]; fig déclencher [*riot, debate*]

■ **touch (up)on**: ▶ ~ **(up)on [sth]** effleurer [*subject, matter*]

■ **touch up**: ▶ ~ **[sb/sth] up**, ~ **up [sb/sth]** [1] (re-do) retoucher [*paint, photograph, scratch, hair roots*]; reteindre [*hair roots*]; [2] ○(touch sexually) peloter○ [*person*]

touchdown /ˈtʌtʃdaʊn/ *n* [1] Aviat, Aerosp atterrissage *m*; **'we have ~!'** 'atterrissage!'; [2] Sport essai *m*

touché /tuːˈʃeɪ, ˈtuːʃeɪ, US tuːˈʃeɪ/ *excl* (in fencing) touché!; gen juste!

touched /tʌtʃt/ *adj* [1] (emotionally) touché; ~ **by** touché de [*kindness*]; touché par [*words, letter*]; ~ **to hear/receive etc** touché d'apprendre/de recevoir etc; [2] ○(mad) dérangé○, anormal

touch: ~ **football** *n* Sport *variante du football*; ~**hole** *n* Hist (in cannon) culasse *f*

touchily /ˈtʌtʃɪlɪ/ *adv* avec susceptibilité

touchiness /ˈtʌtʃɪnɪs/ *n* (of person) susceptibilité *f*; (of issue) délicatesse *f*

touching /ˈtʌtʃɪŋ/ *adj* touchant

touchingly /ˈtʌtʃɪŋlɪ/ *adv* [*speak, write*] de façon touchante

touch: ~ **judge** *n* Sport juge *m* de touche; ~ **line** *n* Sport ligne *f* de touche; ~**-me-not** *n* Bot balsamine *f*; ~ **pad** *n* Comput touchpad *m*; ~**paper** *n* papier *m* nitraté; ~ **screen** *n* Comput écran *m* tactile; ~**-sensitive** *adj* [*screen*] tactile; [*key*] à effleurement; ~**stone** *n* lit, fig pierre *f* de touche; ~ **system** *n* (typing) dactylographie *f* au toucher; ~**-tone** *adj* US [*telephone*] à touches; ~**-type** *vi* taper au toucher; ~**-typing** *n* dactylographie *f* au toucher; ~**-typist** ▸ **p. 1683** *n* dactylo *f* qui tape au toucher; ~**wood** *n* amadou *m*

touchy /ˈtʌtʃɪ/ *adj* [1] (edgy) [*person*] susceptible (**about** sur la question de); [2] (difficult) [*subject, issue*] délicat

tough /tʌf/

[A] *n* (person) dur *m*

[B] *adj* [1] (ruthless) [*businessman*] coriace; [*criminal*] endurci; **a ~ guy** *ou* **customer**○ un dur○; [2] (severe) [*policy, stance, measure, law*] strict, sévère; [*opposition, competition, criticism*] rude (*before n*); [*sport*] rude (*after n*); **to take a ~ line** se montrer dur (**on sth** à propos de qch; **with sb** envers qn); **you were a bit ~ on him** tu as été un peu dur envers *or* avec lui; **to get ~ with sb** se montrer dur avec qn; ~ **talk** propos *mpl* inflexibles (**about** au sujet de; **on** sur); [3] (difficult) [*way of life, conditions, situation*] difficile, pénible; [*problem, task, match, decision*] difficile; [*challenge*] redoutable; **to have a ~ time** avoir des difficultés (**doing** pour faire); **she's having a ~ time** elle traverse une période difficile; [4] (hardy) [*person, animal*] robuste; [*plant*] résistant; [5] (durable) [*material, skin, layer*] résistant; péj [*meat, vegetable*] coriace pej; [6] (rough) [*area, school*] dur; [7] ○(unfortunate) ~ **break** déveine *f*; **that's ~** manque de pot○!; ~ **luck!** manque de pot○!; (unsympathetically) tant pis pour toi!; ~ **shit**◑! tant pis pour toi!; **it was ~ on them** c'était vache○ pour eux; [8] ○US (great) génial○

[C] ○*excl* tant pis pour toi!

(Idioms) **this meat is as ~ as old boots**○ cette viande c'est de la semelle○; **she's as ~ as old boots**○ elle est coriace○; **to hang ~**○ US tenir bon; **hang ~!** accroche-toi○!

t

(Phrasal verb) ■ **tough out**○: ▸ ~ **[sth] out** surmonter [*crisis*]; faire face à [*recession*]; **to ~ it out** tenir le coup○

toughen /'tʌfn/ *vtr* [1] (make stronger) renforcer [*leather, plastic*]; tremper [*glass, steel*]; durcir [*skin*]; consolider [*wall*]; endurcir [*person*]; [2] (make stricter) (*also* ~ **up**) renforcer [*law, regulation, penalty*]; durcir [*stance, position*]

(Phrasal verb) ■ **toughen up**: ▸ ~ **up** [*person*] s'endurcir; ▸ ~ **[sb] up**, ~ **up [sb]** endurcir [*person*]; ▸ ~ **[sth] up**, ~ **up [sth]** durcir [*legislation*]

toughie○ /'tʌfɪ/ *n* [1] (person) dur *m* à cuire○; [2] (question, problem) colle○ *f*; **that's a ~!** c'est gratiné○!

tough love *n* amour *m* qui exclut la permissivité; **to practise ~** aimer sans tout permettre

tough: **~ly-worded** *adj* sans concessions; **~-minded** *adj* ferme et résolu

toughness /'tʌfnɪs/ *n* [1] (ruthlessness) (of businessman, criminal) dureté *f*; [2] (severity) (of law, measure, penalty) sévérité *f*; (of opposition, competition) acharnement *m*; [3] (harshness) (of way of life, conditions) difficulté *f*; [4] (robustness) (of person, animal) endurance *f*; (of plant) résistance *f*; [5] (durability) (of material, glass, leather) robustesse *f*; pej [*of meat, vegetable*] dureté *f*; [6] (difficulty) (of work, question) difficulté *f*

toupee /'tu:peɪ, US tu:'peɪ/ *n* postiche *m*

tour /tʊə(r), tɔ:(r)/

A *n* [1] Tourism (of country) circuit *m* (**of** de); (of city) tour *m* (**of** de); (of building) visite *f* (**of** de); (trip in bus, etc) excursion *f*; **bus ~**, **coach ~** excursion *f* en autocar; **cycling/walking ~** randonnée *f* cycliste/pédestre; **to go on a ~ of** visiter [*one thing*]; faire le circuit de [*several things*]; **to take sb on a ~ of sth** faire visiter qch à qn; **he took me on a ~ of his house** il m'a fait visiter sa maison; **a two-week ~** un circuit de quinze jours; **a ~ of inspection** une tournée d'inspection; **'on ~'** (sign on bus) 'en excursion'; **the Grand Tour** Hist le tour d'Europe; [2] Mus, Sport, Theat, Univ tournée *f*; **concert/lecture/rugby ~** tournée *f* de concerts/de conférences/de rugby; **spring/summer ~** tournée *f* printanière/estivale; **to be on/go on ~** être/partir en tournée; **to do a ~** faire une tournée; **to take a play on ~** donner une pièce en tournée; **a ~ of duty** Mil une période de service

B *vtr* [1] Tourism visiter [*building, country, gallery, sight*]; [2] Mus, Sport être en tournée en [*country*]; Theat [*company*] faire tourner [*production*]; [*production*] tourner en [*country*]

C *vi* [1] Tourism faire du tourisme; **to go ~ing** faire du tourisme; [2] Mus, Sport, Theat [*orchestra, play, team*] être en tournée; **to go ~ing** partir en tournée

tourer /'tʊərə(r), tɔ:rə(r)/ *n* (sports car) cabriolet *m* décapotable; GB (caravan) camping-car *m*; (bicycle) vélo *m* de randonnée

tour guide *n* guide *mf*

touring /'tʊərɪŋ, 'tɔ:r-/

A *n* [1] Tourism tourisme *m*; **to like ~** aimer faire du tourisme; [2] Mus, Sport, Theat tournée *f*

B *modif* [1] Art, Tourism [*exhibition, holiday*] itinérant; [2] Mus, Sport, Theat [*band, company, show, team*] en tournée; [*production*] de tournée

touring: **~ bindings** *npl* (skiing) fixations *fpl* de randonnée; **~ car** *n* voiture *f* de randonnée

tourism /'tʊərɪzəm, 'tɔ:r-/ *n* tourisme *m*

tourist /'tʊərɪst, 'tɔ:r-/

A *n* [1] gen touriste *mf*; [2] Sport visiteur/-euse *m/f*; **the ~s won** l'équipe visiteuse a gagné

B *modif* [*area, authority, centre, development, guide, map, resort, route, season*] touristique; **the ~ trade** le tourisme

tourist: **~ bus** *n* car *m* de tourisme; **~ class** *n* Aviat classe *f* touriste

tourist (information) office *n* (in town) syndicat *m* d'initiative; (national organization) bureau *m or* office *m* de tourisme

tourist trap *n* piège *m* à touristes

touristy○ /'tʊərɪstɪ, 'tɔ:r-/ *adj* péj envahi par les touristes

tournament /'tɔ:nəmənt, US 'tɜ:rn-/ *n* tournoi *m*

tourney /'tʊənɪ/ *n* [1] ‡Hist tournoi *m* (de chevalerie); [2] US Sport tournoi *m*

tourniquet /'tʊənɪkeɪ, US 'tɜ:rnɪkət/ *n* garrot *m*, tourniquet *m*

tour operator *n* voyagiste *mf*, tour-opérateur *m*

tousle /'taʊzl/

A *vtr* ébouriffer [*hair*]

B **tousled** *pp adj* [*hair*] ébouriffé; [*person, appearance*] débraillé

tout /taʊt/

A *n* [1] GB (selling tickets) revendeur *m* de billets au marché noir; [2] Comm (person soliciting custom) racoleur/-euse○ *m/f* pej; [3] Turf vendeur *m* de tuyaux

B *vtr* [1] [*street merchant*] vendre (en faisant du boniment); [2] GB (illegally) revendre [qch] au marché noir [*tickets*]; [3] (publicize loudly) vanter les mérites de [*product, invention*]; claironner [*good results*]; **much ~ed** tant vanté

C *vi* (solicit) racoler○ pej; **to ~ for business** racoler○ la clientèle; **to ~ for votes** racoler○ des électeurs

tow /təʊ/

A *n* [1] Aut **to be on ~** être en remorque; **to give sb a ~** remorquer qn; **to need a ~** avoir besoin d'être remorqué; [2] fig hum (following) **to have sb in ~** être accompagné de qn; **a father with two children in ~** un père accompagné de deux enfants; [3] (ski lift) téléski *m*; [4] Tex filasse *f*

B *vtr* remorquer, tracter [*trailer, caravan*]

(Phrasal verb) ■ **tow away**: ▸ ~ **away [sth]**, ~ **[sth] away** [*police*] emmener [qch] à la fourrière; [*recovery service*] remorquer

towage /'təʊɪdʒ/ *n* (charges) frais *mpl* de remorquage; (act) remorquage *m*

toward(s) /tə'wɔ:d(z), tɔ:d(z)/

> ⚠ When *towards* is used to talk about direction or position, it is almost always translated by *vers*: *she ran toward(s) him* = elle a couru vers lui. For particular usages see the entry below.
> When *toward(s)* is used to mean *in relation to*, it is translated by *envers*: *his attitude toward(s) his parents* = son attitude envers ses parents. For particular usages see the entry below.

prep [1] (in the direction of) vers; **~ the east** vers l'est; **she ran ~ him** elle a couru vers lui; **he was standing with his back ~ me** il était dos à moi, il me tournait le dos; **the first steps ~** fig les premiers pas vers [*solution, system etc*]; **the country is moving ~ democracy/independence** le pays se dirige vers la démocratie/l'indépendance; **he is moving ~ the idea that** il commence à penser *or* à se dire que; [2] (near) vers; **~ the end of** vers la fin de [*day, month, life*]; **~ the rear of the plane** à l'arrière de l'avion; [3] (in relation to) envers; **their attitude/policy ~ Europe** leur attitude/politique envers l'Europe; **to be friendly/hostile ~ sb** se montrer cordial/hostile envers qn; [4] (as a contribution to) **the money will go ~ the cost of a new roof** l'argent servira à payer un nouveau toit; **we are saving ~ a holiday** nous faisons des économies pour partir en vacances; **you should put the money ~ the children's education** tu devrais mettre l'argent de côté pour l'éducation des enfants; **new hostels have gone some way ~ easing the accommodation problem** de nouveaux foyers ont contribué à alléger la crise du logement; **management have gone some way ~ meeting the strikers' demands** la direction a fait quelques concessions pour répondre aux revendications des grévistes

tow: **~away zone** *n* zone *f* rouge (*de stationnement interdit sous peine de mise en fourrière*); **~ bar** *n* (on car) crochet *m* d'attelage; (on recovery vehicle) barre *f* de remorquage; **~boat** *n* remorqueur *m*

towel /'taʊəl/

A *n* serviette *f* (de toilette); ▸ **bath towel**, **tea towel**

B *vtr* (*p prés etc* **-ll-**, US **-l-**) essuyer (avec une serviette); **to ~ one's hair** s'essuyer les cheveux

(Idiom) **to throw** *ou* **chuck**○ **in the ~** jeter l'éponge

towelette /ˌtaʊə'let/ *n* US lingette *f* rince-doigts

towelling /'taʊəlɪŋ/

A *n* [1] Tex tissu *m* éponge; [2] (rubbing) **to give sb a good ~ (down)** frictionner qn un bon coup avec une serviette

B *modif* [*garment*] en tissu éponge

towel: **~ rail** *n* porte-serviettes *m inv*; **~ ring** *n* anneau *m* porte-serviettes

tower /'taʊə(r)/

A *n* gen, Comput tour *f*

B *vi* [1] (dominate) **to ~ above** *ou* **over** dominer [*village, countryside*]; **to ~ above** *ou* **over sb** gen être plus grand que qn; (menacingly) dominer qn de toute sa hauteur; [2] (outstrip) **to ~ above** dominer [*rival, peer*]

(Idioms) **to be a ~ of strength** être solide comme un roc; **she's been a ~ of strength to me** elle a été d'un grand soutien pour moi

tower block *n* GB tour *f* (d'habitation)

towering /'taʊərɪŋ/ *adj* (*épith*) [1] [*cliff, building etc*] imposant; [2] (tremendous) **a ~ performance** (by musician) une exécution fantastique; (by actor) une interprétation fantastique; **to be in a ~ rage** être dans une colère noire

Tower of Babel /ˌtaʊərəv'beɪbl/ *pr n* tour *f* de Babel

tow: **~-haired**, **~headed** *adj* péj blond, filasse pej; **~line** *n* câble *m* de remorquage

town /taʊn/ ▸ p. 1815 *n* ville *f*; **to go into ~** aller en ville; **the whole ~ knows about it** toute la ville est au courant; **she's out of ~ at the moment** elle n'est pas là en ce moment; **he comes from out of ~** US il n'est pas d'ici; **to leave** *ou* **skip**○ **~** US quitter la ville; **guess who's back in ~**○**!** devine qui est au retour!; **look me up next time you're in ~** viens me voir la prochaine fois que tu passeras à Londres (*or* à Paris *or* à New York etc); **she's in ~ to publicize her film** elle est à Londres (*or* à Paris *or* à New York etc) pour faire de la publicité pour son film○

(Idioms) **to go out on the ~**, **to have a night (out) on the ~** faire la noce *or* la bombe○; **to go to ~ on** (be extravagant with) ne pas lésiner sur; mettre le paquet○ sur [*decor, catering*]; (make much of) exploiter [qch] à fond [*story, scandal*]; **he's the talk of the ~** on ne parle que de lui; **~ and gown** GB les citadins *mpl* et les universitaires *mpl*

> **Town and gown**
> Dans les villes universitaires, en particulier à Cambridge et Oxford, expression qui renvoie à la coexistence de deux cultures, celle de la ville et de ses habitants (*town*), et celle de l'université, en particulier les professeurs et les étudiants (*gown*).
> ▸ **Oxbridge**

town: **~-and-country planning** *n* aménagement *m* du territoire; **~ centre** *n* centre-ville *m*; **~ clerk** *n* GB secrétaire *mf* de mairie; **~ council** *n* GB conseil *m* municipal; **~ councillor** *n* GB conseiller/-ère *m/f* municipal/-e; **~ crier** *n* crieur *m* public

townee *n* US = **townie**

town hall *n* mairie *f*, hôtel *m* de ville

town house *n* [1] (as opposed to country seat) hôtel *m* particulier; [2] (urban terrace) *maison en centre ville avec garage au rez-de-chaussée*

t

Towns and cities

■ *Occasionally the gender of a town is clear because the name includes the definite article, e.g.* Le Havre *or* La Rochelle. *In most other cases, there is some hesitation, and it is always safer to avoid the problem by using* la ville de:

Toulouse is beautiful
= la ville de Toulouse est belle

In, to and from somewhere

■ *For in and to with the name of a town, use* à *in French; if the French name includes the definite article,* à *will become* au, à la, à l' *or* aux:

to live in Toulouse
= vivre à Toulouse

to go to Toulouse
= aller à Toulouse

to live in Le Havre
= vivre au Havre

to go to Le Havre
= aller au Havre

to live in La Rochelle
= vivre à La Rochelle

to go to La Rochelle
= aller à La Rochelle

to live in Les Arcs
= vivre aux Arcs

to go to Les Arcs
= aller aux Arcs

■ *Similarly,* from *is* de, *becoming* du, de la, de l' *or* des *when it combines with the definite article in town names:*

to come from Toulouse
= venir de Toulouse

to come from Le Havre
= venir du Havre

to come from La Rochelle
= venir de La Rochelle

to come from Les Arcs
= venir des Arcs

Belonging to a town or city

■ *English sometimes has specific words for people of a certain city or town, such as* Londoners, New Yorkers *or* Parisians, *but mostly we talk of* the people of Leeds *or* the inhabitants of San Francisco. *On the other hand, most towns in French-speaking countries have a corresponding adjective and noun, and a list of the best-known of these is given at the end of this note.*

■ *The noun forms, spelt with a capital letter, mean a person from X:*

the inhabitants of Bordeaux
= les Bordelais *mpl*

the people of Strasbourg
= les Strasbourgeois *mpl*

■ *The adjective forms, spelt with a small letter, are often used where in English the town name is used as an adjective:*

Paris shops
= les magasins parisiens

■ *However, some of these French words are fairly rare, and it is always safe to say* les habitants de X, *or, for the adjective, simply* de X. *Here are examples of this, using some of the nouns that commonly combine with the names of towns:*

a Bordeaux accent
= un accent de Bordeaux

Toulouse airport
= l'aéroport de Toulouse

the La Rochelle area
= la région de La Rochelle

Limoges buses
= les autobus de Limoges

the Le Havre City Council
= le conseil municipal du Havre

Lille representatives
= les représentants de Lille

Les Arcs restaurants
= les restaurants des Arcs

the Geneva road
= la route de Genève

Brussels streets
= les rues de Bruxelles

the Angers team
= l'équipe d'Angers

the Avignon train
= le train d'Avignon

but note

Orleans traffic
= la circulation à Orléans

Names of cities and towns in French-speaking countries and their adjectives

■ *Remember that when these adjectives are used as nouns, meaning a person from* X *or* the people of X, *they are spelt with capital letters.*

Aix-en-Provence = aixois(e)
Alger = algérois(e)
Angers = angevin(e)
Arles = arlésien(ne)
Auxerre = auxerrois(e)
Avignon = avignonnais(e)
Bastia = bastiais(e)
Bayonne = bayonnais(e)
Belfort = belfortain(e)
Berne = bernois(e)
Besançon = bisontin(e)
Béziers = biterrois(e)
Biarritz = biarrot(e)
Bordeaux = bordelais(e)
Boulogne-sur-Mer = boulonnais(e)
Bourges = berruyer(-ère)
Brest = brestois(e)
Bruges = brugeois(e)
Bruxelles = bruxellois(e)
Calais = calaisien(ne)
Cannes = cannais(e)
Carcassonne = carcassonnais(e)
Chambéry = chambérien(ne)
Chamonix = chamoniard(e)
Clermont-Ferrand = clermontois(e)
Die = diois(e)
Dieppe = dieppois(e)
Dijon = dijonnais(e)
Dunkerque = dunkerquois(e)
Fontainebleau = bellifontain(e)
Gap = gapençais(e)
Genève = genevois(e)
Grenoble = grenoblois(e)
Havre, Le = havrais(e)
Lens = lensois(e)
Liège = liégeois(e)
Lille = lillois(e)
Lourdes = lourdais(e)
Luxembourg = luxembourgeois(e)
Lyon = lyonnais(e)
Mâcon = mâconnais(e)
Marseille = marseillais(e) *or* phocéen(ne)
Metz = messin(e)
Modane = modanais(e)
Montpellier = montpelliérain(e)
Montréal = montréalais(e)
Moulins = moulinois(e)
Mulhouse = mulhousien(ne)
Nancy = nancéien(ne)
Nantes = nantais(e)
Narbonne = narbonnais(e)
Nevers = nivernais(e)
Nice = niçois(e)
Nîmes = nîmois(e)
Orléans = orléanais(e)
Paris = parisien(ne)
Pau = palois(e)
Périgueux = périgourdin(e)
Perpignan = perpignanais(e)
Poitiers = poitevin(e)
Pont-à-Mousson = mussipontain(e)
Québec = québécois(e)
Reims = rémois(e)
Rennes = rennais(e)
Roanne = roannais(e)
Rouen = rouennais(e)
Saint-Étienne = stéphanois(e)
Saint-Malo = malouin(e)
Saint-Tropez = tropézien(ne)
Sancerre = sancerrois(e)
Sète = sétois(e)
Sochaux = sochalien(ne)
Strasbourg = strasbourgeois(e)
Tarascon = tarasconnais(e)
Tarbes = tarbais(e)
Toulon = toulonnais(e)
Toulouse = toulousain(e)
Tours = tourangeau(-elle)
Tunis = tunisois(e)
Valence = valentinois(e)
Valenciennes = valenciennois(e)
Versailles = versaillais(e)
Vichy = vichyssois(e)

townie○ /ˈtaʊnɪ/ *n* péj citadin/-e *m/f*

town: ~ **meeting** *n* US assemblée *f* générale des habitants d'une commune; ~ **planner** ▸ p. 1683 *n* GB urbaniste *mf*; ~ **planning** *n* GB urbanisme *m*; ~**scape** *n* paysage *m* urbain; ~**sfolk** *npl*† *ou* dial = **townspeople**

township /ˈtaʊnʃɪp/ *n* 1 gen commune *f*, municipalité *f*; 2 (in South Africa) township *m*, ghetto *m* noir; 3 US ≈ canton *m* (*division administrative d'un comté*)

townspeople /ˈtaʊnzpiːpl/ *npl* citadins *mpl*

tow: ~**path** *n* chemin *m* de halage; ~**rope** *n* = **towline**

tow-start /ˌtəʊˈstɑːt/ *n* **to give sb a** ~ faire démarrer qn en le remorquant

tow truck *n* US dépanneuse *f*

toxaemia, **toxemia** US /tɒkˈsiːmɪə/ ▸ p. 1327 *n* toxémie *f*

toxic /ˈtɒksɪk/ *adj* toxique

toxicity /tɒkˈsɪsətɪ/ *n* toxicité *f*

toxicological /ˌtɒksɪkəˈlɒdʒɪkl/ *adj* toxicologique

toxicologist /ˌtɒksɪˈkɒlədʒɪst/ *n* toxicologue *mf*

toxicology /ˌtɒksɪˈkɒlədʒɪ/ *n* toxicologie *f*

toxic: ~ **shock syndrome**, **TSS** *n* Med syndrome *m* du choc toxique, SCT; ~ **waste** *n* déchets *mpl* toxiques

toxin /ˈtɒksɪn/ *n* toxine *f*

toxocara /ˌtɒksəˈkɑːrə/ *n* ascaris *m*

toxocariasis /ˌtɒksəʊkəˈraɪəsɪs/ *n* Med toxocarose *f*

toxoplasmosis /ˌtɒksəʊplæsˈməʊsɪs/ ▸ p. 1327 *n* toxoplasmose *f*

toy /tɔɪ/

A *n* jouet *m*

B *modif* [*plane, railway*] miniature; [*car, boat*] petit; [*gun, telephone*] d'enfant

C *vi* **to** ~ **with** jouer avec [*object, feelings*]; caresser [*idea*]; **to** ~ **with one's food** chipoter

toy: ~**box** *n* coffre *m* à jouets; ~ **boy**○ *n* GB péj gigolo *m*; ~ **dog** *n* chien *m* d'appartement; ~ **poodle** *n* caniche *m* nain; ~**shop** *n* magasin *m* de jouets; ~ **soldier** *n* petit soldat *m*; ~ **spaniel** *n* épagneul *m* nain

toytown /ˈtɔɪtaʊn/

A *n* petite ville *f* de carte postale

B *modif* [*village*] de carte postale; péj [*intellectual, politician, politics*] de pacotille pej

toy train *n* train *m* miniature; (electric) train *m* électrique

trace /treɪs/

A *n* 1 (evidence) trace *f*; **to find** ~**s of** trouver les traces de [*building*]; **to remove all** ~**(s) of** retirer toute trace de; **no** ~ **remains of** *ou* **there is no** ~ **of** il ne reste aucune trace de; 2 (hint) (of feeling, irony, humour, flavour, garlic) soupçon *m*; (of accent) pointe *f*; (of chemical, drug) trace *f*; **with/without a** ~ **of** avec une/sans la moindre trace de [*irony, irritation*]; **with/without a** ~ **of a smile** avec un léger/sans l'ombre d'un sourire; **without a** ~ **of make-up** sans aucun maquillage; 3 (aiding retrieval) trace *f*; **without** ~ [*disappear, sink*] sans laisser de traces; **they found no** ~ **of him/the money** ils n'ont trouvé aucune trace de lui/l'argent; **to lose all** ~ **of** perdre toute trace de; 4 (of harness) trait *m*; 5 (in angling) bas *m* de ligne

B *vtr* 1 (locate) localiser [*thief, fugitive, call*]; retrouver [*witness, weapon, car, file, source*]; dépister [*fault, malfunction*]; trouver des traces de [*chemical*]; **to** ~ **sb to** retrouver la trace de qn dans [*hideout*]; **to** ~ **the cause of** déterminer la cause de; **the call was** ~**d to a London number** on a pu établir que le coup de téléphone venait d'un numéro à Londres; 2 (follow development) faire l'historique de [*development, growth*]; retracer [*life, story, progress, friendship*]; faire remonter [*origins, ancestry*] (**to** jusqu'à); **to** ~ **the history of** faire l'historique de; 3 (draw) = **trace out**

(Idiom) **to kick over the** ~**s** ruer dans les brancards

(Phrasal verbs) ■ **trace back**: ▸ ~ **[sth] back**, ~ **back [sth]** faire remonter (**to** à)

■ **trace out**: ▸ ~ **out [sth]**, ~ **[sth] out** 1 (copy) décalquer [*map, outline*] (**onto** sur); 2 (form) tracer [*pattern, letters*] (**in**, **on** sur)

traceability /treɪsəˈbɪlətɪ/ *n* traçabilité *f*

traceable /ˈtreɪsəbl/ *adj* [*connection, relationship*] clair; **easily** ~ [*file, fault*] facile à retrouver; **to be** ~ **to** provenir de [*malfunction*]; remonter à [*work, theory*]

trace element, **trace mineral** *n* oligo-élément *m*

tracer /ˈtreɪsə(r)/

A *n* 1 Mil (bullet) balle *f* traçante; (shell) obus *m* traçant; 2 Chem, Med (substance) traceur *m*; 3 (of pattern) (person) traceur/-euse *m/f*; (instrument) traceur *m*

B *modif* [*bullet, shell*] traçant

tracery /ˈtreɪsərɪ/ *n* 1 Archit (of window) remplage *m*; 2 gen (of pattern, frost, foliage, veins) fin réseau *m*

trachea /trəˈkiːə, US ˈtreɪkɪə/ *n* trachée *f*

tracheotomy /ˌtrækɪˈɒtəmɪ/ *n* trachéotomie *f*

tracheotomy tube *n* canule *f* à trachéotomie

trachoma /trəˈkəʊmə/ ▸ p. 1327 *n* trachome *m*

tracing /ˈtreɪsɪŋ/ *n* 1 (of map, motif, diagram) calque *m*; **to make a** ~ **of** faire un calque de; 2 (procedure) calquage *m*; 3 (graph) tracé *m* de courbe

tracing: ~ **paper** *n* papier-calque *m*; ~ **wheel** *n* roulette *f* de couturière

track /træk/

A *n* 1 (print) (of animal, person) empreintes *fpl*, traces *fpl*; (of vehicle) traces *fpl*; **we followed his** ~**(s) to the bank of the river** nous avons suivi ses traces *or* ses empreintes jusqu'au bord de la rivière; **the (tyre)** ~**s led to the lake** les traces (de pneu) menaient au lac

2 lit, fig (course, trajectory) (of person) trace *f*; (of missile, aircraft, storm) trajectoire *f*; **to be on the** ~ **of** être sur la trace *or* piste de [*person*]; être sur la voie de [*discovery*]; **she knew the police were on her** ~ elle savait que la police était sur sa trace *or* piste; **to cover one's** ~**s** brouiller les pistes; **the negotiations were on** ~ les négociations se déroulaient comme prévu; **to be on the right** ~ être sur la bonne piste; **to put sb on the right** ~ mettre qn sur la bonne piste; **to be on the wrong** ~ faire fausse route; **to set sb on the wrong** ~ faire faire fausse route à qn; **to keep** ~ **of** [*person*] se tenir au courant de [*developments, events*]; suivre le fil de [*conversation*]; [*company, authority*] se tenir au courant de la situation de [*customer, taxpayer*]; [*police, race official*] suivre les mouvements de [*criminal, competitor*]; [*computer*] tenir à jour [*bank account, figures*]; tenir à jour les détails concernant [*person*]; **we have to keep** ~ **of the houses we rent out** nous devons tenir à jour les fichiers des maisons que nous louons; **it's hard to keep** ~ **of all one's old colleagues** il est difficile de ne pas perdre de vue tous ses anciens collègues; **I must keep** ~ **of the time** il ne faut pas que j'oublie l'heure; **to lose** ~ **of** perdre de vue [*friend*]; perdre la trace de [*document, aircraft, suspect*]; perdre le fil de [*conversation*]; **to lose** ~ **of (the) time** perdre la notion du temps; **to make** ~**s for sth** se diriger vers qch; **we'd better be making** ~**s** il est temps de partir; **to stop dead in one's** ~**s** s'arrêter net

3 (path, rough road) sentier *m*, chemin *m*

4 Sport piste *f*; **16 laps of the** ~ 16 tours de piste; **athletics/speedway** ~ piste d'athlétisme/de vitesse; **(motor-)racing** ~ (open-air) circuit *m*; (enclosed) autodrome *m*; **cycling** ~ vélodrome *m*; **dog-racing** ~ cynodrome *m*

5 Rail voie *f* ferrée; US (platform) quai *m*; **to leave the** ~**(s)** [*train*] dérailler

6 Mus (of record, tape, CD) morceau *m*; (song) chanson *f*; **a 16-**~ **CD** un disque compact qui a 16 morceaux

7 Audio, Comput (band) piste *f*

8 Aut (on wheel of tank, tractor) chenille *f*; (distance between wheels) voie *f*, écartement *m* de voie

9 (rail) (for curtain) tringle *f*; (for sliding door) rail *m*

10 US Sch (stream) groupe *m* de niveau; **the top/middle/bottom** ~ le groupe des élèves forts/moyens/faibles; **the first** ~ ≈ le groupe des élèves forts; **to place students in** ~**s** répartir les élèves en groupes de niveau

B *modif* Sport [*event, championship, race*] de vitesse; ~ **meet** US épreuves *fpl* de vitesse

C *vtr* (follow path of) suivre la trace de [*person, animal*]; suivre la progression de [*storm, hurricane*]; suivre la trajectoire de [*rocket, plane, comet, satellite*]; **the police** ~**ed the terrorists to their hideout** la police a suivi la trace des terroristes jusqu'à leur cachette

D *vi* Cin faire un travelling

(Idioms) **to come from the wrong side of the** ~**s** venir des quartiers pauvres; **three years down the** ~ (in future) dans trois ans; (in present) ça fait trois ans

(Phrasal verb) ■ **track down**: ▸ ~ **[sb/sth] down**, ~ **down [sb/sth]** retrouver [*person, object, file*]; **they finally** ~**ed the gang down to their hideout** ils ont fini par suivre la trace de la bande jusqu'à sa cachette

track and field events *npl* compétition *f* d'athlétisme

tracked /trækt/ *adj* [*vehicle*] chenillé, à chenilles

tracker /ˈtrækə(r)/ *n* (of animal) traqueur *m*; (of person) poursuivant/-e *m/f*

tracker: ~ **ball** *n* Comput, Tech boule *f* de commande; ~ **dog** *n* chien *m* policier (*entraîné à la recherche de personnes ou d'objets*)

tracking /ˈtrækɪŋ/

A *n* 1 US Sch système *m* de classes de niveau; 2 (monitoring) (of person, plane, storm) localisation *f*; (of satellite) poursuite *f*, localisation *f*; 3 Video alignement *m*

B *modif* [*device, equipment, system*] de poursuite, de localisation

track: ~**ing shot** *n* Cin travelling *m*; ~**ing station** *n* station *f* de poursuite; ~**layer**, ~**man** *n* US Rail poseur *m* de rails; ~**laying** *adj* [*vehicle*] chenillé

trackless /ˈtræklɪs/ *adj* 1 [*vehicle*] sans chenilles; 2 liter [*desert, waste*] sans pistes; [*forest*] sans chemins

track: ~ **lighting** *n* rampe *f* de spots d'éclairage; ~ **maintenance** *n* Rail entretien *m* des voies ferrées

trackman /ˈtrækmən/ ▸ p. 1683 *n* US 1 = **tracklayer**; 2 Sport coureur *m*

trackpad *n* Comput trackpad *m*

track record *n* gen (of government, company) antécédents *mpl*; (of professional person) antécédents *mpl* professionnels; **to have a good/poor** ~ gen avoir de bons/mauvais antécédents; [*professional person*] avoir de bons/mauvais antécédents professionnels; **this firm has a poor** ~ **on pollution control** cette société a une mauvaise réputation pour ce qui est du contrôle de la pollution; **a candidate with a proven** ~ **in sales** un candidat ayant une bonne expérience commerciale

track: ~ **rod** *n* GB Aut barre *f* d'accouplement; ~ **shoe** *n* chaussure *f* de course à pointes; ~**suit** *n* survêtement *m*; ~ **system** *n* US Sch système *m* de groupes de niveaux

tract /trækt/ *n* 1 (of land, forest) étendue *f*; 2 Anat **digestive/respiratory** ~ appareil *m* digestif/respiratoire; 3 (pamphlet) pamphlet *m*, traité *m*; 4 US (housing development) lotissement *m*

tractable /ˈtræktəbl/ *adj* [*person, animal, engine*] docile; [*substance*] malléable; [*problem*] soluble

Tractarian /ˌtræk'teərɪən/ *n, adj* Tractarien/-ienne (*m/f*)

Tractarianism /træk'teərɪənɪzəm/ *n* tractarianisme

traction /'trækʃn/ *n* ① (pulling action) traction *f*; **in ~** Med en traction; ② (of wheel on surface) adhérence *f*

traction: **~ control system** *n* régulateur *m* de traction; **~ engine** *n* locomobile *f*

tractive /'træktɪv/ *adj* de traction

tractor /'træktə(r)/

A *n* (all contexts) tracteur *m*
B *modif* [*driver, engine*] de tracteur

tractor feed /'træktə(r) fi:d/ *n* Comput dispositif *m* d'entraînement à picols

tractor mower *n* tondeuse *f* tractée

tractor-trailer *n* US semi-remorque *m*

trad○ /træd/ GB Mus
A *n* le (jazz) traditionnel
B *adj* traditionnel/-elle

tradable /'treɪdəbl/ *adj* Fin [*asset, security, currency*] commercialisable

trade /treɪd/

A *n* ① (activity) commerce *m*; **to do ~ with sb** faire du commerce avec qn; **to do a good ~** faire de bonnes affaires; ② (sector of industry) industrie *f*; **car/book ~** industrie automobile/du livre; **she's in the furniture ~** elle travaille dans l'ameublement; ③ (profession) (manual) métier *m*; (intellectual) profession *f*; **by ~** de métier; **in the ~ we call it…** dans la profession *or* le métier on appelle cela…; **as we say in the ~…** comme on dit dans le métier…; ④ (swap) échange *m*, troc *m*; **to do** GB *ou* **make** US **a ~ with sb** faire un échange *or* un troc avec qn; ⑤ Meteorol ▸ **trade wind**; ⑥ ◑(male prostitute) prostitué *m*
B *modif* [*negotiations, route, agreement, restrictions*] commercial; [*sanctions, embargo*] économique; [*press, journal*] professionnel/-elle
C *vtr* (swap) échanger [*objects*] (**for** contre); échanger [*insults, compliments, blows*]; **the two countries ~d hostages** les deux pays ont échangé des otages
D *vi* ① Comm (buy and sell) faire du commerce (**with** avec; **at** US dans); **the company ~s as Grunard's** la société fait du commerce sous le nom de Grunard's; **to ~ in sth with sb** vendre qch à qn; **to ~ at a profit/loss** vendre à profit/perte; ② Fin (on financial markets) [*share, commodity*] s'échanger; **to ~ at $10** s'échanger à $10; ③ (exploit) **to ~ on** exploiter, se servir de [*name, reputation, image*]

Phrasal verbs ■ **trade in**: ▸ **~ [sth] in**, **~ in [sth]** Comm **he ~d in his old car/washing-machine** on lui a repris sa vieille voiture/machine à laver
■ **trade off**: ▸ **~ [sth] off against sth**, **~ off [sth] against sth** ① (weigh up) peser le pour et le contre entre [qch] et qch; ② (exchange) échanger [qch] contre qch
■ **trade up** US = **trade in**

trade: **~ acceptance** *n* Comm acceptation *f* commerciale; **Trade and Industry Secretary** *n* GB Pol ministre *m* du commerce et de l'industrie; **~ association** *n* association *f* professionnelle; **~ balance** *n* Econ balance *f* commerciale; **~ barrier** *n* Comm barrière *f* douanière; **~ credit** *n* crédit *m* commercial; **~ cycle** *n* Econ cycle *m* économique; **~ deficit** *n* Econ déficit *m* commercial; **~ description** *n* Comm désignation *f* de marchandise; **Trade Descriptions Act** *n* GB Comm Jur *loi qui protège le consommateur des désignations mensongères de marchandise*; **~ discount** *n* Comm remise *f* professionnelle; **~ dispute** *n* conflit *m* social; **~ fair** *n* Comm salon *m*; **~ figures** *npl* résultats *mpl* financiers; **~ gap** *n* Econ déficit *m* commercial

trade-in /'treɪdɪn/

A *n* Comm reprise *f* (*d'un article usagé à l'achat d'un article neuf*)
B *adj* Comm [*price*] avec reprise; [*value*] de reprise

trademark /'treɪdmɑ:k/

A *n* ① Comm marque *f* (de fabrique); ② (*also* **Trademark**, **Registered Trademark**) marque *f* déposée; ③ fig (of person) signe *m* particulier; **the professionalism which is his ~** le professionalisme qui le caractérise
B *vtr* Comm (label) apposer une marque sur [*product*]; (register) déposer une marque sur [*product*]

trade: **Trade Minister** *n* GB Pol ministre *m* du commerce; **~ mission** *n* mission *f* commerciale; **~ name** *n* Comm nom *m* (de marque)

trade-off /'treɪdɒf/ *n* ① (balance) compromis *m* (**between** entre); ② (exchange) échange *m* (**between** entre)

trade pattern *n* Comm structure *f* des échanges

trader /'treɪdə(r)/ *n* ① Comm commerçant/-e *m/f*; ② Fin (at Stock Exchange) opérateur/-trice *m/f* (en Bourse); ③ Naut navire *m* marchand

tradescantia /ˌtrædɪ'skæntɪə/ *n* tradescantia *m*

trade: **~ secret** *n* secret *m* de fabrication; hum secret *m* d'État; **Trade Secretary** *n* GB Pol = **Trade Minister**; **~ show** *n* salon *m* professionnel; **~sman** *n* (delivery man) livreur *m*; (person rendering service) ouvrier *m*; Tax (on official form) artisan *m*; **~sman's entrance** *n* entrée *f* de service, entrée *f* des fournisseurs; **~s union** *n* GB ▸ **trade union**; **Trades Union Congress**, **TUC** *n* GB Confédération *f* des syndicats (britanniques); **~ tariffs** *npl* tarifs *mpl* douaniers

trade union

A *n* Ind syndicat *m*
B *modif* Ind [*activist, card, leader, headquarters, movement, subscription*] syndical

trade: **~ union member** *n* syndiqué/-e *m/f*; **~ war** *n* guerre *f* commerciale; **~ wind** *n* Meteorol alizé *m*

trading /'treɪdɪŋ/ *n* ① Comm commerce *m*; ② Fin (at Stock Exchange) transactions *fpl* (boursières); **~ was quiet/heavy** la Bourse était calme/agitée; **at the end of ~** à la fermeture du marché; **most favoured nation ~ status** statut *m* de nation favorisée

trading: **~ account** *n* Accts compte *m* d'exploitation; **~ block** *n* bloc *m* commercial; **~ card** *n* carte *f* (de collection); **~ company** *n* société *f* commerciale; **~ day** *n* Fin séance *f* (boursière); **~ estate** *n* GB zone *f* industrielle; **~ loss** *n* Accts pertes *fpl*; **~ nation** *n* nation *f* commerçante; **~ partner** *n* partenaire *m* commercial

trading post *n* ① (shop) poste *m* d'approvisionnement (*dans une région isolée*); ② Fin (at Stock Exchange) corbeille *f*, poste *m* de négociation

trading: **~ profit** *n* Accts bénéfices *mpl*; **~ stamp** *n* Comm point *m*; **Trading Standards Department** *n*: *direction régionale de la protection des consommateurs*; **Trading Standards Officer** *n*: *fonctionnaire de la direction régionale de la protection des consommateurs*

tradition /trə'dɪʃn/ *n* tradition *f* (**of** de; **to do** de faire); **by ~** par tradition; **in the ~ of** dans la tradition de; **to break with ~** rompre avec la tradition

traditional /trə'dɪʃənl/ *adj* traditionnel/-elle

traditionalism /trə'dɪʃənəlɪzəm/ *n* traditionalisme *m*

traditionalist /trə'dɪʃənəlɪst/ *n, adj* traditionaliste (*mf*)

traditionally /trə'dɪʃənəlɪ/ *adv* traditionnellement

traduce /trə'dju:s, US -'du:s/ *vtr* sout diffamer

traducer /trə'dju:sə(r), US -'du:-/ *n* sout diffamateur/-trice *m/f*

traffic /'træfɪk/

A *n* ① (road vehicles in street, town) circulation *f*; **to direct the ~** régler la circulation; **heavy ~** circulation dense; **the volume of ~ has doubled** la circulation a doublé de volume; **~ into/out of London** la circulation vers/en sortant de Londres; **~ is being diverted** il y a une déviation; **to hold up the ~** provoquer un bouchon; ② (movement of planes, ships, trains, cars, people) trafic *m*; **freight/passenger ~** trafic de fret/voyageurs; **air ~** trafic aérien; **cross-Channel ~** trafic *m* transmanche; ③ (dealings) (in drugs, arms, slaves, goods) trafic *m* (**in** de); (in ideas) mouvement *m* (**in** de); **a one-way/two-way ~** un trafic unilatéral/dans les deux sens; ④ Electron, Comput, Telecom trafic *m*
B *modif* [*accident, density, noise, problem, regulations*] de la circulation; **~ hold-up** embouteillage *m*; **~ flow** circulation *f*; **~ tailback** bouchon *m*
C *vi* (*p prés etc* **-ck-**) **to ~ in** faire du trafic de [*drugs, cocaine, arms, stolen goods*]

traffic calming

A *n* mesures *fpl* pour ralentir la circulation
B *modif* [*measures, scheme*] pour ralentir la circulation

traffic: **~ circle** *n* US rond-point *m*; **~ cop** ▸ **p. 1683** *n* US agent *m* de la circulation; **~ court** *n* US cour *f* des contraventions routières

traffic duty *n* **to be on ~** faire la circulation

traffic: **~ engineer** ▸ **p. 1683** *n* technicien *m* de la circulation routière; **~ engineering** *n* gestion *f* de la circulation routière; **~-free** *adj* libre de toute circulation; **~ island** *n* Transp refuge *m*; **~ jam** *n* embouteillage *m*

trafficker /'træfɪkə(r)/ *n* trafiquant/-e *m/f* (**in** de)

traffic: **~ light** *n* (*souvent pl*) feux *mpl* de signalisation *or* tricolores; **~ offence** *n* infraction *f* au Code de la route; **~ pattern** *n* US Aviat circuit *m* d'aérodrome; **~ police** *n* police *f* de la route; **~ policeman** *n* agent *m* de la circulation; **~ report** *n* Radio, TV informations *fpl* routières, infos *fpl* route○; **~ signal** *n* = **traffic light**; **~ system** *n* système *m* de circulation; **~ warden** ▸ **p. 1683** *n* GB contractuel/-elle *m/f*

tragedian /trə'dʒi:dɪən/ *n* ① (author) auteur *m* de tragédies; ② (actor) tragédien *m*

tragedienne /trəˌdʒi:dɪ'en/ *n* tragédienne *f*

tragedy /'trædʒədɪ/ *n* gen, Theat tragédie *f*; **it's a ~ that** c'est une tragédie que (+ *subj*); **the ~ of it is that** le (plus) tragique, c'est que; **the ~ of war is that** le plus tragique dans les guerres, c'est que

tragic /'trædʒɪk/ *adj* gen, Theat tragique; **it is ~ that** il est tragique que (+ *subj*)

tragically /'trædʒɪklɪ/ *adv* tragiquement

tragicomedy /ˌtrædʒɪ'kɒmədɪ/ *n* Theat, fig tragi-comédie *f*

tragicomic /ˌtrædʒɪ'kɒmɪk/ *adj* tragi-comique

trail /treɪl/

A *n* ① (path) chemin *m*, piste *f*; **to set off on the ~ to** se mettre en route *or* en chemin pour; ② (trace, mark) (blood, dust, slime) traînée *f*, trace *f* (**of** de); **jet ~** sillage *m* d'avion; **he left a ~ of clues behind him** il a laissé des traces derrière lui; **to leave a ~ of destruction behind one** tout détruire sur son passage; ③ (trace) gen, Hunt trace *f*, piste *f* (**of** de); **to pick up/lose sb's ~** retrouver/perdre la trace de qn; **to be on sb's ~** être sur la trace de qn; **the police are on his ~** la police est sur sa trace; **they were hot on our ~** ils étaient sur nos talons○; ④ (circuit) **to be on the campaign ~** Pol être en campagne électorale; **to follow the**

t

hippy ~ to Nepal suivre la route des hippies jusqu'au Népal

B *vtr* [1] (follow) [*animal, person*] suivre la piste de; [*car*] suivre; **they are being ~ed by the police** la police est sur leur trace; **we ~ed him to his front door** nous l'avons suivi à la trace jusqu'à sa porte d'entrée; **the hounds ~ed the fox to his den** les chiens ont suivi la piste du renard jusque dans son terrier; [2] (drag along) traîner; **to ~ one's hand in the water** laisser traîner sa main dans l'eau; **to ~ sth along the ground** faire traîner qch sur le sol

C *vi* [1] (hang, droop) [*skirt, scarf*] traîner; [*plant*] pendre; **your belt is ~ing along the ground** votre ceinture traîne par terre; [2] (lag, dawdle) **they ~ed back after dark** ils sont revenus péniblement après la tombée de la nuit; **the children ~ed back into the classroom** les enfants sont rentrés dans la salle de classe en traînant les pieds; [3] (fall behind) **he was ~ing far behind the rest of the group** il traînait loin derrière le reste du groupe; **our team were ~ing by 3 goals to 1** Sport notre équipe avait un retard de 2 buts; **to ~ badly** [*racehorse, team*] être à la traîne; **they are ~ing in the polls** Pol ils sont à la traîne dans les sondages; **the company is ~ing behind its European competitors** la société est à la traîne derrière ses concurrents européens

(Phrasal verb) ■ **trail away, trail off** [*person, voices*] se taire (peu à peu); [*music*] s'arrêter (peu à peu); [*signature, writing*] s'effacer

trail: **~ bike** *n* moto *f* tout-terrain; **~ blazer** *n* pionnier/-ière *m/f*; **~-blazing** *adj* innovateur/-trice

trailer /ˈtreɪlə(r)/ *n* [1] (vehicle, boat) remorque *f*; [2] US (caravan) caravane *f*; [3] Cin bande-annonce *f*

trailer: **~ park** *n* US terrain *m* de caravaning; **~ tent** *n* GB tente *f* remorque; **~ trash** *n* US offensive pauvres *mpl* qui habitent dans des caravanes

trailing /ˈtreɪlɪŋ/ *adj* [*plant*] rampant

train /treɪn/

A *n* [1] Rail train *m*; (underground) rame *f*; **on** *ou* **in the ~** dans le train; **fast/slow ~** train *m* rapide/omnibus; **the London/Paris ~** le train de Londres/Paris; **a ~ to London/Paris** un train pour Londres/Paris; **the morning/5 o'clock ~** le train du matin/de 5 heures; **an up/down ~** GB (in commuter belt) un train à destination de/en provenance de Londres; **to take/catch/miss the ~** prendre/attraper/manquer le train; **to send sth by ~** *ou* **on the ~** expédier qch par le train; **to go to Paris by ~** aller à Paris en train; **it's five hours by ~ to Geneva** Genève est à cinq heures de train; **the ~ now standing at platform 6** le train au quai numéro 6; **the ~ is running late** le train a du retard

[2] (succession) (of events) série *f*; (of ideas) enchaînement *m*; **to set off a ~ of events** déclencher une série d'événements; **a ~ of thought** un raisonnement; **the bell interrupted my/John's ~ of thought** la sonnette a interrompu le fil de mes pensées/a distrait John de ses pensées

[3] (procession) gen (of animals, vehicles, people) file *f*; (of mourners) cortège *m*; Mil train *m*

[4] (of gunpowder) traînée *f* (de poudre)

[5] (motion) **to be in ~** être en train *or* en marche; **to set** *ou* **put sth in ~** mettre qch en train

[6] †(retinue) suite *f*; **the war brought famine in its ~** fig la guerre a entraîné la famine dans son sillage

[7] (on dress) traîne *f*

[8] Tech **a ~ of gears** un train d'engrenages

B *modif* Rail [*crash, service, station*] ferroviaire; [*times, timetable*] des trains; [*driver, ticket*] de train; [*traveller*] en train; [*strike*] des chemins de fer

C *vtr* [1] gen, Mil, Sport (instruct professionally) former [*staff, worker, musician*] (**to do** à faire); (instruct physically) entraîner [*athlete, player*] (**to do** à faire); dresser [*circus animal, dog*]; **these men are ~ed to kill** ces hommes sont entraînés à tuer; **to be ~ed on the job** être formé sur le tas; **to ~ sb for/in sth** former qn pour qch; **she is being ~ed for the Olympics/in sales techniques** on la forme pour les jeux Olympiques/aux techniques commerciales; **to ~ sb as a pilot/engineer** donner à qn une formation de pilote/d'ingénieur; **she was ~ed as a linguist** elle a reçu une formation de linguiste; **a Harvard-~ed economist** un économiste formé à Harvard; **an Irish-~ed horse** un cheval entraîné en Irlande; **he's ~ing his dog to sit up and beg** il apprend à son chien à faire le beau; **she has her husband well-~ed** hum elle a bien dressé son mari

[2] (aim, focus) **to ~ X on Y** pointer *or* braquer X sur Y; **she ~ed the gun/binoculars on him** elle a braqué le fusil/les jumelles sur lui; **the firemen ~ed the hose on the fire** les pompiers ont dirigé le tuyau sur les flammes

[3] Hort palisser [*plant, tree*]

D *vi* [1] gen (for profession) être formé, étudier; **he ~ed at the Language Institute** il a été formé *or* il a étudié à l'Institut des Langues; **he's ~ing for the ministry** il étudie pour être pasteur; **I ~ed on a different type of machine** j'ai été formé sur un autre type de machine; **he's ~ing to be/he ~ed as a doctor** il suit/il a reçu une formation de docteur

[2] Sport s'entraîner (**for** pour); **I ~ by running 15 km** je m'entraîne en courant 15 km

(Phrasal verb) ■ **train up**○: ▸ **~ up [sb], ~ [sb] up** former [*employee, staff, soldier*]; entraîner [*athlete*]

trainbearer /ˈtreɪnbeərə(r)/ *n* (female) demoiselle *f* or dame *f* d'honneur; (male) garçon *m* d'honneur

trained /treɪnd/ *adj* [*staff, workforce, worker*] qualifié; [*professional*] diplômé; [*mind, voice*] exercé; [*singer, actor*] professionnel/-elle; [*animal*] dressé; **highly ~** hautement qualifié; **well** *ou* **properly ~** bien formé; [*animal*] bien dressé; **to the ~ eye/ear** pour un œil/une oreille exercé/-e; **when will you be fully ~?** quand est-ce que tu auras fini ta formation?

trainee /treɪˈniː/ *n, modif* stagiaire (*mf*)

traineeship /treɪˈniːʃɪp/ *n* poste *m* de stagiaire

trainer /ˈtreɪnə(r)/ *n* [1] Sport, Turf (of athlete, horse) entraîneur/-euse *m/f*; (of circus animal, dogs) dresseur/-euse *m/f*; [2] Aviat (simulator) simulateur *m* de vol; (aircraft) avion-école *m*; [3] GB (shoe) basket *f*

trainer pants *npl* culotte *f* d'apprentissage

train ferry *m* ferry-boat *m*

training /ˈtreɪnɪŋ/

A *n* [1] gen formation *f* (**as** de); (less specialized) apprentissage *m* (**in** de); **secretarial/staff ~** formation de secrétaire/du personnel; **skills/technical ~** formation spécialisée/technique; **on-the-job ~** formation sur le tas; **~ in publishing/medicine** formation à l'édition/à la médecine; **a good ~ for life/for running one's own business** un bon apprentissage de la vie/pour diriger sa propre entreprise; **'~ will be given'** (job advertisement) 'formation assurée'; [2] Mil, Sport, Equit entraînement *m*; **to be in ~** gen s'entraîner; (following specific programme) suivre un entraînement; **to break ~** interrompre l'entraînement; **to be out of ~** manquer d'entraînement; **the horse/athlete recorded an excellent time in ~** le cheval/l'athlète a fait un excellent temps à l'entraînement

B *modif* [1] (instruction) [*course, period, scheme, method, package, agency*] de formation; [*manual*] d'instruction; [*requirements*] de qualification; [2] Mil, Sport [*course, exercise, method, facilities, mission*] d'entraînement

training: **~ camp** *n* Mil, Sport camp *m* d'entraînement; **~ centre** *n* centre *m* de formation; **~ college** *n* GB gen école *f* professionnelle; (for teachers) centre *m* de formation pédagogique; **~ ground** *n* Sport terrain *m* d'entraînement; fig filière *f*; **~-plane** *n* avion-école *m*; **~ ship** *n* navire-école *m*; **~ shoe** *n* basket *f*

train: **~man** ▸ **p. 1683** *n* US cheminot *m*; **~ oil** *n* huile *f* de baleine; **~ set** *n* petit train *m*; **~spotter** *n* passionné/-e *m/f* de trains; (nerd)○ personne *f* ennuyeuse; **~ spotting** *n*: *loisir consistant à observer et répertorier les trains*; **~ surfing** *n* voyage *m* à l'extérieur des trains

traipse /treɪps/ *vi* traîner; **to ~ around the world** se traîner à travers le monde; **I've been traipsing around town all day** j'ai passé ma journée à traîner partout dans la ville; **to ~ in and out** entrer et sortir

trait /treɪ, treɪt/ *n* [1] (of personality, family) trait *m*; **personality ~** trait de caractère; [2] (genetic) caractéristique *f*

traitor /ˈtreɪtə(r)/ *n* traître/traîtresse *m/f* (**to** à); **to turn ~** trahir; **to be a ~ to oneself** trahir sa propre cause

traitorous /ˈtreɪtərəs/ *adj* sout traître/traîtresse

traitorously /ˈtreɪtərəslɪ/ *adv* sout traîtreusement

traitress /ˈtreɪtrɪs/ *n* sout traîtresse *f*

trajectory /trəˈdʒektərɪ/

A *n* trajectoire *f*

B *modif* [*calculation, reconstruction*] de trajectoire

tram /træm/

A *n* [1] GB Transp (*also* **tramcar**†) tramway *m*, tram *m*; [2] Mining berline *f*; [3] Tech (adjustment) ajustage *m*

B *modif* [*driver, rails, stop*] de tramway

C *vtr* (*p prés etc* **-mm-**) Tech ajuster

tramline /ˈtræmlaɪn/

A *n* Transp (track) rail *m* du tramway; (route) ligne *f* de tramway

B **tramlines** *npl* (in tennis) lignes *fpl* de côté

trammel /ˈtræml/

A *n* Equit entrave *f* also fig

B **trammels** *npl* Tech compas *m* à ellipse

C *vtr* [1] Tech ajuster; [2] (hamper) entraver

tramp /træmp/

A *n* [1] (vagrant) (rural) vagabond *m*; (urban) clochard/-e *m/f*; [2] (sound of feet) bruit *m*; **I heard the ~ of feet** j'ai entendu un bruit de pas; **the ~ of soldiers' feet** le bruit des pas des soldats; [3] (hike) marche *f*; [4] ○injur (promiscuous woman) traînée○ *f* offensive; [5] Naut (*also* **~ steamer**) tramp *m*

B *vi* [1] (hike) marcher; [2] (walk heavily) marcher à pas lourds; **to ~ up/down the stairs** monter/descendre l'escalier à pas lourds; **to ~ the streets** courir les rues

trample /ˈtræmpl/

A *vtr* lit piétiner; fig fouler [qch/qn] aux pieds; **to ~ sth underfoot** piétiner qch; **to be ~d to death** être piétiné à mort

B *vi* **to ~ on** lit piétiner; fig fouler [qn/qch] aux pieds

trampoline /ˈtræmpəliːn/

A *n* trampoline *m*

B *vi* faire du trampoline

trampolining /ˈtræmpəliːnɪŋ/ ▸ **p. 1253** *n* trampoline *m*

tramway /ˈtræmweɪ/ *n* ligne *f* de tramway

trance /trɑːns, US træns/ *n* (in hypnosis, spiritualism etc) transe *f*; fig état *m* second; **to be in a ~** lit être en transe; fig être dans un état second; **to go into a ~** lit entrer en transe; **to put sb into a ~** faire entrer qn en transe

trance-like /ˈtrɑːnslaɪk, US træns-/ *adj* [*calm, silence*] surnaturel/-elle; **to be in a ~ state** être dans un état second

tranche /trɑːnʃ/ *n* Fin tranche *f*

trannie○†, **tranny**○† /ˈtrænɪ/ *n* GB (*abrév* = **transistor**) transistor *m*, radio *f*

tranquil /ˈtræŋkwɪl/ *adj* tranquille

tranquillity, **tranquility** US /ˌtræŋˈkwɪlətɪ/ *n* tranquillité *f*

tranquillize, tranquilize US /'træŋkwɪlaɪz/ *vtr* mettre [qn] sous tranquillisants

tranquillizer, tranquilizer US /'træŋkwɪlaɪzə(r)/ *n* tranquillisant *m*; **to be on ~s** être sous tranquillisants

tranquillizer dart *n* Vet fléchette *f* (*pour calmer un animal*)

tranquilly /'træŋkwɪlɪ/ *adj* (calmly) tranquillement; (peacefully) paisiblement

transact /træn'zækt/ *vtr* négocier [*business, rights*]; **to ~ a deal** passer un accord

transaction /træn'zækʃn/
A *n* **1** (piece of business) gen, Comm, Fin transaction *f*; (on stock exchange) opération *f*; **legal ~** procédure *f* légale; **cash/credit card ~** transaction en liquide/effectuée avec une carte de crédit; **foreign exchange ~** opération de change; **2** (negotiating) **the ~ of business** les relations *fpl* d'affaires; **3** Comput transaction *f*
B **transactions** *npl* (proceedings) (of society etc) actes *mpl*

transactional /træn'zækʃənl/ *adj* transactionnel/-elle

transactional analysis, TA *n* analyse *f* transactionnelle

transalpine /trænz'ælpaɪn/ *adj* transalpin

transatlantic /ˌtrænzət'læntɪk/ *adj* [*crossing, flight*] transatlantique; [*attitude, accent*] d'outre-atlantique *inv*

Transcaucasia /ˌtrænzkɔː'keɪzjə/ *pr n* Transcaucasie *f*

Transcaucasian /ˌtrænzkɔː'keɪzjən/ *adj* transcaucasien/-ienne

transceiver /træn'siːvə(r)/ *n* émetteur-récepteur *m*

transcend /træn'send/ *vtr* **1** (go beyond) transcender [*barrier, reason*]; **2** (surpass) surpasser [*performance, quality*]; **3** Relig, Philos transcender

transcendence /træn'sendəns/ *n* transcendance *f*

transcendent /træn'sendənt/ *adj* transcendant

transcendental /ˌtrænsen'dentl/ *adj* transcendantal

transcendentalism /ˌtrænsen'dentəlɪzəm/ *n* transcendantalisme *m*

transcendentalist /ˌtrænsen'dentəlɪst/ *n, adj* transcendantaliste (*mf*)

transcendental meditation, TM *n* méditation *f* transcendantale

transcontinental /ˌtrænzkɒntɪ'nentl/ *adj* transcontinental

transcribe /træn'skraɪb/ *vtr* **1** gen, Mus (by writing) transcrire (**into** en); **2** Radio (by recording) enregistrer [*concert, programme*]; **3** Comput transcrire (**onto** sur)

transcript /'trænskrɪpt/ *n* **1** (copy) transcription *f*; **2** US Sch duplicata *m* de livret scolaire

transcription /ˌtræn'skrɪpʃn/ *n* gen, Phon transcription *f*

transcutaneous /trænzkjuː'teɪnɪəs/ *adj* transcutané

transdermal patch /ˌtrænz'dɜːml pætʃ/ *n* timbre *m* transdermique, patch *m* transdermique

transduce /træns'djuːs, US -'duːs/ *vtr* Biol transformer (**into** en)

transducer /træns'djuːsə(r), US -'duː-/ *n* Elec transducteur *m*

transduction /træns'dʌkʃn/ *n* Biol transduction *f*

transect /træn'sekt/ *vtr* couper (transversalement)

transept /'trænsept/ *n* transept *m*

transfer
A /'trænsfɜː(r)/ *n* **1** (transmission) (of information, technology, skills, feelings, power, heat, goods, ownership, shares) transfert *m* (**from** de; **to** à); (of property, debt) cession *f* (**from** de; **to** à); (of funds) virement *m*, transfert *m*; (of a right) transmission *m*; **file/heat ~** transfert de fichier/chaleur; **2** (relocation) (of employee, player, patient, prisoner) transfert *m* (**from** de; **to** à); (of civil servant) mutation *f* (**from** de; **to** à); (of proceedings) renvoi *m* (**from** de; **to** devant); **3** GB Art, Fashn (on skin, china, paper) décalcomanie *f*; (on T-shirt) transfert *m*; **4** Sewing décalque *m*; **5** Tourism transfert *m*; **bus ~** transfert en car; **6** US Rail billet *m* de correspondance; **7** Ling, Biol, Chem, Psych transfert *m*
B /træns'fɜː(r)/ *vtr* (*p prés etc* **-rr-**) **1** (move) transférer [*data, luggage, prisoner*] (**from** de; **to** à); **to ~ data onto hard disc** transférer les données sur disque dur; **2** (recopy) reporter [*details, information*] (**from** de; **onto** sur); **3** (hand over) transférer [*land, ownership*]; virer [*money*]; céder [*property, power*]; transmettre [*right*]; reporter [*allegiance, support*]; **4** (relocate) transférer [*employee, office, prisoner*]; muter [*civil servant*]; **5** Telecom faire passer [*call*]; **I'm ~ing you to reception** je vous passe la réception; **6** Sport transférer [*player*]; **7** Math transférer [*term*]; **8** (translate) **to ~ an idea onto paper** mettre une idée sur le papier
C /træns'fɛː(r)/ *vi* (*p prés etc* **-rr-**) **1** (relocate) [*employee, player, passenger*] être transféré; [*civil servant*] être muté; **I'm ~ring to the Boston office** on me transfère au bureau de Boston; **2** Aviat [*traveller*] changer d'avion; **3** Univ [*student*] (change university) changer d'université; (change course) changer de cours; **to ~ from Bath to York** faire un transfert de Bath à York; **4** (adapt) **the novel didn't ~ well to the stage** le roman ne passait pas bien à la scène

transferable /træns'fɜːrəbl/ *adj* **1** Fin [*security, value*] négociable; **2** Jur, gen [*right, vote, debt, expertise, skill*] transmissible

transfer: ~ certificate *n* certificat *m* de transfert; **~ deed** *n* acte *m* de cession; **~ desk** *n* Aviat guichet *m* de correspondance; **~ duty** *n* droit *m* de mutation

transferee /ˌtrænsfɜː'riː/ *n* **1** Jur (of goods, property) cessionnaire *mf*; **2** (of letter of credit) bénéficiaire *mf*

transference /'trænsfərəns, US træns'fɜːrəns/ *n* **1** (transfer) (of blame, responsibility) transfert *m*; (of power, thought) transmission *f*; **2** Psych transfert *m*

transfer: ~ fee *n* Sport prix *m* du transfert; **~ form** *n* Fin acte *m* de cession; **~ income** *n* revenu *m* de transfert; **~ list** *n* Sport liste *f* des transferts; **~ lounge** *n* Aviat salle *f* de transit

transferor /træns'fɜːrə(r)/ *n* Jur cédant/-e *m/f*

transfer: ~ passenger *n* passager/-ère *m/f* en transit; **~ payment** *n* transfert *m* social; **~red charge call** *n* Telecom appel *m* en PCV; **~ season** *n* Sport période *f* des transferts; **~ time** *n* Tourism durée *f* du transfert

transfiguration /ˌtrænsfɪgə'reɪʃn, US -gjə'r-/ *n* sout, Relig transfiguration *f*

transfigure /træns'fɪgə(r), US -gjər/ *vtr* transfigurer

transfix /træns'fɪks/ *vtr* **1** (render motionless) (*gén au passif*) [*horror, fear*] paralyser (**with** de; **by** par); [*beauty, gaze*] stupéfier; **2** (impale) transpercer

transform /træns'fɔːm/
A *vtr* (all contexts) transformer (**from** de; **into** en); **to be ~ed into** se transformer en
B *v refl* **to ~ oneself** se transformer (**into** en)

transformation /ˌtrænsfə'meɪʃn/ *n* (all contexts) transformation *f* (**from** de; **into** en)

transformational /ˌtrænsfə'meɪʃənl/ *adj* transformationnel/-elle

transformational grammar *n* grammaire *f* transformationnelle

transformer /træns'fɔːmə(r)/ *n* transformateur *m*

transformer station *n* poste *m* de transformation

transfuse /træns'fjuːz/ *vtr* **1** Med transfuser; **2** littér **to be ~d with** être empli de [*joy, excitement*]; être pris de [*sorrow*]

transfusion /træns'fjuːʒn/ *n* transfusion *f*; **to give sb a ~** faire une transfusion à qn

transgenic /træns'dʒenɪk/ *adj* transgénique

transgress /trænz'gres/
A *vtr* transgresser
B *vi* **1** Jur commettre une infraction; **2** Relig commettre un péché

transgression /trænz'greʃn/ *n* **1** Jur transgression *f* (**against** de); **2** Relig péché *m*

transgressor /trænz'gresə(r)/ *n* **1** Jur transgresseur *m* (**against** de); **2** Relig pécheur/pécheresse *m/f*

tranship *vtr* ▸ **transship**

transhipment *n* ▸ **transshipment**

transience /'trænzɪəns/ *n* caractère *m* éphémère

transient /'trænzɪənt, US 'trænʃnt/
A *n* US personne *f* de passage
B *adj* [*phase*] transitoire; [*emotion, beauty*] éphémère; [*population*] de passage

transistor /træn'zɪstə(r), -'sɪstə(r)/ *n* **1** (radio) transistor *m*, radio *f*; **2** Electron (semiconductor) transistor *m*

transistorize /træn'zɪstəraɪz, -'sɪst-/ *vtr* transistoriser

transit /'trænzɪt, -sɪt/
A *n* **1** gen transit *m*; **in ~** en transit; **2** Astron passage *m*
B *modif* [*camp, lounge*] de transit; [*passenger*] en transit

transition /træn'zɪʃn, -'sɪʃn/
A *n* **1** gen transition *f* (**from** de; **to** à); **in a state of ~** dans une phase transitoire; **2** Mus (between keys) modulation *f*; (between sections) transition *f*
B *modif* [*period, point*] de transition

transitional /træn'zɪʃənl, -'sɪʃənl/ *adj* [*arrangement, measure*] transitoire; [*economy, period*] de transition

transitive /'trænzətɪv/ *adj* transitif/-ive

transitively /'trænzətɪvlɪ/ *adv* transitivement

transitivity /ˌtrænzə'tɪvətɪ/ *n* transitivité *f*

transitoriness /'trænsɪtrɪnɪs, US -tɔːrɪnɪs/ *n* caractère *m* passager

transitory /'trænsɪtrɪ, US -tɔːrɪ/ *adj* [*stage*] transitoire; [*hope, pain*] passager/-ère

transit van *n* camionnette *f* (de transport)

Transkei /træns'kaɪ/ *pr n* Transkei *m*

translatable /trænz'leɪtəbl/ *adj* traduisible

translate /trænz'leɪt/
A *vtr* **1** Ling traduire (**from** de; **into** en); fig interpréter [*gesture, remark*]; traduire [*theory, idea, principle*] (**into** en); **to ~ theory into practice** traduire la théorie en pratique; **2** (convert) convertir [*measurement, temperature*] (**into** en); **3** Math translater
B *vi* **1** gen [*person*] traduire; [*word, phrase, text*] se traduire; **his poetry does not ~ well** sa poésie ne se traduit pas bien; **this word does not ~** ce mot est intraduisible; **2** Comput traduire

translation /trænz'leɪʃn/ *n* (all contexts) traduction *f* (**from** de; **into** en; **of** de); **in ~** en traduction; **the play loses a lot in ~** la pièce perd beaucoup à la traduction

translator /trænz'leɪtə(r)/ *n* **1** (person) traducteur/-trice *m/f*; **2** Radio réémetteur *m*

transliterate /trænz'lɪtəreɪt/ *vtr* translittérer

transliteration /ˌtrænzlɪtə'reɪʃn/ *n* translittération *f*

t

translucence /ˌtrænz'luːsns/ *n* translucidité *f*

translucent /trænz'luːsnt/ *adj* translucide

transmigrate /ˌtrænzmaɪ'greɪt/ *vi* [*person, animal*] migrer; [*soul*] transmigrer

transmigration /ˌtrænzmaɪ'greɪʃn/ *n* (of people, animals) migration *f*; (of souls) transmigration *f*

transmissible /trænz'mɪsəbl/ *adj* transmissible (**to** à)

transmission /trænz'mɪʃn/ *n* (all contexts) transmission *f*

transmission: ~ **belt** *n* courroie *f* de transmission; ~ **cable** *n* câble *m* de transmission; ~ **chain** *n* chaîne *f* de transmission; ~ **line** *n* ligne *f* de transport (d'énergie); ~ **shaft** *n* arbre *m* de transmission; ~ **tunnel** *n* tunnel *m* de la transmission

transmit /trænz'mɪt/ (*p prés etc* **-tt-**)
A *vtr* (all contexts) transmettre (**from** de; **to** à)
B *vi* émettre

transmittance /trænz'mɪtns/ *n* transmittance *f*

transmitter /trænz'mɪtə(r)/ *n* Radio, TV émetteur *m*; Telecom capsule *f* microphonique; **short/long wave** ~ émetteur *m* à ondes courtes/longues; **radio** ~ émetteur *m* radio

transmogrify /trænz'mɒgrɪfaɪ/ sout
A *vtr* transformer (**into** en)
B *v refl* se métamorphoser (**into** en)

transmutable /trænz'mjuːtəbl/ *adj* sout transmuable (**into** en)

transmutation /ˌtrænzmjuː'teɪʃn/ *n* Chem, fig transformation *f*

transmute /trænz'mjuːt/ *vtr* Chem, fig transmuer (**into** en)

transom /'trænsəm/ *n* **1** Archit traverse *f*; **2** Naut tableau *m* arrière; **3** US (fanlight) imposte *f*

transonic *adj* ▸ **transsonic**

transparency /træns'pærənsɪ/ *n* **1** ₵ gen, fig transparence *f*; **2** Phot diapositive *f*; **colour** ~ diapositive *f* en couleur; **3** (for overhead projector) transparent *m*

transparent /træns'pærənt/ *adj* lit, fig transparent

transparently /træns'pærəntlɪ/ *adv* (obviously) manifestement

transpierce /træns'pɪəs/ *vtr* littér transpercer

transpiration /ˌtrænspɪ'reɪʃn/ *n* transpiration *f*

transpire /træn'spaɪə(r), trɑː-/ *vi* **1** (be revealed) apparaître; **it** ~**d that** il est apparu par la suite que; **2** (occur) usage critiqué se produire; **3** Bot, Physiol transpirer

transplant /træns'plɑːnt, US -'plænt/
A *n* (operation) transplantation *f*; (organ, tissue transplanted) transplant *m*; **to have a heart/lung** ~ subir une transplantation cardiaque/pulmonaire
B *modif* ~ **operation** transplantation *f*; ~ **patient** transplanté/-e *m/f*; **heart** ~ **patient** transplanté/-e *m/f* cardiaque
C *vtr* **1** Hort transplanter [*plant, tree*]; repiquer [*seedlings*]; **2** Med transplanter; **3** fig transplanter [*person, custom etc*] (**to** en)

transplantation /ˌtrænsplɑːn'teɪʃn, US -plænt-/ *n* transplantation *f*

transponder /træn'spɒndə(r)/ *n* transpondeur *m*

transport /træns'pɔːt/
A *n* **1** (of goods, passengers) transport *m*; **air/rail/road** ~ transport aérien/ferroviaire/par route; **to travel by public** ~ utiliser les transports en commun; **Transport Secretary, Secretary of State for Transport** GB ministre *m* des Transports; **Ministry** GB *ou* **Department of Transport** ministère *m* des Transports; **2** (means of travelling) moyen *m* de locomotion; **I haven't got any** ~ **at the moment** je n'ai pas de moyen de locomotion en ce moment; **3** Mil (ship) (navire *m* de) transport *m* de troupes; (aircraft) (avion *m* de) transport *m* de troupes; **4** littér (rapture) transport *m*; **to go into** ~**s of delight** tomber dans des transports de joie
B *modif* [*costs, facilities, ship*] de transport; [*industry, strike, system*] des transports
C *vtr* **1** transporter [*passengers, goods*] (**from** de; **to** à); **to be** ~**ed back to one's childhood** fig être ramené à son enfance; **2** Hist (deport) transporter

transportable /træns'pɔːtəbl/
A *n* Telecom transportable *m*
B *adj* transportable

transportation /ˌtrænspɔː'teɪʃn/ *n* **1** US = **transport A 1, 2, B**; **2** (of passengers, goods) transport *m*; **3** Hist transport *m*

transport café *n* GB café *m* de routiers

transporter /træns'pɔːtə(r)/ *n* **1** Mil (for troops, planes) transport *m*; **tank** ~ porte-char *m*; **2** ▸ **car transporter**

Transport Police *n* GB ≈ la police des chemins de fer

transpose /træn'spəʊz/ *vtr* **1** intervertir [*pages, arguments*]; **2** Math, Mus transposer

transposition /ˌtrænspə'zɪʃn/ *n* **1** (of pages, arguments) interversion *f*; **2** Math, Mus transposition *f*

transputer /træns'pjuːtə(r), -z'pjuːtə(r)/ *n* transordinateur *m*

transsexual /trænz'sekʃʊəl/ *n, adj* transsexuel/-elle (*m/f*)

transsexualism /trænz'sekʃʊəlɪzəm/ *n* transsexualisme *m*

tranship /træn'ʃɪp/ *vtr* transborder

transshipment /træn'ʃɪpmənt/ *n* transbordement *m*

Trans-Siberian /ˌtrænsaɪ'bɪərɪən/ *adj* transsibérien/-ienne

transsonic /træn'sɒnɪk/ *adj* transsonique

transubstantiate /ˌtrænsəb'stænʃɪeɪt/ *vtr, vi* transsubstantier

transubstantiation /ˌtrænsəbˌstænʃɪ'eɪʃn/ *n* transsubstantiation *f*

Transvaal /'trænzvɑːl/ *pr n* Transvaal *m*

transversal /trænz'vɜːsl/
A *n* (intersecting triangle) transversale *f*; (intersecting hyperbola) axe *m* transverse; (intersecting parallel lines) droite *f* sécante
B *adj* transversal

transversally /trænz'vɜːsəlɪ/ *adv* transversalement

transverse /'trænzvɜːs/
A *n* partie *f* transversale
B *adj* transversal

transversely /'trænzvɜːslɪ/ *adv* transversalement

transvestism /trænz'vestɪzəm/ *n* travestisme *m*

transvestite /trænz'vestaɪt/ *n* travesti/-e *m/f*

Transylvania /ˌtrænsɪl'veɪnɪə/ *pr n* Transylvanie *f*

Transylvanian /ˌtrænsɪl'veɪnɪən/ *adj* transylvanien/-ienne

trap /træp/
A *n* **1** Hunt, fig (snare) piège *m*; **to set a** ~ **for** poser un piège pour [*animals*]; tendre un piège à [*humans*]; **to fall into a** ~ tomber dans un piège; **to fall into the** ~ **of doing** fig commettre l'erreur de faire; **2** (vehicle) cabriolet *m*; **3** (in plumbing) siphon *m*; **4** Sport (in shooting) ball-trap *m*; **5** (in dog racing) stalle *f* de départ; **6** ◑(mouth) gueule◑ *f*; **shut your** ~**!** ta gueule◑!
B *vtr* (*p prés etc* **-pp-**) **1** Hunt prendre [qch] au piège [*animal*]; **2** (catch, immobilize) coincer [*person, finger*]; **to be** ~**ped in an elevator** être coincé dans un ascenseur; **he** ~**ped a nerve in his back** Med il s'est coincé un nerf du dos; **3** (prevent from escaping) retenir [*heat*]; empêcher [qch] de fuir [*gas*]; **there was air** ~**ped in the pipe** il y avait de l'air dans le tuyau; **4** fig (emprison) prendre [qn] au piège; **to** ~ **sb into doing** amener qn à faire; **to be/feel** ~**ped (in a situation/a marriage)** être/se sentir piégé *or* coincé (dans une situation/un mariage)
C *vi* (*p prés etc* **-pp-**) Hunt braconner

trapdoor /'træpdɔː(r)/ *n* trappe *f*

trapeze /trə'piːz, US træ-/ *n* **1** (*also* **flying** ~) (in circus) trapèze *m*; **to perform on a** ~ faire du trapèze; **2** Naut trapèze *m*

trapeze: ~ **act** *n* numéro *m* de trapèze; ~ **artist** *n* ▸ **p. 1683** trapéziste *mf*

trapezist /trə'piːzɪst, US træ-/ ▸ **p. 1683** *n* trapéziste *mf*

trapezium /trə'piːzɪəm/ *n* (*pl* **-ium** *ou* **-ia**) **1** GB Math trapèze *m*; **2** Anat os *m* trapèze

trapezius /trə'piːzɪəs/ *n* (*pl* ~**es**) (muscle *m*) trapèze *m*

trapezoid /'træpɪzɔɪd/ *n* US Math trapèze *m*

trapezoidal /'træpɪzɔɪdl/ *adj* trapézoïde

trapper /'træpə(r)/ *n* trappeur *m*

trappings /'træpɪŋz/ *npl* **1** péj (outer signs) attributs *mpl*; **the** ~ **of** les signes *mpl* extérieurs de [*wealth, power, success*]; **2** (harness) caparaçon *m*; **3** (ceremonial dress) apparat *m*

Trappist /'træpɪst/
A *n* trappiste *m*
B *adj* ~ **monk** trappiste *m*; ~ **monastery** monastère *m* de la Trappe

trap shooting *n* (tir *m* au) ball-trap *m*

trash /træʃ/
A *n* ₵ **1** US (refuse) (in streets) déchets *mpl*; (household) ordures *fpl*; (garden) détritus *mpl*; **to put the** ~ **out** sortir les poubelles; **2** ○péj (goods) camelote○ *f*; **3** ○péj (nonsense) âneries *fpl*; **to talk** ~ dire *or* débiter des âneries; **the book/film is (absolute)** ~ le livre/film est (complètement) nul○; **4** ○(person) injur minable○ *mf* offensive
B ○*vtr* US **1** (vandalize) saccager [*vehicle, building*]; **2** (criticize) descendre [qch/qn] en flammes○ [*person, performance*]

trashcan /'træʃkæn/ *n* US poubelle *f*

trashed○ /træʃt/ *adj* bourré◑, ivre; **to get** ~ se soûler la gueule◑

trash heap /'træʃ hiːp/ *n* lit tas *m* d'ordures; **to throw sb/sth on the** ~ fig mettre qn/qch au rancart

trash man ▸ **p. 1683** *n* US éboueur *m*

trashy○ /'træʃɪ/ *adj* péj [*novel, film, magazine*] nul/nulle○; [*souvenirs*] de pacotille péj

trauma /'trɔːmə, US 'traʊ-/ *n* (*pl* **-as, -ata**) Med, Psych traumatisme *m*; **what a** ~**!** fig quelle horreur!

trauma centre *n* centre *m* d'aide psychologique (*pour victimes de catastrophes*)

traumatic /trɔː'mætɪk, US traʊ-/ *adj* Psych, fig traumatisant; Med traumatique

traumatism /'trɔːmətɪzəm, US 'traʊ-/ *n* traumatisme *m*

traumatize /'trɔːmətaɪz, US 'traʊ-/ *vtr* (all contexts) traumatiser

travail /'træveɪl, US trə'veɪl/ *n* littér **1** (work) dur labeur *m*; **2** (of childbirth) travail *m*

travel /'trævl/
A *n* **1** gen, Tourism voyages *mpl*; (one specific trip) voyage *m*; **air/sea/space** ~ voyages aériens/par mer/spatiaux; **business/holiday** ~ voyages d'affaires/d'agrément; **overseas** *ou* **foreign** ~ voyages à l'étranger; ~ **by road/train/car** voyages par la route/en train/en voiture; ~ **to Italy/Canada/the Far East** des voyages en Italie/au Canada/en Extrême-Orient; **after 27 hours'** ~, **he was exhausted** après 27 heures de voyage, il était épuisé; ~ **is easy/expensive/dangerous in those parts** il est facile/cher/dangereux de voyager dans cette région; **the job involves a lot of** ~ le poste exige beaucoup de déplacements

t

2 Tech course *f*

B **travels** *npl* voyages *mpl*; **on** *ou* **in the course of my ~s** au cours de mes voyages; **he's off on his ~s again** il repart en voyage

C *modif* [*book, grant, plans, service*] de voyage; [*brochure, company, firm, magazine*] de voyages; [*allowance, voucher, expenses*] de déplacement; [*business*] de tourisme; [*writer*] de récits de voyage; [*ban*] de déplacements à l'étranger; **~ regulations** règlement de passage à l'étranger; '**~ time: 3 hours**' 'durée du trajet: 3 heures'

D *vtr* (*p prés etc* **-ll-**, US **-l-**) parcourir [*country, district, road, distance*]

E *vi* (*p prés etc* **-ll-**, US **-l-**) 1 (journey) [*person*] voyager; **to ~ by bus/car etc** voyager en bus/voiture etc; **their teacher is ~ling with them** leur professeur voyage avec eux; **he ~s widely** il voyage beaucoup; **to ~ on a season ticket/German passport** voyager avec un abonnement/un passeport allemand; **to ~ in style** voyager princièrement; **they were ~ling abroad** ils étaient en voyage à l'étranger; **to ~ abroad/to Brazil** aller à l'étranger/au Brésil; **to ~ light** voyager léger; **this is the way to ~!** c'est comme ça que je comprends les voyages!

2 (move) [*person, news, object, plane, boat*] aller; [*car, lorry, train*] aller, rouler; Phys [*light, sound, wave*] se propager; [*moving part*] se déplacer; **bad news ~s fast** les mauvaises nouvelles vont vite; **the washing machine ~s when it spins** la machine à laver se déplace pendant l'essorage; **to ~ at 50 km/h** rouler à 50 km/h, faire du 50 km/h; **the train was ~ling through a tunnel/up a hill** le train traversait un tunnel/montait une pente; **the car/motorbike was really ~ling**° la voiture/moto roulait à toute vitesse; **to ~ faster than the speed of sound** dépasser la vitesse du son; **a bullet ~s at a tremendous speed** une balle file à une vitesse impressionnante; **to ~ a long way** [*person*] faire beaucoup de chemin; [*arrow*] aller très loin; **to ~ back in time** remonter le temps; **to ~ forward in time** se projeter dans l'avenir; **her mind ~led back to her youth** elle s'est reportée en esprit à sa jeunesse; **his eye ~led along the line of men** il a promené son regard sur la rangée d'hommes

3 Comm (as sales rep) **to ~ in** être représentant en [*product*]; **he ~s in encyclopedias** il est représentant en encyclopédies; **to ~ for** être représentant de [*company, firm*]

4 **to ~ well** [*cheese, fruit, vegetable, wine*] supporter le transport *or* bien voyager

5 Sport (in netball) *faire plus de pas qu'il n'est autorisé*

F **-travelled** GB, **-traveled** US (*dans composés*) **much-** *ou* **well-~led** [*road, route*] fréquenté; **much-** *ou* **widely-~led person** personne qui a beaucoup voyagé

(Idiom) **~ broadens the mind** ≈ les voyages forment la jeunesse

travel: **~ agency** *n* agence *f* de voyages; **~ agent** ▸ **p. 1683** *n* agent *m* de voyages; **~ agent's** ▸ **p. 1683** *n* agence *f* de voyage

travelator /ˈtrævəleɪtər/ *n* tapis *m* roulant, trottoir *m* roulant

travel bureau *n* = **travel agency**

travel card *n* GB carte *f* de transport; **weekly/monthly/one-day ~** carte de transport hebdomadaire/mensuelle/valable une journée

travel: **~ flash** *n* TV, Radio flash *m* d'information routière; **~ insurance** *n* assurance *f* voyage

traveller GB, **traveler** US /ˈtrævlə(r)/ *n* 1 (voyager) (on business, holiday) voyageur/-euse *m/f*; (regular passenger) usager/-ère *m/f*; **~s to Moscow/Russia** les voyageurs pour Moscou/la Russie; **air/rail ~** usager/-ère de l'air/des chemins de fer; **a frequent ~ by air** un usager régulier de l'avion; 2 (commercial) représentant *m* de commerce; 3 GB (gypsy) nomade *mf*

traveller: **~'s cheque** GB, **traveler's check** US *n* chèque-voyage *m*; **~'s joy** *n* clématite *f* des haies; **~'s tale** *n* récit *m* de voyage enjolivé

travelling GB, **traveling** US /ˈtrævlɪŋ/

A *n* gen voyages *mpl*; (on single occasion) voyage *m*; **~ is tiring** les voyages sont fatigants; **to go ~** partir en voyage; **the job involves ~** le poste exige des déplacements; **~ in Britain is expensive** voyager en Grande Bretagne coûte cher

B *adj* 1 (mobile) [*actor, company, circus, exhibition*] itinérant; [*bank*] mobile; **the ~ public** les usagers des transports; 2 (for travellers) [*companion, gadget, game, rug*] de voyage; [*conditions*] (on road) de route; 3 (for travel purposes) [*grant, fellowship, scholarship*] de voyage; [*allowance, expenses*] de déplacement

travelling: **~ clock** *n* réveil *m* de voyage; **~ library** *n* bibliobus *m*; **~ salesman** ▸ **p. 1683** *n* voyageur *m* de commerce

travelogue /ˈtrævəlɒɡ/ GB, **travelog** US /ˈtrævəlɔːɡ/ *n* (film) film *m* de voyage; (talk) conférence *f* sur son voyage *or* ses voyages

travel-sick /ˈtrævlsɪk/ *adj* **to be** *ou* **get ~** souffrir du mal des transports

travel: **~-sickness** *n* mal *m* des transports; **~-sickness pills** *npl* médicament *m* contre le mal des transports; **~ warrant** *n* Mil feuille *f* de route

traverse /trəˈvɜːs/

A *n* 1 (in climbing, skiing) traversée *f*; 2 Jur contestation *f*; 3 Constr traverse *f*; 4 Mil pare-éclats *m inv*

B *vtr* 1 gen franchir [*ocean, desert*]; [*comet, route*] traverser; 2 (in climbing, skiing) traverser; 3 Jur contester

C *vi* (in skiing) descendre en zig-zag

travesty /ˈtrævəstɪ/ pej

A *n* 1 Art, Literat farce *f*; 2 (distortion) travestissement *m* (**of** de); **the trial was a ~ of justice** c'était une parodie de procès, le procès était une farce

B *vtr* (all contexts) travestir

trawl /trɔːl/

A *n* 1 Fishg (net) chalut *m*; (line) palangre *f*; 2 fig (action, result) pêche *f* (**for** à)

B *vtr* 1 Fishg pêcher dans [*water, bay*]; 2 fig (*also* **~ through**) écumer [*place*]; éplucher [*papers*]

C *vi* 1 Fishg pêcher au chalut; **to ~ for herring** pêcher le hareng au chalut; 2 fig **to ~ for information** aller à la pêche aux renseignements

trawler /ˈtrɔːlə(r)/

A *n* chalutier *m*

B *modif* [*crew*] de chalutier; [*fleet*] de chalutiers

trawlerman /ˈtrɔːləmən/ ▸ **p. 1683** *n* chalutier *m*

trawling /ˈtrɔːlɪŋ/ *n* pêche *f* au chalut

tray /treɪ/ *n* gen plateau *m*; **baking ~** plaque *f* à pâtisserie; **ice ~** bac *m* à glaçons; **oven ~** plaque *f* de four; **in-/out-~** corbeille *f* arrivée/départ; **seed ~** germoir *m*

traycloth /ˈtreɪklɒθ/ *n* napperon *m*

treacherous /ˈtretʃərəs/ *adj* [*person, weather, ice, current, quicksand*] traître/traîtresse; [*road, driving conditions*] traître/traîtresse, très dangereux/-euse

treacherously /ˈtretʃərəslɪ/ *adv* [*act, betray*] traîtreusement

treachery /ˈtretʃərɪ/ *n* traîtrise *f*

treacle /ˈtriːkl/

A *n* GB (black) mélasse *f*; (golden syrup) mélasse *f* raffinée

B *modif* [*tart, pudding*] à la mélasse raffinée

treacly /ˈtriːklɪ/ *adj* GB sirupeux/-euse also fig

tread /tred/

A *n* 1 (footstep) pas *m*; 2 (of stair) dessus *m* (d'une marche); 3 (of tyre) (pattern) sculptures *fpl*; (outer surface) chape *f*; **there's almost no ~ left** les sculptures sont presque complètement usées

B *vtr* (*prét* **trod**; *pp* **trodden**) fouler [*street, path, area*]; **to ~ grapes** fouler du raisin; **to ~ water** nager sur place; **to ~ sth underfoot** piétiner qch; **to ~ mud indoors** traîner de la boue dans la maison; **to ~ mud into the carpet** écraser de la boue sur la moquette; **to ~ a path across the hillside** tracer un chemin à flanc de colline; **she's ~ing a dangerous path** elle s'engage sur une voie dangereuse; **to ~ the same path as** fig marcher sur les pas de; **a well-trodden path** lit, fig une voie très empruntée

C *vi* (*prét* **trod**; *pp* **trodden**) (walk) marcher; **to ~ on** (walk) marcher sur; (squash) piétiner; **to ~ carefully** *ou* **warily** fig être *or* se montrer prudent

(Phrasal verbs) ■ **tread down**: ▸ **~ [sth] down, ~ down [sth]** piétiner [*earth, plant*]

■ **tread in**: ▸ **~ [sth] in, ~ in [sth]** tasser la terre sur [*plant, root*]

treadle /ˈtredl/

A *n* pédale *f*

B *modif* [*sewing machine, loom*] à pédale

C *vi* pédaler

treadmill /ˈtredmɪl/ *n* 1 (for hamster, mouse) roue *f*; 2 Hist (worked by animal) trépigneuse *f*; (worked by people) roue *f* à cheville; 3 fig (dull routine) train-train *m*; (which one can't break) engrenage *m*

treas *abrév écrite* = **treasurer**

treason /ˈtriːzn/ *n* trahison *f* (**against** envers); **high ~** haute trahison; **that would be ~** ce serait une trahison

treasonable /ˈtriːzənəbl/ *adj* [*act, offence*] qui constitue une trahison

treasure /ˈtreʒə(r)/

A *n* 1 (hoard of valuables) trésor *m*; **to find buried ~** trouver un trésor enfoui; 2 (precious object) trésor *m*; **art/national ~s** trésors artistiques/nationaux; 3 (prized person) (woman) perle *f*; (man) homme *m* en or

B *vtr* 1 (cherish) chérir [*person, memory, keepsake, gift*]; 2 (prize) tenir beaucoup à [*independence, friendship*]; adorer [*person*]; tenir beaucoup à [*object, possession*]

C **treasured** *pp adj* [*memory, possession*] précieux/-ieuse

treasure house *n* (building) musée *m*; **a ~ of information** fig une mine d'informations

treasure: **~ hunt** *n* chasse *f* au trésor; **~ hunter** *n* chasseur/-euse *m/f* de trésor

treasurer /ˈtreʒərə(r)/ *n* 1 (on committee) trésorier/-ière *m/f*; **to act** *ou* **serve as ~** être trésorier; 2 US Comm, Fin (in company) directeur *m* financier

treasure trove *n* (all contexts) trésor *m*

treasury /ˈtreʒərɪ/ *n* 1 (state, company revenues) trésorerie *f*; 2 fig (anthology) trésor *m*; 3 (in cathedral) trésor *m*; (in palace) musée *m*

Treasury /ˈtreʒərɪ/ Fin, Pol

A *n* ministère *m* des finances

B *modif* [*figures, official, policy*] du ministère des finances

Treasury bench *n* GB banc *m* du gouvernement

Treasury bill *n* 1 GB billet *m or* bon *m* du Trésor; 2 US bon *m* du Trésor en comptes courants (*à court terme*)

Treasury bond *n* 1 GB bon *m* du Trésor; 2 US bon *m* du Trésor (*à long terme*)

Treasury: **~ Department** *n* US ministère *m* des finances; **~ Minister** *n* GB ministre *m* des finances; **~ note** *n* US obligation *f* du Trésor; **~ Secretary** *n* US ministre *m* des finances; **~ warrant** *n* mandat *m* du Trésor

treat /triːt/

A *n* 1 (pleasure) (petit) plaisir *m*; (food) gâterie *f*; **to give sb a ~** offrir un petit plaisir à qn; **I gave myself a ~** je me suis offert un petit plaisir; **I took them to the museum as a ~** je les ai emmenés au musée pour leur faire plaisir; **it was a ~ to see you looking well/to get your letter** ça m'a fait vraiment plaisir de te voir aussi bonne mine/de recevoir ta lettre; **oysters! what a ~!** des huîtres! vous nous gâtez!; **she gets lots of ~s from her grandmother** elle se fait beaucoup gâter par sa grand-mère; **as a special ~ I was allowed to stay up late** exceptionnellement on m'a permis de me coucher plus tard; **her birthday ~ was a trip to the zoo** pour son cadeau d'anniversaire, on l'a emmenée au zoo; **a ~ in store** une bonne surprise; **2** ○**it's my/Henry's ~** c'est moi/Henry qui paie; (food, drink) c'est moi/Henry qui régale○; **to stand sb a ~**○ offrir *or* payer qch à qn; **he stood us a ~ in the pub/the restaurant** il nous a payé une tournée au pub/un repas au restaurant

B○ **a treat** *adv phr* GB **the plan worked a ~** le projet a marché comme sur des roulettes○; **the car works a ~ now** la voiture tourne rond○ maintenant; **the cake/present/show went down a ~ with the children** les enfants ont adoré le gâteau/cadeau/spectacle; **the room looks a ~ now you've redecorated it** la pièce est superbe, maintenant que tu l'as refaite

C *vtr* **1** (act towards, handle) gen traiter [*person, animal, object, topic*]; **to ~ sb well/badly** bien traiter/maltraiter qn; **that's no way to ~ a child!** on ne traite pas un enfant comme ça!; **to ~ sb/sth with** traiter qn avec [*care, contempt, kindness, suspicion*]; **to ~ sb like a child/fool** traiter qn comme un enfant/idiot; **we were ~ed as if...** on nous a traités comme si...; **to ~ sb as an enemy** traiter qn en ennemi; **to ~ sth as** considérer qch comme [*idol, shrine*]; **they ~ the house like a hotel** ils prennent la maison pour un hôtel; **to ~ a remark as a joke** ne pas prendre une remarque au sérieux; **to ~ the whole thing as a joke** prendre toute l'affaire à la plaisanterie; **to ~ a request seriously** prendre une requête au sérieux; **2** Med traiter [*patient, casualty*]; traiter [*disease*] (**with** avec); **to ~ sb with** traiter qn à [*drug*]; traiter qn par [*method*]; **3** Chem, Constr, Ind traiter [*chemical, fabric, problem, rot, sewage, water*] (**with** à); **to ~ sth against** traiter qch contre [*damp, infestation, rot*]; **4** (pay for) payer *or* offrir qch à [*person*]; **go on, have it, I'll ~ you** prends-le, c'est moi qui paie; **to ~ sb to sth** payer *or* offrir qch à qn; **he ~ed us to a trip to the concert/ice creams all round** il nous a payé une soirée au concert/une tournée de glaces; **he ~ed us to a lecture on personal hygiene/a description of his symptoms** iron il nous a gratifié d'un sermon sur l'hygiène corporelle/d'une description de ses symptômes iron; **we were ~ed to the unusual spectacle of a minister in disgrace** nous avons eu le privilège d'assister au spectacle insolite d'un ministre en disgrâce

D *v refl* **to ~ oneself** s'offrir un petit plaisir; **to ~ oneself to** s'offrir [*holiday, hairdo*]

treatise /'triːtɪs, -ɪz/ *n* traité *m* (**on** sur)

treatment /'triːtmənt/ *n* **1** gen (of person) traitement *m* (**of** de); **preferential ~** traitement de faveur; **special ~** (preferential) traitement de faveur; (unusual) traitement spécial; **it won't stand up to rough ~** ça ne résistera pas aux mauvais traitements; **her husband's ~ of her was cruel** la façon dont son mari la traitait était cruelle; **her ~ of her staff was appalling** elle traitait ses employés de façon odieuse; **2** (analysis) **the question gets** *ou* **is given a more extended ~ in...** cette question est traitée plus longuement dans...; **3** Med (by specific drug, method) traitement *m*; (general care) soins *mpl*; **a course of ~** un traitement; **cancer ~** traitement contre le cancer; **dental/hospital/veterinary ~** soins dentaires/hospitaliers/vétérinaires; **medical ~** traitement médical, soins médicaux; **preventive ~** traitement préventif, soins préventifs; **urgent ~** traitement *or* soins d'urgence; **people requiring ~ should...** les gens ayant besoin de soins *or* d'un traitement devraient...; **to receive ~ for sth** être sous traitement pour qch, recevoir des soins pour qch; **to undergo ~** être en traitement; **the infection is/isn't responding to ~** le traitement agit/n'agit pas sur l'infection; **drug ~ is preferable to radiotherapy** l'emploi des médicaments est préférable à la radiothérapie; **4** Chem, Constr, Ind traitement *m* (**against** contre; **with** à); **timber ~** traitement du bois

(Idiom) **to give sb the full ~**○ (indulge, flatter) sortir *or* jouer le grand jeu○ à qn; (grill, chide) faire passer un mauvais quart d'heure○ à qn

treatment: **~ plant** *n* usine *f* de traitement; **~ room** *n* salle *f* de soins

treaty /'triːtɪ/

A *n* **1** Pol traité *m* (**for** sur); **peace ~** traité de paix; **the Treaty of Rome** le traité de Rome; **to draw up/sign a ~** rédiger/signer un traité; **a ~ banning chemical weapons** un traité interdisant les armes chimiques; **2** Comm Jur accord *m*, contrat *m*; **for sale by private ~** à vendre de gré à gré

B *modif* [*provision, signatory*] d'un traité; [*obligation*] conventionnel/-elle

treble /'trebl/

A *n* **1** Audio aigus *mpl*; **2** Mus (voice) soprano *m* (*de garçon avant la mue*); (boy) soprano *m*; **3** Sport Turf triple victoire *f*; (in darts) triple *m*; **4** (drink) triple *m*

B *adj* **1** (three times) triple; **~ nine five six (99956)** quatre-vingt-dix-neuf, neuf cent cinquante-six; **to reach ~ figures** atteindre la centaine; **2** Mus [*voice*] de soprano (*avant la mue*); **~ part** partie *f* pour soprano

C *det* trois fois; **~ the amount** trois fois la quantité; **~ the size** (town, house) trois fois plus grand; (heap, swelling) trois fois plus gros/grosse

D *vtr, vi* tripler; **to ~ in size** [*town*] devenir trois fois plus grand; [*heap, swelling*] devenir trois fois plus gros/grosse

treble: **~ chance** *n* GB *système de pari sur les matchs de football*; **~ clef** *n* Mus clé *f* de sol

trebly /'treblɪ/ *adv* [*difficult, demanding*] triplement; **to work ~ hard** travailler trois fois plus dur

tree /triː/

A *n* arbre *m*; **an apple/a cherry ~** un pommier/un cerisier; **the ~ of life** l'arbre de vie; **the ~ of knowledge** l'arbre de la connaissance. ▸ **pear etc**

B *vtr* US lit poursuivre [qch] jusqu'en haut d'un arbre [*animal*]; fig mettre [qn] dans une situation délicate [*person*]

(Idioms) **he can't see the wood** GB *ou* **forest** US **for the ~s** il se perd dans les détails; **money doesn't grow on ~s** l'argent ne se trouve pas sous les sabots d'un cheval; **to be out of one's ~**○ être cinglé○; **to be up a ~** US être dans le pétrin○; **to get to/be at the top of the ~** arriver/être arrivé au sommet

tree: **~-covered** *adj* boisé; **~ creeper** *n* Zool grimpereau *m*; **~ diagram** *n* gen, Admin organigramme *m*; Ling arbre *m*, arborescence *f*; **~ fern** *n* Bot fougère *f* arborescente; **~ frog** *n* rainette *f*, grenouille *f* arboricole; **~house** *n* cabane *f* dans un arbre; **~ hugger**○ *n* péj écolo○ *mf*

treeless /'triːlɪs/ *adj* dénué d'arbres

tree: **~ line** *n* limite *f* supérieure de la forêt; **~-lined** *adj* bordé d'arbres; **~ of heaven** *n* Bot ailante *m*; **~ ring** *n* cerne *m*; **~ rose** *n* US rose *f* sur tige; **~ snake** *n* Zool serpent *m* arboricole; **~ stump** *n* souche *f*; **~ surgeon** *n* arboriculteur/-trice *m/f*; **~ surgery** *n* arboriculture *f*; **~top** *n* cime *f* (d'un arbre); **~ trunk** *n* tronc *m* d'arbre; **~ view** *n* Comput liste *f* arborescente

trefoil /'trefɔɪl/ *n* Bot, Archit trèfle *m*

trek /trek/

A *n* **1** (long journey) randonnée *f*; **to make a ~** faire une randonnée; **mule ~** randonnée à dos de mulet; **2** (laborious trip) randonnée *f* pénible; **it's a bit of a ~**○ ça fait une trotte○; **3** Hist (migration) migration *f* des Boers

B *vtr* (*p prés etc* **-kk-**) **to ~ the same distance/12 kilometres** se taper○ le même parcours/les 12 kilomètres

C *vi* (*p prés etc* **-kk-**) **1** (journey) **to ~ across/through** cheminer à travers, traverser péniblement [*desert, jungle*]; **2** ○(go far) **to ~ to** faire le trajet jusqu'à [*shop, office*]; **I had to ~ into town** je me suis tapé○ le trajet à pied jusqu'à la ville

trekking /'trekɪŋ/ ▸ **p. 1253** *n* (on foot) randonnée *f* pédestre; **to go ~** faire de la randonnée pédestre

trellis /'trelɪs/

A *n* treillis *m*; (sturdier) treillage *m*

B *vtr* treillisser; (sturdier) treillager

C **trellised** *pp adj* [*wall*] avec treillage; [*pattern*] à croisillons

trelliswork /'trelɪswɜːk/ *n* treillage *m*

tremble /'trembl/

A *n* tremblement *m*

B *vi* [*person, body, leaves*] trembler, frémir (**with** de); [*voice, hand, lip, building*] trembler (**with** de); **how much does he owe?—I ~ to think!** il doit combien?—je tremble rien que d'y penser!

trembling /'tremblɪŋ/

A *n* (of person, body, leaves) tremblement *m*, frémissement *m*; (of voice, hand, lip, building) tremblement *m*

B *adj* [*person, body, leaves*] tremblant, frémissant; [*voice, hand, lip, building*] tremblant

tremendous /trɪ'mendəs/ *adj* **1** (great, intense) [*effort, improvement, contrast*] énorme; [*pleasure*] immense; [*storm, blow, explosion*] violent; [*speed, success*] fou/folle○; **a ~ amount of sth** une énorme quantité de qch; **it costs a ~ amount** ça coûte un prix fou; **2** ○(marvellous) formidable○

tremendously /trɪ'mendəslɪ/ *adv* [*exciting, important, rich*] extrêmement; [*grow, vary*] énormément

tremolo /'treməlәʊ/ *n* trémolo *m*

tremor /'tremə(r)/ *n* **1** (in body, voice) tremblement *m*; (of delight, fear) frisson *m*; **2** Geol secousse *f*

tremulous /'tremjʊləs/ *adj* [*voice*] (with anxiety, tension) tremblant; (from weakness) tremblotant; (with excitement) frémissant; [*sound*] tremblotant; [*smile*] timide

tremulously /'tremjʊləslɪ/ *adv* [*say*] d'une voix tremblante; **she smiled ~** un sourire trembla sur ses lèvres

trench /trentʃ/

A *n* tranchée *f*; **to dig/fill in a ~** creuser/combler une tranchée; **in the ~es** Mil dans les tranchées

B *vi* creuser des tranchées

trenchant /'trentʃənt/ *adj* incisif/-ive

trenchantly /'trentʃəntlɪ/ *adv* [*speak, retort*] d'un ton incisif

trench coat *n* imperméable *m*, trench-coat *m*

trencher /'trentʃə(r)/ *n* **1** (machine) excavateur *m*; (person) terrassier *m*; **2** Hist (for food) tranchoir *m*

trencherman /'trentʃəmən/ *n* (*pl* **-men**) gros mangeur *m*

trench: **~ fever** ▸ **p. 1327** *n* fièvre *f* des tranchées; **~ warfare** *n* guerre *f* de tranchées

trend /trend/

A *n* **1** (tendency) tendance *f*; **an upward/downward ~** un tendance à la hausse/à la baisse; **if the present ~ continues** si la tendance actuelle persiste; **a ~ in** une tendance dans le domaine de [*legislation, medicine, education*]; **a ~ towards doing** une tendance à faire; **the ~ is towards democracy** la tendance est à la démocratie; **a ~ away from** un désintérêt pour [*arts studies*]; **2** (fashion) mode *f* (**for** de); **a fashion ~** une mode; **to set a new ~** lancer une nouvelle mode; **to follow the ~** suivre la mode

t

B *vi* Econ, Fin **to ~ up/lower** tendre à la hausse/à la baisse

trendiness○ /ˈtrendɪnɪs/ *n* souvent péj (of dress, district, shops) aspect *m* branché○

trendsetter /ˈtrendsetə(r)/ *n* innovateur/-trice *m/f*; **to be a ~** lancer des modes

trend-setting /ˈtrendsetɪŋ/ *adj* [*film, album*] innovateur/-trice

trendy○ /ˈtrendɪ/
A *n* souvent péj branché/-e○ *m/f*
B *adj* souvent péj [*clothes, styles, district*] branché○, à la mode; [*film, opinion*] branché○; [*politician, lecturer*] branché○

trepan /trɪˈpæn/
A *n* Med, Tech trépan *m*
B *vtr* (*p prés etc* **-nn-**) Tech forer; Med trépaner

trephine /trɪˈfiːn, US -ˈfaɪn/
A *n* Med trépan *m*
B *vtr* trépaner

trepidation /ˌtrepɪˈdeɪʃn/ *n* appréhension *f*; **it was with some ~ that** c'est avec une certaine appréhension que

trespass /ˈtrespəs/
A *n* **1** (unlawful entry) gen intrusion *f*; Jur violation *f* de propriété; **2** (unlawful act) transgression *f*; **3** Relig (sin) offense *f*, péché *m*
B *vi* **1** (enter unlawfully) gen s'introduire illégalement; Jur se rendre coupable d'une violation de propriété; **to ~ on** gen pénétrer illégalement dans, Jur violer [*property*]; **'no ~ing'** 'défense d'entrer'; **2** (commit unlawful act) commettre un délit; **3** fig, sout **to ~ on** abuser de [*time, generosity*]; enfreindre [*rights, liberty*]; **4** Relig **to ~ against** offenser

trespasser /ˈtrespəsə(r)/ *n* intrus/-e *m/f*; **'~s will be prosecuted'** 'défense d'entrer sous peine de poursuites'

tress /tres/ littér
A *n* boucle *f* (de cheveux)
B tresses *npl* chevelure *f*

trestle /ˈtresl/
A *n* tréteau *m*
B *modif* [*table*] à tréteaux

trews /truːz/ *npl* Scot pantalon *m* de tartan

triad /ˈtraɪæd/ *n* gen, Chem triade *f*; Literat trio *m*; Mus accord *m* parfait

Triad /ˈtraɪæd/ *n*: *société secrète chinoise, surtout criminelle*

triage /ˈtriːɑːʒ/ Med
A *n* triage *m*; **~ nurse** infirmier/-ière *m/f* de triage
B *vtr* faire un triage de

trial /ˈtraɪəl/
A *n* **1** Jur procès *m*; **murder/embezzlement ~** procès *m* pour meurtre/pour détournement de fonds; **to be on ~** être jugé (**for sth** pour qch; **for doing** pour avoir fait); **to go to ~** [*case*] être jugé; **to bring sb for ~** amener qn devant la justice; **to go on ~, to stand ~** passer en jugement; **to come up for ~** [*person*] comparaître en justice; [*case*] être jugé; **to put sb on ~** lit juger qn; fig [*press, person, public*] condamner qn; **to send sb for trial, to commit sb to ~** faire passer qn en jugement; **without ~** sans jugement; **to conduct a ~** diriger les débats (d'un procès); **to be awaiting ~** être en instance de jugement; **~ by jury** jugement par jury; **~ by media** procès médiatique; **2** (test) (of applicant, machine, recruit, vehicle) essai *m*; (of drug, new product, process) test *m*; **to put sth through ~s** soumettre qch à des essais *or* tests; **(to be) on ~** (être) à l'essai; **take it on ~** prenez-le à l'essai; **to carry out** *ou* **conduct** *ou* **run/undergo ~s** effectuer/subir des tests *or* essais (**on** sur); **to give sb a ~** faire faire un essai à qn; **medical/clinical ~s** tests *mpl* médicaux/cliniques; **by ~ and error** par expérience; **3** Mus, Sport (*gén pl*) épreuve *f*; **football/horse ~s** épreuves *fpl* de football/d'équitation; **voice ~s** essais *mpl* de voix; **a ~ of strength** une épreuve de force; **to hold ~s** organiser des épreuves; **4** (trouble, difficulty) épreuve *f*; (less strong) difficulté *f*; **the ~s of old age/of being a mother** les épreuves *or* difficultés du grand âge/qu'il y a à être mère; **to be a ~** [*person*] être pénible à supporter (**to sb** pour qn)
B *modif* gen [*arrangement, flight, offer, period, sample, separation*] d'essai; **for ~ purposes** à titre d'essai; **on a ~ basis** à titre expérimental; **for a ~ period** pour une période d'essai
C *vtr* tester [*method, system*]

trial: **~ attorney** *n* US avocat *m* plaidant; **~ balance** *n* Fin bilan *f* de vérification; **~ balloon** *n* US lit, fig ballon *m* d'essai; **~ court**, **~ division** *n* tribunal *m* de première instance; **~ judge** *n* juge *m*; **~ jury** *n* US Jur jury *m* (dans un procès)

trial run *n* **1** Aut, Ind, Tech essai *m*; **to give sth a ~** faire faire un essai à qch; **to take a car for a ~** essayer une voiture; **2** Theat rodage *m*

triangle /ˈtraɪæŋgl/ *n* gen, Math, Mus triangle *m*; **(red) warning ~** triangle *m* de présignalisation; ▸ **eternal triangle**

triangular /traɪˈæŋgjʊlə(r)/ *adj* gen triangulaire; Sport [*contest*] entre trois équipes

triangular file *n* tiers-point *m*

triangulate /traɪˈæŋgjʊleɪt/ *vtr* trianguler

triangulation /traɪˌæŋgjʊˈleɪʃn/ *n* (all contexts) triangulation *f*

triangulation station *n* (on hill) borne *f* géodésique; (on map) point *m* géodésique

Triassic /traɪˈæsɪk/ Geol
A *n* **the ~** le trias
B *adj* triasique

triathlon /traɪˈæθlɒn/ *n* triathlon *m*

triatomic /ˌtraɪəˈtɒmɪk/ *adj* triatomique

tribal /ˈtraɪbl/ *adj* (all contexts) tribal

tribalism /ˈtraɪbəlɪzəm/ *n* Anthrop tribalisme *m*; fig esprit *m* de tribu

tribe /traɪb/ *n* Anthrop, Zool, fig tribu *f*

tribesman /ˈtraɪbzmən/ *n* membre *m* d'une tribu

triboelectricity /ˌtrɪbəʊˌɪlekˈtrɪsətɪ, ˌtraɪbəʊ-/ *n* triboélectricité *f*

triboluminescence /ˌtrɪbəʊˌluːmɪˈnesns, ˌtraɪ-/ *n* triboluminescence *f*

tribulation /ˌtrɪbjʊˈleɪʃn/
A *n* tourment *m*
B tribulations *npl* souvent iron tribulations *fpl* fml; **trials and ~** tribulations *fpl*

tribunal /traɪˈbjuːnl/ *n* tribunal *m*

tribune /ˈtrɪbjuːn/ *n* **1** Antiq (person) **~ of the people** tribun *m* du peuple; **2** (platform) tribune *f*

tributary /ˈtrɪbjʊtərɪ, US -terɪ/
A *n* **1** gen, Geog affluent *m*; **2** sout (owing tribute) tributaire *m*
B *adj* **1** [*stream*] tributaire; [*road*] secondaire; **2** sout [*nation*] tributaire

tribute /ˈtrɪbjuːt/ *n* **1** (hommage) hommage *m*; **to pay ~ to** rendre hommage à; **as a ~ to** en hommage à; **floral ~** gen fleurs *fpl*; (spray) gerbe *f*; (wreath) couronne *f*; **2** (credit) **it is a ~ to their determination that we have succeeded** le fait que nous avons réussi fait honneur à leur détermination; **3** (payment) tribut *m*

trice /traɪs/
A *n* **in a ~** en un rien de temps
B *vtr* Naut hisser [*sail*]

Tricel® /ˈtraɪsel/ *n* Tex Tricel® *m*

tricentenary /ˌtraɪsenˈtiːnərɪ/ *n, adj* tricentenaire (*m*)

tricentennial /ˌtraɪsenˈtiːnɪəl/ *n, adj* US tricentenaire (*m*)

triceps /ˈtraɪseps/ *n* (*pl* **~**) Anat triceps *m*

trichinosis /ˌtrɪkɪˈnəʊsɪs/ ▸ **p. 1327** *n* trichinose *f*

trichloride /traɪˈklɔːraɪd/ *n* trichlorure *m*

trick /trɪk/
A *n* **1** (thing that deceives or outwits) combine *f*, truc○ *m*; **it's all a ~!** il y a un truc!; **a mean ~** un sale tour; **a clever ~** un tour habile; **it's the oldest ~ in the book** c'est le tour classique; **I've tried every ~ in the book** j'ai tout essayé; **to play a ~ on sb** jouer un tour à qn; **my mind/my memory plays ~s on me** mon esprit/ma mémoire me joue des tours; **grief can play ~s with the mind** le chagrin peut jouer des tours à notre imagination; **a ~ of the light** un effet de lumière; **2** (by magician, conjurer, dog, horse) tour *m*; **to do/perform a ~** faire/exécuter un tour; **my dog does ~s** mon chien sait faire des tours; **3** ○(mischievous behaviour) tour *m*; **he always pulls that ~** il joue toujours ce tour-là; **don't you ever try that ~ with me!** si jamais tu essaies de me jouer ce tour-là!; **he/the computer is up to his/its ~s again** il/l'ordinateur continue à faire des siennes; **4** (knack, secret) astuce *f*, truc○ *m*; **the ~ is to do** l'astuce c'est de faire; **the ~ in doing sth is to do** l'astuce pour faire qch c'est de faire; **there's no special ~ to it** il n'y a pas d'astuce; **to have a ~ of doing sth** avoir le chic pour faire qch; **to know a ~ or two** *ou* **a few ~s** s'y connaître (**about** en); **5** (habit, mannerism) manie *f*; **to have a ~ of doing** avoir la manie de faire; **6** (in cards) pli *m*; **to take** *ou* **win a ~** faire un pli; **7** ◑(prostitute's client) micheton◑ *m*, client *m*; **to turn ~s** racoler des clients; **8** ◑(bout of casual sex) passe *f*◑
B *modif* [*photo, shot, pack of cards*] truqué; **~ photography** *ou* **camerawork** truquages *mpl*
C *vtr* duper, rouler○; **to ~ sb into doing** amener qn par la ruse à faire; **to ~ sb into thinking that...** duper qn en lui faisant croire que...; **to ~ sb out of £10/her inheritance** escroquer qn de 10 livres/son héritage; **I've been ~ed!** on m'a roulé○ *or* eu○!

(Idioms) **how's ~s**○**?** ça boume○?; **the ~s of the trade** les ficelles du métier; **to do the ~** marcher, faire l'affaire; **not/never to miss a ~** ne pas/ne jamais rater un détail, ne pas/ne jamais en rater une○

(Phrasal verb) ■ **trick out**: ▸ **~ out [sb]**, **~ [sb] out** attifer (**in** de); **to be ~ed out** être attifé, s'être pomponné○

trick cyclist *n* acrobate *mf* cycliste

trickery /ˈtrɪkərɪ/ *n* tromperie *f*

trickiness /ˈtrɪkɪnɪs/ *n* difficulté *f*

trickle /ˈtrɪkl/
A *n* **1** lit (of liquid) filet *m*; (of powder, sand) écoulement *m*; **the stream is reduced to a ~** le torrent n'est plus qu'un mince filet d'eau; **2** (tiny amount) (of investment, orders) petite quantité *f*; (of information) bribes *fpl*; (of people) petit nombre *m*; **a steady ~ of orders** une quantité minime mais constante de commandes; **the ~ back to work became a flood** le retour lent et réduit au travail s'est accru considérablement; **the number of refugees is down to** *ou* **has slowed to a ~** le nombre de réfugiés s'est considérablement réduit
B *vtr* faire couler [*liquid*] (**into** dans; **onto** sur)
C *vi* **to ~ down** dégouliner le long de [*pane, wall*]; **blood ~d down his cheek/chin** le sang lui dégoulinait sur la joue/le menton; **to ~ from** couler de [*tap, spout*]; **to ~ into** [*liquid*] s'écouler dans [*container, channel*]; [*people*] s'infiltrer dans [*country, organization*]; [*ball*] rouler dans [*net*]; [*golf ball*] tomber dans [*hole*]; **to ~ out of** [*liquid*] suinter de [*crack, wound*]; [*people*] commencer à quitter [*building*]

(Phrasal verbs) ■ **trickle away** [*water*] s'écouler lentement; [*people*] s'éloigner lentement
■ **trickle back** [*people*] retourner lentement (**to** à)
■ **trickle in** arriver au compte-gouttes
■ **trickle out** [*information, rumours*] filtrer

trickle: **~ charger** *n* chargeur *m*; **~ down theory** *n*: *théorie selon laquelle la richesse de quelques-uns aura un effet positif sur toutes les couches sociales*

trick or treat /ˌtrɪkɔːrˈtriːt/ *n*: *collecte de bonbons et d'argent faite par les enfants le soir du 31 octobre*; **'~!'** 'des bonbons ou des sous, sinon

t

gare à vous!' ▸ **Halloween**

trick question *n* question *f* piège

trickster /ˈtrɪkstə(r)/ *n* escroc *m*

tricky /ˈtrɪkɪ/ *adj* **1** [*decision, business, job, task*] difficile (**for** pour); [*problem, question*] épineux/-euse; [*situation*] délicat; **it is ~ to do** il est délicat de faire; **to be ~ to operate/produce** être difficile à manier/produire; **2** (sly, wily) malin/-igne

tricolour GB, **tricolor** US /ˈtrɪkələ(r), US ˈtraɪkʌlə(r)/ *n* drapeau *m* tricolore; **the ~** le drapeau français

tricorne /ˈtraɪkɔːn/ *n* tricorne *m*

tricot /ˈtrɪkəʊ, ˈtriː-/ *n* Tex tissu *m* tricoté

trictrac /ˈtrɪktræk/ ▸ **p. 1253** *n* Games trictrac *m*

tricuspid /traɪˈkʌspɪd/ *adj* Anat tricuspide

tricycle /ˈtraɪsɪkl/ *n* (cycle) tricycle *m*

trident /ˈtraɪdnt/ *n* trident *m*

Trident /ˈtraɪdnt/
A *n* Mil Trident *m*
B *modif* [*missile, submarine*] Trident

tridimensional /ˌtraɪdɪˈmenʃənl/ *adj* tridimensionnel/-elle

tried /traɪd/
A *prét, pp* ▸ **try B, C**
B *pp adj* **a ~ and tested remedy/method** un médicament/une méthode infaillible

triennial /traɪˈenɪəl/
A *n* troisième anniversaire *m*
B *adj* [*festival*] triennal

triennially /traɪˈenɪəlɪ/ *adv* tous les trois ans

trier○ /ˈtraɪə(r)/ *n* **to be a ~** s'accrocher○, faire des efforts

trifle /ˈtraɪfl/
A *n* **1** **a ~** (slightly) légèrement, un tantinet iron; **a ~ dull/long** légèrement ennuyeux/long; **a ~ breathlessly** légèrement essoufflé; **to speed up/slow down a ~** accélérer/ralentir légèrement; **2** (triviality) (gift, money) bagatelle *f*; (matter, problem) détail *m*, chose *f* sans importance; **to waste time on ~s** perdre son temps à des broutilles; **3** GB Culin ≈ diplomate *m*
B *vi* **to ~ with** jouer avec [*feelings, affections*]; **to ~ with sb** traiter qn à la légère; **she's not someone to be ~d with!** ce n'est pas une femme qu'on traite à la légère *or* avec qui l'on badine!

trifling /ˈtraɪflɪŋ/ *adj* [*sum, cost*] insignifiant; [*detail, concern*] sans importance; [*error*] léger/-ère (*before n*); **~ matters** des broutilles

trifocal /traɪˈfəʊkl/
A **trifocals** *npl* lunettes *fpl* à triple foyer
B *adj* [*lens*] à triple foyer

trifoliate /traɪˈfəʊlɪət/ *adj* trifolié

triforium /traɪˈfɔːrɪəm/ *n* triforium *m*

triform /ˈtraɪfɔːm/ *adj* à trois parties

trigger /ˈtrɪgə(r)/
A *n* **1** (on gun) gâchette *f*; **to pull** *ou* **squeeze the ~** appuyer sur la gâchette; **2** (starting mechanism) (on machine) manette *f*; **3** fig **to act as** *ou* **to be the ~ for sth** déclencher qch
B *vtr* = **trigger off**

(Phrasal verb) ■ **trigger off**: ▸ **~ off [sth]** déclencher

trigger-happy○ /ˈtrɪgəhæpɪ/ *adj* **1** lit à la gâchette facile; **to be ~** avoir la gâchette facile; **2** fig impulsif/-ive

trigonometrical /ˌtrɪgənəˈmetrɪkl/ *adj* trigonométrique

trigonometry /ˌtrɪgəˈnɒmətrɪ/ *n* trigonométrie *f*

trigram /ˈtraɪgræm/ *n* trigramme *m*

trigraph /ˈtraɪgrɑːf, US -græf/ *n* trigramme *m*

trike○ /traɪk/ *n* tricycle *m*

trilateral /ˌtraɪˈlætərəl/ *adj* trilatéral

trilby /ˈtrɪlbɪ/ *n* GB chapeau *m* en feutre, feutre *m*

trilingual /ˌtraɪˈlɪŋgwəl/ *adj* trilingue

trilith /ˈtraɪlɪθ/ *n* trilithe *m*

trilithic /ˌtraɪˈlɪθɪk/ *adj* trilithique

trilithon /ˈtraɪlɪθən/ *n* trilithe *m*

trill /trɪl/
A *n* **1** Mus trille *m*; **2** Ling r roulé *m*
B *vtr* **1** Mus triller; **2** Ling rouler
C *vi* triller

trillion /ˈtrɪlɪən/ *n* **1** GB trillion *m*; **2** US billion *m*

trilobite /ˈtraɪləbaɪt/ *n* trilobite *m*

trilogy /ˈtrɪlədʒɪ/ *n* trilogie *f*

trim /trɪm/
A *n* **1** (cut) (of hair) coupe *f* d'entretien; (of hedge) taille *f*; **to have a ~** se faire faire une coupe d'entretien; **to give sb** *ou* **sb's hair a ~** faire une coupe d'entretien à qn; **to give one's beard a ~** se tailler la barbe; **to give the lawn a ~** tondre l'herbe; **the hedge needs a ~** la haie a besoin d'être taillée; **2** (good condition) **to be in (good) ~** être en bonne forme physique; **to keep oneself in ~** se maintenir en bonne forme physique; **to get the garden in ~** mettre le jardin en état; **3** (border) (on clothing) bordure *f*; (of braid) galon *m*; (on woodwork) moulure *f*; (on furniture, work surface) baguette *f*; (on soft furnishings) frange *f*; **4** Aut finition *f*; **exterior ~** finition *f* extérieure; **interior ~** garniture *f* intérieure; **side ~** baguette *f* de protection; **5** Naut (of ship) assiette *f*; (of sails) gréement *m*; **to be out of ~** ne pas avoir d'assiette
B *adj* **1** (neat) [*appearance, garden, person*] soigné; [*boat, house*] en bon état; [*outline*] net/nette; **to be neat and ~** être très soigné; **2** (slender) [*figure*] svelte; [*waist*] fin
C *vtr* (*p prés etc* **-mm-**) **1** (cut) couper [*branch, hair, grass, material, paper*]; tailler [*beard, moustache, hedge*]; tondre [*lawn*]; émarger [*page*]; ébouter [*wood*]; **to ~ (the wick of) a lamp** moucher (la mèche d')une lampe; **2** (reduce) réduire [*budget, expenditure, workforce*] (**by** de); raccourcir [*article, speech*] (**by** de); **to ~ 5% off the budget** réduire le budget de 5%; **3** Culin dégraisser [*meat*]; ébarber [*fish*]; parer [*vegetable*]; **4** (decorate) décorer [*tree, furniture*] (**in** en; **with** avec); border [*dress, curtain, handkerchief*] (**with** de); **5** Naut arrimer [*ship*]; gréer [*sails*]; **6** (modify) ajuster [*opinion, utterances*]

(Phrasal verbs) ■ **trim away, trim off**: ▸ **~ away [sth], ~ [sth] away** tailler [*hair, fabric, branches*]; enlever [*fat*]
■ **trim down**: ▸ **~ down [sth]** réduire [*budget, spending, workforce*]; réviser [qch] à la baisse [*estimate, plans*]

trimaran /ˈtraɪməræn/ *n* trimaran *m*

trimester /traɪˈmestə(r)/ *n* US trimestre *m*

trimmer /ˈtrɪmə(r)/ *n* **1** (cutting tool) (for hedges) taille-haies *m*; (for hair) tondeuse *f*; (for lawn) taille-bordures *m*; (for carpets) ébarbeuse *f*; (for timber) ébouteuse *f*; **2** Electron condensateur *m* ajustable d'appoint; **3** Constr chevêtre *m*; **4** (expedient person) opportuniste *mf*; **5** Print massicot *m* de rognage

trimming /ˈtrɪmɪŋ/
A *n* (on clothing) garniture *f*; (on soft furnishings) passementerie *f*
B **trimmings** *npl* **1** Culin accompagnements *mpl* traditionnels; **with all the ~s** avec tous les accompagnements traditionnels; **2** ○(extra items) **the basic car without the ~s** la voiture telle quelle sans aucune option; **a church wedding with all the ~s** un mariage à l'église avec tout le tralala○; **3** (offcuts) (of pastry) rognures *fpl*; (of fish, meat) parures *fpl*; (of fabric) chutes *fpl*

trimness /ˈtrɪmnɪs/ *n* **1** (neatness) (of person) netteté *f*; (of house, boat) bon état *m*; **2** (slimness) minceur *f*

trim size *n* Print, Publg format *m* façonné

trinary /ˈtraɪnərɪ/ *adj* ternaire

Trinidad /ˈtrɪnɪdæd/ ▸ **p. 1355** *pr n* (l'île *f* de) la Trinité *f*

Trinidad and Tobago /ˌtrɪnɪdæd ən təˈbeɪgəʊ/ ▸ **p. 1096** *pr n* Trinité-et-Tobago *f*

Trinidadian /ˌtrɪnɪˈdædɪən/ ▸ **p. 1467**
A *n* (inhabitant) Trinidadien/-ienne *m/f*
B *adj* trinidadien/-ienne

trinitrotoluene /traɪˌnaɪtrəˈtɒljʊiːn/ *n* trinitrotoluène *m*

trinity /ˈtrɪnətɪ/ *n* trinité *f*

Trinity /ˈtrɪnətɪ/ *n* **the ~** la Trinité *f*; **the Holy ~** *ou* **Blessed ~** la Sainte Trinité

Trinity: **~ Sunday** *n* le dimanche *m* de la Trinité; **~ term** *n* GB Univ troisième trimestre *m*

trinket /ˈtrɪŋkɪt/ *n* babiole *f*

trinomial /traɪˈnəʊmɪəl/ *n, adj* Math trinôme (*m*)

trio /ˈtriːəʊ/ *n* (all contexts) trio *m* (**of** de); **piano/jazz ~** trio *m* pour piano/de jazz

triode /ˈtraɪəʊd/ *n* triode *f*

triolet /ˈtriːəlɪt/ *n* triolet *m*

trip /trɪp/
A *n* **1** (journey) (abroad) voyage *m*; (excursion) excursion *f*; **to go on** *ou* **take a ~** faire un voyage; **a ~ to Greece** un voyage en Grèce; **a ~ to the seaside** une excursion au bord de la mer; **business ~** voyage d'affaires; **boat ~** excursion en bateau; **to be away on a ~** être en voyage; **a 12 day/200 km ~** un voyage de 12 jours/de 200 km; **we did the ~ in five hours** nous avons fait le trajet en cinq heures; **it's only a short ~ into London** c'est juste un petit tour à Londres; **it's a two hour ~ from here** c'est à deux heures d'ici; **2** (visit) tour *m*; **a ~ to the toilet/bar** un tour aux toilettes/au bar; **to make a ~ into town** faire un tour en ville; **to make three ~s a week to London** aller à Londres trois fois par semaine; **3** Electron déclenche *f*; **4** ○argot des drogués trip○ *m*; **to have a good/bad ~** faire un bon/mauvais trip○; **an acid ~** un trip○ d'acide
B *vtr* (*p prés etc* **-pp-**) **1** (cause to stumble) gen faire trébucher [*person*]; (with foot) faire un croche-pied à [*person*]; **2** Electron [*person*] couper [*switch*]; [*power surge*] déclencher [*circuit breaker*]
C *vi* (*p prés etc* **-pp-**) **1** (stumble) trébucher, faire un faux pas; **to ~ on** *ou* **over** trébucher sur [*step, rock*]; se prendre les pieds dans [*hem, scarf, rope*]; **to ~ over one's own feet** trébucher; **you can't move in here without ~ping over a celebrity** on ne fait pas deux pas ici sans tomber sur une célébrité; **2** (move jauntily) **to ~ along** [*child*] gambader; [*adult*] marcher d'un pas léger; **to ~ into/out of the room** entrer dans/sortir de la pièce d'un pas léger; **3** ○argot des drogués tripper○, être sous l'effet du LSD

(Phrasal verbs) ■ **trip over**: ▸ **~ over** trébucher, faire un faux pas; ▸ **~ [sb] over** gen faire trébucher; (with one's foot) faire un croche-pied à
■ **trip out**○ planer○
■ **trip up**: ▸ **~ up** **1** (stumble) trébucher, faire un faux pas; **2** (make an error) se tromper; ▸ **~ [sb] up, ~ up [sb]** **1** (cause to stumble) gen faire trébucher; (with foot) faire un croche-pied à; **2** (catch out) désarçonner [*witness, candidate*]

tripartite /ˌtraɪˈpɑːtaɪt/ *adj* **1** [*agreement, alliance, system*] tripartite; **2** [*document, study*] en trois parties

tripe /traɪp/ *n* ¢ **1** Culin tripes *fpl*; **2** ○(nonsense) foutaises○ *fpl*

triphase /ˈtraɪfeɪz/ *adj* triphasé

triphthong /ˈtrɪfθɒŋ/ *n* triphtongue *f*

triplane /ˈtraɪpleɪn/ *n* triplan *m*

triple /ˈtrɪpl/
A *n* triple *m*
B *adj* **1** gen triple; **2** Mus **in ~ time** à trois temps
C *vtr* tripler
D *vi* tripler; **to ~ in volume/value** tripler de volume/valeur; **to ~ in height/width** devenir trois fois plus haut/large; **to ~ in size** [*town*] devenir trois fois plus grand; [*heap, swelling*]

devenir trois fois plus gros/grosse

triple A *n* US Aut (*abrév* = **American Automobile Association**) association *f* américaine des automobilistes

Triple Alliance *n* **the** ~ la Triple-Alliance *f*

triple: **~-drug therapy** *n* trithérapie *f*; **~ jump** *n* triple saut *m*; **~ jumper** *n* spécialiste *mf* du triple saut; **~ somersault** *n* triple saut *m* périlleux

triplet /'trɪplɪt/ *n* 1 (child) triplé/-e *m/f*; **a set of ~s** des triplés; 2 Mus triolet *m*; 3 Literat tercet *m*

Triplex® /'trɪpleks/ *n* triplex® *m*

triplicate /'trɪplɪkət/: **in** ~ *adv phr* en trois exemplaires

triploid /'trɪplɔɪd/ *adj* triploïde

triply /'trɪplɪ/ *adv* triplement

trip meter *n* Aut compteur *m* de kilomètres

tripod /'traɪpɒd/ *n* Sci, Phot trépied *m*

tripper /'trɪpə(r)/ *n* excursionniste *mf*, touriste *mf*

trip switch *n* Electron commutateur *m* à bascule

triptych /'trɪptɪk/ *n* triptyque *m*

trip wire *n* fil *m* de détente

trireme /'traɪri:m/ *n* trirème *f*

trisect /traɪ'sekt/ *vtr* diviser [qch] en trois parties égales

trisyllabic /,traɪsɪ'læbɪk/ *adj* [*word*] tris(s)yllabe; (in prosody) [*foot, line*] tris(s)yllabique

trisyllable /,traɪ'sɪləbl/ *n* tris(s)yllabe *m*

trite /traɪt/ *adj* banal; **~ comments** banalités *fpl*

tritely /'traɪtlɪ/ *adv* de manière banale

triteness /'traɪtnɪs/ *n* banalité *f*

tritium /'trɪtɪəm/ *n* tritium *m*

triton /'traɪtn/ *n* (mollusc, newt) triton *m*

Triton /'traɪtn/ *pr n* Mythol Triton

tritone /'traɪtəʊn/ *n* Mus triton *m*

triturate /'trɪtjʊreɪt/ *vtr* triturer

trituration /,trɪtjʊ'reɪʃn/ *n* 1 (action) trituration *f*; 2 Pharm mélange *m* (*de substances broyées*)

triumph /'traɪʌmf/

A *n* 1 ¢ (satisfaction) triomphe *m*; **in** ~ en triomphe; **an air of** ~ un air triomphant; 2 (victory) triomphe *m* (**over** sur; **of** de; **for** pour); 3 (Roman ceremony) triomphe *m*

B *vi* triompher (**over** de)

triumphal /traɪ'ʌmfl/ *adj* [*entry, tour, procession*] triomphal; **~ arch** Archit arc *m* de triomphe

triumphalism /traɪ'ʌmfəlɪzəm/ *n* triomphalisme *m*

triumphalist /traɪ'ʌmfəlɪst/ *n* triomphaliste *mf*

triumphant /traɪ'ʌmfnt/ *adj* [*person, team*] triomphant; [*expression*] de triomphe; [*return, production, success, summit*] triomphal; **to feel** ~ avoir un sentiment de triomphe; **to return** ~ retourner en triomphe

triumphantly /traɪ'ʌmfntlɪ/ *adv* [*declare, affirm, march, return*] triomphalement; [*stride*] d'un pas triomphant; [*say*] d'une voix triomphante

triumvirate /traɪ'ʌmvɪrət/ *n* triumvirat *m*

triune /'traɪju:n/ *adj* trin

trivet /'trɪvɪt/ *n* (at fire) trépied *m*; (on table) dessous-de-plat *m*

(Idiom) **to be as right as a** ~ être en pleine forme

trivia /'trɪvɪə/ *npl* (+ *v sg ou pl*) 1 (irrelevancies) futilités *fpl*; 2 (unusual facts) faits *mpl* insolites

trivial /'trɪvɪəl/ *adj* 1 (unimportant) [*matter, scale, film*] insignifiant; [*error, offence*] léger/-ère; 2 (of no interest) [*conversation, argument, person*] futile

triviality /,trɪvɪ'ælətɪ/ *n* 1 (banality) banalité *f*; 2 (irrelevance) futilité *f*, détail *m* insignifiant; **to waste time on trivialities** perdre son temps en futilités

trivialization /,trɪvɪəlaɪ'zeɪʃn, US -lɪ'z-/ *n* banalisation *f*

trivialize /'trɪvɪəlaɪz/ *vtr* banaliser [*debate, comparison*]; minimiser [*rôle, art*]

trivially /'trɪvɪəlɪ/ *adv* banalement

Trivial Pursuit® *n* Trivial Pursuit® *m* (*jeu de société portant sur le savoir général*)

trivia quiz *n* jeu-test *m*

triweekly /,traɪ'wi:klɪ/

A *adj* **his ~ visits** les visites qu'il fait/faisait toutes les trois semaines

B *adv* (in one week) trois fois par semaine; (every three weeks) toutes les trois semaines

trochaic /trəʊ'keɪɪk/ *adj* trochaïque

trochee /'trəʊki:, -kɪ/ *n* trochée *m*

trod /trɒd/ *prét* ▸ **tread B, C**

trodden /'trɒdn/ *pp* ▸ **tread B, C**

troglodyte /'trɒglədaɪt/ *n* troglodyte *mf*

troika /'trɔɪkə/ *n* troïka *f* also Pol

Trojan /'trəʊdʒən/

A *n* 1 Hist Troyen/-enne *m/f*; 2 **Trojan**® US (condom) préservatif *m*

B *adj* troyen/-enne; **the ~ War** la guerre de Troie

(Idiom) **to work like a** ~ GB travailler comme un forçat

Trojan horse *n* 1 Hist cheval *m* de Troie; 2 Comput cheval *m* de Troie (*programme infiltré dans un autre pour le détruire*)

troll /trəʊl/ *n* troll *m*

(Phrasal verb) ■ **troll along**○ [*person*] faire une trotte○ (**to** jusqu'à)

trolley /'trɒlɪ/ *n* 1 GB (on wheels) chariot *m*; **dessert/drinks** ~ chariot *m* à desserts/à boissons; **luggage** ~ chariot *m* (à bagages); 2 US tramway *m*

(Idiom) **to be off one's** ~○ être givré○ *or* cinglé○

trolley: **~ bus** *n* trolleybus *m*; **~ car** *n* tramway *m*, tram *m*

trollop◐ /'trɒləp/ *n péj* traînée◐ *f* pej

trombone /trɒm'bəʊn/ ▸ **p. 1462** *n* trombone *m*

trombonist /trɒm'bəʊnɪst/ ▸ **p. 1683, p. 1462** *n* tromboniste *mf*

troop /tru:p/

A *n* (all contexts) troupe *f*

B **troops** *npl* Mil troupes *fpl*

C *modif* [*movements*] de troupes; [*train, plane*] de transport de troupes

D *vtr* **to ~ the colour** GB effectuer une parade militaire (*à l'occasion de l'anniversaire officiel du souverain*)

E *vi* **to ~ in/out/off** entrer/sortir/partir en masse; **to ~ over to** *ou* **towards sth** se diriger en masse vers qch

troop carrier *n* transporteur *m* de troupes

trooper /'tru:pə(r)/ *n* 1 Mil homme *m* de troupe; 2 US (policeman) policier *m*

(Idiom) **to swear like a** ~ jurer comme un charretier *or* troupier

trooping /'tru:pɪŋ/ *n* **the Trooping of the Colour** GB parade *f* militaire (*effectuée à l'occasion de l'anniversaire officiel du souverain*). ▸ **Official Birthday**

troopship /'tru:pʃɪp/ *n* transport *m* de troupes

trope /trəʊp/ *n* trope *m*

trophy /'trəʊfɪ/ *n* trophée *m* also fig

trophy wife *n* jeune femme *f* faire-valoir

tropic /'trɒpɪk/ *n* tropique *m*; **the ~ of Cancer/of Capricorn** le tropique du Cancer/du Capricorne; **in the ~s** sous les tropiques

tropical /'trɒpɪkl/ *adj* tropical

tropism /'trəʊpɪzəm/ *n* tropisme *m*

troposphere /'trɒpəsfɪə(r), US 'trəʊ-/ *n* troposphère *f*

trot /trɒt/

A *n* 1 (of horse) trot *m*; **at a** *ou* **the** ~ au trot; **to break into a** ~ [*animal*] se mettre au trot, prendre le trot; [*person*] se mettre à trotter *or* à trottiner; **her children followed at a** ~ ses enfants trottinaient derrière elle; **to have a ~ round the shops**○ courir les magasins○; 2 ○(run of luck) **to have** *ou* **be on a good/bad** ~ être dans une bonne/mauvaise période; 3 ○ US Sch, Univ antisèche○ *f*

B **the trots**○ *npl* la courante◐, la diarrhée

C *vtr* (*p prés etc* **-tt-**) faire trotter [*horse*]

D *vi* (*p prés etc* **-tt-**) 1 [*horse, animal, rider*] trotter; **to ~ away/past** partir/passer au trot; 2 [*person*] (run, move briskly) courir, trotter○; [*child, woman in heels*] trottiner; **to ~ down the road/along/away** descendre la rue/passer/partir en trottinant; **~ next door and borrow some tea!**○ cours vite emprunter du thé chez la voisine!

(Idioms) **to be on the** ~○ être toujours en train de courir; **to keep sb on the** ~○ ne pas laisser de répit à qn; **on the** ~○ (one after the other) coup sur coup; (continuously) d'affilée

(Phrasal verb) ■ **trot out**○: ▶ **~ out [sth]** débiter [*excuse, explanation, argument*]

Trot○ /trɒt/ *n* péj trotskard/-e○ *m/f* pej

troth‡ /trəʊθ, US trɔ:θ/ *n* 1 (oath) serment *m*; 2 (fidelity) foi *f*; **by my ~!** sur ma foi‡!

Trotsky /'trɒtskɪ/ *pr n* Trotski *m*

Trotskyism /'trɒtskɪɪzəm/ *n* trotskisme *m*

Trotskyist /'trɒtskɪɪst/ *n, adj* trotskiste (*mf*)

Trotskyite /'trɒtskɪaɪt/ *n, adj* péj trotskard/-e○ (*m/f*) pej

trotter /'trɒtə(r)/ *n* 1 (of animal) pied *m*; **pigs'/sheeps' ~s** pieds de cochon/de mouton; 2 Equit (horse) trotteur/-euse *m/f*

trotting /'trɒtɪŋ/ *n* Equit trot *m*; **bred for** ~ dressé pour le trot

trotting race *n* course *f* de trot

troubadour /'tru:bədɔ:(r), US -dʊər/ *n* troubadour *m*

trouble /'trʌbl/

A *n* 1 ¢ (problems) (gen) problèmes *mpl*; (specific) problème *m*; (personal) ennuis *mpl*; **that's the** ~ là est le problème; **engine** ~ problèmes mécaniques; **to cause** *ou* **give sb** ~ [*exam question*] poser des problèmes à qn; [*person*] créer des ennuis à qn; **his leg/car is giving him** ~ il a des problèmes avec sa jambe/sa voiture; **this car has been nothing but** ~ cette voiture ne m'a apporté que des ennuis; **to get sb into** ~ créer des ennuis à qn; **to get** *ou* **run into all sorts of** ~ [*person, business*] connaître ennui sur ennui; **to make ~ for oneself** s'attirer des ennuis; **to be asking for** ~ chercher des ennuis; **the/my etc ~ is that...** le/mon etc problème c'est que...; **the ~ with you/them etc is that...** l'ennui avec toi/eux etc c'est que...; **heart/kidney** ~ ennuis *mpl* cardiaques/rénaux; **back** ~ mal *m* de dos; **what's the ~?** qu'est-ce qui ne va pas?; **to have man** *ou* **woman** ~○ avoir des problèmes de cœur

2 (difficulties) (specific) difficulté *f*; gen difficultés *fpl*; **without too much** ~ sans trop de difficultés; **to be in** *ou* **get into** ~ gen [*person*] avoir des ennuis; [*company, business*] avoir des difficultés; [*climber, competitor*] se trouver en difficulté; **to have ~ doing** avoir du mal à faire; **you'll have no ~ finding a job** tu n'auras aucun mal à trouver un emploi; **to get out of** ~ se tirer d'affaire; **to get sb out of** ~ tirer qn d'affaire; **to stay out of** ~ éviter des ennuis; **in times of** ~ dans les moments difficiles

3 (effort, inconvenience) peine *f*; **it's not worth the** ~ cela n'en vaut pas la peine; **to take the ~ to do** se donner la peine de faire; **to go to the ~ of doing** se donner le mal de faire; **to save sb/oneself the ~ of doing** épargner à qn/s'épargner la peine de faire; **he put me to**

t

the ~ of doing à cause de lui j'ai été obligé de faire; **to go to a lot of ~** se donner beaucoup de mal; **I don't want to put you to any ~** je ne veux pas te déranger; **it's no ~** cela ne me dérange pas; **to be more ~ than it's worth** donner plus de mal qu'il n'en vaut la peine; **not to be any ~** [*child, animal*] être sage; [*task*] ne poser aucun problème; **all that ~ for nothing** tout ce mal pour rien; **it was a lot of ~** cela n'a pas été facile; **it's less/more ~ to do it this way** c'est moins/plus compliqué de faire ça comme ça; **nothing is too much ~ for him** il est très serviable; **leave it, it's too much ~** laisse, c'est trop pénible; **if it's too much ~, say so** si c'est trop ennuyeux, dis-le-moi; **all the ~ and expense** tous les dérangements et toutes les dépenses

4 (discord) (gen) problèmes *mpl*, histoires○ *fpl*; (with personal involvement) ennuis *mpl*; (between groups) conflits *mpl*; (disturbance) incidents *mpl*; (reaction of displeasure) remous *m*; **to cause ~ between the two factions** créer des conflits entre les deux factions; **I don't want any ~** je ne veux pas d'ennuis; **there'll be ~** il y aura du remous; **to expect ~** [*police, pub landlord*] s'attendre à des incidents; **to be looking for ~** [*agitator, thug*] chercher les ennuis; **to get into ~** [*schoolchild, employee*] s'attirer des ennuis; **to make ~** faire des histoires; **it will lead to ~** ça va mal finir; **here comes ~!** hum voilà les ennuis qui arrivent!; **he looks like ~**○ il a une sale gueule◑; **to get into ~ with** avoir des démêlés avec [*police*]; avoir des ennuis avec [*authorities, taxman*]; **at the first sign of ~** au moindre signe d'agitation; **there's ~ brewing** il y a de l'orage dans l'air fig

B troubles *npl* 1 (worries) soucis *mpl*; **to tell sb one's ~s** faire part à qn de ses soucis; **tell me your ~s** dis-moi ce qui ne va pas; **your ~s are over** c'est la fin de tes soucis; **it's the least of my ~s** c'est le cadet de mes soucis; **money ~s** problèmes *mpl* d'argent

2 **the Troubles** (in Ireland) les troubles *mpl* (*en Irlande*)

C *vtr* 1 (bother) [*person*] déranger [*person*]; **sorry to ~ you** désolé de vous déranger; **to ~ sb for sth** déranger qn pour lui demander qch; **may I ~ you for the butter?** puis-je vous demander le beurre?; **may** *ou* **could I ~ you to do?** puis-je vous demander de faire?; **to ~ sb with** ennuyer qn avec [*problem, question*]; **I won't ~ you with the details** je te fais grâce des détails; **to ~ to do** se donner la peine de faire; **don't ~ to knock will you?** iron ne te donne surtout pas la peine de frapper!

2 (worry) tracasser [*person*]; tourmenter [*mind*]; **don't let that ~ you** ne te tracasse pas pour cela

3 (harass) [*person*] harceler [*person*]

4 (cause discomfort) [*tooth, cough, leg*] faire mal à [*person*]; **to be ~d by** être incommodé par [*cough, pain*]

5 (agitate) littér [*breeze, wake*] troubler [*water*]

D *v refl* **to ~ oneself to do** se donner la peine de faire; **don't ~ yourself!** iron ne vous dérangez surtout pas!

(Idiom) **to get a girl into ~** euph mettre une fille enceinte

> **The Troubles**
>
> Euphémisme employé pour parler des périodes de troubles particulièrement graves (soulèvements, attentats, conflits civils etc.) en Irlande pendant et juste après la guerre d'indépendance et la partition du pays (1919-1923), ainsi qu'en Irlande du Nord après 1968. Ces conflits ont considérablement diminué depuis l'accord de Belfast de 1998.

troubled /ˈtrʌbld/ *adj* 1 (worried) [*person, expression*] soucieux/-ieuse; [*mind*] inquiet/-iète; **to be ~ about** être préoccupé par [*problem, concern*]; s'inquiéter pour [*future*]; **to be ~ in spirit** littér avoir l'esprit inquiet; 2 (disturbed) [*sleep, times, area*] agité; littér [*waters*] troublé; 3 (having problems) [*company, economy*] en difficultés; **~ by** incommodé par [*injury*]

troublefree /ˌtrʌblˈfriː/ *adj* [*period, operation*] sans problèmes; **to be ~** [*machine*] marcher sans problème; [*meeting*] avoir lieu sans aucun problème; **the school has been ~ since...** il n'y a plus eu de problème à l'école depuis...

troublemaker /ˈtrʌblmeɪkə(r)/ *n* fauteur/-trice *m/f* de troubles

troubleshoot /ˈtrʌblʃuːt/ *vi* gen intervenir pour régler les problèmes; Tech localiser une panne

troubleshooter /ˈtrʌblʃuːtə(r)/ *n* (dealing with people) conciliateur/-trice *m/f*; Tech expert *m*; (in business, industry) consultant/-e *m/f* en gestion des entreprises

troubleshooting /ˈtrʌblʃuːtɪŋ/ *n* diagnostic *m* des anomalies; **to do some ~** intervenir pour régler les problèmes; **hints for ~** conseils en cas de panne

troubleshooting guide *n* manuel *m* de dépannage

troublesome /ˈtrʌblsəm/ *adj* [*person*] ennuyeux/-euse; [*problem, objection*] gênant; [*aspect*] pénible; [*cough, pain*] désagréable

trouble spot *n* point *m* chaud

trough /trɒf, US trɔːf/ *n* 1 (for drinking) abreuvoir *m*; (for animal feed) auge *f*; (for plants) bac *m*; 2 (channel) chenal *m*; 3 (depression) (between waves, hills) creux *m*; (on graph) creux *m*; Econ creux *m*; **to have peaks and ~s** avoir des hauts et des bas; 4 Meteorol dépression *f*. ▸ **snout**

trounce○ /traʊns/ *vtr* flanquer une raclée○ à [*team, competitor*]

troupe /truːp/ *n* troupe *f*

trouper○ /ˈtruːpə(r)/ *n* Theat **an old ~** un/une artiste *m/f* de métier

trouser /ˈtraʊzə(r)/ ▸ **p. 1694**

A *modif* [*belt, leg, pocket*] de pantalon; **my ~ leg** la jambe de mon pantalon

B trousers *npl* pantalon *m*; **short ~s** short *m*; **long ~s** pantalon *m* long

(Idioms) **to catch sb with their ~s down** prendre qn en flagrant délit; **to wear the ~s** GB porter la culotte○

trouser: **~ press** *n* presse-pantalon *m*; **~ suit** *n* GB ensemble-pantalon *m*

trousseau /ˈtruːsəʊ/ *n* trousseau *m* (de mariage)

trout /traʊt/

A *n* 1 (*pl* ~) (fish) truite *f*; 2 GB péj (woman) **an old ~** une vieille mégère

B *modif* [*fishing*] à la truite; [*farm, fisherman*] de truites; [*stream*] à truites

trove /trəʊv/ *n* ▸ **treasure trove**

trowel /ˈtraʊəl/ *n* 1 (for cement) truelle *f*; 2 (for gardening) déplantoir *m*

(Idiom) **to lay it on with a ~**○ mettre le paquet○

troy /trɔɪ/ *n* troy *m*

Troy /trɔɪ/ ▸ **p. 1815** *pr n* Troie

truancy /ˈtruːənsɪ/ *n* absentéisme *m*

truant /ˈtruːənt/ *n* (child) enfant *mf* qui fait l'école buissonnière; **to play ~** faire l'école buissonnière

truant officer *n* Sch *personne chargée de combattre l'absentéisme*

truce /truːs/ *n* trêve *f*; **to call a ~** demander une trêve

truck /trʌk/

A *n* 1 (lorry) camion *m*; 2 (rail wagon) wagon *m* de marchandises

B *modif* [*deliveries*] (by road) par camion; (by rail) par wagon

C *vtr* camionner

D *vi* US conduire un camion

(Idioms) **to have no ~ with sb/sth** GB ne rien avoir à faire avec qn/qch; **keep on ~ing**○**!** US bon courage!

(Phrasal verb) ■ **truck on down**○ US aller tranquillement (**to** à)

truckage /ˈtrʌkɪdʒ/ *n* transport *m* routier

truck driver ▸ **p. 1683** *n* routier *m*; **she's a ~** elle est routier

trucker /ˈtrʌkə(r)/ ▸ **p. 1683** *n* 1 ○(lorry driver) routier *m*; 2 US Agric maraîcher/-ère *m/f*

truck: **~ farm** *n* US exploitation *f* maraîchère; **~ farmer** ▸ **p. 1683** *n* US maraîcher/-ère *m/f*; **~ farming** *n* US maraîchage *m*

trucking /ˈtrʌkɪŋ/ *n* 1 (transporting) transport *m* routier; 2 US Agric maraîchage *m*

truckle /ˈtrʌkl/ *vi* s'abaisser (**to** devant)

truckle bed /ˈtrʌklbed/ *n* GB lit *m* gigogne

truckload /ˈtrʌkləʊd/ *n* (of goods, produce) chargement *m* (**of** de); (of soldiers, refugees) camion *m* (**of** de); **by the ~** en grand nombre

truck stop *n* (restaurant *m*) routier *m*

truculence /ˈtrʌkjʊləns/ *n* agressivité *f*

truculent /ˈtrʌkjʊlənt/ *adj* agressif/-ive

truculently /ˈtrʌkjʊləntlɪ/ *adv* [*behave*] de façon agressive; [*say*] avec agressivité

trudge /trʌdʒ/

A *n* **it's quite a ~ to my house** il y a un bon bout de chemin jusqu'à chez moi

B *vi* marcher d'un pas lourd; **to ~ through the snow** marcher péniblement dans la neige; **to ~ up the stairs** monter péniblement l'escalier; **to ~ round the shops** se traîner de magasin en magasin

true /truː/

A *adj* 1 (based on fact, not a lie) [*account, news, rumour, fact, story*] vrai; (from real life) [*story*] vécu; **~ or false?** vrai ou faux?; **it is quite/only too ~ that...** il est exact/il n'est que trop vrai que...; **it is simply not ~ that...** ce n'est pas vrai que...; **it is ~ to say that...** on peut dire que...; **to ring ~** sonner vrai; **the same is** *ou* **holds ~ of the new party** cela est vrai aussi *or* il en va de même pour le nouveau parti; **what is ~ of adults is ~ of children** ce qui est vrai pour les adultes l'est aussi pour les enfants; **to prove ~** se révéler exact; **this allegation, if ~...** si cette allégation est fondée, elle...; **it can't be ~!** ce n'est pas possible!; **that's ~** (when agreeing) c'est juste; **too ~**○**!** je ne vous/te le fais pas dire!; **~, we shall miss her but...** c'est vrai qu'elle va nous manquer mais...; 2 (real, genuine) [*god, democracy, American, worth*] vrai; [*identity, age*] véritable; [*cost, meaning, nature, value*] vrai; **to come ~** se réaliser; **it is hard to get the ~ picture** il est difficile de savoir ce qui se passe vraiment *or* en réalité; **an artist in the ~ sense of the word** un artiste dans toute l'acception du terme; 3 (heartfelt, sincere) [*feeling, repentance, understanding*] sincère; **to feel ~ remorse** éprouver un remords sincère; **to be a ~ believer** avoir la foi; **~ love** le véritable amour; 4 (accurate) [*copy*] conforme; [*assessment*] correct, juste; **is the photo a ~ likeness?** cette photo est-elle vraiment ressemblante? ; **to be ~ to life** [*film, novel, book*] être vrai; 5 (faithful, loyal) [*servant, knight*] fidèle; **to be ~ to** être fidèle à [*beliefs, word*]; 6 Constr **to be/to be out of ~** [*window, post, frame*] être/ne pas être d'aplomb; 7 Mus [*note, instrument*] juste; 8 Geog **~ north** le nord géographique

B *adv* 1 (straight) [*aim, fire*] juste; 2 †littér **to speak ~** être sincère

(Idioms) **to be too good to be ~** être trop beau pour être vrai; **~ to form, he...** égal à lui-même, il...; **to be/remain ~ to type** [*person*] être/rester semblable à lui-même

true: **~-blue** *adj* [*conservative, loyalist*] bon teint *inv*; [*friend*] fidèle; **~-born** *adj* [*Englishman etc*] de souche; **True Cross** *n* vraie Croix *f*; **~-false test** *n* US questionnaire *m* (*où il faut cocher 'vrai' ou 'faux'*); **~-life** *adj* [*adventure, saga, story*] vécu; **~love**‡ *n* littér bien-aimé/-e *m/f*

truffle /ˈtrʌfl/ *n* (all contexts) truffe *f*

trug /trʌg/ *n* panier *m* de jardinage

truism /ˈtruːɪzəm/ *n* truisme *m*

truly /ˈtruːlɪ/ *adv* 1 (extremely) [*amazing, delighted, sorry, horrendous*] vraiment; **he's a ~ great photographer** c'est vraiment un très grand photographe; **a ~ dreadful piece of news** une nouvelle vraiment terrible; 2 (really, in truth) [*be, belong, think*] vraiment; **really and ~?** vraiment?; **well and ~** carrément; **it is ~ a celebration/a great leap forward** c'est vraiment une fête/un bond en avant; **England is where I ~ belong** l'Angleterre est ma vraie patrie; 3 (in letter) **yours ~** (to man) je vous prie d'agréer l'expression de mes sentiments distingués fml; (to woman) je vous prie d'agréer l'expression de mes respectueux hommages fml; **...and who got it all wrong? yours ~!** (referring to oneself) ...et qui s'est trompé? mézigue°!

trump /trʌmp/

A *n* 1 Games atout *m*; 2 ‡ *ou* littér trompette *f*; **the last ~** les trompettes du jugement dernier

B trumps *npl* Games atout *m*; **spades are ~s** atout pique; **what's ~s?** quel est l'atout?

C *vtr* 1 Games couper; 2 (beat) battre [*person, rival*]

(Idiom) **to come** *ou* **turn up ~s** sauver la situation

trump card *n* atout *m*; **to play one's ~** jouer son atout also fig

trumped-up /ˌtrʌmptˈʌp/ *adj* [*charge*] forgé de toutes pièces; [*lawyer, doctor*] marron/-onne

trumpet /ˈtrʌmpɪt/ ▸ p. 1462

A *n* 1 Mus (instrument, player) trompette *f*; **Woody Shaw on ~** Woody Shaw à la trompette; 2 (elephant call) barrissement *m*; 3 littér (of daffodil) trompette *f*

B *modif* Mus [*solo*] de trompette; [*concerto*] pour trompette; **~ call** fig vibrant appel *m*

C *vtr* [*group, party*] vanter les mérites de [*lifestyle, success*]; [*newspaper*] claironner

D *vi* [*elephant*] barrir

(Idiom) **to blow one's own ~** vanter ses propres mérites

trumpeter /ˈtrʌmpɪtə(r)/ ▸ p. 1683, p. 1462 *n* trompettiste *mf*

trumpeter swan *n* cygne *m* trompette

trumpeting /ˈtrʌmpɪtɪŋ/ *n* (of elephant) barrissement *m*

trumpet: **~ major** *n* trompette-major *m*; **~ player** ▸ p. 1462 *n* trompettiste *mf*

truncate /trʌŋˈkeɪt, US ˈtrʌŋ-/ *vtr* 1 tronquer [*text*]; écourter [*process, journey, event*]; 2 Comput, Math tronquer

truncated /trʌŋˈkeɪtɪd, US ˈtrʌŋ-/ *adj* 1 [*text*] tronqué; [*process, journey, event*] écourté; 2 Comput, Math tronqué

truncation /ˌtrʌŋˈkeɪʃn/ *n* 1 (of text) réduction *f*; (of word) troncation *f*; 2 Comput, Math troncature *f*

truncheon /ˈtrʌntʃən/ *n* matraque *f*

trundle /ˈtrʌndl/

A *vtr* pousser; **to ~ sth out** sortir qch; **to ~ sth in** entrer en poussant qch

B *vi* [*vehicle*] avancer lourdement; **the lorries were trundling up and down the street** les camions montaient et descendaient lourdement la rue; **he ~d off° to the station** hum il est parti à la gare

trundle bed /ˈtrʌndlbed/ *n* US lit *m* gigogne

trunk /trʌŋk/

A *n* 1 (of tree, body) tronc *m*; 2 (of elephant) trompe *f*; 3 (for travel) malle *f*; 4 US (car boot) coffre *m*; 5 (duct) conduite *f*

B trunks *npl* (*also* **swimming trunks**) maillot *m* de bain (*pour hommes*)

trunk call† *n* communication *f* à longue distance

trunking /ˈtrʌŋkɪŋ/ *n* (for liquid, cables) canalisations *fpl*; (for air) conduites *fpl*

trunk: **~ line** *n* Transp, Telecom ligne *f* principale; **~ road** *n* Transp grand axe *m*

trunnion /ˈtrʌnjən/ *n* tourillon *m*

truss /trʌs/

A *n* 1 (of hay) botte *f*; 2 Med bandage *m* herniaire; 3 Constr armature *f*, ferme *f*

B *vtr* 1 (bind) = **truss up**; 2 Constr armer

(Phrasal verb) ■ **truss up**: ▸ **~ up [sth]** brider, trousser [*chicken*]; ligoter [*person*]; botteler [*hay*]

trust /trʌst/

A *n* 1 (faith) confiance *f*; **to betray sb's ~** trahir la confiance de qn; **a breach of ~** un abus de confiance; **a position of ~** un poste de confiance; **to have complete ~ in** avoir une confiance absolue en; **to put one's ~ in** se fier à; **to take sth on ~** croire qch sur parole; **you'll have to take it on ~** il va falloir que tu me croies sur parole; 2 Jur (set up by donor, testator) (arrangement) fidéicommis *m*; (property involved) propriété *f* fiduciaire; **to set up a ~ for** instituer un fidéicommis à l'intention de; **to hold sth in ~ for** tenir qch par fidéicommis pour; **to leave a sum in ~ for** laisser une somme en fidéicommis pour; 3 Fin (large group of companies) trust *m*; 4 Fin ▸ **investment trust**

B *vtr* 1 (believe) se fier à [*person, judgment*]; **who can we ~?** à qui pouvons-nous nous fier?; 2 (rely on) faire confiance à; **she's not to be ~ed** on ne peut pas lui faire confiance; **~ me** fais-moi confiance; **they ~ each other** ils se font confiance; **~ her!** (amused or annoyed) tu peux compter sur elle pour ça!; **I wouldn't ~ him anywhere near my car** dès que il s'agit de ma voiture, je ne lui fais pas confiance; **children cannot be ~ed with matches** on ne peut pas laisser d'allumettes entre les mains des enfants; **I wouldn't ~ him further than I could throw him** je n'ai pas la moindre confiance en lui; 3 (entrust) **to ~ sb with sth** confier qch à qn; **I would ~ you with my life** je te fais entièrement confiance; 4 (hope) espérer (**that** que); **I ~ not/so** j'espère bien que non/que oui

C *vi* **to ~ in** faire confiance à [*person*]; croire en [*God, fortune*]; **to ~ to luck** se fier au hasard

D trusted *pp adj* [*friend*] fidèle; **a ~ colleague** un collègue en qui on a confiance; **tried and ~ed methods** des méthodes fiables

E *v refl* **to ~ oneself to do** être sûr de pouvoir faire; **I couldn't ~ myself not to cry** je n'étais pas sûr de pouvoir m'empêcher de pleurer; **I couldn't ~ myself to speak** j'ai préféré me taire

trust: **~ account** *n* compte *m* en fidéicommis; **~buster** *n* US *fonctionnaire fédéral chargé de veiller à l'application des lois antitrusts*; **~ company** *n* société *f* fiduciaire; **~ deed** *n* acte *m* fiduciaire

trustee /trʌsˈtiː/ *n* 1 (who administers property in trust) fidéicommissaire *m*, fiduciaire *m*; 2 (who administers a company) administrateur/-trice *m/f* (**of** de); 3 (of trust territory) pays *m* applicant le régime de tutelle

trusteeship /trʌsˈtiːʃɪp/ *n* 1 (of inheritance) fidéicommis *m*; 2 Pol (of territory) tutelle *f*; **to be under the ~ of the UN** être sous la tutelle de l'ONU

trustful /ˈtrʌstfl/ *adj* = **trusting**

trust fund *n* fonds *m* en fidéicommis

trusting /ˈtrʌstɪŋ/ *adj* [*person*] qui fait facilement confiance aux gens; **you're too ~** tu es trop naïf/naïve

trust: **~ instrument** *n* acte *m* fiduciaire; **~ territory** *n* territoire *m* sous tutelle

trustworthiness /ˈtrʌstwɜːðɪnɪs/ *n* (of company, employee) sérieux *m*; (of sources, evidence) fiabilité *f*

trustworthy /ˈtrʌstwɜːðɪ/ *adj* [*staff, firm*] sérieux/-ieuse; [*source*] fiable; [*confidante, lover*] digne de confiance

trusty /ˈtrʌstɪ/

A *n* prisonnier/-ière *m/f* privilégié/-e

B *adj* †hum fidèle

truth /truːθ/ *n* 1 (real facts) **the ~** la vérité (**about** concernant, à propos de); **to face/tell the ~** faire face à/dire la vérité; **the whole ~** toute la vérité; **'...the ~, the whole ~ and nothing but the ~'** Jur '...toute la vérité, rien que la vérité'; **the ~ is beginning to dawn** (on oneself) je commence à entrevoir la vérité; (on others) la vérité commence à percer; **in ~** sout en vérité; **the ~ is that...** la vérité, c'est que...; **whatever the ~ of the matter** quoi qu'il en soit; **to tell you the ~°, I've no idea** à vrai dire, je n'en ai aucune idée; **nothing could be further from the ~** c'est absolument faux; **I can't take one more day of this, and that's the ~°!** je ne peux plus supporter cette situation, un point c'est tout!; 2 (accuracy) **to confirm/deny the ~ of sth** confirmer/nier l'exactitude de qch; 3 Philos, Relig vérité *f*; **a universal ~** une vérité universelle; 4 (foundation) **there is no ~ in that** c'est absolument faux; **there is not a word** *ou* **shred of ~ in that** il n'y a pas un mot *or* grain de vérité là-dedans *or* dans tout cela; **there is some/a great deal of ~ in that** il y a du vrai dans cela/une grande part de vérité fml là-dedans

(Idioms) **~ will out** la vérité se fera jour; **~ is stranger than fiction** la réalité dépasse la fiction; **to tell sb a few home ~s** dire à qn ses quatre vérités

truth drug, **truth serum** *n* sérum *m* de vérité

truthful /ˈtruːθfl/ *adj* [*person*] honnête, franc/franche; [*account, version*] vrai; **to be absolutely** *ou* **perfectly ~...** en toute franchise, franchement...; **give me a ~ answer** réponds-moi franchement

truthfully /ˈtruːθfəlɪ/ *adv* [*answer, testify*] sans mentir

truthfulness /ˈtruːθflnɪs/ *n* véracité *f*

truth value *n* Philos valeur *f* de vérité

try /traɪ/ (*pl* **tries**)

A *n* 1 (attempt) essai *m*; **after three/a few tries** après trois/quelques essais; **to have a ~ at doing** essayer de faire; **I'll give it a ~** je vais essayer; **I had a ~ at water skiing** j'ai essayé le ski nautique; **it's worth a ~** cela vaut la peine d'essayer; **nice ~!** bel essai!; iron bel effort!; **to have a good ~** faire tout ce qu'on peut

2 Sport (in rugby) essai *m*; **to score a ~** marquer un essai

B *vtr* (*prét, pp* **tried**) 1 (attempt) essayer de répondre à [*exam question*]; **to ~ doing** *ou* **to do** essayer de faire; **~ telling that to the judge/my wife!** essaie de faire croire cela au juge/à ma femme!; **to ~ hard to do** faire de gros efforts pour faire; **to ~ one's hardest** *ou* **best to do** faire tout son possible *or* tout ce que l'on peut pour faire; **it's ~ing to rain/snow** il a l'air de vouloir pleuvoir/neiger

2 (test out) essayer [*recipe, tool, product, method, activity*]; prendre [qn] à l'essai [*person*]; [*thief*] essayer d'ouvrir [*door, window*]; tourner [*door knob*]; **~ the back door** essaie la porte de derrière; **you should ~ it for yourself** tu devrais l'essayer; **to ~ one's hand at pottery/weaving** s'essayer à la poterie/au tissage; **to ~ sth on sb/sth** proposer [qch] à qn/qch [*idea, possibility*]; donner [qch] à qn/qch pour voir [*food*]; **~ that meat on the dog** donne cette viande au chien pour voir; **~ that for size** *ou* **length** essaie pour voir si ça te va; **you should ~ it** tu devrais essayer; **I'll ~ anything once** je suis toujours prêt à faire de nouvelles expériences; **'I bet you don't know the answer'—'~ me!'** 'je parie que tu ne sais pas la réponse!'—'vas-y!'

3 (taste, sample) goûter; **~ a piece/the carrots** goûte un morceau/les carottes; **go on, ~ some** vas-y, goûte

4 (consult) demander à [*person*]; consulter [*book*]; **~ the encyclopedia** consulte l'encyclopédie; **~ the library/the house next door** demandez à la bibliothèque/la maison d'à

t

côté; **we tried all the shops** nous avons demandé dans tous les magasins
5▸ (subject to stress) mettre [qch] à rude épreuve [*tolerance, faith*]; **to ~ sb's patience to the limit** pousser qn à bout
6▸ Jur juger [*case, criminal*]; **to ~ sb for murder/fraud** juger qn pour meurtre/fraude
C *vi* (*prét, pp* **tried**) **1▸** (make attempt) essayer; **he didn't even ~** il n'a même pas essayé; **I'd like to ~** j'essaierais bien; **to ~ again** (to perform task) recommencer; (to see somebody) repasser; (to phone) rappeler; **to ~ and do** essayer de faire; **~ and relax** essaie de rester calme; **to ~ for** essayer d'obtenir [*loan, university place*]; essayer de battre [*world record*]; essayer d'avoir [*baby*]; **just you ~!** (as threat) essaie un peu○!; **just let him ~!** qu'il essaie seulement!; **keep ~ing!** essaie encore!; **I'd like to see you ~!** j'aimerais bien t'y voir!; **she did it without even ~ing** elle l'a fait sans le moindre effort; **~ harder!** fais plus d'effort!; **at least you tried** tu as fait tout ce que tu as pu
2▸ (enquire) demander; **I've tried at the news agent's** j'ai demandé au marchand de journaux
(Idiom) **these things are sent to ~ us** hum tout ça c'est pour notre bien
(Phrasal verbs) ■ **try on**: ▸ **~ [sth] on, ~ on [sth]** essayer [*hat, dress*]; **to ~ it on**○ fig bluffer; **they're just ~ing it on**○! c'est du bluff!; **don't ~ anything on with me**○ ne fais pas le malin○ avec moi; **to ~ it on with sb's husband/wife**○ essayer de séduire le mari/la femme de qn
■ **try out**: ▸ **~ out** [*sportsman*] faire un essai; [*actor*] auditionner; **to ~ out for** [*player*] essayer d'entrer dans [*team*]; [*actor*] essayer d'obtenir le rôle de [*Othello, Don Juan*]; ▸ **~ [sth] out, ~ out [sth]** essayer [*machine, theory, drug, language, recipe*] (**on** sur); ▸ **~ [sb] out, ~ out [sb]** prendre [qn] à l'essai

trying /'traɪɪŋ/ *adj* [*person*] pénible; [*experience*] éprouvant; **it's all terribly ~** c'est terriblement éprouvant

try-on○ /'traɪɒn/ *n* **it's a ~** c'est du bluff○

try-out /'traɪaʊt/ *n* **1▸** Sport essai *m*; **to have a ~** faire un essai; **we gave him a ~** on lui a fait faire un essai; **2▸** US Theat audition *f*

tryst /trɪst/ *n* littér rendez-vous *m* galant

tsar /zɑ:(r)/ *n* **1▸** (ruler) tsar *m*; **2▸** (government supremo) **drugs ~** Monsieur drogue; **homelessness ~** Monsieur sans-abri

tsarevitch /'zɑ:rəvɪtʃ/ *n* tsarévitch *m*

tsarina /zɑ:'ri:nə/ *n* tsarine *f*

tsarist /'zɑ:rɪst/ *adj* tsariste

TSE *n* (*abrév* = **transmissible spongiform encephalopathy**) ESST *f*, encéphalopathie *f* spongiforme subaiguë transmissible

tsetse fly /'tsetsɪ flaɪ/ *n* mouche *f* tsé-tsé

t: **T-shaped** *adj* en (forme de) T; **T-shirt** *n* T-shirt *m*, tee-shirt *m*

tsp *abrév écrite* = **teaspoonful**

T-square /'ti:skweə(r)/ *n* équerre *f* en T

TSS *n*: *abrév* ▸ **toxic shock syndrome**

tsunami /tsu:'nɑ:mɪ/ *n* tsunami *m*, raz-de-marée *m*

TT *adj*: *abrév* ▸ **teetotal**

Tuareg /'twɑ:reg/ ▸ **p. 1467, p. 1378**
A **1▸** *n* Touareg *mf*; **2▸** Ling touareg *m*
B *adj* touareg *inv*

tub /tʌb/ *n* **1▸** (large) (for flowers, water) bac *m* (**of** de); (small) (for ice cream, pâté) pot *m* (**of** de); **2▸** (contents) pot *m* (**of** de); **3▸** US (bath) baignoire *f*; **she's in the ~** elle est dans son bain; **4▸** ○(boat) rafiot○ *m*

tuba /'tju:bə, US 'tu:-/ ▸ **p. 1462** *n* Mus tuba *m*

tubal /'tju:bl/ *adj* **~ pregnancy** grossesse *f* tubaire

tubby○ /'tʌbɪ/ *adj* grassouillet/-ette○

tube /tju:b, US 'tu:b/
A *n* **1▸** (cylinder) tube *m*; **2▸** (container for toothpaste, glue etc) tube *m*; **3▸** ○GB Transp métro *m* (londonien); **4▸** ○US (TV) télé○ *f*; **5▸** (in TV set) tube *m* cathodique
B **tubes**○ *npl* Med bronches *fpl*
C *modif* [*line, station, ticket*] de métro
(Idioms) **to go down the ~s** [*plans*] tomber à l'eau; [*economy*] tomber en ruines; **she's had her ~s tied**○ on lui a fait une ligature des trompes

tubeless /'tju:blɪs, US 'tu:b-/ *adj* [*tyre*] sans chambre à air

tuber /'tju:bə(r), US 'tu:-/ *n* tubercule *m*

tubercle /'tju:bəkl, US 'tu:-/ *n* Bot, Med tubercule *m*

tubercular /tju:'bɜ:kjʊlə(r), US 'tu:-/ *adj* tuberculeux/-euse

tuberculin /tju:'bɜ:kjʊlɪn, US 'tu:-/ *n* tuberculine *f*

tuberculin-tested *adj* [*cattle*] tuberculisé

tuberculosis /tju:,bɜ:kjʊ'ləʊsɪs, US 'tu:-/ ▸ **p. 1327**
A *n* tuberculose *f*
B *modif* [*sufferer, patient*] tuberculeux/-euse

tuberculous /tju:'bɜ:kjʊləs, US tu:-/ ▸ **p. 1327** *adj* tuberculeux/-euse

tube top *n* Fashn bustier *m*

tubing /'tju:bɪŋ, US 'tu:-/ *n* tuyauterie *f*; **a length** *ou* **piece of ~** un tuyau

tub-thumping /'tʌbθʌmpɪŋ/
A *n* éloquence *f* de bas étage
B *adj* [*orator*] de bas étage

tubular /'tju:bjʊlə(r), US 'tu:-/ *adj* tubulaire

tubular: **~ bells** ▸ **p. 1462** *npl* cloches-tubes *fpl*; **~ steel chair** *n* chaise *f* tubulaire

tubule /'tju:bju:l, US 'tu:-/ *n* tubule *m*

TUC *n*: *abrév* ▸ **Trades Union Congress**

tuck /tʌk/
A *n* Sewing pli *m*; (to shorten) pli *m* horizontal
B *vtr* **to ~ sth between/into/under/behind** (of flat object) glisser qch entre/dans/sous/derrière; **to ~ a card into a pocket** glisser une carte dans une poche; **to ~ sb's arm into yours** glisser le bras de qn sous le tien; **to ~ one's shirt into one's trousers** rentrer sa chemise dans son pantalon; **to ~ one's trousers into one's boots** enfiler son pantalon dans ses bottes; **to ~ one's hands into one's sleeves** enfiler les mains dans ses manches; **to ~ a blanket under sb** plier une couverture sous qn; **to ~ one's hair under one's hat** rentrer ses cheveux sous son chapeau; **she ~ed her feet up under her** elle a ramené ses pieds sous elle; **it ~ed its head under its wing** il a enfoui la tête sous son aile; **to ~ a flower behind one's ear** se mettre une fleur derrière l'oreille; **to ~ a blanket around sb** envelopper qn dans une couverture
C **tucked** *pp adj* Fashn, Sewing plissé
(Phrasal verbs) ■ **tuck away**: ▸ **~ [sth] away, ~ away [sth]** **1▸** (safely, in reserve) enfouir [*object*]; mettre en sécurité [*money, valuable*]; **to have £5,000 ~ed away** avoir 5 000 livres sterling en sécurité; **2▸** (hard to find) **to be ~ed away** [*village, document, object*] se nicher; [*person*] s'isoler
■ **tuck in**: ▸ **~ in** (start eating) attaquer; **to ~ into a meal** attaquer un repas; **~ in, everybody!** allez-y, attaquez!; ▸ **~ in [sth], ~ [sth] in** rentrer [*garment, shirt*]; border [*bedclothes*]; **to ~ the flap in** glisser le rabat dans l'enveloppe; ▸ **~ [sb] in, ~ in [sb]** border
■ **tuck up**: ▸ **~ up [sb], ~ [sb] up** border; **to be ~ed up in bed** être bordé dans son lit

tuck box† *n* GB Sch réserve *f* de friandises (*donnée aux pensionnaires par leurs parents*)

tucker○ /'tʌkə(r)/ *n* Austral bouffe○ *f*
(Idiom) **in one's best bib and ~** sur son trente et un○
(Phrasal verb) ■ **tucker out**○: ▸ **~ [sb] out** claquer○; **to be ~ed out** être claqué○

tuck: **~ jump** *n* Sport saut *m* groupé; **~ shop** *n* GB Sch *boutique où les élèves achètent des friandises*

Tudor /'tju:də(r), US 'tu:-/
A *pr n* Tudor *inv*
B *modif* [*times, rose*] des Tudor

Tue(s) *abrév écrite* = **Tuesday**

Tuesday /'tju:zdeɪ, -dɪ, US 'tu:-/ ▸ **p. 1882** *pr n* mardi *m*

tufa /'tju:fə, US 'tu:-/ *n* Geol tuf *m*

tuffet /'tʌfɪt/ *n* littér petite touffe *f*

tuft /tʌft/ *n* touffe *f*

tufted /'tʌftɪd/ *adj* [*grass*] en touffes; [*bird*] huppé; [*carpet*] tufté

tufted duck *n* fuligule *m* morillon

tug /tʌg/
A *n* **1▸** (pull) (on rope, in sails) résistance *f*; (on fishing line) secousse *f*; **to give sth a ~** tirer sur qch; **the ~ of old habits** fig la force des habitudes; **to feel a ~ of loyalties** se sentir partagé; **2▸** Naut (*also* **tug boat**) remorqueur *m*
B *vtr* (*p prés etc* **-gg-**) **1▸** (pull) tirer [*object, hair*]; **2▸** Naut remorquer [*boat*]
C *vi* (*p prés etc* **-gg-**) **to ~ at** *ou* **on** tirer sur [*rope, hair*]; **to ~ at sb's sleeve** tirer qn par la manche; **to ~ at one's moustache/lip** se tirer la moustache/la lèvre

tug-of-love /,tʌgəv'lʌv/
A *n* GB Journ *lutte entre les parents pour la garde de l'enfant*
B *modif* [*child*] dont les parents se disputent la garde

tug-of-war /,tʌgəv'wɔ:(r)/ *n* **1▸** Sport gagne-terrain *m*; **2▸** fig lutte *f* (**between** entre)

tuition /tju:'ɪʃn, US tu:-/ *n* cours *mpl*; **private ~** cours privés

tuition fees *npl* frais *mpl* pédagogiques

tulip /'tju:lɪp, US 'tu:-/ *n* tulipe *f*

tulip tree *n* tulipier *m*

tulle /tju:l, US tu:l/ *n* tulle *m*

tum○ /tʌm/ *n* lang enfantin ventre *m*

tumble /'tʌmbl/
A *n* **1▸** (fall) chute *f*; **to take a ~** lit faire une chute; fig [*price, share, market*] chuter; **shares took a 50-point ~** les actions ont chuté de 50 points; **they had a ~ in the hay** ils ont batifolé dans le foin; **2▸** (of clown, acrobat) culbute *f*; **3▸** (jumble) tas *m*
B *vi* **1▸** (fall) [*person, object*] tomber (**off, out of** de); **to ~ several metres** tomber de plusieurs mètres; **to ~ out of bed** bondir du lit; **to ~ over** *ou* **off** tomber de [*cliff, roof*]; **to ~ down the stairs** dégringoler dans l'escalier; **to ~ down sth** [*water, stream*] dévaler qch en cascade; **curls ~d about her shoulders** ses boucles lui tombaient sur les épaules; **2▸** Fin [*price, share, currency*] chuter; **3▸** Sport [*clown, acrobat, child*] faire des culbutes; **4▸** ○**to ~ to sth** (understand) piger○, comprendre [*fact, plan*]
(Phrasal verbs) ■ **tumble down** [*wall, building*] s'écrouler; **the walls came tumbling down** les murs se sont écroulés
■ **tumble out** [*contents*] se renverser; [*words, feelings*] jaillir en désordre

tumble: **~down** *adj* délabré; **~-drier, ~-dryer** *n* sèche-linge *m inv*

tumble-dry /,tʌmbl'draɪ/ *vtr* sécher (*dans un sèche-linge*); **'do not ~'** 'ne pas sécher en machine'

tumbler /'tʌmblə(r)/ *n* **1▸** (glass) verre *m* droit; **2▸** (acrobat) acrobate *mf*; (gymnast) tumbler *m*; **3▸** (of lock) gorge *f*; **4▸** (drier) sèche-linge *m inv*

tumbler: **~ drier** *n* = **tumble-drier**; **~ful** *n* verre *m*; **~ pigeon** *n* pigeon *m* culbutant

tumbleweed /'tʌmblwi:d/ *n* amarantacée *f*

tumbling /'tʌmblɪŋ/
A *n* ▸ **p. 1253** tumbling *m*
B *adj* [*water*] qui tombe en cascade; fig [*shares, prices*] en chute libre; **a mass of ~ curls** une

t

masse de cheveux bouclés

tumbrel, **tumbril** /'tʌmbrəl/ *n* charrette *f*, tombereau *m*

tumefaction /ˌtju:mɪ'fækʃn, US ˌtu:-/ *n* tuméfaction *f*

tumescence /tju:'mesns, US tu:-/ *n* tumescence *f*

tumescent /tju:'mesnt/ *adj* tumescent

tumid /'tju:mɪd, US 'tu:-/ *adj* [*body part*] tuméfié; [*prose*] ampoulé

tummy○ /'tʌmɪ/ *n* lang enfantin ventre *m*

tummyache○ /'tʌmɪeɪk/ *n* lang enfantin mal *m* au ventre

tummy tuck○ *n* opération *f* de chirurgie esthétique sur le ventre; **to have a ~** se faire retendre la peau du ventre

tumour GB, **tumor** US /'tju:mə(r), US 'tu:-/ *n* tumeur *f*; **secondary ~** métastase *f*

tumuli /'tju:mjʊlaɪ/ *pl* ▸ **tumulus**

tumult /'tju:mʌlt, US 'tu:-/ *n* **1** (noisy chaos) tumulte *m*; **to be in ~** [*hall, meeting*] être en tumulte; [*feelings*] être en émoi; **2** (disorder) agitation *f*

tumultuous /tju:'mʌltʃʊəs, US 'tu:-/ *adj* tumultueux/-euse

tumultuously /tju:'mʌltjʊəslɪ, US tu:-/ *adv* tumultueusement

tumulus /'tju:mjʊləs/ *n* (*pl* **-li**) tumulus *m*

tun /tʌn/ *n* fût *m*

tuna /'tju:nə, US 'tu:-/

A *n* Zool, Culin thon *m*

B *modif* [*fishing, sandwich*] au thon; [*canning*] du thon

tuna fish *n* Culin thon *m*

tundra /'tʌndrə/ *n* toundra *f*

tune /tju:n, US tu:n/

A *n* **1** Mus air *m*; **to dance/sing sth to the ~ of sth** danser/chanter qch sur l'air de qch; **2** Mus (accurate pitch) **to be in/out of ~** Mus être accordé/désaccordé (**with** avec); fig être/ne pas être en accord (**with** avec); **to sing in/out of ~** chanter juste/faux; **an out-of-~ piano/violin** un piano/violon désaccordé; **3** ○(amount) **to the ~ of** pour un montant de; **to be in debt/have costs to the ~ of £50,000** avoir des dettes/des frais pour un montant de 50 000 livres

B *vtr* accorder [*musical instrument*] (**to** à); régler [*car engine, radio, TV, signal*] (**to** sur); **stay ~d!** restez à l'écoute!

(Idioms) **to call the ~** mener la danse; **to change one's ~**, **to sing a different ~** changer d'avis; **to dance to sb's ~** se plier aux exigences de qn

(Phrasal verbs) ■ **tune in** mettre la radio; **to ~ in to** se mettre à l'écoute de [*programme*]; régler sur [*channel*]; ▸ **~ [sth] in** régler (**to** sur)

■ **tune out**○ US: ▸ **~ out** décrocher○; ▸ **~ [sb] out** ne pas écouter

■ **tune up** [*musician*] s'accorder; ▸ **~ up [sth]**, **~ [sth] up** accorder [*musical instrument*]; régler [*engine*]

tuneful /'tju:nfl, US 'tu:-/ *adj* mélodieux/-ieuse

tunefully /'tju:nfəlɪ, US 'tu:-/ *adv* mélodieusement

tuneless /'tju:nlɪs, US 'tu:-/ *adj* dépourvu de mélodie

tunelessly /'tju:nlɪslɪ, US 'tu:-/ *adv* **to sing ~** chantonner; **to whistle ~** siffloter

tuner /'tju:nə(r), US 'tu:-/ *n* **1** ▸ **p. 1683** Mus accordeur *m*; **organ/piano ~** accordeur *m* d'orgues/de piano; **2** Audio (unit) tuner *m*; (knob) (bouton *m* de) réglage

tuner amplifier *n* tuner *m* amplificateur

tungsten /'tʌŋstən/

A *n* tungstène *m*

B *modif* [*filament, steel*] au tungstène

tunic /'tju:nɪk, US 'tu:-/ *n* **1** (classical, fashion, for gym) tunique *f*; **2** (uniform) (for nurse, schoolgirl) blouse *f*; (for policeman) tunique *f*; (for soldier) vareuse *f*

tuning /'tju:nɪŋ, US 'tu:-/

A *n* (of musical instrument, choir) accord *m*; (of radio, TV, engine) réglage *m*

B *modif* **1** Mus [*key, pin*] d'accord; **2** Audio, TV [*dial, knob*] de réglage

tuning fork *n* Mus diapason *m*

Tunis /'tju:nɪs/ ▸ **p. 1815** *pr n* Tunis

Tunisia /tju:'nɪzɪə, US tu:-/ ▸ **p. 1096** *pr n* Tunisie *f*

Tunisian /tju:'nɪzɪən, US tu:-/ ▸ **p. 1467**

A *n* Tunisien/-ienne *m/f*

B *adj* tunisien/-ienne

tunnel /'tʌnl/

A *n* tunnel *m*; **to use a ~** emprunter un tunnel

B *vtr, vi* (*p prés etc* **-ll-** GB, **-l-** US) creuser

(Idiom) **to see (the) light at the end of the ~** voir le bout du tunnel

tunnel effect *n* effet *m* tunnel

tunnel vision *n* **1** Med rétrécissement *m* (tubulaire) du champ visuel; **2** fig **to have ~** avoir des œillères

tunny /'tʌnɪ/ *n* = **tuna**

tuppence /'tʌpəns/ *n* deux pence; **it's not worth ~**○ ça ne vaut pas un rond○

(Idiom) **not to care ~ for sb/sth** se moquer éperdument de qn/qch

tuppeny-ha'penny /ˌtʌpənɪ'heɪpənɪ/ *adj* (*tjrs épith*) péj minable○

turban /'tɜ:bən/ *n* turban *m*

turbaned /'tɜ:bənd/ *adj* enturbanné

turbid /'tɜ:bɪd/ *adj* littér turbide liter, trouble

turbidity /tɜ:'bɪdətɪ/

A *n* turbidité *f*

B *modif* [*current*] de turbidité

turbine /'tɜ:baɪn/ *n* turbine *f*; **gas/steam ~** turbine à gaz/à vapeur

turbo /'tɜ:bəʊ/ *n* (engine) turbo *m*; (car) turbo *f*

turbocharged /ˌtɜ:bəʊ'tʃɑ:dʒd/ *adj* [*engine*] turbo *inv*; [*car, vehicle*] à moteur turbo

turbocharger /'tɜ:bəʊtʃɑ:dʒə(r)/ *n* turbocompresseur *m*

turbofan /'tɜ:bəʊfæn/ *n* turbosoufflante *f*

turbogenerator /ˌtɜ:bəʊ'dʒenəreɪtə(r)/ *n* turbo-alternateur *m*

turbojet /'tɜ:bəʊdʒet/

A *n* turboréacteur *m*

B *modif* [*plane*] à turboréacteurs

turboprop /'tɜ:bəʊprɒp/

A *n* turbopropulseur *m*

B *modif* [*plane*] à turbopropulseur

turbot /'tɜ:bət/

A *n* turbot *m*

B *modif* [*fishing*] au turbot; [*steak*] de turbot

turbotrain /'tɜ:bəʊtreɪn/ *n* turbotrain *m*

turbulence /'tɜ:bjʊləns/ *n* ₵ **1** (of air) turbulences *fpl*; (of waves) turbulence *f*; **2** (turmoil) agitation *f*; (unrest) perturbations *fpl*

turbulent /'tɜ:bjʊlənt/ *adj* **1** [*water*] agité; [*air current*] turbulent; **2** [*times, situation*] agité; [*career, history*] mouvementé; [*passions, character, faction*] turbulent

turbulently /'tɜ:bjʊləntlɪ/ *adv* avec turbulence

turd /tɜ:d/ *n* **1** ○(faeces) crotte *f*; **2** ●(person) merdeux/-euse● *m/f*

tureen /tə'ri:n/ *n* soupière *f*

turf /tɜ:f/

A *n* (*pl* **~s, turves**) **1** (grass) gazon *m*; (peat) tourbe *f*; (piece of peat) motte *f* de tourbe; **to lay ~** poser du gazon; **2** (horseracing) **the ~** le turf *m*, les courses *fpl*; **3** ○(territory) (of gang) territoire *m*; (of busker, prostitute) secteur *m*; **to be back on one's own ~** se retrouver chez soi

B *vtr* **1** gazonner [*lawn, patch, pitch*]; **2** ○(throw) **~ that dog off the sofa** vire ce chien du divan○

(Phrasal verb) ■ **turf out**: ▸ **~ out [sb/sth]**, **~ [sb/sth] out** virer○

turf accountant ▸ **p. 1683** *n* bookmaker *m*

turf war *n* lit, fig guerre *f* de territoires

Turgenev /tɜ:'geɪnjev/ *pr n* Tourgueniev

turgid /'tɜ:dʒɪd/ *adj* sout [*style*] boursouflé; littér [*water*] gonflé

turgidity /tɜ:'dʒɪdətɪ/ *n* (of style) boursouflure *f*; littér (of waters) gonflement *m*

Turin /tjʊ'rɪn/ ▸ **p. 1815** *pr n* Turin

Turin shroud *n* saint suaire *m* de Turin

Turk /tɜ:k/ ▸ **p. 1467** *n* **1** (person) Turc/Turque *m/f*; **2** ○ péj (brute) tyran *m*. ▸ **Young Turk**

turkey /'tɜ:kɪ/ *n* **1** Culin dinde *f*; **2** ○US péj Theat, Cin (flop) bide○ *m*; (bad film) navet○ *m*; **3** ○US (person) cloche○ *m/f*

(Idiom) **to talk ~**○ passer aux choses sérieuses

Turkey /'tɜ:kɪ/ ▸ **p. 1096** *pr n* Turquie *f*

turkey buzzard *n* vautour *m* d'Amérique

turkey cock *n* **1** (bird) dindon *m*; **2** ○(young man) m'as-tu-vu *m*, plastronneur *m*

turkey: **~ trot** *n* Hist (dance) turkey-trot *m*; **~ vulture** *n* = **turkey buzzard**

Turkish /'tɜ:kɪʃ/ ▸ **p. 1467, p. 1378**

A *n* Ling turc *m*

B *adj* turc/turque

Turkish: **~ bath** *n* bain *m* turc; **~ coffee** *n* café *m* turc; **~ delight** *n* loukoum *m*; **~ tobacco** *n* tabac *m* turc; **~ towel** *n* serviette *f* éponge; **~ towelling** *n* tissu *m* éponge épais

Turkmen /'tɜ:kmən/ ▸ **p. 1467, p. 1378**

A *n* **1** (inhabitant) Turkmène *mf*; **2** (language) turkmène *m*

B *adj* turkmène

Turkmenistan /ˌtɜ:kmenɪ'stɑ:n/ ▸ **p. 1096** *pr n* Turkménistan *m*

Turkoman /'tɜ:kəʊmən/ ▸ **p. 1467, p. 1378**

A *n* **1** (person) Turkmène *mf*; **2** Ling turkmène *m*

B *adj* turkmène

turmeric /'tɜ:mərɪk/ *n* **1** Bot curcuma *m*; **2** (spice) safran *m* des Indes

turmoil /'tɜ:mɔɪl/ *n* (political, emotional) désarroi *m*; **in ~** dans le désarroi

turn /tɜ:n/ ▸ **p. 1139**

A *n* **1** (opportunity, in rotation) tour *m*; **to wait one's ~** attendre son tour; **it's my ~** gen c'est mon tour; (in game) c'est à moi de jouer; **whose ~ is it?** gen c'est à qui le tour?; (in game) c'est à qui de jouer?; **'miss a ~'** 'passez votre tour'; **to be sb's ~ to do** être à qn *or* au tour de qn de faire; **it's your ~ to make the coffee** c'est à toi *or* à ton tour de faire le café; **it was his ~ to feel rejected** il se sentait rejeté à son tour; **to have a ~ on** *or* **at** *or* **with the computer** utiliser l'ordinateur à son tour; **to have a ~ at driving** prendre son tour de conduite; **to take ~s at doing, to take it in ~s to do** faire qch à tour de rôle; **to do sth ~ and ~ about** faire qch à tour de rôle; **take it in ~s!** chacun son tour!; **by ~s** tour à tour; **to feel happy and depressed by ~s** être tour à tour heureux et malheureux; **to speak out of ~** fig commettre un impair; **I hope I haven't spoken out of ~** j'espère ne pas avoir commis d'impair

2 (circular movement) tour *m*; **to give sth a ~** tourner qch; **to give sth half a ~ to the left** faire tourner qch d'un demi-tour vers la gauche; **to do a ~** [*dancer*] faire un tour; **to take a ~ in the park** faire un tour dans le parc

3 (in vehicle) virage *m*; **a 90° ~** un virage à 90°; **to make** *ou* **do a left/right ~** tourner à gauche/à droite; **to do a ~ in the road** faire un demi-tour; **'no left ~'** 'défense de tourner à gauche'

4 (bend, side road) tournant *m*, virage *m*; **there's a left ~ ahead** il y a un tournant *or*

t

virage à gauche plus loin; **brake before you go into the ~** freinez avant de prendre le virage; **take the next right ~, take the next ~ on the right** prenez la prochaine (rue) à droite

5 (change, development) tournure *f*; **the ~ of events** la tournure des événements; **this is an extraordinary ~ of events** les événements ont pris une tournure extraordinaire; **to take an encouraging/a worrying ~** *[events]* prendre une tournure encourageante/inquiétante; **to take a ~ for the better** *[person, situation]* s'améliorer; *[things, events]* prendre une meilleure tournure; **to take a ~ for the worse** *[situation]* se dégrader; *[health]* s'aggraver; **she has taken a ~ for the worse** elle va de plus en plus mal; **to be on the ~** *[luck, milk]* commencer à tourner; *[tide]* commencer à changer; ▸ **century**

6 ○GB (attack) crise *f*, attaque *f*; **she's had one of her ~s again** elle a eu une nouvelle crise *or* attaque; **a giddy** *ou* **dizzy ~** un vertige; **to have a funny ~** se sentir tout/-e chose○; **it gave me quite a ~, it gave me a nasty ~** ça m'a fait un coup○

7 (act) numéro *m*; **a comic/variety ~** un numéro comique/de variété; **to do a/one's ~** faire un/son numéro

B **in turn** *adv phr* **1** (in rotation) *[answer, speak]* à tour de rôle; **she spoke to each of us in ~** elle nous a parlé chacun à notre tour

2 (linking sequence) à son tour; **this in ~ leads to higher inflation** ceci à son tour fait augmenter l'inflation; **I invited Andrew who in ~ invited Robert** j'ai invité Andrew qui à son tour a invité Robert

C *vtr* **1** (rotate) *[person]* tourner *[knob, wheel, handle]*; serrer *[screw]*; *[mechanism]* faire tourner *[cog, wheel]*; **to ~ sth to the right/left** tourner qch vers la droite/gauche; **to ~ sth to 'on'/'off'** tourner qch sur (la position) 'marche'/'arrêt'; **to ~ a switch through 90 degrees** faire tourner un sélecteur de 90 degrés ; **to ~ sth halfway/the wrong way** tourner qch d'un demi-tour/dans le mauvais sens; **to ~ the key in the door** *ou* **lock** (lock up) fermer la porte à clé; (unlock) tourner la clé dans la serrure; **to ~ the key on sb** enfermer qn à clé

2 (turn over, reverse) retourner *[mattress, soil, steak, collar]*; tourner *[page]*; **to ~ sb onto his side/back** retourner qn sur le côté/dos; **to ~ one's ankle** se tordre la cheville; **it ~s my stomach** cela me soulève le cœur, cela m'écœure

3 (change direction of) tourner *[chair, head, face, car]*; **to ~ a picture to the wall** tourner un tableau face au mur; **to ~ one's face towards** tourner le visage vers; **to ~ one's steps towards** tourner *or* diriger ses pas vers; **to ~ one's attention** *ou* **mind to** tourner son attention vers; **to ~ one's back on** lit tourner le dos à *[group, place]*; fig laisser tomber *[friend, ally]*; abandonner *[homeless, needy]*; **as soon as my back is ~ed** lit, fig dès que j'ai le dos tourné; **to ~ one' s back on the past** tourner la page; **to ~ sb from one's door** chasser qn

4 (focus, direction of) **to ~ sth on sb** braquer qch sur qn *[gun, hose, torch]*; fig diriger qch sur qn *[anger, scorn]*

5 (transform) **to ~ sth white/black** blanchir/noircir qch; **to ~ sth milky/opaque** rendre qch laiteux/opaque; **to ~ sth into** transformer qch en *[office, car park, desert]*; **to ~ water into ice/wine** changer de l'eau en glace/vin; **to ~ a book into a film** adapter un livre pour l'écran; **~ your old newspapers into cash!** convertissez vos vieux journaux en argent!; **to ~ sb into** *[magician]* changer qn en *[frog]*; *[experience]* faire de qn *[extrovert, maniac]*; **it ~ed him from a normal child into a delinquent** cela a transformé l'enfant normal qu'il était en délinquant; **to stand there as if ~ed to stone** rester là comme pétrifié

6 (deflect) détourner *[person, conversation]*; **to ~ the conversation towards** *ou* **onto sth** détourner *or* faire dévier la conversation vers qch; **to ~ sb from a course of action/from her purpose** détourner qn d'une ligne de conduite/de son but

7 ○(pass the age of) **he has ~ed 50** il a 50 ans passés; **she has just ~ed 20/30** elle vient d'avoir 20/30 ans; **as soon as I ~ 18** dès que j'aurai mes 18 ans; **it's just ~ed five o'clock** il est cinq heures passées

8 Ind (on lathe) tourner *[wood, piece, spindle]*

9 fig (fashion) **to ~ an elegant sentence** tourner une phrase élégante

10 (in espionage) retourner *[spy, agent]*

D *vi* **1** (change direction) *[person, car, plane, road]* tourner; *[ship]* virer; **to ~ (to the) left/right** tourner à gauche/droite; **to ~ to the east/the west** tourner à l'est/l'ouest; **to ~ down** *ou* **into** tourner dans *[street, alley]*; **to ~ off** quitter *[main road, street]*; **to ~ towards** tourner en direction de *[village, mountains]*; **I ~ed towards home** j'ai repris le chemin de la maison; **her thoughts ~ed to her family** ses pensées se sont tournées vers sa famille; **the conversation ~ed to Ellie** on en est venu/ils en sont venus à parler d'Ellie; **he later ~ed to teaching** plus tard il s'est tourné vers l'enseignement

2 (reverse direction) *[person, vehicle]* faire demi-tour; *[tide]* changer; *[luck]* tourner; **there's no room for the bus to ~** le bus n'a pas assez de place pour faire demi- tour; **'no ~ing'** (in driveway) 'propriété privée, défense d'entrer'; ▸ **turn around**

3 (revolve) *[key, wheel, planet]* tourner; *[person]* se tourner (**to, towards** vers); **to ~ on its axis** tourner sur son axe; **a key ~ed in the lock** une clé a tourné dans la serrure; **to ~ in one's chair** se retourner dans sa chaise; **to ~ and face the camera** se tourner vers la caméra; **to ~ and walk out of the room** faire demi-tour et sortir de la pièce; **to ~ to do** se retourner pour faire; **to ~ to face sth** se retourner vers qch; **to ~ and fight** se retourner pour se battre; **to ~ to lie on one's side** se tourner pour se mettre sur le côté; **I ~ed once again to my book/my work** j'ai repris encore une fois ma lecture/mon travail

4 fig (hinge) **to ~ on** *[argument]* tourner autour de *[point, issue]*; *[outcome]* dépendre de *[factor]*

5 (spin round angrily) **to ~ on sb** *[dog]* attaquer qn; *[person]* se retourner contre qn

6 fig (resort to, rely on) **to ~ to** se tourner vers *[person, religion]*; **to ~ to drink** se mettre à boire; **to ~ to drugs** commencer à se droguer; **to ~ to sb for** se tourner vers qn pour demander *[help, advice, money]*; **I don't know who to ~ to for advice** je ne sais vers qui me tourner pour demander conseil; **I don't know where** *ou* **which way to ~** je ne sais plus où donner la tête○

7 (change) **to ~ into** *[tadpole]* se transformer en *[frog]*; *[sofa]* se transformer en *[bed]*; *[situation, evening]* tourner à *[farce, disaster]*; *[conversation]* tourner à *[shouting match]*; (magically) *[person]* se transformer en *[animal, prince etc]*; **to ~ to** *[substance]* se changer en *[ice, gold etc]*; *[fear, surprise]* faire place à *[horror, relief]*; **his hopes had ~ed to dust** ses espoirs étaient réduits en poussière

8 (become by transformation) devenir *[pale, cloudy, green]*; **to ~ white/black/red** gen blanchir/noircir/rougir; Chem virer au blanc/noir/rouge; **the weather is ~ing cold/warm** le temps se rafraîchit/se réchauffe; **events ~ed tragic** les événements ont tourné au tragique

9 ○(have change of heart) devenir *[Conservative, Communist]*; **businesswoman ~ed politician** ancienne femme d'affaires devenue politicienne; **to ~○ Catholic/Muslim** se convertir au catholicisme/à l'islam; **to ~ traitor** se mettre à trahir

10 (go sour) *[milk]* tourner

11 *[trees, leaves]* jaunir

(Idioms) **at every ~** à chaque instant, à tout moment; **one good ~ deserves another** Prov c'est un prêté pour un rendu; **to be done to a ~** être cuit à point; **to do sb a good ~** rendre un service à qn; **to feel another ~ of the screw** sentir la pression augmenter encore

(Phrasal verbs) ■ **turn about** faire demi-tour; **about ~!** Mil demi-tour droite!

■ **turn against**: ▸ **~ against [sb/sth]** se retourner contre; ▸ **~ [sb] against** retourner [qn] contre *[person, ideology]*

■ **turn around**: ▸ **~ around** **1** (to face other way) *[person]* se retourner, faire demi-tour (**to do** pour faire) ; *[bus, vehicle]* faire demi-tour; **2** fig **you can't just ~ around and say you've changed your mind** tu ne peux pas tout simplement dire que tu as changé d'avis; **what if he just ~s around and says no?** et si jamais il disait non?; **3** (revolve, rotate) *[object, windmill, dancer]* tourner; **4** (change trend) **the market has ~ed around** il y a eu un renversement de situation sur le marché; **sales have ~ed round** il y a eu un renversement de tendance dans les ventes; **5** Transp (unload and reload) décharger et charger; ▸ **~ [sth] around, ~ around [sth]** **1** (to face other way) tourner [qch] dans l'autre sens *[car, chair, piano, head, baby]*; **2** (reverse decline in) redresser *[situation, economy, company]*; redresser la situation de *[political party, factory]*; **3** Transp (unload and reload) décharger et mettre en état de repartir *[plane, ship]*; **the plane can be ~ed around in an hour** l'avion peut être déchargé et prêt à reprendre l'air en une heure; **4** (rephrase) reformuler *[question, sentence]*

■ **turn aside** se détourner (**from** de)

■ **turn away**: ▸ **~ away** se détourner; **to ~ away in disgust/horror** se détourner avec dégoût/horreur; ▸ **~ [sth] away, ~ away [sth]** détourner *[head, torch]*; ▸ **~ [sb] away, ~ away [sb]** refuser *[spectator, applicant]*; ne pas laisser entrer *[salesman, caller]*; chasser *[beggar]*; **I was ~ed away from the Ritz** on ne m'a pas laissé entrer au Ritz

■ **turn back**: ▸ **~ back** **1** (turn around) (usu on foot) rebrousser chemin; (usu in vehicle) faire demi-tour; **it's too late to ~ back** lit il est trop tard pour faire demi-tour; fig il est trop tard pour revenir en arrière; **there's no ~ing back** fig il n'est pas question de revenir en arrière; **2** (in book) revenir (**to** à); ▸ **~ [sth] back, ~ back [sth]** **1** (rotate backwards) reculer *[dial, clock]*; **to ~ one's watch back five minutes** retarder sa montre de cinq minutes; **2** (fold back) rabattre *[sheet, lapel]*; replier *[corner, page]*; ▸ **~ [sb] back, ~ back [sb]** faire faire demi-tour à, refouler *[marchers, refugees, heavy vehicles]*; **to be ~ed back at the border** être refoulé à la frontière

■ **turn down**: ▸ **~ down** *[graph, curve]* descendre; **his mouth ~s down at the corners** il a une bouche aux commissures tombantes; ▸ **~ [sth] down, ~ down [sth]** **1** (reduce) baisser *[volume, radio, heating, light, gas]*; **2** (fold over) rabattre *[sheet, collar]*; retourner *[corner of page]*; corner *[page]*; ▸ **~ [sb/sth] down, ~ down [sb/sth]** refuser *[suitor, candidate, request, application]*; rejeter *[offer, suggestion]*

■ **turn in**: ▸ **~ in** **1** ○(go to bed) aller se coucher; **2** (point inwards) **his toes ~ in** il a les pieds tournés en dedans; **to ~ in on itself** *[leaf, page]* se recroqueviller; **to ~ in on oneself** fig se replier sur soi-même; ▸ **~ in [sth], ~ [sth] in**○ **1** (hand in) rendre *[membership, badge, homework]*; **2** (produce) **to ~ in a profit** rapporter un bénéfice; **to ~ in a good performance** *[player]* bien jouer; *[company]* avoir de bons résultats; *[currency, share]* augmenter; **3** (give up, stop) laisser tomber○ *[job, activity]*; ▸ **~ [sb] in, ~ in [sb]** livrer *[suspect]* (**to** à); ▸ **~ oneself in** se livrer

■ **turn off**: ▸ **~ off** **1** (leave road) tourner; **~ off at the next exit** prends la prochaine sortie; **2** *[motor, fan]* s'arrêter; **where does the light ~ off?** où est-ce qu'on éteint la lumière?; ▸ **~ off [sth], ~ [sth] off** éteindre *[light, oven, TV, radio, computer]*; fermer *[tap]*; couper *[water, gas, electricity, engine]*; **~ that**

t

rubbish off!○ éteins-moi ça!○; ► **~ [sb] off**○ rebuter, dégoûter○; **to ~ sb off sth** dégoûter qn de [*sex, food*]

■ **turn on**: ► **~ on** [*oven, device*] s'allumer; ► **~ on [sth], ~ [sth] on** allumer [*light, oven, TV, radio, computer, gas, electricity*]; ouvrir [*tap*]; **to ~ the water back on** rouvrir l'eau; **to ~ the electricity back on** rétablir le courant; **to ~ sth on like a tap** fig faire qch sur commande; **to ~ on the pressure** fig mettre la pression; ▸ **charm, heat**; ► **~ [sb] on, ~ on [sb]**○ exciter; **to be ~ed on** être excité (**by** par); **to ~ sb on to sth**○ brancher○ qn sur [*drug*]

■ **turn out**: ► **~ out** **1** (be eventually) **to ~ out well/badly** bien/mal se terminer; **to ~ out differently** prendre une tournure différente; **to ~ out all right** s'arranger; **it depends how things ~ out** cela dépend de la façon dont les choses vont tourner; **that child will ~ out badly** cet enfant tournera mal; **to ~ out to be** (prove to be) se révéler, s'avérer être; **to ~ out to be wrong** se révéler faux; **the job ~ed out (to be) difficult** finalement le travail a été difficile, le travail s'est avéré difficile fml; **it ~ed out to be a good decision** finalement cela a été une bonne décision, cela s'est avéré être une bonne décision fml; **it ~s out that** il se trouve que, il s'avère que; **it ~ed out (that) she knew him** il s'est trouvé qu'elle le connaissait; **as it ~ed out** en fin de compte; **2** (come out) [*crowd, people*] venir (**to do** pour faire; **for** à); **the fans ~ out every Saturday** les fans sont là tous les samedis; **we had to ~ out at six** GB il fallait être là à six heures; **3** (point outwards) **his toes** *ou* **feet ~ out** il a les pieds tournés en dehors; ► **~ [sth] out, ~ out [sth]** **1** (turn off) éteindre [*light*]; **2** (empty) retourner, vider [*pocket, bag*]; Culin démouler [*mousse, mould*]; **3** (produce) fabriquer [*goods*]; former [*scientists, graduates*]; sortir [*novel, script, poem*]; **4** **to ~ one's toes** *ou* **feet out** marcher en canard; ► **~ [sb] out, ~ out [sb]** **1** (evict) mettre [qn] à la porte; **to ~ sb out into the street** jeter qn à la rue; **2** GB (send) envoyer [*guard, police, troops*]

■ **turn over**: ► **~ over** **1** (roll over) [*person*] se retourner; [*car*] se retourner, faire un tonneau; [*boat*] se retourner, chavirer; **to ~ over and over** [*person, object*] faire plusieurs tours; [*car*] faire plusieurs tonneaux; **2** (turn page) tourner la page; **3** [*engine*] se mettre en marche; ► **~ [sth/sb] over, ~ over [sth/sb]** **1** (turn) tourner [*page, paper*]; retourner [*card, object, mattress, soil, baby, patient*]; faire chavirer [*ship*]; **he ~ed the car over** sa voiture a fait un tonneau; **2** (hand over) remettre [*object, money, find, papers*] (**to** à); livrer [*person, fugitive*] (**to** à); remettre la succession de [*company, business*] (**to** à); transmettre [*control, power*] (**to** à); **I'm ~ing the new recruits over to you** les nouvelles recrues sont à vous; **3** (reflect) **I've been ~ing it over in my mind** j'y ai bien réfléchi; **4** ○GB (rob) cambrioler [*shop, place*]; **I have been ~ed over** on m'a cambriolé; **5** Fin (have turnover of) [*company*] faire un chiffre d'affaires de [*amount*]; **6** [*battery, starter motor*] faire tourner [*engine*]

■ **turn round** GB = **turn around**

■ **turn to**† GB se mettre au travail, s'y mettre

■ **turn up**: ► **~ up** **1** (arrive, show up) arriver, se pointer○ (**to, at** à; **for** pour); **to ~ up late** arriver en retard; **to ~ up in jeans** se pointer○ en jean; **she didn't ~ up** elle ne s'est pas pointée○; **guess who ~ed up at the station** devine qui s'est pointé○ à la gare; **2** (be found) **don't worry—it will ~ up** ne t'inquiète pas—tu finiras par le retrouver; **3** (present itself) [*opportunity, job*] se présenter; **something will ~ up (for me/for you etc)** je finirai/tu finiras etc par trouver quelque chose; **4** (point up) [*corner, edge*] se remonter, être relevé; **his nose ~s up** il a le nez retroussé; **5** (take upturn) [*economy, market*] se redresser; [*investment, sales, profits*] remonter; ► **~ up [sth], ~ [sth] up** **1** (increase, intensify) augmenter [*heating, lighting, volume, gas*]; mettre [qch] plus fort [*TV, radio, music*]; **2** (point up) remonter, relever [*collar*]; **a ~ed-up nose** un nez retroussé; ▸ **nose**; **3** (discover) déterrer [*buried object*]; [*person*] dénicher○ [*discovery, information*]; **facts ~ed up by the inquiry** faits révélés *or* mis au jour par l'enquête

turnabout /ˈtɜːnəbaʊt/ *n* revirement *m*

turnaround /ˈtɜːnəraʊnd/ *n* **1** (reversal of attitude) revirement *m*; **2** (reversal of fortune) revirement *m* (**in** de); (for the better) redressement *m* (**in** de); **3** (of ship, plane etc) rotation *f*

turn: **~around time** *n* Transp, Mil temps *m* de rotation; Admin délai *m* d'exécution; **~coat** *n* gen, Pol renégat/-e *m/f*, personne *f* qui retourne sa veste○; **~cock** *n* robinet *m*; **~down** *n* baisse *f*

turned-out /ˌtɜːndˈaʊt/ *adj* **to be well ~** être élégant; **to be immaculately ~** être d'une mise irréprochable

turner /ˈtɜːnə(r)/ *n* tourneur *m*; **metal/wood ~** tourneur sur métal/sur bois

turnery /ˈtɜːnərɪ/ *n* **1** ¢ (finished articles) articles *mpl* tournés; **2** (*also* **turning**) tournage *m*; **3** (workshop) atelier *m* de tourneur

turning /ˈtɜːnɪŋ/ ▸ **p. 1139** *n* **1** GB (in road) virage *m*; **to take a ~ too quickly** prendre un virage trop vite; **to take a wrong ~** tourner au mauvais endroit; **a ~ off the main street** une rue latérale qui donne sur la rue principale; **the second next ~ on the right** la deuxième prochaine à droite; **I've missed my ~** j'aurais dû tourner plus tôt; **here's our ~** c'est ici que nous devons tourner; **2** (work on lathe) tournage *m*

turning: **~ circle** *n* rayon *m* de braquage; **~ lathe** *n* tour *m*

turning point *n* tournant *m* (**in, of** de); **to be at a ~** être à un tournant

turnip /ˈtɜːnɪp/ *n* navet *m*

turnip moth *n* agrotis *m*

turnkey /ˈtɜːnkiː/

A *n*‡ geôlier/-ière *m/f*

B *modif* Civ Eng, Comput [*contract, project, system*] clés en main *inv* (*after n*)

turnoff /ˈtɜːnɒf/ *n* **1** (in road) embranchement *m*; **the Slough ~** l'embranchement où il faut tourner pour Slough; **2** ○(passion-killer) **to be a real ~** être vraiment repoussant, être un vrai tue-l'amour○

turn: **~ of mind** *n* tournure *f* d'esprit; **~ of phrase** *n* (expression) expression *f*; (way of expressing oneself) façon *f* de parler

turn-on○ /ˈtɜːnɒn/ *n* **to be a real ~** être vachement○ excitant

turnout /ˈtɜːnaʊt/ *n* **1** (to vote, strike, demonstrate) taux *m* de participation (**for** à); **a 75% ~** un taux de participation de 75%; **a high/low ~ for the election** un fort/faible taux de participation électorale; **there was a magnificent ~ for the parade** beaucoup de gens sont venus voir le défilé; **what sort of ~ do you expect?** combien de personnes attendez-vous?; **2** (clearout) nettoyage *m*; **to need a good ~** avoir besoin d'un bon nettoyage; **3** ○(appearance) tenue *f*

turnover /ˈtɜːnəʊvə(r)/ *n* **1** Accts chiffre *m* d'affaires; **2** (rate of replacement) (of stock) rotation *f*; (of staff) turnover *m*, rotation *f* de personnel; **the staff ~ in this school is 25%** le taux de renouvellement des professeurs dans cette école est de 25%; **3** Culin chausson *m*; **apple ~** chausson aux pommes

turn: **~pike** *n* (tollgate) barrière *f* de péage; US (toll expressway) autoroute *f* à péage; **~ signal** *n* clignotant *m*; **~stile** *n* gen tourniquet *m*; (to count number of visitors) compteur *m* pour entrées

turntable /ˈtɜːnteɪbl/ *n* **1** (on record player) platine *f*; **2** Rail, Aut plaque *f* tournante

turntable ladder *n* échelle *f* pivotante

turnup /ˈtɜːnʌp/ *n* GB (of trousers) revers *m*

(Idiom) **a ~ for the books** GB une grande surprise

turpentine /ˈtɜːpəntaɪn/ *n* térébenthine *f*

turpitude /ˈtɜːpɪtjuːd, US -tuːd/ *n* turpitude *f*

turps○ /tɜːps/ *n* = **turpentine**

turquoise /ˈtɜːkwɔɪz/ ▸ **p. 1067** *n, adj* turquoise (*f*)

turret /ˈtʌrɪt/ *n* (all contexts) tourelle *f*

turreted /ˈtʌrɪtɪd/ *adj* à tourelles

turret: **~ lathe** *n* tour *m* revolver; **~-mounted** *adj* [*gun*] monté sur tourelle

turtle /ˈtɜːtl/ *n* GB tortue *f* marine; US tortue *f*

(Idiom) **to turn ~** se retourner

turtle: **~ dove** *n* tourterelle *f*; **~ neck** *n* (neckline) col *m* montant; (sweater) pull-over *m* à col montant; **~-necked** *adj* [*sweater*] à col montant; **~ soup** *n* soupe *f* de tortue

turves /tɜːvz/ *pl* ▸ **turf**

Tuscan /ˈtʌskən/

A *n* **1** (person) Toscan/-e *m/f*; **2** Ling toscan *m*

B *adj* toscan

Tuscany /ˈtʌskənɪ/ *pr n* Toscane *f*

tush /tʌʃ/

A ○*n* US (buttocks) derrière○ *m*

B ‡*excl* bah!

tusk /tʌsk/ *n* (of elephant, walrus) défense *f*; (of wild boar) dague *f*

tusker /ˈtʌskə(r)/ *n* animal *m* à défenses

tussle /ˈtʌsl/

A *n* **1** (struggle) empoignade *f* (**for** pour); **2** (wrangle) **verbal/legal ~** empoignade verbale/légale (**over** à propos de)

B *vi* être aux prises (**for** pour, pour avoir); **to ~ with sb** être aux prises avec qn (**over** au sujet de)

tussock /ˈtʌsək/ *n* touffe *f* d'herbe

tut /tʌt/

A *excl* tss-tss!

B *vi* (*p prés etc* **-tt-**) produire un tss-tss de désapprobation

Tutankhamen, Tutankhamun /ˌtuːtəŋˈkɑːmən/ *pr n* Hist Toutankhamon

tutee /tjuːˈtiː, US tuː-/ *n* gen étudiant/-e *m/f*; (individual) élève *mf* particulier/-ière

tutelage /ˈtjuːtɪlɪdʒ, US tuː-/ *n* sout tutelle *f*

tutelary /ˈtjuːtɪlərɪ, US tuː-/ *adj* sout tutélaire

tutor /ˈtjuːtə(r), US tuː-/ ▸ **p. 1683**

A *n* **1** (private teacher) professeur *m* particulier; **2** GB Univ (teacher) chargé/-e *m/f* de travaux dirigés; (for general welfare) conseiller/-ère *m/f* d'éducation; **3** US Univ assistant/-e *m/f*; **4** GB Sch (of class) professeur *m* principal; (of year group) responsable *mf* pédagogique d'année; (for general welfare) conseiller/-ère *m/f* d'éducation; **5** Mus (instruction book) méthode *f*

B *vtr* donner des leçons particulières à (**in** de)

C *vi* donner des cours (**in** de)

tutor group *n* Univ ≈ groupe *m* de travaux dirigés

tutorial /tjuːˈtɔːrɪəl, US tuː-/

A *n* Univ (group) classe *f* de travaux dirigés; (private) cours *m* privé

B *modif* [*system*] de travaux dirigés; **~ duties** obligations *fpl* d'encadrement

tutoring /ˈtjuːtərɪŋ, US ˈtuː-/ *n* **1** Univ enseignement *m* (par petits groupes); **2** (to individuals) leçons *fpl* particulières

tutor period *n* Sch, Univ tranche *f* horaire consacrée au tutorat

tutti frutti /ˌtuːtɪˈfruːtɪ/

A *n* (*also* **~ ice cream**) glace *f* tutti frutti

B *adj* tutti frutti

tutu /ˈtuːtuː/ *n* tutu *m*

Tuvalu /ˌtuːvəˈluː/ ▸ **p. 1096** *pr n* Tuvalu *m*

tu-whit tu-whoo /təˌwɪt təˈwuː/ *n* onomat hou hou

t

tuxedo /tʌk'si:dəʊ/ *n* US smoking *m*

tuyère /twi:'jeə(r), tu:-/ *n* tuyère *f*

TV○ *n* (*abrév* = **television**) télé○ *f*

TV dinner *n* plateau *m* télé

TVEI *n* GB Sch (*abrév* = **Technical and Vocational Educational Initiative**) *réforme de l'enseignement professionnel axée sur le contact avec le monde du travail*

TVP *n*: *abrév* = **textured vegetable protein**

TV screen *n* écran *m* télé

twaddle○ /'twɒdl/ *n* balivernes *fpl*

twain‡ /tweɪn/ *npl* **the ~** les deux; **never the ~ shall meet** les deux sont inconciliables

twang /twæŋ/
A *n* (of string, wire) vibration *f*; (of tone) ton *m* nasillard
B *vtr* pincer [*instrument*]
C *vi* [*string, wire*] produire une vibration; [*instrument*] vibrer

twangy○ /'twæŋɪ/ *adj* [*instrument*] au son pincé; [*accent*] nasillard

'twas /twɒz, twəz/ littér *or* dial *abrév* = **it was**

twat● /twɒt/ *n* **1** (female genitals) chatte○ *f*, sexe *m* de la femme; **2** péj (person) con/conne◑ *m/f*

tweak /twi:k/
A *n* **1** (tug) coup *m* sec; **2** Comput amélioration *f*
B *vtr* **1** tordre [*ear, nose*]; tirer [*hair, moustache*]; **2** (in car racing) gonfler [*engine*]
C *vi* **1** Comput fignoler; **2** ○argot des drogués être dans un état fébrile

twee○ /twi:/ *adj* GB péj [*house, décor*] mièvre, mignard; [*manner*] emprunté; **to find sb/sth rather ~** trouver qn/qch un peu mièvre

tweed /twi:d/
A *n* (cloth) tweed *m*
B tweeds *npl* (clothes) vêtements *mpl* en tweed
C *modif* [*clothing*] en tweed

tweedy /'twi:dɪ/ *adj* **1** [*material*] genre tweed; **2** hum *ou* péj style gentleman-farmer

'tween /twi:n/ *prep* littér entre

tweenie○ /'twi:nɪ/ *n* jeune adulte *m* (de 15 à 18 ans)

tweet /twi:t/ *n* **1** (chirp) pépiement *m*; **2** onomat **~ ~!** cui-cui!

tweeter /'twi:tə(r)/ *n* Audio haut-parleur *m* d'aigus, tweeter *m*

tweeze /twi:z/ *vtr* Cosmet épiler

tweezers /'twi:zəz/ *npl* gen pincettes *fpl*; (for eyebrows) pince *f* à épiler

twelfth /twelfθ/ ▸ **p. 1487, p. 1116**
A *n* **1** (in order) douzième *mf*; **2** (of month) douze *m inv*; **the glorious ~** GB Hunt le douze août; **3** (fraction) douzième *m*; **4** Mus douzième *f*
B *adj* douzième
C *adv* [*come, finish*] douzième, en douzième position

twelfth: **~ man** *n* (in cricket) joueur *m* de réserve; **Twelfth Night** *n* fête *f* des Rois, Épiphanie *f*

twelve /twelv/ ▸ **p. 1487, p. 927, p. 1059**
A *n* douze *m*
B *adj* douze *inv*; **the Twelve** Bible les douze apôtres

twelve: **~ mile limit** *n* limite *f* des douze milles; **~ month**‡ *n* année *f*; **~ tone** *adj* Mus dodécaphonique

twentieth /'twentɪəθ/ ▸ **p. 1487, p. 1116**
A *n* **1** (in order) vingtième *mf*; **2** (of month) vingt *m*; **3** (fraction) vingtième *m*
B *adj* vingtième
C *adv* [*come, finish*] vingtième, en vingtième position

twenty /'twentɪ/ ▸ **p. 1487, p. 927, p. 1059** *n*, *adj* vingt (*m*) *inv*

twenty: **~-one** ▸ **p. 1253** *n* Games (in cards) vingt-et-un *m*; **~ twenty** *adj* [*vision*] de dix à chaque œil; **~-two metre line** *n* (in rugby) ligne *f* des vingt-deux mètres

twerp○ /twɜ:p/ *n* péj crétin/-e○ *m/f*

twice /twaɪs/ *adv* deux fois; **~ a day/week/month**, **~ daily/weekly/monthly** deux fois par jour/semaine/mois; **he's ~ as big as you** il est deux fois plus grand que toi; **she's ~ his age** elle a le double de son âge; **~ as much**, **~ as many** deux fois plus; **she earns ~ as much as me** elle gagne deux fois plus que moi; **~ as many people** deux fois plus de monde; **to be ~ as likely to be elected** avoir deux fois plus de chances d'être élu; **~ over** à deux reprises, deux fois; **you should think ~ about it** tu devrais y réfléchir à deux fois; **you need to be ~ as careful/vigilant** il faut redoubler de prudence/vigilance
(Idiom) **once bitten ~ shy** Prov chat échaudé craint l'eau froide Prov

twice-laid /,twaɪs'leɪd/ *adj* tortillé

twiddle /'twɪdl/
A *n* **to give sth a ~** donner un petit tour à qch
B *vtr* tripoter [*hair*]; tourner [*knob*]; **to ~ one's thumbs** lit, fig se tourner les pouces

twiddly○ /'twɪdlɪ/ *adj* **~ bits** fioritures *fpl*

twig /twɪg/
A *n* brindille *f*
B ○*vtr, vi* (*p prés etc* **-gg-**) piger○

twilight /'twaɪlaɪt/
A lit, fig *n* crépuscule *m*; **in the ~**, **at ~** au crépuscule; **in the ~ of his career** au crépuscule de sa carrière
B *modif* **1** lit [*hours*] du crépuscule; **2** fig [*world*] énigmatique; **~ years** dernières années

twilight: **~ sleep** *n* Med demi-sommeil *m* provoqué; **~ zone** *n* zone *f* d'ombre

twill /twɪl/
A *n* sergé *m*
B twills *npl* pantalon *m* en sergé
C *modif* [*clothing*] en sergé

twilled /twɪld/ *adj* [*fabric*] en sergé

twin /twɪn/
A *n* **1** (one of two children) jumeau/-elle *m/f*; **a pair** *ou* **set of ~s** des jumeaux/-elles *mpl/fpl*; **2** (one of two objects) **this candlestick has lost its ~** ce chandelier n'a plus son pendant; **this vase is the ~ to yours** ce vase est celui qui va avec le tien; **3** (room) chambre *f* à deux lits
B twins *npl* **1** (pair of children) jumeaux/-elles *mpl/fpl*; **2** Astrol **the Twins** les Gémeaux *mpl*
C *modif* **1** (related) [*brother, sister, lamb*] jumeau/-elle; **my ~ sons/daughters** mes fils jumeaux/filles jumelles; **2** (two) [*masts, propellers, towers, taps*] jumeaux/-elles (*after n*); [*speakers*] jumelés; **3** (combined) double; **the ~ aims/problems/roles of** le double but/problème/rôle de
D *vtr* (*p prés etc* **-nn-**) (link) jumeler; **to ~ Oxford with Bonn** jumeler Oxford et Bonn

twin: **~-bedded** *adj* [*room*] avec lits jumeaux; **~ beds** *npl* lits *mpl* jumeaux; **~ bill** *n* US (of films) *programmation de deux films l'un à la suite de l'autre*; (of games) *deux matchs qui se déroulent l'un à la suite de l'autre*

twine /twaɪn/
A *n* ficelle *f*
B *vtr* **1** (coil) enrouler [*rope*] (**around** autour de); **she ~d her arms around him** elle l'a enlacé; **2** (interweave) entrelacer [*flowers, ribbon*] (**through** dans)
C *v refl* **to ~ itself** [*snake, vine*] s'enrouler (**around** autour de)

twin-engined /,twɪn'endʒɪnd/ *adj* [*plane*] bimoteur (*after n*); **~ jet** biréacteur *m*

twinge /twɪndʒ/ *n* (of pain) élancement *m*; (of conscience, doubt) accès *m*; (of regret, jealousy) pointe *f*

twining /'twaɪnɪŋ/ *adj* Bot volubile

twinkle /'twɪŋkl/
A *n* (of light, jewel) scintillement *m*; (of eyes) pétillement *m*
B *vi* [*light, star, jewel*] scintiller; [*eyes*] pétiller (**with** de)
(Idiom) **when you were just** *ou* **still a ~ in your daddy's eye** quand tu n'étais pas encore dans le ventre de ta mère

twinkling /'twɪŋklɪŋ/
A *n* scintillement *m*; **in the ~ of an eye** en un clin d'œil
B *adj* [*light, star, eyes*] scintillant

twinning /'twɪnɪŋ/ *n* jumelage *m*

twin: **~ set** *n* GB Fashn twin-set *m*; **~ town** *n* ville *f* jumelle; **~-track recorder** *n* magnétophone *m* bi-piste; **~ tub** *n* machine *f* à laver à deux tambours

twirl /twɜ:l/
A *n* **1** (spin) tournoiement *m*; **to do a ~** [*person*] tournoyer; **to give sth a ~** faire tournoyer qch; **2** (spiral) volute *f*
B *vtr* **1** (spin) faire tournoyer [*baton, lasso, partner*]; **2** (twist) tortiller [*hair, moustache*]; entortiller [*ribbon, vine*] (**around** autour de)
C *vi* **1** (spin) [*dancer, wheel*] tournoyer; **to ~ round and round** virevolter; **2** (twist) [*vine, rope*] s'enrouler (**around** autour de)
(Phrasal verb) ■ **twirl round** (turn round) [*person*] se retourner brusquement; **he ~ed round to face her** il s'est retourné brusquement vers elle

twirler○ /'twɜ:lə(r)/ *n* US majorette *f*

twist /twɪst/
A *n* **1** (action) **he gave the cap a ~** (to open) il a dévissé le bouchon; (to close) il a vissé le bouchon; **with a couple of ~s she unscrewed the lid** en deux tours de poignet elle a dévissé le couvercle; **he gave his ankle a nasty ~** il s'est tordu la cheville
2 (bend, kink) (in rope, cord, wool) tortillon *m*; (in road) zigzag *m*; (in river) coude *m*; **the road is full of ~s and turns** la route est pleine de zigzags; **there's a ~ in the hosepipe** le tuyau est entortillé; **I've got my wool into a real ~** ma laine est complètement emmêlée
3 fig (unexpected change of direction) (in play, story) coup *m* de théâtre; (episode in crisis, events) rebondissement *m*; **a strange ~ of fate** un étrange coup du sort; **the ~s and turns of the argument/the plot** le fil tortueux de l'argumentation/de l'intrigue; **to give sth a new ~** donner un tour nouveau à qch; **events took an unexpected ~** les événements ont pris un tour inattendu
4 (small amount) (of yarn, thread, hair) torsade *f*; **a ~ of paper** une papillote; **a ~ of lemon** une tranche de citron
5 Sport **to put some ~ on the ball** donner de l'effet à la balle
6 Sewing (thread) cordonnet *m*
7 Dance **the ~** le twist; **to do the ~** danser le twist
B *vtr* **1** (turn) tourner [*knob, handle*]; (open) dévisser [*top, cap, lid*]; (close) visser [*top, cap, lid*]; **to ~ sth off** dévisser qch [*cap, top, lid*]; arracher qch (en tordant) [*piece, branch*]; **he ~ed the neck of the bag to close it** il a tortillé le haut du sac pour le fermer; **to ~ one's head around** tourner la tête; **to ~ one's head away** tourner la tête; **he ~ed around in his chair** il s'est retourné dans son fauteuil; **~ it round sideways to get it through the door** tournez-le de côté pour le faire passer par la porte; **to ~ sb's arm** lit tordre le bras à qn; fig forcer la main à qn
2 (wind, twine) **to ~ X and Y together** torsader X et Y; **to ~ the threads together** torsader les fils; **to ~ X round Y** enrouler X autour de Y; **she ~ed the scarf (round) in her hands** elle tortillait l'écharpe entre ses doigts; **to ~ a rope around sth** passer une corde autour de qch; **they ~ed a sheet (up) into a rope** ils ont entortillé un drap pour en faire une corde; **to ~ one's hair up into a bun** se faire un chignon torsadé
3 (bend, distort) lit tordre [*metal, rod, branch*]; **his face was ~ed with pain/rage** son visage était tordu de douleur/de rage; **she ~ed her mouth into a smile** elle a grimacé un sourire
4 fig déformer [*words, statement, facts*]; **you're**

trying to ~ my meaning vous essayez de déformer mes paroles
5 (injure) **to ~ one's ankle/wrist** se tordre la cheville/le poignet; **to ~ one's neck** attraper un torticolis
6 Sport donner de l'effet à [ball]
C *vi* 1 [person] **he ~ed free of her grasp** il s'est dégagé d'un mouvement brusque; **the wounded man lay ~ing and writhing on the ground** le blessé se tordait et se contorsionnait sur le sol; **his face ~ed into a smile** il a grimacé un sourire; **to ~ round** (turn round) se retourner
2 [rope, flex, coil] s'entortiller; [river, road] serpenter; **to ~ and turn** [road, path] serpenter
3 Dance danser le twist
4 (in cards) tirer une carte
(Idioms) **(to have a) ~ in the tail** (avoir un) dénouement inattendu; **to get oneself into a ~**○ se tracasser○; **to be round the ~**○ être dingue○ *or* fou/folle; **to go round the ~**○ devenir fou/folle; **to drive sb round the ~**○ rendre qn fou/folle

twist drill *n* mèche *f* hélicoïdale, foret *m* à spire

twisted /ˈtwɪstɪd/ *adj* 1 gen [wire, metal, rod] tordu; [rope, cord] entortillé; [ankle, wrist] tordu; 2 pej [logic, argument] faux/fausse; [outlook, viewpoint] bizarre; **to have a ~ mind** avoir l'esprit tordu; **a ~ sense of humour** un sens de l'humour très spécial; **a bitter and ~ person** une personne aigrie

twister○ /ˈtwɪstə(r)/ *n* 1 (swindler) escroc *m*; 2 US (tornado) tornade *f*

twist grip *n* (of motorbike) poignée *f*

twisting /ˈtwɪstɪŋ/ *adj* [road, path, course] sinueux/-euse

twist-off /ˈtwɪstɒf/ *adj* [cap, top, lid] dévissable

twisty /ˈtwɪstɪ/ *adj* = **twisting**

twit○ /twɪt/ *n* idiot/-e *m/f*

twitch /twɪtʃ/
A *n* 1 (tic) tic *m*; **to have a ~ in the corner of one's eye/mouth** avoir un tic à l'œil/la bouche; 2 (spasm) soubresaut *m*; **to give a ~** avoir un soubresaut; 3 (sudden jerk) **to give the fabric/curtain a ~** réajuster le tissu/rideau d'un coup sec
B *vtr* 1 (tug) tirer sur [qch] d'un coup sec [fabric, curtain]; 2 (cause to quiver) **to ~ one's nose** [person] froncer le nez; [animal] froncer le museau
C *vi* 1 (quiver) [person, animal] trembloter; [mouth] trembler; [eye] cligner nerveusement; [limb, muscle] tressauter; [fishing line] vibrer; **the dog's nose ~ed with excitement** le museau du chien remuait d'excitation; **to ~ in one's sleep** tressauter dans son sommeil; 2 (tug) **to ~ at** [person] tirer d'un coup sec sur [curtain, tablecloth]; [fish] taquiner [bait]

twitcher○ /ˈtwɪtʃə(r)/ *n* 1 (fidgety person) agité/-e *m/f*; 2 GB (birdwatcher) observateur/-trice *m/f* d'oiseaux

twitchiness /ˈtwɪtʃɪnɪs/ *n* agitation *f*

twitchy /ˈtwɪtʃɪ/ *adj* agité

twitter /ˈtwɪtə(r)/
A *n* gazouillement *m*; **to be all of a ~** hum être excité
B *vi* [bird] gazouiller; [person] babiller
(Phrasal verb) ■ **twitter on** péj jacasser (**about** sur)

twittery○ /ˈtwɪtərɪ/ *adj* [person] excité; **~ state** état *m* d'excitation

'twixt‡ /twɪkst/ *prep* littér entre
(Idiom) **there's many a slip ~ cup and lip** Prov il y a loin de la coupe aux lèvres Prov

two /tuː/ ▸ p. 1487, p. 927, p. 1059
A *n* deux *m inv*; **in ~s** par deux; **in ~s and threes** par deux ou trois, deux ou trois à la fois
B *det* deux *inv*
C *pron* deux *inv*; **I bought ~ of them** j'en ai acheté deux; **to break/cut sth in ~** casser/couper qch en deux; **in a day or ~** dans un jour ou deux
(Idioms) **that makes ~ of us** on est tous les deux dans le même cas; **'I'm fed up○!'—'that makes ~ of us'** 'j'en ai marre○!'—'moi aussi'; **to be in ~ minds about doing** hésiter à faire; **to be in ~ minds about sth** être partagé au sujet de qch; **to put ~ and ~ together** faire le rapprochement; **~ hearts that beat as one** deux cœurs qui battent à l'unisson; **there are ~ sides to every story** ≈ autant d'hommes, autant d'avis

two: **~-bit**○ *adj* péj US [person] médiocre, à la gomme○; **~ bits**○ *npl* US 25 cents *mpl*; **~-by-four** *n*: *morceau de bois de deux pouces sur quatre*; **~-chamber system** *n* Pol système *m* bicaméral

twocker○ /ˈtwɒkə(r)/ *n* GB voleur/-euse *m/f* de voiture

twocking○ /ˈtwɒkɪŋ/ *n* GB vol *m* de voitures

two: **~-dimensional** *adj* lit en deux dimensions; fig [character] insipide; **~-edged** *adj* fig à double tranchant; **~-faced** *adj* péj hypocrite, fourbe

twofold /ˈtuːfəʊld/
A *adj* double
B *adv* doublement

two-four time *n* Mus mesure *f* à deux-quatre; **in ~** à deux quatre

two-handed /ˌtuːˈhændɪd/ *adj* 1 gen Sport [sword, backhand] à deux mains; [saw] à deux poignées; 2 (ambidextrous) ambidextre

two: **~-hander** *n* Theat pièce *f* pour deux personnages; **~-party system** *n* Pol système *m* bipartite *or* à deux partis; **~pence** *n* GB deux pence; ▸ **tuppence**; **~penny** *adj* [piece] de deux pence; [stamp] à deux pence; **~penny-halfpenny**○ *adj* GB péj de rien du tout, à la gomme○; **~-phase** *adj* Elec diphasé

two-piece /ˌtuːˈpiːs/ *n* 1 (*also* **~ suit**) (woman's) tailleur *m* (deux-pièces); (man's) costume *m* (deux-pièces); 2 (*also* **~ swimsuit**) (maillot *m* de bain à) deux-pièces *m inv*

two: **~-pin** *adj* [plug, socket] à deux fiches; **~-ply** *adj* [rope, wool, yarn] à deux fils; [wood] contreplaqué à double épaisseur

two-seater /ˌtuːˈsiːtə(r)/
A *n* Aut voiture *f* à deux places; Aviat avion *m* à deux places, (avion *m*) biplace *m*
B *adj* à deux places

two-sided /ˌtuːˈsaɪdɪd/ *adj* 1 gen [tablemat, covering etc] réversible; 2 (debatable) [argument] discutable

two: **~some** *n* (two people) couple *m*; (game) jeu *m* pour deux joueurs; **~-star (petrol)** *n* GB (essence *f*) ordinaire *f*; **~-star hotel** *n* hôtel *m* deux étoiles; **~-step** *n* Mus pas *m* de deux; **~-storey** *adj* à deux étages; **~-stroke** *adj* [engine, cycle] à deux temps; **~-tier** *adj* [bureaucracy] à deux niveaux *or* étages; pej (unequal) [society, health service etc] à deux vitesses

two-time○ /ˈtuːtaɪm/
A *vtr* être infidèle envers, tromper [partner]
B *vi* être infidèle

two-timer○ /ˈtuːtaɪmə(r)/ *n* (double-crosser) gen traître *m*; **to be a ~** [partner] être infidèle

two: **~-timing** *adj* infidèle; **~-tone** *adj* (in hue) de deux tons; (in sound) à deux tons *or* timbres

two-way /ˌtuːˈweɪ/ *adj* 1 [street] à double sens; [traffic] dans les deux sens; 2 [communication process, exchange] bilatéral; **friendship should be a ~ thing** une relation d'amitié doit fonctionner dans les deux sens; 3 Elec [wiring, switch] va-et-vient *inv*

two: **~-way mirror** *n* glace *f* sans tain; **~-way radio** *n* émetteur-récepteur *m*; **~-way switch** *n* (interrupteur *m* de) va-et-vient *m*; **~-wheeler**○ *n* (vehicle, bicycle) deux-roues *m inv*

TX US Post *abrév écrite* = **Texas**

tycoon /taɪˈkuːn/ *n* magnat *m*; **oil/property/publishing ~** magnat du pétrole/de l'immobilier/de l'édition

tyke○ /taɪk/ *n* 1 péj (boor) pignouf *m*; 2 (mongrel) clébard◐ *m*, chien *m* bâtard; 3 US (child) coquin/-e *m/f*

tymbal *n* = **timbal**

tympan /ˈtɪmpən/ *n* (all contexts) tympan *m*

tympani *npl* = **timpani**

tympanic /tɪmˈpænɪk/ *adj* Anat [bone] tympanal; [artery, cavity] tympanique; **~ membrane** tympan *m*

tympanist *n* Mus = **timpanist**

tympanum /ˈtɪmpənəm/ ▸ p. 1462 *n* (*pl* **-pani**) 1 Anat, Archit tympan *m*; 2 Mus timbale *f*

Tyne and Wear /ˌtaɪn ən ˈwɪə(r)/ ▸ p. 1612 *pr n* Tyne and Wear *m*

type /taɪp/
A *n* 1 (variety, kind) type *m*, genre *m* (**of** de); **main ~** type principal; **hair/skin ~** type de cheveux/de peau; **what ~ of person/car/problem?** quel type *or* genre de personne/voiture/problème?; **he's an army ~** il a le genre militaire; **you're not my ~** tu n'es pas mon genre; **they're our ~ of people** c'est le genre de personnes que nous aimons bien; **I'm not that ~, I don't go in for that ~ of thing** ce n'est pas mon genre; **is she the right ~ for this job?** est-elle bien le genre de personne qui convient pour ce travail?; **he's all right if you like that ~** il n'est pas mal mais ce n'est pas mon genre; **he's the introspective ~** il est du genre introspectif; **she's not the ~ to fuss** elle n'est pas du genre à faire des histoires; **they' re the ~ who** c'est le genre d'individus qui; **he's one of those pretentious university ~s** c'est un de ces individus prétentieux de l'université; **a very special ~ of person** quelqu'un de bien particulier; **I know his ~** péj je connais les gens de son espèce; **her ~ always get what they want** péj ce genre de fille obtient toujours ce qu'elle veut; **you know the ~ of thing I mean** vous voyez à peu près ce que je veux dire; 2 (archetype) archétype *m*; **the characters in this novel are only ~s** les personnages dans ce roman ne sont que des archétypes; **he's/she's etc reverted to ~** le naturel a pris le dessus; **to play** *ou* **be cast against ~** Cin, Theat jouer à contre-emploi; 3 Print caractères *mpl*; **bold/italic/large ~** caractères *mpl* gras/italiques/gros; **metal ~** caractères *mpl* en plomb; **printed in small ~** imprimé en petits caractères; **to set up ~** composer; **to set sth in bold ~** composer qch en caractères gras; 4 Ling type *m*
B *modif* 1 Bot, Med **~ A and B cells** cellules de type A et de type B; 2 ○**a documentary-~ film** un film du genre documentaire; **a Regency-~ table** une table de type Régence
C *vtr* 1 (on typewriter) taper (à la machine) [text, word, letter, line]; **to ~ 60 words a minute** taper 60 mots à la minute; **to have sth ~d** faire taper qch; **a ~d letter** une lettre dactylographiée; 2 (classify) classifier [blood sample]; cataloguer [person] (**as** comme); **he was ~d as an avant-garde poet** il a été catalogué comme poète d'avant-garde
D *vi* taper (à la machine); **can you ~?** (est-ce que) vous savez taper à la machine *or* dactylographier fml?; **I was typing away** je tapais sans arrêt
(Phrasal verbs) ■ **type in**: ▸ **~ in [sth]**, **~ [sth] in** taper [word, character]
■ **type out**: ▸ **~ out [sth]**, **~ [sth] out** taper (à la machine)
■ **type over**: ▸ **~ over [sth]** (erase) effacer; **I ~d over my error** j'ai effacé ma faute de frappe
■ **type up** taper, dactylographier fml

t

type: **~cast** *vtr* (*prét, pp* **-cast**) Theat, fig cataloguer [*person*] (**as** comme); **~casting** *n* Theat, fig catalogage *m* dans un rôle; **~face** *n* police *f* (de caractères)

typescript /'taɪpskrɪpt/ *n* texte *m* dactylographié; **several pages of ~** plusieurs pages dactylographiées

type: **~set** *vtr* composer; **~setter** *n* typographe *mf*; **~setting** *n* composition *f*

typewriter /'taɪpraɪtə(r)/
A *n* machine *f* à écrire; **manual/electronic/portable ~** machine à écrire mécanique/électronique/portative
B *modif* [*ribbon, keyboard*] de machine à écrire

typewritten /'taɪprɪtn/ *adj* tapé (à la machine), dactylographié fml

typhoid /'taɪfɔɪd/ ▸ **p. 1327**
A *n* (*also* **~ fever**) (fièvre *f*) typhoïde *f*
B *modif* [*epidemic, victim, symptom*] de typhoïde; **~ scare** alerte à la typhoïde

Typhoid Mary○ *n* US péj être *m* pernicieux

typhoon /taɪ'fu:n/ *n* typhon *m*

typhus /'taɪfəs/ ▸ **p. 1327** *n* (*also* **~ fever**) typhus *m*

typical /'tɪpɪkl/ *adj* [*case, example, day, village*] typique; [*tactlessness, compassion*] caractéristique; **he's a ~ civil servant** c'est un fonctionnaire typique; **a ~ feature** une caractéristique (principale); **to be ~ of** être typique de [*period, species*]; **it's (all too) ~ of him to be late** cela ne m'étonne pas (du tout) de lui qu'il soit en retard; **'I've left my keys behind'—'~○!'** 'j'ai oublié mes clés'—'ça ne m'étonne pas!'

typically /'tɪpɪklɪ/ *adv* [*behave*] (of person) comme à mon/ton etc habitude; **in a ~ evasive reply, he said...** refusant comme à son habitude de prendre position, il a dit...; **that was a ~ inept remark from Anne** Anne a fait une remarque stupide, comme à son habitude; **they assumed, ~, that** ils supposaient comme à leur habitude que; **~ English** [*place, atmosphere, behaviour*] typiquement anglais; **she's ~ English** c'est l'Anglaise type; **it's ~ Australian to do that** c'est bien typique des Australiens de faire ça; **it was a ~ warm, sunny day** c'était une journée chaude et ensoleillée, comme d'habitude; **~, it was left to us to organize everything** comme d'habitude, c'est nous qui avons dû tout organiser

typify /'tɪpɪfaɪ/ *vtr* [*quality, feature, condition, behaviour, work*] caractériser; [*person, institution*] être le type même de; **as typified by the EU** comme le représente la UE

typing /'taɪpɪŋ/
A *n* **1** (skill) dactylo *f*, dactylographie *f*; **to learn ~** apprendre la dactylo; **'good ~ essential'** Journ 'bonne pratique de la dactylo essentielle'; **my ~ is slow** ma frappe est lente; **2** (typed material) **two pages of ~** deux pages dactylographiées; **check the ~** vérifiez ce qui a été dactylographié; **I've got some ~ to do** j'ai quelque chose à taper; **she does academic ~** elle tape des textes universitaires
B *modif* [*course*] de dactylo(graphie)

typing: **~ error** *n* faute *f* de frappe; **~ paper** *n* papier *m* pour machine à écrire

typing pool *n* **to work in the ~** travailler au service dactylo○

typing skills *npl* pratique *f* de la dactylo; **good ~** une bonne pratique de la dactylo

typing speed *n* vitesse *f* de frappe; **she has a ~ of 80** elle tape 80 mots à la minute

typist /'taɪpɪst/ *n* dactylo *mf*

typo○ /'taɪpəʊ/ *n* Print coquille○ *f*

typographer /taɪ'pɒgrəfə(r)/ ▸ **p. 1683** *n* typographe *mf*

typographic(al) /,taɪpə'græfɪk(l)/ *adj* typographique

typography /taɪ'pɒgrəfɪ/ *n* typographie *f*

typology /taɪ'pɒlədʒɪ/ *n* typologie *f*

tyrannic(al) /tɪ'rænɪk(l)/ *adj* tyrannique

tyrannically /tɪ'rænɪklɪ/ *adv* [*act*] en tyran; [*cruel, strict*] tyranniquement

tyrannicide /tɪ'rænɪsaɪd/ *n* (act, person) tyrannicide *m*

tyrannize /'tɪrənaɪz/
A *vtr* tyranniser
B *vi* tyranniser; **to ~ over sb** tyranniser qn

tyrannosaurus (rex) /tɪ,rænə'sɔ:rəs/ *n* tyrannosaure *m*

tyrannous /'tɪrənəs/ *adj* = **tyrannic(al)**

tyrannously /'tɪrənəslɪ/ *adv* = **tyrannically**

tyranny /'tɪrənɪ/ *n* **1** (despotism) tyrannie *f* (**over** sur); **2** (tyrannical act) abus *m* de pouvoir; **3** (country) dictature *f*

tyrant /'taɪərənt/ *n* tyran *m*

tyre GB, **tire** US /'taɪə(r)/ *n* pneu *m*; **back/front ~** pneu *m* arrière/avant; **burst/flat ~** pneu *m* crevé/à plat; **spare ~** lit pneu *m* de rechange; fig hum (fat) pneu *m*

tyre: **~ centre** *n* centre *m* de vente et de réparation de pneus; **~ lever** *n* démonte-pneu *m*; **~ pressure** *n* pression *f* des pneus; **~ pressure gauge** *n* manomètre *m* (pour pneus)

tyro /'taɪərəʊ/ *n* débutant/-e *m/f*

Tyrol /tɪ'rəʊl/ *pr n* Tyrol *m*

Tyrolean /,tɪrə'li:ən/
A *n* Tyrolien/-ienne *m/f*
B *adj* tyrolien/-ienne

Tyrone /tɪ'rəʊn/ ▸ **p. 1612** *pr n* comté *m* de Tyrone

Tyrrhenian Sea /tɪ,ri:nɪən 'si:/ *pr n* mer *f* Tyrrhénienne

tzar *n* = **tsar**

tzarina *n* = **tsarina**

Uu

u, **U** /juː/ *n* 1 (letter) u, U *m*; 2 GB Cin (*abrév* = **universal**) ≈ tous publics

UAE *pr npl* (*abrév* = **United Arab Emirates**) EAU *m*

U-bend *n* (in pipe) courbure *f* en U; Aut virage *m* en épingle à cheveux

ubiquitous /juːˈbɪkwɪtəs/ *adj* omniprésent

ubiquity /juːˈbɪkwətɪ/ *n* omniprésence *f*

U bolt *n* boulon *m* étrier

UCAS /ˈjuːkæs/ *n* GB Univ (*abrév* = **Universities and Colleges Admissions Service**) *centre national des inscriptions en faculté*

UDA *n* (*abrév* = **Ulster Defence Association**) UDA *f* (*organisation paramilitaire loyaliste en Irlande du Nord*)

UDC *n* GB *abrév* ▸ **Urban District Council**

udder /ˈʌdə(r)/ *n* pis *m*

UDI *n* (*abrév* = **unilateral declaration of independence**) déclaration *f* unilatérale d'indépendance

UDR *n*: *abrév* ▸ **Ulster Defence Regiment**

UEFA /juːˈiːfə/ *n* (*abrév* = **Union of European Football Associations**) UEFA *f*

UFO *n* (*abrév* = **unidentified flying object**) ovni *m inv*

ufologist /juːˈfɒlədʒɪst/ *n* spécialiste *mf* des ovni

ufology /juːˈfɒlədʒɪ/ *n* étude *f* des ovni

Uganda /juːˈgændə/ ▸ **p. 1096** *pr n* Ouganda *m*

Ugandan /juːˈgændən/ ▸ **p. 1467**
A *n* Ougandais/-e *m/f*
B *adj* ougandais/-e

ugh /ʌg/ *excl* berk!

ugli (fruit) /ˈʌglɪ/ *n* tangelo *m*

uglify /ˈʌglɪfaɪ/ *vtr* enlaidir

ugliness /ˈʌglɪnɪs/ *n* (of person, object, place) laideur *f*

ugly /ˈʌglɪ/ *adj* 1 (hideous) [*person, appearance, furniture, building, place*] laid; [*sound*] désagréable; **to be an ~ sight** être hideux/-euse à voir; [*wound*] vilain (*before n*); 2 (vicious) [*situation, conflict*] dangereux/-euse; [*tactics, campaign*] bas/basse; [*accusation*] vicieux/-ieuse; [*passion, violence*] effroyable; **the situation turned ~** la situation a dégénéré; **to give sb an ~ look** regarder qn d'un sale œil; **he had an ~ expression on his face**/**an ~ look in his eye** il avait l'air méchant/l'œil méchant; **to be in an ~ mood** [*group, mob*] gronder; [*individual*] être d'humeur massacrante; **the ~ face of** l'aspect inacceptable de; 3 (repugnant) [*incident, scene, crime*] déplorable
(Idioms) **an ~ customer**○ un sale type○; **he looks like an ~ customer**○ il a une sale tronche○; **as ~ as sin** laid comme un pou; **racism/elitism rears its ~ head** on voit surgir le spectre du racisme/de l'élitisme

ugly duckling *n* fig vilain petit canard *m*

UHF *n* (*abrév* = **ultra-high frequency**) UHF *f*

uh-huh /ˌʌˈhʌ/ *excl* oui, oui

UHT *adj* (*abrév* = **ultra heat treated**) UHT; **~ milk** lait *m* UHT, lait *m* à longue conservation

UK ▸ **p. 1096**
A *pr n* (*abrév* = **United Kingdom**) Royaume-Uni *m*; **in/to the ~** dans le/au Royaume-Uni
B *modif* [*citizen, passport*] britannique

uke○ /juːk/ ▸ **p. 1462** *n* ukulélé *m*

Ukraine /juːˈkreɪn/ ▸ **p. 1096** *pr n* **the ~** l'Ukraine *f*; **in/to the ~** en Ukraine

Ukrainian /juːˈkreɪnɪən/ ▸ **p. 1467, p. 1378**
A *n* 1 (person) Ukrainien/-ienne *m/f*; 2 (language) ukrainien *m*
B *adj* ukrainien/-ienne

ukulele /ˌjuːkəˈleɪlɪ/ ▸ **p. 1462** *n* ukulélé *m*

ulcer /ˈʌlsə(r)/ *n* ulcère *m*; **stomach ~** ulcère à l'estomac

ulcerate /ˈʌlsəreɪt/
A *vtr* ulcérer
B *vi* s'ulcérer

ulceration /ˌʌlsəˈreɪʃn/ *n* ulcération *f*

ulcerative /ˈʌlsərətɪv/ *adj* ulcératif/-ive

ulcerous /ˈʌlsərəs/ *adj* ulcéreux/-euse

ulema /ˈuːlɪmə/ *n* Relig ulema *m*

ulna /ˈʌlnə/ *n* (*pl* **-nae** *ou* **~s**) cubitus *m*

Ulster /ˈʌlstə(r)/
A *pr n* Ulster *m*
B *modif* [*people, landscape, accent, dialect*] d'Irlande du Nord, de l'Ulster

> **Ulster**
>
> Ancienne province d'Irlande, située au nord de l'île. Les neuf comtés de l'Ulster sont répartis entre l'Irlande du Nord (6) et la République d'Irlande (3) depuis la partition de l'île en 1921. Ce nom est souvent employé pour désigner l'Irlande du Nord.

Ulster: **~ Defence Regiment**, **UDR** *n*: *régiment de l'armée britannique chargé du maintien de l'ordre en Ulster*; **~man** *n* Ulstérien *m*; **~woman** *n* Ulstérienne *f*

ult.† *adv* Admin (*abrév écrite* = **ultimo**) du mois dernier

ulterior /ʌlˈtɪərɪə(r)/ *adj* 1 (hidden) [*motive, purpose*] inavoué; **without any ~ motive** sans arrière-pensée; 2 (subsequent) ultérieur

ultimata /ˌʌltɪˈmeɪtə/ *npl* ▸ **ultimatum**

ultimate /ˈʌltɪmət/
A *n* nec plus ultra *m inv*; **the ~ in** le nec plus ultra de [*comfort, luxury*]
B *adj* (*épith*) 1 (final) [*accolade, achievement, ambition, challenge, deterrent, power, responsibility, sacrifice, success, victory, weapon*] suprême (*after n*); [*aim, conclusion, decision, defeat, destination, effect, failure, purpose, result*] ultime (*after n*); [*loser, beneficiary*] au bout du compte; **carried to the ~ extreme** poussé à l'extrême; 2 (fundamental) [*principle, question, truth*] fondamental; [*cause, origin, source*] premier/-ière (*after n*); 3 (unsurpassed) [*insult, luxury, refinement*] suprême (*after n*); [*car, holiday, product, stereotype*] dernier cri○ *inv*

ultimate constituent *n* Ling constituant *m* ultime

ultimately /ˈʌltɪmətlɪ/ *adv* en fin de compte, au bout du compte

ultimate strength *n* Tech limite *f* de rupture

ultima Thule /ˌʌltɪmə ˈθuːliː/ *n* lit Thulé *f* hyperboréenne; fig l'autre bout *m* du monde

ultimatum /ˌʌltɪˈmeɪtəm/ *n* (*pl* **~s** *ou* **-mata**) ultimatum *m*; **to issue** *ou* **deliver** *ou* **give an ~** adresser un ultimatum (**to** à); **cease-fire ~** ultimatum de cessez-le-feu

ultra /ˈʌltrə/
A *n* ultra *mf*
B ○**ultra+** (*dans composés*) hyper-○

ultraconservative /ˌʌltrəkənˈsɜːvətɪv/ *adj* ultraconservateur/-trice

ultrahigh /ˌʌltrəˈhaɪ/ *adj* [*risk, crime rates*] très élevé

ultra-left /ˌʌltrəˈleft/
A *n* **the ~** l'extrême gauche *f*
B *adj* d'extrême gauche

ultramarine /ˌʌltrəməˈriːn/ *n*, *adj* outremer (*m*) (*inv*)

ultramodern /ˌʌltrəˈmɒdən/ *adj* ultramoderne

ultramontane /ˌʌltrəˈmɒnteɪn/ Relig *n*, *adj* ultramontain/-e (*m/f*)

ultramontanism /ˌʌltrəˈmɒntənɪzəm/ *n* ultramontanisme *m*

ultra-right /ˌʌltrəˈraɪt/
A *n* **the ~** l'extrême droite *f*
B *adj* d'extrême droite

ultrasonic /ˌʌltrəˈsɒnɪk/
A *adj* ultrasonique
B **ultrasonics** *n* (+ *v sg*) science *f* des ultrasons

ultrasound /ˈʌltrəsaʊnd/ *n* ultrasons *mpl*; **he received** *ou* **was given ~ (treatment)** Med on lui a fait des ultrasons

ultrasound scan *n* échographie *f*; **to give sb an ~** faire une échographie à qn; **to have an ~** se faire faire une échographie

ultrasound scanner *n* échographe *m*

ultraviolet /ˌʌltrəˈvaɪələt/ *adj* ultraviolet/-ette; **~ ray** rayon *m* ultraviolet

ultra vires /ˌʌltrə ˈvaɪəriːz, ˌʊltrɑː ˈviːreɪz/
A *adj* **to be ~** [*individual*] commettre un excès de pouvoir; [*proclamation, action*] constituer un excès de pouvoir; [*company*] être en dehors des statuts
B *adv* **to act ~** commettre un excès de pouvoir

ululate /ˈjuːljʊleɪt/ *vi* sout [*mourner*] pousser des youyous

ululation /ˌjuːljʊˈleɪʃn/ *n* sout **the ~ of the women** les youyous des femmes

Ulysses /ˈjuːlɪsiːz/ *pr n* Ulysse

umber /ˈʌmbə(r)/ *n* Art terre *f* d'ombre

umbilical /ʌmˈbɪlɪkl, ˌʌmbɪˈlaɪkl/
A *n* = **umbilical cord**
B *adj* Anat, Physiol [*area, function*] ombilical; **~ ties** fig liens très étroits

umbilical cord *n* 1 Anat, fig cordon *m* ombilical; **to cut/tie the ~** couper/nouer le cordon ombilical; 2 Aerosp, Naut câble *m* de liaison

umbilicus /ʌmˈbɪlɪkəs, ˌʌmbɪˈlaɪkəs/ *n* (*pl* **-lici**) ombilic *m*

umbrage /ˈʌmbrɪdʒ/ *n* **to take ~** prendre ombrage (**at** de)

umbrella /ʌmˈbrelə/ *n* 1 lit parapluie *m*; **folding ~** parapluie pliant; 2 fig **under the ~ of** (protection) sous la protection de; (authority) sous l'égide *f* de; 3 Zool ombrelle *f*

umbrella: **~ bird** *n* oiseau-ombrelle *m*, céphaloptère *m* spec; **~ group** *n* collectif *m*,

u

association *f* de tutelle; ~ **organization** *n* = **umbrella group**; ~ **stand** *n* porte-parapluies *m inv*; ~ **term** *n* terme *m* générique; ~ **tree** *n* magnolier *m* parasol

Umbria /ˈʌmbrɪə/ *pr n* Ombrie *f*

Umbrian /ˈʌmbrɪən/
A *n* Ombrien/-ienne *m/f*
B *adj* (all contexts) ombrien/-ienne

umlaut /ˈʊmlaʊt/ *n* tréma *m*

ump○ /ʌmp/ US *abrév* ▸ **umpire**

umpire /ˈʌmpaɪə(r)/
A *n* Sport, fig arbitre *m*; **to act as an ~ between two parties** fig servir d'arbitre entre deux parties
B *vtr* Sport arbitrer
C *vi* Sport être l'arbitre; **to ~ at a match** arbitrer un match

umpteen○ /ʌmpˈtiːn/
A *adj* des tas de○; **I've told you ~ times** je te l'ai dit trente-six fois
B *pron* des tas○; **I have ~ at home** j'en ai des tas○ chez moi, j'en ai je ne sais combien chez moi; **there are ~ of us** on est nombreux

umpteenth○ /ʌmpˈtiːnθ/ *adj* énième

'un○ /ən/ *pron* (*abrév* = **one**) **come here, little ~** viens ici, mon petit; **that's a good ~!** (joke) elle est bonne, celle-là○; **he caught a big ~** (fish) il en a pris un gros

UN
A *n* (*abrév* = **United Nations**) ONU *f*; **the ~** l'ONU
B *modif* [*conference, forces, General Assembly, resolution, Security Council*] de l'ONU; [*ambassador*] à l'ONU

unabashed /ˌʌnəˈbæʃt/ *adj* [*curiosity*] sans retenue; [*celebration*] sans réserve; **they were ~ by anything we said** rien de ce que nous avons dit ne les a décontenancés; **he seemed quite ~** il ne semblait aucunement décontenancé

unabated /ˌʌnəˈbeɪtɪd/ *adj* **to continue ~** [*industrial growth*] continuer avec la même vigueur; [*fighting, storm*] continuer avec la même violence; **the discussion continued ~** la discussion continua toujours aussi animée

unable /ʌnˈeɪbl/ *adj* **1** (lacking the means or opportunity) **to be ~ to do** ne pas pouvoir faire; **I wanted to come, but I was ~ (to)** je voulais venir mais je n'ai pas pu; **2** (lacking the knowledge or skill) **to be ~ to do** ne pas savoir faire; **children ~ to read** les enfants qui ne savent pas lire; **3** (incapable, not qualified) **to be ~ to do** être incapable de faire; **she tried to answer, but she was ~ to** elle a essayé de répondre, mais elle en était incapable

unabridged /ˌʌnəˈbrɪdʒd/ *adj* intégral; **the ~ version of the book** le texte intégral du livre

unaccented /ˌʌnækˈsentɪd/ *adj* non accentué

unacceptable /ˌʌnəkˈseptəbl/ *adj* [*proposal, suggestion*] inacceptable; [*behaviour, situation*] inadmissible; **it is ~ that** il est inadmissible que (+ *subj*); **the ~ face of capitalism** la face répugnante du capitalisme

unacceptably /ˌʌnəkˈseptəblɪ/ *adv* [*high, low, long, expensive*] beaucoup trop; [*classify, describe*] de façon inacceptable

unaccompanied /ˌʌnəˈkʌmpənɪd/ *adj* **1** (alone) non accompagné; **~ children/minors** des enfants/mineurs non accompagnés; **an ~ young woman** une jeune femme seule; **2** Mus [*cello suite, song, singing*] sans accompagnement

unaccomplished /ˌʌnəˈkʌmplɪʃt/ *adj* **1** [*work*] inachevé; **2** [*performer*] sans talent

unaccountable /ˌʌnəˈkaʊntəbl/ *adj* **1** [*phenomenon, feeling*] inexplicable; **for some ~ reason** pour une raison incompréhensible; **2** (not answerable) **to be ~ to sb** ne pas avoir à répondre devant qn

unaccountably /ˌʌnəˈkaʊntəblɪ/ *adv* [*vanish, appear, late, absent*] inexplicablement; **quite ~,...** sans qu'on sache pourquoi,...

unaccounted /ˌʌnəˈkaʊntɪd/ *adj* **to be ~ for** [*sum, documents*] être introuvable; **two of the crew are still ~ for** deux membres de l'équipage sont toujours portés disparus

unaccustomed /ˌʌnəˈkʌstəmd/ *adj* [*luxury, speed, position*] inhabituel/-elle; **to be ~ to sth/to doing** ne pas avoir l'habitude de qch/de faire; **~ as I am to public speaking...** hum bien qu'il ne soit pas dans mes habitudes de prendre la parole en public...

unacknowledged /ˌʌnəkˈnɒlɪdʒd/ *adj* [*genius, inventor, contribution*] non reconnu; [*leader*] non reconnu officiellement; [*terror, taboo*] qu'on ne veut pas admettre; [*epidemic*] qui n'est pas reconnu officiellement; **her letter remained ~** on n'a pas accusé réception de sa lettre

unacquainted /ˌʌnəˈkweɪntɪd/ *adj* **to be ~ with sth/sb** ne pas connaître qch/qn; **he is ~ with computing** il ne connaît rien à l'informatique; **to be ~ with the facts/situation** ne pas être au courant des faits/de la situation; **to be ~ with one another** ne pas se connaître

unadapted /ˌʌnəˈdæptɪd/ *adj* non adapté

unaddressed /ˌʌnəˈdrest/ *adj* sans adresse

unadopted /ˌʌnəˈdɒptɪd/ *adj* **1** GB **~ road**: *chemin dont l'entretien n'est pas assuré par la commune*; **2** [*child*] non adopté

unadorned /ˌʌnəˈdɔːnd/ *adj* [*walls, building*] sans ornement; [*manner, style*] sans fioritures; **the plain ~ facts** les faits tout simples

unadulterated /ˌʌnəˈdʌltəreɪtɪd/ *adj* **1** (pure) [*water*] pur; [*food*] naturel/-elle; [*wine*] non frelaté; **2** (emphatic) [*pleasure, misery*] pur (*before n*); **this is ~ nonsense** ce sont des bêtises pures et simples

unadventurous /ˌʌnədˈventʃərəs/ *adj* [*meal, menu, choice*] pas très original; [*decor, production, style*] qui manque d'audace; [*person*] conventionnel/-elle

unadventurously /ˌʌnədˈventʃərəslɪ/ *adv* [*dressed, presented*] de manière conventionnelle

unadvertised /ʌnˈædvətaɪzd/ *adj* [*visit, sale*] sans publicité; **it was an ~ post** il n'y avait pas eu d'annonce pour ce poste

unaesthetic, **unesthetic** US /ˌʌniːsˈθetɪk/ *adj* [*thing*] inesthétique; [*person*] qui manque de sens esthétique

unaffected /ˌʌnəˈfektɪd/ *adj* **1** (untouched) **to be ~** ne pas être affecté (**by** par); **2** (natural, spontaneous) tout simple

unaffectedly /ˌʌnəˈfektɪdlɪ/ *adv* sans affectation

unaffiliated /ˌʌnəˈfɪlɪeɪtɪd/ *adj* non affilié (**to** à)

unafraid /ˌʌnəˈfreɪd/ *adj* [*person*] sans peur; **to be ~ of sth/of doing** ne pas avoir peur de qch/de faire

unaided /ʌnˈeɪdɪd/
A *adj* [*work, intuition*] personnel/-elle; **~ by sth** sans l'aide de qch; **to do sth by one's own ~ efforts** faire qch sans aide extérieure
B *adv* [*stand, sit, walk*] sans aide extérieure

unaired /ʌnˈeəd/ *adj* **1** [*room, sheets, bed*] non aéré; **2** (undiscussed) **to remain ~** [*objections, issues*] rester sous silence

unalike /ˌʌnəˈlaɪk/ *adj* dissemblable; **they are not ~** ils ne sont pas dissemblables

unalloyed /ˌʌnəˈlɔɪd/ *adj* **1** [*pleasure, success*] sans mélange; **2** [*metal*] pur

unalterable /ʌnˈɔːltərəbl/ *adj* inaltérable

unaltered /ʌnˈɔːltəd/ *adj* inchangé; **to remain ~** rester inchangé

unambiguous /ˌʌnæmˈbɪgjʊəs/ *adj* sans équivoque

unambiguously /ˌʌnæmˈbɪgjʊəslɪ/ *adv* [*define, deny*] sans équivoque; [*interpret*] sans ambiguïté

unambitious /ˌʌnæmˈbɪʃəs/ *adj* [*person*] sans ambition; [*reform*] modeste; [*novel*] sans prétention

un-American /ˌʌnəˈmerɪkən/ *adj* anti-américain

unamused /ˌʌnəˈmjuːzd/ *adj* **to be ~** rester froid; **he was ~ by your joke** votre plaisanterie l'a laissé froid

unanimity /ˌjuːnəˈnɪmətɪ/ *n* unanimité *f* (**between, among** entre); **to be based on ~** être basé sur le principe de l'unanimité; **to reach ~** parvenir à l'unanimité

unanimous /juːˈnænɪməs/ *adj* [*members, agreement, support*] unanime; **to be ~ in doing** être unanime à faire; **to be ~ that** estimer unanimement que

unanimously /juːˈnænɪməslɪ/ *adv* [*agree, condemn, approve*] unanimement; [*vote, acquit*] à l'unanimité; **to be ~ against/in favour of sth** être unanimement contre/en faveur de qch

unannounced /ˌʌnəˈnaʊnst/
A *adj* [*visit, changes*] non annoncé
B *adv* [*arrive, call*] sans prévenir

unanswerable /ʌnˈɑːnsərəbl, US ˌʌnˈæn-/ *adj* [*question*] à laquelle il n'y a pas de réponse possible; [*remark, case*] irréfutable

unanswered /ʌnˈɑːnsəd, US ʌnˈæn-/ *adj* [*letter, question, query*] resté sans réponse

unappealing /ˌʌnəˈpiːlɪŋ/ *adj* [*title, name, person, mannerism*] peu attrayant; [*food*] peu appétissant

unappetizing /ʌnˈæpɪtaɪzɪŋ/ *adj* peu appétissant

unappreciated /ˌʌnəˈpriːʃɪeɪtɪd/ *adj* [*work of art, status, value*] non reconnu; **to feel ~** se sentir sous-estimé

unappreciative /ˌʌnəˈpriːʃətɪv/ *adj* [*person, audience, public*] ingrat; **to be ~ of sth** être insensible à qch

unapproachable /ˌʌnəˈprəʊtʃəbl/ *adj* inaccessible

unappropriated /ˌʌnəˈprəʊprɪeɪtɪd/ *adj* [*funds*] disponible, sans affectation; [*profits*] non réparti

unapt /ʌnˈæpt/ *adj* sout **1** (dull) [*student, pupil*] peu doué; **2** (unsuited) inapte (**for** à)

unarguable /ʌnˈɑːgjʊəbl/ *adj* [*sovereignty, rights*] incontestable; Jur [*defence*] inattaquable

unarguably /ʌnˈɑːgjʊəblɪ/ *adv* [*true, best*] incontestablement; **they were ~ the winners** ils étaient sans conteste les vainqueurs

unarmed /ʌnˈɑːmd/ *adj* [*police, civilians*] non armé; [*combat*] sans armes

unary /ˈjuːnərɪ/ *adj* Comput unaire

unashamed /ˌʌnəˈʃeɪmd/ *adj* [*admirer, joy*] sincère; (more informal) sans complexes; [*belief*] assuré; **to be ~ of sth** être dénué de complexes quant à qch

unashamedly /ˌʌnəˈʃeɪmɪdlɪ/ *adv* ouvertement

unasked /ʌnˈɑːskt, US ʌnˈæskt/ *adv* [*come, attend*] sans être invité; **to do sth ~** faire qch spontanément

unaspirated /ʌnˈæspəreɪtɪd/ *adj* non aspiré

unassailable /ˌʌnəˈseɪləbl/ *adj* **1** gen [*position*] invulnérable; [*reputation*] inattaquable; [*optimism, case*] à toute épreuve; **to have an ~ lead** Sport avoir un avantage décisif; (in market, elections) avoir une supériorité décisive; **2** Mil [*stronghold*] imprenable

unassisted /ˌʌnəˈsɪstɪd/
A *adj* **it's her own ~ work** c'est son travail personnel
B *adv* [*stand, walk, sit*] sans assistance

unassuming /ˌʌnəˈsjuːmɪŋ, US ˌʌnəˈsuː-/ *adj* [*person, manner*] modeste; [*building*] sans prétention

unassumingly /ˌʌnəˈsjuːmɪŋlɪ, US ˌʌnəˈsuː-/ *adv* [*speak, behave*] avec modestie

unattached /ˌʌnəˈtætʃt/ *adj* **1** (single) célibataire; **'are you ~?'** 'est-ce que vous vivez seul/-e?'; **2** *[part, element]* détaché; *[building, organization]* indépendant

unattainable /ˌʌnəˈteɪnəbl/ *adj* (all contexts) inaccessible

unattended /ˌʌnəˈtendɪd/ *adj [vehicle, dog, child]* laissé sans surveillance; **patrons are advised not to leave their baggage ~** nous conseillons à nos clients de surveiller leurs bagages

unattractive /ˌʌnəˈtræktɪv/ *adj* **1** (ugly) *[furniture, characteristic]* peu attrayant; *[person]* peu attirant; **I find him ~** il ne m'attire pas; **2** (not appealing) *[career, idea]* peu attrayant (**to** à); *[bid, proposition]* peu intéressant (**to** pour); **economically ~** peu intéressant du point de vue économique; **an ~ prospect** une perspective peu attrayante

unattractiveness /ˌʌnəˈtræktɪvnɪs/ *n* (of building) laideur *f*; (of landscape) manque *m* d'attrait; **the ~ of his appearance** son extérieur peu séduisant

unauthenticated /ˌʌnɔːˈθentɪkeɪtɪd/ *adj [signature, document]* non authentifié; *[evidence]* non établi; *[story]* non confirmé

unauthorized /ʌnˈɔːθəraɪzd/ *adj [disclosure, reproduction, building work]* fait sans autorisation; *[phone tapping]* non autorisé; **no ~ access** accès interdit aux personnes sans autorisation; **~ access** Comput accès *m* non autorisé

unavailable /ˌʌnəˈveɪləbl/ *adj* **to be ~** *[person]* ne pas être disponible; **Mr Hill is ~ for comment** M. Hill se refuse à tout commentaire; **medical treatment/information is ~** on ne peut pas obtenir de traitement médical/de renseignements

unavailing /ˌʌnəˈveɪlɪŋ/ *adj* sout *[efforts, search, battle]* vain

unavailingly /ˌʌnəˈveɪlɪŋlɪ/ *adv* sout vainement

unavoidable /ˌʌnəˈvɔɪdəbl/ *adj* inévitable

unavoidably /ˌʌnəˈvɔɪdəblɪ/ *adv* **I shall be ~ detained** j'ai un empêchement; **he was ~ absent** il ne pouvait pas être présent; **their failure was ~ public** leur échec fut connu de tous, ce qui était inévitable

unaware /ˌʌnəˈweə(r)/ *adj* **1** (not informed) **to be ~ of sth** ne pas être au courant de qch; **to be ~ that** ne pas savoir que; **2** (not conscious) **to be ~ of sth** ne pas être conscient de qch; **she was ~ of all the noise around her** elle ne remarquait pas tout le bruit autour d'elle; **she was ~ of his presence** elle ne savait pas qu'il était là; **to be politically ~** ne pas être politisé; **to be blissfully ~ of sth** être parfaitement ignorant de qch

unawares /ˌʌnəˈweəz/ *adv* **to catch** *ou* **take sb ~** prendre qn au dépourvu

unbacked /ʌnˈbækt/ *adj* Fin *[account]* non soldé

unbalance /ʌnˈbæləns/ *vtr* déséquilibrer

unbalanced /ʌnˈbælənst/ *adj* **1** *[person, mind]* instable; **mentally ~** instable; **2** (biased) *[reporting]* partial; **3** (uneven) *[diet, economy, load]* pas équilibré; **4** *[accounts]* non soldé

unbaptized /ˌʌnbæpˈtaɪzd/ *adj* non baptisé

unbearable /ʌnˈbeərəbl/ *adj* insupportable

unbearably /ʌnˈbeərəblɪ/ *adv* **1** *[hurt, tingle]* de manière insupportable; **2** (emphatic) *[hot, cynical, tedious]* incroyablement

unbeatable /ʌnˈbiːtəbl/ *adj* **1** (excellent) *[quality, price]* imbattable; **it's ~ value** le rapport qualité-prix est imbattable; **the food is ~** la nourriture est la meilleure; **2** *[opponent, team, record]* imbattable

unbeaten /ʌnˈbiːtn/ *adj [player, team]* invaincu; *[score, record]* qui n'a pas été battu

unbecoming /ˌʌnbɪˈkʌmɪŋ/ *adj* sout *[colour]* difficile à porter; *[garment]* peu seyant; **conduct ~ to a soldier** un comportement qui ne sied pas à un militaire liter; **it is ~ to do** il est inconvenant de faire fml

unbeknown /ˌʌnbɪˈnəʊn/ *adv* **~ to sb** à l'insu de qn; **~ to me** à mon insu

unbelief /ˌʌnbɪˈliːf/ *n* Relig incroyance *f*

unbelievable /ˌʌnbɪˈliːvəbl/ *adj* incroyable; **it is ~ that** il est incroyable que (+ *subj*)

unbelievably /ˌʌnbɪˈliːvəblɪ/ *adv* incroyablement

unbeliever /ˌʌnbɪˈliːvə(r)/ *n* incroyant/-e *m/f*

unbelieving /ˌʌnbɪˈliːvɪŋ/ *adj [look, tone]* incrédule; Relig incroyant

unbelievingly /ˌʌnbɪˈliːvɪŋlɪ/ *adv [stare, exclaim]* d'un air incrédule

unbend /ʌnˈbend/
A *vtr* (straighten) détordre
B *vi* devenir moins inflexible

unbending /ʌnˈbendɪŋ/ *adj [person, attitude]* inflexible; **an ~ will** une volonté de fer

unbias(s)ed /ʌnˈbaɪəst/ *adj [advice, newspaper, person]* impartial; **to be ~ in one's opinions** être sans parti pris

unbidden /ʌnˈbɪdn/ *adv* littér **to do sth ~** faire qch sans en être prié; **to come ~ into one's mind** venir spontanément à l'esprit

unbind /ʌnˈbaɪnd/ *vtr* (*prét, pp* **-bound**) délier *[string, rope, prisoner]*

unbleached /ʌnˈbliːtʃt/ *adj [cloth]* écru; *[hair]* non décoloré; *[paper, flour]* non blanchi; *[nappies, coffee filters]* sans chlore

unblemished /ʌnˈblemɪʃt/ *adj [reputation, record]* sans tache; *[career]* impeccable

unblinking /ʌnˈblɪŋkɪŋ/ *adj* **to stare ~ at sb** fixer qn sans ciller; **he stood there ~** il est resté là, impassible

unblinkingly /ʌnˈblɪŋkɪŋlɪ/ *adv* **to stare at sb ~** fixer qn sans ciller

unblock /ʌnˈblɒk/ *vtr* déboucher *[pipe, sink]*

unblushing /ʌnˈblʌʃɪŋ/ *adj* sout *[admission, lie]* sans vergogne

unblushingly /ʌnˈblʌʃɪŋlɪ/ *adv* sout *[lie, deny sth]* sans vergogne

unbolt /ʌnˈbəʊlt/
A *vtr* déverrouiller *[door]*
B **unbolted** *pp adj* **to be ~ed** ne pas être verrouillé

unborn /ʌnˈbɔːn/ *adj* **1** lit **~ child** enfant *mf* à naître; **her ~ child** l'enfant qu'elle porte/portait etc; **2** fig **yet ~** *[party, idea]* qui n'a/n'avait pas encore vu le jour; **generations yet ~** les générations à venir

unbosom /ʌnˈbʊzəm/ *v refl* littér **to ~ oneself** se confier (**to** à)

unbound /ʌnˈbaʊnd/ *adj [book]* non relié

unbounded /ʌnˈbaʊndɪd/ *adj [joy, optimism, gratitude]* sans bornes; *[love]* démesuré; *[relief]* immense (*before n*)

unbowed /ʌnˈbaʊd/ *adj* littér **she/the nation remains ~** elle/la nation demeure non vaincue; **bloody but ~** blessé mais non vaincu

unbranded /ʌnˈbrændɪd/ *adj [product]* sans marque

unbreakable /ʌnˈbreɪkəbl/ *adj* incassable

unbreathable /ʌnˈbriːðəbl/ *adj* irrespirable

unbribable /ʌnˈbraɪbəbl/ *adj* incorruptible

unbridle /ʌnˈbraɪdl/ *vtr* débrider *[horse]*

unbridled /ʌnˈbraɪdld/ *adj* (*épith*) *[imagination, sexuality]* débridé; *[power]* illimité; *[emotion]* non contenu; *[optimism]* effréné

unbroken /ʌnˈbrəʊkən/ *adj* **1** (uninterrupted) *[series, sequence, silence]* ininterrompu; *[view]* ininterrompu; *[curve]* parfait; **in an ~ line** en ligne directe; **2** (intact) *[pottery]* intact; **the ~ surface of the lake** l'eau du lac que rien ne troublait en surface; **3** (unsurpassed) **it's an ~ record** le record n'a pas été battu

unbuckle /ʌnˈbʌkl/ *vtr* défaire *[strap]*; déboucler *[belt]*; défaire la boucle de *[shoe]*

unbuilt /ʌnˈbɪlt/ *adj [house, land]* non construit

unbundle /ʌnˈbʌndl/ *vtr* **1** Comput facturer séparément; **~d software** logiciels *mpl* non fournis avec l'ordinateur; **2** Fin, Econ dépecer, démanteler *[company, group]*

unburden /ʌnˈbɜːdn/ *v refl* sout **to ~ oneself** se confier à qn; **to ~ oneself of** confier *[worries, secret]*; se libérer de *[guilt]*

unburied /ʌnˈberɪd/ *adj* non enterré; **the ~ dead** les morts qui n'ont pas été enterrés

unbusinesslike /ʌnˈbɪznɪslaɪk/ *adj [method, conduct]* peu acceptable dans le monde des affaires

unbutton /ʌnˈbʌtn/
A *vtr* déboutonner
B **unbuttoned** *pp adj* fig *[attitude]* détendu

uncalled-for /ʌnˈkɔːldfɔː(r)/ *adj [remark, behaviour]* déplacé

uncannily /ʌnˈkænɪlɪ/ *adv* (very much) incroyablement; (surprisingly) étrangement

uncanny /ʌnˈkænɪ/ *adj* **1** (strange) *[resemblance, way]* étrange; *[accuracy, success]* étonnant; **to bear an ~ resemblance to sth/sb** ressembler étrangement à qch/qn; **2** (frightening) troublant

uncap /ʌnˈkæp/ *vtr* (*p prés etc* **-pp-**) retirer le capuchon de *[pen]*; décapsuler *[beer bottle]*

uncared-for /ʌnˈkeədfɔː(r)/ *adj [house]* mal entretenu; *[pet]* mal soigné; **an ~ child** un enfant dont on s'occupe mal

uncaring /ʌnˈkeərɪŋ/ *adj [world]* indifférent; **an ~ society** une société qui se soucie peu du bien-être de chacun

uncarpeted /ʌnˈkɑːpɪtɪd/ *adj* sans tapis

uncashed /ʌnˈkæʃt/ *adj* non encaissé

uncatalogued /ʌnˈkætəlɒgd/ *adj* non catalogué

unceasing /ʌnˈsiːsɪŋ/ *adj* ininterrompu

unceasingly /ʌnˈsiːsɪŋlɪ/ *adv* sans cesse

uncensored /ʌnˈsensəd/ *adj [film, book]* non censuré; fig *[version]* intégral

unceremonious /ˌʌnˌserɪˈməʊnɪəs/ *adj [departure, end]* précipité

unceremoniously /ˌʌnˌserɪˈməʊnɪəslɪ/ *adv [dismiss]* sans cérémonie

uncertain /ʌnˈsɜːtn/
A *adj* **1** *[person]* (unsure) incertain; **to be ~ about** ne pas être certain de; **to be ~ about what to do** ne pas être certain de ce que l'on doit faire; **to be ~ whether to stay or to leave** ne pas savoir si l'on doit partir ou rester; **2** (not predictable, not known) *[future, market, outcome]* incertain; **it is ~ whether there will be a chairperson** il n'est pas certain qu'il y ait un président; **3** (changeable) *[temper, economic conditions]* instable; *[weather]* variable
B **in no ~ terms** *adv phr [state]* en termes on ne peut plus clairs; *[express oneself]* de façon très directe

uncertainly /ʌnˈsɜːtnlɪ/ *adv [approach]* avec hésitation; *[smile, look]* d'un air hésitant

uncertainty /ʌnˈsɜːtntɪ/ *n* incertitude *f* (**about** en ce qui concerne); **there is some ~ surrounding the project** l'avenir du projet est quelque peu incertain; **the uncertainties of life/of the market** les incertitudes de la vie/du marché

uncertainty principle *n* principe *m* d'incertitude

uncertified /ʌnˈsɜːtɪfaɪd/ *adj* Admin *[document]* non certifié

unchallengeable /ʌnˈtʃælɪndʒəbl/ *adj [power, authority]* incontestable; *[judgment]* inattaquable; *[argument, reason]* indiscutable

unchallenged /ˌʌnˈtʃælɪndʒd/ *adj* **to win ~** être le vainqueur incontesté; **to go ~** *[statement, decision]* ne pas être récusé

unchangeable /ʌnˈtʃeɪndʒəbl/ *adj [existence, system, routine]* immuable

unchanged /ʌnˈtʃeɪndʒd/ *adj* inchangé; **to remain ~** *[landscape, team, system]* demeurer inchangé; *[orders]* rester les mêmes; *[medical condition]* rester stationnaire; **the shares**

u

remain ~ at 480p Fin les actions restent fixées à 480p

unchanging /ʌn'tʃeɪndʒɪŋ/ *adj* [*beliefs, customs, beauty*] immuable

uncharacteristic /ˌʌnkærɪktə'rɪstɪk/ *adj* [*generosity*] peu habituel/-elle; **it was ~ of him to leave like that** ce n'est pas son genre de partir comme ça

uncharacteristically /ˌʌnkærɪktə'rɪstɪklɪ/ *adv*: **she was ~ quiet/irritable** elle était silencieuse/irritable, ce qui ne lui est pas habituel

uncharitable /ʌn'tʃærɪtəbl/ *adj* peu charitable (**to do** de faire)

uncharted /ʌn'tʃɑ:tɪd/ *adj* **1** (not explored) [*territory, island*] inexploré; **to sail in ~ waters** lit naviguer dans des eaux inexplorées; fig être en terrain inconnu; **2** (not mapped) [*island*] qui n'apparaît pas sur les cartes

unchaste /ʌn'tʃeɪst/ *adj* [*thought, deed*] impur

unchecked /ʌn'tʃekt/
A *adj* **1** (uncontrolled) [*development, proliferation*] incontrôlé; **the wave of crime which had gone ~** cet accroissement de la criminalité qu'on n'a pu maîtriser; **2** (unverified) non vérifié
B *adv* [*to develop, grow, spread*] de manière incontrôlée

unchristian /ʌn'krɪstʃən/ *adj* **1** (uncharitable) [*person, attitude, life*] peu charitable; **2** (not Christian) peu chrétien/-ienne

uncial /'ʌnsɪəl, -ʃl/
A *n* onciale *f*
B *adj* oncial

uncircumcised /ʌn'sɜ:kəmsaɪzd/
A *n* **the ~** (+ *v pl*) les incirconcis *mpl*
B *adj* incirconcis

uncivil /ʌn'sɪvɪl/ *adj* discourtois (**to** envers)

uncivilized /ʌn'sɪvɪlaɪzd/ *adj* **1** (inhumane) [*treatment*] inhumain; **in ~ conditions** dans des conditions inhumaines; **2** (uncouth, rude) grossier/-ière; **3** (barbarous) [*people, nation*] non civilisé; **at an ~ hour** à une heure indue

unclad /ʌn'klæd/ *adj* sout nu

unclaimed /ʌn'kleɪmd/ *adj* [*lost property, reward*] non réclamé; **an ~ allocation** une allocation qui n'a pas été touchée; **to go** *ou* **remain ~** ne pas être réclamé

unclasp /ʌn'klɑ:sp, US -'klæsp/ *vtr* dégrafer [*brooch*]; **to ~ one's hands** desserrer ses mains

unclassified /ʌn'klæsɪfaɪd/ *adj* [*document, information, waste*] non classifié; [*road*] non classé; **to get an ~ grade** GB Sch être reçu avec de très médiocres résultats

uncle /'ʌŋkl/ *n* oncle *m*
(Idioms) **Bob's your ~!** GB c'est simple comme bonjour!; **to cry ~** US demander grâce

unclean /ʌn'kli:n/ *adj* **1** [*water, beaches*] sale; **2** Relig impur

unclear /ʌn'klɪə(r)/ *adj* **1** (not evident) (*après v*) [*motive, reason, circumstances*] peu clair; [*future*] incertain; **it is ~ whether the government will support him** on ne sait pas très bien si le gouvernement l'appuiera; **it is ~ how successful the reforms will be** on ne sait pas très bien quel sera le succès des réformes; **it is ~ how he managed to escape** on ne sait pas très bien comment il a réussi à s'échapper; **2** (not comprehensible) [*instructions, voice, delivery*] pas clair; [*answer*] peu clair; [*handwriting*] difficile à lire; **3** (uncertain) [*person*] **to be ~ about sth** ne pas être sûr de qch

uncleared /ʌn'klɪəd/ *adj* [*cheque*] non compensé; [*goods*] non dédouané; [*road*] (after snow) enneigé

unclench /ʌn'klentʃ/ *vtr* desserrer [*fist, jaw*]

Uncle Sam *pr n* l'oncle Sam *m*

> **Uncle Sam**
>
> Interprétation plaisante des initiales *U.S.Am.* (*United States of America*). Personnification du gouvernement ou du peuple des États-Unis représentés par un grand homme maigre avec une barbiche, habillé aux couleurs du drapeau américain. C'est à lui que l'on a recours pour faire appel au patriotisme de la population.

Uncle Tom *pr n* péj bon nègre *m*

unclimbed /ʌn'klaɪmd/ *adj* [*mountain*] invaincu

uncloak /ʌn'kləʊk/ *vtr* sout démasquer

unclog /ʌn'klɒg/ *vtr* (*p prés etc* **-gg-**) déboucher [*pipe*]; débloquer [*mechanism*]

unclothed /ʌn'kləʊðd/ *adj* sout nu

unclouded /ʌn'klaʊdɪd/ *adj* **1** lit [*liquid*] limpide; [*mirror*] sans buée; **2** fig [*happiness*] sans nuages; [*future*] souriant

uncoded /ʌn'kəʊdɪd/ *adj* [*message, radio signal*] non chiffré; [*TV signal*] non crypté

uncoil /ʌn'kɔɪl/
A *vtr* dérouler
B *vi* [*spring*] se détendre; [*rope, snake*] se dérouler

uncollected /ˌʌnkə'lektɪd/ *adj* [*mail, luggage, lost property*] non réclamé; [*benefits*] non réclamé; [*taxes*] non perçu; [*refuse*] non ramassé

uncombed /ʌn'kəʊmd/ *adj* [*hair*] non peigné

uncomely‡ /ʌn'kʌmlɪ/ *adj* [*person*] laid; [*sight*] peu attrayant

uncomfortable /ʌn'kʌmftəbl, US -fərt-/ *adj* **1** (physically) [*shoes, garment, seat, accommodation*] inconfortable; [*journey, heat, position, conditions*] pénible; **we spent an ~ few days there** nous y avons passé quelques jours peu agréables; **to be ~ doing** trouver inconfortable de faire; **it's ~ doing** c'est inconfortable de faire; **you look ~ in those clothes/in that chair** tu n'as pas l'air à l'aise dans ces vêtements/dans ce fauteuil; **the bed/jacket feels ~** le lit/la veste n'est pas confortable; **2** (emotionally) [*feeling, silence, situation, presence*] pénible; **to be/feel ~** être/se sentir gêné *or* mal à l'aise; **to make sb (feel) ~** mettre qn mal à l'aise; **to be ~ about** se sentir gêné par [*role, decision, fact*]; **to be ~ with** être gêné par [*situation, attitude, behaviour*]; **to be ~ with sb** se sentir mal à l'aise avec qn; **I feel ~ talking about it** ça me gêne d'en parler; **to make life** *ou* **things ~ for sb** rendre la vie difficile à qn; **3** (unpalatable) [*issue, position, reminder, thought*] pénible

uncomfortably /ʌn'kʌmftəblɪ, US -fərt-/ *adv* **1** (unpleasantly) [*loud, bright, cramped*] désagréablement; **it's ~ hot** il fait une chaleur pénible; **~ seated** inconfortablement assis; **2** (awkwardly) [*say, laugh, glance*] d'un air gêné; **to be ~ aware of sth** se rendre compte avec gêne de qch; **the exam is ~ near** *ou* **close** l'approche de l'examen devient angoissante; **to sit ~ with** s'accommoder mal de [*belief, position*]

uncommitted /ˌʌnkə'mɪtɪd/ *adj* **1** [*delegate, member*] non engagé; [*voter*] non décidé; **2** [*funds*] non engagé

uncommitted logic *n* Comput réseau *m* logique programmable

uncommon /ʌn'kɒmən/ *adj* **1** (rare, unusual) [*occurrence, word, plant*] rare; **it is/is not ~ to do** il est/il n'est pas rare de faire; **2** (exceptional) [*capacity, gift, intelligence, beauty*] rare

uncommonly /ʌn'kɒmənlɪ/ *adv* **1** (very) [*advanced, gifted, hot*] exceptionnellement; **~ clever** d'une intelligence exceptionnelle; **~ well** extraordinairement bien; **2** (rarely) **not ~** assez souvent

uncommunicative /ˌʌnkə'mju:nɪkətɪv/ *adj* peu communicatif/-ive; **to be ~ about sth** se montrer réservé sur qch

uncomplaining /ˌʌnkəm'pleɪnɪŋ/ *adj* [*patience, acceptance*] résigné; [*person*] qui ne se plaint pas

uncomplainingly /ˌʌnkəm'pleɪnɪŋlɪ/ *adv* sans se plaindre

uncompleted /ˌʌnkəm'pli:tɪd/ *adj* inachevé

uncomplicated /ʌn'kɒmplɪkeɪtɪd/ *adj* [*person*] peu compliqué; [*plot*] pas compliqué; [*meal*] simple; **my life is ~** ma vie est toute simple; **totally ~** pas compliqué du tout

uncomplimentary /ˌʌnkɒmplɪ'mentrɪ, US -terɪ/ *adj* peu flatteur/-euse

uncomprehending /ˌʌnkɒmprɪ'hendɪŋ/ *adj* [*person*] complètement perplexe; **with an ~ stare** avec le regard de quelqu'un qui ne comprend pas

uncomprehendingly /ˌʌnkɒmprɪ'hendɪŋlɪ/ *adv* [*listen, stare*] sans rien comprendre

uncompromising /ʌn'kɒmprəmaɪzɪŋ/ *adj* [*person, attitude, stance*] intransigeant; [*integrity*] absolu; [*standards*] sans concession; [*terms, reply*] catégorique; [*system, strategy*] inflexible; [*socialist, conservative*] irréductible; Art, Literat [*representation*] sans concession

uncompromisingly /ʌn'kɒmprəmaɪzɪŋlɪ/ *adv* [*reply, state*] catégoriquement; [*harsh*] implacablement; **~ loyal/honest** d'une loyauté/honnêteté absolue

unconcealed /ˌʌnkən'si:ld/ *adj* [*emotion*] non déguisé; [*appetite*] non caché

unconcern /ˌʌnkən'sɜ:n/ *n* (lack of care) insouciance *f*; (lack of interest) indifférence *f*; **with a look of apparent ~** sans trouble apparent

unconcerned /ˌʌnkən'sɜ:nd/ *adj* **1** (uninterested) indifférent (**with** à); **totally ~, quite ~** complètement indifférent; **she is ~ with her own image** son image la laisse indifférente; **2** (not caring) insouciant; **3** (untroubled) imperturbable; **he seems ~ about the debt** la dette n'a pas l'air de l'inquiéter; **he went on, ~** il continua, imperturbable

unconditional /ˌʌnkən'dɪʃənl/ *adj* [*obedience*] inconditionnel/-elle; [*credits, offer*] sans condition; [*surrender, withdrawal*] sans condition; **to be released on ~ bail** Jur être mis en liberté provisoire

unconditionally /ˌʌnkən'dɪʃənəlɪ/ *adv* [*support, surrender*] inconditionnellement; [*promise, lend*] sans condition

unconditioned /ˌʌnkən'dɪʃnd/ *adj* Psych inconditionné

unconfined /ˌʌnkən'faɪnd/ *adj* [*space*] ouvert; [*joy*] sans borne

unconfirmed /ˌʌnkən'fɜ:md/ *adj* non confirmé

unconformity /ˌʌnkən'fɔ:mətɪ/ *n* Geol discordance *f*

uncongenial /ˌʌnkən'dʒi:nɪəl/ *adj* [*atmosphere, surroundings, job*] peu agréable; [*person*] peu sympathique

unconnected /ˌʌnkə'nektɪd/ *adj* **1** gen [*incidents, facts*] sans lien entre eux/elles; **the two events are ~** il n'y a aucun rapport entre les deux événements; **to be ~ with** [*event, fact*] n'avoir aucun rapport avec; [*person*] n'avoir aucun lien avec; **not to be ~ with** ne pas être sans rapport avec; **2** Elec, Telecom pas branché

unconquerable /ʌn'kɒŋkərəbl/ *adj* (all contexts) invincible

unconquered /ʌn'kɒŋkəd/ *adj* (all contexts) invaincu

unconscionable /ʌn'kɒnʃənəbl/ *adj* sout excessif/-ive

unconscious /ʌn'kɒnʃəs/
A *n* **the ~** l'inconscient *m*; **deep in her ~** profondément enfoui dans son inconscient
B *adj* **1** (insensible) sans connaissance; **to knock sb ~** faire perdre connaissance à qn; **he was knocked ~ by a stone** un coup de pierre lui a fait perdre connaissance; **to lie ~** rester sans connaissance; **to fall ~** perdre connaissance; **she remained ~ for several hours** elle

ne reprit pas connaissance pendant quelques heures; **2** (unaware) **to be ~ of sth/of doing** ne pas être conscient de qch/de faire; **3** (unintentional) [*bias, impulse, hostility*] inconscient

unconsciously /ʌnˈkɒnʃəslɪ/ *adv* [*conform, absorb, cause, desire etc*] inconsciemment; **she patted his arm ~** elle lui tapota le bras sans être consciente de ce qu'elle faisait

unconsciousness /ʌnˈkɒnʃəsnɪs/ *n* **1** (comatose state) inconscience *f*; **to lapse into ~** perdre connaissance; **2** (unawareness) inconscience *f*

unconsidered /ˌʌnkənˈsɪdəd/ *adj* **1** [*words, remark*] irréfléchi; **2** (disregarded) [*species, aspect*] négligé

unconstitutional /ˌʌnkɒnstɪˈtjuːʃənl/ *adj* [*action, proposal, law*] inconstitutionnel/-elle

unconstitutionally /ˌʌnkɒnstiːˈtjuːʃənəlɪ/ *adv* inconstitutionnellement

unconstrained /ˌʌnkənˈstreɪnd/ *adv* (spontaneous) [*expression, generosity*] spontané; (uncontrolled) [*emotions, violence*] débridé

uncontaminated /ˌʌnkənˈtæmɪneɪtɪd/ *adj* lit, fig non contaminé

uncontested /ˌʌnkənˈtestɪd/ *adj* gen incontesté; Pol [*seat*] non disputé

uncontrollable /ˌʌnkənˈtrəʊləbl/ *adj* gen incontrôlable; [*tears*] qu'on ne peut retenir

uncontrollably /ˌʌnkənˈtrəʊləblɪ/ *adv* [*laugh, sob*] sans pouvoir se contrôler; [*increase, decline*] irrésistiblement; **his hand shook ~** sa main tremblait de manière incontrôlable

uncontrolled /ˌʌnkənˈtrəʊld/ *adj* **1** (not supervised) [*drainage, felling, use*] non réglementé; **2** (unrestrained) [*price rises, immigration*] incontrôlé; [*costs*] non maîtrisé; [*anger, fear*] non maîtrisé

uncontroversial /ˌʌnkɒntrəˈvɜːʃl/ *adj* anodin

unconventional /ˌʌnkənˈvenʃənl/ *adj* peu conventionnel/-elle

unconventionality /ˌʌnkənˌvenʃəˈnælətɪ/ *n* originalité *f*

unconventionally /ˌʌnkənˈvenʃənəlɪ/ *adv* [*dress, live*] de façon peu conventionnelle

unconverted /ˌʌnkənˈvɜːtɪd/ *adj* **1** Relig non converti; **2** Sport (in rugby) [*try*] non transformé

unconvinced /ˌʌnkənˈvɪnst/ *adj* pas convaincu; **to be ~ of sth** ne pas être convaincu de qch; **to be ~ that** ne pas être convaincu que

unconvincing /ˌʌnkənˈvɪnsɪŋ/ *adj* peu convaincant

unconvincingly /ˌʌnkənˈvɪnsɪŋlɪ/ *adv* de façon peu convaincante

uncooked /ʌnˈkʊkt/ *adj* non cuit

uncool○ /ʌnˈkuːl/ *adj* pas cool○

uncooperative /ˌʌnkəʊˈɒpərətɪv/ *adj* peu coopératif/-ive

uncooperatively /ˌʌnkəʊˈɒpərətɪvlɪ/ *adv* [*respond*] de façon peu coopérative; **to behave ~** être peu coopératif/-ive

uncoordinated /ˌʌnkəʊˈɔːdɪneɪtɪd/ *adj* [*effort, performance, service*] désordonné; [*person*] (clumsy) manquant de coordination; **to be ~** [*person*] manquer de coordination

uncork /ʌnˈkɔːk/ *vtr* déboucher [*bottle, wine*]

uncorrected /ˌʌnkəˈrektɪd/ *adj* [*error, proofs*] non corrigé; [*meter reading*] non rectifié; **the errors went ~** les erreurs n'avaient pas été corrigées

uncorroborated /ˌʌnkəˈrɒbəreɪtɪd/ *adj* non corroboré; **~ evidence** Jur preuve *f* par présomption

uncorrupted /ˌʌnkəˈrʌptɪd/ *adj* non corrompu

uncountable /ʌnˈkaʊntəbl/ *adj* Ling indénombrable, non comptable

uncounted /ʌnˈkaʊntɪd/ *adj* **1** (not counted) [*money, votes*] non compté; **2** (innumerable) innombrable

uncount noun *n* nom *m* non comptable

uncouple /ʌnˈkʌpl/ *vtr* détacher [*wagon*]; découpler [*locomotive*]; Hunt découpler [*dogs*]

uncouth /ʌnˈkuːθ/ *adj* [*person, manner*] grossier/-ière, rustre; [*accent*] peu raffiné

uncover /ʌnˈkʌvə(r)/ *vtr* **1** (expose) dévoiler [*plot, fraud, scandal*]; **2** (discover) découvrir [*evidence, treasure, weapons*]; **3** (remove covering from) découvrir [*face, body*]

uncovered /ʌnˈkʌvəd/ *adj* **1** gen non couvert; **leave the saucepan ~** ne couvre pas la casserole; **2** Fin découvert

uncritical /ʌnˈkrɪtɪkl/ *adj* peu critique; **to be ~ of sb/sth** ne pas être critique envers qn/qch

uncritically /ʌnˈkrɪtɪklɪ/ *adv* [*accept, endorse*] sans se poser de questions; [*regard*] sans faire preuve d'esprit critique

uncross /ʌnˈkrɒs, US -ˈkrɔːs/ *vtr* décroiser [*legs, arms*]

uncrowded /ʌnˈkraʊdɪd/ *adj* agréablement vide

uncrowned /ʌnˈkraʊnd/ *adj* [*king, queen*] non couronné; **the ~ king** fig le roi sans couronne

uncrushable /ʌnˈkrʌʃəbl/ *adj* [*fabric*] infroissable

UNCTAD /ˈʌŋktæd/ *n* (*abrév* = **United Nations Conference on Trade and Development**) CNUCED *f*

unction /ˈʌŋkʃn/ *n* **1** (unctuousness) manières *fpl* onctueuses; **2** Relig ▸ **extreme unction**

unctuous /ˈʌŋktjʊəs/ *adj* onctueux/-euse, mielleux/-euse

unctuously /ˈʌnktjʊəslɪ/ *adv* avec onction

unctuousness /ˈʌŋktjʊəsnɪs/ *n* manières *fpl* onctueuses

uncultivated /ʌnˈkʌltɪveɪtɪd/ *adj* (all contexts) inculte

uncultured /ʌnˈkʌltʃəd/ *adj* [*person, society*] inculte; [*voice, accent, manners*] peu raffiné

uncurl /ʌnˈkɜːl/
A *vtr* déplier [*fingers, legs*]; dérouler [*tendrils*]
B *vi* [*snake*] se dérouler; [*cat*] s'étirer
C *v refl* **to ~ oneself** [*person, animal*] s'étirer

uncut /ʌnˈkʌt/ *adj* **1** [*branch, hair, crops*] non coupé; **2** [*film, version, text*] intégral; **3** [*book*] aux pages non coupées; [*page*] non coupé; **4** [*gem*] non taillé; **5** ○US (not circumcised) non circoncis

undamaged /ʌnˈdæmɪdʒd/ *adj* [*flowers, crops*] non endommagé; [*vehicle, building, reputation, confidence*] intact; **psychologically ~** psychologiquement indemne

undated /ʌnˈdeɪtɪd/ *adj* [*letter, painting*] non daté; [*bond*] Fin perpétuel/-elle

undaunted /ʌnˈdɔːntɪd/ *adj* imperturbable; **~ by her fall/by criticism, she...** nullement ébranlée par sa chute/par les critiques, elle...

undeceive /ˌʌndɪˈsiːv/ littér
A *vtr* détromper
B **undeceived** *pp adj* **1** (freed from error) détrompé; **2** (not deceived) pas dupe; **to be ~d by sth** ne pas se laisser duper par qch

undecided /ˌʌndɪˈsaɪdɪd/ *adj* [*person*] indécis; [*outcome*] incertain; **the ~ voters** les (électeurs) indécis; **the ~ fixture dates** Sport les dates des rencontres qui n'ont pas encore été décidées; **they are ~ as to whether he is a genius** ils n'arrivent pas à décider si c'est un génie; **I am ~ about which dress to wear** je ne sais pas quelle robe mettre; **to be ~ whether to go abroad** ne pas savoir si l'on va aller à l'étranger; **the jury is ~** le jury n'a pas encore décidé

undeclared /ˌʌndɪˈkleəd/ *adj* **1** (illegal) [*income, payments, imports*] non déclaré; **2** (unspoken) [*ambition, love*] inavoué

undefeated /ˌʌndɪˈfiːtɪd/ *adj* invaincu

undefended /ˌʌndɪˈfendɪd/ *adj* **1** [*frontier, citizens*] non défendu; [*chess piece*] non protégé; **2** Jur [*case*] non contesté

undefiled /ˌʌndɪˈfaɪld/ *adj* littér [*altar, temple*] non souillé; [*morals*] non corrompu

undefined /ˌʌndɪˈfaɪnd/ *adj* **1** [*work, powers, objective*] non défini; [*nature*] indéterminé; [*space*] vague; **2** Comput [*term, error, macro*] indéfini

undelete /ʌndɪˈliːt/ *vtr* Comput annuler

undelivered /ˌʌndɪˈlɪvəd/ *adj* [*mail*] non distribué

undemanding /ˌʌndɪˈmɑːndɪŋ, US -ˈmænd-/ *adj* [*job, task*] peu fatigant; [*relative, pupil, colleague*] peu exigeant; **he was ~ of her attention/affection** sout il ne réclamait pas son attention/affection

undemocratic /ˌʌndeməˈkrætɪk/ *adj* antidémocratique

undemonstrative /ˌʌndɪˈmɒnstrətɪv/ *adj* peu démonstratif/-ive

undeniable /ˌʌndɪˈnaɪəbl/ *adj* [*truth, fact, feeling, affection*] indéniable; **it is ~ that** (irrefutable) il est indéniable que; (clear) il est incontestable que; **that they have charm is ~** on ne saurait nier qu'ils ont du charme

undeniably /ˌʌndɪˈnaɪəblɪ/ *adv* **1** [*deserve, need*] incontestablement; [*superb, powerful, beautiful*] indiscutablement; **it's ~ true/correct** c'est incontestablement vrai/correct; **2** [*sentence adv*] incontestablement

undependable /ˌʌndɪˈpendəbl/ *adj* (all contexts) peu fiable

under /ˈʌndə(r)/

> ⚠ When *under* is used as a straightforward preposition in English it can almost always be translated by *sous* in French: *under the table* = sous la table; *under a sheet* = sous un drap; *under a heading* = sous un titre.
> *under* is often used before a noun in English to mean *subject to* or *affected by* (*under control, under fire, under oath, under review etc*). For translations, consult the appropriate noun entry (**control, fire, oath, review** etc).
> *under* is also often used as a prefix in combinations such as *undercooked, underfunded, underprivileged* and *undergrowth, underpass, underskirt*. These combinations are treated as headwords in the dictionary.
> For particular usages, see the entry below.

A *prep* **1** (physically beneath or below) sous; **~ the bed/chair** sous le lit/la chaise; **~ it** en dessous; **it's ~ there** c'est là-dessous; **to come out from ~ sth** sortir de dessous qch; **2** (less than) **~ £10/two hours** moins de 10 livres sterling/deux heures; **children ~ five** les enfants de moins de cinq ans *or* en dessous de cinq ans; **a number ~ ten** un nombre inférieur à dix; **temperatures ~ 10°C** des températures inférieures à 10°C; **those ~ the rank of** ceux qui ont un rang inférieur à celui de; **3** (according to) **~ the law/clause 5** selon la loi/l'article 5; **fined ~ a rule** condamné à une amende en vertu d'une règle; **4** (subordinate to) sous; **I have 50 people ~ me** j'ai 50 employés sous mes ordres; **5** (in classification) **do I look for Le Corbusier ~ 'le' or 'Corbusier'?** est-ce que je dois chercher Le Corbusier sous 'le' ou 'Corbusier'?, **you'll find it ~ 'Problems'** tu le trouveras à la rubrique 'Problèmes'

B *adv* **1** (physically beneath or below something) [*crawl, sit, hide*] en dessous; **to go/stay ~** [*diver, swimmer*] disparaître/rester sous l'eau; **2** (less) moins; **£10 and ~** 10 livres sterling et moins; **children of six and ~** des enfants de six ans et moins; **to run five minutes ~** [*event, programme*] durer cinq minutes de moins que prévu; **3** (anaesthetized) **to put sb ~** endormir qn; **to stay ~ for three minutes** être endormi pendant trois minutes; **4** (subjugated) **to keep**

u

sb ~ opprimer qn; 5▸ (below, later in text) **see** ~ voir ci-dessous

underachieve /ˌʌndərəˈtʃiːv/ *vi* Sch ne pas obtenir les résultats dont on est capable; [*team, player etc*] ne pas faire aussi bien qu'on aurait pu espérer

underachiever /ˌʌndərəˈtʃiːvə(r)/ *n* Sch sous-performant/-e *m/f*; (generally) personne *f* qui reste en deçà de ses possibilités

underage /ˌʌndərˈeɪdʒ/ *adj* ~ **drinker/driver** personne qui consomme de l'alcool/conduit sans avoir atteint l'âge légal; **to be** ~ être mineur/-e

underarm /ˈʌndərɑːm/

A *adj* [*deodorant*] pour les aisselles; [*perspiration*] aux aisselles; [*hair*] des aisselles; [*service, throw*] à la cuillère

B *adv* Sport [*serve, throw*] à la cuillère

underbelly /ˈʌndəbelɪ/ *n* 1▸ lit bas-ventre *m*; 2▸ fig (vulnerable part) point *m* névralgique; (unattractive part) côté *m* peu reluisant

underbid

A /ˈʌndəbɪd/ *n* 1▸ (in cards) contrat *m* inférieur au potentiel de jeu; 2▸ Comm offre *f* au-dessous de l'enchère

B /ˌʌndəˈbɪd/ *vtr* (*p prés* **-dd-**; *prét, pp* **-bid**) 1▸ Comm faire une soumission moins élevée que; 2▸ (in cards) **to ~ one's hand** annoncer en dessous de sa main

C /ˌʌndəˈbɪd/ *vi* (*p prés* **-dd-**; *prét, pp* **-bid**) 1▸ Comm faire une soumission plus avantageuse pour l'acheteur; 2▸ (in cards) annoncer de petits contrats

underbody /ˈʌndəbɒdɪ/ *n* Aut dessous *m* de la caisse

underbrush /ˈʌndəbrʌʃ/ *n* US = **undergrowth**

undercapitalize /ˌʌndəˈkæpɪtəlaɪz/ *vtr* sous-investir dans

undercapitalized /ˌʌndəˈkæpɪtəlaɪzd/ *adj* [*business*] sous-capitalisé

undercarriage /ˈʌndəkærɪdʒ/ *n* Aviat train *m* d'atterrissage

undercharge /ˌʌndəˈtʃɑːdʒ/

A *vtr* ne pas faire payer assez à [*person*]; faire porter un débit moindre à [*account*]; **she ~d me by £1** elle aurait dû me faire payer une livre de plus; **he ~d me for the wine** il m'a fait payer le vin moins cher qu'il n'aurait dû

B *vi*: **he ~d for the wine** il a fait payer le vin moins cher qu'il n'aurait dû

under: ~class *n* classe *f* sous-prolétariat *m*; **~classman** *n* US Sch, Univ étudiant *m* de première année; **~clothes** *npl* sous-vêtements *mpl*

undercoat /ˈʌndəkəʊt/

A *n* 1▸ (of paint, varnish) couche *f* de fond; 2▸ US Aut peinture *f* antirouille pour châssis

B *vtr* passer une couche de fond sur

undercook /ˌʌndəˈkʊk/

A *vtr* ne pas faire assez cuire

B **undercooked** *pp adj* pas assez cuit

undercover /ˌʌndəˈkʌvə(r)/

A *adj* [*activity, organization*] clandestin; ~ **agent** agent *m* secret

B *adv* clandestinement

undercurrent /ˈʌndəkʌrənt/ *n* 1▸ (in water) gen courant *m* profond; (in sea) courant *m* sous-marin; 2▸ fig (in relationship, situation, conversation) courant *m* sous-jacent

undercut

A /ˈʌndəkʌt/ *n* 1▸ GB Culin filet *m*; 2▸ Sport balle *f* coupée

B /ˌʌndəˈkʌt/ *vtr* (*p prés* **-tt-**; *prét, pp* **-cut**) 1▸ Comm (set prices lower than) concurrencer [qn] en offrant des prix plus intéressants; concurrencer [*prices*]; 2▸ (cut away) miner [*cliff, bank*]; 3▸ fig (undermine) saper [*position, efforts, image*]; couler○ [*person*]; 4▸ Econ réduire [*inflation*]; 5▸ Sport couper

C /ˌʌndəˈkʌt/ *adj* [*cliff*] miné

underdeveloped /ˌʌndədɪˈveləpt/ *adj* [*country, economy etc*] sous-développé; [*person, physique, muscles*] peu développé; Phot pas assez développé

underdog /ˈʌndədɒg, US -dɔːg/ *n* 1▸ (in society) opprimé/-e *m/f*; **to side with the ~** prendre le parti du plus faible; 2▸ (in game, contest) (loser) perdant/-e *m/f*

underdone /ˌʌndəˈdʌn/ *adj* [*food*] pas assez cuit; [*steak*] GB saignant

underdrawers /ˈʌndədrɔːz/ *npl* US (men's) caleçon *m*; (women's)† dessous *mpl*

underdressed /ˌʌndəˈdrest/ *adj* qui n'a pas la tenue de rigueur

underemphasize /ˌʌndərˈemfəsaɪz/ *vtr* ne pas donner assez d'importance à

underemployed /ˌʌndərɪmˈplɔɪd/ *adj* [*person*] sous-employé; [*resources, equipment etc*] sous-exploité

underemployment /ˌʌndərɪmˈplɔɪmənt/ *n* (of person) sous-emploi *m*; (of resources, equipment) sous-exploitation *f*; (of building) sous-utilisation *f*

underequipped /ˌʌndərɪˈkwɪpt/ *adj* sous-équipé

underestimate

A /ˌʌndərˈestɪmət/ *n* sous-estimation *f*

B /ˌʌndərˈestɪmeɪt/ *vtr* sous-estimer

underestimation /ˌʌndərestɪˈmeɪʃn/ *n* sous-estimation *f*

underexpose /ˌʌndərɪkˈspəʊz/ *vtr* Phot sous-exposer

underexposed /ˌʌndərɪkˈspəʊzd/ *adj* Phot sous-exposé

underexposure /ˌʌndərɪkˈspəʊʒə(r)/ *n* Phot sous-exposition *f*

underfed /ˌʌndəˈfed/

A *prét, pp* ▸ **underfeed**

B *adj* sous-alimenté

underfeed /ˌʌndəˈfiːd/ *vtr* (*prét, pp* **-fed**) sous-alimenter

underfeeding /ˌʌndəˈfiːdɪŋ/ *n* sous-alimentation *f*

underfelt /ˈʌndəfelt/ *n* Tex thibaude *f*

underfinanced /ˌʌndəˈfaɪnænst/ *adj* qui ne dispose pas de fonds suffisants

underfloor /ˈʌndəflɔː(r)/ *adj* [*pipes, wiring*] (wooden floor) situé sous le plancher; (concrete floor) situé sous le sol; ~ **heating** chauffage par le sol

underflow /ˈʌndəfləʊ/ *n* 1▸ = **undercurrent**; 2▸ Comput dépassement *m* de capacité négatif

underfoot /ˌʌndəˈfʊt/ *adv* sous les pieds; **the ground was wet ~** le sol était humide; **to trample sb/sth ~** lit, fig fouler qn/qch aux pieds

underframe /ˈʌndəfreɪm/ *n* châssis *m*

underfunded /ˌʌndəˈfʌndɪd/ *adj* insuffisamment financé

underfunding /ˌʌndəˈfʌndɪŋ/ *n* manque *m* de fonds

undergarment† /ˈʌndəgɑːmənt/ *n* sous-vêtement *m*

undergo /ˌʌndəˈgəʊ/ *vtr* (*prét* **-went**, *pp* **-gone**) subir [*change, test, alteration*]; subir [*operation*]; suivre [*treatment, training*]; endurer [*hardship, suffering*]; **to ~ surgery** subir une intervention chirurgicale; **to be ~ing renovations/repairs** être en rénovation/réparation

undergraduate /ˌʌndəˈgrædʒʊət/

A *n* ≈ étudiant/-e *m/f* (*de premier ou de deuxième cycle*)

B *modif* [*course, studies*] pour étudiants de premier ou de deuxième cycle; [*club, society*] d'étudiants; [*accommodation*] pour étudiants; [*life*] estudiantin, étudiant

underground

A /ˈʌndəgraʊnd/ *n* 1▸ GB Transp métro *m*; **on the ~** dans le métro; 2▸ (secret movement) mouvement *m* clandestin; 3▸ Art, Mus, Theat underground *m*

B /ˈʌndəgraʊnd/ *modif* GB Transp [*network, station, train*] de métro; [*map, staff, strike*] du métro

C /ˈʌndəgraʊnd/ *adj* 1▸ (below ground) [*tunnel, shelter*] souterrain; 2▸ (secret) [*newspaper, movement, activity*] clandestin; 3▸ Art, Mus, Theat [*art, film, movement*] underground *inv*; [*artist*] de l'underground

D /ˌʌndəˈgraʊnd/ *adv* 1▸ (below ground) [*lie, live, tunnel, work*] sous terre; **it is two metres ~** c'est à deux mètres sous terre; 2▸ (secretly) **to go/stay ~** passer/rester dans la clandestinité; **to drive sb ~** obliger qn à passer dans la clandestinité

underground railroad *n* US Hist réseau *m* clandestin d'aide aux esclaves fugitifs

undergrowth /ˈʌndəgrəʊθ/ *n* sous-bois *m*

underhand /ˌʌndəˈhænd/

A *adj* 1▸ péj [*person, method, behaviour*] sournois; **an ~ trick** un sale coup○; **~ dealings** magouilles○ *fpl*; 2▸ (in tennis) **to have an ~ serve** servir à la cuillère

B *adv* Sport [*throw, serve*] à la cuillère

underhanded /ˌʌndəˈhændɪd/ *adj* US = **underhand A 1**

underhandedly /ˌʌndəˈhændɪdlɪ/ *adv* sournoisement

underinsure /ˌʌndərɪnˈʃɔː(r), US -ɪnˈʃʊər/

A *vtr* sous-assurer [*person, object*]

B *v refl* **to ~ oneself** se sous-assurer

underinvest /ˌʌndərɪnˈvest/ *vi* sous-investir (**in** dans)

underinvestment /ˌʌndərɪnˈvestmənt/ *n* sous-investissement *m*

underlay /ˌʌndəˈleɪ/

A *prét* ▸ **underlie**

B *n* Constr thibaude *f*

C *vtr* (*prét, pp* **-laid**) **to be underlaid by** avoir une sous-couche de [*gravel, rock*]

underlie /ˌʌndəˈlaɪ/ *vtr* (*p prés* **-lying**; *prét* **-lay**; *pp* **-lain**) 1▸ lit [*rock*] être sous [*topsoil*]; 2▸ fig [*philosophy, theory*] sous-tendre [*principle, view, work*]; **underlying these terms/beliefs is...** sous ces conditions/croyances il y a...

underline /ˌʌndəˈlaɪn/ *vtr* lit, fig souligner

underling /ˈʌndəlɪŋ/ *n* péj subordonné/-e *m/f*

underlining /ˌʌndəˈlaɪnɪŋ/ *n* soulignage *m*, soulignement *m*

underlying /ˌʌndəˈlaɪɪŋ/

A *pres p* ▸ **underlie**

B *adj* [*claim, liability*] prioritaire; [*infection, inflation, problem, tension, trend*] sous-jacent

undermanager /ˌʌndəˈmænɪdʒə(r)/ ▸ **p. 1683** *n* sous-directeur/-trice *m/f*

undermanned /ˌʌndəˈmænd/ *adj* [*factory, industry*] en sous-effectif *inv*

undermanning /ˌʌndəˈmænɪŋ/ *n* sous-effectif *m*

undermentioned /ˌʌndəˈmenʃnd/

A *n* **the ~** la personne *f* nommée ci-après

B *adj* [*item, list*] ci-dessous; [*person*] nommé ci-dessous; [*name*] cité ci-dessous

undermine /ˌʌndəˈmaɪn/ *vtr* 1▸ Civ Eng saper [*cliff, foundations, road*]; 2▸ fig (shake, subvert) saper [*authority, efforts, foundations*]; ébranler [*confidence, organization, position, value*]; **stop undermining me!** arrête de saper ce que je fais!

undermost /ˈʌndəməʊst/ *adj* 1▸ (lowest) [*part*] le plus bas/la plus basse; 2▸ (last) [*sheet, layer*] dernier/-ière

underneath /ˌʌndəˈniːθ/

A *n* dessous *m*

B *adj* d'en dessous; **the apartment ~** l'appartement d'en dessous

C *adv* lit, fig dessous, en dessous

D *prep* lit, fig sous, au-dessous de; **she took out some papers from ~ a pile of books** elle a sorti des papiers de dessous une pile de livres

undernourish /ˌʌndəˈnʌrɪʃ/ *vtr* sous-alimenter

undernourished /ˌʌndəˈnʌrɪʃt/ *adj* sous-alimenté

undernourishment /ˌʌndəˈnʌrɪʃmənt/ *n* sous-alimentation *f*

U

underpaid /ˌʌndəˈpeɪd/
A *prét, pp* ▸ **underpay**
B *adj* [*person, worker*] sous-payé (**for** pour)

underpants /ˈʌndəpænts/ *npl* slip *m*; **a pair of ~** un slip

underpart /ˈʌndəpɑːt/ *n* partie *f* inférieure

underpass /ˈʌndəpɑːs, US -pæs/ *n* **1** (for traffic) voie *f* inférieure (*dans un échangeur*); **2** (for pedestrians) passage *m* souterrain

underpay /ˌʌndəˈpeɪ/ *vtr* (*prét, pp* **-paid**) **1** (pay badly) sous-payer [*employee*]; **2** (pay too little) **I was underpaid this month** je n'ai pas eu mon salaire intégral ce mois-ci; **you have underpaid me by £5** vous me devez cinq livres

underperform /ˌʌndəpəˈfɔːm/ *n* Fin [*stock*] faire une contre-performance; **~ing businesses** entreprises peu rentables

underpin /ˌʌndəˈpɪn/ *vtr* (*p prés etc* **-nn-**) **1** Constr étayer [*wall*]; reprendre [qch] en sous-œuvre, étayer [*building*]; **2** fig (strengthen) [*honesty, morality*] être à la base de [*religion, society*]; étayer [*currency, economy, power, theory*]

underpinning /ˌʌndəˈpɪnɪŋ/
A *n* Civ Eng reprise *f* en sous-œuvre
B **underpinnings** *npl* fig fondements *mpl*

underplay /ˌʌndəˈpleɪ/ *vtr* **1** gen minimiser [*aspect, impact, severity*]; **2** Theat jouer [qch] de façon plate [*role*]

underpopulated /ˌʌndəˈpɒpjʊleɪtɪd/ *adj* sous-peuplé

underpowered /ˌʌndəˈpaʊəd/ *adj* [*vehicle*] peu puissant; **to be ~** manquer de puissance

underprice /ˌʌndəˈpraɪs/ *vtr* Comm afficher un prix trop bas pour [*goods, product*]

underpriced /ˌʌndəˈpraɪst/ *adj* [*goods*] vendu en dessous de leur valeur; **petrol/their cleaning service is ~** le prix de l'essence/leur tarif de nettoyage est beaucoup trop bas; **this car is ~** cette voiture est vendue à un prix trop bas

underprivileged /ˌʌndəˈprɪvəlɪdʒd/
A *n* **the ~** (+ *v pl*) les déshérités *mpl*
B *adj* [*area, background, person*] défavorisé

underproduce /ˌʌndəprəˈdjuːs, US -ˈduːs/
A *vtr* Mus **to ~ a record** produire un disque sans fioritures
B *vi* Comm, Ind sous-produire

underproduction /ˌʌndəprəˈdʌkʃn/ *n* sous-production *f*

underrate /ˌʌndəˈreɪt/ *vtr* sous-estimer

underrated /ˌʌndəˈreɪtɪd/ *adj* sous-estimé

underreact /ˌʌndərɪˈækt/ *vi* réagir mollement (**to** à)

underripe /ˌʌndəˈraɪp/ *adj* (fruit) pas mûr; (cheese) pas fait

underscore /ˌʌndəˈskɔː(r)/ *vtr* lit, fig souligner

underscoring /ˌʌndəˈskɔːrɪŋ/ *n* **1** lit (line) soulignement *m*; **2** fig (emphasis) insistance *f* (**of** sur)

undersea /ˈʌndəsiː/ *adj* sous-marin

underseal /ˈʌndəsiːl/ Aut
A *n* (peinture *f*) antirouille *m*
B *vtr* traiter [qch] contre la rouille

undersealing /ˈʌndəsiːlɪŋ/ *n* = **underseal A**

under-secretary /ˌʌndəˈsekrətrɪ, US -terɪ/ *n* (*also* **~ of state**) GB Pol sous-secrétaire *mf* d'État (**at** auprès de)

undersell /ˌʌndəˈsel/ (*prét, pp* **-sold**)
A *vtr* **1** (undercut) vendre moins cher que [*competitor*]; **we ~ our competitors by £10 a crate** nous vendons le cageot à dix livres sterling de moins que nos concurrents; **2** (sell discreetly) pratiquer une publicité trop discrète pour [*product*]
B *vi* vendre à bas prix
C *v refl* **to ~ oneself** se dévaloriser

undersexed /ˌʌndəˈsekst/ *adj* **to be ~** [*person*] avoir un faible appétit sexuel

undershirt /ˈʌndəʃɜːt/ *n* US maillot *m* de corps

undershoot /ˌʌndəˈʃuːt/ (*prét, pp* **-shot**) Aviat
A *vtr* [*aircraft, pilot*] se poser avant [*runway*]
B *vi* [*aircraft*] atterrir trop court; [*pilot*] se présenter trop court

undershorts /ˈʌndəʃɔːts/ *npl* US caleçon *m*

undershot /ˌʌndəˈʃɒt/
A *prét, pp* ▸ **undershoot**
B *adj* **1** (of jaw) proéminent; **2** (of water wheel) entraîné par un courant par en dessous

underside /ˈʌndəsaɪd/ *n* **1** (bottom) dessous *m*; **2** fig (dark side) face *f* cachée

undersigned /ˌʌndəˈsaɪnd/
A *n* soussigné/-e *m/f*; **the ~ confirms that** le soussigné affirme que; **we, the ~** nous, soussignés
B *adj* [*person*] soussigné

undersized /ˌʌndəˈsaɪzd/ *adj* [*person*] chétif/-ive; [*portion, ration*] maigre (*before n*); [*animal, plant*] rachitique

underskirt /ˈʌndəskɜːt/ *n* jupon *m*

underslung /ˈʌndəslʌŋ/ *adj* [*chassis*] surbaissé; [*load*] suspendu

undersoil /ˈʌndəsɔɪl/ *n* = **subsoil**

underspend /ˌʌndəˈspend/ *vi* (*prét, pp* **-spent**) Admin, Fin dépenser moins que les crédits disponibles

underspending /ˌʌndəˈspendɪŋ/ *n* Admin, Fin dépenses *fpl* inférieures aux crédits disponibles

understaffed /ˌʌndəˈstɑːft, US -ˈstæft/ *adj* **to be ~** manquer de personnel

understaffing /ˌʌndəˈstɑːfɪŋ, US -ˈstæfɪŋ/ *n* manque *m* d'effectif

understand /ˌʌndəˈstænd/ (*prét, pp* **-stood**)
A *vtr* **1** (intellectually) comprendre [*question, language, concept*]; **is that understood?** c'est compris?; **I just don't ~ it** je n'arrive vraiment pas à comprendre; **to ~ that** comprendre que; **to ~ how/why** comprendre comment/pourquoi; **I can't ~ why** je n'arrive pas à comprendre pourquoi; **to make oneself understood** se faire comprendre; **2** (emotionally) comprendre [*person, feelings*]; **I don't ~ you** je ne te comprends pas; **to ~ sb doing** comprendre que qn fasse; **I can ~ her being upset** je comprends qu'elle soit bouleversée; **3** (interpret) comprendre [*person, statement*]; **do I ~ you correctly?** vous ai-je bien compris?; **what do you ~ by this?** qu'est-ce que tu comprends par ceci?; **as I ~ it** si je comprends bien; **I understood him to say** *ou* **as saying that...** j'ai compris qu'il disait que...; **I think we ~ each other** je pense que nous nous comprenons; **4** (believe) **to ~ that** croire que; **I understood (that) I was to wait** je croyais que je devais attendre; **it is/was understood that** on pense/pensait que; **he was/they were given to ~ that** on lui/leur a donné à entendre que; **you won I ~** vous avez gagné si je comprends bien; **'he's dead'—'so I ~'** 'il est mort'—'c'est ce que j'ai cru comprendre'; **5** (accept mutually) **to be understood** être entendu; **I thought that was understood** je pensais que c'était entendu; **it must be understood that** il faut qu'il soit bien entendu; **6** Ling (imply) **to be understood** [*subject*] être sous-entendu
B *vi* **1** (comprehend) comprendre (**about** à propos de); **no slip-ups, (do you) ~?** et pas de gaffes, d'accord?; **2** (sympathize) comprendre; **I quite/fully ~** je comprends tout à fait/parfaitement

understandable /ˌʌndəˈstændəbl/ *adj* (all contexts) compréhensible; **it is ~ that** il est compréhensible que (+ *subj*); **it's ~** ça se comprend

understandably /ˌʌndəˈstændəblɪ/ *adv* naturellement; **he is ~ disappointed** il est déçu, c'est normal

understanding /ˌʌndəˈstændɪŋ/
A *n* **1** (grasp of subject, issue) compréhension *f*; **to show an ~ of** faire preuve d'une bonne compréhension de; **2** (perception, interpretation) interprétation *f*; **to my ~** d'après ce que j'ai/j'avais compris; **our ~ was that** nous avions compris que; **3** (arrangement) entente *f* (**about** sur; **between** entre); **there is an ~ that** il est entendu que; **on the ~ that** étant entendu que; **on that ~** sur cette base; **4** (sympathy) compréhension *f*; **love and ~** amour et compréhension; **5** (powers of reason) entendement *m*; **to pass human ~** dépasser l'entendement
B *adj* [*tone, glance*] bienveillant; [*person*] compréhensif/-ive (**about** au sujet de)

understandingly /ˌʌndəˈstændɪŋlɪ/ *adv* [*smile, reply*] avec bienveillance

understate /ˌʌndəˈsteɪt/ *vtr* **1** (say with reserve) exprimer [qch] de façon réservée [*feeling, opinion, reaction*]; **2** (play down) minimiser [*cost, danger, quantity, severity*]

understated /ˌʌndəˈsteɪtɪd/ *adj* [*charm, design, effect, style, tone*] discret/-ète; [*dress*] d'une élégance discrète; [*performance*] sobre

understatement /ˈʌndəsteɪtmənt/ *n* **1** (remark) litote *f*, euphémisme *m*; **that's an ~!, that's the ~ of the year!** c'est le moins qu'on puisse dire!; **2** ¢ (style) (of person) réserve *f*, sens *m* de la litote; **he said with typical ~ that** il a dit avec cette réserve qui le caractérise que; **3** (subtlety) (of dress, decor) discrétion *f*

understood /ˌʌndəˈstʊd/ *prét, pp* ▸ **understand**

understudy /ˈʌndəstʌdɪ/
A *n* Theat doublure *f* (**to** de); gen suppléant/-e *m/f* (**to** de)
B *vtr* Theat doubler [*role, actor*]

undertake /ˌʌndəˈteɪk/ *vtr* (*prét* **-took**; *pp* **-taken**) **1** (carry out) entreprendre [*search, study, trip, work*]; occuper [*function*]; se charger de [*mission, offensive*]; **2** (guarantee) **to ~ to do** s'engager à faire

undertaker /ˈʌndəteɪkə(r)/ ▸ **p. 1683** *n* **1** (person) entrepreneur *m* de pompes funèbres; **2** (company) entreprise *f* de pompes funèbres; **at the ~'s** aux pompes funèbres

undertaking /ˌʌndəˈteɪkɪŋ/ *n* **1** (venture) entreprise *f*; **joint ~** joint-venture *m*; **2** (promise) garantie *f* (**from sb** de la part de qn); **to give sb an ~ to do/that** promettre à qn de faire/que; **to give a written ~ to do sth** s'engager par écrit à faire qch; **3** (company) entreprise *f*; **4** (funeral business) pompes *fpl* funèbres

undertax /ˌʌndəˈtæks/ *vtr* Fin [*tax office*] sous-évaluer le montant de l'impôt de [*tax payer*]; **~ed goods** marchandises insuffisamment taxées

under-the-counter
A *adj* [*goods, supply, trade*] illicite; [*payment*] sous le manteau
B **under the counter** *adv* [*buy, obtain, sell*] sous le manteau, clandestinement

undertone /ˈʌndətəʊn/ *n* **1** (low voice) voix *f* basse; **to speak in an ~** parler à voix basse; **2** (undercurrent) **an ~ of chaos/jealousy** un relent de chaos/jalousie; **comic/dark ~s** un côté comique/sombre; **the music has African/classical ~s** la musique a des résonances Africaines/classiques; **3** (hint) nuance *f*

undertow /ˈʌndətəʊ/ *n* **1** (of wave) reflux *m*; **2** (at sea) contre-courant *m*; **3** (influence) influence *f* sous-jacente

underuse /ˌʌndəˈjuːz/ *vtr* ne pas exploiter [qch] au mieux [*equipment, facility, land*]; sous-utiliser [*expression*]

underused /ˌʌndəˈjuːzd/ *adj* [*land*] sous-exploité; [*equipment, facility, resource, technique*] sous-utilisé; [*expression*] insuffisamment employé

underutilize /ˌʌndəˈjuːtəlaɪz/ *vtr* = **underuse**

undervalue /ˌʌndəˈvæljuː/ *vtr* **1** Fin, Insur sous-évaluer [*building, contribution, company,*

U

currency, painting]; **to ~ sth by £1,000** sous-évaluer qch de 1000 livres; **2** (not appreciate) sous-estimer [*employee, friend, honesty, patience*]; ne pas apprécier [qch] à sa juste valeur [*opinion, theory*]

undervalued /ˌʌndəˈvæljuːd/ *adj* **1** Fin [*artwork, company, contribution, currency, share*] sous-évalué; **2** (not appreciated) [*person, quality*] sous-estimé; [*opinion, theory*] non apprécié à sa juste valeur

undervest /ˈʌndəvest/ *n* maillot *m* de corps

undervoltage /ˈʌndəvəʊltɪdʒ/ *n* Elec sous-tension *f*

underwater /ˌʌndəˈwɔːtə(r)/
A *adj* [*cable, exploration, test, world*] sous-marin; [*lighting, swimmer*] sous l'eau; [*birth*] dans l'eau
B *adv* sous l'eau

underway /ˌʌndəˈweɪ/ *adj* **to be ~** [*vehicle*] être en route; [*filming, rehearsals, talks, work*] être en cours; **to get ~** [*vehicle*] se mettre en route; [*preparation, show, season, work*] commencer; **to get sth ~** mettre qch en route

underwear /ˈʌndəweə(r)/ *n* sous-vêtements *mpl*

underweight /ˌʌndəˈweɪt/ *adj* [*baby, person*] maigre; **this child is four kilos ~** il manque quatre kilos à cet enfant

underwent /ˌʌndəˈwent/ *prét* ▸ **undergo**

underwhelm /ˌʌndəˈwelm/ hum
A *vtr* décevoir franchement
B **underwhelming** *pres p adj* franchement décevant

underwired /ˌʌndəˈwaɪəd/ *adj* [*bodice, bra*] à armature

underworld /ˈʌndəwɜːld/
A *n* **1** (criminal world) milieu *m*, pègre *f*; **the criminal ~** le milieu; **2** Mythol **the ~** les enfers *mpl*; **in the ~** aux enfers
B *modif* [*character, activity, gang*] du milieu; [*killing*] organisé par le milieu

underwrite /ˌʌndəˈraɪt/ *vtr* (*prét* **-wrote**; *pp* **-written**) **1** Insur garantir, souscrire [*policy, share issue, flotation*]; souscrire [*risk*]; assurer [*boat, property*]; **2** Fin financer [*project, scheme*]; prendre en charge [*cost, expense, loss*]; **3** (approve) donner son accord à [*decision*]; soutenir [*proposal, theory*]

underwriter /ˈʌndəraɪtə(r)/ *n* **1** Fin (of share issue) soumissionnaire *m*; **a company of ~s** une compagnie de soumissionnaires; **to act as ~ for sth** se porter garant de qch; **2** Insur assureur *m*, souscripteur *m*; **marine ~** assureur *m* maritime

underwriting /ˈʌndəraɪtɪŋ/ *n* **1** Fin (of share issue) prise *f* ferme, garantie *f* d'émission; **2** Insur (of policy, risk) souscription *f*

underwriting: **~ agent** ▸ **p. 1683** *n* Insur agent *m* souscripteur; **~ contract** *n* Fin contrat *m* de garantie; **~ syndicate** *n* Fin syndicat *m* financier

undeserved /ˌʌndɪˈzɜːvd/ *adj* immérité

undeservedly /ˌʌndɪˈzɜːvɪdlɪ/ *adv* [*blame, punish*] injustement; [*praise, reward, win*] de façon imméritée

undeserving /ˌʌndɪˈzɜːvɪŋ/ *adj* **~ of attention/praise/support** indigne d'attention/de louanges/de soutien; **he was an ~ winner** il n'a pas mérité de gagner

undesirable /ˌʌndɪˈzaɪərəbl/
A *n* indésirable *mf*
B *adj* [*aspect, effect, habit, practice, result*] indésirable; [*influence*] néfaste; [*friend*] peu recommandable; **it is ~ for sb to do** il n'est pas souhaitable que qn fasse; **it is ~ that he should know** il n'est pas souhaitable qu'il sache; **it is ~ to do** il n'est pas souhaitable de faire; **~ alien** Jur étranger/-ère *m/f* indésirable

undesirably /ˌʌndɪˈzaɪərəblɪ/ *adv* [*hot, long, obvious, small*] beaucoup trop

undetected /ˌʌndɪˈtektɪd/
A *adj* [*intruder, observer*] inaperçu; [*cancer, fracture*] non décelé; [*bug, error, flaw, movement*] non détecté; [*crime, fraud*] non découvert
B *adv* [*break in, listen, steal, watch*] sans être aperçu; **to go** *ou* **remain ~** [*person*] rester inaperçu; [*cancer*] rester non décelé; [*crime, error*] rester non découvert

undetermined /ˌʌndɪˈtɜːmɪnd/ *adj* **1** (unknown) indéterminé; **2** (unresolved) [*matter, problem*] indéterminé; [*outcome*] inconnu

undeterred /ˌʌndɪˈtɜːd/
A *adj* **to be ~** ne pas être découragé; **to be ~ by sth/sb** ne pas se laisser démonter par qn/qch; **~, she resumed her speech** en rien démontée, elle continua son discours
B *adv* [*continue, persevere, set out*] résolument

undeveloped /ˌʌndɪˈveləpt/ *adj* [*person, fruit*] chétif/-ive; [*limb, muscle, organ*] atrophié; [*land, resource*] inexploité; [*film*] pas encore développé; [*idea, theory*] en état de germe; [*country*] sous-développé

undeviating /ʌnˈdiːvɪeɪtɪŋ/ *adj* [*course, path*] sans détours; fig [*belief, loyalty*] immuable

undiagnosed /ʌnˈdaɪəgnəʊzd/ *adj* **to be** *ou* **go ~** [*disease*] ne pas être diagnostiqué

undid /ʌnˈdɪd/ *prét* ▸ **undo**

undies° /ˈʌndɪz/ *npl* sous-vêtements *mpl*, dessous *mpl*

undigested /ˌʌndaɪˈdʒestɪd/ *adj* [*food*] qui n'a pas été digéré

undignified /ʌnˈdɪgnɪfaɪd/ *adj* [*behaviour, fate, failure, name, person*] indigne; [*haste, language*] choquant; [*position*] inélégant; **it is ~ to do** il est indigne de faire

undiluted /ˌʌndaɪˈljuːtɪd/ *adj* [*liquid, solution, version*] non dilué; fig [*admiration, pleasure*] sans retenue; [*contempt, hostility, passion*] sans mélange; [*nonsense*] pur et simple; [*Christianity, Marxism*] à l'état pur

undiminished /ˌʌndɪˈmɪnɪʃt/ *adj* [*courage, enthusiasm, intelligence, power, stature*] intact; [*appeal*] toujours aussi fort; **he remains ~ by criticism** les critiques ne l'atteignent pas

undimmed /ʌnˈdɪmd/ *adj* [*beauty, memory, mind, splendour*] intact; [*eyesight*] parfait; **her beauty is ~ by age/time** sa beauté est intacte malgré son âge/les années

undiplomatic /ˌʌndɪpləˈmætɪk/ *adj* **he is ~** il manque de diplomatie; **his remark was ~** il n'a pas été très diplomate en disant cela; **it was ~ of you to say that** ce n'était pas diplomatique de votre part de dire cela

undipped /ʌnˈdɪpt/ *adj* Aut **on** *ou* **with ~ headlights** en pleins phares

undiscerning /ˌʌndɪˈsɜːnɪŋ/ *adj* qui manque de discernement (*after n*)

undischarged /ˌʌndɪsˈtʃɑːdʒd/ *adj* [*debt, fine*] non acquitté

undischarged bankrupt *n* Jur failli/-e *m/f* non réhabilité/-e

undisciplined /ʌnˈdɪsɪplɪnd/ *adj* indiscipliné

undisclosed /ˌʌndɪsˈkləʊzd/ *adj* gen non révélé; Jur [*evidence*] non divulgué

undisclosed principal *n* Jur commettant *m* dont le nom ne doit pas être divulgué

undiscovered /ˌʌndɪsˈkʌvəd/ *adj* [*identity, secret*] non révélé; [*area, land*] inexploré; [*species*] inconnu; [*crime, document, hiding place*] non découvert; [*artist, talent*] méconnu; **to lie** *ou* **remain ~** rester sans être découvert

undiscriminating /ˌʌndɪˈskrɪmɪneɪtɪŋ/ *adj* [*customer, observer, reader*] sans discernement; **to be ~** manquer de discernement

undisguised /ˌʌndɪsˈgaɪzd/ *adj* [*anger, curiosity, envy, passion*] non déguisé (*after n*); **his envy/contempt was ~** il ne cachait pas son envie/mépris

undismayed /ˌʌndɪsˈmeɪd/ *adj* **to be ~ at** *ou* **by sth** ne pas être découragé par qch; **~, she continued to speak** en rien découragée, elle a continué à parler

undisputed /ˌʌndɪˈspjuːtɪd/ *adj* [*capital, champion, leader*] incontesté; [*fact, right*] incontestable

undistinguished /ˌʌndɪˈstɪŋgwɪʃt/ *adj* [*achievement, career, building*] médiocre; [*appearance, person*] insignifiant

undistributed /ˌʌndɪˈstrɪbjuːtɪd/ *adj* Comm, Fin non réparti

undisturbed /ˌʌndɪˈstɜːbd/
A *adj* **1** (untouched) [*countryside*] inviolé; [*village*] paisible; **the ship had lain** *ou* **remained ~ for many years** le navire n'avait pas été dérangé pendant très longtemps; **2** (peaceful) [*sleep, night*] paisible, tranquille; **to work/play ~ by the noise** travailler/jouer sans être dérangé par le bruit
B *adv* [*play, sleep, work*] tranquillement, paisiblement

undivided /ˌʌndɪˈvaɪdɪd/ *adj* [*opposition*] unanime; [*loyalty*] entier/-ière; **to give sb one's ~ attention** accorder à qn toute son attention

undo /ʌnˈduː/ *vtr* (3ᵉ *pers sg prés* **-does**; *prét* **-did**; *pp* **-done**) **1** (unfasten) défaire [*fastening, sewing, lock*]; ouvrir [*zip, parcel*]; **2** (cancel out) détruire [*good, work, effort*]; réparer [*harm*]; **3** (be downfall of) déconsidérer [*person*]; **4** Comput annuler

(Idiom) **what's done cannot be undone** ce qui est fait est fait

undocumented /ʌnˈdɒkjʊmentɪd/ *adj* **1** [*event*] sur lequel il n'existe pas de document; **2** [*alien, immigrant*] sans papiers

undoing /ʌnˈduːɪŋ/ *n* littér perte *f*; **it proved to be his ~** cela a causé sa perte

undone /ʌnˈdʌn/
A *pp* ▸ **undo**
B *adj* **1** (not fastened) [*parcel, button, knot*] défait; **to come ~** [*buttons, laces*] se défaire; **2** (not done) **to leave sth ~** ne pas faire qch; **3** ‡ou littér (ruined) **I am ~!** je suis perdu!

undoubted /ʌnˈdaʊtɪd/ *adj* indubitable

undoubtedly /ʌnˈdaʊtɪdlɪ/ *adv* indubitablement

undramatic /ˌʌndrəˈmætɪk/ *adj* peu marquant

undreamed-of /ʌnˈdriːmd ɒv/ *adj* gen inimaginable; **an ~ opportunity** une occasion rêvée

undress /ˌʌnˈdres/
A *n* **in a state of ~** en petite tenue
B *vtr* déshabiller
C *vi* se déshabiller
D *v refl* **to ~ oneself** se déshabiller

undressed /ʌnˈdrest/ *adj* **1** [*person*] déshabillé; **to get ~** se déshabiller; **2** Culin [*salade*] sans assaisonnement; **3** Constr [*metal, stone*] à nu

undrinkable /ʌnˈdrɪŋkəbl/ *adj* **1** (unpleasant) imbuvable; **2** (dangerous) non potable

undue /ʌnˈdjuː, US -ˈduː/ *adj* excessif/-ive

undue influence *n* Jur intimidation *f*; **to exert ~ over sb** intimider qn

undulate /ˈʌndjʊleɪt, US -dʒʊ-/
A *vi* onduler
B **undulating** *pres p adj* [*movement*] sinueux/-euse; [*surface, landscape*] onduleux/-euse; [*plants*] ondoyant

undulation /ˌʌndjʊˈleɪʃn, US -dʒʊ-/ *n* **1** (bump) courbe *f*; **2** (wavy motion) ondulation *f*

undulatory /ˈʌndjʊlətərɪ, US ˈʌndʒʊlətɔːrɪ/ *adj* oscillant

unduly /ˌʌnˈdjuːlɪ, US -ˈduːlɪ/ *adv* [*affected, concerned, optimistic, surprised, inclined*] excessivement; [*flatter, favour, neglect, worry*] outre mesure

undying /ʌnˈdaɪɪŋ/ *adj* [*love*] éternel/-elle

unearned /ʌnˈɜːnd/ *adj* **1** (undeserved) immérité; **2** Tax **~ income** rentes *fpl*

unearth /ʌnˈɜːθ/ *vtr* **1** Archeol exhumer [*remains, pottery*]; **2** fig (find) dénicher [*person, object*]; découvrir [*fact, evidence*]

U

unearthly /ʌn'ɜ:θlɪ/ *adj* **1** *[apparition, light]* surnaturel/-elle; *[cry, silence]* étrange; *[beauty]* immatériel/-ielle; *[sight]* irréel/-elle; **2** (unreasonable) **at an ~ hour** à une heure indue

unease /ʌn'i:z/ *n* ¢ **1** (worry) inquiétude *f*, appréhension *f* (**about, at** au sujet de); **2** (dissatisfaction) malaise *m*; **social/economic ~** un malaise social/économique

uneasily /ʌn'i:zɪlɪ/ *adv* **1** (anxiously) avec inquiétude; **2** (uncomfortably) avec gêne; **3** (with difficulty) avec difficulté

uneasiness /ʌn'i:zɪnɪs/ *n* **1** (worry) appréhension *f* (**about** au sujet de); **2** (dissatisfaction) malaise *m*; **there is some ~** il y a un certain malaise (**about** en ce qui concerne)

uneasy /ʌn'i:zɪ/ *adj* **1** (worried) *[person]* inquiet/-iète (**about, at** au sujet de); *[conscience]* pas tranquille; **to grow ~** s'inquiéter; **2** (precarious) *[compromise]* difficile; *[alliance, balance, peace]* boiteux/-euse; *[combination, mixture]* indigeste; *[silence]* gêné; **3** (worrying) *[feeling, suspicion]* de malaise; *[night, sleep]* agité; **an ~ feeling** *ou* **sense of danger** un sentiment désagréable de danger; **4** (ill at ease) mal à l'aise

uneatable /ʌn'i:təbl/ *adj* immangeable

uneaten /ʌn'i:tn/ *adj* non mangé

uneconomic /ˌʌnˌi:kə'nɒmɪk, -ˌekə-/ *adj* pas rentable

uneconomical /ˌʌnˌi:kə'nɒmɪkl, -ˌekə-/ *adj* **1** (wasteful) *[person, use]* pas économique; **2** (not profitable) pas rentable

unedifying /ʌn'edɪfaɪɪŋ/ *adj* peu édifiant

unedited /ʌn'edɪtɪd/ *adj* inédit

uneducated /ʌn'edʒʊkeɪtɪd/ *adj* **1** (without education) *[person]* sans instruction; **2** (vulgar) péj *[person, speech, writing]* inculte; *[accent, tastes]* commun

unemotional /ˌʌnɪ'məʊʃənl/ *adj* *[person, approach, face]* impassible, insensible péj; *[reunion]* froid; *[account, analysis]* qui n'appelle pas aux sentiments

unemotionally /ˌʌnɪ'məʊʃənəlɪ/ *adv* *[say, behave]* avec indifférence; *[analyse, describe]* froidement

unemployable /ˌʌnɪm'plɔɪəbl/ *adj* incapable d'assurer un emploi

unemployed /ˌʌnɪm'plɔɪd/

A *n* **the ~** (+ *v pl*) les chômeurs *mpl*

B *adj* **1** (out of work) au chômage, sans emploi; **~ people** chômeurs *mpl*; **to register oneself as ~** s'inscrire au chômage; **2** Fin *[capital]* inutilisé

unemployment /ˌʌnɪm'plɔɪmənt/ *n* chômage *m*; **seasonal/youth ~** chômage *m* saisonnier/des jeunes; **with ~ at 20%** avec un chômage de 20%

unemployment: **~ benefit** GB, **~ compensation** US allocations *fpl* de chômage; **~ figures** *npl* chiffres *mpl* du chômage; **~ level**, **~ rate** *n* taux *m* de chômage

unencumbered /ˌʌnɪn'kʌmbəd/ *adj* pas encombré (**by, with** par)

unending /ʌn'endɪŋ/ *adj* sans fin

unendorsed /ˌʌnɪn'dɔ:st/ *adj* *[cheque]* non endossé

unendurable /ˌʌnɪn'djʊərəbl, US -'dʊər-/ *adj* intolérable

unenforceable /ˌʌnɪn'fɔ:səbl/ *adj* inapplicable

un-English /ʌn'ɪŋglɪʃ/ *adj* peu anglais

unenlightened /ˌʌnɪn'laɪtnd/ *adj* borné

unenterprising /ʌn'entəpraɪzɪŋ/ *adj* *[person, organization, behaviour]* sans initiative; *[decision, policy]* timide

unenthusiastic /ˌʌnɪnˌθju:zɪ'æstɪk, US -ˌθu:z-/ *adj* peu enthousiaste (**about** au sujet de)

unenthusiastically /ˌʌnɪnˌθju:zɪ'æstɪklɪ, US -ˌθu:z-/ *adv* sans enthousiasme

unenviable /ʌn'envɪəbl/ *adj* peu enviable

unequal /ʌn'i:kwəl/ *adj* **1** (not equal) *[amounts, parts, size, contest, pay, struggle, division]* inégal; **2** (inadequate) **to be ~ to** ne pas être à la hauteur de *[task]*

unequalled, **unequaled** US /ʌn'i:kwəld/ *adj* *[achievement, quality, record]* inégalé; *[person]* incomparable (**as** en tant que)

unequally /ʌn'i:kwəlɪ/ *adv* de manière inégale

unequivocal /ˌʌnɪ'kwɪvəkl/ *adj* *[person, declaration]* explicite; *[attitude, answer, belief, meaning, pleasure, support]* sans équivoque

unequivocally /ˌʌn'ɪkwɪvəkəlɪ/ *adv* explicitement

unerring /ʌn'ɜ:rɪŋ/ *adj* infaillible

unerringly /ʌn'ɜ:rɪŋlɪ/ *adv* *[accurate]* de manière infaillible; *[judge]* de manière infaillible; *[aim, go, head for]* droit

Unesco, **UNESCO** /ju:'neskəʊ/ *pr n* (*abrév* = **United Nations Educational, Scientific and Cultural Organization**) UNESCO *f*

unescorted /ˌʌnɪ'skɔ:tɪd/ *adj* gen, Naut sans escorte

unesthetic US *adj* = **unaesthetic**

unethical /ʌn'eθɪkl/ *adj* **1** gen, Comm contraire à la morale (**to do** de faire); **2** Med contraire à la déontologie (**to do** de faire)

unethically /ʌn'eθɪklɪ/ *adv* de façon malhonnête

uneven /ʌn'i:vn/ *adj* **1** (variable) *[colouring, hem, pattern, pressure, results, rhythm, speed, teeth]* irrégulier/-ière; *[contest, performance, quality, surface]* inégal; *[voice]* tremblant; **2** Sport **~ bars** barres *fpl* asymétriques

unevenly /ʌn'i:vnlɪ/ *adv* *[distribute, affect, cover]* de façon inégale; *[hang, function, develop]* de façon irrégulière

unevenness /ʌn'i:vənnɪs/ *n* (of surface, edge, rhythm) irrégularité *f*; (of voice) tremblement *m*; (of contest) inégalité *f*

uneventful /ˌʌnɪ'ventfl/ *adj* *[day, occasion, life, career]* ordinaire; *[journey, period]* sans histoires; *[place]* où il ne se passe rien

uneventfully /ˌʌnɪ'ventfəlɪ/ *adv* sans incident

unexcelled /ˌʌnɪk'seld/ *adj* sans égal

unexceptionable /ˌʌnɪk'sepʃənəbl/ *adj* *[behaviour, attitude]* irréprochable; *[remark]* indiscutable

unexceptionably /ˌʌnɪk'sepʃənəblɪ/ *adv* sout de façon irréprochable

unexceptional /ˌʌnɪk'sepʃənl/ *adj* qui n'a rien d'exceptionnel

unexciting /ˌʌnɪk'saɪtɪŋ/ *adj* sans intérêt

unexpected /ˌʌnɪk'spektɪd/

A *n* **the ~** l'imprévu *m*

B *adj* *[arrival, development, danger, event, expense, question, success]* imprévu; *[ally, choice, gift, outcome, announcement]* inattendu; *[death, illness]* inopiné

unexpectedly /ˌʌnɪk'spektɪdlɪ/ *adv* *[happen]* à l'improviste; *[large, small, fast]* étonnamment; **~, the phone rang** de façon inattendue, le téléphone a sonné

unexplained /ˌʌnɪk'spleɪnd/ *adj* inexpliqué

unexploded /ˌʌnɪk'spləʊdɪd/ *adj* *[bomb]* qui n'a pas explosé

unexploited /ˌʌnɪk'splɔɪtɪd/ *adj* inexploité

unexplored /ˌʌnɪk'splɔ:d/ *adj* inexploré

unexposed /ˌʌnɪk'spəʊzd/ *adj* Phot vierge

unexpressed /ˌʌnɪk'sprest/ *adj* inexprimé

unexpurgated /ʌn'ekspəgeɪtɪd/ *adj* non expurgé

unfading /ʌn'feɪdɪŋ/ *adj* qui ne meurt pas

unfailing /ʌn'feɪlɪŋ/ *adj* *[support]* fidèle; *[kindness, good temper, optimism]* à toute épreuve; *[efforts]* constant; *[source]* intarissable; *[supply]* inépuisable

unfair /ʌn'feə(r)/ *adj* *[person, action, decision, advantage, comparison, treatment]* injuste (**to, on** envers; **to do** de faire); *[play, tactics]* irrégulier/-ière; Comm *[trading]* frauduleux/-euse; *[competition]* déloyal; **it is ~ that he should go** *ou* **for him to go** ce n'est pas juste qu'il aille

unfair dismissal *n* Jur licenciement *m* abusif

unfairly /ʌn'feəlɪ/ *adv* *[treat, condemn]* injustement; *[play]* irrégulièrement; *[critical]* injustement; **rates are ~ high** les loyers sont excessivement chers; **to be ~ dismissed** Jur faire l'objet d'un licenciement abusif

unfairness /ʌn'feənɪs/ *n* injustice *f*

unfaithful /ʌn'feɪθfl/ *adj* *[partner]* infidèle (**to** à)

unfaithfully /ʌn'feɪθfəlɪ/ *adv* de façon déloyale

unfaithfulness /ʌn'feɪθflnɪs/ *n* infidélité *f*

unfaltering /ʌn'fɔ:ltərɪŋ/ *adj* *[step, voice]* assuré; *[devotion, loyalty]* à toute épreuve

unfalteringly /ʌn'fɔ:ltərɪŋlɪ/ *adv* sans hésitation

unfamiliar /ˌʌnfə'mɪlɪə(r)/ *adj* **1** (strange) *[face, name, place, surroundings]* pas familier/-ière (**to** à); *[appearance, concept, feeling, problem, situation]* inhabituel/-elle (**to** à); *[artist, book, music, subject]* mal connu; **it's not ~ to me** ça me dit quelque chose; **2** (without working knowledge) **to be ~ with sth** ne pas être familiarisé avec qch

unfamiliarity /ˌʌnfəmɪlɪ'ærətɪ/ *n* **1** (strangeness) caractère *m* insolite, caractère *m* peu familier; **2** (lack of knowledge) **his ~ with sth** sa mauvaise connaissance de qch

unfashionable /ʌn'fæʃənəbl/ *adj* qui n'est pas à la mode; **it's ~ to do** ce n'est pas chic de faire

unfasten /ʌn'fɑ:sn/ *vtr* défaire *[clothing, button]*; ouvrir *[bag, zip]*; **to ~ sth from sth** détacher qch de qch; **to come ~ed** se défaire

unfathomable /ʌn'fæðəməbl/ *adj* littér insondable liter

unfathomed /ʌn'fæðəmd/ *adj* *[ocean]* insondé; *[motive, mystery]* inexpliqué

unfavourable /ʌn'feɪvərəbl/ *adj* défavorable (**for sth** à qch; **to** à); Fin *[rate]* désavantageux/-euse

unfavourably /ʌn'feɪvərəblɪ/ *adv* de façon défavorable

unfazed○ /ʌn'feɪzd/ *adj* imperturbable (**by** devant)

unfeeling /ʌn'fi:lɪŋ/ *adj* *[person]* insensible (**towards** envers); *[remark]* dépourvu de tact; *[attitude, behaviour]* froid

unfeelingly /ʌn'fi:lɪŋlɪ/ *adv* froidement

unfeigned /ʌn'feɪnd/ *adj* sincère

unfeignedly /ʌn'feɪndlɪ/ *adv* *[delighted, distressed]* sincèrement

unfeminine /ʌn'femɪnɪn/ *adj* pas féminin

unfettered /ʌn'fetəd/ *adj* *[liberty, right, competition, market]* sans entraves; *[emotion, expression, power]* sans retenue

unfilial /ʌn'fɪlɪəl/ *adj* peu filial

unfilled /ʌn'fɪld/ *adj* *[post]* à pourvoir, vacant; **~ vacancy** poste *m* à pourvoir *or* vacant

unfinished /ʌn'fɪnɪʃt/ *adj* *[work, product, music, novel]* inachevé; *[matter]* en cours; **we still have some ~ business** nous avons encore des choses à régler

unfit /ʌn'fɪt/

A *adj* **1** (unhealthy) (ill) malade; (out of condition) **I'm ~** physiquement, je ne suis pas en forme; **2** (sub-standard) *[housing]* inadéquat; *[pitch, road]* impraticable (**for** à); **~ for human habitation/consumption** impropre à l'habitation/la consommation humaine; **the field is ~ for play** le terrain est impraticable; **~ to eat** (dangerous) impropre à la consommation; **3** (unsuitable) *[parent]* inapte; **~ for work/military service** inapte au travail/au service militaire; **~ to run the country** inapte à gouverner le pays; **he's ~ to be a teacher** il

U

ne devrait pas être professeur; **4** Jur incapable; **to be ~ to plead/give evidence** être inapte à se défendre/témoigner
B *vtr* (*p prés etc* **-tt-**) sout **to ~ sb for sth** rendre qn inapte à qch

unfitness /ʌnˈfɪtnɪs/ *n* Jur incapacité *f* (**to do** à faire)

unfitted /ʌnˈfɪtɪd/ *adj* sout **to be ~ for sth** ne pas être fait pour qch

unfitting /ʌnˈfɪtɪŋ/ *adj* sout [*conduct, end, language*] inadapté; **it's ~ that** c'est inconvenant que (+ *subj*)

unflagging /ʌnˈflægɪŋ/ *adj* [*energy, attention*] infatigable; [*interest*] inlassable

unflaggingly /ʌnˈflægɪŋlɪ/ *adv* inlassablement

unflappable○ /ʌnˈflæpəbl/ *adj* imperturbable

unflattering /ʌnˈflætərɪŋ/ *adj* [*clothes, hairstyle, portrait, description*] peu flatteur/-euse; **to be ~ to sb** [*clothes, hairstyle*] ne pas avantager qn; [*portrait, description*] ne pas flatter qn

unflatteringly /ʌnˈflætərɪŋlɪ/ *adv* [*describe, portray*] d'une manière peu flatteuse

unfledged /ʌnˈfledʒd/ *adj* **1** **~ bird** oisillon *m* sans duvet; **2** fig [*person*] sans expérience; [*movement, project*] à ses débuts

unflinching /ʌnˈflɪntʃɪŋ/ *adj* **1** (steadfast) [*stare*] impassible; [*courage, determination*] à toute épreuve; [*commitment, person*] inébranlable; **2** (merciless) [*account*] impitoyable

unflinchingly /ʌnˈflɪntʃɪŋlɪ/ *adv* [*fight*] sans flancher; [*persevere*] inébranlablement; **~ determined/resolute** d'une détermination/d'une fermeté à toute épreuve

unflyable /ʌnˈflaɪəbl/ *adj* [*aircraft*] incapable de voler

unfold /ʌnˈfəʊld/
A *vtr* **1** (open) déplier [*paper, cloth, chair*]; déployer [*wings*]; décroiser [*arms*]; **2** fig (reveal) dévoiler [*plan, intention*]
B *vi* **1** [*deckchair, map*] se déplier; [*flower, leaf*] s'ouvrir; **2** fig [*scene*] se dérouler; [*plot, mystery*] se dévoiler; [*beauty*] s'épanouir

unforced /ʌnˈfɔːst/ *adj* [*style, humour*] spontané; [*error*] injustifié

unforeseeable /ˌʌnfɔːˈsiːəbl/ *adj* imprévisible

unforeseen /ˌʌnfɔːˈsiːn/ *adj* imprévu

unforgettable /ˌʌnfəˈgetəbl/ *adj* inoubliable

unforgettably /ˌʌnfəˈgetəblɪ/ *adv* mémorablement

unforgivable /ˌʌnfəˈgɪvəbl/ *adj* impardonnable; **it was ~ of them to do** il était impardonnable de leur part de faire

unforgivably /ˌʌnfəˈgɪvəblɪ/ *adv* [*forget, attack*] de manière impardonnable; **~ rude/biased** d'une grossièreté/d'un parti-pris impardonnable

unforgiven /ˌʌnfəˈgɪvn/ *adj* impardonné

unforgiving /ˌʌnfəˈgɪvɪŋ/ *adj* impitoyable

unforgotten /ˌʌnfəˈgɒtn/ *adj* inoublié

unformed /ʌnˈfɔːmd/ *adj* [*character*] non encore formé; [*idea, belief*] informe; **his personality is still ~** sa personnalité n'est pas encore formée

unforthcoming /ˌʌnfɔːθˈkʌmɪŋ/ *adj* [*person, reply*] réservé; **to be ~ about** se montrer réservé au sujet de [*changes, money*]

unfortified /ʌnˈfɔːtɪfaɪd/ *adj* non fortifié

unfortunate /ʌnˈfɔːtʃənət/
A *n* malheureux/-euse *m/f*
B *adj* **1** (pitiable) [*person, situation*] malheureux/-euse; **2** (regrettable) [*matter, incident, choice*] malencontreux/-euse; [*remark*] fâcheux/-euse; **it was ~ that** il était malheureux que (+ *subj*); **how ~** comme c'est dommage; **3** (unlucky) [*person, loss, attempt*] malchanceux/-euse; **to be ~ enough to do** avoir la malchance de faire

unfortunately /ʌnˈfɔːtʃənətlɪ/ *adv* [*begin, end*] fâcheusement; [*worded*] malencontreusement; **~, she forgot** malheureusement, elle a oublié; **~ not** il semblerait que non

unfounded /ʌnˈfaʊndɪd/ *adj* sans fondement

unframed /ʌnˈfreɪmd/ *adj* sans cadre

unfreeze /ʌnˈfriːz/ (*prét* **-froze**; *pp* **-frozen**)
A *vtr* **1** faire dégeler [*lock, pipe*]; **2** Fin libérer [*prices*]; débloquer [*assets, loan*]; **3** Comput libérer
B *vi* [*pipe, lock*] dégeler

unfreezing /ʌnˈfriːzɪŋ/ *n* Fin (of prices) libération *f*; (of assets, loan) déblocage *m*

unfrequented /ˌʌnfrɪˈkwentɪd/ *adj* peu fréquenté

unfriendliness /ʌnˈfrendlɪnɪs/ *n* (of person) froideur *f*; (of place) caractère *m* inhospitalier

unfriendly /ʌnˈfrendlɪ/
A *adj* [*person, attitude, behaviour*] peu amical, inamical; [*reception*] hostile; [*place, climate*] inhospitalier/-ière; [*remark*] malveillant; [*product, innovation*] nocif/-ive; **it was ~ of him to do** c'était de la malveillance de sa part de faire; **to be ~ towards sb** faire preuve d'hostilité à l'égard de qn
B **-unfriendly** (*dans composés*) **environmentally-~** nuisible à l'environnement; **user-~** d'utilisation difficile

unfrock /ʌnˈfrɒk/ *vtr* défroquer

unfroze /ʌnˈfrəʊz/ *prét* ▸ **unfreeze**

unfrozen /ʌnˈfrəʊzn/ *pp* ▸ **unfreeze**

unfruitful /ʌnˈfruːtfl/ *adj* infructueux/-euse

unfruitfully /ʌnˈfruːtfəlɪ/ *adv* de façon infructueuse

unfruitfulness /ʌnˈfruːtflnɪs/ *n* (of discussion, land) stérilité *f*

unfulfilled /ˌʌnfʊlˈfɪld/ *adj* [*ambition, potential*] non réalisé; [*desire, need*] inassouvi; [*promise*] non tenu; [*condition*] non rempli; [*prophecy*] inaccompli; **to feel ~** [*person*] se sentir insatisfait

unfulfilling /ˌʌnfʊlˈfɪlɪŋ/ *adj* [*occupation*] ingrat

unfunny /ʌnˈfʌnɪ/ *adj* [*humour, joke, comedian*] qui ne fait rire personne; **I find that distinctly ~** je ne trouve pas ça drôle du tout

unfurl /ʌnˈfɜːl/ littér
A *vtr* dérouler [*banner, sail*]; ouvrir [*parasol*]
B *vi* se déployer

unfurnished /ʌnˈfɜːnɪʃt/ *adj* [*accommodation*] non meublé; **the house is ~** la maison n'est pas meublée

unfussy /ʌnˈfʌsɪ/ *adj* [*person*] facile, pas difficile; [*decor*] sobre, sans fioritures

ungainliness /ʌnˈgeɪnlɪnɪs/ *n* gaucherie *f*

ungainly /ʌnˈgeɪnlɪ/ *adj* gauche, maladroit

ungallant /ʌnˈgælənt/ *adj* peu galant; **it was ~ of him to do it** ce n'était pas très galant de sa part de le faire

ungenerous /ʌnˈdʒenərəs/ *adj* **1** (mean) [*person*] peu généreux/-euse (**to** envers); **2** (unsympathetic) [*person, attitude*] dur (**towards** envers); **it was ~ of you to do** ce n'était pas très charitable de ta part de faire

ungenerously /ʌnˈdʒenərəslɪ/ *adv* **1** (meanly) par manque de générosité; **2** (unkindly) durement

ungentlemanly /ʌnˈdʒentlmənlɪ/ *adj* discourtois (**of** de la part de)

ungetatable○ /ˌʌngetˈætəbl/ *adj* inaccessible

unglazed /ʌnˈgleɪzd/ *adj* **1** [*window*] sans vitres; **2** [*pottery*] non vernissé

unglue /ʌnˈgluː/ *vtr* **1** (unstick) décoller [*envelope, stamp*]; **to come ~d** se décoller; **2** ○US (upset) mettre [*qn*] dans tous ses états; **to come ~d** craquer○

ungodliness /ʌnˈgɒdlɪnɪs/ *n* impiété *f*; **despite the ~ of the hour** hum en dépit de l'heure

ungodly /ʌnˈgɒdlɪ/ *adj* [*person, act, behaviour*] impie; **at some ~ hour** à une heure indue

ungovernable /ʌnˈgʌvənəbl/ *adj* **1** [*country, people*] ingouvernable; **2** [*desire, anger*] indomptable

ungracious /ʌnˈgreɪʃəs/ *adj* désobligeant (**of** de la part de)

ungraciously /ʌnˈgreɪʃəslɪ/ *adv* de manière désobligeante

ungraciousness /ʌnˈgreɪʃəsnɪs/ *n* désobligeance *f*

ungrammatical /ˌʌngrəˈmætɪkl/ *adj* incorrect

ungrammatically /ʌngrəˈmætɪklɪ/ *adv* de manière incorrecte

ungrateful /ʌnˈgreɪtfl/ *adj* ingrat (**of** de la part de; **towards** envers)

ungratefully /ʌnˈgreɪtfəlɪ/ *adv* de manière ingrate

ungreen /ʌnˈgriːn/ *adj* Ecol [*person*] peu sensibilisé aux problèmes de l'environnement; [*product*] nuisible à l'environnement

ungrudging /ʌnˈgrʌdʒɪŋ/ *adj* [*support*] inconditionnel/-elle; [*praise*] sincère

ungrudgingly /ʌnˈgrʌdʒɪŋlɪ/ *adv* [*support*] inconditionnellement; [*praise*] sincèrement, avec sincérité; [*help*] sans rechigner

unguarded /ʌnˈgɑːdɪd/ *adj* **1** (unprotected) [*prisoner, frontier*] sans surveillance; **2** (careless) [*remark, criticism*] irréfléchi; **in an ~ moment** dans un moment d'inattention

unguent /ˈʌŋgwənt/ *n* littér onguent *m*

ungulate /ˈʌŋgjʊlaɪt/ *n, adj* ongulé/-e (*m/f*)

unhallowed /ʌnˈhæləʊd/ *adj* [*ground, union*] non consacré

unhampered /ʌnˈhæmpəd/ *adj* [*narrative*] dégagé (**by** de); **~ by** sans être encombré par [*luggage*]; sans être gêné *or* entravé par [*protocol, red tape*]

unhand /ʌnˈhænd/ *vtr* littér *ou* hum lâcher

unhappily /ʌnˈhæpɪlɪ/ *adv* **1** (miserably) [*say, stare, walk*] d'un air malheureux; **~ married** malheureux/-euse en mariage; **2** (unfortunately) malheureusement; **3** (inappropriately) malencontreusement

unhappiness /ʌnˈhæpɪnɪs/ *n* **1** (misery) tristesse *f*; **2** (dissatisfaction) mécontentement *m* (**about, with** au sujet de)

unhappy /ʌnˈhæpɪ/ *adj* **1** (miserable) [*person, childhood*] malheureux/-euse; [*face, occasion*] triste; **2** (dissatisfied) [*person, government, company*] mécontent; **to be ~ about** *ou* **with sth** ne pas être satisfait de qch; **3** (concerned) inquiet/-iète (**about** à propos de); **to be ~ about doing** ne pas aimer faire; **to be ~ at the idea/suggestion that** être contrarié par l'idée/la suggestion que; **4** (unfortunate) [*situation, coincidence, remark, choice*] malheureux/-euse

unharmed /ʌnˈhɑːmd/ *adj* [*person*] indemne; [*building, object*] intact

unharness /ʌnˈhɑːnɪs/ *vtr* dételer [*horse*] (**from** de)

unhealthy /ʌnˈhelθɪ/ *adj* **1** Med, fig [*person, complexion, cough*] maladif/-ive; [*economy, climate, diet*] malsain; [*conditions*] insalubre; **2** (unwholesome) [*interest, desire*] malsain

unheard /ʌnˈhɜːd/ *adv* **we entered/left ~** nous sommes entrés/partis sans qu'on nous entende; **her pleas went ~** ses prières restèrent lettre morte

unheard-of /ʌnˈhɜːdɒv/ *adj* **1** (shocking) [*behaviour, suggestion*] inouï; **2** (previously unknown) [*levels, proportions, price*] record *inv*; [*actor, brand, firm*] inconnu; **to be previously ~** être inconnu jusqu'alors

unheated /ʌnˈhiːtɪd/ *adj* non chauffé

unhedged /ʌnˈhedʒd/ *adj* sans haies

unheeded /ʌnˈhiːdɪd/ *adj* **to go ~** [*warning, plea*] rester vain

unheeding /ʌnˈhiːdɪŋ/ *adj* littér [*world, crowd*] indifférent; **they went by, ~** ils passaient, indifférents

unhelpful /ʌnˈhelpfl/ *adj* [*assistant, employee*] peu serviable; [*witness*] peu coopératif/-ive;

[*advice, remark*] qui n'apporte rien d'utile; [*attitude*] peu obligeante; **it is ~ of him to do** ce n'est guère serviable de sa part de faire

unhelpfully /ʌn'helpfəlɪ/ *adv* de manière peu coopérative

unheralded /ʌn'herəldɪd/
A *adj* [*arrival*] inopiné
B *adv* [*arrive*] sans tambour ni trompette

unhesitating /ʌn'hezɪteɪtɪŋ/ *adj* spontané

unhesitatingly /ʌn'hezɪteɪtɪŋlɪ/ *adv* sans hésiter

unhide /ʌn'haɪd/ *vtr* (*prét* **-hid**; *pp* **-hidden**) Comput afficher [*window*]

unhindered /ʌn'hɪndəd/
A *adj* [*access*] libre; [*freedom*] total; **~ by** sans être entravé par [*rules, regulations*]; sans être encombré par [*luggage*]
B *adv* [*work, continue*] librement

unhinge /ʌn'hɪndʒ/ *vtr* (*p prés* **-hingeing**) **1** lit enlever [qch] de ses gonds [*door*]; **2** ○fig déstabiliser [*person, mind*]

unhinged○ /ʌn'hɪndʒd/ *adj* [*person, mind*] dérangé

unhitch /ʌn'hɪtʃ/ *vtr* dételer [*horse*]; détacher [*rope*]

unholy /ʌn'həʊlɪ/ *adj* **1** (shocking) [*alliance, pact*] contre nature; **2** (horrendous) [*din, mess, row*] épouvantable; **3** (profane) [*behaviour, thought*] impie

unhook /ʌn'hʊk/ *vtr* dégrafer [*bra, skirt*]; décrocher [*picture, coat*] (**from** de); **to come ~ed** [*clothing*] se dégrafer; [*picture*] se décrocher

unhoped-for /ʌn'həʊptfɔː(r)/ *adj* inespéré

unhopeful /ʌn'həʊpfl/ *adj* [*person*] pessimiste; [*situation*] guère encourageant; [*outlook, start*] guère prometteur/-euse

unhorse /ʌn'hɔːs/ *vtr* désarçonner [*rider*]

unhurried /ʌn'hʌrɪd/ *adj* [*person, manner, voice*] posé; [*journey, pace, meal*] tranquille

unhurriedly /ʌn'hʌrɪdlɪ/ *adv* [*walk, prepare*] sans se presser; [*discuss*] posément

unhurt /ʌn'hɜːt/ *adj* indemne

unhygienic /ˌʌnhaɪ'dʒiːnɪk/ *adj* [*conditions*] insalubre; [*way, method*] peu hygiénique

unhyphenated /ʌn'haɪfəneɪtɪd/ *adj, adv* sans trait d'union

unicameral /ˌjuːnɪ'kæmərəl/ *adj* Pol monocaméral

UNICE *n* EU: *abrév* ▸ **Union of Industrial and Employers' Confederations of Europe**

UNICEF /'juːnɪsef/ *n* (*abrév* = **United Nations Children's Fund**) UNICEF *m*, FISE *m*

unicellular /ˌjuːnɪ'seljʊlə(r)/ *adj* unicellulaire

unicorn /'juːnɪkɔːn/ *n* licorne *f*

unicycle /'juːnɪsaɪkl/ *n* monocycle *m*

unidentified /ˌʌnaɪ'dentɪfaɪd/ *adj* non identifié

unidirectional /ˌjuːnɪdɪ'rekʃənl, ˌjuːnɪdaɪ-/ *adj* unidirectionnel/-elle

unification /ˌjuːnɪfɪ'keɪʃn/ *n* unification *f* (**of** de)

UNIFIL /'juːnɪfɪl/ *n* (*abrév* = **United Nations International Force in Lebanon**) FINUL *f*, Force *f* intérimaire des Nations unies au Liban

uniform /'juːnɪfɔːm/
A *n* uniforme *m*; **out of ~** gen en tenue de ville; Mil en civil
B *adj* [*temperature, acceleration*] constant; [*shape, size, colour*] identique; **~ in appearance** d'apparence identique
C *modif* [*jacket, trousers etc*] d'uniforme

uniformed /'juːnɪfɔːmd/ *adj* en uniforme

uniformity /ˌjuːnɪ'fɔːmətɪ/ *n* uniformité *f*

uniformly /'juːnɪfɔːmlɪ/ *adv* uniformément

unify /'juːnɪfaɪ/ *vtr* unifier

unifying /'juːnɪfaɪɪŋ/ *adj* [*factor, feature, principle*] de cohésion

unilateral /ˌjuːnɪ'lætrəl/ *adj* unilatéral

unilateralism /ˌjuːnɪ'lætrəlɪzəm/ *n* politique *f* du désarmement unilatéral

unilateralist /ˌjuːnɪ'lætrəlɪst/
A *n* partisan/-e *m/f* du désarmement unilatéral
B *adj* **~ policy** politique *f* de désarmement unilatéral

unilaterally /ˌjuːnɪ'lætrəlɪ/ *adv* unilatéralement

unilingual /ˌjuːnɪ'lɪŋgwəl/ *adj* unilingue

unimaginable /ˌʌnɪ'mædʒɪnəbl/ *adj* inimaginable

unimaginably /ˌʌnɪ'mædʒɪnəblɪ/ *adv* incroyablement

unimaginative /ˌʌnɪ'mædʒɪnətɪv/ *adj* [*person*] sans imagination; [*style, production*] sans originalité; **to be ~** [*person, style*] manquer d'imagination

unimaginatively /ˌʌnɪ'mædʒɪnətɪvlɪ/ *adv* [*talk, write, describe*] platement; [*captain, manage*] sans brio

unimaginativeness /ˌʌnɪ'mædʒɪnətɪvnɪs/ *n* (of style, speech) platitude *f*; (of leadership) manque *m* d'imagination

unimpaired /ˌʌnɪm'peəd/ *adj* intact

unimpeachable /ˌʌnɪm'piːtʃəbl/ *adj* [*morals, character*] irréprochable; Jur [*witness*] non récusable

unimpeded /ˌʌnɪm'piːdɪd/ *adj* [*access, influx*] libre; **the work continued ~** le travail a continué sans entraves; **to be ~ by sth** ne pas être entravé par qch

unimportant /ˌʌnɪm'pɔːtnt/ *adj* [*question, feature*] sans importance (**for, to** pour)

unimposing /ˌʌnɪm'pəʊzɪŋ/ *adj* [*person, personality*] effacé; [*building*] ordinaire

unimpressed /ˌʌnɪm'prest/ *adj* (by person, performance) peu enthousiaste; (by argument) guère convaincu; **to be ~ by** être peu impressionné par [*person, performance*]; n'être guère convaincu par [*argument*]

unimpressive /ˌʌnɪm'presɪv/ *adj* [*sight, building, person*] quelconque; [*figures, start, performance*] médiocre

unimproved /ˌʌnɪm'pruːvd/ *adj* **1** gen **to be** *ou* **remain ~** [*situation, health*] rester stationnaire; [*outlook*] rester sombre; [*team, work*] rester médiocre; **2** Agric [*land, pasture*] non amendé

unincorporated /ˌʌnɪn'kɔːpəreɪtɪd/ *adj* [*society, business*] non incorporé

uninfluential /ˌʌnɪnflʊ'enʃl/ *adj* [*person, viewpoint*] sans influence; **to be ~** ne pas avoir d'influence

uninformative /ˌʌnɪn'fɔːmətɪv/ *adj* [*report, reply*] qui n'apporte rien; **to be ~** ne rien apporter

uninformed /ˌʌnɪn'fɔːmd/
A **the ~** (+ *v pl*) le profane (+ *v sg*)
B *adj* [*person*] sous-informé (**about** quant à); **the ~ reader** le non-spécialiste

uninhabitable /ˌʌnɪn'hæbɪtəbl/ *adj* inhabitable

uninhabited /ˌʌnɪn'hæbɪtɪd/ *adj* inhabité

uninhibited /ˌʌnɪn'hɪbɪtɪd/ *adj* [*attitude*] direct; [*person*] sans complexes (**about** en ce qui concerne); [*dance, performance*] sans retenue; [*remarks*] sans retenue; [*sexuality*] débordant; [*outburst*] incontrôlé; [*desire, impulse*] non refréné; **to be ~ about doing** n'avoir aucun complexe à faire

uninhibitedly /ˌʌnɪn'hɪbɪtɪdlɪ/ *adv* sans retenue

uninitiated /ˌʌnɪ'nɪʃɪeɪtɪd/
A *n* **the ~** (+ *v pl*) le profane (+ *v sg*)
B *adj* [*person*] non initié (**into** dans)

uninjured /ʌn'ɪndʒəd/ *adj* indemne; **to escape ~** sortir indemne

uninspired /ˌʌnɪn'spaɪəd/ *adj* [*approach, team, times*] terne; [*performance*] honnête; [*budget, syllabus*] sans imagination; **to be ~** [*writer, team*] manquer d'inspiration; [*strategy, project*] manquer d'imagination

uninspiring /ˌʌnɪn'spaɪərɪŋ/ *adj* [*person, performance, prospect*] terne

uninstal(l) /ˌʌnɪn'stɔːl/ *vtr* Comput désinstaller [*software*]

uninstal(l) program *n* Comput désinstalleur *m*

uninsured /ˌʌnɪn'ʃɔːd, US ˌʌnɪn'ʃʊərd/ *adj* non assuré; **to be ~** ne pas être assuré

unintelligent /ˌʌnɪn'telɪdʒənt/ *adj* inintelligent

unintelligently /ˌʌnɪn'telɪdʒəntlɪ/ *adv* sans intelligence

unintelligible /ˌʌnɪn'telɪdʒəbl/ *adj* incompréhensible (**to** pour)

unintelligibly /ˌʌnɪn'telɪdʒəblɪ/ *adv* inintelligiblement

unintended /ˌʌnɪn'tendɪd/ *adj* [*slur, irony*] involontaire; [*consequence*] non voulu; **to be ~** [*outcome*] ne pas être voulu

unintentional /ˌʌnɪn'tenʃənl/ *adj* involontaire

unintentionally /ˌʌnɪn'tenʃənəlɪ/ *adv* involontairement

uninterested /ʌn'ɪntrəstɪd/ *adj* indifférent (**in** à)

uninteresting /ʌn'ɪntrəstɪŋ/ *adj* sans intérêt

uninterrupted /ˌʌnɪntə'rʌptɪd/ *adj* ininterrompu

uninterruptedly /ˌʌnɪntə'rʌptɪdlɪ/ *adv* sans interruption

uninvited /ˌʌnɪn'vaɪtɪd/
A *adj* **1** (unsolicited) [*attentions*] non sollicité; [*remark*] gratuit; **2** (without invitation) **~ guest** intrus/-e *m/f*
B *adv* [*arrive*] sans avoir été invité, **to do sth ~** faire qch sans y avoir été invité

uninviting /ˌʌnɪn'vaɪtɪŋ/ *adj* [*place, prospect*] rébarbatif/-ive; [*food*] peu appétissant

union /'juːnɪən/
A *n* **1** (*also* **trade ~**) Ind syndicat *m*; **to join a ~** se syndiquer; **2** Pol union *f*; *political/economic* **~** union politique/économique; **3** (uniting) union *f*; (marriage) union *f*, mariage *m*; **4** (*also* **student ~**) GB Univ (building) maison *f* des étudiants; (organization) syndicat *m* d'étudiants; **5** Tech raccord *m*
B **Union** *pr n* US Pol États-Unis *mpl*; US Hist Union *f*. ▸ **American Civil War**
C *modif* Ind [*card, leader, movement, headquarters*] syndical

union: **~ bashing** *n* Ind attaques *fpl* contre le pouvoir des syndicats; **~ catalog** *n* US catalogue *m* collectif; **~ dues** *npl* cotisation *f* syndicale

unionism /'juːnɪənɪzəm/ *n* Ind syndicalisme *m*

Unionism /'juːnɪənɪzəm/ *n* **1** GB Pol (in Northern Ireland) unionisme *m*; **2** US Hist unionisme *m*

unionist /'juːnɪənɪst/ *n* Ind syndiqué/-e *m/f*

Unionist /'juːnɪənɪst/
A *n* **1** GB Pol (in Northern Ireland) unioniste *mf*; **2** US Hist unioniste *mf*
B *modif* [*party, politician*] unioniste

unionization /ˌjuːnɪənaɪ'zeɪʃn, US -nɪ'z-/ *n* Ind syndicalisation *f*

unionize /'juːnɪənaɪz/ *vtr* Ind syndicaliser

Union Jack *n* Union Jack *m*

Union Jack

Le *Union Jack*, ou *Union Flag*, est le drapeau du Royaume-Uni. Il est formé des drapeaux de l'Angleterre, de l'Écosse et de l'Irlande du Nord réunis en un seul. Bien que le pays de Galles fasse également partie du Royaume-Uni, son drapeau ne figure pas sur l'*Union Jack*. ▸ **United Kingdom**

union member *n* Ind syndiqué/-e *m/f*

union membership *n* **1** (members) membres *mpl* syndiqués; **2** (state of being member)

U

adhésion *f* à un syndicat; **3** (number of members) nombre *m* d'adhérents au syndicat

union: **Union of Industrial and Employers' Confederations of Europe**, **UNICE** *pr n* EU Union *f* des industries de la Communauté européenne, UNICE *f*; **Union of Soviet Socialist Republics**, **USSR** *pr n* Hist Union *f* des républiques socialistes soviétiques, URSS *f*; **~ shop** *n* US, Ind *établissement dont tous les employés doivent être ou devenir membres d'un même syndicat*; **~ suit** *n* US sous-vêtement *m* (*en une pièce comportant gilet et caleçon long*)

uniparous /juːˈnɪpərəs/ *adj* unipare

unique /juːˈniːk/ *adj* **1** (sole) [*example, characteristic*] unique (**in that** en ce que); **to be ~ in doing** être seul/-e à faire; **to be ~ to** être particulier/-ière à; **2** (remarkable) [*individual, skill, performance*] unique, exceptionnel/-elle

uniquely /juːˈniːklɪ/ *adv* **1** (exceptionally) éminemment; **2** (only) exclusivement

uniquely abled *adj* handicapé

uniqueness /juːˈniːknɪs/ *n* **1** (singularity) caractère *m* unique; **2** (special quality) caractère *m* exceptionnel

unique selling point, **USP** *n* USP *f*, choix *m* et valorisation *f* d'un argument publicitaire

unisex /ˈjuːnɪseks/ *adj* unisexe

unison /ˈjuːnɪsn, ˈjuːnɪzn/ *n* **in ~** [*say, recite, sing*] à l'unisson; **to act in ~ with** agir de concert avec

unit /ˈjuːnɪt/ *n* **1** (whole) unité *f*; **2** (group with specific function) gen groupe *m*; (in army, police) unité *f*; **research ~** groupe de recherche; **3** (building, department) gen, Med service *m*; Ind unité *f*; **casualty/intensive care ~** service des urgences/soins intensifs; **manufacturing ~** unité de fabrication; **production ~** unité de production; **4** Math, Meas unité *f*; **a ~ of measurement** une unité de mesure; **monetary ~** unité monétaire; **5** (part of machine) unité *f*; **6** (piece of furniture) élément *m*; **to buy furniture in ~s** acheter du mobilier par éléments; **7** Univ (credit) unité *f* de valeur; **8** Sch (in textbook) unité *f*; **9** US (apartment) appartement *m*

Unitarian /ˌjuːnɪˈteərɪən/ *n, adj* unitarien/-ienne (*m/f*)

Unitarianism /ˌjuːnɪˈteərɪənɪzəm/ *n* unitarisme *m*

unitary /ˈjuːnɪtrɪ, US -terɪ/ *adj* unitaire

unit cost *n* Comm prix *m* de revient unitaire

unite /juːˈnaɪt/
A *vtr* unir (**with** à)
B *vi* s'unir (**with** à; **in doing** en faisant; **to do** pour faire); **environmentalists ~!** écologistes, unissez-vous!

united /juːˈnaɪtɪd/ *adj* [*groups, front, nation*] uni (**in** dans); [*attempt, effort*] conjoint
(Idiom) **~ we stand, divided we fall** Prov l'union fait la force Prov

united: **United Arab Emirates** ▸ **p. 1096** *pr npl* Émirats *mpl* arabes unis; **United Kingdom (of Great Britain and Northern Ireland)** ▸ **p. 1096** *pr n* Royaume-Uni *m* (de Grande-Bretagne et d'Irlande du Nord); **United Nations (Organization)** *n* (Organisation *f* des) Nations *fpl* unies; **United States (of America)** ▸ **p. 1096** *pr n* États-Unis *mpl* (d'Amérique)

> **United Kingdom**
> Monarchie constitutionnelle constituée d'une grande île, la Grande-Bretagne, divisée en trois pays : l'Angleterre, l'Écosse et le pays de Galles, à laquelle s'ajoute l'Irlande du Nord.

unit: **~ furniture** *n* mobilier *m* en éléments; **~ price** *n* Comm prix *m* unitaire; **~ rule** *n* US, Pol règle *f* de vote unitaire; **~ trust** *n* GB Fin ≈ société *f* d'investissement à capital variable, SICAV *f*; **~ value** *n* valeur *f* unitaire

unity /ˈjuːnətɪ/ *n* unité *f*; Theat **~ of place/time/action** unité de lieu/de temps/d'action
(Idiom) **~ is strength** Prov l'union fait la force Prov

Univ *abrév écrite* = **University**

univalent /ˌjuːnɪˈveɪlənt/ *adj* monovalent

univalve /ˈjuːnɪvælv/
A *n* mollusque *m* univalve
B *adj* univalve

universal /ˌjuːnɪˈvɜːsl/
A *n* Philos universel *m*
B **universals** *npl* Philos universaux *mpl*
C *adj* **1** (general) [*acclaim, complaint, reaction, solution*] général; [*education, health care*] pour tous; [*principle, law, truth, remedy, message*] universel/-elle; [*use*] généralisé; **~ suffrage** suffrage *m* universel; **the suggestion gained ~ acceptance** la suggestion a été acceptée par tout le monde; **the practice soon became ~** la pratique s'est bientôt généralisée partout; **his type of humour has ~ appeal** son style d'humour est universel; **2** Ling universel/-elle

universal coupling, **universal joint** *n* joint *m* de cardan

universality /ˌjuːnɪvɜːˈsælətɪ/ *n* universalité *f*

universalize /ˌjuːnɪˈvɜːsəlaɪz/ *vtr* rendre [qch] universel/-elle

universally /ˌjuːnɪˈvɜːsəlɪ/ *adv* [*believed, accepted, perceived, criticized*] par tous, universellement; [*known, loved*] de tous; **this system is ~ used throughout the country/company** ce système est utilisé dans tout le pays/toute la société

universal: **~ motor** *n* Tech moteur *m* universel; **Universal Product Code** *n* US Comm code *m* (à) barres; **~ time** *n* temps *m* universel

universe /ˈjuːnɪvɜːs/ *n* univers *m*

university /ˌjuːnɪˈvɜːsətɪ/
A *n* université *f*
B *modif* [*lecturer*] d'université; [*degree, town*] universitaire; [*place*] à l'université; **~ entrance** entrée *f* à l'université; **~ education** formation *f* universitaire

unjust /ʌnˈdʒʌst/ *adj* injuste (**to** envers); **it is/was ~ of them to do** c'est/c'était injuste de leur part de faire

unjustifiable /ʌnˈdʒʌstɪfaɪəbl/ *adj* injustifiable

unjustifiably /ʌnˈdʒʌstɪfaɪəblɪ/ *adv* [*claim, condemn*] sans justification; [*act*] d'une manière injustifiable; **to be ~ anxious/critical** être nerveux/critique de façon injustifiée

unjustified /ʌnˈdʒʌstɪfaɪd/ *adj* injustifié

unjustly /ʌnˈdʒʌstlɪ/ *adv* [*condemn, favour*] d'une manière injuste; **~ accused/slandered** injustement accusé/calomnié

unkempt /ʌnˈkempt/ *adj* [*person, appearance*] négligé; [*hair*] ébouriffé; [*beard*] peu soigné; [*garden, home*] mal tenu

unkind /ʌnˈkaɪnd/ *adj* [*person, thought, act*] pas très gentil/-ille; [*remark*] hostile; [*climate, environment*] rude; [*fate*] littér cruel/-elle; **it was a bit ~** ce n'était pas très gentil; **it is/was ~ of her to do** ce n'est/n'était pas très gentil de sa part de faire; **to be ~ to sb** (by deed) ne pas être gentil avec qn; (verbally) être méchant avec qn
(Idiom) **the ~est cut of all** le coup le plus perfide

unkindly /ʌnˈkaɪndlɪ/ *adv* [*think, say, compare*] durement; **my advice was not meant ~** mon avis ne se voulait pas hostile

unkindness /ʌnˈkaɪndnɪs/ *n* (of person, remark, act) dureté *f*; littér (of fate) cruauté *f*

unknot /ʌnˈnɒt/ *vtr* (*p prés etc* **-tt-**) dénouer

unknowable /ʌnˈnəʊəbl/ *adj* inconnaissable

unknowing /ʌnˈnəʊɪŋ/ *adj* inconscient

unknowingly /ʌnˈnəʊɪŋlɪ/ *adv* sans le savoir

unknown /ʌnˈnəʊn/
A *n* **1** (unfamiliar place or thing) inconnu *m*; **journey into the ~** voyage dans l'inconnu; **2** (person not famous) inconnu/-e *m/f*; **3** Math inconnue *f*
B *adj* [*actor, band, force, threat, country*] inconnu; **the man/place was ~ to me** l'homme/l'endroit m'était inconnu; **~ to me, they had already left** à mon insu, ils étaient déjà partis; **it is not ~ for sb to do** il arrive à qn de faire; **it's not ~ for him to be late** ça lui arrive d'être en retard; **~ quantity** Math inconnue *f*; **he/she is an ~ quantity** il/elle représente une inconnue; **murder by person or persons ~** Jur meurtre dont l'auteur ou les auteurs sont inconnus; **Mr X, address ~** M. X, adresse inconnue; **Stephen King, whereabouts ~** Stephen King, dont on ignore où il se trouve

Unknown Soldier, **Unknown Warrior** *n* Soldat *m* inconnu

unlace /ʌnˈleɪs/ *vtr* délacer

unladen /ʌnˈleɪdn/ *adj* à vide

unladylike /ʌnˈleɪdɪlaɪk/ *adj* [*female, behaviour*] inélégant (**to do** de faire)

unlamented /ˌʌnləˈmentɪd/ *adj* sout **her death was ~** personne ne pleura sa mort

unlatch /ʌnˈlætʃ/
A *vtr* soulever le loquet de [*door, gate*]; **to leave the door/window ~ed** laisser la porte/fenêtre sans (mettre le) loquet
B *vi* [*door, window etc*] s'ouvrir

unlawful /ʌnˈlɔːfl/ *adj* [*activity, possession*] illégal; [*violence, killing*] indiscriminé; [*contract*] sans valeur légale; [*detention*] arbitraire

unlawful: **~ arrest** *n* Jur (without cause) arrestation *f* arbitraire; (with incorrect procedure) arrestation *f* sommaire; **~ assembly** *n* Jur rassemblement *m* de nature à troubler l'ordre public; **~ detention** *n* Jur détention *f* arbitraire

unlawfully /ʌnˈlɔːfəlɪ/ *adv* **1** Jur de façon criminelle; **~ detained** détenu arbitrairement; **2** gen illégalement

unlawfulness /ʌnˈlɔːflnɪs/ *n* caractère *m* illégal

unleaded /ʌnˈledɪd/ *adj* [*petrol*] sans plomb

unlearn /ʌnˈlɜːn/ *vtr* (*prét, pp* **-learned** *ou* **-learnt**) désapprendre [*fact*]; se défaire de [*habit*]

unleash /ʌnˈliːʃ/ *vtr* **1** (release) lâcher [*animal*]; libérer [*aggression, market*]; déchaîner [*violence, passion*]; déverser [*torrent*]; **2** (trigger) déclencher [*wave, boom, war*]; **3** (launch) lancer [*force, campaign, attack*] (**against** contre)

unleavened /ʌnˈlevnd/ *adj* sans levain

unless /ənˈles/ *conj* **1** (except if) à moins que (+ *subj*), à moins de (+ *infinitive*), sauf si (+ *indic*); **he won't come ~ you invite him** il ne viendra pas à moins que tu (ne) l'invites *or* sauf si tu l'invites; **she can't take the job ~ she finds a nanny** elle ne peut pas accepter le poste à moins de trouver *or* à moins qu'elle (ne) trouve une nourrice; **I'll have the egg, ~ anyone else wants it?** je mangerai l'œuf, à moins que quelqu'un d'autre (ne) le veuille?; **~ I get my passport back, I can't leave the country** si je ne récupère pas mon passeport je ne pourrai pas quitter le pays; **he threatened that ~ they agreed to pay him he'd reveal the truth** il a menacé de révéler la vérité s'ils refusaient de le payer; **it won't work ~ you plug it in!** ça ne marchera pas si tu ne le branches pas!; **she wouldn't go ~ she was accompanied by her mother** elle ne voulait y aller que si elle était accompagnée par sa mère; **~ I'm very much mistaken, that's Jim** si je ne m'abuse fml *or* à moins que je (ne) me trompe, c'est Jim; **~ I hear to the contrary** sauf contrordre; **~ otherwise agreed/stated** sauf accord/avis contraire;

2▸ (except when) sauf quand; **we eat out on Fridays ~ one of us is working late** nous mangeons au restaurant le vendredi sauf quand l'un de nous travaille tard

unlettered /ʌnˈletəd/ *adj‡* illettré

unliberated /ʌnˈlɪbəreɪtɪd/ *adj* non libéré

unlicensed /ʌnˈlaɪsnst/ *adj* [*activity*] non autorisé; [*vehicle*] non immatriculé; [*transmitter*] sans licence

unlicensed premises *npl* GB établissement *m* sans licence de débit de vins et spiritueux

unlikable *adj* = **unlikeable**

unlike /ʌnˈlaɪk/
A *prep* **1▸** (in contrast to) contrairement à, à la différence de; **~ me, he likes sport** contrairement à moi, il aime le sport; **2▸** (different from) différent de; **the house is (quite) ~ any other** la maison ne ressemble à aucune autre; **they are quite ~ each other** ils ne se ressemblent pas du tout; **3▸** (uncharacteristic of) **it's ~ her (to be so rude)** ça ne lui ressemble pas *or* ce n'est pas du tout son genre (d'être aussi impolie); **how ~ John!** on ne s'attendait pas à cela de la part de John!, ce n'est pas du tout le style de John!
B *adj* (*jamais épith*) **the two brothers are ~ in every way** les deux frères ne se ressemblent pas du tout

unlikeable /ʌnˈlaɪkəbl/ *adj* [*person*] antipathique; [*place*] désagréable

unlikelihood /ʌnˈlaɪklɪhʊd/ *n* improbabilité *f*

unlikely /ʌnˈlaɪklɪ/ *adj* **1▸** (unexpected) improbable, peu probable; **highly** *ou* **most ~** extrêmement improbable; **it is ~ that** il est peu probable que (+ *subj*); **they are ~ to succeed** il est peu probable qu'ils réussissent; **it's not ~ that** il n'est pas impossible que (+ *subj*); **2▸** (strange) [*partner, marriage, choice, situation*] inattendu; **3▸** (probably untrue) [*story*] invraisemblable; [*excuse, explanation*] peu probable

unlimited /ʌnˈlɪmɪtɪd/ *adj* illimité

unlined /ʌnˈlaɪnd/ *adj* **1▸** [*garment, curtain*] sans doublure; **2▸** [*paper*] non réglé; **3▸** [*face*] sans rides

unlisted /ʌnˈlɪstɪd/ *adj* **1▸** gen [*campsite, hotel*] non homologué; **2▸** Fin [*account*] ne figurant pas sur les registres; [*company, share*] non coté; **3▸** Telecom [*number*] qui n'est pas dans l'annuaire; **her number is ~** elle n'est pas dans l'annuaire; **4▸** Constr, Jur [*building*] non classé

Unlisted Securities Market *n* Fin marché *m* hors-cote

unlit /ʌnˈlɪt/ *adj* **1▸** (without light) [*room, street, area*] non éclairé; **to be ~** ne pas être éclairé; **2▸** (without flame) [*cigarette, fire*] non allumé; **to be ~** ne pas être allumé

unload /ʌnˈləʊd/
A *vtr* **1▸** Transp décharger [*goods, materials, vessel*]; **2▸** Tech décharger [*gun, camera*]; **3▸** Comm déverser [*stockpile, goods*] **(on(to)** sur**)**; **4▸** Fin **to ~ shares** liquider des actions; **5▸** fig **to ~ one's problems** s'épancher **(on(to)** auprès de**)**
B *vi* [*truck, ship*] décharger

unloaded /ʌnˈləʊdɪd/ *adj* **1▸** [*cargo, goods*] déchargé; **2▸** [*gun, camera*] non chargé; **to be ~** ne pas être chargé

unloading /ʌnˈləʊdɪŋ/ *n* déchargement *m*; **ready for ~** prêt à être déchargé

unlock /ʌnˈlɒk/ *vtr* **1▸** (with key) ouvrir [*door, casket*]; **to be ~ed** ne pas être fermé à clé; **2▸** fig ouvrir [*heart*]; révéler [*secrets*]; libérer [*emotions*]; résoudre [*mysteries*]

unlooked-for /ʌnˈlʊktfɔː(r)/ *adj* [*success, compliment*] non sollicité

unlovable /ʌnˈlʌvəbl/ *adj* rebutant

unloved /ʌnˈlʌvd/ *adj* [*product, practice*] impopulaire; **to look ~** [*house, room*] avoir l'air négligé; **to feel ~** [*person*] se sentir délaissé

unlovely /ʌnˈlʌvlɪ/ *adj* disgracieux/-ieuse

unloving /ʌnˈlʌvɪŋ/ *adj* [*person, behaviour*] peu affectueux/-euse

unluckily /ʌnˈlʌkɪlɪ/ *adv* malheureusement **(for** pour**)**

unluckiness /ʌnˈlʌkɪnɪs/ *n* malchance *f*

unlucky /ʌnˈlʌkɪ/ *adj* **1▸** (unfortunate) [*person*] malchanceux/-euse; [*coincidence, event*] malencontreux/-euse; [*day*] de malchance; **to be ~ enough to do** avoir la malchance de faire; **it was ~ for you that they rejected the offer** malheureusement pour toi, ils ont rejeté l'offre; **you were ~ not to get the job** c'est pure malchance que tu n'aies pas obtenu le poste; **he is ~ in love** il n'a jamais de chance en amour; **2▸** (causing bad luck) [*number, colour, combination*] néfaste, maléfique; **it's ~ to walk under a ladder** ça porte malheur de marcher sous une échelle; **red is an ~ colour for me** la couleur rouge me porte malheur
(Idiom) **lucky at cards, ~ in love** heureux au jeu, malheureux en amour

unmade /ʌnˈmeɪd/
A *prét, pp* ▸ **unmake**
B *adj* [*bed*] défait; [*road*] non encore goudronné

unmake /ʌnˈmeɪk/ *vtr* (*prét, pp* **-made**) défaire

unmanageable /ʌnˈmænɪdʒəbl/ *adj* [*child, animal*] farouche; [*prison, system*] ingérable; [*hair, problem*] rebelle; [*size, number*] démesuré

unmanly /ʌnˈmænlɪ/ *adj* pusillanime

unmanned /ʌnˈmænd/ *adj* [*flight, rocket*] non habité; [*train, crossing*] automatique; **to leave the desk ~** laisser le bureau sans personne

unmannerly /ʌnˈmænəlɪ/ *adj* [*person*] rustre; [*behaviour*] fruste

unmapped /ʌnˈmæpt/ *adj* non cartographié

unmarked /ʌnˈmɑːkt/ *adj* **1▸** (not labelled) [*container*] sans étiquette; [*linen*] non marqué; [*police car*] banalisé; **2▸** (unblemished) [*skin*] sans marques; **3▸** Ling non marqué; **4▸** Sport [*player*] démarqué

unmarketable /ʌnˈmɑːkɪtəbl/ *adj* non commercialisable

unmarried /ʌnˈmærɪd/ *adj* [*person*] célibataire; **~ mother** mère *f* célibataire

unmask /ʌnˈmɑːsk, US -ˈmæsk/
A *vtr* lit, fig démasquer
B *vi* ôter son masque

unmatched /ʌnˈmætʃt/ *adj* inégalé

unmentionable /ʌnˈmenʃənəbl/
A **unmentionables**○† *npl* hum (underwear) petits dessous *mpl*
B *adj* **1▸** (improper to mention) [*desire, activity*] inracontable; [*subject*] tabou; **2▸** (unspeakable) [*suffering*] indescriptible

unmerciful /ʌnˈmɜːsɪfl/ *adj* sans merci **(towards** pour**)**

unmercifully /ʌnˈmɜːsɪfəlɪ/ *adv* [*beat, scold*] sans merci

unmerited /ʌnˈmerɪtɪd/ *adj* immérité

unmet /ʌnˈmet/ *adj* [*condition, requirement*] non satisfait

unmindful /ʌnˈmaɪndfl/ *adj* sout **~ of** (not heeding) inattentif/-ive à; (not caring) insouciant de

unmistakable /ˌʌnmɪˈsteɪkəbl/ *adj* **1▸** (recognizable) [*voice, writing, smell*] caractéristique **(of** de**)**; **2▸** (unambiguous) [*message, meaning*] sans ambiguïté; **3▸** (marked) [*atmosphere, desire*] net/nette

unmistakably /ˌʌnmɪˈsteɪkəblɪ/ *adv* [*smell, hear*] distinctement; [*his, hers*] indubitablement

unmitigated /ʌnˈmɪtɪgeɪtɪd/ *adj* [*disaster, boredom*] complet/-ète; [*harshness, cruelty*] non tempéré; [*terror, nonsense*] absolu; [*liar, rogue*] fini

unmixed /ʌnˈmɪkst/ *adj* [*feeling*] sans mélange

unmodified /ʌnˈmɒdɪfaɪd/ *adj* [*version, machine*] sans altération

unmolested /ˌʌnməˈlestɪd/ *adj* (undisturbed) sans encombre

unmortgaged /ʌnˈmɔːgɪdʒd/ *adj* [*property*] libre de toute hypothèque

unmotivated /ʌnˈməʊtɪveɪtɪd/ *adj* **1▸** (lacking motive) [*crime, act*] gratuit; **2▸** (lacking motivation) [*person*] non motivé

unmounted /ʌnˈmaʊntɪd/ *adj* [*painting*] non monté; [*gem*] non serti; [*stamp*] non placé dans un album

unmourned /ʌnˈmɔːnd/ *adj* sout [*person, death*] non regretté; **she died ~** elle est morte sans qu'on la pleure

unmoved /ʌnˈmuːvd/ *adj* **1▸** (unperturbed) indifférent **(by** à**)**; **2▸** (not moved emotionally) insensible **(by** à**)**

unmusical /ʌnˈmjuːzɪkl/ *adj* [*sound*] discordant; [*person*] peu musicien/-ienne

unnameable /ʌnˈneɪməbl/ *adj* innommable

unnamed /ʌnˈneɪmd/ *adj* **1▸** (name not divulged) [*company, buyer, source*] dont le nom n'a pas été divulgué; **2▸** (without name) [*club, virus*] **as yet ~** encore à la recherche d'un nom

unnatural /ʌnˈnætʃrəl/ *adj* **1▸** (affected) [*style, laugh, voice*] affecté; **2▸** (unusual) [*silence, colour*] insolite; **3▸** (unhealthy) [*desire, interest*] dénaturé

unnaturally /ʌnˈnætʃrəlɪ/ *adv* [*laugh, smile*] avec affectation; [*quiet, dark, low*] anormalement; **not ~** fort naturellement

unnavigable /ʌnˈnævɪgəbl/ *adj* non navigable

unnecessarily /ˌʌnˈnesəsərəlɪ, US ˌʌnˌnesəˈserəlɪ/ *adv* inutilement

unnecessary /ʌnˈnesəsrɪ, US -serɪ/ *adj* **1▸** (not needed) [*expense, effort, treatment*] inutile; **it is ~ to do** il est inutile de faire; **it is ~ for you to do** il est inutile que tu fasses; **2▸** (uncalled for) [*remark, jibe*] déplacé

unneighbourly GB, **unneighborly** US /ʌnˈneɪbəlɪ/ *adj* **1▸** (unhelpful) [*person*] désobligeant; **2▸** (unlike good neighbour) [*act, behaviour*] allant à l'encontre des rapports de bon voisinage

unnerve /ʌnˈnɜːv/ *vtr* décontenancer, rendre [qn] nerveux/-euse; **I was ~d by the creaking sounds** les craquements m'ont rendu nerveux

unnerving /ʌnˈnɜːvɪŋ/ *adj* déroutant

unnervingly /ʌnˈnɜːvɪŋlɪ/ *adv* [*reply, smile*] de manière déroutante; **~ calm** d'une tranquillité déroutante

unnoticed /ʌnˈnəʊtɪst/ *adj* inaperçu; **to go** *ou* **pass ~** passer inaperçu; **to slip in ~** entrer sans être vu

unnumbered /ʌnˈnʌmbəd/ *adj* **1▸** [*house*] sans numéro; [*page, ticket, seat*] non numéroté; **2▸** littér (countless) innombrable

UNO /ˈjuːnəʊ/ *n* (*abrév* = **United Nations Organization**) ONU *f*

unobjectionable /ˌʌnəbˈdʒekʃənəbl/ *adj* inoffensif/-ive

unobservant /ˌʌnəbˈzɜːvənt/ *adj* peu perspicace

unobserved /ˌʌnəbˈzɜːvd/ *adj* inaperçu; **to go** *ou* **pass ~** passer inaperçu; **to slip out ~** s'esquiver sans être vu

unobstructed /ˌʌnəbˈstrʌktɪd/ *adj* [*view, exit, road*] dégagé

unobtainable /ˌʌnəbˈteɪnəbl/ *adj* **1▸** Comm [*item, supplies*] introuvable; **oysters are ~ in summer** on ne peut pas trouver d'huîtres en été; **2▸** Telecom [*number*] impossible à obtenir

unobtrusive /ˌʌnəbˈtruːsɪv/ *adj* [*person*] effacé; [*site, object, noise*] discret/-ète

unobtrusively /ˌʌnəbˈtruːsɪvlɪ/ *adv* discrètement

unobtrusiveness /ˌʌnəbˈtruːsɪvnɪs/ *n* discrétion *f*

unoccupied /ʌnˈɒkjʊpaɪd/ *adj* **1** *[house, block, shop]* inoccupé; *[seat]* libre; **2** Mil *[territory]* libre

unofficial /ˌʌnəˈfɪʃl/ *adj [result, figure]* officieux/-ieuse; *[candidate]* indépendant; *[industrial action, biography]* non autorisé; **~ strike** grève *f* sauvage

unofficially /ˌʌnəˈfɪʃəlɪ/ *adv [tell, estimate]* officieusement

unopened /ʌnˈəʊpənd/ *adj [bottle, packet]* non entamé; *[package]* non ouvert; **to return a letter ~** renvoyer une lettre sans l'avoir ouverte

unopposed /ˌʌnəˈpəʊzd/ *adj [bill, reading]* accepté sans opposition; **to be elected ~** être élu sans opposition

unorganized /ʌnˈɔːgənaɪzd/ *adj* **1** *[labour, worker]* non syndiqué; **2** (disorganized) *[event]* mal organisé; *[group]* qui ne sait pas s'organiser; **3** Biol inorganisé

unoriginal /ˌʌnəˈrɪdʒənl/ *adj [idea, plot, style]* sans originalité; **totally ~** sans aucune originalité; **to be ~** manquer d'originalité

unorthodox /ʌnˈɔːθədɒks/ *adj* **1** (unconventional) *[approach, opinion, teacher]* peu orthodoxe; **2** Relig hétérodoxe

unostentatious /ˌʌnɒstenˈteɪʃəs/ *adj* discret/-ète

unpack /ʌnˈpæk/
A *vtr* défaire *[luggage, suitcase]*; déballer *[clothes, books, belongings]*
B *vi* défaire sa valise, déballer ses affaires

unpacking /ʌnˈpækɪŋ/ *n* déballage *m*; **to do the ~** déballer ses affaires

unpaid /ʌnˈpeɪd/ *adj [bill, tax]* impayé; *[debt]* non acquitté; *[work, volunteer]* non rémunéré; **~ leave** congé *m* sans solde

unpainted /ʌnˈpeɪntɪd/ *adj [wall, wood]* non peint

unpalatable /ʌnˈpælətəbl/ *adj* **1** fig *[truth, statistic]* inconfortable; *[advice]* dur à avaler; **2** *[food]* qui n'a pas bon goût

unparalleled /ʌnˈpærəleld/ *adj* **1** (unequalled) *[strength, wisdom, luxury]* sans égal; *[success, achievement]* hors pair; **2** (unprecedented) *[rate, scale]* sans précédent

unpardonable /ʌnˈpɑːdənəbl/ *adj* impardonnable; **it was ~ of you to do** vous êtes impardonnable d'avoir fait

unpardonably /ʌnˈpɑːdənəblɪ/ *adv [behave, insult]* de manière inexcusable; *[rude, arrogant]* inexcusablement

unparliamentary /ˌʌnˌpɑːləˈmentrɪ, US -terɪ/ *adj [behaviour]* inacceptable au parlement

unpasteurized /ʌnˈpɑːstʃəraɪzd/ *adj [milk]* cru; *[cheese]* au lait cru

unpatented /ʌnˈpeɪtəntɪd, ʌnˈpæt-/ *adj* non breveté

unpatriotic /ˌʌnpætrɪˈɒtɪk, US ˌʌnpeɪt-/ *adj [person]* peu patriote; *[attitude, act]* antipatriotique

unpatriotically /ˌʌnpætrɪˈɒtɪklɪ, US ˌʌnpeɪt-/ *adv [behave, react]* avec antipatriotisme

unpaved /ʌnˈpeɪvd/ *adj [way]* non pavé

unperceived /ˌʌnpəˈsiːvd/ *adj* inaperçu

unperforated /ʌnˈpɜːfəreɪtɪd/ *adj* non perforé

unperturbed /ˌʌnpəˈtɜːbd/ *adj* imperturbable; **to be** *ou* **remain ~** rester imperturbable (**by** devant)

unpick /ʌnˈpɪk/ *vtr* **1** (undo) défaire *[stitching, hem]*; **2** (sort out) démêler *[truth, facts]* (**from** de)

unpin /ʌnˈpɪn/ *vtr (p prés etc* **-nn-**) **1** (remove pins from) enlever les épingles de *[sewing, hair]*; **2** (unfasten) détacher *[brooch]* (**from** de)

unplaced /ʌnˈpleɪst/ *adj [competitor]* non classé; *[horse, dog]* non placé

unplanned /ʌnˈplænd/ *adj [stoppage, increase]* imprévu; *[pregnancy, baby]* non prévu

unplayable /ʌnˈpleɪəbl/ *adj* Sport *[ball, shot]* injouable; *[pitch]* impraticable

unpleasant /ʌnˈpleznt/ *adj* désagréable

unpleasantly /ʌnˈplezntlɪ/ *adv [smile, behave]* de manière désagréable; *[hot, cold, close]* désagréablement

unpleasantness /ʌnˈplezntnɪs/ *n* **1** (disagreeable nature) (of odour, experience, remark) caractère *m* désagréable; **such ~ was unnecessary** il n'était pas nécessaire d'être si désagréable; **2** (bad feeling) dissensions *fpl* (**between** entre); **in order to avoid ~** pour éviter toute dissension

unpleasing /ʌnˈpliːzɪŋ/ *adj* déplaisant; **~ to the eye** désagréable à l'œil

unplug /ʌnˈplʌg/ *vtr (p prés etc* **-gg-**) débrancher *[appliance]*; déboucher *[sink]*

unplugged /ʌnˈplʌgd/ Mus
A *adj [session]* acoustique
B *adv [perform]* sur instruments acoustiques

unplumbed /ʌnˈplʌmd/ *adj* inexploré

unpoetic(al) /ˌʌnpəʊˈetɪk(l)/ *adj* peu poétique; **to be ~** manquer de poésie

unpolished /ʌnˈpɒlɪʃt/ *adj* **1** lit *[floor]* non ciré; *[silver]* non astiqué; *[glass, gem]* non poli; **2** fig *[person]* gauche; *[manners]* fruste; *[state, form]* ébauché

unpolluted /ˌʌnpəˈluːtɪd/ *adj [water, air]* non pollué; *[mind]* non contaminé

unpopular /ʌnˈpɒpjʊlə(r)/ *adj* impopulaire (**with** auprès de); **to make oneself ~** se rendre impopulaire; **I'm rather ~ with the boss at the moment** je n'ai pas la cote° auprès du patron en ce moment

unpopularity /ˌʌnˌpɒpjʊˈlærətɪ/ *n* impopularité *f*

unpopulated /ʌnˈpɒpjʊleɪtɪd/ *adj* non peuplé

unpractised /ʌnˈpræktɪst/ *adj [person]* novice; *[ear]* inexercé

unprecedented /ʌnˈpresɪdentɪd/ *adj* sans précédent

unprecedentedly /ʌnˈpresɪdentɪdlɪ/ *adv* **~ brave/large** d'une bravoure/d'une taille sans précédent

unpredictability /ˌʌnprɪˌdɪktəˈbɪlətɪ/ *n* imprévisibilité *f*

unpredictable /ˌʌnprɪˈdɪktəbl/ *adj [event, result]* imprévisible; *[weather]* incertain; **he's ~** on ne sait jamais à quoi s'attendre avec lui

unpredictably /ˌʌnprɪˈdɪktəblɪ/ *adv* de façon imprévisible

unprejudiced /ʌnˈpredʒʊdɪst/ *adj [person]* sans préjugés; *[opinion, judgment]* impartial

unpremeditated /ˌʌnpriːˈmedɪteɪtɪd/ *adj* non prémédité

unprepared /ˌʌnprɪˈpeəd/ *adj* **1** (not ready) *[person]* pas préparé (**for** pour); **to be ~ to do** ne pas être disposé à faire; **to catch sb ~** prendre qn au dépourvu; **they were ~ financially** ils n'étaient pas prêts financièrement; **2** *[speech, performance]* improvisé; *[translation]* non préparé

unpreparedness /ˌʌnprɪˈpeədnɪs/ *n* manque *m* de préparation

unprepossessing /ˌʌnˌpriːpəˈzesɪŋ/ *adj* peu avenant

unpresuming /ˌʌnprɪˈzjuːmɪŋ, US -zuːm-/ *adj* effacé, modeste

unpretentious /ˌʌnprɪˈtenʃəs/ *adj* sans prétention

unpretentiously /ˌʌnprɪˈtenʃəslɪ/ *adv* sans prétention

unpretentiousness /ˌʌnprɪˈtenʃəsnɪs/ *n* simplicité *f*

unpriced /ʌnˈpraɪst/ *adj [item, goods]* non étiqueté; **certain items were ~** certains articles n'étaient pas étiquetés

unprincipled /ʌnˈprɪnsəpld/ *adj [person]* sans principes; *[act, behaviour]* peu scrupuleux/-euse

unprintable /ʌnˈprɪntəbl/ *adj* **1** (unpublishable) impubliable; **2** (outrageous) outrancier/-ière; **her answer was quite ~** hum sa réponse n'était pas faite pour des oreilles chastes

unprivileged /ʌnˈprɪvɪlɪdʒd/ *adj* défavorisé

unproductive /ˌʌnprəˈdʌktɪv/ *adj [capital, work]* improductif/-ive; *[discussion, land]* stérile, improductif/-ive

unproductively /ˌʌnprəˈdʌktɪvlɪ/ *adv* de façon peu productive

unprofessional /ˌʌnprəˈfeʃənl/ *adj* qui témoigne d'un manque de conscience professionnelle

unprofessionally /ˌʌnprəˈfeʃənəlɪ/ *adv [behave]* de manière peu professionnelle

unprofitable /ʌnˈprɒfɪtəbl/ *adj* **1** Fin *[company, venture]* non rentable; **2** fig*[investigation, discussion]* improductif/-ive

unprofitably /ʌnˈprɒfɪtəblɪ/ *adv* **1** Fin *[trade]* de façon non rentable; **2** (uselessly) *[continue, drag on]* stérilement

unpromising /ʌnˈprɒmɪsɪŋ/ *adj* peu prometteur/-euse

unpromisingly /ʌnˈprɒmɪsɪŋlɪ/ *adv* de façon peu prometteuse

unprompted /ʌnˈprɒmptɪd/ *adj* non sollicité

unpronounceable /ˌʌnprəˈnaʊnsəbl/ *adj* imprononçable

unprotected /ˌʌnprəˈtektɪd/ *adj* **1** (unsafe) *[person, area, sex]* sans protection (**from** contre); **2** (bare) *[wood, metal]* sans revêtement

unprotesting /ˌʌnprəˈtestɪŋ/ *adj* docile, consentant

unprovable /ʌnˈpruːvəbl/ *adj* improuvable

unprovided-for /ˌʌnprəˈvaɪdɪdfɔː(r)/ *adj* sans ressources

unprovoked /ˌʌnprəˈvəʊkt/
A *adj [attack, aggression]* délibéré; **the attack was ~** l'attaque n'avait pas été provoquée
B *adv [flare up]* sans raison

unpublishable /ʌnˈpʌblɪʃəbl/ *adj* impubliable

unpublished /ʌnˈpʌblɪʃt/ *adj* non publié

unpunctual /ʌnˈpʌŋktʃʊəl/ *adj [arrival, person]* tardif/-ive; **to be ~** ne pas être très ponctuel/-elle

unpunctuality /ˌʌnˌpʌŋktʃʊˈælətɪ/ *n* manque *m* de ponctualité

unpunished /ʌnˈpʌnɪʃt/ *adj [crime, person]* impuni; **to go** *ou* **remain ~** rester impuni

unputdownable° /ˌʌnpʊtˈdaʊnəbl/ *adj [book]* impossible à lâcher

unqualified /ʌnˈkwɒlɪfaɪd/ *adj* **1** (without qualifications) *[doctor, teacher, assistant]* non qualifié; **to be ~** ne pas être qualifié (**for** pour; **to do** pour faire); **medically ~ people** des personnes sans qualifications médicales; **I am ~ to judge** je ne suis pas qualifié pour juger; **2** (total) *[support, respect]* inconditionnel/-elle; *[ceasefire]* sans condition; **the evening was an ~ success** la soirée a été une grande réussite

unquenchable /ʌnˈkwentʃəbl/ *adj [thirst, fire]* inextinguible

unquenched /ʌnˈkwentʃt/ *adj* inassouvi

unquestionable /ʌnˈkwestʃənəbl/ *adj* incontestable

unquestionably /ʌnˈkwestʃənəblɪ/ *adv* incontestablement

unquestioned /ʌnˈkwestʃənd/ *adj* incontesté

unquestioning /ʌnˈkwestʃənɪŋ/ *adj* inconditionnel/-elle

unquestioningly /ʌnˈkwestʃənɪŋlɪ/ *adv [follow, accept, obey]* aveuglément, inconditionnellement

unquiet /ʌnˈkwaɪət/ littér
A *n* tourment *m*
B *adj [spirit]* tourmenté

unquote /ʌnˈkwəʊt/ *adv* fin de citation

unquoted /ʌnˈkwəʊtɪd/ *adj* Fin *[company, share]* non coté (en Bourse)

unravel /ʌnˈrævl/
A *vtr* (*p prés etc* **-ll-** GB, **-l-** US) défaire [*knitting*]; démêler [*thread, mystery*]; dénouer [*intrigue*]
B *vi* (*p prés etc* **-ll-** GB, **-l-** US) [*knitting*] se défaire; [*mystery, thread*] se démêler; [*plot*] se dénouer

unread /ʌnˈred/ *adj* non lu; **she returned the book ~** elle a rendu le livre sans l'avoir lu

unreadable /ʌnˈriːdəbl/ *adj* [*book, writing*] illisible

unreadiness /ʌnˈredɪnɪs/ *n* **1** (lack of preparation) manque *m* de préparation; **2** (unwillingness) mauvaise volonté *f*

unready /ʌnˈredɪ/ *adj* **1** (not ready) pas prêt (**to do** à faire); **to be ~ for sth** ne pas être préparé pour qch; **2** (not willing) non disposé (**to do** à faire)

unreal /ʌnˈrɪəl/ *adj* **1** (not real) [*situation, conversation*] irréel/-éelle; **it seemed a bit ~ to me** j'avais un peu l'impression de rêver; **2** °péj (unbelievable in behaviour) incroyable; **he's ~!** il est incroyable!; **3** °(amazingly good) incroyable, fabuleux/-euse; **the experience was ~!** ça a été une expérience fabuleuse!

unrealistic /ˌʌnrɪəˈlɪstɪk/ *adj* [*expectation, aim*] irréalisable; [*character, presentation*] peu réaliste; [*person*] qui manque de réalisme; **it is ~ to suggest that** il n'est pas réaliste de suggérer que

unrealistically /ˌʌnrɪəˈlɪstɪklɪ/ *adv* [*high, low, short, optimistic*] invraisemblablement

unreality /ˌʌnrɪˈælətɪ/ *n* irréalité *f*; **to have a sense of ~** avoir l'impression de rêver

unrealizable /ʌnˈrɪəlaɪzəbl/ *adj* irréalisable

unrealized /ʌnˈrɪəlaɪzd/ *adj* [*ambition, potential*] non réalisé; **to be** *ou* **remain ~** ne pas être réalisé

unreason /ʌnˈriːzn/ *n* sout déraison *f*

unreasonable /ʌnˈriːznəbl/ *adj* **1** (not rational) [*views, behaviour, expectation*] irréaliste; **it's not ~** ce n'est pas déraisonnable; **it's not ~ to expect prices to remain static** on peut raisonnablement espérer que les prix ne vont pas bouger; **it's ~ for them to claim that they are superior** ils ont tort de prétendre qu'ils sont supérieurs; **he's being very ~ about it** il n'est vraiment pas raisonnable; **2** (excessive) [*price*] excessif/-ive; [*demand*] irréaliste; **at an ~ hour** à une heure indue

unreasonableness /ʌnˈriːznəblnɪs/ *n* caractère *m* déraisonnable

unreasonably /ʌnˈriːznəblɪ/ *adv* [*behave, act*] de façon peu raisonnable; **~ high rents/prices** des loyers/prix excessifs; **not ~** à juste titre; **consent shall not be ~ withheld** Jur l'accord ne doit pas être refusé de façon déraisonnable

unreasoning /ʌnˈriːzənɪŋ/ *adj* [*panic, person, response*] irrationnel/-elle

unreceptive /ˌʌnrɪˈseptɪv/ *adj* peu réceptif/-ive (**to** à)

unreclaimed /ˌʌnrɪˈkleɪmd/ *adj* [*land*] non défriché; [*marsh*] non asséché; **to be ~** ne pas être défriché *or* asséché

unrecognizable /ʌnˈrekəgnaɪzəbl/ *adj* méconnaissable

unrecognized /ʌnˈrekəgnaɪzd/ *adj* **1** [*significance, talent*] méconnu (**by** de); **to go ~** rester méconnu; **2** Pol [*regime, government*] non reconnu; **3** [*person*] **he crossed the city ~** il a traversé la ville sans être reconnu

unreconstructed /ˌʌnriːkənˈstrʌktɪd/ *adj* (all contexts) irréductible

unrecorded /ˌʌnrɪˈkɔːdɪd/ *adj* non répertorié; **to go ~** ne pas être répertorié

unredeemed /ˌʌnrɪˈdiːmd/ *adj* **1** Relig, hum [*sinner*] non racheté; **2** Comm, Fin [*mortgage*] non purgé; [*debt*] non remboursé; [*pledge*] non retiré; **3** [*ugliness, stupidity*] total

unrefined /ˌʌnrɪˈfaɪnd/ *adj* **1** [*flour, sugar*] non raffiné; [*oil*] brut, non raffiné; **2** [*person, manners, style*] peu raffiné

unreflecting /ˌʌnrɪˈflektɪŋ/ *adj* irréfléchi

unreformed /ˌʌnrɪˈfɔːmd/ *adj* **1** [*character*] incorrigible; **2** [*church, system, institution*] non réformé

unregarded /ˌʌnrɪˈgɑːdɪd/ *adj* peu considéré; **to pass** *ou* **go ~** passer inaperçu

unregenerate /ˌʌnrɪˈdʒenərət/ *adj* **1** (unrepentant) éhonté; **2** (obstinate) obstiné

unregistered /ʌnˈredʒɪstəd/ *adj* [*claim, firm, animal*] non enregistré; [*birth*] non déclaré; [*letter*] non recommandé; [*vehicle*] non immatriculé; **to go ~** passer inaperçu

unregretted /ˌʌnrɪˈgretɪd/ *adj* [*action, past*] que l'on ne regrette pas; **he will die ~** il mourra sans inspirer de regret

unrehearsed /ˌʌnrɪˈhɜːst/ *adj* [*response, action, speech*] impromptu; [*play*] sans répétitions

unrelated /ˌʌnrɪˈleɪtɪd/ *adj* **1** (not logically connected) sans rapport (**to** avec); **his success is not ~ to the fact that he has money** son succès n'est pas sans rapport avec sa fortune; **2** (as family) **the two families/boys are ~** les deux familles/garçons n'ont pas de lien de parenté

unrelenting /ˌʌnrɪˈlentɪŋ/ *adj* [*heat, stare, person*] implacable; [*pursuit, zeal, position*] acharné

unreliability /ˌʌnrɪˌlaɪəˈbɪlətɪ/ *n* (of person) manque *m* de sérieux; (of machine, method, technique) manque *m* de fiabilité

unreliable /ˌʌnrɪˈlaɪəbl/ *adj* [*evidence, figures*] douteux/-euse; [*method, scheme, employee*] peu sûr; [*equipment*] peu fiable; **the method is highly ~** la méthode est très discutable

unrelieved /ˌʌnrɪˈliːvd/ *adj* [*substance, colour*] uniforme; [*darkness, gloom, anxiety*] permanent; [*boredom*] mortel/-elle; **a blank wall ~ by any detail** un mur aveugle que rien n'égayait

unremarkable /ˌʌnrɪˈmɑːkəbl/ *adj* quelconque

unremarked /ˌʌnrɪˈmɑːkt/ *adj* [*leave, enter*] sans être remarqué; **to go** *ou* **pass ~** passer inaperçu

unremitting /ˌʌnrɪˈmɪtɪŋ/ *adj* [*boredom, flow, drudgery*] incessant; [*hostility*] implacable; [*pressure, effort*] continu; [*fight, struggle*] sans relâche

unremittingly /ˌʌnrɪˈmɪtɪŋlɪ/ *adv* inlassablement

unremunerative /ˌʌnrɪˈmjuːnərətɪv/ *adj* [*work, investment*] non rémunérateur/-trice

unrepaid /ˌʌnrɪˈpeɪd/ *adj* Fin non remboursé; **the sum remains ~** la somme n'a toujours pas été remboursée

unrepealed /ˌʌnrɪˈpiːld/ *adj* Jur [*legislation*] non abrogé; **statutes that remain ~** statuts qui ne sont toujours pas abrogés

unrepeatable /ˌʌnrɪˈpiːtəbl/ *adj* **1** (unique) [*bargain, sight*] unique en son genre; [*offer*] exceptionnel/-elle; **2** (vulgar) [*language*] pas répétable; **his comment/language was ~** son commentaire/langage était du genre à ne pas répéter

unrepentant /ˌʌnrɪˈpentənt/ *adj* impénitent; **to remain ~** n'avoir aucun repentir (**about** au sujet de)

unreported /ˌʌnrɪˈpɔːtɪd/ *adj* [*incident, attack*] non déclaré; **to go ~** ne pas être déclaré

unrepresentative /ˌʌnreprɪˈzentətɪv/ *adj* non représentatif/-ive

unrepresented /ˌʌnreprɪˈzentɪd/ *adj* [*person, area*] non représenté; **some areas were ~** certaines régions n'étaient pas représentées; **the accused appeared before the bench ~** l'accusé a comparu devant le tribunal sans être représenté

unrequited /ˌʌnrɪˈkwaɪtɪd/ *adj* [*love*] sans retour

unreserved /ˌʌnrɪˈzɜːvd/ *adj* **1** (free) [*seat*] non réservé; **2** (whole-hearted) [*support, admiration, welcome*] sans réserve

unreservedly /ˌʌnrɪˈzɜːvɪdlɪ/ *adv* sans réserve

unresisting /ˌʌnrɪˈzɪstɪŋ/ *adj* sans résistance

unresolved /ˌʌnrɪˈzɒlvd/ *adj* irrésolu

unresponsive /ˌʌnrɪˈspɒnsɪv/ *adj* [*person, audience*] peu réceptif/-ive (**to** à)

unrest /ʌnˈrest/ *n* ¢ **1** (dissatisfaction) malaise *m*; **2** (agitation) troubles *mpl*

unrestrained /ˌʌnrɪˈstreɪnd/ *adj* [*growth, proliferation*] effréné; [*delight, emotion*] non contenu; [*freedom*] sans limites

unrestricted /ˌʌnrɪˈstrɪktɪd/ *adj* [*access, power*] illimité; [*testing, disposal*] incontrôlé; [*warfare*] à outrance; [*roadway*] dégagé

unrevealed /ˌʌnrɪˈviːld/ *adj* **1** (undetected) insoupçonné; **2** (kept secret) maintenu/-e secret/-ète; **~ religion** religion *f* non révélée

unrevised /ˌʌnrɪˈvaɪzd/ *adj* non révisé

unrewarded /ˌʌnrɪˈwɔːdɪd/ *adj* [*research, efforts*] infructueux/-euse; **to go ~** [*patience, talent*] ne pas être récompensé

unrewarding /ˌʌnrɪˈwɔːdɪŋ/ *adj* [*job, task*] (unfulfilling) peu gratifiant; (thankless) ingrat; **financially ~** peu rémunérateur/-trice

unrighteous /ʌnˈraɪtʃəs/
A *n* **the ~** (+ *v pl*) les impies
B *adj* Relig inique

unripe /ʌnˈraɪp/ *adj* [*fruit*] pas mûr; [*wheat*] en herbe

unrivalled /ʌnˈraɪvld/ *adj* sans égal

unroadworthy /ʌnˈrəʊdwɜːðɪ/ *adj* [*vehicle*] hors d'état de rouler

unroll /ʌnˈrəʊl/
A *vtr* dérouler
B *vi* se dérouler

unromantic /ˌʌnrəˈmæntɪk/ *adj* peu romantique; **to be ~** manquer de romantisme

unrope /ʌnˈrəʊp/ *vtr, vi* Sport décrocher

UNRRA *n* (*abrév* = **United Nations Relief and Rehabilitation Administration**) UNRRA *f*, Administration *f* des Nations unies pour les secours et la reconstruction

unruffled /ʌnˈrʌfld/ *adj* **1** (calm) [*person, demeanour*] imperturbable; **to be ~** ne pas être perturbé (**by** par); **2** (smooth) [*water, surface, hair*] lisse

unruled /ʌnˈruːld/ *adj* [*paper*] non réglé

unruly /ʌnˈruːlɪ/ *adj* [*crowd, behaviour, hair*] indiscipliné

unsaddle /ʌnˈsædl/ *vtr* **1** desseller [*horse*]; **2** (unseat) désarçonner [*person*]

unsafe /ʌnˈseɪf/ *adj* **1** [*environment*] malsain; [*drinking water*] non potable; [*goods, furniture*] dangereux/-euse; [*working conditions, sex*] risqué; **the car is ~ to drive** il est dangereux de conduire cette voiture; **the premises are ~ for normal use** les locaux ne sont pas sûrs pour une utilisation normale; **the building was declared ~** l'édifice a été déclaré dangereux; **2** (threatened) **to feel ~** [*person*] ne pas se sentir en sécurité; **3** Jur [*conviction, verdict*] douteux/-euse; **~ and unsatisfactory** douteux/-euse

unsaid /ʌnˈsed/
A *pp* ► **unsay**
B *adj* **to be** *ou* **go ~** être passé sous silence; **to leave sth ~** passer qch sous silence

unsalaried /ʌnˈsælərɪd/ *adj* non rémunéré

unsaleable /ʌnˈseɪləbl/ *adj* invendable

unsalted /ʌnˈsɔːltɪd/ *adj* non salé

unsatisfactorily /ˌʌnsætɪsˈfæktərəlɪ/ *adv* [*start, end*] de façon peu satisfaisante

unsatisfactory /ˌʌnsætɪsˈfæktərɪ/ *adj* insatisfaisant

unsatisfied /ʌnˈsætɪsfaɪd/ *adj* [*person*] insatisfait; [*need, desire*] inassouvi; **she remains ~** elle n'est toujours pas satisfaite (**with** de)

unsatisfying /ʌnˈsætɪsfaɪɪŋ/ *adj* peu satisfaisant

unsaturated /ʌnˈsætʃəreɪtɪd/ *adj* [*fat, oil*] non saturé

unsavoury GB, **unsavory** US /ʌn'seɪvərɪ/ *adj* [*business, individual*] louche, répugnant; [*object, smell*] peu appétissant; **it's all very ~** c'est assez répugnant

unsay /ʌn'seɪ/ *vtr* (*prét, pp* **-said**) effacer; **what's said cannot be unsaid** ce qui est dit est dit

unscathed /ʌn'skeɪðd/ *adj* (all contexts) indemne

unscented /ʌn'sentɪd/ *adj* non parfumé

unscheduled /ʌn'ʃedju:ld, US ʌn'skedʒʊld/ *adj* [*appearance, performance, speech*] surprise (*after n*); [*flight*] supplémentaire; [*break, stop*] qui n'a pas été prévu

unscholarly /ʌn'skɒlǝlɪ/ *adj* [*person, approach*] peu érudit; [*work, analysis*] dénué d'érudition

unschooled /ʌn'sku:ld/ *adj* **1** [*person*] inculte; **he's ~ed in the art of conversation** il n'a jamais été initié à l'art de la conversation; **2** Equit [*horse*] indompté

unscientific /,ʌnsaɪǝn'tɪfɪk/ *adj* [*theory, approach*] non scientifique; [*nonsense*] illogique; **to be ~** [*method, theory*] ne pas être scientifique; [*person*] ne pas avoir l'esprit scientifique

unscramble /ʌn'skræmbl/ *vtr* déchiffrer [*code, words*]; remettre de l'ordre dans [*ideas, thoughts*]

unscratched /ʌn'skrætʃt/ *adj* [*car, paintwork*] intact

unscrew /ʌn'skru:/
A *vtr* dévisser
B *vi* se dévisser

unscripted /ʌn'skrɪptɪd/ *adj* improvisé

unscrupulous /ʌn'skru:pjʊlǝs/ *adj* [*person*] sans scrupules; [*tactic, method*] peu scrupuleux/-euse; **she is completely ~** elle n'a aucun scrupule

unscrupulously /ʌn'skru:pjʊlǝslɪ/ *adv* [*behave*] sans scrupules

unscrupulousness /ʌn'skru:pjʊlǝsnɪs/ *n* manque *m* de scrupules

unseal /ʌn'si:l/ *vtr* desceller [*container*]; décacheter [*envelope, parcel*]

unsealed /ʌn'si:ld/ *adj* [*envelope*] décacheté; **by ~ writing** Jur dans une enveloppe décachetée

unseasonable /ʌn'si:znǝbl/ *adj* [*food, clothing*] hors de saison; **the weather is ~** ce n'est pas un temps de saison

unseasonably /ʌn'si:znǝblɪ/ *adv* **it is ~ hot/cold** il fait chaud/froid pour la saison

unseasoned /ʌn'si:znd/ *adj* **1** [*food*] non assaisonné; **2** [*wood*] vert

unseat /ʌn'si:t/ *vtr* **1** Equit désarçonner [*rider*]; **2** Pol faire perdre son siège à; **the MP was ~ed** le député a perdu son siège; **3** Tech déloger [*washer*]

unseaworthy /ʌn'si:wɜ:ðɪ/ *adj* hors d'état de naviguer

unsecured /,ʌnsɪ'kjʊǝd/ *adj* Fin [*loan*] non garanti; [*creditor*] sans garantie

unseeded /ʌn'si:dɪd/ *adj* Sport non classé

unseeing /ʌn'si:ɪŋ/ littér
A *adj* [*eyes*] aveugle
B *adv* [*gaze*] sans voir

unseemliness /ʌn'si:mlɪnɪs/ *n* sout inconvenance *f* fml

unseemly /ʌn'si:mlɪ/ *adj* sout inconvenant fml

unseen /ʌn'si:n/
A *n* GB Sch devoir *m* non préparé; **a French ~** une version française non préparée
B *adj* **1** [*figure, orchestra, assistant, hands*] invisible; **2** Sch [*translation*] non préparé
C *adv* [*escape, slip away*] sans être vu

unselfconscious /,ʌnself'kɒnʃǝs/ *adj* [*person*] (natural, spontaneous) naturel/-elle; (uninhibited) sans complexes; **she was quite ~ about it** elle a fait ça sans la moindre gêne

unselfconsciously /,ʌnself'kɒnʃǝslɪ/ *adv* avec naturel

unselfconsciousness /,ʌnself'kɒnʃǝsnɪs/ *n* naturel *m*

unselfish /ʌn'selfɪʃ/ *adj* [*person*] qui pense aux autres; [*act*] désintéressé

unselfishly /ʌn'selfɪʃlɪ/ *adv* de façon désintéressée

unselfishness /ʌn'selfɪʃnɪs/ *n* désintéressement *m*

unsentimental /,ʌnsentɪ'mentl/ *adj* [*speech, account, documentary*] qui ne donne pas dans la sensiblerie; [*film, novel*] qui ne tombe pas dans le mélo○; [*person*] qui ne fait pas de sentiment

unserviceable /ʌn'sɜ:vɪsǝbl/ *adj* inutilisable

unsettle /ʌn'setl/ *vtr* troubler [*person, audience*]; perturber [*discussions, economy, process*]

unsettled /ʌn'setld/ *adj* **1** [*weather, economic climate*] instable; **2** (not paid) [*bill, account*] impayé; **3** (disrupted) [*schedule*] perturbé; **4** **to feel ~** [*person*] être mal dans sa peau

unsettling /ʌn'setlɪŋ/ *adj* [*question, implications, experience*] troublant; [*work of art*] dérangeant; **psychologically ~** traumatisant

unsexed /ʌn'sekst/ *adj* [*animal*] dont le sexage n'a pas encore été effectué

unsexy /ʌn'seksɪ/ *adj* peu sexy

unshackle /ʌn'ʃækl/ *vtr* désenchaîner [*prisoner*]; fig (free) libérer

unshaded /ʌn'ʃeɪdɪd/ *adj* **1** [*bulb*] sans abat-jour; [*place*] non ombragé; **2** Art [*drawing*] non ombré

unshak(e)able /ʌn'ʃeɪkǝbl/ *adj* inébranlable

unshak(e)ably /ʌn'ʃeɪkǝblɪ/ *adv* inébranlablement

unshaken /ʌn'ʃeɪkǝn/ *adj* [*person*] imperturbable (**by** devant); [*belief, spirit*] inébranlable

unshaven /ʌn'ʃeɪvn/ *adj* pas rasé

unsheathe /ʌn'ʃi:ð/ *vtr* dégainer

unship /ʌn'ʃɪp/ *vtr* (*p prés etc* **-pp-**) débarquer

unshockable /ʌn'ʃɒkǝbl/ *adj* **she's quite ~** rien ne peut la choquer

unshod /ʌn'ʃɒd/ *adj* [*person*] déchaussé; [*horse*] déferré

unshrinkable /ʌn'ʃrɪŋkǝbl/ *adj* irrétrécissable

unsighted /ʌn'saɪtɪd/ *adj* Sport [*person*] au champ de vision bouché (**by** par)

unsightliness /ʌn'saɪtlɪnɪs/ *n* laideur *f*

unsightly /ʌn'saɪtlɪ/ *adj* [*scar, blemish*] disgracieux/-ieuse; [*building*] laid

unsigned /ʌn'saɪnd/ *adj* [*document, letter*] non signé; **the letter was ~** la lettre n'était pas signée

unsinkable /ʌn'sɪŋkǝbl/ *adj* **1** [*ship, object*] insubmersible; **2** fig, hum [*personality*] que rien ne peut atteindre

unskilful, **unskillful** US /ʌn'skɪlfl/ *adj* maladroit

unskilfully, **unskillfully** US /ʌn'skɪlfǝlɪ/ *adv* maladroitement

unskilled /ʌn'skɪld/ *adj* [*worker, labour*] non qualifié; [*job, work*] qui n'exige pas de qualification professionnelle

unskimmed /ʌn'skɪmd/ *adj* [*milk*] non écrémé

unsliced /ʌn'slaɪst/ *adj* [*loaf*] non découpé

unsmiling /ʌn'smaɪlɪŋ/ *adj* [*person*] qui ne sourit pas; [*face, eyes*] grave

unsmoked /ʌn'smǝʊkt/ *adj* [*bacon, fish*] non fumé, nature *inv*

unsnarl /ʌn'snɑ:l/ *vtr* démêler [*threads*]; débloquer [*traffic jam*]

unsociability /ʌn,sǝʊʃǝ'bɪlǝtɪ/ *n* insociabilité *f*

unsociable /ʌn'sǝʊʃǝbl/ *adj* [*person*] peu sociable; **to work ~ hours** travailler à des heures indues

unsocial /ʌn'sǝʊʃl/ *adj* **~ hours** heures *fpl* indues

unsold /ʌn'sǝʊld/ *adj* invendu

unsolicited /,ʌnsǝ'lɪsɪtɪd/ *adj* non sollicité

unsolvable /ʌn'sɒlvǝbl/ *adj* insoluble

unsolved /ʌn'sɒlvd/ *adj* [*problem*] non résolu; [*murder, mystery*] non éclairci; **the mystery remains ~** le mystère reste entier

unsophisticated /,ʌnsǝ'fɪstɪkeɪtɪd/
A *n* **the philosophically/politically ~** (+ *v pl*) les gens sans culture philosophique/politique
B *adj* [*person*] sans façons; [*tastes, mind*] simple; [*analysis*] simpliste

unsought /ʌn'sɔ:t/ *adj* [*opinion, presence*] non sollicité

unsound /ʌn'saʊnd/ *adj* [*roof, timbers, ship*] en mauvais état; [*argument*] peu valable; [*credits, investment, loan*] Fin douteux/-euse; **politically/economically ~** impraticable sur le plan politique/économique; **to be of ~ mind** Jur ne pas jouir de toutes ses facultés mentales

unsparing /ʌn'speǝrɪŋ/ *adj* **1** [*efforts, devotion*] prodigue; **to be ~ in one's efforts to do sth** ne pas ménager ses efforts pour faire qch; **2** (merciless) impitoyable

unsparingly /ʌn'speǝrɪŋlɪ/ *adv* **1** [*give, devote oneself*] sans compter; [*strive*] de tout son être; **2** [*critical, harsh*] implacablement

unspeakable /ʌn'spi:kǝbl/ *adj* **1** (dreadful) [*pain, sorrow*] inexprimable; [*noise*] épouvantable; **what he did is ~** ce qu'il a fait est innommable; **2** (inexpressible) [*joy, pleasure*] indescriptible

unspeakably /ʌn'spi:kǝblɪ/ *adv* **1** (dreadfully) épouvantablement; **2** (inexpressibly) **~ beautiful/romantic** d'une beauté/d'un romantisme indescriptible

unspecifically /,ʌnspǝ'sɪfɪklɪ/ *adv* de façon peu explicite

unspecified /ʌn'spesɪfaɪd/ *adj* non spécifié

unspectacular /,ʌnspek'tækjʊlǝ(r)/ *adj* peu spectaculaire

unspent /ʌn'spent/ *adj* **1** lit [*money*] non dépensé; **the grant remains ~** la subvention n'a pas encore été dépensée; **2** fig [*rage*] toujours vivace

unspoiled /ʌn'spɔɪld/ *adj* [*landscape, town*] préservé intact; [*person*] non gâté; **she was ~ by fame** la célébrité ne l'avait pas changée

unspoilt /ʌn'spɔɪlt/ *adj* [*island, area*] préservé

unspoken /ʌn'spǝʊkǝn/ *adj* **1** (secret) [*desire, fear, question*] inexprimé; **2** (implicit) [*agreement, threat, plea*] tacite

unsporting /ʌn'spɔ:tɪŋ/ *adj* [*behaviour*] peu sportif/-ive; **it was ~ of you to complain about the decision** ce n'était pas très sportif de ta part de contester la décision

unsportsmanlike /,ʌn'spɔ:tsmǝnlaɪk/ *adj* Sport **~ conduct** conduite indigne d'un sportif

unspotted /ʌn'spɒtɪd/ *adj* littér [*character, reputation*] non entaché (**by** par)

unstable /ʌn'steɪbl/ *adj* (all contexts) instable

unstained /ʌn'steɪnd/ *adj* **1** [*wood, glass*] non teinté; [*material*] immaculé; **2** fig (unsullied) [*character, reputation*] pur et sans tache; **to be ~** ne pas être entaché (**by** par)

unstamped /ʌn'stæmpt/ *adj* [*form, passport*] non tamponné; [*envelope*] non timbré

unstated /ʌn'steɪtɪd/ *adj* [*violence, assumption*] tacite; [*policy, conviction*] inexprimé

unstatesmanlike /ʌn'steɪtsmǝnlaɪk/ *adj* indigne d'un homme d'État

unsteadily /ʌn'stedɪlɪ/ *adv* [*walk, stand, rise*] en chancelant; **she swayed ~ forwards** elle s'est penchée en avant de façon mal assurée

unsteadiness /ʌn'stedɪnɪs/ *n* instabilité *f*

U

unsteady /ʌn'stedɪ/ *adj* **1** (wobbly) [*steps, legs, voice*] chancelant; [*ladder*] instable; [*hand*] tremblant; **to be ~ on one's feet** marcher de façon mal assurée; **2** (irregular) [*rhythm, speed*] irrégulier/-ière

unstick /ʌn'stɪk/ *vtr* (*prét, pp* **-stuck**) décoller

unstinted /ʌn'stɪntɪd/ *adj* [*admiration*] sans réserve; [*generosity*] sans bornes

unstinting /ʌn'stɪntɪŋ/ *adj* [*effort*] soutenu; [*support*] généreux/-euse; **to be ~ in one's efforts to do sth** ne pas ménager ses efforts pour faire qch; **to be ~ in one's praise of sb** se répandre en louanges sur qn

unstitch /ʌn'stɪtʃ/ *vtr* découdre; **to come ~ed** se découdre

unstop /ʌn'stɒp/ *vtr* (*p prés etc* **-pp-**) déboucher

unstoppable /ʌn'stɒpəbl/ *adj* [*force, momentum*] irrésistible; [*athlete, leader*] imbattable

unstrap /ʌn'stræp/ (*p prés etc* **-pp-**)
A *vtr* **1** (undo) défaire les sangles de [*suitcase*]; **2** (detach) détacher [*case, bike*] (**from** de)
B *v refl* **to ~ oneself** détacher sa ceinture de sécurité

unstressed /ʌn'strest/ *adj* Ling [*vowel, word*] non accentué

unstring /ʌn'strɪŋ/ *vtr* (*prét, pp* **-strung**) enlever les cordes de [*racket, instrument*]; désenfiler [*beads*]

unstructured /ʌn'strʌktʃəd/ *adj* [*article, speech*] décousu; [*data, task*] non structuré

unstrung /ʌn'strʌŋ/
A *prét, pp* ▸ **unstring**
B *adj* [*violin, racket*] désencordé; **to come ~** [*racket, instrument*] se détendre; [*beads*] se désenfiler

unstuck /ʌn'stʌk/
A *prét, pp* ▸ **unstick**
B *adj* **1** lit **to come ~** [*stamp, glue*] se décoller; **2** °fig [*person, organization*] connaître un échec, aller à vau l'eau; [*plans*] tomber à l'eau; **to come ~ in one's exams/attempt** échouer à ses examens/dans sa tentative

unstudied /ʌn'stʌdɪd/ *adj* [*elegance, charm*] non affecté, naturel/-elle

unsubdued /ˌʌnsəb'dju:d, US -'du:d/ *adj* indompté

unsubscribe /ˌʌnsəb'skraɪb/ *vi* Internet se désabonner

unsubsidized /ʌn'sʌbsɪdaɪzd/ *adj* [*performance, activity*] non subventionné

unsubstantial /ˌʌnsəb'stænʃl/ *adj* [*argument*] mal étayé; [*structure*] fragile

unsubstantiated /ˌʌnsəb'stænʃɪeɪtɪd/ *adj* [*claim, rumour*] non corroboré

unsuccessful /ˌʌnsək'sesfl/ *adj* **1** [*attempt, bid, campaign*] infructueux/-euse; [*run, production, novel, film*] sans succès; [*lawsuit*] perdu; [*love affair*] malheureux/-euse; [*effort, search*] vain; **to be ~** [*attempt, effort*] échouer; **2** [*candidate*] (for job) malchanceux/-euse; (in election) malheureux/-euse; [*businessperson*] malchanceux/-euse; [*artist*] inconnu; [*bidder*] malheureux/-euse; **to be ~ in doing** ne pas réussir à faire; **she was ~ with her application** sa candidature n'a pas été retenue

unsuccessfully /ˌʌnsək'sesfəlɪ/ *adv* [*try, urge*] en vain; [*challenge, bid*] sans succès

unsuitability /ʌnˌsu:tə'bɪlətɪ/ *n* (of building, location, site) inadéquation *f* (**for** pour); **his ~ for the job** le fait qu'il n'est pas fait pour ce travail

unsuitable /ʌn'su:təbl/ *adj* [*location, equipment, clothing, accommodation, date, time*] inapproprié; [*moment*] inopportun; [*friend*] peu convenable; **to be ~** ne pas convenir (**for sb** à qn); **~ for young children** (film) déconseillé pour de jeunes enfants; **to be ~ for a job** ne pas être fait pour un travail

unsuitably /'ʌn'su:təblɪ/ *adv* **he was ~ dressed** sa tenue était inappropriée; **to be ~ matched** [*people*] ne pas être du tout assortis

unsuited /ʌn'su:tɪd/ *adj* [*place, person*] inadapté (**to** à); **posts ~ to their talents** des postes qui ne conviennent pas à leurs aptitudes; **she was ~ to country life** elle n'était pas faite pour la vie à la campagne; **they're ~ (as a couple)** ils sont mal assortis

unsullied /ʌn'sʌlɪd/ *adj* littér [*person*] pur et sans tache; [*reputation, innocence*] sans tache; **to be ~** ne pas être souillé (**by** par)

unsung /ʌn'sʌŋ/ *adj* littér [*hero, achievement*] méconnu

unsupervised /ʌn'su:pəvaɪzd/ *adj* [*activity*] non encadré; [*child*] laissé sans surveillance

unsupported /ˌʌnsə'pɔ:tɪd/
A *adj* **1** [*allegation, hypothesis*] non confirmé; **2** Mil [*troops*] sans renfort; **3** [*family, mother*] sans soutien de famille; **4** Comput (without maintenance) dont la maintenance n'est pas assurée; (without IT backup) non pris en charge par le service informatique
B *adv* [*stand*] sans être soutenu

unsupportive /ˌʌnsə'pɔ:tɪv/ *adj* (not helpful) **her partner is ~** son compagnon ne l'aide pas du tout; (not encouraging) **his colleagues were ~** ses collègues ne l'ont pas soutenu

unsure /ʌn'ʃɔ:(r), US -'ʃʊər/ *adj* peu sûr (**of** de); **to be ~ about how/why/where** ne pas savoir très bien comment/pourquoi/où; **to be ~ about going/staying** ne pas savoir très bien si on doit partir/rester; **to be ~ of oneself** manquer de confiance en soi

unsurpassable /ˌʌnsə'pɑ:səbl, US -'pæs-/ *adj* insurpassable

unsurpassed /ˌʌnsə'pɑ:st, US -'pæs-/ *adj* [*beauty*] sans égal; **to be ~** être inégalé (**in** dans; **as** comme)

unsurprising /ˌʌnsə'praɪzɪŋ/ *adj* **it is ~ that** il n'y a rien d'étonnant à ce que (+ *subj*); **an ~ reaction** une réaction prévisible

unsurprisingly /ˌʌnsə'praɪzɪŋlɪ/ *adv* comme on peut/pouvait s'y attendre

unsuspected /ˌʌnsə'spektɪd/ *adj* insoupçonné

unsuspecting /ˌʌnsə'spektɪŋ/ *adj* [*person*] naïf/-ïve, sans méfiance; [*public*] non averti; **completely ~** sans aucune méfiance; **the stranger, ~...** l'étranger qui ne se doutait de rien...

unswayed /ʌn'sweɪd/ *adj* **to be ~** ne pas se laisser influencer (**by** par)

unsweetened /ʌn'swi:tnd/ *adj* sans sucre, non sucré

unswept /ʌn'swept/ *adj* [*floor, leaves*] non balayé; [*chimney*] non ramoné

unswerving /ʌn'swɜ:vɪŋ/ *adj* inébranlable

unswervingly /ʌn'swɜ:vɪŋlɪ/ *adv* [*persist, continue*] de façon inébranlable; **~ faithful** d'une fidélité absolue (**to** envers)

unsymmetrical /ˌʌnsɪ'metrɪkl/ *adj* asymétrique

unsympathetic /ˌʌnsɪmpə'θetɪk/ *adj* **1** (uncaring) [*person, attitude, manner, tone*] peu compatissant; **to be ~ to sb** se montrer peu compatissant envers qn; **2** (unattractive) [*person, character*] antipathique; [*environment, building*] peu attirant; **3** (unsupportive) **to be ~ to** ne pas soutenir [*cause, movement, policy*]; **she is ~ to the cause/to the right** elle ne sympathise pas avec la cause/la droite; **4** Ecol [*policy, measure*] qui nuit à l'environnement

unsympathetically /ˌʌnsɪmpə'θetɪklɪ/ *adv* avec peu de compassion

unsystematic /ˌʌnsɪstə'mætɪk/ *adj* peu méthodique

unsystematically /ˌʌnsɪstə'mætɪklɪ/ *adv* de façon peu méthodique

untainted /ʌn'teɪntɪd/ *adj* [*food*] non avarié; [*reputation*] non entaché; [*mind*] non corrompu

untamable /ʌn'teɪməbl/ *adj* **1** lit [*lion, tiger*] indomptable; [*bird, fox*] indressable; **2** fig [*passion, spirit*] indomptable

untamed /ʌn'teɪmd/ *adj* [*passion, person, lion*] indompté; [*garden, beauty*] (à l'état) sauvage; [*bird, fox*] non dressé

untangle /ʌn'tæŋgl/
A *vtr* démêler [*threads*] also fig; élucider [*difficulties, mystery*]
B *v refl* **to ~ oneself** (from net, wire, situation) se dégager (**from** de)

untanned /ʌn'tænd/ *adj* [*hide*] non tanné

untapped /ʌn'tæpt/ *adj* inexploité

untarnished /ʌn'tɑ:nɪʃt/ *adj* [*reputation, sheen*] non terni; **to be ~** ne pas être terni (**by** par)

untasted /ʌn'teɪstɪd/ *adj* [*food*] qui n'a pas été goûté; **she left the meal ~** elle a laissé le repas sans l'avoir goûté

untaught /ʌn'tɔ:t/ *adj* [*skill, genius*] inné

untaxable /ʌn'tæksəbl/ *adj* [*income*] non imposable; [*goods*] non taxable

untaxed /ʌn'tækst/ *adj* **1** Tax [*income*] non soumis à l'impôt; [*goods*] non taxé; **2** GB Aut [*car*] sans vignette

unteachable /ʌn'ti:tʃəbl/ *adj* [*person*] réfractaire à l'enseignement; [*subject, skill*] qui ne se prête pas à l'enseignement

untempered /ʌn'tempəd/ *adj* **1** lit [*steel*] non revenu; **2** fig **to be ~** [*justice, pleasure*] ne pas être tempéré (**by** par)

untenable /ʌn'tenəbl/ *adj* [*position, standpoint*] intenable; [*claim, argument*] indéfendable

untenanted /ʌn'tenəntɪd/ *adj* [*flat*] non loué

untended /ʌn'tendɪd/ *adj* [*flock*] sans surveillance; [*garden*] non entretenu

Unterwalden ▸ p. 1771 *pr n* **the canton of ~** le canton d'Unterwald

untested /ʌn'testɪd/ *adj* **1** [*theory, assertion*] non vérifié; [*method, system, drug*] non testé; **2** Psych [*person*] non testé

unthinkable /ʌn'θɪŋkəbl/ *adj* [*prospect, action*] impensable; **it is ~ that** il est impensable que (+ *subj*)

unthinking /ʌn'θɪŋkɪŋ/ *adj* [*person*] irréfléchi; [*remark, criticism*] inconsidéré

unthinkingly /ʌn'θɪŋkɪŋlɪ/ *adv* [*behave, react*] sans réfléchir; [*cruel, stupid*] inconsidérément

unthought-of /ʌn'θɔ:tɒv/ *adj* original, inédit; **hitherto ~** encore inédit

unthread /ʌn'θred/ *vtr* désenfiler

untidily /ʌn'taɪdɪlɪ/ *adv* [*kept, scattered, strewn*] en désordre; **~ dressed** habillé de façon débraillée

untidiness /ʌn'taɪdɪnɪs/ *n* (all contexts) désordre *m*

untidy /ʌn'taɪdɪ/ *adj* [*person*] (in habits) désordonné; (in appearance) peu soigné; [*habits, clothes*] négligé; [*room*] en désordre; **he looks very ~** il a l'air très négligé; **the garden looks ~** le jardin a l'air peu entretenu; **his clothes lay in an ~ heap** ses vêtements formaient un tas désordonné

untie /ʌn'taɪ/ *vtr* (*p prés* **-tying**) défaire, dénouer [*knot, rope, laces*]; défaire [*parcel*]; délier [*hands, hostage*]; **to come ~d** [*laces, parcel*] se défaire; [*hands*] se délier

until /ənˈtɪl/

> ⚠ When used as a preposition in positive sentences *until* is translated by *jusqu'à*: *they're staying until Monday* = ils restent jusqu'à lundi.
>
> Remember that *jusqu'à + le* becomes *jusqu'au* and *jusqu'à + les* becomes *jusqu'aux*: *until the right moment* = jusqu'au bon moment; *until the exams* = jusqu'aux examens.
>
> In negative sentences *not until* is translated by *ne...pas avant*: *I can't see you until Friday* = je ne peux pas vous voir avant vendredi.
>
> When used as a conjunction in positive sentences *until* is translated by *jusqu'à ce que + subjunctive*: *we'll stay here until Maya comes back* = nous resterons ici jusqu'à ce que Maya revienne.
>
> In negative sentences where the two verbs have different subjects *not until* is translated by *ne...pas avant que + subjunctive*: *we won't leave until Maya comes back* = nous ne partirons pas avant que Maya revienne.
>
> In negative sentences where the two verbs have the same subject *not until* is translated by *pas avant de + infinitive*: *we won't leave until we've seen Claire* = nous ne partirons pas avant d'avoir vu Claire.
>
> For more examples and particular usages see the entry **until**.

A *prep* **1** (*also* **till**) (up to a specific time) jusqu'à; (after negative verb) avant; **~ Tuesday** jusqu'à mardi; **~ the sixties** jusqu'aux années soixante; **~ very recently** il n'y a encore pas si longtemps; **~ a year ago** jusqu'à il y a un an; **~ now** jusqu'à présent; **~ then** jusqu'à ce moment-là, jusque-là; **(up) ~ 1901** jusqu'en *or* jusqu'à 1901; **valid (up) ~ April 2008** valable jusqu' en avril 2008; **you have ~ the end of the month** vous avez jusqu'à la fin du mois (**to do** pour faire); **~ the day he died** jusqu'à sa mort; **~ well after midnight** bien au-delà de minuit; **to wait ~ after Easter** attendre après Pâques; **from Monday ~ Saturday** du lundi au samedi; **put it off ~ tomorrow** remets-le à demain; **~ such time as you find work** jusqu'à ce que tu trouves (*subj*) du travail, en attendant que tu trouves (*subj*) du travail; **it won't be ready ~ next week** ça ne sera pas prêt avant la semaine prochaine; **I won't know ~ Tuesday** je n'aurai pas la réponse avant mardi; **they didn't ring ~ the following day** ils n'ont pas appelé avant le lendemain; **it wasn't ~ the 50's that...** ce n'est qu'à partir des années cinquante que...; **nothing changed ~ after the war** ce n'est qu'après la guerre que les choses ont commencé à changer
2 (as far as) jusqu'à; **stay on the bus ~ Egham** ne descends pas du bus avant Egham
B *conj* (*also* **till**) (*with past and present tenses*) jusqu'à ce que (+ *subj*); (in negative constructions) avant que (+ *subj*), avant de (+ *infinitive*); **we'll stay ~ a solution is reached** nous resterons jusqu'à ce que nous trouvions une solution; **and so it continued ~ they left** et cela a continué jusqu'à ce qu'ils partent *or* jusqu'à leur départ; **let's watch TV ~ they arrive** regardons la télévision en attendant qu'ils arrivent (*subj*); **things won't improve ~ we have democracy** la situation ne s'améliorera pas tant que nous ne serons pas en démocratie; **stir mixture ~ (it is) smooth** Culin mélangez bien jusqu'à obtenir une pâte lisse; **~ you are dead** Jur jusqu'à ce que mort s'ensuive; **wait ~ I get back** attends que je rentre (*subj*); **I'll wait ~ I get back** j'attendrai d'être rentré (**before doing** pour faire); **wait ~ I tell you!** attends! il faut que je te raconte!; **she waited ~ she was alone/they were alone** elle a attendu d'être seule/qu'ils soient seuls; **don't look ~ I tell you to** ne regarde pas avant que je te le dise; **you can't leave ~ you've completed the course** tu ne peux pas partir avant d'avoir fini le stage; **don't ring me ~ you know for sure** ne m'appelle pas avant d'être sûr; **we can't decide ~ we know the details** nous ne pouvons pas prendre de décision tant que nous n'avons pas de précisions; **not ~ then did she realize that** ce n'est qu'à ce moment-là qu'elle s'est rendu compte que; ▸ **death**

untilled /ʌnˈtɪld/ *adj* [*land, field*] non labouré, en friche; **to leave sth ~** laisser qch en friche

untimely /ʌnˈtaɪmlɪ/ *adj* littér [*arrival, announcement, intervention*] inopportun; [*death*] prématuré; **to come to an ~ end** [*person, activity, project*] connaître une fin prématurée

untiring /ʌnˈtaɪərɪŋ/ *adj* [*person, enthusiasm*] infatigable (**in** dans)

untiringly /ʌnˈtaɪərɪŋlɪ/ *adv* inlassablement

unto‡ /ˈʌntʊ/ *prep* = **to**

untold /ʌnˈtəʊld/ *adj* **1** (not quantifiable) **~ millions** des millions et des millions; **~ quantities of tranquillizers** des quantités phénoménales de tranquillisants; **~ damage** d'énormes dégâts; **2** (endless) [*misery, damage, joy*] indicible; **3** littér (not told) **no event is left ~** on ne nous épargne aucun détail

untouchable /ʌnˈtʌtʃəbl/
A *n* Relig intouchable *mf*
B *adj* [*criminal*] intouchable; [*sportsman, feat*] imbattable

untouched /ʌnˈtʌtʃt/ *adj* **1** (unchanged, undisturbed) intact; **2** (unscathed) indemne; **3** (unaffected) non affecté (**by** par); **4** (uneaten) intact; **to leave/send back a meal ~** laisser/renvoyer un repas sans y toucher

untoward /ˌʌntəˈwɔːd, US ʌnˈtɔːrd/ *adj* **1** (unforeseen) [*happening*] fâcheux/-euse; **nothing/something ~** rien/quelque chose de fâcheux; **2** (unseemly) [*glee*] inconvenant

untraceable /ʌnˈtreɪsəbl/ *adj* introuvable

untraced /ʌnˈtreɪst/ *adj* [*descendant, survivor*] qui n'a pas encore été retrouvé; [*mail*] égaré

untrained /ʌnˈtreɪnd/ *adj* **1** [*workers, school leavers*] sans formation; **2** [*voice*] non travaillé; [*eye*] inexercé; [*artist, actor*] non formé; **to be ~ in sth** n'avoir aucune formation en qch; **3** [*horse, dog*] non dressé

untrammelled GB, **untrameled** US /ʌnˈtræmld/ *adj* non entravé

untranslatable /ˌʌntrænzˈleɪtəbl/ *adj* intraduisible (**into** en)

untravelled GB, **untraveled** US /ʌnˈtrævld/ *adj* [*person*] qui a peu voyagé; [*land, road*] non fréquenté; **largely ~** très peu fréquenté

untreatable /ʌnˈtriːtəbl/ *adj* incurable

untreated /ʌnˈtriːtɪd/ *adj* [*sewage, water*] non traité; [*illness*] non soigné; [*road*] non sablé

untried /ʌnˈtraɪd/ *adj* **1** [*recruit, beginner*] inexpérimenté; [*method, technology*] non essayé; [*product*] non testé; **2** Jur [*prisoner*] non jugé

untrodden /ʌnˈtrɒdn/ *adj* littér [*snow, territory*] vierge; [*path*] non foulé

untroubled /ʌnˈtrʌbld/ *adj* [*face, water, life*] paisible; [*person*] serein; **to be ~** (by doubt) ne pas être perturbé (**by** par); (by news) ne pas être troublé (**by** par)

untrue /ʌnˈtruː/ *adj* **1** (false) [*allegation, report*] faux/fausse; **2** (inaccurate) inexact; **it is ~ to say that** il est faux *or* inexact de dire que; **3** ‡[*sweetheart*] infidèle

untrustworthy /ʌnˈtrʌstwɜːðɪ/ *adj* [*source, information*] douteux/-euse; [*person*] indigne de confiance; [*witness*] non digne de foi

untruth /ʌnˈtruːθ/ *n* contre-vérité *f*; (less strong) inexactitude *f*

untruthful /ʌnˈtruːθfl/ *adj* [*person*] menteur/-euse; [*account*] mensonger/-ère

untruthfully /ʌnˈtruːθfəlɪ/ *adv* [*say, report*] de façon mensongère

untruthfulness /ʌnˈtruːθflnɪs/ *n* (of remark) caractère *m* mensonger; (of person) tendance *f* à mentir

untutored /ʌnˈtjuːtəd, US -ˈtuː-/ *adj* [*eye, ear*] inexercé; [*mind*] non averti

untwine /ʌnˈtwaɪn/
A *vtr* désentortiller
B *vi* se désentortiller

untwist /ʌnˈtwɪst/
A *vtr* dévisser [*lid*]; démêler [*rope, wool*]
B *vi* [*ribbon*] se dénouer

untypical /ʌnˈtɪpɪkl/ *adj* [*person, behaviour*] hors du commun; **to be ~ of sb** ne pas ressembler à qn (**to do** de faire)

unusable /ʌnˈjuːzəbl/ *adj* inutilisable

unused[1] /ʌnˈjuːst/ *adj* (unaccustomed) **to be ~ to sth/to doing** ne pas être habitué à qch/à faire

unused[2] /ʌnˈjuːzd/ *adj* (not used) [*machine, building, site*] inutilisé; [*stamp, stationery*] neuf/neuve; **'computer, ~'** (in ad) 'ordinateur, état neuf'

unusual /ʌnˈjuːʒl/ *adj* [*colour, animal, flower*] peu commun; [*case, circumstances, feature, occurrence, skill*] peu commun, inhabituel/-elle; [*dish, dress, jewellery, mixture, person*] original; **of ~ beauty** d'une rare beauté; **of ~ intelligence/charm** d'une intelligence/d'un charme hors du commun; **from an ~ angle** sous un angle inhabituel; **to have an ~ way of doing** avoir une manière originale de faire; **to take the ~ step of doing** prendre l'inhabituelle mesure de faire; **it is/is not ~ to find/see** il est/n'est pas rare de trouver/voir; **it's ~ for sb to do** il est rare que qn fasse; **to be ~ in doing** avoir la particularité de faire; **there's nothing ~ about it** cela n'a rien d'extraordinaire

unusually /ʌnˈjuːʒəlɪ/ *adv* **1** (exceptionally) [*large, difficult, talented*] exceptionnellement; **2** (surprisingly, untypically) exceptionnellement; **~ for this time of year, the streets are very crowded** exceptionnellement pour cette époque de l'année, les rues sont noires de monde; **~, they have been awarded damages** exceptionnellement, on leur a accordé des dommages et intérêts; **~ for her, she made several mistakes** chose rare, elle a fait quelques erreurs

unutterable /ʌnˈʌtərəbl/ *adj* indicible

unutterably /ʌnˈʌtərəblɪ/ *adv* indiciblement

unvaried /ʌnˈveərɪd/ *adj* [*routine, diet*] monotone; [*style*] plat

unvarnished /ʌnˈvɑːnɪʃt/ *adj* **1** [*wood*] non verni; **2** fig [*account, truth*] franc/franche et direct

unvarying /ʌnˈveərɪɪŋ/ *adj* [*habits, routine*] invariable; [*goodness, patience*] constant

unvaryingly /ʌnˈveərɪɪŋlɪ/ *adv* invariablement

unveil /ʌnˈveɪl/ *vtr* dévoiler [*statue, details*]

unveiled /ʌnˈveɪld/ *adj* Relig **to go ~** ne pas porter le voile

unveiling /ʌnˈveɪlɪŋ/ *n* **1** (of statue) dévoilement *m*; **2** (official ceremony) inauguration *f*; **3** (of latest model, details) annonce *f*

unventilated /ʌnˈventɪleɪtɪd/ *adj* [*room, area*] non ventilé

unverifiable /ʌnˈverɪfaɪəbl/ *adj* invérifiable

unverified /ʌnˈverɪfaɪd/ *adj* [*fact, rumour*] non vérifié

unversed /ʌnˈvɜːst/ *adj* **to be ~ in sth** être peu versé dans qch

unvoiced /ʌnˈvɔɪst/ *adj* **1** (private) [*suspicion, opinion*] inexprimé; **2** Ling [*consonant*] non voisé

unwaged /ʌnˈweɪdʒd/
A *n* **the ~** (+ *v pl*) les non salariés
B *adj* [*work, worker*] non salarié

unwanted /ʌnˈwɒntɪd/ *adj* [*appliance, furniture, goods, produce*] superflu; [*pet*] abandonné;

[visitor] indésirable; *[child, pregnancy]* non souhaité; **removal of ~ hair** épilation *f*; **to feel ~** se sentir de trop

unwarlike /ʌnˈwɔːlaɪk/ *adj* peu belliqueux/-euse

unwarrantable /ʌnˈwɒrəntəbl, US -ˈwɔːr-/ *adj [interference]* injustifiable; **it is ~ that sb should do** il est injustifiable de la part de qn de faire

unwarrantably /ʌnˈwɒrəntəblɪ, US -ˈwɔːr-/ *adv [interfere]* de façon injustifiable; *[late, expensive]* injustifiablement

unwarranted /ʌnˈwɒrəntɪd, US -ˈwɔːr-/ *adj [action, concern]* injustifié

unwary /ʌnˈweərɪ/
A *n* **the ~** (+ *v pl*) les imprudents
B *adj [person]* sans méfiance

unwashed /ʌnˈwɒʃt/ *adj [clothes, dishes, feet]* sale, pas lavé; *[person]* qui ne s'est pas lavé; **the Great Unwashed** péj, hum la Populace

unwavering /ʌnˈweɪvərɪŋ/ *adj [devotion]* inébranlable; *[gaze]* résolu

unwaveringly /ʌnˈweɪvərɪŋlɪ/ *adv [gaze, follow]* résolument; **~ loyal/determined** d'une loyauté/détermination à toute épreuve

unweaned /ʌnˈwiːnd/ *adj [baby, animal]* non sevré

unwearable /ʌnˈweərəbl/ *adj* (not suitable) immettable; (not comfortable) impossible à porter

unwearied /ʌnˈwɪərɪd/ *adj* littér non lassé (**by, in** par)

unwearying /ʌnˈwɪərɪŋ/ *adj [fighter]* infatigable; *[patience]* inlassable

unwelcome /ʌnˈwelkəm/ *adj* **1** *[visitor, guest, presence, interruption]* importun; **she felt most ~** elle ne se sentait pas la bienvenue; **to make sb feel ~** faire sentir à qn qu'il n'est pas le bienvenu; **2** *[news, attention]* fâcheux/-euse; *[truth]* gênant; *[bid, proposition]* inopportun

unwelcoming /ˌʌnˈwelkəmɪŋ/ *adj [atmosphere]* peu accueillant; **most ~** particulièrement peu accueillant

unwell /ʌnˈwel/ *adj* souffrant; **he is feeling ~** il ne se sent pas très bien; **are you ~?** vous êtes souffrant?

unwholesome /ʌnˈhəʊlsəm/ *adj* malsain

unwieldy /ʌnˈwiːldɪ/ *adj [weapon, tool]* peu maniable; *[parcel]* encombrant; *[bureaucracy, organization]* lourd

unwilling /ʌnˈwɪlɪŋ/ *adj [attention, departure]* forcé; **he is ~ to do it** il n'est pas disposé à le faire; (stronger) il ne veut pas le faire; **~ accomplice** complice malgré moi/lui etc

unwillingly /ʌnˈwɪlɪŋlɪ/ *adv* à contrecœur

unwillingness /ʌnˈwɪlɪŋnɪs/ *n* réticence *f*; **her ~ to adapt cost her the job** sa réticence à s'adapter lui a fait perdre son emploi; **the border exists because of their ~ to live together** la frontière existe parce qu'ils n'étaient pas disposés à vivre ensemble

unwind /ʌnˈwaɪnd/ (*prét, pp* **-wound**)
A *vtr* dérouler
B *vi* **1** *[tape, cable, scarf]* se dérouler; **2** (relax) se relaxer

unwise /ʌnˈwaɪz/ *adj [choice, loan, decision]* peu judicieux/-ieuse; *[person]* imprudent; **it is ~ to do** il est imprudent de faire; **it would be ~ to invest now** il serait malavisé d'investir maintenant

unwisely /ʌnˈwaɪzlɪ/ *adv* imprudemment

unwitting /ʌnˈwɪtɪŋ/ *adj* involontaire

unwittingly /ʌnˈwɪtɪŋlɪ/ *adv* **1** (innocently) *[remark]* innocemment; **2** (without wanting to) *[contribute, provide, reveal]* involontairement; **3** (accidentally) *[stumble upon]* accidentellement

unwomanly /ʌnˈwʊmənlɪ/ *adj* peu féminin

unwonted /ʌnˈwəʊntɪd/ *adj* littér inhabituel/-elle

unworkable /ʌnˈwɜːkəbl/ *adj* impraticable; **to prove ~** s'avérer impraticable

unworkmanlike /ʌnˈwɜːkmənlaɪk/ *adj* indigne d'un professionnel/d'une professionnelle

unworldly /ʌnˈwɜːldlɪ/ *adj* **1** (not materialistic) *[person, existence]* détaché de ce monde; **2** (naive) *[person, argument]* naïf/naïve; **3** (spiritual) *[beauty, beings]* surnaturel/-elle

unworthiness /ʌnˈwɜːðɪnɪs/ *n* absence *f* de mérite

unworthy /ʌnˈwɜːðɪ/ *adj* indigne (**of** de)

unwound /ʌnˈwaʊnd/ *prét, pp* ▸ **unwind**

unwrap /ʌnˈræp/ (*p prés etc* **-pp-**) *vtr* déballer *[parcel]*; **to come ~ped** se défaire

unwritten /ʌnˈrɪtn/ *adj* **1** (tacit) *[rule, agreement]* tacite; **2** (not written) *[story, song]* non écrit; *[tradition]* oral; **the letter remained ~** la lettre n'a jamais été écrite

unyielding /ʌnˈjiːldɪŋ/ *adj* **1** *[person, rule]* inflexible; **2** *[surface, barrier]* rigide

unyoke /ʌnˈjəʊk/ *vtr* **1** lit dételer *[animal]*; **2** fig libérer *[nation, person]* (**from** de)

unzip /ʌnˈzɪp/ (*p prés etc* **-pp-**)
A *vtr* **1** (undo) défaire la fermeture à glissière de *[dress, trousers]*; **could you ~ me?** est-ce que tu peux défaire ma fermeture à glissière?; **2** Comput dézipper, décompresser *[file]*
B *vi* s'ouvrir

up /ʌp/

> ⚠ *Up* appears frequently in English as the second element of phrasal verbs (*get up, pick up etc*). For translations, consult the appropriate verb entry (**get, pick** etc)

A *adj* **1** (out of bed) **she's ~** elle est levée; **they're often ~ early/late** ils se lèvent souvent tôt/tard; **we were ~ very late last night** nous nous sommes couchés très tard hier soir; **they were ~ all night** ils ont veillé toute la nuit; **she was ~ all night waiting for them** elle a passé toute la nuit à les attendre; **I was still ~ at 2 am** j'étais toujours debout à 2 heures du matin; **John isn't ~ yet** John n'est pas encore levé; **we arrived before anyone was ~** quand nous sommes arrivés, personne n'était encore levé *or* tout le monde dormait encore

2 (higher in amount, level) **sales/prices/interest rates are ~ (by 10%)** les ventes/les prix/les taux d'intérêt ont augmenté (de 10%); **shares/numbers of students are ~** les actions sont/le nombre d'étudiants est en hausse; **tourism/production is ~ (by) 5%** le tourisme/la production a augmenté de 5%; **his temperature is ~ 2 degrees** sa température a augmenté de 2°; **oranges/carrots are ~ again** le prix des oranges/carottes augmente de nouveau; **sales/prices are 10% ~ on last year** les ventes/les prix ont augmenté de 10% par rapport à l'an dernier; **I came out of the deal £5,000 ~** j'ai fait 5 000 livres sterling de bénéfice dans cette affaire

3 ○(wrong) **what's ~?** qu'est-ce qui se passe?; **what's ~ with him?** qu'est-ce qu'il lui arrive?; **is there something ~?** est-ce qu'il y a quelque chose qui ne va pas?; **there's something ~** il y a quelque chose qui ne va pas; **there's something ~ with him/your dad** il/ton père n'a pas l'air bien; **what's ~ with the TV?** qu'est-ce qu'elle a la télé?; **what's ~ with your arm?** qu'est-ce que tu as au bras?; **there's something ~ with the brakes** il y a un problème avec les freins; **there's something ~ with my back** mon dos me fait mal

4 (erected, affixed) **the notice/the photograph is ~ on the board** l'annonce/la photographie est affichée sur le panneau; **is the tent ~?** est-ce que la tente est déjà montée?; **the building will be ~ in three months time** le bâtiment sera terminé dans trois mois; **how long have those curtains been ~?** depuis quand est-ce que ces rideaux sont pendus *or* là?; **he had his hand ~ for five minutes** il a gardé la main levée pendant cinq minutes

5 (open) **he had his umbrella ~** il avait son parapluie ouvert; **the hood** GB **of the car was ~** la capote de la voiture était fermée; **the blinds were ~** les stores étaient levés; **when the switch/lever is ~ the machine is off** si le bouton/levier est vers le haut la machine est arrêtée; **when the barrier is ~ you can go through** quand la barrière est levée vous pouvez passer

6 (finished) **'time's ~!'** 'le temps est épuisé!'; **his leave/military service is almost ~** son congé/service militaire est presque terminé; **when the four days/months were ~** à la fin des quatre jours/mois; **it's all ~○ with this government** c'est la fin du gouvernement; **it's all ~○ with him** il est fini○

7 (facing upwards) **'this side ~'** (on parcel, box) 'haut'; **he was lying/floating face ~** il était allongé/flottait sur le dos; **the bread landed with the buttered side ~** la tartine est tombée côté beurré vers le haut

8 (rising) **the river is ~** la rivière est en crue; **the wind is ~** le vent est fort; **his colour's ~** il est tout rouge; **his blood's ~** fig la moutarde lui monte au nez

9 (pinned up) **her hair was ~** elle avait les cheveux relevés

10 (cheerful) **he's ~ at the moment** il est en forme en ce moment

11 (being repaired) **the road is ~** la route est en travaux; **'Road ~'** (on sign) 'Travaux'

12 (in upward direction) **the ~ escalator** l'escalator® qui monte

13 (on trial) **to be ~ before a judge** passer devant le tribunal; **he's ~ for murder/fraud** il est accusé de meurtre/fraude

14 Sport (in tennis, badminton) **not ~!** faute!

15 ○GB (ready) **tea ~!** le thé est prêt!

B *adv* **1** (high) **~ here/there** là-haut; **~ on the wardrobe/the top shelf/the hill** sur l'armoire/l'étagère la plus haute/la colline; **~ in the tree/the clouds** dans l'arbre/les nuages; **~ at the top of the house** tout en haut de la maison; **~ on top of the mountain** au sommet de la montagne; **~ in London** à Londres; **~ to/in Scotland** en Écosse; **~ to Aberdeen** à Aberdeen; **~ North** au nord; **four floors ~ from here** quatre étages au-dessus; **I live two floors ~** j'habite au deuxième étage; **he lives ten floors ~ from her** il habite dix étages au-dessus d'elle; **on the second shelf ~** sur la deuxième étagère en partant du bas; **I'm on my way ~** je monte; **I'll be right ~** je monte tout de suite; **he's on his way ~ to see you/to the fifth floor** il est en train de monter vous voir/au cinquième étage; **it needs to be a bit further ~** (picture etc) il faut le mettre un peu plus haut; **all the way ~** jusqu'en haut, jusqu'au sommet

2 (ahead) d'avance; **to be four points ~ (on sb)** avoir quatre points d'avance (sur qn); **they were two goals ~** ils menaient avec deux buts d'avance; **she's 40–15 ~** (in tennis) elle mène 40–15

3 (upwards) **t-shirts from £2 ~** des t-shirts à partir de deux livres; **from (the age of) 14 ~** à partir de 14 ans; **everyone in the company from the cleaning lady ~** tout le monde dans l'entreprise, de la femme de ménage au patron

4 (at, to high status) **to be ~ with** *ou* **among the best/the leaders** faire partie des meilleurs/des leaders; **~ the workers!** vive les travailleurs!; **'~ with Manchester United'** 'vive Manchester United'

C *prep* **1** (at, to higher level) **~ the tree** dans l'arbre; **~ a ladder** sur une échelle; **the library is ~ the stairs** la bibliothèque se trouve en haut de l'escalier; **he ran ~ the stairs** il a monté l'escalier en courant; **the road ~ the mountain** la route qui gravit la montagne; **the spider crawled ~ my back** l'araignée a grimpé le long de mon dos; **the pipe runs ~ the front of the house** le tuyau monte le long de la façade de la maison

2 (in direction) **the shops are ~ the road** les magasins sont plus loin dans la rue; **she lives ~ that road there** elle habite dans cette rue; **he lives just ~ the road** il habite juste à côté; **the boathouse is further ~ the river** le hangar à bateaux est plus loin au bord de la rivière; **his office is ~ the corridor from mine** son bureau est dans le même couloir que le mien; **he walked ~ the road singing** il a remonté la rue en chantant; **the car drove ~ the road** la voiture a remonté la rue; **I saw him go ~ that road there** je l'ai vu partir dans cette rue; **she's got water ~ her nose** elle a de l'eau dans le nez; **he put it ~ his sleeve** il l'a mis dans sa manche

3 ○GB (at, to) **he's ~ the pub** il est au pub

D **up above** *adv phr, prep phr* gen au-dessus; Relig au ciel; **~ above sth** au-dessus de qch

E **up against** *prep phr* lit **~ against the wall** contre le mur; fig **to be ~** *ou* **come ~ against difficulties/opposition** rencontrer des difficultés/de l'opposition; **they're ~ against a very strong team** ils sont confrontés à une équipe très forte; **it helps to know what you are ~ against** il faut savoir ce contre quoi on se bat; **we're really ~ against it** on a vraiment des problèmes

F **up and about** *adv phr* (out of bed) debout, réveillé; (after illness) **to be ~ and about again** être de nouveau sur pied

G **up and down** *adv phr, prep phr* 1 (to and fro) **to walk** *ou* **pace ~ and down** aller et venir, faire les cent pas; **he was walking ~ and down the garden** il faisait les cent pas dans le jardin; **they travelled ~ and down the country** ils ont sillonné le pays; **she's been ~ and down all night** (in and out of bed) elle n'a pas arrêté de se lever pendant la nuit; **he's a bit ~ and down at the moment** fig (depressed) il n'a pas le moral en ce moment; (ill) il n'est pas en forme en ce moment

2 (throughout) **~ and down the country/region** dans tout le pays/toute la région

H **up and running** *adj phr, adv phr* **to be ~ and running** [*company, project*] bien marcher; [*system*] bien fonctionner; **to get sth ~ and running** faire marcher *or* fonctionner qch

I **up for** *prep phr* **he's ~ for election** il se présente aux élections; **the subject ~ for discussion/consideration is...** le sujet qu'on aborde/considère est...

J **up to** *prep phr* 1 (to particular level) jusqu'à; **~ to here** jusqu'ici; **~ to there** jusque là; **I was ~ to my knees in water** j'étais dans l'eau jusqu'aux genoux

2 (as many as) jusqu'à, près de; **~ to 20 people/50 dollars** jusqu'à 20 personnes/50 dollars; **~ to 500 people arrive every day** près de 500 personnes arrivent tous les jours; **reductions of ~ to 50%** des réductions qui peuvent atteindre 50%; **tax on profits of ~ to £150,000** les impôts sur les bénéfices de moins de 150 000 livres sterling; **to work for ~ to 12 hours a day** travailler jusqu'à 12 heures par jour; **a hotel for ~ to 500 people** un hôtel qui peut accueillir jusqu'à 500 personnes

3 (until) jusqu'à; **~ to 1964** jusqu'en 1964; **~ to 10.30 pm** jusqu'à 22 h 30; **~ to now** jusqu'à maintenant; **~ to chapter two** jusqu'au chapitre deux

4 (good enough for) **I'm not ~ to it** (not capable) je n'en suis pas capable; (not well enough) je n'en ai pas la force; **I'm not ~ to going to London/going back to work** je n'ai pas le courage d'aller à Londres/de retourner travailler; **I'm not ~ to writing a book** je ne suis pas capable d'écrire un livre; **the play wasn't ~ to much** la pièce n'était pas formidable; **this piece of work wasn't ~ to your usual standard** ce travail n'est pas au niveau de ce que vous faites d'habitude

5 (expressing responsibility) **it's ~ to you/him to do** c'est à toi/lui de faire; **'shall I leave?'—'it's ~ to you!'** 'est-ce que je devrais partir?'—'c'est à toi de décider!'; **if it were ~ to me/him** si ça dépendait de moi/de lui

6 (doing) **what is he ~ to?** qu'est-ce qu'il fait?; **what are those children ~ to?** qu'est-ce qu'ils fabriquent○ ces enfants?; **they're ~ to something** ils mijotent○ quelque chose

K *vtr* (*p prés etc* **-pp-**) (increase) augmenter [*price, interest rate, wages*]

L ○*vi* (*p prés etc* **-pp-**) **he ~ped and left/hit him** tout d'un coup il s'est levé et il est parti/l'a frappé; **she ~ped and married someone else** elle a épousé quelqu'un d'autre sans attendre

(Idioms) **the company is on the ~ and ~** ça marche très bien pour l'entreprise; **to be one ~ on sb** faire mieux que qn; **to be ~ for it**○ être partant○; **to be (well) ~ on** s'y connaître en [*art, history etc*]; être au courant de [*news, developments, changes*]; **the ~s and downs** les hauts et les bas (**of** de); **~ yours**◑**!** va te faire foutre◑!

up and coming *adj* [*person, company*] qui monte/montait, prometteur/-euse

upbeat /ˈʌpbiːt/
A *n* Mus levé *m*
B *adj* fig optimiste

up-bow /ˈʌpbəʊ/ *n* Mus poussé *m*

upbraid /ˌʌpˈbreɪd/ *vtr* sout reprocher à (**for, about** de; **for doing** de faire)

upbringing /ˈʌpbrɪŋɪŋ/ *n* éducation *f*

upchuck○ /ˈʌptʃʌk/ *vtr, vi* US dégueuler◑

upcoming /ˌʌpˈkʌmɪŋ/ *adj* (forthcoming) prochain

upcountry /ˌʌpˈkʌntrɪ/
A *adj* [*town, place*] de l'arrière-pays
B *adv* [*return, travel*] vers l'arrière-pays

update
A /ˈʌpdeɪt/ *n* mise *f* à jour (**on** de); **news ~** dernières nouvelles *fpl*
B /ˌʌpˈdeɪt/ *vtr* 1 (revise) mettre *or* remettre [qch] à jour [*database, information, catalogue, figure*]; actualiser [*price, value*]; 2 (modernize) moderniser [*machinery, method*]; remettre [qch] au goût du jour [*image, style*]; 3 mettre [qn] au courant [*person*] (**on** de)

updraught GB, **updraft** US /ˈʌpdrɑːft, ˈʌpdræft/ *n* courant *m* d'air ascendant

upend /ˌʌpˈend/ *vtr* 1 (turn upside down) retourner [*container*]; mettre [qn] la tête en bas [*person*]; 2 (stand upright) mettre debout [*box, barrel*]

upfront○ /ˌʌpˈfrʌnt/
A *adj* 1 (frank) franc/franche; 2 (conspicuous) en vue; 3 [*money*] payé d'avance
B *adv* [*pay*] d'avance

upgrade
A /ˈʌpgreɪd/ *n* 1 (upward gradient) montée *f*; **to be on the ~** gen être en progrès; [*prices*] être en hausse; [*sick person*] être en voie de guérison; 2 Tourism surclassement *m*; 3 Comput (of software) mise *f* à jour; (of hardware) version *f* plus puissante
B /ˈʌpgreɪd/ *adv* US = **uphill**
C /ˌʌpˈgreɪd/ *vtr* 1 (modernize) moderniser; (improve) améliorer [*product*]; 2 Comput augmenter [*memory*]; améliorer [*system*]; passer à une version plus puissante de [*hardware*]; passer à une version plus récente de [*software*]; 3 (raise) promouvoir [*person*]; revaloriser [*job, position, skill*]; 4 Tourism surclasser [*passenger*]

upheaval /ˌʌpˈhiːvl/ *n* 1 (disturbance) **C** (political, emotional) bouleversement *m*; (physical) (in house etc) remue-ménage *m inv*; 2 **₵** (instability) (political, emotional) bouleversements *mpl*; (physical) remue-ménage *m inv*; **political/social ~** bouleversements politiques/sociaux; **emotional ~** un bouleversement affectif; 3 Geol surrection *f*

uphill /ˌʌpˈhɪl/
A *adj* 1 lit [*road, slope*] qui monte; 2 fig (difficult) [*task*] difficile; **it will be an ~ struggle** *ou* **battle** cela va être difficile
B *adv* [*go, walk*] en montée; **the path led** *ou* **ran ~** le sentier montait; **she can't walk ~** elle ne peut pas marcher dans les montées; **the house is ~ from here** la maison est dans la montée par rapport à ici; **it's ~ all the way** lit ça monte tout le temps; fig ce n'est pas tâche facile

uphold /ˌʌpˈhəʊld/ *vtr* (*prét, pp* **-held**) 1 gen soutenir [*right, principle, belief, institution*]; faire respecter [*law*]; 2 Jur confirmer [*sentence, decision*]

upholder /ˌʌpˈhəʊldə(r)/ *n* défenseur *m* (**of** de)

upholster /ˌʌpˈhəʊlstə(r)/
A *vtr* rembourrer [*chair, sofa etc*]
B **upholstered** *pp adj* 1 [*furniture*] rembourré; 2 ○hum **well ~** [*person*] bien rembourré○

upholsterer /ˌʌpˈhəʊlstərə(r)/ ▸ p. 1683 *n* tapissier/-ière *m/f*

upholstery /ˌʌpˈhəʊlstərɪ/ *n* 1 (covering) revêtement *m*; 2 (stuffing) rembourrage *m*; 3 (technique) tapisserie *f*

upkeep /ˈʌpkiːp/ *n* 1 (care) (of house, garden) entretien *m* (**of** de); [*of animal*] garde *f* (**of** de); 2 (cost of care) frais *mpl* d'entretien

upland /ˈʌplənd/
A *n* **the ~s** les hautes terres
B *adj* [*area, farm, river*] des hautes terres

uplift
A /ˈʌplɪft/ *n* 1 (of person, spirits) tonus *m*; (of career) nouvel essor *m*; 2 (of prices, market) nouvelle envolée *f*; (of living standards) amélioration *f*; 3 Geol soulèvement *m*
B /ˌʌpˈlɪft/ *vtr* remonter [*person, spirits*]

uplift bra *n* soutien-gorge *m* pigeonnant

uplifted /ˌʌpˈlɪftɪd/ *adj* [*face, limb*] levé; **to feel ~** fig se sentir remonté

uplifting /ˌʌpˈlɪftɪŋ/ *adj* tonique

uplighter /ˈʌplaɪtə(r)/ *n* luminaire *m* à éclairage indirect

upload /ˈʌpləʊd/ *vtr* Comput télécharger, télétransmettre [*data*]

up-market /ˌʌpˈmɑːkɪt/ *adj* [*clothes, car, hotel, restaurant*] haut de gamme; [*district, area*] riche

upmost /ˈʌpməʊst/ *adj* ▸ **uppermost**

upon /əˈpɒn/ *prep* = **on A**

upper /ˈʌpə(r)/
A *n* 1 (of shoe) empeigne *f*; **'leather ~'** 'dessus cuir'; 2 ○US Rail couchette *f* supérieure; 3 ○US argot des drogués stimulant *m*
B *adj* 1 (in location) [*shelf, cupboard*] du haut; [*floor, deck*] supérieur; [*jaw, eyelid, lip*] supérieur; [*teeth*] du haut; **the ~ body** la partie supérieure du corps; 2 (in rank) supérieur; 3 (on scale) [*register, scale*] supérieur; **the ~ limit** la limite maximale (**on** de); **temperatures are in the ~ twenties** les températures dépassent 25°; 4 Geog (*épith*) [*valley, region*] plus au nord; **the Upper (reaches of the) Thames** la haute Tamise; 5 Archeol, Geol [*period*] supérieur

(Idioms) **to be on one's ~s**○ être dans la dèche○; **to have the ~ hand** avoir le dessus; **to get the ~ hand** prendre le dessus. ▸ **stiff**

upper: **~ arm** *n* bras *m*, humérus *m* spec; **~ atmosphere** *n* couches *fpl* supérieures de l'atmosphère

upper case
A *n* haut *m* de casse; **in ~** en haut de casse
B *adj*: **~ letters** (lettres *fpl*) majuscules *fpl*

upper circle *n* Theat deuxième balcon *m*

upper class
A *n* **the ~, the ~es** l'aristocratie *f*
B **upper-class** *adj* [*accent, background, person*] distingué; **in ~ circles** dans la haute société

upper classman *n* US Univ étudiant/-e *m/f* de troisième ou quatrième année

upper crust○ hum
A *n* **the ~** le gratin○ *m*
B **upper-crust** *adj* [*accent, family*] de la haute○

upper: **~cut** *n* Sport uppercut *m*; **Upper Egypt** *pr n* Haute-Égypte *f*; **Upper House** *n* Chambre *f* haute; **~-income bracket** *n* tranche *f* des revenus élevés

upper middle class
A *n* **the ~, the ~es** la haute bourgeoisie *f*
B *adj* de la haute bourgeoisie

uppermost /'ʌpəməʊst/ *adj* 1 (highest) [*deck, peak, branch*] le plus haut; (in rank) [*echelon, position*] le plus élevé; 2 (to the fore) **to be ~** être prédominant; **to be ~ in sb's mind** être au premier plan des pensées de qn

upper school *n* GB Sch 1 (school) *établissement scolaire de second degré (pour élèves de 13 à 18 ans)*; 2 (within school) **the ~** les grandes classes *fpl*

upper: **Upper Silesia** *pr n* Haute Silésie *f*; **~ sixth** *n* GB Sch ≈ (classe *f*) terminale *f*; **Upper Volta** *pr n* Hist Haute-Volta *f*

uppish○ /'ʌpɪʃ/ *adj* GB 1 = **uppity**; 2 Sport haut

uppity○ /'ʌpətɪ/ *adj* arrogant; **to get ~ about sth** prendre qch de haut

uprate /ˌʌp'reɪt/ *vtr* augmenter [*benefit, pension*]; améliorer [*version, performance*]; Phot pousser [*film*]

uprating /ˌʌp'reɪtɪŋ/ *n* (of benefit) augmentation *f*

upright /'ʌpraɪt/

A *n* 1 Constr montant *m*; 2 (in football) montant *m* de but; 3 Mus piano *m* droit

B *adj* lit, fig droit; **to have an ~ bearing** se tenir très droit; **to stay ~** [*person*] rester debout; **'keep ~'** (on package) 'ne pas retourner'

C *adv* **to stand ~** se tenir droit; **to sit ~** (action) se redresser

upright: **~ chair** *n* chaise *f*; **~ freezer** *n* congélateur *m* armoire

uprightly /'ʌpraɪtlɪ/ *adv* honnêtement

uprightness /'ʌpraɪtnɪs/ *n* droiture *f*

upright: **~ piano** ▸ **p. 1462** *n* piano *m* droit; **~ vacuum cleaner** *n* aspiro-batteur *m*

uprising /'ʌpraɪzɪŋ/ *n* soulèvement *m* (**against** contre)

upriver /ˌʌp'rɪvə(r)/

A *adj* en amont

B *adv* vers l'amont

uproar /'ʌprɔː(r)/ *n* 1 (violent indignation) indignation *f*; **to cause an international ~** soulever une indignation internationale; 2 (noisy reaction) tumulte *m*; **to cause (an) ~** déclencher un tumulte de protestations; 3 (chaos) **to be in ~** être dans la plus vive agitation

uproarious /ʌp'rɔːrɪəs/ *adj* 1 (funny) désopilant; 2 (rowdy) [*behaviour*] tapageur/-euse; [*laughter*] tonitruant

uproariously /ʌp'rɔːrɪəslɪ/ *adv* [*laugh*] aux éclats; **~ funny** désopilant

uproot /ˌʌp'ruːt/ *vtr* lit, fig déraciner

upsa-daisy /'ʌpsədeɪzɪ/ *excl* hop là

upscale /'ʌpskeɪl/ *adj* US chic *inv*

upset

A /'ʌpset/ *n* 1 (surprise, setback) Pol, Sport revers *m*; **to suffer an ~** subir un revers; **big Conservative ~** journ sérieux revers pour les conservateurs; **to cause an ~** causer la surprise; 2 (upheaval) bouleversement *m*; 3 (distress) peine *f*; 4 Med **to have a stomach ~** avoir un problème d'estomac

B /ˌʌp'set/ *vtr* (*p prés* **-tt-**; *prét, pp* **-set**) 1 (distress) [*sight, news*] retourner; [*person*] faire de la peine à; 2 (annoy) contrarier; **you'll only ~ her** tu ne feras que la contrarier; 3 fig (throw into disarray) bouleverser [*plan*]; déjouer [*calculations, forecast*]; affecter [*pattern, situation*]; 4 (destabilize) rompre [*balance*]; (knock over) renverser; 5 Pol, Sport (topple) déloger [*leader, party in power*]; 6 Med rendre malade [*person*]; perturber [*digestion*]

C ○/ˌʌp'set/ *v refl* (*p prés* **-tt-**; *prét, pp* **-set**) **to ~ oneself** se tracasser○; **don't ~ yourself** ne te tracasse donc pas

D /ˌʌp'set/ *pp adj* [*person*] **to be *ou* feel upset** (distressed) être très affecté (**at, about** par); (annoyed) être contrarié (**at, about** par); **to get upset** (angry) se fâcher (**about** pour); (distressed) se tracasser (**about** pour)

upset price US Comm mise *f* à prix

upsetting /ˌʌp'setɪŋ/ *adj* (distressing) [*sight, story, news*] navrant (**to do** de faire), affligeant (**to do** de faire); (annoying) contrariant (**to do** de faire)

upshift /'ʌpʃɪft/

A *n* augmentation *f*

B *vi* 1 US Aut passer à la vitesse supérieure; 2 (increase) augmenter, monter

upshot /'ʌpʃɒt/ *n* résultat *m*; **the ~ is that** le résultat, c'est que

upside○ /'ʌpsaɪd/ US

A *n* haut *m*

B *prep* sur le côté de

upside down /ˌʌpsaɪd 'daʊn/

A *adj* lit à l'envers; fig sens dessus dessous; **~ cake** Culin gâteau *m* renversé

B *adv* 1 lit à l'envers; **bats hang ~** les chauves-souris s'accrochent la tête en bas; 2 fig **to turn the house ~** mettre la maison sens dessus dessous; **to turn sb's life ~** bouleverser la vie de qn

upsize /'ʌpsaɪz/ *vi* recruter, embaucher

upsizing /'ʌpsaɪzɪŋ/ *n* recrutement *m*, embauche *f*

upstage /ˌʌp'steɪdʒ/

A *adj* Theat [*entrance*] situé au fond de la scène

B *adv* Theat [*stand*] au fond de la scène; [*move*] vers le fond de la scène; **to be ~ of sb/sth** être plus au fond de la scène que qn/qch

C *vtr* Theat, fig éclipser

upstairs /ˌʌp'steəz/

A *n* haut *m*; **the ~ is much nicer** le haut est beaucoup plus joli; **there is no ~ in this house** il n'y a pas d'étage dans cette maison; **~ and downstairs** fig (masters and servants) maîtres *mpl* et valets *mpl*

B *modif* [*room*] du haut; [*neighbours*] du dessus; **an ~ bedroom** une chambre à l'étage; **the ~ bedroom** la chambre du haut; **the ~ flat** GB l'appartement du haut *or* d'en haut; **with ~ bathroom** avec salle de bains à l'étage

C *adv* en haut; **to go ~** monter (l'escalier); **a noise came from ~** il y a eu un bruit venant d'en haut

(Idioms) **he hasn't got much ~**○ il n'a pas grand-chose dans le ciboulot○ *or* dans la tête; **to be kicked ~**○ recevoir une promotion placard

upstanding /ˌʌp'stændɪŋ/ *adj* lit bien bâti; fig plein de probité; **to be ~** sout se lever

upstart /'ʌpstɑːt/ *n, adj* arriviste (*mf*)

upstate /'ʌpsteɪt/

A *adj* **~ New York** la partie nord de l'État de New York

B *adv* **to go/come from ~** (north) aller vers le/venir du nord (*d'un État*); (rural) aller au/venir du fin fond d'un État

upstream /ˌʌp'striːm/

A *adj* en amont

B *adv* [*travel*] vers l'amont; **~ from here** en amont d'ici

upstretched /ˌʌp'stretʃt/ *adj* [*arms*] tendu

upstroke /'ʌpstrəʊk/ *n* 1 (in handwriting) délié *m*; 2 Tech mouvement *m* ascensionnel

upsurge /'ʌpsɜːdʒ/ *n* (of violence) montée *f* (**of** de); (in debt, demand, industrial activity) augmentation *f* (**in** de)

upswept /'ʌpswept/ *adj* [*hairstyle*] en hauteur; [*tail fin*] qui remonte

upswing /'ʌpswɪŋ/ *n* (improvement) reprise *f* (**in** de); (increase) augmentation *f* (**in** de)

uptake /'ʌpteɪk/ *n* 1 Tech (shaft) carneau *m*; 2 Biol, Med (absorption) assimilation *f*

(Idiom) **to be quick/slow on the ~**○ comprendre/ne pas comprendre vite

up-tempo /ˌʌp'tempəʊ/ *adj* au rythme enlevé

upthrust /'ʌpθrʌst/ *n* 1 Tech poussée *f* ascendante; 2 Geol soulèvement *m*

uptick /'ʌptɪk/ *n* US 1 Fin *transaction boursière à un prix plus élevé que la précédente*; 2 gen augmentation *f*

uptight○ /ˌʌp'taɪt/ *adj* (tense) tendu; péj (reserved) coincé○

up-to-date /ˌʌptə'deɪt/ *adj* 1 (modern, fashionable) [*music, clothes*] à la mode; [*equipment*] moderne; 2 (containing latest information) [*brochure, records, accounts, map, timetable*] à jour; [*information, news*] récent; **to keep sth up to date** tenir qch à jour [*records, list, accounts*]; 3 (informed) [*person*] au courant; **to keep up to date with** se tenir au courant de [*developments*]; être au courant de [*gossip*]; **to bring/keep sb up to date** mettre/tenir qn au courant (**about** de); **to keep up to date** être bien informé

up-to-the-minute *adj* [*information, account*] dernier/-ière

uptown /ˌʌp'taʊn/ US

A *adj* **in the ~ section of New York** au nord de New York; fig (smart) [*girl, restaurant*] chic

B *adv* 1 (upmarket) **to move ~** (residence) aller habiter dans un quartier résidentiel chic; (shop) transférer son magasin dans un quartier chic; fig réussir socialement; 2 (central) **to go ~** aller dans le centre

upturn /'ʌptɜːn/

A *n* reprise *f*

B **upturned** *pp adj* posé à l'envers; [*brim*] remonté; [*soil*] retourné; [*nose*] retroussé

upward /'ʌpwəd/

A *adj* [*glance, push, movement*] vers le haut; [*path, road*] qui monte; **an ~ slope** une montée; **an ~ trend** fig Fin une tendance à la hausse

B *adv* ▸ **upwards**

upwardly mobile *adj* en pleine ascension sociale

upward mobility *n* ascension *f* sociale

upwards /'ʌpwədz/

A *adv* 1 lit [*look, point*] vers le haut; **to go *ou* move ~** monter; **to glide ~** remonter *or* glisser vers le haut; **he was lying face ~** il était allongé sur le dos; 2 fig **to push prices ~** faire monter les prix; **to revise one's forecasts ~** réviser ses prévisions à la hausse; **from five years/£10 ~** à partir de cinq ans/10 livres sterling; **she's moving ~ in her profession** elle avance dans sa carrière

B **upwards of** *prep phr* plus de; **~ of £50/20%** plus de 50 livres sterling/20%

upwind /ˌʌp'wɪnd/

A *adj* sous le vent; **to be ~ of sth** être dans le vent de qch

B *adv* [*sail*] contre le vent

uraemia, **uremia** US /jʊ'riːmɪə/ ▸ **p. 1327** *n* urémie *f*

Ural /'jʊərəl/ *pr n* **the ~s** l'Oural *m*

uranium /jʊ'reɪnɪəm/

A *n* uranium *m*

B *modif* [*reserves, producer*] d'uranium

uranium series *n* famille *f* radioactive de l'uranium 238

Uranus /'jʊərənəs, jʊ'reɪnəs/ *pr n* 1 Mythol Ouranos *m*; 2 Astron Uranus *f*

urban /'ɜːbən/ *adj* [*environment, landscape, life, transport, area*] urbain; [*school*] en ville; **~ dweller** citadin/-e *m/f*

urban: **~ blight** *n* dégradation *f* urbaine; **~ conservation area** *n* GB secteur *m* sauvegardé; **~ decay** *n* dégradation *f* urbaine; **~ development zone** *n* cf zone *f* à urbaniser en priorité; **Urban District Council**, **UDC** *n* GB conseil *m* de district urbain

urbane /ɜː'beɪn/ *adj* [*person*] plein de savoir-faire; [*grace, style*] raffiné

urbanism /'ɜːbənɪzəm/ *n* US 1 (way of life) vie *f* citadine; 2 (urban studies) études *fpl* d'urbanisme; (town planning) urbanisme *m*

urbanist /'ɜːbənɪst/ *n* US urbaniste *mf*

urbanite /'ɜːbənaɪt/ *n* US citadin/-e *m/f*

urbanity /ɜː'bænətɪ/ *n* urbanité *f*

urbanization /ˌɜːbənaɪ'zeɪʃn, US -nɪ'z-/ *n* urbanisation *f*

urbanize /'ɜːbənaɪz/ *vtr* urbaniser; **to become ~d** s'urbaniser

urban: **~ myth** *n* mythe *m* urbain; **~ planner** ▸ **p. 1683** *n* urbaniste *mf*;

u

~ **planning** *n* urbanisme *m*; ~ **renewal** *n* rénovation *f* urbaine; ~ **sprawl** *n péj* (phenomenon) étalement *m* de la ville; (buildings) agglomération *f*; ~ **studies** *npl* études *fpl* d'urbanisme

urchin /ˈɜːtʃɪn/
A *n* gamin *m*; **street ~** gamin des rues
B *modif* [*smile, haircut*] gamin

Urdu /ˈʊədu:/ ▸ **p. 1378** *n* urdu *m*

urea /ˈjʊərɪə, US ˈjʊrɪə/ *n* (all contexts) urée *f*

ureter /jʊəˈri:tə(r)/ *n* uretère *m*

urethra /jʊəˈri:θrə/ *n* urètre *m*

urge /ɜːdʒ/
A *n* **1** désir *m*, forte envie *f*; **to feel** *ou* **have an ~ to do** avoir une forte envie de faire; **2** (sexual) pulsion *f* sexuelle
B *vtr* **1** (encourage) conseiller vivement, préconiser [*caution, restraint, resistance*]; **to ~ sb to do** conseiller vivement à qn de faire; (stronger) pousser *or* exhorter qn à faire; **we ~d her to go to the police** nous lui avons vivement conseillé d'aller à la police; **I ~d them not to go** je leur ai vivement déconseillé d'y aller; **to ~ that sth (should) be done** insister pour que qch soit fait; **'go and ask him again,' she ~d** 'va lui redemander,' insista-t-elle; **to ~ patience/restraint on sb** exhorter qn à la patience/modération; **they needed no urging** ils ne se sont pas fait prier; **2** (goad) faire avancer, pousser [*horse, herd*]; **he ~d the sheep through the gate** il a fait passer les moutons de l'autre côté de la barrière

(Phrasal verb) ■ **urge on**: ▸ **~ on [sb], ~ [sb] on** **1** (encourage) encourager [*person, team etc*]; **to ~ sb on to do** inciter *or* pousser qn à faire; **2** (make go faster) talonner [*horse*]; faire avancer [*herd, crowd*]

urgency /ˈɜːdʒənsɪ/ *n* (of situation, appeal, request) urgence *f*; (of voice, tone) insistance *f*; **a matter of ~** une affaire urgente; **to do sth as a matter of ~** faire qch d'urgence; **there's no ~** ce n'est pas urgent; **there was a note of ~ in his voice** il y avait une note d'insistance dans sa voix

urgent /ˈɜːdʒənt/ *adj* **1** (pressing) [*case, need*] urgent, pressant; [*message, letter, demand*] urgent; [*meeting, investigation, measures*] d'urgence; **to be in ~ need of** avoir un besoin urgent de; **it is ~ that you (should) leave as soon as possible** il est urgent que vous partiez le plus vite possible; **it is most ~ that we (should) find a solution** il est vraiment urgent que nous trouvions une solution; **it's ~!** c'est urgent!; **it requires your ~ attention** il faut que vous vous en occupiez d'urgence; **2** (desperate) [*plea, entreaty, request, tone, voice*] insistant, pressant

urgently /ˈɜːdʒəntlɪ/ *adv* [*request*] d'urgence; [*plead*] instamment; **books are ~ needed** il y a un besoin urgent de livres

urging /ˈɜːdʒɪŋ/ *n* incitation *f*; **to do sth at sb's ~** faire qch devant l'insistance *or* sur les instances de qn

Uri ▸ **p. 1771** *pr n* **the canton of ~** le canton d'Uri

uric /ˈjʊərɪk/ *adj* urique

uricaemia GB, **uricemia** US /ˌjʊərɪˈsi:mɪə/ *n* uricémie *f*

urinal /jʊəˈraɪnl, ˈjʊərɪnl/ *n* (place) urinoir *m*; (fixture) urinal *m*

urinary /ˈjʊərɪnərɪ, US -nerɪ/ *adj* urinaire

urinate /ˈjʊərɪneɪt/ *vi* uriner

urine /ˈjʊərɪn/ *n* urine *f*

urinogenital /ˌjʊərɪnəʊˈdʒenɪtl/ *adj* urogénital/-e

URL *n* (*abrév* = **uniform resource locator**) URL *f*

urn /ɜːn/ *n* urne *f*

urological /ˌjʊərəˈlɒdʒɪkl/ *adj* urologique

urologist /jʊəˈrɒlədʒɪst/ ▸ **p. 1683** *n* urologue *mf*

urology /jʊəˈrɒlədʒɪ/ *n* urologie *f*

Ursa Major /ˌɜːsə ˈmeɪdʒə(r)/ *pr n* la Grande Ourse *f*

Ursa Minor /ˌɜːsə ˈmaɪnə(r)/ *pr n* la Petite Ourse *f*

urticaria /ˌɜːtɪˈkeərɪə/ ▸ **p. 1327** *n* urticaire *f*

Uruguay /ˈjʊərəgwaɪ/ ▸ **p. 1096** *pr n* Uruguay *m*; **to ~** en Uruguay

Uruguayan /ˌjʊərəˈgwaɪən/ ▸ **p. 1467**
A *n* Uruguayen/-enne *m/f*
B *adj* uruguayen/-enne

us /ʌs, əs/

> ⚠ The direct or indirect object pronoun *us* is always translated by nous: *she knows us* = elle nous connaît. Note that both the direct and the indirect object pronouns come before the verb in French and that in compound tenses like the present perfect and past perfect, the past participle agrees in gender and number with the direct object pronoun: *he's seen us* (*masculine or mixed gender object*) il nous a vus; (*feminine object*) il nous a vues.
> In imperatives *nous* comes after the verb: *tell us!* = dis-nous!; *give it to us or give us it* = donne-le-nous (note the hyphens).
> After the verb *to be* and after prepositions the translation is also *nous*: *it's us* = c'est nous.
> For expressions with *let us* or *let's* see the entry **let**.
> For particular usages see the entry below.

pron nous; **both of ~** tous/toutes les deux; **both of ~ like Balzac** nous aimons Balzac tous/toutes les deux; (more informally) on aime Balzac tous/toutes les deux; **every single one of ~** chacun/-e d'entre nous; **people like ~** des gens comme nous; **some of ~** quelques-uns/-unes d'entre nous; **she's one of ~** elle est des nôtres; **give ~ a hand, will you**○**?** tu peux me donner un coup de main s'il te plaît?; **oh give ~ a break**○**!** fiche-moi la paix○!; **give ~ a look**○**!** fais voir!

US
A *pr n* (*abrév* = **United States**) USA *mpl*
B *adj* américain

USA *pr n* **1** (*abrév* = **United States of America**) USA *mpl*; **2** (*abrév* = **United States Army**) armée *f* des États-Unis

usable /ˈju:zəbl/ *adj* utilisable; **no longer ~** hors d'usage

USAF (*abrév* = **United States Air Force**) *n* armée *f* de l'air des États-Unis

usage /ˈju:sɪdʒ, ˈju:zɪdʒ/ *n* **1** (custom) usage *m*, coutume *f*; **2** Ling usage *m*; **in ~** en usage; **3** (way sth is used) utilisation *f*; **4** (amount used) consommation *f*

USB *n* (*abrév* = **universal serial bus**) USB *m*

USB: **~ key** *n* clé *f* USB; **~ port** *n* porte *f* USB

USCG *n* (*abrév* = **United States Coast Guard**) (body) garde *f* côtière *m* des États-Unis

USDA *n* US (*abrév* = **United States Department of Agriculture**) ministère *m* de l'agriculture

USDAW *n* GB (*abrév* = **Union of Shop, Distributive and Allied Workers**) *syndicat des commerçants, distributeurs et professions apparentées*

USDI *n* US (*abrév* = **United States Department of the Interior**) ministère *m* de l'intérieur

use
A /ju:s/ *n* **1** ₵ (act of using) (of substance, object, machine) emploi *m*, utilisation *f* (**of** de); (of word, expression, language) emploi *m*, usage *m* (**of** de); **the ~ of force/diplomacy** le recours à la force/la diplomatie, l'usage de la force/la diplomatie; **the ~ of sth as/for sth** l'emploi *or* l'utilisation de qch comme/pour qch; **for ~ as/in** pour être utilisé comme/dans; **for the ~ of sb, for ~ by sb** (customer, staff) à l'usage de qn; **for my own ~** pour mon usage personnel; **to make ~ of sth** utiliser qch; **to make good/better/the best ~ of sth** tirer bon/meilleur/le meilleur parti de qch; **to get** *ou* **have good** *ou* **a lot of ~ out of sth** se servir beaucoup de qch, faire grand usage de qch; **to put sth to good ~** tirer bon parti de qch; **the car/machine gets regular ~** la voiture/la machine est utilisée régulièrement; **the room/photocopier is in ~ at the moment** la pièce/la photocopieuse est occupée en ce moment; **while the machine is in ~** lorsque la machine est en service *or* en fonctionnement; **for external ~ only** Pharm usage externe; **a word in common** *ou* **general ~** un mot d'usage courant; **out of** *ou* **no longer in ~** [*machine*] (broken) hors service; (because obsolete) plus utilisé; [*word, expression*] plus en usage; **worn/stained with ~** râpé/taché par l'usage; **this machine came into ~ in the 1950s** cette machine a fait son apparition pendant les années cinquante; **the bridge/new system comes into ~ next year** le pont/le nouveau système entrera en service l'année prochaine
2 C (way of using) (of resource, object, material) utilisation *f*; (of term) emploi *m*, **the many ~s of a hairpin** les nombreux usages d'une épingle à cheveux; **she has her ~s** elle a son utilité; **to find a ~ for sth** trouver une utilisation pour qch; **to have no further ~ for sth/sb** ne plus avoir besoin de qch/qn; **I've no ~ for that sort of talk** fig je ne veux pas entendre parler de ça
3 ₵ (right to use) **to have the ~ of** avoir l'usage de [*house, car, kitchen*]; avoir la jouissance de [*garden*]; **to let sb have the ~ of sth** permettre à qn de se servir de qch; **to lose/still have the ~ of one's legs** perdre/conserver l'usage de ses jambes; **with ~ of** avec usage de [*kitchen, bathroom*]
4 ₵ (usefulness) **to be of ~** être utile (**to** à); **to be (of) no ~** [*object*] ne servir à rien; [*person*] n'être bon/bonne à rien; **to be (of) no ~ to sb** [*object*] ne pas servir à qn; [*person*] n'être d'aucune utilité à qn; **he's no ~**○ **at cards** il est nul○ aux cartes; **what ~ is a wheel without a tyre?** à quoi sert une roue sans pneu?; **what's the ~ of crying?** à quoi bon pleurer?; **oh, what's the ~?** oh, et puis à quoi bon?; **is it any ~ asking him?** est-ce que cela vaut la peine de lui demander?; **it's no ~ asking me** inutile de me demander; **it's no ~ (he won't listen)** c'est inutile (il n'écoutera pas); **it's no ~, we'll have to start** rien à faire, il faut s'y mettre
B /ju:z/ *vtr* **1** (employ) se servir de, utiliser [*object, car, room, money, tool, telephone*]; employer, utiliser [*method, technique*]; employer [*word, expression*]; se servir de [*language, metaphor*]; profiter de, saisir [*opportunity*]; se servir de, faire jouer [*influence*]; avoir recours à [*blackmail, force, power*]; utiliser [*knowledge, information, talent*]; **to ~ sth/sb as sth** se servir de qch/qn comme qch; **to ~ sth for sth/to do** se servir de *or* utiliser qch pour qch/pour faire; **to be ~d for sth/to do** servir à qch/à faire, être utilisé pour qch/pour faire; **we only ~ local suppliers** nous achetons tous nos produits à des fournisseurs locaux; **somebody's using the toilet** il y a quelqu'un dans les toilettes; **can I ~ you** *ou* **your name as a reference?** est-ce que je peux donner votre nom comme référence?; **to ~ one's initiative** faire preuve d'initiative; **~ your initiative!** allez, un peu d'initiative! ; **~ your head** *ou* **loaf**○**!** fais marcher un peu ta cervelle○!; **I could ~**○ **a drink/bath!** j'aurais bien besoin d'un verre/bain!
2 (*also* **~ up**) (consume) consommer [*fuel, food*]; **he's ~d all the water** il a utilisé toute l'eau; **~ the left-overs** utilisez les restes
3 (exploit) péj se servir de [*person*]
4 (take habitually) prendre [*drugs*]
5 ‡(treat) **to ~ sb well** bien traiter qn; **to ~ sb ill** maltraiter qn

u

C /juːz/ *vi* (take drugs) se droguer
D used *pp adj* [*car*] d'occasion; [*container*] vide; [*crockery, cutlery*] sale; [*condom*] usagé
(Phrasal verb) ■ **use up**: ▸ ~ **[sth] up**, ~ **up [sth]** finir, utiliser [*remainder, food*]; d épenser [*money, savings*]; épuiser [*supplies, fuel, energy*]

use-by date /'juːzbaɪ deɪt/ *n* (on food, medicine) date *f* limite de consommation; (on film, pharmacy goods) date *f* limite d'utilisation

used¹

⚠ To translate *used to do*, use the imperfect tense in French: *he used to live in York* = il habitait York. To stress that something was done repeatedly, you can use *avoir l'habitude de faire*: *she used to go out for a walk in the afternoon* = elle avait l'habitude de sortir se promener l'après-midi.
To emphasize a contrast between past and present, you can use *avant*: *I used to love sport* = j'adorais le sport avant.
For more examples and particular usages, see the entry below.

A /juːst/ *modal aux* **I ~ to do** je faisais; **what did he ~ to** *ou* **what ~ he to look like then?** comment était-il à cette époque?; **he didn't ~ to** *ou* **he ~ not to smoke** il ne fumait pas avant; **didn't she ~ to smoke?** est-ce qu'elle ne fumait pas, avant?; **she ~ to smoke, didn't she?** elle fumait avant, non?; **she doesn't smoke now, but she ~ to** elle ne fume plus maintenant, mais elle fumait avant; **it ~ to be thought that** avant on pensait que; **there ~ to be a pub here** il y avait un pub ici (dans le temps); **didn't there ~ to be** *ou* **~ there not to be a pub here?** est-ce qu'il n'y avait pas un pub ici?
B /juːst/ *adj* (accustomed) **to be ~ to sth** avoir l'habitude de qch, être habitué à qch; **I'm not ~ to this sort of treatment** je n'ai pas l'habitude qu'on me traite (*subj*) ainsi; **to be ~ to sb** être habitué à qn; **to get ~ to** [*person, eyes, stomach*] s'habituer à; **to be ~ to doing** avoir l'habitude de faire; **to get ~ to doing** s'habituer à faire; **she's been ~ to having her own office** jusqu'à maintenant, elle avait l'habitude d'avoir son propre bureau; **to be ~ to sb doing** être habitué à ce que qn fasse; **I'm not ~ to it** je n'ai pas l'habitude; **you'll get ~ to it** tu t'y habitueras; **it takes a bit/a lot of getting ~ to** ça prend du temps/beaucoup de temps pour s'y habituer

used² /juːzd/ *prét, pp, pp adj* ▸ **use B C, D**

useful /'juːsfl/ *adj* **1** (helpful) [*object, information, book, work, contact*] utile; [*discussion, meeting*] utile, profitable; **~ for doing** utile pour faire; **to be ~ to sb** être utile à qn; **it is ~ to do** il est utile de faire; **to make oneself ~** se rendre utile; **2** ○(competent) [*footballer, cook etc*] bon/bonne (*before n*); **to be ~ with a gun/paintbrush** savoir se servir d'un fusil/d'un pinceau, savoir manier un fusil/un pinceau; **to be ~ at cooking/football** savoir cuisiner/jouer au football

usefully /'juːsfəlɪ/ *adv* utilement

usefulness /'juːsflnɪs/ *n* utilité *f*

useless /'juːslɪs/ *adj* **1** (not helpful) [*object, machine, information*] inutile; **it's ~ to do** *ou* **doing** il est inutile de faire; **2** (not able to be used) [*object, limb*] inutilisable; **3** ○(incompetent) [*person*] incapable, nul/nulle○; **to be ~ at sth/doing** être nul en qch/pour (ce qui est de) faire; **he's a ~ cook/driver** il ne vaut rien comme cuisinier/conducteur

uselessly /'juːslɪslɪ/ *adv* inutilement

uselessness /'juːslɪsnɪs/ *n* **1** (lack of practical use) (of object, machine, effort, information) inutilité *f*; **2** (incompetence) (of person) incompétence *f*

usen't /'juːsnt/ GB = **used not**

user /'juːzə(r)/ *n* **1** (person who makes use of) (of road, public transport, service, electricity) usager *m*; (of product, book, computer, machine, credit card) utilisateur/-trice *m/f*; **road ~** usager de la route; **dictionary ~** utilisateur/-trice de dictionnaires; **library ~** usager de bibliothèques; **2** (*also* **drug ~**) toxicomane *mf*; **cocaine ~** cocaïnomane *mf*; **heroin ~** héroïnomane *mf*; **3** US (exploiter) homme/femme *m/f* intéressé/-e

user: **~-defined key** *n* Comput touche *f* définissable par l'utilisateur; **~ friendliness** *n* Comput convivialité *f*; gen facilité *f* d'emploi; **~-friendly** *adj* Comput convivial; gen facile à utiliser; **~ group** *n* groupe *m* d'utilisateurs; **~ interface** *n* Comput interface *f* utilisateur; **~name** *n* Comput nom *m* d'utilisateur

USES *n* US (*abrév* = **United States Employment Service**) agence *f* fédérale d'emploi; *cf* ANPE

Ushant /'ʌʃənt/ ▸ **p. 1355** *pr n* **(the Isle of) ~** (l'île *f* d')Ouessant *m*

U-shaped *adj* en (forme de) U

usher /'ʌʃə(r)/ ▸ **p. 1683**
A *n* (at function, lawcourt) huissier *m*; (in theatre, church) placeur *m*
B *vtr* conduire, escorter; **to ~ sb in/out** faire entrer/sortir qn; **to ~ sb to the door** conduire qn à la porte
(Phrasal verb) ■ **usher in**: ▸ **~ in [sth]** ouvrir la voie à [*era, negotiations*]; introduire [*scheme, reforms*]

usherette /ˌʌʃə'ret/ ▸ **p. 1683** *n* ouvreuse *f*

USIA *n* (*abrév* = **United States Information Agency**) *agence de propagande pro-américaine*

USM *n* **1** US (*abrév* = **United States Mint**) hôtel *m* de la Monnaie; **2** (*abrév* = **underwater to surface missile**) missile *m* mer-sol

USMC *n* US (*abrév* = **United States Marine Corps**) corps *m* des marines américains

USN *n* US (*abrév* = **United States Navy**) marine *f* des États-Unis

USNG *n* US (*abrév* = **United States National Guard**) Garde *f* Nationale des États-Unis

USO *n* US (*abrév* = **United Service Organizations**) centre *m* d'accueil pour les militaires américains

USP *n*: *abrév* ▸ **unique selling proposition**

USPS *n* US (*abrév* = **United States Postal Service**) services *mpl* postaux américains; *cf* PTT

USS *n* US **1** (*abrév* = **United States Ship**) navire *m* américain; **2** (*abrév* = **United States Senate**) Sénat *m* des États-Unis

USSR ▸ **p. 1096** *pr n* Hist (*abrév* = **Union of Soviet Socialist Republics**) URSS *f*

usual /'juːʒl/
A ○*n* **the ~** la même chose que d'habitude; **'what did he say?'—'oh, the ~'** 'qu'est-ce qu'il a dit?'—'oh, toujours la même chose'; **your ~, sir?** (in bar) comme d'habitude, monsieur?
B *adj* [*attitude, behaviour, form, procedure, problem, route, place, time*] habituel/-elle; [*word, term*] usuel/-elle; **available at the ~ price** disponible au prix habituel; **roast beef with all the ~ trimmings** un rôti de bœuf avec la garniture traditionnelle; **it is ~ for sb to do** c'est normal pour qn de faire; **they left earlier than was ~ for them** ils sont partis plus tôt que d'habitude; **it is ~ to do, the ~ practice is to do** il est d'usage de faire; **they did/said all the ~ things** ils ont fait/dit tout ce qu'il est d'usage de faire/dire; **she was her ~ cheerful self** elle était gaie, comme d'habitude; **as ~** comme d'habitude; **'business as ~'** 'la vente continue'; **it was business as ~ at the school** on travaillait comme d'habitude à l'école; **as ~ with such accidents** comme toujours dans ces accidents; **as is ~ at this time of year/at these events** comme il est d'usage à cette époque de l'année/dans ces occasions; **more/less than ~** plus/moins que d'habitude; **he is better prepared/less awkward than ~** il est mieux préparé/moins mal à l'aise que d'habitude; **as ~ with Max, everything has to be perfect!** comme d'habitude avec Max, tout doit être parfait!

usually /'juːʒəlɪ/ *adv* d'habitude, normalement; **'does he eat here?'—'not ~'** 'est-ce qu'il mange ici?'—'normalement non'; **more ~** plus souvent; **he was more than ~ friendly** il était plus aimable que d'habitude; **I ~ arrive at seven** d'habitude *or* normalement j'arrive à sept heures

usufruct /'juːzjuːfrʌkt/ *n* Jur usufruit *m*

usufructary /'juːzjuːfrʌktrɪ, US -terɪ/ *n, adj* Jur usufruitier/-ière (*m/f*); **~ right** droit *m* d'usufruit

usurer /'juːʒərə(r)/ *n* usurier/-ière *m/f*

usurious /juː'ʒʊərɪəs/ *adj* sout usuraire

usurp /juː'zɜːp/ *vtr* usurper

usurpation /ˌjuːzə'peɪʃn/ *n* sout usurpation *f*

usurper /juː'zɜːpə(r)/ *n* usurpateur/-trice *m/f*

usurping /juː'zɜːpɪŋ/ *adj* usurpateur/-trice

usury /'juːʒərɪ/ *n* Fin usure *f*

UT US Post *abrév écrite* = **Utah**

Utah /'juːtɑː/ ▸ **p. 1737** *pr n* Utah *m*

utensil /juː'tensl/ *n* ustensile *m*

uterine /'juːtəraɪn/ *adj* utérin

uterus /'juːtərəs/ *n* utérus *m*

utilitarian /ˌjuːtɪlɪ'teərɪən/
A *n* Philos utilitariste *mf*
B *adj* **1** Philos [*doctrine, ideal*] utilitariste; **2** (practical) [*object, vehicle*] utilitaire; [*building*] fonctionnel/-elle; [*clothing*] pratique

utilitarianism /ˌjuːtɪlɪ'teərɪənɪzəm/ *n* Philos utilitarisme *m*

utility /juː'tɪlətɪ/
A *n* **1** (usefulness) utilité *f*; **2** (*also* **public ~**) (service) service *m* public, commodité *f*; **3** Comput utilitaire *m*
B utilities *npl* US factures *fpl*
C *modif* **1** (functional) [*vehicle*] tous usages *inv*; [*object*] utilitaire; **2** (multi-skilled) [*player*] polyvalent; **3** Agric [*breed, animal*] d'exploitation

utility: **~ bond** *n* obligation *f* (émise par une société gérant un service public); **~ company** *n* société *f* chargée d'assurer un service public; **~ furniture** *n* GB meubles *mpl* de série (*fabriqués pendant la deuxième guerre mondiale*); **~ programme** GB, **~ program** US *n* Comput programme *m* utilitaire; **~ room** *n* buanderie *f*

utilizable /'juːtəlaɪzəbl/ *adj* utilisable

utilization /ˌjuːtəlaɪ'zeɪʃn/ *n* utilisation *f*

utilize /'juːtəlaɪz/ *vtr* utiliser [*object, idea, materials*]; exploiter [*resource*]

utmost /'ʌtməʊst/
A *n* **to do** *ou* **try one's ~ to come/help** faire tout son possible pour venir/aider; **to do sth to the ~ of one's abilities** faire qch au maximum de ses capacités; **at the ~** au maximum, au plus; **that's the ~ we can do** c'est le maximum que nous puissions faire
B *adj* **1** (greatest) [*caution, discretion, ease, secrecy*] le plus grand/la plus grande (*before n*); [*limit*] extrême; **with the ~ care** avec le plus grand soin; **it is of the ~ importance that she should come** il est extrêmement important qu'elle vienne; **with the ~ haste** aussi vite que possible; **2** (furthest) **the ~ ends of the earth** les confins de la terre

Utopia /juː'təʊpɪə/ *n* utopie *f*

Utopian /juː'təʊpɪən/
A *n* utopiste *mf*
B *adj* utopique

Utopianism /juː'təʊpɪənɪzəm/ *n* utopisme *m*

utricle /'juːtrɪkl/ *n* utricule *m*

utter /'ʌtə(r)/
A *adj* [*failure, disaster, amazement, boredom, despair etc*] total; [*honesty, sincerity*] absolu; [*fool, scoundrel*] fieffé (*before n*); [*stranger*] parfait (*before n*); **~ rubbish!** pure sottise *f*!
B *vtr* **1** prononcer [*word, curse*]; pousser [*cry*]; émettre [*sound, warning*]; **I couldn't ~ a word**

j'étais incapable de prononcer une parole; ⧉2▸ Jur répandre [*libel, slander*]; mettre en circulation [*forged banknotes*]

utterance /ˈʌtərəns/ *n* ⧉1▸ (statement, remark) parole *f*; **public ∼s** interventions *fpl* publiques; ⧉2▸ sout (word, remark) formulation *f*, énonciation *f*; (of opinion) expression *f*; **to give ∼ to** exprimer, formuler; ⧉3▸ Ling énoncé *m*

utterly /ˈʌtəlɪ/ *adv* complètement; **we ∼ condemn this action** nous condamnons cette action jusqu'au bout; **I ∼ detest her** je la déteste au plus haut point

uttermost† /ˈʌtəməʊst/ *n, adj* = **utmost**

U-turn *n* demi-tour *m*; fig volte-face *f inv*; **'no ∼s'** 'défense de faire demi-tour'; **to do a ∼** fig faire volte-face (**on** sur)

UV *adj* (*abrév* = **ultraviolet**) [*light, ray, radiation*] ultraviolet/-ette

UVF *n* GB Pol (*abrév* = **Ulster Volunteer Force**) UVF *f* (*organisation paramilitaire loyaliste en Irlande du Nord*)

uvula /ˈjuːvjʊlə/ *n* (*pl* **-lae**) luette *f*

uvular /ˈjuːvjʊlə(r)/ *adj* Anat, Phon uvulaire

uxorious /ʌkˈsɔːrɪəs/ *adj* hum ou péj [*husband*] soumis

uxoriousness /ʌkˈsɔːrɪəsnɪs/ *n* hum ou péj soumission *f* excessive devant sa femme

Uzbek /ˈʌzbek, ˈʊz-/ ▸ **p. 1467, p. 1378**
A *n* ⧉1▸ (person) Ouzbek/-èke *m/f*; ⧉2▸ Ling ouzbek *m*
B *adj* [*culture, land*] ouzbek/-èke

Uzbekistan /ˌʌzbekɪˈstɑːn, ˌʊz-/ ▸ **p. 1096** *pr n* Ouzbékistan *m*

Vv

v, V /viː/ *n* **1** (letter) v, V *m*; **2** **v** (*abrév écrite* = **versus**) contre; **3** **v** (*abrév écrite* = **vide**) voir; **4** **V** Elec (*abrév écrite* = **volt**) V, volt *m*

VA US **1** Mil *abrév* ▸ **Veterans Administration**; **2** Post *abrév écrite* = **Virginia**

vac○ /væk/ *n* GB (*abrév* = **vacation**) vacances *fpl*; **the long ~** les grandes vacances

vacancy /ˈveɪkənsɪ/ *n* **1** (free room) chambre *f* libre; **'vacancies'** (on sign) 'chambres libres'; **'no vacancies'** 'complet'; **2** (on campsite) emplacement *m* libre; **3** (unfilled job, place) poste *m* à pourvoir, poste *m* vacant; **a ~ for an accountant** un poste de comptable à pourvoir; **to fill/create a ~** pourvoir/libérer un poste (**for** de); **to advertise a ~** faire paraître une offre d'emploi; **'no vacancies'** (on sign) 'pas d'embauche'; **4** (dreaminess) air *m* absent; **5** (stupidity) stupidité *f*

vacancy rate *n* Tourism coefficient *m* d'occupation

vacant /ˈveɪkənt/ *adj* **1** (unoccupied) [*flat, room, seat, place*] libre, disponible; [*office, land*] inoccupé; (on toilet door) libre; **2** (available) [*job, post*] vacant, à pourvoir; **to become** *ou* **fall ~** se libérer; **'Situations ~'** (in newspaper) 'offres d'emploi'; **3** (dreamy) [*look, stare*] absent; [*expression*] vide; [*face, smile*] vide d'expression; **he looks ~** il a l'air absent; **he gave me a ~ stare** *ou* **look** il m'a regardé d'un air absent; **4** (stupid) stupide

vacant lot *n* US terrain *m* vague

vacantly /ˈveɪkəntlɪ/ *adv* **1** (absently) [*answer, stare*] d'un air absent; **2** (stupidly) [*smile, stare*] d'un air stupide

vacant possession *n* GB Jur jouissance *f* immédiate

vacate /vəˈkeɪt, US ˈveɪkeɪt/ *vtr* quitter [*house, premises, job*]; libérer [*room, seat*]

vacation /vəˈkeɪʃn, US veɪ-/
A *n* gen, Univ vacances *fpl*; Jur vacances *fpl* judiciaires; **the long ~** GB, **the summer ~** les grandes vacances; **on ~** en vacances; **to take a ~** prendre des vacances; **during** *ou* **over** *ou* **in the ~** pendant les vacances; **did you have a good ~?** as-tu passé de bonnes vacances?
B *modif* [*date, course, job, trip*] de vacances
C *vi* US passer des vacances; **they're ~ing in Miami** ils passent leurs vacances à Miami
D **vacationing** *pres p adj* US en vacances

vacationer /vəˈkeɪʃənə(r), US veɪ-/ *n* US vacancier/-ière *m/f*

vaccinate /ˈvæksɪneɪt/ *vtr* vacciner (**against** contre)

vaccination /ˌvæksɪˈneɪʃn/
A *n* vaccination *f* (**against, for** contre); **polio/smallpox ~** vaccination contre la polio/la variole; **to have a ~** se faire vacciner
B *modif* [*clinic, programme, campaign*] de vaccination

vaccine /ˈvæksiːn, US vækˈsiːn/ *n* vaccin *m* (**against, for** contre); **tetanus/polio ~** vaccin contre le tétanos/la polio

vaccinology /ˌvæksɪˈnɒlədʒɪ/ *n* Med vaccinologie *f*

vacillate /ˈvæsəleɪt/ *vi* hésiter (**between** entre; **over** au sujet de)

vacillation /ˌvæsəˈleɪʃn/ *n* indécision *f*, hésitations *fpl*

vacuity /vəˈkjuːətɪ/ *n* sout **1** (inanity) vacuité *f*; **2** (empty space) vide *m*

vacuous /ˈvækjʊəs/ *adj* sout [*person, look, expression*] niais; [*optimism, escapism*] béat pej

vacuum /ˈvækjʊəm/
A *n* **1** Phys vide *m*; **partial ~** vide partiel; **to create a ~** faire le vide; **to observe an effect in a ~** observer un effet sous vide; **2** (lonely space) vide *m*; **emotional/intellectual ~** vide affectif/intellectuel; **it left a ~ in our lives** ça a fait un grand vide dans notre vie; **I'm in a ~** je n'ai pas de points de repère; **3** (*also* **~ cleaner**) aspirateur *m*; **4** (*also* **~ clean**) **to give [sth] a ~** passer un coup d'aspirateur sur [*sofa, carpet*]; passer l'aspirateur dans [*room*]
B *vtr* (*also* **~ clean**) passer [qch] à l'aspirateur [*carpet, upholstery*]; passer l'aspirateur dans [*room, house*]

vacuum: **~ bottle** *n* US = **vacuum flask**; **~ brake** *n* frein *m* à vide; **~ cleaner** *n* aspirateur *m*; **~ flask** *n* bouteille *f* thermos®; **~ gauge** *n* vacuomètre *m*

vacuum pack
A *n* emballage *m* sous vide
B *vtr* emballer [qch] sous vide
C **vacuum packed** *pp adj* emballé sous vide

vacuum: **~ pump** *n* pompe *f* à vide; **~ sweeper** *n* US = **vacuum cleaner**; **~ tube** *n* tube *m* à vide

vade mecum /ˌvɑːdɪ ˈmeɪkʊm, ˌveɪdɪ ˈmiːkəm/ *n* vade-mecum *m inv*

vagabond /ˈvægəbɒnd/ *n, adj* vagabond/-e (*m/f*)

vagal /ˈveɪgl/ *adj* vagal

vagary /ˈveɪgərɪ/ *n* sout caprice *m*

vagi /ˈveɪgaɪ/ *npl* ▸ **vagus**

vagina /vəˈdʒaɪnə/ *n* (*pl* **-nas** *ou* **-nae**) vagin *m*

vaginal /vəˈdʒaɪnl/ *adj* vaginal; **~ discharge** pertes *fpl* blanches

vagrancy /ˈveɪgrənsɪ/
A *n* gen, Jur vagabondage *m*
B *modif* [*act, law*] sur le vagabondage

vagrant /ˈveɪgrənt/ *n, adj* gen, Jur vagabond/-e (*m/f*)

vague /veɪg/ *adj* **1** (imprecise) [*person, account, idea, memory, rumour, term*] vague; **2** (evasive) **to be ~ about** rester vague sur *or* évasif/-ive au sujet de [*plans, intentions, past, role*]; **3** (distracted) [*person, state, expression*] distrait; [*gesture*] vague; **to look ~** avoir l'air distrait; **4** (faint, slight) [*sound, smell, taste*] vague, imprécis; [*fear, embarrassment, disgust, unease*] vague (*before n*); [*doubt*] léger/-ère (*before n*); **a ~ sense of guilt** un vague sentiment de culpabilité; **5** (unsure) **I am (still) a bit ~ about events** je ne sais (toujours) pas très bien ce qui s'est passé; **we're rather ~ about his plans** nous ne connaissons pas très bien ses projets

vaguely /ˈveɪglɪ/ *adv* **1** (faintly) [*sinister, amusing, classical*] vaguement; [*resemble*] vaguement; **it feels ~ like a bee sting** cela fait un peu comme une piqûre d'abeille; **it seems ~ familiar** cela me dit vaguement quelque chose; **2** (slightly) [*embarrassed, insulting, irritated*] vaguement; **3** (distractedly) [*smile, gaze, say, gesture*] d'un air distrait *or* vague; [*wander, move about*] distraitement; **4** (imprecisely) [*remember, understand, imagine, reply*] vaguement; [*describe*] de manière vague *or* imprécise; [*defined, formulated*] vaguement

vagueness /ˈveɪgnɪs/ *n* **1** (imprecision) (of wording, proposals) flou *m*; (of thinking) imprécision *f*; (of outline, image) manque *m* de netteté; **2** (absent-mindedness) distraction *f*

vagus /ˈveɪgəs/ *n* (*pl* **-gi**) (*also* **vagus nerve**) nerf *m* vague

vain /veɪn/
A *adj* **1** (conceited) vaniteux/-euse, vain (*after n*); **to be ~ about sth** tirer vanité de qch; **2** (futile) [*attempt, promise, hope*] vain (*before n*); [*demonstration, show*] futile; **in a ~ attempt** *ou* **effort to do** dans une vaine tentative de faire
B **in vain** *adv phr* en vain
(Idioms) **to take sb's name in ~** hum parler de qn (derrière son dos); **to take God's name in ~** blasphémer le nom de Dieu

vainglorious /ˌveɪnˈglɔːrɪəs/ *adj* littér [*person*] suffisant, vain (*after n*); [*boast, assessment, ambition*] plein de suffisance

vainly /ˈveɪnlɪ/ *adv* **1** (futilely) [*try, wait, struggle*] vainement, en vain; **2** (conceitedly) [*look, stare*] avec vanité; [*admire oneself*] avec complaisance

Valais ▸ **p. 1771** *pr n* **the (canton of) ~** le (canton de) Valais

valance /ˈvæləns/ *n* (on bed base) tour *m* de lit; (round canopy) lambrequin *m*; (above curtains) cantonnière *f*

Val-de-Marne ▸ **p. 1129** *pr n* Val-de-Marne *m*; **in/to ~** dans le Val-de-Marne

Val-d'Oise ▸ **p. 1129** *pr n* Val-d'Oise *m*; **in/to ~** dans le Val-d'Oise

vale /veɪl/ *n* littér val *m* liter, vallée *f*; **~ of tears** vallée de larmes

valediction /ˌvælɪˈdɪkʃn/ *n* sout **1** (farewell) adieu *m*; **2** (farewell speech) discours *m* d'adieu; **funeral ~** oraison *f* funèbre

valedictorian /ˌvælɪdɪkˈtɔːrɪən/ *n* US Sch Univ major *m* d'une promotion (*qui prononce le discours d'adieu*)

valedictory /ˌvælɪˈdɪktərɪ/ *adj* sout [*speech*] d'adieu

valence /ˈveɪləns/ *n* Chem valence *f*

Valencia /vəˈlensɪə/ ▸ **p. 1815** *pr n* Valence; **in ~** à Valence

Valencian /vəˈlensɪən/
A *n* Valencien/-ienne *m/f*
B *adj* [*custom, identity*] de Valence

valency /ˈveɪlənsɪ/
A *n* Chem, Ling valence *f*
B *modif* Chem [*electron*] de valence; Ling [*grammar*] de la valence

valentine /ˈvæləntaɪn/ *n* **1** (*also* **~ card**) carte *f* de la Saint-Valentin; **2** (sweetheart) **who is your ~?** qui est-ce que tu aimes?; **be my ~** veux-tu m'aimer?

Valentine('s) Day *n* la Saint-Valentin

valerian /vəˈlɪərɪən/
A *n* Bot, Pharm valériane *f*
B *modif* [*flower, tablet*] de valériane; [*mixture*] à la valériane

valet /ˈvælɪt, -leɪ/ ▸ p. 1683
A *n* **1** (employee) valet *m* de chambre; **2** US (rack) valet *m* de nuit
B *vtr* nettoyer [*clothes, car interior*]
C *vi* être valet de chambre

valet parking *n* service *m* de voiturier

valet service *n* **1** (car-cleaning) service *m* de nettoyage de voitures; **2** (clothes repair) service *m* d'entretien

valetudinarian /ˌvælɪtjuːdɪˈneərɪən/ *n, adj* sout valétudinaire (*mf*); hum hypocondriaque (*mf*)

Valhalla /vælˈhælə/ *pr n* Walhalla *m*

valiant /ˈvælɪənt/ *adj* [*soldier*] vaillant; [*attempt*] courageux/-euse; **to make a ~ attempt to do** tenter courageusement de faire; **to make a ~ effort to smile** s'efforcer bravement de sourire; **despite their ~ efforts** malgré tous leurs efforts

valiantly /ˈvælɪəntlɪ/ *adv* [*fight*] vaillamment; [*try*] courageusement

valid /ˈvælɪd/ *adj* **1** (still usable) [*passport, visa, licence*] valide; [*ticket, voucher, offer*] valable (**for** pour); **2** (well-founded, reasonable) [*argument, reason, excuse, method*] valable; [*complaint, objection*] fondé; [*point, comment*] pertinent; [*comparison*] légitime; **3** (in law) [*consent, defence*] valable, valide; **4** (in logic) [*inference, proposition*] valide

validate /ˈvælɪdeɪt/ *vtr* **1** prouver le bien-fondé de [*claim, theory, conclusion*]; **2** valider [*document, passport*]

validation /ˌvælɪˈdeɪʃn/ *n* validation *f* (**of** de)

validity /vəˈlɪdətɪ/ *n* **1** Jur (of ticket, document, consent) validité *f*; **2** (of argument, excuse, method) validité *f*; (of complaint, objection) bien-fondé *m*

valise† /vəˈliːz, US vəˈliːs/ *n* nécessaire *m* de voyage

Valium® /ˈvælɪəm/ *n* Pharm valium® *m*

Valkyrie /vælˈkɪərɪ/ *pr n* Valkyrie *f*

valley /ˈvælɪ/ *n* (*pl* **~s**) vallée *f*; (small) vallon *m*; **the Thames ~** la vallée de la Tamise

valor *n* US = **valour**

valorous /ˈvælərəs/ *adj* littér valeureux/-euse liter

valour GB, **valor** US /ˈvælə(r)/ *n* littér valeur *f* liter, bravoure *f*; **for ~** Mil pour la valeur militaire

(Idiom) **discretion is the better part of ~** Prov prudence est mère de sûreté Prov

valuable /ˈvæljʊəbl/ *adj* **1** [*commodity, asset*] de valeur; **to be ~** avoir de la valeur; **a very ~ ring** une bague de grande valeur; **2** [*advice, information, lesson, member*] précieux/-ieuse; **to be ~ in treating** être précieux dans le traitement de [*illness*]

valuables /ˈvæljʊəblz/ *npl* objets *mpl* de valeur; **'do not leave ~ in your car'** 'ne laissez aucun objet de valeur dans votre voiture'

valuation /ˌvæljʊˈeɪʃn/ *n* (of house, land, company) évaluation *f*; (of antique, art) expertise *f*; **to have a ~ done on sth** faire évaluer qch; **a ~ of £50** une valeur estimée de £50; **to take sb at his own ~** juger qn selon l'opinion qu'il a de lui-même

valuator /ˈvæljʊeɪtə(r)/ ▸ p. 1683 *n* expert *m*

value /ˈvæljuː/
A *n* **1** (monetary worth) valeur *f*; **of little/great ~** de peu de/de grande valeur; **of no ~** sans valeur; **to have a ~ of £5** valoir 5 livres sterling; **it has a ~ of £50** cela vaut 50 livres sterling; **to the ~ of** pour une valeur de; **40% by ~** 40% en valeur réelle; **you can't put a ~ on loyalty** la loyauté n'a pas de prix; **2** (usefulness, general worth) valeur *f*; **to have** *ou* **be of educational ~** avoir une valeur éducative; **to set great ~ on sth** attacher une grande valeur à qch; **the ~ of sb as** la valeur de qn en tant que; **the ~ of doing** l'importance de faire; **novelty/entertainment ~** caractère nouveau/divertissant; **3** (worth relative to cost) **to be good/poor ~** avoir un bon/mauvais rapport qualité-prix; **to be good ~ at £5** ne pas être cher/chère à 5 livres sterling; **you get good ~ at Buymore** on en a pour son argent à Buymore; **he's always good ~ for satirists** fig c'est toujours une mine d'or pour les satiristes; **the set menu offers good ~** *ou* **~ for money** avec le menu vous en avez pour votre argent; **to get ~ for money** en avoir pour son argent; **a ~-for-money product** un produit qui vous en donne pour votre argent; **4** (standards, ideals) valeur *f*; **puritan/family ~s** valeurs puritaines/familiales; **5** Math, Mus, Ling valeur *f*
B *vtr* **1** (assess worth of) évaluer [*house, asset, company*]; expertiser [*antique, jewel, painting*]; **to have sth ~d** faire évaluer *or* expertiser qch; **to ~ sth at £150** évaluer qch à 150 livres sterling; **2** (esteem, appreciate) apprécier [*person, friendship, advice, opinion, help*]; tenir à [*reputation, independence, life*]; **to ~ sb as a friend** apprécier qn en tant qu'ami; **if you ~ your freedom** si tu tiens à ta liberté

value-added tax, VAT *n* taxe *f* à la valeur ajoutée, TVA *f*

valued /ˈvæljuːd/ *adj* [*colleague, customer, employee, member*] apprécié; [*contribution, opinion*] précieux/-ieuse

value: **~ date** *n* Fin date *f* de valeur; **~ engineering** *n* analyse *f* de la valeur; **~-free** *adj* objectif/-ive; **~ judgment** *n* jugement *m* de valeur; **~-laden** *adj* porteur/-euse d'un jugement de valeur, connoté

valueless /ˈvæljʊlɪs/ *adj* sans valeur (*after n*); **to be quite ~** n'avoir aucune valeur

value: **~-neutral** *adj* objectif/-ive, neutre; **~ pack** *n* Comm lot *m* économique

valuer /ˈvæljʊə(r)/ ▸ p. 1683 *n* expert *m*

valve /vælv/ *n* **1** (in machine, engine) soupape *f*; (on tyre, football) valve *f*; **2** Anat (of organ) valvule *f*; **3** (of mollusc, fruit) valve *f*; **4** (on brass instrument) piston *m*; **5** GB Electron lampe *f*

valve: **~ gear** *n* distribution *f*; **~ house** *n* bâtiment *m* à vannes; **~-in-head engine** *n* US moteur *m* à soupape en tête; **~ spring** *n* ressort *m* de soupape

valvular /ˈvælvjʊlə(r)/ *adj* (all contexts) valvulaire

vamoose○ /vəˈmuːs/ *vi* US filer○

vamp /væmp/
A *n* **1** †péj (woman) vamp *f*; **2** (on shoe) empeigne *f*; **3** Mus improvisation *f*
B *vi* **1** Mus plaquer des accords; **2** †péj (seduce) jouer les vamps

(Phrasal verb) ■ **vamp up**: ▸ **~ [sth] up, ~ up [sth]** rafraîchir [*clothing*]; remettre [qch] au goût du jour [*story*]; remanier [*written notes*]

vampire /ˈvæmpaɪə(r)/ *n* vampire *m*

vampire bat *n* Zool vampire *m*

van /væn/ *n* **1** Aut (small, for deliveries etc) fourgonnette *f*, camionnette *f*; (larger, for removals etc) fourgon *m*; **2** US (camper) autocaravane *f*, camping-car *m*; **3** (vanguard) avant-garde *f*; **to be in the ~ of** être à l'avant-garde de

vanadium /ˌvəˈneɪdɪəm/
A *n* vanadium *m*
B *modif* [*atom*] de vanadium; [*compound*] du vanadium; [*steel*] au vanadium

Vancouver /vænˈkuːvə/ ▸ p. 1815 *pr n* Vancouver

Vancouver Island ▸ p. 1355 *pr n* île *f* de Vancouver

V and A *pr n* (*abrév* = **Victoria and Albert Museum**) *musée des arts décoratifs à Londres*

vandal /ˈvændl/
A *n* (hooligan) vandale *mf*
B **Vandal** *pr n* Hist Vandale *mf*

vandalism /ˈvændəlɪzəm/ *n* vandalisme *m*

vandalize /ˈvændəlaɪz/ *vtr* gen vandaliser; Jur **to ~ a building/telephone** commettre des déprédations dans un bâtiment/sur un téléphone

van driver ▸ p. 1683 *n* chauffeur *m* de camionnette

vane /veɪn/ *n* **1** (*also* **weather ~**) girouette *f*; **2** (blade of windmill) aile *f*; **3** (on turbine, pump, projectile) ailette *f*; (of feather) barbe *f*; **4** (of quadrant, compass) pinnule *f*

vanguard /ˈvæŋɡɑːd/ *n* Mil, fig avant-garde *f*; **to be in the ~** être à l'avant-garde (**of** de)

vanilla /vəˈnɪlə/
A *n* Culin, Bot vanille *f*
B *modif* **1** Culin [*sauce, ice cream*] à la vanille; [*pod, plant*] de vanille; **2** ○(basic) [*version*] de base

vanilla: **~ essence** *n* extrait *m* de vanille; **~-flavoured** *adj* (aromatisé) à la vanille; **~ sugar** *n* sucre *m* vanillé

vanillin /vəˈnɪlɪn/ *n* vanilline *f*

vanish /ˈvænɪʃ/ *vi* (all contexts) disparaître (**from** de); **to ~ into the distance** disparaître au loin

(Idiom) **to ~ into thin air** se volatiliser

vanishing /ˈvænɪʃɪŋ/
A *n* disparition *f*
B *adj* [*species, environment*] en voie de disparition

(Idiom) **to do a ~ act** se volatiliser

vanishing: **~ cream** *n* crème *f* de jour; **~ point** *n* point *m* de fuite; **~ trick** *n* tour *m* de passe-passe

vanity /ˈvænətɪ/ *n* **1** (quality) vanité *f*; **all is ~** tout n'est que vanité; **2** (dressing table) coiffeuse *f*; **3** (basin) = **vanity unit**

vanity: **~ bag, ~ case** *n* vanity-case *m*; **~ mirror** *n* Aut miroir *m* de courtoisie; **~ plate** *n* Aut plaque *f* minéralogique personnalisée; **~ press** *n* maison *f* d'édition publiant à compte d'auteur; **~ unit** *n* meuble *m* sous-vasque

vanload *n* fourgonnette *f* (**of** de)

vanquish /ˈvæŋkwɪʃ/ *vtr* littér défaire liter, vaincre [*enemy*]; surmonter [*doubt, prejudice, fear*]

vantage /ˈvɑːntɪdʒ, US ˈvæn-/ *n*‡ avantage *m*

vantage point *n* **1** gen, Mil point *m* de vue, position *f* élevée; **from my ~ I could see...** de ma position je voyais...; **from the ~ of** du haut de; **2** fig (point of view) perspective *f*

Vanuatu /ˈvænuːætuː/ ▸ p. 1096 *pr n* Vanuatu *m*

vapid /ˈvæpɪd/ *adj* [*person, expression, remark, debate*] mièvre, fade; [*style, novel*] insipide, fade

vaporize /ˈveɪpəraɪz/
A *vtr* vaporiser [*liquid*]
B *vi* se vaporiser

vaporizer /ˈveɪpəraɪzə(r)/ *n* (all contexts) vaporisateur *m*

vaporous /ˈveɪpərəs/ *adj* vaporeux/-euse

vapour GB, **vapor** US /ˈveɪpə(r)/
A *n* vapeur *f*; **water ~** vapeur d'eau
B **vapours**† *npl* **to have a fit of the ~s** avoir des vapeurs *fpl*

vapour: **~ lock** *n* bouchon *m* de vapeur; **~ pressure** *n* pression *f* de vapeur; **~ trail** *n* traînée *f* de condensation, traînée *f* d'un avion

Var ▸ p. 1129 *pr n* Var *m*; **in/to the ~** dans le Var

variability /ˌveərɪəˈbɪlətɪ/ *n* variabilité *f*

variable /ˈveərɪəbl/
A *n* gen, Comput, Math variable *f*; **dependent/free/random ~** variable dépendante/libre/aléatoire
B *adj* gen, Comput variable

variable: **~ pitch propeller** *n* hélice *f* à pas variable; **~ star** *n* étoile *f* variable

variance /ˈveərɪəns/ *n* **1** gen désaccord *m* (**between** entre); **to be at ~ with** être en désaccord avec [*evidence, facts*]; **my views are at ~ with his** mes opinions divergent des siennes; **that is at ~ with what you said yesterday** cela ne concorde pas avec ce que vous avez

dit hier; 2 Math, Phys, Stat variance *f*; 3 Jur (discrepancy) discordance *f* (**between** entre)
variance analysis *n* analyse *f* de variance
variant /ˈveərɪənt/
A *n* variante *f* (**of** de; **on** par rapport à)
B *adj* [*colour, species, strain*] différent; ~ **reading** *ou* **text** *ou* **version** variante *f*; ~ **form** Bot variante *f*.
variation /ˌveərɪˈeɪʃn/ *n* 1 (change) variation *f*, différence *f* (**in, of** de); **regional/seasonal** ~ variations régionales/saisonnières; ~ **between A and B** différence entre A et B; **subject to considerable/slight** ~ sujet à des variations importantes/à de légères variations; 2 (version) version *f* (**of** de); (new version) variante *f* (**of** de); **what he said was just a** ~ **on the same theme** il n'a rien dit de nouveau; 3 Mus variation *f* (**on** sur)
varicose /ˈværɪkəʊs/ *adj* variqueux/-euse; ~ **veins** varices *fpl*
varied /ˈveərɪd/ *adj* varié; **her talents are many and** ~ ses talents sont divers et variés
variegated /ˈveərɪgeɪtɪd/ *adj* 1 gen [*assortment, landscape*] varié; 2 Bot, Zool [*leaf, animal's coat*] panaché
variegation /ˌveərɪˈgeɪʃn/ *n* 1 (diversity) diversité *f*; 2 Bot, Zool panachure *f*
variety /vəˈraɪətɪ/
A *n* 1 (diversity, range) variété *f* (**in, of** de); **wide** ~ grande variété; **for a** ~ **of reasons** pour diverses raisons; **the dresses come in a** ~ **of sizes/colours** ces robes existent dans un grand choix de tailles/de coloris; 2 (type) gen type *m*; Bot variété *f*; **new** ~ Bot nouvelle variété; **lighters of the disposable/refillable** ~ des briquets jetables/rechargeables; 3 ₵ Theat, TV variétés *fpl*
B *modif* Theat, TV [*artist, act, show*] de variétés
variety: ~ **meats** *npl* US abats *mpl*; ~ **show** *n* spectacle *m* de variétés; ~ **store** *n* US bazar *m*
varifocal /ˌværɪˈfəʊkl/
A *adj* [*lenses, glasses*] progressif/-ive
B **varifocals** *npl* verres *mpl* progressifs
variola /vəˈraɪələ/ ▸ **p. 1327** *n* variole *f*
various /ˈveərɪəs/ *adj* 1 (different) différents (*before n*); **at their** ~ **addresses** à leurs différentes adresses; 2 (several) divers; **at** ~ **times** à diverses reprises; **in** ~ **ways** de diverses manières
variously /ˈveərɪəslɪ/ *adv* (in different ways) [*arranged, decorated*] de différentes manières; (by different people) [*called, described, estimated*] à tour de rôle
varmint○† /ˈvɑːmɪnt/ *n* péj vermine *f*
varnish /ˈvɑːnɪʃ/
A *n* vernis *m*
B *vtr* vernir [*woodwork, painting*]; **to** ~ **one's nails** GB se vernir les ongles
C **varnished** *pp adj* [*woodwork, nail*] verni
varnishing /ˈvɑːnɪʃɪŋ/ *n* vernissage *m*
varsity /ˈvɑːsətɪ/
A *n* 1 †GB université *f*; 2 US Sport première équipe *f*
B *modif* 1 (university) [*match, sports*] universitaire; 2 US (first) [*team*] premier/-ière (*before n*)
vary /ˈveərɪ/
A *vtr* varier [*food, menu, programme*]; faire varier [*flow, temperature*]; changer de [*approach, method, pace, route*]
B *vi* [*objects, people, tastes*] varier (**with, according to** selon); **to** ~ **from sth** différer de qch; **to** ~ **from X to Y** varier de X à Y; **it varies from one town/child to another** cela varie d'une ville/d'un enfant à l'autre; **they** ~ **in cost/size** ils varient quant au coût/à la taille; **to** ~ **greatly** varier considérablement
varying /ˈveərɪɪŋ/ *adj* [*amounts, degrees, opinions*] variable; [*circumstances*] varié; **with** ~ **(degrees of) success** avec plus ou moins de succès

vascular /ˈvæskjʊlə(r)/ *adj* Anat, Bot vasculaire
vase /vɑːz, US veɪs, veɪz/ *n* vase *m*; **flower** ~ vase à fleurs
vasectomy /vəˈsektəmɪ/ *n* vasectomie *f*
Vaseline® /ˈvæsɪliːn/ *n* vaseline® *f*
vasoconstrictor /ˌveɪzəʊkənˈstrɪktə(r)/ *n* Med, Anat vasoconstricteur *m*
vasodilator /ˌveɪzəʊdaɪˈleɪtə(r)/ *n* Med, Anat vasodilatateur *m*
vasomotor /ˈveɪzəʊməʊtə(r)/ *adj* vasomoteur/-trice
vasopressor /ˌveɪzəʊˈpresə(r)/ *n* Med vasopresseur *m*
vaso-vagal episode /ˌveɪzəʊˈveɪgl ˈepɪsəʊd/ *n* Med malaise *m* vagal
vassal /ˈvæsl/ *n* Hist, fig vassal/-e *m/f*
vassalage /ˈvæsəlɪdʒ/ *n* vassalité *f*
vast /vɑːst, US væst/ *adj* 1 (quantitatively) [*amount, sum, improvement, difference*] énorme; [*number*] très grand; [*knowledge*] extrêmement étendu; **the** ~ **majority** la très grande majorité; 2 (spatially) [*room, area, plain*] vaste (*before n*), immense
vastly /ˈvɑːstlɪ, US væstlɪ/ *adv* [*improved, increased, overrated, superior*] considérablement, infiniment; [*complex, popular*] terriblement; [*different*] complètement
vastness /ˈvɑːstnɪs, US ˈvæstnɪs/ *n* immensité *f*
vat /væt/ *n* cuve *f*; **beer/wine** ~ cuve à bière/vin
VAT (*abrév* = **value-added tax**)
A *n* GB TVA *f*
B *modif* GB [*return, rate*] de TVA; [*payment*] de la TVA; ~**-registered** soumis à la TVA
Vatican /ˈvætɪkən/ *pr n* (palace, governing body) Vatican *m*
Vatican: ~ **City** ▸ **p. 1096, p. 1815** *pr n* Vatican *m*; ~ **Council** *n* concile *m* du Vatican
Vaucluse ▸ **p. 1129** *pr n* Vaucluse *m*; **in/to the** ~ dans le Vaucluse
Vaud ▸ **p. 1771** *pr n* **the (canton of)** ~ le (canton de) Vaud
vaudeville /ˈvɔːdəvɪl/
A *n* ₵ Theat variétés *fpl*
B *modif* [*act, star*] de variétés
vaudevillian /ˌvɔːdəˈvɪlɪən/
A *n* (performer) artiste *mf* de variétés
B *adj* [*style*] digne des variétés
vault /vɔːlt/
A *n* 1 (roof) voûte *f*; **the** ~ **of heaven** la voûte céleste; 2 (underground room) (of house, hotel) cave *f*; (of church, monastery) caveau *m*; (of bank) chambre *f* forte; (for safe-deposit boxes) salle *f* des coffres; **wine** ~ cave *f* à vin; **family** ~ caveau *m* de famille; 3 Anat voûte *f*; 4 (jump) saut *m*
B *vtr* gen, Sport sauter par-dessus [*fence, bar*]
C *vi* gen, Sport sauter (**over** par-dessus)
vaulted /ˈvɔːltɪd/ *adj* Archit voûté
vaulting /ˈvɔːltɪŋ/
A *n* 1 ₵ Archit voûtes *fpl*; 2 ▸ **p. 1253** (in gymnastics) saut *m*; 3 Equit voltige *f*
B *adj* [*ambition, arrogance*] démesuré
vaulting: ~ **horse** *n* cheval *m* de saut; ~ **pole** *n* perche *f*
vaunt /vɔːnt/ *vtr* vanter
vaunted /ˈvɔːntɪd/ *adj* vanté; **much** ~ tant vanté
VC *n* 1 (*abrév* = **vice chairman**) vice-président/-e *m/f*; 2 GB Univ (*abrév* = **vice chancellor**) ≈ président/-e *m/f* d'université; 3 (*abrév* = **vice consul**) vice-consul *m*; 4 GB Mil *abrév* ▸ **Victoria Cross**; 5 US Mil (*abrév* = **Vietcong**) Viêt-cong *mpl*
VCR (*abrév* = **video cassette recorder**)
A *n* magnétoscope *m*
B *vtr* US enregistrer [qch] en vidéo
VD ▸ **p. 1327** (*abrév* = **venereal disease**)
A *n* MST *f*
B *modif* [*clinic*] de vénérologie

VDT *n* (*abrév* = **visual display terminal**) = **VDU**
VDU (*abrév* = **visual display unit**)
A *n* écran *m* de visualisation
B *modif* [*screen*] de visualisation; [*operator*] de terminal de visualisation
veal /viːl/
A *n* veau *m*
B *modif* [*stew, cutlet*] de veau; [*pie*] au veau; [*rearing*] des veaux
veal: ~ **calf** *n* veau *m* de boucherie; ~ **crate** *n* batterie *f* (d'élevage) pour veaux
vector /ˈvektə(r)/
A *n* 1 Biol, Math vecteur *m*; 2 Aviat trajectoire *f*
B *modif* Math [*product, sum*] vectoriel/-ielle; [*field*] de vecteurs
vectorial /ˌvekˈtɔːrɪəl/ *adj* Math vectoriel/-ielle
veep○ /viːp/ *n* US vice-président/-e *m/f*
veer /vɪə(r)/
A *vtr* 1 Naut (alter direction of) faire virer [*ship*]; 2 (slacken) filer [*rope, chain*]
B *vi* 1 lit (change direction) [*ship*] virer; [*person, road, wind*] tourner; **to** ~ **away from/towards sth** se détourner de/vers qch; **to** ~ **off the road** s'éloigner de la route; **to** ~ **away** *ou* **off** s'éloigner; **to** ~ **off course** dévier de sa route; **the car** ~**ed across the road** la voiture a traversé la route; 2 fig [*person, opinion, emotion*] changer; **to** ~ **(away) from sth** se détourner de qch; **to** ~ **towards sth** se tourner vers qch; **to** ~ **between depression and elation** osciller entre le découragement et l'allégresse
veg○ /vedʒ/ *n* GB (*abrév* = **vegetables**) légumes *mpl*
(Phrasal verb) ■ **veg out** (*p prés etc* **-gg-**) flemmarder○, légumiser◑, paresser
vegan /ˈviːgən/ *n, adj* végétalien/-ienne (*m/f*)
veganism /ˈviːgənɪzəm/ *n* végétalisme *m*
vegeburger /ˈvedʒɪbɜːgə(r)/ *n* croquette *f* pour végétariens
Vegemite® /ˈvedʒɪmaɪt/ *n* Culin pâte *f* à tartiner (à base d'extraits de levure)
vegetable /ˈvedʒtəbl/
A *n* 1 (edible plant) légume *m*; 2 (as opposed to mineral, animal) végétal *m*; **the** ~ **kingdom** le règne végétal; 3 ○fig **to become a** ~ être réduit à l'état de légume
B *modif* [*knife, dish, rack*] à légumes; [*soup, plot, patch*] de légumes; [*fat, oil, matter*] végétal
vegetable: ~ **garden** *n* potager *m*; ~ **marrow** *n* GB courge *f*; ~ **peeler** *n* épluche-légumes *m*
vegetarian /ˌvedʒɪˈteərɪən/ *n, adj* végétarien/-ienne (*m/f*)
vegetarianism /ˌvedʒɪˈteərɪənɪzəm/ *n* végétarisme *m*
vegetate /ˈvedʒɪteɪt/ *vi* (all contexts) végéter
vegetation /ˌvedʒɪˈteɪʃn/ *n* végétation *f*
vegetative /ˈvedʒɪtətɪv/ *adj* végétatif/-ive
veggie○ /ˈvedʒɪ/ *n* 1 (vegetarian) végétarien/-ienne *m/f*; 2 (vegetable) légume *m*
vehemence /ˈviːəməns/ *n* (of speech, action) véhémence *f*; (of feelings) intensité *f*
vehement /ˈviːəmənt/ *adj* [*tirade, gesture, attack*] véhément; [*dislike, disapproval*] violent
vehemently /ˈviːəməntlɪ/ *adv* [*speak, react*] avec véhémence; **to be** ~ **opposed** s'opposer avec véhémence
vehicle /ˈvɪəkl, US ˈviːhɪkl/ *n* 1 Aut véhicule *m*; **'closed to** ~**s'** 'interdit à la circulation'; **'unsuitable for wide/high** ~**s'** interdit aux véhicules larges/hauts'; 2 Pharm, Chem véhicule *m*; 3 (medium of communication) véhicule *m* (**for** de); 4 Cin, Theat (showcase) **to be a** ~ **for sb** être destiné à mettre en valeur qn
vehicular /vɪˈhɪkjʊlə(r), US viː-/ *adj* **'no** ~ **access'**, **'no** ~ **traffic'** 'circulation interdite'

V

veil /veɪl/
A *n* **1** Fashn, Relig voile *m*; (on hat) voilette *f*; **to take the ~** prendre le voile; **2** fig voile *m*; **a ~ of secrecy** le voile du secret; **let's draw a ~ over that episode** oublions cet épisode
B *vtr* **1** [*mist, material, cloud*] voiler; **2** fig (conceal) dissimuler [*emotion*]
C veiled *pp adj* **1** [*person*] voilé; **2** (indirect) [*hint, threat*] voilé; **a thinly ~ed allusion** une allusion à peine voilée

vein /veɪn/ *n* **1** (blood vessel) veine *f*; **2** (on insect wing, leaf) nervure *f*; **3** (thread of colour) (in marble) veine *f*; (in cheese) veinure *f*; **4** (of ore) veine *f*; **to work a ~** exploiter une veine; **5** (theme) veine *f*; **to continue in a similar ~** continuer dans la même veine; **a ~ of nostalgia runs through his work** on retrouve un élément de nostalgie à travers toute son œuvre; **in the same ~, she criticized the town council** dans le même esprit, elle a critiqué le conseil municipal

veined /veɪnd/ *adj* [*hand, marble, rock, cheese*] veiné (**with** de); [*leaf, wing*] nervuré

veinule /'veɪnju:l/ *n* veinule *f*

velar /'vi:lə(r)/ *adj* Phon, Anat vélaire

Velcro® /'velkrəʊ/
A *n* velcro® *m*
B *modif* [*strip, fastener*] velcro

veld(t) /velt/ *n* veld *m*

vellum /'veləm/ *n* vélin *m*; **in/on ~** en/sur vélin

velocipede /vɪ'lɒsɪpi:d/ *n* Hist vélocipède *m*

velocity /vɪ'lɒsətɪ/ *n* **1** Tech vitesse *f*; **2** fml vélocité *f*

velocity of circulation *n* US Fin vitesse *f* de circulation

velodrome /'velədrəʊm/ *n* vélodrome *m*

velour(s) /və'lʊə(r)/
A *n* **1** (material) velours *m*; **2** (*also* **~ hat**) feutre *m*
B *modif* [*curtain, seat*] de velours

velum /'vi:ləm/ *n* (*pl* **-la**) Anat voile *m* du palais

velvet /'velvɪt/
A *n* **1** (fabric) velours *m*; **crushed ~** velours frappé; **2** (on antler) peau *f* veloutée
B *modif* [*garment, curtain, cushion*] en velours
C *adj* [*skin, paw, tread, eyes*] de velours; [*tones, softness*] velouté
(Idiom) **to be in ~**† avoir la belle vie

velveteen /ˌvelvɪ'ti:n/
A *n* velvet *m*
B *modif* [*garment, curtain, upholstery*] en velvet

velvet: **~ glove** *n* gant *m* de velours also fig; **~ revolution** *n* Pol révolution *f* de velours

velvety /'velvətɪ/ *adj* velouté

vena cava /ˌvi:nə 'keɪvə/ *n* (*pl* **venae cavae**) veine *f* cave

venal /'vi:nl/ *adj* vénal

venality /vi:'nælətɪ/ *n* vénalité *f*

vend /vend/ *vtr* †ou Jur vendre

vendee /ven'di:/ *n* Jur acheteur/-euse *m/f*

Vendée ▸ p. 1129 *pr n* Vendée *f*; **in/to the ~** en Vendée

vendetta /ven'detə/ *n* vendetta *f* (**between** entre; **against** contre)

vending /'vendɪŋ/ *n* vente *f*

vending machine *n* distributeur *m* automatique

vendor /'vendə(r)/ *n* **1** (in street, kiosk) marchand/-e *m/f*; **2** (as opposed to buyer) vendeur/-euse *m/f*; **3** US (machine) distributeur *m* automatique

veneer /vɪ'nɪə(r)/ *n* **1** (on wood) placage *m*; **2** fig (surface show) vernis *m*

venerable /'venərəbl/ *adj* vénérable

venerate /'venəreɪt/ *vtr* vénérer

veneration /ˌvenə'reɪʃn/ *n* vénération *f* (**for** pour)

venereal /və'nɪərɪəl/ ▸ p. 1327 *adj* vénérien/-ienne; **~ disease** maladie *f* vénérienne

venereology /vəˌnɪərɪ'ɒlədʒɪ/ *n* vénérologie *f*

Venetian /vɪ'ni:ʃn/
A *n* Vénitien/-ienne *m/f*
B *adj* [*custom, church*] vénitien/-ienne; [*inhabitant, carnival*] de Venise

Venetian: **~ blind** *n* store *m* vénitien; **~ glass** *n* verre *m* de Venise

Veneto /'venetəʊ/ *pr n* Vénétie *f*

Venezuela /ˌvenɪ'zweɪlə/ ▸ p. 1096 *pr n* Venezuela *m*

Venezuelan /ˌvenɪ'zweɪlən/ ▸ p. 1467
A *pr n* Vénézuélien/-ienne *m/f*
B *adj* [*town, river, politician*] vénézuélien/-ienne; [*embassy*] du Venezuela

vengeance /'vendʒəns/ *n* vengeance *f*; **to take ~ (up)on sb** se venger de qn (**for** pour); **with a ~** de plus belle

vengeful /'vendʒfl/ *adj* sout [*person, act*] vengeur/-eresse; [*desire, need*] de vengeance

vengefully /'vendʒfəlɪ/ *adv* sout vindicativement

venial /'vi:nɪəl/ *adj* sout véniel/-ielle

Venice /'venɪs/ ▸ p. 1815 *pr n* Venise

venison /'venɪsn, -zn/
A *n* (viande *f* de) chevreuil *m*
B *modif* [*stew, steak*] de chevreuil; [*pie*] au chevreuil

Venn diagram /ven/ *n* diagramme *m* de Venn

venom /'venəm/ *n* Zool, fig venin *m*

venomous /'venəməs/ *adj* Zool, fig venimeux/-euse

venomously /'venəməslɪ/ *adv* fielleusement

venous /'vi:nəs/ *adj* veineux/-euse

vent /vent/
A *n* **1** (outlet for gas, pressure) bouche *f*, conduit *m*; **air ~** bouche d'aération; **to give ~ to** fig décharger [*anger, feelings*]; **2** (of volcano) cheminée *f*; **3** Fashn (slit) fente *f*; **4** US (window) déflecteur *m*; **5** Zool orifice *m* anal
B *vtr* **1** fig (release) décharger [*anger, spite, frustration*] (**on** sur); **2** (air) aborder publiquement [*question, topic*]; **3** (let out) évacuer [*gas, smoke*]
C *vi* [*gas, chimney, volcano*] s'évacuer

vent glass *n* Aut déflecteur *m*

ventilate /'ventɪleɪt/
A *vtr* **1** (provide with air) aérer [*room, office*]; **2** Med ventiler [*patient, lungs*]; **3** fig (air) exprimer [qch] publiquement [*idea, opinion*]
B ventilated *pp adj* **1** [*room, building, tunnel*] aéré; **well/badly ~d** bien/mal aéré; **2** Aut [*disc brakes*] ventilé; **3** (slatted) à lames

ventilation /ˌventɪ'leɪʃn/ *n* **1** aération *f*, ventilation *f*; **2** Med (of patient) ventilation *f* artificielle

ventilation: **~ shaft** *n* puits *m* d'aérage; **~ system** *n* système *m* de ventilation

ventilator /'ventɪleɪtə(r)/ *n* **1** Med respirateur *m* artificiel; **to switch** *ou* **turn off the ~** arrêter l'assistance respiratoire; **2** Constr (opening) aérateur *m*; (fan) ventilateur *m*

ventricle /'ventrɪkl/ *n* ventricule *m*

ventriloquism /ven'trɪləkwɪzəm/ *n* ventriloquie *f*

ventriloquist /ven'trɪləkwɪst/ ▸ p. 1683 *n* ventriloque *mf*

ventriloquist's dummy *n* pantin *m* de ventriloque

ventriloquy /ven'trɪləkwɪ/ *n* = **ventriloquism**

venture /'ventʃə(r)/
A *n* **1** Comm, Fin (undertaking) aventure *f*, entreprise *f*; **a publishing/media ~** une aventure éditoriale/médiatique; **her first ~ into marketing** sa première expérience dans le marketing; **2** gen, Sci (experiment) essai *m*; **a scientific ~** un coup d'essai en matière scientifique; **his first ~ into fiction** son premier essai dans le domaine littéraire; **3** sout (journey) voyage *m* d'aventure (**to** à)
B *vtr* **1** (offer) hasarder [*opinion, remark, suggestion*]; **to ~ the opinion that** hasarder l'opinion selon laquelle; **might I ~ a suggestion?** puis-je me permettre une suggestion?; **'maybe she's right' he ~d** 'il se peut qu'elle ait raison' se hasarda-t-il de dire; **to ~ to do** se risquer à faire; **I ~ to suggest that…, I would ~ that…** sout je me permets de suggérer que… fml; **2** (gamble) risquer [*bet, money*] (**on** sur)
C *vi* **1** (go) **to ~ into** s'aventurer dans [*place, street, city*]; **to ~ out (doors)** s'aventurer dehors; **to ~ downstairs/further** s'aventurer en bas/plus loin; **2** Comm (make foray) **to ~ into** se lancer dans [*retail market, publishing*]
(Idiom) **nothing ~d nothing gained** Prov qui ne risque rien n'a rien Prov
(Phrasal verb) ■ **venture forth** littér se risquer à sortir

venture: **~ capital** *n* capital-risque *m*; **~ capitalist** *n* capital-risqueur *m*; **~ scout** *n* GB routier *m*, scout *m* de la branche aînée

venturesome /'ventʃəsəm/ *adj* littér aventureux/-euse

venue /'venju:/ *n* **1** gen lieu *m*; **a change of ~** un changement de lieu; **the ~ for the match was/will be** le match a eu lieu/aura lieu à; **2** Jur lieu *m* du jugement

Venus /'vi:nəs/ *pr n* (planet, goddess) Vénus *f*

Venus fly-trap *n* Bot dionée *f*

Venusian /vɪ'nju:zɪən/ *adj* vénusien/-ienne

veracious /və'reɪʃəs/ *adj* sout [*statement*] véridique

veracity /və'ræsətɪ/ *n* sout véracité *f*

veranda(h) /və'rændə/ *n* véranda *f*; **on the ~** sous la véranda

verb /vɜ:b/ *n* verbe *m*

verbal /'vɜ:bl/ *adj* gen, Ling (all contexts) verbal

verbal abuse *n* Jur emploi *m* de propos injurieux

verbal diarrhoea○ *n* logorrhée *f*

verbalize /'vɜ:bəlaɪz/ *vtr, vi* verbaliser

verbally /'vɜ:bəlɪ/ *adv* verbalement

verbal reasoning *n* raisonnement *m* verbal

verbatim /vɜ:'beɪtɪm/
A *adj* [*report, account*] textuel/-elle
B *adv* [*describe, record*] mot pour mot

verbena /vɜ:'bi:nə/ *n* verveine *f*; **lemon ~** verveine citronnelle

verbiage /'vɜ:bɪɪdʒ/ *n* sout verbiage *m*

verbless /'vɜ:blɪs/ *adj* sans verbe

verbose /vɜ:'bəʊs/ *adj* sout verbeux/-euse fml

verbosity /vɜ:'bɒsətɪ/ *n* sout verbosité *f* fml

verb phrase, VP *n* syntagme *m* verbal

verdant /'vɜ:dnt/ *adj* littér verdoyant liter

verdict /'vɜ:dɪkt/ *n* **1** Jur verdict *m*; **to return a ~** rendre un verdict; **to reach a ~** arriver au verdict; **a ~ of guilty/not guilty** un verdict positif/négatif; **the ~ was suicide/accidental death** l'enquête a conclu au suicide/à une mort accidentelle; **2** fig (opinion) verdict *m*; **well, what's the ~?**○ eh bien, qu'est-ce que tu en penses?; **to give one's ~ on sth** se prononcer sur qch

verdigris /'vɜ:dɪgrɪs, -gri:s/ *n* vert-de-gris *m inv*

verdure /'vɜ:dʒə(r)/ *n* littér verdure *f*

verge /vɜ:dʒ/ *n* **1** GB (by road) accotement *m*, bas-côté *m*; **grass ~** accotement herbeux; **soft ~** accotement non stabilisé; **2** (brink) **on the ~ of** au bord de [*tears*]; au seuil de [*adolescence, old age, death*]; **on the ~ of success** sur le point de réussir; **on the ~ of doing** sur le point de faire; **on the ~ of sleep/a discovery** sur le point de s'endormir/de faire une découverte; **to bring** *ou* **drive sb to the ~ of** amener qn au bord de [*bankruptcy, despair, revolt, suicide*]; **to bring** *ou* **drive sb to the ~ of doing** amener qn au point de faire

(Phrasal verb) ■ **verge on**: ► ~ **on [sth]** friser [*panic, stupidity, contempt*]; **to be verging on the ridiculous/the illegal** friser le ridicule/ l'illégal

verger /'vɜ:dʒə(r)/ ► p. 1683 *n* Relig (caretaker) bedeau *m*; (in ceremony) huissier *m* à verge

verifiable /'verɪfaɪəbl/ *adj* vérifiable

verification /,verɪfɪ'keɪʃn/
A *n* (of claim, facts) vérification *f*; (as procedure) contrôle *m*; Mil vérification *f*
B *modif* [*measure, process, technique*] de vérification, de contrôle

verify /'verɪfaɪ/ *vtr* vérifier

verily‡ /'verɪlɪ/ *adv* en vérité

verisimilitude /,verɪsɪ'mɪlɪtju:d, US -tu:d/ *n* sout vraisemblance *f*

veritable /'verɪtəbl/ *adj* sout véritable

verity /'verətɪ/ *n* littér vérité *f*

vermicelli /,vɜ:mɪ'selɪ, -'tʃelɪ/ *n* ¢ (pasta, chocolate) vermicelle *m*

vermicide /'vɜ:mɪsaɪd/ *n* vermicide *m*

vermifugal /,vɜ:mɪ'fju:gl/ *adj* vermifuge

vermifuge /'vɜ:mɪfju:dʒ/ *n* vermifuge *m*

vermilion /və'mɪlɪən/ ► p. 1067 *n, adj* vermillon (*m*) *inv*

vermin /'vɜ:mɪn/ *n* **1** ¢ (rats etc) animaux *mpl* nuisibles; **2** (lice, insects) vermine *f*; **3** péj (person) canaille *f*

verminous /'vɜ:mɪnəs/ *adj* (infested) (with rats) infesté de rats; (with lice) infesté de vermine

Vermont /vɜ:'mɒnt/ ► p. 1737 *pr n* Vermont *m*

vermouth /'vɜ:məθ, US vər'mu:θ/ *n* vermouth *m*

vernacular /və'nækjʊlə(r)/
A *n* **1** (language) **the** ~ la langue vulgaire; **in the** ~ (not Latin) dans la langue vulgaire; (in local dialect) en dialecte; **2** (jargon) jargon *m*; **3** (common name) nom *m* vernaculaire
B *adj* [*architecture, building*] en style local; [*writing*] dans la langue vulgaire

vernal /'vɜ:nl/ *adj* littér printanier/-ière

vernal equinox *n* équinoxe *m* de printemps

Verona /və'rəʊnə/ ► p. 1815 *pr n* Vérone

veronica /və'rɒnɪkə/ *n* véronique *f*

verruca /və'ru:kə/ *n* (*pl* **-cae** *ou* **-cas**) verrue *f* plantaire

versatile /'vɜ:sətaɪl/ *adj* **1** (flexible) [*person*] plein de ressources, aux talents divers (*after n*); [*mind*] souple; **2** (with many uses) [*vehicle*] polyvalent; [*equipment*] à usages multiples; **3** Zool (movable) [*antenna*] orientable; [*anther*] flottant

versatility /,vɜ:sə'tɪlətɪ/ *n* **1** (flexibility) (of person) adaptabilité *f*; (of mind) souplesse *f*; **2** (of equipment) polyvalence *f*

verse /vɜ:s/ *n* **1** (poems) poésie *f*; **a book of** ~ un livre de poésie; **to write** ~ faire de la poésie; **2** (form) vers *mpl*; **in** ~ en vers; **blank** ~ vers blancs; **3** (part of poem) strophe *f*; (of song) couplet *m*; **4** Bible verset *m*; **5** (single line) vers *m*

versed /vɜ:st/ *adj* (*also* **well-versed**) versé (**in** dans)

versification /,vɜ:sɪfɪ'keɪʃn/ *n* versification *f*

versifier /'vɜ:sɪfaɪə(r)/ *n* rimailleur/-euse *m/f*

version /'vɜ:ʃn, US -ʒn/ *n* (all contexts) version *f* (**of** de)

verso /'vɜ:səʊ/ *n* (*pl* **-sos**) verso *m*

versus /'vɜ:səs/ *prep* contre; **Brazil** ~ **Argentina** Sport le Brésil contre l'Argentine; **Crane** ~ **Conroy** Jur Crane contre Conroy; **it's integration** ~ **independence** c'est l'intégration contre l'indépendance

vertebra /'vɜ:tɪbrə/ *n* (*pl* **-brae**) vertèbre *f*

vertebral /'vɜ:tɪbrəl/ *adj* vertébral; **the** ~ **column** la colonne vertébrale

vertebrate /'vɜ:tɪbreɪt/ *n, adj* vertébré (*m*)

vertex /'vɜ:teks/ *n* (*pl* **-tices**) **1** gen, Math sommet *m*; **2** Anat vertex *m*

vertical /'vɜ:tɪkl/
A *n* verticale *f*; **out of the** ~ pas d'aplomb
B *adj* [*line, column, take-off*] vertical; [*cliff*] à pic; **a** ~ **drop** un à-pic

vertical: ~ **hold** *n* TV, Comput commande *f* de synchronisation verticale; ~ **integration** *n* Comm intégration *f* verticale

vertically /'vɜ:tɪklɪ/ *adv* [*draw, divide*] verticalement; [*drop, climb*] à la verticale

vertiginous /və'tɪdʒɪnəs/ *adj* lit, fig vertigineux/-euse

vertigo /'vɜ:tɪgəʊ/ *n* (*pl* **-goes** *ou* **-gines**) vertige *m*; **to get** ~ avoir le vertige

verve /vɜ:v/ *n* brio *m*, verve *f*

very /'verɪ/
A *adj* **1** (actual) même (*after n*); **the** ~ **words** les paroles mêmes; **this** ~ **second** à la seconde même; **2** (ideal) **the** ~ **person I need** exactement la personne qu'il me faut; **the** ~ **thing I need** exactement ce qu'il me faut; **3** (ultimate) tout; **from the** ~ **beginning** depuis le tout début; **at the** ~ **front/back/top** tout devant/ au fond/en haut; **to the** ~ **end** jusqu'au bout; **to the** ~ **top of her profession** jusqu'au sommet de sa profession; **on the** ~ **edge** à l'extrême bord; **4** (mere) [*mention, thought, word*] seul (*before n*); **the** ~ **idea!** quelle idée!
B *adv* **1** (extremely) [*hot, cold, good, bad*] très; **I'm** ~ **sorry** je suis vraiment désolé; **how** ~ **sad** comme c'est triste; ~ **well** très bien; **you know** ~ **well why** tu sais très bien pourquoi; **she couldn't** ~ **well do that** elle ne pouvait pas vraiment faire cela; **that's all** ~ **well but** c'est fort bien mais; ~ **much** beaucoup; **to like sth** ~ **much** aimer beaucoup qch; ~ **much better** beaucoup mieux; **I didn't eat/ find** ~ **much** je n'ai pas mangé/trouvé grand-chose; **to be** ~ **much a city dweller** être un vrai citadin; **it's** ~ **much a question of** c'est vraiment une question de; **the Very Reverend** le Très Révérend; **2** (absolutely) **the** ~ **best/worst thing** de loin la meilleure/pire chose; **the** ~ **best hotels** les meilleurs hôtels; **in the** ~ **best of health** en pleine santé; **at the** ~ **latest/earliest** au plus tard/tôt; **at the** ~ **least** tout au moins; **the** ~ **first/last** le tout premier/dernier; **3** (actually) **the** ~ **same words** exactement les mêmes mots; **the** ~ **next day** le lendemain même; **the** ~ **next person I met** la toute première personne que j'ai rencontrée ensuite; **a car of your** ~ **own** ta propre voiture

very high frequency, VHF
A *n* très haute fréquence *f*
B *modif* [*broadcast*] à très haute fréquence

Very light *n* Naut fusée *f* éclairante

very low frequency, VLF
A *n* très basse fréquence *f*
B *modif* [*broadcast*] à très basse fréquence

Very pistol *n* Naut pistolet *m* lance-fusées

vesicle /'vesɪkl/ *n* vésicule *f*

vespers /'vespəz/ *n* (+ *v sg ou pl*) vêpres *fpl*

vessel /'vesl/ *n* **1** Naut, Transp vaisseau *m*; **2** Anat vaisseau *m*; **blood** ~ vaisseau sanguin; **3** (container) vase *m*; (for liquids only) coupe *f*; **4** fig (person) instrument *m* (**for** de)

vest /vest/ ► p. 1694
A *n* **1** (underwear) maillot *m* de corps; **2** (for sport, fashion) débardeur *m*; **3** US gilet *m*
B *vtr* conférer [*authority, power*] (**in** à); **to** ~ **the ownership of sth in sb** transférer qch à la propriété de qn; **to** ~ **a right in sb** investir qn d'un droit

vestal /'vestl/ *adj* littér chaste

vestal virgin *n* vestale *f*

vested interest *n* **1** gen intérêt *m* personnel; **to have a** ~ être personnellement intéressé (**in** dans); **2** Jur droit *m* acquis

vestibular /ve'stɪbjʊlə(r)/ *adj* Anat vestibulaire

vestibule /'vestɪbju:l/ *n* Anat, Archit vestibule *m*

vestige /'vestɪdʒ/ *n* **1** (trace) (*gén pl*) (of civilization, faith, system) vestige *m*; (of emotion, truth, stammer) trace *f*; **2** Anat, Zool vestige *m*

vestigial /ve'stɪdʒɪəl/ *adj* **a** ~ **memory/ headache** un vestige de souvenir/de mal de tête; Anat, Zool ~ **tail** vestige *m* de queue

vestment /'vestmənt/ *n* habit *m* sacerdotal

vest pocket US
A *n* poche *f* de gilet
B **vest-pocket** *adj* [*dictionary, calculator*] de poche

vestry /'vestrɪ/ *n* Relig (place) sacristie *f*; (meeting) réunion *f* paroissiale; (members) responsables *mpl/fpl* paroissiaux/-iales

vesture /'vestʃə(r)/ *n* littér vêture *f* liter

Vesuvius /vɪ'su:vɪəs/ *pr n* Vésuve *m*

vet /vet/
A *n* ► p. 1683 **1** (*abrév* = **veterinary surgeon**) vétérinaire *mf*; **to take an animal to the** ~**'s** emmener un animal chez le vétérinaire; **2** ᴼUS Mil ancien combattant *m*, vétéran *m*
B *vtr* (*p prés etc* **-tt-**) mener une enquête approfondie sur [*person*]; passer [qch] en revue [*plan, accommodation*]; approuver [*teaching material, publication*]; **he has been** ~**ted for the Civil Service** on a mené une enquête approfondie sur lui en vue de son entrée dans la fonction publique

vetch /vetʃ/ *n* vesce *f*

veteran /'vetərən/
A *n* gen vétéran *m*; Mil ancien combattant *m*, vétéran *m*
B *modif* [*actor, sportsman, politician*] chevronné; [*championship, division, marathon*] vétéran; [*ship, bicycle*] antique (*before n*); **a** ~ **peace campaigner** un vieux routier de la campagne pour la paix

veteran: ~ **car** *n* GB voiture *f* ancienne (*construite avant 1905*); **Veterans Administration, VA** *n* US Administration *f* des anciens combattants; **Veterans Day** *n* US jour *m* des anciens combattants

veterinarian /,vetərɪ'neərɪən/ ► p. 1683 *n* US vétérinaire *mf*

veterinary /'vetrɪnrɪ, US 'vetərɪnerɪ/ ► p. 1683 *n, adj* vétérinaire (*mf*)

veterinary: ~ **surgeon** ► p. 1683 *n* vétérinaire *mf*; ~ **surgery** *n* (for consultation) clinique *f* vétérinaire

vetiver /'vetɪvə(r)/ *n* vétyver *m*

veto /'vi:təʊ/
A *n* (*pl* **-toes**) **1** (practice) veto *m*; **2** (right) droit *m* de veto (**over, on** sur); **to use/exercise one's** ~ user de/exercer son droit de veto; **3** US Pol (president's) *message justifiant le veto présidentiel*
B *vtr* (*prés* **-toes**; *prét, pp* **-toed**) gen, Pol mettre *or* opposer son veto à

vetting /'vetɪŋ/
A *n* contrôle *m*; **security** ~ enquête *f* de sécurité; **to give sb a** ~ mener une enquête sur qn
B *modif* [*procedure, service, system*] de contrôle

vex /veks/ *vtr* (annoy) contrarier; (worry) tracasser

vexation /vek'seɪʃn/ *n* (annoyance) contrariété *f*; (worry) tracas *m*

vexatious /vek'seɪʃəs/ *adj* [*situation*] contrariant; [*person*] agaçant

vexed /vekst/ *adj* **1** (annoyed) mécontent (**with** de); **2** (problematic) [*question, issue, situation*] épineux/-euse

vexing /'veksɪŋ/ *adj* = **vexatious**

VFR *n* Aviat (*abrév* = **Visual Flight Rules**) navigation *f* à vue

vg (*abrév* = **very good**) TB

VG *n* Relig *abrév* ► **vicar general**

VHF
A *n* (*abrév* = **very high frequency**) VHF
B *modif* [*transmitter, radio*] VHF

VI *npl*: *abrév* ► **Virgin Islands**

via /'vaɪə/ *prep* **1** (by way of) gen en passant par; (on ticket, timetable) via; **we came** ~ **Paris** nous sommes venus en passant par Paris; **2** (by means of) par; **transmitted ~ satellite** transmis par satellite; **to get into politics ~ the trade unions** entrer dans la vie politique par le syndicalisme

viability /vaɪə'bɪlətɪ/ *n* **1** (feasibility) (of company, government, farm) viabilité *f*; (of project, idea, plan) validité *f*; **2** Biol, Zool, Med (of foetus, egg, plant) viabilité *f*

viable /'vaɪəbl/ *adj* **1** (feasible) [*company, government, farm*] viable; [*project, idea, plan*] réalisable, valable; **politically ~** réalisable *or* valable sur le plan politique; **2** Biol, Zool, Med [*foetus, egg, plant*] viable

viaduct /'vaɪədʌkt/ *n* viaduc *m*

Viagra® /vaɪ'ægrə/ *n* Pharm Viagra® *m*

vial /'vaɪəl/ *n* littér gen fiole *f*; Pharm ampoule *f*

viands‡ /'viːəndz/ *npl* mets‡ *mpl*

viaticum /vaɪ'ætɪkəm/ *n* viatique *m*

vibe○ /vaɪb/

A *n* **1** (atmosphere) (in place) atmosphère *f*; (in situation) ambiance *f*; **2** (from music, group) courant *m*

B **vibes○** *npl* **1** (feeling) **to have good/bad ~s** dégager de bonnes/mauvaises vibrations○; **2** ▸ p. 1462 Mus vibraphone *m*

vibrancy /'vaɪbrənsɪ/ *n* **1** (liveliness) (of person) vitalité *f*; (of place) vie *f*, trépidation *f*; (of colour) éclat *m*; **2** (of voice, instrument) sonorité *f*

vibrant /'vaɪbrənt/ *adj* **1** (lively) [*person, place, personality*] plein de vie; [*colour*] éclatant; **to be ~ with health** éclater de santé; **2** (resonant) [*voice, instrument*] sonore; **a voice ~ with emotion** une voix vibrante d'émotions

vibrantly /'vaɪbrəntlɪ/ *adv* [*speak, say*] d'un ton vibrant; [*smile*] avec éclat

vibraphone /'vaɪbrəfəʊn/ ▸ p. 1462 *n* vibraphone *m*

vibrate /vaɪ'breɪt, US 'vaɪbreɪt/

A *vtr* faire vibrer

B *vi* vibrer (**with** de)

vibration /vaɪ'breɪʃn/ *n* vibration *f*

vibrato /vɪ'brɑːtəʊ/ *n* (*pl* **-tos**) vibrato *m*; **to play/sing (with) ~** faire du vibrato en jouant/en chantant

vibrator /vaɪ'breɪtə(r)/ *n* **1** (sex aid) vibromasseur *m*; **2** Elec vibrateur *m*

vibratory /vaɪ'breɪtərɪ, US -tɔːrɪ/ *adj* vibratoire

viburnum /vaɪ'bɜːnəm/ *n* viorne *f*

vicar /'vɪkə(r)/ ▸ p. 1237 *n* pasteur *m* (*anglican ou de l'Église épiscopale*)

vicarage /'vɪkərɪdʒ/ *n* presbytère *m*

vicar: **~ apostolic** *n* vicaire *m* apostolique; **~ general**, **VG** *n* vicaire *m* général

vicarious /vɪ'keərɪəs, US vaɪ'k-/ *adj* **1** (indirect) [*pleasure, knowledge*] indirect; **to get a ~ thrill from *ou* out of sth** ressentir un frisson par l'intermédiaire de qch; **2** (delegated) [*authority, power*] délégué; **~ liability** Jur responsabilité *f* du fait d'autrui

vicariously /'vɪkeərɪəslɪ, US vaɪ'k-/ *adv* (indirectly) [*enjoy, experience, live*] par personne interposée, indirectement; **to live ~ through sb** vivre par l'intermédiaire de qn; **~ liable** Jur responsable du fait d'autrui

Vicar of Christ *n* vicaire *m* de Jésus-Christ

vice /vaɪs/

A *n* **1** (failing) vice *m*; hum faiblesse *f*; **2** (corruption) vice *m*; **3** (*also* **vise** US) Tech (clamp) étau *m*

B *modif* [*laws*] sur les mœurs; [*scandal*] de mœurs

vice: **Vice-Admiral** ▸ p. 1599 *n* vice-amiral *m*; **~-captain** *n* Sport capitaine *m* en second; **~-chair** *n* vice-président/-e *m/f*; **~-chairman** *n* vice-président/-e *m/f*; **~-chairmanship** *n* vice-présidence *f*; **~-chairperson** *n* vice-président/-e *m/f*; **~-chairwoman** *n* vice-présidente *f*; **~-chancellor** ▸ p. 1683 *n* GB Univ président/-e *m/f* d'Université; US Jur *juge assistant(e)*; **~-chancellorship** *n* GB Univ présidence de l'Université; **~-chief** *n* sous-chef *m*; **~-consul** *n* vice-consul *m*; **~-director** *n* vice-directeur/-trice *m/f*; **~-like** GB, **vise-like** US *adj* [*grip*] comme un étau; **~-presidency** *n* vice-présidence *f*; **~-president**, **VP** *n* vice-président/-e *m/f*; **~-presidential** *adj* [*candidate, race*] à la vice-présidence; [*residence*] vice-présidentiel/-ielle; **~-principal** *n* Sch (of senior school) proviseur *m* adjoint; (of junior school, college) directeur/-trice *m/f* adjoint/-e; **~regal** *adj* [*duties*] du vice-roi; **~roy** *n* vice-roi *m*; **~ squad** *n* brigade *f* des mœurs

vice versa /ˌvaɪsɪ 'vɜːsə/ *adv* vice versa

vichyssoise /ˌviːʃiː'swɑːz/ *n* Culin vichyssoise *f* (*soupe froide aux poireaux et pommes de terre avec de la crème*)

vicinity /vɪ'sɪnətɪ/ *n* voisinage *m*, environs *mpl*; **in the ~** dans le voisinage *or* les environs; **in the (immediate) ~ of Oxford/the explosion** à proximité (immédiate) d'Oxford/de l'explosion; **in the ~ of £30,000/10,000 people** environ 30 000 livres/10 000 personnes

vicious /'vɪʃəs/ *adj* [*person, animal, power, system*] malfaisant; [*speech, attack, price cut, revenge*] brutal; [*rumour, sarcasm, version, lie*] malveillant

vicious circle *n* cercle *m* vicieux

viciously /'vɪʃəslɪ/ *adv* **1** (savagely) brutalement; **2** (perversely) méchamment

viciousness /'vɪʃəsnɪs/ *n* **1** (physical) (of person) brutalité *f*; (of attack) sauvagerie *f*; **2** (verbal) méchanceté *f*

vicissitude /vɪ'sɪsɪtjuːd, US -tuːd/ *n* sout vicissitude *f* fml

victim /'vɪktɪm/ *n* lit, fig victime *f*; **a ~ of rape/one's own success** une victime du viol/de son propre succès; **murder/polio/earthquake ~** victime d'un meurtre/de la polio/d'un tremblement de terre; **a rape ~** la victime d'un viol; **to fall ~ to** être victime de [*disease, disaster*]; succomber à [*charm, unscrupulousness*]

victimization /ˌvɪktɪmaɪ'zeɪʃn/ *n* persécution *f*

victimize /'vɪktɪmaɪz/ *vtr* persécuter

victimless /'vɪktɪmlɪs/ *adj* [*crime*] sans victime

Victim Support *n* GB *organisme d'aide aux victimes de crime*

victor /'vɪktə(r)/ *n* vainqueur *m*; **to emerge the ~** sortir vainqueur

victoria /vɪk'tɔːrɪə/ *n* Hist Transp victoria *f*

Victoria /vɪk'tɔːrɪə/ *pr n* **1** (name) Victoria; **Queen/Lake ~** la reine/le lac Victoria; **2** (state) Victoria *m*

Victoria: **~ Cross**, **VC** *n* GB Mil Victoria Cross *f*; **~ Falls** *npl* chutes *fpl* Victoria

Victorian /vɪk'tɔːrɪən/

A *n* homme/femme *m/f* de l'époque victorienne

B *adj* [*building, furniture, period, attitude*] victorien/-ienne; [*writer, poverty*] de l'époque victorienne

Victoriana /vɪkˌtɔːrɪ'ɑːnə/ *npl* objets *mpl* d'art de l'époque victorienne

victorious /vɪk'tɔːrɪəs/ *adj* [*troops, team, campaign*] victorieux/-ieuse (**over** sur); **to be ~ in the election/match** remporter les élections/le match

victoriously /vɪk'tɔːrɪəslɪ/ *adv* victorieusement

victory /'vɪktərɪ/ *n* victoire *f*; **to win a ~** remporter une victoire (**over** sur)

victual /'vɪtl/

A **victuals** *npl* victuailles *fpl*

B *vtr* (*p prés etc* **-ll-**, **-l-** US) approvisionner

victualler /'vɪtlə(r)/ ▸ p. 1683 *n* (*also* **victualer** US) fournisseur/-euse *m/f* en alimentation générale

vid○ /vɪd/ *n* US vidéo *f*

vide /'vɪdeɪ, 'vaɪdiː/ *v impers* sout (in book) voir, v

videlicet /vɪ'diːlɪset/ *adv* sout à savoir

video /'vɪdɪəʊ/

A *n* (*pl* **~s**) **1** (*also* **~ recorder**) magnétoscope *m*; **2** (*also* **~ cassette**) cassette *f* vidéo; **on ~** en vidéo; **3** (*also* **~ film**) vidéo *f*; **promotional/training ~** vidéo publicitaire/d'entraînement; **4** US (television) télévision *f*

B *modif* [*company, footage*] de vidéo; [*age, market*] de la vidéo; [*channel, evidence, link, equipment, graphics, recording*] vidéo; [*interview*] en vidéo; [*distributor, producer*] de vidéos

C *vtr* (*prés* **~s**; *prét, pp* **~ed**) **1** (from TV) enregistrer [qch]; **2** (on camcorder) filmer [qch] en vidéo

video: **~ art** *n* art *m* vidéo; **~ book** *n* livre *m* vidéo; **~ camera** *n* caméra *f* vidéo; **~ card** *n* carte *f* vidéo; **~ clip** *n* Cin, TV extrait *m*; **~ club** *n* vidéoclub *m*; **~-conferencing** *n* vidéoconférence *f*; **~ diary** *n* vidéojournal *m*; **~disc** *n* vidéodisque *m*; **~ frequency** *n* vidéofréquence *f*; **~ game** *n* jeu *m* vidéo; **~ jock**, **VJ** *n* US vidéo jockey *mf*; **~ library** *n* vidéothèque *f*; **~ nasty** *n* GB vidéo *f* représentant des violences véritables; **~-on-demand**, **VOD** *n* vidéos *fpl* à la demande; **~phone** *n* vidéophone *m*; **~ player** *n* magnétoscope *m*; **~ RAM** *n* mémoire *f* vidéo; **~ shop** GB, **~ store** US ▸ p. 1683 *n* magasin *m* (de) vidéo; **~ surveillance** *n* vidéosurveillance *f*

videotape /'vɪdɪəʊteɪp/

A *n* bande *f* vidéo

B *vtr* enregistrer [qch] en vidéo

video: **~tape recording** *n* enregistrement *m* en vidéo; **~taping** *n* enregistrement *m* en vidéo

videotex® /'vɪdɪəʊteks/ *n* vidéotex® *m*

videotext /'vɪdɪəʊtekst/ *n* vidéotexte *m*

vie /vaɪ/ *vi* (*p prés* **vying**) rivaliser (**with** avec; **for** pour; **to do** pour faire); **children vying (with each other) for attention** des enfants qui rivalisent (entre eux) pour attirer l'attention

Vienna /vɪ'enə/ ▸ p. 1815 *pr n* Vienne

Vienne ▸ p. 1129 *pr n* Vienne *f*; **in/to ~** dans la Vienne

Viennese /vɪə'niːz/

A *npl* **the ~** les Viennois

B *adj* viennois

Vietcong /ˌvjet'kɒŋ/ *pr n* Viêt-cong *m*

Vietnam /ˌvjet'næm/ ▸ p. 1096 *pr n* Viêt Nam *m*

Vietnamese /ˌvietnə'miːz/ ▸ p. 1467, p. 1378

A *n* **1** (person) Vietnamien/-ienne *m/f*; **2** Ling vietnamien *m*

B *adj* [*people, language, government*] vietnamien/-ienne; [*embassy*] du Viêt Nam

view /vjuː/

A *n* **1** lit (of landscape, scene) vue *f*; fig (of situation) vue *f*; **a sea/mountain ~** une vue de la mer/des montagnes; **a room with a ~ (of the sea)** une chambre avec vue (sur la mer); **the trees cut off/break up the ~** la vue est cachée/est en partie cachée par les arbres; **you're blocking my ~!** tu me bouches la vue!; **the window gives you a good ~ of the church** de la fenêtre on a très bonne vue de l'église; **we had a good ~ of the stage from our seats** de nos sièges nous avions une bonne vue de la scène; **ten ~s of Paris** (on postcard, painting) dix vues de Paris; **we moved forward to get a better ~** nous nous sommes avancés pour mieux voir; **all I got was a back ~ of sb's head** tout ce que je voyais c'était la nuque de quelqu'un devant moi; **to have a front/back/side ~ of sth** voir qch de face/de derrière/de côté; **she painted a side ~ of the building** elle a peint le bâtiment vu de côté; **an overall ~ of the situation** une vue d'ensemble de la situation; **an inside ~ of the situation** une

V

idée *or* un aperçu de la situation vue de l'intérieur; **to take the long(-term)/short(-term) ~ of sth** avoir une vision à long terme/à court terme de qch; **in the long ~ he could be right** à long terme il a peut-être raison
2 (field of vision, prospect) lit, fig vue *f*; **there wasn't a single house within ~** il n'y avait pas une seule maison en vue; **the lake was within ~ of the house** on pouvait voir le lac de la maison; **to do sth in (full) ~ of sb** faire qch devant qn *or* sous les yeux de qn; **in full ~ of the neighbours' windows** (en plein) devant les fenêtres des voisins; **to be in ~** lit [*coast, house*] être en vue; **what do you have in ~?** fig qu'est-ce que vous pensez faire?; **with the future in ~** en pensant l'avenir; **to keep sth in ~** lit, fig ne pas perdre qch de vue; **to disappear from** *ou* **be lost to ~** lit disparaître; **their original aims were soon lost from ~** ils ont vite perdu de vue leurs objectifs d'origine; **to hide sth from ~** cacher qch, dissimuler qch aux regards; **to be on ~** [*exhibition*] être présenté; Comm [*new range, clothes collection*] être exposé; **the house and contents will be on ~ the day before the sale** la maison et son contenu pourront être vus la veille de la vente
3 (personal opinion, attitude) avis *m*, opinion *f*; **point of ~** point *m* de vue; **the scientific/medical/legal ~ is that** l'avis *or* l'opinion des scientifiques/des médecins/des juristes est que; **the widely-/generally-accepted ~** l'opinion largement/généralement répandue; **the majority ~** l'opinion la plus répandue; **the official/government ~** le point de vue officiel/du gouvernement; **my ~ is that** mon avis est que, à mon avis; **in his ~** à son avis; **in the ~ of Mr Jones/many experts** selon M. Jones/de nombreux spécialistes
4 (visit, inspection) (of exhibition, house) visite *f*; (of film) projection *f*; Comm (of new range, clothes collection) présentation *f*
B **in view of** *prep phr* (considering) vu, étant donné [*situation, facts, problem*]; **in ~ of his refusal, I...** vu *or* étant donné son refus, je...; **in ~ of this, they...** cela étant, ils...
C **with a view to** *prep phr* **with a ~ to sth** en vue de qch; **with a ~ to doing** en vue de faire, afin de faire; **with a ~ to sb** *ou* **sb's doing** afin que qn fasse
D *vtr* 1 (regard, consider) considérer; (envisage) envisager; **to ~ the future with optimism** envisager *or* considérer l'avenir avec optimisme; **how do you ~ the situation?** comment envisages-tu la situation?, que penses-tu de la situation?; **to ~ sb with suspicion** être méfiant à l'égard de qn; **to ~ sb/sth as sth** considérer qn/qch comme qch; **the evening was ~ed as a success** la soirée a été considérée comme une réussite; **she ~ed him as an enemy** elle le considérait comme un ennemi; **the reforms are ~ed as not going far enough** on considère que les réformes ne vont pas assez loin
2 (look at) gen voir [*scene, building*]; (inspect) visiter [*house, castle*]; voir, regarder [*collection, exhibition*]; visionner [*slide, microfiche*]; examiner [*documents*]; **the building ~ed from the side** le bâtiment vu de côté
3 (watch) regarder [*television, programme*]
E *vi* TV regarder la télévision

viewdata /ˈvjuːdeɪtə/ *n* Comput vidéographie *f* interactive

viewer /ˈvjuːə(r)/ *n* 1 (person) (of TV) téléspectateur/-trice *m/f*; (of exhibition, property) visiteur/-euse *m/f*; 2 Phot visionneuse *f*

viewership /vjuːəʃɪp/ *n* US audience *f*

viewfinder /ˈvjuːfaɪndə(r)/ *n* viseur *m*

viewing /ˈvjuːɪŋ/
A *n* 1 TV **we plan our ~ ahead** nous choisissons à l'avance ce que nous allons regarder (à la télévision); **'and that concludes Saturday night's ~'** 'et avec ceci se termine votre programme du samedi soir'; **essential ~ for teachers** à voir impérativement par les enseignants; **a programme scheduled for late-night/prime-time ~** une émission programmée en fin de soirée/aux heures de grande écoute; **the film makes compulsive ~** le film est captivant; 2 (visit, inspection) (of exhibition, house) visite *f*; (of film) projection *f*; Comm (of new range, clothes collection) présentation *f*; **'early ~ recommended'** (estate agent's notice) 'à visiter d'urgence'; **'~ by appointment only'** 'visite sur rendez-vous uniquement'
B *modif* TV [*trends, patterns*] d'écoute; [*habits, preferences*] des téléspectateurs; **~ figures** taux *m* d'écoute; **the ~ public** les téléspectateurs *mpl*

viewing panel, **viewing window** *n* (in oven, washing machine) hublot *m*

view: **~phone** *n* vidéophone *m*, visiophone *m*; **~point** *n* (all contexts) point *m* de vue

vigil /ˈvɪdʒɪl/ *n* gen veille *f*; (by sickbed, deathbed) veillée *f*; Relig vigile *f*; Pol manifestation *f* silencieuse; **to keep a ~ (over sb)** veiller (qn); **to hold** *ou* **stage a ~** Pol manifester silencieusement; **an all-night ~** une nuit de veille

vigilance /ˈvɪdʒɪləns/ *n* vigilance *f*

vigilance committee *n* groupe *m* d'autodéfense

vigilant /ˈvɪdʒɪlənt/ *adj* vigilant

vigilante /ˌvɪdʒɪˈlæntɪ/
A *n* membre *m* d'un groupe d'autodéfense
B *modif* [*group, protection, attack, role*] d'autodéfense

vigilantism /ˌvɪdʒɪˈlæntɪzəm/ *n* US *méthodes, comportement, idées propres aux groupes d'autodéfense*

vigilantly /ˈvɪdʒɪləntlɪ/ *adv* avec vigilance

vignette /viːˈnjet/ *n* 1 (drawing) vignette *f*; 2 Cin, Literat, Theat tableau *m*; 3 Phot photographie *f* aux bords estompés; 4 Art tableau *m* aux bords estompés

vigor *n* US = **vigour**

vigorous /ˈvɪgərəs/ *adj* [*person, plant, attempt, exercise*] vigoureux/-euse; [*campaign, campaigner*] énergique; [*denial*] catégorique; [*defender, supporter*] ardent

vigorously /ˈvɪgərəslɪ/ *adv* [*push, stir, exercise, grow*] vigoureusement; [*defend, campaign, deny*] énergiquement

vigour GB, **vigor** US /ˈvɪgə(r)/ *n* 1 (of person, plant) vigueur *f*; 2 (of argument, denial) vigueur *f*; **with great ~** avec une grande vigueur; 3 (of campaign, efforts) énergie *f*

Viking /ˈvaɪkɪŋ/
A *n* Viking *mf*
B *adj* viking

vile /vaɪl/ *adj* 1 (wicked) [*crime, slander, traitor*] vil, ignoble; 2 (unpleasant) [*smell, taste, food*] infect; [*weather*] abominable; [*place, experience, colour*] horrible; [*mood, behaviour*] exécrable

vilely /ˈvaɪlɪ/ *adv* honteusement, vilement

vileness /ˈvaɪlnɪs/ *n* 1 (of crime, person) vilenie *f*; 2 (of smell, place, weather) horreur *f*

vilification /ˌvɪlɪfɪˈkeɪʃn/ *n* diffamation *f* (of de)

vilify /ˈvɪlɪfaɪ/ *vtr* diffamer

villa /ˈvɪlə/ *n* (large) (in town) pavillon *m*; (in country, for holiday) villa *f*

village /ˈvɪlɪdʒ/
A *n* (place, community) village *m*; **fishing/mining ~** village de pêcheurs/de mineurs
B *modif* [*shop, fête, school*] du village

village: **~ green** *n* terrain *m* communal; **~ hall** *n* salle *f* des fêtes; **~ idiot** *n* idiot *m* du village

villager /ˈvɪlɪdʒə(r)/ *n* villageois/-e *m/f*

villain /ˈvɪlən/ *n* (scoundrel) canaille *f*; (criminal) bandit *m*; (in book, film) méchant *m*, traître *m* hum; (child) coquin/-e *m/f*; **the ~ of the piece** hum le méchant

villainous /ˈvɪlənəs/ *adj* [*person, behaviour, action*] infâme; [*plot, expression, look, smile*] diabolique

villainously /ˈvɪlənəslɪ/ *adv* [*behave*] d'une manière infâme; [*smile, look*] d'un air mauvais

villainy /ˈvɪlənɪ/ *n* infamie *f*, vilenie *f* liter

villein /ˈvɪleɪn/ *n* vilain/-e *m/f*

villus /ˈvɪləs/ *n* (*pl* **-li**) villosité *f*

vim /vɪm/ *n* allant *m*; **full of ~ and vigour** plein d'allant et d'énergie

vinaigrette /ˌvɪnɪˈgret/ *n* (*also* **vinaigrette dressing**) vinaigrette *f*

vindaloo /ˌvɪndəˈluː/ *n* (*also* **vindaloo curry**) *curry très épicé*

vindicate /ˈvɪndɪkeɪt/ *vtr* gen donner raison à; Jur innocenter [*person*]; justifier, montrer le bien-fondé de [*action, claim, judgment*]; **the report ~d the doctor's decision** le rapport a montré le bien-fondé de la décision du médecin *or* a confirmé que le médecin avait pris la bonne décision

vindication /ˌvɪndɪˈkeɪʃn/ *n* gen justification *f*; Jur (of person) disculpation *f*; **in ~ of** en justification de [*action, behaviour*]; à l'appui de [*decision*]

vindictive /vɪnˈdɪktɪv/ *adj* [*person, behaviour*] vindicatif/-ive (**towards** envers); [*decision, action*] revanchard

vindictively /vɪnˈdɪktɪvlɪ/ *adv* vindicativement

vindictiveness /vɪnˈdɪktɪvnɪs/ *n* esprit *m* de vengeance

vine /vaɪn/ *n* 1 (producing grapes) vigne *f*; 2 (climbing plant) plante *f* grimpante

vinegar /ˈvɪnɪgə(r)/ *n* vinaigre *m*; **cider/wine ~** vinaigre de cidre/de vin

vinegary /ˈvɪnɪgərɪ/ *adj* [*taste, odour*] de vinaigre; [*remark, temper*] acide

vine leaf *n* feuille *f* de vigne

vinery /ˈvaɪnərɪ/ *n* (vineyard) vignoble *m*; (building) serre *f* (où on cultive la vigne)

vine stock *n* cep *m* de vigne

vineyard /ˈvɪnjəd/ *n* vignoble *m*

viniculture /ˈvɪnɪkʌltʃə(r)/ *n* viticulture *f*

vino° /ˈviːnəʊ/ *n* vin *m*

vinous /ˈvaɪnəs/ *adj* sout [*colour*] lie-de-vin *inv*; [*taste, smell*] vineux/-euse

vintage /ˈvɪntɪdʒ/
A *n* 1 Wine millésime *m*; **the 1986 ~** le millésime 1986; **the great ~s** les grands millésimes; 2 (era, date) époque *f*; **a pupil of (a) more recent ~** un élève d'une époque plus récente; **a dress of pre-war ~** une robe de l'époque d'avant-guerre
B *adj* 1 Wine [*wine, champagne*] millésimé; [*port*] vieux/vieille (*before n*); 2 (classic) [*performance, comedy*] classique; **it's ~ Armstrong** c'est du Armstrong du meilleur cru; 3 °(ancient) [*machine, model*] antique

vintage: **~ car** *n* voiture *f* d'époque (*construite entre 1917 et 1930*); **~ year** *n* lit, fig grande année *f*

vintner /ˈvɪntnə(r)/ ▸ p. 1683 *n* marchand *m* de vin

vinyl /ˈvaɪnl/
A *n* 1 Tex vinyle *m*; 2 (record) disque *m* noir
B *modif* [*cover, wallpaper, upholstery*] en vinyle; [*paint*] vinylique

viol /ˈvaɪəl/ ▸ p. 1462 *n* viole *f*

viola[1] /vɪˈəʊlə/ ▸ p. 1462 *n* (violon *m*) alto *m*

viola[2] /ˈvaɪələ/ *n* Bot (genus) violacée *f*; (flower) pensée *f*

viola vɪˈəʊlə: **~ da gamba** ▸ p. 1462 *n* viole *f* de gambe; **~ d'amore** ▸ p. 1462 *n* viole *f* d'amour; **~ player** ▸ p. 1462 *n* altiste *mf*

violate /ˈvaɪəleɪt/ *vtr* 1 (infringe) violer [*law, agreement, constitution, cease-fire, right, privacy*]; transgresser [*criteria, duty, taboo*]; Jur enfreindre [*rule, regulation*]; 2 (desecrate) profaner [*sacred place*]; (disturb) troubler [*peace*]; 3 sout ou† (rape) violer

violation /ˌvaɪəˈleɪʃn/ *n* 1 (of law, agreement, constitution, ceasefire, right, privacy) violation *f*; (of criteria, duty, taboo) transgression *f*; **in ~ of** en violation de; 2 (desecration) (of sacred place) profanation *f*; 3 Jur (minor offence) infraction *f*;

V

traffic ~ infraction au code de la route; **signal/safety** ~ non-respect *m* de la signalisation/des règles de sécurité; 4 sout *ou*(rape) viol *m*

violator /'vaɪəleɪtə(r)/ *n* violateur/-trice *m/f*

violence /'vaɪələns/ *n* 1 (physical aggression) violence *f* (**against** contre); **to resort to/use** ~ recourir à/user de la violence; **an outbreak of** ~ une flambée de violence; **two days of** ~ deux jours d'incidents violents; **football** ~ la violence lors des matchs de football; 2 (force) (of storm, feelings, reaction) violence *f*; **he hit the table with such** ~ **that** il a heurté la table avec une violence telle que; 3 (distortion) **to do** ~ **to sth** faire violence à [*text, truth*]

violent /'vaɪələnt/ *adj* 1 [*crime, behaviour, film, temper*] violent; **a** ~ **attack** (physical) une attaque violente; (verbal) une attaque virulente; 2 (sudden) [*acceleration, braking*] soudain; [*change, contrast*] brutal; 3 (powerful) [*wind, storm, explosion, emotion, fit, headache*] violent; 4 (harsh) [*colour*] criard; [*light*] cru

violently /'vaɪələntlɪ/ *adv* 1 [*push, attack*] violemment; [*struggle*] furieusement; [*assault*] sauvagement; **he was** ~ **kicked** on lui a donné de violents coups de pied; **to die** ~ mourir de mort violente; 2 (dramatically) [*brake, swerve, alter, swing*] brusquement; 3 (vehemently) [*respond, react, object*] violemment; **to be** ~ **opposed to** être violemment opposé à; 4 [*blush, cough, shake*] violemment; **to be** ~ **ill** *ou* **sick** GB avoir de violentes nausées

violet /'vaɪələt/ ► p. 1067
A *n* 1 Bot violette *f*; 2 (colour) violet *m*
B *adj* violet/-ette

violin /ˌvaɪə'lɪn/ ► p. 1462
A *n* violon *m*; **the first/second** ~ le premier/second violon
B *modif* [*concerto, sonata*] pour violon; [*teacher*] de violon

violin case *n* étui *m* à violon

violinist /ˌvaɪə'lɪnɪst/ ► p. 1683, p. 1462 *n* violoniste *mf*

violin player *n* = **violinist**

violist /'vaɪəlɪst/ ► p. 1683, p. 1462 *n* 1 US (viola player) altiste *mf*; 2 (viol player) violiste *mf*

violoncellist /ˌvaɪələn'tʃelɪst/ ► p. 1683, p. 1462 *n* violoncelliste *mf*

violoncello /ˌvaɪələn'tʃeləʊ/ ► p. 1462 *n* violoncelle *m*

VIP (*abrév* = **very important person**)
A *n* personnalité *f* (en vue), VIP *m inv*, personnage *m* de marque
B *adj* [*area, tent, facility*] réservé aux personnalités; ~ **guest** hôte *mf* de marque; ~ **lounge** salon *m* réservé aux personnalités; **to give sb (the)** ~ **treatment** recevoir qn en hôte de marque; **to get (the)** ~ **treatment** être reçu en hôte de marque

viper /'vaɪpə(r)/ *n* Zool, fig vipère *f*
(Idioms) **to nurse a** ~ **in one's bosom** littér réchauffer un serpent dans son sein; **a nest of** ~**s, a** ~**s' nest** fig un panier de crabes

viperish /'vaɪpərɪʃ/ *adj* péj de vipère

virago /vɪ'rɑːgəʊ/ *n* (*pl* **-goes** *ou* **-gos**) péj mégère *f*, virago *f* pej

viral /'vaɪərəl/ *adj* viral

Virgil /'vɜːdʒɪl/ *pr n* Virgile

virgin /'vɜːdʒɪn/
A *n* (woman) vierge *f*; (man) puceau○ *m*, homme *m* vierge; **to be a** ~ être (encore) vierge
B **Virgin** *pr n* **the Virgin** Relig la Vierge *f*; **the Virgin Mary** la Vierge Marie; **the Virgin and Child** la Vierge et l'Enfant
C *adj* (all contexts) vierge

virginal /'vɜːdʒɪnl/
A *n* Mus virginal *m*
B *adj* [*smile, expression, woman*] innocent; [*white, innocence*] virginal

Virgin Birth *n* **the** ~ Relig la conception virginale

virgin forest *n* forêt *f* vierge

Virginia /və'dʒɪnɪə/ ► p. 1737 *pr n* 1 Geog Virginie *f*; **in** ~ en Virginie; 2 = **Virginia tobacco**

Virginia creeper *n* vigne *f* vierge

Virginian /və'dʒɪnɪən/
A *n* Virginien/-ienne *m/f*
B *adj* de Virginie

Virginia tobacco *n* tabac *m* blond

Virgin Islands, VI ► p. 1355 *n* îles *fpl* Vierges

virginity /və'dʒɪnətɪ/ *n* virginité *f*; **to lose one's** ~ perdre sa virginité

Virgo /'vɜːgəʊ/ ► p. 1917 *n* Vierge *f*

Virgoan /vɜː'gəʊən/ *n* Astrol **to be a** ~ être (du signe de la) Vierge

virgule /'vɜːgjuːl/ *n* Print barre *f* oblique

virile /'vɪraɪl, US 'vɪrəl/ *adj* lit, fig viril

virility /vɪ'rɪlətɪ/ *n* virilité *f*

virologist /vaɪə'rɒlədʒɪst/ ► p. 1683 *n* virologue *mf*, virologiste *mf*

virology /vaɪə'rɒlədʒɪ/ *n* virologie *f*

virtual /'vɜːtʃʊəl/ *adj* 1 (almost complete) [*collapse, failure, disappearance, standstill*] quasi-total (*after n*); **the** ~ **disappearance of this custom** la disparition quasi-totale *or* la quasi-disparition de cette coutume; **he was a** ~ **prisoner** il était quasiment○ *or* pratiquement prisonnier; **it's** ~ **slavery** c'est presque de l'esclavage; **she is the** ~ **ruler of the country** de fait c'est elle qui dirige le pays; 2 Comput, Phys virtuel/-elle

virtual campus *n* campus *m* virtuel

virtually /'vɜːtʃʊəlɪ/ *adv* pratiquement, presque; ~ **anywhere** presque *or* pratiquement partout; **it's** ~ **impossible** c'est quasiment○ impossible; ~ **every household has one** chaque ménage ou presque en a un; **there is** ~ **no public transport** les transports en commun sont quasiment○ inexistants

virtual office *n* bureau *m* virtuel

virtual pet *n* Games animal *m* virtuel

virtual reality *n* réalité *f* virtuelle

virtue /'vɜːtʃuː/
A *n* 1 (goodness, good quality, chastity) vertu *f*; **to lose/preserve one's** ~ perdre/préserver sa vertu; **a woman of easy** ~ une femme de petite vertu; 2 (advantage) avantage *m*; **to have the** ~ **of convenience** *ou* **of being convenient** avoir l'avantage d'être pratique; **to extol the** ~**s of sth** vanter les mérites de qch
B **by virtue of** *prep phr* en raison de
(Idioms) ~ **is its own reward** Prov la vertu est sa propre récompense; **to make a** ~ **of necessity** faire de nécessité vertu

virtuosity /ˌvɜːtʃʊ'ɒsətɪ/ *n* virtuosité *f*

virtuoso /ˌvɜːtjʊ'əʊsəʊ, -zəʊ/
A *n* (*pl* **-sos** *ou* **-si**) virtuose *mf* (**of** de); **piano/violin** ~ virtuose du piano/violon
B *adj* de virtuose

virtuous /'vɜːtʃʊəs/ *adj* vertueux/-euse; ~ **indignation** indignation outragée

virtuously /'vɜːtʃʊəslɪ/ *adv* 1 (morally) [*behave, live*] de façon vertueuse; [*help, act*] vertueusement; 2 (self-righteously) avec satisfaction

virulence /'vɪrʊləns/ *n* gen, Med virulence *f*

virulent /'vɪrʊlənt/ *adj* Med, fig virulent

virulently /'vɪrʊləntlɪ/ *adv* avec virulence

virus /'vaɪərəs/ ► p. 1327 *n* Med, Comput virus *m*; **the flu/rabies/Aids** ~ le virus de la grippe/de la rage/du sida

virus checker *n* Comput logiciel *m* antivirus

visa /'viːzə/ *n* visa *m*; **entry/tourist** ~ visa d'entrée/de touriste

vis-à-vis /ˌviːzɑː'viː/
A *n* (person) homologue *m*
B *prep* (in relation to) par rapport à, vis-à-vis de; (concerning) en ce qui concerne

viscera /'vɪsərə/ *npl* viscères *mpl*

visceral /'vɪsərəl/ *adj* Anat viscéral; fig (instinctive) [*feeling, reaction*] viscéral; (raw) [*power, performance*] qui vous prend aux tripes○

viscid /'vɪsɪd/ *adj* visqueux/-euse, gluant

viscose /'vɪskəʊz, -kəʊs/
A *n* viscose *f*
B *modif* Tex [*garment*] en viscose

viscosity /vɪ'skɒsətɪ/ *n* viscosité *f*

viscount /'vaɪkaʊnt/ ► p. 1237 *n* vicomte *m*

viscountcy /'vaɪkaʊntsɪ/ *n* vicomté *f*

viscountess /'vaɪkaʊntɪs/ ► p. 1237 *n* vicomtesse *f*

viscounty /'vaɪkaʊntɪ/ *n* = **viscountcy**

viscous /'vɪskəs/ *adj* visqueux/-euse, gluant

vise /vaɪs/ *n* US étau *m*

visé /'viːzeɪ/ *n* US visa *m*

visibility /ˌvɪzə'bɪlətɪ/ *n* 1 (clarity, ability to see) visibilité *f*; ~ **is good/poor** il y a une bonne/mauvaise visibilité; ~ **is below 150 metres** la visibilité est inférieure à 150 mètres; **to have restricted** ~ avoir une visibilité limitée; 2 (ability to be seen) visibilité *f*; **light clothes improve your** ~ des vêtements clairs vous rendent plus visible la nuit

visible /'vɪzəbl/ *adj* 1 (able to be seen) visible; **clearly** ~ bien visible; **to be** ~ **from** être visible de; **to be** ~ **for miles around** être visible à des kilomètres à la ronde; 2 (concrete) [*improvement, sign*] évident; [*evidence*] flagrant; **with no** ~ **means of support** sans ressources apparentes

visibly /'vɪzəblɪ/ *adv* 1 (to the eye) [*shrinking, ill, paler*] visiblement; 2 (clearly) [*annoyed, moved, relieved*] manifestement

Visigoth /'vɪzɪgɒθ/ *pr n* Wisigoth/-e *m/f*

vision /'vɪʒn/
A *n* 1 (mental picture, hallucination) vision *f*; **to have** ~**s** avoir des visions; **to appear to sb in a** ~ apparaître à qn; 2 (conception, idea) vision *f*; **her** ~ **of Europe in the 21st century** sa vision de l'Europe au XXIe siècle; **Rousseau's** ~ **of the ideal society** l'idée de la société idéale selon Rousseau; 3 (imaginative foresight) sagacité *f*; **to have/lack** ~ avoir de la/manquer de sagacité; **a man of** ~ un visionnaire; 4 (ability to see) vue *f*; **to have poor/good** ~ avoir une mauvaise/bonne vue; **to have blurred** ~ avoir la vue trouble; **to come into** ~ devenir visible; 5 (sight, visual image) image *f*; **a** ~ **of loveliness/hell** l'image de la beauté/de l'enfer; 6 TV (picture) image *f*; **sound and** ~ le son et l'image
B *vtr* US imaginer

visionary /'vɪʒənrɪ, US 'vɪʒənerɪ/ *n, adj* visionnaire (*mf*)

vision mixer *n* (person) réalisateur *m* de direct; (equipment) mélangeur *m* d'images

visit /'vɪzɪt/
A *n* 1 (call) visite *f*; **an official** *ou* **state** ~ une visite officielle; **a home** ~ une visite à domicile; **a flying** ~ une visite éclair; **on her first/last** ~ **to China, she...** la première/dernière fois qu'elle est allée en Chine, elle...; **he is on an official** ~ **to Canada** il est en visite officielle au Canada; **to pay a** ~ **to sb, pay sb a** ~ (to friend) aller voir qn, rendre visite à qn; (on business) aller voir qn, aller chez qn; **I'll have to pay a** ~ **to the dentist** il faudra que j'aille chez le dentiste; **to have a** ~ **from** recevoir la visite de [*parents, friend, nurse, police*]; **to make a** ~ **to** visiter, inspecter [*premises, venue*]; **to make home** ~**s** [*doctor etc*] faire des visites à domicile; 2 (stay) séjour *m*; **a** ~ **to France** un séjour en France; **it's my first** ~ **to this country** c'est la première fois que je viens dans ce pays; **to go on a** ~ **to** faire un séjour à [*town*]
B *vtr* 1 (call on) aller voir, rendre visite à [*family, friend*]; aller voir, aller chez [*doctor, dentist, solicitor, client*]; **when can I come and** ~ **you?** quand est-ce que je peux venir te voir?; 2 (see) visiter, aller voir [*monument, exhibition, region*]; 3 (inspect) inspecter [*school, workplace, premises*]; 4 (on holiday etc) **to** ~ **sb** venir chez qn; **to** ~ **a country** faire un séjour *or*

séjourner dans un pays; **come and ~ us for a few days** venez passer quelques jours avec nous; **they often come to ~ (us)** ils viennent souvent chez nous; 5 (affect) sout **to be ~ed by** être éprouvé par [*disaster, difficulty*]; 6 †(inflict) **to ~ sth (up) on sb** infliger qch à qn; 7 US (socially) **to ~ with** aller voir, rendre visite à [*family, friend*]

visitation /ˌvɪzɪˈteɪʃn/
A *n* 1 (supernatural sign) signe *m* (**from** de); 2 (punishment) châtiment *m* (**from** de); 3 (by official person) visite *f* (**from** de)
B Visitation *pr n* Relig Visitation *f*

visiting /ˈvɪzɪtɪŋ/ *adj* (*épith*) [*statesman, stateswoman*] en visite; [*athlete*] visiteur/-euse; [*orchestra*] invité

visiting: **~ card** *n* US carte *f* de visite; **~ fireman** *n* US visiteur *m* de marque; **~ hours** *npl* heures *fpl* de visite; **~ lecturer** *n* (short term) maître *m* de conférence invité; (long term) maître *m* de conférence associé; **~ nurse** ▸ p. 1683 *n* US infirmier/-ière *m/f* à domicile; **~ professor** *n* (short term) professeur *m* invité; (long term) professeur *m* associé; **~ room** *n* parloir *m*; **~ teacher** ▸ p. 1683 *n* US Sch enseignant/-e *m/f* à domicile; **~ team** *n* visiteurs/-euses *mpl/fpl*; **~ time** *n* heures *fpl* de visite

visitor /ˈvɪzɪtə(r)/ *n* 1 (caller) invité/-e *m/f*; **we have ~s** nous avons de la visite; **she didn't often have ~s** elle ne recevait pas beaucoup de visites; **they were frequent ~s to our house** ils venaient souvent chez nous; 2 (tourist) visiteur/-euse *m/f*; **I've been a regular ~ to this country/to the museum** je vais souvent dans ce pays/au musée; 3 (animal bird) migrateur *m*; **a summer ~** un migrateur d'été

visitor: **~ centre** *n* centre *m* d'accueil et d'information des visiteurs; **~s' book** *n* (in museum, exhibition) livre *m* d'or; (in hotel) registre *m*

visor /ˈvaɪzə(r)/ *n* 1 (part of helmet, eyeshade) visière *f*; 2 Aut pare-soleil *m inv*

vista /ˈvɪstə/ *n* lit panorama *m*; fig perspective *f*; **to open up new ~s** ouvrir de nouvelles perspectives

visual /ˈvɪʒʊəl/
A visuals *npl* (photographs, pictures) images *fpl*; Cin (visual effects) effets *mpl* visuels; Sch (visual aids) supports *mpl* visuels
B *adj* (all contexts) visuel/-elle

visual: **~ aid** *n* support *m* visuel; **~ artist** ▸ p. 1683 *n* plasticien/-ienne *m/f*; **~ arts** *npl* arts *mpl* plastiques; **~ display terminal, VDT**, **~ display unit, VDU** *n* Comput écran *m* de visualisation; **~ field** *n* champ *m* visuel

visualize /ˈvɪʒʊəlaɪz/ *vtr* 1 (picture) s'imaginer, se représenter [*person, scene*]; **she had ~d the house as more modern** elle s'était imaginée que la maison serait plus moderne; **I met him once, but I can't ~ his face** je l'ai rencontré une fois, mais je n'arrive pas à me rappeler sa tête; 2 (envisage) envisager

visually /ˈvɪʒʊəlɪ/ *adv* visuellement

visually handicapped
A *n* **the ~** (+ *v pl*) (partially-sighted) les malvoyants/-es *mpl/fpl*; (non-sighted) les non-voyants/-es *mpl/fpl*
B *adj* (partially-sighted) malvoyant; (non-sighted) non-voyant

visually impaired
A *n* **the ~** (+ *v pl*) les malvoyants/-es *mpl/fpl*
B *adj* malvoyant

vital /ˈvaɪtl/ *adj* 1 (essential) [*asset, document, expenditure, information, research, industry, supplies*] essentiel/-ielle, primordial; [*role, issue, need, interest*] fondamental, primordial; [*match, point, support, factor*] décisif/-ive; [*service, help*] indispensable; [*treatment, importance*] vital; **it is ~ that, it is of ~ importance that** il est indispensable *or* vital que (+ *subj*); **~ to sb/sth** indispensable à qn/qch; **it is ~ to do** il est indispensable de faire; **of ~ importance** d'une importance capitale; **to play a ~ role** *ou* **part** jouer un rôle capital; 2 (essential to life) [*organ, force*] vital; 3 (lively) [*person*] plein de vie *or* de vitalité; [*culture, music*] vivant

vitality /vaɪˈtælətɪ/ *n* vitalité *f*

vitally /ˈvaɪtəlɪ/ *adv* [*important*] extrêmement; [*necessary, needed*] absolument

vital statistics *n* 1 Stat données *fpl* démographiques; 2 hum gen informations *fpl* essentielles; (of woman's body) mensurations *fpl*

vitamin /ˈvɪtəmɪn, US ˈvaɪt-/
A *n* vitamine *f*; **~ A/B/C** vitamine A/B/C; **with added ~s, ~ enriched** vitaminé
B *modif* [*requirements*] en vitamines; **to have a high/low ~ content** être riche/pauvre en vitamines

vitamin: **~ deficiency** *n* carence *f* en vitamines; **~ pill**, **~ tablet** *n* comprimé *m* de vitamines; **~ therapy** *n* vitaminothérapie *f*

vitiate /ˈvɪʃɪeɪt/ *vtr* sout gen, Jur vicier

viticulture /ˈvɪtɪkʌltʃə(r)/ *n* viticulture *f*

vitreous /ˈvɪtrɪəs/ *adj* 1 Tech [*enamel*] vitrifié; [*rock, china*] vitreux/-euse; 2 Anat [*body, humour*] vitré

vitrification /ˌvɪtrɪfɪˈkeɪʃn/ *n* vitrification *f*

vitrify /ˈvɪtrɪfaɪ/
A *vtr* vitrifier
B *vi* se vitrifier

vitriol /ˈvɪtrɪəl/ *n* Chem, fig vitriol *m*

vitriolic /ˌvɪtrɪˈɒlɪk/ *adj* Chem de vitriol; fig au vitriol

vitriolize /ˈvɪtrɪəlaɪz/ *vtr* vitrioler

vitro ▸ **in vitro**

vituperate /vɪˈtjuːpəreɪt, US vaɪˈtuː-/
A *vtr* vitupérer contre
B *vi* vitupérer (**against** contre)

vituperation /vɪˌtjuːpəˈreɪʃn, US vaɪˌtuː-/ *n* ¢ vitupérations *fpl*

vituperative /vɪˈtjuːpərətɪv, US vaɪˈtuːpəreɪtɪv/ *adj* injurieux/-ieuse

viva
A /ˈvaɪvə/ *n* GB Univ oral *m*
B /viːvə/ *excl* vive!; **~ freedom!** vive la liberté!

vivacious /vɪˈveɪʃəs/ *adj* [*person, performance, manner*] plein de vivacité

vivaciously /vɪˈveɪʃəslɪ/ *adv* [*speak, behave*] avec vivacité

vivacity /vɪˈvæsətɪ/ *n* vivacité *f*

vivarium /vaɪˈveərɪəm, vɪ-/ *n* (*pl* **-riums** *ou* **-ria**) vivarium *m*

viva voce /ˌvaɪvə ˈvəʊtʃɪ, ˈvəʊsɪ/
A *n, modif* GB = **viva A**
B *adv* Jur [*testify*] viva voce

vivid /ˈvɪvɪd/ *adj* 1 (bright) [*colour, light*] vif/vive; [*garment*] aux couleurs vives; [*sunset*] éclatant; 2 (graphic) [*imagination*] vif/vive; [*memory, picture*] (très) net/nette; [*dream, impression*] frappant; [*description, example, language, imagery*] vivant, frappant; **to describe sth in ~ detail** faire une description vivante et détaillée de qch

vividly /ˈvɪvɪdlɪ/ *adv* [*shine, glow*] d'une lumière éclatante; [*picture, dream*] de façon très nette; [*describe*] de façon très vivante *or* frappante; **~ coloured** aux couleurs vives; **I remember it ~!** je m'en souviens très bien!

vividness /ˈvɪvɪdnɪs/ *n* (of colour, light, sunset, garment) éclat *m*; (of memory, dream, description) netteté *f*; (of language, imagery) richesse *f*; (of style) vigueur *f*

vivify /ˈvɪvɪfaɪ/ *vtr* vivifier

viviparous /vɪˈvɪpərəs, US vaɪ-/ *adj* (all contexts) vivipare

vivisect /ˈvɪvɪsekt/ *vtr* pratiquer une vivisection sur

vivisection /ˌvɪvɪˈsekʃn/ *n* vivisection *f*

vivisectionist /ˌvɪvɪˈsekʃənɪst/ *n* (practiser) vivisecteur/-trice *m/f*; (supporter) partisan *m* de la vivisection

vixen /ˈvɪksn/ *n* 1 Zool renarde *f*; 2 péj (woman) mégère *f*

viz /vɪz/ *adv* sout (*abrév* = **videlicet**) à savoir

vizier /vɪˈzɪə(r)/ *n* vizir *m*

VLF *n*: *abrév* ▸ **very low frequency**

V: **V-neck** *n* (neck) encolure *f* en V; (sweater) pull *m* en V; **V-necked** *adj* à encolure *f* en V

VOC *abrév* = **volatile organic compound**

vocabulary /vəˈkæbjʊlərɪ, US -lerɪ/
A *n* 1 (of person, group, language) vocabulaire *m*; 2 (list, glossary) lexique *m*
B *modif* [*book, test*] de vocabulaire

vocal /ˈvəʊkl/
A vocals *npl* chant *m*; **'with Mick Jagger on ~s'** 'avec Mick Jagger au chant'; **who did the ~s?** qui a assuré la partie vocale?; **to do the backing ~s** faire les chœurs
B *adj* 1 [*organs, range, music, sound*] vocal; 2 (vociferous) [*person, group*] qui se fait entendre, pej bruyant; **an increasingly ~ minority** une minorité qui se fait entendre de plus en plus; **one of her most ~ critics** un de ses critiques les plus intarissables

vocal c(h)ords *n* cordes *fpl* vocales

vocalic /vəˈkælɪk/ *adj* vocalique

vocalist /ˈvəʊkəlɪst/ *n* chanteur/-euse *m/f* (*dans un groupe pop*)

vocalization /ˌvəʊkəlaɪˈzeɪʃn/ *n* Phon, Mus vocalisation *f*

vocalize /ˈvəʊkəlaɪz/
A *vtr* 1 Phon vocaliser; 2 Ling marquer les voyelles de [*text*]; 3 fig exprimer [*thought, emotion, opposition*]
B *vi* Mus vocaliser, faire des vocalises

vocally /ˈvəʊkəlɪ/ *adj* 1 Mus vocalement; 2 (vociferously) haut et fort

vocal: **~ organs** *npl* organes *mpl* vocaux; **~ tract** *n* appareil *m* vocal

vocation /vəʊˈkeɪʃn/ *n* vocation *f*; **to find/miss one's ~** trouver/rater sa vocation; **to have a ~ for sth** avoir la vocation de qch; **to have a ~ to do** *ou* **for doing** avoir une vocation pour faire

vocational /vəʊˈkeɪʃənl/ *adj* gen professionnel/-elle; [*syllabus, approach*] à orientation professionnelle

vocational: **~ course** *n* stage *m* de formation professionnelle; **~ education** *n* enseignement *m* professionnel; **~ guidance** *n* orientation *f* professionnelle; **~ training** *n* formation *f* professionnelle

vocative /ˈvɒkətɪv/
A *n* Ling vocatif *m*
B *adj* [*form*] du vocatif; **in the ~ case** au vocatif

vociferate /vəˈsɪfəreɪt, US vəʊ-/ *vtr, vi* sout vociférer

vociferous /vəˈsɪfərəs, US vəʊ-/ *adj* [*person, protest*] véhément

vociferously /vəˈsɪfərəslɪ, US vəʊ-/ *adv* avec véhémence

vodka /ˈvɒdkə/ *n* vodka *f*; **to order two ~s** commander deux vodkas

vogue /vəʊg/
A *n* vogue *f*, mode *f* (**for** de); **to come into/be in ~** entrer/être en vogue *or* à la mode; **to go out of ~** se démoder; **to be out of ~** être démodé
B *modif* [*word, expression*] en vogue, à la mode

voice /vɔɪs/
A *n* 1 (speaking sound) voix *f*; **to hear a ~** entendre une voix; **in a loud ~** à haute voix; **in a low ~** à voix basse; **in a cross ~** d'une voix irritée; **to have a high/low(-pitched) ~** avoir une voix aiguë/grave; **to raise/lower one's ~** élever/baisser la voix; **keep your ~ down!** baisse la voix *or* le ton! **his ~ is breaking/has broken** sa voix mue/a mué; **to lose one's ~** (when ill) perdre la voix; (when afraid) perdre la parole; **to give ~ to sth** exprimer qch; **at the top of one's ~** à tue-tête; 2 (for singing) voix *f*; **to have a good ~** avoir une belle voix; **to be in fine ~** être en voix; **in superb ~** superbement en voix; **for four ~s** pour quatre voix; 3 (opinion, expression) voix *f*; **to have a ~** avoir

ⓘ The human voice

Voices and singers

	voice	singer
soprano	= soprano *m*	soprano *m* or *f* (*depending on whether a boy soprano or a woman*)
mezzo-soprano	= mezzo-soprano *m*	mezzo-soprano *f*
contralto	= contralto *m*	contralto *f*
alto	= alto *m*	alto *m*
counter-tenor	= haute-contre *f*	haute-contre *m*
tenor	= ténor *m*	ténor *m*
baritone	= baryton *m*	baryton *m*
bass-baritone	= baryton-basse *m*	baryton-basse *m*
bass	= basse *f*	basse *f*

■ *In the following examples* tenor *and* ténor *stand for any of the above voices:*

he's a tenor
= il est ténor
or c'est un ténor

he sings tenor
= il chante ténor

a tenor voice
= une voix de ténor

the tenor part
= la partie ténor

a tenor solo
= un solo de ténor

voix au chapitre (**in sth** en *ou* dans qch; **in doing** pour faire); **the ~ of reason/dissent** la voix de la raison/dissidence; **to add one's ~ to sth** unir sa voix à qch; **~s have been raised against** plusieurs voix se sont élevées contre; **to reply with one ~** répondre d'une seule voix; **to demand sth with one ~** exiger unanimement qch; **the ~ of the people** la voix du peuple; [4] (representative organization, newspaper) porte-parole *m* (**of** de); [5] Literat (of writer, poet) style *m*; **narrative ~** voix *f* du narrateur; [6] Ling voix *f*; **in the active/passive ~** à la voix active/passive; [7] Phon voix *f*
B -voiced (*dans composés*): **hoarse-/deep-~d** à la voix rauque/grave; **a shaky-~d reply** une réponse donnée d'une voix tremblante
C *vtr* [1] (express) exprimer [*concern, grievance*]; [2] Phon sonoriser [*consonant*]
(Idioms) **to like the sound of one's own ~** s'écouter parler; **the still small ~ of conscience** la voix de la conscience

voice: **~-activated** *adj* Electron, Comput activé par la voix; **~ box** *n* larynx *m*; **~d consonant** *n* consonne *f* sonore

voiceless /ˈvɔɪslɪs/ *adj* [1] Phon sourd; [2] [*minority, group*] privé de la parole; [3] littér (silent) sans voix

voicemail, **voice mail** /ˈvɔɪsmeɪl/ *n* [1] (medium) messagerie *f* vocale; [2] (message) message *m* vocal; **to have a ~** avoir un message

voice: **~ messaging** *n* messagerie *f* vocale; **~-over** *n* voix-off *f*; **~ print** *n* empreinte *f* vocale; **~ recognition** *n* reconnaissance *f* vocale; **~ training** *n* entraînement *m* de la voix; **~ vote** *n* US vote *m* par acclamation

void /vɔɪd/
A *n* lit, fig vide *m*; **to fill the ~** combler le vide
B *adj* [1] Jur [*contract, agreement*] nul/nulle; [*cheque*] annulé; **to make** *ou* **render ~** annuler; [2] (empty) vide; **~ of** dépourvu de
C *vtr* Jur annuler

voidable /ˈvɔɪdəbl/ *adj* [*contract, policy*] résiliable; [*marriage*] annulable

voile /vɔɪl/
A *n* voile *m*
B *modif* [*garment*] en voile

vol /vɒl/ *n* (*pl* **-s**) *abrév* = **volume**

volatile /ˈvɒlətaɪl, US -tl/ *adj* [1] Chem volatil; [2] fig [*situation*] explosif/-ive; [*market, exchange rate*] instable; [*person*] lunatique, versatile; [*mood*] changeant

volatile organic compound *n* Chem composé *f* organique volatil

volatility /ˌvɒləˈtɪlətɪ/ *n* [1] Chem volatilité *f*; [2] fig (of situation) caractère *m* explosif; (of market, exchange rate) instabilité *f*; (of person) versatilité *f*

volatilize /vəˈlætɪlaɪz/
A *vtr* volatiliser
B *vi* se volatiliser

volcanic /vɒlˈkænɪk/ *adj* volcanique

volcano /vɒlˈkeɪnəʊ/ *n* (*pl* **-noes** *ou* **-nos**) volcan *m*

volcanology /ˌvɒlkəˈnɒlədʒɪ/ *n* volcanologie *f*

vole /vəʊl/ *n* [1] Zool campagnol *m*; [2] (in card games) vole *f*

Volga /ˈvɒlgə/ ▸ **p. 1633** *pr n* Volga *f*

volition /vəˈlɪʃn, US vəʊ-/ *n* volonté *f*; **of one's own ~** de son propre gré

volley /ˈvɒlɪ/
A *n* [1] Sport (in tennis) volée *f*; (in soccer) reprise *f* de volée; **to miss a ~** (in tennis) rater une volée; **to practise one's ~s** (in tennis) s'entraîner à la volée; **to hit** *ou* **kick the ball on the ~** frapper la balle de volée; [2] Mil (of gunfire) salve *f* (**of** de); (of missiles) volée *f* (**of** de); [3] fig (series) **a ~ of** un feu roulant de [*questions, words*]; une bordée de [*insults, oaths*]
B *vtr* Sport (in tennis) prendre [qch] de volée [*ball*]; (in soccer) reprendre [qch] de volée [*ball*]
C *vi* Sport (in tennis) jouer à la volée

volleyball /ˈvɒlɪbɔːl/ ▸ **p. 1253**
A *n* volley(-ball) *m*
B *modif* [*match, court*] de volley(-ball); **~ player** volleyeur/-euse *m/f*

volleyer /ˈvɒlɪə(r)/ *n* (in tennis) volleyeur/-euse *m/f*

volt /vəʊlt/ *n* volt *m*; **nine-~ battery** pile de neuf volts

voltage /ˈvəʊltɪdʒ/ *n* tension *f*; **high-/low-~ cable** câble de haute/basse tension

voltage surge *n* surtension *f*

voltaic /vɒlˈteɪɪk/ *adj* voltaïque

voltaic pile *n* pile *f* de Volta

volte-face /ˌvɒltˈfɑːs/ *n* volte-face *f inv*; **to perform a ~** faire volte-face

voltmeter *n* voltmètre *m*

volubility /ˌvɒljʊˈbɪlətɪ/ *n* volubilité *f*

voluble /ˈvɒljʊbl/ *adj* volubile

volubly /ˈvɒljʊblɪ/ *adv* avec volubilité

volume /ˈvɒljuːm, US -jəm/ ▸ **p. 1868**
A *n* [1] Meas, Phys (of gas, liquid, object) volume *m* (**of** de); (of container) capacité *f*; **by ~** au volume; [2] (amount) volume *m*; **~ of** volume de [*traffic, sales, production, trade*]; quantité de [*work*]; [3] (book) volume *m*; (part of complete work) tome *m*; **a ten-~ set** un ensemble de dix volumes; **in ten ~s** en dix volumes; [4] Audio (sound quantity) volume *m*, puissance *f*; **to adjust the ~** régler le volume
B *modif* Comm (bulk) [*production, purchasing, sales*] en nombre
(Idiom) **to speak ~s (about sth)** en dire long (sur qch)

volume: **~ control** *n* Audio (bouton *m* de) réglage *m* du volume; **~ discount** *n* Comm remise *f*, ristourne *f* (sur quantité)

volumetric /ˌvɒljʊˈmetrɪk/ *adj* volumétrique

voluminous /vəˈluːmɪnəs/ *adj* volumineux/-euse

voluntarily /ˈvɒləntrəlɪ/ *adv* de plein gré, volontairement

voluntary /ˈvɒləntrɪ, US -terɪ/
A *n* Mus voluntary *m*
B *adj* [1] (not imposed) [*consent, control, recruit, euthanasia*] volontaire; [*statement*] spontané; [*agreement, ban*] librement consenti; [*participation, attendance*] facultatif/-ive; [*sanction*] non

ⓘ Volume measurement

■ *For pints, gallons, litres etc.* ▸ **p. 1029**.

■ *Note that French has a comma where English has a decimal point.*

1 cu in
= 16,38 cm^3

1 cu ft
= 0,03 m^3

1 cu yd
= 0,76 m^3

■ *There are three ways of saying* 16,38 cm^3, *and other measurements like it:* seize virgule trente-huit centimètres cubes *or* (*less formally*) seize centimètres cubes virgule trente-huit *or* seize centimètres cubes trente-huit. *For more details on how to say numbers* ▸ **p. 1487**.

what is its volume?
= quel est son volume?

its volume is 200 cubic metres
= ça fait 200 mètres cubes

it's 200 cubic metres
= ça fait 200 mètres cubes

it's one metre by two metres by three metres
= ça mesure un mètre sur deux mètres sur trois mètres

sold by the cubic metre
= vendu au mètre cube

A has a greater volume than B
= le volume de A est supérieur à celui de B

B has a smaller volume than A
= le volume de B est inférieur à celui de A

■ *Note the use of* de *in this construction.*

there are a million cubic centimetres in a cubic metre
= il y a un million de centimètres cubes dans un mètre cube

a million cubic centimetres make one cubic metre
= un million de centimètres cubes font un mètre cube

■ *Note the French construction with* de, *coming after the noun it describes:*

a 200-cubic-metre tank
= un réservoir de 200 mètres cubes

obligatoire; **on a ~ basis** sur une base volontaire; **to resolve sth by ~ means** résoudre qch en faisant appel à la bonne volonté; [2] (unpaid) [*work, organization, agency, sector*] bénévole; **~ worker** travailleur/-euse *m/f* bénévole; **to work on a ~ basis** travailler bénévolement; [3] (done by will) [*movement*] volontaire

voluntary: **~ hospital** *n* US ≈ hôpital *m* privé; **~ liquidation** *n* Comm liquidation *f* volontaire; **~ manslaughter** *n* Jur homicide *m* volontaire; **~ redundancy** *n* GB départ *m* volontaire; **~ repatriation** *n* rapatriement *m* volontaire; **~ school** *n* GB ≈ école *f* libre

volunteer /ˌvɒlənˈtɪə(r)/
A *n* [1] gen, Mil volontaire *mf*; [2] (unpaid worker) bénévole *mf*
B *modif* [1] (unpaid) [*driver, fire brigade, helper, work*] bénévole; [2] Mil [*force, division*] de volontaires
C *vtr* [1] (offer willingly) offrir [*help, advice*]; **to ~ to do** offrir de faire, se porter volontaire pour faire; [2] (divulge willingly) fournir [qch] spontanément [*information, explanation*]; **'it was me,' he ~ed** 'c'était moi,' dit-il de lui-même
D *vi* [1] gen se porter volontaire (**for** pour); [2] Mil s'engager comme volontaire; **to ~ for military service/the army** s'engager (comme volontaire) pour le service militaire/dans l'armée

voluptuous /və'lʌptʃʊəs/ *adj* voluptueux/-euse

voluptuously /və'lʌptʃʊəslɪ/ *adv* voluptueusement

voluptuousness /və'lʌptjʊəsnɪs/ *n* volupté *f*

volute /və'lu:t/ *n* **1** (spiral) Archit volute *f*; (on shell) spire *f*; **2** Zool (mollusc) volute *f*

voluted /və'lu:tɪd/ *adj* [*shell*] en spire; [*pattern*] en volute

vomit /'vɒmɪt/
A *n* vomi *m*
B *vtr, vi* vomir

vomiting /'vɒmɪtɪŋ/ *n* vomissement *m*; **repeated ~** des vomissements répétés

voodoo /'vu:du:/ *n, modif* vaudou (*m*)

voracious /və'reɪʃəs/ *adj* vorace

voraciously /və'reɪʃəslɪ/ *adv* avec voracité

voracity /və'ræsətɪ/ *n* voracité *f*

vortex /'vɔ:teks/ *n* (*pl* **~es** *ou* **-tices**) lit, fig tourbillon *m*

Vosges ▸ p. 1129 *pr n* Vosges *fpl*; **in/to the ~** dans les Vosges

votary /'vəʊtərɪ/ *n* Relig fervent/-e *m/f*

vote /vəʊt/
A *n* **1** (choice) vote *m*; **to cast one's ~** voter; **to get 100 ~s** obtenir 100 votes; **one man one ~** ≈ suffrage universel; **that gets my ~!** fig moi je suis pour!; **2** (franchise) **the ~** le droit de vote; **to get the ~** obtenir le droit de vote; **3** (ballot) vote *m*; **to have a ~** voter; **to take a ~ on** voter sur; **to put sth to the ~** mettre qch aux voix; **4** (body of voters) voix *fpl*; **the teenage/Scottish ~** les voix des jeunes/des Écossais; **to receive 60% of the ~** obtenir 60% des voix; **by a majority ~** à la majorité des voix; **to increase one's ~ by 10%** recevoir 10% de voix en plus
B *vtr* **1** (affirm choice of) voter [*Liberal, yes*]; **what** *ou* **how do you ~?** pour qui est-ce que tu votes?; **to ~ sb into/out of office** *ou* **power** élire/ne pas réélire qn; **to ~ sb into the White House** élire qn à la Maison Blanche; **to be ~d best film/Miss World** être élu meilleur film/Miss Monde; **2** (authorize) **to ~ sb sth** accorder qch à qn; **to ~ oneself a pay rise** s'accorder une augmentation de salaire; **3** ○(propose) proposer; **I ~ we all go** je propose que nous y allions tous
C *vi* voter (**on** sur; **for sb** pour qn; **against** contre); **to ~ for reform** voter en faveur de la réforme; **to ~ on whether** voter pour décider si; **let's ~ on it** mettons-le aux voix; **to ~ to join the EU/to strike** voter l'adhésion à la UE/voter la grève

(Idiom) **to ~ with one' s feet** (by leaving) quitter le navire○; (by other action) montrer sa désapprobation par des actes

(Phrasal verbs) ■ **vote down**: ▸ **~ [sb/sth] down, ~ down [sb/sth]** battre [qn] aux voix [*person, group*]; rejeter [*motion*]
■ **vote in**: ▸ **~ [sb] in, ~ in [sb]** élire [*person, party*]
■ **vote out**: ▸ **~ [sb/sth] out, ~ out [sb/sth]** ne pas réélire [*person*]; rejeter [*motion*]
■ **vote through**: ▸ **~ [sth] through, ~ through [sth]** faire adopter [*bill, proposal*]

vote of censure *n* Pol vote *m* sur une motion de censure

vote of confidence *n* Pol, fig vote *m* de confiance (**in** en); **to win a ~** se voir accorder la confiance

vote of thanks *n* discours *m* de remerciement

voter /'vəʊtə(r)/ *n* Pol électeur/-trice *m/f*

voter: **~ registration** *n* US inscription *f* sur les listes électorales; **~ registration card** *n* US carte *f* d'électeur

voting /'vəʊtɪŋ/
A *n* (procedure, ballot) scrutin *m*; **second round of ~** second tour de scrutin; **~ is by secret ballot** le vote se fait au scrutin secret; **qualified majority ~** Pol vote *m* à la majorité qualifiée
B *modif* [*patterns, intentions, rights*] de vote

voting age *n* majorité *f* électorale; **people of ~** personnes ayant la majorité électorale

voting: **~ booth** *n* isoloir *m*; **~ machine** *n* US machine *f* à voter; **~ paper** *n* bulletin *m* de vote; **~ precinct** *n* US circonscription *f* électorale; **~ record** *n* US antécédents *mpl* de vote; **~ share** *n* Fin action *f* avec droit de vote

votive /'vəʊtɪv/ *adj* Relig votif/-ive

vouch /vaʊtʃ/ *vtr* **to ~ that** garantir que

(Phrasal verb) ■ **vouch for**: ▸ **~ for [sb/sth]** **1** (informally) répondre de [*person*]; témoigner de [*fact*]; **2** (officially) se porter garant de [*person, fact*]

voucher /'vaʊtʃə(r)/ *n* **1** (for gift, concession) bon *m*; **2** (receipt) reçu *m*

vouchsafe /vaʊtʃ'seɪf/ *vtr* sout **1** (grant) **to ~ sb sth** gratifier qn de qch; **we have been ~d a glimpse** on nous a gratifiés d'un aperçu; **2** (promise) octroyer [*support*]; garantir [*peace*]; **to ~ to do** s'engager à faire

vow /vaʊ/
A *n* (religious) vœu *m*; (of honour) serment *m*; **a ~ of silence/poverty** un vœu de silence/pauvreté; **to take** *ou* **make a ~** faire un vœu; **to make a ~ to do** faire le vœu de faire; **to be under a ~ of silence** (secrecy) avoir fait le serment de garder le secret
B vows *npl* **1** Relig vœux *mpl*; **to take one's ~s** prononcer ses vœux; **2** **marriage** *ou* **wedding ~s** serments *mpl* du mariage
C *vtr* faire vœu de [*revenge, love, allegiance*]; **to ~ to do** jurer de faire; (privately) se jurer de faire; **he ~ed that he would never return** il a juré de ne plus jamais revenir; **'I will succeed,' she ~ed** 'je réussirai,' se jura-t-elle

vowel /'vaʊəl/
A *n* voyelle *f*
B *modif* [*sound*] vocalique; **~ shift** mutation *f* vocalique

vox pop○ /ˌvɒks 'pɒp/ *n* **1** (*also* **vox populi**) opinion *f* publique; **2** TV, Radio (street interviews) interviews *mpl* pris dans la rue

voyage /'vɔɪɪdʒ/
A *n* Naut voyage *m* (en mer), traversée *f*; fig voyage *m*; **on the ~** pendant le voyage; **to go on a ~** partir en voyage; **a ~ of discovery** *ou* **exploration** un voyage d'exploration; **the outward/homeward ~** le voyage aller/de retour
B *vi* littér voyager; **to ~ across** traverser

voyager /'vɔɪɪdʒə(r)/ *n* littér voyageur/-euse *m/f*

voyeur /vɔɪ'ɜ:(r)/ *n* voyeur/-euse *m/f*

voyeurism /vɔɪ'ɜ:rɪzəm/ *n* voyeurisme *m*

voyeuristic /ˌvwɑ:jə'rɪstɪk/ *adj* voyeuriste

VP *n* **1** Pol *abrév* ▸ **vice-president**; **2** Ling *abrév* ▸ **verb phrase**

VPL○ *n* (*abrév* = **visible panty line**) marque *f* disgracieuse de la culotte

vs *prep* (*abrév* = **versus**) contre

V-shaped *adj* en (forme de) V

V-sign /'vi:saɪn/ *n* (victory sign) V *m* de la victoire; (offensive gesture) GB geste *m* obscène

VSO *n* GB (*abrév* = **Voluntary Service Overseas**) coopération *f* civile; **to do ~** travailler comme coopérant civil

VSOP (*abrév* = **very special** *ou* **superior old pale**) VSOP

Vt, **VT** *abrév écrite* = **Vermont**

VTOL *n* (*abrév* = **vertical takeoff and landing**) (plane) VTOL *m*, aéronef *m* à décollage vertical

Vulcan /'vʌlkən/ *pr n* Vulcain *m*

vulcanite /'vʌlkənaɪt/ *n* ébonite *f*

vulcanize /'vʌlkənaɪz/ *vtr* vulcaniser

vulcanology /ˌvʌlkə'nɒlədʒɪ/ *n* = **volcanology**

vulgar /'vʌlgə(r)/ *adj* **1** (tasteless) [*furniture, clothes, building*] de mauvais goût; [*behaviour, curiosity*] déplacé; [*taste*] douteux/-euse; [*person*] vulgaire, qui a mauvais goût; **2** (rude) grossier/-ière, vulgaire; **3** Ling [*Latin*] vulgaire

vulgar fraction *n* Math fraction *f* ordinaire

vulgarism /'vʌlgərɪzəm/ *n* Ling vulgarisme *m*

vulgarity /vʌl'gærətɪ/ *n* **1** (tastelessness) (of furniture, clothes) mauvais goût *m*; (of person, behaviour) vulgarité *f*; **2** (rudeness) grossièreté *f*

vulgarization /ˌvʌlgəraɪ'zeɪʃn, US rɪ'z/ *n* vulgarisation *f*

vulgarize /'vʌlgəraɪz/ *vtr* **1** (popularize) populariser [*place, activity*]; vulgariser [*book, art etc*]; **2** (make rude) rendre [qch] vulgaire [*situation, story*]

vulgarly /'vʌlgəlɪ/ *adv* **1** (tastelessly) [*dressed, furnished*] avec mauvais goût; [*behave*] avec vulgarité; **2** (rudely) [*say, gesture, express oneself*] avec grossièreté

vulgate /'vʌlgeɪt/
A *n* vulgate *f*
B Vulgate *pr n* (Bible) Vulgate *f*

vulnerability /ˌvʌlnərə'bɪlətɪ/ *n* vulnérabilité *f*

vulnerable /'vʌlnərəbl/ *adj* (all contexts) vulnérable (**to** à)

vulture /'vʌltʃə(r)/ *n* lit, fig vautour *m*

vulva /'vʌlvə/ *n* (*pl* **-vae** *ou* **-vas**) vulve *f*

vying /'vaɪɪŋ/ *pres p* ▸ **vie**

Ww

w, W /'dʌbljuː/ *n* 1 (letter) w, W *m*; 2 **W** Elec *abrév écrite* = **watt**; 3 **W** Geog *abrév écrite* = **West**

WA *n* US Post *abrév écrite* = **Washington**

wack○ /wæk/ *adj* US nul/nulle○, insensé

wacky○ /'wækɪ/, **wacko**○ /'wækəʊ/ *adj* farfelu○

wacky (ta)backy○ /ˌwækɪ'bækɪ/ *n* hum herbe○ *f*, marijuana *f*

wad /wɒd/

A *n* 1 (bundle) (of banknotes, money, papers) liasse *f* (**of** de); 2 (lump) (of cotton wool, padding) balle *f* (**of** de); **a ~ of tobacco** une chique; **a ~ of chewing gum** un chewing-gum mâché; 3 ○(large amount of money) grosse somme *f*, paquet *m*○; 4 (plug) (for cannon, shotgun) bourre *f*

B **wads** *npl* US **~s of**○ des tas○ de

C *vtr* (*also* **~ up**) (*p prés etc* **-dd-**) ouater [*garment*]; faire un bouchon de [*paper*]

(Idiom) **to shoot one's ~**● US tirer son coup●, éjaculer

wadding /'wɒdɪŋ/ *n* 1 (padding) ouatage *m*; 2 (for gun) bourre *f*

waddle /'wɒdl/

A *n* dandinement *m*

B *vi* [*duck, person*] se dandiner; **to ~ in/out** entrer/sortir en se dandinant

wade /weɪd/ *vi* 1 (in water) **to ~ into the water** entrer dans l'eau; **to ~ ashore** regagner la rive à pied; **to ~ across** traverser à gué; **to go wading** [*child*] barboter; 2 (proceed with difficulty) **to ~ through sth** lit se frayer un chemin pour traverser qch; **I managed to ~ through the book/work** j'ai réussi péniblement à terminer le livre/le travail; **he was wading through his work/a long novel** il s'échinait sur son travail/sur un long roman

(Phrasal verbs) ■ **wade in**○ 1 (start with determination) se mettre au travail; 2 (attack) passer à l'attaque

■ **wade into**○: ► **~ into [sth]** se mettre à [*task*]; ► **~ into [sb]** (attack) se jeter sur [*person, crowd*]

wader /'weɪdə(r)/ *n* 1 Zool échassier *m*; 2 US personne *f* en train de barboter

waders /'weɪdəz/ *npl* cuissardes *fpl*

wadi /'wɒdɪ/ *n* (*pl* **~s**) oued *m*

wading pool *n* US 1 (in swimming baths) petit bassin *m* (*d'une piscine*); 2 (inflatable pool) piscine *f* gonflable

wafer /'weɪfə(r)/ *n* 1 Culin gaufrette *f*; 2 Relig hostie *f*; 3 Electron (of silicon) tranche *f* (de silicium); 4 (on letter, document) cachet *m*

wafer-thin /ˌweɪfə'θɪn/ *adj* ultrafin, mince comme du papier à cigarette

wafery /'weɪfərɪ/ *adj* [*texture, consistency*] qui ressemble à de la gaufrette

waffle /'wɒfl/

A *n* 1 Culin gaufre *f*; 2 ○péj (wordy speech) verbiage *m*, blablabla○ *m*; (in essay) remplissage *m*; (in book) verbiage *m*

B *vi*○ (*also* **~ on**) (when speaking) bavasser○ (**about** sur), parler pour ne rien dire; (in writing) faire du remplissage (**about** sur)

C **waffled** *pp adj* US gaufré

waffle iron *n* Culin gaufrier *m*

waffler○ /'wɒflə(r)/ *n* GB **he's such a ~** il parle pour ne rien dire

waffly○ /'wɒflɪ/ *adj* verbeux/-euse

waft /wɒft, US wæft/

A *n* (of air) souffle *m*; (of smell) bouffée *f*

B *vtr* **to ~ sth through/towards** [*wind*] apporter qch dans/vers

C *vi* **to ~ towards** [*smell, sound*] flotter dans la direction de; **to ~ up** monter; **to ~ through the house** flotter dans toute la maison

wag /wæg/

A *n* 1 (movement) (of tail) frétillement *m*; 2 ○†(joker) farceur/-euse *m/f*

B *vtr* (*p prés etc* **-gg-**) remuer [*tail*]; hocher [*head*]; **to ~ one's finger at sb** agiter son doigt (en signe de reproche) dans la direction de qn

C *vi* (*p prés etc* **-gg-**) [*tail*] remuer, frétiller; [*head*] s'agiter; **tongues will ~** fig ça va faire jaser

(Idiom) **it's the tail ~ging the dog** c'est le monde à l'envers

wage /weɪdʒ/

A *n* (*also* **~s**) salaire *m*; **high ~(s)** salaire élevé; **low ~(s)** bas salaire; **my ~s are £140 a week** mon salaire est de 140 livres par semaine; **~s and conditions** les salaires et les conditions

B *modif* [*agreement, claim, inflation, negotiations, rate, settlement, talks*] salarial; [*increase, rise*] de salaire; [*policy, restraint, freeze*] des salaires

C *vtr* mener [*campaign*]; **to ~ (a) war against sth/sb** lit, fig faire la guerre contre qch/qn

(Idiom) **the ~s of sin is death** Bible la mort est le prix du péché

wage: **~ bargaining** *n* négociations *fpl* salariales; **~ bill**, **~s bill** *n* facture *f* salariale; **~ costs** *npl* coûts *mpl* salariaux

waged /weɪdʒd/

A *n* **the ~** (+ *v pl*) les salariés *mpl*

B *adj* salarié

wage earner *n* 1 (person earning a wage) salarié/-e *m/f* (hebdomadaire); 2 (breadwinner) soutien *m* de famille

wage packet *n* 1 lit (envelope) enveloppe *f* de paie; 2 (money) paie *f*

wager /'weɪdʒə(r)/

A *n* pari *m*; **to make** *ou* **lay a ~** parier (**on** sur; **that** que)

B *vtr* parier [*money, property*] (**on** sur; **that** que); **I'd be willing to ~ that...** je suis prêt à parier que...

wage: **~ round** *n* réajustement *m* des salaires; **~s clerk** ▸ p. 1683 *n* préposé/-e *m/f* aux salaires; **~s council** *n* ≈ commission *f* des salaires; **~ sheet**, **~ slip** *n* feuille *f* de paie; **~ structure** *n* échelle *f* salariale; **~ worker** *n* US = **wage earner**

waggish /'wægɪʃ/ *adj* facétieux/-ieuse

waggishly /'wægɪʃlɪ/ *adv* [*smile*] avec facétie; [*say*] d'un ton facétieux

waggle /'wægl/

A *vtr* remuer [*tail*]; faire bouger [*tooth, ear, object*]; (shake) agiter [*object*]; **to ~ one's hips** rouler des hanches

B *vi* (*also* **~ around**, **~ about**) remuer

waggon *n* GB = **wagon**

Wagner /'vɑːgnə/ *pr n* Wagner

Wagnerian /vɑːg'nɪərɪən/ *adj* wagnérien/-ienne

wagon /'wægən/ *n* 1 (horse-drawn, ox-drawn) chariot *m*; 2 GB Rail wagon *m* (de marchandises); 3 ○GB Aut (lorry) camion *m*; 4 US = **station wagon**; 5 US (toy) (petit) chariot *m* (*jouet*)

(Idioms) **to be on the ~** être au régime sec; **to fix sb's ~**○ US chercher à se venger de qn

wagoner /'wægənə(r)/ *n* roulier *m*

wagonette /ˌwægə'net/ *n* break *m*

wagonload /'wægənləʊd/ *n* 1 (in horse-drawn vehicle) charretée *f* (**of** de); 2 GB Rail wagon *m* (**of** de)

wagon train *n* US Hist convoi *m* de chariots

wagtail /'wægteɪl/ *n* Zool bergeronnette *f*; **pied ~** bergeronnette d'Yarrell; **yellow ~** bergeronnette flavéole; **grey ~** bergeronnette des ruisseaux

waif /weɪf/ *n* enfant *m* abandonné; **~s and strays** (children) enfants abandonnés; (animals) animaux *mpl* perdus

waif-like /'weɪflaɪk/ *adj* [*person*] à l'air famélique; [*looks*] famélique

wail /weɪl/

A *n* (of person, wind) gémissement *m*; (of siren) hurlement *m*; (of musical instrument) son *m* plaintif

B *vtr* **'oh no!' he ~ed** 'oh non!' gémit-il

C *vi* [*person, wind*] gémir; [*siren*] hurler; [*musical instrument*] pleurer

wailing /'weɪlɪŋ/

A *n* (of person) gémissements *mpl*; (of wind) gémissement *m*; (of siren) hurlement *m*; (of music) son *m* plaintif

B *adj* [*voice, sound, music, instrument*] plaintif/-ive; [*siren*] strident

Wailing Wall *pr n* Mur *m* des Lamentations

wain /weɪn/ *n* littér chariot *m*

wainscot /'weɪnskət/

A *n* = **wainscot(t)ing**

B *vtr* lambrisser

wainscot(t)ing /'weɪnskətɪŋ/ *n* lambris *m* d'appui

waist /weɪst/ ▸ p. 1694 *n* 1 Anat, Fashn taille *f*; **to have a 70 cm ~** [*skirt, person*] avoir un tour de taille de 70 cm; **to be tight around the ~** serrer à la taille; **to put/have one's arm around sb's ~** prendre/tenir qn par la taille; **to be ~-deep in water** avoir de l'eau jusqu'à la taille; 2 (of insect) taille *f*; 3 (of ship) embelle *f*; 4 (of violin) échancrure *f*

waist: **~band** *n* ceinture *f*; **~coat** *n* GB gilet *m*

waisted /'weɪstɪd/ *adj* [*jacket, coat*] cintré; **a high/low-~ dress** une robe à taille haute/basse; **a narrow-~ girl** une fille à la taille fine

waist: **~line** /'weɪstlaɪn/ *n* ligne *f*; **~ measurement** ▸ p. 1694 *n* tour *m* de taille; **~ slip** *n* jupon *m*

wait /weɪt/

A *n* attente *f*; **an hour's ~** une heure d'attente; **to be worth the ~** valoir l'attente; **to have a long ~** devoir attendre longtemps; **you'll have a long ~** iron tu peux attendre toute ta vie; **it will only be a short ~** ce ne sera pas long

B *vtr* 1 (await) attendre [*turn, chance*]; **don't ~ dinner for me**○ US ne m'attendez pas pour dîner; 2 US **to ~ table** servir à table

C *vi* **1** (remain patiently) attendre; **please ~ here** veuillez attendre ici; **to keep sb ~ing** faire attendre qn; **to ~ for sb/sth** attendre qn/qch; **it was worth ~ing for** cela valait la peine d'attendre; **to ~ for sb/sth to do** attendre que qn/qch fasse; **we ~ed for the car to stop** nous avons attendu que la voiture s'arrête (*subj*); **to ~ and see how/why** attendre de voir comment/pourquoi; **to ~ to do** attendre de faire; **I'm ~ing to use the phone** j'attends de pouvoir me servir du téléphone; **I/you can't ~ to do** j'ai/tu as hâte de faire; **she can't ~ to start** elle a hâte de commencer; **I/you can hardly ~ to do** je/tu meurs d'impatience de faire; **I can hardly ~ to see him** je meurs d'impatience de le voir; **you'll just have to ~ and see** attends et tu verras; **(just you) ~ and see** tu verras bien○; **just you ~!** (as threat) tu vas voir○!; **~ for it!** tiens-toi bien○!; Mil pas encore!; **2** (be left until later) [*object, meal, action*] attendre; **the goods are ~ing to be collected** les marchandises attendent d'être réclamées; **it can/can't ~** cela peut/ne peut pas attendre; **3** (server) **to ~ at** *ou* **on table** être serveur/-euse *m/f*; **who's ~ing on table 16?** qui sert à la table 16?

(Idioms) **everything comes to him who ~s** tout vient à point à qui sait attendre; **to lie in ~** être à l'affût; **to lie in ~ for sb** [*troops, ambushers*] guetter qn; [*reporter, attacker*] tendre une embuscade à qn

(Phrasal verbs) ■ **wait around, wait about** GB attendre; **to ~ around** *ou* **about for sb** attendre qn; **to ~ around** *ou* **about for sb/sth to do** attendre que qn/qch fasse

■ **wait behind** attendre un peu; **to ~ behind for sb** attendre qn

■ **wait in** GB rester à la maison; **to ~ in for sb** rester à la maison pour attendre qn

■ **wait on**: ▸ **~ on** GB dial attendre; **~ on!** attends!; ▸ **~ on [sb] 1** (serve) servir; **to be ~ed on** être servi; **to ~ on sb hand and foot** être aux petits soins pour qn; **I'm tired of ~ing on you hand and foot!** je ne suis pas ta bonne!; **2** †sout (visit formally) venir présenter ses respects à; ▸ **~ on○ [sb/sth]** attendre [*result, permission*]

■ **wait out**: ▸ **~ [sth] out, ~ out [sth]** attendre la fin de [*crisis, storm, recession*]

■ **wait up 1** (stay awake) veiller; **to ~ up for sb** veiller jusqu'au retour de qn; **2** US (stay patiently) **~ up!** attends!

■ **wait upon = wait on**

waiter /'weɪtə(r)/ ▸ p. 1683 *n* serveur *m*; **'~!'** 'monsieur!'

waiter service *n* service *m* à table

waiting /'weɪtɪŋ/

A *n* **1** (staying) attente *f*; **'no ~'** 'arrêt et stationnement interdits'; **2** sout **to be in ~ on** être attaché au service de [*King, lady*]

B *adj* (*épith*) [*ambulance, taxi, crowd*] qui attend (*after n*); [*ambush*] sur le point d'être déclenché; [*troops*] sur le qui-vive; [*reporter*] à l'affût; **sb's ~ arms** les bras ouverts de qn

waiting game *n* attentisme *m*; **to play a ~** faire de l'attentisme

waiting: **~ list** *n* liste *f* d'attente; **~ room** *n* salle *f* d'attente

waitress /'weɪtrɪs/ ▸ p. 1683 *n* serveuse *f*; **'~!'** 'madame!','mademoiselle!'

waive /weɪv/ *vtr* gen, Jur déroger à [*regulation, rule*]; renoncer à [*claim, demand, privilege, right*]; supprimer [*fee, condition, requirement*]; **to ~ one's claim to sth** renoncer à ses droits sur qch

waiver /'weɪvə(r)/ *n* **1** Jur renonciation *f*; **visa ~** exemption *f* de visa; **2** Insur rachat *m*

waiver clause *n* **1** Jur (in contract) clause *f* libératoire; (in treaty) clause *f* de dénonciation; **2** Insur clause *f* de rachat

wake /weɪk/

A *n* **1** (track) Naut sillage *m*; fig sillage *m*, suite *f*; **in the ~ of sb/sth** dans le sillage de qn/qch, à la suite de qn/qch; **the war brought many changes in its ~** la guerre a apporté de nombreux changements dans son sillage; **to follow in sb's ~** lit marcher dans le sillage de qn; fig être dans le sillage de qn, suivre les traces de qn; **2** (over dead person) veillée *f* funèbre (*accompagnée de célébrations*)

B *vtr* (*also* **~ up**) (*prét* **woke, waked**†, *pp* **woken, waked**†) réveiller [*person*] (**from** de); fig réveiller [*desires, memories, feelings*]; **to ~ sb from sleep** réveiller qn, tirer qn du sommeil; **to ~ sb from a dream** tirer qn d'un rêve; **they were making enough noise to ~ the dead!** ils faisaient un bruit à réveiller les morts!

C *vi* (*also* **~ up**) (*prét* **woke, waked**†, *pp* **woken, waked**†) se réveiller; **I woke (up) to find him gone** à mon réveil, il était parti; **to ~ (up) from a deep sleep/a dream** sortir d'un profond sommeil/d'un rêve; **she finally woke (up) from her illusions/to her responsibilities** elle est finalement revenue de ses illusions/à ses responsabilités

(Phrasal verb) ■ **wake up**: ▸ **~ up** se réveiller; **~ up!** lit réveille-toi!; fig ouvre les yeux!; **it's about time you woke up and realized the damage you are doing!** il serait temps que tu ouvres les yeux et que tu prennes conscience du mal que tu fais!; **to ~ up to sth** fig prendre conscience de qch; ▸ **~ up [sb], ~ [sb] up = wake B**

wakeful /'weɪkfl/ *adj* [*person*] (not sleeping) éveillé; (vigilant) éveillé, vigilant; **to have a ~ night** passer une nuit blanche

wakefulness /'weɪkflnɪs/ *n* (insomnia) insomnie *f*; (vigilance) vigilance *f*

waken /'weɪkən/ *vtr, vi* = **wake B, C**

waker /'weɪkə(r)/ *n* **to be an early/late ~** se réveiller tôt/tard

wake-up call *n* réveil *m* téléphoné

wakey-wakey○ /'weɪkɪweɪkɪ/ *excl* debout!

waking /'weɪkɪŋ/

A *n* (état *m* de) veille *f*; **between sleeping and ~** dans un demi-sommeil

B *adj* **in** *ou* **during one's ~ hours** pendant la journée; **she spends most of her ~ hours at work** elle passe la plus grande partie de sa journée au travail

wale /weɪl/ *n* US = **weal 1**

Wales /weɪlz/ ▸ **p. 1096** *pr n* Pays *m* de Galles

walk /wɔːk/

A *n* **1** promenade *f*; (shorter) tour *m*; (hike) randonnée *f*; **country ~** promenade dans la campagne; **morning/evening ~** promenade du matin/du soir; **long ~** longue *or* grande promenade; **short ~** courte *or* petite promenade; **a 12 km ~** une promenade de 12 km; **a hotel five minutes' ~ away from the station** un hôtel à cinq minutes à pied de la gare; **it's about ten minutes' ~/four hours' ~** c'est environ à dix minutes à pied/à quatre heures de marche; **on the ~ home** en rentrant à pied à la maison; **a ~ to/beside the sea** une promenade jusqu'à/au bord de la mer; **to go for** *ou* **on a ~** (aller) faire une promenade, se promener; **I've been out for a ~** je suis sorti me promener *or* faire une promenade; **to have** *ou* **take a ~** faire une promenade, se promener; (shorter) faire un tour; **to take sb for a ~** emmener qn faire une promenade *or* (shorter) un tour; **to take the dog for a ~** promener *or* sortir le chien; **has the dog had his ~?** est-ce qu'on a sorti le chien?; **it's a short ~ to the station** on est à quelques minutes à pied de la gare; **it's a long ~ back to the hotel** il y a une longue marche d'ici à l'hôtel; **it seemed a very long ~ to the podium** l'estrade avait l'air d'être très loin

2 (gait) démarche *f*; **I knew him by his ~** je l'ai reconnu à sa démarche

3 (pace) pas *m*; **he set off at a brisk ~** il est parti d'un pas vif; **to slow down to a ~** se mettre à marcher (*après avoir couru*)

4 (path) gen, Hort allée *f*; (trail in forest) sentier *m*; **people from all ~s of life** des gens de tous les milieux

5 Sport épreuve *f* de marche; **the 10 km ~** l'épreuve de marche de 10 km

6 Equit pas *m*

B *vtr* **1** (cover on foot) faire [qch] à pied [*distance, path, road*]; parcourir [qch] à pied [*district, countryside*]; (patrol) parcourir; **I can't ~ another step** je ne peux pas faire un pas de plus; **to ~ the streets** [*tourist*] parcourir les rues; [*homeless person*] errer dans les rues; [*prostitute*] faire le trottoir; **to ~ the ramparts/walls** [*soldier*] arpenter les remparts/murs; **shall we take the bus or ~ it?** on prend le bus ou on y va à pied?; **we ~ed it in 20 minutes** nous l'avons fait à pied en 20 minutes; **to ~ it**○ Sport gagner haut la main

2 (escort on foot, lead) accompagner [*friend*]; promener [*tourist*]; conduire [*horse, mule etc*]; promener [*dog*]; **I ~ed her home** je l'ai accompagnée chez elle; **the guide ~ed us all over Bonn** le guide nous a promenés dans tout Bonn; **the guards ~ed him back to his cell** les gardiens l'ont reconduit à sa cellule

C *vi* **1** (in general) marcher; (for pleasure) se promener; (not run) aller au pas; (not ride or drive) aller à pied; **the baby's learning to ~** le bébé apprend à marcher; **you should be ~ing again soon** vous devriez recommencer à marcher bientôt; **he'll never ~ again** il ne pourra plus jamais marcher; **to ~ with a stick** marcher avec une canne; **to ~ with a limp/a swing** boiter/se dandiner en marchant; **don't run, ~!** ne cours pas, marche!; **'~'** US (at traffic lights) ≈ traversez; **it's not very far, let's ~** ce n'est pas très loin, allons-y à pied; **we ~ed all day** nous avons marché toute la journée; **we've missed the bus, we'll have to ~** nous avons manqué le bus, il va falloir marcher; **we go on holiday to ~** nous allons en vacances pour faire de la marche; **to ~ across** *ou* **through sth** traverser qch (à pied) (*see note*); **she ~ed across the room** elle a traversé la pièce; **she ~ed across France** elle a traversé la France à pied; **a policeman ~ed by** un policier est passé; **he ~ed up/down the road** il a remonté/descendu la rue (à pied) (*see note*); **we've been ~ing round in circles for hours** nous tournons en rond depuis des heures; **someone was ~ing around** *ou* **about upstairs** quelqu'un allait et venait à l'étage; **there's no lift, you'll have to ~ up** il n'y a pas d'ascenseur, tu devras monter à pied; **I'd just ~ed in at the door when...** je venais à peine de passer la porte, quand...; **suddenly in ~ed my father** soudain voilà que mon père est entré; **to ~ in one's sleep** (habitually) être somnambule; **he was ~ing in his sleep** il marchait en dormant; **she ~s to work/home** elle se rend à son travail/rentre chez elle à pied; **we ~ed all the way back** nous avons fait tout le chemin du retour à pied; **to ~ up and down** faire les cent pas; **to ~ up and down a room** arpenter une pièce; **shall I ~ with you to the bus?** veux-tu que je t'accompagne au bus?; **I'll ~ some of the way with you** je vais faire un bout de chemin avec toi; **he ~ed under a bus** il est passé sous un bus; **the ghost ~s at midnight** le fantôme apparaît à minuit

2 ○hum (disappear) [*possession*] se faire la malle○

(Idioms) **take a ~○!** US dégage○!; **that was a ~○!** US c'était simple comme bonjour○!; **you must ~ before you can run** il ne faut pas brûler les étapes; **to ~ sb off their feet** mettre qn sur les rotules○.

> ⚠ *à pied* is often omitted with movement verbs if we already know that the person is on foot. If it is surprising or ambiguous, *à pied* should be included

(Phrasal verbs) ■ **walk across**: traverser; **to ~ across to sth/sb** s'approcher de qch/qn; ▸ **~ across [sth]** traverser

■ **walk around**: ▸ **~ around** lit se promener; (aimlessly) traîner; **you can't ~ around in the rain without an umbrella** tu ne peux pas traîner sous la pluie sans parapluie; ▶ ~ **around [sth]** (to and fro) faire un tour dans *[city, streets, garden]*; (make circuit of) faire le tour de *[building, space]*; **he ~ed around the lake** il a fait le tour du lac (à pied); **we ~ed around Paris for hours** nous nous sommes promenés dans Paris pendant des heures

■ **walk away** [1] lit s'éloigner (**from** de); [2] fig (avoid involvement) **to ~ away from a problem/one's responsibilities** fuir un problème/ses responsabilités; [3] fig (survive unscathed) sortir indemne (**from** de); **she ~ed away from the accident** elle est sortie indemne de l'accident; [4] **to ~ away with** (win easily) gagner [qch] haut la main *[game, tournament]*; remporter [qch] haut la main *[election]*; (carry off) décrocher *[prize, honour]*; ▸ **walk off 2**; [5] Sport **to ~ away from sb/sth** laisser qn/qch loin derrière *[team]*

■ **walk back** revenir sur ses pas (**to** jusqu'à); **we ~ed back (home)** nous sommes rentrés à pied

■ **walk in** entrer; **he simply ~ed in as if he owned the place** il est carrément entré comme s'il était chez lui; **who should ~ in but my husband!** devine qui est arrivé?—mon mari!; **'please ~ in'** (sign) 'entrez sans frapper'

■ **walk into**: ▶ ~ **into [sth]** [1] (enter) entrer dans *[room, house]*; **she ~ed into that job** fig (acquired easily) elle a eu ce poste sans lever le petit doigt; [2] (become entangled in) tomber dans *[trap, ambush]*; se fourrer dans *[tricky situation]*; **you ~ed right into that one**○**!** tu es tombé dans le panneau○!; [3] (bump into) rentrer dans *[wall, door, person]*

■ **walk off**: ▶ ~ **off** [1] lit partir brusquement; [2] ○fig **to ~ off with sth** (take) (innocently) partir avec qch; (as theft) filer○ avec qch; [3] (carry off) ▸ **walk away 4**; ▶ ~ **off [sth]**, ~ **[sth] off** se promener pour faire passer *[headache, hangover, large meal]*; **she ~ed off eight pounds** elle a perdu 4 kilos en faisant de la marche

■ **walk on** [1] (continue) continuer à marcher; [2] Theat être figurant

■ **walk out** [1] lit sortir (**of** de); [2] fig (desert) *[lover, partner, servant, collaborator]* partir; **to ~ out on** laisser tomber○ *[lover, partner]*; rompre *[contract, undertaking]*; [3] (as protest) *[negotiator, committee member]* partir en signe de protestation; (on strike) *[workers]* se mettre en grève; **they ~ed out of the meeting** ils ont quitté la réunion en signe de protestation; [4] †GB *[lovers]* se fréquenter; **to be ~ing out with sb** fréquenter qn

■ **walk over**: ▶ ~ **over** (a few steps) s'approcher (**to** de); (a short walk) faire un saut○ (**to** à); **he ~ed over to her/the window** il s'est approché d'elle/de la fenêtre; **he ~ed over to see her/to the farm** il a fait un saut pour la voir/à la ferme; ▶ ~ **over [sb]**○ [1] (defeat) gen, Sport battre [qn] à plates coutures; [2] (humiliate) marcher sur les pieds de; **he'll ~ all over you if you let him** il te marchera sur les pieds si tu le laisses faire; **he lets her ~ all over him** elle le mène par le bout du nez

■ **walk round**: ▶ ~ **round** faire le tour; **no-one answered so I ~ed round to the garden** personne n'a répondu alors je suis passé par le jardin; ▶ ~ **round [sth]** (round edge of) faire le tour de *[lake, stadium, garden, building]*; (through) visiter *[exhibition, historic building]*

■ **walk through**: ▶ ~ **through** lit traverser; ▶ ~ **through [sth]** [1] lit traverser *[town, field, forest]*; passer *[door, gate]*; marcher dans *[deep snow, mud, grass]*; [2] Theat répéter les déplacements de *[scene, act]*; **to ~ sb through a scene** faire répéter les déplacements d'une scène à qn

■ **walk up** [1] **to ~ up to** s'approcher de *[person, building, object]*; [2] (in market, fairground) s'approcher; **~ up, ~ up!** approchez, approchez!

walkabout /'wɔːkəbaʊt/ *n* [1] gen (among crowd) bain *m* de foule; **to go on (a) ~** prendre un bain de foule; [2] Austral **to go ~** Anthrop *[aborigine]* partir dans le désert; fig hum *[person, object]* disparaître dans la nature

walkathon /'wɔːkəθɒn/ *n* marathon *m* de marche

walker /'wɔːkə(r)/ *n* [1] (for pleasure) promeneur/-euse *m/f*; (for exercise, sport) marcheur/-euse *m/f*; **she's a fast ~!** elle marche vite!; [2] (device) (for invalid) déambulateur *m*; (for baby) trotteur *m*

walkie-talkie /ˌwɔːkɪ'tɔːkɪ/ *n* talkie-walkie *m*

walk-in /'wɔːkɪn/

[A] *n* US client/-e *m/f* sans rendez-vous

[B] *adj* [1] *[cupboard, closet]* où l'on peut tenir debout; [2] US *[apartment]* de plain-pied sur la rue; [3] US *[clinic]* qui reçoit les clients sans rendez-vous

walking /'wɔːkɪŋ/

[A] *n* (for pleasure) promenades *fpl* à pied; (for exercise, sport) marche *f* à pied; **I enjoy ~** j'aime me promener; **there's some lovely ~ around here** il y a de belles promenades à faire aux alentours

[B] *adj* hum **she's a ~ dictionary** c'est un dictionnaire ambulant

walking boots *npl* chaussures *fpl* de marche

walking distance *n* **to be within ~** être à quelques minutes de marche (**of** de)

walking: **~ frame** *n* Med déambulateur *m*; **~ holiday** *n* vacances *fpl* de randonnée

walking pace *n* pas *m*; **at a ~** au pas

walking papers *npl* US fig **to get** *ou* **be given one's ~**○ se faire flanquer○ à la porte

walking: **~ race** *n* épreuve *f* de marche; **~ shoes** *npl* chaussures *fpl* de marche; **~ stick** *n* canne *f*; **~ tour** *n* randonnée *f* à pied; **~ wounded** *npl* Mil blessés *mpl* capables de marcher; fig (victims) victimes *fpl*; (survivors) rescapés *mpl*

walkman® /'wɔːkmən/ *n* (*pl* **-mans**) walkman® *m*, baladeur *m*

walk-on /ˌwɔːk'ɒn/

[A] *n* Theat figurant/-e *m/f*

[B] *adj* *[role]* de figurant

walkout /'wɔːkaʊt/ *n* (from conference, meeting) départ *m* en signe de protestation; (strike) grève *f* surprise; **to stage a ~** *[delegates, members]* partir en signe de protestation; *[workers]* faire une grève surprise

walk: **~over** /'wɔːkəʊvə(r)/ *n* gen, Sport victoire *f* facile (**for** pour); Turf walk-over *m*; **~-up** *n* US immeuble *m* sans ascenseur; **~way** *n* allée *f*

Walkyrie *n* = **Valkyrie**

wall /wɔːl/

[A] *n* [1] gen, Constr, Archit mur *m*; **on the ~** (on vertical face) au mur; (on top) sur le mur; **the back/front ~** (of house) le mur arrière/de façade; **my secret must not go beyond these four ~s** mon secret ne doit pas sortir de ces murs; [2] (of cave, tunnel) paroi *f*; [3] Anat, Biol paroi *f*; **the cell/stomach ~** la paroi cellulaire/stomacale; [4] Aut (of tyre) flanc *m*; [5] fig mur *m*; **a ~ of silence/of incomprehension** un mur de silence/d'incompréhension; **a ~ of water/of flame** un mur d'eau/de flammes; **a tight ~ of security around the President** une barrière de sécurité autour du Président

[B] *modif* *[heater, light]* mural

(Idioms) **to be a fly on the ~** être une mouche; **to be off the ~**○ *[person]* être dingue○; *[comments]* être incohérent; **to drive sb up the ~**○ exaspérer qn, rendre qn fou/folle; **to go to the ~** faire faillite; **to have one's back to the ~** avoir le dos au mur; **to push** *ou* **drive sb to the ~**, **to have sb up against the ~** mettre qn au pied du mur; **~s have ears** les murs ont des oreilles

(Phrasal verbs) ■ **wall in**: ▶ ~ **in [sth]**, ~ **[sth] in** entourer; **the valley is ~ed in by mountains** la vallée est entourée de montagnes; ▶ ~ **[sb] in**, ~ **in [sb]** emprisonner; **to feel ~ed in** se sentir emprisonné

■ **wall off**: ▶ ~ **off [sth]**, ~ **[sth] off** (block up, block off) condamner *[room, wing, area]*; (separate by wall) séparer [qch] par un mur

■ **wall up**: ▶ ~ **up [sb/sth]**, ~ **[sb/sth] up** emmurer

wallaby /'wɒləbɪ/ *n* Zool wallaby *m*

wallah† /'wɒlə/ *n* **tea/kitchen ~** préposé *m* au thé/à la cuisine

wall: **~bars** *npl* espalier *m*; **~board** *n* cloison *f* sèche; **~ chart** *n* affiche *f*; **~ covering** *n* revêtement *m* mural; **~ cupboard** *n* élément *m* (mural)

walled /wɔːld/ *adj* *[city]* fortifié; *[garden]* clos; **a white-~ house** une maison aux murs blancs

wallet /'wɒlɪt/ *n* (for notes) portefeuille *m*; (for cards) porte-cartes *m inv*; (for documents) porte-documents *m inv*; **kind to your ~** Advertg bon marché

walleyed○ /'wɔːlaɪd/ *adj* **to be ~** loucher

wallflower /'wɔːlflaʊə(r)/ *n* Bot giroflée *f*

(Idiom) **to be a ~** faire tapisserie

wall: **~ hanging** *n* tapisserie *f*, tenture *f*; **~ light** *n* applique *f* murale; **~-mounted** *adj* *[radiator, television]* fixé au mur

Walloon /wɒ'luːn/ ▸ p. 1467, p. 1378

[A] *n* [1] (person) Wallon/-onne *m/f*; [2] Ling wallon *m*

[B] *adj* wallon/-onne

wallop○ /'wɒləp/

[A] *n* [1] (punch) beigne○ *f*, grand coup *m*; **to give sb a ~** donner un grand coup à qn; **to give sth a ~** frapper qch d'un grand coup; **this vodka packs a ~**○ elle arrache, cette vodka○; [2] onomat vlan!; **to hit sth with a ~** faire bang en touchant qch; [3] (speed) **to go at a tremendous ~** aller à fond de train○; [4] ○GB (beer) mousse○ *f*, bière *f*

[B] *vtr* [1] (hit) flanquer une raclée à○, taper *[person]*; taper dans *[ball, punchbag]*; **to ~ sb in the stomach** filer○ un coup dans l'estomac de qn; **to get ~ed** recevoir une raclée○, se faire taper; [2] (defeat) battre [qn] à plates coutures *[person, team]*; **to get ~ed** se faire battre à plates coutures

walloping○ /'wɒləpɪŋ/

[A] *n* raclée *f*; **to get a ~** recevoir une raclée○; **to give sb a ~** donner une raclée○ à qn

[B] *adj* (huge) *[building, mistake]* super (*before n*)

[C] *adv* super; **a ~ great** *ou* **big fine/kiss** une super grosse amende/bise

wallow /'wɒləʊ/

[A] *n* [1] (action) **to have a ~** *[person, animal]* se vautrer; [2] (place) bauge *f*

[B] *vi* [1] **to ~ in** se vautrer dans *[mud, morass, luxury]*; se complaire dans *[self-pity, nostalgia]*; [2] Naut *[ship]* ballotter

wall painting *n* peinture *f* murale

wallpaper /'wɔːlpeɪpə(r)/

[A] *n* [1] (for decorating) papier *m* peint; [2] Comput fond *m* d'écran

[B] *vtr* tapisser *[room]*

wallpaper stripper *n* décolleuse *f* (de papier peint)

Wall Street /'wɔːl striːt/ *pr n* US Fin Wall Street; **on ~** à Wall Street

> **Wall Street**
>
> Cette petite rue new yorkaise est le centre de la finance et des affaires aux États-Unis. *Wall Street* est souvent employé pour désigner la Bourse de New York, également située dans cette rue.

wall-to-wall /ˌwɔːltə'wɔːl/ *adj* [1] **~ carpet** moquette *f*; [2] fig **the ~ silence of large art galleries** le silence complet des grandes galeries d'art; **we don't want ~ junk food outlets** nous ne voulons pas voir des fast-foods partout

wally○ /'wɒlɪ/ *n* GB andouille○ *f*, idiot/-e *m/f*

walnut /'wɔːlnʌt/
A *n* 1 (nut) noix *f*; 2 (tree, wood) noyer *m*
B *modif* [*cake, yoghurt*] aux noix; [*oil, shell*] de noix; [*furniture*] en noyer

walrus /'wɔːlrəs/ *n* morse *m*; **~ moustache** moustache *f* à la gauloise

Walter Mitty /ˌwɔːltə 'mɪtɪ/ *pr n* **to be a ~ (character)** vivre dans un monde de fantasmes

waltz /wɔːls, US wɔːlts/
A *n* valse *f*; **to do** *ou* **dance a ~** danser la valse
B *vtr* **to ~ sb around** entraîner qn dans une valse autour de [*room, garden*]
C *vi* 1 (dance) danser la valse (**with** avec); 2 (walk jauntily) **to ~ into/out of sth** entrer dans/sortir de qch d'un pas désinvolte; **to ~ up to sb** s'approcher de qn d'un pas désinvolte; 3 (get easily) **to ~ off with sth** gagner qch haut la main○ [*prize, award*]; **to ~ into a job** trouver du travail sans se forcer; **to ~ through an exam** réussir un examen facilement

wampum /'wɒmpəm/ *n* 1 (beads) wampum *m*; 2 ○US hum (money) fric○ *m*

wan /wɒn/ *adj* blême

WAN *n* Comput *abrév* ▸ **wide area network**

wand /wɒnd/
A *n* (all contexts) baguette *f*
B **wands** *npl* (in tarot) bâtons *mpl*

wander /'wɒndə(r)/
A *n* promenade *f*, balade○ *f*; **to go for a ~** partir en balade○; **to have** *ou* **take a ~** faire une balade○; **a ~ round the park** une balade○ dans le parc; **to have a ~ round the shops** faire un tour dans les magasins
B *vtr* parcourir [*countryside, town*]; **to ~ the world** courir le monde; **to ~ the streets** traîner dans la rue
C *vi* 1 (walk, stroll) se promener, se balader○; **the patients/the chickens are free to ~** les patients/les poulets sont libres d'aller et de venir; **to ~ around town/in the park/along the beach** se balader en ville/dans le parc/sur la plage; **to ~ in and out of the shops** flâner dans les magasins; 2 (stray) [*animal, lost person*] errer; **to ~ up and down the road** errer dans la rue; **to ~ into the next field** s'égarer dans le champ voisin; **to ~ away** s'éloigner (**from** de); **I had ~ed into the wrong room** j'étais entré sans faire attention dans la mauvaise pièce; 3 (arrive nonchalantly) **to ~ in** se pointer○, arriver tranquillement; **he ~ed into work two hours late** il s'est pointé○ *or* est arrivé tranquillement au travail avec deux heures de retard; **to ~ over to** *ou* **up to sb** s'approcher tranquillement de qn; 4 (drift) [*mind, thoughts, attention*] (through boredom, inattention) s'égarer; (through age, illness) divaguer; [*eyes, gaze, hands*] errer (**over** sur); **her mind ~ed back to** son esprit revenait sur; **let your mind ~** laisse ton esprit errer; **to ~ off the point** *ou* **subject** s'éloigner du sujet, faire des digressions; **her eyes ~ed along the row/among the crowd** son regard a erré sur la rangée/sur la foule
(Phrasal verbs) ■ **wander about, wander around** (stroll) se balader, flâner; (when lost) errer
■ **wander off** 1 [*child, animal*] s'éloigner; 2 hum [*object, belongings, scissors*] disparaître

wanderer /'wɒndərə(r)/ *n* voyageur/-euse *m/f*; **the ~ returns!** un revenant!

wandering /'wɒndərɪŋ/ *adj* 1 (nomadic) [*person, tribe, minstrel, poet*] itinérant, vagabond liter *or* pej; [*animal*] voyageur/-euse; 2 (roving) [*gaze, eye*] qui s'égare; [*attention, thoughts, mind*] vagabond; **~ hands** hum mains *fpl* baladeuses

wandering Jew *n* 1 Bot misère *f*, tradescantia *m* spec; 2 Bible, Literat Juif *m* errant

wanderings /'wɒndərɪŋz/ *npl* 1 (journeys) vagabondages *mpl*; 2 (confusion) divagations *fpl*

wanderlust /'wɒndəlʌst/ *n* envie *f* de voyager

wane /weɪn/
A *n* **to be on the ~** être sur le déclin
B *vi* 1 Astron [*moon*] décroître; 2 [*enthusiasm, popularity*] diminuer, être sur le déclin

wangle○ /'wæŋgl/
A *n* (trick) combine○ *f*
B *vtr* carotter○ [*gift*]; réussir à obtenir [*leave, meeting*]; **to ~ sth out of sb** soutirer qch à qn [*job, money, promise*]; **he ~d £10 out of me** il m'a soutiré 10 livres; **to ~ sth for sb** arranger qch à qn○; **can you ~ me a ticket?** est-ce que tu peux m'avoir un ticket?; **she ~d me an invitation** elle a réussi à m'avoir une invitation; **to ~ it for sb to do** s'arranger pour que qn fasse; **can you ~ it for me?** tu peux m'arranger ça○?; **to ~ sb into doing** persuader qn de faire; **to ~ one's way into** réussir à s'introduire dans [*club, building*]

wangler○ /'wæŋglə(r)/ *n* combinard/-e○ *m/f*

waning /'weɪnɪŋ/
A *n* 1 Astron déclin *m*, décours *m*; 2 (lowering) baisse *f* (**of** de); (weakening, fading) déclin *m* (**of** de)
B *adj* 1 Astron [*moon*] décroissant; 2 [*enthusiasm, popularity*] en baisse, sur le déclin

wank● /wæŋk/ GB
A *n* 1 (masturbation) **to have a ~** se faire une branlette●; 2 (rubbish) **a load of ~** un tas de conneries◑
B *vi* se branler●
(Phrasal verb) ■ **wank off**●: ▸ **~ off** se branler●; ▸ **~ [sb] off, ~ off [sb]** branler●

wanker● /'wæŋkə(r)/ *n* GB péj branleur/-euse● *m/f*

wanking● /'wæŋkɪŋ/ *n* GB branlette● *f*

wanly /'wɒnlɪ/ *adv* 1 [*smile*] d'un air las; 2 littér [*shine*] d'une lueur blême

wanna○ /'wɒnə/ = **want to, want a**

wannabe(e)○ /'wɒnəbiː/
A *n: personne qui rêve d'être célèbre*
B *modif* **~ American/star** personne *f* qui rêve d'être américain/vedette

wanness /'wɒnnɪs/ *n* pâleur *f*

want /wɒnt/
A *n* 1 (need) besoin *m*; **my ~s are few** j'ai peu de besoins; **to be in ~ of** avoir besoin de; **the tower is in ~ of repair** la tour a besoin d'être restaurée
2 (deprivation) littér indigence *f*; **war on ~** journ lutte contre la pauvreté
3 (lack) défaut *m*; **~ of discipline** défaut de discipline; **for ~ of** à défaut *or* faute de; **it's not for ~ of trying** ce n'est pas faute d'avoir essayé; **for ~ of a better word** à défaut d'un meilleur mot; **there is no ~ of candidates** on ne manque pas de candidats
B *vtr* 1 (desire) vouloir; **I ~** (as general statement) je veux; (would like) je voudrais; (am seeking) je souhaite; **they ~ peace/money** ils veulent la paix/de l'argent; **we ~ cooperation/understanding** nous souhaitons la coopération/la compréhension; **how many do you ~?** combien en voulez-vous?; **where do you ~ this desk?** où est-ce que tu veux ce bureau?; **what** *ou* **how much do you ~ for this chair?** combien voulez-vous pour ce fauteuil?; **I ~ the walls blue/my steak rare/the job finished** je voudrais les murs bleus/mon steak saignant/que ce travail soit fini; **to ~ to do** vouloir faire; **do you ~ to come with us?** tu veux venir avec nous?; **I don't ~ to** je n'ai pas envie; **to ~ sb to do** vouloir que qn fasse; **when/why does she ~ me to come?** quand/pourquoi veut-elle que je vienne?; **to ~ sb/sth doing** vouloir que qn/qch fasse; **I ~ the machine working by 11 o'clock** je veux que la machine soit en état de marche d'ici onze heures; **where do you ~ me?** où voulez-vous que je me mette?; **he doesn't ~ much does he?** iron il est toujours aussi peu exigeant! iron; **they just don't ~ to know** ils préfèrent ne rien savoir; **to ~ an end to sth** vouloir que qch prenne fin
2 ○(need) avoir besoin de; **you won't ~ your overcoat** tu n'auras pas besoin de ton manteau; **you won't be ~ed at the meeting** on n'aura pas besoin de vous à la réunion; **I take it he'll not be ~ing this book any more** je suppose qu'il n'aura plus besoin de ce livre; **do you ~ anything from town?** tu as besoin de quelque chose en ville?; **what we ~ is to do** ce dont nous avons besoin c'est de faire; **to ~ to do** devoir faire; **you ~ to watch out** tu devrais faire attention; **what do they ~ with all those machines?** pourquoi est-ce qu'ils ont besoin de toutes ces machines?; **what do you ~ with me?** qu'est-ce que vous me voulez?; **all that's ~ed is your signature** il ne manque plus que ta signature; **several jobs ~ doing** GB il y a plusieurs tâches à faire
3 (require presence of) demander; **if anyone ~s me** si quelqu'un me demande; **he/she is ~ed** on le/la demande; **you're ~ed on the phone** on vous demande au téléphone; **'gardener ~ed'** 'on demande un jardinier'; **I ~ my mummy!** GB *ou* **mommy!** US je veux ma maman!; **the boss ~s you** le patron veut te voir; **to be ~ed by the police** être recherché par la police; **I know when I'm not ~ed** souvent hum je sens bien que je suis de trop
4 (desire sexually) vouloir [*person*]
C *vi* **to ~ for** manquer de; **you will never ~ for anything** tu ne manqueras jamais de rien
(Phrasal verbs) ■ **want in**○ 1 (asking to enter) vouloir entrer; 2 (asking to participate) vouloir participer; **I ~ in on the deal** je veux être dans le coup○
■ **want out**○ 1 (asking to exit) vouloir sortir; 2 (discontinuing participation) vouloir laisser tomber○; **to ~ out of** vouloir se retirer de [*contract, deal*]

want ad *n* US petite annonce *f*

wanted /'wɒntɪd/ *adj* 1 (sought by police) [*fugitive*] recherché par la police; **'~ for armed robbery'** 'recherché pour vol à main armée'; **~ poster** avis *m* de recherche; 2 (loved) **to be (very much) ~** (of child) (before birth) être (très) désiré; (after birth) être (très) aimé

wanted list *n* liste *f* des suspects; **to be on a ~** être recherché par la police

wanting /'wɒntɪŋ/ *adj* 1 (lacking) **to be ~** faire défaut; **what was ~ was a little understanding** ce qui faisait défaut, c'était un peu de compréhension; **to be ~ in** manquer de; **a speech ~ in fervour** un discours manquant d'ardeur; 2 Relig (failing expectation) **to be found ~** être réprouvé

wanton /'wɒntən, US 'wɔːn-/
A †*n* dévergondé/-e *m/f*
B *adj* 1 (malicious) [*cruelty, damage, waste*] gratuit; [*disregard*] délibéré; 2 littér (playful) [*mood*] joueur/-euse; [*breeze*] capricieux/-ieuse; 3 †(immoral) dévergondé

wantonly /'wɒntənlɪ, US 'wɔːn-/ *adv* 1 (gratuitously) [*attack, destroy, ignore*] sans raison, gratuitement; [*cruel, destructive*] sans raison; 2 littér (playfully) de façon capricieuse; 3 †(provocatively) [*act, pose, smile*] de façon dévergondée

wantonness /'wɒntənnɪs, US 'wɔːn-/ *n* 1 (gratuity) caractère *m* gratuit (**of** de); 2 (playfulness) exubérance *f*; 3 †(provocativeness) impudeur *f*

WAP /wæp/ *n* (*abrév* = **wireless application protocol**) WAP *m*; **~ technology** technologie WAP; **~ phone** téléphone WAP

war /wɔː(r)/
A *n* 1 (armed conflict) guerre *f*; **the horrors of ~** les horreurs de la guerre; **the day ~ broke out** le jour où la guerre a éclaté; **in the ~** à la guerre; **between the ~s** (world wars) entre les deux guerres; **a state of ~ now exists between our two countries** nos deux pays sont désormais en état de guerre; **to win/lose a ~** gagner/perdre une guerre; **to go off to the ~** partir à la guerre; **to go to ~ against** entrer en guerre contre [*country*]; **to wage ~ on** faire la guerre contre [*country*]; **to be at ~ with a country** être en guerre avec

un pays; **a ~ over** *ou* **about** une guerre pour [*land, independence*]; une guerre sur [*issue, problem*]; **2** fig (fierce competition) guerre *f*; **price/trade ~** guerre des prix/commerciale; **a state of ~ now exists between the two departments/companies** c'est la guerre entre les deux services/sociétés; **a ~ of words** un conflit verbal; **3** fig (to eradicate sth) lutte *f* (against contre); **the ~ against drug traffickers** la lutte contre les narco-trafiquants; **to wage ~ on** *ou* **against** mener une lutte contre [*poverty, crime*]
B *modif* [*debts, correspondent, crime, criminal, effort, film, historian, medal, photographer, widow, wound*] de guerre; [*cemetery, leader, grave, zone*] militaire; [*hero*] de la guerre; **~ deaths** victimes *fpl* de la guerre; **he has a good ~ record** il a de bons états de service
C *vi* (*p prés etc* **-rr-**) **to ~ with a country/one's neighbours** être en guerre contre un pays/ses voisins (**over** à cause de)
(Idiom) **you look as if you've been in the ~s** on dirait qu'il t'est arrivé des malheurs

warble /ˈwɔːbl/
A *n* **1** (of bird) gazouillis *m*; **2** Vet (on cattle) varron *m*
B *vi* **1** [*bird*] gazouiller; **2** péj [*singer*] roucouler

warbler /ˈwɔːblə(r)/ *n* **1** (bird) fauvette *f*; **2** péj (singer) roucouleur/-euse *m/f*

war: **~ bond** *n* titre *m* d'emprunt de guerre; **~ cabinet** *n* conseil *m* de guerre; **~ chest** *n* caisse *f* (du parti) (*servant à financer ses campagnes électorales*); **~ cry** *n* cri *m* de guerre also fig

ward /wɔːd/ *n* **1** (in hospital) (unit) service *m*; (room) unité *f*; (separate building) pavillon *m*; **he's in ~ 3** il est à l'unité 3; **to work on a ~** travailler dans un service; **maternity/pediatric ~** service de maternité/pédiatrie; **hospital ~** salle *f* d'hôpital; **2** Pol circonscription *f* électorale; **3** (*also* **~ of court**) Jur pupille *m*; **to be made a ~ of court** être placé sous tutelle judiciaire; **a child in ~** un enfant sous tutelle judiciaire.
(Phrasal verb) ■ **ward off**: ▸ **~ off [sth]** chasser [*evil, predator*]; faire taire [*accusations, criticism*]; écarter [*attack, threat*]; éviter [*bankruptcy, disaster*]

war dance *n* danse *f* de guerre

warden /ˈwɔːdn/ ▸ **p. 1683** *n* (of institution, college) directeur/-trice *m/f*; (of park, estate) gardien/-ienne *m/f*; US (of prison) directeur/-trice *m/f*; ▸ **traffic warden etc**

warder /ˈwɔːdə(r)/ *n* GB gardien/-ienne *m/f*

ward heeler *n* US Pol péj homme *m* à tout faire (d'un parti)

wardrobe /ˈwɔːdrəʊb/ *n* **1** (furniture) armoire *f*; **built-in ~** armoire encastrée; **double ~** grande armoire; **2** (set of clothes) garde-robe *f*; **I need a new ~** il faut que je renouvelle ma garde-robe; **3** Theat costumes *mpl*

wardrobe: **~ assistant** ▸ **p. 1683** *n* assistant/-e *m/f* costumier/-ière; **~ director** *n* costumier/-ière *m/f*; **~ mistress** ▸ **p. 1683** *n* costumière *f*; **~ trunk** *n* malle-penderie *f*

ward: **~room** *n* Mil Naut carré *m* (des officiers); **~ round** *n* Med visite *f* (*du médecin hospitalier*)

wardship /ˈwɔːdʃɪp/ *n* Jur placement *m* sous tutelle judiciaire

ward sister *n* GB Med infirmière *f* en chef

ware /weə(r)/
A *n* ₵ articles *mpl*; **leather/wooden ~** articles de cuir/de bois. ▸ **kitchenware etc**
B **wares** *npl* marchandises *fpl*; **to sell one's ~s** vendre sa marchandise

warehouse /ˈweəhaʊs/
A *n* entrepôt *m*
B *vtr* entreposer

warehouseman /ˈweəhaʊsmən/ ▸ **p. 1683** *n* manutentionnaire *m*

warehousing /ˈweəhaʊzɪŋ/ *n* entreposage *m*

warfare /ˈwɔːfeə(r)/ *n* **the art of ~** l'art *m* de la guerre; **modern ~** conflits *mpl* modernes; **chemical ~** guerre *f* chimique

war: **~ game** /ˈwɔːgeɪm/ *n* Mil manœuvre *f* militaire; Games (with models) jeu *m* de stratégie (militaire); **~ games** *npl* Games (with non-military participants) guerre *f* simulée; **~head** *n* ogive *f*

war horse *n* lit cheval *m* de bataille; fig (campaigner) vétéran *m*; **an old ~** fig un vétéran

warily /ˈweərɪlɪ/ *adv* **1** (cautiously) avec prudence; **2** (mistrusfully) avec méfiance

wariness /ˈweərɪnɪs/ *n* **1** (caution) prudence *f* (**of** à l'égard de); **2** (distrust) méfiance *f* (**of** à l'égard de); **his ~ about doing** sa réticence à faire

warlike /ˈwɔːlaɪk/ *adj* [*leader, people, tribe*] guerrier/-ière; [*mood, words*] belliqueux/-euse

warlock /ˈwɔːlɒk/ *n* sorcier *m*

warlord *n* Hist seigneur *m* de la guerre; fig chef *m* militaire

warm /wɔːm/
A ○*n* **1** GB **the ~** (warm place) le chaud; **to be in/come into the ~** être/entrer au chaud; **2** **to give sth a ~** chauffer [*dish, plate, implement*]; réchauffer [*part of body*]
B *adj* **1** (not cold) [*place, bed, clothing, food, temperature, air, water, day, climate, fire, sun*] chaud; [*scent, trail*] (encore) frais/fraîche; **in ~ weather** quand il fait chaud; **to be ~** [*person*] avoir chaud; [*weather*] faire chaud; **it's ~ today** il fait bon *or* chaud aujourd'hui; **it's nice and ~ in here** on est bien au chaud ici; **are you ~ enough?** as-tu assez chaud?; **in a ~ oven** Culin à four très doux; **'serve ~'** Culin 'servir tiède'; **this soup is only ~, not hot** cette soupe est tiède, pas chaude; **it's ~ work** c'est un travail qui donne chaud; **to get ~** [*person, weather, object*] se réchauffer; **you're getting ~er!** (in guessing game) tu chauffes!; **to get sb/sth ~** réchauffer qn/qch; **to get oneself ~** se réchauffer; **to keep (oneself) ~** (wrap up) ne pas prendre froid; (take exercise) se tenir chaud; (stay indoors) rester au chaud; **to keep sb ~** [*extra clothing, blanket*] tenir chaud à qn; [*nurse*] tenir qn au chaud; **to keep sth ~** tenir [qch] au chaud [*food*]; chauffer [qch] (en permanence) [*room*]; **we got the sitting-room ~** nous avons chauffé le salon; **2** (cordial, enthusiastic) [*person, atmosphere, applause, congratulations, feeling, reception, smile, thanks, welcome*] chaleureux/-euse; [*admiration, support*] enthousiaste; **to have a ~ heart** être chaleureux/-euse; **~(est) regards** meilleures amitiés; **to give sb/get a ~ welcome** accueillir qn/être accueilli chaleureusement; **3** (mellow) [*colour*] chaud; [*sound*] chaleureux/-euse
C *vtr* chauffer [*plate, dish, food, water*] chauffer; réchauffer [*implement*]; réchauffer [*bed*]; se réchauffer [*part of body*]; **she was ~ing her hands by the fire** elle se réchauffait les mains près du feu; **to ~ sb's heart** réchauffer le cœur de qn
D *vi* [*food, liquid, object*] chauffer
E *v refl* **to ~ oneself** se réchauffer
(Idiom) **to make things ~ for sb**○ en faire voir de toutes les couleurs○ à qn
(Phrasal verbs) ■ **warm to, warm towards**: ▸ **~ to [sb/sth]** se prendre de sympathie pour [*acquaintance*]; s'enthousiasmer pour [*artist, idea, cause*]; commencer à apprécier [*artistic, literary style*]; s'attaquer avec enthousiasme à [*task, work*]; **'and then,' he said, ~ing to his theme,...** 'ensuite,' dit-il, de plus en plus enthousiaste,...
■ **warm up**: **1** [*person, room, house*] se réchauffer; [*food, liquid*] chauffer; Aut, Elec [*car, engine, radio*] chauffer; **2** fig (become lively) [*discussion, campaign, party, audience*] s'animer; **things ~ed up when the band arrived** ça s'est animé quand le groupe est arrivé; **it took the audience a while to ~ up** il a fallu du temps pour chauffer○ la salle; **3** Sport [*athlete, player*] s'échauffer; Mus [*singer*] s'échauffer la voix; [*orchestra, musician*] se préparer; ▸ **~ up [sth], ~ [sth] up** **1** (heat) réchauffer [*room, bed, person*]; faire réchauffer [*food*]; **2** (prepare) Theat chauffer○ [*audience*]; Sport échauffer [*athlete, player*]; Mus [*singer*] s'échauffer [*voice*]; [*musician*] chauffer [*instrument*]

warm-blooded /ˌwɔːmˈblʌdɪd/ *adj* Zool à sang chaud; fig ardent

war memorial *n* monument *m* aux morts

warm: **~ front** *n* front *m* chaud; **~-hearted** *adj* chaleureux/-euse

warming /ˈwɔːmɪŋ/
A *n* réchauffement *m*
B *adj* [*drink, sunlight*] qui réchauffe; fig [*relations*] de plus en plus chaleureux/-euse

warming: **~ oven** *n* four *m* à réchauffer; **~ pan** *n* bassinoire *f*; **~-up exercises** *npl* Mus, Sport, Theat exercices *mpl* d'échauffement

warmly /ˈwɔːmlɪ/ *adv* **1** lit [*dress, wrap up*] chaudement; **the sun shone ~** le soleil était chaud; **2** fig [*greet, smile, recommend, thank*] chaleureusement; [*speak, praise*] avec enthousiasme

warmonger /ˈwɔːmʌŋgə(r)/ *n* belliciste *mf*

warmongering /ˈwɔːmʌŋgərɪŋ/
A *n* propagande *f* belliciste
B *adj* [*person, article*] belliciste

warmth /wɔːmθ/ *n* lit, fig chaleur *f*; **they huddled round the fire for ~** ils se sont serrés autour du feu pour se tenir chaud; **he replied with some ~ that** il a répondu vivement que

warm-up /ˈwɔːmʌp/
A *n* Mus, Sport, Theat échauffement *m*
B *modif* [*exercise, routine*] d'échauffement

warn /wɔːn/
A *vtr* avertir, prévenir [*person, government, authority*]; **to ~ that** dire *or* annoncer que; **to ~ sb that** avertir *or* prévenir qn que; **to ~ sb about** *ou* **against sth** mettre qn en garde contre qch; **to ~ sb about** *ou* **against doing** déconseiller à qn de faire; **to ~ sb to do** conseiller *or* dire à qn de faire; **to ~ sb not to do** déconseiller à qn de faire; **I'm ~ing you!** je te préviens!; **you have been ~ed!** tu es prévenu!; **I shan't ~ you again** c'est la dernière fois que je te le dis
B *vi* **to ~ of sth** annoncer qch
(Phrasal verbs) ■ **warn away**: ▸ **~ [sb] away, ~ away [sb]** détourner [qn]; **to ~ sb away from** déconseiller à qn d'aller dans [*district, nightclub*]; déconseiller à qn de fréquenter [*person*]
■ **warn off**: ▸ **~ [sb] off, ~ off [sb]** décourager; **to ~ sb off doing** déconseiller à qn de faire; **to ~ sb off sth** déconseiller qch à qn [*alcohol, drugs*]; **to ~ sb off one's land** demander à qn de quitter ses terres

warning /ˈwɔːnɪŋ/
A *n* gen avertissement *m*; (of danger) mise *f* en garde, avertissement *m*; (by an authority) avis *m*; (by light, siren) signal *m*; **a ~ that** un avertissement que; **a ~ against sth** une mise en garde contre qch; **a ~ about** *ou* **on sth** une mise en garde à propos de qch; **to give sb a ~ not to do** déconseiller à qn de faire; **to give sb ~** avertir qn (**of** de); **advance ~** préavis *m*; **health ~** mise en garde; **flood/gale ~** avis de crue/de coup de vent; **let that be a ~ to you!** que cela te serve d'avertissement!; **to sound a note of ~** donner un avertissement; **the storm started without ~** la tempête a commencé soudainement *or* sans avertissement; **to be attacked without ~** être attaqué sans avertissement; **to be sacked without ~** être licencié sans préavis; **an official/a written ~** un avis officiel/écrit; **the police let her off with a ~** la police l'a laissée partir avec un avertissement; **'~! Fire risk!'** 'attention! risque d'incendie!'
B *modif* **1** (giving notice of danger) [*siren, bell, device*] d'alarme; [*notice*] d'avertissement; **~ light**

voyant *m* d'alarme; ~ **shot** lit, fig coup *m* de semonce; ~ **sign** lit (on board) panneau *m* d'avertissement; fig (of illness, stress etc) signe *m* annonciateur; ~ **signal** fig signe *m* annonciateur; ~ **triangle** triangle *m* de présignalisation; 2 (threatening) [*glance, gesture, tone, voice*] de mise en garde; (stronger) menaçant

war: **War Office** *n* GB, Hist ministère *m* de la Guerre; **War of Independence** *n* US Hist Guerre *f* d'Indépendance. ▸ **Thirteen Colonies**

warp /wɔːp/
A *n* 1 (deformity) (in wood, metal) déformation *f*, voilure *f* spec (**in** de); (in record) déformation *f*, voile *m* spec; 2 Tex chaîne *f*; 3 fig (essence) **the ~ (and woof) of sth** l'étoffe *f* dont qch est fait; 4 Naut aussière *f*
B *vtr* 1 (deform) déformer, voiler [*metal, wood, record*]; 2 fig (distort) pervertir [*mind, personality*]; fausser [*judgment, outlook, thinking*]
C *vi* se déformer, se voiler spec

warpaint /'wɔːpeɪnt/ *n* Mil peinture *f* de guerre; hum (make-up) peintures *fpl* de guerre

warpath /'wɔːpɑːθ/ *n*:
(Idiom) **to be on the ~** être sur le sentier de la guerre

warped /wɔːpt/ *adj* 1 (deformed) [*metal, plane, record*] déformé, voilé; **to become ~** se déformer, se voiler; 2 fig (distorted) [*mind, humour*] tordu; [*personality, sexuality*] perverti; [*account, judgment, view*] faussé; **to become ~** [*judgment*] se fausser; [*personality*] se pervertir; [*mind*] devenir perturbé

warplane /'wɔːpleɪn/ *n* avion *m* militaire

warp thread *n* Tex fil *m* de chaîne

warrant /'wɒrənt, US 'wɔːr-/
A *n* 1 Jur mandat *m*; **to issue a ~** établir un mandat; **arrest/search ~** mandat d'arrêt/de perquisition; **a ~ to do** un mandat pour faire; **a ~ for sb's arrest** un mandat d'arrêt contre qn; **a ~ is out for his arrest** un mandat a été lancé contre lui; 2 Fin (for shares) bon *m* de souscription; **dividend ~** coupon *m* de dividende; 3 GB Comm (receipt) récépissé *m*, warrant *m*; 4 (legitimate right) droit *m*; **to be without ~** ne pas être justifié; 5 Mil brevet *m*
B *vtr* 1 (justify) justifier [*action, investigation, measure*]; 2 (guarantee) garantir [*equipment, goods*]; 3 (bet) parier (**that** que); **he'll be back, I ~ you** je parie qu'il reviendra
C *vi* parier; **she's married I'll ~** je parie qu'elle est mariée
D **warranted** *pp adj* 1 (justified) justifié; 2 (guaranteed) garanti

warrantable /'wɒrəntəbl, US 'wɔːr-/ *adj* (justifiable) légitime

warrant card *n* plaque *f* (de police)

warrantee /ˌwɒrən'tiː, US ˌwɔːr-/ *n* Comm receveur/-euse *m/f* d'une garantie

warranter /'wɒrəntɔː(r), US 'wɔːr-/ *n* Comm garant/-e *m/f*

warrant officer, WO ▸ **p. 1599** *n* Mil adjudant *m*

warranty /'wɒrəntɪ, US 'wɔːr-/ *n* 1 Comm garantie *f*; **under ~** sous garantie; **a 12-month ~** une garantie de douze mois; 2 Jur simple garantie *f*; 3 Insur condition *f* d'application

warren /'wɒrən, US 'wɔːrən/ *n* 1 (rabbits') (whole area) garenne *f*; (tunnels only) terriers *mpl*; 2 (building, maze of streets) labyrinthe *m*

warring /'wɔːrɪŋ/ *adj* [*factions, parties, nations*] en conflit

warrior /'wɒrɪə(r), US 'wɔːr-/ *n*, *adj* guerrier/-ière (*m/f*)

Warsaw /'wɔːsɔːw/ ▸ **p. 1815** *pr n* Varsovie

Warsaw Pact
A *n* Mil, Hist pacte *m* de Varsovie
B *modif* [*troops, countries*] du pacte de Varsovie

warship /'wɔːʃɪp/ *n* navire *m* de guerre

wart /wɔːt/ *n* 1 (on skin) verrue *f*; 2 (on plant) excroissance *f*
(Idioms) **to describe sb ~s and all, to give a ~s-and-all description of sb** décrire qn avec tous ses défauts

warthog /'wɔːthɒg/ *n* phacochère *m*

wartime /'wɔːtaɪm/
A *n* **in ~** en temps de guerre
B *modif* [*economy, memories, rationing*] de guerre; **a story set in ~ Berlin** une histoire qui se passe à Berlin pendant la guerre

war-torn *adj* déchiré par la guerre

warty /'wɔːtɪ/ *adj* 1 [*skin*] couvert de verrues; 2 [*stem, vegetable*] verruqueux/-euse

war-weary /'wɔːwɪərɪ/ *adj* las/lasse de la guerre

Warwickshire /'wɒrɪkʃə(r)/ ▸ **p. 1612** *pr n* Warwickshire *m*

wary /'weərɪ/ *adj* 1 (cautious) [*attitude, manner, reply*] prudent; **to be ~** montrer de la circonspection (**of** vis-à-vis de); 2 (distrustful) [*animal, look, movement, person*] méfiant; **to be ~** se méfier (**of** de)

was /wɒz, wəz/ *prét* ▸ **be**

wash /wɒʃ/
A *n* 1 ₵ (by person) **to give [sth] a ~** laver [*window, floor*]; nettoyer [*object*]; lessiver [*paintwork, walls*]; se laver [*hands, face*]; **to give sb a ~** débarbouiller [*child*]; **you need a good ~** tu as besoin d'un bon débarbouillage; **to have a quick ~** faire un brin de toilette°; **these curtains/your feet need a ~** ces rideaux/tes pieds ont besoin d'être lavés
2 (laundry process) lavage *m*; **weekly ~** lessive *f* hebdomadaire; **after only two ~es** après deux lavages seulement; **in the ~** (about to be cleaned) au sale; (being cleaned) au lavage
3 (movement) (from boat, aircraft) remous *m*
4 (coating) gen couche *f* (de peinture); (with whitewash) badigeon *m*; Art lavis *m*
5 Pharm lotion *f*
6 (swill) pâtée *f*
B *modif* **frequent ~ shampoo** shampooing *m* pour lavages fréquents; **pen and ~ drawing** dessin *m* à la plume et au lavis
C /wɒʃ, US wɔːʃ/ *vtr* 1 (clean) laver [*person, clothes, floor*]; nettoyer [*object, wound*]; lessiver [*paintwork, surface*]; **to get ~ed** se laver; **to ~ everything by hand/in the machine** laver tout à la main/à la machine; **to ~ one's hands/face** se laver les mains/le visage; **to ~ sth clean** laver [*hands, clothes, floor*]; lessiver [*paintwork*]; nettoyer [*cut*]; **to ~ the dishes** faire la vaisselle
2 (carry along) [*tide, current*] entraîner [*silt, debris*]; **to be ~ed out to sea** être entraîné vers le large; **to be ~ed along by the tide** être entraîné par la marée; **to be ~ed downstream** être entraîné en aval; **to ~ sb/sth ashore** rejeter qn/qch sur le rivage; **to ~ sb/sth overboard** emporter qn/qch par-dessus bord
3 littér (lap against) lécher [*rock, shore*]
4 (dig out) creuser; **the water had ~ed a hole in the bank** les inondations avaient creusé un trou dans le talus
5 (coat) Art laver [*drawing*]; gen, Constr passer une légère couche de peinture sur [*wall*]; (with whitewash) badigeonner [*wall*]; **to ~ a wall in pink** passer une légère couche de rose sur un mur; **to ~ sth with gold** dorer qch au trempé [*metal, coin*]
6 Chem, Miner, Mining (purify by separation) épurer [qch] par lavage [*gas*]; laver [*ore*]
D *vi* 1 (clean oneself) [*person*] se laver, faire sa toilette; [*animal*] faire sa toilette
2 (clean clothes) faire la lessive; **I ~ on Mondays** je fais la lessive le lundi; **Whizzo ~es whiter** Advertg Whizzo lave plus blanc
3 (become clean) se laver; **to ~ easily/well** se laver facilement/bien
4 °(be believed) **his explanation won't ~ with the electorate** son explication ne satisfera pas l'électorat; **that excuse won't ~ with me** cette excuse ne me satisfait pas
E *v refl* **to ~ oneself** [*person*] se laver; [*animal*] se nettoyer
(Idioms) **it will all come out in the ~** (be revealed) tout finira bien par se savoir; (be resolved) tout finira par s'arranger; **to ~ one's hands of** se laver les mains de [*matter*]; se désintéresser de [*person*]
(Phrasal verbs) ■ **wash away**: ▸ **~ [sth] away, ~ away [sth]** 1 (clean) faire partir [*dirt*]; Relig laver [*sins*]; 2 (carry off) [*flood, tide, current*] emporter [*structure, debris*]; (by erosion) [*sea*] éroder [*cliff, bank*]; ▸ **~ [sb] away** [*wave, tide*] emporter [*person*]
■ **wash down**: ▸ **~ [sth] down, ~ down [sth]** 1 (clean) laver [qch] à grande eau [*surface, vehicle*]; lessiver [*paintwork*]; 2 °(help to swallow) faire descendre [*pill*]; faire passer [*unpleasant food*]; arroser [*food*]; **a good steak ~ed down with a glass of claret** un bon steak arrosé d'un verre de bordeaux
■ **wash off**: ▸ **~ off** [*mark*] partir au lavage; ▸ **~ [sth] off, ~ off [sth]** 1 (clean off) faire partir [qch] à l'eau [*dirt, mark*]; **to ~ the mud off the car** laver la voiture pour faire partir la boue; **go and ~ that dirt off your face** débarbouille-toi la figure; 2 (carry off) drainer [*topsoil*]
■ **wash out**: ▸ **~ out** 1 (disappear by cleaning) [*stain*] partir au lavage; [*colour*] passer; **stains that won't ~ out** Advertg taches rebelles; 2 °US (fail to reach standard for) **she ~ed out of college** elle s'est fait recaler aux examens d'entrée en fac°; ▸ **~ [sth] out, ~ out [sth]** 1 (remove by cleaning) faire partir [qch] au lavage [*stain*]; faire passer [*colour*]; 2 (rinse inside) rincer [*cup, inside*]; 3 (clean quickly) passer [qch] à l'eau [*dishcloth, brush*]; 4 (rain off) (*gén au passif*) **the first day's play was ~ed out** la première journée a été annulée à cause de la pluie; 5 Miner, gen extraire [*precious metal*]; (from mud) débourber [*precious metal*]
■ **wash over**: [*water*] balayer [*deck*]; **everything I say just ~es over him** tout ce que je dis glisse sur lui; **a great feeling of relief ~ed over me** un immense soulagement m'a envahi
■ **wash through**: ▸ **~ [sth] through** passer [qch] à l'eau
■ **wash up**: ▸ **~ up** 1 GB (do dishes) faire la vaisselle; 2 US (clean oneself) [*person*] faire un brin de toilette°; ▸ **~ [sth] up, ~ up [sth]** 1 (clean) laver [*plate*]; nettoyer [*pan*]; 2 (bring to shore) [*tide*] rejeter [*body, debris*]

washable /'wɒʃəbl, US 'wɔːʃ-/ *adj* [*material, paint, ink*] lavable

wash: **~-and-wear** *adj* [*fabric, clothes*] d'entretien facile; **~basin** *n* lavabo *m*; **~board** *n* planche *f* à laver; **~bowl** *n* US lavabo *m*; **~cloth** *n* US lavette *f*; **~day** *n* jour *m* de lessive

wash down° /'wɒʃdaʊn, US 'wɔːʃ-/ *n* **to give sth a ~** laver [qch] à grande eau [*vehicle*]; lessiver [*wall, paintwork*]

washed-out /ˌwɒʃt'aʊt, US ˌwɔːʃ-/ *adj* 1 (faded) [*colour, jeans*] délavé; 2 (tired) lessivé°, épuisé; **the ~ look on his face** son air épuisé

washed-up° /ˌwɒʃt'ʌp, US ˌwɔːʃ-/ *adj* 1 (finished) fichu°, foutu◑; 2 US (tired) lessivé°, épuisé

washer /'wɒʃə(r), US 'wɔːʃər/ *n* 1 Tech (to spread load) rondelle *f*; (as seal) joint *m*; 2 °(washing machine) machine *f* à laver

washer-dryer /ˌwɒʃə'draɪə(r), US ˌwɔːʃ-/ *n* lave-linge/sèche-linge *m*

washer-up(per)° /ˌwɒʃə'ʌp(ə(r)), US ˌwɔːʃ-/ *n* (in restaurant) plongeur/-euse *m/f*; **who's going to be the ~?** hum qui va faire la plonge?

washerwoman /'wɒʃəwʊmən, US 'wɔːʃ-/ ▸ **p. 1683** *n* lavandière *f*

wash: **~-hand basin** *n* lavabo *m*; **~house** *n* buanderie *f*

washing /'wɒʃɪŋ, US 'wɔːʃɪŋ/ *n* 1 (act) (of oneself) toilette *f*; (of clothes) lessive *f*; 2 (laundry) (to be cleaned) linge *m* sale; (when clean) linge *m*; **to do the ~** faire la lessive; **to hang out the ~**

W

étendre le linge; **to take in** ~ faire des lessives chez soi (*comme métier*)

washing: ~ **day** *n* jour *m* de lessive; ~ **facilities** *npl* douches-lavabos *fpl*; ~ **line** *n* corde *f* à linge; ~ **machine** *n* machine *f* à laver; ~ **powder** *n* GB lessive *f* (en poudre); ~ **soda** *n* soude *f* ménagère

Washington /ˈwɒʃɪŋtən, US ˈwɔːʃ-/ ▸ **p. 1815**, **p. 1737** *pr n* (city, state) Washington *m*

> **Washington DC**
> Capitale fédérale des États-Unis située sur un territoire indépendant, le district de Columbia. Les fonctions administratives et culturelles y sont prédominantes : Washington rassemble les trois branches du gouvernement américain (*White House*, *Congress*, *Supreme Court*), et de grands musées nationaux (*Smithsonian Institution*, *National Gallery of Art*).
> ▸ **Congress, Supreme Court, White House**

washing: ~**-up** *n* GB vaisselle *f*; ~**-up bowl** *n* GB cuvette *f* (pour la vaisselle); ~**-up cloth** *n* GB lavette *f*; ~**-up liquid** *n* GB liquide *m* à vaisselle; ~**-up water** *n* GB eau *f* de vaisselle

wash: ~ **leather** *n* peau *f* de chamois; ~ **load** *n* capacité *f* de lavage; ~**out** *n* fiasco *m* dû à la pluie; ~**-rag** *n* US lavette *f*; ~**room** *n* toilettes *fpl*; ~ **sale** *n* US Fin (on Stock Exchange) vente *f* fictive; ~**-stand** *n* US (washbasin) lavabo *m*; (table) table *f* de toilette; ~ **symbol** *n* symbole *m* de lavage; ~ **trough** *n* (for gold) batée *f*; ~**tub** *n* bassine *f*; ~**-wipe** *n* Aut lavage *m* du pare-brise

wasn't /ˈwɒznt/ = **was not**

wasp /wɒsp/ *n* guêpe *f*

WASP /wɒsp/ *n* US (*abrév* = **White Anglo-Saxon Protestant**) *membre de l'élite des blancs protestants d'origine anglo-saxonne*

waspish /ˈwɒspɪʃ/ *adj* acerbe

waspishly /ˈwɒspɪʃlɪ/ *adv* d'un ton acerbe

wasp-waisted /ˌwɒspˈweɪstɪd/ *adj* [*person*] à taille de guêpe; [*clothing*] cintré à la taille

wassail‡ /ˈwɒseɪl/
A *n* (merry-making) ribote‡ *f*, beuverie *f* (*surtout à Noël*)
B *vi* GB (sing carols) **to go** ~**ing** aller de maison en maison en chantant des chants de Noël

wastage /ˈweɪstɪdʒ/ *n* **1** (of money, resources, talent) gaspillage *m*; (of heat, energy) déperdition *f*; **through** ~ par gaspillage; **2** (*also* **natural** ~) Sociol, Econ élimination *f* naturelle

wastage rate *n* Sociol, Econ taux *m* d'abandon

waste /weɪst/
A *n* **1** ¢ (squandering) (of commodity, food, resources, money, energy, opportunity) gaspillage *m* (**of** de); (of time) perte *f* (**of** de); **that was a complete** ~ **of an afternoon** l'après-midi a été perdu complètement inutilement; **what a** ~**!** quel gaspillage!; **don't throw it away, it's a** ~ ne le jette pas, c'est du gaspillage; **it's a** ~ **of her talents** elle gaspille ses talents (**doing** en faisant); **a** ~ **of effort** un effort inutile; **taking taxis is a** ~ **of money** prendre des taxis c'est jeter l'argent par les fenêtres; **that car was a complete** ~ **of money** cette voiture est de l'argent complètement gaspillé; **it's a** ~ **of time and money** c'est une perte de temps et d'argent; **it's a** ~ **of time trying to explain it** on perd son temps à essayer de l'expliquer; **to go to** ~ être gaspillé; **that's another good opportunity gone to** ~ et voilà encore une bonne occasion de perdue; **to let sth go to** ~ gaspiller qch; **there is no** ~**, every part is used** il n'y a pas de déchets, chaque élément est utilisé; **2** ¢ (detritus) gen, Ind déchets *mpl* (**from** de); **chemical/nuclear** ~ déchets chimiques/nucléaires; **household** *ou* **kitchen** ~ déchets domestiques, ordures *fpl* ménagères; **industrial** ~ déchets industriels; **the burning of hazardous** ~**s** l'incinération des déchets dangereux; ▸ **nuclear waste**; **3** (wasteland) désert *m*
B wastes *npl* **1** (wilderness) étendues *fpl* sauvages; **the frozen** ~**s of the Arctic** les étendues glacées de l'Arctique; **2** US = **waste A 2**
C *adj* **1** (discarded) [*food*] inutilisé; [*heat, energy*] perdu, gaspillé; [*water*] usé; ~ **materials** *ou* **matter** déchets *mpl*; ~ **products** Ind déchets *mpl* de fabrication; Physiol, Med déchets *mpl*; ~ **gases** déchets *mpl* gazeux; ~ **plastics** plastiques *mpl* de rebut; **2** (unused) [*land, ground*] inculte; **3** (destruction) **to lay** ~ **(to)** dévaster
D *vtr* **1** (squander) gaspiller [*food, resources, energy, money, talents*]; perdre [*time, opportunity*]; user [*strength*]; **there's no time to** ~ il n'y a pas de temps à perdre; **I won't** ~ **my time on her/administration** je ne vais pas perdre mon temps avec elle/l'administration; **I** ~**ed a whole morning looking for it** j'ai perdu une matinée entière à le chercher; **he** ~**d his youth** il a gâché sa jeunesse; **all our efforts/sacrifices were** ~**d** tous nos efforts/sacrifices ont été vains; **he didn't** ~ **words** il a été franc et direct; **she didn't** ~ **any time in trying to explain** (pointlessly) elle n'a pas perdu son temps à essayer d'expliquer; **she** ~**ed no time in contacting the police** (acted at once) elle n'a pas perdu de temps pour contacter la police; **he certainly didn't** ~ **any time!** iron il n'a pas perdu de temps!; **subtlety is** ~**d on her** la subtilité lui passe au-dessus de la tête; **good wine is** ~**d on him** il n'est pas capable d'apprécier un bon vin; **2** (make thinner) décharner [*person, body, limb*]; (make weaker) atrophier [*person, body, limb*]; **3** ○US (kill) supprimer○
E *vi* se perdre

(Idiom) ~ **not want not** Prov l'économie protège du besoin

(Phrasal verb) ■ **waste away** dépérir

waste: ~**basket** *n* corbeille *f* à papier; ~**bin** *n* GB (for paper) corbeille *f* à papier; (for rubbish, scraps) poubelle *f*

wasted /ˈweɪstɪd/ *adj* **1** (squandered) [*care, effort, expense, life, vote*] inutile; [*commodity, energy, years*] gaspillé; **another** ~ **opportunity** encore une occasion de perdue; **2** (fleshless) [*body, limb*] décharné; [*face*] émacié; (weak) [*body, limb*] atrophié, malingre; ~ **by disease** ravagé par la maladie; **3** ○(drunk) bourré○; **to get** ~ se bourrer○

waste depository *n* entrepôt *m* de déchets

waste disposal
A *n* traitement *m* des déchets
B *modif* [*company, industry, system*] de traitement des déchets

waste: ~ **disposal unit** *n* GB broyeur *m* d'ordures; ~ **dump** *n* dépotoir *m*

wasteful /ˈweɪstfl/ *adj* [*product, machine*] qui consomme beaucoup; [*method, process*] peu économique; [*person*] gaspilleur/-euse; (of money) dépensier/-ière; **to be** ~ **of** gaspiller [*commodity, resources, energy*]; perdre beaucoup de [*space, time*]; **our way of life is so** ~ notre mode de vie implique tant de gaspillage

wastefully /ˈweɪstfəlɪ/ *adv* [*spend, produce, package*] inutilement; **to use** ~ gaspiller

wastefulness /ˈweɪstflnɪs/ *n* (extravagance) gaspillage *m*; (inefficiency) manque *m* de rentabilité

waste: ~**land** *n* (urban) terrain *m* vague; (rural) terre *f* à l'abandon; fig désert *m*; ~ **management** *n* traitement *m* des déchets; ~**paper** *n* ¢ vieux papiers *mpl*; ~**paper basket**, ~**paper bin** GB *n* corbeille *f* à papier; ~ **pipe** *n* tuyau *m* de vidange

waster○ /ˈweɪstə(r)/ *n* péj dépensier/-ière *m/f*

waste: ~ **recycling** *n* recyclage *m* des déchets; ~ **service** *n* service *m* de voirie

wasting /ˈweɪstɪŋ/ *adj* [*disease*] débilitant

wastrel† /ˈweɪstrəl/ *n* **1** (spendthrift) péj dépensier/-ière *m/f*; **2** (idler) vaurien *m*

watch /wɒtʃ/
A *n* **1** (timepiece) montre *f*; **my** ~ **is slow/fast** ma montre retarde/avance; **by my** ~ **it's three o'clock** à ma montre il est trois heures; **to set one's** ~ mettre sa montre à l'heure; **you can set your** ~ **by him** vous pouvez vous régler sur lui
2 (lookout, surveillance) gen, Mil surveillance *f* (**on** sur); **to keep** ~ [*sentry, police, watcher*] monter la garde; **to keep (a)** ~ **on sb/sth** lit, fig surveiller qn/qch; **keep a close** ~ **on expenditure** surveillez les dépenses de près; **to keep** ~ **over sb/sth** monter la garde auprès de qn/près de qch; **to be on the** ~ être sur ses gardes; **to be on the** ~ **for sb/sth** lit guetter qn/qch; fig être à l'affût de qn/qch; **to set a** ~ **on sb/sth** tenir qn/qch à l'œil; **badger/fox** ~ observation *f* des blaireaux/renards; **tornado** ~ Meteorol surveillance *f* des cyclones
3 Naut (time on duty) quart *m*; (crew on duty) (one person) homme *m* de quart; (several) quart *m*; **the port/starboard** ~ les bâbordais *mpl*/tribordais *mpl*; **to be/go on** ~ être de quart/prendre le quart; **to come off** ~ rendre le quart
4 Mil, Hist (patrol) **the** ~ le guet
B *modif* [*chain, spring, strap*] de montre
C *vtr* **1** lit (look at) regarder [*event, entertainment, object, sport, television*]; (observe) observer [*behaviour, animal*]; **she** ~**es three hours of television a day** elle regarde la télévision trois heures par jour; **is there anything worth** ~**ing on television?** y a-t-il quelque chose à voir à la télévision?; **I** ~**ed them with binoculars** je les ai observés avec des jumelles; **he** ~**ed them run** *ou* **running** il les a regardés courir; **she's a pleasure to** ~ c'est un vrai plaisir de la regarder; **the match,** ~**ed by a huge crowd...** le match, suivi par une foule immense...; **I've** ~**ed these children grow up** j'ai vu grandir ces enfants
2 fig (monitor) suivre [*career, progress, development*]; surveiller [*situation*]; **a young artist/a name to** ~ un jeune artiste/un nom à suivre; **we had to sit by and** ~ **the collapse of all our hopes** nous avons dû assister impuissants à l'effondrement de tous nos espoirs
3 lit (keep under surveillance) surveiller [*building, suspect, troublemaker, movements*]; **we're having him** ~**ed** nous le faisons surveiller; **to** ~ **the clock** fig surveiller la pendule; ~ **the local press/this noticeboard for further details** lire la presse locale/ce panneau d'affichage pour plus de détails
4 (pay attention to) faire attention à [*dangerous object, obstacle, unreliable person, thing*]; surveiller [*language, manners, money, weight*]; ~ **that car/that child!** (fais) attention à cette voiture/cet enfant!; ~ **your arm/your big feet!** fais attention à ton bras/tes grands pieds!; **are you** ~**ing the time?** est-ce que tu surveilles l'heure?; ~ **you don't spill it** fais attention à ne pas le renverser; ~ **that she doesn't go out alone** veille à ce qu'elle ne sorte pas seule; ~ **where you're going!** regarde devant toi!; ~ **where you put that paint-brush!** ne mets pas ce pinceau n'importe où!; ~ **it**○**!** fais gaffe○!; **to** ~ **one's step** lit, fig regarder où on met les pieds; ~ **your back**○**!** lit attention devant!; fig surveille tes arrières!
5 (look after) garder [*property, child, dog*]
D *vi* **1** (look on) regarder (**from** de); **as she** ~**ed the plane exploded** alors qu'elle regardait l'avion a explosé; **they are** ~**ing to see what will happen next** ils attendent pour voir ce qui va se passer maintenant; **he could only** ~ **helplessly as the disease advanced** il ne pouvait que suivre impuissant le progrès de la maladie
2 †(keep vigil) veiller
E *v refl* **to** ~ **oneself** **1** lit (on film, TV) se regarder
2 fig (be careful) faire attention

(Idiom) **in the long** ~**es of the night** littér durant les longues heures de la nuit

(Phrasal verbs) ■ **watch for**: ▸ ~ **for [sb/sth]**

guetter [*person, event, chance, moment*]; surveiller l'apparition de [*symptom, phenomenon, risk*]; ~ **for the scene where...** regardez bien la scène où...

■ **watch out** (be careful) faire attention (**for** à); (keep watch) guetter; ~ **out!** attention!; **to ~ out for** faire attention à [*features, events*]; guetter [*person, development, problem*]; **I'll ~ out for her when I'm in town** je guetterai si je la vois quand je serai en ville; ~ **out for trouble!** gare aux ennuis!; ~ **out for our next issue!** ne ratez pas notre prochain numéro!

■ **watch over**: ▸ ~ **over [sb/sth]** veiller sur [*person*]; veiller à [*interests, rights, welfare*]

watchable /ˈwɒtʃəbl/ *adj* [*film, programme*] qui se laisse regarder

watchband /ˈwɒtʃbænd/ *n* US bracelet *m* de montre

watchdog /ˈwɒtʃdɒg/

A *n* **1** (dog) chien *m* de garde; **2** Admin, Econ (monitor) (person) observateur *m*; (organization) organisme *m* de surveillance, observateur *m*; **financial ~** observateur économique; **consumer ~** service *m* de protection du consommateur

B *modif* [*committee, group*] de surveillance

watcher /ˈwɒtʃə(r)/ *n* (at event, entertainment) spectateur/-trice *m/f*; (hidden) guetteur/-euse *m/f*; (monitoring event, developments) observateur/-trice *m/f*; **fashion/industry ~** spécialiste *mf* de la mode/de l'industrie; **television ~** téléspectateur/-trice *m/f*

watch fire *n* littér feu *m* de camp (*pour monter la garde*)

watchful /ˈwɒtʃfl/ *adj* vigilant; **to keep a ~ eye on sb/sth** garder qn/qch à l'œil

watch: **~maker** ▸ **p. 1683** *n* horloger/-ère *m/f*; **~making** *n* horlogerie *f*

watchman /ˈwɒtʃmən/ ▸ **p. 1683** *n* **1** Hist **(night) ~** veilleur *m* (de nuit); **2** (guard) gardien *m*

watch: **~-night service** *n* messe *f* de minuit de la Saint-Sylvestre; **~tower** *n* Hist tour *f* de guet; Mil mirador *m*; **~word** *n* gen (slogan) slogan *m*; Mil (password) mot *m* de passe

water /ˈwɔːtə(r)/

A *n* eau *f*; **drinking/running ~** eau potable/courante; **tap/washing-up ~** eau du robinet/de vaisselle; **by ~** par bateau; **under ~** (submerged) sous l'eau; (flooded) inondé; **at high/low ~** à marée haute/basse; **to let in ~** [*shoe, boat*] prendre l'eau; **to make ~** [*ship*] faire eau; **to pass ~** uriner; **to turn the ~ on/off** ouvrir/fermer le robinet; **he lives across the ~ on the mainland** il habite sur le continent; **our French colleagues across the ~** nos collègues français de l'autre côté de la Manche; **the wine was flowing like ~** le vin coulait à flots; **to keep one's head above ~** lit garder la tête hors de l'eau; fig (financially) faire face à ses engagements

B **waters** *npl* **1** Naut eaux *fpl*; **enemy/international ~s** eaux (territoriales) ennemies/internationales; **2** (spa water) **to take the ~s** faire une cure thermale; **to drink the ~s** prendre les eaux *fpl*; **3** Med (in obstetrics) eaux *fpl*; **her ~s have broken** elle a perdu les eaux

C *modif* [*glass, jug, tank*] à eau; [*snake, shrew*] d'eau; [*filter, pump*] à eau; [*pipe, pressure, shortage*] d'eau; [*industry*] de l'eau

D *vtr* Hort arroser [*lawn, plant*]; Agric irriguer [*crop, field*]; abreuver [*horse, livestock*]; **a country ~ed by many rivers** littér un pays arrosé par de nombreuses rivières

E *vi* **the smell of cooking makes my mouth ~** l'odeur de cuisine me fait venir l'eau à la bouche; **the smoke/onion made her eyes ~** la fumée/l'oignon l'a fait pleurer

(Idioms) **to spend money like ~** jeter l'argent par les fenêtres; **not to hold ~** [*theory, argument*] ne pas tenir debout; **I can't walk on ~!** je ne peux pas faire de miracles!; **he's a cheat/liar of the first ~** c'est un menteur/lâche de la pire espèce

(Phrasal verb) ■ **water down**: ▸ ~ **down [sth]** **1** (dilute) couper [qch] d'eau [*beer, milk*]; diluer [*syrup*]; **2** (tone down) atténuer [*criticism, effect, plans, policy*]; édulcorer [*description, story*]; **3** Fin diluer [*capital, stock*]

waterage /ˈwɔːtərɪdʒ/ *n* Comm, Transp prix *m* du transport par voie d'eau

water: ~ **authority** *n* compagnie *f* des eaux; ~ **bailiff** ▸ **p. 1683** *n* GB Hunt garde-pêche *m inv*; ~ **bath** *n* Chem, Culin bain *m* marie; ~ **bed** *n* matelas *m* d'eau; ~ **beetle** *n* Zool coléoptère *m* aquatique; ~ **bird** *n* oiseau *m* aquatique; ~ **biscuit** *n* Culin *biscuit sec sans matière grasse*; ~ **blister** *n* Med ampoule *f*, phlyctène *f* spec; ~ **board** *n* compagnie *f* des eaux; ~ **boatman** *n* Zool notonecte *f*; ~ **bomb** *n* bombe *f* à eau

water-borne /ˈwɔːtəbɔːn/ *adj* **1** Biol, Med d'origine hydrique; **2** Transp transporté par voie d'eau; **3** Naut à flot

water bottle *n* (for traveller) gourde *f*; (for cyclist) bidon *m*; (for warmth) bouillotte *f*

water: ~ **buffalo** *n* buffle *m* (d'Asie); ~ **butt** *n* citerne *f*; ~ **cannon** *n* canon *m* à eau

water-carrier /ˈwɔːtəkærɪə(r)/ *n* **1** (person) porteur/-euse *m/f* d'eau; **2** (container) bidon *m* à eau; **3** Astrol Verseau *m*

water: ~ **chestnut** *n* Bot, Culin châtaigne *f* d'eau; ~ **clock** *n* horloge *f* à eau, clepsydre *f*; ~ **closet**† GB *n* toilettes *fpl*

watercolour GB, **watercolor** US /ˈwɔːtəkʌlə(r)/ Art

A *n* **1** (paint) peinture *f* pour aquarelle; **a landscape painted in ~** un paysage peint à l'aquarelle; **2** (painting) aquarelle *f*

B *modif* [*landscape, painting*] à l'aquarelle

water: **~colourist** GB, **~colorist** US ▸ **p. 1683** *n* Art aquarelliste *mf*; **~-cooled** *adj* Ind, Nucl à refroidissement à eau; **~-cooler** *n* distributeur *m* d'eau réfrigérée; **~-cooling** *n* Ind, Nucl refroidissement *m* par eau; ~ **course** *n* cours *m* d'eau; **~cress** *n* Bot, Culin cresson *m* (de fontaine); ~ **diviner** ▸ **p. 1683** *n* sourcier/-ière *m/f*, radiesthésiste *mf*; ~ **divining** *n* radiesthésie *f*

watered-down /ˌwɔːtədˈdaʊn/ *adj* **1** (diluted) [*beer, milk, wine*] coupé d'eau; **2** fig (scaled-down) [*legislation, measures, policies*] atténué; [*version*] édulcoré

water: **~ed silk** *n* Tex soie *f* moirée; **~ed stock** *n* Fin actions *fpl* émises pour diluer le capital; **~fall** *n* cascade *f*, chute *f* d'eau; ~ **filter** *n* filtre *m* à eau; **~fowl** *n* Zool oiseau *m* d'eau; Hunt gibier *m* d'eau

waterfree /ˈwɔːtəfriː/ *adj* [*substance*] anhydre; [*area, container*] sec/sèche

waterfront /ˈwɔːtəfrʌnt/

A *n* (on harbour) front *m* de mer; (by lakeside, riverside) bord *m* de l'eau; **on the ~** (on harbour) sur le front de mer; (by lakeside, riverside) au bord de l'eau

B *modif* [*cafe, development, hotel*] au bord de l'eau

water gas *n* gaz *m* à l'eau

Watergate /ˈwɔːtəgeɪt/ *pr n* lit, fig Watergate *m*. ▸ **gate**

water: ~ **glass** *n* silicate *m* de potasse; **~-heater** *n* chauffe-eau *m inv*; ~ **hen** *n* poule *f* d'eau; ~ **hole** *n* Geog, Zool point *m* d'eau; ~ **ice** *n* Culin sorbet *m*

watering /ˈwɔːtərɪŋ/ *n* Hort arrosage *m*; Agric irrigation *f*

watering can *n* arrosoir *m*

watering hole *n* **1** Geog point *m* d'eau; **2** °(bar) bar *m*

watering place *n* **1** †(resort) station *f* balnéaire; **2** †(spa) station *f* thermale; **3** °(pub) bar *m*

water: ~ **jacket** *n* Tech, Aut chemise *f* d'eau; ~ **jump** *n* Sport, Equit rivière *f*; ~ **level** *n* niveau *m* d'eau; ~ **lily** *n* nénuphar *m*; ~ **line** *n* Naut ligne *f* de flottaison; **~logged** *adj* [*ground, pitch*] détrempé; [*carpet*] plein d'eau; [*ship*] plein d'eau

Waterloo /ˌwɔːtəˈluː/ *pr n* Waterloo; **battle of ~** bataille *f* de Waterloo

(Idiom) **to meet one's ~** trouver son maître

water main *n* canalisation *f* d'eau

watermark /ˈwɔːtəmɑːk/

A *n* **1** (indication of highest level) (of sea) laisse *f*; (of river) ligne *f* des hautes eaux; **2** Naut = **water line**; **3** Print (on paper, banknote) filigrane *m*

B *vtr* Print filigraner

water: ~ **meadow** *n* Geog prairie *f* inondable; **~melon** *n* pastèque *f*, melon *m* d'eau; ~ **mill** *n* moulin *m* à eau; ~ **nymph** *n* Mythol Naïade *f*; ~ **on the brain** ▸ **p. 1327** *n* Med hydrocéphalie *f*

water on the knee ▸ **p. 1327** *n* Med épanchement *m* de synovie; **to have ~** avoir un épanchement de synovie

water: ~ **pistol** *n* pistolet *m* à eau; ~ **polo** ▸ **p. 1253** *n* Sport water-polo *m*; ~ **power** *n* énergie *f* hydraulique

waterproof /ˈwɔːtəpruːf/

A *n* (coat) imperméable *m*

B **waterproofs** *npl* vêtements *mpl* imperméables

C *adj* [*material, coat*] imperméable; [*watch, make-up*] résistant à l'eau

D *vtr* imperméabiliser

water: **~proofing** *n* imperméabilisation *f*; ~ **purifying tablet** *n* pastille *f* pour purifier l'eau; ~ **rail** *n* râle *m* (d'eau); ~ **rat** *n* rat *m* d'eau; ~ **rates** *npl* GB Admin taxe *f* sur l'eau; **~-repellent** *adj* [*fabric, coat, spray*] imperméable; **~-resistant** *adj* qui resiste à l'eau (*after n*); ~ **retention** *n* Med (inability to pass water) rétention *f* d'urines; (bloating) rétention *f* d'eau; **~scape** *n* Art paysage *m* d'eau; **~shed** *n* Geog ligne *f* de partage des eaux; fig (turning point) tournant *m*; **~shed hour** *n* GB TV *heure après laquelle les émissions déconseillées aux enfants peuvent être diffusées*

waterside /ˈwɔːtəsaɪd/

A *n* bord *m* de l'eau

B *modif* [*cafe, hotel, house*] au bord de l'eau; [*plant, wildlife*] du bord de l'eau

water-ski /ˈwɔːtəskiː/ Sport

A *n* ski *m* nautique

B *vi* faire du ski nautique

water-skier /ˈwɔːtəskiːə(r)/ *n* skieur/-euse *m/f* nautique

water-skiing /ˈwɔːtəskiːɪŋ/ ▸ **p. 1253** *n* ski *m* nautique; **to go ~** faire du ski nautique

water: ~ **slide** *n* toboggan *m* de piscine; ~ **softener** *n* (equipment) adoucisseur *m* (d'eau); (substance) adoucissant *m*; **~-soluble** *adj* soluble dans l'eau; ~ **spaniel** *n* water spaniel *m*, épagneul *m* d'eau; ~ **spider** *n* argyronète *f*; ~ **sport** ▸ **p. 1253** *n* sport *m* nautique; **~spout** *n* Meteorol trombe *f*; (pipe) tuyau *m* de descente

water supply *n* **1** (service) (in an area, region) approvisionnement *m* en eau; (to a building) alimentation *f* en eau; **they've cut off our ~** ils ont coupé l'eau; **2** (ration) provision *f* d'eau

water system *n* **1** Geog réseau *m* hydrographique; **2** (network of pipes) (for town) système *m* d'approvisionnement en eau; (for building) système *m* d'alimentation en eau

water table *n* Geog niveau *m* hydrostatique

watertight /ˈwɔːtətaɪt/ *adj* **1** lit [*container, joint, seal*] étanche; **2** fig (perfect) [*cordon, defence system*] infaillible; **3** fig (irrefutable) [*argument, case*] incontestable; [*alibi*] irréfutable

water: ~ **tower** *n* château *m* d'eau; ~ **treatment** *n* traitement *m* des eaux; ~ **trough** *n* abreuvoir *m*; **~way** *n* Geog, Transp voie *f* navigable; **~weed** *n* Bot plante *f* aquatique; ~ **wheel** *n* roue *f* hydraulique; ~ **wings** *npl* bracelets *mpl* de natation

waterworks /ˈwɔːtəwɜːks/ *n* **1** Tech station *f* de pompage; **2** ○euph voies *fpl* urinaires; **3** US (distribution network) système *m* hydraulique

(Idiom) **she turned on the ~** c'était les grandes eaux

watery /ˈwɔːtərɪ/ *adj* **1** (too dilute) [*coffee*] trop léger/-ère; [*consistency, paint, sauce*] trop liquide; **2** (insipid) [*colour, moon, sun, smile*] pâle; **3** (full of tears) [*eye*] plein de larmes; **4** (secreting liquid) [*eye*] qui pleure; [*wound*] qui suinte; **5** (badly drained) [*vegetables*] mal égoutté

(Idiom) **he/the Titanic is lying in a ~ grave** il/le Titanic gît au fond des mers

watt /wɒt/ *n* watt *m*; **100-~ bulb** ampoule de 100 watts

wattage /ˈwɒtɪdʒ/ *n* puissance *f* en watts

wattle /ˈwɒtl/ *n* **1** Hist, Constr clayonnage *m*; **2** Zool (skin flap) caroncule *f*; **3** Bot (tree) acacia *m*

wattle and daub /ˌwɒtl ən ˈdɔːb/ *n* Hist, Constr clayonnage *m* enduit de torchis

wave /weɪv/

A *n* **1** (hand gesture) signe *m* (de la main); **to give sb a ~** faire un signe de la main à qn; **she gave him a ~ from the bus** elle lui a fait signe du bus; **with a ~, she disappeared** après un signe (de la main) elle a disparu; **to greet sb with a ~** accueillir qn d'un signe de la main; **to dismiss objections with a ~** balayer des objections d'un geste; **with a ~ of his wand** d'un coup de baguette magique; **2** (of water) vague *f*; **a 10-metre ~** une vague de 10 mètres; **to make ~s** [*wind*] faire des vagues; fig (cause a stir) faire du bruit; (cause trouble) créer des histoires; **3** (outbreak) vague *f*; **a ~ of arrests/sympathy/strikes** une vague d'arrestations/de solidarité/de grèves; **to occur in ~s** se produire par vagues; **4** (surge) vague *f*; **a ~ of heat/settlers** une vague de chaleur/colons; **5** (in hair) cran *m*; **6** Phys onde *f*; **radio/light ~s** ondes radio/lumineuses; **7** (in sand etc) ondulation *f*

B **waves** *npl* littér **the ~s** les flots *mpl*

C *vtr* **1** (move from side to side) agiter [*ticket, banknote, piece of paper, flag, handkerchief*]; brandir [*umbrella, stick, gun*]; **to ~ sth at sb** agiter qch devant qn [*ticket, flag*]; brandir qch en direction de qn [*gun, stick*]; **to ~ one's magic wand** donner un coup de baguette magique (**over** à); **2** **to ~ goodbye to** faire au revoir de la main à [*person*]; fig **you can ~ goodbye to your chances of winning** tu peux dire adieu à tes chances de gagner; **3** (direct) **they ~ed us on/away/through** ils nous ont fait signe d'avancer/de nous éloigner/de passer; **4** (at hairdresser's) **to have one's hair ~d** se faire faire une mise en plis

D *vi* **1** (with hand) **to ~ to** *ou* **at sb** saluer qn de la main; **to ~ to sb to do** faire signe à qn de faire; **to ~ frantically at sb** gesticuler en direction de qn; **2** (move gently) [*branches*] onduler; [*corn*] ondoyer; [*flag*] flotter au vent

(Phrasal verbs) ■ **wave around, wave about**: ▸ **~ around** [*flag, washing*] flotter; ▸ **~ [sth] around** brandir [*stick, umbrella, gun*]; **don't ~ that gun around!** ne jouez pas avec cette arme! ; **to ~ one's arms around** agiter les bras dans tous les sens

■ **wave aside**: ▸ **~ [sth] aside, ~ aside [sth]** repousser [qch] d'un geste [*suggestion, offer*]; ▸ **~ [sb] aside** écarter qn

■ **wave off**: ▸ **~ [sb] off, ~ off [sb]** faire au revoir de la main à qn

wave: **~ action** *n* action *f* des vagues; **~ band** *n* bande *f* de fréquence; **~ energy** *n* = **wave power**; **~ form** *n* forme *f* d'onde

wavelength /ˈweɪvleŋθ/ *n* Phys, Radio longueur *f* d'onde

(Idiom) **to be on the same ~ as sb** être sur la même longueur d'onde que qn

wavelet /ˈweɪvlɪt/ *n* littér vaguelette *f*

wave: **~ mechanics** *n* mécanique *f* ondulatoire; **~ power** *n* énergie *f* des vagues

waver /ˈweɪvə(r)/

A *vi* **1** (wobble, weaken) [*person, stare, look*] vaciller; [*courage, determination, faith, love*] faiblir; [*voice*] trembler; **to ~ from** changer [*decision, stance*]; **2** (flicker) [*flame, light*] vaciller; [*needle*] osciller; **3** (hesitate) hésiter; **to ~ over** hésiter sur [*decision, choice*]; **to ~ between** hésiter entre; **4** (change) [*health, fortunes*] avoir des hauts et des bas; **to ~ between** balancer entre

B **wavering** *pres p adj* [*person, politician, voice*] hésitant; [*voter*] indécis; [*confidence, courage, faith, flame*] vacillant

waverer /ˈweɪvərə(r)/ *n* indécis/-e *m/f*

wavering /ˈweɪvərɪŋ/ *n* **1** (hesitation) hésitation *f*; **2** (wobble) (of flame) vacillement *m*; (of voice) tremblement *m* (**of** dans)

wavy /ˈweɪvɪ/ *adj* [*hair, line*] ondulé

wax /wæks/

A *n* **1** gen (for candle, sealing, polishing, records) cire *f*; **2** (for skis) fart *m*; **3** Chem, Tech (mineral wax) paraffine *f*; **4** (in ear) cérumen *m*

B *modif* [*candle, figure, polish, seal*] en cire

C *vtr* **1** (polish) cirer [*floor, table*]; lustrer [*car*]; farter [*ski*]; **2** Cosmet épiler [qch] à la cire [*leg*]

D *vi* **1** Astron [*moon*] croître; **to ~ and wane** Astron, fig croître et décroître; **2** (speak) **to ~ eloquent/indignant** se montrer éloquent/indigné (**about, over** à propos de); **to ~ lyrical** disserter avec lyrisme (**about, over** à propos de)

E **waxed** *pp adj* [*fabric, floor, moustache, table*] ciré; [*paper*] paraffiné; [*thread*] poissé; **~ed jacket** GB ciré *m*

wax bean *n* US Culin, Bot haricot *m* beurre

waxen /ˈwæksn/ *adj* littér [*face, skin*] cireux/-euse

waxing /ˈwæksɪŋ/ *n* **1** (of floor, table) cirage *m*; **2** (of car) lustrage *m*; **3** (of skis) fartage *m*; **4** Cosmet épilation *f* à la cire

wax: **~ museum** *n* musée *m* de cire; **~ paper** *n* papier *m* paraffiné

waxwing /ˈwækswɪŋ/ *n* Zool jaseur *m*

wax: **~work** *n* personnage *m* en cire; **~works** *n* (+ *v sg ou pl*) musée *m* de cire

waxy /ˈwæksɪ/ *adj* [*skin, texture*] cireux/-euse; [*potato*] ferme

way /weɪ/

A *n* **1** (route, road) chemin *m* (**from** de; **to** à); **a paved ~** un chemin pavé; **to live over the ~**○ habiter en face; **the quickest ~ to town** le chemin le plus court pour aller en ville; **if we go this ~ we avoid the traffic** si nous prenons cette route nous éviterons la circulation; **to ask the ~ to** demander le chemin pour aller à; **which is the best ~ to the station?** quel est le meilleur chemin *or* le chemin le plus court pour aller à la gare?; **can you tell me the ~ to the museum?** pouvez-vous m'indiquer le chemin pour aller au musée?; **to find one's ~** trouver son chemin; **how did that find its ~ in here?** comment est-ce que c'est arrivé ici?; **the ~ ahead** lit le chemin devant moi/eux etc; **the ~ ahead looks difficult** fig l'avenir s'annonce difficile; **a ~ around** lit un chemin pour contourner [*obstacle*]; **there is no ~ around the problem** il n'y a pas moyen de contourner le problème; **to take the long ~ around** prendre le chemin le plus long; **the ~ back to** le chemin pour retourner à; **I telephoned on the ~ back** j'ai téléphoné sur le chemin du retour; **on the ~ back from the meeting** en revenant de la réunion; **the ~ down** le chemin pour descendre, la descente; **she was hurt on the ~ down** elle s'est blessée en descendant; **the ~ forward** fig la clé de l'avenir; **the ~ forward is to...** la clé de l'avenir consiste à...; **the ~ in** l'entrée (**to** de); **'~ in'** 'entrée'; **the ~ out** la sortie (**of** de); **the quickest ~ out is through here** c'est par ici que l'on sort le plus vite; **there's no ~ out** fig il n'y a pas d'échappatoire; **a ~ out of our difficulties** un moyen de nous sortir de nos difficultés *or* de nous en sortir; **the ~ up** la montée; **on the ~** en route; **we're on the ~ to Mary's** nous allons chez Mary; **I did it on the ~ here** je l'ai fait en venant ici; **I stopped on the ~** je me suis arrêté en (cours de) route; **on the ~ past** en passant; **I'm on my ~** j'arrive; **she's on her ~ over** elle arrive; **on your ~ through town, look out for the cathedral** en traversant la ville essaie de voir la cathédrale; **the shop is on the/my ~** le magasin est sur le/mon chemin; **his house is on your ~ to town** tu passes devant chez lui en allant au centre-ville; **it's not on my ~** ce n'est pas sur mon chemin; **I must be on my ~** il faut que je parte; **to go on one's ~** se remettre en route; **to send sb on his ~** (tell to go away) envoyer promener qn○; **she sent him on his ~ with an apple** elle lui a donné une pomme pour la route; **to be on one's ~ to victory** être sur le chemin de la victoire; **to be on the ~ to disaster** aller à la catastrophe; **to be well on the** *ou* **one's ~ to doing** être bien parti pour faire; **to be on the ~ out** fig passer de mode; **she's got four kids and another one on the ~**○ elle a quatre gosses et un autre en route○; **to be out of sb's ~** ne pas être sur le chemin de qn; **sorry to have taken you out of your ~** désolé de t'avoir fait faire un détour; **don't go out of your ~ to do** ne t'embête pas à faire; **to go out of one's ~ to make sb feel uncomfortable** tout faire pour que qn se sente mal à l'aise; **out of the ~** (isolated) isolé; (unusual) extraordinaire; **along the ~** lit en chemin; fig en cours de route; **by ~ of** (via) en passant par; **to go one's own ~** fig suivre son chemin; **they decided to go their separate ~s** (of couple) ils ont décidé de suivre chacun son chemin; **there we went our separate ~s** là chacun est parti de son côté; **to go the ~ of sb/sth** finir comme qn/qch; **to make one's ~ towards** se diriger vers; **to make one's ~ along** avancer le long de; **the procession makes its solemn ~ through London** la procession avance solennellement dans Londres; **to make one's own ~ there/home** se débrouiller seul pour y arriver/pour rentrer; **to make one's own ~ in life** faire son chemin tout seul dans la vie; **to push one's ~ through sth** se frayer un chemin à travers qch; **to argue/lie one's ~ out of trouble** se sortir d'affaire en argumentant/en mentant **2** (direction) direction *f*, sens *m*; **which ~ is the arrow pointing?** quelle direction indique la flèche?; **which ~ did he go?** dans quelle direction est-il parti?; **he went that ~** il est parti par là; **south is that ~** le sud est dans cette direction *or* par là; **come** *ou* **step this ~** suivez-moi, venez par ici; **can we get to the park this ~?** est-ce que l'on peut aller au parc par ici?; **'this ~ for the zoo'** 'vers le zoo'; **she's heading this ~** elle vient par ici; **'this ~ up'** 'haut'; **look/turn this ~** regarde/tourne-toi par ici; **to look this ~ and that** regarder dans toutes les directions; **to run this ~ and that** courir dans tous les sens; **to look both ~s** regarder des deux côtés ; **to look the other ~** (to see) regarder de l'autre côté; (to avoid seeing unpleasant thing) détourner les yeux; fig (to ignore wrong doing) fermer les yeux; **to go every which ~** partir dans tous les sens; **the other ~ up** dans l'autre sens; **the right ~ up** dans le bon sens; **the wrong ~ up** à l'envers; **to turn sth the other ~ around** retourner qch; **to do it the other ~ around** faire le contraire; **I didn't ask her, it was the other ~ around** ce n'est pas moi qui lui ai demandé, c'est l'inverse; **the wrong/right ~ around** dans le mauvais/bon sens; **to put one's skirt on the wrong ~ around** mettre sa jupe à l'envers; **you're Ben and you're Tom, is that the right ~ around?** tu es Ben, et toi tu es Tom, c'est bien ça?; **you're going the right ~** tu vas dans le bon sens *or* la bonne direction; **you're going the right ~ to get a smack** tu es bien parti pour te prendre une claque;

W

are you going my ~? est-ce que tu vas dans la même direction que moi?; **if you're ever down our ~** si jamais tu passes près de chez nous; **over Manchester ~** du côté de Manchester; **she's coming our ~** elle vient vers nous; **an opportunity came my ~** une occasion s'est présentée; **to put sth sb's ~**○ filer qch à qn○; **everything's going my/his ~** tout me/lui sourit

3 (space in front, projected route) passage *m*; **to bar/block sb's ~** barrer/bloquer le passage à qn; **to be in sb's ~** empêcher qn de passer; **to be in the ~** gêner le passage; **am I in your ~ here?** est-ce que je te gêne comme ça?; **to get in sb's ~** [*hair, clothing*] gêner qn; [*children*] être dans les jambes de qn; **anyone who gets in his ~ gets knocked down** fig quiconque se met en travers de son chemin se fait envoyer au tapis○; **she won't let anything get in the ~ of her ambition** elle ne laissera rien entraver son ambition; **to get out of the ~** s'écarter (du chemin); **to get out of sb's ~** laisser passer qn; **put that somewhere out of the ~** mets ça quelque part où ça ne gêne pas; **she couldn't get out of the ~ in time** elle n'a pas pu s'écarter à temps; **out of my ~!** pousse-toi!; **get your car out of my ~!** pousse ta voiture!; **get him out of the ~ before the boss gets here!** fais-le disparaître d'ici avant que le patron arrive!; **if only he were out of the ~...** si seulement on pouvait se débarrasser de lui...; **let me get lunch out of the ~** laisse-moi en terminer avec le déjeuner; **once the election is out of the ~** une fois les élections passées; **to keep out of the ~** rester à l'écart; **to keep out of sb's ~** éviter qn; **to keep sb out of sb's ~** (to avoid annoyance) tenir qn à l'écart de qn; **to keep sth out of sb's ~** (to avoid injury, harm) garder qch hors de portée de qn; **to shove/pull sb out of the ~** écarter qn; **to make ~** s'écarter; **to make ~ for sb/sth** faire place à qn/qch; **make ~ for the mayor!** place au maire!; **make ~! make ~!** place! place!; **it's time he made ~ for someone younger** il est temps qu'il laisse la place à quelqu'un de plus jeune

4 (distance) distance *f*; **it's a long ~** c'est loin (to jusqu'à); **it's not a very long ~** ce n'est pas très loin; **to be a short ~ off** lit être près; **my birthday is still some ~ off** mon anniversaire est encore loin; **we still have some ~ to go before doing** lit, fig nous avons encore du chemin à faire avant de faire; **to go all the ~ on foot/by bus** faire tout le chemin à pied/en bus; **to go all the ~ to China with sb** faire tout le voyage jusqu'en Chine avec qn; **there are cafés all the ~ along the road** il y a des cafés tout le long de la rue; **I'm with you** *ou* **behind you all the ~** je suis de tout cœur avec toi, je te soutiendrai jusqu'au bout; **to go all the ~**○ (have sex) [*two people*] coucher ensemble; **to go all the ~ with sb**○ coucher avec qn

5 (manner of doing something) façon *f*, manière *f*; **do it this/that ~** fais-le comme ceci/cela; **you won't convince her that ~** tu ne vas pas la convaincre de cette façon *or* manière; **which ~ shall I do it?** de quelle façon *or* manière dois-je le faire?; **let me explain it another ~** laisse-moi t'expliquer autrement; **to do sth the French ~** faire qch comme les Français; **to do sth the right/wrong ~** faire bien/mal qch; **you're going about it the wrong ~** tu t'y prends très mal; **he said it in such a hostile ~ that...** il l'a dit de façon tellement hostile que...; **in the usual ~** de la façon habituelle; **let her do it her ~** laisse-la faire à sa façon *or* manière; **that's not her ~** ce n'est pas sa façon de faire; **try to see it my ~** mets-toi à ma place; **in his/her/its own ~** à sa façon; **they're nice people in their own ~** ce sont des gens sympathiques à leur façon; **to have a ~ with sth** s'y connaître en qch; **to have a ~ with children** savoir s'y prendre avec les enfants; **she certainly has a ~ with her**○ GB elle sait décidément s'y prendre avec les gens; **a ~ of doing** (method) une façon *or* manière de faire; (means) un moyen de faire; **there's no ~ of knowing/judging** il n'y a pas moyen de savoir/juger; **to my ~ of thinking** à mon avis; **that's one ~ of looking at it** c'est une façon de voir les choses; **a ~ to do** une façon *or* manière de faire; **what a horrible ~ to die** quelle façon horrible de mourir; **that's the ~ to do it!** voilà comment il faut s'y prendre!; **that's the ~!** voilà, c'est bien!; **~ to go**○**!** US voilà qui est bien○!; **that's no ~ to treat a child** ce n'est pas une façon de traiter les enfants; **what a ~ to run a company!** en voilà une façon de gérer une entreprise!; **the ~ (that) sb does sth** la façon *or* manière dont qn fait qch; **I like the ~ he dresses** j'aime la façon dont il s'habille, j'aime sa façon de s'habiller; **I like the ~ you blame me!** iron c'est toi qui me fais des reproches!; **that's not the ~ we do things here** ce n'est pas notre façon de faire ici; **whichever ~ you look at it** de quelque façon que tu envisages les choses; **either ~, she's wrong** de toute façon, elle a tort; **one ~ or another** d'une façon ou d'une autre; **one ~ and another it's been rather eventful** tout compte fait ça a été assez mouvementé; **I don't care one ~ or the other** ça m'est égal; **no two ~s about it** cela ne fait aucun doute; **you can't have it both ~s** on ne peut pas avoir le beurre et l'argent du beurre; **no ~**○**!** pas question○!; **no ~ am I doing that**○**!** pas question que je fasse ça○!

6 (respect, aspect) sens *m*; **in a ~ it's sad** en un sens *or* d'une certaine façon c'est triste; **in a ~ that's true/she was responsible** dans une certaine mesure c'est vrai/elle était responsable; **can I help in any ~?** puis-je faire quoi que ce soit?; **would it make things easier in any ~ if...** est-ce que cela simplifierait un peu les choses si...; **without wanting to criticize in any ~** sans vouloir le moins du monde critiquer; **it was unforgivable in every ~** c'était impardonnable à tous points de vue; **in every ~ possible** dans la mesure du possible; **in many ~s** à bien des égards; **in more ~s than one** à plus d'un égard; **in some ~s** à certains égards; **in that ~ you're right** à cet égard *or* en ce sens tu as raison; **in no ~, not in any ~** aucunement, en aucune façon; **in no ~ are you to blame** ce n'est aucunement ta faute; **this is in no ~ a criticism** cela n'est en aucune façon une critique; **not much in the ~ of news/work** il n'y a pas beaucoup de nouvelles/travail; **what have you got in the ~ of drinks?** qu'est-ce que vous avez comme boissons *or* à boire?; **by ~ of light relief** en guise de divertissement; **in a general ~** (generally) en général; **in the ordinary ~** (ordinarily) d'ordinaire

7 (custom, manner) coutume *f*, manière *f*; **you'll soon get used to our ~s** tu t'habitueras vite à nos coutumes; **the old ~s** les coutumes d'autrefois; **that's the modern ~** c'est la coutume d'aujourd'hui, c'est comme ça de nos jours; **I know all her little ~s** je connais toutes ses petites habitudes; **he's rather strange in his ~s** il a des habitudes un peu bizarres; **she's got a funny ~ of suddenly raising her voice** elle a une façon curieuse d'élever brusquement la voix; **that's just his ~** il est comme ça; **it's not my ~ to complain but...** ce n'est pas mon genre *or* dans mes habitudes de me plaindre mais...; **it's the ~ of the world** c'est la vie, ainsi va le monde

8 (will, desire) **to get one's ~, to have one's own ~** faire à son idée; **she likes (to have) her own ~** elle aime n'en faire qu'à sa tête; **if I had my ~...** si cela ne tenait qu'à moi...; **have it your (own) ~** comme tu voudras; **she didn't have it all her own ~** elle n'a pas pu en faire qu'à son idée; **Leeds had things all their own ~** Sport Leeds a complètement dominé le match; **to have one's (wicked) ~ with sb**† *ou* hum arriver à ses fins avec qn

B *adv* **to live ~ beyond one's means** vivre largement au-dessus de ses moyens; **we went ~ over budget** le budget a été largement dépassé; **to be ~ out** (in guess, estimate) [*person*] être loin du compte; **to be ~ more expensive/dangerous** être bien plus coûteux/dangereux; **to go ~ beyond what is necessary** aller bien au-delà de ce qui est nécessaire; **that's ~ out of order** je trouve ça un peu fort

C **by the way** *adv phr* [*tell, mention*] en passant; **by the ~,...** à propos,...; **what time is it, by the ~?** quelle heure est-il, au fait?; **and she, by the ~, is French** et elle, à propos, est française; **but that's just by the ~** mais ce n'est qu'une parenthèse

way: **~bill** *n* lettre *f* de voiture; **~farer** *n* littér voyageur/-euse *m/f*

waylay /ˌweɪˈleɪ/ *vtr* (*prét, pp* **-laid**) [*bandit, attacker*] attaquer; [*beggar, questioner, friend*] arrêter, harponner○ hum

way: **~ of life** *n* mode *m* de vie; **Way of the Cross** *n* chemin *m* de Croix

way-out○ /ˌweɪˈaʊt/ *adj* **1** (unconventional) excentrique; **2** †(great) super○, formidable

way: **~s and means** *npl* moyens *mpl*; **Ways and Means (Committee)** *n* Pol Commission *f* des Finances

wayside /ˈweɪsaɪd/

A *n* littér bord *m* de la route; **at/by the ~** au bord de la route

B *modif* [*inn, café, flowers*] au bord de la route

(Idiom) **to fall by the ~** (stray morally) quitter le droit chemin; (fail, not stay the course) être éliminé; (be cancelled, fall through) tomber à l'eau

way station *n* **1** lit petite gare *f*; **2** fig étape *f*

wayward /ˈweɪwəd/ *adj* [*child, person, nature*] difficile, rétif/-ive; [*missile, horse*] incontrôlable; [*husband, wife*] volage

waywardness /ˈweɪwədnɪs/ *n* (wilfulness) naturel *m* difficile; (capriciousness) inconstance *f*

wazzock○ /ˈwæzək/ *n* GB imbécile○ *m*

WC *n* GB (*abrév* = **water closet**) WC *mpl*

WCC *n*: *abrév* ▸ **World Council of Churches**

we /wiː, wɪ/

> ⚠ In standard French, *we* is translated by *nous* but in informal French *on* is frequently used: *we're going to the cinema* = nous allons au cinéma *or* (*more informally*) on va au cinéma.
> *on* is also used in correct French to refer to a large, vaguely defined group: *we shouldn't lie to our children* = on ne devrait pas mentir à ses enfants. For particular usages see the entry below.

pron nous; **~ saw her yesterday** nous l'avons vue hier; **~ left at six** gen nous sommes partis à six heures; (informal) on est partis○ à six heures; **~ Scots like the sun** nous autres Écossais, nous aimons le soleil; WE **didn't say that** gen nous, nous n'avons pas dit cela; (informal) nous, on n'a pas dit ça○; **~ four are agreed that** nous quatre sommes convenus que; **~ all make mistakes** tout le monde peut se tromper

WEA *n* GB (*abrév* = **Workers' Educational Association**) *association britannique pour l'éducation populaire*

weak /wiːk/

A *n* **the ~** (+ *v pl*) les faibles *mpl*

B *adj* **1** (in bodily functions) [*person, animal, muscle, limb*] faible; [*health, ankle, eyes, chest, bladder, nerves*] fragile; [*digestion*] difficile; [*stomach*] délicat; [*intellect*] médiocre; [*memory*] défaillant; [*chin*] fuyant; [*mouth*] tombant; **to have a ~ heart** avoir le cœur fragile; **to be ~ with** *ou* **from** être affaibli par [*hunger, excitement, fear*]; **to grow** *ou* **become ~(er)** [*person*] s'affaiblir; [*pulse, heartbeat*] faiblir; **2** Constr [*beam, support*] peu solide; [*structure*] fragile; **to have a ~ leg** [*chair*] avoir un pied qui n'est pas très solide; **3** (lacking authority, strength) [*government, team, president, army*] faible; [*parent,* *teacher*] (not firm) qui manque de fermeté; (poor) piètre (*before n*); [*essay, pupil, performance*] faible; [*script, novel*] inconsistant; [*plot*] mince; [*actor, protest, excuse, argument*] peu convaincant; [*evidence*] peu concluant; ~ **link** *ou* **point** *ou* **spot** lit, fig point *m* faible; **he's ~ in** *ou* **at French, his French is ~** il est faible en français; **to grow** *ou* **become ~er** [*government, team*] s'affaiblir; [*position*] devenir de plus en plus précaire; **in a ~ moment** dans un moment de faiblesse; **4** (faint, lacking substance) [*light, current, signal, lens, concentration, acid, sound, laugh*] faible; [*tea, coffee*] léger/-ère; [*solution*] dilué; **to give a ~ smile** faire un faible sourire; **5** Econ, Fin [*market, economy, demand, dollar*] faible (**against** par rapport à); [*share*] à bas prix; **6** Ling (regular) faible; (unaccented) inaccentué; **7** Games (in cards) [*hand, card*] mauvais; [*suit*] faible

weaken /ˈwiːkən/
A *vtr* **1** [*illness, climate*] affaiblir [*person, heart, system*]; saper [*stamina*]; diminuer [*resistance*]; **2** [*explosion, stress*] affaiblir [*structure, beam*]; rendre [qch] moins solide [*joint, bank, wall*]; **3** [*event, discovery*] nuire à l'autorité de [*government, president*]; affaiblir [*team, company, authority, resolve, cause, defence*]; diminuer [*support, influence*]; amoindrir [*argument, power*]; nuire à [*morale*]; ébranler [*will*]; **4** (dilute) diluer [*solution, concentration*]; **5** Econ, Fin affaiblir [*economy, currency*]; faire baisser [*prices, demand, shares*]
B *vi* **1** (physically) [*person, muscles*] s'affaiblir; [*grip*] se relâcher; **2** (lose power) [*government, president, country, resistance, resolve*] fléchir; [*support, alliance*] se relâcher; [*friendship, love*] faiblir; **3** Econ, Fin [*economy, market, currency*] être en baisse

weakening /ˈwiːkənɪŋ/ *n* **1** (physical) (of person, health, eyesight) affaiblissement *m*; (of structure) dégradation *f*; **2** (loss of power) (of government, company, authority, resolve, cause) affaiblissement *m*; (of ties, alliance, friendship) relâchement *m*; **3** Fin (of market, economy, currency) affaiblissement *m*

weak-kneed /ˌwiːkˈniːd/ *adj* [*person, agreement*] faible, pusillanime

weakling /ˈwiːklɪŋ/ *n* **1** (person) (physically) gringalet *m*; (morally) mauviette *f*; **2** (animal) animal *m* chétif

weakly /ˈwiːklɪ/ *adv* **1** (without physical force) [*move, struggle*] faiblement; **2** (ineffectually) [*smile, say, protest*] mollement; **a ~-worded protest** une vague protestation

weak-minded /ˌwiːkˈmaɪndɪd/ *adj* **1** (indecisive) irrésolu; **2** euph (simple) faible d'esprit

weakness /ˈwiːknɪs/ *n* **1** (weak point) (of person, argument, institution) point *m* faible; **2** (liking) faible *m*, penchant *m* (**for** pour); **3** (physical) (of person, limb, eyesight, heart, memory) faiblesse *f*; (of stomach, digestion) délicatesse *f*; (of beam, structure) fragilité *f*; **4** (lack of authority) (of government, army, teacher, plot, argument, protest) faiblesse *f*; (of evidence, position) fragilité *f*; **5** (faintness, dilution) (of light, current, sound, lens, smile, voice) faiblesse *f*; (of tea, solution, concentration) légèreté *f*; **6** Econ, Fin (of economy, pound, dollar) faiblesse *f*

weak-willed /ˌwiːkˈwɪld/ *adj* **to be ~** manquer de fermeté

weal /wiːl/ *n* **1** (mark) marque *f* (*de coup*); **2** ‡**the public** *ou* **common ~** le bien commun

wealth /welθ/ *n* **1** (possessions) fortune *f*, richesses *fpl*; **2** (state) richesse *f*; **national ~** richesse nationale; **'The Wealth of Nations'** 'La Richesse des Nations'; **3** (resources) richesses *fpl*, ressources *fpl*; **mineral ~** richesses *or* ressources minières; **4** (large amount) **a ~ of** une mine de [*information, opportunity*]; une profusion de [*detail, ideas*]; énormément de [*experience, talent*]; un grand nombre de [*books, documents*]

wealth tax *n* GB impôt *m* sur la fortune

wealthy /ˈwelθɪ/ *adj* riche

wean /wiːn/
A *vtr* **1** lit sevrer [*baby*]; **to ~ a baby onto solids** sevrer un bébé et lui donner une alimentation solide; **2** fig **to ~ sb away from** *ou* **off sth** détourner qn de qch; **to ~ sb from/onto sth** faire passer qn de/à qch; **to be ~ed on sth** être nourri de qch
B *v refl* **to ~ oneself off sth** se sevrer de qch

weaning /ˈwiːnɪŋ/ *n* sevrage *m*; **early ~** sevrage rapide

weapon /ˈwepən/
A *n* lit, fig arme *f*; **to use sth as a ~** utiliser qch comme arme; **~ of mass destruction** arme *f* de destruction massive
B *modif* (*also* **weapons**) [*capability, factory, manufacturer, system*] d'armes

weaponry /ˈwepənrɪ/ *n* ¢ matériel *m* de guerre; **antisatellite ~** armement *m* antisatellite

wear /weə(r)/
A *n* ¢ **1** (clothing) vêtements *mpl*; **children's/beach ~** vêtements pour enfants/de plage; **in beach/sports ~** en tenue *f* de plage/de sport
2 (use) **for everyday ~** de tous les jours; **for summer ~** pour l'été; **to stretch with ~** [*shoes*] s'assouplir à l'usage; **I've had three years' ~ out of these boots** ces bottes m'ont duré trois ans; **there's some ~ left in these tyres** ces pneus ne sont pas encore usés; **there's still a few months' ~ in this shirt** cette chemise peut encore servir quelques mois
3 (damage) usure *f* (**on** de); **~ and tear** usure *f*; **fair** *ou* **normal ~ and tear** usure normale; **to stand up to ~** résister à l'usure; **to get hard** *ou* **heavy ~** servir beaucoup; **there are signs of ~ on the brake linings** les garnitures de freins sont un peu usées; **to show signs of ~** commencer à être usé; **to look the worse for ~** (damaged) être abîmé; **to be somewhat the worse for ~** (drunk) être ivre; (tired) être épuisé
B *vtr* (*prét* **wore**; *pp* **worn**) **1** (be dressed in) porter [*garment, jewellery, earphones etc*]; **to ~ blue** s'habiller en bleu; **to ~ one's hair long/short** avoir les cheveux longs/courts; **to ~ one's hair in a bun** porter un chignon; **to ~ a ribbon in one's hair** avoir un ruban dans les cheveux; **to ~ one's skirts long** s'habiller long; **to ~ one's clothes loose** aimer les vêtements lâches
2 (put on) mettre [*garment, jewellery etc*]; **what are you ~ing tonight?** qu'est-ce que tu vas mettre ce soir?; **what should I ~?** qu'est-ce que je devrais mettre?; **I haven't got a thing to ~** je n'ai rien à me mettre
3 (use) mettre [*perfume, sun-cream*]; **to ~ make-up** se maquiller; **she's ~ing make-up** elle est maquillée
4 (display) **he** *ou* **his face wore a puzzled frown** il fronçait les sourcils d'un air perplexe; **her face wore a smug expression** elle avait un air plein de suffisance
5 (damage by use) user [*carpet, clothes, clutch, component*]; **to be worn to a thread** être usé jusqu'à la corde; **to ~ a hole in** trouer [*garment, sheet*]; **to ~ a track/a groove in** creuser un sentier/une rigole dans
6 °(accept) tolérer [*behaviour, attitude*]; accepter [*excuse*]
C *vi* (*prét* **wore**; *pp* **worn**) **1** (become damaged) [*carpet, garment, shoes*] s'user; **my patience is ~ing thin** je commence à être à bout de patience
2 (withstand use) **a carpet/fabric that will ~ well** un tapis/tissu solide; **he's worn very well** fig il est encore bien pour son âge

Phrasal verbs ■ **wear away**: ▸ **~ away** [*inscription*] s'effacer; [*tread, cliff, façade*] s'user; ▸ **~ away [sth], ~ [sth] away** [*water*] ronger; [*footsteps, friction, rubbing*] user
■ **wear down**: ▸ **~ down** [*heel, step, tread*] s'user; **to be worn down** être usé; ▸ **~ down [sth], ~ [sth] down** **1** (damage) [*friction, person, water*] user; **2** fig (weaken) saper [*resistance, resolve, will*]; ▸ **~ [sb] down** épuiser
■ **wear off**: ▸ **~ off** **1** (lose effect) [*anaesthetic, drug, effect*] se dissiper; [*feeling, sensation*] passer; **the novelty will soon ~ off** ça n'aura bientôt plus l'attrait de la nouveauté; **2** (come off) [*paint, gold plate*] s'effacer; ▸ **~ [sth] off, ~ off [sth]** faire partir [*paint, varnish*]; effacer [*inscription*]
■ **wear on** [*day, evening*] s'avancer; **as the evening wore on** à mesure que la soirée s'avançait
■ **wear out**: ▸ **~ out** [*clothes, shoes, equipment*] s'user; **my patience is beginning to ~ out** je commence à perdre patience; ▸ **~ out [sth], ~ [sth] out** user [*clothes, shoes, mechanism*]; **to ~ out one's welcome** lasser l'amabilité de ses hôtes; ▸ **~ [sb] out** épuiser
■ **wear through**: ▸ **~ through** [*elbow, trousers*] se trouer; [*sole, metal, fabric*] se percer

wearable /ˈweərəbl/ *adj* mettable

wearer /ˈweərə(r)/ *n* **do the clothes suit the ~?** est-ce que ces vêtements vont bien à la personne qui les porte?; **~s of glasses/wigs** les personnes *fpl* qui portent des lunettes/une perruque

wearily /ˈwɪərɪlɪ/ *adv* [*sigh, smile, gesture*] d'un air las; [*say, ask, explain*] d'un ton las; **she got ~ to her feet** elle s'est mise debout péniblement; **they trudged ~ home** ils sont rentrés chez eux d'un pas traînant

weariness /ˈwɪərɪnɪs/ *n* lassitude *f*

wearing /ˈweərɪŋ/ *adj* **1** (exhausting) [*day, job, journey*] fatigant; **it can be ~ doing** c'est parfois fatigant de faire; **2** (irritating) [*behaviour, person*] pénible

wearing: **~ course** *n* couche *f* de roulement; **~ plate** *n* plaque *f* d'usure

wearisome /ˈwɪərɪsəm/ *adj* sout [*task, process*] fastidieux/-ieuse; [*child, day*] pénible; [*complaints, demands, opposition*] lassant; **it's a ~ business** c'est vraiment pénible

weary /ˈwɪərɪ/
A *adj* **1** (physically) [*person*] las/lasse; [*eyes, limbs, mind*] fatigué; **to feel ~** se sentir las; **to look ~** avoir l'air fatigué; **they are ~ from lack of sleep** le manque de sommeil les a fatigués; **2** (showing fatigue) [*smile, sigh, voice, gesture*] las/lasse; **3** (mentally) [*person*] las/lasse (**of** de; **of doing** de faire); **to be ~ of being alone** être las/lasse de la solitude; **to grow ~** se lasser (**of** de; **of doing** de faire); **4** (tiresome) [*journey, task, day*] fatigant; [*routine*] lassant
B *vtr* lasser, fatiguer
C *vi* se lasser (**of** de; **of doing** de faire)

weasel /ˈwiːzl/
A *n* **1** Zool belette *f*; **2** péj (sly person) sournois/-e *m/f*
B *adj* (*also* **weaselly**) péj [*face, features, manner*] chafouin; [*argument*] retors; **~ words** mots *mpl* équivoques
C *vtr* (*p prés etc* **-ll-** GB, **-l-** US) **to ~ one's way into** s'insinuer dans; **to ~ sth out of sb** soutirer qch de qn
D *vi* (*p prés etc* **-ll-** GB, **-l-** US) **to ~ out of a responsibility** se défiler°; **to ~ out of doing** se débrouiller pour ne pas faire

weather /ˈweðə(r)/
A *n* temps *m*; **good/bad ~** beau/mauvais temps; **wet/hot/wintry ~** temps humide/chaud/d'hiver; **what's the ~ like?** quel temps fait-il? **the ~ here is hot** il fait chaud ici; **in hot/cold ~** quand il fait chaud/froid; **you can't go out in this ~!** tu ne peux pas sortir par un temps pareil!; **a change in the ~** un changement de temps; **when the good ~ comes** quand il fera beau; **if the ~ breaks** si le temps change; **if the ~ clears up** si le temps s'arrange; **perfect ~ for** un temps idéal pour [*picnics, skiing*]; **~ permitting** si le temps le permet; **in all ~s** par tous les temps; **whatever the ~** lit par tous les temps; fig qu'il pleuve ou qu'il vente
B *modif* [*chart, check, conditions, map, pattern, sat-*

W

ellite, station] météorologique; *[centre, bureau, study]* de météorologie
C *vtr* 1 (withstand, survive) essuyer *[gale, storm]*; se tirer de *[crisis, upheaval, recession, bad patch]*; **to ~ the storm** fig surmonter la crise; 2 *[elements, wind, rain]* éroder *[rocks, stone]*; battre *[landscape, hills]*; *[rain, wind]* hâler *[face]*
D *vi [rocks, landscape]* s'éroder; **this stone ~s well** cette pierre prend une belle patine; **he has not ~ed well** fig il n'a pas bien vieilli
E **weathered** *pp adj [stone, rock, finish, wood]* patiné; *[face, skin]* hâlé
(Idioms) **to be under the ~** ne pas se sentir bien; **to be ~-wise** flairer d'où vient le vent; **to keep a ~ eye on sb/sth** avoir qn/qch à l'œil; **to keep a** *ou* **one's ~ eye open** veiller au grain; **to make heavy ~ of sth** avoir du mal à faire qch; **to make heavy ~ of doing** faire toute une histoire pour faire○; **he made heavy ~ of it** il en a fait tout un plat○

weather balloon *n* ballon-sonde *m* météorologique

weatherbeaten /ˈweðəbiːtn/ *adj [face, features, skin]* hâlé; *[building, stone, brick]* érodé; *[rocks, cliffs, landscape]* battu (par les vents)

weatherboard /ˈweðəbɔːd/ *n* 1 (clapboard) bordage *m* à clins; 2 (fitted to door) planche *f* de recouvrement

weather: **~cock** *n* girouette *f*; **~ forecast** *n* bulletin *m* météorologique, météo *f*; **~ forecaster** ▸ p. 1683 *n* (on TV) présentateur/-trice *m/f* de la météo; (in weather centre) météorologue *mf*, météorologiste *mf*; **~glass** *n* baromètre *m*; **~ house** *n* baromètre *m* suisse; **~man**○ *n* (on TV) = **weather forecaster**

weatherproof /ˈweðəpruːf/
A *adj [garment, shoe]* imperméable; *[shelter, door]* étanche
B *vtr* imperméabiliser *[fabric, garment]*

weather: **~ report** *n* = **weather forecast**; **~ ship** *n* navire *m* météo

weatherstrip /ˈweðəstrɪp/ US
A *n* bourrelet *m (contre les courants d'air)*
B *vtr* mettre du bourrelet à *[door, window]*

weather vane *n* girouette *f*

weave /wiːv/
A *n* tissage *m*; **open ~, loose ~** tissage lâche; **close ~, fine ~** tissage serré *or* fin
B *vtr (prét* **wove** *ou* **weaved**; *pp* **woven** *ou* **weaved)** 1 Tex tisser *[thread, fabric, blanket, rug]*; **to ~ sth on a loom** tisser qch sur un métier; **to ~ silk into cloth, to ~ cloth out of silk** tisser de l'étoffe de soie; 2 (interlace, make by interlacing) tresser *[cane, raffia, flowers, basket, garland, wreath]*; *[spider]* tisser *[web]*; **to ~ sth out of sth** tresser qch de qch; **to ~ flowers into a garland** tresser une guirlande de fleurs; 3 fig (create) inventer *[story, narrative, plot]*; **to ~ the plot around one's own experience** inventer l'intrigue à partir de sa propre expérience; **to ~ sth into sth** introduire qch dans qch; **to ~ together sth and sth** mêler qch à qch; **to ~ two things together** mêler deux choses; **the writer ~s a spell** l'écrivain nous tient sous le charme; 4 (move) **to ~ one's way through/around sth** se faufiler entre/autour de qch; **to ~ a path/course through sth** s'ouvrir un chemin/un passage à travers qch
C *vi (prét* **wove** *ou* **weaved**; *pp* **woven** *ou* **weaved)** **to ~ in and out** se faufiler (**of** entre); **he was weaving in and out of the traffic** il se faufilait entre les voitures; **to ~ between** se faufiler entre; **to ~ towards sth** (drunk) s'approcher en titubant de qch; (avoiding obstacles) se frayer un chemin vers qch; **he was weaving unsteadily** il titubait
D **woven** *pp adj [fabric, cloth, jacket, upholstery]* tissé
(Idiom) **to get weaving on** *ou* **with sth** se mettre à qch; **get weaving!** remue-toi!

weaver /ˈwiːvə(r)/ ▸ p. 1683 *n* 1 (person) tisserand/-e *m/f*; 2 = **weaverbird**

weaverbird /ˈwiːvəbɜːd/ *n* tisserin *m*

weaving /ˈwiːvɪŋ/
A *n* tissage *m*; **to do ~** faire du tissage; **to learn ~** apprendre à tisser
B *modif [frame, machine, machinery]* à tisser; *[workshop, factory, mill]* de tissage; *[trade, industry]* du tissage

web /web/ *n* 1 (*also* **spider's ~**) toile *f* (d'araignée); 2 fig **a ~ of** un réseau de *[ropes, lines]*; un écheveau de *[laws, regulations, interests]*; **a ~ of lies** *ou* **deceit** un tissu de mensonges; 3 Anat, Zool (in animals) palmure *f*; (in humans) palmature *f*

Web *n* /web/ Comput (*also* **web**) web *m*, Toile *f*

web authoring *n* Comput création *f* de pages web

webbing /ˈwebɪŋ/ *n* ¢ 1 (material) sangles *fpl*; 2 Anat, Zool (of bird, animal) palmure *f*; (of human) palmature *f*

web: **~ browser** *n* Comput logiciel *m* de navigation, navigateur *m*; **~cam** *n* Comput webcam *f*; **~cast** *n* Comput diffusion *f* de scènes filmées sur des webcams; **~ designer** ▸ p. 1683 *n* concepteur/-trice *m/f* de sites web

web-enable *vtr* Comput **to ~ a company** aider une société à maîtriser les outils web

web: **~-fed** *adj* Print alimenté par bobine; **~ foot** *n* (*pl* **web feet**) patte *f* palmée; **~ hosting** *n* Comput hébergement *m* de sites web; **~log** *n* Comput blog *m*, weblog *m*; **~master** *n* Comput webmestre *m*, administrateur/-trice *m/f* de site Internet; **~ offset** *n* Print impression *f* offset en continu; **~ page** *n* Comput page *f* web; **~ press** *n* Print rotative *f* à bobine; **~ ring** *n* Comput fédération *f* de sites, alliance *f* de sites; **~ search** *n* Comput recherche *f* sur le web; **~ server** *n* Comput serveur *m* web; **~site** *n* Comput site *m* web; **~space** *n* Comput espace *m* web; **~zine** *n* Comput cybermagazine *m*

wed /wed/
A *n* **the newly ~s** les jeunes mariés *mpl*
B *vtr (p prés etc* **-dd-**; *prét, pp* **wedded** *ou* **wed)** 1 (get married to) épouser *[man, woman]*; **to get wed** se marier; **to be wed** être marié; 2 (marry) *[priest]* unir *[couple]*; 3 fig (unite) allier *[qualities]*; **in him are ~ded charm and ambition** il allie le charme à l'ambition; **to ~ sth with** allier qch à; **to be ~ded to** être attaché à
C *vi (p prés etc* **-dd-**; *prét, pp* **wedded** *ou* **wed)** se marier
D **wedded** *pp adj [man, woman]* marié; **~ded bliss** hum bonheur *m* conjugal; **my lawful ~ded wife** mon épouse légitime

we'd /wiːd/ = **we had, we would**

Wed *abrév écrite* = **Wednesday**

wedding /ˈwedɪŋ/
A *n* 1 (marriage) mariage *m*; **a church ~** un mariage religieux; 2 (*also* **~ anniversary**) noces *fpl*; **our silver ~** nos noces d'argent
B *modif [anniversary, cake, ceremony, feast, present]* de mariage

wedding band† *n* = **wedding ring**

wedding bells *npl* lit cloches *fpl*; **I can hear ~** fig je crois qu'il y a un mariage dans l'air

wedding: **~ breakfast** *n* repas *m* de mariage; **~ day** *n* jour *m* des noces; **~ dress, ~ gown** *n* robe *f* de mariée; **~ guest** *n* invité/-e *m/f* au mariage; **~ invitation** *n* invitation *f* à un mariage; **~ march** *n* marche *f* nuptiale; **~ night** *n* nuit *f* de noces; **~ reception** *n* repas *m* de mariage; **~ ring** *n* alliance *f*; **~ vows** *n* vœux *mpl*

wedge /wedʒ/
A *n* 1 (block) (to insert in rock, wood etc) coin *m*; (to hold sth in position) cale *f*; (in rockclimbing) piton *m*; (of cake, pie, cheese) morceau *m*; **a ~ of lemon** une tranche de citron; **a ~ of high pressure** Meteorol une dorsale barométrique; **a ~ of geese** un vol d'oies; 2 Sport (in golf) cocheur *m* de sable; 3 Fashn (heel) semelle *f* compensée; (shoe) chaussure *f* à semelle compensée
B *modif* 1 Fashn *[shoe]* à semelle compensée; **~-heeled** à semelle compensée; 2 gen *[shape]* de coin; **~-shaped** en forme de coin
C *vtr* 1 (make firm) **to ~ sth in** *ou* **into place** caler qch; **to ~ a door open/shut** caler une porte pour la tenir ouverte/fermée; **the door is ~d shut** (stuck) la porte est coincée; 2 (jam) **to ~ sth into** enfoncer *or* faire rentrer qch dans *[gap, hole]*; **to be ~d against/between** être coincé contre/entre
D *v refl* **to ~ oneself** se coincer (**between** entre; **in** dans); **to get oneself ~d** se coincer
(Idioms) **to drive a ~ between X and Y** monter X contre Y; **it's (only) the thin end of the ~** ce n'est qu'un début
(Phrasal verb) ■ **wedge in**: ▸ **~ [sb/sth] in, ~ in [sb/sth]** coincer [qn/qch]

wedlock† /ˈwedlɒk/ *n* mariage *m*; **to enter into ~** contracter mariage; **to be born in/out of ~** naître de parents mariés/non mariés; **to have a child out of ~** avoir un enfant sans être marié

Wednesday /ˈwenzdeɪ, -dɪ/ ▸ p. 1882 *n* mercredi *m*

wee /wiː/
A *n*○ GB pipi○ *m*; **to do** *ou* **have a ~** faire pipi
B *adj* (tout) petit; **a ~ bit** un (tout) petit peu; **(in the) ~ small hours** (aux) petites heures
C *vi*○ GB faire pipi

weed /wiːd/
A *n* 1 Bot (wild plant) mauvaise herbe *f*; **overgrown with ~s** envahi de mauvaises herbes; **to pull up ~s** enlever les mauvaises herbes; 2 ¢ Bot (in water) herbes *fpl* aquatiques; 3 ○GB péj (weakling) mauviette○ *f* pej; **don't be such a ~!** quelle vraie mauviette○!; 4 ○hum (tobacco) **the ~** le tabac; 5 ○(marijuana) herbe○ *f*, marijuana *f*; ▸ **widow's weeds**
B *vtr* désherber
C *vi* désherber
(Phrasal verb) ■ **weed out**: ▸ **~ [sb] out, ~ out [sb]** éliminer *[candidate, client, dissident]*; se débarrasser de *[employee]*; ▸ **~ [sth] out, ~ out [sth]** se débarrasser de *[stock, items]*; arracher *[dead plants]*

weeding /ˈwiːdɪŋ/ *n* désherbage *m*; **to do some ~** désherber

weedkiller /ˈwiːdkɪlə(r)/ *n* désherbant *m*, herbicide *m*

weedy /ˈwiːdɪ/ *adj* 1 ○péj *[person, build]* malingre; *[character, personality]* faible; 2 (full of weeds) *[garden]* envahi de mauvaises herbes; *[waters, pond]* envahi d'herbes aquatiques

week /wiːk/ *n* ▸ p. 1804 semaine *f*; **what day of the ~ is it?** quel jour de la semaine sommes-nous?; **this ~** cette semaine; **last/next ~** la semaine dernière/prochaine; **the ~ before last** il y a deux semaines; **the ~ after next** dans deux semaines; **every ~** toutes les semaines; **every other ~** tous les quinze jours; **twice a ~** deux fois par semaine; **for ~s** pendant des semaines; **I'll do it some time this ~** je le ferai dans le courant de la semaine; **~s and ~s** des semaines et des semaines; **~ in ~ out** toutes les semaines; **a ~ today/on Monday** GB, **a ~ from today/Monday** US, **today/Monday ~** aujourd'hui/lundi en huit; **a ~ yesterday** GB, **a ~ from yesterday** US il y a eu huit jours *or* une semaine hier; **a ~ (ago) last Saturday** il y a eu huit jours *or* une semaine samedi; **six ~s ago** il y a six semaines; **~s ago** il y a des semaines; **in three ~s time** dans trois semaines; **a six-~-old baby** un bébé de six semaines; **a six-~ contract** un contrat de six semaines; **a ~'s wages/rent** une semaine de salaire/de loyer; **to pay by the ~** payer à la semaine; **during the ~** gen pendant la semaine; (Monday to Friday) en semaine; **a 40-hour ~** une semaine de 40 heures; **the working** *ou* **work** US **~** la semaine de travail; **the ~ ending June 10** la semaine du 3 au 10 juin
(Idioms) **he doesn't know what day of the ~ it is** il est complètement dans les nuages; **to**

ℹ The days of the week

■ *Note that the French uses lower-case letters for the names of days; also, French speakers normally count the week as starting on Monday.*

■ *Write the names of days in full; do not abbreviate as in English* (Tues, Sat *and so on). The French only abbreviate in printed calendars, diaries etc.*

Monday
= lundi

Tuesday
= mardi

Wednesday
= mercredi

Thursday
= jeudi

Friday
= vendredi

Saturday
= samedi

Sunday
= dimanche

What day is it?

(Lundi *in this note stands for any day; they all work the same way; for more information on dates in French* ▸ **p. 1116**.)

what day is it?
= quel jour sommes-nous?
or (*very informally*) on est quel jour?

it is Monday
= nous sommes lundi

today is Monday
= c'est lundi aujourd'hui

■ *Note the use of French* le *for regular occurrences, and no article for single ones.* (*Remember: do not translate* on.)

on Monday
= lundi

on Monday, we're going to the zoo
= lundi, on va au zoo

I'll see you on Monday morning
= je te verrai lundi matin

but

on Mondays
= le lundi

on Mondays, we go to the zoo
= le lundi, on va au zoo

I see her on Monday mornings
= je la vois le lundi matin

Specific days

Monday afternoon
= lundi après-midi

one Monday evening
= un lundi soir

that Monday morning
= ce lundi matin-là

last Monday night
= la nuit de lundi dernier
or (*if evening*) lundi dernier dans la soirée

early on Monday
= lundi matin de bonne heure

late on Monday
= lundi soir tard

this Monday
= ce lundi

that Monday
= ce lundi-là

that very Monday
= précisément ce lundi-là

last Monday
= lundi dernier

next Monday
= lundi prochain

the Monday before last
= l'autre lundi

a month from Monday
= dans un mois lundi

in a month from last Monday
= dans un mois à dater de lundi dernier

finish it by Monday
= termine-le avant lundi

from Monday on
= à partir de lundi

Regular events

every Monday
= tous les lundis

each Monday
= chaque lundi

every other Monday
= un lundi sur deux

every third Monday
= un lundi sur trois

Sometimes

most Mondays
= presque tous les lundis

some Mondays
= certains lundis

on the second Monday in the month
= le deuxième lundi de chaque mois

the odd Monday *or* ***the occasional Monday***
= le lundi de temps en temps

Happening etc. on that day

Monday's paper
= le journal de lundi
or de ce lundi

the Monday papers
= les journaux du lundi

Monday flights
= les vols du lundi

the Monday flight
= le vol du lundi

Monday closing (of shops)
= la fermeture du lundi

Monday's classes
= les cours de lundi
or de ce lundi

Monday classes
= les cours du lundi

Monday trains
= les trains du lundi

---

knock sb into the middle of next ~○ flanquer une bonne raclée à qn○

weekday /ˈwiːkdeɪ/
A *n* jour *m* de (la) semaine, jour *m* ouvrable; **on ~s** en semaine
B *modif* [*evening, morning, programme*] de la semaine; [*train*] circulant du lundi au vendredi; [*flight*] assuré du lundi au vendredi; [*timetable*] valable du lundi au vendredi

weekend /ˌwiːkˈend, US ˈwiːk-/
A *n* week-end *m*, fin *f* de semaine; **last/next ~** le week-end dernier/prochain; **this ~** ce week-end; **for the ~** pour le week-end; **the ~ after (that)** le week-end suivant; **a long ~** un long week-end; **at the ~** GB, **on the ~** US pendant le week-end; **at ~s** GB, **on ~s** US le week-end
B *modif* [*break, excursion*] de week-end; [*performance, programme*] du samedi et du dimanche; **~ bag** petit sac *m* de voyage; **~ cottage** résidence *f* secondaire; **~ ticket** ticket *m* valable (uniquement) le week-end
C *vi* passer le week-end

weekender /ˌwiːkˈendə(r), US ˈwiːk-/ *n* [1] (person) **houses owned by ~s** des maisons appartenant à des gens qui viennent passer le week-end; [2] US (bag) petit sac *m* de voyage

weekly /ˈwiːklɪ/
A *n* (newspaper) journal *m* hebdomadaire; (magazine) (revue *f*) hebdomadaire *m*
B *adj* [*visit, service, payment, shopping*] hebdomadaire; **on a ~ basis** à la semaine
C *adv* [*pay*] à la semaine; [*check*] chaque semaine; [*meet, leave*] une fois par semaine

ween○ /wiːn/ *n* US péj bûcheur/-euse○ *m/f*

weenie○ /ˈwiːnɪ/ *n* US [1] péj (weak person) lavette○ *f*; [2] lang enfantin (penis) zizi○ *m*

weeny○ /ˈwiːnɪ/ *adj* [1] (tiny) tout petit; [2] US = **weenie**

weep /wiːp/
A *n* **to have a little ~** verser quelques larmes
B *vtr* (*prét, pp* **wept**) **to ~ tears of joy** verser des larmes de joie
C *vi* (*prét, pp* **wept**) [1] (cry) pleurer (**over** sur); **to ~ with** pleurer de [*relief, joy, exhaustion*]; **to ~ for sb** pleurer sur le sort de qn; **it's enough to make you ~!** c'est à pleurer!; [2] (ooze) [*wound, wall, joint*] suinter

weepie○ /ˈwiːpɪ/ *n* (film) mélo○ *m*

weeping /ˈwiːpɪŋ/
A *n* ₵ pleurs *mpl*
B *adj* (*épith*) [1] [*person*] qui pleure; [2] [*wound*] qui suinte

weeping willow *n* saule *m* pleureur

weepy /ˈwiːpɪ/
A *n* = **weepie**
B *adj* [*person*] au bord des larmes; [*mood, voice, book, film*] larmoyant

weever /ˈwiːvə(r)/ *n* vive *f*

weevil /ˈwiːvɪl/ *n* charançon *m*

weewee /ˈwiːwiː/ *n, vi* lang enfantin = **wee A, C**

weft /weft/ *n* trame *f*

weigh /weɪ/
A *vtr* [1] lit peser [*object, person, quantity*]; **to ~ 10 kilos** peser 10 kilos; **how much** *ou* **what do you ~?** combien pèses-tu?; **to ~ sth in one's hand** soupeser qch; [2] (consider carefully) évaluer [*advantages, arguments, evidence, factors, options, points*]; peser [*consequences, risk, words*]; **to ~ the pros and cons** peser le pour et le contre; **to ~ sth against sth** mettre en balance qch et qch; **to ~ sth in the balance** évaluer soigneusement qch; **to be ~ed in the balance and found wanting** être jugé et ne pas résister à l'examen; [3] Naut **to ~ anchor** lever l'ancre
B *vi* [1] (have influence) **to ~ with sb** compter pour qn; **to ~ heavily/very little with sb** compter beaucoup/très peu pour qn; **to ~ against sb** faire du tort à qn; **to ~ in sb's favour** jouer en faveur de qn; [2] (be a burden) **to ~ on sb** peser sur qn; **the responsibility ~s heavily on her** la charge lui pèse; **to ~ on sb's conscience** peser sur la conscience de qn; **to ~ on sb's mind** préoccuper qn
C *v refl* **to ~ oneself** se peser

ℹ Weight measurement

■ *Note that French has a comma where English has a decimal point.*

1 oz
= 28,35 g* (grammes)

1 lb†
= 453,60 g

1 st
= 6,35 kg (kilos)

1 cwt
= 50,73 kg

1 ton
= 1014,60 kg

* *There are three ways of saying 28,35 g, and other measurements like it:* vingt-huit virgule trente-cinq grammes, *or (less formally)* vingt-huit grammes virgule trente-cinq, *or* vingt-huit grammes trente-cinq.

■ For more details on how to say numbers ▸ p. 1487.

† *English* a pound *is translated by* une livre *in French, but note that the French* livre *is actually 500 grams (half a kilo).*

People

what's his weight?
= combien pèse-t-il?

how much does he weigh?
= combien pèse-t-il?

he weighs 10 st (or 140 lbs)
= il pèse 63 kg 500 (soixante-trois kilos et demi)

he weighs more than 20 st
= il pèse plus de 127 kilos

Things

what does the parcel weigh?
= combien pèse le colis?

how heavy is it?
= quel poids fait-il?

it weighs ten kilos
= il pèse dix kilos

about ten kilos
= environ dix kilos

it was 2 kilos overweight
= il pesait deux kilos de trop

A weighs more than B
= A pèse plus lourd que B

A is heavier than B
= A est plus lourd que B

B is lighter than A
= B est plus léger que A

A is as heavy as B
= A est aussi lourd que B

A is the same weight as B
= A a le même poids que B

A and B are the same weight
= A et B ont le même poids

6 lbs of carrots
= six livres de carottes

2 kilos of butter
= deux kilos de beurre

1$^1/_2$ kilos of tomatoes
= un kilo cinq cents de tomates

sold by the kilo
= vendu au kilo

there are about two pounds to a kilo
= il y a à peu près deux livres anglaises dans un kilo

■ *Note the French construction with* de, *coming after the noun it describes:*

a 3-lb potato
= une pomme de terre de trois livres

a parcel 3 kilos in weight
= un colis de trois kilos

(Phrasal verbs) ■ **weigh down**: ▸ **~ down on [sb/sth]** peser sur [*person, object*]; ▸ **~ down [sth/sb]**, **~ [sth/sb] down** lit surcharger [*vehicle, boat*]; faire plier [*branches, tree*]; bloquer [*papers, sheet*]; fig [*responsibility, anxiety, debt*] accabler [*person*]; **to be ~ed down with** [*person*] crouler sous le poids de [*luggage*]; être comblé de [*gifts, prizes*]; être accablé de [*worry, guilt*]
■ **weigh in** 1▸ [*boxer, wrestler*] se faire peser; [*jockey*] aller au pesage; **to ~ in at 60 kg** peser 60 kilos (*avant la course ou le combat*); 2▸ (contribute to appeal, effort) contribuer; **to ~ in with sth** donner qch; 3▸ (intervene in debate) intervenir; **to ~ in with one's opinion** intervenir en donnant son opinion
■ **weigh out** peser [*ingredients, quantity*]
■ **weigh up**: ▸ **~ up [sth/sb]**, **~ [sth/sb] up** 1▸ fig évaluer [*prospects, situation*]; juger [*stranger, opponent*]; mettre [qch] en balance [*options, benefits, risks*]; **after ~ing things up, I decided...** tout bien pesé, j'ai décidé...; 2▸ lit peser [*fruit, coal*]

weigh: **~bridge** *n* pont-bascule *m*; **~-in** *n* Sport pesage *m*

weighing machine /ˈweɪɪŋ məʃiːn/ *n* 1▸ (for people) balance *f*; 2▸ (for luggage, freight) bascule *f*

weighing scales *n* balance *f*

weight /weɪt/
A *n* 1▸ (heaviness) poids *m*; **to lose/put on ~** perdre/prendre du poids; **to be under/over 1 kilo in ~** avoir un poids inférieur/supérieur à 1 kilo; **by ~** au poids; **what is your ~?** combien pesez-vous?; **to be twice sb's ~** peser deux fois plus que qn; **they're the same ~** ils font le même poids; **to put one's full ~ on/against sth** appuyer de tout son poids sur/contre qch; **to put one's full ~ behind a blow** frapper de toutes ses forces; **he's quite a ~!** il est drôlement lourd!; 2▸ (system of measurement) poids *m*; **unit of ~** unité *f* de poids; 3▸ (object of a fixed heaviness) poids *m*; **a 25 gramme ~** un poids de 25 grammes; **to lift ~s** soulever des poids; **what a ~!** quel poids!; **the ~ of responsibility** le poids des responsabilités; **to sink under the ~ of sth** fig crouler sous le poids de qch; **to carry ~** [*horse*] être handicapé; 4▸ fig (credibility, influence) poids *m*; **of some intellectual ~** d'un certain poids intellectuel; **to add** *ou* **give** *ou* **lend ~ to sth** ajouter *or* donner du poids à qch; **not to carry much ~** ne pas peser lourd (**with** pour); **what she says carries ~** elle a du poids *or* de l'influence (**with** auprès de); **to add one's ~ to sth** faire jouer son influence en faveur de qch; **to throw one's ~ behind sth** soutenir qch à fond; 5▸ fig (importance, consideration) **to give due ~ to a proposal** accorder à une proposition l'importance qu'elle mérite; **to give equal ~ to** accorder une importance égale à; 6▸ (in statistics) coefficient *m* pondérateur
B *vtr* 1▸ (put weight(s) on) lester [*net, hem, dart, arrow, boat*]; 2▸ (bias) **to ~ sth against sb/sth** faire jouer qch contre qn/qch; **to ~ sth in favour of sb/sth** faire jouer qch en faveur de qn/qch; 3▸ (in statistics) pondérer [*index, variable, average, figure*]
(Idioms) **by (sheer) ~ of numbers** par la force du nombre; **to be a ~ off one's mind** être un grand soulagement; **to pull one's ~** faire sa part de travail; **to take the ~ off one's feet** s'asseoir, se reposer; **to throw one's ~ about** *ou* **around** faire l'important/-e *m/f*
(Phrasal verb) ■ **weight down**: ▸ **~ down [sth]**, **~ [sth] down** retenir [qch] avec un poids [*paper, sheet*] (**with** avec); lester [*body*]

weightiness /ˈweɪtɪnɪs/ *n* importance *f* (**of** de)

weighting /ˈweɪtɪŋ/ *n* (of index, variable) pondération *f*; **London ~** indemnité *f* pour résidence à Londres

weightless /ˈweɪtlɪs/ *adj* 1▸ lit [*state, environment*] d'apesanteur (*after n*); [*body, object in space*] en apesanteur (*after n*); 2▸ fig [*grace, movement*] léger/-ère

weightlessness /ˈweɪtlɪsnɪs/ *n* 1▸ (in space) apesanteur *f*; 2▸ (of dancer, dance) légèreté *f* aérienne

weight: **~-lifter** *n* haltérophile *m*; **~-lifting** ▸ p. 1253 *n* haltérophilie *f*; **~ loss** *n* perte *f* de poids; **~ machine** *n* appareil *m* de musculation; **~ problem** *n* problème *m* de poids; **~ train** *vi* faire de la musculation; **~ training** ▸ p. 1253 *n* musculation *f* (en salle); **~watcher** *n* gen personne *f* qui surveille son poids; (member of group) personne *f* qui suit un régime amaigrissant

weighty /ˈweɪtɪ/ *adj* 1▸ (serious) [*problem, consideration, reason, question*] de grand poids; 2▸ (large) [*book, treatise*] monumental; 3▸ (heavy) [*object, responsibility*] lourd

weir /wɪə(r)/ *n* 1▸ (dam) barrage *m*; 2▸ (for trapping fish) écluse *f* à poissons

weird /wɪəd/ *adj* 1▸ (strange) bizarre; **it's ~ that** c'est bizarre que (+ *subj*); **~ and wonderful** étrange et merveilleux/-euse; 2▸ (eerie) mystérieux/-ieuse

weirdly /ˈwɪədlɪ/ *adj* 1▸ (strangely) bizarrement; 2▸ (eerily) mystérieusement

weirdo○ /ˈwɪədəʊ/ *n* loufoque○ *mf*

welcome /ˈwelkəm/
A *n* accueil *m*; **to give sb a warm ~**, **to extend a warm ~ to sb** fml faire un accueil chaleureux à qn
B *modif* [*speech*] de bienvenue
C *adj* 1▸ (gratefully received) [*boost, initiative, relief, news*] bienvenu; **that's a ~ sight/sound!** ça fait plaisir à voir/entendre!; **nothing could be more ~!** rien ne pourrait tomber plus à propos!; **thank you for your most ~ gift** sout merci de votre cadeau des plus opportuns fml; 2▸ (warmly greeted) **to be ~**, **to be a ~ guest** *ou* **visitor** être le bienvenu; **'children ~'** (on sign) 'les enfants sont les bienvenus'; **I never feel very ~ at their house** je ne me sens jamais le bienvenu chez eux; **to make sb ~** (on arrival) réserver un bon accueil à qn; (over period of time) accueillir qn à bras ouverts; 3▸ (warmly invited) **you are ~ to spend a few days with us** si vous voulez passer quelques jours chez nous, n'hésitez pas *or* vous êtes le bienvenu; **if you want to finish my fries you're ~ to them** (politely) si tu veux finir mes frites, ne te gêne pas; **if you want to watch such rubbish you're ~ to it!** (rudely) si tu veux regarder ces idioties, libre à toi!; **you're ~** (acknowledging thanks) de rien, je vous en prie fml
D *excl* **~!** (to respected guest) soyez le bienvenu chez nous!; (greeting friend) entre donc!; **~ back**, **~ home!** je suis content que tu sois de retour!; **~ on board/to the United States!** bienvenu à bord/aux États-Unis!
E *vtr* accueillir [*person*]; se réjouir de [*news, decision, intervention, change*]; être heureux/-euse de recevoir [*donation, contribution*]; accueillir favorablement [*initiative, move*]; **they said they would ~ a meeting** ils ont dit qu'ils souhaiteraient une rencontre; **we would ~ your view on this matter** nous aimerions savoir ce que vous pensez de cette affaire; **I ~ this opportunity to express my thanks** je suis heureux d'avoir l'occasion

W

d'exprimer ma gratitude; **'please ~ our guest tonight, Willie Mays'** 'applaudissons notre invité d'honneur, Willie Mays'; **I'd ~ a hot drink** je prendrais bien une boisson chaude

(Idioms) **to put out the ~ mat for sb** fig faire un accueil chaleureux à qn; **to wear out one's ~** abuser de l'hospitalité de qn; **to ~ sb with open arms** accueillir qn à bras ouverts

(Phrasal verbs) ■ **welcome back**: ▶ **~ back [sb]**, **~ [sb] back** accueillir [qn] à son retour; (more demonstratively) faire fête à [qn] à son retour

■ **welcome in**: ▶ **~ in [sb]**, **~ [sb] in** faire entrer [qn] chez soi

welcoming /'welkəmɪŋ/ *adj* **1** (warm) [*atmosphere, smile, person*] accueillant; **2** (reception) [*ceremony, committee*] d'accueil

weld /weld/

A *n* soudure *f*

B *vtr* **1** lit souder [*metal, joint*] (**on, to** à); **2** fig souder [*team, nation, workforce*]

C *vi* [*metal, joint*] être soudé ensemble

(Phrasal verb) ■ **weld together**: ▶ **~ [sth] together** lit, fig souder

welded /'weldɪd/ *adj* lit, fig soudé

welder /'weldə(r)/ ▸ p. 1683 *n* **1** (person) soudeur/-euse *m/f*; **2** (tool) appareil *m* à souder

welding /'weldɪŋ/ *n* **1** lit soudage *m*; **2** fig union *f*

welfare /'welfeə(r)/

A *n* **1** gen (well-being) bien-être *m inv*; (interest) intérêt *m*; **national ~** intérêt national; **student ~** intérêts *mpl* des étudiants; **to be concerned about sb's ~** se faire du souci pour le sort de qn; **to be responsible for sb's ~** avoir la responsabilité de qn; **2** (state assistance) assistance *f* sociale; (money) aide *f* sociale; **to go on ~** US demander l'aide sociale; **to be (living) on ~** US vivre de l'aide sociale

B *modif* [*system*] de protection sociale; US [*meal*] gratuit; **~ cuts** réductions *fpl* dans les dépenses sociales; **~ spending** dépenses *fpl* sociales

> **Welfare**
>
> Aux États-Unis, les programmes de protection sociale du *Welfare* offrent une assistance minimale aux personnes sans ressources. *Medicaid*, créé en 1965, leur assure la gratuité des soins, tandis que des coupons d'alimentation (*food stamps*) leur permettent de se nourrir. Il existe également des aides financières et un programme d'aide à la scolarisation (*Head Start*) pour les enfants des familles démunies. ▸ **Food stamps**

welfare: **~ adviser** *n* US = **welfare rights adviser**; **~ assistant** ▸ p. 1683 *n* GB Sch ≈ femme *f* de service; **~ benefit** *n* prestation *f* sociale; **~ department** *n* service *m* d'aide sociale; **~ hotel** *n* US foyer *m* d'accueil; **~ mother** *n* US *mère seule bénéficiant de l'aide sociale*; **~ officer** ▸ p. 1683 *n* GB conseiller/-ère *m/f* en matière d'assistance sociale; US employé/-e *m/f* des services sociaux; **~ payment** *n* = **welfare benefit**; **~ recipient** *n* bénéficiaire *mf* de l'aide sociale; **~ rights adviser** ▸ p. 1683 *n* GB conseiller/-ère *m/f* en matière d'assistance sociale; **~ services** *n* services *mpl* sociaux

welfare state *n* (as concept) État-providence *m*; (stressing state assistance) protection *f* sociale; **to be dependent on the ~** survivre grâce à l'aide sociale; **a ~ mentality** péj une mentalité d'assisté

> **Welfare state**
>
> Au Royaume-Uni, on désigne ainsi le système dans lequel l'État prend en charge les citoyens et leur assure les soins médicaux ainsi que des allocations ▸▸▸ familiales et des aides financières. Cette expression recouvre essentiellement les organismes du *National Health Service* (NHS), *National Insurance* et *Social Security*.

welfare: **~ work** *n* assistance *f* sociale; **~ worker** ▸ p. 1683 *n* employé/-e *m/f* des services d'assistance sociale

welfarism /'welfeərɪzəm/ *n* doctrine *f* de l'État-providence

welfarist /'welfeərɪst/ *n* apôtre *m* de la protection sociale

welfarite○ /'welfeəraɪt/ *n* US péj assisté/-e *m/f*

welkin /'welkɪn/ *n* littér voûte *f* céleste

well¹ /wel/

A *adj* (*comp* **better**, *superl* **best**) **1** (in good health) **to feel ~** se sentir bien; **are you ~?** vous allez bien?, tu vas bien?; **I'm very ~, thank you** je vais très bien, merci; **she's not ~ enough to travel** elle n'est pas en état de voyager; **he's not a ~ man** il a des problèmes de santé; **people who are ~ don't need doctors** les gens qui se portent bien n'ont pas besoin de médecin; **she doesn't look at all ~** elle n'a pas l'air en forme du tout; **to get ~** se rétablir; **get ~ soon!** rétablis-toi vite!; **'how is he?'—'as ~ as can be expected'** 'comment va-t-il?'—'pas trop mal étant donné les circonstances'

2 (in satisfactory state, condition) bien; **all is ~** tout va bien; **she began to fear that all was not ~** elle commençait à craindre qu'il y eût un problème; **all is not ~ in their marriage** il y a des problèmes dans leur mariage; **I hope all is ~ with you** j'espère que tout va bien pour vous; **all being ~, I'll be home before six** si tout va bien, je serai à la maison avant six heures; **that's all very ~, but** tout ça c'est bien beau *or* joli, mais; **it's all very ~ to go on strike, but** c'est bien beau *or* joli de faire la grève, mais; **it's all very ~ for you to laugh, but** tu peux rire, mais; **that's all very ~ for him, but some of us have to work for a living** tant mieux pour lui, mais certains d'entre nous doivent gagner leur vie; **if you think you can cope on your own, ~ and good** si tu penses que tu peux te débrouiller tout seul, c'est très bien

3 (advisable, prudent) **it would be just as ~ to check** il vaudrait mieux vérifier; **it would be as ~ for you not to get involved** tu ferais mieux de ne pas t'en mêler; **it might be as ~ to telephone first** il vaudrait mieux téléphoner d'abord, ce serait peut-être aussi bien de téléphoner d'abord

4 (fortunate) **it was just as ~ for him that the shops were still open** il a eu de la chance que les magasins étaient encore ouverts; **it's just as ~ you're not hungry, because I didn't buy any food** c'est aussi bien que tu n'aies pas faim, parce que je n'ai rien acheté à manger; **the flight was delayed, which was just as ~** le vol a été retardé, ce qui n'était pas plus mal

B *adv* (*comp* **better**, *superl* **best**) **1** (satisfactorily) [*treat, behave, feed, eat, sleep, perform etc*] bien; **to work ~** [*person*] bien travailler, [*system*] bien marcher; **these scissors cut ~** ces ciseaux coupent bien; **he isn't eating very ~** il ne mange pas beaucoup; **she can play the piano as ~ as her sister** elle joue du piano aussi bien que sa sœur; **that boy will do ~** ce garçon ira loin; **he hasn't done as ~ as he might** il n'a pas réussi aussi bien qu'il aurait pu; **I did ~ in the general knowledge questions** je me suis bien débrouillé pour les questions de culture générale; **to do ~ at school** être bon/bonne élève; **mother and baby are both doing ~** la mère et l'enfant se portent bien; **the operation went ~** l'opération s'est bien passée; **you did ~ to tell me** tu as bien fait de me le dire; **he would do ~ to remember that** il ferait bien de se rappeler que; **we'll be doing ~ if we get there on time** on aura de la chance si on arrive à l'heure; **if all goes ~** si tout va bien; **all went ~ until** tout allait bien jusqu'à ce que; **~ done!** bravo!; **~ played!** bien joué!; **he has done very ~ for himself since he became self-employed** il s'en tire très bien depuis qu'il travaille à son compte; **to do oneself ~** bien se soigner; **to do ~ by sb** se montrer généreux/-euse avec qn; **they're doing quite ~ out of the mail-order business** leur affaire de vente par correspondance marche très bien; **some businessmen did quite ~ out of the war** certains hommes d'affaires se sont enrichis pendant la guerre; **she didn't come out of it very ~** (of situation) elle ne s'en est pas très bien sortie; (of article, programme etc) ce n'était pas très flatteur pour elle; **as I know only too ~** comme je ne le sais que trop bien; **he is ~ able to look after himself** il est assez grand pour se débrouiller tout seul

2 (used with modal verbs) **you may ~ be right** il se pourrait bien que tu aies raison; **I might ~ go there** il se pourrait bien que j'y aille, je pourrais bien y aller; **the concert might very ~ be cancelled** il est bien possible que le concert soit annulé; **I can ~ believe it** je veux bien le croire, je n'ai pas de mal à le croire; **it may ~ be that** il se pourrait bien que (+ *subj*), il est bien possible que (+ *subj*); **I couldn't very ~ say no** je pouvais difficilement dire non; **you may ~ ask!** je me le demande bien!, alors ça, si je le savais!; **we might just as ~ have stayed at home** on aurait aussi bien fait de rester à la maison; **we may as ~ go home** on ferait aussi bien de rentrer; **one might ~ ask why the police were not informed** on est en droit de se demander pourquoi la police n'a pas été informée; **'shall I shut the door?'—'you might as ~'** 'est-ce que je ferme la porte?'—'pourquoi pas'; **he offered to pay for the damage, as ~ he might!** il a proposé de payer pour les dégâts, c'était la moindre des choses!; **she looked shocked, as ~ she might** elle a eu l'air choquée, ce qui n'avait rien d'étonnant; **we didn't panic, as ~ we might (have done)** nous n'avons pas paniqué, alors qu'il y avait de quoi

3 (intensifier) bien, largement; **to be ~ over the speed limit** être bien au-dessus de la vitesse autorisée, avoir largement dépassé la vitesse autorisée; **she is ~ over 30** elle a bien plus de 30 ans; **she looks ~ over 30** elle fait largement 30 ans; **there were ~ over a hundred people** il y avait largement plus de cent personnes; **the house is ~ over a hundred years old** la maison a bien plus de cent ans; **the museum is ~ worth a visit** le musée mérite vraiment la visite; **it was ~ worth waiting for** ça valait vraiment la peine d'attendre; **the weather remained fine ~ into September** le temps est resté au beau fixe pendant une bonne partie du mois de septembre; **she was active ~ into her eighties** elle était toujours active même au-delà de ses quatre-vingts ans; **temperatures are ~ up in the twenties** les températures dépassent largement vingt degrés; **profits are ~ above/below average** les bénéfices sont nettement supérieurs/inférieurs à la moyenne; **stand ~ back from the kerb** tenez-vous bien à l'écart du bord du trottoir; **the house is situated ~ back from the road** la maison est située bien à l'écart de la route; **it was ~ after midnight** il était bien après minuit; **it went on until ~ after midnight** ça s'est prolongé bien au-delà de minuit; **the party went on ~ into the night** la soirée a continué tard dans la nuit

4 (approvingly) **to speak/think ~ of sb** dire/penser du bien de qn

5 **to wish sb ~** souhaiter beaucoup de chance à qn; **I wish you ~ of it!** iron je vous souhaite bien du plaisir! iron

6 **as ~** (also) aussi; **as ~ as** (in addition to) aussi bien que; **is Tom coming as ~?** est-ce que Tom vient aussi?; **you know as ~ as I do why he left** tu sais aussi bien que moi pourquoi il

W

est parti; **he is studying Italian as ~ as French** il étudie à la fois l'italien et le français; **I worked on Saturday as ~ as on Sunday** j'ai travaillé samedi et dimanche; **they have a house in the country as ~ as an apartment in Paris** ils ont une maison à la campagne ainsi qu'un appartement à Paris; **by day as ~ as by night** de jour comme de nuit
7 °GB **it was ~ good!** *ou* **~ bad!** (in approval) c'était d'enfer°!
C *excl* **1** (expressing astonishment) eh bien!; (expressing indignation, disgust) ça alors!; (expressing disappointment) tant pis!; (after pause in conversation, account) bon; (qualifying statement) enfin; **~, who would have thought it!** eh bien, qui aurait pu croire ça!; **~, I think so** eh bien, je crois; **~, you may have a point, but** bon *or* d'accord, ce que tu dis est peut-être vrai, mais; **~, you may be right** après tout, tu as peut-être raison; **~, as I was saying** bon, comme je disais; **~, that's too bad** c'est vraiment dommage; **~ then, what's the problem?** alors, quel est le problème?; **they've gone already? oh ~!** ils sont déjà partis? tant pis!; **oh ~, there's nothing I can do about it** ma foi, je n'y peux rien; **~, ~, ~, if it isn't my aunt Violet!** ma parole, c'est ma tante Violet!; **~, ~, ~, so you're off to America?** alors comme ça, tu pars aux États-Unis!; **the weather was good, ~, good for March** il faisait beau, enfin beau pour un mois de mars; **'he said he'd kill himself'—'~, did he?'** 'il a dit qu'il se tuerait' –'eh bien *or* et alors, est-ce qu'il l'a fait?'; **very ~ then** très bien
(Idioms) **all's ~ that ends ~** Prov tout est bien qui finit bien; **to be ~ in with sb**° être bien avec qn°; **to be ~ up in sth** s'y connaître en qch; **to leave ~ alone** GB *ou* **~ enough alone** US (not get involved) ne pas s'en mêler; **I would leave ~ alone if I were you** moi à ta place je ne m'en mêlerais pas; **you're ~ out of it**°! heureusement que tu n'as plus rien à voir avec ça!; **~ and truly** bel et bien; **~ and truly over/lost** bel et bien fini/perdu

well² /wel/
A *n* **1** (sunk in ground) puits *m*; **to get one's water from a ~** tirer son eau d'un puits; **2** (pool) source *f*; **3** Constr (shaft for stairs, lift) cage *f*; **4** GB Jur (in law court) barreau *m*
B *vi* = **well up**
(Phrasal verb) ■ **well up** monter; **tears ~ed up in my eyes** les larmes me sont montées aux yeux; **anger ~ed up inside me** j'ai senti la colère monter en moi

we'll /wiːl/ = **we shall**; **we will**

well-appointed *adj* [*room, house*] bien aménagé

well-attended *adj* **the meeting was ~** il y avait beaucoup de monde à la réunion

well: **~-balanced** *adj* [*person, meal, diet*] équilibré; **~-behaved** *adj* [*child*] sage, bien élevé; [*animal*] bien dressé; **~-being** *n* bien-être *m inv*; **~-born** *adj* bien né, de bonne famille

well-bred /ˌwel'bred/ *adj* **1** [*person*] (of good birth) bien né; (having good manners) bien élevé; **2** [*animal*] gen de pure race; [*horse*] pur sang

well-built /'welbɪlt/ *adj* [*person*] bien bâti, solide; [*building*] solide, bien construit

well-chosen /ˌwel'tʃəʊzn/ *adj* bien choisi; **a few ~ words** quelques mots bien choisis

well-defined /ˌweldɪ'faɪnd/ *adj* [*shape, outline, image*] net/nette; [*role, boundary*] bien défini

well-developed /ˌweldɪ'veləpt/ *adj* **1** Anat bien développé; **2** [*instinct*] très développé; [*structure, system*] très développé, très évolué; [*plan, argument*] solide

well-disposed /ˌweldɪ'spəʊzd/ *adj* **to be ~ towards** être bien disposé envers [*person*]; être favorable à [*regime, idea, policy*]

well-done /ˌwel'dʌn/ *adj* **1** Culin bien cuit; **2** (well performed) [*task, job*] bien fait

well: **~-earned** *adj* bien mérité; **~-educated** *adj* (having a good education) instruit; (cultured) cultivé; **~-favoured** *adj* †ou hum beau/belle; **~-fed** *adj* bien nourri

well-formed /ˌwel'fɔːmd/ *adj* **1** [*mouth, nose, features*] bien modelé; **2** Ling syntaxiquement correct

well: **~-founded** *adj* [*rumour, assumption*] fondé; **~-groomed** *adj* [*person, appearance*] soigné; [*hair*] bien coiffé; [*horse*] bien pansé

wellhead /'welhed/ *n* source *f*

well: **~-heeled**° *adj* riche, aisé; **~-hung**◑ *adj* hum [*man*] bien monté◑

well-informed /ˌwelɪn'fɔːmd/ *adj* [*person*] bien informé (**about** sur); **he's very ~** (knows a lot about current affairs) il est très au courant de l'actualité; **~ source** Journ source *f* sérieuse

wellington (boot) /'welɪŋtən/ *n* GB botte *f* de caoutchouc. ▸ **Green-welly brigade**

Wellington /'welɪŋtən/ ▸ **p. 1815** *pr n* Wellington

well: **~-intentioned** *adj* bien intentionné; **~-judged** *adj* [*statement, phrase*] bien senti; [*performance*] intelligent; **~-kept** *adj* [*house, garden, village*] bien entretenu, bien tenu; **~-knit** *adj* [*body, frame*] solide, bien bâti; fig [*argument, plan, plot*] bien construit

well-known /ˌwel'nəʊn/ *adj* **1** (famous) [*person, place, work of art*] célèbre, connu; **she's not very ~** elle n'est pas très connue; **to be ~ to sb** être connu de qn; **2** (widely known) **it is ~ that, it is a ~ fact that** il est bien connu que

well-liked /ˌwel'laɪkt/ *adj* [*person*] très apprécié

well: **~-made** *adj* bien fait; **~-mannered** *adj* bien élevé, poli; **~-meaning** *adj* [*person*] bien intentionné; [*advice, suggestion, gesture*] qui part d'une bonne intention

well-meant /ˌwel'ment/ *adj* **his offer was ~, but she was too proud to accept it** sa proposition partait d'une bonne intention, mais elle était trop fière pour l'accepter; **my remarks were ~, but I offended her** je ne voulais pas être désagréable dans ce que je disais, mais je l'ai offensée

well-nigh /ˌwel'naɪ/ *adv* sout pratiquement, presque; **~ impossible** quasiment impossible

well off /ˌwel 'ɒf/
A *n* (+ *v pl*) **the well-off** les gens *mpl* aisés, les riches *mpl*; **the less well-off** les plus défavorisés *mpl*
B *adj* **1** (wealthy) [*person, family, neighbourhood*] aisé; **2** (fortunate) **you don't know when you're ~** tu ne connais pas ton bonheur; **3** **to be ~ for** avoir beaucoup de [*space, provisions etc*]

well-oiled /ˌwel'ɔɪld/ *adj* **1** lit [*machine, engine*] bien graissé; fig (smooth-running) [*department, organization*] bien au point; **2** °(drunk) bien parti°, soûl

well: **~-padded** ° *adj* hum [*person*] bien rembourré°, bien en chair; **~-paid** *adj* [*person, job*] bien payé, bien rémunéré; **~-prepared** *adj* soigneusement préparé; **~-preserved** *adj* bien conservé; **~-qualified** *adj* qualifié; **~-read** *adj* cultivé, instruit

well-respected /ˌwelrɪ'spektɪd/ *adj* [*person*] très respecté

well-rounded /ˌwel'raʊndɪd/ *adj* **1** [*education, programme, life*] complet/-ète; [*individual*] qui a reçu une éducation complète; **2** (shapely) [*figure*] harmonieux/-ieuse; [*cheeks*] bien rond

well: **~-set** *adj* [*person*] bien bâti; **~-spoken** *adj* [*person*] qui parle bien

well-spoken-of *adj* **he's very ~** on dit beaucoup de bien de lui

well: **~-tempered** *adj* Mus bien tempéré; **~-thought-of** *adj* [*person, product*] apprécié; **~-thought-out** *adj* [*plan, theory, plot etc*] bien élaboré

well-timed /ˌwel'taɪmd/ *adj* [*remark, takeover*] qui tombe/tombait à point; **that was ~!** (of entrance, phonecall etc) c'est bien tombé!

well-to-do
A *n* **the ~** (+ *v pl*) les gens *mpl* aisés
B *adj* aisé

well-tried /ˌwel'traɪd/ *adj* [*method, remedy*] éprouvé

well-trodden /ˌwel'trɒdn/ *adj* **a ~ path** lit, fig une voie très empruntée, un chemin battu

well-turned /ˌwel'tɜːnd/ *adj* **1** [*phrase, remark, compliment etc*] bien tourné; **2** †[*ankle, leg*] galbé

well-upholstered° *adj* hum = **well padded**

well-wisher /'welwɪʃə(r)/ *n* gen personne *f* qui veut témoigner sa sympathie; Pol sympathisant/-e *m/f*; **'from a ~'** (as signature) 'un ami qui vous veut du bien'

well-woman clinic *n* centre *m* de conseils médicaux pour les femmes

well-worn /ˌwel'wɔːn/ *adj* [*carpet, garment*] élimé, usé jusqu'à la corde; [*steps, floorboards*] usé; fig [*joke, theme, phrase*] rebattu

welly° /'welɪ/ *n* GB **1** (*abrév* = **wellington (boot)**) botte *f* en caoutchouc; **2** fig (acceleration) reprises *fpl*
(Idiom) **to give it some ~** appuyer sur le champignon°

welsh /welʃ/ *vi* **to ~ on** faire faux bond à [*person*]; manquer à [*promise, deal*]

Welsh /welʃ/ ▸ **p. 1467, p. 1378**
A *n* **1** (nation) **the ~** (+ *v pl*) les Gallois *mpl*; **7** Ling gallois *m*
B *adj* gallois

> **Welsh**
>
> D'origine celtique, comme le breton ou le gaélique, le gallois est avec l'anglais la langue officielle du pays de Galles. C'est la langue maternelle de plus de 20% de la population galloise et son enseignement est obligatoire à l'école. À l'image d'autres langues régionales, le gallois connaît aujourd'hui un regain de vitalité qui se manifeste dans la vie de tous les jours : les panneaux de signalisation routière et publicitaires sont bilingues et des programmes en gallois sont diffusés à la radio et à la télévision. ▸ **Gaelic**

Welsh Assembly *n* GB Pol Assemblée *f* galloise; ▸ **Devolution**

> **Welsh Assembly**
>
> L'Assemblée du pays de Galles a été établie à Cardiff en 1999, à l'issue d'un référendum auprès de la population galloise. La réforme du *Government of Wales Bill* en 2006, permet à ses 60 membres (appelés *AMs* ou *Assembly Members*) d'aménager les lois nationales en fonction des besoins spécifiques des Gallois, (par exemple, dans le domaine de la santé, de l'éducation, du développement économique et de la culture). Ces lois devront cependant être approuvées par le parlement britannique à Westminster.

Welsh: **~ dresser** *n* GB vaisselier *m*; **~ harp** ▸ **p. 1462** *n* harpe *f* galloise; **~man** *n* Gallois *m*; **~ mountain pony** *n* poney *m* welsh; **~ Office** *n* (in GB) ministère *m* des Affaires galloises; **~ rarebit**, **~ rabbit** *n* toast *m* au fromage; **~ secretary** *n* GB Pol ministre *m* des Affaires galloises; **~ terrier** *n* welsh-terrier *m*; **~woman** *n* Galloise *f*

welt /welt/ *n* **1** (on shoe) trépointe *f*; **2** (on knitted garment) bordure *f* en côtes; **3** (on skin) marque *f* (de coup)

welter /'weltə(r)/
A *n* **a ~ of** un fatras de [*objects, fragments*]; un

bain de [*blood, water*]; un déferlement de [*emotions, criticism, influences*]
B *vi* **to ~ in** baigner dans [*blood, water, emotion*]
welterweight /ˈweltəweɪt/
A *n* poids *m* welter
B *modif* [*boxer, champion*] poids welter *inv*; [*fight, competition*] dans la catégorie welter
wen /wen/ *n* Med loupe *f*; **the great ~** fig hum Londres
wench‡ /wentʃ/ also hum
A *n* gigolette† *f*
B *vi* courir la gueuse
wend /wend/ *vtr* **to ~ one's way** cheminer (**to, towards** vers); **to ~ one's way home** prendre la route du retour
Wendy house /ˈwendɪ haʊs/ *n* GB cabane *f* (*pour les enfants*)
went /went/ *prét* ▸ **go**
wept /wept/ *prét, pp* ▸ **weep**
were /wɜː(r), wə(r)/ *prét* ▸ **be**
we're /wɪə(r)/ = **we are**
weren't /wɜːnt/ = **were not**
werewolf /ˈwɪəwʊlf/ *n* (*pl* **-wolves**) loup-garou *m*
Wesleyan /ˈwezlɪən/
A *n* Wesleyen/-enne *m/f*
B *adj* wesleyen/-enne
west /west/ ▸ **p. 1552**
A *n* ouest *m*
B **West** *n* **1** Pol, Geog **the West** l'Ouest *m*, l'Occident *m*; **2** (in cards) ouest *m*
C *adj* (*épith*) [*side, bank, face, coast, wall*] ouest *inv*; [*wind*] d'ouest
D *adv* [*move*] vers l'ouest; [*lie, live*] à l'ouest (**of** de); **to go ~ of sth** passer à l'ouest de qch
(Idiom) **to go ~** (die) euph passer l'arme à gauche; (get lost) se perdre; **there's another glass gone ~!** voilà encore un verre de cassé!
west: **West Africa** *pr n* Afrique *f* de l'Ouest; **West African** *adj* [*person, culture etc*] de l'Afrique occidentale; **West Bank** *pr n* Cisjordanie *f*
West Bengal /ˌwest benˈgɑːl/ *pr n* Bengale-Occidental *m*
westbound /ˈwestbaʊnd/ *adj* [*carriageway, traffic*] en direction de l'ouest; **the ~ platform/train** GB (in underground) le quai/la rame direction ouest
West Country *pr n* GB **the ~** le Sud-Ouest (de l'Angleterre)
West End *pr n* GB **the ~** le West End *m* (*quartier de théâtres et de boutiques chic au centre ouest de Londres*)
westerly /ˈwestəlɪ/
A *n* vent *m* d'ouest
B *adj* [*wind*] d'ouest; [*point*] à l'ouest; [*area*] de l'ouest; [*breeze*] venant de l'ouest; **in a ~ direction** en direction de l'ouest
western /ˈwestən/ ▸ **p. 1552**
A *n* Cin western *m*
B *adj* (*épith*) **1** Geog [*coast, boundary*] ouest *inv*; [*town, region, custom, accent*] de l'ouest; **~ France** l'ouest de la France; **2** Pol occidental
western: **Western (omelet)** *n* US Culin *omelette au jambon, aux poivrons et aux oignons*; **Western Australia** *pr n* Australie *f* occidentale
westerner /ˈwestənə(r)/ *n* Occidental/-e *m/f*
western: **Western Europe** *pr n* Europe *f* de l'Ouest, Europe *f* occidentale; **Western European Union**, **WEU** *n* Union *f* de l'Europe occidentale, UEO *f*; **Western Isles** ▸ **p. 1355** *pr npl* îles *fpl* Hébrides occidentales
westernization /ˌwestənaɪˈzeɪʃn, US -nɪˈz-/ *n* occidentalisation *f*
westernize /ˈwestənaɪz/ *vtr* occidentaliser; **to become ~d** s'occidentaliser
western: **~most** *adj* à l'extrême ouest, le/la plus à l'ouest; **~ roll** *n* Sport saut *m* en rouleau ventral; **Western saddle** *n* US Equit selle *f* américaine; **Western Sahara** *pr n* Sahara *m* Occidental; **Western Samoa** ▸ **p. 1096** *pr n* Samoa *fpl* occidentales
west-facing /ˈwestfeɪsɪŋ/ *adj* exposé à l'ouest
West German /ˌwest ˈdʒɜːmən/ ▸ **p. 1467**
A *n* Hist Allemand/-e de l'Ouest *m/f*
B *adj* Hist ouest-allemand
West Germany /ˌwest ˈdʒɜːmənɪ/ ▸ **p. 1096** *pr n* Hist Allemagne *f* de l'Ouest
West Glamorgan /ˌwest gləˈmɔːgən/ ▸ **p. 1612** *pr n* West Glamorgan *m*
West Indian /ˌwest ˈɪndɪən/ ▸ **p. 1467**
A *n* Antillais/-e *m/f*
B *adj* antillais
West Indies /ˌwest ˈɪndiːz/ ▸ **p. 1096, p. 1355** *pr npl* Antilles *fpl*
West Midlands /ˌwest ˈmɪdləndz/ ▸ **p. 1612** *pr n* West Midlands *fpl*
Westminster /ˈwestmɪnstə(r)/ *n* Westminster (*siège du parlement de Grande-Bretagne*); **to be elected to ~** être élu au Parlement (de Grande-Bretagne)

Westminster

Quartier de Londres où se trouvent tous les centres nerveux du gouvernement et de l'administration (*Houses of Parliament*, *Downing Street*, administrations de Whitehall), les résidences de la famille royale (*Buckingham Palace* et *St James' Palace*) et l'abbaye de Westminster. Toutefois, quand on emploie le mot *Westminster* seul, c'est généralement au Parlement britannique que l'on fait allusion. ▸ **Parliament**

West Point *n* US West Point *m* (*académie militaire américaine*)
West Sussex /ˌwest ˈsʌsɪks/ ▸ **p. 1612** *pr n* West Sussex *m*
West Virginia /ˌwest vɜːˈdʒɪnɪə/ ▸ **p. 1737** *pr n* Virginie *f* occidentale
westward /ˈwestwəd/ ▸ **p. 1552**
A *adj* [*side*] ouest *inv*; [*wall, slope*] du côté ouest; [*journey, route, movement*] vers l'ouest; **in a ~ direction** en direction de l'ouest, vers l'ouest
B *adv* (*also* **~s**) vers l'ouest
West Yorkshire /ˌwest ˈjɔːkʃə(r)/ ▸ **p. 1612** *pr n* West Yorkshire *m*
wet /wet/
A *n* **1** (dampness) humidité *f*; **this plant is tolerant of the ~** cette plante tolère l'humidité; **ducks like the ~** les canards aiment l'eau; **the car won't start in the ~** la voiture ne veut pas démarrer par temps humide; **the tyre performs well in the ~** le pneu a de bons résultats sur terrain mouillé; **2** ○GB (feeble person) péj chiffe *f* molle○ pej; **3** GB Pol conservateur/-trice *m/f* modéré/-e
B *adj* **1** (damp) [*clothing, hair, hand, grass, road, surface, patch*] mouillé; **~ with rain/urine** mouillé par la pluie/l'urine; **~ with blood/tea** mouillé de sang/de thé; **~ with tears** [*hanky*] humide de larmes; **her face was ~ with tears** son visage était baigné de larmes; **~ with sweat** trempé de sueur; **to get ~** se faire mouiller; **to get one's feet/clothes ~** se mouiller les pieds/les vêtements; **to get the floor/the towel ~** tremper le sol/la serviette; **~ through** trempé; **2** (freshly applied) [*cement, clay, plaster, varnish*] humide; [*paint*] frais/fraîche; '**~ paint**' 'peinture fraîche'; **the ink is still ~** l'encre n'est pas encore sèche; **to keep sth ~** empêcher qch de sécher; **3** (rainy) [*weather, climate, season, day, night, area*] humide; [*conditions*] d'humidité; [*spell*] de pluie; **tomorrow, the North will be ~** demain, il pleuvra dans le nord; **when it's ~** quand il pleut; **4** GB péj [*person*] qui manque de caractère; [*remark, action*] sans intérêt; **don't be so ~!** du nerf!; **5** GB Pol [*Tory, minister, cabinet, MP*] modéré; **6** ○(where alcohol is sold) [*state, country*] où l'on peut acheter des boissons alcoolisées
C *vtr* **1** (*p prés* **-tt-**; *prét, pp* **wet**) (with water, blood, sweat, tea) mouiller [*floor, object, clothes*]; **2** (urinate in or on) **to ~ one's pants/the bed** [*adult*] mouiller sa culotte/le lit; [*child*] faire pipi dans sa culotte/dans son lit
D *v refl* **to ~ oneself** gen mouiller sa culotte; [*child*] faire pipi dans sa culotte. ▸ **ear, whistle**
wet: **~back**○ *n* US *ouvrier agricole mexicain entré clandestinement aux États-Unis*; **~ blanket**○ *n* éteignoir *m*, rabat-joie *mf inv*; **~ cell (battery)** *n* pile *f* à liquide
wet dream *n* (dream) rêve *m* érotique; (emission) éjaculation *f* nocturne
wet fish *n* GB poisson *m* frais
wether /ˈweðə(r)/ *n* bélier *m* (châtré)
wetland /ˈwetlənd/
A *n* terres *fpl* marécageuses
B *modif* [*bird, plant, wildlife*] des terres marécageuses; [*area, site*] marécageux/-euse
wet-look /ˈwetlʊk/ *adj* Fashn [*plastic, leather*] luisant; [*hair gel*] à effet mouillé
wetly /ˈwetlɪ/ *adv* [*glisten, gleam*] d'humidité
wetness /ˈwetnɪs/ *n* (of climate, weather, soil, garment) humidité *f*
wetnurse /ˈwetnɜːs/
A *n* nourrice *f*
B **wet-nurse** *vtr* **1** lit allaiter [*baby*]; **2** fig dorloter [*person*]; mitonner [*project*]
wet: **~ rot** *n* carie *f* aqueuse; **~ suit** *n* combinaison *f* de plongée
wetting /ˈwetɪŋ/ *n* **to get a ~** se faire mouiller; **to give sth a ~** faire tremper qch
wetting agent *n* mouillant *m*
WEU *n*: *abrév* ▸ **Western European Union**
we've /wiːv/ *abrév* = **we have**
W Glam *n* GB Post *abrév écrite* ▸ **West Glamorgan**
whack /wæk, US hwæk/
A *n* **1** (blow) (grand) coup *m*; **to give sth/sb a ~** donner un grand coup dans qch/à qn; **2** ○(share) part *f*; **to get one's ~** recevoir sa part; **to do one's ~** faire ce qu'on doit; **to pay one's ~** payer sa quote-part; **3** GB○ (wage) **to pay/earn top ~** payer/recevoir un très gros salaire; **to pay top ~** payer le maximum; **4** ○(try) essai *m*; **to have** *ou* **take a ~ at (doing) sth** essayer (de faire) qch; **to get first ~ at sth/at doing** avoir la primeur de qch/de faire
B *excl* paf!
C *vtr* **1** (hit) battre [*person, animal*]; frapper [*ball*]; **2** ○GB (defeat) piler○; **3** fig **to ~ £10 off the price** réduire le prix de dix livres
(Idiom) **out of ~** US [*cupboard*] mal foutu○; [*arm, leg*] blessé.
(Phrasal verb) ■ **whack off●** se branler●
whacked○ /wækt, US hwækt/ *adj* (*jamais épith*) (tired) vanné○; (stoned) US défoncé◑
whacking○ /ˈwækɪŋ, US ˈhwæk-/
A *n* raclée○ *f*
B *adj* GB énorme
C *adv* GB **~ great**, **~ big** énorme
whacky○ /ˈwækɪ, US ˈhwækɪ/ *adj* [*person*] dingue○; [*sense of humour, joke*] farfelu○; [*party, clothes*] délirant○
whale /weɪl, US hweɪl/
A *n* **1** Zool baleine *f*; **2** ○**a ~ of a difference/story** une super○ différence/histoire; **to have a ~ of a time** s'amuser comme un fou
B ○*vtr* US (thrash) lit, fig donner une raclée○ à
whale: **~boat** *n* baleinière *f*; **~bone** *n* (in corset etc) baleine *f*; **~ calf** *n* baleineau *m*; **~man** ▸ **p. 1683** *n* US pêcheur *m* de baleines; **~ oil** *n* huile *f* de baleine
whaler /ˈweɪlə(r), US ˈhweɪlər/ ▸ **p. 1683** *n* **1** (ship) baleinier *m*; **2** (person) pêcheur *m* de baleines
whaling /ˈweɪlɪŋ, US ˈhweɪlɪŋ/ *n* **1** (whale fishing) pêche *f* à la baleine; **to go ~** aller pêcher la baleine; **2** ○US (thrashing) lit, fig raclée○ *f*

W

ℹ what

As a pronoun

In questions

When used in questions as an object pronoun, *what* is translated by *que* or *qu'est-ce que*.

After *que* the verb and subject are inverted and a hyphen is placed between them:

what is he doing?
= que fait-il? *or* qu'est-ce qu'il fait?

When used in questions as a subject pronoun, *what* is translated by *qu'est-ce qui*:

what happened?
= qu'est-ce qui s'est passé?

Used with a preposition

After a preposition the translation is *quoi*.

Unlike in English, the preposition must always be placed immediately before *quoi*:

with what did she cut it?
or ***what did she cut it with?***
= avec quoi l'a-t-elle coupé?

To introduce a clause

When used to introduce a clause as the object of the verb, *what* is translated by *ce que* (*ce qu'* before a vowel):

I don't know what he wants
= je ne sais pas ce qu'il veut

When *what* is the subject of the verb it is translated by *ce qui*:

tell me what happened
= raconte-moi ce qui s'est passé

For particular usages see **A** in the entry **what**.

As a determiner

what used as a determiner is translated by *quel*, *quelle*, *quels* or *quelles* according to the gender and number of the noun that follows:

what train did you catch?
= quel train as-tu pris?

what books do you like?
= quels livres aimes-tu?

what colours do you like?
= quelles couleurs aimes-tu?

For particular usages see **B** in the entry **what**.

wham /wæm, US hwæm/
A *n* grand coup *m*
B *excl* vlan!
C *vtr* (*p prés etc* **-mm-**) frapper [qch] avec force

whammy○ /'wæmɪ, US 'hwæmɪ/ *n* US poisse *f*

whang○ /wæŋ, US hwæŋ/
A *n* coup *m* retentissant
B *vtr* jeter

wharf /wɔ:f, US hwɔ:f/
A *n* (*pl* **wharves**) quai *m*
B *vi* [*boat*] se mettre à quai

wharfage /'wɔ:fɪdʒ, US 'hwɔ:fɪdʒ/ *n* **1** (accommodation) emplacement *m* à quai; **2** (fee) droits *mpl* de bassin

wharves /wɔ:vz, US hwɔ:vz/ *npl* ▸ **wharf**

what /wɒt, US hwɒt/
A *pron* **1** (what exactly) (as subject) qu'est-ce qui; (as object) que, qu'est-ce que; (with prepositions) quoi; **~ is happening?** qu'est-ce qui se passe, qu'est-ce qui arrive?; **~ are you doing/up to**○**?** qu'est-ce que tu fais/fabriques○?; **with/about ~?** avec/de quoi?; **or ~?** ou quoi?; **and ~ else?** et quoi d'autre?; **~ is to be done?** que faire?; **~ do six and four add up to?** que font six et quatre?; **~ is up there?** qu'est-ce qu'il y a là-haut?; **~'s wrong?**, **~'s the matter?**, **~'s up?** qu'est-ce qui ne va pas?, qu'est-ce qu'il y a?, qu'est-ce qui ne va pas?; **~ does it matter?** qu'est-ce que ça peut faire?; **~'s that machine?** qu'est-ce que c'est que cet appareil?; **~'s her telephone number?** quel est son numéro de téléphone?; **~'s that button for?** à quoi sert ce bouton?; **~ did he do that for?** pourquoi est-ce qu'il a fait ça?; **~ for?** (why) pourquoi?; (concerning what) à propos de quoi?, à quel sujet?; **'I'm going to the shops'—'~ for?'** 'je vais aux magasins'—'qu'est-ce que tu veux?'; **~'s it like?** comment c'est?; **~'s it like having an older brother?** comment c'est d'avoir un grand frère?; **~'s this called in Flemish**, **~'s the Flemish for this?** comment dit-on cela en flamand?; **~ did it cost?** combien est-ce que ça a coûté?
2 (in rhetorical questions) **~'s life without love?** que serait la vie sans l'amour?; **~'s the use?** (enquiringly) à quoi bon?; (exasperatedly) à quoi ça sert?; **~ does he care?** qu'est-ce que ça peut bien lui faire?; **~ can anyone do?** qu'est-ce qu'on peut faire?
3 (whatever) **do ~ you want/have to** fais ce que tu veux/as à faire
4 (in clauses) (as subject) ce qui; (as object) ce que, (*before vowel*) ce qu'; **to wonder/know ~ is happening** se demander/savoir ce qui se passe; **to ask/guess ~ sb wants** demander/deviner ce que qn veut; **they had everything except ~ I wanted** ils avaient tout sauf ce que je voulais; **this is ~ is called a 'monocle'** c'est ce qu'on appelle un 'monocle'; **do you know ~ that device is?** sais-tu ce que c'est que cet appareil?; **and ~ is equally surprising is that** et ce qui est tout aussi étonnant, c'est que; **she's not ~ she was** elle n'est plus ce qu'elle était; **~ I need is** ce dont j'ai besoin c'est; **a hammer, a drill and I don't know ~** un marteau, une perceuse et je ne sais quoi encore; **drinking ~ looked like whisky** buvant quelque chose qui ressemblait à du whisky; **and ~'s more** et en plus; **and ~'s worse** *ou* **better** et en plus
5 ○(when guessing) **it'll cost, ~, £50** ça coûtera, quoi *or* combien, dans les 50 livres?
6 (inviting repetition) **~'s that, ~ did you say?** quoi? qu'est-ce que tu as dit?; **he earns ~?** il gagne combien?; **he did ~?** il a fait quoi?; **George ~?** George comment?
7 (expressing surprise) **and ~ it must have cost!** combien ça a dû coûter!
8 †GB (as question tag) **a good dinner, ~?** c'était un bon dîner, non?
B *det* **1** (which) quel/quelle; **~ magazines do you read?** quels magazines est-ce que tu lis?; **~ time is it?** quelle heure est-il?; **do you know ~ train he took?** est-ce que tu sais quel train il a pris?
2 (in exclamations) quel/quelle; **~ a nice dress/car!** quelle belle robe/voiture!; **~ a lovely apartment!** quel bel appartement!; **~ a strange thing to do!** quelle drôle d'idée!; **~ use is that?** lit, fig à quoi ça sert?
3 (the amount of) **~ money he earns he spends** tout ce qu'il gagne, il le dépense; **~ little she has** le peu qu'elle a, tout ce qu'elle a; **~ belongings she had she threw away** elle a jeté tout ce qui lui appartenait *or* toutes ses affaires; **~ few friends she had** les quelques amis qu'elle avait
C **what about** *phr* **1** (when drawing attention) **~ about the letter they sent?** et la lettre qu'ils ont envoyée, alors?; **~ about the children?** et les enfants (alors)?
2 (when making suggestion) **~ about a meal out?** et si on dînait au restaurant?; **~ about Tuesday? OK?** qu'est-ce que tu dirais de mardi? ça te va?; ▸ **about**
3 (in reply) **'~ about your sister?'—'~ about her?'** 'et ta sœur?'—'quoi ma sœur?'
D **what if** *phr* et si; **~ if I bring the dessert?** et si j'apportais le dessert?
E **what of** *phr* **~ of Shakespeare and Lamb?** littér qu'en est-il de Shakespeare et de Lamb?; **~ of it**○**!** et puis quoi○!
F **what with** *phr* **~ with her shopping bags and her bike** avec ses sacs à provisions et son vélo en plus; **~ with the depression and unemployment** entre la dépression et le chômage; **~ with one thing and another** avec ceci et cela
G *excl* quoi!, comment!
(Idioms) **I'll tell you ~** tu sais quoi; **to give sb ~ for**○ GB passer un savon○ à qn; **to know ~'s ~** s'y connaître; **he doesn't know ~'s ~** il n'y connaît rien; **well, ~ do you know** iron tout arrive; **~ do you think I am**○**!** tu me prends pour quoi!; **~'s it to you**○**?** en quoi ça vous regarde?, qu'est-ce que ça peut bien vous faire?; **~'s yours**○**?** qu'est-ce que tu bois?; **you know ~ he/she etc is!** on le/la etc connaît!

what: **~-d'yer-call-her**○, **~'s-her-name**○ *n* Machine○ *f*; **~-d'yer-call-him**○, **~'s-his-name**○ *n* Machin○ *m*; **~-d'yer-call-it**○, **~'s-its-name**○ *n* machin○ *m*, truc○ *m*

whatever /wɒt'evə(r), US hwɒt-/
A *pron* **1** (that which) (as subject) ce qui; (as object) ce que; **to do ~ is expedient/required** faire ce qui est nécessaire/exigé; **2** (anything that) (as subject) tout ce qui; (as object) tout ce que; **do ~ you like** fais tout ce que tu veux; **~ you can afford to give is welcome** tous les dons même les plus modestes seront les bienvenus; **~ he says goes** c'est lui qui décide; **~ you say** (as you like) tout ce qui vous plaira; **3** (no matter what) quoi que (+ *subj*); **~ happens** quoi qu'il arrive; **~ I do, it's wrong** quoi que je fasse, j'ai tort; **~ he says, don't pay any attention** quoi qu'il dise, n'y fais pas attention; **~ it costs it doesn't matter** quel que soit le prix, ça n'a pas d'importance; **4** (what on earth) (as subject) qu'est-ce qui; (as object) qu'est-ce que; **~'s the matter?** qu'est-ce qui ne va pas?; **~ do you mean?** qu'est-ce que tu veux dire par là?; **~ did he say?** qu'est-ce qu'il a bien pu dire?; **~'s that!** qu'est-ce que c'est que ça!; **'let's go'—'~ for?'** 'allons-y'—'pour quoi faire?'; **'I've bought some caviar'—'~ for?'** 'j'ai acheté du caviar'—'quelle idée!'; **~ next!** qu'est-ce que ça sera la prochaine fois?; **5** ○(the like) **curtains, cushions and ~** des rideaux, des coussins et toutes sortes de choses; **to the cinema or ~** au cinéma ou n'importe où ailleurs; **you add it or subtract it or ~** vous l'ajoutez ou le soustrayez ou n'importe quoi d'autre
B *det* **1** (any) **~ hope he once had** tous les espoirs qu'il avait; **they eat ~ food they can get** ils mangent tout ce qu'ils trouvent à manger; **~ items you've bought, return them** il faut rendre tous les articles que vous avez achetés; **2** (no matter what) **~ the events/their arguments** quels que soient les événements/leurs arguments; **~ the reason** quelle que soit la raison; **for ~ reason** pour je ne sais quelle raison; **any race of ~ creed** toutes les races quelles que soient leurs croyances; **3** (expressing surprise) **~ idiot forgot the key?** quel est l'imbécile qui a oublié la clé?; **~ video was that?** qu'est-ce que c'était que cette vidéo?
C *adv* (at all) **no evidence ~** pas la moindre preuve; **to have no idea ~** ne pas avoir la moindre idée; **'any chance?'—'none ~'** 'il y a une chance?'—'pas la moindre'; **'any petrol?'—'none ~'** 'il y a de l'essence?'—'pas du tout'; **anything ~** n'importe quoi; **is there any possibility ~ that you can come?** y a-t-il la moindre chance que tu puisses venir?

whatnot /'wɒtnɒt, US 'hwɒt-/ *n* **1** (furniture) étagère *f*; **2** ○(unspecified person or thing) machin○ *m*; **3** ○(and so on) **...and ~...** et ainsi de suite

whatsit○ /'wɒtsɪt, US 'hwɒt-/ *n* (thingummy) machin○ *m*, truc○ *m*; **Mr/Mrs Whatsit** M./Mme Machin

whatsoever /ˌwɒtsəʊ'evə(r), US 'hwɒt-/
A ‡*pron* = **whatever A**

B *adv* = **whatever C**

wheat /wiːt, US hwiːt/
A *n* blé *m*
B *modif* [*field, sheaf*] de blé
(Idiom) **to separate the ~ from the chaff** séparer le bon grain de l'ivraie

wheatear /ˈwiːtɪə(r), US ˈhwiːt-/ *n* Zool cul-blanc *m*

wheaten /ˈwiːtn, US ˈhwiːtn/ *adj* de blé

wheat: ~ flour *n* farine *f* de blé, farine *f* de froment; **~ germ** *n* germe *m* de blé; **~meal** *n* farine *f* complète; **~meal bread** *n* pain *m* complet; **~ rust** *n* rouille *f* du blé

wheedle /ˈwiːdl, US ˈhwiːdl/ *vtr* **to ~ sth out of sb** soutirer qch à qn par la cajolerie; **to ~ sb into doing sth** amener qn à faire qch par la cajolerie

wheedling /ˈwiːdlɪŋ, US ˈhwiːdlɪŋ/
A *n* cajoleries *fpl*
B *adj* [*voice, tone, person*] cajoleur/-euse

wheel /wiːl, US hwiːl/
A *n* **1** (on vehicle) roue *f*; (on trolley, piece of furniture) roulette *f*; **front/back ~** roue avant/arrière; **2** (for steering) (in vehicle) volant *m*; Naut roue *f* (de gouvernail); **to be at** *ou* **behind the ~** être au volant; **to take the ~** (in vehicle) prendre le volant; Naut tenir la roue; **to fall asleep at the ~** s'endormir au volant; **3** (in watch, mechanism, machine) rouage *m*; **the ~s of government** fig les rouages du gouvernement; **4** (for pottery) tour *m*; **5** Hist (instrument of torture) roue *f*; **6** Games (in roulette) roue *f*
B ○**wheels** *npl* (car) bagnole○ *f*, voiture *f*; **are these your new ~s?** c'est ta nouvelle bagnole○?; **have you got ~s○?** tu es motorisé○?
C *vtr* pousser [*bicycle, barrow, pram*]; **to ~ a child in a pram** promener un enfant dans sa poussette; **they ~ed me into the operating theatre** ils m'ont emmené dans la salle d'opération sur un chariot
D *vi* **1** (*also* **~ round**) (circle) [*bird*] tournoyer; **2** (turn sharply) [*person, regiment*] faire demi-tour; [*car, motorbike*] braquer fortement; [*ship*] virer de bord; **to ~ to the right** [*person, regiment*] faire demi-tour à droite; **right/left ~!** Mil demi-tour droite/gauche!
E -wheeled (*dans composés*) **a three-/four-~ed vehicle** un véhicule à trois/quatre roues
(Idioms) **to ~ and deal** magouiller○; **the ~ of fortune** la roue de la fortune; **it's ~s within ~s** l'affaire est plus compliquée qu'elle n'en a l'air; **to reinvent the ~** réinventer la roue; **to be fifth ~** US être la cinquième roue du carrosse
(Phrasal verbs) ■ **wheel in = wheel out**
■ **wheel out: ▸ ~ [sth] out, ~ out [sth]** remettre [qch] sur le tapis [*argument, story*]; ressortir [*excuse, statistics*]

wheel: ~ alignment *n* Aut parallélisme *m*; **~barrow** *n* brouette *f*; **~base** *n* Aut écartement *m* des essieux; **~chair** *n* fauteuil *m* roulant

wheelclamp /ˈwiːlklæmp, US ˈhwiːl-/
A *n* Aut sabot *m* de Denver
B *vtr* mettre un sabot de Denver à [*car*]

-wheeler /ˈwiːlə(r), US ˈhwiːlər/ (*dans composés*) **it's a two/three-~** (vehicle) il/elle a deux/trois roues

wheel: ~er dealer○ *n* péj magouilleur/-euse○ *m/f*; **~house** *n* timonerie *f*

wheelie bin /ˈwiːlɪ bɪn/ *n* poubelle *f* à roulettes, conteneur *m* pour la collecte des déchets

wheeling and dealing *n* (+ *v sg*) péj (intrigue) gen manigances *fpl*; micmacs○ *mpl*; (during negotiations) tractations *fpl*

wheel reflector *n* (on bike) catadioptre *m*

wheelwright /ˈwiːlraɪt, US ˈhwiːl-/ *n* charron *m*

wheeze /wiːz, US hwiːz/
A *n* **1** (breathing) respiration *f* sifflante; **2** ○† GB **a good ~** une idée géniale; **3** US (cliché) adage *m*; (joke) blague○ *f*
B *vtr* dire d'une voix rauque
C *vi* [*person, animal*] ahaner; [*engine, machine, organ*] crachoter

> ### ℹ when
>
> *when* can very often be translated by *quand* in time expressions:
>
> ***when did she leave?***
> = quand est-ce qu'elle est partie?
> *or* elle est partie quand?
> *or* quand est-elle partie?
>
> Note that in questions *quand* on its own requires inversion of the verb and subject:
>
> ***when are they arriving?***
> = quand arrivent-ils?
>
> but *when* followed by *est-ce que* needs no inversion: *quand est-ce qu'ils arrivent?*
>
> Occasionally a more precise time expression is used in French:
>
> ***when's your birthday?***
> = quelle est la date de ton anniversaire?
>
> ***when did he set off?***
> = à quelle heure est-il parti?
>
> Remember that the future tense is used after *quand* if future time is implied:
>
> ***tell him when you see him***
> = dis-le-lui quand tu le verras
>
> It is often possible to give a short neat translation for a *when* clause if there is no change of subject in the sentence:
>
> ***when I was very young, I lived in Normandy***
> = tout jeune, j'habitais en Normandie
>
> ***when he was leaving, he asked for my address***
> = en partant, il m'a demandé mon adresse
>
> In expressions such as *the day when, the year when, où* is used:
>
> ***the day when we got married***
> = le jour où nous nous sommes mariés
>
> For examples of the above and further uses of *when*, see the entry **when**.

wheezy /ˈwiːzɪ, US ˈhwiːzɪ/ *adj* [*person*] qui a la respiration sifflante; [*voice, cough*] rauque; [*chest*] qui siffle

whelk /welk, US hwelk/ *n* buccin *m*

whelp /welp, US hwelp/
A *n* **1** (of dog) chiot *m*; (of wolf) louveteau *m*; **2** ○† péj (young man) garnement† *m*
B *vi* mettre bas

when /wen, US hwen/
A *pron* **1** (with prepositions) quand; **by ~?** avant quand?; **from ~ until ~?** de quand à quand?; **since ~?** depuis quand? also iron
2 (the time when) **that was ~ it all started to go wrong** c'est à ce moment-là que tout a commencé à mal aller; **that's ~ I was born** (day) c'est le jour où je suis né; (year) c'est l'année où je suis né; **now is ~ we must act** c'est maintenant qu'il faut agir; **he spoke of ~ he was a child** il a parlé de l'époque où il était enfant
B *adv* **1** (as interrogative) quand (est-ce que); **~ are we leaving?** quand est-ce qu'on part?; **~ is the concert?** c'est quand le concert?; **~ is it possible to say/use...?** quand est-ce qu'on peut dire/utiliser...?; **~ do the first rains come?** quand commence la saison des pluies?; **~ was it that he died?** quand est-ce qu'il est mort?
2 (as indirect interrogative) quand; **ask him ~ he wrote the letter** demande-lui quand il a écrit la lettre; **I wonder ~ the film starts** je me demande à quelle heure commence le film; **I forget exactly ~** (time) j'ai oublié l'heure exacte; (date) j'ai oublié la date exacte; **there was some disagreement as to ~...** tout le monde n'était pas d'accord sur la date à laquelle...; **tell me** *ou* **say ~** (pouring drink) dis-moi d'arrêter
3 (as relative) **on Monday/in 1993 ~** lundi/en 1993 quand; **at the time ~** (precise moment) au moment où; (during same period) à l'époque où; **the week ~ it all happened** la semaine où tout s'est passé; **on those rare occasions ~** les rares fois où; **there are times ~** il y a des moments où; **it's times like that ~** c'est dans ces moments-là que; **it's the time of year ~** c'est la période de l'année où; **one morning ~ he was getting up, he...** un matin en se levant, il...
4 (then) **she resigned in May, since ~ we've had no applicants** elle a démissionné en mai, et depuis (lors) nous n'avons reçu aucune candidature; **until ~ we must stay calm** d'ici là nous devons rester calmes; **by ~ we will have received the information** d'ici là nous aurons reçu toutes les informations
5 (whenever) quand; **he's only happy ~ he's moaning** il n'est content que quand il rouspète; **~ on holiday you should relax** quand on est en vacances il faut se détendre; **~ I sunbathe, I get freckles** chaque fois que je prends un bain de soleil, j'ai des taches de rousseur; **~ necessary** quand c'est nécessaire; **~ possible** dans la mesure du possible
C *conj* **1** (at the precise time when) quand, lorsque; **~ she reaches 18** quand elle aura 18 ans
2 (during the period when) quand, lorsque; **~ he was at school/just a trainee** quand il était à l'école/simplement stagiaire; **~ you're in your teens** quand on est adolescent; **~ sailing, always wear a lifejacket** quand on fait de la voile, il faut toujours porter un gilet de sauvetage
3 (as soon as) quand, dès que; **~ he arrives, I'll tell him** quand *or* dès qu'il arrivera, je le lui dirai; **~ drawn up, the plan...** quand le projet sera rédigé, il..., une fois rédigé, le projet...
4 (when simultaneously) quand; **I was in the bath ~ the phone rang** j'étais dans mon bain quand le téléphone a sonné
5 (when suddenly) quand; **I was strolling along ~ all of a sudden...** je marchais tranquillement quand tout d'un coup...; **hardly** *ou* **scarcely** *ou* **barely had I sat down ~** je venais à peine de m'asseoir quand
6 (once, after) quand, une fois que; **~ you've been to Scotland, you'll want to go again and again** quand *or* une fois que vous aurez visité l'Écosse, vous aurez forcément envie d'y retourner
7 (when it is the case that) alors que; **why buy their products ~ ours are cheaper?** pourquoi acheter leurs produits alors que les nôtres sont moins chers?
8 (whereas) alors que; **she became a nun ~ she could have been an actress** elle est devenue religieuse alors qu'elle aurait pu devenir actrice; **he refused ~ I would have gladly accepted** il a refusé alors que j'aurais été ravi d'accepter

whence‡ /wens, US hwens/ *adv, conj* d'où

whene'er *adv* littér = **whenever**

whenever /wenˈevə(r), US hwen-/ *adv* **1** (as interrogative) **~ will he arrive?** quand est-ce qu'il va finir par arriver?; **~ did she find the time?** comment est-ce qu'elle a bien pu trouver le temps?; **2** (no matter when) **~ you want** quand tu veux; **till ~ you like** aussi longtemps que tu veux; **~ he does it, it won't matter** il peut le faire quand il veut, ça n'a pas d'importance; **I'll come ~ it is convenient** je viendrai quand cela vous arrangera; **3** ○(some time) **or ~** ou n'importe quand; **'how long are you staying?'—'till ~'** 'combien de temps est-ce que tu vas rester?'—'on verra bien'; **4** (every time that) chaque fois que; **~ I see a black cat, I make a wish** chaque fois que je vois un chat noir, je fais un vœu; **~ he sees a spider, he trembles** il suffit qu'il voie une araignée pour qu'il tremble; ~ **(it is) necessary** quand c'est nécessaire; ~ **(it is) possible** dans la mesure du possible; **5** (expressing doubt) **she promised to return them soon, ~ that might be!** elle a promis de les rendre bientôt, mais je ne sais pas quand

where /weə(r), US hweər/

> ⚠ *Where* is generally translated by *où*: *where are the plates?* = où sont les assiettes?; *do you know where he's going?* = est-ce que tu sais où il va?; *I don't know where the knives are* = je ne sais pas où sont les couteaux.
> Note that in questions *où* on its own requires inversion of the verb: *where are you going?* = où allez-vous? but *où* followed by *est-ce que* needs no inversion: où est-ce que vous allez?

A *pron* **1** (with prepositions) où; **from ~?** d'où?; **near ~?** près d'où?; **to go up to ~ sb is standing** s'approcher de qn; **to go past ~ sb is standing** passer devant qn; **not from ~ I'm standing** lit pas de là où je suis; fig ce n'est pas mon avis; **2** (the place or point where) là que; **this is ~ it happened** c'est là que c'est arrivé; **this is ~ we're at** c'est là que nous en sommes; **that is ~ he's mistaken** c'est là qu'il se trompe; **so that's ~ I put them** c'était là que je les avais mis; **here's ~ we learn the truth** voilà enfin la vérité; **France is ~ you'll find good wine** c'est en France que vous trouverez du bon vin

B *adv* **1** (as interrogative) où (est-ce que); **~ is my coat/do you work?** où est mon manteau/est-ce que tu travailles?; **~ would I be if...?** où est-ce que je serais si...?; **~ does Martin figure in all this?** qu'est-ce que Martin vient faire dans tout ça?; **~'s the harm?** quel mal y a-t-il à ça?; **~'s the problem?** je ne vois pas le problème; **~ have you got to in your book?** où est-ce que vous en êtes dans votre lecture?; **2** (as indirect interrogative) où; **ask him/I wonder ~ he's going** demande-lui/je me demande où il va; **I told him ~ he could put them** lit je lui ai dit où les mettre; ◐fig je lui ai dit qu'il pouvait se les mettre où je pense◑; **to know ~ one is going** savoir où on va; fig savoir ce qu'on veut; **you don't know ~ it's been!** tu ne sais pas où ça a traîné!; **I forget exactly ~ it is** j'ai oublié où c'est exactement; **3** (as relative) où; **the village ~ we live** le village où nous habitons; **at the spot ~ he died** à l'endroit où il est mort; **up there ~ there's a branch** là-haut à l'endroit où il y a une branche; **near ~ she lived** près de l'endroit où *or* près de là où elle habitait; **to lead to a situation ~** aboutir à une situation où; **to reach the stage ~** arriver au stade où; **in several cases ~** dans plusieurs cas où; **4** (here where, there where) **stay/go ~ it's dry** reste/mets-toi à l'abri; **it's cold ~ we live** il fait froid là où nous habitons; **it's ~ the Indre meets the Loire** c'est au confluent de l'Indre et de la Loire; **it's not ~ you said** (not there) ça n'y est pas; (found elsewhere) ce n'est pas là où tu crois; **5** (wherever) où; **put them/go ~ you want** mets-les/va où tu veux; **6** (whenever) quand; **~ necessary** si nécessaire; **she's stupid ~ he's concerned** elle se conduit toujours de façon stupide quand il s'agit de lui; **~ children are at risk** quand les enfants sont menacés de violence; **~ there's a scandal there's a reporter** dès qu'il y a un scandale il y a des journalistes; **~ possible** dans la mesure du possible

C *conj* = **whereas**

whereabouts

A /ˈweərəbaʊts, US ˈhweər-/ *n* **do you know his ~?** savez-vous où il est?

B /ˌweərəˈbaʊts/ *adv* gen où; **'I've put them in the living room'—'~?'** 'je les ai mis dans le salon'—'où ça?'

whereas /ˌweərˈæz, US ˌhweər-/ *conj* **she likes dogs ~ I prefer cats** elle aime les chiens mais moi je préfère les chats; **he chose to stay quiet ~ I would have complained** il a choisi de ne rien dire alors que moi je me serais sûrement plaint

whereby /weəˈbaɪ, US hweər-/ *conj* **a system ~ all staff will carry identification** un système qui prévoit que tous les membres du personnel auront une carte; **the criteria ~ allowances are allocated** les critères selon lesquels les allocations sont attribuées

wherefore /ˈweəfɔː(r), US ˈhweər-/

A *adv* littér pourquoi

B ‡*conj* donc

(Idiom) **the whys and ~s** le pourquoi et le comment

wherein /weərˈɪn, US hweər-/ *pron, adv* sout où

whereof /weərˈɒv, US hweər-/ *pron* Jur en témoignage *or* en foi de quoi

wheresoever‡ /ˌweəsəʊˈevə(r), US ˌhweər-/ *adv* = **wherever**

whereupon /ˌweərəˈpɒn, US ˌhweər-/ *conj* sout sur quoi

wherever /weərˈevə(r), US hweər-/ *adv* **1** (as interrogative) **~ did you put them?** où est-ce que tu as bien pu les mettre?; **~ has he got to?** où est-ce qu'il a bien pu passer?; **~ did she get that from?** où est-ce qu'elle a bien pu trouver ça?; **2** (anywhere) **~ she goes I'll go** où qu'elle aille, j'irai; **~ you want** où tu veux; **~ you put the painting it won't look right** tu peux mettre le tableau où tu veux, de toute façon il ne rendra pas bien; **we'll meet ~'s convenient for you** nous nous retrouverons là où ça t'arrange; **3** ○(somewhere) **or ~** ou n'importe où ailleurs; **4** (whenever) **~ there's an oasis, there's a settlement** dès qu'il y a une oasis, il y a une implantation; **~ necessary** quand c'est nécessaire; **~ possible** dans la mesure du possible; **5** (expressing doubt) **she's from Vernoux ~ that is!** elle vient de Vernoux mais ne me demande pas où c'est!

wherewithal /ˈweəwɪðɔːl/ *n* **the ~** les moyens *mpl* (**to do** de faire)

whet /wet, US hwet/ *vtr* (*p prés etc* **-tt-**) **1** (stimulate) **to ~ the appetite** stimuler l'appétit; **the book ~ted his appetite for travel** les livres lui donnèrent envie de voyager; **2** ‡(sharpen) aiguiser [*tool, knife*]

whether /ˈweðə(r), US ˈhweðər/

> ⚠ When *whether* is used to mean *if*, it is translated by *si*: *I wonder whether she got my letter* = je me demande si elle a reçu ma lettre. See **1** in the entry below.
> *whether* often occurs after verbs such as *ask, doubt, decide, know, say, see* and *wonder*, with adjectives such as *doubtful, sure*, and with nouns like *doubt, question*. You can find further examples at these entries.
> In *whether...or not* sentences *whether* is translated by *que* and the verb that follows is in the subjunctive: *whether you agree or not* = que vous soyez d'accord ou non. See **2** in the entry below.

conj **1** (when outcome is uncertain: if) si; **I wasn't sure ~ to answer or not** *ou* **~ or not to answer** je ne savais pas s'il fallait répondre, je n'étais pas sûr qu'il fallait répondre; **I wonder ~ it's true** je me demande si c'est vrai; **you can't tell ~ she's joking or not** c'est impossible de savoir si elle plaisante; **they can't decide ~ to buy or rent** ils n'arrivent pas à décider s'ils doivent acheter ou louer; **can you check ~ it's cooked?** est-ce que tu peux vérifier si c'est cuit?; **it's not clear ~ they've reached an agreement** c'est difficile de savoir s'ils sont tombés d'accord; **the question is ~ anyone is interested** le problème est de savoir si quelqu'un est intéressé; **she was worried about ~ to invite them** elle se demandait si elle devait les inviter; **2** (when outcome is fixed: no matter if) **you're going to school ~ you like it or not!** tu iras à l'école que cela te plaise ou non!; **~ you have children or not , this book should interest you** que vous ayez des enfants ou non, ce livre devrait vous intéresser; **~ or not people are happy is of little importance** que les gens soient heureux ou non ce n'est pas très important; **they need an adult ~ it be a parent or teacher** ils ont besoin d'un adulte que ce soit un parent ou un professeur; **everyone, ~ students or townspeople, celebrates** tout le monde, que ce soient les étudiants ou les habitants de la ville, fait la fête

whetstone /ˈwetstəʊn, US ˈhwet-/ *n* pierre *f* à aiguiser

whew /fjuː/ *excl* (in relief) ouf!; (in hot weather) pff!; (in surprise) hein!

whey /weɪ, US hweɪ/ *n* petit-lait *m*, lactosérum *m* spec

whey: **~-faced** *adj* au teint blême; **~ powder** *n* lactosérum *m* en poudre

which /wɪtʃ, US hwɪtʃ/

A *pron* **1** (*also* **~ one**) lequel *m*, laquelle *f*; **~ do you want, the red skirt or the blue one?** laquelle est-ce que tu veux, la jupe rouge ou la bleue?; **~ of the groups...?** (referring to one) lequel des groupes...?; (referring to several) lesquels des groupes ...? ; **~ of you...?** lequel/laquelle etc de vous *or* d'entre vous...?; **I know ~ you'd like** je sais lequel/laquelle etc tu voudrais; **show her ~ you mean** montre-lui celui/celle etc que tu veux dire; **~ is the best/the shortest route?** quel est le meilleur chemin/le chemin le plus court?; **do you mind ~ you have?** est-ce que tu as une préférence?; **I don't mind ~** ça m'est égal; **can you tell ~ is ~?** peux-tu les distinguer?; **2** (relative to preceding noun) (as subject) qui; (as object) que; (after prepositions) lequel/laquelle/lesquels/lesquelles; **the painting ~ hangs in the sitting room** le tableau qui est accroché dans le salon; **you'll see some crates behind ~ I've placed...** tu verras des caisses derrière lesquelles j'ai mis...; **the contract ~ he's spoken about** *ou* **about ~ he's spoken** le contrat dont il a parlé; **3** (relative to preceding clause or concept) (as subject) ce qui; (as object) ce que; **he said he hadn't done it, ~ may be true/~ he can't prove** il a nié l'avoir fait, ce qui est peut-être vrai/ce qu'il ne peut pas prouver; **~ reminds me...** ce qui me fait penser que...; **upon ~ she disappeared** littér sur quoi elle a disparu; **we'll be moving, before ~ we need to...** nous allons déménager mais avant il faut que nous...; **he's resigned, from ~ we must assume that** il a démissionné, d'où on peut déduire que

B *det* **1** (interrogative) quel/quelle/quels/quelles (*before n*); **~ books?** quels livres?; **~ medals did he win?** quelles médailles a-t-il gagnées?; **he told me ~ jacket he'd like** il m'a dit quelle veste il aimerait avoir ; **she asked me ~ coach was leaving first** elle m'a demandé lequel des cars allait partir le premier; **~ one of the children...?** lequel *or* laquelle des enfants...?; **2** (relative) **he left the room, during ~ time...** il a quitté la pièce et pendant ce temps-là...; **you may wish to join, in ~ case...** vous voulez peut-être vous inscrire, auquel cas...; **he failed to apologize, for ~ mistake he paid dearly** sout il ne s'est même pas excusé, (c'est une) erreur qu'il a payée cher

whichever /wɪtʃˈevə(r), US hwɪtʃ-/

A *pron* **1** (the one that) (as subject) celui *m* qui, celle *f* qui; (as object) celui *m* que, celle *f* que; **'which restaurant?'—'~ is nearest/you prefer'** 'quel restaurant?'—'celui qui est le plus proche/que tu préfères'; **come at 2 or 2.30, ~ suits you best** viens à 14 h ou 14 h 30, comme cela te convient le mieux; **choose either alternative, ~ is the cheaper** choisis la moins chère des deux solutions; **2** (no matter which one) (as subject) quel *m* que soit celui qui (+ *subj*), quelle *f* que soit celle qui (+ *subj*); (as object) quel *m* que soit celui que (+ *subj*), quelle *f* que soit celle que (+ *subj*);

which

As a pronoun

In questions

When *which* is used as a pronoun in questions it is translated by *lequel*, *laquelle*, *lesquels* or *lesquelles* according to the gender and number of the noun it is referring to:

there are three peaches, which do you want?
= il y a trois pêches, laquelle veux-tu?

'Lucy's borrowed three of your books' 'which did she take?'
= 'Lucy t'a emprunté trois livres' 'lesquels a-t-elle pris?'

The exception to this is when *which* is followed by a superlative adjective, when the translation is *quel*, *quelle*, *quels* or *quelles*:

which is the biggest (apple)?
= quelle est la plus grande?

which are the least expensive (books)?
= quels sont les moins chers?

In relative clauses as subject or object

When *which* is used as a relative pronoun as the subject of a verb, it is translated by *qui*:

the book which is on the table
= le livre qui est sur la table

the books which are on the table
= les livres qui sont sur la table

When *which* is the object of a verb it is translated by *que* (*qu'* before a vowel or mute 'h'):

the book which Tina is reading
= le livre que lit Tina

Note the inversion of subject and verb; this is the case where the subject is a noun but not where the subject is a pronoun:

the book which I am reading
= le livre que je lis

In compound tenses such as the present perfect and past perfect, the past participle agrees in gender and number with the noun *que* is referring to:

the books which I gave you
= les livres que je t'ai donnés

the dresses which she bought yesterday
= les robes qu'elle a achetées hier

In relative clauses after a preposition

Here the translation is *lequel*, *laquelle*, *lesquels* or *lesquelles* according to the gender and number of the noun referred to:

the road by which we came
or ***the road which we came by***
= la route par laquelle nous sommes venus

the expressions for which we have translations
= les expressions pour lesquelles nous avons une traduction

Remember that if the preposition would normally be translated by *à* in French (*to*, *at* etc.), the preposition + *which* is translated by *auquel*, *à laquelle*, *auxquels* or *auxquelles*:

the addresses to which we sent letters
= les adresses auxquelles nous avons envoyé des lettres

With prepositions normally translated by *de* (*of*, *from* etc.) the translation of the preposition *which* becomes *dont*:

a blue book, the title of which I've forgotten
= un livre bleu dont j'ai oublié le titre

However, if *de* is part of a prepositional group, as for example in the case of *près de* meaning *near*, the translation becomes *duquel*, *de laquelle*, *desquels* or *desquelles*:

the village near which they live
= le village près duquel ils habitent

the houses near which she was waiting
= les maisons près desquelles elle attendait

The translation *duquel* etc. is also used where a preposition + noun precedes *of which*:

a hill at the top of which there is a house
= une colline au sommet de laquelle il y a une maison

As a determiner

In questions

When *which* is used as a determiner in questions it is translated by *quel*, *quelle*, *quels* or *quelles* according to the gender and number of the noun that follows:

which car is yours?
= quelle voiture est la vôtre?

which books did he borrow?
= quels livres a-t-il empruntés?

Note that in the second example the object precedes the verb so that the past participle agrees in gender and number with the object.

For translations of *which* as a determiner in relative clauses see **B2** in the entry **which.**

---

both courses are worthwhile ~ you choose les deux courses sont aussi intéressants quel que soit celui que tu choisisses; **~ of the techniques is used, the result will be the same** quelle que soit la technique utilisée, le résultat sera le même; **'do you want the big piece or the small piece?'—'~'** 'est-ce que tu veux le gros ou le petit morceau?'—'n'importe'; **3** (which on earth) **~ did he choose in the end?** qu'est-ce qu'il a fini par choisir?

B *det* **1** (the one that) **let's go to ~ station is nearest** allons à la gare la plus proche; **you may have ~ dress you prefer** tu peux avoir la robe que tu préfères; **underline ~ answer you consider correct** soulignez la réponse que vous jugez bonne; **2** (no matter which) **it won't matter ~ hotel we go to** peu importe l'hôtel où nous irons; **I'll be happy ~ horse wins** quel que soit le cheval qui gagne je serai content; **~ way you look at things** quelle que soit la façon dont tu envisages le problème; **3** (which on earth) **~ one do you mean?** mais duquel/de laquelle est-ce que tu peux bien parler?

whiff /wɪf, US hwɪf/ *n* (smell) (of perfume, food) odeur *f* also pej **(of** de); (of smoke, garlic) bouffée *f* **(of** de); fig (of danger, failure, controversy) relent *m* **(of** de); **to get** *ou* **catch a ~ of** sentir l'odeur de

whiffy○ /'wɪfɪ, US hwɪfɪ/ *adj* GB puant

whig /wɪg, US hwɪg/ *n*, *adj* Pol Hist whig *mf*

while /waɪl, US hwaɪl/

A *conj* **1** (although) bien que (+ *subj*), quoique (+ *subj*); **~ the house is big, it is not in a very good state** bien que *or* quoique la maison soit grande, elle n'est pas en très bon état; **the peaches, ~ being ripe, had little taste** les pêches, quoique mûres, avaient peu de goût; **2** (as long as) tant que; **~ there's life there's hope** tant qu'il y a de la vie, il y a de l'espoir; **3** (during the time that) (with different subjects) pendant que; (with the same subject) alors que; **sit there ~ I speak to Brigitte** asseyez-vous là pendant que je parle à Brigitte; **he made a sandwich ~ I phoned** il a fait un sandwich pendant que je téléphonais; **he met her ~ on holiday** il l' a rencontrée pendant qu'il était en vacances; **~ in Spain I visited Madrid** pendant que j'étais en Espagne j'ai visité Madrid; **he collapsed ~ mowing the lawn** il a eu un malaise alors qu'il tondait le gazon; **4** (at the same time as) en; **I fell asleep ~ watching TV** je me suis endormi en regardant la télé; **this eliminates draughts ~ allowing air to circulate** cela élimine les courants d'air tout en permettant à l'air de circuler; **close the door ~ you're about** *ou* **at it** ferme la porte pendant que tu y es; **'MOT ~ you wait'** 'contrôle technique express'; **'heels repaired ~ you wait'** 'talons minute'; **5** (whereas) tandis que

B *n* **a ~ ago** *ou* **back**○ il y a quelque temps; **a ~ later** quelque temps plus tard; **a good** *ou* **long ~ ago** il y a longtemps; **for a good ~** pendant longtemps; **a good ~ later** longtemps après, beaucoup plus tard; **a short** *ou* **little ~ ago** il y a peu de temps; **a short ~ later, after a short ~** peu de temps après; **it will be** *ou* **take a ~** cela va prendre un certain temps; **it takes a ~ to cook** cela prend un certain temps à cuire; **it may take a ~** ça risque de prendre un certain temps; **to wait a ~ longer** attendre encore un peu; **to stop/rest for a ~** s'arrêter/se reposer un peu *or* un moment; **after a ~ he fell asleep** au bout d'un moment il s'est endormi; **after a ~ I started to trust him** au bout d'un moment *or* au bout d'un certain temps j'ai commencé à lui faire confiance; **he worked, humming all the ~** *ou* **the whole ~** il travaillait tout en chantonnant; **and all the ~** *ou* **the whole ~, he was cheating on her** et depuis le début , il la trompait; **once in a ~** de temps en temps; **in between ~s** entre-temps. ▸ **worth**

(Phrasal verb) ■ **while away**: ▸ **~ away [sth]** tuer [*hours, minutes*] **(doing, by doing** en faisant); **to ~ away the time by playing cards** tuer le temps en jouant aux cartes

whilst /waɪlst, US hwaɪlst/ *conj* = **while A**

whim /wɪm, US hwɪm/ *n* caprice *m*; **on a ~** sur un coup de tête

whimper /'wɪmpə(r), US 'hwɪm-/

A *n* gémissement *m* **(of** de)

B *vtr* **'I'm cold,' she ~ed** 'j'ai froid,' dit-elle en gémissant

C *vi* **1** [*person, animal*] gémir; **2** péj (whinge) [*person*] pleurnicher

(Idiom) **to end, not with a bang, but a ~** finir sans éclat

whimpering /'wɪmpərɪŋ, US hwɪm-/

A *n* (of person, puppy) gémissements *mpl*; pej (of person) geignements *mpl*

B *adj* [*voice*] geignard; pej [*person*] pleurnicheur/-euse; **a ~ sound** *ou* **noise** un gémissement

whimsical /'wɪmzɪkl, US 'hwɪm-/ *adj* [*person*] fantasque; [*play, tale, manner, idea*] saugrenu; Fin [*market*] capricieux/-ieuse

whimsicality /,wɪmzɪ'kælətɪ, US 'hwɪm-/ *n* fantaisie *f*

whimsically /'wɪmzɪklɪ, US 'hwɪm-/ *adv* [*remark, write*] de façon saugrenue; [*decide*] sur un coup de tête

whimsy /'wɪmzɪ, US 'hwɪm-/ *n* littér fantaisie *f*

whimwhams○ /'wɪmwæms, US 'hwɪm-/ *npl* US frousse○ *f*; **to get the ~** avoir la frousse○

whine /waɪn, US hwaɪn/

A *n* (of person, animal) geignement *m*; (of engine) plainte *f*; (of bullet) sifflement *m*; **her voice had a nasal ~** elle parlait d'une voix nasillarde

W

B *vtr* **'I'm hungry,' he ~d** 'j'ai faim,' dit-il d'une voix geignarde

C *vi* (complain) se plaindre, geindre (**about** de); (snivel) pleurnicher; [*dog*] gémir

whinge○ /wɪndʒ/ *vi* râler○

whingeing○ /ˈwɪndʒɪŋ/ GB

A *n* plaintes *fpl*

B *adj* [*person*] geignard

whining /ˈwaɪnɪŋ, US ˈhwaɪn-/

A *n* (complaints) jérémiades *fpl*, geignements *mpl*; (of engine) gémissements *mpl* aigus; (of dog) gémissements *mpl*

B *adj* [*voice*] (complaining, high-pitched) geignard; [*child*] pleurnicheur/-euse; [*letter*] de réclamation

whinny /ˈwɪnɪ, US ˈhwɪnɪ/

A *n* faible hennissement *m*

B *vi* [*horse*] hennir doucement; fig péj [*person*] hennir

whinnying /ˈwɪnɪɪŋ, US ˈhwɪnɪɪŋ/

A *n* (of horse) (faible) hennissement *m*; fig péj (of person) hennissement *m*

B *adj* péj [*voice, sound*] hennissant

whip /wɪp, US hwɪp/

A *n* 1) (for punishment) fouet *m*; (for horse) cravache *f*; 2) GB Pol (official) *député chargé d'assurer la discipline de vote des membres de son parti*, chef *m* de file; (notice, summons) convocation *f* (*envoyée aux membres d'un parti lors d'une séance de Parlement importante*); **three-line ~** convocation *f* urgente (*pour assister à une séance de vote*); **to resign the party ~** démissionner du groupe parlementaire; 3) Culin mousse *f*; **strawberry ~** mousse aux fraises; **instant ~** dessert *m* instantané

B *vtr* (*p prés etc* **-pp-**) 1) (beat) fouetter [*person, animal*]; **the wind ~ped our faces** le vent nous fouettait le visage; 2) Culin fouetter [*cream*]; battre [qch] en neige [*egg whites*]; 3) ○(remove quickly) **she ~ped the newspaper from under his nose** elle lui a chipé○ le journal sous le nez; **I ~ped the key out of his hand** je lui ai arraché la clé des mains; **he ~ped the plates off the table** il a prestement retiré les assiettes de la table; 4) GB (steal) piquer○, chiper○ (**from sb** à qn); 5) surfiler [*fabric*]; surlier [*rope*]; 6) US (defeat) battre

C ○*vi* (*p prés etc* **-pp-**) (move fast) **to ~ in/out** entrer/sortir précipitamment; **he ~ped into a shop to buy a paper** il est entré rapidement dans un magasin pour acheter un journal; **I'll just ~ out to get some milk** je sors juste une minute pour aller acheter du lait; **she's just ~ped over** *ou* **round to the neighbours** elle est juste allée faire un saut○ chez les voisins; **to ~ round** se retourner brusquement

(Phrasal verbs) ■ **whip away**: ▸ **~ away [sth]**, **~ [sth] away** [*person*] retirer *or* enlever prestement [*plate, book*]; [*wind*] faire voler, emporter brusquement [*hat, scarf*]

■ **whip back**: ▸ **~ back** [*branch, wire*] revenir brusquement en arrière; ▸ **~ back [sth]**, **~ [sth] back** récupérer [qch] brusquement [*object*]; **I wanted to read the letter, but he ~ped it back** je voulais lire la lettre mais il me l'a arrachée des mains

■ **whip in**: ▸ **~ in** Hunt être piqueur; ▸ **~ in [sth]**, **~ [sth] in** 1) Hunt rassembler [*hounds*]; 2) Culin incorporer [qch] (*avec un fouet*) [*cream*]; ▸ **~ in [sb]**, **~ [sb] in** US Pol rallier [*party members*]

■ **whip off**: ▸ **~ off [sth]**, **~ [sth] off** enlever *or* ôter [qch] à toute vitesse [*garment, shoes*]

■ **whip on**: ▸ **~ on [sth]**, **~ [sth] on** 1) enfiler [qch] à toute vitesse [*garment*]; 2) (urge on) cravacher [*horse*]

■ **whip out**: ▸ **~ out [sth]** sortir [qch] brusquement [*wallet, gun*]

■ **whip through** expédier [*task, book*]

■ **whip up**: ▸ **~ up [sth]** 1) (incite) attiser [*hatred, enthusiasm*]; provoquer [*fear*]; ranimer [*indignation, hostility*]; éveiller, stimuler [*interest*]; rallier [*support*]; inciter, provoquer [*strike, unrest*]; **to ~ the crowd up into a frenzy** mettre la foule en délire; 2) Culin battre [qch] au fouet, fouetter [*cream, eggs*]; 3) (produce quickly) préparer [qch] en vitesse [*snack, meal, report*]

whipcord /ˈwɪpkɔːd, US hwɪp-/ *n* 1) Tex whipcord *m*; 2) (part of whip) mèche *f* de fouet

whip hand *n* **to have the ~** avoir le dessus; **to have the ~ over sb** l'emporter sur qn

whip: **~lash** *n* coup *m* de fouet; **~lash injury** *n* Med coup *m* du lapin, traumatisme *m* cervical; **~ped cream** *n* crème *f* fouettée; **~per-in** *n* Hunt piqueur *m*

whippersnapper† /ˈwɪpəsnæpə(r), US ˈhwɪpə-/ *n* freluquet† *m*

whippet /ˈwɪpɪt, US ˈhwɪpɪt/ *n* Zool whippet *m*

whipping /ˈwɪpɪŋ, US ˈhwɪp-/ *n* 1) correction *f* (*au fouet*); **to give sb a ~** donner le fouet à qn, fouetter qn; 2) (stitching on fabric, rug) surfilage *m*

whipping: **~ boy** *n* souffre-douleur *m inv*; **~ cream** *n* crème *f* fraîche (*à fouetter*); **~ post** *n* poteau *m* (*des condamnés au fouet*); **~ top** *n* toupie *f*

whippoorwill /ˈwɪpʊəwɪl, US ˈhwɪp-/ *n* engoulevent *m*

whip: **~-round**○ *n* GB collecte *f*; **~saw** *n* ≈ scie *f* à ruban; **~snake** *n* couleuvre *f*; **~stitch** *n* surfil *m*

whir *n*, *vi* = **whirr**

whirl /wɜːl, US hwɜːl/

A *n* 1) fig (of activity, excitement) tourbillon *m* (**of** de); **the social ~** le tourbillon social; **to be in a ~** vivre dans un tourbillon; **my head's in a ~** tout tourbillonne dans ma tête; 2) (swirl of dust, air, leaves etc) tourbillon *m*; 3) (spiral motif) spirale *f*

B *vtr* 1) (swirl, turn) faire tournoyer [*sword, flag, leaves, snowflakes, dust*]; 2) (whisk, hurry) **to ~ sb along/away** entraîner/emmener qn à toute vitesse

C *vi* 1) (swirl, turn) [*dancer*] tournoyer; [*blade, propeller*] tourner; [*snowflakes, dust, mind, thoughts*] tourbillonner; 2) (move quickly, whizz) **to ~ in/past** [*person, vehicle*] entrer/filer à toute vitesse

(Idiom) **to give sth a ~**○ essayer qch

(Phrasal verb) ■ **whirl round**: ▸ **~ round** [*person*] se retourner brusquement; [*blade, rotor, clock hand*] tourner brusquement; ▸ **~ [sth] round** faire tournoyer [*sword, rope*]

whirligig /ˈwɜːlɪgɪg, US ˈhwɜːl-/ *n* 1) (merry-go-round) manège *m*; 2) (spinning top) toupie *f*; 3) fig (whirl) tourbillon *m*

whirligig beetle *n* Zool gyrin *m*, tourniquet *m*

whirl: **~pool** *n* tourbillon *m*, remous *m*; **~pool bath** *n* bain *m* bouillonnant; **~wind** *n* tourbillon *m*

whirlybird○ /ˈwɜːlɪbɜːd, US ˈhwɜːl-/ *n* US hélico○ *m*

whirr /wɜː(r), US hwɜːr/

A *n* (of propeller, motor) vrombissement *m*; (of toy, camera, insect) bourdonnement *m*; (of wings) bruissement *m*

B *vi* [*motor, propeller*] vrombir; [*camera, fan*] tourner; [*insect*] bourdonner; [*wings*] bruire

whisk /wɪsk, US hwɪsk/

A *n* 1) Culin (*also* **egg ~**) (manual) fouet *m*; (mechanical, electric) batteur *m*; 2) **with a ~ of its tail** d'un coup de queue

B *vtr* 1) Culin (beat) battre [*sauce, mixture, eggs*]; **~ the eggs and cream together** battre les œufs avec la crème; 2) (transport, move quickly) **he was ~ed off to meet the president** on l'a emmené sur le champ rencontrer le président; **she was ~ed off to hospital** elle a été emmenée d'urgence à l'hôpital; **she ~ed open the gate** elle a ouvert rapidement le portail; **he ~ed the plates off the table** il a enlevé les assiettes de la table d'un geste rapide; 3) (flick) **the cow ~ed its tail** la vache fouettait l'air de sa queue; **she ~ed the fly away with her hand** elle a chassé la mouche d'un geste rapide de la main

C *vi* **she ~ed into the room** elle est entrée précipitamment dans la pièce; **he ~ed off in his long cloak** il est parti rapidement, vêtu de sa longue cape; **he ~ed around the room with a duster** il a donné un rapide coup de chiffon dans la pièce

whisker /ˈwɪskə(r), US ˈhwɪ-/

A *n* 1) lit (of animal) moustache *f*; 2) fig **to lose/win by a ~** perdre/gagner d'un poil○ *or* de justesse; **to come within a ~ of victory/of winning** être à deux doigts de la victoire/de gagner

B **whiskers** *npl* (of animal) moustaches *fpl*; (of man) (side-whiskers) favoris *mpl*; (beard) barbe *f*; (moustache) moustache *f*

whiskery /ˈwɪskərɪ, US ˈhwɪ-/ *adj* [*chin*] poilu

whisky GB, **whiskey** US, Ir /ˈwɪskɪ, US ˈhwɪ-/

A *n* (*pl* **-kies** GB, **~s** US, Ir) whisky *m*; **~ and soda** ≈ whisky-Perrier®

B *modif* [*bottle, glass*] à whisky; [*sauce*] au whisky

whisky mac *n* cocktail *m*

whisper /ˈwɪspə(r), US ˈhwɪs-/

A *n* (of person, voices) chuchotement *m*; fig (rustling sound) (of trees, leaves, wind) chuchotement *m*, bruissement *m*; (of water) murmure *m*; fig (rumour) bruit *m*, rumeur *f*; **to speak in a ~** *ou* **in ~s** parler à voix basse; **to say in a ~** dire à voix basse; **her voice hardly rose above a ~** sa voix était à peine plus forte qu'un chuchotement; **his voice dropped to a ~** il a baissé la voix et s'est mis à chuchoter; **I don't want to hear a ~ out of you** je ne veux pas t'entendre; **there is a ~ going round that** fig le bruit court que

B *vtr* chuchoter (**to** à); **to ~ sth to sb** chuchoter qch à qn, dire qch à voix basse à qn; **'she's asleep,' he ~ed** 'elle dort,' dit-il en chuchotant; **she ~ed sth in his ear** elle lui a chuchoté qch à l'oreille; **it is ~ed that** fig on dit que, le bruit court que

C *vi* [*person*] chuchoter, parler à voix basse; [*leaves, trees, wind*] chuchoter; [*water*] murmurer; **to ~ to sb** parler à voix basse à qn; **it's bad manners to ~** c'est impoli de faire des messes basses○

whispering /ˈwɪspərɪŋ, US ˈhwɪ-/

A *n* ¢ (of voices) chuchotement *m*; (of leaves, trees, wind) chuchotement *m*, murmure *m*, bruissement *m*; (of water) murmure *m*; fig (rumours) rumeurs *fpl* insidieuses

B *adj* [*person*] qui chuchote; [*leaves, trees, wind*] chuchotant, murmurant; [*water*] murmurant; **~ voices** chuchotements *mpl*

whispering: **~ campaign** *n* campagne *f* de diffamation; **~ gallery** *n* galerie *f* à écho

whist /wɪst, US hwɪst/ ▸ **p. 1253** *n* whist *m*

whist drive *n* tournoi *m* de whist

whistle /ˈwɪsl, US ˈhwɪ-/

A *n* 1) (small pipe) sifflet *m*; (siren) sirène *f*; **the factory ~ goes at 5 pm** la sirène de l'usine sonne à 17 h; **to blow the** *ou* **one's ~** donner un coup de sifflet; **to blow the ~ for half time** siffler la mi-temps; 2) (sound) (made by mouth, kettle, train, wind) sifflement *m*; (made with a small pipe) coup *m* de sifflet; **to give a ~ of surprise** pousser un sifflement de surprise; 3) Mus flageolet *m*

B *vtr* gen siffler [*tune, command*]; (casually) siffloter [*melody*]

C *vi* 1) (make noise) [*bird, person, kettle, train, wind*] siffler; **to ~ at sb/sth** siffler qn/qch; **to ~ for** siffler [*dog*]; **he ~d to us to come** il nous a sifflés pour nous faire venir; 2) (move fast) **to ~ past** *ou* **by** [*arrow, bullet*] passer en sifflant; [*train*] passer à toute vitesse; **the arrows ~d past our heads/through the air** les flèches sifflaient au-dessus de nos têtes/dans l'air

(Idioms) **to blow the ~ on sb** dénoncer qn; **to blow the ~ on sth** révéler qch; **(as) clean as a ~** propre comme un sou neuf; **you can ~ for it**○! tu peux toujours courir○!; **to wet one's**

~○ se rincer le gosier○; **to ~ in the dark** essayer de se donner du courage

(Phrasal verb) ■ **whistle up**○: ▸ **~ up [sth]** dégoter○ [*object, volunteer*]

whistle-blower○ /ˈwɪslbləʊə(r), US ˈhwɪsl-/ *n* dénonciateur/-trice *m/f*

whistle-stop /ˈwɪslstɒp, US ˈhwɪsl-/ US Rail

A *n* gare *f* à arrêt facultatif

B *vi* (*p prés etc* **-pp-**) s'arrêter dans les petites gares

whistle-stop tour *n* (by diplomat, president) tournée *f* éclair *inv* (**of** de); (by candidate on campaign) tournée *f* électorale (**of** de)

whit† /wɪt, US hwɪt/ *n* brin *m*; **not a ~** pas un brin; **it bothered him not a ~** ça ne l'ennuyait pas le moins du monde

Whit /wɪt, US hwɪt/ *n*: *abrév* ▸ **Whitsun**

white /waɪt, US hwaɪt/ ▸ **p. 1067**

A *n* **1** (colour) blanc *m*; **I like ~** j'aime le blanc; **in ~** en blanc; **a shade of ~** un ton de blanc; **2** (part of egg, eye) blanc *m*; **the ~s of sb's eyes** le blanc des yeux de qn; **3** (*also* **White**) (Caucasian) Blanc/Blanche *m/f*; **4** (white ball) bille *f* blanche (*de billard/snooker*); **5** (wine) blanc *m*; **6** (in chess, draughts) blancs *mpl*; **I'll be ~** je prends les blancs; **~ wins** les blancs gagnent; **7** (*also* **White**) Pol (reactionary) Blanc/Blanche *m/f*

B **whites** *npl* **1** (clothes) **cricket/tennis/chef's ~s** tenue *f* de cricket/de tennis/de chef-cuisinier; **2** Med (leucorrhoea) pertes *fpl* blanches

C *adj* **1** [*paint, tooth, flower, hair*] blanc/blanche; **bright/cool ~** blanc éclatant/glacial *inv*; **to go** *ou* **turn ~** devenir blanc, blanchir; **to turn sth ~** faire blanchir qch; **to paint/colour sth ~** peindre/colorer qch en blanc; **2** (Caucasian) [*race, child, skin*] blanc/blanche; [*area*] habité par des Blancs; [*culture, prejudice, fears*] des Blancs; **a ~ man/woman** un Blanc/une Blanche; **an all-~ jury** un jury exclusivement composé de Blancs; **3** (pale) [*face, person, cheek*] pâle (**with** de); **to go** *ou* **turn ~** pâlir (**with** de)

(Idioms) **he would swear black was ~** il a l'esprit de contradiction; **the men in ~ coats** hum les infirmiers psychiatriques; **two blacks don't make a ~** on n'efface pas un tort par un autre; **whiter than ~** [*reputation, person*] plus blanc/blanche que neige

(Phrasal verb) ■ **white out**: ▸ **~ out [sth]**, **~ [sth] out** effacer [qch] (avec du blanc)

whitebait /ˈwaɪtbeɪt, US ˈhwaɪt-/ *npl* **1** (raw) blanchaille *f*; **2** (fried) petite friture *f*

white: **~beam** *n* Bot alisier *m* blanc; **~ blood cell**, **~ blood corpuscle** *n* globule *m* blanc; **~board** *n* tableau *m* blanc; **~ book** *n* US livre *m* blanc, rapport *m* officiel (**on** sur); **~ bread** *n* pain *m* blanc; **~-bread** *adj* US, péj [*person*] blanc moyen *inv*; [*attitudes, lifestyle*] de blanc moyen *inv*; **~cap** *n* mouton *m*; **~ cedar** *n* cèdre *m* blanc; **White Christmas** *n* Noël *m* avec de la neige; **~ coffee** *n* (at home) café *m* au lait; (in café) café *m* crème

white-collar /ˌwaɪtˈkɒlə(r), US ˌhwaɪt-/ *adj* [*job, work*] d'employé de bureau, de col blanc; [*staff*] de bureau; [*vote*] des cols blancs; [*neighborhood*] US résidentiel/-ielle

white: **~-collar crime** *n* délinquance *f* en col blanc; **~-collar union** *n* syndicat *m* des employés de bureau; **~-collar worker** *n* employé/-e *m/f* de bureau, col *m* blanc; **~d sepulchre** *n* péj hypocrite *mf*; **~ dwarf** *n* naine *f* blanche

white elephant *n* péj **1** (item, knick-knack) bibelot *m*; **2** (public project) réalisation *f* coûteuse et peu rentable

white: **~ elephant stall** *n* stand *m* de bibelots; **White Ensign** *n* pavillon *m* blanc (*de la marine de guerre britannique*); **~-faced** *adj* [*person*] pâle; [*animal*] à tête blanche

white feather *n*: *symbole de reddition, avec connotation de poltronnerie*

(Idiom) **to show the ~** se rendre comme un poltron

white: **~ fish** *n* poisson *m* blanc; **~ flag** *n* drapeau *m* blanc; **~fly** *n* aleurode *m*; **~ fox** *n* (animal) renard *m* polaire; (fur) renard *m* blanc; **~ friar** *n* carme *m*; **~ gasoline** *n* US essence *f* sans plomb; **~ gold** *n* or *m* blanc

white goods *n* **1** (appliances) gros électroménager *m*; **2** (linens) blanc *m* ₵

white-haired /ˌwaɪtˈheəd, US ˌhwaɪt-/ *adj* aux cheveux blancs

Whitehall /ˈwaɪthɔːl, US ˈhwaɪt-/ *pr n* GB Pol *avenue à Londres où sont concentrés les principaux ministères et les principales administrations publiques*

Whitehall farce *n* GB Theat *genre comique créé par le Théâtre de Whitehall*

white-headed /ˌwaɪtˈhedɪd, US ˌhwaɪt-/ *adj* [*person*] aux cheveux blancs; [*animal*] à tête blanche

white heat *n* **1** Phys rouge *m* blanc; **2** (intense heat) chaleur *f* accablante; **3** (of emotion) chaleur *f*

white: **~ hope** *n* espoir *m*; **~ horse** *n* (wave) mouton *m*

white hot *adj* **1** lit [*metal*] chauffé à blanc, incandescent; **2** fig incandescent

White House

A *n* Maison *f* Blanche

B *modif* [*aide, adviser, chief of staff, spokesman*] de la Maison Blanche

> **White House**
>
> Résidence et lieu de travail du président des États-Unis, à Washington. Par extension, l'expression désigne le président américain, l'exécutif. ▸ **Checks and balances, Washington DC**

white information *n* informations *fpl* financières

White knight *n* **1** gen sauveur *m*; **2** Fin chevalier *m* blanc

white: **~-knuckle ride** *n* tour *m* de manège qui fait peur; **~ lead** *n* blanc *m* de céruse; **~ lie** *n* pieux mensonge *m*; **~ light** *n* lumière *f* blanche; **~ line** *n* Transp ligne *f* blanche; **~-livered** *adj* poltron/-onne; **~ magic** *n* magie *f* blanche; **~ meat** *n* viande *f* blanche; **~ metal** *n* métal *m* blanc; **~ meter** *n* GB Elec compteur *m* 'heures creuses'; **~ mouse** *n* souris *f* blanche

whiten /ˈwaɪtn, US ˈhwaɪtn/

A *vtr* blanchir [*shoes, wall, face, skin*]

B *vi* [*sky, face, cheeks*] pâlir; [*knuckles*] blanchir

whitener /ˈwaɪtnə(r), US ˈhwaɪt-/ *n* **1** (for clothes) agent *m* blanchissant; **2** (for shoes) produit *m* pour blanchir; **3** (for coffee, tea) succédané *m* de lait en poudre

whiteness /ˈwaɪtnɪs, US ˈhwaɪt-/ *n* blancheur *f*

White Nile *pr n* Nil *m* blanc

whitening /ˈwaɪtnɪŋ, US ˈhwaɪt-/ *n* **1** (act of turning sth white) blanchiment *m*; **2** (process of becoming white) blanchissement *m*; **3** (substance) agent *m* blanchissant

white: **~ noise** *n* bruit *m* blanc; **~ oak** *n* chêne *m* blanc; **~out** *n* Meteorol voile *m* blanc; **White Paper** *n* GB Pol Admin livre *m* blanc, rapport *m* officiel (**on** sur); **~ pepper** *n* poivre *m* blanc; **~ pine** *n* pin *m* blanc; **~ plague** *n* US tuberculose *f* pulmonaire; **~ poplar** *n* peuplier *m* blanc; **~ rhino(ceros)** *n* rhinocéros *m* blanc; **~ room** *n* Ind salle *f* blanche

White Russian *n* **1** (Tsarist) Russe *mf* blanc/blanche; **2** (Byelorussian) Biélorusse *mf*

white: **~ sale** *n* vente *f* de blanc; **~ sauce** *n* sauce *f* blanche; **~ shark** *n* requin *m* blanc; **~-skinned** *adj* à peau blanche; **~ slave** *n* victime *f* de la traite des Blanches; **~ slavery** *n* traite *f* des Blanches; **~ slave trade** *n* traite *f* des Blanches; **~s-only** *adj* réservé aux Blancs; **~ spirit** *n* white-spirit *m*; **~ stick** *n* canne *f* blanche; **~ supremacist** *n* partisan/-e *m/f* de la suprématie blanche; **~ supremacy** suprématie *f* blanche; **~tail**, **~-tailed deer** *n* cerf *m* de Virginie; **~-tailed eagle** *n* pygargue *m* à queue blanche; **~ tea** *n* thé *m* au lait; **~thorn** *n* aubépine *f*; **~throat** *n* fauvette *f* grisette

white tie

A *n* **1** (tie) nœud *m* papillon blanc; **2** (formal dress) habit *m*; **~ and tails** queue de pie *f*

B **white-tie** *modif* [*dinner, occasion*] habillé

white: **~ trash** *n* (+ *v pl*) US péj petits Blancs *mpl*; **~wall (tyre)** GB, **~wall (tire)** US *n* pneu *m* à flanc blanc

whitewash /ˈwaɪtwɒʃ, US ˈhwaɪt-/

A *n* **1** (for walls) lait *m* de chaux; **2** fig (cover-up) mise *f* en scène, camouflage *m*; **3** ○Sport déculottée○ *f*

B *vtr* **1** lit blanchir [qch] à la chaux, chauler [*wall, step*]; **2** (*also* **~ over**) fig (conceal) blanchir, camoufler [*action, truth*]; **3** ○Sport flanquer une déculottée à○ [*team*]; **4** Fin réhabiliter [*company*]

white water

A *n* eau *f* vive

B **white-water** *modif* [*canoeing, rafting*] en eau vive

white: **~ wedding** *n* mariage *m* en blanc; **~ whale** *n* baleine *f* blanche; **~ wine** *n* vin *m* blanc; **~ witch** *n* bonne sorcière *f*; **~wood** *n* bois *m* blanc

whitey /ˈwaɪtɪ, US ˈhwaɪtɪ/

A ○*n* péj Blanc/Blanche *m/f*

B *adj* [*blue, green*] laiteux/-euse

whither /ˈwɪðə(r), US ˈhwɪðər/ *adv* littér où; **~ goest thou?** où te rends-tu de ce pas?; **~ modern architecture?** Journ où va l'architecture moderne?

whiting /ˈwaɪtɪŋ, US ˈhwaɪt-/ *n* **1** (*pl* **~**) Zool merlan *m*; **2** (whitener) agent *m* blanchissant, blanc *m*

whitish /ˈwaɪtɪʃ, US ˈhwaɪt-/ *adj* blanchâtre

whitlow /ˈwɪtləʊ, US ˈhwɪt-/ *n* panaris *m*

Whit Monday *n* le lundi de Pentecôte

Whitsun /ˈwɪtsn, US hwɪ-/ *n* (*also* **Whitsuntide**) Pentecôte *f*; **at ~** à la Pentecôte

Whit Sunday *n* Pentecôte *f*

whittle /ˈwɪtl, US ˈhwɪt-/ *vtr* tailler [qch] au couteau

(Phrasal verbs) ■ **whittle away**: ▸ **~ away [sth]** fig réduire [*advantage, lead*]; ▸ **~ away at [sth]** lit tailler [*stick*]; fig réduire [*advantage, lead, profits*]

■ **whittle down**: ▸ **~ down [sth]**, **~ [sth] down** réduire [*number*] (**to** à); **we've ~d the number of applicants down to three** on a réduit le nombre de candidats à trois

whiz○ *n* = **whizz A 1**

whizz /wɪz, US hwɪz/

A *n* **1** ○(expert) as○ *m* (**at** en); **computer ~** as en informatique; **2** (whirr) sifflement *m*; **3** ○(quick trip) tour *m* rapide (**around** de); **4** ○Culin **give the mixture a ~ in the blender** faites passer rapidement le mélange au mixer

B ○*vtr* (deliver quickly) filer○; **I'll ~ round the contract to you** je te filerai le contrat

C *vi* **to ~ by** *ou* **past** [*arrow, bullet*] passer en sifflant; [*car, bicycle*] passer à toute allure; [*person*] passer rapidement; **to ~ through the air** [*arrow, bullet*] fendre l'air; **to ~ along the road** [*car*] filer à toute allure le long de la route

(Phrasal verb) ■ **whizz up** Culin: ▸ **~ up [sth]** réduire [qch] en purée

whizz-bang○ /ˈwɪzbæŋ, US ˈhwɪz-/

A *n* (shell) obus *m*; (firework) pétard *m*

B *adj* super○

W

whizz-kid○ /ˈwɪzkɪd, US ˈhwɪz-/ *n* jeune prodige *m*

whizzo○† /ˈwɪzəʊ, US ˈhwɪz-/ *excl* super○

who /huː/

> ⚠ *Who* is translated by *qui*.
> In questions *qui* on its own as the object of a verb requires inversion of the verb: *who did he call?* = qui a-t-il appelé? but *qui* followed by *est-ce que* or *est-ce qui* needs no inversion: qui est-ce qu'il a appelé? Note, however, that the form *il a appelé qui?* is also used in spoken French.
> For particular usages see the entry below.

pron 1 (interrogative) (as subject) qui (est-ce qui); (as object) qui (est-ce que); (after prepositions) qui; **~ knows the answer?** qui connaît la réponse?; **~ did you invite?** qui est-ce que tu as invité?, qui as-tu invité?; **~'s going to be there?** qui sera là?; **behind/next to ~?** derrière/à côté de qui?; **~ was she with?** elle était avec qui?, avec qui était-elle?; **~ does he live with?** il habite avec qui?, avec qui est-ce qu'il habite?; **~ did you buy it for?** pour qui l'as-tu acheté?; **~ did you get it from?** qui te l'a donné?; **'I gave it away'–'~ to?'** 'je l'ai donné'–'à qui?'; **do you know ~'s ~?** est-ce que tu sais qui est qui?; **I was strolling along when ~ should I see but Diane** je me promenais et devine qui j'ai rencontré...Diane; **~ shall I say is calling?** (on phone) 'c'est de la part de qui?'; 2 (relative) (as subject) qui; (as object) que; (after prepositions) qui; **his friend ~ lives/~ he sees** son ami qui habite/qu'il voit; **he/she ~** celui/celle qui; **they** *ou* **those ~** ceux/celles qui; **those ~ have something to say should speak up now** quiconque a quelque chose à dire doit le dire *or* ceux qui ont quelque chose à dire doivent le dire maintenant; 3 (whoever) **bring ~ you like** tu peux amener qui tu veux; **~ do you think you are?** tu te prends pour qui?; **~ do you think you're talking to?** à qui est-ce que tu crois parler?; **~'s he to tell you what to do?** de quel droit est-ce qu'il te donne des ordres?

WHO *n* (*abrév* = **World Health Organization**) OMS *f*

whoa /wəʊ/ *excl* ho (là)

who'd /huːd/ = **who had, who would**

whodun(n)it /ˌhuːˈdʌnɪt/ *n* roman *m* policier, polar○ *m*

whoe'er /huːˈeə(r)/ *pron littér* = **whoever**

whoever /huːˈevə(r)/ *pron* 1 (the one that) **~ wins the election will have to deal with the problem** celui ou celle qui gagnera les élections devra faire face au problème; 2 (anyone that) qui; **invite ~ you like** invite qui tu veux; **show it to ~ you want** montre-le à qui tu veux; **~ saw the accident should contact the police** quiconque a assisté à l'accident devrait contacter la police, tout témoin est prié de prendre contact avec la police; 3 (all who) tous ceux qui; **tell ~ you know** dis-le à tous ceux que tu connais; **they're providing cars for ~ comes** ils fournissent des voitures à tous ceux qui viennent; 4 (no matter who) **come out ~ you are** qui que vous soyez, sortez de là; **~ he saw, it makes no difference** quelle que soit la personne qu'il ait vue, ça ne change rien; **write to the minister or ~** écris au ministre ou à n'importe qui d'autre; 5 (who on earth) qui; **~ did that to you?** mais qui a bien pu te faire ça?; **~ did he speak to?** à qui a-t-il bien pu parler?; **~ do you think you are?** tu te prends pour qui?

whole /həʊl/

A *n* 1 (total unit) tout *m*; **to consider the ~** considérer le tout *or* l'ensemble *m*; **as a ~** (not in separate parts) en entier, en bloc; (overall) dans l'ensemble; **to sell sth as a ~** vendre qch en bloc; **taken as a ~** pris dans l'ensemble; **for the country as a ~** pour le pays dans son ensemble; **this will benefit society as a ~** ceci profitera à l'ensemble de la société; 2 (all) **the ~ of** tout/-e; **the ~ of London is talking about it** tout Londres en parle; **the ~ of the weekend/morning** tout le week-end/toute la matinée; **the ~ of the time** tout le temps; **the ~ of August** tout le mois d'août; **nearly the ~ of Berlin was destroyed** Berlin a été presque entièrement détruit

B *adj* 1 (entire) tout, entier/-ière; (more emphatic) tout entier/-ière; **her ~ attention** toute son attention; **his ~ body** tout son corps; **to be aware of the ~ person** être conscient de la personne sous tous ses aspects; **his ~ life** toute sa vie, sa vie entière; **I've never been so insulted in my ~ life!** de toute ma vie je n'ai jamais été insulté comme ça!; **to search the ~ country** chercher dans tout le pays *or* dans le pays tout entier; **the ~ world** le monde entier; **the most beautiful city in the ~ world** la plus belle ville du monde *or* qui existe au monde; **for three ~ weeks** pendant trois semaines entières; **a ~ hour** une heure entière; **a ~ day** toute une journée; **~ cities were devastated** des villes entières ont été dévastées; **she drank a ~ bottle of gin** elle a bu toute une bouteille de gin; **the ~ story** toute l'histoire; **the ~ truth** toute la vérité; **this doesn't give the ~ picture** ceci ne dit pas tout; **let's forget the ~ thing!** oublions tout ça!; **she made the ~ thing up** elle a tout inventé; 2 (emphatic use) **he looks a ~ lot better** il a vraiment bien meilleure mine; **she's a ~ lot nicer** elle est vraiment beaucoup plus sympathique; **there were a ~ lot of them** [*objects*] il y en avait tout un tas; [*people*] il y en avait toute une bande; **a ~ lot of money** un tas○ d'argent; **that goes for the ~ lot of you!** ça s'applique à vous tous!; **a ~ new way of life** un mode de vie complètement différent; **a ~ new era** une époque complètement nouvelle; **that's the ~ point of the exercise** c'est tout l'intér êt de l'exercice; **the ~ idea is to do** toute l'idée est de faire; **I find the ~ idea absurd** je trouve cette idée complètement absurde; 3 (intact) intact, complet/-ète; **there wasn't a plate left ~** il n'y avait plus une assiette intacte; **to make sb ~** guérir qn

C *adv* [*swallow, cook*] tout entier; **to swallow a story ~** gober une histoire

D on the whole *adv phr* dans l'ensemble; **on the ~ I agree** dans l'ensemble je suis d'accord; **the film is on the ~ good** le film est bon dans l'ensemble

whole blood *n* 1 Med sang *m* total; 2 Jur **of the ~** du même sang

whole: **~food** *n* GB produits *mpl* biologiques; **~food shop** ▸ p. 1683 *n* GB magasin *m* de produits diététiques; **~ gale** *n* Meteorol tempête *f* (*selon l'échelle de Beaufort*); **~grain** *adj* complet/-ète

wholehearted /ˌhəʊlˈhɑːtɪd/ *adj* [*approval, agreement, support*] sans réserve; **to be in ~ agreement with** être en accord total avec

whole: **~heartedly** *adv* [*approve, support*] sans réserve, totalement; **~ holiday** *n* GB journée *f* de congé; **~meal** *adj* complet/-ète; **~ milk** *n* lait *m* entier; **~ note** *n* US Mus ronde *f*; **~ number** *n* (nombre *m*) entier *m*

wholesale /ˈhəʊlseɪl/

A *n* vente *f* en gros; **by ~** en gros

B *adj* 1 Comm [*price, company, trade, market*] de gros; 2 (large-scale) [*destruction, alteration*] total, massif/-ive; [*acceptance, rejection, adoption*] en bloc; [*commitment*] total; [*attack*] sur tous les fronts

C *adv* 1 Comm [*buy, sell*] en gros; **I can get it for you ~** je peux vous l'avoir au prix de gros; 2 fig [*accept, reject, copy*] en bloc

wholesale price index *n* indice *m* des prix de gros

wholesaler /ˈhəʊlseɪlə(r)/ *n* grossiste *mf*, marchand/-e *m/f* en gros; **wine ~** marchand de vin en gros

wholesome /ˈhəʊlsəm/ *adj* 1 (healthy) [*diet, food, air*] sain; **good ~ home cooking** de la bonne cuisine de famille; 2 (decent) [*person, appearance*] bien propre; [*entertainment, era*] innocent

whole: **~ step, ~ tone** *n* US Mus ton *m*; **~-tone scale** *n* US Mus gamme *f* pentatonique; **~wheat** *adj* = **wholemeal**

who'll /huːl/ = **who will, who shall**

wholly /ˈhəʊllɪ/ *adv* entièrement, tout à fait

wholly-owned subsidiary *n* Econ filiale *f* à cent pour cent

whom /huːm/

> ⚠ In questions, *qui* on its own requires inversion of the verb: *whom do you wish to see?* = qui voulez-vous voir? but *qui* followed by *est-ce que* needs no inversion: qui est-ce que vous voulez voir?

pron 1 (interrogative) qui (est-ce que); (after prepositions) qui; **~ did she meet?** qui a-t-elle rencontré?, qui est-ce qu'elle a rencontré?; **to ~ are you referring?** à qui est-ce que vous faites allusion?; **the article is by ~?** de qui est l'article?; 2 (relative) que; (after prepositions) qui; **the minister ~ he'd seen** le ministre qu'il avait vu; **the person to ~/of ~ I spoke** la personne à qui/de qui *or* dont j'ai parlé; **those ~ he baptized** ceux qu'il a baptisés; **...four of ~ are young and all of ~ are single** ...dont quatre sont jeunes et qui sont tous célibataires; **Kirsten and Matthew, both of ~ had ridden before** Kirsten et Matthew, qui avaient déjà fait du cheval tous les deux; **she pointed to the boys, one of ~ was laughing** elle a indiqué le groupe de garçons dont un riait; **he was particular about ~ he chose** il était exigeant quant à ceux qu'il choisissait; 3 (whoever) qui; **you may invite ~ you wish** vous pouvez inviter qui vous voulez

whom(so)ever /huːmˈevə(r), huːsəʊˈevə(r)/ *pron* sout qui; **to arrest/support ~ one wishes** arrêter/soutenir qui on veut; **for ~ shall find them** pour ceux qui les trouveront; **to ~ it may concern** à qui de droit

whomp○ /wɒmp, US hwɒmp/ *vtr* US 1 (hit) cogner○; 2 Sport (beat) défoncer○

whoop /huːp, wuːp, US hwuːp/

A *n* 1 (shout) cri *m*; 2 Med toux *f* de coqueluche

B *vi* 1 (shout) pousser des cris (**with** de); 2 Med émettre une quinte de coqueluche

(Phrasal verb) ■ **whoop it up**○ s'éclater○

whoopee○ /ˈwʊpiː, US ˈhwʊ-/

A *n* **to make ~** hum (make love) faire l'amour; (have fun) faire la foire○

B *excl* youpi!

whoopee cushion *n* coussin-péteur *m*

whoop: **~er swan** *n* cygne *m* sauvage; **~ing cough** ▸ p. 1327 *n* coqueluche *f*

whoops /wʊps, US hwʊps/ *excl* (on avoiding accident) oups!; (on realizing mistake) oh là là!; **~ a daisy!** houp-là!

whoosh○ /wʊʃ, US hwʊʃ/

A *n* **~ of a train/of a car going by** bruit *m* d'un train/d'une voiture qui passe à toute allure; **~ of skis on the snow** crissement *m* de skis sur la neige

B *excl* zoum!

C *vi* **to ~ in/out/past** entrer/sortir/passer à toute allure

whop○ /wɒp, US hwɒp/ *vtr* (*p prés etc* **-pp-**) 1 (hit) cogner; **to ~ sb one**○ flanquer une mandale○ à qn; 2 (beat in game) défoncer○

whopper○ /ˈwɒpə(r), US ˈhwɒpər/ *n* 1 gen (large thing) monstre *m*; (hamburger) hamburger *m* géant; 2 (lie) bobard *m* gros comme une maison○

whopping○ /ˈwɒpɪŋ, US ˈhwɒpɪŋ/

A *n* (beating) tripotée○ *f*

B *adj* (*also* **~ great**) monstre○

whore /hɔː(r)/

A *n* injur prostituée *f*, pute◑ *f*

B *vi* péj 1 [*man*] fréquenter les prostituées; 2 [*woman*] être prostituée; **to ~ around**○

W

coucher avec n'importe qui

who're /ˈhuːə(r)/ = **who are**

whorehouse /ˈhɔːhaʊs/ *n* bordel◑ *m*

whoremonger /ˈhɔːmʌŋɡə(r)/ *n*‡ péj micheton◑ *m*

whorish /ˈhɔːrɪʃ/ *adj* injur putassier/-ière◑

whorl /wɜːl, US hwɜːl/ *n* (of cream, chocolate etc) spirale *f*; (on fingerprint) volute *f*; (shell pattern) spire *f*; (of petals) verticille *m*

whortleberry /ˈwɜːtlberɪ, US ˈhwɜːrtlberɪ/

A *n* myrtille *f*

B *modif* [*pie, sauce*] aux myrtilles; [*bush, flower*] de myrtille

who's /huːz/ = **who is**, **who has**

whose /huːz/

A *pron* à qui; ~ **is this?** à qui est ceci?; **we don't know ~ it is** nous ne savons pas à qui c'est; ~ **did you take?** tu as pris celui/celle etc de qui?; **I wonder ~ he'll prefer** je me demande celui/celle etc de qui il va préférer

B *adj* **1** (interrogative) ~ **pen is that?** à qui est ce stylo?; **do you know ~ car was stolen?** est-ce que tu sais à qui appartient la voiture volée?; ~ **coat did you take?** tu as pris le manteau de qui?; ~ **party did you go to?** tu es allé à la fête de qui?; **with ~ permission?** avec la permission de qui?; **2** (relative) **the boy ~ dog/books etc** le garçon dont le chien/les livres etc; **the one ~ name is drawn out first** celui *or* celle dont le nom sera tiré au sort en premier; **the man ~ daughter he was married to** l'homme dont il avait épousé la fille

whosoe'er, **whosoever** /huːsəʊˈevə(r)/ *pron* littér = **whoever**

whosoever† /ˌhuːsəʊˈevə(r)/ *pron* = **whoever**

Who's Who *pr n* ≈ bottin® *m* mondain

who've /huːv/ = **who have**

why /waɪ, US hwaɪ/

> ⚠ *Why* translates as *pourquoi* in French, but see **B**, **C** below for exceptions.
> As with other words such as *où, quand, comment etc*, questions are formed by inserting *est-ce que* after the question word: *why did you go?* = pourquoi est-ce que tu y es allé? or by inverting the subject and verb after the question word, which is slightly more formal: pourquoi y es-tu allé? In spoken French the question word can be put at the end: *tu y es allé pourquoi?*
> *why* occurs with certain reporting verbs such as *ask, explain, know, think* and *wonder*. For translations, see these entries.

A *adv* **1** (in questions) pourquoi; ~ **do you ask?** pourquoi est-ce que tu me poses la question?, pourquoi me poses-tu la question?; ~ **didn't she tell us?** pourquoi est-ce qu'elle ne nous l'a pas dit?, pourquoi ne nous l'a-t-elle pas dit?; ~ **risk everything?** pourquoi tout risquer?; ~ **bother?** pourquoi se tracasser?; **'I'm annoyed'—'~ is that?'** 'je suis vexé'—'pourquoi?'; ~ **all the fuss?** pourquoi tout ce remue-ménage?; ~ **the delay?** pourquoi ce retard?; ~ **me?** pourquoi moi?; **oh no, ~ me?** oh non, pourquoi est-ce que ça me tombe dessus?; ~ **not somebody else?** pourquoi pas quelqu'un d'autre?; **'it's not possible'—'~ not?'** 'ce n'est pas possible'—'pourquoi pas?'; **'would you be interested?'—'~ not?'** 'ça t'intéresserait?'—'pourquoi pas?'; **'can I apply?'—'I don't see ~ not'** 'est-ce que je peux m'inscrire?'—'je ne vois pas pourquoi tu ne pourrais pas' **2** (when making suggestions) pourquoi; ~ **don't you apply for the job?** pourquoi est-ce que tu ne poses pas ta candidature?; ~ **don't we go away for the weekend?** pourquoi ne pas partir quelque part pour le week-end?; ~ **don't I invite them for dinner?** et si je les invitais à manger?; ~ **not sell the car?** pourquoi ne pas vendre la voiture?; ~ **not send off now for our brochure?** pourquoi ne pas demander dès maintenant notre brochure?; ~ **not a mix of traditional and modern?** pourquoi pas un mélange de classique et de moderne? **3** (expressing irritation, defiance) pourquoi; ~ **don't they mind their own business?** pourquoi est-ce qu'ils ne s'occupent pas de leurs affaires?; ~ **can't you be quiet?** tu ne peux pas te taire deux minutes?; ~ **do I bother?** à quoi ça sert que je me donne du mal?; ~ **should they get all the praise?** pourquoi est-ce que c'est eux qui auraient tous les compliments?; **'tell them'—'~ should I?'** 'dis-leur'—'et pourquoi est-ce que je devrais le faire?' **4** (*also* **~ever**) (expressing surprise) **~ever not?** GB pourquoi pas?; **~ever did you say that?** pourquoi donc as-tu dit cela?

B *conj* pour ça; **that is ~ they came** c'est pour ça qu'ils sont venus; **that's not ~ I asked** ce n'est pas pour ça que j'avais posé la question; **is that ~ she telephoned?** est-ce que c'est pour ça qu'elle a téléphoné?; **so that's ~!** (finally understanding) ah, c'est pour ça!; **'~?'—'because you're stubborn, that's ~!'** 'pourquoi?'—'parce que tu es têtu, c'est tout!'; **the reason ~** la raison pour laquelle; **one of the reasons ~ they left** une des raisons pour lesquelles ils sont partis; **I need to know the reason ~** j'ai besoin de savoir pourquoi; ▸ **reason A 2**

C *n* **the ~** le pourquoi *m*; ▸ **wherefore**

D † *excl* mais; **~, we've just arrived!** mais nous venons d'arriver!

WI *n* **1** GB *abrév* ▸ **Women's Institute**; **2** US Post *abrév écrite* = **Wisconsin**; **3** *abrév écrite* = **West Indies**

wick /wɪk/ *n* (of candle, lamp etc) mèche *f*

(Idiom) **to get on sb's ~**○ GB taper sur les nerfs de qn○

wicked /ˈwɪkɪd/ *adj* **1** (evil) [*person*] méchant; [*heart, deed*] cruel/-elle; [*plot*] pernicieux/-ieuse; [*intention*] mauvais; **it is ~ to do** c'est méchant de faire; **it was ~ of him** c'était méchant de sa part; **that was a ~ thing to do** c'est méchant d'avoir fait cela; **2** (mischievous) [*grin, humour, stare, wink*] malicieux/-ieuse; **3** (naughty) [*thoughts*] pervers; **sb's ~ ways** hum les mauvais penchants de qn; **go on, be ~!** allons, laisse-toi tenter!; **4** (nasty, vicious) [*wind*] méchant (*before n*); [*weapon*] redoutable; [*sarcasm*] cinglant; **a ~ tongue** une mauvaise langue; **5** ○(terrible) **a ~ waste** un sale○ gâchis; **it was a ~ shame** c'était vraiment une honte; **6** ○(great) super○; **he plays a ~ game of chess** il est super aux échecs

(Idiom) **no peace** *ou* **rest for the ~** pas de repos pour les braves○

wickedly /ˈwɪkɪdlɪ/ *adv* **1** [*smile, say, chuckle, wink*] avec malice; ~ **satirical** satirique et malicieux/-ieuse; ~ **accurate** juste et malicieux/-ieuse; **2** [*act, lie, plot*] avec méchanceté

wickedness /ˈwɪkɪdnɪs/ *n* **1** (evil) (of person, deed, regime, heart) cruauté *f*; **the ~ of all that waste** le scandale de tout ce gâchis; **2** (of grin, wink, joke) malice *f*; **the ~ of chocolate cake** hum le côté tentant du gâteau au chocolat

wicker /ˈwɪkə(r)/

A *n* (*also* **wickerwork**) osier *m*

B *modif* [*basket, furniture*] en osier

wicket /ˈwɪkɪt/ *n* **1** (field gate) portillon *m*; (sluice gate) petite porte *f* d'écluse; **2** US (transaction window) guichet *m*; **3** (in cricket) (stumps) guichet *m*; (pitch) terrain *m* entre les guichets; **4** (in croquet) arceau *m*

(Idiom) **to be on a sticky ~**○ être dans le pétrin○

wicket keeper *n* (in cricket) gardien *m* de guichet

wickiup○ /ˈwɪkɪʌp/ *n* US hutte *f* de branchages

wide /waɪd/

A *adj* **1** (broad) [*river, opening, mouth*] large; [*margin*] grand; **how ~ is your garden?** quelle est la largeur de votre jardin?; **it's 30 cm ~** il a 30 cm de large; **the river is 1 km across at its ~st** le fleuve a 1 km de large au point le plus large; **they're making the street ~r** ils élargissent la rue; **her eyes were ~ with fear** ses yeux étaient agrandis par la peur; **2** (immense) [*ocean, desert, sky*] vaste; **he had no-one to talk to in the whole ~ world** il n'avait personne à qui parler en ce monde; **3** (extensive) [*variety, choice*] grand; [*market*] vaste; **a woman of ~ interests** une femme qui s'intéresse à beaucoup de choses; **a ~ range of products** une vaste gamme de produits; **a ~ range of opinions/interests** une grande variété d'opinions/de centres d'intérêt; **in the ~ European context** dans le plus vaste contexte européen; **in the ~st sense of the word** au sens le plus large du mot; **4** Sport [*ball, shot*] perdu

B *adv* **to open one's eyes ~** ouvrir grand les yeux; **his eyes are (set) ~ apart** il a les yeux très écartés; **open ~!** ouvrez grand la bouche!; **to be ~ of the mark** [*ball, dart*] être à côté; fig [*guess*] être loin de la vérité

C **-wide** (*dans composés*) **a country~ search** une recherche menée dans tout le pays; **a nation~ survey** un sondage à l'échelle nationale

wide: **~-angle lens** *n* objectif *m* à grand angle, grand angle *m*; **~ area network**, **WAN** *n* Comput grand réseau *m*; **~ awake** *adj* complètement éveillé

wideboy○ /ˈwaɪdbɔɪ/ *n* GB péj escroc *m*

wide-eyed /ˌwaɪdˈaɪd/ *adj* aux yeux écarquillés

widely /ˈwaɪdlɪ/ *adv* **1** (commonly) [*acknowledged, accepted, used*] largement; **it is ~ accepted that** il est largement admis que; **it is ~ believed that** beaucoup de gens pensent que; **a country ~ admired for its technology** un pays qui fait l'admiration générale pour sa technologie; **this product is now ~ available** ce produit est maintenant en vente libre; **to be ~ known** être bien connu (**for** pour); **she is ~ regarded as an expert in her field** elle est considérée par beaucoup comme étant un expert dans son domaine; **these are not ~ held views** ce ne sont pas des opinions très répandues; **2** (at a distance) [*spaced, planted*] à de grands intervalles; (over a large area) [*travel*] beaucoup; **to be ~ travelled** avoir beaucoup voyagé; **copies of the magazine circulate ~** les exemplaires du magazine ont une grande diffusion; **3** (significantly) [*differ, vary*] beaucoup; [*different*] radicalement

widely-read /ˌwaɪdlɪˈred/ *adj* [*student*] qui lit beaucoup; [*author*] beaucoup lu

widen /ˈwaɪdn/

A *vtr* **1** élargir [*road, path, gap*]; **2** fig élargir [*debate*]; étendre [*powers*]; **to ~ the scope of an enquiry** élargir le champ d'une enquête; **this has ~ed their lead in the opinion polls** ceci a renforcé leur position dominante dans les sondages

B *vi* **1** [*river, road*] s'élargir; **his eyes ~ed** il a ouvert grand *or* écarquillé les yeux; **2** (increase) **the gap is ~ing between rich and poor** le fossé entre riches et pauvres s'élargit

C **widening** *pres p adj* [*division*] de plus en plus grand; [*gap*] qui s'élargit de plus en plus; **the ~ing perception that** la conviction de plus en plus répandue que

wide open *adj* **1** [*door, window etc*] grand ouvert; **her eyes were ~** ses yeux étaient grand ouverts; **2** (open to all) [*competition*] ouvert à tous

wide-ranging /ˌwaɪdˈreɪndʒɪŋ/ *adj* [*poll, report, enquiry*] de grande envergure; **a ~ discussion** une discussion couvrant un grand nombre de sujets

wide screen *n* Cin grand écran *m*

widespread /ˈwaɪdspred/ *adj* [*epidemic*] généralisé; [*devastation*] étendu; [*belief*] très répandu

widgeon /ˈwɪdʒən/ *n* canard *m* siffleur

widget /ˈwɪdʒɪt/ *n* [1] ○(thing) hum bidule○ *m*, petite pièce *f*; [2] Comput (program) composant *m* logiciel réutilisable; (in graphical user interface) widget *m*, élément *m* d'interface graphique

widow /ˈwɪdəʊ/

A *n* gen, Print veuve *f*; **golf ~** hum femme *f* délaissée par son mari golfeur; **war ~** veuve de guerre

B *vtr* **to be ~ed** devenir veuf/veuve *m/f*; **she has been ~ed for two years** elle est veuve depuis deux ans; **my ~ed mother/sister** ma mère/sœur devenue veuve

widower /ˈwɪdəʊə(r)/ *n* veuf *m*

widowhood /ˈwɪdəʊhʊd/ *n* veuvage *m*

widow: **~'s mite** *n* Bible, fig denier *m* de la veuve; **~'s peak** *n* implantation *f* des cheveux en V sur le front; **~'s pension** *n* allocation *f* veuvage; **~'s walk** *n* US belvédère *m*; **~'s weeds**† *npl* vêtements *mpl* de deuil; **~ woman**† *n* veuve *f*

width /wɪdθ, wɪtθ/ ▸ **p. 1389** *n* [1] Meas largeur *f*; **it is 30 metres in ~** il fait *or* mesure 30 mètres de large, sa largeur est de 30 mètres; [2] Tex lé *m*; [3] (of swimming pool) largeur *f*

widthways, **widthwise** /ˈwɪdθweɪz, ˈwɪtθ-, ˈwɪdθwaɪz, ˈwɪtθ-/ *adv* dans la largeur

wield /wiːld/ *vtr* [1] (brandish) brandir [*weapon, tool*]; [2] fig (exercise) exercer [*influence, authority*] (**over** sur)

wiener /ˈwiːnə(r)/ *n* US [1] (*also* **~wurst**) Culin saucisse *f* de Francfort; [2] ○lang enfantin (penis) zizi○ *m*

wiener schnitzel *n* escalope *f* panée

wienie○ *n* US = **wiener**

wife /waɪf/ *n* (*pl* **wives**) [1] (spouse) gen femme *f*; Admin, Jur épouse *f*; **she was his second ~** c'était sa deuxième femme; **he had three children by his first ~** il a eu trois enfants de sa première femme; **she will make him a good ~** elle fera une bonne épouse pour lui; **many wives would disagree** beaucoup de femmes mariées ne seraient pas d'accord; **the baker's/farmer's/butcher's ~** la boulangère/la fermière/la bouchère; **to take sb as one's ~** sout, **to take sb to ~**‡ prendre qn pour femme†; **the ~**○ hum la régulière○ hum; [2] ‡(woman) bonne femme *f*

wife batterer *n* mari *m* violent

wife battering *n* violence *f* corporelle contre les femmes; **the problem of ~** le problème des femmes battues

wifely /ˈwaɪflɪ/ *adj* sout *ou* hum [*virtues, duties*] conjugal; [*loyalty, concern*] qui convient à une bonne épouse

wife: **~'s equity** *n* US Jur *partie des biens communs qui revient à la femme après un divorce*; **~-swapper** *n* échangiste *m*; **~-swapping** *n* échange *m* de partenaires, échangisme *m*

Wi-Fi® /ˈwaɪfaɪ/ *n* (*abrév* = **Wireless Fidelity**) Wi-Fi® *m*

wig /wɪɡ/ *n* [1] (false hair) (whole head) perruque *f*; (partial) postiche *m*; [2] ○péj (hairdo) tignasse○ *f* pej

wigeon *n* = **widgeon**

wigging○† /ˈwɪɡɪŋ/ *n* **to give sb a ~** gronder qn; **to get a ~** se faire gronder

wiggle○ /ˈwɪɡl/

A *n* **a ~ of the hips** un roulement des hanches; **to give sth a ~** faire bouger qch

B *vtr* faire bouger [*tooth, wedged object*]; **to ~ one's hips** rouler des hanches; **to ~ one's fingers/toes** agiter les doigts/orteils; **to ~ one's ears** remuer les oreilles

C *vi* [*snake, worm*] se tortiller; [*road, river*] faire des zigzags

wiggly○ /ˈwɪɡlɪ/ *adj* [*road, line*] sinueux/-euse

wigwam /ˈwɪɡwæm, US -wɑːm/ *n* wigwam *m*

wilco /ˈwɪlkəʊ/ *excl* Telecom message reçu

wild /waɪld/

A *n* **in the ~** [*conditions, life*] en liberté; **to grow in the ~** pousser à l'état sauvage; **the call of the ~** l'appel de la nature

B **wilds** *npl* **to live in the ~s of Arizona** habiter au fin fond de l'Arizona; **they live out in the ~s** ils vivent en pleine cambrousse○

C *adj* [1] (in natural state) [*creature, plant, person*] sauvage; **~ bird/animal** oiseau/animal sauvage; **~ beast** bête fauve; **the pony is still quite ~** le poney est encore assez farouche; [2] (desolate) [*hill, landscape*] sauvage; [3] (turbulent) [*wind*] violent; [*sea*] agité; **it was a ~ night** c'était une nuit de tempête; [4] (unrestrained) [*party, laughter*] fou/folle; [*person*] fou/folle, dévergondé pej; [*imagination*] délirant; [*applause*] déchaîné; **to go ~** [*fans, audience*] se déchaîner; **she led a ~ life in her youth** elle a fait les quatre cents coups *or* elle s'est dévergondée pej dans sa jeunesse; **we had some ~ times together** on s'est bien marré○ ensemble; **his hair was ~ and unkempt** il avait les cheveux en bataille; **there was a ~ look in her eyes** elle avait un regard de folle, il y avait une lueur insensée dans son regard; **~ mood swings** changements d'humeur brutaux; [5] ○(furious) furieux/-ieuse; **he'll go** *ou* **be ~!** il sera hors de lui!; [6] ○(enthusiastic) **to be ~ about** être un fana○ de [*computers, films*]; **I'm not ~ about him/it** il/ça ne m'emballe○ pas; [7] (outlandish) [*idea, plan, scheme*] fou/folle; [*claim, promise, accusation*] extravagant; [*story*] farfelu○, dingue○; **all this ~ talk** tous ces propos exagérés; [8] ○(very good) **the concert was really ~**○! c'était un concert d'enfer○!

D *adv* [1] [*grow*] à l'état sauvage; **the garden had run ~** le jardin était devenu sauvage, le jardin avait été laissé à l'abandon; **those children are allowed to run ~!** on permet à ces enfants de faire n'importe quoi!; **to let one's imagination run ~** laisser son imagination se débrider

(Idiom) **to walk on the ~ side** vivre en marge

wild: **~ boar** *n* sanglier *m*; **~ brier** *n* = **wild rose**

wild card *n* [1] (in cards) joker *m*; [2] fig (unpredictable element) élément *m* imprévisible; [3] Sport wild-card *f* (*droit de participer à un tournoi sans s'être qualifié*); [4] (*also* **wildcard**) Comput joker *m*

wildcat /ˈwaɪldkæt/

A *n* [1] Zool chat *m* sauvage; [2] fig (woman) furie *f*; [3] (oil well) puits *m* d'exploration; [4] ○US (unsound business scheme) entreprise *f* risquée

B *adj* US [*scheme, venture*] risqué

C *vi* (*p prés etc* **-tt-**) (drill for oil) faire un forage d'exploration

wildcat strike *n* grève *f* sauvage

wild: **~ cherry** *n* merisier *m*; **~ dog** *n* dingo *m*; **~ duck** *n* canard *m* sauvage

wildebeest /ˈwɪldɪbiːst/ *n* gnou *m*

wilderness /ˈwɪldənɪs/ *n* [1] (barren area, wasteland) étendue *f* sauvage et désolée; Bible désert *m*; **a ~ of factories** un paysage désolé d'usines; [2] Ecol (uncultivated, wild area) étendue *f* sauvage; **the world's great ~es** les grandes étendues sauvages du monde; **the garden has become a ~** le jardin est devenu une vraie jungle

(Idioms) **to be in the ~** [*person*] faire sa traversée du désert; **he spent ten years in the ~** sa traversée du désert a duré dix ans; **to be a voice crying in the ~** prêcher dans le désert

wild-eyed /ˌwaɪldˈaɪd/ *adj* au regard égaré

wildfire /ˈwaɪldfaɪə(r)/ *n* **to spread like ~** se répandre comme une traînée de poudre

wild flower *n* fleur *f* des champs, fleur *f* sauvage

wildfowl /ˈwaɪldfaʊl/ *n* [1] (wild bird) oiseau *m* sauvage; (birds collectively) oiseaux *mpl* sauvages; [2] Hunt (game) gibier *m* à plume

wild: **~fowler** *n* chasseur *m* de gibier à plume; **~fowling** *n* chasse *f* du gibier à plume

wild-goose chase /ˌwaɪldˈɡuːs tʃeɪs/ *n* **it turned out to be a ~** ça n'a abouti à rien; **to send sb on a ~** faire chercher qn partout pour rien; **to lead sb on a ~** mettre qn sur une mauvaise piste

wild: **~ hyacinth** *n* jacinthe *f* des bois; **~life** *n* (animals) faune *f*; (animals and plants) faune *f* et flore *f*; **~life conservation** *n* préservation *f* de la faune et de la flore; **~life park**, **~life reserve**, **~life sanctuary** *n* réserve *f* naturelle

wildly /ˈwaɪldlɪ/ *adv* [1] (recklessly) [*invest, spend*] de façon insensée; [*fire, shoot*] au hasard; **to hit out/run ~** envoyer des coups/courir dans tous les sens; **to talk ~ of revenge** tenir des propos insensés de vengeance; [2] (violently, energetically) [*wave, gesture*] de manière très agitée; [*applaud*] à tout rompre; **to fluctuate ~** subir des fluctuations violentes; **his heart was beating ~** son cœur battait à tout rompre; [3] (extremely) [*enthusiastic, optimistic, successful*] extrêmement; **the news is not ~ encouraging** les nouvelles ne sont pas follement encourageantes

wildness /ˈwaɪldnɪs/ *n* [1] (of landscape, mountains) aspect *m* sauvage; [2] (of wind, waves, weather) violence *f*; [3] (disorderliness) (of person, behaviour) caractère *m* débridé; (of appearance) désordre *m*; (of evening, party) folie *f*; **to have a reputation for ~** avoir la réputation de mener une vie débridée; [4] (extravagance) (of idea, plan, scheme) extravagance *f*; (of imagination) délire *m*

wild: **~ rice** *n* riz *m* sauvage; **~ rose** *n* rosier *m* sauvage, églantier *m*; **~ water rafting** ▸ **p. 1253** *n* rafting *m* sur rapides; **Wild West** *n* Far West *m*; **Wild West show** *n* US spectacle *m* inspiré du Far West

wiles /waɪlz/ *npl* ruses *fpl*

wilful GB, **willful** US /ˈwɪlfl/ *adj* [1] (headstrong) [*person, behaviour*] volontaire; [2] (deliberate) [*damage, disobedience*] délibéré; [3] Jur [*murder, misconduct*] volontaire

wilfully GB, **willfully** US /ˈwɪlfəlɪ/ *adv* [1] (in headstrong way) obstinément, sciemment; [2] (deliberately) délibérément

wilfulness GB, **willfullness** US /ˈwɪlflnɪs/ *n* [1] (of character) entêtement *m*; [2] (of act) caractère *m* délibéré

wiliness /ˈwaɪlɪnɪs/ *n* (of character) astuce *f*; (of plan) subterfuge *m*

will¹ /wɪl, əl/

A *modal aux* [1] (to express the future) **she'll help you** elle t'aidera; (in the near future) elle va t'aider; **the results ~ be announced on Monday** les résultats seront communiqués lundi; **I haven't read it yet, but I ~** je ne l'ai pas encore lu, mais je vais le faire; **must I phone him or ~ you?** est-ce que je dois lui téléphoner ou est-ce que tu vas le faire?; **I've said I'll repay you and I ~** j'ai dit que je te rembourserai et je le ferai

[2] (expressing consent, willingness) **'~ you help me?'—'yes, I ~'** 'est-ce que tu m'aideras?' —'oui, bien sûr'; **he won't cooperate/agree** il ne veut pas coopérer/donner son accord; **'have a chocolate'—'thank you, I ~'** 'prends un chocolat'—'volontiers , merci'; **I ~ not be talked to like that** je n'accepte pas qu'on me parle sur ce ton; **I won't have it said of me that I'm mean** il ne sera pas dit que je suis mesquin; **~ you or won't you?** c'est oui ou c'est non?; **do what** *ou* **as you ~** fais ce que tu veux; **ask who you ~** demande à qui tu veux; **call it what you ~** appelle ça comme tu veux; **it's a substitute, if you ~, for a proper holiday** ça remplace les vraies vacances en quelque sorte; **~ do**○! d'accord!

[3] (in commands, requests) **~ you pass the salt, please?** est-ce que tu peux me passer le sel, s'il te plaît?; **open the door ~ you** tu peux ouvrir la porte, s'il te plaît; **'I can give the**

i will¹

The future tense

When *will* is used to express the future in French, the future tense of the French verb is generally used:

he'll come
= il viendra

In spoken and more informal French or when the very near future is implied, the present tense of *aller* + infinitive can be used:

I'll do it now
= je vais le faire tout de suite

If the subject of the modal auxiliary *will* is *I* or *we*, *shall* is sometimes used instead of *will* to talk about the future. For further information, consult the entry **shall** in the dictionary.

Note that **would** and **should** are treated as separate entries in the dictionary.

Tag questions

French has no direct equivalent of tag questions like *won't he?* or *will they?* There is a general tag question *n'est-ce pas?* which will work in many cases:

you'll do it tomorrow, won't you?
= tu le feras demain, n'est-ce pas?

In cases where an opinion is being sought, *non?* meaning *is that not so?* can be useful:

that will be easier, won't it?
= ce sera plus facile, non?

In many other cases the tag question is simply not translated at all and the speaker's intonation will convey the implied question.

Short answers

Again, there is no direct equivalent for short answers like *no she won't*, *yes they will* etc. Where the answer *yes* is given to contradict a negative question or statement, the most useful translation is *si*:

'they won't forget' 'yes they will'
= 'ils n'oublieront pas' 'si'
or (*for more emphasis*) bien sûr que si

Where the answer *no* is given to contradict a positive question or statement, the most useful translation is *bien sûr que non*:

'she'll post the letter, won't she?' 'no she won't'
= 'elle va poster la lettre?' 'bien sûr que non'

In reply to a standard enquiry the tag will not be translated:

'you'll be ready at midday then?' 'yes I will'
= 'tu seras prêt à midi?' 'oui'

For more examples and other uses, see the entry **will**.

speech'—'you ~ not!' 'je peux faire le discours'—'pas question!'; **you ~ say nothing to anybody** ne dis rien à personne; **'I'll do it'—'no you won't'** 'je vais le faire'—'il n'en est pas question'; **~ you please listen to me!** est-ce que tu vas m'écouter!; **wait a minute ~ you!** attends un peu!
4▸ (in offers, invitations) **~ you have a cup of tea?** est-ce que vous voulez une tasse de thé?; **~ you marry me?** est-ce que tu veux m'épouser?; **won't you join us for dinner?** est-ce que tu veux dîner avec nous?; **you'll have another cake, won't you?** vous prendrez bien un autre gâteau?
5▸ (expressing custom or habit) **they ~ usually ask for a deposit** ils demandent généralement une caution; **any teacher ~ tell you that** n'importe quel professeur te dira que; **these things ~ happen** ce sont des choses qui arrivent; (in exasperation) **she ~ keep repeating the same old jokes** elle n'arrête pas de répéter les mêmes blagues; **if you ~ talk in class then he's bound to get cross** si tu n'arrêtes pas de bavarder pendant les cours, c'est logique qu'il se mette en colère
6▸ (expressing a conjecture or assumption) **that ~ be my sister** ça doit être ma sœur; **they won't be aware of what has happened** ils ne doivent pas savoir ce qui s'est passé; **that ~ have been last month** ça devait être le mois dernier; **he'll be about 30 now** il doit avoir 30 ans maintenant; **you'll be tired I expect** tu dois être fatigué je suppose; **you'll have gathered that** vous aurez compris que
7▸ (expressing ability or capacity to do) **the lift ~ hold 12** l'ascenseur peut transporter 12 personnes; **that jug won't hold a litre** ce pichet ne contient pas un litre; **the car ~ do 120 km/h** la voiture peut faire 120 km/h; **this chicken won't feed six** ce poulet n'est pas assez gros pour six personnes; **oil ~ float on water** l'huile flotte sur l'eau; **the car won't start** la voiture ne veut pas démarrer
B *vtr* 1▸ (urge mentally) **to ~ sb's death/downfall** souhaiter ardemment la mort/chute de qn; **to ~ sb to do** supplier mentalement qn de faire; **to ~ sb to live** prier pour que qn vive
2▸ (wish, desire) vouloir; **fate/God ~ed it** le destin/Dieu l'a voulu ainsi
3▸ Jur léguer (**to** à)
C *v refl* **he ~ed himself to stand up** au prix d'un effort surhumain il a réussi à se lever; **she ~ed herself to finish the race** au prix d'un effort surhumain elle a terminé la course
(Phrasal verb) ■ **will on**: ▸ **~ [sb/sth] on** encourager

will² /wɪl/
A *n* 1▸ (mental power) volonté *f* (**to do** de faire); **to have a strong/weak ~** avoir beaucoup/peu de volonté; **to have a ~ of one's own** faire ce qu'on a envie de faire; **strength of ~** force de caractère; ▸ **battle**, **effort**, **free will**, **iron**;
2▸ (wish, desire) volonté *f*, désir *m* (**to do** de faire); **it's the ~ of the people** c'est la volonté du peuple; **it's the ~ of the nation that** le pays souhaite que (+ *subj*); **Thy ~ be done** que ta volonté soit faite; **to impose one's ~ on sb** imposer sa volonté à qn; **it's my ~ that** c'est ma volonté que (+ *subj*); **to do sth against one's...** faire qch contre sa volonté; **he made me drink it against my ~** il me l'a fait boire contre mon gré; **to do sth with a ~** faire qch de bon cœur; **to lose the ~ to live** ne plus avoir envie de vivre; ▸ **goodwill**, **ill will**; 3▸ Jur testament *m*; **to make one's ~** faire son testament; **the last ~ and testament of** les dernières volontés de; **to leave sb sth in one's ~** léguer qch à qn; **to mention sb in one's ~** mettre qn sur son testament
B **at will** *adv phr* 1▸ (as much as one likes) [*select, take*] à volonté; 2▸ (whenever you like) **you can change it at ~** tu peux le changer quand tu veux; 3▸ (freely) **they can wander about at ~** ils peuvent se promener comme ils veulent
(Idiom) **where there's a ~ there's a way** Prov quand on veut on peut Prov; ▸ **world**

willful *adj* US = **wilful**

William /ˈwɪlɪəm/ *pr n* Guillaume; **~ the Conqueror** Guillaume le Conquérant

willie○ /ˈwɪlɪ/ *n* lang enfantin zizi○ *m*
(Idioms) **to have** *ou* **get the ~s**○ avoir la trouille○ *or* les chocottes○; **to give sb the ~s**○ ficher la frousse○ à qn

willing /ˈwɪlɪŋ/ *adj* 1▸ (prepared) **to be ~ to do** être prêt *or* disposé à faire; **I'm quite ~** je veux bien; **if she's ~** si elle veut bien; **whether he's ~ or not** qu'il veuille ou non; **God ~** si Dieu le veut; **I'm more than ~ to help you** j'accepte volontiers de vous aider; 2▸ (eager) [*pupil, helper, friend*] de bonne volonté; [*slave*] consentant; [*recruit, victim*] volontaire; **to show ~** faire preuve de bonne volonté; **we need some ~ hands to clean up** nous avons besoin de volontaires pour nettoyer; **you were a ~ accomplice in the deception** tu as pris part volontairement à la tromperie; 3▸ (volontary) [*donation*] bénévole; [*sacrifice*] volontaire
(Idiom) **the spirit is ~ but the flesh is weak** l'esprit est ardent mais la chair est faible

willingly /ˈwɪlɪŋlɪ/ *adv* [*accept, help*] volontiers; [*work*] avec bonne volonté; **'will you come?'—'~'** 'viendras-tu?'—'volontiers'; **did she go ~, or did you have to call the police?** est-elle partie de son plein gré ou a-t-il fallu appeler la police?; **they went ~ to their death** ils sont allés à la mort de plein gré

willingness /ˈwɪlɪŋnɪs/ *n* 1▸ (readiness) volonté *f* (**to do** de faire); 2▸ (helpfulness) bonne volonté *f*

will-o'-the-wisp /ˌwɪləðəˈwɪsp/
A *n* feu *m* follet also fig
B *modif* [*person, tendency*] fuyant

willow /ˈwɪləʊ/
A *n* 1▸ (*also* **~ tree**) saule *m*; 2▸ (wood) (bois *m* de) saule *m*; 3▸ (for weaving) osier *m*; 4▸ (cricket bat) batte *f* (en saule)
B *modif* [*leaf*] de saule; [*bat*] en saule; [*basket, crib*] en osier; **~ plantation** oseraie *f*, saulaie *f*

willow: **~ grouse** *n* lagopède *m* des saules; **~herb** *n* (*also* **rosebay ~herb**) épilobe *m*

willow pattern
A *n* motif *m* chinois (*bleu sur fond blanc*)
B *modif* [*dinner service*] au motif chinois

willow: **~ tit** *n* mésange *f* des saules; **~ warbler** *n* pouillot *m* fitis

willowy /ˈwɪləʊɪ/ *adj* [*person, figure*] élancé

will power *n* volonté *f* (**to do** de faire)

willy○ /ˈwɪlɪ/ *n* = **willie**

willy-nilly /ˌwɪlɪˈnɪlɪ/ *adv* 1▸ (regardless of choice) bon gré mal gré; 2▸ (haphazardly) au hasard

wilt /wɪlt/
A ‡*deuxième personne du singulier de* **will**
B *n* Bot, Hort flétrissement *m*
C *vtr* faire dépérir [*plant*]
D *vi* lit [*plant, flower*] se faner; fig [*person*] (from heat, fatigue) flancher○, se sentir faible; (at daunting prospect) perdre courage
E **wilted** *pp adj* [*leaves, lettuce*] fané

Wilts *n* GB Post *abrév écrite* ▸ **Wiltshire**

Wiltshire /ˈwɪltʃə(r)/ ▸ **p. 1612** *pr n* Wiltshire *m*

wily /ˈwaɪlɪ/ *adj* [*person, animal, plot*] rusé; **~ old bird**○ roublard/-e○ *m/f*; **~ old fox**○ vieux renard○ *m*
(Idiom) **as ~ as a fox** rusé comme un renard

wimp○ /wɪmp/ *n* péj (ineffectual person) lavette○ *f*; (fearful person) poule *f* mouillée
(Phrasal verb) ■ **wimp out** se défiler○

wimpish○ /ˈwɪmpɪʃ/ *adj* péj [*person*] mollasson/-onne○; [*behaviour, act*] mou/molle○

wimple /ˈwɪmpl/ *n* guimpe *f*

wimpy○ /ˈwɪmpɪ/ *adj* = **wimpish**○

win /wɪn/
A *n* 1▸ (victory) gen, Pol, Sport victoire *f* (**over** sur); **to have a ~ over sb in sth** Pol, Sport remporter une victoire sur qn dans qch; 2▸ Games, Turf (successful bet) pari *m* gagnant; **to have a ~ on the horses** gagner sur un cheval
B *vtr* (*p prés* **-nn-**; *prét, pp* **won**) 1▸ Games, Mil, Sport gagner [*battle, victory, competition, match, bet, money, prize*]; Pol gagner [*election, votes*]

(**from sb** aux dépens de qn); gagner les élections dans [*region, city*] (**from sb** aux dépens de qn); **to ~ a (parliamentary) seat** être élu député (**from sb** aux dépens de qn); **2** (acquire) obtenir [*delay, reprieve*] (**from** de); gagner [*friendship, heart*] (**from** de); s'attirer [*sympathy*]; s'acquérir [*support*] (**of** de); **it won him the admiration of his colleagues** cela lui a valu l'admiration de ses collègues; **to ~ sb's love/respect** se faire aimer/respecter de qn; **to ~ one's way to sth** parvenir à qch; **to ~ sb's hand**† *ou* littér obtenir la main de qn

C *vi* (*p prés* **-nn-**; *prét, pp* **won**) gagner; **to ~ against sb** l'emporter sur qn; **to ~ by a length/by two goals** gagner d'une longueur/de deux buts; **to play to ~** lit, fig jouer pour gagner; **go in and ~!** vas-y, tu l'auras!; **you ~!** (in argument) je m'incline!; **I've done my best to please her, but you just can't ~** j'ai tout fait pour lui plaire, mais rien à faire; **~ or lose, I shall enjoy the game** gagnant ou perdant, je jouerai avec plaisir; **~ or lose, the discussions have been valuable** quoi qu'il arrive, les discussions ont été profitables; **it's a ~ or lose situation** tout se joue là-dessus

(Idiom) **~ some, lose some** on ne peut pas gagner à tous les coups

(Phrasal verbs) ■ **win back**: ▶ **~ [sth] back, ~ back [sth]** récupérer [*majority, support, votes*] (**from sb** sur qn); regagner [*affection, respect*]; reprendre [*prize, title, territory*] (**from** à)

■ **win out** l'emporter; **to ~ out over sth** vaincre qch

■ **win over, win round**: ▶ **~ over [sb], ~ [sb] over** convaincre; **to ~ sb over to** convaincre qn de [*point of view*]; **can we ~ her over to our side?** pouvons-nous la convaincre de se joindre à nous?

■ **win through** finir par gagner; **to ~ through to** Sport se qualifier pour [*semifinal etc*]

wince /wɪns/

A *n* grimace *f*

B *vi* grimacer, faire une grimace; **to ~ with pain/disgust** grimacer de douleur/dégoût

winch /wɪntʃ/

A *n* treuil *m*

B *vtr* **1** = **winch down**; **2** = **winch up**

(Phrasal verbs) ■ **winch down**: ▶ **~ [sth/sb] down, ~ down [sth/sb]** descendre [qch/qn] au treuil

■ **winch up**: ▶ **~ [sth/sb] up, ~ up [sth/sb]** hisser [qch/qn] au treuil

Winchester /ˈwɪntʃɪstə(r)/ *n* **1** Comput (*also* **~ disk**) disque *m* dur; **2** ®Mil (*also* **~ rifle**) fusil *m* à répétition Winchester; **3** (*also* **winchester (jar)**) Chem bocal *m* de chimiste

wind[1] /wɪnd/

A *n* **1** Meteorol vent *m*; **North/East ~** vent du nord/d'est; **the ~ is blowing** il y a du vent; **which way is the ~ blowing?** d'où vient le vent?; **a high ~** un vent fort, un grand vent; **to have the ~ at one's back** *ou* **to have the ~ behind one** avoir le vent pour soi; **2** Naut vent *m*; **fair ~** bon vent; **to sail** *ou* **run before the ~** lit, fig avoir le vent en poupe; **to sail into the ~** naviguer contre le vent, avoir le vent debout; **to sail close to the ~** Naut serrer le vent; fig jouer avec le feu; **3** (breath) souffle *m*; **to knock the ~ out of** couper le souffle à; **to get one's ~** reprendre souffle; **to get one's second ~** fig reprendre ses forces; **4** fig (current) vent *m*; **the ~ of change** le vent du changement; **the cold ~s of recession** le spectre de la récession; **there is something in the ~** il y a quelque chose dans l'air, il se prépare quelque chose; **5** (flatulence) vents *mpl*, gaz *mpl* intestinaux; **to break ~** lâcher un vent; **to suffer from ~** avoir des gaz; **to bring up ~** roter; **that's a lot of ~**○! c'est du vent○!; **6** Mus **the ~(s)** les instruments *mpl* à vent

B *vtr* **1** (make breathless) [*blow, punch*] couper la respiration *or* le souffle à; [*climb, exertion*] essouffler, mettre [qn] hors d'haleine; **2** (burp) faire faire son rot○ à [*baby*]; **3** Hunt (scent) avoir un vent de, flairer

(Idioms) **to get ~ of** avoir vent de, apprendre; **to get the ~ up**○ avoir la trouille○ *or* la frousse○ (**about** à cause de); **to put the ~ up sb**○ flanquer la trouille○ à qn, faire une peur bleue à qn; **to go/run like the ~** aller/filer comme le vent; **it's (like) pissing**◐ *ou* **whistling in the ~** c'est comme si on pissait◐ dans un violon; **to see which way the ~ blows** prendre le vent; **you'll be stuck like that if the ~ changes!** (to child pulling faces) arrête ou tu vas rester comme ça!

wind[2] /waɪnd/

A *n* **1** (bend) (of road) tournant *m*; **2** (movement) (of handle) tour *m*; **to give a clock a ~** remonter une pendule

B *vtr* (*prét, pp* **wound**) **1** (coil up) enrouler [*hair, rope, string, tape, wire*] (**on, onto** sur; **round** autour de); **he wound a scarf round his neck** il s'est enroulé *or* passé une écharpe autour du cou; **she wound her arms around him** elle l'a enlacé; **to ~ wool** faire une pelote de laine; **2** (set in motion) (*also* **~ up**) remonter [*watch, clock, toy*]; **3** (turn) donner un tour de [*handle*]; **4** (move sinuously) **to ~ one's** *ou* **its way** [*procession, road, river*] serpenter

C *vi* (*prét, pp* **wound**) [*road, river, procession*] serpenter (**along** le long de); [*stairs*] tourner; **a queue ~ing round the theatre** une queue qui tournait au coin du théâtre

(Phrasal verbs) ■ **wind down**: ▶ **~ down** **1** (end) [*organization*] réduire ses activités, ralentir; [*activity, production*] toucher à sa fin; [*person*] (relax) se détendre; **2** [*clockwork*] être sur le point de s'arrêter; ▶ **~ down [sth], ~ [sth] down** **1** (open) baisser [*car window*]; **2** (prepare for closure) mettre fin à [*activity, organization*]; **the business is being wound down** on est en train de mettre fin à l'entreprise

■ **wind in**: ▶ **~ in [sth], ~ [sth] in** remonter [*cable, line, fish*]

■ **wind off**: ▶ **~ off [sth], ~ [sth] off** dérouler [*thread, rope*]

■ **wind on**: ▶ **~ on** [*film*] s'enrouler, s'embobiner; ▶ **~ on [sth], ~ [sth] on** enrouler [*thread, rope*]; enrouler, embobiner [*film*]

■ **wind up**: ▶ **~ up** **1** (finish) [*event*] se terminer (**with** par); [*speaker*] conclure; **2** ○(end up) finir, se retrouver; **we wound up at Louise's house/sleeping in a barn** on a fini chez Louise/par dormir dans une grange; **the car wound up in the ditch** la voiture s'est retrouvée dans le fossé; **she wound up as a dancer in Tokyo** elle s'est retrouvée danseuse à Tokyo; ▶ **~ up [sth], ~ [sth] up** **1** (terminate) liquider [*business*]; fermer [*account, club*]; mettre fin à [*campaign, career, debate, meeting, project, tour*]; Jur régler [*estate*]; **2** (cause to move) remonter [*clock, watch, toy, car window*]; ▶ **~ [sb] up, ~ up [sb]** **1** (tease) faire marcher [*person*]; **2** (annoy, make tense) énerver; **to be wound up about sth** être énervé à cause de qch

wind: **~bag** ○ *n* péj moulin *m* à paroles; **~blown** *adj* [*hair*] ébouriffé par le vent; [*tree*] fouetté par le vent; **~borne** *adj* apporté par le vent; **~bound** *adj* [*ship*] retenu par des vents défavorables; **~break** *n* (natural) brise-vent *m inv*; (on beach) pare-vent *m inv*; **Windbreaker** *n* US coupe-vent *m inv*, anorak *m*; **~burn** *n* brûlure *f* superficielle (due au vent), érythème *m* solaire spec; **~cheater** *n* GB coupe-vent *m inv*, anorak *m*; **~-chill factor** *n* facteur *m* de refroidissement de la température dû au vent; **~ chimes** *npl* carillon *m* éolien; **~ cone** *n* manche *f* à air; **~ deflector** *n* Aut déflecteur *m*; **~ energy** *n* énergie *f* éolienne

winder /ˈwaɪndə(r)/ *n* **1** (object) (for watch) remontoir *m*; (for wool, thread) dévidoir *m*; (for window) lève-glace *m inv*; **2** Ind (person) dévideur/-euse *m/f*

windfall /ˈwɪndfɔːl/

A *n* **1** lit fruit *m* tombé par terre; **2** fig aubaine *f*

B *modif* [*apple*] tombé par terre

wind: **~fall profit** *n* profit *m* inattendu; **~ farm** *n* ferme *f* d'aérogénérateurs, ferme *f* d'éoliennes; **~flower** *n* anémone *f* des bois; **~ gap** *n* couloir *m*, défilé *m*; **~ gauge** *n* anémomètre *m*; **~ generator** *n* aérogénérateur *m*; **~ harp** ▸ p. 1462 *n* harpe *f* éolienne; **~hover** *n* GB littér *ou* dial crécerelle *f*

winding /ˈwaɪndɪŋ/

A *n* **1** (of road, river) sinuosité *f*; **2** Elec bobinage *m*

B *adj* [*path, road, river, valley, course*] sinueux/-euse; [*stairs*] en spirale

winding: **~ coil** *n* Elec bobine *f*; **~ drum** *n* tambour *m* d'enroulage; **~ gear** *n* matériel *m* de hissage; **~ sheet** *n* linceul *m*

winding-up /ˌwaɪndɪŋˈʌp/

A *n* (of business, affairs) clôture *f*

B *modif* [*order, petition*] de clôture

wind instrument ▸ p. 1462 *n* instrument *m* à vent

windjammer /ˈwɪnddʒæmə(r)/ *n* **1** Naut grand voilier *m* (commercial); **2** GB coupe-vent *m inv*, anorak *m*

windlass /ˈwɪndləs/ *n gen* treuil *m*; Naut guindeau *m*

windless /ˈwɪndləs/ *adj* sans vent

wind machine *n* machine *f* à vent

windmill /ˈwɪndmɪl/ *n* **1** moulin *m* à vent; **2** (toy) moulinet *m*

(Idiom) **to tilt at ~s** se battre contre des moulins à vent

window /ˈwɪndəʊ/ *n* **1** (to look through) (of house, room) fenêtre *f*; (of shop, public building) vitrine *f*, devanture *f*; (of train) vitre *f*, fenêtre *f*; (of car) vitre *f*, glace *f*, fenêtre *f*; (of plane) hublot *m*; (stained glass) vitrail *m*; **to sit at** *or* **by the ~** (in room) s'asseoir à la fenêtre; (in train, car) s'asseoir près de la fenêtre; **I'd like a seat by a ~** Aviat j'aimerais une place côté fenêtre; **to look out of** *ou* **through the ~** regarder par la fenêtre; **if you look out of the ~ you will see Paris** Aviat si vous regardez par le hublot vous verrez Paris; **to lean out of the ~** se pencher par la fenêtre; **'do not lean out of the ~'** (in train) 'ne pas se pencher au dehors'; **to break a ~** casser une vitre *or* un carreau; **to clean** *ou* **wash the ~s** laver les vitres *or* les carreaux; **how much is the jacket in the ~?** Comm combien coûte la veste dans la vitrine?; **a ~ on the world** fig une fenêtre sur le monde; **to provide a ~ on what goes on behind the scenes** fig ouvrir une fenêtre sur ce qui se passe dans les coulisses; **2** (for service at bank or post office) guichet *m*; **3** (of envelope) fenêtre *f*; **4** Comput fenêtre *f*; **5** (space in diary, time) créneau *m*; **we've missed our ~** nous avons raté notre créneau; **to provide a ~ of opportunity for sb to do** fournir un créneau à qn pour faire; **launch ~** créneau de lancement

(Idioms) **to go** *ou* **fly out the ~**○ [*plans*] tomber à l'eau; [*hopes*] s'écrouler; **the eyes are the ~s of the soul** Prov les yeux sont le miroir de l'âme

window: **~ blind** *n* store *m*; **~ box** *n* jardinière *f*, bac *m* à fleurs; **~ cleaner** *n* (person) laveur/-euse *m/f* de carreaux; (product) produit *m* pour nettoyer les vitres *or* les carreaux; **~ display** *n* Comm vitrine *f*; **~ dresser** ▸ p. 1683 *n* étalagiste *mf*

window dressing *n* **1** lit composition *f* de vitrines; **2** fig **it's all ~** fig, péj c'est de la poudre aux yeux○, c'est pour épater la galerie○ **3** Fin habillage *m* de bilan

window: **~ envelope** *n* enveloppe *f* à fenêtre; **~ frame** *n* châssis *m* de fenêtre; **~ glass** *n* verre *m* à vitres; **~ ledge** *n* appui *m* de fenêtre; **~pane** *n* carreau *m*, vitre *f*

window seat *n* 1 (in room) banquette *f* (*encastrée sous une fenêtre*); 2 (in plane, bus, train) place *f* côté fenêtre

window-shopping *n* **to go ~** faire du lèche-vitrines *m inv*

window: **~sill** *n* rebord *m* de fenêtre; **~ winder** *n* Aut lève-glace *m inv*

wind wɪnd: **~pipe** *n* Anat trachée-artère *f*; **~-pollinated** *adj* fécondé par du pollen porté par le vent; **~power** *n* énergie *f* éolienne; **~proof** *adj* qui protège du vent, qui ne laisse pas passer le vent; **~screen** *n* GB Aut pare-brise *m inv*; **~screen washer** *n* GB Aut lave-glace *m*; **~screen wiper** *n* GB Aut essuie-glace *m inv*; **~ section** *n* instruments *mpl* à vent; **~shield** *n* US Aut = **windscreen**; **~-sleeve**, **~-sock** *n* manche *f* à air; **~speed** *n* vitesse *f* du vent; **~speed indicator** *n* anémomètre *m*; **~storm** *n* tempête *f*, tourbillon *m*; **~surf** *vi* faire de la planche à voile; **~surfer** *n* (person) véliplanchiste *mf*; (board) planche *f* à voile; **~surfing** ▸ p. 1253 *n* planche *f* à voile; **~ surge** *n* élévation *f* du niveau de l'eau due au vent; **~swept** *adj* [*moor, hillside, coast*] venteux/-euse, balayé par le vent

wind tunnel /wɪnd/ *n* 1 Tech tunnel *m* aérodynamique; 2 (windy gap or passage) couloir *m* venté

wind turbine *n* moteur *m* éolien

windward /'wɪndwəd/
A *n* côté *m* du vent; **to sail to ~** naviguer contre le vent, avoir le vent debout
B *adj, adv* contre le vent

windward: **Windward Islands** *pr npl* îles *fpl* du Vent; **Windward Passage** *pr n* canal *m* au Vent

windy /'wɪndɪ/ *adj* 1 [*place*] venteux/-euse, balayé par le vent; [*day*] de vent; **it** *ou* **the weather was very ~** il faisait beaucoup de vent; 2 péj (verbose) [*person, speech*] verbeux/-euse; 3 †○GB (scared) **to get ~ about**○ avoir la frousse○ à propos de

Windy City *pr n* US Chicago

wine /waɪn/ ▸ p. 1067
A *n* 1 (drink) vin *m*; 2 (colour) lie-de-vin *m*, bordeaux *m*
B *modif* [*production*] de vin; [*cellar, cask*] à vin
C *adj* (also **~-coloured**) lie-de-vin *inv*, bordeaux *inv*
(Idioms) **to ~ and dine** manger dans les bons restaurants; **she's always being ~d and dined** elle se fait toujours inviter dans les bons restaurants
(Phrasal verb) ■ **wine up**○ US se cuiter○

wine: **~ bar** *n* bar *m* à vin; **~bibber** *n* hum bon buveur *m*; **~ bottling** *n* mise *f* en bouteilles du vin; **~ box** *n* ≈ cubitainer® *m*; **~ cask** *n* tonneau *m* à vin; **~ cellar** *n* cave *f*

wine cooler *n* 1 (ice bucket) seau *m* à rafraîchir; 2 US (drink) *boisson légèrement alcoolisée*

wined (up)○ /ˌwaɪnd ('ʌp)/ *pp adj* US cuité○

wine: **~ glass** *n* verre *m* à vin; **~ grower** *n* viticulteur/-trice *m/f*

wine growing
A *n* viticulture *f*
B *modif* [*region*] vinicole

wine: **~ gum** *n* GB gomme *f* acidulée; **~ list** *n* carte *f* des vins; **~ merchant** ▸ p. 1683 *n* négociant *m* en vins; **~ press** *n* pressoir *m*; **~ producer** ▸ p. 1683 *n* viticulteur/-trice *m/f*; **~ rack** *n* cellier *m*

winery /'waɪnərɪ/ *n* US entreprise *f* vinicole

wine shop ▸ p. 1683 *n* marchand *m* de vin; **he owns a ~** il tient un commerce de vin

wine: **~ skin** *n* outre *f* à vin; **~ taster** ▸ p. 1683 *n* (person) dégustateur/-trice *m/f* de vins; (cup) taste-vin *m*; **~ tasting** *n* dégustation *f* de vins; **~ vinegar** *n* vinaigre *m* de vin; **~ waiter** ▸ p. 1683 *n* sommelier/-ière *m/f*

wing /wɪŋ/
A *n* 1 Zool (of bird, insect) aile *f*; **to be on the ~** être en vol; **to catch insects on the ~** attraper des insectes au vol; 2 (of building, plane, car) aile *f*; (of armchair) oreille *f*; 3 Mil, Pol (of army, party) aile *f*; (unit in air force) escadre *f*; 4 Sport (player) ailier *m*; (side of pitch) aile *f*, côté *m*; **to play on the right ~** être ailier droit; 5 (on sanitary towel) ailette *f*, clip *m*
B **wings** *npl* 1 Theat **the ~s** les coulisses *fpl*; **to be waiting in the ~s** Theat attendre dans les coulisses; fig attendre son heure; 2 Aviat **to get one's ~s** obtenir l'insigne de pilote
C *vtr* 1 **to ~ one's way to** [*plane, passenger, letter*] voler vers; 2 (injure) [*bullet*] érafler
D *vi* (fly) voler; **the geese are ~ing into the estuary/back to their winter home** les oies volent vers l'estuaire/repartent pour l'hiver
(Idioms) **to clip sb's ~s** rogner les ailes à qn; **to spread one's ~s** (entering adult life) voler de ses propres ailes; (entering wider career) voir autre chose; **to take sb under one's ~s** prendre qn sous son aile; **to take ~** littér [*thoughts*] s'envoler; **to ~ it**○ US improviser

wing: **~ case** *n* élytre *m*; **~ chair** *n* fauteuil *m* à oreilles; **~ collar** *n* col *m* cassé; **~ commander** ▸ p. 1599 *n* lieutenant-colonel *m* de l'armée de l'air; **~-ding**○ *n* US nouba○ *f*, fête *f*

winge *vi* = **whinge**

winged /wɪŋd/ *adj* [*cupid, horse, creature*] ailé; [*insect*] volant; **a blue-~ bird** un oiseau aux ailes bleues

winger○ /'wɪŋə(r)/ *n* GB ailier *m*

wing: **~ flap** *n* aileron *m*; **~-footed** *adj* littér (swift) au pied léger; **~ forward** *n* (in rugby) avant *m* troisième ligne; **~ half** *n* (in soccer) demi-droit *m*, demi-gauche *m*; **~ mirror** *n* GB rétroviseur *m* extérieur; **~ nut** *n* écrou *m* à oreilles; **~span** *n* envergure *f*; **~ three-quarter** *n* (in rugby) trois-quarts aile *m*, ailier *m*; **~ tip** *n* bout *m* de l'aile

wink /wɪŋk/
A *n* clin *m* d'œil; **to give sb a ~** faire un clin d'œil à qn; **we didn't get a ~ of sleep all night** nous n'avons pas fermé l'œil de la nuit
B *vtr* **to ~ one's eye** cligner de l'œil; **he ~ed his eye at me** il m'a fait un clin d'œil
C *vi* 1 [*person*] cligner de l'œil; **to ~ at sb** faire un clin d'œil à qn; **to ~ at sth** fig fermer les yeux sur qch; 2 [*light*] clignoter; [*jewellery*] briller
(Idioms) **a nod is as good as a ~ to a blind horse** *ou* **man** c'est bien, on a compris; **as quick as a ~, in the ~ of an eye** en un clin d'œil; **to tip sb the ~**○ avertir qn

winker○ /'wɪŋkə(r)/ *n* GB Aut clignotant *m*

winking /'wɪŋkɪŋ/
A *n* (of eye) clignement *m*; (of light) clignotement *m*
B *adj* [*light*] clignotant
(Idiom) **as easy as ~**○ simple comme bonjour○

winkle /'wɪŋkl/ *n* (also **periwinkle**) Zool bigorneau *m*
(Phrasal verb) ■ **winkle out**○: ▸ **~ [sth/sb] out, ~ out [sth/sb]** dénicher [*person, objet*] (**of** de); soutirer [*truth, confession*] (**of** de)

winkle-pickers /ˌwɪŋkl'pɪkəz/ *npl* chaussures *fpl* à bout pointu

winner /'wɪnə(r)/ *n* 1 (victor) gagnant/-e *m/f*; **to be the ~(s)** Sport, Turf finir gagnant; **to be on to a ~** Turf, fig jouer gagnant; **to back the ~** parier sur le gagnant; **he certainly backed a ~ when he married her** il a vraiment joué gagnant en l'épousant; **to pick** *ou* **spot the ~** Turf jouer le gagnant; **~ takes all** Games le gagnant rafle tout; **that shot was a ~!** c'était un coup gagnant!; 2 (success) **to be a ~** [*film, book, play, design, song*] avoir un gros succès; **he's a ~** tout lui réussit

winning /'wɪnɪŋ/
A *n* réussite *f*
B **winnings** *npl* gains *mpl*
C *adj* 1 (victorious) [*competitor, car, horse, team, entry, shot*] gagnant; 2 (charming) [*smile*] engageant; **to have a ~ way** *ou* **~ ways** avoir du charme

winningly /'wɪnɪŋlɪ/ *adj* d'un air engageant; **to smile ~** faire un sourire engageant

winning post *n* poteau *m* d'arrivée

winning streak *n* Sport, fig **to be on a ~** être dans une bonne période

winnow /'wɪnəʊ/ *vtr* 1 Agric vanner; 2 fig démêler [*truth, facts*] (**from** de)
(Phrasal verb) ■ **winnow down**: ▸ **~ [sth] down, ~ down [sth]** réduire [qch] par tri

winnower /'wɪnəʊə(r)/ *n* Agric 1 (person) vanneur/-euse *m/f*; 2 (machine) tarare *m*

wino○ /'waɪnəʊ/ *n* péj poivrot/-ote○ *m/f* pej

winsome /'wɪnsəm/ *adj* [*person*] charmant, accort; [*smile*] engageant

winsomely /'wɪnsəmlɪ/ *adv* d'un air engageant

winsomeness /'wɪnsəmnɪs/ *n* charme *m*

winter /'wɪntə(r)/ ▸ p. 1661
A *n* hiver *m*
B *modif* [*activity, clothes, weather*] d'hiver; [*ascent*] hivernal
C *vtr* Agric, Hort hiverner
D *vi* passer l'hiver

winter: **~ aconite** *n* eranthis hyemalis *m*; **~ cherry** *n* alkékenge *m*, amour-en-cage *m*; **~ feed** *n* fourrage *m* d'hiver; **~ garden** *n* Hort jardin *m* d'hiver; **~green** *n* wintergreen *m*

winterize /'wɪntəraɪz/ *vtr* US préparer [qch] pour l'hiver

winter: **~ jasmine** *n* jasmin *m* d'hiver; **~kill** *n* US gel *m*; **Winter Olympics** *npl* jeux *mpl* Olympiques d'hiver; **~ quarters** *npl* quartiers *mpl* d'hiver; **~ sleep** *n* hibernation *f*; **~ sports** *npl* sports *mpl* d'hiver; **~time** *n* hiver *m*; **~ wheat** *n* blé *m* d'hiver

wintry /'wɪntrɪ/ *adj* 1 lit hivernal; 2 fig [*smile, welcome*] glacé

win-win /wɪn,wɪn/ *adj* **to be in a ~ situation** être dans une situation où l'on gagne à tous les coups

wipe /waɪp/
A *n* 1 (act of wiping) (with dry cloth) coup *m* de torchon; (with wet cloth) coup *m* d'éponge; **to give sth a ~** essuyer qch [*table, work surface*]; nettoyer qch [*bath, sink*]; 2 (disposable cloth) lingette *f*; Med tampon *m*; **antiseptic ~** lingette *f* antiseptique; **baby ~s** lingettes *fpl* (pour bébé); **surface ~** lingette nettoyante; 3 Cin effaçage *m*
B *vtr* 1 (mop) essuyer [*part of body, crockery, surface*] (**on** sur; **with** avec); **she ~d her eyes** elle s'est essuyé les yeux; **he ~d the sweat from his eyes** il s'est essuyé la sueur qui lui coulait dans les yeux; **to ~ one's nose** se moucher; **she ~d the baby's nose** elle a mouché le bébé; **to ~ one's bottom** se torcher; **she ~d the baby's bottom** elle a torché le bébé; **to ~ sth clean** essuyer qch; **'please ~ your feet'** (sign) 'prière de s'essuyer les pieds'; **~ that smile/grin off your face!** cesse de sourire/de ricaner!; 2 Cin, Comput, Radio, TV effacer
(Phrasal verbs) ■ **wipe away**: ▸ **~ away [sth], ~ [sth] away** essuyer [*tears, sweat*]; faire partir [*dirt, mark*]
■ **wipe down**: ▸ **~ down [sth], ~ [sth] down** nettoyer [*wall, floor*]
■ **wipe off**: ▸ **~ off [sth], ~ [sth] off** 1 faire partir [*dirt, mark*]; 2 Audio, Cin, Comput, Video effacer
■ **wipe out**: ▸ **~ out [sth], ~ [sth] out** 1 lit (clean) nettoyer [*container, cupboard*]; 2 Audio, Cin, Comput, Video effacer; 3 fig (cancel) effacer [*memory, past*]; liquider [*debt*]; annuler [*chances, inflation, gains, losses*]; (kill) anéantir

W

[*species, enemy, population*]; 4 ○Sport (defeat) lessiver○

■ **wipe up**: ▸ ~ **up** essuyer la vaisselle; ▸ ~ **up [sth]**, ~ **[sth] up** essuyer

wipe: **~-clean** *adj* facile à nettoyer; **~-down** *n* (coup *m* de) nettoyage *m*

wiper /ˈwaɪpə(r)/ *n* 1 Aut (*also* **windscreen ~** GB, **windshield ~** US) essuie-glace *m inv*; 2 (cloth) torchon *m*

wiper: **~ arm** *n* Aut bras *m* d'essuie-glace; **~ blade** *n* Aut balai *m* d'essuie-glace; **~ motor** *n* Aut moteur *m* d'essuie-glace

WIPO /ˈwaɪpəʊ/ *n* (*abrév* = **World Intellectual Property Organization**) OMPI *f*

wire /ˈwaɪə(r)/

A *n* 1 (length of metal) fil *m*; **copper ~** fil de cuivre; **electric/telephone ~** fil électrique/téléphonique; **a length/coil of ~** un bout/rouleau de fil; **loose ~s** (from wall) des fils qui dépassent; (on floor) des fils qui traînent; (from plug) des fils qui sortent; 2 US (telegram) télégramme *m*; **to get a ~ from sb** recevoir un télégramme de qn; **to send sb a ~** envoyer un télégramme à qn; 3 US (in horseracing) ligne *f* d'arrivée

B *vtr* 1 Elec **to ~ a house** installer l'électricité dans une maison; **to ~ a plug/a lamp** connecter une prise/une lampe; **the oven had been incorrectly ~d** le four avait été mal connecté; **the house is ~d for television** la maison peut capter la télévision; 2 (send telegram to) télégraphier à [*person*]; **he ~d us his answer immediately** il nous a immédiatement télégraphié sa réponse; 3 (stiffen) renforcer [qch] avec un fil métallique [*stem, flower, bodice*]

(Idioms) **down to the ~** US jusqu'au tout dernier moment; **to get in under the ~** US (arrive) arriver de justesse; (accomplish sth) finir qch de justesse; **to pull ~s** US se faire pistonner○; **to get one's ~s** *ou* **lines crossed** se comprendre de travers; **~d up**○ énervé

(Phrasal verb) ■ **wire up**: ▸ ~ **[sth] up to sth** relier [qch] à qch; **the TV is ~d up to the speakers** la télé est reliée aux haut-parleurs

wire: **~ brush** *n* brosse *f* métallique; **~ cloth** *n* toile *f* métallique; **~ cutters** *npl* cisailles *fpl*

wired○ /ˈwaɪəd/ *adj* 1 (edgy) tendu; 2 (high) défoncé○; 3 Comput branché

wire: **~ gauge** *n* calibreur *m* à fil métallique; **~ gauze** *n* toile *f* métallique; **~ glass** *n* verre *m* armé

wireless /ˈwaɪəlɪs/

A *n* GB 1 †(radio set) poste *m* de radio; **on the ~** à la T.S.F.; 2 (transmitter, receiver) radio *f*; **by ~** par radio; **to receive a message over the ~** recevoir un message par radio

B *adj* Electron sans fil

wireless: **~ message** *n* message *m* radio(phonique); **~ operator** ▸ p. 1683 *n* radiotélégraphiste *mf*; **~ room** *n* cabine *f* radio; **~ set**† *n* poste *m* de radio; **~ telegraphy** *n* télégraphie *f* sans fil

wire: **~man**○ ▸ p. 1683 *n* US (electrician) électricien *m*; (phone tapper) *technicien spécialisé dans l'espionnage électronique*; **~ mesh** *n* treillis *m* métallique; **~ netting** *n* grillage *m*

wirepuller○ /ˈwaɪəpʊlə(r)/ *n* US **he's a ~** il a du piston○

wire service *n* (agency) agence *f* de presse; (facility) lignes *fpl* d'une agence de presse

wire tap

A *n* 1 (device) (on phone, in room) micro *m*; 2 (occurrence) mise *f* sur écoute

B *vtr* (*p prés etc* **-pp-**) mettre [qn/qch] sur écoute [*person, room, phone line*]

wire: **~ tapping** *n* espionnage *m* électronique; **~ wool** *n* paille *f* de fer; **~worm** *n* (in crops) ver *m* de fer

wiriness /ˈwaɪərɪnɪs/ *n* (of dog's hair) dureté *f* de poil; (of build) maigreur *f*

wiring /ˈwaɪərɪŋ/ *n* (in house) installation *f* électrique; (in appliance) circuit *m* (électrique); **to redo the ~** refaire l'installation électrique; **faulty ~** (in house) installation électrique défectueuse; (in appliance) circuit (électrique) défectueux; **the ~ in the oven is faulty** le four est mal connecté

wiry /ˈwaɪərɪ/ *adj* 1 [*person, body*] maigre; **a ~ little man** un petit homme sec et nerveux; 2 [*hair*] raide; [*grass*] dru; **to have a ~ coat** [*animal*] avoir le poil raide

Wisconsin /ˌwɪsˈkɒnsɪn/ ▸ p. 1737

A *pr n* (state, river) Wisconsin *m*

B *modif* [*climate, border etc*] du Wisconsin

wisdom /ˈwɪzdəm/ *n* (of action, decision, person) sagesse *f*; **to doubt** *ou* **question the ~ of doing** douter qu'il soit sage de faire; **in his ~** iron dans son infinie sagesse; **with the ~ of hindsight** avec une sagesse rétrospective

wisdom tooth *n* dent *f* de sagesse

wise /waɪz/

A sout† *n* (way) façon *f*; **in no ~** en aucune façon, aucunement

B *adj* 1 (prudent) [*person*] sage, prudent; [*action, advice, decision, precaution*] sage; [*choice*] judicieux/-ieuse; **it is ~ of sb to do** il est prudent de la part de qn de faire; **you would be ~ to do** tu ferais bien de faire; **I think it ~ that you should do** je pense qu'il serait sage de ta part de faire; **to be ~ enough to do** avoir le bon sens de faire; **the ~st thing (to do) would be to** le plus sage serait de; **was that ~?** était-ce bien raisonnable?; 2 (learned) [*academic, book, speech*] pertinent; **to be ~ after the event** être sage après coup; **to be none the ~r** (understand no better) ne pas être plus avancé; (not realize) ne s'apercevoir de rien; **to be sadder and ~r** tirer la leçon de la triste expérience; 3 ○(aware) **to be ~ to** être au courant de [*facts*]; **to get ~** to prendre le coup de [*situation*]; **to get ~ to sb** saisir à qui on a affaire; **to put sb ~ to** mettre qn au courant de, affranchir○ qn de [*facts*]

C -wise (*dans composés*) 1 (direction) dans le sens de; **length-/width-~** dans le sens de la longueur/de la largeur; 2 (with regard to) pour ce qui est de; **time-/work-~** pour ce qui est du temps/du travail

(Idiom) **a word to the ~:...** en tout cas un conseil:...

(Phrasal verb) ■ **wise up**○ se mettre au courant (**to** de)

wise: **~acre**† *n* puits *m* de science; **~-ass**◐ *n* US petit malin○ *m*

wisecrack /ˈwaɪzkræk/

A *n* vanne○ *f*

B *vi* balancer des vannes○

wise: **~cracking** *adj* vanneur/-euse○; **~ guy**○ *n* gros malin○ *m*

wisely /ˈwaɪzlɪ/ *adv* [*choose, decide*] judicieusement; **~, he decided to...** il a judicieusement décidé de...

Wise Men *npl* **the three ~** les (trois) Rois *mpl* Mages

wise woman *n* sorcière *f*

wish /wɪʃ/

A *n* (desire) désir *m* (**for** de; **to do** de faire); (in fairy story) souhait *m* (**for** de); **her ~ came true** son souhait s'est réalisé; **the fairy gave her three ~es** la fée lui a accordé trois souhaits; **a ~ for freedom/to be free** un désir de liberté/d'être libre; **to make a ~** faire un vœu; **to have/express/cherish a ~** avoir/exprimer/caresser un désir; **to grant sb's ~** [*monarch, official, authority, parent*] accéder au désir de qn; [*fairy*] exaucer le souhait de qn; **I have no ~ to disturb you/talk to you** sout je n'ai pas l'intention de vous déranger/de vous parler; **at his wife's/boss's ~** selon la volonté de sa femme/de son chef; **to do sth against sb's ~es** faire qch à l'encontre des désirs de qn; **it is my dearest ~ to visit Capri** mon vœu le plus cher est de visiter Capri; **you will get your ~** vous aurez ce que vous désirez

B wishes *npl* vœux *mpl*; **good** *ou* **best ~es** meilleurs vœux; (ending letter) bien amicalement; **best ~es on your birthday/engagement** meilleurs vœux pour votre anniversaire/vos fiançailles; **to offer/give/send good ~es** (for specific event) formuler/faire/envoyer ses meilleurs vœux; **please give him my best ~es** je vous prie de lui faire toutes mes amitiés; **(with) all good ~es for Christmas** avec tous mes *or* nos meilleurs vœux pour Noël

C *vtr* 1 (expressing longing) **I ~ he were here/had been here** si seulement il était ici/avait été ici; **I just ~ we lived closer** si seulement nous habitions plus près; **I ~ you hadn't told me that** si seulement tu ne m'avais pas dit cela; **he ~ed he had written** il aurait voulu avoir écrit; **he ~ed she had written** il aurait voulu qu'elle ait écrit; **he wishes his mother would write** il voudrait que sa mère écrive; **he bought it and then ~ed he hadn't** il l'a acheté et puis a regretté de l'avoir fait; **I ~ed him dead/myself single again** j'aurais voulu le voir mort/être à nouveau célibataire

2 (express congratulations, greetings) souhaiter; **I ~ you Happy Birthday/a pleasant journey/good luck** je vous souhaite un bon anniversaire/un bon voyage/bonne chance; **to ~ sb joy** *ou* **happiness** souhaiter à qn d'être heureux; **to ~ sb joy with sth/sb** iron souhaiter bien du plaisir à qn avec qch/qn; **he ~ed her good day**† il lui a souhaité le bonjour; **we ~ed each other goodbye and good luck** nous nous sommes dit au revoir et bonne chance; **I ~ed him well** j'espérais que tout irait bien pour lui

3 (want) sout souhaiter, vouloir; (weaker) désirer; **he ~es an audience with you** sout il désire *or* il souhaite avoir un entretien avec vous; **that was what your father would have ~ed** c'est ce que ton père aurait voulu; **you will do it because I ~ it** vous le ferez parce que je le veux; **to ~ to do** vouloir *or* souhaiter *or* désirer faire; **I ~ to leave at once** je souhaite partir sur le champ; **she ~es to be alone/excused** elle désire être seule/se faire excuser; **I do not ~ to seem unkind but...** je ne veux pas avoir l'air antipathique mais...; **I ~ you to leave** je veux que vous partiez; **I ~ it to be clear that...** je veux qu'il soit bien clair que...

D *vi* 1 (desire, want) vouloir; **just as you ~** comme vous voudrez; **spend it as you ~** dépense-le comme tu voudras; **to ~ for** souhaiter, espérer; **they wished for an end to the war** ils souhaitaient la fin de la guerre; **what more could one ~ for?** qu'est-ce qu'on pourrait espérer *or* souhaiter de plus?

2 (in fairy story or ritual) faire un vœu

(Idiom) **your ~ is my command** hum vos désirs sont des ordres

(Phrasal verbs) ■ **wish away**: ▸ ~ **away [sth]**, ~ **[sth] away** souhaiter que [qch] n'existe pas

■ **wish on**: ▸ ~ **[sth] on sb** fourguer○ [qch] à qn; **it's a job I wouldn't ~ on anyone** c'est un boulot que je ne fourguerais○ à personne

wish: **~bone** *n* bréchet *m*; **~bone boom** *n* Naut Sport wishbone *m*; **~ fulfilment** *n* Psych assouvissement *m* du désir

wishful thinking /ˌwɪʃfl ˈθɪŋkɪŋ/ *n* **that's ~** c'est prendre ses désirs pour des réalités

wish: **~ing well** *n* puits *m* aux vœux; **~ list** *n* liste *f* des choses qu'on souhaite

wishy-washy○ /ˈwɪʃɪwɒʃɪ/ *adj* 1 [*colour*] délavé; 2 péj [*person, approach*] incolore et inodore○

wisp /wɪsp/ *n* (of hair) mèche *f*; (of straw) brin *m*; (of smoke, cloud) volute *f*; (of flame) langue *f*; **a ~ of a girl** un petit bout de fille

wispy /ˈwɪspɪ/ *adj* [*hair, beard*] fin; [*cloud, smoke*] léger/-ère; [*piece, straw*] menu

wisteria /wɪˈstɪərɪə/ *n* glycine *f*

wistful /ˈwɪstfl/ *adj* (sad) mélancolique; (nostalgic) nostalgique

wistfully /ˈwɪstfəlɪ/ *adv* (sadly) avec mélancolie; (nostalgically) avec nostalgie

wistfulness /ˈwɪstflnɪs/ *n* (sadness) mélancolie *f*; (nostalgia) nostalgie *f*

wit /wɪt/

A *n* **1** (humour, sense of humour) esprit *m*; **to have a quick/ready ~** avoir la repartie facile/l'esprit d'à-propos; **to have a dry ~** être pince-sans-rire; **2** (witty person) personne *f* spirituelle; **he is a ~** il est spirituel

B wits *npl* (intelligence) intelligence *f*; (presence of mind) présence *f* d'esprit; **to have the ~s to do** avoir la présence d'esprit de faire; **to have** *ou* **keep (all) one's ~s about one** (vigilant) rester attentif/-ive; (level-headed) conserver sa présence d'esprit; **to collect** *ou* **gather one's ~s** rassembler ses esprits; **to sharpen one's ~s** se dégourdir l'esprit; **to frighten/startle/terrify sb out of their ~s** faire une peur/surprise/terreur épouvantable à qn; **to pit one's ~s against sb** se mesurer (intellectuellement) à qn; **to live by one's ~s** vivre d'expédients; **to lose one's ~s** ne plus savoir où on est; **a battle of ~s** une joute verbale

C to wit *adv phr* sout à savoir

(Idiom) **to be at one's ~s' end** ne plus savoir quoi faire

witch /wɪtʃ/ *n* sorcière *f*; fig (bewitching woman) ensorceleuse *f*; péj **(old) ~** (vieille) sorcière *f*

witch: **~craft** *n* sorcellerie *f*; **~ doctor** *n* shaman *m*

witchery /ˈwɪtʃərɪ/ *n* sorcellerie *f*

witch: **~es' brew** *n* bouillon *m* de sorcière also fig; **~es' Sabbath** *n* sabbat *m* (*de sorcières*)

witch hazel /ˈwɪtʃ heɪzl/

A *n* Bot, Med hamamélis *m*

B *modif* [*twig, solution*] d'hamamélis *m*

witch: **~-hunt** *n* lit, fig chasse *f* aux sorcières; **~-hunter** *n* chasseur/-euse *m/f* de sorcières; **~-hunting** *n* chasse *f* aux sorcières; **~ing hour** *n* littér heure *f* de minuit; fig hum moment *m* fatal; **~like** *adj* de sorcière

with /wɪð, wɪθ/

> ⚠ If you have any doubts about how to translate a phrase or expression beginning with *with* (*with a vengeance, with all my heart, with luck, with my blessing etc*) you should consult the appropriate noun entry (**vengeance, heart, luck, blessing** etc).
>
> *with* is often used after verbs in English (*dispense with, part with, get on with etc*). For translations, consult the appropriate verb entry (**dispense, part, get** etc).
>
> This dictionary contains usage notes on such topics as the human body and illnesses, aches and pains which use the preposition *with*. For the index to these notes ▸ **p. 1948**.
>
> For further uses of *with*, see the entry below.

1 (in descriptions) **a girl ~ black hair** une fille aux cheveux noirs; **a child ~ blue eyes** un enfant aux yeux bleus; **the boy ~ the broken leg** le garçon à la jambe cassée; **a boy ~ a broken leg** un garçon avec une jambe cassée; **a dress ~ a large collar** une robe avec un large col; **a TV ~ remote control** une télévision avec télécommande; **a room ~ a sea view** une chambre avec vue sur la mer; **furnished ~ antiques** décoré avec des meubles anciens; **covered ~ mud** couvert de boue; **wet ~ dew** mouillé par la rosée; **to lie ~ one's eyes closed** être allongé les yeux fermés; **to stand ~ one's arms folded** se tenir les bras croisés; **filled/loaded ~ sth** rempli/chargé de qch; **covered/surrounded ~** couvert/entouré de

2 (involving, concerning) avec; **a treaty/a discussion /a meeting ~ sb** un traité/une discussion/un rendez-vous avec qn

3 (indicating an agent) avec; **to hit sb ~ sth** frapper qn avec qch; **to walk ~ a stick** marcher avec une canne; **to open/cut sth ~ a penknife** ouvrir/couper qch avec un canif

4 (indicating manner, attitude) **~ difficulty/pleasure/care** avec difficulté/plaisir/soin; **to be patient ~ sb** être patient avec qn; **'OK,' he said ~ a smile/sigh** 'd'accord,' a-t-il dit en souriant/soupirant; **delighted/satisfied ~ sth** ravi/satisfait de qch

5 (according to) **to increase ~ time** augmenter avec le temps; **to improve ~ age** [*wine*] se bonifier avec l'âge; **to expand ~ heat** se dilater sous l'action de la chaleur; **to vary ~ the temperature** varier selon la température

6 (accompanied by, in the presence of) avec; **to travel/dance ~ sb** voyager/danser avec qn; **go out ~ sb** sortir avec qn; **bring a friend ~ you** viens avec un ami; **she's got her brother ~ her** (on one occasion) elle est avec *or* accompagnée de son frère; (staying with her) son frère est chez elle; **to live ~ sb** (in one's own house) vivre avec qn; (in their house) vivre chez qn; **I'll be ~ you in a second** je suis à vous dans un instant; **take your umbrella ~ you** emporte ton parapluie; **bring the books back ~ you** ramène les livres

7 (owning, bringing) **passengers ~ tickets** les passagers munis de billets; **people ~ qualifications** les gens qualifiés; **somebody ~ your experience** quelqu'un qui a ton expérience; **have you got the report ~ you?** est-ce que tu as (amené) le rapport?; **~ a CV** GB *ou* **resumé** US **like yours you're sure to find a job** avec un CV comme le tien, tu es sûr de trouver du travail

8 (in relation to, as regards) **the frontier ~ Belgium** la frontière avec la Belgique; **problems ~ the computer** des problèmes avec l'ordinateur; **remember what happened ~ Bob's kids** rappelle-toi ce qui est arrivé aux enfants de Bob; **how are things ~ you?** comment ça va?; **what's up ~ Amy?, what's ~ Amy?** US qu'est-ce qui ne va pas avec Amy?; **what do you want ~ another car?** qu'est-ce que tu veux faire d'une deuxième voiture?; **it's a habit ~ her** c'est une habitude chez elle; ▸ **matter, trouble, what, wrong**

9 (showing consent, support) **I'm ~ you on this matter** je suis tout à fait d'accord avec toi là-dessus; **I'm ~ you 100%** *ou* **all the way** je suis avec toi

10 (because of) **sick ~ worry** malade *or* mort d'inquiétude; **white ~ fear** blanc de peur; **to blush ~ embarrassment** rougir d'embarras; **to scream ~ laughter** hurler de rire; **to tremble ~ fear** trembler de peur; **he can see better ~ his glasses on** il voit mieux avec ses lunettes; **~ six kids, it's impossible** avec six enfants, c'est impossible; **I can't do it ~ you watching** je ne peux pas le faire si tu me regardes; **~ summer coming** avec l'été qui approche; **I can't go out ~ all this work to do** avec tout le travail que j'ai à faire, je ne peux pas sortir; ▸ **what**

11 (remaining) **~ only two days to go before the election** alors qu'il ne reste plus que deux jours avant les élections; **he pulled out of the race ~ 100 metres to go** il a abandonné la course 100 m avant l'arrivée

12 (suffering from) **people ~ Aids/leukemia** les personnes atteintes du sida/de la leucémie, les personnes qui ont le sida/la leucémie; **to be ill ~ flu** avoir la grippe; **to be in bed ~ chickenpox** être au lit avec la varicelle

13 (in the care or charge of) **you're safe ~ us** tu es en sécurité avec nous; **the blame lies ~ him** c'est de sa faute; **is Paul ~you?** est-ce que Paul est avec vous?

14 (against) avec; **to fight ~ sb** se bagarrer avec qn; **the war ~ Germany** la guerre avec l'Allemagne; **to have an argument ~ sb** se disputer avec qn; **to be in competition ~ sb** être en concurrence avec qn

15 (showing simultaneity) **~ the approach of spring** à l'approche du printemps; **~ the introduction of the reforms** avec l'introduction des nouvelles réformes; **~ that, he left** sur ce, il est parti

16 (employed by, customer of) **a reporter ~ the Gazette** un journaliste de la Gazette; **he's ~ the UN** il travaille pour l'ONU; **I'm ~ Chemco** je travaille chez Chemco; **we're ~ the National Bank** nous sommes à la National Bank

17 (in the same direction as) **to sail ~ the wind** naviguer dans le sens du vent; **to drift ~ the tide** dériver avec le courant

18 (featuring, starring) **Casablanca ~ Humphrey Bogart** Casablanca avec Humphrey Bogart

(Idioms) **to be ~ it**○ (on the ball) être dégourdi *or* capable; (trendy) être dans le vent *or* le coup; **I'm not really ~ it today**○ j'ai l'esprit ailleurs aujourd'hui; **get ~ it**○! (wake up) réveille-toi!; (face the facts) redescends sur terre!; **I'm not ~ you, can you repeat?** je ne te suis pas, tu peux répéter?

withal /wɪˈðɔːl/ *adv*‡ *ou* littér (besides) en outre; (therewith) sur le champ; (nevertheless) ce nonobstant liter

withdraw /wɪðˈdrɔː, wɪθˈd-/ (*prét* **-drew**, *pp* **-drawn**)

A *vtr* retirer [*hand, money, support, application, offer*] (**from** de); retirer [*aid, permission*] (**from** à); renoncer à, retirer [*claim*]; rétracter [*allegation, accusation, statement*]; Mil retirer [*troops*] (**from** de); Pol rappeler [*ambassador, diplomat*]; **to ~ a product from sale** Comm retirer un produit de la vente; **to ~ money from circulation** retirer de l'argent de la circulation; **to ~ one's labour** GB Ind faire un arrêt de travail

B *vi* **1** [*person, troops*] se retirer (**from** de); [*applicant, candidate*] se retirer, se désister; **to ~ from a game/tournament** se retirer d'un jeu/d'un tournoi; **to ~ to one's room** se retirer dans sa chambre; **to ~ from one's position** Mil abandonner sa position; **2** Psych [*person*] se replier; **to ~ into oneself** se replier sur soi-même

withdrawal /wɪðˈdrɔːəl, wɪθˈd-/ *n* **1** gen, Fin, Mil retrait *m* (**of, from** de); (of accusation, statement) rétractation *f*, retrait *m* (**of** de); (of applicant, candidate, competitor) désistement *m*, retrait *m*; Pol (of ambassador) rappel *m*; **he has made several ~s from his account recently** il a effectué plusieurs retraits de son compte récemment; **~ of labour** GB Ind arrêt *m* de travail; **2** Psych (introversion) repli *m* sur soi-même; **3** Med (of drug addict) état *m* de manque

withdrawal slip *n* bordereau *m* de retrait

withdrawal symptoms *npl* symptômes *mpl* de manque *or* de l'état de manque; **to be suffering from ~** être en état de manque

withdrawn /wɪðˈdrɔːn, wɪθˈd-/

A *pp* ▸ **withdraw**

B *adj* (introverted) [*person*] renfermé, replié sur soi-même

wither /ˈwɪðə(r)/

A *vtr* **1** flétrir [*plant*]; **2** littér flétrir [*face, feelings*]

B *vi* [*plant*] se flétrir

(Phrasal verb) ■ **wither away** [*spirit*] s'atrophier; [*hope, interest*] s'évanouir

withered /ˈwɪðəd/ *adj* [*plant, skin, cheek*] flétri; [*arm*] atrophié; [*emotions*] dépéri

withering /ˈwɪðərɪŋ/ *adj* [*look*] plein de mépris; [*contempt, comment*] cinglant

witheringly /ˈwɪðərɪŋlɪ/ *adv* [*speak*] d'un ton cinglant; [*look, glare*] avec mépris

withers /ˈwɪðəz/ *npl* garrot *m*

withhold /wɪðˈhəʊld/ *vtr* (*prét, pp* **-held**) différer [*payment*]; retenir [*tax, grant, rent*]; refuser [*consent, permission*]; ne pas divulguer [*information*]; **to be accused of ~ing information from the police** être accusé de rétention d'informations

withholding tax *n* US retenue *f* à la source

within /wɪˈðɪn/

A *prep* **1** (enclosed in) **~ the city walls** dans l'enceinte de la ville; **~ the boundaries of the estate** dans l'enceinte de la propriété; **to lie ~ Italy's borders** être en Italie; **2** (inside) **~ the government/party** au sein du

W

gouvernement/parti; **countries ~ the EU** les pays qui font partie de la UE; **conditions ~ the camp/the prison** les conditions de vie dans le camp/la prison; **candidates from ~ the company** les candidats internes; **it appeals to something deep ~ us all** cela touche quelque chose de profond en nous; **3** (in expressions of time) **I'll do it ~ the hour** je le ferai en moins d'une heure; **he did it ~ the week** il l'a fait en moins d'une semaine; **15 burglaries ~ a month** 15 cambriolages en moins d'un mois; **'please reply ~ the week'** 'prière de répondre dans la semaine'; **'use ~ 24 hours of purchase'** 'à consommer dans les 24 heures'; **to finish ~ the time limit** finir dans les temps impartis; **~ minutes he was back** quelques minutes plus tard il était de retour; **~ a week of his birth** moins d'une semaine après sa naissance; **they died ~ a week of each other** ils sont morts à une semaine d'intervalle; **4** (not more than) **to be ~ several metres of sth** être à quelques mètres seulement de qch; **to live ~ minutes of the station** habiter à quelques minutes de la gare; **it's accurate to ~ a millimetre** c'est exact à un millimètre près; **to be ~ a day's drive of the mountains** être à une journée en voiture de la montagne; **to be ~ a 12 km radius** être dans un rayon de 12 km; **to fill a bucket to ~ 10 cm of the brim** remplir un seau jusqu'à 10 cm du bord; ▸ **inch**; **5** (not beyond the range of) **to be ~ sight** lit [*coast, town*] être en vue; fig [*end*] être proche; **stay ~ sight of the car** ne vous éloignez pas de la voiture; **to be ~ range of** être à portée de [*enemy guns*]; **he's ~ shouting distance** il est suffisamment près pour nous entendre crier; ▸ **earshot**, **grasp**, **hearing**, **reach**; **6** (not beyond a permitted limit) **to stay ~ budget** ne pas dépasser le budget; **to live ~ one's income** *ou* **means** vivre selon ses moyens; **~ the limitations of the treaty** dans les limites du traité; ▸ **jurisdiction**, **law**, **limit**, **reason**, **right**; **7** (inside the scope of) **it lies ~ the Impressionist tradition** ça s'inscrit dans la tradition impressionniste; **it's a play ~ a play** c'est une pièce en abyme; ▸ **brief**, **confines**, **framework**, **scope**

B *adv* à l'intérieur; **seen from ~** vu de l'intérieur; **~ and without** à l'intérieur comme à l'extérieur; ▸ **apply**, **enemy**, **inquire**

without /wɪ'ðaʊt/

A *prep* **1** (lacking, not having) sans; **~ a key** sans clé; **~ any money/help** sans argent/aide; **to be ~ friends** ne pas avoir d'amis; **to be ~ shame** n'avoir aucune honte; **she left ~ it** elle est partie sans; **they went ~ me** ils sont partis sans moi; **~ end** sans fin; **not ~ difficulty** non sans difficulté; **to manage** *ou* **make do ~ sth** se débrouiller sans qch; **I'll just have to manage ~** il va falloir que je me débrouille sans; ▸ **do**[1], **doubt**, **fail**, **foundation**, **get**, **go**; **2** (not) sans; **~ doing** sans faire; **~ looking/paying attention** sans regarder/faire attention; **do it ~ him noticing** fais-le sans qu'il s'en aperçoive; **~ saying a word** sans mot dire; **it goes ~ saying that** il va de soi *or* sans dire que; **~ so much as asking permission** sans même demander la permission

B *adv* (on the outside) à l'extérieur; **from ~** de l'extérieur

with-profits *adj* Fin [*endowment assurance, policy*] avec participation aux bénéfices

withstand /wɪð'stænd/ *vtr* (*prét, pp* **-stood**) résister à

withy /'wɪðɪ/ *n* brin *m* d'osier

witless /'wɪtlɪs/ *adj* stupide; **to be scared ~** avoir une peur bleue; **to be bored ~** s'ennuyer à mourir

witness /'wɪtnɪs/

A *n* **1** gen, Jur (person) témoin *m*; **she was a ~ to the accident** elle a été témoin de l'accident; **~ for the prosecution/the defence, prosecution/defence ~** témoin à charge/à décharge; **to call sb as a ~** citer qn comme témoin; **I have been called as a ~ in the Mulloy case** j'ai été appelé à témoigner dans l'affaire Mulloy; **to sign a document in the presence of a ~** signer un document en présence d'un témoin; **to be a ~ to sb's will** servir de témoin lors de la signature du testament de qn; **2** (testimony) témoignage *m*; **to be** *ou* **bear ~ to sth** témoigner de qch; **his expensive cars are** *ou* **bear ~ to his wealth** ses voitures de luxe témoignent de sa richesse; **the dilapidation of the school bears ~ to the lack of funds** la dégradation de l'école est une preuve évidente du manque de fonds; **to bear false ~** Jur faire un faux témoignage; **3** ¢ Relig témoignage *m*

B *vtr* **1** (see) être témoin de, assister à [*attack, incident, burglary*]; **they ~ed the murder/the accident** ils ont été témoins du meurtre/de l'accident; **2** (at official occasion) servir de témoin lors de la signature de [*document, treaty*]; être témoin à [*marriage*]; **3** fig **we are about to ~ a transformation of the world economy** nous sommes sur le point d'assister à une transformation de l'économie mondiale; **the last decade has ~ed tremendous advances in technology** la dernière décennie a vu des progrès considérables dans le domaine de la technologie; **his hard work has paid off, (as) ~ his exam results** son travail acharné a payé, comme en témoignent ses résultats d'examen; **this house has ~ed many historic events** cette maison a été le théâtre de beaucoup d'événements historiques, beaucoup d'événements historiques se sont déroulés dans cette maison

witness box GB, **witness stand** US *n* barre *f* des témoins; **in the ~** à la barre des témoins

witter○ /'wɪtə(r)/ *vi* GB = **witter on**○

(Phrasal verb) ■ **witter on**○ GB parler sans arrêt (**about** de)

wittering○ /'wɪtərɪŋ/ *n* GB bavardage *m*

witticism /'wɪtɪsɪzəm/ *n* bon mot *m*

wittily /'wɪtɪlɪ/ *adv* avec esprit

wittingly /'wɪtɪŋlɪ/ *adv* littér sciemment

witty /'wɪtɪ/ *adj* spirituel/-elle

wives /waɪvz/ *pl* ▸ **wife**

wiz○ /wɪz/ *n* crack○ *m* (**at** en)

wizard /'wɪzəd/

A *n* **1** (magician) magicien *m*; **2** fig (expert) **to be a ~ with a needle** être un as de l'aiguille; **to be a ~ at** avoir le génie de [*chess, computing etc*]; **to be a ~ at doing** être très fort pour faire

B *adj*○† GB super

wizardry /'wɪzədrɪ/ *n* magie *f* also fig

wizened /'wɪznd/ *adj* ratatiné

wk *abrév écrite* = **week**

WLM *n: abrév* ▸ **Women's Liberation Movement**

WMD *n(pl)* (*abrév* = **Weapon(s) of Mass Destruction**) ADM *fpl*

W Midlands *n* GB Post *abrév écrite* ▸ **West Midlands**

WML *n* (*abrév* = **Wireless Mark-up Language**) WML *m*

w/o **1** *abrév* = **without**; **2** *abrév* = **written off**

WO *n* Mil *abrév* ▸ **Warrant Officer**

woad /wəʊd/ *n* Bot guède *f*, herbe *f* de Saint-Philippe

wobble /'wɒbl/

A *n* (in voice) tremblement *m*; (of chair, table) branlement *m*; (in movement) oscillation *f*; fig vacillation *f*

B *vtr* faire bouger [*table, tooth*]

C *vi* [*table, chair*] branler; [*pile of books, plates etc*] osciller; [*voice*] trembler; [*person*] (on bicycle) osciller; (on ladder, tightrope) chanceler; **the chair was wobbling** la chaise branlait; **this chair is inclined to ~** cette chaise est branlante *or* bancale; **she ~d down the street on her bicycle** elle a descendu la rue en zigzagant sur sa bicyclette; **his legs were wobbling under him** ses jambes flageolaient; **the front wheels are wobbling** Aut il y a du jeu dans les roues avant

wobbly /'wɒblɪ/ *adj* [*table, chair*] bancal; [*tooth*] branlant; [*chin, voice, jelly*] tremblotant; [*handwriting, line*] tremblant; fig [*theory, plot*] boiteux/-euse; **she still feels a bit ~ after her illness** elle se sent toujours un peu chancelante *or* faible après sa maladie; **he is still a bit ~ on his legs** il est encore un peu chancelant (sur ses jambes); **she's still a bit ~ on her new bicycle** elle n'est pas encore très stable sur sa nouvelle bicyclette

(Idiom) **to throw a ~**○ GB piquer une crise○

wodge○ /wɒdʒ/ *n* GB **a ~ of** un tas○ de [*papers, money*]; un gros morceau de [*cake, bread*]

woe /wəʊ/

A *n* **1** littér (sorrow) chagrin *m*; **a tale of ~** hum une jérémiade; **2** hum (misfortune) malheur *m*

B *excl*‡ *ou* hum quel malheur!; **~ betide him if he's late** gare à lui s'il est en retard; **~ betide the person who...** gare à celui qui...; **~ is me!** pauvre de moi!

woebegone /'wəʊbɪgɒn, US -gɔːn/ *adj* abattu

woeful /'wəʊfl/ *adj* **1** (mournful) [*look, smile*] affligé; [*story, sight*] affligeant; **2** (deplorable) [*lack, way*] déplorable

woefully /'wəʊfəlɪ/ *adv* **1** (mournfully) [*say, look*] tristement; **2** (very) [*inadequate, underfunded*] déplorablement

wog◐ *n* **1** GB injur (foreigner) métèque *mf* offensive; **2** ○Austral (illness) microbe *m*

wok /wɒk/ *n* wok *m*

woke /wəʊk/ *prét* ▸ **wake**

woken /'wəʊkən/ *pp* ▸ **wake**

wold /wəʊld/ *n* Geog plateau *m*

wolf /wʊlf/

A *n* (*pl* **wolves**) **1** loup *m*; **she-~** louve *f*; **the big bad ~** le grand méchant loup; **2** ○ fig (womanizer) cavaleur○ *m*

B *vtr* = **wolf down**

(Idioms) **to cry ~** crier au loup; **to be a ~ in sheep's clothing** être un loup déguisé en brebis; **to keep the ~ from the door** mettre qn à l'abri du besoin; **a lone ~** un/une solitaire *m/f*; **to throw sb to the wolves** jeter qn dans la gueule du loup

(Phrasal verb) ■ **wolf down**: ▸ **~ down [sth]**, **~ [sth] down** engloutir, dévorer [*food*]

wolf: **~ call** *n* US = **wolf-whistle**; **~ cub** *n* louveteau *m*; **~ dog** US, **~hound** GB *n* chien-loup *m*

wolfish /'wʊlfɪʃ/ *adj* [*appetite*] vorace, féroce; [*grin*] féroce

wolfishly /'wʊlfɪʃlɪ/ *adv* voracement

wolf-man /'wʊlfmæn/ *n* homme-loup *m*

wolfram /'wʊlfrəm/ *n* tungstène *m*

wolfsbane /'wʊlfsbeɪn/ *n* aconit *m*

wolf-whistle /'wʊlfwɪsl, US -hwɪ-/

A *n* sifflement *m* (*au passage d'une femme*)

B *vi* siffler (*au passage d'une femme*); **to ~ at sb** siffler qn

wolverine /'wʊlvəriːn/

A *n* Zool glouton *m*

B **Wolverine** *n* US (native) natif/-ive *m/f* du Michigan; (resident) habitant/-e *m/f* du Michigan

wolves /wʊlvz/ *pl* ▸ **wolf**

woman /'wʊmən/

A *n* (*pl* **women**) femme *f*; **the working ~** la femme active; **~ as portrayed in the Victorian novel** la femme telle qu'elle est représentée dans le roman victorien; **a ~ of letters** une femme de lettres; **a ~ of the streets**† euph une prostituée; **I've never even spoken to the ~!** péj je n'ai même jamais parlé à cette femme!; **a ~ comes in to clean twice a week** une femme de ménage vient deux fois par semaine; **she's her own ~** elle est maîtresse de sa vie; **to talk about sth ~ to ~** parler de qch entre femmes; **for heaven's sake, ~!**

mais enfin tu es idiote ou quoi?; **my good ~** ma petite dame; **the little ~**† péj ma petite femme; **the other ~** péj l'autre
B *modif* **a ~ Prime Minister** un premier ministre femme; **she asked for a ~ doctor** elle a demandé un médecin femme; **women doctors were not so common then** les femmes médecins n'étaient pas très nombreuses à cette époque; **he's always criticizing ~ drivers** il est toujours en train de critiquer les femmes au volant; **the women members of staff** les membres féminins du personnel; **he has lots of women friends** il a beaucoup d'amies; **women voters** électrices *fpl*; **women writers** femmes *fpl* écrivains; **a six-~ team** une équipe composée de six femmes
(Idioms) **a ~'s place is in the home** la place d'une femme est au foyer; **a ~'s work is never done** une femme a toujours à faire dans sa maison

woman-hater○ *n* mysogyne *m*

womanhood /'wʊmənhʊd/ *n* (state of being a woman) féminité *f*; (women collectively) les femmes *fpl*; **to reach ~** devenir femme

womanish /'wʊmənɪʃ/ *adj* péj efféminé

womanize /'wʊmənaɪz/ *vi* courir les femmes

womanizer /'wʊmənaɪzə(r)/ *n* coureur *m* de jupons *or* de femmes

womankind /'wʊmənkaɪnd/ *n* sout les femmes *fpl*

womanliness /'wʊmənlɪnɪs/ *n* féminité *f*

womanly /'wʊmənlɪ/ *adj* féminin

woman police constable, **WPC** *n* GB femme *f* agent de police

womb /wu:m/ *n* Anat ventre *m*, utérus *m*; **the child in the ~** l'enfant dans le ventre de sa mère

wombat /'wɒmbæt/ *n* wombat *m*

women /'wɪmɪn/ *pl* ▸ **woman**

womenfolk /'wɪmɪnfəʊk/ *n* **the ~** les femmes *fpl*

women: **~'s group** *n* groupe *m* féministe; **Women's Institute**, **WI** *n* GB *association de femmes qui s'intéresse aux problèmes du foyer et qui organise des œuvres de bienfaisance*; **Women's Libber**○ *n* péj féministe *f*; **Women's Liberation Movement**, **Women's Lib**○, **WLM** *n* mouvement *m* de libération de la femme, MLF *m*

women's magazine *n* magazine *m* féminin; **~s** la presse féminine

women: **~'s movement** *n* mouvement *m* des femmes; **~'s page** *n* Journ page *f* des lectrices; **~'s prison** *n* prison *f* de femmes; **~'s refuge** *n* foyer *m* pour femmes battues; **~'s rights** *npl* droits *mpl* de la femme; **~'s shelter** = **women's refuge**; **~'s studies** *npl* études *fpl* féministes; **~'s suffrage** *n* droit *m* de vote pour les femmes

won /wʌn/ *prét, pp* ▸ **win**

wonder /'wʌndə(r)/
A *n* **1** (miracle) merveille *f*; **it's a ~ that** c'est extraordinaire que (+ *subj*); **(it's) no ~ that** (ce n'est) pas étonnant que (+ *subj*); **small** *ou* **little ~ that** ce n'est guère étonnant que (+ *subj*); **to be a ~ with** savoir comment s'y prendre avec [*children, dogs*]; **to be a ~ with engines/computers** s'y connaître en mécanique/informatique; **to do** *ou* **work ~s** faire des merveilles (**for** pour; **with** avec); **he's/she's a ~!** il/elle est merveilleux/-euse!; **the ~s of modern medicine/technology** les prodiges de la médecine/technologie moderne; **2** (amazement) émerveillement *m*; **in ~** avec émerveillement; **a sense** *ou* **feeling of ~** une sensation d'émerveillement; **lost in ~** émerveillé
B *modif* [*cure, drug*] miracle (*after n*)
C *vtr* **1** (ask oneself) se demander; **I ~ how/why** je me demande comment/pourquoi; **I ~ if** *ou* **whether** je me demande si; (as polite request) **I ~ if you could help me/give me some information?** peut-être pourriez-vous m'aider/me fournir des renseignements?; **it makes you ~** on peut se poser des questions; **it makes you ~ why/if/how** c'est à se demander pourquoi/si/comment; **'why are we here?' he ~ed** 'pourquoi sommes-nous là?' se demandait-il; **one ~s what he is trying to achieve** on se demande où il veut en arriver; **2** (be surprised) **I ~ that** cela m'étonne que (+ *subj*)
D *vi* **1** (think) **to ~ about sth** penser *or* songer à qch; **to ~ about doing** penser *or* songer à faire; **2** (be surprised) **to ~ at sth** s'étonner de qch; (admiringly) s'émerveiller de qch; **they'll be late again, I shouldn't ~** cela ne m'étonnerait pas qu'ils soient encore en retard

wonderful /'wʌndəfl/ *adj* [*book, film, meal, experience, holiday*] merveilleux/-euse, magnifique; [*musician, teacher*] excellent (*before n*); [*achievement*] beau/belle (*before n*); **to be ~ with** savoir comment s'y prendre avec [*children, animals*]; **to be ~ with computers/engines** s'y connaître en informatique/mécanique; **I feel ~** je suis en pleine forme; **you look ~!** (healthy) tu as l'air en pleine forme!; (attractive) tu es superbe!

wonderfully /'wʌndəfəlɪ/ *adv* **1** (very) [*funny, clever, generous, exciting*] très; **2** (splendidly) [*cope, behave, perform, work*] admirablement

wondering /'wʌndərɪŋ/ *adj* **1** (full of wonder) [*look, expression*] émerveillé; **2** (puzzled) [*look, expression*] étonné

wonderingly /'wʌndərɪŋlɪ/ *adv* **1** (in wonder) [*look, say*] avec émerveillement; **2** (in puzzlement) [*look, say*] d'un air étonné

wonderland /'wʌndəlænd/ *n* pays *m* enchanté

wonderment /'wʌndəmənt/ *n* **1** (wonder) émerveillement *m*; **in ~** avec émerveillement; **2** (puzzlement) étonnement *m*; **in ~** avec étonnement

wondrous /'wʌndrəs/ *adj* littér merveilleux/-euse

wondrously /'wʌndrəslɪ/ *adv* littér merveilleusement

wonga○ /'wɒŋgə, 'vɒŋgə/ *n* GB fric○ *m*, argent *m*

wonk○ /wɒŋk/ *n* **1** US (swot) bûcheur/-euse *m/f*; **2** (theorist) expert *m* grand théoricien; **computer/policy ~** expert grand théoricien en informatique/politique

wonky○ /'wɒŋkɪ/ *adj* GB **1** (crooked) de traviole○; **2** (wobbly) [*furniture*] bancal; [*legs*] flageolant; **3** (faulty) **the television is a bit ~** la télé est un peu détraquée○; **he has a ~ knee** il a un genou déglingué○

wont /wəʊnt, US wɔ:nt/ *adj* **to be ~ to do** avoir coutume de faire; **as is his/their ~** comme à son/leur habitude

won't /wəʊnt/ = **will not**

wonted /'wəʊntəd/ *adj* sout coutumier/-ière

woo /wu:/ *vtr* **1** †(court) courtiser [*lady*]; **2** fig (curry favour with) courtiser [*voters, company, country*]; **to ~ mothers back to work** encourager les mères à reprendre la vie professionnelle

wood /wʊd/
A *n* **1** (fuel, timber) bois *m*; **ash/beech ~** bois de frêne/de hêtre; **made of solid ~** en bois massif; **a piece of ~** un morceau de bois; **2** Wine (barrel) fût *m*; **aged in the ~** vieilli en fût; **(drawn) from the ~** tiré du fût; **3** (forest) bois *m*; **birch/oak ~** bois *m* de bouleaux/de chênes; **4** Sport (in bowls) boule *f* (*en bois*); (in golf) bois *m*; **a (number) three ~** un bois trois; **to hit a ball off the ~** (in tennis) faire un bois
B **woods** *npl* **1** (forest) bois *mpl*; **2** Mus bois *mpl*
C *modif* [*fire, smoke, shavings*] de bois; **~ floor** plancher *m*
(Idioms) **touch ~!** GB, **knock on ~!** US touchons du bois! *or* je touche du bois!; **we are not out of the ~ yet** on n'est pas encore sorti de l'auberge

wood: **~ alcohol** *n* alcool *m* méthylique; **~ anemone** *n* anémone *f* des bois; **~ ant** *n* fourmi *f* fauve

woodbine /'wʊdbaɪn/ *n* **1** (honeysuckle) chèvrefeuille *m* (des bois); **2** US (Virginia creeper) vigne *f* vierge

wood: **~block** *n* (for flooring) latte *f*; US Art planche *f*; **~-block floor** *n* parquet *m*; **~-burning stove** *n* = **wood stove**; **~ carver** ▸ **p. 1683** *n* sculpteur/-trice *m/f* sur bois; **~carving** *n* sculpture *f* sur bois; **~chuck** *n* marmotte *f* d'Amérique; **~cock** *n* bécasse *f*; **~craft** *n* connaissance *f* des bois; **~cut** *n* (block) planche *f*; (print) xylographie *f*; **~cutter** ▸ **p. 1683** *n* bûcheron/-onne *m/f*; **~cutting** *n* abattage *m* des arbres

wooded /'wʊdɪd/ *adj* boisé; **heavily** *ou* **thickly ~** très boisé

wooden /'wʊdn/ *adj* **1** [*furniture, implement, house, floor*] en bois; [*leg*] de bois; **~ shoe** sabot *m*; **2** fig [*acting, expression*] figé

wood engraving *n* gravure *f* sur bois

wooden: **~headed** *adj* borné; **~ horse** *n* cheval *m* de Troie also fig; **~ nickel** *n* US objet *m* sans valeur; **~ spoon** *n* cuillère *f* de bois; fig prix *m* de consolation

woodland /'wʊdlənd/
A *n* bois *m*
B *modif* [*animal, plant*] des bois; [*scenery*] boisé; [*walk*] dans les bois; **~ management** exploitation *f* forestière

wood: **~lark** *n* alouette *f* des bois; **~louse** *n* cloporte *m*; **~man** GB, **~sman** US ▸ **p. 1683** *n* (woodcutter) forestier *m*; (versed in woodcraft) homme *m* des bois; **~ nymph** *n* nymphe *f* des bois; **~pecker** *n* pic *m*; **~ pigeon** *n* pigeon *m* ramier; **~pile** *n* tas *m* de bois; **~ pulp** *n* pâte *f* à papier; **~screw** *n* vis *f* à bois; **~ shavings** *npl* copeaux *mpl*; **~shed** *n* remise *f* à bois; **~ sorrel** *n* oxalis *m*, petite oseille *f*; **~ stove** *n* poêle *m* à bois

woodsy○ /'wʊdzɪ/ *adj* US [*atmosphere*] sylvestre; [*person*] qui aime la verdure

wood trim *n* boiserie *f*

woodwind /'wʊdwɪnd/
A *npl* bois *mpl*
B *modif* [*instrument*] à bois; [*player*] d'instrument à bois; [*section*] des bois

woodwork /'wʊdwɜ:k/
A *n* **1** (carpentry) menuiserie *f*; **2** (doors, windows etc) boiseries *fpl*; **3** ○GB Sport (goalpost) poteaux *mpl*
B *modif* [*teacher, class*] de menuiserie; [*student*] en menuiserie
(Idiom) **to come** *ou* **crawl out of the ~**○ hum surgir d'un peu partout○

woodworm /'wʊdwɜ:m/ *n* **1** (animal) ver *m* à bois; **2** (disease) maladie *f* du ver à bois; **to have ~** être vermoulu

woody /'wʊdɪ/ *adj* [*hill, landscape*] boisé; [*plant, stem*] ligneux/-euse; [*smell*] de bois

woof /wʊf/
A *n* **1** ○(bark) aboiement *m*; **2** onomat ouah; **3** /wu:f/ Tex (weft) trame *f*
B *vi*○ aboyer

woofer /'wʊfə(r)/ *n* Audio haut-parleur *m* de graves, woofer *m*

wool /wʊl/
A *n* laine *f*; **pure (new) ~** pure laine (vierge); **knitting/baby ~** laine à tricoter/pour bébé
B *modif* [*carpet, coat, shop*] de laine; [*trade*] lainier/-ière
(Idiom) **to pull the ~ over sb's eyes** duper qn; **you can't pull the ~ over my eyes** je ne suis pas dupe

wool: **~ fat** *n* suint *m*; **~gathering** *n* rêvasserie *f*; **~ grease** *n* = **wool fat**; **~grower** ▸ **p. 1683** *n* éleveur/-euse *m/f* de moutons

woollen GB, **woolen** US /'wʊlən/
A *n* **1** (garment) lainage *m*; **2** (piece of cloth) tissu *m* en laine

B *adj [garment]* de laine

woollen mill *n* lainerie *f*

woolliness, **wooliness** US /ˈwʊlɪnɪs/ *n* **1** (of cloth) nature *f* laineuse; (of animal's coat) épaisseur *f* laineuse; **2** fig (of thinking) imprécision *f* (**of** de)

woolly GB, **wooly** US /ˈwʊlɪ/

A *n*○ lainage *m*

B *adj* **1** *[garment]* de laine; *[animal coat, hair]* laineux/-euse; *[cloud]* cotonneux/-euse; **2** fig (vague) *[thinking]* flou

(Idiom) **wild and ~** *[person]* fruste, barbare; *[plan, theory]* primitif/-ive, rudimentaire

woolly-headed, **woolly-minded** *adj* aux idées floues

wool: **~ merchant** ▸ **p. 1683** *n* Hist lainier/-ière *m/f*; **Woolsack** *n* GB *siège du Grand Chancelier à la chambre des Lords*; **~shed** *n* lainerie *f*

woops *excl* = **whoops**

woozy○ /ˈwuːzɪ/ *adj* **to feel ~** avoir la tête qui tourne

wop /wɒp/

A *n*◑ injur (Italian) rital/-e◑ *m/f* offensive

B *vtr*○ = **whop**

Worcester sauce /ˈwʊstə(r)/ GB, **Worcestershire sauce** /ˈwʊstəʃaɪə(r)/ US *n: sauce épicée au soja et vinaigre*

Worcestershire /ˈwʊstəʃə(r)/ ▸ **p. 1612** *pr n* Worcestershire *m*

Worcs *n* GB Post *abrév écrite* ▸ **Worcestershire**

word /wɜːd/

A *n* **1** (verbal expression) mot *m*; **to say a few ~s about** dire quelques mots sur; **those were his very ~s** ce sont ses propres mots; **to have no ~s to express sth** ne pas trouver les mots pour exprimer qch; **idle/well-chosen ~s** mots en l'air/choisis; **long ~s** mots savants; **in 120 ~s** en 120 mots; **in a ~, no** en un mot, non; **there is no other ~ for it** il n'y a pas d'autre mot (pour le dire); **with these ~s he left** sur ces mots il est parti; **in your own ~s** avec tes propres mots; **I don't think 'aunt' is quite the right ~** je ne suis pas sûr que 'tante' soit le mot qui convienne; **the last ~** lit le dernier mot; fig le dernier cri (**in** en); **to get a ~ in** placer un mot; **not in so many ~s** pas exactement ; **in other ~s** en d'autres termes; **the spoken ~** la langue parlée; **the written ~** la langue écrite; **to put one's feelings** *ou* **thoughts into ~s** exprimer ce qu'on ressent; **there's no such ~ as 'can't'** 'impossible' n'est pas français; **what's the Greek ~ for 'table'?** comment dit-on 'table' en grec?; **a ~ of warning** un avertissement; **a ~ of advice** un conseil; **kind ~s** paroles aimables; **vulgar is hardly the ~ for it** vulgaire est trop peu dire; **lazy is a better ~ for him** je dirais plutôt qu'il est paresseux; **I've said my last ~ on the subject** j'ai dit tout ce que j'avais à dire sur le sujet; **too funny/sad for ~s** trop drôle/triste; **in the ~s of Washington** pour reprendre l'expression de Washington; **I believed every ~ he said** je croyais tout ce qu'il me disait; **I mean every ~ of it** je pense ce que je dis; **a ~ to all those who...** quelques conseils pour tous ceux qui...; **a man of few ~s** un homme peu loquace

2 (anything, something) mot *m*; **without saying a ~** sans dire un mot; **I couldn't get a ~ out of her** je n'ai pas réussi à tirer un mot d'elle; **not to believe/hear/understand a ~ of sth** ne pas croire/entendre/comprendre un mot de qch; **not a ~ to anybody** pas un mot à qui que ce soit; **I don't believe a ~ of it** je n'en crois pas un mot; **not to have a good ~ to say about sb/sth** n'avoir rien de bon à dire de qn/sur qch; **I want to say a ~ about honesty** je voudrais dire quelque chose au sujet de l'honnêteté; **I didn't say a ~!** je n'ai pas ouvert la bouche!; **he won't hear a ~ against her** il ne supporte pas qu'on dise quoi que ce soit contre elle; **the article didn't say a ~ about it** l'article n'en a pas parlé

3 ¢ (information) nouvelles *fpl* (**about** concernant); **we are waiting for ~** nous attendons des nouvelles; **there is no ~ of the missing climbers** on est sans nouvelles des alpinistes disparus; **we are hoping for ~ that all is well** nous espérons des bonnes nouvelles; **~ got out that...** la nouvelle a transpiré que...; **to bring ~ of sth** annoncer qch; **to bring/send ~ that** annoncer/faire savoir que; **he left ~ at the desk that...** il a laissé un message à la réception disant que...; **to spread the ~** faire circuler la nouvelle

4 (promise, affirmation) parole *f*; **he gave me his ~** il m'a donné sa parole; **to keep/break one's ~** tenir/ne pas tenir parole; **it's his ~ against mine** c'est sa parole contre la mienne; **to hold sb to his/her ~** obliger qn à tenir parole; **a woman of her ~** une femme de parole; **to take sb's ~ for it** croire qn sur parole; **to take sb at his/her ~** prendre qn au mot; **I've only got her ~ for it** je n'ai que sa parole; **to doubt/question sb's ~** douter/mettre en doute les paroles de qn; **take my ~ for it!** crois-moi!; **to go back on one's ~** revenir sur sa promesse; **to be as good as one's ~** tenir parole; **to be better than one's ~** faire plus que ce qu'on a promis

5 (rumour) **~ has it that he's a millionaire** on dit qu'il est millionnaire; **~ got round** *ou* **around that...** le bruit a couru que...

6 (command) ordre *m*; **to give the ~ to do** donner l'ordre de faire; **if you need anything just say the ~** si tu as besoin de quoi que ce soit, dis-le; **just say the ~ and I'll come** tu n'as qu'un mot à dire et je viendrai; **at** *ou* **on the ~ of command, present arms** à mon commandement, présentez armes; **their ~ is law** ils font la loi

7 (key word) maître mot *m*; **the ~ now is devolution** le maître mot est maintenant la décentralisation

8 **the Word** Relig gen la bonne parole; (of Trinity) le Verbe; **to preach the Word** prêcher la bonne parole; **the Word of God** la parole de Dieu

9 Comput mot *m*

B **words** *npl* **1** (oratory) paroles *fpl*; **show your support by deeds not ~s** montrez votre soutien par des actes et non par des paroles; **empty ~s** paroles vides de sens

2 Theat, Mus (of play) texte *m*; (of song) paroles *fpl*; **to forget one's ~s** oublier son texte; **I'll sing the ~s** je vais chanter les paroles; **to set the ~s to music** mettre un texte en musique

C **-worded** (*dans composés*) **a carefully-~ed letter** une lettre soigneusement formulée; **a strongly-~ed statement** un communiqué ferme; **a sarcastically-~ed reply** une réponse caustique

D *vtr* formuler *[reply, letter, statement]*

(Idioms) **my ~!** (in surprise) ma parole!; (in reproof) tu vas voir!; **right from the ~ go** dès le départ; **to have a ~ with sb about sth** parler (un peu) à qn à propos de qch; **to have ~s with sb** s'accrocher avec qn; **to put in a good ~ for sb** glisser un mot en faveur de qn; **upon my ~!** (in surprise) ma parole!; (confirming truth) parole d'honneur!

word: **~ association** *n* Psych association *f* de mots; **~ blindness** *n* dyslexie *f*; **~book** *n* Mus livret *m* (d'opéra); **~break** *n* Print coupure *f* (du mot); **~ class** *n* Ling partie *f* du discours; **~count** *n* Comput nombre *m* de mots; **~ deaf** *adj* aphasique sensoriel/-ielle; **~ deafness** *n* aphasie *f* sensorielle

word-for-word /ˌwɜːdfəˈwɜːd/

A *adj* mot à mot *inv*

B **word for word** *adv* mot à mot

word game *n* jeu *m* de lettres

wordiness /ˈwɜːdɪnɪs/ *n* verbosité *f*

wording /ˈwɜːdɪŋ/ *n* formulation *f*

wordlist *n* gen liste *f* de mots; (in dictionary) nomenclature *f*

word-of-mouth

A *adv [promise]* verbal

B **by word of mouth** *adv phr* verbalement

word order *n* Ling ordre *m* des mots

word-perfect /ˌwɜːdˈpɜːfɪkt/ *adj [recitation]* parfait; **to be ~** *[recitation]* être parfait; *[person]* connaître son texte sur le bout des doigts

word: **~ processing**, **WP** *n* Comput traitement *m* de texte; **~ processor** *n* Comput machine *f* à traitement de texte

wordsmith /ˈwɜːdsmɪθ/ *n* **to be an accomplished ~** avoir le génie des mots

word: **~ stress** *n* Ling accentuation *f*; **~ wrapping** *n* Comput retour *m* à la ligne automatique

wordy /ˈwɜːdɪ/ *adj* verbeux/-euse

wore /wɔː(r)/ *prét* ▸ **wear**

work ➡ /wɜːk/

A *n* **1** (physical or mental activity) travail *m* (**on** sur); **to be at ~ on sth** être en train de travailler à qch; **to watch sb at ~** regarder qn (en train de) travailler; **to go to** *ou* **set to** *ou* **get to ~** se mettre au travail; **to go to** *ou* **set to** *ou* **get to ~ on sth** se mettre à travailler à *ou* faire qch; **to set to ~ doing** se mettre à faire; **to put a lot of ~ into** travailler *[essay, speech]*; passer beaucoup de temps sur *[meal, preparations]*; **to put a lot of ~ into doing** passer beaucoup de temps à faire; **to put** *ou* **set sb to ~** faire travailler qn; **we put him to ~ doing** nous lui avons donné pour tâche de faire; **it was hard ~ doing** ça a été dur de faire; **to be hard at ~** travailler consciencieusement; **your essay needs more ~** tu dois travailler davantage ta rédaction; **there's still a lot of ~ to be done** il reste encore beaucoup à faire; **I've got ~ to do** j'ai du travail à faire; **to make short** *ou* **light work of sth** expédier qch; **to make short ~ of sb** envoyer promener qn; **it's all in a day's ~** c'est une question d'habitude; **'good** *ou* **nice ~'** (on written work) 'bon travail'; (orally) 'c'est bien!'; **it's hot/thirsty ~** ça donne chaud/soif

2 (occupation) travail *m*; **to be in ~** avoir du travail *or* un emploi; **to look for ~** chercher du travail; **day/night ~** travail de jour/nuit; **place of ~** lieu *m* de travail; **to start** *ou* **begin ~** (daily) commencer le travail; (for the first time) commencer à travailler; **to stop ~** (at the end of the day) terminer son travail; (on retirement) cesser de travailler; **to be off ~** (on vacation) être en congé; **to be off ~ with flu** être en arrêt de travail parce qu'on a la grippe; **to be out of ~** être au chômage; **nice ~ if you can get it**○! c'est une bonne planque○!

3 (place of employment) (office) bureau *m*; (factory) usine *f*; **to go to ~** aller au travail; **don't phone me at ~** ne me téléphone pas à mon travail; **there's a canteen at ~** il y a une cantine à mon travail

4 (building, construction) travaux *mpl* (**on** sur)

5 (papers) **to take one's ~ home** lit emporter du travail chez soi; fig ramener ses soucis professionnels à sa famille; **spread your ~ out on the table** étale tes papiers sur la table

6 (achievement, product) (essay, report) travail *m*; (artwork, novel, sculpture) œuvre *f* (**by** de); (study) ouvrage *m* (**by** de; **on** sur); **an exhibition of ~ by young artists** une exposition d'œuvres de jeunes artistes; **he sells his ~ to tourists** il vend ses créations aux touristes; **is this all your own ~?** est-ce que vous l'avez fait tout seul?; **to mark students' ~** noter les devoirs des étudiants; **his ~ isn't up to standard** son travail n'a pas le niveau requis; **the research was the ~ of a team** la recherche était l'œuvre d'une équipe; **a ~ of genius** une œuvre de génie; **a ~ of fiction** une œuvre de fiction; **a ~ of reference** un ouvrage de référence; **this attack is the ~ of professionals** l'attaque est l'œuvre de professionnels; **I hope you're pleased with your ~!** iron j'espère

➡ *see* Life in France

W

que tu es fier de ton œuvre! iron; **the ~s of Shakespeare/Flaubert** l'œuvre *m* de Shakespeare/Flaubert
7▸ Phys travail *m*
8▸ (research) recherches *fpl* (**on** sur); **there is still a lot of ~ to be done on the virus** il y a encore beaucoup de recherches à faire sur le virus
9▸ (effect) **to go to ~** [*drug, detergent*] agir; **the weedkiller has done its ~** l'herbicide a été efficace

B works *npl* 1▸ (factory) usine *f*; **~s canteen** cantine *f* de l'usine
2▸ (building work) travaux *mpl*; **public ~s** travaux publics
3▸ ○(everything) **the (full** *ou* **whole) ~s** toute la panoplie○

C *modif* [*clothes, shoes*] de travail; [*phone number*] au travail

D *vtr* 1▸ (drive) **to ~ sb hard** surmener qn
2▸ (labour) **to ~ shifts** travailler en équipes (de travail posté); **to ~ days/nights** travailler de jour/de nuit; **to ~ one's passage** Naut travailler pour payer son voyage; **to ~ one's way through university** travailler pour payer ses études; **to ~ one's way through a book/ document** lire un livre/document; **to ~ a 40 hour week** faire la semaine de 40 heures
3▸ (operate) se servir de [*computer, equipment, lathe*]
4▸ (exploit commercially) exploiter [*oil-field, land, mine, seam*]
5▸ (have as one's territory) [*representative*] couvrir [*region*]; **beggars/prostitutes ~ the streets around the station** les mendiants/prostituées occupent les rues autour de la gare
6▸ (consume) **to ~ one's way through** (use) utiliser [*amount, quantity*]; **to ~ one's way through two whole cakes** manger deux gâteaux entiers
7▸ (bring about) **to ~ wonders/miracles** lit, fig faire des merveilles/miracles; **the landscape started to ~ its magic on me** la magie du paysage a commencé à faire effet
8▸ (use to one's advantage) **to ~ the system** profiter du système; **can you ~ it for me to get tickets?** peux-tu t'arranger pour m'avoir des billets?; **how did you manage to ~ it?** comment as-tu pu arranger ça?; **I've ~ed things so that...** j'ai arrangé les choses de sorte que... (+ *subj*)
9▸ (fashion) travailler [*clay, dough, gold, iron*]; **to ~ sth to a soft consistency** travailler qch pour le rendre malléable; **to ~ gold into jewellery** travailler l'or pour en faire des bijoux
10▸ (embroider) broder [*design*] (**into** sur); **to be ~ed in blue silk** être brodé à la soie bleue
11▸ (manoeuvre) **to ~ sth into** introduire qch dans [*slot, hole*]; **to ~ a lever up and down** actionner un levier
12▸ (exercise) faire travailler [*muscles, biceps*]
13▸ (move) **to ~ one's way through** se frayer un passage à travers [*crowd*]; **to ~ one's way along** avancer le long de [*ledge, sill*]; **to ~ one's hands free** se libérer les mains; **to ~ the rope loose** desserrer la corde; **it ~ed its way loose, it ~ed itself loose** il s'est desserré peu à peu; **to ~ its way into** passer dans [*bloodstream, system, food, chain*]; **start at the top and ~ your way down** commencez par le haut et continuez jusqu'en bas

E *vi* 1▸ (engage in activity) travailler (**doing** à faire); **to ~ at the hospital/the factory** travailler à l'hôpital/l'usine; **to ~ at home** travailler à domicile; **to ~ as a midwife/teacher** travailler comme sage-femme/professeur; **to ~ for sb** travailler pour qn; **to ~ for Grant and Company** travailler pour la Société Grant; **to ~ in advertising/publishing** travailler dans la publicité/l'édition; **to ~ with young people** travailler avec les jeunes; **to ~ for a living** gagner sa vie; **to ~ in oils/ watercolours** [*artist*] travailler à l'huile/ l'aquarelle
2▸ (strive) lutter (**against** contre; **for** pour; **to do** pour faire); **to ~ against corruption** lutter contre la corruption; **to ~ towards** se diriger vers [*solution*]; s'acheminer vers [*compromise*]; négocier [*agreement*]
3▸ (function) [*equipment, machine*] fonctionner, marcher; [*institution, system, heart, brain*] fonctionner; **to ~ on electricity/on gas** marcher *or* fonctionner à l'électricité/au gaz; **to ~ off the mains** marcher sur le secteur; **the washing machine isn't ~ing** la machine à laver est en panne *or* ne marche pas
4▸ (act, operate) **it doesn't** *ou* **things don't ~ like that** ça ne marche pas comme ça; **to ~ on the assumption that** présumer que; **to ~ in sb's favour, to ~ to sb's advantage** tourner à l'avantage de qn; **to ~ against sb, to ~ to sb's disadvantage** jouer en la défaveur de qn
5▸ (be successful) [*treatment*] avoir de l'effet; [*detergent, drug*] agir (**against** contre; **on** sur); [*spell*] agir; [*plan, plot*] réussir; [*argument, hypothesis*] tenir debout; **flattery won't ~ with me** la flatterie ne marche pas avec moi; **the adaptation really ~s** l'adaptation est vraiment réussie; **I didn't think the novel would ~ as a film** je ne pensais pas qu'on pouvait tirer un bon film de ce roman
6▸ (move) [*face, features*] se contracter

F *v refl* 1▸ (labour) **to ~ oneself too hard** se surmener; **to ~ oneself to death** se tuer à la tâche
2▸ (rouse) **to ~ oneself into a rage** se mettre en colère; **to ~ oneself into a frenzy** (with anger) se mettre en rage; (with hysteria) devenir hystérique

(Idioms) **to ~ one's way up** gravir tous les échelons; **to ~ one's way up the company** faire son chemin dans l'entreprise

(Phrasal verbs) ■ **work around**: ▸ **~ around to [sth]** aborder [*subject*]; **it took him ages to ~ around to what he wanted to say** il lui a fallu un temps fou pour exprimer ce qu'il avait à dire; **to ~ the conversation around to sth** faire tourner la conversation autour de qch; **to ~ around to telling sb sth** parvenir à dire qch à qn

■ **work in**: ▸ **~ in [sth], ~ [sth] in** 1▸ (incorporate) glisser [*joke, reference*]; mentionner [*fact, name*]; 2▸ Culin incorporer [*ingredient*]

■ **work off**: ▸ **~ [sth] off, ~ off [sth]** 1▸ (remove) retirer [*lid*]; **to ~ a ring off one's finger** ôter une bague avec difficulté; 2▸ (repay) travailler pour rembourser [*loan, debt*]; 3▸ (get rid of) se débarrasser de [*excess weight*]; dépenser [*excess energy*]; passer [*anger, frustration*]

■ **work on**: ▸ **~ on** continuer à travailler; ▸ **~ on [sb]** travailler○; ▸ **~ on [sth]** travailler à [*book, report*]; travailler sur [*project*]; s'occuper de [*case, problem*]; chercher [*cure, solution*]; examiner [*idea, theory*]; **I'm ~ing on a way of doing** je cherche une façon de faire; **'have you found a solution?'—'I'm ~ing on it'** 'as-tu trouvé une solution?'—'j'y réfléchis'; **he's ~ing on his French** il travaille son français; **we've got no clues to ~ on** nous n'avons aucun indice

■ **work out**: ▸ **~ out** 1▸ (exercise) s'entraîner; 2▸ (go according to plan) [*plan, marriage*] marcher; **I hope things ~ out for them** j'espère que ça marchera pour eux; 3▸ (add up) **to ~ out at** GB *ou* **to** US [*total, share*] s'élever à [*amount, proportion*]; ▸ **~ out [sth], ~ [sth] out** 1▸ (calculate) calculer [*answer, average, total*]; 2▸ (solve) trouver [*answer, reason, culprit*]; résoudre [*riddle, problem*]; comprendre [*clue*]; **to ~ out why/when/where** comprendre pourquoi/quand/où; **to ~ out what sth means** comprendre qch; 3▸ (devise) concevoir [*plan, scheme*]; trouver [*route*]; 4▸ Admin **to ~ out one's notice** faire son mois de préavis; 5▸ (exhaust) épuiser [*mine, soil*]; ▸ **~ [sb] out** comprendre; **I can't ~ her out** je ne la comprendrai jamais

■ **work over**○: ▸ **~ [sb] over** passer [qn] à tabac○

■ **work to**: ▸ **~ to [sth]** s'astreindre à [*budget*]; **to ~ to deadlines** travailler avec des objectifs; **to ~ to tight deadlines** avoir des délais très serrés

■ **work up**: ▸ **~ up [sth]** développer [*interest*]; accroître [*support*]; **to ~ up the courage to do** trouver le courage de faire; **to ~ up some enthusiasm for** s'enthousiasmer pour; **to ~ up an appetite** s'ouvrir l'appétit; ▸ **~ up to [sth]** se préparer à [*announcement, confession, confrontation*]; **the music is ~ing up to a climax** la musique va crescendo pour finir en apothéose; ▸ **~ up [sb], ~ [sb] up** 1▸ (excite) exciter [*child, crowd*]; **to ~ sb up into a frenzy** rendre qn énervé; **to ~ sb up into a rage** mettre qn en colère; 2▸ (annoy) énerver; **to get ~ed up** s'énerver; **to ~ oneself up** s'énerver; **to ~ oneself up into a state** se mettre dans tous ses états; **to get oneself all ~ed up over** *ou* **about** se mettre dans tous ses états au sujet de

workable /'wɜːkəbl/ *adj* 1▸ (feasible) [*idea, plan, suggestion*] réalisable; [*system*] pratique; [*arrangement, compromise*] possible; 2▸ Agric, Ind [*land, mine, quarry*] exploitable; 3▸ Constr [*cement*] maniable

workaday /'wɜːkədeɪ/ *adj* [*matters*] de routine; [*clothes, life, writing*] ordinaire

workaholic○ /ˌwɜːkə'hɒlɪk/ *n* bourreau *m* de travail

work: **~ basket** *n* corbeille *f* à ouvrage; **~bench** *n* établi *m*; **~book** *n* (blank) cahier *m*; (with exercises) livre *m* d'exercices; **~box** *n* boîte *f* à ouvrage; **~ camp** *n* chantier *m* (de bénévoles); **~day** *n* gen jour *m* de travail; Comm jour *m* ouvrable; **~desk** *n* bureau *m*

worker /'wɜːkə(r)/
A *n* 1▸ (employee) (in manual job) ouvrier/-ière *m/f*; (in white-collar job) employé/-e *m/f*; **agricultural ~** ouvrier/-ière agricole; **office ~** employé/-e de bureau; **she's a good/slow ~** elle travaille bien/lentement; 2▸ (proletarian) prolétaire *mf*; **~s' revolution** révolution *f* prolétarienne; 3▸ Zool ouvrière *f*
B *modif* [*ant, bee*] ouvrier/-ière

worker: **~ director** *n* ouvrier/-ière *m/f* qui siège au conseil de direction; **~ participation** *n* participation *f* des travailleurs à la gestion, cogestion *f*; **~-priest** *n* prêtre-ouvrier *m*; **~s' control** *n* autogestion *f*

work: **~ ethic** *n* culte *m* puritain du travail; **~ experience** *n* stage *m*

workfare /'wɜːkfeə(r)/ *n* GB *politique exigeant que les bénéficiaires de l'allocation de chômage fournissent un travail en échange*

work: **~force** *n* (+ *v sg ou pl*) (in industry) main-d'œuvre *f*; (in service sector) effectifs *mpl*; **~horse** *n* Agric cheval *m* de trait; fig (person) bête *f* de travail; **~house** *n* GB Hist asile *m* des pauvres; US Hist maison *f* de correction; **~-in** *n* occupation *f* du lieu de travail (sans arrêt de la production)

working /'wɜːkɪŋ/
A *n* 1▸ (functioning) fonctionnement *m*; 2▸ (shaping, preparation) travail *m* (**of** de); 3▸ (draft solution) calculs *mpl*; **candidates must show all ~** les candidats doivent montrer leurs calculs; 4▸ Ind (mine) chantier *m* de mine; (quarry) chantier *m* de carrière
B workings *npl* lit, fig rouages *mpl*; **the ~s of the human mind** les rouages de l'esprit humain
C *adj* 1▸ (professional) [*parent, woman, mother*] qui travaille; [*conditions, environment, methods*] de travail; [*population*] actif/-ive; [*life*] actif/-ive, professionnel/-elle; [*breakfast, lunch, day, week*] de travail; **during ~ hours** (in office) pendant les heures de bureau; (in shop) pendant les heures de travail; **the ~ woman** la femme active; **~ mothers** les mères qui travaillent; **we have a good ~ relationship** nous avons de bons rapports professionnels; 2▸ (provisional) [*document, hypothesis*] de travail; [*definition, title*] provisoire; 3▸ (functional) [*model*] qui fonctionne; [*farm, mine*] en exploitation; **to have a ~ knowledge of** connaître les éléments de base de; **in full ~ order** en parfait état de

W

marche; 4 Accts [*expenses, plant, ratio, stock*] d'exploitation

working: ~ **account** *n* Fin compte *m* d'exploitation; ~ **agreement** *n* modus *m* vivendi; ~ **balance** *n* Fin fonds *mpl* de roulement; ~ **capital** *n* Fin fonds *m* de roulement

working class
A *n* classe *f* ouvrière; **the ~es** les classes *fpl* laborieuses
B *adj* [*area, background, childhood, family, life*] ouvrier/-ière; [*culture, London*] prolétarien/-ienne; [*person*] de la classe ouvrière

working: ~ **dog** *n* chien *m* d'utilité; ~ **drawing** *n* épure *f*

working girl *n* 1 †lit femme *f* active; 2 euph (prostitute) professionnelle° *f* euph, prostituée *f*

working: ~ **group** *n* groupe *m* de travail; ~ **majority** *n* majorité *f* suffisante

working-over° /ˌwɜːkɪŋˈəʊvə(r)/ *n* passage *m* à tabac°; **to give sb a ~** passer qn à tabac°

working: ~ **party** *n* Admin groupe *m* de travail; Mil escouade *f*; ~ **substance** *n* fluide *m* de travail; ~ **week** *n* semaine *f* (de travail)

work-life *adj* **the ~ balance** l'équilibre entre vie professionnelle et vie privée

workload /ˈwɜːkləʊd/ *n* charge *f* de travail; **to have a light/heavy ~** avoir peu/beaucoup de travail; **to reduce/increase sb's ~** donner moins/plus de travail à qn

workman /ˈwɜːkmən/ *n* ouvrier *m*
(Idiom) **a bad ~ blames his tools** un mauvais ouvrier a toujours de mauvais outils Prov

workmanlike /ˈwɜːkmənlaɪk/ *adj* 1 (effective) [*job, repair*] soigné; 2 péj (uninspired) [*performance, effort*] honnête

workmanship /ˈwɜːkmənʃɪp/ *n* (skill) habileté *f*; **that's a fine piece of ~** c'est du beau travail; **a company famous for sound ~** une compagnie réputée pour la qualité de sa fabrication

work: **~mate** *n* collègue *mf* de travail; **~ of art** *n* œuvre *f* d'art; **~out** *n* séance *f* de mise en forme; **~pack** *n* fiches *fpl* de travail; ~ **permit** *n* permis *m* de travail

workplace /ˈwɜːkpleɪs/
A *n* lieu *m* de travail
B *modif* [*creche, nursery*] d'entreprise; **~ pressures** les tensions *fpl* liées au travail

work: ~ **prospects** *npl* possibilités *fpl* de carrière; **~room** *n* atelier *m*; **~s committee**, ~ **council** *n* GB Ind comité *m* d'entreprise; **~-shadowing** *n* stages *fpl* d'observation-formation (consistant à suivre une personne dans son travail); **~-sharing** *n* partage *m* du travail; **~sheet** *n* Ind feuille *f* d'opérations; Sch feuille *f* de questions

workshop /ˈwɜːkʃɒp/ *n* 1 Ind atelier *m*; 2 (training session) atelier *m* (**on** consacré à); **drama ~** atelier de théâtre

work: **~shy** *adj* péj paresseux/-euse; **~s manager** ▸ p. 1683 *n* directeur *m* d'usine; **~space** *n* Comput espace *m* de travail; ~ **station** *n* Comput poste *m* de travail; ~ **study** *n* étude *f* ergonomique; ~ **surface** *n* plan *m* de travail; **~table** *n* table *f* de travail; **~top** *n* plan *m* de travail; **~-to-rule** *n* grève *f* du zèle; **~wear** *n* vêtements *mpl* de travail; ~ **week** *n* US semaine *f* de travail; **~-worn** *adj* usé par le travail

world /wɜːld/
A *n* 1 (planet) monde *m*; **the whole ~** le monde entier; **throughout the ~** dans le monde entier; **to go round the ~** faire le tour du monde; **the biggest/smallest in the ~** le plus grand/petit du monde; **no-one in the ~** personne au monde; **more than anything in the ~** plus que tout au monde; **this ~ and the next** le monde d'ici-bas et l'au-delà; **the things of this ~** les choses d'ici-bas; **the next** *ou* **other ~** l'autre monde; **'~ without end'** Relig 'pour les siècles des siècles'; **to lead the ~ in electronics** être à la pointe de l'électronique; **to bring sb into the ~** [*mother*] donner le jour à qn; [*doctor, midwife*] mettre qn au monde; **to come into the ~** [*baby*] voir le jour
2 (group of people) monde *m*; **the art/business/medical ~** le monde de l'art/des affaires/médical; **the ~ of politics/music** le monde de la politique/de la musique; **the whole ~ knows/is against me** tout le monde le sait/est contre moi; **who cares what the ~ thinks?** on se moque bien de ce que pensent les autres!; **to make one's way in the ~** faire son chemin dans le monde; **in the eyes of the ~** aux yeux du monde; **to go up in the ~** faire chemin; **to go down in the ~** déchoir; **for all the ~ to see** devant tout le monde; **the outside ~** le reste du monde; **the ~ in general** tout le monde
3 (section of the earth) pays *mpl*; **the Eastern/Western ~** les pays de l'Est/occidentaux; **the developed ~** les pays développés
4 (person's environment) monde *m*, univers *m*; **the ~ of the child** le monde *or* l'univers de l'enfant; **his death has shattered her ~** sa mort a basculé son univers; **he lives in a ~ of his own** *ou* **a private ~** il vit dans un monde à part
B *modif* [*agenda, events, climate, market, leader, politics, proportions, prices, rights, scale*] mondial; [*record, tour, championship*] du monde; [*cruise*] autour du monde
(Idioms) **(all) the ~ and his wife** hum tout le monde; **a ~ away from sth** très éloigné de qch; **to be all the ~ to sb** représenter tout pour qn; **to be on top of the ~** être aux anges; **for all the ~ like/as if** exactement comme/comme si; **he's one of the Rasputins/Don Juans of this ~** c'est un véritable Raspoutine/Don Juan; **the Pauls/Annes of this ~** les gens de cette espèce; **how in the ~ did you know?** comment diable l'as-tu su?; **to get the best of both ~s** gagner sur les deux tableaux; **he wants to get the best of both ~s** il veut tout avoir, il veut le beurre et l'argent du beurre; **I'd give the ~ to...** je donnerais n'importe quoi pour...; **it's a small ~!** le monde est petit; **it's not the end of the ~!** ce n'est pas la fin du monde!; **a man/woman of the ~** un homme/une femme d'expérience; **not for (all) the ~** pas pour tout l'or du monde; **out of this ~** extraordinaire; **that's the way of the ~** c'est la vie; **the ~'s worst cook/correspondent** le pire chef/correspondant du monde entier; **the ~, the flesh and the devil** les tentations du monde, de la chair et du diable; **there's a ~ of difference** il y a une différence énorme; **it did him/them the** *ou* **a ~ of good** ça lui/leur a fait énormément de bien; **to have the ~ at one's feet** avoir le monde à ses pieds; **to set the ~ on fire** épater le monde°; **to think the ~ of sb** penser le plus grand bien de qn; **to think the ~ owes you a living** penser que le monde vous doit quelque chose; **to watch the ~ go by** regarder le monde s'agiter; **what/where/who etc in the ~?** que/où/qui etc diable?; **with the best will in the ~** avec la meilleure volonté du monde; **~s apart** diamétralement opposé; **the two sides are ~s apart** les deux parties ont un point de vue diamétralement opposé. ▸ **oyster**

world: **World Bank** *n* Banque *f* mondiale; **World Bank Group** *n* Groupe *m* de la Banque mondiale

world-beater *n* (person) personne *f* qui surpasse les autres; (product) produit *m* qui se vend le mieux

world: **~-beating** *adj* qui surpasse les autres; **~-class** *adj* de niveau mondial; **World Council of Churches**, **WCC** *n* Conseil *m* œcuménique des Églises; **World Cup** *n* (in football) Coupe *f* du Monde; **World Fair** *n* Exposition *f* universelle; **~-famous** *adj* mondialement connu; **World Health Organization**, **WHO** *n* Organisation *f* mondiale de la santé; ~ **language** *n* langue *f* parlée dans le monde entier

world leader *n* 1 Pol chef *m* d'État; 2 (best in the world) Sport meilleur/-e *m/f* du monde; Comm [*company*] leader *m* mondial; **this company/country is (a) ~ in the field of information technology** cette compagnie/ce pays est un des leaders mondiaux de l'informatique

world-line /ˈwɜːldlaɪn/ *n* Phys ligne *f* d'univers

worldliness /ˈwɜːdlɪnɪs/ *n* matérialisme *m*

worldling /ˈwɜːldlɪŋ/ *n* matérialiste *mf*

worldly /ˈwɜːldlɪ/ *adj* 1 gen, Relig (not spiritual) matériel/-ielle; **~ goods** les biens matériels; **~ wisdom** la sagesse des nations; 2 (materialistic) péj matérialiste

worldly-wise /ˌwɜːldlɪˈwaɪz/ *adj* avisé, qui a de l'expérience

world: **World Music** *n* musiques *fpl* du monde; ~ **power** *n* Pol puissance *f* mondiale; **World Series** *n* US Sport championnat *m* national de base-ball; **World Service** *n* GB Radio service *m* international de la BBC; **World Trade Organization**, **WTO** *n* Econ Organisation *f* mondiale du commerce, OMC *f*; **~view** *n* vision *f* du monde

world war *n* guerre *f* mondiale; **World War I/II, the First/Second World War** la Première/Seconde Guerre mondiale

world: **~-weariness** *n* dégoût *m* de la vie; **~-weary** *adj* fatigué de la vie

world(-)wide /ˌwɜːldˈwaɪd/
A *adj* mondial
B *adv* dans le monde entier

worm /wɜːm/
A *n* 1 Fishg, Zool ver *m*; 2 Med, Vet ver *m* (intestinal); **to have/get ~s** avoir/attraper des vers; **a dog with ~s** un chien infesté de vers; 3 °(wretch) vermine° *f*; 4 Comput (disk) (*abrév* = **write-once read many times**) disque *m* inscriptible une seule fois; 5 Comput (virus) virus *m*; 6 Tech vis *f* sans fin
B *vtr* 1 Med, Vet donner un vermifuge à [*person, animal*]; 2 (wriggle) **to ~ one's way** lit se faufiler (**along** le long de; **through** à travers); fig s'insinuer (**into** dans); **to ~ one's way into sb's affections** gagner les bonnes grâces de qn
(Idioms) **the ~ has turned** la situation s'est renversée; **the ~ in the bud** le ver dans le fruit; **a can of ~s** un sac de nœuds
(Phrasal verb) ■ **worm out**: ▸ ~ **[sth] out** arracher [*truth, facts*] (**of sb** à qn)

worm: **~-eaten** *adj* [*fruit*] véreux/-euse; [*wood*] vermoulu; ~ **gear** *n* engrenage *m* à vis sans fin; **~hole** *n* (in fruit, plant) trou *m* de ver; (in wood) vermoulure *f*

worm's eye view *n* Phot contre-plongée *f*; fig hum point *m* de vue de l'humble spectateur

wormwood /ˈwɜːmwʊd/ *n* armoise *f*

wormy /ˈwɜːmɪ/ *adj* 1 (full of worms) [*soil*] plein de vers; [*wood*] vermoulu; [*fruit*] véreux/-euse; 2 US (grovelling) [*person*] servile

worn /wɔːn/
A *pp* ▸ **wear B, C**
B *adj* [*carpet, clothing, shoe, tyre*] usé; [*façade, stone*] abîmé; [*tread*] lisse

worn-out /ˌwɔːnˈaʊt/ *adj* 1 [*carpet, brake*] complètement usé, complètement abîmé; 2 (exhausted) [*person*] épuisé

worried /ˈwʌrɪd/ *adj* soucieux/-ieuse; **to be ~** être soucieux/-ieuse; **to look ~** avoir l'air soucieux; **to be ~ about sb/sth** se faire du souci *or* s'inquiéter pour qn/qch; **to be ~ about doing** avoir peur de faire; **to be ~ that** avoir peur que (+ *subj*); **there's no need to be ~** il n'y a pas à se faire de souci

W

worrier /ˈwʌrɪə(r)/ *n* anxieux/-ieuse *m/f*; **don't be such a ~!** ne sois pas si anxieux!

worrisome /ˈwʌrɪsəm/ *adj* [*matter, situation*] préoccupant; [*person*] qui cause des soucis (*after n*)

worry /ˈwʌrɪ/
A *n* **1** ¢ (anxiety) soucis *mpl* (**about, over** à propos de) **her disappearance caused him a lot of ~** sa disparition lui a causé beaucoup de soucis; **2** (problem) souci *m* (**about, over** au sujet de); **to have financial worries** avoir des soucis financiers; **that's the least of my worries** c'est le dernier de mes soucis; **my only/main ~ is that** mon seul/principal souci est que; **he's a ~ to his parents** il cause des soucis à ses parents
B *vtr* **1** (concern) [*fact, rumour*] inquiéter [*person*]; **I ~ that** j'ai peur que (+ *subj*); **it worries me that** ça m'inquiète que (+ *subj*); **it worried him that he couldn't find the keys** ça l'a inquiété de ne pas trouver les clés; **2** (alarm) tracasser [*person*]; **I don't want to ~ you, but** je ne veux pas vous tracasser, mais; **3** (bother) ennuyer [*person*]; **would it ~ you if I opened the window?** est-ce que ça vous ennuie que j'ouvre la fenêtre?; **4** (chase) [*dog*] harceler [*sheep*]; **5** (toss about) [*cat, dog*] secouer [qch] entre les dents
C *vi* (be anxious) s'inquiéter; **to ~ about** *ou* **over sth/sb** s'inquiéter *ou* se faire du souci pour qch/qn; **to ~ about doing** avoir peur de faire; **I ~ for his sanity sometimes** je me fais parfois du souci pour sa santé mentale; **there's nothing to ~ about** il n'y a pas lieu de s'inquiéter; **not to ~, I'll get a taxi** ne t'inquiète pas, je vais appeler un taxi; **don't ~ about me, I'm OK** ne t'inquiète pas pour moi, je vais bien; **he'll be punished, don't you ~!** il sera puni, tu peux en être sûr!; **he said it's nothing to ~ about** il a dit qu'il n'y avait là rien d'inquiétant
D *v refl* **to ~ oneself** s'inquiéter, se faire du souci (**about sb** au sujet de qn; **about sth** à propos de qch); **to ~ oneself sick over sth** se ronger les sangs au sujet de qch
(Idiom) **no worries** pas de soucis
(Phrasal verb) ■ **worry at:** ▸ **~ at [sth]** lit [*dog*] secouer [qch] entre les dents [*toy*]; fig [*person*] retourner [qch] dans tous les sens [*problem*]

worry beads *npl* chapelet *m* antistress

worrying /ˈwʌrɪɪŋ/
A *n* **all this ~ is making you ill** tout ce souci que tu te fais te rend malade; **stop your ~!** arrête de te faire du souci!
B *adj* inquiétant; **the ~ thing is that** ce qu'il y a d'inquiétant c'est que

worry: **~ line** *n* ride *f* (*causée par les soucis*); **~wart**○ /ˌwʌrɪˈwɔːt/ *n* US bileux/-euse○ *m/f*

worse /wɜːs/
A *adj* (*comparative of* **bad**) **1** (more unsatisfactory, unpleasant) pire; **the next day was ~** le lendemain a été pire; **there's nothing ~ than** il n'y a rien de pire que; **there's only one thing ~ than** il n'y a qu'une chose qui soit pire que; **they're ~ than children!** ils sont pires que des enfants!; **she can't be ~ than her predecessor** elle ne peut pas être pire que son prédécesseur; **you're ~ for encouraging them to lie!** tu es encore pire puisque tu les as poussés à mentir!; **he got ~ as the years went on** il est devenu pire avec l'âge; **the regime is no ~ than that in many other countries** le régime n'est pas pire que celui de beaucoup d'autres pays; **there are ~ things in life than losing sleep** il y a pire dans la vie que de perdre le sommeil; **the noise is ~** il y a plus de bruit; **to get ~** [*pressure, noise*] augmenter; [*conditions, weather*] empirer; **'you missed the bus'—'yes, ~ luck!'** 'tu as raté le bus'—'oui, pas de veine○!'
2 (more serious, severe) pire (**than** que); **it looks ~ than it is!** ça a l'air pire que ça ne l'est en vérité!; **the situation is even ~ now/is ~ than ever** la situation est encore pire maintenant/est pire que jamais; **it could have been ~** ça aurait pu être pire; **it couldn't be ~!** ça ne pourrait pas être pire!; **and what is ~, she doesn't care** et le pire, c'est que ça lui est égal; **to go from bad to ~** aller de pire en pire; **to get ~ (and ~)** [*illness, conflict*] s'aggraver, empirer; [*patient*] aller de plus en plus mal; **to be made ~** être aggravé (**by** par); **you'll only make things** *ou* **it ~!** tu ne feras qu'empirer les choses!; **and to make matters ~, he lied** et pour ne rien arranger, il a menti
3 (of lower standard) pire (**than** que); **the film is ~ than the book** le film est pire que le livre; **this essay is bad but his is even ~** cette rédaction est mauvaise mais la sienne est encore pire; **~ than usual** pire que d'habitude; **to be even ~ at languages** être encore plus mauvais en langues
4 (more unwell, unhappy) **he's getting ~** il va plus mal; **the cough is getting ~** la toux empire; **to feel ~** (more ill) se sentir plus malade; (more unhappy) aller moins bien; **his death made me feel ~** sa mort m'a démoralisé encore plus; **the more you move about, the ~ it gets** plus on bouge pire c'est; **he is none the ~ for the experience** il ne se porte pas plus mal après cette expérience; **it was a hard life but they're none the ~ for it** c'était une vie dure mais ils ne s'en portent pas plus mal; **so much the ~ for them!** tant pis pour eux!
5 (more inappropriate) **he couldn't have chosen a ~ place to meet** il n'aurait pas pu choisir un lieu de rendez-vous moins approprié; **the decision couldn't have come at a ~ time** la décision n'aurait pas pu arriver à un moment plus inopportun
B *n* **there is ~ to come** ce n'est pas encore le pire; **~ was to follow** ce n'était pas encore le pire; **to change for the ~** empirer; **things took a turn for the ~** les choses ont empiré; **it could mean prison or ~** ça pourrait entraîner la prison ou pire
C *adv* (*comparative of* **badly**) **1** (more unsatisfactorily, incompetently) moins bien (**than** que); **he plays the piano ~ than you!** il joue moins bien au piano que toi!; **to behave ~** se conduire plus mal; **you could do ~ than take early retirement** ce ne serait pas si mal de partir en préretraite; **she could do ~ than follow his example** ce ne serait pas si mal si elle suivait son exemple
2 (more seriously, severely) [*cough, bleed, vomit*] plus; **~ still, there are signs of unrest** pire encore, il y a des signes d'agitation; **she could complain or ~, report you to the police** elle pourrait se plaindre ou pire, te dénoncer à la police

worsen /ˈwɜːsn/
A *vtr* aggraver [*situation, problem*]
B *vi* [*condition, health, weather, situation*] se détériorer; [*problem, crisis, shortage, flooding*] s'aggraver

worsening /ˈwɜːsnɪŋ/
A *n* aggravation *f* (**of** de)
B *adj* [*situation*] en voie de détérioration; [*problem, shortage*] en voie d'aggravation

worse off *adj* **1** (less wealthy) **to be ~** avoir moins d'argent (**than** que); **to end up ~** finir avec moins d'argent; **we're no ~ now than before the recession** nous n'avons pas moins d'argent maintenant qu'avant la crise; **I'm £10 a week ~** j'ai dix livres de moins par semaine; **2** (in a worse situation) **to be ~** être dans une situation pire; **to be no ~ without sth** pouvoir parfaitement se passer de qch

worship /ˈwɜːʃɪp/
A *n* **1** (veneration) gen vénération *f*; Relig culte *m*; **nature/ancestor ~** culte de la nature/des ancêtres; **that car has become an object of ~ for her** cette voiture est devenue pour elle un objet de vénération; **2** (religious practice) pratique *f* religieuse; **public ~ is forbidden** la pratique religieuse publique est interdite; **freedom of ~** liberté *f* de culte; **place of ~** lieu *m* de culte; **an act of ~** un acte de dévotion; **a service of divine ~** un office religieux *or* divin; **hours of ~** (Christian, Jewish) heures des offices; (Moslem) heures des prières
B **Worship** *pr n* GB ▸ **p. 1237** (for man) monsieur *m*; (for woman) madame *f*; **his Worship the mayor** Monsieur le maire
C *vtr* (*p prés etc* **-pp-**) **1** Relig (venerate) adorer, vénérer [*Buddha, God*]; (give praise) rendre hommage à; **2** (idolize) lit vénérer [*person*]; fig être en adoration devant [*animal, person*]; **to ~ money/fame** avoir le culte de l'argent/la renommée
D *vi* (*p prés etc* **-pp-**) pratiquer sa religion; **to ~ at the altar of** élever des autels à la gloire de [*money, fame*]
(Idiom) **to ~ the ground sb walks** *ou* **treads on** vénérer jusqu'au sol que qn foule

worshipful /ˈwɜːʃɪpfl/ *adj* **1** (respectful) révérencieux/-ieuse; **2** GB Hist [*company, guild*] honorable (*before n*); **3** (in freemasonry) **Worshipful Master** Vénérable *m*

worshipper /ˈwɜːʃɪpə(r)/ *n* (in established religion) fidèle *mf*; (in nonestablished religion) adorateur/-trice *m/f*; **to be a nature ~** vouer un culte à la nature

worst /wɜːst/
A *n* **1** (most difficult, unpleasant) **the ~** le/la pire *m/f*; **the storm was one of the ~ in recent years** la tempête était parmi les pires qu'il y ait eu ces dernières années; **last year was the ~ for strikes** du point de vue des grèves l'année dernière a été la pire; **they're the ~ of all** (people) c'est eux les pires; (things, problems, ideas) c'est ce qu'il y a de pire; **wasps are the ~ of all** les guêpes, c'est ce qu'il y a de pire; **he's not the ~** il y a pire que lui; **we're over the ~ now** nous avons passé le pire; **the ~ was yet to come** le plus dur était encore à venir; **the ~ of it is, there's no solution** le pire c'est qu'il n'y a pas de solution; **to get the ~ of all** *or* **both worlds** se retrouver avec tous les inconvénients à la fois; **that's the ~ of waiting till the last minute** c'est ça l'inconvénient d'attendre jusqu'à la dernière minute; **during the ~ of the riots/of the recession** au plus fort des émeutes/de la crise; **the ~ of the heat is over** les plus fortes chaleurs sont passées; **we escaped the ~ of the tremors** nous avons échappé aux secousses les plus violentes; **do your ~!** essaie un peu pour voir!; **let them do their ~!** qu'ils essaient un peu pour voir!
2 (expressing the most pessimistic outlook) **the ~** le pire *m*; **to fear the ~** craindre le pire; **to expect the ~** s'attendre au pire; **to think the ~ of sb** avoir une mauvaise opinion de qn; **the ~ that can happen is that** le pire qui puisse arriver ce serait que (+ *subj*); **if the ~ were to happen, if the ~ came to the ~** (in serious circumstances) dans le pire des cas; (involving fatality, death) si le pire devait arriver; **at ~** au pire; **at best neutral, at ~ hostile** au mieux neutre, au pire hostile
3 (most unbearable) **to be at its ~** [*relationship, development, tendency, economic situation*] aller au plus mal; **when things were at their ~** lorsque les choses allaient au plus mal; **at its ~, the noise could be heard everywhere** quand le bruit était à sa puissance maximum, on l'entendait partout; **when the heat is at its ~** au plus fort de la chaleur; **this is media hype○ at its ~** c'est le battage○ publicitaire dans ce qu'il a de pire; **these are fanatics at their ~** ce sont des fanatiques dans ce qu'ils ont de pire; **when you see people at their ~** quand on voit les gens sous leur plus mauvais jour; **I'm at my ~ in the morning** (in temper) c'est le matin que je suis de plus mauvaise humeur; **at her ~ she's totally unbearable** dans ses plus mauvais jours elle est vraiment insupportable
4 (most negative trait) **to exploit the ~ in people** exploiter ce qu'il y a de plus mauvais *or* bas chez les gens; **to bring out the ~ in sb** mettre à jour ce qu'il y a de plus mauvais *or* de pire chez qn
5 (of the lowest standard, quality) **the ~** le plus mauvais/la plus mauvaise *m/f*; **they're the**

~ in the group ce sont les plus mauvais du groupe; **he's one of the ~** c'est un des plus mauvais; **the country's economic record is one of the ~ in Europe** le pays a l'un des plus mauvais bilans économiques d'Europe; **the film is certainly not her ~** ce n'est sûrement pas son plus mauvais film; **to be the ~ at French/rugby** être le plus mauvais en français/rugby; **she must be the world's ~ at cooking** c'est la plus mauvaise cuisinière qui soit, pour la cuisine elle a le pompon°

B *adj* (*superlative of* **bad**) **1** (most unsatisfactory, unpleasant) plus mauvais; **the ~ book I've ever read** le plus mauvais livre que j'aie jamais lu; **it's the ~ meal we've ever eaten** c'est le plus mauvais repas que nous ayons jamais mangé; **hypocrites of the ~ kind** des hypocrites de la pire espèce; **the ~ thing about the film/about being blind** is ce qu'il y a de pire dans le film/lorsqu'on est aveugle c'est; **the ~ thing about him is his temper** ce qu'il y a de pire chez lui c'est son mauvais caractère; **and the ~ thing about it is (that)** et le pire c'est que

2 (most serious) plus grave; **the ~ air disaster in years** la plus grave catastrophe aérienne depuis des années; **one of the ~ recessions** une des crises les plus graves; **one of the ~ things anyone has ever done** une des choses les plus graves qu'on ait jamais faites; **the ~ mistake you could have made** la pire erreur possible; **the ~ victims were children** ce sont les enfants qui ont été les plus touchés

3 (most inappropriate) pire; **the ~ possible place to do** le pire endroit pour faire; **the ~ possible environment for a child** le pire milieu qu'on puisse imaginer pour un enfant; **she rang at the ~ possible time** elle a téléphoné au plus mauvais moment; **the ~ thing (to do) would be to ignore it** le pire serait de ne pas en tenir compte; **it would be ~ if they forgot** le pire serait qu'ils oublient (*subj*); **it's the ~ thing you could have said!** c'était vraiment la chose à ne pas dire!

4 (of the poorest standard) pire, plus mauvais; **the ~ hotel in town** le pire hôtel de la ville; **the world' s ~ chef** le plus mauvais cuisinier du monde

C *adv* **the children suffer (the) ~** ce sont les enfants qui souffrent le plus; **they were (the) ~ affected** *ou* **hit by the strike** ce sont eux qui ont été les plus touchés par la grève; **to smell the ~** sentir le plus mauvais; **to come off ~** perdre le plus; **the ~-off groups in society** les groupes les plus démunis de la société; **the ~-behaved child he'd ever met** l'enfant le plus mal élevé qu'il ait jamais rencontré; **~ of all,...** le pire de tout, c'est que...; **they did (the) ~ of all the group in the exam** ce sont eux qui ont le moins bien réussi l'examen

D *vtr* sout **to be ~ed** être battu (**by** par)

worsted /'wʊstɪd/

A *n* tissu *m* en laine peignée

B *modif* [*trousers, jacket*] en laine peignée

worth /wɜːθ/

A *n* ¢ **1** Fin (measure, quantity) **five/a hundred pounds' ~ of sth** pour cinq/cent livres de qch; **thousands of pounds' ~ of damage** des milliers de livres de dégâts; **a day's ~ of fuel** un jour de combustible; **a week's ~ of supplies** une semaine de provisions; **to get one's money's ~** en avoir pour son argent

2 (value, usefulness) (of object, person) valeur *f*; **what's its precise ~?** quelle est sa valeur précise?; **of great ~** de grande valeur; **of little ~** de peu de valeur; **of no ~** sans valeur; **people of ~ in the community** des gens de valeur dans la communauté; **what is its ~ in pounds?** combien cela fait-il en livres sterling?; **to prove one's ~** démontrer sa valeur; **to see the ~ of sth** voir ce que vaut qch

B *adj* (*jamais épith*) **1** (of financial value) **to be ~ sth** [*object*] valoir qch; **the pound is ~ 1.57 euro** la livre vaut 1,57 euro; **the land is ~ millions** les terres valent des millions; **what** *ou* **how much is it ~?** combien cela vaut-il?; **it's not ~ much** ça ne vaut pas grand-chose; **it's ~ a lot/more** ça vaut beaucoup/plus; **he is ~ £50,000** sa fortune s'élève à 50 000 livres

2 (of abstract value) **to be ~ sth** valoir qch; **two hours' solid work is ~ a day's discussion** deux heures de travail intensif valent une journée de discussion; **an experienced worker is ~ three novices** un travailleur expérimenté vaut trois débutants; **unsubstantiated reports are not ~ much/are ~ nothing** les rapports sans fondement concret ne valent pas grand-chose/ne valent rien; **it's as much as my job's ~ to give you the keys** je risque mon emploi si je te donne les clés; **it's more than my life's ~ to...** hum je ne vais pas risquer ma peau pour...; **the contract isn't ~ the paper it's written on** le contrat ne vaut pas le papier sur lequel il est écrit; **the house/car is only ~ what you can get for it** la maison/voiture ne vaut que ce qu'elle vaut; **to be ~ a mention** mériter une mention *or* d'être mentionné; **to be ~ a try** valoir la peine d'essayer; **to be ~ a visit/the time/the effort** valoir une visite/le temps/l'effort; **to be ~ it** valoir la peine; **it was a long journey/a lot of money: was it ~ it?** c'était un long voyage/ça a coûté cher: est-ce que ça en valait la peine?; **I won't pay the extra/complain, it's not ~ it** je ne paierai pas le supplément/je ne me plaindrai pas, ça n'en vaut pas la peine; **don't get upset, he's not ~ it** ne te fâche pas, il n'en vaut pas la peine; **to be ~ doing** valoir la peine d'être fait; **the book is/isn't ~ reading** le livre vaut/ne vaut pas la peine d'être lu; **is life ~ living?** est-ce que la vie vaut la peine d'être vécue?; **that suggestion/idea is ~ considering** la suggestion/l'idée mérite réflexion; **that's ~ knowing** cela est utile à savoir; **everyone ~ knowing had left town** tous ceux qui comptaient avaient quitté la ville; **what he doesn't know about farming isn't ~ knowing** il sait tout ce qu'on peut savoir sur le travail à la ferme; **those little pleasures that make life ~ living** ces petits plaisirs qui donnent un sens à la vie; **it is/isn't ~ doing** ça vaut/ne vaut pas la peine de faire; **is it ~ paying more?** vaut-il la peine de payer plus ?; **it's ~ knowing that...** il est utile de savoir que...; **it could be ~ consulting your doctor** ça vaudrait peut-être la peine de consulter votre médecin

(Idioms) **for all one is ~** de toutes ses forces; **for what it's ~** pour ce que cela vaut; **and that's my opinion for what it's ~** et voilà mon avis, prenez-le pour ce qu'il vaut; **to be ~ sb's while** valoir le coup; **I decided it was/wasn't ~ my while to...** j'ai décidé que ça valait/ne valait pas le coup de...; **if you come I'll make it ~ your while** si tu viens, tu ne le regretteras pas; **if a job's ~ doing it's ~ doing well** ce qui vaut la peine d'être fait vaut la peine d'être bien fait; ► **bush, candle**

worthily /'wɜːðɪlɪ/ *adv* dignement

worthiness /'wɜːðɪnɪs/ *n* **1** (respectability) dignité *f*; **2** (merit) (of candidate) mérite *m*; (of cause, charity) dignité *f*

worthless /'wɜːθlɪs/ *adj* [*contract, currency, object, idea, theory, promise*] sans valeur; **he's ~** c'est un bon à rien

worthlessness /'wɜːθlɪsnɪs/ *n* **1** (of object, coin, currency) absence *f* de valeur; **2** (of person, advice, contract, promise) nullité *f*; (of character) immoralité *f*

worthwhile /wɜːθ'waɪl/ *adj* [*discussion, undertaking, visit*] qui en vaut la peine; [*career, project*] intéressant; **to be ~ doing** valoir la peine de faire; **it's been well ~** cela en valait vraiment la peine

worthy /'wɜːðɪ/

A *n* notable *m*

B *adj* **1** (*jamais épith*) (deserving) **to be ~ of sth** mériter qch, être digne de qch; **that's not ~ of mention/of your attention** cela ne mérite pas d'être mentionné/de retenir votre attention; **is he ~ of the honour?** mérite-t-il cet honneur?; **the idea's not ~ of your consideration** l'idée ne mérite pas réflexion; **~ of note** digne d'intérêt; **to be ~ of doing** mériter d'être fait; **the matter's/he's not ~ of being taken seriously** l'affaire/il ne mérite pas qu'on la/le prenne sérieusement; **to be ~ to do** être digne de faire; **2** (admirable) [*cause*] noble; [*citizen, friend*] digne; **3** (appropriate) **~ of sth/sb** digne de qn/qch; **a performance ~ of a champion** une performance digne d'un champion; **a speech ~ of the occasion** un discours adapté aux circonstances

wot° /wɒt/ *excl* GB = **what**

watcher° /'wɒtʃə(r)/ *excl* (*also* **wotcha**) GB salut!

would /wʊd, wəd/

> ⚠ When *would* is used with a verb in English to form the conditional tense, *would + verb* is translated by the present conditional of the appropriate verb in French and *would have + verb* by the past conditional of the appropriate verb: *I would do it if I had time* = je le ferais si j'avais le temps; *I would have done it if I had had time* = je l'aurais fait si j'avais eu le temps; *he said he would fetch the car* = il a dit qu'il irait chercher la voiture.
>
> For more examples, particular usages and all other uses of *would* see the entry below.

modal aux (*aussi* **'d**; *nég* **wouldn't**) **1** (in sequence of past tenses, in reported speech) **she said she wouldn't come** elle a dit qu'elle ne viendrait pas; **we thought we ~ be late** nous avons pensé que nous serions en retard; **I was sure you' d like it** j'étais sûr que ça te plairait; **we were wondering if he'd accept** nous nous demandions s'il accepterait; **they promised that they'd come back** ils ont promis de revenir; **soon it ~ be time to get up** ce serait bientôt l'heure de se lever; **it was to be the last chance we ~ have to leave** ça devait être la dernière chance que nous aurions de partir; **he thought she ~ have forgotten** il pensait qu'elle aurait oublié; **I wish he ~ shut the door!** il pourrait fermer la porte!; **I wish you'd be quiet!** tu ne pourrais pas te taire!

2 (in conditional statements) **it ~ be wonderful if they came** ce serait merveilleux s'ils venaient; **I'm sure she ~ help if you asked her** je suis sûr qu'elle t'aiderait si tu le lui demandais; **if we'd left later we ~ have missed the train** si nous étions partis plus tard nous aurions raté le train; **we wouldn't be happy anywhere else** nous ne serions heureux nulle part ailleurs; **what ~ be the best way to approach him?** quel serait le meilleur moyen de l'aborder?; **who ~ ever have believed it?** qui l'aurait cru?; **you wouldn't have thought it possible!** on n'aurait jamais cru que c'était possible!; **I ~ have found out sooner or later** je l'aurais découvert tôt ou tard; **wouldn't it be nice if...** ce serait bien si...; **we wouldn't have succeeded without his help** nous n'aurions jamais réussi sans son aide; **it wouldn't be the same without them** ça ne serait plus la même chose sans eux; **it cost far less than I ~ have expected** ça a coûté beaucoup moins cher que je n'aurais pensé

3 (expressing willingness to act) **do you know anyone who ~ do it?** est-ce que tu connais quelqu'un qui le ferait?; **they couldn't find anyone who ~ take the job** ils n'arrivaient pas à trouver quelqu'un qui accepte (*subj*) le poste; **he wouldn't hurt a fly** il ne ferait pas de mal à une mouche; **she just wouldn't listen** elle ne voulait rien entendre; **after that I wouldn't eat any canned food** après cela je ne voulais plus manger de conserves; **he**

wouldn't do a thing to help il n'a rien voulu faire pour aider; **the police wouldn't give any further details** la police a refusé de donner plus de détails; **they asked me to leave but I wouldn't** ils m'ont demandé de partir mais j'ai refusé
4 (expressing inability to function) **the door wouldn't close** la porte ne voulait pas se fermer; **the brakes wouldn't work** les freins ne marchaient pas
5 (expressing desire, preference) **we ~ like to stay another night** nous aimerions rester une nuit de plus; **we'd really love to see you** nous aimerions vraiment te voir; **I ~ much rather travel alone** je préférerais nettement voyager seul; **she ~ have preferred a puppy** elle aurait préféré un chiot; **which film ~ you rather see?** quel film est-ce que tu préférerais voir?; **I wouldn't mind another slice of cake** je prendrais bien un autre morceau de gâteau; **it's what he ~ have wanted** c'est ce qu'il aurait voulu
6 (in polite requests or proposals) **~ you like something to eat?** voudriez-vous quelque chose à manger?; **~ you like some more tea?** voulez-vous encore du thé?; **~ you help me set the table?** est-ce que tu pourrais m'aider à mettre la table?; **switch off the radio, ~ you?** éteins la radio, tu veux bien?; **~ you be interested in buying a vacuum cleaner?** est-ce que vous seriez intéressé par un aspirateur?; **~ you like to go to a concert** est-ce que tu aimerais aller à un concert?; **~ you give her the message?** est-ce que vous voulez bien lui transmettre le message?; **~ you mind not smoking please?** est-ce que ça vous ennuyerait de ne pas fumer s'il vous plaît?; **~ you please be quiet** un peu de silence s'il vous plaît; **~ you be so kind as to leave?** sout auriez-vous l'obligeance de partir d'ici? fml
7 (used to attenuate statements) **it ~ seem that he was right** il semblerait qu'il avait raison; **so it ~ seem** c'est ce qu'il semble; **you ~ think they'd be satisfied with the results!** on aurait pu penser qu'ils seraient satisfaits des résultats!; **I wouldn't say that** je ne dirais pas ça; **I ~ have thought it was obvious** j'aurais pensé que c'était évident; **I wouldn't know** je ne pourrais pas vous le dire
8 (when giving advice) **I wouldn't do that if I were you** je ne ferais pas ça à ta place *or* si j'étais toi; **I really wouldn't worry** à ta place je ne m'en ferais pas; **I ~ check the timetable first** tu ferais bien de vérifier l'horaire d'abord; **I'd give her a ring now** tu devrais lui téléphoner maintenant; **wouldn't it be better to write?** est-ce que ce ne serait pas mieux d'écrire?
9 (expressing exasperation) **'he denies it'—'well he ~, wouldn't he?'** 'il le nie'—'évidemment!'; **of course you ~ contradict him!** bien sûr il a fallu que tu le contredises!; **'she put her foot in it○'—'she ~!'** 'elle a mis les pieds dans le plat○'—'tu m'étonnes!', 'c'est bien d'elle!'
10 (expressing an assumption) **what time ~ that be?** c'était vers quelle heure?; **I suppose it ~ have been about 3 pm** je pense qu'il était à peu près 15h 00; **being so young, you wouldn't remember the war** étant donné ton âge tu ne dois pas te rappeler la guerre; **let's see, that ~ be his youngest son** voyons, ça doit être son plus jeune fils; **it ~ have been about five years ago** ça devait être il y a environ cinq ans; **you'd never have guessed she was German** on n'aurait jamais cru qu'elle était allemande
11 (indicating habitual event or behaviour in past: used to) **she ~ sit for hours at the window** elle passait des heures assise à la fenêtre; **every winter the fields ~ be flooded** tous les hivers les champs étaient inondés; **the children ~ be up at dawn** les enfants étaient toujours debout à l'aube
12 sout (if only) **~ that it were true!** si seulement c'était vrai!; **~ to God that...** plût à Dieu que (+ *subj*) fml

would-be /ˈwʊdbiː/ *adj* **1** (desirous of being) **~ emigrants/investors** des émigrés/investisseurs en puissance; **~ intellectuals** péj des soi-disant *or* prétendus intellectuels pej; **2** (having intended to be) **the ~ thieves were arrested** les voleurs ont été arrêtés avant qu'ils aient pu passer à l'acte
wouldn't /ˈwʊdnt/ = **would not**
would've /wʊdəv/ = **would have**
wound¹ /wuːnd/
A *n* **1** (injury) blessure *f*; **a ~ to** *ou* **in the head** une blessure à la tête; **to die from** *ou* **of one's ~s** succomber à ses blessures; **2** (cut, sore, incision) plaie *f*; **an open ~** une plaie ouverte; **3** fig blessure *f*; **it takes time for the ~s to heal** il faut longtemps pour que les plaies se cicatrisent; **4** Bot entaille *f*
B *vtr* (all contexts) blesser; **to ~ sb in the leg/stomach** blesser qn à la jambe/au ventre
(Idioms) fig **to lick one's ~s** panser ses blessures; **to reopen old ~s** rouvrir de vieilles blessures; **to rub salt into the ~** remuer le couteau dans la plaie
wound² /waʊnd/ *prét, pp* ▸ **wind² B, C**
wounded /ˈwuːndɪd/
A *n* **the ~** (+ *v pl*) les blessés/-es *m/f*
B *adj* [*person*] blessé; **~ in the arm** blessé au bras; **~ in action** blessé en service commandé
wounding /ˈwuːndɪŋ/ *adj* [*sarcasm, comment*] blessant
wove /wəʊv/ *prét* ▸ **weave**
woven /ˈwəʊvn/ *pp, pp adj* ▸ **weave**
wow○ /waʊ/
A *n* **1** (success) succès *m*; **2** Audio (distortion) pleurage *m*
B *excl* hou la!
C *vtr* (enthuse) emballer○ [*person*]
WOW (*abrév* = **waiting on weather**) en fonction du temps
WP **1** *abrév* = **weather permitting**; **2** *abrév* = **word processing**
WPC *n*: *abrév* ▸ **woman police constable**
wpm (*abrév* = **words per minute**) mots/min
WRAC *n* Mil (*abrév* = **Women's Royal Army Corps**) *services féminins de l'armée britannique*
wrack /ræk/
A *n* (seaweed) varech *m*
B *vtr* **1** (torment) [*pain*] tourmenter [*body*]; **to be ~ed with** *ou* **by guilt** être tenaillé par le remords; **to be ~ed with grief** être accablé de chagrin; **2** (ravage) ravager [*land*]
WRAF *n* (*abrév* = **Women's Royal Air Force**) *services féminins de l'armée de l'air britannique*
wraith /reɪθ/ *n* littér apparition *f*
wraithlike /ˈreɪθlaɪk/ *adj* fantomatique
wrangle /ˈræŋgl/
A *n* querelle *f* (**over** à propos de; **between** entre; **with** avec)
B *vi* **1** se quereller (**over, about** sur, à propos de; **with** avec); **2** US (herd) conduire [*livestock*]
wrangler /ˈræŋglə(r)/ *n* US cowboy *m*
wrangling /ˈræŋglɪŋ/ *n* tractations *fpl* (**over** à propos de)
wrap /ræp/
A *n* **1** Fashn (shawl) châle *m*; (stole) étole *f*; **2** (dressing-gown) peignoir *m*; **3** (packaging) emballage *m*; **4** Cin **it's a ~** c'est dans la boîte
B *vtr* (*p prés etc* **-pp-**) lit (in paper) emballer (**in** dans); (in blanket, garment) envelopper (**in** dans); **to ~ X in Y, to ~ Y round X** envelopper X dans Y; **I ~ped a handkerchief around my finger** je me suis noué un mouchoir autour du doigt; **he ~ped his arms around her** il l'a enlacée; **the child ~ped its legs around my waist** l'enfant a noué ses jambes autour de ma taille; **to ~ tape around a join** enrouler du ruban adhésif autour d'une jointure; **he ~ped the car round a lamppost**○ hum il a embrassé○ un réverbère; **to be ~ped in** lit (for warmth, protection) être emmitouflé dans [*blanket, coat*]; (for disposal) être enveloppé dans [*newspaper*]; fig être enveloppé de [*mystery*]; être plongé dans [*silence*]; être absorbé dans [*thoughts*]; **would you like it ~ped?** je vous fais un paquet?
C *v refl* (*p prés etc* **-pp-**) **to ~ oneself in sth** s'envelopper dans qch
D **-wrapped** (*dans composés*) **foil-/plastic-~ped** emballé dans du papier d'aluminium/du plastique
(Idioms) **to keep sth/to be under ~s** garder qch/être secret; **to take the ~s off sth** dévoiler qch
(Phrasal verb) ■ **wrap up**: ▸ **~ up** **1** (dress warmly) s'emmitoufler; **~ up well** *ou* **warm!** couvre-toi bien!; **2** ○GB (shut up) la fermer○; **~ up!** ferme-la!○; ▸ **~ up [sth], ~ [sth] up** **1** lit faire [*parcel*]; envelopper [*gift, purchase*]; emballer [*rubbish*]; **it's cold, ~ the children up warm!** il fait froid, couvre bien les enfants!; **well ~ped up against the cold** bien emmitouflé contre le froid; **it's a disco and sports club all ~ped up in one** c'est une discothèque et un club sportif à la fois; **2** fig (terminate) conclure [*project, event*]; **3** (settle) régler [*project, event*]; conclure [*deal, negotiations*]; s'assurer [*championship, title, victory*]; **4** (involve) **to be ~ped up in** ne s'occuper que de [*person, child*]; être absorbé dans [*activity, hobby, work*]; être absorbé par [*problem*]; **they are completely ~ped up in each other** ils ne vivent que l'un pour l'autre; **he is ~ped up in himself** il est replié sur lui-même; **there is £50,000 ~ped up in the project** il y a 50 000 livres sterling d'investies dans le projet; **5** (conceal) fig dissimuler [*meaning, facts, ideas*] (**in** derrière); **tell me the truth, don't try to ~ it up** dites-moi la vérité, allez droit au but
wrap: **~-around** *adj* [*window, windscreen*] panoramique; [*skirt*] portefeuille; **~-around sunglasses** *npl* lunettes *fpl* de soleil enveloppantes; **~-over** *adj* Fashn [*skirt*] portefeuille; [*dress*] croisé
wrapper /ˈræpə(r)/ *n* **1** (of sweet, chocolate etc) papier *m*; (of package) emballage *m*; (of newspaper) bande *f*; **sweet ~** papier *m* de bonbon; **2** (dressing-gown) peignoir *m*
wrapping /ˈræpɪŋ/ *n* emballage *m*
wrapping paper *n* (brown) papier *m* d'emballage; (decorative) papier *m* cadeau
wrap: **~ top** *n* Fashn cache-cœur *m*; **~-up**○ *n* US résumé *m*
wrath /rɒθ, US ræθ/ *n* littér courroux *m* liter, colère *f*
wrathful /ˈrɒθfl, US ˈræθ-/ *adj* littér courroucé liter
wreak /riːk/ *vtr* assouvir [*revenge*] (**on** sur); **to ~ havoc** *ou* **damage** infliger des dégâts; **to ~ havoc** *ou* **damage on sth** dévaster qch
wreath /riːθ/ *n* **1** (of flowers, leaves) couronne *f*; **funeral ~** couronne mortuaire; **to lay a ~** déposer une gerbe; **2** (of smoke) ruban *m*; (of cloud) couronne *f*
wreathe /riːð/
A *vtr* (weave, fashion) lisser
B **wreathed** *pp adj* **~d in** enveloppé de [*mist, smoke*]; **to be ~d in smiles** être tout sourire
C *vi* **to ~ upwards** monter en spirales
wreath-laying (ceremony) *n* dépôt *m* de gerbes
wreck /rek/
A *n* **1** (car, plane) (crashed) épave *f*; (burnt out) carcasse *f*; **2** ○(old car) tas *m* de ferraille○; **3** (sunken ship) épave *f*; **4** (sinking, destruction) (of ship) naufrage *m*; fig **the ~ of sb's hopes/dreams** le naufrage des espoirs/rêves de qn; **5** (person) épave *f*, loque *f*; **a human ~** une épave, une loque humaine
B *vtr* **1** lit [*explosion, fire, vandals, looters*] dévaster [*building, home, hotel, machinery*]; [*person, driver, crash, impact*] détruire [*car, plane, vehicle*]; **to be completely ~ed by fire** être entièrement dévasté par un incendie; **2** fig ruiner,

W

détruire [*career, chances, future, health, life, marriage*]; gâcher [*holiday, weekend*]; faire échouer [*talks, deal, negotiations*]

wreckage /'rekɪdʒ/ *n* **1** lit (of plane, car) épave *f*; (of building) décombres *mpl*; **to pull sth from the ~** retirer qch de l'épave; **2** fig (of hopes, plan, attempt) naufrage *m*; **to salvage sth from the ~ of one's marriage** sauver qch du naufrage de son mariage

wrecked /rekt/ *adj* **1** lit [*car, plane*] accidenté; [*ship*] naufragé; [*building*] démoli; **2** fig [*plan, hope, life, marriage, career*] ruiné; **3** ○(exhausted) [*person*] claqué○, épuisé; **4** ○(drunk) paf○, ivre

wrecker /'rekə(r)/ *n* **1** (destroyer of marriage, plans) destructeur/-trice *m/f*; **2** (saboteur of machinery, talks) saboteur/-euse *m/f*; **3** (who causes shipwrecks) naufrageur *m*; **4** US (demolition worker) démolisseur *m*; **5** US (salvage truck) camion-remorque *m*

wrecking /'rekɪŋ/ *n* **1** (destruction) destruction *f*; **2** (sabotage) sabotage *m*; **3** US (demolition) démolition *f*

wrecking: **~ ball** *n* US boulet *m* de démolition; **~ bar** *n* pince *f* à levier

wren /ren/ *n* **1** Zool roitelet *m*; **2** **Wren** volontaire *f* du WRNS (*corps féminin de la Marine royale britannique*)

wrench /rentʃ/

A *n* **1** (tool) tourne-à-gauche *m inv*; **2** (movement) (of handle, lid) mouvement *m* brusque (tournant); **she pulled the lid off with a ~** elle a dévissé le couvercle d'un mouvement brusque; **to give one's ankle a ~** se tordre la cheville; **3** fig déchirement *m*; **it was a real ~ leaving** c'était un vrai déchirement de partir

B *vtr* tourner [qch] brusquement [*handle*]; **to ~ one's ankle/knee** se tordre la cheville/le genou; **to ~ sth from sb** arracher qch à qn; **she ~ed the bag from my hands** elle m'a arraché le sac des mains; **to ~ sth away from** *ou* **off sth** arracher qch de qch; **he ~ed the handle off the door** il a arraché la poignée de la porte; **to ~ a door open** ouvrir une porte d'un mouvement brusque

C *vi* **to ~ at sth** tirer sur qch

D **wrenching** *pres p adj* [*anguish, sorrow, poignancy*] à fendre l'âme

E *v refl* **to ~ oneself free** se dégager d'un mouvement brusque

(Idiom) **to throw a ~ in the works** US créer des difficultés; **this will throw a ~ into the economy** cela portera un coup dur à l'économie

wrest /rest/ *vtr* (all contexts) arracher (**from sb** à qn); **to ~ sth from sb's hands** arracher qch des mains de qn

wrestle /'resl/

A *vtr* **to ~ sb for sth** lutter contre qn pour qch; **to ~ sb to the ground** terrasser qn; **to ~ sth into place** se battre avec qch pour le mettre en place

B *vi* **1** Sport faire du catch; **2** (struggle) **to ~ with** se débattre avec [*person, problem, homework, conscience*]; se battre avec [*controls, zip, suitcase*]; lutter contre [*temptation*]; **to ~ to do** se débattre pour faire

wrestler /'reslə(r)/ *n* **1** Sport catcheur/-euse *m/f*; **2** Antiq lutteur *m*

wrestling /'reslɪŋ/ ▸ **p. 1253**

A *n* **1** Sport catch *m*; **2** Antiq lutte *f*

B *modif* [*match, champion, hold*] de catch

wretch /retʃ/ *n* **1** (unlucky) miséreux/-euse *m/f*; **those poor ~es!** ces pauvres miséreux!; **2** (evil) misérable *mf* also hum; (child) hum coquin/-e *m/f*

wretched /'retʃɪd/ *adj* **1** (miserable) [*person*] infortuné; [*existence, appearance, conditions*] misérable; [*weather*] affreux/-euse; [*accommodation*] minable; [*amount*] dérisoire; **to feel ~** (due to illness) être à plat; (due to hangover) se sentir abruti; **to feel ~ about** être honteux/-euse de [*behaviour*]; **'flu makes you feel ~**○ la grippe vous met à plat; **things are ~ for her** elle est dans une situation désespérante; **what ~ luck!** quelle malchance!; **2** ○(damned) [*animal, machine*] fichu○, satané○; **it's a ~ nuisance** c'est une vraie galère

wretchedly /'retʃɪdlɪ/ *adv* **1** (badly, pitifully) [*organize, behave, treat*] très mal; [*clothed, furnished*] misérablement; [*paid, small*] dérisoirement; **2** (unhappily) [*say, gaze, weep*] piteusement

wretchedness /'retʃɪdnɪs/ *n* **1** (unhappiness) détresse *f*; **2** (poverty) misère *f*

wrick /rɪk/ *vtr* GB = **rick B**

wriggle /'rɪgl/

A *vtr* **to ~ one's toes/fingers** remuer les orteils/doigts; **to ~ one's way out of sth** lit se sortir *or* se dégager de qch; fig se sortir de qch

B *vi* [*person*] s'agiter, gigoter; [*snake, worm*] se tortiller; **he was wriggling with embarrassment/excitement** il gigotait d'embarras/d'excitation; **to ~ along the ground** ramper en se tortillant; **to ~ through a hole in the fence** se glisser par un trou dans la clôture; **to ~ under sth** se glisser sous qch; **to ~ free** arriver à se dégager; **to ~ off the hook** lit [*fish*] se décrocher de l'hameçon; fig [*person*] se tirer d'affaire

(Phrasal verbs) ■ **wriggle about, wriggle around** [*fish*] frétiller; [*worm, snake*] se tortiller; [*person*] s'agiter, se tortiller

■ **wriggle out** se dégager *or* se sortir en se tortillant; **to ~ out of sth** lit se dégager *or* se sortir de qch en se tortillant; fig se défiler devant [*task, duty*]; **you can't ~ out of it, you'll have to tell them the truth** tu ne peux pas te défiler, il faudra que tu leur dises la vérité

wriggler /'rɪglə(r)/ *n* **he's a ~** il ne tient pas en place

wriggly /'rɪglɪ/ *adj* [*snake, worm*] frétillant; [*person*] remuant

wring /rɪŋ/

A *n* **to give sth a ~** essorer qch

B *vtr* (*prét, pp* **wrung**) **1** (*also* **~ out**) (squeeze) (by twisting) tordre; (by pressure, centrifugal force) essorer; **'do not ~'** (on label) 'ne pas essorer'; **2** fig (extract) arracher [*confession, information, money*] (**from, out of** à); **3** (twist) **to ~ sb's/sth's neck** lit, fig tordre le cou à qn/qch; **to ~ one's hands** se tordre les mains; fig se lamenter

C **wringing** *adv* **~ing wet** trempé

(Idioms) **to be wrung out**○ être lessivé○; **to ~ sb's heart** serrer le cœur à qn

(Phrasal verb) ■ **wring out**: ▸ **~ [sth] out, ~ out [sth]** tordre [*cloth, clothes*]; **to ~ the water out from one's clothes** essorer ses vêtements

wringer /'rɪŋə(r)/ *n* essoreuse *f*

(Idiom) **to put sb through the ~** mettre qn sur la sellette

wrinkle /'rɪŋkl/

A *n* **1** (on skin) ride *f*; **it gives you ~s** ça donne des rides; **2** (in fabric) pli *m*; **to iron out the ~s** lit enlever les plis au fer à repasser; fig aplanir les difficultés

(Idiom) **he knows a ~ or two** il est loin d'être bête

B *vtr* **1** rider [*skin*]; **to ~ one's nose** faire la grimace (**at** a); **to ~ one's forehead** plisser le front; **2** froisser [*fabric*]

C *vi* **1** [*skin*] se rider; **2** [*fabric*] se froisser; [*wallpaper*] se gondoler

(Phrasal verb) ■ **wrinkle up** [*rug, mat*] faire des plis

wrinkled /'rɪŋkld/ *adj* **1** [*face, skin*] ridé; [*brow*] froncé; [*apple*] fripé; **2** [*fabric, clothing*] froissé; [*stockings*] qui font des plis

wrinklies○ /'rɪŋklɪz/ *npl* péj *ou* hum (older people) vioques○ *mpl*, petits vieux/petites vieilles *mpl/fpl*

wrinkly○ /'rɪŋklɪ/ *adj* = **wrinkled**

wrist /rɪst/ ▸ **p. 997** *n* poignet *m*

(Idiom) **to get a slap on the ~** se faire taper sur les doigts

wrist: **~band** *n* (for tennis) poignet *m*; (on sleeve) poignet *m*; (on watch) bracelet *m* (de montre); **~ guard** *n* Sport protège-poignet *m*; **~ rest** *n* Comput repose-poignets *m inv*; **~watch** *n* montre-bracelet *f*

writ /rɪt/

A *n* Jur assignation *f* (**for** pour); **to issue** *ou* **serve a ~ against sb, to serve sb with a ~** assigner qn en justice

B ‡ *ou* dial *vtr* (*prét, pp désuets du verbe* **write**) **to be ~ large** lit être écrit en grosses lettres; fig **disappointment was ~ large across his face** la déception se lisait sur son visage; **it wasn't champagne, just sparkling wine ~ large** ce n'était pas du champagne, ce n'était rien d'autre que du vin mousseux

writable /'raɪtəbl/ *adj* Comput inscriptible

write /raɪt/ (*prét* **wrote**; *pp* **written**)

A *vtr* **1** (put down on paper) écrire [*letter, poem, novel*] (**to** à); composer [*song, symphony*]; rédiger [*business letter, article, essay, report*]; faire [*cheque, prescription*]; écrire [*software, program*]; élaborer [*legislation*]; **she wrote that she was changing jobs** elle a écrit qu'elle changeait de travail; **it is written that** sout il est écrit que; **he wrote me a cheque for 100 euros** il m'a fait un chèque de 100 euros; **it's written in Italian** c'est écrit en italien; **I wrote home** j'ai écrit à ma famille; **guilt was written all over her face** fig la culpabilité se lisait sur son visage; **he had 'policeman' written all over him** fig ça crevait les yeux qu'il était policier; **2** US (compose a letter to) écrire à [*person*]; **~ me when you get to Rome** écris-moi quand tu arriveras à Rome

B *vi* **1** (form words) écrire; **to learn to ~** apprendre à écrire; **to ~ in pencil/pen** écrire au crayon/stylo; **to ~ neatly/badly** écrire bien/mal; **this pen doesn't ~** ce stylo n'écrit pas; **I have nothing to ~ with** je n'ai rien pour écrire; **give me something to ~ on** donne-moi un papier pour écrire; **to ~ sth into a contract** inclure qch dans un contrat; **2** (compose professionally) écrire (**for** pour); **I ~ for a living** je suis écrivain de métier; **to ~ about** *ou* **on** traiter de [*current affairs, ecology*]; **3** (correspond) écrire (**to sb** à qn); **I'll try to ~ every week** j'essaierai d'écrire chaque semaine

(Phrasal verbs) ■ **write away** écrire (**to** à); **to ~ away for sth** demander qch par écrit [*catalogue, details*]

■ **write back**: ▸ **~ back** répondre (**to** à); ▸ **~ [sth] back** Accts, Fin réévaluer [*asset*]; ▸ **~ back [sth]** écrire [*letter*]

■ **write down**: ▸ **~ [sth] down, ~ down [sth]** **1** (note) noter [*details, name*]; mettre [qch] par écrit [*ideas, suggestions*]; **2** (record) consigner [qch] par écrit [*information, findings, adventures*]; **3** Comm, Fin (reduce) réduire [*price*]; dévaluer [*stocks*]; amortir [*debt*]

■ **write in**: ▸ **~ in** écrire (**to sb** à qn; **to do** pour faire) ; **please ~ in with your suggestions** vous êtes invités à nous envoyer vos suggestions; **to ~ in to** écrire une lettre à [*TV show, presenter*]; ▸ **~ [sb] in** US Pol inscrire le nom de [*candidate*]

■ **write off**: ▸ **~ off** écrire une lettre (**to** à); **to ~ off for** écrire pour demander [*catalogue, information*]; ▸ **~ [sth/sb] off** **1** (wreck) gen bousiller○ complètement [*car*]; Insur mettre [qch] en épave [*car*]; **2** Accts passer [qch] par pertes et profits [*bad debt, loss*]; amortir [*capital*]; **3** (end) annuler [*debt, project, operation*]; **4** (dismiss) [*critic*] enterrer○ [*person, athlete*]; **to ~ sb off for dead** tenir qn pour mort

■ **write out**: ▸ **~ [sth] out, ~ out [sth]** **1** (put down on paper) écrire [*instructions, list*]; **2** (copy) copier [*lines, words*]; **~ it out again neatly** recopie-le au propre; ▸ **~ [sb] out** TV, Radio supprimer [*character*] (**of** de)

■ **write up**: ▸ **~ [sth] up, ~ up [sth]** **1** (produce in report form) rédiger [*findings, notes*];

2 Accts, Fin réévaluer *[asset]*

write: **~ head** *n* Comput tête *f* d'enregistrement; **~-in** *n* US Pol vote *m* par correspondance

write-off /ˈraɪtɒf/ *n* 1 US Tax somme *f* déductible de la déclaration des revenus; 2 Insur, fig (wreck) épave *f*

write: **~ once read many disk** *n* Comput disque *m* inscriptible une seule fois; **~ protect** *n* Comput protection *f* en mode écriture; **~ protection** *n* Comput protection *f* contre l'écriture; **~-protect notch** *n* Comput encoche *f* de protection contre l'écriture

writer /ˈraɪtə(r)/ ▸ **p. 1683** *n* (author) (professional) écrivain *m*; (nonprofessional) auteur *m*; **the ~ of the letter** l'auteur de la lettre; **she's a ~** elle est écrivain; **sports/travel/cookery ~** journaliste *mf* spécialisé/-e en sport/voyages/gastronomie; **he's a neat/messy ~** il écrit avec/sans soin

writer: **~'s block** *n* angoisse *f* de la page blanche; **~'s cramp** *n* crampe *f* de l'écrivain

write-up /ˈraɪtʌp/ *n* 1 (review) critique *f*; 2 (account) rapport *m* (**of** sur); 3 US Accts fausse déclaration *f* (dans un bilan)

writhe /raɪð/ *vi* (*also* **~ about**, **~ around**) se tortiller; **to ~ in agony** se tordre de douleur; **to ~ with embarrassment** se tortiller de gêne

writing ➡📖 /ˈraɪtɪŋ/

A *n* 1 ¢ (activity) **~ is her life** écrire, c'est sa vie; 2 (handwriting) écriture *f*; **his ~ is poor/good** il écrit mal/bien; 3 (words and letters) écriture *f*; **to put sth in ~** mettre qch par écrit; 4 (literature) littérature *f*; **modern/American ~** littérature moderne/américaine; **the ~s of Colette** l'œuvre *f* de Colette; **selected ~s of Oscar Wilde** morceaux *mpl* choisis d'Oscar Wilde; **it was an excellent piece of ~** c'était très bien écrit

B *modif* **a ~ career** une carrière d'écrivain

(Idioms) **the ~ is on the wall** la catastrophe est imminente; **the ~ is on the wall for the regime** la fin du régime est imminente

writing: **~ case** *n* nécessaire *m* de correspondance; **~ desk** *n* secrétaire *m*; **~ materials** *npl* matériel *m* pour écrire; **~ pad** *n* bloc *m* de papier à lettres; **~ paper** *n* papier *m* à lettres; **~ table** *n* bureau *m*

writ: **~ of attachment** *n* Jur commandement *m* de saisie; **~ of execution** *n* Jur titre *m* d'exécution; **~ of subpoena**, **~ of summons** *n* Jur citation *f* en justice

written /ˈrɪtn/

A *pp* ▸ **write**

B *adj* *[exam, guarantee, reply]* écrit; **I'm better at oral work than ~ work** je suis meilleur à l'oral qu'à l'écrit; **he failed the ~ paper** il a échoué à l'écrit; **~ evidence/proof** Admin pièces *fpl* justificatives; Jur preuves *fpl* écrites; **the ~ word** l'écriture

WRNS *n* GB (*abrév* = **Women's Royal Naval Service**) *services féminins de la Marine royale britannique*

wrong /rɒŋ, US rɔːŋ/

A *n* 1 ¢ (evil) mal *m*; **no sense of right or ~** aucun sens du bien ou du mal; **she could do no ~** elle était incapable de faire du mal; **in their eyes, she could do no ~** pour eux, tout ce qu'elle faisait était parfait

2 (injustice) tort *m*; **to right a ~** réparer un tort; **to do sb ~/a great ~** sout faire du tort/beaucoup de tort à qn; **the rights and ~s of the matter** les aspects moraux de la question

3 Jur délit *m*; **private/public ~** délit civil/pénal

B *adj* 1 (incorrect) (ill-chosen) mauvais; (containing errors) *[total]* erroné; *[note, forecast, hypothesis]* faux/fausse, erroné; **in the ~ place at the ~ time** au mauvais endroit au mauvais moment; **he picked up the ~ key** il a pris la mauvaise clé; **it's the ~ wood/glue for the purpose** ce n'est pas le bois/la colle qu'il faut; **she was the ~ woman for you** ce n'était pas la femme qu'il te fallait; **to prove to be ~** *[forecast, hypothesis]* se révéler faux; **to go the ~ way/to the ~ place** se tromper de chemin/d'endroit; **to take the ~ road/train** se tromper de route/train; **to take the ~ turning** GB *ou* **turn** US ne pas tourner au bon endroit; **to give the ~ password/answer** ne pas donner le bon mot de passe/la bonne réponse; **confrontation is the ~ approach** l'affrontement n'est pas la bonne méthode; **everything I do is ~** je ne fais jamais rien de bon; **it was the ~ thing to say/do** c'était la chose à ne pas dire/faire; **to say the ~ thing** faire une gaffe, dire ce qu'il ne faut/fallait etc pas dire; **don't get the ~ idea** ne te méprends pas; **you've got the ~ number** (on phone) vous faites erreur

2 (reprehensible, unjust) **it is ~ to do** c'est mal de faire; **it's ~ to cheat** c'est mal de tricher; **she hasn't done anything ~** elle n'a rien fait de mal; **it was ~ of me/you to do** je/tu n'aurais pas dû faire; **it is ~ for sb to do** ce n'est pas juste que qn fasse; **it's ~ for her to have to struggle alone** ce n'est pas juste qu'elle soit obligée de lutter seule; **it is ~ that** c'est injuste que (+ *subj*); **it is ~ that the poor should go hungry** c'est injuste que les pauvres aient faim; **there's nothing ~ with** *ou* **in sth** il n'y a pas de mal à qch; **there's nothing wrong with** *ou* **in doing** il n'y a pas de mal à faire; **what's ~ with trying?** quel mal y a-t-il à essayer?; **(so) what's ~ with that?** où est le mal?

3 (mistaken) **to be ~** *[person]* avoir tort, se tromper; **that's where you're ~** c'est là que tu te trompes; **can you prove I'm ~?** est-ce que tu peux prouver que j'ai tort?; **how ~ can you be!** comme on peut se tromper!; **I might be ~** il se peut que je me trompe; **to be ~ about** se tromper sur *[person, situation, details]*; **she was ~ about him** elle s'est trompée sur son compte; **to be ~ to do** *ou* **in doing** sout avoir tort de faire; **you are ~ to accuse me** vous avez tort de m'accuser; **am I ~ in thinking that...?** ai-je tort de penser que...?; **to prove sb ~** donner tort à qn

4 (not as it should be) **to be ~** ne pas aller; **there is something (badly) ~** il y a quelque chose qui ne va pas (du tout); **what's ~?** qu'est-ce qui ne va pas?; **what's ~ with the machine/clock?** qu'est-ce qui ne va pas avec la machine/pendule?; **there's something ~ with this computer** cet ordinateur a quelque chose qui ne va pas; **the wording is all ~** la formulation ne va pas du tout; **what's ~ with your arm/leg?** qu'est-ce que tu as au bras/à la jambe?; **what's ~ with you?** (to person suffering) qu'est-ce que tu as?; (to person behaving oddly) qu'est-ce qui t'arrive *or* te prend?; **your clock is ~** votre pendule n'est pas à l'heure; **nothing ~ is there?** tout va bien?

C *adv* **to get sth ~** se tromper de qch *[date, time, details]*; se tromper dans qch *[calculations]*; **I think you've got it ~** je pense que tu te trompes; **to go ~** *[person]* se tromper; *[machine]* ne plus marcher; *[plan]* ne pas marcher; **what's gone ~ between them?** qu'est-ce qui n'a pas marché entre eux?; **you won't go far ~ if...** vous ne risquez pas de faire fausse route si...; **you can't go ~** (in choice of route) tu ne peux pas te tromper; (are bound to succeed) tu peux être tranquille

D *vtr* 1 (treat unjustly) faire du tort à *[person, family]*

2 sout (judge unfairly) mésestimer

(Idioms) **to be in the ~** être dans mon/ton etc tort; **to be ~ in the head**° être dérangé°, avoir une case en moins°; **don't get me ~** ne le prends pas mal; **to get into the ~ hands** tomber dans de mauvaises mains; **to get on the ~ side of sb** se faire mal voir de qn; **to go down the ~ way** *[food, drink]* passer de travers; **to jump to the ~ conclusions** tirer des conclusions hâtives; **two ~s don't make a right** on ne répare pas une injustice avec une autre; **you've got me all ~** vous ne m'avez pas du tout compris; ▸ **stick**

wrong: **~doer** *n* malfaiteur *m*; **~doing** *n* méfait *m*; **~foot** *vtr* Sport prendre [qn] à contre-pied *[opponent, adversary]*; fig prendre [qn] au dépourvu

wrongful /ˈrɒŋfl, US ˈrɔːŋ-/ *adj* Jur *[dismissal, arrest, imprisonment]* arbitraire

wrongfully /ˈrɒŋfəlɪ, US ˈrɔːŋ-/ *adv* Jur *[dismiss, convict, arrest]* injustement

wrong-headed /ˌrɒŋˈhedɪd, US ˌrɔːŋ-/ *adj* 1 (stubborn) *[person]* buté; 2 (perverse) *[policy, decision]* aveugle

wrongly /ˈrɒŋlɪ, US ˈrɔːŋ-/ *adv* *[word, position, translate, connect]* mal; **he concluded, ~, that...** il a conclu, à tort, que...; **rightly or ~** à tort ou à raison

wrote /rəʊt/ *prét* ▸ **write**

wrought /rɔːt/

A *prét, pp* *littér ou journ* **it ~ havoc** *ou* **destruction** il a fait des ravages; **the changes ~ by sth** les changements apportés par qch

B *pp adj* 1 *[silver, gold]* travaillé; 2 (devised) **finely/carefully ~** *[plot, essay]* finement/soigneusement travaillé

wrought iron

A *n* fer *m* forgé

B *modif [gate, grill]* en fer forgé

wrought iron work *n* ferronnerie *f*

wrought-up /ˌrɔːtˈʌp/ *adj [person]* dans tous ses états

wrung /rʌŋ/ *prét, pp* ▸ **wring**

WRVS *n* GB (*abrév* = **Women's Royal Volunteer Service**) *service féminin royal bénévole*

wry /raɪ/ *adj* 1 (ironic) *[look, comment, amusement]* narquois; **to have a ~ sense of humour** être pince-sans-rire; 2 (disgusted) **to make a ~ face** faire une drôle de tête

wryly /ˈraɪlɪ/ *adv [smile, grin]* d'un air narquois; *[comment]* narquoisement

W Sussex *n* GB Post *abrév écrite* ▸ **West Sussex**

wt *n: abrév écrite* = **weight**

WTO *n: abrév* ▸ **World Trade Organization**

wuss° /wʊs/ *n* GB lavette° *f*

WV *n* US *abrév écrite* = **West Virginia**

WWI *n: abrév écrite* = **World War One**

WWII *n: abrév écrite* = **World War Two**

WWW *n* Comput (*abrév* = **World Wide Web**) WWW *m*, Web *m*

WY *n* US *abrév écrite* = **Wyoming**

wych elm /ˈwɪtʃ elm/ *n* orme *m* blanc

wynd /waɪnd/ *n* Scot venelle *f*

Wyoming /ˌwaɪˈəʊmɪŋ/ ▸ **p. 1737** *pr n* Wyoming *m*

W Yorkshire *n* GB Post *abrév écrite* ▸ **West Yorkshire**

WYSIWYG /ˈwɪzɪwɪg/ Comput (*abrév* = **what you see is what you get**) tel écran-tel écrit, tel-tel *inv*

➡📖 *see* Effective French

x, **X** /eks/

A *n* **1** (letter) x, X *m*; **2** **x** Math x *m*; **3** **x** (unspecified place) x *m*; **for x people, for x number of people** pour x personnes; **4** **X** (anonymous person, place) X *m*; **Ms X** Mme X; **5** **X** (on map) croix *f*; **X marks the spot** l'endroit est marqué d'une croix; **6** **x** (at end of letter) **x x x** grosses bises; **7** **X** (as signature) croix *f*

B **x** *vtr* (*prét, pp* **x-ed**) cocher [qch] d'une croix

X certificate GB

A *n* **the film was given an ~** le film a été classé X

B *modif* [*film*] classé X

xenograft /ˈzenəgrɑːft, US -græft/ *n* xénogreffe *f*

xenon /ˈziːnɒn/ *n* xénon *m*

xenophobe /ˈzenəfəʊb/ *n* xénophobe *mf*

xenophobia /ˌzenəˈfəʊbɪə/ *n* xénophobie *f*

xenophobic /ˌzenəˈfəʊbɪk/ *adj* xénophobe

Xenophon /ˈzenəfən/ *pr n* Xénophon

xenotransplantation /ˌzenəʊˌtrænsplɑːnˈteɪʃn, US -plænt-/ *n* xénogreffe *f*

xerography /zɪəˈrɒgrəfɪ/ *n* xérographie® *f*

xerox, **Xerox**® /ˈzɪərɒks/

A *n* **1** (machine) photocopieuse *f*; **2** (process) (procédé de) photocopie *f*; **3** (copy) (photo-)copie *f*

B *vtr* photocopier

Xerxes /ˈzɜːksiːz/ *pr n* Xerxès

XL ▸ p. 1694 *n* (*abrév écrite* = **extra-large**) XL

Xmas *n*: *abrév écrite* = **Christmas**

XML *n* (*abrév* = **eXtensible Mark-up Language**) XML *m*

X rated *adj* [*film, video*] interdit aux moins de 18 ans

X rating *n* **to have an ~** [*film, video*] être interdit aux moins de 18 ans

X-ray /ˈeksreɪ/

A *n* **1** (ray) rayon *m* X; **2** (photo) radiographie *f*, radio○ *f*; **3** (process) radiographie *f*, radioscopie *f*; **to have an ~** se faire radiographier, se faire faire une radio○; **to give sb an ~** faire une radiographie *or* radio○ à qn

B *vtr* radiographier

X-ray: **~ machine** *n* générateur *m* à rayons X; **~ radiation** *n* rayonnement *m* X; **~ unit** *n* service *m* de radiologie

xylograph /ˈzaɪləgrɑːf, US -græf/ *n* xylographie *f*

xylographic /ˌzaɪləˈgræfɪk/ *adj* xylographique

xylography /zaɪˈlɒgrəfɪ/ *n* xylographie *f*

xylophone /ˈzaɪləfəʊn/ ▸ **p. 1462** *n* xylophone *m*

xylophonist /zaɪˈlɒfənɪst/ ▸ **p. 1683, p. 1462** *n* xylophoniste *mf*

y, Y /waɪ/ *n* 1 (lettre) y, Y *m*; 2 **y** Math y *m*

Y2K /ˌwaɪtuːˈkeɪ/ *n* (*abrév* = **year two thousand**) an *m* 2000

yacht /jɒt/
A *n* yacht *m*
B *modif* [*crew*] de yacht; [*race*] de yachts; **~ club** yacht-club *m*
C *vi* faire du yachting

yachting /ˈjɒtɪŋ/ ▸ **p. 1253**
A *n* yachting *m*; **to go ~** faire du yachting
B *modif* [*clothes*] de yachtman; [*enthusiast*] du yachting; [*course*] de yachting; [*holiday*] en yacht

yacht: **~sman** *n* yachtman *m*; **~swoman** *n* yachtwoman *f*

yack○ /jæk/
A *n* 1 (*also* **yackety-yak**) (chat) **to have a ~** papoter; 2 US (loud laugh) éclat *m* de rire; 3 US (joke) gag *m*
B *vi* (*also* **yackety-yak**) papoter

(Phrasal verb) ■ **yack at** US tarabuster [*person*]

yah○ /jɑː/
A *n* péj (person) snob *mf*
B *particle* oui certes

yahoo /jəˈhuː/
A *n* abruti/-e○ *m/f*
B *excl* hourra!

yak /jæk/ *n* 1 Zool yack *m*; 2 ○ = **yack**○

yakuza /jəˈkuːzə/ *n* yakusa *m inv*

Yale® /jeɪl/ *n* (*also* **Yale lock**) serrure *f* de sûreté

Yale key® *n* clé *f* de sûreté

yam /jæm/ *n* 1 (tropical) igname *f*; 2 US (sweet potato) patate *f* douce

yammer○ /ˈjæmə(r)/
A *vtr* marmonner
B *vi* = **yammer on**

(Phrasal verb) ■ **yammer on**○ rouspéter○ (**about** sur)

yang /jæŋ/ *n* yang *m*

yank /jæŋk/
A *n* coup *m* sec; **to give sth a ~** tirer sur qch d'un coup sec
B *vtr* tirer [*person*]; **he ~ed me into his office** il me tira brutalement dans son bureau

(Phrasal verbs) ■ **yank off**: ▸ **~ [sth] off, ~ off [sth]** arracher [*tie, scarf*]; **to ~ off the bedcovers** arracher les couvertures du lit
■ **yank out**: ▸ **~ [sth] out, ~ out [sth]** arracher [*tooth, gun*]

Yank○ /jæŋk/ *n* injur Yankee *mf* offensive

Yankee /ˈjæŋkɪ/ *n* 1 US (inhabitant of New England) habitant/-e *m/f* de la Nouvelle Angleterre; 2 US (inhabitant of North) habitant/-e *m/f* du Nord (des États-Unis); 3 Hist (soldier) Nordiste *m*; 4 injur (North American) yankee *m* offensive

> **Yankee**
> Terme à connotation péjorative qui, pendant la guerre de Sécession, était employé par les Sudistes pour désigner les Nordistes. Aujourd'hui, quand il est employé dans le reste du monde, il s'applique aux Américains en général ; employé par les Américains, il désigne un habitant de la Nouvelle Angleterre.

Yankee doodle *n*: *air symbolisant l'Indépendance américaine*

yap /jæp/
A *n* jappement *m*; **~ ~!** onomat (dog) ouah ouah!; (person) bla bla!
B *vi* 1 [*dog*] japper (**at** après); 2 péj [*person*] piailler

yapping /ˈjæpɪŋ/
A *n* ¢ jappements *mpl*
B *adj* [*dog*] jappeur/-euse

Yarborough /ˈjɑːbrə/ *n* (in bridge) main *f* sans honneurs

yard /jɑːd/
A *n* 1 ▸ **p. 1389** Meas yard *m* (= *0.9144*); 2 fig **you've got ~s of room!** tu as plus de place qu'il n'en faut!; **she writes poetry by the ~, she writes ~s and ~s of poetry** elle écrit des pages et des pages de poésie; 3 (of house, farm, prison, hospital) cour *f*; 4 US (garden) jardin *m*; 5 Comm, Constr (for storage) dépôt *m*; (for construction) chantier *m*; **builder's ~** dépôt *m* de matériaux de construction; 6 Naut vergue *f*
B **Yard** *pr n* GB **the ~** *police judiciaire britannique*

yardage /ˈjɑːdɪdʒ/ *n* longueur *f* en yards, ≈ métrage *m*

yardarm /ˈjɑːdɑːm/ *n* bout *m* de vergue

yardbird○ /ˈjɑːdbɜːd/ *n* 1 (prisoner) taulard○ *m*; 2 US argot des militaires (soldier) recrue *f* qui est souvent de corvée

Yardie○ /ˈjɑːdiː/ *pr n* GB truand *m* d'origine jamaïquaine

yard: **~master** *n* US Rail chef *m* de triage; **~ sale** *n* US brocante *f* (*tenue dans sa propre cour*); **~stick** *n* fig point *m* de référence (**for** pour)

yarn /jɑːn/ *n* 1 Tex fil *m* (à tricoter); **polyamide/cotton ~** fil *m* polyamide/de coton; 2 (tale) histoire *f*; **to spin a ~** raconter des histoires

yarrow /ˈjærəʊ/ *n* achillée mille-feuille *f*

yashmak /ˈjæʃmæk/ *n* voile *m* islamique

yaw /jɔː/ *vi* Naut, Aviat dévier

yawl /jɔːl/ *n* (sailing boat) yawl *m*; (ship's boat) chaloupe *f*; (fishing boat) yole *f*

yawn /jɔːn/
A *n* 1 (physical action) bâillement *m*; **to give a ~** bâiller; 2 fig (bore) **what a ~**○**!** que c'est barbant○!
B *vtr* **'See you tomorrow,' he ~ed** 'à demain,' dit-il en bâillant
C *vi* 1 [*person*] bâiller; 2 fig (gape) [*tunnel*] s'ouvrir béant; [*abyss, chasm*] béer

yawning /ˈjɔːnɪŋ/
A *n* bâillements *mpl*
B *adj* [*abyss, chasm*] béant; fig **a ~ gap in the market/law** un vide dans le marché/la loi; **the ~ gap between promises and performance** le décalage entre les promesses et la réalisation; **the ~ gap between the two countries** l'abîme qui sépare les deux pays

yawp○ /jɔːp/ US
A *n* braillement *m*
B *vi* brailler

yaws /jɔːz/ *n* (+ *v sg*) pian *m*

yd *abrév écrite* = **yard 1**

ye‡ /jiː/
A *pron* vous
B *article* le/la/les

(Idiom) **~ gods**○**!** dieux du ciel!

yea /jeɪ/
A ‡*particle* oui *m*
B *n* Pol **the ~s and the nays** les oui et les non
C ‡*adv* (indeed) voire

yeah○ /jeə/ *particle* ouais○, oui; **oh ~?** vraiment? also iron

year /jɪə(r), jɜː(r)/ ▸ **p. 1804**
A *n* 1 (period of time) an *m*, année *f*; **in the ~ 1789/2000** en 1789/l'an 2000; **every ~/every other ~** tous les ans/tous les deux ans; **two ~s ago** il y a deux ans; **all (the) year round** toute l'année; **during the ~** au cours de l'année; **over the ~s** au cours des ans *or* des années; **the ~ before last** il y a deux ans; **~ by ~** d'année en année; **three ~s running** trois ans *or* années d'affilée *or* de suite; **~ in ~ out** tous les ans, chaque année; **in ~s to come** dans les années à venir; **at the end of the ~** à la fin de l'année; **I shall retire in two ~s** je prendrai ma retraite dans deux ans; **we hope to build the bridge in two ~s** nous espérons construire le pont en deux ans; **they have been living in Paris for ~s** ils habitent Paris depuis des années, il y a des années qu'ils habitent Paris; **they lived in Paris for ~s** ils ont habité Paris pendant des années; **they will probably live there for ~s** ils y habiteront sans doute pendant des années; **for the first time in ~s** pour la première fois depuis des années; **it was a ~ ago last October that I heard the news** il y a eu un an en octobre que j'ai appris la nouvelle; **it will be four ~s in July since he died** cela fera quatre ans en juillet qu'il est mort; **it's a ~ since I heard from him** je n'ai plus de ses nouvelles depuis un an *or* il y a un an que je n'ai plus de nouvelles de lui; **from one ~ to the next** d'une année à l'autre; **in all my ~s as a journalist** dans toute ma carrière de journaliste; **to earn £30,000 a ~** gagner 30 000 livres sterling par an; 2 (indicating age) **to be 19 ~s old** *ou* **19 ~s of age** avoir 19 ans; **a two-~-old child** un enfant de deux ans; **he's in his fiftieth ~** il est dans sa cinquantième année; 3 Sch, Univ année *f*; **to be in one's first ~ at Cambridge** être en première année à Cambridge; **is that boy in your ~?** est-ce que ce garçon est dans la même année que toi?; 4 GB Sch (pupil) **first/second-~** ≈ élève *mf* de sixième/cinquième; 5 (prison sentence) an *m*; **to get 15 ~s** être condamné à 15 ans de prison
B **years** *npl* 1 (age) âge *m*; **from her earliest ~s** dès son plus jeune âge; **a man of your ~s and experience** un homme de votre âge et de votre expérience; 2 ○(a long time) (used in exaggeration) **but that would take ~s!** ça prendrait une éternité *or* un siècle!; **it's ~s since we last met!** ça fait un siècle qu'on ne s'est pas vus!

(Idioms) **this job has put ~s on me!** ce travail m'a vieilli de 10 ans!; **losing weight takes ~s off you** perdre du poids, ça rajeunit!; **I gave you the best ~s of my life** je t'ai sacrifié les plus belles années de ma vie

yearbook /ˈjɪəbʊk, ˈjɜː-/ *n* 1 (directory) annuaire *m*; 2 US Sch, Univ album *m* de promotion

year-end Accts
A *n* fin *f* or clôture *f* de l'exercice
B *modif* [*adjustment, audit, dividend*] de fin d'exercice

yearling /ˈjɪəlɪŋ, ˈjɜː-/ *n* gen animal *m* d'un an; (horse) yearling *m*

yearlong /ˈjɪəlɒŋ, US -lɔːŋ/ *adj* [*stay, course, absence*] d'un an, d'une année

yearly /ˈjɪəlɪ, ˈjɜː-/
A *adj* [*visit, account, income*] annuel/-elle
B *adv* annuellement

yearn /jɜːn/ *vi* **1** (desire) **to ~ for** désirer (avoir) [*child, food*]; aspirer à [*freedom, unity*]; attendre [*era, season, event*]; **to ~ for sb** désirer qn; **to ~ to do** avoir très envie de faire; **2** (miss) **she ~s for her son/her homeland** son fils/sa patrie lui manque terriblement

yearning /ˈjɜːnɪŋ/
A *n* désir *m* ardent (**for** de; **to do** de faire)
B **yearnings** *npl* aspirations *fpl*
C *adj* [*expression*] plein de désir

yearningly /ˈjɜːnɪŋlɪ/ *adv* [*gaze*] avec des yeux pleins de désir

year out *n* année *f* de coupure (avant d'entrer à l'université)

year-round *adj* [*resident, supply, source*] permanent; **designed for ~ use** conçu pour être utilisé toute l'année

year tutor *n* GB *professeur responsable de toutes les classes d'un même niveau*

yeast /jiːst/ *n* levure *f*

yeasty /ˈjiːstɪ/ *adj* **1** [*smell, taste*] de levure; [*bread, wine*] qui a un goût de levure; **2** (frothy) mousseux/-euse

yecch○ US *excl* = **yuck**

yec(c)hy○ *adj* US = **yucky**

yegg○† /jeg/ *n* US (*also* **yegg man**) cambrioleur *m*

yell /jel/
A *n* (shout) cri *m*; (of rage, pain) hurlement *m*; **to give** *ou* **let out a ~ of delight** pousser un cri de joie
B *vtr* crier [*warning*]; (louder) hurler [*insults*]; **'I can't hear you,' he ~ed** 'je ne t'entends pas,' cria-t-il
C *vi* (shout) crier; **to ~ at sb** crier après qn

yelling /ˈjelɪŋ/
A *n* cris *mpl*
B *adj* [*mob, crowd*] vociférant

yellow /ˈjeləʊ/ ▸ **p. 1067**
A *n* jaune *m*
B *adj* **1** lit jaune; **to go** *ou* **turn ~** jaunir; **the lights are on ~** les feux sont à l'orange; **2** ○(cowardly) [*person*] trouillard○; **to have a ~ streak** être une poule mouillée○
C *vtr, vi* jaunir

yellow: **~-belly**○ *n* trouillard/-e○ *m/f*; **~ brick road** *n* route *f* du bonheur; **~ card** *n* Sport carton *m* jaune; **~ fever** ▸ **p. 1327** *n* fièvre *f* jaune; **~ flag** *n* Naut pavillon *m* de quarantaine; **~hammer** *n* bruant *m* jaune

yellowish /ˈjeləʊɪʃ/ ▸ **p. 1067** *adj* jaunâtre, tirant sur le jaune

yellowish brown ▸ **p. 1067**
A *n* brun *m* tirant sur le jaune
B *adj* d'un brun tirant sur le jaune

yellow jacket *n* **1** Zool guêpe *f*; **2** ○argot des drogués capsule *f* de barbiturique

yellow: **~ jersey** *n* (in cycling) maillot *m* jaune; **~ line** *n* ligne *f* jaune; **~ metal** *n* (brass) cuivre *m* jaune; (gold) métal *m* jaune

yellowness /ˈjeləʊnɪs/ *n* **1** (of hue) jaune *m*; (of white) jauni *m*; **2** ○(cowardice) trouillardise○ *f*

yellow: **~ ochre** ▸ **p. 1067** *n* (colour) jaune *m* d'ocre; (substance) ocre *m* jaune; **Yellow Pages®** *pr npl* pages *fpl* jaunes®; **~-painted** *adj* peint en jaune; **~ peril** *n* injur péril *m* jaune offensive; **~ press†** *n* presse *f* à sensations†; **Yellow River** ▸ **p. 1633** *pr n* fleuve *m* Jaune; **Yellow Sea** ▸ **p. 1493** *pr n* mer *f* Jaune; **~-skinned** *adj* à la peau jaune; **~ soap** *n* ≈ savon *m* de Marseille; **~ spot** *n* tache *f* jaune; **~ wagtail** *n* bergeronnette *f* flavéole

yellowy /ˈjeləʊwɪ/ ▸ **p. 1067** *adj* jauni

yelp /jelp/
A *n* (of person) glapissement *m*; (of animal) (of pain, fear) glapissement *m*; (of happiness) jappement *m*
B *vi* [*person*] glapir (**with** de); [*animal*] [*with pain, fear*] glapir; (with happiness) japper

yelping /ˈjelpɪŋ/
A *n* ₵ (of animal) (with pain, fear) glapissements *mpl*; (with happiness) jappements *mpl*; (of person) glapissements *mpl*
B *adj* [*animal*] (with pain, fear) qui glapit; (with happiness) qui jappe

Yemen /ˈjemən/ ▸ **p. 1096** *pr n* Yémen *m*; **North/South ~** Hist Yémen *m* du Nord/du Sud

Yemeni /ˈjemənɪ/ ▸ **p. 1467**
A *n* Yéménite *mf*
B *adj* yéménite

yen /jen/ ▸ **p. 1108**
A *n* **1** Fin yen *m*; **2** ○(craving) **to have a ~ for sth/to do** avoir grande envie de qch/de faire
B *modif* [*trading, value*] du yen; [*broker*] des yens
C ○*vi* (*p prés etc* **-nn-**) **to ~ for sth/to do** avoir très envie de qch/de faire

yenta○ /ˈjentə/ *n* US péj (gossip) commère *f*

yeoman /ˈjəʊmən/ *n* (*pl* **-men**) **1** (*also* **~ farmer**) GB Hist franc tenancier *m*; **2** GB Mil Hist cavalier *m* (*volontaire*); **3** = **yeoman of the guard**; **4** GB Mil sous-officier *m* de la marine (*chargé de la signalisation*); US Mil sous-officier de la marine (*affecté au travail de bureau*)

yeoman of the guard *n* GB gen membre *m* de la garde royale

yeomanry /ˈjəʊmənrɪ/ *n* ₵ **1** (freeholders) francs tenanciers *mpl*; **2** GB Mil Hist corps *m* de cavalerie (*constitué de volontaires*)

yep○ /jep/, **yup**○ /jʌp/ *particle* US ouais○, oui

yes /jes/

> ⚠ *Yes* is translated by *oui*, except when used in reply to a negative question when the translation is *si* or, more emphatically *si, si* or *mais si*: *'did you see him?'–'yes (I did)'* = 'est-ce que tu l'as vu?'–'oui (je l'ai vu)'; *'you haven't seen him, have you?'–'yes (I have)'* = 'tu ne l'as pas vu?'–'si, si (je l'ai vu)'
>
> Note that there are no direct equivalents in French for tag questions and short replies such as *yes I did, yes I have*.
>
> For some suggestions on how to translate these, see the notes at **do** and **have**.

particle, n oui; (in reply to negative question) si; **to say ~** dire oui; **she always says ~ to everything** elle dit toujours oui à tout; **10 points for a ~** 10 points pour un oui; **the ~es and the nos** les oui et les non

yeshiva /jəˈʃiːvə/ *n* (*pl* **-vahs** *ou* **-voth**) yeshiva *f*, école *f* hébraïque

yes-man○ /ˈjesmæn/ *n* (*pl* **-men**) péj lèche-bottes *m inv*

yes-no question *n* Ling question *f* fermée

yesterday /ˈjestədeɪ, -dɪ/ ▸ **p. 1116, p. 1882**
A *n* **1** lit hier *m*; **~ was Friday** hier c'était vendredi; **~'s newspaper** le journal d'hier; **~ was a sad day for all of us** la journée d'hier a été triste pour nous tous; **~ was the fifth of April** hier nous étions le cinq avril; **what was ~'s date?** quel jour étions-nous hier, on était le combien hier○?; **the day before ~** avant-hier; **2** fig (the past) **~'s fashions** la mode d'hier; **~'s men** péj hommes *mpl* du passé; **all our ~s** tout notre passé
B *adv* **1** lit hier; **it snowed ~** il a neigé hier; **I saw her only ~** je l'ai vue pas plus tard qu'hier; **all day ~** toute la journée d'hier; **a week ago ~** il y a une semaine hier; **it was ~ week** *ou* **a week ~** cela fait une semaine hier; **early/late ~** tôt/tard dans la journée d'hier; **I remember it as if it was ~** je m'en souviens comme si c'était hier; **only ~ he was saying to me...** hier encore il me disait...; **2** fig (in the past) hier, autrefois

(Idiom) **I wasn't born ~** je ne suis pas né d'hier

yesterday: **~ afternoon** *n, adv* hier après-midi; **~ evening** *n, adv* hier soir; **~ morning** *n, adv* hier matin

yesteryear /ˈjestəjɪə(r)/ littér *n* temps *m* jadis; **the fashions of ~** la mode du temps jadis *or* d'antan

yes-vote *n* oui *m inv*

yet /jet/
A *conj* (nevertheless) pourtant; **he was injured, (and) ~ he still won** il était blessé, et pourtant il a gagné; **so strong (and) ~ so gentle** si fort (et) pourtant si doux
B *adv* **1** (up till now, so far: with negatives) encore jusqu'à présent; (in questions) déjà; (with superlatives) jusqu'ici; **it's not ready ~, it's not ~ ready** ce n'est pas encore prêt; **she hasn't ~ arrived, she hasn't arrived ~** elle n'est pas encore arrivée; **has he arrived ~?** est-il (déjà) arrivé?; **not ~** pas encore, pas pour l'instant; **this is his best/worst ~** c'est ce qu'il a fait de mieux/de pire jusqu'ici; **her most ambitious/dangerous project ~** le projet le plus ambitieux/dangereux qu'elle ait entrepris jusqu'ici; **it's the best ~** jusqu'ici, c'est le mieux; **2** (*also* **just ~**) (now) tout de suite, encore; **don't start (just) ~** ne commence pas tout de suite; **we don't have to leave (just) ~** nous ne sommes pas obligés de partir tout de suite; **3** (still) encore; **they may ~ come, they may come ~** ils pourraient encore arriver; **she might ~ decide to leave** elle pourralt encore décider de partir; **he'll finish it ~** il va le finir; **you're young ~** tu es encore jeune; **the campaign has ~ to begin** il faut encore que la campagne démarre, reste encore à démarrer la campagne; **the news has ~ to reach them** il faut encore que la nouvelle leur parvienne, reste encore à leur faire parvenir la nouvelle; **the as ~ unfinished building** le bâtiment encore inachevé; **there is a year to go ~ before...** il reste encore un an avant...; **it'll be ages ~ before...** il va encore falloir des siècles avant...; **he won't come for hours ~** il ne viendra pas avant quelques heures; **there are three more packets ~** il reste encore trois paquets; **4** (even, still: with comparatives etc) encore; **~ more cars** encore plus de voitures; **~ louder/more surprising** encore plus fort/plus surprenant; **~ another attack/question** encore une autre attaque/question; **~ again** encore une fois

yeti /ˈjetɪ/ *n* yéti *m*

yew /juː/
A *n* **1** (*also* **~ tree**) if *m*; **2** (wood) bois *m* d'if
B *modif* [*hedge*] d'ifs

Y-fronts *npl* GB slip *m* ouvert

YHA GB (*abrév* = **Youth Hostels Association**) association *f* des auberges de jeunesse

Yid◑ /jɪd/ *n* injur youpin/-e◑ *m/f* offensive

Yiddish /ˈjɪdɪʃ/ ▸ **p. 1378** *n, adj* yiddish (*m inv*)

yield /jiːld/
A *n* **1** gen (product, amount produced) production *f*, rendement *m*; (of tree, field, farm) rendement *m*, récolte *f*; **the annual milk ~** la production laitière annuelle; **a good/poor ~ of wheat** une bonne/mauvaise récolte de blé; **a high ~ variety** une variété à fort rendement; **2** Fin (of shares, investments) rendement *m*, rapport *m* (**from, on** de); **a ~ of 8%** un rendement de 8%; **a high ~ bond** une obligation à haut rendement
B *vtr* **1** (produce, bear) [*crop, animal, land*] rendre, produire; [*mine, quarry*] produire; **2** Fin rapporter; **to ~ 25% over 10 years** rapporter

ⓘ you

In English *you* is used to address everybody, whereas French has two forms: *tu* and *vous*. The usual word to use when you are speaking to anyone you do not know very well is *vous*. This is sometimes called the *polite form* and is used for the subject, object, indirect object and emphatic pronoun:

would you like some coffee?
= voulez-vous du café?

can I help you?
= est-ce que je peux vous aider?

what can I do for you?
= qu'est-ce que je peux faire pour vous?

The more informal pronoun *tu* is used between close friends and family members, within groups of children and young people, by adults when talking to children and always when talking to animals; *tu* is the subject form, the direct and indirect object form is *te* (*t'* before a vowel) and the form for emphatic use or use after a preposition is *toi*:

would you like some coffee?
= veux-tu du café?

can I help you?
= est-ce que je peux t'aider?

there's a letter for you
= il y a une lettre pour toi

As a general rule, when talking to a French person use *vous*, wait to see how they address you and follow suit. It is safer to wait for the French person to suggest using *tu*. The suggestion will usually be phrased as *on se tutoie?* or *on peut se tutoyer?*

Note that *tu* is only a singular pronoun and *vous* is the plural form of *tu*.

Remember that in French the object and indirect object pronouns are always placed before the verb:

she knows you
= elle vous connaît *or* elle te connaît

In compound tenses like the present perfect and the past perfect, the past participle agrees in number and gender with the direct object:

I saw you on Saturday
(to one male: polite form)
= je vous ai vu samedi
(to one female: polite form)
= je vous ai vue samedi
(to one male: informal form)
= je t'ai vu samedi
(to one female: informal form)
= je t'ai vue samedi
(to two or more people, male or mixed)
= je vous ai vus samedi
(to two or more females)
= je vous ai vues samedi

When *you* is used impersonally as the more informal form of *one*, it is translated by *on* for the subject form and by *vous* or *te* for the object form, depending on whether the comment is being made amongst friends or in a more formal context:

you can do as you like here
= on peut faire ce qu'on veut ici

these mushrooms can make you ill
= ces champignons peuvent vous rendre malade
or ces champignons peuvent te rendre malade

you could easily lose your bag here
= on pourrait facilement perdre son sac ici

Note that *your* used with *on* is translated by *son*/*sa*/*ses* according to the gender and number of the noun that follows.

For verb forms with *vous*, *tu* and *on* see the French verb tables.

For particular usages see the entry **you**.

25% sur 10 ans; **to ~ millions in taxes** rapporter des millions en taxes; **3** (provide) donner, fournir [*information, result, meaning*]; produire [*clue*]; livrer [*secret*]; **to ~ new insights into** apporter de nouvelles perspectives quant à; **4** (surrender) céder (**to** à); **to ~ ground to** Mil, fig céder du terrain à; **to ~ a point to sb** céder à qn sur un point, concéder un point à qn; **she refused to ~ this point** elle a refusé de céder sur ce point; **to ~ the floor to** donner *or* céder la parole à
C *vi* **1** (give in) (to person, temptation, pressure, threats) céder (**to** à); (to army, arguments) se rendre (**to** à); **to ~ to force** céder devant la force; **to ~ to persuasion** se laisser persuader; **I ~ to no-one in my admiration for her work** personne plus que moi n'admire son œuvre; **2** (under weight, physical pressure) [*lock, door, shelf, bridge*] céder (**under** sous); **3** (be superseded) **to ~ to** [*technology, phenomenon*] céder le pas à; [*land, countryside*] céder la place à; **4** (be productive) **to ~ well/poorly** avoir un bon/mauvais rendement; **the cow ~s well** la vache produit une bonne quantité de lait; **5** US Aut céder le passage (**to** à); **'~'** (on sign) 'cédez le passage'
(Phrasal verb) ■ **yield up** livrer [*secret, treasure*]

yield: **~ criterion** *n* critère *m* de rentabilité; **~ curve** *n* courbe *f* de rentabilité; **~ gap** *n* Fin différence *f* de rendement

yielding /'ji:ldɪŋ/ *adj* **1** [*person*] (accommodating) accommodant; (submissive) soumis; **2** [*material*] mou/molle, élastique

yikes○ /jaɪks/ *excl* US aïe!

yin /jɪn/ *n* yin *m*; **~ (and) yang** le yin et le yang

yip○ /jɪp/ US = **yelp**

yipe(s)○ US = **yikes**

yippee○ /'jɪpi:/ *excl* hourra○!

YMCA (*abrév* = **Young Men's Christian Association**) ≈ Union *f* Chrétienne des Jeunes Gens

yob○ /'jɒb/, **yobbo**○ /'jɒbəʊ/ *n* GB péj loubard○ *m*, voyou *m*

yock○ /jɒk/ US *n* (laugh) gros rire *m*; (joke) grosse plaisanterie *f*; **to have a ~** rire un bon coup○

yod /jɒd/ *n* yod *m*

yodel /'jəʊdl/
A *n* hurlement *m*
B *vi* (*p prés etc* **-ll-**) jodler, iodler

yoga /'jəʊgə/ ▸ p. 1253
A *n* yoga *m*
B *modif* [*class, teacher*] de yoga

yoghurt /'jɒgət, US 'jəʊgərt/ *n* yaourt *m*, yoghourt *m*; **natural ~** yaourt nature

yogi /'jəʊgɪ/ *n* yogi *mf*

yo-heave-ho /ˌjəʊhi:v'həʊ/ *excl* oh! hisse!

yoke /jəʊk/
A *n* **1** lit (for oxen) joug *m*; (for person) palanche *f*; fig joug *m*; **to throw off the ~** briser le joug; **2** (pair of oxen) attelage *m* de bœufs; **3** Sewing empiècement *m*; **4** Constr (framework) armature *f*; (tie beam) moise *f*
B *vtr* **1** (*also* **~ up**) atteler [*ox, horse*]; **2** (*also* **~ together**) fig joindre

yokel /'jəʊkl/ *n* pej péquenaud/-e○ *m/f*, plouc○ *mf*

yoke oxen *npl* bœufs *mpl* d'attelage

yolk /jəʊk/ *n* jaune *m* (d'œuf)

yomp○ /jɒmp/ *vtr, vi* GB argot des militaires crapahuter○ (*avec un lourd équipement*)

yon /jɒn/ *adj* ‡ *ou* dial = **yonder B**

yonder /'jɒndə(r)/‡ *ou* littér
A *adj* (this, that) ce/cet/cette...là
B *adv* là-bas; **up ~** là -haut; **over ~** là-bas (au loin)
(Idiom) **to disappear into the (wide) blue ~** s'évanouir dans la nature

yonks○ /jɒŋks/ *npl* GB **I haven't seen him for ~** ça fait une éternité que je ne l'ai pas vu

Yonne ▸ p. 1129 *pr n* Yonne *f*; **in/to the ~** dans l'Yonne

yoof○ /ju:f/
A *n* djeunz○ *m inv*
B *modif* [*culture, TV*] djeunz○ *inv*

yoo-hoo /'ju:hu:/ *excl* ohé!

yore /jɔ:(r)/ *n* littér **of ~** d'antan liter; **in days of ~** jadis

Yorkshire /'jɔ:kʃə/ ▸ p. 1612 *pr n* Yorkshire *m*

Yorkshire: **~ pudding** *n* GB Yorkshire pudding *m* (*pâte à crêpe cuite au four accompagnant le rôti de bœuf*); **~ terrier** *n* Yorkshire-terrier *m*

you /ju:, jʊ/ *pron* **1** (addressing sb) **I saw ~ on Saturday** (one person) (polite) je vous ai vu samedi; (informal) je t'ai vu samedi; (more than one person) je vous ai vus samedi; **are ~ busy?** (one person) (polite) vous êtes occupé?; (informal) tu es occupé?; (more than one person) vous êtes occupés?; **oh, it's ~** ah, c'est vous *or* c'est toi; **it's for ~** c'est pour vous *or* pour toi; **~ who...** vous qui..., toi qui...; YOU **would never do that** (polite) vous, vous ne feriez jamais cela; (informal) toi tu ne ferais jamais ça; **there's a manager for ~**○**!** iron ça c'est un patron!; **~ English** vous autres Anglais; **don't ~ talk to me like that!** ne me parle pas sur ce ton!; **~ idiot**○**!** espèce d'imbécile○!; **~ two can stay** vous deux vous pouvez rester; **do ~ people smoke?** vous fumez?; **2** (as indefinite pronoun) (subject) on; (object, indirect object) vous, te; **~ never know!** on ne sait jamais!; **they say sweets give ~ spots** on dit que les bonbons vous *or* te donnent des boutons

you-all○ *pron pl* US vous

you'd /ju:d/ **1** = **you had**; **2** = **you would**

you: **~-know-what**○ *pron* vous-savez-quoi, tu-sais-quoi; **~-know-who**○ *pron* qui-vous-savez, qui-tu-sais

you'll /ju:l/ = **you will**

young /jʌŋ/
A *n* **1** (young people) **the ~** (+ *v pl*) les jeunes *mpl*, la jeunesse *f*; **for ~ and old (alike)** pour les jeunes comme les vieux, pour jeunes et vieux; **2** (animal's offspring) (+ *v pl*) petits *mpl*; **to be with ~** être pleine
B *adj* (not very old) [*person, tree, animal, plant*] jeune (*before n*); [*nation, organization*] jeune (*before n*); **~ at heart** jeune de cœur; **he's ~ for his age** il est jeune pour son âge; **she is ten years ~er than him** elle a dix ans de moins que lui; **I feel ten years ~er** j'ai l'impression d'avoir rajeuni de dix ans; **in my ~er days** quand j'étais jeune; **you're only ~ once!** on n'est jeune qu'une fois; **children as ~ as five years old** des enfants dont certains n'avaient que cinq ans; **to marry/die ~** se marier/mourir jeune; **the ~ moon** la lune nouvelle; **the**

ℹ your

For a full note on the use of the *vous* and *tu* forms in French, see the entry **you**.

In French, determiners agree in gender and number with the noun they qualify. So *your*, when addressing one person, is translated by *votre*, or more familiarly *ton*, + masculine singular noun (*votre chien* or *ton chien*), by *votre* or *ta* + feminine singular noun (*votre maison* or *ta maison*) and by *vos* or *tes* + plural noun (*vos enfants* or *tes enfants*). Note that *ton* is used with a feminine noun beginnning with a vowel or mute 'h' (*ton adresse*).

When addressing more than one person, the translation is *votre* + singular noun and *vos* + plural noun. When *your* is stressed, *à vous* or *à toi* is added after the noun:

***your** house*
= votre maison à vous

When used impersonally to mean *one's*, *your* is translated by *son*, *sa* or *ses* when *you* is translated by *on*:

you buy your tickets at the door
= on prend ses billets à l'entrée

The translation after an impersonal verb in French is *son*, sa, *ses*:

you have to buy your tickets at the door
= il faut prendre ses billets à l'entrée

Note, however, the following:

sweets are bad for your teeth
= les bonbons sont mauvais pour les dents

your average student
= l'étudiant moyen

For *your* used with parts of the body ▸ **p. 997**.

night is ~ la nuit ne fait que commencer; **Mr Brown the ~er** *ou* **the ~er Mr Brown** M. Brown le jeune; (Mr Brown's son) M. Brown fils; **~ Jones** le jeune Jones; **they are aiming at a ~ audience** ils visent un public jeune; **to have a ~ outlook** être jeune d'esprit; **~ fashion** mode *f* jeunes; **~ lady** jeune femme *f*; **what did you say, ~ lady?** (patronizingly) qu'est-ce que vous avez dit, mademoiselle?; **~ man** jeune homme *m*; **her ~ man†** son (petit) ami; **~ people** jeunes gens *mpl*; **~ person** jeune *m*; **the ~er generation** la jeune génération; **her ~er brother** son frère cadet; **her ~er sister** sa sœur cadette; **the two ~er children** les deux cadets; **I'm not as ~ as I used to be** je n'ai plus 20 ans; **we're not getting any ~er** nous ne rajeunissons pas

young blood *n* sang *m* neuf

youngish /ˈjʌŋɪʃ/ *adj* assez jeune

young-looking *adj* **to be ~** faire (très) jeune

young: **~ offender** *n* délinquant/-e *m/f*; **~ offenders' institution** *n* GB centre *m* de détention pour les délinquants (*âgés de 14 à 21 ans*); **~ professional** *n* jeune salarié/-e *m/f*

youngster /ˈjʌŋstə(r)/ *n* **1▸** (young person) jeune *m*; **2▸** (child) enfant *mf*

Young Turk *n* (male) jeune turc *m*; (female) jeune turque *f*

your /jɔ:(r), jʊə(r)/ *det* votre/vos; (more informally) ton/ta/tes; (with impersonal pronoun) son/sa/ses

you're /jʊə(r), jɔ:(r)/ = **you are**

yours /jɔ:z, US jʊərz/

> ⚠ For a full note on the use of the *vous* and *tu* forms in French, see the entry **you**.
>
> In French, possessive pronouns reflect the gender and number of the noun they are standing for. When *yours* is referring to only one person it is translated by *le vôtre, la vôtre, les vôtres* or, more familiarly, *le tien, la tienne, les tiens, les tiennes*. When *yours* is referring to more than one person it is translated by *le vôtre, la vôtre, les vôtres*.
>
> For examples and particular usages see the entry below.

pron **my car is red but ~ is blue** ma voiture est rouge mais la vôtre *or* la tienne est bleue; **which house is ~?** votre maison c'est laquelle, ta maison c'est laquelle?; **he's a colleague of ~** c'est un de vos *or* tes collègues; **it's not ~** ce n'est pas à vous *or* à toi; **the money wasn't ~ to give away** vous n'aviez pas à donner cet argent; **~ was not an easy task** votre tâche n'était pas facile; **I'm fed up○ with that dog of ~!** j'en ai marre de ton sale chien○!

yourself /jɔ:ˈself, US jʊərˈself/

> ⚠ For a full note on the use of the *vous* and *tu* forms in French, see the entry **you**.
>
> When used as a reflexive pronoun, direct and indirect, *yourself* is translated by *vous* or familiarly *te* or *t'* before a vowel: *you've hurt yourself* = vous vous êtes fait mal *or* tu t'es fait mal.
>
> In imperatives, the translation is *vous* or *toi*: *help yourself* = servez-vous *or* sers-toi.
>
> When used in emphasis the translation is *vous-même* or *toi-même*: *you yourself don't know* = vous ne savez pas vous-même *or* tu ne sais pas toi-même.
>
> After a preposition the translation is *vous* or *vous-même* or *toi* or *toi-même*: *you can be proud of yourself* = vous pouvez être fier de vous *or* vous-même, tu peux être fier de toi *or* toi-même.

pron **1▸** (refl) vous, te, (*before vowel*) t'; **have you hurt ~?** est-ce que tu t'es fait mal?; **2▸** (in imperatives) vous, toi; **3▸** (emphatic) vous-même, toi-même; **you ~ said that...** vous avez dit vous-même que..., tu as dit toi-même que...; **4▸** (after prep) vous, vous-même, toi, toi-même; **5▸** (expressions) **(all) by ~** tout seul/toute seule; **you're not ~ today** tu n'as pas l'air dans ton assiette aujourd'hui

yourselves /-ˈselvz/

> ⚠ When used as a reflexive pronoun, direct and indirect, *yourselves* is translated by *vous*: *help yourselves* = servez-vous.
>
> When used as an emphatic, the translation is *vous-mêmes*: *do it yourselves* = faites-le vous-mêmes.
>
> After a preposition the translation is *vous* or *vous-mêmes*: *did you buy it for yourselves?* = est-ce que vous l'avez acheté pour vous *or* pour vous-mêmes?

pron **1▸** (refl) vous; **2▸** (emphatic) vous-mêmes; **3▸** (after prep) vous, vous-mêmes; **all by ~** tous seuls/toutes seules

youth /ju:θ/
A *n* (*pl* **~s** /ju:ðz/) **1▸** (young man) jeune homme *m*; **a gang of ~s** péj une bande de jeunes gens; **2▸** (period of being young) jeunesse *f*; **in my ~** dans ma jeunesse; **3▸** (state of being young) jeunesse *f*; **because of/despite his ~** à cause de/malgré son jeune âge; **4▸** (young people) jeunes *mpl*
B *modif* [*club, organization*] de jeunes; [*TV programme, magazine, theatre*] pour les jeunes *or* la jeunesse; **~ culture** culture *f* des jeunes

youthful /ˈju:θfl/ *adj* **1▸** (young) [*person, team, population*] jeune; **2▸** (typical of youth) [*enthusiasm, confusion, freedom*] de la jeunesse; **his ~ looks** *ou* **appearance** son air jeune; **she's very ~ for 65, she's a very ~ 65** elle fait très jeune pour ses 65 ans

youthfulness /ˈju:θfəlnɪs/ *n* jeunesse *f*

youth: **~ hostel** *n* auberge *f* de jeunesse; **~ hostelling** *n* randonnée *f* avec logement en auberges de jeunesse; **~ leader** ▸ **p. 1683** *n* animateur/-trice *m/f* de groupe de jeunes; **~ work** *n* travail *m* social auprès des jeunes; **~ worker** ▸ **p. 1683** *n* éducateur/-trice *m/f*

you've /ju:v/ = **you have**

yowl /jaʊl/
A *n* (of person, dog) hurlement *m*; (of cat) miaulement *m*; (of baby) braillement *m*
B *vi* [*person, dog*] hurler (**with** de); [*cat*] miauler (**with** de); [*baby*] brailler (**with** de)

yo-yo® /ˈjəʊjəʊ/
A *n* **1▸** gen yo-yo® *m*; **2▸** ○US péj (fool) abruti/-e○ *m/f*
B *modif* [*market*] instable
C ○*vi* [*prices, inflation*] fluctuer

yo-yo dieting *n* alternance *f* de perte et de gain de poids

yr *abrév écrite* = **year**

Y-shaped *adj* en (forme de) Y

YTS GB (*abrév écrite* = **Youth Training Scheme**) *programme de formation professionnelle pour les jeunes quittant le système scolaire à 16 ans*

ytterbium /ɪˈtɜ:bɪəm/ *n* ytterbium *m*

yttrium /ˈɪtrɪəm/ *n* yttrium *m*

yucca /ˈjʌkə/ *n* yucca *m*

yuck○ /jʌk/ *excl* GB berk○!

yucky○ /ˈjʌkɪ/ *adj* GB dégueulasse◑, dégoûtant

Yugoslav /ˈju:gəʊslɑ:v/ ▸ **p. 1467**, **p. 1378**
A *n* Yougoslave *mf*
B *adj* yougoslave

Yugoslavia /ˌju:gəʊˈslɑ:vɪə/ ▸ **p. 1096** *pr n* Yougoslavie *f*

Yugoslavian /ˌju:gəʊˈslɑ:vɪən/ *n, adj* = **Yugoslav**

yuk○ GB *excl* = **yuck**

yukky○ *adj* GB = **yucky**

Yukon /ˈju:kɒn/ *pr n* Yukon *m*

Yule† /ju:l/ *n* Noël *m*

Yule log *n* bûche *f* de Noël

Yuletide† /ˈju:ltaɪd/
A *n* (période *f* de) Noël *f*
B *modif* [*festivities, greetings, spirit*] de Noël

yum○ = **yummy B**

yummy○ /ˈjʌmɪ/
A *adj* délicieux/-ieuse
B *excl* miam-miam○!

yum-yum /ˌjʌmˈjʌm/ *excl* = **yummy B**

yup /jʌp/ *particle* US = **yep**

yuppie /ˈjʌpɪ/ péj
A *n* jeune cadre *m* dynamique, yuppie *m* pej
B *modif* [*image, style, fashion*] de jeune cadre dynamique, de yuppie pej

yuppie flu ▸ **p. 1327** *n* péj syndrome *m* de la fatigue chronique, encéphalomyélite *f* myalgique spec

Yvelines ▸ **p. 1129** *pr n* Yvelines *fpl*; **in/to ~** dans les Yvelines

YWCA (*abrév* = **Young Women's Christian Association**) ≈ Union *f* Chrétienne des Jeunes Femmes

Zz

z, Z /zed, US ziː/ *n* z, Z *m*
Zacharias /ˌzækəˈraɪəs/ *pr n* Zacharie
Zaire /zɑːˈɪə/ ▸ **p. 1096** *pr n* Zaïre *m*
Zairean /zɑːˈɪən/ ▸ **p. 1467**
A *n* Zaïrois/-e *m/f*
B *adj* zaïrois
Zambesi, Zambezi /zæmˈbiːzɪ/ ▸ **p. 1633** *pr n* Zambèze *m*
Zambia /ˈzæmbɪə/ ▸ **p. 1096** *pr n* Zambie *f*
Zambian /ˈzæmbɪən/ ▸ **p. 1467**
A *n* Zambien/-ienne *m/f*
B *adj* zambien/-ienne
zany /ˈzeɪnɪ/
A *n* Hist Theat bouffon *m*
B *adj* loufoque○
Zanzibar /ˌzænzɪˈbɑː/ ▸ **p. 1355** *pr n* Zanzibar *m*
zap○ /zæp/
A *n* (energy) tonus *m*
B *excl* paf!
C *vtr* (*p prés etc* **-pp-**) **1▸** (destroy) détruire [*town*]; tuer [*person, animal*]; **2▸** (fire at) tirer sur [*person*]; **3▸** (stun) assommer; **4▸** (treat) traiter; **to ~ a tumour with a laser** traiter une tumeur au laser; **to ~ food with radiation** irradier la nourriture; **5▸** Comput (delete) supprimer [*word, data*]
D *vi* (*p prés etc* **-pp-**) (move quickly) **to ~ into town/a shop** faire un saut○ en ville/dans un magasin; **to ~ from channel to channel** zapper○
zapper○ /ˈzæpə(r)/ *n* télécommande *f*
zappy○ /ˈzæpɪ/ *adj* dynamique, plein/-e d'entrain
z: Z-bed *n* GB lit *m* pliant; **Z-bend** *n* zigzag *m*
zeal /ziːl/ *n* **1▸** (fanaticism) gen zèle *m*; (religious) ferveur *f*; **2▸** (enthusiasm) ardeur *f*, zèle *m*; **~ to do** empressement *m* à faire
zealot /ˈzelət/
A *n* gen, pej fanatique *mf*
B Zealot *pr n* zélote *mf*
zealotry /ˈzelətrɪ/ *n* zèle *m*
zealous /ˈzeləs/ *adj* [*supporter, missionary*] zélé; [*determination*] acharné; **to be ~ to do** avoir très envie de faire
zealously /ˈzeləslɪ/ *adv* avec zèle
zebra /ˈzebrə, ˈziː-/ *n* zèbre *m*
zebra crossing *n* GB passage *m* (protégé) pour piétons
zebu /ˈziːbuː/ *n* zébu *m*
Zechariah /ˌzekəˈraɪə/ *pr n* Zacharie
Zen /zen/
A *n* Zen *m*
B *modif* [*Buddhism, Buddhist, philosophy*] zen
zenana /zeˈnɑːnə/ *n* zénana *f*
zenith /ˈzenɪθ/ *n* Astron zénith *m*; fig apogée *m*
zephyr /ˈzefə(r)/ *n* littér zéphyr *m*
zeppelin /ˈzepəlɪn/ *n* zeppelin *m*
zero /ˈzɪərəʊ/ ▸ **p. 1487**
A *n* gen, Math, Meteorol zéro *m*; **at/above/below ~** à/au-dessus de/au-dessous de zéro
B *modif* [*altitude, growth, inflation, voltage*] zéro *inv*; [*confidence, interest, involvement, development*] nul/nulle; **at sub-~ temperatures** à des températures en dessous de zéro
(Phrasal verb) ■ **zero in** Mil viser; **to ~ in on sth** Mil viser [*target*]; fig (pinpoint) cerner [*key issue, problem*]; se rabattre sur [*option*]; foncer droit sur [*person*]; repérer [*place*]
zero: **~-based** *adj* à base zéro; **~-emission vehicle** *n* véhicule *m* non-polluant; **~ gravity** *n* apesanteur *f*; **~ hour** *n* Mil, fig heure *f* H; **~ option** *n* option *f* zéro; **~ point** *n* zéro *m*; **~-rated** *adj* GB exempté de TVA; **~ rating** *n* GB exemption *f* de TVA
zero sum *n* somme *f* nulle; **~-sum game** jeu *m* à somme nulle
Zero tolerance *n* tolérance *f* zéro

> **Zero tolerance**
>
> L'expression désigna, dans les années 1990, l'attitude qui consistait à punir sans indulgence tous les comportements délinquants. Il s'agissait alors de lutter contre le développement de la violence. On l'emploie maintenant de façon plus large : *zero tolerance for drink-driving, zero tolerance for domestic terrorism, zero tolerance crusade against Internet abuse*, etc.

zest /zest/ *n* **1▸** (enthusiasm) entrain *m*; **a ~ for sth** un goût prononcé pour qch; **his ~ for life** sa joie de vivre; **2▸** (piquancy) piquant *m*; **to add ~ to sth** ajouter du piquant à qch; **3▸** (of citrus fruit) zeste *m*
zester /ˈzestə(r)/ *n* Culin zesteur *m*
zestful /ˈzestfʊl/ *adj* [*person, performance, participation*] plein d'entrain
zestfully /ˈzestfʊlɪ/ *adv* avec entrain
Zeus /zjuːs/ *pr n* Zeus
zigzag /ˈzɪgzæg/
A *n* zigzag *m*; **there are ~s in the road** la route fait une série de zigzags; **to run in ~s** courir en zigzag
B *modif* [*design, pattern*] à zigzags; [*route, road*] en zigzag
C *vi* (*p prés etc* **-gg-**) [*person, vehicle, road*] zigzaguer; [*river, path*] serpenter; **to ~ up/down** monter/descendre en zigzag
zilch○ /zɪltʃ/ *n* (nothing) que dalle◑, rien; **he's a real ~** c'est un zéro○
zillion○ /ˈzɪlɪən/ *n* **a ~ things, ~s of things** des millions *mpl* (et des millions) de choses
Zimbabwe /zɪmˈbɑːbwɪ, -weɪ/ ▸ **p. 1096** *pr n* Zimbabwe *m*
Zimbabwean /zɪmˈbɑːbwɪən/ ▸ **p. 1467**
A *n* Zimbabwéen/-enne *m/f*
B *adj* zimbabwéen/-enne
zimmer® /ˈzɪmə(r)/ *n* (*also* **zimmer aid, zimmer frame**) GB déambulateur *m*
zinc /zɪŋk/ *n* zinc *m*
zinc: **~ blende** *n* blende *f*; **~ chloride** *n* chlorure *m* de zinc; **~ dust** *n* limaille *f* de zinc; **~ ointment** *n* pommade *f* à l'oxyde de zinc; **~ oxide** *n* oxyde *m* de zinc; **~ sulphate** *n* sulfate *m* de zinc; **~ white** *n* = **zinc oxide**
zing○ /zɪŋ/
A *n* **1▸** (sound) sifflement *m*; **2▸** (energy) entrain *m*
B *vtr* US (strike) impressionner; fig (criticize) démolir○
C *vi* siffler
(Phrasal verb) ■ **zing along**○ US [*car*] filer○ à toute allure
zingy○ /ˈzɪŋɪ/ *adj* dynamique
zinnia /ˈzɪnɪə/ *n* zinnia *m*
Zion /ˈzaɪən/ *pr n* Sion *f*
Zionism /ˈzaɪənɪzəm/ *n* sionisme *m*
Zionist /ˈzaɪənɪst/ *n, adj* sioniste *mf*
zip /zɪp/
A *n* **1▸** (*also* **zipper, zip fastener**) fermeture *f* à glissière, fermeture *f* éclair®; **to do up/undo a ~** fermer/ouvrir une fermeture à glissière; **the ~ is stuck** la fermeture à glissière est coincée; **a side/full-length ~** une fermeture à glissière latérale/sur toute la longueur; **2▸** ○(energy) tonus *m*; **3▸** (sound) sifflement *m*; **4▸** US Post = **zip code**; **5▸** ○US (zero) zéro *m*; **to know ~ about sb/sth** savoir que dalle◑ sur qn/qch
B *vtr* (*p prés etc* **-pp-**) **1▸** (close) **to ~ sth open/shut** ouvrir/fermer la fermeture à glissière de qch; **2▸** Comput zipper, compresser [qch] au format zip
C ○*vi* (*p prés etc* **-pp-**) **to ~ along, to ~ past** filer à toute allure; **to ~ past sb/sth** dépasser qn/qch à toute allure
(Phrasal verbs) ■ **zip in**: ▸ **~ [sb] in** fermer sa fermeture à glissière à qn; **I ~ped the baby into his sleeping bag** j'ai fermé la fermeture à glissière du sac de couchage du bébé
■ **zip on**: ▸ **~ on** [*sleeve, hood*] s'attacher par une fermeture à glissière; ▸ **~ [sth] on, ~ on [sth]** remonter la fermeture à glissière de qch; **I ~ped on my anorak** j'ai remonté la fermeture à glissière de mon anorak
■ **zip through**: ▸ **~ through [sth]** **to ~ through one's book/marking** lire son livre/corriger les copies en diagonale○
■ **zip up**: [*garment, bag*] se fermer par une fermeture à glissière; **to ~ up at the back/front/side** se fermer par une fermeture à glissière dans le dos/sur le devant/sur le côté; ▸ **~ [sb /sth] up, ~ up [sb/sth]** remonter la fermeture à glissière de qn/qch; **can you ~ me up please?** tu peux me remonter ma fermeture à glissière?
zip: **~ code** *n* US Post code *m* postal; **Zip® disk** *n* disquette *f* Zip®; **Zip® drive** *n* lecteur *m* Zip®; **~ fastener** *n* = **zip**; **~ file** *n* fichier *m* zip, fichier *m* au format zip; **~-in, ~-on, ~-up** *adj* [*jacket, hood, sleeve*] à fermeture à glissière, zippé
zipper /ˈzɪpə(r)/ *n* US = **zip**
zippered /ˈzɪpəd/ *adj* US à fermeture à glissière
zippily○ /ˈzɪpɪlɪ/ *adv* [*move*] en pétant le feu○
zip pocket *n* poche *f* à fermeture à glissière, poche *f* zippée
zippy○ /ˈzɪpɪ/ *adj* [*vehicle*] qui pète le feu○
zircon /ˈzɜːkɒn/ *n* zircon *m*
zirconium /zəˈkəʊnɪəm/ *n* zirconium *m*
zit○ /zɪt/ *n* bouton *m*
zither /ˈzɪðə(r)/ ▸ **p. 1462** *n* cithare *f*
zloty /ˈzlɒtɪ/ ▸ **p. 1108** *n* zloty *m*
zodiac /ˈzəʊdɪæk/ *n* zodiaque *m*

ℹ The signs of the Zodiac

Aries		
= le Bélier	[belje]	21 mars–20 avril
Taurus		
= le Taureau	[tɔʀo]	21 avril–20 mai
Gemini		
= les Gémeaux	[ʒemo]	21 mai–21 juin
Cancer		
= le Cancer	[kɑ̃sɛʀ]	22 juin–22 juillet
Leo		
= le Lion	[ljɔ̃]	23 juillet–22 août
Virgo		
= la Vierge	[vjɛʀʒ]	23 août–22 septembre
Libra		
= la Balance	[balɑ̃s]	23 septembre–23 octobre
Scorpio		
= le Scorpion	[skɔʀpjɔ̃]	24 octobre–21 novembre
Sagittarius		
= le Sagittaire	[saʒitɛʀ]	22 novembre–21 décembre
Capricorn		
= le Capricorne	[kapʀikɔʀn]	22 décembre–19 janvier
Aquarius		
= le Verseau	[vɛʀso]	20 janvier–18 février
Pisces		
= les Poissons	[pwasɔ̃]	19 février–20 mars

I'm Leo
= je suis Lion

I'm Gemini
= je suis Gémeaux

born in Leo** or **under the sign of Leo
= né sous le signe du Lion

born in Gemini
= né sous le signe des Gémeaux

Leos/Ariens are very generous
= les Lions/les Béliers sont très généreux

what's the horoscope for Leos?
= que dit l'horoscope pour les Lions?

the sun is in Leo
= le soleil est au Lion

■ *All the signs work in the same way in French.*

zombie /'zɒmbɪ/ *n* Relig zombi(e) *m*; fig abruti/-e○ *m/f*

zonal /'zəʊnl/ *adj* [*administration*] par zone; [*boundary, organizer*] de zone; [*soil, climate*] zonal

zone /zəʊn/
A *n* (all contexts) zone *f*; **neutral/postal ~** zone neutre/postale
B *vtr* **1** (divide) diviser [qch] en zones *or* secteurs; **2** (assign) réserver; **to be ~d for enterprise/housing** être réservé à l'entreprise/au logement

zone defence *n* défense *f* de zone

zoning /'zəʊnɪŋ/ *n* (in urban planning) découpage *m* par zones, zonage *m* spec

zonk○:
(Phrasal verb) ■ **zonk out**○ s'endormir

zonked○ /zɒŋkt/ *adj* (*also* **zonked out**) (tired) crevé○; (drunk) bourré○; (on drugs) défoncé○

zonk out○ s'endormir

zoo /zu:/ *n* zoo *m*

zoo keeper ▸ p. 1683 *n* gardien/-ienne *m/f* de zoo

zoological /ˌzəʊə'lɒdʒɪkl/ *adj* zoologique

zoological gardens *n* jardins *mpl* zoologiques

zoologist /zəʊ'ɒlədʒɪst/ ▸ p. 1683 *n* zoologue *mf*, zoologiste *mf*

zoology /zəʊ'ɒlədʒɪ/ *n* zoologie *f*

zoom /zu:m/
A *n* **1** (of traffic, aircraft) vrombissement *m*, vacarme *m*; **2** Phot (*also* **~ lens**) zoom *m*
B *vi* **1** ○(move quickly) **to ~ past** passer en trombe; **I saw you ~ing past** je t'ai vu passer en trombe; **to ~ around** passer à toute vitesse dans [*streets, region*]; **the motorcyclist went ~ing off down the road** le motocycliste a démarré sur les chapeaux de roues; **he's ~ed off to Paris** il a foncé○ à Paris; **I'll just ~ out to the shop** je vais faire un saut○ au magasin; **2** ○(rocket) [*prices, profits*] monter en flèche; **3** Aviat [*plane*] monter en chandelle
(Phrasal verbs) ■ **zoom in** Cin, Phot faire un zoom (**on** sur)
■ **zoom out** Cin, Phot faire un zoom arrière

zoomorphic /ˌzəʊə'mɔ:fɪk/ *adj* zoomorphe

zoonosis /ˌzu:ə'nəʊsɪs, ˌzəʊə-/ *n* zoonose *f*

zooplankton /'zu:əʊˌplæŋktən, 'zəʊəʊ-/ *n* zooplancton *m*

zoot suit○ /zu:t/ *n* costume *m* zazou (*des années 40*)

Z-shaped *adj* en (forme de) Z

zucchini /zu:'ki:nɪ/ *n* (*pl* **~** *ou* **~s**) US courgette *f*

Zug ▸ p. 1815, p. 1771 *pr n* Zoug; **the canton of ~** le canton de Zoug

Zuider Zee /'zaɪdə 'zi:/ *pr n* Zuiderzee *m*

Zulu /'zu:lu:/ ▸ p. 1467, p. 1378
A *n* (person) Zoulou *mf*; Ling zoulou *m*
B *adj* zoulou

Zulu land *pr n* Zoul(o)uland *m*

Zurich /'zjʊərɪk/ ▸ p. 1815, p. 1376, p. 1771 *pr n* (town) Zurich; (canton) canton *m* de Zurich; **Lake ~** le lac *m* de Zurich; **the canton of ~** le canton de Zurich

zwieback /'zwi:bæk, 'tsvi:bɑ:k/ *n* US ≈ biscotte *f*

zygote /'zaɪgəʊt/ *n* zygote *m*

French verbs*

*In the following verb tables traditional spellings are given.
Verbs which may have new spellings are listed on pages xvi–xxi.

Standard verb endings

		-er	-ir	-r, -re
Indicative Present				
Singular	**1**	-e	-is	-s *or* -e
	2	-es	-is	-s *or* -es
	3	-e	-it	-t *or* -e
Plural	**1**	-ons	-(iss)ons	-ons
	2	-ez	-(iss)ez	-ez
	3	-ent	-(iss)ent	-ent
Indicative Imperfect				
Singular	**1**	-ais	-(iss)ais	-ais
	2	-ais	-(iss)ais	-ais
	3	-ait	-(iss)ait	-ait
Plural	**1**	-ions	-(iss)ions	-ions
	2	-iez	-(iss)iez	-iez
	3	-aient	-(iss)aient	-aient
Indicative Past historic				
Singular	**1**	-ai	-is	-s
	2	-as	-is	-s
	3	-a	-it	-t
Plural	**1**	-âmes	-îmes	-mes
	2	-âtes	-îtes	-tes
	3	-èrent	-irent	-rent
Indicative Future				
Singular	**1**	-erai	-rai	-rai
	2	-eras	-ras	-ras
	3	-era	-ra	-ra
Plural	**1**	-erons	-rons	-rons
	2	-erez	-rez	-rez
	3	-eront	-ront	-ront
Infinitive				
Present		-er	-ir	-r *or* -re

		-er	-ir	-r, -re
Subjunctive Present				
Singular	**1**	-e	-(iss)e	-e
	2	-es	-(iss)es	-es
	3	-e	-(iss)e	-e
Plural	**1**	-ions	-(iss)ions	-ions
	2	-iez	-(iss)iez	-iez
	3	-ent	-(iss)ent	-ent
Subjunctive Imperfect				
Singular	**1**	-asse	-sse	-sse
	2	-asses	-sses	-sses
	3	-ât	-ît	-ît *or* -ût
Plural	**1**	-assions	-ssions	-ssions
	2	-assiez	-ssiez	-ssiez
	3	-assent	-issent	-ssent
Imperative Present				
Singular	**2**	-e	-s	-s
Plural	**1**	-ons	-(iss)ons	-ons
	2	-ez	-(iss)ez	-ez
Conditional Present				
Singular	**1**	-erais	-rais	-rais
	2	-erais	-rais	-rais
	3	-erait	-rait	-rait
Plural	**1**	-erions	-rions	-rions
	2	-eriez	-riez	-riez
	3	-eraient	-raient	-raient
Participle				
Present		-ant	-(iss)ant	-ant
Past		-é	-i	-i *or* -u

1 aimer

Indicative

Present	
j'	aime
tu	aim**es**
il	aime
nous	aim**ons**
vous	aim**ez**
ils	aim**ent**

Imperfect	
j'	aim**ais**
tu	aim**ais**
il	aim**ait**
nous	aim**ions**
vous	aim**iez**
ils	aim**aient**

Past historic	
j'	aim**ai**
tu	aim**as**
il	aim**a**
nous	aim**âmes**
vous	aim**âtes**
ils	aim**èrent**

Future	
j'	aim**erai**
tu	aim**eras**
il	aim**era**
nous	aim**erons**
vous	aim**erez**
ils	aim**eront**

Perfect		
j'	ai	**aimé**
tu	as	**aimé**
il	a	**aimé**
nous	avons	**aimé**
vous	avez	**aimé**
ils	ont	**aimé**

Pluperfect		
j'	avais	**aimé**
tu	avais	**aimé**
il	avait	**aimé**
nous	avions	**aimé**
vous	aviez	**aimé**
ils	avaient	**aimé**

Past anterior		
j'	eus	**aimé**
tu	eus	**aimé**
il	eut	**aimé**
nous	eûmes	**aimé**
vous	eûtes	**aimé**
ils	eurent	**aimé**

Future perfect		
j'	aurai	**aimé**
tu	auras	**aimé**
il	aura	**aimé**
nous	aurons	**aimé**
vous	aurez	**aimé**
ils	auront	**aimé**

Imperative

Present		
	aime	
	aim**ons**	
	aim**ez**	
Past	aie	aimé
	ayons	aimé
	ayez	aimé

Subjunctive

Present	
(que) j'	aime
(que) tu	aim**es**
(qu')il	aime
(que) nous	aim**ions**
(que) vous	aim**iez**
(qu')ils	aim**ent**

Imperfect	
(que) j'	aim**asse**
(que) tu	aim**asses**
(qu')il	aim**ât**
(que) nous	aim**assions**
(que) vous	aim**assiez**
(qu')ils	aim**assent**

Perfect		
(que) j'	aie	**aimé**
(que) tu	aies	**aimé**
(qu')il	ait	**aimé**
(que) nous	ayons	**aimé**
(que) vous	ayez	**aimé**
(qu')ils	aient	**aimé**

Pluperfect		
(que) j'	eusse	**aimé**
(que) tu	eusses	**aimé**
(qu')il	eût	**aimé**
(que) nous	eussions	**aimé**
(que) vous	eussiez	**aimé**
(qu')ils	eussent	**aimé**

Conditional

Present	
j'	aim**erais**
tu	aim**erais**
il	aim**erait**
nous	aim**erions**
vous	aim**eriez**
ils	aim**eraient**

Past I		
j'	aurais	**aimé**
tu	aurais	**aimé**
il	aurait	**aimé**
nous	aurions	**aimé**
vous	auriez	**aimé**
ils	auraient	**aimé**

Past II		
j'	eusse	**aimé**
tu	eusses	**aimé**
il	eût	**aimé**
nous	eussions	**aimé**
vous	eussiez	**aimé**
ils	eussent	**aimé**

Participle

Present	aim**ant**
Past	**aimé, -e** ayant **aimé**

Infinitive

Present	aim**er**
Past	avoir aimé

2 plier

Indicative

Present	
je	plie
tu	pli**es**
il	plie
nous	pli**ons**
vous	pli**ez**
ils	pli**ent**

Imperfect	
je	pli**ais**
tu	pli**ais**
il	pli**ait**
nous	pli**ions**
vous	pli**iez**
ils	pli**aient**

Past historic	
je	pli**ai**
tu	pli**as**
il	pli**a**
nous	pli**âmes**
vous	pli**âtes**
ils	pli**èrent**

Future	
je	pli**erai**
tu	pli**eras**
il	pli**era**
nous	pli**erons**
vous	pli**erez**
ils	pli**eront**

Perfect		
j'	ai	**plié**
tu	as	**plié**
il	a	**plié**
nous	avons	**plié**
vous	avez	**plié**
ils	ont	**plié**

Pluperfect		
j'	avais	**plié**
tu	avais	**plié**
il	avait	**plié**
nous	avions	**plié**
vous	aviez	**plié**
ils	avaient	**plié**

Past anterior		
j'	eus	**plié**
tu	eus	**plié**
il	eut	**plié**
nous	eûmes	**plié**
vous	eûtes	**plié**
ils	eurent	**plié**

Future perfect		
j'	aurai	**plié**
tu	auras	**plié**
il	aura	**plié**
nous	aurons	**plié**
vous	aurez	**plié**
ils	auront	**plié**

Imperative

Present		
	plie	
	pli**ons**	
	pli**ez**	
Past	aie	plié
	ayons	plié
	ayez	plié

Subjunctive

Present	
(que) je	plie
(que) tu	pli**es**
(qu')il	plie
(que) nous	pli**ions**
(que) vous	pli**iez**
(qu')ils	pli**ent**

Imperfect	
(que) je	pli**asse**
(que) tu	pli**asses**
(qu')il	pli**ât**
(que) nous	pli**assions**
(que) vous	pli**assiez**
(qu')ils	pli**assent**

Perfect		
(que) j'	aie	**plié**
(que) tu	aies	**plié**
(qu')il	ait	**plié**
(que) nous	ayons	**plié**
(que) vous	ayez	**plié**
(qu')ils	aient	**plié**

Pluperfect		
(que) j'	eusse	**plié**
(que) tu	eusses	**plié**
(qu')il	eût	**plié**
(que) nous	eussions	**plié**
(que) vous	eussiez	**plié**
(qu')ils	eussent	**plié**

Conditional

Present	
je	pli**erais**
tu	pli**erais**
il	pli**erait**
nous	pli**erions**
vous	pli**eriez**
ils	pli**eraient**

Past I		
j'	aurais	**plié**
tu	aurais	**plié**
il	aurait	**plié**
nous	aurions	**plié**
vous	auriez	**plié**
ils	auraient	**plié**

Past II		
j'	eusse	**plié**
tu	eusses	**plié**
il	eût	**plié**
nous	eussions	**plié**
vous	eussiez	**plié**
ils	eussent	**plié**

Participle

Present	pli**ant**
Past	**plié, -e** ayant **plié**

Infinitive

Present	pli**er**
Past	avoir plié

3 finir

Indicative

Present
je fin**is**
tu fin**is**
il fin**it**
nous fin**issons**
vous fin**issez**
ils fin**issent**

Imperfect
je fin**issais**
tu fin**issais**
il fin**issait**
nous fin**issions**
vous fin**issiez**
ils fin**issaient**

Past historic
je fin**is**
tu fin**is**
il fin**it**
nous fin**îmes**
vous fin**îtes**
ils fin**irent**

Future
je fin**irai**
tu fin**iras**
il fin**ira**
nous fin**irons**
vous fin**irez**
ils fin**iront**

Perfect
j' ai fini
tu as fini
il a fini
nous avons fini
vous avez fini
ils ont fini

Pluperfect
j' avais fini
tu avais fini
il avait fini
nous avions fini
vous aviez fini
ils avaient fini

Past anterior
j' eus fini
tu eus fini
il eut fini
nous eûmes fini
vous eûtes fini
ils eurent fini

Future perfect
j' aurai fini
tu auras fini
il aura fini
nous aurons fini
vous aurez fini
ils auront fini

Imperative

Present fin**is**
fin**issons**
fin**issez**

Past aie fini
ayons fini
ayez fini

Subjunctive

Present
(que) je fin**isse**
(que) tu fin**isses**
(qu')il fin**isse**
(que) nous fin**issions**
(que) vous fin**issiez**
(qu')ils fin**issent**

Imperfect
(que) je fin**isse**
(que) tu fin**isses**
(qu')il fin**ît**
(que) nous fin**issions**
(que) vous fin**issiez**
(qu')ils fin**issent**

Perfect
(que) j' aie fini
(que) tu aies fini
(qu')il ait fini
(que) nous ayons fini
(que) vous ayez fini
(qu')ils aient fini

Pluperfect
(que) j' eusse fini
(que) tu eusses fini
(qu')il eût fini
(que) nous eussions fini
(que) vous eussiez fini
(qu')ils eussent fini

Conditional

Present
je fin**irais**
tu fin**irais**
il fin**irait**
nous fin**irions**
vous fin**iriez**
ils fin**iraient**

Past I
j' aurais fini
tu aurais fini
il aurait fini
nous aurions fini
vous auriez fini
ils auraient fini

Past II
j' eusse fini
tu eusses fini
il eût fini
nous eussions fini
vous eussiez fini
ils eussent fini

Participle

Present fin**issant**

Past fini, -e
ayant fini

Infinitive

Present finir

Past avoir fini

4 offrir

Indicative

Present
j' off**re**
tu off**res**
il off**re**
nous off**rons**
vous off**rez**
ils off**rent**

Imperfect
j' off**rais**
tu off**rais**
il off**rait**
nous off**rions**
vous off**riez**
ils off**raient**

Past historic
j' off**ris**
tu off**ris**
il off**rit**
nous off**rîmes**
vous off**rîtes**
ils off**rirent**

Future
j' off**rirai**
tu off**riras**
il off**rira**
nous off**rirons**
vous off**rirez**
ils off**riront**

Perfect
j' ai offert
tu as offert
il a offert
nous avons offert
vous avez offert
ils ont offert

Pluperfect
j' avais offert
tu avais offert
il avait offert
nous avions offert
vous aviez offert
ils avaient offert

Past anterior
j' eus offert
tu eus offert
il eut offert
nous eûmes offert
vous eûtes offert
ils eurent offert

Future perfect
j' aurai offert
tu auras offert
il aura offert
nous aurons offert
vous aurez offert
ils auront offert

Imperative

Present off**re**
off**rons**
off**rez**

Past aie offert
ayons offert
ayez offert

Subjunctive

Present
(que) j' off**re**
(que) tu off**res**
(qu')il off**re**
(que) nous off**rions**
(que) vous off**riez**
(qu')ils off**rent**

Imperfect
(que) j' off**risse**
(que) tu off**risses**
(qu')il off**rît**
(que) nous off**rissions**
(que) vous off**rissiez**
(qu')ils off**rissent**

Perfect
(que) j' aie offert
(que) tu aies offert
(qu')il ait offert
(que) nous ayons offert
(que) vous ayez offert
(qu')ils aient offert

Pluperfect
(que) j' eusse offert
(que) tu eusses offert
(qu')il eût offert
(que) nous eussions offert
(que) vous eussiez offert
(qu')ils eussent offert

Conditional

Present
j' off**rirais**
tu off**rirais**
il off**rirait**
nous off**ririons**
vous off**ririez**
ils off**riraient**

Past I
j' aurais offert
tu aurais offert
il aurait offert
nous aurions offert
vous auriez offert
ils auraient offert

Past II
j' eusse offert
tu eusses offert
il eût offert
nous eussions offert
vous eussiez offert
ils eussent offert

Participle

Present off**rant**

Past offert, -e
ayant offert

Infinitive

Present off**rir**

Past avoir offert

5 recevoir

Indicative

Present

je	**reçois**
tu	**reçois**
il	**reçoit**
nous	rec**evons**
vous	rec**evez**
ils	**reçoivent**

Imperfect

je	rec**evais**
tu	rec**evais**
il	rec**evait**
nous	rec**evions**
vous	rec**eviez**
ils	rec**evaient**

Past historic

je	**reçus**
tu	**reçus**
il	**reçut**
nous	**reçûmes**
vous	**reçûtes**
ils	**reçurent**

Future

je	rec**evrai**
tu	rec**evras**
il	rec**evra**
nous	rec**evrons**
vous	rec**evrez**
ils	rec**evront**

Perfect

j'	ai	reç**u**
tu	as	reç**u**
il	a	reç**u**
nous	avons	reç**u**
vous	avez	reç**u**
ils	ont	reç**u**

Pluperfect

j'	avais	reç**u**
tu	avais	reç**u**
il	avait	reç**u**
nous	avions	reç**u**
vous	aviez	reç**u**
ils	avaient	reç**u**

Past anterior

j'	eus	reç**u**
tu	eus	reç**u**
il	eut	reç**u**
nous	eûmes	reç**u**
vous	eûtes	reç**u**
ils	eurent	reç**u**

Future perfect

j'	aurai	reç**u**
tu	auras	reç**u**
il	aura	reç**u**
nous	aurons	reç**u**
vous	aurez	reç**u**
ils	auront	reç**u**

Imperative

Present	reç**ois**	
	rec**evons**	
	rec**evez**	
Past	aie	reç**u**
	ayons	reç**u**
	ayez	reç**u**

Subjunctive

Present

(que) je	reç**oive**
(que) tu	reç**oives**
(qu')il	reç**oive**
(que) nous	rec**evions**
(que) vous	rec**eviez**
(qu')ils	reç**oivent**

Imperfect

(que) je	reç**usse**
(que) tu	reç**usses**
(qu')il	reç**ût**
(que) nous	reç**ussions**
(que) vous	reç**ussiez**
(qu')ils	reç**ussent**

Perfect

(que) j'	aie	reç**u**
(que) tu	aies	reç**u**
(qu')il	ait	reç**u**
(que) nous	ayons	reç**u**
(que) vous	ayez	reç**u**
(qu')ils	aient	reç**u**

Pluperfect

(que) j'	eusse	reç**u**
(que) tu	eusses	reç**u**
(qu')il	eût	reç**u**
(que) nous	eussions	reç**u**
(que) vous	eussiez	reç**u**
(qu')ils	eussent	reç**u**

Conditional

Present

je	rec**evrais**
tu	rec**evrais**
il	rec**evrait**
nous	rec**evrions**
vous	rec**evriez**
ils	rec**evraient**

Past I

j'	aurais	reç**u**
tu	aurais	reç**u**
il	aurait	reç**u**
nous	aurions	reç**u**
vous	auriez	reç**u**
ils	auraient	reç**u**

Past II

j'	eusse	reç**u**
tu	eusses	reç**u**
il	eût	reç**u**
nous	eussions	reç**u**
vous	eussiez	reç**u**
ils	eussent	reç**u**

Participle

Present	rec**evant**
Past	reç**u, e**
	ayant reç**u**

Infinitive

Present	rec**evoir**
Past	avoir reç**u**

6 rendre

Indicative

Present

je	rend**s**
tu	rend**s**
il	rend
nous	rend**ons**
vous	rend**ez**
ils	rend**ent**

Imperfect

je	rend**ais**
tu	rend**ais**
il	rend**ait**
nous	rend**ions**
vous	rend**iez**
ils	rend**aient**

Past historic

je	rend**is**
tu	rend**is**
il	rend**it**
nous	rend**îmes**
vous	rend**îtes**
ils	rend**irent**

Future

je	rend**rai**
tu	rend**ras**
il	rend**ra**
nous	rend**rons**
vous	rend**rez**
ils	rend**ront**

Perfect

j'	ai	rend**u**
tu	as	rend**u**
il	a	rend**u**
nous	avons	rend**u**
vous	avez	rend**u**
ils	ont	rend**u**

Pluperfect

j'	avais	rend**u**
tu	avais	rend**u**
il	avait	rend**u**
nous	avions	rend**u**
vous	aviez	rend**u**
ils	avaient	rend**u**

Past anterior

j'	eus	rend**u**
tu	eus	rend**u**
il	eut	rend**u**
nous	eûmes	rend**u**
vous	eûtes	rend**u**
ils	eurent	rend**u**

Future perfect

j'	aurai	rend**u**
tu	auras	rend**u**
il	aura	rend**u**
nous	aurons	rend**u**
vous	aurez	rend**u**
ils	auront	rend**u**

Imperative

Present	rend**s**	
	rend**ons**	
	rend**ez**	
Past	aie	rend**u**
	ayons	rend**u**
	ayez	rend**u**

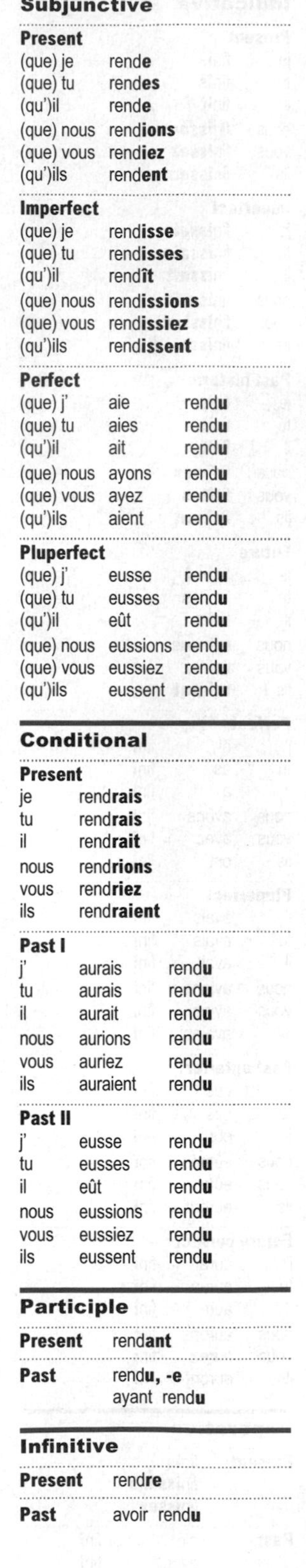

Subjunctive

Present

(que) je	rend**e**
(que) tu	rend**es**
(qu')il	rend**e**
(que) nous	rend**ions**
(que) vous	rend**iez**
(qu')ils	rend**ent**

Imperfect

(que) je	rend**isse**
(que) tu	rend**isses**
(qu')il	rend**ît**
(que) nous	rend**issions**
(que) vous	rend**issiez**
(qu')ils	rend**issent**

Perfect

(que) j'	aie	rend**u**
(que) tu	aies	rend**u**
(qu')il	ait	rend**u**
(que) nous	ayons	rend**u**
(que) vous	ayez	rend**u**
(qu')ils	aient	rend**u**

Pluperfect

(que) j'	eusse	rend**u**
(que) tu	eusses	rend**u**
(qu')il	eût	rend**u**
(que) nous	eussions	rend**u**
(que) vous	eussiez	rend**u**
(qu')ils	eussent	rend**u**

Conditional

Present

je	rend**rais**
tu	rend**rais**
il	rend**rait**
nous	rend**rions**
vous	rend**riez**
ils	rend**raient**

Past I

j'	aurais	rend**u**
tu	aurais	rend**u**
il	aurait	rend**u**
nous	aurions	rend**u**
vous	auriez	rend**u**
ils	auraient	rend**u**

Past II

j'	eusse	rend**u**
tu	eusses	rend**u**
il	eût	rend**u**
nous	eussions	rend**u**
vous	eussiez	rend**u**
ils	eussent	rend**u**

Participle

Present	rend**ant**
Past	rend**u, -e**
	ayant rend**u**

Infinitive

Present	rend**re**
Past	avoir rend**u**

7 être

Indicative

Present

je	suis
tu	es
il	est
nous	sommes
vous	êtes
ils	sont

Imperfect

j'	étais
tu	étais
il	était
nous	étions
vous	étiez
ils	étaient

Past historic

je	fus
tu	fus
il	fut
nous	fûmes
vous	fûtes
ils	furent

Future

je	serai
tu	seras
il	sera
nous	serons
vous	serez
ils	seront

Perfect

j'	ai	été
tu	as	été
il	a	été
nous	avons	été
vous	avez	été
ils	ont	été

Pluperfect

j'	avais	été
tu	avais	été
il	avait	été
nous	avions	été
vous	aviez	été
ils	avaient	été

Past anterior

j'	eus	été
tu	eus	été
il	eut	été
nous	eûmes	été
vous	eûtes	été
ils	eurent	été

Future perfect

j'	aurai	été
tu	auras	été
il	aura	été
nous	aurons	été
vous	aurez	été
ils	auront	été

Imperative

Present	sois	
	soyons	
	soyez	
Past	aie	été
	ayons	été
	ayez	été

Subjunctive

Present

(que) je	sois
(que) tu	sois
(qu')il	soit
(que) nous	soyons
(que) vous	soyez
(qu')ils	soient

Imperfect

(que) je	fusse
(que) tu	fusses
(qu')il	fût
(que) nous	fussions
(que) vous	fussiez
(qu')ils	fussent

Perfect

(que) j'	aie	été
(que) tu	aies	été
(qu')il	ait	été
(que) nous	ayons	été
(que) vous	ayez	été
(qu')ils	aient	été

Pluperfect

(que) j'	eusse	été
(que) tu	eusses	été
(qu')il	eût	été
(que) nous	eussions	été
(que) vous	eussiez	été
(qu')ils	eussent	été

Conditional

Present

je	serais
tu	serais
il	serait
nous	serions
vous	seriez
ils	seraient

Past I

j'	aurais	été
tu	aurais	été
il	aurait	été
nous	aurions	été
vous	auriez	été
ils	auraient	été

Past II

j'	eusse	été
tu	eusses	été
il	eût	été
nous	eussions	été
vous	eussiez	été
ils	eussent	été

Participle

Present	étant
Past	été (invariable)
	ayant été

Infinitive

Present	être
Past	avoir été

8 avoir

Indicative

Present

j'	ai
tu	as
il	a
nous	avons
vous	avez
ils	ont

Imperfect

j'	avais
tu	avais
il	avait
nous	avions
vous	aviez
ils	avaient

Past historic

j'	eus
tu	eus
il	eut
nous	eûmes
vous	eûtes
ils	eurent

Future

j'	aurai
tu	auras
il	aura
nous	aurons
vous	aurez
ils	auront

Perfect

j'	ai	eu
tu	as	eu
il	a	eu
nous	avons	eu
vous	avez	eu
ils	ont	eu

Pluperfect

j'	avais	eu
tu	avais	eu
il	avait	eu
nous	avions	eu
vous	aviez	eu
ils	avaient	eu

Past anterior

j'	eus	eu
tu	eus	eu
il	eut	eu
nous	eûmes	eu
vous	eûtes	eu
ils	eurent	eu

Future perfect

j'	aurai	eu
tu	auras	eu
il	aura	eu
nous	aurons	eu
vous	aurez	eu
ils	auront	eu

Imperative

Present	aie	
	ayons	
	ayez	
Past	aie	eu
	ayons	eu
	ayez	eu

Subjunctive

Present

(que) j'	aie
(que) tu	aies
(qu')il	ait
(que) nous	ayons
(que) vous	ayez
(qu')ils	aient

Imperfect

(que) j'	eusse
(que) tu	eusses
(qu')il	eût
(que) nous	eussions
(que) vous	eussiez
(qu')ils	eussent

Perfect

(que) j'	aie	eu
(que) tu	aies	eu
(qu')il	ait	eu
(que) nous	ayons	eu
(que) vous	ayez	eu
(qu')ils	aient	eu

Pluperfect

(que) j'	eusse	eu
(que) tu	eusses	eu
(qu')il	eût	eu
(que) nous	eussions	eu
(que) vous	eussiez	eu
(qu')ils	eussent	eu

Conditional

Present

j'	aurais
tu	aurais
il	aurait
nous	aurions
vous	auriez
ils	auraient

Past I

j'	aurais	eu
tu	aurais	eu
il	aurait	eu
nous	aurions	eu
vous	auriez	eu
ils	auraient	eu

Past II

j'	eusse	eu
tu	eusses	eu
il	eût	eu
nous	eussions	eu
vous	eussiez	eu
ils	eussent	eu

Participle

Present	ayant
Past	eu, -e
	ayant eu

Infinitive

Present	avoir
Past	avoir eu

9 aller

Indicative

Present

je	vais
tu	vas
il	va
nous	allons
vous	allez
ils	vont

Imperfect

j'	all**ais**
tu	all**ais**
il	all**ait**
nous	all**ions**
vous	all**iez**
ils	all**aient**

Past historic

j'	all**ai**
tu	all**as**
il	all**a**
nous	all**âmes**
vous	all**âtes**
ils	all**èrent**

Future

j'	**irai**
tu	**iras**
il	**ira**
nous	**irons**
vous	**irez**
ils	**iront**

Perfect

je	suis	all**é**
tu	es	all**é**
il	est	all**é**
nous	sommes	all**és**
vous	êtes	all**és**
ils	sont	all**és**

Pluperfect

j'	étais	all**é**
tu	étais	all**é**
il	était	all**é**
nous	étions	all**és**
vous	étiez	all**és**
ils	étaient	all**és**

Past anterior

je	fus	all**é**
tu	fus	all**é**
il	fut	all**é**
nous	fûmes	all**és**
vous	fûtes	all**és**
ils	furent	all**és**

Future perfect

je	serai	all**é**
tu	seras	all**é**
il	sera	all**é**
nous	serons	all**és**
vous	serez	all**és**
ils	seront	all**és**

Imperative

Present	**va**	
	allons	
	allez	
Past	sois	all**é**
	soyons	all**és**
	soyez	all**és**

Subjunctive

Present

(que) j'	ai**lle**
(que) tu	ai**lles**
(qu')il	ai**lle**
(que) nous	al**lions**
(que) vous	al**liez**
(qu')ils	ail**lent**

Imperfect

(que) j'	allasse
(que) tu	allasses
(qu')il	all**ât**
(que) nous	allass**ions**
(que) vous	allass**iez**
(qu')ils	allass**ent**

Perfect

(que) je	sois	all**é**
(que) tu	sois	all**é**
(qu')il	soit	all**é**
(que) nous	soyons	all**és**
(que) vous	soyez	all**és**
(qu')ils	soient	all**és**

Pluperfect

(que) je	fusse	all**é**
(que) tu	fusses	all**é**
(qu')il	fût	all**é**
(que) nous	fussions	all**és**
(que) vous	fussiez	all**és**
(qu')ils	fussent	all**és**

Conditional

Present

j'	**irais**
tu	**irais**
il	**irait**
nous	**irions**
vous	**iriez**
ils	**iraient**

Past I

je	serais	all**é**
tu	serais	all**é**
il	serait	all**é**
nous	serions	all**és**
vous	seriez	all**és**
ils	seraient	all**és**

Past II

je	fusse	all**é**
tu	fusses	all**é**
il	fût	all**é**
nous	fussions	all**és**
vous	fussiez	all**és**
ils	fussent	all**és**

Participle

Present	all**ant**
Past	all**é, -e**
	étant all**é**

Infinitive

Present	aller
Past	être all**é**

10 faire

Indicative

Present

je	fais
tu	fais
il	fait
nous	faisons
vous	faites
ils	font

Imperfect

je	fais**ais**
tu	fais**ais**
il	fais**ait**
nous	fais**ions**
vous	fais**iez**
ils	fais**aient**

Past historic

je	fis
tu	fis
il	fit
nous	fîmes
vous	fîtes
ils	firent

Future

je	fer**ai**
tu	fer**as**
il	fer**a**
nous	fer**ons**
vous	fer**ez**
ils	fer**ont**

Perfect

j'	ai	fait
tu	as	fait
il	a	fait
nous	avons	fait
vous	avez	fait
ils	ont	fait

Pluperfect

j'	avais	fait
tu	avais	fait
il	avait	fait
nous	avions	fait
vous	aviez	fait
ils	avaient	fait

Past anterior

j'	eus	fait
tu	eus	fait
il	eut	fait
nous	eûmes	fait
vous	eûtes	fait
ils	eurent	fait

Future perfect

j'	aurai	fait
tu	auras	fait
il	aura	fait
nous	aurons	fait
vous	aurez	fait
ils	auront	fait

Imperative

Present	fais	
	faisons	
	faites	
Past	aie	fait
	ayons	fait
	ayez	fait

Subjunctive

Present

(que) je	fasse
(que) tu	fass**es**
(qu')il	fasse
(que) nous	fass**ions**
(que) vous	fass**iez**
(qu')ils	fass**ent**

Imperfect

(que) je	**fisse**
(que) tu	**fisses**
(qu')il	**fît**
(que) nous	**fissions**
(que) vous	**fissiez**
(qu')ils	**fissent**

Perfect

(que) j'	aie	fait
(que) tu	aies	fait
(qu')il	ait	fait
(que) nous	ayons	fait
(que) vous	ayez	fait
(qu')ils	aient	fait

Pluperfect

(que) j'	eusse	fait
(que) tu	eusses	fait
(qu')il	eût	fait
(que) nous	eussions	fait
(que) vous	eussiez	fait
(qu')ils	eussent	fait

Conditional

Present

je	fer**ais**
tu	fer**ais**
il	fer**ait**
nous	fer**ions**
vous	fer**iez**
ils	fer**aient**

Past I

j'	aurais	fait
tu	aurais	fait
il	aurait	fait
nous	aurions	fait
vous	auriez	fait
ils	auraient	fait

Past II

j'	eusse	fait
tu	eusses	fait
il	eût	fait
nous	eussions	fait
vous	eussiez	fait
ils	eussent	fait

Participle

Present	faisant
Past	fait, -e
	ayant fait

Infinitive

Present	faire
Past	avoir fait

PASSIVE **être aimé**

Indicative

Present
je suis aimé
tu es aimé
il est aimé
nous sommes aimés
vous êtes aimés
ils sont aimés

Imperfect
j' étais aimé
tu étais aimé
il était aimé
nous étions aimés
vous étiez aimés
ils étaient aimés

Past historic
je fus aimé
tu fus aimé
il fut aimé
nous fûmes aimés
vous fûtes aimés
ils furent aimés

Future
je serai aimé
tu seras aimé
il sera aimé
nous serons aimés
vous serez aimés
ils seront aimés

Perfect
j' ai été aimé
tu as été aimé
il a été aimé
nous avons été aimés
vous avez été aimés
ils ont été aimés

Pluperfect
j' avais été aimé
tu avais été aimé
il avait été aimé
nous avions été aimés
vous aviez été aimés
ils avaient été aimés

Past anterior
j' eus été aimé
tu eus été aimé
il eut été aimé
nous eûmes été aimés
vous eûtes été aimés
ils eurent été aimés

Future perfect
j' aurai été aimé
tu auras été aimé
il aura été aimé
nous aurons été aimés
vous aurez été aimés
ils auront été aimés

Imperative

Present sois aimé
soyons aimés
soyez aimés

Past *(obsolete)*

Subjunctive

Present
(que) je sois aimé
(que) tu sois aimé
(qu')il soit aimé
(que) nous soyons aimés
(que) vous soyez aimés
(qu')ils soient aimés

Imperfect
(que) je fusse aimé
(que) tu fusses aimé
(qu')il fût aimé
(que) nous fussions aimés
(que) vous fussiez aimés
(qu')ils fussent aimés

Perfect
(que) j' aie été aimé
(que) tu aies été aimé
(qu')il ait été aimé
(que) nous ayons été aimés
(que) vous ayez été aimés
(qu')ils aient été aimés

Pluperfect
(que) j' eusse été aimé
(que) tu eusses été aimé
(qu')il eût été aimé
(que) nous eussions été aimés
(que) vous eussiez été aimés
(qu')ils eussent été aimés

Conditional

Present
je serais aimé
tu serais aimé
il serait aimé
nous serions aimés
vous seriez aimés
ils seraient aimés

Past I
j' aurais été aimé
tu aurais été aimé
il aurait été aimé
nous aurions été aimés
vous auriez été aimés
ils auraient été aimés

Past II
j' eusse été aimé
tu eusses été aimé
il eût été aimé
nous eussions été aimés
vous eussiez été aimés
ils eussent été aimés

Participle

Present étant aimé
Past été aimé
ayant été aimé

Infinitive

Present être aimé
Past avoir été aimé

REFLEXIVE **s'adonner**

Indicative

Present
je m' adonne
tu t' adonn**es**
il s' adonne
nous nous adonn**ons**
vous vous adonn**ez**
ils s' adonn**ent**

Imperfect
je m' adonn**ais**
tu t' adonn**ais**
il s' adonn**ait**
nous nous adonn**ions**
vous vous adonn**iez**
ils s' adonn**aient**

Past historic
je m' adonn**ai**
tu t' adonn**as**
il s' adonn**a**
nous nous adonn**âmes**
vous vous adonn**âtes**
ils s' adonn**èrent**

Future
je m' adonne**rai**
tu t' adonne**ras**
il s' adonne**ra**
nous nous adonne**rons**
vous vous adonne**rez**
ils s' adonne**ront**

Perfect
je me suis adonné
tu t' es adonné
il s' est adonné
nous nous sommes adonnés
vous vous êtes adonnés
ils se sont adonnés

Pluperfect
je m' étais adonné
tu t' étais adonné
il s' était adonné
nous nous étions adonnés
vous vous étiez adonnés
ils s' étaient adonnés

Past anterior
je me fus adonné
tu te fus adonné
il se fut adonné
nous nous fûmes adonnés
vous vous fûtes adonnés
ils se furent adonnés

Future perfect
je me serai adonné
tu te seras adonné
il se sera adonné
nous nous serons adonnés
vous vous serez adonnés
ils se seront adonnés

Imperative

Present adonne-toi
adonn**ons**-nous
adonn**ez**-vous

Past *(obsolete)*

Subjunctive

Present
(que) je m' adonne
(que) tu t' adonn**es**
(qu')il s' adonne
(que) nous nous adonn**ions**
(que) vous vous adonn**iez**
(qu')ils s' adonn**ent**

Imperfect
(que) je m' adonn**asse**
(que) tu t' adonn**asses**
(qu')il s' adonn**ât**
(que) nous nous adonn**assions**
(que) vous vous adonn**assiez**
(qu')ils s' adonn**assent**

Perfect
(que) je me sois adonné
(que) tu te sois adonné
(qu')il se soit adonné
(que) ns ns soyons adonnés
(que) vs vs soyez adonnés
(qu')ils se soient adonnés

Pluperfect
(que) je me fusse adonné
(que) tu te fusses adonné
(qu')il se fût adonné
(que) ns ns fussions adonnés
(que) vs vs fussiez adonnés
(qu')ils se fussent adonnés

Conditional

Present
je m' adonne**rais**
tu t' adonne**rais**
il s' adonne**rait**
nous nous adonne**rions**
vous vous adonne**riez**
ils s' adonne**raient**

Past I
je me serais adonné
tu te serais adonné
il se serait adonné
nous nous serions adonnés
vous vous seriez adonnés
ils se seraient adonnés

Past II
je me fusse adonné
tu te fusses adonné
il se fût adonné
nous nous fussions adonnés
vous vous fussiez adonnés
ils se fussent adonnés

Participle

Present s'adonn**ant**
Past s'étant adonné

Infinitive

Present s'adonner
Past s'être adonné

Infinitive		Indicative			
	Rules	Present	Imperfect	Past Historic	Future
11 créer	*always* é	je crée, -es, -e, -ent nous créons, -ez	je créais …	je créai …	je créerai …
12 placer	c	je place, -es, -e, -ez, -ent	nous placions, -iez	ils placèrent	je placerai …
	ç *before* a *and* o	nous plaçons	je plaçais, -ais, -ait, -aient	je plaçai, -as, -a, -âmes, -âtes	
13 manger	g	je mange, -es, -e, -ez, -ent	nous mangions, -iez	ils mangèrent	je mangerai …
	ge *before* a *and* o	nous mangeons	je mangeais, -eais, -eait, -eaient	je mangeai, -as, -a, -âmes, -âtes	
14 céder	è *before silent final syllable*	je cède, -es, -e, -ent			
	é	nous cédons, -ez	je cédais …	je cédai …	je céderai …
15 assiéger	è *before silent final syllable*	j'assiège, -es, -e, -ent			
	ge *before* a *and* o	nous assiégeons	j'assiégeais, -eais, -eait, -eaient	j'assiégeai	
	é *before silent syllable*				j'assiégerai …
16 lever	è *before silent syllable*	je lève, -es, -e, -ent			je lèverai …
	e	nous levons, -ez	je levais …	je levai …	
17 geler	è *before silent syllable*	je gèle, -es, -e, -ent			je gèlerai …
	e	nous gelons, -ez	je gelais …	je gelai …	
18 acheter	è *before silent syllable*	j'achète, -es, -e, -ent			j'achèterai …
	e	nous achetons, -ez	j'achetais …	j'achetai …	
19 appeler	ll *before mute* e	j'appelle, -es, -e, -ent			j'appellerai …
	l	nous appelons, -ez	j'appelais …	j'appelai …	
20 jeter	tt *before mute* e	je jette, -es, -e, -ent			je jetterai …
	t	nous jetons, -ez	je jetais …	je jetai …	
21 payer	i *before mute* e	je paie, -es, -e, -ent			je paierai …
	or y	je paye, -es, -e, -ent nous payons, -ez	je payais, nous payions,-iez	je payai …	je payerai …

Conditional	Subjunctive		Imperative	Participle		
Present	Present	Imperfect		Present	Past	
je créerais …	que je crée …	que je créasse …	crée	créant	créé, -e	11
			créons, -ez			
je placerais …	que je place …		place, -ez		placé, -e	12
		que je plaçasse …	plaçons	plaçant		
je mangerais …	que je mange …		mange, -ez		mangé, -e	13
		que je mangeasse …	mangeons	mangeant		
	que je cède, -es, -e, -ent		cède			14
je céderais …	que nous cédions, -iez	que je cédasse …	cédons, -ez	cédant	cédé, -e	
	que j'assiège …		assiège			15
j'assiégerais …	que nous assiégions , -iez	que j'assiégeasse …	assiégeons, -ez	assiégeant	assiégé, -e	
je lèverais …	que je lève, -es, -e, -ent		lève			16
	que nous levions, -iez	que je levasse …	levons, -ez	levant	levé, -e	
je gèlerais …	que je gèle, -es, -e, -ent		gèle			17
	que nous gelions, -iez	que je gelasse …	gelons, -ez	gelant	gelé, -e	
j'achèterais …	que j'achète, -es, -e, -ent		achète			18
	que nous achetions, -iez	que j'achetasse …	achetons, -ez	achetant	acheté, -e	
j'appellerais …	que j'appelle, -es, -e, -ent		appelle			19
	que nous appelions, -iez	que j'appelasse …	appelons, -ez	appelant	appelé, -e	
je jetterais …	que je jette, -es, -e, -ent		jette			20
	que nous jetions, -iez	que je jetasse …	jetons, -ez	jetant	jeté, -e	
je paierais …	que je paie, -es, -e, -ent		paie			21
je payerais …	que je paye, -es, -e, -ent	que je payasse …	paye			
	que nous payions, -iez		payons, -ez	payant	payé, -e	

Infinitive	Rules	Indicative			
		Present	Imperfect	Past Historic	Future
22 essuyer	i *before mute* e	j'essuie, -es, -e, -ent			j'essuierai …
	y	nous essuyons, -ez	j'essuyais, nous essuyions, -iez	j'essuyai …	
23 employer	i *before mute* e	j'emploie, -es, -e, -ent			j'emploierai …
	y	nous employons, -ez	j'employais, nous employions, -iez	j'employai …	
24 envoyer	i *before mute* e	j'envoie, -es, -e, -ent			
	y	nous envoyons, -ez	j'envoyais, nous envoyions, -iez	j'envoyai …	
	err				j'enverrai …
25 haïr	i	je hais, -s, -t			
	ï	nous haïssons, -ez, -ent	je haïssais …	je haïs, nous haïmes, vous haïtes	je haïrai …
26 courir		je cours …	je courais …	je courus …	je courrai …
27 cueillir		je cueille, -es, -e, nous cueillons …	je cueillais …	je cueillis …	je cueillerai …
28 assaillir		j'assaille, -es, -e, nous assaillons, -ez, -ent	j'assaillais …	j'assaillis …	j'assaillirai …
29 fuir	i *before consonants and* e	je fuis, -s, -t, -ent		je fuis …	je fuirai …
	y *before* a, ez, i, o	nous fuyons, -ez	je fuyais, nous fuyions, -iez		
30 partir	*without* t	je pars …			
	with t	il part …	je partais …	je partis …	je partirai …
31 bouillir	ou	je bous, s, t			
	ouill	nous bouillons …	je bouillais …	je bouillis …	je bouillirai …
32 couvrir		je couvre, -es, -e, nous couvrons …	je couvrais …	je couvris …	je couvrirai
33 vêtir		je vêts …	je vêtais …	je vêtis …	je vêtirai …
34 mourir	eur	je meurs, -s, -t, -ent			
	our	nous mourons, -ez	je mourais …	je mourus …	je mourrai …
35 acquérir	quier	j'acquiers, -s, -t, -ièrent			
	quer	nous acquérons -ez	j'acquérais …		j'acquerrai …
	qu			j'acquis …	

Conditional	Subjunctive		Imperative	Participle		
Present	Present	Imperfect		Present	Past	
j'essuierais …	que j'essuie, -es, -e, -ent		essuie			22
	que nous essuyions, -iez	que j'essuyasse…	essuyons, -ez	essuyant	essuyé, e	
j'emploierais …	que j'emploie, -es, -e, -ent		emploie			23
	que nous employions, -iez	que j'employasse …	employons, -ez	employant	employé, -e	
	que j'envoie, -es, -e, -ent		envoie			24
	que nous envoyions, -iez	que j'envoyasse …	envoyons, -ez	envoyant	envoyé, -e	
j'enverrais …						
			hais			25
je haïrais …	que je haïsse, qu'il haïsse	que je haïsse, qu'il haït	haïssons, haïssez	haïssant	haï, -e	
je courrais …	que je coure …	que je courusse …	cours, courons, -ez	courant	couru, -e	26
je cueillerais …			cueille			27
	que je cueille …	que je cueillisse …	cueillons, -ez	cueillant	cueilli, -e	
			assaille			28
j'assaillirais …	que j'assaille …	que j'assaillisse	assaillons, -ez	assaillant	assailli, -e	
je fuirais …	que je fuie, -es, -e, -ent	que je fuisse	fuis		fui, -e	29
	que nous fuyions, -iez		fuyons, -ez	fuyant		
			pars			30
je partirais …	que je parte …	que je partisse …	partons, -ez	partant	parti, -e	
			bous			31
je bouillirais …	que je bouille …	que je bouillisse …	bouillons, -ez	bouillant	bouilli, -e	
	que je couvre, -es, -e,		couvre			32
je couvrirais …	que nous couvrions …	que je couvrisse …	couvrons, -ez	couvrant	couvert, -e	
je vêtirais …	que je vête …	que je vêtisse …	vêts vêtons, vêtez	vêtant	vêtu, -e	33
	que je meure …		meurs		mort, -e	34
je mourrais …		que je mourusse …	mourons, -ez	mourant		
	que j'acquière, -es, -e, -ent		acquiers			35
j'acquerrais …	que nous acquérions, -iez		acquérons, -ez	acquérant		
		que j'acquisse …			acquis, -e	

Infinitive	Rules	Indicative Present	Imperfect	Past Historic	Future
36 venir	i	je viens, -s, -t, -nent		je vins … ils vinrent	je viendrai …
	e	nous venons, -ez	je venais …		
37 gésir	*Defective*	je gis, tu gis, il gît, nous gisons, -ez, -ent	je gisais …		
38 ouïr	*Archaic*	j'ois … nous oyons …	j'oyais, nous oyions, -iez	j' ouïs …	j' ouïrai …
39 pleuvoir	*Impersonal*	il pleut	il pleuvait	il plut	il pleuvra
		ils pleuvent	ils pleuvaient	ils plurent	ils pleuvront
40 pourvoir	i	je pourvois, -s, -t, -ent			je pourvoirai …
	y	nous pourvoyons, -ez	je pourvoyais, nous pourvoyions, -iez		
	u			je pourvus …	
41 asseoir	ie	j'assieds, -ds, -d			j' assiérai …
	ey	nous asseyons, -ez, -ent	j' asseyais, nous asseyions, -iez		
	i			j'assis …	
asseoir (oi/oy *replace* ie/ey)	oi	j'assois, -s, -t, -ent			j' assoirai …
	oy	nous assoyons, -ez	j' assoyais, nous assoyions, -iez		
42 prévoir	oi	je prévois, -s, -t, -ent			je prévoirai …
	oy	nous prévoyons, -ez	je prévoyai, nous prévoyions, -iez		
	i/u			je prévis …	
43 mouvoir	eu	je meus, -s, -t, -vent			
	ou	nous mouvons, -ez	je mouvais …		mouvrai …
	u			je mus, -s, -t, -ûmes, -ûtes, -rent	
44 devoir	û *in the past participle masc. sing.*	je dois, -s, -t -vent nous devons, -ez	je devais …	je dus, -s, -t, -ûmes, -ûtes, -rent	je devrai …
45 valoir	au, aille	je vaux, -x, -t			je vaudrai …
	al	nous valons, -ez, -ent	je valais …	je valus, -s, -t, -ûmes, -ûtes, -rent	
prévaloir					

Conditional	Subjunctive		Imperative	Participle		
Present	Present	Imperfect		Present	Past	
je viendrais …	que je vienne, -es, -e, -ent	que je vinsse …	viens			**36**
	que nous venions, -iez		venons, -ez	venant	venu, -e	
				gisant		**37**
j'ouïrais …	que j'oie …	que j'ouïsse …	ois		ouï, -e	**38**
	nous oyions …		oyons, -ez	oyant		
il pleuvrait	qu'il pleuve	qu'il plût		pleuvant	plu	**39**
ils pleuvraient	qu'ils pleuvent	qu'ils plussent				
je pourvoirais …	que je pourvoie, -es, -e, -ent		pourvois	pourvoyant		**40**
	que nous pourvoyions, -iez		pourvoyons, -ez			
		que je pourvusse …			pourvu, -e	
j'assiérais …			assieds			**41**
	que j' asseye … que nous asseyions …		asseyons, -ez	asseyant		
		que j'assisse …			assis, -e	
j'assoirais …	que j'assoie, -es, -e, -ent		assois			
	que nous assoyions, -iez		assoyons, -ez	assoyant		
je prévoirais …	que je prévoie, -es, -e, -ent		prévois			**42**
	que ns prévoyions, -iez		prévoyons, -ez	prévoyant		
		que je prévisse …			prévu, -e	
	que je meuve, -es, -e, -ent		meus			**43**
je mouvrais …	que nous mouvions, -iez		mouvons, -ez	mouvant		
		que je musse, qu'il mût			mû, mue	
	que je doive, -es, -e, -ent	que je dusse …	dois		dû, due	**44**
je devrais …	que nous devions, -iez		devons, -ez	devant		
je vaudrais …	que je vaille, -es, -e, -ent		vaux			**45**
	que nous valions, -iez	que je valusse …	valons, -ez	valant	valu, -e	
	que je prévale, -es, -e					

Infinitive		Indicative			
	Rules	Present	Imperfect	Past Historic	Future
46 voir	oi	je vois, -s, -t, -ent			
	oy	nous voyons, -ez	je voyais, nous voyions, -iez		
	i/e/u			je vis …	je verrai …
47 savoir		je sais, -s, -t, nous savons, -ez, -ent	je savais …	je sus …	je saurai …
48 vouloir	veu/veuil	je veux, -x, -t, veulent			
	voul/voudr	nous voulons, -ez	je voulais …	je voulus …	je voudrai …
49 pouvoir	eu/u(i)	je peux, -x, -t, peuvent		je pus …	
	ouv/our	nous pouvons, -ez	je pouvais …		je pourrai …
50 falloir	***Impersonal***	il faut	il fallait	il fallut	il faudra
51 déchoir	choir ***and*** échoir ***are defective***	je déchois, -s, -t, -ent			
		nous déchoyons, -ez	je déchoyais …	je déchus …	je décherrai …
52 prendre	prend	je prends, -ds, -d			je prendrai …
	pren	nous prenons, -ez ils prennent	je prenais …		
	pri(s)			je pris …	
53 rompre		je romps, -ps, -pt, nous rompons …	je rompais …	je rompis …	je romprai …
54 craindre	ain/aind	je crains, -s, -t			je craindrai …
	aign	nous craignons, -ez, -ent	je craignais …	je craignis …	
55 peindre	ein	je peins, -s, -t			je peindrai …
	eign	nous peignons, -ez, -ent	je peignais …	je peignis …	
56 joindre	oin/oind	je joins, -s, -t			je joindrai …
	oign	nous joignons, -ez, -ent	je joignais …	je joignis …	
57 vaincre	ainc	je vaincs, -cs, -c			je vaincrai …
	ainqu	nous vainquons, -ez, -ent	je vainquais …	je vainquis …	
58 traire	i	je trais, -s, -t, -ent		(***obsolete***)	je trairai …
	y	nous trayons, -ez	je trayais, nous trayions, -iez		

Conditional	Subjunctive		Imperative	Participle		
Present	**Present**	**Imperfect**		**Present**	**Past**	
	que je voie, -es, -e, -ent		vois			**46**
	que nous voyions, -iez		voyons, -ez	voyant		
je verrais …		que je visse …			vu, -e	
je saurais …	que je sache …	que je susse …	sache, -ons, -ez	sachant	su, -e	**47**
	que je veuille, -es, -e, -ent		veux (veuille)			**48**
je voudrais …	que nous voulions, -iez	que je voulusse …	voulons, -ez (veuillez)	voulant	voulu, -e	
	que je puisse …	que je pusse …	(***obsolete***)		pu	**49**
je pourrais …				pouvant		
il faudrait	qu'il faille	qu'il fallût	(***no form***)	(***obsolete***)	fallu	**50**
	que je déchoie, -es, -e, -ent		déchois	déchéant		**51**
je décherrais …	que nous déchoyions, -iez	que je déchusse …	déchoyons, -ez		déchu, -e	
je prendrais …			prends			**52**
	que je prenne …		prenons, -ez	prenant		
		que je prisse …			pris, -e	
je romprais …	que je rompe …	que je rompisse …	romps -pons, -pez	rompant	rompu, -e	**53**
je craindrais …			crains		craint, -e	**54**
	que je craigne …	que je craignisse …	craignons, -ez	craignant		
je peindrais …			peins		peint, -e	**55**
	que je peigne …	que je peignisse …	peignons, -ez	peignant		
je joindrais …			joins		joint, -e	**56**
	que je joigne …	que je joignisse …	joignons, -ez	joignant		
je vaincrais …			vaincs		vaincu, -e	**57**
	que je vainque …	que je vainquisse …	vainquons, -ez	vainquant		
je trairais …	que je traie, -es, -e, -ent	(***obsolete***)	trais		trait, -e	**58**
	que nous trayions, -iez		trayons, -ez	trayant		

Infinitive	Rules	Indicative: Present	Imperfect	Past Historic	Future
59 plaire	ai	je plais, tu plais, il plaît (***but*** il tait) nous plaisons …	je plaisais …		je plairai …
	u			je plus …	
60 mettre	met	je mets, nous mettons	je mettais …		je mettrai …
	mis			je mis …	
61 battre	t	je bats, -ts, -t			
	tt	nous battons …	je battais …	je battis …	je battrai …
62 suivre	ui	je suis, -s, -t			
	uiv	nous suivons …	je suivais …	je suivis …	je suivrai …
63 vivre	vi/viv	je vis, -s, -t, nous vivons …	je vivais …		je vivrai …
	véc			je vécus …	
64 suffire		je suffis, -s, -t, nous suffisons …	je suffisais …	je suffis …	je suffirai …
65 médire		je médis, -s, -t, nous médisons, vous médisez (***but*** vous dites, redites)	je médisais …	je médis …	je médirai …
66 lire	i	je lis, -s, -t			je lirai …
	is	nous lisons, -ez, -ent	je lisais …		
	u			je lus …	
67 écrire	i	j'écris, -s, -t			j' écrirai …
	iv	nous écrivons, -ez, -ent	j' écrivais …	j' écrivis …	
68 rire		je ris, -s, -t, nous rions …	je riais … nous riions, -iez	je ris … nous rîmes …	je rirai …
69 conduire		je conduis …	je conduisais …	je conduisis...	je conduirai …
70 boire	oi	je bois, -s, -t, -vent			je boirai …
	u(v)	nous buvons, -ez	je buvais …	je bus …	
71 croire	oi	je crois, -s, -t, ils croient			je croirai …
	oy	nous croyons, -ez	je croyais, nous croyions, -iez		
	u			je crus …	

Conditional	Subjunctive		Imperative	Participle		
Present	Present	Imperfect		Present	Past	
je plairais …	que je plaise …	que je plusse …	plais plaisons, -ez	plaisant	plu	59
je mettrais …	que je mette …	que je misse …	mets mettons, -ez	mettant	mis, -e	60
je battrais …	que je batte …	que je battisse …	bats battons, -ez	battant	battu, -e	61
je suivrais …	que je suive …	que je suivisse …	suis suivons, -ez	suivant	suivi, -e	62
je vivrais …	que je vive …	que je vécusse …	vis vivons, -ez	vivant	vécu, -e	63
je suffirais …	que je suffise …	que je suffisse …	suffis suffisons, -ez	suffisant	suffi (***but*** confit, déconfit, frit, circoncis)	64
je médirais …	que je médise … que nous médisions, -iez	que je médisse …	médis médisons médisez (***but*** dites, redites)	médisant	médit	65
je lirais …	que je lise …	que je lusse …	lis lisons, -ez	lisant	lu, -e	66
j'écrirais …	que j'écrive …	que j'écrivisse …	écris écrivons, -ez	écrivant	écrit, -e	67
je rirais …	que je rie … que nous riions, -iez	que je risse … que nous rissions …	ris, rions, riez	riant	ri	68
je conduirais …	que je conduise …	que je conduisisse …	conduis conduisons, -ez	conduisant	conduit, -e (***but*** lui, nui)	69
je boirais …	que je boive, -es, -e, -ent que nous buvions, -iez	que je busse …	bois buvons, -ez	buvant	bu, -e	70
je croirais …	que je croie … que nous croyions, -iez	que je crusse …	crois croyons, -ez	croyant	cru, -e	71

Infinitive	Rules	Indicative Present	Imperfect	Past Historic	Future
72 croître	oî	je croîs, -s, -t			je croîtrai …
	oiss	nous croissons, -ez, -ent	je croissais …		
	û			je crûs …	
73 connaître		je connais, -s, -ssons, -ssez, -ssent	je connaissais …	je connus …	
	î ***before*** t	il connaît			je connaîtrai …
74 naître		je nais, nais,			
	î ***before*** t	naît			je naîtrai ...
	naisse	nous naissons, -ez, -ent	je naissais …		
	naqu			je naquis …	
75 résoudre	ou/oudr	je résous, -s, -t		(absoudre ***and*** dissoudre ***have no past historic***)	je résoudrai...
	ol/olv	nous résolvons, -ez, -ent	je résolvais …		
	olu			je résolus …	
76 coudre	oud	je couds, -ds, -d			je coudrai …
	ous	nous cousons, -ez, -ent	je cousais …	je cousis …	
77 moudre	moud	je mouds, -ds, -d			je moudrai …
	moul	nous moulons, -ez, -ent	je moulais …	je moulus …	
78 conclure		je conclus, -s, -t, nous concluons, -ez, -ent	je concluais …	je conclus …	je conclurai …
79 clore	***Defective***	je clos, -os, -ôt ils closent	(***obsolete***)	(***obsolete***)	je clorai …
80 maudire		je maudis, -s, -t nous maudissons, -ez, -ent	je maudissais ...	je maudis ...	je maudirai ...

Conditional	**Subjunctive**		**Imperative**	**Participle**		
Present	**Present**	**Imperfect**		**Present**	**Past**	
je croîtrais…	que je croisse …	que je crûsse …	croîs croissons, -ez	croissant	crû, crue (***but*** accru, -e)	**72**
je connaîtrais …	que je connaisse …	que je connusse …	connais, -ssons, -ssez	connaissant	connu, -e	**73**
je naîtrais ...	que je naisse …	que je naquisse …	nais naissons, -ez	naissant	né, -e	**74**
je résoudrais …	que je résolve … que je résolusse …		résous résolvons, -ez	résolvant	(absous, -oute; dissous, -oute) résolu, -e	**75**
je coudrais …	que je couse …	que je cousisse …	couds cousons, -ez	cousant	cousu, -e	**76**
je moudrais …	que je moule …	que je moulusse …	mouds moulons, -ez	moulant	moulu, -e	**77**
je conclurais …	que je conclue …	que je conclusse …	conclus concluons, -ez	concluant	conclu, -e (***but*** inclus, -e)	**78**
je clorais …	que je close …	(***obsolete***)	clos	closant	clos, -e	**79**
je maudirais ...	que je maudisse qu'il maudisse	que je maudisse qu'il maudît	maudis -ssons, -ssez	maudissant	maudit, -e	**80**

Verbes anglais irréguliers

Vous trouverez ci-après la liste des formes irrégulières des verbes qui figurent dans le dictionnaire, à l'exception :

- des verbes composés s'écrivant avec un trait d'union et dont l'un des éléments est un verbe irrégulier (ex. *baby-sit*) ;
- des verbes dont on double la dernière consonne au prétérit et au participe passé (ex. *spot*) (la conjugaison est indiquée dans le dictionnaire pour cette catégorie) ;
- des verbes dont le *y* final devient *-ie* dès que l'on ajoute la désinence *-d* ou *-s* (ex. *try*).

Les verbes dont les formes irrégulières ne s'appliquent qu'à certains sens sont signalés par un astérisque (*) (ex. *costed*).

Infinitif	Prétérit	Participe Passé
abide	abode, abided	abode, abided
arise	arose	arisen
awake	awoke	awoken
be	was/were	been
bear	bore	borne
beat	beat	beaten
become	became	become
befall	befell	befallen
beget	begot, begat††	begotten
begin	began	begun
behold	beheld	beheld
bend	bent	bent
beseech	beseeched, besought	beseeched, besought
beset	beset	beset
bespeak	bespoke	bespoke, bespoken
bet	bet, betted	bet, betted
bid	bade, bid	bidden, bid
bind	bound	bound
bite	bit	bitten
bleed	bled	bled
blow	blew	blown
break	broke	broken
breed	bred	bred
bring	brought	brought
broadcast	broadcast	broadcast
browbeat	browbeat	browbeaten
build	built	built
burn	burned, burnt *GB*	burned, burnt *GB*
bust	bust, busted *GB*	bust, busted *GB*
buy	bought	bought

Infinitif	Prétérit	Participe Passé
cast	cast	cast
catch	caught	caught
choose	chose	chosen
cleave	cleft, cleaved clove	cleft, cleaved, cloven
cling	clung	clung
come	came	come
cost	cost, *costed	cost, *costed
creep	crept	crept
crow	crowed, crew‡	crowed
cut	cut	cut
deal	dealt	dealt
dig	dug	dug
dive	dived *GB*, dove *US*	dived
do	did	done
draw	drew	drawn
dream	dreamed, dreamt *GB*	dreamed, dreamt *GB*
drink	drank	drunk
drive	drove	driven
dwell	dwelt	dwelt
eat	ate	eaten
fall	fell	fallen
feed	fed	fed
feel	felt	felt
fight	fought	fought
find	found	found
flee	fled	fled
fling	flung	flung
floodlight	floodlit	floodlit
fly	flew	flown
forbear	forbore	forborne
forbid	forbade, forbad	forbidden
forecast	forecast	forecast
foresee	foresaw	foreseen
foretell	foretold	foretold
forget	forgot	forgotten
forgive	forgave	forgiven
forsake	forsook	forsaken
forswear	forswore	forsworn
freeze	froze	frozen
gainsay	gainsaid	gainsaid
get	got	got, gotten *US*
give	gave	given
go	went	gone
grind	ground	ground
grow	grew	grown

Infinitif	Prétérit	Participe Passé
hamstring	hamstrung	hamstrung
hang	hung, *hanged	hung, *hanged
have	had	had
hear	heard	heard
heave	heaved, *hove	heaved, *hove
hew	hewed	hewn, hewed
hide	hid	hidden
hit	hit	hit
hold	held	held
hurt	hurt	hurt
inlay	inlaid	inlaid
inset	inset	inset
interweave	interwove	interwoven
keep	kept	kept
kneel	kneeled *US*, knelt	kneeled *US*, knelt
knit	knitted, knit	knitted, knit
know	knew	known
lay	laid	laid
lead	led	led
lean	leaned, leant *GB*	leaned, leant *GB*
leap	leaped, leapt *GB*	leaped, leapt *GB*
learn	learned, learnt *GB*	learned, learnt GB
leave	left	left
lend	lent	lent
let	let	let
lie	lay	lain
light	lit, *lighted	lit, *lighted
lose	lost	lost
make	made	made
mean	meant	meant
meet	met	met
miscast	miscast	miscast
misdeal	misdealt	misdealt
mishear	misheard	misheard
mislay	mislaid	mislaid
mislead	misled	misled
misread /ˌmɪsˈriːd/	misread /ˌmɪsˈred/	misread /ˌmɪsˈred/
misspell	misspelled, misspelt *GB*	misspelled, misspelt *GB*
misspend	misspent	misspent
mistake	mistook	mistaken
misunderstand	misunderstood	misunderstood
mow	mowed	mowed, mown
outbid	outbid	outbid, outbidden *US*
outdo	outdid	outdone
outgrow	outgrew	outgrown
output	output, outputted	output, outputted
outrun	outran	outrun

Infinitif	Prétérit	Participe Passé
outsell	outsold	outsold
outshine	outshone	outshone
overbid	overbid	overbid
overcome	overcame	overcome
overdo	overdid	overdone
overdraw	overdrew	overdrawn
overeat	overate	overeaten
overfly	overflew	overflown
overhang	overhung	overhung
overhear	overheard	overheard
overlay	overlaid	overlaid
overlie	overlay	overlain
overpay	overpaid	overpaid
override	overrode	overridden
overrun	overran	overrun
oversee	oversaw	overseen
overshoot	overshot	overshot
oversleep	overslept	overslept
overtake	overtook	overtaken
overthrow	overthrew	overthrown
partake	partook	partaken
pay	paid	paid
plead	pleaded, pled *US*	pleaded, pled *US*
prove	proved	proved, proven
put	put	put
quit	quit, quitted	quit, quitted
read /riːd/	read /red/	read /red/
rebuild	rebuilt	rebuilt
recast	recast	recast
redo	redid	redone
rehear	reheard	reheard
remake	remade	remade
rend	rent	rent
repay	repaid	repaid
reread /-riːd/	reread /-red/	reread /-red/
rerun	reran	rerun
resell	resold	resold
reset	reset	reset
resit	resat	resat
retake	retook	retaken
retell	retold	retold
rewrite	rewrote	rewritten
rid	rid	rid
ride	rode	ridden
ring	rang	rung
rise	rose	risen
run	ran	run
saw	sawed	sawed, sawn *GB*
say	said	said
see	saw	seen
seek	sought	sought
sell	sold	sold

Infinitif	Prétérit	Participe Passé
send	sent	sent
set	set	set
sew	sewed	sewn, sewed
shake	shook	shaken
shear	sheared	shorn, *sheared
shed	shed	shed
shine	shone, *shined	shone, *shined
shit	shat	shat
shoe	shod	shod
shoot	shot	shot
show	showed	shown, showed
shrink	shrank	shrunk, shrunken
shrive	shrived, shrove	shrived, shriven
shut	shut	shut
sing	sang	sung
sink	sank	sunk
sit	sat	sat
slay	slew	slain
sleep	slept	slept
slide	slid	slid
sling	slung	slung
slink	slunk	slunk
slit	slit	slit
smell	smelled, smelt *GB*	smelled, smelt *GB*
smite	smote	smitten
sow	sowed	sowed, sown
speak	spoke	spoken
speed	sped, *speeded	sped, *speeded
spell	spelled, spelt *GB*	spelled, spelt *GB*
spend	spent	spent
spill	spilled, spilt *GB*	spilled, spilt *GB*
spin	spun, span‡	spun
spit	spat	spat
split	split	split
spoil	spoiled, spoilt *GB*	spoiled, spoilt *GB*
spotlight	spotlit, spotlighted	spotlit, spotlighted
spread	spread	spread
spring	sprang	sprung
stand	stood	stood
stave	staved, stove	staved, stove
steal	stole	stolen
stick	stuck	stuck
sting	stung	stung
stink	stank	stunk
strew	strewed	strewed, strewn
stride	strode	stridden
strike	struck	struck
string	strung	strung

Infinitif	Prétérit	Participe Passé
strive	strove	striven
sublet	sublet	sublet
swear	swore	sworn
sweep	swept	swept
swell	swelled	swollen, swelled
swim	swam	swum
swing	swung	swung
take	took	taken
teach	taught	taught
tear	tore	torn
tell	told	told
think	thought	thought
thrive	thrived, throve	thrived, thriven‡
throw	threw	thrown
thrust	thrust	thrust
tread	trod	trodden
underbid	underbid	underbid
undercut	undercut	undercut
undergo	underwent	undergone
underlie	underlay	underlain
underpay	underpaid	underpaid
undersell	undersold	undersold
understand	understood	understood
undertake	undertook	undertaken
underwrite	underwrote	underwritten
undo	undid	undone
unfreeze	unfroze	unfrozen
unlearn	unlearned, unlearnt *GB*	unlearned, unlearnt *GB*
unstick	unstuck	unstuck
unwind	unwound	unwound
uphold	upheld	upheld
upset	upset	upset
wake	woke	woken
waylay	waylaid	waylaid
wear	wore	worn
weave	wove, weaved	woven, weaved
wed	wedded, wed	wedded, wed
weep	wept	wept
wet	wet, wetted	wet, wetted
win	won	won
wind /waınd/	wound /waʊnd/	wound /waʊnd/
withdraw	withdrew	withdrawn
withhold	withheld	withheld
withstand	withstood	withstood
wring	wrung	wrung
write	wrote	written

Glossary of grammatical terms
Glossaire des termes de grammaire

Abbreviation abbrev, abrév A shortened form of a word or *phrase*: ***etc., DNA***

Active In the active form the *subject* of the verb performs the action: ***ils* [subject] *parlent encore de politique***, *they're talking* (about) *politics again*. See **Passive**

Adjectival phrase loc adj A *phrase* that functions as an *adjective*: ***out of place***, the remark was quite out of place

Adjective adj A word describing a *noun*: **un crayon *gras***, a *soft* pencil

Adverb adv A word that modifies a *verb*, an *adjective*, or another *adverb*: **j'ai parlé trop *vite***, I spoke too *hastily*; ***assez* souvent**, *quite* often

Adverbial phrase loc adv A *phrase* that functions as an *adverb*: ***less and less, de moins en moins***

Article Articles are used before a noun. The *definite article* (art déf): in French **le, la, l', les**; in English **the**. The *indefinite article* (art indéf): in French **un, une**; in English **a/an**.

Attributive An *adjective* or *noun* is attributive when it is used directly before a *noun*: **le *grand* escalier**, the *main* staircase

Auxiliary verb A *verb* used with another *verb* to form *compound tenses*; in French **avoir** and **être**: **j'*ai* fait une affaire**, I got a bargain; **il *est* parti il y a cinq minutes**, he left five minutes ago

Cardinal number A whole *number* representing a quantity: ***un/une, deux, trois***, *one, two, three*

Clause A self-contained section of a *sentence* that contains a *subject* and a *verb*

Collective noun A *noun* that is *singular* in form but refers to a group of persons or things, e.g. ***la royauté, le gouvernement***, *royalty, the government*

Collocate A word that regularly occurs with another; for example, typical collocates of **lire, to read** are [***mot***, *word*; ***journal***, *newspaper*; ***auteur***, *author*; ***langue***, *language*]

Comparative The form of an *adjective* or *adverb* for comparing two or more *nouns* or *pronouns*, often using **plus, moins, aussi**, more, less, as: ***plus petit***, *smaller*; ***plus fréquemment***, *more frequently*; ***aussi étrange***, *as strange*

Compound A unit of two or more separate words with a specific meaning: ***tout-puissant***, *all-powerful*; ***porte-clés***, *key ring*

Compound tense A tense made up of two parts, *auxiliary verb* and *past participle*: **je *suis allée* de Bruxelles à Anvers** = I went from Brussels to Antwerp; **quand tu *auras tâté* de la prison**, when you've had a taste of prison

Conditional tense A *tense* of a *verb* that expresses what might happen if something else occurred: **je *n'aimerais pas* être à sa place**, I *wouldn't like* to be in his/her shoes

Conjugation Variation of the form of a *verb* to show *tense, person*, etc.

Conjunction conj A word used to link *clauses*: ***et***, *and*; ***parce que***, *because*

Conjunctional phrase loc conj A *phrase* that functions as a conjunction: **your report, *in case* you've forgotten, was due in yesterday, votre rapport, *au cas* où vous l'auriez oublié, était pour hier**

Consonant All the letters other than **a, e, i, o, u**. (**y** is also a vowel in French)

Countable C Countable *nouns* are those that have both singular and plural forms and can take determiners that accompany distinctions in number: ***the book, le livre; the books, les livres; un chat, a cat; des chats, some cats***

Definite article art déf: ***the, le, la, l', les***

Abréviation abrév Une forme raccourcie d'un mot ou d'une *locution*: ***etc., DNA***

Active (voix) À la voix active, le *sujet* du *verbe* fait l'action : **they're talking (about) politics again, *ils parlent* encore de politique**. Voir **Passive**

Adjectif adj Un mot qui décrit un *nom*: **a *soft* pencil, un crayon *gras***

Adjectif démonstratif Un *adjectif* qui indique la personne ou la chose à laquelle on réfère: ***this* car, *cette* voiture; *this* pen, *ce* stylo**

Adjectif exclamatif adj excl Un *adjectif* employé pour exprimer une *exclamation*: ***what* an idiot!, *quel* imbécile!; *how* dreadful!, *quelle* horreur !**

Adjectif indéfini adj indéf Un *adjectif* qui n'identifie pas une personne ou un objet en particulier: **for *many a* reader, pour *de nombreux* lecteurs; *no* other town, *nulle* autre ville**

Adjectif interrogatif adj inter Un *adjectif* qui modifie un *nom* dans une question: ***which* countries have you lived in?, dans *quels* pays as-tu vécu?; *what* time is it?, *quelle* heure est-il?**

Adjectif invariable adj inv Un *adjectif* ayant la même forme au *singulier* et au *pluriel*, comme en français, ***ivoire*** (= *ivory*), ***transmanche*** (= *cross-Channel*)

Adjectif possessif adj poss Un *adjectif* qui montre la possession, l'appartenance à quelqu'un ou quelque chose: ***my = mon/ma/mes***

Adverbe adv Un mot qui modifie un *verbe*, un *adjectif* ou un autre *adverbe*: **I spoke too *hastily*, j'ai parlé trop *vite*; *quite* often, *assez* souvent**

Article défini art déf: ***the = le, la, l', les***

Article indéfini art indéf: ***a/an, = un, une***

Article *l'article défini* (art déf) **the = le, la, l', les**, et l'*article indéfini* (art indéf) **a/an = un, une** sont employés avant un *nom*

Attribut Un *adjectif* est attribut s'il est employé après un *verbe* d'état comme be ou become en anglais, et **être** ou **devenir** en français: **he's *intelligent*, and *handsome* into the bargain, il est *intelligent* et *beau*, ce qui ne gâte rien**

Collocatif Un mot qui apparaît régulièrement à côté d'un autre; par exemple, les collocatifs typiques **de lire, to read** sont [***mot***, *word*; ***journal***, *newspaper*; ***auteur***, *author*; ***langue*** *language*]

Comparatif La forme d'un *adjectif* ou d'un *adverbe* utilisée pour comparer au moins deux *noms* ou *pronoms*, on emploie souvent **plus, moins, aussi**, more, less, as: ***plus petit***, *smaller*; ***plus fréquemment***, *more frequently*; ***aussi étrange***, *as strange*

Conditionnel *Mode verbal* qui exprime ce qui pourrait arriver si quelque chose se passait: **je *n'aimerais pas* être à sa place**, I *wouldn't like* to be in his/her shoes

Conjonction conj Un mot utilisé pour relier des *propositions*: ***et, and, parce que, because***

Conjugaison Variation de forme d'un *verbe* pour montrer un *temps*, une *personne*, etc. **chanter (= to sing): *chantait* (= *he was* singing), *chantons* (= *we are* singing)**

Consonne Toutes les lettres excepté **a, e, i, o, u** et **y** (le **y** est considéré comme une voyelle en français)

Dénombrable C Les *noms* dénombrables peuvent s'écrire au singulier et au pluriel et être précédés de déterminants indiquant le nombre : ***the book, le livre; the books, les livres; a cat, un chat; some cats, des chats***

Déterminant dét Un mot employé avant un *nom* pour préciser ce à quoi on réfère: ***the = le, la, l', les; some = du/de l'/de la/des; my = mon/ma/mes***

Demonstrative adjective An *adjective* indicating the person or thing referred to: ***cette* voiture**, ***this* car**; ***ce* stylo**, ***this* pen**

Demonstrative pronoun A *pronoun* indicating the person or thing referred to: **prends une autre chaise, *celle-ci* est cassée**, take another chair, *this one* is broken

Determiner det, dét A word used before a *noun* to make clear what is being referred to: ***le*, la, *l'*, *les***, the; ***du*/*de l'*/*de la*/*des***, some; ***mon*/*ma*/*mes***, my

Direct object direct obj The *noun* or *pronoun* directly affected by the *verb*: **je mange *du chocolat* pour me donner du courage**, I eat *chocolate* to keep myself going

Direct speech A speaker's actual words or the use of these in writing

Elliptical Having a word or words omitted, especially where the sense can be guessed from the context

Ending Letters added to the stems of *verbs, nouns* and *adjectives*, according to *tense, number, gender*

Exclamation excl A sound, word, or remark expressing a strong feeling such as anger, fear, or joy: **attention!**, look out!

Exclamatory adjective adj excl An *adjective* used to express an *exclamation*: ***quel* imbécile!**, *what* an idiot!; ***quelle* horreur**, *how* dreadful!

Feminine f One of the two *genders* in French: ***la* femme** = the woman; ***la* carte** = the card

Future tense The *tense* of a *verb* that refers to something that will happen in the future: ***I will go, j'irai***

Gender One of the two groups of *nouns* in French: *masculine* and *feminine*

Imperative A form of a *verb* that expresses a command: ***dépêche-toi* de finir ton travail**, *hurry up* and finish your work

Imperfect tense The *tense* of a *verb* that refers to an uncompleted or a habitual action in the past: **chaque année *ils allaient* faire du ski**, *they used* to go skiing every year

Impersonal verb v impers A *verb* used in English only with 'it' and in French only with '**il**': ***it's* raining, *il* pleut**

Indefinite adjective *adj indéf* An adjective that does not identify a specific person or object: **pour *maint* lecteur**, for *many* a reader; ***nulle* autre ville**, *no* other town

Indefinite article art indéf: **un, une, a/an**

Indefinite determiner dét indéf A *determiner* that does not identify a specific person or object: **il y a *trop d'*accidents**, there are *too* many accidents; **prenez *davantage de* viande**, have *some more* meat

Indefinite pronoun pron indéf A *pronoun* that does not identify a specific person or *object*: *on, one*; ***quelque chose***, *something*

Indicative form The form of a *verb* used when making a statement of fact or asking questions of fact in various *tenses*: ***il aime commander tout le monde***, *he loves ordering everyone about*

Indirect object indirect obj The *noun* or *pronoun* indirectly affected by the *verb*, at which the *direct object* is aimed: **je *lui* ai donné un double des clés**, I gave *him* a spare set of keys

Indirect speech A report of what someone has said which does not reproduce the exact words

Indirect transitive verb vtr ind In French, a *transitive verb* whose *object* is preceded by the *preposition* **à** or **de**: ***assister* à** = to be at; ***parler* de quelque chose/quelqu'un** = to talk about somebody/something

Infinitive The basic form of a verb: ***to play, jouer***

Inflect To change the ending or form of a word to show its *tense* or its grammatical relation to other words: **donne** and **donnez** are inflected forms of the verb **donner**

Interrogative adjective adj inter An *adjective* that modifies a *noun* in a question: **dans *quels* pays as-tu vécu?**, *which* countries have you lived in?; ***quelle* heure est-il?**, *what* time is it?

Déterminant indéfini dét indéf Un *déterminant* qui n'identifie pas une personne ou un objet en particulier: **il y a *trop d'*accidents** = there are too many accidents; **prenez *davantage de* viande** = have some more meat

Déterminant interrogatif dét inter Un *déterminant* employé pour former une question: ***which* of these two medicines is more effective?**, ***lequel* de ces deux médicaments est le plus efficace?**; ***how* far away is it?**, **c'est à *quelle* distance ?**

Discours direct Les mots exacts d'un locuteur ou leur emploi dans un texte

Discours indirect Le rapport des propos d'une personne sans que ses mots exacts soient reproduits

Discours rapporté Autre nom pour **Discours indirect**

Elliptique Dont un ou plusieurs mots sont omis, particulièrement lorsque le sens peut être déduit du contexte

Épithète épith Un *adjectif* ou un *nom* est épithète lorsqu'il est employé directement avant un *nom*: ***cautionary* look, regard *d'avertissement*, *wildlife* park, parc *animalier***

Exclamation excl Un son, un mot ou une remarque exprimant un sentiment fort comme la colère, la peur ou la joie: **look out!, attention!**

Féminin f L'un des deux *genres* en français: = ***la* femme**, the woman; ***la* carte**, = the card

Flexion Le fait de changer la terminaison d'un mot pour exprimer ses *temps* ou ses relations grammaticales avec d'autres mots: en français **donne** et **donnez** sont des formes fléchies du verbe **donner**; en anglais, **gives** est une forme fléchie du verbe **to give**.

Futur Ensemble de formes verbales indiquant que l'action se situe dans l'avenir: ***j'irai, I will go***

Genre L'un des deux types de *noms* en français: *masculin* et *féminin*

Imparfait Temps passé du *verbe*, indiquant une action inachevée ou une action habituelle dans le passé: **chaque année *ils allaient* faire du ski**, *they used to* go skiing every year

Impératif Mode du *verbe* qui exprime un ordre, la défense: ***hurry up* and finish your work!, *dépêche-toi* de finir ton travail !**

Indénombrable ¢ Les *noms* indénombrables n'ont pas de pluriel : ***water* = *l'eau*; *understanding* = *la compréhension***

Indicatif Mode du verbe qui exprime l'état, l'existence ou l'action d'une manière réelle, objective: ***he loves ordering everyone about, il aime commander tout le monde***

Infinitif Mode impersonnel qui exprime d'une manière indéterminée ou générale l'idée exprimée par le verbe: ***to play, jouer***

Locution Une section autonome d'une phrase ne contenant pas de verbe

Locution adjectivale loc adj Une *locution* qui fonctionne comme un *adjectif*: **de rigueur**, essential; **out of place, déplacé**

Locution adverbiale loc adv Une *locution* qui fonctionne comme un *adverbe*: ***less and less, de moins en moins***

Locution conjonctive loc conj Une *locution* qui fonctionne comme une *conjonction*: **your report, *in case* you've forgotten, was due in yesterday, votre rapport, *au cas où* vous l'auriez oublié, était pour hier**

Locution prépositionnelle loc prép Une *locution* composée d'une *préposition* et d'un complément: ***au-dessous du* genou** = below the knee; ***de sorte à* ne pas faire** = so as not to do

Locution verbale En anglais, formée d'un *verbe* suivi d'une *préposition* ou d'un adverbe pour donner un sens particulier: ***run away* = *s'enfuir***. Il n'y a pas de locutions verbales de ce type en français

Masculin m L'un des deux *genres* du français: ***le* garçon** = the boy; ***le* livre** = the book

Modificateur de nom modif Un mot qui apporte de l'information à un nom: ***altitude* training, entraînement *en altitude*; *transition* period, période *de transition***

Interrogative determiner dét inter A *determiner* used to form a question: **de ces deux médicaments, quel est le plus efficace?**, *which* of these two medicines is most effective?; **c'est à *combien* de kilomètres?**, *how* far away is it?

Interrogative pronoun pron inter A *pronoun* that asks a question: **qui?, who?**

Intransitive verb vi A *verb* that does not have a *direct object*: ***il est mort à* 95 ans**, *he died* at 95

Invariable adjective adj inv A French *adjective* that is unchanged in the *singular* and the plural, as French ***ivoire***, = *ivory*, ***transmanche*** = *cross-channel*

Invariable noun n inv A *noun* that is unchanged in the *singular* and the *plural*, as English ***sheep***, ***species***; French ***aide-mémoire***, ***rabais***

Irregular verb A *verb* that does not follow one of the set patterns and has its own individual forms, e.g. English ***to be***; French ***être***

Masculine m One of the two *genders* in French: ***le* garçon** = *the* boy; **le livre** = the book

Modal verb A *verb* that is used with another *verb* to express permission, obligation, possibility, such as ***can***, ***may***, ***might***, ***must***, ***ought***, ***shall***, ***should***, ***will***. The French modal verbs are ***devoir***, ***pouvoir***, ***savoir***, ***vouloir***, ***falloir***

Negative Expressing refusal or denial: **il *n'y* en a *pas***, there *aren't* any; **le bois *ne* veut *pas* brûler**, the wood *won't* burn

Noun n A word that names a person, thing, or concept such as ***Peter***, ***Pierre***; ***a child***, ***un enfant***; ***a book***, ***un livre***; ***peace***, ***la paix***

Noun modifier modif A modifier that adds extra information about a noun: ***altitude* training**, **entraînement *en altitude***; ***transition* period**, **période *de transition***

Number The state of being either *singular* or *plural*

Object obj The word or words naming the person or thing acted on by a *verb*: **il a laissé *une abondante correspondance***, he left a *huge number of letters*; **j'ai lavé *les rideaux de la chambre***, I washed *the bedroom curtains*

Ordinal number A number that shows the position of a person or thing in a series: **la *deuxième* fois**, the *second* time; **la *Cinquième République***, the Fifth Republic

Part of speech A grammatical term for the function of a word; *noun*, *verb*, *adjective*, etc., are parts of speech

Passive In the passive, the *subject* of the *verb* experiences the action rather than performs it: **il a été puni de sa paresse**, he has been punished for his laziness. See **Active**

Past participle pp The part of a *verb* used to form past *compound tenses* with **être** and **avoir**: **je n'avais pas *vu* la situation sous cet aspect**, I hadn't *seen* the situation in that light

Past participle adjective pp adj An *adjective* formed from the *past participle* of a verb in the perfect tense: ***dressed***, ***habillé***, ***vêtu***; ***furnished***, ***meublé***

Perfect tense In French the perfect tense is used conversationally to refer to an event in the past: ***il a mangé* au restaurant**, *he ate* in a restaurant; ***ils ont trouvé* qui *a volé* la voiture**, *they found* the person who *stole* the car. Note the use of the simple past (preterit) in these English translations

Person Any of the three groups of *personal pronouns* and forms taken by *verbs*. In the *singular* the first person (e.g. ***je*/*I***) refers to the person speaking; the second person (e.g. ***tu*/*you***) refers to the person spoken to; the third person (e.g. ***il***, ***elle*/*he***, ***she***, ***it***) refers to the person spoken about. The corresponding *plural* forms are ***nous*/*we***, ***vous*/*you***, ***ils***, ***elles*/*they***

Personal pronoun pron pers A *pronoun* that refers to a person or thing

Phrasal verb A *verb* in English combined with a *preposition* or an *adverb* to give a particular meaning: ***run away***, ***wash up***. There are no phrasal verbs in French

Phrase phr A self-contained section of a *sentence* that does not contain a full *verb*

Mot composé Une unité formée de deux ou plusieurs mots séparés et ayant un sens spécifique: ***all-powerful***, ***tout-puissant***; ***keyring***, ***porte-clés***

Négation Mot ou groupe de mots servant à rendre un énoncé négatif: **there *aren't* any**, **il *n'y* en a *pas***; **the wood *won't* burn**, **le bois *ne* veut *pas* brûler**

Nom collectif Un *nom* au singulier mais renvoyant à un groupe de personnes ou de choses: ***royalty***, **la *royauté***, **the *government***, **le *gouvernement***

Nom invariable n inv Un *nom* dont la forme reste toujours identique, comme en anglais ***sheep***, ***species***, et en français ***aide-mémoire***, ***rabais***

Nom n Un mot qui nomme une personne, une chose ou un concept comme ***Peter***, ***Pierre***; ***a child***, ***un enfant***; ***a book***, ***un livre***; ***peace***, ***la paix***

Nom propre n pr Le nom d'une personne, d'un lieu, d'une institution, etc. généralement écrit avec une majuscule: ***France***, ***the Alps***, ***Madeleine***, ***l'Europe***

Nombre cardinal Un *nombre* entier représentant une quantité: ***one***, ***two***, ***three***, ***un*/*une***, ***deux***, ***trois***

Nombre Le fait d'être *singulier* ou *pluriel*

Nombre ordinal Un nombre montrant la position d'une personne ou d'un objet dans une série: **the *second* time**, **la *deuxième* fois**; **the *Fifth* Republic**, **la *Cinquième* République**

Object obj Le ou les mots nommant la personne ou la chose sur lesquels porte l'action d'un *verbe*: **he left *a huge number of letters***, ***il a laissé une abondante correspondance***; **I washed *the bedroom curtains***, ***j'ai lavé les rideaux de la chambre***

Objet direct obj direct Le *nom* ou *pronom* directement impliqué par le *verbe*: **I eat *chocolate* to keep myself going**, **je mange du *chocolat* pour me donner du courage**

Objet indirect indirect obj Le *nom* ou le *pronom* indirectement impliqué par le verbe, à qui l'*objet direct* est destiné: **I gave *him* a spare set of keys**, **je *lui* ai donné un double des clés**

Participe passé pp La forme d'un *verbe* utilisée pour former un *temps composé* passé avec **être** et **avoir** en français et avec **be** et **have** en anglais: **je n'avais pas *vu* la situation sous cet aspect**, I hadn't *seen* the situation in that light

Participe passé adjectival pp adj Un *adjectif* formé à partir du *participe passé*: ***dressed***, ***habillé***, ***vêtu***; ***furnished***, ***meublé***

Participe présent adjectival pres p adj Un *adjectif* formé à partir du *participe présent* d'un verbe. En anglais: *competing* (= ***rival***); ***dizzying*** (= ***vertigineux*/*euse***); en français ***intéressant*** (= ***interesting***), ***fatigant*** (= ***tiring***)

Participe présent p prés La forme d'un *verbe* qui se termine par -ing en anglais et par -ant en français

Partie du discours Un terme grammatical qui indique la fonction d'un mot; le *nom*, le *verbe*, l'*adjectif*, etc., sont des parties du discours

Passé composé En français le passé composé est employé pour renvoyer à un évènement du passé: ***il a mangé* au restaurant**, *he ate* in a restaurant; ***ils ont trouvé* qui *a volé* la voiture**, *they found* the person who *stole* the car. Voir **Prétérit**

Passive (voix) À la voix passive, le *sujet* du *verbe* subit l'action au lieu de l'accomplir: ***he has been punished* for his laziness**, ***il a été puni* de sa paresse**. Voir **Active**

Personne Chacun des trois groupes de *pronoms personnels* ainsi que les différentes formes prises par un *verbe*. Au *singulier* la première personne (***I*/*je***) renvoie à la personne qui parle; la deuxième personne (***you*/*tu***) renvoie à la personne à qui on parle; la troisième personne (***he***, ***she***, ***it*/*il***, ***elle***) renvoie à la personne de qui on parle. Les formes correspondantes au *pluriel* sont ***we*/*nous***, ***you*/*vous***, ***they*/*ils***, ***elles***

Phrase Une séquence de mots comprenant un *sujet* et un *verbe*, qui peut se suffire à elle-même pour exprimer une affirmation, une question ou un ordre

Pluriel pl Plus d'une seule unité: ***the children***, ***les enfants***

Pluperfect tense The *tense* of a *verb* that refers to something that happened before a particular point in the past: **je n'ai pas eu le temps de dire ouf, *il était* déjà *parti***, before I could say Jack Robinson, *he'd gone*

Plural pl Meaning more than one: ***the children, les enfants***

Possessive adjective adj poss An *adjective* that shows possession, belonging to someone or something: ***mon/ma/mes, my***

Possessive pronoun pron poss A *pronoun* that shows possession, belonging to someone or something: ***le mien/la mienne/les miens/les miennes, mine***

Predicative An *adjective* is predicative when it comes after a *verb* such as be or become in English, or after **être** or **devenir** in French: **il est *intelligent* et *beau*, ce qui ne gâte rien**, he's *intelligent*, and *handsome* into the bargain

Prefix Letter or letters added to the beginning of a word to change its meaning, e.g. **anti-, ultra-, non-**

Preposition A word standing in front of a *noun* or *pronoun*, usually indicating movement, position or time: ***on* the chair, *sur* la chaise; he came *towards* me, il vint *vers* moi**

Prepositional phrase loc prép A *phrase* that consists of a *preposition* and a complement: ***au-dessous du* genou** = *below the knee*; ***de sorte à* ne pas faire** = so as not to do

Present participle p prés The part of a *verb* in English that ends in **-ing**; the corresponding ending in French is **-ant**

Present participle adjective pres p adj An *adjective* formed from the present participle of a *verb* in the *present tense*: ***competing** = **rival**; **dizzying** = **vertigineux/euse***

Present tense pres, prés The *tense* of a *verb* that refers to something happening now: ***je fais**, I make, I am making*

Preterit pret, prét Another term for the simple past tense in English, eg ***I went***, or the *passé simple* in French, eg ***j'allai***. Note that the simple past tense in English corresponds to the *perfect tense* in French: **I went = je suis allé(e)**

Pronoun pron A word that stands instead of a *noun*: ***il, he, elle, she, le mien/la mienne/les miens/les miennes, mine***

Proper noun pr n The name of a person, place, institution, etc, generally written with an initial capital letter: ***France, the Alps, Madeleine, l'Europe*** are all proper nouns

Quantifier quantif A word or *phrase* that specifies the quantity of a *noun*: ***several, plusieurs; a lot of*, beaucoup de**

Reflexive pronoun A *pronoun* that goes with a *reflexive verb*: in French: ***me, te, se, nous, vous***, se ; in English: *myself, yourself, himself, herself, itself, ourselves, yourselves, themselves*

Reflexive verb v refl A *verb* whose *object* is the same as its *subject*. In French it is used with a *reflexive pronoun* and conjugated with **être**: **le chat *s'est glissé* sous la voiture** = the cat *crept* under the car

Regular verb A *verb* that follows a set pattern in all its different forms

Relative pronoun pron rel A *pronoun* that introduces a *subordinate clause*, relating to a person or thing mentioned in the main *clause*: **le livre *que* j'ai choisi**, the book *which* I have chosen

Reported speech Another name for **Indirect speech**

Sentence A sequence of words, with a *subject* and a *verb*, that can stand on their own to make a statement, ask a question, or give a command

Singular One only: ***the tree, l'arbre***

Stem The part of a *verb* to which endings are added; **donn-** is the stem of **donner**

Subject In a *clause* or sentence, the *noun* or *pronoun* that causes the action of the *verb*: ***il* a attrapé le ballon après le rebond**, *he* caught the ball on the rebound

Subjunctive subj A *verb* form used in French after certain *conjunctions* and with verbs of wishing, fearing, ordering, forbidding followed by **que**: **elle veut que *tu sois* heureux** = she wants you to be happy; **il est bien possible que le concert *soit* annulé**, the concert *might* well be cancelled

Plus-que-parfait Le *temps verbal* qui renvoie à quelque chose qui s'est produit avant un point particulier dans le passé: **before I could say Jack Robinson, *he'd gone*, je n'ai pas eu le temps de dire ouf, *il était* déjà *parti***

Préfixe Une ou plusieurs lettres ajoutées au début d'un mot pour en changer le sens: **anti-, ultra-, non-**

Préposition Un mot placé juste avant un *nom* ou un *pronom* et qui indique généralement un mouvement, une position ou un temps: ***on* the chair, *sur* la chaise; he came *towards* me, il vint *vers* moi**

Présent prés Le *temps verbal* situant ce qui est énoncé au moment de l'énonciation: ***I make, je fais***

Prétérit pret prét Autre terme pour le *passé simple* en anglais, ex: *I went*, ou le *passé simple* en français, ex: ***j'allai***. Notez que le passé simple en anglais correspond au *passé composé* en français: **I went = je suis allé(e)**

Pronom démonstratif Un *pronom* indiquant la personne ou la chose à laquelle on réfère: **take another chair, *this one* is broken, prends une autre chaise, *celle-ci* est cassée**

Pronom indéfini pron indéf Un pronom qui n'identifie pas une personne ou un *objet* en particulier: ***one, on; something, quelque chose***

Pronom interrogatif pron inter Un *pronom* qui pose une question: **who?, qui?**

Pronom personnel pron pers Un *pronom* renvoyant à une personne ou à une chose

Pronom possessif pron poss Un *pronom* qui montre la possession, l'appartenance à quelqu'un ou à quelque chose: ***mine, le mien/la mienne/les miens/les miennes***

Pronom pron Un mot qui remplace un *nom*: ***he, il, she, elle, mine le mien/la mienne/les miens/les miennes***

Pronom réflechi Un *pronom* qui s'emploie avec un *verbe pronominal*: en français ***me, te, se, nous, vous, se***

Pronom relatif pron rel Un *pronom* qui introduit une *proposition subordonnée*, renvoyant à une personne ou à une chose mentionnée dans la *proposition principale*: **the book *which* I chose, le livre *que* j'ai choisi**

Proposition subordonnée Une *proposition* qui complète la *proposition principale* d'une *phrase*, mais qui ne peut pas fonctionner comme une phrase à elle seule: I knew him ***when he was plain Mr Spencer*, je l'ai connu *quand il s'appelait M. Spencer tout court***

Proposition Une partie autonome d'une *phrase* contenant un *sujet* et un *verbe*

Quantifieur quantif Un mot ou une *locution* qui spécifie la quantité d'un *nom*: ***several, plusieurs; a lot of, beaucoup de***

Radical La partie du *verbe* à laquelle on ajoute des terminaisons; **donn-** est le radical de **donner** = to give

Singulier Seulement une unité: ***the tree, l'arbre***

Subjonctif subj Une *forme verbale* utilisée en français après certaines *conjonctions* ainsi qu'avec les verbes de souhait, de crainte, d'ordre, d'interdiction suivis de que: **elle veut que *tu sois* heureux** = she wants you to be happy; **il est bien possible que le concert *soit* annulé**, the concert *might* very well be cancelled

Suffixe Un groupe de lettres ajoutées à la fin d'un mot pour former un autre mot: **-able** dans work**able**; **-eur** dans grand**eur** ou **-able** dans véritab**le**

Sujet Dans une *proposition* ou une *phrase*, le *nom* ou le *pronom* qui fait l'action du *verbe*: ***he* caught the ball on the rebound, *il* a attrapé le ballon après le rebond**

Superlatif La forme d'un *adjectif* ou d'un *adverbe* pour exprimer 'le plus' ou 'le moins': **the *biggest* house, *la plus grande* maison; the *cheapest* CD, le CD *le moins cher***

Temps La *forme verbale* indiquant quand se passe l'action: le *présent*, le *futur*, l'*imparfait*, le *passé composé* et le *plus-que-parfait* sont tous des temps

Subordinate clause A *clause* which adds information to the main *clause* of a sentence, but cannot function as a sentence by itself, e.g. I knew him ***when he was plain Mr Spencer***, **je l'ai connu *quand il s'appelait M. Spencer tout court***

Suffix A group of letters added to the end of a word to form another word, e.g. ***-able*** in *work**able***; ***-eur*** in *grand**eur*** or ***-able*** in *érit**able***

Superlative The form of an *adjective* or *adverb* that makes it the 'most' or 'least': **the *biggest* house**, ***la plus grande* maison**; **the *cheapest* CD**, **le CD *le moins cher***

Tense The verb form that tells when the action takes place: *present*, *future*, *imperfect*, *perfect*, *pluperfect* are all tenses

Transitive verb vtr A *verb* used with a *direct object*: ***il a bu* trois verres**, *he drank* three glasses

Uncountable ¢ Uncountable *nouns* do not have a plural form: ***water* = *l'eau***; ***understanding* = *la compréhension***

Verb v A word or group of words that describes an action: **les enfants *jouent***, the children *are playing*

Vowel One of the following letters: **a**, **e**, **i**, **o**, **u** and in addition, **y** in French

Temps composé Un *temps* composé de l'auxiliaire ***être*** ou ***avoir*** et du *participe passé* du verbe : **je *suis allée* de Bruxelles à Anvers** = I went from Brussels to Antwerp; **quand tu *auras tâté* de la prison**, when you've had a taste of prison

Terminaison Lettres ajoutées au *radical* d'un *verbe*, d'un *nom* ou d'un *adjectif* pour exprimer le *temps*, le *nombre*, la *personne* ou le *genre*: **chant-*ait*** = *he was* singing, **joli-e** = beautiful (feminine : **-e**)

Verbe auxiliaire Un *verbe* employé avec un autre *verbe* pour former des *temps composés*; en français **avoir** et **être**, en anglais **do**, **be** et **have** : ***do* you like him?** = **l'aimes-tu ?**; **he has left**, **il est parti**; **he *was* late again**, **il *était* encore en retard**

Verbe impersonnel v impers Un *verbe* employé en anglais uniquement avec '**it**' et en français uniquement avec '**il**': ***it's raining***, **il pleut**

Verbe intransitif vi Un *verbe* n'ayant pas d'*objet direct*: ***he died* at 95**, ***il est mort* à 95 ans**

Verbe irrégulier Un *verbe* qui ne suit pas les modèles de conjugaison réguliers et qui a ses propres formes individuelles, par exemple, ***to be***, en anglais et ***être***, en français

Verbe modal Un *verbe* employé avec un autre *verbe* pour exprimer la permission, l'obligation, la possibilité, comme ***can***, ***may***, ***might***, ***must***, ***ought***, ***shall***, ***should***, ***used to***, ***will***, ***would***. Les verbes modaux français sont ***devoir***, ***pouvoir***, ***savoir***, ***vouloir***, ***falloir***

Verbe pronominal v refl Un *verbe* dont l'*objet* est identique au *sujet*. En français, il est employé avec un pronom réfléchi et conjugué avec le verbe **être**: **le chat *s'est glissé* sous la voiture** = the cat *crept* under the car

Verbe régulier Un *verbe* qui suit un modèle régulier de conjugaison dans ses différentes formes

Verbe transitif indirect vtr ind En français, un *verbe transitif* dont l'*objet* est précédé des prépositions ***à*** ou ***de***: ***assister* à** = to be at; ***parler de* quelque chose/quelqu'un** = to talk about somebody/something

Verbe transitif vtr Un *verbe* employé avec un *object direct*: **he's *drunk* three big glasses**, ***il a bu* trois bons verres**

Verbe v Un mot ou groupe de mots qui décrit une action ou un fait: **les enfants *jouent***, the children *are playing*

Voyelle Chacune des lettres suivantes: **a**, **e**, **i**, **o**, **u**, plus **y** en français

Notes culturelles anglo-saxonnes

ACT, American College Test
Actors' Studio
Affirmative action
AFL-CIO
African American
A level
Alma mater
Amendment
American Civil War
American dream
American eagle
Amish
Archers (the)
AS level
Assembly
Backbencher
Bank card
Beat generation
Bonfire Night
Bowl games
Boxing Day
Britannia
British Isles
Broadway
Bus(s)ing
Cabinet
Cajun
Caucus
Celtic fringe
Celtic Tiger
Charities
Charter schools
Checks and balances
Chicano
City (the)
Civil List
Clubs
Cockney
Colleges
Comic Relief Day
Common law
Commonwealth
Congress
Constitution
County
Dáil
Declaration of Independence
Denominations in the USA
Devolution
Division
Downing Street
Edinburgh Festival
Éire
Eisteddfod
Ellis Island
English Heritage
first past the post system
Flat-sharing
Fleet Street
Food stamps
Founding Fathers (the)
Frontbencher
Gaelic
Gap year
Garter : Order of the Garter
-gate
GCSE
God Save the Queen/King
Great Britain
Green card
Green-welly brigade (the)
Groundhog Day
Habeas corpus
Halloween
High school
Honours List
House of Commons
House of Lords
HOV lanes
Hyphenated American
Impeachment
Independence Day (4th July)
Interstate
Ivy League (the)
Kitchen-sink drama
Knight/Dame
Lame duck
Land's End to John o'Groats
Leader of the Opposition
Limerick
Logrolling
Lollipop lady/man
Magnet schools
Man Booker Prize
Manifest Destiny
Mason-Dixon Line
Middle England
Midterm elections
Miranda warning
National Rifle Association
National Trust
Native American
Newspapers
Official Birthday
Old boy network
One man one vote
Open University
Oscars
Oxbridge
Parliament
Pentagon
Pilgrim Fathers (the)
Pledge of Allegiance
Poet laureate
Politically correct, PC
Poppy day
Prep school
Primaries
Proms
Public schools
Publish or perish
Pulitzer Prize
Quango
Received pronunciation, RP
Rhyming slang
Scholarship
Scholastic Aptitude Test, SAT
Scottish Parliament
Secondary schools
Shadow cabinet
Sloane
Soap operas
Speaker
Speakers' Corner
Spoils system
Standard Assessment Task, SAT
Standard Grades
Stars and Stripes (the)
Star-spangled Banner (the)
State of the Union Address
State Opening of Parliament
St David's Day
St Patrick's Day
Summer Camp
Supreme Court
Teach for America
Teamsters Union (the)
Thanksgiving
Thirteen Colonies (the)
Three R's (the)
TOEFL
Town and gown
Troubles (the)
Ulster
Uncle Sam
Union Jack
United Kingdom
Wall Street
Washington DC
Welfare
Welfare State
Welsh
Welsh Assembly
Westminster
White House
Yankee
Zero tolerance

French cultural notes

Notes d'usage lexicales françaises
English lexical usage notes

abbreviation	**abbrev, abrév**	abréviation
accountancy	**Accts**	comptabilité
adjective	**adj**	adjectif
demonstrative adjective	**adj dém**	adjectif démonstratif
exclamatory adjective	**adj excl**	adjectif exclamatif
indefinite adjective	**adj indéf**	adjectif indéfini
interrogative adjective	**adj inter**	adjectif interrogatif
adjectival phrase	**adj phr**	locution adjective
possessive adjective	**adj poss**	adjectif possessif
relative adjective	**adj rel**	adjectif relatif
administration	**Admin**	administration
adverb	**adv**	adverbe
adverbial phrase	**adv phr**	locution adverbiale
advertising	**Advertg**	publicité
aerospace	**Aerosp**	astronautique
agriculture	**Agric**	agriculture
anatomy	**Anat**	anatomie
anthropology	**Anthrop**	anthropologie
antiquity	**Antiq**	antiquité
archeology	**Archeol, Archéol**	archéologie
architecture	**Archit**	architecture
definite article	**art déf**	article défini
indefinite article	**art indéf**	article indéfini
insurance	**Assur**	assurance
astrology	**Astrol**	astrologie
astronomy	**Astron**	astronomie
aerospace	**Astronaut**	astronautique
Australian	**Austral**	anglais d'Australie
automobile	**Aut**	automobile
auxiliary	**aux**	auxiliaire
aviation	**Aviat**	aviation
Belgian French	**Belg**	belgicisme
biology	**Biol**	biologie
botany	**Bot**	botanique
Canadian French	**Can**	canadianisme
chemistry	**Chem**	chimie
cinema	**Cin**	cinéma
civil engineering	**Civ Eng**	génie civil
commerce	**Comm**	commerce
accountancy	**Compta**	comptabilité
computing	**Comput**	informatique
conjunction	**conj**	conjonction
conjunctional phrase	**conj phr**	locution conjonctive
construction	**Constr**	construction, bâtiment
controversial	**controv**	usage critiqué
cosmetics	**Cosmet, Cosmét**	cosmétique
motor-racing	**Courses Aut**	courses automobiles
sewing	**Cout**	couture
culinary	**Culin**	culinaire
dentistry	**Dent**	dentisterie
determiner	**det, dét**	déterminant
indefinite determiner	**dét indéf**	déterminant indéfini
interrogative determiner	**dét inter**	déterminant interrogatif
dialect	**dial**	dialecte
European Union	**EU**	Union européenne
ecology	**Ecol, Écol**	écologie
economy	**Econ, Écon**	économie
publishing	**Édition**	édition
electricity	**Elec**	électrotechnique
electronics	**Electron, Électron**	électronique
electricity	**Électrotech**	électrotechnique
management	**Entr**	entreprise
attributive	**épith**	épithète
equitation	**Equit, Équit**	équitation
euphemistic	**euph**	euphémique
exclamation	**excl**	exclamation
feminine	**f**	féminin
fashion	**Fashn**	mode
figurative	**fig**	figuré
finance	**Fin**	finance
tax	**Fisc**	fiscalité
fishing	**Fishg**	pêche
formal	**fml**	soutenu
British English	**GB**	anglais britannique
civil engineering	**Gén Civ**	génie civil
general	**gen, gén**	généralement
geography	**Geog, Géog**	géographie
geology	**Geol, Géol**	géologie
Swiss French	**Helv**	helvétisme
heraldry	**Herald, Hérald**	héraldique
history	**Hist**	histoire
horticulture	**Hort**	horticulture
humorous	**hum**	humoristique
hunting	**Hunt**	chasse
printing	**Imprim**	imprimerie
industry	**Ind**	industrie
offensive	**injur**	injurieux
insurance	**Insur**	assurance
invariable	**inv**	invariable
Irish	**Ir**	anglais d'Irlande
ironic	**iron**	ironique
journalism	**Journ**	presse
journalese	**journ**	journalistique
law	**Jur**	droit
baby talk	**lang enfantin**	langage enfantin
linguistics	**Ling**	linguistique
literary	**liter, littér**	littéraire
literature	**Literat, Littérat**	littérature
phrase	**loc**	locution
adjectival phrase	**loc adj**	locution adjective
adverbial phrase	**loc adv**	locution adverbiale
conjunctional phrase	**loc conj**	locution conjonctive
noun phrase	**loc nom**	locution nominale
prepositional phrase	**loc prép**	locution prépositive
masculine	**m**	masculin
mathematics	**Math**	mathématiques
measure, units etc	**Meas, Mes**	métrologie
mechanics	**Mécan**	mécanique
mechanics	**Mech**	mécanique
medicine	**Med, Méd**	médecine
meteorology	**Meteorol, Météo**	météorologie
management	**Mgmt**	entreprise
military	**Mil**	armée
navy	**Mil Naut**	marine
mineralogy	**Miner, Minér**	minéralogie
noun modifier	**modif**	modificateur
motor-racing	**Motor-racing**	courses automobiles
music	**Mus**	musique
mythology	**Mythol**	mythologie